F f

O *waw* (prego ou gancho, em fenício) originou as letras *f, u, v, w, e y*. Pronunciava-se ora como *u*, ora como *v*. Os gregos adotaram uma variante desta letra à qual deram o nome de *digama*, que passou a ser usada apenas como um numeral. Entre os etruscos, o *digama* voltou a ser usado como letra, para representar o som de *f*. Foi com os romanos que a forma do *f* que conhecemos hoje se estabaleceu definitivamente.

Q q

O *q* originou-se entre os fenícios com o nome de *qoph*, palavra que significava macaco. Seu equivalente grego era o caractere denominado *kappa*, que, por coincidência, representava praticamente o mesmo som que o *capa*, outra letra grega. Aos poucos, o *kappa* foi caindo em desuso, só voltando ao alfabeto com os etruscos e os romanos, que o utilizavam apenas quando seguido de letra *u*.

H h

Muitos historiadores creem que esta letra surgiu com ... peneira. Mil anos ... para designar um ... *h* (cerca) porque seu ... volta de 900 a.C., os ... nciavam a primeira ... denominaram-na *êta* ... moderno.

P p

O *pe* fenício foi provavelmente uma das únicas letras do alfabeto cujo nome, que significava *boca*, não guardava relação direta com essa forma. Por esse motivo, seu desenho foi o que mais se modificou, desde a versão fenícia até a latina. Entre os gregos, a letra que se assemelhava ao nosso *p* — o *rô* — representava o som de *r*, e o *p* era representado pelo *pi*, tão conhecido pelos estudantes. Os romanos herdaram dos etruscos um desenho mais antigo da letra grega *pi*, e deram-lhe a forma que usamos hoje.

S s

Na escrita egípcia, o *s* era representado pelo desenho de uma espada. Entre os fenícios recebeu o nome de *shin*, que siginificava *dente*. Dos gregos recebeu o nome de *sigma* e adquiriu novo formato, que preservava apenas o desenho em zigue-zague do seu ancestral fenício. Foi com os romanos que o *s* ganhou sua forma atual.

E e

A letra fenícia *he*, que representava aproximadamente um som de *h* aspirado, foi o provável ancestral do nosso *e*. Quando os gregos adotaram o alfabeto fenício, tiveram dificuldade em pronunciar a primeira parte do nome desse caractere e a abandonaram, conservando apenas o som de *e*. A esta letra os gregos deram o nome de *epsílon*. Com o tempo, simplificaram seu desenho virando os traços horizontais para a direita.

T t

Entre os fenícios, o *tau* servia para designar o som de *t* e para representar a assinatura dos que não sabiam escrever. Quando adotado pelos gregos, o *tau* foi ligeiramente alterado e tornou-se muito parecido com o nosso *t*. Esta letra conservou sua forma praticamente inalterada até os dias de hoje.

E e

A letra fenícia *he*, que representava aproximadamente um som de *h* aspirado, foi o provável ancestral do nosso *e*. Quando os gregos adotaram o alfabeto fenício, tiveram dificuldade em pronunciar a primeira parte do nome desse caractere e a abandonaram, conservando apenas o som de *e*. A esta letra os gregos deram o nome de *epsílon*. Com o tempo, simplificaram seu desenho virando os traços horizontais para a direita.

J j

As letras *i* e *j* originaram-se no *yod* fenício, e durante muito tempo não houve diferenciação entre as duas letras. Tanto o *i* quanto o *j* representavam os sons de *i* e de *y*. Foi somente no latim medieval que o *j* ganhou identidade própria, sendo usado sobretudo como letra maiúscula, preferencialmente ao *i*, para iniciar frases.

M m

Com suas origens na escrita hierática egípcia, o *m*, que representava uma coruja, passou a se chamar *mem* (água) entre os fenícios e *mi* entre os gregos. O grego *mi* foi subsequentemente adotado pelos etruscos e romanos, para os quais também era um numeral correspondente a mil. A forma final do *m* data de época romana.

X x

O provável ancestral da letra *x* é o *samek* (peixe) fenício. Os gregos simplificaram a forma do *samek* e passaram a usá-lo para designar os sons de *k* e de *cs*. O alfabeto grego foi empregado ainda pelos etruscos e pelos romanos, que usavam o *x* para representar o som de *cs*.

G g

Os fenícios e demais povos semitas usavam uma forma gráfica simples para representar tanto o *c* quanto o *g* e chamavam-na *gimel*. Quando foi adotado pelos gregos, o *gimel* recebeu o nome de *gama* e sofreu algumas alterações em seu desenho. O *gama* foi empregado ainda pelos etruscos e pelos romanos, que foram os responsáveis pela diferenciação dos dois sons. A forma de *c* passou a designar o som de *k* ou de *s*, como em "casa" ou "cesta", e um pequeno traço foi acrescentado à letra para designar o som de *g*.

W w

O *waw* fenício é o ancestral mais antigo das letras *f, u, w* e *y*. Uma variante *ipsílon* foi criada para representar os sons de *u* e *w*. No latim, *ipsílon* passou a representar os sons de *u* e de *v*, e o som de *w* desapareceu nesta ligua. Foi somente na Idade Média que os anglo-saxões passaram a usar o desenho de dois *uu* para representar o som de *w*, presente em seu idioma. Com o tempo, os dois *uu* se fundiram em um único caractere.

obras de referência | Lexikon

NOVÍSSIMO AULETE

dicionário
contemporâneo
da língua portuguesa

organizador: Paulo Geiger

NOVÍSSIMO AULETE
dicionário contemporâneo da língua portuguesa

Conselho editorial dos dicionários *Caldas Aulete*
Evanildo Bechara
João Antônio Moraes
Amir Geiger
Carlos Augusto Lacerda
Paulo Geiger

Diretor editorial
Carlos Augusto Lacerda

Editor executivo e organização
Paulo Geiger

Coordenação e edição da base de dados
José Félix dos Santos

Produção editorial
Sonia Hey

Diagramação
Editoriarte

Equipe editorial
Paulo Geiger (editor)
Amir Geiger
Perla Serafim
Renata de Cássia Menezes da Silva
Shahira Mahmud

Edição de verbetes
Amir Harif
André Domingos dos Santos Alonso
Carlos Cordeiro de Mello
Carlos Guilherme Von Montfort
Claudia Maria De Souza Amorim
Glória Braga Onelley
Hermínia Maria Totti de Castro
Janaína Senna
José Monteiro Grillo
Luiz Alberto Monjardim
Luiza Ferreira de Souza Leite
Mauro da Gama Lopes da Costa
Vera Lúcia Coelho Villar
Vitoria Davies

Gramática
José Carlos Azeredo

Redação
Claudio Mello Sobrinho
Conceição de Campos Souza
Beth Muniz
Eni Valentim Torres
Frederico Girauta
José Mauro Rosso Firmo
Kelly Mayumi Ishida
Laura Aparecida Ferreira do Carmo
Luciana Câmara Fernandes D'araujo
Maria Carmelita Pádua Dias
Maria Teresa Almeida Machado da Silva
Marisa Rocha Motta
Onézio Paiva
Rita Bueno de Abreu
Sérgio Marques de Souza
Suely Spiguel
Victor Cavagnari Filho
Violeta de San Tiago Dantas Barbosa Quental

Revisão
Coordenação
Ilustrarte Design e Produção Editorial

Revisores
*Aline Nunes de Moraes
Bruno Fiúza
Cecília Mattos Setúbal
Claudia Ajuz
Dayse Tavares Barreto
Denise Scofano Moura
Eduardo Carneiro Monteiro
Fátima Fadel
Fernanda Mello
Gustavo Penha da Silva
Joana Milli
Juliana Lugão*

*Léia Elias Coelho
Lucia Helena Azevedo Serra
Luís Henrique Valdetaro
Luiz Claudio Valente Walker de Medeiros
Maria Beatriz B. da Costa
Maria da Glória Carvalho
Maria Flávia dos Reis
Mariana Andrade
Michele Mitie Sudoh
Neryanne Hermes do Rêgo Paiva
Priscila Gurgel Thereso
Raquel Corina Menezes da Silva
Renée Cristine Carvalho Barbosa
Rita Godoy
Rodrigo Rosa de Azevedo
Sara Simões Silveira
Thereza Duarte
Vânia Santiago
Zaira Mahmud*

Estagiários
*Francisco Protasio
Laila Arbes
Natália Francis
Rubia Marzochi*

Capa
Projeto original
Victor Burton

Arte Final
Ilustrarte Design e Produção Editorial

Imagens da Capa © Bill Mayer 2011

Consulentes colaboradores
O dicionário *Aulete* tem recebido expressivas colaborações de seus consulentes, quase todas aproveitadas. Aqui se registram os de maior assiduidade, mas os agradecimentos se estendem a todos.

*Paulo Mario Beserra Araujo
Deonisio da Silva
Ivo Korytowski
Alequissandro Chaves de Melo
Helena Maia*

*Adão Roberto da Silva
Ney Mesquita
Silvio Atanes
Guilherme A. Rocha
Denise Bottman*

Este livro foi impresso na Esdeva Indústria Gráfica

© 2011 Lexikon Editora Digital Ltda.
Direitos de edição da obra em língua portuguesa adquiridos pela Lexikon Editora Digital Ltda.
Todos os direitos reservados. Nenhuma parte desta obra pode ser apropriada e estocada em sistema de banco de dados ou processo similar, em qualquer forma ou meio, seja eletrônico, de fotocópia, gravação etc., sem a permissão do detentor do copirraite.

CCIP-BRASIL. CATALOGAÇÃO NA FONTE
SINDICATO NACIONAL DOS EDITORES DE LIVROS, RJ

A94a

Aulete, Caldas, 1823?-1878
    Novíssimo Aulete dicionário contemporâneo da língua portuguesa / Caldas Aulete ; [organizador Paulo Geiger]. - Rio de Janeiro : Lexikon, 2011.
    1488p.

    Apêndice
    ISBN 978-85-86368-75-2

    1. Língua portuguesa - Dicionários. I. Título.

11-1139.
    CDD: 469.3
    CDU: 811.134.3(81)(038)

PREFÁCIO

O escritor Artur Azevedo escreveu um conto no qual um menino de doze anos perguntou ao pai o que era plebiscito. Dias antes tinha perguntado o que era proletário. Ninguém sabia o significado da palavra. Nem o pai nem a mãe. Mas o pai, disfarçando, foi ao quarto e, escondido de todos, consultou o dicionário. Voltou, então, para a sala e explicou: plebiscito era uma lei romana que queriam introduzir no Brasil.

Como aquela família, todos nós precisamos com frequência do dicionário para melhor entender o que ouvimos e lemos. E também para escrever um texto de qualidade. O dicionário, porém, mais do que respostas, nos apresenta possibilidades. Saber manejá-las é fundamental para que as palavras *"em estado de dicionário"* tornem-se vivas, ajustando-se com precisão ao nosso discurso. "Lei romana" como a definição do conto ou, como ensina o *Aulete*, *"Consulta sobre alguma questão específica, em que o povo referenda sua posição respondendo sim ou não"*? A escolha da melhor definição para "plebiscito" somente pode ser feita em função do contexto.

Não conhecemos todas as pessoas, assim como não conhecemos todas as palavras. Precisamos que nos sejam apresentadas. O dicionário faz isso para nós. E de quantas palavras precisamos? Depende da idade, da situação, do contexto, de onde estamos, do que queremos.

Não vivemos sem palavras. E elas mudam muito, como as pessoas. Agora mesmo foi implementado um novo Acordo Ortográfico, que nos leva mais vezes ao dicionário, não apenas para saber o significado das palavras, mas também para escrevê-las corretamente.

Os verbetes do dicionário são como lâmpadas que acendemos quando está escuro e não vemos nada ou vemos apenas sombras. Nós ligamos as palavras para que elas nos iluminem e esclareçam os significados que procuramos.

Dito de outro modo, quem vai ao dicionário vai à colheita de imagens e significados. A busca por palavras, exatas ou metafóricas, permitiu, por exemplo, a Angenor de Oliveira, famoso compositor popular brasileiro, mais conhecido como *Cartola*, escrever um dos mais belos versos da nossa língua: "as rosas não falam, simplesmente as rosas exalam o perfume que roubam de ti". Mas as palavras exalam e falam, sejam sentimentos, sejam ideias. E muitas delas têm espinhos também.

No dicionário elas estão dormindo. O que fazemos é acordá-las para que nos respondam o que lhes perguntamos. Com elas, o mundo fica mais bonito e mais claro.

Este escritor e professor gosta muito de dicionários, especialmente dos da língua portuguesa. E o *Aulete* é uma de suas companhias preferidas.

Deonísio da Silva
escritor e professor, doutor pela USP.
Abril de 2011.

"As palavras são como corpos, os significados são como almas."
Abraão Ibn Ezra

"É um grande momento na vida de um povo aquele em que todos, ou quase todos, se dedicam a empregar as palavras em seus verdadeiros significados."
Louis Aragon

"As fronteiras da minha linguagem são as fronteiras do meu universo."
Ludwig Wittgenstein

"Nós fazemos, desfazemos, refazemos este belo Dicionário*, que, sempre bem-feito, estará sempre por fazer."
Lebrun-Pindare (Ponce Denis Écouchard-Lebrun, dito)
*O Dicionário da Academia Francesa

PROPOSTA LEXICOGRÁFICA E PRINCÍPIOS ORGANIZACIONAIS

Este dicionário, o *novíssimo Aulete – dicionário contemporâneo da língua portuguesa*. com toda a atualidade de sua proposta organizacional, traz consigo uma grande tradição lexicográfica. Sua nominata de cerca de 75.000 vocábulos-verbetes origina-se do módulo principal do mesmo banco de dados que alimenta o *idicionário Aulete*. Este é uma edição digital, atualizada e ampliada, gratuita, na internet (www.aulete.com.br), do famoso e tradicional *Dicionário Contemporâneo da Língua Portuguesa Caldas Aulete*, cuja primeira edição portuguesa data de 1894. Sua primeira edição brasileira foi em 1950, organizada por Hamilcar de Garcia, que teve a preocupação de introduzir verbetes e acepções próprios do português do Brasil.

A última versão impressa do *Caldas Aulete* brasileiro, de 1985, foi adquirida, atualizada, ampliada e reeditada pela Lexikon em formato digital, na internet, a partir de 2007, quando o *idicionário Aulete* passou a ser uma obra aberta, colaborativa e, em consequência, permanentemente atualizada, seja na inclusão de vocábulos novos, seja na ampliação dos registros de novos sentidos, privilegiando-se contextos e usos do português falado no Brasil. Recursos modernos da lexicografia e da informática foram também incorporados.

Nessa nova construção organizacional, o *idicionário Aulete* estruturou-se com base em três grandes blocos de verbetes: 1) os 'originais' (os verbetes que constavam na última edição do *Caldas Aulete* brasileiro, tal como lá figuram); 2) os 'atualizados' (verbetes que foram reescritos e reestruturados segundo novo modelo de organização e apresentação de dados, e de novo reredigidos, atualizados e ampliados, ou seja, acrescidos de novas acepções, decorrentes da evolução tanto da língua quanto de todos os setores da vida e do conhecimento); 3) e os 'novos' (contemplando vocábulos que não existiam no *Aulete* original, e que desde então foram e continuam sendo incorporados à língua portuguesa em seu crescimento e sua evolução). Somando esses três módulos, o *idicionário Aulete* alcançou quase 290 mil entradas, compondo uma base de dados estruturada da qual originou-se a nomenclatura deste *novíssimo Aulete*, que é, como diz o nome, uma obra totalmente nova no conteúdo e na estrutura.

Os verbetes 'atualizados', que chegam a cerca de 65 mil, representam a coluna dorsal do dicionário. A 'atualização' consistiu em, a partir de vocábulos existentes na nominata 'original', criar verbetes totalmente novos, com um tratamento lexicográfico moderno, reformulação e adaptação de definições, com nova redação em textos claros e acessíveis, acréscimo de novos significados, substituição e inclusão de exemplos e abonações, mais esclarecedores e adequados aos contextos de uso no Brasil, locuções a partir de *corpora* atualizada do contexto brasileiro e contemporâneo etc. A esse novo conteúdo – em nova estrutura – dos vocábulos 'originais' foram acrescentados os vocábulos 'novos', que chegam a cerca de 10 mil, representando novas formas linguísticas com seus respectivos significados e conceitos, que foram e vêm sendo incorporados à língua à medida que se consolidam como elementos estáveis e comuns do código linguístico, e à medida que representam novas áreas de interesse e terminogias das áreas técnicas, científicas e tecnológicas em constante evolução. Este conteúdo foi cuidadosamente adaptado à nova ortografia, segundo o Acordo Ortográfico de 1990 – consolidado no *Vocabulário ortográfico da língua portuguesa (VOLP)* da Academia Brasileira de Letras –, implementado em janeiro de 2009.

Todo esse acervo de palavras abrange mais de 75 mil **verbetes** de vocábulos e elementos de composição, aos quais se somam **locuções** e **expressões idiomáticas**, atingindo com isso cerca de 95 mil unidades de significado, que geram cerca de 200 mil acepções. O universo de palavras do *novíssimo Aulete* é, pois, abrangente e atual na medida em que oferece uma consistente representatividade do léxico da língua portuguesa falada no Brasil, em um dicionário de porte médio.

A busca de representatividade lexical seguiu parâmetros lexicográficos, a começar pela frequência de uso, registrada em *corpora* da língua portuguesa – grandes arquivos de textos da língua efetivamente em uso, levando em consideração tanto usos comuns como científicos e tecnológicos de modo a contemplar o léxico geral e o especializado. Além disso, os *corpora* também foram fonte dos novos significados acrescidos aos vocábulos já existentes na língua.

Ao mesmo tempo, nesta edição impressa, o dicionário incorpora toda a riqueza de informações que lhe foi carreada pelo sistema colaborativo durante os quase quatro anos de sua implementação na internet, a partir de seus consulentes, do jornalismo diário em todas as áreas de atividade, da criatividade popular na invenção de termos que logo se tornam parte do código de comunicação linguístico, das criações literárias, do cancioneiro popular, do vocabulário técnico e científico sempre em evolução.

Dessa forma, a seleção das entradas fundamentou-se nos princípios básicos da lexicografia moderna, cabendo enfatizar: a) a frequência de uso dos vocábulos comuns e das locuções observada em *corpora*; b) a observância de registros específicos (zoologia, botânica etc.) e de neologismos formais e tecnicismos; c) o registro de novos sentidos em vocábulos já existentes; d) a representatividade vocabular em relação ao falar comum e aos diferentes falares regionais do Brasil.

A esses requisitos operacionais soma-se a preocupação com o consulente, visando à adequação e ao padrão estrutural dos verbetes de modo a facilitar o bom aproveitamento da obra, sobretudo no plano do ensino da língua portuguesa em níveis mais avançados de escolaridade. Com isso, além de ter como escopo ser uma ferramenta útil ao estudante do ensino médio e pré-universitário na sua ampla diversidade, a obra visa também a um universo-alvo de universitários e de profissionais, sem esquecer o público em geral.

Alguns outros cuidados especiais traduzem o empenho dos editores em fazer com que esta proposta lexicográfica tenha um bom aproveitamento na aprendizagem da língua portuguesa. Além do extenso acervo lexical, incluindo abundante presença de locuções e expressões idiomáticas, com suas definições, seus exemplos e abonações, o universo vocabular das entradas está adequado à nomenclatura exigida pelas matérias curriculares. A riqueza de informações do verbete e a preocupação com sua apresentação e com a funcionalidade da consulta, bem como a apresentação geral do *novíssimo Aulete*, são também um reflexo e uma consequência de cuidadoso trabalho de organização e editoração, que se materializa na configuração do dicionário, item a item.

ERGONOMIA E ACESSIBILIDADE: CONFIGURAÇÕES ESTRUTURAIS E GRÁFICAS:

- entradas de verbete em tipo diferenciado e em cor, para fácil localização e consulta
- separação silábica logo após a entrada, com indicação da sílaba tônica
- indicação de ortoépia sempre que possa haver dúvida (vogais com pronúncia aberta ou fechada, pronúncia do s e do x, indicação de hiatos em caso de dúvida); no caso de estrangeirismos, a pronúncia em língua estrangeira com expressão fonética por meio de letras e acentos como usados na língua portuguesa
- acepções numeradas, com hierarquia de frequência e relevância de uso
- projeto gráfico que permite o máximo aproveitamento de espaço sem sacrifício da legibilidade: texto em tipologia Nimrod corpo 6x7, entradas e locuções em Metabold corpo 7,5. Entradas, símbolos, locuções, cabeços de página em uma segunda cor, facilitando a localização rápida e a consulta
- o projeto do livro, em papel offset 50g/m², formato 20,5 cm x 27,5 cm, acabamento costurado e em brochura, visa dar a uma obra de grande abrangência para um dicionário médio um máximo de portabilidade e otimização de custos, o que significa acessibilidade também sob este aspecto
- todo o conteúdo é estruturado em banco de dados com marcação adequada a sua conversão aos formatos de acessibilidade universal (protocolo Daisy), com saída diversificada para diferentes dispositivos de leitura

INFORMAÇÕES GRAMATICAIS

- indicação de classe gramatical, e no caso de verbos, das regências possíveis para cada acepção
- relação de preposições mais usadas no caso de regências indiretas e relativas
- antônimos, homônimos e parônimos
- flexões gramaticais irregulares (plurais, mudança de ortoépia no feminino e/ou no plural, superlativos absolutos sintéticos, aumentativos e diminutivos)
- paradigma de conjugação de todos os verbos do dicionário e indicação de suas irregularidades específicas; marcação das partes fixas e das variáveis de seu infinitivo impessoal, permitindo, com aplicação das variações inerentes ao paradigma, conjugar todos os verbos em todos os modos, tempos e pessoas
- apresentação do padrão de conjugação de 61 paradigmas (tabelas), cobrindo todas as possibilidades de conjugação de todos os verbos
- uma gramática básica, escrita por José Carlos Santos de Azeredo

INFORMAÇÕES SEMÂNTICAS E ENCICLOPÉDICAS

- 75.756 verbetes
- 18.645 locuções
- 293 achegas enciclopédicas
- enunciados de definição descritivos e analíticos sempre que possível, em linguagem clara e acessível, empregando palavras e termos que constituem entradas
- indicação de regionalismos, níveis de uso e rubricas das áreas de conhecimento, quando necessário
- exemplos de uso (na acepção correspondente, e para cada regência verbal numa mesma acepção) e abonações (obras literárias, jornais, cancioneiro popular etc.), com indicação de autor e obra, quando for o caso
- indicação de estrangeirismos, de elementos de composição e de símbolos e siglas com um sinal especial para cada caso, antes da entrada

Proposta lexicográfica e princípios organizacionais

- indicação de origem e/ou formação do vocábulo (etimologia simplificada e acessível, no nível do universo-alvo)
- indicação de sinonímia por acepção, quando compatível
- achegas enciclopédicas: informações complementares para explicar também 'o que é o objeto', e não somente 'o que quer dizer a palavra' sempre que essa explicação for um elemento útil para a compreensão do significado
- para beneficiar a compreensão de certos termos de áreas específicas, e ao mesmo tempo preservar os limites físicos do âmbito de abrangência do dicionário (que define seu escopo), não se omitiu a menção de termos específicos (como, por exemplo, espécies, gêneros e famílias botânicos e zoológicos, termos científicos e outros), embora não incluídos na nominata. Além disso, termos apresentados como sinônimos e na forma 'Tb.: *termo*', ampliam a riqueza vocabular para aquela mesma acepção, e já tendo sido definidos ali mesmo, carecem de uma entrada própria, a menos que sejam relevantes quanto à frequência de uso ou quanto a outros significados, casos em que têm entradas próprias.

OBSERVAÇÃO IMPORTANTE

A atualização ortográfica segue o disposto na 5ª edição do *Vocabulário ortográfico da língua portuguesa* (*VOLP*), organizado pela Academia Brasileira de Letras, em conformidade com o Acordo Ortográfico de 1990. Para detetar possíveis falhas, todo o texto do *novíssimo Aulete* foi comparado, por programa de informática, com os termos do *VOLP*, e foi corrigido onde discrepante. Em alguns raríssimos casos, priorizou-se a coerência, mesmo sem o aval do registro no *VOLP*, como, por exemplo, no caso do adjetivo *bem-feito*, que o *VOLP* registra apenas na forma *benfeito* (compatível com *benfeitoria*, a qual não é, no entanto, a única modalidade de coisas *bem-feitas*), mas que este dicionário considerou análogo a (como registrado no *VOLP*) *bem-acabado*, *bem-arranjado*, *bem-composto*, *bem-talhado*. Portanto, o *novíssimo Aulete* registra *bem-feito*, que se aplica também a uma *benfeitoria bem-feita*.

EDUCAÇÃO E ÉTICA

Coerente com a convicção de que um dicionário escolar não é somente uma ferramenta de informação, mas também de formação e educação, cuidou-se de não permitir que este dicionário seja um instrumento de divulgação de conceitos e valores contrários aos princípios da ética e da convivência social. Ao mesmo tempo, constata-se que conceitos e significados preconceituosos e antiéticos abundam no uso corrente da língua. Partindo-se do pressuposto que um dicionário deve registrar os usos frequentes dos vocábulos, surge então o dilema de como cumprir esses objetivos sem descuidar da ética na educação? A solução adotada, lexicográfica, educacional e ética, foi registrar essas acepções e alertar explicitamente o consulente, caso a caso, de que seu uso expressa depreciação, ou ofensa, ou preconceito.

BREVE GUIA PARA O ESTUDANTE

Neste *novíssimo Aulete*, você vai encontrar aproximadamente 75 mil palavras da nossa língua e quase 20 mil locuções, o que é um número significativo para um dicionário de uso na escola. Nele, constam palavras antigas que fazem parte da língua portuguesa e também as novas palavras do português que falamos no Brasil. Para facilitar sua consulta e ajudá-lo a aproveitar bem a riqueza de informações deste dicionário, destacamos alguns aspectos da organização da obra.

ORDEM ALFABÉTICA

A listagem das palavras, também chamadas de **entradas**, é apresentada em ordem alfabética como é tradicional nos dicionários.

VERBETE

A palavra-entrada é seguida de várias informações importantes que, com ela, formam o **verbete**. São informações sobre grafia, pronúncia, classe gramatical, significados, além de vários outros aspectos, como o fato de a palavra ser um regionalismo, um termo de uma área profissional, etc. Por exemplo, veja o verbete *farol*, ao lado.

LEMA

Nos dicionários, as palavras às vezes não aparecem como costumamos usá-las, mas numa forma específica, chamada **lema**. É assim que:
- Os substantivos e os adjetivos, quando possuem as formas de masculino e de feminino, aparecem só no masculino e no singular, como: *menino* e *pequeno*. Se forem palavras só femininas, vão ser registradas assim: *alegria*.
- Os pronomes também seguem a mesma regra de serem registrados no masculino singular: *ele*
- Os verbos aparecem sempre no infinitivo: *saltar, correr, sorrir.*
- Os advérbios, as preposições, as conjunções e as interjeições, que são invariáveis, aparecem na sua única forma: *talvez, de, que, mas, oh!*

OBSERVAÇÕES IMPORTANTES:

As classes gramaticais são sempre indicadas por abreviaturas em **negrito itálico**, de acordo com a lista que está no início do dicionário, depois de *Como usar este dicionário*.

É muito comum que as línguas tenham **locuções** e **expressões idiomáticas**, que são formadas por mais de uma palavra, mas com sentido único como: *cabeça quente, sorriso amarelo, saia justa, abrir mão, dar pé*. No dicionário, formas desse tipo podem ser encontradas dentro dos verbetes em que o lema é a principal palavra da expressão. Este sinal ▪▪ indica o início da área de locuções, sempre grafadas em **negrito**, e o sinal ~ substitui a palavra em foco.

ACEPÇÕES

A palavra-entrada pode ter mais de um significado. No dicionário, cada novo significado é uma nova acepção e cada uma delas é sempre numerada em **negrito**. As acepções diferentes de uma mesma palavra, muitas vezes, estão relacionadas a usos figurados como mostra o verbete *abismo*.

OBSERVAÇÕES IMPORTANTES:

As acepções costumam conter uma indicação dos diferentes usos da palavra por meio de abreviaturas como *Fig.*, abreviatura de *figurativo*. É uma forma de explicar que esse significado não é literal, como ocorre com *gato* que, no seu sentido figurado, é *moço bonito* deixando de significar um animal mamífero. (Veja no verbete *abismo*, acima).

Há também indicação de que a palavra é um tecnicismo, isto é, termo técnico-científico, ou de uso mais comum em certa área de atividade, profissão etc. As abreviaturas usadas para indicar a qual área de conhecimento especializado pertence a palavra estão listadas no início do dicionário, sob o título **Rubricas**. Ex.: *Mat.* (matemática) *Bot.* (botânica), *Lud.* (ludologia = jogos, brincadeiras), *Esp.* (esporte).

DEFINIÇÃO

É o enunciado que explica o significado de cada acepção. Em geral, é uma frase; em alguns casos, são sinônimos da palavra-entrada. (Veja no verbete, *abelha*)

ACHEGA ENCICLOPÉDICA

Outro recurso informativo importante é a achega enciclopédica. Vem ao fim do verbete, sobre um fundo de cor e traz elementos históricos, geográficos, científicos e culturais que ajudam a entender o significado e que tornam sua consulta muito mais completa.

OUTRAS INFORMAÇÕES

Para que este *novíssimo Aulete* seja ainda mais útil, foram anexados três componentes de grande auxílio para o aprendizado da língua portuguesa:

Paradigmas de conjugação, com 61 quadros numerados, apresentando cada um o modelo completo de conjugação de verbos que seguem aquele paradigma. Os elementos variáveis de cada flexão são apresentados em **negrito**. Para conjugar qualquer verbo do dicionário, basta localizar na parte gramatical do verbete o número do paradigma, substituir a parte fixa do paradigma (não em **negrito**) pela parte fixa do verbo (como apresentada na achega gramatical do verbete), e juntar os elementos variáveis e desinências do paradigma (em **negrito**) à parte fixa do verbo. Alguns paradigmas têm variantes, e as variações são claramente indicadas no quadro do paradigma.

Uma pequena gramática, do prof. José Carlos Santos de Azeredo, uma análise estrutural da gramática e das classes gramaticais, suas funções e suas variações.

Um quadro, no fim do dicionário apresenta **todos os gentílicos brasileiros** (palavras que qualificam aqueles que nasceram ou que vivem em certo município do Brasil), com indicação do município ao qual cada um se refere.

---

farol (fa.*rol*) *sm.* **1** Torre junto ao mar, numa ilha, ou à entrada de um porto etc., em cuja parte superior há um foco luminoso, ger. giratório, para orientar navegantes **2** Nos veículos automotores, cada uma das lanternas dianteiras que têm luz mais intensa **3** *Fig.* Pessoa ou coisa que serve de guia, de direção **4** *Bras. Pop.* Conversa fiada de quem quer se vangloriar **5** *SP* Sinal luminoso de trânsito **6** Nas casas de jogos, indivíduo que joga com dinheiro da casa, fingindo-se cliente, para atrair parceiros ou incentivá-los a jogar **7** *Bras. Fig. Pop.* Anel com brilhante muito grande **8** Nos leilões, indivíduo pago para fazer lanços, atraindo assim licitantes [Pl.: -*róis*. Dim.: *farolete, farolim*. As formas irreg. *farolete, farolim* aplicam-se somente às acp. 1 e 2.] [F: Do gr. *pháros*, pelo cat. *faró*, pelo espn. *farol*.]

abismo (a.*bis*.mo) *sm.* **1** Abertura profunda em terreno; PRECIPÍCIO **2** Lugar íngreme, despenhadeiro **3** O fundo do oceano **4** *Fig.* Aquilo que é incompreensível, misterioso: *A mente humana é um abismo.* **5** *Fig.* Expressão superlativa para bem ou para mal; coisa assombrosa (um abismo de erudição/de perversidades) **6** *Fig.* Distância ou divergência que separa drasticamente (lugares, pessoas, ideias etc.): *No que se refere a este assunto, há um abismo entre nós.* **7** *Fig.* Situação penosa, dramática ou trágica; desastre, caos: *O país está à beira do abismo.* **8** *Fig.* Problema de difícil solução: *Meteu-se num abismo ao brigar com o chefe.* **9** *Fig.* O inferno: *Os maus estavam condenados ao abismo da Terra.* **10** *Fig.* O último grau, o extremo de uma condição ou situação: *Estava no abismo do desespero.* [F: Do lat. *abyssus, i*, 'abismo', pelo lat. vulg. *abyssimu(s)*, pelo lat. vulg. *abysmu(s)*.]

bota¹ (*bo*.ta) *sf.* **1** Calçado de couro, borracha ou plástico que cobre o pé e parte da perna, por vezes cobrindo tb. parte da coxa **2** *Bras. Pop. Pej.* Trabalho malfeito de pintor, gravador etc. **3** *S. Lud.* Brincadeira infantil em que uma bota desenhada no chão serve de pique **4** *S. Lud.* Essa bota que serve de pique **5** *Lus. Esp.* Chuteira **6** Mentirinha, mentira inofensiva [F: Do fr. *botte*. Hom./Par.: *bota* (fl. de *botar*), *bota* /ô/ (a.), *botas* (pl.), *botas* (fl. de *botar*).] ▪▪ **Bater as ~s** Morrer **Descalçar a/aquela/esta/uma ~** *Bras.* Resolver uma dificuldade, ou livrar-se dela **Lamber/limpar as ~s de** *Fig.* Sujeitar-se humilhantemente a (alguém), bajular **Limpar as ~ de** V. **Lamber as botas de Meter as ~s em** Criticar impiedosamente, violentamente

abelha (a.*be*.lha) [ê] *sf. Zool.* Nome comum de numerosas espécies de insetos himenópteros, apídeos e/ou meliponídeos, que se dividem em abelhas sociais, solitárias e parasitas, sendo as espécies sociais as que produzem mel em abundância [Masc.: *abelha-macho, abelha-macha, zangão*.] [F: Do lat. *apicula, ae*, dim. de *apis, is*, 'abelha'. Ideia de 'abelha': *api-* (*apicultura*), *meliss(o)-* (*melissografia*).]

> As abelhas vivem socialmente em colmeias, estruturas que elas mesmas constroem com cera, constituídas de favos, que são conjuntos de compartimentos em forma de hexágono. Muitos milhares de abelhas podem habitar uma colmeia, e é lá que as abelhas-operárias fabricam a cera, o mel, o própolis e a geleia real. As abelhas-mestras, ou abelhas-rainhas, são maiores que as operárias, e sua única função é pôr os ovos que vão gerar mais abelhas. O zangão é a abelha-macha, cujo papel é fertilizar a abelha-mestra. A picada da abelha pode ser dolorosa, e em grande quantidade (mais de cem) pode ser perigosa até para um homem adulto.

COMO USAR ESTE DICIONÁRIO – UM GUIA COMPLETO

ABRANGÊNCIA E UNIVERSO DE PALAVRAS

O universo de palavras deste *novíssimo Aulete* abrange cerca de **75 mil verbetes** de vocábulos e elementos de composição, aos quais se somam **locuções** e **expressões idiomáticas**, atingindo com isso cerca de **100** mil unidades de significado, que geram mais de **200 mil acepções**. Esse acervo foi projetado considerando necessidades de consulta de uma ampla gama de usuários da língua portuguesa, a iniciar por estudantes de ensino médio em suas variadas modalidades, universitários, profissionais de todas as áreas de atividade e o público em geral.

Para oferecer a qualidade editorial que o consulente exige e merece e, visando a um produtivo aproveitamento deste dicionário, as informações nele constantes foram cuidadosamente selecionadas e apresentadas.

CLAREZA NAS DEFINIÇÕES

Não se pouparam esforços – ou espaços – para fornecer definições claras e analíticas ao máximo possível (e não demasiadamente sintéticas ou baseadas em sinônimos apenas, o que obrigaria o consulente a consultar constantemente vários pontos do dicionário para obter sua resposta). Os casos em que a definição é dada apenas com sinônimos são aqueles em que provavelmente isso não suscitará dúvida ou dificuldades maiores. Como instrumento acessório, uma rede de **remissivas cruzadas** ajudará o consulente a localizar significados idênticos ou análogos, variações morfológicas etc. A prioridade na ordem das acepções é, aproximadamente, a da frequência de uso no universo considerado. Quando há mais de uma acepção, as **definições são numeradas**, facilitando a percepção dos diferentes significados. Naturalmente, cuidados especiais foram tomados para que toda palavra ou expressão usadas nas definições analíticas sejam por sua vez definidas.

RIQUEZA DE ELEMENTOS LÉXICOS E DE CONTEXTUALIZAÇÃO

A abrangência, a acuidade e a clareza das informações sobre os significados das palavras têm como suporte, neste dicionário, um grande acervo de informações suplementares que ampliam o campo semântico (**sinônimos, locuções e expressões idiomáticas, estrangeirismos, registro da origem ou formação do vocábulo [etimologia]**) e esclarecem os diferentes usos (**exemplos, abonações, indicação de contextos** tais como **regionalismos, níveis de uso, áreas de conhecimento**).

INFORMAÇÕES ADICIONAIS

Um riquíssimo acervo de informações adicionais completam a percepção dos significados e dos usos de cada vocábulo. São informações de caráter muito variado: morfológico (**ortoépia, pronúncia de estrangeirismos, separação silábica**), gramatical (**classe gramatical, conjugação, regência e concordância verbais** [e as **preposições** mais usadas nas regências indiretas]; **flexões irregulares**; **aumentativos, diminutivos, superlativos**), semântico (**antônimos**), analógico (**homônimos, parônimos**, significados análogos ou contrastivos), esclarecedor (dificuldades, armadilhas). **Achegas enciclopédicas** são usadas quando constituem informações úteis ou necessárias à perfeita compreensão de um significado e de sua importância no contexto cultural, econômico, social etc.

ESTRUTURA

Todos esses elementos são estruturados no verbete de forma a serem facilmente identificados, organizando e agilizando a consulta, da seguinte maneira:

1. ENTRADA É o vocábulo em análise. Em **negrito**, abre o verbete que contém as informações a ele relativas.

2. SEPARAÇÃO SILÁBICA Toda entrada com mais de uma sílaba é seguida da indicação de sua separação silábica, entre parênteses, em que a sílaba tônica vem em *itálico* (vo.*cá*.bu.lo). A separação silábica em português é meramente fonética e não tem relação com a etimologia (elementos formadores da palavra) como, por exemplo, no inglês. No caso, ela indica, caso se tenha de separar sílabas em fim de linha, onde fazê-lo. Nos casos de ditongos crescentes, em que possa haver confusão ou dúvida quanto a ser um ditongo (duas vogais seguidas na mesma sílaba) ou um hiato (duas vogais seguidas em sílabas diferentes), marca-se a separação com dois pontos (a.si:*á*.ti.co), que é uma forma de sugerir: 'é preferível não separar sílaba aqui'.

3. HOMÓGRAFO Quando há mais de uma entrada exatamente com a mesma grafia e a mesma pronúncia, segue-se à entrada um índice, um número elevado: **circular¹** (adjetivo), **circular²** (verbo) etc.

4. ELEMENTO DE COMPOSIÇÃO O sinal ◉ indica que o verbete é de um elemento de composição.

5. ESTRANGEIRISMO Todo estrangeirismo é grafado em *itálico negrito* e é precedido do sinal ⊕ São muitos os empréstimos listados e tratados neste dicionário, que considera apenas os vocábulos estrangeiros que têm curso inequívoco na comunicação falada e escrita, muitos sem mesmo terem um equivalente de uso corrente em português (*ace, kitesurf, software* etc.), outros que, apesar de terem equivalente, são nitidamente preferidos nos processos de comunicação (prefere-se *game,* [no tênis] a *jogo, chip* a *pastilha* etc.) ou que dividem usos e preferências (*feedback* e *retroalimentação, marketing* e *mercadologia*). Não se consideraram modismos perfeitamente evitáveis, como *sale* por *liquidação* etc. Os estrangeirismos são identificados e assinalados em negrito itálico, (ver acima), há indicação da língua de origem e de sua pronúncia aproximada, segundo a fonética (em português) das letras do alfabeto e acentos.

6. MARCA DE SÍMBOLO OU SIGLA Toda entrada em forma de símbolo ou sigla ou abreviatura vem precedida do sinal ⊠

7. ORTOÉPIA Sempre que necessário ou conveniente, segue-se à separação silábica, e indica a pronúncia do *x*– [s], [z] ou [cs], sendo a ausência de marcação indicativa da pronúncia ch –, ou

---

[1] [2]
asiático (a.si:*á*.ti.co) *sm.* **1** Pessoa nascida ou que vive na Ásia *a.* **2** Da Ásia; típico desse continente ou de seu povo **3** *Fig.* Diz-se do luxo excessivo, exagerado **4** *Fig. Pej.* Preguiçoso, indolente **5** Empolado, pomposo, prolixo (estilo asiático) [F: Do lat. *asiaticus, a, um.*]

[3]
babau¹ (ba.*bau*) *interj. Pop.* Expressão indicativa de que algo se perdeu irremediavelmente: *A atriz entrou em decadência e babau, não se fala mais nela.* [F: Prov. de or. onomatopeica.]
babau² (ba.*bau*) *sm. Folc.* Nome de certo personagem do bumba meu boi e do reisado [F: De or. obsc.]

[4]
◉ **-eal** *suf. nom.* Ver *-al¹*: gaseal [F: -e- + *-al¹*.]

[5]
⊕ **ace** (*Ing.* /*êiss*/) *sm. Esp.* No tênis e no voleibol, saque que o adversário não consegue defender

[6]
⊠ **bps** *Inf.* Sigla de *bits por segundo,* unidade de velocidade de informação
⊠ **Br** *Quím.* Símb. de *bromo*

[8] [7] [9] [10]
fixador (fi.xa.*dor*) [cs, ô] *a.* **1** Que fixa; que torna fixo, firme *sm.* **2** Peça us. para fixar alguma coisa *sm.* **3** Produto para fixar o penteado: *Comprou um fixador para os cabelos.* **4** Substância, ger. aplicada com vaporizador, com que se fixa um desenho (p.ex., feito a carvão ou creiom) em papel **5** *Biol.* Agente químico ou físico que fixa células, tecidos ou organismos **6** *Fot.* Substância us. na revelação de fotos, que interrompe a sensibilização de um papel fotográfico pela luz, com isso fixando a imagem já nele gravada **7** Substância que diminui a volatilidade no ar de essências de perfumes, tornando-as mais duráveis [F: *fixar* + *-dor.*]

[11c] [12] [10]
macaco (ma.*ca*.co) *sm.* **1** *Zool.* Denominação comum aos primatas, com exceção do homem; SÍMIO **2** *Fig.* Quem macaqueia, quem imita ou arremeda, como alguns macacos (1) **3** *Fig.* Indivíduo muito feio; grotesco, disforme **4** *Náut.* Dispositivo us. para esticar e graduar a tensão de cabos e correntes fixos **5** *N.E.* Alcunha do policial das antigas milícias estaduais; MATA-CACHORRO **6** *Mec.* Aparelho hidráulico, de parafuso ou cremalheira, acionável por meio de alavanca, pedal ou manivela, para levantar e sustentar provisoriamente objeto pesado (p.ex. automóvel, para troca de pneu) **7** *N.E.* Ajudante de vaqueiro **8** *N.E.* Paralelepípedo de granito para calçamento de ruas e estradas *a.* **9** *Bras. Pej. Pop.* Diz-se do que ou quem é feio, desproporcional, simiesco **10** *Bras. Pop.* Diz-se do que ou quem aborrece, entedia, é enfadonho **11** *Bras. Pop.* Diz-se de quem ou o que é astuto, manhoso [F: De or. duvidosa, prov. do banto *makako*.] ▪ **Cada ~ no seu galho** (provérbio) *Pop.* Cada um na sua atribuição, no seu lugar, sem se meter no que não lhe diz respeito ou para o que não tem competência **Dar no ~** *BA Tabu.* Masturbar-se (o homem) **Ir pentear ~s** *Bras.* Deixar de importunar, ir importunar em outro lugar **~ velho 1** *Bras.* Indivíduo experiente, que não se deixa enganar **2** Indivíduo esperto, ladino, astuto, matreiro, que sabe enganar os outros **~ velho não mete a mão em cumbuca** (provérbio) *Bras. Pop.* Quem é experiente não se deixa atrair por cilada, não é imprudente **Mandar pentear ~s** *Bras.* Mandar embora (para livrar-se de) alguém que está incomodando, importunando; mandar às favas (ver no verbete *fava*)

[11b] [11a]

Como usar este dicionário

eventualmente de outra consoante, ou, para as vogais *e* e *o* a pronúncia fechada [ê] [ô]. Algumas entradas homógrafas podem se diferenciar apenas pela ortoépia, como **colher** [é] e **colher** [ê]. Quando *e* ou *o* não têm marcação, assume-se que são abertos (mas há casos em que se assinala, para maior clareza, a pronúncia aberta de *e* ou *o*).

8. CLASSE GRAMATICAL A não ser no caso de símbolos, siglas, abreviaturas e locuções, o verbete é estruturado nas classes gramaticais em que se distribuem suas acepções, indicadas em ***negrito itálico*** (*sm.*, *s2g*, *a.*, *adv.*, *v.* etc.), como consta na lista das abreviações do dicionário. Ao fim de cada classe, antes de se abrir outra, pode haver informações gramaticais referentes especificamente àquela classe (conjugação de verbos, flexões irregulares, superlativo de adjetivos etc.).

9. NÚMERO DE ACEPÇÃO Os números de acepções são apresentados em **negrito** (**1**, **2** etc.).

10. DEFINIÇÃO As definições são, sempre que possível, discursivas e analíticas. Podem ser completadas com **sinônimos**. Em alguns casos, as acepções se definem com sinônimos, quando isso não compromete a clareza ou a agilidade de consulta, facilitando o alcance do sentido. Em muitos casos, é importante delimitar o contexto de uso de uma acepção, e ela é antecedida de uma **indicação de contexto**. Sempre que necessário ou conveniente, dão-se **exemplos** de uso ou **abonações**. Dentro da definição pode ocorrer uma área de informações adicionais. São as **achegas de definição**.

11. INDICAÇÃO DE CONTEXTO A boa percepção do uso de um vocábulo em determinada acepção está, muitas vezes, ligada à identificação do contexto em que esse uso se verifica. Este dicionário abunda na localização desses contextos, divididos em três grande grupos, em sua ordem hierárquica: 11a) ***regionalismo***: indica quando a acepção é restrita a ou mais frequente em determinada área geográfica (especialmente estados e regiões do Brasil, ou o Brasil, ou Portugal, ou outro país lusófono; 11b) **nível de uso da língua**: indica em que contexto (familiar, social, cronológico etc.) a acepção tem curso, como, por exemplo, se é assim usada no âmbito da família (*Fam.*), se é pouco usada (*P.us.*), se é de uso popular (*Pop.*), se é de uso pouco recomendável por ser chula (*Tabu.*) etc.; 11c) ***rubrica***: indica em que área disciplinar, profissional, científica etc. o vocábulo tem tal acepção, como a astronomia, a física, a medicina, as artes plásticas etc. Todas essas indicações podem constar dentro de uma acepção, quando restritas a ela, ou no início do verbete, quando se referem a todas as acepções. São grafadas em abreviaturas, em *itálico*, com inicial maiúscula e seguidas de ponto. A lista das respectivas abreviaturas constam nas listas de **rubricas** e de **usos e regionalismos,** no fim deste texto de *Como usar*.

12. SINÔNIMO Os sinônimos, na maior parte das vezes, são fornecidos como *acréscimo* à definição discursiva, em tipo diferente (VERSALETE), como informação suplementar, dentro de cada acepção (uma palavra pode ter sinônimos diversos para diferentes acepções), ou ao final de um conjunto de acepções, ou no fim do verbete quando se refere a todas as acepções. Consideraram-se sinônimos, em determinada acepção, palavras que, naquela acepção, podem substituir perfeitamente o vocábulo em questão. Os sinônimos constituem um acréscimo ao universo vocabular coberto pelo dicionário, portanto não constam, necessariamente, como verbetes autônomos, a não ser que sejam de uso frequente no universo léxico considerado na abrangência do dicionário.

13. EXEMPLO, ABONAÇÃO Elemento fundamental para a compreensão do uso de uma palavra em determinada acepção é seu encaixe numa frase ou fragmento de frase, ou num sintagma (grupo de palavras que formam um núcleo de significado). Esse recurso é abundantemente usado neste dicionário, sob três formas: 13a) sintagma, na forma de duas palavras justapostas que formam um sentido específico, entre parênteses dentro do texto da acepção; 13b) sob a forma de ***exemplos*** baseados sobretudo em *corpora* (coleções de textos reunidos de publicações, documentos de vários tipos etc.); ou 13c) sob a forma de ***abonações***, textos extraídos de obras literárias, jornais (pesquisados entre os que dispõem de bons acervos de suas edições em formato eletrônico) e letras de música popular (sempre com indicação da fonte). Atenção especial foi dada à exemplificação da variação de regência verbal dentro de um mesmo significado, caso em que o exemplo ou a abonação são de regra, por serem fundamentais para a boa percepção das diferentes maneiras de usar o verbo.

Note-se, nas exemplificações aqui publicadas, que tanto os exemplos como as abonações são precedidos de dois pontos (:). Os exemplos são grafados em itálico, com o vocábulo exemplificado sublinhado. O texto da abonação vem entre aspas duplas, em redondo, podendo ser parte de uma frase, o que é marcado por reticências antes ou depois. Segue-se, entre parênteses, o nome do autor e, em itálico, da obra. No caso de jornais, nome do jornal em itálico e a data da edição. No caso de canções populares, o nome do(s) autor(es) e o título da canção

14. REGÊNCIA VERBAL Ao contrário da maioria dos dicionários, no *novíssimo Aulete* a regência verbal **não** constitui elemento estrutural do verbete. O verbete de um verbo é estruturado com base nas acepções, como nas outras classes. Este dicionário considera a semântica, ou seja, o significado das palavras, seu eixo referencial, que reflete o próprio conceito da lexicografia. As regências, nessa óptica, não são marcas de nascença de um verbo, mas uma incidência do uso. Quando todas as acepções seguem a mesma regência, ela será indicada junto à classe (ex.: *v. td.*). Se não, as regências são indicadas em cada acepção, dentro da **achega de definição** (ver adiante). Se houver variação de regência para uma mesma acepção, essa variação também é indicada **dentro** da acepção, na **achega de definição** (em ambos os casos, geralmente seguida de exemplos esclarecedores).

15. PREPOSIÇÃO No caso de regências indiretas (transitivo indireto [*ti.*], transitivo direto e indireto [*tdi.*] e transitivo relativo [*tr.*]), são indicadas as preposições mais frequentes naquele uso, com o sinal de mais (+) seguido da(s) preposição(ões). Ex.: [*tr.* + *em, por...*].

16. ACHEGA DE DEFINIÇÃO (ver 10, acima) É uma área de informações suplementares sobre determinada acepção, apresentada entre colchetes. Pode conter: **regências** verbais [no caso de verbos] ou nominais e seus **exemplos** ou **abonações, remissivas**, notas elucidativas. Pode conter também referências analógicas ou comparativas (por exemplo, o antônimo da palavra, naquela acepção, na forma: [Ant.: *antônimo*.]

17. REMISSIVA Envia o consulente a outro verbete, para lá obter uma acepção (formas: Ver *verbete*, o mesmo que *verbete*, o m. que *verbete*), ou para obter outra definição análoga ou complementar (forma: Ver tb. *verbete*.), ou para conferir outro significado análogo ou contrastivo

---

sorridente (sor.ri.*den*.te) *a2g*. **1** Que sorri; RISONHO **2** Que demonstra alegria (rosto sorridente); ALEGRE; CONTENTE [Ant.: *acabrunhado, triste.*] **3** *Fig.* Que promete algo de bom para os dias que virão; AUSPICIOSO; FAVORÁVEL; PROMISSOR: *Via à sua frente um futuro sorridente.* [Ant.: *adverso, desfavorável, sombrio.*] [F: Do lat. *subridens, entis.*]
sorrir (sor.*rir*) *v.* **1** Fazer uma expressão risonha ou irônica pelo repuxar dos lábios [*int*.: *É muito simpática, vive sorrindo.*] [*ti.* + *para*: *Enfim, o menino sorriu para alguém.*] **2** Mostrar-se contente ou alegre; ALEGRAR-SE [*int.: Sorriu-se com a notícia; Sorria quando o comparavam a Frank Sinatra.*] **3** *Fig.* Expressar alegria, como um sorriso [*int.: Os lábios permaneciam imóveis, mas seu olhar sorria.*] **4** *Fig.* Ser favorável a; FAVORECER [*ti.* + *a, para*: *"...a fortuna começava a sorrir para mim..."* (Joaquim Manuel de Macedo, *O moço loiro*)] **5** Zombar discretamente [*tr.* + *de*: *"Sorris da minha dor, mas eu te quero ainda..."* (Paulo Medeiros, *Sorris da minha dor*)] **6** Apresentar-se de maneira promissora [*ti.* + *para*: *Aquela bela ocasião parecia sorrir para ela.*] **7** Ser a favor de [*ti.* + *para*: *A sorte nunca sorri para mim.*] **8** Transmitir sensação agradável, de prazer [*ti.* + *para*: *A paisagem ensolarada parecia sorrir para ele.*] [▶ 41 sorrir] [F: Do lat. *subridere*. Ant. ger.: *chorar.*] ■ ~ **amarelo** Sorrir para amenizar ou disfarçar constrangimento ou embaraço ou tensão diante de outras pessoas

---

contar (con.*tar*) *v.* **1** Efetuar a contagem de; verificar ou atestar a quantidade de [*td.: Contei cinco barcos na lagoa.*] **2** Fazer contas; calcular [*int.: Ele já sabe ler, escrever e contar.*] **3** Ter (quantidade de) [*td.: contar trinta anos de serviço/seis meses de vida.*] **4** Ter à disposição; dispor de [*td.: A escola conta bons empregados.*] [*tr.* + *com*: *A escola conta com três professores novos.*] **5** Obter, incluir [*tr.* + *com*: *"...o evento contou com cerca de 1.500 pessoas..."* (*Folha de S.Paulo*, 13.11.1999)] **6** Esperar a, ou confiar na participação, ajuda etc. de (alguém) [*tr.* + *com*: *Conto com você no mutirão.*] **7** Ter expectativa ou esperança de [*td.*: *"...não contava divertir-me tanto!"* (Joaquim Manuel de Macedo, *A Moreninha*)] [*tr.* + *com*: *Estou contando com a queda da inflação; Contamos com tua amizade.*] **8** Levar ou ser levado em consideração [*td.: Paga luz e gás, sem contar a alimentação.*] [*int.: A honestidade conta muito.*] **9** Relatar, narrar (fato, história etc.) [*td.: Ela contou que havia morado no Sul.*] [*tdi.* + *a, para*] *Ele contou o final do filme para os amigos.*] [*tr.* + *de*: *Começou a contar de suas viagens pela Itália.*] **10** Incluir, considerar (entre pessoas ou coisas) [*tdr.*] + *em, entre*: *Conto-o no número de meus melhores amigos; Conto-o entre os meus melhores amigos.*] **11** Ter na conta de; JULGAR [*tdp.*: *Conto-o como a pessoa mais inteligente que conheço.*] **12** Ter intenção de; fazer planos; PLANEJAR; TENCIONAR [*td.: Contávamos passar as férias em Lisboa.*] **13** Fazer suposição de; IMAGINAR; PENSAR [*td.: Ele contava concluir a tese até o final do ano.*] [*tr.* + *em*: *Contei em acabar o vestido hoje.*] **14** Passar o tempo; DECORRER [*int.: Contam-se doze anos que ela se foi.*] [▶ 1 contar] [F: Do lat. *computare*. Hom./Par.: *conta(s)* (fl.), *conta(s)* (sf. [pl.]); *conto* (fl.), *conto* (sm.); *contem* (fl.), *contém, contêm* (fl. de *conter*).]

○ **-astro¹** *el. comp.* Ver *astr(o)-*
○ **-astro²** *suf. nom.* = 'aumento (esp. de más qualidades)'; 'aquele que é muito ruim em algo, ou que tem péssimas qualidades': *criticastro, filosofastro, medicastro, musicastro, poetastro, politicastro, pulhastro* [F: De or. incerta, posv. expressiva. É característico neste suf. o valor depreciativo.

---

impelir (im.pe.*lir*) *v.* **1** Fazer andar; EMPURRAR; IMPULSIONAR [*td.: A correnteza impelia a canoa.*] **2** *Fig.* Incitar, estimular; INCITAR [*td.: A ansiedade impelia a estudante.*] [*tdr.* + *a*: *O amor à aventura impelia os navegadores a descobrir o mundo.*] [Ant.: *desanimar, desestimular.*] **3** *Fig.* Obrigar, coagir; CONSTRANGER [*tdr.* + *a*: *A manifestação impeliu a diretoria a negociar.*] [▶ 50 impelir] [F: Do lat. *impellere.*]

Como usar este dicionário

(forma: Cf.: *verbete*.) A forma tb. *verbete*, ou seja, 'também *verbete*', indica uma forma alternativa para o mesmo termo, ou um termo alternativo para o mesmo significado, e não representa, necessariamente, uma entrada própria no dicionário,

18. NOTA Elucida dificuldades, chama a atenção para particularidades, erros comuns etc. Vem em achegas, na forma de texto precedido ou não por NOTA: [NOTA: texto...]

19. ACHEGA GRAMATICAL Pode vir depois de todas as acepções de determinada classe gramatical, entre colchetes, e inclui informações gramaticais sobre a classe:

19a. no caso de verbos, a marca c indica que se segue o número do paradigma de conjugação e o verbo em questão, com a parte variável em negrito. Assim, [c 1 discurs**ar**] quer dizer que o verbo *discursar* se conjuga pelo paradigma 1, e que o elemento fixo discurs deve ser seguido (ou intercalado), em cada flexão, pelas desinências (ou elementos intercalados) em negrito que aparecem em cada flexão do paradigma. Pode haver ainda uma observação específica sobre variações de conjugação de determinado verbo em determinados tempo e/ou pessoa, particípio irregular ou dois particípios etc.;

19b. no caso de substantivos e adjetivos pode haver indicação de **plural** ou **feminino irregulares**, ou de **variação de pronúncia em femininos e plurais**. As palavras terminadas em *ão* em *l* e em *m* e todas as palavras compostas têm indicação de plural; pode haver também indicação de aumentativos e diminutivos irregulares ou especiais;

19c) no caso de adjetivos, pode haver indicação de superlativos absolutos sintéticos irregulares.

A achega gramatical pode conter também NOTA, com elucidação de dificuldades, alerta sobre o uso etc.

20. ACHEGA DE VERBETE Contém informação sobre a **origem** e **formação** da palavra (uma etimologia simples), precedida da indicação **F.:**, e indicando o idioma do qual se originou diretamente, a formação a partir de outros elementos, vocábulos, elementos de composição etc. Quando um termo do histórico de formação de um vocábulo é antecedido por um **asterisco*, significa que esse termo não tem registro documentado, sendo portanto hipotético, mas que de acordo com as leis fonéticas e históricas da evolução do étimo tudo indica sua validade. Esta achega pode conter também informações adicionais sobre o vocábulo, geralmente indicação de homônimos e parônimos (palavras com grafia igual ou similar mas com significado diferente), com a indicação **Hom./Par.**; ou sugerir que se confira, por certa analogia, com outro vocábulo (**Cf.:**).Também pode dar informações sobre o vocábulo que abranjam todas as acepções, como sinônimos ou antônimos gerais, observações importantes etc.

21. LOCUÇÃO ou **EXPRESSÃO IDIOMÁTICA** Uma expressão ou locução, em que um vocábulo assume especificamente um sentido diferente daqueles que normalmente tem, constitui uma unidade de significado, ou seja, uma unidade léxica. Este dicionário apresenta um grande número dessas locuções, com especial atenção às de mais uso na linguagem corrente. As locuções seguem-se, no verbete, aos significados da palavra em todas as classes gramaticais, e são precedidas do sinal ■, que indica o início da área de locuções. As locuções são grafadas em **negrito**, e o sinal ~ substitui a palavra em questão. Geralmente são apresentadas em ordem alfabética, e pode haver mais de um significado numa locução.

22. ACHEGA ENCICLOPÉDICA Nos casos em que a adequada compreensão do vocábulo não se restringe aos aspectos léxicos (seus significados), estendendo-se a sua importância aos contextos social, cultural, científico, geográfico, econômico etc., é apresentada uma achega enciclopédica, que é um resumo desses aspectos. Vem ao fim do verbete, sobre um fundo de cor.

OUTROS MÓDULOS DE INFORMAÇÃO

Além da seção lexicográfica por excelência, núcleo e eixo deste dicionário, outros módulos, quadros e tabelas fornecem informações úteis (e em alguns casos necessárias) para o universo a que se destinam:

Paradigmas de conjugação, com 61 quadros numerados, apresentando cada um o modelo completo de conjugação de verbos que seguem aquele paradigma. Os elementos variáveis de cada flexão são apresentados em **negrito**. Para conjugar qualquer verbo do dicionário, basta localizar na achega gramatical do verbete o número do paradigma, substituir a parte fixa do paradigma (não em **negrito**) pela parte fixa do verbo (como apresentada na achega gramatical do verbete), e juntar os elementos variáveis e desinências do paradigma (em **negrito**) à parte fixa do verbo. Alguns paradigmas têm variantes, e as variações são claramente indicadas no quadro do paradigma.

Uma pequena gramática, do prof. José Carlos Santos de Azeredo, uma análise estrutural da gramática e das classes gramaticais, suas funções e suas variações.

Lista de gentílicos de todos os municípios brasileiros, com indicação do município ao qual cada um se refere.

---

fácil (*fá*.cil) *a2g.* **1** Que se pode fazer sem dificuldade ou esforço (prova fácil) [+ *de*: questão *fácil de* resolver.] **2** Que é claro, simples (texto fácil) **3** Que flui espontaneamente: *Acordo fácil.* **4** *Pej.* Que é superficial, sem profundidade; LEVE: *Hoje vamos ver um filme fácil, nada de Pasolini ou Godard.* **5** Que se compreende sem custo: *um autor fácil.* **6** Que é provável de acontecer ou de se realizar: *É fácil cair quando está se aprendendo a patinar.* **7** Dócil, amável (criança fácil) **8** Espontâneo, natural (sorriso fácil) **9** Que não cria problemas, que se dispõe ao acordo (homem fácil em perdoar) **10** *Pej.* Diz-se de mulher, que se deixa seduzir sem opor resistência [Pl.: *-ceis.* Superl.: *facílimo, facilíssimo.* Ant. ger. do a2g.: *difícil.*] *adv.* **11** Facilmente; com facilidade: *Ele se irrita fácil.* **12** *Pej.* De forma irrefletida ou irresponsável: "Não fala fácil, meu filho!..." (Guimarães Rosa, "A hora e vez de Augusto Matraga" *in Sagarana*) [F: Do lat. *facilis*.]

[20] [19b] [19c]

[19b]

saboroso (sa.bo.*ro*.so) [ô] *a.* **1** Que tem sabor, que tem gosto agradável (iguaria saborosa); DELICIOSO; GOSTOSO; SÁPIDO **2** *Fig.* Agradável, delicioso, deleitoso (história saborosa) **3** *Fig.* Engraçado, jovial [Pl.: [ó]. Fem.: [ó].] [F: Do lat. *saporosus, a, um.* Ant. ger.: *insulso, dessaboroso.*]

[20]

---

embelezar (em.be.le.*zar*) *v.* **1** Tornar belo, atraente; AFORMOSEAR [*td.*: *A síndica quer embelezar a fachada do prédio; Embelezou-se toda para a festa.*] [*int.*: *O jardim embelezou-se com o novo canteiro.* Ant.: *afear.*] **2** *Fig.* Atrair, por sua beleza, a atenção de; ENCANTAR; ENLEVAR: [*td.*] *A pintura o embeleza, especialmente os impressionistas.*] [▶ **1** embelez**ar**] [F: *em-²* + *beleza* + *-ar².*]

[20]

infirmar (in.fir.*mar*) *v. td.* **1** Tirar a força ou a autoridade de; tornar fraco **2** *Jur.* Retirar a força de (um ato jurídico), tornando-o sem validade [▶ **1** infirm**ar**] [F: Do v.lat. *infirmare.* Hom./Par.: *infirme* (fl.), *infirme* (a2g.); *infirmes* (fl.), *infirmes* (pl. do a2g.).]

---

letramento (le.tra.*men*.to) *sm.* **1** A condição que se tem, uma vez alfabetizado, de usar a leitura e a escrita como meios de adquirir conhecimentos, cultura etc., e estes como instrumentos de aperfeiçoamento individual e social **2** *Pedag.* Ver *alfabetização* **3** *Pedag.* Conjunto de práticas que indicam a capacidade de uso de vários tipos de material escrito [F: *letrar* + *-mento*.]

📖 O termo 'letramento', de uso recente no campo da pedagogia e da educação, deriva do inglês *literacy*, em sua acepção de 'condição de quem sabe ler e escrever'. Na verdade, não se refere a condição técnica de saber ler e escrever (ao que corresponde o termo 'alfabetismo' ou 'alfabetização'), mas à condição, capacidade de e disposição para, uma vez dominada a técnica de ler e escrever, usá-la para assimilar e transmitir informação, conhecimento etc. Assim, o letramento é uma continuação possível e desejável da alfabetização, e é através dele que o potencial do alfabetismo pode se transformar em conhecimento e cultura.

[22]

---

[21]

léu *sm.* **1** Ociosidade, inércia **2** Ensejo, oportunidade: *Teve léu suficiente para conhecer toda a região.* [F: Do provç. *leu*, este do lat. *levis*, e. Hom./Par.: *leu* (fl. de *ler* e sm.).] ■ **Ao ~ 1** *Pop.* À toa, ao acaso: *Foi andando sem destino, ao léu.* **2** Sem cobertura: *Ia com a cabeça ao léu, os cabelos revoltos.* **Ao ~ de** Ao sabor de, ao capricho de: *Aventurou-se no barquinho, ao léu das ondas.*

ABREVIAÇÕES USADAS NO DICIONÁRIO

abl.	ablativo
abr.	abreviatura/abreviação
abs.	absoluto
acp./acps.	acepção/acepções
acus.	acusativo
adapt.	adaptação
adj.	adjetivo
adj.adn.	adjunto adnominal
afirm.	afirmativo
afr.	africano/africanismo
afdr.	africânder
aglut.	aglutinação
al.	alemão
alter.	alteração
ang./angl.	anglicismo
ant.	antigo
Ant.	antônimo
antr.	antropônimo
aport.	aportuguesamento, aportuguesado
ár.	árabe/arabismo
art.	artigo
aum.	aumentativo
aux.	auxiliar
bras.	brasileirismo
c.	cerca de
cast.	castelhano
cat.	catalão
Cf.	confronte/compare
chin.	chinês
cient.	científico
cig.	cigano
comb.	combinação
comp.	comparativo
compl.	complementar
conc.	concani
contr.	contração
contrv.	controverso
cor.	coreano
dat.	dativo
def.	definição/definido
defec.	defectivo
dem.	demonstrativo
deprec.	depreciativo
der./deriv.	derivado
design.	designação
desin.	desinência
desus.	desusado
dev.	deverbal
dim.	diminutivo
ecles.	eclesiástico
ed.	edição
el.	elemento
equ.	equivalente
esp.	especialmente
espn.	espanhol/espanholismo
espn.plat.	espanhol platense
etn.	etnônimo
ex.	exemplo
expr.	expressão
f.	forma
F.	formação ou étimo
fam.	família
fem.	feminino
fig.	figurado
fl.	flexão/flexões
fórm.	fórmula
f.par.	forma paralela
fr.	francês
f.red.	forma reduzida
freq.	frequentemente
fut.	futuro
gal.	galicismo
gên.	gênero
genit.	genitivo
ger.	geral/geralmente
geru./gerún.	gerúndio
gír.	gíria
gr.	grego
hab.	habitantes
heb./hebr.	hebraico
hind.	hindustâni
hom.	homônimo/homonímia
i.e.	isto é
imper.	imperativo
imper.afirm.	imperativo afirmativo
imper.neg.	imperativo negativo
imperf.	imperfeito
impess.	impessoal
impr.	impróprio/impropriamente
ind.	indicativo
indef.	indefinido
infan.	infantil
infer.	inferioridade
infinit.	infinitivo
infl.	influência
ing./ingl.	inglês
int.	intransitivo
interr.	interrogativo
ior.	iorubá
irôn.	irônico
irreg.	irregular
it.	italiano
jap.	japonês
joc.	jocoso
lat.	latim
loc./locs.	locução/locuções
lus.	lusitanismo
m.	mesmo
m.us.	mais usado
masc.	masculino
medv.	medieval
mil.	militar
moç.	moçambiquismo
mod.	modelo
m.q.	mesmo que
m.-q.-perf.	mais-que-perfeito
mun.	município
n.	número
neg.	negativo
neol.	neologismo
nom.	nominativo
num.	numeral
núm.	número
obsc.	obscuro
obsol.	obsoleto
onom.	onomatopeia, onomatopaico
or./orig.	origem
p.	página/predicativo
par.	parônimo/paronímia
part.	particípio
pej.	pejorativo
perf.	perfeito
pess.	pessoa(s)/pessoal
p.ex.	por exemplo
p.ext.	por extensão
pl.	plural
poét.	poético
p.op/p.opos.	por oposição
pop.	popular(es)
port.	português
poss.	possessivo
posv.	possivelmente
pr.	pronominal
pred.	predicativo
pref.	prefixo
prefer.	preferencial
prep.	preposição
pres.	presente
pret.	pretérito
pron.	pronome
pros.	prosódica
prov.	provérbio
provç.	provençal
p.us.	pouco usado
quicg	quicongo
quimb.	quimbundo
q.v.	queira ver
rad.	radical
red.	reduzida(o)/redução
ref.	referente
regress.	regressivo
restr.	restrito
restri.	restritivo
sânsc.	sânscrito
séc.	século
símb.	símbolo
sin.	sinônimo(s)
sing.	singular
sint.	sintético
sp.	espécie
spp.	espécies
subfam.	subfamília
subj.	subjuntivo
subord.	subordinativa
subsp.	subespécie
subst.	substantivo
substv.	substantivado/substantivação
suf.	sufixo
sup.	superioridade
superl.	superlativo
tabu.	tabuísmo
tb.	também
term.	terminação
top.	topônimo
tupi-guar.	tupi-guarani
unip.	unipessoal
us.	usado(s)
V.	ver, veja
v.	ver veja (redondo claro)
v.	verbo
var.	variante(s)/variedade
vern.	vernáculo
voc.	vocábulo
vulg.	vulgar

SÍMBOLOS

- ⌑ achega enciclopédica
- ▶ conjugação verbal (paradigma)
- ◎ elemento de composição
- ⊕ estrangeirismo
- ⊠ símbolo, sigla
- ~ substitui o termo numa locução

CLASSES GRAMATICAIS

a.	adjetivo
a2g.	adjetivo de dois gêneros
a2g2n.	adjetivo de dois gêneros e dois números
adv.	advérbio
af.	adjetivo feminino
art.def.	artigo definido
art.indef.	artigo indefinido
conj.	conjunção
conj.adit	conjunção aditiva
conj.advers.	conjunção adversativa
conj.alter.	conjunção alternativa
conj.caus.	conjunção causal
conj.comp.	conjunção comparativa
conj.conces.	conjunção concessiva
conj.concl.	conjunção conclusiva
conj.condic.	conjunção condicional
conj.conf.	conjunção conformativa
conj.consec.	conjunção consecutiva

Abreviações usadas no dicionário

conj.expl.	conjunção explicativa	*pr.dem.*	pronome demonstrativo
conj.fin.	conjunção final	*pr.excl.*	pronome exclamativo
conj.integr.	conjunção integrante	*pr.indef.*	pronome indefinido
conj.prop.	conjunção proporcional	*pr.interr.*	pronome interrogativo
conj.temp.	conjunção temporal	*pr.pess.*	pronome pessoal
el.comp.	elemento de composição	*pr.poss*	pronome possessivo
interj.	interjeição	*pr.rel.*	pronome relativo
loc.a.	locução adjetiva	*sf.*	substantivo feminino
loc.adv.	locução adverbial	*sf2n.*	substantivo feminino de dois números
loc.conj.	locução conjuntiva	*sfpl.*	substantivo feminino plural
loc.interj.	locução interjetiva	*sm.*	substantivo masculino
loc.prep.	locução prepositiva	*sm2n.*	substantivo masculino de dois números
loc.subst.	locução substantiva	*smpl.*	substantivo masculino plural
loc.verb.	locução verbal	*suf.*	sufixo
num.	numeral	*s2g.*	substantivo de dois gêneros
pref.	prefixo	*s2g2n.*	substantivo de dois gêneros e dois números
prep.	preposição	*v.*	verbo

REGÊNCIAS VERBAIS

int.	intransitivo	*tdr.*	transitivo direto e relativo
ta.	transitivo adverbiado	*ti.*	transitivo indireto
td.	transitivo direto	*tip.*	transitivo indireto e predicativo
tda.	transitivo direto e adverbiado	*tir.*	transitivo indireto e relativo
tdi.	transitivo direto e indireto	*tp.*	transitivo predicativo
tdp.	transitivo direto e predicativo	*tr.*	transitivo relativo

NÍVEIS DE USO

Ant.	antigo	*Gír.*	gíria	*Pej.*	pejorativo
Antq.	antiquado	*Infan.*	infantil	*Pop.*	coloquial
Depr.	depreciativo	*Irôn.*	irônico	*Restr.*	restrito
Desus.	desusado	*Joc.*	jocoso	*Tabu.*	tabuísmo
Fam.	familiar	*P.ext.*	por extensão	*Vulg.*	vulgar
Fig.	figurado	*P.us.*	pouco usado		

REGIONALISMOS

AC	Acre	*Espn.*	Espanholismo	*PI*	Piauí
Açor.	Açorianismo	*Gal.*	Galicismo	*PR*	Paraná
Afr.	Africanismo	*GO*	Goiás	*RJ*	Rio de Janeiro
AL	Alagoas	*Gui.*	Guineensismo	*RN*	Rio Grande do Norte
AM	Amazonas	*Lus.*	lusitanismo	*RO*	Rondônia
Amaz	Amazônia	*MA*	Maranhão	*RR*	Roraima
Angl.	Anglicismo	*MG*	Minas Gerais	*RS*	Rio Grande do Sul
Angol.	Angolanismo	*Moç.*	Moçambiquismo	*S.*	Sul
AP	Amapá	*MS*	Mato Grosso do Sul	*SC*	Santa Catarina
BA	Bahia	*MT*	Mato Grosso	*SE*	Sergipe
Bras.	brasileirismo	*N.*	Norte	*S.E.*	Sudeste
CE	Ceará	*N.E.*	Nordeste	*S.O.*	Sudoeste
C.O.	Centro-Oeste	*N.O.*	Noroeste	*SP*	São Paulo
Cver.	Cabo-verdianismo	*O.*	Oeste	*ST e P*	São Tomé e Príncipe
DF	Distrito Federal	*PA*	Pará	*TO*	Tocantins
E.	Leste	*PB*	Paraíba		
ES	Espírito Santo	*PE*	Pernambuco		

RUBRICAS

Acús.	acústica	*Bac.*	bacteriologia	*Cosm.*	cosmologia
Adm.	administração	*Basq.*	basquetebol	*Crist.*	cristalografia
Aer.	aeronáutica	*Bibl.*	bibliologia	*Cron.*	cronologia
Agr.	agricultura	*Biblt.*	biblioteconomia	*Cul.*	culinária
Agroqui.	agroquímica	*Biofs.*	biofísica	*Cut.*	cutelaria
Álg.	álgebra	*Biol.*	biologia	*Decor.*	decoração
Alq.	alquimia	*Bioq.*	bioquímica	*Dem.*	demografia
Anat.	anatomia	*Bot.*	botânica	*Derm.*	dermatologia
Antr.	antropologia	*Cálc.vet.*	cálculo vetorial	*Des.*	desenho
Apic.	apicultura	*Cap.*	capoeira	*Des.ind.*	desenho industrial
Arit.	aritmética	*Card.*	cardiologia	*Dipl.*	diplomacia
Arm.	armamento	*Carp.*	carpintaria	*Dir*	direito
Arq.	arquitetura	*Cart.*	cartografia	*Dnç.*	dança
Arqueol.	arqueologia	*Cer.*	cerâmica	*Doc.*	documentação
Art.gr.	artes gráficas	*Cib.*	cibernética	*Eci.*	engenharia civil
Art.marc.	artes marciais	*Cin.*	cinema	*Ecles.*	eclesiástico
Art.pl.	artes plásticas	*Cinol.*	cinologia	*Ecol.*	ecologia
Artesn.	artesanato	*Cir.*	cirurgia	*Econ.*	economia
Astnáut.	astronáutica	*Cit.*	citologia	*Edit.*	edição/editoração
Astrfs.	astrofísica	*Clim.*	climatologia	*Eel.*	engenharia elétrica
Astrol.	astrologia	*Cnav.*	construção naval	*Eet.*	engenharia eletrônica
Astron.	astronomia	*Col.*	coletivo	*Elet.*	eletricidade
Atl.	atletismo	*Com.*	comércio	*Eletrôn.*	eletrônica
Aut.	automobilismo	*Comun.*	comunicação/comunicações	*Eletrost.*	eletrostática
Avi.	aviação	*Cons.*	construção	*Emb.*	embriologia
Avic.	avicultura	*Cont.*	contabilidade	*Emec.*	engenharia mecânica

Abreviações usadas no dicionário

Enc.	encadernação	*Histl.*	histologia	*Pat.*	patologia
End.	endocrinologia	*Hom.*	homeopatia	*Pec.*	pecuária
Eng.gen.	engenharia genética	*Hort.*	fruticultura/horticultura	*Pedag.*	pedagogia
Eng.ind.	engenharia industrial	*Hot.*	hotelaria	*Pedt.*	pediatria
Eng.quím.	engenharia química	*Iat.*	iatismo	*Pet.*	petrologia
Enol.	enologia	*Icon.*	iconografia	*Petr.*	petróleo
Ent.	entomologia	*Ict.*	ictiologia	*Petrq.*	petroquímica
Enuc.	engenharia nuclear	*Imun.*	imunologia	*Pint.*	pintura
Epidem.	epidemiologia	*Ind.*	indústria	*Pint.*	– pintura
Esc.	escultura	*Inf.*	informática	*Pirot.*	pirotecnia
Esg.	esgrima	*Int.*	internet	*Pneumo.*	pneumologia
Esp.	esporte	*Jorn.*	jornalismo	*Poét.*	poesia,/poética
Espt.	espiritismo	*Jur.*	jurídico	*Pol.*	política
Est.	estatística	*Leg.*	legislação	*Proc.d.*	processamento de dados
Estét.	estética	*Lex.*	lexicografia/lexicologia	*Psc.*	pesca
Estomat.	estomatologia	*Ling.*	linguística	*Psi.*	psicologia
Etnog.	etnografia	*Liter.*	literatura	*Psic.*	psicanálise
Etnol.	etnologia	*Litu.*	liturgia	*Psiq.*	psiquiatria
Etol.	etologia	*Lóg.*	lógica	*Publ.*	publicidade
Exérc.	Exército	*Lud.*	ludologia	*Pug.*	pugilismo
Expl.	explosivos	*Maçon.*	maçonaria	*Quím.*	química
Farm.	farmacologia	*Mar.*	Marinha	*Rád.*	radiodifusão
Fer.	ferrovia/termo ferroviário	*Mar.G.*	Marinha de Guerra	*Radt.*	radiotécnica
Fil.	filosofia	*Mar.Merc.*	Marinha Mercante	*Rel.*	religião
Filat.	filatelia	*Marc.*	marcenaria	*Ret.*	retórica
Filol.	filologia	*Mat.*	matemática	*Reum.*	reumatologia
Fís.	física	*Mec.*	mecânica	*Rlog.*	radiologia
Fís.nu.	física nuclear	*Med.*	medicina	*Rod.*	rodovia/termo rodoviário
Fís.quânt.	física quântica ou ondulatória	*Med.leg.*	medicina legal	*Sid.*	siderurgia
Fisl.	fisiologia	*Met.*	meteorologia	*Soc.*	sociologia
Fís-quím.	físico-química	*Metal.*	metalurgia	*Taq.*	taquigrafia
Folc.	folclore	*Metrol.*	metrologia	*Taur.*	tauromaquia
Fon.	fonética/fonologia	*Micbiol.*	microbiologia	*Tax.*	taxônimo
Fot.	fotografia	*Míd.*	mídia	*Teat.*	teatro
Fotm.	fotometria	*Mil.*	militar	*Tec.*	tecnologia
Fut.	futebol	*Min.*	mineralogia	*Telc.*	telecomunicações
Gar.	garimpo	*Mit.*	mitologia	*Telv.*	televisão
Gast.	gastrenterologia	*Mnh.*	marinharia	*Teol.*	teologia
Gastron.	gastronomia	*Mob.*	mobiliário	*Teor.in.*	Teoria da informação
Gem.	gemologia	*Mús.*	música	*Ter.*	terapia/ terapêutica
Gen.	genética	*Museol.*	museologia	*Termod.*	termodinâmica
Geof.	geofísica	*Nat.*	natação	*Têxt.*	têxtil (indústria)
Geog.	geografia	*Náut.*	náutica	*Tip.*	tipografia
Geol.	geologia	*Nefr.*	nefrologia	*Trig.*	trigonometria
Geom.	geometria	*Neur.*	neurologia	*Trt.*	teratologia
Geom.an.	geometria analítica	*Nobil.*	nobiliarquia	*Tur.*	turismo
Geoq.	geoquímica	*Num.*	numismática	*Turfe*	turfe
Ger.	geriatria	*Obst.*	obstetrícia	*Ufo.*	ufologia
Germ.	germânico	*Oc.*	oceanografia	*Umb.*	umbanda
Ginec.	ginecologia	*Oct.*	ocultismo	*Urb.*	urbanismo
Gloss.	glossônimo	*Od.*	odontologia	*Urol.*	urologia
Gram.	gramática	*Oft.*	oftalmologia	*Venat.*	arte venatória
Grav.	gravura	*Ópt.*	óptica	*Vest.*	alfaiataria/chapelaria/costura/vestuário
Hem.	hematologia	*Ornit.*	ornitologia		
Her.	heráldica	*Ort.*	ortopedia	*Vet.*	veterinária
Herp.	herpetologia	*Otor.*	otorrinolaringologia	*Vir.*	virologia
Hidr.	hidráulica	*Our.*	ourivesaria	*Vit.*	viticultura
Hidrog.	hidrografia	*Pal.*	paleontologia	*Vol.*	voleibol
Hip.	equitação/hipismo/hipologia	*Palg.*	paleografia	*Zool.*	zoologia
Hist.	história	*Pap.*	indústria de papel		
Hist.nt.	história natural	*Parap.*	parapsicologia		

UMA PEQUENA GRAMÁTICA
JOSÉ CARLOS SANTOS DE AZEREDO

Quando se expressam numa dada língua, as pessoas utilizam unidades de comunicação que chamamos de FRASES. Perguntas, respostas, ordens, declarações, exclamações, promessas, pedidos são atos comunicativos praticados por meio de frases. Tanto a pergunta *Você aceita outro pedaço de bolo?* quanto a resposta *Sim* ou *Aceito* são frases.

A produção e a compreensão de frases envolvem duas espécies amplas de conhecimento: a língua em que as pessoas se comunicam e o contexto social em que se encontram. O conhecimento da língua abrange os significados das palavras empregadas, o modo como estas são pronunciadas ou escritas e os princípios que regem a ordem em que são colocadas.

Por ser parte da capacidade verbal e comunicativa das pessoas, este conjunto de conhecimentos comuns permite que elas se intercomuniquem e se identifiquem como pertencentes à mesma comunidade linguística: a comunidade dos que falam português, a comunidade dos que falam árabe etc.

LÉXICO E GRAMÁTICA

As palavras de uma língua constituem seu LÉXICO, apresentado em ordem alfabética nos dicionários. Para formar as frases, as palavras estão sujeitas a regularidades – como as formas que podem assumir e a ordem em que são dispostas – que constituem a GRAMÁTICA dessa língua. Cada palavra de uma língua é, desse modo, ao mesmo tempo uma unidade *lexical*, pelo fato de ter uma pronúncia – ou uma grafia – combinada com um significado, e uma unidade *gramatical*, pelo fato de pertencer a uma classe (substantivo, conjunção, numeral etc.) e ocupar certas posições na frase.

CLASSES DE PALAVRAS

Tradicionalmente, as palavras da língua portuguesa são distribuídas em dez classes – *substantivo, adjetivo, pronome, numeral, advérbio, artigo, preposição, conjunção, interjeição e verbo,* – cada qual caracterizada por uma soma peculiar de propriedades. Regidas pelas propriedades gramaticais inerentes às respectivas classes, as palavras ocupam certas posições, contraem relações entre si e assumem formas adequadas à composição das estruturas que chamamos de orações.

A ORAÇÃO E A FRASE

Chamamos oração à unidade gramatical constituída de duas partes: sujeito e predicado. Ordinariamente a função 'sujeito' é exercida por um substantivo ou pronome substantivo, e a função 'predicado' é exercida por um verbo: *João / Ele* (= sujeito) *viajou* (= predicado). Uma oração é, portanto, uma construção identificada por sua forma: é uma unidade da gramática da língua.

Por sua vez, a frase é uma unidade do discurso – ou seja, uma unidade comunicativa –, produzida como forma de interlocução entre pelo menos dois indivíduos. O 'Alô!' dito ao telefone, a pergunta 'João viajou?' e a resposta 'Sim' são frases. Cada uma delas expressa um ato comunicativo identificado, na fala, pela respectiva entoação e, na escrita, pelo sinal de pontuação apropriado (ponto de exclamação, ponto de interrogação, ponto final). A unidade 'João viajou?' é uma frase pelo fato de exprimir uma intenção comunicativa, isto é, uma pergunta, e ao mesmo tempo uma oração, pelo fato de ser uma construção gramatical formada por sujeito e predicado.

Graças à caracterização formal precisa da oração, é no interior dela que podemos, com clareza, distinguir as palavras segundo as respectivas classes (*pronome, verbo, preposição*) e reconhecer subclasses (p. ex. *pronome pessoal, verbo intransitivo*) dentro da respectiva classe.

DIVISÃO DA GRAMÁTICA

As regularidades que constituem a gramática da língua são de três tipos principais: (a) regularidades no funcionamento dos sons que produzimos para pronunciar suas palavras, (b) regularidades na relação entre as palavras e os significados que elas exprimem, e (c) regularidades nos meios de combinar as palavras entre si para formar as orações. Por isso, dividimos a gramática da língua em três partes: a **fonética**, que estuda as regularidades do tipo (a); a **morfologia**, que estuda as regularidades do tipo (b), e a **sintaxe**, que estuda as regularidades do tipo (c).

A **fonética** se ocupa da produção e análise dos sons, ou *fonemas* – vogais e consoantes –, que se combinam para formar as palavras da língua. Em português, toda palavra possui pelo menos uma vogal, que é a base do que se chama *sílaba*. Uma sílaba pode ser *átona* – isto é, pronunciada sem força – ou *tônica* – pronunciada com intensidade. Uma palavra como *porta* é formada por duas sílabas: *por – ta*. A primeira sílaba, formada pela consoante /p/, a vogal /ó/ e a consoante /r/, é tônica; a segunda, formada pela consoante /t/ e pela vogal /a/, é átona. De acordo com a posição da sílaba tônica, as palavras podem ser oxítonas, quando acentuadas na última sílaba (*café, mandacaru*), paroxítonas, acentuadas na penúltima sílaba (*peixe, caderno*) ou proparoxítonas, acentuadas na antepenúltima sílaba (*tráfego, pêndulo*).

A **morfologia** se ocupa da relação existente entre a estrutura da palavra e o significado que ela expressa. Do ponto de vista dessa relação, uma palavra como *capim* é indivisível, já que seu significado é expresso pela totalidade dela, mas *capinzal* é formada de *capin-* (seu radical) mais o *-zal* (ou *-al*, um sufixo que indica quantidade ou coleção). Muitas outras palavras são formadas assim: *laranjal, bambuzal, pantanal*. Para a Morfologia, essas partes que entram na construção das palavras se chamam:

- RADICAL: parte básica obrigatória a que se juntam outras partes (ex.: *port-* em **porta, portaria, porteiro**);
- VOGAL TEMÁTICA: vogal que se anexa ao radical para formar uma segunda base, chamada **tema**, que recebe as desinências (ex.: o *-a-* de **mesa**, o *-a-* de **falar**, o *-e-* de **bater**);
- DESINÊNCIA: parte da palavra que se acrescenta ao tema para indicar, nos substantivos, adjetivos e pronomes, o gênero e o número; e nos verbos, o tempo, o modo, o número e a pessoa (ex.: o *-a* e o *-s* de **meninas**; o *-va* e o *-mos* de **falávamos**);
- SUFIXO: parte que se acrescenta após o radical para a criação de outra palavra (ex.: *-zal* ou *-al* em **capinzal, laranjal, bambuzal**);
- PREFIXO: parte que se acrescenta antes do radical para a criação de outra palavra (ex.: *des-* em **descolar, desonesto**).
- A **sintaxe** se ocupa das relações das palavras na construção das orações. Uma sequência como *Os meninos gostavam de tomar banho na cachoeira* está sintaticamente bem construída porque as classes, as formas e as posições das palavras que a constituem são reconhecidas como aceitáveis e normais. Seria impossível algo como *Os gostavam banho de tomar meninos cachoeira na*. A sintaxe divide-se em:

a) sintaxe de colocação, responsável pela posição das palavras na oração;
b) sintaxe de concordância, responsável pela correspondência de gênero e número entre adjetivos e substantivos (concordância nominal) e de número e pessoa entre o verbo e seu sujeito (concordância verbal), e
c) sintaxe de regência, que determina a que classe ou subclasse uma palavra deve pertencer para acompanhar outra da qual é dependente.

SUBSTANTIVO

Os substantivos pertencem a dois gêneros ou classes: masculino e feminino. Pertencem ao gênero masculino os que podem vir precedidos de 'o': *o dia, o anel, o faxineiro*. Pertencem ao gênero feminino os substantivos que podem ser precedidos de 'a': *a noite, a aliança, a faxineira*.

Além de pertencer a um gênero, o substantivo é variável em número (singular X plural): no singular, denota um ser ou objeto (*o dia, o anel*); no plural, denota mais de um ser ou objeto (*os dias, os anéis*). Para alguns substantivos, a distinção entre singular e plural serve para exprimir outros significados: *metal* é uma substância, mas *metais* pode significar os instrumentos feitos de metal; *costa* é a parte de um continente banhada pelo mar, mas *costas* designa uma parte do corpo; *cinza* é uma substância ou cor, já *cinzas* são restos mortais.

Gênero dos substantivos

Todo substantivo pertence a um gênero, masculino ou feminino, mas só para os que designam seres animados o gênero de um substantivo pode nos informar algo sobre seu significado. Os substantivos que nomeiam seres animados podem ter gêneros diferentes, masculino para o macho e feminino para a fêmea da espécie: *bode - cabra, homem - mulher, cachorro - cachorra*. Quando se trata de seres humanos, essa diferença pode aplicar-se também a relações familiares, profissões, títulos de nobreza, papéis socioculturais diversos: *pai - mãe, ator - atriz, príncipe - princesa, compadre - comadre*. Substantivos como *jacaré, onça* e *tatu* (epicenos) têm um só gênero para o macho e a fêmea da espécie. Outros mantêm a forma mas mudam de gênero (comuns de dois): *o pianista - a pianista, o atleta - a atleta*. Há ainda os nomes sobrecomuns, substantivos referentes a seres humanos que têm uma só forma e um só gênero para o homem e a mulher: *o cônjuge* (o marido ou a esposa), *o capitão* (homem ou mulher). As regras abaixo envolvem exclusivamente substantivos referentes a seres animados.

REGRA GERAL

Substantivos terminados em **-o** trocam esta terminação por *-a* no feminino: *gato - gata, urso - ursa*.

REGRAS ESPECIAIS

a) Substantivos terminados em consoante ou em vogal tônica recebem *-a* no feminino: *freguês - freguesa, diretor - diretora, peru - perua, guri - guria*.
b) Substantivos terminados em **-ão** fazem o feminino em –ona, -oa ou -ã: *trapalhão - trapalhona, patrão - patroa, escrivão - escrivã*.

Número dos substantivos

A regra geral de formação do plural dos substantivos consiste em juntar *-s* à forma do singular: *perna - pernas, caju - cajus, troféu - troféus*.

REGRAS ESPECIAIS:

a) Substantivos terminados em **-r** ou **-z** recebem *-es* no plural: *cor - cores, noz - nozes*.
b) Substantivos terminados em **-s** seguem duas regras: os oxítonos e os monossílabos recebem *-s* (*país - países, mês - meses*); os monossílabos constituídos de ditongo, os paroxítonos ou os proparoxítonos são invariáveis: *o cais – os cais, um pires – dois pires, o ônibus – os ônibus*.
c) Os nomes terminados em **-x** são invariáveis se são paroxítonos (*o tórax - os tórax*), e são facultativamente flexionados se são monossilábicos ou oxítonos (*um fax - dois fax* ou *faxes, um pirex - dois pirex* ou *pirexes*).

d) Substantivos terminados em **-al**, **-el**, **-ol** e **-ul** fazem o plural substituindo o -l por -is (acentuando a vogal no caso de **-el** e **-ol**): *metal - metais, anel - anéis, anzol - anzóis, paul - pauis*. Exceções: *mal - males, cônsul - cônsules*.

e) Substantivos terminados em **-il** têm dois plurais: se o **-il** está em sílaba tônica, substitui-se o -l por -s (*funil - funis*); se o **-il** está em sílaba átona, substitui-se o -il por -eis (*projétil - projéteis*).

f) Substantivos terminados em **-ão**, na sua maioria, fazem o plural substituindo -ão por -ões. Incluem-se nesta regra todos os aumentativos em -ão e todos os derivados de verbo por meio do sufixo -(ç)ão: *limão - limões, coração - corações, caldeirão - caldeirões, apelação - apelações*. Os monossílabos e os paroxítonos recebem -s no plural: *mão - mãos, órgão - órgãos*. São exceções: *cães, pães, capitães, sacristãos* ou *sacristães, artesãos* entre outros.

PLURAL DOS SUBSTANTIVOS COMPOSTOS

A formação do plural dos substantivos compostos compreende quatro tipos gerais:

a) apenas o último elemento vai para o plural (*vice-governador / vice-governadores, beija-flor / beija-flores*),

b) ambos os elementos vão para o plural (*obra-prima / obras-primas, rádio-relógio / rádios-relógios*),

c) apenas o primeiro elemento vai para o plural (*pão-de-mel / pães-de-mel, mala-sem-alça / malas-sem-alça, célula-tronco / células-tronco*),

d) não há diferença formal entre singular e plural (o *sabe-tudo* / os *sabe-tudo*, o *disse-me-disse* / os *disse-me-disse*).

Os substantivos são ainda classificados como *comuns* – quando denotam a espécie (*planeta, cidade, pessoa*) – ou *próprios* – quando denotam o indivíduo dentro da espécie (*Marte, Manaus, Jorge*).

Os substantivos comuns podem ser *concretos* – quando denotam seres e coisas de existência independente, reais ou imaginários (*mesa, planta, rinoceronte, centauro*) – ou *abstratos* – quando denotam conceitos (*justiça, amor, violência*).

Segundo suas características formais, os substantivos também se chamam *primitivos* – quando não provêm de outro substantivo (*mesa, peixe, camisa*) – ou *derivados* – quando são criados a partir de outra palavra (*peixeiro, camiseta, justiça*); *simples* – quando são constituídos de uma só base ou radical (*peixe, hélice*) – ou *compostos* – quando são constituídos de duas ou mais bases ou radicais (*peixe-espada, helicóptero*, isto é, que tem 'asa' – *ptero* – em forma de 'hélice').

ADJETIVO

Os adjetivos têm gênero e número expressos basicamente como nos substantivos, com uma diferença: os adjetivos são mais regularmente afetados pelas regras. Por outro lado, distinguem-se ainda os adjetivos que são passíveis de gradação (*mulher elegante / mulher elegantíssima*) dos adjetivos que não admitem gradação (*posição horizontal, lei federal*, mas não *horizontalíssima, federalíssima*). Os primeiros expressam qualidades, os últimos denotam classes ou tipos.

Gênero dos adjetivos

Os adjetivos em **-o** formam o feminino com a substituição do -o por -a: *magro - magra*.

REGRAS ESPECIAIS

a) Os adjetivos terminados em **-ês**, **-or** e **-u** recebem -a no feminino: *francês - francesa, revelador - reveladora, cru - crua*. São invariáveis em gênero: os comparativos em -or (menor, melhor), designativos de etnias, nacionalidades (*zulu, hindu*) e os adjetivos *cortês, descortês, montês, pedrês, tricolor, bicolor, incolor, multicor, sensabor*.

b) Os adjetivos terminados pelo sufixo aumentativo **-ão** trocam o -ão por -ona: *chorão -chorona*. Outros adjetivos em **-ão** formam o feminino com supressão do -o final: *são - sã, alemão - alemã*.

c) Os adjetivos em **-eu** trocam esta terminação por -eia: *europeu - europeia*. Exceções: *sandeu - sandia, judeu -judia*.

d) São invariáveis em gênero os adjetivos paroxítonos terminados em **-s** (*simples*) e os demais terminados em **-e** (*triste*), **-a** (*feminista*), **-ar** (*particular*), **-l** (*fatal, febril, útil*), **-m** (*comum*), **-z** (*feliz*). Exceções: *espanhol - espanhola, bom - boa, andaluz - andaluza*.

Número dos adjetivos

O plural dos adjetivos simples segue as mesmas regras enunciadas acima para os substantivos.

PRONOME

Classificam-se em pessoais, possessivos, demonstrativos, indefinidos, interrogativos e relativos.

Os pronomes **pessoais**, **possessivos** e **demonstrativos** apresentam formas diferentes para referir-se às três pessoas do discurso (a que fala, aquela a quem se fala, aquela de que(m) se fala). Daí a simetria das séries seguintes:

* pessoais: *eu / tu / ele*
* possessivos: *meu / teu / seu* (ou *dele*)
* demonstrativos: *este / esse / aquele*

Pronomes pessoais

A classe dos pronomes pessoais é a única que possui formas distintas para diferentes funções na frase: (a) pronomes retos (*eu, tu / você, ele / ela, nós, vós /vocês, eles / elas*) para a função de sujeito; (b) pronomes oblíquos átonos (*me, te, o / a / lhe / se, nos, vos, os /as /lhes /se*) para a função de complemento anexo ao verbo, e (c) pronomes oblíquos tônicos (*mim / (co)migo, ti / (con)tigo, si / (con)sigo, (co)nosco, (con)vosco, si / (con)sigo*) para a função de adjunto ou complemento precedido de preposição.

Obs.: As formas *o, a, os, as*, quando colocadas após o verbo, apresentam as seguintes variantes combinatórias:

lo, la, los, las, quando a forma verbal termina por consoante, que desaparece diante do pronome: *cortar + a > cortá-la, trouxemos + o > trouxemo-lo, fez + os > fê-los*;

no, na, nos, nas, quando a forma verbal termina em ditongo nasal: *dão + o > dão-no, visitem + as > visitem-nas*;

as formas oblíquas tônicas *mim, ti, si, nós* e *vós* apresentam as variantes *migo, tigo, sigo, nosco* e *vosco* aglutinadas à preposição 'com'.

Pronomes possessivos

Os pronomes possessivos se flexionam em gênero e número, concordando com o substantivo que acompanham, com exceção das formas *dele, dela, deles, delas*, que concordam com o possuidor.

Existem dois subsistemas de pronomes possessivos em português: (a) um subsistema restrito aos usos formais e próprio do discurso em que não se faz referência ao interlocutor, no qual as formas seu/sua/seus/suas se referem à pessoa de quem se fala (subsistema I); e (b) um subsistema empregado no discurso dirigido a um interlocutor, ao qual as formas seu/sua/seus/suas normalmente se referem (subsistema II).

Subsistema I
1ª pessoa do sing. (EU): meu, minha, meus, minhas
2ª pessoa do sing. (TU): teu, tua, teus, tuas
3ª pessoa. do sing. (ELE, ELA): seu, sua, seus, suas
1ª pessoa do pl. (NÓS): nosso, nossa, nossos, nossas
2ª pessoa do pl. (VÓS): vosso, vossa, vossos, vossas
3ª pessoa do pl. (ELES, ELAS): seu, sua, seus, suas

Subsistema II
1ª pessoa do sing. (EU): meu, minha, meus, minhas
2ª pessoa do sing. (TU): teu, tua, teus, tuas
2ª pessoa do sing. (VOCÊ): seu, sua, seus, suas
3ª pessoa do sing. (ELE, ELA): dele, dela
1ª pessoa do pl. (NÓS): nosso, nossa, nossos, nossas
2ª pessoa do pl. (VÓS): vosso, vossa, vossos, vossas
2ª pessoa do pl. (VOCÊS): de vocês
3ª pessoa do pl. (ELES, ELAS): deles, delas

Pronomes demonstrativos

Os pronomes demonstrativos também variam em gênero, concordando com o substantivo que acompanham (*este(s) / esse(s) / aquele(s) carro(s), / esta(s) /essa(s) / aquela(s) casa(s)*). Além dessas formas, há uma série que se emprega no lugar do substantivo. São as formas neutras *isto, isso, aquilo*. Na linguagem usual as formas *esse, essa* e *isso* tendem a substituir *este, esta* e *isto*. A perda dessa distinção é, entretanto, compensada pelo uso de *aqui* e *aí* (*esse aqui* X *esse aí*).

Pronomes indefinidos

Os pronomes indefinidos integram uma classe heterogênea tanto pela forma quanto pelo significado. Uma parte deles (*algum, pouco, nenhum, outro, muito*) é variável em gênero e número, concordando com o substantivo que acompanha (*algum dinheiro, poucas pessoas, muitos prédios*). Outros são invariáveis (*cada, demais, mais, menos, que, algo, alguém, nada, ninguém, outrem, que, quem, tudo*). Uns poucos têm a forma de locução (*cada um, cada qual, o que quer que, quem quer que*).

Pronomes interrogativos

Assim se classificam os pronomes indefinidos *qual, quanto, que, o que* e *quem* quando integram frases interrogativas, introduzindo a parte da frase sobre a qual incide a pergunta (*Que / o que queres aqui?, Qual de vocês pode me ajudar?, Quanto você pode me emprestar?, Quem é você?*)

Pronomes relativos

São formas usadas para unir duas orações e substituir na segunda uma palavra presente na primeira (*Joguei fora as frutas que* (= as frutas) *apodreceram*). A forma *que* é invariável; as formas variáveis *o qual, a qual, os quais* e *as quais* têm o mesmo gênero e número da palavra que substituem; *cujo, cuja, cujos* e *cujas* concordam em gênero e número com o substantivo que acompanham (*Ficou bonita a rua cujas árvores foram iluminadas para o Natal*). *Quem* ocorre sempre precedido de preposição (*Esta é a mulher com quem vou me casar*).

NUMERAIS

A ideia de quantidade exata é expressa pelo numeral, que pode ser cardinal (*cinco pássaros*), ordinal (*quinto dia*), fracionário (*dois quintos da herança*), multiplicativo (*quíntuplo*). São variáveis em gênero os numerais *um, dois* e toda a série que vai de *duzentos* a *novecentos*. *Milhão, bilhão, trilhão* etc. são variáveis em número, com plural comum em *-ões*. Colocadas após o substantivo, as formas cardinais expressam valor ordinal: *página vinte, rua oito*.

ADVÉRBIOS

A maioria dos advérbios emprega-se para localizar no tempo ou no espaço os conteúdos dos nossos enunciados: *agora, antes, depois, hoje, ontem, amanhã, sempre, cedo, tarde* (advérbios de tempo); *aqui, aí, ali, lá* (advérbios de lugar). Existem também advérbios de modo (*assim, bem, mal*), de negação (*não*), de afirmação (*sim*), de dúvida (*talvez, porventura*). Usados como formas invariáveis ao lado de verbos e adjetivos, os vocábulos *muito, pouco, bastante* e *demais* são advérbios de intensidade.

Uma pequena gramática

Advérbios em -mente

Formam um conjunto vasto, já que são criados a partir de adjetivos, e servem em geral para caracterizar o fato expresso no verbo da mesma maneira que o adjetivo correspondente caracteriza o substantivo: _provavelmente_ voltará (cf. a volta é provável), viajou _repentinamente_ (cf. a viagem foi repentina).

ARTIGOS

Os artigos indicam o grau de identificação do ser definido pelo substantivo. Se ele é conhecido e determinado, o artigo chama-se _definido_. São artigos definidos _o, a, os, as_ (_o_ aluno, _a_ professora, _os_ livros, _as_ flores, todos específicos e conhecidos). Se o ser é gnéerico, ou seja, não é específico, o artigo chama-se _indefinido_. São artigos indefinidos _um, uma, uns, umas_ (_um_ aluno, _uma_ professora, _uns_ livros, _umas_ flores).

PREPOSIÇÕES

Uma preposição pode ser escolhida conforme a relação de sentido que se quer exprimir ('meio', em _voltei_ **de** _carro_; 'lugar' em _voei_ **sobre** _a cidade_) ou exigida pela palavra que a precede (_preciso_ **de** _ajuda, sonhei_ **com** _você_). No primeiro caso, a preposição expressa uma circunstância de acordo com a intenção de quem fala / escreve. No segundo, essa intenção não tem qualquer influência sobre a preposição; esta já vem "presa" ao verbo, e é por isso que os dicionários costumam informá-la. Algumas preposições podem fundir-se com artigos, definidos ou indefinidos, e pronomes, como _de_ (_do, da, dos, das, dum, duma, duns, dumas, desse, deste, daquele, daquela, daquilo, dalgum, dalguma_ etc.) e _em_ (_no, na, nos, nas, num, numa, nuns, numas, nesse, neste, naquele, naquela, naquilo, nalgum, nalguma_ etc.)

Crase

Quando a preposição _a_ antecede a letra _a_ como artigo definido (sing. ou pl.) ou como letra inicial de pronomes (_aquele, aquela, aquilo_ etc.) a preposição se funde com a letra _a_, e essa fusão chama-se _crase_, caracterizada por acento grave. No caso de fusão com o artigo definido, obviamente só pode ocorrer crase quando o substantivo pode ser precedido do artigo definido _a_ ou _as_. Assim, ocorre crase em _vou_ **à** _cidade_ (pois se diz _a_ cidade, estou _na_ cidade etc.), mas não em _vou a Ipanema_ (pois não se diz _a_ Ipanema, estou _na_ Ipanema [e sim _estou em Ipanema_]); mas pode ocorrer em _vou_ **à** _Tijuca_, pois se diz _a_ Tijuca, estou _na_ Tijuca etc. Da mesma forma, _vou_ **às** _compras, vamos_ **àquela** _sessão de cinema, não me referi_ **àquilo** etc. Ou seja, pode-se comprar **à** _vista_, mas nunca **à** _prazo_.

CONJUNÇÕES SUBORDINATIVAS

Funcionam como as preposições, com uma diferença: introduzem orações. As conjunções subordinativas são de duas espécies: conjunções integrantes – _que_ e _se_ – introdutoras de orações que funcionam como substantivos, e conjunções adverbiais, que expressam circunstâncias diversas: _quando_ (temporal); _se_ (condicional); _porque_ (causal); _conforme_ (conformativa), _embora_ (concessiva), [tanto] ... _que_ (consecutiva); _para que_ (final); _à medida que_ (proporcional); _como_ (comparativa).

CONJUNÇÕES COORDENATIVAS

Ligam palavras ou orações entre as quais se estabelecem relações diversas: _e_ (conjunção aditiva), _mas_ (conjunção adversativa), _ou_ (conjunção alternativa), _pois_ (conjunção explicativa), _portanto_ (conjunção conclusiva).

VERBO

O verbo é a mais complexa dentre as classes de palavras do português. Por suas muitas tarefas na expressão e comunicação de significados, o verbo apresenta uma extraordinária versatilidade morfológica, comprovada nas mais de cinquenta formas que é capaz de assumir para exprimir o tempo, o modo, o número e a pessoa.

Tempo

O verbo apresenta formas diferentes para indicar as épocas em que se situam os fatos referidos na frase. Os tempos verbais são três: presente, passado e futuro. O presente situa o fato na mesma época em que se fala ou escreve, o passado o situa em época anterior àquela em que se fala ou escreve, já o futuro situa o fato em época posterior a outra época, que pode ser o presente ou o passado.

Modo

O modo expressa a atitude da pessoa que fala. São três os modos do verbo: indicativo, subjuntivo e imperativo. No emprego típico de cada um, o modo indicativo exprime certeza, o subjuntivo exprime dúvida e o imperativo, ordem.

Formas do tempo no modo indicativo:
presente simples: _lavo, lavas_ as mãos etc.,
pretérito perfeito: _lavei, lavaste_ as mãos etc.,
pretérito imperfeito: _lavava, lavavas_ as mãos etc.,
pretérito mais-que-perfeito: _lavara, lavaras_ ou _tinha lavado, tinhas lavado_ as mãos etc.,
futuro do presente simples: _lavarei, lavarás_ as mãos,
futuro do presente composto: _terei lavado, terás lavado_ as mãos etc.
futuro do pretérito: _lavaria, lavarias_ as mãos etc.,
futuro do pretérito composto: _teria lavado, terias lavado_ as mãos etc.

Formas do tempo no modo subjuntivo:
presente: (que eu) _lave_ as mãos etc.,
pretérito imperfeito: (que eu) _lavasse_ as mãos etc.,
futuro: (se eu) _lavar_ as mãos etc.,
pretérito perfeito: (que eu) _tenha lavado_ as mãos etc.,
pretérito mais-que-perfeito: (que eu) _tivesse lavado_ as mãos etc.
futuro composto: (se eu) _tiver lavado_ as mãos etc.

Formas do modo imperativo:
afirmativo: _lava_ (tu) _as mãos, lavai_ (vós) as mãos,
negativo: _não laves_ (tu) as mãos etc.

Pessoa

São três as pessoas: a que fala (primeira pessoa = eu / nós), aquela a / com quem se fala (segunda pessoa = tu / vós, você / vocês) e aquela de quem se fala (terceira pessoa = ele / eles, ela / elas).

Número

Pode ser singular (sing.) ou plural (pl).
Formas verbais segundo a variação de pessoa e número:
• primeira pessoa: (eu) _lavo_ (sing.); (nós) _lavamos_ (pl.),
• segunda pessoa: (tu) _lavas_, (você) _lava_ (sing.); (vós) _lavais_, (vocês) _lavam_ (pl.),
• terceira pessoa: (ele,ela) _lava_ (sing.); (eles, elas) _lavam_ (pl.).

Formas nominais do verbo

São o infinitivo (_lavar_), o particípio (_lavado_) e o gerúndio (_lavando_), que não indicam tempo e podem equivaler, respectivamente, a um substantivo, a um adjetivo e a um advérbio.

Conjugações

Chamam-se conjugações as grandes classes ou modelos formais – paradigmas – em que se enquadram os verbos do português. São três: a dos verbos em '-ar' (primeira conjugação: _tapar_), a dos verbos em '-er' (segunda conjugação: _bater_), e a dos verbos em '-ir' (terceira conjugação: _partir_).

Verbos regulares e verbos irregulares

Um verbo é **regular** quando suas formas seguem o modelo ou paradigma de sua conjugação (ex.: _cantar_, que se flexiona exatamente como _tapar_; _vender_, que se flexiona exatamente como _bater_; _punir_, que se flexiona exatamente como _partir_), e **irregular** quando alguma ou algumas de suas formas difere(m) do paradigma (ex.: _dar_, que tem _dou, deste_ etc., diversas das formas regulares _tapo, tapaste_; _caber_, que muda 'cab-' em 'caib-' e 'coub-' nas formas _caibo_ e _coub_este diferentes do 'bat-' de _bato, bateste_; _ferir_, que tem _firo, fira_, com mudança do 'e' em 'i').

Verbos anômalos e defectivos

São espécies de verbos irregulares. **Anômalo** é o verbo que apresenta bases ou radicais completamente diversos. Os únicos exemplos do português são os verbos 'ir' e 'ser' (IR: _ia, vou, fosse_; SER: _és, somos, fui_). **Defectivo** é o verbo que não apresenta todas as formas previstas no paradigma (cf. _abolir_ e _retorquir_).

Particípios duplos

Alguns verbos apresentam dois particípios, um regular, que geralmente combina com o auxiliar _ter_ nas formas compostas, e um irregular, que costuma ocorrer nas demais posições (ex.: _soltado_ e _solto_, _extinguido_ e _extinto_, _imergido_ e _imerso_).

Verbos transitivos e verbos intransitivos*

*_Ver no fim do texto boxe sobre a classificação de regências verbais usada neste dicionário (N.E.)_

Certos verbos podem por si sós constituir um predicado (_o sol_ **nascerá**, _o barco_ **desapareceu**). A estes verbos chamamos **intransitivos**. Todos os outros, porém, ocorrem seguidos de alguma palavra ou expressão necessária para completar a informação expressa no predicado (**resumirei** _a história_, **gostei** _desse filme_, **estamos** _contentes_, **vai** _chover_). Este segundo grupo é muito heterogêneo. _Resumir_ e _gostar_ são seguidos de 'complementos'; por isso, se chamam 'verbos transitivos'. _Estar_ relaciona um estado – contentes – às pessoas identificadas como 'nós'; trata-se de um 'verbo de ligação'. E _ir_ apenas indica que 'chover' é um acontecimento futuro; trata-se de um verbo auxiliar.

O verbo transitivo e seus tipos

Chama-se TRANSITIVO o verbo que tipicamente vem ou pode vir acompanhado de complemento(s) sob a forma de substantivo, pronome ou oração substantiva:
1a- lavar _a roupa_ / lavá-_la_,
 b- resumir _a história_ / resumi-_la_,
 c- declarar _que é inocente_ / declará-_lo_;
2a- depender de _ajuda_,
 b- insistir em _voltar_;
 c- concordar com _alguém_
3a- devolver _o dinheiro_ ao dono
 b- convencer _o irmão_ a estudar
 c- confundir _uma coisa_ com outra

Nos exemplos '1a -1c', os complementos, em itálico, ligam-se diretamente aos verbos, que por isso se chamam TRANSITIVOS DIRETOS; já nos exemplos '2a – 2c', a ligação é indireta porque se faz através de uma preposição semanticamente vazia (a, b) – ou muito enfraquecida do ponto de vista do sentido (c) – e automaticamente exigida pelo verbo. Por isso, _depender_, _insistir_ e _concordar_ são verbos TRANSITIVOS INDIRETOS.

Pode ainda acontecer que o verbo transitivo ocorra combinado com dois complementos (exemplos 3), um direto (em itálico) e outro indireto (sublinhado). A estes verbos dá-se o nome de TRANSITIVOS DIRETOS E INDIRETOS.

Subclasses de verbos transitivos diretos

SUBCLASSE 1
Compreende os verbos de ação em geral, que são complementados, em seu sentido básico e próprio, por substantivos referentes a seres concretos. O verbo-tipo dessa classe pode ser 'comprar' ('Ela *comprou* dois vestidos').

SUBCLASSE 2
Compreende os verbos que denotam conhecimento intelectual / intuitivo, e ocorrem complementados por proposições (orações substantivas) ou substantivos capazes de condensar conteúdos proposicionais. O verbo-tipo dessa classe pode ser 'perceber' (Cf. '*Percebo* que você está aflito' / '*Percebo* sua aflição').

SUBCLASSE 3
Inclui os verbos que denotam movimento e implicam referência espacial. O verbo-tipo dessa classe é 'colocar' ('Ela *colocou* as joias no cofre').

SUBCLASSE 4
Compreende os verbos que denotam atividade comunicativa, e, analogamente aos verbos da subclasse 2, ocorrem complementados por proposições ou substantivos capazes de condensar conteúdos proposicionais. O verbo-tipo dessa classe pode ser 'declarar' (Cf. 'Ele *declarou* que apóia nossa ideia'/ 'Ele *declarou* apoio à nossa ideia').

SUBCLASSE 5
Esta subclasse, bem menos numerosa, reúne os verbos transitivos diretos cujo complemento adquire um estado ou condição motivados pela ação verbal e expressos por um 'predicativo' ('ele *nos* considera *seus amigos*'). Também pertencem a este subgrupo *nomear* (nomear alguém secretário), *fichar* (fichar alguém como criminoso), *tratar* (tratar alguém de doutor).

SUBCLASSE 6
É formada por um amplo conjunto de verbos que denotam, em geral, uma 'mudança de estado' a que é submetida a coisa designada pelo complemento. O verbo-tipo dessa classe pode ser 'secar' ('O vento secou a roupa no varal'). Detalhes sobre esta subclasse são apresentados no item **Verbos de predicação dupla**.

Particularidades dos verbos transitivos diretos

VERBOS DA SUBCLASSE 3
Os verbos transitivos diretos que pressupõem um lugar como condição do fato que expressam (subclasse 3) se distribuem em três grupos fundamentais, exemplificados típica e respectivamente pelos verbos *colocar* ('Lúcia colocou a boneca na caixa'), *desenhar* ('o menino desenhou uma flor na parede') e *trazer* (= usar) ('Lúcia trazia um laço cor-de-rosa nos cabelos).

A subclasse representada por *colocar* é seguramente a mais numerosa. Inclui verbos como *plantar, depositar, sacar, meter, introduzir, encostar, estacionar, levar, trazer, pôr, remover, aproximar* etc. seguidos normalmente de uma expressão de lugar (ex. *Estacionei o carro junto ao meio-fio*).

Obs. 1- O verbo 'guardar' exige a expressão locativa quando, exprimindo ação não concluída, significa 'manter sob segurança, conservar' (cf. '*ela guarda /guardava as jóias em um cofre*'). Com certos verbos, a menção do lugar pode ser opcional ou obrigatória conforme a ausência ou presença de artigo definido (cf. *Ela usa aliança* e *Ela usa* **a** *aliança no dedo mindinho*).

Obs. 2- Se o complemento de 'colocar' (e seus equivalentes) é objeto de uso pessoal (*óculos, meias, chapéu*), o lugar passa a ser óbvio e sua menção, portanto, desnecessária (cf. *João colocou os óculos e abriu o jornal; Não coloque os sapatos, por enquanto*)

Verbos transitivos sem complemento explícito
Muitos verbos transitivos podem ocorrer sem o respectivo complemento. Isto acontece em dois casos:

a) quando, por sua redundância ou generalidade, a informação a ser expressa no objeto é considerada irrelevante: *Ele só* **fuma** *após tomar um cafezinho*; *Ainda não* **comi** *hoje; Parei de* **gastar***; agora estou* **economizando***; Cuidado, que esse pó* **cega**.

b) quando a situação comunicativa ou o contexto verbal permitem que o objeto seja reconhecido ou recuperado: *Leia!* (dito por alguém que oferece ou aponta a coisa a ser lida); *Ele ofereceu o dinheiro, mas eu não* **aceitei** (em que o objeto de aceitar – o dinheiro – já foi mencionado).

Obs.: O verbo 'cegar' tem uma variante combinatória intransitiva (cf. 'Meu canivete cegou', isto é 'está sem corte') em que se caracteriza o sujeito como ser afetado ou **tema** (ver logo abaixo). Não é o caso do exemplo *Cuidado, que esse pó cega*, em que o verbo é transitivo sem complemento explícito.

Verbos transitivos indiretos
Esta classe sintática é formada pelos verbos que são necessariamente acrescidos de uma preposição sempre que a eles se anexa um complemento sob a forma de substantivo, pronome substantivo ou infinitivo (Cf. *Por favor, não insista* e *Por favor, não insista* **em** *entrar*). Nestes exemplos, a prep. 'em' não é selecionada de acordo com o sentido que se quer exprimir, mas 'imposta' pelo uso, anexando-se ao verbo, que a exige como uma espécie de apêndice. O mesmo se passa com os verbos *gostar* (de), *sonhar* (com), *concordar* (com), *discordar* (de). O esvaziamento semântico dessas preposições tem favorecido o desaparecimento delas junto a alguns verbos de uso frequente na fala – ordinariamente os seguidos de 'a' – que se tornaram transitivos diretos. São exemplos no português corrente do Brasil: *assistir, obedecer* e *perdoar*. Quando seguido de 'que', seja a conj. integrante, seja o pron. relativo, a preposição em geral é suprimida (Cf. *Desconfiava* **de** *todo mundo* e *Desconfiava* **que** *não ia passar de ano*).

Classes de verbos transitivos diretos e indiretos
Há basicamente quatro subtipos de verbos transitivos diretos e indiretos:

SUBTIPO A
Compõe-se dos verbos cujo objeto indireto é substituível por pronome pessoal átono (cf. *Entreguei meu pedido de demissão* **ao diretor** / *Entreguei-***lhe** *meu pedido de demissão*), subtipo em que se enquadram muitos verbos *dicendi* (*dizer, declarar, comunicar, informar*), bem como os que expressam ou implicam alguma espécie de 'transferência' (*mostrar, entregar, apresentar, enviar, oferecer* etc.).

SUBTIPO B
Compõe-se dos verbos cujo objeto se refere a duas ou mais entidades envolvidas pelo processo expresso no verbo, cujo protótipo é o verbo *misturar* (ex. **misturar** *a manteiga com a farinha*). Estes verbos, que também se usam como transitivos diretos (cf. **misturar** *os ingredientes do bolo*, **misturar** *a farinha e a manteiga*),se classificam como transitivos diretos e indiretos apenas quando um de seus complementos é regido por preposição 'com', 'a' ou 'de'. Pertencem a esta subclasse: *misturar, combinar, juntar, articular, unir, confundir, separar, distinguir*.

SUBTIPO C
Compõe-se dos verbos cujos objetos direto (OD) e indireto (OI) são, respectivamente, um substantivo ou pronome referentes a seres humanos e uma oração geralmente sob forma infinitiva. São verbos que expressam a intenção do respectivo sujeito em monitorar o comportamento de alguém. São protótipos deste grupo os verbos *ajudar* (*Pedro ajudou* **o pai** (OD) **a se levantar** (OI)) e *impedir* (*O porteiro impediu* **a moça** (OD) **de entrar no elevador** (OI)). Pertencem a esta subclasse, entre outros: *autorizar, proibir, convencer, forçar, obrigar, convidar, incentivar, persuadir, dissuadir*.

SUBTIPO D
Esta subclasse tem alguma afinidade com o subtipo B, mas, diferentemente daquela, é heterogênea, já que seus verbos não apresentam um traço semântico comum. Integram-na verbos como *responsabilizar* (*responsabilizar alguém por alguma coisa*), *envolver* (*envolveu o tio na briga*), *trocar* (*trocou a bicicleta por um relógio*), *preferir* (*preferiu o pirulito ao picolé*), *intrigar* (*intrigou o síndico com o vizinho*).

O verbo intransitivo e seus tipos
O verbo INTRANSITIVO típico é aquele que constitui por si só o predicado de uma oração: *sobrar* (*o dinheiro sobrava*), *nascer* (*seu filho nasceu*), *sumir* (*a mancha sumiu*). Alguns verbos intransitivos, porém, ocorrem seguidos de indicação de uma circunstância frequentemente expressa por um advérbio: *eles moram* **perto da praia** (cf. '*eles moram* **ali**'), *nós estávamos* **na cidade** (cf. '*nós estávamos* **lá**'), *cheguei cedo* **ao colégio** (cf. '*cheguei cedo* **aqui**'). Estes verbos denotam situação (*morar, estar, ficar*) ou movimento (*chegar, entrar, ir, voltar*), e a expressão circunstancial que os acompanha indica geralmente lugar, como nos exemplos citados, e eventualmente companhia (*morar* **com os pais**, *estar* **com os amigos**), tempo (**chegar em setembro**, *estar* **na primavera**) ou modo (*voltar* **bem**, *entrar* **sem bater**).

Verbos de predicação dupla
Muitos verbos se empregam articulados a um mesmo substantivo que, no papel de entidade afetada ou **tema**, tanto lhes pode servir de sujeito como de objeto: cf. *João* **quebrou** *o espelho* (transitivo) e *o espelho* **quebrou** (intransitivo), *o gato* **subiu** *a escada* (transitivo) e *a temperatura voltou a subir* (intransitivo), *O açougueiro* **pesa** *a carne* (transitivo) e *a carne não* **pesa** (intransitivo). Na construção intransitiva somente o ser afetado (objeto) é mencionado e, reposicionado como sujeito, o verbo passa a concordar em número e pessoa com ele (Cf. *o espelho* **quebrou** */ os espelhos* **quebraram**).

Anote-se uma peculiaridade de alguns verbos intransitivos desta subclasse. Como expressam extensão ou dimensão, é comum que venham acompanhados de uma expressão de tamanho ou medida (*a bagagem* **pesa** *20 quilos, o quarto* **mede** *9 metros quadrados, a temperatura* **subiu** *dois graus*).

Verbos de ligação e verbos auxiliares
O predicado é a parte da oração que expressa o que o sujeito faz ou que se passa com ele, mas nem sempre a base dessa informação é dada pelo verbo que se flexiona em número e pessoa (Cf. a) *ele* **trabalha** e b) *ele* **é** *trabalhador*, a) *ele* **ficou** *doente* e b) *ele* **adoeceu**, a) *eu* **trabalho** e b) *eu* **tenho** *trabalhado*, a) *saia* e b) *pode sair*).

Os exemplos da letra 'b' contém verbos cuja função principal é ser o lugar em que se manifestam as noções de pessoa, número, tempo e modo. Trata-se de verbos gramaticais. A informação sobre 'o que o sujeito faz ou se passa com ele' concentra-se, respectivamente, nos termos *trabalhador, doente, trabalhado* e *sair*. As formas 'é' e 'ficou' são exemplos de verbos gramaticais de ligação; as formas 'tenho' e 'pode' são exemplos de verbos gramaticais auxiliares.

Chama-se VERBO DE LIGAÇÃO ou COPULATIVO o verbo gramatical que vem seguido de uma qualidade, uma classe ou um estado atribuídos ao sujeito da frase. Chama-se VERBO AUXILIAR o verbo gramatical que vem seguido de uma das formas nominais do verbo: particípio, infinitivo ou gerúndio.

Uma pequena gramática

Vozes do verbo

Ao se vincular a um verbo, um substantivo contrai com ele uma relação sintática (*sujeito, complemento*) e uma relação semântica (*agente, paciente, instrumento*). O que chamamos de voz é a forma sintática que o predicado assume para atribuir um papel semântico ao sujeito. Distinguem-se tradicionalmente três vozes: a *ativa*, a *passiva* e a *reflexiva*. A classificação quanto à voz diz respeito apenas às construções do predicado em que figura um verbo transitivo, pois só este pode se apresentar sob as formas passiva e reflexiva. A voz ativa é a forma 'não marcada', já que sua forma nada tem de específico e seu sujeito não assume qualquer função semântica constante; a voz passiva, porém, se caracteriza formalmente pela presença do verbo auxiliar *ser* seguido de *particípio* e semanticamente por atribuir ao sujeito, regularmente, o papel de paciente ou ser afetado pelo processo que o verbo exprime; a voz reflexiva, por sua vez, se caracteriza formalmente pela anexação ao verbo de pronome que 'reflete' a pessoa e o número do sujeito, e semanticamente pela confluência possível, no mesmo referente, dos papéis de **agente** e **paciente** ou **tema**.

Verbos pronominais

Chamamos PRONOMINAL ao verbo que se emprega obrigatoriamente combinado com um pronome reflexivo: *arrepender-se, comportar-se* (= ter comportamento), *despedir-se* (= cumprimentar na hora de sair), *furtar-se* (= evitar, fugir a), *orgulhar-se, queixar-se, sair-se* (= atuar, comportar-se). Note-se que existem na língua os verbos *comportar, despedir, furtar* e *sair* desacompanhados de pronome reflexivo, mas trata-se de outros verbos, transitivos diretos (cf. *A caixa* **comporta** *todos os disquetes, Ela* **despediu** *o jardineiro,* **Furtaram** *minha carteira*) ou intransitivos (cf. *Nós* **sairemos** *amanhã*).

Por outro lado, há um grupo de verbos intransitivos ou transitivos que, sem variação do papel semântico desempenhado por seu sujeito, empregam-se ora acompanhados de forma reflexiva, ora sem ela. São casos típicos o par *lembrar/esquecer* em construções como "Lembrei-me de você" e "Ela se esqueceu do chapéu", que variam com "Lembrei de você" e "Ela esqueceu (d)o chapéu", e o de uns poucos verbos intransitivos, como *ir* (cf. Eles se foram daqui para sempre).

Outras espécies de verbo pronominal

Nas frases 'Pedro cortou o dedo' e 'Pedro cortou-se' temos respectivamente voz ativa e voz reflexiva. Na tradição descritiva difundida pelos manuais escolares, a voz é ativa se o sujeito da oração é o agente, e reflexiva se o sujeito é, ao mesmo tempo, agente e paciente. Nem sempre, porém, o agente 'pratica' intencionalmente a ação expressa pelo verbo (Em 'Pedro cortou-se', nada nos diz que ele teve a intenção de fazê-lo). Em qualquer hipótese, contudo, estaremos diante da diferença formal entre voz ativa e voz reflexiva. O que faz de 'Pedro cortou o dedo' uma oração ativa é sua estrutura e não a intencionalidade de Pedro, assim como é devido à estrutura que 'Pedro cortou-se' é uma frase reflexiva. Tanto por sua forma como, principalmente, pelo sentido, o verbo das duas frases é o mesmo. Constituem casos interessantes, também, frases como 'O ministro se demitiu' e 'Mário se aposentou após 40 anos de serviço'. Trata-se de autênticas construções reflexivas, apesar de, à luz da lei, os atos de demitir e aposentar não serem praticados pelos sujeitos 'ministro' e 'Mário', mas por autoridades administrativas.

O pronome reflexivo confere o papel de **tema** ou **ser afetado** ao indivíduo ou coisa designados pelo sujeito da frase. O sujeito da frase também pode ser seu **tema** (ex.: *o copo quebrou, o gelo derreteu, a porta abriu*), mas nestes exemplos não há qualquer índice formal que confira o papel de tema ao sujeito. Nas construções pronominais, pelo contrário, isso é feito justamente pelo pronome reflexivo. Portanto, uma construção pronominal sempre nos informa que a pessoa ou a coisa designadas pelo sujeito gramatical é um ser afetado ou paciente do evento expresso pelo verbo' (Cf. *Os turistas* **se** *perderam na floresta, Batizei-***me** *nesta igreja, Ana* **se** *assustou com o cachorro, A praia estende-***se** *por vários quilômetros, Ele* **se** *declarou inocente*). Como na posição de sujeito certos substantivos – especialmente os que denotam seres animados – também podem ter o papel de agente, uma construção como 'Pedro cortou-se' pode ser ambígua. Por outro lado, em construções como 'Pedro alegrou-se com a volta do filho', formada por um verbo de sentimento e não de ação, a situação é outra. Nas construções pronominais formadas por verbos desse tipo – de que são exemplos, entre outros, *indignar-se, desesperar-se, aborrecer-se, entusiasmar-se, enfurecer-se, entediar-se* –, ao sujeito só resta o papel de **tema**. A fim de contornar a controvérsia gerada pela flutuação do papel semântico do sujeito dessas construções de um modo geral, elas são aqui incluídas na classe ampla das 'construções pronominais' e os respectivos verbos classificados como 'verbos pronominais'.

NOTA DA EDITORA: CLASSIFICAÇÃO DE REGÊNCIAS VERBAIS USADAS NESTE DICIONÁRIO

Este dicionário adotou, sem contradizer a estrutura básica de classificação das regências verbais geralmente adotadas e explicadas no texto do prof. Azeredo, uma variante proposta pelo gramático e acadêmico prof. Evanildo Bechara, membro do Conselho Editorial desta obra na fase de sua concepção e planejamento. As variantes de interpretação e notação adotadas pelo *Aulete* explicam-se assim:

1) entende-se a regência chamada 'pronominal' como uma indicação de que uma regência na qual o verbo não tem complemento (portanto *intransitiva*) expressa-se formalmente com a adição de um pronome átono, que não modifica na essência o caráter intransitivo. Este é o caso, p.ex., de *arrepender-se, debater-se*, nos quais a ação do sujeito não se estende a outros objetos; neste dicionário, esses verbos são, portanto, *intransitivos*

2) em algumas formas transitivas diretas, o objeto direto é o proprio sujeito, e a forma pronominal não muda o caráter de transitivo direto no qual o complemento é o proprio sujeito; ou seja, assim como eu visto você, ou eu visto meu filho, eu visto eu mesmo, eu *me* visto; neste dicionário, *vestir-se* é, pois, *transitivo direto*, assim como *desviar-se, barbear-se* etc.;

3) nas regências que pedem complemento, consideram-se *transitivos indiretos* os casos nos quais o complemento é substituível pelo pronome *lhe, lhes* etc. (regidos pelas preposições *a* e *para*).. Nos demais casos, considera-se a regência *transitiva relativa*.

4) Quando o complemento da ação do verbo é circunstancial (caracterizando um modo, um meio, um lugar etc.), atribui-se a regência *transitivo adverbiado*.

5) Quando o verbo conduz a um complemento que denota qualidade, condição, estado etc., a regência é *predicativa*

Esta é a classificação completa:

td: transitivo direto – substituível por pronome oblíquo o, a etc
Vestiu o irmão.
Vestiu-se.
Eles se odeiam (um odeia o outro)
O advogado reclamou por justiça (=reclamou-a)
O guerreiro puxou da espada (=puxou-a)

tda: transitivo direto adverbiado.
Eles se vêem no espelho.

tdi: transitivo direto e indireto
Comunique ao gerente que cheguei.

ti: transitivo indireto – substituível por pronome oblíquo lhe, lhes etc.
Os alunos reclamaram ao diretor (=reclamaram-lhe)
Eles se escrevem mensalmente (ele lhe escreve e o outro lhe escreve)

tr: transitivo relativo -> complemento de natureza nominal e preposicionado; nao é substituível por pronome *lhe*.
Ele reclamou da turma.
Queixou-se da turma.
Eles se gostam (um do outro).
A mãe gosta da filha.
O irmão concorreu com vários candidatos.
Assistiremos a esse filme.
Esqueceu-se do meu aniversário.

tdr: transitivo direto e relativo
O professor reclamou dos alunos mais respeito.
Tirou do irmão o caderno.

tir: transitivo indireto e relativo
O professor queixou-se da turma ao diretor.
O vizinho reclamou do porteiro ao síndico.

int.: intransitivo -> sem complemento nenhum.
Diga-lhe que já cheguei.
Hoje não trabalhei.
Lamentou-se o dia todo.

ta: transitivo adverbiado -> qdo. complemento é substituível por advérbio
Ele ainda nao chegou da reunião/de lá.
Chegaram em casa.
Moram em Botafogo.

tp: transitivo predicativo -> o que se acompanha de pal ou loc que denota qualidade, estado, condição etc.
Eles são estudiosos.
Todos ficaram de pé.
As moças são assim.
Já são dez horas.
Tornou-se um herói.

tdp: transitivo direto e predicativo
O chefe o nomeou secretário.
Nós o julgamos por inocente.
Eu o chamei (de) feio.

tip: transitivo indireto e predicativo
Eu lhe chamei (de) feio.

PARADIGMAS DE CONJUGAÇÃO

Seguem-se 61 quadros, representando 61 paradigmas de conjugação verbal. Alguns desses paradigmas (49, 50, 51, 52 e 53) têm variantes, totalizando, com as variantes, 84 modelos de conjugação.

Para conjugar um verbo do dicionário, verifica-se, no final do verbete correspondente ao verbo, seu paradigma de conjugação (o número do quadro), as partes fixas de seu radical (em letras claras), e as partes variáveis e a terminação (em negrito). Ex.:

advertir.......[▶ 50 advertir]

Isso significa que para conjugar o verbo *advertir* segue-se o paradigma **50**, que tem como modelo o verbo imp**e**l**ir** substituindo a parte fixa (em letras claras) *imp* e *l* pela parte fixa de *advertir* (*adv* e *rt*), a parte variável do radical e pelas variações correspondentes no paradigma (por exemplo, **i** na 1ª pess. sing. do pres. do ind.: adv**i**rto), e a desinência **ir** pelas desinências de cada flexão do paradigma (adv**i**rto, adv**e**rtes, adv**e**rte...adv**i**rt**amos** etc.).

Junto à indicação do paradigma de conjugação no verbete, ou no paradigma, pode haver uma advertência quanto à acentuação (como no verbete *reter*) ou quanto à mudança de uma letra por outra em determinados casos (como no paradigma 53, na variante f**u**gir em que se adverte que o *j* substitui o *g* antes de *a* e *o*).

1. am**ar**
(am**ares**, am**ar**, am**armos**, am**ardes**, am**arem**)

INDICATIVO	SUBJUNTIVO	IMPERATIVO	
Presente	**Pret. imperf.**	**Presente**	**Afirm.**
am**o**	am**ava**	am**e**	–
am**as**	am**avas**	am**es**	am**a**
am**a**	am**ava**	am**e**	am**e**
am**amos**	am**ávamos**	am**emos**	am**emos**
am**ais**	am**áveis**	am**eis**	am**ai**
am**am**	am**avam**	am**em**	am**em**
Pret. perf.	**Pret. m.-q.-perf.**	**Pret. imperf.**	**Neg. (Não...)**
am**ei**	am**ara**	am**asse**	–
am**aste**	am**aras**	am**asses**	am**es**
am**ou**	am**ara**	am**asse**	am**e**
am**amos**	am**áramos**	am**ássemos**	am**emos**
am**astes**	am**áreis**	am**ásseis**	am**eis**
am**aram**	am**aram**	am**assem**	am**em**
Fut. do pres.	**Fut. do pret.**	**Futuro**	
am**arei**	am**aria**	am**ar**	GERÚNDIO
am**arás**	am**arias**	am**ares**	am**ando**
am**ará**	am**aria**	am**ar**	
am**aremos**	am**aríamos**	am**armos**	PARTICÍPIO
am**areis**	am**aríeis**	am**ardes**	am**ado**
am**arão**	am**ariam**	am**arem**	

3. part**ir**
(part**ires**, part**ir**, part**irmos**, part**irdes**, part**irem**)

INDICATIVO	SUBJUNTIVO	IMPERATIVO	
Presente	**Pret. imperf.**	**Presente**	**Afirm.**
part**o**	part**ia**	part**a**	–
part**es**	part**ias**	part**as**	part**e**
part**e**	part**ia**	part**a**	part**a**
part**imos**	part**íamos**	part**amos**	part**amos**
part**is**	part**íeis**	part**ais**	part**i**
part**em**	part**iam**	part**am**	part**am**
Pret. perf.	**Pret. m.-q.-perf.**	**Pret. imperf.**	**Neg. (Não...)**
part**i**	part**ira**	part**isse**	–
part**iste**	part**iras**	part**isses**	part**as**
part**iu**	part**ira**	part**isse**	part**a**
part**imos**	part**íramos**	part**íssemos**	part**amos**
part**istes**	part**íreis**	part**ísseis**	part**ais**
part**iram**	part**iram**	part**issem**	part**am**
Fut. do pres.	**Fut. do pret.**	**Futuro**	
part**irei**	part**iria**	part**ir**	GERÚNDIO
part**irás**	part**irias**	part**ires**	part**indo**
part**irá**	part**iria**	part**ir**	
part**iremos**	part**iríamos**	part**irmos**	PARTICÍPIO
part**ireis**	part**iríeis**	part**irdes**	part**ido**
part**irão**	part**iriam**	part**irem**	

2. beb**er**
(beb**eres**, beb**er**, beb**ermos**, beb**erdes**, beb**erem**)

INDICATIVO	SUBJUNTIVO	IMPERATIVO	
Presente	**Pret. imperf.**	**Presente**	**Afirm.**
beb**o**	beb**ia**	beb**a**	–
beb**es**	beb**ias**	beb**as**	beb**e**
beb**e**	beb**ia**	beb**a**	beb**a**
beb**emos**	beb**íamos**	beb**amos**	beb**amos**
beb**eis**	beb**íeis**	beb**ais**	beb**ei**
beb**em**	beb**iam**	beb**am**	beb**am**
Pret. perf.	**Pret. m.-q.-perf.**	**Pret. imperf.**	**Neg. (Não...)**
beb**i**	beb**era**	beb**esse**	–
beb**este**	beb**eras**	beb**esses**	beb**as**
beb**eu**	beb**era**	beb**esse**	beb**a**
beb**emos**	beb**êramos**	beb**êssemos**	beb**amos**
beb**estes**	beb**êreis**	beb**êsseis**	beb**ais**
beb**eram**	beb**eram**	beb**essem**	beb**am**
Fut. do pres.	**Fut. do pret.**	**Futuro**	
beb**erei**	beb**eria**	beb**er**	GERÚNDIO
beb**erás**	beb**erias**	beb**eres**	beb**endo**
beb**erá**	beb**eria**	beb**er**	
beb**eremos**	beb**eríamos**	beb**ermos**	PARTICÍPIO
beb**ereis**	beb**eríeis**	beb**erdes**	beb**ido**
beb**erão**	beb**eriam**	beb**erem**	

4. est**ar**
(est**ares**, est**ar**, est**armos**, est**ardes**, est**arem**)

INDICATIVO	SUBJUNTIVO	IMPERATIVO	
Presente	**Pret. imperf.**	**Presente**	**Afirm.**
est**ou**	est**ava**	est**eja**	–
est**ás**	est**avas**	est**ejas**	est**á**
est**á**	est**ava**	est**eja**	est**eja**
est**amos**	est**ávamos**	est**ejamos**	est**ejamos**
est**ais**	est**áveis**	est**ejais**	est**ai**
est**ão**	est**avam**	est**ejam**	est**ejam**
Pret. perf.	**Pret. m.-q.-perf.**	**Pret. imperf.**	**Neg. (Não...)**
est**ive**	est**ivera**	est**ivesse**	–
est**iveste**	est**iveras**	est**ivesses**	est**ejas**
est**eve**	est**ivera**	est**ivesse**	est**eja**
est**ivemos**	est**ivéramos**	est**ivéssemos**	est**ejamos**
est**ivestes**	est**ivéreis**	est**ivésseis**	est**ejais**
est**iveram**	est**iveram**	est**ivessem**	est**ejam**
Fut. do pres.	**Fut. do pret.**	**Futuro**	
est**arei**	est**aria**	est**iver**	GERÚNDIO
est**arás**	est**arias**	est**iveres**	est**ando**
est**ará**	est**aria**	est**iver**	
est**aremos**	est**aríamos**	est**ivermos**	PARTICÍPIO
est**areis**	est**aríeis**	est**iverdes**	est**ado**
est**arão**	est**ariam**	est**iverem**	

Paradigmas de conjugação

5. haver
(h**averes**, h**aver**, h**avermos**, h**averdes**, h**averem**)

INDICATIVO	SUBJUNTIVO	IMPERATIVO	
Presente	Pret. imperf.	Presente	Afirm.
hei	havia	haja	–
hás	havias	hajas	há
há	havia	haja	haja
havemos/hemos	havíamos	hajamos	hajamos
haveis/heis	havíeis	hajais	havei
hão	haviam	hajam	hajam
Pret. perf.	Pret. m.-q.-perf.	Pret. imperf.	Neg. (Não...)
houve	houvera	houvesse	–
houveste	houveras	houvesses	hajas
houve	houvera	houvesse	haja
houvemos	houvéramos	houvéssemos	hajamos
houvestes	houvéreis	houvésseis	hajais
houveram	houveram	houvessem	hajam
Fut. do pres.	Fut. do pret.	Futuro	
haverei	haveria	houver	GERÚNDIO
haverás	haverias	houveres	havendo
haverá	haveria	houver	
haveremos	haveríamos	houvermos	PARTICÍPIO
havereis	haveríeis	houverdes	havido
haverão	haveriam	houverem	

8. dar
(dares, dar, darmos, dardes, darem)

INDICATIVO	SUBJUNTIVO	IMPERATIVO	
Presente	Pret. imperf.	Presente	Afirm.
dou	dava	dê	–
dás	davas	dês	dá
dá	dava	dê	dê
damos	dávamos	demos	demos
dais	dáveis	deis	dai
dão	davam	deem	deem
Pret. perf.	Pret. m.-q.-perf.	Pret. imperf.	Neg. (Não...)
dei	dera	desse	–
deste	deras	desses	dês
deu	dera	desse	dê
demos	déramos	déssemos	demos
destes	déreis	désseis	deis
deram	deram	dessem	deem
Fut. do pres.	Fut. do pret.	Futuro	
darei	daria	der	GERÚNDIO
darás	darias	deres	dando
dará	daria	der	
daremos	daríamos	dermos	PARTICÍPIO
dareis	daríeis	derdes	dado
darão	dariam	derem	

6. ser
(seres, ser, sermos, serdes, serem)

INDICATIVO	SUBJUNTIVO	IMPERATIVO	
Presente	Pret. imperf.	Presente	Afirm.
sou	era	seja	–
és	eras	sejas	sê
é	era	seja	seja
somos	éramos	sejamos	sejamos
sois	éreis	sejais	sede
são	eram	sejam	sejam
Pret. perf.	Pret. m.-q.-perf.	Pret. imperf.	Neg. (Não...)
fui	fora	fosse	–
foste	foras	fosses	sejas
foi	fora	fosse	seja
fomos	fôramos	fôssemos	sejamos
fostes	fôreis	fôsseis	sejais
foram	foram	fossem	sejam
Fut. do pres.	Fut. do pret.	Futuro	
serei	seria	for	GERÚNDIO
serás	serias	fores	sendo
será	seria	for	
seremos	seríamos	formos	PARTICÍPIO
sereis	seríeis	fordes	sido
serão	seriam	forem	

9. apaziguar*
(apaziguares, apaziguar, apaziguarmos, apaziguardes, apaziguarem)

INDICATIVO	SUBJUNTIVO	IMPERATIVO	
Presente	Pret. imperf.	Presente	Afirm.
apazig**uo**	apazig**uava**	apazig**ue**	–
apazig**uas**	apazig**uavas**	apazig**ues**	apazig**ua**
apazig**ua**	apazig**uava**	apazig**ue**	apazig**ue**
apazig**uamos**	apazig**uávamos**	apazig**uemos**	apazig**uemos**
apazig**uais**	apazig**uáveis**	apazig**ueis**	apazig**uai**
apazig**uam**	apazig**uavam**	apazig**uem**	apazig**uem**
Pret. perf.	Pret. m.-q.-perf.	Pret. imperf.	Neg. (Não...)
apazig**uei**	apazig**uara**	apazig**uasse**	–
apazig**uaste**	apazig**uaras**	apazig**uasses**	apazig**ues**
apazig**uou**	apazig**uara**	apazig**uasse**	apazig**ue**
apazig**uamos**	apazig**uáramos**	apazig**uássemos**	apazig**uemos**
apazig**uastes**	apazig**uáreis**	apazig**uásseis**	apazig**ueis**
apazig**uaram**	apazig**uaram**	apazig**uassem**	apazig**uem**
Fut. do pres.	Fut. do pret.	Futuro	
apazig**uarei**	apazig**uaria**	apazig**uar**	GERÚNDIO
apazig**uarás**	apazig**uarias**	apazig**uares**	apazig**uando**
apazig**uará**	apazig**uaria**	apazig**uar**	
apazig**uaremos**	apazig**uaríamos**	apazig**uarmos**	PARTICÍPIO
apazig**uareis**	apazig**uaríeis**	apazig**uardes**	apazig**uado**
apazig**uarão**	apazig**uariam**	apazig**uarem**	

* Semelhante ao paradigma 1, difere na colocação de acento agudo ou trema no *u* do radical nos tempos e pessoas assinalados.

7. ter
(teres, ter, termos, terdes, terem)

INDICATIVO	SUBJUNTIVO	IMPERATIVO	
Presente	Pret. imperf.	Presente	Afirm.
tenho	tinha	tenha	–
tens	tinhas	tenhas	tem
tem	tinha	tenha	tenha
temos	tínhamos	tenhamos	tenhamos
tendes	tínheis	tenhais	tende
têm	tinham	tenham	tenham
Pret. perf.	Pret. m.-q.-perf.	Pret. imperf.	Neg. (Não...)
tive	tivera	tivesse	–
tiveste	tiveras	tivesses	tenhas
teve	tivera	tivesse	tenha
tivemos	tivéramos	tivéssemos	tenhamos
tivestes	tivéreis	tivésseis	tenhais
tiveram	tiveram	tivessem	tenham
Fut. do pres.	Fut. do pret.	Futuro	
terei	teria	tiver	GERÚNDIO
terás	terias	tiveres	tendo
terá	teria	tiver	
teremos	teríamos	tivermos	PARTICÍPIO
tereis	teríeis	tiverdes	tido
terão	teriam	tiverem	

Verbos formados com 'ter' (*abster-se, ater-se, conter, deter, entreter, manter, obter, reter, suster*) têm acento agudo no *e* do radical nas 2ª e 3ª pess. sing. do pres. do ind. e na 2ª pess. sing. do imper. afirm.

10. adequar*
(adequares, adequar, adequarmos, adequardes, adequarem)

INDICATIVO	SUBJUNTIVO	IMPERATIVO	
Presente	Pret. imperf.	Presente	Afirm.
–	adequ**ava**	–	–
–	adequ**avas**	–	–
–	adequ**ava**	–	–
adequ**amos**	adequ**ávamos**	–	–
adequ**ais**	adequ**áveis**	–	adequ**ai**
–	adequ**avam**	–	–
Pret. perf.	Pret. m.-q.-perf.	Pret. imperf.	Neg. (Não...)
adequ**ei**	adequ**ara**	adequ**asse**	–
adequ**aste**	adequ**aras**	adequ**asses**	–
adequ**ou**	adequ**ara**	adequ**asse**	–
adequ**amos**	adequ**áramos**	adequ**ássemos**	–
adequ**astes**	adequ**áreis**	adequ**ásseis**	–
adequ**aram**	adequ**aram**	adequ**assem**	–
Fut. do pres.	Fut. do pret.	Futuro	
adequ**arei**	adequ**aria**	adequ**ar**	GERÚNDIO
adequ**arás**	adequ**arias**	adequ**ares**	adequ**ando**
adequ**ará**	adequ**aria**	adequ**ar**	
adequ**aremos**	adequ**aríamos**	adequ**armos**	PARTICÍPIO
adequ**areis**	adequ**aríeis**	adequ**ardes**	adequ**ado**
adequ**arão**	adequ**ariam**	adequ**arem**	

* Semelhante ao paradigma 9, difere quanto à defectividade, nos tempos e pessoas assinalados.

Paradigmas de conjugação

11. arcar
(arcares, arcar, arcarmos, arcardes, arcarem)

INDICATIVO	SUBJUNTIVO	IMPERATIVO	
Presente	**Pret. imperf.**	**Presente**	**Afirm.**
arco	arcava	arque	–
arcas	arcavas	arques	arca
arca	arcava	arque	arque
arcamos	arcávamos	arquemos	arquemos
arcais	arcáveis	arqueis	arcai
arcam	arcavam	arquem	arquem
Pret. perf.	**Pret. m.-q.-perf.**	**Pret. imperf.**	**Neg. (Não...)**
arquei	arcara	arcasse	–
arcaste	arcaras	arcasses	arques
arcou	arcara	arcasse	arque
arcamos	arcáramos	arcássemos	arquemos
arcastes	arcáreis	arcásseis	arqueis
arcaram	arcaram	arcassem	arquem
Fut. do pres.	**Fut. do pret.**	**Futuro**	
arcarei	arcaria	arcar	**GERÚNDIO**
arcarás	arcarias	arcares	arcando
arcará	arcaria	arcar	
arcaremos	arcaríamos	arcarmos	**PARTICÍPIO**
arcareis	arcaríeis	arcardes	arcado
arcarão	arcariam	arcarem	

14. rogar
(rogares, rogar, rogarmos, rogardes, rogarem)

INDICATIVO	SUBJUNTIVO	IMPERATIVO	
Presente	**Pret. imperf.**	**Presente**	**Afirm.**
rogo	rogava	rogue	–
rogas	rogavas	rogues	roga
roga	rogava	rogue	rogue
rogamos	rogávamos	roguemos	roguemos
rogais	rogáveis	rogueis	rogai
rogam	rogavam	roguem	roguem
Pret. perf.	**Pret. m.-q.-perf.**	**Pret. imperf.**	**Neg. (Não...)**
roguei	rogara	rogasse	–
rogaste	rogaras	rogasses	rogues
rogou	rogara	rogasse	rogue
rogamos	rogáramos	rogássemos	roguemos
rogastes	rogáreis	rogásseis	rogueis
rogaram	rogaram	rogassem	roguem
Fut. do pres.	**Fut. do pret.**	**Futuro**	
rogarei	rogaria	rogar	**GERÚNDIO**
rogarás	rogarias	rogares	rogando
rogará	rogaria	rogar	
rogaremos	rogaríamos	rogarmos	**PARTICÍPIO**
rogareis	rogaríeis	rogardes	rogado
rogarão	rogariam	rogarem	

12. içar
(içares, içar, içarmos, içardes, içarem)

INDICATIVO	SUBJUNTIVO	IMPERATIVO	
Presente	**Pret. imperf.**	**Presente**	**Afirm.**
iço	içava	ice	–
iças	içavas	ices	iça
iça	içava	ice	ice
içamos	içávamos	icemos	icemos
içais	içáveis	iceis	içai
içam	içavam	icem	icem
Pret. perf.	**Pret. m.-q.-perf.**	**Pret. imperf.**	**Neg. (Não...)**
icei	içara	içasse	–
içaste	içaras	içasses	ices
içou	içara	içasse	ice
içamos	içáramos	içássemos	icemos
içastes	içáreis	içásseis	iceis
içaram	içaram	içassem	icem
Fut. do pres.	**Fut. do pret.**	**Futuro**	
içarei	içaria	içar	**GERÚNDIO**
içarás	içarias	içares	içando
içará	içaria	içar	
içaremos	içaríamos	içarmos	**PARTICÍPIO**
içareis	içaríeis	içardes	içado
içarão	içariam	içarem	

15. odiar
(odiares, odiar, odiarmos, odiardes, odiarem)

INDICATIVO	SUBJUNTIVO	IMPERATIVO	
Presente	**Pret. imperf.**	**Presente**	**Afirm.**
odeio	odiava	odeie	–
odeias	odiavas	odeies	odeia
odeia	odiava	odeie	odeie
odiamos	odiávamos	odiemos	odiemos
odiais	odiáveis	odieis	odiai
odeiam	odiavam	odeiem	odeiem
Pret. perf.	**Pret. m.-q.-perf.**	**Pret. imperf.**	**Neg. (Não...)**
odiei	odiara	odiasse	–
odiaste	odiaras	odiasses	odeies
odiou	odiara	odiasse	odeie
odiamos	odiáramos	odiássemos	odiemos
odiastes	odiáreis	odiásseis	odieis
odiaram	odiaram	odiassem	odeiem
Fut. do pres.	**Fut. do pret.**	**Futuro**	
odiarei	odiaria	odiar	**GERÚNDIO**
odiarás	odiarias	odiares	odiando
odiará	odiaria	odiar	
odiaremos	odiaríamos	odiarmos	**PARTICÍPIO**
odiareis	odiaríeis	odiardes	odiado
odiarão	odiariam	odiarem	

13. rodear
(rodeares, rodear, rodearmos, rodeardes, rodearem)

INDICATIVO	SUBJUNTIVO	IMPERATIVO	
Presente	**Pret. imperf.**	**Presente**	**Afirm.**
rodeio	rodeava	rodeie	–
rodeias	rodeavas	rodeies	rodeia
rodeia	rodeava	rodeie	rodeie
rodeamos	rodeávamos	rodeemos	rodeemos
rodeais	rodeáveis	rodeeis	rodeai
rodeiam	rodeavam	rodeiem	rodeiem
Pret. perf.	**Pret. m.-q.-perf.**	**Pret. imperf.**	**Neg. (Não...)**
rodeei	rodeara	rodeasse	–
rodeaste	rodearas	rodeasses	rodeies
rodeou	rodeara	rodeasse	rodeie
rodeamos	rodeáramos	rodeássemos	rodeemos
rodeastes	rodeáreis	rodeásseis	rodeeis
rodearam	rodearam	rodeassem	rodeiem
Fut. do pres.	**Fut. do pret.**	**Futuro**	
rodearei	rodearia	rodear	**GERÚNDIO**
rodearás	rodearias	rodeares	rodeando
rodeará	rodearia	rodear	
rodearemos	rodearíamos	rodearmos	**PARTICÍPIO**
rodeareis	rodearíeis	rodeardes	rodeado
rodearão	rodeariam	rodearem	

16. caçoar
(caçoares, caçoar, caçoarmos, caçoardes, caçoarem)

INDICATIVO	SUBJUNTIVO	IMPERATIVO	
Presente	**Pret. imperf.**	**Presente**	**Afirm.**
caçoo	caçoava	caçoe	–
caçoas	caçoavas	caçoes	caçoa
caçoa	caçoava	caçoe	caçoe
caçoamos	caçoávamos	caçoemos	caçoemos
caçoais	caçoáveis	caçoeis	caçoai
caçoam	caçoavam	caçoem	caçoem
Pret. perf.	**Pret. m.-q.-perf.**	**Pret. imperf.**	**Neg. (Não...)**
caçoei	caçoara	caçoasse	–
caçoaste	caçoaras	caçoasses	caçoes
caçoou	caçoara	caçoasse	caçoe
caçoamos	caçoáramos	caçoássemos	caçoemos
caçoastes	caçoáreis	caçoásseis	caçoeis
caçoaram	caçoaram	caçoassem	caçoem
Fut. do pres.	**Fut. do pret.**	**Futuro**	
caçoarei	caçoaria	caçoar	**GERÚNDIO**
caçoarás	caçoarias	caçoares	caçoando
caçoará	caçoaria	caçoar	
caçoaremos	caçoaríamos	caçoarmos	**PARTICÍPIO**
caçoareis	caçoaríeis	caçoardes	caçoado
caçoarão	caçoariam	caçoarem	

Paradigmas de conjugação

17. aguar*
(aguares, aguar, aguarmos, aguardes, aguarem)

INDICATIVO	SUBJUNTIVO	IMPERATIVO	
Presente	**Pret. imperf.**	**Presente**	**Afirm.**
águo	aguava	águe	–
águas	aguavas	águes	água
água	aguava	águe	águe
aguamos	aguávamos	aguemos	aguemos
aguais	aguáveis	agueis	aguai
águam	aguavam	águem	águem
Pret. perf.	**Pret. m.-q.-perf.**	**Pret. imperf.**	**Neg. (Não...)**
aguei	aguara	aguasse	–
aguaste	aguaras	aguasses	águes
aguou	aguara	aguasse	águe
aguamos	aguáramos	aguássemos	aguemos
aguastes	aguáreis	aguásseis	agueis
aguaram	aguaram	aguassem	águem
Fut. do pres.	**Fut. do pret.**	**Futuro**	
aguarei	aguaria	aguar	GERÚNDIO
aguarás	aguarias	aguares	aguando
aguará	aguaria	aguar	
aguaremos	aguaríamos	aguarmos	PARTICÍPIO
aguareis	aguaríeis	aguardes	aguado
aguarão	aguariam	aguarem	

* Constitui paradigma também pela incidência do trema no *u* do radical, nos tempos e pessoas assinalados.

18. saudar*
(saudares, saudar, saudarmos, saudardes, saudarem)

INDICATIVO	SUBJUNTIVO	IMPERATIVO	
Presente	**Pret. imperf.**	**Presente**	**Afirm.**
saúdo	saudava	saúde	–
saúdas	saudavas	saúdes	saúda
saúda	saudava	saúde	saúde
saudamos	saudávamos	saudemos	saudemos
saudais	saudáveis	saudeis	saudai
saúdam	saudavam	saúdem	saúdem
Pret. perf.	**Pret. m.-q.-perf.**	**Pret. imperf.**	**Neg. (Não...)**
saudei	saudara	saudasse	–
saudaste	saudaras	saudasses	saúdes
saudou	saudara	saudasse	saúde
saudamos	saudáramos	saudássemos	saudemos
saudastes	saudáreis	saudásseis	saudeis
saudaram	saudaram	saudassem	saúdem
Fut. do pres.	**Fut. do pret.**	**Futuro**	
saudarei	saudaria	saudar	GERÚNDIO
saudarás	saudarias	saudares	saudando
saudará	saudaria	saudar	
saudaremos	saudaríamos	saudarmos	PARTICÍPIO
saudareis	saudaríeis	saudardes	saudado
saudarão	saudariam	saudarem	

* Conjuga-se como o paradigma 1, mas constitui paradigma pela acentuação da vogal do radical (*u* ou *i*), nos tempos e pessoas assinalados.

19. caber
(caberes, caber, cabermos, caberdes, caberem)

INDICATIVO	SUBJUNTIVO	IMPERATIVO	
Presente	**Pret. imperf.**	**Presente**	**Afirm.**
caibo	cabia	caiba	–
cabes	cabias	caibas	–
cabe	cabia	caiba	–
cabemos	cabíamos	caibamos	–
cabeis	cabíeis	caibais	–
cabem	cabiam	caibam	–
Pret. perf.	**Pret. m.-q.-perf.**	**Pret. imperf.**	**Neg. (Não...)**
coube	coubera	coubesse	–
coubeste	couberas	coubesses	–
coube	coubera	coubesse	–
coubemos	coubéramos	coubéssemos	–
coubestes	coubéreis	coubésseis	–
couberam	couberam	coubessem	–
Fut. do pres.	**Fut. do pret.**	**Futuro**	
caberei	caberia	couber	GERÚNDIO
caberás	caberias	couberes	cabendo
caberá	caberia	couber	
caberemos	caberíamos	coubermos	PARTICÍPIO
cabereis	caberíeis	couberdes	cabido
caberão	caberiam	couberem	

20. dizer
(dizeres, dizer, dizermos, dizerdes, dizerem)

INDICATIVO	SUBJUNTIVO	IMPERATIVO	
Presente	**Pret. imperf.**	**Presente**	**Afirm.**
digo	dizia	diga	–
dizes	dizias	digas	diz(e)
diz	dizia	diga	diga
dizemos	dizíamos	digamos	digamos
dizeis	dizíeis	digais	dizei
dizem	diziam	digam	digam
Pret. perf.	**Pret. m.-q.-perf.**	**Pret. imperf.**	**Neg. (Não...)**
disse	dissera	dissesse	–
disseste	disseras	dissesses	digas
disse	dissera	dissesse	diga
dissemos	disséramos	disséssemos	digamos
dissestes	disséreis	dissésseis	digais
disseram	disseram	dissessem	digam
Fut. do pres.	**Fut. do pret.**	**Futuro**	
direi	diria	disser	GERÚNDIO
dirás	dirias	disseres	dizendo
dirá	diria	disser	
diremos	diríamos	dissermos	PARTICÍPIO
direis	diríeis	disserdes	dito
dirão	diriam	disserem	

21. erguer
(ergueres, erguer, erguermos, erguerdes, erguerem)

INDICATIVO	SUBJUNTIVO	IMPERATIVO	
Presente	**Pret. imperf.**	**Presente**	**Afirm.**
ergo	erguia	erga	–
ergues	erguias	ergas	ergue
ergue	erguia	erga	erga
erguemos	erguíamos	ergamos	ergamos
ergueis	erguíeis	ergais	erguei
erguem	erguiam	ergam	ergam
Pret. perf.	**Pret. m.-q.-perf.**	**Pret. imperf.**	**Neg. (Não...)**
ergui	erguera	erguesse	–
ergueste	ergueras	erguesses	ergas
ergueu	erguera	erguesse	erga
erguemos	erguêramos	erguêssemos	ergamos
erguestes	erguêreis	erguêsseis	ergais
ergueram	ergueram	erguessem	ergam
Fut. do pres.	**Fut. do pret.**	**Futuro**	
erguerei	ergueria	erguer	GERÚNDIO
erguerás	erguerias	ergueres	erguendo
erguerá	ergueria	erguer	
ergueremos	ergueríamos	erguermos	PARTICÍPIO
erguereis	ergueríeis	erguerdes	erguido
erguerão	ergueriam	erguerem	

22. fazer
(fazeres, fazer, fazermos, fazerdes, fazerem)

INDICATIVO	SUBJUNTIVO	IMPERATIVO	
Presente	**Pret. imperf.**	**Presente**	**Afirm.**
faço	fazia	faça	–
fazes	fazias	faças	faz(e)
faz	fazia	faça	faça
fazemos	fazíamos	façamos	façamos
fazeis	fazíeis	façais	fazei
fazem	faziam	façam	façam
Pret. perf.	**Pret. m.-q.-perf.**	**Pret. imperf.**	**Neg. (Não...)**
fiz	fizera	fizesse	–
fizeste	fizeras	fizesses	faças
fez	fizera	fizesse	faça
fizemos	fizéramos	fizéssemos	façamos
fizestes	fizéreis	fizésseis	façais
fizeram	fizeram	fizessem	façam
Fut. do pres.	**Fut. do pret.**	**Futuro**	
farei	faria	fizer	GERÚNDIO
farás	farias	fizeres	fazendo
fará	faria	fizer	
faremos	faríamos	fizermos	PARTICÍPIO
fareis	faríeis	fizerdes	feito
farão	fariam	fizerem	

Paradigmas de conjugação

23. jazer
(jazeres, jazer, jazermos, jazerdes, jazerem)

INDICATIVO	SUBJUNTIVO	IMPERATIVO	
Presente	**Pret. imperf.**	**Presente**	**Afirm.**
jazo	jazia	jaza	–
jazes	jazias	jazas	jaz(e)
jaz	jazia	jaza	jaza
jazemos	jazíamos	jazamos	jazamos
jazeis	jazíeis	jazais	jazei
jazem	jaziam	jazam	jazam
Pret. perf.	**Pret. m.-q.-perf.**	**Pret. imperf.**	**Neg. (Não...)**
jazi	jazera	jazesse	–
jazeste	jazeras	jazesses	jazas
jazeu	jazera	jazesse	jaza
jazemos	jazêramos	jazêssemos	jazamos
jazestes	jazêreis	jazêsseis	jazais
jazeram	jazeram	jazessem	jazam
Fut. do pres.	**Fut. do pret.**	**Futuro**	
jazerei	jazeria	jazer	**GERÚNDIO**
jazerás	jazerias	jazeres	jazendo
jazerá	jazeria	jazer	
jazeremos	jazeríamos	jazermos	**PARTICÍPIO**
jazereis	jazeríeis	jazerdes	jazido
jazerão	jazeriam	jazerem	

24. perder*
(perderes, perder, perdermos, perderdes, perderem)

INDICATIVO	SUBJUNTIVO	IMPERATIVO	
Presente	**Pret. imperf.**	**Presente**	**Afirm.**
perco	perdia	perca	–
perdes	perdias	percas	perde
perde	perdia	perca	perca
perdemos	perdíamos	percamos	percamos
perdeis	perdíeis	percais	perdei
perdem	perdiam	percam	percam
Pret. perf.	**Pret. m.-q.-perf.**	**Pret. imperf.**	**Neg. (Não...)**
perdi	perdera	perdesse	–
perdeste	perderas	perdesses	percas
perdeu	perdera	perdesse	perca
perdemos	perdêramos	perdêssemos	percamos
perdestes	perdêreis	perdêsseis	percais
perderam	perderam	perdessem	percam
Fut. do pres.	**Fut. do pret.**	**Futuro**	
perderei	perderia	perder	**GERÚNDIO**
perderás	perderias	perderes	perdendo
perderá	perderia	perder	
perderemos	perderíamos	perdermos	**PARTICÍPIO**
perdereis	perderíeis	perderdes	perdido
perderão	perderiam	perderem	

* Semelhante ao paradigma 2, com irregularidade na 1ª pess. sing. do pres. do ind., pres. do subj. e imper.

25. poder
(poderes, poder, podermos, poderdes, poderem)

INDICATIVO	SUBJUNTIVO	IMPERATIVO	
Presente	**Pret. imperf.**	**Presente**	**Afirm.**
posso	podia	possa	–
podes	podias	possas	–
pode	podia	possa	–
podemos	podíamos	possamos	–
podeis	podíeis	possais	–
podem	podiam	possam	–
Pret. perf.	**Pret. m.-q.-perf.**	**Pret. imperf.**	**Neg. (Não...)**
pude	pudera	pudesse	–
pudeste	puderas	pudesses	–
pôde	pudera	pudesse	–
pudemos	pudéramos	pudéssemos	–
pudestes	pudéreis	pudésseis	–
puderam	puderam	pudessem	–
Fut. do pres.	**Fut. do pret.**	**Futuro**	
poderei	poderia	puder	**GERÚNDIO**
poderás	poderias	puderes	podendo
poderá	poderia	puder	
poderemos	poderíamos	pudermos	**PARTICÍPIO**
podereis	poderíeis	puderdes	podido
poderão	poderiam	puderem	

26. prover
(proveres, prover, provermos, proverdes, proverem)

INDICATIVO	SUBJUNTIVO	IMPERATIVO	
Presente	**Pret. imperf.**	**Presente**	**Afirm.**
provejo	provia	proveja	–
provês	provias	provejas	provê
provê	provia	proveja	proveja
provemos	províamos	provejamos	provejamos
provedes	províeis	provejais	provede
proveem	proviam	provejam	provejam
Pret. perf.	**Pret. m.-q.-perf.**	**Pret. imperf.**	**Neg. (Não...)**
provi	provera	provesse	–
proveste	proveras	provesses	provejas
proveu	provera	provesse	proveja
provemos	provêramos	provêssemos	provejamos
provestes	provêreis	provêsseis	provejais
proveram	proveram	provessem	provejam
Fut. do pres.	**Fut. do pret.**	**Futuro**	
proverei	proveria	prover	**GERÚNDIO**
proverás	proverias	proveres	provendo
proverá	proveria	prover	
proveremos	proveríamos	provermos	**PARTICÍPIO**
provereis	proveríeis	proverdes	provido
proverão	proveriam	proverem	

27. querer*
(quereres, querer, querermos, quererdes, quererem)

INDICATIVO	SUBJUNTIVO	IMPERATIVO	
Presente	**Pret. imperf.**	**Presente**	**Afirm.**
quero	queria	queira	–
queres	querias	queiras	quer(e)
quer	queria	queira	queira
queremos	queríamos	queiramos	queiramos
quereis	queríeis	queirais	querei
querem	queriam	queiram	queiram
Pret. perf.	**Pret. m.-q.-perf.**	**Pret. imperf.**	**Neg. (Não...)**
quis	quisera	quisesse	–
quiseste	quiseras	quisesses	queiras
quis	quisera	quisesse	queira
quisemos	quiséramos	quiséssemos	queiramos
quisestes	quiséreis	quisésseis	queirais
quiseram	quiseram	quisessem	queiram
Fut. do pres.	**Fut. do pret.**	**Futuro**	
quererei	quereria	quiser	**GERÚNDIO**
quererás	quererias	quiseres	querendo
quererá	quereria	quiser	
quereremos	quereríamos	quisermos	**PARTICÍPIO**
querereis	quereríeis	quiserdes	querido
quererão	quereriam	quiserem	

* Não se conjuga no imper., a não ser, muito raramente, em frases enfáticas.

28. requerer
(requereres, requerer, requerermos, requererdes, requererem)

INDICATIVO	SUBJUNTIVO	IMPERATIVO	
Presente	**Pret. imperf.**	**Presente**	**Afirm.**
requeiro	requeria	requeira	–
requeres	requerias	requeiras	requer(e)
requer	requeria	requeira	requeira
requeremos	requeríamos	requeiramos	requeiramos
requereis	requeríeis	requeirais	requerei
requerem	requeriam	requeiram	requeiram
Pret. perf.	**Pret. m.-q.-perf.**	**Pret. imperf.**	**Neg. (Não...)**
requeri	requerera	requeresse	–
requereste	requereras	requeresses	requeiras
requereu	requerera	requeresse	requeira
requeremos	requerêramos	requerêssemos	requeiramos
requerestes	requerêreis	requerêsseis	requeirais
requereram	requereram	requeressem	requeiram
Fut. do pres.	**Fut. do pret.**	**Futuro**	
requererei	requereria	requerer	**GERÚNDIO**
requererás	requererias	requereres	requerendo
requererá	requereria	requerer	
requereremos	requereríamos	requerermos	**PARTICÍPIO**
requerereis	requereríeis	requererdes	requerido
requererão	requereriam	requererem	

* Note-se que a conjugação não é idêntica à de *querer*.

Paradigmas de conjugação

29. saber*
(saberes, saber, sabermos, saberdes, saberem)

INDICATIVO	SUBJUNTIVO	IMPERATIVO	
Presente	Pret. imperf.	Presente	Afirm.
sei	sabia	saiba	–
sabes	sabias	saibas	sabe
sabe	sabia	saiba	saiba
sabemos	sabíamos	saibamos	saibamos
sabeis	sabíeis	saibais	sabei
sabem	sabiam	saibam	saibam
Pret. perf.	Pret. m.-q.-perf.	Pret. imperf.	Neg. (Não...)
soube	soubera	soubesse	–
soubeste	souberas	soubesses	saibas
soube	soubera	soubesse	saiba
soubemos	souberamos	soubéssemos	saibamos
soubestes	soubéreis	soubésseis	saibais
souberam	souberam	soubessem	saibam
Fut. do pres.	Fut. do pret.	Futuro	
saberei	saberia	souber	GERÚNDIO
saberás	saberias	souberes	sabendo
saberá	saberia	souber	
saberemos	saberíamos	soubermos	PARTICÍPIO
sabereis	saberíeis	souberdes	sabido
saberão	saberiam	souberem	

* Semelhante ao paradigma 19 (caber), difere apenas na 1ª pess. sing. do pres. do ind. e nos imper.

30. trazer
(trazeres, trazer, trazermos, trazerdes, trazerem)

INDICATIVO	SUBJUNTIVO	IMPERATIVO	
Presente	Pret. imperf.	Presente	Afirm.
trago	trazia	traga	–
trazes	trazias	tragas	traz(e)
traz	trazia	traga	traga
trazemos	trazíamos	tragamos	tragamos
trazeis	trazíeis	tragais	trazei
trazem	traziam	tragam	tragam
Pret. perf.	Pret. m.-q.-perf.	Pret. imperf.	Neg. (Não...)
trouxe	trouxera	trouxesse	–
trouxeste	trouxeras	trouxesses	tragas
trouxe	trouxera	trouxesse	traga
trouxemos	trouxéramos	trouxéssemos	tragamos
trouxestes	trouxéreis	trouxésseis	tragais
trouxeram	trouxeram	trouxessem	tragam
Fut. do pres.	Fut. do pret.	Futuro	
trarei	traria	trouxer	GERÚNDIO
trarás	trarias	trouxeres	trazendo
trará	traria	trouxer	
traremos	traríamos	trouxermos	PARTICÍPIO
trareis	traríeis	trouxerdes	trazido
trarão	trariam	trouxerem	

31. valer
(valeres, valer, valermos, valerdes, valerem)

INDICATIVO	SUBJUNTIVO	IMPERATIVO	
Presente	Pret. imperf.	Presente	Afirm.
valho	valia	valha	–
vales	valias	valhas	vale
vale	valia	valha	valha
valemos	valíamos	valhamos	valhamos
valeis	valíeis	valhais	valei
valem	valiam	valham	valham
Pret. perf.	Pret. m.-q.-perf.	Pret. imperf.	Neg. (Não...)
vali	valera	valesse	–
valeste	valeras	valesses	valhas
valeu	valera	valesse	valha
valemos	valêramos	valêssemos	valhamos
valestes	valêreis	valêsseis	valhais
valeram	valeram	valessem	valham
Fut. do pres.	Fut. do pret.	Futuro	
valerei	valeria	valer	GERÚNDIO
valerás	valerias	valeres	valendo
valerá	valeria	valer	
valeremos	valeríamos	valermos	PARTICÍPIO
valereis	valeríeis	valerdes	valido
valerão	valeriam	valerem	

32. ver
(veres, ver, vermos, verdes, verem)

INDICATIVO	SUBJUNTIVO	IMPERATIVO	
Presente	Pret. imperf.	Presente	Afirm.
vejo	via	veja	–
vês	vias	vejas	vê
vê	via	veja	veja
vemos	víamos	vejamos	vejamos
vedes	víeis	vejais	vede
veem	viam	vejam	vejam
Pret. perf.	Pret. m.-q.-perf.	Pret. imperf.	Neg. (Não...)
vi	vira	visse	–
viste	viras	visses	vejas
viu	vira	visse	veja
vimos	víramos	víssemos	vejamos
vistes	víreis	vísseis	vejais
viram	viram	vissem	vejam
Fut. do pres.	Fut. do pret.	Futuro	
verei	veria	vir	GERÚNDIO
verás	verias	vires	vendo
verá	veria	vir	
veremos	veríamos	virmos	PARTICÍPIO
vereis	veríeis	virdes	visto
verão	veriam	virem	

33. crescer
(cresceres, crescer, crescermos, crescerdes, crescerem)

INDICATIVO	SUBJUNTIVO	IMPERATIVO	
Presente	Pret. imperf.	Presente	Afirm.
cresço	crescia	cresça	–
cresces	crescias	cresças	cresce
cresce	crescia	cresça	cresça
crescemos	crescíamos	cresçamos	cresçamos
cresceis	crescíeis	cresçais	crescei
crescem	cresciam	cresçam	cresçam
Pret. perf.	Pret. m.-q.-perf.	Pret. imperf.	Neg. (Não...)
cresci	crescera	crescesse	–
cresceste	cresceras	crescesses	cresças
cresceu	crescera	crescesse	cresça
crescemos	crescêramos	crescêssemos	cresçamos
crescestes	crescêreis	crescêsseis	cresçais
cresceram	cresceram	crescessem	cresçam
Fut. do pres.	Fut. do pret.	Futuro	
crescerei	cresceria	crescer	GERÚNDIO
crescerás	crescerias	cresceres	crescendo
crescerá	cresceria	crescer	
cresceremos	cresceríamos	crescermos	PARTICÍPIO
crescereis	cresceríeis	crescerdes	crescido
crescerão	cresceriam	crescerem	

34. ler
(leres, ler, lermos, lerdes, lerem)

INDICATIVO	SUBJUNTIVO	IMPERATIVO	
Presente	Pret. imperf.	Presente	Afirm.
leio	lia	leia	–
lês	lias	leias	lê
lê	lia	leia	leia
lemos	líamos	leiamos	leiamos
ledes	líeis	leiais	lede
leem	liam	leiam	leiam
Pret. perf.	Pret. m.-q.-perf.	Pret. imperf.	Neg. (Não...)
li	lera	lesse	–
leste	leras	lesses	leias
leu	lera	lesse	leia
lemos	lêramos	lêssemos	leiamos
lestes	lêreis	lêsseis	leiais
leram	leram	lessem	leiam
Fut. do pres.	Fut. do pret.	Futuro	
lerei	leria	ler	GERÚNDIO
lerás	lerias	leres	lendo
lerá	leria	ler	
leremos	leríamos	lermos	PARTICÍPIO
lereis	leríeis	lerdes	lido
lerão	leriam	lerem	

Paradigmas de conjugação

35. proteger
(protegeres, proteger, protegermos, protegerdes, protegerem)

INDICATIVO	SUBJUNTIVO	IMPERATIVO	
Presente	**Pret. imperf.**	**Presente**	**Afirm.**
protejo	protegia	proteja	–
proteges	protegias	protejas	protege
protege	protegia	proteja	proteja
protegemos	protegíamos	protejamos	protejamos
protegeis	protegíeis	protejais	protegei
protegem	protegiam	protejam	protejam
Pret. perf.	**Pret. m.-q.-perf.**	**Pret. imperf.**	**Neg. (Não...)**
protegi	protegera	protegesse	–
protegeste	protegeras	protegesses	protejas
protegeu	protegera	protegesse	proteja
protegemos	protegêramos	protegêssemos	protejamos
protegestes	protegêreis	protegêsseis	protejais
protegeram	protegeram	protegessem	protejam
Fut. do pres.	**Fut. do pret.**	**Futuro**	
protegerei	protegeria	proteger	GERÚNDIO
protegerás	protegerias	protegeres	protegendo
protegerá	protegeria	proteger	
protegeremos	protegeríamos	protegermos	PARTICÍPIO
protegereis	protegeríeis	protegerdes	protegido
protegerão	protegeriam	protegerem	

36. moer
(moeres, moer, moermos, moerdes, moerem)

INDICATIVO	SUBJUNTIVO	IMPERATIVO	
Presente	**Pret. imperf.**	**Presente**	**Afirm.**
moo	moía	moa	–
móis	moías	moas	mói
mói	moía	moa	moa
moemos	moíamos	moamos	moamos
moeis	moíeis	moais	moei
moem	moíam	moam	moam
Pret. perf.	**Pret. m.-q.-perf.**	**Pret. imperf.**	**Neg. (Não...)**
moí	moera	moesse	–
moeste	moeras	moesses	moas
moeu	moera	moesse	moa
moemos	moêramos	moêssemos	moamos
moestes	moêreis	moêsseis	moais
moeram	moeram	moessem	moam
Fut. do pres.	**Fut. do pret.**	**Futuro**	
moerei	moeria	moer	GERÚNDIO
moerás	moerias	moeres	moendo
moerá	moeria	moer	
moeremos	moeríamos	moermos	PARTICÍPIO
moereis	moeríeis	moerdes	moído
moerão	moeriam	moerem	

37. aprazer
(aprazeres, aprazer, aprazermos, aprazerdes, aprazerem)

INDICATIVO	SUBJUNTIVO	IMPERATIVO	
Presente	**Pret. imperf.**	**Presente**	**Afirm.**
aprazo	aprazia	apraza	–
aprazes	aprazias	aprazas	apraz(e)
apraz	aprazia	apraza	apraza
aprazemos	aprazíamos	aprazamos	aprazamos
aprazeis	aprazíeis	aprazais	aprazei
aprazem	apraziam	aprazam	aprazam
Pret. perf.	**Pret. m.-q.-perf.**	**Pret. imperf.**	**Neg. (Não...)**
aprouve	aprouvera	aprouvesse	–
aprouveste	aprouveras	aprouvesses	aprazas
aprouve	aprouvera	aprouvesse	apraza
aprouvemos	aprouvéramos	aprouvéssemos	aprazamos
aprouvestes	aprouvéreis	aprouvésseis	aprazais
aprouveram	aprouveram	aprouvessem	aprazam
Fut. do pres.	**Fut. do pret.**	**Futuro**	
aprazerei	aprazeria	aprouver	GERÚNDIO
aprazerás	aprazerias	aprouveres	aprazendo
aprazerá	aprazeria	aprouver	
aprazeremos	aprazeríamos	aprouvermos	PARTICÍPIO
aprazereis	aprazeríeis	aprouverdes	aprazido
aprazerão	aprazeriam	aprouverem	

38. ir
(ires, ir, irmos, irdes, irem)

INDICATIVO	SUBJUNTIVO	IMPERATIVO	
Presente	**Pret. imperf.**	**Presente**	**Afirm.**
vou	ia	vá	–
vais	ias	vás	vai
vai	ia	vá	vá
vamos	íamos	vamos	vamos
ides	íeis	vades	ide
vão	iam	vão	vão
Pret. perf.	**Pret. m.-q.-perf.**	**Pret. imperf.**	**Neg. (Não...)**
fui	fora	fosse	–
foste	foras	fosses	vás
foi	fora	fosse	vá
fomos	fôramos	fôssemos	vamos
fostes	fôreis	fôsseis	vades
foram	foram	fossem	vão
Fut. do pres.	**Fut. do pret.**	**Futuro**	
irei	iria	for	GERÚNDIO
irás	irias	fores	indo
irá	iria	for	
iremos	iríamos	formos	PARTICÍPIO
ireis	iríeis	fordes	ido
irão	iriam	forem	

39. frigir*
(frigires, frigir, frigirmos, frigirdes, frigirem)

INDICATIVO	SUBJUNTIVO	IMPERATIVO	
Presente	**Pret. imperf.**	**Presente**	**Afirm.**
frijo	frigia	frija	–
freges	frigias	frijas	frege
frege	frigia	frija	frija
frigimos	frigíamos	frijamos	frijamos
frigis	frigíeis	frijais	frigi
fregem	frigiam	frijam	frijam
Pret. perf.	**Pret. m.-q.-perf.**	**Pret. imperf.**	**Neg. (Não...)**
frigi	frigira	frigisse	–
frigiste	frigiras	frigisses	frijas
frigiu	frigira	frigisse	frija
frigimos	frigíramos	frigíssemos	frijamos
frigistes	frigíreis	frigísseis	frijais
frigiram	frigiram	frigissem	frijam
Fut. do pres.	**Fut. do pret.**	**Futuro**	
frigirei	frigiria	frigir	GERÚNDIO
frigirás	frigirias	frigires	frigindo
frigirá	frigiria	frigir	
frigiremos	frigiríamos	frigirmos	PARTICÍPIO
frigireis	frigiríeis	frigirdes	frigido
frigirão	frigiriam	frigirem	frito

* Var. do paradigma 46, agir, com mudança no radical nas 2ª e 3ª pess. sing. e 3ª pess. pl. do pres. do ind., e 2ª pess. sing. do imper. afirm.

40. ouvir
(ouvires, ouvir, ouvirmos, ouvirdes, ouvirem)

INDICATIVO	SUBJUNTIVO	IMPERATIVO	
Presente	**Pret. imperf.**	**Presente**	**Afirm.**
ouço	ouvia	ouça	–
ouves	ouvias	ouças	ouve
ouve	ouvia	ouça	ouça
ouvimos	ouvíamos	ouçamos	ouçamos
ouvis	ouvíeis	ouçais	ouvi
ouvem	ouviam	ouçam	ouçam
Pret. perf.	**Pret. m.-q.-perf.**	**Pret. imperf.**	**Neg. (Não...)**
ouvi	ouvira	ouvisse	–
ouviste	ouviras	ouvisses	ouças
ouviu	ouvira	ouvisse	ouça
ouvimos	ouvíramos	ouvíssemos	ouçamos
ouvistes	ouvíreis	ouvísseis	ouçais
ouviram	ouviram	ouvissem	ouçam
Fut. do pres.	**Fut. do pret.**	**Futuro**	
ouvirei	ouviria	ouvir	GERÚNDIO
ouvirás	ouvirias	ouvires	ouvindo
ouvirá	ouviria	ouvir	
ouviremos	ouviríamos	ouvirmos	PARTICÍPIO
ouvireis	ouviríeis	ouvirdes	ouvido
ouvirão	ouviriam	ouvirem	

Paradigmas de conjugação

41. rir
(rires, rir, rirmos, rirdes, rirem)

INDICATIVO	SUBJUNTIVO	IMPERATIVO	
Presente	**Pret. imperf.**	**Presente**	**Afirm.**
rio	ria	ria	–
ris	rias	rias	ri
ri	ria	ria	ria
rimos	ríamos	riamos	riamos
rides	ríeis	riais	ride
riem	riam	riam	riam
Pret. perf.	**Pret. m.-q.-perf.**	**Pret. imperf.**	**Neg. (Não...)**
ri	rira	risse	–
riste	riras	risses	rias
riu	rira	risse	ria
rimos	ríramos	ríssemos	riamos
ristes	ríreis	rísseis	riais
riram	riram	rissem	riam
Fut. do pres.	**Fut. do pret.**	**Futuro**	
rirei	riria	rir	GERÚNDIO
rirás	ririas	rires	rindo
rirá	riria	rir	
riremos	riríamos	rirmos	PARTICÍPIO
rireis	riríeis	rirdes	rido
rirão	ririam	rirem	

44. pedir
(pedires, pedir, pedirmos, pedirdes, pedirem)

INDICATIVO	SUBJUNTIVO	IMPERATIVO	
Presente	**Pret. imperf.**	**Presente**	**Afirm.**
peço	pedia	peça	–
pedes	pedias	peças	pede
pede	pedia	peça	peça
pedimos	pedíamos	peçamos	peçamos
pedis	pedíeis	peçais	pedi
pedem	pediam	peçam	peçam
Pret. perf.	**Pret. m.-q.-perf.**	**Pret. imperf.**	**Neg. (Não...)**
pedi	pedira	pedisse	–
pediste	pediras	pedisses	peças
pediu	pedira	pedisse	peça
pedimos	pedíramos	pedíssemos	peçamos
pedistes	pedíreis	pedísseis	peçais
pediram	pediram	pedissem	peçam
Fut. do pres.	**Fut. do pret.**	**Futuro**	
pedirei	pediria	pedir	GERÚNDIO
pedirás	pedirias	pedires	pedindo
pedirá	pediria	pedir	
pediremos	pediríamos	pedirmos	PARTICÍPIO
pedireis	pediríeis	pedirdes	pedido
pedirão	pediriam	pedirem	

42. vir
(vires, vir, virmos, virdes, virem)

INDICATIVO	SUBJUNTIVO	IMPERATIVO	
Presente	**Pret. imperf.**	**Presente**	**Afirm.**
venho	vinha	venha	–
vens	vinhas	venhas	vem
vem	vinha	venha	venha
vimos	vínhamos	venhamos	venhamos
vindes	vínheis	venhais	vinde
vêm	vinham	venham	venham
Pret. perf.	**Pret. m.-q.-perf.**	**Pret. imperf.**	**Neg. (Não...)**
vim	viera	viesse	–
vieste	vieras	viesses	venhas
veio	viera	viesse	venha
viemos	viéramos	viéssemos	venhamos
viestes	viéreis	viésseis	venhais
vieram	vieram	viessem	venham
Fut. do pres.	**Fut. do pret.**	**Futuro**	
virei	viria	vier	GERÚNDIO
virás	virias	vieres	vindo
virá	viria	vier	
viremos	viríamos	viermos	PARTICÍPIO
vireis	viríeis	vierdes	vindo
virão	viriam	vierem	

Verbos formados com 'vir' (*advir, avir, desavir, intervir, sobrevir*) têm acento agudo no *e* nas 2ª e 3ª pess. sing. do pres. do ind. e na 2ª pess. sing. do imper. afirm.

45. divergir
(divergires, divergir, divergirmos, divergirdes, divergirem)

INDICATIVO	SUBJUNTIVO	IMPERATIVO	
Presente	**Pret. imperf.**	**Presente**	**Afirm.**
divirjo	divergia	divirja	–
diverges	divergias	divirjas	diverge
diverge	divergia	divirja	divirja
divergimos	divergíamos	divirjamos	divirjamos
divergis	divergíeis	divirjais	divergi
divergem	divergiam	divirjam	divirjam
Pret. perf.	**Pret. m.-q.-perf.**	**Pret. imperf.**	**Neg. (Não...)**
divergi	divergira	divergisse	–
divergiste	divergiras	divergisses	divirjas
divergiu	divergira	divergisse	divirja
divergimos	divergíramos	divergíssemos	divirjamos
divergistes	divergíreis	divergísseis	divirjais
divergiram	divergiram	divergissem	divirjam
Fut. do pres.	**Fut. do pret.**	**Futuro**	
divergirei	divergiria	divergir	GERÚNDIO
divergirás	divergirias	divergires	divergindo
divergirá	divergiria	divergir	
divergiremos	divergiríamos	divergirmos	PARTICÍPIO
divergireis	divergiríeis	divergirdes	divergido
divergirão	divergiriam	divergirem	

43. sair
(saíres, sair, sairmos, sairdes, saírem)

INDICATIVO	SUBJUNTIVO	IMPERATIVO	
Presente	**Pret. imperf.**	**Presente**	**Afirm.**
saio	saía	saia	–
sais	saías	saias	sai
sai	saía	saia	saia
saímos	saíamos	saiamos	saiamos
saís	saíeis	saiais	saí
saem	saíam	saiam	saiam
Pret. perf.	**Pret. m.-q.-perf.**	**Pret. imperf.**	**Neg. (Não...)**
saí	saíra	saísse	–
saíste	saíras	saísses	saias
saiu	saíra	saísse	saia
saímos	saíramos	saíssemos	saiamos
saístes	saíreis	saísseis	saiais
saíram	saíram	saíssem	saiam
Fut. do pres.	**Fut. do pret.**	**Futuro**	
sairei	sairia	sair	GERÚNDIO
sairás	sairias	saíres	saindo
sairá	sairia	sair	
sairemos	sairíamos	sairmos	PARTICÍPIO
saireis	sairíeis	sairdes	saído
sairão	sairiam	saírem	

46. agir
(agires, agir, agirmos, agirdes, agirem)

INDICATIVO	SUBJUNTIVO	IMPERATIVO	
Presente	**Pret. imperf.**	**Presente**	**Afirm.**
ajo	agia	aja	–
ages	agias	ajas	age
age	agia	aja	aja
agimos	agíamos	ajamos	ajamos
agis	agíeis	ajais	agi
agem	agiam	ajam	ajam
Pret. perf.	**Pret. m.-q.-perf.**	**Pret. imperf.**	**Neg. (Não...)**
agi	agira	agisse	–
agiste	agiras	agisses	ajas
agiu	agira	agisse	aja
agimos	agíramos	agíssemos	ajamos
agistes	agíreis	agísseis	ajais
agiram	agiram	agissem	ajam
Fut. do pres.	**Fut. do pret.**	**Futuro**	
agirei	agiria	agir	GERÚNDIO
agirás	agirias	agires	agindo
agirá	agiria	agir	
agiremos	agiríamos	agirmos	PARTICÍPIO
agireis	agiríeis	agirdes	agido
agirão	agiriam	agirem	

Paradigmas de conjugação

47. distinguir
(distinguires, distinguir, distinguirmos, distinguirdes, distinguirem)

INDICATIVO	SUBJUNTIVO	IMPERATIVO	
Presente	**Pret. imperf.**	**Presente**	**Afirm.**
distingo	distinguia	distinga	–
distingues	distinguias	distingas	distingue
distingue	distinguia	distinga	distinga
distinguimos	distinguíamos	distingamos	distingamos
distinguis	distinguíeis	distingais	distingui
distinguem	distinguiam	distingam	distingam
Pret. perf.	**Pret. m.-q.-perf.**	**Pret. imperf.**	**Neg. (Não...)**
distingui	distinguira	distinguisse	–
distinguiste	distinguiras	distinguisses	distingas
distinguiu	distinguira	distinguisse	distinga
distinguimos	distinguíramos	distinguíssemos	distingamos
distinguistes	distinguíreis	distinguísseis	distingais
distinguiram	distinguiram	distinguissem	distingam
Fut. do pres.	**Fut. do pret.**	**Futuro**	
distinguirei	distinguiria	distinguir	**GERÚNDIO**
distinguirás	distinguirias	distinguires	distinguindo
distinguirá	distinguiria	distinguir	
distinguiremos	distinguiríamos	distinguirmos	**PARTICÍPIO**
distinguireis	distinguiríeis	distinguirdes	distinguido
distinguirão	distinguiriam	distinguirem	

48. arguir
(arguires, arguir, arguirmos, arguirdes, arguirem)

INDICATIVO	SUBJUNTIVO	IMPERATIVO	
Presente	**Pret. imperf.**	**Presente**	**Afirm.**
arguo	arguia	argua	–
arguis	arguias	arguas	argui
argui	arguia	argua	argua
arguimos	arguíamos	arguamos	arguamos
arguis	arguíeis	arguais	argui
arguem	arguiam	arguam	arguam
Pret. perf.	**Pret. m.-q.-perf.**	**Pret. imperf.**	**Neg. (Não...)**
argui	arguira	arguisse	–
arguiste	arguiras	arguisses	arguas
arguiu	arguira	arguisse	argua
arguimos	arguíramos	arguíssemos	arguamos
arguistes	arguíreis	arguísseis	arguais
arguiram	arguiram	arguissem	arguam
Fut. do pres.	**Fut. do pret.**	**Futuro**	
arguirei	arguiria	arguir	**GERÚNDIO**
arguirás	arguirias	arguires	arguindo
arguirá	arguiria	arguir	
arguiremos	arguiríamos	arguirmos	**PARTICÍPIO**
arguireis	arguiríeis	arguirdes	arguido
arguirão	arguiriam	arguirem	

49. 4 variações no paradigma: progredir -egrir -enir -erzir
(progredires, progredir, progredirmos, progredirdes, progredirem)

INDICATIVO	SUBJUNTIVO	IMPERATIVO	
Presente	**Pret. imperf.**	**Presente**	**Afirm.**
progrido	progredia	progrida	–
progrides	progredias	progridas	progride
progride	progredia	progrida	progrida
progredimos	progredíamos	progridamos	progridamos
progredis	progredíeis	progridais	progredi
progridem	progrediam	progridam	progridam
Pret. perf.	**Pret. m.-q.-perf.**	**Pret. imperf.**	**Neg. (Não...)**
progredi	progredira	progredisse	–
progrediste	progrediras	progredisses	progridas
progrediu	progredira	progredisse	progrida
progredimos	progredíramos	progredíssemos	progridamos
progredistes	progredíreis	progredísseis	progridais
progrediram	progrediram	progredissem	progridam
Fut. do pres.	**Fut. do pret.**	**Futuro**	
progredirei	progrediria	progredir	**GERÚNDIO**
progredirás	progredirias	progredires	progredindo
progredirá	progrediria	progredir	
progrediremos	progrediríamos	progredirmos	**PARTICÍPIO**
progredireis	progrediríeis	progredirdes	progredido
progredirão	progrediriam	progredirem	

50. 9 variações no paradigma: impelir -entir -erir -ernir -ertir -ervir -espir -estir -etir
(impelires, impelir, impelirmos, impelirdes, impelirem)

INDICATIVO	SUBJUNTIVO	IMPERATIVO	
Presente	**Pret. imperf.**	**Presente**	**Afirm.**
impilo	impelia	impila	–
impeles	impelias	impilas	impele
impele	impelia	impila	impila
impelimos	impelíamos	impilamos	impilamos
impelis	impelíeis	impilais	impeli
impelem	impeliam	impilam	impilam
Pret. perf.	**Pret. m.-q.-perf.**	**Pret. imperf.**	**Neg. (Não...)**
impeli	impelira	impelisse	–
impeliste	impeliras	impelisses	impilas
impeliu	impelira	impelisse	impila
impelimos	impelíramos	impelíssemos	impilamos
impelistes	impelíreis	impelísseis	impilais
impeliram	impeliram	impelissem	impilam
Fut. do pres.	**Fut. do pret.**	**Futuro**	
impelirei	impeliria	impelir	**GERÚNDIO**
impelirás	impelirias	impelires	impelindo
impelirá	impeliria	impelir	
impeliremos	impeliríamos	impelirmos	**PARTICÍPIO**
impelireis	impeliríeis	impelirdes	impelido
impelirão	impeliriam	impelirem	

51. 4 var. no paradigma: cobrir -olir -ormir -ossir
(cobrires, cobrir, cobrirmos, cobrirdes, cobrirem)

INDICATIVO	SUBJUNTIVO	IMPERATIVO	
Presente	**Pret. imperf.**	**Presente**	**Afirm.**
cubro	cobria	cubra	–
cobres	cobrias	cubras	cobre
cobre	cobria	cubra	cubra
cobrimos	cobríamos	cubramos	cubramos
cobris	cobríeis	cubrais	cobri
cobrem	cobriam	cubram	cubram
Pret. perf.	**Pret. m.-q.-perf.**	**Pret. imperf.**	**Neg. (Não...)**
cobri	cobrira	cobrisse	–
cobriste	cobriras	cobrisses	cubras
cobriu	cobrira	cobrisse	cubra
cobrimos	cobríramos	cobríssemos	cubramos
cobristes	cobríreis	cobrísseis	cubrais
cobriram	cobriram	cobrissem	cubram
Fut. do pres.	**Fut. do pret.**	**Futuro**	
cobrirei	cobriria	cobrir	**GERÚNDIO**
cobrirás	cobririas	cobrires	cobrindo
cobrirá	cobriria	cobrir	
cobriremos	cobriríamos	cobrirmos	**PARTICÍPIO**
cobrireis	cobriríeis	cobrirdes	–o ido*
cobrirão	cobririam	cobrirem	

* O part. de cobrir é irreg. (**coberto**) e não se aplica ao paradigma.

52. 4 verbos no paradigma: polir despolir repolir sortir
(polires, polir, polirmos, polirdes, polirem)

INDICATIVO	SUBJUNTIVO	IMPERATIVO	
Presente	**Pret. imperf.**	**Presente**	**Afirm.**
pulo	polia	pula	–
pules	polias	pulas	pule
pule	polia	pula	pula
polimos	políamos	pulamos	pulamos
polis	políeis	pulais	poli
pulem	poliam	pulam	pulam
Pret. perf.	**Pret. m.-q.-perf.**	**Pret. imperf.**	**Neg. (Não...)**
poli	polira	polisse	–
poliste	poliras	polisses	pulas
poliu	polira	polisse	pula
polimos	políramos	políssemos	pulamos
polistes	políreis	polísseis	pulais
poliram	poliram	polissem	pulam
Fut. do pres.	**Fut. do pret.**	**Futuro**	
polirei	poliria	polir	**GERÚNDIO**
polirás	polirias	polires	polindo
polirá	poliria	polir	
poliremos	poliríamos	polirmos	**PARTICÍPIO**
polireis	poliríeis	polirdes	polido
polirão	poliriam	polirem	

Paradigmas de conjugação

53. 7 var. no paradigma: subir -udir fugir (*j* em vez de *g* antes de *o* e *a*) -ulir -umir -upir -uspir
(subires, subir, subirmos, subirdes, subirem)

INDICATIVO	SUBJUNTIVO	IMPERATIVO	
Presente	**Pret. imperf.**	**Presente**	**Afirm.**
subo	subia	suba	–
sobes	subias	subas	sobe
sobe	subia	suba	suba
subimos	subíamos	subamos	subamos
subis	subíeis	subais	subi
sobem	subiam	subam	subam
Pret. perf.	**Pret. m.-q.-perf.**	**Pret. imperf.**	**Neg. (Não...)**
subi	subira	subisse	–
subiste	subiras	subisses	subas
subiu	subira	subisse	suba
subimos	subíramos	subíssemos	subamos
subistes	subíreis	subísseis	subais
subiram	subiram	subissem	subam
Fut. do pres.	**Fut. do pret.**	**Futuro**	
subirei	subiria	subir	**GERÚNDIO**
subirás	subirias	subires	subindo
subirá	subiria	subir	
subiremos	subiríamos	subirmos	**PARTICÍPIO**
subireis	subiríeis	subirdes	subido
subirão	subiriam	subirem	

56. contribuir
(contribuíres, contribuir, contribuirmos, contribuirdes, contribuírem)

INDICATIVO	SUBJUNTIVO	IMPERATIVO	
Presente	**Pret. imperf.**	**Presente**	**Afirm.**
contribuo	contribuía	contribua	–
contribuis	contribuías	contribuas	contribui
contribui	contribuía	contribua	contribua
contribuímos	contribuíamos	contribuamos	contribuamos
contribuís	contribuíeis	contribuais	contribuí
contribuem	contribuíam	contribuam	contribuam
Pret. perf.	**Pret. m.-q.-perf.**	**Pret. imperf.**	**Neg. (Não...)**
contribuí	contribuíra	contribuísse	–
contribuíste	contribuíras	contribuísses	contribuas
contribuiu	contribuíra	contribuísse	contribua
contribuímos	contribuíramos	contribuíssemos	contribuamos
contribuístes	contribuíreis	contribuísseis	contribuais
contribuíram	contribuíram	contribuíssem	contribuam
Fut. do pres.	**Fut. do pret.**	**Futuro**	
contribuirei	contribuiria	contribuir	**GERÚNDIO**
contribuirás	contribuirias	contribuires	contribuindo
contribuirá	contribuiria	contribuir	
contribuiremos	contribuiríamos	contribuirmos	**PARTICÍPIO**
contribuireis	contribuiríeis	contribuirdes	contribuído
contribuirão	contribuiriam	contribuírem	

Os verbos *construir* e *destruir* têm as formas variantes *constróis*, *constrói*, *constroem*; *destróis*, *destrói*, *destroem*.

54. proibir
(proibires, proibir, proibirmos, proibirdes, proibirem)

INDICATIVO	SUBJUNTIVO	IMPERATIVO	
Presente	**Pret. imperf.**	**Presente**	**Afirm.**
proíbo	proibia	proíba	–
proíbes	proibias	proíbas	proíbe
proíbe	proibia	proíba	proíba
proibimos	proibíamos	proibamos	proibamos
proibis	proibíeis	proibais	proibi
proíbem	proibiam	proíbam	proíbam
Pret. perf.	**Pret. m.-q.-perf.**	**Pret. imperf.**	**Neg. (Não...)**
proibi	proibira	proibisse	–
proibiste	proibiras	proibisses	proíbas
proibiu	proibira	proibisse	proíba
proibimos	proibíramos	proibíssemos	proibamos
proibistes	proibíreis	proibísseis	proibais
proibiram	proibiram	proibissem	proíbam
Fut. do pres.	**Fut. do pret.**	**Futuro**	
proibirei	proibiria	proibir	**GERÚNDIO**
proibirás	proibirias	proibires	proibindo
proibirá	proibiria	proibir	
proibiremos	proibiríamos	proibirmos	**PARTICÍPIO**
proibireis	proibiríeis	proibirdes	proibido
proibirão	proibiriam	proibirem	

57. reduzir
(reduzires, reduzir, reduzirmos, reduzirdes, reduzirem)

INDICATIVO	SUBJUNTIVO	IMPERATIVO	
Presente	**Pret. imperf.**	**Presente**	**Afirm.**
reduzo	reduzia	reduza	–
reduzes	reduzias	reduzas	reduz(e)
reduz	reduzia	reduza	reduza
reduzimos	reduzíamos	reduzamos	reduzamos
reduzis	reduzíeis	reduzais	reduzi
reduzem	reduziam	reduzam	reduzam
Pret. perf.	**Pret. m.-q.-perf.**	**Pret. imperf.**	**Neg. (Não...)**
reduzi	reduzira	reduzisse	–
reduziste	reduziras	reduzisses	reduzas
reduziu	reduzira	reduzisse	reduza
reduzimos	reduzíramos	reduzíssemos	reduzamos
reduzistes	reduzíreis	reduzísseis	reduzais
reduziram	reduziram	reduzissem	reduzam
Fut. do pres.	**Fut. do pret.**	**Futuro**	
reduzirei	reduziria	reduzir	**GERÚNDIO**
reduzirás	reduzirias	reduzires	reduzindo
reduzirá	reduziria	reduzir	
reduziremos	reduziríamos	reduzirmos	**PARTICÍPIO**
reduzireis	reduziríeis	reduzirdes	reduzido
reduzirão	reduziriam	reduzirem	

55. seguir
(seguires, seguir, seguirmos, seguirdes, seguirem)

INDICATIVO	SUBJUNTIVO	IMPERATIVO	
Presente	**Pret. imperf.**	**Presente**	**Afirm.**
sigo	seguia	siga	–
segues	seguias	sigas	segue
segue	seguia	siga	siga
seguimos	seguíamos	sigamos	sigamos
seguis	seguíeis	sigais	segui
seguem	seguiam	sigam	sigam
Pret. perf.	**Pret. m.-q.-perf.**	**Pret. imperf.**	**Neg. (Não...)**
segui	seguira	seguisse	–
seguiste	seguiras	seguisses	sigas
seguiu	seguira	seguisse	siga
seguimos	seguíramos	seguíssemos	sigamos
seguistes	seguíreis	seguísseis	sigais
seguiram	seguiram	seguissem	sigam
Fut. do pres.	**Fut. do pret.**	**Futuro**	
seguirei	seguiria	seguir	**GERÚNDIO**
seguirás	seguirias	seguires	seguindo
seguirá	seguiria	seguir	
seguiremos	seguiríamos	seguirmos	**PARTICÍPIO**
seguireis	seguiríeis	seguirdes	seguido
seguirão	seguiriam	seguirem	

58. extorquir*
(extorquires, extorquir, extorquirmos, extorquirdes, extorquirem)

INDICATIVO	SUBJUNTIVO	IMPERATIVO	
Presente	**Pret. imperf.**	**Presente**	**Afirm.**
–	extorquia	–	–
extorques	extorquias	–	extorque
extorque	extorquia	–	–
extorquimos	extorquíamos	–	–
extorquis	extorquíeis	–	extorqui
extorquem	extorquiam	–	–
Pret. perf.	**Pret. m.-q.-perf.**	**Pret. imperf.**	**Neg. (Não...)**
extorqui	extorquira	extorquisse	–
extorquiste	extorquiras	extorquisses	–
extorquiu	extorquira	extorquisse	–
extorquimos	extorquíramos	extorquíssemos	–
extorquistes	extorquíreis	extorquísseis	–
extorquiram	extorquiram	extorquissem	–
Fut. do pres.	**Fut. do pret.**	**Futuro**	
extorquirei	extorquiria	extorquir	**GERÚNDIO**
extorquirás	extorquirias	extorquires	extorquindo
extorquirá	extorquiria	extorquir	
extorquiremos	extorquiríamos	extorquirmos	**PARTICÍPIO**
extorquireis	extorquiríeis	extorquirdes	extorquido
extorquirão	extorquiriam	extorquirem	

Conjuga-se pelo paradigma 3, mas defec. segundo o paradigma abaixo.

Paradigmas de conjugação

59. falir
(falires, falir, falimos, falirdes, falirem)
Similar ao paradigma 3, mas defec. segundo o paradigma abaixo.

INDICATIVO	SUBJUNTIVO	IMPERATIVO	
Presente	**Pret. imperf.**	**Presente**	**Afirm.**
–	falia	–	–
–	falias	–	–
–	falia	–	–
falimos	falíamos	–	–
falis	falíeis	–	fali
–	faliam	–	–
Pret. perf.	**Pret. m.-q.-perf.**	**Pret. imperf.**	**Neg. (Não...)**
fali	falira	falisse	–
faliste	faliras	falisses	–
faliu	falira	falisse	–
falimos	falíramos	falíssemos	–
falistes	falíreis	falísseis	–
faliram	faliram	falissem	–
Fut. do pres.	**Fut. do pret.**	**Futuro**	
falirei	faliria	falir	GERÚNDIO
falirás	falirias	falires	falindo
falirá	faliria	falir	
faliremos	faliríamos	falirmos	PARTICÍPIO
falireis	faliríeis	falirdes	falido
falirão	faliriam	falirem	

61. parir
(parires, parir, parirmos, parirdes, parirem)

INDICATIVO	SUBJUNTIVO	IMPERATIVO	
Presente	**Pret. imperf.**	**Presente**	**Afirm.**
pairo	paria	paira	–
pares	parias	pairas	pare
pare	paria	paira	paira
parimos	paríamos	pairamos	pairamos
paris	paríeis	pairais	pari
parem	pariam	pairam	pairam
Pret. perf.	**Pret. m.-q.-perf.**	**Pret. imperf.**	**Neg. (Não...)**
pari	parira	parisse	–
pariste	pariras	parisses	pairas
pariu	parira	parisse	paira
parimos	paríramos	paríssemos	pairamos
paristes	paríreis	parísseis	pairais
pariram	pariram	parissem	pairam
Fut. do pres.	**Fut. do pret.**	**Futuro**	
parirei	pariria	parir	GERÚNDIO
parirás	paririas	parires	parindo
parirá	pariria	parir	
pariremos	pariríamos	parirmos	PARTICÍPIO
parireis	paririeis	parirdes	parido
parirão	paririam	parirem	

60. pôr, derivados com terminação por, e soto-pôr
(pores, pôr, pormos, pordes, porem)

INDICATIVO	SUBJUNTIVO	IMPERATIVO	
Presente	**Pret. imperf.**	**Presente**	**Afirm.**
ponho	punha	ponha	–
pões	punhas	ponhas	põe
põe	punha	ponha	ponha
pomos	púnhamos	ponhamos	ponhamos
pondes	púnheis	ponhais	ponde
põem	punham	ponham	ponham
Pret. perf.	**Pret. m.-q.-perf.**	**Pret. imperf.**	**Neg. (Não...)**
pus	pusera	pusesse	–
puseste	puseras	pusesses	ponhas
pôs	pusera	pusesse	ponha
pusemos	puséramos	puséssemos	ponhamos
pusestes	puséreis	pusésseis	ponhais
puseram	puseram	pusessem	ponham
Fut. do pres.	**Fut. do pret.**	**Futuro**	
porei	poria	puser	GERÚNDIO
porás	porias	puseres	pondo
porá	poria	puser	
poremos	poríamos	pusermos	PARTICÍPIO
poreis	poríeis	puserdes	posto
porão	poriam	puserem	

HIERARQUIA MILITAR BRASILEIRA*
(EM ORDEM HIERÁRQUICA CRESCENTE)

EXÉRCITO	MARINHA	AERONÁUTICA
Graduados	**Graduados**	**Graduados**
—	—	taifeiro de segunda classe
—	—	soldado de segunda classe
taifeiro de primeira classe	—	taifeiro de primeira classe
soldado de primeira classe	marinheiro	soldado de primeira classe
—	—	taifeiro-mor
cabo	cabo	cabo
taifeiro-mor	—	—
terceiro-sargento	terceiro-sargento	terceiro-sargento
segundo-sargento	segundo-sargento	segundo-sargento
primeiro-sargento	primeiro-sargento	primeiro-sargento
subtenente	suboficial	suboficial
Oficiais subalternos	**Oficiais subalternos**	**Oficiais subalternos**
aspirante a oficial	guarda-marinha	aspirante
segundo-tenente	segundo-tenente	segundo-tenente
primeiro-tenente	primeiro-tenente	primeiro-tenente
Oficiais intermediários	**Oficiais intermediários**	**Oficiais intermediários**
capitão	capitão-tenente	capitão
Oficiais superiores	**Oficiais superiores**	**Oficiais superiores**
major	capitão de corveta	major
tenente-coronel	capitão de fragata	tenente-coronel
coronel	capitão de mar e guerra	coronel
Oficiais-generais	**Oficiais-generais**	**Oficiais-generais**
general de brigada	contra-almirante	brigadeiro do ar
general de divisão	vice-almirante	major-brigadeiro do ar
general de exército	almirante de esquadra	tenente-brigadeiro do ar
marechal	almirante	marechal do ar

* Referida nos verbetes sobre patentes militares.

-a *suf.* Desin. do gênero feminino: *cantora, médica, aluna, escritora, operária* [Pl.: *-as.*]

A *sm.* **1** *Mús.* Sinal que representa o lá (esp. o maior) na escala diatônica, sua tonicidade ou um acorde em que é a nota fundamental **2** *Mús.* Primeira divisão de uma forma ternária ou binária ***num.*** **3** Em determinados meios colegiais ou acadêmicos, nota máxima atribuída a um estudante ***num.*** **4** *Mat.* O número 10 no sistema hexadecimal **5** *Elet.* Símb. de *ampere* **6** *Antq. Quím.* Símb. de *argônio* **7** *Ant. Lóg.* No aristotelismo medieval, símb. de *proposição universal afirmativa* **8** *Fís.* Símb. de número de massa **9** *Fisl.* Aglutinógeno que, nas hemácias, tipifica o grupo sanguíneo dito grupo A **10** *Fís.* Símb. da raia de absorção na faixa vermelha do espectro solar **11** *Bibl.* Abrev. de *autor* ou *autora* **12** *Ind.* Entre papeleiros, um dos formatos básicos do papel

a[1] *sm.* **1** A primeira letra do alfabeto **2** A primeira vogal do alfabeto **3** Qualquer coisa que tenha a forma dessa letra **4** O som dessa letra: *Na pronúncia brasileira não ocorre o a grave português* **5** *Tip.* O tipo que imprime essa letra **6** *Geom.* Indica linha, ângulo ou parte de uma figura ***num.*** **7** O primeiro em uma série (turma A) [F.: De *a, A,* 1ª letra do alfabeto latino, da 1ª letra do alfabeto grego, chamada *alfa.*]

a[2] *prep.* **1** Exprime várias relações de sentido, como: direção/proximidade, no espaço, no tempo e em diversas noções: *voltaram a o parque; a 2 km da estação; de quinta a domingo; crianças de cinco a dez anos; chegar a uma conclusão.* **2** Limite de trecho, período, escala: *daqui a seis meses; de Roma a Paris.* **3** Instrumento, modo, meio: *escrever a lápis; vendas a prazo;* "...Sem botão, no tempo, no topo, no chão, / Em cada escada a caminhada a pé, de caminhão." (Marisa Monte, *Na estrada*) **4** Matéria: *quadro pintado a óleo; carro a gás.* **5** Medida, valor, contagem etc.: *As frutas são vendidas a peso; refeições a R$6,00; Venceram por 3 a 1.* **6** Localização no tempo ou no espaço: *Almoçamos a o meio-dia; a o norte;* "Quando Camargo chegou a casa, no Rio Comprido, achou sua mulher, d. Tomásia, adormecida numa cadeira de balanço..." (Machado de Assis, *Helena*) **7** Sequência no espaço ou no tempo, ou gradação: *linha a linha; mês a mês.:* "Nesse momento dá com os olhos em Rosa, vai recuando pouco a pouco." (Martins Pena, *O noviço*) **8** Semelhança ou conformidade: *Saiu a o pai; a o modo bíblico.* **9** Introduz termos que denotam o destinatário de uma ação: *Levou o filho a o médico.* **10** Antes de infinitivo, atribui-lhe valor de gerúndio: *Está a sonhar com as férias.:* "Santos andava a chorar pelos cantos..." (Machado de Assis, *Esaú e Jacó*) **11** Liga a um infinitivo verbos que indicam causa, início, reinício, duração, continuação ou termo de um movimento, ou que reafirmam a ideia contida no verbo principal: *obrigar a comer; Começou a falar; Habituei-me a ler; Animava-se a rir.* **12** Inicia ou finaliza locuções prepositivas: *a respeito de; em direção a.* **13** Antes de infinitivo, designa fim ou propósito: *Não há nada a fazer.* [F.: Do lat. tard. *a,* do lat. *ad.*]

a[3] *art. def.* **1** Acompanha nomes femininos que denotam seres, objetos, conceitos (a mesa; a liberdade) **2** Limita a referência do substantivo a um ser ou coisa identificáveis na situação ou no texto: *A Constituição garante direito de culto.* ***pr. dem.*** **3** Aquela: "...que melhor noite que a passada ao reflexo das taças?" (Álvares de Azevedo, *Noite na taverna*) ***pr. pess.*** **4** Equivale a 'ela', na função de complemento direto: "Ele vivera sempre tão longe dela que nunca a julgara capaz de tais assomos." (Lima Barreto, *O triste fim de Policarpo Quaresma*) [F.: Do lat. *illam* (fem. do acus. do pron. dem. *illu, illa, illud*), pelo arc. *la,* com síncope do *l.* Ver tb. *o*[2].]

⊠ **A4** *a2g2n.* *Art. gr. Pap.* Diz-se de papel, bloco etc. no formato A4 (21 cm x 29,7 cm)

⊠ **A5** *a2g2n.* *Art. gr. Pap.* Diz-se de papel, bloco etc. no formato A5 (14,8 cm x 21 cm)

⊠ **Å** *Fís.* Símb. de *angstrom*

◎ **a-**[1], ab-[1], abs- ***pref.*** = 'afastamento', 'distanciamento'; 'separação'; 'negação', 'privação': *amover; abusar; absorver; abscesso* [F.: Do pref. lat. *a-, ab-, abs-,* da prep. *a, ab, abs.* Usa-se *ab-* com hífen antes de *r*: *ab-rogação.*]

◎ **a-**[2], ad-, ar-[1], as-[1] ***pref.*** = 'aproximação'; 'direcionamento'; 'mudança', 'transformação', 'passagem de um estado a outro'; 'aquisição de algo': *achegar, amarronzado, apodrecer; ad-digital, adjacente* (lat.); *arrazoar, arrebanhar, arribar; assacar, assalariar* [F.: Do pref. lat. *ad-,* da prep. *ad,* de acusativo.]

◎ **a-**[3], an-, ar-[2], as-[2] ***pref.*** = 'negação'; 'privação', 'ausência': *acatólico, atípico; acaule; arrafia, arreismo; assépalo, assepsia* [F.: Do gr. *a-* ou *an-* (antes de vogal, em radical em que não haja no seu início consoante etimológica). Usa-se esse pref. helênico tb. em formações com rad. latinos ou com rad. de língua moderna.]

a-[4], ar-[3], as-[3] ***pref.*** *protético: amora, avergar; arraia; assuã* [F.: Em alguns casos, a prótese é resultado da aglutinação do artigo, esp. do art. ár., em outros é mero fenômeno popular.]

⊠ **AA** *Art. gr. Pap.* Formato de folha de papel de 76 cm x 112 cm. Ver *formato AA*

aarônico (a.a.*rô*.ni.co) *a.* Ref. ou pertencente ao personagem bíblico Aarão, irmão de Moisés. [F.: Do antr. *Aarão* (lat. *Aaron*) + *ico*[2].]

⊠ **AAS** *Farm.* Sigla de *ácido acetilsalicílico*, princípio ativo da *aspirina*

⊠ **A.B.** Abrev. do título universitário de Bacharel em Artes (*Artium Baccalaureus*) [Tb. se usa *B. A.* (*Bachelor of Arts*).]

Aa

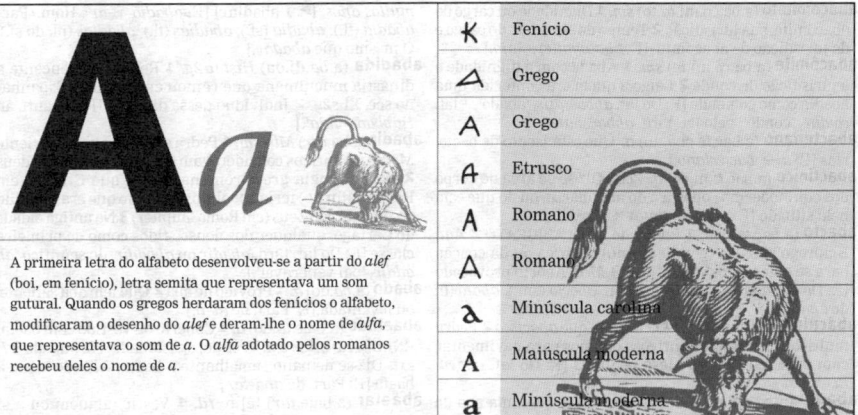

A primeira letra do alfabeto desenvolveu-se a partir do *alef* (boi, em fenício), letra semita que representava um som gutural. Quando os gregos herdaram dos fenícios o alfabeto, modificaram o desenho do *alef* e deram-lhe o nome de *alfa*, que representava o som de *a*. O *alfa* adotado pelos romanos recebeu deles o nome de *a*.

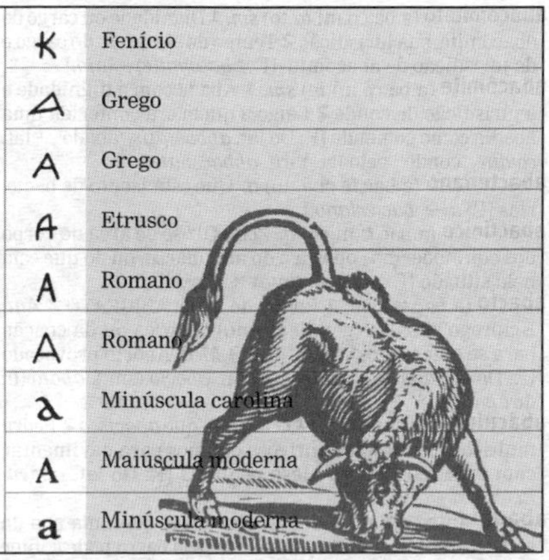

Fenício
Grego
Grego
Etrusco
Romano
Romano
Minúscula carolina
Maiúscula moderna
Minúscula moderna

◎ **ab-**[1] *pref.* Ver *a-*[1]

◎ **ab-**[2] *pref.* = 'unidade de grandeza (ou medida) elétrica do sistema c. g. s. eletromagnético': *abampère, abcoulomb, abfarad, abhenry, abholm, abvolt.* [F.: Do ing. *ab-,* do ing. *ab(solute).*]

ab *sm.* Décimo primeiro mês do calendário civil judaico; tb. *ab*

aba[1] (*a*.ba) *sf.* **1** Parte pendente anexa de alguma coisa, sendo muitas vezes um acessório que a integra **2** Borda revirada de certas peças (chapéu, caixa etc.) **3** Parte pendente de certas peças do vestuário (casaca, bolso etc.) **4** Parte suplementar, que se dobra ou estende, do tampo de um móvel: "Felizmente segurou-o a tempo, quando ele escorregava pela aba da mesa." (José de Alencar, *O Garatuja*) **5** Base da montanha; SOPÉ; FALDA **6** *Gír.* Dependência financeira e/ou psicológica; o consequente apoio, ou suporte: *Tem 30 anos e ainda vive na aba dos pais.* **7** *RJ Pop.* Pessoa que vive à sombra de outrem, ou pedindo coisas aos outros, ao invés de adquiri-las ela mesma **8** *Arq.* Prolongamento do telhado além da parede externa; BEIRAL **9** Beira de rio, mar, lago; ORLA; MARGEM **10** A carne da costela inferior do boi **11** *Art. gr.* Ver *orelha* **12** *Carp.* Peça de madeira que guarnece o teto em roda **13** *Cons.* Peça saliente em obras de alvenaria, cantaria, serralheria etc. [Dim.: *abeta.*] [F.: De or. incerta.] ■ **~ corrida** *Arq.* Varanda, balcão ao longo da cimalha de um prédio **Estar na ~ (de alguém)** Usar algo emprestado (de alguém), filar

aba[2] (*a*.ba) *sm.* *Rel.* Em igrejas orientais e coptas, dignidade que equivale a bispo ou abade [F.: Do gr. *abbâ* (> lat. ecles. *abbas, atis*), do aramaico *abbâ,* 'pai'.]

aba[3] (*a*.ba) *sf.* Vestimenta larga, comprida e sem mangas, us. por certos grupos árabes [F.: Do ár. *aba.*]

ababadar (a.ba.ba.*dar*) *v. td.* **1** *Bras.* Tornar semelhante a babado; PREGUEAR: *ababadar uma cortina.* **2** Pregar babados, ou enfeitar com eles: *A menina pediu que lhe ababadassem a saia.* [▶ 1 ababa**dar**] [F.: *a-*[2] + *babado* + *-ar*[2].]

ababelado (a.ba.be.*la*.do) *a.* *Bras.* Que se ababelou, que se tornou ou está confuso, desordenado; BABÉLICO [F.: Part. de *ababelar.*]

ababelar (a.ba.be.*lar*) *v.* Transformar(-se) em algo sem ordem, confuso, como teria sido a torre de Babel; misturar(-se) de forma desordenada [*td.*: *Numa busca frenética do documento, ababelou todo o arquivo.*] [*int.*: *A discordância virou discussão, a discussão virou briga e logo a reunião ababelou-se.*] [▶ 1 ababe**lar**] [F.: *a-*[2] + *babel* + *-ar*[2].]

⊕ **ab absurdo** (*Lat.* /ab absurdo/) *loc. adv.* *Mat.* Partindo do absurdo (diz-se de método de demonstração para provar a validade de uma proposição por meio do confronto com a impossibilidade da concepção contrária): *demonstrar um teorema ab absurdo.*

abacá (a.ba.*cá*) *Bot.* *sm.* **1** Espécie de bananeira (*Musa textilis*) oriunda das Filipinas; ALVACÁ; BANANEIRA-DE-CORDA **2** A fibra desta planta, us. na confecção de capachos, cordas etc. [F.: Do tagalo *abaká*, pelo esp. *abacá.* Sin. ger.: *cânhamo-de-manilha.*]

abaçanado (a.ba.ça.*na*.do) *a.* **1** Moreno, trigueiro: "Tez abaçanada pelo queimor salgado." (Ricardo Jorge, *Canhenho*) **2** De cor baça, não brilhante, ou que se tornou baça [F.: Adapt. do fr. *basané*, posv. sob infl. do port. *baço.*]

abaçanar (a.ba.ça.*nar*) *v.* Tornar(-se abaçanado, trigueiro, moreno; ESCURECER(-SE); AMORENAR(-SE) [*td.*: *O trabalho nas salinas abaçanou sua pele.*] [*int.*: *Após tantos dias de trabalho ao sol, vai abaçanar-se.*] [▶ 1 abaça**nar**] [F.: *abaçan-* (do fr. *basané*, "trigueiro, moreno, baço") + *-ar*[2].]

abacatada (a.ba.ca.*ta*.da) *sf.* *CE Cul.* Creme feito com polpa de abacate, leite e açúcar [F.: *abacat(e)* + *-ada*[1].]

abacate (a.ba.*ca*.te) *sm.* **1** Fruto do abacateiro, comestível, carnoso, de polpa verde-amarelada e grande caroço arredondado **2** O mesmo que *abacateiro* [F.: Do náuatle *awa'katl*, posv. pelo espn. *aguacate.*]

abacate-do-mato (a.ba.ca.te-do-*ma*.to) *Bras. Bot.* *sm.* **1** Arbusto (*Salacia brachypoda*) da fam. das celastráceas, nativo do Brasil, de fruto comestível **2** O fruto dessa planta [Pl.: *abacates-do-mato.*] [Sin. ger.: *castanha-mineira, cipó-abacate.*]

abacateiro (a.ba.ca.*tei*.ro) *sm.* *Bot.* Árvore (*Persea americana*) da fam. das lauráceas, cujo fruto é o abacate, e cujas folhas têm várias aplicações medicinais [F.: *abacate* + *-eiro.*]

abacaterana (a.ba.ca.te.*ra*.na) *sf.* *Bras. Bot.* Árvore da família das lauráceas (*Persea laevigata*), da América do Sul, de flores amareladas e frutos em forma de baga, e cuja madeira é usada em interiores; LOURO-ROSA; NECTANDRA [F.: *abacate* + *-rana.*]

abacaxi (a.ba.ca.*xi*) *Bras.* *sm.* **1** Planta bromeliácea (*Ananas comosus*), nativa do Brasil, de casca grossa e espinhenta e fruto muito suculento **2** O fruto dessa planta; ANANÁS (2) **3** *Pop.* Situação ou coisa que encerram complicações ou que podem trazer efeitos desastrosos: *resolver um abacaxi.* **4** *Fig. Pej.* Alcunha que se dava depreciativamente aos portugueses **5** Coisa ou pessoa chata, desagradável **6** *PE AL* Pessoa que dança desajeitadamente [F.: Do tupi *iwaka'ti.*] ■ **Descascar um ~** *Bras. Gír.* Resolver problema ou enfrentar situação difícil ou desagradável

abacaxibirra (a.ba.ca.xi.*bir*.ra) *sf.* *ES* Bebida feita a partir da fermentação da casca do abacaxi [F.: *abacaxi* + *birra.* Cf.: *aluá.*]

abacaxizal (a.ba.ca.xi.*zal*) *sm.* Plantação de abacaxizeiros; aglomerado de abacaxizeiros [Pl.: *-zais.*] [F.: *abacaxi* + *-zal.*]

abacaxizeiro (a.ba.ca.xi.*zei*.ro) *sm.* *Bot.* Planta que dá o abacaxi; o mesmo que *abacaxi* (1) [F.: *abacaxi* + *-zeiro.*]

abacelar (a.ba.ce.*lar*) *v.* **1** *Agr.* Plantar bacelos (em) [*td.*: *Abacelar um terreno.*] [*int.*: *Seu ofício consistia em abacelar.*] **2** Colocar certa porção de terra em volta de (plantas) [*td.*: *Abacelou as mudas.*] **3** Colocar (mudas ou plantas) temporariamente sob certa porção de terra [*td.*] [▶ 1 abace**lar**] [F.: *a-*[2] + *bacelo* + *-ar*[2].]

abacharelado (a.ba.cha.re.*la*.do) *a.* **1** Que se abacharelou **2** *Fig.* Diz-se de quem imita bacharel ou tem modos de bacharel [F.: Part. de *abacharelar.*]

abacharelar (a.ba.cha.re.*lar*) *v.* **1** Dar ou colar grau de bacharel; BACHARELAR(-SE) [*int.*: *Seus dois filhos se abacharelaram este ano.*] [*tr.* + *em*: *abacharelar-se em história.*] [*td.*: *A faculdade abacharelou uma grande turma este ano.*] **2** *P. ext.* Imitar modos e atitudes de bacharel [*int.*] [▶ 1 abacha**relar**] [F.: *a-*[2] + *bacharelar.*]

abacial (a.ba.ci.*al*) *a2g.* **1** Ref. a abade, abadessa ou abadia **2** Próprio ou pertencente a abade ou abadessa: *Caiu-lhe da mão o báculo abacial.* **3** *Fig.* Que é bem nutrido; CEVADO [Pl.: *-ais.*] [F.: Do lat. ecles. *abbatialis, e.*]

abaciar (a.ba.ci.*ar*) *v.* Adquirir formato de bacia, ou dar formato de bacia a [*td.*: *Cavou um buraco e o abaciou.*] [*int.*: *A pedra sob a cacheira abaciou-se aos poucos sob o impacto da água.*] [▶ 1 abaciar] [F.: *a-*[2] + *bacia* + *-ar*[2]. Hom./Par.: *abaciais* (fl.), *abaciais* (pl. de *abacial* [a2g.]).]

abácida (a.*bá*.ci.da) *a2g.* **1** Ref. à dinastia muçulmana que sucedeu à omíada, o mesmo que *abássida* ***s2g.*** **2** Membro dessa dinastia [F.: Do antr. ár. *Abas* + *-ida*[1].]

abacisco (a.ba.*cis*.co) *sm.* **1** Pequeno ábaco; ABÁCULO **2** Pequena peça colorida (de vidro ou material similar) us. pelos antigos romanos para pavimentar com mosaico; ABÁCULO **3** *Arq.* Esse pavimento de mosaico [F.: Do gr. *abakískos, ou.*]

ábaco (*á*.ba.co) *sm.* **1** Moldura com arames paralelos dispostos em seu interior, nos quais deslizam bolinhas coloridas, us. para fazer ou ensinar operações aritméticas **2** Mesa ou aparador a que os antigos davam diferentes usos **3** *Ant.* Mesa coberta com fina camada de areia, outrora us. para ensinar a escrever **4** *Mat.* Qualquer gráfico que permita a resolução de certos cálculos pela simples leitura de um quadro **5** *Arq.* Numa coluna, parte superior do capitel, na qual se apoia a arquitrave **6** *Mat.* Gráfico constituído de curvas, para a resolução de certo tipo de equações **7** *Mús.* Tipo de teclado, de uso pedagógico, que permite, pelo levantamento de teclas, visualizar intervalos ou acordes, dividir oitavas etc. [F.: Do lat. *abacus, i,* do gr. *ábax, akos,* 'mesa de escrutínio, de jogo, de matemático'.]

abacomitato (a.ba.co.mi.*ta*.to) *sm.* **1** Dignidade ou cargo de abacômite; sua jurisdição **2** Tempo de exercício do cargo e da jurisdição de abacômite [F.: *abacômit(e)* + *-ato*.]

abacômite (a.ba.*cô*.mi.te) *sm.* **1** Abade com a dignidade e a jurisdição de conde **2** Leigo a quem era conferida uma abadia como comenda [F.: Do lat. *abbas, atis*, 'abade', + lat. *comite*, 'conde', pelo lat. tard. *abbacomite*.]

abacteriano (a.bac.te.ri:*a*.no) *a.* Que está isento de bactérias [F.: *a-*[1] + *bacteriano*.]

abactínico (a.bac.*tí*.ni.co) *a. Zool.* Diz-se de área do corpo dos equinodermos oposta à do ambulacro, ou do que está nela situado [F.: *ab-* + *-actin(o)-* + *-ico*[2].]

abacto (a.*bac*.to) *sm.* **1** Roubo de gado; ABIGEATO **2** *Ant.* Emprego abusivo (ger. ilegítimo) da força ou da coação para se obter algo; VIOLÊNCIA **3** *Med.* Aborto provocado [F.: Do lat. *abactus, us.* Hom./Par.: *abacto* (sm.), *abato* (fl. de *abater*).]

abáculo (a.*bá*.cu.lo) *sm.* **1** O mesmo que *abacisco* **2** Pedra multicor usada pelos antigos romanos para pavimentar com mosaicos **3** *Ant.* Mesa pequena [F.: Do lat. *abaculus, i*.]

abada[1] (a.*ba*.da) *sf.* **1** Porção de coisas que uma aba de roupa (avental, saia etc.) suspensa pela barra pode conter **2** *Fig.* Grande quantidade de algo: *uma abada de pêssegos.* **3** Beiral de telhado: *Pombos fizeram ninhos na abada da casa.* [F.: *ab(a)* + *-ada*. Hom./Par.: *abada* (sf.), *abadá* (sm.), *abada* (fl. de *abadar*).]

abada[2] (a.*ba*.da) *sf.* **1** *Zool.* Nome com que na Índia e na África se designa o rinoceronte, ou a fêmea do rinoceronte **2** *Zool.* No comércio, a designação do chifre desse animal (bengalas de abada) [F.: Do malaio *badaq*, 'rinoceronte'. Forma paral. *bada*.]

abada[3] (a.*ba*.da) *sm. Amaz. Rel.* Tambor us. no rito babaçuê do candomblé amazônico [F.: Do ior. *aba da*, 'batida, pancada'.]

abadá (a.ba.*dá*) *Bras. sm.* **1** *BA* Fantasia padronizada, ger. bata ou camiseta coloridas, vendida pelos blocos carnavalescos a seus foliões para que estes se identifiquem como associados **2** *RJ* Roupa com que se joga capoeira **3** *BA* Espécie de túnica longa us. pelos negros islamizados **4** *Cap.* Capoeirista de certa organização dedicada a esse esporte *a2g.* **5** *Cap.* Que pertence a essa organização [F.: Do ioruba, posv.]

abadado[1] (a.ba.*da*.do) *a.* Que tem abade; dirigido por abade (igreja abadada) [F.: Part. de *abadar*.]

abadado[2] (a.ba.*da*.do) *sm.* **1** Cargo, jurisdição de abade **2** Período de exercício desse cargo **3** *Lus.* O mesmo que *abadia* (5) [F.: *abad(e)* + *-ado*[2].]

abadágio (a.ba.*dá*.gi:o) *Rel. sm.* **1** Renda auferida por uma abadia **2** Refeição que os frequentadores de certas abadias eram obrigados a oferecer aos abades **3** Essa obrigação [F.: *abade* + *-ágio*.]

abadar (a.ba.*dar*) *v. td.* **1** Prover de abade (mosteiro, igreja etc.) **2** Ter função de abade em (mosteiro, igreja etc.) [▶ 1 abadar] [F.: *abade* + *-ar*[2]. Sin. ger.: *abadiar*. Hom./Par.: *abada* (fl.), *abada* (sf. sm.), *abada* (fem. de *abado* [a.]), *abadá* (sm.); *abadas* (fl.), *abadas* (pl. do sf. e sm.), *abadas* (pl. do fem.), *abadás* (pl. do sm.); *abade* (fl.), *abade* (sm.); *abades* (fl.), *abades* (pl. do sm.).]

abade (a.*ba*.de) *sm.* **1** *Rel.* Dignidade eclesiástica, o primeiro prelado nas ordens monásticas *sm.* **2** *Rel.* Superior de ordem religiosa que dirige uma abadia **3** *Lus. Rel.* Sacerdote de certas paróquias **4** *Fig. Pej.* Homem gordo e plácido **5** *AC* Tiras de papel ou palha para enrolar cigarros **6** *Bras. Ornit.* gralha (*Cyanocorax cristatellus*) presente no cerrado do Brasil central [F.: Do lat. ecles. *abbas, atis*.]

abadengo (a.ba.*den*.go) *a.* **1** Que pertence ao abade ou a sua jurisdição **2** Ref. ao território ou à jurisdição de abade *sm.* **3** Bens pertencentes ao abade ou a sua jurisdição [Mais us. no pl.] *sm.* **4** *Ant.* Presente que se dava ao confessor ou que se lhe deixava como legado após a morte [F.: *abad(e)* + *-engo*.]

abadesco (a.ba.*des*.co) [ê] *a.* **1** Próprio de abade **2** *Fig.* Bem alimentado, bem nutrido [F.: *abad(e)* + *-esco*. Sin. ger.: *abacial*.]

abadessa (a.ba.*des*.sa) [ê] *sf.* **1** *Rel.* Superiora de abadia ou convento **2** *Pej.* Mulher grande e gorda **3** *PE Joc.* Dona ou administradora de bordel [F.: Do lat. *abbatissa, ae*. Hom./Par.: *abadessa(s)* (sf. e pl.), *abadessa(s)* (fl. de *abadessar*).]

abadessado (a.ba.des.*sa*.do) *Rel. sm.* **1** Condição, cargo ou jurisdição de abadessa **2** Período de exercício desse cargo por uma abadessa **3** Eleição de uma abadessa para essa função **4** Celebração dessa eleição [F.: *abadessa* + *-ado*[2].]

abadessar (a.ba.des.*sar*) *v.* Administrar ou dirigir como abadessa [**td.**: *Ela já abadessou dois conventos.*] [**int.**: *Ela abadessou quando a abadessa adoeceu.*] [▶ 1 abadessar] [F.: *abadessa* + *-ar*[2]. Hom./Par.: *abadessa(s)* (fl.), *abadessa(s)* /ê/ (sf. e pl).]

abadia (a.ba.*di*.a) *Rel. sf.* **1** Comunidade, circunscrição religiosa etc. a que pertencem monges ou monjas dirigida por abade ou abadessa; o mosteiro no qual vivem **2** Igreja situada no interior desse mosteiro; igreja abacial **3** Território, jurisdição e bens ou rendas pertencentes ao mosteiro ou à igreja abacial **4** Residência canônica de abade ou abadessa **5** *Lus.* Paróquia cujo sacerdote tem a dignidade de abade **6** Dignidade de abade ou abadessa [F.: Do lat. tard. *abbatia, ae*.]

abadiar (a.ba.di.*ar*) *v. td.* **1** Pôr abade em, prover de abade (mosteiro, igreja, paróquia): *O superior da ordem abadiou o novo mosteiro.* **2** Ter função de abade em (mosteiro, igreja, paróquia): *Frei Simão abadiou o mosteiro durante muitos anos.* [▶ 1 abadiar] [F.: *abadia* + *-ar*[2]. Hom./Par.: *abadia* (fl.), *abadia* (sf.); *abadias* (fl.), *abadias* (pl. do sf.). O mesmo que *abadar*.]

abádida (a.*bá*.di.da) *Hist. a2g.* **1** Ref. ou pertencente a dinastia muçulmana que reinou em Sevilha (Espanha) no séc. XI *s2g.* **2** Indivíduo dessa dinastia [F.: Do antr. ár. *Habbad* + *-ida*[1].]

abadir (a.ba.*dir*) *Mit. sm.* **1** Pedra sagrada que, no Oriente Médio, os antigos consideravam ser a morada de um deus **2** Na mitologia greco-romana, pedra que Cronos (em Roma, Saturno) teria engolido pensando que era seu filho recém-nascido Zeus (em Roma, Júpiter) **3** Na antiga cidade de Cartago, qualquer dos deuses tidos como de primeira classe [F.: Do lat. tard. *abadir* ou *abbadir*, do semítico *'ab addir*, 'pai venerável'.]

abado (a.*ba*.do) *a.* **1** Provido de aba **2** Que tem aba saliente, ou levantada [F.: Part. de *abar*.]

abaetado (a.ba:e.*ta*.do) *a.* **1** Coberto ou vestido com baeta; ENROUPADO **2** *P. ext.* Vestido, agasalhado, enroupado **3** *P. ext.* Diz-se de pano semelhante à baeta, felpudo como a baeta [F.: Part. de *abaetar*.]

abaetar (a.ba:e.*tar*) [ê] *v. td.* **1** Vestir (alguém ou a si mesmo) com baeta **2** Fabricar (tecido) semelhante à baeta **3** Vestir (alguém ou a si mesmo) com excesso de roupas [▶ 1 abaetar] [F.: *a-*[2] + *baeta* + *-ar*[2]. Hom./Par.: *abaete* (fl.), *abaeté*, *abaete* (sm.) e *Abaeté* (top.); *abaetes* (fl.), *abaetés*, *abaetês* (pl. do sm.).]

abaeté (a.ba:e.*té*) *sm. Bras.* Homem honrado e de palavra [F.: Do tupi *a'ua*, 'homem' + *e'te*, 'de palavra'.]

abaetê (a.ba.e.*tê*) *sm.* Ver *abaeté*

⊕ ***ab aeterno*** (*Lat.* /ab etérno/) *loc. adv.* Desde sempre; desde a eternidade

abafa (a.*ba*.fa) *sf.* **1** Ação ou resultado de abafar; ABAFAMENTO; ABAFAÇÃO; ABAFO **2** *Fig. Ant.* Ameaça arrogante e cheia de empáfia; BRAVATA *sm.* **3** *Bras. Pop.* Tentativa de esconder ou impedir a divulgação de algo; ABAFO: "E se é impossível conhecer o que a maioria deles quer ocultar, a não ser quando se digladiam, só resta dizer: antes a radicalização do que o abafa..." (*O Estado de S.Paulo*, 27.10.2005) **4** *Bras. Fut.* Jogada de goleiro, ao agarrar a bola aos pés de atacante e protegê-la com o corpo **5** *Bras. Fut.* Modalidade de ataque que pressiona a defesa adversária ao concentrar muitos jogadores na área e lançar bolas pelo alto ('jogo aéreo') para que alguém cabeceie ou chute a gol: "No segundo tempo, como o gol veio no primeiro minuto, a Inglaterra partiu para o 'abafa'..." (*Folha de S.Paulo*, 23.06.1998) **6** *AL RJ Lud.* Certo jogo de cartas *interj.* **7** *Mar.* Ordem de comando para ferrar as velas [F.: Dev. de *abafar*. Hom./Par.: *abafa* (sf. sm. interj.), *abafa* (fl. de *abafar*).]

abafação (a.ba.fa.*ção*) *sf.* **1** O mesmo que *abafamento* **2** *Med.* Falta de ar, dificuldade para respirar; DISPNEIA **3** Deterioração, apodrecimento [Pl.: *-ções*.] [F.: *abafar* + *-ção*.]

abafadela (a.ba.fa.*de*.la) *sf.* Ação de abafar rapidamente [F.: *abafar* + *-dela*.]

abafadiço (a.ba.fa.*di*.ço) *a.* **1** Suscetível de se abafar, de sufocar; que se abafa com facilidade ou frequência: *Por favor, abra a janela, sou muito abafadiço.* **2** Que provoca a sensação de abafamento, de asfixia; ABAFADO (2): "Continuava o calor, um ar abafadiço, de subterrâneo, sem oxigênio, pesado, asfixiante." (Adolfo Caminha, *Bom crioulo*) **3** Em que não se pode respirar bem; ABAFADO (1): *Dormia num quarto abafadiço* **4** *Fig.* Que se irrita com frequência, ou com facilidade; IRRITADIÇO; IRASCÍVEL [F.: *abafado* + *-iço*.]

abafado (a.ba.*fa*.do) *a.* **1** Que abafa, em que há pouca ventilação (diz-se de lugar, ambiente etc.): "O Quinquim, queixando-se de doente, passou a dormir sozinho, no quarto do oratório, que por ser mais abafado menos mal lhe causava ao reumatismo." (Manoel de Oliveira Paiva, *Dona Guidinha do poço*) **2** Diz-se de lugar, situação, momento etc. em que o ar está pesado e o calor sufocante; ABAFADIÇO: "O Veloso, ao baralhar, parava, bufando, como oprimido: – Está abafado... Ainda temos trovoada!" (Eça de Queirós, *A cidade e as serras*) **3** Impróprio para a respiração (ar abafado) **4** Que não soa forte, pouco ressonante (passos abafados; ruído abafado) **5** Que se tenta disfarçar ou ocultar (diz-se de soluço, risada etc.) **6** Com dificuldade para respirar; SUFOCADO **7** *Fig.* Sobrecarregado de trabalho; ATAREFADO: *Ando muito abafado, sem tempo para nada.* **8** *Fig.* Impedido de ser divulgado, de vir a público (diz-se de caso, escândalo): *Ela é a protagonista daquele escândalo abafado.* **9** *Bras. Pop.* Furtado, surrupiado **10** *Bras. Pop.* Apanhado de surpresa **11** *PE* Contrariado, encolerizado, zangado **12** *P. us.* Coberto de roupas para se preservar do frio; AGASALHADO: *Tinha o pescoço abafado com um cachecol.* **13** Diz-se de vinho cujo processo de fermentação é interrompido pelo adicionamento de álcool de uvas ou ácido sulfuroso, ou por ambos os processos *sm.* **14** O vinho obtido dessa forma [F.: Part. de *abafar*.]

abafador (a.ba.fa.*dor*) [ô] *a.* **1** Que abafa *sm.* **2** O que abafa, agasalha **3** *Mús.* Peça us. para abafar o som de certos instrumentos musicais, amortecendo-o **4** Dispositivo que se adapta a cano de descarga ou escapamento para amortecer o ruído **5** Peça com que se apaga a chama de um fogareiro **6** Cobertura acolchoada ou de lã com que se reveste bule, leiteira etc. para conservar o calor **7** Aquele que em certas seitas cristãs apressava a morte do moribundo por sufocação **8** *P. ext.* Opressor, dominador **9** *Mús.* Pedal do piano que aciona peças de encontro às cordas, amortecendo o som; cada uma dessas peças **10** *Bras. Gír.* Aquele que furta; LADRÃO; GATUNO [F.: *abafar* + *-dor*.]

abafamento (a.ba.fa.*men*.to) *sm.* **1** Ação ou resultado de abafar(-se); ABAFAÇÃO **2** Falta de ar ou dificuldade para respirar; sensação de sufocamento; SUFOCAÇÃO; ABAFO **3** Falta de renovação do ar, esp. em ambiente fechado ou em virtude de calor excessivo **4** *Bras. Pop.* Ato ou resultado de apropriar-se de algo (dinheiro, objeto etc.) indevidamente; ABAFO; FURTO [F.: *abafar* + *-mento*.]

abafante (a.ba.*fan*.te) *a2g.* **1** Que abafa **2** Que dificulta a respiração, que sufoca: "A noite se prolongava por séculos e o coveiro, (...) sentia um calor abafante, suspirava com aflições e não podia dormir." (Francisco Teixeira de Queiroz, *O enterro de um cão*) **3** *Pop.* Diz-se de pessoa que deslumbra pela beleza, elegância, desempenho etc.; ABAFATIVO **4** *Fig.* Que tolhe a liberdade, que oprime (proteção abafante) [F.: *abafar* + *-nte*.]

abafar (a.ba.*far*) *v.* **1** Impedir ou reduzir a combustão de; APAGAR [**td.**: *O bombeiro abafou as labaredas.*] **2** Cobrir para conservar o calor ou para que o vapor não se eleve [**td.**: *Abafou a panela para o arroz não esfriar:* "A mulher tratou de abafar-lhe bem os pés." (José de Alencar, *A viuvinha*)] **3** Impedir ou dificultar a respiração de; ASFIXIAR; SUFOCAR [**td.**: *O calor excessivo abafava-me.*] **4** Dificultar o crescimento ou o desenvolvimento de [**td.**: *As ervas daninhas abafam a parreira.*] **5** Tornar menos audível (som) cobrindo a fonte, ou atenuando a vibração que o origina [**td.**: *Cobriu o despertador com o travesseiro para abafar- lhe o toque.*] **6** Tornar menos audível (som) ao soar mair forte que ele [**td.**: *O latido do cão abafava a música.*] **7** *Fig.* Não divulgar ou não deixar que se divulgue; OCULTAR [**td.**: *O jornal abafou a notícia.*] **8** *Fig.* Conter ação ou movimento; REPRIMIR [**td.**: *Os policiais abafaram o conflito.*] **9** *Gír.* Destacar-se em qualquer situação; ARRASAR; DISTINGUIR-SE; SOBRESSAIR-SE [**int.**: *A atriz abafou no festival.*] **10** *Gír.* Apropriar-se indebitamente de algo; FURTAR; ROUBAR [**td.**] **11** *Fut.* Defender (o goleiro) a bola, cobrindo-a com o corpo para protegê-la de assédio adversário [**td.**] [▶ 1 abafar] [F.: *a-*[2] + *bafo* + *-ar*[2].]

abafarete (a.ba.fa.*re*.te) [ê] *sm.* **1** Ação ou resultado de abafar **2** Ação de abafar, de obstar ou impedir uma investigação, a divulgação de algo ou a continuação de uma atividade, um processo **3** *Pol.* No parlamento, procedimento us. para obstruir um debate ou uma votação em assembleia **4** *Pop.* Qualquer bebida que se toma para aquecer **5** *Lud.* No voltarete, o ato de não mostrar o às de espadas e o às de paus quando as regras determinam que se o faça [F.: *abafar* + *-ete*.]

abafativo (a.ba.fa.*ti*.vo) *a.* Que abafa (9); que se destaca muito, faz sucesso por suas qualidades; ABAFANTE [F.: *abafa(r)* + *-tivo*.]

abafo (a.*ba*.fo) *sm.* **1** Ação ou resultado de abafar(-se); ABAFAMENTO **2** Qualquer peça de roupa que protege contra o frio; AGASALHO **3** *P. ext.* Lugar onde alguma coisa se abafa, para se conservar quente ou adquirir mais calor: *Pôs os gatinhos no abafo, numa cesta bem coberta.* **4** *Fig.* Carinho, cuidado, afeto: *Nada é mais reconfortante que o abafo materno* **5** *Pop.* Ação que impede a divulgação de algo; ABAFA: "No mínimo houve um abafo, uma omissão, atos tendentes a impedir a apuração..." (*O Globo*, 26.10.2005) **6** Falta de ar, dificuldade de respirar; SUFOCAÇÃO **7** *Pop.* Ação ou resultado de apropriar-se indevidamente de algo pertencente a outrem; FURTO [F.: Dev. de *abafar*. Hom./Par.: *abafo* (sm.), *abafo* (fl. de *abafar*).]

abagualado (a.ba.gua.*la*.do) *S. a.* **1** Diz-se de cavalo arisco, que se espanta facilmente **2** Diz-se de pessoa grosseira, rústica, abrutalhada [F.: Part. de *abagualar*.]

abagualar-se (a.ba.gua.*lar*.se) *Bras. v. int.* **1** *S* Mostrar-se ou tornar-se bagual, arisco (o cavalo) **2** *P. ext.* Mostrar-se ou tornar-se (alguém) bruto, grosseiro, rústico, pouco ou nada sociável; ABRUTALHAR-SE [▶ 1 abagualar-se] [F.: *a-*[2] + *bagual* + *-ar*[2] + *se*[1].]

abagunçado (a.ba.gun.*ça*.do) *a.* **1** *Pop.* Falto de ordem ou organização (diz-se de pessoas ou de ambientes); DESORDENADO; DESORGANIZADO: "Tem jeito não! É abagunçado demais." (Guimarães Rosa, *Tutameia*) **2** Malvestido, vestido com desleixo, desalinho [F.: Part. de *abagunçar*. Sin. ger.: *bagunçado*.]

abagunçar (a.ba.gun.*çar*) *v. Bras. Pop.* O mesmo que *bagunçar* [▶ 12 abagunçar] [F.: *a-*[2] + *bagunçar* ou de *a-*[2] + *bagunça* + *-ar*[2].]

abaianado (a.ba:i.a.*na*.do) *a. Bras.* Que tem jeito de baiano, modos ou costumes típicos da Bahia (jeito abaianado, falar abaianado) [F.: *a-*[2] + *baian(o)* + *-ado*[1].]

abaianar (a.ba:i.a.*nar*) *v.* Fazer ficar ou ficar abaianado; dar ou adquirir feição, caráter, modos de baiano [**td.**: *A cozinheira abaianou o cardápio da família*] [**int.**: *Bastou um mês em Salvador para o turista se abaianar*] [▶ 1 abaianar] [F.: *a-*[2] + *baiano* + *-ar*[2].]

abainhar (a.ba.i.*nhar*) [a-i] *v. td.* **1** Fazer bainha em: *Abainhou a calça.* **2** Colocar (espada, punhal etc.) na bainha; embainhar **3** Dar forma de bainha a (tecido), dobrando e costurando para que não desfie [▶ 1 abainhar Não recebe acento nas f. rizotônicas por ser o hiato do rad. seguido de *-nh-*.] [F.: *a-*[2] + *bainha* + *-ar*[2].]

abairramento (a.bair.ra.*men*.to) *sm.* Ação ou resultado de abairrar [F.: *abairra(r)* + *-mento*.]

abairrar (a.bair.*rar*) *v. td.* **1** Dividir em bairros (cidade, vila etc.) **2** Criar bairros em: *O plano-piloto abairrava a cidade segundo áreas de atividade, residência, comércio, lazer etc.* [▶ 1 abairrar] [F.: *a-*[2] + *bairro* + *-ar*[2].]

abaiucar (a.bai.u.*car*) [ai-u] *v.* Dar ou adquirir características ou aspecto de baiuca, bodega [*td.*: *Abaiucou o bar, para torná-lo mais popular.*] [*int.*: *A lojinha abaiucou-se.*] [▶ 11 abaiucar. Recebe acento nas f. rizotônicas.] [F.: *a-*² + *baiuca* + *-ar*².]

abaixadela (a.bai.xa.*de*.la) *sf.* Ação ou resultado de abaixar(-se) um pouco, ou brevemente [F.: *abaixa(r)* + *-dela*.]

abaixado (a.bai.*xa*.do) *a.* **1** Que se abaixou **2** Que foi tornado baixo ou mais baixo, que se reduziu na altura, intensidade, valor, quantidade etc. (muro abaixado, temperatura abaixada, luminosidade abaixada, preço abaixado, som abaixado) **3** Que foi trazido para baixo, que foi arriado (persiana abaixada, carga abaixada) **4** Que foi apontado ou inclinado para baixo: *Cavalgaram com as lanças abaixadas.* **5** Recurvado sobre si mesmo (pessoa), ou com pernas ou patas dobradas (pessoa ou animal); AGACHADO: *um leão abaixado, pronto para o bote; Viu a sombra de um homem abaixado, como que a se esconder.* **6** *Fig.* Moralmente degradado, humilhado [F.: Part. de *abaixar*.]

abaixador (a.bai.xa.*dor*) [ô] *a.* **1** Que abaixa **2** Que avilta, rebaixa moralmente *sm.* **3** O que abaixa **4** *BA* Pescador que mergulha para desembaraçar a rede de pesca **5** *Fig.* Aquilo que avilta, que rebaixa moralmente **6** *Med.* Abaixador de língua [F.: *abaixa(r)* + *-dor*.] ■ **~ de língua** Instrumento para abaixar a língua, em exame médico ou cirurgia

abaixados (a.bai.*xa*.dos) *Bras. Pop.* ***smpl.*** **1** Cumprimento ou cortesia em que há certo exagero ou afetação; SALAMALEQUES; RAPAPÉS **2** Adulações, bajulações [F.: Pl. de *abaixado*.]

abaixa-língua (a.bai.xa-*lín*.gua) *sm. Med.* Instrumento em forma de espátula us. para manter a língua do paciente abaixada, ger. em exames de garganta ou intervenções cirúrgicas; ABAIXADOR DE LÍNGUA; CATAGLOSSO; GLOSSOCÁTOCO [Pl.: *abaixa-línguas*.]

abaixa-luz (a.bai.xa-*luz*) *sm.* Anteparo para proteger os olhos da incidência direta da luz; ABAJUR; PANTALHA; QUEBRA-LUZ [Pl.: *abaixa-luzes*.]

abaixamento (a.bai.xa.*men*.to) *sm.* **1** Ação ou resultado de abaixar(-se) **2** Diminuição (de altura, intensidade, força etc.) **3** *Fig.* Humilhação, abatimento moral [F.: *abaixa(r)* + *-mento*.]

abaixar (a.bai.*xar*) *v.* **1** Tornar mais baixo do que era; REBAIXAR [*td.*: *Abaixaram o meio-fio.* Ant.: *elevar*.] **2** Fazer descer; ARRIAR [*td.*: *abaixar a porta da loja.* Ant.: *levantar*.] **3** Fazer com que (parte do corpo, ou todo o corpo) se curve, se dobre para baixo; INCLINAR [*td.*: *abaixar a cabeça:* "Brida teve que abaixar-se para entrar." (Paulo Coelho, *Brida*)] **4** *Restr.* Agachar-se, acocorar-se [*td.*: *Ao ver o amigo deitado no chão, abaixou-se para conversar com ele.*] **5** Mover para baixo [*td.*: *abaixar os olhos.* Ant.: *erguer*.] **6** Reduzir ou diminuir o valor, o grau etc. de, ou sofrer redução ou diminuição de valor, de grau etc. [*td.*: *Abaixar o preço do pão; abaixar os custos da produção; abaixar o nível de exigência; O novo aparelho abaixou muito a temperatura do ambiente.*] [*int.*: *Os preços abaixaram muito na última quinzena; A temperatura abaixou muito depressa nesta madrugada.* Ant.: *aumentar, elevar, subir*] **7** Reduzir ou diminuir a intensidade do som (de qualquer um, mesmo o da voz humana) [*td.*: *abaixar o (volume do) rádio; abaixar a voz.* Ant.: *aumentar*] **8** *Fig.* Humilhar-se; rebaixar-se [▶ 1 abaixar] [F.: *a-*² + *baixo* + *-ar*².]

abaixa-voz (a.bai.xa-*voz*) *sm.* Dossel acima do púlpito; GUARDA-VOZ [Pl.: *abaixa-vozes*.]

abaixo (a.*bai*.xo) *adv.* **1** Em direção à parte mais baixa de: *Remamos rio abaixo.*; "Rubião voltou-se, e do alto da rua estendeu os olhos abaixo e ao longe." (Machado de Assis, *Quincas Borba*) **2** Ao chão, em direção ao chão: *Logo depois, o teto veio abaixo;* "Uma manhã um rapazito descorado parou à porta da bodega, saltou do cavalo abaixo e mandou medir contrametade de aguardente." (Franklin Távora, *O cabeleira*) **3** Em lugar mais baixo; EMBAIXO: *Daqui se vê o estádio logo abaixo.* **4** A seguir (em um texto); ADIANTE: *Há um erro duas linhas abaixo.* **5** Em posição inferior numa escala de grandeza, de valor ou de importância: *A temperatura ontem chegou a zero, mas hoje está abaixo.* **6** *Mús.* Em tom mais grave: *Uma oitava abaixo.* ***interj.*** **7** Expressa condenação, protesto: *Abaixo a violência!* [Nota: *Em oposição a de cima / de alto* escreve-se *a baixo* (loc. adv.). "Gregório mediu-o de alto a baixo, sem se poder furtar a certa impressão de respeito causada pelo ar do fidalgo." (Aluísio Azevedo, *Girândola de amores*)] [F.: *a* (prep.) + *baixo*.] ■ **~ de 1** Em posição inferior a (localização física): *Coloque o DVD abaixo da TV.* **2** Em posição inferior a (quanto a mérito, valor moral, hierarquia etc.): *Seu comportamento está abaixo de toda crítica.* **3** Em quantidade, grau, quantia, idade etc. inferior a: *Ninguém teve nota abaixo de 6; mercadorias abaixo de R$10,00; Todos os candidatos estavam abaixo dos 30 anos de idade.*

abaixo-assinado (a.bai.xo-as.si.*na*.do) *sm.* Documento coletivo assinado por várias pessoas que fazem petição, declaração, representação, protesto etc. dirigido a autoridade pública ou a particulares: *Um abaixo-assinado foi organizado em vários países* [+ *a favor de, por, contra*: *abaixo-assinado a favor do réu; abaixo-assinado pela aprovação de uma lei; abaixo-assinado contra a censura*] [Pl.: *abaixo-assinados*.]

abajoujamento (a.ba.jou.ja.*men*.to) *sm.* Ação ou resultado de abajoujar(-se) [F.: *abajouja(r)* + *-mento*.]

abajoujar-se (a.ba.jou.*jar*-se) *v. int.* Tornar-se bajoujo, tolamente apaixonado ou bajulador [▶ 1 abajoujar-se] [F.: *a-*² + *bajoujo* + *-ar*² + *se*¹.]

abaju (a.ba.*ju*) *Bras. s2g.* **1** *Bras. Etnog.* Indivíduo dos abajus, mestiços que se originaram da fusão de abaúnas com brancos ***a2g.*** **2** Dos ou ref. aos abajus (1)

abajur (a.ba.*jur*) *sm.* **1** *Bras.* Suporte para lâmpada de mesa ou de chão, composto de pé e uma cúpula feita de tecido, cartão, vidro colorido ou fosco etc., a qual serve de anteparo à luz, abrandando sua intensidade ou restringindo-a a determinada área; QUEBRA-LUZ; LUCIVELO **2** *Arq.* Janela cuja parede interna a seu redor tem corte inclinado para permitir maior penetração da luz **3** Estrutura de pranchas que se aplica às janelas das prisões para impedir que os presos se comuniquem com o exterior **4** *P. us.* A cúpula do abajur (1); PANTALHA **5** *RJ Pop.* Policial que, esp. à noite, espreita assaltantes ou delinquentes [F.: Do fr. *abat-jour*.]

abalada (a.ba.*la*.da) *sf.* **1** Ação ou resultado de abalar(-se) **2** *Bras. Pop.* Retirada súbita e desordenada: *Os bandidos fugiram numa abalada.* **3** *Venat.* Direção tomada pela caça ao levantar-se [F.: *abalar* + *-ada*¹. Hom./Par.: *abalada* (sf.), *abalada* (fem. do adj. *abalado*).] ■ **De ~** Com muita pressa, precipitadamente

abalado (a.ba.*la*.do) *a.* **1** Pouco firme, mal seguro: *Os alicerces do prédio estão abalados.* **2** *Fig.* Perturbado, impressionado, devido a abalo emocional [+ *com, por*: *Ficou abalado com a morte do cãozinho.*] **3** *Fig.* Prejudicado, comprometido, lesado: *Ainda tinha prestígio depois do escândalo, mas um prestígio abalado.* **4** *Fig.* Enfraquecido, debilitado (saúde abalada; governo abalado) [+ *em*: *Era um líder abalado em suas convicções.*] [F.: Part. de *abalar*. Hom./Par.: *abalada* (fem.), *abalada* (sf.).]

abalador (a.ba.la.*dor*) [ô] *a.* **1** Que abala, física ou moralmente: *Foi uma notícia abaladora.* ***sm.*** **2** Aquilo ou aquele que causa abalo: *Com seus discursos pessimistas, era um abalador de certezas.* [F.: *abalar* + *-dor*.]

abalamento (a.ba.la.*men*.to) *sm.* Ação ou resultado de abalar(-se); ABALADA; ABALO [F.: *abala(r)* + *-mento*.]

abalançamento (a.ba.lan.ça.*men*.to) *sm.* Ação ou resultado de abalançar(-se) [F.: *abalança(r)* + *-mento*.]

abalançar (a.ba.lan.*çar*) *v.* **1** Empurrar, encaminhar, impulsionar, impelir; INCITAR; INSTIGAR [*tdr.* + *a*: *A falta de motivação abalançou o funcionário a pedir demissão.*] **2** Lançar-se a aventuras ou ações arriscadas; ARROJAR-SE; ARRISCAR-SE; ATREVER-SE [*tr.* + *a, para*: *Abalançou-se a escrever contra o rei:* "Era a primeira vez na sua vida que se abalançava para consultar uma adivinha." (Júlio Lopes de Almeida, *A intrusa*)] **3** Deslocar (algo ou alguém, inclusive si mesmo) de um lado para outro; BALANÇAR(-SE); OSCILAR [*td.*: *Abalançava a rede para que o filho dormisse.*] [*int.*: *A nau jogava e (se) abalançava muito.*] **4** Ter ou procurar ter ideia (aproximada) de; AVALIAR; CALCULAR; ESTIMAR [*td.*: *abalançar todas as possibilidades.*] **5** Servir de contrapeso ou compensação a, equilibrar, contrabalançar, balançar [*td.*: *O seu empenho abalançava sua inexperiência.*] **6** *Cont.* Fazer o balanço contábil de; BALANÇAR; BALANCEAR [*td.*: *abalançar as contas públicas.*] **7** Pesar (por meio de balança) [*td.*] [▶ 12 abalançar] [F.: *a-*² + *balança* + *-ar*².]

abalar (a.ba.*lar*) *v.* **1** Fazer perder ou perder a firmeza, a solidez [*td.*: *A chuva abalou o terreno.*] [*int.*: *Encharcado com a chuva, o barranco abalou(-se).*] **2** Fazer tremer ou tremer; ESTREMECER(-SE); SACUDIR(-SE) [*td.*: *O terremoto abalara os lustres.*] [*int.*: *As paredes abalavam com o estrondo.*] **3** Mover um pouco (referindo-se ao que está fixo ou que é muito pesado) [*td.*: *Os mineiros tentavam abalar um grande penedo, mas ele não se movia.*] **4** Ir embora; fugir precipitadamente [*ta.*: "Os sertanistas que abalaram de Porto Félix..." (Euclides da Cunha, *Os sertões*)] [*int.*: *O criminoso abalou quando viu o policial.*] **5** *Fig.* Provocar ou sentir inquietação; DESASSOSSEGAR(-SE); INQUIETAR(-SE) [*td.*: *A inflação abalou o mercado financeiro.*] [*int.*: *Com o boato sobre venda de seu ídolo a torcida abalou-se.*] **6** Provocar ou sentir comoção; COMOVER(-SE); SENSIBILIZAR(-SE) [*td.*: "A morte do irmão (...) abalara-a intensamente." (Marques Rebelo, *O simples coronel Madureira*)] [*int.*: *Era tido como frio e controlado, mas abalou-se com a notícia.*] **7** Tirar a firmeza de (convicções, ideias, certezas de alguém, ou de alguém quanto a suas convicções etc.) [*td.*: *Os argumentos do amigo abalaram suas convicções; Os argumentos do amigo abalaram-no em suas convicções.*] **8** Causar impacto e mudanças em, revolucionar, subverter [*td.*: *A invenção da imprensa abalou o mundo e a história.*] **9** Irromper em avanço ou ataque [*tr.* + *contra*: *Ao ouvir o comando, os soldados abalaram contra as trincheiras inimigas.*] **10** *BA* Pescar com abalo (9) [*int.*] [▶ 1 abalar] [F.: De or. contrv; talvez de *advallare*. Hom./Par.: *abalo* (fl.), *abalo* (sm.); *abaláveis* (fl.), *abaláveis* (pl. de *abalável*).]

abalaustrado (a.ba.la:us.*tra*.do) *a.* **1** Que tem forma ou feição de balaústre **2** Que é guarnecido de, protegido por balaústre(s) [F.: Part. de *abalaustrar*.]

abalaustramento (a.ba.la:us.tra.*men*.to) *sm.* Ação ou resultado de abalaustrar [F.: *abalaustra(r)* + *-mento*.]

abalaustrar (a.ba.laus.*trar*) *v. td.* **1** Prover de balaústre(s); BALAUSTRAR: *abalaustrar uma varanda.* **2** Dar aspecto de balaústre a: *abalaustrar pedras de mármore.* [▶ 18 abalaustrar] [F.: *a-*² + *balaústre* + *-ar*².]

abalável (a.ba.*lá*.vel) *a2g.* **1** Que pode ser abalado: *Suas decisões são abaláveis, carecem de firmeza.* [Ant.: *inabalável*.] **2** Que pode perder a firmeza (paredes abaláveis) **3** Diz-se de pessoa suscetível de se emocionar ou de mudar de opinião com facilidade: *Nunca fui abalável em meus propósitos; Dê a notícia com cuidado, ela é muito abalável.* [Pl.: *-veis*.] [F.: *abalar* + *-vel*. Hom./Par.: *abaláveis* (pl.), *abaláveis* (fl. de *abalar*).]

abalienação (a.ba.li:e.na.*ção*) *sf.* **1** Ação ou resultado de abalienar **2** *Ant. Jur.* Entre os antigos romanos, transferência de gado, terras ou escravos a quem tinha o direito de os possuir **3** *P. us. Med.* Distúrbio mental; INSÂNIA [Pl.: *-ções*.] [F.: Do lat. *abalienatio, onis*.]

abalienado (a.ba.li:e.*na*.do) *a.* **1** Vendido ou transferido por abalienação **2** Entorpecido, dormente, insensibilizado [F.: Do lat. *abalienatus, a, um*.]

abalienar (a.ba.li:e.*nar*) *v. td.* **1** Fazer transferência de, por meio de abalienação; alienar **2** Causar entorpecimento, dormência a [▶ 1 abalienar] [F.: do lat. *abalienare*.]

abalizado (a.ba.li.*za*.do) *a.* **1** Que é reconhecidamente competente, digno de crédito; IDÔNEO: "É um alento saber de uma voz tão abalizada, que gigantes industriais estão investindo na tecnologia para obter energia a partir do hidrogênio..." (*Veja*, 15.01.2003) **2** Delimitado, marcado com balizas [F.: Part. de *abalizar*.]

abalizador (a.ba.li.za.*dor*) [ô] *a.* **1** Que abaliza; ABALIZANTE **2** *Fig.* Que examina algo ou alguém para avaliar-lhe o mérito, as qualidades ***sm.*** **3** O que abaliza **4** Vara us. para medir terrenos **5** *Fig.* Aquele que examina algo ou alguém para avaliar-lhe o mérito [F.: *abaliza(r)* + *-dor*.]

abalizamento (a.ba.li.za.*men*.to) *sm.* **1** Ação ou resultado de abalizar **2** Marcação ou sinalização com balizas **3** *Mar.* Sinalização com balizas ou boias para indicar a rota às embarcações **4** Exame, julgamento ou avaliação do mérito de algo ou de alguém [F.: *abaliza(r)* + *-mento*.]

abalizar (a.ba.li.*zar*) *v.* **1** Demarcar com balizas [*td.*: *Abalizaremos todo o local da obra.*] **2** Demarcar com algum sinal [*td.*: *Abalizaram com uma estaca o lugar da perfuração.*] **3** Traçar, impor, determinar (limites ou restrições); DETERMINAR [*tdi.* + *a, para*: *Abalizou aos companheiros os limites de suas prerrogativas.*] **4** *Fig.* Tornar-se notável por sua competência [*tdr.*: *Abalizou-se na profissão.*] **5** Considerar, julgar, apontar (algo ou alguém) como [*tdp.*: *A banca abalizou-o apto à função.*] [▶ 1 abalizar] [F.: *a-* + *baliza* + *-ar*.]

abalo (a.*ba*.lo) *sm.* **1** Ação ou resultado de abalar(-se) **2** Trepidação, tremor **3** Partida às pressas, abalada **4** *Fig.* Emoção forte e inesperada; COMOÇÃO; BAQUE: "Estou que a própria dama não poderia responder exatamente, tal foi o abalo que lhe trouxe a declaração do moço." (Machado de Assis, *Quincas Borba*) **5** *Fig.* Perda de estabilidade, de firmeza; ENFRAQUECIMENTO; DEBILITAÇÃO **6** *Fig.* Grande mudança ou transformação: *As medidas causaram positivo abalo na economia.* **7** *Fig.* Perturbação da ordem pública; DESORDEM; TUMULTO **8** *BA* Tipo de pesca com rede circular de tresmalho **9** *BA* A rede us. no tresmalho (8) **10** *Fís.* Deslocamento, em pulso, num sistema mecânico [F.: Dev. de *abalar*.] ■ **~ sísmico** *Geof.* Tremor de terra, terremoto

abaloado (a.ba.lo:*a*.do) *a.* **1** Que tem formato de balão; ABALONADO **2** Que tem o ventre proeminente, ger. devido a gases intestinais [F.: *a-*² + *balão* + *-ado*², com desnasalação.]

abalofado (a.ba.lo.*fa*.do) *a.* **1** Que se abalofou, se tornou balofo, volumoso em relação ao peso, gordo, fofo etc. **2** *Fig.* Cheio de si; ARROGANTE; ENFATUADO; PRESUNÇOSO; VAIDOSO [Ant.: *despojado, humilde*.] [F.: Part. de *abalofar*.]

abalofar (a.ba.lo.*far*) *v.* **1** Tornar(-se) balofo, fofo [*td.*: *O cozinheiro abalofou o empadão.*] [*int.*: *O empadão abalofou-se.*] **2** Encher(-se) de vaidade, de soberba; ENFATUAR(-SE) [*td.*: *O prêmio abalofou o escritor.*] [*int.*: *O ator abalofou-se diante dos elogios.*] [▶ 1 abalofar] [F.: *a-*² + *balofo* + *-ar*².]

abalonado (a.ba.lo.*na*.do) *a.* **1** Que tem ou que adquiriu forma ou aspecto de balão; ABALOADO: *Saia curta e abalonada já esteve na moda.* **2** *Bras.* Cheio, inflado, estufado (ventre abalonado) [F.: Part. de *abalonar*.]

abalroado (a.bal.ro.*a*:do) *a.* **1** Que sofreu abalroamento (veículo abalroado) **2** Danificado por abalroamento ou devido a forte impacto [F.: Part. de *abalroar*.]

abalroamento (a.bal.ro:a.*men*.to) *sm.* **1** Ação ou resultado de abalroar; ABALROAÇÃO; COLISÃO **2** Batida violenta de uma coisa contra outra, ger. envolvendo um veículo (carro, ônibus, barco etc.) **3** *Mar.* Abordagem, aproximação [F.: *abalroar* + *-mento*.]

abalroar (a.bal.ro.*ar*) *v.* **1** Ir ou fazer ir de encontro a; CHOCAR-SE [*td.*: *O carro abalroou o poste.*] [*tdr.* + *com, contra, em*: "...sob pena de abalroarmos a fronte em algum obstáculo..." (Bernardo Guimarães, *A escrava Isaura*)] [*tr.* + *com, contra*: *O navio abalroara com o cais.*] **2** *Fig.* Acometer com ímpeto [*td.*: *Malfeitores abalroaram o vilarejo:* "Um só pensamento basta para abalroar e vencer uma alma." (*Dicionário da Academia de Lisboa*)] **3** *Mar.* Atracar com balroas (diz-se de navio que se aferra a outro para abordagem) [*td.*: *O navio pirata abalroou o cargueiro.*] [▶ 16 abalroar] [F.: *a-* + *balroa* + *-ar*.]

abalsar (a.bal.*sar*) *v. td.* **1** *End.* Colocar em balsa ou balseiro: *abalsar as uvas.* **2** Colocar em balsa ou jangada: *Abalsaram os animais por causa da enchente.* **3** Colocar em balsa ou charco: *abalsar rãs.* [▶ 1 abalsar] [F.: *a-*² + *balsa* + *-ar*². Sin. ger.: *balçar*.]

abaluaiê (a.ba.lu:a.*iê*) *sm. Bras. Rel.* Forma jovem do orixá Omolu; ABALUAÊ; ABALAÚ; OBALUAIÊ; OBALUAÊ [Inicial maiúsc.] [F.: Do ior. *babalu-aye*.]

abaluartamento (a.ba.lu:ar.ta.*men*.to) *sm.* **1** Ação ou resultado de abaluartar(-se), de fortificar(-se) por meio de baluartes **2** Ação ou resultado de tornar semelhante a um baluarte, de dar forma de baluarte a **3** *Mil.* Ação ou resultado de se fortificar em trincheira; ENTRINCHEIRAMENTO [F.: *abaluartar* + *-mento.*]

abaluartar (a.ba.lu.ar.*tar*) *v. td.* **1** Prover de baluartes (uma fortificação): *abaluartar uma fortaleza.* **2** Tornar idêntico a um baluarte: *Abaluartei os muros de minha casa.* **3** Fortalecer-se com a construção de trincheiras; ENTRINCHEIRAR-SE: *Temendo a retaliação, os guerreiros abaluartaram-se.* [▶ 1 abaluartar] [F.: *a-*² + *baluarte* + *-ar*².]

abâmita (a.*bâ*.mi.ta) *sf.* Irmã de trisavô paterno; tia-avó em terceiro grau [F.: Do lat. tardio *abamita, ae.*]

abanação (a.ba.na.*ção*) *sf.* **1** Ação ou resultado de abanar; ABANAMENTO; ABANO **2** *Bras. Agr.* Operação de beneficiamento de cereais, na qual se separa a casca do grão [Pl.: *-ções.*] [F.: *abana(r)* + *-ção.*]

abanadela (a.ba.na.*de*.la) *sf.* **1** Ação ou resultado de abanar(-se) leve ou rapidamente **2** Ação ou resultado de sacudir levemente; SACUDIDELA [F.: *abanar* + *-dela.*]

abanado (a.ba.*na*.do) *a.* **1** Ventilado com qualquer tipo de abano **2** Atiçado (o fogo) por abanamento **3** Agitado, sacudido **4** Que age ou costuma agir com precipitação, sem cuidado; ESTABANADO; ESTOUVADO **5** *Pop.* Que adoeceu ou tende a adoecer; doentio, enfermiço [F.: Part. de *abanar.*]

abanador (a.ba.na.*dor*) [ô] *a.* **1** Que abana *sm.* **2** Objeto que serve para abanar; ABANO **3** Pessoa que abana **4** *Tec.* Máquina a motor us. após a colheita mecânica de café e cereais para limpar as impurezas dos grãos [F.: *abanar* + *-dor.*]

abanamento (a.ba.na.*men*.to) *sm.* **1** Ação ou resultado de abanar(-se); ABANAÇÃO; ABANO **2** *Bras. Agr.* Operação que separa os grãos da palha de cereais [F.: *abanar* + *-mento.*]

abananado (a.ba.na.*na*.do) *a.* **1** Que se assemelha, em forma ou aspecto, à banana **2** Que tem a consistência mole da banana **3** *Fig.* Que se comporta ou tem modos de um molenga, aparvalhado, atoleimado [F.: Part. de *abananar.*]

abananar (a.ba.na.*nar*) *v.* **1** Conceder aspecto ou consistência de banana a [*td.*: *O confeiteiro abananou os pirulitos.*] **2** *Fig.* Tornar-se banana, mole, bobo; APATETAR(-SE) [*td.*: *A maternidade abananou-a.*] [*int.*: *Depois do casamento, abananou-se.*] **3** Tornar-se confuso, tímido [*td.*: *O barulho abananou o estudante.*] [*int.*: *Com os aplausos do público, o palestrante abananou-se.*] [▶ 1 abananar] [F.: *a-*² + *banana* + *-ar*².]

abanando (a.ba.*nan*.do) *sm. PE Dnç.* Passo de frevo com movimentos simultâneos e alternados de enérgica flexão das pernas e do tronco, e do cruzar e descruzar dos braços à frente do corpo [F.: *abanar* + *-ndo.*]

abanão (a.ba.*não*) *Pop. sm.* **1** Ação ou resultado de abanar energicamente **2** *Lus.* Forte sacudida ou empurrão; SAFANÃO [Pl.: *-nões.*] [F.: *abanar* + *-ão*¹.]

abanar (a.ba.*nar*) *v.* **1** Fazendo vento sobre (algo ou alguém, para avivar [fogo etc.], refrescar etc.) ou agitar abano, leque, ou outro objeto [*td.*: *Abanava o doente que desmaiara; Calorento, abanava-se sem parar; Pôs-se a abanar as brasas para reavivar o fogo.*] **2** Mover (objeto, parte do corpo etc.) rápida e repetidamente de um lado para outro; SACUDIR [*td.*: *O alegre cão abana a cauda.*] **3** Fazer sinais, agitando (a mão, objeto etc.); ACENAR [*td.*: *Despedia-se, abanando as duas mãos.*] [*int.*: *Respondeu ao cumprimento abanando com o chapéu.*] **4** *Bras. Gír.* Apropriar-se, indevidamente, do que é de outrem; AFANAR; SURRUPIAR [*td.*] [▶ 1 abanar] [F.: Do lat. *evannare*, por *evannere.*]

abancado¹ (a.ban.*ca*.do) *a.* **1** Sentado em banco, ou em qualquer assento **2** Em que se dispuseram bancos, que foi guarnecido de bancos (salão abancado) [F.: Part. de *abancar*¹.]

abancado² (a.ban.*ca*.do) *a.* **1** Sentado à banca, à mesa **2** Que se estabeleceu em certo bairro, em certa cidade etc. (diz-se de profissional, comerciante etc.) [F.: Part. de *abancar*².]

abancamento¹ (a.ban.ca.*men*.to) *sm.* **1** Ação ou resultado de abancar(-se), de sentar-se em banco ou de guarnecer de bancos **2** *Lus.* Bancada, guarnecimento com bancos: *O prefeito decidiu pelo abancamento das praças e jardins.* [F.: *abancar*¹ + *-mento.*]

abancamento² (a.ban.ca.*men*.to) *sm.* **1** Ação ou resultado de abancar(-se), de sentar-se em banca, com a intenção de demorar-se **2** *P. ext.* Permanência em um mesmo lugar [F.: *abancar*² + *-mento.*]

abancar¹ (a.ban.*car*) *v.* **1** Guarnecer com bancos [*td.*: *Abancou a entrada da loja.*] **2** Assentar-se, sentar-se [*ta.*: *Chegou cedo e abancou-se na primeira fila; A mulher abancou à direita do palco.*] [▶ 11 abancar] [F.: *a-*² + *banco* + *-ar*².]

abancar² (a.ban.*car*) *v.* **1** Fazer sentar ou sentar à banca, à mesa; dispor(-se) em torno a banca, mesa [*td.*: *O moderador abancou os membros do painel de debate; Os professores abancaram-se para o exame.*] [*int.*: *Depois que o rei abancou, os cortesãos tomaram seus lugares à mesa.*] **2** Estabelecer-se ou ficar por muito tempo em certo lugar [*int.*: *Abancou-se na cidade para nunca mais deixá-la.*] **3** Estabelecer, instalar, fixar banca, escritório [*int.*: *Formado em direito, voltou à cidade natal, onde abancou.*] [▶ 11 abancar] [F.: *a-*² + *banca* + *-ar*².]

abancar³ (a.ban.*car*) *v.* **1** Correr, perseguindo ou sendo perseguido [*int.*] **2** Refrear (montaria) súbita e energicamente, interrompendo corrida [*td.*] **3** *RS* Começar, dar início a ação [*int.*: *Vendo-o fugir, abancou-se a persegui-lo.* Nesta acp. de 'começar' é us. como auxiliar, seguido da prep. *a* e de verbo no infinitivo para indicar início da ação descrita pelo verbo.] [▶ 11 abancar] [F.: De or. obsc.]

abandado (a.ban.*da*.do) *a.* **1** Diz-se de animal que vive em bando, abandoado: "... pardais abandados infestavam as paineiras." (Camilo Castelo Branco, *Eusébio Macário.*) **2** Diz-se de pessoa que se ligou a um bando, partido, grupo etc. **3** Guarnecido de bandas, ou listras (tecido abandado) **4** Que foi posto de banda, isolado, separado [F.: Part. de *abandar.*]

abandalhação (a.ban.da.lha.*ção*) *sf.* **1** Ação ou resultado de abandalhar(-se), de tornar ou tornar-se bandalho **2** Ação, procedimento ou comportamento de bandalho [Pl.: *-ções.*] [F.: *abandalhar* + *-ção.* Sin. ger.: *abandalhamento.*]

abandalhado (a.ban.da.*lha*.do) *a.* **1** Que se abandalhou, que perdeu a integridade ou a dignidade **2** Que tem qualidades ou modos de bandalho **3** Próprio de bandalho: *Um comportamento abandalhado.* [F.: Part. de *abandalhar.*]

abandalhamento (a.ban.da.lha.*men*.to) *sm.* O mesmo que *abandalhação* [F.: *abandalhar* + *-mento.*]

abandalhar (a.ban.da.*lhar*) *v.* Fazer perder ou perder a dignidade, a seriedade, a respeitabilidade; tornar(-se) bandalho; AVILTAR(-SE) [*td.*: *O vício o abandalhou.*] [*int.*: *Vivia em más companhias, e abandalhou-se.*] [▶ 1 abandalhar] [F.: *a-*² + *bandalho* + *-ar*².]

abandar¹ (a.ban.*dar*) *v.* **1** Agrupar(-se) em bando; BANDEAR(-SE) [*td.*: *Abandou seis jogadores para o pôquer; Abandou-se com três companheiros.*] [*int.*: *Cansado de estar só, resolveu abandar.*] **2** Agir ou pensar de acordo com um grupo, facção etc. [*tr.*: *Jamais se abandaria com terroristas.*] [▶ 1 abandar] [F.: *a-*² + *bando* + *-ar*².]

abandar² (a.ban.*dar*) *v.* **1** Colocar(-se) de banda, de lado; separar(-se) [*td.*: *Abandou os parafusos enferrujados; Abandou-se do convívio social.*] **2** Colocar(-se) do lado contrário [*td.*: *Abandou os posseiros para a outra margem; Abandou-se para o partido adversário.*] [*int.*: *Com a briga, as crianças abandaram.*] **3** Separar parte de algo para oferecê-la a (alguém) [*tdi.* + *a*: *Abandou a cada um dos presentes uma fatia do assado.*] **4** Formar ou fazer formar banda, conjunto musical [*td.*: *Abandou os melhores instrumentistas; Abandaram-se para tocar na festa.*] [▶ 1 abandar] [F.: *a-*² + *banda*¹ + *-ar*².]

abandar³ (a.ban.*dar*) *v. td.* **1** Colocar banda(s) ou adornos equivalentes em: *Abandou a bainha da saia.* **2** Oferecer a (alguém, para que a vista), ou vestir (alguém) com faixa simbólica de um cargo, função, vitória esportiva etc.: *Após o jogo, abandaram o time vencedor.* **3** *Her.* Traçar a banda diagonal de (brasão, escudo) [▶ 1 abandar] [F.: *a-*² + *banda*² + *-ar*².]

abandeirar (a.ban.dei.*rar*) *v.* **1** O mesmo que *embandeirar* [*td.*] [*int.*] **2** Alistar, inscrever em bandeira (12) (alguém, inclusive si mesmo) [*td.*: *Abandeirou os voluntários e enviou-os logo na primeira expedição; Sedento de aventuras, abandeirou-se e partiu em busca de esmeraldas.*] [▶ 1 abandeirar] [F.: *a-*² + *bandeira* + *-ar*².]

abandejado (a.ban.de.*ja*.do) *a.* **1** Que é semelhante a bandeja, na forma ou no aspecto: *tapete de borracha abandejado.* **2** *Agr.* Separado em bandeja (grão de cereal) [F.: Part. de *abandejar.*]

abandidado (a.ban.di.*da*.do) *a.* Que se tornou bandido, ou que tem feição de bandido (jovens abandidados) [F.: Part. de *abandidar.*]

abandidar (a.ban.di.*dar*) *v. td.* Tornar(-se) bandido, marginal: *A vingança e o ódio o abandidaram; Andou em más companhias e abandidou-se.* [▶ 1 abandidar] [F.: *a-* + *bandido* + *-ar.*]

abandoar (a.ban.do.*ar*) *v.* Formar bando; ABANDAR(-SE) [*td.*: *Para lutar contra o irmão, Ciro abandoou muitos mercenários.*] [*int.*: *Os jovens gostam de abandoar-se; Anda sempre só, nunca abandoa.*] [▶ 16 abandoar] [F.: *a-*² + *bando* + *-ar*².]

abandonado (a.ban.do.*na*.do) *a.* **1** Sem amparo e sem abrigo; DESAMPARADO: *menor abandonado.* **2** Que foi rejeitado (marido abandonado) **3** Que foi posto de lado, que não se quer mais; LARGADO **4** Que se sente só: *Ele é um homem abandonado, mesmo no meio da multidão.* **5** Que não recebe trato, decadente por falta de cuidados: *É uma casa abandonada, caindo aos pedaços*: "Protegei o meu corpo abandonado,/ E no silêncio derramai-lhe um canto!" (Álvares de Azevedo, *Lira dos vinte anos*) *sm.* **6** Pessoa abandonada (1, 2, 3): "Quisera ser forte e ser cavaleiro (...) Mas tu o és: tu, o abandonado..." (Alexandre Herculano, *O bobo*) [F.: Part. de *abandonar.*]

abandonador (a.ban.do.na.*dor*) [ô] *a.* **1** Que abandona, que desiste de algo ou alguém **2** *Jur.* Que abre mão de seus bens ou de seus direitos *sm.* **3** Aquele que abandona, que desiste de (algo ou alguém) **4** *Jur.* Indivíduo que abre mão de seus bens ou de seus direitos [F.: *abandonar* + *-dor.*]

abandonamento (a.ban.do.na.*men*.to) *sm. P. us.* O mesmo que *abandono* [F.: *abandonar* + *-mento.*]

abandonar (a.ban.do.*nar*) *v.* **1** Ir embora de; DEIXAR [*td.*: *Abandonaram a cidade, após a inundação.*] **2** Cessar a convivência com, afastar-se de [*td.*: *Abandonou todos os amigos.*] **3** Não prosseguir com; DESISTIR; RENUNCIAR [*td.*: "Escolher um caminho significava abandonar outros." (Paulo Coelho, *Brida*)] **4** Deixar de todo, largar, não querer mais; DESPREZAR [*td.*: "As mulheres abandonaram (...) as tinas." (Aluísio Azevedo, *O cortiço*)] **5** Deixar só, sem socorro, sem auxílio ou cuidados; DESCUIDAR [*td.*: *Nunca abandonaria os filhos.*] **6** Deixar (algo ou alguém) largado em algum lugar [*tda.*: *Abandonamos o carro na oficina.*] **7** Deixar-se levar; ENTREGAR-SE [*tdr.*: *Abandona-se nas mãos do cirurgião.*] [▶ 1 abandonar] [F.: Do fr. *abandonner*, deriv. da expr. *être à bandon* 'estar à mercê de'.]

abandonável (a.ban.do.*ná*.vel) *a2g.* Que pode ou deve ser abandonado [Pl.: *-veis.*] [F.: *abandonar* + *-vel.* Hom./Par.: *abandonáveis* (pl.), *abandonáveis* (fl. de *abandonar*).]

abandono (a.ban.*do*.no) *sm.* **1** Ação ou resultado de abandonar [+ *de... [por]*: *abandono dos velhos hábitos [por novos].*] **2** Condição ou estado do que foi abandonado: "Seu casario, com construções mais que centenárias, é vítima do abandono e das pichações." (*Veja Rio*, 12.11.2003) **3** Situação de desamparo, carência de ajuda: *o abandono em que vivem alguns idosos.* **4** Relaxamento experimentado como efeito da ação de abandonar-se, entregar-se por completo: "Um requinte de graça e fantasia/ Dá-te segredos de melancolia, / Da Lua todo o lânguido abandono..." (Cruz e Sousa, "Floripes", *O livro derradeiro*) **5** Condição de algo ou alguém que foi desleixado, que não recebeu cuidados: *Era deprimente o abandono em que se encontrava o orfanato.* **6** *Jur.* Cessão ou desistência de um direito ou bem (abandono da herança) [F.: Dev. de *abandonar.*] ∎ **~ noxal** *Jur.* No direito romano, medida reparadora, para compensar vítima de prejuízo, ofensa ou perda irreparável sem ser pela devida indenização **Ao ~** Sem amparo, ajuda ou cuidado

abanicar (a.ba.ni.*car*) *v.* **1** Abanar (algo ou alguém, inclusive si mesmo) com abanico ou leque [*td.*: *Abanicou o filho doente durante horas; Abanicava-se nervosamente.*] **2** *Taur.* Agitar a capa para excitar o touro [*int.*] **3** Menear os quadris, requebrando-se [*int.*] [▶ 11 abanicar] [F.: *abanico* + *-ar*². Hom./Par.: *abanico* (fl.), *abanico* (sm.).]

abanico (a.ba.*ni*.co) *sm.* **1** Pequeno abano **2** *Ant. Vest.* Adorno feito de rendas e disposto em torno do pescoço e dos punhos da indumentária feminina, us. ger. pelas damas do paço e pelas senhoras em dias festivos [Dim. irreg. de *abano.*] [F.: Do espn. *abanico.*]

abano (a.*ba*.no) *sm.* **1** Objeto em forma de leque aberto com que se agita o ar para avivar o fogo ou refrescar o corpo; ABANADOR; VENTAROLA **2** Ação ou efeito de abanar(-se) **3** *Art. gr.* Peça que separa jornais, em quantidades predeterminadas, na saída das máquinas rotativas **4** *Bot.* Certo arbusto (*Clusia fluminensis*) das gutíferas, nativa do Brasil. **5** *Joc.* Aspecto de orelhas cujas bordas ficam afastadas da cabeça (orelhas de abano) [F.: Dev. de *abanar*, ou de *a-* (protético) + lat. *vannus, i*, 'joeira'.]

abanos (a.*ba*.nos) *smpl.* **1** *Pop.* As orelhas **2** *Ant. Vest.* Ornatos feitos de canutilhos, us. em volta do pescoço, nos punhos e no peitilho da camisa [F.: Pl. de *abano.*]

abantesma (a.ban.*tes*.ma) [ê] *s2g.* **1** Imagem fantasmagórica, sobrenatural; assombração, espectro **2** *Fig.* Pessoa que causa má impressão pelo aspecto estranho ou que provoca repulsa [F.: Do gr. *phántasma, atos.* Var.: *avantesma.*]

abanto (a.*ban*.to) *a. Taur.* Diz-se de touro que, por covardia, não reage às manobras de provocação do toureiro [F.: Do espn. *abanto.*]

abar (a.*bar*) *v. td.* **1** Prover (algo) de abas: *abar o casaco.* **2** Mover a aba de (chapéu etc.), esp. inclinando para baixo a parte da frente: *Abei o chapéu do vovô.* [▶ 1 abar] [F.: *aba* + *-ar*². Hom./Par.: *aba(s)* (fl.), *aba* (sf. [pl.]); *abará(s)* (fl.), *abará* (sm. [pl.]).]

abará (a.ba.*rá*) *BA Cul. sm.* Iguaria feita com massa de feijão-fradinho descascado, camarões secos, cebola e azeite de dendê, enrolada em folha de bananeira e cozida no vapor [F.: Do ior. *aba'ra.*]

abaratar (a.ba.ra.*tar*) *v. td.* **1** Tornar o preço mais baixo; BARATEAR: *As concessionárias abarataram o preço dos carros.* **2** *fig.* Ter pouca consideração ou menosprezo por: *Abaratou o meu amor por ela.* [▶ 1 abaratar] [F.: *a-*² + *barato* + *-ar*².]

abarbado (a.bar.*ba*.do) *a.* **1** Que se abarbou **2** Afrontado, arrostado **3** Que foi tocado, atingido **4** Que tem uma grande quantidade de trabalho, de tarefas por fazer; ASSOBERBADO **5** Que se encontra em dificuldades; EMBARAÇADO **6** Que foi igualado em altura ou nível **7** *Mar.* Diz-se da embarcação que se encontra em perigo, por risco de encalhar ou por enfrentar mar ou tempo bravios [F.: Part. de *abarbar.*]

abarbar (a.bar.*bar*) *v.* **1** Tocar com a barba [*td.*: *Abarbou o ombro da garota.*] **2** Colocar(-se) no mesmo nível [*td.*: *A borda da boia abarbava a beira da piscina.*] [*tr.* + *com*: *O remo do barco abarbou com a ancoradouro; A canoa abarbou-se com o cais.*] **3** Tornar sobrecarregado, muito atarefado [*td.*: *Abarbava o único funcionário que lhe restava.*] [*tdr.* + *com*: *Abarbou as filhas com tarefas domésticas.*] **4** Tornar-se confuso ou embaraçado com excesso de trabalhos ou tarefas a cumprir [*tr.* + *com*: *O redator abarbava-se com aquele excesso de textos.*] **5** Ter (algo ou alguém) à frente, cara a cara [*td.*: *Abarbou o inimigo com incrível tranquilidade.*] **6** *Mar.* Aproximar-se muito de terra, de banco de areia etc. [*int.*: *O rebocador abarbou demais e chocou-se contra o baixio.*] [▶ 1 abarbar] [F.: *a-*² + *barba* + *-ar*².]

abarbarado (a.bar.ba.*ra*.do) *a.* **1** Que se abarbarou; que tem ou adquiriu características ou modos de bárbaro **2** *Bras.* Que tem modos rudes, abrutalhados, grosseiros; BEM-EDUCADO **3** *Bras.* Que tem ímpeto, arrojo; ARRO-

JADO; AUDAZ; IMPETUOSO [Ant.: *hesitante, irresoluto.*] [F.: Part. de *abarbarar*.]

abarbarar (a.bar.ba.*rar*) *v. Bras.* Adquirir ou fazer adquirir comportamento de bárbaro; tornar-se abarbarado [***td.:*** *O convívio com as tribos indígenas abarbarou o homem.*] [***int.:*** *Tanto tempo longe da civilização fê-lo abarbarar-se.*] [▶ 1 abarbarar-se] [F.: *a-*[2] *+ bárbaro + -ar*[2].]

abarbelar (a.bar.be.*lar*) *v. td.* Prender com barbela: *Abarbelou o gato.* [▶ 1 abarbelar] [F.: *a-*[2] *+ barbela + -ar*[2].]

abarbilhar (a.bar.bi.*lhar*) *v. td.* Pôr barbilho em (animal); ABARBEAR: *Para vacinar o cão, foi preciso abarbilhá-lo.* [▶ 1 abarbilhar] [F.: *a-*[2] *+ barbilho + -ar*[2].]

abarcador (a.bar.ca.*dor*) [ô] *a.* **1** Que abarca; ABARCANTE *sm.* **2** Aquele ou aquilo que abarca **3** Aquele que controla a oferta de mercadorias para encarecê-las no mercado; atravessador, monopolista, açambarcador [F.: *abarcar + -dor.*]

abarcamento (a.bar.ca.*men*.to) *sm.* Ação ou resultado de abarcar [F.: *abarcar + -mento.*]

abarcante (a.bar.*can*.te) *a2g.* Que abarca, que abrange; ABARCADOR (1); ABRANGENTE: *Fez uma análise abarcante de toda a situação.* [F.: *abarcar + -nte.*]

abarcar (a.bar.*car*) *v. td.* **1** Conter, encerrar em si; ABRANGER; ENCERRAR: "E se conseguisse abarcar de um lance a multidão doudejante e inquieta." (Euclides da Cunha, *Os sertões*) **2** Envolver com os braços; ABRAÇAR: *Abarcou o presente recebido.* **3** Atingir, alcançar, abranger: *Essa análise abarca todos os setores da economia; A casa desfrutava de uma vista que abarcava toda a baía.* **4** Não repartir; MONOPOLIZAR: *Abarcava todo o peixe que vinha à praia* [▶ 11 abarcar] [F.: Do lat. *abbrachiare*, deriv. de *brachium* 'braço'.]

abarcável (a.bar.*cá*.vel) *a2g.* **1** Que se pode abarcar com os braços ou com a vista: "Homem se distraía, airado, do abarcável do vulto..." (Guimarães Rosa, *Manuelzão e Miguilim*) **2** Que pode ser atingido, abrangido, compreendido, incluído (em certo âmbito) [Pl.: *-veis*.] [F.: *abarca(r) + -vel.* Hom./Par.: *abarcáveis* (pl.), *abarcáveis* (fl. de *abarcar*).]

abaré (a.ba.*ré*) *sm. Bras. Hist.* Designação dada pelos indígenas a missionário ou sacerdote cristão; AVARÉ [F.: Do tupi *awa're*, 'homem diferente'.]

abaritonado (a.ba.ri.to.*na*.do) *a.* **1** Diz-se de voz semelhante à do barítono, ou de cantor cuja voz é semelhante à do barítono (voz abaritonada, tenor abaritonado) **2** A que se deu caráter de barítono; que se abaritonou [F.: Part. de *abaritonar*.]

abaritonar (a.ba.ri.to.*nar*) *v.* **1** Dar a (voz) sonoridade de um barítono [***td.:*** *Ao telefone, abaritonava a voz.*] **2** Tornar-se barítono [***int.:*** *A voz do rapaz abaritonou; Em grego, há palavras que se abaritonam.*] [▶ 1 abaritonar] [F.: *a-*[2] *+ barítono + -ar*[2].]

abarognose (a.ba.rog.*no*.se) *sf. Med.* Perda da percepção ou do sentido do peso [F.: *a-*[1] *+ bar(o)- + -gnose.*]

abarracado (a.bar.ra.*ca*.do) *a.* **1** Que tem forma de barraca **2** Abrigado em barraca **3** *S.* Diz-se de homem que se encontra em conversa reservada com mulher, ger. de natureza amorosa [F.: Part. de *abarracar*.]

abarracamento (a.bar.ra.ca.*men*.to) *sm.* **1** Ação ou resultado de abarracar(-se) **2** Conjunto de barracas armadas num certo local **3** Lugar no qual se erguem muitas barracas, ger. um acampamento [F.: *abarracar + -mento.*]

abarracar (a.bar.ra.*car*) *v.* **1** Armar barraca(s) em [***td.:*** *As tropas abarracaram o vale.*] **2** Recolher(-se) em barraca(s) [***td.:*** "Da altura em que se abarracavam (...), examinavam-no a todo o instante." (Euclides da Cunha, *Os sertões*)] [***ta. + em:*** *O casal sempre abarraca na praia.*] **3** Dar a algo a forma de barraca [***td.***] **4** *Bras. Pop.* Ficar (um homem) a um canto, conversando (com uma mulher) [***int.:*** *Assim que a encontrou na festa, abarracou.*] [▶ 11 abarracar] [F.: *a- + barraca + -ar.*]

abarrancar (a.bar.ran.*car*) *v.* **1** Obstruir passagem com barranco [***td.:*** *Os moradores abarrancaram a estrada em sinal de protesto.*] **2** *Fig.* Causar dificuldades ao desenvolvimento de (ato, ação etc.) [***td.:*** *Aquela sabotagem abarrancou nosso projeto.*] **3** Ocultar-se em barranco [***td.:*** *Abarrancou-se e deixou que a polícia passasse.*] **4** Ficar ou encontrar-se em situação difícil de sair ou resolver [***int.:*** *Abarrancou-se com uma incrível quantidade de trabalho.*] [▶ 11 abarrancar] [F.: *a-*[2] *+ barranco + -ar*[2].]

abarreirar (a.bar.rei.*rar*) *v.* **1** Cercar de barreiras, obstáculos [***td.:*** *A defesa civil abarreirou a área de risco.*] [***int.:*** *Para evitar o avanço da multidão, era preciso abarreirar.*] **2** Não permitir a passagem de; BLOQUEAR [***td.:*** *Abarreiraram a entrada do estádio.*] **3** Erguer posto ou barreira fiscal [***td.:*** *A fiscalização abarreirou uma estrada da fronteira.*] **4** Tomar cuidados; ACAUTELAR-SE; PRECAVER-SE [***td.:*** *Os moradores abarreiraram-se quando começou o temporal.*] [***tdr. + com, contra:*** *É preciso abarreirar-se com as adversidades.*] [▶ 1 abarreirar] [F.: *a-*[2] *+ barreira + -ar*[2].]

abarretar (a.bar.re.*tar*) *v. td.* Colocar barrete em (alguém ou si próprio): *Por causa da chuva, abarretou o bebê.* [▶ 1 abarretar] [F.: *a-*[2] *+ barrete + -ar*[2].]

abarrotado (a.bar.ro.*ta*.do) *a.* **1** Cheio em demasia; ATOCHADO; ENTULHADO: "Bush disse aos partidários, em um estádio de beisebol abarrotado, que seu adversário não está preparado para ser um comandante em chefe." (*Folha Online*, 19.10.2004) [+ *de, com: depósito abarrotado de/com mercadorias.*] **2** Cheio até os barrotes, inteiramente carregado: *Naus abarrotadas com a carga* **3** *Cons.* Em que houve o assentamento de barrotes, armado com barrotes (diz-se de piso, pavimento etc.) **4** *Fig. Pop.* Provido de grande quantidade [+ *de, com: operário abarrotado com ferramentas:* "Se o mundo está abarrotado de alimentos, como podem os africanos, com dolorosa frequência, ser vistos morrendo à míngua?" (*Veja*, 29.07.1998)] **5** *Fig. Pop.* Empanturrado, com o estômago muito cheio; EMPANZINADO [F.: Part. de *abarrotar*.]

abarrotamento (a.bar.ro.ta.*men*.to) *sm.* **1** Ação ou resultado de abarrotar(-se) (1) **2** Ação ou resultado de assentar barrotes em piso, pavimento etc. [F.: *abarrotar + -mento.*]

abarrotar (a.bar.ro.*tar*) *v.* **1** Encher em excesso [***td.:*** *Uma papelada inútil abarrotava as gavetas.*] [***tdr. + com, de:*** *Abarrotou o armário de/com caixas de sapatos; Abarrotou-se de comida e não conseguiu dormir.*] **2** Encher de barrotes; cobrir com barrotes [***td.:*** *Abarrotou o galpão; Abarrotou a casa nova com madeira de castanho.*] [▶ 1 abarrotar] [F.: *a- + barrote + -ar.*]

abarticulação (a.bar.ti.cu.la.*ção*) *sf.* **1** *Anat.* Tipo de articulação que permite movimentação das partes articuladas em vários sentidos; DIARTROSE **2** *Antq. P. us. Med.* Articulação frouxa, ger. devido a trauma como luxação, entorse etc. [Pl.: *-ções*.] [F.: *ab-*[1] *+ articulação.*]

abarticular (a.bar.ti.cu.*lar*) *a2g. Anat.* Que está fora da articulação ou que não a compromete (lesão abarticular) [▶ 1 abarticular] [F.: *ab- + articular.*]

abartrose (a.bar.*tro*.se) *Anat. sf.* O mesmo que *diartrose* [F.: *ab-*[1] *+ artrose.*]

abas (*a*.bas) *sfpl.* Imediações (de um lugar), arredores: "Ali mesmo, às abas de Elvas, ameaçavam o território fronteiriço..." (Henrique Lopes de Mendonça, *Almas penadas*) [F.: Pl. de *aba*.]

abascanto (a.bas.*can*.to) *a.* **1** Diz-se do que protege de malefícios *sm.* **2** Aquilo que protege de malefícios, ou os repele [F.: Do gr. *abáskanton, ou.*]

abasia (a.ba.*si*.a) *sf. Pat.* Impossibilidade de marchar, devido à falta de coordenação motora [F.: Do fr. *abasie.*]

abásico (a.*bá*.si.co) *a.* **1** Ref. ou a abasia, ou que é da abasia; que causa abasia ou que é afetado por ela **2** Diz-se de quem sofre de abasia *sm.* **3** Pessoa afetada por abasia [F.: *abasia + -ico*[2].]

abássida (a.*bás*.si.da) *a2g.* **1** Ref. à ou da dinastia muçulmana dos abássidas, composta de califas descendentes de Al-Abbas, tio do profeta Maomé *s2g.* **2** Membro dessa dinastia [F.: Do antr. *Abbas + -ida*[1]. Var.: *abácida*.]

abastado (a.bas.*ta*.do) *a.* **1** Que tem muitos bens, muito dinheiro (família abastada); RICO; ENDINHEIRADO **2** Que está bem abastecido, repleto de mantimentos; FARTO: *mesa sortida e abastada. sm.* **3** Pessoa abastada (1): "...a pintura, que sempre foi a arte dos ricos e abastados, não tem, na Bruzundanga, senão raros amadores." (Lima Barreto, *Os bruzundangas*) [F.: Part. de *abastar*.]

abastamento (a.bas.ta.*men*.to) *sm.* **1** Ação ou resultado de abastar(-se) **2** Grande quantidade; ABASTANÇA; ABUNDÂNCIA [F.: *abastar + -mento.*]

abastança (a.bas.*tan*.ça) *sf.* **1** Disponibilidade de muitos provimentos; FARTURA; ABUNDÂNCIA **2** Riqueza material; OPULÊNCIA **3** Situação de uma vida confortável, sem privações materiais [F.: *abastar + -ança.*]

abastar (a.bas.*tar*) *v.* **1** Prover do que é bastante, do necessário [***tdr. + de:*** *Abastou de enlatados a despensa.*] **2** Tornar-se ou ser bastante, suficiente; BASTAR [***int.:*** *Para mim, este salário abasta.*] [▶ 1 abastar] [F.: *a- + basto + -ar.*]

abastardado (a.bas.tar.*da*.do) *a.* **1** *Fig.* Que perdeu suas características originais, que não é puro nem autêntico; CORROMPIDO: *Fala um português abastardado.* **2** Que se degenerou por bastardia; que perdeu características de sua espécie, esp. devido à hibridação; DEGENERADO: *Os cães da ilha estão abastardados.* [F.: Part. de *abastardar*.]

abastardamento (a.bas.tar.da.*men*.to) *sm.* **1** Ação ou resultado de abastardar(-se) **2** Processo de perda, ou a perda das qualidades e características originais (ger. como mudança para pior); DEGENERESCÊNCIA **3** Perda de valores éticos, morais etc.; DEGRADAÇÃO; ENVILECIMENTO [F.: *abastardar + -mento.*]

abastardar (a.bas.tar.*dar*) *v.* **1** Fazer perder ou perder as primitivas características positivas; CORROMPER [***td.:*** *Novos costumes abastardaram a cultura indígena.*] [***int.:*** *Sob tantas influências, a estirpe abastardou-se.*] **2** Fazer degenerar; PERVERTER [***td.:*** *As más companhias abastardaram-no.*] [▶ 1 abastardar] [F.: *a- + bastardo + -ar.*]

abastecedor (a.bas.te.ce.*dor*) [ô] *a.* **1** Que abastece (mercado abastecedor); FORNECEDOR *sm.* **2** Quem ou aquilo que abastece; FORNECEDOR: *A empresa procura um abastecedor de matéria-prima.* [F.: *abastecer + -dor.*]

abastecer (a.bas.te.*cer*) *v.* **1** Encher com, munir de (o necessário); ABASTAR; PROVER [***td.:*** *abastecer o carro; Abasteceram-se para a viagem.*] [***tdr. + com, de:*** *Abastecia a despensa com/de alimentos.*] **2** Ser fonte (de recursos materiais) para [***td.:*** *O reservatório abastece a cidade.*] [▶ 33 abastecer] [F.: De or. contrv. parece relacionar-se com *bastar* ou, talvez, com o antigo *bastir* (germânico *bastjan*), tb. documentado no séc. XIII.]

abastecido (a.bas.te.*ci*.do) *a.* **1** Que se abasteceu; cheio, farto, provido daquilo de que necessita [+ *com, de, para: A loja está abastecida com/de mercadorias para o Natal.*] **2** *Restr.* Com o reservatório cheio de combustível, e munido de todos os demais elementos necessários para que possa viajar (diz-se de veículo): *O carro está abastecido.* [F.: Part. de *abastecer*.]

abastecimento (a.bas.te.ci.*men*.to) *sm.* **1** Ação ou resultado de abastecer(-se), de prover(-se) do que (se) necessita; PROVIMENTO; FORNECIMENTO [+ *de, em... a, para: Vamos cuidar de nosso abastecimento de/em víveres; o abastecimento de água à/para a cidade.*] **2** *Urb.* Conjunto de obras de infraestrutura para captação, adução e distribuição de água potável para áreas urbanas **3** *Urb.* O processo realizado por meio desse conjunto de obras [F.: *abastecer + -imento.*]

abasto (a.*bas*.to) *Antq. sm.* **1** Ação ou resultado de abastar(-se), abastecer(-se) *adv.* **2** Abundantemente, copiosamente [F.: Dev. de *abastar.* Hom./Par.: *abasto* (fl. de *abastar*).]

abatatado (a.ba.ta.*ta*.do) *a.* **1** Que é semelhante à batata ou que tem forma de batata **2** Que é grosso e largo, e ger. arredondado (nariz abatatado) [F.: Part. de *abatatar*.]

abatatar (a.ba.ta.*tar*) *v. td.* **1** Dar aspecto ou formato de batata a [***td.:*** *Abatatou os bolinhos de carne.*] **2** Tornar(-se) grosso ou arredondado [***td.:*** *O desenhista abatatou o nariz do boneco.*] [***int.:*** *Depois de muitos exercícios, suas pernas abatataram.*] **3** *RS Fig.* Tornar abatido ou desmoralizado [***td.:*** *As dívidas o abatataram.*] [▶ 1 abatatar] [F.: *a-*[2] *+ batata + -ar*[2].]

abate (a.*ba*.te) *sm.* **1** Ação ou resultado de abater (matar) animais para consumo: *abate de gado.* [Tb. como atividade econômica, fase do processo de criação de animais para o corte.] **2** *Bras. Mil.* Destruição de aeronave que não cumpre ordem de identificar-se em espaço aéreo sob controle militar **3** Redução, desconto (em preço); ABATIMENTO ["...em todo caso, pedia algum abate no preço." (Machado de Assis, *Esaú e Jacó*).] **4** Corte ou derrubada (de árvore ou de mata) **5** *Lus. Fig.* Humilhação, vexame [F.: Dev. de *abater*.]

abatedor (a.ba.te.*dor*) [ô] *a.* **1** Que abate: *...até que no oitavo round, não resistiu a um golpe abatedor. sm.* **2** Aquele ou aquilo que abate **3** Indivíduo que, nos matadouros, abate os animais; MAGAREFE [F.: *abater + -dor.*]

abatedouro (a.ba.te.*dou*.ro) *Bras. sm.* **1** Lugar onde se abatem animais (reses, aves etc.) para consumo; MATADOURO **2** Estabelecimento onde se vendem aves que são abatidas no momento da venda ao consumidor final [F.: *abater + -douro*[1].]

abater (a.ba.*ter*) *v.* **1** Lançar por terra, fazer cair; DERRUBAR; PROSTRAR [***td.:*** *Abateram o caça.*] **2** Fazer descer ou descer; ABAIXAR; BAIXAR [***td.:*** *Abateu o toldo para ensombrecer a varanda.*] [***int.:*** *Com as chuvas, o terreno abateu.*] **3** Cair, desabar, desmoronar [***int.:*** *Com o acúmulo de neve, o telhado abateu.*] **4** Diminuir de intensidade; ABAIXAR; BAIXAR [***int.:*** *A febre abateu.*] **5** Diminuir, fazer baixar (preço, valor de); BAIXAR [***td.:*** *A empresa abateu o preço da passagem aérea.*] **6** Matar (gado, ave, esp. caça) [***td.:*** *Abatiam diariamente 50 bois e 30 vitelas.*] **7** Dar desconto a; DESCONTAR [***tdr.:*** *O diretor abateu 10% da mensalidade.*] **8** *Fig.* Fazer perder ou perder as forças físicas e morais; DEBILITAR; DESANIMAR [***td.:*** *A doença abateu-o profundamente:* "A enormidade e a iminência do perigo abateram o grande ânimo da senhora de engenho..." (Franklin Távora, *O matuto*) Ant.: *animar*] [***int.:*** *Apesar de todo o sofrimento, não se abateram.*] **9** Fazer diminuir o mérito, valor, prestígio etc., de algo ou alguém [***td.:*** *As críticas abateram sua reputação como escritor.*] **10** Degradar, apoucar, humilhar [***td.:*** *As evidências de seus desmandos acabaram por abatê- lo definitivamente.*] **11** *Mar.* Desviar (navio) do rumo em que navega [***td.:*** *As águas revoltas abateram a embarcação.*] [▶ 2 abater] [F.: Do lat. tardio *abbat(u)ere* do séc. VI, também com *abbattere*.]

abati (a.ba.*ti*) *Bras. sm.* **1** Designação indígena do milho; AUATI; AVATI **2** Designação indígena (tupi) do arroz **3** *N. Bot.* O mesmo que *jatobá* [F.: Do tupi *awa'ti* 'milho, arroz, trigo'. Hom./Par.: *abati* (fl. de *abater*).]

abatido (a.ba.*ti*.do) *a.* **1** Que se abateu **2** Com aspecto tristonho, desanimado: "Sai do júri mais sombrio e abatido do que os réus que por ele acabavam de ser condenados." (Joaquim Manuel de Macedo, *A luneta mágica*) **3** Com aspecto cansado **4** Diminuído em suas forças físicas e/ou morais devido à doença, tristeza ou cansaço; ALQUEBRADO; PROSTRADO: "Sou todo de incoerências. Vivo desolado, abatido, parado de energia, e admiro a vida, entanto como nunca ninguém a admirou." (Mário de Sá-Carneiro, *A confissão de Lúcio*) **5** Sem vida (diz-se esp. de animais); MORTO **6** Que se fez cair ao chão (contendor abatido, árvores abatidas; avião abatido); CAÍDO; DERRUBADO **7** Que teve abatimento, desconto; DESCONTADO; DEDUZIDO [+ *de, em: Vendi com preço abatido de/em 10%.*] [F.: Part. de *abater*.]

abatimento (a.ba.ti.*men*.to) *sm.* **1** Ação ou resultado de abater **2** Desconto em preço ou redução de valor: "Segundo os cálculos do Banco Central, somente com a recuperação do real frente à moeda americana, (...) a dívida externa encolheu US$1, 9 bilhão, um senhor abatimento." (*Correio Braziliense*, 24.10.2004) **3** Corte de árvores **4** Queda ou desmoronamento, demolição de uma construção **5** Falta de ânimo, de disposição para agir; DESALENTO; DESÂNIMO **6** Diminuição das forças físicas e/ou morais; ENFRAQUECIMENTO: "– Esta menina precisa tomar remédios, disse o coronel, reparando no abatimento, no apetite quase nulo de Lenita." (Júlio Ribeiro, *A carne*) **7** *Quím.* Diminuição do teor, ou eliminação, de uma substância [+ *de: abatimento de poluentes atmosféricos.*] **8** *Náut.* Ângulo formado pela quilha com a esteira da embarcação; desvio de uma embarcação de sua rota **9** Abaixamento do solo em relação ao terreno à sua volta [F.: *abater + -imento.*]

abatinar (a.ba.ti.*nar*) *v. td.* Vestir batina em (alguém ou si mesmo): *Precisavam abatinar o novo padre; O jovem padre afinal abatinou-se.* [▶ 1 abatinar] [F.: *a-*[2] *+ batina + -ar*[2]. *abatina(s)* (fl.), *abatina(s)* (sf. [pl.]).]

abatinga (a.ba.*tin*.ga) *s2g. AM* Pessoa que tem cabelos brancos [F.: Do tupi *awa'tinga*.]

abati-timbaí (a.ba.ti-tim.ba.*í*) *sm. Bras. Bot.* O mesmo que *jatobá* (*Hymenaea courbaril*) [Pl.: *abatis-timbaís* e *abatis-timbaí*.]

abatocado (a.ba.to.*ca*.do) *a.* **1** Em que se pôs batoque, para fechar ou tapar; ARROLHADO **2** Que se assemelha a batoque (rolha) **3** *Pop.* Diz-se de quem é ou está confuso, enleado **4** *Pop.* Diz-se de pessoa gorda e de baixa estatura [F.: Part. de *abatocar*.]

abatocar (a.ba.to.*car*) *v.* **1** Colocar batoque ou botoque em; ARROLHAR [*td.*: *abatocar uma garrafa*.] **2** Tornar atrapalhado, confuso, embaraçado; EMBARAÇAR [*td.*: *As jovens banhistas abatocaram o noviço*.] [*int.*: *Quando lhe perguntaram sobre o misterioso crédito em sua conta, o deputado abatocou*.] [► **11** abato**car**] [F.: *a*-^{2} + *batoque* + -*ar*^{2}. Sin. ger.: *abotocar*.]

abatumado (a.ba.tu.*ma*.do) *a.* **1** O mesmo que *abetumado* (1 e 2) **2** *Lus. S.* Diz-se de pão que ficou duro e pesado por fermentação insuficiente da massa: "Depois é leite derramado, bolo abatumado, lágrimas, mordidas e sangue." (Ariela Boaventura, "Não sacudam demais o Thiago, que ele pode acordar", *in Jornal de Poesia*) [F.: Part. de *abatumar*.]

abatumar (a.ba.tu.*mar*) *v.* O mesmo que *abetumar.* [*td.*: *abatumar o piso*.] [*int.*: *O pão abatumou*.] [► **1** abatu**mar**] [Sin. ger.: *betumar*, *embetumar*.]

abaulado (a.ba:u.*la*.do) *a.* Que se abaulou, ou que tem forma convexa, como a da tampa de um baú (teto abaulado) [F.: Part. de *abaular*.]

abaulador (a.ba:u.la.*dor*) [ô] *a.* **1** Que abaúla, que arqueia ou recurva *sm.* **2** Aquilo ou aquele que abaúla, que dá forma convexa ou abaulada (a algo) [F.: *abaular* + -*dor*.]

abaulamento (a.ba:u.la.*men*.to) [aú] *sm.* **1** Ação ou resultado de abaular **2** Forma curva, ou saliência bojuda (arredondada e convexa); CONVEXIDADE **3** *Ind.* Protuberância arredondada em canos ou ductos, resultado da ação de forças mecânicas ou da pressão interna dos fluidos que conduzem; BOJAMENTO **4** *Cons.* Forma convexa que se dá a terraços, calçamento de ruas, estradas etc. para facilitar o escoamento das águas pluviais [F.: *abaular* + -*mento*.]

abaular (a.ba:u.*lar*) *v.* Dar ou adquirir forma convexa, semelhante à das tampas dos baús; ARQUEAR; CURVAR [*td.*: *Abaularam o teto*.] [*int.*: *Com o calor, a capa do livro abaulou*.] [► **18** abau**lar**] [F.: *a*- + *baú* + -*lar*.]

abaúna (a.ba.*ú*.na) *s2g.* **1** *Bras.* Índio primitivo, de raça pura e autóctone do Brasil *a2g.* **2** De, próprio ou ref. a abaúna (1) ou aos abaúnas [F.: Do tupi.]

abaxial (a.ba.xi:*al*) [cs] *a2g.* **1** Que está (órgão vegetal ou parte dele) afastado do eixo ou oposto a ele **2** *Anat.* Que está fora do eixo do corpo **3** *Ópt.* Que não está situado no eixo óptico [Pl.: -*ais*.] [F.: Do lat. *ab*- + *axis* (eixo) + -*al*. Hom./Par. *abacial* (adj. 2g.).]

abc *sm2n.* **1** Alfabeto, abecedário **2** O mesmo que *abecê sm.* **3** Região do estado de São Paulo, formada pelos municípios de Santo André, São Bernardo do Campo e São Caetano [Em letras maiúsculas: ABC.] [F.: Das três primeiras letras do alfabeto: *a* + *b* + *c*.]

abdicação (ab.di.ca.*ção*) *sf.* Ação ou resultado de abdicar; RENÚNCIA [+ *a, de, de...em/em favor de*: *abdicação de D. João VI em/em favor de Pedro I; abdicação a/de seus direitos*.] [Pl.: -*ções*.] [F.: Do lat. *abdicatio, onis*.]

abdicado (ab.di.*ca*.do) *a.* De que se abdicou [F.: Do lat. *abdicatus, a, um*.]

abdicador (ab.di.ca.*dor*) [ô] *a.* **1** Que abdica *sm.* **2** Pessoa que abdica [Fem.: *abdicatriz*.] [F.: *abdicar* + -*dor*. Sin. ger.: *abdicante*.]

abdicante (ab.di.*can*.te) *a2g. s2g.* O mesmo que *abdicador.* [F.: Do lat. *abdicantis, ntis*.]

abdicar (ab.di.*car*) *v.* **1** Abandonar (cargo, poder) por vontade própria; RENUNCIAR [*td.*: "Por que não abdicou a majestade?" (Pe. Antônio Vieira, *Sermões*)] [*tr.* + *de*: *Abdicara do cargo de chefia*.] [*tdr.* + *em favor de*: *O rei abdicará o trono em favor do filho*.] [*int.*: *O soberano pretende abdicar*.] **2** Renunciar a, desistir de, abrir mão de [*td.*: "...sem abdicarmos a originalidade das nossas tendências..." (Euclides da Cunha, *Os sertões*)] [► **11** abdi**car** O *c* do radical muda para *qu* antes de *e* (*abdiquei*).] [F.: Do lat. *abdicare*.]

abdicatário (ab.di.ca.*tá*.ri:o) *a.* **1** Que abdica; ABDICADOR **2** Diz-se da pessoa em benefício da qual se abdicou *sm.* **3** Pessoa que abdica; quem resigna o cargo ou autoridade em que estava investido; ABDICADOR **4** A pessoa em benefício da qual alguém abdica [F.: *abdicar* + -*t*- + -*ário*.]

abdicativo (ab.di.ca.*ti*.vo) *a.* **1** Ref. a ou que envolve abdicação; que promove ou implica abdicação; ABDICATÓRIO **2** Que não tem outras implicações, que não diz respeito a outra coisa, que é exclusivo; ABDICATÓRIO [F.: Do lat. *abdicativus, a, um*.]

abdicatório (ab.di.ca.*tó*.ri:o) *a.* O mesmo que *abdicativo* [F.: Do lat. *abdicatorius, a, um*.]

abdicável (ab.di.*cá*.vel) *a2g.* Suscetível de ser abdicado; a que se deve ou se pode abdicar; RENUNCIÁVEL [Ant.: *inabdicável*.] [Pl.: -*veis*.] [F.: *abdica(r)* + -*vel*. Hom./Par.: *abdicáveis* (pl.), *abdicáveis* (fl. de *abdicar*).]

ábdito (*áb*.di.to) *a.* **1** Que está em lugar longínquo, afastado; REMOTO **2** *P. ext.* Que não se pode encontrar ou alcançar; OCULTO *sm.* **3** Lugar pouco habitado, ermo [F.: Do lat. *abditus, a, um*.]

abdome (ab.*do*.me) *sm.* **1** *Anat.* Região entre o tórax e a bacia no corpo humano e dos outros animais vertebrados; BARRIGA; VENTRE **2** *Zool.* Parte posterior do corpo de alguns invertebrados, esp. dos artrópodes; OPISTOSSOMA [F.: Do lat. *abdomen, inis*. Tb *abdômen*.] ■ **~ agudo** *Pat.* Grave distúrbio no abdome, com enrijecimento e dores, e que exige cirurgia de urgência

> 🕮 O abdome é a maior cavidade do corpo, separado do tórax por um músculo membranoso (diafragma), e envolto numa membrana chamada peritônio. No abdome estão situados quase todos os órgãos do aparelho digestivo (estômago, intestinos delgado e grosso), o baço, o fígado, o pâncreas, os rins e as suprarrenais.

abdômen (ab.*dô*.men) *sm.* Ver *abdome* [Pl.: *abdômens* e (*p. us. no Brasil*) *abdômenes*.]

abdominal (ab.do.mi.*nal*) *a2g.* **1** Ref. ao abdome ou que nele se localiza (cavidade abdominal; dores abdominais) **2** Em que há predomínio do abdome ou dos órgãos, músculos etc. que nele se localizam (exercício abdominal [Pl.: -*nais*.] *sf.* **3** Exercício localizado para os músculos do abdome: *Hoje fiz duzentas abdominais.* [Pl.: -*nais*.] *sm.* **4** Cada um dos músculos que movimentam e protegem a região abdominal [Pl.: -*nais*.] [F.: *abdomin(i)*- + -*al*^{1}.]

abdominia (ab.do.mi.*ni*.a) *sf. Desus. Pat.* Voracidade, gula insaciável de natureza compulsiva, que ocorre em episódios periódicos durante algum tempo; ADEFAGIA; BULIMIA [F.: *abdomin(o)*- + -*ia*^{1}.]

◎ **abdomin(o)-** *el. comp.* = 'abdome': *abdominia, abdominocentese, abdominoplastia* [F.: Do lat. *abdomen, inis*.]

abdominocentese (ab.do.mi.no.cen.*te*.se) *sf. Med.* Paracentese (punção para retirada de líquido) da cavidade abdominal [F.: *abdomin(o)*- + -*centese*.]

abdominoplastia (ab.do.mi.no.plas.*ti*.a) *sf. Cir.* Cirurgia plástica que retira o excesso de pele e de gordura da parede abdominal [F.: *abdomin(o)*- + -*plastia*.]

abdominoscopia (ab.do.mi.nos.co.*pi*.a) *sf. Med.* Exame do interior do abdome mediante endoscopia, ger. sob anestesia geral [F.: *abdomin(o)*- + -*scop*- + -*ia*^{1}.]

abdominoscópico (ab.do.mi.nos.*có*.pi.co) *a. Med.* Ref. a abdominoscopia [F.: *abdominoscop(ia)* + -*ico*^{2}.]

abdominoso (ab.do.mi.*no*.so) [ô] *a.* Que tem o ventre volumoso, proeminente; BARRIGUDO; PANÇUDO [Fem. e Pl.: [ó].] [F.: *abdomin(o)*- + -*oso*.]

abdominotorácico (ab.do.mi.no.to.*rá*.ci.co) *a. Anat.* Que diz respeito ao abdômen e ao tórax, simultaneamente [F.: *abdomin(o)*- + *torácico*.]

⊠ **ABDR** Sigla da *Associação Brasileira* para a *Proteção* dos *Direitos Editoriais* e *Autorais*

abdução (ab.du.*ção*) *sf.* **1** Ação ou resultado de abduzir **2** *Anat.* Movimento para afastar um membro ou parte dele da linha mediana do corpo **3** *Ufo.* Suposto rapto, ger. temporário, de um ser humano por seres de outros planetas, para estudo ou experiências científicas **4** *Lóg.* De acordo com Aristóteles e seus seguidores, silogismo cuja premissa menor é apenas provável, e cuja conclusão é, portanto, também apenas provável; APAGOGIA **5** *Lóg.* Para Charles Sanders Peirce, a primeira fase de uma inferência na qual se busca uma proposição geral capaz de explicar determinados fatos empíricos **6** *Jur.* Rapto com fraude, violência ou sedução [Pl.: -*ções*.] [F.: Do lat. *abductio, onis*.]

abducente (ab.du.*cen*.te) *a2g.* **1** Que separa ou afasta de um ponto **2** *Med.* Que realiza, produz abdução; ABDUTOR: "A paralisia do nervo abducente (ou 6º nervo) é uma complicação rara de otite média." (*Revista Brasileira de Otorrinolaringologia*, 03.04.2002) [F.: Do lat. *abducens, -entis*, part. pres. de *abducere* 'conduzir, levar, separar'.]

abductor (ab.duc.*tor*) [ô] *a. sm.* Ver *abdutor*

abdutivo (ab.du.*ti*.vo) *a.* Ref. a, que envolve ou que implica abdução; que tem capacidade de abduzir [F.: Do lat. *abductus, a, um*.]

abdutor (ab.du.*tor*) [ô] *a.* **1** Que produz abdução *sm.* **2** Nome genérico dado aos músculos que produzem o movimento da abdução: *o curto-abdutor do polegar; o abdutor do olho.* [Os músculos que lhes são opostos denominam-se *adutores*.] [F.: Do lat. cient. *abductor*. Tb. *abductor*.]

abduzir (ab.du.*zir*) *v. td.* **1** Afastar (alguém ou algo) de algum lugar, ger. de modo violento; causar abdução: *Ela jura que uma nave extraterrestre abduziu o namorado.* **2** *Fis.* Separar (membro ou parte de membro) da linha média do corpo: *O exercício consistia em abduzir a perna.* [► **57** abdu**zir**] [F.: Do lat. *abducere*.]

abeatar (a.be:a.*tar*) *v.* **1** Tornar(-se) beato [*td.*: *A conversão abeatou completamente a mulher*.] [*int.*: *Abeatou-se em pouco tempo*.] **2** Dar(-se) ares, aspecto de beato [*td.*: *Abeatou a expressão, parecia uma santinha*.] [*int.*: *Abeatou-se todo, para impressionar o padre*.] [F.: *a*-^{2} + *beato* + -*ar*^{2}.]

abebé (a.be.*bé*) *sm. Bras. Rel.* Leque circular metálico us. no rito ioruba, símbolo de Oxum (de latão com uma estrela no centro) e Iemanjá (de metal prateado ou pintado de branco com uma sereia ou um peixe no centro) [F.: Do ior. *abe'be* 'abano, leque'.]

abeberado (a.be.be.*ra*.do) *a.* **1** Que bebeu ou saciou a sede (gado abeberado) **2** Ensopado, encharcado de líquido: *Para preparar ensopado de bacalhau, junte miolo de pão abeberado no caldo da cozedura do bacalhau.* **3** Que se envolveu completamente, que se aprofundou (num assunto, num conhecimento, numa ideia etc.) **4** *Fig.* Insuflado, alimentado, dominado (por sentimentos intensos, entusiasmo, paixões) [F.: Part. de *abeberar*.]

abeberar (a.be.be.*rar*) *v.* **1** Dar de beber a, levar para beber, ou beber, matar a própria sede [*td.*: *abeberar o cavalo*.] [*int.*: *Já está na hora de o rebanho abeberar-se*.] **2** Impregnar(-se) de líquido; EMBEBER; ENSOPAR [*tda.*: *abeberar o pão no café com leite*.] [*int.*: *No temporal suas roupas se abeberaram*.] **3** Extrair ensinamento, adquirir conhecimento; APRENDER; INSTRUIR-SE [*ta.* + *em/a*: "... um compromisso de honra com a posteridade doméstica mandar dentre seus jovens, um, dois, três representantes abeberar-se à fonte espiritual do Ateneu" (Raul Pompeia, *O Ateneu*)] **4** Alimentar premeditadamente sentimentos, planejar, tramar [*td.*: *Abeberara toda a raiva durante anos*.] [► **1** abebe**rar**] [F.: do lat. **abbiberare*, "beber".]

abecar (a.be.*car*) *v. td. Bras. Pop.* Agarrar ameaçadoramente pela gola (de casaco, camisa etc.); ABERTURAR: *Abecou o rapaz para que ele dissesse a verdade.* [► **11** abe**car**] [F.: *a*- + *beca* + -*ar*.]

abecê (a.be.*cê*) *sm.* **1** Alfabeto, abecedário; ABECEDÊ **2** Forma substantivada das primeiras letras do alfabeto **3** Cartilha para aprender a ler, a soletrar e a escrever **4** Primeiras noções de qualquer ciência ou arte, de uma técnica, de uma doutrina etc.; RUDIMENTOS: *Comprei um livro com o abecê da culinária* **5** *Liter.* Composição poética popular, ger. satírica, sobre vidas de santos, feitos históricos e personagens famosos, com estrofes iniciadas pelas letras do alfabeto em sequência natural; ACRÓSTICO **6** Ver tb. *abc* [F.: Do nome das três primeiras letras do alfabeto: *a* + *bê* + *cê*.]

á-bê-cê (á-bê-*cê*) *sm.* O mesmo que *abecê* [Pl.: *á-bê-cês*.]

abecedária (a.be.ce.*dá*.ri:a) *Bot. sf.* **1** Planta composta (*Spilanthes acmella*) a que se dá também o nome de *erva-das-crianças* por lhe atribuírem na Índia a propriedade de desenvolver a língua das crianças, cuja pronúncia assim se facilita; ACMELA; AGRIÃO-DO-PARÁ; AGRIÃO-DO-BRASIL; JAMBUAÇU; MASTRUÇO; ERVA-DE-MÁLACA **2** Nome comum de plantas do gên. *Agave*, nativas da América (sul dos EUA aos trópicos da América do Sul), fornecedoras de fibras (como o sisal) e de uso medicinal e na fabricação de certas bebidas (México) **3** Qualquer das cerca de 100 espécies dessa planta, esp. o sisal (*Agave sisalana*) [F.: De *abecedário*.]

abecedário (a.be.ce.*dá*.ri:o) *a.* **1** Ref. à ordem alfabética ou ao alfabeto; disposto alfabeticamente **2** *Hist.* Ref. à seita dos Abecedários [Ver *abecedariano*.] *sm.* **3** O membro dessa seita **4** O conjunto de todas as letras vogais e consoantes de uma língua colocadas pela ordem sequencial natural; ALFABETO; ABECÊ **5** Pequeno livro para o ensino dos rudimentos da leitura e da soletração **6** Exercício de combinação das letras para formar sílabas, fonemas e palavras: "...folheando o abecedário por onde começava a soletrar as primeiras palavras..." (Camilo Castelo Branco, *Olho de vidro*) **7** Conjunto de signos especiais para a expressão das ideias (abecedário dos cegos; abecedário telegráfico) **8** *Poét.* Denominação de uma das variedades do acróstico alfabético, no qual as primeiras letras de cada estrofe compõem o alfabeto [F.: Do lat. *abecedarius, a, um* e *abecedarium, ii*.]

abedale (a.be.*da*.le) [ê] *sm.* Na Pérsia (moderno Irã), religioso muçulmano (corresponde ao monge cristão); ABDAL; ABDALÁ; ABEDALITA [F.: Do ár. *abdal*.]

abedalita (a.be.da.*li*.ta) [ê] *sm.* **1** O mesmo que *abedale a.* **2** Ref. a abedale, a abedalita (1) [F.: *abedal(e)* + -*ita*.]

abegão (a.be.*gão*) *sm.* **1** *Lus.* Aquele que cuida da abegoaria **2** Feitor, aquele a quem está cometida a administração de um sítio ou fazenda [Pl.: -*gãos*. Fem.: *abegoa*.] *a.* **3** Ref. a abegoaria [Pl.: -*gãos*.] [F.: Do lat. *abigone* (pastor).]

abegoaria (a.be.go:a.*ri*.a) *Lus. sf.* **1** Em estabelecimento agrícola, lugar onde se guarda o gado e onde se guardam e fabricam instrumentos agrícolas **2** Os animais de criação e os utensílios que integram uma propriedade agrícola **3** Num povoado, local público onde seus habitantes guardam animais e material de limpeza [F.: *abegão* + -*aria*. Sin. ger.: *abegaria, abegoura*.]

abeirado (a.bei.*ra*.do) *a.* **1** Que se abeirou **2** Que está ou se colocou na beira; à beira (de algo) [+ *a, de*: *casa abeirada ao rio*.] **3** *P. ext.* Que se encontra próximo [+ *a, de*: *abeirado à cadeira da irmã*.] [F.: Part. de *abeirar*.]

abeirante (a.be:i.*ran*.te) *a2g.* **1** *S.* Que se abeira, que está próximo ou se aproxima de uma beira **2** Que se aproxima de (determinada idade) [+ *a, de*: *uma senhora abeirante aos/dos sessenta*.] [F.: *abeira(r)* + -*nte*.]

abeirar (a.bei.*rar*) *v.* **1** Chegar ou fazer chegar na beira, na extremidade de algo [*td.*: *Abeirou o parapeito da janela*.] [*tr.* + *de*: "Vi-o logo depois abeirar-se da trincheira..." (Euclides da Cunha, *Os sertões*)] [*tdr.* + *de*: *Abeirou o carro da orla da estrada*.] **2** Chegar perto de [*tr.* + *de*: *Abeirou-se do amigo e cochichou-lhe algo*.] [*td.*: *Abeirou o amigo e cochichou-lhe algo*.] [► **1** abei**rar**] [F.: *a*- + *beira* + -*ar*.]

abelha (a.*be*.lha) [ê] *sf. Zool.* Nome comum de numerosas espécies de insetos himenópteros, apídeos e/ou meliponídeos, que se dividem em abelhas sociais, solitárias e parasitas, sendo as espécies sociais as que produzem mel em abundância [Masc.: *abelha-macho, abelha-macha, zangão*.] [F.: Do lat. *apicula, ae*, dim. de *apis, is*, 'abelha'. Ideia de 'abelha': *api*- (*apicultura*), *meliss(o)*- (*melissografia*).]

> 🕮 As abelhas vivem socialmente em colmeias, estruturas que elas mesmas constroem com cera, constituídas de favos, que são conjuntos de compartimentos em forma de hexágono. Muitos milhares de abelhas podem habitar uma colmeia, e é lá que as abelhas-operárias fabricam a cera, o mel, o própolis e a geleia real. As abelhas-mestras, ou abelhas-rainhas, são maiores que as

operárias, e sua única função é pôr os ovos que vão gerar mais abelhas. O zangão é a abelha-macha, cujo papel é fertilizar a abelha-mestra. A picada da abelha pode ser dolorosa, e em grande quantidade (mais de cem) pode ser perigosa até para um homem adulto.

abelha-africana (a.be.lha-a.fri.*ca*.na) *sf. Bras. Zool.* Espécie de abelha (*Apis mellifera scutellata*) muito agressiva, cujas operárias têm marcas amarelo-avermelhadas no abdômen; originária da África, chegou ao Brasil em 1956, difundindo-se do interior do Estado de São Paulo para todo o país [Pl.: *abelhas-africanas.*]

abelha-caucasiana (a.be.lha-ca:u.ca.si:*a*.na) *sf. Bras. Zool.* Espécie de abelha (*Apis mellifera caucasica*) originária do Cáucaso, considerada a menos agressiva das abelhas manejadas em apiário; suas operárias têm coloração do cinza ao amarelado e medem de 12 mm a 13 mm de comprimento [Pl.: *abelhas-caucasianas.*]

abelha-da-terra (a.be.lha-da-*ter*.ra) *sf. Bras.* Designação comum de diversas esp. de abelhas, originárias do Brasil, que nidificam no solo; PAPA-TERRA [Pl.: *abelhas-da-terra.*]

abelha-do-pau (a.be.lha-do-*pau*) *sf. Bras. Zool.* Nome dado às abelhas meliponídeas que nidificam em ocos de árvores; MEL-DE-PAU [Pl.: *abelhas-do-pau.*]

abelha-europeia (a.be.lha-eu.ro.*péi*:a) *sf. Bras. Zool.* Espécie de abelha (*Apis mellifera mellifera*) originária da Europa, cujas operárias apresentam o abdômen escuro, com ferrão bem desenvolvido, e medem de 12 mm a 13 mm de comprimento [Pl.: *abelhas-europeias.*]

abelha-macha (a.be.lha-*ma*.cha) *sf.* O mesmo que *zangão.* [Pl.: *abelhas-machas.*]

abelha-mestra (a.be.lha-*mes*.tra) *sf.* **1** *Zool.* Única abelha fecundável de uma colmeia; ABELHA-RAINHA **2** *Fig.* Mulher astuciosa, cheia de artimanhas para controlar e dominar tudo [Pl.: *abelhas-mestras.*] [F.: *abelha* + *mestra*, fem. de *mestre.*]

abelhamirim (a.be.lha.mi.*rim*) *sf.* Nome comum de abelhinhas (4mm ou menos de comprimento) meliponídeas brasileiras (*Melipona minima*) [Pl.: *-rins.*]

abelha-mosquito (a.be.lha-mos.*qui*.to) *sf. Bras. Zool.* Abelha meliponínea (*Plebeia droryana*), escura com manchas amarelas, que nidifica em ocos de árvores ou fendas de rochas; JATAÍ; JATI; JATAÍ-MOSQUITO; JATAÍ-PRETA; JATI-PRETA [Pl.: *abelhas-mosquitos; abelhas-mosquito.*]

abelha-mulata (a.be.lha-mu.*la*.ta) *sf. Bras. Zool.* Abelha meliponídea (*Schwarziana quadripunctata*), de coloração negra, que nidifica no chão; ABELHA-DO-CHÃO; GUIRA; IRUÇU; IRUÇU-DO-CHÃO; MULATINHA; MUMBUCA-LOURA [Pl.: *abelhas-mulatas.*]

abelhão (a.be.*lhão*) *sm.* **1** Espécie de abelha (*Apis violacea*) notável pela sua cor violeta, que põe os ovos em profundos buracos que cava nas madeiras **2** Grande abelha **3** *Bras.* O mesmo que *mamangaba* **4** Zangão. [Pl.: *-lhões.*] [F.: *abelha* + *-ão*[1].]

abelha-preta (a.be.lha-*pre*.ta) *sf.* O mesmo que *abelha-europeia.* [Pl.: *abelhas-pretas.*]

abelharuco (a.be.lha.*ru*.co) *sm. Lus. Ornit.* Ave migradora, o mesmo que *abelheiro (4).* [F.: Do espn. *abejaruco.*]

abelheira (a.be.*lhei*.ra) *sf.* **1** *Apic.* Ninho de abelhas, esp. aquele em tronco de árvore **2** Buraco que surge nas pedras e nos mármores, semelhante aos que as abelhas fazem nos troncos das árvores; ABELHEIRO **3** *Bot.* Designação vulgar de uma espécie de orquídeas; ABELHA-FLOR [F.: *abelh(a)* + *-eira.*]

abelheiro (a.be.*lhe*:i.ro) *sm.* **1** *Apic.* Pessoa que cria abelhas; APICULTOR; COLMEEIRO **2** *Apic.* Colmeia ou outro tipo de habitação de abelhas; ABELHEIRA **3** *P. ext.* Conjunto de buracos (na superfície de pedras) que lembra aqueles que as abelhas fazem nos troncos das árvores; ABELHEIRA *sm.* **4** Ave coraciiforme meropídia (*Merops apiaster*), encontrada na Europa, na Ásia e no norte da África, de plumas coloridas, que se nutre de abelhas e outros insetos; ABEJARUCO; ABELHARUCO; ABELHUCO; MELHARUCO; MILHARÓS **5** *Ent.* Denominação de várias espécies de besouros, da família dos clerídeos, cujas larvas buscam alimento em colmeias de abelhas ou vespas [F.: *abelh(a)* + *-eiro.*]

abelhudice (a.be.lhu.*di*.ce) *sf.* **1** *Pop.* Qualidade de abelhudo; seus modos **2** Intromissão (de alguém) em assunto que não lhe diz respeito, para dele se inteirar ou nele agir; BISBILHOTICE [F.: *abelhudo* + *-ice.*]

abelhudo (a.be.*lhu*.do) *a.* **1** Que se mete onde não é chamado; INTROMETIDO **2** Que é curioso, indiscreto; BISBILHOTEIRO **3** *Lus.* Que é ativo, diligente, incansável, como as abelhas *sm.* **4** Aquele que se mete onde não é chamado; INTROMETIDO; METEDIÇO **5** Aquele que é curioso, indiscreto; BISBILHOTEIRO **6** *Lus.* Aquele que é ativo, diligente, incansável, como as abelhas [F.: *abelha* + *-udo.*]

abelim (a.be.*lim*) *sm. Rel.* O carpidor, nas exéquias judaicas [Pl.: *-lins.*] [F.: Do hebr. *evel* (luto), por *avelim* (enlutados).]

abelmosco (a.bel.*mos*.co) [ô] *sm.* **1** *Bot.* Nome comum a plantas malváceas do gên. *Abelmoschus*, originárias das regiões tropicais da Europa e da Ásia **2** Certo arbusto da Índia (*Abelmosochus moschatus*) cujo óleo é us. em perfumaria como substituto do almíscar; AMBARILHA; AMBRETA; QUIABO-CHEIROSO [F.: Do ár. *Habb-al-musk* 'grão de almíscar', pelo lat. cient. *Abelmoschus.*]

abemolado (a.be.mo.*la*.do) *a.* **1** *Mús.* Que se abemolou; que foi modificado por bemol, que recebeu a notação do bemol (diz-se de nota musical) **2** *Mús.* Baixado em um semitom (diz-se de nota musical) **3** *Fig.* Muito brando, doce, suave (ger. ref. a voz): *Minha professora tem uma voz abemolada.* [Pode ser empregado em sentido pej., indicando feminilidade.] [F.: Part. de *abemolar.*]

abemolar (a.be.mo.*lar*) *v.* **1** *Mús.* Baixar (uma nota musical) em meio-tom [*td.*: *O pianista abemolou o si bemol.*] **2** *Mús.* Assinalar com bemol [*td.*: *O músico abemolou algumas notas.*] **3** *Fig.* Tornar(-se), mais suave, mais delicado [*td.*: *abemolar a voz.*] [*int.*: *Sua voz abemolou-se graças aos exercícios respiratórios.*] **4** *P. ext.* Tornar(-se) efeminado, dengoso [*td.*: *Abemolou a maneira de andar.*] [*int.*: *Nos dias de folia, abemolou-se.*] [▶ 1 abemolar] [F.: *a-*[2] + *bemol* + *-ar*[2].]

abencerrage *a2g. s2g.* Ver *abencerragem*

abencerragem (a.ben.cer.*ra*.gem) *a2g.* **1** Ref. ou da linhagem moura que dominou Granada [Tb. se diz *abencerrage.*] *s2g.* **2** Indivíduo dos abencerragens (ou abencerrages), linhagem moura de Granada [Pl.: *-gens.*] [F.: Do ár. *abenas-sarraj*, pelo fr. *abencérage.*]

abençoado (a.ben.ço.*a*.do) *a.* **1** Que recebeu bênção; BENDITO [+ (*p. us.*) *de, por*] **2** *Fig.* Que teve ou tem a boa sorte de conseguir bens materiais e/ou espirituais; VENTUROSO; AFORTUNADO [+ *de/por... com/em*: *Somos um país abençoado de/por Deus com/em riquezas naturais, boas terras e bom clima.*] **3** *Fig.* Fértil, fecundo: "Estava ali o ventre abençoado que gerara os dois gêmeos." (Machado de Assis, *Esaú e Jacó*) **4** *Fig.* Que, por suas qualidades ou oportunidade, por bem-fadado, leva ou pode levar a bons resultados (ideia abençoada) *sm.* **5** Pessoa abençoada [F.: Part. de *abençoar.*]

abençoador (a.ben.ço:a.*dor*) [ô] *a.* **1** Que abençoa **2** *Fig.* Que protege, que zela (por algo ou alguém) *sm.* **3** Aquele que abençoa **4** *Fig.* Aquele que protege, que zela [F.: *abençoa(r)* + *-dor.*]

abençoante (a.ben.ço:*an*.te) *a2g.* O mesmo que *abençoador* [F.: *abençoa(r)* + *-nte.*]

abençoar (a.ben.ço.*ar*) *v.* **1** Conceder bênção a: "Eu abençoarei o amor de vocês." (Paulo Coelho, *Brida*) **2** Trazer prosperidade, bem-estar, sorte, felicidade, proteção a: *A vida o abençoou; tudo o que tenta dá certo.* **3** Fazer o sinal da cruz; BENZER(-SE); PERSIGNAR(-SE): *Ao entrar em campo, sempre se abençoava; Tomou o filho no colo e o abençoou.* [▶ 16 abençoar] [F.: Deriv. de *benzer.* Ant. (1 e 2): *amaldiçoar.*]

abendiçoar (a.ben.di.ço.*ar*) *v. td.* **1** O mesmo que *abençoar* (dar a bênção): *O padre abendiçoa os fiéis.* **2** O mesmo que *bendizer* (glorificar, louvar): *Abendiçoa sempre os filhos.* [▶ 16 abendiçoar] [F.: *a-*[2] + *bendição* + *-ar*[2].]

abentérico (a.ben.*té*.ri.co) *a. P. us. Anat. Med.* Situado ou que acontece fora do intestino [F.: *ab-* + *enter(o)* + *-ico*[2].]

aberém (a.be.*rém*) *sm.* **1** *N. E.* Espécie de bolo feito de massa de milho ralado em pedra, água e açúcar, envolto em folha de bananeira e assado **2** *Bras.* Variante do aberém (1), feito com milho ou arroz, e cozido; BURÉ [Pl.: *-réns.*] [F.: Do ior.]

aberêmoa (a.be.*rê*.mo:a) *sf.* **1** *Bot.* Nome comum de árvores ou arbustos anonáceos da América do Sul do gên. *Aberemoa*, cujas espécies também se incluem nos gên. *Duguetia* ou *Guatteria*; ABEREMA; ABEREMO **2** *Bot.* Certa árvore (*Duguetia lanceolata*) do centro-oeste e do sul do Brasil, de madeira útil e fruto saboroso; BIRIBÁ [F.: Do lat. cient. *Aberemoa.*]

aberração (a.ber.ra.*ção*) *sf.* **1** Ação ou resultado de aberrar **2** Aquilo que, por se afastar do padrão, é considerado um absurdo, uma anormalidade: "...convivemos com juros reais que seriam considerados uma aberração em qualquer outra economia..." (*O Globo*, 25.10.2004) **3** *Fig.* Desvio do espírito, erro de raciocínio; DESATINO; DESVARIO **4** *Ópt.* Desvio na direção de raio luminoso ao atravessar um sistema óptico (p. ex., uma lente), e a consequente distorção na imagem **5** *Astron.* Desvio aparente da posição de um astro em relação ao observador, devido à soma dos efeitos das velocidades da luz e da movimentação da Terra **6** *Anat. Fisl.* Anomalia na conformação, na posição ou nas funções de um órgão **7** *Trt.* Conformação anormal no corpo de um ser; esse ser [Pl.: *-ções.*] [F.: Do lat. *aberratio, onis.*] ■ **~ ânua** *Astron.* Aquela produzida pela revolução da Terra em torno do Sol; aberração das fixas **~ cromática** *Ópt.* Não superposição das diferentes imagens cromáticas resultantes da refração da luz em um meio (como uma lente) **~ cromossômica** *Gen.* Anomalia da estrutura ou do número de cromossomos em relação ao padrão da espécie **~ da luz** *Astron.* Aparente deslocamento de um astro em direção a um observador na Terra, resultante da combinação da velocidade da luz com a velocidade da Terra **~ da natureza** **1** Qualquer fenômeno natural de aparência insólita ou de causa incompreensível **2** Degradação de conduta ou de valores de um indivíduo, súbita ou paulatina **~ diurna** *Astron.* Aberração da luz, por efeito do movimento de rotação da Terra **~ dos sentidos** Erro na percepção da realidade pelos sentidos **~ esférica** *Ópt.* Diferença entre as distâncias de convergência de dois feixes de raios paralelos que incidem numa superfície óptica esférica, um na periferia, outro perto do eixo **~ geométrica** *Ópt.* Aberração monocromática **~ monocromática** *Ópt.* A que é determinada pela forma geométrica dos meios de refração do sistema óptico; aberração geométrica

aberrante (a.ber.*ran*.te) *a2g.* Que aberra; que se afasta ou desvia do que é considerado normal ou padrão [F.: Do lat. *aberrans, antis.*]

aberrar (a.ber.*rar*) *v.* **1** Desviar-se, afastar-se do que é considerado normal, ou habitual [*tr.* + *de*: *aberrar do bom senso.*] [*int.*: "Aberrara-se-lhe o apetite, desejava coisas extravagantes." (Júlio Ribeiro, *A carne*)] **2** Errar para longe; AFASTAR-SE [*tr.* + *de*: "Pastora que vens da serra, / Não vês que do teu rebanho / A ovelha melhor se aberra." (Coelho Neto, *Pastoral*)] **3** Ser ou ficar diferente (de), insólito; DESTOAR [*tr.* + *de*: *Com aquele comportamento, aberrava de todos do grupo.*] [*int.*: *Foi ficando esquisito, até aberrar-se completamente.*] [▶ 1 aberrar] [F.: Do lat. *aberrare.*]

⊕ **aberratio delicti** *loc. subst. Jur.* Engano do criminoso na identificação da vítima contra a qual pratica um crime [F.: Do lat.]

⊕ **aberratio ictus** *loc. subst. Jur.* Erro ou acidente na perpetração de um crime que leva o criminoso a atingir pessoa não visada por ele [F.: Do lat.]

aberrativo (a.ber.ra.*ti*.vo) *a.* Ref. a, em que há ou que envolve aberração; ABERRATÓRIO [F.: *aberra(r)* + *-tivo.*]

aberratório (a.ber.ra.*tó*.ri:o) *a.* O mesmo que *aberrativo* [F.: *aberra(r)* + *-tório.*]

aberta (a.*ber*.ta) [é] *sf.* **1** Fresta, abertura: *O carro avançou pela aberta criada na multidão pelos batedores.* **2** Espaço aberto, parte sem árvores, em mata ou bosque; CLAREIRA **3** Ocasião adequada para fazer algo; OPORTUNIDADE; ENSEJO: "...o gaúcho (...) procurou de longe iludir a pontaria, para precipitar-se contra o inimigo apenas este lhe deixasse uma aberta, e cravar-lhe a lança." (José de Alencar, *O gaúcho*) **4** Vala para escoar água represada **5** Porção de céu que se vislumbra entre as nuvens: "Mas, de repente, entre uma aberta de nevoeiro, eu via a linha azulada do mar..." (José de Alencar, *Cinco minutos*) **6** Em meio a chuva continuada, breve período sem chuva **7** *BA* Pasto ou lavoura numa clareira **8** *S.* Clareira que forma uma passagem ao longo do sopé de uma serra **9** *Amaz.* Lugar às margens de um rio em que o campo substitui a floresta **10** *Vest.* Em vestimenta, lugar em que não está fechada, abotoada etc. **11** Pequeno intervalo de tempo com interrupção de atividades; INTERVALO; PAUSA [F.: Fem. substv. de *aberto.*]

abertamente (a.ber.ta.*men*.te) *adv.* De modo aberto, com franqueza, claramente, manifestamente [F.: *aberta* (fem. do a. *aberto*) + *-mente.*]

abertão (a.ber.*tão*) *sm. BA S.* Grande clareira [Pl.: *-tões.*] [F.: aum. de *aberto.*]

abertas (a.ber.*tas*) [é] *sfpl.* Espaços livres deixados num manuscrito, num documento etc., como forma de separar textos ou para serem preenchidos depois [F.: subst. pl. de *aberto*. Cf. *janela (6).*]

aberto (a.*ber*.to) *a.* **1** Que se abriu; que não está fechado ou cerrado ou tampado (olhos abertos; caixa aberta; cortina aberta; porta aberta); DESCERRADO **2** Sem impedimento para que se entre ou saia, se percorra, se acesse, se enxergue etc. (estrada aberta; visão aberta) **3** Diz-se de lugar, recinto, evento etc. cuja entrada é permitida a todos, hospitaleiramente, cordialmente etc.: *Era uma casa aberta para todos os amigos.* **4** Que não está abotoado, nem tem unido ou encaixado o fecho ecler ou outro tipo de fecho, nem é muito fechado (diz-se de roupas) (camisa aberta, decote aberto): *vestido aberto nas costas.* **5** Não cicatrizado (diz-se de ferida) **6** *Fig.* Diz-se do tempo ou do céu quando sem nuvens **7** Diz-se do que está estendido, e não dobrado ou enrolado, como costuma ser guardado (rolo aberto, mapa aberto) **8** Que está afastado, apartado (diz-se de algo em relação a seu par ou seus pares) (braços abertos, pernas abertas, dedos abertos) **9** Cujas partes, unidas por um ponto de articulação, estão afastadas entre si (livro aberto; leque aberto) **10** Sem cobertura, ou com ela recolhida (carro aberto) **11** Sem impedimento (ou, às vezes, pagamento) para que se entre, ou se inscreva, ou se assista, ou se participe, ou a que se tenha acesso etc. (televisão aberta, torneio aberto) [+ *a, para*: *festa aberta à comunidade; concurso aberto para jovens de 15 a 18 anos.*] **12** Que se desfez, desmanchou (costura aberta, embrulho aberto) **13** Que já se iniciou ou que está funcionando (inscrições abertas; bar aberto) [+ *a, para.*] **14** *Fig.* Não discutido até se chegar a uma conclusão, não solucionado (questão aberta) **15** Gravado, riscado com instrumento como cinzel, buril etc. [+ *em*: "Eu, exposta às intempéries, eu inscrição aberta no dorso de uma pedra..." (Clarice Lispector, *A hora da estrela*)] **16** Amplo, vasto, sem limites estreitos (mar aberto, campo aberto) **17** *Fig.* Que se apresenta como é de fato; evidente, declarado (guerra aberta; política aberta) **18** Acessível, receptivo, fácil no trato (diz-se de pessoa) **19** Que não é defendido por fortificações, nem por acidentes naturais, como montanhas ou rios (diz-se de lugar, país, campo) **20** *Fig.* Sem proteção, exposto ao perigo: *proteger um flanco aberto; Enfrentou a situação de peito aberto.* **21** *Fig.* Que aceita ideias novas, que não se prende a conceitos preestabelecidos (político aberto.); LIBERAL [+ *a, para*: *Ele tem a mente aberta às/para as boas influências.*] **22** *Fig.* Que demonstra sinceridade, sem artifícios (sorriso aberto; conversa aberta); SINCERO **23** *Fig.* Que exprime franqueza e benevolência (uma fisionomia aberta) **24** Que está em exercício (Senado Federal aberto) **25** Que se abriu, desabrochou (flor, botão etc.) **26** Que se escavou; que se abriu (buraco, cova etc.) e não se tapou (sepultura aberta); ESCAVADO; CAVADO **27** Sem telhado, ou cercado por paredes baixas (varanda aberta; terraço aberto) **28** Do qual se pode divisar vista, paisagem etc. [+ *para, sobre*: *janela aberta sobre o jardim, terraço aberto para a vista do vale.*] **29** *Ort.* Que sofreu luxação ou distensão (parte do corpo, esp. o pulso) **30** *Esp. Fut.* Diz-se de jogador ou de jogada próximos a uma da linhas laterais e não na parte central (longitudinalmente) do campo (alas bem abertos, ataque aberto) **31** *Esp.* Com marcação deficiente, ou com jogadores escassos ou mal posicionados (diz-se da defesa) (defesa aberta) **32** *Gram.* Diz-se do som das vogais /á/, /é/, /ó/ **33** *Econ.* Diz-se de capital (de empresa de sociedade anônima) representado por ações negociáveis **34** *Econ.* Diz-se de empresa de capital aberto (33) **35** De tom claro, vivo (diz-se de cor) **36** *Mar.* Diz-se do tipo de navegação em que o navio recebe o vento de alheta, i. e., quando este forma com a quilha um ângulo agudo **37** Diz-se do casco de embarcação que se rompeu *sm.* **38** *Esp.* Torneio aberto (11): *Ele sonha jogar no Aberto dos EUA.* [Com inicial maiúscula.] **39** Espaço deixado na trama das rendas ou dos bordados **40** Espaço livre, desocupado; ABERTURA [F.: Do lat. *apertus, a, um.*]

abertura (a.ber.*tu*.ra) *sf.* **1** Ação ou resultado de abrir, de dar início, de dar passagem etc. **2** Espaço vazio; BURACO; FENDA: *Olhou pela abertura da porta.* **3** Lugar, trecho ou momento em que algo começa; INÍCIO; COMEÇO; PRINCÍPIO: *abertura do show; abertura do curso; abertura do filme.* **4** Início de um processo, de uma atividade (com ou sem solenidade inaugural); essa solenidade, ou evento que marca esse momento; INAUGURAÇÃO **5** *Fig.* Qualidade, condição ou característica do que está aberto **6** *Econ.* Estabelecimento de um contrato para depósito e movimentação de dinheiro em um banco (abertura de conta corrente; abertura de poupança) **7** *Fig.* Liberdade para agir: *Damos abertura total a nossos redatores.* **8** *Mús.* Parte que inicia uma obra musical, ger. para orquestra: *Reconheci os acordes da abertura de O Guarani.* **9** *Pol.* Processo de transição de um regime político, de autoritário para democrático, de direito, com liberdade de expressão etc. **10** *Bras. Restr. Pol.* A abertura (9) iniciada no Brasil na década de 1980 **11** Instauração, início (abertura de inquérito; abertura de processo) **12** Criação, geração: *A empresa anunciou a abertura de novos empregos.* **13** *Econ.* Redução da intervenção do Estado na economia, ou fim do monopólio estatal de um setor (abertura econômica): *abertura do setor de telecomunicações.* **14** Parte por onde se abre, para vestir, uma peça do vestuário (abertura da camisa) **15** *Geom.* Distância entre as duas linhas que formam um ângulo, ou entre os pontos extremos de um arco, das pontas de um compasso, de uma curva não fechada ou de algo que tenha essa forma (como uma baía, uma ferradura etc.) **16** *Fon.* Timbre de uma vogal que resulta do afastamento entre a língua e o céu da boca **17** *Ópt.* Num sistema óptico, diâmetro do orifício do diafragma **18** *Rád. Telv.* Texto, fundo musical, imagens, vinhetas etc. com que se começa programa ou transmissão de rádio ou televisão **19** *Cin. Fot.* Ação ou resultado de diminuir por meio de zum a distância focal, aumentando a área de imagem a ser registrada **20** *Jorn.* Conjunto de elementos de texto com que se começa uma matéria, como *leads*, títulos, introduções etc. **21** *Lud.* No xadrez, lance ou sequência de lances com que se começa uma partida, ger. como uma estratégia predefinida, muitas vezes parte de um repertório clássico, com um nome próprio **22** Disposição ou capacidade ou atitude de aceitar situações, comportamentos, ideias etc. não convencionais, modernos, inovadores etc. **23** *Fig.* Intimidade ou cumplicidade para agir com sinceridade, para dividir ou compartilhar ideias, segredos, sentimentos etc.: *Ele e eu nunca tivemos abertura para falar sobre certas coisas.* [F.: Do lat. *apertura, ae.*] ■ **~ efetiva** *Fot.* A parte da (lente) objetiva pela qual passam os raios luminosos que irão formar a imagem no filme ou na chapa **~ linear** *Ópt.* Diâmetro da parte utilizável de um espelho ou uma lente **~ numérica** *Ópt.* Produto do índice de refração do meio óptico de um microscópio pelo seno do ângulo de abertura do cone luminoso que penetra na sua objetiva **~ relativa** *Ópt.* Numa objetiva, razão entre sua distância focal e sua abertura linear [Tb. se diz simplesmente *abertura.*]

abesana (a.be.*sa*.na) *sf.* **1** Junta de bois **2** *Ant.* O primeiro sulco do arado ao se iniciar a aração de um campo, o qual servirá de guia para os demais [F.: Do espn. *abesana.* Sin. ger.: *bessana, abessana.*]

abespinhadiço (a.bes.pi.nha.*di*.ço) *a.* Que se abespinha, se irrita por qualquer coisa; IRRITADIÇO [F.: *abespinhad(o)* + *-iço.*]

abespinhado (a.bes.pi.*nha*.do) *a.* **1** Que se abespinhou, irritou **2** Que se deixa irritar, que se exaspera com facilidade; ABESPINHADIÇO [F.: Part. de *abespinhar.*]

abespinhamento (a.bes.pi.nha.*men*.to) *sm.* **1** Ação ou resultado de abespinhar(-se) **2** Estado de quem está abespinhado, irritado [F.: *abespinha(r)* + *-mento.*]

abespinhar (a.bes.pi.*nhar*) *v.* **1** Deixar ou ficar exasperado, irritado, como as vespas; AGASTAR(-SE); IRRITAR(-SE) [*td.*: *As provocações acabaram por abespinhá-la*] [*int.*: *Abespinha-se à toa.*] **2** Aborrecer(-se), zangar(-se), deixar (ou ficar) de mau humor [*td.*: *O trânsito engarrafado não o abespinhava.*] [*int.*: *Abespinhou-se por estar atrasado.*] [▶ 1 abespinhar] [F.: *a-*[2] + *bespa* (= vespa) + *-inhar.*]

abestado (a.bes.*ta*.do) *a.* **1** Que se abestou, que ficou pasmo, embasbacado: *Ficou abestado diante da cena.* **2** Que se bestificou, que se tornou estúpido ou embrutecido [F.: Part. de *abestar.*]

abestalhado (a.bes.ta.*lha*.do) *a.* **1** *Pop.* Que ficou perplexo, embasbacado; PASMO **2** Que se embruteceu **3** Que se comporta de modo tolo; BOBO; IMBECIL **4** *Pop.* Convencido, presunçoso [F.: Part. de *abestalhar.*]

abestalhar-se (a.bes.ta.*lhar*-se) *v. int.* **1** *Bras. Pop.* Ficar admirado, perplexo, pasmo, embasbacado; EMBASBACAR-SE: *Ao vê-la, abestalhou-se.* **2** Tornar-se ou adquirir maneiras de bruto, grosseiro **3** Tornar-se ou agir como bobo, tolo; APARVALHAR-SE: *Vai abestalhar-se se continuar assistindo a esses programas.* **4** *Pop.* Assumir ares presunçosos, arrogantes; agir com empáfia [▶ 1 abestalhar-se] [F.: *a-* + *besta* + *-alhar.*]

abestar (a.bes.*tar*) *v. Pop.* Ver *bestificar* [▶ 1 abestar] [F.: *a-* + *besta* + *-ar.*]

abeta (a.*be*.ta) [ê] *sf.* **1** Pequena aba **2** *Maçon.* Pequena aba em avental de maçom, indicativa do grau de quem o veste [F.: *ab(a)* + *-eta.*]

abeto (a.*be*.to) [ê] *Bot. sm.* **1** Nome comum para árvores da família das pináceas, gên. *Abies*, encontradas na Europa e cultivadas em regiões temperadas do Brasil, cuja madeira é us. em marcenaria e na fabricação de papel **2** A madeira dessa árvore [F.: Do lat. vulg. *abete* (lat. *abies, etis*).]

abeto-branco (a.be.to-*bran*.co) *sm.* **1** *Bot.* Árvore (*Abies alba*) com até 50 m de altura, tronco muito aprumado, pinhas cilíndricas e folhas densas, mas flexíveis, com o vértice superficialmente chanfrado e duas riscas brancas na parte inferior. Sua madeira é muito apreciada **2** Grande árvore das pináceas (mais de 20 m de altura), da América do Norte (*Picea galuca*) [Pl.: *abetos-brancos.*]

abeto-do-canadá (a.be.to-do-ca.na.*dá*) *sm.* Árvore conífera perene (*Abies balsamea*), da família das pináceas, do nordeste dos Estados Unidos e do Canadá, que atinge 40m de altura e tem folhas longas e afiladas e estróbilos aprumados, cilíndricos e arroxeados. [É fonte de madeira, de celulose e de uma resina chamada *bálsamo-do-canadá.*] [Pl.: *abetos-do-canadá.*]

abetumado (a.be.tu.*ma*.do) *a.* **1** Unido ou tapado com betume **2** *Fam. Fig.* Tristonho, macambúzio **3** *Lus. S.* Diz-se do pão ou bolo que ficou muito compacto e pesado devido a fermentação insuficiente da massa [F.: Part. de *abetumar.* Sin. ger.: *abatumado, abitumado.*]

abetumador (a.be.tu.ma.*dor*) [ô] *a.* **1** Que abetuma (material abetumador) **2** Ref. a quem abetuma, quem reveste com material isolante (operário abetumador); BETUMADOR *sm.* **3** Aquele que abetuma **4** Operário abetumador (2); BETUMADOR [F.: *abetuma(r)* + *-dor.*]

abetumar (a.be.tu.*mar*) *v.* **1** *Quím.* Fazer ficar semelhante ao betume [*td.*: *abetumar a tinta do quadro.*] **2** Colocar betume sobre; cobrir de betume; CALAFETAR [*td.*: *abetumar o assoalho.*] **3** *Bras. SP P. ext.* Tornar-se abetumado (o pão) [*int.*: *Os pães abetumaram.*] [▶ 1 abetumar] [F.: *a-*[2] + *betumar.*]

abexim (a.be.*xim*) *a.* **1** Ref. à Abissínia (país da África, hoje Etiópia) [Pl.: *-xins.*] *sm.* **2** Língua da Abissínia [Pl.: *-xins.*] *s2g.* **3** Pessoa nascida ou que vive na Abissínia (hoje Etiópia); ABISSÍNIO [F.: Do ár. vulgar *habsi.*]

⊕ ***ab hoc et ab hac*** (*Lat.* /ab róc et ab hác/) **loc. adv.** **1** A torto e a direito **2** De tudo e de qualquer coisa, sem ordem

abibe (a.*bi*.be) *sf. Ornit.* Ave caradriídea, da ordem das pernaltas (*Vanellus cristatus*), que tem poupa e dorso negros, e partes inferiores brancas; ABECOINHA; ÁGUAS-NEVES; AVE-FRIA; AVENTOINHA; BIBE; CUINHA [F.: Do lat. *avis, is*, por *ave ibe.*]

abibura (a.bi.*bu*.ra) *sf. Bras. Bot.* Cogumelo agaricáceo (*Agaricus pisonianus*) muito venenoso

abicadouro (a.bi.ca.*dou*.ro) *sm. Bras. Mar.* Lugar na margem de rio, lago ou mar onde as embarcações abicam ou podem abicar; ABICADOIRO: "De volta notou que a canoa vinha pesadíssima e foi com enormes dificuldades que conseguiu alcançar o abicadouro da margem oposta." (Monteiro Lobato, *O Saci, in Contos escolhidos*) [F.: *abicar* + *-douro*[2].]

abicar (a.bi.*car*) *v.* **1** *Mar.* Encostar (embarcação) o bico da proa no fundo, propositalmente encalhando [*ta.*: "...fez a canoa abicar à beira do rio..." (José de Alencar, *O guarani.*)] [*int.*: *O barco alcançou a areia da praia e abicou.*] **2** *Mar.* Aproximar ou aproximar-se de, chegar ou fazer chegar mais perto de [*td.*: *Tomou do leme e abicou o porto.*] [*ta.*: *Ao entardecer o veleiro abicou-se ao porto.*] [*tda.*: *Já cansado, abicou seu bote à praia.*] **3** *Mar.* Apontar o bico (de embarcação) em direção a [*tr.*: "Abica à praia desconhecido baixel." (Pe. Antônio Vieira, *Sermões*)] **4** Fazer bico ou ponta em [*td.*: *Abicou o galho até dele fazer uma lança.*] **5** *RS* Ficar (vaca prenhe) com as mamas intumescidas de leite [*int.*] [▶ 11 abicar O *c* do radical muda para *qu* antes de *e* (*abiquei*).] [F.: *a-* + *bico* + *-ar.*]

abichado[1] (a.bi.*cha*.do) *a.* Que se abichou[1], se conseguiu; ALCANÇADO [F.: Part. de *abichar*[1].]

abichado[2] (a.bi.*cha*.do) *a.* **1** Que tem feição de, se assemelha a bicho **2** Diz-se de animal cuja ferida criou bicheira, ou dessa ferida **3** Diz-se de fruta, cereal etc. que apodreceu ou estragou por ataque de larvas de insetos **4** *Lus.* Pouco sociável; RESERVADO [Ant.: *sociável.*] [F.: Part. de *abichar*[2].]

abichalhado (a.bi.cha.*lha*.do) *Bras. Pop. a.* **1** *Pop.* Diz-se de homem que se abichalhou, que assumiu modos de bicha, se efeminou; EFEMINADO **2** Diz-se de homem que é homossexual *sm.* **3** Homem efeminado *Pop.* BICHA **4** Homem que é homossexual [F.: Part. de *abichalhar.*]

abichalhamento (a.bi.cha.lha.*men*.to) *sm. Bras. Pop.* Ação ou resultado de abichalhar(-se), de efeminar(-se) [F.: *abichalhar* + *-mento.*]

abichalhar (a.bi.cha.*lhar*) *Bras. v.* **1** Fazer adquirir ou adquirir feição ou modos tipicamente femininos [*td.*: *O ator entendeu que devia abichalhar o personagem.*] [*int.*: *Ele foi criado entre mulheres, e acabou se abichalhando.*] **2** *Pop.* Tornar-se (pessoa do sexo masculino) homossexual [*int.*: *Ele abichalhou-se ainda menino.*] [▶ 1 abichalhar] [F.: *a-*[2] + *bicha* + *-alhar.*]

abichamento[1] (a.bi.cha.*men*.to) *sm.* Ação ou resultado de abichar[1], de conseguir, obter algo [F.: *abichar*[1] + *-mento.*]

abichamento[2] (a.bi.cha.*men*.to) *sm.* **1** Ação ou resultado de abichar[2], de assemelhar-se a um bicho, ou de criar bicheira **2** Formação de bicheira em ferida de um animal **3** Apodrecimento ou estrago de fruta, cereal etc. provocado por larvas de insetos [F.: *abichar*[2] + *-mento.*]

abichar[1] (a.bi.*char*) *v. td.* Conquistar (algum tipo de vantagem) [▶ 1 abichar] [F.: talvez do it. *abbisciare.*]

abichar[2] (a.bi.*char*) *Bras. v. int.* **1** Criar (animal) bicheira (ferida infestada de germes ou larvas); desenvolver-se (ferida em animal) em bicheira: *o ferimento logo abichou.* **2** Dar bicho (um fruto) **3** Ficar parecido com um bicho, com feição ou jeito de bicho **4** *Lus. Pop.* Permanecer concentrado em si mesmo, ensimesmado [▶ 1 abichar] [F.: *a-*[2] + *bicho* + *-ar*[2].]

abicharar (a.bi.cha.*rar*) *Bras. Tabu. v.* **1** Dar ou assumir feição, maneiras, gestos de bicha, efeminado, homossexual masculino; ABICHALHAR [*td.*: *Como exigia o papel, abicharou seu gestos e sua maneira de falar.*] [*int.*: *Teve de se abicharar para representar o papel.*] **2** *Tabu.* Mostrar-se homossexual (esp. o efeminado); deixar transparecer seu homossexualismo [*int.*: *Saiu do armário e abicharou-se de uma só vez.*] [▶ 1 abicharar] [F.: *a-*[2] + *bicha* + *-arar.*]

abichornado (a.bi.chor.*na*.do) *S. a.* **1** Que está ou se tornou abafado, quente, sufocante (tempo abichornado) **2** Que se abateu, desanimou; DESANIMADO **3** Que se vexou; ENVERGONHADO **4** Que se acovardou ou intimidou; AMEDRONTADO: *Vivia abichornado, assustado com a violência urbana.* [F.: Part. de *abichornar.*]

abichornar (a.bi.chor.*nar*) *v.* **1** *S* Deixar ou ficar abatido ou desanimado; ABATER(-SE); DESANIMAR(-SE) [*td.*: *A notícia os abichornou.*] [*int.*: *Nada o impedia de abichornar-se.*] **2** Expor ou submeter a algo vergonhoso, ou ficar envergonhado; ENVERGONHAR(-SE); VEXAR(-SE) [*td.*: *Seu comportamento abichorna os sócios.*] [*int.*: *Abichornou-se ao ser pego em flagrante.*] **3** Fazer agir ou agir como covarde; ACOVARDAR(-SE) [*td.*: *A força do adversário o abichornou.*] [*int.*: *Abichorna-se diante dos desafios.*] [▶ 1 abichornar] [F.: De *abochornar*, com dissimilação.]

abicorar (a.bi.co.*rar*) *v. td. AM* Permanecer à espreita, vigiando ou espionando: *O lobo permanecia imóvel, abicorando as ovelhas.* [▶ 1 abicorar]

abieiro (a.bi.*ei*.ro) *sm. Bot.* Árvore da família das sapotáceas (*Pouteria caimito*), comum no Brasil (AM ao RJ), cujo fruto, comestível, é o abio (ou abiu) [F.: *abio* + *-eiro.*]

◎ **abiet-** *el. comp.* = 'abeto'; 'pinheiro'; 'ácido abietato': *abietácea, abietina., abietato* [F.: Do lat. *abies, etis.*]

abietácea (a.bi:e.*tá*.ce:a) *sf.* Espécime das abietáceas, família de gimnospermas da classe das coníferas, em cujo gên. típico (*Abies*) inclui-se o abeto [F.: *abiet-* + *-ácea.*]

abietáceo (a.bi:e.*tá*.ce:o) *a.* Ref. às ou das abietáceas [F.: *abiet-* + *-áceo.*]

abigeatário (a.bi.ge:a.*tá*.ri:o) *sm. Jur.* Pessoa que pratica abigeato, que rouba gado; ladrão de gado; ABÍGEO; ABACTOR [F.: *abigeat(o)* + *-ário.*]

abigeato (a.bi.ge:*a*.to) *sm. Jur.* Roubo de gado; ABACTO [F.: Do lat. *abigeatus, us.*]

abilolado (a.bi.lo.*la*.do) *Pop. a.* **1** Que não está ou não parece estar em seu perfeito juízo; amalucado **2** *Pop.* Completamente enamorado, perdido de amor **3** *N. E.* Bobo, tolo, abestalhado [F.: Part. de *abilolar.*]

abilolar (a.bi.lo.*lar*) *v. int. Bras. Pop.* Comportar-se como maluco, ou ficar maluco; ENDOIDECER *Pop.* PIRAR: *Quando foi demitido, abilolou.* [▶ 1 abilolar] [F.: *a-*[1] + *bilola* (posv. no sentido de *bitola*) + *-ar*[2].]

⊕ ***ab imo pectore*/** (Lat./*ab ímo pectóre.*) **loc. adv.** Do fundo do peito, do fundo do coração, sinceramente; AB IMO CORDE

⊕ ***ab initio*/** (Lat./*ab inítio*) **loc. adv.** **1** Desde o início, desde o primeiro momento; AB OVO [Us. ger. no âmbito jurídico.] **2** *Fig.* Desde que o mundo é mundo: "Pois ab initio assombrar é meu destino." (Gil Vicente, *Obras – I*)

⊕ ***ab intestato*** (*Lat.* /*ab intestáto*/) *Jur.* **loc. a.** **1** Que morre sem deixar testamento **2** Que é legado em testamento (bens ab intestato) **3** Diz-se de herdeiro que recebe herança sem testamento

abio (a.bi:o) *Bot. sm.* Fruto do abieiro [Tb. se grafa *abiu.*] [F.: Do tupi **a'wiu.*]

abioceno (a.bi:o.*ce*.no) *sm. Biol.* Lugar onde não há seres vivos [F.: *a-*[3] + *-bi(o)-* + *-ceno*[1].]

abiofisiologia (a.bi:o.fi.si:o.lo.*gi*:a) *sf.* Estudo dos fenômenos inorgânicos nos seres vivos [F.: *a-*[3] + *-bi(o)-* + *fisiologia.*]

abiogênese (a.bi:o.*gê*.ne.se) *sf. Biol.* Hipótese da geração espontânea, segundo a qual os organismos vivos poderiam originar-se seguida e espontaneamente de matéria inanimada; ABIOGENESIA; ARQUIGÊNESE [Hoje esta teoria é refutada pelos meios científicos.] [F.: Do ing. *abiogenesis.* Cf.: *biogênese.*]

abiogenético (a.bi:o.ge.*né*.ti.co) *a.* **1** Ref. a abiogênese **2** Que se cria por abiogênese; ABIOGÊNICO [F.: *abiogên(ese)* + *-ético.*]

abiori (a.bi:o.ri) *sm. Bras. Bot.* Árvore (*Mabea paniculata*) de pequeno porte, da família das euforbiáceas, nativa da Amazônia (PA) [F.: De or. indígena.]

abiose (a.bi:*o*.se) *sf.* **1** *Biol.* Estado de quem não tem condição ou aptidão para viver **2** Vida latente; aparente suspensão da vida por carência de elemento a ela essencial 3 Ausência de vida [F.: *a-*[1] + *-biose.*]

abiótico (a.bi.*ó*.ti.co) *a.* 1 Ref. a abiose 2 *Ecol.* Em que não há vida, contrário à vida: "Um dos mais importantes ciclos biogeoquímicos existentes em nosso planeta é o ciclo do nitrogênio. Ele garante a continuidade desse elemento na natureza e mostra seu trajeto entre o meio abiótico e os seres vivos." (*O Globo*, 25.09.2001) 3 Criado ou gerado sem interferência de organismos vivos 4 Diz-se de rocha ou terreno primitivo em que não se encontram restos ou vestígios de vida animal ou vegetal [F.: *abiose* + *-ico*[2], posv. infl. do fr. *abiotique.*]

abioto (a.bi:*o*.to) [ô] *sm.* 1 *Med.* Aquilo que mata por ser contrário à vida ou com ela incompatível 2 *P. us.* Nome atribuído à cicuta pela sua característica mortífera *a.* 3 Que é contrário à vida, incompatível com ela [F.: Do gr. *abíotos, os, on.*]

abiotrofia (a.bi:o.tro.*fi*:a) *sf.* 1 *Med.* Degeneração da vitalidade de tecidos ou órgãos, levando à disfunção e à diminuição da resistência física; ABIENERGIA; HIPOTROFIA 2 Designação genérica para certas doenças degenerativas hereditárias [F.: *a-*[1] + *-bio-* + *-trofia.*]

abiotrófico (a.bi:o.*tró*.fi.co) *a.* Ref. a abiotrofia [F.: *abiotrofi(a)* + *-ico*[2].]

abirritação (a.bir.ri.ta.*ção*) *sf.* 1 Fraqueza; ASTENIA; DEBILIDADE 2 *Med.* Redução ou cessação de reflexos, de resposta a estímulos em região ou órgão do corpo; ATONIA 3 *Med.* Redução ou cessação da irritabilidade [F.: *ab-* + *irritação.*]

abirritante (a.bir.ri.*tan*.te) *a2g.* 1 *Farm.* Que provoca abirritação (1, 2) 2 *Farm.* Que reduz ou elimina irritação (de tecidos) *sm.* 3 *Farm.* Substância ou medicação abirritante (2) [F.: *abirrita(r)* + *-nte.*]

abirritar (a.bir.ri.*tar*) *v. td. Med.* Tornar mais fraca ou anular a sensibilidade reflexa de (órgão, região etc.): *A anestesia abirritou a boca do paciente.* [▶ 1 abirritar] [F.: *ab-* + *irritar*. Hom./Par.: *abirritáveis* (fl.), *abirritáveis* (pl. *abirritável* [a.]).]

abiscoitado (a.bis.co:i.*ta*.do) *a.* 1 Que tem feição, forma, gosto etc. de biscoito (doce abiscoitado) 2 *Bras. Fam.* Que se recebeu ou se obteve, logrou, conseguiu: *Contemplava seu abiscoitado troféu, obtido com muito sacrifício.* 3 *Bras.* Que foi roubado, furtado, surrupiado: *Devolveu os lápis abiscoitados, antes que descobrissem.* [F.: Part. de *abiscoitar.* Sin. ger.: *abiscoutado, biscoitado.*]

abiscoitar (a.bis.coi.*tar*) *v. td.* 1 Conseguir ter, obter; ALCANÇAR; OBTER: *Abiscoitou todas as medalhas de ouro de sua categoria.* 2 *Bras.* Receber melhoria, vantagem: *Abiscoitara a sonhada promoção.* 3 Secar no forno até a consistência de biscoito: *O forneiro abiscoitou o pão.* 4 Adonar-se indevidamente daquilo que é de outrem; FURTAR; ROUBAR; SURRUPIAR: *Aproveitou sua distração e abiscoitou-lhe a carteira.* [▶ 1 abiscoitar] [F.: *a-* + *biscoito* + *-ar*[2]. NOTA: A f. var. *abiscoutar* não é usual na língua contemporânea.]

abismado (a.bis.*ma*.do) *a.* 1 Espantado, admirado, perplexo: *Estou abismado com o seu cinismo.* 2 Que está absorto, concentrado: *Abismado, não me ouviu.* 3 Jogado ou enfiado em abismo [F.: Part. de *abismar.*]

abismal (a.bis.*mal*) *a2g.* 1 Que tem a característica ou a natureza de abismo: *Naquele terreno existe um poço de profundidade abismal.* 2 Referente ou pertencente a abismo (vegetação abismal) 3 *Fig.* Que, como um abismo, é insondável, e por isso amedrontador, apavorante: *Hesitou, ante aquela escuridão abismal.* 4 Ver tb. *abissal* (1, 2) [Pl.: *-mais.*] [F.: *abismo* + *-al*[1].]

abismante (a.bis.*man*.te) *a2g.* Que causa espanto, assombro: "Falam como se estivessem num barco que se aproxima da queda numa abismante cachoeira." (*O Globo*, 18.10.2000) [F.: *abisma(r)* + *-nte*, posv. por infl. do espn. *abismante.*]

abismar (a.bis.*mar*) *v.* 1 Causar ou sentir espanto, assombro; espantar(-se); ASSOMBRAR [*td.*: *A desenvoltura da criança abismava os marmanjos:* "Em face a tão fantástico segredo, eu abismara-me." (Mário de Sá-Carneiro, *A confissão de Lúcio*)] [*int.*: *Abismou-se ao receber a notícia.*] 2 Lançar(-se) ou ser lançado no abismo; mergulhar nas profundezas; APROFUNDAR [*td.*: *O forte temporal abismou o pequeno barco.*] [*int.*: *O navio abismou-se lentamente.*] 3 *Fig.* Ficar alheio ao que se passa em volta; perder-se, transviar-se (o espírito) [*tr.* + *em*: "Abismava-se em profundas reflexões..." (Gottfried Keller, *Mar de histórias*)] [▶ 1 abismar] [F.: *abismo* + *-ar*[2].]

abismático (a.bis.*má*.ti.co) *a.* 1 Ref. a abismo 2 *Fig.* Profundo como um abismo: *É abismático o fosso entre ricos e pobres no Brasil.* 3 *Fig.* Apavorante, aterrorizante [F.: *abismo* + *-ático.* Sin. ger.: *abismal, abissal.*]

abismo (a.*bis*.mo) *sm.* 1 Abertura profunda em terreno; PRECIPÍCIO 2 Lugar íngreme, despenhadeiro 3 O fundo do oceano 4 *Fig.* Aquilo que é incompreensível, misterioso: *A mente humana é um abismo.* 5 *Fig.* Expressão superlativa para bem ou para mal; coisa assombrosa (um abismo de erudição/de perversidades) 6 *Fig.* Distância ou divergência que separa drasticamente (lugares, pessoas, ideias etc.): *No que se refere a este assunto, há um abismo entre nós.* 7 *Fig.* Situação penosa, dramática ou trágica; desastre, caos: *O país está à beira do abismo.* 8 *Fig.* Problema de difícil solução: *Meteu-se num abismo ao brigar com o chefe.* 9 *Fig.* O inferno: *Os maus estavam condenados ao abismo da Terra.* 10 *Fig.* O último grau, o extremo de uma condição ou situação: *Estava no abismo do desespero.* [F.: Do lat. *abyssus, i,* 'abismo', pelo lat. vulg. **abyssimu(s)*, pelo lat. vulg. **abysmu(s)*.]

abismoso (a.bis.*mo*.so) [ô] *a.* Em que há abismo; cercado de abismos (platô abismoso) [Fem. e pl.: [ó].] [F.: *abismo* + *-oso.*]

abissal (a.bis.*sal*) *a2g.* 1 Do, ref. ao, ou que tem as características ou a natureza do abismo (profundezas abissais); ABISMAL 2 *Fig.* Que causa espanto, assombro ou pavor; ABISMAL: *figura abissal e tenebrosa.* 3 *Fig.* Que não se pode decifrar; ENIGMÁTICO: "...para descer ao fundo mais abissal das coisas..." (Miguel Torga, *Senhor Ventura*) 4 *Geol.* Ref. às grandes profundidades terrestres, oceânicas ou lacustres 5 *Oc.* Diz-se das profundidades submarinas abaixo de 2.000 m: *regiões abissais do oceano.* 6 *Fig.* Que extrapola todas as medidas ou parâmetros (inteligência abissal; distâncias abissais); IMENSO; DESCOMUNAL 7 *Pet.* O mesmo que *plutônico* (1) [Pl.: *-sais.*] [F.: De *abisso* + *-al*[1], ou do lat. medv. *abyssalis, e.*]

abissínio (a.bis.*sí*.ni:o) *sm.* 1 Indivíduo nascido ou que vivia na Abissínia, atual Etiópia *a.* 2 Da Abissínia; típico daquele país ou de seu povo [F.: Do top. *Abissínia.* Sin. ger.: *etíope.*]

abisso (a.*bis*.so) *sm.* 1 *P. us.* O mesmo que *abismo* 2 *Geol.* O mesmo que *região abissal* [F.: Do gr. *ábyssos*, pelo lat. *abyssu.*]

abissofobia (a.bis.so.fo.*bi*:a) *sf. Psiq.* Medo mórbido, pavor de abismos e precipícios [F.: *abisso* + *-fobia.*]

abissofóbico (a.bis.so.*fó*.bi.co) *a.* 1 *Psiq.* Ref. a abissofobia 2 Que sofre de abissofobia; ABISSÓFOBO *sm.* 3 Pessoa abissofóbica (2); ABISSÓFOBO [F.: *abissofobi(a)* + *-ico*[2].]

abissófobo (a.bis.*só*.fo.bo) *a.* 1 Que sofre de abissofobia; ABISSOFÓBICO (2) *sm.* 2 Pessoa que sofre de abissofobia; ABISSOFÓBICO (3) [F.: *abisso* + *-fobo.*]

abita (a.*bi*.ta) *sf. Mar.* Peça de madeira ou de metal us. antigamente para prender a amarra da âncora

abitolar (a.bi.to.*lar*) *v. td.* O mesmo que *bitolar*: *Abitolou-se por causa da política.* [▶ 1 abitolar] [F.: *a-*[2] + *bitola* + *-ar*[2].]

abiu (a.*bi u*) *sm.* 1 *Bras.* Fruto do abieiro, de polpa branco-amarelada e doce 2 O mesmo que *abieiro.* [F.: Do tupi. Tb. *abio.*]

abiu-do-pará (a.biu-do-pa.*rá*) *sm.* 1 *Bras. Bot.* Árvore das sapotáceas (*Crysophyllum caimito*) cujas bagas têm polpa doce e comestível; CAIMITO 2 O fruto dessa árvore [Pl.: *abius-do-pará.*]

abiu-grande (a.biu-*gran*.de) *sm.* 1 *Bras.* Planta (*Pouteria paraensis*) da família das sapotáceas, cujas bagas são comestíveis; ABIU-GRANDE-DA-TERRA-FIRME 2 O mesmo que *abieiro.* [Pl.: *abius-grandes.*]

abiurana (a.bi:u.*ra*.na) [i-u] *Bot. sf.* 1 *Bras.* Árvore sapotácea (*Lucuma lasiocarpa*), também chamada de *auaduri* e *biurana* 2 O fruto dessa árvore 3 *Bras.* Árvore rosácea (*Couepia robusta*) [F.: Do tupi *abiu* + *rana* (*aparecido*).]

abiurana-guta (a.biu.ra.na-*gu*.ta) *Bot. sf.* 1 *Bras. Amaz.* Árvore da família das sapotáceas (*Pouteria gutta*), da região amazônica, de cuja seiva se extrai um plástico natural (*balata*) 2 *Amaz.* Árvore sapotácea (*Lucuna pariry*, Ducke) [Pl.: *abiuranas-gutas* e *abiuranas-guta.*]

abjeção (ab.je.*ção*) *sf.* Estado ou ação que revela baixeza, degradação; AVILTAMENTO [Pl.: *-ções.*] [F.: Do lat. *abjectio, onis.*]

abjeto (ab.*je*.to) *a.* 1 Que é desprezível, baixo, vil, ou que revela baixeza, torpeza etc. (pessoa abjeta; atitude abjeta) *sm.* 2 Indivíduo desprezível, ignóbil, baixo, vil [F.: Do lat. *abjectus, a, um.*]

abjudicação (ab.ju.di.ca.*ção*) *sf.* Ação ou resultado de abjudicar; ABJURGAÇÃO [Pl.: *-ções.*] [F.: *abjudica(r)* + *-ção.*]

abjudicador (ab.ju.di.ca.*dor*) [ô] *a.* 1 Que abjudica *sm.* 2 Aquilo ou aquele que abjudica [F.: *abjudica(r)* + *-dor.* Sin. ger.: *abjudicante, abjurgador, abjurgante.*]

abjudicante (ab.ju.di.*can*.te) *a2g.* 1 Que abjudica *s2g.* 2 O que abjudica [F.: Do lat. *abjudicans, antis.* Sin. ger.: *abjudicador.*]

abjudicar (ab.ju.di.*car*) *v. td. Jur.* Recuperar, por meio legal, aquilo que foi apropriado de maneira indevida: *abjudicar os bens paternos.* [▶ 11 abjudicar] [F.: Do lat. *abjudicare.*]

abjugar (ab.ju.*gar*) *v. td.* 1 *Jur.* Livrar do jugo; ABJUNGIR: *abjugar os trabalhadores rurais.* 2 *Fig.* Tornar livre de opressão, de domínio; ABJUNGIR: *Quando completou dezoito anos, abjugou-se dos pais.* [▶ 14 abjugar] [F.: Do lat. *abjugare.*]

abjunção (ab.jun.*ção*) *sf.* 1 Ação ou resultado de abjungir(-se), de separar(-se) de jugo 2 *Fig.* Ação ou resultado de libertar(-se), desoprimir(-se) [Pl.: *-ções.*] [F.: *ab-* + *-junção.* Sin. ger.: *desopressão.*]

abjungir (ab.jun.*gir*) *v. td.* O mesmo que *abjugar.* [▶ 46 abjungir] [F.: Do lat. *abjungere.*]

abjuntivo (ab.jun.*ti*.vo) *a.* Que abjunge, ou abjuga; que serve para abjungir ou que implica abjunção; ABJUGATIVO [F.: Do lat. *abjunctus* + *-ivo.*]

abjuração (ab.ju.ra.*ção*) *sf.* 1 Ação ou resultado de abjurar 2 Renúncia pública e solene de crença ou religião até então professada 3 Renegação de princípios ou convicções: [+ *de*: "...exigir de seu titular a abjuração (...) de compromissos incompatíveis com a dignidade presidencial..." (*O Globo*, 28.09.2002)] [Pl.: *-ções.*] [F.: Do lat. *abjuratio* + *-onis.*]

abjurador (ab.ju.ra.*dor*) [ô] *a.* 1 Que abjura *sm.* 2 Aquele que abjura [F.: Do lat. *abjurator, oris.* Sin. ger.: *abjurante.*]

abjuramento (ab.ju.ra.*men*.to) *sm.* Ação ou resultado de abjurar; ABJURAÇÃO [F.: *abjura(r)* + *-mento.*]

abjurante (ab.ju.*ran*.te) *a2g.* 1 Que abjura *s2g.* 2 O que abjura [F.: Do lat. *abjurans, antis.* Sin. ger.: *abjurador.*]

abjurar (ab.ju.*rar*) *v.* 1 Renunciar solenemente (a uma religião, crença, doutrina) [*td.*: *Abjura a sua fé.*] [*tr.* + *de*: "...era um frade que abjurara dos seus votos..." (José de Alencar, *O guarani*)] 2 Abandonar a sua religião [*int.*: *O diácono abjurou.*] 3 *Fig.* Retirar (o que afirmara), ger. com a intenção de retratar-se ou de desfazer polêmicas, controvérsias etc.; DESDIZER [*td.*: *O candidato abjurava as falsas promessas.*] [▶ 1 abjurar] [F.: Do lat. *abjurare.* Hom./Par.: *abjuráveis* (fl.), *abjuráveis* (pl. de *abjurável* [a2g.]).]

abjuratório (ab.ju.ra.*tó*.ri:o) *a.* Ref. a ou que envolve abjuração [F.: *abjura(r)* + *-tório.*]

abjurgação (ab.jur.ga.*ção*) *sf. Jur.* Ação ou resultado de abjurgar; ABJUDICAÇÃO [Pl.: *-ções.*] [F.: *abjurga(r)* + *-ção.*]

abjurgador (ab.jur.ga.*dor*) [ô] *a.* 1 Que abjurga *sm.* 2 O que abjurga [F.: *abjurga(r)* + *-dor.* Sin. ger.: *abjudicador.*]

abjurgante (ab.jur.*gan*.te) *a2g.* 1 Que abjurga *s2g.* 2 O que abjurga [F.: Do lat. *abjurgans, antis.* Sin. ger.: *abjudicador.*]

abjurgar (ab.jur.*gar*) *v. td. Jur.* O mesmo que *abjudicar.* [▶ 14 abjurgar] [F.: Do lat. *abjurgare.*]

⊠ **ABL** Sigla de *Academia Brasileira de Letras.*

ablaca (a.*bla*.ca) *sf.* 1 *Zool.* Filamentos sedosos segregados por alguns moluscos bivalves para propiciar sua fixação nas rochas; ABLÁQUA 2 Certa fibra muito fina ou tecido de linho mencionados na Bíblia, us. em rituais religiosos 3 *Ant.* Qualidade de seda persa muito fina encontrada em países do Oriente, provavelmente originária da Pérsia [F.: *ab-* + lat. *laqueus.* Sin. ger.: *bisso.*]

ablação (a.bla.*ção*) *sf.* 1 Ação ou resultado de remover, de arrancar 2 *Cir.* Remoção de órgão ou de parte de órgão: *ablação do apêndice.* 3 *Gram.* Supressão de um ou mais fonemas no início da palavra (p. ex.: *tava, por estava*, e *Zé, por José.*); AFÉRESE 4 *Aer. Astron.* Perda de material ou eliminação de calor sofrida por aeronave ou espaçonave (ao penetrar na atmosfera), por meio de fusão ou vaporização 5 *Geol.* Decomposição e transporte de material rochoso por qualquer processo mecânico ou de solução 6 *Geol.* Processo de derretimento da camada superficial das geleiras [Pl.: *-ções.*] [F.: Do lat. tard. *ablatio, onis.*]

ablactação (a.blac.ta.*ção*) *sf.* 1 Interrupção definitiva da amamentação; DESMAMA; DESMAME 2 *Med.* Suspensão da secreção de leite, natural ou induzida por medicamento [Pl.: *-ções.*] [F.: Do lat. *ablactatio, onis.* Ant. ger.: *lactação.*]

ablactar (a.blac.*tar*) *v. td.* Suspender o aleitamento de; DESMAMAR: *ablactar o bebê.* [Ant.: *lactar*] [▶ 1 ablactar] [F.: Do lat. *ablactare* ou *ablectare.*]

ablamelar (a.bla.me.*lar*) *a2g. Biol.* Que tem as lamelas afastadas umas das outras (fungos ablamelares) [Pl.: *-res.*] [F.: *ab-* + *lamela* + *-ar*[1].]

ablaquear (a.bla.que.*ar*) *v. td.* 1 Liberar (algo) que estava preso, entrelaçado; DESPRENDER; LIVRAR; SOLTAR: *Ablaqueou os nós da corda.* 2 Fazer uma vala em torno do tronco de uma planta para efetuar ablaqueação; ABLAQUECER: *O fazendeiro ablaqueou as árvores.* [▶ 13 ablaquear] [F.: Do lat. *ablaqueare.* Sin.: *ablaquetar.*]

ablastêmico (a.blas.*tê*.mi.co) *Bot. a.* Que não germina, que é incapaz de germinar, de desenvolver blastema [F.: *a-*[1] + *blastema* + *-ico*[2].]

ablastia (a.blas.*ti*.a) *Bot. sf.* 1 *Bot.* Falha na germinação, ou sua total ausência *sf.* 2 Desenvolvimento incompleto ou desaparecimento de um órgão [F.: *a-*[1] + *blast(o)-* + *-ia*[1].]

ablativo (a.bla.*ti*.vo) *a.* 1 Que tira ou extrai, que provoca privação de alguma coisa 2 Que se refere ao ablativo (3) nas declinações latinas ou em outras *sm.* 3 *Gram. Ling.* Flexão nominal do latim, sânscrito e outras línguas, que exprime um elemento de lugar, tempo, modo e origem 4 *Fig.* Ação de partir (morrer); partida inesperada, sem despedidas; desaparecimento (ablativo de viagem) [F.: Do lat. *ablativus, a, um*, em *ablativus casus*, 'caso ablativo'.] ▪ **Estar em ~ de partida/viagem** Estar nos preparativos finais para uma partida/viagem **Fazer ~ de partida/viagem** 1 Partir inesperadamente, sem aviso ou despedida 2 *Fig.* Morrer, falecer

ablator (a.bla.*tor*) [ô] *a.* 1 Que faz ablação, que corta, extrai *sm.* 2 Aquele ou aquilo que faz ablação, que corta, extrai 3 *Vet.* Instrumento próprio para castrar animal, ou cortar-lhe a cauda [F.: Do lat. *ablator, oris.*]

⊕ **ablaut** (*Al.* /áblaut/) *Ling. sm.* 1 Mudança de vogal na raiz de uma palavra em função de estar em sílaba tônica ou átona; mudança da vogal de sílaba tônica ao se tornar átona pelo acréscimo de um prefixo 2 Oscilação entre as vogais *e* e *o* em algumas raízes (do indo-europeu), o que pode levar a diferenças em diferentes línguas indo-europeias [Com inicial maiúscula, em al.]

ablefaria (a.ble.fa.*ri*.a) *sf.* 1 *Med.* Ausência congênita, total ou parcial, de pálpebras 2 *Anat. Zool.* Condição de abléfaro (seja um ser humano ou um animal) [F.: *a-*[1] + (gr.) *blépharon*, 'pálpebra', pelo *fr. abléphárie.*]

ablefárico (a.ble.*fá*.ri.co) *a.* Ref. a ablefaria; que é próprio de ablefaria; ABLÉFARO (2) [F.: *ablefaria* + *-ico*[2].]

abléfaro (a.*blé*.fa.ro) *a.* 1 *Anat. Zool.* Desprovido de pálpebras 2 Ref. a ablefaria; ABLEFÁRICO [F.: Do gr. *ablépharos, os, on*, 'sem pálpebras'.]

ablegação (ab.le.ga.*ção*) [ab-le] *sf.* Ação ou resultado de ablegar, de banir, desterrar; BANIMENTO; DESTERRO; EXPATRIAÇÃO [Pl.: *-ções.*] [F.: Do lat. *ablegatio, onis.*]

ablegar (ab.le.*gar*) *v. td.* **1** Mandar para longe; mandar embora; BANIR; DESTERRAR; EXILAR: *A ditadura ablegou muitos intelectuais brasileiros.* **2** Mandar (alguém) na qualidade de ablegado: *O rei ablegou os traidores para outro país.* [▶ 14 ablegar] [F.: Do lat. *ablegare*. Ant.: *repatriar.*]

ablepsia (a.blep.*si*.a) *sf.* **1** *Med.* Perda ou ausência de visão; CEGUEIRA **2** *Fig.* Incapacidade de discernimento; falta de lucidez [F.: Do lat. *ablepsia, ae.*]

abléptico (a.*blép*.ti.co) *a.* Ref. a ablepsia [F.: *ablepsia* + *-ico*[2].]

ablução (a.blu.*ção*) *sf.* **1** Ação ou resultado de abluir(-se) **2** Lavagem (do corpo de uma pessoa ou de parte dele) ou limpeza (de um desses) feita com uma esponja ou pano embebidos na água: "...feitas as rápidas abluções, de pijama..." (Marques Rebelo, *O simples coronel Madureira*) **3** *Rel.* Ritual de purificação (com água) do corpo ou de parte dele, ger. antes de oração ou rito religioso **4** *Rel.* Parte da missa em que o sacerdote efetua a lavagem ritualística das mãos **5** *Rel.* Batismo pela água [Pl.: *-ções.*] [F.: Do lat. *ablutio, onis.*] ■ **~ areenta** Aquela em que se usa areia, em vez de água (como em regiões desérticas ou áridas)

abluente (a.blu.*en*.te) *a2g.* **1** Que ablui, ou que é próprio para abluir, para lavar *sm.* **2** O que ablui, o que purifica por lavagem; DETERGENTE [F.: Do lat. *abluens, entis.* Sin. ger.: *ablutor.*]

abluir (a.blu.*ir*) *v. td.* **1** Purificar lavando; LAVAR: *abluir as mãos.* **2** Limpar(-se) (superfície) de matérias viscosas e pútridas: *abluir a ferida.* [▶ 56 abluir] [F.: do lat. *abluere*, "tirar lavando, purificar".]

ablutomania (a.blu.to.ma.*ni*.a) *Psiq. sf.* Mania de banhar-se, de lavar-se [F.: Do lat. *ablut(io)* 'ablução' + *-o-* + *-mania*. Tb. *abluciomania.*]

ablutomaníaco (a.blu.to.ma.*ní*.a.co) *a.* **1** Ref. a ablutomania **2** Que sofre de ablutomania; ABLUTÔMANO *sm.* **3** *Psiq.* Aquele que sofre de ablutomania; ABLUTÔMANO [F.: *ablutoman(ia)* + *-íaco*. Tb. *abluciomaníaco.*]

ablutômano (a.blu.*tô*.ma.no) *Psiq. a. sm.* O mesmo que *ablutomaníaco* [F.: Do lat. *ablut(io)* 'ablução' + *-o-* + *-mano*[1]. Tb. *abluciômano.*]

ablutor (a.blu.*tor*) [ô] *a. sm.* O mesmo que *abluente* [F.: Do lat. *ablutor, oris.*]

abmigração (ab.mi.gra.*ção*) *Zool. sf.* Na primavera do hemisfério norte, migração para o norte de aves que não haviam migrado para o sul no outono anterior [Pl.: *-ções.*] [F.: *ab-* + *migração.*]

abnegação (ab.ne.ga.*ção*) *sf.* **1** Ação de abnegar, renúncia **2** Ato ou disposição que se caracteriza por um desprendimento dos próprios desejos ou necessidades em prol de uma pessoa, causa ou princípio; ALTRUÍSMO **3** *Rel.* Em moral religiosa, renúncia da própria vontade, desapego de tudo o que não diz respeito a Deus [Pl.: *-ções.*] [F.: Do lat. tard. *abnegatio, onis.*]

abnegado (ab.ne.*ga*.do) *a.* **1** Que age ou conduz suas ações com abnegação: *Um homem abnegado.* **2** Que revela ou encerra abnegação (atos abnegados) [F.: Do lat. *abnegatus, a, um.*]

abnegar (ab.ne.*gar*) *v.* **1** Abrir mão de (interesses, vida, vantagens); RENUNCIAR [*td.*: "Abraão (...) simboliza ou servo de Deus, abnegando o amor próprio." (Manuel Bernardes, *Paraíso*)] [*tr.* + *de*: *Abnega do conforto para ajudar o próximo.*] **2** Sacrificar-se em benefício de outrem, de uma missão, de um princípio etc. [*tr.* + *em*: *Abnegava-se no trabalho de alfabetização.*] [▶ 14 abnegar] [F.: Do lat. *abnegare.*]

abnodoso (ab.no.*do*.so) [ô] *a.* Que não tem nós (diz-se ger. de árvore) [Fem. e pl.: [ó].] [F.: *abnod(ar)* + *-oso.*]

abnormal (ab.nor.*mal*) *a2g.* O mesmo que *anormal* [Pl.: *-mais.*] [F.: *ab-* + *normal.*]

abnormalidade (ab.nor.ma.li.*da*.de) *sf.* Qualidade do que é abnormal; o mesmo que *anormalidade* [F.: *abnormal* + *-i-* + *-dade.*]

abnóxio (ab.*nó*.xi.o) [cs] *a.* **1** Que não causa dano; INOFENSIVO [Ant.: *danoso, lesivo*] **2** Que não produz efeito, ou o efeito desejado; INÓCUO [Ant.: *eficaz*] [F.: *ab-* + *nóxio.*]

⊠**ABNT** Sigla de *Associação Brasileira de Normas Técnicas*, órgão responsável pela normatização técnica no Brasil

abnuência (ab.nu:*ên*.ci:a) *sf.* **1** Falta de conformidade, de acordo; DESACORDO; DISCORDÂNCIA; DISCREPÂNCIA [Ant.: *acordo, anuência, concordância.*] **2** Discussão, discórdia [F.: Do lat. *abnuentia, ae.*]

abnuente (ab.nu:*en*.te) *a2g.* Que abnui, que discorda ou rejeita; DISCORDANTE [Ant.: *anuente, concordante.*] [F.: Do lat. *abnuens, entis.*]

abnuir (ab.nu.*ir*) *v. td.* Não dar consentimento; CONTESTAR; DISCORDAR; DISSENTIR: *A banca examinadora abnuiu o projeto de pesquisa.* [▶ 56 abnuir] [F.: Do lat. *abnuere.*]

aboamento (a.bo:a.*men*.to) *Carp. sm.* Inclinação nos lados internos de portas ou janelas, para que, ao ficar bem abertas, permitam maior entrada de luz [F.: *aboar* + *-mento.*]

aboar (a.bo.*ar*) *v.* **1** *Lus. P. us.* Tornar-se bom (o tempo) [*int.*: *O tempo aboou.*] **2** *Ant.* Colocar (marco) para separar, dividir [*td.*: *aboar um caminho.*] **3** *Ant.* Estabelecer (algo) como bom; ABONAR [*td.*: *Aboou a qualidade do texto.*] [▶ 16 aboar] [F.: Or. contrv.]

abóbada (a.*bó*.ba.da) *sf.* **1** *Arq.* Construção feita em arco com pedras talhadas (aduelas), tijolos etc., a qual cobre um certo espaço, e cujos elementos, em forma de cunha, unidos uns aos outros, se equilibram, transmitindo as pressões a pontos de apoio chamados *pés-direitos* ou *encontros da abóbada sf.* **2** Cobertura abaulada de certos edifícios (teatros, catedrais etc.); CÚPULA *sf.* **3** Qualquer objeto de forma arredondada, de aparência externa convexa e aparência interna côncava *sf.* **4** Local abaulado no casco dos navios sob o qual fica o hélice [F.: *a-* (protético) + port. ant. *boveda* (< b. -lat. *volvita*, fem. do lat. **volvitus, a, um*, por *volutus, a, um*, part. pass. de *volvere*, 'revirar').] ■ **~ abatida** *Arq.* Aquela cuja curvatura é a de uma seção de elipse e cuja largura é a do eixo maior da elipse; abóbada de volta de sarapanel, abóbada de asa de cesto **~ acústica** *Fís.* Aquela que reflete um som (mesmo que fraco) produzido em um ponto, tornando-o audível em outro ponto **~ à moderna** *Arq.* V. *Abóbada ogival* **~ celeste** O céu **~ cilíndrica** *Arq.* Aquela cuja curvatura é a de um arco de círculo; abóbada de berço, abóbada de berço direito, abóbada de canudo, abóbada de tumba, abóbada mestra **~ cocleária** *Arq.* V. *Abóbada de caracol* **~ craniana** O alto da cabeça **~ de ângulo** *Arq.* A que resulta da interseção de duas abóbadas cilíndricas, formando quatro arcos de círculo em ângulos reentrantes; abóbada em arco de claustro **~ de aresta** A que resulta da interseção de duas abóbadas cilíndricas, formando ângulos salientes, apoiando-se nas paredes por quatro cantos **~ de asa de cesto** *Arq.* V. *Abóbada abatida* **~ de barrete de clérigo** *Arq.* A que resulta da interseção de duas abóbadas cilíndricas, formando ângulos salientes, apoiando-se nas paredes por igual **~ de berço** *Arq.* V. *Abóbada cilíndrica* **~ de canudo** *Arq.* V. *Abóbada cilíndrica* **~ de caracol** *Arq.* A que corre sobre duas paredes paralelas, em forma de espiral; abóbada cocleária, abóbada helicoide, abóbada de espiral **~ de concha** *Arq.* A que tem a forma de metade de uma cúpula (a quarta parte de uma esfera), muito us. em nichos nas paredes **~ de escarção** *Arq.* V. *Abóbada oblíqua* **~ de espiral** *Arq.* V. *Abóbada de caracol* **~ de geração** *Arq.* A que tem por diretriz um segmento de arco de círculo **~ de lado** *Arq.* V. *Abóbada oblíqua* **~ de luneta** *Arq.* V. *Abóbada oblíqua* **~ de ogiva** *Arq.* V. *Abóbada ogival* **~ de tumba** *Arq.* V. *Abóbada cilíndrica* **~ de volta de sarapanel** *Arq.* V. *Abóbada abatida* **~ elevada** *Arq.* Aquela cuja curvatura é a de uma seção de elipse e cuja largura é a do eixo menor da elipse **~ em arco de claustro** *Arq.* V. *Abóbada de ângulo* **~ esférica** *Arq.* Aquela cujas seções vertical e horizontal são circulares **~ gótica** *Arq.* V. *Abóbada ogival* **~ helicoide** *Arq.* V. *Abóbada de caracol* **~ mestra** *Arq.* V. *Abóbada cilíndrica* **~ oblíqua** *Arq.* Aquela que não tem as paredes laterais em esquadria com os pés-direitos da entrada; abóbada de escarção, abóbada de lado, abóbada de luneta **~ ogival** *Arq.* A formada por dois segmentos iguais de círculo que se cruzam e formam ângulo na parte superior; abóbada de ogiva, abóbada gótica **~ palatina** *Anat.* O céu da boca (v. em *céu*) **~ policêntrica** *Arq.* Aquela que tem a curvatura formada por seções contínuas de círculos não concêntricos

abobadado (a.bo.ba.*da*.do) *a.* **1** Em forma de abóbada ou coberto por abóbada (teto abobadado, construção abobadada); ABAULADO: "...carro alentejano abobadado." (Leite de Vasconcelos, *De Terra em Terra*) **2** Convexo, encurvado (costas abobadadas); ARQUEADO [F.: Part. de *abobadar.*]

abobadar (a.bo.ba.*dar*) *v. td.* **1** Envolver, recobrir com abóbada: *Abobadaram o teto do museu.* **2** Dar forma de abóbada; ARQUEAR: *A capotagem abobadou o teto do ônibus.* [▶ 1 abobadar] [F.: *abóbada* + *-ar*[2]. Hom./Par.: *abobada(s)* (fl.), *abobada(s)* (fem. *abobado*(a.)[pl.]); *abobado* (fl.), *abobado* (a.); *abobada(s)* (fl.), *abóbada(s)* (sf. [pl.]), *aboubada(s)* (fem. *aboubado* (a.)[pl.]).]

abobadilha (a.bo.ba.*di*.lha) *Arq. sf.* Pequena abóbada com o formato de metade de um cilindro, ger. de tijolo, gesso etc., us. na construção de sobrados [F.: *abóbada* + *-ilha.*]

abobado (a.bo.*ba*.do) *a.* **1** Que é (um tanto ou muito) bobo, apatetado, apalermado (diz-se de pessoa); ABOBALHADO **2** De ou próprio de bobo, apatetado, apalermado, ou que revela idiotice, parvoíce ou espanto, surpresa (diz-se de expressão, olhar, jeito); ABOBALHADO [F.: *a-*[2] + *bobo* + *-ado*[1]. Hom./Par.: *abobado* (a.), *abobado* (fl. de *abobadar*), *aboubado* (a.); *abobada* (fem.), *abóbada* (sf.).]

abobalhado (a.bo.ba.*lha*.do) *a.* O mesmo que *abobado* [F.: *a-*[2] + *bobo* + *-alhado.*]

abobalhar (a.bo.ba.*lhar*) *v.* **1** Fazer ficar ou ficar bobo, apalermado, tolo; apalermar(-se); ABOBAR [*td.*: *O mimo excessivo abobalhara a criança; abobalhar o eleitorado.*] [*int.*: *Ao longo dos anos foi se abobalhando.*] **2** Causar surpresa, perplexidade; SURPREENDER; ABOBAR [*td.*: *Seu talento abobalhava sua família e amigos.*] [*tr.* + *com*: *Abobalhou- se com a resposta intempestiva do amigo*] [▶ 1 abobalhar] [F.: *a-*[2] + *bobo* + *-alhar.*]

abobamento (a.bo.ba.*men*.to) *sm.* **1** Ação ou resultado de abobar(-se), de tornar ou tornar-se bobo, apalermado **2** Ação ou resultado de fazer ficar ou ficar muito surpreso, bobo de espanto; essa condição: *Com a notícia, ficaram num total abobamento.* [F.: *abobar* + *-mento.*]

abobar (a.bo.*bar*) *v.* **1** Tornar(-se) bobo, tolo, palerma; APALERMAR; ATOLEIMAR [*td.*: *Pouca leitura e muita TV acabaram por abobá-lo.*] [*int.*: *Não estudou, não se informou, e, com o tempo, abobou(-se).*] **2** Surpreender ou surpreender-se ao extremo, fazendo ficar ou ficando estupefato, abobalhado [*td.*: *Abobou os amigos com seus conhecimentos.*] [*int.*: *Os funcionários se abobaram com o generoso aumento de salário.*] [▶ 1 abobar] [F.: *a-*[2] + *bobo* + *-ar*[2]. Hom./Par.: *abobar*, *aboubar* (em todas as fl.); *abobo* (fl.), *abobó* (sm.).]

abobó (a.bo.*bó*) *MA Rel. sm.* Comida preparada com feijão-branco de olho preto e azeite de dendê, para ofertar a voduns da Casa Grande das Minas, em São Luís [F.: Do jeje *bobo* 'comida de feijão'. Hom./Par.: *abobo* (fl. de *abobar*).]

abóbora (a.*bó*.bo.ra) *sf.* **1** *Bot.* Fruto da aboboreira, de polpa comestível, ger. de tom alaranjado ou avermelhado; JERIMUM; JERIMU **2** *Bot.* O mesmo que *aboboreira* **3** *Bras. Ent.* Borboleta do gên. *Eueides*, da fam. dos ninfalídeos, cujas asas apresentam um colorido intenso de tons alaranjados, pretos e amarelos **4** *Fig. Pop.* Mulher gorda **5** *Pop.* A cabeça (parte do corpo) *sm.* **6** A cor da polpa da abóbora *s2g.* **7** Indivíduo brando, mole, fraco, sem resolução *a2g2n.* **8** Que é da cor do fruto da abóbora (camiseta abóbora; vestido abóbora; casacos abóbora) **9** Diz-se dessa cor: *Um vestido de cor abóbora.* [F.: De or. incerta; posv. do lat. hispânico *apopores.*]

abóbora-cheirosa (a.bó.bo.ra-chei.*ro*.sa) *Bras. Bot. sf.* **1** Planta originária da América (*Cucurbita moschata*), da família das cucurbitáceas, esp. empregada como forrageira **2** Fruto dessa planta, de casca verde-escuro com manchas ou listras claras [Pl.: *abóboras-cheirosas.*] [Sin. ger.: *abóbora-almíscar, abóbora-catinga, abóbora-melão.*]

abóbora-d'água (a.bó.bo.ra-*d'á*.gua) *Bras. Bot. sf.* **1** Planta da fam. das cucurbitáceas (*Lagenaria vulgaris*), cultivada por seu fruto, a cabaça; CABACEIRO-AMARGOSO; CUIEIRA **2** Esse fruto, cuja polpa amarga é us. como laxante, e cuja casca dura é us. na confecção de vasilhas e outros objetos, sobretudo no interior do país; CABAÇA; CUIA [Pl.: *abóboras-d'água.*] [F.: *abóbora* + *de* + *água.*]

abóbora-d'anta (a.bó.bo.ra-*d'an*.ta) *Bras. Bot. sf.* **1** Planta (*Cayaponia martiana*) da fam. das cucurbitáceas, originária do Brasil, cujos frutos são us. no preparo de purgativos; TAIUIÁ-GRANDE **2** O fruto dessa planta [Pl.: *abóboras-d'anta.*]

abóbora-do-mato (a.bó.bo.ra-do-*ma*.to) *Bras. Bot. sf.* **1** Trepadeira nativa do Brasil (*Melothria fluminensis*), da fam. das cucurbitáceas, de frutos pequenos, com propriedades purgativas; TAIUIÁ-MIÚDO **2** Fruto dessa planta [Pl.: *abóboras-do-mato.*]

aboboral (a.bo.bo.*ral*) *sm.* Plantação de aboboreiras [Pl.: *-rais.*] [F.: *abóbora* + *-al*[1].]

abóbora-menina (a.bó.bo.ra-me.*ni*.na) *Bras. Bot. sf.* **1** Planta rasteira (*Cucurbita maxima*), da fam. das cucurbitáceas, de fruto grande, comestível, cuja casca é aproveitada para cuias, vasilhas etc.; CUIEIRA **2** Fruto dessa planta; CUIA [Pl.: *abóboras-meninas.*]

abóbora-moganga (a.bó.bo.ra-mo.*gan*.ga) *Bras. Bot. sf.* **1** Planta (*Cucurbita pepo*), da fam. das cucurbitáceas, trepadeira ou rasteira, de fruto grande e comestível **2** Fruto dessa planta [Pl.: *abóboras-mogangas.*] [Sin. ger.: *abóbora-moranga, jerimum.*]

abóbora-moranguinha (a.bó.bo.ra-mo.ran.*gui*.nha) *Bras. Bot. sf.* **1** Variedade de abóbora (*Cucurbita potiro*), de frutos pequenos **2** Fruto dessa planta [Pl.: *abóboras-moranguinhas.*]

aboborar (a.bo.bo.*rar*) *v.* **1** *Fig.* Tornar maduro, pronto para execução (plano, projeto, ideia etc.) [*td.*: *Os policiais aboboraram um projeto para prender os ladrões.*] **2** Cozinhar (comidas) em fogo brando, de modo que se embebam do molho ou do caldo; EMBEBER [*td.*: *A empregada já aboborou a macarronada.*] [*int.*: *A carne já aboborou.*] **3** *Pop.* Permanecer na cama, agasalhado, abafado, sem fazer nada [*int.*: *Por estar desempregado, abobora durante todo o dia.*] [▶ 1 aboborar] [F.: *abóbora* + *-ar*[2]. Hom./Par.: *abobora(s)* (fl.), *abóbora(s)* (sf. [pl.]).]

aboboreira (a.bo.bo.*rei*.ra) *sf. Bot.* Designação comum dada a várias plantas da fam. das cucurbitáceas, esp. as dos gên. *Abobra, Cucurbita, Lagenaria, Melothria, Trianosperma* e *Trichosanthes*, cujos frutos são muito us. na alimentação humana e tb. na de muitos animais [F.: *abóbora* + *-eira.*]

abobrinha (a.bo.*bri*.nha) *sf.* **1** Variedade de abóbora, verde, us. na culinária *sf.* **2** *Bras. Pop.* Dito desprovido de conteúdo, sem importância (falar abobrinha); BOBAGEM; BESTEIRA [F.: *abóbora* + *-inha.*]

abobrinha-do-mato (a.bo.bri.nha-do-*ma*.to) *Bras. Bot. sf.* **1** Nome comum a algumas plantas da fam. das cucurbitáceas **2** Trepadeira (*Cayaponia diversifolia*) de frutos amarelos e flores vermelhas, de propriedades antidiabéticas e antissifilíticas, encontrada em algumas regiões do Brasil **3** Erva da fam. das cucurbitáceas (*Trianosperma tayuya*) **4** Planta cucurbitácea (*Cayaponia pilosa*, Cogn.), também chamada *purga-de-caboclo* **5** O mesmo que *taiuiá* **6** Trepadeira melífera (*Cayaponia martiana*), família das cucurbitáceas [Pl.: *abobrinhas-do-mato.*]

abocador (a.bo.ca.*dor*) [ô] *a. sm.* O mesmo que *abocanhador* (1 e 4) [F.: *abocar* + *-dor.*]

abocadura (a.bo.ca.*du*.ra) *sf.* **1** Ação ou resultado de abocar **2** Abertura longa e estreita, ger. numa muralha, para assestar armas; SETEIRA [F.: *abocar* + *-dura.*]

abocamento (a.bo.ca.*men*.to) *sm.* **1** Ação ou resultado de abocar, de abocanhar **2** União de duas bocas: *abocamento de dois tubos.* **3** Conversa, colóquio **4** Ponto de confluência, de convergência de dois ou mais elementos: *abocamento de duas vias.* **5** *Anat.* Encontro de um vaso que termina com outro de diâmetro maior **6** *Cir.* Procedimento cirúrgico em que se faz ou se restaura a comunicação entre vasos por meio de aberturas que se correspondem diretamente [F.: *abocar* + *-mento.*]

abocanhado (a.bo.ca.*nha*.do) *a.* **1** Que foi apanhado com a boca, mordido **2** Que sofreu difamação, que foi enxovalhado; DESONRADO **3** *Bras. Pop.* Que foi obtido por meio de artimanha, esperteza ou força [F.: Part. de *abocanhar.*]

abocanhador (a.bo.ca.nha.*dor*) [ô] *a.* **1** Que abocanha; ABOCADOR **2** *Bras.* Que usa de astúcia, de esperteza, de ladinice ou força para se apossar de algo indevidamente **3** Que denigre a reputação alheia *sm.* **4** Aquele ou aquilo que abocanha; ABOCADOR [F.: *abocanhar* + *-dor.*]

abocanhar (a.bo.ca.*nhar*) *v.* **1** Pegar com a boca; MORDER [*td.*: "...o bicho quase me abocanhou o nariz..." (Nicolai Gogol, *Mar de histórias*)] **2** Dilacerar ou ferir com os dentes [*td.*: *A onça abocanhava a presa.*] **3** Obter, conquistar [*td.*: *Abocanhou o primeiro lugar com facilidade*: "...os cubanos abocanharam 49 medalhas..." (*Folha de S.Paulo*, 30.07.1999)] **4** Comer, engolir [*td.*: *Abocanhamos dois sanduíches rapidamente.*] **5** *Fig.* Prejudicar na reputação; DIFAMAR [*td.*: *Por inveja, abocanha qualquer pessoa.*] **6** *Fig.* Apoderar-se de; tomar posse de [*tdi.* + *de*: "...uma voz brejeira que arremedava tanto quanto podia abocanhar de um cãozinho gritou..." (Lima Barreto, *Triste fim de Policarpo Quaresma*)] [▶ 1 abocanhar] [F.: *a-*[2] + *boca* + *-anhar* ou de *a-*[2] + *bocanha* + *-ar*[2].]

abocar (a.bo.*car*) *v.* **1** Apanhar com a boca; ABOCANHAR [*td.*: *A gata aboca os filhotes.*] **2** Levar à boca; BOCAR [*td.*: *O neném aboca a chupeta.*] **3** Levar à boca para ingerir; COMER [*td.*: *Não sei o que vou abocar hoje.*] **4** Chegar à boca ou entrada; ASSOMAR; APARECER [*ta.* + *a/por*: *As moças abocaram à porta da cozinha.*] **5** Ir dar a; DESEMBOCAR [*ta.* + *em*: *O rio Reno aboca no rio Tibre.*] **6** Chamar gritando [*td.*: *Desesperada, abocou o nome de Deus.*] **7** Apontar (arma) na direção de [*tda.* + *contra/para*: "...os do Recife que negaram obediência ao bispo-governador, guarneceram as fortalezas por autoridade própria, abocaram a artilharia contra a terra?" (Capistrano de Abreu, *Capítulos da história colonial*)] **8** Comunicar(-se), falar [*tr.* + *com*: *abocar-se com as pessoas*] **9** *Cons.* Ligar as extremidades de dois tubos (através de rosca ou encaixe) [*td.*: *abocar os canos*] **10** *Mar.* Entrar com embarcação em (canal, rio, estreito) [*td.*] [▶ 11 abocar] [F.: *a-* + *boca* + *-ar.*]

abochornado (a.bo.chor.*na*.do) *a.* **1** Em que há bochorno ou que está sufocante por causa do calor (diz-se do tempo, dia); ABAFADIÇO; MORMACENTO **2** Abatido, desanimado, ger. pelo excesso de calor **3** *Fig.* Adoentado [F.: Part. de *abochornar.*]

abochornar (a.bo.chor.*nar*) *v.* **1** Fazer ficar ou ficar, tornar(-se) (o tempo, o dia) abafadiço, sufocante, com mormaço (ou seja, bochornoso) [*td.*: *O forte sol e o ar quente abochornavam o dia.*] [*int.*: *Depois de certa hora o dia abochornou.*] **2** Ficar (alguém, animal) mole, sem energia, sonolento etc. devido ao bochorno, ao ambiente abafadiço [*int.*: *Apesar do calor, começou o dia cheio de energia; depois abochornou.*] [▶ 1 abochornar] [F.: *a-*[2] + *bochorno* + *-ar*[2].]

abodegação (a.bo.de.ga.*ção*) *sf.* **1** Ação ou resultado de abodegar **2** *Bras. N. N. E. Pop.* Aborrecimento, apoquentação **3** *Pop.* Estado de sujeira, de imundície [Pl.: *-ções.*] [F.: *abodegar* + *-ção.*]

abodegado (a.bo.de.*ga*.do) *a.* **1** Transformado em bodega ou imundo como bodega **2** *Bras. N. N. E. Pop.* Aborrecido, apoquentado [F.: Part. de *abodegar.*]

abodegar (a.bo.de.*gar*) *v.* **1** Converter em bodega; dar feição de bodega a [*td.*: *O dono abodegou o estabelecimento.*] **2** *N. E. Pop.* Incomodar (alguém) com pedidos insistentes e enfadonhos, com assuntos sem interesse etc.; ABORRECER; IMPORTUNAR; MAÇAR [*td.*: *O filho vive a abodegar os pais.*] [*int.*: *Pessoas inconvenientes sempre abodegam.*] **3** O mesmo que *embodegar.* [▶ 14 abodegar] [F.: *a-*[2] + *bodega* + *-ar*[2]. Hom./Par.: *abodega(s)* (fl.), *abodega(s)* (sf. [pl.]); *abodego* (fl.). *abodego* [ê] (sm.).]

abodego (a.bo.de.go) [ê] *sm. Bras. N. N. E. Pop.* Abodegação, aborrecimento, apoquentação [F.: Dev. de *abodegar.* Hom./Par.: *abodego* [ê] (sm.), *abodego* (fl. de *abodegar*).]

aboiado[1] (a.boi:a.do) *a.* **1** Que se aboiou *a.* **2** Que se pôs ou que fica à tona d'água, boiando: *toras de mogno aboiadas no rio.* **3** Que se movimenta na superfície de água (ger. peixe) **4** A que se atou boia, para que flutue **5** Marcado com boia (ger. lugar na superfície de água, assinalando profundidade, direção etc.) [F.: Part. de *aboiar*[1].]

aboiado[2] (a.boi:a.do) *Bras. sm.* O mesmo que *aboio* [F.: Substv. do part. de *aboiar*[2].]

aboiar[1] (a.boi.*ar*) *v.* **1** Amarrar a uma boia [*td.*: *aboiar bandeiras de sinalização marítima.*] **2** Flutuar com uma boia; BOIAR [*int.*: *As toras aboiavam no rio.*] [▶ 1 acent. do *o*: 18 abo(i)ar] [F.: *a-*[2] + *boia* + *-ar*[2].]

aboiar[2] (a.boi.*ar*) *v. int.* **1** *Bras.* Cantar à frente do gado para guiá-lo ou juntar o que anda disperso **2** *Lus.* Trabalhar com bois [▶ 15 aboiar] [F.: *a-*[2] + *boi* + *-ar*[2]. Hom./Par.: *aboio* (fl.), *aboio* /ô/ (sm.).]

aboio (a.*boi*.o) [ôi] *sm. Bras. Cver.* Canto monótono e choroso de que se utilizam os vaqueiros para guiar ou chamar o gado; ABOIADO: "Ao fim – quê – quando escutei toques de berrante: o *hu... huhuuhuu... hu...* e mesmo, logo em pós, a tropeada e o aboio dos vaqueiros." (Guimarães Rosa, "A estória do homem do pinguelo" *in Estas estórias*) [F.: Dev. de *aboiar*[2].]

aboiz (a.bo.*iz*) *sm.* **1** Armadilha para pássaros e coelhos **2** *Fig.* Cilada, embuste [Pl.: *aboízes.*] [F.: De or. incerta.]

abolachado (a.bo.la.*cha*.do) *a.* Que tem ou adquiriu forma de bolacha (rosto abolachado; nariz abolachado) [F.: *a-*[2] + *bolacha* + *-ado*[1].]

abolachar (a.bo.la.*char*) *v. td.* **1** Dar sabor ou forma de bolacha a; ACHATAR; COMPRIMIR: *O padeiro abolachou a massa de pão.* **2** Tornar achatado; ACHATAR; COMPRIMIR: *O lixeiro abolachou as latas de refrigerante vazias.* [▶ 1 abolachar] [F.: *a-*[2] + *bolacha* + *-ar*[2].]

aboleimado (a.bo.lei.*ma*.do) *a.* **1** Em forma de boleima, de bolo; ACHATADO **2** *Fig.* Tolo, abobalhado, atoleimado [F.: *a-*[2] + *boleima* + *-ado*[1].]

aboleimar (a.bo.lei.*mar*) *v.* **1** Dar ou adquirir forma de boleima, de bolo; ACHATAR(-SE) [*td.*: *O carregador aboleimou os sacos de arroz.*] [*int.*: *A massa derramou e aboleimou-se.*] **2** *Fig.* Tornar(-se) rude, bruto, grosseiro [*td.*: *A bebida aboleimou-o.*] **3** *Fig.* Transformar(-se) em tolo, bobo, pateta; APATETAR-SE [*td.*: *O excesso de carinho aboleimou a criança.*] [*int.*: *Por ter parado de estudar, aboleimou.*] [▶ 1 aboleimar] [F.: *a-*[2] + *boleima* + *-ar*[2].]

aboletado (a.bo.le.*ta*.do) *a.* **1** *Bras. Pop.* Que se aboletou; comodamente instalado; REFESTELADO **2** *P. us.* Alojado por meio de boleto; AQUARTELADO: "Foi aboletado para a rua de São Miguel, enquanto se não reorganizava quartel para cavalaria." (Camilo, *Filha do Dr. Negro*) [F.: Part. de *aboletar.*]

aboletamento (a.bo.le.ta.*men*.to) *sm.* Ação ou resultado de aboletar(-se) [F.: *aboletar* + *-mento.*]

aboletar (a.bo.le.*tar*) *v.* **1** Alojar(-se) (militar[es]) em casa ou propriedade de particulares, de modo provisório ou temporário (por vezes por tempo indefinido); AQUARTELAR [*tda.*: *O capitão aboletou os soldados nas principais casas da vila*: "No quintal da casa em que se aboletara, o comandante se ateve à missão..." (Euclides da Cunha, *Os sertões*)] **2** *Bras. Pop.* Alojar(-se), acomodar(-se) ou instalar(-se) (ger. de modo cômodo ou confortável) [*tda.*: "...não estava incluído no 'brinde' eu ter de aboletar a família toda no meu apartamento." (Salvador, o consultor): "Drummond costumava aboletar- se em seu refúgio pelas 9 da manhã, já com o café tomado e os jornais lidos" (Humberto Werneck, *O ninho da poesia*)] **3** *Bras. Pop.* Sentar-se, deitar-se ou estender-se de modo solto, cômodo, relaxado ou descontraído, no intuito de descansar; REFESTELAR-SE [*ta.*: *Sem cerimônia, aboletou-se no sofá; Aboletou-se sobre a mesa, descansando a cabeça no próprio braço.*] [▶ 1 aboletar] [F.: *a-*[2] + *boleto*[2] + *-ar*[2].]

abolição (a.bo.li.*ção*) *sf.* **1** Ação ou resultado de abolir, eliminar (leis, direitos, tradições etc.): *A abolição da escravatura no Brasil deu-se em 1888*: "...se anunciassem a abolição da tevê, dentro de cinco minutos todos perderiam a razão de viver..." (João Ubaldo, "A glória televisiva" *in O conselheiro come*) **2** *Restr.* A abolição da escravidão no Brasil: "Era como se o Brasil, tal como visto pelo Eça no ano da Abolição, tivesse recusado a própria infância." (Antônio Callado, *Entre o deus e a vasilha*) [Nesta acep., ger. usado com maiúscula.] **3** *Jur.* Extinção de um direito ou de uma instituição [Pl.: *-ções.*] [F.: Do lat. *abolitio, onis.*]

abolicionismo (a.bo.li.ci:o.*nis*.mo) *sm.* **1** *Hist.* Doutrina e movimento político que defendiam a extinção da escravatura **2** O exercício dessa doutrina e movimento [F.: Do ing. *abolitionism.*]

📖 Apesar do crescente movimento internacional contra todo regime escravocrata, a economia brasileira (basicamente exportação de produtos agrícolas) na época da Independência dependia dos mais de 1.200.000 escravos negros (para 3 milhões de habitantes livres e brancos). O crescimento e fortalecimento do abolicionismo no Brasil foi, por isso, lento e gradativo, a partir da primeira manifestação (Manuel Ribeiro da Rocha, em 1757) através da atuação de abolicionistas famosos, como José Bonifácio, Hipólito José da Costa, Nabuco de Araújo, Saldanha Marinho, Luís Gama, José do Patrocínio, Rui Barbosa, entre outros, e de leis intermediárias de limitação do tráfico e libertação seletiva de escravos (sexagenários, nascituros etc.), até a Lei Áurea (1888), assinada pela princesa Isabel, que aboliu definitivamente a escravidão no Brasil.

abolicionista (a.bo.li.ci:o.*nis*.ta) *a2g.* **1** Que se refere à abolição ou ao abolicionismo **2** Que é partidário do abolicionismo ou o defende (jornal abolicionista) *s2g.* **3** Quem é partidário do abolicionismo [F.: Do ing. *abolitionist.*]

abolido (a.bo.*li*.do) *a.* **1** Que se aboliu *a.* **2** Cujo efeito foi anulado (lei abolida); REVOGADO **3** Que foi eliminado, extirpado, suprimido (mau hábito abolido) **4** Superado pelo desuso: *Luvas femininas estão praticamente abolidas.* [F.: Do lat. *abolitus, a, um.*]

abolinar (a.bo.li.*nar*) *v. int. Mar.* O mesmo que *bolinar*: *Como as embarcações dispunham de velas próprias para abolinar, podiam navegar com ventos transversais.* [▶ 1 abolinar] [F.: *a-*[2] + *bolina* + *-ar*[2].]

abolir (a.bo.*lir*) *v.* **1** Pôr fim à validade de (costumes, instituições, leis etc.); ANULAR; EXTINGUIR [*td.*: "...e abolir certa moda de saia ou tanga..." (José de Alencar, *Senhora*) Ant.: *manter, restaurar.*] **2** Deixar de usar por ser nocivo a (ger. saúde); ELIMINAR; SUPRIMIR [*td.*: *Aboliu o açúcar porque era diabético.*] [*tdr.* + *de*: *Vegetarianos, aboliram a carne da alimentação.*] **3** Deixar de lado; abandonar (hábitos, vícios, usos etc.) [*td.*: *Abolimos as caminhadas diárias.*] [▶ 58 abolir] [F.: Do lat. *abolere.*]

abolsado (a.bol.*sa*.do) *a.* **1** A que se deu forma de bolso ou bolsa **2** Diz-se de roupa que forma papos ou tufos (vestido abolsado) [F.: Part. de *abolsar.*]

abolsar (a.bol.*sar*) *v.* O mesmo que *bolsar.* [*td.*: *Com a pressão da moda, ele abolsou as camisas.*] [*int.*: *Ao sentar-se, sua saia abolsou.*] [▶ 1 abolsar] [F.: *bolsa* + *-ar*[2]. Hom./Par.: *abolsar, abolçar* (em todas as fl.).]

abomaso (a.bo.*ma*.so) *sm. Anat. Zool.* O quarto estômago dos ruminantes, onde se efetua a parte mais importante da digestão, e que, por produzir secreções muito ácidas, é utilizado por queijarias para coalhar o leite; COAGULADOR; COALHEIRA [F.: *ab-*[1] + lat. *omasum, i,* 'tripa do boi'.]

abombado (a.bom.*ba*.do) *S GO a.* **1** Cansado, esfalfado, ofegante, depois de trabalhar em dia muito quente (diz-se de animal): *Após um dia de marcha, era um cavalo abombado.* **2** *P. ext.* Muito cansado, esfalfado [F.: Part. de *abombar.*]

abombamento (a.bom.ba.*men*.to) *Bras. S. GO sm.* **1** Ação ou resultado de abombar *sm.* **2** Estado da cavalgadura que abomba [F.: *abombar* + *-mento.*]

abombar (a.bom.*bar*) *v.* **1** *Bras. S. GO* Levar (o cavalo) ao cansaço ou ficar (este) exausto por imperícia na sua condução [*td.*: *O uso exagerado do chicote abombou o cavalo.*] [*int.*: *O cavalo abombou(-se) no meio da corrida.*] **2** *S* Diminuir a marcha, parar ou cair pelo cansaço provocado pelo calor [*int.*: *O cavalo abombou(-se) antes da curva.*] **3** Atordoar ou ficar atordoado pelo sol forte [*td.*: *O terrível calor abombou o vaqueiro.*] [*int.*: *O cavalo abombou devido ao sol forte.*] **4** *P. ext.* Ficar muito cansado por esforço praticado ou pela ação do calor [*int.*: *Jogaram tanto futebol na tarde ensolarada que (se) abombaram.*] [▶ 1 abombar] [F.: Do espn. plat. *abombar.* Hom./Par.: *abomba* (fl.), *abomba* (sf.); *abombas* (fl.), *abombas* (pl. do sf.).]

abominação (a.bo.mi.na.*ção*) *sf.* **1** Ação ou resultado de abominar **2** Sentimento de aversão ou objeção; REPUGNÂNCIA **3** Qualquer coisa execrável, que cause repulsa [Pl.: *-ções.*] [F.: Do lat. tard. *abominatio, onis.*]

abominado (a.bo.mi.*na*.do) *a.* Que se abomina ou abominou; que é detestado, rejeitado; EXECRADO [F.: Do lat. *abominatus, a, um.*]

abominador (a.bo.mi.na.*dor*) [ô] *a.* **1** Que abomina, que detesta *sm.* **2** Aquele que abomina [F.: *abominar* + *-dor.*]

abominar (a.bo.mi.*nar*) *v. td.* Ter horror ou aversão a (algo, alguém ou a si mesmo); DETESTAR; ODIAR: "Abomino domingo! Maldito dia!" (Marques Rebelo, *Contos reunidos*) [▶ 1 abominar] [F.: Do lat. *abominare.* Hom./Par.: *abomináveis* (fl.), *abomináveis* (pl. de *abominável* [a2g.]).]

abominável (a.bo.mi.*ná*.vel) *a2g.* **1** Que pode ou deve ser abominado; que causa repulsa, horror (crueldades abomináveis; confissão abominável); EXECRÁVEL **2** Que é péssimo, e por isso insuportável (gênio abominável; filme abominável) [Pl.: *-veis.*] [F.: Do lat. tard. *abominabilis, e.* Hom./Par.: *abomináveis* (pl.), *abomináveis* (fl. de *abominar* [v.]).]

abonação (a.bo.na.*ção*) *sf.* **1** Ação ou resultado de abonar; ABONO [+ *a*: *Abonação a seu nome* Ant.: *desabono; descrédito*] **2** *Jur.* Ato pelo qual uma ou mais pessoas se responsabilizam pela solvabilidade do devedor; ABONO **3** *Lex.* Citação (ger. em dicionário) de trecho de texto literário, jornalístico etc. para autorizar ou exemplificar o uso de um vocábulo em determinada acepção, ou de uma locução, de uma estrutura sintática etc. **4** *Lex.* Atestação, a partir de registro em texto, obra etc., do emprego de uma palavra ou acepção em certa data ou em determinada época **5** Qualquer ação ou documento que ateste compromisso, promessa, aprovação; ABONO **6** Recomendação ou atitude favorável; ABONO; LOUVOR **7** Situação financeira privilegiada; ABASTANÇA; RIQUEZA **8** Adiantamento em dinheiro; ABONO [Pl.: *-ções.*] [F.: *abonar* + *-ção.*]

abonado (a.bo.*na*.do) *a.* **1** Que se abonou: *Candidato abonado pelo governador.* **2** Confiável, digno de abono, afiançado; ACREDITADO [Ant.: *desacreditado.*] **3** *Lex.* Diz-se de vocábulo cuja acp. está comprovada por abonação (3) **4** *Jur.* Diz-se do que é ou foi garantido por abonação (2) **5** *Pop.* Que é endinheirado, que vive em abastança **6** Que recebeu abono, conseguiu alguma espécie de subsídio ou foi objeto de confiança *sm.* **7** *Pop.* Aquele que é rico, que tem muitos haveres [Ant.: *pobre; necessitado*] **8** Aquele que recebeu abono, que mereceu confiança ou louvor [F.: Part. de *abonar.*]

abonador (a.bo.na.*dor*) [ô] *a.* **1** Que abona ou garante; ABONATIVO: *Tem uma conduta abonadora dessa versão. sm.* **2** Aquele ou aquilo que abona **3** *Jur.* Aquele que garante o pagamento de dívida ou compromisso de outrem; FIADOR **4** Espécie de verruma ou broca de cabo largo, usada para construir tonéis [F.: *abonar* + *-dor.*]

abonamento (a.bo.na.*men*.to) *sm.* Ação ou resultado de abonar(-se); ABONAÇÃO; ABONO [F.: *abonar* + *-mento.*]

abonançar (a.bo.nan.*çar*) *v.* **1** Tornar(-se) bonançoso, brando, sereno; ABRANDAR; ACALMAR [*td.*: *O vento abonançou a tempestade.*] [*int.*: *No alvorecer, o mar abonança.*] **2** *Fig.* Tornar(-se) sereno ou mais sereno, tranquilo ou mais tranquilo; SERENAR; TRANQUILIZAR [*td.*: *Suas palavras o abonançaram.*] [*int.*: *Sua fúria demorou a abonançar.*] [▶ 12 abonançar] [F.: *a-*[2] + *bonança* + *-ar*[2].]

abonar (a.bo.*nar*) *v.* **1** Confirmar, declarar ou indicar como verdadeiro ou autêntico; QUALIFICAR [*td.*: *As conquistas abonavam seu talento.* Ant.: *desabonar.*] **2** Ser fiador de (aluguel, compra, empréstimo etc.); AFIANÇAR; AVALIZAR [*td.*: *Se pudesse, abonaria a transação.*] **3** Justificar (atraso, falta etc.), esp. no trabalho [*td.*: *O chefe abonou os atrasos.*] **4** Dar apoio ou crédito a; concordar com; APADRINHAR; SUBSCREVER [*td.*: *Abonava todas as ideias dos amigos.* Ant.: *desabonar*] **5** Citar texto ou passagem para demonstrar o uso de (expressão, vocábulo etc.) [*td.*: *abonar a regência de um verbo.*] **6** Servir para comprovar o uso de (expressão, vocábulo etc.) [*td.*: *O trecho de Machado de Assis abona o uso dessa regência.*] **7** Conceder, dar [*tdi.* +

a: O decreto abonará essa conquista ao trabalhador.] [▶ 1 abonar] [F.: *a-*[2] + *bom* + *-ar*[2], seg. o mod. erudito. Hom./Par.: *abonáveis* (fl.), *abonáveis* (pl. de *abonável* [a2g.]).]

abonatório (a.bo.na.*tó*.ri:o) *a.* **1** Próprio para abonar ou afiançar **2** Que abona; ABONADOR [F.: *abonar* + *-tório*.]

abonável (a.bo.*ná*.vel) *a2g.* Que pode ser abonado [Pl.: *-veis*.] [F.: *abonar* + *-vel*. Hom./Par.: *abonáveis* (pl.), *abonáveis* (fl. de *abonar*).]

abonecado[1] (a.bo.ne.*ca*.do) *a.* **1** Que se abonecou; EMBONECADO **2** *Bras.* Que deu boneca ou pendão (diz-se do milho ou da cana) [F.: Part. de *abonecar*.]

abonecado[2] (a.bo.ne.*ca*.do) *a.* Com feição de, semelhante a boneca ou boneco [F.: *a-*[2] + *boneca* ou *boneco* + *-ado*[1].]

abonecar (a.bo.ne.*car*) *v.* **1** Vestir(-se) com exagerado apuro [*td.*: *A mãe abonecou a filha em sua festa de aniversário; Abonecou-se toda para a festa.*] **2** Botar pendão ou boneca (o milho) [*int.*] [▶ 11 abonecar] [F.: *a-*[2] + *boneca* + *-ar*[2].]

abono (a.*bo*.no) *sm.* **1** Ação ou resultado de abonar; ABONAÇÃO **2** Afirmação das qualidades de alguém; ELOGIO [Ant.: *desabono; descrédito*] **3** Gratificação em dinheiro (abono de Natal) **4** Qualquer quantia paga adiantadamente: *Meu pai conseguiu um pequeno abono.* **5** Ação ou resultado de não descontar do salário o dia em que um funcionário esteve ausente: *O gerente deu-lhe abono de faltas por doença.* **6** Qualquer tipo de acréscimo que exceda a uma medida exata **7** Ação de reforçar ou justificar uma opinião, ideia etc. **8** O mesmo que *abonação* (2, 5, 6) **9** *RS* Adubo ou fertilizante us. em plantações [F.: Dev. de *abonar*.]

aboquejar (a.bo.que.*jar*) *v.* **1** O mesmo que *boquejar* (2) [*td. int.*] **2** Depreciar, difamar [*td.*: *Vivem boquejando a filha do vizinho.*] [▶ 1 aboquejar] [F.: *a-*[4] + *boquejar*. Hom./Par.: *aboquejo* (fl.), *aboquejo* (sm.).]

aboral (a.bo.*ral*) *a2g.* *Anat. Zool.* Afastado da boca, oposto à boca [Pl.: *-rais*.] [F.: *ab-*[1] + *oral*.]

aborbulhar (a.bor.bu.*lhar*) *v.* **1** *Derm.* Fazer ficar ou ficar cheio de borbulhas [*td. int.*] **2** Dar ou tomar forma de borbulha, de glóbulo [*td. int.*] [▶ 1 aborbulhar] [F.: *a-*[2] + *borbulha* + *-ar*[2].]

abordado (a.bor.*da*.do) *a.* Que se abordou (tema abordado; pessoa abordada) [F.: Part. de *abordar*.]

abordador (a.bor.da.*dor*) [ô] *a.* **1** Que aborda *sm.* **2** O que aborda [F.: *abordar* + *-dor*.]

abordagem (a.bor.*da*.gem) *sf.* **1** Ação ou resultado de abordar **2** *Mar.* Aproximação de embarcações **3** *Mar.* Aproximação de um navio a outro para tomar de assalto e roubar mercadorias **4** *Fig.* Maneira de se aproximar: *Não foi feliz na abordagem a seu ídolo.* **5** *Fig.* Modo como é tratado determinado assunto: *A inovadora abordagem do tema fascinou os ouvintes.* **6** *Fig.* Modo de tratar, entender ou lidar com algo [Pl.: *-gens*.] [F.: Do fr. *abordage*.]

abordar (a.bor.*dar*) *v.* **1** Aproximar-se de (veículo ou indivíduo [fazendo-o parar se estiver em movimento]), para assalto, investigação, ou comunicação [*td.*: *Os policiais abordaram-no na saída do baile:* "O senhor Eulálio – e aqui o Doutor se entusiasmava – abordara o automóvel, na passagem do rio." (João Guimarães Rosa, *Sagarana*): "Dois homens armados, sendo um deles manco, abordaram o rapaz." (Marcy Monteiro Neto, *Positivo e operante*)] **2** *Restr.* Aproximar-se de alguém para travar contato, entabular conversa ou no intuito de requisitar, questionar ou dizer (ou fazer) algo ou de prestar atendimento [*td.*: *O encontro era fortuito, mas o jornalista preferiu não o abordar naquela hora; O vendedor abordou-me assim que entrei na loja:* "Nunca tive coragem de abordar aquele adolescente tão admirado." (Manuel Bandeira, *Itinerário de Pasárgada*)] **3** Falar sobre; tratar de [*td.*: *O programa aborda variados assuntos.*] **4** *P. ext.* Falar sobre (algo) com (alguém) [*tdr.* + *com*: "... ele mesmo deseja abordar o assunto com Santiago..." (Ana Maria Machado, *A audácia dessa mulher*)] [*td.*: "Que seria? Pensou em abordar dona Nieta, mas não o fez." (Marques Rebelo, *Marafa*)] **5** *Mar.* Abalroar (embarcação) para invadi-la [*td.*: *Os piratas abordaram o barco.*] **6** *Mar.* Tocar com o bordo; APORTAR; ENCOSTAR [*td.*: *As lanchas abordarão o cais.*] [*ta.*: *Os iates abordaram à enseada.*] [*int.*: *A nau abordou.*] **7** Alcançar a borda de; ABEIRAR; ENCOSTAR [*td.*: *Abordamos o abismo.*] [▶ 1 abordar] [F.: Do fr. *aborder*. Hom./Par.: *abordáveis* (fl.), *abordáveis* (pl. de *abordável* [a2g.]).]

abordável (a.bor.*dá*.vel) *a2g.* Que se pode abordar: "...é possível encontrar artefatos de bom gosto e preço abordável..." (*Veja*, 29.08.2001) [Ant.: *inabordável*] [Pl.: *-veis*.] [F.: *abordar* + *-vel*. Hom./Par.: *abordáveis* (pl.), *abordáveis* (fl. de *abordar*).]

abordo (a.*bor*.do) [ô] *sm.* Ação ou resultado de abordar: *porto de fácil abordo.* [F.: Dev. de *abordar*. Hom./Par.: *abordo* (sm.), *abordo* (fl. de *abordar*).]

abordoar (a.bor.do.*ar*) *v.* **1** Bater com o bordão em [*td.*: *Abordoou injustamente o menino.*] **2** Amparar-se, arrimar-se com bordão [*tr.* + *em*: *Abordoava-se num velho cajado.*] [▶ 16 abordoar] [F.: *a-*[2] + *bordão* (rad. *bordo-*) + *-ar*[2], com desnasalação.]

aborígene (a.bo.*rí*.ge.ne) *a.* *sm.* Ver *aborígine*

aborígine (a.bo.*rí*.gi.ne) *a2g.* **1** *Antr.* Que nasceu em determinada terra ou país; NATIVO: *as populações aborígines do sul.* **2** *Antr.* Ref. ao que é próprio dos índios (arte aborígine); INDÍGENA **3** *P. ext.* Diz-se do que é natural da região em que se está, em que se encontra (vegetação aborígine) *s2g.* **4** *Antr.* Aquele que é nativo, autóctone; indivíduo aborígine: *Os tupinambás são aborígines brasileiros.* [F.: Do lat. *Aborigines, um*, 'os primeiros habitantes de um país, de um lugar', tomado no sing. Tb. (não preferencial) *aborígene*.]

aborrascar (a.bor.ras.*car*) *v. int.* Ameaçar borrasca ou tornar-se borrascoso; emborrascar(-se): *Parecia que o tempo ia (se) aborrascar.* [▶ 11 aborrascar] [F.: *a-*[2] + *borrasca* + *-ar*[2].]

aborrecedor (a.bor.re.ce.*dor*) [ô] *a.* **1** Que aborrece, que causa aborrecimento; que causa apoquentação ou tédio *sm.* **2** Aquilo ou aquele que aborrece [F.: *aborrecer* + *-dor*.]

aborrecência (a.bor.re.*cên*.ci.a) *sf.* *Pop. Joc.* Problemática psicológico-comportamental do adolescente e do seu caminhar para a idade adulta, cheio de tropeços em sua identidade, acompanhado por conflitos e confrontos com pais e parentes próximos; essa fase [F.: *aborrecer* + *-ência*.]

aborrecente (a.bor.re.*cen*.te) *a2g.* **1** *Joc.* Que manifesta (jovem adolescente) as características da aborrecência, como rebeldia, contestação de valores e da sociedade, enfrentamento com pais e adultos em geral etc. *s2g.* **2** *Joc.* Jovem aborrecente (1) [F.: *aborrecer* + *-nte*.]

aborrecer (a.bor.re.*cer*) *v.* **1** Provocar ou sentir aborrecimento, desgosto, contrariedade, incômodo, irritação, raiva, mau humor etc.; AMOLAR [*td.*: *Engarrafamentos me aborrecem.*] [*int.*: *Seu tom de voz aborrece.*] [*tr.* + *com*: *Aborreceu-se com o comportamento da afilhada.*] **2** Sentir aversão a; ter horror a; ABOMINAR; ODIAR [*td.*: *Os alunos aborrecem aulas monótonas.*] **3** Fazer perder ou perder o interesse; causar ou sentir tédio; chatear(-se); ENTEDIAR [*td.*: *O longo discurso aborreceu a assembleia.*] [*tr.* + *com*: "...que tem bastante com que se aborrecer lá por baixo, com os seus negócios..." (Aluísio Azevedo, *O cortiço*)] **4** Agastar-se ou desentender-se com (alguém) [*tr.* + *com*: *Sempre se aborrecia com os companheiros.*] [▶ 33 aborrecer] [F.: Do lat. *abhorrescere*.]

aborrecido (a.bor.re.*ci*.do) *a.* **1** Que se aborreceu com algo ou alguém; que passou a sentir desagrado, insatisfação, aborrecimento, raiva ou mágoa, ger. em razão de algo que alguém fez ou disse, ou em virtude de acontecimento ou fato desagradável; CHATEADO; AMOLADO: *Por que você está aborrecido comigo?; Você ficou aborrecido por causa da nota?* **2** Que aborrece, que causa tédio, enfado; MAÇANTE; CHATO; FASTIDIOSO: *Achamos o filme aborrecido e saímos no meio.* **3** Que denota ou revela aborrecimento, desagrado, insatisfação etc. (olhar aborrecido; expressão aborrecida; gesto aborrecido) **4** Sob a influência do enfado, do mau humor, da insatisfação, da má disposição; AMOFINADO; APERREADO: *Ele está sempre aborrecido; Sua mãe vive aborrecida.* **5** *Fig.* Detestado, odiado, desprezado: *É o sujeito mais aborrecido da cidade, graças à sua arrogância* *sm.* **6** Aquele ou aquilo que aborrece, que é desagradável: *O aborrecido nisso tudo é que ele jamais vai assumir o erro.* [F.: Part. de *aborrecer*.]

aborrecimento (a.bor.re.ci.*men*.to) *sm.* **1** Ação ou efeito de aborrecer(-se) **2** Sensação de desgosto, contrariedade, desagrado ou dissabor; AMOLAÇÃO; DISSABOR; PROBLEMA: *Meu irmão só causa aborrecimento aos meus pais.* **3** Sensação de tédio: *A monotonia da reunião causava-lhe aborrecimento.* **4** Sentimento de horror ou aversão; REPUGNÂNCIA: *o aborrecimento provocado por tanta miséria.* **5** Aquilo (acontecimento, fato, situação, conversa etc.) que aborrece, desgosta, perturba, contraria; CONTRARIEDADE; PERTURBAÇÃO: *Passaram por uma série de aborrecimentos sérios.* [F.: *aborrecer* + *-mento*.]

aborrido (a.bor.*ri*.do) *Desus.* *a.* **1** Que aborrece, que causa enfado; TEDIOSO **2** Cheio de aborrecimento; AMOLADO: "...viveu muito tempo triste e aborrido." (Alexandre Herculano, *Lendas e narrativas, II*) [F.: Part. de *aborrir*.]

aborrir (a.bor.*rir*) *v. td. int.* *Ant.* O mesmo que *aborrecer* [Ant.: *desaborrir*] [▶ 58 aborrir] [F.: Do lat. *abhorrere*.]

abortado (a.bor.*ta*.do) *a.* **1** Que abortou (3), que se interrompeu antes de total desenvolvimento, que não chegou a se realizar completamente (gravidez abortada) **2** Que não chegou a nascer, que não vingou (por ter sido interrompido seu desenvolvimento); MALOGRADO **3** *Fig.* Que se extinguiu no princípio, antes mesmo de ter início seu desenvolvimento (projeto abortado) **4** Que não tem ou teve continuidade por não ter sucessores (diz-se de família) **5** *Bras. Pop.* Que é bafejado pela sorte; SORTUDO *sm.* **6** Indivíduo abortado (5) [F.: Do lat. *abortatus, a, um*.]

abortamento (a.bor.ta.*men*.to) *sm.* **1** Ação ou resultado de abortar, de expulsar o feto antes do final da gestação; ABORTO: "...há que se ter uma atenção humanizada a todas as mulheres que (...) fizeram um abortamento inseguro." (*O Globo*, 09.12.2004) **2** *Fig.* Fracasso, insucesso na realização de um projeto; MALOGRO [Ant.: *êxito*.] [F.: *abortar* + *-mento*.]

abortar (a.bor.*tar*) *v.* **1** Interromper a gravidez, propositalmente ou não, causando a morte do feto [*td.*: *A mulher infelizmente abortou a criança.*] [*int.*: *Ela infelizmente abortou.*] **2** *Fig.* Interromper (de modo definitivo ou não) qualquer coisa que esteja por iniciar ou em andamento; MALOGRAR [*td.*: *A equipe abortou o projeto:* "...o influxo de uma civilização adiantada (...) acaba por abortar aqueles monstros." (José de Alencar, *Senhora*)] **3** *Fig.* Não se desenvolver ou não ter continuidade; não dar certo; FRACASSAR; GORAR [*int.*: *O trabalho abortou.*] **4** *Inf.* Interromper a execução de (programa ou comando) [*td.*] [*int.*] [▶ 1 abortar] [F.: Do lat. *abortare*.]

aborteira (a.bor.*tei*.ra) *sf.* *Pop.* Mulher que provoca ou realiza abortos em outras mulheres; ABORTADEIRA; DESMANCHADEIRA [F.: *aborto* + *-eira*.]

aborteiro (a.bor.*tei*.ro) *Bras.* *a.* Médico que faz abortos [F.: *aborto* + *-eiro*.]

abortício (a.bor.*tí*.ci:o) *a.* Nascido por aborto [F.: *aborto* + *-ício*.]

abortifaciente (a.bor.ti.fa.ci:*en*.te) *a2g.* **1** *Med.* Que causa aborto *sm.* **2** *Med.* O que causa aborto [F.: *aborto* + *-i-* + *-faciente*. Sin. ger.: *abortivo*.]

abortífero (a.bor.*tí*.fe.ro) *a.* Que provoca aborto, que faz abortar (chá abortífero); ABORTIVO [F.: *aborto* + *-ífero*.]

abortista (a.bor.*tis*.ta) *a2g.* **1** Que é favorável a ou defensor de que mulher grávida tenha a prerrogativa de decidir, por razões médicas ou sociais, submeter-se ou não a aborto *s2g.* **2** Pessoa abortista [F.: *aborto* + *-ista*.]

abortivo (a.bor.*ti*.vo) *a.* **1** Ref. a aborto **2** Que provoca aborto (remédio abortivo); ABORTÍFERO; AMBLÓTICO **3** Que nasceu antes da hora (feto abortivo) **4** Que não se desenvolveu plenamente (planta abortiva) **5** Que sofreu malogro, que foi malsucedido **6** *Fig.* Monstruoso, horrendo **7** *Med.* Ref. ao tratamento que visa interromper de imediato o ciclo de uma doença *sm.* **8** *Farm.* Substância capaz de produzir aborto; AMBLÓTICO [F.: Do lat. *abortivus, a, um*.]

aborto (a.*bor*.to) [ô] *sm.* **1** Ação ou efeito de abortar; ABORTAMENTO **2** *Med.* Interrupção natural de uma gravidez: *Não se sabe o que causou o aborto.* **3** *Med.* Ação ou resultado de provocar o fim de uma gravidez: *fazer um aborto.* **4** *Fig.* Indivíduo imperfeito ou monstruoso, que nasceu com forma imprópria à sua espécie, ou que não atingiu o seu completo desenvolvimento **5** *Fig.* Planta ou fruto que não alcançou seu desenvolvimento natural **6** *Fig.* Qualquer coisa incomum ou malfeita: *A obra desse autor é um aborto.* **7** *Fig.* Ação malsucedida, fracasso, malogro [F.: Do lat. *abortus, us*. Hom./Par.: *aborto* (sm.), *aborto* (fl. de *abortar*).]

aboscar (a.bos.*car*) *v. td.* *Bras.* Obter (aquilo que se deseja) [▶ 11 aboscar] [F.: De or. obsc.]

aboticar (a.bo.ti.*car*) *v. td.* *N. N. E. Pop.* Abrir muito, arregalar (os olhos): *Aboticava os olhos, não acreditando no que via.* [▶ 11 aboticar] [F.: Por *abotecar* < *a-*[2] + *boteco* ('globo ocular') + *-ar*[2].]

abotinado (a.bo.ti.*na*.do) *a.* Que tem (calçado) ou a que se deu feição de botina (sapato abotinado) [F.: Part. de *abotinar*.]

abotinar (a.bo.ti.*nar*) *v. td.* Dar forma de botina (1) a: *abotinar um calçado.* [▶ 1 abotinar] [F.: *a-* + *botina* + *-ar*.]

abotoação (a.bo.to:a.*ção*) *sf.* **1** Ação ou resultado de abotoar(-se); ABOTOAMENTO **2** *Bot.* Formação de botões ou gomos [Pl.: *-ções*.] [F.: *abotoar* + *-ção*.]

abotoado (a.bo.to.*a*.do) *a.* **1** Fechado por meio de botões (com os botões de uma banda enfiados em casas abertas na outra banda) (vestido abotoado) [Ant.: *desabotoado*.] **2** Diz-se de arma branca a cuja ponta se adapta pequena bola ou botão, para que não fira **3** Diz-se de olho muito aberto, saltado das órbitas; ABOTICADO; ARREGALADO **4** *Bot.* Que está ainda em botão (flor) ou carregada de botões: *as orquídeas estão todas abotoadas.* **5** *Her.* Diz-se de flor estilizada em brasão, cujo centro tem cor diferente da das pétalas **6** *Bras. Gír.* Que foi assassinado [Gíria de delinquentes, ou de policiais.] *sm.* **7** *Zool.* Peixe da fam. dos doradídeos (*Pterodoras granulosus*), encontrado em diversos rios brasileiros, com até 1m de comprimento e corpo coberto por placas ósseas [F.: Part. de *abotoar*.]

abotoadura (a.bo.to:a.*du*.ra) *sf.* **1** Ação ou resultado de abotoar; ABOTOAMENTO **2** Coleção de botões completa para um vestuário: *Comprou uma abotoadura de brilhantes para o colete.* **3** Par de botões removíveis para fechar os punhos da camisa **4** *Mar.* Conjunto de botões que unem, prendem ou ajustam dois cabos ou duas pernadas de um mesmo cabo [F.: *abotoar* + *-dura*.]

abotoamento (a.bo.to:a.*men*.to) *sm.* **1** Ação ou resultado de abotoar **2** Conjunto de uma fileira de botões com a de suas correspondentes casas: *Este vestido tem abotoamento de cima a baixo.* **3** A parte de uma roupa em que fica o abotoamento (2) [Por metonímia.] [F.: *abotoar* + *-mento*.]

abotoar (a.bo.to.*ar*) *v.* **1** Introduzir (botão) na casa correspondente, para fechar (peça de vestuário); fechar por meio de botões [*td.*: *Ao vê-la, abotoou a camisa.*: "...abotoar as luvas..." (Eça de Queirós, *Os Maias*) Ant.: *desabotoar*] **2** Fechar todos os botões da própria veste [*int.*: *Antes de sair, abotoou-se*. Ant.: *desabotoar*.] **3** Fazer apresentar ou apresentar muitos botões (plantas) [*td.*: *A boa terra abotoa as plantas.*] [*int.*: *As roseiras abotoaram com a chuva.*] **4** Conseguir (bens, dinheiro etc.) por meios ilícitos; apossar-se de maneira fraudulenta [*tr.* + *com*: *Abotoara-se com os fundos de crédito.*] **5** *Fig.* Começar a surgir; APARECER; DESPONTAR [*ta.*: *Uma grande alegria abotoava em seu peito.*] **6** *Mar.* Amarrar ou ligar fortemente (dois objetos) com botões ('voltas dadas com cabos') [*td.*: *abotoar as velas.*] [▶ 16 abotoar] [F.: *a-*[2] + *botão* + *-ar*[2], com desnasalação.]

abotoável (a.bo.to.*á*.vel) *a2g.* Que pode ser abotoado [Pl.: *-veis*.] [F.: *abotoar* + *-vel*. Hom./Par.: *abotoáveis* (pl.), *abotoáveis* (fl. de *abotoar*).]

aboubado (a.bou.*ba*.do) *a.* Cheio ou coberto de boubas [F.: Part. de *aboubar-se*. Hom./Par.: *aboubado* (a.), *abobado* (a.).]

aboubar-se (a.bou.*bar*-se) *v. int.* Encher-se de boubas [▶ 1 aboubar-se] [F.: *a-*[2] + *bouba* + *-ar*[2] + *se*[1]. Hom./Par.: *aboubar(-se)*, *abobar* (em todas as fl.).]

⊕ **ab ovo** (*Lat.* /ab ôvo/) *loc. adv.* Desde o princípio

abra (a.bra) *sf.* **1** Pequeno golfo, protegido da força das águas ou dos ventos, e próprio para fundear navios **2** *RS* Clareira na mata **3** *RS* Abertura entre dois montes [F.: Do fr. *havre*.]

abraâmico (a.bra.*â*.mi.co) *a.* Ref. a Abraão, patriarca hebreu [F.: Do antr. *Abraão* (do lat. *Abraham*) + *-ico*[2].]

abraâmida *a2g.* **1** Que descende de Abraão, patriarca hebreu *s2g.* **2** Descendente de Abraão [F.: Do antr. *Abraão* (do lat. *Abraham*) + *-ida*[2].]

abracadabra (a.bra.ca.*da*.bra) *sm.* **1** Palavra à qual eram atribuídos poderes mágicos na Antiguidade. As suas letras deveriam ser dispostas em triângulo, retirando-se para isso a última letra de cada palavra, de modo que a leitura se fizesse em diversos sentidos **2** A crença no poder mágico dessa palavra **3** Amuleto com essa palavra escrita **4** *Fig.* Expressão confusa, ininteligível [F.: Do lat. *abracadabra*, do gr. *abrakádabra*, de or. incerta.]

abracadabrante (a.bra.ca.da.*bran*.te) *a2g.* **1** Ref. ao abracadabra **2** Extraordinário, fantástico **3** Misterioso, mágico [F.: Do fr. *abracadabrant*.]

abraçadeira (a.bra.ça.*dei*.ra) *sf.* **1** Peça de ferro para segurar paredes ou vigas **2** Cordão, correia ou argola que prende de lado uma cortina **3** O mesmo que *braçadeira* **4** *Mar.* Teque que se passa entre as duas vergas da gávea [F.: *abraçar* + *-deira*.]

abraçado (a.bra.*ça*.do) *a.* **1** Que foi ou está envolvido pelos braços **2** *Fig.* Que está cercado; ENVOLVIDO: *A pequena praça acabou abraçada por prédios.* **3** *Fig.* Que foi posto em prática; ADOTADO: *Teoria abraçada por todos os acadêmicos.* **4** *Her.* Diz-se do campo do escudo quando dele se vê apenas uma parte de forma triangular que tem por base toda a extensão de um dos flancos [F.: Part. de *abraçar*.]

abraçador (a.bra.ça.*dor*) [ô] *a.* **1** Que abraça; ABRAÇANTE *sm.* **2** Aquele que dá abraços [F.: *abraçar* + *-dor*.]

abraçamento (a.bra.ça.*men*.to) *sm.* Ação ou resultado de abraçar(-se) [F.: *abraçar* + *-mento*.]

abraçante (a.bra.*çan*.te) *a2g.* Que abraça; ABRAÇADOR [F.: *abraçar* + *-nte*.]

abraçar (a.bra.*çar*) *v.* **1** Envolver com os braços, ger. de modo afetuoso [*td.*: *Abraçou o amigo*: "E abraçaram-se com ímpeto..." (Aluísio Azevedo, *O cortiço*)] [*tr.* + *a, com, contra, em*: *Com medo, abraçava-se à mãe.*] **2** Segurar firmemente; AGARRAR [*td.*: *O bêbado abraçou o poste.*] [*tr.* + *a, com, contra, em*: *Na enchente, precisou abraçar-se com a árvore.*] **3** *Fig.* Dedicar-se a (causa, crença, ideal, profissão) [*td.*: *Betinho abraçou a causa dos pobres.*] **4** Cercar, rodear [*td.*: *O mar abraça a cidade.*] **5** *Fig.* Encerrar em si; ABARCAR; ABRANGER [*td.*: *O estatuto abraçará várias decisões.*] **6** Aceitar, adotar, reconhecer [*tdp.*: *A família abraçou-o como filho.*] **7** Prender firmemente [*td.*: *Usou um elástico para abraçar o rolo.*] [▶ 12 abraçar] [F.: *a-*[2] + *braço* + *-ar*[2].]

abraço (a.*bra*.ço) *sm.* **1** Ação ou resultado de abraçar; AMPLEXO **2** Expressão de afeto ou amizade concluindo uma mensagem escrita ou verbal: *um grande abraço.* **3** *Fig.* União de coisas ou pessoas, junção, ligação **4** *Arq.* Ornato, em forma de folhagens entrelaçadas, lavrado à volta de uma coluna **5** *Pop. Bot.* O mesmo que *gavinha* [F.: Dev. de *abraçar*.] ▪ **~ de tamanduá** *Bras.* Traição, deslealdade, amizade fingida

abrandado (a.bran.*da*.do) *a.* **1** Que se tornou brando ou mais brando; que se abrandou, suavizou, atenuou: "O sofrimento físico causado por eles estava abrandado pelas drogas." (*O Globo*, 27.11.2004) **2** Que se acalmou, serenou (ânimos abrandados) **3** Que se enterneceu **4** Que se convenceu, persuadiu **5** Cuja resistência, firmeza, solidez, pertinácia etc. foi diminuída [F.: Part. de *abrandar*.]

abrandamento (a.bran.da.*men*.to) *sm.* **1** Ação ou resultado de abrandar(-se) **2** Característica de brando, terno, moderado **3** *Ling.* Passagem de um fonema de articulação forte para uma articulação mais fraca, como, por ex., da oclusiva /b/ (alba) para a fricativa /v/ (alva) **4** *Fon.* O mesmo que *palatalização* **5** *Quím.* Modo de tratamento da água em que se substituem os íons cálcio e magnésio por íons sódio, a fim de eliminar a dureza [F.: *abrandar* + *-mento*.]

abrandar (a.bran.*dar*) *v.* **1** Tornar(-se) brando, suave; SUAVIZAR [*td.*: *A brisa abrandava o calor.*] [*int.*: "...e quando falava aos remeiros, sua voz parecia abrandar-se..." (Franklin Távora, *O matuto*) Ant.: *exasperar*] **2** *Fig.* Fazer diminuir ou diminuir de intensidade; SERENAR [*td.*: "...o amor de pai, abranda esse rigor." (José de Alencar, *Iracema*)] [*int.*: *A tempestade abrandou.* Ant.: *aumentar*.] **3** Tornar(-se) flexível, mole ou menos rígido; AMOLECER [*td.*: *O fogo abrandará a cera.*] [*int.*: *Ao sol, a vela abranda.* Ant.: *endurecer* Us. tb. figuradamente.] [▶ 1 abrandar] [F.: *a-*[2] + *brando* + *-ar*[2].]

abrangedor (a.bran.ge.*dor*) [ô] *a.* Que abrange; ABRANGENTE [F.: *abranger* + *-dor*.]

abrangência (a.bran.*gên*.ci:a) *sf.* **1** Característica ou qualidade do que é abrangente **2** Capacidade de abranger [F.: *abranger* + *-ência*.]

abrangente (a.bran.*gen*.te) *a2g.* Que abrange, que inclui muitas coisas, muitas informações etc.: *O mais abrangente site de música na internet.* [F.: *abranger* + *-nte*.]

abranger (a.bran.*ger*) *v. td.* **1** *Fig.* Conter em si, em sua área de conhecimento, em seus limites; ABARCAR: "Há uma profissão cujo nome é tão vago (...) que pode abranger tudo." (Euclides da Cunha, *Os sertões*) **2** Chegar a; ALCANÇAR; ATINGIR: *O incêndio abrangeu três prédios.* **3** Estender-se em volta de; ABRAÇAR; CINGIR: *A cerca abrange todo o milharal.* **4** Alcançar com a vista; ver ao longe; AVISTAR: *Do terraço, abrangia toda a paisagem.* **5** Ocupar (certa área, espaço etc.); estender-se por: *A edificação abrange quase todo o terreno.* **6** *Fig.* Alcançar pelo raciocínio, pelo pensamento; assimilar mentalmente; compreender: *Não consegui abranger o que ele queria com aquela atitude.* [▶ 35 abranger] [F.: De or. obsc.]

abrangido (a.bran.*gi*.do) *a.* **1** Que se abrangeu **2** Que está contido, compreendido em certo âmbito: *temas abrangidos na palestra.* **3** Abraçado, cingido **4** Atingido, envolvido: *Depois da enchente, enviou-se socorro às áreas abrangidas.* [F.: Part. de *abranger*.]

abranquial (a.bran.qui:*al*) *a2g.* *Zool.* O mesmo que *abrânquio* [Pl.: *-ais*.] [F.: *a-*[3] + *-branqui(o)-* + *-al*[1].]

abrânquio (a.*brân*.qui:o) *Zool.* *a.* Que não tem brânquias ou guelras; ABRANQUIAL [F.: *a-*[3] + *-brânquio*.]

abraquia (a.bra.*qui*.a) *Trt.* *sf.* **1** Ausência congênita de braços **2** Ausência congênita de membros equivalentes aos braços [F.: *a-*[1] + *-braquia*.]

abráquio (a.*brá*.qui:o) *Trt.* *a.* **1** Desprovido de braço(s); ABRÁQUICO *sm.* **2** Indivíduo desprovido de braços [F.: *a-*[1] + *-bráquio* (do gr. *brachion, onos*). Sin. ger.: *abraquiano*.]

abraquiocefalia (a.bra.qui:o.ce.fa.*li*.a) *sf.* *Trt.* Anomalia fetal que consiste na ausência dos braços e da cabeça; ACEFALOBRAQUIA [F.: *a-*[1] + *-braqu(i)(o)* + *-cefalia*.]

abraquiocefálico (a.bra.qui:o.ce.*fá*.li.co) *a.* Ref. a abraquiocefalia; ACEFALOBRÁQUIO [F.: *abraquiocefal(ia)* + *-ico*[2].]

abraquiocéfalo (a.bra.qui:o.*cé*.fa.lo) *Trt.* *a.* **1** Que apresenta abraquiocefalia *sm.* **2** Feto com abraquiocefalia [F.: *a-*[1] + *-braqu(i)(o)* + *-céfalo*. Sin. ger.: *acefalobráquio*.]

abrasado (a.bra.*sa*.do) *a.* **1** Em brasa; INCANDESCENTE: *a terra abrasada pelas queimadas.* **2** Que é da cor da brasa (faces abrasadas); AFOGUEADO; AVERMELHADO; CORADO **3** Muito quente: "...a penumbra afugentou o desconforto do dia abrasado..." (*O Globo*, 17.10.2002) **4** Com sensação de muito calor: *abrasada no sol e no céu de verão.* **5** *Fig.* Arrebatado, ardente, excitado: *corpos abrasados de paixão.* **6** *Fig.* Exaltado, inflamado (discurso abrasado) [F.: Part. de *abrasar*.]

abrasador (a.bra.sa.*dor*) [ô] *a.* **1** Que abrasa, aquece muito, queima (sol abrasador) **2** Muito quente: *o verão abrasador de 2001.* **3** *Fig.* Que estimula, entusiasma, excita, inflama (romance abrasador) **4** *Fig.* Que queima, tortura, aflige (angústia abrasadora) *sm.* **5** Quem ou aquilo que abrasa [F.: *abrasar* + *-dor*. Sin. de 1 a 4: *abrasante*.]

abrasamento (a.bra.sa.*men*.to) *sm.* **1** Ação ou resultado de abrasar(-se); queimação, combustão **2** Muito calor, ou sensação de muito calor: *Era da febre aquele abrasamento que o fazia suar.* **3** *Fig.* Arrebatamento; excitação sexual **4** *Fig.* Exaltação, veemência [F.: *abrasar* + *-mento*.]

abrasão (a.bra.*são*) *sf.* **1** Desgaste causado em órgão, superfície ou objeto por fricção ou por raspagem **2** *Med.* Esfoliamento da pele ou das mucosas através do emprego de meio mecânico **3** *Med.* Separação de fragmentos do epitélio, das mucosas, da córnea etc. **4** *Med.* Raspagem de certas partes ou retiradas delas em pequenas lâminas **5** *Od.* Desgaste dos dentes por atrito ou uso de substância química **6** *Geol.* Processo mecânico de erosão, intemperismo ou arredondamento da superfície pela ação do vento, das águas correntes da superfície (rios, chuva etc.), ondas e correntes marinhas, do gelo e da gravidade [Pl.: *-sões*.] [F.: Do lat. *abrasio, onis*.] ▪ **~ a laser** *Cir.* Em cirurgia plástica, uso de raios *laser* para a eliminação de rugas

abrasar (a.bra.*sar*) *v.* **1** Fazer(-se) em brasas; ARDER; QUEIMAR [*td.*: "...no dia em que chegasse a proferir uma só palavra, todas as estrelas se despegariam do céu e abrasariam a terra..." (Machado de Assis, *O alienista*)] [*int.*: *Os gravetos abrasavam, aquecendo os retirantes.*] **2** Aquecer em excesso; produzir muito calor [*td.*: *No verão, o sol abrasa a cidade.*] [*int.*: *Está um calor de abrasar.* Ant.: *esfriar*] **3** *Fig.* Fazer ficar vermelho, corado; CORAR; ENRUBESCER [*td.*: *O elogio abrasou seu rosto.*] **4** *Fig.* Fazer ter ou ter desejos ou sentimentos fortes, intensos; ARREBATAR; EXCITAR [*td.*: *Seus ideais abrasavam seu coração.*] [*int.*: *O amor fazia-o abrasar.*] **5** *Fig.* Causar destruição; DESTRUIR; DEVASTAR [*td.*: *Os gafanhotos abrasaram a plantação.*] [▶ 1 abrasar] [F.: *a-*[2] + *brasa* + *-ar*[2].]

abrasileirado (a.bra.si.lei.*ra*.do) *a.* **1** Que se abrasileirou, que se tornou brasileiro: *O texto original foi abrasileirado.* **2** Que adquiriu ou apresenta características típicas dos brasileiros (andar abrasileirado; sotaque abrasileirado) **3** Que tem aspecto ou gênio brasileiro [F.: Part. de *abrasileirar*.]

abrasileiramento (a.bra.si.lei.ra.*men*.to) *sm.* **1** Ação ou resultado de tornar(-se) brasileiro, de abrasileirar(-se) *sm.* **2** Adaptação ao modo de ser, cultura ou estilo brasileiro, ou aquisição de características próprias da cultura e do estilo brasileiro: "...não acha que a sanfona seja determinante para um abrasileiramento da orquestra sinfônica." (*O Globo*, 01.05.2001) [F.: *abrasileirar* + *-mento*.]

abrasileirar (a.bra.si.lei.*rar*) *v.* **1** Fazer com que (alguém ou algo) adquira características brasileiras [*td.*: "...formaram importantes comunidades de 'brasileiros' e abrasileiraram certas cidades da costa..." (Alberto da Costa e Silva, *Um rio chamado Atlântico: a África e o Brasil na África*)] **2** Adotar hábitos ou costumes brasileiros [*int.*: *Com o passar do tempo, abrasileirou-se.*] [▶ 1 abrasileirar] [F.: *a-*[2] + *brasileiro* + *-ar*[2].]

abrasivo (a.bra.*si*.vo) *a.* **1** Que produz desgaste, por atrito *sm.* **2** Qualquer substância muito dura capaz de desgastar ou limpar objetos por atrito [F.: Do lat. *abrasus*, part. pass. de *abradere*, 'raspar', + *-ivo*, ou do fr. *abrasif*.]

abrasonar (a.bra.so.*nar*) *v. td.* **1** Conceder brasão a **2** Pôr brasão em [▶ 1 abrasonar] [F.: abrasonar, de *a-*[2] + *brasão* + *-ar*[2], seg. o mod. erudito (rad. *brason-*); abrasoar, do mesmo étimo, mas com desnasalação (rad. *braso-*).]

abraxas (a.*bra*.xas) [cs] *sm2n.* **1** Para uma seita gnóstica do séc. II, o deus supremo, e suas 365 emanações sucessivas ao longo do ano, num percurso oposto ao do Sol **2** Amuleto dessa seita, ger. de pedra preciosa, gravado com essa palavra [F.: Do lat. *abraxas, ae*. Sin. ger.: *abrásax*.]

abrazô (a.bra.*zô*) *sm.* *Bras.* *Cul.* Bolinho de massa temperada de farinha de milho ou de mandioca com azeite de dendê, frito nesse azeite; AMBRAZÔ; AMBROZÔ [F.: voc. de or. afr. Hom./Par.: *abrasou* (fl. de *abrasar*).]

ab-reação (ab-re:a.*ção*) *sf.* *Psic.* Liberação de emoções e complexos reprimidos após rememorá-los (de forma espontânea ou provocada), ger. durante terapia psicanalítica [Pl.: *-ções*.] [F.: Do al. *Abreaktion*.]

ab-reagir (ab-re.a.*gir*) *v.* *Psic.* Libertar-se de material reprimido (emoção, fixação, ideia) por meio de ab-reação [*ti.* + *a*: *Ab-reagia a um sentimento recalcado.*] [*int.*: *O doente não consegue ab-reagir.*] [▶ 46 ab-reagir] [F.: Voc. deduzido de *ab-reação*, por analogia com o par *reagir/reação*, como correspondente do ing. (*to*) *abreact*.]

abre-alas (a.bre-*a*.las) *sm2n.* **1** *Bras.* Adereço, dístico ou carro alegórico, que abre os desfiles de uma escola de samba ou bloco **2** *P. ext.* O grupo de pessoas que carrega o abre-alas ou desfila sobre ele [F.: *abrir* (na 2ª pess. sing. do imper. afirm.) + o pl. de *ala*.]

abre-ilhós (a.bre-i.*lhós*) *sm2n.* Instrumento com que se fazem, ger. em tecido, orifícios para colocação de ilhós; ABRE-ILHÓ [Tb. se usa o pl. *abre-ilhoses*.] [F.: *abrir* (3ª pess. sing. pres. ind.) + *ilhós*.]

abrejar (a.bre.*jar*) *v.* **1** Fazer ficar ou ficar igual a brejo ou pântano; alagar(-se) [*td.*: *A enchente abrejou o quintal da casa.*] [*int.*: *Com a inundação, o vale abrejou(-se).*] **2** Entrar em brejo [*ta.*: *Abrejaram-se no charco para fugir ao perseguidor.*] **3** Ter em abundância [*int.*: *O celeiro abrejava.*] **4** *Fig. Pop.* Empanturrar-se [*int.*] [▶ 1 abrejar] [F.: *a-*[2] + *brejo* + *-ar*[2].]

abrejeirado (a.bre.jei.*ra*.do) *a.* **1** Que tem feição ou que é próprio de brejeiro, que revela brejeirice, malícia (jeito abrejeirado) **2** Diz-se de alguém que tem modos brejeiros (rapariga abrejeirada) [F.: Part. de *abrejeirar*.]

abrejeirar (a.bre.jei.*rar*) *v.* Tornar(-se) brejeiro, cheio de graça, alegre [*td.*: *Abrejeirou a filha com fitinhas nos cabelos; Abrejeirou-se para ir ao baile.*] [▶ 1 abrejeirar] [F.: *a-*[2] + *brejeiro* + *-ar*[2].]

abrenhar (a.bre.*nhar*) *v. tda.* O mesmo que *embrenhar* [▶ 1 abrenhar] [F.: *a-*[2] + *brenha* + *-ar*[2].]

abrenunciação (a.bre.nun.ci:a.*ção*) *sf.* Ação ou resultado de abrenunciar; ABRENÚNCIO [Pl.: *-ções*.] [F.: Do lat. tard. *abrenuntiatio, onis*.]

abrenunciar (a.bre.nun.ci.*ar*) *v. td.* **1** Rejeitar com grande energia; REPUDIAR **2** Demonstrar grande aversão por **3** Renunciar a (crença, religião, doutrina etc.) [▶ 1 abrenunciar] [F.: Do lat. tard. *abrenuntiare*. Hom./Par.: *abrenuncio* (fl.), *abrenúncio* (sm. interj.).]

abrenúncio (a.bre.*nún*.ci:o) *interj.* **1** Exclamação us. para expressar horror, repulsa a alguém ou algo; CRUZ-CREDO; DEUS ME LIVRE; LONGE DE MIM: "...eu me enfestei: Abrenúncio, Satanás!" (Gil Vicente, *Obras*, I, 135, 1907) *sm.* **2** Ação ou resultado de abrenunciar; REPULSA **3** Renúncia, abdicação [F.: Do lat. *abrenuntio*, 1ª pess. do pres. ind. do v.lat. *abrenuntiare*, 'renunciar'. Hom./Par.: *abrenúncio* (interj. sm.), *abrenuncio* (fl. de *abrenunciar*). Sin. nas acps. 2 e 3: *abrenunciação*.]

ab-reptício (ab-rep.*ti*.ci:o) *a.* **1** Que expressa ou denota arrebatamento, exaltação (discurso ab-reptício); POSSESSO; ARREBATADO **2** *Fig.* Endemoniado [Pl.: *ab-reptícios*.] [F.: *ab-repto* + *-ício*.]

abreu[1] (a.*breu*) *Ent.* *sm.* Denominação comum de besouros do gên. *Abraeus*, fam. dos histerídeos, que se encontram ger. no feno e em substâncias em decomposição [F.: Do lat. cient. gên. *Abraeus*.]

abreu[2] (a.*breu*) *Bras.* *Ent.* *sm.* Abelha da subfamília dos meliponíneos (*Frieseomelitta varia*), que nidifica em taipa e árvores ocas; MOÇA-BRANCA; MANUEL-DE-ABREU; MANUEL-DE-ABREU; AMARELA [F.: Red. de *manuel-de-abreu*.]

abreugrafia (a.breu.gra.*fi*.a) *sf.* *Rlog.* Método criado em 1936 pelo médico brasileiro Manuel de Abreu (1864-1962) com o qual se fixa a imagem da radiografia em tamanho reduzido [A abreugrafia, permitindo o exame radiológico em massa das populações, determinou uma nova concepção da profilaxia de várias doenças do tórax.] [F.: Do antr. *Abreu* + *-grafia*.]

> 📖 O método radiológico inventado pelo médico brasileiro Manuel de Abreu combinava as técnicas dos raios-X (ou raios Roentgen) com as da fotografia, daí chamar-se roentgenfotografia, ou, em homenagem ao inventor, abreugrafia. Ao facilitar, de forma rápida e barata, um diagnóstico de doenças pulmonares (na época, esp. a tuberculose), a abreugrafia foi largamente adotada como exame profilático.

abreviação (a.bre.vi:a.*ção*) *sf.* **1** Ação ou resultado de abreviar, de tornar mais curto: *Dedicou a tarde à abreviação de seu discurso.* **2** Redução de uma palavra longa, de uso frequente, a algumas de suas sílabas, p. ex.: *Zé* (José), *micro* (microcomputador), *vídeo* (videocassete) **3** Na escrita, representação informal de uma palavra por algumas de suas letras ou sílabas, seguida de um ponto, p. ex., *bjs.* (beijos), *qdo.* (quando) **4** *Ling.* Diminuição da duração do som de um fonema ou grupo de fonemas, que de longo se torna breve [Ant.: *prolongamento*] 5 Breve notícia, compêndio, resumo, epítome de alguma coisa [Pl.: *-ções*.] [F.: Do lat. tard. *abbreviatio, onis.* Sin. de 1 a 3: *abreviatura*.]

abreviado (a.bre.vi:*a*.do) *a.* 1 Que sofreu abreviação, redução; SUCINTO [Ant.: *alongado; extenso*.] 2 *Bibl.* Diz-se de texto reduzido ou encurtado por condensação ou omissão, com vistas a facilitar a leitura: *Publicou uma versão abreviada (da tese).* 3 Que tem pouca duração ou extensão; REDUZIDO [Ant.: *longo*.] 4 Que foi escrito com abreviaturas; CIFRADO 5 *Pop.* Que age rapidamente; DESPACHADO *sm.* 6 *Bibl.* Versão resumida de um texto, exposição concisa de fatos; EPÍTOME; RESUMO: *Trata-se de um abreviado da escritura.* 7 Apresentação sucinta, resumo [F.: Do lat. *abbreviatus, a, um*.]

abreviador (a.bre.vi.a.*dor*) [ô] *a.* 1 Que abrevia *sm.* 2 O que abrevia [F.: Do lat. tardio *abreviator, oris*.]

abreviamento (a.bre.vi.a.*men*.to) *sm.* 1 Ação ou resultado de abreviar 2 *Desus.* O mesmo que *abreviação* [F.: *abrevia(r)* + *-mento*.]

abreviar (a.bre.vi.*ar*) *v.* 1 Tornar (mais) breve; reduzir o tempo de duração [*td.*: *Cansado, preferiu abreviar a caminhada;* "Tio Dô tossiu, para abreviar o instante." (João Guimarães Rosa, *Tutameia*)] [*tdi.*: "...era o golpe de compaixão, que (...) vinha abreviar-lhe os sofrimentos." (Joaquim Manuel de Macedo, *A escrava Isaura*)] [*tr.* + *com*: "Sei que agora é tarde, e temo abreviar com a vida nos rasos do mundo." (João Guimarães Rosa, *Primeiras estórias*) Ant.: *estender, prolongar*.] 2 Tornar menos intenso [*td.*: "...dois anos de meu compromisso (...) fluiriam de modo tranquilo, e isso abreviaria (...) a saudade de nossas filhas..." (Josué Montello, *O Juscelino Kubitschek de minhas recordações*)] 3 *Gram.* Cortar parte de palavra ou termo para reduzi-los, segundo certo critério [*td.*: *Sempre abreviava o sobrenome.*] 4 Fazer resumo; RESUMIR; SINTETIZAR [*td.*: "Eu hei de abreviar em poucas páginas o que sei." (Camilo Castelo Branco, *Coração, cabeça e estômago*) Ant.: *alongar*.] 5 Tornar mais rápido; APRESSAR; PRECIPITAR [*td.*: *O governo pretendia abreviar o processo de reforma constitucional.* Ant.: *adiar, procrastinar*.] [▶ 1 abreviar] [F.: Do lat. tard. *abbreviare*.]

abreviativo (a.bre.vi:a.*ti*.vo) *a.* 1 Que se usa ou que serve para abreviar: *Junto à matéria pôs um texto abreviativo.* 2 Que indica abreviatura (ponto abreviativo) [F.: *abrevia(r)* + *-tivo*.]

abreviatura (a.bre.vi:a.*tu*.ra) *sf.* 1 Ação ou resultado de abreviar; ABREVIAÇÃO 2 *Gram.* Representação contraída de uma palavra ou locução por uma ou mais letras dessa palavra, ger. as iniciais, seguidas de um ponto, p. ex. *dr.* (doutor), *ltda.* (limitada), *ilmo.* (ilustríssimo) 3 *Gram.* Redução do nome de uma entidade, país, empresa etc. a uma sigla formada por suas primeiras letras, p. ex. *ONU* (Organização das Nações Unidas), *IPTU* (Imposto Predial e Territorial Urbano) 4 Cifra ou sinal que representa uma palavra ou locução de forma mais curta e simbólica: *O sinal % é abreviatura de por cento.* 5 *Mús.* Forma da notação que utiliza certos sinais para indicar repetição de notas ou elementos melódicos iguais 6 *Fig.* Coisa em escala pequena, reduzida, diminuta; MINIATURA: *Seu brinquedo predileto era uma abreviatura do automóvel do pai.* 7 Apresentação sucinta, resumo: *O ensaio é uma abreviatura de sua tese.* [F.: Do lat. *abbreviatura*. Cf.: *acrônimo, braquigrama* e *sigla*.]

abricó (a.bri.*có*) *Bot. sm.* 1 Fruto comestível do abricoteiro, na forma de uma baga esférica, doce, amarelada, ligeiramente azeda 2 O mesmo que *abricoteiro* 3 O mesmo que *damasco* 4 O mesmo que *damasqueiro* (*Prunus armeniaca*) 5 Denom. comum a vários frutos semelhantes ao damasco ou a várias plantas semelhantes ao damasqueiro [F.: Do fr. *abricot*. Tb. *abricote*.]

abricó-do-pará (a.bri.có-do-pa.*rá*) *Bras. Bot. sm.* O mesmo que *abricoteiro* (1) [Pl.: *abricós-do-pará*.]

abricote (a.bri.*co*.te) *sm. Bot.* Ver *abricó*

abricoteiro (a.bri.co.*tei*.ro) *Bot. sm.* 1 Grande árvore frondosa (*Mammea americana*) da fam. das gutíferas, de até 18 m, nativa da América Central e cultivada no Brasil, esp. pelo fruto, o abricó: de casca marrom dura e polpa amarelo-avermelhada, comestível 2 O mesmo que *damasqueiro* [F.: *abricote* + *-eiro*.]

abrideira (a.bri.*dei*.ra) *sf.* 1 *Bras. Pop.* Pequena porção de bebida alcoólica, esp. cachaça, servida como aperitivo: "...os demais sentaram-se para uma abrideira de apetite por conta da casa." (*Veja*, 15.08.2001) 2 *Pop.* Aguardente de cana, cachaça 3 *Pop.* O primeiro copo (de bebida alcoólica) de uma série, o primeiro prato de uma refeição, a primeira dança num baile etc. [Genericamente, qualquer primeira degustação, atividade, experiência etc. numa série.] 4 *Bras.* Certa máquina us. em fiação [F.: *abrir* + *-deira*.]

abridela (a.bri.*de*.la) *sf.* Ação de abrir um pouco, ou rapidamente (abridela de olhos); ABRIMENTO [F.: *abri(r)* + *-dela*.]

abridor (a.bri.*dor*) [ô] *a.* 1 Que abre 2 Diz-se do que serve para abrir o apetite; APERIENTE *sm.* 3 Aquilo que abre 4 O que abre o apetite; APERITIVO 5 Utensílio que serve para abrir latas, garrafas etc. 6 Instrumento us. para burilar ou gravar em metal, madeira etc. [F.: *abrir* + *-dor*.] ■ **~ de boca** *Med. Veter.* Instrumento para manter aberta a boca de paciente para exame ou tratamento **~ de letras** Gravador, em metal ou madeira

abrigado (a.bri.*ga*.do) *a.* 1 Que se abrigou 2 Que está em abrigo, protegido de intempéries, de perigo etc. [Ant.: *desabrigado*.] 3 Que está agasalhado, com roupa que protege do frio, do vento, da chuva etc. [F.: Part. de *abrigar*.]

abrigador (a.bri.ga.*dor*) [ô] *a.* 1 Que abriga, defende, protege *sm.* 2 O que abriga [F.: *abriga(r)* + *-dor*. Sin. ger.: *abrigante*.]

abrigar (a.bri.*gar*) *v.* 1 Receber (em casa); ACOLHER [*td.*: *Posso abrigá-lo por esta noite;* "...aquela capital (...) criada apenas para abrigar políticos, burocratas, diplomatas..." (Paulo Coelho, *Veronika decide morrer*)] 2 Proteger, resguardar de (perigo, chuva, frio etc.) [*td.*: "...como vivenda única... destinada a abrigar... o clã... de Antônio Conselheiro." (Euclides da Cunha, *Os sertões*)] [*tdr.* + *de, contra*: "O oficial queria abrigar-se da chuva." (Machado de Assis, *Esaú e Jacó*); "...abrigar o coração contra os ventos frios da velhice." (Aluísio Azevedo, *Girândola de amores*)] [*tda.*: "...Isaura, que (...) não ousara sair do cantinho, a que se abrigara..." (Bernardo Guimarães, *A escrava Isaura*): "Talbo procurou abrigar-se em sua capa." (Paulo Coelho, *Brida*)] 3 Conter ou poder conter [*td.*: "...e todo o ligeiro quiosque parecia ter sido arrumado só com o fim d'abrigar um divã baixo e fofo..." (Eça de Queirós, *Os Maias*)] 4 *Fig.* Guardar dentro de si [*td.*: "...abrigo enorme inveja dos escritores..." (João Ubaldo Ribeiro, *O conselheiro come*)] [▶ 14 abrigar] [F.: Do lat. *apricare*. Ant. ger.: *desabrigar*.]

abrigo (a.*bri*.go) *sm.* 1 Local que oferece proteção contra a chuva, o vento etc., ou contra qualquer perigo (abrigo nuclear) 2 Construção subterrânea destinada a proteger contra ataques aéreos 3 Casa de assistência social a desamparados: *abrigo de menores.* 4 *P. ext.* Qualquer refúgio 5 *Fig.* Tudo que ofereça segurança, proteção, amparo ou apoio: *A amizade é um abrigo seguro.* 6 Agasalho us. para se proteger do mau tempo [F.: Dev. de *abrigar*.] ■ **~ antiaéreo** *Mil.* Dispositivo ou construção resistente, ger. subterrânea, para proteger pessoas ou equipamentos de bombardeios aéreos **~ meteorológico** *Met.* Instalação para proteger equipamentos de registro meteorológico de interferências de fenômenos atmosféricos que possam prejudicar ou distorcer esses registros **~ sob rocha** *Arqueol.* Proteção natural rochosa, em forma de cobertura, sob a qual se abrigavam populações pré-históricas **Ao ~ de** Defendido contra, protegido de

abril (a.*bril*) *sm.* 1 *Cron.* O quarto mês do ano. (Com 30 dias.) 2 *Fig.* Juventude, vigor [Pl.: *abris*.] [F.: Do lat. *aprilis, is*. Hom./Par.: *abril* (sm.), *abriu* (fl. de *abrir* [v.]).]

abrilada (a.bri.*la*.da) *sf.* 1 Evento importante acontecido em abril 2 *Lus. Hist.* Sedição ocorrida em Lisboa, em abril de 1824, pela abdicação de D. João VI 3 *Bras. Hist.* Revolução desencadeada em Pernambuco, em abril de 1832, após a abdicação de Dom Pedro I [F.: *abril* + *-ada*[2].]

abrilhantamento (a.bri.lhan.ta.*men*.to) *sm.* 1 Ação ou resultado de abrilhantar, de tornar brilhante, reluzente 2 Ação ou resultado de acrescentar brilho, destaque, realce, efeito a algo [F.: *abrilhantar* + *-mento*.]

abrilhantar (a.bri.lhan.*tar*) *v. td.* 1 Tornar brilhante, reluzente; BRUNIR; POLIR: *Estrelas abrilhantavam o céu.* [Ant.: *embaçar*.] 2 *Fig.* Dar ou ter destaque, brilho; ORNAR: "E que outra mulher senão tu, há de vir abrilhantar os meus sonhos?" (Casimiro de Abreu, *Carolina*) [Ant.: *empanar*.] [▶ 1 abrilhantar] [F.: *a-*[2] + *brilhante* + *-ar*[2].]

abrimento (a.bri.*men*.to) *sm.* 1 Ação ou resultado de abrir; ABERTURA 2 Desabrochamento da flor 3 *Fon.* Grau de afastamento entre as partes articuladas da boca (da mandíbula em relação ao palato) na emissão de som [F.: *abri(r)* + *-mento*.]

abrir (a.*brir*) *v.* 1 Afastar as partes fechadas, unidas ou articuladas de; DESUNIR; SEPARAR [*td.*: "...Tiste conseguiu abrir a porta e sair com facilidade..." (Ana Maria Machado, *Texturas*); "E quando abria os olhos, distinguia vagamente um monte próximo..." (Graciliano Ramos, *Vidas Secas*); "Na afobação, nem se lembrou de acabar de abrir o portão do jardim para o carro passar." (Ana Maria Machado, *A audácia dessa mulher*)] [*int.*: "Ouve-se a porta de pau abrir, ilumina-se o barracão." (Antonio Callado, *Pedro Mico*)] 2 Remover ou cortar parte de (algo) para retirar ou usar o que está dentro [*td.*: *abrir um presente; abrir um envelope; abrir uma lata.*] 3 Estender ou desenrolar; CLAREAR [*td.*: "Quando voltei de abrir a cama do patrão..." (Antonio Callado, *Reflexos do baile*)] 4 Partir a fim de dividir ou tirar um pedaço [*td.*: *abrir um coco.*] 5 Fazer entrar em exercício; CRIAR; FUNDAR; INAUGURAR [*td.*: "Se fosse o caso de abrir um bar em Corumbá..." (Antonio Callado, *Bar Don Juan*)] 6 Criar passagem por [*td.*: "Dos paços de um monarca podia-se cair para o trabalho braçal de abrir estradas..." (Alberto da Costa e Silva, *A manilha e o libambo*)] 7 Dar acesso a ou atender o público em [*ta.*: *O clube não abre às segundas.*] [*tda.*: *Abrimos a loja às 10h.*] 8 Fazer funcionar, acionando dispositivo [*td.*: *abrir a torneira; abrir o gás.*] 9 Dar início a [*td.*: "...um pintor que ia abrir uma exposição no Rio." (Ana Maria Machado, *Texturas*)] 10 Fazer confidências; CONFIDENCIAR; DESABAFAR [*tr.* + *com*: "Ele teria tido certas dúvidas de se abrir com um homem tão tosco..." (Antonio Callado, *Bar Don Juan*)] 11 Transformar-se o botão em flor; DESABROCHAR [*int.*: "A rosa que vivia fechada se abriu..." (Chico Buarque, *A banda*)] 12 Ficar ensolarado; CLAREAR [*int.*: *O tempo abrirá amanhã.*] 13 Passar a verde (sinal de tráfego) [*int.*] 14 Causar ferimento; FERIR; MACHUCAR [*tdi.* + *a*: "...a Machona, armada com um ferro de engomar, jurava abrir as fuças a quem lhe desse um segundo coice..." (Aluísio Azevedo, *O cortiço*)] 15 *Inf.* Criar ou carregar (arquivo ou programa) [*td.*] 16 *Fig.* Tornar acessível [*td.*: *O estudo abre oportunidades.*] [*tdi.* + *a, para*: *O estudo abre oportunidades para os jovens.*] [▶ 3 abrir NOTA: Us. tb. como v. aux., seguido da prep. *a* + v. principal no infinit., indicando início súbito da ação: abriu a correr. Part.: *aberto*.] *sm.* 17 Ação ou resultado de abrir(-se); ABERTURA; ABRIMENTO [F.: Do lat. *aperire*. Ant. ger.: *fechar*. Hom./Par.: *abriu* (fl.), *abril* (sm.).] ■ **Num ~ e fechar de olhos** Num ápice, num átimo, com grande rapidez

abrochado (a.bro.*cha*.do) *a.* 1 Fechado, preso ou enfeitado com broche (gola abrochada) 2 *P. ext.* Fechado, preso, seguro com colchete, botão, cadarço etc. 3 *P. ext.* Diz-se do boi atado à canga com correia de couro cru 4 *AL Fig. Pop.* Atarefado, assoberbado [F.: Part. de *abrochar*.]

abrochador (a.bro.cha.*dor*) [ô] *a.* 1 Que abrocha ou abotoa 2 Que ata os bois à canga por meio de uma brocha (correia de couro) *sm.* 3 O que abrocha ou abotoa 4 O que ata os bois à canga, utilizando uma correia de couro [F.: *abrocha(r)* + *-dor*.]

abrochadura (a.bro.cha.*du*.ra) *sf.* 1 Ação ou resultado de abrochar, de prender, unir ou enfeitar com broche 2 Ação ou resultado de fechar, prender com colchete, botão etc. 3 Ação ou resultado de atar bois à canga por meio de uma correia de couro [F.: *abrocha(r)* + *-dura*.]

abrochar (a.bro.*char*) *v.* 1 Enfeitar(-se) com broches; ORNAR [*td.*] [*int.*] 2 *P. ext.* Abotoar, afivelar (peça do vestuário) [*td.*: "Decote discreto que... uma pequena joia antiga, de diamantes e esmalte azul, abrochava com respeito" (Antero de Figueiredo, *Miradouro*)] 3 *P. ext.* Cerrar, apertando ou franzindo [*td.*: *Abrochou os lábios e deu um muxoxo.*] 4 Fazer ficar bem apertado [*td.*] [*int.*] 5 Retrair-se, encolher-se [*int.*: *Em vez de abrir, a florzinha abrochou.*] 6 Unir com brocha ou correia [*td.*: *Abrochou o animal.*] [*tdr.* + *a*: *Abrochou o animal ao poste.*] 7 *AL Pop.* Cumular de trabalho [*td.*] [▶ 1 abrochar] [F.: *a-*[2] + *brocha* + *-ar*[2].]

abrocomídeo (a.bro.co.*mí*.de:o) *Zool. sm.* 1 Espécime dos abrocomídeos, fam. de roedores andinos conhecidos como ratos-chinchilas *a.* 2 Ref. a ou próprio dos abrocomídeos [F.: Lat. cient. *Abrocomidae*.]

ab-rogação (ab-ro.ga.*ção*) *sf. Jur.* Ação ou resultado de ab-rogar, de anular, revogar uma lei, regulamento, decisão etc.; ABOLIÇÃO; ANULAÇÃO; REVOGAÇÃO: "É ilegal a ab-rogação do tratado anglo-egípcio de 1936..." (*O Globo*, 06.11.2001) [Pl.: *ab-rogações*.] [F.: Do lat. *abrogatio, onis*. Cf.: *derrogação*.]

ab-rogador (ab-ro.ga.*dor*) [ô] *a.* 1 Que ab-roga, ou que tem a capacidade de ab-rogar *sm.* 2 Aquele que ab-roga ou que tem essa capacidade [Pl.: *ab-rogadores*.] [F.: Do lat. *abrogator, oris*.]

ab-rogar (ab-ro.*gar*) *v. td.* 1 *Jur.* Tornar inexistente ou extinguir a obrigatoriedade de (lei, medida, disposição etc.); REVOGAR 2 Pôr em desuso (procedimento, hábito etc.) [▶ 14 abrogar] [F.: Do lat. *abrogare*, 'anular uma lei vigente, declarar sem efeito um texto jurídico'.]

ab-rogativo (ab-ro.ga.*ti*.vo) *a.* Que tem a propriedade ou o poder de ab-rogar, o mesmo que *ab-rogatório*. [Pl.: *ab-rogativos*.] [F.: *ab-rogar* + *-tivo*.]

ab-rogatório (ab-ro.ga.*tó*.ri:o) *a.* Que tem faculdade de ab-rogar; o mesmo que *ab-rogativo* (ato ab-rogatório); AB-ROGATIVO [Pl.: *ab-rogatórios*.] [F.: *ab-rogar* + *-tório*.]

ab-rogável (ab-ro.*gá*.vel) *a2g.* Que deve ou pode ser ab-rogado; que é passível de ab-rogação [Pl.: *ab-rogáveis*.] [F.: *ab-rogar* + *-vel*. Hom./Par.: ab-rogáveis (pl.), *ab-rogáveis* (fl. de *ab-rogar*).]

abrolhado (a.bro.*lha*.do) *a.* 1 Cheio de brotos ou botões (diz-se de planta, arbusto etc.) 2 Cheio de espinhos (planta, arbusto etc.); ESPINHENTO; ESPINHOSO 3 Em que há muitos recifes ou baixios 4 *Fig.* Que apresenta muitas dificuldades, obstáculos; ÁRDUO; DIFÍCIL; ESPINHOSO [F.: *abrolhar* + *-ado*[1]. Sin. ger.: *abrolhoso*.]

abrolhador (a.bro.lha.*dor*) [ô] *a.* 1 Que abrolha *sm.* 2 O que abrolha [F.: *abrolha(r)* + *-dor*.]

abrolhar (a.bro.*lhar*) *v.* 1 Produzir (abrolhos, espinhos) [*td.*: *A terra abrolhará espinhos.*] 2 Gerar (planta) brotos ou rebentos, ou brotar, germinar [*int.*: "...onde uma flora escassa, mal abrolhando entre pedras, reflete todo o excessivo de um clima impiedoso..." (Euclides da Cunha, *Confrontos e contrastes*)] 3 *Fig.* Ser a causa ou origem de (coisas nocivas) [*td.*: *A impunidade abrolha crimes.*] 4 *Mil.* Cobrir ou eriçar de abrolhos ou estrepes [*td.*: *Os defensores abrolharam o fosso.*] [▶ 1 abrolhar] [F.: *abrolho* + *-ar*.]

abrolho (a.*bro*.lho) [ô] *sm.* 1 Rochedo marinho à superfície da água; RECIFE [Nesta acp., mais us. no pl.] 2 *Bot.* Nome comum de várias plantas rasteiras e espinhosas 3 *Bot.* Planta herbácea (*Centaurea calcitrapa*) da fam. das compostas de flores avermelhadas e fruto espinhoso 4 Planta herbácea das rutáceas (*Tribulus terrestris*) 5 Cada uma das puas ou pontas dos frutos dessa planta 6 *P. ext.* Espinho de planta 7 *P. ext.* Ponta de ferro, espigão 8 *Ant. Mil.* Espigão de ferro cravado no chão para constituir obstáculo ao avanço da cavalaria; ESTREPE 9 *Fig.* Agrura, aquilo que incomoda, contraria, apoquenta, dificulta [Pl.: [ó].] [F.: Do lat. *aperit oculos*, 'abre os olhos'.]

abrolhos (a.*bro*.lhos) [ó] *sm.* 1 Formações rochosas à flor da água 2 *Fig.* Dificuldades, desgostos, obstáculos: *Enfrentou uma carreira cheia de abrolhos.* [F.: Pl. de *abrolho* [ó].]

abronzar (a.bron.*zar*) *v. td.* 1 Transformar (o cobre) em bronze, fundindo-o (ger.) com estanho 2 Dar cor de bronze a; BRONZEAR: *abronzar uma moldura.* [▶ 1 abronzar] [F.: *a-*[2] + *bronze* + *-ar*[2].]

abroquelado (a.bro.que.*la*.do) *a.* 1 Que tem feição, forma de broquel, de pequeno escudo 2 Que se cobriu ou guarneceu com broquel 3 *P. ext. Fig.* Defendido, protegido [F.: Part. de *abroquelar*.]

abroquelar (a.bro.que.*lar*) *v.* 1 Dar forma de broquel, de escudo a 2 Defender, resguardar (alguém, inclusive si mesmo) usando broquel [*td.: Abroquelou o amigo, e aparou o golpe que o mataria; Instintivamente abroquelou-se, mas o golpe partiu o broquel.*] 3 *P. ext. Fig.* Dar proteção, resguardo a (alguém, inclusive si mesmo); ESCUDAR; PROTEGER [*td.: Abroquelou o filho, assumindo a responsabilidade pelo que ele fizera; Com sua suposta indiferença abroquelava-se contra decepções.*] [▶ 1 abroquelar] [F.: *a-*[2] *+ broquel + -ar*[2]. Sin. ger.: *broquelar*.]

abrótano (a.*bró*.ta.no) *sm. Bot.* Nome comum a duas plantas aromáticas da família das compostas, *Artemisia abrotanum*, também dita aurônia ou losna, e *Santolina chamaecyparissus*, dita abrótano-fêmeo, ou abrótano-fêmea, ambas com propriedades medicinais; ABRÓTEGA; ABRÓTICA; ABRÓTONO; ALFACINHA-DO-RIO; ARTEMÍSIA; ERVA-LOMBRIGUEIRA [F.: Do gr. *abrótonon, ou.*]

abrumar (a.bru.*mar*) *v.* 1 Cobrir(-se) ou encher(-se) de bruma; ENEVOAR(-SE); NUBLAR(-SE) [*td.: Nuvens turvas abrumaram a manhã.*] [*int.: O mar abrumou-se, prenunciando a tempestade.* Ant.: *desanuviar(-se), desnublar-se.*] 2 *Fig. P. ext.* Tornar(-se) escuro, com pouca luz; ESCURECER(-SE); OBSCURECER(-SE); TOLDAR(-SE) [*td.: A pesada cortina abrumava o ambiente.*] [*int.:* "Minha alma empana-se, nublada em tristeza, como se abrumam os vales ao roxo cair da tarde." (Coelho Netto, *Pastoral*) Ant.: *aclarar, clarear.*] 3 *Fig.* Tornar(-se) triste, apreensivo; CISMAR; APREENDER-SE [*td.: A preocupação abrumou meu pai.*] [*int.: Abrumou-se com a partida do filho.*] [▶ 1 abrumar] [F.: *a-*[2] *+ bruma + -ar*[2].]

abrunheiro (a.bru.*nhei*.ro) *sm. Bot.* Gênero de plantas da família das rosáceas. Compõe-se de árvores e arbustos de ramos diferentes, com folhas alternas, inteiras, dentadas nas bordas; as suas flores são brancas e distribuídas por todos os ramos. Distinguem-se as espécies abrunheiro-bravo (*Prunus spinosa*) e abrunheiro-manso (*Prunus insititia*) [abrunhal.] [F.: *abrunh(o) + -eiro.*]

abrunho (a.*bru*.nho) *sm.* 1 Fruto do abrunheiro; fruta arredondada, semelhante a uma ameixa, às vezes ovoide, carnosa, de pele lisa, cor variável, caroço chato e pontiagudo, rendilhado e anguloso nas bordas. O abrunho é doce, acídulo, refrigerante; AMEIXA; BRUNHO 2 *Bot.* O mesmo que *abrunheiro* (*Prunus spinosa*) [F.: Do lat. *prunum, i.*]

abrupção (ab.rup.*ção*) [ab-ru] *sf.* 1 *Med.* Fratura de osso no sentido transversal 2 *Ret.* Supressão das partículas de transição para dar ao estilo mais vivacidade [Pl.: *-ções.*] [F.: Do lat. *abruptio, onis.*]

ab-rupto (ab-*rup*.to) *a.* 1 Que é inesperado; REPENTINO: *Houve um aumento abrupto dos preços.* 2 Ríspido, indelicado: *Respondeu-me de maneira abrupta.* 3 Íngreme, escarpado [F.: Do lat. *abruptus, a, um.* NOTA: Coloquialmente, a pronúncia usual é a.*brup*. to.]

abrutalhado (a.bru.ta.*lha*.do) *a.* 1 Um tanto bruto e/ou pesadão (pessoa abrutalhada; corpo abrutalhado) 2 De aspecto grosseiro, pouco elegante (sapatos abrutalhados) [F.: *a-*[2] *+ bruto + -alhado.*]

abrutalhar (a.bru.ta.*lhar*) *v.* Tornar(-se) bruto, rude ou grosseiro; embrutecer(-se) [*td.: A vida miserável os abrutalha.*] [*int.: Abrutalhou-se sem dar conta.*] [▶ 1 abrutalhar] [F.: *a-*[2] *+ bruto + -alhar.*]

abrutar (a.bru.*tar*) *v.* O mesmo que *abrutalhar* [▶ 1 abrutar] [F.: *a-*[2] *+ bruto + -ar*[2].]

⊠ **ABS** Sigla do ing. *acrylonitrile-butadiene-styrene* (acrilonitrila-butadieno-estireno), borracha sintética com que se fabricam, entre outras coisas, pneus

◎ **abs-** *pref.* Ver *a-*[1]

absceder (abs.ce.*der*) *v. int. Med.* Transformar-se, degenerar (ferida, lesão etc.) em abscesso: *desinfetar uma ferida para que não absceda.* [▶ 2 absceder] [F.: Do lat. *abscedere.*]

abscesso (abs.*ces*.so) *sm. Pat.* Formação e acumulação de pus numa cavidade do corpo, provocada por inflamação; APOSTEMA [F.: Do lat. *abscessus, us.* A melhor forma é *abscesso.*] ▪ **~ agudo** *Med.* Abscesso de evolução rápida, ger. causado por inflamação bacteriana ou amebíase; abscesso quente **~ caseoso** *Med.* O caracterizado por substância esbranquiçada, e cuja origem ger. é tuberculosa **~ dentário** *Od.* O que se localiza no ápice de um dente, causado por infecção do canal **~ frio** *Med.* O que não apresenta sinal da inflamação, como calor **~ quente** *Med.* V. *abscesso agudo*

abscidar (abs.ci.*dar*) *v.* 1 Tornar separado por meio de corte; desligar 2 *Fig.* Pôr fim à causa dos males de [▶ 1 abscidar] [F.: Do lat. *abscidere*, com mud. de conjug.]

abscisão (abs.ci.*são*) *sf.* 1 Ação ou resultado de abscindir 2 *Cir.* Corte cirúrgico em parte mole do corpo; ablação de pequenas partes; EXCISÃO 3 *Ant. Jur.* Corte de uma parte do corpo do condenado, em cumprimento de pena acessória prescrita na sentença 4 *Bot.* Queda de partes da planta, como flores, folhas, frutos etc. 5 *Gram.* Supressão de um ou mais fonemas no final de uma palavra (p. ex., *mui*, de *muito*) 6 *Ret.* Suspensão momentânea de um discurso [F.: Do lat. *abscisio, onis.*]

absconder (abs.con.*der*) *v. P. us.* Ver *esconder*

abscôndito (abs.*côn*.di.to) *a.* Que é ou está oculto, obscuro, escondido; ABSCONSO: *o abscôndito labirinto dos instintos.* [F.: Do lat. *absconditus.*]

absconsa (abs.*con*.sa) *sf.* 1 Designação de toda estrela que se oculta quando o Sol se põe [P. op. a *acrônica*, designação de estrela que surge quando o sol se põe.] 2 Lâmpada us. nos dormitórios pelos antigos monges, ou lanterna de furta-fogo que antigamente se usava nos conventos para a leitura dos ofícios noturnos no coro; ABSCÔNSIA [F.: Do lat. *absconsa.*]

absconso (abs.*con*.so) *a.* 1 Que está oculto, escondido; ABSCÔNDITO; ESCONSO 2 Difícil de compreender (linguagem absconsa); OBSCURO [Ant.: *claro, inteligível*] 3 *Astron.* Diz-se de estrela que deixa de ser vista com o pôr do sol *sm.* 4 Lugar escondido: *no absconso mais remoto de nosso subconsciente.* 5 O que é secreto, não revelado; SEGREDO 6 *Anat.* Cavidade cotiloide, cavidade em osso na qual se encaixa a cabeça de outro osso [F.: Do lat. *absconsum.*]

abscopal (abs.co.*pal*) *a2g. Med.* Diz-se do efeito da irradiação aplicada num órgão em outro órgão não irradiado [Pl.: *-pais.*] [F.: Do ing. *abscopal.*]

absenteísmo (ab.sen.te.*ís*.mo) *sm.* 1 Falta de assiduidade a qualquer atividade (escola, trabalho etc.) 2 Costume de não cumprir deveres e obrigações inerentes a cargo ou função 3 Prática de exploração rural na qual um intermediário, a serviço do proprietário, explora os trabalhadores 4 *Psic.* Falta de capacidade de concentração ou reação [F.: Do fr. *absentéisme.* Us. tb. a forma *absentismo.*]

absenteísta (ab.sen.te.*ís*.ta) *a2g.* 1 Que segue o absenteísmo ou absentismo 2 Que está ou se mostra ausente 3 *Psic.* Que não é capaz de se concentrar ou de reagir *s2g.* 4 Aquele que segue o absenteísmo ou absentismo 5 Aquele que está ou se mostra ausente 6 *Psic.* Aquele que não é capaz de se concentrar ou de reagir [F.: *absenteísta*, do fr. *absentéiste*, ou de *absenteísmo + -ista*, seg. o mod. gr; us. tb. a f. *absentista.*]

absentismo (ab.sen.*tis*.mo) *sm.* Ver *absenteísmo*

absentista (ab.sen.*tis*.ta) *a2g. s2g.* Ver *absenteísta*

absidal (ab.si.*dal*) *a2g.* 1 *Arq.* Ref. a abside 2 Que tem forma de abside [Pl.: *-dais.*] [F.: *absid(e) + -al.*]

abside (ab.*si*.de) *sf.* 1 *Arq.* Nas basílicas romanas, nicho semicircular, de teto abobadado, em que se achava o assento do juiz 2 *Rel.* Nos templos antigos, recinto similar onde ficavam estátuas de deuses 3 Nas basílicas cristãs, a cabeceira da igreja, onde fica a cadeira episcopal e o altar-mor 4 Oratório reservado por detrás do altar-mor 5 Relicário com ossos de santos, que antigamente se expunha nos altares 6 *Astron.* O apogeu e o perigeu de um planeta [Dim.: *absidíola*] [F.: Do lat. *absis, idis.*]

absidíola (ab.si.*dí*:o.la) *sf.* 1 Pequena abside ou capelinha, geralmente em volta da abside central 2 Pequeno relicário para conservação das relíquias de um santo [F.: Do lat. *absidiola*, deriv. do lat. *absidis.*]

absíntico (ab.*sín*.ti.co) *a.* 1 Ref. a absinto 2 Que contém absinto, ou que a ele se assemelha 3 *Quím.* Diz-se do ácido que se extrai do absinto *sm.* 4 Ácido absíntico (3) [F.: *absint(o) + -ico*[2].]

absintismo (ab.sin.*tis*.mo) *sm.* 1 Vício ou abuso do absinto *sm.* 2 *Med.* Patologia causada pelo consumo excessivo do absinto [F.: *absint(o) + -ismo.* Hom./Par.: *absentismo* (s. m.).]

absinto (ab.*sin*.to) *sm.* 1 *Bot.* Erva aromática (*Artemisia absinthium*) da fam. das compostas, de 1m de altura, folhas alternas muito rendilhadas e pequenas flores amarelas que formam capítulos. Todas as partes dessa planta têm um cheiro penetrante, mas agradável, e um sabor aromático muito amargo 2 O licor preparado a partir dessa planta 3 *Fig.* Sentimento de amargura; MELANCOLIA [F.: Do fr. *absinthe.*]

absogro (ab.*so*.gro) [ô] *sm.* Avô do sogro ou da sogra [Fem.: [ó].] [F.: *ab- + sogro*, pelo lat. tard. *absocer, eri.*]

absolto (ab.*sol*.to) [ô] *a. Antq.* O mesmo que *absolvido* [F.: Do lat. *absoltus.*]

absolutamente (ab.so.lu.ta.*men*.te) *adv.* 1 De modo absoluto ou completo; COMPLETAMENTE; TOTALMENTE: *Essas manchas são absolutamente normais.* 2 De nenhum modo; em absoluto: *– Você concorda com esse absurdo? – Absolutamente!* 3 *Lus.* Certamente que sim [F.: Do fem. de *absoluto + -mente.*]

absolutismo (ab.so.lu.*tis*.mo) *sm.* 1 *Pol.* Sistema de governo em que o chefe de Estado possui poderes políticos irrestritos 2 Qualquer forma de dominação despótica ou tirânica 3 *Fil.* Concepção filosófica que afirma a validade universal e atemporal dos valores morais, em oposição a princípios relativistas que se atêm a regras, padrões ou conceitos ditados por circunstâncias históricas ou culturais [Ant.: *relativismo.*] 4 *Estét.* Princípio difundido desde a filosofia antiga e durante a Idade Média, que considera a beleza como uma emanação intrínseca do objeto contemplado, não influenciável pelo subjetivismo da apreciação estética [F.: Do fr. *absolutisme.*]

absolutista (ab.so.lu.*tis*.ta) *a2g.* 1 Do ou ref. ao absolutismo, ou que apresenta algumas de suas características (regime absolutista) *s2g.* 2 Partidário do absolutismo 3 *RS Pej.* Alcunha com que os farrapos denominavam os legalistas; CARIMBOTO [F.: Do fr. *absolutiste.*]

absolutizar (ab.so.lu.ti.*zar*) *v. td.* Dar valor absoluto a (algo) ou tornar (algo) absoluto: *absolutizar uma ideia.* [▶ 1 absolutizar] [F.: *absoluto + -izar.*]

absoluto (ab.so.*lu*.to) *a.* 1 Que é pleno, total (silêncio absoluto); miséria absoluta) 2 Que não possui limites (poder absoluto) 3 Que ocupa isoladamente posição muito superior aos demais: *Meu time é líder absoluto do campeonato.* 4 Em que prepondera a autoridade arbitrária; DESPÓTICO 5 *Quím.* Que não apresenta mistura (álcool absoluto) 6 *Fís.* Que subsiste independentemente de pontos de referência convencionalmente estabelecidos (espaço absoluto, tempo absoluto) 7 *Fil.* Que não depende de condições externas para subsistir (eu absoluto; espírito absoluto) *sm.* 8 *Fil.* Realidade última que abrange a totalidade do real, e que fundamenta tanto sua constituição como sua explicação [F.: Do lat. *absolutus*, de *absolvere.*] ▪ **em ~** 1 Usa-se para negar, refutar, desdizer, recusar, contestar etc. algo, em geral, com convicção, por vezes até com veemência; de modo algum; de jeito maneira; absolutamente (não): *– Isso o incomoda? – Em absoluto!* 2 *P. us.* De modo absoluto; totalmente, completamente: *Ama-o em absoluto.*

absolutório (ab.so.lu.*tó*.ri:o) *a.* Que contém absolvição ou justificação, que absolve (sentença absolutória); ABSOLUTIVO [F.: Do lat. *absolutorius.*]

absolvente (ab.sol.*ven*.te) *a2g.* Que absolve [F.: Do lat. *absolvens, entis.*]

absolver (ab.sol.*ver*) *v.* 1 *Jur.* Considerar inocente; livrar (pessoa física ou jurídica, instituição) da penalidade correspondente a culpa (crime, ato ilegal); INOCENTAR [*td.: O júri absolveu o réu.*] [*tdr.: O juiz absolvera-o das acusações.*] 2 *Rel.* Conceder perdão a alguém; REMIR [*td.:* "...simpatizou com os jesuítas... porque se recusaram a absolver certos mercadores cristãos..." (Cecília Meireles, *Crônicas de viagem 2*)] [*tdr. + de: O sacerdote absolveu-o da falta cometida.*] [*int.:* "...é Deus mesmo para absolver?!" (Eça de Queirós, *O crime do padre Amaro*)] 3 *P. ext.* Perdoar quaisquer erros ou culpas; DESCULPAR [*td.: Sempre absolvia os amigos.*] [*tdr. + de:* "O drama... recebeu de Machado de Assis o seguinte comentário, ...suficiente para absolver o autor de qualquer acusação de escravocrata." (José de Alencar, *Novas seletas*)] 4 Isentar (alguém ou a si mesmo) de obrigação; EXIMIR [*tdr. + de: A Marinha absolveu o rapaz do serviço militar*] 5 *Fig.* Dar solução a; SOLUCIONAR; RESOLVER [*td.: O pesquisador absolvia a pesquisa diariamente*] [▶ 2 absolver Apresenta duplo part.: *absolvido, absolto.*] [F.: Do lat. *absolvere.* Ant. ger.: *condenar.*]

absolvição (ab.sol.vi.*ção*) *sf.* 1 Ação ou resultado de absolver(-se); ABSOLVIMENTO 2 *Jur.* Ao fim de um processo judicial, decisão, tomada por autoridade competente, de reconhecimento da inocência de pessoa acusada de crime ou de delito de outra natureza 3 Perdão de culpas e pecados: "Se [a senhora] tiver na consciência este peso, não há padre que lhe dê a absolvição." (Aluísio Azevedo, *Casa de pensão*) 4 *Rel.* Ritual fúnebre de prece por um morto [Pl.: *-ções.*] [F.: *absolver + -ição.*] ▪ **~ canônica** *Rel.* Ato eclesiástico que releva pena antes aplicada pela Igreja **~ da instância** *Jur.* Extinção de um processo, em circunstâncias previstas em lei **~ de censuras** Absolvição das penas impostas pela Igreja por determinado pecado **~ sacramental** *Rel.* Remissão de pecados feita por sacerdotes no sacramento da penitência **~ sumária** *Jur.* A concedida por juiz a réu, no início de seu julgamento em tribunal de júri

absolvido (ab.sol.*vi*.do) *a.* 1 *Jur.* Que foi declarado inocente pela justiça 2 *Rel.* Que teve seus pecados perdoados [F.: Part. de *absolver.*]

absonar (ab.so.*nar*) *v. int.* Soar de modo dissonante; produzir dissonância [▶ 1 absonar] [F.: Do lat. tard. *absonare.* Hom./Par.: *absono* (fl.), *ábsono* (a.).]

ábsono (*áb*.so.no) *a.* 1 Que destoa, que está fora do tom; DISSONANTE 2 *P. ext. Fig.* Que não se conforma, que se opõe, que discorda; CONTRÁRIO: *duas opiniões ábsonas.* [F.: Do lat. *absonus, a, um.* Hom./Par.: *absono* (fl. de *absonar*).]

absorção (ab.sor.*ção*) *sf.* 1 Ação ou resultado de absorver 2 Conquista, anexação territorial 3 Assimilação pelo aprendizado 4 Elevação do espírito; ÊXTASE; TRANSPORTE 5 *Antr.* Processo pelo qual uma cultura assimila valores ou convicções originalmente pertencentes a uma outra: *Foi lenta a absorção da fé monoteísta pelos indígenas.* 6 *Biol.* Passagem para o interior de organismo vivo, tecido ou órgão de substâncias presentes no meio circundante 7 *Biol.* Passagem, para a corrente sanguínea, dos produtos da digestão dos alimentos 8 *Fís.* Transferência, total ou parcial, da energia de um feixe de radiação para o meio material atravessado por ele 9 *Fís. -quím.* Fenômeno de penetração de uma substância no interior de outra substância ou de um meio poroso. [Nesta acp., cf.: *adsorção.*] [Pl.: *-ções.*] [F.: Do lat. *absorptio, onis.*]

absortância (ab.sor.*tân*.ci:a) *sf. Fís.* Relação entre a radiação absorvida por uma superfície na qual ela incide e o fluxo total de radiação incidente [F.: Do ing. *absorptance.*]

absortividade (ab.sor.ti.vi.*da*.de) *sf. Fís. -quím.* Capacidade e o índice que a dimensiona que tem uma solução de absorver uma radiação de determinado comprimento de onda; ABSORVÊNCIA [F.: *absortiv(o) + -i- + -dade.*]

absorto (ab.*sor*.to) [ô] *a.* 1 Que se absorveu; ABSORVIDO 2 Voltado para os próprios pensamentos ou para uma atividade que exija concentração: *Estava tão absorto na leitura que nem me viu entrar.* 3 *Fig.* Enlevado, extasiado [F.: Do lat. *absorptus, a, um.* Hom./Par.: *absorto* (a.), *absolto* (a.).]

absorvância (ab.sor.*vân*.ci:a) *sf. Ópt.* Logaritmo do inverso da transmitância; densidade óptica, extinção; ABSORBÂNCIA [Mede a capacidade de um meio de absorver fluxo de irradiação luminosa que o atravessa.] [F.: *absorver* ou *absorber + -ância.*]

absorvedor (ab.sor.ve.*dor*) [ô] *a.* 1 Que absorve: *papel absorvedor de gordura. sm.* 2 Aquilo que absorve: *absorvedor de fumaça.* [F.: *absorver + -dor.* Sin. ger.: *absorvente.*]

absorvedouro (ab.sor.ve.*dou*.ro) *sm.* Lugar em que alguma coisa é absorvida; SORVEDOURO [F.: *absorver + -douro*[2].]

absorvefaciente (ab.sor.ve.fa.ci:*en*.te) *a2g.* **1** *Fisl. Med.* Que promove ou realiza a absorção (6) (de substâncias nutrientes nas células) *sm.* **2** *Med.* Substância medicinal que produz absorção (6) [F.: Do ing. *absorbefacient.*]

absorvência (ab.sor.*vên*.ci:a) *sf.* **1** Faculdade de absorver **2** *Fís. -quím.* Capacidade de um soluto absorver, numa solução, uma radiação com um certo comprimento de onda [F.: *absorver* + *-ência.*]

absorvente (ab.sor.*ven*.te) *a2g.* **1** Que absorve, que se deixa impregnar (toalha absorvente) **2** *Fig.* Que exige muita atenção ou ocupação (criança absorvente; trabalho absorvente) **3** *Fig.* Que atrai vivamente o interesse e prende a atenção; que cativa (romance absorvente) **4** *Fig.* Que monopoliza, domina (amor absorvente) **5** Diz-se de substância ou meio físico em cujo interior se dá a absorção [Ant.: *adsorvente.*] *sm.* **6** Aquilo que absorve **7** *Fís. Quím.* Substância em cujo interior se dá a absorção **8** Produto feito de várias camadas de pano, algodão ou materiais congêneres, us. para recolher o fluxo menstrual feminino [Nesta acp. tb. *absorvente higiênico.*] [F.: Do lat. *absorbens, entis.* Sin. ger.: *absorvedor.*] **⁂ ~ higiênico/íntimo** Absorvente (8) do fluxo menstrual da mulher [Tb. apenas *absorvente.*]

absorver (ab.sor.*ver*) *v.* **1** Recolher em si substância líquida ou gasosa, calor etc.; SORVER [*td.*: "E eis-me a absorver a luz de fora..." (Augusto dos Anjos, *Eu*)] **2** *Fig.* Captar, retendo para si; ASSIMILAR [*td.*: "O temperamento mais impressionável fê-lo absorver as crenças ambientes." (Euclides da Cunha, *Os sertões*)] [*tr.* + *em*: "Absorver-me em amor e só ter irrisão e escárnio!" (Álvares de Azevedo, *Noite na taverna*)] **3** *Fig.* Fazer desaparecer; CONSUMIR; ESGOTAR [*td.*: "A ação forte e dominadora duma fé ardente absorvera a vitalidade física de padre Antônio de Morais, causando-lhe um torpor profundo..." (Inglês de Sousa, *O missionário*) Ant.: *poupar.*] **4** Aceitar; superar; vencer [*td.*: "...o time do liceu se retirava do campo, lutando para absorver a derrota..." (Josué Montello, *Sempre serás lembrada*)] **5** *Fís. Fisl. Quím.* Realizar a absorção **6** Assimilar pela respiração ou por inalação; ASPIRAR; SORVER; INALAR [*td.*: *O doente absorveu o remédio.*] **7** Introduzir no estômago ao comer ou ao beber; INGERIR [*td.*: *O bebê absorvia muito leite.*] **8** Fazer com que se esgote, se acabe (ger. aos poucos); ESGOTAR; EXAURIR [*td.*: *A caminhada absorveu o vigor do jovem.*] **9** Causar entusiasmo em (alguém ou em si mesmo); EMPOLGAR [*td.*: *A dança absorvia os espectadores.*] **10** Atrair (espírito, pensamento, atenção [de alguém]) totalmente para si, ou concentrar(-se) em [*td.*: *O computador absorve totalmente as crianças.*] [*tdr.* + *em*: *O empresário absorveu todo o seu tempo nos negócios.*] **11** *Pug.* Reter no corpo efeito dos golpes recebidos [*td.*: *O pugilista absorveu bem os golpes durante a disputa.*] [▶ 2 absorver] [F.: Do lat. *absorbere.* Hom./ Par.: *absorvo* (fl.), *absorvo* (sm.); *absorver* e *adsorver* (todas as fl.).]

absorvido (ab.sor.*vi*.do) *a.* **1** Que se absorveu **2** Que foi incorporado ou assimilado (a outra coisa), desaparecendo como ente separado: *departamento absorvido (em outro departamento).* **3** Dissipado, consumido [+ *em*: *verbas absorvidas em gastos desnecessários.*] **4** Que foi sugado para dentro (de algo) por aspiração ou por impregnação; ASPIRADO; INALADO; SORVIDO **5** Muito concentrado na contemplação de algo, enlevado; ABSORTO **6** Muito ocupado, totalmente envolvido com algo **7** Que foi ingerido e aproveitado (em seus componentes alimentícios) *sm.* **8** *Quím.* Num processo de absorção, a substância que penetra na que realiza a aborção (esta o absorvente); ABSORBATO [F.: Part. de *absorver.*]

absorvível (ab.sor.*ví*.vel) *a2g.* Que pode ser absorvido [Pl.: *-veis.*] [F.: *absorver* + *-ível.* Tb. *absorbível.*]

abstemia (abs.te.*mi*.a) *sf.* Qualidade ou caráter de abstêmio; SOBRIEDADE [F.: *abstêm(io)* + *-ia*¹.]

abstêmio (abs.*tê*.mi:o) *a.* **1** Que não toma bebida alcoólica [Ant.: *ébrio*] **2** *Fig.* Que se abstém de ([fazer] algo) *sm.* **3** Aquele que não toma bebida alcoólica [Ant.: *ébrio*] [F.: Do lat. *abstemius, a, um.* Hom./Par.: *abstêmia* (fem.), *abstemia* (sf.).]

abstenção (abs.ten.*ção*) *sf.* **1** Ação ou resultado de abster(-se) **2** Em votação ou deliberação, recusa voluntária em optar por qualquer das alternativas ou nomes propostos **3** *Pol.* Em eleição, ausência do eleitor **4** Ausência de candidato em prova integrante de processo seletivo: *Vestibular tem abstenção recorde.* **5** *Jur.* Repudiação da herança feita pelo herdeiro [Pl.: *-ções.*] [F.: Do lat. *abstentio, onis.*] **⁂ ~ de ato** *Jur.* Compromisso legal, obrigação de se abster de determinado ato **~ do juiz** *Jur.* Ato de um juiz abster-se de julgar por não se considerar insuspeito

abstencionismo (abs.ten.ci:o.*nis*.mo) *sm.* **1** *Pol.* Ação de se abster de votar; ABSENTEÍSMO: "...em que o abstencionismo se erigiu em protesto único e contraproducente." (Euclides da Cunha, *Contrastes*, 272, 4ª ed.) **2** *Pol.* Doutrina que prega a abstenção do voto **3** Tendência para a neutralidade ou abstenção em qualquer assunto [F.: *abstenção* + *-ismo.*]

abstencionista (abs.ten.ci:o.*nis*.ta) *Pol. a2g.* **1** Ref. ao abstencionismo (teorias abstencionistas) **2** Que pratica o abstencionismo *s2g.* **3** *Pol.* Indivíduo partidário do ou que pratica o abstencionismo [F.: *abstencionismo* + *-ista*, seg. o mod. gr.]

abstento (abs.ten.to) *a.* **1** *Jur.* Que renuncia a uma herança *a.* **2** *Ecles.* Que foi suspenso de suas atividades eclesiásticas *sm.* **3** *Jur.* Aquele que renuncia a uma herança **4** *Ecles.* Aquele que foi suspenso de suas atividades eclesiásticas [F.: Do lat. *abstentus, a, um.*]

abster (abs.*ter*) *v.* **1** Privar (algo ou alguém, inclusive a si mesmo) de fazer algo, de exercer direito etc. [*tdr.* + *de*: *Uma forte gripe o absteve de viajar; Indeciso, absteve-se de votar*; "...deve o bom marido abster-se de escrever..." (Aluísio Azevedo, *Livro de uma sogra*)] **2** Privar (a si mesmo) de algo (comida, bebida, hábito ou vício etc.) [*tdr.* + *de*: *Muitas mulheres abstêm-se de álcool durante a gravidez.*] **3** Conter-se; reprimir-se [*int.*: *Mesmo que não concorde com os fatos, procure abster-se.*] [▶ 7 **abster** Recebe acento agudo no *e* da 2.ª e da 3.ª p. sing. do pres. ind e na 2.ª p. sing. do imper. afirm.: *absténs-te, abstém-se; abstém-te*; e circunflexo na 3.ª p. pl. do pres. ind.: *abstêm-se.*] [F.: Do lat. *abstinere.*]

abstergência (abs.ter.*gên*.ci:a) *sf.* **1** Qualidade do que é abstergente **2** Limpeza de ferimento, ulceração, ferida etc. [F.: *absterg(er)* + *-ência.*]

abstergente (abs.ter.*gen*.te) *a2g.* **1** Que absterge ou que serve para absterger; que limpa, purifica (substâncias abstergentes) **2** *Farm.* Ref. a remédio que serve para limpar, expurgar feridas *sm.* **3** Medicamento ou substância abstergente (1, 2): *Comprou um abstergente na farmácia.* [F.: Do lat. *abstergens, entis.* Sin. ger.: *abstersivo.*]

absterger (abs.ter.*ger*) *v. td.* **1** Limpar, expurgar (ferimento, ferida etc.) **2** *P. ext.* Purificar (alguém ou a si mesmo) [▶ **35** absterger] [F.: Do lat. *abstergere.*]

abstergido (abs.ter.*gi*.do) *a.* Que foi submetido a abstersão, que se abstergeu; ABSTERSO [F.: Part. de *absterger.*]

abstersão (abs.ter.*são*) *sf.* Ação ou resultado de absterger, limpar, expurgar, purificar; EXPURGAÇÃO; LIMPEZA; PURIFICAÇÃO [F.: Do lat. *abstersio, onis.*]

absterso (abs.*ter*.so) *a.* Limpo, expurgado, abstergido [F.: Do lat. *abstersus, a, um.*]

abstinência (abs.ti.*nên*.ci:a) *sf.* **1** Ação ou resultado de privar-se do uso de certas coisas **2** Qualidade ou caráter de quem se abstém **3** Privação de certos alimentos e bebidas em obediência a preceitos religiosos **4** Privação de contatos sexuais; CONTINÊNCIA **5** Privação, voluntária ou não, de substâncias como o álcool ou qualquer outra droga de que se desenvolveu dependência **6** *Econ.* Privação voluntária do consumo atual em função de uma produção futura maior mediante acumulação de capital [F.: Do lat. *abstinentia, ae.*]

abstinente (abs.ti.*nen*.te) *a2g.* **1** Que se abstém de algo; que pratica ou está em abstinência *s2g.* **2** Indivíduo abstinente [F.: Do lat. *abstinens, entis.*]

abstração (abs.tra.*ção*) *sf.* **1** Ação ou resultado de abstrair(-se) **2** *Fil.* Operação intelectual por meio da qual se separam, apenas no pensamento, elementos ou aspectos de uma totalidade que não podem subsistir isoladamente **3** *Fil.* As ideias ou conceitos produzidos por meio dessa operação **4** Ideia geral sobre uma situação, um objeto ou uma pessoa, em oposição a exemplos específicos da vida real: *A prova de História exigiu abstração e interpretação.* **5** Estado de quem se encontra tão absorto em pensamentos que não percebe o que ocorre à sua volta; ALHEAMENTO **6** *Art. pl.* Obra de arte abstrata [Pl.: *-ções.*] [F.: Do lat. *abstractio, onis.*]

abstracionismo (abs.tra.ci:o.*nis*.mo) *sm.* **1** Qualidade ou caráter de abstrato **2** *Art. pl.* Estilo artístico, desenvolvido no início do séc. XX, cuja principal característica consiste no abandono da representação figurativa da realidade, passando o artista a se concentrar unicamente na combinação de formas, cores, volumes e texturas, sem qualquer preocupação com um tema; arte abstrata. [Nesta acp., cf.: *concretismo.*] **3** *Fil.* Propensão a tomar ideias e conceitos meramente abstratos por representações fidedignas da realidade **4** Tendência ao emprego excessivo de ideias abstratas [F.: De *abstração* (rad. *abstracion-*) + *-ismo*, seg. o mod. erudito, ou do fr. *abstractionnisme.*]

> 📖 O termo 'abstracionismo', ou 'arte abstrata', inexato por implicar abstração, quando esta arte se manifesta em objetos concretos, quer expressar na realidade uma representação não figurativa, isto é, através de elementos que não tentam reproduzir a forma real de objetos, ou a forma de objetos reais. Ao longo de sua evolução passou por diversas etapas, como o impressionismo (que usou elementos geométricos, pontos ou manchas de cor para formar, no cérebro, a 'impressão' da imagem), o cubismo (com o uso de estruturas geométricas), o construtivismo (com influência de formas que evocam a tecnologia e a indústria), o movimento De Stijl (cujos elementos básicos eram linhas e superfícies de cores primárias), o abstracionismo geométrico (como a 'arte óptica', ou Op Art, de Vasarely e a arte cinética na escultura), e o abstracionismo informal, com várias vertentes (dadaísmo, action painting, tachismo, pintura gestual). No Brasil, a partir da década de 1940, destacaram-se, entre outros, os pintores abstratos Ivan Serpa, Abraão Palatnik, Antônio Bandeira, Manabu Mabe, Iberê Camargo.

abstracionista (abs.tra.ci:o.*nis*.ta) *a2g.* **1** Ref. ou pertencente ao abstracionismo **2** Que é adepto do abstracionismo ou que lhe segue os princípios; ABSTRATO *s2g.* **3** Artista abstracionista; ABSTRATO [F.: De *abstracionismo* + *-ista*, seg. o mod. gr., ou do fr. *abstractionniste.*]

abstraído (abs.tra.*í*.do) *a.* **1** Que está muito concentrado, absorvido em (algo); ABSORTO [+ *em*: *um poeta abstraído na contemplação de sua musa; abstraído no trabalho.*] **2** Que está alheio, distraído, por estar concentrado em outros pensamentos [+ *de*: "...o preso não é um animal enjaulado e totalmente abstraído da realidade que o circunda." (*O Globo*, 14.03.2003)] **3** Que foi posto à parte, separado do todo a que pertence [+ *de*: *Não entendia a frase abstraída de seu contexto.*] **4** Que está distanciado, afastado, desligado de (algo) [+ *de*: *monges abstraídos da vida mundana.*] [F.: Part. de *abstrair.*]

abstraimento (abs.tra:i.*men*.to) [a-i] *sm.* Ação ou resultado de abstrair(se); ABSTRAÇÃO; ALHEAMENTO; DISTRAÇÃO [F.: *abstrai(r)* + *-mento.*]

abstrair (abs.tra.*ir*) *v.* **1** Não ficar concentrado em problema, trabalho ou preocupação; ALHEAR-SE; DISTRAIR-SE [*tr.* + *em*: *Abstraía-se na leitura.*] **2** Colocar de lado, considerar em separado (o que pertence a um grupo); SEPARAR [*td.*: "Se abstrairmos as armas de fogo e a pólvora, o que movia os africanos a mercadejar com os europeus eram a atração e o prestígio do diferente." (Alberto da Costa e Silva, *A manilha e o libambo: a África e a escravidão, de 1500 a 1700*)] [*tdr.* + *de*: *Abstraiu das experiências a lei que as rege.*] **3** Não levar em conta, em consideração; DESCONSIDERAR [*tr.* + *de*: *Conseguiu abstrair- se de todos os preconceitos.* Ant.: *considerar.*] **4** Manter-se afastado; APARTAR [*tr. tdr.* + *de*: *Precisava abstrair (o pensamento) dos problemas do dia a dia.*] **5** Absorver toda a atenção em; CONCENTRAR-SE [*tr.* + *em*: *Isabela abstraía-se tanto no texto da peça, que nem me viu chegar.*] [▶ **43** **abstrair** Verbo irreg., conjuga-se como *cair*, e, abundante, tem duplo part.: *abstraído* e *abstrato* (us. como adj.).] [F.: Do lat. *abstrahere.*]

abstrativo (abs.tra.*ti*.vo) *a.* **1** Ref. a abstração **2** Que abstrai (divagações abstrativas) **3** Que serve para formar ou exprimir abstração (técnicas abstrativas) **4** Diz-se do que se atinge por abstração; formado por abstração (quadro abstrativo) **5** Que está abstraído em contemplação espiritual; CONTEMPLATIVO: *estado de espírito abstrativo* [F.: Do fr. *abstractif.*]

abstratizar (abs.tra.ti.*zar*) *v.* **1** Dar ou assumir caráter ou qualidade de abstrato; tornar(-se) abstrato [*td.*: *Em seu livro, ele abstratizou conceitos tão concretos como a caridade e a solidariedade.*] [*int.*: *Para ele, esses conceitos concretos se abstratizaram por falta de praticantes e adeptos.*] **2** Empregar estilo abstrato em (obra, criação artística etc.) [*td.*: *Em sua nova fase, esse pintor passou a abstratizar seus quadros.*] [▶ **1** abstratizar] [F.: *abstrato* + *-izar.*]

abstrato (abs.*tra*.to) *a.* **1** Que não é concreto, que é fruto de um processo mental de abstração, que só existe como ideia, que não se refere ou pertence à realidade sensível, perceptível pelos sentidos **2** Que se baseia principalmente em conceitos muito gerais, não representado em fatos ou objetos concretos: *O tema da redação era muito abstrato.* **3** *Fig.* Obscuro, vago, incompreensível ou de difícil compreensão: *Essa explicação está meio abstrata, seja mais claro.* **4** *Art. pl.* Ref. ao abstracionismo, estilo não figurativo nas artes plásticas (pintura abstrata) **5** Distraído, desatento: *Ele hoje anda meio abstrato, nem ouve o que lhe dizem.* **6** *Gram.* Que expressa um conceito, uma qualidade, um estado ou situação, um sentimento etc., não relacionados a uma existência ou configuração física e concreta: *'Alegria' e 'tristeza' são palavras abstratas.* **7** *Gram.* Diz-se, esp., do substantivo que expressa tal conceito (substantivo abstrato) *sm.* **8** *Fil.* Ver *abstração* (3) **9** O que se considera existir apenas no domínio das ideias, sem base material: *Con tal argumentos você está entrando no terreno do abstrato* **10** *Art. pl.* Artista adepto do abstracionismo; ABSTRACIONISTA (3) [F.: Do lat. *abstractus, a, um.* Ant. nas acps. 1 a 3, 6 a 9: *concreto.*]

abstruso (abs.*tru*.so) *a.* **1** Que se acha oculto ou encoberto: *As consequências são claras, as motivações, abstrusas.* [Ant.: *claro, evidente, manifesto.*] **2** Difícil de entender (estilo abstruso); OBSCURO; INTRICADO **3** Sem ordem, lógica, estrutura; CONFUSO; INCONGRUENTE [Ant.: *coerente, ordenado*] [F.: Do lat. *abstrusus.*]

absurdeza (ab.sur.*de*.za) [ê] *sf.* **1** Caráter ou qualidade do que é absurdo **2** O que é absurdo; coisa absurda [F.: *absurdo* + *-eza.*]

absurdidade (ab.sur.di.*da*.de) *sf.* **1** Qualidade ou condição do que é absurdo; absurdez, absurdeza; CONTRASSENSO; DESATINO; DISPARATE **2** Aquilo que se opõe à razão, ao bomsenso; ação ou ideia absurdas: "As conclusões disparataram em absurdidades chocarreiras." (Camilo Castelo Branco, *Curso de literatura*) [F.: Do lat. *absurditas, atis.*]

absurdo (ab.*sur*.do) *a.* **1** Que demonstra falta de bom-senso, de lógica; contrário a um modelo (ideia absurda; pedido absurdo) **2** *P. ext.* Que foge a regras e condições estabelecidas **3** Que é inaceitável; disparatado *sm.* **4** Aquilo que é desprovido de propósito, sem sentido, sem nexo; ABSURDEZ; ABSURDEZA **5** Disparate, despropósito **6** Quimera, utopia **7** *Mat.* Método de demonstrar um teorema pelo confronto com o conceito seu oposto **8** *Teat.* Forma de expressão artística que reflete a consciência da absurdez da condição e da existência humanas (teatro do absurdo) **9** *Fil.* Pensamento ou crença inconsistente do ponto de vista lógico [F.: Do lat. *absurdu.*] **⁂ Provar por ~** *Fis. Lóg.* Supor falsa coisa verdadeira e demonstrar que dessa suposição resultaria uma consequência impossível

abuamado (a.bu:a.*ma*.do) *a.* *Ang.* Espantado, pasmo, assombrado [F.: Do quimb. *ku-buama.*]

abudo (a.*bu*.do) *a.* *S.* Que tem abas muito grandes [F.: *ab(a)* + *-udo.*]

abugalhar (a.bu.ga.*lhar*) *v. td.* O mesmo que *esbugalhar*: *abugalhar os olhos.* [▶ **1** abugalhar] [F.: *a-*² + *bugalho* + *-ar*².]

abugrado (a.bu.*gra*.do) *S. a.* **1** Com feição de bugre, semelhante a bugre **2** Que descende de bugre **3** *Fig.* Que é ou se tornou abrutalhado, tosco, rude [F.: *a-*[2] + *bugr(e)* + *-ado*[1].]
abular (a.bu.*lar*) *v. td.* **1** *P. us.* Aplicar bula ou selo a (documentos) **2** *Rel.* Receber ou adquirir bula ou carta de indulgência [▶ 1 abular] [F.: *a-*[2] + *bula* + *-ar*[2]. Hom./Par.: *abular, abolar* (em várias fl.).]
abulia (a.bu.*li*.a) *sf. Psiq.* Enfraquecimento ou perda da vontade, da capacidade de escolher ou decidir; DISBULIA [F.: Do gr. *aboulía, as.* Hom./Par.: *abulia* (sf.), *abolia* (fl. de *abolir*).]
abúlico (a.*bú*.li.co) *Psiq. a.* **1** Que sofre de abulia **2** Indivíduo abúlico [F.: *abulia* + *-ico*[2].]
abulismo (a.bu.*lis*.mo) *sm.* O mesmo que *abulia* [F.: *abul(o)-* + *-ismo*.]
◎ **abul(o)-** *el. comp.* = 'falta de vontade'; 'abulia': *abulomania.* [F.: *abul(ia)* + *-o-*.]
abulomania (a.bu.lo.ma.*ni*:a) *sf. Psiq.* Ausência ou enfraquecimento da volição, da capacidade de ter vontade ou de decidir; ABULIA [F.: *abul(o)-* + *-mania*.]
abulomaníaco (a.bu.lo.ma.*ní*.a.co) *a.* **1** *Psiq.* Ref. a abulomania **2** Que sofre de abulomania; ABULÔMANO *sm.* **3** Quem sofre de abulomania; ABULÔMANO [F.: *abuloman(ia)* + *-íaco*.]
abunã (a.bu.*nã*) *sf. Amaz. Cul.* Iguaria, espécie de pirão feito com ovos de tartaruga, farinha de mandioca e açúcar, típico da região amazônica [F.: De or. indígena.]
abundância (a.bun.*dân*.ci:a) *sf.* **1** Grande quantidade (de algo), suficiente para prover as necessidades, e mais do que isso; COPIOSIDADE; FARTURA: *Nessas praias há pousadas em abundância.* [+ *de, em*: *abundância de/em águas.*] **2** *Econ.* Numa sociedade, num país etc., fartura de recursos, de bens, o que propicia um elevado nível de vida e o atendimento das necessidades materiais e de serviços; AFLUÊNCIA; FARTURA: *O país vive um período de abundância.* **3** Quantidade de algo que excede a que seria necessária: *Há abundância de vagas para o número de candidatos inscritos.* **4** *Fig.* Riqueza de recursos para se exprimir em palavras, falando ou escrevendo **5** *Astron.* Proporção de átomos num elemento químico presente num astro **6** *Ecol.* Quantidade de indivíduos que formam uma população [F.: Do lat. *abundantia, ae.* Ant. (1, 2 e 3): *escassez.*] ■ **~ ativa/relativa** *Ecol.* Índice que estabelece relação entre a abundância e a área em que ocorre, ou a população que a habita, ou outros fatores ecológicos **Em ~** Em grande quantidade
abundanciar (a.bun.dan.ci.*ar*) *v. td.* Tornar abundante [▶ 1 abundanciar] [F.: *abundância* + *-ar*[2]. Hom./Par.: *abundancia* (fl.), *abundância* (sf.); *abundancias* (fl.), *abundâncias* (pl. do sf.).]
abundante (a.bun.*dan*.te) *a2g.* **1** Que existe em abundância, que se apresenta em grande quantidade ou intensidade (iluminação abundante), ou que encerra algo em grande quantidade; COPIOSO; FARTO [+ *de, em*: *abundante de provisões; abundante em minerais.* Ant.: *escasso.*] **2** Que aparece em grande número ou quantidade (suor abundante, dúvidas abundantes); COPIOSO [Ant.: *escasso, parco.*] **3** Que é rico, afluente, abastado **4** Que é ou se manifesta produtivo, profícuo (solo abundante); FECUNDO; FÉRTIL [Ant.: *estéril, improdutivo, infértil.*] **5** *Fig.* Fértil em ideias ou em recursos de expressão verbal ou escrita (estilo abundante) **6** *Ret.* Que exagera no uso da palavra, ou de recursos de estilo etc. (orador abundante); PROLIXO; VERBORRÁGICO [Ant.: *conciso, sucinto.*] **7** *Gram.* Diz-se de verbo que apresenta mais de uma forma para um modo, tempo ou pessoa, esp. para o part. passado [Part. pas.: aceitar (*aceitado* e *aceito*); ganhar (*ganhado* e *ganho*).] **8** *Mat.* Diz-se de número inteiro maior que o total de seus divisores [F.: Do lat. *abundans, antis.*]
abundar (a.bun.*dar*) *v.* **1** Vir em grande quantidade; AFLUIR; TRANSBORDAR [*int.*: *Em março, as chuvas abundam.*] **2** Ter ou existir em grande quantidade, em abundância [*tr.* + *de, em*: "Esta pequena ilha abundava de belas aves..." (Joaquim Manuel de Macedo, *A moreninha*): "Nenhum devaneio... me perturbava o cozimento das pingues substâncias em que abundara o jantar." (Camilo Castelo Branco, *Coração, cabeça e estômago*)] [*int.*: *É melhor abundar do que faltar.*] **3** Dizer (algo) para completar ou esclarecer o que já foi dito antes [*td.*: *Confessou o crime e abundou que foi de propósito.*] **4** Ser bastante ou suficiente; BASTAR [*tr.* + *a, para*: *Tais argumentos abundam para as justificativas teóricas.*] **5** Ter a mesma opinião de; concordar com [*tr.* + *em*: *Abundaram no parecer da comissão.*] [▶ 1 abundar] [F.: Do lat. *abundare.*]
abunhadio (a.bu.nha.*di*:o) *a.* Condição ou obrigação de abunhado [F.: *abunhad(o)* + *-io*[2].]
abunhado (a.bu.*nha*.do) *sm.* **1** Na Índia, aquele que, nascido em terras de um senhorio, é obrigado a nelas viver e trabalhar, mesmo sem ser escravo **2** *N.* O mesmo que *curumi*, ou *curumim*, criado jovem [F.: Do persa *bunyad.*]
abunhar (a.bu.*nhar*) *v. int.* **1** Viver como abunhado; servir a um senhor sem dele ser escravo: *Abunhava sem descanso na fazenda.* **2** *P. ext.* Viver modestamente, em condições de pobreza: *Por causa da falta de terras, abunhou(-se).* [▶ 1 abunhar] [F.: *abunh(ado)* + *-ar*[2].]
aburelado (a.bu.re.*la*.do) *a.* **1** Que tem feição de, que se assemelha a ou imita burel (diz-se de pano) **2** *P. ext.* Grosseiro (pano) (como o burel) [F.: Part. de *aburelar.*]
aburelar (a.bu.re.*lar*) *v. td.* **1** *Têxt.* Fabricar (tecido) com aspecto de burel **2** Vestir-se de burel [▶ 1 aburelar] [F.: *a-*[2] + *burel* + *-ar*[2].]
aburguesado (a.bur.gue.*sa*.do) *a.* Próprio de burguês; que tem modos de burguês [F.: Part. de *aburguesar.*]
aburguesamento (a.bur.gue.sa.*men*.to) *sm.* **1** Ação ou resultado de aburguesar(-se) **2** Adoção de hábitos, cultura, valores de burguês, da vida burguesa: *Ao se casar, a moça passou por um completo aburguesamento.* **3** Vulgarização, banalização [F.: *aburguesar* + *-mento.*]
aburguesar (a.bur.gue.*sar*) *v.* **1** Transformar em burguês ou dar modos de burguês a [*td.*: "E Lênin... indicou... o quanto os intelectuais contribuíam para aburguesar o marxismo." (Adelmo Genro Filho, *Contra o socialismo legalista*)] **2** Adquirir hábitos ou modos de burguês [*int.*: "... quando se quisesse aburguesar (...), casar-se-ia." (Júlio Ribeiro, *A carne*)] **3** *P. ext. Pej.* Ficar ou tornar vulgar, banal; BANALIZAR(-SE); VULGARIZAR(-SE) [*td.*: *Não devemos aburguesar os heróis.*] [*int.*: *Falava e vestia-se de modo afetado, aburguesava-se cada dia mais.*] [▶ 1 aburguesar] [F.: *a-*[2] + *burguês* + *-ar*[2].]
abusado (a.bu.*sa*.do) *a.* **1** Que abusa, que passa dos limites do que é permitido ou aceito, do que é razoável ou aceitável: *Mas que moleque abusado!* **2** *N. N. E.* Que é atrevido, provocador; CONFIADO **3** *Fig.* Que é dado a crendices e superstições; SUPERSTICIOSO **4** *N. N. E.* Que chateia, aborrece, entedia *sm.* **5** Pessoa que passa dos limites ou é atrevida: *Aquele seu primo é um abusado.* [F.: Part. de *abusar.*]
abusador (a.bu.sa.*dor*) [ô] *a.* **1** Que abusa, que é capaz de ou que costuma abusar *sm.* **2** Aquele ou aquilo que abusa, que se mostra capaz de abusar [F.: *abusar* + *-dor.*]
abusão[1] (a.bu.*são*) *sf.* **1** Engano perceptual que induz a confundir uma coisa com outra; ILUSÃO **2** Crença supersticiosa **3** *Ling.* Fantasma, assombração, avejão [Pl.: *-sões.*] [F.: Do lat. **avisio, onis*, 'visão', 'fantasma'.]
abusão[2] (a.bu.*são*) *sf.* **1** Uso errado, excessivo ou injusto (de prerrogativa, direito, concessão, licença etc.); ABUSO **2** *P. us. Ret.* O mesmo que *catacrese* [Pl.: *-sões.*] [F.: Do lat. *abusio, onis.*]
abusar (a.bu.*sar*) *v.* **1** Usar de forma indevida, sem cuidado [*tr.* + *de*: "... a autoridade não pode abusar da lei, sem esbofetear-se a si própria." (Machado de Assis, *Quincas Borba*)] **2** Tirar vantagem de sua força, de seu poder sobre (alguém); tirar proveito de uma situação conveniente ou de superioridade; APROVEITAR-SE [*tr.* + *de*: *Não abuse da minha generosidade para conseguir tudo que quer:* "Se o senhor tem uma honra, e eu acredito, essa me pertence; e eu posso usar e abusar dela como me aprouver." (José de Alencar, *Senhora*)] [*int.*: "Sabes que só quero a tua felicidade... não te contrario... mas tu também não deves abusar!" (Aluísio Azevedo, *O mulato*)] **3** Fazer (algo), usar, comer ou beber em excesso; EXCEDER-SE [*tr.* + *de*: "E também não abusava muito da cerveja..." (Pepetela, *A geração da utopia*)] [*int.*: "A avó pede-lhe que não deixe a Maria comer doces na confeitaria. Ela pode abusar, é gulosa." (Júlia Lopes de Almeida, *A intrusa*)] **4** Desrespeitar ou ofender (alguém); AFRONTAR; FOLGAR [*tr.* + *com*: *Valentão, abusa com qualquer pessoa.*] **5** Expor ao ridículo; RIDICULARIZAR; VEXAR [*tr.* + *de*: *Abusavam do retirante que estava perdido na cidade.*] **6** Trair a confiança; ENGANAR [*tr.* + *de*: *Abusou tanto do amigo que o levou à falência.*] **7** Desonrar ou cometer estupro, violentar; ESTUPRAR; VIOLENTAR [*tr.* + *de*: *Foi preso, pois abusava de jovens.*] [▶ 1 abusar] [F.: Posv. de *abuso* + *-ar*[2]. Hom./Par.: *abuso* (fl.), *abuso* (sm.).]
abusivo (a.bu.*si*.vo) *a.* **1** Em que há abuso; que é excessivo ou incorreto: *aumento abusivo dos preços.* **2** Que contraria os bons costumes, as normas etc. (comportamento abusivo) [F.: Do lat. tard. *abusivus, a, um.*]
abuso (a.*bu*.so) *sm.* **1** Uso exagerado de algo: *O abuso de frituras lhe dá enjoo.* **2** Uso errado ou indevido de algo: *Esse seu modo agressivo de dirigir é um abuso* **3** Aproveitamento exorbitante de atribuições, função, prerrogativas etc. (abuso de poder) **4** Violação das boas normas de comportamento, da boa educação, dos costumes estabelecidos: *Essa gritaria no cinema já é um abuso.* **5** Atentado ao pudor, à honra **6** Estupro, defloração não consentida **7** *Bras.* Superstição, abusão[1] (2) **8** *N. E.* Enjoo, fastio (esp. por ter comido muito) [F.: Do lat. *abusus, us.*] ■ **~ de autoridade/de direito/de poder** *Jur.* Exercício legal de autoridade/direito/poder, mas com fins diferentes e mesmo contrários à intenção original da prerrogativa **~ sexual** Imposição do ato sexual, frequ. com uso de violência **Tomar ~ de** *N. E.* Ficar com ojeriza a; enjoar de: *Tomei abuso de tanta promessa não cumprida; Está magrinha assim porque tomou abuso de doces.*
abuta (a.bu.ta) *Bot. sf.* **1** Gênero das menispermáceas **2** Trepadeira menispermácea cuja casca, grossa e amarga, tem aplicações terapêuticas, tb. chamada *abutua* (*Abuta rufescens*, Aubl.) [F.: Do lat. cient. *Abuta.*]
abútilo (a.*bú*.ti.lo) *sm. Bot.* Planta malvácea, ornamental, originária das Antilhas, de uso ornamental ou medicinal, de que há várias espécies. Também chamada *abutilão* [F.: Do lat. mod. *Abutilon.*]
abutre (a.*bu*.tre) *sm.* **1** *Zool.* Denominação comum a várias espécies de aves de rapina da família dos acipitrídeos, que se alimentam de carniça, têm asas compridas e cauda curta, e ocorrem na Europa, Ásia e África **2** Denominação imprópria dos urubus brasileiros, em função de seus hábitos semelhantes aos dos abutres (1) **3** *Fig. Pej.* Indivíduo que se beneficia da desgraça alheia **4** *Fig. Pej.* Indivíduo que deseja a morte de outrem para receber-lhe a herança [F.: Do lat. *vultur, uris*, com *a* protético.]
abutua (a.bu.*tu*:a) *sf.* **1** *Bras. Bot.* Trepadeira menispermácea cuja casca, grossa e amarga, tem aplicações terapêuticas (*Abuta rufescens*); ABUTINHA; BUTINHA; PANI; PARREIRA-BRAVA **2** Planta menispermácea, pequena, de flores pequenas e fruto pequeno e roxo (*Abuta selloana*); BAGA-DE-CABOCLO; UVA-DE-GENTIO; UVA-SECA **3** Nome dado no Brasil a vários arbustos trepadores da família das menispermáceas; CIPÓ-AMARGO; CIPÓ-DE-COBRA; FALSO-PARATUDO; BUTUA; ABUTA [F.: Do tupi. Us. tb. a f. *abútua.*]
abútua (a.*bú*.tu:a) *sf.* Ver *abutua*
abutua-grande (a.bu.tu:a-*gran*.de) *sf. Bras. Bot.* Trepadeira menispermácea cujos frutos se assemelham à uva e têm aplicações terapêuticas (*Chondodendrum platyphyllum*). Também chamada de *abutua-legítima, abutua-da-terra, abutua-preta, baga-da-praia, batata-brava, batatinha-caapeva, butua, jabuticaba-de-cipó, uva-do-mato, orelha-de-onça* [Pl.: *abutuas-grandes.*]
abuzinar (a.bu.zi.*nar*) *v.* **1** Tocar a buzina; BUZINAR [*td. int.*] **2** *Fig.* Provocar barulho forte [*td. int.*] **3** *Fig.* Falar muito alto, de maneira desagradável [*td. int.*] **4** Fazer (algo) assumir o aspecto de buzina [*td.*] [▶ 1 abuzinar] [F.: *a-*[2] + *buzina* + *-ar*[2].]
⊠ **a.C.** Abrev. de *antes de Cristo*
⊠ **a/c** Abrev. de *aos cuidados de*, ger. us. em endereçamentos postais
⊠ **AC** Sigla do estado do Acre
◎ **-aca** *suf. nom.* Ver *-aco*[1]
aca (*a*.ca) *sf.* **1** *Bras.* Cheiro repugnante de pessoa ou animal; catinga, inhaca **2** *BA* Cachaça ordinária ou de gosto desagradável [F.: Do tupi *yakwa* (*cheiroso*).]
◎ **-aça** *suf. nom.* = 'aumento'; 'quantidade (às vezes com noção pej.); 'que é muito (dada qualidade)': *barcaça; gentaça; louraça* [F.: Do fem. *-atia*, de um suf. românico *-atiu, -atia*, ou do fem. *-acea*, de *-aceus, -acea, -aceum*, posv. F. conexa: *-açal*. Ver *-aço*.]
aça (*a*.ça) *Bras. a2g.* **1** Diz-se de pessoa ou animal albino *s2g.* **2** Pessoa ou animal albino [F.: Do quimb. *hasa.* Sin. ger.: *albino*. Hom./Par.: *aça* (a2g. e s2g.), *assa* (fl. de *assar*).]
acabadiço (a.ca.ba.*di*.ço) *a.* **1** *Pop.* Doentio, enfermiço; ACANAVEADO **2** Que tende a acabar rapidamente, efêmero, de pouca duração [F.: *acabad(o)* + *-iço.*]
acabado (a.ca.*ba*.do) *a.* **1** Que se acabou, consumou, chegou ao fim **2** Que está pronto, terminado (obra acabada) [Ant.: *inacabado.*] **3** Completo, inteiro, a que nada falta (produto acabado) **4** Que, por interrompido, ou abandonado, ou rescindido, deixou de existir (romance acabado; contrato acabado) **5** Sem chance de progredir; ARRUINADO: *Com esse escândalo, sua carreira está acabada.* **6** *Fig.* Gasto pelo uso: *O tênis ficou acabado na viagem.* **7** *Fig.* Que envelheceu ou que tem aspecto envelhecido: *Depois de tanto sofrer, era um homem acabado.* [Ant.: *conservado.*] **8** *Fig.* Que está abatido, deprimido: *Ficou acabado com a perda do amigo.* **9** Perfeito, irretocável: *Ela é o exemplo acabado do otimismo. sm.* **10** Remate, acabamento: *o acabado de uma roupa.* [F.: Part. de *acabar.*]
acabamento (a.ca.ba.*men*.to) *sm.* **1** Ação ou resultado de acabar(-se), terminar(-se) **2** Tratamento final para completar ou retocar algo; ARREMATE; REMATE: *o acabamento de uma pintura.* **3** Operação ou conjunto de operações que dá tratamento final, arremate, a uma obra (com polimento, pintura etc.) **4** Estado e características desse arremate, sua qualidade (boa ou má) etc.: *Observe o acabamento dessa peça.* **5** Fim, termo, cessação **6** *P. ext. P. us.* Cessação da vida; MORTE **7** *Art. gr.* Etapa final da produção de livro, revista etc., compreendendo ger. a organização em cadernos, costura ou colagem do miolo, colocação da capa etc. [F.: *acaba(r)* + *-mento.*]
acabanado[1] (a.ca.ba.*na*.do) *a.* Em forma de cabana [F.: Part. de *acabanar*[1].]
acabanado[2] (a.ca.ba.*na*.do) *a.* De aba caída (chapéu); diz-se de tal aba [F.: Part. de *acabanar*[2].]
acabanado[3] (a.ca.ba.*na*.do) *a.* **1** Caído, pendente, voltado para baixo (orelha acabanada) **2** Diz-se de alguém que tem orelha caída **3** *Bras.* Diz-se de chifres ou de orelhas acabanados (1) de animais, ou de animais que têm chifres e/ou orelhas acabanados (1) **4** De aba caída (diz-se de chapéu) **5** Diz-se de tal aba [F.: *a-*[2] + *cabano*[1] + *-ado*[1].]
acabanar[1] (a.ca.ba.*nar*) *v. td.* Dar forma de cabana a: *Para dormir, os desabrigados acabanavam os lençóis.* [▶ 1 acabanar] [F.: *a-*[2] + *cabana* + *-ar*[2].]
acabanar[2] (a.ca.ba.*nar*) *v. td. Bras.* Dobrar para baixo ou baixar (o chapéu ou sua aba) [▶ 1 acabanar] [F.: *a-*[2] + *cabano*[1] + *-ar*[2].]
acaba-novenas (a.ca.ba-no.*ve*.nas) *CE Pop. s2g2n.* Homem metido a valente, desordeiro; ARRUACEIRO
acabar (a.ca.*bar*) *v.* **1** Chegar ao fim, concluir; TERMINAR [*td.*: "E agora que acabara a faculdade... resolvera prestar concurso para o serviço público." (Ana Maria Machado, *A audácia dessa mulher*)] [*int.*: "...o amor que tu me tinhas era pouco e se acabou." (Canção de roda, *Ciranda, cirandinha*); "Quando começava, já se sabia como ia acabar, a história estava pronta." (Ana Maria Machado, *A audácia dessa mulher*)] [*ta.*: *A avenida acaba numa praça*] **2** Pôr fim a; EXTINGUIR [*tr.* + *com*: *A discussão pela manhã acabou com o seu dia;* "...para acabar com o tráfico negreiro." (Alberto da Costa e Silva, *Um rio chamado Atlântico*)] **3** Ter como desfecho; terminar em [*tr.* + *em*: "Essa união vai acabar em discórdia." (Kurban Said, *Ali e Nino*)] **4** Dar o remate ou o acabamento a; CONCLUIR

[*td.*: *Acabei a pintura do meu quarto.*] **5** Prejudicar(-se) (física ou psicologicamente); fazer ficar ou ficar exaurido, esgotado ou sem viço, vigor; EXAURIR(-SE) [*tr.* + *com*: *Usar saltos acaba com meus pés; Pegar muito sol acaba com a pele*; "...em que meus tormentos só não acabaram comigo de uma vez porque eu sabia que tinha de me fazer forte..." (Ana Maria Machado, *A audácia dessa mulher*)] [*int.*: *Acabou-se de tanto trabalhar*: "A menina se acabara." (Ana Maria Machado, *A audácia dessa mulher*)] **6** Tornar-se, vir a ser [*tp.*: "Alguns seriam acoitados ou admitidos como estrangeiros em pequenas comunidades e nelas acabariam assimilados." (Alberto da Costa e Silva, *A manilha e o libambo*)] **7** Terminar, pôr fim a (relacionamento amoroso); ROMPER [*td.*: *Acabaram o noivado.*] [*tr.* + *com*: *Decepcionado, acabou (com) o namoro.*] [*int.*: "Por que você disse que ele é um ex-namorado? Afinal vocês acabaram ou não?" (Ana Maria Machado, *A audácia dessa mulher*)] **8** Dar cabo de ou morrer, perecer [*int.*: "...mandara calcar o quarto onde o estudante acabara, e atirou para as lojas tudo o que era do defunto..." (Camilo Castelo Branco, *A brasileira de Prazins: cenas do Minho*)] [*tr.* + *com*: *O fumacê acabou com o mosquito da dengue.*] [*ta.*: *O jornalista acabou tristemente no exílio.*] **9** *Fig.* Superar, humilhando [*tr.* + *com*: *Nosso time acabou com o deles.*] **10** Ter fim, encerramento; FECHAR [*int.*: *O cinema acabou*] **11** Fazer ficar desusado; abolir [*tr.* + *com*: *A nova moda acabou com a minissaia.*] [▶ 1 acabar] [F.: *a-*^{2} + *cab(o)* + *-ar*^{2} NOTA: Us. como aux.: a) seguido de v. principal no gerúndio ou da prep. *por* + v. principal no infinit., indicando resultado de uma ação: "...acabaram ganhando de uma amiga uma grande coleção." (Ana Maria Machado, *A audácia dessa mulher*); "... acabaram por construir um império." (Alberto da Costa e Silva, *A manilha e o libambo*). b) seguido da prep. *de* + v. principal no infinit., indicando término de uma ação: "...jamais havia pensado no que ela acabara de perguntar." (Paulo Coelho, *Brida*); "...ao lado da motocicleta que acabava de ganhar." (Antonio Callado, *Bar Don Juan*).]

▪ Quando acaba **1** *Bras. Pop.* Além de tudo; ainda por cima: *É um preguiçoso, e, quando acaba, incompetente* **2** No fim das contas; afinal: *Esforçou-se, pediu, adulou e, quando acaba, foi promovido.* **Um nunca acabar** Uma grande quantidade, uma sequência aparentemente interminável: *Desfiou um nunca acabar de argumentos para justificar seus atos.*

acaboclado (a.ca.bo.*cla*.do) *Bras. a.* **1** Que tem ou passou a ter feição e/ou modos de caboclo (indivíduo acaboclado) **2** Que tem aparência ou comportamento rústicos [F.: Part. de *acaboclar*.]

acaboclar (a.ca.bo.*clar*) *v.* **1** *Bras.* Dar ou tornar as feições e/ou a cor de caboclo [*td.*: *A miscigenação está acaboclando a população da região.*] [*int.*: *Acaboclaram-se trabalhando no campo.*] **2** Dar ou adquirir os modos de caboclo ou rústico [*td.*: *Os muitos anos que passou no interior o acaboclaram.*] [*int.*: *Acabocla-se no convívio com os camponeses.*] [▶ 1 acaboclar] [F.: *a-* + *caboclo* + *-ar*.]

acabramar (a.ca.bra.*mar*) *v. td.* **1** Atar animal (boi, cabra etc.) prendendo seus pés ao chifre **2** Usar cabramo para prender (animal) a uma estaca, cerca etc. [▶ 1 acabramar] [F.: *a-*^{2} + *cabramo* + *-ar*^{2}.]

acabramo (a.ca.*bra*.mo) *sm.* Corda, correia, peia própria para acabramar; CABRAMO [F.: *a-*^{2} + *cabramo*.]

acabrunhado (a.ca.bru.*nha*.do) *a.* **1** Que perdeu a alegria, o ânimo, por desgosto ou aborrecimento; TRISTE; DESANIMADO: "Abelabel, meu amigo, passou o dia uma vez acabrunhado, por conta de xingo de auto a auto (...)" (João Guimarães Rosa, "Sobre a escova e a dúvida" *in Tutameia*) **2** Humilhado, oprimido [F.: Part. de *acabrunhar*.]

acabrunhador (a.ca.bru.nha.*dor*) [ô] *a.* Que acabrunha; ACABRUNHANTE [F.: *acabrunhar* + *-dor*.]

acabrunhamento (a.ca.bru.nha.*men*.to) *sm.* **1** Perda da alegria e do ânimo **2** Estado de espírito resultante dessa perda **3** Humilhação, vexame [F.: *acabrunhar* + *-mento*.]

acabrunhante (a.ca.bru.*nhan*.te) *a2g.* Que acabrunha ou é capaz de acabrunhar, de causar tristeza, ou humilhação, ou desânimo etc. [F.: *acabrunhar* + *-nte*.]

acabrunhar (a.ca.bru.*nhar*) *v.* **1** Deixar ou ficar desanimado, abatido; ABATER(-SE); PROSTRAR(-SE) [*td.*: "As contínuas decepções o acabrunharam..." (José de Alencar, *Sonhos d'ouro*)] [*int.*: *Com qualquer derrota se acabrunha.*] **2** Fazer ficar ou ficar triste, magoado; ENTRISTECER(-SE); MAGOAR(-SE) [*td.*: *A demolição do velho casarão acabrunhou toda a vizinhança.*] [*int.*: *Acabrunhou-se quando falei com ele de forma rude.*] **3** Causar ou sentir vergonha ou humilhação; ENVERGONHAR(-SE); HUMILHAR(-SE) [*td.*: "Eu sou mulher e vós bem me podeis fazer morrer sem me acabrunhar com todo o peso do vosso poderio." (Gonçalves Dias, *Leonor de Mendonça*)] [*int.*: *Acabrunhou-se quando viu seu nome envolvido no escândalo.*] **4** *P. us.* Causar ferimento; FERIR; MACHUCAR [*td.*: "...E depois com dois murros, ou com três, / Acabrunhar-te os queixos, e o nariz..." (Bocage, *Sonetos e outros poemas*)] [▶ 1 acabrunhar] [F.: Do lat. *caproneare, 'baixar a cabeça', posv.]

acaçá (a.ca.*çá*) *Bras. BA Cul. sm.* **1** Bolinho cozido de farinha de arroz ou milho, com consistência de gelatina, envolvido ainda quente em folha de bananeira **2** Angu de farinha de arroz ou de milho com leite de coco **3** Refresco de fubá muito fino fermentado em água açucarada **4** *P. ext.* Qualquer substância que refresca; REFRIGÉRIO **5** *Fig.* Coisa que embriaga ou atrai; ATRATIVO **6** *Fig.* Perfume forte e penetrante [F.: Do ior., ou do jeje, posv. de *aka'tsa*, 'pãozinho envolto em folhas'.]

açacalado (a.ça.ca.*la*.do) *a.* **1** Polido, brunido, luzidio, lúcido, reluzente, brilhante, resplandecente (diz-se esp. de arma branca) **2** *Fig.* Aperfeiçoado, aprimorado, refinado *sm.* **3** O mesmo que *açacalamento*; AÇACALADURA [F.: Part. de *açacalar*.]

açacalamento (a.ça.ca.la.*men*.to) *sm.* Ação ou resultado de açacalar, de polir, brunir, lustrar; AÇACALADURA [F.: *açacala(r)* + *-mento*.]

açacalar (a.ça.ca.*lar*) *v.* **1** Dar polimento, brunir (esp. armas brancas); POLIR [*td.*: *O colecionador açacalava espadas.*] **2** Fabricar (arma branca) [*td.*: *Com pedaços de ferro, os prisioneiros açacalavam armas.*] **3** *Fig.* Tornar afiado [*td.*: *Açacalou o punhal.*] **4** Dar maior apuro a; tornar perfeito; APERFEIÇOAR [*td.*: *Açacalou sua maneira de escrever.*] [*int.*: *Seu estilo açacalou-se.*] [▶ 1 açacalar] [F.: Do ár. *as-saqál* 'alfageme, brunidor de armas'.]

acaçapado (a.ca.ça.*pa*.do) *a.* O mesmo que *acachapado* [F.: Part. de *acaçapar*.]

acaçapamento (a.ca.ça.pa.*men*.to) *sm.* O mesmo que *acachapamento* [F.: *acaçapar* + *-mento*.]

acaçapante (a.ca.ça.*pan*.te) *a2g.* O mesmo que *acachapante* [F.: *acaçapar* + *-nte*.]

acaçapar (a.ca.ça.*par*) *v.* O mesmo que *acachapar* [▶ 1 acaçapar] [F.: *a-*^{1} + *caçapo* + *-ar*^{2}.]

acachapado (a.ca.cha.*pa*.do) *a.* **1** Encolhido como um caçapo, um filhote de coelho **2** Que se encontra abaixado, próximo ao chão, ou oculto **3** *P. ext.* Que é considerado baixo, de pouca altura (edifício acachapado) **4** *P. ext.* De formato achatado, plano **5** *Fig.* Que está triste, arrasado: *Ficaram todos acachapados com a notícia.* **6** *Fig.* Derrotado, submetido, ou moralmente enxovalhado **7** *Náut.* Diz-se dos mastaréus quando arriam, tirando-se as cunhas [F.: Part. de *acachapar*. Sin. ger.: *acaçapado*.]

acachapamento (a.ca.cha.pa.*men*.to) *sm.* Ação ou resultado de acachapar(-se); ACAÇAPAMENTO [F.: *acachapar* + *-mento*.]

acachapante (a.ca.cha.*pan*.te) *a2g.* **1** Que acachapa; ACAÇAPANTE **2** Que é incontestável, evidente, cabal, absoluto (superioridade acaçapante; vitória acachapante); ACAÇAPANTE [F.: *acachapar* + *-nte*.]

acachapar (a.ca.cha.*par*) *v.* **1** Reduzir ao tamanho de um caçapo, de um coelho pequeno; abater, achatar, esmagar [*td.*: *Acaçapou as roupas para que coubessem na mala.*] **2** Abaixar-se, agachar-se, como faz o caçapo para se esconder do caçador [*int.*: *Acachaparam-se quando começou o tiroteio.*] **3** Esconder(-se), ocultar(-se) [*tda.*: *O índio acachapou-se numa árvore.*] [*td.*: *Quando a professora entrou, o aluno acachapou o celular.*] **4** Rebaixar moralmente, causar humilhação, ou deprimir-se, rebaixar-se, humilhar-se [*td.*: *O escândalo político acachapou o candidato.*] [*int.*: *Não se acachapara diante da acusação.*] **5** Obter vitória sobre; dominar, subjugar [*td.*: *O time da casa acachapou o adversário.*] [F.: De or. contrv. provável cruzamento de *acaçapar* (de *caçapo*) com *acachar* (var. de *agachar*). Sin. ger.: *acaçapar*.]

acachar (a.ca.*char*) *v. td.* **1** O mesmo que *agachar* **2** Ocultar(-se), esconder(-se) **3** *Lus.* Dar abrigo a [▶ 1 acachar] [F.: Var. de *agachar*.]

acachoar (a.ca.cho.*ar*) *v. int.* Jorrar (água) aos borbotões, com força e velocidade [▶ 16 acach**oar** Conjuga-se só nas 3as pess.] [F.: *a-*^{2} + *cachoar*.]

acácia (a.*cá*.ci:a) *Bot. sf.* **1** Nome comum às spp. do gên. *Acacia*, da fam. das leguminosas, subfam. mimosoídea, originárias de regiões tropicais e temperadas e muito cultivadas pelas flores amarelas e perfumadas, pelos frutos e tb. para extração de madeira, tanino etc. **2** Nome comum a outras spp. da mesma fam., esp. dos gêneros *Cassia* e *Senna* **3** A flor dessas plantas [F.: Do lat. *acacia*, deriv. do grego *akakía*, de origem egípcia.]

acácia-negra (a.*cá*.ci:a-*ne*.gra) *Bot. sf.* Árvore leguminosa de origem australiana (*Acacia decurrens*), cultivada no Brasil, e cuja casca contém muito quinino [Pl.: *acácias-negras*.]

acaciano (a.ca.ci:*a*.no) *a.* **1** Que lembra o palavreado sentencioso e oco, mas de tom grave e presumido, do Conselheiro Acácio, personagem de *O primo Basílio*, de Eça de Queirós; ACACIANISTA **2** Diz-se de quem assume esse palavreado e esse comportamento *sm.* **3** Indivíduo acaciano (2), propenso a ditos e atitudes acacianas (1) [F.: Do antr. *Acácio* (personagem de Machado de Assis) + *-ano*.]

acacifar (a.ca.ci.*far*) *v. td.* Guardar em cacifo [▶ 1 acacifar] [F.: *a-*^{2} + *cacifo* + *-ar*^{2}.]

acácio (a.*cá*.ci:o) *sm.* **1** O mesmo que *acaciano* **2** *Bras. P. ext.* Pessoa tola, ingênua, boba [F.: Do nome *Acácio*, personagem do romance *O Primo Basílio*, de Eça de Queirós]

acaculado (a.ca.cu.*la*.do) *a. MG MT SP Pop.* Abarrotado, muito cheio [F.: Part. de *acacular*.]

acacular (a.ca.cu.*lar*) *v. td.* Encher em demasia; ABARROTAR [▶ 1 acacular] [F.: *a-*^{2} + *caculo* + *-ar*^{2}.]

açacurana (a.ça.cu.*ra*.na) *sf. Bras. Bot.* Árvore leguminosa-papilionácea (*Erythrina glauca*), de flores amareladas, comum na Amazônia; BUCARÉ; MULUNGU; SUINÃ [F.: Do tupi.]

acadeirado (a.ca.dei.*ra*.do) *a.* Que se acadeirou, tomou lugar em cadeira [F.: Part. de *acadeirar-se*.]

acadeirar-se (a.ca.dei.*rar*-se) *v. int.* Sentar-se em cadeira: *Acadeirou-se diante da televisão.* [▶ 1 acadeirar-se] [F.: *a-*^{2} + *cadeira* + *-ar*^{2} + *se*^{1}.]

academia (a.ca.de.*mi*.a) *sf.* **1** Estabelecimento em que se oferecem aulas de ginástica, ou onde se praticam esportes, lutas, danças etc. [Tb. *academia de ginástica*.] **2** Sociedade de caráter literário, artístico ou científico: *Academia de Ciências de Lisboa*. [Nesta acp., a inicial é ger. maiúsc.] **3** *Bras.* A Academia Brasileira de Letras: *Aquele escritor que entrou para a Academia mês passado.* **4** Prédio em que funciona essa sociedade **5** O conjunto de membros de uma sociedade desse tipo: *A academia ficou indignada com as críticas.* **6** Estabelecimento de ensino, ger. superior; FACULDADE; UNIVERSIDADE **7** Conjunto dos alunos desse estabelecimento **8** *Fil.* A escola de Platão e, por analogia, a de qualquer filósofo **9** *RN Lud.* O mesmo que *amarelinha* [F.: Do top. gr. *Akadê meia* ou *Acadé mía*, 'jardim de Academo (herói grego), onde Platão ensinava filosofia. Hom./Par.: *acadêmia* (sf.).]

📖 A academia original (akadémeia) foi o jardim no qual Platão fundou sua escola de filosofia, mas o termo passou a designar toda instituição de ensino superior, ou que congrega luminares da ciência, das artes, da filosofia etc. Muitas academias tornaram-se famosas através de tempos e lugares, nas várias áreas de sua atuação. Entre as academias de letras, tornou-se paradigmática a Académie Française, cujo modelo inspirou a Academia Brasileira de Letras, fundada em 1896. Esta tem 40 cadeiras, ocupadas por 40 membros efetivos perpétuos (no mínimo 25 devem morar na cidade que sedia a Academia, o Rio de Janeiro), sendo cada novo membro eleito pelos acadêmicos para ocupar uma cadeira vazia devido ao falecimento do último titular. Há ainda 20 membros estrangeiros correspondentes.

acadêmia (a.ca.*dê*.mi:a) *P. us. Art. pl. sf.* Estampa ou modelo de gesso obtido de modelo-vivo, para uso em escolas de arte, no estudo da anatomia e das formas humanas [F.: Do it. *accademia*. Hom./Par.: *acadêmia*, *academia* (s. f.).]

academial (a.ca.de.mi:*al*) *a2g.* **1** Da, próprio da ou ref. a academia; o mesmo que *acadêmico*. **2** Que tem forma para se ler ou recitar numa academia [Pl.: *-ais*.] [F.: *academi(a)* + *-al*.]

academicismo (a.ca.de.mi.*cis*.mo) *sm.* **1** Conduta, atitude, mentalidade de quem pertence, ou pretende pertencer, a academia **2** Atitude e preocupação de centrar-se em aspectos especulativos ou em detalhes de uma questão **3** Obediência às normas tradicionais de uma arte, uma área de conhecimento etc. [Tb. *academismo*.] [F.: *acadêmico* + *-ismo*.]

academicista (a.ca.de.mi.*cis*.ta) *a2g.* **1** Ref. ao academicismo, ou que lhe é favorável, propício **2** Ref. a ou que é próprio de academia; ACADEMIAL; ACADÊMICO *s2g.* **3** Quem frequenta academia (ger. de ginástica, ou recreativa) [F.: *acadêmico* + *-ista*.]

acadêmico (a.ca.*dê*.mi.co) *a.* **1** Ref. à academia ou a seus membros, ou próprio deles **2** De, próprio de ou ref. a instituição de ensino superior, ou a suas atividades ou a seus alunos (vida acadêmica; conselho acadêmico) **3** Marcado pelo rigor formal, pela erudição (discurso acadêmico) **4** *Art. pl. Liter.* Diz-se de obra, escola, artista ou escritor que seguem os modelos do academismo **5** *P. ext.* Que é tradicional, convencional, resistente a novidades ou inovações **6** *P. ext. Pej.* Desprovido de espontaneidade, originalidade, inovação **7** *Pej.* Que não visa a ou não produz resultado imediato, prático: *um debate meramente acadêmico.* *sm.* **8** Indivíduo que é membro de uma Academia: *Os acadêmicos reúnem-se para o chá.* **9** Estudante universitário ou de pós-graduação **10** *Ant. Restr. Fil.* Membro da Academia (escola filosófica de Platão) [F.: Do lat. *academicus, a, um*, do. gr. *akadémikós, é, ón*.]

academismo (a.ca.de.*mis*.mo) *sm.* **1** *Art. pl.* Doutrina estética surgida na Itália, em fins do séc. XVI, que preconizava o retorno ao modelo artístico da Antiguidade clássica **2** *Art. pl.* O método de ensino baseado nessa doutrina **3** *Art. pl.* Tendência ou apego estilístico aos princípios do academismo (1); ACADEMICISMO **4** *P. ext.* Cópia de modelos artísticos da Antiguidade clássica: *Este quadro é puro academismo.* **5** Imitação, falta de originalidade [F.: *academ(ia)* + *-ismo*.]

academizar (a.ca.de.mi.*zar*) *v.* Tornar(-se) acadêmico; dar ou tomar feição acadêmica [*td.*: *academizar uma tese universitária.*] [*int.*: *Seu discurso academizou-se.*] [▶ 1 academizar] [F.: *academia* + *-izar*, seg. o mod. gr.]

acadiano^1 (a.ca.di:*a*.no) *sm.* **1** *Hist.* Indivíduo que nasceu ou viveu em Acádia, antigo país que ficava na baixa Mesopotâmia, hoje parte do Iraque, e que foi um poderoso império entre os sécs. XXIV a.C. e XIII a.C.; ACÁDIO **2** *Ling.* Língua semítica falada pelos acadianos ou acádios *a.* **3** *Hist.* Da Acádia; relativo a ou típico do povo ou da cultura da Acádia; ACÁDIO [F.: Do top. *Acádia* + *-ano*^{1}.]

acadiano^2 (a.ca.di:*a*.no) *sm.* **1** Indivíduo natural ou habitante da Acádia, região na América do Norte, colonizada pelos franceses e disputada por franceses e ingleses nos sécs. XVII- XVIII, que corresponde atualmente, no Canadá, à Nova Escócia, Nova Brunswick e ilha do Príncipe Eduardo, e também, nos EUA, a partes dos estados de Maine e Vermont; ACÁDIO **2** *Geol.* Andar médio do sistema cambriano *a.* **3** Da Acádia; típico dessa região ou do seu povo; ACÁDIO **4** *Geol.* Diz-se de revolução orogenética que ocorreu no final do período devoniano da América do Norte [F.: Do top. *Acádia* (< fr. *Acadie*) + *-ano*^{1}.]

acádio^1 (a.*cá*.di:o) *sm.* **1** Pessoa nascida ou que viveu em Acádia, país situado na Mesopotâmia e hoje parte do Iraque **2** *Gloss.* Língua e escrita semíticas dos acádios, atualmente extintas *a.* **3** De Acádia, típico desse país ou de seu povo **4** Pertencente ou ref. ao império acádio, que dominou a baixa Mesopotâmia entre os sécs. XXIV e XXIII a.C. [F.: Do top. *Acádia*, com mud. de suf., ver *-io*[3].]

acádio[2] (a.*cá*.di:o) *sm.* **1** Pessoa nascida ou que vive na Acádia, região do Canadá **2** Da Acádia (região do Canadá); típico dessa região ou de seu povo [F.: Do top. *Acádia*, com mud. de suf; ver *-io*[3].]

acafajestado (a.ca.fa.jes.*ta*.do) *a. Bras.* Que tem comportamento e/ou aparência de cafajeste [F.: *a-*[2] + *cafajeste* + *-ado*[1].]

acafajestar (a.ca.fa.jes.*tar*) *v. Bras.* Tornar(-se) cafajeste [*td.*: *A convivência com aquele meio o acafajestou.*] [*int.*: *Depois de alguns anos de vida política, acafajestou-se por inteiro.*] [▶ 1 acafajestar] [F.: *a-*[2] + *cafajeste* + *-ar*[2].]

açafata (a.ça.*fa*.ta) *sf. Ant.* Antiga função feminina do paço, pela qual uma fidalga conduzia em um cesto (açafate) as roupas e os objetos de uso pessoal das senhoras da família real; essa fidalga; MOÇA DO AÇAFATE: "Sua mãe tinha sido açafata da apostólica D. Carlota Joaquina..." (Camilo Castelo Branco, *A brasileira de Prazins*) [F.: *açafat(e)* + *-a*. Hom./Par.: *açafata* (sf.), *açafata* (fl. de *açafatar*); *açafate* (sm.).]

açafatar (a.ça.fa.*tar*) *v. td.* **1** Arrumar em açafate **2** *Lus.* Tratar com mimos [▶ 1 açafatar] [F.: *açafate* + *-ar*[2]. Hom./Par.: *açafata* (fl.), *açafata* (sf.); *açafatas* (fl.), *açafatas* (pl. do sf.); *açafate* (fl.), *açafate* (sm.); *açafates* (fl.), *açafates* (pl. do sm.).]

açafate (a.ça.*fa*.te) *sm.* Cesto pequeno feito de vime, oval ou redondo, sem alças [F.: Do ár. *as-safat*. Hom./Par.: *açafate* (sm.), *açafate* (fl. de *açafatar*); *açafate* (sm.), *açafata* (sf.).]

açafate-de-ouro (a.ça.fa.te-de-*ou*.ro) *sm. Bras. Bot.* Planta crucífera europeia, ornamental (*Alyssum saxatile*); ALISSO [Pl.: *açafates-de-ouro*.]

acafelado (a.ca.fe.*la*.do) *a.* **1** Revestido de reboco (parede acafelada); ESTUCADO **2** *Fig.* Dissimulado, encoberto [F.: Part. de *acafelar*.]

acafelamento (a.ca.fe.la.*men*.to) *sm.* **1** *Ant.* Ação ou efeito de acafelar, de revestir com reboco; ACAFELADURA **2** *Fig.* Ação ou resultado de encobrir, disfarçar, dissimular [F.: *acafela(r)* + *-mento*.]

acafelar (a.ca.fe.*lar*) *v. td.* **1** Revestir (superfície) com cimento, betume etc. **2** Fechar (um desvão) com pedra e cal **3** *Fig.* Manter encoberto: *Acafelava seus verdadeiros objetivos.* [▶ 1 acafelar] [F.: De or. incerta; posv. conexo com o ár. *qafala*, 'fechar'.]

açafrão (a.ça.*frão*) *sm.* **1** *Bot.* Erva da fam das iridáceas (*Crocus sativus*), nativa da Europa, de cujas flores são retirados os estigmas que, reduzidos a pó, são us. como tempero e corante amarelo **2** *Bot.* A flor dessa planta **3** *Cul.* Esse tempero [Pl.: *-ções*.] [F.: Do ár. *az-zafaran*.]

açafrão-da-terra (a.ça.frão-da-*ter*.ra) *Bot. sm.* **1** Planta herbácea (*Curcuma longa*), da família das zingiberáceas, originária da Índia, com propriedades culinárias e medicinais; AÇAFRÃO-DA-ÍNDIA; GENGIBRE-DOURADO; BATATINHA-AMARELA; MANGARATAIA **2** Árvore pequena (*Nyctanthes arbor-tristis*), da família das oleáceas, originária da Índia, com flores aromáticas, brancas ou amarelas; AÇAFROEIRA-DO-BRASIL; ÁRVORE-DA-NOITE; ÁRVORE-TRISTE; SONÂMBULA [Pl.: *açafrões-da-terra*.] [Sin. ger.: *açafreiro, açafroeiro*.]

açafrão-do-mato (a.ça.frão-do-*ma*.to) *sm. Bras. Bot.* Planta herbácea (*Escobedia scabrifolia*), da família das escrofulariáceas, de grande efeito ornamental e de cujas raízes se extrai um corante amarelo; AÇAFRÃO-DO-CAMPO [Pl.: *açafrões-do-mato*.]

açafroado (a.ça.fro:*a*.do) *a.* **1** Da cor do açafrão **2** Temperado com açafrão [F.: Part. de *açafroar*.]

açafroar (a.ça.fro.*ar*) *v.* **1** Tingir (tecido) com açafrão [*td.*: *Açafroei algumas peças de roupa.*] **2** *Cul.* Temperar (carne, frango etc.) com açafrão [*td.*: *açafroar o peixe.*] **3** *P. us.* Dar a cor do açafrão a [*td.*: *açafroar a parede do escritório.*] **4** *P. us.* Tornar-se da cor do açafrão; CORAR; ENRUBESCER [*td.*: *Os elogios açafroaram-na.*] [*int.*: *Quando é elogiado, açafroa.*] [▶ 16 açafroar] [F.: *açafrão* + *-ar*[2].]

açaí (a.ça.*í*) *sm.* **1** *Bot.* Palmeira (*Euterpe oleracea*) nativa da Venezuela, Colômbia, Equador, Guianas e Brasil, de frutos comestíveis de cor roxo-escura e palmito saboroso; AÇAIZEIRO **2** *Bot.* Esse fruto **3** Refresco ou suco feito desse fruto [F.: Do tupi **iuasa'í*.]

acaiçarado (a.ca:i.ça.*ra*.do) *a.* **1** *Bras.* Que é próprio de, ou que tem feição, modos de caiçara, de caipira; ACAIPIRADO **2** *P. ext.* Que tem modos rústicos e canhestro; pouco instruído; MATUTO **3** De extrato modesto, sem posses [F.: Part. de *acaiçarar*.]

acaiçarar-se (a.cai.ça.*rar*-se) *v. int.* Adquirir maneiras de caiçara ou caipira; acaipirar-se [▶ 1 acaiçarar-se] [F.: *a-*[2] + *caiçara* + *-ar*[2] + *se*[1].]

açaí-chumbo (a.ça.í-*chum*.bo) *sm. Bot.* Palmeira amazônica (*Euterpe catinga*) de caule fino e minúsculos frutos, us. pelos indígenas como adorno, e da qual se extrai palmito comestível; AÇAÍ-CATINGA; AÇAÍ-CHUMBINHO; AÇAÍ-DE-CAATINGA [Pl.: *açaís-chumbos; açaís-chumbo*.]

açaimar (a.çai.*mar*) *v. td.* **1** Pôr açaimo ou mordaça em (animal); AMORDAÇAR: *açaimar um cão bravo.* **2** *Fig.* Refrear, ou fazer calar: *açaimar a raiva/a população revoltada.* [▶ 1 açaimar] [F.: *açaimo* + *-ar*.]

açaimo (a.*çai*.mo) *sm.* **1** Peça (de pano, couro, metal etc.) que se põe no focinho dos animais para impedi-los de morder ou de comer; FOCINHEIRA; MORDAÇA **2** *Fig.* Ação de impedir alguém de falar; AMORDAÇAMENTO **3** *Fig.* Ação de constranger, cercear alguém por meio de ameaça [F.: Do ár., posv.]

acaipirado (a.ca:i.pi.*ra*.do) *Bras. a.* **1** Que tem comportamento ou aparência de caipira **2** Ref. aos caipiras ou característico deles (modos acaipirados) [F.: *a-*[2] + *caipira* + *-ado*[1].]

acaipirar (a.cai.pi.*rar*) *v.* **1** *Bras.* Adaptar(-se) à vida caipira; fazer com que (algo, alguém) tenha aspecto, modo ou hábitos de caipira, ou se torne semelhante a quem ou o que é tipicamente caipira [*td.*: *Acaipirou-se ao viver na roça; Resolveu acaipirar a festa: encomendou quentão e contratou uma dupla caipira.*] **2** *Fig.* Comportar-se de modo acanhado, tímido, humilde [*int.*: *Acaipirou-se diante da atenção do público.*] [F.: *a-* + *caipira* + *-ar*[2].]

acairelado (a.cai.re.*la*.do) *a.* Ornado, guarnecido com cairel, ou debrum; DEBRUADO [F.: Part. de *acairelar*.]

acairelar (a.cai.re.*lar*) *v. td.* Guarnecer com cairel; CAIRELAR [▶ 1 acairelar] [F.: *a-*[2] + *cairel* + *-ar*[2].]

açaizal (a.ça:i.*zal*) [a-i] *sm.* **1** Agrupamento de açaizeiros num terreno **2** Nome dado na Amazônia ao terreno de beira-rio onde crescem açaís, ou juçaras; JUÇARAL [Pl.: *-zais*.] [F.: *açaí* + *-zal*. Sin. ger.: *araçatuba*.]

açaizeiro (a.ça:i.*zei*.ro) *sm. Bot.* O mesmo que *açaí* (1) [F.: *açaí* + *-zeiro*.]

acaju (a.ca.*ju*) *sm.* **1** *Bot.* Denominação comum a algumas árvores, como o mogno e o cedro-cheiroso, cuja madeira é castanho-avermelhada **2** A cor dessa madeira **a2g2n.** **3** Que é dessa cor (cabelos acaju) **4** Diz-se dessa cor: *Tinha os cabelos na cor acaju.* [F.: Do tupi *aka'yu* 'caju'; por infl. do fr. *acajou*.]

◎ **-açal** *suf. nom.* = 'lugar em que há algo em demasia': *borraçal, ervaçal, lodaçal* [F.: *-aça* + *-al*[1].]

acalantar (a.ca.lan.*tar*) *v.* O mesmo que *acalentar* [▶ 1 acalantar] [F.: De or. obsc. Hom./Par.: *acalanto* (fl.)/*acalanto* (sm.).]

acalanto (a.ca.*lan*.to) *sm.* **1** Ação de acalantar, de cantar a meia-voz, embalar e aconchegar ao peito uma criança para fazê-la adormecer; ACALENTO; ACALENTAMENTO **2** *Mús.* Composição musical que lembra as cantigas de ninar; ACALENTO **3** *Bras. P. ext.* Qualquer canção de ninar [F.: Dev. de *acalantar*.]

acalasia (a.ca.la.*si*:a) *sf. Med.* Perturbação na função de esfíncter (esp. no esôfago), que consiste em seu não relaxamento quando da contração de duto ou órgão adjacente [F.: De *a-*[1] + *calasia*.]

acalcanhamento (a.cal.ca.nha.*men*.to) *sm.* Ação ou resultado de acalcanhar [F.: *acalcanha(r)* + *-mento*.]

acalcanhar (a.cal.ca.*nhar*) *v.* **1** Fazer gastar ou gastar (o calçado) na altura do calcanhar, entortando seu tacão [*td.*: *Andou tanto que acalcanhou os sapatos.*] [*int.*: *Seu jeito de pisar fez as botas acalcanharem(-se).*] **2** Dobrar para dentro (a parte do calçado que acompanha o calcanhar); ACHINELAR [*td.*: *Acalcanhava os sapatos apertados.*] **3** Pisar com o calcanhar; CALCAR [*td.*: *Num lance do jogo acalcanhou a perna do jogador.*] **4** *Fig.* Causar humilhação; ANIQUILAR; HUMILHAR [*td.*: *Não costumava acalcanhar seus funcionários.*] **5** *Bras. Fig.* Envelhecer precocemente [*td.*: *As adversidades da vida acalcanham-no prematuramente.*] [▶ 1 acalcanhar] [F.: De or. incerta; de *a-*[2] + *calcanh(ar)* + *-ar*[2], posv.]

acalculia (a.cal.cu.*li*.a) *sf. Neur.* Distúrbio neurológico que acarreta incapacidade de realizar operações matemáticas, mesmo as mais elementares, devido a lesão no córtex cerebral [F.: *a-*[1] + *cálcul(o)* + *-ia*[1].]

acalentado (a.ca.len.*ta*.do) *a.* **1** Que se acalenta ou acalentou **2** Que se protegeu, aconchegou **3** Que foi ninado ou embalado **4** Que ficou tranquilo, acalmado, consolado **5** Que foi (projeto, ideia, objetivo etc.) alimentado, estimulado, incentivado (sonhos acalentados) [F.: Part. de *acalentar*.]

acalentador (a.ca.len.ta.*dor*) [ô] *a.* **1** Que acalenta, que embala e faz dormir (cantiga acalentadora) **2** Que traz consolo, que conforta (abraço acalentador) **3** *Fig.* Que incentiva, que nutre (esperança acalentadora) *sm.* **4** Aquilo ou aquele que acalenta: *Ele é um acalentador de ilusões.* [F.: *acalentar* + *-dor*.]

acalenta-menino (a.ca.len.ta-me.*ni*.no) *sm.* **1** *Bras. Cul.* Espécie de feijão, de cozimento rápido e muito saboroso, por isso muito us. na alimentação de crianças **2** *MG Fam.* Valentão

acalentamento (a.ca.len.ta.*men*.to) *sm.* Ação ou resultado de acalentar; ACALENTO; ACALANTO [F.: *acalenta(r)* + *-mento*.]

acalentar (a.ca.len.*tar*) *v.* **1** Fazer adormecer (criança) ao som de acalantos, cantados a meia-voz, aconchegando ao peito ou embalando nos braços, ou adormecer desta maneira; EMBALAR(-SE) [*td.*: *acalentar o bebê.*] [*int.*: *Acalentava-se no colo da avó; Só a mãe sabia acalentar.*] **2** Envolver com os braços, aconchegando junto ao peito [*td.*: *Acalentou-a para que não sentisse frio.*] **3** Trazer tranquilidade, sossego; SOSSEGAR; TRANQUILIZAR [*td.*: "E a madrugada acalentaria a nossa paz." (Johnny Alf, *Eu e a brisa*)] **4** Mitigar a dor; trazer consolo a; CONFORTAR; CONSOLAR [*td.*: *A presença dos amigos acalentará a viúva.*] **5** *Fig.* Manter vivo, alimentar, cultivar (sonho, projeto, ideia) [*td.*: "Só acalentava uma ambição..." (Marques Rebelo, *Marafa*)] [▶ 1 acalentar] [F.: De or. contrv. talvez do rad. do lat. *calens, entis*, fonte de *quente*.]

acalento (a.ca.*len*.to) *sm.* **1** Ação de acalentar, de embalar e aconchegar uma criança ao som de cantigas de ninar para fazê-la adormecer; ACALANTO; ACALENTAMENTO **2** *Mús.* O mesmo que *acalanto* **3** *P. ext.* Ação de confortar, tranquilizar, acarinhar [F.: Dev. de *acalentar*. Var.: *acalanto*. Hom./Par.: *acalento* (sm.), *acalento* (fl. de *acalentar*).]

acálifa (a.*cá*.li.fa) *sf.* **1** *Bot.* Nome comum a arbustos ornamentais das regiões tropicais e subtropicais, da família das euforbiáceas, com folhas de formato e coloração variada, gênero *Acalypha*, com centenas de variedades **2** Toda espécie desse gênero, como a *Acalypha wilkesiana*, de uso ornamental, por suas folhas coloridas [Tb. *acálifo, bengalina, cauda-de-raposa, crista-de-peru, rabo-de-macaco, rabo-de-raposa, tapiá-guaçu, veludo-de-penca*.] [F.: Do lat. cient. *Acalypha*.]

acaliptrado (a.ca.lip.*tra*.do) *sm.* **1** Indivíduo dos acaliptrados, insetos da ordem dos dípteros que não têm caliptras ou cujas caliptras são rudimentares *a.* **2** Dos ou ref. aos acaliptrados [F.: Do lat. cient. *Acalyptratae*.]

acalmada (a.cal.*ma*.da) *sf.* **1** Ação de acalmar, de tranquilizar: *Você precisa dar uma acalmada nesse seu amigo, ele está muito nervoso.* *sf.* **2** Situação do que foi acalmado: *Vamos aproveitar essa acalmada na discussão para apresentar nossa ideia.* [F.: Part. (fem.) de *acalmar*.]

acalmado (a.cal.*ma*.do) *a.* **1** Que se fez calmo, que se tranquilizou, serenou (ânimos acalmados); SOSSEGADO **2** Que diminuiu de intensidade (temporal acalmado); AMAINADO **3** *Fig.* Que se apaziguou, pacificou [F.: Part. de *acalmar*.]

acalmar (a.cal.*mar*) *v.* **1** Tornar(-se) calmo; TRANQUILIZAR(-SE) [*td.*: *As explicações do filho acalmaram o pai.*] [*int.*: "Então procurei acalmar-me..." (João Ubaldo Ribeiro, *Diário do farol*)] **2** Fazer ficar ou ficar menos intenso; MODERAR(-SE) [*td.*: *O remédio acalmou-lhe a dor; Dir-se-ia que os primeiros alvores da manhã é que acalmaram o tufão;* "Os seus trinta anos de escravidão no Brasil não lhe acalmaram o fervor religioso..." (Alberto da Costa e Silva, *Um rio chamado Atlântico*)] [*int.*] **3** *Fig.* Pacificar(-se), reprimir(-se) [*td.*: *acalmar uma desordem; acalmar uma paixão.*] [*int.*: *A rebelião acalmou(-se) com a presença da polícia.*] [▶ 1 acalmar] [F.: *a-*[2] + *calma* + *-ar*[2].]

acalmia (a.cal.*mi*:a) *sf.* **1** Período de calma ou repouso que se segue a um de tumulto ou agitação **2** Período de tempo bom após chuva forte, ventania etc.; BONANÇA; ESTIAGEM **3** *Med.* No curso de doença, infecção, febre ou qualquer processo mórbido, período de melhora, de diminuição dos sintomas [F.: Do lo fr. *accalmie*.]

acalorado (a.ca.lo.*ra*.do) *a.* **1** Repleto de calor; que sente calor (dias acalorados, crianças acaloradas) **2** *Fig.* Diz-se de quem denota entusiasmo, excitação (orador acalorado) **3** *Fig.* Que é enérgico, vigoroso (debate acalorado) [F.: Part. de *acalorar*.]

acalorar (a.ca.lo.*rar*) *v.* **1** Transmitir calor a, ou receber calor; tornar(-se) quente; AQUECER(-SE); ESQUENTAR(-SE) [*td.*: *O sol a pino acalorava a estrada.*] [*int.*: *Perto da lareira, a pele acalorou-se.*] **2** *Fig.* Tornar(-se) exaltado, intenso, arrebatado [*int.*: "O comendador falara com um ardor desusado nele; acalorara-se e se entusiasmara deveras..." (Lima Barreto, *O homem que sabia javanês e outros contos*)] [*td.*: *Seu argumento acalorou a discussão.*] [▶ 1 acalorar] [F.: *a-*[2] + *calor* + *-ar*[2].]

acamado (a.ca.*ma*.do) *a.* **1** Que se encontra doente, de cama: *Passou os dias acamado.* **2** Diz-se do que está arrumado, organizado em camadas ou camas (solo acamado) **3** Que se encontra assentado, alisado [F.: *a-*[2] + *cama* + *-ado*[1].]

acamamento (a.ca.ma.*men*.to) *sm.* **1** Ação ou resultado de acamar(-se) **2** Derrubada das hastes de gramíneas (e outras plantas) no nível do chão, por ventania **3** *Geol.* Disposição (de terreno em camadas); ver *estratificação* [F.: *acamar* + *-mento*.]

acamar (a.ca.*mar*) *v.* **1** Cair de cama, doente [*int.*: *Ainda não se sabe por que o menino acamou.*] **2** Pôr na cama ou em qualquer superfície; DEITAR: *acamar-se no chão.* **3** Pôr ou dispor em camas ou camadas [*td.*: *acamar a massa do bolo.*] **4** Pender ou tombar até quase o nível do solo [*int.*: *A plantação acamou toda com a ventania.*] [▶ 1 acamar] [F.: *a-* + *cama* + *-ar*.]

acamaradado (a.ca.ma.ra.*da*.do) *a.* **1** Que se tornou camarada, companheiro **2** Que se uniu em grupo, que se tornou parceiro, ligado, mancomunado [F.: Part. de *acamaradar*.]

acamaradar (a.ca.ma.ra.*dar*) *v.* **1** Fazer ficar ou ficar, tornar(-se) amigo, parceiro etc. [*tr.* + *com*: "... admirava-se de me ver acamaradar com certas criaturas inferiores." (Mário de Sá-Carneiro, *A confissão de Lúcio*)] [*int.*: "... podíamos acamaradar, doutor Topsius!" (Eça de Queirós, *A relíquia*)] [*td.*: *O longo convívio acamaradou-os*] **2** Desenvolver relação íntima de camaradagem com alguém (reciprocamente) [*int.*: *Após longo convívio, acamaradaram-se*] **3** Reunir-se em grupo, ou unir-se a um grupo [*int.*: *Acamaradaram(-se) para sair em excursão pela cidade.*] [*tdr.* + *com*: *Acamaradou-se com uma quadrilha para praticar um assalto.*] [▶ 1 acamaradar] [F.: *a-*[2] + *camarada* + *-ar*[2].]

açambarcador (a.çam.bar.ca.*dor*) [ô] *a.* **1** Que açambarca, que estende seu domínio ou sua ação sobre tudo, que monopoliza *sm.* **2** Aquele que açambarca, se apropria, se assenhoreia de tudo (em certo âmbito) [F.: *açambarcar* + *-dor*.]

açambarcagem (a.çam.bar.*ca*.gem) *sf.* O mesmo que *açambarcamento* [Pl.: *-gens*.] [F.: *açambarcar* + *-agem*[1].]

açambarcamento (a.çam.bar.ca.*men*.to) *sm.* Ação ou resultado de açambarcar, de chamar tudo para si; AÇAMBARCAGEM [F.: *açambarcar* + *-mento*.]

açambarcante (a.çam.bar.*can*.te) *a2g.* **1** Que açambarca *s2g.* **2** Aquele que açambarca, que tudo chama a si, que assume o controle de tudo [F.: *açambarca(r)* + *-nte*. Sin. ger.: *açambarcador*.]

açambarcar (a.çam.bar.*car*) *v. td.* **1** Adquirir o controle sobre; chamar (algo) a si, privando outros da respectiva vantagem; MONOPOLIZAR; ATRAVESSAR: "... eles praticamente açambarcaram o comércio do ouro..." (Alberto da Costa e Silva, *A manilha e o libambo*) **2** Tomar para si; assenhorear-se ou apossar-se de: "E, pior de tudo, açambarcar as mulheres, retirando-as dos jovens." (Alberto da Costa e Silva, *A manilha e o libambo*) [▶ 11 açambar**car**] [F.: De or. incerta; de *a-*[4] + o ant. *sambarcar*, ou de *a-*[2] + *sambarca* + *-ar*[2], posv. Hom./Par.: *açambarque(s)* (fl.), *açambarque(s)* (sm. [pl.]).]

acambetar (a.cam.be.*tar*) *v.* **1** Tornar(-se) cambeta [*td. int.*] **2** Cambetear, mancar [*int.*] [▶ 1 acambe**tar**] [F.: *a-*[2] + *cambeta* + *-ar*[2].]

acamboar (a.cam.bo.*ar*) *v. td.* **1** Prender (bois) no cambão **2** Entortar, cambar [▶ 16 acambo**ar**] [F.: *a-*[2] + *cambão* (rad. *cambo-*) + *-ar*[2], com desnasalação.]

acambulhado (a.cam.bu.*lha*.do) *a.* **1** Posto de cambulhada, que está ou se pôs em desordem, em confusão **2** *Lus.* Amontoado um sobre outro (diz-se do pão cozido nas lavouras de cereais) [F.: Part. de *acambulhar*.]

acambulhar (a.cam.bu.*lhar*) *v.* **1** Colocar de cambulhada, de maneira desordenada [*td.*: *Acambulhou os livros uns sobre os outros*] **2** Apresentar-se de modo desorganizado, desordenado [*int.*] **3** *Lus.* Colocar (os pães de seara) uns sobre os outros [*td.*] [▶ 1 acambu**lhar**] [F.: *a-*[2] + *cambulha* + *-ar*[2].]

açamoucado (a.ça.mou.*ca*.do) *a.* **1** Malfeito, mal-acabado, malconstruído; MALFEITO *sm.* **2** Mau emprego de materiais de construção, sem arte nem segurança **3** Trabalho realizado com pressa e desleixo [F.: Part. de *açamoucar*.]

açamoucar (a.ça.mou.*car*) *v. td.* **1** Construir ou realizar de maneira descuidada ou desajeitada **2** Fazer (algo) pouco sólido ou duradouro, sem esmero [▶ 11 açamou**car**] [F.: orig. obsc.]

acampado (a.cam.*pa*.do) *a.* **1** Que (se) acampou, que está alojado em acampamento: *um grupo acampado na praia.* **2** Que está alojado provisoriamente, e em condições precárias, em algum lugar: *Tivemos de ficar acampados na casa da minha tia.* **3** *P. ext. Pop.* Que está ou fica postado num lugar durante muito tempo: *manifestantes acampados há dias diante do ministério.* [F.: Part. de *acampar*.]

acampamento (a.cam.pa.*men*.to) *sm.* **1** Ação ou resultado de acampar *sm.* **2** Ver *camping* **3** Conjunto de barracas e/ou instalações que constitui alojamento, ger. provisório, de quem acampa (às vezes por longo tempo, às vezes como etapa de uma jornada, uma atividade de escoteiros, uma excursão, uma escalada etc.); o lugar no qual se instalam **4** *P. ext.* Qualquer lugar ou instalações para alojamento provisório **5** *Mil.* Instalação de tropas em local provisório; o conjunto de barracas e equipamentos instalados; o lugar no qual se instalam **6** Grupo de pessoas ou tropa acampados: *O temporal surpreendeu todo o acampamento.* [F.: *acampa(r)* + *-mento*.] ■■ **Levantar ~** Ir-se embora, ou mudar de lugar ou residência levando seus pertences

acampanar (a.cam.pa.*nar*) *v. RJ Gír.* Espreitar, vigiar ou seguir de longe (alguém), para roubar, surpreender, averiguar ou prender; CAMPANAR: *Os policiais estão acampando o traficante.* [▶ 1 acampa**nar**] [F.: *a-* + *campana* + *-ar*.]

acampar (a.cam.*par*) *v.* **1** *Mil.* Estabelecer(-se) em um campo ou acampamento [*td.*: *O marechal acampou o seu exército.*] [*ta.*: "A patrulha acampara na entrada do vale..." (Paulo Coelho, *O Monte Cinco*)] [*int.*: "... o esquadrão desfilou, apresentando armas, e fomos acampar." (J. Simões Lopes, *Contos gauchescos*)] **2** Instalar-se em barracas, ger. em contato com a natureza [*ta.*: *Nas férias, acampam em Búzios*; "Acamparam em Gulanga..." (Alberto da Costa e Silva, *A manilha e o libambo*)] [*int.*: "...o Alquimista resolveu acampar mais cedo do que de costume." (Paulo Coelho, *O Alquimista*)] **3** Tomar lugar com intenção de se demorar; ALOJAR-SE; ARRANCHAR-SE [*ta.*: *Neste verão vou acampar em sua casa;* "Uns carreteiros que acamparam na tapera do Mariano contaram que... viram... duas almas..." (J. Simões Lopes, *Contos gauchescos*)] [*int.*: "... o patriarca Jacó acampara e... alguém entrou em sua tenda..." (Paulo Coelho, *O Monte Cinco*)] **4** *Fig.* Fixar-se num lugar, morar, residir [*ta.*: *Faz três anos que (nós) acampamos neste bairro:* "Constrangida... entre as cordilheiras e o mar, onde acampara durante três séculos..." (Euclides da Cunha, *À margem da história*)] [▶ 1 acam**par**] [F.: *a-*[2] + *campo* + *-ar*[2].]

acampsia (a.camp.*si*.a) *sf. Ort.* Ausência ou perda de mobilidade, flexibilidade de uma articulação; ANCILOSE [F.: Do gr. *akampsía, as*.]

acamurçado[1] (a.ca.mur.*ça*.do) *a.* **1** Que foi preparado como camurça **2** Encoberto, encapado ou forrado com camurça (sapatos acamurçados) [F.: Part. de *acamurçar*.]

acamurçado[2] (a.ca.mur.*ça*.do) *a.* Semelhante a camurça, em aparência, cor ou textura [F.: *a-*[2] + *camurça* + *-ado*[1].]

acamurçar (a.ca.mur.*çar*) *v. td.* **1** Preparar (pele de animal) à feição das peles de camurça **2** Recobrir com camurça [▶ 12 acamur**çar**] [F.: *a-* + *camurça* + *-ar*.]

acanalado (a.ca.na.*la*.do) *a.* **1** Em forma de ou que contém canal, sulco, canelura, estria; ACANELADO **2** *Vet.* Diz-se de cavalo que, por ser muito gordo, apresenta uma canelura ao longo do lombo até a cauda **3** *Her.* Diz-se de escudo que tem caneluras [F.: Part. de *acanalar*.]

acanalar (a.ca.na.*lar*) *v. td.* Abrir canal, rego, sulco em; dar forma de canal a [▶ 1 acana**lar**] [F.: *a-*[2] + *canal* + *-ar*[2].]

acanalhado (a.ca.na.*lha*.do) *a.* **1** Que se tornou canalha ou que tem comportamento de canalha (indivíduo acanalhado); AVILTADO **2** Que tem as características do comportamento, dos gestos, das atitudes de canalha (riso acanalhado) **3** *Bras. N. E. Pop.* Desvirtuado, ridicularizado **4** *Bras. N. E. Pop.* Trivial, comum, corriqueiro [F.: Part. de *acanalhar*.]

acanalhamento (a.ca.na.lha.*men*.to) *sm.* Ação ou resultado de acanalhar(-se), de tornar(-se) canalha, vil [F.: *acanalha(r)* + *-mento*.]

acanalhante (a.ca.na.*lhan*.te) *a2g.* Que acanalha, que confere (a algo ou alguém) modo ou características de canalha; AVILTANTE [F.: *acanalhar* + *-nte*.]

acanalhar (a.ca.na.*lhar*) *v.* **1** Transformar(-se) em canalha, em um ser desprezível, ou agir como um canalha; DESMORALIZAR(-SE) [*int.*: "Eu estava trepidante, com uma ânsia de acanalhar-me, quase mórbida." (João do Rio, *Dentro da noite*)] [*td.*: *As más influências acanalharam-no.*] **2** Conferir aspecto de canalha a, ou adquiri-lo [*td.*: *As suas insinuações sobre ele acanalharam-no.*] [*int.*: *Acanalhava-se agindo daquela forma diante de todos.*] **3** Tirar o valor a, ou perder seu valor; AVILTAR(-SE) [*td.*: *Acanalharam o trabalho do artista.*] [*int.*: *O texto acanalhou-se quando lhe cortaram trechos fundamentais.*] [F.: *a-*[2] + *canalha* + *-ar*[2].]

acanaveado (a.ca.na.ve:*a*.do) *a.* **1** Torturado com a introdução de aguilhões de cana sob as unhas **2** *Fig.* Torturado, mortificado, supliciado **3** Definhado, abatido, doente **4** *Lus. Fig.* Preocupado, aflito, atormentado [F.: Part. de *acanavear*.]

acanavear (a.ca.na.ve.*ar*) *v.* **1** Meter lascas de cana sob as unhas, como meio de torturar (alguém) [*td.*] **2** *P. ext.* Martirizar(-se), torturar(-se) [*td.*] **3** *Fig.* Causar tormento ou angústia a (alguém ou si mesmo) [*td.*] **4** *Fig.* Tornar(-se) abatido, enfraquecido [*td. int.*] [▶ 13 acanav**ear**] [F.: De or. incerta.]

acanelado[1] (a.ca.ne.*la*.do) *a.* **1** Em forma de canelura ou canal; o mesmo que *acanalado* **2** Que apresenta caneluras, sulcos ou estrias (tecido acanelado) [F.: Part. de *acanelar*[1].]

acanelado[2] (a.ca.ne.*la*.do) *a.* De cor semelhante à da canela [F.: *a-*[2] + *canela*[1] + *-ado*[2].]

acanelar[1] (a.ca.ne.*lar*) *v. td.* **1** Dar feição ou forma de canal ou canelura a; acanalar **2** Abrir canal, sulco ou canelura em; acanalar; ESTRIAR; SULCAR [▶ 1 acane**lar**] [F.: *a-*[2] + canal + *-ar*[2].]

acanelar[2] (a.ca.ne.*lar*) *v. td.* **1** Imitar a cor da canela **2** Polvilhar pó de canela sobre [▶ 1 acane**lar**] [F.: *a-*[2] + *canela*[1] + *-ar*[2].]

acangulado (a.can.gu.*la*.do) *a. Bras.* Que tem os dentes superiores protuberantes; DENTUÇO; CANGULO [F.: *a-*[2] + *cangulo* + *-ado*[1].]

acanhado (a.ca.*nha*.do) *a.* **1** Que não tem desembaraço, que é ou se mostra ou se torna tímido, retraído **2** De dimensões reduzidas, pouco espaçoso (quarto acanhado) **3** *P. ext.* Sem muito espaço livre; APERTADO: *Até que a cabine não era pequena, mas com tanta gente ficou acanhada.* **4** *Fig.* De espírito estreito, sem grandeza, não generoso [F.: Part. de *acanhar*.]

acanhamento (a.ca.nha.*men*.to) *sm.* **1** Ação ou resultado de acanhar(-se) **2** Comportamento retraído, ou característica de acanhado, próprio de pessoa tímida, modesta ou que se envergonha por algo **3** Estreiteza de espaço; APERTO [F.: *acanha(r)* + *-mento*. Sin. ger.: *constrangimento*.]

acanhar (a.ca.*nhar*) *v.* **1** Fazer ficar ou ficar acanhado, tímido ou envergonhado; ENVERGONHAR(-SE); CONSTRANGER(-SE) [*td.*: "Quem canta como V. Ex.ª não deve acanhar-se..." (Bernardo Guimarães, *A escrava Isaura*)] **2** Submeter (alguém) a ou sofrer constrição, embaraço, aflição, humilhação, sensação de insegurança etc.; AFLIGIR; CONSTRANGER; INTIMIDAR [*td.*: *As constantes zombarias o acanhavam;* "As altas estantes de in-fólios graves, as resmas de autos, o aparatoso painel... acanharam... João Eduardo..." (Eça de Queirós, *O crime do padre Amaro*)] [*int.*: *Ante tanta pressão, acanhava-se, angustiava-se, sofria de verdade;* "Havia mesmo um ligeiro tom de cerimônia, que, se não era bastante para acanhar, tirava... ao diálogo o colorido... que lhe dá a palavra solta." (José de Alencar, *Lucíola*)] **3** Tornar(-se) menor, mais estreito, apertado; APERTAR; ESTREITAR [*td.*: *As estantes acanham a sala.*] [*int.*: *Com essa obra a sala aumentou, mas o quarto acanhou-se.*] [▶ 1 aca**nhar**] [F.: *a-*[2] + *canho*[1] + *-ar*[2].]

acanho (a.*ca*.nho) *sm.* **1** Ação ou resultado de acanhar(-se); ACANHAMENTO: "... ele parava vexado, destorcia seu acanho, variando uma conversa." (Guimarães Rosa, "Dão-Lalalão", *in Noites do sertão*) **2** *Bras.* Pequenez, exiguidade: "Ao descer a rebaixa da meiágua, José de Arimateia teve de se encurvar para não bater no telhado; de sombreiro e capa agauchada, mais corpulento ainda parecia, quase enchendo ele só, o acanho da cozinha." (Mário Palmério, *Chapadão do Bugre*) [F.: Dev. de *acanhar*. Hom./Par.: *acanho* (sm.), *acanho* (fl. de *acanhar*).]

acanhoar (a.ca.nho.*ar*) *P. us. v.* **1** *Antq.* Disparar tiros de canhão contra; ACANHONEAR; CANHONEAR [*td.*: *Acanhoou o inimigo enquanto pôde.*] **2** *P. ext. Antq.* O mesmo que *bombardear* [*td.*: *O exército só deve acanhoar alvos militares.*] **3** Atacar com palavras; dirigir críticas ou insultos a [*tdr.* + *com*: *Acanhoou a diretoria com impiedosas críticas.*] **4** Dobrar ou cortar (o canhão de) manga de vestimenta, bota, luva etc. [*td.*: *acanhoar uma bota/a manga da camisa.*] [▶ 16 acanho**ar**] [F.: *a-*[2] + *canhão* (rad. *canho-*) + *-ar*[2], com desnasalação.]

acanoado (a.ca.no:*a*.do) *a.* **1** Diz-se da tábua empenada no sentido da largura **2** *Bras.* Que tem forma de canoa (pão acanoado) [F.: *a-*[2] + *canoa* + *-ado*[1].]

acanoar (a.ca.no.*ar*) *v. td.* Dar formato de canoa a [▶ 16 acano**ar**] [F.: *a-*[2] + *canoa* + *-ar*[2].]

acanônico (a.ca.*nô*.ni.co) *a.* Contrário aos cânones [F.: *a-*[3] + *canônico*.]

acantácea (a.can.*tá*.ce:a) *sf. Bot.* Espécime das acantáceas, família da ordem das escrofulariáceas constituída por ervas, trepadeiras e arbustos, na maioria nativos dos trópicos e muito apreciados como ornamentais [F.: Do lat. *Acanthaceae*.]

acantáceo[1] (a.can.*tá*.ce:o) *a.* Rel. ou semelhante ao acanto [F.: *acanto* + *-áceo*.]

acantáceo[2] (a.can.*tá*.ce:o) *a. Bot.* Ref. ou pertencente às acantáceas [F.: De *acantácea*, com var. do suf.; ver *-áceo*.]

acantestesia (a.can.tes.te.*si*.a) *sf. Med.* Perturbação sensorial em que a pessoa se sente como se estivesse sendo picada por espinhos [F.: *acant(o)-* + *-estesia*.]

acantita (a.can.*ti*.ta) *sf. Min.* Sulfeto de prata, como a argentita, mas de cristalização em prismas ortorrômbicos [F.: *acanto* + *-ita*.]

◎ **-acanto** *suf.* Ver *acant(o)-*

◎ **acant(o)-** *el. comp.* = 'espinho'; 'espinha dorsal'; 'acanto': *acantocarpo, acantocisto; heteracanto, poliacanto* [F.: Do gr. *ákantha, es*, ou *ákanthos, ou*.]

acanto (a.*can*.to) *sm.* **1** *Bot.* Nome comum a várias plantas do gên. *Acanthus*, da família das acantáceas, nativas da região do Mediterrâneo e cultivadas como ornamentais **2** *Arq.* Ornato na forma da folha de certas espécies de acanto, us. em capitéis e decorações de diversos estilos e tradições arquitetônicas [F.: Do lat. *acanthus* (nome de planta), lat. cient. *Acanthus*.]

acantoado (a.can.to:*a*.do) *a.* **1** Metido em um canto, guardado: "Em casa da minha irmã estavam acantoados uns maços de papéis antigos." (Camilo Castelo Branco, *Memórias do cárcere*) **2** Escondido, oculto: "a remoer em si acantoadas dores, vivia calado." (Antero de Figueiredo, *Leonor Teles*) **3** Apartado, isolado *sm.* **4** *Arq.* Elemento arquitetônico ou ornamental localizado ou encastoado na quina de uma construção [F.: Part. de *acantoar*.]

acantoar (a.can.to.*ar*) *v. td.* **1** Pôr a um canto **2** *Fig.* Esconder(-se), ocultar(-se) **3** *Fig.* Isolar(-se), retirar(-se) do convívio social **4** *Fig.* Fazer pouco de, desprezar [▶ 16 acanto**ar**] [F.: *a-*[2] + *canto* + *-oar*.]

acantocarpo[1] (a.can.to.*car*.po) *Bot. a.* **1** Que tem frutos recobertos de espinhos *sm.* **2** Fruto espinhoso [F.: *acant(o)-* + *-carpo*.]

acantocarpo[2] (a.can.to.*car*.po) *Bot. sm.* Nome comum às plantas do gên. *Acanthocarpus*, da fam. das xantorreáceas, de uma única espécie, nativa da Austrália [F.: Do lat. cient. *Acanthocarpus*.]

acantocéfalo[1] (a.can.to.*cé*.fa.lo) *sm.* **1** *Zool.* Espécime dos acantocéfalos, vermes intestinais cuja cabeça é armada de aguilhão *a.* **2** Referente ou pertencente aos acantocéfalos [F.: Adaptç. do lat. cient. *Acantocephala*.]

acantocéfalo[2] (a.can.to.*cé*.fa.lo) *Zool. a.* Que tem espinhos ou estruturas aguçadas na cabeça ou na parte dianteira do corpo [F.: *acant(o)-* + *-céfalo*.]

acantócito (a.can.*tó*.ci.to) *sm. Pat.* Eritrócito deformado, de aparência espinhosa [F.: *acant(o)-* + *-cito*.]

acantóforo (a.can.*tó*.fo.ro) *Zool. a.* Que tem espinhos ou ganchos [F.: Do gr. *akanthophóros, os, on*.]

acantólise (a.can.*tó*.li.se) *sf. Pat.* Separação das células da camada espinhosa da epiderme que resulta em atrofia da camada de células falciformes [F.: *acant(o)-* + *-lise*.]

acantolítico (a.can.to.*lí*.ti.co) *a.* Ref. a acantólise [F.: *acantól(ise)* + *-itico*.]

acantoma (a.can.*to*.ma) *sm. Derm.* Neoplasma constituído de células escamosas ou epidérmicas [F.: *acant(o)-* + *-oma*[1].]

acantonado (a.can.to.*na*.do) *a.* **1** *Mil.* Alojado ou abrigado (grupo de soldados) mais ou menos provisoriamente em local habitado, em construções ou instalações não militares **2** *P. ext. Fig.* Diz-se de pessoa ou grupo de pessoas que fixa residência ou concentra suas atividades em determinado local, ou que ocupa um posto ou situação, sem abandoná-los **3** *Fig.* Restrito, isolado, limitado em seu campo ou seu poder de ação; em posição defensiva, acuada **4** Cujos cantos são dotados de ou complementados por algum tipo de elemento ou ornato: *um terraço acantonado por guaritas.* [F.: Part. de *acantonar*.]

acantonamento (a.can.to.na.*men*.to) *sm.* **1** *Mil.* Ato ou efeito de acantonar(-se), de alojar-se (tropa, grupo de militares) em local habitado **2** Local, construção ou instalação em que se alojam soldados, tropas ou, p. ext., escoteiros etc. **3** Condição de quem está acantonado, de quem está fixado ou isolado em certo local ou situação [F.: De *acantonar* + *-mento*.]

acantonar (a.can.to.*nar*) *v. Mil.* Alojar(-se), distribuindo(-se) (tropas, grupos de escoteiros, grupos em viagem etc.), em lugares povoados, como etapa de uma excursão, para descanso, reabastecimento etc. [*td.*: *O general fez acordo com o prefeito para acantonar as tropas.*] [*tda.*: *Os chefes acantonaram os escoteiros nos galpões.*] [*ta.*: *A tropa acantonou aqui por duas semanas.*] [*int.*: *Descarreguem tudo, vamos acantonar.*] [▶ 1 acanto**nar**] [F.: *a-*[2] + *cantão* (na f. *canton*) + *-ar*[2], pelo fr. *cantonner*.]

acantopterígio (a.can.top.te.*rí*.gi:o) *Ict. sm.* **1** Espécime dos acantopterígios, superordem de peixes caracterizados por possuírem raios duros e espiniformes nas barbatanas *a.* **2** Ref. aos acantopterígios [F.: Adaptç. do lat. cient. *Acanthopterygii.*]

acantose (a.can.*to*.se) *sf.* **1** *Derm.* Aumento da espessura da camada espinhosa do epitélio **2** *Bot.* Produção anormal de espinhos em um vegetal, ger. provocada por parasitas [F.: *acant(o)-* + *-ose*¹.]

acanturídeo (a.can.tu.*rí*.de:o) *Ict. sm.* **1** Espécime dos acanturídeos, fam. de peixes teleósteos encontrados em mares tropicais e subtropicais, exceto no Mediterrâneo, popularmente conhecidos como peixes-cirurgiões por possuírem lâminas cortantes de cada lado da nadadeira caudal *a.* **2** Ref. ou pertencente aos acanturídeos [F.: Adaptç. do lat. cien. *Acanthuridae* (< lat. cient. *Acanthurus*).]

ação (a.*ção*) *sf.* **1** O ato ou o resultado de agir, de realizar uma atividade, uma operação etc.: *Vamos deixar de palavras e partir para a ação.* **2** Capacidade, possibilidade ou disposição para agir, atuar; a iniciativa de fazê-lo: *Apavorado, ficou sem ação durante alguns segundos; Ele é um homem de ação.* [Ant.: *inação*] **3** Movimentação, movimento, atuação efetiva de alguém ou de algo: *pôr em ação medidas, um motor, uma máquina etc.* **4** Conjunto de atitudes, maneira de proceder; postura, gesto: "Mas se são distintos na ação, / mesma é a razão do seu atuar: / tentam continuar a ser da água/ de aquém do arrecife, antemar." (João Cabral de Melo Neto, *As águas do Recife*) **5** Atuação ou manifestação de uma energia, de uma força (ação do vento; ação do calor) **6** Modo como um agente atua sobre algo ou alguém e a consequência dessa atuação (ação do remédio; ação da ferrugem); EFEITO **7** Capacidade de alguém ou algo atuar sobre pessoa(s) ou coisa(s); resultado ou efeito dessa atuação; INFLUÊNCIA: *uma ação meritória; Agiram sob a ação do medo.* **8** Conjunto de medidas ou providências para alcançar um fim, remediar uma situação etc.: *As vítimas foram salvas em uma ação de resgate.* **9** Aquilo que acontece num certo lugar, numa certa hora: *A reportagem chegou a tempo ao local da ação e registrou tudo.* **10** *Cin. Liter. Teat. Telv.* Série de acontecimentos por que passam ou que produzem os personagens de um filme, conto, romance, poema narrativo, peça teatral, novela etc. e que configuram o assunto ou tema da obra propriamente dita; ENREDO: *A ação desse romance se passa no século XIX.* **11** Prevalência de peripécias, aventuras etc. no enredo de livro, filme etc.: *Gosto mais de filmes de ação do que de comédias românticas.* **12** *Cin.* A operação efetiva de filmar uma cena; a cena, tal como registrada em filme **13** *Gram. Ling.* Atuação, atividade de um agente expressa pelo verbo ou por substantivo [P. ex.: o verbo *correr* expressa a *ação* de correr que o sujeito pratica; o substantivo *corrida* expressa a *ação* de correr que resulta dessa prática.] **14** *Econ.* Cada uma das parcelas do capital de uma empresa, sociedade anônima ou em comandita **15** *Econ.* Título ou documento de propriedade que representa essa parte **16** *Jur.* Meio legal para resolver judicialmente uma questão contra alguém ou algo; a faculdade de invocar o poder judiciário para obtê-lo (ação de penhora; ação de despejo) **17** *Mil.* Conjunto de operações, atividades etc. (coordenadas ou não, planejadas ou não) num embate entre forças inimigas; BATALHA; COMBATE **18** *Fil.* Processo, atividade concretos, práticos, decorrentes do exercício físico da vontade de um ser; o resultado desse processo (p. op. a processos imaginativos, apenas teóricos etc.) **19** *Fís.* Capacidade de atuar ou atuação de um campo físico na mudança de estado de partículas em seu âmbito **20** *Fís.* Integral da função de Lagrange num intervalo limitado de tempo [Pl.: *-ções.*] *interj.* **21** *Cin.* Comando de um diretor de cinema para que se dê início à filmagem efetiva de uma cena [F.: Do lat. *actio, onis.*] ■ **~ afirmativa** Todo tipo de ação (oficial ou não, governamental ou particular, genérica ou específica), determinada e levada a efeito através de leis, decretos, normas, estatutos, resoluções, condutas, procedimentos etc., que visa a eliminar discriminações e desigualdades acaso existentes entre grupos sociais, étnicos, religiosos, culturais etc. (na forma de condições restritivas a determinado grupo, como proibições, dificuldade ou impedimento de acesso a oportunidades etc.) **~ ao portador** *Econ.* Aquela que não tem registrado o nome de seu proprietário, supondo-se pertencer a quem a tenha em seu poder **~ combinada** *Mil.* Operação militar em que se utilizam, sob um só comando, mais de uma força armada **~ comum** *Econ.* Ver *Ação ordinária* **~ conjunta** *Mil.* Operação militar em que se utilizam, sem unidade de comando, mais de uma força armada **~ declaratória** *Jur.* Aquela em que, mediante simples declaração, o juiz proclama a existência ou inexistência de um direito ou de uma relação jurídica, ou a autenticidade dum documento **~ de graças** Ato de fé religioso agradecimento a Deus ou a santo por graça recebida; eucaristia **~ diversionária** *Mil.* Aquela que visa a desviar a atenção do inimigo da ação principal **~ dramática** *Teat.* Encadeamento de atos de dois ou mais personagens, convergindo para um acontecimento ou impressão final **~ endossável** *Econ.* Ação nominativa cuja propriedade pode ser transferida mediante endosso do titular **~ entre amigos** *Bras.* Rifa **~ executiva** *Jur.* Aquela que cita réu devedor para que pague a dívida ou ofereça penhora de bens em até 24 horas [Cf.: *Ação transitiva.*] **~ imanente** *Fil.* Aquela que se exerce apenas no âmbito interior de seu agente (pensar, sentir etc.) **~ mista** *Jur.* Aquela em que uma parte pode ser simultaneamente autora e ré **~ nominativa** *Econ.* Aquela que tem registrado o nome de seu proprietário, e cuja transferência deve ser registrada pelo titular na empresa emissora **~ ordinária** *Econ.* Aquela que, além de participação nos lucros, confere ao titular direito de voto e recebimento de dividendos; ação comum **~ petitória** *Jur.* Aquela que reclama o reconhecimento ou a garantia do direito de propriedade ou outro direito real **~ popular** Aquela movida por entidade privada em defesa de interesse público **~ preferencial** *Econ.* Aquela que confere ao possuidor preferência no recebimento de dividendos e no reembolso do capital, na eventual dissolução da empresa **~ pública** Aquela movida pela sociedade, por meio do ministério público, mesmo que não tenha havido queixa de ofendido ou prejudicado **~ redibitória** *Jur.* Aquela em que um comprador intenta devolver ao vendedor bem comprado para receber de volta o valor pago e, eventualmente, indenização ou compensação monetária **~ reipersecutória** *Jur.* Aquela em que se reivindica um bem, um valor devido ao autor, ou que lhe pertence mas não integra seu patrimônio [Cf.: *Ação imanente.*] **~ transitiva** *Fil.* Ação que realiza uma transformação da matéria (cortar, amassar etc.) **Fazer ~ 1** *Bras. N. E.* Reagir, enfrentar **2** Praticar uma ação boa ou generosa

acapangar (a.ca.pan.*gar*) *Bras. Pej. P. us. v.* **1** Agir ou trabalhar como capanga (3) de (alguém) [*td.*: *Acapanga bandidos poderosos.*] **2** Empregar(-se) como capanga; fazer agir ou passar a agir como capanga [*td.*: *O chefão local acapangava os marginais e dominava a vizinhança.*] [*int.*: *Procurou a proteção do chefe da quadrilha e acapangou-se.*] [▶ 14 acapangar] [F.: *a-*² + *capanga* + *-ar*².]

acaparar (a.ca.pa.*rar*) *v. td.* Fazer monopólio de; MONOPOLIZAR; AÇAMBARCAR: *acaparar gêneros alimentícios.* [▶ 1 acaparar] [F.: do fr. *accaparer*, "reter a maior quantidade possível de mercadorias, para aimentar-lhes o preço".]

acapelar (a.ca.pe.*lar*) *v.* **1** Dar a forma de capelo a [*td.*] **2** Cobrir(-se) com capelo [*td.*] **3** Ficar revolto, agitado (o mar); encapelar-se [*int.*] **4** *P. us.* Fazer ir ao fundo; SUBMERGIR [*td.*] [▶ 1 acapelar] [F.: *a-*² + *capelo* + *-ar*².]

acapnia (a.cap.*ni*.a) *sf. Pat.* Diminuição de dióxido de carbono no sangue [F.: a-³ + gr. *kapnós, oû*, 'fumaça', + *-ia*¹.]

acapoeirar-se (a.ca.po.ei.*rar*-se) *v. int.* **1** *Bras.* Fazer parte de grupo de jogadores de capoeira **2** *Pej.* Ficar malandro, valentão, brigão [▶ 1 acapoeirar-se] [F.: *a-*² + *capoeira*³ + *-ar*².]

acapurana (a.ca.pu.*ra*.na) *sf. Bras. Bot.* Árvore (*Campsiandra comosa*) da fam. das leguminosas, nativa da Amaz., de flores róseas e madeira de boa qualidade; ACAPU-DO-IGAPÓ; ACAPURANA-DA-VÁRZEA; ACAPURANA-VERMELHA; CAPOEIRANA; CUMANDÁ; MANAIARA [F.: Do tupi *akapu'rana.*]

acapurana-da-terra-firme (a.ca.pu.ra.na-da-ter.ra-*fir*.me) *sf. Bras. Bot.* Árvore (*Batesia floribunda*), da fam. das leguminosas, nativa do Brasil, de flores e frutos pequenos e madeira fácil de ser trabalhada; TENTEIRO [Pl.: *acapuranas-da-terra-firme.*]

◎ **-açar** *suf. v.* De cunho popular, ger. com noção de 'repetição (ou frequência) de uma ação'; 'aumento' ou 'reforço': *apicaçar, avoaçar, escavacar, esmorraçar, espapaçar, espicaçar, estiraçar, esvoaçar* e *gargalaçar* [F.: Posv. de *-aça* + *-ar*².]

acará (a.ca.*rá*) *Amaz. Zool. sm.* **1** *Ict.* Nome dado a variadas spp. de peixes ciclídeos, de água doce, muitas das quais ornamentais [Var.: *cará*] **2** *Ornit.* Designação dada a certas espécies de garças de cor branca, esp. a garça-branca-grande e a garça-real [F.: Do tupi *aka'ra.*]

acará-bandeira (a.ca.*rá*-ban.*dei*.ra) *sm. Bras. Zool.* Peixe de água doce amazônico (gên. *Pterophyllum*), da fam. dos ciclídeos, de corpo lateralmente achatado, riscado de faixas que vão do prata ao negro, e longas nadadeiras [Espécie ornamental, muito us. em aquários.] [Pl.: *acarás-bandeira; acarás-bandeiras.*]

acará-bararuá (a.ca.rá-ba.ra.ru.*á*) *Bras. Ict. sm.* Peixe (*Uaru amphiacanthoides*) da fam. dos ciclídeos, encontrado na bacia Amazônica; com até 25 cm de comprimento, possui corpo amarelo-oliváceo, mancha negra atrás dos olhos e mancha negra elíptica nos flancos; ACARÁ-FUSO; BARARUÁ; UARU; UARUURÁ [Espécie de valor ornamental.] [Pl.: *acarás-bararuás; acarás-bararuá.*]

acará-bererê (a.ca.rá-be.re.*rê*) *Bras. Ict. sm.* Peixe (*Mesonauta festivus*) da fam. dos ciclídeos, encontrado na Amaz. e no Paraguai; pode atingir até 8,2 cm de comprimento, possui coloração que varia do branco-prateado ao amarelo-cobre e é caracterizado por uma faixa negra que percorre diagonalmente o corpo (desde a boca até o extremo da dorsal) e por uma mancha escura na base da caudal; ACARÁ-BANDEIRA; ACARÁ-FESTIVO [Espécie de valor ornamental.] [Pl.: *acarás-bererês; acarás-bererê.*]

acará-bobo (a.ca.rá-*bo*.bo) *Bras. Ict. sm.* Peixe (*Laetacara dorsigera*) da fam. dos ciclídeos, encontrado na Argentina, Bolívia, Brasil e Paraguai; com até 8cm de comprimento, de coloração que varia do prateado ao ocre, possui uma faixa horizontal negra que começa no olho e termina na metade do corpo, e a parte posterior do corpo apresenta cerca de cinco faixas verticais escuras; ACARÁ-BRINCALHÃO [Espécie de valor ornamental.] [Pl.: *acarás-bobos.*]

acará-cascudo (a.ca.rá-cas.*cu*.do) *Bras. Ict. sm.* **1** Peixe (*Cichlasoma facetum*), da fam. dos ciclídeos, encontrado no S. E. e S. do Brasil, no Uruguai e na Argentina; com até 18cm de comprimento, de coloração ger. amarelada, possui faixas transversais escuras no corpo todo; CHANCHITO [Espécie de valor ornamental.] **2** Peixe (*Cichlasoma bimaculatum*), da fam. dos ciclídeos, encontrado na Amaz.; com até 20 cm de comprimento, apresenta coloração que varia do branco-amarelado ao amarelo-avermelhado e possui uma mancha negra no centro do corpo e outra no pedúnculo caudal; ACARÁ *Lus.*; TROMBETÃO [Espécie de valor ornamental.] **3** Peixe (*Aequidens viridis*) da fam. dos ciclídeos, encontrado no Brasil (RO) e na Bolívia; com até 16,5 cm de comprimento, apresenta faixas transversais escuras nos flancos **4** Peixe (*Chaetobranchopsis orbicularis*) da fam. dos ciclídeos, encontrado na bacia Amazônica e que pode atingir até 12 cm de comprimento; ACARÁ-TUCUMA [Pl.: *acarás-cascudos.*]

acará-chibante (a.ca.rá-chi.*ban*.te) *Bras. Ict. sm.* **1** Peixe (*Satanoperca jurupari*) da fam. dos ciclídeos, encontrado na Amaz.; com até 18,5 cm de comprimento, possui coloração prateada e uma pequena mancha escura na base superior da caudal; ACARÁ-BICUDO; JURUPARIPINDÁ [Espécie de valor ornamental.] **2** Peixe (*Biotodoma cupido*) da fam. dos ciclídeos, natural da Amaz.; de até 9,7 cm de comprimento, possui coloração cinza-amarelada, com uma faixa vertical escura na altura do olho e uma mácula negra e arredondada na parte posterior do corpo; ACARÁ-CUPIDO; ACARÁ-SALEMA; JURUPARIPINDÁ [Espécie de valor ornamental.] [Pl.: *acarás-chibantes.*]

acará-diadema (a.ca.rá-di:a.*de*.ma) *Bras. Ict. sm.* Peixe (*Geophagus brasiliensis*) da fam. dos ciclídeos, nativo do Brasil; com até 28 cm de comprimento, possui coloração amarelo-avermelhada com tons azulados; durante o período reprodutivo, o macho desenvolve uma protuberância na cabeça que desaparece logo após esse período; ACARÁ; ACARÁ-FERREIRO; ACARAÍ; ACARÁ-TOPETE; PAPA-TERRA [Espécie de valor ornamental.] [Pl.: *acarás-diademas; acarás-diadema.*]

acará-disco (a.ca.rá-*dis*.co) *Bras. Ict. sm.* **1** Designação comum aos peixes teleósteos do gênero *Symphysodon*, comuns na Amazônia, de corpo em forma de disco, com listras verticais, muito procurados como ornamentais **2** Peixe (*Symphysodon discus*) da fam. dos ciclídeos, corpo discoidal e comprimido lateralmente, coloração marrom-clara, linhas azuladas e faixas verticais marrons ao longo do corpo; ACARÁ-DISCO-COMUM; ACARÁ-MORERÊ; MERERÊ; MORERÊ; MORORÓ; PEIXE-DISCO [Espécie de valor ornamental.] **3** Peixe (*Symphysodon aequifasciatus*) da fam. dos ciclídeos, corpo em forma de disco achatado lateralmente, com estrias azuladas sobre a coloração que varia entre o amarelo-amarronzado, amarelo-avermelhado e azul-esverdeado nas três subespécies conhecidas [Pl.: *acarás-discos; acarás-disco.*]

acarajé (a.ca.ra.*jé*) *BA sm. Cul.* Bolinho feito com massa de feijão-fradinho, frito no azeite de dendê, recheado ou acompanhado de camarões secos, vatapá e molho de pimenta [F.: Do ior. *aka'ra*, 'bolo de feijões moídos', + ior. *ije*, 'comida', posv.]

acaramelado (a.ca.ra.me.*la*.do) *a.* **1** Que se acaramelou; que tem ou adquiriu consistência de caramelo (calda acaramelada) **2** *Cul.* Que contém ou é recoberto com açúcar derretido em caramelo (pudim acaramelado) **3** Que tem aspecto semelhante ao caramelo (aroma acaramelado; cor acaramelada) [F.: Part. de *acaramelar.*]

acarapixuna (a.ca.ra.pi.*xu*.na) *Bras. Ict. sm.* **1** Peixe (*Astyanax abramis*) da fam. dos caracídeos, encontrado nas bacias Amazônica e Platina, com até 11,3 cm de comprimento, coloração prateada e uma mancha negra atrás do opérculo **2** Peixe (*Hypselecara coryphaenoides*) da fam. dos ciclídeos, encontrado nas bacias dos rios Amazonas e Orinoco, com até 15 cm de comprimento, coloração amarelo-escura e uma mancha negra longitudinal no meio do corpo; ACARÁ-PRETO [Espécie de valor ornamental.] **3** Peixe (*Aequidens tetramerus*) da fam. dos ciclídeos, encontrado na Amaz. e no Paraguai; com até 25 cm de comprimento, é uma das espécies mais coloridas do gênero; ACARÁ-CUAIMA; ACARACUÍMA; ACARADOLA; ACARÁ-TONTO [Espécie de valor ornamental.] [F.: Do tupi *akarapi'xuna.*]

acará-severo (a.ca.rá-se.*ve*.ro) *sm. Bras. Ict.* Peixe ornamental (*Cichlasoma severus*) da fam. dos ciclídeos, encontrado na Amazônia, cujo macho, mais colorido que a fêmea, apresenta as barbatanas dorsal e anal compridas e pontiagudas e possui pequenos pontos escuros nos flancos; durante o período reprodutivo há alterações da coloração em ambos os sexos; ACARAPEBA; ACARAPERA; ACARÁ-PEVA; ACARÁ-PRETO; SEVERO [Pl.: *acarás-severos.*]

acarauaçu (a.ca.ra.u:a.*çu*) *sm. Bras. Ict.* Peixe (*Astronotus ocellatus*) da fam. dos ciclídeos, da Amazônia; de até 30 cm de comprimento, de cor verde-escura com manchas vermelhas; APAIARI [F.: Do tupi. Us. tb. a f. *acaraçu.*]

acarauçu (a.ca.ra.u.*çu*) *sm.* Ver *acarauaçu*

acardia (a.car.*di*.a) *sf. Ter.* Ausência de coração no feto [F.: Do lat. *acardia, ae.*]

acardíaco (a.car.*dí*.a.co) *a.* **1** Ref. a ou próprio de acardia **2** *Med.* Diz-se de feto desprovido de coração e que parasita outro feto **3** *Fig.* Que não se comove; INSENSÍVEL: "Teixeira – Eu não quero saber de corações, senhor doutor, eu vim aqui tratar dos meus interesses. / Feliciano – O Senhor Teixeira é acardíaco?/ Teixeira – Tudo, menos insultos: podemos brincar sem nos sujarmos..." (Joaquim José da França Júnior, *Ingleses na costa*) *sm.* **4** *Med.* Feto desprovido de coração e que parasita outro feto [F.: *acardia* + *-aco*².]

acardiotrofia (a.car.di:o.tro.*fi*.a) *sf. Card. Pat.* Atrofia do coração [F.: *a-*³ + *-cardi(o)-* + *-trofia.*]

acardiotrófico (a.car.di:o.*tró*.fi.co) *a.* Ref. a acardiotrofia ou que pode causá-la [F.: *acardiotrofia* + *-ico*[2].]

acardumar (a.car.du.*mar*) *v.* **1** Reunir(-se) em cardume; ENCARDUMAR [*td. int.*] **2** *Fig.* Juntar-se (muitas pessoas) em lugar pequeno; aglomerar-se, apinhar-se [*td.*] [▶ 1 acardumar] [F.: *a-*[2] + *cardume* + *-ar*[2].]

acareação (a.ca.re:a.*ção*) *sf.* **1** Ação ou resultado de acarear: *Em função de contradições nos depoimentos, foi necessária a acareação das testemunhas.* **2** Contraposição de dois depoentes, ou testemunhas, para elucidar os respectivos depoimentos ou testemunhos, quando contraditórios ou inconclusivos [Pl.: *-ções.*] [F.: *acarear* + *-ção.*]

acareado (a.ca.re.*a*.do) *a.* **1** *Jur.* Submetido a processo de acareação **2** Colocado cara a cara, frente a frente **3** Comparado, confrontado, cotejado [F.: De *acarear.*]

acarear (a.ca.re.*ar*) *v.* **1** Pôr (duas ou mais pessoas) frente a frente, cara a cara [*td.*: *Comissão vai acarear suspeitos de fraude.*] [*tdr.* + *com*: *Acareou os acusados com a testemunha do roubo.*] **2** *Jur.* Pôr cara a cara perante juiz, corte, autoridade judicial etc. dois ou mais depoentes, testemunhas etc. para elucidar respectivos depoimentos ou testemunhos, quando anteriormente contraditórios ou divergentes [*td.*: *O juiz acareará as três últimas testemunhas.*] [*tdr.* + *com*: *Foi preciso acarear um acusado com o outro.*] **3** *Fig.* Pôr lado a lado (documentos, textos, declarações etc.) para avaliar suas semelhanças, diferenças, contradições etc.; COMPARAR; COTEJAR [*td.*: *Acareava artigos e parágrafos.*] [*tr.* + *com*: "...se o de que se trata é de acarear as nossas duas vidas... com a nossa lei constitucional..." (Rui Barbosa, *Plataforma eleitoral lida no Teatro Politeama Baiano (1910)*)] [▶ 13 acarear] [F.: *a-*[2] + *car(a)* + *-ear.*]

◎ **acar(i)-** *el. comp.* = 'ácaro': *acaríase, acarofilia* [F.: Do gr. *ákari, eos*, 'verme'; 'inseto mínimo'.]

acariácea (a.ca.ri:*á*.ce:a) *sf. Bot.* Espécime das acariáceas, entre as poucas espécies de ervas e subarbustos ocorrentes na África austral, de flores unissexuais e fruto capsular [F.: Adaptç. do lat. cient. *Achariaceae.*]

acariaçu (a.ca.ri:a.*çu*) *sm. Bras. Ict.* Peixe (*Pseudacanthicus histrix*) da fam. dos loricariídeos, nativo da Amazônia, corpo de coloração escura revestido de placas ósseas com acículas, nadadeira caudal prolongada e um acúleo revestido de espinhos em cada peitoral; ACARIGUAÇU; GUACARIAÇU; GUACARIGUAÇU; UACARIAÇU; UACARIGUAÇU [F.: Do tupi *gwaka'ri* + *a'su*, 'grande'.]

acaríase (a.ca.*rí*:a.se) *sf. Med.* Infecção cutânea causada por ácaros; ACARIOSE [F.: *acar(i)-* + *-íase.*]

acariciado (a.ca.ri.ci.*a*.do) *a.* **1** Que é objeto de carícias, afagos **2** Que é ou foi objeto de atenção ou pensamentos prazerosos; acalentado: *Foi forçado a desistir daquele plano há tanto tempo acariciado.* [F.: Part. de *acariciar.*]

acariciador (a.ca.ri.ci:a.*dor*) *a.* **1** Que acaricia; ACARICIANTE *sm.* **2** Aquele que acaricia, afaga [F.: *acariciar* + *-dor.*]

acariciante (a.ca.ri.ci:*an*.te) *a2g.* Ver *acariciador* (1) [F.: *acariciar* + *-nte.*]

acariciar (a.ca.ri.ci.*ar*) *v. td.* **1** Fazer carícia(s) em (algo ou alguém, si mesmo) ou trocar carícias com alguém; ACARINHAR; AFAGAR: *Diante do espelho, acariciava-se, embevecida; Acariciavam-se e beijavam-se, matando saudades*: "Que eu te afeiçoe e acaricie." (Manuel Bandeira, "A vigília de Hero", *in O ritmo dissoluto. Poesia completa e prosa*) **2** Passar a mão levemente sobre; ALISAR: "Ele começou a acariciar os cabelos dela" (Paulo Coelho, *Brida*) **3** *Fig.* Tocar levemente; ROÇAR: *A brisa acariciava-me o rosto.* **4** *Fig.* Evocar com carinho (ideias, lembranças, planos etc.); ACALENTAR: *Acariciava as doces lembranças do primeiro encontro.* **5** Dar força, ímpeto, alento a (ideias, projetos etc.); ALENTAR; NUTRIR: *Acariciava novos projetos enquanto realizava outros.* **6** Fazer carícias em (alguém, si mesmo, tb. reciprocamente) para alcançar orgasmo, prazer sexual [▶ 1 acariciar] [F.: *a-*[2] + *carícia* + *-ar*[2].] ■ **~ o ego (de alguém)** Bajular, adular, lisonjear

acaridar (a.ca.ri.*dar*) *v.* **1** Demonstrar caridade por [*td.*] **2** Sentir compaixão, piedade; compadecer-se, condoer-se [*tr.* + *de*] [▶ 1 acaridar] [F.: De **acaridadar* (< *a-*[2] + *caridade* + *-ar*[2]), com haplologia.]

acarídeo (a.ca.*rí*.de:o) *Zool. sm.* **1** Espécime dos acarídeos, fam. de aracnídeos acarinos com diversas espécies que vivem em todos os tipos de substâncias orgânicas *a.* **2** Ref. ou pertencente aos acarídeos [F.: Adaptç. do lat. cient. *Acaridae*; ver *acar(i)-* e *-ídeo*[1].]

acari-espada (a.ca.ri-es.*pa*.da) *Ict. sm.* **1** *Bras.* Peixe (*Sturisoma barbatum*) da fam. dos loricariídeos, encontrado na bacia do rio Paraguai, de corpo quase cilíndrico, muito afilado no rosto e no pedúnculo caudal; CASCUDINHO-BICO **2** *SP* Peixe (*Loricaria piracicabae*), da fam. dos loricariídeos, encontrado no rio Piracicaba, de coloração amarelada [Pl.: *acaris-espadas; acaris-espada.*]

acarinhado (a.ca.ri.*nha*.do) *a.* Que recebe ou recebeu carinho(s) ou tratamento carinhoso [F.: De *acarinhar.*]

acarinhamento (a.ca.ri.nha.*men*.to) *sm.* Ação ou resultado de acarinhar [F.: *acarinhar* + *-mento.*]

acarinhante (a.ca.ri.*nhan*.te) *a2g.* **1** Que acarinha **2** Que trata com carinho **3** *Fig.* Que dá alento, que provoca sentimentos ternos, suaves: *poesia de um lirismo doce e acarinhante.* [F.: *acarinhar* + *-nte.*]

acarinhar (a.ca.ri.*nhar*) *v. td.* **1** Fazer carinho em; ACARICIAR; AFAGAR: *Ao vê-la chorar, acarinhou-a.* **2** Tratar com carinho, com desvelo; AMIMAR; MIMAR: *Acarinhava a irmã caçula, satisfazendo-lhe os desejos.* **3** Tocar suavemente; ACARICIAR; AFAGAR: "E mudando de tom, a acarinhar-lhe os cabelos..." (Aluísio Azevedo, *O cortiço*) **4** *Fig.* Dar força, ímpeto, alento a; o mesmo que *acariciar* (5); ALIMENTAR; NUTRIR: *Acarinhava grandes projetos de vida.* [▶ 1 acarinhar] [F.: *a-*[2] + *carinho* + *-ar*[2].]

acarino (a.ca.*ri*.no) *Zool. sm.* **1** Espécime dos acarinos, ordem de aracnídeos de vida livre ou parasitária, corpo compacto, ovalado, e cefalotórax fundido com o abdome, de que fazem parte os carrapatos e ácaros *a.* **2** Ref. aos acarinos [F.: Do lat. cient. *Acarina.*]

acariocado (a.ca.ri:o.*ca*.do) *a.* **1** *Bras.* Que adquiriu características cariocas ou semelhantes às que são típicas do Rio de Janeiro (fala acariocada; vocabulário acariocado) **2** *Bras.* Diz-se de pessoa que assimilou os modos, o jeito de falar ou outras características consideradas típicas dos cariocas: *um estrangeiro acariocado.* [F.: *a-* + *carioc(a)* + *-ado.*]

acariocar *v.* Dar ou adquirir modos ou a maneira de falar do carioca [*td.*: *A longa estada no Rio acariocou o jovem mineiro.*] [*int.*: *Seu falar se acariocou a olhos vistos.*] [▶ 11 acariocar] [F.: *a-* + *carioca* + *-ar.*]

acarirana (a.ca.ri.*ra*.na) *sf. Bras. Bot.* Árvore (*Geissospermum sericeum*) da fam. das apocináceas, nativa do Brasil e da Guiana Francesa, de médio porte, tronco delgado, folhas lanceoladas, flores pequenas, frutos veludosos e pardacentos, e cuja casca, de sabor amargo, é utilizada na medicina popular contra febre; PEREIRA; PAU-PEREIRA; PAU-FORQUILHA; QUINARANA [F.: Do tupi **aka'ri* + tupi *'rana*, posv.]

acarneirado (a.car.nei.*ra*.do) *a.* **1** Que lembra o carneiro ou se assemelha a ele **2** *Fig.* Que é terno, meigo: "...e Luísa desesperada reconheceu os olhos acarneirados do sujeito da pera." (Eça de Queirós, *O primo Basílio*) **3** *Fig.* Diz-se de pessoa que se submete passivamente à vontade de outros **4** *Fig.* Diz-se do céu em que há muitas nuvenzinhas brancas (altos-cúmulos), que lembram lã **5** *Fig.* Diz-se do mar picado quando apresenta pequenas ondas espumosas **6** Diz-se do cavalo que apresenta grande depressão na parte anterior do joelho [F.: *a-*[2] + *carneiro* + *-ado*[1].]

◎ **acaro-** *el. comp.* Ver *acar(i)-*

ácaro (*á*.ca.ro) *sm. Zool.* Denominação comum a várias espécies de pequenos aracnídeos, da ordem dos acarinos, que podem parasitar o homem e animais domésticos, provocando alergias e doenças de pele [F.: Do lat. cient. *acarus*, deriv. do gr. *ákari.*]

acaroar (a.ca.ro.*ar*) *v.* **1** *P. us.* Pôr (pessoas) frente a frente, cara a cara; ACAREAR; CONFRONTAR [*td.*: *O promotor acaroou duas testemunhas.*] [*tdi.* + *com*: *Acaroar uma testemunha com outra.*] **2** Acercar(-se), encostar(-se) [*tr.* + *de*: *A lancha acaroou-se do cais.*] [*tdr.* + *com*: *Acaroou a primeira lancha com a segunda.*] [▶ 16 acaroar] [F.: *a-*[2] + *carão* (rad. *caro-*) + *-ar*[2], com desnasalação.]

acarodermatite (a.ca.ro.der.ma.*ti*.te) *sf. Derm.* Erupção cutânea causada por ácaros [F.: *acaro-* + *dermatite.*]

acarofilia (a.ca.ro.fi.*li*.a) *sf. Ecol.* Associação de qualquer organismo (esp. planta) com ácaros, com benefícios recíprocos [F.: *acaro-* + *-filia*[1].]

acarofobia (a.ca.ro.fo.*bi*.a) *sf. Psiq.* Medo doentio de ácaros, ou da afecção cutânea provocada por eles [F.: *acaro-* + *-fobia.*]

acarofóbico (a.ca.ro.*fó*.bi.co) *a.* **1** Ref. a acarofobia **2** Que sofre de acarofobia; ACARÓFOBO *sm.* **3** Aquele que sofre de acarofobia; ACARÓFOBO [F.: *acarofobia* + *-ico*[2].]

acarpantese (a.car.pan.*te*.se) *sf. Bot.* Floração estéril, na qual não se formam frutos [F.: Do gr. *ákarpos, os, on*, 'que não frutifica', 'estéril', + *antese.*]

acarpetado (a.car.pe.*ta*.do) *a.* Que foi coberto ou revestido com carpete; CARPETADO [F.: Part. de *acarpetar.*]

acarpetar (a.car.pe.*tar*) *v. td.* Cobrir com carpete; ATAPETAR [▶ 1 acarpetar Nas formas rizotônicas, pronuncia-se aberto o e do radical (*acarpeto, acarpetes* [é]).] [F.: *a-*[2] + *carpete* + *-ar*[2].]

acárpico (a.*cár*.pi.co) *a. Bot.* Que não dá fruto; ACARPO; ESTÉRIL [F.: *a-*[3] + *-carp(o)-* + *-ico*[2].]

acarrado (a.car.*ra*.do) *a.* **1** Que se acarrou, que foi recolhido ao acarradouro **2** Que acarrou, que permanece imóvel devido ao calor, a doença, ao sono ou a outra causa qualquer **3** *Lus.* Diz-se da ovelha quando, no auge do calor, fica parada na sombra **4** *Lus.* Diz-se da galinha que está no choco [F.: Part. de *acarrar.*]

acarrancado (a.car.ran.*ca*.do) *a.* **1** Que se acarrancou; CARRANCUDO **2** Com jeito de carranca [F.: Part. de *acarrancar.*]

acarrancar (a.car.ran.*car*) *v.* Fazer ficar ou ficar carrancudo; CARRANQUEAR(-SE) [*td.*: *A preocupação acarrancou o professor.*] [*int.*: *Ele se acarranca por qualquer motivo.*] [▶ 11 acarrancar] [F.: *a-*[2] + *carranca* + *-ar*[2].]

acarrar (a.car.*rar*) *v.* **1** *Fig.* Proteger-se do calor no acarradouro (o gado lanígero) [*td.*: *O peão acarrou o gado.*] [*int.*: *Por causa do sol, o gado acarrou(-se).*] **2** Ficar imóvel, parado, sem ação, por efeito de calor, cansaço, doença etc. [*int.*: *Por causa do excesso de álcool, acarrou-se.*] **3** *Fig.* Ficar no choco (a galinha e outras aves) [*int.*: *As galinhas acarravam durante dias.*] **4** Dormir a sesta; DESCANSAR [*int.*: *O peão acarrou.*] [▶ 1 acarrar] [F.: Or. obsc.]

acarretado (a.car.re.*ta*.do) *a.* **1** Ocasionado em consequência de um fato anterior; CAUSADO: *o enorme prejuízo acarretado à fauna aquática da bacia do Tocantins.* **2** Transportado em carreta ou em outros veículos de carga **3** Montado em carreta, para ser transportado (diz-se de peça de artilharia) [F.: Part. de *acarretar.*]

acarretamento (a.car.re.ta.*men*.to) *sm.* **1** Ação ou resultado de trazer (algo) como consequência; CAUSAÇÃO; SUSCITAMENTO *sm.* **2** Ação ou resultado de acarretar, de transportar em carreta; ACARRETADURA; ACARRETO **3** Preço pago pelo transporte de material ou mercadoria [F.: *acarretar* + *-mento.*]

acarretar (a.car.re.*tar*) *v.* **1** Ser a causa, o motivo de; CAUSAR; PROVOCAR [*td.*: "...a marcha da expedição... acarretaria desastre completo..." (Euclides da Cunha, *Os sertões*)] [*tdi.* + *a, para*: *As guerras acarretam grandes desgraças (para) aos povos.*] **2** Levar, transportar (para algum lugar); CARREAR; TRANSPORTAR [*tda.*: "...acarretar para os recessos do continente... toda a umidade absorvida na travessia dos mares." (Euclides da Cunha, *Os sertões*)] [*td.*: *acarretar produtos por via férrea.*] **3** Levar, transportar em carreta ou fazer carreto, frete [*td. tda.*: *Fretou caminhões para acarretar a colheita (para o cais).*] **4** *Fig.* Dar conhecimento de (algo) (ao público, a alguém); APRESENTAR [*td.*: *O advogado acarretou novas evidências.*] [*tdi.* + *a, para*: *Acarretou novas evidências ao/para o tribunal.*] [▶ 1 acarretar. Nas formas rizotônicas, pronuncia-se aberto o e do radical (*acarreto, acarretes* [é]).] [F.: *a-*[2] + *carreta* + *-ar*[2] Hom./Par.: *acarreto*, (fl.) *acarreto* (sm.).]

acarreto (a.car.*re*.to) [ê] *sm.* Ação ou resultado de acarretar, de pôr em carreta para transporte; o mesmo que *acarretamento* [F.: Dev. de *acarretar.* Hom./Par.: *acarreto* (sm.), *acarreto* (é) (fl. de *acarretar*).]

acartonado (a.car.to.*na*.do) *a.* Semelhante a cartão, ou que adquiriu aspecto, forma, textura ou consistência de cartão, de papel grosso [F.: Part. de *acartonar.*]

acarvoado (a.car.vo:*a*.do) *a.* **1** Sujo de carvão **2** *P. ext.* Escurecido, ensombreado, sombrio [F.: *a-*[2] + *carvão* + *-ado*[1], com desnasalação.]

acasalamento (a.ca.sa.la.*men*.to) *sm.* **1** Ação ou resultado de acasalar(-se); ACASALAÇÃO **2** União de macho e fêmea para procriação: *O acasalamento de aves no Brasil ocorre no final de julho ou início de agosto.* [F.: *acasalar* + *-mento.*]

acasalar (a.ca.sa.*lar*) *v.* **1** Reunir(-se) (macho e fêmea) para formar casal ou para procriação; CRUZAR [*td.*: *acasalar canários.*] [*tdr.* + *com*: *Pretendia acasalar um vira-lata com um pequinês.*] [*int.*: *A aranha devorou o parceiro depois que se acasalaram*: "...os sábios ponderaram e acasalaram, até que nasceu esta maravilha da raça: o melhor cavalo do mundo..." (Alberto da Costa e Silva, *A manilha e o libambo*)] **2** *P. ext.* Unir, juntar os pares; EMPARELHAR [*td.*: *O vendedor acasalou os sapatos.*] [*tdr.* + *com*: *Acasalara casacos com calças, formando pares perfeitos.*] **3** *P. ext.* Juntar-se em mancebia; AMANCEBAR-SE; AMASIAR-SE [*int.*: *A vizinhança comentava que eles (se) acasalaram.*] [▶ 1 acasalar] [F.: *a-*[2] + *casal* + *-ar*[2].]

acaso (a.*ca*.so) *sm.* **1** Acontecimento de causa ignorada, não ligado às circunstâncias, e cuja ocorrência não segue nenhum propósito previamente estabelecido; CASUALIDADE: *Foi um mero acaso sua entrada naquele momento.* **2** Conjunto de fatores resultantes de causas acidentalmente conectadas entre si: *Nada além do acaso tem determinado minha existência.* **3** *Fil.* Condição de imprevisibilidade dos fatos devido ao alcance limitado e limitador do conhecimento humano [Condição que se mantém fiel ao determinismo na compreensão da natureza, portanto anterior às formulações contemporâneas da filosofia e da ciência.] **4** *Fil.* Na visão contemporânea, condição de imprevisibilidade dos fatos ou de sua possível concatenação, dada a grande probabilidade de ocorrência de fatores indeterminados e incertos; ALEATORIEDADE *adv.* **5** Talvez, porventura: *Devemos, acaso, acreditar dos que vivendo no vício se dizem corrigidos?* **6** Por casualidade; EVENTUALMENTE: *Acaso você a viu passar?* **7** Desenvolvimento ou desfecho incerto de um processo; DESTINO; SORTE [F.: Do lat. *a casu* 'por acidente'.] ■ **Ao ~ 1** Sem rumo: *Percorreu, ao acaso, as ruas do bairro* **2** Sem reflexão, planejamento ou premeditação: "...iniciativas (...) planejadas ao acaso e postas em execução por tentativa..." (Cecília Meireles, O que se esperar e o que se teme", *Diário de Notícias*, 09.01.1931) **3** Sem intenção prévia: *Abriu o jornal numa página ao acaso e começou a ler.* **Por ~ 1** De maneira casual, acidental, inesperada: *Encontramo-nos na festa por acaso.* **2** Eventualmente: *Se, por acaso, chegarem a um acordo, avisem-me.*

acastanhado (a.cas.ta.*nha*.do) *a.* **1** Que apresenta cor num tom de castanho ou quase castanho (cabelos acastanhados) **2** Diz-se dessa cor *sm.* **3** A cor acastanhada: *o acastanhado dos olhos da menina.* [F.: *a-*[2] + *castanh(o)* + *-ado.*]

acastelado (a.cas.te.*la*.do) *a.* **1** Feito à imitação de castelo ou semelhante a ele: "Chegamos à igreja acastelada da Senhora da Boa Nova." (Leite de Vasconcelos, *De Terra em Terra*) **2** Fortificado ou armado com castelo, ou provido de muralhas e outros elementos de defesa militar (vila acastelada) **3** *P. ext.* Recolhido ou abrigado em castelo, para defesa ou proteção **4** Que é senhor de castelo ou residente nele (barão acastelado) **5** *Fig.* Que está abrigado ou recolhido em lugar seguro, bem defendido; que está a salvo de ameaças e perigos imediatos **6** Amontoado, empilhado, encastelado (nuvens acasteladas) **7** *Cnav.* Diz-se de navio que tem castelo (4) [F.: Part. de *acastelar.*]

acastelar (a.cas.te.*lar*) *v.* O mesmo que *encastelar* [▶ 1 acastelar] [F.: *a-*[2] + *castelo* + *-ar*[2].]

acastelhanar (a.cas.te.lha.*nar*) *v.* Dar feição castelhana a, influenciar-se por ou adquiri-la; ESPANHOLAR(-SE) [*td.*: *O convívio com a avó paterna acastelhanou suas preferên-*

cias culinárias.] [**int.**: *Seu vestuário se acastelhanou.*] [▶ 1 acastelhanar] [F.: *a-* + *castelhano* + *-ar*.]

acatado (a.ca.*ta*.do) **a.** 1 Diz-se de quem é respeitado, venerado, reverenciado: *É um parlamentar acatado pelos colegas de partido.* [Ant.: *desrespeitado, desacatado.*] 2 Diz-se do que é aceito, cumprido, obedecido (contrato acatado; tradição acatada, costumes acatados) [Ant.: *desobedecido, descumprido.*] [F.: Part. de *acatar.*]

acatador (a.ca.ta.*dor*) [ô] **a.** 1 Que acata, respeita, obedece **sm.** 2 Aquele que acata [F.: *acatar* + *dor.*]

acatalepsia (a.ca.ta.le.*psi*:a) **sf.** 1 *Fil.* Para o ceticismo, impossibilidade de alcançar a verdade, a qual leva o filósofo a atitude de negação de qualquer certeza e, portanto, à indiferença; ADIAFORIA 2 *Med.* Impossibilidade de chegar a um diagnóstico ou prognóstico 3 *Psiq. Neur.* Deficiência mental que se caracteriza pela incapacidade de compreensão [F.: Do gr. *akatalepsía.*]

acataléptico (a.ca.ta.*lép*.ti.co) **a.** 1 Ref. a acatalepsia 2 *Fil.* Que é adepto do ceticismo, da acatalepsia (1) 3 *Psiq. Neur.* Que sofre de acatalepsia (3), que não consegue compreender **sm.** 4 *Fil.* Filósofo cético, adepto da acatalepsia (1) 5 Doente de acatalepsia (3) [F.: *acatalepsia* + *-ico*².]

acatamatesia (a.ca.ta.ma.te.*si*.a) *Neur. Psiq.* **sf.** 1 Transtorno ou perda da capacidade de compreender a linguagem devido a deficiência auditiva ou a distúrbio psicológico 2 Alteração da capacidade perceptiva proveniente de lesão cerebral [F.: *a-*¹ + gr. *katamáthesis* + *-ia*¹.]

acatamento (a.ca.ta.*men*.to) **sm.** 1 Ação ou resultado de acatar 2 Aceitação e cumprimento de ordem, regra ou sugestão [+ *a, de*: *acatamento às decisões do pai; acatamento das normas internacionais.*] 3 Manifestação de respeito, consideração ou de reverência [+ *a, para com*: *acatamento a uma autoridade; acatamento para com o tutor.*] [F.: *acatar* + *-mento.*]

acatar (a.ca.*tar*) **v. td.** 1 Sujeitar-se a, obedecer, seguir (determinação, ordem, norma etc.); ADOTAR; CUMPRIR: *acatar instruções* 2 Demonstrar respeito ou consideração por (alguém ou algo); HONRAR; RESPEITAR: *acatar conselho; acatar opinião;* "Abacateiro, acataremos teu ato..." (Gilberto Gil, *Refazenda*) 3 *Ant.* Prestar atenção a, observar atentamente: *O diretor não acarretou as desculpas da turma* 4 Reagir (bem ou mal, ou de determinada forma) a: *O orador acatou mal os seguidos apartes.* [▶ 1 acatar] [F.: Do lat. **accaptare*, oriundo de *a-*² + *captare*. Ant. ger.: *desacatar.*]

acatarrado (a.ca.tar.*ra*.do) **a.** Que está cheio de catarro; ENCATARRADO [F.: *a-*² + *catarr(o)* + *-ado*².]

acatassolar (a.ca.tas.so.*lar*) **v. td.** 1 *Bras.* Dar a cor do catassol ou um tom furta-cor a: *acatassolar um tecido.* 2 Fazer mudar de uma cor para outra [▶ 1 acatassolar] [F.: *a-* + *catassol* + *-ar*.]

acatastasia (a.ca.tas.ta.*si*.a) *Med.* **sf.** 1 Inconstância dos sintomas ou das manifestações de uma doença **sf.** 2 Alteração do rumo normal de desenvolvimento de uma doença [F.: Do gr. *akatastasía*, as.]

acatastásico (a.ca.tas.*tá*.si.co) **a.** 1 Ref. a acatastasia 2 Que tem ou se caracteriza por acatastasia [F.: *acatastasi(a)* + *-ico*². Tb. *acatastático.*]

acatético (a.ca.*té*.ti.co) **a.** Ref. a ou que padece de acatexia [F.: Do gr. *akáthektos, os, on.* Tb. *acatéctico.*]

acatexia (a.ca.te.*xi*.a) [cs] **sf.** *Med.* Perda excessiva de secreções, que não são retidas no organismo [F.: *a-*¹ + *kátheksis* (gr. 'ação de reter') + *-ia*¹.]

acatisia (a.ca.ti.*si*.a) **sf.** *Med.* Inquietação psicomotora em que há grande dificuldade para permanecer parado, sentado ou imóvel, com sensação interna de forte tensão; CATISOFOBIA [F.: *a-*³ + *káthisis (do gr. 'ação de sentar-se')* + *-ia*¹.]

acato (a.*ca*.to) **sm.** O mesmo que *acatamento* [F.: Dev. de *acatar.* Hom./Par.: *acato* (sm.), *acato* (fl. de *acatar*).]

acatocarpácea (a.ca.to.car.*pá*.ce:a) *Bot.* **sf.** Espécime das acatocarpáceas, família de árvores e arbustos nativos da América tropical, da ordem das cariofilales, com cerca de dez espécies, que se caracterizam pelas flores unissexuais e frutos bacáceos [F.: Adaptç. do lat. cient. *Achatocarpaceae*; ver *acat(o)-*, *-carpo* e *-ácea.*]

acatocarpáceo (a.ca.to.car.*pá*.ce:o) *Bot.* **a.** Ref. ou pertencente às acatocarpáceas [F.: Do lat. cient. *Achatocarpus* + *-áceo.*]

acatólico (a.ca.*tó*.li.co) **a.** 1 *Rel.* Relativo ao acatolicismo, doutrina cristã que não reconhece a autoridade da Igreja Católica Apostólica Romana 2 Que não é católico **sm.** 3 *Rel.* Seguidor do acatolicismo 4 Pessoa que não é católica [F.: *a-*¹ + *católico.*]

acatruzar (a.ca.tru.*zar*) *Bras.* **v. td.** 1 *CE PB* Atazanar (alguém) por coisas insignificantes; APERREAR; APOQUENTAR 2 *N. E.* Viver atrás de, perseguir (alguém que tem dívida a pagar) [▶ 1 acatruzar] [F.: alter. de *alcatruzar.*]

acaudatar (a.cau.da.*tar*) **v. td.** 1 Segurar a cauda de (vestido, manto etc.) 2 Acompanhar, indo atrás de, na cauda (final) de (procissão, cortejo etc.) [▶ 1 acaudatar] [F.: *a-*² + *caudato* + *-ar*².]

acaudilhar (a.cau.di.*lhar*) **v. td.** 1 Atuar como caudilho no comando de (uma tropa, um grupo etc.): "Os dois inimigos, acaudilhando os criados, encontravam-se de noite, e provocavam-se." (Camilo Castelo Branco, *Luta de gigantes*) 2 *P. ext.* Assumir o comando de (grupo, facção etc.) 3 Pôr (inclusive si mesmo) sob o comando de um caudilho: *Não resisitiu ao carisma do líder, e acaudilhou-se.* 4 Impor disciplina sobre (tb. si mesmo) [▶ 1 acaudilhar] [F.: *a-*² + *caudilho* + *-ar*². Sin. ger.: *caudilhar.*]

acaule (a.*cau*.le) **a2g.** *Bot.* Diz-se da planta que não tem caule, ou que o tem pouco aparente por ser muito curto; ACAULESCENTE; ACÁULICO [F.: Do gr. *ákaulos.*]

acautelado (a.cau.te.*la*.do) **a.** 1 Que se acautela ou se acautelou, que é precavido: *acautelado contra roubos.* 2 Guardado, protegido: *dinheiro acautelado num cofre.* 3 Astuto, malicioso [F.: Part. de *acautelar.*]

acautelador (a.cau.te.la.*dor*) [ô] **a.** 1 Que acautela 2 Que promove cautela, ou que serve para proteger ou resguardar (efeito acautelador; medida acauteladora) **sm.** 3 Aquele que acautela [F.: *acautelar* + *-dor.*]

acautelamento (a.cau.te.la.*men*.to) **sm.** 1 Ação ou efeito de acautelar(-se) **sm.** 2 Ação ou providência de guardar e responsabilizar-se por algo ou alguém (p. ex., que foi detido ou apreendido) e evitar algum tipo de dano, abuso etc.: *acautelamento de adolescentes:* "A Divisão de Fiscalização de Armas e Explosivos (Dfae) fiscalizará a tradicional queima de fogos na entrada das escolas de samba e ficará encarregada de fazer o acautelamento das armas." (*JB Online* – 20.02.2004) [F.: de *acautelar* + *-mento.*]

acautelar (a.cau.te.*lar*) **v.** 1 Avisar com antecedência, pôr de sobreaviso; PREVENIR [**tdr.** + *contra, de, quanto a*: "... inclino-me antes a crer que o artista quis acautelar o espectador contra a terrível beleza." (Aurélio Buarque de Holanda Ferreira e Paulo Rónai, *Mar de histórias*)] [**int.**: "Sem acautelar, ele me enriquecia." (João Guimarães Rosa, "Esses Lopes", *in Tutameia*)] [**td.**: *Quero acautelar você: a prova vai ser amanhã.*] 2 Fazer ter ou ter cautela, prevenir(-se) quanto a um mal, um incômodo, um perigo etc.; PRECAVER; RESGUARDAR [**td.**: *Pressentindo o perigo, acautelou o amigo.*] [**tdr.** + *contra, de, quanto a*: *No verão, acautelava-se contra queimadura de sol.*] [**int.**: "Amâncio precisava acautelar-se, se não queria ser esfolado..." (Aluísio Azevedo, *Casa de pensão*)] 3 Guardar com cuidado, com cautela; PROTEGER [**td.**: "Não me zanguei com ele; tratei de acautelar os níqueis..." (Machado de Assis, *Memórias póstumas de Brás Cubas*)] 4 *Jur.* Colocar sob cautela, proteção; DEFENDER; RESGUARDAR [**td.**: *A justiça acautelou as testemunhas; acautelar direitos civis.*] 5 Cuidar, tomar providências para; PROVIDENCIAR [**td.**: *Acautelou que tudo estivesse pronto no prazo.*] 6 *Fig.* Fazer ficar cauteloso, cuidadoso, atento [**td.**: *A crise cambial acautelou os investidores.*] [▶ 1 acautelar Nas formas rizotônicas, pronuncia-se aberto o *e* do radical (*acautelo, acauteles* [é]).] [F.: *a-*² + *cautela* + *-ar*².]

acautelatório (a.cau.te.la.*tó*.ri:o) **a.** Que promove acautelamento; que serve para acautelar, proteger, prevenir; PREVENTIVO: *ato acautelatório.* [F.: Part. *acautelado* (com ensurdecimento da consoante sonora *d* para *t*) + *-ório.*]

acavalado¹ (a.ca.va.*la*.do) **a.** 1 *Fig. Pej.* Que tem modos grosseiros 2 *Bras. N. E. Fig. Pej.* De tamanho muito grande, gigantesco 3 Com formato ou aparência de cavalo (fisionomia acavalada) 4 *Bras. N. E. Vulg.* Que possui o pênis grande [F.: Part. de *acavalar.*]

acavalado² (a.ca.va.*la*.do) **a.** 1 Diz-se de égua que foi coberta, fecundada 2 Diz-se de coisas que estão amontoadas sobre outras ou sobrepostas; que é sobreposto (dentes acavalados) [+ *em, sobre*: *móveis acavalados no porão; óculos acavalados no/sobre o nariz.*] [F.: *a-*² + *cavalo* + *-ado*¹.]

acavalamento (a.ca.va.la.*men*.to) **sm.** 1 Ato ou efeito de acavalar(-se); estado do que se encontra amontoado; sobreposição parcial de uma coisa a outra(s), sem alinhamento (acavalamento dos dentes); AMONTOAMENTO 2 *Med.* Sobreposição dos fragmentos de osso fraturado [F.: *acavalar* + *-mento.*]

acavalar (a.ca.va.*lar*) **v.** 1 *Fig.* Pôr (uma coisa) sobre (outra), ou ficarem (coisas) sobrepostas, amontoadas; AMONTOAR; EMPILHAR [**td.**: *Depois da festa, acavalou as cadeiras.*] [**tdr.** + *sobre*: *Os dentes da criança acavalaram.*] [**tdr.** + *sobre*: *Acavalou uma cadeira sobre a outra.*] 2 *Vet.* Cobrir (garanhão) a égua [**td.**] 3 *Fig.* Fazer (alguém, inclusive si mesmo) sentar de pernas abertas sobre algo; ESCANCHAR [**tdr.**: *Acavalou o menino em cima da gangorra; Acavalou-se na sela e esporeou a montaria.*] [▶ 1 acavalar] [F.: *a-*² + *cavalo* + *-ar*².]

acavaleirado (a.ca.va.lei.*ra*.do) **a.** 1 Que se acavaleirou 2 Que tem ou passou a ter jeito, feição de cavaleiro 3 Que está ou foi posto em posição elevada, sobranceira em relação a algo 4 Que foi empilhado, amontoado sobre algo 5 Que foi feito cavaleiro [F.: Part. de *acavaleirar.*]

acavaleirar (a.ca.va.lei.*rar*) **v.** 1 Pôr a cavaleiro, em plano mais elevado (inclusive moral) em relação a algo ou alguém [**td.**: *Acavaleirou seu posto de observação no alto do rochedo.*] [**tdr.** + *de*: *Sua integridade o acavaleirava daquela crise ética e moral.*] 2 Pôr ou dispor em monte, pilha etc.; AMONTOAR; EMPILHAR [**td.**: *Acavaleirou as cadeiras para varrer o chão.*] 3 Colocar alguma coisa sobre outra; ACAVALAR [**tda.**: *Acavaleirou a caixa menor sobre a maior.*] 4 Fazer (alguém) cavaleiro [**td.**: *Acavaleirou o filho do duque.*] [▶ 1 acavaleirar] [F.: *a-*² + *cavaleiro* + *-ar*².]

acavalgamento (a.ca.val.ga.*men*.to) **sm.** O mesmo que *acavalamento* [F.: *a-* + *cavalgar* + *-mento.*]

◎ **-acaz** **suf. nom.** Pouco representado na língua, em voc. com noção de 'aumento': *fatacaz, machacaz* [F.: De um el. *-aco, -aca* incerto (talvez *-aco*¹, *-aca*, por antífrase) + *-az*. Cf. *velhacaz* (< velhaco [< espn. *bellaco*] + *-az*).]

⊕ **ace** (*Ing.* /éiss/) **sm.** *Esp.* No tênis e no voleibol, saque que o adversário não consegue defender

◎ **-ácea** **suf. nom.** = 'espécime de planta, fungo, bactéria etc., pertencente a certa família ou divisão científica': *abietácea, acantácea, agaricácea, albuginácea, amarantácea, begoniácea, bromeliácea, cactácea, campanulácea, cucurbitácea, dafnifiliácea, espirilácea, euforbiácea, flacourtiácea, geraniácea, hamamelidácea, iridácea, juncácea, laurácea, leptospirácea, liliácea, mirtácea, moniliácea, musácea, nigtangifiácea, oleácea, orquidácea, passiflorácea, rubiácea, rosácea, rubácea, sapindácea, sapotácea, teácea, urticácea, violácea, zingiberácea* [F.: Uso ou retomada de uma forma singular (adaptada à morfologia port.) para designar espécime de um taxônimo plural terminado em *-aceae*, ver *-áceas.*]

◎ **-áceas** **suf.** De nomes de 'famílias (ou subfamílias) de (esp. plantas, ou ainda fungos, bactérias etc.)', da taxonomia científica (lat. cient.), adaptados à morfologia da língua portuguesa (lat. cient. *-aceae* / port. *-áceas*): *abietáceas, acantáceas, amarantáceas, begoniáceas, bromeliáceas, cactáceas, campanuláceas, caricáceas, cucurbitáceas, dafnifiláceas, espiriláceas, euforbiáceas, flacourtiáceas, geraniáceas, hamamelidáceas, iridáceas, juncáceas, lauráceas, liliáceas, mirtáceas, musáceas, nigtangináceas, oleáceas, orquidáceas, passifloráceas, rubiáceas, rutáceas, sapindáceas, sapotáceas, solanáceas, teáceas, tiliáceas, urticáceas, violáceas, zingiberáceas* [F.: Adaptç. do lat. cient. *-aceae*. Por uma questão de critério, registram-se, neste dicionário, os espécimes de botânica (dos taxônimos), com entrada no sing., em *-ácea* (q. v.). Os adj. referentes às famílias de plantas têm, geralmente, registro em *-áceo* (q. v.).]

acebolado¹ (a.ce.bo.*la*.do) **a.** 1 Com gosto de cebola: *A xícara acebolada precisava ser lavada novamente.* 2 Que tem forma de cebola: *Usava um exótico chapéu acebolado.* 3 Que está disposto em camadas à semelhança de uma cebola: *No inverno saía de casa com muitos agasalhos, todo acebolado.* [F.: Part. de *acebolar.*]

acebolado² (a.ce.bo.*la*.do) **a.** Que foi temperado com cebola (fígado acebolado) [F.: *a-*² + *cebola* + *-ado*¹.]

acebolar (a.ce.bo.*lar*) **v. td.** 1 *Cul.* Acrescentar cebola a, temperar com cebola (prato em preparação): *Gostava de acebolar a carne.* 2 Dar aspecto de cebola a [▶ 1 acebolar] [F.: *a-*² + *cebola* + *-ar*².]

acedência (a.ce.*dên*.ci:a) **sf.** Ato ou efeito de aceder; ANUÊNCIA; CONCORDÂNCIA; CONSENTIMENTO [Ant.: *recusa, rejeição, reprovação*] [F.: Do latim *accedentia*. Hom./Par.: *acedência* (sf.), *acidência* (sf.).]

acedente (a.ce.*den*.te) **a2g.** 1 Que acede, concorda, anui **s2g.** 2 Aquele que acede [F.: Do lat. *accedens, entis*. Hom./Par.: *acedente* (a2g. s2g.), *acidente* (sm.).]

aceder (a.ce.*der*) **v.** 1 Estar de acordo, ceder, conformar-se a uma exigência, a uma proposta; ANUIR; AQUIESCER [**tr.** + *a*: *a avó acedeu à vontade da neta;* "...acabou por aceder ao oferecimento da moça." (José de Alencar, *Senhora*)] [**int.**: *Tinha certeza de que era preciso aceder.* Ant.: *insistir, teimar.*] 2 Comportar-se com resignação, aceitação; CONFORMAR-SE; RESIGNAR-SE; SUBMETER-SE [**tr.** + *a*: *Cansado e desanimado, acedeu a todas as condições que lhe foram impostas.*] 3 Fazer acréscimo ou aumento; ACRESCENTAR; AJUNTAR [**tdr.** + *a*: *A jovem acedeu educação à elegância.*] 4 *Jur.* Adquirir propriedade com tudo o que nela existe, seja móvel, seja imóvel; ACRESCER [**td.**: *O empresário acedeu o sítio.*] [▶ 2 aceder] [F.: Do lat. *accedere*. Hom./Par.: *acedamos, acedais* (fl.), *assediamos, assediais* (fl. *assediar*).]

acefalia (a.ce.fa.*li*.a) **sf.** 1 *Trt.* Ausência congênita de cabeça; ACEFALISMO 2 *Trt.* Ausência de cabeça ou parte que corresponda a ela 3 *Fig.* Ausência de comando ou liderança [F.: Do fr. *acéphalie.*]

◎ **-acefal(o)-** **el. comp.** Ver *acefal(o)-*

◎ **acefal(o)-** **el. comp.** = 'sem cabeça'; (*Fig.*) 'sem começo': *acefalobraquia, acefalóforo, acefalostomia, acefaloquiro; omacefalia; omacéfalo* [F.: Do gr. *aképhalos, os, on*. Elemento us. esp. nas áreas de anatomia e de teratologia.]

◎ **-acéfalo** **suf.** Ver *acefal(o)-*.

acéfalo (a.*cé*.fa.lo) **a.** 1 *Trt.* Que sofre de acefalia 2 Que não tem cabeça ou parte que corresponda a ela 3 *Fig.* Sem chefe, sem liderança: *A empresa acéfala faliu.* 4 *Fig. Pej.* Que é desprovido de inteligência 5 *Poét.* Diz-se do verso a que falta uma sílaba no princípio ou do hexâmetro começado por uma sílaba breve [F.: Do gr. *aképhalos.*]

acefalobraquia (a.ce.fa.lo.bra.*qui*.a) **sf.** *Ter.* Anomalia fetal que se caracteriza pela falta de cabeça e de braços [F.: *acefal(o)-* + *braqu(i)(o)-* + *-ia*¹.]

acefalobráquio (a.ce.fa.lo.*brá*.qui:o) *Trt.* **a.** 1 Ref. a acefalobraquia [Tb. *acefalobráquico.*] 2 Diz-se de pessoa que apresenta acefalobraquia **sm.** 3 Pessoa que apresenta acefalobraquia [F.: *acefal(o)-* + *-bráquio*. Sin. nas acps. 2 e 3: abraquiocéfalo.]

aceiramento (a.cei.ra.*men*.to) **sm.** Ação e resultado de aceirar [F.: *aceirar* + *-mento*. Hom./Par.: *aceiramento* (sm.), *aceramento* (sm.). Tb. *aceiração.*]

aceirar¹ (a.cei.*rar*) **v.** 1 Transformar (ferro) em aço; dar têmpera de aço a [**td.**: *Era perito em aceirar armas brancas*] 2 *Fig.* Fazer ficar ou ficar (algo, alguém, si mesmo) (mais) forte, resistente [**td.**: *O sofrimento o aceirou.*] [**int.**: *Com o tempo e a maturidade, seu caráter aceirou-se.*] 3 *Art. gr.* Revestir com fina camada de ferro (clichê, matriz etc.) [**td.**] [▶ 1 aceirar] [F.: *aceiro* + *-ar*. Hom./Par.: *aceiro* (fl.), *aceiro* (sm. [e a.]); *aceirar, acerar* (fl., todos os tempos dos v.).]

aceirar² (a.cei.*rar*) **v.** 1 Fazer aceiro ou aberta em (terreno), para impedir propagação de incêndio [**td.**] 2 *Fig.* Conceder proteção a, proteger [**td.**] 3 *Bras.* Andar em torno de (algo ou alguém), para observar ou vigiar [**int.**] 4 *Bras.* Observar (algo ou alguém) com cobiça [**int. td.**] [▶ 1 aceirar] [F.: *aceir(o)* + *-ar*.]

aceiro[1] (a.*cei*.ro) ***a.*** **1** Que tem as propriedades do aço **2** Que é agudo, forte (voz aceira) ***sm.*** **3** Pessoa que trabalha em aço [F.: Do lat. *aciarium*.]

aceiro[2] (a.*cei*.ro) ***sm.*** **1** Terreno desbastado de vegetação, que se abre em torno ou através das matas, propriedades rurais etc. para evitar a propagação de incêndios; ATALHADA **2** *RJ GO* Desbaste que se faz em terreno próximo a cerca de arame, dos dois lados, para evitar que o fogo de queimadas se alastre **3** *GO* Queima do mato em torno de acampamento para proteger contra cobras e alguns insetos [F.: De or. contrv.]

aceitabilidade (a.cei.ta.bi.li.*da*.de) ***sf.*** Qualidade ou condição do que é aceitável; ADMISSIBILIDADE: *É necessário verificar a aceitabilidade dessas medidas.* [Ant.: *inaceitabilidade*.] [F.: *aceitável* (com transformação do sufixo *-vel* para a forma latina *-bil(i)-*) + *-dade*.]

aceitação (a.cei.ta.*ção*) ***sf.*** **1** Ação ou resultado de aceitar [+ *a, de*: *aceitação ao convite*: "...a voluntária aceitação da tarefa a cumprir..." (Cecília Meireles, *Disciplina*)] **2** Aprovação, receptividade: *produto de boa aceitação no mercado* **3** Ação ou resultado de conformar-se; RESIGNAÇÃO: *aceitação de uma derrota* [Pl.: *-ções*.] [F.: Do lat. tard. *acceptatione*.]

aceitamento (a.cei.ta.*men*.to) ***sm.*** Ação ou resultado de aceitar; ACEITAÇÃO [F.: *aceita(r)* + *-mento*.]

aceitante (a.cei.*tan*.te) ***a2g.*** **1** Que aceita ***s2g.*** **2** O que aceita **3** *Com.* Quem assina um título de crédito [F.: Do lat. *acceptante*.]

aceitar (a.cei.*tar*) ***v.*** **1** Concordar em receber ou tomar (doação, pedido etc.) [***td.***: "...era lícito aceitar o auxílio deles..." (Alberto da Costa e Silva, *Um rio chamado Atlântico*)] **2** Concordar com; APROVAR [***td.***: *Resolveu aceitar todas as sugestões do amigo*] **3** Reconhecer como possível, verdadeiro, adequado etc.; ADMITIR [***td.***: "...que Ele conserve sempre nossa coragem em aceitar este mistério." (Paulo Coelho, *Brida*)] **4** Submeter-se a, conformar-se com; SUPORTAR [***td.***: "...se assim fez... foi para que os escravos imitassem Jesus, ao aceitar um martírio..." (Alberto da Costa e Silva, *A manilha e o libambo*)] **5** Admitir (alguém) em função, papel ou qualidade de [***tdp.***: "...nunca os poderemos aceitar como educadores." (Cecília Meireles, *Obra em prosa*)] **6** Acomodar-se às características de (algo ou alguém) [***td.***: *É preciso que você se aceite.*] [***tdp.***: *Aceitava o amigo como ele era.*] **7** *Jur.* Assumir o compromisso expresso em título de dívida ao apor-lhe aceite (1) [***td.***] **8** *Jur.* Concordar formalmente com condições de (contrato, acordo, tratado etc.) [***td.***] **9** Tomar a seu encargo, assumir (aceitar um cargo) [***td.***] [▶ **1** aceitar Part.: *aceitado, aceito, aceite*.] [F.: Do lat. *acceptare*. Sin. ger.: *recusar, rejeitar*. Hom./Par.: *aceite* (fl.), *aceite* (sm.); *aceito* (fl.), *aceito* (a.); *aceitáveis* (fl.), *aceitáveis* (pl. de *aceitável* a.).]

aceitável (a.cei.*tá*.vel) ***a2g.*** Que merece ou pode ser aceito; razoável, plausível [+ *a, para*: *Era uma proposta aceitável a/para todos*. Ant.: *inaceitável*] [Pl.: *-veis*.] [F.: Do lat. *acceptabile*. Hom./Par.: *aceitáveis* (pl.), *aceitáveis* (fl. de *aceitar*).]

aceite (a.*cei*.te) *Com. Jur.* ***sm.*** **1** Num título de crédito, assinatura da pessoa que o recebe, e que a obriga a pagar a dívida **2** Esse título de crédito **3** Ação de aceitar um título de crédito [F.: Part. de *aceitar*.]

aceito (a.*cei*.to) ***a.*** **1** Que se aceitou, acolheu; ACOLHIDO; RECEBIDO: *O advogado listou as causas aceitas*. [+ *a, de, por*: *Eram propostas aceitas a/de/por todos*.] **2** Aceito (1) na qualidade de [+ *como, por*: *documento aceito como/por original*]. **3** Que foi admitido ou cujo ingresso foi consentido: *candidatos aceitos na faculdade*. [F.: Do lat. *acceptus*. Hom./Par.: *aceito* (a.), *aceito* (fl. de *aceitar*).]

aceitoso (a.cei.*to*.so) [ô] *Antq.* ***a.*** **1** Que merece aceitação, aceitável: *Ofereceu-nos um aceitoso prato de camarões*. **2** Que acolhe bem, acolhedor, agradável (aceitoso oásis) **3** *Lus. Pej.* Diz-se de pessoa que se intromete onde se dá ou distribui algo e aceita de bom grado o que lhe oferecem [Fem. e pl.: [ó].] [F.: *aceitar* + *-oso*.]

aceleirar (a.ce.lei.*rar*) ***v. td.*** **1** Recolher, guardar em celeiro **2** *P. ext.* Fazer depósito, provisão de (cereais) **3** *P. ext.* Fazer estoque de (algo); ARMAZENAR **4** *Fig.* Conservar (coisas) em grande quantidade; ACUMULAR; JUNTAR [▶ **1** aceleirar] [F.: *a-*[2] + *celeiro* + *-ar*[2]. Hom./Par.: *aceleirar, acelerar* (em todas as fl.).]

aceleração (a.ce.le.ra.*ção*) ***sf.*** **1** Ação ou resultado de acelerar: "...a aceleração da globalização..." (*Folha de S.Paulo*, 21.12.1999) **2** Aumento gradativo de velocidade: *A aceleração da marcha do trem ia produzindo um descarrilamento.* **3** Redução do tempo de duração de algo; ANTECIPAÇÃO **4** Agilidade ao se fazer algo **5** *Fís.* Variação da velocidade por unidade de tempo nos objetos em movimento [Pl.: *-ções*.] [F.: Do lat. *acceleratione*.] ■ **~ angular** *Fís.* A variação da velocidade angular por unidade de tempo **~ centrífuga** *Fís.* Variação da velocidade de um corpo sujeito a uma força centrífuga **~ centrípeta** *Fís.* O componente do vetor de aceleração de um corpo que está dirigido para o centro da curva da trajetória; a aceleração da força centrípeta **~ da gravidade** *Fís.* A variação, por unidade de tempo, da velocidade de um corpo em queda livre [Símb. usual: *g*. Valor médio: 9,80665 m/s^2.] **~ de Coriolis** *Fís.* Aceleração de um corpo que se move em linha reta em relação a um sistema de referência, medida em outro sistema de referência que apresenta uma aceleração angular em relação ao primeiro **~ instantânea** *Fís.* Limite da divisão da variação de velocidade de um corpo pelo intervalo de tempo em que ocorre esta variação, quando este intervalo tende para zero [Tb. se diz *aceleração*.] **~ média** *Fís.* Divisão da variação de velocidade de um corpo num intervalo finito de tempo por esse intervalo **~ negativa** *Aer.* Aceleração que atua sobre o corpo humano quando a resultante força de inércia se exerce dos pés para a cabeça **~ normal da gravidade** *Fís.* Aceleração de um corpo móvel quando é igual à aceleração da gravidade **~ positiva** *Aer.* Aceleração que atua sobre o corpo humano quando a resultante força de inércia se exerce da cabeça para os pés **~ radial** *Fís.* Vetor componente da aceleração de um móvel cujo direção é a do raio da curva de deslocamento e cujo sentido é para o centro dessa curva **~ tangencial** *Fís.* Vetor componente da aceleração de um móvel, cujo suporte é a tangente à curva da trajetória **~ transversa** *Aer.* Aceleração que atua sobre o corpo humano quando a resultante força de inércia se exerce transversalmente ao eixo vertical do corpo

acelerado (a.ce.le.*ra*.do) ***a.*** **1** Que se acelerou, que é rápido, veloz (ritmo acelerado): *Descemos a rua em passo acelerado.* **2** *Mec.* Diz-se de motor em alta rotação **3** *Bras. Fig. Pop.* Agitado, impetuoso, ou em hiperatividade: *Ela já estava acelerada ao chegar aqui.* ***sm.*** **4** *Mil.* Passo de cadência mais rápida que a ordinária [F.: Part. de *acelerar*.] ■ **Em ~** Em andamento ou ritmo acelerado; aceleradamente

acelerador (a.ce.le.ra.*dor*) [ô] ***a.*** **1** Que acelera ***sm.*** **2** Aquilo que acelera **3** Dispositivo que regula a alimentação de combustível num motor a explosão, e consequentemente a frequência de suas rotações e a velocidade ou força do veículo **4** *Mec.* Pedal, alavanca ou outro comando que aciona esse dispositivo: *Apertou o acelerador e saiu voando pela estrada.* **5** *Fot.* Substância usada em fotografia para ativar a ação dos reveladores **6** *Restr. Quím.* Toda substância que provoca e apressa a vulcanização da borracha (litargírio, urotropina etc.) **7** *Quím.* Qualquer substância empregada para aumentar a velocidade de uma reação química **8** *Fís. nu.* Acelerador de partículas [F.: *acelerar* + *-dor*.] ■ **~ a indução** *Fís. nu.* Acelerador de partículas que produz um feixe de elétrons de alta energia a partir das oscilações de alta frequência de um campo magnético; bétatron **~ de partículas** *Fís. nu.* Aparelho destinado a acelerar partículas atômicas ou subatômicas (elétrons, prótons e antipartículas) carregadas eletricamente, para aumentar sua energia cinética [Tb. apenas *acelerador*.] **~ linear** *Fís. nu.* Acelerador de partículas em que as partículas aceleradas deslocam-se em linha reta **~ Van de Graaf** Aparelho que produz de forma relativamente simples voltagens elevadíssimas para a aceleração de partículas carregadas

aceleramento (a.ce.le.ra.*men*.to) ***sm.*** Ato ou efeito de acelerar; aumento da rapidez com que se dá um movimento, um processo, a realização de algo; ACELERAÇÃO: "Com o aceleramento da degringolada do xá, a Arábia Saudita deixou de recusar..." (*Um império no chão* – *Veja* – 17.01.1979) [Ant.: *desaceleramento, retardamento*.] [F.: *acelerar* + *-mento*.]

acelerar (a.ce.le.*rar*) ***v.*** **1** Aumentar a velocidade (de) [***td.***: *acelerar a motocicleta*.] [***int.***: *Não acelere na curva*.] **2** Realizar (algo) ou fazer com que se realize mais rapidamente; AGILIZAR [***td.***: *Precisou acelerar o projeto*.] [***int.***: *Todo o processo acelerou-se com a chegada do especialista*.] **3** Fazer (algo) com mais pressa; tornar(-se) célere, rápido [***td.***: *Acelerou a escrita para acabar a prova a tempo*.] [***int.***: *Acelerou para acabar a prova a tempo*.] **4** Colaborar para o surgimento ou incremento de; ESTIMULAR; INSTIGAR [***td.***: *acelerar uma discussão*.] **5** Abreviar o tempo de duração de [***td.***: *Mamãe acelerou a viagem*.] [▶ **1** acelerar Nas formas rizotônicas, pronuncia-se aberto o segundo *e* do radical (*acelero, aceleres* [é]).] [F.: Do lat. *accelerare* Ant. ger.: *desacelerar.* Hom./Par.: *acelera(s)* (fl.), *acelera(s)* (s2g. e pl.).]

acelerômetro (a.ce.le.*rô*.me.tro) ***sm.*** *Fís.* Instrumento com que se medem acelerações de movimentos, ou vibrações [F.: *aceler(ação)* + *-o-* + *-metro*.]

acelga (a.*cel*.ga) [é] ***sf.*** *Bot.* Planta ereta, quenopodiácea (*Beta vulgaris*, var. *cycla*, L.), de folhas grandes, verde-água, us. como verdura [F.: Do ár. *as-silqa*.]

acelomado (a.ce.lo.*ma*.do) *Zool.* ***a.*** **1** Ref. aos acelomados **2** Diz-se do animal que durante o processo embrionário não desenvolve celoma, a cavidade para alojar os órgãos ***sm.*** **3** Espécime dos acelomados, subdivisão de animais bilatérios desprovidos de celoma [F.: Adaptç. do lat. cient. *Acoelomata*; ver *a-*[1], *celoma* e *-ado*[3].]

acelular (a.ce.lu.*lar*) ***a2g.*** *Biol.* Que não é constituído por células; que não tem estrutura celular [F.: *a-*[3] + *celular*.]

acém (a.*cém*) ***sm.*** Parte dianteira do lombo da vaca ou do boi, entre a pá e a extremidade do cachaço, de carne relativamente macia [F.: Do árabe *as-semn* (gordura).]

acemista (a.ce.*mis*.ta) ***s2g.*** **1** Membro da Associação Cristã de Moços (ACM) [A Associação Cristã de Moços (ACM) é uma instituição de origem inglesa, fundada no Brasil em 1844] ***a2g.*** **2** Que é sócio, membro ou simpatizante da Associação Cristã de Moços **3** Da ou ref. à Associação Cristã de Moços (organização acemista) [F.: *ACM* (sigla de Associação Cristã de Moços) + *-ista*.]

acenado (a.ce.*na*.do) ***a.*** Diz-se do que foi indicado, sinalizado ou sugerido, do que foi apresentado ou mostrado em antecipação, ou de algo para o qual se chamou a atenção: *Mudanças há muito acenadas já começam a ocorrer;* "...dar-lhe expansão ante a perspectiva mística do martírio acenado pela pena de morte." (Jorge Cândido S. C. Viana, *A pena de morte* – 10.11.1999) [F.: Part. de *acenar*.]

acenar (a.ce.*nar*) ***v.*** **1** Fazer acenos ou gestos movimentando alguma parte do corpo (mãos, olhos, cabeça etc.) ou objetos [***ti.*** *+ a, para*: *Do carro, acenava para os fãs;* "Muitos outros, aliás, lhes acenaram durante a viagem..." (Hermann Sudermann, *A viagem a Tilsit*)] [***int.***: "E elas continuam a acenar: Vem!" (Marques Rebelo, *A mudança*)] [***tdi.*** *+ a, para*] **2** Fazer aceno(s) para expressar algo [***td.***: *Acenava um sentido adeus*.] [***tdi.*** *+ a, para*: *Acenou ao garçom que queria a conta; Acenou para o amigo um sentido adeus*.] **3** Procurar tranquilizar, seduzir, atrair (alguém) insinuando ou referindo-se a algo [***tir.*** *+ a, para... com*: *Para incentivá-lo, acenava-lhe com uma possível promoção*.] **4** Fazer referência a; ALUDIR [***tr.*** *+ para*: *O técnico acenou para a troca de jogadores*.] **5** *P. ext.* Oscilar, balançar, como que num aceno [***int.***: *Bandeiras brancas acenaram ao vento*.] **6** Dar a conhecer; INDICAR; MOSTRAR [***td.***: *Nuvens escuras acenaram a proximidade de chuva*.] **7** Manifestar claramente algo; estar prestes a [***td.***: *Cheio de rachaduras, o prédio acena um desmoronamento*.] [F.: Do lat. vulg. **accinare*. Hom./Par.: *aceno* (fl.), *aceno* (sm.).]

acendalha (a.cen.*da*.lha) ***sf.*** Tudo o que é fácil de acender, que queima com facilidade, e por isso adequado a fazer propagar o fogo: "(...) sobre a acendalha de trapos e móveis miseráveis atiravam fósforos acesos." (Euclides da Cunha, *Os sertões*) [F.: *acend(er)* + *-alha*.]

acendedor (a.cen.de.*dor*) [ô] ***sm.*** **1** Dispositivo, objeto que acende (acendedor de forno) **2** Pessoa que acende: "Lá vem o acendedor de lampiões...! Parodiar o sol e associar-se à lua..." (Jorge de Lima, *Acendedor de lampiões*) **3** *Lus.* Isqueiro **4** *Fig.* Aquilo que entusiasma, inflama, incita: *O ódio é acendedor da vingança.* ***a.*** **5** Que acende **6** *Fig.* Que provoca, incentiva, entusiasma: *Cultivava uma paixão acendedora de impulsos e loucuras.* [F.: *acender* + *-dor*.]

acender (a.cen.*der*) ***v.*** **1** Levar chama a ou produzir chama, fazendo queimar ou arder [***td.***: *acender o forno:* "Não adiantava acender fogueiras na praia para avisar a gente da terra..." (Alberto da Costa e Silva, *A manilha e o libambo*)] [***int.***: *Quando molhado, o pavio não acende*.] **2** Produzir chama em (fósforo), riscando [***td.***: *Acendeu um fósforo para enxergar na escuridão*.] **3** Fazer funcionar (sistema elétrico, iluminação) [***td.***: "...e a escuridão em que estava era apenas porque não acendera as luzes." (Ana Maria Machado, *A audácia dessa mulher*)] **4** *Fig.* Fazer ficar ou ficar animado, entusiasmado [***td.***: *Suas palavras acenderam a discussão*.] [***int.***: *Seu discurso era morno, mas de repente acendeu e tornou-se vibrante*.] **5** Dar origem a; causar, gerar, provocar, suscitar [***td.***: *Um pequeno incidente acendeu o conflito*.] **6** *Fig.* Surgir, ter início, prorromper [***int.***: *Após o incidente, acendeu-se um grande conflito*.] **7** Pôr fogo a ou pegar fogo; INCENDIAR [***td.***: *Um simples raio acendeu toda a floresta*.] [***int.***: *Durante a madrugada, o milharal acendeu-se*.] **8** Ter brilho intenso ou projetar brilho intenso; iluminar(-se); BRILHAR [***int.***: *Ao vê-lo, seus olhos acendiam(-se);* "Uma lua enorme começou a acender-se no céu..." (Paulo Coelho, *Brida*)] [***td.***: *O amor acelerou-lhe o pulso e acendeu-lhe o olhar*.] **9** Pôr(-se) em funcionamento; ligar ou ser ligado (aparelho, equipamento etc.); LIGAR [***td.***: *Assim que chegava já acendia a televisão*.] [***int.***: *Este rádio não está acendendo*.] **10** Elevar-se ou fazer elevar a temperatura de; AQUECER; ESQUENTAR [***td.***: *O sol inclemente acendia o deserto*.] [***int.***: *Sob calor abrasador, as pedras acendiam-se e queimavam os pés*.] **11** *Fig.* Fazer ficar ou ficar irritado, exasperado [***td.***: *Os contínuos apartes acenderam-no, e ele perdeu a compostura*.] [***int.***: *Provocado, acendeu-se e reagiu agressivamente*.] **12** *Fig.* Tornar ou ficar (a face, o rosto) corado, ruborizado; ENRUBESCER; CORAR [***td.***: *Os elogios acenderam-lhe o rosto*.] [***int.***: *Com a chegada do público, a face da atriz acendeu(-se)*.] [▶ **2** acender Part.: *acendido* e *aceso*.] [F.: Do lat. *accendere*. Ant. (1, 2, 3, 4, 7, 8, 9): *apagar*. Hom./ Par.: *acender, ascender* (em todas as fl.).]

acendido (a.cen.*di*.do) ***a.*** **1** Que se acendeu; ACESO: *Quando cheguei, a lareira acendida clareava levemente a sala*. [Ant.: *apagado*] **2** *Fig.* Que foi provocado ou produzido: *Conflito acendido pela má política dos governantes*. **3** *Fig.* Que se excitou, se exaltou; em estado de grande animação ou agitação: *Acendido pela visão da amada*. **4** *Fig.* Que se avermelhou; RUBORIZADO: *Com as faces acendidas pela cólera*. **5** *Fig.* De cor intensa (esp. a cor rosada ou carmim): "... já do acendido do nácar, já do mais claro jasmim." (Gregório de Matos, *Armazém de pena e dor* – *Vol. II*) [F.: Do part. reg. de *acender*. Hom./Par.: *acendido* (fl. de *acender*), *ascendido* (fl. de *ascender*).]

acendimento (a.cen.di.*men*.to) ***sm.*** **1** Ação ou efeito de acender: *Visto do alto, o acendimento das luzes da cidade é maravilhoso*. **2** *Fig.* Ação ou efeito de excitar, de irritar: *O acendimento dos ânimos era tal, que não havia conciliação possível*. **3** *Fig.* Ação ou efeito de enlevar, encantar **4** *Fig.* Estado de entusiasmo, excitação; intensidade de sentimentos ou das ações [F.: De *acender* (com alteração da vogal temática *-e-* para *-i-* + -mento). Hom./Par.: *acendimento* (sm.), *ascendimento* (sm.).]

acendível (a.cen.*dí*.vel) ***a2g.*** **1** Que pode ser acendido, que tem a propriedade de (se) acender **2** Suscetível de pegar fogo, de (se) inflamar; INFLAMÁVEL [Pl.: *-veis*.] [F.: *acend(er)* + *-i-* + *-vel*. Hom./Par.: *acendível* (a2g.), *ascendível* (a2g.).]

acendrado (a.cen.*dra*.do) ***a.*** **1** Isento de impurezas, por efeito de algum processo artificial (ouro acendrado); LIMPO; PURO; ACRISOLADO **2** Diz-se do que foi aperfeiçoado, aprimorado; cujas qualidades encontram-se intensificadas ou como que concentradas: *O acendrado espírito na contemplação de Deus;* "...toda a hora se espera que ergam aos céus um longo e acendrado hino de louvor e de glória" (Lima Barreto, *Manel Capineiro* – *Era Nova*,

Rio, 21.08.1915) 3 *Fig.* Que se tornou moralmente puro (p. ex., após passar por provações, sofrimento) 4 Que tem ou adquiriu coloração acinzentada [F.: Part. de *acendrar.*]

acendrar (a.cen.*drar*) *v.* 1 Limpar com cinza; ENCENDRAR [*td.: acendrar ouro.*] 2 Purificar (ouro e demais metais preciosos); ACRISOLAR; ENCENDRAR [*td.*] 3 *Fig.* Tornar(-se) mais puro ou superior; APURAR(-SE); APERFEIÇOAR(-SE) [*td.: acendrar as maneiras.*] [*tdr. + em: O jovem acendrou o espírito na leitura.*] [*int.: Acendrou-se a sua oratória.*] [▶ 1 acendrar] [F.: Do espn. *acendrar*, "depurar, purificar".]

acenestesia (a.ce.nes.te.*si*.a) *sf. Psiq.* Ausência de sensibilidade e de percepção do próprio corpo e do funcionamento do organismo (esp. das vísceras), que pode acometer indivíduos hipocondríacos e depressivos [Ant.: *cenestesia.*] [F.: *a-*[1] + *cenestesia.*]

aceno (a.*ce*.no) *sm.* 1 Ação ou resultado de acenar 2 Gesto ou sinal feito com a mão, os olhos, a cabeça, algum objeto etc., como expressão de uma ideia, um sentimento, uma comunicação etc. 3 *Fig.* Sinal ou indício de um chamamento, de um convite, de uma sugestão etc.: *Para ele, ter sonhado com aqueles números era um aceno da sorte.* [F.: Dev. de *acenar*. Hom./Par.: *aceno* (sm.), *aceno* (fl. de *acenar*).] ∎ **A qualquer ~** Imediatamente, ao menor sinal: *Está pronto a atendê-la a qualquer aceno dela.*

acenoso (a.ce.*no*.so) [ô] *a.* 1 Que envolve aceno ou que acena (movimento acenoso) 2 *Bot.* Diz-se de caule ou pedúnculo que verga, curva-se para baixo devido ao peso (de flor, inflorescência etc.) [Fem. e pl.: [ó].] [F.: *acen(o)* + *-oso.*]

acenso (a.*cen*.so) *Hist. sm.* 1 *Mil.* Na Roma antiga, oficial subalterno que acompanhava os magistrados de alta categoria 2 *Mil.* Soldado supranumerário pertencente a uma espécie de tropa reserva 3 No feudalismo, arrendamento de propriedade [F.: Do lat. *accensus, i.* Hom./Par.: *acenso* (sm.), ascenso(sm.).]

acento (a.*cen*.to) *sm.* 1 *Gram.* Intensidade na voz que torna mais forte a pronúncia de uma sílaba na palavra ou no discurso 2 *Gram.* Sinal diacrítico que se usa sobre uma vogal, indicativo da sílaba mais forte e da diferença de timbre entre as vogais (ver *acento agudo, acento circunflexo, acento grave*) 3 Entonação peculiar que demonstra intenção, sentimento, por meio da modulação da voz: INFLEXÃO; TOM 4 Pronúncia de uma língua típica de alguém, de uma região etc.; SOTAQUE 5 Relevo, destaque que se dá a algo: *No relatório, pôs acento nos investimentos em produção.* 6 *p. us. Mús.* Harmonia, consonância [Mais us. no pl.] [F.: Do lat. *accentu*. Hom./Par.: *acento, assento* (fl. de *assentar* e sm.).] ∎ **~ agudo** *Gram.* Sinal gráfico [´] que marca, segunda as regras de acentuação, as vogais tônicas *a* (*amável, fácil, crachá*), *i* (*típico, míssil*) e *u* (*cúbico, fútil*), e, conferindo timbre aberto, as vogais tônicas *e* (*médico, débil, pé*) e *o* (*tórrido, pólen, pó*) **~ circunflexo** *Gram.* Sinal gráfico [^] que marca, segundo as regras de acentuação, a vogal tônica *a* (quando seguida de consoante nasal: *âmbito, dândi*) e confere timbre fechado às vogais tônicas *e* (*pêssego, tênis, bebê*) e *o* (*cômodo, bônus, alô*) **~ de altura** *Fon.* Acento que denota a variação na altura melódica de uma sílaba em relação às vizinhas, com a variação da frequência de vibração das cordas vocais; acento musical **~ de duração** 1 *Fon.* Destaque de uma sílaba pela sua duração maior em relação à das sílabas vizinhas; acento de quantidade 2 Cada um dos sinais gráficos sobre vogal que indicam sua maior ou menor duração: uma barra horizontal, (*macro*) sobre a vogal (#FT3) indica vogal longa, e a *braquia* (#FT3) indica vogal breve **~ de intensidade** *Fon.* Acento que resulta da maior ou menor força, ou intensidade, na emissão de sílaba ou vogal, em relação às vizinhas; acento de força; acento dinâmico **~ de ritmo** *Ret.* Aquele que resulta do cadenciamento na emissão das sílabas **~ de timbre** *Fon.* Relevo que se dá à pronúncia de uma sílaba pela clareza e abertura do timbre, como a primeira sílaba de *baba* **~ diferencial** *Gram.* O acento (agudo ou circunflexo) us. sobre as vogais *a, e* e *o* em alguns vocábulos para distingui-los de homógrafos: *pôr* (verbo)/*por* (preposição), *pôde* (pret. perf. ind. do ver *poder*)/*pode* (pres. ind. do ver *poder*) **~ enfático** *Ret.* Relevo ou destaque que se dá a palavra, expressão ou frase do discurso por meio de inflexão da voz **~ gráfico** 1 *Gram.* Forma de indicar por sinal gráfico a sílaba acentuada e o teor da acentuação 2 *Gram.* Cada um dos sinais us. nessa indicação, os acentos agudo (´), grave (`) e circunflexo (^) **~ grave** *Gram.* Acento gráfico que indica a *crase*, fusão de duas vogais idênticas numa só, esp. a prep. *a* com o art. def. fem. *a* (*à*) **~ musical** *Fon.* Ver *Acento de altura* **~ oratório** *Ret.* Técnica oratória de transmitir ênfase, emoção etc. pela variação de intensidade, ritmo e duração de sílabas, palavras, frases etc.; acento patético **~ patético** Ver *Acento oratório* **~ postiço** *Tip.* Sinal em fonte tipográfica, fundido separadamente para completar vogais acentuadas que não dispõem de um tipo integrado **~ primário** *Fon.* Num vocábulo, o acento prevalecente [Cf.: *Acento secundário.*] **~ secundário** *Fon.* Acento que não é o primário, e que recai em uma ou mais sílabas, ger. de palavras longas, como, p. ex., nas sílabas *pe* e *o* da palavra *impetuosamente* (o acento primário recai em *men*) [Cf.: *Acento primário.*] **~ tônico** 1 *Fon.* Destaque de uma sílaba em um vocábulo 2 A sílaba destacada, tb. chamada *sílaba tônica.*

◎ **acentro-** *el. comp.* = 'sem aguilhão'; 'sem eixo'; 'sem centro'; 'sem ponta': *acentróforo* (< *lat. cient.*), *acentróptero* [F.: Do gr. *ákentros, os, on.* Ver *centr(i)-*.]

acentróptero (a.cen.*tróp*.te.ro) *sm. Zool.* Inseto com asas que não se projetam da parte central do mesotórax [F.: *acentro-* + *-ptero.*]

acentuação (a.cen.tu:a.*ção*) *sf.* 1 Ação ou resultado de acentuar(-se) 2 *Gram.* Colocação de acento ortográfico na sílaba tônica das palavras 3 *Fon.* Tom de voz com que se pronuncia a sílaba que se quer destacar 4 *Fon. Ret.* Entonação que revela intenção ou sentimento de quem fala; INFLEXÃO: *Deu ao discurso acentuação de alegria.* 5 *Mús.* Destaque, realce dado na execução de uma nota, um acorde, uma emissão de voz 6 *Fot.* Técnica us. para realçar certos aspectos ou detalhes de um assunto fotografado 7 *Eletrôn.* Processo eletrônico utilizado para realçar determinadas faixas de frequência 8 *Telc.* Intervenção num sinal para dar ênfase a determinada(s) faixa(s) de frequência e com isso obter um certo efeito; PRÉ-ÊNFASE [Pl.: *-ções.*] [F.: Do lat. *accentuatio, onis.*]

acentuado (a.cen.tu.*a*.do) *a.* 1 Que se acentuou 2 *Gram.* Diz-se de sílaba, fonema, letra ou palavra que leva acento ortográfico tônico 3 *Fon.* Que se pronuncia com mais intensidade 4 Que é bem marcado, bem definido: *um rosto de acentuados traços orientais.* 5 Que é forte, nítido, intenso: *queda acentuada de temperatura; Tinha acentuada vocação para o teatro.* 6 Destacado, proeminente: *Os olhos fundos e as orelhas destacadas davam-lhe um ar de Nosferatu.* [F.: Do lat. *accentuatus, a, um.*]

acentual (a.cen.tu:*al*) *a2g.* Ref. a acento ou a acentuação [Pl.: *-ais.*] [F.: *acent(o)* + *-ual.* Hom./Par.: *acentuais* (pl.), *acentuais* (fl. de *acentuar*).]

acentuar (a.cen.tu.*ar*) *v.* 1 *Gram.* Pôr acento gráfico em (letra, sílaba, palavra etc.) [*td.: Acentue sempre palavras proparoxítonas.*] 2 *Fon.* Pronunciar (sílaba) com mais intensidade que as vizinhas [*td.*] 3 Escrever ou pronunciar (palavras) respeitando os acentos e as sílabas tônicas e átonas [*td.: Lia o texto acentuando bem as palavras; Repassou o que escrevera e acentuou todo o texto.*] 4 *Ret.* Dar relevo e entonação a certas palavras ou sílabas, ger. como expressão de ênfase ou realce que fazem inferir um significado [*td.: O advogado acentuava as palavras e citações que convinham a sua defesa.*] 5 *Fig.* Tornar (mais) visível, dar (mais) relevo a ou ganhar (mais) relevo [*td.*: "...acentuou ainda mais o sorriso..." (Josué Montello, *Um rosto de menina*)] [*int.: A calvície acentuava-se com a idade.*] 6 Tornar(-se) mais intenso, mais forte; INTENSIFICAR(-SE); EXACERBAR-SE [*td.*: "...até acentuar a imagem monumental do diretor." (Raul Pompeia, *O Ateneu*)] [*int.: Sua irritação acentuava-se cada vez mais.*] 7 *Mús.* Dar relevo a, destacar (nota, acorde, cadência, tempo); REALÇAR [*td.*] [▶ 1 acentuar] [F.: Do lat. medv. *accentuare*. Hom./Par.: *acentuais* (fl.), *acentuais* (pl. de *acentual* a2g).]

◎ **-áceo** *suf. nom.* De adj., formados no latim ou no vernáculo, em geral, com o sentido de 'referente ou semelhante a, ou que tem ou contém, ou que é da natureza de (algo)' (*alutáceo, amiláceo, arenáceo* [< lat.], *bacáceo, butiráceo, capsuláceo, cartáceo, cepáceo, clorofiláceo, drupáceo, erináceo* [< lat.], *faréláceo, farináceo* [< lat.], *foliáceo* [< lat.], *herbáceo* [< lat.], *opiáceo, sebáceo*), ou ainda de: **a**) adjetivos referentes a uma dada família de (plantas, fungos ou micro-organismos) em *-áceas* (q. v.): *abietáceo* (abietácea[s]), *anacardiáceo* (anacardiácea[s]), *begoniáceo* (begoniácea[s]), *bromeliáceo* (bromeliácea[s]); *agaricáceo* (agaricácea[s]), *albugináceo* (albuginácea[s]); *espiraláceo* (espiralácea[s]), *espiroquetáceo* (espiroquetácea[s]) etc.); **b**) nomes de 'espécime de dada ordem ou classe de animais' (lat. cient. *-acea*): *alcionáceo, anaspidáceo, apodáceo, ascidiáceo, cetáceo, crustáceo, larváceo, misidáceo, penatuláceo, tanaidáceo* [F.: Do suf. lat. *-aceus, -acea, -aceum*, formador de adjetivos, ou ainda, uso ou retomada de uma forma singular (conforme à morfologia port.) para designar o espécime de um taxônimo plural terminado em *-acea*, neutro pl. de *-aceus, a, um.*]

◎ **-áceos** *el. comp.* De nomes de 'ordens, subordens, superordens ou classes (de animais)', da taxonomia zoológica (lat. cient.), adaptados à morfologia da língua portuguesa (lat. cient. *-acea*/ port. *-áceos*): *alcionáceos, anaspidáceos, apodáceos, ascidiáceos, cetáceos, crustáceos, larváceos, misidáceos, penatuláceos, tanaidáceos* [F.: Adaptç. do lat. cient. *-acea*. Por uma questão de critério, registram-se, neste dicionário, os espécimes de zoologia (dos taxônimos em *-acea*), com entrada no sing., em *-áceo* (q. v.).]

acepção (a.cep.*ção*) *sf. Lex.* Significado de uma palavra ou frase em cada um dos contextos em que ela pode estar inserida [Pl.: *-ções.*] [F.: Do lat. *acceptio, onis.*] ∎ **Na ~ da palavra** No sentido total, literal, que a palavra expressa

acepilhado (a.ce.pi.*lha*.do) *a.* 1 Que foi alisado, polido: *Comprou uma mesa de madeira acepilhada.* 2 *Fig.* Apurado no vestir, nos modos etc.; REFINADO: "(...) o Marquês Murta, uma gigantesca atividade frenética num corpo mediano, fino, acepilhado aristocraticamente, com a bossa da perspicácia política muito saliente." (Camilo Castelo Branco, *A brasileira de Prazins*) 3 *Fig.* Melhorado, aperfeiçoado, aprimorado [F.: Part. de *acepilhar.*]

acepilhadura (a.ce.pi.lha.*du*.ra) *sf.* 1 Ação ou resultado de acepilhar; ACEPILHAMENTO 2 Lasca ou apara de madeira retirada pelo cepilho [F.: *acepilha(r)* + *-dura.*]

acepilhar (a.ce.pi.*lhar*) *v.* 1 Aplainar ou alisar com o cepilho; NIVELAR; RASPAR [*td.: acepilhar o piso.* Ant.: *enrugar, esburacar.*] 2 Dar polimento a; BRUNIR; LIMAR; LUSTRAR [*td.: acepilhar os móveis.* Ant.: *arranhar, deslustrar, embaçar.*] 3 *Fig.* Procurar aproximar da perfeição; tornar mais apurado; APERFEIÇOAR; APRIMORAR [*td.*: "Pentear palavras e acepilhar o estilo." (Camilo Castelo Branco, *A filha do Dr. Negro*) Ant.: *estragar, piorar.*] 4 *Fig.* Tornar(-se) polido, bem-educado; CIVILIZAR(-SE) [*td.: O convívio social acepilhou os modos rudes do rapaz.*] [*int.: A influência da irmã mais velha fez o menino acepilhar-se.*] [▶ 1 acepilhar] [F.: *a-*[2] + *cepilho* + *-ar*[2].]

acepipe (a.ce.*pi*.pe) *sm.* 1 Tipo delicado de alimento, em pequenas porções servidas como aperitivo 2 Designação geral de qualquer alimento apetitoso, preparado com capricho; IGUARIA; PETISCO; PITÉU; QUITUTE [F.: Do ár. *az-zebib.*]

acéquia (a.*cé*.qui:a) *sf.* 1 Construção cujo fito é represar as águas e distribuí-las; AÇUDE 2 Canal para irrigação; REGO [F.: Do ár. *as-saqia.*]

◎ **acer-** *el. comp.* = 'bordo (árvore)': *acerácea* (< lat. cient.), *acérico* [F.: Do lat. *acer, eris.*]

acerácea (a.ce.*rá*.ce:a) *sf. Bot.* Espécime das aceráceas, fam. da ordem das sapindales, com cerca de 120 espécies de árvores e arbustos nativos de regiões de clima temperado ou tropical de áreas altas, cujo tipo mais comum é o ácer; ACERÍNEA [F.: Adaptç. do lat. cient. *Aceraceae.*]

aceráceo (a.ce.*rá*.ce:o) *a.* Ref. ou pertencente às aceráceas [F.: De *acerácea.*]

acerado (a.ce.*ra*.do) *a.* 1 Que recebeu têmpera; diz-se de instrumento cuja parte metálica foi convertida em aço (punhal acerado) 2 Que é muito cortante (objeto acerado); AFIADO 3 *Fig.* Que é capaz de ferir, magoar, abalar; que tem intenções agressivas ou maliciosas; muito severo ou mordaz; veemente, exacerbado (resposta acerada; censuras aceradas; argumento acerado) 4 *Fig.* Que tem ou adquiriu grande firmeza, força ou resistência (físicas ou morais) [F.: Part. de *acerar.*]

aceragem (a.ce.*ra*.gem) *sf.* 1 Ação ou resultado de acerar, de dar têmpera ao aço; ACERAÇÃO; ACERAMENTO 2 *Fig.* Exacerbamento, estimulação: *Suas palavras duras só serviram para a aceragem dos ânimos.* 3 *Art. gr.* Processo no qual se reveste a superfície de uma chapa (clichê) de cobre já gravada com uma fina camada de ferro, para aumentar sua durabilidade e resistência à corrosão, e assim possibilitar grandes tiragens [Pl.: *-gens.*] [F.: *acerar* + *-agem*[1].]

acerar (a.ce.*rar*) *v. td.* 1 Dar têmpera a, convertendo (ferro) em aço: *Mandou novamente acerar a espada.* 2 Guarnecer de aço, para tornar mais duro ou resistente 3 Tornar afiado ou mais afiado, pungente ou mais pungente; AFIAR; AMOLAR; AGUÇAR 4 *Fig.* Tornar mais intenso, acentuado, exacerbado; ACENTUAR; EXACERBAR: *O infortúnio acerou sua revolta.* 5 *Art. gr.* Usar o processo de aceragem para proteger clichês ou gravuras de metal [▶ 1 acerar Apresenta o *e* aberto [é] nas formas rizotônicas.] [F.: De or. duvidosa, possv. de *aceirar*[1] ("temperar com aço") com síncope da vogal *i* ou empréstimo do castelhano *acerar*, deriv. de *acero*, "aço". Hom./ Par.: *acero* (fl.), *acero* (sm.); *acerar, aceirar* (todas as fl.).]

aceratose (a.ce.ra.*to*.se) *sf. Zool. Vet.* Deficiência ou falta de tecido córneo; ACERATIA; ACERATOSIA [F.: *a-*[1] + *-cerat(o)-* + *-ose*[2].]

aceratosia (a.ce.ra.to.*si*.a) *sf. Derm. Vet.* Ausência da camada córnea da pele; o mesmo que *aceratose.* [F.: *aceratose* + *-ia*[1].]

acerbado (a.cer.*ba*.do) *a.* 1 Que se tornou mais violento, mais intenso (confronto acerbado); EXACERBADO; EXASPERADO [Ant.: *acalmado, amenizado*] 2 *Fig.* Que se tornou amargurado, angustiado; AFLITO; AMARGURADO; ATORMENTADO: *Vivia acerbado por sua submissão.* [Ant.: *animado, consolado*] [F.: Part. de *acerbar.*]

acerbar (a.cer.*bar*) *v. td.* 1 Tornar acerbo: *A fermentação acerbara a bebida.* 2 Tornar mais intenso, mais agressivo, mais pungente; AGRAVAR; INTENSIFICAR: *O frio acerbou-lhe a enfermidade.* 3 *Fig.* Causar angústia, amargura ou aflição; AFLIGIR; AMARGURAR: *A incompreensão dos amigos acerba-o constantemente.* [▶ 1 acerbar Apresenta o *e* aberto [é] nas formas rizotônicas.] [F.: *acerbo* + *-ar*[2].]

acerbo (a.*cer*.bo) [ê ou é] 1 De gosto azedo ou ácido *a.* 2 Ferino, duro, ácido (críticas acerbas) 3 Duro, difícil, penoso: *Tarefa acerba.* 4 Que causa sofrimento, que é angustiante, difícil de suportar (dores acerbas); ATROZ [F.: Do lat. *acerbus.*]

acerca (a.*cer*.ca) [ê] *adv.* Us. na loc. *acerca de* ∎ **~ de** A respeito de, com relação a: *Nada disse acerca de seus planos.* [Cf.: *Cerca de* e *Há cerca de.*]

acerca de (a.*cer*.ca de) [ê] *loc. adv.* Ver loc. *acerca de*, em *acerca.*

acercamento (a.cer.ca.*men*.to) *sm.* Ação ou resultado de acercar(-se); AVIZINHAMENTO; APROXIMAÇÃO [Ant.: *afastamento, distanciamento.*] [F.: *acerca(r)* + *-mento.*]

acercar (a.cer.*car*) *v.* 1 Pôr(-se) perto de; ACHEGAR; APROXIMAR [*tdr. + de: Acercou a cadeira da televisão.*] [*tr. + de*: "...que vieram correndo acercar-se dele com grande familiaridade..." (Aluísio Azevedo, *O cortiço*) Ant.: *afastar.*] 2 Fazer ficar ou ficar à volta ou rodeado de; RODEAR(-SE); CERCAR(-SE) [*td.: Os seguranças acercavam a atriz.*] [*tdr. + de: No meu aniversário, acerco-me de amigos e parentes.*] [▶ 11 acercar Apresenta o *e* aberto [é] nas formas rizotônicas.] [F.: *a-*[2] + *cerc(a)* + *-ar*[2]. Hom./Par.: *acerca* (fl.), *acerca* (adv.).]

aceria[1] (a.ce.*ri*.a) *sf.* 1 *P. us. Med.* Desenvolvimento desmedido ou extemporâneo de um órgão, de um sintoma etc. 2 *P. us.* Condição do que é fora de propósito, do tempo adequado [F.: Do gr. *akairía, as.*]

aceria[2] (a.ce.*ri*.a) *sf. Metal.* Unidade em usina siderúrgica onde o ferro-gusa é transformado em aço; ACIARIA [F.: *acer-*[3] (do espn. *acero* 'aço') + *-ia*[1].]

acérido (a.cé.ri.do) *a.* 1 Falto de cera, que não tem cera *sm.* 2 *Farm.* Emplastro em cuja composição não entra cera [F.: *a-* + *-cer(o)-* + *-ido.*]

ácero (á.ce.ro) *Zool. a.* 1 Diz-se de inseto que não tem antenas 2 Diz-se de molusco desprovido de tentáculos *sm.* 3 *Zool.* Inseto que não possui antenas 4 *Zool.* Molusco desprovido de tentáculos [F.: Do gr. *ákeros, os, on.* Hom./Par.: *ácero* (a. sm.), *acero* (fl. de *acerar*).]

acerola (a.ce.*ro*.la) [ó] *sf.* 1 *Bot.* Arbusto da fam. das malpighiáceas (*Malpighia emarginata*), que produz frutos de cor avermelhada, ricos em vitamina C; CEREJEIRA-DAS-ANTILHAS; CEREJEIRA-DO-PARÁ 2 Esse fruto; CEREJA-DAS-ANTILHAS; CEREJA-DO-PARÁ [F.: Do ár. *az-za' rura.*]

aceroso (a.ce.*ro*.so) [ô] *a.* 1 Que tem a forma pontiaguda de uma agulha; ACICULAR 2 *Bot.* Diz-se de órgão vegetal (esp. folha) fino e pontiagudo; ACICULAR [Fem. e pl.: ó.] [F.: Do lat. *acer*, 'que termina em ponta', + *-oso.*]

acerra (a.*cer*.ra) [ê] *sf.* 1 *Ant.* Entre os romanos, recipiente no qual se guardava o incenso destinado aos sacrifícios 2 *Ant.* Altar pequeno ao lado do leito de um morto, e no qual se queimava incenso 3 Vaso em forma de barco, para perfumes; NAVETA [F.: Do lat. *acerra, ae.*]

acérrimo (a.*cér*.ri.mo) *a.* 1 Muitíssimo acre 2 *Fig.* Muito forte, decidido, pertinaz: "Jamais emprega o acérrimo exorcismo / Em sua diária ocupação funérea." (Augusto dos Anjos, "O deus-verme", *in Eu e outras poesias*) [Superl. abs. sint. de *acre.*] [F.: Do lat. *acerrimus, a, um.*]

acertado (a.cer.*ta*.do) *a.* 1 Que se acertou 2 Que demonstra bom senso, que é certo, apropriado (decisão acertada); SENSATO 3 Que foi combinado, tratado (salário acertado) 4 Que se atingiu (alvo acertado) [F.: Part. de *acertar.*]

acertador (a.cer.ta.*dor*) [ô] *a.* 1 Que acerta *sm.* 2 Aquele ou aquilo que acerta, ajusta, corrige; regulador 3 Aquele que acerta a marcha das cavalgaduras [F.: *acertar* + *-dor.*]

acertar (a.cer.*tar*) *v.* 1 Agir ou responder com acerto [*td.*: *Acertou todas as perguntas.*] [*tr.* + *em*: *Acertamos na escolha do representante.*] [*int.*: *Na tentativa de acertar, cometem-se muitos erros.*] 2 Corrigir, emendar [*td.*: *A professora deu um tempo para acertarmos os cálculos.*] 3 Achar ao certo, descobrir, encontrar [*td.*: *acertar o caminho.*] [*tr.* + *com*: "Quer que eu solte a minha patativa? e se ela transviar-se por aí, e nunca mais acertar com a porta da gaiola?..." (Joaquim Manuel de Macedo, *A escrava Isaura*)] 4 Bater no ponto a que se atirou; atingir (alvo) [*td.*: *Atirou sem olhar e acertou a árvore.*] [*ta.*: *Ele acertou no alvo.*] [*int.*: *Mirou o alvo, mas não acertou.*] 5 Ir ou fazer ir de encontro a; bater ou fazer bater em [*td.*: *A bola acertou a vidraça.*] [*tda.*: *Acertou a bola na vidraça.*] 6 Arrumar, endireitar [*td.*: *Acerte a gola da camisa.*] 7 Ajustar (relógio, hora, balança etc.); colocar no ponto certo [*td.*] 8 Combinar convenientemente; AJUSTAR [*td.*: *O clube acertou a contratação do atacante; acertar o passo.*] [*tdr.* + *com*: *Acertou com ele as medidas necessárias.*] 9 Marcar, em jogo de azar, números, resultados etc. que resultam vencedores [*tr.* + *em*: "Acertei no milhar/Ganhei 500 contos..." (Wilson Batista e Geraldo Pereira, *Acertei no milhar*)] 10 Obter êxito, resultado ou efeito esperado [*tr.* + *com, em*: *Os professores acertaram com a/na eleição do diretor.*] 11 *Bras.* Ensinar (passo, comportamento etc.) a animal de sela [*td.*: *Com o chicote, o fazendeiro acertou o trote do cavalo.*] 12 *Edit.* Regularizar, ajustar (máquina impressora) [*td.*] [▶1 acertar Apresenta o *e* aberto [é] nas formas rizotônicas (*acerto, acertas*).] [F.: *a-*[2] + *cert(o)* + *-ar*[2] Ant. (1, 3, 4, 9, 10): *errar*. Hom./Par.: *acerto* (fl.), *acerto* ê (sm.); *acertar, assertar* (todas as fl.).]

acerto (a.*cer*.to) [ê] *sm.* 1 Ação ou resultado de acertar 2 Aquilo que se combinou; ACORDO; COMBINAÇÃO [+ *com, entre*: *Houve um acerto com/entre os partidos.*] 3 Adequação, propriedade, bom-senso, em atitude, decisão, ação etc.; SENSATEZ: *Tomou decisões de muito acerto* [+ *em*: *acerto no vestir.*] 4 *Mec.* Regulagem de máquina, motor etc., para que funcione perfeitamente 5 *Esp. Fut.* Treino com bola para ajustar a coordenação dos setores de um time [F.: De *acertar.* Hom./Par.: *acerto* (fl. de *acertar* e sm.), *asserto* (fl. de *assertar* e sm.).] ◼ **~ de contas** Represália, retaliação

acervar (a.cer.*var*) *v. td.* 1 Amontoar, juntar: *Acervar vidrinhos, planos, sonhos.* 2 *Bras.* Inventariar, registrar (um acervo ou o acervo de): *Acervaram a correspondência de Clarice Lispector; Acervou os bens da empresa.* [▶1 acervar] [F.: Do lat. *acervare.* Hpm. /Par.: *acervo* (fl.), *acervo* (sm).]

acervo (a.*cer*.vo) [ê] *sm.* 1 Conjunto, reunião, grande quantidade (de algo) 2 Conjunto de obras, produções etc. de uma instituição ou organização (acervo fonográfico; acervo iconográfico) 3 Conjunto de bens de propriedade pública ou particular que compõem um patrimônio: *o acervo cultural da cidade de Ouro Preto* 4 *Jur.* Coleção dos bens que constituem uma herança [Dim.: *acérvulo.*] [F.: Do lat. *acervus, i.* Hom./Par.: *acervo* (sm.), *acervo* (fl. de *acervar*).]

acérvulo (a.*cér*.vu.lo) *sm.* 1 Pequeno acervo 2 *Biol.* Frutificação típica de fungos do gênero *Colletotrichum*, onde são produzidos os seus esporos 3 *Neur.* Concreção mineralizada (de cálcio, magnésio) que pode ocorrer no plexo coroide e na glândula pineal [F.: Do lat. *acervulus, i.*]

aceso (a.*ce*.so) [ê] *a.* 1 Que se acendeu ligando a corrente elétrica (luz acesa, lâmpada acesa); LIGADO 2 Que se acendeu, produzindo chama ou brasa que arde, emitindo luz e calor (fogueira acesa, vela acesa, fósforo aceso) 3 *Fig.* Entusiasmado, excitado, empolgado: *As crianças estavam acesas antes de entrarem no palco.* 4 Alerta, atento, com os sentidos aguçados: *Ouvia atentamente, aceso, captando tudo.* 5 Veemente, intenso, ardente (paixão acesa) 6 Excitado, irritado, irado: *Agitava-se inquieto, aceso pelas provocações do adversário.* 7 Avermelhado, corado (rosto, face): *Vibrava, o rosto aceso de excitação.* [F.: Part. de *acender.* Ant. (1, 2): *apagado.*]

acessado (a.ces.*sa*.do) *a.* 1 A que se teve ou se tem acesso 2 *Inf.* Obtido, utilizado ou tornado disponível (dado, serviço ou dispositivo) por meio de conexão e comunicação com computador ou equipamento computadorizado [F.: Part. de *acessar.*]

acessão (a.ces.*são*) *sf.* 1 Ação ou efeito de aceder, de consentir; ACEDÊNCIA; ANUÊNCIA [+ *a*: *acessão a um tratado.* Ant.: *recusa, reprovação.*] 2 *Jur.* Direito do proprietário sobre o que produz a sua propriedade, ou sobre o que se lhe une e se lhe incorpora; aquisição de propriedade alheia com base nesse direito 3 O fato de se unir ou incorporar à propriedade alguma coisa 4 A coisa assim incorporada 5 Ato ou efeito de aumentar, acrescentar, de unir ou adicionar a outras coisas ou pessoas; ACRÉSCIMO; ACHEGA: "A data de 1º de maio de 2004 marcou a acessão de dez novos Estados-membros aos quadros da União Europeia (UE)..." (Durval de Noronha Goyos, *O alargamento da União Europeia e as profissões legais nos novos membros – Última instância – Revista Jurídica* – 16.06.2004) 6 Elevação ou promoção a uma dignidade ou posto superior (acessão à gerência do banco) [Ant.: *deposição.*] [F.: Do latim *accessio, onis.* Hom./Par.: acessão (sf.), *assessão* (sf.).]

acessar (a.ces.*sar*) *v. td. Bras. Inf.* Iniciar comunicação eletrônica com (computador, rede de computadores, programa ou arquivo em computador etc.); conectar-se a: *acessar a internet.* [▶1 acessar Nas formas rizotônicas, pronuncia-se aberto o *e* do radical (*acesso, acesses* [é]).] [F.: Do lat. *acessum*, supino do verbo *accedere.* Hom./Par.: *acesso* (fl.), *acesso* (sm.).]

acessibilidade (a.ces.si.bi.li.*da*.de) *sf.* 1 Caráter ou condição daquilo ou daquele que é acessível 2 *Restr.* Possibilidade de aproximação; característica de um local a que se pode chegar com maior ou menor facilidade: *O porto de Santos tem/permite/dá boa acessibilidade aos navios cargueiros.* 3 Caráter ou condição da pessoa com quem é fácil relacionar-se ou interagir, que é cooperativa ou atenciosa: *político de boa acessibilidade.* 4 Possibilidade ou facilidade de se obter, utilizar, adquirir: *acessibilidade dos serviços públicos; acessibilidade dos resultados da pesquisa.* 5 Qualidade de um texto, material informativo, programas e aplicativos de informática, obra artística etc. de ser, às vezes por meios especialmente desenvolvidos, acessível a qualquer pessoa, qualquer que seja sua capacitação, ou seja, mesmo para pessoas que tenham dificuldade ou impossibilidade de ver, locomover-se, ler ou interpretar textos, usar teclado ou mouse, falar ou compreender a língua na qual o material é expresso, poder usar mãos, olhos, ouvidos etc. (como na situação de estar conduzindo veículo, ou em ambientes escuros ou barulhentos), dispor de equipamento ou programas compatíveis etc. [F.: Do latim *accessibilitas, atis.*]

acessional (a.ces.si:o.*nal*) *a2g.* 1 *Med.* Que se apresenta de maneira intermitente, em acessos (dor acessional) 2 *p. us.* Que se acrescenta; que é objeto ou resultado de acessão ou acréscimo; adicional [F.: De *acessão* (lat. *accessionis*) + *-al.*]

acessível (a.ces.*sí*.vel) *a2g.* 1 A que se pode chegar facilmente, a que se tem fácil acesso (diz-se de lugar) 2 Possível de se alcançar ou fazer: *O programa Educação a Distância tornou o ensino mais acessível.* 3 Diz-se de mercadoria, serviço etc. que tem preço ou custo baixo ou razoável; diz-se desse preço ou custo 4 Com quem é fácil a comunicação, o trato: *um professor muito acessível.* 5 Fácil de entender [+ *a*: *um livro acessível (a todos).*] 6 Diz-se de material informativo, cultural, artístico etc. cujos padrões de apresentação permitem acessibilidade (5) [Pl.: *-veis.*] [F.: Do lat. *accessibilis.*]

acesso (a.*ces*.so) [é] *sm.* 1 Ação ou possibilidade de entrar, ingressar ou chegar ou passar em um lugar: *Já está liberado o acesso à nova seção do museu; Não é permitido o acesso de pedestres nessa ponte.* 2 Possibilidade de ingresso, admissão em (instituição, curso etc.): *Todos deveriam ter acesso ao ensino superior.* 3 Passagem, trânsito para se chegar a um lugar: *vias de acesso à cidade.* 4 Possibilidade de ou permissão para se obter ou utilizar (algo): *o acesso a informações.* 5 Comunicação, trato, disponibilidade, atenção: *pessoa de fácil acesso.* 6 Ataque súbito (acesso de riso/de tosse) 7 *Inf.* Possibilidade de comunicação ou estabelecimento de comunicação com computador ou rede de computadores para obter e utilizar dados, programas, serviços etc. 8 *Inf.* Possibilidade de conexão ou conexão com a internet ou com um *site* da internet feita por um usuário de computador [F.: Do lat. *acessus, us.* Hom./Par.: *acesso* (sm.), *acesso* (fl. de *acessar*).] ◼ **~ discado** *Inf.* Conexão à internet via telefone e modem

acessório (a.ces.*só*.ri:o) *a.* 1 Que se acrescenta ao que é principal [+ *a, de*: *um elemento acessório ao/do conjunto*] 2 *P. ext.* Que é menos importante; SECUNDÁRIO: "Não podemos (...) deixar que as grandes questões se percam nas pequenas, no que é acessório" (*Folha de S.Paulo*, 16.09.1999) 3 *Gram.* Diz-se de termo da oração que se junta a um substantivo, adjetivo ou verbo para precisar seu significado *sm.* 4 Qualquer peça ou objeto que complemente outro, tornando-o mais eficiente, confortável etc.: *O fone de ouvido é um acessório fundamental para este tocador de MP3.* 5 Objeto, peça ou enfeite para compor uma decoração, um traje etc.: *Vestia uma roupa simples, sem um único acessório.* 6 Qualquer peça, ferramenta, dispositivo etc. us. como instrumento em uma atividade ou tarefa 7 *Cin. Teat. Telv.* Cada objeto ou adereço us. para compor um cenário em cena de filme, novela etc. 8 Toda peça, implemento, dispositivo etc. que visa a propiciar maior conforto, segurança, bem-estar etc. a passageiro ou condutor de automóvel ou outro veículo: *O capacete é acessório indispensável ao motoqueiro.* [F.: Do lat. medv. *accessorius.* Hom./Par.: *acessório* (a. sm.), *assessório* (a.); *acessória* (a. fem.), *assessoria* (sf.).]

acessual (a.ces.su:*al*) *a2g.* Que se manifesta por acessos (tosse acessual) [Pl.: *-ais.*] [F.: *acesso* + *-ual.*]

acesume (a.ce.su.me) *sm. MA Pop.* Vivacidade ou empolgação exageradas, animação em excesso; ASSANHAMENTO [F.: *aceso* + *-ume.*]

acetabular (a.ce.ta.bu.*lar*) *a2g.* Referente a ou que é próprio de acetábulo [F.: *acetábulo* + *-ar*[1].]

acetabulária (a.ce.ta.bu.*lá*.ri:a) *Bot. sf.* 1 Gên. de algas verdes acetabuliformes, encontradas nos mares tropicais presas a rochas e conchas 2 Designação comum a várias algas desse gênero [F.: Adaptç. do lat. cient. *Acetabularia*, (*acetabul(i)-* e *-ária*).]

acetabuliforme (a.ce.ta.bu.li.*for*.me) *a2g.* Que tem forma de acetábulo, de taça; ACETABULADO [F.: Do fr. *acétabuliforme.*]

acetábulo (a.ce.*tá*.bu.lo) *sm.* 1 Concavidade em forma de taça 2 *Arqueol.* Vaso romano antigo, pequeno, pouco fundo e com borda redonda, us. como recipiente para vinagre e condimentos 3 *Bot.* Cálice das flores, com o formato aproximado deste vaso 4 *Anat.* Cavidade de osso, em forma de taça, e na qual se encaixa e se articula a cabeça ou apófise de outro osso, esp. cada uma das cavidades do ísquio, que recebem a cabeça dos fêmures 5 *Mús.* Instrumento musical em forma de prato ou taça, que se percute com uma baqueta 6 *Zool.* Cada uma das cavidades, no tórax dos insetos, em que se articulam as patas 7 *Zool.* Designação dada a ventosas do corpo de certos vermes e moluscos [F.: Do latim *acetabulum, i.*]

acetaldeído (a.ce.tal.de.*í*.do) *sm. Quím.* Substância resultante da oxidação moderada do álcool etílico; aldeído acético [F.: *acet(i)-* + *aldeído.*]

acetato (a.ce.*ta*.to) *sm.* 1 *Quím.* Todo sal e todo éster do ácido acético ($C_2H_4O_2$) (acetato de chumbo) 2 *Radt.* Disco us. como matriz na prensagem de discos fonográficos 3 *Cin. Fot.* Base de filme fotográfico e cinematográfico [F.: Do lat. *acetatus.*] ◼ **~ de celulose** Éster de celulose; us. na indústria (filmes fotográficos, vernizes etc.) **~ de polivinila** *Quím.* Polímero do acetato de vinila (tb. chamado PVA), us. na indústria de tintas, adesivos etc. **~ de vinila** *Quím.* Substância (fórm.: $C_4H_6O_2$) cujas moléculas formam o polímero acetato de polivinila

◎ **acet(i)-** *el. comp.* = 'vinagre'; 'ácido acético'; 'grupo acetila': *acetificar, acetímetro, acetol, acetoso* (< lat.); *acetato, acetólise; acetaldeído* [F.: Do lat. *acetum, i*, 'vinagre'. Em voc. da terminologia química.]

acetia (a.ce.*ti*.a) *sf.* 1 Estado ou condição de azedo ou ácido; tendência para azedar; ACIDEZ; AZEDIA 2 *Enol.* Doença do vinho que o faz azedar, transformando-se em vinagre; ASCÊNCIA; AZEDIA [F.: *acet(i)-* + *-ia*[1].]

acético (a.*cé*.ti.co) *a.* 1 Que pertence ou se refere ao vinagre 2 *Quím.* Diz-se do ácido que constitui a base do vinagre ($C_2H_4O_2$), de uso industrial 3 *Quím.* Diz-se de certo anidrido ($C_4H_6O_3$) 4 *Quím.* Diz-se de certo aldeído (C_2H_4O) [F.: Do fr. *acétique.* Hom./Par.: *acético* (a.), *ascético* (a.), *asséptico* (a.).]

acetificação (a.ce.ti.fi.ca.*ção*) *sf.* 1 Ação ou resultado de acetificar(-se) 2 *Quím.* Processo que transforma determinadas substâncias em ácido acético 3 *Enol.* Reação química que transforma substância (esp. o vinho) em vinagre [Pl.: *-ções.*] [F.: *acetificar* + *-ção.*]

acetificar (a.ce.ti.fi.*car*) *v.* Converter em vinagre, em ácido acético [*td.*: *acetificar o vinho.*] [*int.*: *O álcool se acetificou.*] [▶11 acetificar] [F.: *acet(i)-* + *-ficar.*]

◎ **acetil-** *el. comp. Quím.* = '(substância que apresenta) radical acetila': *acetilcoenzima, acetilacetona, acetilcolina* [F.: Do fr. *acétyle.*]

acetilacetona (a.ce.til.a.ce.*to*.na) *sf. Quím.* Dicetona acíclica ($C_5H_8O_2$), líquida, incolor, us. em sínteses orgânicas [F.: *acetil-* + *acetona.*]

acetilacetonato (a.ce.til.a.ce.to.*na*.to) *sm. Quím.* Todo composto formado pela acetilacetona e um cátion metálico [F.: *acetilaceton(a)* + *-ato.*]

acetil-coenzima A (a.ce.til-co.en.*zi*.ma A) *sf. Bioq.* Enzima formada na mitocôndria pela ligação de um grupo acetil (-CCH_3O) ao grupo tiol (-SH) da coenzima A [Abrev.: Acetil-CoA] [Pl.: *acetil-coenzimas A.*] [F.: *acetil* + *coenzima.*]

acetilcolina (a.ce.til.co.*li*.na) *sf. Bioq.* Substância que atua como neurotransmissor no organismo humano e de vários outros animais, liberada por células do sistema nervoso autônomo [F.: *acetil-* + *colina*[2].]

acetilcolinesterase (a.ce.til.co.li.nes.te.*ra*.se) *sf. Bioq.* Enzima catalisadora da hidrólise do neurotransmissor acetilcolina [F.: *acetilcolin(a)* + *esterase.*]

acetilene (a.ce.ti.*le*.ne) *sm.* Ver *acetileno*

acetileno (a.ce.ti.*le*.no) *sm. Quím.* Hidrocarboneto não saturado, gás incolor, inflamável e tóxico, us. na iluminação e em maçaricos para solda [Fórm.: C_2H_2] [F.: Do fr. *acétylène.* Us. tb. a f. *acetilene.*]

acetileto (a.ce.ti.*le*.to) [ê] *sm. Quím.* Todo derivado do acetileno resultante da substituição dos hidrogênios; CARBURETO [F.: *acetil(eno)* + *-eto.*]

acetilsalicílico (a.ce.til.sa.li.*cí*.li.co) *a. Quím.* Diz-se de ácido us. na medicina como analgésico e antipirético, e que constitui o princípio ativo da aspirina [Ver *ácido acetilsalicílico* no verbete *ácido*.] [F.: *acetil-* + *salicílico*.]

acetímetro (a.ce.*tí*.me.tro) *sm. Quím.* Instrumento que mede o teor de ácido acético num líquido (e, portanto, o grau de acidez de um vinagre); ACETÔMETRO [F.: Do fr. *acétimètre*.]

acetinação (a.ce.ti.na.*ção*) *sf.* **1** Ação ou resultado de acetinar(-se); ACETINAGEM; AMACIAMENTO **2** Acabamento que produz um efeito opaco em uma superfície metálica [Pl.: *-ções*.] [F.: *acetinar* + *-ção*.]

acetinado (a.ce.ti.*na*.do) *a.* Que se acetinou; que imita o cetim ou a ele se assemelha em sua maciez e brilho (tecido acetinado; textura acetinada) [F.: Part. de *acetinar*.]

acetinar (a.ce.ti.*nar*) *v.* **1** Tornar(-se) liso, macio e brilhante como o cetim [***td.***: *creme para acetinar a pele*] [***int.***: *Com esse creme, sua pele acetinou(-se)*] **2** *Ind. Pap.* Na fabricação do papel, fazê-lo liso e brilhante mediante processos industriais [▶ **1** acetinar] [F.: *a-*² + *cetim* + *-ar*².]

◎ **acet(o)-** *el. comp.* Ver *acet(i)-*

acetol (a.ce.*tol*) *sm. Quím. Farm.* Vinagre no estado de sua maior pureza, preparado por destilação, e com propriedades medicinais [Pl.: *-tóis*.] [F.: *acet(i)-* + *-ol*².]

acetólise (a.ce.*tó*.li.se) *sf. Quím.* Reação de uma molécula provocada pela presença do ácido acético [F.: *ace(t)(o)-* + *-lise*.]

acetona (a.ce.*to*.na) *sf. Quím.* Líquido incolor, muito volátil, inflamável, com cheiro de éter, us. como solvente para tintas, vernizes (esp. esmalte de unha) e na fabricação de plásticos, fibras e produtos químicos; PROPANONA [Fórm.: C_3H_6O] [F.: Do fr. *acétone*.]

acetonitrila (a.ce.to.ni.*tri*.la) *sf. Quím.* Composto utilizado como solvente [Fórm.: C_2H_3N] [F.: *acet(o)-* + *nitrila*.]

acetonuria (a.ce.to.nu.*ri*.a) *sf.* Ver *acetonúria*

acetonúria (a.ce.to.*nú*.ri:a) *sf. Med.* Presença de acetona (e/ou de derivados e de corpos que a contêm) na urina [F.: *acetona* + *-úria* ou *-uria*. Us. tb. a f. *acetonuria*.]

acetoso (a.ce.*to*.so) [ô] *a.* **1** Que tem qualidade acética ou que contém vinagre **2** Que tem gosto avinagrado, azedo (vinho acetoso) [Fem. e pl.: *ó*.] [F.: Do lat. tardio *acetosus, a, um*.]

◎ **-acha** *suf. nom.* Ver *-acho*

acha¹ (*a*.cha) *sf.* Pedaço de madeira, ger. em estado natural, us. como lenha em fogo ou fogueira; CAVACO; ESTILHA [F.: Do lat. *astula*. Hom./Par.: *acha* (sf.), *acha* (fl. de *achar*).]

acha² (*a*.cha) *sf.* **1** Arma us. antigamente, com o feitio do machado, tb. chamada acha de armas **2** *Her.* Timbre que caracteriza a nobreza de origem militar [F.: Do fr. *hache*. Hom./Par.: *acha* (sf.), *acha* (fl. de *achar*).]

achacadiço (a.cha.ca.*di*.ço) *a.* Muito sujeito a achaques (homem achacadiço); ACHACOSO [F.: *achacad(o)* + *-iço*.]

achacado (a.cha.*ca*.do) *a.* **1** Diz-se de quem foi molestado ou sofreu algum tipo de ameaça ou intimidação: *Motoristas achacados queixam-se da ação de pivetes no bairro.* **2** *Bras. Pop.* Diz-se de quem foi extorquido mediante ameaça de multa ou prisão, sob pretexto de ter cometido alguma irregularidade ou ato ilícito **3** Que se encontra doente (esp. sem gravidade), com achaque ou mal-estar; ENFERMO [F.: Part. de *achacar*.]

achacador (a.cha.ca.*dor*) [ô] *a.* **1** Que achaca **2** *Bras. Pop.* Ref. ao que achaca alguém pressionando, constrangendo ou extorquindo-lhe dinheiro (fiscal achacador) *sm.* **3** O que achaca **4** *Bras. Pop.* Aquele que achaca alguém pressionando, constrangendo ou extorquindo-lhe dinheiro: *O achacador foi desmascarado pelos próprios companheiros.* **5** *Lus.* Vigarista, especialista em conto do vigário [F.: *achacad(o)* + *-or*.]

achacamento (a.cha.ca.*men*.to) *sm.* **1** Ato ou efeito de achacar **2** Ação de extorquir, exigindo dinheiro para livrar de multa ou prisão: *Clientes assistiam indignados ao achacamento do comerciante; achacamento policial contra cidadãos pacíficos.* **3** *P. ext.* Pressão, intimidação, ato de arbitrariedade cometido por quem detém autoridade ou poder [F.: *achacar* + *-mento*.]

achacar (a.cha.*car*) *v.* **1** *Bras. Gír.* Tirar dinheiro de (alguém) por meio de ameaça ou chantagem; EXTORQUIR [***td.***] **2** Roubar alguém mediante ameaça, coação, intimidação [***td.***: *O ladrão achacou a jovem e levou sua bolsa.*] **3** Causar desgosto, incômodo, mal-estar; INCOMODAR; MOLESTAR [***td.***: *Vivia achacando o colega com insistentes pedidos e exigências.*] **4** Imputar restrição ou defeito a; CRITICAR; TACHAR [***td.***: *Crítico, achacava os artigos publicados.*] [***tdp.***: *Crítico, achacava de irrelevantes os artigos publicados.*] **5** Adoecer, enfermar, ter achaques [***int.***: *Os mais velhos tendem a achacar(-se) mais.*] **6** Apresentar como pretexto; PRETEXTAR [***td.***: *Achacou uma doença imaginária para faltar ao trabalho.*] [▶ **11** achacar] [F.: *achaque* + *-ar*² Hom./Par.: *achaque* (fl.), *achaque* (sm.).]

achadiço (a.cha.*di*.ço) *a.* Fácil de achar; ENCONTRADIÇO [F.: *achado* + *-iço*.]

achado (a.*cha*.do) *a.* **1** Que se achou, por acaso ou por se ter procurado; ENCONTRADO **2** Que se descobriu, se achou pela primeira vez; DESCOBERTO *sm.* **3** Ação ou resultado de achar, de encontrar; ACHAMENTO; DESCOBRIMENTO: *Exultou com o achado dos originais que julgava perdidos.* **4** Aquilo que se achou, por acaso ou não: *seção de achados e perdidos.* **5** Algo raro ou de grande valor, que se encontra por acaso: *Adquirira a escultura, um verdadeiro achado, num antiquário* **6** *Bras. Pop.* Mercadoria boa e de preço abaixo do normal; PECHINCHA: *Fui à Feira do Livro, e olha só que achado!* **7** *Bras.* Solução, ideia ou acontecimento feliz e providencial, ou aquilo que deles resulta; acerto: *Esta rima é um verdadeiro achado.* [F.: Part. de *achar*.] ■ **~s do vento** Ideias soltas, que surgem casualmente **Não se dar por ~** Ficar indiferente, não se tocar ou incomodar **Ser um ~** Ser oportuno, conveniente; vir a calhar

achadoiro (a.cha.*doi*.ro) *sm.* Ver *achadouro*

achadouro (a.cha.*dou*.ro) *sm.* **1** Lugar onde se achou algo **2** *Bras. Arqueol.* Sítio arqueológico [F.: *acha(r)* + *-douro*² (ou *-doiro*²). Us. tb. a f. *achadoiro*.]

achamboado (a.cham.bo.*a*.do) *a.* **1** Que não é autêntico; imperfeito, mal realizado, espúrio: "...Ostentando, como os outros dominadores do solo, um feudalismo achamboado – que o levava a transmudar, em vassalos os foreiros humildes e em servos os tapuias..." (Euclides da Cunha, *Os Sertões*) **2** Diz-se do que é malfeito, grosseiro, desajeitado; ACHAVASCADO **3** Que é deselegante, maltrajado: "...em cima respirou com força e tomou à direita, lento, achamboado, desaparecendo num corredor." (Coelho Netto, *O Turbilhão*) [F.: Part. de *achamboar*.]

achamboar (a.cham.bo.*ar*) *v. td. int.* Revelar(-se) chambão, grosseiro; ACHAMBONAR(-SE); ENCHAMBOAR(-SE) [▶ **16** achamboar] [F.: *a-* + *chambão* + *-ar*.]

achamento (a.cha.*men*.to) *sm.* Ação ou resultado de achar; ACHADO; DESCOBRIMENTO: *O achamento do Brasil pelos portugueses.* [F.: *achar* + *-mento*.]

achamorrado (a.cha.mor.*ra*.do) *a.* **1** *Ant.* Tosquiado, tosado **2** *Bras.* Diz-se do que tem forma achatada, esp. nariz (nariz achamorrado) [F.: *a-*² + esp. *chamorro* + *-ado*¹.]

achanar (a.cha.*nar*) *v.* **1** Tornar(-se) chão, liso, plano; APLANAR [***td.***: *achanar uma estrada de terra.*] [***int.***: *Após o maremoto, o mar ainda não se achanou.*] **2** *Fig.* Tornar(-se) tranquilo ou pacífico; TRANQUILIZAR(-SE); APAZIGUAR(-SE) [***td.***: *Nada o consegue achanar.*] [***int.***: *Após a sua intervenção, o ambiente achanou-se.*] **3** *Fig.* Vencer, abater [***td.***] **4** *N. O. Fig.* Fazer sofrer humilhação; HUMILHAR [***td.***: *Costuma achanar os empregados.*] [▶ **1** achanar] [F.: *a-* + *chão* + *-ar*.]

◎ **-achão** *suf. nom.* = 'que é muito (o que diz palavra base ou rad. nom.)': *bonachão* [F.: *-acho* + *-ão*¹. A integração entre o suf. dim. *-acho* e o aumentativo *-ão* apresenta conotação afetiva, com noção talvez de totalidade e apreço.]

achaparrado (a.cha.par.*ra*.do) *a.* **1** Semelhante no aspecto ao chaparreiro (ou chaparro) **2** Diz-se de indivíduo baixo e gordo, ou de algo baixo, acachapado: "...casebre de aspecto ruinoso, achaparrado, poento..." (Coelho Neto, *Fogo-fátuo*) [F.: Part. de *achaparrar*.]

achaparrar (a.cha.par.*rar*) *v. int.* **1** Crescer (esp. árvore) pouco em altura e muito em largura **2** Tornar(-se) dilatado, inchado [▶ **1** achaparrar] [F.: *a-* + *chaparro* + *-ar*.]

achaque (a.*cha*.que) *sm.* **1** Mal-estar frequente, sem muita gravidade **2** Defeito ou imperfeição moral ou comportamental, vício **3** Imputação ou acusação sem fundamento **4** O que é apresentado como causa ou motivo de algo (ger. não verdadeiro); pretexto **5** *Ant. Jur.* Multa ou imposto estabelecidos por condenação judicial [Dim.: *achaquilho*] [F.: De or. contrv., posv do ár. *as-saka*. Hom./Par.: *achaque* (sm.), *achaque* (fl. de *achacar*).]

achar (a.*char*) *v.* **1** Encontrar (alguém ou algo) que se está ou não procurando [***td.***: *Achamos o livro.* Ant.: *perder*] **2** Conseguir, alcançar, obter [***td.***: *Lutou muito para achar um emprego.*] **3** Descobrir (resultado, modo de fazer algo) [***td.***: *Ainda não achei um jeito de consertar o rádio.*] **4** Ter como opinião sobre, considerar, julgar, supor [***tdp.***: *Há pessoas que acham jiló uma delícia; Ele se acha um gênio.*] [***td.***: "...começou a achar que ele estava com a razão..." (Paulo Coelho, *Brida*)] **5** Pensar, acreditar [***td.***: *Se você acha que eles vão desistir, enganou-se.*] **6** Deparar com, encontrar, constatar (estado de algo) [***tdp.***: *Voltou para casa de madrugada e achou seu quarto todo revirado.*] **7** Estar (em determinada condição ou situação ou em determinado momento ou local); ENCONTRAR-SE [***tp.***: *A porta achava-se entreaberta; Esses livros já se acham disponíveis na biblioteca.*] [***ta.***: *A loja se acha no centro da cidade.*] **8** Considerar (certa ação ou atitude) oportuno ou conveniente, optar por, decidir [*tr.* + *de*: *Apesar da crise, achou de reformar toda a casa.*] **9** Contar com, ou receber o auxílio, a proteção, o consolo de [*tdr.* + *com, em*: *Na minha doença, foi com este amigo que me achei; Achou na música um lenitivo.*] [▶ **1** achar] [F.: Do lat. *afflare* 'soprar'. Explica-se a evolução semântica pelo fato de o voc. ter or. na linguagem dos caçadores: do sentido primitivo do lat. 'soprar' passou-se ao de 'sentir a proximidade da caça pelo odor, farejar' e, daí, 'descobrir, encontrar (a caça)'. Hom./Par.: *acha* (fl.), *acha* (sf.).] ■ **~ por bem** Achar conveniente; decidir ou preferir (algo) por achá-lo adequado

acharoado (a.cha.ro:*a*.do) *a.* **1** Envernizado com charão (móvel acharoado) **2** Semelhante ao charão [F.: Part. de *acharoar*.]

acharoamento (a.cha.ro:a.*men*.to) *sm.* Ação ou resultado de acharoar [F.: *acharoar* + *-mento*.]

acharoar (a.cha.ro.*ar*) *v. td.* **1** Cobrir com charão ou envernizar imitando o charão: *Acharoou a mesa.* **2** Dar feição, aparência de charão, de algo coberto ou envernizado com charão a [▶ **16** acharoar] [F.: *a-*² + *charão* (rad. *charo-*) + *-ar*², com desnasalação.]

achatadela (a.cha.ta.*de*.la) *Pop. sf.* **1** Ação ou resultado de achatar levemente; AMASSADELA; AMOLGADELA **2** *Fig.* Reprimenda leve **3** *Fig. Pop.* Ação ou resultado de vencer (ou ser vencido por) outrem em uma discussão [F.: *achata(r)* + *-dela*.]

achatado (a.cha.*ta*.do) *a.* **1** Que é ou se tornou chato, plano ou quase plano **2** *Fig.* Que se tornou excessivamente baixo (salários achatados) **3** *Fig.* Vencido em discussão ou disputa; rebaixado moral ou fisicamente [F.: Part. de *achatar*. Ideia de 'achatado': *plat(i)-* (*platidáctilo*).]

achatamento (a.cha.ta.*men*.to) *sm.* **1** Ação ou resultado de achatar **2** *Astr.* Parâmetro, ger. diminuto, que define a não esfericidade de um astro, obtido da relação entre o diâmetro equatorial e a diferença entre este diâmetro e o polar **3** *Est.* Numa curva de densidade de probabilidade, parâmetro de sua deformação em relação à curva de distribuição de Gauss [F.: *achatar* + *-mento*.] ■ **~ salarial** Situação da economia na qual o aumento dos salários é inferior ao aumento dos preços, o que resulta na perda do valor aquisitivo daqueles

achatar (a.cha.*tar*) *v.* **1** Tornar(-se) (mais) plano, (mais) chato; APLANAR; ESMAGAR [***td.***: *achatar a massa.*] [***int.***: *As frutas achataram(-se) com a queda.*] **2** Diminuir ou ter diminuída protuberância, curvatura, relevo etc. [***td.***: *A erosão achatou as montanhas da região; Com uma faca achatou o galo que formara na testa do menino.*] [***int.***: *A bola perdeu ar e achatou(-se).*] **3** *Fig.* Diminuir ou ter diminuídos o valor material, a importância etc. [***td.***: *A inflação achatou os salários:* "A indústria denuncia a capacidade crescente dos varejistas de achatar seus ganhos..." (*Gazeta Mercantil*, 25.04.2003)] [***int.***: *Com a inflação, os salários achataram(se).*] **4** *Fig.* Abater ou se abater moralmente; HUMILHAR [***int.***: *Achatava-se quando era criticado.*] [***td.***: *A reprovação achatou o rapaz.*] **5** Vencer, impor-se a, suplantar amplamente, física e/ou moralmente [***td.***: *Seus argumentos achataram os do adversário.*] [▶ **1** achatar] [F.: *a-*² *chat(o)* + *-ar*².]

achavascado (a.cha.vas.*ca*.do) *a.* **1** Feito sem destreza ou sem capricho; grosseiro, tosco, malfeito; ACHAMBOADO: *um banco achavascado.* **2** Que não tem, ou perdeu, refinamento ou polidez (no comportamento) **3** Desfigurado, deturpado, descaracterizado [F.: Part. de *achavascar*.]

achavascar (a.cha.vas.*car*) *v.* **1** Dar mau acabamento a (esp. obra em madeira) [***td.***: *Nosso marceneiro nunca achavascou um móvel.*] **2** *Fig.* Tornar-se bronco, rude, grosseiro; EMBRUTECER(-SE) [***int.***: *Achavascou-se de tanto frequentar ambientes sórdidos.*] **3** *Fig.* Deturpar, desfigurar [***td.***] [▶ **11** achavascar] [F.: *a-* + *chavasco* + *-ar*.]

achável (a.*chá*.vel) *a2g.* Que pode ser achado ou encontrado; ENCONTRÁVEL [Pl.: *-veis*.] [F.: *achar* + *-vel*. Hom./Par.: (pl.) *acháveis*, *acháveis* (fl. de *achar*).]

achega (a.*che*.ga) [ê] *sf.* **1** Aquilo que se acrescenta a uma obra ou texto para torná-lo mais completo, mais informativo etc. **2** Aquilo que se acrescenta ao principal; ACRÉSCIMO; ADITAMENTO **3** Rendimento adicional **4** Contribuição para a ampliação ou o aperfeiçoamento de um trabalho, uma obra, uma tarefa etc.; ACHEGO; SUBSÍDIO **5** Material para construção [F.: De *achegar*. Hom./Par.: *achega* (sf.), *achega* (fl. de *achegar*). Mais us. no pl.]

achegado (a.che.*ga*.do) *a.* **1** Próximo, vizinho: *Veio do lugar mais achegado.* **2** Contíguo; fisicamente unido ou ligado a algo ou alguém **3** Ligado ou vinculado a alguém por estreitas por relações familiares ou sociais (diz-se esp. de parente); CHEGADO **4** Confortável, aconchegado *sm.* **5** Parente achegado (3) **6** Aliado, partidário [F.: Part. de *achegar*.]

achegamento (a.che.ga.*men*.to) *sm.* **1** Ação ou efeito de achegar(-se) **2** Condição do que é achegado: proximidade, contiguidade, união, aliança [F.: *achegar* + *-mento*.]

achegar (a.che.*gar*) *v.* **1** Colocar (algo ou alguém, inclusive si mesmo) perto ou junto de (ger. com sentido de intimidade, aconchego etc.); APROXIMAR(-SE) [***td.***: *Pode achegar sua cadeira.*] [***tda.***: *Achegou-o ao peito.*] [***tdr.*** + *a*: "Os negros todos achegaram-se a Joaquim Cambinda..." (Júlio Ribeiro, *A carne*)] **2** *Fig.* Agrupar, aglutinar, reunir (pessoas) [***td.***: *Fazia de tudo para achegar os filhos*] **3** Buscar acolhimento, proteção, refúgio em ou junto a [***tdi.*** + *a*: *Assustada, a criança achegou-se à mãe:* "Busco refúgio, como a ovelha se achega ao aprisco." (Coelho Neto, *A pastoral*)] **4** Dispor, arranjar, arrumar em lugar conveniente [***td.***: *Sentindo frio, calçou as luvas e achegou o cachecol.*] [▶ **14** achegar] [F.: Do lat. *applicare*. Ant. ger.: *afastar*. Hom./Par.: *achega* (fl.), *achega* (sf.); *achego* (fl.), *achego* (sm.).]

achego (a.*che*.go) [ê] *sm.* **1** Ação ou resultado de achegar(-se) **2** *Fig.* Proteção, amparo, aconchego (achego materno) **3** O mesmo que *achega* (4); AUXÍLIO; RECURSO **4** *Bras.* Vantagem ou rendimento inesperado **5** *Bras.* Cônjuge ou companheiro **6** *Bras.* Encosto, apoio [F.: Dev. de *achegar*. Hom./Par.: *achego* (sm.), *achego* (fl. de *achegar*).]

achibantado (a.chi.ban.*ta*.do) *a.* Que tem jeito ou modos de chibante [F.: Part. de *achibantar*.]

achibantar (a.chi.ban.*tar*) *v.* Fazer assumir ou assumir modos ou atitude de chibante, de fanfarrão, jactancioso, presunçoso; CHIBANTEAR(-SE) [***td.***: *Elogios hipócritas achibantaram-no.*] [***int.***: *Tanto foi adulado que se achibantou.*] [▶ **1** achibantar] [F.: *a-*² + *chibante* + *-ar*².]

achicar¹ (a.chi.*car*) *v. td. Ant. Mar.* Retirar, drenar água de (embarcação): *Os marinheiros achicaram a casa das máquinas.* [▶ **11** achicar] [F.: do lat. *exsiccare*.]

achicar² (a.chi.*car*) *RS v.* **1** Fazer ficar ou ficar, tornar(-se) (mais) pequeno [***td.***: *achicar a distância para o laço.*] [***int.***: *A distância achicou- se e ele pôde atirar o laço.*] **2** *Fig.* Fazer ficar ou ficar, tornar(-se) sem valor ou importância, ou menos valioso ou importante [***td.***: *Tendia a achicar os méritos do adversário.*] [***int.***: *Aos poucos percebeu que sua* *influência e prestígio achicavam-se.*] **3** *Fig.* Causar ou sentir medo, amedrontar(-se), acovardar(-se) [**td.**: *O perigo o achicou, e ele deisistiu.*] [**int.**: *Achicava-se ante qualquer risco ou perigo.*] [▶ **11 achicar**] [F.: Do espn. *achicar.*]

achichelar (a.chi.che.*lar*) *v.* **1** Arrastar ou fazer soar (os passos) como que ao andar de chinelos [**td.**] **2** *CE* Dar ou adquirir forma de chinelo; ACHINELAR [**td.**: *A pedido da freguesa, o sapateiro achichelou suas sandálias.*] [**int.**: *Com aquela sua mania de deixar o calcanhar de fora, seu sapato achichelou-se.*] [▶ **1 achichelar**] [F.: *a-*[2] + *chichelo* + *-ar*[2].]

achincalhação (a.chin.ca.lha.*ção*) *sf.* Ação ou resultado de achincalhar(-se); ACHINCALHAMENTO; ACHINCALHE; ESCÁRNIO; ZOMBARIA: "...o major de Vila Verde disse com um desdém de achincalhação: – Olha quem ele é! Oh que traste! Que grande mariola! Forte malandro!" (Camilo Castelo Branco, *A brasileira de Prazins*) [Pl.: *-ções.*] [F.: *achincalhar* + *-ção.*]

achincalhado (a.chin.ca.*lha*.do) *a.* **1** Que sofreu achincalhamento ou zombaria; ESCARNECIDO **2** Que foi objeto de desprezo, humilhação, tratamento indigno [F.: Part. de *achincalhar.*]

achincalhamento (a.chin.ca.lha.*men*.to) *sm.* O mesmo que *achincalhação* [F.: *achincalhar* + *-mento.*]

achincalhar (a.chin.ca.*lhar*) *v. td.* **1** Fazer ou tentar fazer (alguém, inclusive a si mesmo) cair no ridículo; ESCARNECER; RIDICULARIZAR; ZOMBAR: "...e só trata de achincalhar-me." (Joaquim Manuel de Macedo, *A escrava Isaura*) **2** Tratar (algo ou alguém, inclusive a si mesmo) com desprezo, desdém; AVILTAR; HUMILHAR; MENOSPREZAR [▶ **1 achincalhar**] [F.: *a-*[2] + *chincalh(o)* + *-ar*[2] Hom./Par.: *achincalhe* (fl.), *achincalhe* (sm.).]

achincalhe (a.chin.ca.lhe) *sm.* O mesmo que *achincalhamento* [F.: Dev. de *achincalhar.* Hom./Par.: *achincalhe* (sm.), *achincalhe* (fl. de *achincalhar*).]

achinesado (a.chi.ne.*sa*.do) *a.* **1** Que tem modos ou aspecto de chinês **2** Que tem aparência de ou que imita coisa chinesa [F.: Part. de *achinesar.*]

achinesar (a.chi.ne.*sar*) *v.* Dar ou tomar feição, aparência, características, modos e maneiras de ser chineses; ACHINAR-SE [**td.**: *Resolveu achinesar suas feições para combinar com a fantasia.*] [**int.**: *Após cinco anos de vida China já se achinesara.*] [▶ **1 achinesar**] [F.: *a-*[2] + *chinês* + *-ar*[2].]

achismo (a.*chis*.mo) *Bras. Pop. sm.* **1** Fundamentação de uma ideia, de um conceito, de um julgamento apenas em palpite ou opinião subjetiva, sem qualquer outra base ou evidência **2** Tendência a ou hábito de ter ideias com tal fundamentação [F.: *acho* (fl. de *achar* [4, 5]) + *-ismo.*]

◎ **-acho, -acha, -icho, -icha, -ucho, -ucha** *suf. nom.* = 'diminuição' (às vezes com valor pejorativo); 'que é muito pequeno'; 'de qualidade inferior'; 'que é um tanto (o que diz o rad. ou base da palavra)': *barbicacho, cambalacho, friacho; bolacha; canicho, governicho; barbicha, travicha; gorducho, papelucho; casucha* [F.: Do suf. lat. *-culus, a, um*, de diminutivos, tomado por via popular. F. conexas: *-culo* e *-cula.*]

achoar (a.cho.*ar*) *v. td.* **1** Pisar, calcar com os pés (algo que se jogou no chão); ESPEZINHAR **2** *P. ext.* Bater em, dar uma surra em (alguém); ESPANCAR; SURRAR **3** *Lus.* Pôr (algo ou alguém) deitado no chão [▶ **16 achoar**] [F.: *a-*[2] + *chão* + *-ar*[2].]

achocolatado (a.cho.co.la.*ta*.do) *a.* **1** Que tem sabor ou cor de chocolate **2** Em cuja composição entra chocolate *sm.* **3** Produto alimentício achocolatado (2) [F.: *a-*[2] + *chocolat(e)* + *-ado*[2].]

achocolatar (a.cho.co.la.*tar*) *v. td.* **1** Acrescentar chocolate a: *Vovó achocolatou o bolo.* **2** Dar feição (sabor, cor) de chocolate a: *achocolatar o pudim.* [▶ **1 achocolatar**] [F.: *a-*[2] + *chocolate* + *-ar*[2].]

achômetro (a.*chô*.me.tro) *sm. Bras. Joc.* Opinião, julgamento ou impressão, formados de modo intuitivo ou subjetivo, e referidos como um suposto instrumento que dá a capacidade de achar, de emitir opinião ou palpite: *Meu achômetro me diz que o Fluminense será campeão este ano; Isso foi ele que viu lá no achômetro dele.* Pode ser usado para valorizar a opinião emitida, ou, ao contrário, de modo pejorativo.] [F.: *achar* + *-metro.*]

acianoblepsia (a.ci:a.no.blep.*si*.a) *sf. Oft.* Distúrbio visual caracterizado pela incapacidade de distinguir a cor azul; ACIANOPSIA [F.: *a-*[1] + *-cian(o)-* + *-bleps-* + *-ia*[1].]

acianótico (a.ci:a.*nó*.ti.co) *a.* Que não tem cianose [F.: *a-*[1] + *cianótico.*]

aciaria (a.ci:a.*ri*.a) *Metal. sf.* Unidade industrial (em usina siderúrgica) onde se fabrica o aço a partir do ferro-gusa [F.: *aç(o)* + *-i-* + *-aria.*]

acicatado (a.ci.ca.*ta*.do) *a.* **1** Que foi estimulado com acicate ou espora (cavalo acicatado) **2** *Fig.* Estimulado, animado, incentivado [F.: Part. de *acicatar.*]

acicatar (a.ci.ca.*tar*) *v. td.* **1** Estimular com acicate ou espora (a cavalgadura); ESPOREAR: *acicatar o cavalo.* **2** *P. ext.* Provocar reação em, instigar [**td.**: *A informação sobre o concorrente acicatou-o, e ele convocou uma reunião urgente.*] **3** *Fig.* Inspirar ânimo em; ANIMAR; ESTIMULAR; INCENTIVAR: *A promessa de prêmio acicatou os jogadores.* [▶ **1 acicatar**] [F.: *acicat(e)* + *-ar*[2] Hom./Par.: *acicate* (fl.), *acicate* (s. m.). Us. tb. a f. *acicatear.*]

acicate (a.ci.ca.te) *sm.* **1** Tipo de espora que tem um único aguilhão **2** *Fig.* Estímulo, excitação: "Sob o acicate do medo." (Aquilino Ribeiro, *O homem que matou o diabo*) [F.: Do ár. *as-sikkat.* Hom./Par.: *acicate* (sm.), *acicate* (fl. de *acicatar*).]

acicatear (a.ci.ca.te.*ar*) *v.* Ver *acicatar*

acicatura (a.ci.ca.*tu*.ra) *sf. Mús.* Ornamento melódico (muito us. em composições do Barroco tardio) que consiste na execução muito rápida de uma nota dissonante e simultânea à nota principal (ger. uma segunda menor abaixo desta) [F.: Do it. *acciaccatura.*]

aciclia (a.ci.*cli*.a) *sf. Med.* Ausência ou suspensão do movimento dos fluidos corporais [F.: *a-*[1] + *-cicl(o)-* + *-ia*[1].]

acíclico (a.*cí*.cli.co) *a.* **1** Em que não há ciclo(s) ou que não forma ciclos **2** *Bot.* Diz-se das flores cujas partes apendiculares estão dispostas em espiral, e nas quais o intervalo que separa um grupo de apêndices do seguinte não corresponde a um número determinado de voltas da espiral **3** *Quím.* Diz-se dos compostos orgânicos cuja molécula não forma uma cadeia fechada; ALIFÁTICO [F.: *a-*[1] + *cíclico.*]

aciclovir (a.ci.clo.*vir*) *Farm. sm.* Medicamento que combate infecções virais, us. esp. no tratamento dos sintomas do herpes simples, herpes-zóster e varicela [F.: *a*[1]*-* + *ciclo* + *vír(us).*]

acícula (a.*cí*.cu.la) *sf.* **1** Pequeno gancho de osso, madeira ou metal, us. pelas mulheres romanas para prender e adornar os cabelos **2** *Bot.* Qualquer espinho fino, curvo e flexível do organismo vegetal **3** *Bot.* Folha em forma de agulha **4** *Zool.* Espinho ou cerda presente no corpo de certos animais [F.: Do lat. *acicula, ae.* Hom./Par.: *acícula* (sf.), *acicula* (fl. de *acicular*).]

acicular (a.ci.cu.*lar*) *a2g.* **1** Em forma de agulha de coser (monumento acicular) **2** *Bot.* Que tem ponta fina, como acúleo ou espinho: *As folhas do pinheiro são aciculares.* **3** *Min.* Diz-se de cristal fino e alongado semelhante a uma agulha [F.: *acicul(i)-* + *-ar*[1].]

◎ **acicul(i)-** *el. comp.* = 'pequena agulha', 'alfinete': *acicular, aciculiforme* [F.: Do lat. *acicula, ae,* + *-i-.*]

aciculifoliado (a.ci.cu.li.fo.li:*a*.do) *a. Bot.* Diz-se de plantas cujas folhas são aciculares (2) (finas e pontiagudas como agulhas) [F.: *acicul(i)-* + *-foliado.*]

acidamente (a.ci.da.*men*.te) *adv.* **1** *Fig.* De modo agressivo; com intenção de ferir ou destruir: *discutiram acidamente.* **2** Com muita ironia ou com sarcasmo: *Ridicularizou-os acidamente.* [F.: Fem. de *ácido* + *-mente.*]

acidar (a.ci.*dar*) *v. Quím.* Converter(-se) em ácido; fazer ficar ou ficar (mais) ácido; ACIDIFICAR [**td. / int.**] [▶ **1 acidar**] [F.: *ácido* + *-ar*[2]. Hom./Par.: *acido* (fl.), *ácido* (sm.); *acidáveis* (fl.), *acidáveis* (pl. de *acidável* (a2g.).]

acidável (a.ci.*dá*.vel) *a2g.* Que se pode tornar ácido [Pl.: *-veis.*] [F.: *acidar* + *-vel.* Hom./Par.: (pl.) *acidáveis, acidáveis* (fl. de *acidar*).]

acidemia (a.ci.de.*mi*.a) *sf. Med.* Aumento do teor de acidez no sangue, com a diminuição do pH sanguíneo [F.: *acid(i)-* + *-emia.* Cf.: *acidose.*]

acidência (a.ci.*dên*.ci:a) *sf.* **1** Qualidade ou condição do que é acidental, casual; CASUALIDADE **2** *Fil.* Qualidade daquilo que pode ocorrer ou desaparecer sem destruição do sujeito [F.: Do lat. *accidentia, ae.* Hom./Par.: *acidência* (sf.), *acidência* (sf.).]

acidentação (a.ci.den.ta.*ção*) *sf.* **1** Ação ou resultado de acidentar(-se) **2** Estado de um terreno acidentado: "... tabuleiros que sendo percorridos mostram a acidentação caótica de boqueirões escancelados e brutos" (Euclides da Cunha, *Os sertões*) **3** *Mús.* Ocorrência de acidentes em trecho musical [Pl.: *-ções.*] [F.: *acidentar* + *-ção.*]

acidentado[1] (a.ci.den.*ta*.do) *a.* **1** Que se acidentou *a.* **2** Em que ocorreram acidentes e imprevistos (viagem acidentada) **3** Diz-se de terreno ou região muito irregular, altos e baixos, depressões, saliências etc. **4** *Fig.* Cheio de peripécias ou dificuldades (vida acidentada); AGITADO; TUMULTUADO **5** *Mús.* Diz-se de nota ou trecho de música alterados por acidentes musicais *sm.* **6** Característica do que é irregular, acidentado (3): *O acidentado da estrada dificultava a travessia.* [F.: Part. de *acidentar.*]

acidentado[2] (a.ci.den.*ta*.do) *a.* **1** Diz-se de quem sofreu um acidente *sm.* **2** Aquele que se acidentou [F.: Part. de *acidentar.*]

acidental (a.ci.den.*tal*) *a2g.* **1** Que acontece por acidente, sem que haja intenção (disparo acidental; morte acidental) [Ant.: *intencional, proposital.*] **2** Que ocorre por acaso, sem ter sido planejado ou quando não se espera (descoberta acidental; encontro acidental); CASUAL; EVENTUAL; FORTUITO **3** Que não é essencial num certo conjunto ou contexto; ADICIONAL; SUPLEMENTAR: *A ópera é acidental na obra de Beethoven.* **4** *Gram.* Diz-se de propriedade atribuída a um ser (expresso por substantivo) que não lhe modifica a essência e somente a forma como se apresenta circunstancialmente (como, p. ex., qualidade, estado, quantidade) [P. ex.: na frase *Comprei três dúzias de maçãs maduras,* 'três dúzias' e 'maduras' são propriedades acidentais] **5** *Med.* Que sobrevém durante o curso de uma doença, sem que tenha ligação imediata com ela [Pl.: *-tais.*] [F.: Do lat. *accidentalis, e.* Hom./Par.: *acidentais* (pl.), *acidentais* (fl. de *acidentar*).]

acidentalidade (a.ci.den.ta.li.*da*.de) *sf.* Qualidade ou condição do que é acidental, do que não é essencial ou intrínseco [F.: *acidental* + *-(i)dade.*]

acidentalismo (a.ci.den.ta.*lis*.mo) *sm.* **1** *Med.* Teoria que caracteriza as doenças segundo os sintomas, atribuindo-os a causas externas, acidentais, e não orgânicas **2** O mesmo que *acidentalidade* [F.: *acidental* + *-ismo.*]

acidentalização (a.ci.den.ta.li.za.*ção*) *sf. Est.* Método experimental pelo qual se verifica a incidência das probabilidades atribuídas a todos os pontos no espaço da amostra [Pl.: *-ções.*] [F.: *acidentaliza(r)* + *-ção.*]

acidentalizar (a.ci.den.ta.li.*zar*) *v. Est.* Fazer com que (evento, raciocínio, operação) seja aleatório, ao incluir elemento aleatório no processo [▶ **1 acidentalizar**] [F.: *acidental* + *-izar.*]

acidentalmente (a.ci.den.tal.*men*.te) *adv.* **1** Por acidente, por acaso; sem intenção prévia; FORTUITAMENTE: *Um caso que sobreveio acidentalmente.* **2** De modo incidental, episódico; sem caráter de regra ou de obediência a um princípio: *Tratar uma questão acidentalmente.* [F.: *acidental* + *-mente.*]

acidentar (a.ci.den.*tar*) *v.* **1** Causar acidente; fazer ou ser (alguém) vítima de acidente [**td.**: *A capotagem acidentou muitos turistas.*] [**int.**: *Acidentou-se durante a corrida.*] **2** Tornar ou ficar (terreno) irregular, acidentado (3) [**td.**: *A chuva acidentou a estrada.*] [**int.**: *Com a erosão, o terreno acidentou-se.*] **3** *Mús.* Alterar (nota, trecho musical) com acidente(s) (11) [**td.**: *O compositor repassou a partitura e acidentou algumas notas.*] **4** *Art. pl.* Criar, pintando, efeitos de luz em [**td.**: *Acidentou o quadro com efeitos de claro-escuro.*] [F.: *acidente* + *-ar*[2]. Ant. ger.: *desacidentar.* Hom./Par.: *acidente(s)* (fl.), *acidente(s)* (sm. pl.); *acidentais* (fl.), *acidentais* (a2g. pl.); *acidentáveis* (fl.), *acidentáveis* (a2g. pl.).]

acidentário (a.ci.den.*tá*.ri:o) *a.* **1** Acidental, ou que tem caráter de acidente **2** *Jur.* Ref. a acidentes de trabalho ou às leis a esse respeito (legislação acidentária) [F.: *acident(e)* + *-ário.*]

acidentável (a.ci.den.*tá*.vel) *a2g.* Que se pode acidentar, que é passível de acidentalização [Pl.: *-veis.*] [F.: *acidentar* + *-vel.* Hom./Par.: (pl.) *acidentáveis, acidentáveis* (fl. de *acidentar*).]

acidente (a.ci.*den*.te) *sm.* **1** Acontecimento imprevisto, inesperado: *Plutão foi descoberto por um feliz acidente: um erro de cálculo astronômico.* **2** Acontecimento infeliz, desastroso, que pode causar danos, ferimentos, e até a morte (acidente aéreo); DESASTRE **3** Fato ou circunstância secundária; detalhe: *O resultado geral foi satisfatório; há problemas, mas são simples acidentes.* **4** Irregularidade no terreno **5** Efeito causado pela distribuição da luz: *Na catedral gótica, os vitrais multiplicavam os acidentes de luz.* **6** *Pop.* Ataque epiléptico **7** *Fil.* O que não faz parte da essência de algo, podendo, circunstancialmente, a este ser atribuído [P. op. a *essência, substância.*] **8** *Lóg.* Espécie de sofisma que consiste em dar por verdade absolutamente o que não é senão acidentalmente **9** *Med.* Fenômeno patológico inesperado, ou que sobrevém numa doença e a agrava (acidente vascular cerebral) **10** *Mús.* Sinal (como o sustenido, o bemol etc.) que altera o som de uma nota musical **11** *Ling.* Modo pelo qual uma coisa circunstancialmente se apresenta (como, p. ex., expressa por adjetivo, verbo etc.), e não como expressão de sua essência (como, p. ex., representada pelo substantivo) **12** *Ecles.* Cor, cheiro, sabor e resistência do pão e do vinho da eucaristia [F.: Do lat. *accidens, entis.* Hom./Par.: *acidente* (sm.), *acidente* (fl. de *acidentar*), *acedente* (a2g. s2g.).] ■ **~ de percurso** *Fig.* Transtorno eventual no decorrer de uma ação, um entendimento, projeto etc., que não chega a comprometer definitivamente seu bom andamento **~ de trabalho** *Jur.* Lesão, perturbação ou doença ocorridas no trabalho, ou por ele causadas, que impliquem morte ou perda parcial ou total da capacidade produtiva **~ geográfico** *Geogr.* Formação de terreno que contrasta com a dos terrenos vizinhos **~ operatório** *Cir.* Situação imprevista durante uma operação cirúrgica **~ pós-operatório** *Cir.* Situação imprevista após uma operação cirúrgica **~ vascular cerebral** *Med.* Súbita hemorragia cerebral, de intensidade e duração variáveis assim como as de suas possíveis consequências (alterações da capacidade motora, da palavra etc.) [Abrev.: *AVC.*] **Por ~** *Fil.* Que é de caráter circunstancial, e não determinado pela natureza de um ser. [Cf. nesta acp.: *Por si,* no verbete *si*[2].]

acidez (a.ci.*dez*) [ê] *sf.* **1** Estado ou qualidade do que é ácido ou azedo (refere-se também ao sabor): *a acidez do limão.* **2** *Fig.* Irritação, mau humor, azedume **3** *Quím.* Teor do caráter ácido de uma substância; nível da propriedade com que uma substância química pode ser considerada um ácido [F.: *ácid(o)* + *-ez.*]

◎ **acid(i)-** *el. comp.* = ácido: *acididade, acidificar, acidimetria; acidófilo, acidogênico, acidose; aminoácido, antiácido, cetoácido, hidrácido.* [F.: Do lat. *acidus, a, um.*]

acídia (a.*cí*.di:a) *sf.* **1** Estado de fraqueza e desânimo; abatimento físico e mental ou moral **2** Extrema tristeza, melancolia **3** *Med. Psiq.* Apatia, torpor, ou perturbação mental que causa esse estado [F.: Do gr. *akedia, as.* Sin. ger.: *acédia.*]

acidífero (a.ci.*dí*.fe.ro) *a.* Que contém ácido, ou que o produz [F.: *acid(i)-* + *-fero.*]

acidificação (a.ci.di.fi.ca.*ção*) *sf. Quím.* Ação ou resultado de acidificar(-se); tornar(-se) ácido; ACIDULAÇÃO [Pl.: *-ções.*] [F.: *acidificar* + *-ção.*]

acidificante (a.ci.di.fi.*can*.te) *Quím. a2g.* **1** Que acidifica *sm.* **2** Substância que acidifica [F.: *acidificar* + *-nte.* Sin. ger.: *acidulante.*]

acidificar (a.ci.di.fi.*car*) *v. td. int.* Converter(-se) em ácido [▶ **11 acidificar**] [F.: *acid(i)-* + *-ficar.*]

acidimetria (a.ci.di.me.*tri*.a) *sf. Quím.* Método para determinar o grau de acidez de uma solução [F.: *acid(i)-* + *-metria.*]

acidimétrico (a.ci.di.*mé*.tri.co) *a.* Ref. a acidimetria ou a acidímetro [F.: *acidimetria* + *-ico*[2].]

acidímetro (a.ci.*dí*.me.tro) *sm. Quím.* Aparelho us. para medir o grau de acidez de uma solução [F.: Do fr. *acidimètre.* Tb. (não pref.) *acidômetro.*]

◎ **acid(o)-** *el. comp.* Ver *acid(i)-*
◎ **-ácido** *suf.* Ver *acid(i)-*
ácido (*á.ci.do*) *a.* **1** De sabor azedo, agro **2** Que tem propriedade de ácido (5) **3** *Fig.* Que possui caráter mordaz (crítica ácida) *sm.* **4** *Quím.* Substância que contém hidrogênio e que, misturada a uma base, forma um sal **5** *P. ext.* Substância ou produto corrosivo, cáustico, tóxico, us. na limpeza de metais, ferrugens etc. **6** *Gír.* O mesmo que *LSD* [F.: Do lat. *acidus, a, um*. Hom./Par.: *ácido* (a. sm.), *acido* (fl. de *acidar*).] ■ ~ **acético** *Quím.* Ácido carboxílico incolor, presente no vinagre [fórm.: $C_2H_4O_2$] ~ **acetilsalicílico** *Quím.* Derivado do ácido salicílico, us. como analgésico e antipirético; aspirina [fórm.: $C_9H_8O_4$] ~ **acrílico** *Quím.* Ácido carboxílico insaturado, us. na fabricação de resinas acrílicas [fórm.: $C_3H_4O_2$] ~ **adípico** *Quím.* Ácido dicarboxílico saturado, us. na manufatura de fibras artificiais como o náilon, espuma de poliuretano etc. [fórm.: $C_6H_{10}O_4$] ~ **algínico** *Quím.* Ácido extraído de algas marinhas, que entra na composição da algina ~ **aminado** *Impr. Quím.* Ácido que contém amina, como, p. ex., os aminoácidos ~ **aminoacético** *Quím.* V. *glicina* ~ **aminobenzoico** *Quím.* Qualquer um dos três isômeros, a partir do ácido benzoico, que contém um grupamento amina. Us. como acaricida, vitamina do crescimento, filtro solar. [fórm.: $C_7H_7NO_2$] ~ **antranílico** *Quím.* Ácido us. na indústria de corantes e em perfumaria. É um dos isômeros do ácido aminobenzoico ~ **araquidônico** *Quím.* Ácido graxo, precursor biológico das prostaglandinas [fórm.: $C_{20}H_{32}O_2$] ~ **arsênico** *Quím.* Ácido derivado do arsênio, us. como desfolhante, e na indústria do vidro ~ **ascórbico** *Quím.* Ácido presente em diversos frutos cítricos, dos quais se pode extrair; é antioxidante, antiescorbútico e supre deficiência de vitamina C [fórm.: $C_6H_8O_6$] ~ **aspártico** *Quím.* Aminoácido natural, ácido, um dos componentes da proteína [fórm.: $C_4H_7NO_4$] ~ **azótico** *Desus. Quím.* V. *Ácido nítrico* ~ **barbitúrico** *Quím.* Ácido cristalino, incolor, de ação hipnótica, us. como componente de soníferos e anticonvulsivos [fórm.: $C_4H_4O_3N_2$] ~ **benzenossulfônico** *Quím.* Ácido derivado do benzeno, us. na produção do fenol [fórm.: $C_6H_5SO_3H$] ~ **benzoico** *Quím.* Ácido carboxílico, derivado do benzeno, us. como conservante de bebidas, antisséptico, e na fabricação de corantes [fórm.: $C_7H_6O_2$] ~ **biliar** O ácido cólico, ou dele derivado ~ **bórico** *Quím.* Ácido sólido, cristalino, us. como antisséptico medicinal, em cosméticos e corantes [fórm.: H_3BO_3] ~ **brômico** *Quím.* Oxiácido do bromo, agente oxidante, forma os bromatos [fórm.: $HBrO_3$] ~ **bromídrico** *Quím.* Ácido us. na produção de hormônios sintéticos e de barbituratos [fórm.: HBr] ~ **butírico** *Quím.* Ácido carboxílico, presente na manteiga [fórm.: $C_4H_8O_2$] ~ **cáprico** *Quím.* Ácido carboxílico, presente no leite de cabra e no óleo de coco; us. na indústria de perfumes [fórm.: $C_{10}H_{20}O_2$] ~ **caprílico** *Quím.* Ácido carboxílico presente no leite de cabra, em manteigas e gorduras; us. em perfumaria, corantes etc. [fórm.: $C_8H_{16}O_2$] ~ **caproico** *Quím.* Ácido carboxílico presente no leite de cabra, no óleo de coco; ácido hexanoico [fórm.: $C_6H_{12}O_2$] ~ **carbâmico** *Quím.* Ácido [fórm.: CH_3NO_2] existente apenas sob a forma de seus sais ou ésteres ~ **carbólico** *Quím.* V. *fenol.* ~ **carbônico** *Quím.* Ácido obtido na dissolução do dióxido de carbono (CO_2) em água [fórm.: H_2CO_3] ~ **carboxílico** *Quím.* Ácido ou éster que contém o radical carboxila -COOH ~ **carmínico** *Quím.* Ácido cristalino, us. em corantes vermelhos e fotos em cores [fórm.: $C_{22}H_{20}O_{13}$] ~ **ciânico** *Quím.* Ácido hidrolisável, que não existe em forma livre [fórm.: HCNO] ~ **cianídrico** *Quím.* Ácido venenoso, existente apenas em solução, us. como raticida e na execução de condenados à morte [fórm.: HCN] [Sin., ant.: *ácido prússico.*] ~ **ciclâmico** *Quím.* Ácido sólido, solúvel em água, us. em edulcorantes [fórm.: $C_6H_{13}NSO_3$] ~ **cítrico** *Quím.* Ácido tricarboxílico, cristalino, presente em frutas cítricas, us. como antioxidante, acidulante, anticoagulante etc. [fórm.: $C_6H_8O_7$] ~ **clórico** *Quím.* Ácido que forma sais denominados cloratos; é irritante da pele [fórm.: $HClO_3$] ~ **clorídrico** *Quím.* Ácido muito ativo, de cheiro forte, us. na produção de cloretos e vários fins industriais [fórm.: HCl]. [Antigamente chamado *ácido muriático*] ~ **cloroacético** *Quím.* Ácido carboxílico, cristalino, solúvel em água [fórm.: $CH_2ClCOOH$] ~ **cloroso** *Quím.* Ácido instável, que forma os cloritos, sais estáveis [fórm.: $HClO_2$] ~ **cólico** *Quím.* Ácido carboxílico presente na bílis dos mamíferos [fórm.: $C_{24}H_{46}O_5$] ~ **conjugado** *Quím.* Ácido resultante da combinação de uma base com um solvente ~ **cresílico** *Quím.* Ácido isômero, derivado do tolueno, us. como antisséptico [fórm.: C_7H_8O] ~ **crômico 1** *Quím.* Ácido que só existe dissociado, cujos sais são os cromatos [fórm.: H_2CrO_4] **2** Trióxido de cromo ~ **de bateria** *Tec.* Nome dado a solução de ácido sulfúrico us. nas baterias de automóveis ~ **desoxirribonucleico** *Cit. Gen.* Molécula em forma de duas cadeias paralelas e em hélice de nucleotídeos, uma das duas formas do ácido nucleico, responsável pela transmissão do código genético. [Sigla.: *ADN* e (ingl.) *DNA*] ~ **dibásico** *Quím.* Ácido que pode formar duas séries de sais com a neutralização de dois hidrogênios ~ **dicarboxílico** *Quím.* Ácido que contém duas carboxilas (-COOH) ~ **eicosânico** *Quím.* Ácido presente no óleo de amendoim, us. em lubrificantes, plásticos etc. [fórm.: $C_{20}H_{40}O_2$] ~ **enântico** *Quím.* Ácido graxo saturado, us. em lubrificantes para aviação, fluidos de freio etc. [fórm.: $C_7H_{14}O_2$] ~ **erúcico** *Quím.* Ácido graxo insaturado, presente no óleo da semente de certas plantas, us. na indústria química [fórm.: $C_{22}H_{42}O_2$] ~ **esteárico** *Quím.* Ácido graxo saturado muito us. na fabricação de sabões, lubrificantes, cosméticos etc. [fórm.: $C_{18}H_{36}O_2$] ~ **fênico** *Quím.* Ácido muito us. como desinfetante e anestésico (fenol) [fórm.: C_6H_5OH] ~ **fenolsulfônico** *Quím.* Ácido que se apresenta como líquido amarelado us. em fármacos e corantes [fórm.: $C_6H_6O_4S$] ~ **fítico** *Quím.* Ácido presente em sementes oleaginosas, legumes e cereais; abundante composto fosfórico [fórm.: $C_6H_{18}O_{24}P_6$] ~ **fluorídrico** *Quím.* Ácido forte e ativo, solução do gás fluorídrico [fórm.: H_2F_2] ~ **fluossilícico** *Quím.* Ácido venenoso e corrosivo, na forma de líquido fumegante [fórm.: H_2SiF_6] ~ **fólico** *Quím.* Ácido que compõe o complexo vitamínico B [fórm.: $C_{19}H_{19}N_7O_6$] ~ **fórmico** *Quím.* Ácido carboxílico simples, presente nas formigas [fórm.: CH_2O_2] ~ **forte** *Quím.* Todo ácido que se dissocia facilmente em água, ou que tem alta acidez ~ **fosfórico** *Quím.* Oxiácido do fósforo, cristalino, que forma sais importantes; us. em fertilizantes, detergentes etc. [fórm.: H_3PO_4] ~ **fosforoso** *Quím.* Ácido muito us. em análises químicas como elemento redutor etc. [fórm.: H_3PO_3] ~ **fraco** *Quím.* Todo ácido que se dissocia dificilmente em água, ou que tem baixa acidez ~ **ftálico** *Quím.* Ácido us. como fixador de perfume [fórm.: $C_8H_6O_4$] ~ **fulmínico** *Quím.* Composto que forma sais instáveis, us. como detonadores [fórm.: CNOH] ~ **fumárico** *Quím.* Ácido dicarboxílico, sólido, us. na fabricação de bebidas, e como antioxidante e mordente [fórm.: $C_4H_4O_4$] ~ **gálico** *Quím.* Ácido derivado do ácido benzoico, encontrado em tecidos vegetais, us. em fotografias, corantes etc. [fórm.: $C_7H_6O_5$] ~ **giberélico** *Quím.* Ácido que constitui um hormônio natural de vegetais, suscita o crescimento de folhas e ramos [fórm.: $C_{19}H_{22}O_6$] ~ **glicólico** *Quím.* Ácido presente no caldo de cana, us. em indústria de tecidos, couro, adesivos etc. [fórm.: $C_2H_4O_3$] ~ **glicônico** *Quím.* Ácido produzido a partir da glicose, aplicado na impressão têxtil (por seu sal de amônia) e em antiespasmódicos (por seu sal de magnésio) [fórm.: $C_6H_{12}O_7$] ~ **glicurônico** *Quím.* Ácido urônico derivado da glicose, amplamente encontrado na natureza, principalmente sob forma combinada; ácido glucurônico [fórm.: $C_6H_{10}O_7$] ~ **glutâmico** *Quím.* Aminoácido natural, cristalino, no qual está presente um grupo carboxila, us. como condimento [fórm.: $C_5H_9NO_4$] ~ **gordo** *Lus. Quím.* Ácido graxo ~ **graxo** *Quím.* Todo ácido orgânico, com um grupo carboxila e número par de átomos de carbono, presente em óleos, gorduras etc. [Sin., lus.: *ácido gordo.*] ~ **graxo ômega menos três** (**v -3**) *Quím.* Todo ácido graxo que contém várias ligações duplas, sendo a primeira no terceiro carbono a partir do carbono ômega, e as subsequentes separadas por um grupo metileno [Os alimentos em que está presente são considerados saudáveis.] ~ **heptanoico** *Quím.* V. *Ácido enântico* ~ **hialurônico** *Quím.* Ácido polissacarídeo presente nos tecidos conectivos do corpo, us. na terapia desses tecidos ~ **hidrazoico** *Quím.* Ácido venenoso, us. em compostos para detonadores [fórm.: HN_3] ~ **hidroxibenzoico** *Quím.* Qualquer dos três ácidos carboxílicos derivados do ácido benzoico [fórm.: $C_7H_6O_3$] ~ **hipobromoso** *Quím.* Ácido obtido na dissolução de bromo em água [fórm.: HBrO] ~ **hipocloroso** *Quím.* Ácido obtido na dissolução de cloro em água [fórm.: HClO] ~ **hipofosfórico** *Quím.* Ácido instável, com quatro hidrogênios ácidos [fórm.: $H_4P_2O_6$] ~ **hipofosforoso** *Quím.* Ácido forte, cristalino, com um hidrogênio ácido [fórm.: H_3PO_2] ~ **hipúrico** *Biol. Quím.* Ácido orgânico encontrado na urina dos herbívoros, e, com menos presença, na humana [fórm.: $C_9H_9NO_3$] ~ **iódico** *Quím.* Ácido cristalino incolor, oxidante, us. em desinfetantes [fórm.: HIO_3] ~ **iodídrico** *Quím.* Solução do gás iodídrico, us. em expectorantes [fórm.: HI] ~ **láctico** *Quím.* Ácido líquido, xaroposo, presente no organismo humano, us. como acidulante [fórm.: $C_3H_6O_3$] ~ **láurico** *Quím.* Ácido graxo saturado, cristalino, presente no leite, no óleo de coco e no espermacete, us. em vários processos industriais (detergentes, cosméticos, aditivos alimentares etc.) [fórm.: $C_{12}H_{24}O_2$] ~ **laurilsulfúrico** *Quím.* Ácido resultante da transformação de um átomo de hidrogênio do ácido sulfúrico por grupo laurila [fórm.: $C_{12}H_{26}O_4S$] ~**linoleico** *Quím.* Ácido graxo insaturado, presente em óleo vegetal, us. em medicina e na fabricação de margarina [fórm.: $C_{18}H_{32}O_2$] ~ **linolênico** *Quím.* Ácido graxo presente nos óleos secativos [fórm.: $C_{18}H_{30}O_2$] ~ **lisérgico** *Quím.* Ácido de ação alucinógena, encontrado no centeio e outros cereais afetados por certos fungos; uma amida dele resultante é chamada LSD [Diz-se tb. somente *ácido*; fórm.: $C_{16}H_{16}O_2N_2$] ~ **margárico** *Quím.* Ácido graxo saturado, presente em gorduras [fórm.: $C_{17}H_{34}O_2$] ~ **melíssico** *Quím.* Ácido graxo, presente na cera de abelha [fórm.: $C_{30}H_{60}O_2$] ~ **metacrílico** *Quím.* Ácido carboxílico insaturado, us. na fabricação de resinas e de plásticos sucedâneos do vidro [fórm.: $C_4H_6O_2$] ~ **monobásico** *Quím.* Ácido no qual apenas um hidrogênio é substituível e, portanto, só pode formar uma série de sais ~ **murâmico** *Quím.* Ácido carboxílico, presente na parede celular de bactérias [fórm.: $C_9H_{17}NO_7$] ~ **muriático** *Quím. Tec.* Ácido clorídrico impuro (e nome desusado do ácido clorídrico), us. em vários processos industriais ~ **naftênico** *Quím.* Ácido sólido cristalino, us. na vulcanização da borracha e outros produtos industriais [fórm.: $C_7H_{12}O_2$] ~ **nicotínico** *Quím.* Ácido carboxílico, presente no complexo B; é uma vitamina que combate a pelagra; niacina [fórm.: $C_6H_5NO_2$] ~ **nióbico** *Quím.* Ácido que contém nióbio, obtido com a hidratação do óxido nióbico [fórm.: $Nb_2O_5NH_2O$] ~ **nítrico** *Quím.* Ácido muito reativo, oxidante, muito us. em várias aplicações industriais (fertilizantes, explosivos etc.) [fórm.: HNO_3] ~ **nitroso** *Quím.* Ácido instável, formado na reação do anidrido nitroso com água, e cujos sais são os nitritos [fórm.: HNO_2] ~ **nucleico** *Cit. Gen. Quím.* Grande molécula, polímero de nucleotídeos, responsável pelo armazenamento e transmissão de informações genéticas. Há dois tipos básicos, o ácido ribonucleico (*ARN*) e o ácido desoxirribonucleico ou (*ADN*) ~ **oleico** *Quím.* Ácido graxo insaturado, presente em óleos vegetais e animais, us. em cosméticos, sabões, pomadas etc. [fórm.: $C_{18}H_{34}O_2$] ~ **ósmico** *Impr. Quím.* Ácido us. como agente oxidante; tetróxido de ósmio [fórm.: OsO_4] ~ **oxálico** *Quím.* Ácido cristalino, venenoso, presente em vários vegetais, us. como anticoagulante, removedor etc. [fórm.: $C_2H_2O_4$] ~ **palmítico** *Quím.* Ácido graxo saturado, cristalino, presente em óleos e gorduras; ácido hexadecanoico [fórm.: $C_{16}H_{32}O_2$] ~ **pantotênico** *Quím.* Ácido presente no complexo B_5 [fórm.: $C_9H_{17}O_5N$] ~ **perclórico** *Quím.* Ácido forte, oxidante [fórm.: $HClO_4$] ~ **persulfúrico** *Quím.* Ácido sólido, oxidante [fórm.: $H_2S_2O_8$] ~ **pícrico** *Quím.* Ácido sólido, cristalino, us. como anestésico e cicatrizante [fórm.: $C_6H_3N_3O_7$] ~ **pimélico** *Quím.* Ácido cristalino, presente no óleo de rícino [fórm.: $C_7H_{12}O_4$] ~ **pirofosfórico** *Quím.* Oxiácido do fósforo, cristalino, us. como catalisador, na preparação de metais etc. [fórm.: $H_4P_2O_7$] ~ **pirúvico** *Quím.* Líquido, de cheiro semelhante ao do ácido acético, intermediário no metabolismo e na fermentação [fórm.: $C_3H_4O_3$] ~ **polibásico** *Quím.* Ácido que é capaz de libertar, na dissociação, dois ou mais hidrogênios; ácido poliprótico ~ **poliprótico** *Quím.* V. *Ácido polibásico* ~ **prefênico** *Quím.* Ácido dicarboxílico (com duas carboxilas por molécula), intermediário na biossíntese de aminoácidos [fórm.: $C_{10}H_{10}O_6$] ~ **propanoico** *Quím.* V. *Ácido propiônico* ~ **propiônico** *Quím.* Ácido carboxílico, us. em aromatizantes e perfumes e na fabricação de termoplásticos [fórm.: $C_3H_6O_2$] ~ **prússico** *Ant. Quím.* V. *Ácido cianídrico* ~ **ribonucleico** *Cit. Gen. Quím.* Molécula em forma de duas cadeias paralelas e em hélice de nucleotídeos, uma das duas formas do ácido nucleico, responsável pela transmissão do código genético [Sigla: *ARN* e (ingl.) *RNA*] ~ **ribonucleico de transferência** *Cit. Gen. Quím.* Ácido ribonucleico de baixo peso molecular, transporta os aminoácidos para a formação da cadeia polipeptídica. [Sigla: *ARN-t* e (ingl.) *t-RNA*] ~ **ribonucleico mensageiro** *Cit. Gen. Quím.* Ácido ribonucleico de alto peso molecular, leva a informação genética na formação da cadeia polipeptídica. [Sigla: *ARN-m* e (ingl.) *m-RNA*] ~ **ribonucleico ribossômico** *Cit. Gen. Quím.* Ácido ribonucleico presente na estrutura dos ribossomos, fundamental na tradução genética. [Sigla: *ARN-r* e (ingl.) *r-RNA*] ~ **ricinoleico** *Quím.* Ácido graxo insaturado, oleoso, presente no óleo de rícino [fórm.: $C_{18}H_{34}O_3$] ~ **salicílico** *Quím.* Ácido carboxílico cristalino presente em vegetais, bactericida e fungicida, us. em medicamentos e na fabricação de corantes [fórm.: $C_7H_6O_3$] ~ **sórbico** *Quím.* Ácido carboxílico, us. em conservantes de alimentos, lubrificantes etc. [fórm.: $C_6H_8O_2$] ~ **succínico** *Quím.* Ácido dicarboxílico, cristalino, presente em vegetais, us. na fabricação de perfumes, corantes etc. [fórm.: $C_4H_6O_4$] ~ **sulfanílico** *Quím.* Ácido sulfônico us. na fabricação de corantes e como reagente químico [fórm.: $C_6H_7NO_3S$] ~ **sulfínico** *Quím.* Todo ácido com fórmula geral RSO_2H (onde R é um radical alquila ou arila). [Cf.: *Ácido sulfônico.*] ~ **sulfônico** *Quím.* Todo ácido com fórmula geral RSO_3H (onde R é um radical alquila ou arila). [Cf.: *Ácido sulfínico.*] ~ **sulfúrico** *Quím.* Ácido líquido viscoso e corrosivo, muito forte, com muitas e diversas aplicações (detergentes, fertilizantes, pigmentos, catalisadores etc.) [fórm.: H_2SO_4] ~ **sulfuroso** *Quím.* Ácido resultante da dissolução de dióxido de enxofre (SO_2) em água [fórm.: H_2SO_3] ~ **tartárico** *Quím.* Ácido dicarboxílico, cristalino, us. como acidificante de bebidas e alimentos, em fotografia, na indústria de cerâmica etc. [fórm.: $C_4H_6O_6$] ~ **tiossulfúrico** *Quím.* Ácido não observado em estado livre, resultante da substituição, no ácido sulfúrico, de um átomo de oxigênio por um átomo de enxofre [fórm.: $H_2S_2O_3$] ~ **tiociânico** *Quím.* Ácido em forma gasosa, solúvel em água, us. na proteção do papel da ação da luz e em inseticidas [fórm.: HSCN] ~ **tricarboxílico** *Quím.* Ácido que contém três carboxilas -COOH ~ **úrico** *Quím.* Substância cristalina, pulverulenta, presente na urina humana e de animais carnívoros [fórm.: $C_5H_4O_3N_4$] ~ **valeriânico** *Quím.* V. *Ácido valérico* ~ **valérico** *Quím.* Ácido carboxílico, us. em medicina e perfumaria [fórm.: $C_5H_{10}O_2$]

📖 Todo ácido contém hidrogênio, e as várias nomenclaturas de ácidos referem-se ao elemento negativo que se associa ao hidrogênio. Quando esse elemento associa-se diretamente ao hidrogênio (hidrácidos), o ácido tem o nome do elemento associado com a terminação 'ídrico': hidrogênio + cloro = ácido clorídrico (HCl). Quando há presença de oxigênio (oxiácidos), o nome do ácido é o do elemento com a terminação 'ico': hidrogênio + oxigênio + carbono = ácido carbônico (H_2CO_3). Em alguns casos podem ocorrer dois tipos de oxiácidos, um menos e outro mais oxigenado; no menos oxigenado o elemento recebe a terminação 'oso', e no mais oxigenado mantém a terminação 'ico': hidrogênio + nitrogênio + 2 átomos de oxigênio = ácido nitroso (HNO_2); hidrogênio + nitrogênio + 3 átomos de oxigênio = ácido nítrico (HNO_3). Se há uma série de oxiácidos com o mesmo elemento e uma variação maior no número de átomos de oxigênio, o ácido com número de moléculas de oxigênio menor que o de terminação 'oso' recebe o prefixo 'hipo', e com número maior de moléculas de oxigênio que o de terminação 'ico' recebe o prefixo 'per': HCLO = ácido hipocloroso; $HCLO_2$ = ácido cloroso; $HCLO_3$ = ácido clórico; $HCLO_4$ = ácido perclórico.

acidófilo (a.ci.*dó*.fi.lo) ***a.*** **1** *Histl.* Que se cora facilmente, que tem a faculdade de fixar corantes ácidos; ACIDOFÍLICO **2** *P. ext. Med.* Diz-se de adenoma ou carcinoma cujas células coram-se com corantes ácidos **3** *Biol.* Que tem afinidade com os ácidos; que vive ou existe nos meios ácidos, ou que deles necessita para viver ou existir; ACIDOFÍLICO **4** *P. ext. Biol.* Diz-se de leite cuja fermentação se realiza exclusivamente com cultivos de *Lactobacillus acidophilus.* ***sm.*** **5** *Histl.* Granulócito que fixa corantes ácidos; EOSINÓFILO [F.: *acid(o)-* + *-filo.*]

acidorresistente (a.ci.dor.re.sis.*ten*.te) ***a2g.*** **1** Que resiste à ação corrosiva de determinados ácidos **2** *Bac.* Diz-se de bactéria que não descora, mantendo a coloração vermelha quando submetida a certos processos (aplicação de fucsina fenicada e de um ácido) [F.: *acid(o)-* + *resistente.*]

acidose (a.ci.*do*.se) *Fisl.* ***sf.*** Aumento da acidez ou redução da reserva alcalina do sangue [F.: *acid(i)-* + *-ose*[1]. Cf.: *acidemia.*]

acidótico (a.ci.*dó*.ti.co) ***a.*** Ref. a acidose, ou que tem acidose; ACIDÓSICO [F.: *acidose* + *-t-* + *-ico*[2].]

acidulação (a.ci.du.la.*ção*) ***sf.*** **1** *Quím.* Ação ou resultado de acidular(-se); ACIDIFICAÇÃO **2** *Grav.* Preparação da pedra ou chapa metálica para produção de uma litografia ou gravura, mediante revestimento com resina e ácido [Pl.: *-ções.*] [F.: *acidular* + *-ção.*]

acidulado (a.ci.du.*la*.do) ***a.*** **1** *Quím.* Que se tornou ácido; ACIDIFICADO **2** Que é um tanto ácido; ACÍDULO **3** *Fig.* Irritado, enervado, mal-humorado [F.: Part. de *acidular.*]

acidulante (a.ci.du.*lan*.te) *Quím.* ***a2g.*** **1** Que tem a propriedade de acidular ***sm.*** **2** Produto que acidula [F.: *acidular* + *-nte.* Sin. ger.: *acidificante.*]

acidular (a.ci.du.*lar*) ***v. td.*** Tornar acídulo ou ácido; ACIDIFICAR [▶ **1** acidular] [F.: *acídulo* + *-ar*[2]. Hom./Par.: *acidulo* (fl.), *acídulo* (a).]

acídulo (a.*cí*.du.lo) ***a.*** Levemente ácido; ACIDULADO [F.: Do lat. *acidulus, a, um.* Hom./Par. *acídulo* (a.), *acidulo* (fl. de *acidular*).]

aciduria (a.ci.du.*ri*.a) ***sf.*** Ver *acidúria*

acidúria (a.ci.*dú*.ri:a) *Pat.* ***sf.*** **1** Teor elevado (e anormal) de acidez na urina **2** Excreção de urina com elevado teor de acidez [F.: *ácido* + *-úria* (*-uria*). Us. tb. *aciduria.*]

acidúrico (a.ci.*dú*.ri.co) ***a.*** **1** Ref. a acidúria ou que a apresenta **2** *Biol.* Capaz de viver em ambiente ácido (microrganismo acidúrico); ACIDÓFILO [F.: *acidúria, aciduria* + *-ico*[2].]

acientífico (a.ci.en.*tí*.fi.co) ***a.*** Que não é científico, esp. que não é próprio das ciências ou não condiz com seus métodos ou princípios de conhecimento [F.: *a-*[3] + *científico.*]

aciganado (a.ci.ga.*na*.do) ***a.*** **1** Que tem aparência, modos ou costumes de cigano: *feições aciganadas.* **2** Em que há influência cigana, ou de elementos da cultura desse povo: *música aciganada.* **3** *Pej.* Trapaceiro, embusteiro [F.: a- + cigano + -ado[1].]

aciganar (a.ci.ga.*nar*) ***v.*** **1** Dar a (algo, alguém ou si mesmo) ou adquirir feição, características ou modos de cigano; transmitir ou adquirir influência cigana [***td.:*** *Aciganou as roupas para seguir a moda; Apaixonado por uma cigana, resolveu aciganar-se.*] [***int.:*** *Conviveu com ciganos muitos anos e, sem perceber, aciganou-se.*] **2** *Pej.* Tornar(-se) matreiro, trapaceiro [***td.:*** *Aciganou o jovem, ensinando-lhe todas as mutretas e vigarices que conhecia.*] [***int.:*** *De tanto recorrer a trapaças e golpes, acabou por se aciganar.* Atenção, o uso do termo nesta acepção denota preconceito.] [▶ **1** aciganar] [F.: *a-*[3] + *cigano* + *-ar*[2].]

◎ **acil-** *Quím.* ***el. comp.*** = 'acila, radical orgânico monovalente': *acilar, acilato, acil-fosfato* [F.: De *acil(a).*]

acila (a.*ci*.la) ***sf.*** *Quím.* Radical orgânico (R-CO) resultante da remoção de uma hidroxila de um ácido carboxílico [Us. tb. apositivamente.] [F.: *ác(ido)* + *-ila*[2].]

acilar (a.ci.*lar*) ***v. td.*** *Quím.* Introduzir radical acila em (molécula ou composto) [▶ **1** acilar] [F.: *acila* + *-ar*[2].]

acilato (a.ci.*la*.to) ***sm.*** *Quím.* Sal ou éster de ácidos orgânicos [F.: *acil-* + *-ato.*]

acil-fosfato (a.cil-fos.*fa*.to) ***sm.*** *Bioq.* Fosfato de acila [Pl.: *acil-fosfatos.*]

acilia (a.ci.*li*.a) ***sf.*** Ausência de cílios [F.: *a-*[1] + *-cílio* + *-ia*[1].]

acima (a.*ci*.ma) ***adv.*** **1** Em posição ou local mais elevados, mais altos: *A sala de jogos fica no andar acima.* **2** Em posição hierárquica ou em nível de exigência superior: *No organograma da empresa, sua posição está acima da minha; Essa tarefa está acima de suas forças.* **3** Em direção à parte mais alta de: *Subiram morro acima.* **4** Em posição precedente (num texto), ou em parte superior de página: *Veja a tabela acima.* **5** *Mús.* Mais agudo: *Cantou a melodia uma oitava acima.* ***interj.*** **6** Expressão de exortação, de estímulo [F.: *a* (prep.) + *cima.* Ant. ger.: *abaixo.* Ideia de 'acima': *hiper-* (*hiperácido, hiperpiese*); *sobre-* (*sobrecapa*); *super-* (*supercílio*); *supra-* (*supracitado*).] ■ **~ de 1** Em posição superior (no espaço): *Puseram o aviso acima da porta.* **2** Em quantidade, valor, quantia etc., superior a: *jovens acima de quinze anos.* **3** Em posição superior a (quanto a mérito, valor moral, hierarquia etc.: *O resultado foi acima da expectativa.*

◎ **acinaci-** ***el. comp.*** = 'punhal, sabre, alfanje'; 'semelhante a, ou em forma de alfanje': *acinacifólio, acinaciforme* [Us. na term. de Botânica.] [F.: Do lat. *acinaces, is.*]

acinaciforme (a.ci.na.ci.*for*.me) ***a2g.*** *Bot.* Diz-se de folha arqueada, com três lados, que se assemelha a uma espada curva [F.: *acinaci-* + *-forme.*]

acinese (a.ci.*ne*.se) ***sf.*** **1** *Cit.* Divisão de célula sem ocorrência de cariocinese (divisão do núcleo da célula) **2** *Med.* O mesmo que *acinesia*; ausência de movimento, paralisia [F.: *a-*[1] + *-cinese.*]

acinesia (a.ci.ne.*si*.a) ***sf.*** **1** Ausência de movimento; IMOBILIDADE **2** *Med.* Perda total ou parcial dos movimentos do corpo **3** *Card.* Intervalo entre a sístole e a diástole [F.: Do gr. *akinesia, as.*]

acinestesia (a.ci.nes.te.*si*.a) ***sf.*** *Med.* Ausência total ou parcial dos movimentos do corpo [F.: *a-*[3] + *cinestesia.*]

acinestésico (a.ci.nes.*té*.si.co) ***a.*** *Med.* Ref. à acinestesia [F.: *acinestesia* + *-ico*[2], seg. o mod. vern.]

acinético (a.ci.*né*.ti.co) ***a.*** **1** Que não apresenta movimento; IMÓVEL **2** *Med.* Que provoca acinesia [F.: *a-*[1] + *-cinet(o)-* + *-ico*[2]. Tb. *acinésico.*]

acinetídeo (a.cine.*tí*.de:o) *Zool.* ***sm.*** **1** Espécime dos acinetídeos, fam. de protozoários suctórios ***a.*** **2** Ref. a acinetídeo (1) [F.: Do lat. cient. *Acinetidae.*]

acinetósporo (a.ci.ne.*tós*.po.ro) ***sm.*** **1** *Bot.* Esporo que não tem flagelos, por isso imóvel **2** *Bot.* Esporo em período de repouso antes de germinar [F.: *a-*[1] + *cinet(o)-* + *-sporo.*]

aciniforme (a.ci.ni.*for*.me) ***a2g.*** Que tem forma de ácino, de bago [F.: *acini-* (do lat. *acinus, i* 'bago de uva') + *-forme.*]

ácino (*á*.ci.no) ***sm.*** **1** *Antq. Bot.* Bago, esp. o das videiras **2** *Anat.* Cada um dos elementos de uma glândula em cacho **3** *Anat.* Dilatação em forma de saco de um conduto **4** *Bot.* Todo fruto carnoso que contém sementes duras [F.: Do lat. *acinus, i.*]

acinoso (a.ci.*no*.so) [ô] ***a.*** **1** Em forma de ácino, arredondado **2** Cheio de ácinos, formado por ácinos [Fem. e pl.: [ó].] [F.: Do lat. *acinosus, a, um.*]

acinte (a.*cin*.te) ***sm.*** **1** Ação, gesto, fala, texto etc. intencionalmente feitos com o objetivo de ofender, provocar ou contrariar alguém; PROVOCAÇÃO ***adv.*** **2** De propósito, deliberadamente, intencionalmente [F.: Posv. da exp. lat. *a scinte*, alt. de *a sciente*, 'com conhecimento, de propósito'.]

acintoso (a.cin.*to*.so) [ô] ***a.*** **1** Em que há ou que denota acinte (gesto acintoso) **2** Que costuma fazer acintes (pessoa acintosa) **3** Que é ou parece ser mal-intencionado [Fem. e pl.: [ó].] [F.: *acint(e)* + *-oso.*]

acinturado (a.cin.tu.*ra*.do) ***a.*** Ver *cinturado* [F.: Part. de *acinturar.*]

acinzentado (a.cin.zen.*ta*.do) ***a.*** **1** Que apresenta cor num tom de cinza ou quase cinza (céu acinzentado) **2** Diz-se dessa cor ***sm.*** **3** A cor acinzentada: *o acinzentado da paisagem.* [F.: *a-*[2] + *cinzento* + *-ado*[1].]

acinzentar (a.cin.zen.*tar*) ***v.*** **1** Tornar(-se) de cor cinza ou próxima de cinza [***td.:*** *A fumaça das fábricas acinzentava o bairro.*] [***int.:*** *Com as nuvens escuras, o céu se acinzentou; Minha blusa preta acinzentou.*] **2** Fazer ficar ou ficar sombrio ou sem brilho; ACINZAR [***td.:*** *A solidão acinzentava a vida do rapaz*] [***int.:*** *Por causa da poeira, o guarda-roupa acinzentou-se.*] [▶ **1** acinzentar] [F.: *a-*[2] + *cinzento* + *-ar*[2].]

aciolismo (a.ci:o.*lis*.mo) ***sm.*** *Bras. Antq.* Monopolização de cargos públicos por uma família dominante ou influente no cenário político [F.: Do antr. *Aciόli* (Accioli) + *-ismo.*]

acionado (a.ci:o.*na*.do) ***a.*** **1** Posto em ação, em movimento ou funcionamento (motor acionado; polícia acionada) **2** Que tem contra si ação judicial **3** Acompanhado de gestos (diz-se de discurso, texto lido etc.) **4** Ref. a sociedade ou companhia incorporada por ações ***sm.*** **5** *Jur.* Aquele que é processado judicialmente; RÉU **6** Gesto, conjunto de gestos ou gesticulação de quem fala, declama, atua ou representa [F.: Part. de *acionar*; ver *ação.*]

acionador (a.ci:o.na.*dor*) [ô] ***sm.*** **1** Peça ou dispositivo por meio dos quais se faz algo (um mecanismo, um aparelho, um sistema) entrar em movimento, em operação, em funcionamento (acionador de portão automático) **2** *Bras. Inf.* Dispositivo para gravar ou ler em disco ou outro meio de armazenamento (acionador de disquetes) **3** *Jur.* Autor de ação judicial; DEMANDANTE ***a.*** **4** Que aciona [F.: *acionar* + *-dor.*]

acional (a.ci:o.*nal*) ***a2g.*** Ref. a ação [Pl.: *-nais.*] [F.: *ação* (f. rad. *acion-*) + *-al*[1].]

acionamento (a.ci:o.na.*men*.to) ***sm.*** Ação ou resultado de acionar [F.: *aciona(r)* + *-mento.*]

acionar (a.ci:o.*nar*) ***v.*** **1** Pôr em movimento ou em funcionamento (mecanismo, dispositivo, motor etc.) [***td.:*** *acionar o alarme/o motor.*] **2** Pressionar, puxar, girar etc. (botão, alavanca etc.) para movimentar um mecanismo [***td.:*** *acionar o botão da lavadora.*] **3** Fazer (pessoa, grupo, órgão, instituição) entrar em ação [***td.:*** *acionar a polícia.*] **4** Pôr em prática, dando início a (ações, medidas, providências etc.) [***td.:*** *O governo decidiu acionar o projeto de reforma universitária.*] **5** *Jur.* Mover ação judicial contra; PROCESSAR [***td.:*** *Acionou a empresa por falta de pagamento.*] **6** *Com. Ind.* Melhorar, incrementar, intensificar atividade econômica de (empresa etc.) [***td.:*** *As novas medidas acionaram a produção de carros.*] **7** Incorporar (sociedades anônimas) mediante negócios com títulos e ações [***td.***] **8** Acompanhar (discurso, declaração, declamação etc.) de gestos, para dar ênfase a seus significados ou intenções [***td.:*** *Acionou, com expressividade, seu monólogo na peça.*] [***int.:*** *Em seu discurso, o diretor acionava com muito entusiasmo.*] [▶ **1** acionar] [F.: De *ação* sob a f. rad. de *acion-*, com o desenvolvimento de consoante nasal dental + *-ar*[2]. Hom./Par.: *acionaria(s)* (fl.), *acionária(s)* (a. fem. pl.); *acionáveis* (fl.), *acionáveis* (a2g. pl.).]

acionário (a.ci:o.*ná*.ri:o) ***a.*** **1** Ref. a ação (9, 10) (controle acionário; mercado acionário) **2** Que detém ações (9, 10) ou que é titular de ações (sócio acionário) ***sm.*** **3** Aquele que possui ou que é titular de ações (9, 10) de empresa, firma, sociedade etc. [F.: *ação* + *-ário*, seg. o mod. erudito. Hom./Par.: *acionária* (fem.), *acionaria* (fl. de *acionar*).]

acionista (a.ci:o.*nis*.ta) ***s2g.*** **1** *Econ.* Sócio de firma constituída sob a forma de sociedade por ações; ACIONÁRIO ***a2g.*** **2** Ref. a ação; ACIONÁRIO [F.: *ação* (na f. rad. *acion*)+ *-ista*, seg. o mod. erudito.]

acipitrário (a.ci.pi.tra.*rá*.ri:o) ***sm.*** Armadilha para aves de rapina [F.: Do lat. *accipitrarius, a, um.*]

◎ **acipitr(i)-** ***el. comp.*** = 'ave de rapina': *acipitrário* (< lat.), *acipitrino* [F.: Do lat. *accipiter, tris.*]

acipitrídeo (a.ci.pi.*trí*.de:o) *Ornit.* ***sm.*** **1** Espécime dos acipitrídeos, família de aves falconiformes que incluem gaviões e águias ***a2g.*** **2** Ref. aos acipitrídeos [F.: Adaptç. do lat. cient. *Accipitridae.*]

acipitriforme (a.ci.pi.tri.*for*.me) ***sm. a2g.*** *Ornit.* O mesmo que *falconiforme.* [F.: Do lat. cient. *Accipitr(e)(s)* + *-i-* + *-forme.*]

acipitrino (a.ci.pi.*tri*.no) ***a.*** Ref. a ou que é próprio de aves de rapina [F.: Ver *acipitri-.*]

acirologia (a.ci.ro.lo.*gi*.a) ***sf.*** Impropriedade de expressão, de forma de falar [F.: Do gr. *akurologia, as*, pelo lat. *acyrologia, ae.*]

acirológico (a.ci.ro.*ló*.gi.co) ***a.*** **1** Ref. a acirologia, ao emprego inadequado das palavras **2** Em que há acirologia [F.: *acirolog(ia)* + *-ico*[2].]

acirrado (a.cir.*ra*.do) ***a.*** **1** Que se acirrou **2** Que teve sua agressividade, competitividade etc. instigadas ou estimuladas (disputa acirrada) **3** Que foi instigado ou estimulado a empreender ação ou reação: *Foi um outro lutador a partir do segundo round: acirrado, entusiasmado, estimulado, acabou reagindo e venceu a luta.* **4** Firme e intransigente em seus propósitos, apegado a seus objetivos; OBSTINADO; TENAZ: *Era um acirrado defensor dos direitos civis.* [F.: Part. de *acirrar.*]

acirramento (a.cir.ra.*men*.to) ***sm.*** **1** Ação ou efeito de acirrar(-se), ou estado do que se acirrou: *acirramento dos ânimos; acirramento das ameaças.* **2** *Restr.* Aumento da intensidade de disputa, oposição ou conflito; aumento do esforço e da agressividade de quem se acha neles envolvido: *acirramento da disputa pela vaga na equipe titular; acirramento político; acirramento da ofensiva militar.* **3** Reforço ou acentuação de diferenças, tensões, contradições [F.: *acirrar* + *-mento.*]

acirrante (a.cir.*ran*.te) ***a2g.*** **1** Que acirra, instiga: *Diante do conflito, preferiu uma postura acirrante a uma apaziguante.* **2** *Fig.* Que estimula, provoca, desperta o interesse; ESTIMULANTE; PICANTE; PROVOCANTE: "O amor inventou-o depois o estragamento dos bons costumes gregos e romanos, como coisa necessária e acirrante aos paladares botos dos filhos viciosos das cidades..." (Camilo Castelo Branco, *Coração, cabeça e estômago*): "Assim, mais uma vez, a enigmática montanha da prata continuava, dentro dos matagais, abroquelada no seu acirrante mistério..." (Paulo Setúbal, *O romance do Prata*) **3** Diz-se de bebida ou comida que estimula o apetite ***sm.*** **4** Bebida ou comida que estimula o apetite [F.: *acirra(r)* + *-nte.*]

acirrar (a.cir.*rar*) ***v.*** **1** Provocar, incitar ou aumentar violência, agressividade, revolta etc. em [***td.:*** *A derrota acirrou os torcedores.*] [***tdr.*** + *contra*: *acirrar o cão contra o ladrão.*] **2** *P. ext.* Provocar ou ter sentimento de discórdia, raiva, inquietação, desagrado, impaciência etc.; EXASPERAR(-SE) [***td.:*** *As divergências acabaram acirrando os ânimos.*] [***int.:*** *Acirra-se por qualquer motivo, o tempo todo.*] [***tr.*** + *contra*: *Mal-humorado, acirrava-se contra tudo e contra todos.*] **3** *P. ext.* Induzir (alguém) a ação, atitude ou reação; ESTIMULAR; INSTIGAR [***td.:*** *Seu exemplo acirrou o companheirismo.*] [***tdr.*** + *a, contra*: *Sua dedicação acirrou os colegas a seguirem-lhe o exemplo; O artigo acirrou-o contra as medidas do governo.*] **4** Propiciar ou receber estímulo, e consequente incremento, intensificação etc. [***td.:*** *O teste acirrou a curiosidade das crianças.*] [***int.:*** *A disputa voltou a acirrar-se.*] [▶ **1** acirrar] [F.: Posv. de or. onom. Ant. ger.: *atenuar.*]

acistia (a.cis.*ti*.a) ***sf.*** *Ter.* Anomalia congênita caracterizada pela ausência de bexiga urinária [F.: *a-*[1] + *-cist(i)-* + *-ia.* Hom./Par.: *acistia* (sf.), *assistia* (fl. de *assistir*).]

acitara (a.ci.*ta*.ra) ***sf.*** **1** Espécie de cortina que cobre as portas interiores de palácios, casas etc.; REPOSTEIRO **2** Cobertura feita de tela fina e preciosa **3** Véu que, na igreja, é us. para cobrir certos objetos **4** Tapete, alcatifa **5** Rico estofo com que se cobria a sela ou o dorso da montaria **6** *Arq. Mil.* Em fortes, fortalezas etc., muro de proteção entre a muralha principal e o fosso; ANTEMURO; BARBACÃ [F.: Do ár. *as-sitara.*]

acitrinado (a.ci.tri.*na*.do) ***a.*** Cujo aspecto, cor ou sabor assemelham-se aos do limão [F.: *a-*[2] + *citrino* + *-ado*[1]. Sin. ger.: *citrino.*]

aclamação (a.cla.ma.*ção*) **1** Ação ou resultado de aclamar ***sf.*** **2** Saudação coletiva, em forma de clamor ruidoso e entusiasta, para festejar ou aprovar alguém ou algo; OVAÇÃO: *A seleção desfilou em carreata sob aclamação popular.* **3** Reconhecimento solene de um novo chefe de Estado, um novo regime etc., ou o ato de seu investimento; PROCLAMAÇÃO: *A aclamação de D. João IV foi no dia 1º de dezembro de 1640.* **4** Manifestação coletiva e unânime de apoio a uma proposta, um candidato etc., que se constitui em sua aprovação, sem escrutínio ou contagem de votos **5** *Ling.* Frase, expressão ou exclamação sentenciosa que finaliza um discurso, uma ideia etc., resumindo-os e enfatizando-os **6** *Litu.* Expressão breve que os fiéis proferem ou cantam em determinados momentos da celebração, em sinal de aprovação (p. ex: *amém, aleluia*) [Pl.: *-ções.*] [F.: Do lat. *acclamatio, onis.*] ■ **Por ~** Por meio de aplausos (diz-se de decisão, escolha coletiva), em lugar ou como confirmação de votação

aclamado (a.cla.*ma*.do) ***a.*** **1** Reconhecido por seus méritos; louvado, aprovado por muitos (escritor aclamado) **2** Aplaudido com entusiasmo: *Artista longamente aclamada por seu extraordinário desempenho.* [F.: Part. de *aclamar.*]

aclamante (a.cla.*man*.te) ***a2g.*** **1** Que aclama; ACLAMATIVO; ACLAMADOR; ACLAMATÓRIO: *Os brados aclamantes do auditório mostraram a preferência.* ***s2g.*** **2** Aquele que aclama; ACLAMADOR: *Os aclamantes de Dom Pedro acorreram em massa ao Paço.* [F.: *aclama(r)* + *-nte.*]

aclamar (a.cla.*mar*) ***v.*** **1** Aprovar ou saudar calorosamente, bradando; elevar clamor, como aprovação ou saudação [***td.:*** *A multidão aclamou o show com entusiasmo; Os convencionais aclamaram o candidato quando chegou em comitiva.*] [***int.:*** *O povo ficou por muito tempo a aclamar.*] **2** Eleger por aclamação (para cargo, função etc.); proclamar [***tdp.:*** *A convenção aclamou-o presidente de honra do partido.*] **3** Reconhecer, aceitar ou atribuir, tacitamente, qualificação, mérito, título de (alguém) [***tdp.:*** *Os fãs aclamaram-no seu ídolo maior; A crítica aclamou-o como o maior pianista vivo.*] **4** Aprovar, aplaudir reconhecendo mérito, conveniência de (alguém ou algo) [***td.:*** *Os jornais aclamaram a coragem dos bombeiros; A imprensa aclamou o fim da censura.*] **5** *P. us.* Proferir, com pompa e formalidade, a verdade; AFIRMAR [***td.:*** *Os juízes aclamaram a veracidade dos fatos.*] **6** *Ant.* Declarar como verídico; ASSEVERAR [***td.:*** *Testemunhas do fato aclamavam a ocorrência de um milagre.*] **7** Atribuir a si mesmo ou investir a si mesmo em dignidade, cargo, função, com base em suposta ou verdadeira aprovação pública ou autorização legal [***tdp.:*** *D. Miguel aclamou-se rei de Portugal em 1828.*] [▶ 1 aclamar] [F.: Do lat. *aclamare.*]

aclamativo (a.cla.ma.*ti*.vo) ***a.*** Ref. a aclamação ou em que há aclamação; ACLAMANTE; ACLAMATÓRIO [F.: *aclama(r)* + *-tivo.*]

aclamatório (a.cla.ma.*tó*.ri:o) ***a.*** **1** Ref. a aclamação **2** Ref. a, em que há ou que envolve aclamação (gritos aclamatórios); ACLAMADOR; ACLAMANTE; ACLAMATIVO [F.: *aclama(r)* + *-tório.*]

aclamídeo (a.cla.*mí*.de:o) ***a.*** *Bot.* Diz-se de planta ou de flor que não apresenta perianto; ACLÂMIDE [Por opos. a *clamídeo.*] [F.: a-^{1} + *clâmid(e)* + *-eo.*]

aclaração (a.cla.ra.*ção*) ***sf.*** **1** Ação ou resultado de aclarar(-se); ACLARAMENTO; ESCLARECIMENTO **2** Informação ou explicação que desfaz dúvidas; ESCLARECIMENTO **3** *Jur.* Texto que se acrescenta ao de uma lei, contrato ou outro documento oficial, para esclarecer detalhes relativos a determinada parte [F.: *aclarar* + *-ção.*]

aclarado (a.cla.*ra*.do) ***a.*** **1** Que ficou mais iluminado, mais claro; ILUMINADO: *A Lua surgiu, e o aclarado monumento destacou-se contra o céu.* **2** Que ficou nítido ou mais nítido, mais visível: *Acendeu a luz, e os traços aclarados do rosto do amigo transmitiram-lhe preocupação.* **3** *Fig.* Que se tornou mais claro em seu matiz ou sua tonalidade (diz-se de cor, coloração): *Terminada a pintura, contemplou o marfim aclarado das paredes do quarto.* **4** *Fig.* Que se esclareceu, que se explicou, que ficou compreensível ou mais compreensível; ESCLARECIDO: "...o que nunca ficou muito bem aclarado." (Marques Rebelo, *Contos reunidos*) **5** *Fig.* Que se purificou, clarificou: *Depois da despoluição, provaram das águas aclaradas do regato.* [F.: Part. de *aclarar.*]

aclaramento (a.cla.ra.*men*.to) ***sm.*** Ação ou resultado de aclarar(-se); ACLARAÇÃO [Ver tb. aclaração.] [F.: *aclarar* + *-mento.*]

aclarar (a.cla.*rar*) ***v.*** **1** Com a luz, tornar ou ficar claro, ou mais claro, visível, ou mais visível; ILUMINAR [***td.:*** *A luz do farol aclarava em círculos as águas escuras.*] [***int.:*** *A escura noite aclarou-se ao nascer da Lua.*] **2** *P. ext.* Despontar (o dia); AMANHECER [***int.:*** *Cantam os galos quando o dia aclara.* Ant.: *escurecer, anoitecer*] **3** Adquirir ou fazer adquirir (cor, ou a cor de) tonalidade mais clara; CLAREAR [***td.:*** *Acrescentou tinta branca à azul, para aclará-la; Resolveu aclarar os cabelos.*] [***int.:*** *Depois de muita tinta, a fazenda aclarou(-se).*] **4** *Fig.* Tornar ou ficar puro, claro, limpo; PURIFICAR(-SE) [***td.:*** *Inventou um novo método para aclarar a água de piscinas.*] [***int.:*** *Despoluídas, as águas do rio (se) aclararam, e os peixes voltaram*] **5** *Fig.* Fazer ficar ou ficar (mais) compreensível, mais claro, menos dúbio; ELUCIDAR; ESCLARECER [***td.:*** *Com explicações convincentes aclarou a questão.*] [***int.:*** *Com sua explicação, tudo se aclarou.*] **6** Tornar ou ficar evidente, patente, manifesto; fazer vir ou vir à tona (coisas ou aspectos antes ignorados ou ocultos); EVIDENCIAR [***td.:*** *O debate aclarou as profundas contradições que havia na proposta.*] [***int.:*** *Não se aclararam as verdadeiras causas da crise econômica.*] **7** Tornar ou ficar (mais) claro, (mais) nítido [***td.:*** *Uma boa noite de sono aclarou-lhe as ideias.*] [***int.:*** *Depois que ela descansou, suas ideias se aclararam.*] **8** Tornar simples, explícito, claro; EXPLICITAR(-SE) [***td.:*** *O empregado aclarou as suas reais necessidades.*] **9** *Fig.* Tornar(-se) capaz de compreender melhor; aumentar a capacidade de perceber com clareza [***td.:*** *Essa explicação aclarou-me a mente.*] **10** *Agr.* Fazer a vegetação ficar menos abundante, cortando plantas cultivadas, a fim de tornar mais fácil seu crescimento [***td.***] [▶ 1 aclarar] [F.: Do lat. *acclarare.*]

áclase (*á*.cla.se) *Pat.* ***sf.*** Presença de tecido anormal em continuidade com tecido normal; ACLASIA [F.: *a-*^{3} + *-clase.*]

aclasia (a.cla.*si*:a) ***sf.*** *Pat.* O mesmo que *áclase* [F.: *a-*^{3} + *-clasia.*]

aclásico (a.*clá*.si.co) ***a.*** *Pat.* Ref. a áclase ou aclasia (cartilagem aclásica); ACLÁTICO [F.: *áclas(e)* + *-ico*^{2}.]

⊕ ***à clef*** (*Fr.* /aclê/) ***loc. a.*** Ref. à obra literária na qual se oferece ao leitor a chave para relacionar as situações fictícias criadas pelo autor com personagens e acontecimentos da vida real: *romance à clef.* [F.: Fr., lit. 'à chave, com o auxílio de uma chave'.]

aclidiano (a.cli.di.*a*.no) *Anat. Zool.* ***a.*** **1** Diz-se de mamífero que não tem clavícula; ACLÍDIO; ACLIDO ***sm.*** **2** Mamífero com essa característica; ACLIDO [F.: *a-*^{1} + *-clid(o)-* + *-iano.*]

aclimação (a.cli.ma.*ção*) ***sf.*** **1** Ação ou resultado de aclimar(-se), adaptar-se, ajustar(-se), habituar(-se) a um novo clima ou a novas condições; ACLIMATAÇÃO **2** *Biol.* Conjunto de adaptações fisiológicas ou de comportamento de um organismo a mudanças no seu ambiente original [Quando a adaptação se refere apenas a uma única variável ambiental, usa-se *aclimatação.*] **3** *Biol.* Adaptação de espécies ao longo de várias gerações a um ambiente diferente do seu hábitat original **4** *P. ext.* Toda adaptação a circunstâncias, situações, ambiente etc. **5** Ação, esforço, projeto, conjunto de medidas destinados a suscitar ou incrementar a aclimação (1, 2) [Pl.: *-ções.*] [F.: *aclima(r)* + *-ção.*]

aclimado (a.cli.*ma*.do) ***a.*** **1** O mesmo que *aclimatado*; ACLIMATADO; ACLIMATIZADO **2** Familiarizado com, ou adaptado a, outras condições ou circunstâncias (p. ex., local, costumes) diferentes das anteriores; AFEITO; ACOSTUMADO; AJUSTADO [F.: Part. de *aclimar.*]

aclimamento (a.cli.ma.*men*.to) ***sm.*** Ação ou resultado de aclimar(-se), aclimatar(-se); o mesmo que *aclimação* [F.: *aclimar* + *-mento.*]

aclimar (a.cli.*mar*) ***v.*** **1** Habituar(-se) a (novo clima, novas condições); ACLIMATAR(-SE); ACLIMATIZAR(-SE) [***td.:*** *Aclimar plantas tropicais.*] [***int.:*** *O animal morreu porque não se aclimou.*] [***tdr.*** + *a, em: Aclimou as plantas ao ambiente da estufa.*] **2** *P. ext.* Fazer adquirir o hábito de; HABITUAR [***tdr.*** + *a: As más companhias o aclimaram ao roubo.*] [▶ 1 aclimar] [F.: *a-*^{2} + *clima* + *-ar*^{2}. No Brasil, a forma usual é *aclimatar.*]

aclimatação (a.cli.ma.ta.*ção*) ***sf.*** Ação ou resultado de aclimatar(-se); o mesmo que *aclimação* [Pl.: *-ções.*] [F.: *aclimatar* + *-ção.*]

aclimatado (a.cli.ma.*ta*.do) ***a.*** Que se aclimatou; adaptado ou habituado a determinado clima, ou a determinadas condições; ACLIMADO [F.: Part. de *aclimatar.*]

aclimatar (a.cli.ma.*tar*) ***v.*** **1** Habituar(-se) ou adaptar(-se) (ser vivo) a (clima, temperatura, ao meio ambiente) [***td.:*** *É difícil aclimatar plantas raras.*] [***tdr.*** + *a: Não conseguiu aclimatar as plantas ao novo ambiente.*] [***tr.*** + *a: Rapidamente, aclimatou-se ao inverno canadense.*] [***int.:*** *Apesar de seus cuidados, as plantas não se aclimataram.*] **2** Habituar(-se) a (usos, costumes, atividades) [***td.:*** *Tudo foi feito para aclimatar rapidamente os novos imigrantes.*] [***tdr.*** + *a: A ajuda dos colegas foi fundamental para aclimatá-lo às novas funções.*] [***tr.*** + *a: Aclimatou-se logo às novas funções.*] [***int.:*** *Não gostou do novo horário, mas logo se aclimatou.*] **3** Pôr(-se) ou estar em harmonia; amoldar; AJUSTAR-SE [***tdr.*** + *a: aclimatar o estilo à época.*] [***tr.*** + *a, com: Seus interesses não se aclimatam aos/com o sindicato.*] **4** Fazer adquirir ou adquirir um hábito, um costume; contrair um hábito; HABITUAR(-SE) [***tdr.*** + *a: aclimatar o corpo aos banhos frios.*] [***tr.*** + *a: Para manter a forma, é preciso aclimatar-se a exercícios físicos.*] **5** *Fig.* Ter ou exercer influência sobre (algo ou alguém) para aceitação de (ideia, opinião, intenção etc.) [***tdr.*** + *a: O candidato precisava aclimatar os eleitores a sua plataforma.*] [▶ 1 aclimatar] [F.: *a-*^{2} + *clima(t)* + *-ar*^{2}.]

aclimatização (a.cli.ma.ti.za.*ção*) ***sf.*** *Biol.* O mesmo que *aclimação* e *aclimatação* [Pl.: *-ções.*] [F.: *aclimatizar* + *-ção.*]

aclimatizado (a.cli.ma.ti.*za*.do) ***a.*** Ver *aclimado* [F.: Part. de *aclimatizar.*]

aclimatizar (a.cli.ma.ti.*zar*) ***v.*** O mesmo que *aclimatar* [▶ 1 aclimatizar] [F.: *a-*^{2} + *climatizar.*]

aclimável (a.cli.*má*.vel) ***a2g.*** **1** Que se pode aclimar, ou que se aclima facilmente; ACLIMATÁVEL **2** Que se adapta com facilidade [Pl.: *-veis.*] [F.: *aclimar* + *-vel.*]

aclive (a.*cli*.ve) ***sm.*** **1** Inclinação em terreno, ladeira etc., considerada no sentido da subida, de baixo para cima; ACLIVIDADE ***a2g.*** **2** *P. us.* Íngreme, de baixo para cima: *Resolveu enfrentar um caminho aclive.* [F.: Do lat. *acclivis, e.* Ant.: *declive.*]

aclividade (a.cli.vi.*da*.de) ***sf.*** **1** Qualidade ou estado do que está em aclive, que possui inclinação (para cima) (aclividade de uma rampa) **2** O mesmo que *aclive* [F.: Do lat. *acclivitas, atis.*]

acloridria (a.clo.ri.*dri*.a) ***sf.*** *Gast.* Ausência de ácido clorídrico nas secreções gástricas [F.: *a-*^{1} + *cloridria.*]

aclorídrico (a.clo.*rí*.dri.co) ***a.*** **1** Ref. a acloridria **2** Que apresenta acloridria, ausência ou insuficiência de ácido clorídrico na secreção gástrica [F.: *acloridr(ia)* + *-ico*^{2}.]

acloroblepsia (a.clo.ro.blep.*si*.a) ***sf.*** *Oft.* Incapacidade de distinguir a cor verde; ACLOROPSIA [F.: *a-*^{1} + *clor(o)-* + *-blepsia.*]

aclorofilia (a.clo.ro.fi.*li*.a) ***sf.*** *Bot.* Ausência de clorofila [F.: *a-*^{3} + *clorofila* + *-ia*^{1}.]

⊠ **ACM** Sigla de *Associação Cristã de Moços*

acmástico (ac.*más*.ti.co) *Med.* ***a.*** **1** Diz-se do período em que uma doença se manifesta em sua máxima intensidade **2** *Antq.* Diz-se de doença que aumenta de intensidade até um certo ponto, e decresce no mesmo ritmo [F.: Do gr. *akmastikós, e, ón.*]

acme (*ac*.me) ***sm.*** **1** Ponto, estágio ou grau mais elevado (acme de uma carreira); APOGEU; CLÍMAX: *o acme da felicidade.* **2** *Med.* Estágio ou período mais grave de uma doença **3** Auge do desenvolvimento de uma espécie durante sua evolução **4** *Liter.* O clímax de uma narrativa ficcional [F.: Do gr. *akmé, ês,* 'cume'.]

acmeídeo (ac.me.*í*.de:o) *Zool.* ***sm.*** **1** Espécime dos acmeídeos, fam. de moluscos gastrópodes, marinhos, de concha achatada e cônica ***a.*** **2** Ref. aos acmeídeos [F.: Adapt. do lat. cient. *Acmaeidae.*]

acmeísmo (ac.me.*ís*.mo) ***sm.*** *Liter.* Movimento da poesia russa fundado por poetas ligados à revista literária *Apollon*, de São Petersburgo, como reação ao Simbolismo e identificado com o Futurismo [Com inic. maiúsc. Cf.: *Futurismo.*] [F.: Do gr. *akmé, ês,* 'cume', + *ismo.*]

acmeísta (ac.me.*ís*.ta) ***a2g.*** **1** Ref. a Acmeísmo ***s2g.*** **2** Quem é partidário do Acmeísmo, ou com ele identificado [F.: *Acmeísmo* + *-ista*, seg. o mod. gr.]

acmestesia (ac.mes.te.*si*.a) ***sf.*** *Med.* Sensação de picada na pele como se fosse produzida por um objeto pontiagudo [F.: Do gr. *akmé*, 'ponta', + *-estes(i)-* + *-ia*^{1}.]

acne (*ac*.ne) ***sf.*** *Derm.* Doença da pele que atinge pelos e glândulas sebáceas com o aparecimento de espinhas, cravos e, na forma mais grave, cistos [F.: Do ing. *acne* < gr. tard. *ákne*, corrupt. do gr. *akmé*, 'ponta'.]

◎ **-aco**^{1} ***suf. nom.*** átono formador de termos eruditos = 'natural de'; 'da natureza de': *austríaco, cardíaco* [F.: Do gr. *-akós, é, ón*, pelo lat.]

◎ **-aco**^{2} ***suf.*** **1** tônico = 'caráter pejorativo': *velhaco* **2** Ocorre em dibversos vocábulos, de origens diversas: *barraco, buraco, cavaco, opaco*

◎ **aco-** ***el. comp.*** = 'remédio'; 'medicamento': *acognosia, acografia* [F.: Do gr. *ákos, eos-ous.*]

◎ **-aço** ***suf. nom.*** = 'aumento'; 'que é muito (certa qualidade)'; 'dada ação caracterizada pelo excesso'; 'algo em excesso (esp. barulho): *amigaço, bandidaço, ricaço; mulheraço; badernaço; apitaço, buzinaço.* [F.: De um suf. romântico *-atiu, -atia*, ou do suf. lat. *-aceus, a, um.* Outra forma: *-aça* (q. v.).]

aço^1 ***sm.*** **1** *Metal.* Liga de ferro e carbono (e eventualmente outros elementos) que se endurece pela têmpera e pode adquirir elasticidade e flexibilidade, mantendo sua dureza **2** Arma branca (punhal, espada etc.) ou sua lâmina **3** *Fig.* Aquilo que é duro, resistente etc., como o aço: *nervos de aço.* **4** *Fig.* Vigor, energia, resistência **5** *Ind.* Na fabricação de espelhos, amálgama de estanho e mercúrio aplicado ao vidro para dar-lhe propriedade refletora **6** *S. Pop.* Cachaça [F.: Regress. de *aceiro*^{1}. Hom./Par.: *aço* (sm.), *asso* (fl. de *assar*).] ■ **~ acalmado** *Metal.* Aço desoxidado pela adição de certos metais ou ligas, como o ferrossilício **~ ácido** *Metal.* O que é produzido em forno cujo revestimento refratário é de base silícica [Ex.: *aço ao cromo, aço ao vanádio.*] **~ ao cadinho** *Metal.* Aço fabricado em cadinho, com 85% ou mais de carbono **~ ao (nome de elemento)** *Metal.* Aço ligado com esse elemento **~ austenítico** *Metal.* Liga de aço na qual a austenita é a base estrutural, resistente à corrosão **~ básico** *Metal.* O que é produzido em forno cujo revestimento é básico (p. ex., calcário) **~ cementado** *Metal.* Aço fabricado a partir do ferro forjado, com processo de cementação e resfriamento lento; aço de bolha **~ de bolha** *Metal.* O mesmo que *aço cementado* **~ doce** *Metal.* Aço cujo teor de carbono não ultrapassa 0,25% **~ duro** *Metal.* Aço cujo teor de carbono atinge entre 0,60 e 0,70% **~ extraduro** *Metal.* Aço cujo teor de carbono ultrapassa os 0,80% **~ inoxidável** *Metal.* Liga de aço com cromo e outros metais (níquel, silício, tungstênio e outros), resistente à corrosão **~ martensítico** *Metal.* Aço cementado cuja estrutura é baseada na martensita **~ não ligado** *Metal.* Aço cujo único elemento na liga é o carbono; aço-carbono **~ natural** *Metal.* Aquele produzido diretamente do ferro fundido ou do mineral **~ rápido** *Metal.* O que mantém sua dureza e sua resistência quando aquecido ao rubro, us. na fabricação de ferramentas **~ temperado** *Metal.* Aço endurecido em têmpera a altas temperaturas **~ temperado ao ar** *Metal.* Aço cuja têmpera é possível por resfriamento, ao ar, depois de aquecido **Querer tirar o ~ do espelho** Ficar longo tempo diante do espelho, (ad)mirando-se

> 📖 O aço, produzido nas usinas siderúrgicas em vários formatos, é um dos principais produtos industriais, por servir de matéria-prima para outras indústrias de grande importância econômica. Entre os maiores produtores de aço do mundo estão a China, o Japão, os Estados Unidos e a Federação Russa. O Brasil, que tem grandes depósitos de ferro, desenvolveu sua indústria siderúrgica a partir da década de 1940.

aço^2 (*a*.ço) ***a. sm.*** *Bras.* Ver *aça*

acoar (a.co.*ar*) *Bras. v. int. RS* Soltar latidos; LADRAR; LATIR: *Sentindo falta do dono, o cão acoava dia e noite.* [▶ 16 acoar] [F.: De or. contrv; posv. de *a-*[2] + *cão* (com desnasalação sob a f. co de difícil explicação) + *-ar*[2]. Hom./Par.: *acoar, acuar* (em todas as fl.).]

acobertado (a.co.ber.*ta*.do) *a.* **1** Que se acobertou, que está envolvido em coberta; COBERTO **2** Que está disfarçado, dissimulado, oculto (escândalo acobertado) **3** Que está protegido, defendido; RESGUARDADO: *um bandido acobertado (pelos seus comparsas) sm.* **4** *Ant.* Manta feita de couro ou malhas de ferro com que se protegiam montarias nas batalhas **5** *Ant.* Soldado cuja montaria tinha esse tipo de proteção [F.: Part. de *acobertar.*]

acobertamento (a.co.ber.ta.*men*.to) *sm.* Ação ou resultado de acobertar(-se) [F.: *acobertar* + *-mento.*]

acobertar (a.co.ber.*tar*) *v.* **1** Cobrir (algo, alguém ou a si próprio) com coberta, capa ou algo semelhante [*td.*: *acobertar o filhote; Para proteger-se do frio, o mendigo acobertava-se com trapos velhos.*] **2** Cobrir, tapar, envolver (algo, alguém ou a si próprio) com algum objeto ou material adequado, para evitar que sofra algum tipo de dano físico [*tdr.* + *com*: *Acobertava as taças de cristal com folhas de jornal; Por causa de uma fratura na costela, o rapaz acobertou-se com uma cinta.*] **3** *Fig.* Colocar(-se) em situação ou lugar livre de risco; guardar(-se) com cuidado; ABRIGAR(-SE); PROTEGER(-SE) [*td.*: *Acobertar a pele.*] [*tda.*: *Durante a chuva, acobertamos as crianças no metrô.*] [*tdr.* + *de*: *O muro acobertou os soldados das armas dos inimigos.*] **4** *P. ext.* Tomar medidas para evitar que (alguém) sofra ação prejudicial de outrem; defender os interesses, a integridade física ou moral de (alguém, ou de si próprio); DEFENDER(-SE) [*td.*: *Mentiu para acobertar o irmão.*] [*tdr.* + *contra, de*: *Acobertou-o contra acusações infundadas; Acobertou-se dos ataques maliciosos.*] **5** Dar cobertura, apoio às ações de alguém; colaborar com; ser cúmplice de [*td.*: *Os auditores acobertaram falhas funcionais da empresa.*] **6** Não deixar que (algo, como um fato, uma informação etc.) seja conhecido ou reconhecido, a fim de favorecer alguém; esp.: esconder, dissimular (atitude desonesta); DISSIMULAR; OCULTAR [*td.*: *A hipocrisia serve para acobertar-lhe os vícios; acobertar escândalos.*] **7** *Com.* Registrar (mercadoria) por escrito, para trânsito ou armazenamento [*td.*: *A empresa deve emitir nota fiscal para acobertar suas mercadorias.*] [▶ 1 acobertar] [F.: *a-*[2] + *coberta* + *-ar*[2].]

acobreado (a.co.bre.*a*.do) *a.* Que se acobreou; que tem, a que se deu ou que passou a ter aspecto ou cor de cobre (cabelos acobreados; pele acobreada) [F.: Part. de *acobrear.*]

acobrear (a.co.bre:*ar*) *v.* **1** Dar ou adquirir aspecto ou cor de cobre [*td.*: *acobrear o ferro.*] [*int.*: *Sua pele se acobreou.*] **2** Dar um revestimento de cobre a [*td.*] [▶ 13 acobrear] [F.: *a-* + *cobre* + *-ear.*]

acocar[1] (a.co.*car*) *v. td. Pop.* Encher de carinhos, de cuidados, de mimos [▶ 11 acocar] [F.: De or. incerta.]

acocar[2] (a.co.*car*) *v. td. Bras. Pop.* Fazer ficar (alguém, inclusive si mesmo), pôr(-se) de cócoras; ACOCORAR [▶ 11 acocar] [F.: De or. contrv; posv. de *acocorar*, com haplologia.]

aço-carbono (a.ço-car.*bo*.no) *sm. Metal.* Aço leve e de grande resistência composto essencialmente de ferro e carbono, largamente utilizado nos setores de relaminação (com enfoque para a indústria automobilística), serras (para mármore, madeira, metais etc.), cutelaria, ferramentas e implementos agrícolas [A quantidade de carbono presente no aço define a classificação dos aços-carbono; outros elementos presentes na composição existem apenas em quantidades residuais.] [Pl.: *aços-carbonos; aços-carbono.*]

acochado (a.co.*cha*.do) *a.* **1** Que se acochou; acocorado, agachado **2** Disposto em camadas apertadas; ACAMADO **3** *P. ext.* Apertado, comprimido; preso ou amarrado com força; arrochado **4** *Fig.* Próximo de algo ou alguém; ACHEGADO; ACONCHEGADO **5** *P. ext.* Protegido, acobertado **6** *Bras. Fig.* Incomodado, assediado, importunado **7** *Bras.* Com muita pressa; AÇODADO **8** *Fig.* Reprimido, contido nas ações ou na expressão [F.: Part. de *acochar.*]

acochambrar (a.co.cham.*brar*) *v.* **1** *Bras. Pop.* Fazer de maneira escusa, ou forjar fraudulentamente [*td.*: *acochambrar a declaração do imposto de renda.*] **2** Fazer ou preparar (algo), ou agir, de modo improvisado, sem esmero, ou apressadamente [*td.*: *Acochambrou a arrumação do quarto, que continuou abagunçado.*] [*int.*: *Pode se encarregar dos preparativos da festa, mas não vá acochambrar.*] **3** Combinar ocultamente algo ilícito, desonesto [*td.*: *acochambrar intrigas, traições.*] **4** *Pop.* Não cumprir devidamente, ou com disciplina, ordens ou tarefas; fazer corpo mole [*int.*] [▶ 1 acochambrar] [F.: orig. obsc.]

acochar (a.co.*char*) *v.* **1** Dispor em camadas, acamar, apertando [*td.*] **2** Exercer compressão ou pressão sobre; COMPRIMIR; APERTAR [*td.*: *O peso dos livros acochou a prateleira, envergando-a:* "– Não é, senhora; aquilo foi o vestido. Não vê como acocha a cintura" (José de Alencar, *Senhora*)] [*tda.* + *em*: *acochar roupas numa gaveta.*] **3** *Bras. P. ext.* Perseguir ou pressionar com demasiada insistência; ASSEDIAR; IMPORTUNAR [*td.*: *Vidrado, vive acochando a colega de trabalho; Acocha o patrão com seus pedidos de licença.*] **4** *Bras. Pop. P. ext.* Dar pressa a (alguém); APRESSAR; AÇODAR [*td.*: *Acochamo-nos para chegar na hora.*] **5** *Bras. P. ext.* Sobrecarregar, oprimir, cobrar [*td.*: *As grandes empresas contratam menos e acocham cada vez mais seus empregados; Não há outra alternativa a não ser acochar os devedores?*] **6** Pôr ou ficar de cócoras; AGACHAR(-SE); ACOCORAR(-SE) [*td.*: *Acocharam-se para que não os visse.*] *sm.* **7** *Bras. Pop.* Acobertar, apadrinhar, favorecer [*td.*: *O senador vive acochando a parentela.*] **8** *Mar.* Ver *cochar* [▶ 1 acochar] [F.: *a-* + *cochar.*]

acocho (a.*co*.cho) [ô] *sm.* **1** Ação ou efeito de acochar(-se): "O cavaleiro, distraído com seus pensamentos, deixava a bestinha a gosto, livre dos acochos da rédea e dos espinhos da espora." (Mário Palmério, *Chapadão do bugre*) **2** *Bras. Fig.* Situação difícil ou perigosa; aperto, aperreio **3** *Bras. Fig.* Situação opressiva; excesso de trabalho, de tarefas; arrocho, sobrecarga de trabalho: *Os professores impunham aos alunos um acocho sem precedentes.* [F.: Deverbal de *acochar.* Hom./Par.: *acocho* [ô] (sm.); *acocho* [ó] (fl. de *acohar*).]

acóclide (a.*có*.cli.de) *a. Zool.* Diz-se de molusco desprovido de concha [F.: *a-*[1] + gr. *kochlís*, 'pequena concha', + *-ide*[1].]

acocorado (a.co.co.*ra*.do) *a.* **1** Que se acocorou; sentado sobre os calcanhares, ou com o corpo encolhido e junto ao chão; AGACHADO **2** *SP* Tratado com excesso de mimo; amimado [F.: Part. de *acocorar.*]

acocorar (a.co.co.*rar*) *v.* **1** Fazer sentar ou sentar-se sobre os calcanhares; pôr(-se) de cócoras; AGACHAR(-SE) [*td.*: *O pai acocorou seus filhos junto à lareira.*] [*int.*: *O pai também acocorou-se junto ao fogo.*] **2** *P. ext.* Fazer ficar, ficar ou estar rente ao chão, oculto, como que escondido [*td.*: *O general acocorou os soldados nas trincheiras.*] [*int.*: *O vilarejo acocorava-se no sopé da montanha.*] **3** *Fig.* Tornar(-se) indigno; rebaixar ou ter rebaixada a moral, a honra; AVILTAR(-SE); HUMILHAR(-SE) [*td.*: *Acocorou o subalterno criticando-o duramente diante de todos.*] [*int.*: *Injustamente criticado, acocorou-se, não reagiu nem argumentou.*] **4** *P. ext.* Levar de vencida, obter supremacia sobre; SUPLANTAR; VENCER [*td.*: *Os gregos acocoraram os persas na batalha de Salamina.*] **5** *Bras.* Dar aconchego, acomodação a (alguém ou si mesmo); ABRIGAR; ACOLHER [*td.*: *Acocorou a namorada nos braços.*] **6** *Bras.* Dar proteção, abrigo a; encerrar em lugar recôndito; ABRIGAR; ESCONDER [*td.*: *A polícia acocorou as testemunhas do crime.*] **7** *Bras. SP Fig.* Tratar com carinho, meiguice (acocorar o bebê); AFAGAR; MIMAR [*td.*] [▶ 1 acocorar] [F.: *a-*[2] + *cócora(s)* + *-ar*[2].]

açodado (a.ço.*da*.do) *a.* **1** Que se açodou; apressado; instigado ou estimulado a agir: *açodados em concluir a tarefa* **2** Feito com pressa excessiva, sem a devida cautela, atenção, paciência etc. (conclusões açodadas) **3** Que se apressa muito, que age com rapidez (excessiva) [F.: Part. de *açodar.*]

açodamento (a.ço.da.*men*.to) *sm.* **1** Ação ou resultado de açodar(-se) **2** Pressa um tanto excitada, às vezes precipitada; PRECIPITAÇÃO: *Vai com calma, esse açodamento pode levar tudo a perder.* [F.: *açodar* + *-mento.*]

açodar (a.ço.*dar*) *v.* **1** Tornar (algo ou alguém, inclusive a si mesmo) mais rápido, acelerado, ágil; ACELERAR(-SE); APRESSAR(-SE) [*td.*: *Açodava-se em cumprir sua promessa; Os soldados açodaram o ritmo da marcha.*] **2** *P. ext.* Apressar (alguém, inclusive a si mesmo) além do necessário, por impaciência ou precipitação; PRECIPITAR(-SE) [*td.*: *A ansiedade de concluir a prova açodou o estudante.*] [*int.*: *Pressionado pelo tempo, açodou- se nas respostas e não fez boa prova.*] **3** Instigar (esp. cães) a atacar; AÇULAR [*td.*: *Percebendo os invasores, o capataz açodou os cães.*] [*tdr.* + *a, contra*: *Açodou os cães a perseguir o ladrão; Açodou os cães contra os invasores.*] **4** *Fig.* Ir no encalço de; PERSEGUIR [*td.*: *Os policiais açodaram os bandidos.*] [▶ 1 açodar] [F.: Or. desconhecida, posv. onom. Hom./Par.: *açodar, açudar* (todas as fl.).]

açôfar (a.*çô*.far) *sm.* **1** Liga metálica de cobre amarelo, latão ou zinco, que tem a aparência do ouro; AÇOFRA; OUROPEL **2** *Fig.* Brilho enganador; coisa falsa [F.: Do ár. *as-sufr.*]

açofeifa (a.ço.*fei*.fa) *sf. Bot.* Desig. comum a diversas esp. do gênero *Ziziphus*; o mesmo que *jujuba* e *jujubeira* [F.: Do gr. *zizyphon*, pelo ár. *az-zufaizfa.*]

açofeifeira (a.ço.fei.*fei*.ra) *sf. Bot.* Árvore (*Ziziphus jujuba*) que produz frutos comestíveis em forma de drupas suculentas; o mesmo que *jujubeira* [F.: *açofeifa* + *-eira.*]

acognose (a.cog.*no*.se) *sf. Med.* O mesmo que *acognosia* [F.: *aco-* + *-gnose.*]

acognosia (a.cog.no.*si*.a) *sf. Med.* Estudo e conhecimento de remédios e de processos terapêuticos; ACOGNOSE; ACOLOGIA [F.: *aco-* + *-gnosia.*]

acognósico (a.cog.*nó*.si.co) *a.* Ref. a acognosia [F.: *acognosia* + *-ico*[2].]

acografia (a.co.gra.*fi*.a) *sf. Farm.* Descrição dos remédios [F.: *aco-* + *-grafia.*]

acográfico (a.co.*grá*.fi.co) *a. Farm.* Ref. a acografia [F.: *acografia* + *-ico*[2].]

acogulado (a.co.gu.*la*.do) *a.* **1** Muito cheio, a ponto de o conteúdo exceder as medidas, transbordar (recipiente acogulado); ABARROTADO **2** *Fig.* Que se juntou em grande quantidade; AMONTOADO; APINHADO [F.: Part. de *acogular.*]

acogular (a.co.gu.*lar*) *v.* **1** Encher muito (recipiente, medida), até formar cogulo, ou até transbordar; ABARROTAR [*td.*: *O temporal acogulou o tanque.*] [*tdr.* + *com, de*: *Acogularam as carroças com feixes de capim; O produtor acogulara de milho os silos.*] **2** *Fig.* Usar a capacidade total de (algo que contém, armazena); pôr em (área, espaço, conjunto de coisas) uma quantidade exagerada de elementos; ENCHER; SOBRECARREGAR [*td.*: *Sem necessidade, acogulou o computador.*] [*tdr.* + *com, de*: *Acogularam o texto de adjetivos desnecessários.*] **3** *P. ext.* Juntar, reunir (coisas, pessoas) em grande número e num único espaço *pop.* LOTAR [*td.*: *Aquele show acogulou a praia.*] [*tdr.* + *com, de*: *O feriado acogulou a estrada com veículos.*] [▶ 1 acogular] [F.: *a-* + *cogulo* + *-ar*[2]. Ant. ger.: *esvaziar*. Hom./Par.: *acogulado* (fl.), *acogulado* (a.). Ver tb. *cogular.*]

açoiaba (a.çoi.*a*.ba) *sf. Bras.* Espécie de manto de penas, curto, us. pelos indígenas brasileiros em algumas solenidades [F.: Do tupi *ahoi'hab.*]

acoimado (a.coi.*ma*.do) *a.* **1** Que recebeu punição, multa ou repreensão **2** Diz-se da pessoa a quem é atribuída culpa, defeito, qualidade má ou alguma qualificação negativa: *um homem acoimado de traidor.* [F.: Part. de *acoimar.*]

acoimamento (a.coi.ma.*men*.to) *sm.* **1** Ação ou resultado de acoimar(-se) **2** Coima (multa) imposta a alguém [F.: *acoimar* + *-mento.*]

acoimar (a.coi.*mar*) *v.* **1** Impor a coima a [*td.*: *Acoimaram o pastor por deixar entrar o rebanho em terra alheia.*] **2** *P. ext.* Aplicar ou impor castigo a; CASTIGAR [*td.*: *coimar os faltosos.*] **3** Pôr tacha em; TACHAR [*tdp.*: "Se porém o livro for acoimado de cediço e tedioso..." (José de Alencar, *Iracema*)] **4** Atribuir responsabilidade, culpa ou falha a; CULPAR [*tdr.* + *de*: *O delegado acoimou os invasores de danos ao patrimônio público.*] **5** Dirigir censura ou repressão a; CENSURAR; REPREENDER [*td.*: *Acoimaram o filho; Sua irmã o acoimava por relaxar nos estudos.*] **6** Vingar(-se) de algum dano [*int.*: *Um cidadão de boa índole não acoima, mesmo que se sinta tentado a fazê-lo.*] [▶ 1 acoimar] [F.: *a-* + *coimar.*]

açoita-cavalo (a.çoi.ta-ca.*va*.lo) *Bot. sm.* **1** Design. de várias plantas do gên. *Luehea*, da fam. das tiliáceas, cujos galhos flexíveis servem para fazer chicote: "...árvores velhas, de todas as alturas – braçudas braúnas, jequitibás esmoitados... e o paredão dos açoita-cavalos, escuros..." (Guimarães Rosa, "Conversa de bois", *in Sagarana*) **2** Design. de várias árvores (*Luehea divaricata, Luehea paniculata* etc.) nativas do Brasil [Pl.: *açoita-cavalos.*] [Tb. *açoita-cavalos.*]

açoita-cavalos (a.çoi.ta-ca.*va*.los) *sm2n. Bras. Bot.* Ver *açoita-cavalo*

açoitado (a.çoi.*ta*.do) *a.* **1** Que recebeu golpes de açoite, ou de instrumento semelhante; fustigado, chicoteado, vergastado; espancado **2** *Fig.* Que sente, ou passa por, grande sofrimento ou aflição; que sofre ação ou consequências destruidoras de algo; devastado, assolado: *Um país açoitado pela guerra; uma alma açoitada pela culpa* [F.: Part. de *açoitar.*]

açoitamento (a.çoi.ta.*men*.to) *sm.* Ação ou resultado de açoitar(-se) [F.: *açoitar* + *-mento.*]

acoitar (a.coi.*tar*) *v.* **1** Dar ou obter coito, refúgio ou guarida; ESCONDER; HOMIZIAR [*td.*: "Dava-se combate a este régulo, porque acoitava escravos fugidos." (Alberto da Costa e Silva, *A manilha e o libambo*)] [*ta.*: "Dona Bárbara acoitou-se...numa igreja..." (Alberto da Costa e Silva, *A manilha e o libambo*)] **2** Oferecer proteção, acolhimento; ABRIGAR; ACOLHER; PROTEGER [*td.*: "Ouso esperar, talvez, que o seu amor me acoite..." (Cesário Verde, "Frígida", *in Poesias Completas*)] [*tdr.* + *de*: *Acoitou os cães dos perseguidores.*] **3** Esconder, não revelar paradeiro de; OCULTAR [*td.*: "...os ceiceirais... descaíam sobre a água como se... estivessem acoitando os... barcos del-rei Ramiro..." (Almeida Garrett, *O arco de Sant'ana*); "...é o principal culpado, por acoitar árbitros (...) esconder suas faltas e não puni-los." (Sergio Noronha, "O torcedor e o presidente", *in JB*, 16.11.1994)] [▶ 1 acoitar] [F.: *a-*[2] + *coitar*[1]. Hom./Par.: *acoito* (fl.), *acoito* (sm.); *acoitado* (fl.), *acoitado* (a.).]

açoitar (a.çoi.*tar*) *v.* **1** Castigar, golpear com açoite, vara, correia, cipó, chicote etc. [*td.*: *O capataz açoitava os escravos; Com fervor religioso, açoitavam-se até sangrar.*] **2** *P. ext.* Dar golpes, pancadas em; ESPANCAR; GOLPEAR [*td.*: *As correias do chicote açoitavam os prisioneiros.*] **3** Ir de encontro a; esbarrar com força ou violência; FUSTIGAR [*td.*: *As ondas açoitavam as pedras do cais:* "O vento mugindo açoitava as grossas árvores." (José de Alencar, *O guarani*)] **4** Atravessar, varar (ger. o ar) com ímpeto e rapidez; AFLIGIR; FUSTIGAR; MALTRATAR [*td.*: *A seta, veloz, açoitava os ares:* "A língua lúrida, comprida, fina, bífida açoitava o ar em rápidas lambidas." (Júlio Ribeiro, *A carne*)] **5** Fazer sofrer, ferir, magoar; causar aflição, angústia a; AFLIGIR; FUSTIGAR; MALTRATAR [*td.*: *A miséria açoitava o povo.*] **6** Atingir (algo) varrendo, destruindo, arrasando; DEVASTAR [*td.*: *Pragas seguidas açoitaram os campos e arruinaram as colheitas.*] [▶ 1 açoitar] [F.: *açoite* + *-ar*[2]. Hom./Par.: *açoite* (sm.), *açoite* (fl. de *açoitar*); *açoites* (pl.), *açoites* (fl. de *açoitar*).]

açoite (a.*çoi*.te) *sm.* **1** Instrumento feito de tiras de couro ou corda, us. para incitar animais ou aplicar golpes como castigo corporal ou tortura; CHIBATA; CHICOTE; COURO; LÁTEGO **2** *P. ext.* Qualquer coisa us. para açoitar **3** Golpe dado com açoite (1, 2), ou com a mão aberta **4** *Fig.* Castigo, sofrimento moral ou físico; FLAGELO: *Enfrentava com serenidade os açoites da vida.* [F.: Do ár. *as-sawt.* Hom./Par.: *açoite* (sm.), *açoite* (fl. de *açoitar*); *açoites* (pl.), *açoites* (fl. de *açoitar*).] ▪▪ **De ~** *Bras.* Subitamente; de estalo

açoite de rio (a.çoi.te de*ri*:o) *sm. BA* Trecho em curva (convexa) da margem de um rio em que há acentuada redução de correnteza devido ao acúmulo de sedimentos [F. paral.: *açoute de rio.*] [Pl.: *açoites de rio.*]

açoiteira (a.çoi.*tei*.ra) *sf.* **1** *S.* Parte do chicote ou ponta de rédea com que se açoita o animal **2** Chicote curto **3** Chicote ou relho para açoitar os animais que puxam a carroça [F.: *açoite* + *-eira.*]

acolá (a.co.*lá*) *adv.* **1** Naquele lugar (afastado de quem fala e da pessoa com quem se fala): *Vê a casa azul, acolá? É para lá que vamos:* "O que estará acolá no centeio para o cão ladrar assim?" (Júlio Dinis, *As pupilas do senhor reitor*) **2** Para aquele lugar, àquele lugar (afastado); mais além: *Subiram o morro, depois foram acolá, até o vale.* [F.: Do lat. vulg. *eccu(m) illac*, 'eis ali'.] ▪▪ **Aqui e ~** Em vários lugares, sem precisão de demarcação

acolar (a.co.*lar*) *v. td.* Cingir com os braços, abraçar (quem acabou de receber o grau de cavaleiro) [Como parte do ritual de conferir o grau de cavaleiro.] [▶ 1 aco**lar**] [F.: Do fr. *accoler.* Hom./Par.: *acola* (fl.), *acolá* (adv.).]

acolchetado (a.col.che.*ta*.do) *a.* **1** Que se acolchetou: *As damas mal podiam respirar, acolchetadas em seus espartilhos.* *a.* **2** Apertado ou seguro com colchetes [F.: Part. de *acolchetar.*]

acolchetar (a.col.che.*tar*) *v.* **1** Fechar(-se) ou unir(-se) com colchete(s) [*td.: acolchetar um casaco.*] [*ta.* + *em, a, de: O vestido acolcheta-se na frente.*] [*int.: Esta capa não acolcheta facilmente.*] **2** Prover de colchete(s) [*td.: acolchetar uma peça de roupa.*] **3** Engranzar (contas) [*td.: acolchetar um rosário.*] [▶ 1 acolche**tar**] [F.: *a-* + *colchete* + *-ar.*]

acolchoado (a.col.cho.*a*.do) *a.* **1** Que se acolchoou, que se forrou com colcha: *Deitou-se no futon acolchoado.* **2** Que foi trabalhado, lavrado em padrão semelhante ao de uma colcha (diz-se de tecido) **3** Diz-se de tecido forrado de algodão, de penas finas ou de espuma de náilon, do qual se faz colcha ou coberta **4** Que foi forrado ou revestido com esse tecido (casaco acolchoado) **5** Que foi forrado ou revestido com colchão (piso acolchoado) *sm.* **6** Tecido acolchoado (3) **7** Colcha feita desse tecido; EDREDÃO [F.: Part. de *acolchoar.*]

acolchoamento (a.col.cho:a.*men*.to) *sm.* **1** Ação ou efeito de acolchoar, de revestir ou forrar algo com tecido ou material macios (para proteger de quedas, pancadas, batidas etc.) **2** Revestimento macio, como de colcha; o material macio us. para acolchoar algo: *acolchoamento de espuma.* [F.: *acolchoar* + *-mento.*]

acolchoar (a.col.cho.*ar*) *v. td.* **1** Colocar ornamento ou forro em (tecido), dando a aparência de colcha: *Acolchoou um corte de fazenda para forrar o sofá.* **2** Forrar ou revestir com colcha ou tecido semelhante: *Comprou um pano para acolchoar a cama.* **3** Revestir ou forrar (pano, couro ou qualquer material, ou objeto feito com eles) com algodão, espuma, lã etc.: *Acolchoou o casaco de couro.* **4** Revestir de material macio para proteger de quebras ou danos: *É preciso acolchoar este pacote antes de enviá-lo.* **5** *Mar.* Rechear (almofada, cadeira, sofá, poltrona etc.) com material mole ou fofo, à maneira de colchão, para propiciar mais conforto; ESTOFAR [▶ 16 acolcho**ar**] [F.: *a-*[2] + *colchão* + *-ar*[2].]

acolhedor (a.co.lhe.*dor*) [ô] *a.* **1** Que dá boa acolhida, que recebe bem; HOSPITALEIRO; RECEPTIVO: *O povo brasileiro é alegre e acolhedor.* **2** Diz-se de lugar, ambiente etc. em que se sente à vontade, confortável (hotelzinho acolhedor); ACONCHEGANTE [F.: *acolher* + *-dor.*]

acolher (a.co.*lher*) *v.* **1** Dar ou receber abrigo, proteção, agasalho; ABRIGAR(-SE) [*td.: acolher crianças abandonadas.*] [*tda.: Por causa do mau tempo, acolheu-nos em sua casa.*] [*ta.: Os flagelados acolheram-se na escola.*] **2** Dar ou ter acolhida, hospitalidade; dar ou ter alojamento; HOSPEDAR(-SE); RECOLHER(-SE) [*td.: Acolheu os primos vindos da Austrália.*] [*ta.* + *em: Exilado, o presidente acolheu-se no Brasil.*] [*tda.: Durante o temporal, acolhemos os viajantes no quarto de hóspedes.*] [*int.: Acolher bem era uma tradição de família.*] **3** Receber com certa pompa ou deferência; RECEPCIONAR [*td.: O povo acolheu os campeões com festa.*] **4** Receber (reagindo de certa maneira ao que se recebe) [*td.: O professor acolheu (mal/bem) as críticas dos alunos.*] **5** *P. ext.* Concordar em receber, aceitar; ADMITIR [*td.: O tribunal acolheu o recurso.*] **6** *P. ext.* Levar em conta; aceitar [*td.: acolher um pedido de desculpas.*] **7** *Fig.* Ter algo ou alguém como legítimo, verdadeiro [*tdp.: Acolhemos a notícia como verdadeira.*/ *Acolheu a versão do amigo como verdadeira.*] [▶ 2 aco**lher**] [F.: Do lat. *accolligere.* Hom./Par.: *acolhera, acolheras, acolheram* [ê] (fl.), *acolhera, acolheras, acolheram* (fl. de *acolherar*); *acolhêramos* (fl.), *acolhêramos* (fl. de *acolherar*).]

acolherar (a.co.lhe.*rar*) *v.* **1** *S* Ajoujar ou atrelar (dois animais) por meio de colhera [*td.: acolherar dois bois.*] **2** *P. ext.* Reunirem-se sempre, encontrarem-se sempre juntas [*int.: Os dois amigos acolheram-se dia e noite.*] **3** *P. ext.* Reunir, juntar (pessoas), com certa finalidade [*int.: Acolheram-se para planejar a expedição.*] [*td.: Acolherou os companheiros para confabular sobre o assunto.*] **4** *Fig.* Tornar-se amigado; JUNTAR-SE; AMASIAR-SE [*tr.* + *com:* "...Nadico, que já convidara para se acolherar com ele..." (João Simões Lopes Neto, *Contos gauchescos*)] [▶ 1 acolhe**rar**] [F.: Do espn. *acollarar*, "pôr colhera, ou colheira, em animais".]

acolhida (a.co.*lhi*.da) *sf.* O mesmo que *acolhimento* [F.: *acolher* + *-ida*[2].]

acolhido (a.co.*lhi*.do) *a.* **1** Cuja presença é aceita em um lugar ou na companhia de certas pessoas; que recebeu acolhimento, abrigo, proteção, hospitalidade etc.; ABRIGADO; ADMITIDO: *acolhido em local seguro; acolhido num clube.* **2** Que provoca determinadas reações ou opiniões (boas ou más): *argumentos bem acolhidos pelo juiz; inovações mal acolhidas.* [F.: Part. de *acolher.*]

acolhimento (a.co.lhi.*men*.to) *sm.* **1** Ação ou resultado de acolher **2** Modo como se acolhe, como se recebe alguém ou alguma coisa; RECEPÇÃO: *O rei teve bom acolhimento em todas as povoações por onde passou; A nova música teve péssimo acolhimento do público.* **3** Hospitalidade, hospedagem: *Viajou contando com o acolhimento do amigo.* **4** Abrigo, refúgio, proteção: *A instituição dá acolhimento à população de rua; Encontrou acolhimento na religião.* [F.: *acolher* + *-imento.* Sin. ger.: *acolhida.*]

acolia (a.co.*li*.a) *sf. Pat.* Ausência ou redução acentuada da secreção biliar [F.: *a-* + *-col(e)-* + *-ia*[1].]

acólico (a.*có*.li.co) *Med. a.* **1** Ref. a acolia *sm.* **2** Pessoa cujo organismo não produz bile [F.: *acolia* + *-ico*[2].]

aço-liga (a.ço-*li*.ga) *sm. Metal.* Aço que contém uma quantidade específica de elementos de liga diferente daquela que ger. é utilizada no aço comum [Pl.: *aços-ligas; aços-liga.*]

> 🕮 Os aços-liga costumam ser designados de acordo com o elemento predominante: aço-níquel, aço-cromo etc.; por apresentarem propriedades bastante distintas, possuem aplicações diversas e podem ser encontrados em quase todos os setores industriais.

acolitado (a.co.li.*ta*.do) *sm.* **1** *Rel.* Condição ou posição hierárquica de acólito **2** Período durante o qual um religioso tem o grau de acólito (antes de passar a subdiácono) [F.: *acólito* + *-ado*[2].]

acolitar (a.co.li.*tar*) *v.* **1** Servir de acólito a, ou em serviço religioso [*td.: O rapaz acolitou o pároco.*] [*ta.* + *em: O padre vai acolitar na missa episcopal.*] [*int.: O menino já acolita há um ano.*] **2** *P. ext.* Prestar constante ajuda ou companhia a [*td.: Ele acolita o tio doente.*] [▶ 1 acoli**tar**] [F.: *acólito* + *-ar.*]

acolitato (a.co.li.*ta*.to) *sm.* **1** *Ecles.* A mais importante das quatro ordens menores na hierarquia eclesiástica católica, mesmo que *acolitado* **2** Tempo em que a pessoa permaneceu nessa ordem: *Depois de um acolitato de cinco anos, foi elevado a subdiácono.* [F.: Do lat. ecles. *acolythatus.*]

acólito (a.*có*.li.to) *sm.* **1** *Ecles.* A quarta das ordens menores, que dá o poder ao subdiácono de servir na missa, acender os círios, preparar e oferecer o vinho e a água **2** *Ecles.* Pessoa a quem foi conferida esta ordem ou que desempenha as mesmas funções **3** *Fig.* Aquele que acompanha ou ajuda alguém; AJUDANTE; ASSISTENTE [Pode ter conotação pejorativa.] [F.: Do lat. ecles. *acolythus, i.*]

acoluria (a.co.lu.*ri*.a) *sf.* Ver *acolúria*

acolúria (a.co.*lú*.ri:a) *sf. Pat.* Ausência de bile e pigmentos biliares na urina [F.: *a-*[3] + *-col(e)-* + *-úria* (*-uria*). Us. tb. *acoluria.*]

acomadrar (a.co.ma.*drar*) *v.* **1** Criar relação de comadre entre duas mulheres, ou passar a ter (duas mulheres) relação de comadre [*td.: Amigas, ficaram felizes com o casamento dos filhos, que as acomadrou.*] [*td.: Finalmente se acomadraram, quando os filhos casaram.*] **2** *P. ext.* Criar relação de amizade íntima, camaradagem etc. com ou entre (mulheres) [*td.: A intimidade da convivência acabou por acomadrá-las.*] [*tdr.* + *com: Acomadrou-se com a vizinha e tornou-se íntima da casa; Acomadrou a vizinha de baixo com a de cima; no fim, acomadraram-se todas.*] **3** *Irôn. Pej.* Criar entre (si mesmo e outrem) relação baseada em troca de fofocas e mexericos [*tdr.* + *com: Acomadrou-se com a sogra para falar mal de toda a vizinhança; Depois que as duas se acomadraram os boatos se multiplicaram na vila.* A conotação de irônico e pejorativo é ainda maior se estiver se referindo a homens] [▶ 1 acoma**drar**] [F.: *a-*[2] + *comadre* + *-ar*[2].]

acometer (a.co.me.*ter*) *v.* **1** Dar início ou fazer (algo ou alguém), dar início a ação violenta (contra algo, alguém ou reciprocamente); investir ou fazer investir contra [*td.: acometer o inimigo; Os lutadores acometeram-se violentamente.*] [*int.: Ao aceno do chefe, os policiais acometeram.*] [*tdr.* + *contra: O ódio acometeu-a contra o marido.*] [*tr.* + *contra, sobre: acometer contra/sobre o adversário.*] **2** *P. ext.* Provocar, fazer despertar raiva, revolta, indignação ou descontentamento em; HOSTILIZAR; INJURIAR [*td.: Acometeu o síndico com um discurso hostil.*] **3** *P. ext.* Tentar realizar, esforçar-se por obter (algo difícil, perigoso, trabalhoso etc.); EMPREENDER [*td.: acometer uma travessia arriscada.*] **4** *P. ext.* Enfrentar, ir (com determinação) ao encontro de (algo difícil, arriscado) [*td.: O surfista acomete as ondas com coragem.*] **5** *P. ext.* Ir violentamente de encontro a, chocar-se com; COLIDIR [*td.: Desgovernado, o caminhão acometeu o ônibus.*] **6** Acercar-se de (alguém) com certa intenção; ABORDAR [*td.: Os bandidos acometeram a jovem para assaltá-la; Acometeu o funcionário com uma proposta de suborno.*] **7** *P. ext.* Ocupar por completo, tomar conta de, dominar [*td.: Durante a Copa, o ufanismo acomete os brasileiros.*] **8** *Fig.* Aparecer, manifestar-se (estado físico, mental, doença etc.) em [*td.: Uma gripe interminável acometeu-a no inverno.*] [*int.: Primeiro vieram as lembranças, depois acometeu a melancolia.*] [▶ 2 acome**ter**] [F.: *a-*[2] + *cometer.*]

acometida (a.co.me.*ti*.da) *sf.* O mesmo que *acometimento* [F.: *acometer* + *-ida*[2].]

acometido (a.co.me.*ti*.do) *a.* **1** Que apresenta ou sofre os sintomas ou efeitos de uma doença ou lesão, da ação de organismos patogênicos etc.: *novo tratamento para os pacientes acometidos de insônia; órgão acometido por inflamação aguda; planta acometida por parasitas.* **2** *Fig.* Que se encontra alterado emocionalmente, ou abalado, devido a um sentimento forte, uma comoção: *acometido de violenta repulsa; acometido por grande euforia.* **3** Atacado, ofendido, ameaçado; que foi objeto da ação nociva de algo ou alguém **4** Que foi atingido por batida violenta; ABALROADO [F.: Part. de *acometer.*]

acometimento (a.co.me.ti.*men*.to) *sm.* **1** Ação ou resultado de acometer **2** Ataque violento, investida enérgica **3** Aparecimento repentino de doença, sentimento etc. **4** Tentativa (de realizar algo ger. ousado), empreendimento [F.: *acometer* + *-mento.*]

acometível (a.co.me.*tí*.vel) *a2g.* Que pode ser acometido: *O descuido com a defesa tornou a fortaleza acometível.* [Pl.: *-veis.*] [F.: *acometer* + *-ível.*]

acomia (a.co.*mi*.a) *sf. Med.* Queda ou ausência de cabelos; ALOPECIA; CALVÍCIE [F.: *a-*[1] + *-comia.*]

acomodação (a.co.mo.da.*ção*) *sf.* **1** Ação ou resultado de acomodar(-se), de alojar(-se); ACOMODAMENTO: *Os poucos hotéis da cidade não garantiram a acomodação dos turistas.* **2** Disposição, arranjo, arrumação: *A acomodação dos móveis atrapalhava a passagem.* **3** Adaptação, adequação: *Foi impossível a acomodação do aventureiro a uma vida pacata.* **4** Aceitação de uma situação (mesmo desfavorável), com abandono de qualquer tentativa de mudá-la; CONFORMISMO **5** Emprego, ofício, modo de vida **6** *Fon.* Mudança na articulação normal de um fonema em função de fonemas que o precedem ou sucedem **7** *Geol.* Movimentação de camadas da crosta terrestre para encontrar equilíbrio estável **8** *Psi.* Processo de adaptação de pensamento e ação às necessidades impostas pelo ambiente **9** *Oft.* Ver loc. *acomodação visual* [Pl.: *-ções.*] [F.: Do lat. *accommodatio, onis.* Ver tb. *acomodações.*] ▪▪ **~ visual** Adaptação no olho da curva do cristalino, por ação do músculo ciliar, para permitir a focalização adequada e uma imagem nítida

acomodações (a.co.mo.da.*ções*) *sfpl.* Compartimentos ou setores de uma casa, hotel etc.; CÔMODOS: *As acomodações da casa são amplas e claras.* [F.: Pl. de *acomodação.*]

acomodado (a.co.mo.*da*.do) *a.* **1** Instalado, alojado: *Ficamos muito bem acomodados na casa dela.* **2** Disposto de forma adequada; ARRUMADO: *As roupas estão acomodadas no armário.* **3** Que aceita, sem contestar, uma situação da qual discorda; que não faz nada para mudar uma situação que não lhe é totalmente favorável; RESIGNADO: "...eu sou um doido acomodado." (Antonio Callado, *Bar Don Juan*) **4** Adaptado, adequado: *viajante acomodado à vida errante.* *sm.* **5** Indivíduo acomodado (3): *Os acomodados em geral não saem da rotina.* [F.: Part. de *acomodar.*]

acomodador (a.co.mo.da.*dor*) [ô] *a.* **1** Que acomoda: *músculo acomodador.* *sm.* **2** O que acomoda **3** *Tec.* Peça ou dispositivo que acomoda, que põe ou dispõe na posição adequada [F.: *acomodar* + *-dor.*]

acomodamento (a.co.mo.da.*men*.to) *sm.* **1** Ato ou efeito de acomodar(-se) ou adaptar-se, de dar ou encontrar lugar adequado, ou situação ou arranjo conveniente; ACOMODAÇÃO: *preocupar-se com o acomodamento dos hóspedes; acomodamento geológico de um terreno; Após a estranheza inicial, houve um acomodamento à situação.* **2** *P. ext.* Modo de dispor, de arrumar; esp. de alojar pessoas num local **3** Disposição ou tendência (ger. exagerada) a se adaptar resignadamente a uma situação, em vez de tentar modificá-la; conformismo [F.: *acomodar* + *-mento.*]

acomodar (a.co.mo.*dar*) *v.* **1** Dar condições de conforto a, fazer ficar confortável [*td.: acomodar um quarto com bons móveis.*] **2** Colocar (alguém ou si mesmo) em lugar ou posição confortável, segura etc.; INSTALAR(-SE) [*tda.* + *em: A mãe acomodou o bebê em seu colo; Acomodava-se bem na cadeira de balanço.*] **3** Dar acomodação ou alojamento a (inclusive si mesmo); ALOJAR(-SE) [*td.: O gerente do hotel acomodou os visitantes; Acomodaram-se num bom quarto do hotel.*] [*tda.: Acomodaram os visitantes numa estalagem.*] **4** *P. ext.* Retirar-se para seus aposentos, para dormir ou descansar; RECOLHER-SE [*tda.* + *em: Está tarde, é hora de nos acomodarmos.*] **5** Ter espaço para conter, ou conter; COMPORTAR [*td.: A van acomodava até quinze passageiros.*] **6** Colocar ou dispor em lugar adequado ou de maneira adequada, ordeira; AJEITAR; ARRUMAR [*tda.: Acomodar a louça no armário.*] [*td.: Preciso acomodar melhor esses talheres.*] **7** *Fig.* Fazer ficar ou ficar (algo ou alguém) em harmonia, em acordo com (algo ou alguém); ADAPTAR(-SE); ADEQUAR(-SE); CONFORMAR(-SE) [*td.: acomodar ideias divergentes.*] [*tdr.* + *a: Acomodar uma peça ao gosto da plateia; Você precisa acomodar seus conceitos à realidade de hoje.*] [*tr.* + *a, com: Seu método educacional não se acomoda aos (com os) nossos.*] **8** Aceitar (situação, processo); adaptar-se à situação sem entrar em desacordo, em conflito; TRANSIGIR [*int.: Diante dos fatos, acomodou-se.*] [*tr.* + *com: No início se opôs, depois acomodou-se com a tendência da maioria.*] **9** *Fig.* Dar emprego a ou conseguir emprego, posição, situação profissional etc.; EMPREGAR [*td.: acomodar afilhados em emprego público.*] [*int.: Tinha bons pistolões, e logo se acomodou.*] **10** Aceitar (situação, processo); adaptar-se à situação sem entrar em desacordo, em conflito; ACALMAR; AQUIETAR [*td.: A mãe acomodou os filhos que discutiam; Acomodou a briga no momento certo.*] [*int.: Já ia perder o controle, mas acomodou-se quando lhe deram atenção.*] **11** Conformar-se com uma situação, ou não tentar mudá-la para melhor; RESIGNAR-SE [*tr.* + *a, com: Resolvemos não

nos acomodarmos às arbitrariedades de nossos representantes.] [**int.**: *Ante tanta corrupção não era mais possível se acomodar.*] [▶ 1 acomod**ar**] [F.: Do lat. *accommodare.* Hom./Par.: *acomodo* (fl.), *acômodo* (a.); *acomodáveis* (fl.), *acomodáveis* (a. pl.).]
acomodatício (a.co.mo.da.*tí*.ci:o) **a.** 1 Ref. àquilo ou àquele que se acomoda ou se adapta facilmente (temperamento acomodatício) 2 Ref. a ou caracterizado por acomodamento, contemporização ou tendência a conformar-se facilmente à situação (em vez de modificá-la); transigência [*um líder pusilânime, acomodatício*. Não raro, us. pejorativamente] 3 Ref. a frase ou passagem textual cujo sentido se pode adequar ou aplicar a intenções e contextos diferentes daqueles do significado original 4 Que não manifesta opinião ou se acomoda às opiniões alheias; que não tem convicções firmes; TRANSIGENTE: "Ramires é ora bom, generoso e humano, ora cobarde, acomodatício e torpe." (Eça de Queirós, *A ilustre casa de Ramires*) [Ant.: *intransigente, inflexível.*] [F.: *acomodar* + *-tício.*]
acomodável (a.co.mo.*dá*.vel) **a2g.** Que se pode acomodar, que pode ser acomodado; ACOMODATÍCIO [Pl.: *-veis.*] [F.: *acomodar* + *-vel.* Hom./Par.: *acomodáveis* (a2g. [pl.]), *acomodáveis* (fl. de *acomodar*).]
acômodo (a.*cô*.mo.do) **a.** 1 *Ant.* Conveniente, oportuno; que veio a calhar **sm.** 2 *Lus. Ant.* O trabalho contratado de empregados domésticos [F.: Do lat. *accommodus, a, um.* Hom./Par.: *acômodo* (a. sm.), *acomodo* (fl. de *acomodar*). Ideia de: *mod-.*]
acompadrar (a.com.pa.*drar*) **v.** 1 Tornar(-se) compadre de (alguém); ligar(-se) a (alguém) por compadrio [**td.**: *Muito influente, todos os vizinhos queriam acompadrá-lo.*] [**tdr.** + *com*: *Acompadrou-se com todos os primos.*] 2 Fazer tomar ou tomar familiaridade com (alguém) [**td.**: *Não foi difícil acompadrar os novos moradores.*] [**tdr.** + *com*: *Carla rapidamente se acompadrou com a cunhada; Jamais conseguiria acompadrar os filhos com o novo namorado.*] 3 Fazer alianças com; associar-se [**tdr.** + *com*: *acompadrar-se com os inimigos.*] [▶ 1 acompadr**ar**] [F.: *a-*[2] + *compadre* + *-ar*[2].]
acompanhado (a.com.pa.*nha*.do) **a.** 1 Em companhia de algo ou alguém; seguido por algo ou alguém [+ *de, por*: *O deficiente visual andava acompanhado do/pelo cão-guia; Só se admitem crianças acompanhadas (de/por adultos).* Ant.: *desacompanhado.*] 2 Junto com [+ *de, por*: *Serviu o peixe acompanhado de salada.*] [F.: Part. de *acompanhar.*]
acompanhador (a.com.pa.nha.*dor*) [ô] **a.** 1 Que acompanha 2 *Mús.* Diz-se de músico que acompanha (ger. tocando instrumento) um solista **sm.** 3 Aquele que acompanha 4 *Mús.* Músico acompanhador (2) [F.: *acompanhar* + *-dor.*]
acompanhamento (a.com.pa.nha.*men*.to) **sm.** 1 Ação ou resultado de acompanhar(-se) 2 Pessoa ou grupo de pessoas que acompanha outra(s); COMITIVA; SÉQUITO 3 Aquilo que vem junto com algo: *Este estojo vem como acompanhamento do relógio.* 4 Assistência que pedagogos, psicólogos etc. dão, após o tratamento, a pessoas que estiveram sob seus cuidados 5 *Bras. Cul.* Guarnição que acompanha o prato principal: *Serviu lagosta e como acompanhamento cuscuz e tapioca com coco e queijo.* 6 *Astron.* Ação de instrumento astronômico que se move paralelamente ao equador terrestre a velocidade constante, acompanhando o movimento diurno dos astros 7 *Astnáut.* Rastreamento, por meio de instrumentos, de satélite, míssil etc. 8 *Mús.* Parte da música que se toca junto com vozes ou instrumentos solistas: *Fez o acompanhamento com violão.* 9 *Mús.* Vozes ou instrumentos secundários numa orquestra [F.: *acompanhar* + *-mento.*]
acompanhante (a.com.pa.*nhan*.te) **a2g.** 1 Que acompanha; ACOMPANHADOR 2 Que faz companhia **s2g.** 3 Pessoa que faz companhia: *O ingresso dava direito a um acompanhante.* 4 *Bras.* Pessoa ger. contratada para fazer companhia, dar assistência e cuidar de idoso, menor, doente etc.: *Preciso de uma acompanhante para um doente.* [F.: *acompanhar* + *-nte.*]
acompanhar (a.com.pa.*nhar*) **v.** 1 Ficar junto a alguém; fazer companhia a [**td.**: "...viam-se amas de leite acompanhando os bebês" (Aluísio Azevedo, *Casa de pensão*)] 2 *P. ext.* Partilhar com (alguém) situações, problemas, sentimentos etc. [**td.**: *Meus amigos me acompanham nos bons e maus momentos.*] 3 Seguir o mesmo caminho ou a mesma direção de [**td.**: *A estrada acompanha o rio; Está indo para o Centro? Vou acompanhar você.*] 4 *P. ext.* Ir em companhia de; viajar com; SEGUIR [**td.**: *José acompanhou o amigo na viagem.*] 5 Seguir, mantendo o mesmo ritmo de [**td.**: *Não consigo acompanhar João na corrida.*] 6 Seguir junto de (alguém) para cuidar, proteger, manifestar deferência ou respeito etc. [**td.**: *Vários seguranças acompanhavam a primeira dama.*] 7 *Fig.* Tomar parte de, ir junto a (grupo que se desloca) [**td.**: *Os fiéis acompanhavam a procissão; A comitiva acompanhou o ministro em sua visita à exposição.*] 8 Ter ou pôr junto a (ajudante, assessor, companhia); CERCAR-SE; RODEAR-SE [**tdr.** + *de*: *Na viagem, acompanhou a família de bons guias turísticos; Sempre soube acompanhar-se de bons conselheiros.*] 9 Agir do mesmo modo, ou realizar a mesma atividade, ou ter o mesmo comportamento de [**td.**: *Acompanhavam o professor de ginástica em seus movimentos; Acompanhavam os movimentos do professor de ginástica; A bancada acompanhou o líder na votação.*] 10 *Mús.* Executar o acompanhamento (8) de um trecho musical, ou executá-lo junto com (solista) [**td.**: *acompanhar uma ária de ópera; acompanhar o soprano numa ária.*] 11 Ser complemento ou acessório de, ou munir (algo) de seu complemento [**td.**: *Batatas fritas acompanham bem o bife.*] [**tdr.** + *com, de*: *acompanhar o sorvete de creme chantili; Acompanhou a bolsa com um sapato de padrão igual.*] 12 Ocorrer ou fazer ocorrer, acontecer ou fazer acontecer simultaneamente e em relação com (fato, atividade, processo) [**td.**: *Ventos fortes acompanham a nevasca.*] [**tdr.** + *com*: *As mulheres gregas acompanhavam com cantos os trabalhos de tecelagem.*] 13 Ter ou estabelecer relação, ligação, correspondência com [**td.**: *Fatos históricos acompanham muitas vezes os econômicos.*] [**tdr.** + *com*: *Acompanhou as propostas dos correspondentes itens na lei estadual.*] 14 Estar em harmonia, em acordo com; CONCILIAR; HARMONIZAR-SE [**td.**: *Essa decisão acompanha o espírito hoje vigente no Congresso.*] 15 Manter o foco ou a atenção em; OBSERVAR [**td.**: *Acompanhava com atenção o discurso do candidato:* "A inocente D. Joaninha os acompanhou com os olhos." (J. Manuel de Macedo, *A moreninha*)] 16 Imitar ou seguir conceitos estabelecidos [**td.**: *Ela sempre acompanha a moda.*] 17 *Mar.* Seguir a movimentação de (alvo, embarcação, aeronave, veículo etc.) para localizá-los [**td.**: *O comandante acompanhava pelo radar a trajetória do transatlântico.*] 18 Seguir o desenvolvimento, a progressão de (eventos, novela, processo etc.) [**td.**: *Acompanhou a novela desde o primeiro capítulo; O público pôde acompanhar o escândalo pela televisão.*] [▶ 1 acompanh**ar**] [F.: Do lat. *accompaniare.*]
acompridar (a.com.pri.*dar*) **v.** Tornar(-se) comprido ou mais comprido; ALONGAR; ENCOMPRIDAR [**td.** Ant.: *encurtar.*] [**int.**] [▶ 1 acomprid**ar**] [F.: *a-*[2] + *comprido* + *-ar*[2].]
◎ **acon-** *el. comp.* = 'involuntário': *aconurese* [F.: Do gr. *ákon, ousa, on.*]
aconchado (a.con.*cha*.do) **a.** 1 Que tem ou a que se deu forma de concha; ACONCHEADO 2 *Arq.* Diz-se do teto que é construído aproveitando-se o vão do telhado [F.: Part. de *aconchar.*]
aconchear (a.con.che.*ar*) **v.** 1 *Bras.* Dar ou adquirir a forma de concha (a); ACONCHAR [**td.**] [**int.**] 2 Colocar (a mão) em forma de concha atrás da orelha, para ouvir melhor [**td.**] [▶ 13 aconch**ear**] [F.: *a-*[2] + *concha* + *-ear*[2].]
aconchegado (a.con.che.*ga*.do) **a.** 1 Muito chegado, próximo 2 Protegido fisicamente, abrigado, agasalhado: *O bebê dormia aconchegado no colo da mãe.* 3 Que está confortável, que está bem acomodado: *Ele parecia bem aconchegado no sofá.* 4 *P. Ext.* Que é confortável, aconchegante: *A casa nos parecia bem aconchegada.* [F.: Part. de *aconchegar.*]
aconchegante (a.con.che.*gan*.te) **a2g.** 1 Que aconchega, abriga, ampara, acomoda, de modo confortável, protetor, agradável 2 *Fig.* Que transmite sensação de aconchego, conforto, proteção (ambiente aconchegante); CONFORTÁVEL [F.: *aconchegar* + *-nte.*]
aconchegar (a.con.che.*gar*) **v.** 1 Pôr(-se) em situação ou posição confortável; ACOMODAR(-SE) [**td.**: *Aconchegou-se para assistir ao filme.*] [**tda.**: *Aconcheguei o bebê na manta; A menina aconchegou o gatinho sobre a almofada.*] 2 *P. ext.* Tornar mais aconchegante, mais acolhedor [**td.**: *O revestimento de lambri aconchegou bem o meu escritório.*] 3 Colocar(-se) ou chegar(-se) junto de, próximo de [**td.**: *O neto aconchega o avô e o abraça.*] [**tdr.** + *a, de*: *aconchegar o filho ao peito; Aconchegou-se do marido.*] 4 Moldar em si (roupa, vestuário); ARRUMAR; MODELAR [**td.**: *aconchegar as meias com as mãos.*] [**tdr.** + *a*: *A costureira aconchega o decote ao busto.*] 5 Estabelecer ligação, contato entre; LIGAR(-SE) [**td.**: *Aconchegou as extremidades dos fios para fazer contato.*] [**tdr.** + *a*: *Aconchegou um fio ao outro.*] 6 Juntar-se em mancebia com alguém; AMASIAR-SE [**tr.** + *a, com*: *Atualmente, os jovens não se casam, aconchegam-se.* É transitivo relativo porque jovens que se aconchegam aconchegam-se uns *a* outros, ou uns *com* outros.] [**int.**: *Não pretendem casar, só querem aconchegar.*] [▶ 14 aconche**gar**] [Ver tb. *conchegar.* F.: *a-*[2] + *conchegar.* Hom./Par.: *aconchego* [ê] (fl.), *aconchego* [ê] (sm.). Diz-se tb. *conchegar.*]
acondicionado (a.con.di.ci:o.*na*.do) **a.** 1 Protegido por embalagem; EMBALADO; EMPACOTADO: *Os vasos estavam acondicionados em caixas de madeira.* 2 Colocado em local adequado: *Os mantimentos encontravam-se acondicionados na despensa.* 3 Que tem boa ou má condição ou índole: *bem acondicionado; mal acondicionado.* 4 Preparado ou adaptado para certas condições ou circunstâncias: *equipe acondicionada ao trabalho intenso* [F.: Part. de *acondicionar.*]
acondicionamento (a.con.di.ci:o.na.*men*.to) **sm.** 1 Ação ou efeito de acondicionar: *Procedeu ao acondicionamento dos livros.* 2 Disposição em lugar e condições próprias para a integridade física ou a conservação material: *A preservação dos manuscritos depende de seu bom acondicionamento.* 3 Adaptação a determinadas condições: *acondicionamento do produto às exigências do mercado.* 4 Característica do que tem determinada índole ou condição (boa ou má) [Cf.: *condicionamento.* F.: *acondicionar* + *-mento.*]
acondicionar (a.con.di.ci:o.*nar*) **v.** 1 Pôr (algo) em embalagem [**td.**: *Resolveu acondicionar os brindes.*] [**tda.**: *Acondicionou os brindes em sacos de papel.*] 2 Guardar em lugar adequado, ou de modo adequado a conservar, preservar etc. [**td.**: *Como ia se ausentar por longo tempo, resolveu acondicionar os quadros.*] [**tda.**: *Acondicionou os quadros em ambiente climatizado.*] 3 Munir, dotar (algo ou alguém) de certo caráter, certa qualidade ou condição [**td.**: *É paciente, porque assim o acondicionou sua experiência.*] 4 Pôr, deixar (algo ou alguém, inclusive si mesmo) em boa ou má situação ou condição [**td.**: *O empresário acondicionou mal os negócios da empresa.*] 5 Pôr(-se) de acordo com; adaptar(-se) a; ADAPTAR(-SE); ADEQUAR(-SE); PREPARAR(-SE) [**td.**: *O técnico estudou o adversário e acondicionou o time.*] [**tdr.** + *a*: *O decorador acondiciona os móveis ao tamanho da varanda; Acondicionou-se ao temperamento do chefe.*] 6 *P. ext.* Fazer ficar ou ficar dependente de (condições) [**tdr.** + *a*: *A empresa acondicionou as gratificações ao lucro; Acondicionou o projeto à aprovação do orçamento.*] 7 Conter ou poder conter adequadamente [**td.**: *Cada engradado acondiciona até 24 garrafas.*] [▶ 1 acondicion**ar**] [Ver tb. *condicionar.* F.: *a-*[2] + *condicion-* (*condição*) + *-ar*[2].]
◎ **acondro-** *el. comp.* = 'sem cartilagem': *acondroplasia,* [F.: Do gr. *ákhondros, os, on.* F. conexa: *condr(o)-.*]
acondroplasia (a.con.dro.pla.*si*.a) **sf.** *Med. Ort.* Distúrbio congênito que afeta as cartilagens do feto (calcificando-as) e cuja consequência é o pouco crescimento dos ossos longos dos membros (nanismo); ACONDROPLASTIA; CONDRODISPLASIA; CONDRODISTROFIA [F.: *acondro-* + *-plasia.*]
aconfeitar (a.con.fei.*tar*) **v.** [**td.**] [**int.**] 1 Transformar(-se) em confeito 2 Revestir com açúcar; CONFEITAR [**td.**] [▶ 1 aconfeit**ar**] [F.: *a-*[2] + *confeito* + *-ar*[2].]
aconfradar (a.con.fra.*dar*) **v. td. int.** Tornar(-se) confrade [▶ 1 aconfrad**ar**] [F.: *a-*[2] + *confrade* + *-ar*[2].]
◎ **aconit(i)-** *el. comp.* = 'acônito, planta venenosa': *aconitífero, aconitina* [F.: Do gr. *akóniton* ou *akónitos, ou,* pelo lat. *aconitum, i.*]
aconitina (a.co.ni.*ti*.na) *Quím.* **sf.** 1 Substância alcaloide extraída de várias espécies do gênero *Aconitum,* us. em medicina como medicamento de caráter sedativo e antipirético 2 *Med.* Medicamento preparado com essa substância [F.: *aconit(i)-* + *-ina*[2].]
acônito (a.*cô*.ni.to) *Bot.* **sm.** 1 Gênero de plantas venenosas da fam. das ranunculáceas, encontradas em regiões temperadas (p. ex.: *Aconitum napellus*) 2 Qualquer espécime desse gênero [F.: Do gr. *akóniton, ou,* pelo lat. *aconitum, i;* lat. cient. *Aconitum.*]
aconselhamento (a.con.se.lha.*men*.to) **sm.** 1 Ação ou resultado de aconselhar(-se), de dar ou pedir conselho(s) [+ *em, sobre*: *Falta-lhes aconselhamento em/sobre leis trabalhistas.*] 2 Orientação ou indicação quanto à conveniência, necessidade, desejabilidade de algo (ação, atitude, decisão etc.); a sessão, reunião, consulta etc. em que essa orientação é pedida ou dada 3 *Pedag.* Orientação pedagógica de um profissional (pedagogo, psicólogo etc.) para a escolha de métodos de estudo, de uma carreira etc., de acordo com as tendências e vocações do consulente 4 *Psi.* Orientação psicológica dada por profissional a paciente, através de conversas e conselhos, para a solução de pequenos distúrbios ou crises [F.: *aconselhar* + *-mento.*] ■ **~ clínico** *Psi.* Aconselhamento a partir do diagnóstico, francamente apresentado e discutido com o paciente; aconselhamento diretivo **~ diretivo** *Psi.* O mesmo que *aconselhamento clínico* **~ genético** *Gen.* Aquele que, ao analisar os componente familiares, orienta quanto ao risco de anomalias hereditárias e faz diagnóstico pré-natal de possíveis doenças cromossômicas e metabólicas **~ não diretivo** *Psi.* Aconselhamento no qual o orientando dá livre expressão a seus problemas, bem como a seu roteiro de escolhas, cabendo aos orientadores estimulá-lo à melhor solução, de acordo com sua personalidade
aconselhar (a.con.se.*lhar*) **v.** 1 Dar conselhos; dar conselhos a; procurar convencer [**td.**: *aconselhar um amigo.*] [**tdi.** + *a, para*: *O pai aconselhou ao filho que estudasse mais;* "Peri... aconselhou a D. Diogo que se recolhesse à casa por prudência" (José de Alencar, *O Guarani*)] [**tdr.** + *a*: *O pai aconselhou o filho a estudar.* Note-se que na regência *tdr.* o objeto direto refere-se a quem é aconselhado; na regência *tdi.*, o objeto direto refere-se ao que é aconselhado] [**int.**: *Não gosta muito de fazer, prefere aconselhar.*] 2 Tomar, pedir ou buscar conselho(s) [**tr.** + *com*: *O rapaz aconselhou-se com o médico.*] [**int.**: *Aconselhe-se antes de escolher uma profissão.*] 3 Indicar a necessidade, a urgência ou a vantagem de; RECOMENDAR; SUGERIR [**td.**: *aconselhar paciência.*] [**tdi.** + *a, para*: *O médico aconselhara repouso ao doente.*] 4 Trocar reciprocamente ideias sobre (assuntos diversos), tencionando chegar a uma conclusão ou decisão [**tr.** + *com*: *Durante a reunião, os pesquisadores aconselhavam-se (uns com os outros) quanto ao novo projeto.*] [▶ 1 aconselh**ar**] [F.: *a-*[2] + *conselho* + *-ar*[2]. Ant. ger.: *desaconselhar.*]
aconselhável (a.con.se.*lhá*.vel) **a2g.** Que se pode ou se deve aconselhar; RECOMENDÁVEL [+ *a, para*: *aconselhável a/para idosos* Ant.: *desaconselhável*] [Pl.: *-veis.*] [F.: *aconselhar* + *-vel.* Hom./Par.: *aconselháveis* (pl.), *aconselháveis* (fl. de *aconselhar*).]
acontecer (a.con.te.*cer*) **v.** 1 Suceder, ocorrer (às vezes, de forma imprevista ou inevitável) [**int.**: *Muitos acidentes acontecem por imprudência; O carnaval este ano acontece em março;* "...recebeu um livro embrulhado, coisa que acontecia diariamente..." (Marques Rebelo, *Contos reunidos*); "Poucos dias depois aconteceu que a cigana fazia anos." (Manuel Antônio de Almeida, *Memórias de um sargento de milícias*)] [**ti.** + *a*: *Aconteceu a ela um verdadeiro milagre.*] 2 Ser ou poder ser, tornar-se ou poder tornar-se realidade; OCORRER; SOBREVIR [**int.**: *A reunião aconteceu conforme planejaram; Tudo fez para que não acontecesse o pior.*] 3 Ocorrer, ter lugar algo ruim, nefasto [**int.**: *Se ele não cuidar melhor da saúde, tudo pode acontecer.*] [**ti.** + *a*: *Tome cuidado, e nada lhe acontecerá.*] 4 *Bras. Fig. Pop.* Ter prestígio, fazer sucesso ou ser admirado social ou profissionalmente [**int.**: *Sempre foi boa atriz, mas só aconteceu quando foi capa de revista.*] [▶ 33 aconte**cer** Us. exclusivamente na 3ª. pess. do sing. e do pl. (com exceção

do uso fig. da acp. 4); us. como modalizador (acontece que), sinaliza contraste com o que foi dito anteriormente: *Todos estranharam minha roupa; acontece que ninguém me avisou que era baile à fantasia.*] [F.: Do lat. *contingescere*, var. de *contingere*, f. incoativa de *contigere*, do lat. *contingere*; no pot., com *a-* protético.]

acontecido (a.con.te.*ci*.do) *a.* **1** Que aconteceu, que se tornou realidade; OCORRIDO *sm.* **2** Aquilo que aconteceu; ACONTECIMENTO; EVENTO; OCORRÊNCIA: *O acontecido trouxe-lhe grandes preocupações.* [Part. de *acontecer.*]

acontecimento (a.con.te.ci.*men*.to) *sm.* **1** Ação ou resultado de acontecer, de ocorrer; OCORRÊNCIA: *O acontecimento de uma enchente pode ser evitado; Na cidade pequena, qualquer acontecimento é um evento público.* **2** Fato muito interessante ou de grande importância; EVENTO: *O caso tomou as proporções de um acontecimento:* "Foi um acontecimento (...) a ida de dona Adelaide para a Corte." (Adolfo Caminha, *Tentação*) **3** Aquilo que acontece ou se realiza de forma imprevista; ACASO; EVENTUALIDADE: *Diversos acontecimentos impediram a posse do presidente.* **4** *Fig. Pop.* Alguém ou algo que tem grande destaque, que é um sucesso: *A catadora de lixo tornou-se um acontecimento quando virou modelo.* **5** *Est.* Ocorrência de uma das alternativas num conjunto de possibilidades; EVENTO [F.: *acontecer* + *-imento.*]

acontecível (a.con.te.*cí*.vel) *a2g.* Que é passível de acontecer [Pl.: *-veis.*] [F.: *acontecer* + *-ível.*]

acôntio (a.*côn*.ti:o) *sm.* **1** Pequeno dardo antigamente us. pelos gregos **2** *P. ext.* Dardo, seta **3** *Zool.* Nas anêmonas-do-mar, conjunto de espículas, cuja picada faculta a inoculação de veneno [F.: Do gr. *akóntion, ou.* Tb. *acôncio.*]

acontista (a.con.*tis*.ta) *sm.* Aquele que lança acôncios, dardos, flechas; flecheiro [F.: Do gr. *akontistés.*]

⊕ ***a contrario*** (*Lat. /a contrario/*) *loc. adv.* Pelo contrário, pela razão contrária [Usa-se também *a contrario sensu.*]

aconurese (a.co.nu.*re*.se) *sf. Med.* Emissão involuntária de urina; incapacidade de conter a urina, incontinência urinária [F.: *acon-* + *-urese.*]

acoo (a.*co*.o) *sm.* **1** *S.* Ação ou resultado de acoar, de latir; LADRIDO; LATIDO: "Então, eu estava ali, em chão, em a-cu acoo de acuado?!" (Guimarães Rosa, *Grande sertão: veredas*) **2** *Ornit.* Ave migratória (*Crex crex*); CODORNIZÃO [F.: Dev. de *acoar*. Hom./Par.: *acuo* (sm.), (fl. de *acuar*).]

acoplado (a.co.*pla*.do) *a.* **1** Que se acoplou ou se juntou fisicamente, formando uma unidade (naves acopladas); CONECTADO; ENGATADO [+ *a, com*: *gravador acoplado com o telefone; DVD acoplado à televisão.*] **2** Que estabeleceu ou teve estabelecida ligação, conexão ou vínculo de coerência ou compatibilidade: *Essa é uma questão que traz duas outras acopladas.* **3** Que foi colocado lado a lado, emparelhado [F.: Part. de *acoplar.*]

acoplagem (a.co.*pla*.gem) *sf.* O mesmo que *acoplamento* [Pl.: *-gens.*] [F.: *acoplar* + *-agem*¹.]

acoplamento (a.co.pla.*men*.to) *sm.* **1** Ação ou resultado de acoplar(-se), unir(-se) ou ligar(-se) formando uma unidade **2** *Fís.* Conexão ou interação entre dois sistemas, em que há troca de energia, de parâmetros físicos etc. **3** Conexão, ligação (entre fatos, ideias, ações etc.) **4** Disposição de forma emparelhada, lado a lado **5** *Astnáut.* Junção, engate de dois elementos de uma nave ou estação espacial, ou de duas naves espaciais **6** *Bras.* União de natureza conjugal, oficial ou não **7** *Bras.* Coito entre animais; ACASALAMENTO [F.: Do fr. *accouplement*. Sin. ger.: *acoplação, acoplagem.*] ■ **~ capacitivo** *Elet. Eletrôn.* Ligação entre dois circuitos elétricos ou eletrônicos através de um capacitor; acoplamento elétrico **~ crítico** *Elet. n.* Acoplamento entre dois circuitos no qual a máxima transferência de energia de um para o outro depende de certas condições de um deles **~ dissipativo** *Fís.* Aquele em que ocorre uma dissipação de energia nos pontos de conexão **~ elástico** *Fís.* Aquele que é feito por meio de uma conexão elástica, como uma mola [Sin.: *acoplamento estático.*] **~ elétrico** *Elet.* O mesmo que *acoplamento capacitivo* **~ eletrônico** *Eletrôn.* Aquele em que a conexão entre dois é feita por meio de um dispositivo eletrônico **~ estático** *Fís.* O mesmo que *Acoplamento elástico* **~ flexível** *Fís.* Aquele em que a transferência de energia de um para o outro tem a mesma eficiência qualquer que seja o sentido dessa transferência **~ forte** *Fís. nu.* Interação entre sistemas quânticos cuja intensidade pode modificar os níveis quânticos de cada sistema **~ fraco** *Fís. nu.* Interação entre sistemas quânticos cuja intensidade não chega a modificar os níveis quânticos de cada sistema **~ galvânico** *Elet.* Ver *Acoplamento resistivo* **~ indutivo** *Elet.* Ligação entre dois circuitos elétricos ou eletrônicos por meio de uma indutância; acoplamento magnético **~ inercial** *Fís.* Acoplamento feito por meio de forças inerciais entre os dois sistemas **~ magnético** *Elet.* O mesmo que *Acoplamento indutivo* **~ ôhmico** *Elet.* O mesmo que *Acoplamento resistivo* **~ óptico** *Ópt.* Combinação de elementos num sistema óptico numa disposição que reduz a perda de luz por reflexão entre seus elementos **~ resistivo** *Elet.* Conexão entre dois circuitos elétricos ou eletrônicos por meio de um resistor; acoplamento ôhmico, acoplamento galvânico **~ rígido** *Fís.* Acoplamento entre dois sistemas quaisquer no qual a transferência de energia de um para o outro é mais eficiente em um dos sentidos

acoplar (a.co.*plar*) *v.* **1** Juntar(-se) fisicamente, formando uma unidade [*tdr.* + *a, com*: *Os técnicos acoplaram o foguete à nave-mãe.*] [*tr.* + *a, com*: *A Gemini VIII acoplou com a nave Agena; Os módulos da nave espacial acoplaram-se (isto é, um com o outro).*] **2** Criar, ou apontar, ou buscar relação, vínculo ou ligação com ou entre (elementos, fatos, ações etc.) [*td.*: *acoplar medidas que visam a um mesmo fim.*] [*tdr.* + *a*: *Acoplava os últimos acontecimentos a causas de natureza econômica; Acoplou seus métodos de treinamento aos/com os do preparador físico.*] **3** Fazer formar ou formar par ou dupla [*td.*: *O técnico acoplou dois tenistas medianos para o torneio, e se tornaram uma dupla invencível.*] [*int.*: *Aqueles dois acoplaram-se para uma dança e não se separaram mais.*] **4** *Bras. P. ext. Pop.* Manter ou criar relacionamento do tipo conjugal; AMIGAR-SE; CASAR-SE [*int.*: *Eles já se acoplaram há muito tempo.*] **5** *Bras. P. ext. Pop.* Juntar ou juntarem-se animais (macho e fêmea) para procriar; ACASALAR(SE); CRUZAR(-SE) [*td.*: *acoplar cães.*] [*tdr.* + *com*: *acoplar um vira-lata com um poodle.*] [*int.*: *Garanhão e égua acoplaram(-se) para gerar um cavalo vencedor.*] [▶ 1 acoplar] [F.: Do fr. *accoupler* 'reunir (cães) em pares'.]

acoplável (a.co.*plá*.vel) *a2g.* Que pode ser acoplado: *peça acoplável ao aparelho* [F.: *acoplar* + *-vel.*]

acoquinar (a.co.qui.*nar*) *S. v.* **1** Fazer (alguém) retrair-se ou retrair-se por medo, temor, covardia etc.; ACOVARDAR(-SE); INTIMIDAR(-SE) [*td.*: *Valentão, acoquinava todo mundo com suas ameaças.*] [*int.*: *Acoquinou-se ante a agressividade do chefe.*] **2** *P. ext.* Fazer perder ou perder a calma, a tranquilidade, o sossego; INQUIETAR(-SE) [*td.*: *A falta de notícias o acoquinava.*] [*int.*: *Acoquinava-se com a falta de cartas do filho.*] **3** *P. ext.* Fazer perder ou perder o alento, o ânimo; DESANIMAR [*td.*: *O baixo rendimento da equipe o acoquinou.*] [*td.*: *Começou o projeto entusiasmado, mas acoquinou-se aos primeiros problemas.*] [▶ 1 acoquinar] [F.: Do esp. plat. *acoquinar.*]

açor (a.*çor*) [ô] *Zool. sm.* Ave de rapina da fam. dos acipitrídeos (*Accipiter gentilis*), encontrada em diversos países do Hemisfério Norte [F.: Do lat. *acceptor, oris.* Hom./Par.: *açores* (sm. pl.), *açores* (fl. *açorar*), *Açores* (top.).]

acoraçoar (a.co.ra.ço.*ar*) *v.* O mesmo que *acoroçoar*

açorado (a.ço.*ra*.do) *a.* Que sente muito desejo, muita vontade (de algo); ÁVIDO; SÔFREGO: "Correu ele a Dlena, ao súbito último ato, açorado, asas nos sapatos." (Guimarães Rosa, "A vela ao diabo", *in Tutameia*) [F.: Part. de *açorar.*]

açorar (a.ço.*rar*) *v.* Causar ou experimentar forte desejo, anelo, avidez [*td.*: *Os pratos picantes açoraram os convivas*] [*int.*: *Açorou-se quando reviu, já moça, a colega de infância.*] [▶ 1 açorar] [F.: *açor* + *-ar*². Hom./Par.: *açores* (fl.), *açores* [ô] (pl. açor) e *Açores* (top.).]

acorçoar (a.cor.ço.*ar*) *v.* O mesmo que *acoroçoar*

acorcundado (a.cor.cun.*da*.do) *a.* **1** Que é ou se tornou um pouco corcunda **2** Que tem forma de corcunda, de protuberância ou convexidade arredondada; GIBOSO; CORCOVADO; ACORCOVADO [F.: Part. de *acorcundar.*]

acorcundar (a.cor.cun.*dar*) *v.* **1** Fazer ficar ou ficar, tornar(-se) corcunda (1); ENCORCUNDAR [*td.*: *A postura corporal errada acabou por acorcundá-lo.*] [*int.*: *Acorcundou-se com o peso dos anos e da submissão.*] **2** Dar aspecto de corcunda a, ou adquiri-lo; ACORCOVAR; CORCOVAR [*td.*: *Acorcundou as costas para fazer o exercício.*] [*int.*: *Suas costas se acorcundaram quando ela se curvou, vencida pelo cansaço.*] [▶ 1 acorcundar] [F.: *a-*² + *corcunda* + *-ar*².]

açorda (a.*çor*.da) [ô] *Lus. sf.* **1** Sopa feita com pedaços de pão e temperada com azeite, alho etc. **2** Caldo ou papa de miolo de pão, temperado com azeite, alho e ger. com frutos do mar **3** Iguaria que inclui pão ou biscoito, ovos e açúcar **4** Situação difícil, mal-resolvida, confusa *s2g.* **5** *Fig.* Pessoa fraca, apática, preguiçosa, atoleimada [F.: Do ár. *ath -thorda.*]

acordado¹ (a.cor.*da*.do) *a.* **1** Que acordou ou se acordou; tirado do sono: *A criança acordada não deixava ninguém dormir.* [Ant.: *desacordado, adormecido.*] **2** *Fig. P. ext.* Atento, ativo, vigilante: *Estava bem acordado, nada passaria despercebido.* **3** *Fig.* Que foi provocado ou estimulado: *fúria acordada pela injustiça.* **4** Despertado do esquecimento, suscitado, evocado: *lembranças antes esquecidas, agora acordadas. sm.* **5** Pessoa acordada (1) [F.: Part. de *acordar*¹.]

acordado² (a.cor.*da*.do) *a.* **1** Que se acordou, combinou, ajustou **2** Decidido ou estabelecido em conjunto; resolvido de comum acordo (valor acordado); COMBINADO **3** Posto de acordo, em harmonia **4** *Fig.* Diz-se de sentimento, opinião, modo de agir semelhante ao de outrem **5** *Fig.* Aceito como verdadeiro, certo, legítimo ou exato [F.: Part. de *acordar*².]

acordão (a.cor.*dão*) *sm. Irôn. Joc. Pol.* Acordo feito entre políticos (ger. membros de câmaras, assembleias etc.) para aprovar ou rejeitar medidas em votação, de modo a trocarem entre si indulgências, benefícios, privilégios etc., independentemente do mérito da matéria ou de considerações éticas [Pl.: *-dões.*] [F.: Aum. de *acordo*. Hom./Par.: acórdão (sm.), acordam (fl. de *acordar*).]

acórdão (a.*cór*.dão) *sm. Jur.* Sentença final dada por instância superior e que passa a funcionar como modelo para solucionar questões análogas [Pl.: *-dãos.*] [F.: Subst. de *acordam*, do v. *acordar*, 'concordar'. Hom./Par.: *acórdão* (sm.), *acordam* (fl. de *acordar*), acordão (sm.).]

acordar¹ (a.cor.*dar*) *v.* **1** Interromper o sono (de), ter o próprio sono interrompido; DESPERTAR [*td.*: *A esposa acorda o marido diariamente.*] [*int.*: *O menino gosta de acordar cedo.* Ant.: *adormecer.*] **2** Tirar ou sair de estado de inconsciência, apatia etc.; DESPERTAR [*tdr.* + *de, para*: *O enfermeiro acordou o paciente do desmaio; Os aplausos acordaram o time da apatia; Aqueles fatos acordaram-no para a realidade.*] [*tr.* + *de*: *Finalmente, ele acordou do coma.*] **3** Voltar a consciência da realidade, ao sair de sonho, ilusão etc. [*int.*: *Vivia num mundo de ilusões, mas de repente acordou.*] [*tr.* + *de*: *Acordou, assustado, de um pesadelo.*] **4** *Fig.* Dar ânimo, entusiasmo (a quem estava apático, indiferente) [*td.*: *As instruções do treinador acordaram o boxeador.*] **5** Ajustar em acordo, ou entrar em acordo; AJUSTAR; CONCORDAR [*td.*: *Os sócios acordaram as medidas a serem adotadas.*] [*tdr.* + *com, entre*: *Acordamos com eles as novas regras; Acordaram entre si as novas regras.*] [*tr.* + *em, sobre*: *Acordaram em todos os detalhes.*] [*int.*: *Depois de ouvir os argumentos, finalmente acordaram(-se).*] **6** Fazer ficar em acordo, eliminar discordâncias de/entre; CONCILIAR; HARMONIZAR [*td.*: *acordar interesses diferentes.*] [*tdr.* + *a, com*: *Acordou suas exigências às/com as possibilidades.*] **7** Tirar ou sair de estado de inconsciência, apatia etc.; DESPERTAR [*td.*: *A tragédia acordou o sentimento de solidariedade da população.*] [*tdr.* + *em*: "A caça e as excursões pelas montanhas..., as carícias da terna esposa..., o doce carbeto no copiar da cabana, já não acordavam nele as emoções de outrora..." (José de Alencar, *Iracema*)] **8** Tomar conhecimento de, passar a perceber [*tr.* + *para*: *O Brasil ainda não acordou para alguns problemas.*] **9** Começar (o dia); ALVORECER; AMANHECER [*int.*: *Mal acordava o dia, já saía para o trabalho.*] [▶ 1 acordar] [F.: Do lat. *accordare.*]

acordar² (a.cor.*dar*) *v.* **1** Não ter ou fazer discordâncias, diferenças, incompatibilidades com ou entre (pessoas, ideias, ações, propostas etc.); ACERTAR; AJUSTAR; CONCILIAR; HARMONIZAR [*td.*: *Acordaram suas divergências.*] [*tdr.* + *a, com*: *Tentou acordar suas ideias às/com as do amigo.*] [*tr.* + *com, em, entre, sobre*: *Suas ideias não acordam com as minhas; Não acordamos entre nós quanto a essa questão.*] [*int.*: *Não adianta insistir, não vamos acordar (quanto a isso).*] **2** *Fig.* Entrar em acordo (quanto a algo); ACERTAR; COMBINAR; CONCORDAR [*td.*: *Acordaram as condições para a renovação do contrato.*] [*tr.* + *com, em, sobre*: *Os credores acordaram em prorrogar o prazo da dívida; Os devedores acordaram com os credores quanto ao prazo da dívida.*] [*int.*: *Discutiram muito, mas finalmente acordaram.*] [*tdr.* + *com, entre*: *Acordaram com os credores o prazo da dívida.*] **3** Ter ou expressar ideias, posições, visões iguais ou semelhantes (às de outro ou outrem); CONCORDAR [*tr.* + *com, em*: *Na política, os dois acordavam em quase tudo; Minhas ideias sobre moda acordam com as dela.*] **4** Dar permissão, autorização; AUTORIZAR; CONSENTIR; PERMITIR [*tr.* + *com*: *O chefe não acordará com essas atitudes.*] [*td.*: *O chefe acordou que essas mudanças sejam implementadas.*] [*td.*] **5** Aceitar ou considerar como verdadeiro; ADMITIR [*td.*: *Acordou ter sido enganado pelas aparências.*] [*tr.* + *com*: *Não acordava com aquela realidade, ainda tinha esperanças.*] **6** *Jur.* Decidir (juízes) uma sentença (unanimemente ou por maioria) [*int.*: *Finalmente a corte acordou acolher o embargo.*] [*tr.* + *com*: *Os juízes acordaram com o indeferimento da apelação.*] **7** *Mús.* Pôr em harmonia (instrumentos musicais ou execução de música) [*td.*: *Ao sinal do maestro os músicos acordaram seus instrumentos.*] [*tdr.* + *com*: *O acompanhador acordava o tom com as modulações da solista.*] [▶ 1 acordar] [F.: Do lat. *cordátus, a, um.* Hom./Par.: ver *acordar.*]

acorde *sm.* **1** *Mús.* Execução ou soar simultâneo de três ou mais sons musicais; o som resultante **2** *P. ext. Mús.* Som de música **3** *Mús.* A notação musical, na pauta, desse som **4** Poesia ou verso, ger. líricos **5** *Fig.* Entendimento, harmonia, acordo *a2g.* **6** *Mús.* Que está em harmonia com outro instrumento ou voz **7** *Fig.* Que está de acordo; CONCORDE [+ *a, com, em*: *Tomou a atitude mais acorde a/com seu temperamento; Estavam acordes na decisão a tomar.*] [Nota: Assim como *concorde* de *concordar*, *entregue* de *entregar* etc., *acorde* no v. *acordar*, 'entrar ou ficar em acordo', integra um pequeno grupo de particípios irregulares terminados em *-e*. F.: Do fr. *accord*. Hom./Par.: *acorde* (sm.), *acorde* (fl. de *acordar*).] ■ **~ alterado** *Mús.* Acorde que inclui notas estranhas à sua tonalidade **~ quebrado** *Mús.* As notas de um acorde em execução sequencial, melódica

📖 O estudo e o uso dos acordes na música são os temas da harmonia. Em sua abordagem mais tradicional, os acordes de três notas executadas simultaneamente são, em sua posição fundamental, formados por duas terças (intervalos de três graus), podendo uma terça ser maior quando cobre quatro semitons, ou menor, quando cobre três semitons. A nota mais grave nessa posição é a nota fundamental, que dá o tom do acorde. Um tal acorde chama-se perfeito maior, se a primeira terça (a partir da nota fundamental) é maior e a segunda, menor. O acorde será perfeito menor quando a primeira terça é menor e a segunda, maior. Assim, o acorde perfeito maior de dó será formado das notas dó-mi-sol. O perfeito menor de dó, das notas dó-mi bemol-sol. Chama-se diminuto quando as duas terças são menores (o acorde diminuto de dó será dó-mi bemol-sol bemol) e aumentado quando as duas terças são maiores (o acorde aumentado de dó será dó-mi-sol sustenido). Pode haver inversões de acordes, mantendo-se as notas mas mudando-se a fundamental. O acorde sol-dó-mi é uma inversão do acorde perfeito maior de dó.

acordeão (a.cor.de:*ão*) *sm.* **1** *Mús.* Instrumento musical que possui teclas como as de piano, fole pregueado, botões e registros **2** O mesmo que *acordeonista* (1) [Pl.: *-ões.*] [F.: Do fr. *accordéon*, do al. *Akkordion*. Ver tb. *sanfona*. Tb. *acordeon.*]

acordeon (a.cor.de.*on*) *sm.* Ver *acordeão*

acordeonista (a.cor.de:o.*nis*.ta) *s2g.* **1** *Mús.* Pessoa que toca acordeão; ACORDEÃO **2** Pessoa que fabrica acordeões [F.: *acordeão* (sob o rad. *acordeon-*) + *-ista*, seg. o mod. erudito.]

acordo (a.*cor*.do) [ô] *sm.* **1** Decisão, conclusão ou combinação considerada aceitável por todas as pessoas envolvidas [+ *com, entre*: *um acordo com/entre os sócios.*] **2** Solução de compromisso (entre partes) que encerra e resolve divergência, litígio etc. [+ *com, quanto a, sobre*: *Finalmente chegaram a um acordo quanto à/sobre a partilha dos bens.*] **3** Compromisso assumido entre duas ou mais empresas, organizações, governos etc. [+ *com, em, quanto a, sobre*: *acordo sobre tarifas.*] **4** Documento oficial, assinado pelas partes envolvidas, atestando esse compromisso **5** Bom entendimento; CONCORDÂNCIA; HARMONIA: *vivem em perfeito acordo.* **6** Permissão, concordância: *O casamento realizou-se com o acordo dos pais.* **7** Decisão em que se faz valer a própria vontade [F.: De *acordar*[1]. Hom./Par.: *acordo* [ô] (sm.), *acordo* (fl. de *acordar*).] ■ **~ de cavalheiros** Acordo feito sem formalidade entre as partes, baseado em boa-fé e confiança recíprocas [Us. tb. ironicamente.] **De ~ com** Segundo, conforme: *Agir de acordo com a lei.* **De comum ~** Com o acordo de todas as partes ou pessoas envolvidas (em negociações, planejamento etc.) **Estar de ~ 1** Concordar, aceitar; ter a mesma opinião: *Sua proposta é boa, estou de acordo (com ela).* **2** Estar convenientemente arranjado: *Vai dar certo, tudo está de acordo.* **Pôr de ~** Pôr em harmonia, harmonizar

acordoamento (a.cor.do.a.*men*.to) *sm.* **1** Colocação de cordas (em instrumento musical, raquete de tênis etc.); ENCORDOAMENTO **2** *P. ext.* O conjunto de cordas colocadas; ENCORDOAMENTO [F.: *acordoar* + *-mento*.]

acordoar (a.cor.do:*ar*) *v. td.* Guarnecer de cordas; ENCORDOAR: *Acordoar um violão.* [A forma mais usada é *encordoar*.] [▶ **16** acordoar] [F.: *a-* + *corda* + *-oar*.]

acoria[1] (a.co.*ri*.a) *sf. Med.* Tipo de polifagia (voracidade ao comer) devido à perda da sensação de saciedade [F.: Do gr. *akoría, as*.]

acoria[2] (a.co.*ri*.a) *sf. Oft.* Ausência congênita da pupila, ger. acompanhada de ausência da íris [F.: *a-*[1] + *-cor(e)-* + *-ia*[1].]

açorianismo (a.ço.ri:a.*nis*.mo) *sm.* **1** Qualquer característica peculiar de quem ou do que é açoriano **2** *Ling.* Elemento de linguagem (palavra, pronúncia, sintaxe etc.) próprio do português falado nos Açores, seja no português, seja em outra língua [F.: *açoriano* + *-ismo*.]

açoriano (a.ço.ri:*a*.no) *sm.* **1** Pessoa nascida ou que vive nos Açores *a.* **2** Dos Açores (arquipélago do oceano Atlântico); típico dessas ilhas ou de seu povo [F.: top. *Açor(es)* + *-iano*. Sin. ger.: *açorita*.]

açorita (a.ço.*ri*.ta) *a2g. s2g.* **1** O mesmo que açoriano *sf.* **2** *Min.* O mesmo que *zircão*

acornado (a.cor.*na*.do) *a.* **1** Que se acornou, que tomou forma de corno, ou chifre **2** Atingido ou ferido por corno, ou chifre; ESCORNADO **3** *Fig. Tabu.* Diz-se de quem foi traído sexualmente por seu cônjuge; CORNEADO [F.: Part. de *acornar*.]

acornar (a.cor.*nar*) *v.* **1** Dar formato de corno ou chifre a [*td.*] **2** Arremeter com os chifres; CORNAR; ESCORNAR [*td.*: *O touro acornou o toureiro.*] [*int.*: *O búfalo acornou violentamente*] [▶ **1** acornar] [F.: *a-*[2] + *corno* + *-ar*[2].]

ácoro (*á*.co.ro) *Bot. sm.* **1** Denominação comum às ervas do gên. *Acorus*, da fam. das acoráceas, de folhas longas e flores em espigas cilíndricas, aromáticas e com vários usos medicinais **2** Erva (*Acorus calamus*) da qual se retira óleo essencial us. em tratamentos médicos; ÁCORO-AROMÁTICO; CÁLAMO; CÁLAMO-AROMÁTICO; CANA-CHEIROSA; DRINGO; PIMENTA-DAS-ABELHAS [F.: Do lat. cien. gên. *Acorus*.]

acoroçoado (a.co.ro.ço.*a*.do) *a.* **1** Cheio de ânimo, estímulo, esperança; ACORAÇOADO; ACORÇOADO; ESTIMULADO **2** *P. ext.* Que contou com estímulo, ajuda (diz-se de conquista, realização etc.) [F.: Part. de *acoroçoar*.]

acoroçoamento (a.co.ro.ço:a.*men*.to) *sm.* Ação ou resultado de acoroçoar, encorajar, estimular; ACORAÇOAMENTO; ACORÇOAMENTO; ESTÍMULO: *Essa cultura da violência é um acoroçoamento ao crime.* [F.: *acoroçoar* + *-mento*.]

acoroçoar (a.co.ro.ço.*ar*) *v.* **1** Incutir, despertar em (alguém ou si mesmo) ânimo, coragem, disposição, energia; ANIMAR; ESTIMULAR; INCENTIVAR [*td.*: *Estava desanimado, mas as palavras do amigo acoroçoaram-no:* "Assim, ora acoroçoando lavradores e industriais agrícolas com certas somas de dinheiro..., o Governo... tratou pari-passu de combater os processos rotineiros..." (Júlia Lopes de Almeida, *Cenas e paisagens do Espírito Santo*)] [*tdr.* + *a*: "Eles o acoroçoaram a falar mais." (Franklin Martins, *Estação História*)] **2** Dar contribuição ou estímulo a que se realize ou aconteça (algo) [*td.*: *Decidiu acoroçoar medidas de proteção ambiental.*] [▶ **16** acoroçoar] [F.: *a-*[2] + *coração(n)* (coração) + *-ar*[2]. Var.: *acoraçoar*.]

acorrentado (a.cor.ren.*ta*.do) *a.* **1** Preso com corrente(s), grilhões, cadeias; AGRILHOADO; ENCADEADO [+ *a, em*: *Deixou os reféns acorrentados a/em uma árvore.*] **2** *Fig.* Que está (sem poder ou conseguir livrar-se) sob o domínio, a influência, o controle de (algo ou alguém); ESCRAVIZADO; SUBJUGADO [+ *a, em*: *Não tem energia para enfrentar o despotismo do chefe, é um homem acorrentado; acorrentado a/em conceitos ultrapassados.*] [F.: Part. de *acorrentar*.]

acorrentar (a.cor.ren.*tar*) *v.* **1** Prender (algo ou alguém, inclusive si mesmo) com corrente(s); ENCADEAR [*td.*: *Os senhores de engenho acorrentavam os escravos.*] [*tdr.* + *a, em*: *Como protesto, acorrentou-se ao poste.*] **2** *Fig.* Exercer domínio sobre ou sujeitar-se ao domínio de (algo ou alguém); SUBMETER(-SE); SUJEITAR(-SE) [*td.*: *Não era livre para agir, a tradição familiar o acorrentava.*] [*tdr.* + *a, em*: *Aos poucos acorrentou-se àqueles hábitos, que se tornaram vícios.*] [▶ **1** acorrentar] [F.: *a-*[2] + *corrente* + *-ar*[2].]

acorrer (a.cor.*rer*) *v.* **1** Ir ou vir, com pressa, para algum lugar; CORRER [*int.*: *Ao ouvir a explosão, todos acorreram.*] [*ta.*: *Muitos curiosos acorreram ao local do acidente.*] **2** Mobilizar(-se) para socorrer (alguém), para prevenir ou remediar (algo); ACUDIR; SOCORRER [*tr.* + *a*: *Nova campanha acorrerá aos necessitados; Acorreram aos doentes com novos remédios.*] [*td.*: *Ao saber do problema, acorreu o amigo sem demora.*] [*int.*: *Solidário, sempre acorria quando necessário.*] **3** Ir ou vir, aproximar-se para pedir auxílio, amparo ou prestação de um serviço a (pessoa ou entidade) [*tr.* + *a*: *Ao Hospital Geral, acorrem todos os doentes da região; Quando tinha problemas acorria(-se) aos pais.*] **4** Fazer-se presente (em algum lugar) para determinada finalidade; COMPARECER [*tr.* + *a*: *A população em massa acorreu às urnas.*] **5** Amenizar ou extinguir (mal, sofrimento, doença etc.) [*tr.* + *a*: *Buscava um remédio que acorresse a seu mal.*] **6** Evitar no futuro, prevenir; remediar [*td.*: *medidas preventivas para acorrer complicações futuras.*] **7** Usar, servir-se de, recorrer a [*tr.* + *a*: *Teve de acorrer-se aos serviços de um advogado para resolver a questão.*] **8** Ocorrer a, vir à mente de [*tdr.* + *a*: *Subitamente acorrelham-lhe novas ideias.*] [▶ **2** acorrer] [F.: Do lat. *accurrere*.]

acorrimento (a.cor.ri.*men*.to) *sm.* *P. us.* Ação ou resultado de acorrer, socorrer *P. us.* ACORRO; AUXÍLIO; SOCORRO [F.: *acorrer* + *-imento*.]

acortinar (a.cor.ti.*nar*) *v. td.* **1** Pôr cortina em: *Acortinou as janelas do quarto* **2** Dar feição de cortina a [▶ **1** acortinar] [F.: *a-*[2] + *cortina* + *-ar*[2]. Sin. ger.: *encortinar*.]

acosmia (a.cos.*mi*.a) *sf. Med.* Qualquer anormalidade numa fase crítica de doença [F.: Do gr. *akosmía*.]

acósmico (a.*cós*.mi.co) *a.* **1** *Med.* Diz-se da doença que apresenta irregularidade em sua fase aguda (acosmia) **2** Ref. a acosmismo [F.: *a-*[1] + *cósmico*.]

acosmismo (a.cos.*mis*.mo) *sm. Fil.* Doutrina filosófica (de Baruch Spinoza) cujo conceito básico é o da inexistência de um universo natural e finito, por ser tudo que existe uma extensão do Deus infinito [F.: *a-*[2] + *cosm(o)* + *-ismo*.]

acossado (a.cos.*sa*.do) *a.* **1** Perseguido **2** Atacado ou agredido por perseguidores **3** Atormentado com insistência, incomodado, importunado **4** Que sofre uma série de males, dificuldades ou sofrimentos (físicos ou morais) [F.: part. de *acossar*.]

acossamento (a.cos.sa.*men*.to) *sm.* **1** Ação ou resultado de acossar, de seguir ao encalço; ACOSSO **2** Perseguição incessante: "Esses estão aguentando acossamento do Governo, tiveram de sair de suas terras e fazendas..." (Guimarães Rosa, *Grande sertão: veredas*) **3** *Taur.* Perseguição do animal (touro, rês) por cavaleiros montados, para prendê-lo ou derrubá-lo **4** Maus-tratos físicos, castigo; FLAGELO **5** *P. ext.* Provocação ou sensação de incômodo, sofrimento; SUPLÍCIO [F.: *acossar* + *-mento*.]

acossar (a.cos.*sar*) *v. td.* **1** Ir ao encalço de, atacar sem trégua: *Os soldados acossaram o inimigo; O cão acossava a presa.* **2** Abordar (alguém) agressiva ou impetuosamente com certa finalidade, incomodando ou molestando: *Os jornalistas acossavam o jogador em busca de novas informações.* **3** Causar aflição ou tormento a; AFLIGIR; ATORMENTAR: *Mil dúvidas o acossavam.* [▶ **1** acossar] [F.: Do lat. *accursare* ou, talvez, do port. *cosso* (carreira).]

acostado (a.cos.*ta*.do) *a.* **1** Que se acostou **2** *Mar.* Diz-se de embarcação encostada a um cais, outra embarcação etc. [+ *a, em*: *Divisou um veleiro acostado (ao/no cais).*] **3** Que está (fisicamente) apoiado em algo [+ *a, em*] **4** Em posição horizontal, ger. para repousar; DEITADO **5** Diz-se de veículo parado em acostamento **6** Que é limítrofe, vizinho [+ *a, com*] **7** Que está ou foi posto junto a, próximo de (algo ou alguém) [+ *a, com, em*] **8** Que está sob ou conta com proteção, sustento, amparo de algo ou alguém; AMPARADO; ARRIMADO [+ *a, em*] **9** *Her.* Diz-se de peça principal que fica entre duas secundárias *sm.* **10** Pessoa que depende de, é sustentado por outrem; ENCOSTADO **11** *Bras.* Pessoa que serve a alguém como capanga, guarda-costas etc.; ASSECLA: "O Alípio o desfeiteara, primeiro, depois passara aviso: que ia mandar um acostado, que desse nele umas porretadas." (Guimarães Rosa, *"A estória de Lélio e Lina", in No Urubuquaquá, no Pinhém*) **12** *Ant.* Quem recebia acostamento (5), moradia ou soldo do rei **13** *Lus. Mar.* No Algarve, embarcação que acompanha e auxilia os galeões de pesca [F.: Part. de *acostar*.]

acostadouro (a.cos.ta.*dou*.ro) *sm. Br.* Lugar em que pequenas embarcações podem acostar; pequeno atracadouro [F.: *acostar* + *-douro*[2].]

acostagem (a.cos.*ta*.gem) *Mar. sf.* **1** Ação ou resultado de acostar (embarcação) **2** Aproximação (de embarcação) da costa, ou navegação ao longo da costa **3** Atracação (de embarcação) [Pl.: *-gens*.] [F.: *acostar* + *-agem*[1].]

acostamento (a.cos.ta.*men*.to) *sm.* **1** Ação ou resultado de acostar(-se) **2** *Bras.* Faixa lateral de uma estrada, fora da pista, destinada à parada de emergência de veículos, passagem de carros salva-vidas e ao trânsito de pedestres **3** *Bras.* Ação de (veículo) estacionar em faixa lateral de estrada ou junto ao meio-fio: *O acostamento do carro enguiçado liberou o trânsito.* **4** Em campo cultivado, área destinada a manobras de máquinas agrícolas **5** *Ant.* Moradia ou soldo que o rei dava aos fidalgos da corte [F.: *acostar* + *-mento*.]

acostar (a.cos.*tar*) *v.* **1** Aproximar(-se) ou encostar(-se) (embarcação) ao cais, à costa ou a outra embarcação; ATRACAR [*td.*: *O capitão acostou o navio.*] [*tr.* + *a*: *Ontem, dois navios acostaram ao porto; A barca acostou-se ao cais*] **2** Fazer (objeto) tocar (algo) ou se apoiar nele; ENCOSTAR [*tdr.* + *a*: *acostar o sofá à parede.*] **3** Apoiar-se em (algo ou alguém); buscar ou obter apoio, suporte, confirmação em [*tr.* + *a, em*: *A filha acostou-se à mãe para dormir; Acostou-se à parede para não cair; Em sua argumentação, acostou-se nas citações bibliográficas; Acostou-se a pistolões para subir na carreira.*] **4** Recostar-se [*int.*: *Acostou-se confortavelmente no sofá.*] **5** *Jur.* Juntar, anexar a [*tdr.* + *a*: *O advogado acostou o laudo ao processo.*] [▶ **1** acostar] [F.: *a-*[2] + *costa* + *-ar*[2].]

acostável (a.cos.*tá*.vel) *a2g.* Diz-se de local onde se pode acostar, estacionar, parar com facilidade [Pl.: *-veis*.] [F.: *acostar* + *-vel*. Hom./Par.: *acostáveis* (a2g. [pl.]), *acostáveis* (fl. de *acostar*).]

acosto (a.*cos*.to) [ô] *sm.* Ação ou resultado de acostar(-se), o mesmo que *acostamento* [F.: Dev. de *acostar*. Hom./Par.: *acosto* (sm.), *acosto* [ó] (fl. de *acostar*). Ideia de: *cost(i/o)-*.]

acostumado (a.cos.tu.*ma*.do) *a.* **1** Que se acostumou (a algo); que tem costume, hábito (de); HABITUADO [+ *a, com*: *uma mulher acostumada a acordar cedo; Bebe muito e não se embriaga; está acostumado.*] **2** Que se adaptou, condicionou; FAMILIARIZADO [+ *a, com*: *Tinha a vista acostumada à escuridão; jogadores acostumados com altitudes elevadas.*] **3** Que se repete por hábito ou costume; COSTUMEIRO; HABITUAL; USUAL: *Recolheram-se à hora acostumada.* *sm.* **4** Aquilo que é habitual, costumeiro: *O acostumado em nossa casa é o hóspede sentar-se à cabeceira.* [F.: Part. de *acostumar*. Ant. nas acps. 1 e 2: *desacostumado*.]

acostumar (a.cos.tu.*mar*) *v.* **1** Fazer por meio de treinamento, insistência ou disciplina (animal, alguém ou si mesmo), agir ou proceder sempre ou frequentemente de certo modo; HABITUAR(SE) [*tdr.* + *a*: *O pai acostumou a filha a rezar; Acostumou-se a jantar cedo; Acostumou seu cão a trazer-lhe o jornal.*] **2** Tornar(-se) adaptado a fatores externos, a dificuldades etc. [*tdr.* + *a*: *Os atletas precisam acostumar o corpo aos exercícios.*] [*tr.* + *a, com*: *Não (me) acostumei com esse frio;* "Ela já se acostumara à ideia..." (João Guimarães Rosa, *Noites do sertão*)] **3** Ter ou fazer ter como normal, habitual; aceitar ou fazer aceitar algo (ger. devido a repetição, ocorrência continuada etc.) [*tr.* + *a, com*: *Acostumou-se a/com sua presença diária no jantar familiar:* "Ela já se acostumara à ideia..." (João Guimarães Rosa, *Noites do sertão*)] [*tdr.* + *a*: *Pacientemente, acostumou o marido a seus hábitos.*] [▶ **1** acostumar] [F.: *a-*[2] + *costume* + *-ar*[2]. Ant. ger.: *desacostumar*.]

açoteia (a.ço.*tei*.a) *sf. Arq.* Varanda, terraço no alto de casa, de torre etc.; MIRANTE; SOTEIA: "Não faltavam por aqui casas de açoteia." (Leite de Vasconcelos, *De terra em terra.*) [F.: Do ár. *as-su teyha*.]

acotiar (a.co.ti.*ar*) *v. td.* **1** Usar (a mesma coisa, esp. roupa) todos os dias: *Acotiava a mesma calça surrada.* **2** Ir frequentemente a (o mesmo lugar); FREQUENTAR: *Basta de acotiar esse restaurante, vamos experimentar outro.* **3** *P. ext.* Ser constante, assíduo, persistente em: *Entrou em forma depois que acotiou suas idas aos treinos* [▶ **1** acotiar] [F.: *a-*[2] + *cotio* + *-ar*[2]. Sin. ger.: *aquotiar*.]

acotiledôneo (a.co.ti.le.*dô*.ne:o) *Bot. sm.* **1** Planta que não tem cotilédone (a folha embrionária, primordial); ACOTÍLEO *a.* **2** Diz-se desse tipo de planta; ACOTILÉDONE; ACOTILEDÔNEO; ACOTÍLEO [F.: *a-*[3] + *cotiledôneo*.]

acótilo (a.*có*.ti.lo) *Zool. sm.* **1** Verme turbelário que não tem ventosa ventral e cujo tubo digestivo é ramificado *a.* **2** Diz-se de animal desprovido de vértebras, boca central e cavidades laterais [F.: *a-*[3] + *-cótilo*.]

acotovelamento (a.co.to.ve.la.*men*.to) *sm.* **1** Ação ou resultado de acotovelar(-se), de tocar com cotovelo em (algo ou alguém) **2** Encontrão, esbarrão, toque involuntário com o cotovelo **3** Aglomeração, empurra-empurra [F.: *acotovelar* + *-mento*.]

acotovelar (a.co.to.ve.*lar*) *v.* **1** Tocar com o cotovelo em, ger. de forma dissimulada, como alerta ou repreensão [*td.*: *O rapaz acotovelou o amigo para chamar-lhe a atenção; Os dois acotovelaram-se quando a viram entrar.*] **2** Dar encontrões (para abrir caminho) ou espremer-se (uns contra os outros) por falta de espaço [*td.*: *Os jovens se acotovelaram para ficar perto do cantor.*] **3** Formar ângulo ou curva fechada [*int.*: *A rua acotovela depois do cruzamento.*] [▶ **1** acotovelar] [F.: *a-*[2] + *cotovelo* + *-ar*[2].]

açougada (a.çou.*ga*.da) *sf.* **1** *Fig. Pop.* Lugar barulhento, cheio de gritos, pragas, vozerio; essa confusão sonora; ALGAZARRA; GRITARIA **2** *Pop.* Matança de pessoas ou de animais; CARNIFICINA; CHACINA; MASSACRE [F.: *açougue* + *-ada*[2].]

açougue (a.*çou*.gue) *sm.* **1** Estabelecimento, ou setor em supermercado, onde se vendem carnes; CORTE; TALHO **2** *Ant.* Local onde se matam reses para consumo; MATADOURO **3** *P. ext. P. us.* Chacina, carnificina, matança **4** *Bras.* Lugar ou circunstância em que há muito tumulto, desordem: *Isto aqui hoje está um açougue.* **5** *Bras. Pop. Pej.* Prostíbulo [F.: Do ár. *as-soq*.]

açougueiro (a.çou.*guei*.ro) *sm.* **1** Dono ou empregado de açougue **2** Profissional que abate reses em matadouro; MAGAREFE **3** *Bras. Fig. Pop. Pej.* Cirurgião ou dentista inábeis; CARNICEIRO [F.: *açougue* + *-eiro*.]

acovardado (a.co.var.*da*.do) ***a.*** **1** Que se acovardou, que não tem ou que perdeu a coragem; que sente medo; AMEDRONTADO; ATEMORIZADO **2** *P. ext.* Que não tem ou perdeu ânimo ou coragem de se manifestar, agir, se expressar; ACANHADO; TÍMIDO **3** *Fig.* Que não tem ou perdeu alento, ânimo, disposição para agir; DESALENTADO; DESANIMADO [F.: Part. de *acovardar*. Us. tb. *acobardado*.]

acovardar (a.co.var.*dar*) *v.* **1** Fazer perder ou perder a coragem, tornar(-se) covarde; AMEDRONTAR(-SE) [***td.***: *A agressividade do adversário acovardou o pugilista.*] [***int.***: *Diante do perigo, acovardou-se.*] **2** *Fig.* Fazer perder ou perder o ânimo, a energia; DESANIMAR [***td.***: *As longas filas de espera o acovardavam.*] [***int.***: *Malsucedido nos treinos, o atleta acovardou-se.*] **3** Fazer perder ou perder a coragem ou a segurança para se manifestar ou expressar; fazer ficar ou ficar (ou mostrar-se) acanhado, tímido; ENVERGONHAR(-SE); INTIMIDAR(-SE) [***td.***: *Falar em público não o acovarda.*] [***int.***: *Diante da banca examinadora, o candidato acovardou-se.*] [▶ 1 acovardar] [F.: *a-*[2] + *covarde* + *-ar*[2].]

acovilhar (a.co.vi.*lhar*) *v.* **1** Dar ou obter abrigo (em); ACOLHER; AGASALHAR; REFUGIAR [***td.***: *Acovilhou os parentes desabrigados.*] [***tda.***: *Durante o inverno, acovilhou-se em um abrigo da prefeitura.*] **2** Tapar (fogo) com cinza [***td.***] [▶ 1 acovilhar] [F.: *a-*[2] + *covil* + *-ar*[2], com palatalização.]

acracia (a.cra.*ci*.a) *sf.* **1** *Pol.* Ausência de governo, negação de obediência a qualquer tipo de autoridade; ANARQUIA **2** *Med.* Estado de debilidade física, fraqueza; ASTENIA [F.: Do gr. *akratía*. Ideia de: *a(n)-* e *-cracia*.]

acrania (a.cra.*ni*.a) *sf.* *Ter.* Ausência congênita, parcial ou total, do crânio [F.: *a-*[1] + *-crani(o)-* + *-ia*[1]. Hom./Par.: *acrania* (sf.), *acrânia* (fem. de *acrânio* [a. sm.]).]

acrânio[1] (a.*crâ*.ni:o) *a.* **1** *Ter.* Que não tem crânio **2** Ref. a pessoa ou animal com essa anomalia; ACRANIAL; ACRANIANO [F.: *a-*[1] + *crânio*. Hom./Par.: *acrânia* (fem.), *acrania* (sf.).]

acrânio[2] (a.*crâ*.ni:o) *Zool.* ***sm.*** **1** Espécime dos acrânios, animais marinhos de pequeno porte, sem coluna vertebral ou crânio, cujo esqueleto é feito de tecido mucoso ***a.*** **2** Ref. a esses animais [F.: Do tax. *Acrania*. Sin. ger.: *acraniota, cefalocordado, cefalocórdio*. Hom./Par.: *acrânia* (fem.), *acrania* (sf.).]

acraniota (a.cra.ni:o.ta) *Zool.* ***s2g.*** Animal semelhante aos vertebrados, a não ser pela ausência da coluna vertebral e do crânio; ACRÂNIO; PROTOCORDADO [F.: *a-*[1] + *crânio* + *-ota*[2].]

acrasia (a.cra.*si*.a) *sf.* **1** Falta de regra, ordem, comedimento; DESREGRAMENTO; DESCOMEDIMENTO; INTEMPERANÇA **2** Tibieza, falta de vontade e determinação (para fazer o que se sabe ser o mais certo ou conveniente) [F.: Do gr. *akrasía, as*.]

ácrata (*á*.cra.ta) ***a2g.*** **1** Diz-se de partidário da acracia (1) ***s2g.*** **2** Pessoa adepta da acracia (1) [F.: Do gr. *akratés, es*.]

acratismo[1] (a.cra.*tis*.mo) *sm.* *Pol.* Sistema político baseado na ausência de autoridade ou governo; acracia [F.: *ácrata* (do gr. *akratés, és, és*, 'sem força') + *-ismo*.]

acratismo[2] (a.cra.*tis*.mo) *sm.* Na Grécia Antiga, a primeira refeição, feita à base de pão e de vinho puro [Do gr. *akratismós, oû*.]

◎ **acrato-** ***el. comp.*** = 'puro, sem mistura (diz-se ger. de vinho)': *acratófilo, acratóforo* (< gr.) [F.: Do gr. *ákratos, os, on*.]

acratóforo (a.cra.*tó*.fo.ro) *sm.* *Ant.* Vaso us. pelos antigos gregos e romanos para tomar vinho puro [F.: Do gr. *akratophóros, os, on*.]

acraturese (a.cra.tu.*re*.se) *sf.* *Med.* Dificuldade de micção por falta de tônus da bexiga [F.: Do gr. *akratés, és, és*, 'sem força', 'fraco', + *-urese*.]

acravar (a.cra.*var*) *v.* **1** Atravessar ou ser atravessado (tb. de lado a lado) com cravos, pregos, flechas etc.; CRAVAR(-SE); ESPETAR(-SE) [***td.***: *Acravou a moldura, fixando-a na parede.*] [***int.***: *Sob uma saraivada de flechas, o animal acravou-se no tronco.*] **2** *Fig.* Ficar ou fazer ficar cravado, fixado (esp. em lama, lodo, areia); ATOLAR(-SE) [***int.***: *Mal manobrado, ônibus acravou(-se) (no lamaçal).*] [***td.***: *O excesso de peso acravou o ônibus (na areia).*] **3** *Fig.* Fazer ficar ou ficar (alguém) aflito, agoniado [***td.***: *Acravou o amigo com a péssima notícia.*] [***int.***: *Ao ser demitido, acravou-se ainda mais.*] [▶ 1 acravar] [F.: *a-*[2] + *cravo* + *-ar*[2].]

acre[1] (*a*.cre) ***a2g.*** **1** De sabor azedo, adstringente ou amargo, que provoca crispação dos tecidos da cavidade bucal; diz-se desse sabor (fruta acre; gosto acre) **2** De cheiro forte e penetrante; diz-se desse cheiro (perfumes acres; cheiro acre) **3** Penetrante, pungente (diz-se de som); que tem esse som (som acre; melodia acre) **4** Indelicado, ríspido (humor acre) **5** Que causa amargura, angústia: *Tinha recordações acres do tempo da guerra.* **6** *Enol.* Diz-se de vinho dominado pela acidez acética, cujo aroma lembra o do vinagre, portanto um vinho de baixa qualidade [Superl.: *acérrimo*.] ***sm.*** **7** O sabor acre[1] (1): *O acre dessa fruta chega a incomodar.* **8** O cheiro acre[1] (2): *O acre do vinagre penetrou-lhe as narinas.* [F.: Do lat. *acer, acris, acre*, por via erudita, e *agre*, do mesmo lat., por via popular. Tb. *agre*.]

acre[2] (*a*.cre) ***sm.*** Unidade de medida agrária (de dimensão variada, de acordo com o lugar de uso): *150 acres de terreno* [O acre inglês e americano equivale a 40, 47 ares.] [F.: Do ing. *acre*.]

acreção (a.cre.*ção*) *sf.* **1** Ação ou resultado de acrescer, de aumentar a massa por aglutinação de elementos, materiais etc. **2** *Astron.* Processo de atração por um astro, de moléculas de gases ou de outros elementos no espaço **3** *Astron.* Aglutinação de matéria em torno de um astro por atração de moléculas de gases ou outros elementos no espaço **4** *Geol.* Aumento de extensão ou volume de terra por acúmulo lento e gradativo, devido a causas naturais (depósito de sedimentos, ação do vento etc.) **5** *Histl.* Aumento em tecido por justaposição de células ou tecidos **6** *Od.* Material estranho retirado de um dente **7** *Met.* Na aglomeração de nuvens, aglutinação de um cristal de gelo ou neve com uma gota líquida muito fria [Pl.: *-ções*.] [F.: Do lat. *accretio, ónis*.] ▪▪ **~ pericárdica** *Med.* Adesão do pericárdio a tecidos externos ao coração, como, p. ex., a pleura **~ vulcânica** *Geol.* Criação de uma crosta no fundo do oceano por matéria vulcânica

acreditação (a.cre.di.ta.*ção*) *sf.* Ação ou resultado de acreditar, de atestar oficialmente a boa qualidade de algo, a competência técnica, a conformidade com um conjunto de requisitos previamente estabelecidos: *certificado de acreditação.* [Pl.: *-ções*.] [F.: *acreditar* + *-ção*.]

acreditado (a.cre.di.*ta*.do) ***a.*** **1** Em que se acredita, que é aceito como possível ou verdadeiro, legítimo **2** Que tem boa reputação, que merece confiança; CONCEITUADO; CONFIÁVEL [+ *com, em, entre*: *um profissional acreditado com/entre os clientes; um jornal acreditado nos meios acadêmicos.*] **3** Que obteve certificado de acreditação, atestando a boa qualidade de seus serviços ou produtos (escola acreditada, empresa acreditada) **4** Que foi autorizado a representar outra pessoa **5** Reconhecido ou autorizado por um país ou organização internacional perante outro(a) (diplomata acreditado) [F.: Part. de *acreditar*.]

acreditar (a.cre.di.*tar*) *v.* **1** Ter ou aceitar como verdadeiro, real ou sincero; CRER [***td.***: "Eu nem acredito/ Que aquele garoto que ia mudar o mundo/ Frequenta agora as festas do *grand monde*." (Roberto Frejat e Cazuza, *Ideologia*)] [***tr.*** + *em*: *Maria acredita na amizade da prima*: "...Mesmo triste, eu 'tava feliz/ E acabei acreditando em ilusões..." (Marisa Monte e Nando Reis, *Ainda lembro*) Ant.: *descrer*] **2** Ter confiança (em); CONFIAR [***tr.*** + *em*: *O jovem acreditava no amigo; Acreditou no tratamento, seguiu-o à risca e curou-se.*] [***int.***: *As condições eram adversas, mas ele acreditou até o fim.*] **3** Pensar em algo, ter algo como provável, sem ter certeza [***td.***: *O pescador acredita que vai chover.* Sin. como *td.*: *achar, supor*.] [***tr.*** + *em*: *Os economistas acreditam na recuperação do mercado.*] **4** Considerar (alguém) como detentor de uma qualidade ou habilidade [***tdp.***: *Ninguém o acreditava preparado para o cargo*: "...acreditava-me soldado e marchava para a guerra." (Marques Rebelo, *Contos reunidos*)] **5** Conferir crédito ou reputação a [***td.***: *Acreditou o amigo junto aos patrões* Ant.: *desacreditar*.] **6** Dar autoridade, poderes a alguém para representar instituição, país etc.; CREDENCIAR [***td.***: *O presidente acreditou o ministro para a missão.*] **7** *Esp. Fut.* Achar factível realização ou complementação (aparentemente difícil ou impossível) de um lance [***tr.*** + *em*: *O atacante acreditou na jogada e correu para alcançar a bola.*] [***int.***: *O ataque parecia perdido, mas ele acreditou e foi premiado com um golaço.*] [▶ 1 acreditar] [F.: *a-*[2] + *crédito* + *-ar*[2].]

acreditável (a.cre.di.*tá*.vel) ***a2g.*** **1** Que merece crédito; que pode ser acreditado; CRÍVEL [Ant.: *inacreditável*] **2** Verossímil [Pl.: *áveis*.] [F.: *acreditar* + *-vel*. Hom./Par.: *acreditáveis* (pl.), *acreditáveis* (fl. *acreditar*).]

acremoniose (a.cre.mo.ni:*o*.se) *sf.* *Pat.* Doença infecciosa cujo agente é o fungo *Acremonium* [F.: *acremonium* + *-ose*[2].]

acrense (a.*cren*.se) ***s2g.*** **1** Indivíduo nascido ou que vive em Acra (capital de Gana) ***a2g.*** **2** De Acra; típico dessa cidade ou de seu povo [F.: Do top. *Acr(a)* + *-ense*.]

acrescentado (a.cres.cen.*ta*.do) ***a.*** **1** Que se acrescentou, que se juntou a outra coisa [+ *a*: *notas acrescentadas a um livro.*] **2** Que se ampliou com acréscimos; ACRESCIDO [+ *com, de, em*: *um relatório acrescentado de/com/em muitos depoimentos e testemunhos.*] [F.: Part. de *acrescentar*.]

acrescentar (a.cres.cen.*tar*) *v.* **1** Juntar uma coisa a outra; ADICIONAR [***tdr.*** + *a, em*: *acrescentar açúcar ao leite.*] **2** Juntar uma coisa a outra para fazê-la maior ou mais numerosa; ADICIONAR; SOMAR [***tdr.*** + *a*: *acrescentar selos à coleção.*] [***td.***: *O autor releu o livro e resolveu acrescentar um capítulo.*] **3** Dizer (algo) para completar ou estender o que dissera antes [***td.***: *Vamos nos encontrar às duas, disse. E acrescentou: Mas não se atrase!*] **4** Adicionar informação para completar ou esclarecer [***td.***: *O repórter acrescentou que a apuração dos votos ainda não terminara.*] [***tdr.*** + *a*: *acrescentar mais detalhes à informação.*] **5** *Fig.* Tornar (algo ou alguém) maior, melhor, mais rico etc. auferindo-lhe bens, qualidades, benefícios, vantagens etc. [***td.***: *O novo cargo acrescentou-o em todos os sentidos.*] [***tr.*** + *a*: *Que Deus lhe acrescente, pois ela merece!*] [***tdr.*** + *com, em*: *O estudo acrescentou-o com tudo, menos em arrogância.*] [▶ 1 acrescentar] [F.: Do lat. *acrescentare*.]

acrescente (a.cres.*cen*.te) *sm.* **1** *P. us.* O mesmo que *acrescentamento* **2** *P. us.* O mesmo que *chinó* ***a2g.*** **3** *Bot.* Que continua se desenvolvendo depois de formado (diz-se de órgão ou de qualquer outra parte vegetal) [F.: Do lat. *acrescens, entis*. Hom./Par.: *acrescente* (sm. a2g.), *acrescente* (fl. de *acrescentar*).]

acrescer (a.cres.*cer*) *v.* **1** Fazer crescer ou crescer, tornar(-se) maior (em tamanho, valor intensidade etc.); AUMENTAR [***td.***: *A longa espera acresceu sua impaciência.* Ant.: *diminuir, reduzir*.] [***tdr.*** + *com, de*: *Acresceu o relatório com/de comentários.*] [***int.***: *Seu entusiasmo acrescia à medida que se envolvia no projeto.*] **2** Juntar uma coisa a outra; ACRESCENTAR; ADICIONAR [***td.***: "Não só merecia a confiança dele, mas acrescia certa dívida pecuniária, e umas três letras que Rubião aceitou por ele." (Machado de Assis, *Quincas Borba*)] [***tdr.*** + *a*: *O garçom acresceu à conta o copo quebrado.*] **3** Adicionar texto, fala etc. ao que se expressara antes, como extensão, explicação, comentário etc. [***td.***: *Ao fim da fala acresceu um comentário ao discurso do colega; Negou o pedido, e acresceu que o fazia a contragosto.*] **4** Vir (fato, ideia etc.) como acréscimo (de motivo, explicação) a ser considerado [***int.***: *O time não jogou bem, acresce que estava desfalcado.*] [▶ 33 acrescer] [F.: Do lat. *accrescere*.]

acrescido (a.cres.*ci*.do) ***a.*** **1** Que aumentou, estendeu-se, ampliou-se por ter recebido acréscimo [+ *com, de, em*: *Apresentou suas desculpas, acrescidas de um buquê de rosas; orçamento acrescido em um milhão.*] **2** Que se acrescentou [+ *a*: *Leu as desculpas, mas gostou mais das rosas (a elas) acrescidas.*] [F.: Part. de *acrescer*.]

acrescimento (a.cres.ci.*men*.to) *sm.* Ação ou resultado de acrescer; ACRÉSCIMO [F.: *acrescer* + *-imento*.]

acréscimo (a.*crés*.ci.mo) *sm.* **1** Ação ou resultado de acrescentar, adicionar: *Não haverá acréscimo de multa.* **2** O que se acrescenta: *A última cláusula era um acréscimo à versão anterior do contrato.* **3** Elevação, aumento: *Com a vacina não houve acréscimo no número de casos da doença; A febre teve um acréscimo.* **4** *Lus. Pop.* Malária; febre intermitente **5** *Art. gr.* Inserção de palavra ou trechos que não constavam do original, feita em prova pelo autor **6** *Mat.* Aumento de uma quantidade variável; a quantidade aumentada [F.: De *acrescer* + *-imo*.] ▪▪ **~ de massa** *Astron.* Aumento de massa de um corpo celeste ao captar e assimilar partículas do espaço

acretivo (a.cre.*ti*.vo) ***a.*** Diz-se do que se forma por acreção [F.: De *acreção* (sob o rad. *acret-*) + *-ivo*, seg. o mod. erudito.]

◎ **acri-** ***el. comp.*** = 'ácido'; 'azedo'; 'agudo'; (*Fig.*) 'ardente (como o fogo)': *acridez; acrimancia; acrografia*[2]; *agridoce; agrodoce* [F.: Do lat. *acer, acris, acre*.]

acriançado (a.cri:an.*ça*.do) ***a.*** Que se comporta como criança; que é próprio de criança; INFANTIL: *Já era adulto, mas muito acriançado; jeito acriançado.* [F.: *a-*[2] + *criança* + *-ado*[1].]

acriançar (a.cri.an.*çar*) *v.* Fazer ter ou adquirir jeito, modo ou comportamento de criança; INFANTILIZAR(-SE) [***td.***: *Releu o roteiro e resolveu acriançar o personagem.*] [***int.***: *De tanto lidar com crianças, acriançou-se também.*] [▶ 12 acriançar] [F.: *a-*[2] + *criança* + *-ar*[2].]

acriano (a.cri.*a*.no) *sm.* **1** Indivíduo nascido ou que vive no estado do Acre ***a.*** **2** Do Acre; típico desse estado ou de seu povo [F.: Do top. *Acr(e)* + *-iano/-ano*.]

◎ **acribo-** ***el. comp.*** = 'exato', 'preciso'; (*P. ext.*) 'precisão': *acribomania, acribômetro* [F.: Do gr. *akribés, és, és*.]

acribomania (a.cri.bo.ma.*ni*.a) *sf.* *Psiq.* Mania de precisão [F.: *acribo-* + *-mania*.]

acribomaníaco (a.cri.bo.ma.*ní*.a.co) *Psiq.* ***a.*** **1** Ref. à acribomania **2** Diz-se de indivíduo que tem acribomania; ACRIBÔMANO ***sm.*** **3** Esse indivíduo; ACRIBÔMANO [F.: *acribomania* + *-íaco*, seg. o mod. gr.]

acridade (a.cri.*da*.de) *sf.* **1** Qualidade daquilo que é acre[1] **2** *Fig.* Comportamento próprio de pessoa indelicada, grosseira, rude [F.: Do lat. *acritas, atis*. Sin. ger.: *acrimônia*.]

acrídeo (a.*crí*.de.o) *Zool.* ***sm.*** ***a.*** Ver *acridídeo*

acridez (a.cri.*dez*) [ê] *sf.* **1** Qualidade do que é acre, ácido, amargo; ACRIDÃO; ACRITUDE **2** Falta de delicadeza no modo de agir ou falar; ASPEREZA; RUDEZA **3** *Restr.* Rigor, severidade ou agressividade ao julgar ou criticar [Sin. ger.: *acrimônia* F.: *acrid-* (este, do lat. *acer, acris*, 'acre') + *-ez*.]

◎ **acridi-** ***el. comp.*** Ver *acrid(o)-*

acridiano (a.cri.di:*a*.no) *Zool.* ***a.*** Ref. ou semelhante ao gafanhoto [F.: *acridi-* + *-ano*[1].]

acridídeo (a.cri.*dí*.de:o) *Zool.* ***sm.*** **1** Espécime dos acridídeos, fam. de insetos ortópteros, que reúne gafanhotos de patas com três segmentos, e ovipositor curto; fitófagos, ger. são nocivos à vegetação ***a.*** **2** Ref. ou pertencente aos acridídeos [F.: Adaptç. do lat. cient. *Acrididae*. Tb.: *acrídeo* (var. haplológica).]

acridiforme (a.cri.di.*for*.me) ***a2g.*** *Zool.* Que tem a forma de um gafanhoto [F.: *acridi-* + *-forme*.]

◎ **acrid(o)-** ***el. comp.*** = 'gafanhoto': *acridofagia, acridófago* (< gr.); *acridiano, acridídeo* (< lat. cient.), *acridiforme* [F.: Do gr. *akrís, ídos*.]

ácrido (*á*.cri.do) *Med. Pat.* ***a.*** Que provoca ou pode provocar irritação em algum tecido orgânico [F.: *acri-* + *-ido*[2].]

acridoce (a.cri.*do*.ce) [ô] ***a2g.*** **1** Que tem sabor ao mesmo tempo acre e doce ***sm.*** **2** Esse sabor [F.: *acri-* (ou *agri-*[1]) + *doce*. Us. tb. *agridoce*.]

acridódeo (a.cri.*dó*.de:o) *Ent.* ***sm.*** **1** Espécime dos acridódeos, subordem de insetos ortópteros conhecidos como gafanhotos ***a.*** **2** Ref. ou pertencente aos acridódeos [F.: Do tax. *Acridodea*.]

acridofagia (a.cri.do.fa.*gi*.a) *sf.* Em alguns povos africanos, orientais e mesmo de certas tribos indígenas brasileiras, costume de comer gafanhotos [F.: *acrid(o)-* + *-fagia*.]

acridofágico (a.cri.do.*fá*.gi.co) ***a.*** Ref. à acridofagia ou a acridófago [F.: *acridófago* + *-ico*[2].]

acridófago (a.cri.*dó*.fa.go) *sm.* **1** Aquele que come gafanhotos ***a.*** **2** Que come gafanhotos [F.: gr. *akridophágos, os, on*.]

acrilato (a.cri.*la*.to) *sm.* **1** *Quím.* Sal ou éster do ácido acrílico ou ânion derivado desse ácido **2** Adesivo derivado do ácido acrílico, com ação bastante rápida [F.: *acril(o)-* + *-ato*[2].]

acrílico (a.*crí*.li.co) *sm.* **1** *Quím.* Resina sintética us. em vários produtos industriais, como lentes de óculos, objetos domésticos etc. *a.* 2 Em que se utilizou essa resina; que contém propriedades dessa resina (tinta acrílica) 3 *Quím.* Ver *ácido acrílico* ($C_3H_4O_2$) no verbete *ácido* [F.: Do fr. *acrylique.*]

◎ **acril(o)-** *el. comp.* = 'acrílico', 'ácido acrílico': *acrilato, acrilonitrila* [Em termos de Quím.] [F.: *acríl(ico)* + *-o-.*]

acrimancia (a.cri.man.*ci*.a) *sf.* Previsão feita a partir da leitura do fogo [F.: *acri-* + *-mancia.*]

acrimante (a.cri.*man*.te) *s2g.* Indivíduo que pratica a acrimancia [F.: *acri-* + *-mante.*]

acrimônia (a.cri.*mô*.ni:a) *sf.* 1 Qualidade ou estado de acre; ACRIDEZ 2 *Fig.* Aspereza, grosseria, mau humor: *Irritado, tratava todos com acrimônia.* 3 *Fig.* Rigor mordaz, cáustico, em crítica, comentário etc.: *A acrimônia da crítica prejudicava-lhe a objetividade.* [F.: *acrimônia*, do lat. *acrimonia, ae*, por via erudita. Hom./Par.: *acrimônia* (sf.), *acrimonia* (fl. de *acrimoniar*).]

acrimoniar (a.cri.mo.ni.*ar*) *v.* 1 Tornar(-se) acrimonioso, azedo quanto ao sabor ou ao odor [*td.*: *O cozinheiro acrimoniou o molho.*] [*int.*: *A calda do bolo acrimoniou-se, e ninguém conseguiu comê-lo.*] 2 Tornar(-se) desagradável, irritante [*td.*: *A presença dos familiares acrimoniou o homem.*] [*int.*: *Sua presença acrimoniou-se.*] 3 *P. ext.* Tornar-se agressivo, rude, áspero quanto às atitudes e ao temperamento [*td.*: *A melancolia e a velhice a acrimoniaram.*] [*int.*: *Depois de entrar na compulsória, acrimoniou-se.*] [▶ 1 acrimoniar] [F.: *acrimônia* + *-ar*[2]. Hom./Par.: *acrimonia(s)* (fl.), *acrimônia(s)* (sf. [pl.]).]

acrimoniosidade (a.cri.mo.ni:o.si.*da*.de) *sf.* Caráter ou qualidade de acrimonioso [F.: *acrimonioso* + *-(i)dade.*]

acrimonioso (a.cri.mo.ni:*o*.so) [ô] *a.* Que encerra ou expressa acrimônia [Fem. e pl.: [ó].] [F.: *acrimônia* + *-oso.*]

acrinia (a.cri.*ni*.a) *sf. P. us.* Redução ou ausência completa de secreção [F.: *a-*[3] + *-crinia.*]

acrioulado (a.cri:ou.*la*.do) *Bras. a.* 1 Diz-se daquele que adquiriu costumes de crioulos, de natural de determinado local 2 *RS* Que se adaptou a um meio estranho, e adquiriu hábitos e características dos nativos desse meio (animal acrioulado) 3 *Ling.* Diz-se de língua que se tornou crioula [F.: Part. de *acrioular.*]

acrioular (a.cri.ou.*lar*) *v.* 1 Fazer ter ou adquirir feição, aspecto, características de crioulo [*td.*: *acrioular um personagem.*] [*int.*: *Após anos de contacto com a população local, acrioulou-se.*] 2 Em processo de miscigenação ou cruzamento (de populações humanas, raças de animais etc.) entre populações nativas e não nativas, fazer ter ou adquirir a população resultante traços semelhantes aos da população nativa [*td.*: *Orientaram as seleções de matrizes e reprodutores para acrioular o gado.*] [*td.*: *Era um país de imigrantes, mas no processo de aculturação a população acrioulou-se.*] 3 *S.* Adaptar-se (pessoa ou animal) a um novo ambiente, ao adquirir feição, modos, características da população nativa [*int.*] 4 *Ling.* Durante um processo de colonização, fazer adquirir ou adquirir a língua do colonizador elementos da língua do colonizado (às vezes com o surgimento de um dialeto crioulo) [*td.*: *Os nativos falavam francês, mas o acrioularam.*] [*int.*: *Aos poucos o francês dos colonizadores acrioulou-se.*] [▶ 1 acrioular] [F.: *a-*[2] + *crioulo* + *-ar*[2].]

acrípede (a.*crí*.pe.de) *a2g. Zool.* Diz-se do animal que tem pés pontiagudos [F.: *acri-* + *-pede.*]

acrisia (a.cri.*si*.a) *Med. sf.* 1 Ausência de crise no processo de evolução de uma doença [Ant.: *crise.*] 2 Fim de uma doença sem constatação evidente de crise 3 Condição de incerteza quanto a um diagnóstico ou prognóstico [F.: Do gr. *akrisía, as.*]

acrisolado (a.cri.so.*la*.do) *a.* 1 Que foi purificado no crisol 2 *P. ext. Fig.* Que se tornou puro; depurado, purificado (sentido físico ou moral) 3 *P. ext. Fig.* Que passou por processo de aperfeiçoamento; APERFEIÇOADO [F.: Part. de *acrisolar.*]

acrisolar (a.cri.so.*lar*) *v.* 1 *Metal.* Purificar (metal precioso) no crisol [*td.*: *acrisolar a prata.*] 2 *P. ext.* Purificar-se em meio a provações [*tda.* + *em, por*: *acrisolar a alma na dor.*] [*ta.* + *em, por*: *No padecer se acrisola o amor.*] 3 *P. ext.* Tornar(-se) mais puro ou elevado [*td.*: *acrisolar a escrita pela leitura dos bons autores.*] [*int.*: *Seus conhecimentos se acrisolaram.*] [▶ 1 acrisolar] [F.: *a-* + *crisol* + *-ar.*]

acrítico (a.*crí*.ti.co) *a.* Que não é crítico; que não tem ou não demonstra capacidade crítica ou discernimento (pensamento acrítico) [F.: *a-*[3] + *crítico.*]

acritocromacia (a.cri.to.cro.ma.ci.a) *sf. Oft. Pat.* Incapacidade de perceber e distinguir cores [F.: Do gr. *ákritos, os, on*, 'não separado'; 'indistinto'; 'confuso', + *-cromat(o)-* + *-ia*[1], com passagem de *-t-* a *-c-.*]

◎ **acro-** *el. comp.* F. red. de *acromat(o)-.*

◎ **acr(o)-**[1] *el. comp.* Ver *acri-*

◎ **acr(o)-**[2] *el. comp.* = 'alto', 'elevado'; 'superior' (tb. fig.); 'extremidade', 'cume'; 'extremidade(s) ou membro(s) do corpo': *acrofobia, acrocianose, acrodinia, acroleto, acroagnosia* [F.: Do gr. *ákros, a, on*, 'extremo', 'alto', e de *ákron, ou*, 'extremidade', 'cume', 'ponta', substv. do seu neutro.]

acro[1] (*a*.cro) *a.* 1 Que é pouco flexível, e que, portanto, tende a quebrar sob esforço 2 Que quebra facilmente; QUEBRADIÇO 3 *P. us.* O mesmo que *acre*[1] [F.: Do lat. *acrus, a, um.*]

acro[2] (*a*.cro) *sm. Ant. Mil.* Cidadela sobranceira a uma cidade; ACRÓPOLE [F.: Do gr. *ákron, ou*, 'extremidade'.]

acroá (a.cro:*á*) *Bras. Etnol. s2g.* 1 Indivíduo dos acroás, povo indígena, quase extinto, que habitava regiões da Bahia, de Goiás e do Piauí, e cujos descendentes vivem atualmente no norte de Minas Gerais e são designados *xacriabás a2g.* 2 Ref. ou pertencente aos acroás

acroagnosia (a.cro.ag.no.*si*.a) *sf. Med.* Perda ou ausência da capacidade de reconhecer, sensorialmente, os próprios membros ou parte deles [F.: *acr(o)-*[2] + *agnosia.*]

acroama (a.cro:*a*.ma) *sm.* 1 Canto ou discurso que agrada pela harmonia 2 Interlúdio instrumental da antiga Grécia 3 Entre os romanos antigos, recitação com elementos dramáticos e musicais de peça recreativa, ger. feita pelos escravos 4 Música alegre [F.: Do gr. *akróama, atos*, pelo lat. *acroama, atis.*]

acroamático (a.cro:a.*má*.ti.co) *sm.* 1 *Mús.* Peça musical que não chega a ser escrita e que se destina a alegrar festas familiares 2 *Mús.* Músico que, por sua aptidão natural, aprende e toca de ouvido *a.* 3 Diz-se do que é ensinado oralmente 4 *P. ext.* Diz-se de método de ensino baseado quase exclusivamente na exposição oral 5 Ref. à aprendizagem musical que não se fundamenta em conhecimentos teóricos, mas na aptidão do músico, na sua capacidade de aprender de ouvido 6 Diz-se do que agrada ao ouvido; HARMONIOSO 7 Que é sublime, elevado, transcendente 8 *Fil.* Diz-se do ensino ministrado por Aristóteles (384 a.C. -322 a.C.) em Atenas, limitado aos discípulos que faziam parte do Liceu; ESOTÉRICO [P. opos. a *exotérico.*] 9 Diz-se de cada escrito que serviu de base para essas aulas e palestras de Aristóteles no Liceu; ESOTÉRICO [Referente às obras do filósofo que chegaram aos dias de hoje.] 10 Diz-se do método de ensino de Aristóteles em que os discípulos apenas ouviam sem fazer qualquer interrupção [P. opos. a *socrático.*] 11 *P. ext.* Diz-se de ensinamento ou escrito que expõe matérias sublimes ou secretas, vedadas ou inacessíveis ao grande público; ESOTÉRICO 12 *P. ext.* Diz-se de ensinamento ou escrito em linguagem cifrada ou hermética, inacessível portanto ao grande público; ESOTÉRICO [F.: Do gr. *akroamatikós, é, ón.*]

acroanestesia (a.cro:a.nes.te.*si*.a) *sf.* 1 *Med.* Anestesia em uma ou mais extremidades do corpo 2 Ausência completa de sensações [F.: *acr(o)-*[2] + *anestesia.*]

acroartrite (a.cro.ar.*tri*.te) *sf. Med.* Artrite nas extremidades do corpo [F.: *acr(o)-*[2] + *artrite.*]

acrobacia (a.cro.ba.*ci*.a) *sf.* 1 Arte de acrobata; qualquer dos exercícios praticados por acrobata em sua exibição 2 *P. ext.* Movimento corporal que exige muita agilidade e flexibilidade: *Teve de fazer acrobacias para chegar ao telhado.* 3 *Fig.* Qualquer demonstração de coragem, habilidade, criatividade etc.: *Faz acrobacias no skate; Todo mês ele faz verdadeiras acrobacias para pagar as contas.* 4 *Avi.* Voo com manobras difíceis, subidas, descidas e volteios perigosos, em combate aéreo, treinamento ou exibição de perícia [F.: Do fr. *acrobatie.*]

acrobata (a.cro.*ba*.ta) *s2g.* 1 Artista, ger. de circo, que apresenta números difíceis de ginástica em um trapézio, uma corda etc. 2 *P. ext.* Qualquer artista da ginástica 3 *Avi.* Piloto que faz acrobacias (4) [F.: Do gr. *akróbatos, os, on*, 'que anda na ponta dos pés', pelo fr. *acrobate.*]

acrobático (a.cro.*bá*.ti.co) *a.* Ref. a acrobata ou a acrobacia (exercícios acrobáticos, voo acrobático) [F.: Do gr. *akrobatikós, é, ón*, pelo lat. *acrobaticus, a, um.*]

acrocefalia (a.cro.ce.fa.*li*.a) *sf. Med.* Deformação do crânio que se caracteriza por elevação pontiaguda ou forma cônica; OXICEFALIA [F.: *acr(o)-*[2] + *-cefalia.*]

acrocéfalo (a.cro.*cé*.fa.lo) *Med. sm.* 1 Indivíduo que tem acrocefalia *a.* 2 Que tem acrocefalia [F.: *acr(o)-*[2] + *-céfalo.* Sin. ger.: *oxicéfalo.*]

acrocianose (a.cro.ci.a.*no*.se) *sf.* 1 *Med.* Distúrbio circulatório em que as extremidades corporais, esp. as mãos, apresentam-se frias, úmidas e azuladas 2 *P. ext.* O azulado que se verifica nas extremidades corporais [F.: *acr(o)-*[2] + *cianose.*]

acrodermatose (a.cro.der.ma.*to*.se) *sf. Med.* Qualquer doença de pele que apareça nas mãos ou nos pés [F.: *acr(o)-*[2] + *dermatose.*]

acrodinia (a.cro.di.*ni*.a) *sf.* 1 *Med.* Dor sentida nas mãos ou nos pés 2 *Pat. Pedt.* Doença infantil, provocada pela intoxicação por mercúrio, cujos sintomas são hipertensão arterial, taquicardia, hipomotilidade, dor nas mãos e nos pés, apatia, fotofobia 3 *Vet.* Afecção observada em ratos, cachorros e porcos, que se caracteriza por tumefação e vermelhidão das pontas das orelhas, do nariz e das patas, e que provoca necrose [F.: *acr(o)-*[2] + *-odinia.*]

acrodínico (a.cro.*dí*.ni.co) *Pat. Pedt. Vet. a.* 1 Ref. à acrodinia 2 Que tem acrodinia *sm.* 3 Aquele que tem acrodinia [F.: *acrodinia* + *-ico*[2].]

acrofobia (a.cro.fo.*bi*.a) *sf. Psiq.* Medo doentio de altura e de lugares elevados [F.: *acr(o)-*[2] + *-fobia.*]

acrofóbico (a.cro.*fó*.bi.co) *Psiq. a.* 1 Ref. à acrofobia ou a acrófobo 2 Que sofre de acrofobia; ACRÓFOBO *sm.* 3 Pessoa que sofre de acrofobia; ACRÓFOBO [F.: *acrofobia* + *-ico*[2].]

acrófobo (a.*cró*.fo.bo) *Psiq. a.* 1 Que sofre de acrofobia *sm.* 2 Indivíduo que sofre de acrofobia [F.: *acr(o)-*[2] + *-fobo.*]

acrofonia (a.cro.fo.*ni*.a) *sf.* Antigo sistema gráfico que utilizava o que era originalmente o desenho ou o ideograma de um objeto como símbolo fonético do som (letra ou sílaba) inicial da palavra que tal desenho ou ideograma representava [F.: *acr(o)-*[2] + *-fonia.*]

acrofônico (a.cro.*fô*.ni.co) *a.* Ref. à acrofonia [F.: *acrofonia* + *-ico*[2].]

acrógino (a.*cró*.gi.no) *a.* 1 Que apresenta órgãos reprodutivos no ápice caulino *sm.* 2 Briófita com essa característica [F.: *acr(o)-*[2] + *-gino.*]

acroglobina (a.cro.glo.*bi*.na) *sf. Zool.* Pigmento respiratório de certos moluscos e tunicados que se apresenta desprovido de cor [F.: *acro-* + *-glob(i)-* + *-ina*[2].]

acrognosia (a.crog.no.*si*.a) *sf. Med.* Capacidade sensorial de reconhecimento de seus próprios membros e de cada porção deles por parte de um indivíduo; ACROGNOSE [F.: *acr(o)-*[2] + *-gnosia.*]

acrografia (a.cro.gra.*fi*.a) *sf.* 1 Arte de gravar em relevo sobre pedra ou metal com o emprego de ácidos 2 *P. ext.* Lâmina ou suporte gravado por esse processo 3 *P. ext.* A estampa obtida com essa lâmina ou suporte 4 Parte da Geografia que se dedica ao estudo dos cabos, promontórios etc. 5 *Gram. Ling.* Redução que consiste ger. na união das letras iniciais de duas ou mais palavras; SIGLA: *Benelux é a acrografia de Bélgica, Holanda (Nederland) e Luxemburgo.* [F.: *acr(o)-*[2] + *-grafia.*]

acrograma (a.cro.*gra*.ma) *sm. Gram. Ling.* Palavra formada por acrossemia ou acrografia; SIGLA [F.: *acr(o)-*[2] + *-grama.*]

acroleto (a.cro.*le*.to) *sm. Ling.* Variedade de crioulo (13) mais próxima da língua do colonizador, que funciona como padrão na comunidade em que é falada [F.: *acr(o)-*[2] + *-leto.*]

acrólito (a.*cró*.li.to) *sm.* 1 Estátua antiga que possui extremidades de pedra ou mármore, mas que no restante é feita de outro material *a.* 2 Com extremidades de pedra [F.: Do gr. *akrólithos, os, on.*]

acromania (a.cro.ma.*ni*.a) *Psiq. sf.* 1 Loucura extrema, incurável 2 Mania que se caracteriza por intensa atividade motora [F.: *acr(o)-*[2] + *-mania.*]

acromaníaco (a.cro.ma.*ní*.a.co) *Psiq. a.* 1 Ref. à acromania 2 Diz-se de indivíduo que tem acromania; ACRÔMANO *sm.* 3 Esse indivíduo; ACRÔMANO [F.: *acroman(ia)* + *-íaco.*]

acrômano (a.*crô*.ma.no) *a. sm. Psiq.* O mesmo que *acromaníaco* (2 e 3) [F.: *acr(o)-*[2] + *-mano*[1].]

acromasia (a.cro.ma.*si*.a) *sf.* 1 *Med.* Falta da pigmentação dérmica normal; LEUCODERMIA 2 *Med.* Palidez característica de pacientes terminais 3 *Ópt.* Estado de um sistema óptico em que as aberrações cromáticas estão corrigidas [F.: Do ing. *achromasia*, posv.]

acromaticidade (a.cro.ma.ti.ci.*da*.de) *sf. P. us.* O mesmo que *acromatismo* [F.: *acromático* + *-(i)dade.*]

acromático (a.cro.*má*.ti.co) *a.* 1 Que não tem cor 2 Que não é capaz de reconhecer ou distinguir cores 3 Que não pega cor com facilidade 4 *Ópt.* Diz-se de meio óptico que não dispersa a luz em seus componentes cromáticos ao refratá-la e que, portanto, não tem aberração cromática 5 *Mús.* Diz-se de música ou trecho musical em que não ocorre cromatismo, ou seja, no qual a escala tonal não é composta de 12 tons, e sim dos sete tons diatônicos [F.: *a-*[1] + *cromático.*]

acromatismo (a.cro.ma.*tis*.mo) *sm.* 1 Caráter ou qualidade de acromático 2 *Ópt.* Propriedade de um sistema óptico isento de aberração cromática [F.: *acromat(o)-* + *-ismo.* Sin. ger.: *acromaticidade.*]

acromatização (a.cro.ma.ti.za.*ção*) *Ópt. sf.* 1 Ação ou resultado de acromatizar um meio óptico 2 Superposição de radiações monocromáticas para se obter luz acromática ou branca [Pl.: *-ções.*] [F.: *acromatizar* + *-ção.*]

acromatizar (a.cro.ma.ti.*zar*) *v. td. Ópt.* Fazer ficar (sistema óptico) acromático [▶ 1 acromatizar] [F.: *acromat(o)-* + *-izar.*]

◎ **acromat(o)-** *el. comp.* = 'sem cor'; (*P. ext.*) 'falta ou ausência de cor', 'não percepção ou indistinção de cores': *acromatopsia, acromatose, acromatúria, acromaturia* [F.: Do gr. *akhrómatos, os, on*, 'incolor, sem cor'. F. red.: *acro-*: *acroglobina.*]

acromatopsia (a.cro.ma.to.*psi*.a) *Oft. sf.* Impossibilidade de distinguir as cores; ACROMATOPIA; MONOCROMATISMO [F.: *acromat(o)-* + *-opsia.*]

acromatópsico (a.cro.ma.*tó*.psi.co) *P. us. Oft. a.* O mesmo que *acromatóptico* [F.: *acromatopsia* + *-ico*[2], seg. o mod. vern.]

acromatóptico (a.cro.ma.*tó*.pti.co) *Oft. a.* 1 Ref. à acromatopsia 2 Que tem acromatopsia [F.: *acromat(opsia)* + *-óptico*, seg. o mod. gr.]

acromatose (a.cro.ma.*to*.se) *sf.* 1 *Bot.* Falta de pigmentos em tecidos e células que seriam pigmentados, ou anomalia que gera descoloração nestes 2 *Derm.* Deficiência tecidual de pigmentação, hereditária ou adquirida, que pode ocorrer na pele, na íris etc. [Sin.: *acromia, acromodermia, despigmentação, leucodermia, leucopatia.*] [F.: *acromat(o)-* + *-ose*[1].]

acromaturia (a.cro.ma.tu.*ri*.a) *sf.* Ver *acromatúria*

acromatúria (a.cro.ma.*tú*.ri:a) *Med. sf.* Ausência de cor na urina [F.: *a-*[1] + *-cromat(o)-* + *-úria* (ou *-uria.*) Tb. *acromaturia.*]

acromegalia (a.cro.me.ga.*li*.a) *sf. Pat.* Disfunção da glândula pituitária que resulta no crescimento excessivo de mãos, pés e rosto; doença de Marie [F.: Do fr. *acromégalie* ou de *acr(o)-*[2] + *-megalia.*]

acromegálico (a.cro.me.*gá*.li.co) *Pat. a.* 1 Ref. à acromegalia 2 Diz-se de indivíduo que sofre de acromegalia *sm.* 3 Esse indivíduo [F.: *acromegalia* + *-ico*[2].]

acromia (a.cro.*mi*.a) *sf.* 1 *Hem.* Estado em que os glóbulos vermelhos se apresentam mais claros na sua parte central do que habitualmente 2 *Derm.* O mesmo que *acromatose* (2) [F.: *a-*[3] + *-cromia.*]

acrômico (a.*crô*.mi.co) *a.* 1 O mesmo que *acromo* 2 *Derm. Hem.* Ref. à acromia ou que a apresenta [F.: *acromo* + *-ico*[2].]

acromicria (a.cro.mi.*cri*.a) *sf. End.* Condição de quem tem pés e mãos de dimensões anormalmente pequenas [F.: *acr(o)-*[2] + *-micr(o)-* + *-ia*[1].]

acrômio (a.*crô*.mi:o) *sm. Anat.* Extremidade lateral da crista da escápula que permite a fixação a uma parte dos músculos deltoide e trapézio [F.: Do gr. *akrómion, ou.*]

acromo (a.*cro*.mo) *a.* Que não tem cor; ACRÔMATO; ACRÔMICO; INCOLOR [F.: Do gr. *ákhromos, os, on.*]

ácron (*á*.cron) *Zool. sm.* **1** Segmento pré-oral dos insetos **2** Porção anterior da cabeça dos embriões dos artrópodes **3** Parte da cabeça de vermes e moluscos, anterior à boca [Pl.: *ácrones, ácrons.*] [F.: Do gr. *ákron, ou.*]

acronecrose (a.cro.ne.*cro*.se) *sf. Bot.* Necrose das extremidades das plantas, ger. provocada por vírus [F.: *acr(o)-*[2] + *necrose.*]

acronema (a.cro.*ne*.ma) *sm. Biol.* Em certos flagelos, filamento terminal, formado pelo prolongamento do seu eixo [F.: *acr(o)-*[2] + *-nema.*]

acronia (a.cro.*ni*.a) *sf. Ling.* No estudo dos fatos linguísticos, abstração do fator temporal [Cf. *diacronia* e *sincronia.*] [F.: *a-*[3] + *-cronia.*]

acrônico (a.*crô*.ni.co) *a.* **1** Que independe do tempo; ATEMPORAL **2** Que ocorre fora do tempo determinado [F.: *a-*[3] + *crônico.*]

acronímico (a.cro.*ní*.mi.co) *a.* Ref. a acrônimo [F.: *acrônimo* + *-ico*[2].]

acrônimo (a.*crô*.ni.mo) *sm.* **1** *Ling.* Palavra formada pelas primeiras letras ou sílabas de uma expressão, como, p. ex.: *e-mail* (do ingl.: *electronic mail*: correio eletrônico), *Petrobras* (Petróleo Brasileiro) *a.* **2** Diz-se dessa palavra [F.: *acr(o)-*[2] + *-ônimo.* Cf.: *abreviatura* e *sigla.*]

ácrono (*á*.cro.no) *a. Bot.* Diz-se de plantas sem época fixa para dar flores e frutos; cujo desenvolvimento não acompanha as estações [F.: Do gr. *ákhronos, os, on.*]

acroparalisia (a.cro.pa.ra.li.*si*.a) *sf. Med.* Paralisia que acomete as extremidades corporais [F.: *acr(o)-*[2] + *paralisia.*]

acropata (a.cro.*pa*.ta) *s2g. Med.* Indivíduo que tem acropatia [F.: *acr(o)-*[2] + *-pata*; tb. *acrópata*, mas *acropata* é a melhor forma.]

acrópata Ver *acropata*

acropatia (a.cro.pa.*ti*.a) *sf. Med.* Denominação comum às doenças que afetam as extremidades dos membros [F.: *acr(o)-*[2] + *-patia.*]

acropático (a.cro.*pá*.ti.co) *Med. a.* **1** Ref. à acropatia *sm.* **2** Aquele que tem acropatia [F.: *acropatia* + *-ico*[2].]

acropatologia (a.cro.pa.to.lo.*gi*.a) *sf. Med.* Estudo das doenças que afetam as extremidades corporais [F.: *acr(o)-*[2] + *patologia.*]

acrópode (a.*cró*.po.de) *sm. Zool.* Parte superior do pé das aves [F.: *acr(o)-*[2] + *-pode.*]

acropódio (a.cro.*pó*.di:o) *sm.* **1** Pedestal quadrado e baixo que serve de base para fixação de uma estátua **2** *Zool.* O mesmo que *acrópodo* (2) [F.: Do lat. *acropodium, ii.*]

acrópodo (a.*cró*.po.do) *Zool. sm.* **1** Extremidade dos membros dos animais vertebrados **2** Porção superior das patas das aves; ACROPÓDIO [F.: *acr(o)-*[2] + *-podo.*]

acrópole (a.*cró*.po.le) *sf.* **1** Nas antigas cidades gregas, o local mais elevado, onde se erguiam templos, palácios etc. **2** Cidadela que domina uma cidade [F.: Do gr. *akrópolis, eos*, pelo lat. tard. *acropolis, is.*]

acrosofia (a.cro.so.*fi*.a) *sf.* A sabedoria divina [F.: *acr(o)-*[1] + *-sofia.*]

acrossemia (a.cros.se.*mi*.a) *sf. Ling.* Redução de palavras ou expressões a seus elementos iniciais (letras ou sílabas) [F.: *acr(o)-*[2] + *-semia.*]

acrossêmico (a.cros.*sê*.mi.co) *a. Ling.* Que se refere à ou que sofreu acrossemia (termo acrossêmico) [F.: *acrossemia* + *-ico*[2].]

acrossoma (a.cros.*so*.ma) *sm.* Ver *acrossomo*

acrossomo (a.cros.*so*.mo) *sm. Bio.* Estrutura celular presente na extremidade do espermatozoide, que produz enzimas que rompem as membranas ovulares no processo da fecundação [F.: Do fr. *acrossome.* Ver *acr(o)-*[1] e *-somo* (ou *-soma*). Tb. *acrossoma.*]

acróstico (a.*crós*.ti.co) *sm.* **1** *Poét.* Texto em versos em que as letras iniciais (às vezes as médias ou finais) de cada verso, lidas na vertical, formam uma palavra ou frase **2** *Poét.* Epigrama em que as letras iniciais de cada verso formam o nome da pessoa a quem é dirigido **3** *Bot.* Nome comum de fetos pteridáceos do gên. *Acrostichum*, de regiões tropicais *a.* **4** Que é feito em acróstico [F.: Do gr. *akrostichís, ídos.*]

acrostólio (a.cros.*tó*.li:o) *sm.* Ornamento de formato variado (de escudo, de capacete, de cabeça de cisne etc.), us. pelos antigos nas proas dos navios [F.: Do gr. *akrostólion, ou.*]

acrotério (a.cro.*té*.ri:o) *sm.* **1** *Arq.* Pedestal de pequeno porte, sem ornamentação, disposto ger. nas extremidades ou nos vértices de frontões, ou intervalado em balaustradas, para servir de sustentação de estátuas ou demais figuras ornamentais **2** *P. ext. Arq.* Essas figuras ornamentais **3** *Arq.* O cume de um edifício, seu ponto mais alto **4** *Anat.* Qualquer uma das extremidades corporais **5** *Geog.* Promontório que se pode vislumbrar ao longe **6** *Num.* Em medalhas, adorno recurvado que representa uma cidade marítima ou uma vitória naval [F.: Do gr. *akrotérion, ou.*]

acroteriose (a.cro.te.ri:*o*.se) *Pat. sf.* **1** Gangrena senil que acomete as extremidades dos membros corporais **2** Ausência das extremidades corporais [F.: *acrotério* + *-ose*[1].]

acrotismo (a.cro.*tis*.mo) *sm. Med.* Falta de pulso ou fraco batimento cardíaco [F.: *a-*[3] + gr. *krótos, on*, 'barulho de coisas que se chocam'; 'aplauso'; 'batimento', + *-ismo.*]

acrotomia (a.cro.to.*mi*.a) *sf. P. us. Cir.* Amputação das extremidades corporais [F.: *acr(o)-*[2] + *-tomia.*]

acrotômico (a.cro.*tô*.mi.co) *a. Cir.* Ref. à acrotomia [F.: *acrotomia* + *-ico*[2].]

acrotorácico (a.cro.to.*rá*.ci.co) *Zool. sm.* **1** Espécime dos acrotorácicos, ordem de crustáceos cirrípedes, dotados de um disco quitinoso de fixação e de quatro ou seis pares de apêndices no tronco *a.* **2** Ref. ou pertencente aos acrotorácicos [F.: Adaptç. do lat. cient. *Acrothoracica.*]

actancial (ac.tan.ci.*al*) *Ling. a2g.* **1** Relativo a actância ou a actante **2** Que desempenha o papel de actante (diz-se de oração subordinada) [F.: *actância* + *-al*[1].]

actante (ac.*tan*.te) *sm.* **1** Literalmente, o que executa ou sofre uma ação **2** *Ling.* Quem ou o que realiza ou sofre a ação indicada pelo verbo dentro de um processo semântico; o protagonista da ação, dirigida em favor de um beneficiário (actante sujeito; actante objeto) **3** *Lit.* Elemento gerador ou participante de ação numa narrativa ficcional [F.: Do fr. *actant.* Cf.: *adjuvante.*]

⊠ **ACTH** *End.* Sigla para o hormônio produzido pela glândula pituitária, e que estimula cada córtex suprarrenal; ADRENOCORTICOTROFINA [F.: F. red. do ingl. *adrenocorticotrophic hormone.*]

actina (ac.*ti*.na) *Bioq. sf.* Proteína fundamental para a função da contração muscular [F.: De *act* (como no lat. *actus*, 'movimento', e lat. *actionis*, 'ação') + *-ina*; do vocabulário científico internacional *actin* (ing.), *aktin* (al.).]

actínia (ac.*tí*.ni:a) *Zool. sf.* **1** Designação comum aos cnidários do gên. *Actinia.* **2** Ver anêmona-do-mar [F.: do lat. cient.]

actiniário (ac.ti.ni.*á*.ri:o) *Zool. sm.* **1** Espécime dos actiniários, cnidários da classe dos antozoários, sem esqueleto, sésseis e solitários, mais conhecidos como anêmonas-do-mar *a.* **2** Ref. ou pertencente aos actiniários [F.: Adaptç. do lat. cient. *Actiniaria.*]

actinídeo (ac.ti.*ní*.de:o) *sm. Quím.* Cada elemento que compõe um grupo com propriedades análogas, tais como o actínio e o tório [F.: *actin(o)-* + *-ídeo*[2].]

actinídeos (ac.ti.*ní*.de:os) *smpl. Quím.* Família de elementos químicos da tabela periódica, metálicos, com propriedades análogas às do actínio, e cuja numeração atômica vai de 89 a 103; em ordem crescente: actínio, tório, protactínio, urânio, netúnio, plutônio, amerício, cúrio, berquélio, califórnio, einstêinio, férmio, mendelévio, nobélio e laurêncio; ACTINÍDIOS; ACTINOIDES [A f. preferencial, embora menos us., é *actiniídeos*] [F.: *actin(i/o)-* + *-ídeo(s).*]

actínio (ac.*tí*.ni:o) *sm. Quím.* Elemento químico da família dos actinídeos, de número atômico 89, coloração branco-prateada, radioativo [Símb.: *Ac*] [F.: Do gr. *aktís, ínos*, lat. cient. *Actinium.*]

actinismo (ac.ti.*nis*.mo) *sm. Quím.* Propriedade que têm as radiações eletromagnéticas de provocar transformações químicas [F.: *actin(i/o)-* + *-ismo.*]

actinite (ac.ti.*ni*.te) *sf. Derm.* Inflamação da pele causada por excessiva exposição aos raios solares, esp. radiação ultravioleta [F.: *actin(o)-* + *-ite.*]

◎ **actin(o)-** *el. comp.* = 'raio (luminoso)'; 'radiação solar', 'radiação'; '(elemento) actínio': *actinídeo, actinífero, actinoblasto, actinodermatite, actinograma* [F.: Do gr. *aktís, aktînos.*]

actinógrafo (ac.ti.*nó*.gra.fo) *sm.* **1** *Fís. Quím.* Instrumento us. para registrar a intensidade da radiação solar e a quantidade de energia actínica existente na atmosfera **2** *Fís. Quím.* Pessoa especializada no uso desse instrumento **3** *Desus. Fot.* Dispositivo que mede o tempo necessário para exposição de uma chapa fotográfica [F.: *actin(o)-* + *-grafo.*]

actinograma (ac.ti.no.*gra*.ma) *sm. Fís. Quím.* Gráfico registrado por actinômetro, que apresenta a variação no tempo da intensidade da radiação solar [F.: *actin(o)-* + *-grama.*]

actinolita (ac.ti.no.*li*.ta) *sf. Miner.* Mineral monoclínico de cor esverdeada que é um silicato de cálcio, ferro e magnésio, pertencente ao grupo dos anfibólios [F.: Do al. *Aktinolith*; ver *actin(o)-* + *-lito, -lita.*]

actinologia (ac.ti.no.lo.*gi*.a) *sf.* **1** *Biofs.* Estudo das radiações eletromagnéticas e suas aplicações e efeitos biológicos **2** *Zool.* Ramo da zoologia responsável pelo estudo dos animais radiados [F.: *actin(o)-* + *-logia.*]

actinomancia (ac.ti.no.man.*ci*.a) *sf. Astrol.* Adivinhação por meio das irradiações estelares [F.: *actin(o)-* + *-mancia.*]

actinomante (ac.ti.no.*man*.te) *s2g. Astrol.* Pessoa que pratica a actinomancia, que faz previsões a partir da leitura das irradiações das estrelas [F.: *actin(o)-* + *-mante.*]

actinomântico (ac.ti.no.*mân*.ti.co) *a.* Ref. à actinomancia ou a actinomante [F.: *actinomante* + *-ico*[2].]

actinometria (ac.ti.no.me.*tri*.a) *sf.* **1** *Fís.* Medida da intensidade calorífica dos raios solares **2** *Fís. Quím.* Medição da quantidade de radiação que um dado sistema absorve ao passar por uma transformação fotoquímica [F.: *actin(o)-* + *-metria.*]

actinométrico (ac.ti.no.*mé*.tri.co) *a.* Ref. à actinometria ou a actinômetro [F.: *actinometro* + *-ico*[2].]

actinômetro (ac.ti.*nô*.me.tro) *sm.* **1** *Astron.* Instrumento us. na medição da intensidade das radiações, esp. as do Sol **2** *Fís.* Instrumento us. na medição do efeito de energia radiante em reações químicas, ou (em fotografia) na determinação do tempo certo de exposição de uma chapa fotográfica **3** *Fís. Quím.* Equipamento que mede a quantidade de radiação em reações fotoquímicas [F.: *actin(o)-* + *-metro.*]

actinomicetácea (ac.ti.no.mi.ce.*tá*.ce:a) *sf. Bac.* Espécime das actinomicetáceas, bactérias produtoras de pigmentos e de vários antibióticos, e cujo gênero-tipo é o *Actinomyces* [F.: Do lat. cient. *Actinomycetaceae.*]

actinomicetáceo (ac.ti.no.mi.ce.*tá*.ce:o) *a. Bac.* Ref. à actinomicetácea [F.: *actinomicete* + *-áceo.*]

actinomicete (ac.ti.no.mi.*ce*.te) [ê] *sm. Bac.* Denominação comum aos microrganismos de transição entre a bactéria e o fungo, do gên. *Actinomyces*, que inclui a espécie *A. Israelii*, causadora da actinomicetose humana e bovina; ACTINÔMICE; ACTINOMICETO [F.: *actin(o)-* + *-micete.*]

actinomiceto (ac.ti.no.mi.*ce*.to) [ê] *sm.* Ver *actinomicete*

actinomicetose *sf. Pat.* Doença infecciosa crônica causada por actinomicetes, do homem e de certos animais, esp. os bovinos, e se caracteriza por inflamação dos nodos linfáticos da boca, abscessos no abdome e nos pulmões, perda de peso, febre etc.; ACTINOMICOSE [F.: *actinomicete* + *-ose*[2].]

actinomicina (ac.ti.no.mi.*ci*.na) *sm.* Designação dada aos antibióticos de um grupo farmacológico, resultante da cultura de bactérias de algumas espécies de *Streptomyces*; esp. o que atua como inibidor da síntese de ADN ou de ARN

actinomorfia (ac.ti.no.mor.*fi*.a) *sf. Biol.* Condição, estado ou qualidade de actinomorfo [F.: *actinomorfo* + *-ia*[1].]

actinomorfismo (ac.ti.no.mor.*fis*.mo) *sm. Biol.* O mesmo que *actinomorfia* [F.: *actinomorfo* + *-ismo.*]

actinomorfo (ac.ti.no.*mor*.fo) *a.* **1** *Biol. Bot.* Diz-se de organismo ou órgão com simetria radial; ACTINOMÓRFICO [Cf. *zigomorfo.*] **2** *Zool.* Radiado, à semelhança da actínia [F.: *actin(o)-* + *-morfo.*]

actinópode (ac.ti.*nó*.po.de) *sm.* **1** *Zool.* Espécime dos actinópodes, filo de unicelulares do reino protista (ou do filo protozoários, em certas classificações), que apresentam corpo esférico com eixo interno, do qual se irradiam pseudópodes *a.* **2** Ref. aos actinópodes [F.: Do lat. cient. filo *Actinopoda.*]

actinopterígio (ac.ti.nop.te.*rí*.gi:o) *Zool. sm.* **1** Espécime dos actinopterígios, classe de peixes dotados de esqueleto ósseo *a.* **2** Ref. a actinopterígio [F.: Do lat. cient. classe *Actinopterygii.*]

actinoscopia (ac.ti.nos.co.*pi*.a) *sf. Rlog.* Exame de partes internas do corpo por meio de raios X; RADIOSCOPIA [F.: *actin(o)-* + *-scopia.*]

actinoscópico (ac.ti.nos.*có*.pi.co) *a.* Ref. à actinoscopia [F.: *actinoscop(ia)* + *-ico*[2].]

actinostelo (ac.ti.nos.*te*.lo) *sm. Bot.* Estelo em que o tecido vascular se abre para fora em forma radiada, como ocorre. p. ex., nas raízes das angiospermas e gimnospermas e no caule dos licopódios [F.: *actin(o)-* + *(e)stelo.*]

actinoterapia (ac.ti.no.te.ra.*pi*.a) *sf. Rlog.* Ver *radioterapia* [F.: *actino-* + *terapia*; do fr. *actinothérapie.*]

actinoterápico (ac.ti.no.te.*rá*.pi.co) *a.* Ref. à actinoterapia [F.: *actinoterap(ia)* + *-ico*[2].]

actinotoxemia (ac.ti.no.to.xe.*mi*.a) [cs] *sf. Pat.* Doença causada pelo efeito de radiações, esp. raios X; RADIOTEXEMIA [F.: *actin(o)-* + *toxemia.*]

actinotoxêmico (ac.ti.no.to.*xê*.mi.co) [cs] *a.* Ref. à actinotoxemia; RADIOTOXÊMICO [F.: *actinotoxem(ia)* + *-ico*[2].]

actinotropismo (ac.ti.no.tro.*pis*.mo) *sm. Bot.* Fenômeno pelo qual o desenvolvimento ou as especificidades morfológicas de uma planta são influenciados por uma radiação unilateral [F.: *actin(o)-* + *tropismo.*]

actinozoário (ac.ti.no.zo.*á*.ri:o) *Zool. a. sm.* Ver *antozoário* [F.: Do lat. cient. classe *Actinozoa.*]

actínula (ac.*tí*.nu.la) *sm. Zool.* Forma larvar ciliada de hidroides, cnidários da classe dos hidrozoários [F.: *actin(o)-* + *-ula.*]

açu (a.*çu*) *a2g. Bras.* Que é muito grande [Ant.: *mirim*] [F.: Do tupi *wa'su.*]

acuado (a.cu.*a*.do) *a.* **1** Que se acuou; cercado, encurralado (bicho acuado) **2** *Fig.* Sem saída, sem possibilidade de reação: "Estou mesmo é acuado (...) e sem atinar com o que fazer." (João Guimarães Rosa, "São Marcos", *in Sagarana*) **3** Sentado sobre as nádegas **4** *Bras.* Parado, empacado (diz-se de cavalgaduras) **5** Ameaçado, cercado ou entocado por cães (diz-se de animais bravios) **6** *Fig.* Que se deu por vencido, que desistiu; humilhado **7** *Bras. Fig.* Constrangido, vexado, compelido, em apuros **8** *MG N. E. Fig.* Reprimido, paralisado, intimidado pelo medo ou espanto **9** *Bras. Fig.* Confuso, espantado, aturdido **10** *MG N. E. Fig.* Diz-se da dor localizada em certo ponto [F.: Part. de *acuar.*]

acuar (a.cu.*ar*) *v.* **1** Abaixar o corpo próximo ao chão (animal ou pessoa, ger. ao tomar impulso para um salto); AGACHAR [*int.: Antes de saltar sobre a presa, o cão acuou.*] **2** Sentar-se (um animal) sobre as patas traseiras, contraído, como defesa ou preparação para ataque [*int.: Sob o chicote do domador, o leão acuou.*] **3** *Fig.* Ficar imóvel, sem reação, paralisado ante situação de perigo, ou inesperada etc. [*int.: Assustados com os bandidos, os rapazes acuaram*: "Relativamente à agricultura Luís Padilha acuou, esperando catálogos de máquinas, que nunca chegaram" (Graciliano Ramos, *São Bernardo*)] **4** Parar, negando-se a andar (ger. animal de carga); EMPACAR [*int.: Diante do rio as mulas acuaram e não houve jeito de fazê-las atravessar.*] **5** Ao perseguir (a caça, o inimigo), levá-los a um lugar de onde não podem mais recuar ou fugir e mantê-los nesse cerco; ENCURRALAR [*td.: Os policiais* *acuaram os ladrões.*] **6** *Venat.* Latir (cão) ao acuar (5) a caça [**int.**: *Ao encontrar a toca do coelho, os cachorros acuaram.*] **7** Ir para trás, empreender retirada; RECUAR [**int.**: *Os policiais fizeram os manifestantes acuar.*] **8** *Fig.* Fazer desistir ou desistir (de algo), quebrar ou ter quebrada a perseverança, a resistência [**int.**: *Esse atleta é muito persistente, jamais acua.*] [**td.**: *Os seguidos insucessos por fim o acuaram, e ele desistiu do projeto.*] **9** *Fig.* Deixar ou ficar sem saída, sem possibilidade de reagir, de responder [**td.**: "...e tem o poder de acuar governos." (*Folha de S.Paulo*, 31.02.1999)] [**int.**: *Sob uma chuva de perguntas provocativas, intimidado, acuou-se.*] **10** *Fig.* Deixar em situação difícil ou constrangedora [**td.**: *Os elogios excessivos acuaram-na.*] [► 1 acuar] [F.: *a-*[2] + *cu* + *-ar*[2]. Hom./Par.: *acuar, acoar.* (todas as fl.).]

acúbito (a.*cú*.bi.to) *sm.* Entre os romanos, espécie de leito ou sofá de recostar para uma pessoa apenas, us. nas refeições [F.: Do lat. *accubitus, us.*]

açúcar (a.*çú*.car) *sm.* **1** Produto us. para adoçar alimentos e bebidas, ger. obtido da cana-de-açúcar ou da beterraba **2** *Quím.* Qualquer dos carboidratos simples de sabor doce, como a glicose, a sacarose etc. **3** *P. ext.* Cana-de-açúcar: *a cultura do açúcar no litoral nordestino.* **4** Substância doce resultante do metabolismo, que se encontra em muitos vegetais (esp. nos frutos), no sangue e no mel; GLICOSE **5** *Fig.* Sentimento ou expressão de doçura, meiguice etc. **6** *Bras. Fig. Pop.* Capacidade de usar ou uso de linguagem branda, macia, mas enganadora, para ludibriar; LÁBIA **7** *Bras.* Designação de algumas danças e canções africanas comuns nos canaviais e engenhos de açúcar [F.: Do ár. *as-sukkar*. Hom./Par.: *açúcar* (sm.), *assucar* (v.); *açúcares* (pl.), *açucares* (fl. de *açucarar*), *assucares* (fl. de *assucar*).] ∎ **~ branco** Açúcar com alto grau de pureza da sacarose, refinado e clarificado **~ cristal** Açúcar branco em forma de pequenos grânulos claros e brilhantes **~ de confeiteiro** Açúcar refinado muito fino, us. na cobertura de doces **~ demerara** Açúcar granulado, com grande teor de melaço **~ mascavado** Açúcar não refinado, de cor do amarelo-escuro ao castanho, com variado teor de melaço [Cf.: *Açúcar mascavo.*] **~ mascavo** Açúcar mascavado com alto teor de melaço, portanto de cor mais escura **~ queimado** Açúcar derretido, em calda, de cor castanha

📖 Importante fonte de energia como alimento, o açúcar, em suas várias formas, pode ser obtido do leite (a lactose), e de vegetais (glicose), como frutas, legumes, grãos, batatas. O açúcar mais comum, a sacarose, é obtido esp da beterraba e da cana-de-açúcar, e, refinado, apresenta-se como carboidrato puro. Os principais produtores mundiais de açúcar são a Índia, o Brasil, a China e a Cuba.

açucarado (a.çu.ca.*ra*.do) *a.* **1** Que se açucarou; que foi adoçado com açúcar; ADOÇADO: *Ela só gosta de café bem açucarado.* **2** Que contém açúcar **3** Que tomou a consistência do açúcar, cristalizando-se (calda açucarada) **4** *Fig.* Sentimental, meloso em demasia, enjoativo (filme açucarado) **5** Persuasivo, envolvente em sua suavidade e meiguice: *Conquistou-a com seu jeito e palavras açucaradas.* [F.: Part. de *açucarar*.]

açucarar (a.çu.ca.*rar*) *v.* **1** Fazer com que algo fique (mais) doce, ger. adicionando açúcar; ADOÇAR [**td.**: *açucarar o mate.*] **2** Transformar(-se) em cristais (doce, mel, melado etc.); CRISTALIZAR(-SE) [**td.**: *O frio açucarou o mel.*] [**int.**: *A geleia açucarou.*] **3** *Fig.* Tornar(-se) mais suave, ameno ou agradável (tom, discurso, comportamento); SUAVIZAR(-SE) [**td.**: "Além disso ninguém como ela se empenha tanto e mais habilmente em agradar-me; sabendo que quase não vivo pelos olhos, procura recomendar-se, açucarando a voz, e usando de perfumes suavíssimos." (Joaquim Manuel de Macedo, *Luneta mágica*)] [**int.**: *Com o nascimento do filho, açucarou-se.*] **4** *Cul.* Confeitar algo com açúcar [**td.**: *açucarar o bolo de aniversário.*] **5** *P. ext.* Tomar(-se) o sabor doce; ADOCICAR(-SE) [**int.**: *Na estação própria, as frutas açucaram-se.*] [**td.**: *A natureza açucara a polpa das frutas.*] [► 1 açucarar] [F.: De *açúcar* + *-ar*[2].]

açúcar-cande (a.çú.car-*can*.de) *sm.* Açúcar em blocos na forma de cristais prismáticos, obtido da cristalização da sacarose; ALFÊNICO; CANDE [Pl.: *açúcares-candes; açúcares-cande.*] [F.: *açúcar* + *cande*. Tb. *açúcar-cândi*.]

açúcar-demerara (a.çú.car-de.me.*ra*.ra) *sm.* Açúcar granulado e amarelado, contendo melaço [Pl.: *açúcares-demerara.*] [F.: *açúcar* + o top. *Demerara*, rio da Guiana.]

açucareiro (a.çu.ca.*rei*.ro) *sm.* **1** Pote em que se guarda o açúcar, ou que se usa para levá-lo à mesa **2** Fabricante ou comerciante de açúcar *a.* **3** Ref. ao açúcar ou à cana-de-açúcar (produção açucareira) **4** Cujo trabalho ou atividades se relacionam com a indústria ou o comércio de açúcar (industrial açucareiro) [F.: *açúcar* + *-eiro*.]

açucena (a.çu.*ce*.na) *Bot. sf.* **1** Planta liliácea (*Lilium candidum*), procedente da Ásia, muito apreciada por suas flores brancas e perfumadas; COPO-DE-LEITE; LÍRIO; LÍRIO-BRANCO **2** *Bras.* Designação comum às espécies do gênero *Amaryllis* ou *Hippeastrum*, de flores coloridas [F.: Do ár. *as-susana*.]

açucena-do-campo (a.çu.ce.na-do-*cam*.po) *sf. Bras. Bot.* Espécie (*Hippeastrum psittacinum*) da fam. das amarilidáceas, nativa dos planaltos austral e central brasileiros, de cuja raiz se extrai um suco de propriedades estimulantes e purgativas [Pl.: *açucenas-do-campo*.]

açucena-do-mato (a.çu.ce.na-do-*ma*.to) *sf. Bras. Bot.* Pequena árvore ornamental (*Posoqueria latifolia*) da fam. das rubiáceas, nativa das Guianas e do Brasil (AM a SP), de flores brancas e aromáticas e frutos em forma de bagas amarelas [Sin.: *araçá-da-praia, araçá-de-coroa, bacupari-de-capoeira, flor-de-mico, maria-peidorreira, papa-terra, posoqueri, posoquéria.*] [Pl.: *açucenas-do-mato*.]

açudagem (a.çu.*da*.gem) *sf.* Ação ou resultado de açudar, de represar (água) em açude(s); AÇUDAMENTO [Pl.: *-gens.*] [F.: *açudar* + *-agem*[1].]

açudar (a.çu.*dar*) *v. td.* Represar (águas de rios, mananciais) em açude ou construção semelhante: *projeto para açudar os rios.* [► 1 açudar] [F.: *açude* + *-ar*[2]. Hom./Par.: *açude(s)* (fl.), *açude(s)* (sm. [pl.]); *açudar, açodar* (todas as fl.).]

açude (a.*çu*.de) *sm.* **1** Construção que represa águas para serem usadas na agricultura, no abastecimento ou na produção de energia; BARRAGEM **2** *Bras.* Lago artificial que se forma com as águas assim represadas **3** *N. E.* Terreno antes coberto de águas, que baixaram deixando-o humoso, e onde o agricultor faz a sua lavoura [F.: Do ár. *as-sudd*. Hom./Par.: *açude* (sm.), *açude* (fl. de *açudar*).]

acudir (a.cu.*dir*) *v.* **1** Ir ou vir em socorro ou em auxílio de; AUXILIAR; SOCORRER [**td.**: *acudir os necessitados.*] [**ti.** + *a*: *O médico acudiu ao chamado do cliente.*] [**int.**: *Só Deus pode acudir numa hora dessas!*] **2** Procurar ou pedir ajuda ou recursos para resolver uma situação; fazer uso deles; RECORRER; VALER-SE [**tr.** + *a*: *Acudiu ao manual para montar o autorama; Acode à chantagem sempre que deseja algo.*] **3** Atender rapidamente (apelo, chamado, pedido etc.) [**int.**: *Depois de solicitados, os médicos acudiram.*] [**tr.** + *a*: *Os bombeiros acudiram ao chamado.*] **4** Agir de forma a atender a (pedido, apelo, ordem, sugestão etc.) (de); ATENDER; RESPONDER [**td.**: *O padre acudiu seu pedido e deu-lhe a bênção.*] [**tr.** + *a, com*: *acudir às ordens da mãe; Forçado pelos advogados, o preso acudiu com a verdade.*] **5** Agir com a intenção de influir (sobre questão ou matéria); INTERCEDER; INTERVIR [**tr.** + *a, em*: *O pai acudiu na briga dos filhos, serenando os ânimos.*] [**int.**: *A polícia acudiu logo que a briga começou.*] **6** Favorecer, suprir carência ou desejo (de); prover (de) [**tdr.** + *com, em*: *O filho atencioso acode a mãe em suas necessidades.*] [**int.**: *Quando precisamos, os pais sempre acodem.*] [**ti.** + *a*: *O pai acode ao filho sempre que pode.*] **7** Dedicar atenção, esforço etc. a (algo, problema etc.), para realizar, resolver etc. [**tr.** + *a*: *Depois de reprovado, o aluno acudiu aos estudos; A prefeitura aprovou verba para acudir aos poblemas causados pela enchente.*] **8** Reagir adequadamente (aparelho ou algum mecanismo) a comando, instrução etc. [**tr.** + *a*: *O computador não acode aos comandos.*] [**int.**: *Tentou frear, mas o carro não acudiu.*] **9** Ir a um certo lugar (para determinado fim) [**ta.**: *O povo acudiu à igreja para rezar; Multidões acudiam aos estádios durante a Copa.*] **10** Dirigir-se a (lugar, alguém, instituição etc.) para obter auxílio [**ta.**: *Passava mal, e acudiu ao hospital.*] [**ti.** + *a*: *Desempregado, acudia aos amigos para sobreviver.*] **11** *Fig.* Vir à mente de (pensamento, recordação etc.); OCORRER [**ti.** + *a*: *Não acudiu ao homenageado uma palavra de agradecimento.*: "Não me acode imagem capaz de dizer, sem quebra da dignidade do estilo, o que eles foram e me fizeram." (Machado de Assis, *Dom Casmurro*)] **12** Responder pelo nome de; ser conhecido como [**tr.** + *por*: *Seu nome de batismo é Mariângela, mas acode por Mariá.*] **13** Responder prontamente; RETORQUIR [**td.**: "– Ah! patife – acudiu o homem do Itamarati..." (Lima Barreto, *O triste fim de Policarpo Quaresma*)] [**tr.** + *a*: *O preso acudia a tudo que o delegado perguntava.*] **14** *Fig.* Surgir, vir à tona, aparecer [**tr.** + *a, em*: *Após passar na prova, a alegria acudiu em seus olhos.*] [**int.**: *No início conseguiu controlar a emoção, mas logo acudiram as lágrimas.*] [► 53 acudir] [F.: Posv. do ant. v. *recudir*, do lat. *recutere*.]

acuera (a.cu.*e*.ra) *Bras. sf.* **1** Coisa antiga, abandonada, perdida ou extinta *a2g.* **2** Diz-se de tal coisa [F.: Do tupi *kwer*, com prótese.]

acufechamento (a.cu.fe.cha.*men*.to) *sm. Cir.* Detenção de uma hemorragia por meio de sutura com agulha [F.: *acu-* + *fechamento*.]

acuidade (a.cu:i.*da*.de) *sf.* **1** Qualidade do que é agudo **2** *Fig.* Sensibilidade ou capacidade de percepção, de entendimento; ARGÚCIA; PERSPICÁCIA **3** Qualidade do que é perceptivo, relevante, perspicaz: *uma análise de grande acuidade; uma análise de grande acuidade.* **4** Grau de sensibilidade de um sentido (acuidade visual; acuidade auditiva) **5** *Acús.* Tom ou altura dos sons agudos [F.: Adaptç. do fr. *acuité*.]

açulado (a.çu.*la*.do) *a.* **1** Que se açulou, que se instigou **2** Que foi lançado contra, para morder (diz-se esp. de cão): *Comportou-se agressivamente, como um cão açulado.* **3** *P. ext.* Cuja vontade (para fazer algo) foi estimulada, excitada; INSTIGADO; INCITADO: *Guerreiros açulados para lutar.* **4** Despertado, aumentado ou intensificado por algum estímulo (diz-se de sentimento, impulso, vontade etc.) **5** *Fig.* Irritado, enfurecido [F.: Part. de *açular*.]

açulador (a.çu.la.*dor*) [ô] *sm.* **1** Aquele que açula, incita *a.* **2** Diz-se de quem açula [F.: *açular* + *-dor*.]

açulamento (a.çu.la.*men*.to) *sm.* **1** Ação ou resultado de açular(-se) [+ *a, contra*: *o açulamento à vinganca; o açulamento contra o adversário.*] **2** Incitação (de um cão) para que ataque **3** *P. ext.* Mobilização de energia, entusiasmo, vontade (para certo fim) **4** *P. ext.* Mobilização ou intensificação de sentimento, emoção (esp. raiva, irritação, impaciência, revolta etc.) [F.: *açular* + *-mento*.]

açular (a.çu.*lar*) *v.* **1** Instigar (cão) a atacar, morder [**td.**: *O menino gostava de açular os cães.*] [**tdr.** + *contra*: *açular o cão contra as pessoas.*] **2** *Fig.* Incitar, instigar (alguém a ser agressivo, a protestar etc.) [**td.**: "...zombarem dele (...) açulando-o como a um cão de rua." (Afonso Arinos, Assombramento, *in Mar de histórias*)] **3** Despertar ou aumentar energia ou disposição para algo, a vontade de fazer algo etc.; ESTIMULAR; INCENTIVAR; INSTIGAR [**td.**: *O cheiro da comida açulou seu apetite.*] [**tdr.** + *a*: *O desafio do exame açula o aluno a estudar mais.*] **4** Aumentar (sentimento, emoção etc. [em alguém]) [**td.**: *açular a inveja do adversário.*] [**tdr.** + *em*: *O discurso do professor açulou nos alunos um grande sentimento.*] [► 1 açular] [F.: Posv. de or. onom. Hom./Par.: *açular; assolar* (várias fl.).]

aculeado (a.cu.le.*a*.do) *a.* **1** *Zool.* Que tem acúleo ou ferrão **2** *Zool.* Diz-se de inseto himenóptero cuja fêmea apresenta um ferrão na extremidade do abdome **3** *Bot.* Diz-se de vegetal que tem acúleos **4** Que tem formato de acúleo; ACULEIFORME; AGUDO; PONTIAGUDO [Ant.: *rombudo*.] **5** Que se feriu com acúleo ou com outra arma ou instrumento pontiagudo **6** *Fig.* Que está aflito, magoado [Ant.: *animado, confortado, consolado.*] *sm.* **7** *Zool.* Espécime dos aculeados, divisão de insetos aculeados (2) [F.: Do lat. *aculeatus, a, um.*]

acular (a.cu.le:*ar*) *v. td.* **1** *P. us.* Armar ou prover de acúleo ou aguilhão **2** Dar formato de acúleo a **3** Ferir com acúleo ou instrumento similar **4** *Fig.* Magoar [► 13 acul**e**ar] [F.: *acúleo* + *-ear*.]

aculeiforme (a.cu.lei.*for*.me) *a2g.* Que tem forma de acúleo; o mesmo que *aculeado* (4) [F.: *acúleo* + *-i-* + *-forme*.]

acúleo (a.*cú*.le:o) *sm.* **1** *Bot.* Saliência dura e aguda que nasce só da epiderme, da qual facilmente se pode se separar (enquanto o espinho provém do lenho) **2** *Zool.* Parte pontuda e dura presente nas nadadeiras de certos animais aquáticos; ESPINHO **3** *Zool.* Ferrão de insetos **4** Ponta afiada; ESPINHO **5** *Fig. P. us.* Estímulo: *os acúleos da cobiça* [Dim.: *aculéolo*.] [F.: Do lat. *aculeus, i*. Hom./Par.: *acúleo* (sm.), *eculéo* (sm.).]

aculéolo (a.cu.*lé*.o.lo) *sm. Bot.* Acúleo pequeno [F.: Do lat. *aculeolus, i*.]

aculturação (a.cul.tu.ra.*ção*) *sf.* **1** Ação ou resultado de aculturar; ACULTURAMENTO **2** *Antr.* Processo de modificação cultural, por intercâmbio direto e contínuo, de indivíduo, grupo social ou povo que se adapta a outra cultura ou dela retira traços significativos (aculturação de povos indígenas) **3** *P. ext.* A soma de culturas resultante desse processo contínuo **4** *Soc.* Processo de absorção e adaptação, por um indivíduo, da cultura da sociedade, nacional ou estrangeira, em que vive **5** Estado em que resulta tal processo [Pl.: *-ções*.] [F.: Do ing. *acculturation*.]

📖 O conceito de aculturação tem sido alvo de diferentes – às vezes divergentes – interpretações de antropólogos e sociólogos, não quanto a seu aspecto mais lato – o processo de transformações culturais que se desenvolve em um ou mais grupo, resultante de contacto com a cultura de outro(s) –, mas quanto a seus mecanismos, sua dinâmica, sua intencionalidade, seu contexto ideológico etc. Entre as modalidades padrão do processo de aculturação, têm sido citadas: adaptação (introdução na própria cultura de elementos percebidos na de outrem, nem sempre com o mesmo significado), corte (introdução de elementos culturais alheios que convivem paralelamente com os próprios, mesmo que conflitantes), oposição (resistência ideológica a elementos estranhos, perturbando a evolução natural e a autotransformação de uma cultura ao longo do tempo e de novas experiências), fuga (autoisolamento, como defesa de valores culturais exatamente pelo temor da aculturação), destruição (extermínio de culturas estranhas [e mesmo de seus portadores]).

aculturado (a.cul.tu.*ra*.do) *a.* **1** Diz-se do que ou quem se aculturou; que sofreu processo de aculturação **2** *Antr.* Diz-se de quem ou o que está adaptado a outra cultura e a valores culturais de outro grupo, depois de contato direto e prolongado [F.: Part. de *aculturar*.]

aculturamento (a.cul.tu.ra.*men*.to) *sm.* O mesmo que *aculturação* [F.: *aculturar* + *-mento*.]

aculturante (a.cul.tu.*ran*.te) *a2g.* Que contribui para um processo de aculturação (educação aculturante) [F.: *aculturar* + *-nte*.]

aculturar (a.cul.tu.*rar*) *v.* Causar modificação cultural em (indivíduo, grupo social), ou sofrer modificação cultural, como resultado do contato com outro grupo social; submeter(-se) a processo de aculturação [**td.**: *O contato com a cidade aculturou os índios.*] [**int.**: *Os índios não se aculturam facilmente.*] [► 1 aculturar] [F.: *a-*[2] + *cultura* + *-ar*[2].]

aculturativo (a.cul.tu.ra.*ti*.vo) *a.* Ref. à, produzido por ou em que há aculturação (processo aculturativo) [F.: *aculturar* + *-tivo*.]

acumã (a.cu.*mã*) *sm. Bot.* Palmeira de caule múltiplo (*Syagrus flexuosa*) de até 5m de altura, nativa do Brasil, que produz frutos comestíveis verde-amarelados, e cujas folhas fibrosas são us. na confecção de vassouras grosseiras [Sin.: *ariri, coco-da-serra, coco-de-vassoura, coqueiro-do-campo, palmito-do-campo, uacumã.*] [F.: Posv. de or. tupi.]

acume (a.*cu*.me) *sm.* **1** Ponta aguda, comprida e penetrante; GUME **2** Parte mais alta de um lugar; ÁPICE; CUME **3** *Fig.* Encorajamento, estímulo, incentivo **4** *Fig.* Raciocínio, argumentação apurada, sutileza de espírito; ACUIDADE; AGUDEZA; ARGÚCIA; PERSPICÁCIA; VIVACIDADE [Ant.: *estupidez, imbecilidade, inaptidão.*] [F.: Do lat. *acumen, inis.*]

acuminar (a.cu.mi.*nar*) *v. int. td.* Terminar ou fazer terminar em ponta aguda; AGUÇAR [▶ 1 acuminar] [F.: Do lat. *acuminare*, aguçar, afiar.]

acumpliciado (a.cum.pli.ci.*a*.do) *a.* Que se acumpliciou, que se tornou conivente; CONLUIADO [F.: Part. de *acumpliciar.*]

acumpliciamento (a.cum.pli.ci:a.*men*.to) *sm.* **1** Ação ou efeito de acumpliciar, de tornar(-se) cúmplice ou colaborador: *acumpliciamento de juízes pelo crime organizado; Criticou duramente o acumpliciamento às injustiças do sistema.* **2** *P. ext.* Relação de cumplicidade ou conivência; ajuda ou favor prestados por quem é cúmplice: *acumpliciamento do governo com a grande imprensa; Não contou com o acumpliciamento de nenhuma autoridade ou instituição.* [F.: *acumpliciar* + *-mento.*]

acumpliciar (a.cum.pli.ci.*ar*) *v.* Tornar(-se) cúmplice (de algo ou alguém); tornar ou ser conivente com; CONLUIAR(-SE) [*tdr.* + *a, com, em*: *Tentado pelo amigo, acumpliciou-se com ele; Pedro acumpliciou o irmão em suas atividades escusas.*] [▶ 1 acumpliciar] [F.: *a-*[2] + *cúmplice* + *-iar.*]

açum-preto (a.çum-*pre*.to) [ê] *sm.* Pássaro canoro, ger. criado em gaiola, cujo canto se torna supostamente mais belo e frequente quando se lhe furam os olhos, como narrado em famosa canção popular de autoria de Luiz Gonzaga e Humberto Teixeira [Pl.: *açuns-pretos.*]

acumulação (a.cu.mu.la.*ção*) *sf.* **1** Ação ou resultado de acumular(-se); ACÚMULO; AMONTOAMENTO **2** Aumento em volume, em quantidade; ACRÉSCIMO; ACÚMULO: *acumulação de bens materiais.* **3** Grande quantidade de coisas ou pessoas juntas; ACÚMULO: *acumulação de crianças no parque.* **4** Aumento gradativo (de coisas, tarefas etc.) além dos limites da capacidade normal de contê-las ou delas dar conta **5** Atribuição ou exercício de mais de um cargo ou função a ou por uma só pessoa: *proibida a acumulação de cargos no serviço público.* **6** *Geol.* O mesmo que *sedimentação* [Pl.: *-ções.*] [F.: Do lat. *accumulatio, onis.*] ∎ **~ eólia** *Geog.* Acumulação de areia, trazida pelo vento, formando dunas **~ marinha** *Geog.* Acumulação constante de areia trazida pelo mar, para formar praias e restingas

acumulada (a.cu.mu.*la*.da) *sf.* **1** Sorteio lotérico em que se acumulam os valores de uma ou mais apostas anteriores, por falta de ganhador **2** No turfe, aposta em cavalos de vários páreos e cujo valor se vai acumulando a cada páreo vencido [F.: Fem. substv. de *acumulado.*] ∎ **Furar uma ~** *Turfe* Não ganhar o páreo (um cavalo incluído numa acumulada)

acumulado (a.cu.mu.*la*.do) *a.* **1** Que se acumulou ou juntou gradualmente (indignação acumulada; dívidas acumuladas) **2** Ocupado ou exercido (cargo, função etc.) ao mesmo tempo que outro **3** Muito cheio; que recebeu muito de algo; ABARROTADO [+ *de*: *uma gaveta acumulada de papéis; um menino acumulado de mimos.*] **4** Que se apresenta em grande quantidade ou intensidade, esp. por ter-se concentrado (em tempo ou em espaço) devido ao impedimento de seu fluxo normal: *águas acumuladas num dique; reivindicações acumuladas de geração em geração.* **5** Que se apresenta ou que foi disposto em montes, pilhas **6** Que se guardou, economizou, preservou; CONSERVADO **7** Que se associou, se aliou (a outras coisas): *Ali funcionaram talento e perseverança acumulados. sm.* **8** Aquilo que se acumulou, ger. um valor, um percentual etc.: *Após anos de poupança, dispunha de um acumulado considerável.* [F.: Do lat. *accumulatus, a, um.*]

acumulador (a.cu.mu.la.*dor*) [ô] *a.* **1** Que acumula **2** *Fís.-quím.* Diz-se de dispositivo capaz de transformar energia química em elétrica, e vice-versa *sm.* **3** Quem ou o que acumula **4** *Fís. -quím.* Dispositivo que transforma energia química em eletricidade e vice-versa; bateria recarregável **5** *Inf.* Dispositivo de memória que armazena dados temporariamente [F.: Do lat. *accumulator, oris.*] ∎ **~ ácido** *Fís. -quím.* Acumulador cujo eletrólito é uma solução ácida (ger. ácido sulfúrico) **~ alcalino** *Fís. -quím.* Acumulador cujo eletrólito é uma solução alcalina (ger. de hidróxido de potássio)

acumular (a.cu.mu.*lar*) *v.* **1** Pôr em monte ou pilha, ou formar monte ou pilha; AMONTOAR(-SE); EMPILHAR(-SE) [*td.*: *Acumulou lenha para a fogueira.*] [*int.*: *Os papéis se acumulavam no escritório.*] **2** Criar ou formar acúmulo, grande quantidade (de algo), por interrupção de seu fluxo normal, no tempo ou no espaço [*td.*: *A represa acumulou as águas da enchente num nível perigoso.*] [*int.*: *Com a falta de empregados, o trabalho acumulou.*] **3** Aumentar ou ter aumentada quantidade de elementos, ou intensidade de (conjunto, grandeza), à medida que ao conjunto inicial se acrescentam novos elementos ou valores [*td.*: *O pesquisador acumulou informações sobre o tema; O descanso fez-lhe bem e acumulou sua energia.*] [*int.*: *Um a um, os operários se acumulavam no portão da fábrica.*] **4** Juntar, amontoar (bens, riquezas) ou fazer fortuna; AMEALHAR [*td.*: *Aquele empresário acumulou muitos bens em pouco tempo.*] [*int.*: *Trabalhou bastante, mas não conseguiu acumular.*] **5** *Econ.* Juntar a um capital juros ou outros rendimentos [*td.*: *A caderneta de poupança acumula juros.*] [*int.*: *Com o dinheiro aplicado, os juros acumularam-se.*] **6** *Fig.* Realizar ou ocorrer em sequência; SUCEDER(-SE) [*td.*: *O time acumulou muitas vitórias e foi campeão.*] [*int.*: *Os erros se acumularam, e o fracasso tornou-se inevitável.*] **7** Encher(-se) muito, ger. além da capacidade; ABARROTAR(-SE) [*td.*: *A boa colheita acumulou os celeiros.*] [*tdr.* + *com, de*: *Vovó acumulava o armário com/de roupas velhas.*] [*int.*: *Com tal dilúvio, o açude acumulou-se e transbordou.*] **8** Conceder (algo a alguém) em grande quantidade ou intensidade; COBRIR; CUMULAR [*tdr.* + *com, de*: *Acumulou o filho de carinho.*] **9** Ter ou exercer mais de um cargo ou funções ao mesmo tempo [*td.*: "... vai acumular as presidências do Conselho e do banco." (*O Globo*, 11.04.2004)] [*tdr.* + *com*: *José acumula o cargo de professor com o de coordenador.*] [*int.*: *Muitos professores da rede pública costumam acumular.*] **10** *Jur.* Fazer correr, impetrar duas ou mais ações ao mesmo tempo; CUMULAR [*td.*: *acumular ações de separação consensual e de pensão alimentícia.*] [*tdr.* + *a*: *Ao processar o patrão, a doméstica acumulou a ação de maus-tratos à de racismo.*] **11** Associar, aliar [*td.*: *A criança acumulava rebeldia e indisciplina.*] [*tdr.* + *a*: *Maria acumula a beleza interior à exterior.*] [*tr.* + *a*: *No adolescente, a rebeldia acumula-se à ousadia.*] [▶ 1 acumular] [F.: *a-*[2] + *cúmulo* + *-ar*[2]. Hom./Par.: *acumulo* (fl.), *acúmulo* (sm.).]

acumulativo (a.cu.mu.la.*ti*.vo) *a.* **1** Que tem a faculdade ou tendência de se acumular **2** Que se acumula (efeitos acumulativos); CUMULATIVO [F.: *acumular* + *-tivo.*]

acumulável (a.cu.mu.*lá*.vel) *a2g.* Que se pode acumular [Pl.: *-veis.*] [F.: *acumular* + *-vel*. Hom./Par.: *acumuláveis* (a2g. pl.), *acumuláveis* (fl. *acumular*).]

acúmulo (a.*cú*.mu.lo) *sm.* **1** Ação ou resultado de acumular(-se); ACUMULAÇÃO; AMONTOAMENTO **2** Aumento, acréscimo em volume ou quantidade **3** Muitas coisas ou pessoas juntas; ACUMULAÇÃO: *acúmulo de roupa para lavar* **4** Atribuição ou exercício simultâneo de um ou mais cargos ou funções a uma só pessoa (acúmulo de tarefas); ACUMULAÇÃO [F.: Dev. de *acumular.*]

acunhar (a.cu.*nhar*) *v. td.* Meter cunha em, para separar ou segurar [▶ 1 acunhar] [F.: *a-* + *cunha* + *-ar.*]

acunhear (a.cu.nhe.*ar*) *v. td.* Dar formato de cunha a [▶ 13 acunhear] [F.: *a-*[2] + *cunha* + *-ear.*]

◎ **acu(o)-** *el. comp.* = 'audição'; 'capacidade auditiva': *acuofênio, acuometria* [F.: Do v. gr. *akoúo-*, 'ouvir'. F. conexas: *-acusia, acust(o)-, acustico-.*]

acuo (a.*cu*.o) *sm. Bras.* O mesmo que *acuação* [F.: Dev. de *acuar.*]

acuofênio (a.cu.o.*fê*.ni:o) *Otor. sm.* **1** Qualquer sensação auditiva que não tem origem em estímulo exterior ao organismo **2** Zumbido (no ouvido) [F.: *acu(o)-* + *-fen(o)-* + *-io*[3].]

acuometria (a.cu.o.me.*tri*.a) *Otor. sf.* **1** *Desus.* Medição da capacidade e acuidade da audição, para diagnosticar tipos e graus de surdez, por meio de diferentes tipos de diapasão **2** O mesmo que *audiometria* [F.: *acu(o)-* + *-metria.*]

acuponto (a.cu.*pon*.to) *sm. Ter.* Denominação, em acupuntura, dos pontos precisos ao longo dos meridianos corporais em que se insere a agulha [F.: *acu-* + *ponto.*]

acupressura (a.cu.pres.*su*.ra) *sf. Desus. Ter.* Método de estancar hemorragias que consiste em comprimir o vaso rompido, inserindo agulhas em suas adjacências; ACUPRESSÃO [F.: Do ing. *acupressure.*]

acupuntor (a.cu.pun.*tor*) [ô] *P. us.* O mesmo que *acupunturista.* [F.: *acu-* + *puncti-* + *-or.*]

acupuntura (a.cu.pun.*tu*.ra) *sf. Med.* Terapia chinesa, universalmente difundida, que consiste na introdução de agulhas muito finas em determinados pontos do corpo do paciente [F.: Do fr. *acupuncture.*]

> 📖 O uso terapêutico de agulhas introduzidas em certos pontos do corpo data, segundo um livro chinês (o Nei Ching), do século XVIII a.C. Hoje reconhecido pela medicina, o método baseia-se na ideia que a energia flui através do corpo, e de seus órgãos, em dois sistemas (um anterior, outro posterior) de linhas longitudinais (no sentido da altura do corpo) chamadas meridianos, e que é o equilíbrio no fluxo pelos dois sistemas que garante uma condição saudável e o bem-estar. A introdução das agulhas (que pode ser associada a outras técnicas, como pressão digital, aquecimento, microimpulsos elétricos etc.), estimula ou 'libera' esse fluxo, o que pode aliviar dores, corrigir certas disfunções etc.

acupunturar (a.cu.pun.tu.*rar*) *v. td. Med.* Fazer acupuntura em, ou tratar com acupuntura: *O médico passou a acupunturar os pacientes.* [▶ 1 acupunturar] [F.: *acupuntura* + *-ar.*]

acupunturista (a.cu.pun.tu.*ris*.ta) *s2g.* **1** Pessoa que pratica acupuntura; especialista em acupuntura *a2g.* **2** Que pratica acupuntura [F.: *acupuntura* + *-ista.*]

acurácia (a.cu.*rá*.ci:a) *sf.* **1** *Mat.* Precisão em operação ou tabela **2** *Metrol.* Na medição de dada grandeza física, grau de concordância entre o resultado da medição e um valor verdadeiro do mensurado [O termo us. no Vocabulário Internacional de Metrologia para esta acp. é *exatidão.*] **3** Aptidão de um instrumento de medição para dar respostas próximas a um valor verdadeiro [O termo us. no Vocabulário Internacional de Metrologia para esta acp. é *exatidão.*] [F.: Do lat. *accuratus, a, um.*]

acurado (a.cu.*ra*.do) *a.* Feito com capricho, cuidado, rigor (trabalho acurado; diagnóstico acurado) [F.: Do lat. *accuratus, a, um.*]

acurar (a.cu.*rar*) *v.* **1** Fazer ficar ou ficar, tornar(se) primoroso, bem-cuidado, esmerado; APRIMORAR(-SE); ESMERAR(-SE) [*td.*: *O pianista estudava horas por dia para acurar sua técnica.*] [*int.*: *Quando aderiu ao impressionismo, seus efeitos de cores acuraram-se ainda mais.*] **2** Tratar, cuidar de (algo ou alguém) com carinho, desvelo; CUIDAR: *acurar a família.* [*td.*] [▶ 1 acurar] [F.: Do lat. *accurare.*]

acuraua (a.cu.*rau*.a) *sf. MT Ornit.* Ver *bacurau*

acurvar (a.cur.*var*) *v.* **1** Fazer ficar ou ficar curvo, vergado; CURVAR; ENCURVAR [*td.*: *A umidade acurvou as tábuas;* "Os fiéis acurvavam mais humildemente as cabeças." (Camilo Castelo Branco, *Freira no subterrâneo*) Ant.: *aprumar, endireitar.*] [*int.*: *Se continuar com esta postura, vai encurvar cedo.*] **2** *Fig.* Deixar-se abater ou vencer; CEDER; SUCUMBIR [*td.*: *O despotismo do patrão acurvou os funcionários humildes.*] [*int.*: *Acurvou(-se) ao peso da desgraça.*] [▶ 1 acurvar] [F.: *a-*[2] + *curvo* + *-ar*[2].]

acurvilhar (a.cur.vi.*lhar*) *v. int.* **1** Curvar-se com frequência (cavalgadura com curvilhões fracos), ao tropeçarem: *Por causa da doença nas patas, o cavalo acurvilhou.* **2** Pôr-se de joelhos; AJOELHAR-SE: *Acurvilhamos, quando fazemos orações.* [▶ 1 acurvilhar] [F.: *a-*[2] + *curvilhão* + *-ar*[2].]

acusabilidade (a.cu.sa.bi.li.*da*.de) *sf.* Condição ou qualidade de acusável [F.: *acusável* + *-(i)dade*, seg. o mod. erudito.]

acusação (a.cu.sa.*ção*) *sf.* **1** Ação ou resultado de acusar **2** Atribuição, imputação de falha, culpa, crime etc.; INCRIMINAÇÃO [+ *a, contra*: *Eram falsas as acusações a/contra seu empregado.*] **3** Declaração que imputa culpa ou crime a alguém; DELAÇÃO; DENÚNCIA **4** Admissão espontânea da própria culpa; confissão voluntária **5** *Jur.* Em processo criminal, conjunto de atividades e medidas que visam a imputar judicialmente ao réu a prática de delito ou crime, a provar essa imputação e a obter o veredito de culpa **6** *Jur.* Em processo criminal, a parte encarregada de conduzir a acusação (5): *A acusação convocou testemunhas.* **7** *Jur.* Em processo criminal, exposição feita pela acusação (6) [Ant.: *defesa*] [Pl.: *-ções.*] [F.: Do lat. *accusatio, onis.*]

acusado (a.cu.*sa*.do) *a.* **1** Que sofreu acusação; INCRIMINADO **2** Que foi apontado, denunciado, revelado: *Enumerou os problemas acusados (pelo sistema).* **3** *Fig.* Acentuado, bem definido: *um rosto de traços firmes, acusados.* **4** Advertido, repreendido *sm.* **5** Pessoa acusada de algo **6** *Jur.* Pessoa contra a qual se move processo civil ou penal; RÉU **7** *Bras.* Jogo infantil de esconde-esconde no qual a criança que procura, ao encontrar uma das que se escondem, deve gritar "acusado" [F.: Do lat. *accusatus, a, um.*]

acusador (a.cu.sa.*dor*) [ô] *a.* **1** Que acusa, ou que revela: *olhos acusadores de sua fúria contida. sm.* **2** Pessoa acusadora **3** *Jur.* Num processo criminal, pessoa responsável pela acusação [Ant.: *defensor.*] [F.: Do lat. *accusator, oris.*]

acusante (a.cu.*san*.te) *a2g. s2g.* Ver acusador [F.: *acusar* + *-nte*; lat. *accusans, antis.*]

acusar (a.cu.*sar*) *v.* **1** Imputar falta ou crime a (alguém ou a si próprio); declarar(-se) culpado; CULPAR(-SE) [*td.*: *acusar um inocente; Acusaram-se mutuamente.*] [*tdr.* + *de, por*: *O menor acusou o policial de agressão.* Ant.: *inocentar.*] [*int.*: *Antes de acusar, é preciso apresentar provas.*] **2** Expressar julgamento ou opinião prejudicial a (alguém ou a si próprio) [*td.*: *Acusou o irmão diante do pai.*] [*tdr.* + *de, por*: *Pressionado, acusou o colega de/por todas aquelas travessuras; Acusava-se de ter rompido o noivado.*] **3** *Jur.* Imputar, perante tribunal ou juiz, responsabilidade ou culpa a (alguém) por delito ou crime [*td.*: *A testemunha acusou o sequestrador no tribunal.*] [*tdr.* + *de*: *Acusou o réu de participação no crime.*] **4** Atribuir defeito ou conduta inadequada a; ROTULAR; TACHAR [*tdp.*: *Os amigos acusaram-no de ingrato.*] **5** *Fig.* Tornar evidente; MOSTRAR; REVELAR [*td.*: "...pernas musculosas que acusavam grande força física." (Franklin Távora, *O matuto*)] **6** Comunicar (recebimento de correspondência à pessoa que enviou) [*td.*: *Os noivos acusaram o recebimento do cartão.*] **7** *Mar.* Soltar (cabo) aos poucos [*td.*: *Por causa do mau tempo, os marinheiros não acusavam o cabo da embarcação.*] **8** *Mar.* Repetir (ordem de comando) como sinal de compreensão [*td.*: *O fuzileiro naval acusou as ordens do comandante.*] [*int.*: *O coronel deu a ordem e o tenente acusou.*] [▶ 1 acusar] [F.: Do lat. *accusare.*]

acusativo (a.cu.sa.*ti*.vo) *a.* **1** Relativo a acusação; que acusa; que serve para acusar; ACUSATÓRIO **2** *Ling.* Ref. à função do objeto direto, esp. nas línguas declináveis *sm.* **3** *Ling.* Em línguas em que os nomes se declinam, diz-se do caso que exprime o objeto direto, o sujeito de orações infinitivas, certos complementos preposicionais, certas formas adverbiais etc. **4** *Ling.* A função sintática de objeto direto, mesmo em línguas não declináveis [F.: Do lat. *accusativus, a, um.*]

acusatório (a.cu.sa.*tó*.ri:o) *a.* Ref. a ou que encerra acusação (provas acusatórias) [F.: Do lat. *accusatorius, a, um.*]

acusável (a.cu.*sá*.vel) *a2g.* Que se deve ou pode acusar [Pl.: *-veis.*] [F.: Do lat. *accusabilis, e.* Hom./Par.: (pl.) *acusáveis, acusáveis* (fl. de *acusar*).]

◎ **-acusia** *el. comp.* = 'audição'; 'distúrbio da audição': *anacusia, bradiacusia, disacusia, hipacusia/hipoacusia, hiperacusia, paracusia* [F.: Do gr. *ákousis, eos*, 'ação de ouvir', + *-ia*[1].]

acusma (a.*cus*.ma) *sm. Med.* Alucinação auditiva em que se ouvem vozes, instrumentos musicais, rumores e outros sons; ACUASMA [F.: Do gr. *ákousma, atos.*]

acúsmata (a.*cús*.ma.ta) *sm. Fil.* Preceito religioso do pitagorismo primitivo [F.: Do gr. *ákousma, atos.*]

acussetor (a.cus.se.*tor*) [ô] *sm. Cir.* Agulha que se pode usar como escalpelo, devido a ação de corrente elétrica [F.: Do ing. *acusector.*]

◎ **acusti-** *el. comp.* Ver *acust(o)-*

acústica (a.*cús*.ti.ca) *sf.* **1** *Fís.* Parte da física que trata das leis dos sons e dos fenômenos que lhe são relativos **2** Características e qualidades de um espaço (auditório, teatro etc.) quanto à propagação e distribuição do som: *A acústica desse auditório é ótima.* [F.: Do fr. *acoustique.*]

◎ **acustico-** *el. comp.* = 'som', 'ruído'; (*P. ext.*) 'audição': *acusticofobia, acusticófobo* [F.: Do gr. *akoustikós, é, ón.* F. conexas: *acu(o)-, acust(o)-, -acusia.*]

acústico (a.*cús*.ti.co) *a.* **1** Ref. à orelha e à audição; AUDITIVO **2** Ref. à acústica e ao som: *Este auditório tem um problema acústico.* **3** *Mús.* Sem interferência de meios eletrônicos na emissão e ampliação de som (*show* acústico, guitarra acústica) [F.: Do gr. *akoustikós, é, ón*, posv. pelo fr. *acoustique.*]

acusticofobia (a.cus.ti.co.fo.*bi*.a) *sf. Psiq.* Medo mórbido de sons [F.: *acustico-* + *-fobia.*]

acusticofóbico (a.cus.ti.co.*fó*.bi.co) *Psiq. a.* **1** Ref. a acusticofobia **2** Diz-se de pessoa que sofre de acusticofobia; ACUSTICÓFOBO *sm.* **3** Essa pessoa; ACUSTICÓFOBO [F.: *acusticofobia* + *-ico*[2].]

acusticófobo (a.cus.ti.*có*.fo.bo) *a. sm. Psiq.* O mesmo que *acusticofóbico* (2 e 3) [F.: *acustico-* + *-fobo.*]

acustímetro (a.cus.*tí*.me.tro) *sm. P. us.* Aparelho para medir níveis de ruído (p. ex., de veículos) [F.: *acusti-* + *-metro.*]

◎ **acust(o)-** *el. comp.* = 'som'; 'ruído'; 'ondas de som': *acustograma, acustóptica; acustímetro* [F.: Do gr. *akoustós, é, ón*, 'que se pode ouvir'. F. conexas: *acu(o)-, -acusia, acustico-.*]

acustóptica (a.cus.*tóp*.ti.ca) *sf.* Estudo e aplicação tecnológica da interação entre ondas de som e de luz, esp. o ultrassom e os raios *laser* [F.: *acust(o)-* + *-óptica.*]

acuta (a.*cu*.ta) *sf.* Instrumento que se usa para medir ou traçar ângulos; ESQUADRIA; SALTA-REGRA [Cf.: *esquadro, suta* e *transferidor.*] [F.: Posv. do lat. *acuta*, de *acutus, a, um* 'agudo'.]

acutangular (a.cu.tan.gu.*lar*) *a2g.* Que forma ou que tem ângulo agudo [F.: *acut(i)-* + *angular*[1].]

acutângulo (a.cu.*tân*.gu.lo) *a. Geom.* Em que todos os ângulos são agudos (diz-se de triângulo) [F.: *acut(i)-* + *ângulo.*]

acutenáculo (a.cu.te.*ná*.cu.lo) *sm. Cir.* Instrumento cirúrgico us. para segurar agulhas em suturas onde as mãos não podem operar [F.: *acu-* + *tenáculo.* Ideia de: *ten-.*]

◎ **acut(i)-** *el. comp.* = 'agudo', 'penetrante': *acutangular, acutângulo; acutirrostro* [F.: Do lat. *acutus, a, um*, 'agudo'.]

acutilado (a.cu.ti.*la*.do) *a.* **1** Que recebeu cutilada, que foi ferido ou golpeado a cutelo **2** *P. ext.* Que foi agredido, que sofreu espancamento **3** *Fig.* Diz-se de quem tem prática em algo; EXPERIENTE; EXPERIMENTADO **4** *Ant. Vest.* Diz-se da roupa que tem aberturas e fendas que lhe servem de adorno, *acuchilado* [F.: Part. de *acutilar.* Hom./Par.: *acutilado* (a.), *acutelado* (a.). Ideia de: *cutel-.*]

acutilamento (a.cu.ti.la.*men*.to) *sm.* **1** Ação ou resultado de acutilar **2** Ferimento com golpes de cutelo ou de qualquer arma branca **3** *P. ext.* Agressão intencional [F.: *acutilar* + *-mento.* Ideia de: *cutel-.*]

acutilar (a.cu.ti.*lar*) *v. td.* **1** Ferir com cutelo ou qualquer arma branca: *O adversário acutilou-o mortalmente.* **2** *P. ext.* Bater(-se), ferir(-se) [▶ 1 acutilar] [F.: *a-* + *cutilo* (= cutelo) + *-ar.*]

acutipum (a.cu.ti.*pum*) *sm. Bras. Zool.* Macaco pequeno de pelagem preta, felpuda e luzidia [F.: Do tupi *aku'ti* + *pum.*]

acutirrostro (a.cu.tir.*ros*.tro) [ó] *Zool. a.* **1** Que tem a cabeça prolongada em bico **2** Pontudo (diz-se de bico de ave ou de focinho) [F.: *acut(i)-* + *-rostro.*]

acutíssimo (a.cu.*tís*.si.mo) *a.* Muitíssimo agudo; AGUDÍSSIMO [Superl. absol. sint. de *agudo.*] [F.: Do lat. *acutissimus, a, um.* Ideia de: *acut(i)-.*]

acutorção (a.cu.tor.*ção*) *sf. Ant. Cir.* Antiga operação cirúrgica que consistia em fazer pressão sobre vasos sanguíneos com agulhas apropriadas, para deter hemorragia; ACUPRESSÃO; ACUCLAUSURA [Pl.: *-ções.*] [F.: Do ing. *acutorsion.*]

◎ **ad-** *pref.* Ver *a-*[2]

◎ **-ada**[1] *suf. nom.* Formador de subst. a partir do rad. de verbos ou de substantivos, com as noções de: **a)** 'ação ou resultado de ação' (*chegada, largada, morada*); **b)** 'ação ou movimento rápidos, de curta duração' (*chuveirada*); **c)** 'golpe ou pancada com algo' (*paulada, facada, bolada*[1]); **d)** 'coleção; algo em quantidade ou em excesso' (*bolada*[2], *dinheirada, bezerrada, besteirada.*); **e)** 'produto alimentar (doce, prato, bebida) feito de algo' (*bananada, feijoada, laranjada.*) [F.: Do lat. *-ata*, fem. do lat. *-atus, a, um* (ver *-ado*[1]). Outras formas ou formas conexas: *-arada, -alhada, -zada, -eada, -oada, -uada.*]

◎ **-ada**[2] *suf. nom.* = 'espécime biológica, pertencente a certa ordem ou divisão de (plantas, animais, ou seres protistas): *campanulada, coronada, labiada* [F.: Uso ou retomada de uma forma singular (adaptada à morfologia port.) para designar o espécime de um taxônimo plural terminado em *-ata* ou *-atae*, formas plurais de *-atus, a, um.*]

⊕ ***adactilia*** (a.dac.ti.*li*:a) *sf. Ter.* Falta congênita de dedos nos pés, nas mãos ou em ambos; ADATILIA; ADACTILISMO [F.: *a-*[1] + *-dactil(o)-* + *ia*[1].]

adáctilo (a.*dác*.ti.lo) *a.* **1** *Ter.* Indivíduo adáctilo (1) *sm.* **2** Esse indivíduo [F.: *a-*[1] + *-dactilo.*]

adafina (a.da.*fi*.na) *sf.* Espécie de guisado que era feito pelos judeus espanhóis na tarde de sexta-feira, cozido e mantido em fogo baixo, em panela de barro, para ser consumido no sábado, no qual a religião judaica proíbe que se acenda fogo; DAFIM; DAFINA [F.: Do ár. *ad-dafina.*]

adaga (a.*da*.ga) *sf.* **1** Arma branca de lâmina larga, curta, com um ou dois gumes e pontiaguda, maior que o punhal **2** *Art. gr.* Sinal em forma de cruz latina usado em jornais, livros etc. para indicar o ano de falecimento, remissiva etc. [Dim.: *adagueta.*] [F.: De or. contrv.] ∎ **~ dupla** *Tip.* Cruz dupla

adage (a.*da*.ge) *MG MT SP Pop. sm.* **1** Qualidade de corajoso, valente; AUDÁCIA; CORAGEM; VALENTIA **2** Disposição ou qualidade de quem está sempre disposto a ser útil, servir, ajudar **3** Condição ou qualidade de quem é capaz de resolver problemas, situações difíceis ou complicadas; APTIDÃO; CAPACIDADE; COMPETÊNCIA; IDONEIDADE [F.: De or. obsc.]

adagial (a.da.gi:*al*) *a2g.* **1** Ref. a adágio **2** *Mús.* Semelhante a ou no andamento do adágio [Pl.: *-ais.*] [F.: *adágio* + *-al.*]

adagiar (a.da.gi.*ar*) *v.* **1** Citar adágios, provérbios, ditados [*int.*: *Era pródigo em adagiar.*] **2** Dar caráter de adágio a [*td.*: *Gostava de adagiar seus discursos.*] [▶ 1 adagiar] [F.: *adágio* + *-ar*[2]. Hom./Par.: *adagio* (*fl.*), *adágio* (a. sm.).]

adagiário (a.da.gi.*á*.ri:o) *a.* **1** Relativo a adágio (sentença popular) *sm.* **2** Coleção de adágios ou provérbios populares [F.: *adágio* + *-ário.*]

adágio[1] (a.*dá*.gi:o) [á] *sm.* Sentença de cunho moral, dito popular; DITADO; PROVÉRBIO: *"Devagar se vai ao longe" era seu adágio preferido.* [F.: Do lat. *adagium, i.* Hom./Par.: *adágio* (sm.), *adagio* (fl. de *adagiar*).]

adágio[2] (a.*dá*.gi:o) *adv.* **1** *Mús.* Lentamente, sem pressa (andamento na execução de trecho musical, não tão lento como o *largo*) *sm.* **2** Esse andamento, e sua notação na pauta **3** Composição musical ou parte de obra musical nesse andamento [F.: Do it. *adagio.* Hom./Par.: *adágio* (adv., sm.), *adagio* (fl. de *adagiar*).]

adail (a.da.*il*) *sm.* **1** *Ant.* Posto militar atribuído ao guia de soldados **2** *P. ext.* Aquele que chefia, dirige **3** *P. ext.* Aquele que se dedica a uma causa, a um movimento; DEFENSOR; PALADINO **4** *Ant.* Chefe de um grupo de escoteiros [Pl.: *-is.*] [F.: Do ár. *ad-dail.*]

adamado (a.da.*ma*.do) *a.* **1** Que é característico ou próprio de uma dama (gostos adamados); DELICADO; FINO [Ant.: *grosseiro.*] **2** Diz-se de homem com modos de dama, que se enfeita com exagero; AFEMINADO; EFEMINADO: "... o outro, adamado, elegante, retirado, que vinha à escola de branco, engomadinho e radioso." (Raul Pompeia, *O Ateneu*) [Ant.: *másculo, varonil.*] **3** *Enol.* Diz-se de vinho suave e levemente doce, de baixo teor alcoólico [F.: Part. de *adamar.*]

adamantino (a.da.man.*ti*.no) *a.* **1** Que é próprio do diamante (brilho adamantino; dureza adamantina); DIAMANTINO **2** Que lembra o diamante (em beleza, pureza, transparência, luminosidade, valor etc.) **3** Duro, resistente **4** *Fig.* De grande firmeza ou integridade moral; incorruptível [F.: Do lat. *adamantinus, a, um* 'de diamante, de ferro, de aço', este, do gr. *adamántinos, e, on* 'de aço; duro, inquebrantável'.]

adamar (a.da.*mar*) *v.* **1** Vestir ou ornar (um homem) como mulher [*td.*: *Ele se adama para o carnaval.*] **2** Tornar-se afeminado; AFEMINAR-SE [*int.*: *De repente começou a adamar-se.*] [▶ 1 adamar] [F.: *a-* + *dama* + *-ar.*]

adamascado[1] (a.da.mas.*ca*.do) *a.* **1** Que é bordado em alto-relevo, como o damasco (tecido) *sm.* **2** Tecido adamascado; DAMASCO [F.: Part. de *adamascar.*]

adamascado[2] (a.da.mas.*ca*.do) *a.* Parecido com damasco (fruto) no aspecto, na cor e/ou no sabor [F.: *a-*[2] + *damasco* + *-ado*[4].]

adamascar (a.da.mas.*car*) *v.* **1** Conferir aspecto de tecido adamascado (de seda, com brilho e desenhos característicos) a [*td.*: *A bordadeira adamascou minha blusa de seda.*] **2** Aplicar a cor do damasco a (ger. tecido) [*td.*: *O tintureiro adamascou meu vestido branco.*] [▶ 11 adamascar] [F.: *a-*[2] + *damasco* + *-ar*[2].]

adamasquinado (a.da.mas.qui.*na*.do) *a.* Que tem ornatos incrustados, ger. em ouro e prata [F.: *a-*[2] + *damasquino* + *-ado*[1].]

adâmico (a.*dâ*.mi.co) *a.* **1** Próprio de Adão, segundo a Bíblia o primeiro homem da face da Terra, ou da sua época (linguagem adâmica, raça adâmica) **2** *P. ext.* Ref. aos primeiros seres humanos ou próprio do início da humanidade **3** *Fig.* Primordial, primevo, primitivo: *instintos adâmicos.* [F.: Do antropônimo *Adão*, sob a forma lat. *Adam* + *-ico.*]

adamismo (a.da.*mis*.mo) *sm.* **1** *Rel.* Seita herética do séc. II, ressurgida na Boêmia no séc. XV, cujos seguidores iam nus às cerimônias como representação da pureza de Adão antes do pecado original **2** *Ling.* Doutrina segundo a qual todas as línguas humanas têm origem em uma única língua [F.: Do lat. *Adam*, 'o gênero humano: o homem', + *-ismo.*]

adamita[1] (a.da.*mi*.ta) *s2g.* **1** Seguidor do adamismo; ADAMIANO; ADAMISTA *a2g.* **2** Ref. a esse seguidor [F.: Posv. do lat. medv. *Adamitae.*]

adamita[2] (a.da.*mi*.ta) *Min. sf.* **1** Arseniato de zinco natural **2** Nome comercial do coríndon sintético [F.: Do antr. G. -J. *Adam* (mineralogista francês) + *-ita*[2].]

⊕ ***ad amusim*** (*Lat. /ad amúsim/*) *loc. adv.* À risca, ao pé da letra, com exatidão, literalmente

adansônia (a.dan.*sô*.ni:a) *sf. Bot.* Árvore de tronco gigantesco (*Adansonia digitata*) da família das bombacáceas, nativa da região tropical da África e que pode viver mais de dois mil anos; BAOBÁ [F.: Do antr. Michel *Adanson*, botânico francês.]

adaptabilidade (a.dap.ta.bi.li.*da*.de) *sf.* **1** Qualidade do que é adaptável **2** Capacidade ou faculdade de se adaptar [Ant.: *inadaptabilidade.*] [F.: *adaptável* (sob o rad. *adaptabil-*)+ *-(i)dade*, seg. o mod. erudito.]

adaptação (a.dap.ta.*ção*) *sf.* **1** Ação ou resultado de adaptar, de adequar uma coisa a outra, ou a uma situação; ADEQUAÇÃO [+ *a*: *Trabalharam na adaptação das regras às novas condições.*] **2** Utilização de algo para um fim diferente ao que se destina originalmente **3** Capacidade ou processo de adaptar-se a novos ambientes e situações; condição do que se adaptou; AMBIENTAÇÃO; ACOMODAÇÃO: *adaptação de um animal ao meio ambiente.* [Ant.: *inadaptação.*] **4** *Biol.* Capacidade de os seres vivos adaptarem-se a certo tipo de ambiente. **5** *Liter.* Transformação de obra literária em novela, filme etc.: *adaptação de romances para a televisão.* **6** *Mús.* Alteração em uma obra musical para que atenda a outro fim **7** *Mús.* Utilização de obra musical já existente em espetáculos teatrais, de dança etc. **8** *Arq.* Alteração feita em uma construção para que tenha uma outra finalidade [Pl.: *-ções.*] [F.: *adaptar* + *-ção.*] ∎ **~ aloplástica** *Psic.* Atuação de um indivíduo sobre o meio ambiente para manter o equilíbrio entre este e o ego **~ biológica** *Psi.* Capacidade e disposição do indivíduo de criar e ampliar seus sistemas de cognição (segundo Jean Piaget) **~ visual** Adaptação do olho, pela ação da íris e da retina, a diferentes intensidades de luz

> 📖 As teorias sobre a evolução das espécies baseiam-se no princípio da adaptação biológica, segundo o qual os seres vivos desenvolvem caracteres físicos e comportamentais em consequência de sua interação com o meio em que vivem. Em Lamarck, a adaptação momentânea a condições ambientais vigentes não se distingue daquelas observadas na evolução através de gerações, com modificações genéticas transmitidas. Darwin (cuja teoria da evolução das espécies é mais aceita pelos cientistas) vê nesta última uma adaptação de sobrevivência (seleção natural, onde quem não se adapta desaparece) com repercussões genéticas, processo diferenciado, portanto, de uma reação isolada a um estímulo isolado e que não se transmite geneticamente, como os calos nas mãos de quem trabalha duramente com elas, ou o bronzeado de quem vive na praia.

adaptacional (a.dap.ta.ci:o.*nal*) *a2g.* Que se refere à adaptação (propriedades, modificações adaptacionais) [Pl.: *-onais.*] [F.: De *adaptação*, sob a forma rad. *adaptacion-* + *-al*[1].]

adaptado (a.dap.*ta*.do) *a.* **1** Que se adaptou **2** Que se modificou, a que se deu forma, tamanho etc. de acordo com algo ou função a que deve ser adequado; AJUSTADO [+ *a, para*: *carro adaptado para o transporte de carga; óculos adaptados ao rosto largo.*] **3** Que se ajustou ao meio físico ou social, ou às circunstâncias em que vive, às atividades que exerce etc.; AMBIENTADO: *O imigrante oriental está bem adaptado ao novo país.* **4** *Mús. Teat. Telv.* Modificado para adequar-se à nova forma artística, literária, musical etc. (romance adptado; peça adaptada) *sm.* **5** Indivíduo adaptado [F.: Part. de *adaptar.*]

adaptador (adaptador) [ô] *a.* **1** Que adapta *sm.* **2** Aquele ou aquilo que adapta **3** Aquele que faz adaptação (5) (de obra literária para cinema, teatro, televisão etc.) **4** *Tec.* Dispositivo que permite acoplamento de um aparelho a outro ou a fonte de energia etc., quando têm terminais de conexão de modelos diferentes **5** *Inf.* Dispositivo que conecta um computador a um equipamento periférico, quando a conexão não está disponível na configuração original [F.: *adaptar* + *-dor.*]

adaptar (a.dap.*tar*) *v.* **1** Fazer ficar ou ficar, tornar(-se) apto ou adequado a uma situação ou função; ADEQUAR(-SE) [*tdr.* + *a*: *adaptar o vestido ao corpo;* "...não foi difícil adaptar-me à vida de seminarista." (João Ubaldo Ribeiro, *Diário do farol*)] **2** Fazer com que se ajuste à visão [*td.*: *Adaptar as lentes dos óculos.*] **3** Pôr (algo ou alguém) em harmonia ou de acordo com; acomodar(-se) [*tdr.* + *a*: *adaptar o estudo ao lazer; Ele logo se adaptou ao novo chefe.*] **4** Alterar as características de (algo ou alguém) para que cumpra nova função [*td.*: *O mecânico adaptou o motor.*] [*tdr.* + *a, para*: *O mecânico adaptou o motor às características da pista.*] **5** Alterar obra (literária, musical etc.) para que fique mais ao gosto do público ou para apresentá-la em cinema, teatro, televisão etc. [*td.*: *O maestro adaptou a "Aquarela do Brasil".*] [*tdr.* + *para*: *Adaptou o texto para a televisão.*] **6** Revelar capacidade de acomodação; AJUSTAR-SE [*tdr.* + *a*: *Adaptei-me às novas exigências da empresa.*] **7** Acomodar(-se) a um ambiente; AMBIENTAR(-SE) [*tdr.* + *a*: *Adaptamos a criança adotada à sua nova casa; Adaptou-se facilmente à nova escola.*] [▶ 1 adaptar] [F.: Do lat. *adaptare.* Hom./Par.: *adaptáveis* (fl.), *adaptáveis* (a. pl.).]

adaptativo (a.dap.ta.*ti*.vo) *a.* **1** Em que ocorre adaptação, ou que é resultante dela; caracterizado por adaptação (processo adaptativo) **2** De adaptação: *um adolescente com dificuldades adaptativas.* **3** Que pode adaptar-se **4** Que propicia ou facilita a adaptação [F.: De *adaptado*, sob a forma rad. *adaptat-* + *-ivo.*]

adaptável (a.dap.*tá*.vel) *a2g.* Que se pode adaptar ou que é fácil de adaptar [Pl.: *-veis.*] [F.: *adaptar* + *-vel.* Ant.: *inadaptável.* Hom./Par.: *adaptáveis* (pl.), *adaptáveis* (fl. de *adaptar*).]

adar[1] (a.*dar*) *sm. Cron.* O sexto mês do calendário judaico, entre fevereiro e março dos calendários juliano e gregoriano [F.: Do hebr. *adar.*]

adar[2] (a.*dar*) *sm. Índia* Área destinada à sementeira do arroz [F.: Do guzerate *adhara*, posv.]

adarga (a.*dar*.ga) *sf.* Escudo oval ou em forma de coração, feito em couro, com uma braçadeira estreita para a mão e outra larga para o braço, us. originalmente pelos mouros [F.: Do ár. *ad-darghâ.*]

adargar (a.dar.*gar*) *v. td.* **1** Prover(-se) de adarga: *Para defenderem-se, os mouros adargavam os seus soldados.* **2** Defender(-se) com adarga; ESCUDAR; PROTEGER: *Adargava o corpo com o escudo.* [▶ 14 adargar] [F.: *adarga* + *-ar*[2].]

adarrum (a.dar.*rum*) *sm. Rel.* Toque de atabaques em ritmo rápido e contínuo, no candomblé, e que pode ser executado na invocação de orixás, ou em outras ocasiões, por vezes acompanhado de canto (p. ex., para Ogum) [F.: Do ioruba *ada*- 'toque' + *run* 'que aniquila'.]

adarve (a.*dar*.ve) *sm.* **1** Muro de fortaleza dotado de ameias **2** Caminho estreito no alto desses muros, para passagem dos defensores do local: "... as passadas monótonas dos vigias ao longo dos adarves..." (Alexandre Herculano, *Eurico, o presbítero*) [F.: Posv. do ár. *ad-darb* 'caminho'.]

adastra (a.*das*.tra) *sf.* **1** Instrumento us. por ourives para consertar ou ajustar aros de anéis **2** Bigorna us. para estender folhas de metal a serem trabalhadas [F.: De or. obsc.]

adastrar (a.das.*trar*) *v. td.* Corrigir com adastra: *O ourives adastrava muitos aros de anéis.* [▶ 1 adastrar] [F.: *adastra* + *-ar*[2]. Hom./Par.: *adastra(s)* (fl.), *adastra(s)* (sf. [pl.]).]

⊕ ***ad auctoritatem*** (ad auc.to.ri.*ta*.tem) *loc. adv.* **1** De autoridade, de quem ordena, decide; que faz obedecer **2** *Fil. Log.* Ref. a argumento baseado na autoridade de um autor eminente e respeitado **3** *Jur.* Ref. a pessoa ou entidade legalmente investida de poder e incumbida de praticar atos judiciais **4** *Bibl.* Us. para citar opinião de especialista de reconhecido mérito e influência em dado campo de conhecimento

adaxial (a.da.xi:*al*) [cs] *a2g. Bot.* Diz-se de órgão ou parte de órgão que se encontra ao lado ou próximo do eixo (da planta) [P. op. a *abaxial.*] [Pl.: *-ais.*] [F.: *ad-* + *axial.*]

⊕ ***ad cautelam*** (ad cau.*te*.lam) *loc. adv.* **1** Por cautela; por segurança **2** *Jur.* Ref. a ação motivada apenas por preocupação, ou a medida que se toma por precaução

⊕ ***ad diem*** (addi:em) *loc. adv.* **1** Até o dia **2** *Jur.* Us. para designar a data final de um processo, o dia em que expira o prazo

addisoniano (a.ddi.so.ni:*a*.no) *a.* **1** Ref. a addisonismo **2** Diz-se de indivíduo que sofre dessa doença *sm.* **3** Esse indivíduo [F.: Do antr. Thomas *Addison* (médico inglês) + *-iano.* Tb. us. a forma *adisoniano.*]

addisonismo (ad.di.so.*nis*.mo) *Med. sm.* Síndrome observada em doenças que atingem as glândulas suprarrenais (sífilis, tuberculose etc.) e que tem semelhança com a doença de Addison [F.: Do antr. Thomas *Addison* (médico inglês) + *-ismo.*]

addisonista (ad.di.so.*nis*.ta) *Med. a2g.* **1** Diz-se de indivíduo que apresenta addisonismo *s2g.* **2** Esse indivíduo [F.: Do antr. Thomas *Addison* (médico inglês) + *-ista.*]

adeciduado (a.de.ci.du:*a*.do) *a.* **1** *Zool.* Diz-se do mamífero cuja placenta não tem membrana caduca **2** *Bot.* Diz-se de planta não caduca, cujas folhas não são decíduas [F.: *a-*[1] + *decídua* + *-ado*[1].]

adefagia (a.de.fa.*gi*.a) *sf. P. us.* Apetite exagerado, insaciável; extrema voracidade [Ant.: *anorexia, inapetência.*] [F.: Do gr. *adephagia, as.*]

adefágico (a.de.*fá*.gi.co) *a.* **1** Ref a adefagia **2** Diz-se de pessoa que sofre desse mal; ADÉFAGO; VORAZ *sm.* **3** Indivíduo adefágico (2); COMILÃO; GLUTÃO [F.: *adefagia* + *-ico*[2].]

adéfago[1] (a.*dé*.fa.go) *a.* O mesmo que *adefágico* (2) [F.: Do gr. *adephágos, os, on.*]

adéfago[2] (a.*dé*.fa.go) *a.* **1** Ref. aos adéfagos, subordem de insetos coleópteros que compreende, em sua maioria, espécies de besouros predadores *sm.* **2** Espécime dos adéfagos [F.: Do lat. cient. subordem *Adephaga.*]

adega (a.*de*.ga) [é] *sf.* **1** Parte da casa, ger. subterrânea e fresca, na qual se guardam vinhos e outras bebidas **2** O conjunto das bebidas (ger. vinhos) guardadas em adega ou lugar semelhante: *Tinha uma excelente adega, das melhores safras.* **3** *P. ext.* Local, parecido com uma adega, onde se guardam alimentos; DESPENSA **4** *P. ext.* Espécie de geladeira pequena para guardar bebidas, como na adega (1), em ambiente fresco **5** Espécie de restaurante onde são servidos vinhos (ger. para degustação): "...a adega terá mesinhas ao ar livre e abrirá no feriado..." (*O Globo*, 07.04.2005) [F.: Do lat. *apotheca, ae.* Hom./Par.: *adega* (sf.), *adega* (fl. de *adegar*).]

adegueiro (a.de.*guei*.ro) *sm.* **1** Aquele que cuida de adega **2** Proprietário ou empregado de adega **3** Negociante que estoca e distribui comercialmente vinhos de vários produtores [F.: *adega* + *-eiro.*]

adejar (a.de.*jar*) *v.* **1** Bater as asas para se manter no ar; VOEJAR [*int.: O beija-flor adeja quando suga o néctar das flores.*] **2** Voar sem direção determinada, em pequenos voos; ESVOAÇAR [*int.: Os pássaros adejavam sobrevoando o jardim.*] **3** Ir, voando, para algum lugar [*ta.: As gaivotas adejam para a costa.*] **4** *Fig.* Estar no ar, pairar, [*int.: Maus presságios adejavam sobre a aldeia.*] **5** *Fig.* Aflorar, como que roçando; insinuar-se [*int.:* "Depois um sorriso adejou sobre seu rosto gracioso..." (José de Alencar, *O Guarani*)] **6** Agitar(-se) (algo) como se fossem asas [*td.: adejar os braços.*] [*int.: As bandeiras adejam ao vento.*] [▶ 1 adejar] [F.: De or. contrv.]

adejo[1] (a.*de*.jo) [ê] *sm.* **1** Ação ou resultado de adejar **2** O curto e rápido movimento das asas ao adejar, ao manter o pássaro no ar **3** Sequência de voos de pouco alcance e sem destino determinado **4** *Fig.* Movimento ou sensação semelhante ao bater rápido de asas: *O coração palpitava, em repentinos adejos* [F.: Dev. de *adejar.*]

adejo[2] (a.*de*.jo) [ê] *N. a.* **1** Diz-se de cavalo que vagueia sem rumo, sem levar cavaleiro ou carga *sm.* **2** Esse cavalo [F.: De or. incerta; de *andejo*, posv.]

adeleira (a.de.*lei*.ra) *sf.* **1** *Lus.* Mulher que compra e vende roupas e objetos usados; ADELA **2** *Fig. Pej.* Mulher alcoviteira [F.: Do antigo *adelo* (do ár. *ad-dallal* 'o corretor, o leiloeiro, o pregoeiro') + *-eira.*]

adeleiro (a.de.*lei*.ro) *sm.* Indivíduo que comercia roupas e trastes, ger. usados; ADELO; BELCHIOR; BUFARINHEIRO [F.: *adelo* + *-eiro.*]

adelfia (a.del.*fi*.a) *sf. Bot.* União dos estames de algumas flores por meio de seus filetes [F.: *adelfo* + *-ia*[1].]

◎ **-adelfo** *suf.* Ver *adelf(o)-*

◎ **adelf(o)-** *el. comp.* = 'irmão(s)'; (*bot.*) 'estame(s)': *adelfogamia, adelfolita; diadelfo, monadelfo, pentadelfo, poliadelfo, tetradelfo, triadelfo* [F.: Do gr. *adelphós, ou*, 'irmão'.]

adelfo (a.*del*.fo) *a. Bot.* Que se forma (feixe de estames) pela adesão dos filetes dos estames; que se caracteriza pela adelfia: *estame adelfo.* [F.: Do gr. *adelphos, ou* 'irmão'.]

adelfogamia (a.del.fo.ga.*mi*.a) *sf. Zool.* Acasalamento entre espécimes de uma mesma ninhada [F.: *adelf(o)-* + *-gamia.*]

adelfolita (a.del.fo.*li*.ta) *sf. Min.* Mineral tetragonal, niobato de manganês [F.: *adelf(o)-* + *-lita.*]

adelgaçado (a.del.ga.*ça*.do) *a.* **1** Que tornou-se delgado, fino, estreito *a.* **2** Que tem formas delgadas; magro, esbelto *a.* **3** Afinado, desbastado, pontiagudo, delgado **4** Rarefeito, pouco denso, pouco substancial; tênue (nuvem adelgaçada) **5** *Fig.* Diminuído ou pouco importante em tamanho ou valor [F.: Part. de *adelgaçar.*]

adelgaçamento (a.del.ga.ça.*men*.to) *sm.* **1** Ação ou efeito de adelgaçar **2** Diminuição de espessura; afinamento **3** *P. ext.* Perda de gordura; emagrecimento **4** *Fig.* Rarefação, diminuição de densidade [F.: *adelgaçar* + *-mento.*]

adelgaçar (a.del.ga.*çar*) *v.* **1** Tornar(-se) (mais) fino, (mais) delgado [*td.: adelgaçar a cintura; O ferreiro adelgaçou a lâmina na bigorna.*] [*int.: Com a dieta, adelgaçou(-se) até demais.*] **2** Fazer ficar ou ficar, tornar(-se) (mais) magro; EMAGRECER [*td.: A doença adelgaçou-a rapidamente.*] [*int.: Com a dieta, adelgaçou.*] **3** *Hip.* Fazer ficar mais magro (cavalo de corrida), para ganhar eficiência na relação força (resistência)/peso [*td.*] **4** Tornar(-se) menos denso [*td.: O vento adelgaçou a neblina.*] [*int.: Ao meio-dia o nevoeiro já (se) adelgaçara.*] **5** *Fig.* Fazer ficar ou ficar menor, reduzir ou diminuir; DIMINUIR [*td.: É preciso adelgaçar a máquina do Estado.*] [*int.: Na crise, o orçamento da empresa adelgaçou(-se).*] **6** *Fig.* Tornar mais tênue, mais fraco; ENFRAQUECER [*td.: marcação cerrada para adelgaçar o poder de ataque do time adversário;* "Ao cair da tarde, quando a cálida neblina irradiava da terra abrasada (...) e adelgaçava o colorido da paisagem..." (Domingos Olímpio, *Luzia Homem*)] **7** *Fig.* Diminuir ou tirar o valor, a importância de; DEPRECIAR [*td.: A excessiva dramatização adelgaçou o desempenho do ator.*] **8** *Fig.* Fazer ficar ou ficar, tornar(-se) (mais) agudo, perceptivo, perspicaz; AGUÇAR(-SE) [*td.: A experiência adelgaçou sua percepção.*] [*int.: Sua lógica e seu raciocínio adelgaçaram(-se) com o tempo e com o treino.*] [▶ 12 adelgaçar] [F.: *a-*[2] + *delgaço* (*delgado*) + *-ar*[2].]

adelita (a.de.*li*.ta) *sf. Min.* Silicato de cálcio e alumínio ortorrômbico, esverdeado [F.: Posv. do fr. *adelite.*]

adelo (a.*de*.lo) *sm.* **1** O mesmo que *adeleiro* **2** Loja de adeleiro; BELCHIOR; BRECHÓ [F.: Do ár. *ad-dallal.*]

adem (a.*dem*) *sm.* **1** *Ornit.* Ave palmípede (*Anas boschas*) da família dos lamelirrostros, domesticável, encontrada em regiões da Europa, da Ásia e da América do Norte; ALAVANCO; PATO-REAL **2** Lugar no qual se criam adens **3** *Her.* Figura de ave reproduzida em brasões [Pl.: *-dens.*] [F.: Posv. do lat. *anatem*, de *anas, atis*, pela forma arcaica *ãade.*]

ademais (a.de.*mais*) *adv. P. us.* Além disso; além do mais: "...tu que és mãe e, ademais, mulher sincera..." (Apuleio, "Amor e Psique", *in Mar de histórias*) [F.: *a-*[2] + *demais.*]

ademanes (a.de.*ma*.nes) *smpl.* **1** Movimentos, esp. das mãos, que expressam uma atitude, comunicam sentimentos etc.; GESTOS: "E depois beijou-a, com muitos ademanes de ternura..." (Machado de Assis, *Memórias póstumas de Brás Cubas*) **2** *Pej.* Gestos ou modos afetados; TREJEITOS [F.: De or. incerta; do espn. *ademán, ademanes* (pl.), posv.]

ademocrático (a.de.mo.*crá*.ti.co) *a.* **1** Que não é democrático *a.* **2** Em que está ausente o conceito de democracia ou o exercício da mesma (atitude ademocrática) [F.: *a-* 'não' + *democrático.*]

adenalgia (a.de.nal.*gi*.a) *sf. End.* Dor em uma glândula; ADENODINIA [F.: *aden(o)-* + *-algia.*]

adenda (a.*den*.da) *sf.* Ver *adendo* [F.: Do lat. *addenda.*]

adendo (a.*den*.do) *sm.* **1** O que se acrescenta a algo **2** O que se acrescenta a um texto, um livro, uma obra etc. para corrigi-los e/ou completá-los; APÊNDICE [+ *a: Fez um adendo ao contrato*] **3** Livro ou caderno de notas [F. menos us.: *adenda.*] [F.: Do lat. *addendum.*]

adenectomia (a.de.nec.to.*mi*.a) *sf. Cir.* Extirpação cirúrgica de uma glândula [F.: *aden(o)-* + *-ectom-* + *-ia*[1].]

adenectômico *a. Cir.* Ref. a adenectomia [F.: *adenectomia* + *-ico*[2].]

adenectopia (a.de.nec.to.*pi*.a) *sf. Med.* Localização anormal de uma glândula [F.: *aden(o)-* + *ectopia.*]

adenenfraxia (a.de.nen.fra.*xi*.a) [cs] *sf. End.* Obstrução ou ingurgitamento de uma glândula [F.: *aden(o)-* + *enfraxia.*]

adenia (a.de.*ni*.a) *End. sf.* **1** Qualquer doença nos gânglios linfáticos **2** Aumento de volume, inchaço crônico em gânglio linfático [F.: *aden(o)-* + *-ia*[1].]

adênico (a.*dê*.ni.co) *a.* Ref. a glândula ou a gânglio [F.: *aden(o)-* + *-ico*[2].]

adeniforme (a.de.ni.*for*.me) *a2g.* Que tem a forma semelhante à de uma glândula; ADENOMORFO [F.: *aden(o)-* + *-iforme.*]

adenina (a.de.*ni*.na) *sf. Quím.* Substância derivada da purina e que é um dos componentes do ácido nucleico [F.: *aden(o)-* + *-ina*[2].]

adenite (a.de.*ni*.te) *sf. Med.* Inflamação de gânglio linfático ou de glândula [F.: Do fr. *adénite*; ver *aden(o)-* e *-ite.*]

◎ **-aden(o)-** *el. comp.* Ver *aden(o)-*

◎ **aden(o)-** *el. comp.* = 'glândula'; 'gânglio': *adenalgia, adenectomia, adenectopia, adenia, adeniforme; adenocarcinoma, adenomegalia, adenopatia, adenotomia; linfadenomegalia, linfadenopatia* [F.: Do gr. *adén, adénos.*]

adenocarcinoma (a.de.no.car.ci.*no*.ma) [ô] *sm. Pat.* Tumor maligno que se origina em tecido glandular ou de forma semelhante à de uma glândula [F.: *aden(o)-* + *carcinoma.*]

adenóforo (a.de.*nó*.fo.ro) *Bot. a.* **1** *Bot.* Diz-se de planta ou de órgão vegetal dotado de glândula **2** Diz-se de pedículo de pelo glandular *sm.* **3** Esse pedículo [F.: *aden(o)-* + *-foro.*]

adenoide (a.de.*noi*.de) *sf.* **1** *Med.* Ver adenoides *a2g.* **2** Que tem forma de glândula [F.: Do fr. *adénoïde*; *aden(o)-* + *-oide(o).*]

adenoidectomia (a.de.noi.dec.to.*mi*.a) *sf. Cir.* Ablação cirúrgica das adenoides; ADENOIDETECTOMIA [F.: *adenoide* + *-ectom-* + *-ia*[1].]

adenoides (a.de.*noi*.des) *sfpl. Otor.* Hipertrofias do tecido linfoide, encontradas frequentemente na nasofaringe de crianças [Tb. *vegetação adenoide.*] [F.: Pl. de *adenoide.*]

adenoidiano (a.de.noi.di.*a*.no) *a. Med.* Relativo às adenoides (tb. chamadas vegetações adenoides) (tecido adenoidiano) [F.: *adenoide* + *-iano.*]

adenoidismo (a.de.noi.*dis*.mo) *sm. Otor.* Conjunto de perturbações locais e gerais decorrentes das adenoides [F.: *adenoide* + *-ismo.*]

adenoidite (a.de.noi.*di*.te) *sf. Med.* Inflamação das vegetações adenoides (adenoidite crônica) [F.: *adenoide* + *-ite.*]

adenoma (a.de.*no*.ma) *sm. Pat.* Tumor, ger. benigno, originário de elementos glandulares ou cujas células têm a configuração de tais elementos [F.: Do fr. *adénome*; ver *aden(o)-* e *-oma.*]

adenomatoso (a.de.no.ma.*to*.so) [ô] *a.* Que tem ou é da natureza do adenoma (tumor adenomatoso; pólipo adenomatoso; bócio adenomatoso) [Pl.: *ó.* Fem.: *ó*] [F.: *adenoma* (rad. *adenomat-*) + *-oso*, seg. o mod. erudito gr.]

adenomegalia (a.de.no.me.ga.*li*.a) *sf. Pat.* Hipertrofia glandular (adenomegalia cervical) [F.: *ad en(o)-* + *-megalia.*]

adenopata (a.de.no.*pa*.ta) *s2g. Med.* Pessoa que sofre de adenopatia [F.: *aden(o)-* + *-pata.* Tb. *adenópata.*]

adenópata (a.de.*nó*.pa.ta) *s2g.* Ver *adenopata*

adenopatia (a.de.no.pa.*ti*.a) *sf. Pat.* Qualquer afecção de gânglio linfático ou de glândula; ADENOSE [F.: *aden(o)-* + *-patia.*]

adenosina (a.de.no.*si*.na) *sf. Quím.* Composto orgânico obtido do ácido nucleico, que, por hidrólise, fornece adenina e ribose [F.: Do ing. *adenosine*, do al. *Adenosin.*]

adenotomia (a.de.no.to.*mi*.a) *sf. Cir.* Incisão cirúrgica em glândula ou em gânglio linfático [F.: *aden(o)-* + *-tomia.*]

adenotômico (a.de.no.*tô*.mi.co) *a. Med.* Ref. a adenotomia [F.: *adenotomia* + *-ico*[2].]

adenovirídeo (a.de.no.vi.*rí*.de:o) *a.* **1** *Med.* Pertencente ou ref. aos adenovirídeos (*Adenoviridae*), família dos adenovírus, compostos de DNA (ou ADN), causadores de infecções agudas das vias respiratórias *sm.* **2** Espécime dessa família [F.: *adenovírus* + *-ideo.*]

adenovirose (a.de.no.vi.*ro*.se) [ó] *sf.* Qualquer doença (ger. respiratória) causada por adenovírus [F.: *adenovírus* + *-ose.*]

adenovírus (a.de.no.*ví*.rus) *s2n. Vir.* Qualquer vírus da família *Adenoviridae* que contém ADN, amplamente espalhado na natureza (gado, roedores, aves, macaco e homem), produzindo infecções agudas do sistema respiratório [Experimentalmente tem-se revelado oncogênico.] [F.: *aden (o)-* + *vírus.*]

adensado (a.den.*sa*.do) *a.* **1** Que se adensou, que se tornou denso **2** Pesado, grave, espesso, carregado [F.: Part. de *adensar.*]

adensamento (a.den.sa.*men*.to) *sm.* **1** Ação ou resultado de adensar(-se) **2** Espessamento, concentração (adensamento de nuvens) **3** Ajuntamento, amontoamento **4** *Cons.* Na feitura de colunas ou pilares, ação de agitar o concreto por meio de varas de ferro ou de aparelho vibrador para que ele se distribua corretamente, ocupe todo o espaço das formas, aderindo adequadamente às varas metálicas da estrutura **5** *Geol.* Processo pelo qual os solos se consolidam [F.: *adensar* + *-mento.*]

adensar (a.den.*sar*) *v.* **1** Tornar(-se) (mais) denso, espesso, carregado [*td.: adensar a sopa; Pesado nevoeiro adensava* *(o ar d)a noite.*] [*int.*: *O nevoeiro adensava-se.*] **2** Tornar(-se) impregnado, saturado; IMPREGNAR(-SE) [*td.*: *O forte perfume que usava adensou o ar da sala.*] [*int.*: *O ambiente adensou-se com o aroma do incenso.*] **3** Juntar-se, formando um conjunto denso, compacto [*int.*: *Os trabalhadores adensaram-se na passeata.*] **4** Fazer ficar ou ficar maior, mais numeroso; AUMENTAR; AVOLUMAR(-SE) [*td.*: *Comprou um grande lote de gado para adensar seu rebanho.*] [*int.*: *Os sinais de crise se adensaram.*] [▶ 1 adensar] [F.: Do lat. *adensare.*]

adentrar (a.den.*trar*) *v.* **1** Entrar ou fazer entrar (em) [*tda.*: *Adentraram-no na festa.*] [*td.*: *Adentrou o salão.*] [*int.*: *Chegamos ao palácio e imediatamente (nos) adentramos.*] **2** Estender-se [*td.*: *Os manguezais adentram o continente.*] [*ta.*: *Os manguezais se adentram pelo continente.*] [▶ 1 adentrar] [F.: *a-*[2] + *dentr(o)* + *-ar*[2].]

adentrável (a.den.*trá*.vel) *a2g.* Que se pode adentrar [F.: *adentrar* + *-vel.* Hom./Par.: *adentráveis* (pl.), *adentráveis* (fl. de *adentrar*).]

adentro (a.*den*.tro) *adv.* **1** Para dentro de: "...penetrando pelos sertões adentro..." (Cecília Meireles, *Crônicas de educação 2*) **2** No meio de, dentro de: *Mata adentro, insetos esvoaçam* [F.: *a-*[2] + *dentro.*]

adepto (a.*dep*.to) *sm.* **1** Quem ou o que aprendeu ou assimilou ideias, princípios, dogmas, segredos etc. de uma religião, seita, doutrina etc. **2** Quem ou o que segue, defende, é partidário de uma religião, uma organização, uma doutrina etc. (adepto do movimento ecológico); PARTIDÁRIO; ADERENTE **3** *P. ext.* Aquele que admira e/ou apoia determinada ideia, certos princípios morais, ou modos de agir, de ser, de pensar etc. (adepto do parlamentarismo; adepto do futebol-arte) **4** *Lus.* Quem tem simpatia por uma agremiação, torce por um time etc.; o mesmo que *torcedor a.* **5** Que é adepto (em qualquer dos sentidos) **6** *Rel.* Grau teosófico que sucede ao do iniciado **7** *Ant.* Alquimista que consegue realizar a transmutação de metais (com a pedra filosofal) [F.: Do lat. *adeptus, a, um.*]

adequabilidade (a.de.qua.bi.li.*da*.de) *sf.* Qualidade, característica ou condição do que é adequável: *adequabilidade de uma medida a uma situação.* [F.: *adequável*, sob a forma *adequabil-* + *-idade.*]

adequação (a.de.qua.*ção*) *sf.* **1** Ação ou resultado de adequar(-se) **2** Ajuste, correspondência, conformidade entre coisas ou pessoas, ou entre coisas e pessoas [+ (*de...*) *a, entre*: *adequação entre receita e despesa; adequação do perfil do gerente às funções que exerce.*] **3** *Fil.* Correspondência entre a imagem intelectual de uma realidade e a realidade em si **4** *Ling.* Correspondência ideal entre as línguas falada e escrita [Pl.: *-ções.*] [F.: Do lat. *adaequatio, onis.*]

adequado (a.de.*qua*.do) *a.* **1** Que está em conformidade com, consonante com (algo ou alguém, situação, exigência etc.); APROPRIADO; CONVENIENTE; OPORTUNO; PRÓPRIO [+ *a, para*: *profissional adequado ao cargo; traje adequado para a ocasião.*] [Ant.: *inadequado.*] **2** Que se ajustou a; ADAPTADO **3** *Fil.* Diz-se de representação intelectual de um fato real que corresponde ao fato em si **4** *Gram.* Diz-se em relação ao nível de capacidade gerativa de uma gramática [*É fracamente adequada* quando só gera as frases gramaticais; *é fortemente adequada* quando é capaz de apresentar a sua estrutura gramatical.] [F.: Do lat. *adaequatus, a, um.*]

adequar (a.de.*quar*) *v.* **1** Tornar adequado, apropriado; ADAPTAR [*td.*: *Adequaram o espaço para alojar as vítimas das enchentes.*] **2** Fazer ficar, tornar conforme (a) [*tdr.* + *a*: *A escola adequou o currículo ao novo modelo de educação.*] **3** Ser conforme ou compatível [*tr.* + *a*: *usos que não se adequavam à norma culta da língua.*] **4** Pôr (algo ou alguém) em acordo ou harmonia com; ADAPTAR(-SE); AJUSTAR(-SE) [*tdr.* + *a, com*: *adequar as despesas à/ com a receita; A família teve que se adequar à nova situação; adequar o vinho ao/com o cardápio.*] [▶ 10 adequar] [F.: Do lat. *adaequare.*]

adequável (a.de.*quá*.vel) *a2g.* Que se pode adequar; ADAPTÁVEL; AJUSTÁVEL; AMOLDÁVEL; HARMONIZÁVEL: *Escolha uma música adequável à cerimônia.* [Pl.: *-veis.*] [F.: *adequar* + *-vel.* Hom./Par.: (pl.) *adequáveis, adequáveis* (fl. de *adequar*).]

adereçamento (a.de.re.ça.*men*.to) *sm.* Ação ou resultado de adereçar-(se), de pôr enfeites ou adereços em alguém, em si mesmo ou em alguma coisa [F.: *adereçar* + *-mento.*]

adereçar (a.de.re.*çar*) *v.* **1** Enfeitar com adereços, adornos, joias, atavios etc.: *adereçar os dedos com anéis; A passista adereçou-se para o Carnaval.* [*td.*: *Escolheu os anéis e adereçou todos os dedos; A sambista adereçou-se para o desfile.*] **2** *P. us.* Dotar de todo o necessário para determinado fim [*td.*: *Adereçou o palco para a grande apoteose.*] **3** *Lus. Ant.* Endereçar, enviar (algo a um lugar) [*tda.*: *Adereçou o bilhete à casa da amada.*] [▶ 12 adereçar] [F.: *adereço* + *-ar*[2].]

aderecista (a.de.re.*cis*.ta) *s2g.* **1** Pessoa que faz adereços **2** *Cin. Telv. Teat.* Profissional que confecciona adereços ou que projeta, organiza e implementa seu uso em adornos de cena, de vestuário etc. [F.: *adereço* + *-ista.*]

adereço (a.de.*re*.ço) [ê] *sm.* **1** Peça vistosa us. como adorno; ENFEITE; ORNAMENTO **2** Qualquer das peças que equipam ou enfeitam uma casa (móveis, enfeites, peças de cozinha, etc.: "...todos estes móveis e adereços que ela escolhera para ornarem o regaço de sua felicidade." (José de Alencar, *Senhora*) **3** *Bras.* Objeto que um sambista leva na mão, na roupa etc. (ger. em desfile) para compor suas fantasias carnavalescas **4** Cada um dos arreios postos em cavalgaduras **5** *Ant.* O mesmo que *endereço* [F.: Dev. de *adereçar.* Hom./Par.: *adereço* (sm.), *adereço* (fl. de *adereçar*).]

adereços (a.de.*re*.ços) *smpl.* **1** *Cin. Teat. Telv.* O conjunto de acessórios us. em cena **2** Objetos que equipam uma casa; trastes, móveis **3** Joias ou bijuterias e/ou peças de vestuário que formam um conjunto harmônico **4** *Bras.* Peças para arrear ou ajaezar equídeos [F.: Pl. de *adereço.*]

aderência (a.de.*rên*.ci:a) *sf.* **1** Qualidade de aderente (1): *O esparadrapo perdeu a aderência.* **2** Ligação ou capacidade de ligação entre duas superfícies; ADESÃO: *Testou a aderência entre as partes que havia colado.* **3** *Fig.* Aceitação, adoção de ideia, doutrina etc. [+ *a*: *aderência à nova política econômica.*] **4** *Med.* Adesão (1) anormal entre tecidos contíguos do corpo **5** *Esp.* No automobilismo, atrito entre o solo e a parte do pneu que tem contato com ele, que impede a roda de patinar e que otimiza a impulsão para a frente originada por sua rotação **6** Marca deixada por algo que esteve aderido (a uma superfície) **7** *Esp.* No montanhismo, tipo de escalada em paredão sem qualquer implemento, cujos pontos de apoio são obtidos do atrito das mãos e dos pés contra o paredão [F.: Do lat. tard. *adhaerentia, ae.*]

aderencial (a.de.ren.ci:*al*) *a2g.* Ref. a aderência ou a capacidade de aderência (de algo) [Pl.: *-ais.*] [F.: *aderência* + *-al.*]

aderente (a.de.*ren*.te) *a2g.* **1** Que adere, gruda; ADESIVO [+ *a*: *substância aderente (à pele).*] **2** Que adere a ideia ou crença; ADEPTO **3** Que se liga a alguém como amigo, companheiro etc. *s2g.* **4** Aquilo que adere **5** Pessoa que adere (a uma ideia, causa, partido etc.) **6** Amigo, companheiro solidário [F.: Do lat. tard. *adhaerens, entis.*]

aderir (a.de.*rir*) *v.* **1** Juntar-se a, adotando, abraçando, tendo como seu; tornar-se adepto de (campanha, partido, moda etc.); APOIAR; SEGUIR [*tr.* + *a*: *Muitos aderiram ao movimento ecológico*] **2** Aceitar juntar-se ou ligar-se a, adotar (medida, gesto, atitude etc.) [*tr.* + *a*: *Resolveu aderir ao abaixo-assinado; Muitos não aderiram às novas regras.*] **3** Fazer ficar ou ficar ou estar intimamente ligado (a algo), grudar(-se) [*tdr.* + *a*: *aderir uma peça a outra; O esparadrapo não adere à pele molhada.*] [*int.*: *Se estiver molhado, não vai aderir; Seus lábios aderiam, num ricto de cólera.*] [▶ 50 aderir] [F.: Do lat. *adhaerere.*]

adermia (a.der.*mi*.a) *sf.* Falta de pele ou desenvolvimento precário desta [F.: *a-*[1] + *derm(o)-* + *-ia*[1].]

adermogênese (a.der.mo.gê.ne.se) *sf. Derm.* Desenvolvimento precário da pele [F.: *a-*[1] + *derm(o)-* + *gênese.*]

adernado (a.der.*na*.do) *a.* **1** Inclinado para um dos bordos (diz-se de embarcação) **2** *N. E.* Entornado, derramado **3** *Bras. Pop.* Embriagado, bêbedo [F.: Part. de *adernar.*]

adernar (a.der.*nar*) *v.* **1** Fazer inclinar ou inclinar-se (ger. embarcação) para um dos lados [*td.*: *Adernou o veleiro para facilitar a manobra; O desequilíbrio da carga adernou o barco.*] [*int.*: *Uma onda gigante fez o barco adernar.*] **2** *N.E.* Inclinar(-se) ou virar (de boca para baixo) recipiente (copo, cálice, caneco etc.) derramando o líquido nele contido [*td.*: *Adernou o copo para dedicar o primeiro gole ao santo.*] [*int.*: *Naquela farra, tanto sacudiram a mesa que os copos adernaram.*] [▶ 1 adernar] [F.: De or. obsc.]

aderno (a.*der*.no) *Bot. sm.* Árvore da fam. das anacardiáceas (*Astronium gracile*), nativa do Brasil, de madeira muito dura; CHIBATÃ; GIBATÃO [F.: Do lat. *alaternus, i*, 'abrunheiro'. Hom./Par.: *aderno* (fl. de *adernar*).]

adesão (a.de.*são*) *sf.* **1** Ação ou resultado de aderir, de ligar-se ou estar ligado fisicamente a algo; ADERÊNCIA [+ *a*: *adesão da blusa ao corpo.*] **2** Postura favorável a uma ideia, movimento, ato etc.; APOIO: "...espera a adesão à greve de pelo menos metade do funcionalismo." (*O Dia*, 08.07.2003) **3** Filiação a partido, associação etc. **4** *Fís.* Atração molecular que se manifesta entre corpos em contato **5** *Med.* União entre tecidos do corpo causada pelo crescimento de tecido conjuntivo em local no qual houve uma infecção [Pl.: *-sões.*] [F.: Do lat. *adhaesio, onis.*]

adesismo (a.de.*sis*.mo) *sm.* **1** *Pej.* Prática de aderir, por oportunismo ou interesse próprio, a uma facção ou partido político, a uma política, a uma conjuntura etc. **2** Tendência a adotar frequentemente essa prática, ou de aderir às ideias mais aceitas (ger. em política) **3** Tendência, hábito ou impulso de adotar repetitivamente determinados procedimentos etc.: *Já é ridículo seu adesismo a qualquer tratamento capilar.* [F.: Do rad. lat. *adhaes-* (do part. pass. de *adhaerere*, 'estar preso, ligado') + *-ismo.* Ant. nas acps. 1 e 2: *oposicionismo.*]

adesista (a.de.*sis*.ta) *a2g.* **1** Que pratica o adesismo; ADESIONISTA **2** Ref. a adesismo *s2g.* **3** Pessoa que pratica o adesismo; ADESIONISTA [F.: *adesismo* + *-ista*, seg. o mod. grego.]

adesividade (a.de.si.vi.*da*.de) *sf.* Qualidade ou condição daquilo que é adesivo, que adere, ou que tem a faculdade de aderir [F.: *adesivo* + *-i-* + *-dade.*]

adesivo (a.de.*si*.vo) *a.* **1** Que adere ou que pode aderir (etiqueta adesiva); ADERENTE **2** Que faz aderir, colar (fita adesiva) *sm.* **3** Plástico, papel ou outro material que apresenta substância adesiva em uma de suas faces **4** *P. ext.* Pedaço de plástico ou papel com desenhos ou dizeres impressos que se cola em uma superfície (ger. em vidros de carros, janelas etc.) **5** Material colante; COLA **6** *Gír. Pej. Pol.* Aquele que atua na política para obter vantagens, aderindo a quem possa favorecê-lo, sem considerar ideologia, linha política, princípios etc. **7** *Lus.* Esparadrapo [F.: Do lat. medv. *adhaesivus, a, um*, ou do fr. *adhésif.*]

adestrado (a.des.*tra*.do) *a.* **1** Que se adestrou **2** Amestrado, ensinado, treinado: *Vi um espetáculo com cães adestrados, jogavam futebol melhor que meu time.* **3** Conduzido pela destra, pelo lado direito **4** Diz-se de cavalo treinado (em certas funções) para a guerra *sm.* **5** *Her.* Símbolo central de um brasão que tem à direita elementos secundários [F.: Part. de *adestrar.*]

adestrador (a.des.tra.*dor*) [ô] *a.* **1** Que adestra, treina pessoa ou animal para que execute certas tarefas ou truques *sm.* **2** Pessoa que adestra [F.: *adestrar* + *-dor.*]

adestramento (a.des.tra.*men*.to) *sm.* Ação ou resultado de adestrar(-se); ADESTRAÇÃO; TREINO: *adestramento de cães para exposições.* [F.: *adestrar* + *-mento.*]

adestrar (a.des.*trar*) *v.* Fazer ficar ou ficar, tornar(-se) (alguém, animal) treinado ou apto (a fazer algo); TREINAR(-SE); INSTRUIR(-SE) [*td.*: *adestrar cães/soldados*] [*tdr.* + *em, para*: *adestrar animais para o circo; No curso os alunos adestram-se no uso de programas de computador.*] [*int.*: *A função do professor é ensinar, e não adestrar.*] [▶ 1 adestrar] [F.: *a-*[2] + *destro* + *-ar*[2]; talvez do lat. *addextare.*]

adestro (a.*des*.tro) *a.* **1** Que vai junto; que acompanha para ser usado quando oportuno; SOBRESSALENTE **2** Diz-se de cavalo que se leva para a muda, ger. quando é longo o caminho [F.: Da ant. loc. adv. *a destro* ou *à destra*, 'do lado direito', tornada adj. Hom./Par.: *adestro* (fl. de *adestrar*).]

adeus (a.*deus*) *interj.* **1** Us. como forma de despedida, esp. em separações de longa duração, e significa 'Fique com Deus' ou 'Que Deus o acompanhe' *Fam.*; ADEUSINHO **2** Exclamação de saudade ou pena por ter perdido algo: *Adeus, tempos da mocidade!* **3** Usa-se para indicar que se está ficando livre de algo: *Adeus, problemas!* *sm.* **4** Aceno ou expressão de despedida ou, às vezes, de cumprimento *Fam.*; ADEUSINHO: *Afastou-se com um adeus; O entrevistado deu um adeus para uma fã da plateia.* **5** *P. ext.* A própria despedida; SEPARAÇÃO: "...e o teu olhar era de adeus..." (Chico Buarque e Francis Hime, *Atrás da porta*) [F.: *a-*[2] + *Deus.* Pl. nas acps. 4 e 5: *adeuses.*] ■ **~ de mão fechada** *Bras. Chulo* Gesto de dar uma banana **Dar ~** *Gír. Turfe* Ultrapassar (um cavalo) facilmente os contendores e ganhar o páreo **Dar ~ a** **1** Saudar à distância; dizer adeus a; dar adeusinho **2** Dizer adeus a (2) **Dizer ~ a** **1** Despedir-se (de alguém), acenando de longe **2** Renunciar a, desistir de (algo): *Pode dizer adeus a este computador, não tem conserto; Arranjou um emprego e disse adeus à malandragem.* **Dizer ~ ao mundo** Morrer

adeusinho (a.deu.*si*.nho) [zi] *sm.* **1** Forma carinhosa e familiar de se despedir, de dizer adeus; essa despedida; o gesto dessa despedida: *Acenou-lhe, num carinhoso adeusinho* *interj.* **2** *Pop.* O mesmo que *adeus* [F.: *adeus* + *-inho*[1].] ■ **Dar ~ a** Dar adeus a

⊕ **ad hoc** (*Lat.* /ad ók/) *loc. a.* **1** Que visa a determinado fim: *Essa questão exige soluções ad hoc* **2** *Jur.* Designado para executar uma tarefa específica (consultor *ad hoc*; comitê *ad hoc*) **3** *Fil.* Diz-se de ideia, hipótese etc. forjados a partir de um fato ou teoria, com o único objetivo de explicá-lo ou prová-la **4** *Gram.* Diz-se de enunciado, regra etc., criados para se aplicar a um caso específico, não passíveis, portanto, de generalização

adiabática (a.di:a.*bá*.ti.ca) *sf. Fís.* Num sistema adiabático, a curva que representa a variação relacional entre duas grandezas termodinâmicas [F.: Fem. substv. de *adiabático.*]

adiabático (a.di:a.*bá*.ti.co) *a.* **1** *Fís.* Em que não há troca de calor com o exterior (diz-se de processo num sistema físico) **2** *Fís.* Diz-se de corpo que não ganha ou perde calor num sistema, num processo etc. [F.: Do gr. *adiábatos*, pelo ing. *adiabatic.*]

adiado (a.di.*a*.do) *a.* **1** Que se adiou; marcado para outro dia, transferido para data posterior **2** *Lus.* Reprovado em exames, provas etc. [F.: Part. de *adiar.*]

adiafa (a.di:*a*.fa) *sf. Lus.* Gratificação em forma de doação de alimentos, dinheiro ou roupas a trabalhadores, ao fim de uma empreitada agrícola importante, como ceifa, colheita, capina etc.; DIEFA [F.: Do ár. *adh- dhiáfa.*]

adiaforese (a.di:a.fo.*re*.se) *sf. Med.* Supressão ou diminuição acentuada de sudação; ADIAPNEUSTIA [Ant.: *diaforese, sudorese.*] [F.: *a-*[1] + *diaforese.*]

adiaforético (a.di:a.fo.*ré*.ti.co) *a.* **1** Ref. a adiaforese **2** Diz-se de pessoa que sofre de adiaforese *sm.* **3** *Med.* Essa pessoa [F.: *a-*[1] + *diaforético.* Ant. ger.: *diaforético.*]

adiaforia (a.di:a.fo.*ri*.a) *sf.* **1** *Fil.* Indiferença característica dos filósofos céticos **2** *Psic.* Ausência de resposta a estímulos, por terem sido antes aplicados estímulos idênticos ou similares [F.: Do gr. *adiaphoria*, as.]

adiafórico (a.di:a.*fó*.ri.co) *a.* Ref. a adiaforia [F.: *adiaforia* + *-ico*[2].]

adiaforismo (a.di:a.fo.*ris*.mo) *sm.* **1** *Rel.* Conjunto de preceitos dos seguidores de doutrinas luteranas moderadas do século XVI, que demonstravam tolerância indiferente em relação à liturgia católica **2** *Fil.* Indiferença dos filósofos, baseada em sua descrença de que o homem possa chegar à verdade [F.: *adiáforo* + *-ismo.*]

adiaforista (a.di:a.fo.*ris*.ta) *a2g.* **1** Ref. ao adiaforismo **2** Diz-se de seguidor do adiaforismo *s2g.* **3** *Rel.* Indivíduo adiaforista (2) [F.: *adiáforo* + *-ista.*]

adiáforo (a.di:*á*.fo.ro) *a.* Que não é necessário, desimportante, irrelevante, não essencial, secundário [Ant.: *básico, essencial, importante.*] [F.: Do gr. *adiaphoros, os, on*, 'indiferente'.]

adiamantado (a.di:a.man.*ta*.do) *a.* **1** Guarnecido de diamantes **2** Assemelhado ao diamante, no brilho e na dureza [F.: Part. de *adiamantar*.]

adiamantar (a.di.a.man.*tar*) *P. us. v. td.* **1** Dar brilho de diamante a: *Gostava muito de adiamantar as pratarias.* **2** Ficar duro como o diamante: *Queria adiamantar as pedras de suas bijuterias.* **3** Ornar com diamante(s): *Adiamantei meus colares e brincos.* [▶ 1 adiamantar] [F.: *a-*[2] + *diamante* + *-ar*[2].]

adiamento (a.di:a.*men*.to) *sm.* **1** Ação ou resultado de adiar, de transferir para outra data ou ocasião; DELONGA; TRANSFERÊNCIA **2** *Esp.* Em torneio de xadrez, interrupção de uma partida quando é impossível terminá-la naquela sessão [F.: *adiar* + *-mento*.] ■ **~ da legítima** *Jur.* Adiantamento aos herdeiros de parte de herança que lhes cabe

adiantado (a.di:an.*ta*.do) *a.* **1** Que está avançado no tempo: *Seu relógio está adiantado.* **2** Que está na frente (no espaço) de algo ou alguém **3** Longe do começo ou perto do fim; AVANÇADO: *As obras do teatro estão adiantadas, em breve voltará a funcionar.* **4** Que é ou está avançado em conhecimento, tecnologia etc.: *um país adiantado.* **5** Que ocorre antes do momento habitual, esperado, ou que ocorre precipitadamente: *Tirou férias adiantadas; A atriz chegou em um voo adiantado; O nervosismo adiantado era por causa da estreia.* *adv.* **6** Antes do tempo habitual ou programado; ANTECIPADAMENTE: *Não era preciso pagar adiantado; Você chegou adiantado.* *sm.* **7** Situação do que está adiantado (1): *Devido ao adiantado da hora, resolveram encerrar o debate* **8** *Ant.* Dignidade titular criada por D. Afonso V; governador de província [F.: Part. de *adiantar*. Ant. ger.: *atrasado*.]

adiantamento (a.di:an.ta.*men*.to) *sm.* **1** Ação ou resultado de adiantar(-se) **2** Estado ou condição de quem ou do que está desenvolvido, adiantado em conhecimentos etc.; AVANÇO; DESENVOLVIMENTO; PROGRESSO: *o adiantamento de uma civilização.* [Ant.: *atraso*] **3** Proximidade do término de algo: *o adiantamento das obras.* **4** Condição de quem ou do que está adiante, na frente: *o adiantamento do atleta do início ao fim da corrida.* **5** Quantia dada ou recebida antecipadamente por conta de pagamento de mercadoria, serviço, salário etc.: *adiantamento do 13º salário; Deu um adiantamento para garantir a reserva do hotel.* **6** Estágio ou condição de avanço nos estudos, de (bom) aproveitamento escolar: *O teste comprovou o adiantamento da turma.* **7** Posto ou cargo de adiantado (8), (governador de província) [F.: *adiantar* + *-mento*.]

adiantar (a.di.an.*tar*) *v.* **1** Mover(-se) ou deslocar(-se) para a frente; AVANÇAR [*td.*: *O time adiantou o meio-campo.*] [*int.*: *O soldado adiantou-se no caminho.* Ant.: *recuar.*] **2** Fazer com que algo avance ou progrida [*td.*: *O aluno adiantou a leitura do livro.* Ant.: *retardar.*] **3** Dizer ou afirmar algo antes que se realize ou antes do tempo; ANTECIPAR [*td.*: *O pai adiantou que compraria um novo carro.*] [*tdr.* + *a*, *para*: *O chefe adiantara ao funcionário que não poderia tirar férias.*] **4** Fazer com que algo aconteça antes do que se previu; ANTECIPAR [*td.*: *O diretor adiantou a realização das provas.* Ant.: *adiar, postergar.*] **5** Agir antes do previsto ou antes de outrem; ANTECIPAR-SE [*tr.* + *a*: *A polícia adiantou-se aos bandidos e surpreendeu-os.*] [*int.*: *O goleiro ia agarrar, mas ele adiantou-se e fez o gol.*] **6** Pagar antecipadamente o que se deve [*td.*: *adiantar a mensalidade.*] [*tdi.* + *a*, *para*: *O patrão adiantava-lhe o salário.* Ant.: *atrasar.*] **7** Andar mais rápido do que o normal (diz-se do relógio) [*td.*: *José adiantou o relógio para não chegar atrasado.*] [*int.*: *Marta ganhou um relógio que adianta.* Ant.: *atrasar.*] **8** Ter efeito, trazer vantagem [*int.*: "...Não adianta mentir, o senhor viu logo..." (Marques Rebelo, *Contos reunidos*)] [▶ 1 adiantar] [F.: *adiante* + *-ar*[2].]

adiante (a.di:*an*.te) *adv.* **1** Em posição anterior no espaço, à frente de: *Estava adiante dele, mas foi alcançado.* **2** No lugar imediato, seguinte; mais à frente: *Ali adiante há um ótimo hotel.* **3** *P. us.* Em ocasião anterior, em posição anterior no tempo; na frente: *Ela viaja no mês que vem, mas a mulher vai adiante, dentro de duas semanas.* **4** Para posição anterior no espaço; a frente, à frente: *Deixou os que o seguiam na fila passarem adiante.* **5** Em continuação (num desenvolvimento); AVANTE: *Resolveu levar o plano adiante.* **6** Posteriormente, depois, em seguida: *Como se verá adiante.* *interj.* **7** Us. como incentivo ou instrução para avançar; AVANTE [F.: *a-*[2] + *diante*. Hom./Par.: *adiante* (adv., interj.), *adiante* (fl. de *adiantar*). Ideia de 'adiante': *proso-* (*prosobrânquio*).]

adianto[1] (a.di:*an*.to) *sm. Bot.* Nome comum de plantas do gên. *Adiantum*, família das pteridáceas, cultivadas como ornamentais e conhecidas vulgarmente como *avenca* [F.: Do lat. cient. gên. *Adiantum*. Hom./Par.: *adianto* (fl. de *adiantar*).]

adianto[2] (a.di:*an*.to) *sm. Bras. Pop.* Ação ou resultado de adiantar(-se); ADIANTAMENTO [F.: Em *adianto*[1].]

adiapneustia (a.di:a.pneus.*ti*.a) *sf. Med.* O mesmo que *adiaforese* [F.: Do gr. *adiapneustia*.]

adiapnêustico (a.di:a.*pnêus*.ti.co) *a. Med.* Ref. a adiapneustia, ou que dela sofre [F.: *adiapneustia* + *-ico*[2].]

adiar (a.di.*ar*) *v.* **1** Transferir (realização de) evento [*td.*: *Resolveram adiar a estreia da peça.*] [*tdr.* + *por*: *Adiaram a estreia por dois meses.*] **2** Marcar (evento, compromisso etc.) para data ulterior àquela previamente estabelecida [*tdr.* + (*de*...) *para*: *Adiaram a estreia (de junho) para agosto.*] [▶ 1 adiar] [F.: *a-*[2] + *dia* + *-ar*[2].]

adiável (a.di:*á*.vel) *a2g.* Que se pode ou se deve adiar; que é passível de adiamento (compromisso adiável) [Pl.: *-veis*.] [F.: *adiar* + *-vel*. Hom./Par.: *adiáveis* (pl.), *adiáveis* (fl. de *adiar*).]

adição[1] *sf.* **1** Ação ou resultado de adir[1], de acrescentar, incluir algo: *sem adição de açúcar.* **2** *Arit.* Operação de adicionar quantidades; SOMA **3** Aquilo que se acrescenta, acréscimo, aumento **4** *Jur.* Acréscimo feito em contrato, documento etc.; ADITAMENTO **5** *Psiq.* Hábito compulsivo de consumir, ou consumo constante de drogas, alucinógenos, substâncias de ação psíquica etc. **6** *Psiq.* Tendência a ter esse tipo de hábito compulsivo [Pl.: *-ções*.] [F.: Do lat. *additio, onis*. Ant. de 1, 2, 3: *subtração*.]

adição[2] (a.di.*ção*) *sf. Jur.* Ação ou resultado de adir[2] (herança) [Pl.: *-ções*.] [F.: Do lat. tard. *aditio, onis*.]

adicionado (a.di.ci:o.*na*.do) *a.* **1** Que se adicionou **2** Acrescentado, ajuntado **3** *RS* Que sofre de doença crônica ou tem defeito nas patas (diz-se de cavalo) [F.: Part. de *adicionar*.]

adicional (a.di.ci:o.*nal*) *sm.* **1** Aquilo que se adiciona, acrescenta **2** Despesa ou imposto que se acrescem aos já pagos [Tb. us. no pl.] **3** *Jur.* Pagamento adicionado ao salário de funcionário que venha a exercer suas atividades em condições consideradas insalubres, perigosas, de risco, de caráter penoso ou pelo tempo de serviço prestado [Tb. us. no pl.] **4** Remuneração extraordinária acrescida ao salário do trabalhador; VANTAGEM: *adicional de férias.* [Pl.: *-nais*.] *a2g.* **5** Que se adiciona, acrescenta (custo adicional, esclarecimentos adicionais); ACESSÓRIO; COMPLEMENTAR **6** Que complementa algo ao lhe ser acrescentado; ACESSÓRIO; COMPLEMENTAR: *ato adicional (à carta constitucional).* [Pl.: *-nais*.] [F.: Do fr. *additionnel*, ou de *adição*[1], + *-al*[1].] ■ **~ de insalubridade** Ver *insalubridade* (2)

adicionamento (a.di.ci:o.na.*men*.to) *sf.* Ação ou resultado de adicionar; ADIÇÃO; ADICIONAÇÃO [F.: *adicionar* + *-mento*.]

adicionar (a.di.ci.o.*nar*) *v.* **1** Juntar uma coisa a outra; ACRESCENTAR [*td.*: *O café está amargo; adicione açúcar.*] [*tdr.* + *a*: *adicionar sal ao arroz.*] **2** *Arit.* Fazer adição; SOMAR [*td.*: *adicionar números pares.*] [*tdr.* + *a*: *adicionar 10 a 25*] [*int.*: *Prefiro adicionar a subtrair.* Ant.: *subtrair*] **3** *Bras. Vet.* Fazer ficar ou ficar adicionado (3), doente (cavalo) [*td.*: *O esforço excessivo e o mau tratamento adicionaram o cavalo*] [*int.*: *Ferido e maltratado, o cavalo adicionou-se*] [▶ 1 adicionar] [F.: *adição*[1]- + *-ar*[2].]

adicionável (a.di.ci:o.*ná*.vel) *a2g.* Que se pode adicionar [Pl.: *-veis*.] [F.: *adicionar* + *-vel*. Hom./Par. *adicionáveis* (pl.), *adicionáveis* (fl. de *adicionar*).]

adicto (a.*dic*.to) *sm.* **1** Pessoa que é dependente de droga ou substância química *a.* **2** Que é dependente de algo, submisso **3** Que tem afeição por ou se afeiçoa, se liga, se apega a (algo ou alguém),; AFEIÇOADO; APEGADO [F.: Do lat. *addictus, a, um*. Hom./Par.: *adicto* (sm., a.), *adito* (fl. de *aditar*).]

adido (a.*di*.do) *sm.* **1** Funcionário auxiliar (não pertencente ao quadro, esp. diplomático), nomeado para trabalhar com funções específicas (adido cultural, adido naval): *adido à delegação brasileira.* **2** *Lus.* Empregado que, pelos serviços prestados, passa a ter direito a ocupar as primeiras vagas disponíveis do quadro de funcionários *a.* **3** Que foi adicionado ou incorporado, agregado [F.: Do lat. *additus, a, um*; substv. nas acps. 1 e 2.]

⊕ ***ad ignorantiam*** (*Lat.* /*adignorânciam*/) Us. na expr. *apelo ad ignoarantiam*, 'apelo à ignorância'

adimensional (a.di.men.si:o.*nal*) *a2g.* **1** Que não tem dimensão **2** *Fís.* Diz-se de grandeza física que pode ser expressa por um número simples, sem dimensão [Ant.: *dimensional.*] [Pl.: *-nais*.] [F.: *a-*[3] + *dimensional*.]

adimplemento (a.dim.ple.*men*.to) *sm. Jur.* Ação ou resultado de adimplir, de cumprir uma obrigação, contrato etc.; ADIMPLÊNCIA [Ant.: *inadimplemento*.] [F.: *adimplir* + *-mento*, a exemplo de *complemento*.]

adimplência (a.dim.*plên*.ci:a) *sf. Jur.* O mesmo que *adimplemento* [Ant.: *inadimplência*.] [F.: *adimplir* + *-ência*.]

adimplente (a.dim.*plen*.te) *Jur. a2g.* **1** Que cumpre as obrigações estabelecidas em contrato *s2g.* **2** Pessoa adimplente [F.: Do lat. *addimplens, entis*. Ant. ger.: *inadimplente*.]

adimplir (a.dim.*plir*) *v. td. Jur.* Cumprir ou executar (um contrato) [▶ 3 adimplir] [F.: Do lat. *adimplere*, "cumprir, executar".]

adinamia (a.di.na.*mi*.a) *sf.* **1** Debilidade geral, prostração física e moral; ASTENIA **2** *Med.* Fraqueza muscular, frequentemente associada a doenças infecciosas prolongadas [F.: Do gr. *adinamya*.]

adinâmico (a.di.*nâ*.mi.co) *a.* **1** Ref. a adinamia: *estado adinâmico de um enfermo.* **2** Que sofre de adinamia **3** Fraco, debilitado [F.: *adinamia* + *-ico*[2].]

⊕ ***ad instar*** (*Lat.* /*adínstar*/) *loc. adv.* Ao modo de, a semelhança de, a exemplo de

adíon (a.*dí*.on) *sm. Fís. Quím.* Íon adsorvido numa superfície [Pl.: *adiones, adíons*.] [F.: *ad*(*sorver*) + *íon*.]

ádipe (*á*.di.pe) *s2g. sm. P. us.* Gordura animal ou humana [F.: Do lat. *adeps, ipis*. Tb. *ádipo*.]

◎ **adip(o)-** *el. comp.* = 'gordura': *adipócito, adiponecrose, adipose* [F.: Do lat. *adeps, ipis*.]

ádipo (*á*.di.po) *sm.* Ver *ádipe*

adipocera (a.di.po.*ce*.ra) *sf.* Substância cerosa mole e quebradiça que se forma em tecidos e órgãos de cadáveres, o que ocorre com frequência quando o sepultamento se dá em locais úmidos [F.: *adip(o)-* + *cera*. Tb.: *adipocira, adipociro*.]

adipócito (a.di.*pó*.ci.to) *Histl. sm.* **1** Célula adiposa; CÉLULA DE GORDURA *sm.* **2** Célula do tecido conjuntivo especializada na síntese e armazenamento de gordura [F.: *adip(o)-* + *-cito*.]

adiponecrose (a.di.po.ne.*cro*.se) *sf. Histl.* Morte de células adiposas [F.: *adip(o)-* + *necrose*.]

adiposa (a.di.*po*.sa) [ó] *sf. Zool.* Pequena protuberância carnosa que ocorre na cauda de certos peixes, atrás da nadadeira dorsal; nadadeira adiposa [F.: Fem. substv. de *adiposo*.]

adipose (a.di.*po*.se) [ó] *sf. Med.* Acúmulo excessivo de gordura no corpo; OBESIDADE [F.: *adip(o)-* + *-ose*[1].]

adiposidade (a.di.po.si.*da*.de) *Med. sf.* **1** Estado ou condição em que há teor excessivo de gordura no organismo; OBESIDADE **2** Infiltração de gordura em um certo tecido ou órgão (adiposidade localizada) [F.: *adiposo* + *-(i)dade*.]

adiposo (a.di.*po*.so) [ô] *a.* **1** Que tem ou é feito de gordura (diz-se de tecido); GORDUROSO **2** Muito gordo; OBESO [Fem. e pl.: [ó].] [F.: *ádipe, ádipo* + *-oso*.]

adiposuria (a.di.po.su.*ri*.a) *sf.* Ver *adiposúria*

adiposúria (a.di.po.*sú*.ri.a) *sf. Med.* Presença de gordura na urina; LIPÚRIA; LIPURIA [F.: *adiposo* + *-úria* (ou *-uria*). Tb. *adiposuria*.]

adipsia (a.dip.*si*.a) *sf. Med.* Patologia apresentada por pessoa que passa horas sem sentir necessidade de tomar líquidos; falta de sede [F.: *a-*[3] + *-dipsia*.]

adípsico (a.*dí*.psi.co) *Med. a.* **1** Relativo a adipsia **2** Diz-se de indivíduo que sofre de adipsia *sm.* **3** Esse indivíduo [F.: *adipsia* + *-ico*[2], seg. o mod. vern.]

adir[1] (a.*dir*) *v.* Juntar, adicionar, incorporar [*td.*: *adir despesas.*] [*tdr.* + *a*: *Os cientistas adiram novas pesquisas ao programa; Adiu-se à equipe.*] [▶ 59 adir] [F.: Do lat. *addere*.]

adir[2] (a.*dir*) *v. td. Jur.* Tomar posse de (bens deixados por herança): *adir as propriedades.* [▶ 59 adir] [F.: Do lat. *adire*.]

aditamento (a.di.ta.*men*.to) *sm.* **1** Ação ou resultado de aditar, de acrescentar algo ao que já havia; ADIÇÃO [Ant.: *supressão*] **2** O que se acrescenta a algo **3** *Jur.* Aquilo que se acrescenta a (documento, contrato) para ampliar, complementar, corrigir, esclarecer etc. [+ *a*, *de*: "...O Diário Oficial da União publicou um aditamento a um edital de junho, que anunciava as vagas..." (Veja, 18.07.2001)] [F.: Do lat. *additamentum, i*.]

aditar[1] (a.di.*tar*) *v.* Ver *adicionar* [▶ 1 aditar] [F.: Do lat. *additus*, part. pass. de *addere*, "acrescentar, adicionar". Hom./Par.: ver *aditar*[2].]

aditar[2] (a.di.*tar*) *v. td.* Tornar (alguém) feliz, ditoso; AFORTUNAR [▶ 1 aditar] [F.: *a-*[2] + *dita* + *-ar*[2]. Hom./Par.: ver *aditar*[1].]

aditício (a.di.*tí*.ci:o) *a.* **1** Resultante de uma adição **2** Que foi acrescentado a um texto, processo, obra etc.; COMPLEMENTAR; JUNTADO: *documento aditício a um processo.* [F.: Posv. do lat. *additicius* ou *addititius, a, um*.]

aditiva (a.di.*ti*.va) *sf. Gram.* Forma red. de conjunção aditiva

aditivado (a.di.ti.*va*.do) *a.* **1** Que recebeu aditivo (3 a 6) **2** *Mec.* Diz-se de combustível misturado com aditivos próprios para dissolver impurezas em motor a explosão [F.: *aditivo* + *-ado*[1].]

aditivar (a.di.ti.*var*) *v.* **1** Acrescentar aditivo a (contrato, produto etc.) [*td.*: *aditivar um contrato; aditivar a gasolina.*] [*tdr.* + *com*, *em*: *aditivar a gasolina com antidetonante; Aditivou em R$37 milhões o contrato com as agências.*] **2** Realizar aditivação [*int.*: *...agente autorizado pela ANP a adquirir, armazenar, transportar, aditivar, industrializar, misturar, comercializar...*] [▶ 1 aditivar] [F.: *aditivo* + *-ar*[2].]

aditivo (a.di.*ti*.vo) *a.* **1** Que se adita, adiciona, acrescenta a algo; ADICIONAL **2** *Gram.* Diz-se da conjunção coordenativa que expressa adição ou união (p. ex.: *e*) **3** Diz-se de processo de formação (síntese) de cores com eliminação das radiações do branco que interferem na correção das cores formadas *sm.* **4** O que se adiciona, acrescenta; ADICIONAL **5** *Jur.* Acréscimo a documento, projeto, lei etc. **6** *Pol.* Texto que complementa ou modifica lei, projeto de lei, projeto de resolução etc. **7** *Cons.* Substância que se adiciona aos aglomerantes para lhe alterar algumas propriedades **8** *Quím.* Substância que se acrescenta a outra(s) para modificar suas propriedades: *alimento em conserva sem aditivos.* **9** *Arit.* Parcela precedida pelo sinal de adição e que se acrescenta a outra quantidade [F.: Do lat. *additivus, a, um*.]

ádito[1] (*á*.di.to) *a.* **1** Diz-se do que se adicionou a algo para complementá-lo *sm.* **2** Aquilo que se adicionou [F.: Do lat. *additus, a, um*. Hom./Par.: *adito* (fl. de *aditar*).]

ádito[2] (*á*.di.to) *sm.* **1** *Ant. Rel.* Em templos da antiga Grécia, câmara secreta onde só podiam entrar sacerdotes **2** *Fig.* Qualquer compartimento ou lugar reservado, secreto **3** *Fig.* Algo guardado em segredo, não revelado, misterioso [F.: Do gr. *ádytos, os, on*, pelo lat. *adytum, i*, ou *adytus, us*.]

ádito[3] (*á*.di.to) *sm.* **1** *Anat.* Abertura de uma cavidade **2** *Arq.* Lugar por onde se pode entrar; entrada: "...mas diante deste ádito maravilhoso erguia-se um pilar encimado por uma placa negra (...) com esta ameaça: que nenhum estrangeiro aqui penetre, sob pena de morrer..." (Eça de Queirós, *A relíquia*) **3** *P. ext. Arq.* Espaço que estabelece ligação entre dois pontos; passagem **4** *Fig.* Acesso a algo ou alguém **5** *Fig.* Momento propício (para se fazer alguma coisa); ENSEJO [F.: Do lat. *aditus, us*.]

adivinha[1] (a.di.*vi*.nha) *sf.* **1** *Lud.* Pergunta, questão, formulação etc. dá indícios artificiosos para sua resposta ou solução; ADIVINHAÇÃO; CHARADA; ENIGMA **2** Ação ou resultado de adivinhar; adivinhação (1) [F.: Dev. de *adivinhar*. Hom./Par.: *adivinha* (sf.), *adivinha* (fl. de *adivinhar*), *advinha* (fl. de advir).]

adivinha² (a.di.*vi*.nha) *sf. Oct.* Mulher que faz adivinhações, que tem ou pretende ter o dom de adivinhar, de resolver enigmas, ou de prever acontecimentos futuros [F.: Fem. de *adivinho*.]

adivinhação (a.di.vi.nha.*ção*) *sf.* **1** Ação ou resultado de adivinhar **2** Brincadeira de propor adivinhas, enigmas simples para que outros tentem responder; ADIVINHA **3** *Oct.* Crença de que é possível prever o futuro e adivinhar o que está oculto no passado ou presente; a prática de tal atividade [Pl.: *-ções*.] [F.: *adivinhar* + *-ção*. Ideia de 'adivinhação': – *mancia* (*cartomancia*, *dactilomancia*).]

adivinhador (a.di.vi.nha.*dor*) [ô] *a.* **1** Que advinha *sm.* **2** Homem que adivinha, ou que prevê o futuro; ADIVINHO [F.: *adivinhar* + *-dor*.]

adivinhão (a.di.vi.*nhão*) *sm.* **1** O mesmo que *adivinho* **2** Feiticeiro, mago, bruxo **3** *Bras. Irôn. Pej.* Pessoa que tem a pretensão de adivinhar, de prever, de saber tudo; aquele que diz o óbvio como se fosse um achado [Pl.: *-nhões*. Fem.: *-nhona*.] [F.: *adivinhar* + *-ão³*.]

adivinhar (a.di.vi.*nhar*) *v. td.* **1** Conhecer, descobrir ou intuir (fatos desconhecidos ou ocultos do presente, passado ou futuro) por meios sobrenaturais ou por astúcia: *Os oráculos adivinhavam o futuro; A vidente adivinhou que meu pai serviria na Marinha.* **2** Tirar conclusões ou descobrir algo a partir de indícios; INTERPRETAR: *Olhando-a nos olhos, o namorado adivinhou seus sentimentos.* **3** Descobrir por acaso ou mera suposição: *Adivinhe quem vem para jantar?* **4** Resolver uma adivinha, um enigma, uma charada [▶ **1** adivinhar] [F.: Do lat. *divinare*, posv. pelo lat. vulg. **addivinare*.]

adivinhatório (a.di.vi.nha.*tó*.ri:o) *a.* Ref. a adivinhação (método adivinhatório); DIVINATÓRIO [F.: *adivinhado* sob a forma radical, *adivinhat-* + *-ório*.]

adivinho (a.di.*vi*.nho) *a.* **1** *Oct.* Que supostamente adivinha, resolve enigmas, revela o que está oculto ou prevê fatos futuros; que tem ou pretende ter o dom divinatório *sm.* **2** Indivíduo adivinho (1); quem adivinha, quem tem ou pretende ter esse dom; ADIVINHADOR; ADIVINHÃO; VIDENTE [Aum.: *adivinhão*.] [F.: Do lat. (*ad* +) *divinus, a, um*, posv. sob a f. **addivinus*. Hom./Par.: *adivinho* (a. sm.), *adivinho* (fl. de *adivinhar*). Ideia de 'adivinho': *-mante* (*actinomante*, *cartomante*).]

adjacência (ad.ja.*cên*.ci:a) *sf.* Estado do que é adjacente a um lugar, a um terreno; CONTIGUIDADE; CONFINIDADE; VIZINHANÇA [Ant.: *afastamento, distância*.] [F.: Do lat. *adjacentia, ium*.]

adjacências (ad.ja.*cên*.ci:as) *sfpl.* Lugares próximos; ARREDORES; CERCANIAS; REDONDEZAS; VIZINHANÇA [F.: Ver *adjacência*.]

adjacente (ad.ja.*cen*.te) *a2g.* **1** Que está junto, próximo, contíguo (quartos adjacentes) [+ *a*: *Adquiriu o terreno adjacente à fábrica para ampliá-la*.] **2** *Álg.* Diz-se de lado ou arco que, num grafo, tem ponto final comum com outro lado ou arco **3** *Geom.* Diz-se da figura que possui lado(s) em comum com outra **4** *Ling.* Diz-se de elemento que está junto a outro em uma frase *sm.* **5** O que está junto, contíguo, ou nas proximidades: *Comprou aquele terreno e seus adjacentes.* [Mais us. no pl.] [F.: Do lat. *adjacens, entis*.]

adjeção (ad.je.*ção*) *sf. P. us.* Aquilo que se junta a alguma coisa; ADIÇÃO; ACRESCENTAMENTO [F.: Do lat. *adjectio, onis*.]

adjetivação (ad.je.ti.va.*ção*) *sf.* **1** *Gram.* Ação ou resultado de adjetivar, de qualificar com adjetivo(s) **2** Ação de transformar uma palavra em adjetivo ou de usá-la como adjetivo [Pl.: *-ções*.] [F.: *adjetivar* + *-ção*.]

adjetivado (ad.je.ti.*va*.do) *a.* **1** Que se adjetivou **2** *Gram.* Usado adjetivamente, com função de adjetivo **3** *Pej.* Diz-se de estilo ou linguagem, ou de texto, discurso etc. em que se usam muitos adjetivos (discurso adjetivado) **4** Qualificado, caracterizado [F.: Part. de *adjetivar*.]

adjetival (ad.je.ti.*val*) *a2g.* **1** Ref. a adjetivo ou que é de sua natureza **2** *Gram.* Diz-se de palavra ou locução que, sintaticamente, é us. nos mesmos contextos em que se usam adjetivos [Pl.: *-vais*.] [F.: *adjetivo* + *-al*.]

adjetivar (ad.je.ti.*var*) *v.* **1** *Gram.* Empregar adjetivos em [**td.**: *adjetivar a frase*.] **2** *Gram.* Atribuir valor gramatical de adjetivo a [**td.**: *adjetivar o verbo*.] **3** *Gram.* Usar adjetivos [**int.**: *Seu estilo é frouxo porque adjetiva em excesso*.] **4** Dar ou atribuir qualidade (de) a; QUALIFICAR [**td.**: *O jornalista não mediu palavras para adjetivar o espetáculo*.] [**tdp.**: *Adjetivou a comida* de *excelente*.] **5** *Fig.* Tornar(-se) conciliável ou compatível; harmonizar(-se) [**tdr.** + *com*: *Não conseguia adjetivar seus atos com suas palavras*.] [▶ **1** adjetivar] [F.: *adjetivo* + *-ar²*. Hom./Par.: *adjetivo* (fl.), *adjetivo* (a. sm.).]

adjetivo (ad.je.*ti*.vo) *sm.* **1** *Gram. Ling.* Palavra que se junta a um substantivo, qualificando-o ou classificando-o *a.* **2** Que está próximo de, unido a; ADJUNTO **3** *Gram. Ling.* Diz-se de palavra que modifica um substantivo, qualificando-o ou classificando-o **4** *Gram. Ling.* Que funciona como adjetivo (locução adjetiva; pronome adjetivo) [F.: Do lat. *adjectivus, a, um*. Hom./Par.: *adjetivo* (sm.), *adjetivo* (fl. de *adjetivar*).] ■ **~ atributivo** *Gram.* O que, atribuindo uma qualidade ao nome, funciona como adjunto adnominal (*estrada longa*) **~ biforme** *Gram.* O que tem uma forma para o masculino, outra para o feminino (*alto, alta*) **~ de dois gêneros** *Gram.* O que tem a mesma forma para o masculino e o feminino (*estável, capaz*) **~ de dois gêneros e de dois números** *Gram.* O que tem a mesma forma para masculino, feminino, singular e plural (*calça/calças grená; lenço/lenços grená*) **~ de dois números** *Gram.* O que tem a mesma forma para singular e plural (*É um caso/são dois casos daqueles; É uma situação/são situações daquelas.*) **~ gentílico** *Gram.* O que relaciona com a origem em ou pertinência a cidade, região, estado, país etc. (*latino, inglês, porto-alegrense, amazônico* etc.) [Tb. apenas *gentílico*.] **~ pátrio** *Gram.* O que relaciona com país ou nação (*americano, brasileiro, português* etc.) **~ predicativo** *Gram.* O que exerce função predicativa (*Não me faça ficar triste*).

adjudicação (ad.ju.di.ca.*ção*) *sf.* **1** Ação ou resultado de adjudicar(-se) **2** *Jur.* Ato judicial ou administrativo que outorga (a alguém) a propriedade de bens **3** *Jur.* Ato de entregar ao exequente bem penhorado ou coisa que esteve em hasta pública **4** *Jur.* Contrato realizado após concorrência pública [Pl.: *-ções*.] [F.: Do lat. tard. *adjudicatio, onis*.]

adjudicado (ad.ju.di.*ca*.do) *a.* **1** Que se adjudicou **2** *Jur.* Que foi atribuído a alguém por meio de decisão judicial **3** Que foi vinculado (a determinada condição) **4** Que foi submetido, sujeitado (a alguém, algo, circunstância etc.) [F.: Part. de *adjudicar*.]

adjudicador (ad.ju.di.ca.*dor*) [ô] *Jur. a.* **1** Diz-se de indivíduo que adjudica bens ao adjudicatário *sm.* **2** Esse indivíduo [F.: *adjudicar* + *-dor*.]

adjudicando (ad.ju.di.*can*.do) *a.* **1** Que se pretende adjudicar *sm.* **2** *Jur.* Aquilo que se vai ou se pretende adjudicar [F.: *adjudica(r)* + *-ndo*.]

adjudicar (ad.ju.di.*car*) *v.* **1** *Jur.* Conceder, por decisão da justiça, a posse de algo a alguém [**td.**: *adjudicar bens*.] [**tdi.** + *a, para*: *O juiz adjudicou as joias aos herdeiros*.] **2** Estabelecer condição (para a realização ou reconhecimento de algo); VINCULAR [**tdr.** + *a*: *O juiz adjudicou a aprovação das contas à apresentação de um relatório atualizado*] **3** Conceder a alguém ou reconhecer-lhe algo (título, autoria, origem, responsabilidade etc.); ATRIBUIR(-SE) [**tdi.** + *a, para*: *O Governo estadual adjudicou às prefeituras a compra dos dicionários; Adjudicou-se (a si mesmo) a responsabilidade pelo atraso nas obras*.] **4** Entregar legalmente (algo) a alguém; CONFERIR [**tdi.** + *a, para*: *adjudicar à mãe a posse dos filhos*.] **5** Sujeitar-se a (alguém ou algo) [**tdr.** + *a*: *Não se adjudicava às ordens do pai*.] [▶ **11** ajdudicar] [F.: Do lat. *adjudicare*.]

adjudicatário (ad.ju.di.ca.*tá*.ri:o) *a.* **1** Diz-se daquilo ou daquele aos quais é adjudicado algo *sm.* **2** Aquilo ou aquele aos quais algo é adjudicado [F.: *adjudicado*, sob a forma radical *adjudicat-* + *-ário*.]

adjudicativo (ad.ju.di.ca.*ti*.vo) *a.* *Jur.* Diz-se de ato ou sentença que dá origem a adjudicação [F.: *adjudicar* + *-tivo*.]

adjudicatório (ad.ju.di.ca.*tó*.ri:o) *a.* **1** *Jur.* Diz-se do ato jurídico que tem poder de adjudicar **2** Diz-se da sentença que adjudica [F.: *adjudicar* + *-tório*.]

⊕ **ad judicia** (*Lat.* /*ad judíssia*/) *loc. a. Jur.* Diz-se de mandato outorgado aos advogados para procurarem os direitos do mandante em juízo, sem ter de mencionar cada um dos poderes, exceto em determinados atos expressos em lei (procuração ad judicia)

⊕ **ad judicium** (*lat.* /*adjudícium*/) *loc. adv.* Ao juízo; para fins judiciais (*apelo ad judicium*) [Tb. no pl., *ad judicia*. A expr. da lógica *apelo ad judicium* refere-se ao uso de argumentação baseada no senso comum.]

adjunção (ad.jun.*ção*) *sf.* **1** Ação ou resultado de adjungir, juntar, associar **2** Associação ou junção de pessoa(s) a outrem; UNIÃO **3** Junção ou justaposição de uma coisa a outra para formar um todo **4** *Jur.* Aquisição de um bem móvel mediante sua agregação a outra coisa pertencente ao comprador, para formar um todo [Pl.: *-ções*.] [F.: Do lat. *adjunctio, onis*.]

adjungir (ad.jun.*gir*) *v.* Colocar junto ou associado a; JUNTAR; ASSOCIAR [**td.**: *Adjungir um prefixo para formar nova palavra*.] [**tdi.** + *a*: *Adjungiu pequenas flores comestíveis à salada*.] [▶ **46** adjungir] [F.: Do lat. *adjungere*, "emparelhar, jungir, juntar".]

adjunto (ad.*jun*.to) *a.* **1** Que está junto, perto ou ao lado; CONTÍGUO **2** Que auxilia o titular do cargo (diretor adjunto); ASSISTENTE *sm.* **3** Pessoa que auxilia um superior, o titular do cargo; ASSESSOR **4** Pessoa cuja função é substituir alguém em sua função (na ausência deste); SUPLENTE **5** *Bras. N. E.* Auxílio mútuo que se prestam os pequenos agricultores, reunindo-se durante um dia para plantação, colheita, roçada, construção de casa etc., em benefício de um deles; MUTIRÃO **6** *N. N. E. P. ext.* Ajuntamento de pessoas que se reúnem para alguma atividade **7** *Amaz.* Movimento que reúne trabalhadores e habitantes da Amazônia em suas reivindicações por melhores condições sociais e de trabalho **8** *Gram.* Elemento acessório que se liga a um substantivo, verbo, adjetivo ou advérbio, acrescentando informações sobre eles (adjunto adverbial, adjunto adnominal) [F.: Do lat. *adjunctus, a, um*.] ■ **~ adnominal** *Gram.* Palavra ou expressão com função adjetiva, que especifica ou delimita o significado de um substantivo **~ adverbial** *Gram.* Palavra ou expressão de valor adverbial que confere alguma circunstancialidade à ação ou estado expresso pelo verbo, ou que o intensifica o sentido deste, ou de um adjetivo, ou de um advérbio **~ de horta** *Bras. MG* Na região do rio São Francisco, remédio caseiro feito de folhas, ervas ou raízes

adjuração (ad.ju.ra.*ção*) *sf.* **1** Ação ou resultado de adjurar **2** Pedido feito com insistência; ROGO; SÚPLICA **3** *Rel.* Fórmula usada na Igreja Católica em atos de exorcismo [Pl.: *-ões*.] [F.: Do lat. *adjuratio, onis*.]

adjurador (ad.ju.ra.*dor*) [ô] *a.* **1** Diz-se de quem adjura, confirma por juramento ou roga com insistência *sm.* **2** Aquele que adjura [Pl.: *-ores*.] [F.: Do lat. *adjurator, oris*.]

adjurar (ad.ju.*rar*) *v.* **1** Afirmar ou assegurar sob juramento; JURAR [**td.**: *Adjurou sua lealdade à pátria*.] **2** Pedir com instância; INSTAR; ROGAR [**tdr.** + *a*: *Adjurou-o a que abandonasse o vício*.] **3** *Rel.* Fazer sair, tirar o demônio do corpo de (alguém); EXORCIZAR; ESCONJURAR [**td.**: *adjurar um possesso*.] [▶ **1** adjurar] [F.: Do lat. *adjurare*, "afirmar com juramento, ou instar, rogar".]

adjutorar (ad.ju.to.*rar*) *v. td. P. us.* Dar adjutório ou ajuda a; AJUDAR [▶ **1** adjutorar] [F.: *adjutor* + *-ar*.]

adjutório (ad.ju.*tó*.ri:o) *a.* **1** Que ajuda, auxilia *sm.* **2** Ajuda, auxílio, socorro: *Peço seu adjutório, senhor.* **3** *Med.* Clister, enema, purgante **4** *N. E. BA SE ES SP PR* Mutirão [F.: Do lat. *adjutorium, ii*.]

adjuvado (ad.ju.*va*.do) *a.* Que se adjuvou; ajudado [F.: Part. de *adjuvar*.]

adjuvante (ad.ju.*van*.te) *a2g.* **1** Que ajuda, auxilia (graça adjuvante, fator adjuvante); ADJUTÓRIO **2** Diz-se de remédio que reforça a ação e a efetividade de outro **3** *Med.* Diz-se de agente (substância, produto etc.) que intensifica reação imunológica de organismo ao estimular a produção adequada de anticorpos ou linfócitos **4** Diz-se de personagem ou função secundários num enredo (literário, teatral etc.), mas que ajudam os principais no desenvolvimento da narrativa *s2g.* **5** Pessoa que secunda a ação de outro, ajudando-o **6** Medicamento adjuvante (2) **7** *Med.* Substância ou produto adjuvante (3) **8** Função ou personagem adjuvante (4) [F.: Do lat. *adjuvans, antis*.]

⊕ **ad lib** (*Lat.* /*ad lib*/) *loc. adv.* Abrev. de *ad libitum*

⊕ **ad libitum** (*Lat.* /*ad líbitum*/) *loc. adv.* **1** De acordo com sua vontade; à vontade; ARBITRARIAMENTE [Abrev.: *ad lib*.] **2** *Jur.* Expressão por meio da qual se dá liberdade a alguém para decidir-se entre praticar, ou não, um ato **3** *Mús.* Indicação de que o trecho, a parte instrumental ou vocal, pode ser livremente interpretada, ou mesmo omitida **4** *Teat.* Indicação, no texto de obra teatral, de que o(s) ator(es) naquele momento deve(m) improvisar

⊕ **ad litem** (*Lat.* /*ad litem*/) *loc. a. Jur.* Para ser usado no processo. Função processual pela qual um mandato é limitado ao processo em causa (mandato ad litem)

⊕ **ad litteram** (*Lat.* /*ad lítteram*/) *loc. adv. Jur.* Literalmente, ao pé da letra

⊕ **ad majorem Dei gloriam** (*Lat.* /*ad maiórem dêi glóriam*/) *loc. adv. Rel.* Para a maior glória de Deus [Lema da Companhia de Jesus, ger. abreviado A.M.D.G.]

⊕ **ad mensuram** (*Lat.* /*admensúram*/) *loc. adv. Jur.* Em razão da, pela medida (ref. ao valor de coisa que se vende, considerando o número de partes ou de unidades de medida e não o valor total)

administrabilidade (ad.mi.nis.tra.bi.li.*da*.de) *sf.* **1** Qualidade ou condição do que pode ser administrado, do que é administrável **2** Possibilidade de administrar [F.: *administrável*, sob a forma rad. *administrabil-*, + *-(i)dade*.]

administração (ad.mi.nis.tra.*ção*) *sf.* **1** Ação ou resultado de administrar **2** Gestão de negócios, atividades, projetos públicos ou particulares **3** Modo de administrar, de gerir; DIREÇÃO; GERÊNCIA; GOVERNO: *Propunha uma administração rigorosa.* **4** *P. ext.* O tempo de gestão de um administrador: *durante a administração de Juscelino Kubitschek.* **5** *Adm.* Departamento dirigido por um administrador **6** *Adm.* Equipe que administra: *A administração disse que tomaria providências.* **7** *Adm.* Conjunto de instalações onde trabalha essa equipe **8** *Adm.* Estudo dos princípios e das técnicas de administração ou gerência em curso superior **9** *Rel.* Ação de administrar, de conceder (sacramentos) **10** *Med. Vet.* Ação de ministrar medicamento, vacina etc. [Pl.: *-ções*.] [F.: Do lat. *administratio, onis*.] ■ **~ direta** A exercida por órgão do Estado **~ indireta** A que é exercida por autarquia, sociedade de economia mista ou empresa pública **~ pública** Área administrativa ligada ao Estado ou ao governo

administrador (ad.mi.nis.tra.*dor*) [ô] *a.* **1** Que administra, que gere (grupo administrador) *sm.* **2** *Adm.* Indivíduo que administra negócios públicos ou particulares **3** *Adm.* Preposto do proprietário na direção de uma empresa; aquele que, nessa qualidade, a administra (administrador da fábrica; administrador da fazenda) **4** Aquele que administra bens, negócios etc. de pessoas incapacitadas para fazê-lo **5** *Inf.* Técnico responsável pela administração de sistemas multiusuários e/ou pelo sistema de comunicação **6** *Bras.* Bacharel formado em curso superior de administração [F.: *administrar* + *-dor*.]

administradora (ad.mi.nis.tra.*do*.ra) [ô] *sf.* Empresa especializada na administração (locação, venda, conservação etc.) de imóveis [F.: Fem. de *administrador*.]

administrante (ad.mi.nis.*tran*.te) *a2g.* **1** Que administra *s2g.* **2** Aquele que administra; ADMINISTRADOR [F.: Do lat. *administrans, antis*.]

administrar (ad.mi.nis.*trar*) *v.* **1** Dirigir ou gerir (instituição, negócio, país, região etc.) [**td.**: *administrar uma oficina*.] [**int.**: *Nosso síndico sabe administrar mas não sabe se relacionar*.] **2** Tratar de (situação etc.), operar; CONTROLAR [**td.**: *Não souberam administrar aquela situação difícil*.] **3** Fazer ingerir, ou aplicar (medicamento, pomada etc.); MINISTRAR [**td.**: *Recomenda-se administrar as injeções por via subcutânea*.] [**tdi.** + *a*: *maneiras de administrar medicamentos aos animais*.] **4** Dar (sacramento); MINISTRAR [**td.**: *Qualquer pessoa pode administrar o batismo?*] [**tdi.** + *a, para*: *O padre foi administrar a extrema-unção à enferma*.]

5 Aplicar a alguém (pena, castigo, golpe, pancada etc.) [*tdi.* + *a*: *O pai administrou-lhe um castigo exemplar.*] [▶ 1 administrar] [F.: Do lat. *administrare.*]

administrativo (ad.mi.nis.tra.*ti*.vo) *a.* 1 Ref. a administração (diretor administrativo, problemas administrativos) 2 Diz-se de área ou cidade com administração própria, subordinada ao prefeito: *região administrativa de Copacabana* [F.: Do lat. *administrativus, a, um.*]

administrável (ad.mi.nis.*trá*.vel) *a2g.* Que se pode administrar, que é passível de administração [Pl.: *-veis.*] [F.: *administrar* + *-vel.*]

admiração (ad.mi.ra.*ção*) *sf.* 1 Ação ou resultado de admirar 2 Sentimento de estima ou simpatia [+ *a, por*: *Expressava com um grande carinho sua admiração pelo avô.*] 3 Encantamento, enlevo: "Quando apareceres no teatro, deslumbrante e fascinadora, (...) um murmúrio de admiração te acompanhará..." (José de Alencar, "As asas de um anjo" in *Novas seletas*) 4 Sentimento ou atitude de respeito, de apreciação (por alguém, por qualidades, méritos etc. de algo ou alguém) [+ *a, de, por*: *Sua integridade granjeou-lhe a admiração geral; Tinha grande admiração por ela, e por suas qualidades morais.*] 5 *P. ext.* Aquele ou aquilo que é objeto de admiração: *O brilhante aluno era a admiração de seus mestres.* 6 Espanto diante de algo que não se imagina ou espera: *A grosseria dele causou admiração a todos.* [Pl.: *-ções.*] [F.: Do lat. *admiratio, onis.*]

admirado (ad.mi.*ra*.do) *a.* 1 Que goza de respeito, estima, admiração: *Um político admirado por sua capacidade de liderança* 2 Espantado, surpreso [+ *com, de*: *Ficamos admirados com/de sua indiferença*] [F.: Do lat. *admiratus, a, um.*]

admirador (ad.mi.ra.*dor*) [ô] *a.* 1 Que admira, sente respeito por ou gosta de algo ou de alguém *sm.* 2 Aquele que admira algo ou alguém; FÃ: *São muitos os admiradores dos Beatles.* 3 *P. ext.* Quem nutre paixão, amor, veneração por (algo ou alguém) [F.: Do lat. *admirator, oris.*]

admirar (ad.mi.*rar*) *v.* 1 Sentir admiração, estima, respeito por (alguém, algo, si mesmo, um ao outro) [*td.*: *Admiro a sua coragem; Meus pais se admiram muito.*] [*tr.* + *de*: *Admirava-se da ousadia do amigo.*] 2 Olhar, contemplar, considerar com admiração, deslumbramento [*td.*: *Ficamos ali, admirando o pôr do sol; Passa horas admirando-se diante do espelho; Não paravam de se olhar e se admirar.*] 3 Causar surpresa (em) [*ti.* + *a*: *Admira aos pais a maturidade do filho.*] [*int.*: *É verão; não admira tanto calor assim.*] [*td.*: *Sua decisão admirou toda a equipe.*] [▶ 1 admirar] [F.: Do lat. *admirari.*]

admirativo (ad.mi.ra.*ti*.vo) *a.* 1 Que causa admiração, pasmo, surpresa 2 Que encerra ou manifesta admiração (exclamações admirativas) [F.: Do lat. tard. *admirativus, a, um.*]

admirável (ad.mi.*rá*.vel) *a2g.* 1 Digno de admiração, respeito, estima: *Ayrton Senna foi um piloto admirável* 2 Que encanta, impressiona; FANTÁSTICO: *O pantanal tem uma paisagem admirável.* 3 Que surpreende; ESPANTOSO: *Minha bisavó tem uma energia admirável para sua idade.* [Pl.: *-veis.*] [F.: Do lat. *admirabilis, e.* Hom./Par.: *admiráveis* (pl.), *admiráveis* (fl. de *admirar*).]

⊕ ***ad misericordiam*** (*La. /ad misericórdiam/*) *loc. adv.* À compaixão (apelo ad misericordiam) [A expr. da lógica *apelo ad misericordiam* refere-se a uma argumentação que confunde a razão ao usar argumentos fundamentados em piedade e comiseração.]

admissão (ad.mis.*são*) *sf.* 1 Ação ou resultado de admitir 2 Aceitação da entrada, do ingresso ou da contratação de alguém [+ *a, em*: *exame de admissão ao instituto; entrevista de admissão na empresa.*] 3 Reconhecimento de algo como verdadeiro ou possível: *admissão de um erro.* 4 *Emec.* Fase no processo de funcionamento de motor de combustão interna, na qual se dá a entrada da mistura (ar e combustível) no interior de um cilindro; a abertura por onde se realiza essa entrada *sm.* 5 *Bras. Ant. Pedag.* Ano preparatório para o exame de admissão ao curso ginasial; esse exame [Foram extintos em 1971.] [Pl.: *-sões.*] [F.: Do lat. *admissio, onis.* Ant. (de 1 a 3): *inadmissão.*] ■ ~ **forçada** *Mec.* Em motor a explosão, entrada de ar ou de combustível, sob pressão, no cilindro

admissibilidade (ad.mis.si.bi.li.*da*.de) *sf.* Qualidade ou condição de admissível, do que pode ser admitido; ACEITABILIDADE [Ant.: *inadmissibilidade.*] [F.: *admissível* + *-(i)dade*, seg. o mod. erudito.]

admissível (ad.mis.*sí*.vel) *a2g.* Que se pode admitir: *Não é admissível que eles se atrasem todos os dias.* [Pl.: *-veis.*] [F.: Do lat. *admissus* (part. pass. de *admittere* > port. *admitir*) + *-ível.* Ant.: *inadmissível.*]

admitância (ad.mi.*tân*.ci:a) *Elet.* *sf.* 1 Quociente entre a corrente elétrica e sua voltagem [Mede-se em siemens.] 2 Em um circuito elétrico, desconsiderada a fonte de energia, razão entre a intensidade eficaz da corrente e a tensão eficaz aplicada a suas extremidades; é o inverso da impedância [Símb.: *Y*] [F.: Do ing. *admittance.*]

📖 Entende-se que a admitância expressa a eficácia de um circuito elétrico na transmissão de uma corrente gerada por certa tensão, por isso inversa da impedância, que é a resistência à passagem da corrente.

admitido (ad.mi.*ti*.do) *a.* 1 Que se admitiu, cujo ingresso foi aceito ou consumado; que se reconheceu (funcionários admitidos; erro admitido); ACEITO; ACOLHIDO; RECONHECIDO 2 Que foi aprovado, mediante avaliação, para ingressar em escola, empresa etc. [F.: Part. de *admitir.*]

admitir (ad.mi.*tir*) *v.* 1 Aceitar como fato; RECONHECER [*td.*: *O candidato admitiu a derrota; Ele não quer admitir que foi grosseiro.*] [*tdp.*: *O ministro admitiu o acordo como a melhor solução.*] 2 Dar permissão a; CONSENTIR; TOLERAR [*td.*: *Não admito essa falta de respeito.*] 3 Ter (algo) como possível, embora não desejável; TOLERAR [*td.*: *Leis sérias não admitem exceções.*] 4 Deixar entrar; ACOLHER [*td.*: *A associação não está admitindo novos membros.*] 5 Empregar, contratar [*td.*: *A escola admitiu dois funcionários este mês.*] [*tdp.*: *A agência admitiu-o como estagiário.*] 6 Aceitar a hipótese de; SUPOR [*td.*: *Admitamos que ela esteja certa.*] 7 Ter como exequível; PERMITIR [*td.*: *Esse problema admite duas soluções; Nosso cronograma está justo, não admite qualquer atraso.*] 8 Acolher (alguém) em certa condição ou qualidade; ACEITAR; RECEBER [*tdp.*: *Ela o admitiu como filho.*] 9 *Fil.* Aceitar com restrição (regra, proposição, ideia etc.) com base em sua adequação a um processo de raciocínio que levará à confirmação ou negação da proposição inicial [*td.*: *A democracia ateniense admitiu o ensino sofístico.*] [▶ 3 admitir] [F.: Do lat. *admittere.*]

admoestação (ad.mo:es.ta.*ção*) *sf.* 1 Ação ou resultado de admoestar 2 Repreensão a alguém sobre uma falha, um comportamento indevido etc.; REPRIMENDA 3 *P. ext.* Advertência leve que se faz a alguém que cometeu ato indevido, valendo como alerta para que evite repeti-lo; AVISO; CORRIGENDA 4 *Ecles.* Anúncio público dos nomes de pessoas (casais) que pretendem casar-se; PROCLAMA(S) [Pl.: *-ções.*] [F.: *admoestar* + *-ção.*]

admoestador (ad.mo:es.ta.dor) [ô] *a.* 1 Que admoesta, adverte, repreende com benevolência: "...Carolina atira na mesa do voltarete uma mão cheia de flores; enquanto Felipe faz menção de dirigir-lhe um discurso admoestador, ela furta-lhe a espadilha..." (Joaquim Manoel de Macedo, *A Moreninha.*) *sm.* 2 Aquele que admoesta; ADMONITOR [Pl.: *-ores.*] [F.: *admoestado* + *-or.*]

admoestar (ad.mo:es.*tar*) *v.* 1 Chamar atenção de (alguém), consurando-o por falta cometida; CENSURAR; REPREENDER [*td.*: *Admoestou o filho por ter mentido.*] 2 Advertir alguém quanto a seu procedimento, para que o corrija ou não o repita; ACONSELHAR; AVISAR; PREVENIR [*tdr.* + *a, para*: *O professor admoestou os alunos a não faltarem tanto.*] 3 Dar estímulo, incentivo a (alguém); ESTIMULAR; INCENTIVAR [*tdr.* + *a, para*: "...felicitava o filho (...), admoestando-o a que procedesse honradamente no gozo dos prazeres." (Camilo Castelo Branco, *Amor de salvação*)] [▶ 1 admoestar] [F.: Do lat. por **admonestare* (provável cruzamento de *admonere* com *molestare*).]

admoestatório (ad.mo:es.ta.*tó*.rio) *a.* 1 Que diz respeito a admoestação; ADMONITÓRIO 2 Que suscita, dá causa a admoestação; ADMOESTÁVEL; REPROVÁVEL [F.: *admoestar* + *-tório.*]

admonição (ad.mo.ni.*ção*) *sf.* 1 Admoestação, conselho em tom ríspido, recomendação; ADVERTÊNCIA: *A receita termina com esta admonição: "Não tente fazer em casa".* 2 *Rel.* Repreensão eclesiástica 3 *Jur.* Advertência feita pelo juiz a pessoas que se comportam mal durante uma audiência [Pl.: *-ções.*] [F.: Do lat. *admonitio, onis.*]

admonitor (ad.mo.ni.*tor*) [ô] *a.* 1 Que admoesta, mesmo que *admoestador* *sm.* 2 Aquele que admoesta 3 *Rel.* Na Igreja Católica, jesuíta encarregado de exortar os demais à observância das normas [Pl.: *-ores.*] [F.: Do lat. *admonitor, oris.*]

admonitório (ad.mo.ni.*tó*.ri:o) *a.* 1 Que serve para admoestação, para reprimenda (discurso admonitório) *sm.* 2 Discurso ou texto de admoestação, de advertência [F.: Do lat. *admonitorius, a, um.*]

⊠ **ADN** *Gen.* Sigla de *ácido desoxirribonucleico* (estrutura que contém os genes) [A sigla *DNA*, do inglês, é mais us. em português.]

📖 Em meados do século XX descobriu-se que certas substâncias do núcleo das células (chamadas, por sua acidez, ácidos nucleicos) eram repositório das características genéticas dos seres vivos. Estruturalmente, são formados de centenas ou milhares de elementos chamados mononucleotídeos, dispostos em longas cadeias em forma de hélice, onde a variedade na disposição e combinação das substâncias químicas resulta em uma infinidade de combinações possíveis, que determinam os caracteres de cada indivíduo. Entre esses ácidos, um revelou-se capaz de transmitir características genéticas de um ser para outro. É o ácido desoxirribonucleico, ou ADN (em inglês, DNA), cuja cadeia em hélice é dupla. As instruções genéticas de uma molécula de ADN são transmitidas por outro ácido nucleico, chamado ARNm, o ácido ribonucleico mensageiro.

adnata (ad.*na*.ta) *sf.* *Oft.* Túnica exterior do globo ocular; CONJUNTIVA [F.: Red. de túnica adnata, do lat. *adnatus, a, um.*]

adnato (ad.*na*.to) *a.* 1 Que nasce junto de; ligado a alguma coisa, da qual parece fazer parte 2 *Med.* Unido congenitamente 3 *Bot.* Diz-se de órgãos de natureza diversa mas que se apresentam juntos [F.: Do lat. *adnatus, a, um.*]

⊕ ***ad nauseam*** (*Lat. / adnáuseam/*) *loc. adv.* Até causar náusea ou aborrecimento (de tanto que é repetido ou reiterado)

adnominal (ad.no.mi.*nal*) *a2g.* 1 Ref. a adnominação; PARONOMÁSTICO 2 *Gram.* Que se liga a um substantivo, delimitando-o ou especificando-o (diz-se de adjunto) [Pl.: *-nais.*] [F.: *ad-* + *nominal.*]

adnotação (ad.no.ta.*ção*) *sf.* 1 Observação escrita à margem ou ao fim de um texto para esclarecer ou ilustrar certas passagens 2 Resposta dada pelo papa mediante a simples aposição de seu nome ou rubrica nas súplicas ou pedidos que lhe são dirigidos 3 Na Roma antiga, cartas de perdão às vezes concedidas a criminosos [Pl.: *-ões.*] [F.: Do lat. *adnotatio, onis.*]

⊕ ***ad nutum*** (*Lat. /ad nútum/*) *Jur.* *loc. a.* 1 Diz-se de ato revogável por arbítrio de apenas uma das partes envolvidas: *O síndico foi destituído ad nutum pelos condôminos.* 2 Que pode ser demitido por decisão exclusiva da autoridade administrativa competente (diz-se de funcionário público não estável): "Composto por ministros demissíveis ad nutum, o Conselho sempre fora uma ficção" (*Veja*, 27.11.2002)

◎ **-ado[1]** *suf. nom.* = 'que tem ou é provido de X (X = palavra-base ou rad. nom.)'; 'que tem ou apresenta a forma de X)', 'semelhante a'; 'um tanto'; 'de características ou comportamento próprios de X'; 'de cor tirante a': *abagualado, abananado, abaritonado, abatatado, abichado, acastanhado, acavalado[2], acebolado[2], acinzentado, adamascado[2], amalucado, arredondado[2], barbado, eusporongiado, ovulado, penado[2]* [F.: Da term. lat. *-atus, a, um* (= *-a*, vogal temática da 1ª conjug., + *-tus, a, um*, suf. de part. pass.), de part. pass. dos verbos da 1ª conjug. (ex.: lat. *amare* > port. *amar*; lat. *amatus* > port. *amado* [part. / adj.]). Outras formas: *-eado, -iado, -oado, -uado* e *-zado*. Ver *-ada[1]*.]

◎ **-ado[2]** *suf. nom.* = 'dignidade, função, cargo, ofício, jurisdição ou estado de (aquilo que quer dizer a palavra base ou rad. nom.)'; 'o tempo de exercício dessa dignidade, função, cargo etc. '; 'grupo, corpo', 'classe', 'corporação': *abadessado, aciprestado, almirantado, generalado; colegiado, empresariado, operariado, proletariado* [F.: Do lat. *-atus, us* (< suf. lat. *-tus, a, um*, de part. pass.). É a forma popular, na língua, do suf. *-ato[1]* (q. v.) com o qual pode ou não coexistir em pares como *decenvirado /decenvirato, daimiado /daimiato, decuriado /decuriato*, formados no próprio latim ou no vernáculo.]

◎ **-ado[3]** *suf. nom.* = 'espécime animal, pertencente a certa divisão ou subdivisão taxonômica (em *-ados*, ex.: *celenterados* [= filo]: *celenterado* [= espécime desse filo])': *ciliado[2], celomado[2], celenterado, hemicordado* [F.: Uso ou retomada de uma forma singular para designar o espécime de um taxônimo plural terminado em *-ata* (neutro pl. de *-atus*), ou *-atae* (fem. pl. de *-atus*), ou *-ati* (pl. de *-atus*), adaptando-se, a partir da morfologia latina, à morfologia portuguesa (tax. *Hemichordata*: *Hemicordados*: *hemicordado*).]

ado[1] (*a*.do) *sm.* 1 *Alq.* A parte mais gordurosa do leite, que se transforma em nata 2 Leite que acabou de ser ordenhado [F.: De or. obsc.]

ado[2] (*a*.do) *sm.* *BA Cul. Rel.* Prato dedicado ao orixá Oxum, feito de milho torrado e reduzido a pó, ao qual são acrescentados azeite de cheiro e mel de abelhas [F.: Do ior. *aadum.*]

adobar (a.do.*bar*) *v.* 1 Prover de adobe(s) [*td.*: *É preciso adobar a casa.*] 2 Fazer adobe(s) [*int.*: *Não sei fazer outra coisa a não ser adobar.*] [▶ 1 adobar] [F.: *adobe* + *-ar[2]*. Hom./Par.: *adoba(s)* (fl.), *adoba* [ô] (sf. [pl.]); *adobe(s)* (fl.), *adobe(s)* [ô] (sm. [pl.]); *adobo* (fl.), *adobo* [ô] (sm.); *adobar, adubar* (em várias fl.).]

adobe (a.*do*.be) [ô] *Ant.* *sm.* Grilhão preso a peça pesada de ferro, semelhante a um tijolo, us. antigamente para atar os pés ou as pernas dos presos [F.: Do ár. *ad-dobba*, 'ferrolho'. Tb. *adobo.*]

adobo (a.*do*.bo) [ô] *sm.* Ver *adobe*

adoçado (a.do.*ça*.do) *a.* 1 Tornado doce; ADOCICADO [+ *com, em, por*: "Boca adoçada em leite virginal..."; ("...dá-me o encontro de amáveis ruas residenciais, adoçada pela frescura de parques e jardins." (Herman Lima, *Outros céus, outros mares*)] 2 *Fig.* Suavizado, atenuado: *Para não ferir suscetibilidades, o texto foi um pouco adoçado.* [F.: Part. de *adoçar.*]

adoçamento (a.do.ça.*men*.to) *sm.* 1 Ação ou resultado de tornar(-se) doce, de adoçar(-se); ADOÇAGEM 2 *Fig.* Ação ou resultado de tornar(-se) algo ou alguém, uma atitude, um comportamento etc. mais ameno, mais suave, mais brando, menos pungente ou severo etc. 3 *Arq.* Canelura que torna mais suave a transição da superfície da parede, o relevo de uma moldura 4 *Arq.* Moldura côncava que torna mais suave a transição de um plinto a uma cornija [F.: *adoçar* + *-mento.*]

adoçante (a.do.*çan*.te) *a2g.* 1 Que torna doce 2 *Fig.* Que ameniza, que torna (algo, alguém, atitude, situação etc.) mais brando, mais suave, menos drástico, severo ou pungente etc. *sm.* 3 Qualquer substância, como o açúcar, o mel, a estévia, a sacarina etc., natural ou artificial, que adoça alimentos, bebidas, medicamentos etc. 4 Produto industrial que contém pouco ou nenhum açúcar e de baixo teor calórico, us. para adoçar alimentos ou bebidas: *Você toma café com açúcar ou adoçante?* [F.: *adoçar* + *-nte.* Sin. (1, 3 e 4).: *P. us.* *edulcorante.*]

adoção (a.do.*ção*) *sf.* 1 Ação ou resultado de adotar, aceitar, assumir 2 Ação de passar a fazer uso de algo ou passar a praticar algo: *adoção de medidas corretivas* 3 Aceitação (e consequentes medidas e atitudes daí decorrentes) de pessoa ou animal como parte da vida (familiar) de alguém 4 *Jur.* Reconhecimento legal da adoção (3) de um filho por alguém ou por uma família; os procedimentos legais para essa adoção; PERFILHAÇÃO; PERFILHAMENTO [Pl.: *-ções.*] [F.: Do lat. *adoptio, onis.*]

adoçar (a.do.*çar*) *v.* 1 Fazer ficar ou ficar, tornar(-se) doce [*td.*: *O garçom adoçou o suco.*] [*int.*: *Pus muito açúcar e o* *café adoçou demais.*] 2 *Fig.* Tornar (mais) agradável, suave, menos severo ou difícil (alguém, algo, sentimento, situação etc.); ABRANDAR; SUAVIZAR [*td.: Os anos adoçaram seu caráter; A esperança adoçava-lhe a longa espera; O carinho dos netos adoça a vida do avô:* "Um cheiro errante de violetas adoçava o ar luminoso." (Eça de Queirós, *O tesouro*)] [*int.: Era ríspido e circunspecto, mas adoçou-se com o passar dos anos.*] 3 *Fig.* Amenizar, abrandar, tornar menos duro, pungente, sofrido (alguém, sentimento, situação etc.); LENIR; MITIGAR [*td.: As palavras de consolo adoçaram sua dor;* "Repinicou o violão e continuou a cantar os lábios de Carola, onde encontrava a ilusão que adoça a vida" (Lima Barreto, *O triste fim de Policarpo Quaresma*)] [*int.: Sentia profunda angústia, mas adoçou-se com as últimas notícias.*] 4 *Arq.* Tornar menos agudos, marcantes ou salientes (aresta, canto de elemento arquitetônico) [*td.: adoçar as arestas, suavizando-as.*] 5 *Art. pl.* Aguar (tinta, pintura) para diminuir a intensidade ou vibração de uma cor; TEMPERAR [*td.*] 6 Alisar, tornar menos áspero (material, superfície de algo etc.) [*td.: Tire as rebarbas, é preciso adoçar mais esta peça antes de encaixá-la.*] 7 *Metal.* Tornar (mais) maleável, dúctil (metal), ger. na forja, ou usando fogo [*td.*] [▶ 12 adoç**ar**] [F.: *a-*² + *doce* + *-ar*².] ▪▪ ~ **a boca** Tentar obter favor ou vantagem mediante adulação, mimos etc. ~ **a pílula** Tentar revestir de aspecto agradável ou palatável uma situação ou um fato difícil, penoso ~ **as linhas** *Arq. Pint. Esc.* Abrandar, tornar menos relevantes as linhas de desenho, escultura etc. ~ **o ouro** Separar ouro puro de uma liga

adocianismo (a.do.ci:a.*nis*.mo) *sm. Rel.* Doutrina seguida pelos adocianos, heréticos espanhóis de fins do século II, que não consideravam Jesus Cristo filho de Deus desde a eternidade, mas só após o batismo no rio Jordão, quando então foi adotado por Deus [F.: Do espn. *adoción* + *-ismo*. Forma paral.: *adocionismo*.]

adocianista (a.do.ci:a.*nis*.ta) *a2g.* 1 *Rel.* Ref. ao adocianismo *s2g.* 2 Seguidor da doutrina adocianista [F.: *adocianis(mo)* + *-ita*.]

adocicado (a.do.ci.*ca*.do) *a.* 1 De sabor um tanto (não muito) doce: *fruta de polpa adocicada.* 2 *Fig.* Que é ou se mostra suave, brando (por vezes com conotação um tanto pejorativa, significando 'meloso', 'enjoativo') (palavras adocicadas, romance adocicado) [F.: Part. de *adocicar*.]

adocicar (a.do.ci.*car*) *v.* 1 Fazer ficar ligeiramente doce [*td.: Adocicou o leite com uma gota de mel.*] 2 *Fig.* Fazer ficar ou ficar, tornar(-se) mais ameno, suave ou agradável, menos rude ou áspero; ADOÇAR [*td.: Seu sorriso adocicava as palavras rudes que dizia; Adocicou a voz ao falar com ela.*] [*int.: Ao ouvir seu pedido de desculpas, adocicou-se.*] 3 *Fig.* Deixar sentimental ou meloso [*td.: adocicar o coração da namorada; O autor adocicou a peça ao adaptá-la para a televisão.*] [▶ 11 adocic**ar**] [F.: *a-*² + *doce* + *-icar*.]

adoecer (a.do:e.*cer*) *v.* 1 Ficar doente, enfermo; ENFERMAR [*int.: O cãozinho adoeceu.*] 2 Fazer ficar doente, enfermo; ENFERMAR [*td.: As preocupações adoeceram o pobre homem.*] 3 *Bras. Pop.* Ficar (a mulher) menstruada; MENSTRUAR [*int.*] [▶ 33 adoec**er**] [F.: Do lat. **ad-dolescere*.]

adoecido (a.do:e.*ci*.do) *a.* 1 Que adoeceu 2 Que está doente (criança adoecida); ENFERMO [F.: Part. de *adoecer*.]

adoentado (a.do:en.*ta*.do) *a.* 1 Com sinais de doença, ou doente 2 *Fig.* Que está física ou moralmente abatido [F.: Part. de *adoentar*.]

adoentar (a.do:en.*tar*) *v.* Tornar ou ficar doente ou adoentado [*td.: A umidade da serra a adoentou.*] [*int.: Não sabemos por que vive adoentando-se.*] [▶ 1 adoent**ar**] [F.: a- + *doente* + *-ar*.]

adoidado (a.doi.*da*.do) *a.* 1 Meio doido; AMALUCADO 2 Que age de forma inconsequente, sem reflexão; ESTOUVADO *adv.* 3 *Bras. Pop.* De forma intensa; à beça: *Ela mente adoidado.* [F.: *a-*² + *doido* + *-ado*¹.]

adoidar (a.doi.*dar*) *v.* 1 Fazer ficar ou ficar doido, maluco ou amalucado; ENDOIDAR [*td.: O excesso de trabalho adoidou o velho funcionário.*] [*int.: O velho adoidou(-se) de vez.*] 2 Comportar-se de maneira imprudente, insensata, leviana [*int.: Quando subia na motocicleta, adoidava.*] 3 *Fig.* Ficar doido de paixão; apaixonar-se por [*tr. + por: O rapaz adoidou(-se) pela professora.*] [▶ 1 adoid**ar**] [F.: *a-*² + *doido* + *-ar*².]

adolescência (a.do.les.*cên*.ci:a) *sf.* 1 Fase da vida humana que sucede à infância (a partir da puberdade, aproximadamente aos 12 anos) e vai até a idade adulta (aproximadamente aos 20 anos) 2 *P. ext. Fig.* Fase do desenvolvimento de qualquer processo em que este se encontra na plenitude de seu crescimento, seu viço, sua juventude [F.: Do lat. *adolescentia, ae*.]

adolescente (a.do.les.*cen*.te) *a2g.* 1 Que está na idade da adolescência: *Eles têm duas filhas adolescentes.* 2 Próprio da adolescência (impulsos adolescentes) 3 *Fig.* Que ainda está amadurecendo, em processo de desenvolvimento *s2g.* 4 Pessoa adolescente, ou (*Joc.*) pessoa que age como adolescente [F.: Do lat. *adolescens, entis*.]

adolescer (a.do.les.*cer*) *v. int.* 1 Entrar na idade da adolescência 2 Crescer, desenvolver(-se) 3 Parecer mais jovem, remoçar [▶ 33 adolesc**er**] [F.: Do lat. *adolescere*, 'desenvolver-se, crescer'.]

adonai (a.do.*na*:i) *sm. Rel.* Um dos nomes atribuídos a Deus no Antigo Testamento [F.: Do hebr. *adhonai*, 'meu senhor'. Com inic. maiúscula.]

adonar-se (a.do.*nar*) *Bras. v.* 1 Passar a ser dono de algo ou alguém [*td.: A guerra visava a adonar províncias.*] [*tr. + de: Adonou-se do terreno ao lado.*] 2 *RS Pop.* Tornar-se dono de alguma coisa por meio de esperteza, de astúcia [*tr. + de: Adonou-se de todos os bens da família.*] [▶ 1 adon**ar**] [F.: *a-*² + *dono* + *-ar*². Hom./Par.: *adones* (fl.), *adônis* (sm2n.), *Adônis* (mitônimo e antr. masc.).]

adônis (a.*dô*.nis) *sm2n.* 1 *Mit.* Entre os gregos, personagem mitológico de grande beleza [Com inicial maiúsc.] 2 *P. ext.* Jovem bonito, fino, elegante 3 *Irôn.* Homem pretensioso, e que se veste com apuro exagerado 4 *Bot.* Designação comum às plantas do gên. *Adonis*, da fam. das ranunculáceas, herbáceas, com folhas finamente recortadas, de flores solitárias, vermelhas ou alaranjadas, com cinco ou seis pétalas, cultivadas como ornamentais. 5 *Ent.* Borboleta (*Poecilmitis adonis*) da fam. dos licenídeos, do sul da África 6 *Ent.* Borboleta da fam. dos licenídeos (*Lysandra bellargus*), da Europa e do Oriente Médio [F.: Do gr. *Ádônis, idos*, 'deus jovem, amante de Afrodite'; as acps. 4 (Bot.) 5 e 6 (Ent.) provêm do lat. cient. *Adonis* e (*Poecilmitis*) *adonis*, respectivamente. Hom./Par.: *adônis* (sm2n.), *adones* (fl. de *adonar-se*).]

adonisar (a.do.ni.*sar*) *v.* 1 Embelezar(-se) com vaidade; ENFEITAR(-SE) [*td.: Saias justas adonisam as moças.*] [*int.: Embora idosa, gostava de adonisar.*] 2 Tornar(-se) elegante, janota [*td.: Aquele terno adonisou-o.*] [*int.: Vaidoso, só vivia a adonisar-se.*] 3 *Pej.* Tornar(-se) pretensioso no trajar [*td.: Só usava roupas que a adonisavam.*] [*int.: Julgava-se lindo e, por isso, adonisava.*] [▶ 1 adonis**ar**] [F.: *adônis* + *-ar*².]

adoração (a.do.ra.*ção*) *sf.* 1 Ação ou resultado de adorar, de cultuar algo ou alguém; IDOLATRIA; VENERAÇÃO [+ *a, de: a adoração a/de um santo.*] 2 Veneração, culto a divindade, ou a algo ou alguém que se considera como divinos 3 Amor profundo, excessivo, por algo ou alguém; PAIXÃO; VENERAÇÃO. [+ *a, por: Ela tinha verdadeira adoração aos/pelos livros; Nutria verdadeira adoração à/pela mulher.*] 4 *P. ext.* Aquilo ou aquele que é adorado: *As orquídeas eram sua adoração.* 5 *P. ext. Pop.* Gosto intenso por algo (ger. em relação a algo comum, banal) [+ *a, de, por: adoração a/de/por chocolate.*] 6 *Art. pl.* Quadro em que se representam os Reis Magos adorando o Menino Jesus: *Pintou uma Adoração.* [Com inicial maiúsc. nesta acp.] [Pl.: *-ções*.] [F.: Do lat. *adoratio, onis.* Ideia de 'adoração': *-latria* (*idiolatria, idolatria*).]

adorado¹ (a.do.*ra*.do) *a.* 1 Que recebe adoração, veneração; CULTUADO; VENERADO; REVERENCIADO: "...Terra adorada, / Entre outras mil, / És tu, Brasil, / Ó Pátria amada..." (Joaquim Osório Duque Estrada, *Hino Nacional Brasileiro*) 2 Que é muito querido; muito amado: *Minha adorada mulher.* [F.: Do lat. *adorátus, a, um*.]

adorado² (a.do.*ra*.do) *Antq. a.* Atacado de dor, enfermado, doente [F.: *a-*² + *dor* + *-ado*².]

adorador (a.do.ra.*dor*) [ô] *a.* 1 Que adora, venera, cultua, idolatra algo ou alguém: *confraria adoradora do demônio.* 2 *P. ext.* Que tem admiração, estima ou amor por algo ou alguém; ADMIRADOR: *adorador de vinhos. sm.* 3 Aquele que adora, venera, cultua, idolatra algo ou alguém: *confraria de adoradores do demônio.* 4 Aquele que tem admiração, estima ou amor por algo ou alguém: *Ele é um adorador de música sertaneja.* [F.: Do lat. *adorator, oris*.]

adoral (a.do.*ral*) *a2g. Anat. Zool.* Que se localiza junto da boca: *Tumor adoral.* [F.: *ad-* + *oral*.]

adorar (a.do.*rar*) *v.* 1 Prestar culto a divindade; ter por divindade; CULTUAR; IDOLATRAR [*td.: adorar um santo*] [*tdp.: Adoravam os elementos da natureza como/por divindades.*] 2 *P. ext.* Amar(-se) profundamente, intensamente, como se o ser ou a coisa amada fosse algo sagrado ou venerável; IDOLATRAR; VENERAR [*td.: Adoro meus irmãos; Marido e mulher se adoravam.*] 3 *P. ext.* Ter grande admiração, apreço por, identificação com (algo ou alguém); idolatrar (algo, alguém) por tê-los como veneráveis; IDOLATRAR; VENERAR [*td.: Adorava os pintores e as obras expressionistas.*] [*tdp.: Adora Elvis como/por deus do rock.*] 4 *Pop.* Gostar muito de (qualquer coisa) [*td.: Ela adora macarrão; Adoro ir à praia.*] [▶ 1 ador**ar**] [F.: Do lat. *adorare*.]

adorativo (a.do.ra.*ti*.vo) *a.* 1 Que pode ser adorado; ADORÁVEL 2 Que tem caráter de adoração: *Imagem adorativa.* [F.: Do lat. *adorativus, a, um*.]

adorável (a.do.*rá*.vel) *a2g.* 1 Que suscita sentimentos muito agradáveis (voz adorável, noite adorável) [Ant.: *detestável.*] 2 Que é gentil, bem-educado, agradável (rapaz adorável) 3 Que se pode ou se deve adorar; merecedor ou digno de adoração, de culto; VENERÁVEL [Pl.: *-veis*.] [F.: Do lat. *adorabilis, e*. Hom./Par.: *adoráveis* (pl.), *adoráveis* (fl. de *adorar*).]

adorbital (a.dor.bi.*tal*) *a2g.* 1 Que está próximo a uma órbita 2 Que forma a órbita ocular 3 Diz-se do osso que forma a órbita ocular *sm.* 4 Esse osso [F.: *ad-* + *orbital*.]

adormecedor (a.dor.me.ce.*dor*) [ô] *a.* 1 Que tem poder de fazer adormecer ou provocar sono (música adormecedora); SOPORÍFERO *sm.* 2 O que tem poder de fazer adormecer ou provocar sono; SOPORÍFERO: *Este programa é um adormecedor de insones* [F.: *adormecer* + *-dor*.]

adormecer (a.dor.me.*cer*) *v.* 1 Começar a dormir; pegar no sono [*int.: O bebê adormeceu.* Ant.: *acordar, despertar.*] 2 Fazer dormir ou causar sonolência [*td.: A música suave adormecia a criança.* Ant.: *acordar, despertar.*] 3 Fazer cessar ou cessar temporariamente (atividade, agitação, ímpeto, disposição etc.); aquietar(-se) [*td.: Nem o fracasso adormecia seu impulso empreendedor.*] [*int.: A cidade adormece durante a madrugada.*] 4 Fazer perder ou perder sensibilidade sensorial física; ENTORPECER [*td.: A longa corrida adormecera a perna do atleta.*] [*int.: Com a pancada, seus braços adormeceram.*] 5 Fazer perder ou perder sensibilidade emocional ou sentimental [*td.: Os maus tratos adormeceram sua compaixão.*] [*int.: Ante tanta ingratidão, seu coração adormeceu.*] 6 *Fig.* Enfraquecer, arrefecer tornando confusa (a capacidade de percepção, de raciocínio); EMBOTAR [*td.: O álcool adormece o discernimento.*] 7 *Fig.* Causar tédio a, a ponto de dar sono [*td.: Seus longos discursos adormeciam a plateia.*] 8 *Fig.* Estar em certo estado ou condição ao fim do dia ou de período (ger. por contraste com mudança ocorrida depois) [*tp.: O bilhete foi premiado, ele adormeceu pobre e acordou milionário.*] 9 *Fig.* Desanimar, fazer esmorecer [*td.: O autoritarismo adormeceu o espírito empreendedor da população.*] [*int.: Sem o reconhecimento do público, o espírito criativo do artista adormece.*] 10 *Mar.* Estar (uma embarcação) em risco de perder o equilíbrio e estabilidade, estar a ponto de emborcar, por força do vento ou do mar [*int.*] [▶ 33 adormec**er**] [F.: Do lat. *addormiscere*.]

adormecido (a.dor.me.*ci*.do) *a.* 1 Que adormeceu *a.* 2 Que caiu no sono, que dorme (bela adormecida) [Ant. nesta acp.: *acordado.*] 3 Que está entorpecido; DORMENTE: *Tentava mover os dedos adormecidos.* 4 *Fig.* Que serenou, se acalmou (raiva adormecida; vulcões adormecidos) 5 Que silenciou, deixou de se expressar: *Seu silêncio era, na verdade, um grito adormecido de protesto.* 6 *Fig.* Que apresentam inação, apatia, imobilismo: *uma liderança adormecida, incapaz de tomar a iniciativa* 7 *Fig.* Que morreu, que faleceu [F.: Part. de *adormecer*.]

adormecimento (a.dor.me.ci.*men*.to) *sm.* 1 Ação ou resultado de adormecer 2 Estado ou processo do que ou de quem está ou está ficando quieto ou em repouso: *Um silêncio cada vez maior indicava o adormecimento da aldeia.* 3 Ausência de sensibilidade física; DORMÊNCIA; ENTORPECIMENTO 4 *Fig.* Perda da capacidade de agir; falta de motivação; ENTORPECIMENTO; EMBOTAMENTO: *Em sua apatia e em seu adormecimento, não reagiu.* [F.: *adormecer* + *-imento*.]

adormentar (a.dor.men.*tar*) *v.* 1 Causar sono, ou pegar no sono [*td.: A música suave o adormenta.*] [*int.: O neném adormentou.*] 2 *P. ext.* Diminuir ou extinguir a sensibilidade de, deixar dormente; ENTORPECER; ADORMECER [*td.: O golpe adormentou-lhe o braço.*] 3 Tornar mais brando, menos intenso; ABRANDAR; MITIGAR [*td.: O remédio adormenta a sua dor.*] [▶ 1 adorment**ar**] [F.: *a-* + *dorm(ir)* + *-entar*.]

adornado¹ (a.dor.*na*.do) *a.* 1 Que se adornou, que recebeu adornos *a.* 2 Provido de adornos, ornamentos, atavios, enfeites; ATAVIADO; ORNAMENTADO; ENFEITADO: "Num jardim adornado de verdura, / a que esmaltam por cima várias flores..." (Luís de Camões, "Num jardim adornado de verdura" *in Sonetos*) [F.: Do lat. *adornatus, a, um*.]

adornado² (a.dor.*na*.do) *a. Lus. Ant. Mar.* O mesmo que *adernado* [F.: Part. de *adornar*².]

adornamento (a.dor.na.*men*.to) *sm.* Ação ou resultado de adornar(-se), de enfeitar(-se) [F.: *adornar* + *-mento*.]

adornar¹ (a.dor.*nar*) *v. td.* 1 Pôr adornos, enfeites em (algo ou alguém, inclusive si mesmo); ATAVIAR(-SE); ENFEITAR(-SE); ORNAR(-SE): *Adornou o altar com flores; A menina adornava-se para a festa.* 2 Tornar (algo) (mais) atraente, interessante, agradável, estético: *Adornar o discurso com metáforas.* [▶ 1 adorn**ar**] [F.: Do lat. *adornare*. Hom./Par.: *adorno* (fl.), *adorno* [ô] (sm.).]

adornar² (a.dor.*nar*) *v. td. int. Lus. Ant. Mar.* O mesmo que *adernar* [▶ 16 adorn**ar**] [F.: De or. obsc. Hom./Par.: ver *adornar*.]

adorno (a.*dor*.no) [ô] *sm.* 1 O que serve para adornar, enfeitar, embelezar; ATAVIO; ENFEITE; ORNATO 2 *Taur.* Manobras virtuosísticas com que o toureiro procura valorizar sua atuação [F.: Dev. de *adornar*. Hom./Par.: *adorno* [ô] (sm.), *adorno* (fl. de *adornar*).]

adotado (a.do.*ta*.do) *a.* 1 Admitido legalmente como filho ou filha: *Tinha dois filhos biológicos e dois adotados.* 2 Tomado, escolhido, seguido: *Não gostou do modelo de negócio adotado.* 3 Incorporado e posto em prática como método, sistema, estrutura etc.: *As técnicas adotadas deverão incrementar a produção.* 4 Que se assumiu como próprio: *O sobrenome adotado foi o da mulher.* 5 Legalmente aprovado, sancionado: *A legislação adotada agradou a poucos.* [F.: Do lat. *adopatatus, a, um*.]

adotando (a.do.*tan*.do) *sm.* Pessoa que será ou está sendo adotada ou perfilhada por alguém [F.: Do lat. *adoptandus, a, um*.]

adotante (a.do.*tan*.te) *a2g.* 1 Que adota algo ou alguém (mãe adotante) *s2g.* 2 Aquilo ou aquele que adota algo ou alguém (adotantes potenciais) 3 *Antq.* Herético do séc. VIII, seguidor do adocionismo, doutrina que considerava Jesus, como Deus, de natureza divina, e como homem, filho de Deus apenas por adoção, isto é, filho adotivo de Deus por meio do batismo e da regeneração; ADOCIONISTA [F.: Do lat. *adoptans, antis*.]

adotar (a.do.*tar*) *v.* 1 *Jur.* Reconhecer (alguém) legalmente (como filho ou filha), conferindo ao adotado os direitos legais; PERFILHAR [*td.: O casal decidiu adotar uma criança.*] [*tdp.: O casal decidiu adotar uma criança (como / por filha).*] [*int.: Nem todos podem adotar.*] 2 *P. ext.* Cuidar de (alguém, ger. criança) como filho [*td.*] 3 Adquirir, cuidar de (animal de estimação) [*td.: Resolveu adotar o cão abandonado.*] 4 Dar quantia para subsistência, cuidado de (criança, idoso etc.) esp. por meio de instituição [*td.: Adotou três velhinhos do asilo, e os sustentou lá enquanto viveram.*] 5 Optar por (ideia, crença, teoria etc.): "...adotarei esse sistema e aconselho-te a fazer o mesmo" (Max Jacob,

"Conselhos de uma mãe a sua filha" *in Mar de histórias*) [*td.*: *Ainda jovem, adotara a cientologia.*] 6 *P. ext.* Concordar com (algo) e praticá-lo; seguir, ser adepto de (uma prática) [*td.*: *Não se curou com alopatia e resolveu adotar a homeopatia.*] 7 Seguir (uma carreira) [*td.*: *O rapaz adotou a medicina.*] 8 Passar a ter, assumir (comportamento) [*td.*: *Adotou a moda dos cabelos curtos; Metódico, adotara certos hábitos.*] 9 Pôr em execução, aplicar, empregar [*td.*: *A direção adotou medidas de emergência.*] [*tdp.*: *O governo adotará a medicina preventiva como estratégia.*] [▶ 1 adotar] [F.: Do lat. *adoptare.*]

adotável (a.do.*tá*.vel) *a2g.* Que se pode ou se deve adotar; que merece ser aceito; ACEITÁVEL: *livro adotável pelas escolas.* [Pl.: *-veis.*] [F.: Do lat. *adoptabile.* Hom./Par.: *adotáveis* (pl.), *adotáveis* (fl. de *adotar*).]

adotivo (a.do.*ti*.vo) *a.* 1 Ref. a adoção (processo adotivo) 2 Que foi adotado (filho adotivo) 3 Que adotou (mãe adotiva) 4 Diz-se de terra, pátria, país etc. que alguém escolheu para residir 5 Ref. a adoção (processo adotivo) *sm.* 6 Filho adotivo (1) [F.: Do lat. *adoptivus, a, um.*]

◎ **adoxo-** *el. comp.* = 'vulgar'; 'comum'; 'imerecido': *adoxografia, adoxógrafo* [F.: Do gr. *ádoksos, os, on*, 'destituído de glória'; 'obscuro'; 'vulgar'; 'comum'.]

adoxografia (a.do.xo.gra.*fi*.a) [ks] *sf.* 1 *Ret.* Arte de escrever boa prosa sobre temas comuns, simples 2 Elogio imerecido [F.: *adoxo- + -grafia.*]

adoxográfico (a.do.xo.*grá*.fi.co) [ks] *a.* Ref. a adoxografia [F.: *adoxografia + -ico².*]

adoxógrafo (a.do.*xó*.gra.fo) [ks] *sm.* Aquele que é versado ou especialista em adoxografia [F.: *adoxo- + -grafo.*]

⊠ **ADP** Sigla de difosfato de adenosina [F.: Do ing. *adenosine disphosphate.*]

⊕ ***ad perpetuam rei memoriam*** (*Lat. /ad perpétuam rei memóriam/*) *loc. adv.* 1 Para perpétua memória do fato, fórmula que inicia bulas papais relativas a questões de doutrina, ou que aparece em monumentos comemorativos, medalhas etc. 2 *Jur.* Para eterna lembrança do fato; IN PERPETUAM REI MEMORIAM: *Fazer uma vistoria ad perpetuam rei memoriam.* [Loc. us. em relação à prova ou vistoria judicial, que tem por finalidade resguardar um direito a ser demonstrado oportunamente nos autos da ação própria.] [F.: prep. *ad* + *perpetuam* ac. fem. sing. de *perpetuus, a, um* + *rei* genit. sing. de *res, rei* (fato, coisa) + *memoriam* ac. sing. de *memoria, ae.*]

⊕ ***ad populum*** (*Lat. /ad pópulum/*) *loc. a. Lóg.* Ger. só us. na expressão *argumento ad populum*, tb. chamado 'argumento de apelo ao povo', refere-se a argumentação que se utiliza das emoções e dos interesses das pessoas para tentar convencê-las

⊕ ***ad quem*** (*Lat. /ad quem/*) *Jur. loc. a.* 1 A quem se apela de despacho ou sentença de instância inferior (diz-se de juiz ou tribunal): *Apelou ad quem da sentença do juiz de primeira instância.* 2 Em que expira o prazo (diz-se de data) [Por op. a *a quo.*]

adquirente (ad.qui.*ren*.te) *a2g.* 1 Que adquire algo; ADQUIRIDOR 2 *Jur.* Que passa a ter a propriedade de algo por contrato (empresa adquirente) *s2g.* 3 Pessoa ou instituição que adquire algo 4 *Jur.* Pessoa ou instituição que passa a ter a propriedade de algo por contrato [F.: Do lat. *acquirens, entis.*]

adquirição (ad.qui.ri.*ção*) *sf.* Ação ou resultado de adquirir, de assumir a propriedade de algo; AQUISIÇÃO [Pl.: *-ões.*] [F.: *adquirir + -ção.*]

adquirido (ad.qui.*ri*.do) *a.* 1 Que se adquiriu, obteve, assimilou ou ganhou (peso adquirido; valor adquirido) 2 *Med.* Que é causado por elementos não hereditários ou congênitos, mas externos (diz-se de patologias) 3 *Gen.* Diz-se de caráter genético não congênito, que se incorpora por condicionamento a fatores externos 4 *Psiq.* Que não é inato, mas se aprende ou assimila durante a vida (reflexos adquiridos) *sm.* 5 *Jur.* Bem obtido pelo casal na vigência do matrimônio [Us. no pl.] [F.: Part. de *adquirir.*]

adquiridor (ad.qui.ri.*dor*) [ki, ô] *a.* 1 Diz-se da pessoa que adquire alguma coisa; ADQUIRENTE; COMPRADOR *sm.* 2 Essa pessoa [Pl.: *-ores.*] [F.: *adquirir + -dor.*]

adquirir (ad.qui.*rir*) *v.* 1 Passar a ter algo por compra, troca, doação etc. [*td.*: *adquirir uma estante/uma bicicleta.*] 2 Conseguir, obter [*td.*: *Finalmente adquiriu o visto de permanência.*] 3 Ganhar muito dinheiro, acumular bens [*int.*: *Deu duro a vida toda, e conseguiu adquirir.*] 4 Conseguir ou conquistar com esforço; GRANJEAR [*td.*: *adquirir conhecimentos/prestígio.*] 5 Passar a apresentar (aspecto etc.); ASSUMIR [*td.*: *Seu rosto adquiriu expressão serena.*] 6 Passar a ter (problema de saúde); CONTRAIR [*td.*: *No verão, sempre adquire alergias.*] [▶ 3 adquirir] [F.: Do lat. *adquirere.*]

adquirível (ad.qui.*rí*.vel) *a2g.* Passível de ser adquirido; COMPRÁVEL [Ant.: *inadquirível.*] [Pl.: *-eis.*] [F.: *adquirir + -vel.*]

adraganta (a.dra.*gan*.ta) *Bot. sf.* 1 Nome comum a plantas leguminosas do gênero *Astragalus*, subfamília das papilionóideas 2 Planta arbustífera (*Astracantha gummifera*) que produz a goma adraganta; ALCATIRA; ASTRÁGALO; TRAGACANTA 3 Goma extraída do caule dessa planta us. ger. em produtos medicinais, como espessante na fabricação de alguns alimentos e como aglutinante de pigmentos [F.: Do gr. *tragákantha, ês.*]

adrede (a.*dre*.de) [ê] *adv. Ant.* De propósito; INTENCIONALMENTE: *documento adrede perdido* [Ant.: *involuntariamente*] [F.: De or. contrv; do gótico *at reths*, 'por conselho', posv.] ■ **De ~** intencionalmente

⊕ ***ad referendum*** (*Lat. /ad referêndum/*) *loc. a. Jur.* Diz-se de decisão que deve ser submetida a exame e posterior aprovação de outrem: *Foi nomeado ad referendum do Congresso.*

adregar (a.dre.*gar*) *v. int. Pop.* O mesmo que *adergar*: *Adregou que encontrou toda a família.* [▶ 14 adregar] [F.: F. metat. de *adergar*. Hom./Par.: *adrego* (fl.), *adrego* [ê] (sm.).]

adrego (a.*dre*.go) [ê] *sm. Lus.* Acaso, coincidência, casualidade; ADERGO [F.: Dev. de *adregar.*]

⊕ ***ad rem*** (*Lat. /ad rem/*) *loc. a.* 1 Refere-se a coisa; a argumento que atinge o âmago da questão [Us. na expr. *argumento ad rem*, opõe-se ao *argumento ad hominem.*] 2 *Jur.* Us. para indicar o direito pessoal que se tem sobre a coisa *loc. adv.* 3 De modo pertinente (ao assunto mencionado); EXATAMENTE

adrenal (a.dre.*nal*) *Anat. a2g.* 1 Que está sobre o rim ou ao lado dele 2 Diz-se da glândula suprarrenal [Pl.: *-nais.*] [F.: *ad-* + rad. do lat. *renes, ium ou um*, 'rins', + *-al¹.*]

adrenalectomia (a.dre.na.lec.to.*mi*.a) *sf. Cir.* Extração da glândula suprarrenal [F.: *adrenal + -ectomia.*]

adrenalina (a.dre.na.*li*.na) *sf.* 1 *Quím.* Hormônio produzido pela medula das glândulas suprarrenais, importante estimulador da pressão sanguínea e da atividade orgânica (resposta a estímulos, batimentos cardíacos, constrição dos vasos nas hemorragias etc.); ADNEFRINA; EPINEFRINA [Fórm.: $C_9H_{13}NO_3$] 2 *P. ext. Pop.* Excitação, ímpeto, energia provocados por atividade estimulante: *Esporte radical é pura adrenalina.* 3 *Pop.* Ânimo, vigor, disposição para agir: *Vai ser preciso muita adrenalina para enfrentar e vencer esse problema.* [F.: Do ing. *adrenaline.*]

adrenalinemia (a.dre.na.li.ne.*mi*.a) *sf. Med.* Concentração de adrenalina no sangue [F.: *adrenalina + -emia.*]

adrenalínico (a.dre.na.*lí*.ni.co) *a.* Que diz respeito à adrenalina [F.: *adrenalina + -ico².*]

adrenarca (a.dre.*nar*.ca) *sf.* Sinal precoce de puberdade (principalmente crescimento de pelos pubianos e/ou axilares); PUBARCA [F.: *adren(o)- + -arca².*]

adrenérgico (a.dre.*nér*.gi.co) *Fisl. a.* Que libera adrenalina ou substância com ação semelhante à da adrenalina [F.: *adren(o)- + -erg(o)- + -ico².*]

◎ **adren(o)-** *el. comp.* = 'glândula suprarrenal'; 'adrenalina': *adrenocortical; adrenérgico, adrenocromo; hiperadrenocorticismo* [F.: De *adren-*, como em *adrenal* e *adrenalina*, + *-o-.*]

◎ **-adren(o)-** *el. comp.* Ver *adren(o)-*

adrenoceptor (a.dre.no.cep.*tor*) [ô] *sm. Fisl.* Receptor adrenérgico [F.: Do ing. *adren(ergic) + (re)ceptor.*]

adrenocortical (a.dre.no.cor.ti.*cal*) *a2g.* Referente à camada cortical da glândula suprarrenal [Pl.: *-cais.*] [F.: *adren(o)- + cortical.*]

adrenocorticotrófico (a.dre.no.cor.ti.co.*tró*.fi.co) *a. Bioq.* Diz-se de substância que atua nas células da camada cortical da glândula suprarrenal, estimulando-as a sintetizar e liberar hormônios [F.: *adrenocortic(al) + -o- + -trof(o)- + -ico².*]

adrenopausa (a.dre.no.*pau*.sa) *sf. Med.* Redução dos hormônios produzidos pela glândula suprarrenal [F.: *adren(o)- + -pausa.*]

adressógrafo (a.dres.*só*.gra.fo) *sm.* Equipamento de escritório, usado para imprimir endereços em envelopes e papéis diversos que se quer enviar pelo correio [F.: Do ing. *adressograph.*]

adriático (a.dri:*á*.ti.co) *sm.* 1 Pessoa nascida ou que vive em Ádria (Itália), cidade banhada pelo mar Adriático *a.* 2 De Ádria, típico dessa cidade ou de seu povo 3 Pertencente ou ref. ao mar Adriático ou às suas proximidades (rota adriática) [F.: Do lat. *adriaticus, a, um.*]

adriça (a.*dri*.ça) *sf. Mnh.* Cabo ou corda para içar velas, vergas, bandeira etc. [Mais us. no pl.] [F.: Do it. *drizza*; a f. *adriça* é protética. Hom./Par.: *adriça* (sf.), *adriça* (fl. de *adriçar*).] ■ **A meia ~** 1 *Marinh.* Que está içada (bandeira) até 2/3 da distância vertical que vai do lais da verga ou do tope do mastro ao local de onde foi içada a meio 2 *Gír. Mar.* Meio embriagado

adriçar (a.dri.*çar*) *Mar. v.* 1 *P. us.* Levantar (bandeira, flâmula etc.) utilizando a adriça [*td.*: *O marinheiro dirigiu-se ao convés e adriçou a bandeira branca.*] 2 Equilibrar (embarcação que adernou) [*td.*: *adriçar a carga da embarcação.*] [*int.*: *Com o deslocamento da carga, o barco adriçou.*] 3 Amarrar, prender (pequena embarcação) de encontro à borda [*td.*: *Adriçou os barcos por meio de cabos.*] [▶ 12 adriçar] [F.: *adriça + -ar².* Hom./Par.: *adriça(s)* (fl.), *adriça(s)* (sf. [pl.]).]

adro (a.dro) *sm.* 1 *Arq. Rel.* Terreno aberto ou murado, em frente e/ou ao redor de uma igreja; ÁTRIO; PERÍBOLO 2 *P. ext. Hist.* Cemitério (assim chamado devido ao antigo costume de enterrar os cadáveres nos adros das igrejas) [F.: Do lat. *atrium, ii.*]

ad-rogação (ad-ro.ga.*ção*) *sf.* 1 Ação ou resultado de ad-rogar 2 *Jur. Hist.* Adoção solene que se realizava quando a pessoa adotada não tinha pai legítimo ou reconhecido 3 *Jur. Hist.* Ato jurídico vigente na Roma antiga pelo qual um chefe de família passava com todos os seus dependentes para o domínio familiar de outra pessoa [Pl.: *-ções.*] [F.: Do lat. *adrogatio, onis*. Ideia de: *rog-.*]

ad-rogar (ad-ro.*gar*) *v. td.* Perfilhar, tomar por adoção (pessoa que já tenha atingido a maioridade); ADOTAR [▶ 14 ad-rogar] [F.: Do lat. *adrogare* ou *arrogare.*]

adromia (a.dro.*mi*.a) *sf. Neur.* Incapacidade, por parte de um nervo, de conduzir estímulos [F.: *a-³ + -drom(o)- + -ia¹.*]

adscrever (ads.cre.*ver*) *v.* 1 Adicionar (algo) ao que está escrito; ACRESCENTAR; ACRESCER [*td.*: *No fim da carta adscreveu uma observação.*] [*tdr.* + *a*: *Adscreveu um pedido ao final da carta.*] 2 Marcar (algo) com registro; INSCREVER [*tda.*: *Adscreveu um agradecimento na primeira página do livro.*] 3 Impelir ou ser impelido a realizar determinada ação; OBRIGAR(-SE); SUJEITAR(-SE) [*tdr.* + *a*: *A manifestação adscreveu o ministro a tomar medidas severas.*] [*tr.* + *a*: *O grupo adscreveu-se às decisões do líder.*] 4 *Fig. P. us.* Ficar restrito a; LIMITAR-SE [*tr.* + *a*: *A festinha adscreveu-se à varanda.*] [▶ 2 adscrever Particípio irreg.: *adscrito.*] [F.: Do lat. *adscribere.*]

adscrição (ads.cri.*ção*) *sf.* 1 Ação ou resultado de adscrever *sf.* 2 Adição a algo que foi escrito; ACRÉSCIMO; ADITAMENTO: *Houve a adscrição de duas notas no livro de registro.* 3 Dependência, submissão [Pl.: *-ões.*] [F.: Do lat. *adscriptio, onis.*]

adscrito (ads.*cri*.to) *a.* 1 Que foi acrescentado; em que houve aditamento 2 *Fig.* Submetido, sujeitado [F.: Do lat. *adscriptus, a, um.* Cf. *adstrito.*]

adsorção (ad.sor.*ção*) *sf. Fís. Quím.* Retenção de partículas (moléculas, átomos, íons) de uma substância líquida ou gasosa na superfície de outra, sólida [Pl.: *-ções.*] [F.: *ad-* + *-sorção.* Hom./Par.: *adsorção* (sf.), *absorção* (sf.). Cf.: *absorção.*]

adsorvato (ad.sor.*va*.to) *sm. Fís. Quím.* Molécula de gás, de vapor ou partícula, adsorvida em um processo de adsorção [F.: *adsorv(er) + -ato.*]

adsorvente (ad.sor.*ven*.te) *Fís-quím. a2g.* 1 Que possui (diz-se de substância) a propriedade de adsorver em sua superfície moléculas de outra substância *sm.* 2 Essa substância [F.: *adsorver + -nte.* Cf.: *absorvente.*]

adsorver (ad.sor.*ver*) *v. td. Fís. Quím.* Realizar a adsorção de [▶ 2 adsorver] [F.: *ad- + sorver.*]

adstringência (ads.trin.*gên*.ci:a) *sf.* Qualidade do que é adstringente [F.: *adstringir + -ência.*]

adstringente (ads.trin.*gen*.te) *a2g.* 1 Que adstringe, comprime, aperta; ADSTRITIVO; ESTÍPTICO 2 Diz-se da substância que provoca constrição dos tecidos e diminui as secreções: *O suco do caju é adstringente.* *sm.* 3 A substância ou produto que adstringe: *O uso de adstringentes é muito comum na medicina caseira.* [F.: Do lat. *adstringens, entis.*]

adstringir (ads.trin.*gir*) *v.* 1 Juntar(-se) fortemente, apertar(-se); COMPRIMIR(-SE); ESTREITAR(-SE) [*td.*: *adstringir um laço.*] [*int.*: *Os lábios se adstringem com a cica das frutas.*] 2 Impor limite, restrição a (algo ou alguém, inclusive si mesmo); LIMITAR(-SE); RESTRINGIR(-SE) [*tdr.* + *a*: *O autor se adstringiu a alguns exemplos; Adstringiu o espaço de recreio ao pátio dos fundos.*] 3 *Fig. P. us.* Forçar(-se), obrigar(-se), constranger(-se) [*tdr.* + *a*: *o gerente adstringira o funcionário a cumprir o horário; A cozinheira se adstringira a usar menos sal.*] 4 *Med.* Produzir uma certa aderência entre tecidos orgânicos [*td.*: *A irritação adstringiu tecidos e provocou dor.*] [▶ 46 adstringir] [F.: Do lat. *adstringere.*]

adstrito (ads.*tri*.to) *a.* 1 Que está ligado a; UNIDO; ATADO; DEPENDENTE: *instituto adstrito ao departamento* 2 Que sofreu contração; APERTADO; COMPRIMIDO; CONSTRITO 3 Obrigado, sujeito, submetido; limitado, restrito: *O juiz ficará adstrito ao laudo.* 4 *Med.* Fechado, apertado, unido (ferimento adstrito) [F.: Do lat. *adstrictus, a, um.*]

aduana (a.du:a.na) *sf.* 1 Repartição encarregada de cobrar as taxas referentes à entrada e saída de mercadoria, o mesmo que *alfândega* 2 *Ant.* O conjunto dessas taxas 3 *Ant.* Nome dado pelos mouros a um bairro fechado habitado por cristãos [F.: Do ár. *ad-diwan.*]

aduaneiro (a.du:a.*nei*.ro) *a.* 1 Ref. a aduana, a alfândega; ALFANDEGÁRIO: *direitos aduaneiros.* *sm.* 2 Pessoa que trabalha na aduana [F.: *aduana + -eiro.*]

aduar (a.du:*ar*) *v. td. Ant.* Dividir (água de rega) entre os vizinhos [▶ 1 aduar] [F.: *adua + -ar².*]

adubação (a.du.ba.*ção*) *sf. Agr.* Ação ou resultado de adubar; ADUBAMENTO; ADUBAÇÃO: *A primeira adubação é realizada antes do plantio das mudas.* [Pl.: *-ções.*] [F.: *adubar + -ção.*]

adubadeira (a.du.ba.*dei*.ra) *sf. Agr.* Implemento agrícola usado para introduzir adubo na terra ou para distribuir sementes, inseticidas, calcários etc. [F.: *adubar + -deira.*]

adubado (a.du.*ba*.do) *a.* 1 Que levou adubo (terra adubada) 2 Temperado, condimentado: *farofa adubada com dendê.* 3 *Fig.* Diz-se de pele que foi curtida, preparada 4 Enfeitado, ataviado, adornado 5 Diz-se de fala ou escrita que encerra pilhéria, gozação 6 *Antq. Mar.* Que foi consertado (diz-se de embarcação); ADOBADO [F.: Part. de *adubar.*]

adubador (a.du.ba.*dor*) [ô] *a.* 1 Que aduba *sm.* 2 Aquele que aduba [F.: *adubar + -dor.*]

adubagem (a.du.*ba*.gem) *sf. Agr.* O mesmo que *adubação* [Pl.: *-gens.*] [De *adubar + -agem².*]

adubar (a.du.*bar*) *v.* 1 Pôr adubo em (terra), para fertilizá-la [*td.*: *Adubar um canteiro.*] 2 Colocar tempero em; TEMPERAR; CONDIMENTAR [*td.*: *Adubar o risoto.*] [*tdr.* + *com*: *Adubar o feijão com toucinho.*] 3 *Fig. P. us.* Enfeitar(-se); ADORNAR(-SE) [*td.*: *Adubar a roupa.*] [*tdr.* + *com, de*: *Adubar o vestido de lantejoulas; Adubava-se com muitas bijuterias.*] 4 *Fig. P. us.* Entremear, misturar para tornar mais rico, atraente, engraçado, sugestivo etc. [*tdr.* + *com, de*: *Adubou o discurso com frases de efeito.*] 5 Curtir (couro, peles) [*td.*] 6 *Antq. Mar.* Consertar, preparar (navio) [*td.*] [▶ 1 adubar] [F.: Do lat. *addubare*, pelo fr. antigo *adober* 'armar cavaleiro'. Hom./Par.: *adubo* (fl.), *adubo* (sm.).]

adubo (a.*du*.bo) *sm.* **1** *Agr.* Matéria orgânica ou química que se mistura à terra para fertilizá-la; FERTILIZANTE **2** *Fig.* Aquilo que concorre para o desenvolvimento de algo: *O ciúme é o adubo do amor.* **3** Tempero usado para dar um sabor especial ao alimento **4** *Ant.* Tudo que se emprega para enfeite ou conservação de alguma coisa [F.: Dev. de *adubar*. Hom./Par.: *adubo* (sm.), *adubo* (fl. de *adubar*).]

adução (a.du.*ção*) *sf.* **1** Ação ou resultado de aduzir, de guiar, conduzir **2** *Fisl. Med.* Ação ou resultado de movimentar um membro (ou parte dele) na direção do plano médio do corpo ou dele mesmo **3** Operação (nas redes de abastecimento) de levar água, a partir do ponto de captação, até o sistema de distribuição [Pl.: *-ções*.] [F.: Do lat. tard. *adductio, onis*.]

aducente (a.du.*cen*.te) *a2g.* **1** Que aduz, traz, conduz, acrescenta, encaminha; ADUTOR **2** Que se pode aduzir, que é passível de adução [F.: Do lat. *aducens, entis*.]

aducha (a.*du*.cha) *sf.* **1** *Mar.* Cada uma das voltas que um cabo ou amarra dá quando enrolado, na própria embarcação ou no cais **2** O rolo formado por esse cabo: "... foi mais uma conversa frouxa, no convés, sentado um em aduchas de cabos, outro em braçola ou quartel de escotilha." (Guimarães Rosa, "A simples e exata estória do burrinho do Comandante", *in Estas estórias*) [F.: Do espn. *aduja*.]

aduela (a.du:*e*.la) [é] *sf.* **1** Cada uma das tábuas curvas que formam o corpo de barris e tonéis *sf.* **2** *Arq.* Cada uma das pedras talhadas em cunha que formam arcos e abóbadas de cantaria **3** *Cons. Arq.* Cada uma das pedras que, na parte superior de vão deixado na cantaria por arco, porta, janela etc., sustentam a estrutura **4** *Carp. Cons.* Peça de madeira que guarnece os umbrais de portas e janelas [F.: Do fr. *douelle*, com *a-* protético.] ■ **Ter uma ~ de mais** *Fam.* Ver *Ter um parafuso a/de mais* no v. *parafuso* **Ter uma ~ de menos** *Fam.* Ver *Ter um parafuso a/de menos*, no v. *parafuso*

adufa (a.*du*.fa) *sf.* **1** Folha externa de janelas, feita com ripas horizontais que não se tocam, deixando apenas passar o ar mas escurecendo o ambiente; VENEZIANA: "vivendas com varandal à frente, com adufas nas janelas, rexas, gradios de ferro, rótulas mouriscas, mirantes, balcões..." (Guimarães Rosa, "Páramo", *in Estas estórias*) **2** Comporta móvel instalada em barragens ou canais para controlar a vazão da água **3** Mó horizontal dos lagares de azeite, para prensagem de azeitonas [F.: Do ár. *ad-duffa*.]

adufar¹ (a.du.*far*) *v. td.* Guarnecer (algo) de adufas [▶ 1 adufar] [F.: *adufa* + *-ar²*.]

adufar² (a.du.*far*) *v.* **1** *Mús.* Tocar adufe (tipo de pandeiro) [*int.*] **2** Marcar ritmo de (música, dança) ao som do adufe [*td.*] [▶ 1 adufar] [F.: *adufe* + *-ar²*.]

adufe (a.*du*.fe) *sm. Mús.* Pandeiro de origem árabe, feito com uma moldura quadrada de madeira com membranas de couro esticadas dos dois lados, guarnecido de soalhas de latão; ADUFO [F.: Do ár. *ad-duff*.]

adufeiro (a.du.*fei*.ro) *sm. Mús.* Fabricante ou tocador de adufo, ou adufe [F.: Do ár. *add -duff*.]

adufo (a.*du*.fo) *sm.* **1** *Mús.* Instrumento de madeira leve, quadrado, assemelhado ao pandeiro, com couro retesado nas suas duas faces e guizos por dentro, que se toca com todos os dedos, menos os polegares, que o sustêm: "O chão tremia aos frenéticos sapateados dos dançadores, o rumor das violas, dos pandeiros, dos adufos." (Bernardo Guimarães, *O ermitão de Muquém*) **2** *N. E.* Pequeno tambor ou pandeiro de terreiros de cultos afro-brasileiros, sem guizos internos, batido diretamente com as mãos **3** *AL* Cuíca [F.: Do ár. *add-duff*. Forma paral.: *adufe*.]

adulação (a.du.la.*ção*) *sf.* **1** Ação ou resultado de adular **2** Lisonja excessiva; BAJULAÇÃO [Pl.: *-ções*.] [F.: Do lat. *adulatio, onis*.]

adulado (a.du.*la*.do) *a.* Que se adula ou adulou, que é ou foi objeto de adulação; BAJULADO; LISONJEADO [F.: Do lat. *adulatus, a, um*.]

adulador (a.du.la.*dor*) [ô] *a.* **1** Que adula; BAJULADOR; LISONJEADOR *sm.* **2** Aquele que adula [F.: Do lat. *adulator, -oris*.]

adular (a.du.*lar*) *v. td.* **1** Agradar, lisonjear (alguém) com exagero, por interesse; BAJULAR: *De olho na promoção, adulava o chefe.* **2** *MG* Fazer carinhos ou agrados em; ACARINHAR; AGRADAR: *Vivia a adular o filho temporão.* **3** *Bras. N. E.* Ter estima, consideração, admiração por (alguém) [▶ 1 adular] [F.: Do lat. *adulari*. Hom./Par.: *adularia(s)* (fl.), *adulária(s)* (sf. [pl.]).]

adulária (a.du.*lá*.ri.a) *sf. Min.* Nome vulgar do ortósio, uma das espécies de feldspato que se encontra no monte São Gotardo, antigamente chamado Adula. A gema possui um tom leitoso e um brilho nacarado; é usada na fabricação de joias; PEDRA DA LUA [F.: Do fr. *adulaire*.]

adulatório (a.du.la.*tó*.ri:o) *a.* Que contém adulação, adulante, adulador; LISONJEIRO; ENCOMIÁSTICO; BAJULADOR: *Fez um discurso insuportavelmente adulatório.* [F.: Do lat. *addulatorius, a, um*.]

adulteração (a.dul.te.ra.*ção*) *sf.* **1** Ação ou resultado de adulterar: *Foram flagrados na adulteração de combustível* **2** Aquilo que foi adulterado, seu estado ou condição; CONTRAFAÇÃO; FALSIFICAÇÃO: *Esse remédio não é o original, é uma adulteração.* [Pl.: *-ções*.] [F.: Do lat. *adulteratio, onis*.]

adulterado (a.dul.te.*ra*.do) *a.* **1** Que se adulterou **2** Que foi falsificado, que foi contrafeito, imitado com intenção dolosa (documentos adulterados, remédio adulterado) **3** Que sofreu deturpação ou deformação: *Não se reconheceu ao ler a entrevista, e ao deparar com palavras e ideias adulteradas.* **4** Que teve suas características modificadas, ger. por ação natural; TRANSFORMADO: *Depois das enchentes, encontramos um ecossistema adulterado* [F.: Do lat. *adulteratus, a, um*.]

adulterador (a.dul.te.ra.*dor*) [ô] *a.* **1** Que adultera, que falsifica; FALSIFICADOR *sm.* **2** Aquele que adultera, que falsifica [F.: Do lat. *adulterator, -oris*.]

adulterante (a.dul.te.*ran*.te) *a2g.* **1** Que adultera, falsifica; que pode adulterar (solvente adulterante) *sm.* **2** Substância usada no processo de adulteração: *A palha é o adulterante mais comum do café.* [F.: Do lat. *adulterans, antis*.]

adulterar (a.dul.te.*rar*) *v.* **1** Alterar (algo) desonestamente; imitar com intenção dolosa; DETURPAR; FALSIFICAR [*td.*: *Foi preso por adulterar remédios; adulterar um documento.*] **2** Fazer ficar ou ficar corrompido, degenerado, estragado; corromper(-se), deformar(-se), viciar(-se) [*td.*: *O calor pode adulterar o leite.*] [*int.*: *Adulterou-se quando se aliou a pessoas desonestas.*] **3** Fazer mudar de forma, de características; ALTERAR; MODIFICAR [*td.*: *Seu forte sotaque adultera algumas palavras; O excesso de tempero adulterou o gosto da carne.*] **4** Ser infiel no casamento; cometer adultério [*int.*: *Casou-se há um ano apenas e já adulterou(-se).*] [▶ 1 adulterar] [F.: Do lat. *adulterare*. Hom./Par.: *adultera* (fl.), *adúltera* (fem. de *adúltero*); *adultero* (fl.), *adúltero* (a. sm.).]

adulterinidade (a.dul.te.ri.ni.*da*.de) *sf.* Qualidade, ação ou estado de adulterino [F.: *adulterino* + *-idade*.]

adulterino (a.dul.te.*ri*.no) *a.* **1** Que foi adulterado, falsificado **2** Que provém de adultério (filho adulterino) **3** Em que acontece adultério (conduta adulterina); ADÚLTERO [F.: Do lat. *adulterinus*.]

adultério (a.dul.*té*.ri:o) *sm.* **1** Transgressão, nos aspectos moral e legal, da fidelidade conjugal (compromisso de exclusividade recíproca nas relações sexuais dos cônjuges) implícita ou explícita no contrato matrimonial *sm.* **2** *P. ext.* Ato de ter relações sexuais com outra pessoa que não o seu próprio cônjuge; INFIDELIDADE **3** *Fig.* Junção espúria de elementos contraditórios: *O adultério de luz e trevas.* [F.: Do lat. *adulterium, ii*.]

adulterioso (a.dul.te.ri:*o*.so) [ô] *a.* Que tem caráter de adultério; ADULTERINO; ADÚLTERO [F.: *adultério* + *-oso*.]

adúltero (a.*dúl*.te.ro) *sm.* **1** Aquele que comete ou cometeu adultério *a.* **2** Que comete ou cometeu adultério (homem adúltero; mulher adúltera) **3** Ref. a adultério (relação adúltera); ADULTERINO *a.* **4** Que foi adulterado ou falsificado *a.* **5** Que é falso ou dissimulado [F.: Do lat. *adulter, era, erum*. Hom./Par.: *adúltero* (a. sm.), *adultero* (fl. de *adulterar*).]

adultidade (a.dul.ti.*da*.de) *sf.* A fase adulta, o período de vida em que o indivíduo é plenamente adulto; ADULTÍCIA [F.: *adulto* + *-idade*.]

adulto (a.*dul*.to) *sm.* **1** Pessoa que chegou ao pleno amadurecimento e encontra-se entre a adolescência e a velhice: *É um filme para adultos.* *a.* **2** Que completou o seu pleno desenvolvimento (animal adulto, árvore adulta) **3** Que chegou à maioridade legal (no Brasil, aos 18 anos): *Um jovem adulto, já cônscio dos seus deveres.* **4** Que atingiu a plenitude emocional e intelectual: *Não aceitou a provocação, teve a atitude de uma pessoa adulta.* *a.* **5** Que diz respeito a, é próprio de ou se destina a pessoas adultas (comportamento adulto, leituras adultas) [F.: Do lat. *adultus, a, um*. Ant. ger. *infantil*.]

adumbrar (a.dum.*brar*) *v.* **1** Fazer o esboço; DELINEAR; ESBOÇAR [*td.*: *Adumbrava o desenho do castelo com precisão.*] **2** *Ant.* Criar sombra(s); SOMBREAR [*td.*: *Adumbrava figuras com as mãos na parede escura.*] **3** Representar (algo) por meio de símbolo(s) [*td.*: *Adumbrava o amor por meio de um desenho de coração.*] **4** *Fig.* Seguir (algo ou alguém) silenciosamente, como se fora uma sombra [*td.*: *O namorado ciumento não para de adumbrá-la.*] **5** *Fig. P. us.* Tornar-se triste, sombrio [*int.*: *Adumbrava-se com o fim das férias.*] [▶ 1 adumbrar] [F.: Do lat. *adumbrare*.]

adunação (a.du.na.*ção*) *sf.* Ação ou resultado de adunar(-se), de unir várias partes em uma só, formando um todo continuado; ADUNAMENTO [Pl.: *-ões*.] [F.: Do lat. *adunatio, onis*.]

aduncar (a.dun.*car*) *v. td. Bras.* Tornar adunco ou curvo: *aduncar uma barra de ferro.* [▶ 11 aduncar] [F.: *adunco* + *-ar*.]

aduncidade (a.dun.ci.*da*.de) *sf.* Característica ou feição do que é adunco, curvo; ARQUEADURA [F.: Do lat. *aduncitas, atis*.]

aduncirrostro (a.dun.cir.*ros*.tro) [ó] *a. Zool.* Que tem o bico adunco, como as aves de rapina [F.: *adunc(o)* + *-i-* + *-rostro*.]

adunco (a.*dun*.co) *a.* Em forma de gancho (nariz adunco); CURVO; RECURVADO [F.: Do lat. *aduncus, a, um*. Hom./Par.: *adunco* (a.), *adunco* (fl. de *aduncar*).]

adurar (a.du.*rar*) *v. int. Ant. Pop.* O mesmo que *durar*: *A febre do bebê adura há dias.* [▶ 1 adurar] [F.: *a-²* + *durar*.]

adurência (a.du.*rên*.ci:a) *sf.* Caráter ou qualidade do que é adurente, do que queima ou produz sensação de queimadura: *O nitrato de prata é uma substância de grande adurência.* [F.: De orig. duvid.]

adurente (a.du.*ren*.te) *a2g.* **1** Que tem a propriedade de queimar, abrasar, causticar; ADUSTIVO **2** Que faz sentir abrasão: "...na atmosfera adurente, no chão gretado e poento, pressentia-se a invasão periódica do regime desértico..." (Euclides da Cunha, *Os sertões*) **3** Diz-se de medicamentos ou substâncias químicas que queimam: *O nitrato de prata é uma substância adurente.* [F.: Do lat. *adurens, entis*.]

adurir (a.du.*rir*) *v. td.* Destruir pela ação do fogo; CALCINAR; QUEIMAR: *O incêndio aduriu a floresta.* [▶ 59 adurir] [F.: Do lat. *adurere* 'queimar na superfície, abrasar'.]

adustão (a.dus.*tão*) *sf.* **1** Ação ou resultado de adurir, de queimar **2** Calor excessivo; COMBUSTÃO; ABRASAMENTO; ESBRASEAMENTO **3** *Med.* Cauterização com fogo **4** *Quím.* Calcinação **5** *Bot.* Condição de planta que foi queimada por agentes naturais [Pl.: *-tões*.] [F.: Do lat. *adustio, onis*.]

adusto (a.*dus*.to) *a.* **1** Que se aduriu, que sofreu adustão *a.* **2** Que foi ou está queimado, abrasado, ressequido: "Pouco distante abrindo o solo adusto, / um fio d'água murmurava a custo" (Machado de Assis, "Pálida Elvira", *in Falenas*) **3** Que é extremamente quente (clima adusto, asfalto adusto); ESBRASEADO; FERVENTE **4** Escuro, tisnado em consequência da ação de grande calor: *Tinha o corpo adusto de quem passara o verão na praia.* **5** *Med.* Que foi cauterizado [F.: Do lat. *adustus*.]

adutor (a.du.*tor*) [ô] *a.* **1** Que aduz, que aproxima ou transporta algo de um lugar a outro (canal adutor) **2** *Anat.* Diz-se de músculo que faz o movimento de adução, em direção ao plano médio do corpo **3** *Zool.* Diz-se do músculo que assegura o fechamento das conchas dos moluscos bivalves *sm.* **4** Aquilo que transporta, conduz (algo) de um lugar a outro: *adutor de esgoto.* **5** *Anat.* Músculo adutor [F.: Do lat. *adductor, oris*.]

adutora (a.du.*to*.ra) [ô] *sf.* Num sistema de abastecimento, canal ou encanamento que leva a água de uma fonte até um reservatório, ou de um reservatório a outro [F.: Fem. subst. de *adutor*.]

aduzir (a.du.*zir*) *v.* **1** Apresentar, mostrar (argumentos, provas, testemunhos etc.); ALEGAR; EXPOR [*td.*: *O advogado aduziu novas provas no tribunal.*] [*tdi.* + *a*, *para*: *O promotor aduzirá outros argumentos aos jurados*; "...embora não soubesse ler, era forte no catecismo e conhecia a história sagrada aos pedaços, aduzindo a eles interpretações suas e interpolações pitorescas." (Lima Barreto, *O triste fim de Policarpo Quaresma*)] **2** Trazer, levar, conduzir (algo ou alguém) a outro lugar [*tda.*: *Que motivo te aduziu aqui?*] [▶ 57 aduzir] [F.: Do lat. *adducere*.]

⊕ **ad valorem** (*Lat.* /ad valôrem/) *loc. a. Jur.* Diz-se de tributo cuja base de cálculo é o valor da mercadoria e não espécie, quantidade, peso ou volume

advecção (ad.vec.*ção*) *sf. Met.* Transmissão de calor pelo deslocamento horizontal de massa atmosférica [Pl.: *-ões*.] [F.: Do lat. *advectio, advectionis*.]

ádvena (*ád*.ve.na) *a.* **1** Que chega de alguma parte, que não é nascido no lugar; ADVENTÍCIO; ESTRANGEIRO; FORASTEIRO: "Houve quem me chamasse de ádvena e arrivista, conta Salles..." (*Isto é*, 31.03.2004) *s2g.* **2** Aquele que vem de fora, que não é nascido no lugar; ESTRANGEIRO; FORASTEIRO [F.: Do lat. *advena, ae*.]

adveniente (ad.ve.ni:*en*.te) *a2g.* Que advém, acontece, ocorre, sucede; SUPERVENIENTE: *despesa adveniente da festa.* [F.: Do lat. *adveniens, entis*.]

adventícia (ad.ven.*tí*.ci:a) *sf.* O mesmo que *túnica adventícia* (ver no verbete *túnica*)

adventicial (ad.ven.ti.ci:*al*) *a2g.* **1** *Cit.* Diz-se de célula responsável pela regeneração de partes do tecido conjuntivo **2** *Rel.* Ref. à túnica adventícia (ver no verbete *túnica*) [Pl.: *-ais*.] [F.: *adventícia* + *-al*.]

adventício (ad.ven.*tí*.ci:o) *a.* **1** Que veio de outro lugar, que não é natural do lugar em que está ou vive; ESTRANGEIRO; FORASTEIRO [Ant.: *nativo*] *a.* **2** Que acontece casualmente, sem ser esperado; IMPREVISTO *a.* **3** Que ocorre ou está fora do lugar ou da época habituais (fruta adventícia) *a.* **4** *Bot.* Que nasce fora do lugar próprio ou habitual (raiz adventícia) **5** *Fil.* No cartesianismo, diz-se de ideia percebida no mundo externo pelos sentidos, e não elaborada pela razão *sm.* **6** Aquele que veio de fora, que não é do lugar; ESTRANGEIRO; FORASTEIRO [Ant.: *nativo*] [F.: Do lat. *adventicius, a, um*.]

adventismo (ad.ven.*tis*.mo) *a. sm. Rel.* Doutrina protestante, fundada nos EUA em 1849, que anuncia o cumprimento das profecias cristãs (ainda) não realizadas na próxima segunda vinda de Jesus à Terra, quando começará um reinado de mil anos [F.: Do ing. *adventism*.]

> 📖 O termo refere-se à crença básica desse ramo do protestantismo, a do (segundo) advento de Cristo (ou seja, seu retorno), expresso no fim do mundo e na instauração do reino de Deus. Surgido nos EUA, o movimento entrou em crise após a não realização do advento na época primeiramente prevista (1843), nem na data corrigida. Outros movimentos nasceram deste, como os Adventistas do Sétimo Dia e a Igreja Cristã Adventista, que continuam a crer no Advento, mas cuja data não é pré-fixada, e depende da vontade de Deus. São abstinentes de carne, álcool e fumo, descansam aos sábados, e acreditam na ressurreição dos puros de coração.

adventista (ad.ven.*tis*.ta) *Rel. a2g.* **1** Ref. ao adventismo **2** Que é seguidor do adventismo *s2g.* **3** *Rel.* Aquele que segue o adventismo [F.: Do ing. *adventist*.]

advento (ad.*ven*.to) *sm.* **1** Vinda, chegada, surgimento: "E Ega insistia para que voltassem todos à Vila Balzac, fossem beber a outra garrafa de *champagne*, a celebrar o advento do Justo!" (Eça de Queirós, *Os Maias*) **2** Adoção, estabelecimento: *O advento da democracia.* **3** *Rel.* No cristianismo, a vinda de Jesus 4 *Litu.* Na liturgia católica, as quatro semanas que antecedem o Natal [F.: Do lat. *adventus, us.*]

adverbial (ad.ver.bi:*al*) *a2g.* 1 *Gram.* Que se refere a ou é próprio do advérbio 2 *Gram.* Que tem função de advérbio (adjunto adverbial, locução adverbial) [Pl.: *-ais.*] [F.: Do lat. tard. *adverbialis, e.*]

adverbiar (ad.ver.bi.*ar*) *v. Gram.* Empregar com função de advérbio ou transformar em advérbio; ADVERBIALIZAR [*td.*: *Adverbiei os adjetivos.*] [*int.*: *Nos textos jornalísticos, nem sempre convém adverbiar.*] [▶ 1 adverbi**ar**] [F.: *advérbio* + *-ar²*. Hom./Par.: *adverbio* (fl.), *advérbio* (sm.).]

advérbio (ad.*vér*.bi:o) *sm. Gram.* Palavra invariável que modifica o sentido de um verbo, adjetivo ou de outro advérbio, e em alguns casos substitui substantivos, representando um complemento circunstancial que indica tempo, lugar, modo, qualidade, intensidade, afirmação, negação, etc.: *comer muito; pouco cheio; bastante cautelosamente; aqui* (*neste lugar*) [F.: Do lat. *adverbium, i.* Hom./Par.: *advérbio* (sm.), *adverbio* (fl. de *adverbiar*).] ∎ **~ demonstrativo** O que indica um lugar ou posição em relação aos interlocutores (*aí, aqui, ali, cá* etc.) **~ indefinido** O que indica lugar ou característica ou intensidade da ação de forma indefinida, vaga (*algures, alhures, muito, pouco* etc.) **~ interrogativo** O que introduz perguntas (*Como...? Quando...? Onde...?*) **~ relativo** O que introduz oração relativa (*...o lugar onde trabalhei o ano passado...*)

adversão (ad.ver.*são*) *sf.* 1 Ação ou resultado de adversar, de ser contrário; OPOSIÇÃO; CONTRADITA 2 Ação ou resultado de advertir, de chamar a atenção; ADMOESTAÇÃO [Pl.: *-ões.*] [Do lat. *adversio, onis.*]

adversar (ad.ver.*sar*) *v. P. us.* Mostrar-se adverso, contrário a; CONTRADIZER [*td.*: *Ondas baixas adversariam os planos dos surfistas.*] [*tr.* + *com*: *Sempre adversava com os irmãos.* Ant.: *aceitar.*] [▶ 1 advers**ar**] [F.: Do lat. *adversari.* Hom./Par.: *adverso* (fl.), *adverso* (a. sm.); *adversaria(s)* (fl.), *adversária* (fem. *adversário* (a. sm.)[pl.]).]

adversário (ad.ver.*sá*.ri:o) *a.* 1 Que rivaliza com; que luta ou compete com algo ou alguém (time adversário; exército adversário) 2 Que se opõe, que (se) antagoniza com: *Uma atitude vil, adversária dos bons costumes.* *sm.* 3 Aquele que é adversário (1 e 2) (adversário político) [F.: Do lat. *adversarius, a, um.* Sin. ger.: *antagonista, contendor, oponente, rival.* Ant. ger.: *parceiro, camarada, aliado.* Hom./Par.: *adversária* (fem.), *adversaria* (fl. de *adversar*).]

adversativa (ad.ver.sa.*ti*.va) *a.* Diz-se da conjunção coordenativa que estabelece oposição, contraste, compensação ou ressalva entre duas palavras ou orações: *Bonita, mas antipática; O insulto era evidente, contudo ficou calado.* [F.: Fem. subst. de *adversativo*, red. de *conjunção adversativa.*]

adversativo (ad.ver.sa.*ti*.vo) *a.* 1 Que é contrário a; ADVERSO 2 *Gram.* Diz-se de conjunção, advérbio ou oração que expressam oposição ou contraste [P. ex., a conjunção *mas*, como na frase: *A rosa é linda, mas tem espinhos.*] [F.: Do lat. tard. *adversativus, a, um.*]

◎ **adversi-** *el. comp.* = 'em oposição': *adversifólio* [F.: Do lat. *adversus, a, um.*]

adversidade (ad.ver.si.*da*.de) *sf.* 1 Qualidade ou condição daquilo que é adverso: *Comentavam a adversidade dos últimos acontecimentos.* 2 Sorte adversa; INFORTÚNIO: *Preparou-se para enfrentar todas as adversidades.* 3 Aquilo que importuna, aborrece; ABORRECIMENTO [F.: Do lat. *adversitas, atis*, 'oposição'.]

adversifólio (ad.ver.si.*fó*.li.o) *a. Bot.* Diz-se do vegetal que apresenta folhas opostas no mesmo caule, ramo ou tronco; OPOSITIFÓLIO [F.: *adversi-* + *-fólio.*]

adverso (ad.*ver*.so) [é] *a.* 1 Contrário, oposto (opiniões adversas): *O efeito adverso de um remédio.* *a.* 2 Desfavorável, inadequado, impróprio: *Os montanhistas enfrentaram um clima adverso, mas chegaram ao cume.* 3 Que causa prejuízo, dano, infortúnio; PREJUDICIAL; DESFAVORÁVEL: *As circunstâncias adversas abalaram a economia.* [Ant.: *benéfico, proveitoso.*] [F.: Do lat. *adversus, a, um.* Sin. ger.: *favorável.* Hom./Par.: *adverso* (sm.), *adverso* (fl. de *adversar*).]

advertência (ad.ver.*tên*.ci:a) *sf.* 1 Ação ou resultado de advertir 2 Censura, repreensão (por atitude imprópria, ger. como aviso para que não se repita, sob pena de punição); ADMOESTAÇÃO: *Recebeu uma advertência do professor.* 3 Aviso, alerta: *advertência contra os perigos da poluição.* 4 *Liter.* Espécie de prefácio ou prólogo no início de certas obras para chamar a atenção do leitor para particularidades ou características das mesmas: *Advertência ao leitor.* [F.: Do lat. *advertentia, ae.* Sin. ger.: desus. *advertimento.*]

advertido (ad.ver.*ti*.do) *a.* 1 Que se advertiu, que sofreu adversão ou repreensão: *Os alunos advertidos devem se apresentar ao diretor.* 2 Atento, prudente, discreto, avisado; PRECAVIDO; PREVENIDO: *Andava advertido depois de ter sido assaltado.* [F.: Part. de *advertir*. Ant. ger.: *inadvertido.*]

advertir (ad.ver.*tir*) *v.* 1 Fazer advertência ou censura branda (a); REPREENDER [*td.*: *O chefe advertiu o funcionário.*] [*int.*: *Cabe aos pais advertir quando necessário.*] 2 Avisar, informar (algo ou alguém, algo a alguém ou alguém de algo) [*td.*: *A meteteorologista advertiu que havia possibilidade de fortes chuvas; Está a par porque o adverti.*] [*tr.* + *para*: *O engenheiro advertiu para o risco de obras feitas às pressas.*] [*tdi.* + *a, de*: *Advertiram-no dos riscos daquela escalada; Advertiu ao cliente que a loja estava fechada.*] [*int.*: *Não havia uma placa para advertir.*] 3 Inferir, concluir, deduzir [*td.*: *Depois de muito pensar, advertiu que seria possível.*] 4 Fazer ver ou reparar, atentar, perceber [*td.*: *advertir os pormenores.*] [*tdr.* + *de*: *Os desmaios advertiram-na da possível gravidez.*] [*tr.* + *de*: *Advertiu-se de que já era adulta.*] [*td.* / *tr.* + *em*: *Não advertia as/ nas consequências dos seus atos.*] [▶ 50 advert**ir**] [F.: Do lat. *advertere.*]

advindo (ad.*vin*.do) *a.* Que adveio, ou sobreveio; proveniente, decorrente ou originário de: *desertificação advinda do desmatamento.* [F.: Part. de *advir.*]

advir (ad.*vir*) *v.* 1 Suceder, ocorrer [*int.*: *Sua doença adveio de forma inesperada.*] [*ti.* + *a*: *Os reféns tinham receio do que poderia advir a eles.*] 2 Surgir em seguida a ou em consequência de; PROVIR; RESULTAR; SOBREVIR [*tr.* + *de*: *O medo adveio da violência.*] [▶ 42 adv**ir**] [F.: Do lat. *advenire.* Hom./Par.: *advinha(s)* (fl.), *adivinha(s)* (fl. de *adivinhar* e sf. [pl.]).]

advocacia (ad.vo.ca.*ci*.a) *sf.* 1 A profissão do advogado (1) *P. us.*; ADVOCATURA 2 O exercício da profissão de advogado: *Ganhou renome na advocacia.* [F.: De or. incerta; posv. de um lat. *advocatia*, de *advocatus, a, um.*] ∎ **~ administrativa** *Bras.* Uso da posição hierárquica ou de prestígio para obter ilicitamente vantagens da administração pública. Tráfico de influência

advocatício (ad.vo.ca.*tí*.ci:o) *a.* 1 Ref. à profissão de advogado; ADVOCATÓRIO 2 Ref. à atividade de advogado, à advocacia [F.: Do part. pass. lat. *advocat(us)* + *-ício.*]

advocatório (ad.vo.ca.*tó*.ri:o) *a.* 1 Rel. a advocacia; ADVOCATÍCIO 2 Que detém poderes para advogar, para defender (instância advocatória) [F.: Do lat. *advocat* + *-ório.* Forma paral.: *avocatório.*]

advogado (ad.vo.*ga*.do) *sm.* 1 Indivíduo que, formado em ciências jurídicas, se habilitou a prestar assistência profissional (a pessoas, instituições, causas etc.) em questões jurídicas 2 Aquele que presta assistência profissional na condição de advogado (1): *Ele é meu advogado nessa causa.* 3 *Fig.* Aquele que defende, patrocina, protege (alguém, uma causa, uma ideia etc.): *É o maior advogado das reformas.* 4 Aquele que atua como mediador; INTERCESSOR: *O gerente é nosso advogado nas discussões de negócios.* [F.: Do lat. *advocatus, i.* Hom./Par.: *advogado* (sm.), *advogado* (part. de *advogar*).] ∎ **~ de porta de xadrez** *Bras. Pop.* Advogado que procura possíveis clientes em prisões e carceragens **~ do Diabo** 1 *Rel.* Em processo de beatificação ou canonização na cúria romana, o encarregado de apresentar e argumentar objeções 2 *P. ext.* Quem levanta objeções e contraditórios a uma tese, proposta etc., visando a sua não aprovação

advogar (ad.vo.*gar*) *v.* 1 Exercer a profissão de advogado [*int.*: *O jovem advoga no Rio de Janeiro.*] 2 *Jur.* Defender como advogado (1, 2) (alguém ou uma causa) no tribunal ou fora dele [*td.*: *Contrataram-no para advogar a questão do espólio.*] [*tr.* + *por*: *advogar pelo seu cliente; Rui Barbosa advogou pela causa da abolição dos escravos.*] 3 Defender (algo ou alguém) argumentando, arrazoando [*td.*: *O jornalista advogava a liberdade de expressão.*] 4 Intervir em favor de, atuar em defesa de; INTERCEDER [*td.* / *tr.* + *por*: *advogar os/ pelos desamparados.*] [▶ 14 advog**ar**] [F.: Do lat. *advocare.*]

⊠ **Ae** *Elet.* Símb. de *ampère-espira*

⊕ ***aedes*** *sm. Ent.* Gênero de mosquitos vetores de doenças no homem e em animais, como a espécie *Aedes aegypti*, que transmite a dengue e a febre-amarela [F.: do lat. cient. *Aedes.*]

aedo (a.*e*.do) *sm.* 1 Poeta-cantor, rapsodo da antiga Grécia, que recitava suas composições fazendo-se acompanhar pela lira: "Ouviria as vozes líricas dos aedos e dos rapsodos..." (Antero de Figueiredo, *Espanha*) 2 *P. ext. P. us.* O mesmo que *poeta* (1) (ger. poeta épico, grandioso) [F.: Do gr. *aoidós, oû*, 'cantor'.]

aeração (a.e.ra.*ção*) *sf.* 1 Ação ou resultado de aerar, de expor alguma coisa ao ar, ou de renovar o ar de um ambiente; AERAGEM; AREJAMENTO 2 *Fisl.* Troca de dióxido de carbono por oxigênio no sangue, efetuada nos pulmões 3 *Bot.* Troca de gases (esp. oxigênio e dióxido de carbono) entre um vegetal e a atmosfera 4 *Quím.* Operação que consiste em expor uma solução ao ar para aumentar-lhe a proporção de oxigênio e reduzir a quantidade de gases indesejáveis 5 *Hidr.* Em uma bomba ou sifão, substituição do líquido a ser aspirado por ar [Pl.: *-ções.*] [F.: Do fr. *aération.*]

aerado (a.e.*ra*.do) *a.* 1 Que tem ou recebe ar, ou que permite a passagem de ar (ambiente aerado, quarto aerado); AREJADO 2 Que contém espaços ou bolhas de ar (diz-se de elemento ou objeto sólido) (chocolate aerado) [F.: Part. de *aerar.*]

aerador (a.e.ra.*dor*) [ô] *a.* 1 Que produz aeração *sm.* 2 Aquilo que produz aeração [F.: *aerar* + *-dor.*]

aerelasticidade (a.e.re.las.ti.ci.*da*.de) *sf. Fís.* Estudo dos efeitos sofridos pelos corpos elásticos em movimento, em interação com o ar [F.: *aer(o)-* + *elasticidade*. Forma preferível: *aeroelasticidade.*]

aerênquima (a.e.*rên*.qui.ma) *sm. Bot.* Tecido celular permeado por grandes espaços de ar, encontrado nas raízes de certas plantas aquáticas [F.: *aer(o)-* + *-ênquima.*]

aéreo (a.*é*.re:o) *a.* 1 Ref. a, próprio de ou formado de ar (correntes aéreas) 2 Ref. a ou realizado por avião ou pela aviação (transporte aéreo; ataque aéreo) 3 Que vive, está, acontece ou se desenvolve no ar (raiz aérea; micróbios aéreos; fenômeno aéreo) 4 Que se movimenta no ar, que voa (mamífero aéreo) *a.* 5 Que conduz o ar (vias aéreas) *a.* 6 *Fig.* Que se observa do alto (imagem aérea) 7 *Fig.* Distraído, desatento [Ant.: *alerta, atento.*] 8 *Fig.* Vão, sem fundamento na realidade, fantástico, imaginário (argumentos aéreos, visão aérea) 9 *Fig.* Muito leve, delicado, como que feito de ar (tecido aéreo); DIÁFANO; VAPOROSO [F.: Do lat. *aerius.*]

◎ **aeri-** *el. comp.* Ver *aer(o)-*

aerícola (a.e.*rí*.co.la) *a2g. Biol.* Diz-se de planta ou animal que vive no ar [F.: *aeri-* + *-cola.*]

aerífero (a.e.*rí*.fe.ro) *a.* 1 Que dá passagem a, ou reserva o ar: *A laringe é um órgão aerífero.* 2 *Bot.* Diz-se de estrutura vegetal que contém ou conduz ar *sm.* 3 *Arq.* Pequenas aberturas dispostas no revestimento do teto de certas construções com a finalidade de permitir a ventilação [F.: *aeri-* + *-fero.*]

aerificação (a.e.ri.fi.ca.*ção*) *Fís. sf.* 1 Ação ou resultado de aerificar 2 Redução ao estado gasoso de uma substância sólida ou líquida; AERIZAÇÃO [Pl.: *-ções.*] [F.: *aerificar* + *-ção.*]

aerificar (a.e.ri.fi.*car*) *v. td. int.* 1 *Fís-quím.* Fazer passar, ou passar ao estado gasoso 2 Introduzir ar em; AREJAR [▶ 11 aerific**ar**] [F.: *aeri-* + *-ficar.*]

aeriforme (a.e.ri.*for*.me) *a2g.* Que apresenta as propriedades básicas do ar; semelhante ao ar; GASEIFORME [F.: *aeri-* + *-forme.*]

aerívoro (a.e.*rí*.vo.ro) *Bot. a.* 1 Que se alimenta de ar *sm.* 2 Formação vegetal que se nutre de elementos existentes no ar [F.: *aeri-* + *-voro.*]

aerização (a.e.ri.za.*ção*) *sf.* 1 Ação ou resultado de arejar, de expor ao ar ou de introduzir ar em um ambiente fechado; AREJAMENTO; AERIFICAÇÃO 2 Ação ou resultado de aerizar, de passar para o estado gasoso uma substância líquida ou sólida [Pl.: *-ções.*] [F.: *aerizar* + *-ção.*]

aerizar (a.e.ri.*zar*) *v.* O mesmo que *aerificar* [F.: *aer(o)-* + *-izar.*]

◎ **aer(o)-** *el. comp.* = 'ar'; 'atmosfera terrestre': *aeronave, aerovia, aeroporto, aerodontalgia; aerífero, aerívoro; anaerobiose.* [F.: Do gr. *aér, aéros*; a forma *aeri-* vem do gr. pelo lat. *aer, aeris.*]

◎ **-aer(o)-** *el. comp.* Ver *aer(o)-*

aerobalística (a.e.ro.ba.*lís*.ti.ca) *sf. Mec.* Estudo, com base nos princípios da aerodinâmica e da balística, do movimento dos corpos que se deslocam em alta velocidade na atmosfera [F.: *aer(o)-* + *balística.*]

aerobalístico (a.e.ro.ba.*lís*.ti.co) *a.* Ref. a aerobalística [F.: *aer(o)-* + *balístico.*]

aerobarco (a.e.ro.*bar*.co) *sm. Bras. Mar.* Barco a motor dotado de flutuadores que permitem, nas altas velocidades, fazer deslizar parte do casco acima da linha de água e assim diminuir a resistência hidrodinâmica, aumentando a velocidade [F.: *aer(o)-* + *barco.*]

aerobata (a.e.ro.*ba*.ta) *s2g.* 1 Pessoa que caminha pelo ar 2 *Esp.* Atleta que faz acrobacias no ar (ger. no exterior de pequenos aviões ou em salto livre de paraquedas) [F.: Do gr. *a erobátes, ou.* Tb. *aeróbata.*]

aeróbata (a.e.*ró*.ba.ta) Ver *aerobata*

aeróbica (a.e.*ró*.bi.ca) *sf.* 1 Modalidade de ginástica que desenvolve as capacidades circulatória e respiratória do organismo, por meio de exercícios rápidos, que exigem um consumo elevado (e consequente reposição) de oxigênio 2 *Esp.* Ginástica aeróbica [F.: Adap. do ing. *aerobics.*]

aeróbico (a.e.*ró*.bi.co) *a.* 1 Que ativa o consumo de oxigênio e consequente oxigenação do organismo (exercício aeróbico) 2 *Biol.* Que se realiza ou ocorre somente na presença de oxigênio (respiração aeróbica) 3 Ref. à ginástica aeróbica, ou que dela faz uso (condicionamento aeróbico) [F.: Do ing. *aerobic.* Ant. ger.: *anaeróbico.*]

aeróbio (a.e.*ró*.bi:o) *Biol. a.* 1 Que requer a presença de oxigênio para seu desenvolvimento e subsistência (diz-se de organismo, micro-organismo etc.) *sm.* 2 Micro-organismo que só pode se desenvolver na presença de ar ou de oxigênio livre [F.: *aer(o)-* + *-bio.* Ant. ger.: *anaeróbio.*]

aerobionte (a.e.ro.bi:*on*.te) *sm. Biol.* Organismo (planta ou bactéria) capaz de usar oxigênio em seu metabolismo; AERÓBIO [Ant.: *anaerobionte.*] [F.: *aer(o)-* + *-bionte.*]

aerobiontia (a.e.ro.bi.on.*ti*.a) *sf. Biol.* Dependência de oxigênio para a vida das bactérias; AEROBIOSE [Ant.: *anaerobiose.*] [F.: *aer(o)-* + *-biont(e)-* + *-ia¹.*]

aerobiose (a.e.ro.bi:*o*.se) *Biol. sf.* Condição em que a vida existente depende da respiração, ou seja, de que o organismo vivo receba oxigênio [F.: *aero-* + *-biose.* Ant. ger.: *anaerobiose.*]

aerobiótico (a.e.ro.bi:*ó*.ti.co) *a.* Ref. a aerobiose [F.: *aerobiose* + *-ótico.*]

aeroblasto (a.e.ro.*blas*.to) *sm. Bot.* Nas plantas aquáticas, ramo que se desenvolve no ar, fora da água [F.: *aer(o)-* + *-blasto.*]

aeroboxe (a.e.ro.*bo*.xe) [cs] *Esp. sm.* Aula, normalmente em academias de ginástica, que conjuga exercícios aeróbicos com movimentos do boxe [F.: *aer(o)-* + *boxe.*]

aerobulose (a.e.ro.bu.*lo*.se) [ó] *sm. Med.* Doença de descompressão, que ataca sobretudo mergulhadores em retorno rápido à superfície

aerobus (a.e.ro.*bus*) *P. us. sm.* 1 Aeroplano com capacidade para transportar muitos passageiros 2 *Espt.* Veículo aéreo que serve de transporte para as almas no plano espiritual [Pl.: *-ses.*] [F.: *aero-* + *-bus*, este red. do lat. *omnibus*; *pelo fr. aérobus.*]

aeroclube (a.e.ro.*clu*.be) *sm.* 1 Centro de formação de pilotos civis aptos para pilotagem de aeronaves, para fins comerciais, esportivos ou recreativos 2 Clube para a prática da pilotagem de aeronaves como recreação e esporte [F.: *aer(o)-* + *clube.*]

aerocolia (a.e.ro.co.*li*.a) *sf. Med.* Distensão do cólon, causada pelo acúmulo de gases, meteorismo intestinal [F.: *aer(o)-* + *-col(o)-* + *-ia*[1].]

aerocólico (a.e.ro.có.li.co) *a.* Ref. a aerocolia [F.: *aerocoli(a)* + *-ico*[2].]

aerodeslizador (a.e.ro.des.li.za.*dor*) [ô] *a.* **1** Diz-se de veículo que se desloca sem atrito com o solo ou a água, graças a um colchão de ar criado por ventiladores voltados para baixo *sm.* **2** Esse veículo [Pode ser terrestre, como o aerotrem, ou marítimo, como o catamarã.] [F.: *aero-* + *deslizador.*]

aerodinâmica (a.e.ro.di.*nâ*.mi.ca) *sf.* **1** *Fís.* Parte da Física que estuda os movimentos e as interações dos corpos fluidos **2** *Restr. Fís.* Estudo do movimento do ar e das forças que agem sobre os corpos sólidos **3** Conjunto de características (formato, material etc.) de veículos que visam a reduzir a resistência do ar à sua passagem em alta velocidade, projetadas com base nos princípios da aerodinâmica (2) [F.: *aer(o)-* + *dinâmica.*] ▪▪ **~ transônica** *Fís.* Especialidade que trata dos fenômenos aerodinâmicos na velocidade do som ou em torno dela

aerodinâmico (a.e.ro.di.*nâ*.mi.co) *a.* **1** Ref. à aerodinâmica *a.* **2** Diz-se de um sólido (ger. veículo) cuja forma permite, quando em movimento, a redução da resistência do fluido que atravessa (ar, água etc.) a sua passagem **3** Diz-se dessa forma ou formato, ou dos elementos que a compõem (projetados ou naturais) (linhas <u>aerodinâmicas</u>) **4** *P. ext.* Diz-se de objeto que apresenta linhas arrojadas ou futuristas (brinquedo <u>aerodinâmico</u>) [F.: *aer(o)-* + *dinâmico.*]

aeródino (a.e.*ró*.di.no) *sm. Aer.* Aeronave mais pesada que o ar e que nele se sustenta por forças dinâmicas resultantes de seu movimento (como aviões, helicópteros, planadores, ultraleves etc., mas não aeróstatos como balões, dirigíveis etc.) [F.: *aer(o)-* + *-dino.* Cf.: *aeróstato.*]

aeródromo (a.e.*ró*.dro.mo) *sm. Aer.* Área destinada a pouso, decolagem e manutenção de aeronaves [F.: *aer(o)-* + *-dromo.*]

> 🕮 Pode ser em terra, na água ou flutuante, e dispor, em variado nível, de facilidades para embarque e desembarque de passageiros e carga, instalações para conserto e manutenção e hangares para a guarda de aeronaves, dispositivos de controle de tráfego aéreo etc.

aerodromofobia (a.e.ro.dro.mo.fo.*bi*.a) *sf. Psiq.* Medo mórbido de viajar de viagens aéreas [F.: *aero-* + *-drom(o)* + *-fobia.*]

aerodromofóbico (a.e.ro.dro.mo.*fó*.bi.co) *Psiq. a.* **1** Ref. a aerodromofobia **2** Que tem aerodromofobia; AERODROMÓFOBO *sm.* **3** Aquele que tem aerodromofobia; AERODROMÓFOBO [F.: *aerodromofob(ia)* + *-ico*[2].]

aerodromófobo (a.e.ro.dro.*mó*.fo.bo) *Psiq. a.* **1** Aerodromófobo (2); AERODROMOFÓBICO *sm.* **2** Aerodromófobo (3); AERODROMOFÓBICO [F.: *aero-* + *-drom (o)* + *-fobo.*]

aeroduto (a.e.ro.*du*.to) *Cons. sm.* Encanamento, ou qualquer tipo de duto, para conduzir o ar em sistemas de condicionamento de ar ou de ventilação em edificações [F.: *aer(o)-* + *-duto.*]

aeroespacial (a.e.ro.es.pa.ci:*al*) *a2g.* **1** Ref. ao espaço aéreo (esp. em seu conceito astronômico de *aerospaço* (1), a atmosfera e o espaço exterior), próprio dele ou que nele se verifica **2** Próprio da aeronáutica ou astronáutica [Pl.: *-ais.*] [F.: *aer(o)-* + *espacial.*]

aeroespaço (a.e.ro.es.*pa*.ço) *sm.* **1** *Astron.* Região correspondente à atmosfera terrestre e ao espaço cósmico *sm.* **2** *Aer.* Espaço aéreo destinado ao lançamento e monitoramento de naves espaciais *sm.* **3** Espaço aéreo que cobre o território de uma nação ou estado sob sua jurisdição [F.: *aer(o)-* + *espaço.*]

aerofagia (a.e.ro.fa.*gi*.a) *sf. Med.* Deglutição de ar em medida acima do normal, em razão de ingestão apressada de alimentos ou de estado de grande ansiedade, e que ger. tem a dispepsia como consequência (eructação, azia etc.) [F.: *aer(o-)* + *-fagia.*]

aerofágico (a.e.ro.*fá*.gi.co) *a.* Ref. a aerofagia [F.: *aerofag(ia)* + *-ico*[2].]

aerófito (a.e.*ró*.fi.to) *sm. Bot.* Planta que vive no ar, aderida a outra planta [F.: *aero-* + *-fito.*]

aerofobia (a.e.ro.fo.*bi*.a) *sf. Psic.* Horror patológico ao ar livre e às correntes de ar [F.: *aero-* + *-fobia.*]

aerofóbico (a.e.ro.*fó*.bi.co) *Psiq. a.* **1** Ref. a aerofobia **2** Que apresenta aerofobia; AERÓFOBO *sm.* **3** Aquele que apresenta aerofobia; AERÓFOBO [F.: *aerofob(ia)* + *-ico*[2].]

aerófobo (a.e.*ró*.fo.bo) *Psiq. a.* **1** Aerofóbico (2) *sm.* **2** Aerofóbico (3) [F.: *aero-* + *-fobo.*]

aerofólio (a.e.ro.*fó*.li:o) *sm.* **1** *Aer.* Peça ou dispositivo de formato especial (p. ex., a asa de um avião) que cria um efeito aerodinâmico normal à direção do movimento (pressão para cima ou para baixo) para dar ao veículo maior sustentação no ar ou maior aderência à superfície sobre a qual se desloca **2** *Autom.* Peça situada na traseira de um veículo, ger. esportivo, para, por efeito aerodinâmico, regular sua aderência ao solo, e com isso sua estabilidade [F.: *aer(o)-* + *-fólio.*]

aerófono (a.e.*ró*.fo.no) *a. Mús.* Diz-se de qualquer instrumento musical que soa pela vibração do ar, como, p. ex., a flauta [F.: *aero-* + *-fono.*]

aerofoto (a.e.ro.*fo*.to) *sf. Fot.* Fotografia de certa área da superfície terrestre tirada com câmera instalada em aeronave [F.: *aer(o)-* + *foto.*]

aerofotografia (a.e.ro.fo.to.gra.*fi*.a) *sf. Fot.* Fotografia tirada de uma aeronave; fotografia aérea; AEROFOTO [F.: *aero-* + *fotografia.*]

aerofotográfico (a.e.ro.fo.to.*grá*.fi.co) *a.* Ref. a aerofotografia [F.: *aerofotograf(ia)* + *-ico*[2].]

aerofotograma (a.e.ro.fo.to.*gra*.ma) *sm. Cart.* Cada fotograma de uma sequência obtida em aerofotogrametria [F.: *aer(o)-* + *fotograma.*]

aerofotogrametria (a.e.ro.fo.to.gra.me.*tri*.a) *sf. Cart. Fot.* Levantamento topográfico feito por meio de fotografias aéreas [F.: *aer(o)-* + *fotograma* + *-metria*, com haplologia.]

aerofotogramétrico (a.e.ro.fo.to.gra.*mé*.tri.co) *a.* Ref. a aerofotogrametria ou que é por meio dela obtido; ref. a aerofotograma [F.: *aerofotogrametria* + *-ico*[2].]

aerogel (a.e.ro.*gel*) *Fís-quím. sm.* **1** Sólido semelhante a espuma, extremamente tênue, conhecido por sua propriedade isolante **2** Gel obtido com a dispersão de um gás em meio sólido ou líquido [Pl.: *-géis.*] [F.: *aer(o)-* + *gel.*]

aerogerador (a.e.ro.ge.ra.*dor*) [ô] *sm.* Aparelho que utiliza o potencial dos ventos para gerar energia, ger. energia elétrica [F.: *aero-* + *gerador.*]

aerognosia (a.e.ro.gno.*si*.a) *sf. Fís.* Parte da física que trata das propriedades do ar [F.: *aero-* + *-gnosia.*]

aerognóstico (a.e.ro.*gnós*.ti.co) *a.* Ref. a aerognosia [F.: *aero-* + *-gnóstico.*]

aerografado (a.e.ro.gra.*fa*.do) *a.* Que foi pintado ou envernizado com aerógrafo (1) [F.: Part. de *aerografar.*]

aerografar (a.e.ro.gra.*far*) *v. td.* Desenhar ou pintar (algo), ou fazer pintura ou envernizamento de (peça, tela, painel etc.) com aerógrafo (1) [▶ 1 aerografar] [F.: *aerógrafo* + *-ar*[2].]

aerografia (a.e.ro.gra.*fi*.a) *sf.* **1** *Art. gr.* Ação ou resultado de pintar ou envernizar com aerógrafo (1) **2** *Fís-quím.* Estudo do ar e dos gases **3** *Met.* Estudo do ar atmosférico, de seus componentes e dos fenômenos que nele ocorrem [F.: *aer(o)-* + *-grafia.*]

aerográfico (a.e.ro.*grá*.fi.co) *a.* Ref. a aerografia [F.: *aerograf(ia)* + *-ico*[2].]

aerógrafo (a.e.*ró*.gra.fo) *sm.* **1** *Art. gr.* Aparelho que pulveriza tinta por meio de ar comprimido ou o sopro do operador para pintar, envernizar objetos, e também para desenhar ou pintar originais para reprodução fotomecânica **2** *Met.* Instrumento us. no estudo das propriedades do ar e de seu comportamento **3** Aquele que estuda o ar, seu comportamento e suas propriedades [F.: *aer(o)-* + *-grafo.*]

aerograma (a.e.ro.*gra*.ma) *sm.* **1** Papel de carta previamente franqueado para envio aéreo, e que se dobra para formar o próprio envelope **2** *P. ext.* O texto escrito nesse papel **3** *P. us. Telc.* O mesmo que *radiograma* [F.: *aer(o)-* + *-grama.*]

aeroide (a.e.*roi*.de) *a2g.* Semelhante ao ar [F.: *aero-* + *-oide.*]

aerólito (a.e.*ró*.li.to) *sm. Astron. Geol.* Meteorito composto esp. de silicatos [F.: *aer(o)-* + *-lito.*]

aerologia (a.e.ro.lo.*gi*.a) *sf. Met.* Ramo da meteorologia que estuda os fenômenos que ocorrem em camadas da atmosfera nas quais não há influências do relevo da Terra (ger. em altitudes superiores a 1.500 m) [F.: *aer(o)-* + *-logia.*]

aeromedicina (a.e.ro.me.di.*ci*.na) *sf. Aer.* Aplicação das ciências médicas à aviação e à astronáutica [F.: *aer(o)-* + *medicina.*]

aerometria (a.e.ro.me.*tri*.a) *sf. P. us. Fís.* O mesmo que *pneumática* [F.: *aero-* + *-metria.*]

aerométrico (a.e.ro.*mé*.tri.co) *a.* Ref. à aerometria ou ao aerômetro [F.: *aerometr(ia)* + *-ico*[2].]

aerômetro (a.e.*rô*.me.tro) *sm. Fís.* Instrumento que serve para medir a densidade do ar e de outros gases [F.: *aer(o)-* + *-metro.*]

aeromoça (a.e.ro.*mo*.ça) [ô] *sf. Bras.* Funcionária que atende a passageiros em voos comerciais; comissária de bordo [F.: *aero-* + *moça.*]

aeromoço (a.e.ro.*mo*.ço) [ô] *sm. Bras. P. us.* O mesmo que *comissário de bordo* [F.: *aero-* + *moço.*]

aeromodelismo (a.e.ro.mo.de.*lis*.mo) *sm.* **1** *Aer.* Arte ou técnica de projetar e/ou construir aeromodelos *sm.* **2** *Esp.* Esporte que envolve a manipulação de aeromodelos e a competição entre aeromodelos [F.: *aeromodelo* + *-ismo.*]

aeromodelista (a.e.ro.mo.de.*lis*.ta) *a2g.* **1** Que projeta e/ou constrói aeromodelos **2** *Esp.* Que pratica o aeromodelismo *s2g.* **3** Projetista ou construtor de aeromodelos **4** *Esp.* O praticante de aeromodelismo [F.: *aeromodelismo* + *-ista*, seg. o mod. gr.]

aeromodelo (a.e.ro.mo.*de*.lo) [ê] *sm. Aer. Lud.* Miniatura de aeronave, ger. capaz de voar com propulsão própria, para fins de pesquisa, competição ou diversão [F.: *aer(o)-* + *modelo.*]

aeromóvel (a.e.ro.*mó*.vel) *a2g.* Que se desloca ou é capaz de se deslocar no ar (ou seja, sem apoio na terra ou na água) [Pl.: *-veis.*] [F.: *aer(o)-* + *móvel.*]

aeronauta (a.e.ro.*nau*.ta) *s2g.* **1** *Aer.* Pessoa que comanda ou faz parte da tripulação de aeronave **2** Pessoa que comanda aeróstato ou que nele viaja *sf.* **3** *Zool.* Nome comum de espécies de pequenas aranhas que se utilizam de correntes de ar em ascensão para deslocar-se a grandes distâncias [F.: *aer(o-)* + *-nauta.*]

aeronáutica (a.e.ro.*náu*.ti.ca) *sf.* **1** *Aer.* Ciência da navegação aérea; implementação prática dos conhecimentos aeronáuticos para a navegação aérea; AERONAVEGAÇÃO [Envolve física, meteorologia, engenharia etc.] **2** *Mil.* A força aérea de uma nação [É a força armada responsável pela aviação militar, pela defesa aérea do país e do seu espaço aéreo.] [F.: Fem. substv. de *aeronáutico.*]

aeronáutico (a.e.ro.*náu*.ti.co) *a.* Ref. ou pertencente à aeronáutica, ou dela próprio [F.: Do fr. *aéronautique.*]

aeronaval (a.e.ro.na.*val*) *a2g.* **1** *Mil.* Que se refere simultaneamente às forças da aeronáutica e da marinha de guerra **2** Ref. à força aérea da marinha de guerra [Pl.: *-vais.*] [F.: *aer(o)-* + *naval.*]

aeronave (a.e.ro.*na*.ve) *sf. Aer.* Veículo de navegação aérea [Há aeronaves de dois tipos: *aeródinos* (que se mantêm no ar pela sustentação dinâmica gerada por movimento) e *aeróstatos* (que se mantêm no ar pela sustentação de elementos mais leves que o ar [ar aquecido, gases etc.]).] [F.: *aer(o)-* + *nave.* Col.: *esquadrilha, vaga.*]

aeronavegabilidade (a.e.ro.na.ve.ga.bi.li.*da*.de) *sf. Aer.* Capacidade de navegação aérea [F.: *aer(o)-* + *navegabilidade.*]

aeronavegação (a.e.ro.na.ve.ga.*ção*) *sf. Aer.* Técnica, arte ou exercício da navegação aérea; AERONÁUTICA [Pl.: *-ções.*] [F.: *aer(o)-* + *navegação.*]

aeroneurose (a.e.ro.neu.*ro*.se) *sf. Psiq.* Distúrbio psíquico caracterizado por depressão, sintomas psicossomáticos e temor de voar, que acomete profissionais da aviação [F.: *aer(o)-* + *neurose.*]

aeronomia (a.e.ro.no.*mi*.a) *sf. Geof.* Estudo das camadas superiores da atmosfera, esp. quanto a sua composição físico-química [F.: *aer(o)-* + *-nomia.*]

aeronômico (a.e.ro.*nô*.mi.co) *a.* Ref. a aeronomia [F.: *aeronom(ia)* + *-ico*[2].]

aeropatia (a.e.ro.pa.*ti*.a) *sf. Med.* Conjunto de distúrbios, ger. de natureza circulatória, que acomete pessoas que se submetem a variações de pressão no ambiente, esp. compressões ou descompressões bruscas; MAL DOS AVIADORES; DOENÇA DE DESCOMPRESSÃO; MAL DOS MERGULHADORES [F.: *aer(o)-* + *-patia.*]

aeropista (a.e.ro.*pis*.ta) *sf. Aer.* Pista construída para pouso e decolagem de aviões [F.: *aer(o)-* + *pista.*]

aeroplano (a.e.ro.*pla*.no) *sm. Aer.* Aeronave mais pesada que o ar, impelida por motor a jato, hélice ou turbo-hélice, dotada de asas que a sustentam no ar quando em movimento por ação da pressão maior do ar em sua superfície inferior; AVIÃO [F.: Do fr. *aéroplane.*]

aeroponia (a.e.ro.po.*ni*.a) *sf. Agr.* Técnica agrícola que consiste em cultivar plantas sem que as raízes toquem o solo [Nesta técnica, as plantas são mantidas suspensas e recebem os nutrientes dissolvidos na água que circula por tubos.] [F.: *aer(o)-* + *pono-* + *-ia*[1].]

aeropônico (a.e.ro.*pô*.ni.co) *Agr. a.* **1** Ref. a aeroponia **2** Cultivado por aeroponia [F.: *aeropon(ia)* + *-ico*[2].]

aeroporotomia (a.e.ro.po.ro.to.*mi*.a) *sf. Antq. Cir.* Procedimento cirúrgico ou instrumental destinado a introduzir ar na traqueia [F.: *aer(o)-* + *-por(o)-* + *-tomia.* Cf.: *traqueostomia.*]

aeroporto (a.e.ro.*por*.to) [ô] *sm. Aer.* Local preparado e equipado para pouso e decolagem de aeronaves, embarque e desembarque de passageiros e carga [Pl.: [ó].] [F.: Do fr. *aéroport.*]

> 🕮 Os aeroportos modernos dispõem de sofisticada rede de equipamentos e serviços, destinados a permitir, com eficiência e segurança, o pouso e a decolagem de centenas de aviões p.or dia, e o trânsito de muitos milhares de passageiros. Os maiores aeroportos do mundo quanto ao movimento de passageiros são o Hartsfield-Jackson (Atlanta, EUA), o Beijing Capital (China), o O' Hare (Chicago, EUA), o Heathrow (Londres, Reino Unido) e o Charles de Gaulle (Paris, França); no Brasil, os aeroportos internacionais de Guarulhos (São Paulo), Presidente Juscelino Kubitschek (Brasília) e o Tom Jobim (Rio de Janeiro), e os aeroportos regionais de Congonhas (São Paulo) e Santos Dumont (Rio de Janeiro).

aeroportuário (a.e.ro.por.tu:*á*.ri:o) *Aer. a.* **1** Ref. a aeroporto, a seu funcionamento e aos serviços nele prestados **2** Que trabalha em aeroporto *sm.* **3** Profissional que trabalha em aeroporto [F.: *aeroporto* + *-uário.*]

aeroposta (a.e.ro.*pos*.ta) *sf.* **1** Correio aéreo **2** Dispositivo para envio de correspondência através de um tubo, com impulsão por ar comprimido **3** Aeronave us. no transporte de malas postais [F.: *aer(o)-* + *posta*[2].]

aeroscópio (a.e.ros.*có*.pi.o) *sm.* Instrumento que serve para fazer observações no ar atmosférico [F.: *aero-* + *-scópio.*]

aerosol (a.e.ro.*sol*) *sm.* F. não pref. de *aerossol*

aerossol (a.e.ros.*sol*) *sm.* **1** *Quím.* Suspensão de partículas sólidas ou líquidas num gás; solução em que há essa suspensão **2** Embalagem que contém tal suspensão e que dispõe de dispositivo que libera as partículas no ar, pela pressão do gás [Pl.: *-sóis.*] [F.: *aer(o)-* + *sol*[4]. F. não pref.: *aerosol.*]

aerossolizar (a.e.ros.so.li.*zar*) *v. td.* **1** Aplicar como aerossol; aspergir (líquido, medicamento etc.) em forma de aerossol: *<u>Aerossolizou</u> o inseticida na casa toda.* **2** Transformar em aerossol, ou fabricar em forma de aerossol: *Essa indústria de cosméticos <u>aerossolizou</u> todos os desorantes de sua linha.* [▶ 1 aerossolizar] [F.: *aerossol* + *-izar.*]

aerostação (a.e.ros.ta.*ção*) *sf.* **1** Arte de construir e utilizar aeróstatos **2** *P. ext.* Seção da aeronáutica militar que lida com aeróstatos [Pl.: *-ções.*] [F.: Do fr. *aérostation.*]

aeróstata (a.e.*rós*.ta.ta) *Aer. s2g.* Aquele que dirige um aeróstato [F.: *aer(o)-* + *-stata.*]

aerostática (a.e.ros.*tá*.ti.ca) *Fís. sf.* 1 Parte da física que tem por objeto o estudo dos gases, esp. o ar em equilíbrio ou em movimento; AEROMECÂNICA 2 *Aer.* Estudo da navegação aérea por meio de aeróstatos, de como utilizá-los, dirigi-los etc. [F.: *aer(o)-* + *-stat(o)* + *-ica*.]

aerostático (a.e.ros.*tá*.ti.co) *Aer. a.* Ref. a aerostática ou a aeróstato [F.: *aeróstato* + *-ico*[2].]

aeróstato (a.e.*rós*.ta.to) *sm.* 1 *Aer.* Veículo aéreo sustentado por gás mais leve que o ar ou por ar aquecido; são os balões e dirigíveis 2 *Bras. PE* Balão (2) de formato semelhante a de um aeróstato (1) [F.: Do fr. *aérostat*; ver *aero-* e *-stato*. Cf.: *aeródino*.] ■ **~ dirigível** Aquele que é acionado por um sistema de propulsão próprio **~ piloto** *Met.* Balão de borracha submetido à ação do vento para medir-lhe a direção e a intensidade

aerotecnia (a.e.ro.tec.*ni*.a) *sf. Aer.* Ciência que tem por objetivo a aplicação das leis da aerodinâmica ao desenvolvimento e à construção de veículos de navegação aérea [F.: *aero-* + *tecn (o)-* + *-ia*[1].]

aerotécnico (a.e.ro.*téc*.ni.co) *a.* Ref. a aerotecnia [F.: *aerotecn(ia)* + *-ico*[2].]

aeroterapia (a.e.ro.te.ra.*pi*.a) *sf. Med.* Uso do ar no tratamento das doenças do aparelho respiratório [F.: *aero-* + *terapia*.]

aeroterápico (a.e.ro.te.*rá*.pi.co) *a.* Ref. a aeroterapia [F.: *aeroterap(ia)* + *-ico*[2].]

aerotermodinâmica (a.e.ro.ter.mo.di.*nâ*.mi.ca) *sf. Fís.* Ramo da termodinâmica que estuda a troca de calor entre os sólidos e os gases, esp. a ação do aquecimento em aeronaves que desenvolvem alta velocidade [F.: *aero-* + *termodinâmica*.]

aerotermodinâmico (a.e.ro.ter.mo.di.*nâ*.mi.co) *a.* Ref. à aerotermodinâmica [F.: De *aerotermodinâmica*.]

aeroterrestre (a.e.ro.ter.*res*.tre) *a2g.* 1 Ref. ao mesmo tempo ao ar e à terra 2 *Mil.* Ref. às forças militares do ar e da terra em operação conjunta sob comando unificado [F.: *aero-* + *terrestre*.]

aerotransportado (a.e.ro.trans.por.*ta*.do) *a.* Que é transportado por via aérea: *Ele servia no Batalhão de Infantaria Aerotransportado.* [F.: *aer(o)-* + *transportado* (part. de *transportar*).]

aerotransportar (a.e.ro.trans.por.*tar*) *v. td. Mil.* Transportar ou fazer-se transportar por meio de aeronave: *Helicópteros aerotransportarão o equipamento; aerotransportar a brigada.* [Refere-se, ger., a operação militar.] [▶ 1 aerotransportar] [F.: *aer(o)-* + *transportar*. Hom./Par.: *aerotransporte* (fl.), *aerotransporte* (sm.).]

aerotransportável (a.e.ro.trans.por.*tá*.vel) *a2g.* Que pode ser transportado por via aérea [Pl.: *-veis*.] [F.: *aerotransportar* + *-vel*. Hom./Par. *aerotransportáveis* (pl.), *aerotransportáveis* (fl. de *aerotransportar*).]

aerotransporte (a.e.ro.trans.*por*.te) *Avi. sm.* 1 Transporte de passageiros ou carga por via aérea *sm.* 2 Aeronave capaz de transportar grande volume de cargas e/ou grande quantidade de passageiros [F.: *aer(o)-* + *transporte*.]

aerotrópico (a.e.ro.*tró*.pi.co) *a.* Ref. a aerotropismo [F.: *aerotropismo* + *-ico*[2], seg. o mod. erudito.]

aerotropismo (a.e.ro.tro.*pis*.mo) *sm. Biol.* Mudança na orientação do crescimento de um organismo vegetal, como resposta à variação da quantidade de ar disponível [F.: *aero-* + *tropismo*.]

aerovia (a.e.ro.*vi*.a) *Aer. sf.* 1 Espaço aéreo, espécie de corredor aéreo, estabelecido e delimitado por convenção internacional (em sua rota que passa verticalmente por determinados pontos terrestres, em sua altitude e nas medidas de sua altura e sua largura) reservado à navegação aérea e controlado por autoridade aeronáutica *sf.* 2 Rota demarcada para aviões de carreira em voos regulares *sf.* 3 Empresa de navegação aérea [F.: *aer(o)-* + *via*.]

aeroviário (a.e.ro.vi:*á*.ri:o) *Avi. a.* 1 Ref. a aerovia ou a transporte aéreo (serviços aeroviários) *sm.* 2 Funcionário que trabalha em aeroporto ou empresa de navegação aérea [F.: *aerovia* + *-ário*.]

aerozoário (a.e.ro.zo:*á*.ri:o) *Zool. a.* 1 Diz-se do animal que não pode viver sem ar *sm.* 2 Esse animal [F.: *aero-* + *zo(o)-* + *-ário*.]

aético (a.*é*.ti.co) *a.* 1 Que é contrário à ética 2 A quem falta ética, ou que não respeita a ética, é alheio a ela, não a tem como orientadora de comportamento [F.: *a-*[1] + *ético*.]

afã (a.*fã*) *sm.* 1 Ânsia, sofreguidão: "... em seu desesperado afã de sobreviver..." (*FolhaSP*, 15.08.1999) *sm.* 2 Muita pressa, afobação: *No afã de pegar o ônibus, tropeçou.* *sm.* 3 Trabalho laborioso, faina: *Saía cedo para seu afã diário no escritório.* 4 Desvelo, empenho: *Era notável seu afã na educação dos filhos.* [F.: De or. contrv; posv. dev. de *afanar*.]

afabilidade (a.fa.bi.li.*da*.de) *sf.* 1 Qualidade de quem é ou condição de quem está sendo afável: *Surpreendeu-me sua afabilidade ao tratar da questão.* *sf.* 2 Qualidade ou condição do que é delicado, gentil, cortês; GENTILEZA; CORTESIA: *A afabilidade da resposta amenizou seu teor negativo.* 3 Disposição para tratar (algo ou alguém) benevolamente; BENEVOLÊNCIA [F.: Do lat. *affabilitas, atis*.]

afabilíssimo (a.fa.bi.*lís*.si.mo) *a. Restr.* Muito afável [Superl. ab. sint. de *afável*.] [F.: *afável* + *-íssimo*, seg. o mod. erudito.]

afacia (a.fa.*ci*.a) *sf. Oft.* Ausência do cristalino [F.: *a-*[1] + *fac (o)-* (do gr. *phakós, ou*, 'cristalino') + *-ia*[1].]

afácico (a.*fá*.ci.co) *a.* Ref. a ou que tem afacia [F.: *afac(ia)* + *-ico*[2].]

afadigado (a.fa.di.*ga*.do) *a.* 1 Que se fadigou, cheio de fadiga; CANSADO; FATIGADO *a.* 2 Aborrecido, enfadado, entediado *a.* 3 Que trabalha ou trabalhou intensamente 4 Açodado, aflito, ansioso [F.: Part. de *afadigar*.]

afadigar (a.fa.di.*gar*) *v.* 1 Causar fadiga a ou sentir fadiga; CANSAR(-SE); FATIGAR(-SE) [*td.*: *A caminhada afadigou os jovens.*] [*tdr.* + *com*: *O operário afadiga-se com o trabalho pesado.*] [*int.*: *Ao fim do dia afadigara-se tanto que perdeu a fome.*] 2 Trabalhar em excesso [*int.*: *Os projetistas afadigavam-se (para cumprir o prazo).*] 3 Causar incômodo, tédio, inquietação, aflição a, ou senti-los; INCOMODAR; MOLESTAR [*tdr.* + *com*: *Não vou afadigá-lo com preocupações vãs!*] [*td.*: *A pressão dos exames afadigava o estudante.*] [*tr.* + *com*: *Afadigou-se com os colegas por causa de uma brincadeira sem gosto.*] 4 Apressar-se, empenhar-se [*tr.* + *em*: *Pressionado pelo prazo, afadigou-se em terminar a prova.*] 5 *Fig. Mar.* Perseguir, acossar [*td.*: *Os ventos afadigam o barco.*] [▶ 14 afadigar] [F.: *a-*[2] + *fadiga* + *-ar*[2].]

afadigoso (a.fa.di.*go*.so) [ô] *a.* Que causa fadiga; CANSATIVO; FATIGANTE [Fem.: [ó]. Pl.: [ó].] [F.: *afadigar* + *-oso*.]

afagado (a.fa.*ga*.do) *a.* 1 Que recebe afago, carinho 2 *Fig.* Beneficiado, protegido, favorecido (afagado pela sorte); PROTEGIDO 3 *Fig.* Lembrado ou conservado com carinho, acalentado (sonhos afagados) 4 *Marc.* Alisado, aplainado, sem asperezas [F.: Part. de *afagar*.]

afagador (a.fa.ga.*dor*) [ô] *a.* 1 Que afaga *sm.* 2 O que afaga [F.: *afagar* + *-dor*.]

afagar (a.fa.*gar*) *v. td.* 1 Fazer (roçando levemente com a mão) carinhos, afagos em; ACARICIAR(-SE); ACARINHAR(-SE): *O menino afagou o cãozinho; Os esposos afagavam-se.* 2 *Fig.* Propiciar sensação de prazer ou satisfação por meio de gestos ou palavras: *afagar o ego.* 3 *Fig.* Manter e estimular (sentimento, intenção, pensamento): *afagar uma ideia, um desejo.* 4 *Lus.* Eliminar saliências ou aspereza de (material, objeto etc.), aplainando, desbastando [▶ 14 afagar] [F.: *afago* + *-ar*[2].]

afagia (a.fa.*gi*.a) *sf. Med.* Dificuldade ou impossibilidade de deglutir [F.: *a-*[1] + *fag (o)-* + *-ia*[1].]

afágico (a.*fá*.gi.co) *a.* Ref. a ou que tem afagia [F.: *afag(ia)* + *-ico*[2].]

afago (a.*fa*.go) *sm.* 1 Ação ou resultado de afagar *sm.* 2 Carícia suave; CARINHO *sm.* 3 *Fig.* Agrado ou favor que se faz a alguém 4 *Fig.* Tudo aquilo (acontecimento, ação ou gesto de alguém etc.) que causa prazer psicológico, afetivo ou espiritual: *O elogio foi um afago para o seu ego.* 5 *Fig.* Proteção, favorecimento (afagos da sorte) [F.: Dev. de *afagar*. Hom./Par.: *afago* (sm.), *afago* (fl. de *afagar*).]

afaimar (a.fai.*mar*) *v. td. Ant.* O mesmo que *esfaimar*: *Por causa da pobreza, a mãe afaimava os filhos.* [▶ 1 afaimar] [F.: *a-*[2] + *fame* (f. arc. de *fome*) + *-ar*[2].]

afainar-se (a.fai.*nar*-se) *v.* 1 Trabalhar com muito vigor; AFANAR-SE; AZAFAMAR-SE [*td.*: *Para manter a casa limpa, afaina-se quase 24 horas por dia.*] 2 Trabalhar apressadamente [*int.*: *Nunca trabalha com tranquilidade, está sempre se afainando.*] 3 *P. ext.* Ter ou apresentar pressa; AFOBAR-SE [*td.*: *Na saída da escola, as crianças afainam-se.*] [▶ 1 afainar-se] [F.: *a-*[2] + *faina* + *-ar*[2] + *-se*.]

afalar (a.fa.*lar*) *v. td.* Conduzir, incitar (animais) por meio de palavras proferidas em alta voz: *O boiadeiro afalava a manada, para atravessar o rio.* [▶ 1 afalar] [F.: *a-*[2] + *falar*.]

afalcoar (a.fal.co.*ar*) *v.* 1 Tornar semelhante ao falcão [*td.*: *O diretor da peça afalcoou o ator.*] 2 *Fig.* Instigar deliberadamente; PROVOCAR [*td.*: *Os alunos afalcoavam o professor.*] 3 *Lus.* Sentir-se ou tornar-se cansado, exausto [*int.*: *Trabalhou tanto hoje que se afalcoou; Estudar afalcoa.*] [▶ 16 afalcoar] [F.: *a-*[2] + *falcão* + *-ar*[2].]

afaluado (a.fa.lu:*a*.do) *Bras. a.* Apressado, azafamado, esbaforido [F.: De or. contrv.]

afamado (a.fa.*ma*.do) *a.* Que tem fama, que se tornou conhecido (cantor afamado); FAMOSO; CÉLEBRE [F.: Part. de *afamar*.]

afamar (a.fa.*mar*) *v.* Conceder ou adquirir fama; tornar(-se) famoso, célebre [*td.*: *Aquele filme afamou a jovem atriz.*] [*int.*: *Desde criança, queria afamar-se.*] [▶ 1 afamar] [F.: *a-*[2] + *fama* + *-ar*[2].]

afamilhado (a.fa.mi.*lha*.do) *Bras. a.* Ver *afamiliado* [F.: Part. de *afamilhar*.]

afamilhar-se (a.fa.mi.*lhar*-se) *v. pr.* Ver *afamiliar-se*

afamiliado (a.fa.mi.li.*a*.do) *a.* 1 *Bras.* Que tem muitos filhos, tem grande prole 2 Que tem família para sustentar 3 Casado ou amancebado [F.: Part. de *afamiliar-se*.]

afamiliar-se (a.fa.mi.li.*ar*-se) *v. int.* 1 *Bras.* Ter muitos filhos; ter uma família grande: *Ele se afamiliou muito cedo.* 2 Tornar-se responsável pela família: *Quando o pai morreu, foi obrigado a afamiliar-se.* 3 Viver casado ou amancebado: *Ele prefere afamiliar-se a ficar sozinho.* [▶ 1 afamiliar-se] [F.: *a-* + *família* + *-ar*[2]. Tb. *afamilhar-se*.]

afanado (a.fa.*na*.do) *a.* 1 *Bras. Pop.* Que foi furtado; roubado *a.* 2 Que trabalha intensamente 3 Muito cansado; EXAUSTO 4 *Lus. Pop.* Sem dinheiro [F.: Part. de *afanar*.]

afanar (a.fa.*nar*) *v.* 1 Trabalhar com muita vontade, com afã [*int.*: *Afanou(-se) para comprar uma casa.*] 2 Afadigar(-se), cansar(-se) [*td.*: "Corria à solta na vida alegre; nem medo nem desejos me afanavam" (Antônio Feliciano de Castilho, *Noite do castelo*)] 3 *Bras. Pop.* Roubar (algo) furtivamente [*td.*: *O ladrão afanou as joias.*] [*int.*: *O punguista passou a manhã afanando.*] 4 *P. us.* Procurar com insistência, com afã [*td.*: *Trabalhava muito para afanar o reconhecimento do chefe.*] [▶ 1 afanar] [F.: do lat. **affanare*. Hom./Par.: *afano* (fl.), *afano* (sm.).]

afanável (a.fa.*ná*.vel) *a2g.* Que se pode afanar, roubar [Pl.: *-veis*.] [F.: *afanar* + *-vel*. Hom./Par.: *afanáveis* (pl.), *afanáveis* (fl. de *afanar*).]

afania (a.fa.*ni*.a) *sf. Psiq.* Medo patológico de perder a capacidade sexual [F.: Do gr. *apháneia, as*.]

afaníptero (a.fa.*níp*.te.ro) *Ent. a.* 1 Ref. aos afanípteros *sm.* 2 Espécime dos afanípteros [F.: Do lat. cient. *Aphaniptera*. Sin. ger.: *afanóptero*.]

afano (a.*fa*.no) *sm.* 1 *Bras. Pop.* Ação ou resultado de afanar, de furtar 2 *P. us.* O mesmo que *afã* [F.: Dev. de *afanar*. Hom./Par.: *afano* (sm.), *afano* (fl. de *afanar*).]

afanoso (a.fa.*no*.so) [ô] *a.* Que dá trabalho, que exige afã; LABORIOSO; TRABALHOSO [Fem.: [ó]. Pl.: [ó].] [F.: *afã* + *-oso*.]

afasia (a.fa.*si*.a) *sf.* 1 Perda total ou parcial da fala 2 *Med.* Dificuldade total ou parcial de expressão ou compreensão da linguagem falada, escrita ou gestual, ger. provocada por lesão cerebral 3 *Fil.* Abstenção de qualquer pronunciamento ou juízo sobre a verdade ou a falsidade de algo, com base na ideia de que o ser humano está limitado em sua percepção cognitiva [F.: Do gr. *aphasía, as*. Hom./Par.: *afasia* (sf.), *afrasia* (sf.), *afazia* (fl. de *afazer*).] ■ **~ amnésica** *Neur.* Dificuldade em encontrar as palavras adequadas para designar objetos e significados **~ atáxica** *Neur.* O mesmo que *afasia motora* **~ auditiva** *Neur.* Dificuldade em compreender palavras e frases faladas **~ central** *Neur.* Dificuldade ou impossibilidade de fala ou de compreensão espontâneas, acompanhada de distúrbio na leitura, repetição de palavras etc. **~ global** *Neur.* Perda total da percepção da linguagem e da capacidade de comunicação **~ motora** *Neur.* Aquela em que, preservada a percepção da linguagem falada ou escrita, está comprometida a capacidade de repetir ou expressar o que se percebe; afasia atáxica **~ semântica** *Neur.* Aquela em que se consegue repetir o que se ouve ou lê, mas sem compreender-lhe o significado **~ sensorial** *Neur.* Percepção da linguagem falada, sem compreensão dos significados **~ visual** *Neur.* Aquela em que não se compreende a linguagem escrita

afásico (a.*fá*.si.co) *a.* 1 Ref. a afasia 2 Que sofre de afasia *sm.* 3 Indivíduo que sofre de afasia [F.: *afasia* + *-ico*[2]. Hom./Par.: *afásico* (a. sm.), *afrásico* (a. sm.).]

afasmídio (a.fas.*mí*.di:o) *Zool. a.* 1 Ref. aos afasmídios *sm.* 2 Espécime dos afasmídios [F.: Do lat. cient. *Aphasmidia*.]

afastado (a.fas.*ta*.do) *a.* 1 Que se afastou *a.* 2 Que está longe, distante (no espaço): *um bairro afastado.* *a.* 3 Distante, separado (de algo ou alguém, ou um do outro): *Ficou na sala, num canto afastado; Mantinha os braços afastados, tentando equilibrar-se.* 4 Longínquo ou remoto (no tempo) (época afastada) 5 De parentesco distante (primos afastados) 6 Que foi demitido ou exonerado 7 *Bras.* Que está de licença no trabalho por questão de saúde [Usa-se dizer esp. quando o trabalhador ou profissional se encontra licenciado pelo INSS.] 8 *Bras.* Que foi desligado temporariamente de suas funções e de seu cargo para averiguação (diz-se de funcionário público, esp. de policial, sob suspeita de delito) [F.: Part. de *afastar*.]

afastador (a.fas.ta.*dor*) [ô] *a.* 1 Que afasta *sm.* 2 Aquilo ou aquele que afasta 3 *Cir.* Instrumento cirúrgico que serve para manter afastadas as bordas de uma incisão [F.: *afastar* + *-dor*.]

afastamento (a.fas.ta.*men*.to) *sm.* 1 Ação ou resultado de afastar(-se), de manter(-se) a distância *sm.* 2 Separação física entre coisas ou pessoas; DISTANCIAMENTO 3 *Fig.* Ação ou resultado de afastar-se do convívio social ou familiar, ou de manter reserva, quando em contato com outra(s) pessoa(s) 4 Desligamento definitivo de cargo ou função 5 Desligamento temporário de cargo ou função, em virtude de licença [Usa-se dizer esp. nos casos de licença-maternidade, licença especial, ou de licença por doença ou acidente de trabalho.] 6 *Urb.* Distância entre edificações ou entre uma edificação e uma via urbana, um marco etc. 7 *Est.* Diferença entre o valor obtido e o previsto por probabilidade 8 *Astron.* Medida do arco dos paralelos entre dois meridianos, que varia conforme a latitude 9 *Aer. Mar.* Diferença entre a rota original e a direção real da embarcação ou aeronave 10 *Mat.* Numa função, diferença entre as coordenadas de dois pontos sobre um mesmo eixo [F.: *afastar* + *-mento*.]

afastar (a.fas.*tar*) *v.* 1 Pôr (algo ou alguém, inclusive si mesmo, ou reciprocamente) (mais) distante (de), ou de lado, ou fora do caminho [*td.*: *A faxineira afasta o sofá para varrer.*] [*tdr.* + *de*: *Afaste-se desse refletor, você está perto demais.*: "...afasta de mim este cálice" (Chico Buarque e Gilberto Gil, *Cálice*)] [*int.*: *Ao ver a confusão, afastou-se.* Ant.: *aproximar*.] 2 Distanciar, separar (coisas ou pessoas) que estão unidas ou próximas; APARTAR(-SE) [*td.*: *O cirurgião afastou as bordas da incisão.*] [*tdr.* + *de*: *A crise afastou um irmão do outro.*] [*tr.* + *de*: *Afastou-se do amigo.* Ant.: *aproximar*.] 3 Mudar (algo) de determinado lugar; DESLOCAR; REMOVER [*td.*: *Afastou as plantas para passar.*] [*tdr.* + *de*: *Afastei o cabelo dos olhos.*] [*tda.*: *Afastamos o armário da parede.*] 4 Privar (alguém, inclusive si mesmo) de cargo, de emprego; DEMITIR(-SE); EXONERAR(-SE) [*td.*: *O prefeito afastou o secretário.*] [*tdr.* + *de*: *O chefe afastou-a do cargo.*] [*tr.* + *de*: *Insatisfeitos com a firma, afastaram-se de seus cargos.*] 5 *Fig.* Fazer desaparecer (situação, ideia etc.), ao superá-la ou ignorá-la [*td.*: *Com tenacidade afastou um a um os obstáculos a seu projeto.*] [*tdr.* + *de*: *Afastou os maus presságios de seu pensamento.*] 6 *Fig.* Tornar algo mais difícil, mais distante de se concretizar [*td.*: *Essa*

nova exigência afasta qualquer possibilidade de acordo.] [**tdr.** + de: *Sua intransigência os afastava cada vez mais da conciliação.*] [▶ 1 afastar] [F.: Or. obsc.]
afatiar (a.fa.ti.*ar*) *v. td.* **1** Cortar em fatias (carne, pão, queijo etc.); esfatiar **2** Retalhar usando arma branca: *Afatiou a vítima.* [▶ 1 afatiar] [F.: *a-* + *fatiar.*]
afavecos (a.fa.*ve*.cos) *Bras. N. E. Pop.* **smpl.** **1** Cacarecos, cacaréus **2** Peças de roupa em uso [F.: De or. expressiva, posv.]
afável (a.*fá*.vel) **a2g.** **1** Gentil no trato; AMÁVEL; CORTÊS; DELICADO **2** De aspecto ou comportamento acolhedor, bondoso **3** Que proporciona satisfação, prazer (clima afável); APRAZÍVEL **4** *Fig.* Benevolente, bondoso [Pl.: *-veis.* Superl.: *afabilíssimo*] [F.: Do lat. *affabilis, e.*]
afavelado (a.fa.ve.*la*.do) **a.** *Bras.* Que assumiu aspecto de favela ou se tornou uma favela (rua afavelada) [F.: *a-*[2] + favela + -ado[1].]
afavelamento (a.fa.ve.la.*men*.to) **sm.** **1** *Bras.* Processo de formação de favelas **2** Conjunto de favelas [F.: *a-*[2] + *favela* + *-mento.*]
afazendar (a.fa.zen.*dar*) *v. int.* **1** Adquirir fazendas ou bens imóveis **2** Tornar-se rico; ENRIQUECER [▶ 1 afazendar] [F.: *a-* + *fazenda* + *-ar* + *-se.*]
afazendar-se (a.fa.zen.*dar*-se) *v. int.* **1** Comprar fazendas ou outros bens imóveis: *Não tendo mais em que investir, afazenda-se.* **2** Ficar rico; ENRIQUECER: *Seu objetivo é afazendar-se depois de formado.* [▶ 1 afazendar-se] [F.: *a-*[2] + *fazenda* + *-ar*[2] + *-se.*]
afazer (a.fa.*zer*) *v.* **1** Fazer adquirir ou adquirir certo costume ou hábito; ACOSTUMAR(-SE); HABITUAR(-SE) [**tdr.** + *a*: *O técnico afez o jogador aos treinos diários; O aluno afizera-se a estudar ouvindo música.*] **2** Adaptar(-se) a um novo ambiente (físico ou intelectual); ACLIMAR(-SE) [**tr.** + *a*: *A planta não se afez bem ao clima; Afez-se ao clima da montanha.*] [**tdr.** + *a*: *Afiz meu comportamento às novas regras da escola.*] [▶ 22 afazer] [F.: *a-*[2] + *fazer.* Hom./Par.: *afazia(s)* (fl.), *afasia(s)* (sf. [pl.]).]
afazeres (a.fa.*ze*.res) [ê] **smpl.** **1** Tarefas ou compromissos que alguém deve cumprir: *Não podia deixar seus afazeres para outro dia.* **2** *Restr.* Tarefas, compromissos que fazem parte de uma rotina ou que são próprios de algo ou de algum lugar (afazeres domésticos) [F.: Da loc. *a fazer*, posv. para traduzir o fr. *affaire*, tomada como subst. no pl.]
afeado (a.fe.*a*.do) **a.** **1** Que se tornou feio; ENFEADO **2** Apresentado sob mau aspecto [F.: Part. de *afear.* Hom./Par.: *afeado* (a.), *afiado* (a.).]
afear (a.fe.*ar*) *v.* Tornar(-se) feio; ENFEAR [**td.**: "Ele também arreganhava os dentes para afear a imagem" (Camilo Castelo Branco, *Corja*)] [**int.**: *Ela se afeia quando usa muita maquiagem.*] [▶ 13 afear] [F.: *a-* + *feo* (=feio).]
afebril (a.fe.*bril*) **a2g.** Que não tem febre [Ant.: *febril.*] [Pl.: *-bris.*] [F.: *a-*[1] + *febril.*]
afecção (a.fec.*ção*) **sf.** **1** *Med.* Qualquer fenômeno patológico que ocorre no corpo humano **2** *Psi.* Anormalidade que consiste em alteração da percepção ou de sua interpretação [Pl.: *-ções.*] [F.: Do lat. *affectio, onis.*]
afegane (a.fe.*ga*.ne) **s2g.** **1** Pessoa nascida ou que vive no Afeganistão **sm.** **2** *Gloss.* Língua falada no Afeganistão **3** Moeda, padrão monetário do Afeganistão **a2g.** **4** Do Afeganistão, típico desse país ou de seu povo (economia afegane; governo afegane) **5** Do ou ref. ao afegane (2) [F.: Do iraniano *afghan.* Sin. ger.: *afegão.*]
afegão (a.fe.*gão*) **a. sm.** Ver *afegane* [Pl.: *-gãos.*]
afeição (a.fei.*ção*) **sf.** **1** Sentimento de afeto, carinho, apego por algo ou alguém [+ *a, para* (*com*), *por*: *afeição às /para (com)/pelas crianças.*] **2** Inclinação, tendência, pendor para algo [+ *por*: *afeição pela música.*] [Pl.: *-ções.*] [F.: Do lat. *affectio, onis*, por via popular.]
afeiçoado[1] (a.fei.ço.*a*.do) **a.** **1** Que sente afeição por alguém ou por algo [+ *a*: *pais afeiçoados aos filhos.*] **2** Que tem inclinação, gosto por algo [+ *a*: *afeiçoado às artes.*] **sm.** **3** Pessoa a quem se dedica afeição ou com a qual se mantém laços de amizade: *Chamou a si todos os seus afeiçoados.* [F.: Part. de *afeiçoar*[1].]
afeiçoado[2] (a.fei.ço.*a*.do) **a.** **1** A que se deu certa forma ou feição **2** *Fig.* Feito com primor ou perfeição **3** Que se adaptou ou que é apropriado, adequado a algo [+ *a*: *um modelo afeiçoado às novas exigências do mercado.*] **4** Afeito a algo; ACOSTUMADO [+ *a*: *um deputado afeiçoado às manobras políticas na Câmara.*] [F.: Part. de *afeiçoar*[2].]
afeiçoar[1] (a.fei.ço.*ar*) *v.* **1** Dar feição, forma a [**td.**: *A atenção do mestre afeiçoara os alunos.*] **2** Dar feição ou forma mais bem-acabada, mais aprimorada a [**tr.** + *a, de*: *O menino afeiçoou-se aos/dos novos vizinhos.*] [**tdr.** + *a, de*: *Paciência e solicitude afeiçoaram os alunos ao/do novo professor.*] **3** Fazer com que (algo ou alguém, inclusive si mesmo) fique adequado (à circunstância, necessidade etc.) [**tdr.** + *a*: *A mãe conseguiu afeiçoar o filho à leitura.*] [**tr.** + *a*: *A jovem afeiçoou-se aos estudos.*] [▶ 16 afeiçoar] [F.: *afeição* sob a f. afeiço- + *-ar*[2].]
afeiçoar[2] (a.fei.ço.*ar*) *v.* **1** Fazer sentir ou sentir afeto, estima, carinho por (algo ou alguém); MOLDAR [**td.**: *Sua gentileza afeiçoou todos os amigos.*] [**tdi.** + *a*: *A longa convivência afeiçoou um ao outro.*] [**int.** + *a, de*: *Em pouco tempo afeiçoou-se dela.*] **2** Fazer sentir ou passar a sentir gosto por algo; APRIMORAR [**tdi.** + *a*: *Seu professor de música conguiu afeiçoá-lo ao estudo dos clássicos.*] [**int.** + *a, de*: *Só depois de velho afeiçoou-se ao esporte.*] [▶ 16 afeiçoar] [F.: *afeiç(ã)o* + *-ar*[2].]
afeitar (a.fei.*tar*) *P. us. v. td.* **1** Mudar a aparência de (alguém ou si mesmo), esp. com uso de ornamentos: *Afeitava o rosto para ficar mais bonita.* **2** *Bras. S* Fazer a barba de (alguém ou si mesmo); BARBEAR(-SE): *Afeitava-se quando ia namorar.* **3** *Ant.* Demonstrar grande preocupação no uso das palavras: *Sempre que fala em público, afeita-se.* [▶ 1 afeitar] [F.: Do espn. *afeitar.*]
afeito (a.*fei*.to) **a.** **1** Que se habituou ou está habituado a algo; ACOSTUMADO; HABITUADO [+ *a*: *Afeito ao trabalho; afeito às nova regras.*] **2** Que se adaptou a uma terra estranha, que vive feliz em terra estranha [F.: Do lat. *affectus, a, um.*]
afelear (a.fe.le.*ar*) *v. td.* **1** *Ant.* Colocar fel em; misturar com fel **2** *Fig.* Tornar tão amargo quanto o fel **3** Causar amargura em; amargurar [▶ 13 afelear] [F.: *a-*[2] + *fel* + *-ear*[2].]
afélio (a.*fé*.li:o) **sm.** *Astron.* Na órbita de translação de um planeta do sistema solar, o ponto mais afastado do Sol [P. op. a *periélio.*] [F.: Do lat. cient. *Aphelium.*]
afemia (a.fe.*mi*.a) **sf.** *Neur.* Afasia em que o paciente sabe o que deseja dizer, mas não pode exprimi-lo em palavras; afasia motora [F.: *a-*[1] + o v. gr. *phemí*, 'falar', + *-ia*[1].]
afêmico (a.*fê*.mi.co) **a.** Ref. a ou que sofre de afemia [F.: *afem(ia)* + *-ico*[2].]
afeminação (a.fe.mi.na.*ção*) **sf.** Ação ou resultado de afeminar-se; de adquirir ou assumir aparência ou modos femininos [Pl.: *-ções.*] [F.: *afeminar* + *-ção.*]
afeminado (a.fe.mi.*na*.do) **a.** **1** Que tem algo de feminino no seu jeito, comportamento, modos ou aparência (diz-se de homem) **2** *Fig.* Que aparenta fragilidade ou delicadeza (diz-se de homem) **3** Diz-se de homossexual masculino **sm.** **4** Indivíduo afeminado [F.: Part. de *afeminar.* Var. mais us. de *efeminado.*]
afeminar (a.fe.mi.*nar*) *v.* Fazer perder, ou perder, a masculinidade; conferir a ou assumir aspecto, jeito feminino [**td.**: *Sua gesticulação o afemina.*] [**int.**: *Já adulto, afeminou-se.*] [▶ 1 afeminar] [F.: Var. de *efeminar*, do lat. *effeminare.*]
aferência (a.fe.*rên*.ci:a) **sf.** Condição ou qualidade de aferente [F.: *aferir* + *-ência.*]
aferente (a.fe.*ren*.te) **a2g.** **1** Que conduz (para dentro), que traz **2** *Anat. Fisl.* Que conduz impulso, líquido ou sangue da periferia do corpo para o interior, ou para um órgão (nervo aferente, vaso aferente) [P. op. a *eferente.*] [F.: Do lat. *afferens, entis.* Hom./Par.: *aferente* (a2g.), *eferente* (a2g.).]
aferentização (a.fe.ren.ti.za.*ção*) **sf.** *Fisl.* Processo que consiste em levar algo (sangue, impulso nervoso, linfa) da periferia ao centro de um órgão [Pl.: *-ções.*] [F.: *aferente* + *izar* + *-ção.*]
aférese (a.*fé*.re.se) **sf.** **1** *Fon.* Supressão de fonema(s) no início da palavra (ex.: 'tá' por 'está'; 'cê' por 'você') [É tendência frequente na língua falada e informal.] **2** *Ling.* Figura na diacronia da língua que, pela supressão de fonemas, explica a evolução e formação de palavras [Ex.: *namorar* < *enamorar.*] **3** *Cir.* Remoção de parte do corpo, ger. para extirpação de tumor ou de processo patológico não controlável **4** *Hem. Med.* Retirada seletiva de elementos do sangue (ger. para doação) [F.: Do gr. *aphaíresis, eôs*, pelo lat. *aphaeresis, is.*]
aferético (a.fe.*ré*.ti.co) **a.** *Gram.* Ref. a ou em que há aférese; AFERÉSICO [F.: Do gr. *aphairetikós, e, on.*]
aferição (a.fe.ri.*ção*) **sf.** **1** Ação de aferir; o resultado dessa ação, a conclusão ou avaliação dela decorrente; AFERIMENTO: *aferição de uma balança* **2** Marca, sinal, adesivo etc. que se põe em algo para indicar que foi devidamente aferido [Pl.: *-ções.*] [F.: *aferir* + *-ção.*]
aferido[1] (a.fe.*ri*.do) **a.** **1** Que se aferiu **2** Ajustado ao padrão (taxímetro aferido) **3** Cotejado, comparado; CONFERIDO [F.: Part. de *aferir.*]
aferido[2] (a.fe.*ri*.do) **sm.** Calha pela qual corre água que vai mover uma roda hidráulica, dando-lhe movimento [F.: De or. obsc.]
aferidor (a.fe.ri.*dor*) [ô] **a.** **1** Que afere **sm.** **2** O que afere pesos e medidas; empregado que tem a função de aferir pesos e medidas **3** Instrumento com que se faz aferição; AFERÍMETRO **4** Qualquer coisa us. como parâmetro de aferição [F.: *aferir* + *-dor.*]
aferir (a.fe.*rir*) *v.* **1** Verificar correspondência de medidas, pesos, instrumentos de medida etc. a padrões estabelecidos [**td.**: *O fiscal aferia o peso dos alimentos; aferir o taxímetro.*] **2** Avaliar (por comparação com modelo ou padrão) [**td.**: *aferir os resultados do teste.*] [**tdr.** + *a, com, por*: *Aferiu seu desempenho pelo do colega.*] **3** Pôr marca em, marcar (aquilo que foi aferido) [**td.**] [▶ 50 aferir] [F.: Do lat. *afferere* (cláss. *afferre*).]
aferível (a.fe.*rí*.vel) **a2g.** Que pode ser aferido, que é passível de aferição [Pl.: *-veis.*] [F.: *aferir* + *-vel.* Ant. ger.: *inaferível.* Cf.: *auferível.*]
aferrado (a.fer.*ra*.do) **a.** **1** Preso com ferro ou gancho, arpão etc. de ferro **2** *Mar.* Preso com ferro (âncora); ancorado **3** *Fig.* Que se prende obstinadamente a algo, uma ideia, costume, projeto etc.; OBSTINADO; TEIMOSO **4** *Mar.* Diz-se de embarcação aferrada (1) [F.: Part. de *aferrar.*]
aferrar (a.fer.*rar*) *v.* **1** Prender ou segurar com grilhões, ganchos, ferros [**td.**: *Os senhores aferravam os escravos; Lançou o arpão para aferrar o peixe.*] **2** Prender(-se) ou segurar(-se) com firmeza; AGARRAR(-SE) [**td.**: *O detetive aferrou o preso pelo braço.*] [**tr.** + *a*: *Com medo, a criança aferra-se à mãe.*] **3** *Fig.* Apegar(-se) firmemente a (algo); AGARRAR(-SE) [**tr.** + *a*: *Aferrava-se à esperança como à própria vida.*] **4** *Mar.* Lançar ferros, ou âncora(s); ANCORAR; FUNDEAR [**td.**: *aferrar navios.*] [**ta.** + *em*: *Todos os barcos aferraram na enseada.*] [**int.**: *O navio aferrou de manhã.*] **5** *Mar.* Lançar (tripulantes de) embarcação em ganchos, âncoras etc. amarradas em cabos ou cordas para acostá-la a (outra embarcação) [**td.**: *O navio dos piratas aferrou a caravela.*] **6** *P. ext. Mar.* Abordar (uma embarcação, outra embarcação) [**td.**] **7** Atacar, investir sobre [**td.**: *A tropa preparou-se para aferrar o inimigo.*] [**int.**: *Cuidado, esse bicho parece manso mas pode aferrar de repente.*] [▶ 1 aferrar] [F.: *a-*[2] + *ferro* + *-ar*[2].]
aferrenhar (a.fer.re.*nhar*) *v.* **1** Tornar duro, endurecido; endurecer [**td.**] **2** Tornar(-se) obstinado, ferrenho [**int.**] [**td.**] [▶ 1 aferrenhar] [F.: *a-*[2] + *ferrenho* + *-ar*[2].]
aferro (a.*fer*.ro) [ê] **sm.** **1** Ação ou resultado de aferrar-se); grande apego [+ *a*: *Aferro ao dinheiro;* "o aferro a antigas praxes" (Herculano, *Opúsculos IV*)] **2** Dedicação, aplicação tenaz; AFINCO [+ *a*: *aferro ao trabalho*] **3** Teimosia, obstinação **4** *Fig.* Grande estima, amor intenso [F.: Dev. de *aferrar.* Hom./Par.: *aferro* (fl. de *aferrar*).]
aferroar (a.fer.ro.*ar*) *v. td.* **1** Picar com ferrão ou objeto pontiagudo; AGUILHOAR; PICAR **2** *P. ext.* Causar mágoa ou aflição a; ferir moralmente **3** Causar incômodo ou estorvo a **4** Instigar, incitar [▶ 16 aferroar] [F.: *a-* + *ferrão* + *-ar.* Sin. ger.: *aferretoar.*]
aferrolhado (a.fer.ro.*lha*.do) **a.** **1** Preso com ferrolho; atado a grilhões **2** Preso em cárcere, em prisão; ENCARCERADO **3** *Fig.* Guardado com excessiva precaução e muito cuidado, bem protegido [F.: Part. de *aferrolhar.*]
aferrolhar (a.fer.ro.*lhar*) *v.* **1** Prender, fechar, trancar (algo ou alguém, inclusive si mesmo) com ferrolho, grilhões etc. [**td.**: *aferrolhar o portão; O carcereiro aferrolhou o preso na cela.*] [**tdr.** + *a*: *Aferrolhou-se à grade do tribunal como protesto.*] **2** *P. ext.* Pôr na prisão; APRISIONAR; PRENDER [**td.**: *Aferrolhar os malfeitores.*] **3** *Fig.* Guardar, trancar com muito cuidado e em segurança [**td.**: *Aferrolhar as promissórias.*] [**tda.**: *Aferrolhou no cofre a escritura do imóvel.*] [▶ 1 aferrolhar] [F.: *a-*[2] + *ferrolho* + *-ar*[2].]
aferventação (a.fer.ven.ta.*ção*) **sf.** Ação ou resultado de aferventar(-se) [Pl.: *-ções.*] [F.: *aferventar* + *-ção.*]
aferventado (a.fer.ven.*ta*.do) **a.** **1** Que se aferventou, que passou por (ligeira) fervura **2** Levemente cozido; ENTRECOZIDO **3** *Fig.* Ardente, afervorado; ACALORADO; ENTUSIASMADO: *Era de um temperamento impulsivo, aferventado.* **4** *Pop. Bras.* Diz-se de quem não tem paciência, de quem é inquieto, alvoroçado; IRREQUIETO; SÔFREGO **sm.** **5** *N. E.* Prato de carne ou peixe ligeiramente cozido, adubado com legumes ou batatas [F.: Part. de *aferventar.*]
aferventar (a.fer.ven.*tar*) *v.* **1** Fazer ferver ou ferver [**td.**: *Aferventar água para o chá.*] [**int.**: *A água para o caldo já aferventou(-se).*] **2** Pôr (algo) para ferver ou ferver ligeiramente, por pouco tempo [**td.**: *aferventar o mingau.*] [**int.**: *Pode servir, o caldo já aferventou(-se).*] **3** *Fig.* Dar estímulo ou incentivo a, provocar ou aumentar o entusiasmo, a excitação, o dinamismo de; ESTIMULAR; EXCITAR [**td.**: *O aplauso da plateia aferventou os atores; Aqueles apartes mordazes aferventaram o debate.*] **4** *N. E. Fig. Pop.* Fazer perder ou perder a calma, fazer ficar ou ficar nervoso, irritado, impaciente [**td.**: *A demora no atendimento sempre o aferventava.*] [**int.**: *Começou a discutir e logo se aferventou.*] [▶ 1 aferventar] [F.: *a-*[2] + *fervente* + *-ar*[2].]
afervoramento (a.fer.vo.ra.*men*.to) **sm.** **1** Ação ou resultado de afervorar(-se); AFERVORAÇÃO **2** Fervor, entusiasmo: *Dedicou-se com afervoramento às causas humanitárias.* [F.: *afervorar* + *-mento.*]
afervorar (a.fer.vo.*rar*) *v.* **1** Pôr para ferver ou ferver; pôr ou estar em fervura [**td.**: *afervorar o cozido.*] [**int.**: *O cozido afervorou.*] **2** *Fig.* Fazer ficar ou ficar, tornar(-se) mais intenso, cheio de fervor [**td.**: *A esperança de um milagre afervorou sua fé; A indignação afervorava seu discurso.*] [**int.**: *A noviça afervora-se na oração; Seu discurso afervorava-se à medida que se entusiasmava.*] [F.: *a-*[2] + *fervor* + *-ar*[2].]
afespério (a.fes.*pé*.ri:o) **sm.** *Astr.* Apoastro da órbita de um corpo celeste que gravita em torno do planeta Vênus
afestoado (a.fes.to.*a*.do) **a.** **1** Ornado com festões; ENFESTOADO; ENGRINALDADO **2** Enfeitado, ornamentado; ENGALANADO: *O altar estava afestoado para o casamento.* [F.: Part. de *afestoar.*]
afestoar (a.fes.to.*ar*) *v. td.* **1** Revestir de festões; ENGRINALDAR: *afestoar um portal.* **2** *Bras.* Pôr enfeites ou atavios em; ENFEITAR; ATAVIAR: *Afestoou-se para a festa.* [▶ 16 afestoar] [F.: *a-* + *festoar.*]
afetação (a.fe.ta.*ção*) **sf.** **1** Ação ou resultado de afetar(-se) **2** Ausência de espontaneidade ou naturalidade na atitude, nos gestos e/ou nas palavras **3** Comportamento pedante e presunçoso **4** Exagero ou fingimento em demonstração de sentimento; falsidade **5** *Jur.* Ação que determina um destino ou uma função a bem público [Pl.: *-ções.*] [F.: Do lat. *affectatio, onis.*]
afetado (a.fe.*ta*.do) **a.** **1** Que demonstra afetação (2, 3, 4), artificialidade nos gestos e/ou nas palavras (rapaz afetado) **2** Acometido de afecção ou doença **3** Que está ou se manifesta atingido por algum sentimento ou emoção: *Era um homem afetado, sensível ao sofrimento alheio.* [F.: Part. de *afetar.*]
afetar (a.fe.*tar*) *v.* **1** Suscitar ou ser capaz de suscitar sentimento, emoção, comoção; ABALAR; COMOVER [**td.**: *A fome na África afeta todo o mundo; A morte do pai afetou-o profundamente.*] **2** Causar dano ou doença a; perturbar (as funções orgânicas) [**td.**: *O excesso de sol pode afetar a pele; O ar da noite afeta-o muito.*] **3** Ser do interesse de; dizer respeito a; concernir a [**td.**: *Como o assunto não o afetava, preferiu não opinar; As questões ecológicas afetam todos nós.*] **4** Exibir ou tentar exibir (qualidades, maneiras, sentimentos etc.) o que não se possui; APARENTAR; FIN-

GIR; SIMULAR [**td.**: *Afetou desinteresse para não acirrar a disputa.*] [**tp.** + *de*: *Afeta(-se) de estudioso para impressionar o mestre.*] **5** Fazer (algo) com apuro exagerado, esmerar-se a ponto de parecer ridículo [**tr.** + *em*: *Afeta-se na pronúncia das palavras.*] **6** Simular ou assemelhar-se à forma de [**td.**: *Recortou ornatos que afetavam estrelas.*] [▶ 1 afetar] [F.: Do lat. *affectare*. Hom./Par.: *afeto* (fl.), *afeto* (a. sm.).]

afetividade (a.fe.ti.vi.*da*.de) *sf.* **1** Qualidade, característica ou condição do que ou de quem é ou se mostra afetivo **2** *Psi.* Conjunto de fenômenos de natureza psíquica que envolvem emoções e sentimentos **3** *Psi.* Capacidade ou susceptibilidade (de alguém) de reagir com ou manifestar facilmente emoção, sentimento etc. [F.: *afetivo* + *-(i)dade*.]

afetivo (a.fe.*ti*.vo) *a.* **1** Ref. a ou que envolve afeto afetividade (vida afetiva) **2** Que sente, busca ou demonstra carinho, afeição (menino afetivo); AFETUOSO **3** Em que há afeto, ou que o expressa (gesto afetivo); AFETUOSO **4** *Ling. Liter.* Que expressa uma visão ou atitude subjetiva (de quem fala, escreve etc.) em relação a sentimentos, emoções etc. (linguagem afetiva; discurso afetivo) [F.: Do lat. *affectivus, a, um*.]

afeto¹ (a.*fe*.to) *sm.* **1** Sentimento de carinho, de ternura por algo ou alguém [+ *a*, *para* (*com*), *por*: *afeto a/para (com)/por animais.*] **2** O objeto desse sentimento: *Não tinha filhos, o sobrinho era seu afeto.* **3** *Psi.* Sentimento de caráter emotivo, como o amor, o ódio, a raiva etc. **4** *Psi.* Um dos três tipos de função mental, junto com a cognição e a volição **5** *Psiq.* Estado emocional relacionado à realização de uma pulsão [F.: Do lat. *affectus, us*.]

afeto² (a.*fe*.to) *a.* **1** Que tem ou revela dedicação, apreço por; que é afeiçoado a; DEDICADO; DEVOTADO [+ *a*: *empresário afeto a obras sociais.*] **2** Que é destinado a [+ *a*: *verba afeta ao departamento de vendas.*] **3** Concernente a ou dependente de; da competência de [+ *a*: *programas afetos à area da saúde.*] [F.: Do lat. *affectus, a, um*.]

afetuosidade (a.fe.tu:o.si.*da*.de) *sf.* **1** Qualidade, característica de quem é afetuoso **2** Expressão ou demonstração de afeto, carinho, ternura (em gestos, palavras, atitudes etc.): *Emocionou-se com a afetuosidade com que foi recebido.* [F.: *afetuoso* + *-(i)dade*.]

afetuoso (a.fe.tu:*o*.so) [ô] *a.* **1** Que sente ou demonstra afeto (filho afetuoso); AFETIVO (2) **2** Em que há afeto (palavras afetuosas) [Fem. e pl.: [ó].] [F.: Do lat. *affectuosus, a, um*.]

⊕ **affaire** (*Fr.* /*afér*/) *sm.* **1** Caso amoroso, ger. secreto **2** Caso (ger. de natureza social ou política) de interesse público: *O affaire Dreyfus levou Zola a escrever J'accuse* [Em fr., é sf.]

⊕ **affrettando** (*It.* /*afretando*/) *adv. Mús.* Com aceleração de andamento

afiação (a.fi:a.*ção*) *sf.* Ação ou resultado de afiar(-se); AFIAMENTO [Pl.: *-ções*.] [F.: *afiar* + *-ção*.]

afiado (a.fi.*a*.do) *a.* **1** Que se afiou, que tem gume bem amolado (faca afiada) [Ant.: *cego*.] **2** *P. ext.* Fino, delgado, esguio: *um avião de perfil afiado, aerodinâmico.* **3** *Fig.* Que é perspicaz e penetrante (humor afiado; visão afiada) **4** *Fig. Pop.* Que está bem preparado: *Preparou questões difíceis, mas encontrou uma turma afiada.* **5** *Fig.* Aprimorado, apurado **6** *Fig.* Impaciente, irritado [F.: Part. de *afiar*. Hom./Par.: *afiado* (a.), *afeado* (a.).]

afiador (a.fi:a.*dor*) [ô] *a.* **1** Que afia *sm.* **2** Instrumento usado para afiar (1); AMOLADOR **3** Aquele que afia; AMOLADOR [F.: *afiar* + *-dor*.]

afiambrar (a.fi:am.*brar*) *v. td.* **1** *Bras.* Preparar (uma carne) como presunto ou fiambre **2** Apurar em excesso no vestuário; AJANOTAR(-SE): *Afiambrou-se para a solenidade.* [▶ 1 afiambrar] [F.: *a-* + *fiambre* + *-ar*.]

afiamento (a.fi:a.*men*.to) *sm.* **1** Ação ou resultado de afiar(-se) (afiamento de ferramentas, afiamento de lâminas); AMOLADURA **2** *Fig.* Ação ou atitude que denota perspicácia, agudeza de percepção [F.: *afiar* + *-mento*. Sin. ger.: *afiação*.]

afiançado (a.fi.an.*ça*.do) *a.* **1** Digno de confiança; ABONADO; GARANTIDO **2** Cuja autenticidade foi garantida: *porcelana chinesa afiançada.* **3** Pelo que ou por quem se pagou fiança (dívida afiançada; réu afiançado) *sm.* **4** Pessoa a favor da qual se prestou fiança: *O fiador pagou a dívida do afiançado.* [F.: Part. de *afiançar*.]

afiançamento (a.fi.an.ça.*men*.to) *sm.* **1** Ação ou resultado de afiançar **2** Garantia de veracidade de uma afirmação [F.: *afiançar* + *-mento*.]

afiançar (a.fi:an.*çar*) *v.* **1** Afirmar que algo é certo; ASSEVERAR; GARANTIR [**td.**: "...não se pode afiançar se destes foram discípulos ou mestres" (Alberto da Costa e Silva, *A manilha e o libambo*)] [**tdi.** + *a*: *O governador afiançara aos moradores a construção da ponte.*] **2** Mostrar com clareza, segurança (algo a alguém), tornar evidente; DEMONSTRAR; TESTEMUNHAR [**td.**: *Atitudes honestas afiançam boa índole.*] [**tdi.** + *a*, *para*: *O seu tom de voz afiançou-me autocontrole.*] **3** *Jur.* Passar a ter responsabilidade por (compromisso, pagamento etc.); ser fiador (de algo ou alguém); ABONAR; AVALIZAR [**td.**: *O amigo afiançará o aluguel da casa; Ao ver o amigo penando para pagar a dívida, resolveu afiançá-lo.*] [**int.**: *A empresa voltou a afiançar.*] **4** *Jur.* Pagar ou prestar fiança de [**td.**] [▶ 12 afiançar] [F.: *a-*² *fiança* + *-ar*². Hom./Par.: *afiançáveis* (fl.), *afiançáveis* (pl. de *afiançável* [a2g.]).]

afiançável (a.fi:an.*çá*.vel) *a2g.* Que se pode afiançar; suscetível de ser afiançado, de ter fiança [Pl.: *-veis*.] [F.: *afiançar* + *-vel*. Hom./Par.: *afiançáveis* (pl.), *afiançáveis* (fl. de *afiançar*). Ant. ger.: *inafiançável*.]

afiar (a.fi.*ar*) *v.* **1** Fazer ficar (mais) cortante, afiado o gume de (faca, espada, navalha etc.); AMOLAR [**td.**: "... pôs-se a afiar a faca na pedra que havia junto do fogão" (Javier de Viana, "A carta da suicida" *in Mar de história, v. 8*)] **2** Tornar mais agudo, mais afilado (na ponta) [**td.**: *A água afiava o bico na rocha.*] **3** *Fig.* Preparar (garras, unhas ou qualquer órgão) para ataque [**td.**: *O falcão afiava as garras, pronto para o bote:* "Estás encolhido de medo contra a rocha, pretendendo passar despercebido, ou estás a afiar tranquilamente as ventosas?" (Pepetela, "O polvo" *in A geração da utopia*)] **4** *Fig.* Tornar malicioso, sarcástico, cortante (linguagem, discurso, palavras etc.) [**td.**: *Afiou o discurso com tiradas irônicas.*] **5** *Fig.* Tornar(-se) mais aprimorado, mais apurado (em); APERFEIÇOAR(-SE); APURAR(-SE) [**td.**: *A prática afiou sua percepção; Tomou aulas particulares para afiar seu inglês.*] [**int.**: *Teve aula com os melhores mestres pois precisava se afiar.*] [**tdr.** + *em*: *Achou que tinha de se afiar em matemática.*] **6** *Fig.* Provocar ou irritar alguém [**td.**: *Afiava o adversário:* "Porque as duas já vinham cruzando antipatia limpa... e que agora pareciam afiar-se em pequenino ódio, dos mais hostis." (João Guimarães Rosa, *Ave palavra*)] **7** *Fig.* Estimular ou nutrir (um sentimento) por (alguém ou algo) [**tdr.** + *em*: "...Joca Ramiro me obsequiava! Digo ao senhor: minha satisfação não teve beiras. Pudessem afiar inveja em mim, pudessem." (João Guimarães Rosa, *Grande sertão: veredas*)] [▶ 1 afiar] [F.: De *a-*² + *fio* + *-ar*², ou do vulg. **affilare*. Hom./Par.: *afear* (várias fl.).] ■ **~ com** Avançar para atacar (alguém)

afibrinogenemia (a.fi.bri.no.ge.ne.*mi*.a) *sf. Pat.* Ausência de fibrinogênio no sangue [F.: *a-*¹ + *fibrinogên(io)* + *-emia*.]

aficionado (a.fi.ci:o.*na*.do) *a.* **1** Que gosta muito de alguma coisa (esporte, arte, ciência etc.) **2** Que se dedica como amador a alguma atividade, ger. esportiva, científica ou artística *sm.* **3** Pessoa aficionada [F.: Do espn. *aficionado*.]

afidalgado (a.fi.dal.*ga*.do) *a.* **1** Próprio de fidalgo **2** Que se tornou fidalgo ou se assemelha a fidalgo **3** *Fig.* Que não está acostumado a trabalhar [F.: Part. de *afidalgar*.]

afidalgar (a.fi.dal.*gar*) *v.* **1** Tornar(-se) fidalgo ou afidalgado [**td.**: *O rei o afidalgou.*] [**int.**: *Seus hábitos se estão afidalgando.*] **2** Desabituar-se ou parar de trabalhar [**int.**: *Agora deu para afidalgar-se e fica a passear o dia inteiro.*] [▶ 14 afidalgar] [F.: *a-* + *fidalgo* + *-ar*.]

afidídeo (a.fi.*dí*.de:o) *Zool. a.* **1** Ref. aos afidídeos, família de insetos homópteros com c. 4.000 espécies, praga de plantas, comumente chamados *pulgões sm.* **2** Espécime dos afidídeos [F.: Do lat. cient. *Aphididae*. Tb. (mais comum) *afídeo, afídio*.]

afidoideo (a.fi.*doi*.de:o) *Zool. a.* **1** Ref. aos afidoideos *sm.* **2** Espécime dos afidoideos [F.: Do lat. cient. *Aphidoidea*.]

afiguração (a.fi.gu.ra.*ção*) *P. us. sf.* **1** Ação ou resultado de afigurar(-se) **2** Imaginação, fantasia [Pl.: *-ções*.] [F.: *afigurar* + *-ção*.]

afigurar (a.fi.gu.*rar*) *v.* **1** Ter ou apresentar forma ou figura de, assemelhar-se a [**td.**: *As nuvens afiguram castelos no ar.*] **2** Dar a (material) figura ou forma; MOLDAR [**td.**: *Afigurar o barro, o mármore.*] **3** Dar forma de, representar pela pintura ou pela escultura [**td.**: *O escultor afigurou um anjo.*] **4** *Fig.* Conceber(-se) ou representar(-se) em figura na imaginação [**td.**: *Depois de tantos, sua mente não mais o afigurava.*] [**tdp.**: *O poeta afigurava a amada bela.*] [**tp.**: *Em sua mente, a viagem se afigurava como um sonho.*] [**ti.** + *a*: *Afigurou-se-me vê-la passar.*] **5** Ter semelhança com; ter aspecto de; PARECER [**tip.** + *para*: "A fórmula era realmente simples, e nada se lhe afigurava tão fácil neste mundo." (Miguel Torga, "O senhor cosme", *in Rua*)] [**tp.**: *O lugar afigura-se mal-assombrado.*: "Onde faltar esta capacidade, a tal vontade deverá afigurar-se ridícula e vã." (Gérard de Nerval, "A mão encantada", *in Mar de histórias, v. 9*)] [▶ 1 afigurar] [F.: Do lat. *adfigurare*.]

afilado¹ (a.fi.*la*.do) *a.* **1** Que se afilou¹ **2** Fino como um fio, delicado (dedos afilados, nariz afilado); FINO; AGUÇADO **3** Afiado; AMOLADO; CORTANTE [F.: Part. de *afilar*¹.]

afilado² (a.fi.*la*.do) *a.* **1** Que foi provocado ou estimulado a agir ou reagir, mobilizado para ação **2** Que foi instigado a atacar e morder (esp. cão); AÇULADO [Part. de *afilar*².]

afilado³ (a.fi.*la*.do) *a.* Que foi examinado e comparado com padrão, para verificação ou medição; AFERIDO [F.: Part de *afilar*³.]

afilamento (a.fi.la.*men*.to) *sm.* Ação ou resultado de afilar; AFERIÇÃO [F.: *afilar* + *-mento*.]

afilar¹ (a.fi.*lar*) *v.* **1** Tornar(-se) fino aguçado; AFINAR; AGUÇAR [**td.**: *afilar uma ponta rombuda.*] [**int.**: *Quando adoeceu, seu rosto afilou(-se).*] **2** Dar a ou adquirir feição ou forma de fio [**td.**: *Afilou o rolo de massa à espessura de um cordel.*] [**int.**: *Sob tensão, a corda afilou(-se), até se romper.*] **3** *Mar.* Aproar à linha do vento (falando de navio) [**int.**] [▶ 1 afilar] [F.: Do lat. vulg. *affilare*, pelo fr. *affiler*, 'afiar, aguçar'.]

afilar² (a.fi.*lar*) *v. td.* **1** Provocar, estimular para ação ou reação; IMPULSIONAR; INCITAR **2** Açular (cão) para que ataque, cerque, persiga ou morda [▶ 1 afilar] [F.: *a-*² + *filar(3)*.]

afilar³ (a.fi.*lar*) *v. td.* Examinar (instrumento, equipamento etc.) comparando com padrão para verificar seu acerto e exatidão; AFERIR [▶ 1 afilar] [F.: Ver *afilar*¹.]

afilhadismo (a.fi.lha.*dis*.mo) *sm.* Proteção a afilhado; FAVORITISMO; NEPOTISMO [F.: *afilhad(o)* + *-ismo*.]

afilhado (a.fi.*lha*.do) *sm.* **1** Em relação ao padrinho e madrinha, aquele que recebe o batismo, a confirmação etc. **2** *P. ext.* Em relação a padrinho ou madrinha, quem se diploma, se casa etc. **3** *Fig.* Pessoa favorecida ou protegida por outra: *Os afilhados do deputado receberam os melhores cargos.* **4** *PE Pej.* Filho de padre [F.: Do lat. *adfiliatus*, 'adotado como filho'. Hom./Par.: *afilhado* (sm.), *afiliado* (a. sm.).]

afilhar (a.fi.*lhar*) *v. td.* **1** Dar filhos (a fêmea, a mulher) ou rebentos (as plantas) [**int.**] **2** *P. us.* Adotar como filho [**td.**] **3** *P. ext.* Dar proteção ou conceder favores a [**td.**: *O deputado afilhava dois membros do seu partido na câmara.*] [▶ 1 afilhar] [F.: do lat. medv. *affiliare*. Hom./Par.: afiliar (vários tempos do v.).]

afilia (a.fi.*li*:a) *sf. Bot.* Característica ou condição do que é afilo, do que é desprovido de folhas [F.: *a-*¹ + *-filia*².]

afiliação (a.fi.li:a.*ção*) *sf.* Ação ou resultado de afiliar(-se) [Pl.: *-ções*.] [F.: *afiliar* + *-ção*.]

afiliada (a.fi.li.*a*.da) *sf.* Emissora de rádio ou TV associada a outra maior ou a rede de emissoras [F.: Fem. subst. de *afiliado*.]

afiliado (a.fi.li.*a*.do) *a.* **1** Que se afiliou *a.* **2** Diz-se do membro de uma associação ou sociedade: *Os países afiliados à ONU. sm.* **3** Esse membro; FILIADO [F.: Part. de *afiliar*.]

afiliar (a.fi.li.*ar*) *v.* Agregar a uma entidade ou corporação, ou inscrever-se nelas; FILIAR [**td.**: *O clube pretende afiliar novos sócios.*] [**tdi.** + *a*: *Nunca se afiliou a nenhum partido político.*] [▶ 1 afiliar No Brasil é mais usado *filiar*.] [F.: *a-* + *filiar*.]

afilo (a.*fi*.lo) *a. Bot.* Que não tem folhas, ou que as tem muito pequenas, ou cujas folhas são substituídas por escamas diminutas (diz-se de plantas, como, p. ex., os cactos) [F.: Do gr. *áphyllos, on*.]

afim (a.*fim*) *a2g.* **1** Que possui ou manifesta afinidade, analogia, ou apresenta semelhança (com algo ou alguém já conhecido ou mencionado): "...coletes, cintas e objetos afins..." (Cecília Meireles, *Crônicas de viagem 2*) [+ *com*, *de*, *em*: *Línguas afins com o português; ciências afins da biologia; Pessoas afins nas ideias.*] **2** *Ref.* a pessoas ligadas por parentesco não sanguíneo (parente afim) **3** *Ling.* Diz-se de línguas de diferentes origens que, devido a características, circunstâncias ou situações geográficas comuns, semelhantes ou próximas, tornam-se mais semelhantes à medida que se desenvolvem [Pl.: *-fins*.] *s2g.* **4** Parente por afinidade: *Os afins também fazem parte da família.* [Pl.: *-fins*.] [F.: Do lat. *affinis, e*. Hom./Par.: *a fim*.]

afinação (a.fi.na.*ção*) *sf.* **1** Ação ou resultado de afinar; AFINAMENTO **2** *Mús.* Qualidade do que é afinado, do que soa de acordo com a nota tencionada (cantor afinado, instrumento afinado) **3** *Mús.* Tom; DIAPASÃO **4** *Pop.* Modo de expressão oral ou escrito; tom com que alguém se dirige a outrem **5** *Mús.* Ajuste de um instrumento à nota do diapasão **6** A nota que serve de referência para a afinação (6) [Por metonímia.] **7** *Mús.* Ajuste de tom de instrumentos ou vozes entre si: *Afinação de um coral.* **8** *Teat.* Equilíbrio e harmonia dos elementos que figuram na representação de uma peça teatral **9** *P. ext.* Coordenação e ajuste entre os diferentes fatores que compõem uma ação, uma operação, um processo etc.: *Este projeto andou mal porque não houve afinação entre os setores.* **10** Aptidão provinda da experiência ou provações **11** Toque final; última demão; ACABAMENTO **12** Modo cuidadoso de se fazer algo; ESMERO; CUIDADO; APURO; REFINO; REQUINTE **13** *Mec.* Regulagem de um motor **14** Delicadeza, polidez **15** *Pop.* Irritação, mau humor; NERVOSISMO **16** *Quím.* Purificação de substância **17** *Metal.* Purificação de metais [Pl.: *-ções*.] [F.: *afinar* + *-ção*.]

afinado (a.fi.*na*.do) *a.* **1** Que se afinou, que se tornou fino **2** De que se removeram as impurezas; PURIFICADO **3** De que se fez regulagem fina, ajuste de partes, para que todas funcionem harmonicamente (diz-se de motor, mecanismo, equipe etc.) **4** *Mús.* Que está no tom certo (cantor afinado) **5** *Mús.* Que foi ajustado de modo que as notas emitidas correspondam aos tons certos de uma certa escala (piano afinado) **6** Bem preparado (aluno afinado) **7** Que se encontra ajustado, harmonizado [+ *com*: *um rapaz afinado com o grupo.* Ant. nas acps. 4 e 5: *desafinado*.] [F.: Part. de *afinar*.]

afinador (a.fi.na.*dor*) [ô] *a.* **1** Que afina **2** *Mús.* Que é especializado na afinação de instrumentos musicais *sm.* **3** *Mús.* Indivíduo (ger. profissional) especializado na afinação de instrumentos musicais: *Temos de chamar um afinador de pianos.* **4** *Mús.* Ferramenta utilizada para afinar alguns instrumentos, especialmente piano, aumentando ou diminuindo a tensão de suas cordas **5** *Mús.* Pequeno instrumento de metal em forma de Y, que, ao se batê-lo contra algo duro, emite uma nota de uma certa frequência (ger. um *lá*), utilizada como referência para afinar instrumentos musicais, orientar a entonação de corais etc.; DIAPASÃO; LAMIRÉ **6** *Mús.* Aparelho eletrônico que indica, em um pequeno visor, se as notas de um instrumento musical estão no tom justo ou não **7** *Mec.* Aquele que afina motores [F.: *afinar* + *-dor*.]

afinal (a.fi.*nal*) *adv.* **1** Finalmente, enfim: *Afinal chegou às lojas o CD mais esperado do ano* **2** Em conclusão; no final; afinal de contas: *Afinal, você vem ou não vem conosco?* [F.: *a-*¹ + *final*.] ■ **~ de contas** Afinal (2), em conclusão, no final das contas: *A confusão, afinal de contas, não deu em nada.*

afinamento (a.fi.na.*men*.to) *sm.* **1** Ação ou resultado de afinar **2** *Mús.* Afinação [F.: *afinar* + *-mento*. Cf.: *afinagem*.]

afinar (a.fi.*nar*) *v.* **1** Fazer ficar ou ficar, tornar(-se) (mais) fino; ADELGAÇAR(-SE) [**td.**: *O índio afinava a ponta da fle-*

cha.] [**int.**: *Com a doença, seu rosto afinou(-se).*] **2** *Mús.* Ajustar o som de um ou mais instrumentos, ou de instrumentos e vozes para um tom ou padrão [**td.**: *afinar o violino*: "Os dzimkmas, que têm de cantar dia e noite, já principiam a afinar a garganta." (Hermann Sudermann, "A viagem a Tilsit" *in Mar de histórias, v. 9*)] [**tdr.** + *com*: *O maestro afinou a orquestra com o coral.*] **3** *Mús.* Cantar ou tocar um instrumento com afinação [**int.**: *Com os ensaios o coro afinou.*] **4** *Fig.* Fazer ficar ou ficar, tornar(-se) mais perfeito, mais apurado; APERFEIÇOAR(-SE); APRIMORAR(-SE) [**td.**: *Os bons livros que leu afinaram seu estilo.*] [**int.**: *Leu muitos livros, visitou muitos museus, e seu gosto afinou-se.*] **5** *Metal.* Tornar (metais) mais puros; ACRISOLAR; PURIFICAR [**td.**: *afinar a prata.*] **6** *Fig.* Pôr(-se) em harmonia (com) ou ajustado (a); guiar(-se), orientar(-se), ajustar(-se); AJUSTAR; HARMONIZAR [**td.**: *A líder afinou bem seu discurso antigovernista.*] [**tr.** + *com, por*: *O que você faz não afina com o que você diz; Seu caráter (se) afina pelo do seu irmão mais velho;* "Devia afinar-se por algum dom, advinhador." (João Guimarães Rosa, *Tutameia*)] [**tdr.** + *com, por*: *Afinou seus argumentos aos/com os/pelos do colega.*] **7** *Fig.* Fazer ficar ou ficarem bem ajustados, em harmonia, componentes de (mecanismo, motor, equipe, grupo etc.) [**td.**: *afinar um motor, uma equipe, uma tática, um time.*] [**int.**: *Após muitos treinos, finalmente o time afinou(-se).*] **8** *Teat.* Harmonizar e ajustar todos os elementos de (espetáculo teatral) [**td.**] **9** *Gír. Fut.* Intimidar-se diante do adversário, não ousar (no jogo, numa jogada etc.) [**int.**: *Marcado com dureza, o atacante afinou e passou a evitar a área.*] **10** *Lus.* Irritar-se ou implicar com (algo ou alguém) [**tr.** + *com*: *Afinou com o vizinho por causa do volume do som.*] **11** *Lus.* Estar de acordo com, topar, concordar [**tr.** + *com*: *Não afinou com a proposta do advogado.*] [▶ **1** afinar] [F.: *a-*[2] *fino* + *-ar*[2].]

afincamento (a.fin.ca.*men*.to) *sm.* Ação ou resultado de afincar(-se); AFINCO [F.: *afincar* + *-mento.*]

afincar (a.fin.*car*) *v.* **1** Cravar; fixar; FINCAR [**tda.** + *em*: *Afincou as garras na presa.*] **2** Dedicar-se a (uma atividade) com persistência [**tr.** + *em*: *Afincava-se nos estudos.*] **3** Fixar-se a uma ideia, um sentimento; dirigir a algo a atenção, os esforços, pensamentos etc., sem desviar, de modo concentrado ou obstinado [**tdr.** + *em*: *Afinca na carreira dos filhos todas as expectativas de ascensão e prestígio.*] [**tr.** + *a*: *Afincou-se à ideia de vencer.*] [▶ **11** afincar] [F.: *a-*[4] + *fincar.*]

afinco (a.*fin*.co) *sm.* **1** Ação ou resultado de afincar(-se) **2** Qualidade de quem se dedica a alguma atividade de maneira constante e aplicada; essa constância ou aplicação; PERSEVERANÇA; PERSISTÊNCIA; PERTINÁCIA: *A aluna estuda com afinco.* [F.: Dev. de *afincar.*]

afinidade (a.fi.ni.*da*.de) *sf.* **1** Semelhança ou conformidade de gostos, sentimentos, pontos de vista [+ *com, de, em, entre*: *Era grande a afinidade entre eles, no gosto, nas opiniões políticas...; afinidade de uma ideia com outra; afinidade nas ideias.*] **2** Simpatia ou entendimento entre pessoas em função dessa semelhança ou conformidade **3** Semelhança de traços ou características inerentes a duas ou mais coisas: *Há uma certa afinidade entre a filosofia platônica e a agostiniana.* **4** *Antr.* Relação de parentesco que se estabelece a partir do casamento (inclusive aquela entre os membros das famílias dos cônjuges) [P. op. a *consanguinidade.*] **5** *Fís-quím.* Tendência de duas substâncias a se combinarem; a medida dessa tendência **6** *Biol.* Proximidade de parentesco entre indivíduos ou espécies taxonômicas **7** *Ling.* Semelhança de estrutura entre línguas [F.: Do lat. *affinitas, atis.*] ■ ~ **eletiva** Sentimento de simpatia que alimenta processo de escolha, no relacionamento entre os seres ~ **eletrônica** *Fís-quím.* Energia liberada quando um átomo em estado gasoso recebe um elétron ~ **mórbida** *Med.* A que parece existir entre certas doenças que ocorrem simultânea ou sequencialmente ~ **psicológica** *Psi.* A que parece fazer ocorrências psíquicas se atraírem por associação de ideias em nível de consciência

afirmação (a.fir.ma.*ção*) *sf.* **1** Ação ou resultado de afirmar; ASSERÇÃO [Ant.: *negação.*] **2** O que se afirma; AFIRMATIVA; ASSEVERAÇÃO **3** Expressão de fato ou ideia como verdadeiros, comprobatória ou exemplificadora de algo: *Aquele gesto foi a afirmação de sua personalidade.* **4** Consolidação, confirmação, certeza: *Nas últimas décadas, assistimos à afirmação da democracia no Brasil.* **5** *Psi.* Condição, estado ou sentimento de quem se afirma (4), se impõe, se realiza; meio para afirmar-se; autoafirmação **6** *Lóg.* Proposição na qual se considera existente e verdadeira a relação entre os termos. [P. op. a *negação.*] **7** *Gram.* Sentença simples, cujo objetivo principal é veicular informação, e na qual o locutor assume como verdadeiro o conteúdo do seu enunciado; ASSERÇÃO; DECLARAÇÃO [Pl.: *-ções.*] [F.: Do lat. *affirmatio, onis.*]

afirmado (a.fir.*ma*.do) *a.* **1** Exposto ou declarado com convicção de sua veracidade; ASSEVERADO **2** Assinado; firmado [F.: Part. de *afirmar.*]

afirmador (a.fir.ma.*dor*) [ô] *a.* **1** Que afirma, que declara algo como verdade *sm.* **2** Aquele que afirma [F.: Do lat. *affirmattor, oris.* Sin. ger.: *afirmante.*]

afirmar (a.fir.*mar*) *v.* **1** Expor algo de maneira segura, indiscutível; declarar com firmeza; ASSEGURAR; ASSEVERAR [**td.**: "E quando chega o momento de afirmarem que as grandes potências devem governar o mundo, Rui... investe com a tese de que todas as nações são iguais" (Cecília Meireles, *Rui: pequena história de uma grande vida*)] [**tdi.** + *a*: "...Al-Umari nos afirmará que os cauris eram usados como moeda no Canem e no Mali..." (Alberto da Costa e Silva, *A manilha e o libambo*)] [**int.**: *Quem afirma é que deve provar, e não quem nega.*] **2** Tornar seguro, firme; CONSOLIDAR [**td.**: "Creio que não se deva apenas acautelar a vida da morte, mas afirmar a vida para que se desenvolva totalmente" (Cecília Meireles, "Pela criança", *in Obra em prosa*)] **3** Atestar a veracidade ou assegurar a existência de algo [**td.**: *O documento afirmava a venda da casa.*] **4** Fazer (si mesmo) ser ou ser visto, ganhar renome como alguém seguro, independente, bem-sucedido etc. [**td.**: *Desacreditado no início, por fim conseguiu afirmar-se:* "Mansinho vivia a querer provar alguma coisa, afirmar-se de algum modo" (Antonio Callado, *Bar Don Juan*)] [**tdp.**: *Afirmou-se como um grande advogado.*] **5** Concentrar atenção (esp. pelo olhar), fixar-se em (algo, alguém) para certificar-se de algo; FITAR [**tr.** + *em*: "Afirmou-se muito tempo nela" (Camilo Castelo Branco, *A filha do doutor negro*)] [▶ **1** afirmar] [F.: Do lat. *affirmare.*]

afirmativa (a.fir.ma.*ti*.va) *sf.* **1** Ação ou resultado de afirmar **2** Proposição que afirma, que declara algo como verdadeiro; aquilo que se declara como verdadeiro; AFIRMAÇÃO; ASSERÇÃO **3** Resposta positiva a uma pergunta: *Respondeu com uma afirmativa.* [P. op. a *negativa.*] **4** *Gram. Ling.* Forma de sentença ou oração em que não se empregam palavras ou expressões lexicais de negação, como afixos negativos, advérbios de negação etc. [P. op. a *negativa.*] [F.: Fem. subst. de *afirmativo.*]

afirmativo (a.fir.ma.*ti*.vo) *a.* **1** Que afirma (resposta afirmativa) [Ant.: *negativo.*] **2** Que expressa aquiescência: *Fez um gesto afirmativo, e desviou os olhos.* **3** Que denota certeza; CATEGÓRICO: *Ele foi afirmativo na declaração.* **4** Que envolve e promove atitude e medidas positivas, empreendedoras em relação a uma questão, um problema etc., e não meramente de negação ou contestação (políticas afirmativas) [F.: Do lat. *affirmativus, a, um.*]

afirmável (a.fir.*má*.vel) *a2g.* Que pode ser afirmado [Pl.: *-veis.*] [F.: *afirmar* + *-vel.* Hom./Par.: *afirmáveis* (pl.), *afirmáveis* (fl. de *afirmar*).]

afistulado (a.fis.tu.*la*.do) *a.* **1** Que tem fístula **2** Transformado em fístula [F.: Part. de *afistular.*]

afistular (a.fis.tu.*lar*) *v. td. int.* **1** *Med.* Fazer fístula em ou transformar-se em fístula; FISTULAR **2** *Fig.* Corromper(-se), deteriorar(-se) [▶ **1** afistular] [F.: *a-* + *fístula* + *-ar.*]

afitamento (a.fi.ta.*men*.to) *sm.* O mesmo que *afito* [F.: *afitar* + *-mento.*]

afitar (a.fi.*tar*) *v. td.* **1** Olhar de maneira fixa; FITAR **2** *Bras.* Lançar afito ou mau-olhado a [▶ **1** afitar] [F.: *afito* + *-ar.* Hom./Par.: *afito* (fl.), *afito* (sm.), *a fito* (loc.).]

afito (a.*fi*.to) *sm.* **1** *Bras.* Mau-olhado *sm.* **2** *Ant. Pop.* Indigestão, diarreia (esp. em crianças) [F.: Dev. de *afitar.* Hom./Par.: *afito* (sm.), *afito* (fl. de afitar).]

afivelado (a.fi.ve.*la*.do) *a.* **1** Que se afivelou *a.* **2** Apertado ou seguro com fivela [F.: Part. de *afivelar.*]

afivelar (a.fi.ve.*lar*) *v. td.* **1** Ajustar ou prender com fivela(s); ENFIVELAR: "Felizmente o avião sacudiu, e eu tratei de afivelar o cinto..." (Josué Montello, *O Juscelino Kubitschek de minhas recordações*) **2** Pôr fivela(s) em: *O sapateiro afivelará minha bota.* **3** *Moç. Fig.* Exibir (algo) com falsidade, com dissimulação: "Comentar isso, afivelar sorriso público com tais falares? Nem pensar, aceitar a diferença é bom, é valor." (José Pimentel Teixeira, "Sons" *in* (*blog*) *Ma-Schamba* 08.09.2004) **4** *Fig.* Firmar, consolidar (acordo, contrato, negócio etc.) [▶ **1** afivelar] [F.: *a-*[2] + *fivela* + *-ar*[2].]

afixação[1] (a.fi.xa.*ção*) [cs] *sf.* Ação ou resultado de afixar: *Afixação dos cartazes.* [Pl.: *-ções.*] [F.: *afixar* + *-ção.*]

afixação[2] (a.fi.xa.*ção*) [cs] *sf. Ling.* Formação de novas palavras por meio de afixos [Pl.: *-ções.*] [F.: *afixar* (de *afixo*) + *-ção.*]

afixado[1] (a.fi.*xa*.do) [cs] *a.* **1** Fixado, colado, pregado: *Os avisos estão afixados na porta.* **2** Anunciado, apregoado, publicado [F.: Part. de *afixar.*]

afixado[2] (a.fi.*xa*.do) [cs] *a. Ling.* Que foi acrescido a um radical (prefixo, infixo, sufixo) [F.: *afixar* (de *infixo*) + *-ado*[1].]

afixal (a.fi.*xal*) [cs] *a2g. Gram.* Ref. a afixo [Pl.: *-xais.*] [F.: *afix(o)* + *-al.*]

afixar (a.fi.*xar*) [cs] *v.* **1** Pregar ou prender (algo) tornando firme, fixo; FIRMAR; FIXAR [**td.**: *O marceneiro afixou os pés da cadeira.*] **2** Pregar ou prender (avisos, cartazes etc.) em [**td.**: *Ele afixará o edital do concurso.*] [**tda.**: *afixar cartazes em lugares públicos.*] [**tdr.** + *a, em*: "Dizem que não se podiam (os condenados) afixar às árvores, mas a cruzes de paus cortados." (Frei Amador Arrais, *Diálogos*)] **3** Acrescentar (prefixo, infixo ou sufixo) a (radical) [**td.**] [▶ **1** afixar] [F.: *a-*[2] + *fixo* + *-ar*[2]. Hom./par.: *afixo* (fl.), *afixo* (a. sm.).]

afixo (a.*fi*.xo) [cs] *a.* **1** Que se afixou; que se fixou, ou prendeu, ou pregou (cartaz afixo; tabela afixa) *sm.* **2** Aquilo que se afixa *sm.* **3** *Ling.* Denominação comum aos elementos vocabulares que se agregam a uma palavra para a formação de outra (prefixos, infixos, sufixos) [F.: Do lat. *affixus, a, um.*] ■ ~ **derivacional** *Ling.* Afixo (3) que forma palavras derivadas da original ~ **flexional** *Ling.* Afixo (3) que forma, com o radical, as flexões gramaticais da palavra

aflanelado (a.fla.ne.*la*.do) *a.* **1** Diz-se do tecido ou roupa feitos com flanela ou que a ela se assemelham *sm.* **2** Pano com textura de flanela [F.: *a-*[2] + *flanela* + *ado*[1].]

aflante (a.*flan*.te) *a2g.* **1** Que respira; que sopra ou bafeja **2** Arfante, ofegante [F.: Do lat. *afflans, antis.*]

aflar (a.*flar*) *v.* **1** Soprar ou inspirar (o ar) pela boca ou pelo nariz [**td. int.**] **2** Introduzir (o ar) nos pulmões; INSPIRAR [**td.**] **3** *P. ext.* Processar a respiração com dificuldade; ARFAR; OFEGAR [**int.**: *Aflava ao subir a escada.*] **4** *P. ext.* Agitar, balançar, sacudir [**td.**: *O vento aflava as bandeiras.*] [**int.**: *Seus cabelos aflavam ao vento.*] **5** Despertar, estimular (ânimo, sensações, ideias etc.) [**td.**] [▶ **1** aflar] [F.: do lat. *afflare.*]

aflato (a.*fla*.to) *sm.* **1** Sopro, bafejo, hálito **2** *Med.* Espécie de erisipela [F.: Do lat. *afflatus, us.*]

aflatoxina (a.fla.to.*xi*.na) [cs] *sf. Bioq.* Substância tóxica e cancerígena produzida pelo fungo *Aspergillus flavus*, encontrada em produtos alimentícios armazenados de maneira incorreta [F.: Do ing. *aflatoxin.*]

aflautado (a.flau.*ta*.do) *a.* **1** Diz-se do som que se assemelha àquele emitido pela flauta **2** *Fig.* Suave, doce, melodioso (como o som da flauta) **3** Esganiçado, agudo (diz-se esp. de voz): "Uma voz aflautada chamava." (Antero de Figueiredo, *Miradouro*) **4** Que tem forma alongada, esguia, como a da flauta [F.: Part. de *aflautar.*]

aflautar (a.flau.*tar*) *v. td.* **1** Tornar (a voz, o timbre de um instrumento) semelhante ao som da flauta: *Aflautou a voz.* **2** Usar (a voz) com afetação, tornando-a mais aguda ou suave: *O mendigo aflautava a voz para comover os passantes.* **3** Imitar a forma alongada e delgada da flauta: *O artista aflautava as figuras femininas.* [▶ **1** aflautar] [F.: *a-* + *flaut(a)* + *-ar.*]

aflechar (a.fle.*char*) *v. td.* **1** Acertar, atingir com flecha; FLECHAR: *Aflechou o alvo com facilidade.* **2** Tornar semelhante a uma flecha; dar formato de flecha a: *Aflechou a ponta da vassoura.* [▶ **1** aflechar] [F.: *a-* + *flecha* + *-ar.* Sin. ger.: *afrechar.*]

afleimar (a.flei.*mar*) *v.* **1** *Antq.* Tornar(-se) inflamado [**td.**: *O espinho afleimou meu dedo.*] [**int.**: *Não tirei o espinho e meu dedo afleimou-se.*] **2** Irritar(-se); afligir(-se) [**td.**: *A longa espera o afleimava.*] [**int.**: *Irritadiço, afleimava-se por nada.*] [▶ **1** afleimar] [F.: *a-*[2] + *fleima* + *-ar*[2].]

afleumar (a.fleu.*mar*) *v.* **1** O mesmo que *afleimar* (1) [**td.**] [**int.**] **2** Fazer ficar ou ficar, tornar(-se) calmo, fleumático [**td.**] [**int.**] [F.: *a-*[2] + *fleuma* + *-ar*[2].]

aflição (a.fli.*ção*) *sf.* **1** Sofrimento causado por dor física ou moral, situação penosa etc.; AGONIA; DESALENTO **2** Estado de tristeza e abatimento causado por desgosto, dificuldade etc. **3** Grande ansiedade ou preocupação; ANGÚSTIA [Pl.: *-ções.*] [F.: Do lat. *afflictio, onis.*]

afligente (a.fli.*gen*.te) *a2g. P. us.* O mesmo que *aflitivo* [F.: Do lat. *affligens, entis.*]

afligir (a.fli.*gir*) *v.* **1** Causar (a alguém ou si mesmo) ou sentir aflição, angústia, agonia, tormento etc. [**td.**: *A falta de notícias do filho afligia o pai.*] [**int.**: *Um dos problemas que mais afligem é o do desemprego; Afligia-se ante qualquer dificuldade ou preocupação.*] **2** Atacar, acometer (um mal, uma doença) [**td.**: *A febre o afligia.*] **3** Causar devastação; ASSOLAR; DEVASTAR [**td.**: *As inundações afligiam a região.*] [▶ **46** afligir Apresenta duplo part.: *aflito, afligido.*] [F.: Do lat. *affligere.*]

aflitivo (a.fli.*ti*.vo) *a.* Que causa aflição (situação aflitiva) [F.: Do fr. *afflictif.*]

aflito (a.*fli*.to) *a.* **1** Que sente aflição **2** Que está inquieto, preocupado; ANGUSTIADO **3** *Lus.* Que está apertado para urinar, ou com ânsias de vômito *sm.* **4** Pessoa aflita: *A religião consola os aflitos.* [F.: Do lat. *afflictus, a, um.*]

aflogístico (a.flo.*gís*.ti.co) *a.* Que arde sem chama [F.: *a-*[1] + *flogístico.*]

afloração (a.flo.ra.*ção*) *sf.* **1** Ação ou resultado de aflorar; AFLORAMENTO **2** Nivelamento de uma superfície em relação a outra **3** *Geol.* Aparecimento de um veio à superfície da terra, por desgaste das camadas rochosas adjacentes **4** *Geol.* Extremidade desse veio [Pl.: *-ções.*] [F.: *aflorar* + *-ção.*]

aflorado (a.flo.*ra*.do) *a.* **1** Que aflorou **2** *Fig.* Que se manifestou: *Surpreendiam-no mais os sentimentos aflorados do que os ainda ocultos.* *a.* **3** Que veio à superfície [F.: Part. de *aflorar.*]

afloramento (a.flo.ra.*men*.to) *sm.* **1** Ação ou resultado de aflorar; AFLORAÇÃO **2** *Geol.* Porção de camada rochosa ou de minério que surge na superfície da terra ao irromper de camadas interiores ou pelo desaparecimento (natural ou provocado) de camadas que a cobriam [F.: *aflorar* + *-mento.*]

aflorante (a.flo.*ran*.te) *a2g.* Que aflora, que se mostra, que está em processo de afloração ou afloramento [F.: *aflorar* + *-nte.*]

aflorar (a.flo.*rar*) *v.* **1** Vir à superfície; EMERGIR [**int.**: *Com a ressaca, as algas afloraram.*] **2** *P. ext.* Fazer surgir ou surgir, dar(-se) a conhecer, tornar(-se) visível; ESBOÇAR(-SE); REVELAR(-SE) [**int.**: "...todo aquele esplendor ensolarado só a fazia reviver o olhar brilhante no rosto bronzeado de Fabrício depois da praia, imagem que insistia em aflorar." (Ana Maria Machado, *A audácia dessa mulher*)] [**tr.** + *em*: *A bondade pode aflorar em todo ser humano.*] [**ta.**: "E alguns sorrisos incrédulos afloraram à tona de alguns rostos." (Miguel Torga, "O charlatão" *in Rua*): "E alguns sorrisos incrédulos afloraram à tona de alguns rostos." (Miguel Torga, "O charlatão" *in Rua*)] [**tdr.** + *em*: *A incredulidade aflorou um sorriso irônico em seu rosto.*] **3** *Fig.* Roçar, tocar levemente em; ACARICIAR; AFAGAR [**td.**: *Seus dedos trêmulos afloraram-lhe os cabelos:* "Toda a vida do presidente (...) iria aflorar das notas atiradas ao papel..." (Josué Montello, *O Juscelino Kubitschek de minhas recordações*)] **4** Pôr no mesmo nível (superfícies de) [**td.**: *Aflorou todos os pisos da casa.*] [▶ **1** aflorar Apresenta o *o* aberto no radical das formas rizotônicas (*afloro, afloras*).] [F.: *a-*[2] + *flor* + *-ar*[2].]

afluência (a.flu:*ên*.ci:a) *sf.* **1** Ação ou resultado de afluir **2** Movimento (de pessoas) em direção a um lugar; AFLUXO: *a afluência dos torcedores ao estádio.* **3** Corrente de água volumosa, abundante **4** *Geog.* Convergência de (dois ou mais) rios para um mesmo ponto, ou de um rio para outro; o lugar no qual rios convergem ou onde um rio se junta a outro **5** *Fig.* Condição de prosperidade, riqueza, grande volume de atividade econômica, produção e consumo [F.: Do lat. *affluentia, ae.*]

afluente (a.flu:*en*.te) *a2g.* **1** Que aflui, que chega em grande quantidade **2** Em que há abundância de riquezas, de bens (sociedade afluente) **3** *Tec.* Diz-se de corrente de fluido que entra num equipamento, motor etc. *sm.* **4** *Geog.* Rio ou riacho que deságua em outro, ou em um lago; TRIBUTÁRIO: *Os afluentes da margem direita do rio Amazonas.* [F.: Do lat. *affluens, entis.*]

afluição (a.flu:i.*ção*) *sf.* **1** Ação ou resultado de afluir; AFLUÊNCIA; AFLUXO **2** Grande quantidade (ger. de líquidos que fluem); FLUXO **3** Convergência de pessoas ou coisas que afluem [Pl.: *-ções.*] [F.: *afluir* + *-ção.*]

afluir (a.flu.*ir*) *v.* **1** Ir ou dirigir-se, convergindo, a um lugar [*int.*: *As fãs afluíram em grande quantidade.*] [*ta.*: "...os europeus e mestiços erguiam uma aldeia... para a qual afluiriam os navios..." (Alberto da Costa e Silva, *A manilha e o libambo*)] **2** Ir ou correr (esp. líquidos) para; CONFLUIR; CORRER; FLUIR [*ta.*: *As águas do rio afluíam para o mar.*] **3** *Fig.* Aparecer, brotar, fluir [*ta.*: "As notas mais difíceis... pareciam afluir à tona das cordas..." (Josué Montello, "O violoncelista Porto" *in Um rosto de menina*)] [▶ **56 afluir**] [F.: Do lat. *affluere.* Hom./Par.: *afluir, efluir* (todas as fl.).]

afluxo (a.*flu*.xo) [cs] *sm.* **1** Ação ou resultado de afluir; AFLUÊNCIA **2** Convergência de grandes quantidades (esp., mas não só, de líquidos) (afluxo das águas; afluxo das torcidas) [F.: Do lat. *affluxus*, part. de *affluere.*]

afobação (a.fo.ba.*ção*) *Bras. sf.* **1** Ação ou resultado de afobar(-se) **2** Muita pressa, corre-corre, atividade acelerada: *Atrasados, vestiram-se na maior afobação.* **3** Pressa excessiva (na realização de algo) que leva a precipitação, atrapalhação, erro de procedimento, mau resultado etc.: *A afobação em comer deixou-o com azia; Na afobação, esqueceu os documentos.* **4** Cansaço, esfalfamento, fadiga [Pl.: *-ções.*] [F.: *afobar* + *-ção.* Sin. ger.: *afobamento.*]

afobado (a.fo.*ba*.do) *Bras. a.* **1** Atrapalhado, em função de pressa excessiva ou de impaciência; precipitado: *O jogador afobado chutou a bola para fora.* **2** Azafamado, apressado **3** Cansado, extenuado, esfalfado [F.: Part. de *afobar.* Var.: *acafobado.*]

afobamento (a.fo.ba.*men*.to) *sm. Pop.* O mesmo que *afobação*; PRECIPITAÇÃO [F.: *afobar* + *-mento.*]

afobar (a.fo.*bar*) *v.* **1** *Bras.* Fazer ficar ou ficar afobado; APRESSAR(-SE); PRECIPITAR-SE [*td.*: *Atrasada, a mulher afobava o marido.*: "Pronto, agora era não me apressar, não me afobar absolutamente..." (João Ubaldo Ribeiro, *Diário do farol*)] [*int.*: *O garçom afobou-se e derrubou a bandeja.*] **2** Apresentar cansaço; CANSAR(-SE); ESBOFAR(-SE) [*int.*: *Afobou-se após a longa partida de futebol.*] [▶ **1 afobar**] [F.: De origem onomatopaica. Hom./Par.: *afobo* (fl.), *afobo* [ô] (sm.).]

afobo (a.*fo*.bo) [ô] *sm.* Grande pressa, atrapalhação; AFOBAÇÃO; AFOBAMENTO: *No afobo da última hora.* [F.: Dev. de *afobar.*]

afocal (a.fo.*cal*) *a2g. Ópt.* Diz-se do sistema óptico em que os pontos focais situam-se no infinito [Pl.: *-cais.*] [F.: *a-*[1] + *focal.*]

> 📖 A noção de que os pontos focais situam-se no infinito retrata a ação do sistema sobre os raios luminosos que o atingem: eles saem do sistema paralelos.

afocinhamento (a.fo.ci.nha.*men*.to) *sm.* Ação ou resultado de afocinhar [F.: *afocinhar* + *-mento.*]

afocinhar (a.fo.ci.*nhar*) *v.* **1** Fazer (o animal) reconhecimento ou contato com o focinho [*td.*: *Afocinhou a folha, para ver o que era.*] **2** Escavar com o focinho [*td.*: *A porca afocinhava a terra por baixo da porteira.*] **3** *Mar.* Ficar com a proa mais baixo do que a popa [*int.*: *A proa do barco afocinhava perigosamente.*] **4** Inclinar-se para o chão [*int.*: *O avião afocinhou e caiu.*] **5** Empurrar ou atacar com o focinho [*td.*] **6** Cair, batendo com o focinho ou o rosto no chão [*int.*: *Acabou levando uma rasteira e afocinhou.*] [▶ **1 afocinhar**] [F.: *a-* + *focinh(o)* + *-ar.*]

áfodo (*á*.fo.do) *sm. Zool.* Nos espongiários, pequeno tubo que liga a câmara flagelada ao canal excurrente [F.: Do gr. *áphodos, ou.*]

afofado (a.fo.*fa*.do) *a.* **1** Que se afofou *a.* **2** Que é ou se tornou fofo, mole, confortável: *Prefiro este travesseiro afofado àquele mais duro.* **3** *Fig. P. us.* Cheio de empáfia, vaidoso, enfatuado (artista afofado) [F.: Part. de *afofar.*]

afofar (a.fo.*far*) *v.* **1** Fazer ficar ou ficar, tornar(-se) fofo, mole [*td.*: *A arrumadeira afofa as almofadas.*] [*int.*: *Com o uso, o colchão afofou(-se).*] **2** *Antq. Fig.* Fazer ficar ou ficar, tornar(-se) vaidoso, enfatuado [*td.*: *Os elogios afofavam o aluno.*] [*int.*: *Embevecido com os aplausos, o cantor se afofava.*] [▶ **1 afofar**] [F.: *a-*[2] + *fofo* + *-ar*[2].]

afofiê (a.fo.fi:*ê*) *sm. BA* Pequena flauta de bambu, us. nos candomblés [F.: Do ior.]

afogadiço (a.fo.ga.*di*.ço) *a.* **1** Que se afoga com facilidade **2** Abafadiço, sufocante (atmosfera afogadiça) [F.: *afogar* + *-d-* + *-iço.*]

afogadilho (a.fo.ga.*di*.lho) *sm.* Precipitação, pressa [F.: *afogado* + *-ilho.*] ■ **De ~** Com muita pressa, com precipitação

afogado (a.fo.*ga*.do) *a.* **1** Que se afogou: *Foi encontrado hoje corpo de jovem afogado na represa.* **2** *P. ext.* Que se asfixia ou sufoca, ou que tem essa sensação **3** Que é abafado, abafadiço (recinto afogado) **4** Diz-se de motor a explosão (e, por ext., de veículo) que tem excesso de combustível na mistura, e por isso tem problema de funcionamento **5** Diz-se de roupa (esp. vestido) fechada até o pescoço **6** *Fig.* Diz-se de voz baixa, trêmula, embargada **7** *Fig.* Que está mergulhado, banhado (em líquido, esp. lágrimas) [+ *em*: *Fitava seus olhos banhados em lágrimas.*] *sm.* **8** Pessoa que se afogou: *O número de afogados duplicou nesse verão.* [F.: Part. de *afogar.*]

afogador (a.fo.ga.*dor*) *a.* **1** Que afoga **2** O que ou quem afoga **3** *Mec.* Peça (em desuso) que, acionada, diminui a passagem de ar para o carburador de motor a explosão, aumentando a proporção de combustível na mistura, para facilitar a partida **4** *Mec.* O botão ou dispositivo que, a partir do painel de instrumentos de veículo, aciona o afogador (3) **5** Gargantilha, colar [F.: *afogar* + *-dor.*]

afogamento (a.fo.ga.*men*.to) *sm.* **1** Ação ou resultado de afogar(-se) **2** Asfixia, fatal ou não, causada pela entrada de líquido, ger. água, nos pulmões, impedindo assim a respiração [F.: *afogar* + *-mento.*]

afogar (a.fo.*gar*) *v.* **1** Causar a morte de ou morrer, asfixiando(-se) em líquido [*td.*: *Desgostoso e deprimido, afogou-se na banheira;* "... Jinga mandou afogar o menino no Cuanza..." (Alberto da Costa e Silva, *A manilha e o libambo*)] [*int.*: *Distanciando-se da praia, quase se afoga.*] **2** Impedir a respiração de ou não conseguir respirar (por infiltração de líquido nos pulmões) [*td.*: *Uma onda imensa o cobriu e o afogou, mas foi socorrido a tempo.*] [*int.*: *Reanimou com respiração boca a boca o rapaz que se afogara na piscina.*] **3** Impedir que se manifeste (fala, suspiro, soluço etc.); ABAFAR; EMBARGAR [*td.*: *Afogou os soluços, tentando ser forte; Controlando-se, afogou seu grito de protesto.*: "Afogou na garganta um soluçante gemido." (Camilo Castelo Branco, *A freira no subterrâneo*)] **4** *Mec.* Fazer parar ou parar motor de explosão (de [veículo]) por excesso de combustível na mistura [*td.*: *O motorista inexperiente sempre afogava o motor do carro.*] [*int.*: *Na subida, o (motor do) jipe afogou.*] **5** *Fig.* Tentar esquecer; ABAFAR [*td.*: *No carnaval afogava as tristezas.*] [*tdr.* + *em*: "...o Nava que ia afogar as suas angústias e o seu medo da morte nas cervejadas do *Danúbio Azul.*" (Manuel Badeira, *Nava*)] **6** Consumir (bebida alcoólica) até embriagar-se, ger. como tentativa de esquecer algo ruim [*int.*: *Desiludido, bebeu até se afogar.*] [*tdr.* + *em*: *Afogou-se na bebida para esquecer o amor perdido.*] **7** *Fig.* Não deixar que se desenvolva ou cresça [*td.*: "Se à onda invasora coube a triste honra de sepultar a civilização, coube também a glória de afogar o politeísmo, a escravidão antiga." (Joaquim Nabuco, "A escravidão na Antiguidade" *in Considerações gerais sobre a influência da escravidão na sociedade*)] **8** Mergulhar em líquido; EMBEBER [*tda.*: *Afogou o biscoito no leite.*] **9** Extinguir, apagar (fogo, brasas etc.), cobrindo; ABAFAR [*td.*: *Jogou terra para afogar depressa as brasas.*] **10** Estar ou ficar banhado em; INUNDAR-SE [*tr.* + *em*: *Ao lembrar-se dela, seus olhos se afogavam em sofridas lágrimas.*] **11** Não deixar ver, encobrindo; ocultar [*td.*: *A fumaça dos fogos afogou o resto do espetáculo.*] **12** *Cul.* O mesmo que *refogar* [*td.*: *Afogar o tempero do arroz.*] **13** *Bras. Fut.* Agarrar (goleiro) a bola protegendo-a com as mãos e o corpo; o mesmo que *abafar* (*11*) [*td.*] **14** *Hip.* Faltar fôlego a (cavalo) durante uma corrida [*int.*] **15** *Náut.* Prender a pá do remo na água quando se executam alguns movimentos típicos do esporte; ENTERRAR [*td.*] [▶ **14 afogar**] [F.: Do lat. **affocare* (oriundo do lat. clássico *offocare*). Hom./Par.: *afogo* (fl.), *afogo* [ô] (sm.).]

afogo (a.*fo*.go) [ô] *sm.* **1** Sufocação **2** Aflição, angústia **3** Calor, ardor, afogueamento: *o afogo da febre.* **4** *Fig.* Arrebatamento, exaltação [F.: Dev. de *afogar.* Hom./Par.: *afogo* (sm.), *afogo* (fl. *afogar*). Ant. ger.: *desafogo.*]

afogueado (a.fo.gue.*a*.do) *a.* **1** Avermelhado como o fogo; RUBRO: *um céu afogueado no pôr do sol.* **2** *Fig.* Avermelhado de rubor (rosto afogueado); CORADO; RUBORIZADO **3** Que é muito quente, ardente; ABRASADOR: *um meio-dia afogueado, de sol a pino.* **4** Que sofre ou sofreu a ação do fogo: *Malhava na bigorna o ferro afogueado.* **5** *Fig.* Que é caloroso, vivo, animado (debate afogueado) *sm.* **6** *Hist.* Indivíduo condenado à fogueira nos autos de fé da Inquisição [F.: *afoguear* + *-ado*[1].]

afogueamento (a.fo.gue:a.*men*.to) *sm.* **1** Ação ou resultado de afoguear(-se) **2** Calor, afogo, ardor [F.: *afoguear* + *-mento.*]

afoguear (a.fo.gue.*ar*) *v.* **1** *Fig.* Fazer ficar ou ficar, tornar(-se) corado; CORAR; ENRUBESCER(-SE); RUBORIZAR(-SE) [*td.*: *A vergonha afogueou-lhe as faces.*] [*int.*: "O rosto afogueara-se e a boca tremia-lhe." (Marques Rebelo, "Vejo a lua no céu" *in Contos reunidos*)] **2** Comunicar ardor, entusiasmo a; ANIMAR; ENTUSIASMAR [*td.*: *O cantor afogueava a plateia.*] **3** Sentir ardor, entusiasmo; ANIMAR-SE; ENTUSIASMAR-SE [*int.*: *Afogueou-se ao saber do convite.*] **4** *P. us.* Pôr fogo em; ABRASAR; QUEIMAR [*td.*] **5** Fazer ficar ou ficar, tornar(-se) muito quente [*td.*: *O sol a pino afogueou-lhe a cabeça, e os pensamentos.*] [*int.*: *O atiçador afogueou-se, tão perto estava da lareira acesa.*] [▶ **13 afoguear**] [F.: *a-*[2] + *fogo* + *-ear.* Cf.: *esfoguear.*]

O s… *afoite*… ousadia; enfren… …ito; infundir coragem, … a si mesmo [*td.*: *Afoitava um trabal*… *te.*] [*int.*: *Não se* … a (algo) com … ATREVER … *os desafios.*] [*tdr.* + *a*: *Não se afoit*… *todos* …] **3** Estimular alguém a tomar decisão ou realizar …; INCITAR [*tdr.* + *a*: *Não afoitou o jovem a entrar no mar.*] [▶ **1 afoitar**] [F.: *afoito* + *-ar*[2]. Hom./Par.: *afoito* (fl.), *afoito* (a. e sm.).]

afoiteza (a.foi.*te*.za) [ê] *sf.* Qualidade de quem é afoito, ousado, audaz; ATREVIMENTO; AUDÁCIA; OUSADIA [F.: *afoito* + *-eza.*]

afoito (a.*foi*.to) *a.* **1** Que age de forma precipitada **2** Que é corajoso, ousado *sm.* **3** Pessoa afoita (1, 2) [F.: Do lat. *fautum*, de *favere* 'favorecer, ajudar'.]

afolhamento (a.fo.lha.*men*.to) *sm. Agr.* Ação ou resultado de afolhar (terreno); ROTAÇÃO [F.: *afolhar* + *-mento.*]

afolhar (a.fo.*lhar*) *v.* **1** *Agr.* Dividir em folhas ou porções (os campos), preparando-os para a alternação de culturas [*td.*] **2** Ficar cheio de folhas (a planta); folhar-se [*td.*: *Maio está chegando e vai afolhar as árvores.*] [*int.*: *A roseira afolhava.*] [▶ **1 afolhar**] [F.: *a-* + *folha* + *-ar.*]

afonia (a.fo.*ni*.a) *sf. Med.* Perda parcial ou total da voz (ger. reversível), por causa fisiológica (lesão em órgão do aparelho fonador) ou psicológica [F.: Do gr. *aphonía*, por via erudita.]

afônico (a.*fô*.ni.co) *a.* **1** Ref. a afonia, à perda da voz. **2** Que tem afonia: *De tanto falar, o locutor ficou afônico.* [F.: *afoni(a)* + *-ico*[2].]

afonogelia (a.fo.no.ge.*li*.a) *sf. Med.* Impossibilidade de rir de alguma coisa [F.: *a-*[1] + *-fono* + gr. *gélos*, 'riso', + *-ia*[1].]

afonsino (a.fon.*si*.no) *a.* **1** *Hist.* Ref. à primeira dinastia portuguesa, na qual predominaram os reis de nome Afonso **2** *Hist.* Diz-se das leis (ordenações) publicadas por D. Afonso V de Portugal **3** *Fig.* Antiquado, obsoleto [F.: Do antr. *Afonso* + *-ino.*]

afora (a.*fo*.ra) *adv.* **1** Para o lado de fora: *Precipitou-se porta afora e desapareceu.* **2** Ao longo de (no tempo ou no espaço); por toda a extensão de: *Aquilo serviu-lhe de lição, pela vida afora;* "Fomos por ali afora, ao acaso, certos de que iríamos parar em outra cidade." (Cecília Meireles, *Crônicas de viagem*) *prep.* **3** Com exceção de: *Afora essa questão, concordamos em tudo.* **4** Além de: *A menina, afora ser a primeira da turma, é campeã de natação.* [F.: *a*[2] + *fora.*]

aforado (a.fo.*ra*.do) *a.* **1** Que se aforou *a.* **2** *Jur.* Diz-se de imóvel recebido ou concedido por aforamento; ENFITEUTICADO **3** Diz-se de processo que está no foro para julgamento **4** Avaliado, estimado [F.: Part. de *aforar.*]

aforador (a.fo.ra.*dor*) [ô] *Jur. sm.* O que afora [F.: *aforar* + *-dor.*]

aforamento (a.fo.ra.*men*.to) *Jur. sm.* **1** Ação ou resultado de levar (caso, causa) a foro, a julgamento **2** Direito (transferível a herdeiros) de utilizar um imóvel mediante um pagamento anual, chamado foro; ENFITEUSE **3** O documento que confirma esse direito [F.: *aforar* + *-mento.*]

aforar (a.fo.*rar*) *v.* **1** *Jur.* Dar ou tornar por aforamento ou enfiteuse [*td.*: *Aforou a sala de ginástica do clube.*] [*tdi.* + *a*: *Aforou a fazenda ao velho vaqueiro.*] **2** Conceder a (alguém ou si mesmo) direito ou honraria; ARROGAR(-SE) [*tdp.*: *Aforou-se único proprietário das terras.*] **3** *Fig. P. us.* Permitir a entrada de; ABONAR [*tdr.* + *em*: *A terminologia da informática aforou neologismos na língua portuguesa.*] [▶ **1 aforar**] [F.: *a-*[2] + *foro* + *-ar*[2].]

aforçurar-se (a.for.çu.*rar*-se) *v. int.* **1** Ter pressa; tornar-se apressado: *Aforçurou-se para não perder o trem.* **2** *P. ext.* Tornar-se cansado; AFADIGAR-SE: *Aforçurou-se com todo aquele trabalho.* [▶ **1 aforçurar-se**] [F.: *a-* + *forçura* + *-a.*]

aforese (a.fo.*re*.se) *sf. Med.* Falta ou deficiência de secreção sudoral [F.: *a-*[1] + gr. *phórésis*, 'levar'.]

aforético (a.fo.*ré*.ti.co) *a. Med.* Ref. a ou que tem aforese [F.: *afor(ese)* + *-ético.*]

aforia (a.fo.*ri*.a) *sf. Desus. Med.* Esterilidade da mulher; AGENESIA [F.: Do gr. *aphoría, as.*]

afórico (a.*fó*.ri.co) *Med. a.* Ref. a ou que tem aforia [F.: *afor(ia)* + *-ico*[2].]

aforismático (a.fo.ris.*má*.ti.co) *a.* O mesmo que *aforístico* [F.: *aforism(o)* + *-ático.*]

aforismo (a.fo.*ris*.mo) *sm.* **1** Breve sentença que contém uma regra, uma mensagem, um princípio de grande alcance ou um conceito moral; máxima: "Tudo parece mais verdadeiro quando escrito sob forma de aforismo." (Wolfgang Goethe, *Máximas e reflexões*) **2** Dito sentencioso; APOTEGMA [F.: Do lat. *aphorismus*; der. gr. *aphorismos.* Cf.: *aforisma.*]

aforista (a.fo.*ris*.ta) *s2g.* **1** Autor de aforismo **2** Quem estuda ou usa aforismos [F.: *afor(ismo)* + *-ista.*]

aforístico (a.fo.*rís*.ti.co.) *a.* **1** Ref. ou semelhante a, ou próprio de aforismo **2** Que contém aforismo [F.: Do gr. *aphoristikós.* Sin. ger.: *aforismático.*]

aformoseamento (a.for.mo.se:a.*men*.to) *sm.* Ação ou resultado de aformosear(-se) [F.: *aformosear* + *-mento.*]

aformosear (a.for.mo.se.*ar*) *v.* **1** Tornar(-se) (mais) formoso; embelezar(-se) [*int.*: *Aformoseou-se com a idade.*] [*td.*: *O corte aformoseou seus cabelos.*] **2** Servir como enfeite ou adorno; ADORNAR; ENFEITAR [*td.*: *Luzes aformoseavam a árvore de Natal.*] **3** Pôr enfeite(s), adorno(s) em (algo, alguém); ADORNAR; ENFEITAR [*td.*] [▶ **13 aformosear**] [F.: *a-*[2] + *formoso* + *-ear*[2].]

aforquilhad... ...em forma de forquilha; BIFU... ...(a) + -ado².]

aforquil... ...v. td. 1 Dar forma ou aspecto de for... ...ar com forquilha; ENFORQUILHAR [F.: a- + forquilha + -ar.]

af... ...(a.for.ra.men.to) sm. Ação ou resultado de [▶ ...(-se) [F.: aforrar + -mento.]

aforrar¹ (a.for.*rar*) *v.* 1 *P. us.* Colocar forro¹ em; FORRAR [*td.*] 2 *Lus.* Arregaçar (a manga); arremangar [*td.*] 3 Ficar em mangas de camisa, sem o paletó [*int.*: *Aforrou-se antes de sentar à mesa.*] [▶ 1 aforrar] [F.: *a-*² + *forro*¹ + *-ar*. Hom./Par.: *aforro* (fl.), *aforro* /ô/ (sm.).]

aforrar² (a.for.*rar*) *v. td.* 1 Tornar(-se) forro, livre, liberto [*td.*: *Aforrar escravos; Alguns escravos conseguiam ouro para aforrar-se.*] 2 Juntar em poupança; fazer economias, amealhar, poupar; AMEALHAR; POUPAR: *Aforrou uma pequena fortuna em três anos.* [▶ 1 aforrar] [F.: *a-* + *forro*² + *-ar*. Hom./Par.: *aforro* (fl.), *aforro* /ô/ (sm.).]

aforro (a.*for*.ro) [ô] *sm.* Ato de aforrar ou economizar [F.: Dev. de *aforrar*. Hom./Par.: *aforro* (sm.), *aforro* (fl. de *aforrar*).]

◎ **a fortiori** (*Lat. /a fortiori/*) *loc. adv.* Com tanto mais razão; por mais justa razão: "Queríamos introduzir no Ceará os dissolventes costumes parisienses, a fortiori, mas não eram essas as tendências do nosso povo essencialmente católico..." (Adolfo Caminha, *A normalista*)

afortunado (a.for.tu.*na*.do) *a.* 1 Que tem ou que desfrutou de boa sorte, êxito, fortuna, felicidade: *Ao lado dela eu me sinto o mais afortunado dos homens.* *sm.* 2 Pessoa afortunada [F.: Part. de *afortunar*.]

afortunar (a.for.tu.*nar*) *v.* 1 Fazer ficar ou tornar-se bem-aventurado, feliz; FORTUNAR [*td.*] 2 Tornar-se feliz [*int.*] [▶ 1 afortunar] [F.: *a-* + *fortuna* + *-ar*.]

afótico (a.*fó*.ti.co.) *a.* Que não recebe luz, privado de luz (diz-se das regiões marítimas de grande profundidade, e das plantas e animais que as habitam) [F.: *a-*¹ + *fot(o)-* + *-ico*².]

afoxé (a.fo.*xé*) *BA* *sm.* 1 *Etnog.* Grupo carnavalesco de caráter semirreligioso, que desfila cantando em língua africana, acompanhado de percussão 2 *P. ext. Pej. Rel.* Candomblé de má qualidade 3 *P. ext. Pej. Rel.* Ritual ou ato de quimbanda, considerada o lado mau da umbanda 4 *Mús.* Instrumento de percussão semelhante ao chocalho us. nos candomblés; CABAÇA [F.: De or. obsc.]

afracar (a.fra.*car*) *v.* Enfraquecer; tirar ou perder a força [*td.*: *Sentiu que algo lhe afracava o ânimo.*] [*ti.*: "Afracar-se-lhe sente dentro d'alma o sentimento..." (Machado de Assis, *Americanas*)] [*int.*: *O inverno afracou.*] [▶ 11 afracar] [F.: *a-*² + *fraco* + *-ar*².]

afrancesado (a.fran.ce.*sa*.do.) *a.* 1 Que tem jeito, modo de francês, ou que imita os usos e costumes dos franceses 2 Que, afetadamente, procura imitar formas de expressão, estilo, expressões etc. da língua e da arte francesas: *Estilo afrancesado.* [F.: *afrancesar* + *-ado*¹.]

afrancesamento (a.fran.ce.sa.*men*.to.) *sm.* 1 Ação ou resultado de afrancesar(-se) *sm.* 2 Atitude tendente a imitar ou adquirir as maneiras, o temperamento e/ou o estilo francês [F.: *afrancesar* + *-mento*.]

afrancesar (a.fran.ce.*sar*) *v.* 1 Adaptar palavra à forma escrita ou falada do francês [*td.*: *Na França se afrancesam as palavras estrangeiras.*] 2 Imitar (costumes, usos) franceses [*int.*: *Depois de um ano em Paris, afrancesou-se completamente.*] [▶ 1 afrancesar] [F.: *a-* + *francês* + *-ar*.]

afrasia (a.fra.*si*.a) *sf.* 1 *Neur.* Impossibilidade de expressar-se por meio de frases, embora o paciente consiga pronunciar palavras isoladas 2 Mutismo [F.: *a-*¹ + *fras(e)* + *-ia*¹. Hom./Par.: *afrasia* (sf.), *afasia* (sf.).]

afrásico (a.*frá*.si.co) *a.* 1 Ref. a afrasia *a.* 2 Que sofre de afrasia *sm.* 3 Aquele que sofre de afrasia [F.: *afras(ia)* + *-ico*². Hom./Par.: *afrásico* (a. sm.), *afásico* (a. sm).]

afreguesar (a.fre.gue.*sar*) *v. td.* Conquistar fregueses (um estabelecimento comercial, um fornecedor), tornar(-se) cliente habitual: *O mercador afreguesou toda a vizinhança.* [▶ 1 afreguesar] [F.: *a-* + *freguês* + *-ar*.]

afreimar (a.frei.*mar*) *v. Ant.* O mesmo que *afleimar.* [F.: *a-*² + *freima* + *-ar*².]

afrenia (a.fre.*ni*.a) *sf. Psiq.* O mesmo que *demência* [F.: *a-*¹ + *fren(o)-* (do gr. *phrén, phrenós*, 'inteligência'), + *-ia*¹.]

afrescalhado (a.fres.ca.*lha*.do.) *a.* 1 *Bras. Pop.* Cheio de frescura, fresco: *Que sujeito afrescalhado, não toma leite com nata!* 2 *Bras. Pej. Vulg.* Efeminado [F.: Part. de *afrescalhar*.]

afrescalhar (a.fres.ca.*lhar*) *v.* 1 *Bras. Pop.* Tornar(-se) fresco, efeminado [*td.*: *A convivência só com a mãe afrescalhou o rapaz.*] [*int.*: *Depois de velho, afrescalhou(-se).*] 2 *Pop. Pej.* Tornar(-se) excessivamente feminino, delicado, piegas [*td.*: *O bordado afrescalhou a camisa.*] [▶ 1 afrescalhar] [F.: *a-* + *fresc(o)* + *-alhar*.]

afrescar (a.fres.*car*) *v.* Tornar(-se) fresco, refrescante [*td.*: *A brisa afrescou a tarde.*] [*int.*: *Dormia bem quando a noite afrescava(-se).*] [▶ 11 afrescar] [F.: *a-* + *fresco* + *-ar*.]

afresco (a.*fres*.co) [ê] *sm.* 1 *Art. pl.* Técnica de pintura em parede ou teto, feita com tinta diluída em água sobre revestimento ainda fresco e úmido 2 Obra feita segundo essa técnica: *Arqueólogos descobrem novos afrescos em templo antigo.* [F.: Do it. *affresco*, da exp. adv. *a fresco*.]

afretado (a.fre.*ta*.do.) *a.* 1 Que se afretou *a.* 2 Diz-se do veículo contratado para transporte de carga ou passageiros por tempo ou operação específicos; FRETADO [F.: Part. de *afretar*.]

afretamento (a.fre.ta.*men*.to.) *sm.* 1 Ação ou resultado de afretar, de alugar veículo de transporte em contrato específico 2 Uso, por contrato, de navio, avião ou outro meio de transporte, mediante pagamento ao proprietário, para deslocamento de carga ou passageiros; esse contrato; FRETE [F.: *afretar* + *-mento*.]

afretar (a.fre.*tar*) *v. td.* Alugar (embarcação, veículo): *A operadora de turismo afretou um transatlântico.* [▶ 1 afretar] [F.: *a-* + *fret(e)* + *-ar*.]

áfrica (*á*.fri.ca) *sf.* Façanha, proeza: *fazer uma áfrica.* [F.: Do top. *África*. Hom./Par.: *áfrica(s)* (sf. [pl.]); *africa(s)* (fl. de *africar*).]

africanas (a.fri.*ca*.nas) *sfpl.* Brincos de ouro em forma de argolas, semelhantes aos que se usam na África [F.: Pl. subst. de *africano*.]

africânder (a.fri.*cân*.der) *s2g.* 1 Pessoa pertencente à parte da população da África do Sul que é descendente dos holandeses que colonizaram a região *sm.* 2 *Gloss.* Língua falada pelos africânderes (1), originada do holandês do séc. XVII 3 *Zool.* Raça de gado bovino do sul da África; espécime dessa raça *a2g.* 4 Do ou ref. ao ou próprio de africânder (1, 2 e 3) [F.: Do africânder *Afrikaander*. Sin. ger.: *africâner*.]

africâner (a.fri.*câ*.ner) *a2g. s2g. sm.* O mesmo que *africânder* [F.: Var. de *africânder*.]

africanidade (a.fri.ca.ni.*da*.de) *sf.* 1 Caráter peculiar de quem ou do que é africano, notadamente da África negra 2 Sentimento de afinidade ou de amor pela África; AFRICANISMO [F.: *africano* + *-(i)dade*.]

africanismo (a.fri.ca.*nis*.mo.) *sm.* 1 Qualidade do que é especificamente africano, como a cultura, os costumes etc.; AFRICANIDADE 2 Estudo ou especialização em temas africanos, especialmente por parte de não africanos 3 Sentimento de afinidade ou identificação com a cultura e as tradições africanas, mormente da África negra; AFRICANIDADE 4 *Ling.* Palavra ou expressão vinda de alguma língua africana 5 *Ling.* Todo fato ou uso da língua portuguesa (léxico, sintático, fonético etc.) presentes nas ex-colônias de Portugal na África, e no português falado em Portugal ou no Brasil [F.: *africano* + *-ismo*.]

africanista (a.fri.ca.*nis*.ta.) *a2g.* 1 Ref. ao africanismo *a2g.* 2 Diz-se de pessoa, ger. não africana, especializada no estudo da língua e das civilizações africanas *s2g.* 3 Adepto do africanismo (3) 4 Explorador de regiões do continente africano [F.: *africano* + *-ista*.]

africanizado (a.fri.ca.ni.*za*.do) *a.* Que se africanizou; que se adaptou ao modo de ser, à cultura etc. dos africanos, esp. os da África negra [F.: Part. de *africanizar*.]

africanizar (a.fri.ca.ni.*zar*) *v.* 1 Tornar(-se) próprio ou característico da África (em termos de aspecto, atitude, cultura etc.) [*td.*: *Os escravos africanizaram parte da culinária brasileira.*] [*int.*: "...E onde ibéricas heranças de fados e broas/ se africanizaram para a eternidade nas minhas veias..." (José Caveirinha, *Ao meu belo pai ex-imigrante*)] 2 Transferir o controle de (região, instituição etc.) para governo africano [*td.*: "...O presidente do Zimbábue, Robert Mugabe, assegurou (...) que deverá 'africanizar' os setores econômicos das mãos de estrangeiros, particularmente as minas..." (*O Estado de São Paulo*, 15.06.2000)] [▶ 1 africanizar] [F.: *africano* + *-izar*.]

africano (a.fri.*ca*.no) *sm.* 1 Pessoa nascida na África *a.* 2 Ref. ou pertencente à ou próprio da África; típico desse continente ou de seus povos 3 *Ling.* Diz-se de qualquer das línguas originárias do continente africano [F.: Do lat. *africanus*, de *Africa*.]

africanologia (a.fri.ca.no.lo.*gi*.a) *sf.* Estudos relativos à África ou aos africanos e às suas características [F.: *africano* + *-logia*.]

africanológico (a.fri.ca.no.*ló*.gi.co) *a.* Ref. à africanologia [F.: *africanolog(ia)* + *-ico*².]

africanologista (a.fri.ca.no.lo.*gis*.ta) *s2g.* Pessoa especializada em africanologia [F.: *africanolog(ia)* + *-ista*.]

áfrico (*á*.fri.co) *sm.* 1 Africano 2 *Ant.* Vento sudoeste *a.* 3 Africano [F.: Do lat. *africus, a, um*. Hom./Par.: *áfrica* (fem.), *áfrica* (sf.); *áfrico* (a. sm.), *africo* (fl. de *africar*).]

afrita (a.*fri*.ta) *sf. Min.* Mineral que é uma variedade de calcita, folheada ou friável como giz [F.: Do ing. *aphrite*; ver *afr(o)-* e *-ita*².]

◎ **afr(o)-** *el. comp.* = 'espuma'; 'espumante': *afrita, afrômetro* [F.: Do gr. *aphrós, oû*, 'espuma'.]

afro (a.fro) *sm.* 1 Indivíduo dos afros, antigo povo da África, do qual o continente herdou o nome *a.* 2 Ref. a afro (1); o mesmo que *africano* *a2g2n.* 3 Que é típico da África negra (músicas afro, penteado afro) [F.: Do lat. *afer, frum*.]

afro-americano (a.fro-a.me.ri.*ca*.no) *sm.* 1 Americano que descende de africanos negros *a.* 2 Ref. simultaneamente à África negra e à América, e a suas culturas, ou a uma cultura ou elemento cultural que resultam da fusão destas (música afro-americana) [Pl.: *afro-americanos*.]

afro-asiático (a.fro-a.si:*á*.ti.co.) *a.* 1 Que pertence a, que tem origem em ou que se refere ao mesmo tempo à África e à Ásia (problema afro-asiático); AFRÁSICO 2 Que constitui uma mistura das culturas asiática e africana *sm.* 3 Indivíduo de origem afro-asiática [Pl.: *afro-asiáticos*.]

afro-baiano (a.fro-bai.*a*.no) *a.* 1 Ref. ou pertencente à cultura baiana que resultou de elementos culturais trazidos pelos escravos africanos para a Bahia (culinária afro-baiana) 2 Que tem ascendência africana (diz-se de indivíduo baiano) [Pl.: *afro-baianos*.] *sm.* 3 Indivíduo afro-baiano (2) [Pl.: *afro-baianos*.]

afro-brasileiro (a.fro-bra.si.*lei*.ro) *a.* 1 *Etnol.* Ref. ou pertencente simultaneamente à África negra e ao Brasil (uma política afro-brasileira) 2 Ref. simultaneamente às culturas africana negra e brasileira, ou à cultura que resulta da fusão destas (ritmo afro-brasileiro): "...É o primeiro romance da literatura afro-brasileira que tematiza o assunto negro e a questão da Abolição..." (Eduardo de Assis Duarte, *Ursula*) *sm.* 3 Brasileiro descendente de africanos negros 4 O negro brasileiro [Pl.: *afro-brasileiros*.]

afrocêntrico (a.fro.*cên*.tri.co.) *a.* 1 Ref. ao afrocentrismo 2 Que valoriza ou adota o afrocentrismo [F.: *afro* + *-centr(o)-* + *-ico*².]

afrocentrismo (a.fro.cen.*tris*.mo) *sm.* 1 Forma de pensamento ou movimento político que coloca a África no centro da história humana *sm.* 2 Movimento político de cunho nacionalista segundo o qual as raízes dos afro-americanos encontram-se no antigo Egito, então dominado por uma raça de africanos negros [F.: *afro* + *-centr(o)* + *-ismo*.]

afrocentrista (a.fro.cen.*tris*.ta.) *a2g.* 1 Diz-se de quem é adepto do afrocentrismo *s2g.* 2 Aquele que é adepto do afrocentrismo [F.: *afro* + *-centr(o)-* + *-ista*.]

afrodescendente (a.fro.des.cen.*den*.te) *a2g.* 1 *Bras.* Que é descendente de negros africanos, ger. dos que eram escravos; que tem pele negra ou escura como condição genética [O termo é us. como uma forma de se referir a indivíduos negros, ou mulatos, ou pardos, ao se pretender que estes termos possam ter sentido pejorativo ou discriminatório.] *s2g.* 2 Indivíduo afrodescendente (1) [F.: *afro-* + *descendente*.]

afrodisia (a.fro.di.*si*.a) *sf.* 1 *Psi.* Patologia caracterizada pelo aumento excessivo do interesse e da excitabilidade sexuais 2 Atingimento, pelo ser humano, da capacidade de reproduzir-se sexualmente; PUBERDADE [F.: Do gr. *aphrodísia*.]

afrodisíaco (a.fro.di.*sí*.a.co) *a.* 1 Que recupera ou aumenta o desejo sexual (comida afrodisíaca) 2 Ref. a Afrodite, antiga deusa grega do amor *sm.* 3 Substância ou produto que possui efeito afrodisíaco (1) [F.: Do gr. *aphrodisiakós*, por via erudita.]

afrodita (a.fro.*di*.ta) *s2g. Zool.* Denom. comum aos vermes marinhos do gên. *Aphrodita*, cujo corpo segmentado é coberto por longas cerdas [Também conhecido como *rato marinho*, esse anelídeo das profundezas dos mares emite luz de diferentes cores para afastar os predadores.] [F.: Do lat. cient. *Aphrodita*, do lat. *Aphrodita, ae* ou *Afrodite, es*, do gr. *Aphrodite*, 'a deusa do amor'.]

◎ **afrodito-** *el. comp.* = 'o planeta Vênus': *afroditografia* [F.: Do gr. *Aphrodíte, es*, 'Afrodite, a deusa do Amor'.]

afroditografia (a.fro.di.to.gra.*fi*.a) *sf.* Descrição do planeta Vênus [F.: *afrodito-* + *-grafia*.]

afrômetro (a.*frô*.me.tro) *sm. Fís.* Espécie de manômetro us. na medição dos gases no interior de garrafas de vinhos espumantes, águas ou refrigerantes gaseificados etc. [F.: *afr(o)-* + *-metro*.]

afronesia (a.fro.ne.*si*.a) *sf. Psic.* O mesmo que *demência* [F.: *a-*¹ + gr. *phrónesis* ('ato de pensar') + *-ia*¹.]

afronta (a.*fron*.ta) *sf.* 1 Ação ou resultado de afrontar 2 Atitude, gesto ou palavras que constituem ofensa ou agressão (esp. moral) a algo ou alguém; ULTRAJE; VERGONHA: *Foi uma afronta depreciar o trabalho do escultor diante de todos.* [+ *a, de*: *Naqueles termos, a crítica foi uma afronta ao artista.*] 3 Sentimento de desonra e de humilhação: *Tal comportamento foi uma afronta para toda a família.* 4 Qualquer coisa (ação, dito, ideia etc.) que contradiga o bom senso, a lógica, o padrão aceito ou estabelecido etc.: *O discurso foi uma afronta à ética e ao decoro.* 5 Sensação de mal-estar, ger. relacionada a problemas digestivos 6 *P. us.* Sensação de extremo cansaço, ou de mal-estar 7 *Jur.* Declaração do maior lance oferecido em leilão por um dos itens apregoados [F.: Dev. de *afontar*.]

afrontação (a.fron.ta.*ção*) *sf.* O mesmo que *afrontamento* [Pl.: *-ções*.] [F.: *afrontar* + *-ção*.]

afrontado (a.fron.*ta*.do) *a.* 1 Que sofreu afronta, que foi ofendido, insultado: *Começou bem e aplaudido, mas no fim do jogo era um juiz afrontado e humilhado.* 2 *Pop.* Indisposto devido a má digestão: *Comeu demais e saiu da mesa afrontado.* 3 Muito cansado, extenuado, abatido [F.: Part. de *afrontar*.]

afrontador (a.fron.ta.*dor*.) [ô] *a.* 1 Que afronta *sm.* 2 Aquele que afronta [F.: *afrontar* + *-dor*.]

afrontamento (a.fron.ta.*men*.to.) *sm.* 1 Ação ou resultado de afrontar(-se); AFRONTA 2 Sensação de mal-estar causada por má digestão: *A feijoada causou-lhe afrontamento.* 3 Falta de ar, dificuldade em respirar; DISPNEIA [F.: *afrontar* + *-mento*.]

afrontante (a.fron.*tan*.te.) *a2g.* 1 Que afronta: *Atacou o adversário num artigo afrontante.* *s2g.* 2 Aquele que afronta; AFRONTADOR: *Respondeu, no discurso, a todos os seus afrontantes.* [F.: *afrontar* + *-nte*.]

afrontar (a.fron.*tar*) *v.* 1 Dirigir ofensas ou insultos a; INSULTAR; OFENDER [*td.*: *Transtornado, afrontava todo mundo.*] 2 *P. ext.* Fazer que (algo ou alguém) sofra descrédito, depreciação, desabono; DEPRECIAR; DESABONAR [*td.*: *Sua atitude irresponsável acabou por afrontá-lo.*] 3 Encarar sem sentir medo; ENFRENTAR [*td.*: *O bombeiro afronta o perigo.*: "Já a heterodoxia e o livre exame importam em riscos intelectuais, que não interessa afrontar." (Carlos Drummond de Andrade, "Reflexões sobre o fanatismo" *in* Ana Maria Machado, *Texturas*)] [*tdr.* + *com*: *Corajoso, o domador afrontou-se com o tigre.*] 4 Pôr frente a frente; CONFRONTAR [*td.*: *A diretora afrontou os alunos mentirosos.*] [*tdr.* + *com*: *Foi preciso afrontar o morador com o síndico.*] 5 Ficar frente a frente, deparar [*tr.* + *com*: *Ia distraído quando afrontou-se com o amigo que não via há meses.*] **6** Causar mal-estar (esp. a ingestão de certos alimentos) [*td.*: *A feijoada no almoço o afrontou de tal maneira que não conseguiu jantar.*] **7** Demonstrar resistência ou tolerância a; suportar; AGUENTAR [*td.*: *Os alpinistas afrontam baixas temperaturas.*] **8** Estar situado em frente a [*td.*: *O colégio afrontava a praça principal.*] **9** Equivaler a; COMPARAR(-SE) [*tr.* + *com*: *Nenhum quadro da exposição afronta-se com esta obra-prima.*] **10** Exceder em qualidade, sobrepujar, superar [*td.*: *Este pintor afronta todos os seus contemporâneos, nenhum se lhe compara.*] **11** Ter a audácia, o atrevimento (de) [*tr.* + *de*: *Irreverente e petulante, afrontava-se de contestar o professor.*] [▶ 1 afrontar] [F.: *a-*[2] + *fronte* + *-ar*[2].]

afrontoso (a.fron.*to*.so) [ô] *a.* **1** Que causa afronta ou que afronta **2** Em que há, ou que encerra ou manifesta afronta (gesto afrontoso); INJURIOSO **3** Que causa asfixia; SUFOCANTE [Fem. e pl.: [ó].] [F.: *afronta* + *-oso.*]

afrouxado (a.frou.*xa*.do) *a.* **1** Que se afrouxou, que ficou frouxo **2** Que se tornou ou ficou mais largo, mais solto, ou mais lento (vestido afrouxado; cinto afrouxado; passo afrouxado) **3** *Fig.* Que ficou menos tenso ou menos rigoroso (disicplina afrouxada); RELAXADO [F.: Part. de *afrouxar.*]

afrouxamento (a.frou.xa.*men*.to) *sm.* **1** Ação ou resultado de afrouxar, de desapertar, tornar mais largo ou mais solto **2** *Fig.* Redução da severidade, do rigor; RELAXAMENTO **3** *Fig.* Falta ou perda de energia, de ímpeto, de força **4** *Fig.* Diminuição da velocidade [F.: *afrouxar* + *-mento.*]

afrouxar (a.frou.*xar*) *v.* **1** Fazer ficar ou ficar, tornar(-se) frouxo, largo ou solto; ALARGAR; SOLTAR [*td.*: "As cordas afrouxaria / um nome que murmurasse." (Cecília Meireles, "O mártir" *in Dispersos*)] [*int.*: *A gravata do noivo afrouxava durante a cerimônia.*] **2** *Fig.* Fazer ficar ou ficar, tornar(-se) menos rigoroso ou severo; RELAXAR [*td.*: *O diretor afrouxará as punições.*] [*int.*: *Quando diminuíram o rígido controle, a disciplina afrouxou.*] **3** Fazer perder, fazer diminuir, ou perder, diminuir força, energia, ímpeto; ARREFECER [*td.*: *O desânimo afrouxou sua dedicação ao projeto.*] [*int.*: *O estudante afrouxou na pesquisa; Como o adversário era fraco, o lutador afrouxou.*] **4** Fazer ficar ou ficar, tornar(-se) mais lento, menos apressado [*td.*: "...afrouxaram o passo..." (Antonio Callado, *Bar Don Juan*)] [*int.*: *Com o cansaço, o ritmo afrouxou, as jogadas ficaram mais lentas.*] **5** Perder o ânimo; DESANIMAR [*int.*: *Sempre afrouxava ante as dificuldades.*] **6** *P. ext.* Perder a coragem, retroceder por medo, acovardar-se [*int.*: *Diante do leão furioso, o domador afrouxou.*] **7** *Bras. N. E.* Abrir a mão (vaqueiro) na hora da derrubada (quando o boi cai na vaquejada) [*int.*] **8** *S.* Contar involuntariamente um segredo; ESCAPAR [*int.*: *Durante o julgamento, o réu afrouxou e deixou escapar o nome do cúmplice.*] **9** *Bras. S.* Expandir o espaço destinado a (pastagens) [*td.*] **10** *S. P. ext.* Deixar livre ou dar liberdade a (gado) [*td.*] **11** *Bras.* Ficar (montaria ou cavaleiro) exausto, em longa cavalgada ou trabalho [*int.*] [▶ 1 afrouxar] [F.: *a-*[2] + *frouxo* + *-ar*[2].]

afrouxelado (a.frou.xe.*la*.do) *a.* Macio, mole como frouxel [F.: Part. de *afrouxelar.*]

afrouxelar (a.frou.xe.*lar*) *v. td.* **1** *P. us.* Cobrir com ou colocar frouxel em; FROUXELAR **2** Tornar macio como frouxel; FROUXELAR [▶ 1 afrouxelar] [F.: *a-*[2] + *frouxel* + *-ar*[2].]

afta (*af*.ta) *sf. Med.* Pequena e superficial ferida em mucosa do sistema digestório (ger. bucal) ou, raramente, do genital, de causa original desconhecida, e recorrências por causas várias, como vírus, fungos, problemas gástricos, estresse etc. [F.: Do lat. *aphtae, arum*, 'aftas', tomado no sing.]

aftosa (af.*to*.sa) [ó] *sf. Vet.* F. red. de *febre aftosa* [F.: Fem. substv. de *aftoso.*]

aftoso (af.*to*.so) [ô] *a.* **1** *Med. Vet.* Ref. a afta ou a aftosa **2** *Med.* Que tem aftas, ou que as causa **3** *Vet.* Que tem febre aftosa, ou que a causa [Fem. e pl.: [ó].] [F.: *afta* + *-oso.*]

afugentado (a.fu.gen.*ta*.do.) *a.* **1** Que se afugentou, que foi posto em fuga, repelido **2** *Fig.* Que se desfez, dissipou, desvaneceu: *Projetos desfeitos, ilusões afugentadas... era um homem arrasado.* [Part. de *afugentar.*]

afugentador (a.fu.gen.ta.*dor*) [ô] *a.* **1** Que afugenta *sm.* **2** O que afugenta [F.: *afugentar* + *-dor.*]

afugentamento (a.fu.gen.ta.*men*.to) *sm.* Ação ou resultado de afugentar [F.: *afugentar* + *-mento.*]

afugentar (a.fu.gen.*tar*) *v. td.* **1** Fazer com que fuja; pôr em fuga: "...a fachada com um imenso painel... que afugentaria o diabo se ele tivesse a petulância de aparecer..." (Marques Rebelo, "Acudiram três cavaleiros" *in Contos reunidos*) **2** Fazer com que saia em debandada, ou que não ataque, não acometa; ENXOTAR; REPELIR: *Use repelente para afugentar os mosquitos.* **3** *Fig.* Fazer desaparecer ou sumir; DISSIPAR: *A música afugenta a tristeza.* **4** *Fig.* Tentar não lembrar, esquecer: *Tentava afugentar as recordações da infância infeliz.* [▶ 1 afugentar] [F.: *a-*[2] + *fuga* + *-entar.*]

afuleimação (a.fu.lei.ma.*ção*) *sf.* **1** *Bras. N. E. Pop.* Inflamação, inchação **2** *CE Pop.* Briga, contenda [Pl.: *-ções.*] [F.: *afuleimar* + *-ção.*]

afuleimado (a.fu.lei.*ma*.do) *a.* **1** *Bras. Pop.* Inflamado, inchado **2** *CE* Zangado, irritado [F.: Part. de *afuleimar.*]

afuleimar (a.fu.lei.*mar*) *v. td. int.* **1** *N. E. Pop.* Afleumar(-se), inflamar(-se) **2** Impacientar(-se), irritar(-se) [▶ 1 afuleimar] [F.: *afleimar(-se)*, com suarabácti.]

afumação (a.fu.ma.*ção*) *sf.* O mesmo que *afumadura* [Pl.: *-ções.*] [F.: *afumar* + *-ção.*]

afumado (a.fu.*ma*.do) *a.* **1** Cheio de fumo **2** Enegrecido, escurecido [F.: Part. de *afumar.*]

afumadura (a.fu.ma.*du*.ra) *sf.* **1** Ação ou resultado de afumar **2** Enegrecimento, escurecimento [F.: *afumar* + *-dura.* Sin. ger.: *afumação.*]

afumar (a.fu.*mar*) *v.* **1** Tornar escuro pela presença de fumo [*td.*] **2** Encher de fumo [*td.*: *Os cigarros afumaram o quarto.*] **3** *P. ext.* Tornar esfumado, obscuro, esbatido [*td.*: *A fumaça do incêndio afumava o horizonte.*] **4** Impregnar(-se) do gosto de fumaça (alimento); DEFUMAR [*td.*] [*td.*] [*int.*] [▶ 1 afumar] [F.: *a-* + *fumar.* Sin. ger.: *afumear.*]

afuncional (a.fun.ci:o.*nal*.) *a2g.* **1** Que não tem função, que não é funcional **2** Sem funcionamento, sem poder funcionar [Pl.: *-nais.*] [F.: *a-*[1] + *funcional.*]

afundado (a.fun.*da*.do) *a.* **1** Que soçobrou, foi ao fundo, foi a pique **2** Que se tornou fundo ou está no fundo (órbitas afundadas, tórax afundado); CAVADO **3** *Fig.* Que está ou ficou muito triste; ABATIDO; ACABRUNHADO [F.: Part. de *afundar.*]

afundamento (a.fun.da.*men*.to) *sm.* **1** Ação ou resultado. de afundar (1); ida a pique: *o afundamento do Titanic.* **2** Ação ou resultado de afundar (2); depressão: *afundamento de trecho da rodovia; afundamento do osso malar.* **3** *Geol.* Afundamento (2) da camada do solo devido à ação de forças tectônicas [F.: *afundar* + *-mento.*]

afundar (a.fun.*dar*) *v.* **1** Fazer ir ou ir ao fundo (de água); pôr ou ir a pique; SUBMERGIR [*td.*: *Uma onda gigante afundou o barco.*] [*int.*: *O navio afundou.*] **2** Fazer ficar ou ficar, tornar(-se) mais fundo [*td.*: *A enxurrada afundou o leito da estrada.*] [*int.*: *Emagreceu tanto que seus olhos afundaram.*] **3** Introduzir ou penetrar profundamente (em certo meio); MERGULHAR [*tda.*: *Sem hesitar, ela afundou os pés no lamaçal.*] [*int.*: *Deu um mergulho, afundou, mas logo voltou à tona.*] **4** Ir até o fim; ACABAR; EXTINGUIR [*int.*: *Seus projetos afundaram.*] **5** *Fig.* Ir para o interior de; ADENTRAR; EMBRENHAR-SE [*ta.*: *Os retirantes afundaram-se no sertão; Sem medo, afundou nos corredores escuros.*] **6** *Fig.* Causar ou ter insucesso, frustração (em algo) [*td.*: *A inflação afunda a economia.*] [*tr.* + *em*: *O aluno sempre (se) afundava em inglês.*] [*int.*: *Infelizmente, sua carreira afundou(-se).*] **7** *Fig.* Deixar-se envolver; ABSORVER-SE [*tr.* + *em*: "...e afundava-se nos cálculos..." (Marques Rebelo, "Oscarina" *in Contos reunidos*)] **8** Pôr ou ficar em situação difícil, complicada [*td.*: *A última questão da prova afundou o aluno.*] [▶ 1 afundar] [F.: *a-*[2] + *fundo* + *-ar*[2].]

afunilado (a.fu.ni.*la*.do) *a.* **1** Que se afunilou; que tem ou adquiriu aspecto ou formato de funil **2** Cujo formato é afilado, esguio, delgado [F.: Part. de *afunilar.*]

afunilamento (a.fu.ni.la.*men*.to) *sm.* Ação ou resultado de afunilar(-se); ESTREITAMENTO [F.: *afunilar* + *-mento.*]

afunilar *v.* **1** Fazer ficar ou ficar, tornar(-se) mais estreito, mais fino na(s) extremidade(s); ESTREITAR(-SE) [*td.*: *A queda da barreira afunilou a estrada.*] [*int.*: *Com a queda da barreira, a estrada afunilou-se.*] **2** *Fig.* Dar forma de funil a, ou adquirir forma de funil [*td.*: *Não tinha um funil, e teve de afunilar um pedaço de cano para pôr gasolina no tanque.*] [*int.*: *Sob tanto peso na ponta, o cano afunilou.*] **3** *Fig.* Fazer ficar ou ficar, tornar(-se) mais estreito a medida que avança [*td.*: *O bloqueio da estrada afunilou o trânsito.*] [*int.*: *Com o bloqueio da estrada, o trânsito afunilou(-se).*] **4** *Fig.* Tornar(-se) mais restrito [*td.*: *Dois fortes candidatos vão afunilar a disputa.*] [*int.*: *O mercado de trabalho afunilou(-se) obrigando os profissionais a se especializarem.*] [▶ 1 afunilar] [F.: *a-*[2] + *funil* + *-ar*[2].]

afurá (a.fu.*rá*) *sm. BA MA PA* Bebida refrigerante preparada com um bolo de arroz fermentado, moído em pedra e dissolvido em água açucarada [F.: Do ior. *afu'ra.*]

afusado (a.fu.*sa*.do) *a.* Em forma de fuso; AFUSELADO; FUSIFORME [F.: Part. de *afusar.*]

afusão (a.fu.*são*) *sf.* **1** Aspersão, banho **2** *Med.* Jorro de água fria lançado sobre o corpo para combater a febre [Pl.: *-sões.*] [F.: Do lat. *affusio, onis.*]

afusar (a.fu.*sar*) *v. td.* **1** Dar aspecto de fuso a **2** Tornar aguçado como o fuso; AGUÇAR [▶ 1 afusar] [F.: *a-* + *fuso* + *-ar.*]

afutricado (a.fu.tri.*ca*.do) *Bras. a.* **1** Importunado, incomodado, apoquentado **2** Mal-acabado, malfeito, matado [F.: Part. de *afutricar.* Sin. ger.: *futricado.*]

afutricar (a.fu.tri.*car*) *v.* O mesmo que *futricar* [▶ 11 afutricar] [F.: *a-* + *futricar.*]

⊠ **Ag** *Quím.* Símb. de *prata*

agá[1] (a.*gá*) *sm.* Nome da letra *h* [Pl.: *agás, hh.*] [F.: Do lat., mas de étimo contrv.]

agá[2] (a.*gá*) *sm.* **1** Dignidade militar, comandante (na Turquia) **2** Título honorífico ou espiritual entre os muçulmanos [F.: Do turco *agā* 'senhor, mestre'.]

agachada (a.ga.*cha*.da.) *sf.* **1** Ação ou resultado de agachar(-se) **2** *RS* Impulso com que o cavaleiro incita seu cavalo a iniciar galope ou a mudar seu passo para o galope **3** *Bras.* Ação e resultado de estancar subitamente (cavalgadura) **4** *S.* Ataque súbito e impetuoso; ARREMETIDA; INVESTIDA **5** Alusão agressiva a um assunto (ger. desagradável) visando a constranger o interlocutor **6** Dito engraçado, pilhéria, piada **7** Tolice, disparate, despropósito **8** Interpelação súbita **9** Proeza, empresa difícil ou arriscada **10** *S.* Qualidade, característica ou atitude de quem se jacta, se gaba, bazofia **11** *Bras. Zool.* O mesmo que *narceja*, ave da fam. dos escolopacídeos **12** *Zool.* O mesmo que *maçarico*, ave da família dos caradriídeos [F.: Fem. subst. de *agachado.*]

agachado (a.ga.*cha*.do) *a.* **1** Que se agachou, que está de cócoras ou todo encurvado, rente ao solo **2** *Fig.* Que se abateu por humilhação ou tristeza **3** *Fig.* Que se presta à vontade de alguém de modo servil **4** *Her.* Diz-se de animal, em escudo ou brasão, que está em posição de salto, rente ao chão *sm.* **5** *RS* Certo tipo de galope de cavalo [F.: Part. de *agachar.*]

agachados (a.ga.*cha*.dos) *smpl. MG* Gestos ou cumprimentos de reverência; MESURAS; SALAMALEQUES [F.: Pl. de *agachado.*]

agachamento (a.ga.cha.*men*.to) *sm.* **1** Ação ou resultado de agachar(-se); posição ou postura de quem se agachou **2** *Fig.* Comportamento servil, subserviente **3** *Esp.* Exercício físico para o fortalecimento das pernas, em que o praticante, seguidamente, se agacha, sustentando peso ou não, e se põe novamente de pé [F.: *agachar* + *-mento.*]

agachar (a.ga.*char*) *v.* **1** Abaixar(-se) até o chão dobrando os joelhos; acaçapar(-se) [*td.*: *Agachou o corpo, tentando esconder-se.*] [*int.*: *Agachou-se para ver as formigas*] **2** *Fig.* Não reagir diante de situações difíceis ou humilhantes, ficar humilhado; rebaixar-se [*int.*: *Agachara-se ao receber as ofensas.*] **3** *P. ext.* Render-se a argumentos, constrangimentos, fatos etc.; curvar-se [*int.*: *Ante a força dos argumentos, o juiz se agachou; Pressionado e ameaçado, agachou-se e desistiu da ação.*] **4** *Bras. S.* Iniciar repentinamente uma ação; lançar-se [*tr.* + *a*: *Subitamente, o cavalo agachou-se a corcovear.*] [▶ 1 agachar] [F.: Posv. ligado ao esp. *agachar*, ou de *a-*[2] + *gacho* + *-ar*[2].]

agadanhado (a.ga.da.*nha*.do) *a.* **1** *Pop. Fig.* Tomado por furto; SURRUPIADO **2** Ferido com gadanho; AGATANHADO **3** Em forma de gadanho [F.: Part. de *agadanhar.*]

agadanhar (a.ga.da.*nhar*) *v.* **1** Agarrar com gadanho ou garra, unha [*td.*: *A onça agadanhara o cateto; Agadanhou o namorado pelo pescoço.*] **2** Machucar(-se), ferir(-se) com gadanho [*td.*] **3** Prender, segurar, arrastar com gadanho ou gancho [*tr.* + *em*: "O amor é um anzol que...agadanha-se logo no coração da gente." (Joaquim Manuel de Macedo, *A moreninha*)] **4** Furtar; surripiar [*td.*: *Ao sair, agadanhou uma peça da loja.*] [▶ 1 agadanhar] [F.: *a-*[2] + *gadanho* + *-ar*[2].]

agafanhar (a.ga.fa.*nhar*) *v.* **1** Pegar (algo) com a gafa, com o gancho [*td.*] **2** Agarrar (algo) com as mãos; AGADANHAR [*td.*] **3** Pegar (algo) num golpe de audácia [*td.*] **4** Ferir(-se) de leve; ARRANHAR(-SE) [*int.*] [▶ 1 agafanhar] [F.: prov. deriv de *gancho.*]

agaí (a.ga.*í*) *Bras. sm. Bras. Bot.* Arbusto (*Thevetia ahouai*) da fam. das apocináceas. tb. conhecido como *cascaveleira* e *tingui-de-leite* [F.: Do tupi *awa'í.*]

agaiatar-se (a.gai.a.*tar*-se) *v. int.* Tornar-se gaiato, brincalhão; fazer graças, graçolas [▶ 1 agaiatar-se] [F.: *a-* + *gaiato* + *-ar.*]

agalactia (a.ga.lac.*ti*.a) *sf. Ginec.* Ausência de leite na mulher após o parto [F.: Do gr. *agálaktos, os, on*, 'sem leite', + *-ia*[1].]

agalacto (a.ga.*lac*.to) *a.* **1** Diz-se de criança que não mamou **2** *Zool.* Diz-se de fêmea que não segrega leite **3** *Ginec.* Diz-se da mulher que apresenta quadro de agalactia após o parto [F.: Do gr. *agálaktos, os, on*, 'sem leite'.]

agalactose (a.ga.lac.*to*.se) *sf. Ginec.* O mesmo que *agalactia.* [F.: Do gr. *agalaktos, os, on*, 'sem leite', + *-ose*[1].]

agalactosuria (a.ga.lac.to.su.*ri*.a) *sf.* Ver *agalactosúria*

agalactosúria (a.ga.lac.to.*sú*.ri:a) *sf. Med.* Ausência de galactose na urina [F.: *a-*[3] + *galactose* + *-úria* (ou *-uria*). Tb. *agalactosuria.*]

agalegado (a.ga.le.*ga*.do) *a.* **1** Com modos, sotaque ou aparência de galego **2** *Pej.* Malcriado, estúpido, grosseiro [F.: Part. de *agalegar.*]

agalegar (a.ga.le.*gar*) *v. td. int.* **1** Tornar(-se) galego ou dar ou adquirir maneiras de galego **2** *Pej.* Tornar(-se) bruto, grosseiro, rude [▶ 14 agalegar] [F.: *a-* + *galego* + *-ar.*]

agalhado (a.ga.*lha*.do) *a.* Que tem galhos (diz-se de planta ou animal) [F.: Part. de *agalhar.*]

agalhar (a.ga.*lhar*) *v. int.* Deitar galhos: *Finalmente a arvoreta agalhou* [▶ 1 agalhar] [F.: *a-*[2] + *galho* + *-ar*[2]. Hom./Par.: *agalha* (sf.).]

agalhas (a.*ga*.lhas) *sfpl. RS* Esperteza, trapaça, fanfarronice, parlapatice, trampolinice [F.: Do espn. (plateño) *agallas.*] ■ **De ~ 1** *RS.* Com muita esperteza **2** Espertalhão, velhaco

agalhudo (a.ga.*lhu*.do) *a. RS* Que tem vigor, ânimo, audácia [F.: Do espn. platino *agalludo.*]

agalinhar (a.ga.li.*nhar*) *v.* **1** Agachar(-se), acaçapar(-se) [*td. int.*] **2** Tornar(-se) medroso, covarde [*td. int.*] **3** Estimular ou ter vida sexual intensa e promíscua [*td.*: *Foram as más companhias que agalinharam a moça.*] [*int.*: *Agalinhou-se depois do divórcio.*] [▶ 1 agalinhar] [F.: *a-* + *galho* + *-ar.*]

agaloado (a.ga.lo.*a*.do.) *a.* **1** Guarnecido, bordado com galão ou galões *sm.* **2** Pessoa que usa galão, ou galões, no vestuário **3** Militar cujo uniforme está cheio de galões **4** Guarnição de galão; AGALOADURA [F.: Part. de *agaloar.*]

agaloadura (a.ga.lo:a.*du*.ra) *sf.* **1** Ação ou resultado de agaloar **2** Guarnição de galões [F.: *agaloar* + *-dura.*]

agaloar (a.ga.lo.*ar*) *v. td.* **1** Guarnecer com galão; enfeitar **2** *Fig.* Honrar, exaltar: *O rei reconheceu e agaloou-lhe os feitos* [▶ 16 agaloar] [F.: *a-* + *gal(ã)o* + *-ar.*]

agalopado (a.go.lo.*pa*.do) *N. E. a.* **1** Semelhante a galope (diz-se de passo, marcha etc.) **2** Ref. a verso de dez sílabas us. em desafios por cantadores nordestinos *sm.* **3** O mesmo que *martelo* (5), estrofe composta originalmente de seis versos decassílabos, que depois evoluiu para dez versos decassílabos, utilizada na composição de canções feitas por violeiros, mormente no Nordeste brasileiro. Tb. *martelo agalopado.* [F.: *a-*[2] + *galope* + *-ado*[1].]

agamaglobulinemia (a.ga.ma.glo.bu.li.ne.*mi*.a.) *sf.* **1** *Med.* Ausência ou diminuição acentuada de todos os tipos de gamaglobulina no plasma sanguíneo, expondo o organismo a infecções **2** Designação geral de qualquer síndrome de deficiência de anticorpos [F.: *a-*[1] + *gamaglobulina* + *-emia.*]

agamia (a.ga.*mi*.a) *Biol. sf.* **1** O mesmo que *agamogênese* **2** O mesmo que *partenogênese* [F.: Do gr. *agamía, as.*]

agâmico (a.*gâ*.mi.co) *a. Biol.* De reprodução assexuada; que não produz gametas diferenciados para reprodução; ÁGAMO; ASSEXUADO [F.: *agam(o)-* + *-ico*[2].]

◎ **agam(o)-** *el. comp.* = 'que não é casado'; 'sem cônjuge'; 'que não precisa de par para reprodução': *agamia* (< gr.), *agâmico, agamogênese, agamogonia* [F.: Do gr. *ágamos, os, on,* 'que não é casado'; 'celibatário'; ver *a-*[3] e *gam(o)-*.]

ágamo (*á*.ga.mo) *a. Biol.* O mesmo que *agâmico* [F.: Do gr. *ágamos, os, on,* 'que não é casado'.]

agamogênese (a.ga.mo.*gê*.ne.se) *sf. Biol.* Reprodução assexuada; AGAMIA; AGAMOGONIA [F.: *agam(o)-* + *-gênese.*]

agamogenético (a.ga.mo.ge.*né*.ti.co) *a. Biol.* Ref. a agamogênese; AGAMOGÔNICO [F.: *agamogên(ese)* + *-ético,* seg. o mod. gr.]

agamogonia (a.ga.mo.go.*ni*.a) *sf. Biol.* O mesmo que *agamogênese* [F.: *agam(o)-* + *-gonia.*]

agamogônico (a.ga.mo.*gô*.ni.co) *a. Biol.* Ref. a agamogonia; AGAMOGENÉTICO [F.: *agamogonia* + *-ico*[2].]

agapanto (a.ga.*pan*.to.) *sm.* **1** *Bot.* Designação comum às plantas ornamentais do gênero *Agapanthus*, nativas do sul da África, de belas flores, que reúne nove espécies e inúmeras variedades **2** A flor de qualquer espécie desse gênero [F.: Do lat. cient. *Agapanthus.*]

ágape (*á*.ga.pe) *s2g.* **1** Refeição comum entre os cristãos primitivos, com a qual celebravam o rito eucarístico, e que expressava amor incondicional, confraternização etc. **2** *P. ext.* Qualquer banquete, almoço, jantar etc. de confraternização (esp. de caráter social, político etc.) [F.: Do gr. *ágape, es,* pelo lat. tardio *agape.*]

agapeta (a.ga.*pe*.ta) [ê] *sf. Hist.* Nos tempos primitivos do cristianismo, cada uma das viúvas ou virgens cristãs que viviam em comunidade auxiliando os apóstolos na propagação da fé, por devoção e caridade [F.: Do gr. *agapeté.*]

ágar (*á*.gar) *sm. Quím.* Substância extraída de certas algas, que forma um hidrogel us. na cultura de micro-organismos, e com diversas aplicações na indústria (alimentos, cosméticos, medicamentos etc.); GELOSE [Pl.: *ágares, ágar-ágares.*] [F.: Do malaio, pelo ing. *agar-a-agar*. Tb. *ágar-ágar.*]

ágar-ágar (á.gar-*á*.gar) *sm. Quím.* Polissacarídeo mucilaginoso de certas algas do Extremo Oriente; proporciona consistência gelatinosa, sendo us. em exames bacteriológicos e em diversos produtos industriais; ÁGAR-ÁGAR; GELOSE [Pl.: *ágar-ágares.*]

agareno (a.ga.*re*.no) *a.* **1** Mouro, muçulmano: "Internou-se outra vez no meios dos esquadrões agarenos." (Alexandre Herculano, *Eurico, o presbítero*) *sm.* **2** Indivíduo agareno [F.: Do lat. *agarenus,* do gr. *agarenós.*]

agaricácea (a.ga.ri.*cá*.ce:a) *sf. Micol.* Espécime das agaricáceas, fam. de fungos basidiomicetos, de cogumelos carnosos, ger. comestíveis [F.: Adap. do lat. cient. *Agaricaceae.*]

agaricáceo (a.ga.ri.*cá*.ce:o) *a. Micol.* Ref. às agaricáceas [F.: De *agaricácea,* com mud. de suf. (v. *-áceo*).]

◎ **agarici-** *el. comp.* = 'espécie de cogumelo', 'agárico': *agaricícola, agariciforme, agaricoide, agaricófilo, agaricófago.* [F.: Do lat. *agaricum, i,* do gr. *agarikón, ou.*]

◎ **agaric(o)-** *pref.* Ver *agarici-*

agárico (a.*gá*.ri.co.) *Bot. sm.* **1** Designação geral de cogumelos do gênero *Agaricus*, com muitas espécies comestíveis, outras venenosas, que nascem no tronco de árvores velhas ou cortadas **2** Ver *visco* (*Viscum album*) [F.: Do gr. *agarikón,* pelo lat. *agaricum* e o lat. cient. *Agaricus.*]

agarnachar (a.gar.na.*char*) *v. td.* **1** Vestir(-se) de garnacha, de toga, como um monge **2** Dar forma de garnacha a [▶ **1** agarnachar] [F.: *a-* + *garnacha* + *-ar.*]

agarotado (a.ga.ro.*ta*.do) *a.* Que modos de garoto; TRAVESSO [F.: *a-*[2] + *garot(o)* + *-ado*[2].]

agarotar-se (a.ga.ro.*tar*-se) *v. int.* Comportar-se como um garoto, de maneira infantil [▶ **1** agarotar-se] [F.: *a-* + *garoto* + *-ar.*]

agarra (a.*gar*.ra) *sm.* **1** Ação ou resultado de agarrar; AGARRAMENTO *interj.* **2** Ordem para que se peguem ou segurem pessoa, animal etc.: *Agarra! Não o deixem fugir!* **3** *Lus. Ant.* Agente policial [Dev. de *agarrar*. Hom./Par.: *agarra* (sm.), *agarra* (fl. de *agarrar*).]

agarra-agarra (a.gar.ra-a.*gar*.ra.) *sm2n.* **1** *Bras. Pop.* Contato corporal entre duas pessoas, com troca de carícias; AGARRA; AGARRO; AGARRAÇÃO; AMASSO; ESFREGAÇÃO **2** Situação de contenda ou enfrentamento (em esporte, em briga etc.) em que adversários se agarram mutuamente

agarração (a.gar.ra.*ção*) *sf.* O mesmo que *agarramento* (4) [Pl.: *-ções.*] [F.: *agarrar* + *-ção.*]

agarradeira (a.gar.ra.*dei*.ra.) *sf.* Saliência feita na planta do casco do cavalo para dar ao animal mais firmeza quando anda em terrenos acidentados ou escorregadios: "cascos bem aparados, agarradeiras bem cravadas..." (Simões Lopes Netto, "Correr Eguada" *in Contos gauchescos*) [F.: *agarrar* + *-deira.*]

agarradiço (a.gar.ra.*di*.ço) *a.* **1** Que se agarra ou pega com facilidade **2** Que costuma agarrar-se [F.: *agarrar* + *-d-* + *-iço.*]

agarradinho (a.gar.ra.*di*.nho) *a.* **1** Muito agarrado ou afeiçoado **2** Fortemente abraçado; ATRACADO [F.: *agarrado* + *-inho.*]

agarrado (a.gar.*ra*.do) *a.* **1** Que se agarrou **2** Que se prendeu ou aprisionou (usando mãos ou garras) **3** *P. ext.* Apanhado, aprisionado **4** *Fig.* Que tem grande afeição, amor ou apego por, que está muito unido a algo ou alguém [+ *a, com*: *Ele é muito agarrado ao/com o tio.*] **5** *Fig.* Que tem grande apego aos bens materiais, esp. ao dinheiro; AVARO **6** *Fig.* Que é firme e persistente (em convicções, ideias etc.) [+ *a*: *agarrado a seu ideal.*] **7** *Fig.* Muito próximo ou em contato constante: *Os dois estão sempre agarrados. sm.* **8** Passagem estreita num desfiladeiro, numa trilha etc. [F.: Part. de *agarrar.*]

agarramento (a.gar.ra.*men*.to) *sm.* **1** Ação ou resultado de agarrar(-se); AGARRA; AGARRO **2** *Bras. Fig. Pop.* Ligação estreita entre pessoas de grande intimidade **3** *Bras. Fig. Pop.* Ação de estar sempre junto de alguém, de fazer muitas coisas na companhia de pessoa muito próxima e ger. muito querida **4** *Bras. Fig. Pop.* Ação de namorar de forma sensual, voluptuosa, com beijos, abraços, carícias etc.; AGARRA-AGARRA; AGARRAÇÃO; AMASSO; ESFREGAÇÃO **5** *Bras. Fig.* Apego exagerado a dinheiro; avareza [F.: *agarrar* + *-mento.*]

agarranado (a.gar.ra.*na*.do) *Bras. S a.* **1** Que se assemelha a garrano (cavalo) **2** Diz-se de quem é pouco sério ou leviano [F.: *a-*[2] + *garran(o)* + *-ado*[2].]

agarrante (a.gar.*ran*.te) *a2g.* **1** Que agarra *s2g.* **2** O que agarra [F.: *agarrar* + *-nte.* Sin. ger.: *agarrador.*]

agarra-pé (a.gar.ra-*pé*) *sm. Bras. Bot.* Arbusto (*Norantea brasiliensis*) da fam. das marcgraviáceas [Pl.: *agarra-pés.*]

agarra-pinto (a.gar.ra-*pin*.to) *sm. Bras. Bot.* Planta (*Boerhavia hirsuta*) da fam. das nictagináceas, de propriedades medicinais, tb. conhecida como *amarra-pinto, pega-pinto* e *erva-tostão* [Pl.: *agarra-pintos.*]

agarrar (a.gar.*rar*) *v.* **1** Prender com garras, unhas; UNHAR [*td.: O felino agarrou o menino violentamente.*] **2** Prender, deter, segurando [*td.: O policial agarrou o ladrão.*] **3** Prender com firmeza, impedindo que se desloque [*td.: Como último recurso, o zagueiro agarrou o atacante.*] **4** Pegar, segurar, abraçar, ger. com força [*ta.: Agarrou no corrimão para não cair.*] [*ti.* + *a, em*: "...e agarrou-se a ela como um náufrago..." (José de Alencar, *A viuvinha*)] [*td.: A mãe agarrou a criança, antes que caísse; Agarrou a bolsa e saiu correndo.*] **5** *Bras. Fut.* Pegar como goleiro [*int.: Ele agarra bem.*] **6** *Fig.* Ter apego a; AFEIÇOAR-SE; APEGAR-SE [*tr.* + *a*: "Agarraram-se ao passado." (Cecília Meireles, *Crônicas de educação*)] **7** *Fig.* Buscar (algo, alguém) como se fosse a única solução ou saída; SOCORRER-SE; VALER-SE [*tr.* + *a, com*: *Desesperado, agarrou-se à última esperança.*] **8** Entrar em luta corporal com; ATRACAR-SE [*td.: Discutiram e se agarraram.*] [*tr.* + *a, com*: *Enfurecido, agarrou-se ao/com o adversário.*] **9** *Fig.* Tentar conquistar com insistência ou aproximar-se insistentemente; ASSEDIAR [*td.: Depois do espetáculo, a fã agarrou o artista.*] **10** Ficar preso, colado; GRUDAR [*tr.* + *a, em*: *A planta agarrou-se ao muro; O chiclete agarrou na roupa.*] **11** *Bras.* Resolver situação subitamente; DECIDIR-SE [*int.: Indiferente aos pedidos, agarrou e partiu.*] **12** Iniciar a ou persistir em (ação) [*td.: O pesquisador agarrou o estudo e não parou mais.*] [*tr.* + *a*: *O relator agarrou a falar e falou duas horas.*] [▶ **1** agarrar] [F.: *a-*[2] + *garra* + *-ar*[2]. Hom./Par.: *agarro* (fl.), *agarro* (sm.).]

agarro (a.*gar*.ro) *sm.* O mesmo que *agarramento* (1 e 4); AGARRAÇÃO [F.: Dev. de *agarrar*. Hom./Par.: *agarro* (sm.), *agarro* (fl. de *agarrar*).]

agarrochar (a.gar.ro.*char*) *v. td.* **1** Golpear com garrocha ou arma semelhante; GARROCHAR **2** *Fig.* Estimular, incitar, excitar **3** *Fig.* Provocar aflição, tormento [▶ **1** agarrochar] [F.: *a-* + *garrocha* + *-ar*. Hom./Par.: *agarruchar* (vários tempos do v.).]

agasalhado (a.ga.sa.*lha*.do) *a.* **1** Que se agasalhou ou a que se deu agasalho **2** Protegido do frio, do mau tempo **3** *Fig.* Aconchegante, acolhedor [F.: Part. de *agasalhar.*]

agasalhados (a.ga.sa.*lha*.dos) *smpl. Mar. Merc.* Certa quantidade de mercadorias que é permitida aos oficiais, marinheiros e membros da equipagem embarcar para comerciar por conta própria [F.: Pl. substv. de *agasalhado.*]

agasalhar (a.ga.sa.*lhar*) *v.* **1** Pôr agasalho em (alguém ou si mesmo); cobrir(-se), aquecer(-se) (com roupa, cobertor etc.) [*td.: Agasalhou bem o filho (com um cobertor).*] [*tdr.* + *com.*: *Agasalhou-se com um casaco de lã.*] **2** Proteger com agasalho [*td.: Agasalhou-se bem durante o inverno;* "Leva-me agarrada aos teus ombros / como um cendal para agasalhar-te!" (Cecília Meireles, "Trapezista" *in Canções*)] **3** Dar abrigo ou proteção a; ABRIGAR; PROTEGER [*td.: O hospedeiro agasalha os viajantes.*] [*int.*: "... era só um jardim... incapaz de agasalhar e dar abrigo." (Ana Maria Machado, *A audácia dessa mulher*)] **4** Proteger (algo ou alguém, inclusive si mesmo) de mau tempo, intempéries [*tdr.* + *de*: *Agasalhara-se do temporal no carro.*] **5** *Fig.* Alimentar um sentimento, trazendo-o sempre à mente [*td.: Agasalhava um amor proibido.*] **6** *Fig.* Dar acolhimento a ou ter acolhimento; proporcionar ou buscar carinho e cuidados; AMPARAR [*td.: Bom amigo, agasalhava-nos sempre; Triste e solitário, agasalhou-se na casa de amigos.*] **7** *Fig.* Aceitar em associação, empresas, grupos; INCLUIR [*td.: Na assembleia, o clube agasalhará novos sócios.*] **8** Conter ou poder conter, ter em si, abrigar [*td.: Esta reserva agasalha muitos animais em perigo de extinção.*] [▶ **1** agasalhar] [F.: Do gót. *gasalja 'companheiro', pelo lat. *adgasaliare. Hom./Par.: *agasalho* (fl.), *agasalho* (sm.).]

agasalho (a.ga.*sa*.lho) *sm.* **1** Ação ou resultado de agasalhar **2** O que protege ou resguarda do frio **3** *Restr.* Lugar que serve de abrigo **4** *Restr.* Roupa ou veste que aquece ou protege do mau tempo (frio, chuva, vento etc.) **5** *Restr.* Peça do vestuário de mangas compridas, aberta ou não na frente, que cobre o tronco até a cintura **6** *Fig.* Acolhimento solícito, bom trato, atenção, cuidado **7** *Fig.* Desfrute ou sensação de aconchego, abrigo, segurança **8** *Lus.* Refeição, ger. pão e vinho, que se oferece a quem acompanha um funeral [F.: Dev. de *agasalhar.*]

agastadiço (a.gas.ta.*di*.ço) *a.* Que se agasta facilmente; IRRITADIÇO [F.: *agastar* + *-d-* + *-iço.*]

agastado (a.gas.*ta*.do.) *a.* **1** Que se agastou *a.* **2** Irritado, encolerizado, zangado **3** Que se aborreceu, contrariou, apoquentou; que enjoou, se entediou **4** *Pop.* Enfraquecido por falta de alimento, debilitado **5** *AL Pop.* Encarapinhado (cabelo agastado) [F.: Part. de *agastar.*]

agastamento (a.gas.ta.*men*.to.) *sm.* **1** Ação ou resultado de agastar(-se) **2** Cólera, ira **3** Aquilo que aborrece, amofina; ABORRECIMENTO *P. us.*; AGASTE; APOQUENTAÇÃO; CHATEAÇÃO [F.: *agastar* + *-mento.*]

agastar (a.gas.*tar*) *v.* **1** Causar irritação, zanga a (alguém) ou ficar irritado, zangado; IRRITAR(-SE) [*td.: Reclamava de tudo, para agastar o vizinho.*] [*td.: Irritadiço, agastava-se por tudo e por nada.*] **2** Causar aborrecimento a, ou ficar aborrecido, amofinado [*td.: A insistência do amigo o agastava.*] [*int.: Agastou-se com a longa espera.*] [*tr.* + *com*: "A Corina chegara mesmo a agastar-se comigo." (Josué Montello, *Sempre serás lembrada*)] **3** *Pop.* Fazer ficar ou ficar fraco por deficiência alimentar; ENFRAQUECER(-SE) [*td.: A dieta exagerada agastou-a.*] [*int.: Com a doença, agastou-se.*] [▶ **1** agastar] [F.: *a-*[2] + *gastar.*]

agaste (a.*gas*.te.) *sm.* Ver *agastamento*

agastria (a.gas.*tri*.a) *sf.* **1** *Ter.* Falta de estômago **2** *Zool.* Falta de canal intestinal em certos animais, como, p. ex., as esponjas [F.: *a-*[1] + *gastr (o)-* + *-ia*[1].]

agástrico (a.*gás*.tri.co) *a.* **1** Ref. a agastria **2** *Zool.* Diz-se do animal desprovido de canal intestinal [F.: *agastr(ia)* + *-ico*[2].]

agastura (a.gas.*tu*.ra) *sf.* **1** *Lus. Pop.* Fraqueza por falta de alimento **2** Vontade de comer [F.: *agastar* + *-ura*. Hom./Par.: *agastura* (sf.), *gastura* (sf.).]

ágata[1] (*á*.ga.ta) *sf.* **1** Variedade de calcedônia, brilhante e ger. de cores variadas em anéis concêntricos, us. em joias, ornamentos etc. **2** Ferro esmaltado (panela de ágata); ÁGATE [F.: Do gr. *achátes, ou,* pelo lat. *achates, ae.*]

ágata[2] (*á*.ga.ta) *sf. Art. gr.* Caráter de 5 e 1/2 pontos ou corpo de texto 5, 5; RUBI [F.: De or. incerta, posv. conexa com *ágata*[1].]

ágata[3] (*á*.ga.ta) *sf. Enc.* F. red. de *brunidor de ágata* (ver loc. no verbete *brunidor*)

ágata da islândia (á.ga.ta da is.*lân*.di:a) *sf. Min.* Nome comercial da *obsidiana* [Pl.: *ágatas da islândia.*]

agatanhado (a.ga.ta.*nha*.do) *a.* Ferido ou arranhado com as unhas, esp. as do gato; AGADANHADO [F.: Part. de *agatanhar.*]

agatanhadura (a.ga.ta.nha.*du*.ra) *sf.* **1** Ação ou resultado de agatanhar; AGATANHAMENTO **2** Arranhão feito com as unhas; ARRANHADURA [F.: *agatanhar* + *-dura.*]

agatanhar (a.ga.ta.*nhar*) *v.* Arranhar(-se), ferir(-se) com as unhas [*td.: Agatanhavam-se uns aos outros.*] [*int.*: "...teve um apetite nervoso de gritar, morder, agatanhar." (Aluísio Azevedo, *O mulato*)] [▶ **1** agatanhar] [F.: De *agadanhar*, com a troca do *gadanho* pelo *gat(o).*]

ágate (*á*.ga.te) *sm.* Ferro esmaltado (caçarola de ágate); ÁGATA [F.: Do fr. *acate* ou *agate,* do lat. *achates, ae,* fonte tb. de *ágata*[1], mas por caminho distinto, seg. Antenor Nascentes.]

agateado (a.ga.*te*:a.do.) *a.* **1** *Bras.* Diz-se de olho amarelo-esverdeado, como o de um gato; o mesmo que *gateado* (5): "Uma moça bonita de olhar agateado /deixou em pedaços meu coração." (Alceu Valença, *Como dois animais*) **2** Que tem aspecto, modos, atitude etc. semelhantes aos de um gato; o mesmo que *gateado* (6) **3** Ferido a unhadas, arranhado, unhado; AGATANHADO; AGADANHADO [F.: *a-*[2] + *gateado.*]

agáteo (a.*gá*.te:o) *a.* Que tem veios semelhantes aos da ágata [F.: *ágat(a)* + *-eo.*]

agatífero (a.ga.*tí*.fe.ro) *a. Min.* Que contém ágata[1] [F.: *ágata*[1] + *-ífero.*]

agatismo (a.ga.*tis*.mo) *sm. Fil.* Doutrina segundo a qual todas as coisas tendem para o bem, ainda que os meios não sejam bons [F.: *agat(o)-* + *-ismo.*]

◎ **agat(o)-** *el. comp.* = 'bom'; (*P. ext.*) 'bem': *agatologia, agatólogo.* [F.: Do gr. *agathós, é, ón,* 'bom'.]

agatologia (a.ga.to.lo.*gi*.a) *sf. Fil.* Doutrina que procura explicar o sentido da perfeição, do sumo bem [F.: *agat(o)-* + *-logia.*]

agatológico (a.ga.to.*ló*.gi.co) *a. Fil.* Ref. à agatologia [F.: *agatologia* + *-ico*[2].]

agaturrar (a.ga.tur.*rar*) *Bras. v. td.* **1** *S* Agarrar com força **2** Fazer (alguém) prisioneiro; CAPTURAR; PRENDER [▶ **1** agaturrar] [F.: orig. contr.]

agauchado (a.ga:u.*cha*.do.) *a.* **1** Parecido com gaúcho, que tem modos ou hábitos de gaúcho: *Apresentou-se todo agauchado em suas bombachas e chapéu de barbicacho.* **2** Que é próprio de gaúcho (pronúncia agauchada) [F.: Part. de *agauchar.*]

agauchar (a.ga.u.*char*) *v. Bras.* Adotar ou fazer adotar modos, hábitos de gaúcho [***td.:*** *A convivência agauchou-lhe o modo de falar.*] [***int.:*** *Vivendo na estância, seus hábitos agaucharam-se.*] [▶ **18 agauchar**] [F.: *a-* + *gaúch(o)* + *-ar.*]

agauchar-se (a.ga:u.*char*-se) [a-u] *v. int. Bras.* Adquirir hábitos e maneiras de gaúcho: *A moça foi para Porto Alegre e agauchou-se rápido.* [▶ **18 agauchar-se**] [F.: *a-* + *gaúcho* + *-ar* + *se.*]

agavácea (a.ga.*vá*.ce:a) *sf.* Espécime das agaváceas [F.: Do lat. cient. *Agavaceae.*]

agaváceo (a.ga.*vá*.ce:o) *a.* Ref. às agaváceas [F.: De *agavácea.*]

agave (a.*ga*.ve.) *sm.* **1** *Bot.* Designação comum às plantas do gênero *Agave*, fam. das agaváceas, que reúne mais de cem espécies **2** Qualquer espécie desse gênero, como *Agave americana* (ex.: abecedária, aloé, babosa, pita) **3** O mesmo que *sisal* (*Agave sisalana*) **4** Fibra extraída das folhas dessa planta, com várias aplicações industriais [F.: Do gr. *agaué*, pelo fr. *agave.*]

agavio (a.ga.*vi*:o) *sm. MG Pop.* Dose de cachaça [F.: De or. obsc.]

◎ **-agem[1]** *suf. nom.* De substantivos formados no latim, com sentido vário: *cartilagem, farragem, imagem, soagem, voragem.* [F.: Do lat. *-(a)go, inis,* de *-a-*, vogal temática, + suf. *-go, inis.*]

◎ **-agem[2]** *suf. nom.* Formador de substantivos a partir de base nominal ou verbal, cunhados no fr. (*bricolagem*), no provençal (*linguagem*), ou no vernáculo, com as noções de: **a)** 'ação ou resultado': *abordagem* (< fr.), *acoplagem* (< fr.), *aduagem, afinagem, ajustagem, alavancagem, aprendizagem, arbitragem, armazenagem, boicotagem, checagem, corretagem* (< provenç.), *filmagem, lavagem, secagem*; **b)** 'qualidade, ação ou dito de quem é (base nominal)': *alarifagem, bestagem, bobagem, cafajestagem, caftinagem, caipiragem, concubinagem, picaretagem*; **c)** '(algo) em grande quantidade'; 'conjunto'; 'coleção'; 'grupo': *afilhadagem, aparelhagem, apeiragem, aramagem, bagagem* (< fr.), *criadagem, ferragem, plumagem* [F.: Do fr. *-age* ou do provençal *-atge*, ambos do lat. *-aticu-.*]

agência (a.*gên*.ci:a) *sf.* **1** Filial, sucursal de firma comercial, banco, jornal, prestadora de serviços etc. (agência dos Correios) **2** Empresa prestadora de serviços (agência de empregos) **3** Órgão governamental (nacional, internacional etc.) encarregado de regular e fiscalizar a prestação de serviços públicos (Agência Nacional do Petróleo; Agência Central de Inteligência) **4** Lugar no qual funciona uma agência (1, 2) **5** Capacidade de desempenhar tarefa, agir, atuar **6** Atribuição e função de agente; local onde ele atua; o período durante o qual exerce essa função; a remuneração pelo exercício dessa função [F.: Do lat. *agentia*, neutro pl. de *agens, entis*, posv. pelo it. *agenzia*. Hom./Par.: *agência* (sf.), *agencia* (fl. de *agenciar*).] ▪ **~ de notícias** *Jorn.* Empresa que reúne notícias e produz matérias jornalísticas para distribuí-las a seus assinantes **~ de propaganda** *Publ.* V. *Agência de publicidade* **~ de publicidade** *Publ.* Empresa que concebe, cria, desenvolve e distribui a propaganda comercial dos seus clientes; agência de propaganda

agenciação (a.gen.ci:a.*ção*) *sf.* Ação ou resultado de agenciar; AGENCIAMENTO [Pl.: *-ções.*] [F.: *agenciar* + *-ção.*]

agenciado (a.gen.ci.*a*.do.) *a.* **1** Que se agenciou **2** Procurado, negociado e obtido por meio da ação de um agenciador (artista agenciado, contrato agenciado) [F.: Part. de *agenciar.*]

agenciador (a.gen.ci:a.*dor.*) [ô] *a.* **1** Que agencia **2** Que é ativo, trabalhador, diligente *sm.* **3** Aquele que agencia [F.: *agenciar* + *-dor.*]

agenciamento (a.gen.ci:a.*men*.to) *sm.* **1** Ação ou resultado de agenciar **2** Ação de servir como intermediário entre pessoas de interesses ou negócios em comum [F.: *agenciar* + *-mento.*]

agenciar (a.gen.ci.*ar*) *v.* **1** Tratar (negócio) como agente ou representante [***td.:*** *agenciar os interesses da empresa.*] **2** Fazer esforço para conseguir [***td.:*** "...precisão de agenciar um resto melhor para a minha vida." (João Guimarães Rosa, *Grande sertão: veredas*)] [***int.:*** *Queria ser promovido, mas não sabia agenciar.*] **3** Providenciar, obter ou buscar algo para alguém [***tdr.*** + *para*: "...podia ter a cortesia de me agenciar para mim um dinheirozinhozinhozinho..." (João Guimarães Rosa, *Grande sertão: veredas*)] [▶ **1 agenciar**] [F.: *agência* + *-ar*[2]. Hom./Par.: *agencia(s)* (fl.), *agência(s)* (sf. pl.).]

agenda (a.*gen*.da) *sf.* **1** Relação de atividades e compromissos: *A minha agenda hoje está cheia.* **2** Caderno ou outro dispositivo para registrar essas atividades: *Perdi minha agenda.* **3** Plano ou programa de ação: *Elogiaram a agenda social do governo* **4** Programa de atividades de evento, reunião, congresso etc. [F.: Do lat. *agenda*, nom. pl. de *agendus, a, um.* Hom./Par.: *agenda* (sf.), *agenda* (fl. de *agendar*).] ▪ **~ eletrônica** *Inf.* Dispositivo portátil eletrônico ou programa de computador onde se registram compromissos, endereços, telefones etc. [Tb. apenas *agenda.*]

agendado (a.gen.*da*.do.) *a.* **1** Que se agendou *a.* **2** Diz-se de qualquer tipo de obrigação ou compromisso anotado em agenda (reunião agendada.) **3** *P. Ext.* Diz-se de qualquer tipo de compromisso marcado: *Por que a surpresa? É uma visita agendada.* [F.: Part. de *agendar.*]

agendamento (a.gen.da.*men*.to) *sm.* Ação ou resultado de agendar [F.: *agendar* + *-mento.*]

agendar (a.gen.*dar*) *v. td.* **1** Incluir em agenda (1, 3, 4): *Pediu à secretária que agendasse duas reuniões importantes.* **2** Preparar a agenda (4) de uma reunião, encontro, congresso etc.; PROGRAMAR: *A secretária agendou a reunião.* [▶ **1 agendar**] [F.: *agenda* + *-ar*[2]. Hom./Par.: *agenda* (fl.), *agenda* (sf.).]

agenesia (a.ge.ne.*si*.a.) *Med. sf.* **1** Impossibilidade de gerar causada por alguma alteração orgânica; ESTERILIDADE; AFORIA **2** *Med.* Ausência ou atrofia de um órgão ou de um tecido que não se desenvolveu corretamente na fase embrionária (agenesia renal, agenesia dentária, agenesia vaginal) [F.: *a-*[1] + *gênese* + *-ia*[1].]

agenésico (a.ge.*né*.si.co) *a.* **1** Ref. a agenesia **2** Incapaz de gerar; ESTÉRIL [F.: *agenes(ia)* + *-ico*[2].]

ageniosídeo (a.ge.ni:o.*sí*.de:o) *Zool. a.* **1** Ref. aos ageniosídeos *sm.* **2** Espécime dos ageniosídeos [F.: Do lat. cient. *Ageneiosidae.*]

agente (a.*gen*.te) *s2g.* **1** Pessoa que agencia, que intermedia negócios, contratos etc. **2** Pessoa incumbida de dirigir uma agência **3** Pessoa ou instituição que trata de negócios de outrem: *A Caixa é um agente financeiro.* **4** Pessoa que, sigilosamente, busca colher informações importantes de um país para informar aquele que o emprega para isso; ESPIÃO [Tb. *agente secreto.*] **5** Pessoa que exerce função pública em nome de autoridade (agente aduaneiro; agente da lei) **6** *Jur.* Aquele que é autor de ação criminosa ou de infração penal (agente do crime) **7** O mesmo que *agente da polícia*. *sm.* **8** *Gram.* Quem executa a ação expressa pelo verbo **9** O que causa, dá origem ou impulso a alguma coisa: *O HIV é o agente da AIDS. a2g.* **10** *Gram.* Que executa a ação expressa pelo verbo [F.: Do lat. *agens, entis.*] ▪ **~ aditivo** *Quím.* Substância química que se acrescenta a outra para modificar as propriedades desta **~ da (voz) passiva** *Gram.* Na voz passiva, o agente da ação, representado pelo sujeito na voz ativa **~ da polícia** Membro da força policial **~ de viagens** Quem administra agência turística, organiza, programa e vende pacotes de viagem **~ duplo** Quem espiona para dois lados antagônicos ao mesmo tempo **~ econômico** Instituição, empresa, corporação etc. que tem parte na movimentação econômica e financeira, influenciando na situação econômica e sendo influenciado por ela **~ laranja** Nome atribuído a mistura desfolhante que teve uso militar **~ mutagênico** *Cit. Gen.* Fator biológico, físico ou químico que atua sobre molécula de ADN, alterando-a **~ secreto** **1** Agente (de polícia, de órgão do governo etc.) que realiza missão sigilosa, escondendo sua identidade **2** Membro de agência de informações de um governo; espião

ageometria (a.ge:o.me.*tri*.a) *sf.* Afastamento ou aquilo que se afasta dos princípios e conceitos da geometria [F.: *a-*[3] + *geometria.*]

ageométrico (a.ge:o.*mé*.tri.co.) *a.* **1** Ref. a ageometria **2** Que não é geométrico **3** Que não segue os princípios da geometria [F.: *a-*[1] + *geométrico.*]

ageometrosia (a.ge:o.me.tro.*si*.a) *sf.* Ignorância da geometria, afastamento dos princípios geométricos; AGEOMETRIA [F.: *a-*[1] + *geometr(ia)* + *-ose*[1] + *-ia*[1].]

agerasia (a.ge.ra.*si*.a) *sf.* Velhice vigorosa, sem os achaques da idade [F.: *a-*[1] + gr. *gêras*, 'velhice', + *-ia*[1].]

agerásico (a.ge.*rá*.si.co) *a.* Ref. a agerasia [F.: *ageras(ia)* + *-ico*[2].]

agérato (a.*gé*.ra.to) *Bot. sm.* **1** Gênero (*Ageratum*) de plantas compostas ornamentais com mais de 40 espécies **2** Qualquer planta desse gênero, como, p. ex., a *Achillea ageratum*, tb. denominada *macela-de-são-joão a.* **3** Que não envelhece [F.: Do gr. *agératos.*]

agérrimo (a.*gér*.ri.mo) *a.* Muito acre; ACÉRRIMO [Superl. abs. sint. de *agre* e *agro.*]

ageusia (a.geu.*si*.a) *sf. Med.* Ausência ou diminuição do sentido do paladar; AGEUSTIA [F.: *a-*[1] + gr. *geûsis*, 'saborear' + *-ia*[1].]

agêusico (a.*gêu*.si.co) *a.* Ref. a ou que sofre de ageusia [F.: *ageus(ia)* + *-ico*[2].]

agigantado (a.gi.gan.*ta*.do) *a.* **1** Que tem tamanho de gigante; muito grande **2** Que não dá para medir, de tão grande; DESMEDIDO; ENORME; IMENSO **3** Dotado de ou que revela grande força; HERCÚLEO [F.: Part. de *agigantar.*]

agigantamento (a.gi.gan.ta.*men*.to) *sm.* **1** Ação ou resultado de agigantar(-se) **2** Crescimento fora do comum ou desproporcional [F.: *agigantar* + *-mento.*]

agigantar (a.gi.gan.*tar*) *v.* **1** Fazer ficar ou ficar, tornar(-se) gigantesco, enorme [***td.:*** *O desemprego agigantou seus problemas.*] [***int.:*** *Com o impasse político, a crise econômica agigantou-se.*] **2** Tornar(-se) mais poderoso, mais eficiente, mais valente, mais competitivo; SOBRESSAIR [***int.:*** *O time agigantou-se no segundo tempo.*] [***td.:*** *Os desafios costumam agigantar seu desempenho.*] **3** *Fig.* Aumentar, exagerar (na descrição ou qualificação de algo) [***td.:*** *Todo prosa, agigantava a importância de seu papel na peça.*] [▶ **1 agigantar**] [F.: *a-*[2] + *gigante* + *-ar*[2]. Ant. ger.: *diminuir, apequenar, minimizar.*]

ágil (*á*.gil) *a2g.* **1** Que se move ou age com muita facilidade, destreza e rapidez **2** *Fig.* Que age ou trabalha com eficiência e rapidez; EXPEDITO **3** Que tem percepção, raciocínio e reação rápidos **4** *Fig.* Que se desenrola com vivacidade, facilidade e rapidez (jogo ágil; diálogos ágeis) [Pl.: *-geis.* Superl.: *agilíssimo* e *agílimo.*] [F.: Do lat. *agilis, e.* Ant. ger.: *moroso.*]

agilidade (a.gi.li.*da*.de) *sf.* **1** Qualidade, caráter ou condição de ágil; capacidade de agir com desembaraço, rapidez, desenvoltura etc. **2** *Fig.* Vivacidade, ligeireza: *a agilidade de um debate, de uma disputa verbal.* [F.: Do lat. *agilitas, atis.*]

agílimo (a.*gí*.li.mo) *a.* Muitíssimo ágil; AGILÍSSIMO [Superl. abs. sint. de *ágil.*] [F.: Do lat. *agillimus, a, um.*]

agilitar (a.gi.li.*tar*) *v. P. us.* O mesmo que *agilizar* [▶ **1 agilitar**] [F.: *ágil* + *-itar.*]

agilização (a.gi.li.za.*ção*) *sf.* **1** Ação ou resultado de agilizar **2** *Restr.* Ação de fazer com que algo aconteça mais depressa que o habitual ou convencional, e de modo satisfatório [Pl.: *-ções.*] [F.: *agilizar* + *-ção.*]

agilizado (a.gi.li.za.do) *a.* **1** Que se agilizou *a.* **2** Tornado ágil, rápido, expedito, eficiente [F.: Part. de *agilizar.*]

agilizador (a.gi.li.za.*dor*) [ô] *a.* **1** Que agiliza ou procura agilizar *sm.* **2** Aquele que agiliza [F.: *agilizar* + *-dor.*]

agilizar (a.gi.li.*zar*) *v.* **1** *Bras.* Tornar(-se) mais ágil, rápido ou eficiente; agilitar [***td.:*** *A resolução de problemas agiliza a mente.*: "Internet agiliza o processo de compra de imóveis..." (*Folha de S.Paulo* 20.06.1999)] [***int.:*** *Com esses exercícios, seu corpo agilizou(-se).*] **2** *Fig.* Tornar(-se) mais dinâmico, leve, expressivo [***td.:*** *As mudanças feitas agilizaram o roteiro do filme.*] [***int.:*** *À medida que a trama se desenvolvia, o texto da peça se agilizava.*] [▶ **1 agilizar**] [F.: *ágil* + *-izar.*]

◎ **-ágio** *suf. nom.* = 'em favor de'; 'importância paga'; 'tributo': *abadágio, escolágio, pedágio* [F.: De or. incerta; posv. do it. *-aggio*, como em *pedaggio* (< fr. < lat. vulg. **pedaticum*), ou do it. *aggio.*]

ágio (*á*.gi:o) *Econ. sm.* **1** Diferença de cotação entre as moedas de dois países **2** Lucro obtido em operação cambial **3** Diferença a mais cobrada sobre valor convencionado de determinado bem ou produto (ger. por ser a procura maior que a oferta) **4** Diferença entre o valor de mercado de um título e seu valor nominal **5** Juro superior à taxa legal em operação de empréstimo **6** Comissão em transferência de financiamento [F.: Do it. *aggio.*]

agiota (a.gi:o.ta) [ó] *a2g.* **1** Que pratica a agiotagem, ou a ela se dedica **2** Que pratica a usura; USURÁRIO *s2g.* **3** Indivíduo agiota (1), ou usurário (2) [F.: Dev. de *agiotar*. Hom./Par.: *agiota* (a2g. e s2g.), *agiota* (fl. de *agiotar*). Muitas vezes o termo é us. com conotação pejorativa, devido a uma possível ilegalidade nas operações ou à presumida ganância do agiota.]

agiotagem (a.gi:o.*ta*.gem) *sf.* **1** *Jur.* Empréstimo de dinheiro a juros muito altos, superiores à taxa legal **2** Especulação com a finalidade de obter lucro (ger. exorbitante) aproveitando (e às vezes provocando) oscilações de preço de mercadorias, títulos etc., ou de câmbio entre moedas **3** O lucro assim obtido [Pl.: *-gens.*] [F.: Do fr. *agiotage.*]

agiotar (a.gi:o.*tar*) *v. int.* **1** Viver de agiotagem **2** Descontar título de crédito [▶ **1 agiotar**] [F.: do fr. *agioter.*]

agir (a.*gir*) *v.* **1** Desencadear, como agente, uma ação (genericamente ou em relação a alguém ou algo) [***tdr.*** + *contra*: "...os turcos planejavam agir... contra os funjes..." (Alberto da Costa e Silva, *A manilha e o libambo*)] [***int.:*** "Ninguém deliberava. Todos agiam." (Euclides da Cunha, *Os sertões*)] **2** Provocar um determinado resultado, ter efeito [***int.:*** *Infelizmente, o remédio não agiu.*] **3** Atuar de certo modo, ter determinada atitude; COMPORTAR-SE [***int.:*** *O paciente agia cuidadosamente após a cirurgia.*] **4** *Jur.* Levar a juízo [***int.:*** *O promotor agiu com lentidão, e muitas evidências se perderam.*] [▶ **46 agir**] [F.: Do lat. *agere*. Hom./Par.: *aja* (fl.), *haja* (fl. de *haver*).]

agiria (a.gi.*ri*.a) *sf. Pat.* Desenvolvimento insuficiente das circunvoluções cerebrais, o que confere aspecto liso à superfície do cérebro [F.: *a-*[1] + *gir (o)-* (do gr. *gyros*, 'círculo') + *-ia*[1].]

agironado (a.gi.ro.*na*.do) *a. Ant.* Diz-se de roupa enfeitada com girões, cercaduras, barras [F.: *a-*[1] + *girão* + *-ado*[2].]

agitação (a.gi.ta.*ção*) *sf.* **1** Ação ou resultado de agitar(-se); AGITAMENTO **2** *Fig.* Movimento repetitivo, mas não igual, variável na intensidade e na duração (agitação das águas) **3** *Fig.* Estado de inquietação interna, de perturbação afetiva ou psíquica **4** Grande movimentação de pessoas em determinado lugar, ger. com intuito festivo ou de divertimento **5** Grande reunião de pessoas para reivindicar algo ou protestar contra algo ou alguém **6** A confusão ou o grande barulho que resulta de agitação (4 e 5); TUMULTO; ALVOROÇO **7** *Pop.* Estado de excitação, de animação; AGITO **8** Tremor, estremecimento, abalo **9** *Fig. Pol.* Estado de comoção política e social, espontâneo ou provocado, devido a insatisfação, reivindicação, tentativa de mudanças etc. **10** *Psiq.* Atividade motora desordenada, repetitiva e incoerente, acompanhada de confusão mental [Pl.: *-ções.*] [F.: Do lat. *agitatio, onis.*]

agitadiço (a.gi.ta.*di*.ço.) *a.* Que se agita facilmente, ou frequentemente [F.: *agitado* + *-iço.*]

agitado (a.gi.*ta*.do) *a.* **1** Que se agitou ou se agita **2** Que se move ou se movimenta muito (mar agitado; olhar agitado) **3** *Fig.* Em que há ou que revela agitação, inquietação (vida agitada) **4** De comportamento desordenado ou (excessivamente) inquieto (menino agitado) **5** *Fig.* Em que há grande movimento de pessoas, mudança frequente de situações, muito barulho, às vezes alvoroço ou tumulto etc. (lugar agitado) [F.: Part. de *agitar.*]

agitador (a.gi.ta.*dor*) [ô] *a.* **1** Que agita. *sm.* **2** Aquele ou aquilo que agita **3** Indivíduo que promove agitação (9) que incita movimento em busca de mudanças **4** Na manteigaria, mecanismo que serve para agitar o leite e dele separar a nata ou a manteiga [F.: Do lat. *agitator, oris.*]

agitamento (a.gi.ta.*men*.to) *sm.* Ação ou efeito de agitar(-se); o mesmo que *agitação* [F.: *agitar* + *-mento.*]

agitante (a.gi.*tan*.te) *a.* Que agita; AGITADOR [F.: Do lat. *agitas, antis.*]

agitar (a.gi.*tar*) *v.* **1** Fazer mover ou mover-se em movimentos repetidos [*td.*: "Queremos agitar nossas bandeiras!" (Cecília Meireles, *Rui: pequena história de uma grande vida*)] [*int.*: *Flâmulas agitavam-se ao vento; De repente o mar agitou-se, e o barco virou.*] **2** Fazer agitação (9), estimular ou incitar (pessoas, grupos, movimentos etc.) a revolta, sublevação, reivindicação, protesto etc.; INCITAR [*td.*: *Era um político que sabia agitar as massas.*] [*tdr.* + *contra*: *Agitou os colegas contra o novo regulamento.*] **3** Trazer à baila; LEVANTAR; SUSCITAR [*td.*: *Sempre agitava assuntos polêmicos.*] **4** Fazer ficar ou ficar perturbado, inquieto; INQUIETAR(-SE) [*td.*: *O atraso da turma agitava o professor.*] [*int.*: *Agitou-se com a perspectiva de um mau resultado.* Ant.: *acalmar, serenar.*] **5** Provocar ou sofrer comoção, excitação; COMOVER(-SE); EXCITAR(-SE) [*td.*: *A chegada do filho agitou o coração do pai*: "...lutas políticas que...continuavam a agitar o país." (Cecília Meireles, *Rui, pequena história de uma grande vida*)] [*int.*: *A torcida agitou-se quando o time entrou em campo.*] **6** Tornar ou ficar (disputa, discussão, discurso, questão etc.) (mais) veemente, animado, vibrante [*td.*: *Sua intervenção agitou o debate.*] [*int.*: *Após sua intervenção, o debate agitou-se.*] [► 1 agitar] [F.: Do lat. *agitare.* Hom./Par.: *agito* (fl.), *agito* (sm.).]

agitável (a.gi.*tá*.vel) *a2g.* Que pode ser agitado [Ant.: *inagitável.*] [Pl.: *-veis.*] [F.: Do lat. *agitabilis, e.* Hom./Par.: *agitáveis* (pl.), *agitáveis* (fl. de *agitar*).]

agito (a.*gi*.to) *Bras. Pop. sm.* **1** Estado de excitação, de animação; AGITAÇÃO (7) **2** Evento festivo, ger. para jovens [F.: Dev. de *agitar.* Hom./Par.: *agito* (sm.), *agito* (fl. de *agitar*).]

agitofasia (a.gi.to.fa.*si*.a.) *sf. Med.* Alteração psicomotora que se caracteriza por excessiva rapidez da linguagem, com descontinuidade e omissão inconsciente de palavras ou sílabas [Não se caracteriza como gagueira.] [F.: *agito* + *-fasia.*]

⊕ **agitprop** (*Ing.* /agitpróp/) *sm.* **1** Termo usado na antiga União Soviética e nos demais países socialistas para designar a técnica de mobilização da opinião pública em favor dos objetivos propostos por seus partidos bolcheviques **2** *Teat. Liter.* Essa técnica, de cunho panfletário, us. como expressão artística, esp. no teatro e em literatura **3** *P. ext.* Uso abusivo de propaganda política [F.: Do russo *agit(atsiya)-prop(aganda)*, pelo ing.]

aglaia (a.*gla*.ia) *Bot. sf.* **1** Nome comum de árvores e arbustos do gênero *Aglaia*, fam. das meliáceas, nativas do sul da Ásia e da Oceania e aclimatadas no Brasil **2** Arbusto (*Aglaia odorata*) caracterizado por pequenas flores amarelas, cultivado especialmente pela essência aromática que estas produzem [F.: Do lat. cient. *Aglaia.*]

aglicosuria (a.gli.co.su.*ri*.a) *sf.* Ver *aglicosúria*

aglicosúria (a.gli.co.*sú*.ri.a) *Med. sf.* Ausência de açúcar na urina [F.: *a-*[1] + *glicose* + *-úria* (ou *-uria*). Tb. *aglicosuria.*]

aglicosúrico (a.gli.co.*sú*.ri.co) *Med. a.* **1** Ref. a *aglicosúria* **2** Que não apresenta glicose na urina [F.: *aglicosúria* + *-ico*[2].]

áglifo (*á*.gli.fo) *Zool. a.* **1** Cujos dentes não inoculam veneno (diz-se de serpente) *sm.* **2** Esse tipo de serpente [F.: Do gr. *áglyphos.* Sin. ger.: *aglifodonte.*]

aglifodonte (a.gli.fo.*don*.te) *a2g. sm. Zool.* O mesmo que áglifo [F.: *áglif(o)* + *-odonte.*]

aglomeração (a.glo.me.ra.*ção*) *sf.* **1** Ação ou resultado de aglomerar(-se); AJUNTAMENTO; AGRUPAMENTO **2** Grande número de pessoas ou de coisas compactamente reunidas; AGLOMERADO; MULTIDÃO [Pl.: *-ções.*] [F.: *aglomerar* + *-ção.*] ■ **~ urbana** Toda concentração populacional urbana, seja vila ou cidade, com suas ruas, bairros e subúrbios; aglomerado urbano

aglomerado (a.glo.me.*ra*.do) *a.* **1** Que se aglomerou; que se reuniu ou se acumulou *sm.* **2** O mesmo que *aglomeração.* (2) **3** *Bras. Cons.* Material de construção em forma de placas obtidas pela prensagem, a quente, de pequenos fragmentos de madeira com um aglutinante (ger. resina à base de formaldeído) **4** *Cons.* Mistura de fragmentos de certos materiais (pedra, madeira etc.) compactados por ação de calor e/ou compressão em blocos sólidos, us. como material de construção **5** *Cons.* Material de construção que imita o mármore, feito de fragmentos de pedra compactados com cimento **6** *Cons.* Argamassa feita de cimento misturado com pedra britada **7** *Geol.* Massa rochosa de material (ger. vulcânico) ligado de maneira irregular **8** *Fon.* Grupo de dois sons consonantais ou vocálicos seguidos (como o *cs* em certa pronúncia do *x* em português, o *ts* de línguas eslavas, o *êi* de certa pronúncia do *a* em inglês etc.) **9** *Astron.* Ver loc. *aglomerado estelar* [F.: Part. de *aglomerar.*] ■ **~ aberto** *Astron.* V. *Aglomerado galáctico* **~ de galáxias** *Astron.* Grupo de galáxias que estão próximas no espaço. [Variam entre aglomerados ditos pobres, com 10 a 100 galáxias, ou ricos, com cerca de 1.000 galáxias.] **~ estelar** *Astron.* Conjunto entre dezenas e milhares de estrelas, ligadas pela atração gravitacional, e com movimentos próprios. [Tb. apenas *aglomerado.*] **~ fechado** *Astron.* V. *Aglomerado globular* **~ galáctico** *Astron.* Aglomerado de poucas estrelas, assimétrico, próximo ao plano galáctico **~ globular** *Astron.* Diz-se de aglomerado com muitos membros, de simetria esférica, longe do plano galáctico; aglomerado fechado **~ urbano** V. *Aglomeração urbana.*

aglomeramento (a.glo.me.ra.*men*.to) *sm.* **1** Ação ou resultado de aglomerar **2** O mesmo que *aglomeração.* [F.: *aglomera(r)* + *-mento.*]

aglomerante (a.glo.me.*ran*.te) *a2g.* **1** Que aglomera; AGLOMERADOR *sm.* **2** *Cons.* Material de construção (argila, betume, cal, cimento, gesso etc.) que une as partículas de um agregado e entram na composição de pastas, argamassas e concretos; o mesmo que *aglutinante.* [F.: *aglomerar* + *-nte.*]

aglomerar (a.glo.me.*rar*) *v.* Pôr (muitas coisas ou pessoas, inclusive si mesmo) muito junto, em grupo, monte, bloco etc.; AMONTOAR; JUNTAR; REUNIR [*td.*: *Aglomerou todos os pertences numa caixa; A multidão aglomerou-se na entrada do estádio.*] [► 1 aglomerar] [F.: Do lat. *agglomerare.*]

aglossa (a.*glos*.sa) *Ent. sf.* **1** Gênero de lepidópteros noturnos com tromba rudimentar **2** Qualquer espécime desse gênero [F.: Do lat. cient. *Aglossa.*]

aglossia (a.glos.*si*.a) *sf. Med.* Falta de língua [F.: Do gr. *aglossía.*]

aglóssico (a.*glós*.si.co) *a.* Ref. a aglossia [F.: *agloss(ia)* + *-ico*[2].]

aglosso (a.*glos*.so) *a.* **1** Que não tem língua **2** *P. ext.* Que não tem habilidade para falar **3** *Ent.* Aglossa (1) **4** *Zool.* Ref. aos aglossos *sm.* **5** Aquele que não tem língua **6** *P. ext.* Aquele que não tem habilidade para falar **7** *Ent.* Aglossa (2) **8** *Zool.* Espécime dos aglossos [F.: Do gr. *águossos.*]

aglossostomia (a.glos.sos.to.*mi*.a) *sf. Med.* Ausência congênita de língua e de fenda bucal [F.: *a-*[3] + *-gloss(o)-* + *-stomia.*]

aglutição (a.glu.ti.*ção*) *sf. Med.* Impossibilidade ou dificuldade de engolir [Pl.: *-ções.*] [F.: *a-*[1] + *glut-* + *-i-* + *-ção.*]

aglutinação (a.glu.ti.na.*ção*) *sf.* **1** Ação ou resultado de aglutinar(-se); AGLUTINAMENTO **2** União de elementos distintos que, integrados, passam a formar um todo **3** *Ling.* Processo de fusão de duas ou mais palavras, com perda de fonemas e esp. do acento tônico de uma delas, o que resulta em uma única palavra, de significado próprio [P. ex.: *pernalta* é aglutinação de *perna alta.* Cf.: *composição* e *justaposição.*] **4** *Med.* Junção de tecidos da pele **5** *Hem.* Adesão de hemácias [Pl.: *-ções.*] [F.: Do lat. *agglutinatio, onis.*]

aglutinado (a.glu.ti.*na*.do) *a.* **1** Que se juntou ou uniu; REUNIDO; COLADO **2** *Gram.* Diz-se de palavra formada por aglutinação **3** *Bot.* Que apresenta os órgãos muito colados [F.: Do lat. *agglutinatus, a, um.*]

aglutinador (a.glu.ti.na.*dor*) [ô] *a.* **1** Que aglutina *sm.* **2** O que aglutina [F.: *aglutinar* + *-dor.* Sin. ger.: *aglutinante.*]

aglutinamento (a.glu.ti.na.*men*.to) *sm.* Ação ou resultado de aglutinar; AGLUTINAÇÃO [F.: *aglutinar* + *-mento.*]

aglutinante (a.glu.ti.*nan*.te) *a2g.* **1** Que aglutina, une, gruda (diz-se de substância, material etc.) **2** *Cons.* Diz-se de material que aglutina e liga solidamente partes de um aglomerado (3, 4) **3** *Ling.* Diz-se de língua cujas palavras se formam principalmente por aglutinação de morfemas que são claramente identificáveis e distintos **4** *Cir. Med.* Diz-se de qualquer meio (remédio, adesivo etc.) us. para unir as bordas de incisão, ferida etc. *sm.* **5** Substância ou produto aglutinante (1), como cola, adesivo, grude etc. **6** Produto que entra na composição de tintas e que serve para aderi-la à superfície pintada [F.: Do lat. *agglutinans, antis.*]

aglutinar (a.glu.ti.*nar*) *v.* **1** Fazer ficar ou ficar ligado, ligar(-se) com aglutinante (5); COLAR; GRUDAR [*td.*: *Aglutinou as lascas de madeira para fazer um aglomerado.*] [*int.*: *Sob o rolo compressor, a brita aglutinou-se.*] [*tr.* + *em*: *Sob pressão, a argamassa aglutinou-se na parede.*] **2** *Fig.* Fazer ficar ou ficar, tornar(-se) ligado, unido, coeso, solidário; JUNTAR; UNIR [*td.*: *O interesse comum aglutinou os dois grupos.*] [*tdi.* + *a*: "...em que... se tentaria aglutinar os diversos grupos ao dominante..." (Alberto da Costa e Silva, *Um rio chamado Atlântico*)] [*tdr.* + *com, em*: "...os nupes... já estavam (...) a aglutinar num grande reino os vários microestados (...)" (Alberto da Costa e Silva, *A manilha e o libambo*)] **3** Fazer mesclar ou mesclar-se (elementos distintos), de forma a formarem uma unidade na qual os componentes originais já não se distinguem); AMALGAMAR(-SE); FUNDIR(-SE) [*td.*: *Conseguiu aglutinar todas as propostas num único programa.*] [*int.*: *Vários dialetos se aglutinaram para formar essa língua.*] [*tr.* + *em*: *Os materiais se aglutinaram numa liga resistente e durável.*] **4** *Cir.* Unir ou unirem-se as bordas de incisão, de ferida etc. [*td. int.*] **5** *Ling.* Unir ou unirem-se morfemas por aglutinação (4) [*td. int.*] [► 1 aglutinar] [F.: Do lat. *agglutinare.*]

aglutinável (a.glu.ti.*ná*.vel) *a2g.* Que pode ser aglutinado [Pl.: *-veis.*] [F.: *aglutinar* + *-vel.*]

aglutinina (a.glu.ti.*ni*.na) *sf. Biol.* Variedade de anticorpo que determina a aglutinação das bactérias, fazendo-as perder a motilidade [F.: *aglutin(o)-* + *-ina*[2] ou do fr. *agglutinine.*]

◎ **aglutin(o)-** *el. comp.* = 'aglutinação': *aglutinina, aglutinógeno* [F.: *aglutin(ar)* + *-o-.*]

aglutinógeno (a.glu.ti.*nó*.ge.no) *sm. Biol.* Substância que, atuando como antígeno, estimula a produção de aglutinina [F.: *aglutin(ina)* + *-geno.*]

agnação (ag.na.*ção*) *sf. Antr.* Relação de parentesco por linhagem masculina [Pl.: *-ções.*] [F.: Do lat. *agnatio, onis.* Cf.: *cognação.*]

agnatia (ag.na.*ti*.a) *sf. Ter.* Ausência congênita do maxilar inferior [F.: *a-*[1] + *gnat(o)-* + *-ia*[1].]

agnático (ag.*ná*.ti.co) *Ter. a.* **1** Ref. a agnatia **2** Que tem agnatia; ÁGNATO[1] *sm.* **3** Aquele que tem agnatia; ÁGNATO[1] [F.: *agnat(ia)* + *-ico*[2].]

agnato (ag.*na*.to) *Antr. a.* **1** Que é parente por agnação *sm.* **2** Aquele que é parente por agnação [F.: Do lat. *agnatus, i.* Sin. ger.: *agnado.* Hom./Par.: *agnato* (a. sm.), *ágnato* (a. sm.).]

ágnato[1] (*ág*.na.to) *Ter. a.* **1** Agnático (2) *sm.* **2** Agnático (3) [F.: *a-*[1] + *-gnato.* Hom./Par.: *agnato* (a. sm.).]

ágnato[2] (*ág*.na.to) *Zool. sm.* **1** Espécime dos ágnatos, superclasse de vertebrados que abrange animais desprovidos de mandíbulas como os da classe dos ciclostomados, em que se incluem as lampreias e feiticeiras *a.* **2** Ref. aos ágnatos [F.: Do lat. cient. *Agnatha.* Hom./Par.: *agnato* (a. sm.).]

agnelino (ag.ne.*li*.no) *a.* **1** Ref. a cordeiro **2** Diz-se da lã dos cordeiros tosqueados pela primeira vez *sm.* **3** A pele do cordeiro, com a lã [F.: Do fr. *agnelin.*]

agnosia (ag.no.*si*.a) *sf.* **1** *Fil.* Convicção sobre as limitações do intelecto quanto ao conhecimento da verdade, expressa na célebre frase "Só sei que nada sei", do filósofo grego Sócrates **2** *Neur.* Estado de um paciente que não reconhece as coisas que o rodeiam, porque os órgãos sensoriais se limitam a percepções simples [F.: Do gr. *agnosía, as.*]

agnosiologia (ag.no.si:o.lo.*gi*.a) *sf. Med.* Estudo das várias formas de agnosia (2) [F.: Do gr. *agnosía* + *-o-* + *-logia.*]

agnosticismo (ag.nos.ti.*cis*.mo) *Fil. sm.* **1**. Doutrina que considera impossível conhecer ou compreender, e portanto discutir, a realidade das questões da metafísica ou da fé religiosa (embora admita existirem, como a existência de Deus), por não serem passíveis de análise e comprovação racional ou científica **2** Conceito (de Thomas H. Huxley) de que só o conhecimento adquirido e demonstrado racionalmente é admissível [F.: Do ing. *agnosticism.*]

> Pode-se dizer que o agnosticismo, como atitude intelectual, tem duas vertentes. No terreno filosófico, consiste em negar qualquer possibilidade de conhecimento fora do terreno da ciência e do pensamento racional. No terreno religioso, consiste não em negar a fé ou as afirmações nela baseadas, mas em negar que essa fé e essas afirmações tenham ou possam ter suporte racional. Em ambos os casos, o pensamento agnóstico se baseia na razão, na racionalidade e no conhecimento científico. No segundo caso, ao não negar a metafísica, a fé e os fenômenos supranaturais, está, racionalmente, deixando aberta a possibilidade de aceitá-los, se e quando explicáveis pela razão.

agnosticista (ag.nos.ti.*cis*.ta) *a2g.* **1** Ver *agnóstico* (1) *s2g.* **2** Ver *agnóstico* (2) [F.: *agnosticismo* + *-ista*, seg. o mod. vern.]

agnóstico (ag.*nós*.ti.co) *a.* **1** Ref. a agnosticismo *sm.* **2** Seguidor do agnosticismo [F.: Do ing. *agnostic.* Sin. ger.: *agnosticista.*]

⊕ ***agnus dei*** (*Lat.* /agnus dêi/) *loc. subst.* **1** *Rel.* Nome de uma oração que principia por essas palavras **2** *Mús.* Composição musical para essa oração

ágnus-dei (ag.nus-*dei*) *sm. Rel.* Medalha de cera benzida pelo papa, na qual se acha impressa a figura de um cordeiro [Pl.: *ágnus-deis.*]

agoge (a.*go*.ge) *sf. Mús.* Conjunto de alterações passageiras no tempo ou andamento de uma composição durante sua execução [F.: Do lat. *agoge, es*, do gr. *agogé.*]

◎ **-agogia** *el. comp.* Ocorre em voc. formados no grego (*demagogia, mistagogia, psicagogia* etc.) e no lat. (*anagogia* etc.), com a noção inicial de '(ação de) conduzir, de dirigir' do rad. com valor figurado, e em alguns poucos voc. modernos com o sentido de: **a)** 'prática ou sistema de ensino': *antropagogia*; **b)** 'propriedade de uma dada substância (= palavra terminada em *-agogo*): *litagogia* [F.: Do el. gr. *-agogía, as*, como em *paidagogía, as* (> port. *pedagogia*). F. conexa: *-agogo.*]

◎ **-agógico** *el. comp.* = '(diz-se de substância) que provoca (algo)': *hipnagógico, psicagógico* [F.: Do gr. *-agogikós, é, ón*, em voc. conexos com o gr. *agogós, ós, ón*, 'que guia, conduz'. F. conexas: *-agogia* e *-agogo.*]

agógico (a.*gó*.gi.co) *a.* **1** *Mús.* Referente a agoge ou a agógica **2** Que modifica de maneira passageira o andamento musical **3** *Gram.* Diz-se do sentido que se infere das palavras [F.: *agoge* + *-ico.*]

◎ **-agogo** *el. comp.* Ocorre em voc. formados no próprio grego ou no latim (*pedagogo, demagogo, epagogo*), de cunho erudito, com a noção inicial daquele 'que guia, conduz', e em voc. formados nas línguas modernas com o sentido específico daquilo '(meio, agente, substância) que provoca, faz ocorrer, ou aumenta (certo fluxo, secreção etc.)': *colagogo, emenagogo, galactagogo, hidragogo* (< lat. < gr.), *linfagogo, litagogo, melanagogo, ptialagogo, sialagogo* [F.: Do el. gr. *-agogós, oû*, do gr. *agogós, ós, ón*, 'que guia, conduz'. F. conexa: *-agogia.*]

agogô (a.go.*gô*) *sm. Bras. Mús.* Instrumento de percussão afro-brasileiro, com dois cones metálicos ocos, unidos por uma haste em U, e que são percutidos com uma vareta também metálica, produzindo dois sons distintos [F.: Do ior. *ago'go.*]

agomar (a.go.*mar*) *v.* **1** Lançar gomos ou rebentos; GERMINAR [*int.*] **2** Cobrir-se de gomos ou rebentos [*td. int.*] [► 1 agomar] [F.: *a-* + *gomar.*]

agon (*a*.gon) *sm. Teat.* Na antiga comédia grega, parte em que duas personagens desenvolvem um debate que vai definir o conflito básico da peça [F.: Do gr. *agón.*]

ágona (*á*.go.na) *sf.* Linha que liga os pontos em que a inclinação magnética é zero [F.: Fem. substv. de *ágono.*]

agonfo (a.*gon*.fo) *a.* **1** *Zool.* Diz-se de dentes que não são implantados em alvéolos **2** *Od.* Que apresenta agonfose **3** *Zool.* Diz-se de animal que não possui alvéolos e dentes [F.: Do gr. *agómphios, os, on.*]

agonfose (a.gon.fo.se) *sf.* **1** *Od.* Disposição dentária em que os dentes não se encontram fixados nos alvéolos; AGONFÍASE **2** Falta de dentes [F.: Do gr. *agómphios, os, on.*]

agonia (a.go.*ni*.a) *sf.* **1** *Med.* Conjunto de sintomas e manifestações de caráter mórbido que acometem pessoa ou animal na iminência da morte; o estado, a circunstância e o tempo em que se manifestam: *Foi difícil presenciar sua agonia; uma longa agonia.* **2** *Fig.* Sentimento aflitivo muito intenso e angustiante, sofrimento, de origem física ou emocional: *Vivia em permanente agonia, devido à doença da irmã.* **3** Desejo ardente, ânsia impaciente por algo: *Vivia na empresa a agonia de uma promoção que não vinha nunca.* **4** *Fig.* Decadência (de alguém ou algo, de um processo etc.) que leva ao fim, ou à morte: *a agonia do Império Bizantino; a agonia de uma carreira.* **5** *Fig.* Aproximação do fim, da morte de algo ou de alguém: *a agonia de um dia, de um século, de alguém.* **6** Pressa, precipitação, afobação: *Em agonia, tentava terminar a prova dentro do tempo.* **7** Indecisão, hesitação, demora em fazer ou decidir algo: *Mas que agonia, resolva logo aonde você quer ir!* [F.: Do gr. *agonía, as*. Hom./Par.: *agonia* (sf.), *agonia* (fl. de *agoniar*).]

agoniação (a.go.ni:a.*ção*) *sf.* **1** Ação ou resultado de agoniar(-se) **2** Estado emocional em que ocorre sensação de agonia [Pl.: *-ções.*] [F.: *agoniar* + *-ção.*]

agoniada (a.go.ni:*a*.da) *sf. Bot.* Árvore (*Himatanthus lancifolia*) da fam. das apocináceas, de propriedades medicinais; ARAPUÊ [F.: Fem. substv. de *agoniado.*]

agoniado (a.go.ni.*a*.do) *a.* **1** Que está em agonia, nos estertores da morte **2** Que sente agonia, aflição, sofrimento de qualquer natureza; ANGUSTIADO: "Famintos e agoniados de sede..." (Euclides da Cunha, *Os sertões*) **3** *P. ext.* Que sente náuseas ou enjoo **4** *Bras.* Que tem muita pressa, afobação **5** Que está ansioso, impaciente por algo [F.: Part. de *agoniar.*]

agoniar (a.go.ni.*ar*) *v.* **1** Fazer ficar ou ficar angustiado, triste, irritado etc.; AFLIGIR(-SE) [*td.: A perda das forças agoniava o paciente.*] [*int.: Perder o jogo foi chato, mas não é motivo para se agoniar assim.*] **2** Causar inquietação a, ou ficar inquieto; INQUIETAR(-SE); MORTIFICAR(-SE) [*td.: O atraso do trem agoniava os passageiros.*] [*int.: Agoniava-se sempre que tinha de fazer um exame.*] **3** Estar em agonia (1); AGONIZAR [*int.*: "Até nas horas de Damiãozinho agoniar, o Ijinaldo... chorava..." (João Guimarães Rosa, *Noites do sertão*)] **4** Fazer ficar ou ficar ansioso, impaciente etc. [*td.: A longa espera o agoniava.*] [*int.: Agoniava-se na expectativa de boas notícias.*] **5** Fazer ficar ou ficar enjoado, nauseado [*td.: Muita gordura sempre me agoniou.*] [*int.: Desacostumado ao balanço do mar, agoniava no barco.*] [▶ **1 agoniar**] [F.: *agonia* + *-ar*[2]. Hom./Par.: *agonia* (fl.), *agonia* (sf.).]

agônico (a.*gô*.ni.co) *a.* **1** Ref. a agonia ou próprio dela **2** Que está em agonia [F.: *agonia* + *-ico*[2].]

agoniologia (a.go.ni:o.lo.*gi*.a) *sf. P. us. Med.* Ciência que trata da esterilidade humana [F.: Do gr. *agonía*, 'esterilidade', + *-o-* + *-logia.*]

agoniológico (a.go.ni:o.*ló*.gi.co) *a.* Ref. a agoniologia [F.: *agoniolog(ia)* + *-ico*[2].]

agonista (a.go.*nis*.ta) *s2g.* **1** Pessoa que, na Grécia antiga, se dedicava aos exercícios de ginástica para robustecer o físico ou para preparar-se para o serviço militar; LUTADOR *sm.* **2** *Anat.* Músculo agonista (3) *a2g.* **3** *Anat.* Diz-se de músculo à cuja ação se contrapõe a de outro músculo, chamado *antagonista* **4** *Farm.* Diz-se de droga que estimula a atividade em certos receptores celulares, suscitando com isso uma resposta do organismo, sendo esta droga imune a interferências externas na interação agonista-receptor [F.: Do gr. *agonistés.*]

agonística (a.go.*nís*.ti.ca) *sf.* **1** *Esp.* Na Grécia antiga, parte da ginástica relativa aos combates dos atletas **2** *Fil.* Forma de argumentação us. pelos antigos dialéticos para fazer valer as próprias opiniões [F.: Do gr. *agonistiké.*]

agonístico (a.go.*nís*.ti.co) *a.* **1** Relativo à agonística (1) **2** *Fil.* Diz-se de doutrina que considera o combate o instrumento do progresso **3** *Biol.* Diz-se de comportamento agressivo entre dois indivíduos da mesma sp. animal [F.: Do b-lat. *agonisticus*, do gr. *agonistikós.*]

agonizante (a.go.ni.*zan*.te) *a2g.* **1** Que agoniza; MORIBUNDO **2** *Fig.* Que está em decadência, ou perto do fim (um governo agonizante) **3** Que causa sofrimento, agonia, aflição *s2g.* **4** Pessoa agonizante (1), em vias de morrer; MORIBUNDO [F.: *agonizar* + *-nte.*]

agonizar (a.go.ni.*zar*) *v.* **1** Estar na iminência da morte, em agonia (1), moribundo [*int.*: "A lembrança do sapateiro a agonizar chegava-lhe... à garganta" (Miguel Torga, "Um dia triste" *in Rua*)] **2** Causar ou sentir aflição, angústia, ansiedade; AFLIGIR(-SE); MARTIRIZAR(-SE); MORTIFICAR(-SE) [*td.: Aquelas lembranças agonizavam-lhe a vida.*] [*int.*: "... deixa agonizar / solitário meu rosto..." (Cecília Meireles, "Ária" *in Retrato natural*)] **3** *Fig.* Estar em decadência, em desgaste, declínio [*int.: Aos poucos, sua carreira agonizava.*] **4** *Fig.* Levar uma vida infeliz, miserável [*int.: Pobre, só, doente, agonizou o resto de seus dias.*] **5** *Fig.* Ansiar por, desejar ardentemente [*tr.* + *por*: *Sedento e abrasado, agonizava por uma bebida gelada.*] [▶ **1 agonizar**] [F.: Do lat. *agonizare.*]

ágono (*á*.go.no.) *a. Geom.* Que não tem ângulos [F.: Do gr. *ágonos.*]

agora (a.*go*.ra) *adv.* **1** Neste instante, neste momento; já: *Agora estou ocupado.* **2** *Restr.* Há pouquíssimo tempo: *Eles saíram agora, ainda dá para alcançá-los; Ligaram agora mesmo.* [Nesta acp. usa-se por vezes repetidamente com valor reforçativo: *Eles saíram agora, agora!*] **3** Nos dias de hoje; na atualidade; atualmente: *Agora já não se usa essa palavra.* **4** Nessa ocasião, nessa circunstância, nesse caso: *Acabou de fazer os deveres; agora podia ir brincar.* **5** Daqui por diante; a partir desse momento; doravante: *Já fizemos o que nos cabia; agora o problema é dele.* **6** Depois: *Antes era só promessas, agora só sabe dizer não.* *conj.* **7** Mas, contudo, todavia: *Na prática é uma coisa, agora, na teoria é outra.* **8** Us. como alternativa; umas vezes...outras vezes; ora...ora; já...já: *Agora queria, agora já não queria mais.* [F.: Do lat. *hac hora*, 'esta hora'.] ■ **~ mesmo 1** Neste momento, ou há muito pouco tempo: *Ele saiu agora mesmo.* **2** Atualmente: *Agora mesmo estamos estudando essa matéria.* **~ por ora** *MG* (Na região do rio São Francisco) por enquanto **~ que** Em consequência de, em continuação a, tendo em vista que: *Agora que você chegou, podemos começar.* **De ~** Desta época, deste tempo: *As mulheres de agora são mais independentes.* **De ~ em diante** A partir deste momento, doravante **Por ~** Por enquanto

◎ **agora-** *el. comp.* = 'lugar aberto'; 'ágora': *agorafilia, agorafilo, agorafobia, agoráfobo.* [F.: Do gr. *agorá, agorâs*, 'assembleia'; 'assembleia do povo'; 'lugar em que uma assembleia se reúne'; 'praça pública'.]

agorá (a.go.*rá*) *sf.* Moeda divisionária israelense, equivalente a centésima parte do siclo [Pl.: *agorot.*] [F.: Do hebr. *agorah*. Hom./Par.: *agora* (adv.), *ágora* (sf.).]

agorafilia (a.go.ra.fi.*li*.a) *sf. Psiq.* Atração doentia por grandes espaços abertos [F.: *agora-* + *-filia*[1]. Cf.: *agorafobia.*]

agorafílico (a.go.ra.*fí*.li.co) *Psiq. a.* **1** Ref. à agorafilia **2** Que sofre de agorafilia; AGORÁFILO *sm.* **3** *Psiq.* Pessoa que sofre de agorafilia; AGORÁFILO [F.: *agorafilia* + *-ico*[2].]

agoráfilo (a.go.*rá*.fi.lo) *Psiq. a.* **1** Agorafílico (2) *sm.* **2** Agorafílico (3) [F.: *agora-* + *-filo*[1].]

agorafobia (a.go.ra.fo.*bi*.a) *sf. Psiq.* Medo doentio de estar em ou atravessar grandes espaços abertos ou lugares públicos [F.: *ágora-* + *-fobia.*]

agorafóbico (a.go.ra.*fó*.bi.co) *a.* **1** Ref. a agorafobia **2** Que sofre de agorafobia *sm.* **3** Quem sofre de agorafobia [F.: *agorafobia* + *-ico*[2].]

agorinha (a.go.*ri*.nha) *adv. Bras.* Ainda agora; agora mesmo; há poucos instantes: *Quer um chá? A água ferveu agorinha.* [F.: *agora* + *-inha.*] ■ **~ mesmo** *Bras.* Ver *Agora mesmo* no verbete *agora*

agostiniano (a.gos.ti.ni.*a*.no) *Rel. a.* **1** Ref. a santo Agostinho ou à sua ordem *sm.* **2** Frade agostiniano **3** Teólogo que segue a orientação espiritual de santo Agostinho [F.: Do hag. (*santo*) *Agostinho* + *-i-* + *-ano*, seg. o mod. erudito.]

agostinismo (a.gos.ti.*nis*.mo) *sm. Fil.* Doutrina filosófica e teológica que segue a orientação de santo Agostinho [F.: Do hag. (*santo*) *Agostinho* + *-ismo*, seg. o mod. erudito.]

agostinista (a.gos.ti.*nis*.ta) *a2g.* **1** Ref. ao agostinismo **2** Que é adepto do agostinismo *s2g.* **3** Adepto do agostinismo [F.: Do hag. (*santo*) *Agostinho* + *-ista*, seg. o mod. erudito.]

agosto (a.*gos*.to) [ô] *sm. Cron.* O oitavo mês do ano (Com 31 dias) [F.: Do lat. *augustus* (*mensis*).]

agourar (a.gou.*rar*) *v.* **1** Fazer previsão ou presságio; pressentir fato futuro; ADIVINHAR; PROGNOSTICAR [*td.*: "A opinião pública (...) agourou o degredo do Alves como falsificador." (Camilo Castelo Branco, *A filha do doutor negro*)] [*tdi.* + *a*, *para*: *Agourou-lhe sucesso.*] **2** Fazer mau agouro; predizer desgraça a; AGOURENTAR [*td.: Pessimista, agourava até os amigos.*] [*int.: Dizem que gato preto agoura.*] **3** Ser indício de (desgraça, mau agouro); PRESSAGIAR [*td.: Esta calmaria agoura tempestades.*] [▶ **1 agourar**] [F.: *agouro* + *-ar*[2]. Hom./Par.: *agouro* (fl.), *agouro* (sm.).]

agoureiro (a.gou.*rei*.ro) *a.* **1** Que traz ou atrai mau agouro (ave agoureira); AGOURENTO **2** Que profetiza desgraças **3** Que acredita em agouros; SUPERSTICIOSO: *Os romanos eram muito agoureiros.* *sm.* **4** Pessoa que profetiza desgraças **5** Aquele que faz agouros; ADIVINHO; ÁUGURE [F.: *agouro* + *-eiro.*]

agourentar (a.gou.ren.*tar*) *v. td.* Lançar mau agouro; predizer situações infelizes; AGOURAR [▶ **1 agourentar**] [F.: *agourento* + *-ar*. Hom./Par.: *agorentar* e *agurentar* (todos os tempos dos v.).]

agourento (a.gou.*ren*.to) *a.* **1** Que traz ou atrai mau agouro **2** Que acredita em agouro (diz-se de pessoa); SUPERSTICIOSO *sm.* **3** Essa pessoa [F.: *agouro* + *-ento.*]

agouro (a.*gou*.ro) *sm.* **1** *Ant.* Previsão do futuro baseada na observação do voo de aves e/ou de seu canto; AUGÚRIO [Os sacerdotes que faziam essas previsões chamavam-se *áugures.*] **2** *P. ext.* Previsão do futuro, predição, profecia; AUGÚRIO; VATICÍNIO **3** Intuição do que vai acontecer no futuro; PRESSENTIMENTO **4** Indício, sinal que indica, prenuncia acontecimento futuro; PRESSÁGIO **5** Presságio de fato ou notícia ruim; mau agouro [F.: Do lat. clássico *augurium, ii*, pelo lat. vulg. *agurium.*]

◎ **-agra** *el. comp.* = 'dor', 'dor gotosa (em articulação, parte do corpo)', 'gota', 'processo inflamatório doloroso'; 'inflamação'; 'doença': *odontagra; anconagra, isquiagra, omagra, pequiagra, quiragra, raquissagra, siagonagra; mentagra; pelagra.* [F.: Do el. lat. /gr. *-agra*, como no lat. *podagra, ae*, 'gota nos pés', do gr. *podágra, as*, 'armadilha que captura o animal pelo pé', 'instrumento de tortura no pé', do gr. *poús, podós*, 'pé de homem e de animal', + gr. *ágra, as*, 'caçada', 'caça', 'presa' (do v. gr. *agreo*, 'pegar, agarrar (a caça ou a pesca)'.]

agraciação (a.gra.ci:a.*ção*) *sf.* Ação ou resultado de agraciar [Pl.: *-ções.*] [F.: *agraciar* + *-ção.*]

agraciado (a.gra.ci.*a*.do) *a.* **1** Que recebeu graça, indulto, favor etc. **2** Que recebeu honra, condecoração **3** Que foi contemplado pela sorte; PÉ-QUENTE; SORTUDO [F.: Part. de *agraciar.*]

agraciar (a.gra.ci.*ar*) *v.* **1** Conceder graça, favor, benefício, honra, título (de) etc. a; GALARDOAR [*td.: Agraciou o antigo funcionário.*] [*tdp.: O rei agraciou-o cavaleiro*] [*tdr.* + *com*: *A confraria agraciou seu presidente com o título de benemérito.*] **2** Dar o perdão [*int.*: "...narrem aos seus filhos (...) o que vocês viram (...) e não souberam impedir (...) nem agraciar." (João Guimarães Rosa, *Primeiras estórias*)] **3** *Jur.* Eliminar punição, concedendo anistia e indulto a; ANISTIAR; INDULTAR [*td.: O governador agraciou os presos bem-comportados.*] [*tdr.* + *com*: *O juiz agraciou-os com o indulto de Natal.*] [▶ **1 agraciar**] [F.: *a-*[2] + *graça* + *-iar.*]

agraciável (a.gra.ci:*á*.vel) *a2g.* Que pode ser agraciado [Pl.: *-veis*.] [F.: *agraciar* + *-vel.* Hom./Par.: *agraciáveis* (pl.), *agraciáveis* (fl. de *agraciar*).]

agraço (a.*gra*.ço) *Agr. sm.* **1** Uva ainda verde; AGRAZ **2** O sumo das uvas verdes **3** *Fig.* Verdura, verdor, viço: *no agraço da mocidade*: "...com o agraço do capim em volta..." (Guimarães Rosa, *No Urubuquaquá, no Pinhém*) [F.: *agri-*[1] + *-aço.*]

agradabilíssimo *a.* Que é muito agradável [Superlativo absoluto sintético de agradável.]

agradar (a.gra.*dar*) *v.* **1** Ser agradável, causar boa impressão (a); IMPRESSIONAR [*td.*: "...E havia que agradar os forasteiros, para que voltassem..." (Alberto da Costa e Silva, *A manilha e o libambo*)] [*ti.* + *a*: "...não havia católicos (...) a maioria só de nome, para agradar ao rei..." (Alberto da Costa e Silva, *A manilha e o libambo*)] [*int.*: "...estou sempre querendo agradar..." (Ana Maria Machado, *A audácia dessa mulher*)] **2** Causar satisfação (a); ENCANTAR; SATISFAZER [*ti.* + *a*: "...Um decretozinho provinciano, para agradar a alguns curas..." (Cecília Meireles, "Questões de liberdade" *in Obra em prosa*)] [*int.: Esse filme agradou em cheio.*: "...eu que sempre obedecera e forcejara por agradar..." (João Ubaldo Ribeiro, *Diário do farol*)] **3** *N. E.* Fazer agrado(s), carinho(s), afago(s); ACARINHAR; AFAGAR [*td.: Com mão trêmula, a mãe agradou o filho recém-nascido*] **4** Ter gosto ou encantamento, tomar-se de agrado ou apaixonar-se por; AFEIÇOAR-SE; GOSTAR [*tr.* + *de*: "...A prima dela é que parece não se agradar de mim..." (Ana Maria Machado, *A audácia dessa mulher*)] **5** Dar ou causar prazer; parecer bom; APRAZER [*ti.* + *a*: "...Vivera demasiados anos na Europa e o frio passara a agradar-lhe..." (Pepetela, "O templo" *in A geração da utopia*)] **6** *RS* Ocorrer a (alguém) um palpite; CRER; SUPOR [*tdi.* + *a*: *Agradou-lhe de repente que venceria o rodeio.*] **7** *Lus. Tabu.* Ser sexualmente atraente a (alguém) [*td.*] [▶ **1 agradar**] [F.: *a-*[2] + *grado* + *-ar*[2]. Ant. ger.: *desagradar.* Hom./Par.: *agrado* (fl.), *agrado* (sm.); *agradáveis* (fl.), *agradáveis* (fl. de *agradável*). No port. do Brasil, na acp. 1, emprega-se cada vez mais sem preposição, como *td.*]

agradável (a.gra.*dá*.vel) *a2g.* **1** Que agrada, satisfaz **2** Que demonstra ou denota cortesia, delicadeza (modos agradáveis) **3** Que proporciona prazer (aos sentidos), sensação de bem-estar (clima agradável; gosto agradável) *sm.* **4** Aquilo que agrada [Pl.: *-veis.* Superl.: *agradabilíssimo.*] [F.: *agradar* + *-vel.* Hom./Par.: *agradáveis* (pl.), *agradáveis* (fl. de *agradar*).]

agradecer (a.gra.de.*cer*) *v.* **1** Expressar gratidão (a alguém) (por) [*td.*: "...para convocar e agradecer as chuvas..." (Alberto da Costa e Silva, *A manilha e o libambo*)] [*ti.* + *a*: "Meus companheiros também vão voltar / e a Deus do céu vamos agradecer." (Dorival Caymmi, "Suíte do pescador")] [*tdi.* + *a*: *Agradeci ao amigo a fineza que me fez.*] [*ti.* + *a*, *por*: "...eu devia agradecer ao Muniz pela oportunidade do empurrãozinho decisivo." (Ana Maria Machado, *A audácia dessa mulher*)] **2** Dar os agradecimentos; confessar gratidão (por algo) [*int.: Sensibilizado, agradeceu humildemente.*] [*tr.* + *por*: *Quero agradecer por todo o apoio que recebi.*] **3** Retribuir gestos ou carinhos recebidos [*td.: Quero agradecer o carinho dando carinho também.*] [▶ **33 agradecer** Apresenta duplo part.: *agradecido, grato.*] [F.: *a-*[2] + *grado* + *-ecer.*]

agradecido (a.gra.de.*ci*.do) *a.* **1** Que sente ou manifesta gratidão; RECONHECIDO; GRATO [+ *a*, *por*: *É agradecido aos professores; Ficaram agradecidos pela hospedagem.*] **2** Fórmula, termo com que se expressa agradecimento: *Agradecida disse ela, quando lhe cederam o lugar.* [F.: Part. de *agradecer.*]

agradecimento (a.gra.de.ci.*men*.to) *sm.* **1** Ação ou resultado de agradecer **2** Reconhecimento de uma pessoa de estar grata a quem lhe prestou benefício, auxílio, favor etc.; GRATIDÃO **3** A expressão desse reconhecimento, em palavras ditas ou escritas, em discurso, em gesto etc.: *Seu agradecimento foi eloquente e emocionante.* [F.: *agradecer* + *-mento.*]

agradecível (a.gra.de.*cí*.vel) *a2g.* Que merece ser agradecido: *A qualidade elevada dos filmes produzidos é, mais que admirável, agradecível por qualquer espectador.* [Pl.: *-veis.*] [F.: *agradecer* + *-ível.*]

agrado (a.*gra*.do) *sm* **1** Ação ou resultado de agradar **2** Sentimento de satisfação; CONTENTAMENTO: *Manifestou todo o seu agrado com um sorriso.* **3** Demonstração de carinho, afago: *Faz muitos agrados à filha.* **4** Expressão de consentimento: *É do seu agrado esse casamento?* **5** *Bras. Pop.* Gratificação em dinheiro; PRESENTE; GORJETA [F.: Dev. de *agradar*. Hom./Par.: *agrado* (sm.), *agrado* (fl. de *agradar*).]

agrados (a.*gra*.dos) ***smpl.*** *Bras.* Carinhos, afagos, festas [F.: Pl. de *agrado*. Ver tb. *agrado*.]

agrafar (a.gra.*far*) ***v.*** *Lus.* Prender (papel, tecido etc.) com grampo; grampear [***td.:*** *A máquina também serve para agrafar cadernos.*] [***tdr.*** + *a*: *O funcionário agrafou o crachá ao seu bolso.*] [▶ **1 agrafar**] [F.: *agrafe* + *-ar*[2], posv. infl. do fr. agrafer. Hom./Par.: *agrafe(s)* (fl.), *agrafe(s)* (sm. [pl.]); *agrafo* (fl.), *agrafo* (sm.); *agrafo* (fl.), *ágrafo* (a.).]

agrafia (a.gra.*fi*.a) ***sf.*** **1** *Neur.* Incapacidade ou perda da capacidade de escrever, ou de montar frases coerentes, devido a distúrbio neurológico ou mental **2** Característica ou condição do que não se exprime graficamente [F.: *a-*[1] + *-grafia*.] ■ **~ absoluta** *Neur.* Aquela em que não há capacidade de escrever mesmo letras isoladas; agrafia atáxica **~ amnéstica** *Neur.* Aquela em que se preservou a capacidade de escrever, mas sem formar frases com nexo **~ atáxica** *Neur.* V. *Agrafia absoluta* **~ motora** *Neur.* Agrafia por deficiência de coordenação motora **~ sensorial** *Neur.* Agrafia resultante da incapacidade de perceber o significado da linguagem **~ verbal** *Neur.* Agrafia em que letras são percebidas, mas não palavras

agráfico (a.*grá*.fi.co) ***a.*** **1** Ref. a agrafia **2** Incapacitado para escrever devido a distúrbio neurológico [F.: *agraf(ia)* + *-ico*[2].]

agrafo (a.*gra*.fo) ***sm.*** *Cir.* Grampo ou lâmina de metal que serve para suturar feridas [F.: Do fr. *agrafe*. Hom./Par.: *agrafo* (sm.), *agrafo* (fl. de *agrafar*), *ágrafo* (a.).]

ágrafo (*á*.gra.fo) ***a.*** **1** Que não foi escrito **2** Que não tem escrita (povo ágrafo) [F.: Do gr. *ágraphos*. Hom./Par.: *ágrafo* (a.), *agrafo* (sm. e fl. de *agrafar*).]

agramatical (a.gra.ma.ti.*cal*) ***a2g.*** *Gram.* Que está em desacordo com as regras da gramática de uma língua (frase agramatical) [Pl.: *-cais*.] [F.: *a-*[1] + *gramatical*.]

agramatismo (a.gra.ma.*tis*.mo) ***sm.*** *Pat.* Tipo de afasia que se caracteriza pela omissão de um ou mais sons de uma palavra ou pela impossibilidade de empregar sintaticamente as palavras [F.: Do gr. *agrámmatos*, 'iletrado', + *-ismo*.]

agrandado (a.gran.*da*.do) ***a.*** Que se tornou grande [F.: *a-*[2] + *grande* + *-ado*[2], por infl. do espn. *agrandado*, posv.]

agranelar (a.gra.ne.*lar*) ***v. td.*** *Antq.* Armazenar (grãos, cereais) em granel, celeiro; pôr a granel [▶ **1 agranelar**] [F.: *a-* + *granel* + *-ar*.]

agranulócito (a.gra.nu.*ló*.ci.to) ***sm.*** *Histl.* Leucócito sem granulações no citoplasma [F.: *a-*[1] + *granulócito*.]

agranulocitose (a.gra.nu.lo.ci.*to*.se) ***sf.*** *Med.* Afecção aguda que se caracteriza pela redução ou desaparecimento dos leucócitos com granulações (granulócitos) [F.: *agranulócito* + *-ose*[2].]

agrarianismo (a.gra.ri:a.*nis*.mo) ***sm.*** Sistema que preconiza a divisão das terras entre os agricultores; AGRARISMO [F.: *agrariano* + *-ismo*.]

agrário (a.*grá*.ri:o) ***a.*** Ref. ao campo, à terra ou à agricultura ou que deles é próprio (na atividade econômica, na sociologia, na política etc.) (setor agrário, política agrária) [F.: Do lat. *agrarius, a, um*.]

agrarismo (a.gra.*ris*.mo) ***sm.*** O mesmo que *agrarianismo* [F.: *agrário* + *-ismo*.]

agrarista (a.gra.*ris*.ta) ***a2g.*** **1** Que é adepto do agrarismo ou agrarianismo ***s2g.*** **2** Adepto desse sistema [F.: *agrário* + *-ista*.]

agraudar (a.gra.u.*dar*) ***v.*** Tornar(-se) graúdo; fazer crescer [***td.:*** *A chuva agraudou a plantação.*] [***int.:*** *Os tomates agraudaram.*] [▶ **18 agraudar**] [F.: *a-* + *graúd(o)* + *-ar*.]

agravado (a.gra.*va*.do) ***a.*** **1** Que se tornou mais grave; PIORADO **2** Que se melindrou, que se ofendeu: "...Tô agravado não, revólver é seu..." (Guimarães Rosa, *Estas estórias*) **3** *Jur.* Que sofreu agravo ou injustiça, por despacho ou sentença do juiz **4** *Jur.* Diz-se da parte contrária ao agravante em um processo ***sm.*** **5** *Jur.* Aquele que sofreu agravo ou injustiça, por despacho ou sentença do juiz **6** *Jur.* A parte contrária ao agravante em um processo [F.: Do lat. *aggravatus, a, um*.]

agravamento (a.gra.va.*men*.to) ***sm.*** **1** Ação ou resultado de agravar(-se) **2** *P. ext.* Aumento da intensidade ou gravidade de uma doença ou de um sintoma; EXACERBAÇÃO; AGRAVO ***sm.*** **3** *P. ext.* Piora no estado de pessoa acometida por uma doença ***sm.*** **4** *Fig.* Ofensa, injúria; AGRAVO [F.: *agravar* + *-mento*.]

agravante (a.gra.*van*.te) ***a2g.*** **1** Que agrava, que aumenta a gravidade de um ato ou situação: *A seca foi um fator agravante da crise econômica.* **2** *Jur.* Diz-se de fato ou circunstância que torna mais grave a falta ou crime (circunstância agravante) **3** *Jur.* Que entra com recurso de agravo em processo (parte agravante) **4** *Rel.* Diz-se de ato ou circunstância que confere maior gravidade a falta ou pecado ***sm.*** **5** *Jur.* Ato que aumenta a gravidade de um fato ou de uma situação: *Não socorrer uma pessoa que se atropelou é um agravante do delito.* ***sf.*** **6** *Jur.* Circunstância que torna mais grave a falta ou crime: *A pouca idade da vítima é sem dúvida uma agravante.* ***s2g.*** **7** *Jur.* A parte que entra com recurso de agravo [F.: Do lat. *aggravans, antis*. Ant. nas acps. 1, 2, 4, 5 e 6: *atenuante*.]

agravar (a.gra.*var*) ***v.*** **1** Tornar(-se) mais grave, mais difícil ou pior; PIORAR [***td.:*** "Minhas frenéticas medidas de emergência somente agravaram a calamidade." (João Ubaldo Ribeiro, "Maravilhas da informática" *in O conselheiro come*)] [***tdr.*** + *em, para*: "Juscelino se ajustaria ao novo estilo de vida (...) ou o dinamismo americano iria agravar nele (...) a consciência de seu desterro?" (Josué Montello, *O Juscelino Kubitschek de minhas recordações*)] [***int.:*** "...a asfixia agravara-se." (Marques Rebelo, "Vejo a lua no céu" *in Contos reunidos*)] **2** Subir (preço) ou cobrar mais caro por [***td.:*** "Despeitificado, o Bismarques então abusou de tornar a agravar o preço." (João Guimarães Rosa, "Melim-Meloso (sua apresentação)" *in Tutameia*)] **3** Provocar inflamação, irritação ou incômodo; INCOMODAR; INFLAMAR [***td.:*** *A poluição agrava os olhos.*] **4** Aumentar despesa de ou criar despesa para (alguém, instituição, entidade etc.) [***td.:*** *O excesso de impostos agrava o contribuinte.*] **5** Submeter a grande peso ou carga, oprimindo; SOBRECARREGAR [***td.:*** *Essa feijoada agravou meu estômago.*] **6** Atingir com injúrias ou ofensas; INJURIAR; OFENDER [***td.:*** *Aquela crítica ofensiva agravou -o.*] [***ti.*** + *a*: *Quem o agravar estará agravando a mim.*] **7** *Jur.* Interpor um recurso de agravo (4) [***tr.*** + *de*: *agravar da decisão*] [***int.:*** *Aceitou a sentença, resignada, mas seu advogado resolveu agravar.*] [▶ **1 agravar**] [F.: *agravo* + *-ar*[2]. Hom./par.: *agravo* (fl.), *agravo* (sm.); *agraváveis* (fl.), *agraváveis* (pl. de *agravável*).]

agravável (a.gra.*vá*.vel) ***a2g.*** Que pode agravar-se [Pl.: *-veis*.] [F.: *agravar* + *-vel*. Hom./Par.: *agraváveis* (pl.), *agraváveis* (fl. de *agravar*).]

agravo (a.*gra*.vo) ***sm.*** **1** Ofensa a alguém; INJÚRIA **2** Perda, prejuízo ou dano sofrido **3** *P. ext.* Aumento da intensidade ou gravidade de um mal, de doença ou sintoma; AGRAVAMENTO **4** *Jur.* Recurso a uma instância superior contra decisão interlocutória de juiz ou membro de tribunal inferior; o texto impresso desse recurso [F.: Dev. de *agravar*. Hom./Par.: *agravo* (sm.), *agravo* (fl. de *agravar*).] ■ **~ de instrumento** *Jur.* Recurso das decisões de um processo **~ de petição** *Jur.* Recurso das decisões de um juiz trabalhista, durante o processo **~ retido** *Jur.* Recurso interposto num processo, que é julgado antes do recurso principal

agraz (a.*graz*) ***sm.*** O mesmo que *agraço* (1) [F.: *agr(i)-*[1] + *-az*.]

agre (*a*.gre) ***a2g.*** Acre, ácido, azedo [Superl.: *agérrimo, agríssimo*.] [F.: Do lat. *acre*.]

agredido (a.gre.*di*.do) ***a.*** **1** Que (algo ou alguém) foi vítima de agressão ou injúria **2** *Fig.* Que apresenta pequenas lesões, marcas ou irritação (diz-se da pele) ***sm.*** **3** Aquele ou aquilo que foi vítima de agressão, física ou moral, ou de injúria [F.: Part. de *agredir*.]

agredir (a.gre.*dir*) ***v.*** **1** Atacar (alguém) fisicamente, praticar agressão contra [***td.***] [***int.:*** *Não esperava ser agredido, preferia agredir.*] **2** *P. ext.* Executar um ataque; ATACAR [***td.:*** "Os carregadores agrediram as janelinhas." (Marques Rebelo, "Três caminhos" *in Contos reunidos*)] **3** Atacar (alguém) moralmente, com injúrias, insultos, ofensas etc.; INJURIAR; INSULTAR; OFENDER [***td.:*** *Na reunião, agrediu o colega com críticas insultuosas.*] [***int.:*** "Não estou agredindo. Estou só comentando..." (Ana Maria Machado, *A audácia dessa mulher*)] **4** *Fig.* Causar incômodo a (algum dos sentidos); DESAGRADAR; INCOMODAR [***td.:*** *Aquele som agrediu seus ouvidos.*] **5** Trocar ofensas ou agressão mutuamente [***td.:*** *Os jovens agrediam-se por causa do futebol.*] **6** Ir contra normas, ou contra aquilo que é evidente [***td.:*** *Este texto agride a gramática; Este argumento agride a lógica e o bom senso.*] [▶ **49 agredir**] [F.: Do lat. *aggredire*.]

agregação (a.gre.ga.*ção*) ***sf.*** **1** Ação ou resultado de agregar(-se) **2** Reunião de pessoas ou objetos; AGLOMERAÇÃO **3** *Ecol.* Agrupamento de indivíduos de acordo com um ou mais estímulos ambientais **4** *Mar.* Afastamento temporário de oficial do serviço, corpo, quadro etc. a que pertence **5** *Jur.* Instituto que assegura a quem ocupa cargo permanente o recebimento de seus vencimentos quando dele afastado, enquanto aguarda ser reaproveitado em outro cargo **6** *Mat.* Procedimento estatístico para obter uma variável como resultado das variáveis que compõem um fenômeno maior **7** *Fil.* Tipo de estruturação de um todo no qual cada parte componente mantém intactas suas características e autonomia **8** *Mús.* Tipo de acorde que não consta na classificação dos acordes [Pl.: *-ções*.] [F.: Do lat. *aggregatio, onis*.] ■ **~ plaquetária** *Hem.* Amontoado de plaquetas sanguíneas, fase de um processo que leva à formação de um trombo

agregado (a.gre.*ga*.do) ***a.*** **1** Que se juntou a, que está junto, reunido ou anexo **2** *Econ.* Diz-se de um item econômico em seu valor como um todo, resultante da soma dos valores disseminados daquele item ***sm.*** **3** Qualquer conjunto de coisas que se reuniram, aglomeraram **4** *Bras.* Pessoa que vive com uma família como se dela fizesse parte, sem fazer ***sm.*** **5** *Bras.* Trabalhador rural que reside em terra alheia e a cultiva, sob condições estabelecidas pelo proprietário **6** *N. E.* Trabalhador rural que cultiva um pedaço de terra em fazenda ou engenho alheios, e que presta serviços ao proprietário mediante pagamento **7** *SP* Morador de propriedade rural que nela presta serviços sem ser necessariamente empregado ***sm.*** **8** *Bras. Mar.* Militar da Marinha que deixa de ocupar temporariamente a vaga do serviço, corpo, quadro etc. a que pertence **9** *Cons.* Material granular inerte (areia, pedra etc.) que, com água e um aglutinante, entram na composição de concretos, argamassas etc. [F.: Do lat. *aggregatus, a, um*.] ■ **~ graúdo** *Cons.* Agregado componente do concreto, feito de grânulos grandes (brita, pedregulho etc.) **~ miúdo** *Cons.* Agregado feito de grânulos pequenos, como areia, pó de pedra etc. **~ sonoro** *Mús.* Conjunto de vibrações acústicas de frequências diferentes, produzidas simultaneamente ou em intervalo de tempo muito curto

agregador (a.gre.ga.*dor*) [ô] ***a.*** **1** Que agrega ***sm.*** **2** Aquele ou aquilo que agrega, que reúne, une (pessoas ou coisas) [F.: *agregar* + *-dor*.]

agregados (a.gre.*ga*.dos) ***smpl.*** **1** *Zool.* Família de moluscos acéfalos sem conchas caracterizada pela reunião de muitos indivíduos da mesma espécie dentro de uma pele comum que lhes dá a aparência de um indivíduo único **2** *Bot.* Classe de plantas dicotiledôneas gamopétalas cujas flores, reunidas simetricamente em uma inflorescência compacta, dão ao conjunto a aparência de uma única flor [F.: Do lat. cient. *Aggregata*.]

agregamento (a.gre.ga.*men*.to) ***sm.*** Ação ou resultado de agregar(-se); AGREGAÇÃO [F.: *agregar* + *-mento*.]

agregar (a.gre.*gar*) ***v.*** **1** Reunir(-se), juntar(-se), associar(-se) num corpo (pessoas, coisas, elementos isolados); CONGREGAR; INCORPORAR [***td.:*** *Agregou alguns diretores e iniciou a reunião.*] [***tdr.*** + *em*: *Agregaram-se num comitê em prol das vítimas da enchente.*] **2** Juntar, unir (algo ou alguém) a um corpo, grupo, conjunto existente [***tdi.*** + *a*: "...a ela se agregaram os fulanis" (Alberto Costa e Silva, *Um rio chamado Atlântico*)] **3** *P. ext.* Juntar; acrescentar, somar [***td.:*** *Para essa tarefa vamos agregar esforços.*] [***tdr.*** + *a*: *Vamos agregar alguns ingredientes a esta receita.*] **4** *Bras. Mar.* Subtrair o nome de um oficial da relação numerada de todos os componentes dos corpos e quadros dessa força armada, publicada no almanaque periódico da corporação [***td.:*** *O almirante agregou o nome do capitão.*] [▶ **14 agregar** Apresenta o e aberto no radical das formas rizotônicas (*agrego, agregas*).] [F.: Do lat. *aggregare*.]

agregativo (a.gre.ga.*ti*.vo) ***a.*** Que agrega, se agrega ou que é capaz de agregar(-se) [F.: *agregar* + *-tivo*.]

⊕ ***agrément*** (*Fr. /agremã/*) ***sm.*** *Dipl.* Consentimento que um Estado dá para que um diplomata estrangeiro possa exercer ali a função diplomática para a qual foi nomeado pelo governo de seu país

agremiação (a.gre.mi:a.*ção*) ***sf.*** **1** Ação ou resultado de agremiar(-se) **2** Grupo de pessoas que se associam para o exercício de uma atividade ou em defesa de interesses comuns; SOCIEDADE [Pl.: *-ções*.] [F.: *agremiar* + *-ção*.]

agremiar (a.gre.mi.*ar*) ***v.*** **1** Reunir ou associar (pessoas) para criar assembleia, grêmio, corporação, agremiação etc. [***td.:*** *Para enfrentar os problemas do bairro, os moradores agremiaram-se.*] [***tdr.*** + *em*: *O grupo quer agremiar os vizinhos num comitê.*] **2** Associar (alguém, inclusive si mesmo) a grêmio, instituição, entidade existente [***tdr.*** + *a*: *Agremiou-se ao clube de seu coração.*] **3** *P. ext.* Juntar, reunir, organizar [***td.:*** "...se...ele a aproveitasse para agremiar melhores elementos, fazendo vir de Queimadas o resto dos trens de guerra." (Euclides da Cunha, *Os sertões*)] [***tda.:*** *José Veríssimo agremiou toda a literatura nacional na "Revista Brasileira".*] [▶ **1 agremiar**] [F.: *a-*[2] + *grêmio* + *-ar*[2].]

agressão (a.gres.*são*) ***sf.*** **1** Ação ou resultado de agredir **2** Ataque físico ou moral **3** Ato ou atitude hostil, desrespeitosa etc. **4** *Fig.* Ação ou resultado de ofender, insultar verbalmente **5** *Fig. P. ext.* Aquilo que ofende, insulta; INSULTO; OFENSA: *Isso não foi uma crítica, foi uma agressão, uma injúria.* **6** Aquilo que agride os sentidos: "A cidade anda feia de doer, uma verdadeira agressão aos olhos" (*Folha de S.Paulo*, 08.08.1999) **7** Aquilo que agride o bom senso, a lógica, padrões estabelecidos: *Esse quadro é uma verdadeira agressão à arte.* **8** *Mil.* Invasão ou ataque militar de um Estado contra outro sem declaração formal de guerra **9** *Psi.* Atitude destrutiva em relação a si mesmo ou a outrem [Pl.: *-sões*. Rege-se ger. com a prep. *a* ou, às vezes, *contra*.] [F. Do lat. *aggressio, onis*.]

agressividade (a.gres.si.vi.*da*.de) ***sf.*** **1** Caráter ou condição de agressivo **2** Disposição para agredir, índole de quem tende a agredir **3** *P. ext.* O comportamento ou a ação de pessoa agressiva **4** *Fig.* Atitude empreendedora ou combativa que revela energia, disposição, ousadia etc.; DINAMISMO **5** *Psic.* Desequilíbrio que se manifesta em permanente disposição para atos hostis em relação a si mesmo ou a outrem **6** *Psic.* Para Freud, tendência que todo indivíduo tem no sentido de prejudicar, ofender, destruir outrem [F.: *agressivo* + *-(i)dade*.]

agressivo (a.gres.*si*.vo) ***a.*** **1** Que agride, provoca, hostiliza ou ofende; que encerra ou revela agressão (comportamento agressivo; palavras agressivas) **2** Que tem ou manifesta agressividade; que é inclinado ou predisposto a agredir, hostilizar ou provocar ***a.*** **3** Que se volta para o ataque (equipe agressiva) **4** *Fig.* Que tem atitude ou postura empreendedora, combativa (vendedor agressivo; política agressiva) **5** *Fig.* Competitivo, combativo: *O mercado está cada vez mais agressivo.* ***sm.*** **6** Pessoa agressiva (1, 2) **7** *Restr. Psi.* Indivíduo de comportamento marcado pela agressividade (5) e por ações destrutivas [F.: Do lat. *aggressus* (part. pass. de *aggredi*) + *-ivo*.]

agressor (a.gres.*sor*) [ô] ***a.*** **1** Que agride física ou moralmente, que ataca, que hostiliza, que provoca **2** *Jur.* Que cometeu agressão contra alguém ***sm.*** **3** Indivíduo agressor (1, 2) [F.: Do lat. *agressor, oris*.]

agrestado (a.gres.*ta*.do) ***sm.*** *Bras. N. E.* Terreno ou formação vegetal que apresenta alguns aspectos próprios do agreste: "A cerâmica ocorre na mata e nos agrestados, como em Anadia, Limoeiro de Anadia, Taquarana, Girau do Ponciano." (Luiz Sávio de Almeida, *As ceramistas indígenas do São Francisco*) [F.: *agrest(e)* + *-ado*[2].]

agreste (a.*gres*.te) [é] ***a2g.*** **1** Ref. ao campo (esp. ao não cultivado); CAMPESTRE; SILVESTRE **2** *Fig.* Que não é cultivado ou refinado; rústico, rude (personalidade agreste) ***sm.*** **3** *Bras.* Zona árida do Nordeste brasileiro, entre a mata Atlântica e a caatinga **4** Pessoa agreste (2) [F.: Do lat. *agrestis, e*.] ■ **~ acatingado** *Bras.* Transição entre o agreste e a caatinga, em que aquele apresenta algumas características desta

agrestia (a.gres.*ti*.a) *sf.* **1** Qualidade, condição ou estado de agreste (1) *sf.* **2** *Fig.* Qualidade, condição ou estado de agreste (2); rusticidade, rudeza *sf.* **3** *Fig.* Grosseria, indelicadeza [F.: *agreste* + *-ia*[1].]

agrestino (a.gres.*ti*.no) *a. Bras. N. E.* Referente à região do Agreste nordestino, natural dela: "Nazaré da Mata é uma terra entre canaviais (...). Lá, (...) nasci eu, filho de Evalda, nazarena astuta, perspicaz; e de Antônio, agrestino, dos bons de coração." (Marcos Vilaça, *Discurso de Posse*, 27.05.2006) [F.: *agreste* + *-ino*[1].]

agri-[1] *el. comp.* Ver *acri-*

agri-[2] *el. comp.* Registra-se em vocábulos eruditos, muitos deles formados no próprio latim, como *agricultura*, e outros introduzidos na linguagem científica internacional, a partir do séc. XIX: *agriculturável, agrimensão* [F.: Do lat. *ager, agri*, 'campo'. Ver tb. *agro-*.]

agrião (a.gri:*ão*) *sm.* **1** *Bot.* Erva comestível das crucíferas, rica em minerais, de folhas verde-escuras e sabor acre, us. ger. em saladas; tem **2** *Vet.* Tumor indolor localizado no jarrete de cavalgaduras [Pl.: *-ões*.] [F.: De or. incerta; do lat. *agrion, i*, por via erudita, ou *acrio, onis*, por via semierudita ou popular.]

agrião-do-brejo (a.gri:ão-do-*bre*.jo) *sm.* Erva (*Eclipta alba*) da fam. das compostas, muito us. em medicina popular [Pl.: *agriões-do-brejo*.]

agrícola (a.*grí*.co.la) *a2g.* **1** Ref. a ou próprio da agricultura ou do campo (instrumentos agrícolas) **2** Que se dedica a ou se baseia na agricultura (país agrícola; trabalho agrícola) *s2g.* **3** Quem cultiva a terra; AGRICULTOR [F.: Do lat. *agricola, ae*.]

agricultado (a.gri.cul.*ta*.do) *a.* Diz-se do terreno em que se aplicaram os processos agrícolas; CULTIVADO; LAVRADO [F.: Part. De *agricultar*.]

agricultar (a.gri.cul.*tar*) *v.* **1** Cultivar (terras) [*td.*] **2** Dedicar-se à agricultura [*int.*] [▶ **1 agricultar**] [F.: *agr(i)-* + lat. *cult* + *-ar*.]

agricultável (a.gri.cul.*tá*.vel) *a2g.* Que pode ser cultivado, agricultado (área agricultável; terreno agricultável); ARÁVEL [Pl.: *-veis*.] [F.: *agricultar* + *-vel*. Hom./Par.: *agricultáveis* (pl.), *agricultáveis* (fl. de *agricultar*).]

agricultor (a.gri.cul.*tor*) [ô] *a.* **1** Que agriculta, que cultiva a terra **2** Que se dedica à agricultura *sm.* **3** Quem cultiva a terra; LAVRADOR; AGRÍCOLA **4** Indivíduo, ger. proprietário de terras, que se dedica à agricultura [F.: Do lat. *agricultor, oris*.]

agricultura (a.gri.cul.*tu*.ra) *sf.* **1** Técnica de cultivar a terra [Tem como objetivos a produção de vegetais que servem à alimentação humana ou de animais e a geração de matérias-primas (ex.: cana-de-açúcar, algodão etc.) para a indústria.] **2** Conjunto de técnicas e métodos próprios dessa atividade [F.: Do lat. *agricultura, ae*.]

~ de subsistência *Econ.* Atividade agrícola cujos frutos destinam-se somente ao consumo do produtor **~ itinerante** Sistema agrícola primitivo de cultura em que a terra cultivada é abandonada assim que mostra indícios de esgotamento, partindo o lavrador em busca de outras terras para cultivar **~ superior** A que se baseia em utilização de técnicas avançadas, como fertilizantes e irrigação artificiais, cruzamentos genéticos, combate às pragas e moléstias etc.

agriculturável (a.gri.cul.tu.*rá*.vel) *a2g.* O mesmo que *agricultável* [Pl.: *-veis*.] [F.: *agricultura* + *-ar*[2] + *-vel*.]

agridoce (a.gri.*do*.ce) [ô] *a2g.* Ver *acridoce*

agrilhoar (a.gri.lho.*ar*) *v.* **1** Sujeitar, prender com grilhões; ACORRENTAR [*td.*: *Agrilhoar um prisioneiro*.] **2** *Fig.* Fazer ficar ou ficar, tornar(-se) dependente (de), submetido ou submisso (a); PRENDER; SUBMETER [*td.*: *Livrou-se dos preconceitos que o agrilhovam*.] [*tdr.* + *a*: *Aos poucos, agrilhoou-se àqueles hábitos, que se tornaram vícios*.] **3** *Fig.* Comprimir, reprimir [*td.*: "...começava a cantarolar (...) para dessa maneira agrilhoar os pensamentos..." (Jens Peter Jacobsen, "Um tiro no nevoeiro" *in* Aurélio Buarque de Holanda Ferreira e Paulo Rónai, *Mar de histórias, 4*)] [▶ **16 agrilhoar**] [F.: *a-*[2] + *grilhão* + *-oar*. Ant. ger.: *libertar, liberar*.]

agrimensar (a.gri.*mar*-se) *v. td.* Efetuar a medição de (terras agrícolas) [▶ **1 agrimensar**] [F.: *agrimensor* ou *agrimensura* + *-ar*.]

agrimensor (a.gri.men.*sor*) [ô] *a.* **1** Que é capacitado ou habilitado a demarcar e fazer medição de terras, propriedades agrícolas (instrumento agrimensor; engenheiro agrimensor) *sm.* **2** Pessoa, ger. profissional, que mede e/ou demarca terras **3** *Pop.* Nome dado a larva (de certas borboletas e mariposas geometrídeas) cujo deslocamento se assemelha ao movimento de medir com a palma da mão [F.: Do lat. *agrimensor, oris*.]

agrimensura (a.gri.men.*su*.ra) *sf.* **1** Medição de terras *sf.* **2** A técnica us. nessa medição [F.: Do lat. *agrimensura, ae*. Sin. ger.: *agrimensão*.]

agrimônia (a.gri.*mô*.ni:a) *sf. Bot.* Gênero de plantas da fam. das rosáceas, esp. a *Agrimonia eupatoria*, us. para fins medicinais [F.: Do lat. cient *Agrimonia*.]

agriófago (a.gri:*ó*.fa.go) *a.* **1** Que se alimenta de animais selvagens *sm.* **2** Indivíduo agriófago [F.: Do gr. *agriophágos, os, on*.]

agriotimia (a.gri:o.ti.*mi*.a) *sf. Desus. Psiq.* Tendência mórbida a praticar atos de crueldade [F.: *agrio-* (do gr. *ágrios*, 'selvagem') + *tim(o)-* + *-ia*[1].]

agripa *P. us. sm. Med.* Criança que nasce em posição invertida, apresentando primeiro os pés [F.: Do lat. *agrippa, ae*.]

agripene (a.gri.*pe*.ne) *a2g. Ornit.* Que tem as penas da cauda em forma de leque (ave agripene) [F.: *agri-* (do lat. *acer, acris, acre* 'pontudo') + *-pene*.]

agripina (a.gri.*pi*.na) *sf. Bras. Ent.* Espécie de mariposa; IMPERADOR [F.: Do lat. cient. (*Thysania*) *agrippina*.]

agripnético (a.grip.*né*.ti.co) *a. Farm.* Diz-se de substância que tira o sono [F.: Do gr. *agrypnetikós*.]

agripnia (a.grip.*ni*.a) *sf. P. us. Med.* Insônia [F.: Do gr *agrypnía*.]

agrisalhar (a.gri.sa.*lhar*) *v.* Tornar(-se) grisalho [*td.*: *O sofrimento agrisalhou o pobre homem*.] [*int.*: *Chegou aos quarenta e começou a agrisalhar; Sua barba agrisalhava-se, mas o bigode permanecia preto*.] [▶ **1 agrisalhar**] [F.: *a-* + *grisalho* + *ar*.]

agríssimo (a.*grís*.si.mo) *a.* Muito acre; AGÉRRIMO; ACÉRRIMO [Superl. abs. sint. de *agre* e *agro*.] [F.: *agre* + *-íssimo*.]

agro- *el. comp.* = '(do) campo'; '(da) agricultura'; 'agrícola'; 'produtos agrícolas': *agroaçucareiro, agroalimentar, agroindústria, agroexportação, agronegócio, agroquímica*. [Registra-se, em ger., em compostos surgidos a partir do séc. XIX.] [F.: Do gr. *agrós, ou*, 'campo' (equiv. de *agri-*[2]).]

agro[1] (a.gro) *sm. Ant.* Terreno cultivado ou cultivável; CAMPO [F.: Do lat. *ager, agri*.]

agro[2] (a.gro) *a.* **1** Ácido, azedo, acre: "...o cheiro de junquilhos/ vívido e agro!..." (Camilo Pessanha, *Fonógrafo*) **2** Difícil de suportar; ÁRDUO: "...compensou largamente dois anos de agros sofrimentos e ásperos trabalhos." (Eça de Queirós, *Os Maias*) **3** Áspero, escarpado, escabroso (terreno agro) [Superl.: *agérrimo, agríssimo*.] *sm.* **4** Sabor ácido **5** Aspereza, escabrosidade **6** Desgosto, amargura [F.: Do lat. vulgar *acrus*.]

agroaçucareiro (a.gro:a.çu.ca.*rei*.ro) *a.* Ref. à cultura e industrialização da cana-de-açúcar [F.: *agro-* + *açucareiro*.]

agroalimentar (a.gro:a.li.men.*tar*) *a2g.* Ref. a todas as atividades, do cultivo ao processamento, industrialização e comercialização, de produtos alimentares de origem agrícola [F.: *agro-* + *alimentar*.]

agroalimentício (a.gro:a.li.men.*tí*.ci:o) *a.* Ref. à alimentação ou a alimentos de origem agrícola [F.: *agro-* + *alimentício*.]

agroambiental (a.gro:am.bi.en.*tal*) *a2g.* Que diz respeito às relações entre a agropecuária e o meio ambiente (educação agroambiental, política agroambiental) [Pl.: *-tais*.] [F.: *agro-* + *ambiental*.]

agroboy (a.gro.*boy*) (*Ing. /agrobói/*) *sm.* Homem, freq. jovem e rico, nascido e criado em grandes propriedades rurais, e que se dedica aos prazeres e à vida recreativa [Pl.: *agroboys*.] [F.: Voc. de índole jocosa, do el. comp. ing. *agro-*, 'campo' (correspondente ao port. *agro-*), + *boy*, 'rapaz', por analogia com *playboy*.]

agroecologia (a.gro:e.co.lo.*gi*.a) *sf. Ecol.* Parte da ecologia que estuda os ecossistemas artificiais, formados em zonas agrícolas, para sua integração harmônica com o meio ambiente natural [F.: *agro-* + *ecologia*.]

agroecológico (a.gro:e.co.*ló*.gi.co) *a.* Ref. ou que pertence à agroecologia [F.: *agroecologia* + *-ico*[2].]

agroexportação (a.gro:ex.por.ta.*ção*) *sf.* Exportação de produtos agrícolas [Pl.: *-ções*.] [F.: *agro-* + *exportação*.]

agroexportador (a.gro:ex.por.ta.*dor*) [ô] *a.* **1** Ref. a exportação de produtos agrícolas *sm.* **2** Aquele que exporta produtos agrícolas [F.: *agro-* + *exportador*.]

agroextrativista (a.gro:ex.tra.ti.*vis*.ta) *a2g.* Que se dedica ao extrativismo em áreas cultivadas: *A produção de erva-mate pertence à economia agroextrativista*. [F.: *agro-*[2] + *extrativista*.]

agrogeologia (a.gro.ge:o.lo.*gi*.a) *sf.* Ciência da constituição física e química do solo em relação com a agricultura [F.: *agro-* + *geologia*.]

agrogeológico (a.gro.ge:o.*ló*.gi.co) *a.* Ref. a agrogeologia [F.: *agrogeolog(ia)* + *-ico*[2].]

agroglifo (a.gro.*gli*.fo) *sm.* Termo atribuído a misterioso (real ou imaginário) fenômeno que consiste na aparição, da noite para o dia, de corte (ceifa) feito em plantação extensa, formando, quando visto do alto, um glifo, um desenho esquemático de formas diversas [F.: *agro-* + *glifo*.]

agroindústria (a.gro:in.*dús*.tri:a) *sf.* **1** Indústria de beneficiamento de produtos agrícolas ou de sua transformação em produtos industriais **2** A indústria em sua interação e em suas relações com a agricultura [F.: *agro-* + *indústria*.]

agroindustrial (a.gro:in.dus.tri:*al*) *a2g.* Ref. à agroindústria [Pl.: *-ais*.] [F.: *agroindústria* + *-al*.]

agroindustrialização (a.gro.in.dus.tri.a.li.za.*ção*) *sf.* Crescimento da moderna indústria de base agrícola [Pl.: *-ções*.] [F.: *agro-*[2] + *industrialização*.]

agrolobista (a.gro.lo.*bis*.ta) *s2g.* Lobista que representa os interesses da indústria agrícola [F.: *agro-*[2] + *lobista*.]

agrologia (a.gro.lo.*gi*.a) *sf.* Ciência que tem por objeto o conhecimento dos solos nas suas relações com a agricultura [F.: *agro-* + *-logia*.]

agrológico (a.gro.*ló*.gi.co) *a.* Ref. a agrologia [F.: *agrolog(ia)* + *-ico*[2].]

agrólogo (a.*gró*.lo.go) *sm.* Pessoa especializada em agrologia [F.: *agro-* + *-logo*.]

agromania *sf.* **1** *Psiq.* Tendência mórbida à vida solitária nos campos **2** Paixão ou mania da agricultura [F.: *agro-* + *-mania*.]

agromaníaco (a.gro.ma.*ní*.a.co) *a.* **1** Ref. a agromania **2** Que tem agromania *sm.* **3** Aquele que tem agromania [F.: *agroman(ia)* + *-íaco*.]

agromercado (a.gro.mer.*ca*.do) *sm.* Mercado de produtos agrícolas e/ou destinados à agricultura [F.: *agro-*[2] + *mercado*.]

agrometeorologia (a.gro.me.te:o.ro.lo.*gi*.a) *sf. Agr. Met.* Meteorologia aplicada à atividade agrícola [F.: *agro-*[2] + *meteorologia*.]

agrometeorológico (a.gro.me.te:o.ro.*ló*.gi.co) *a.* Ref. à agrometeorologia [F.: *agrometeorologia* + *-ico*[2].]

agronegócio (a.gro.ne.*gó*.ci:o) *sm.* **1** *Econ.* Conjunto das atividades e dos processos relativos à agropecuária, desde a produção até a comercialização de seus produtos **2** Cada uma dessas atividades ou processos [F.: *agro-* + *negócio*.]

agronometria (a.gro.no.me.*tri*.a) *sf.* Parte da agronomia que se dedica a avaliar a capacidade de produção das terras cultivadas [F.: *agrono(mia)-* + *-metria*.]

agronométrico (a.gro.no.*mé*.tri.co) *a.* Ref. a agronometria [F.: *agronometr(ia)* + *-ico*[2].]

agronomia (a.gro.no.*mi*.a) *sf. Agr.* Conjunto de princípios, conhecimentos e técnicas que fundamentam e norteiam a prática da agricultura [F.: *agrônomo* + *-ia*[1].]

agronômico (a.gro.*nô*.mi.co) *a.* Ref. à agronomia [F.: *agronomia* + *-ico*[2].]

agrônomo (a.*grô*.no.mo) *sm.* Aquele que se diplomou ou que é especialista ou técnico em agronomia [F.: Do gr. *agronómos, os, on*.]

agropastoril (a.gro.pas.to.*ril*) *a2g.* O mesmo que *agropecuário* [F.: *agro-*[2] + *pastoril*.]

agropecuária (a.gro.pe.cu:*á*.ri:a) *sf.* **1** Atividade econômica que consiste na prática da agricultura e da pecuária simultaneamente, e o conjunto das técnicas e conhecimentos próprios dessa atividade **2** A agricultura e a pecuária em suas relações mútuas, entendidas como o conjunto das atividades e técnicas rurais: *A agropecuária do país cresceu muito nos últimos anos*. [F.: *agro-* + *pecuária*.]

agropecuário (a.gro.pe.cu:*á*.ri:o) *a.* Ref. à agropecuária ou próprio dela [F.: *agro-* + *pecuário*.]

agropecuarista (a.gro.pe.cu:a.*ris*.ta) *s2g.* Pessoa que se dedica à agropecuária [F.: *agropecuária* + *-ista*.]

agroquímica (a.gro.*quí*.mi.ca) *sf. Quím.* Conjunto de conhecimentos químicos ref. à fabricação de produtos us. na agricultura, como, p. ex., inseticidas, fertilizantes etc., e/ou à ação desses produtos sobre as culturas agrícolas [F.: *agro-*[2] + *química*.]

agroquímico (a.gro.*quí*.mi.co) *a.* **1** Ref. à agroquímica (produto agroquímico) *sm.* **2** Pessoa especializada em agroquímica [F.: *agro-*[2] + *químico*.]

agror (a.*gror*) [ô] *sm.* Amargura, desgosto, mágoa [F.: Do lat. *acror, oris*.]

agróstis (a.*grós*.tis) *Bot. sf.* Gênero de plantas da fam. das gramíneas [F.: Do lat. cient. *Agrostis*.]

agrosto- *el. comp.* = 'gramínea': *agrostografia, agrostologia, agrostólogo* [F.: Do gr. *ágrostis, idos*, 'grama do Parnaso'.]

agrostologia (a.gros.to.lo.*gi*.a) *sf.* Parte da botânica que estuda as gramíneas [F.: *agrosto-* + *-logia*.]

agrostológico (a.gros.to.*ló*.gi.co) *a.* Ref. à agrostologia [F.: *agrostologia* + *-ico*[2].]

agrostólogo (a.gros.*tó*.lo.go) *sm.* Indivíduo especializado em agrostologia [F.: *agrosto-* + *-logo*.]

agrotíneo (a.gro.*tí*.ne.o) *a.* **1** Ref. aos agrotíneos *sm.* **2** Espécime dos agrotíneos [F.: Do lat. cient. *Agrotinae*.]

agrotóxico (a.gro.*tó*.xi.co) [cs] *sm.* **1** *Quím.* Substância ou produto químico (fungicidas, inseticidas, herbicidas etc.) us. na prevenção ou no combate de pragas agrícolas: *cultura sem agrotóxicos*. *a.* **2** Diz-se de, ou ref. a produto ou substância us. no combate de pragas da lavoura [F.: *agro-* + *tóxico*.]

> Como o termo expressa, o agrotóxico é um produto tóxico usado como defensivo agrícola. Quando se começou a aplicar herbicidas, inseticidas e fungicidas em diversas culturas, os resultados foram altamente positivos na produção e na qualidade, e seu uso disseminou-se cada vez mais. Mas, por serem basicamente tóxicas, essas substâncias, além de eliminarem as pragas, transmitiam a toxicidade às plantas, e os efeitos nocivos disso começaram a se fazer sentir. A crescente percepção da importância do equilíbrio ecológico e da conservação do ambiente, além do temor intrínseco das consequências para a saúde do uso de agrotóxicos, levaram gradativamente a uma posição crítica em relação a eles. Muitos produtos foram banidos, mesmo proibidos, e o conceito de uma agricultura orgânica, livre de agrotóxicos, começou a tomar vulto, apesar de sua teoricamente menor rentabilidade.

agroturismo (a.gro.tu.*ris*.mo) *sm.* Modalidade de turismo que consiste ger. em visitas realizadas a propriedades rurais, sob a orientação de um guia [F.: *agro-*[2] + *turismo*.]

agrovia (a.gro.*vi*.a) *sf.* Toda e qualquer via que liga centros de produção e atividade agrícola, desde a cadeia produtora até a armazenagem e os centros de consumo [F.: *agro-* + *via*.]

agrovila (a.gro.*vi*.la) *sf. Bras.* Povoado construído especialmente para alojar os que trabalham na construção de estradas em locais remotos [F.: *agro-* + *vila*.]

agrumar-se (a.gru.*mar*-se) *v. int.* Adquirir forma de grumo [▶ **1 agrumar-se**] [F.: *a-* + *grumo* + *-ar*.]

agrumular (a.gru.mu.*lar*) *v.* **1** Coalhar de grúmulos [*td.*] **2** Formar grúmulos; AGRUMAR-SE [*pr.*] [▶ **1 agrumular**] [F.: *a-* + *grúmulo* + *-ar*. Var.: *agrumelar*.]

agrupado (a.gru.*pa*.do) ***a.*** Reunido em grupo [F.: Part. de *agrupar*.]

agrupamento (a.gru.pa.*men*.to) ***sm.*** **1** Ação ou resultado de agrupar(-se) ***sm.*** **2** Reunião, conjunto, aglomerado de pessoas ou coisas: *Que agrupamento é aquele na porta do cinema?* **3** Estado ou condição do que ou de quem está agrupado: *Esse agrupamento da tropa torna-a vulnerável.* [F.: *agrupar* + *-mento*.] ■ **~ de galáxias** V. *Aglomerado de galáxias*

agrupar (a.gru.*par*) ***v.*** **1** Fazer ficar ou ficar, estar juntas (pessoas ou coisas esparsas) para formar grupo (segundo algum critério ou não); juntar(-se), reunir(-se) [***td.***: *O guia agrupou os turistas.*] [***int.***: *A tropas agrupam-se ao longo da estrada.*] [***tdr.*** + em: *O professor agrupou as provas em pilhas, de acordo com as turmas.*] [***tr.*** + em: "Arvoretas inéditas querem agrupar-se em bosques: é a erva-mate, que começa" (João Guimarães Rosa, *Ave, palavra*)] **2** Agregar, anexar, incorporar (algo) a algo já existente [***tdr.*** + a: *O juiz agrupou novas provas ao processo.*] **3** Estar situado próximo em relação ao outro [***int.***: *É na orla que se agrupam os hotéis para turistas.*] **4** Incluir(-se), incorporar(-se) [***tdr.*** + a: *Agrupar o atleta à equipe; Agrupou-se ao time, e não saiu mais.*] [▶ 1 agrupar] [F.: *a-*[2] + *grupo* + *-ar*[2].]

agrura (a.*gru*.ra) ***sf.*** **1** Sabor ácido, azedo; AZEDUME; ACIDEZ **2** *Fig.* Situação difícil; DIFICULDADE **3** *Fig.* Sofrimento físico ou espiritual; AFLIÇÃO **4** Qualidade ou condição do que é íngreme, ou áspero [F.: *agro*[2] + *-ura*. Nos sentidos figurados (2 e 3), mais us. no plural: *as agruras da vida*.]

água (*á*.gua) ***sf.*** **1** *Quím.* Líquido sem cor, cheiro ou sabor, essencial à vida, composto de hidrogênio e oxigênio [Fórm.: H_2O.] **2** A massa líquida que cobre mais de 2/3 da superfície da Terra [Ver tb. *águas*.] **3** *Cons.* Superfície plana e inclinada de um telhado **4** Chuva: *Vai cair muita água.* **5** *Bras. Fig. Pop.* Diminuição da acuidade mental, embotamento causado por ingestão excessiva de álcool; EMBRIAGUEZ: *Estava na maior água.* **6** Qualquer secreção corporal líquida, como o suor, a lágrima, a urina etc. **7** *Pop.* O líquido amniótico que sai do útero por ocasião do parto **8** Seiva ou líquido que escorre de algumas plantas quando queimadas ou cortadas **9** Alimento aquoso, como sopa rala, suco de certas frutas etc. **10** *Fig.* Qualidade, nível intelectual, artístico etc., talento: *Um professor da melhor água.* **11** *Fig. Pop.* Tarefa de fácil execução, que flui sem dificuldade: *A primeira questão foi uma água.* **12** *Min.* Grau de pureza e de brilho de pedras preciosas, esp. o diamante **13** *N. E.* Qualquer remédio líquido ■ **~ abaixo** No sentido da corrente (de água) **~ acima** No sentido contrário ao da corrente (de água): *Entrou no canoa e seguiu o rio, água acima.* **~ batismal** A que é us. na cerimônia religiosa do batismo **~ benta** *Rel.* Água benzida pelo celebrante da missa católica **~ boricada** *Quím.* Solução aquosa de ácido bórico, us. como antisséptico **~ de barita** *Quím.* Solução aquosa de barita (hidróxido de bário), us. como reagente do gás carbônico **~ de barrela** Água fervida com cinzas, us. como branqueador de tecidos; lixívia [Ver tb. *Dar em ~ de barrela*.] **~ de cal** *Quím.* Suspensão aquosa de hidróxido de cálcio, us. para neutralizar acidez **~ de cloro** *Quím.* Solução aquosa de cloro, us. como antisséptico e agente oxidante **~ de cristalização** *Quím.* A que se combina com cristais e matéria cristalizada **~ de farinha** *Bras.* Alimento feito de farinha de mandioca dissolvida em água **~ de hidratação** *Quím.* A que entra na formação de hidratos **~ de infiltração** A que se infiltra no terreno, podendo elevar a superfície freática; água de embebição **~ de Javel** *Quím.* Solução de hipoclorito de sódio e cloreto de sódio, ou de potássio, us. como desinfetante ou alvejante **~ de muro** *Arq.* Face superior de um muro, não horizontal por estar inclinada na direção do terreno a que o muro pertence **~ de rosas** *Quím.* Solução alcoólica de essência de rosas diluída em água **~ destilada** *Quím.* Água sem a presença de sais minerais e outras substâncias, obtida por destilação, ger. para uso químico ou farmacêutico **~ de telhado** Superfície de telhado para captação de águas pluviais **~ doce** Água quase sem sal (cloreto de sódio e outros sais), como em rios, lagos e nascentes **~ do monte** *S.* Anormalidade em correnteza de rio, motivada por enxurradas **~ dos axés** *Bras. Rel.* Água com plantas e gotas de sangue de animais sacrificados em rituais, us. em cerimônias do candomblé nagô **~ dura** *Quím.* Água com sais de cálcio, ferro e magnésio e que, por isso, dificilmente cria espuma com sabão **~ encanada** *Arq. Urb.* Água tratada distribuída para uso em rede de encanamentos **~ e sal** Diz-se de alimento sem gordura e sem condimento outro que o sal **~ férrea** Água com teor de ferro maior que o normal, us. no tratamento da anemia **~ gasosa** Água mineral com gás carbônico em solução **~ inglesa** Mistura de extrato de quina com vinho seco **~ lisa** *Lus.* Água mineral não gaseificada **~ lustral** Em Roma, água de ablução em templo, na qual se apagava uma brasa da pira de sacrifícios [Tb. apenas *lustral*.] **~ meteórica** *Met.* Água da atmosfera, como a água da chuva **~ mineral** Água natural com presença de sais minerais **~ na barriga** *Pop.* Presença de líquido acumulado no abdome, por doença ou distúrbio **~ na boca** *Fig.* Apetite, desejo **~ natural** *Quím.* A água na natureza, como a da chuva, de nascentes, do orvalho etc. **~ no joelho** Derrame de natureza inflamatória no joelho, ger. devido a contusão **~ oxigenada** *Quím.* Solução de peróxido de hidrogênio (H_2O_2, água com um átomo a mais de oxigênio) us. como antisséptico, oxidante, alvejante etc. **~ panada** *Bras.* Infusão com pão torrado **~ pesada** *Quím.* Água com forte presença de óxido de deutério (D_2O), us. em reatores nucleares **~ potável** A que é própria para se beber, limpa, portanto, de impurezas e de sais em excesso **~ régia** *Quím.* Na alquimia, ácido nítrico misturado com ácido clorídrico, us. para a dissolução de ouro, prata e platina **~ salgada/salina** Água com mais de 30 partes por 1.000 de sal, como a água do mar **~ sanitária** Solução de hipoclorito de sódio, us. como desinfetante e material de limpeza doméstica **~s colatícias** Águas que escorrem pelas vertentes de morros **~s continentais** *Geol.* As águas existentes em terra, como as de rios, lagos e geleiras **~s de março** As primeiras chuvas após o fim do verão: "São as águas de março / Fechando o verão" (Tom Jobim, *Águas de Março*) **~s dormentes** Águas paradas, como as de lagos e lagoas **~s passadas** *Fig.* O que já passou e não convém que seja lembrado e considerado: *Isso são águas passadas, ainda somos bons amigos.* **~s territoriais** As águas do mar territorial (a faixa de mar junto à costa com largura estipulada por lei) e as dos lagos e rios continentais, sujeitas à soberania de um Estado **~s turvas** *Fig.* Situação não clara, confusa, indefinida **~s vivas** Maré de sizígia, em que se somam as forças de atração do Sol e da Lua **~ termal** Água cuja temperatura, em sua nascente, é superior à do ambiente **~ tônica** Bebida gaseificada, com quinino, us. como refrigerante ou ingrediente de drinques [Tb. apenas *tônica*.] **~ tremida** Tremor na superfície das águas de um rio, devido a obstáculo submerso **~ vegetomineral** Líquido medicamentoso adstringente, cujo principal componente é o acetato de chumbo **Abrir ~** *Mar.* Ver *Fazer água* **Afogar-se em pouca ~** **1** Atrapalhar-se ou afligir-se com coisas simples ou sem importância **2** Fracassar em algo por um detalhe ou problema menor **Aquentar ~ para o mate de outro** *RS* Trabalhar para que outro se beneficie do resultado **Até debaixo d'~** *Bras.* Em qualquer situação, mesmo difícil ou desfavorável, para o que der e vier: *Sou patriota até debaixo d'água.* **Banhar-se em ~ de rosas** **1** Estar ou sentir-se feliz **2** Constatar alguém, satisfeito, que outrem se deu mal por não ter aceitado seu conselho **Beber ~ na fonte** Ter acesso a algo (texto, informação, conhecimento etc.) na própria origem **Beber ~ nas orelhas dos outros** *S.* Estar sempre aos cochichos, fazendo fofoca e intrigas **Bom como ~** Muito bom, ótimo [Ger. referindo-se a pessoa.] **Botar ~ às mãos** Ser ou mostrar-se superior em algo **Carregar ~ em cesto/peneira** Empenhar-se em algo que não tem possibilidade de ter êxito, esforçar-se inutilmente **Claro como ~** Claríssimo, evidente **Com ~ na boca** Com apetite ou desejo: *Ao olhar a vitrine, ficou com água na boca.* **Como ~** Em grande quantidade: *Entrava gente como água, e o teatro logo ficou lotado.* **Como da ~ para o vinho** Totalmente, de maneira radical: *Quando o pai chegou, o comportamento dele mudou como da água para o vinho.* **Corra ~ por onde correr** *Fam.* Haja o que houver **Cozinhar em ~ fria** Conduzir lentamente processo ou tarefa, protelando medidas **Dar ~ pela barba** *Lus.* Dar trabalho, criar dificuldades **Dar em ~ de bacalhau** *Lus.* Dar em água de barrela **Dar em ~ de barrela** *Bras.* Não dar certo, malograr, fracassar **De ~ doce** Inexperiente ou incompetente em seu trabalho ou tarefa **De dar ~ na boca** Que desperta apetite ou desejo: *uma receita de dar água na boca.* **De fazer ~ na boca** De primeira qualidade, excelente: *uma decoração de fazer água na boca.* **De primeira ~** De primeira linha, muito bom **Enfiar ~ no espeto** *S.* Ver *Carregar água em cesto* **Estar nas ~s** *N. E. Pop.* Estar bêbado **Fazer ~** **1** *Mar.* Ser progressivamente invadido por água (embarcação), ger. por rombo no casco **2** *P. ext.* Começar (trabalho, tarefa, missão etc.) a degringolar **Ferver em pouca ~** Ficar irritado por motivo fútil, sem importância **Ir nas ~s de** **1** *Bras.* Acompanhar (alguém) em ideias, ações, atitudes etc. **2** Usufruir de vantagens ou oportunidades de outrem: *Não tem muita iniciativa, vai sempre nas águas dos amigos.* **Ir por ~ abaixo** Fracassar, não dar certo: *Nosso projeto foi por água abaixo.* **Pescar em ~s turvas** Tentar aproveitar-se de situação confusa ou suspeita para tirar proveito **Pôr/botar ~ na fervura** Acalmar, tirar ou diminuir entusiasmo **Sem dizer ~ vai** Sem aviso prévio, subitamente **Ser aquela ~** *Bras. Pop.* Desandar tudo, ir tudo a perder **Ser como ~ em balaio** *Cabo-verd.* Ser sem serventia, inútil **Sujar a ~ que bebe** Ser mal-agradecido; cuspir no prato em que comeu **Ter bebido ~ de chocalho** Tagarelar, falar muito **Tirar ~ de pedra** Cumprir tarefa ou fazer trabalho muito difícil, quase impossível **Tirar ~ do joelho** *Bras. Gír.* Urinar **Tomar ~** *Mar.* Abastecer-se de água potável para embarcação; fazer aguada **Trazer ~ no bico** Ter motivação suspeita para uma ação, atitude etc. **Verter ~(s)** Urinar

> 🕮 Dois grandes desafios do homem no mundo atual são a preservação e a distribuição dos mananciais de água para fins agrícolas e industriais, esp. em regiões de subdesenvolvimento e de grande concentração de populações pobres. Técnicas modernas de irrigação otimizam seu uso na agricultura, permitindo a melhora da produção com economia de água. Políticas de preservação ambiental têm sido defendidas e aplicadas com o objetivo de impedir a exaustão de fontes naturais de água.

água-amarga (á.gua-a.*mar*.ga) ***sf.*** **1** Purgativo feito à base de água com sal **2** Infusão com casca de quina com finalidade antipirética ou antimalárica [Pl.: *águas-amargas*.]

água-benta (á.gua-*ben*.ta) ***sf.*** *Bras. Gír.* Aguardente de cana; CACHAÇA [Pl.: *águas-bentas*.] [F.: *água*[1] + fem. de *bento*[1]. Cf.: *água benta*.]

água-branca (á.gua-*bran*.ca) ***sf.*** *AM* Designação das águas de rio que são ricas em sedimentos [Pl.: *águas-brancas*.]

água-brava (á.gua-*bra*.va) ***sf.*** *Bras.* Suco leitoso da mandioca ralada e comprimida; ÁGUA DE GOMA; MANIPUEIRA; MANIPUERA [Este suco é venenoso, e depois de evaporado o veneno é dele que se prepara o molho chamado *tucupi*.] [Pl.: *águas-bravas*.]

aguaça (a.*gua*.ça) ***sf.*** O mesmo que *enxurrada* [F.: *água* + *-aça*.]

aguaçal (a.gua.*çal*) ***sm.*** **1** Lugar onde se conserva água estagnada; CHARCO **2** Enxurrada, aguaça **3** *Bras.* Solo temporariamente alagado em decorrência de grandes chuvas [Pl.: *-çais*.] [F.: *aguaça* + *-al*.]

aguaceira (a.gua.*cei*.ra) ***sf.*** **1** Grande porção de água em deslocamento: *A aguaceira impiedosa do rio arrancava os casebres das margens.* **2** Porção de água ou saliva expelida da boca por indisposição estomacal [F.: *aguaça* + *-eira*. Cf.: *aguaceiro*.]

aguaceiro (a.gua.*cei*.ro) ***sm.*** **1** Chuva muito forte, ger. súbita e de pouca duração **2** *Fig.* Situação de infelicidade; INFORTÚNIO **3** *Fig.* Zanga passageira [F.: *aguaça* + *-eiro*.] ■ **~ branco** *BA* Ventania súbita, sem chuva

aguacento (a.gua.*cen*.to) ***a.*** **1** Que parece água (sopa aguacenta) **2** Impregnado de água, cheio de água (terreno aguacento); ENCHARCADO **3** Diluído em água, ou em que há grande quantidade de água (suco aguacento); AGUADO; AQUOSO **4** Que verte ou derrama água [F.: *aguaça* + *-ento*.]

aguachado (a.gua.*cha*.do) *S. GO* ***a.*** **1** Saturado, impregnado de água **2** Diz-se de cavalo que, por ter permanecido solto no campo durante longo período de tempo, está muito gordo, pesado, barrigudo, impróprio para o trabalho [F.: Part. de *aguachar* (ver). Tb. *aguaxado*.]

aguachar (a.gua.*char*) *S. GO* ***v.*** **1** Tornar(-se) aguachado [***td.***: *A falta de atividade aguachou a cavalgadura.*] [***int.***: *Parado, seu cavalo aguachou-se em pouco tempo.*] **2** Saturar ou encher de água [***td.***: *A tempestade aguachou as cercanias.*] [▶ 1 aguachar] [F.: Do espn. *aguachar*, 'enxarcar'; 'engordar (o cavalo)', do espn. *agua* (port. *água*). Tb. *aguaxar*, var. ortográfica, comum na literatura sulista.]

água com açúcar (á.gua com a.*çú*.car) ***a2g2n.*** **1** Que se caracteriza pelo romantismo ingênuo, piegas (filme água com açúcar) **2** *Fig. P. ext.* Sem grandes questões ou dificuldades: *Depois de tanta expectativa, acabaram tendo uma conversa água com açúcar.*

aguada (a.*gua*.da) ***sf.*** **1** Abastecimento de água potável, ger. como provisão para jornada, viagem **2** Lugar onde se faz esse abastecimento **3** *Restr. Mar.* Abastecimento de navio com água potável **4** *Restr. Mar.* O lugar em que o navio se abastece ou pode se abastecer de água potável **5** *N. E.* Lugar onde existem fontes de água, cacimbas, poços, reservatórios etc. **6** *RS* Lugar em que animais no campo têm água para beber; BEBEDOURO **7** *RS* Estância com boas fontes de água **8** *Art. pl.* Técnica de pintura (guache, aquarela etc.) na qual se dilui a tinta em água **9** *Art. pl.* Obra feita com essa técnica **10** *Enc.* Clara de ovo diluída em água, us. por encadernadores **11** Chuva torrencial; CHUVARADA [F.: *água*[1] + *-ada*[1].] ■ **Fazer ~** *Mar.* Ver *Tomar água*, no verbete *água*.

água de cheiro (á.gua de*chei*.ro) ***sf.*** *Bras. Pop.* O mesmo que *água-de-colônia* [Pl.: *águas de cheiro*.]

água de coco (á.gua de*cô*.co) ***sf.*** *Bras.* Líquido (albume) nutritivo e refrescante contido no coco-da-baía verde [Pl.: *águas de côco*.]

água-de-colônia (á.gua-de-co.*lô*.ni:a) ***sf.*** Álcool perfumado com óleos ou essências aromáticas (citrinos, lavanda etc.), us. como perfume; ÁGUA DE CHEIRO; COLÔNIA [Criado na cidade de Colônia, Alemanha, de onde vem seu nome.] [Pl.: *águas-de-colônia*.]

água de flor (á.gua de *flor*) ***sf.*** Água destilada com flores de laranjeira [Pl.: *águas de flor*.]

água de goma (á.gua de*go*.ma) ***sf.*** *Bras.* Suco leitoso e venenoso da mandioca ralada, extraído por compressão; ÁGUA-BRAVA; MANIPUEIRA [Pl.: *águas de goma*.]

aguadeiro (a.gua.*dei*.ro) ***sm.*** **1** Vendedor de água *Bras. S.*; AGUATEIRO ***a.*** **2** *Lus.* Próprio para resistir à água da chuva (capa aguadeira) [F.: *aguada* + *-eiro*.]

aguadilha (a.gua.*di*.lha) ***sf.*** **1** Linfa, humor semelhante a água; MUCO; SEROSIDADE: "Mas a aguadilha pútrida o ombro inerme/Me aspergia, banhava minhas tíbias/E a ela se aliava o ardor das sirtes líbias/Cortando o melanismo da epiderme." (Augusto dos Anjos, "Noite de um visionário" *in Eu e outras poesias*) **2** Chuva pouco intensa; CHUVISCO; GAROA **3** Comida aguada, pouco nutritiva **4** Vinho aguado

aguado (a.*gua*.do) ***a.*** **1** Diluído em água **2** Que tem excesso de água em relação à consistência esperada, ou a seu conteúdo nutritivo (no caso de alimentos líquidos, cremosos, ou pastosos) (tinta aguada, sopa aguada, suco aguado) **3** Encharcado, inundado de água **4** *Fig.* Diz-se dos olhos marejados de lágrimas **5** *Fig.* Com água na boca; com desejo de provar, comer ou beber algo; ávido, desejoso de algo: *Só de ler a receita ficou aguado.* ***a.*** **6** *Fig.* Que fracassou (projeto aguado); MALOGRADO **7** Sem sabor; INSÍPIDO; INSOSSO **8** *Fig.* Que esmaeceu ou desbotou; sem vivacidade (cor aguada; sorriso aguado) **9** *Fig.* Sem graça (olhar aguado); DESINTERESSANTE; INEXPRESSIVO **10** *Fig.* Diz-se de cabelo, barba ou bigode escasso, ralo **11** *Pop.* Que se embriagou; BÊBADO

12 *BA MG* Diz-se de animal que sofre de aguamento ***sm.*** **13** *BA MG* Esse animal [F.: Part. de *aguar.*]

água-doce (á.gua-*do*.ce) [ô] ***sf.*** Água quase sem sal (cloreto de sódio e outros), como as águas de rio, lago etc. [Pl.: *águas-doces.*] [O VOLP registra esta forma, embora caiba também *água doce*, por oposição a *água salobra.*]

aguador (a.gua.dor) [ô] ***sm.*** **1** Vaso para aguar ou regar (aguador de plástico/de lata); REGADOR: *Encheu o aguador, regou as hortaliças.* **2** O que água ***a.*** **3** Diz-se do que água ou do que rega [F.: *aguar* + *-dor.*]

água-emendada (á-gua-e.men.*da*.da) ***sf.*** Nascente ou desaguadouro comum a dois ou mais rios [Pl.: *águas-ementadas*. Us. tb. no pl.]

água-forte (á.gua-*for*.te) [ó] ***sf.*** **1** *Quím.* Solução de ácido nítrico **2** *Art. pl.* Técnica que emprega o ácido nítrico para fazer gravura em metal [A chapa de metal é revestida de cera, na qual se entalham os traços que se quer reproduzir na chapa. Imersa em ácido nítrico, a chapa não se altera onde a cera a protege, e os sulcos entalhados na cera permitem a corrosão da chapa pelo ácido, acompanhando seus traços.] **3** *Art. Pl.* Gravura obtida por meio dessa técnica [Pl.: *águas-fortes.*] [F.: *água*[1] + *forte*, posv. com infl. do it. *acquaforte.*] **∷ ~ pura** *Grav.* Chapa já preparada com mordaçagem inicial, para acabamento a ponta-seca, água-tinta, etc.

água-fortista (á.gua-for.*tis*.ta) ***sm.*** Gravador que se serve da água-forte [Pl.: *água-fortistas.*]

água-furtada (á.gua-fur.*ta*.da) ***sf.*** *Arq.* Sótão cujas janelas se abrem sobre o telhado, projetando-se em seu declive e interrompendo sua água (3) [Pl.: *águas-furtadas.*]

aguagem (a.*gua*.gem) ***sf.*** **1** Ação ou resultado de aguar, de regar; REGA **2** Fluxo de água impetuoso (ger. em enchentes); correnteza [Pl.: *-gens.*] [F.: *agu(ar)* + *-agem*[1].]

aguaí (a.gua.*í*) ***sm.*** *Angios.* **1** Árvore do gên. *Chrysophyllum* da família das sapotáceas; ARANHÃO **2** O mesmo que *aguaizeiro* [F.: Do tupi.]

aguaizeiro (a.gua:i.*zei*.ro) *Angios.* ***sm.*** Árvore da família das sapotáceas; CAXETA; CAXETA-AMARELA [F.: *aguaí* + *-z-* + *-eiro.*]

água-mãe (á.gua-mãe) ***sf.*** *Quím.* Resíduo de uma dissolução salina cristalizada que já não dá mais cristais [Pl.: *águas-mães.*]

água-marinha (á.gua-ma.*ri*.nha) ***sf.*** *Min.* Pedra semipreciosa, variedade de berilo, ger. azul-clara (quanto mais carregado o azul, mais valiosa é), muito encontrada no Brasil [Pl.: *águas-marinhas.*]

água-morna (á.gua-*mor*.na) ***s2g.*** *Pop.* Pessoa inofensiva, pacata, mole, hesitante

aguapé (a.gua.*pé*) ***sm.*** **1** *Bot.* Designação comum a diversas plantas aquáticas flutuantes do gên. *Eichhornia*, da fam. das pontederiáceas, cultivadas como ornamentais, como, p. ex., a sp. *Eichhornia crassipes*, de flores arroxeadas **2** Espécie de tapete de plantas aquáticas formado na superfície das águas dos rios, lagos e pantanais [F.: Do tupi *agwa'pe.*]

água que passarinho não bebe (á.gua que pas.sa.ri.nho não*be*.be) ***sf.*** *Bras. Pop.* Aguardente, cachaça [Pl.: *águas que passarinho não bebe.*]

aguar (a.*guar*) ***v.*** **1** Jogar água para molhar; borrifar com água; REGAR [***td.:*** *Aguar as plantas.*] **2** Acrescentar água a substância cremosa ou pastosa ou a um líquido, uma bebida (ger. tornando-os mais fracos ou insossos) [***td.:*** *Errou na receita e aguou a sopa; O café está forte demais, vou aguá-lo um pouco.*] **3** Adulterar (um líquido) acrescentando-lhe água; ADULTERAR; FALSIFICAR [***td.:*** *Aguar a gasolina.*] **4** Encher(-se) de lágrimas (os olhos) [***td.:*** *A tristeza aguou os olhos da menina.*] [***int.:*** *Com tanta poluição, seus olhos aguaram.*] **5** *Pop.* Ter salivação abundante, devido a fome ou a ter sido despertado o apetite; SALIVAR [***int.:*** *Aguava até pensando num pudim.*] **6** *Fig.* Interferir em (algo prazeroso, como uma ideia, uma impressão, uma alegria, uma comemoração) provocando decepção, frustração etc.; FRUSTRAR [***td.:*** *Aquela notícia aguou a festa.*] **7** *Vet.* Padecer (cavalgadura) de aguamento (2) [***int.***] **8** *Pint.* Tornar (cor) menos viva, ao misturar água na aquarela ou cor branca em tinta a óleo [***td.:*** *Vamos aguar um pouco este verde.*] [▶ **17 aguar**] [F.: *água*) + *-ar*[2]. Hom./Par.: *água(s)* (fl.), *água(s)* (sf. e pl.).]

aguarapondá (a.gua.ra.pon.*dá*) ***sm.*** *Angios.* Planta da família das verbanáceas nativa do Brasil e muito conhecida por seus valores medicinais; GERVÃO [F.: Do tupi.]

aguarda (a.*guar*.da) ***sf.*** Ação ou resultado de aguardar; AGUARDAMENTO [F.: Dev. de *aguardar.*]

aguardado (a.guar.*da*.do) ***a.*** Que se aguarda ou que se aguardou (ger. com certa ansiedade ou expectativa); ESPERADO [F.: Part. de *aguardar.*]

aguardar (a.guar.*dar*) ***v.*** **1** Ficar à espera (de algo ou alguém); ESPERAR [***td.:*** *Aguardava o marido na porta do teatro; O candidato aguardava a chamada para a prova.*] [***int.:*** "Aristides tinha a chave do seu quarto. Aguardaria lá." (Marques Rebelo, *Marafa*)] [***tr.*** + *por*: *Estão aguardando por socorro.*] **2** Ficar na expectativa de [***td.:*** *Aguardaremos, aflitos os acontecimentos.*] **3** *P. us.* Ter ou manifestar obediência a; ACATAR; CUMPRIR; RESPEITAR [***td.:*** *Pediu que todos aguardassem as regras da competição.*] **4** Manter sob vigilância, proteção; VIGIAR [***td.:*** *O tropeiro aguardava o rebanho.*] [▶ **1 aguardar**] [F.: *a-*[2] + *guardar*. Hom./Par.: *aguarda(s)* (fl.), *aguarda(s)* (sf. e pl.); *aguardo* (fl.), *aguardo* (sm.).]

aguardente (a.guar.*den*.te) ***sf.*** **1** Bebida alcoólica com alto teor de álcool (40 a 60%), resultante da destilação de plantas, frutas, cereais etc. depois de fermentados **2** *Bras.* Cachaça [Tb. *aguardente de cana.*] [F.: *água*[1] + *ardente.*] **∷ ~ da cabeça** *S.* Aquela que é destilada em primeiro lugar, ger. preparada com flores cheirosas **~ de cana** Cachaça

aguardo (a.*guar*.do) ***sm.*** **1** *Bras.* Atitude ou ação de aguardar; ESPERA; EXPECTATIVA: *Estou no aguardo de sua ajuda.* **2** *Lus.* Lugar onde o caçador espera a caça [F.: Dev. de *aguardar*. Hom./Par.: *aguardo* (sm.), *aguardo* (fl. de *aguardar*).]

água-redonda (á.gua-re.*don*.da) ***sf.*** *AM* Lago, lagoa [Pl.: *águas-redondas.*]

água-régia (á.gua-*ré*.gi:a) ***sf.*** *Quím.* Mistura de ácido nítrico (1 parte) e ácido clorídrico (3 ou 4 partes), de grande ação corrosiva, com que se dissolvem metais (inclusive o ouro, ou a platina) [Pl.: *águas-régias.*] [F.: *água*[1] + fem. de *régio*, pelo it. *acqua regia.*]

aguarentar (a.gua.ren.*tar*) ***v. td.*** **1** Aparar (extremidade de roupa) para que fique igual em toda a extensão **2** *P. ext.* Dar a demão ou o toque final em; tornar mais aperfeiçoado **3** *P. ext.* Encurtar, diminuir **4** Tornar aguado ou mais aguado; aguar **5** Retirar a importância de; DEPRECIAR; MENOSPREZAR [▶ **1 aguarentar**] [F.: orig. duvid.]

aguarrás (a.guar.*rás*) ***sf.*** **1** Essência de terebintina, ger. us. como solvente **2** *SE Fig. Pop.* Cachaça, aguardente [Não é us. no pl.] [F.: Do espn. *aguarrás.*]

água-ruça (á.gua-*ru*.ça) ***sf.*** *Lus.* Líquido pardo que escorre da azeitona quando posta no lagar para o fabrico do azeite [Pl.: *águas-ruças.*]

águas (*á*.guas) ***sfpl.*** **1** Grandes volumes de água, como oceano, mar, rio, lago etc. **2** Chuvas (águas de março) **3** Nascentes de águas minerais, de uso ger. medicinal (estação de águas) **4** *Fig. P. ext.* Cidade ou região com nascentes de águas minerais **5** *Med.* Líquido amniótico que envolve o feto no interior do útero e que é expulso no parto **6** *Fig.* Sinais exteriores: *Não me impressionam essas águas de favorito.* **7** *Fig.* Preferências, tendências, decisões, exemplos (de alguém): *Vou nas suas águas, associo-me ao seu projeto.* [F.: Pl. de *água*[1].]

água-servida (á.gua-ser.*vi*.da) ***sf.*** Águas que escoam pelo ralo depois de terem sido usadas para a limpeza [Pl.: *águas-servidas.*]

águas-iguais (á.guas-i.*guais*) ***sfpl.*** *PA* Marés do quarto dia subsequente à lua nova e à lua cheia

águas-mestras (á.guas-*mes*.tras) ***sfpl.*** *Cons.* Plano do telhado em forma trapezoidal

águas-pegadas (á.guas-pe.*ga*.das) ***sfpl.*** *PA* Marés do quarto dia subsequente ao quarto crescente e ao quarto minguante

águas-puladeiras (á.guas-pu.la.*dei*.ras) ***sfpl.*** *MG* Corredeiras fortes

água-suja (á.gua-*su*.ja) *Bras. Pop.* ***sf.*** **1** Negócio pouco lícito **2** Bate-boca, barulho, intriga **3** Rolo, desordem **4** Café muito fraco, aguado [Pl.: *águas-sujas.*]

aguateiro (a.gua.*tei*.ro) ***a.*** **1** *Bras. S.* Diz-se de animal que transporta água **2** Diz-se de cavalo ruim, quase imprestável: *Manso que nem matungo aguateiro.* **3** Diz-se de pessoa que vive de favor nas fazendas, e que se encarrega de pequenos afazeres ***sm.*** **4** *Bras. S.* Vendedor de água; AGUADEIRO **5** Animal que transporta água **6** Cavalo ruim, quase imprestável **7** Pessoa que vive de favor nas fazendas, e que se encarrega de pequenos afazeres [F.: Do espn. plat. *aguatero.*]

água-tinta (á.gua-*tin*.ta) *Grav.* ***sf.*** **1** Gravura a água-forte que imita aquarela **2** Arte de gravar em cobre dando às provas aspecto de meia-tinta geral [Pl.: *águas-tintas.*]

água-tofana (á.gua-to.*fa*.na) ***sf.*** Veneno feito de uma solução de arsênico, célebre na Itália entre os séc. XV e XVI: "...afogam pássaros/inundam granitas sementes de uva/em cicuta água-tofana." (Jacineide Travassos, "Canção para não beber água-tofana") [Pl.: *águas-tofanas.*] [F.: Do it. *aquatofana.*]

água-viva (á.gua-*vi*.va) ***sf.*** *Zool.* Invertebrado marinho, do filo dos cnidários, classe dos cifozoários, transparente e gelatinoso, cujos tentáculos podem provocar queimadura na pele humana [Pl.: *águas-vivas.*]

aguaxado (a.gua.*xa*.do) ***a.*** *S. GO* Ver *aguachado*

aguaxar (a.gua.*xar*) ***v.*** *S. GO* Ver *aguachar* [▶ **1 aguaxar**]

aguazil (a.gua.*zil*) *Antq.* ***sm.*** **1** Governador de província com poder judiciário e militar, por nomeação real **2** Oficial de justiça **3** Vereador da câmara municipal; CAMARISTA **4** Funcionário da justiça que exerce cargo inferior; MEIRINHO; ESBIRRO; BELEGUIM [Pl.: *aguazis.*] [F.: Do ár. *al-uazir.*]

aguçado (a.gu.*ça*.do) ***a.*** **1** Que termina em ponta fina; PONTUDO **2** Que tem gume bem amolado; AFIADO **3** *Fig.* Que tem forma delgada, afilada (nariz aguçado); PONTUDO **4** *Fig.* Diz-se do sentido (tato, visão, audição, olfato e paladar) bastante desenvolvido e apurado **5** *Fig.* Que revela perspicácia e grande inteligência, rapidez de raciocínio etc. (mente aguçada) **6** *Fig.* Mordaz, ofensivo, ferino **7** Que se aguçou, estimulou, provocou (interesse aguçado) [F.: Part. de *aguçar.*]

aguçadura (a.gu.ça.*du*.ra) ***sf.*** **1** Ação ou resultado de aguçar **2** Corte de coisa; GUME; FIO **3** Diminuição da espessura de; ADELGAÇAMENTO; AFUNILAMENTO **4** Pedra que serve para aguçar, amolar ou afiar **5** *Fig.* Esperteza, sagacidade, perspicácia [F.: *aguça(r)* + *-dura.*]

aguçamento (a.gu.ça.*men*.to) ***sm.*** **1** Ação ou resultado de aguçar(-se) **2** Redução da largura ou da espessura; AFUNILAMENTO; ESTREITAMENTO **3** Gume de instrumento de corte; FIO **4** *Fig.* Sutileza de espírito; AGUDEZA; SAGACIDADE [F.: *aguçar* + *-mento.*]

aguçar (a.gu.*çar*) ***v.*** **1** Tornar mais afiado, dar fio a (instrumentos de corte); AFIAR; AMOLAR [***td.:*** *Queria aguçar ainda mais a navalha.*] **2** Fazer ficar ou ficar (mais) delgado, pontiagudo na extremidade, terminando em bico; AFUNILAR [***td.:*** "é oficina que ensina / a aguçar setas, pedras." (João Cabral de Melo Neto, "Descrição de Pernambuco como um trampolim" *in A escola das facas*)] [***int.:*** *O penedo vai aguçando pouco a pouco.*] **3** *Fig.* Provocar estímulo, excitação em (fazendo surgir ou intensificar-se); ESTIMULAR; EXCITAR [***td.:*** *A longa espera aguçou-lhe o apetite:* "A própria política (...) aguçara a demanda por bens europeus." (Alberto da Costa e Silva, *A manilha e o libambo*)] **4** *Fig.* Tornar(-se) (mais) sensível, perceptivo, perspicaz; APURAR [***td.:*** "...precisamos aguçar a sensibilidade..." (João Ubaldo Ribeiro, *Política: quem manda, por que manda, como manda*)] [***int.:*** *Com a experiência, sua percepção aguçou-se.*] **5** *P. ext.* Aumentar a capacidade, acuidade de (sentido) [***td.:*** *Aguçara os ouvidos para identificar as vozes; Aguçou a vista, tentando enxergar ao longe.*] **6** *Fig.* Ser zeloso, diligente, dedicado no que faz; EMPENHAR(-SE) [***int.:*** *Para alcançar a vitória o atleta aguçava-se nos treinos.*] [▶ **12 aguçar**] [F.: Do lat. **acutiare* (do baixo lat. *acutare*).]

agudecer (a.gu.de.*cer*) ***v. td.*** Tornar (alguma coisa) aguda; AGUDIZAR [▶ **33 agudecer**] [F.: *agudo* + *-ecer.*]

agudez (a.gu.*dez*) ***sf.*** Ver *agudeza*

agudeza (a.gu.*de*.za) [ê] ***sf.*** **1** Qualidade do que é agudo, pontiagudo: *agudeza de um punhal* **2** *Fig.* Qualidade do que é afiado; PERSPICÁCIA; ASTÚCIA; SAGACIDADE: *agudeza de uma navalha.* **3** *Fig.* Que tem ou que revela perspicácia, alcance no entendimento, discernimento fino e profundo: *agudeza de raciocínio; a agudeza de um comentário.* **4** *Fig.* Dito, expressão, observação etc. que manifesta essa agudeza: *Encantava todos com suas agudezas.* **5** *Med.* Grau de intensidade de uma doença ou mal agudo, de agravamento que se manifesta ou se intensifica em breve tempo; esse estado, esse agravamento **6** *Fig.* Acrimônia, aspereza, indelicadeza **7** *Mús.* Qualidade de um som agudo (de alta frequência) ou o grau em que se manifesta [F.: *agud(o)* + *-eza*. Tb. *agudez.*]

agudização (a.gu.di.za.*ção*) ***sf.*** Ação ou resultado de agudizar(-se) [Pl.: *-ções.*] [F.: *agudizar* + *-ção.*]

agudizar (a.gu.di.*zar*) ***v.*** **1** Tornar(-se) agudo; AGUÇAR [***td.:*** *Agudizou as estacas da cerca.*] **2** Tornar(-se) mais grave; exacerbar(-se) [***td.:*** *O atentado agudizou a crise política.*] [***int.:*** *A situação no país agudizou-se.*] [▶ **1 agudizar** A palavra é um espanholismo servil, proveniente de más traduções; é preferível o v. *aguçar.*] [F.: Do espn. *agudizarse.*]

agudo (a.gu.do) ***a.*** **1** Que termina em ponta fina; PONTIAGUDO **2** Que tem gume afiado; que tem aresta formada por faces em forma de cunha (navalha aguda, proa aguda) **3** *Fig.* Diz-se de quem ou do que revela agudeza (3), perspicácia, entendimento e discernimento finos e profundos (tb. mordacidade, ironia etc.); MORDAZ; PICANTE: *um crítico agudo e impiedoso; Suas críticas são agudas e impiedosas.* **4** *Med.* Diz-se de doença de evolução rápida ou que se encontra em seu ápice, no seu ponto mais crítico (apendicite aguda) **5** *P. ext. Fig.* Diz-se do momento, circunstância, em que evento, situação, enredo etc., ao se desenvolver, atinge grande ou máxima intensidade **6** *Fig.* Que é intenso, enérgico, veemente (aguda paixão) **7** *Fig.* Que é penetrante, cortante (vento agudo, frio agudo) **8** *Fig.* Diz-se de sentido com alto grau de percepção de estímulos (vista aguda, audição aguda) **9** *Mús.* Diz-se de som de alta frequência [P. op. a *grave.*] **10** *Geom.* Diz-se de ângulo que tem menos de 90º [Superl.: *acutíssimo.*] ***sm.*** **11** Som agudo (9); nota elevada, que soa com vibrações de alta frequência: *Os agudos dessa soprano são inacreditáveis.* [F.: Do lat. *acutus, a, um.*]

agueira (a.*guei*.ra) [u-e] ***sf.*** **1** *Lus. Agr.* Sulco por onde correm as águas da irrigação; AGUEIRO **2** Abertura em muros por onde passam as águas aproveitáveis para a cultura **3** Calha de telhado; ALGEROZ [F.: *águ(a)* + *-eira.*]

agueiro (a.*guei*.ro) [u-e] ***sm.*** **1** Agueira **2** Cano por onde escoam as águas do telhado; ALGEROZ **3** *Lus.* Rego por onde escoam as águas pluviais nas estradas, canaleta **4** *Lus.* Indivíduo que supervisiona e conserta os canos de água **5** *Lus. Cons.* Armação de madeiramento

aguentado (a.guen.*ta*.do) ***a.*** Que se aguenta ou aguentou [F.: Part. de *aguentar.*]

aguentador (a.guen.ta.*dor*) [ô] ***sm.*** **1** O que aguenta ***a.*** **2** Que aguenta [Pl.: *-ores.*] [F.: *aguenta(r)* + *-dor*. Sin. ger.: *sustentador, apoiador.*]

aguentar (a.guen.*tar*) ***v.*** **1** Suportar ou poder suportar (carga, trabalho, sofrimento, situação difícil ou incômoda etc.) [***td.:*** *Ninguém aguenta esse peso tão grande:* "...Ninguém aguenta tanto diálogo..." (Ana Maria Machado, *A audácia dessa mulher*)] **2** Ter resistência (a); SUPORTAR [***td.:*** *Essa camisa não aguenta outra costura.*] [***int.:*** *Cansado e sem dinheiro, não aguentava mais.*] **3** Dar sustento a; SUSTENTAR [***td.:*** *Esse homem não aguenta uma família de quatro filhos.*] **4** Dar condição de continuidade a ou ter essa condição; MANTER [***td.:*** *Precisamos aguentar o negócio por mais algum tempo.*] [***int.:*** *Este negócio não se aguenta por muito tempo mais.*] **5** Manter(-se) firme, estável, equilibrado; ter condição de assim manter-se; RESISTIR [***int.:*** *Exausto, não se aguentava de pé; Sem uma boa escora esse muro não aguenta.*] [***td.:*** *Implantaram escoras* *para aguentar a encosta.*] 6 Enfrentar (as consequências de algo); ARRANJAR-SE; HAVER-SE; VIRAR-SE [*int.*: *Pintou e bordou, agora que (se) aguente!*] [*td.*: *Quem arrisca tem de aguentar depois as consequências.*] 7 Não ter paciência com [*td.*: *Ele não aguentava mais as diabruras do filho.*] [▶ 1 aguentar] [F.: Do it. *agguantare.*] ■ ~ **firme** Resistir, perseverando, diante de dificuldades, obstáculos, sofrimento etc. ~ **as pontas** Ver no verbete *ponta*

aguerê (a.gue.*rê*) *sm. Bras. Rel.* Dança de três diferentes orixás, Iansã, Oxóssi e Oxumaré, ritmadas por atabaques e com suas respectivas coreografias [F.: Do ior.]

aguerrido (a.guer.*ri*.do) *a.* 1 Que tem pendor para combater, lutar; COMBATIVO; GUERREIRO 2 Acostumado, afeito à guerra; BELICOSO 3 *Fig.* Que demonstra coragem, destemor; VALENTE [Ant.: *medroso, pusilânime.*] 4 *Fig.* Que não se entrega nem desiste facilmente; PERSEVERANTE [F.: Part. de *aguerrir.*]

aguerrilhar (a.guer.ri.*lhar*) *v. td.* 1 Formar guerrilha (com): *Aguerrilhou uma garotada para a luta* 2 Organizar-se em guerrilha: *Aguerrilharam-se contra o sistema político* [▶ 1 aguerrilhar] [F.: *a-* + *guerrilha* + *-ar.*]

aguerrimento (a.guer.ri.*men*.to) *sm.* Ação ou resultado de aguerrir(-se) [F.: *aguerrir* + *-mento.*]

aguerrir (a.guer.*rir*) *v.* 1 Exercitar, preparar (alguém, instituição, tropas, equipes, si mesmo) para guerra, luta, competição etc.; AGUERREAR(-SE) [*td.*: *Em pouco tempo aguerriu as milícias.*] [*tdr.* + *a, para*: *Aguerriu-se às lutas e aos desafios.*] 2 *Fig.* Acostumar(-se) a algo fatigante, árduo ou perigoso [*td.*: *A constante adversidade aguerriu-me, e hoje nada temo.*] [*int.*: *O viajante aguerriu-se quando atravessou o deserto.*] 3 Tornar valente, forte, resistente [*td.*: *Sua postura e seu exemplo aguerriram a equipe.*] [▶ 59 aguerrir] [F.: Do fr. *aguerrir.*]

águia (á.*gui*:a) *sf.* 1 *Zool.* Designação de várias aves de rapina falconiformes, de grande porte, da família dos acipitrídeos, com bico adunco, fortes garras e acurada visão 2 *P. ext.* Essa ave representada estilizadamente em brasão, insígnia, bandeira etc. 3 *Fig.* Pessoa de grande perspicácia, inteligência aguda e penetrante: *Ele é uma águia, já percebeu todas as nuanças do negócio.* 4 *Fig.* Chefe, líder; pessoa com qualidades para exercer liderança, governança 5 *Fig.* Pessoa de renome [Nesta acp., é usual indicar o lugar no qual a pessoa nasceu ou se tornou célebre: *Rui Barbosa, a águia de Haia.*] 6 *Bras. Pej.* Grupo no jogo do bicho, formado pelas dezenas 5, 6, 7 e 8 *sm.* 7 *Bras. Pop.* Pessoa espertalhona, velhaca [F.: Do lat. *aquila, ae.* Na acp. 1, é epiceno.]

águia-chilena (á.gui:a-chi.*le*.na) *sf. Bras. Ornit.* Ave falconiforme que habita o Brasil central e as cordilheiras dos Andes até o sul da Argentina; GAVIÃO-DE-SERRA [Pl.: *águias-chilenas.*]

águia-cinzenta (á.gui:a-cin.*zen*.ta) *sf. Bras. Ornit.* Espécie de águia cuja designação popular advém de sua plumagem cinza escura que encobre a maior parte de seu corpo, de longas e largas asas, cauda curta, pernas compridas e de cor amarela, pesa cerca de 3 kg e tem sessenta e 66 cm de altura; habita sobretudo os cerrados, junto a matas e rios; carnívora, alimenta-se de outras aves, répteis e pequenos mamíferos; a cada período de pouco mais de um ano reproduz, pondo apenas um único ovo, que chega a pesar cem gramas [Pl.: *águias-cinzentas.*]

águia-dourada (á.gui:a-dou.*ra*.da) *sf. Ornit.* O mesmo que *águia-real-europeia.* [Pl.: *águias-douradas.*]

águia-real-europeia (á.gui:a-re:al-eu.ro.*pei*.a) *sf. Zool.* Espécie de águia de grande porte que habita a Ásia Central, Oriente Médio, Europa e América do Norte, de cabeça e cauda proeminentes principalmente quando em voo, as asas retas apresentando curvatura para cima apenas nas pontas, têm nos adultos algumas penas douradas; ÁGUIA-DOURADA [Pl.: *águias-reais-europeias.*]

aguieiro (a.gui:*ei*.ro) *sm. Cons.* Pedaço de madeira que vai do frechal ao pau de fileira, sobre o qual se cruzam as vigas em que assenta o telhado [F.: *a-*[4] + *gueiro.*]

aguieta (a.gui:*e*.ta) [ê] *sf. Her.* Cada uma das pequenas águias representadas num brasão [F.: *águi(a)* + *-eta.*]

águila (*á*.gui.la) *sf. Bot.* Loureiro da Cochinchina (Vietnã) de que se faz um incenso outrora muito apreciado pelos europeus; AGÁLOCO: "Infinita *águila* (*sic*) brava mui boa e de excelente cheiro, que parece mansa..." (Frei João dos Santos, *Etiópia Orienta, apud Dalgado*) [F.: Do malaio *agil*, alteração do sâncrito *agar* ou *aguru.*]

aguilhada (a.gui.*lha*.da) *sf.* Vara comprida com ferrão agudo na ponta, us. ger. para instigar, tanger bois [F.: De or. incerta; posv. do lat. vulg. **aquileata* (por *pertica *aquileata*, 'vara com aguilhão'), ou do lat. *aculeata.*] ■ ~ **de terra** Medida agrária antiga, equivalente a cerca de 4 m²

aguilhão (a.gui.*lhão*) *sm.* 1 A ponta de ferro da aguilhada; ACÚLEO 2 *P. ext.* Qualquer ponta aguçada; ACÚLEO; FERRÃO 3 *Zool.* Ferrão presente na extremidade de alguns insetos e dos escorpiões 4 *Fig.* Aquilo que serve de incentivo, de estímulo; ACICATE 5 *P. ext.* Vara curta com ferrão na ponta, para guiar bois; o mesmo que *aguilhada.* 6 *Zool.* Peixe da família dos xifiídeos (*Xiphias gladius*), de mares tropicais e subtropicais, com até 4,5 m e cerca de 300 kg; ESPADARTE; PEIXE-ESPADA 7 *Bras. N. E.* Peça de ferro no meio dos eixos ou cilindros de madeira dos engenhos de açúcar [Pl.: *-lhões.*] [F.: Do lat. vulg. **aquileo, onis*, var. de *aculeus, i.*]

aguilhoada (a.gui.lho.*a*.da) *sf.* 1 Ferimento ou picada de aguilhão 2 *Fig.* Dor forte, súbita e breve; PONTADA 3 *Fig.* Ação, fato ou circunstância que incita, estimula; INCENTIVO: *Aquele desafio foi a aguilhoada final que o levou a aceitar o projeto* 4 *Fig.* Sentimento doloroso (de caráter emocional), súbito e rápido (aguilhoada de ciúme) [F.: *aguilho(ar)* + *-ada*[1].]

aguilhoamento (a.gui.lho:a.*men*.to) *sm.* Ação ou resultado de aguilhoar [F.: *aguilhoa(r)* + *-mento.*]

aguilhoar (a.gui.lho.*ar*) *v. td.* 1 Picar ou ferir com aguilhada ou aguilhão: *O boiadeiro aguilhoava os bois.* 2 *Fig.* Agir como estímulo, incitamento; ESPICAÇAR; ESTIMULAR; INCITAR; INSTIGAR: "...era apenas um rompante momentâneo, uma maneira de aguilhoar meu desejo por ela..." (João Ubaldo Ribeiro, *Diário do farol*) 3 *Fig.* Fazer sofrer física ou moralmente: *O amor é um sentimento que pode aguilhoar o coração.* [▶ 16 aguilhoar] [F.: *aguilh(ão)* + *-oar*, com desnasalação.]

aguilhoeiro (a.gui.lho:*ei*.ro) *sm.* 1 Profissional que na indústria metalmecânica forja peças metálicas *a.* 2 Que forja peças metálicas [F.: *aguilhão* sob a f. radical *aguilho (ne)-* + *-eiro.*]

aguisado (a.gui.*sa*.do) *a. Antq.* Ordenado, acertado [F.: Part. de *aguisar.*]

aguisar (a.gui.*sar*) *v. td.* Colocar em ordem; COMPOR [▶ 1 aguisar] [F.: *a-* + *guisa* + *-ar.*]

agulha (a.*gu*.lha) *sf.* 1 Haste de aço, pequena e fina, com pequeno orifício pelo qual se passa linha, us. para coser, bordar, costurar etc. 2 Peça similar us. em máquina de costura 3 *P. ext.* Toda haste ou ponta de metal, ou objeto pontiagudo feito pelo homem 4 Haste (maior que a agulha [1]), com orifício numa extremidade e a outra em gancho, us. para fazer crochê 5 Vareta (ger. em par) de material vário (marfim, metal, plástico etc.) com um ressalto numa das extremidades e a outra em ponta, us. para tecer fios de lã em trabalhos de tricô 6 *Fig.* O ofício, o ganha-pão de quem trabalha com agulha (como costureiras, bordadeiras etc.); esse trabalho 7 Haste fina metálica, oca, que de adapta a seringa e que se introduz sob a pele, dentro de músculo, ou de vaso sanguíneo, ou de órgão, para aplicar injeção de medicamento, soro, anestesia etc. ou fazer punção 8 Ponteiro de relógio, de bússola ou de outros mostradores; fiel de balança 9 *Náut.* O mesmo que *agulha magnética* 10 Pequena peça de toca-discos (com ponta esférica ou elíptica, ger. de safira ou diamante) que transmite as vibrações sonoras captadas nas ondulações dos sulcos de discos gravados (como os antigos LPs) à cápsula e aos sistemas amplificadores 11 *Arm.* Peça que, em armas de fogo, percute o fulminante do cartucho do projetil quando a arma é disparada 12 *Mec.* Peça no carburador de motores a explosão que regula a injeção de combustível 13 Ponta móvel de um trilho que, ao ser pivotada, engata em outro trilho, permitindo a mudança de via de trem ou bonde 14 Em vias urbanas ou rodovias, abertura no canteiro entre duas pistas de mesmo sentido, permitindo que veículos passem de uma para outra 15 Pequeno instrumento de madeira no qual se enfiam as linhas us. por pescadores para tecer ou remendar redes de pescar 16 *Arq.* Arremate arquitetônico de torre ou campanário, alto e estreito, para realçar a forma esguia 17 Monumento vertical, reto e esguio, em ponta, ger. marco de um fato histórico; OBELISCO 18 *Geog.* Pico de montanha em forma de cone pontiagudo 19 Toda formação natural (rochedo, penedo etc.) com esse formato 20 Pedra submersa pontuda; AGULHÃO (1) 21 *Zool.* Parte do corpo de um animal onde as espáduas se juntam; CERNELHA 22 *Bot.* Nome comum que se dá a folhas em forma de haste e pontiagudas, como a dos pinheiros e outras coníferas 23 *Zool.* Grande peixe teleósteo (1,5 m de comprimento) da fam. dos belonídeos (*Tylosurus acus*), dos mares tropicais; AGULHÃO 24 *Fig.* Ironia, sarcasmo, zombaria, troça 25 *Fig.* Provocação, intriga, difamação, maledicência 26 *Bras.* Peças de carne bovina adjacentes ao espinhaço [Mais us. no pl.] 27 *MG Min.* O rutilo, quando associado ao diamante [F.: Do lat. vulg. *acucula*, dim. de *acus.*] ■ ~ **de crochê** Haste de metal, plástico etc., com uma das extremidades terminada em pequeno gancho, us. para puxar a linha e fazer os pontos ~ **de escaler** *Náut.* Agulha magnética portátil ~ **de governo** *Náut.* Agulha pela qual o timoneiro orienta o navio no rumo programado ~ **de marear** *Ant. Náut.* Bússola us. antigamente em navegação marítima, constituída por uma agulha magnética em placa de cortiça a flutuar dentro de uma tina com água ~ **de palombar** *Bras. Marinh.* Agulha grossa e curva para costurar cabos de velas e toldos ~ **de trânsito** Abertura em canteiro ou calçada para passagem de veículo que muda de pista [Tb. apenas *agulha.*] ~ **de tricô** Haste longa, de metal, plástico etc., com uma das extremidades em ponta e a outra terminada numa cabeça, que serve, ger. em par, para tecer as malhas do tricô ~ **giroscópica** *Náut.* Instrumento de navegação baseado na propriedade de o eixo de um giroscópio orientar-se pela direção do meridiano verdadeiro sobre o qual está situado ~ **giroscópica mestra** *Náut.* O sistema giroscópico principal, cujas indicações são repetidas em agulhas repetidoras; agulha-mãe ~ **líquida** *Náut.* Agulha magnética dentro de uma cuba cheia de água destilada (para neutralizar ou atenuar oscilações resultantes de movimentos bruscos) ~ **magnética** *Fís. Náut.* V. *bússola* ~ **repetidora** *Náut.* Agulha que reproduz as indicações da agulha giroscópica mestra **Procurar ~ em palheiro** Procurar algo dificílimo de ser achado

agulha-branca (a.gu.lha-*bran*.ca) *sf.* Peixe teleósteo (*Hyporhamphus unifasciatus*), muito comum no litoral do Brasil, que mede até 30 cm de comprimento; PEIXE-AGULHA; PANAGUAIÚ; TARANGALHO; TARNAGALHO [Pl.: *agulhas-brancas.*]

agulha-crioula (a.gu.lha-cri:*ou*.la) *sf. Ict.* O mesmo que *agulha-preta* [Pl.: *agulhas-crioulas.*]

agulhada (a.gu.*lha*.da) *sf.* 1 Lesão ou picada de agulha 2 *Fig.* Dor (física ou moral) aguda, súbita e breve; AGULHOADA; PONTADA 3 *Fig.* Linha enfiada em buraco de agulha [F.: *agulh(a)* + *-ada*[1].]

agulha-do-mar (a.gu.lha-do-*mar*) *sf. Bras. Ict.* O mesmo que *peixe-cachimbo* [Pl.: *agulhas-do-mar.*]

agulhão (a.gu.*lhão*) *sm.* 1 Pedra pontiaguda, submersa no leito de um rio; AGULHA 2 *Zool.* Designação comum a diversos peixes marinhos, esp. aqueles da fam. dos belonídeos (gên. *Tylosurus*), de corpo esguio e focinho pontiagudo, em forma de bico 3 *Mar.* O mesmo que *agulha-padrão* 4 *Lus. Ant. Mar.* Agulha suspensa no teto da cabina do comandante, pela qual ele verifica o rumo do navio sem ter de subir ao passadiço [Pl.: *-lhões.*] [F.: *agulh(a)* + *-ão*[1].]

agulhão-bandeira (a.gu.lhão-ban.*dei*.ra) *sm. Bras. Ict.* Peixe de escamas muito pequenas que habita as águas costeiras em seus pontos mais profundos, alimenta-se de outros peixes. Seu bico tem forma de espada e o dorso é azul-escuro com os flancos e o ventre prateados. Pesa até 60 kg. e alcança até 3 m de comprimento; BICUDO; AGULHÃO-DE-VELA; ESPADIM-AZUL; GUEBO; GUEBUÇU; MARLIN-AZUL [Pl.: *agulhões-bandeira, agulhões-bandeiras.*]

agulhão-de-vela (a.gu.lhão-de-*ve*.la) *Ict. sm.* 1 Nome comum dado aos peixes teleósteos perciformes, com a mandíbula superior em forma de bico, mesmo que *marlim* ou *agulhão*; MARLIM 2 *RN* Peixe teleósteo (*Istiophorus albicans*), mesmo que *agulhão-bandeira* [Pl.: *agulhões-de-vela.*]

agulhão-trombeta (a.gu.lhão-trom.*be*.ta) *sm. Ict.* Peixe teleósteo (*Fistularia tabacaria*), do Atlântico, com corpo em forma de trombeta, mesmo que *peixe-trombeta* [Pl.: *agulhões-trombeta, agulhões-trombetas.*]

agulha-padrão (a.gu.lha-pa.*drão*) *sf. Mar.* Agulha magnética utilizada para navegação, montada em bitácula com dispositivos necessários à neutralização ou à redução dos desvios semicirculares dos quadrantes e com equipamento para efetuar marcações azimutais; AGULHÃO [Pl.: *agulhas-padrão, agulhas-padrões.*]

agulha-preta (a.gu.lha-*pre*.ta) *sf. Bras. Ict.* Certo peixe da costa atlântica brasileira, de coloração prateada, um tanto olivácea para o dorso, de até trinta e cinco centímetros de comprimento; AGULHA-CRIOULA [Pl.: *agulhas-pretas.*]

agulhar (a.gu.*lhar*) *v. td.* 1 Golpear ou espetar com agulha: *O médico agulhou o braço do paciente.* 2 *Fig.* Causar dor, tormento; TORTURAR: *Agulhava o marido com repetidas mesquinharias.* 3 *Fig.* Estimular, incitar: *A vaia agulhou os brios do jogador.* [▶ 1 agulhar] [F.: *agulha* + *-ar.*]

agulhas (a.*gu*.lhas) *sfpl.* Parte da carne bovina próxima ao espinhaço do animal

agulheiro (a.gu.*lhei*.ro) *sm.* 1 Estojo ou almofada onde se guardam agulhas 2 Funcionário que movimenta agulha (13) nas vias férreas 3 *Cons.* Conjunto de orifícios feitos em paredes ou muros para neles assentar as travessas dos andaimes 4 *Cons.* Abertura para permitir a entrada de luz e ar 5 *Mar.* Pequena abertura em convés ou coberta de navio para dar passagem a carvão (em navios a vapor) ou munição (em navios de guerra) [F.: *agulh(a)* + *-eiro.* Cf.: *agulheiros.*]

agulheiros (a.gu.*lhei*.ros) *smpl.* Orifícios para escoamento da água em tanques e chafarizes [F.: Pl. de *agulheiro.* Cf.: *agulheiro.*]

agulheta (a.gu.*lhe*.ta) [ê] *sf.* 1 Agulha grande, grossa e achatada, própria para enfiar cadarços, cordões, fitas etc. 2 Remate metálico que se coloca na ponta dos cadarços e cordões para facilitar sua entrada nos ilhoses 3 Peça de metal atarraxada à extremidade das mangueiras de combate a incêndio para aumentar a força do jato e facilitar seu direcionamento 4 Bombeiro que trabalha com esse equipamento [F.: *agulha* + *-eta.*] ■ ~ **de seleção** *Tip.* Eixo na caixa seletora de linotipo

agulhetar (a.gu.lhe.*tar*) *v. td.* Colocar agulhetas em (uniforme militar) [▶ 1 agulhetar] [F.: *agulheta* + *-ar.* Hom./Par.: *agulheta(s)* (fl.), *agulheta* /ê/ (sf. [e pl.].]

aguti (a.gu.*ti*) *sm. Zool.* Ver *cutia*

ah[1] *interj.* Exprime admiração, alegria, tristeza, decepção, compaixão, espanto, indignação etc.: *Ah, que pena!* [F.: Do lat. *ah.*]

⊠ **A. h.** *Elet.* Símb. de *ampère-hora*

⊠ **Ah**[2] *Elet.* Símb. de *ampère-hora*

ahn *interj.* Exprime admiração, reflexão ou súbita compreensão: "Mas há também quem prefira uma abordagem, ahn, científica para o problema." (Jefferson Lessa, *O Globo*, 30.12.2005) [Us. tb. com função *fática.*] [F.: De or. expressiva, posv.]

ai *interj.* 1 Exprime dor, tristeza, desespero ou, às vezes, alegria, contentamento: *Ai! quebrei o braço!; Ai, que saudades que tenho!; Ai que me mataram o rapaz!; Ai, que bom que é! sm.* 2 Expressão de sofrimento, aflição, discórdia etc.: *Não se ouviu um ai: nenhum lamento ou reclamação.* [F.: Do lat. *ai.* Hom./Par.: *ai* (interj., sm.), *aí* (adv., interj.).] ■ ~ **de** Pobre de: *Ai de você, se não obedecer!* **Num ~** Num átimo

aí (a.*í*) *adv.* 1 Nesse lugar, próximo à pessoa com quem se fala: *A chave está aí, perto da bolsa; Breve estarei aí.* 2 Para, até esse lugar: *Já vou aí.* 3 O lugar em que está a pessoa com quem se fala, ou próximo dela: *Aí é o escritório do dr. Abreu?* 4 Nesse momento, nessa circunstância ou ocasião;

ENTÃO: "...mas aí relembrei o pior de tudo..." (Antonio Callado, *Reflexos do baile*) **5** Certo momento ou circunstância; certo tempo ou época: "Até aí nenhuma novidade." (Ana Maria Machado, *A audácia dessa mulher*) **6** Nesse ponto, nesse aspecto: *É aí que reside o problema.* **7** Em lugar antes mencionado; ALI; LÁ: *Foi para a França estudar e aí construiu sua vida.* **8** Nesse caso (referindo-se a circunstância ou acontecimento hipotético): *Se ele não disser a verdade, ela vai se sentir traída. E aí não tem jeito: é separação na certa!* **9** Indica aproximação ou a iminência de algo: "Vem aí a neve. Trago os pés como calhaus e olhe que pus dois pares de coturnos de lã" (Aquilino Ribeiro, *Caminhos errados*) **10** Junto; em anexo ou anexo: *Aí vai o arquivo.* **11** Usado para indicar a proximidade com algum lugar ou a referência às cercanias deste, mas de modo impreciso (seguido da prep *por*); ALI: *Moram aí por Vigário Geral.* **12** Usado para indicar valor ou quantidade imprecisos, com a noção de 'mais ou menos' e de 'cerca de': *Ele tem aí uns 12 relógios de pulso!* **13** Usado para indicar tempo ou data imprecisos, quando seguido da prep. *por*: *Foi aí pelos anos 1950 que se casaram.* **14** Em qualquer parte; pelo mundo: *Desde que terminou o namoro anda aí feito um fantasma.* ***interj.*** **15** *Pop.* Indica aprovação, cumplicidade ou malícia: *Aí, isso é que é goleiro!* **16** Usado para chamar alguém ou para atrair-lhe a atenção: *Aí, menino!! Sabe onde fica a rua Paissandu?* [F.: De *a-*, reforçativo, + port. arc. *(h)i*, do lat. *ibi*, 'aí', + lat. *hic*, 'aqui'. Hom./Par.: *ai* (adv., interj.), *ai* (interj., sm.).] ■ **E por ~ / E por ~ afora / E por ~ vai** E assim por diante: *Foi uma série de êxitos: na carreira, nas finanças e por aí afora* **Por ~** **1** Em lugar não determinado: *– Onde está ele? – Não sei ao certo, por aí.* **2** Mais ou menos: *Vai ser um aumento de 15 a 20 por cento, por aí.*

aia (ai.*a*) *sf.* **1** Dama de companhia **2** Profissional responsável pela educação e criação de crianças de famílias nobres ou ricas; PRECEPTORA **3** Criada de dama rica, da nobreza; CAMAREIRA [F.: Do lat. *avia, ae*, 'avó'. Hom./Par.: *aia* (sf.), *Haia* (top.).]

aiaçá (ai.a.*çá*) *sf. AM Zool.* Pequena tartaruga amazônica (*Podocnemis sextuberculata*) com cerca de 30 cm de comprimento, de casco achatado e carapaço marrom-avermelhada; AIACÁ; AIUÇÁ; IAÇÁ; PITIÚ-AIAÇÁ [F.: do tupi *a'i-açá*. Cf.: *tracajá*.]

aiapaína (ai.a.pa.*í*.na) *sf.* **1** *Bot.* Arbusto da família das compostas (*Ayapana triplinervis*), de flores azuis, folhas medicinais e cujas raízes são us. pelos indígenas contra picadas de cobras; AIAPAINA; IAPANA; JAPANA; ERVA-DE-COBRA **2** Arbusto frondoso, da fam. das euforbiáceas (*Euphorbia cotinifolia*), nativo das Antilhas e da Amazônia, cujo látex é us. como veneno; AIAPANA [F.: do lat. cient. *ayapana*.]

aiapuá (ai.a.pu.*á*) *sf. AM* Mandioca selvagem; MANDIOCA-BRAVA [F.: do tupi *ayapu'a*.]

aiar (ai.*ar*) *v. int.* Emitir gritos ou gemidos de dor; soltar ais [▶ 1 aiar] [F.: *ai* + *ar*. Hom./Par.: *aia* (fl.), *Haia* (top. f.); *aias* (fl.), *Aías* (antr. m.).]

aiatolá (ai.a.to.*lá*) *sm. Rel.* Líder religioso e dignitário, mestre das leis islâmicas entre os muçulmanos xiitas [F.: Do ár. *ayatollah*, 'sinal ou manifestação de Alá'.]

aibi (ai.*bi*) *sm.* **1** *BA* Riachinho que desemboca no mar e sofre influência das marés **2** *P. ext.* Coisa sem grande importância [F.: or. obsc.]

◎ **-aico** *suf. nom.* = 'relativo a'; 'provindo de': *aramaico, incaico, judaico* (< lat.), *prosaico* (< lat.): *aramaico, judaico, prosaico.* [F.: Do lat. *-aicus*, do gr. *-ikós, -iké, -ikón*, com base nos rad. em *-a*.]

aidético (ai.*dé*.ti.co) *sm.* **1** Indivíduo que é portador do vírus da aids [Considerado por alguns termo pejorativo. Melhor: *soropositivo*.] *a.* **2** Diz-se desse indivíduo [F.: *AID(S)* + *-ético*.]

aids *sf. Pat.* Doença transmitida por sêmen, secreção vaginal ou sangue contaminado, responsável pela diminuição das defesas imunológicas do organismo, o que pode levar ao desenvolvimento de infecções oportunistas [F.: Do ing. *AIDS*, das iniciais de *acquired immune deficiency syndrome*, síndrome de imunodeficiência adquirida, ou SIDA.]

> 🕮 A AIDS, ao prejudicar o sistema imunológico do portador (chamado soropositivo) do vírus HIV, propicia a contração de doenças infecciosas e impede que o organismo as debele, podendo levar, nesse caso, à morte. Como ainda não tem cura, e como só se propaga pelo contato direto com sangue, secreção vaginal e sêmen contaminados, a única forma de evitar sua propagação é usar preservativos (camisinhas) durante o ato sexual, não utilizar seringas já usadas ou outros instrumentos que possam ter tido contato com o sangue de possíveis portadores do vírus, nem entrar em contato com sangue ou outros fluidos contaminados. Intensas pesquisas (inclusive no Brasil) levaram à descoberta de 'coquetéis' de substâncias capazes de melhorar o nível imunológico dos portadores de HIV.

aiê (ai.*ê*) *sf. BA Ant. Folc.* Festa religiosa e profana dos negros baianos de origem sudanesa, realizada no dia primeiro de janeiro para comemorar a chegada do ano-novo [F.: or. obsc.]

aie-aie (ai.e-*ai*.e) *sm. Zool.* Primata arborícola de Madagascar (*Daubentonia madagascarienses*), único representante da fam. *Daubentoniideae*, de pelagem preta, cauda comprida, orelhas pontudas, olhos grandes, dentes incisivos cortantes e um dos dedos comprido e fino para capturar larvas e insetos em buracos nos troncos das árvores [Pl.: *aie-aies*.] [F.: or. obsc.]

aiereba (ai.e.*re*.ba) *Ict. sf.* **1** Arraia da fam. dos dasiatídeos (*Dasyatis orbicularis*), parda no dorso e branca no ventre, encontrada no Oceano Atlântico, mesmo que *ajereba* **2** Raia (*Dasyatis americana*), da fam. dos dasiatídeos, m. que *raia-prego* **3** *Zool.* Raia (*Paratrygon hystrix*) da fam. dos dasiatídeos, mesmo que *arraia-cocal* **4** *Zool.* Raia (*Dasyatis sayi*) da fam. dos daisetídeos, m. que *raia-amarela* [F.: do tupi *aye'rewa*.]

aí-ibiretê (a.í-i.bi.re.*tê*) *sm. AM Zool.* Mamífero xenartro (*Bradypus tridactylus*), tipo de preguiça encontrado no norte da Amazônia, com cerca de 50 cm de comprimento, pelagem acinzentada curta na parte dorsal por uma grande mancha alaranjada e preta; PREGUIÇA-DE-BENTINHO; AIMIRIM; AÍ-MIRIM; PREGUIÇA-DE-TRÊS-DEDOS [Pl.: *aís-ibiretês*.]

ai-jesus (ai-je.*sus*) *sm2n.* **1** O predileto, o mais querido: *O netinho era o seu ai-jesus.* ***interj.*** **2** Exprime dor ou espanto

aijuba (ai.*ju*.ba) *sf. Bot.* Árvore (*Aniba permollis*) da fam. das lauráceas, nativa do Brasil, m. que *aiuba* [F.: do tupi *a'i uwa*.]

aijulata (ai.ju.*la*.ta) *sf. Etnog.* Tipo de tanga indígena, mesmo que *ajulata* ou *julata* [F.: or. obsc.]

aikidô (ai.ki.*dô*) *sm. Esp.* Arte marcial japonesa que envolve técnicas de concentração, relaxamento e defesa pessoal, visando à manutenção da saúde e ao desenvolvimento espiritual [F.: Do jap. *aikido*. Tb. *aiquidô*.]

ailanto (ai.*lan*.to) *sm. Bot.* Nome de várias árvores do gên. *Ailanthus*, da fam. das simarubáceas, nativas da Ásia e Austrália, cultivadas como ornamentais por suas folhas que chegam a 1m de comprimento; da *Ailanthus altissima* se extrai o verniz-do-japão; da *Ailanthus malabarica* se extrai um corante negro us. em templos hindus como incenso; a *Ailanthus vilmoriniana* foi muito us. na criação do bicho-da-seda para a fabricação do xantungue; ÁRVORE-DO-CÉU

⊕ **aileron** (*Fr. /aierron/*) *sm. Aer.* Dispositivo móvel, instalado na parte traseira da asa do avião, cuja função é dar estabilidade aos movimentos de inclinação lateral

aimara (ai.*ma*.ra) *sf.* **1** *Bot.* Árvore de pequeno porte (*Posoqueria palustris*), da fam. das rubiáceas, nativa do sudeste brasileiro, com fruto bacáceo e flores grandes e brancas; ARAÇÁ-DO-BREJO; POSOQUÉRIA **2** Árvore pequena (*Posoqueria longiflora*), nativa das Guianas e do Brasil, cujas sementes são usadas como isca para peixe, mesmo que *posoqueri* [F.: do tupi *ay'mara*.]

aimará (ai.ma.*rá*) *sm. Bras.* Túnica de algodão entretecida de penas, us. pelos guaranis [F.: Posv. do quíchua. Hom./Par.: *aimará* (sm.), *aimara* (sf.).]

aí-mirim (a.í-mi.*rim*) *sm. AM Zool.* Tipo de preguiça da Amazônia (*Bradypus tridactylus*), mesmo que *aí-ibiretê*; AÍ-IBIRETÊ; PREGUIÇA-DE-BENTINHO; PREGUIÇA-DE-TRÊS-DEDOS [Pl.: *aí-mirins, aís-mirins*.] [F.: do tupi *a'i-mi-rim*; forma paral.: *aimirim*.]

aimoré[1] (ai.mo.*ré*) *Etnol. s2g.* **1** Indivíduo dos aimorés, povo indígena extinto que habitava diversas regiões do Brasil e falava língua do tronco macro-jê *a2g.* **2** Pertencente ou relativo aos aimorés [F.: De uma língua do tronco macro-jê.]

aimoré[2] (ai.mo.*ré*) *sm. Bras. Zool.* Peixe (*Bathygobius soporator*) da fam. dos gobiídeos, do Pacífico oriental tropical e do Atlântico, com até 16 cm de comprimento, corpo com mucilagem de cor variada e nadadeira ventral com apenas uma peça (ventosa), com a qual se fixa às pedras dos fundos rochosos de estuários [F.: Do tupi.]

◎ **-aina** = formador de aumentativo: *bocaina, pobretaina.*

ainda (a.*in*.da) ***adv.*** **1** Até este momento; até agora: *A conferência ainda não começou; Ainda hoje uso aquele colar.* **2** Até certo tempo no passado já mencionado; até então; até aquele momento: *Quando voltei do exterior, eles ainda não tinham se casado.* **3** Até certo tempo (antes mencionado) no futuro: *Quando você voltar ainda estarei no início de minha viagem.* **4** Em algum momento no futuro: *Ela ainda chegará.* **5** Realça a exiguidade de tempo decorrido: *Ainda há cinco minutos, falávamos de você.* **6** Ao menos: *Está sempre atrasado; se ainda fosse eficiente...* **7** Também; além disso: *Ele canta e ainda dança.* **8** Mais; além disso: *Muito aplaudido ao final do show, cantou ainda uma canção.* **9** Exatamente, precisamente: *Saiu ainda agora.* **10** Mesmo assim; não obstante: *Ele já te devia um dinheirão e você ainda lhe emprestou mais!* **11** Por fim; afinal: *Depois de tantos anos, restou-lhe ainda uma lembrança.* **12** Expressa reforço, aumento, incremento: *Nosso medo ficou ainda maior.* **13** Expressa continuidade de algo (mesmo em condições adversas): "Sorris da minha dor, mas eu te quero ainda" (Paulo Medeiros, *Sorris da minha dor*) **14** *Lus.* Ainda (1) não: *Você já almoçou? Ainda.* [F.: *a-*, protético, + port. ant. *inda*, de or. incerta.] ■ **~ agora** Agorinha **~ assim** Apesar disso: *Não é minha atribuição; ainda assim, pretendo colaborar.* **~ bem (que)** Felizmente **~ por cima** Além de tudo isso; para culminar **~ quando** O mesmo que *ainda que* **~ que** **1** Mesmo que: *"Liberdade, ainda que tardia."* (Lema da Conjuração Mineira) **2** Apesar de que; embora: *Vou respeitar a decisão, ainda que não concorde.*

ainhum (ai.*nhum*) *sm. Med.* Doença comum nos antigos escravos africanos, caracterizada pela formação de um anel constritor na dobra dos artelhos, causando assim o decepamento espontâneo de um ou mais dedos do pé [F.: or. obsc.]

aino (*ai*.no) *sm.* **1** *Etnol.* Indivíduo dos ainos, povo que habita o norte do Japão (Hokkaido) e o sul da ilha de Sakhalina, na Rússia **2** *Ling.* Língua falada por esse povo *a.* **3** Rel. a ou próprio desse povo ou dessa língua [F.: Do aino *Ainu* (pessoa).]

ainsa (a.*in*.sa) *sm. Fil. Rel.* Princípio ético fundamental na cultura indiana e esp. no jainismo, segundo o qual se deve renunciar à violência em qualquer grau e devotar respeito absoluto a todos os seres vivos [F.: Do sânscr. *ahinsa*.]

aio (*ai*.o) *sm.* **1** Empregado responsável pela educação de crianças de famílias nobres ou ricas; PRECEPTOR **2** Criado, camareiro [F.: De or. contrv; posv. de *aia*.]

aió (ai.*ó*) *sm. Bras.* Bolsa de caça feita com a fibra trançada do caroá [F.: contrv.]

aipim (a:i.*pim*) *sm. Bot.* O mesmo que *mandioca* [Pl.: *-pins*.] [F.: Do tupi *ai'pi*.]

aipo (*ai*.po) *sm. Bot.* Erva da família das umbelíferas (*Apium graveolens*), nativa da Europa, com flores brancas ou esverdeadas e pecíolos carnosos que se usam em saladas, molhos e sopas; CELERI; SALSÃO [F.: Do lat. *apium, ii*.]

aipo-rábano (ai.po-*rá*.ba.no) *sm. Bot.* Uma das variedades do aipo, *Apium graveolens* var. *rapaceum*, cujas raízes são semelhantes ao nabo e apreciadas em culinária; AIPO; AIPO-SALSÃO; SALSÃO [Pl.: *aipos-rábano, aipos-rábanos*.]

aiquidô (ai.qui.*dô*) *sm.* Ver *aikidô*

airá (ai.*rá*) *sm. Bras. Rel.* No candomblé, forma anciã do orixá Xangô, que se apresenta com três identidades: Intile, Igbonã e Mofé; DADÁ [inic. maiúsc.] [F.: Do ior. *aira*.]

airado (ai.*ra*.do) *a.* **1** Que é ou está desvairado; ALUCINADO; TRESLOUCADO **2** Leviano, irresponsável (vida airada) **3** Vadio, vagabundo **4** *Bras.* Que foi acometido por gripe, resfriado [F.: Do espn. *airado*.]

airar[1] (ai.*rar*) *v.* **1** *MT MS* Tomar ar, refrescar-se [*int.*: *Ela saiu para airar.*] **2** *Bras.* Pegar resfriado, gripar-se [*int.*: *Saiu na chuva e airou(-se).*] [▶ 1 airar] [F.: Do espn. *airar*.]

airar[2] (ai.*rar*2) *Ant. v.* **1** Dirigir olhar de ódio a (alguém); ODIAR [*td.*] **2** Irar-se, irritar-se [*int.*] [▶ 1 airar] [F.: Do espn. *airar*.]

⊕ **airbag** (*Ing. /érbeg/*) *sm. Aut.* Bolsa inflável embutida em receptáculo fechado de veículo automotivo que, em caso de colisão do veículo, se enche instantaneamente de ar, protegendo seus ocupantes

aire (*ai*.re) *sm.* **1** Coisa fútil, sem valor. [F.: Do espn. *aire*.] **2** *Zool.* Ver *airo*.

airimirim (ai.ri.mi.*rim*) *sm. Bras. Bot.* Palmeira agreste (*Bactris vulgaris*), cespitosa (de touceiras, de tufos), nativa do Brasil e cultivada como ornamental, com frutos de polpa alaranjada e multicaules espinhosos; airi; irimirim; TUCUM; TUCUM-PRETO [F.: *airi* + *mirim*.]

airoba (ai.*ro*.ba) *sf. Bras.* Membrana serosa que reveste o ventre da capivara, conferindo-lhe à carne odor e sabor desagradáveis [F.: Posv. do tupi *ai-iroba*.]

airoso (a:i.*ro*.so) [ô] *a.* **1** Que tem aparência elegante e garbosa (homem airoso); GRACIOSO **2** Que tem dignidade, honra (atitude airosa); DECOROSO; DIGNO; HONROSO **3** Que revela delicadeza, gentileza [Fem. e pl.: [ó].] [F.: Do espn. *airoso*.]

aistórico (a.is.*tó*.ri.co) *a.* Anistórico (1) [F. menos correta e mais us.] [F.: *a-*[3] + *histórico*.]

aitá (ai.*tá*) *sf. Bras. Bot.* Árvore amazônica da fam. das moráceas, *Brosimum lecointei*, cuja madeira, imputrescível no contato com a água, é explorada em marcenaria e ebanisteria [F.: obsc.]

aiuba (ai.*ú*.ba) *sf. Bras.* Árvore da fam. das lauráceas, Aniba permollis, brasileira, de folhas coriáceas e bagas de sementes carminativas, atingindo 50 m de altura; aijuba; aiúba; aniúba; anjuba; auuva [F.: Do tupi *ai* + *iwa*.]

aíva (a.*í*.va) ***a2g.*** **1** Diz-se de pessoa ou coisa sem importância, insignificante ***a2g.*** **2** Que se acha adoentado, enfermo **3** Envolto em mistério; ENIGMÁTICO ***s2g.*** **4** *Bras.* Pessoa sem nenhum valor, insignificante; JOÃO-NINGUÉM; POBRE-DIABO; PÉ DE CHINELO; BUNDA-SUJA ***sf.*** **5** *Bras.* Doença incurável [F.: Do tupi *ahyva*.]

aiveca (ai.*ve*.ca) *sf.* Cada uma das duas peças oblíquas de madeira ou de ferro que ladeiam a relha do arado e que servem para alargar o sulco afastando a terra de um lado e outro [F.: De or. obsc.]

aizoácea (ai.zo.*á*.ce.a) *sf. Bot.* Espécime das aizoáceas, fam. de plantas floríferas que reúne cerca de 1.850 espécies de ervas suculentas, arbustivas e subarbustivas, às vezes espinhosas, de folhas simples e flores vistosas, ger. hermafroditas [F.: Do lat. cient. *Aizoaceae*.]

aizoáceo (ai.zo.*á*.ce:o) *a.* Ref. às *aizoáceas*

ajaezar (a.ja:e.*zar*) *v. td.* **1** Pôr jaezes em (cavalgadura); ornar com jaezes; ARREAR: *ajaezar um cavalo.* **2** *P. us.* Pôr adornos em (algo ou alguém, inclusive si mesmo); ADORNAR; ATAVIAR; ENFEITAR; ORNAR: *ajaezar a passista; ajaezar-se para sair* [▶ 1 ajaezar] [F.: *a-*[2] + *jaez* + *-ar*[2].]

ajambrado (a.jam.*bra*.do) *a.* **1** Ver *azambrado* **2** *Bras.* Vestido, trajado, arrumado [Ver tb. *bem-ajambrado* e *mal-ajambrado*.] [F.: *a-*[2] + *zambro*, 'cambaio' + *-ado*[1], com evolução fonética e semântica.]

ajambrar (a.jam.*brar*) *v. td.* Dar jeito em, pôr em ordem; AJEITAR; ARRUMAR: *O quarto estava uma bagunça, mas ela ajambrou tudo antes de sair.* [▶ 1 ajambrar] [F.: Da noção de *ajambr(ado)* 'arrumado' + *-ar*[2].]

ajanotar (a.ja.no.*tar*) *v. td.* **1** Vestir(-se) ou apresentar(-se) como janota: *Ajanotou o filho para a festa; Ajanotou-se para* *assumir seu novo cargo.* **2** Dar ou adquirir feição de janota: *Ajanotou suas roupas.* [▶ 1 ajanotar] [F.: *a-* + *janota* + *-ar*.]

ajantarado (a.jan.ta.*ra*.do) ***sm.*** **1** *Bras.* Almoço ou lanche farto e tardio, ger. em domingos ou feriados, à guisa de jantar ***a.*** **2** Com jeito de jantar (diz-se geralmente de almoço ou lanche fartos e tardios) [F.: *a-*[2] + *jantar* + *-ado*[1].]

ajará (a.ja.*rá*) ***sf.*** *Bras. Bot.* Pequena árvore amazônica da fam. das violáceas, Rinorea guianensis, de folhas comestíveis, flores miúdas brancas e amarelas em espigas e frutos capsulares; INHAMBUQUIÇAUA [F.: contrv.]

ajaraí (a.ja.ra.*í*) ***sf.*** *Bras. Bot.* Árvore amazônica da fam. das sapotáceas, Pradosia pedicellata, de frutos comestíveis [F.: contrv.]

ajardinado (a.jar.di.*na*.do) ***a.*** **1** Que tem a disposição característica de um jardim (quintal ajardinado) **2** Que tem jardim ou a que se acrescentou jardim (caminho ajardinado, casa ajardinada) [F.: Part. de *ajardinar*.]

xajardinar (a.jar.di.*nar*) ***v. td.*** **1** Dar forma de jardim a; transformar em jardim: *ajardinar um quintal; ajardinar canteiros de flores.* **2** Acrescentar um jardim a; prover de jardim: *Ajardinou a orla do caminho até a casa.* [▶ 1 ajardinar] [F.: *a-*[2] + *jardi(m)* + *-n-* + *-ar*[2].]

ajaré (a.ja.*ré*) ***sm.*** *Bras. Bot.* Arbusto papilionoídeo da fam. das leguminosas, Tephrosia nitens, do mesmo gênero dos timbós, de folhas imparipenadas e us. pelos índios para envenenar flechas; TIMBOCAÁ; TIMBÓ-CAÁ [F.: contrv.]

ajáua (a.*já*u.a) ***s2g.*** **1** *Etnol.* Indivíduo dos ajáuas, povo habitante da província do Niassa, em Moçambique; ajava ***sm.*** **2** A língua banta falada pelos ajáuas ***a2g.*** **3** Relativo ou pertencente aos ajáuas ou à sua língua

ajeitada (a.jei.*ta*.da) ***sf.*** *Bras.* Ação de ajeitar(-se): *uma ajeitada na gravata* [F.: Fem. substv. de *ajeitado*.]

ajeitado (a.jei.*ta*.do) ***a.*** **1** Posto a jeito, em ordem; ARRUMADO; ARRANJADO **2** Adaptado, ajustado **3** De boa aparência; GARBOSO [F.: Part. de *ajeitar*.]

ajeitar (a.jei.*tar*) ***v.*** **1** Pôr (algo ou alguém, inclusive si mesmo) em ordem, acomodando ou arrumando; pôr(-se) a jeito; ACOMODAR [***td.***: *Você precisa ajeitar a camisa; O fotógrafo ajeitou a noiva para a foto; Ajeitou-se para a foto.*] [***tda.***: *Vou ajeitar os livros na estante.*] **2** Conseguir habilmente algo (objeto necessário, emprego, situação vantajosa etc.); ARRANJAR *Gír.*; DESCOLAR [***td.***: *Tentou ajeitar uma boa colocação.*] **3** Pôr (algo ou alguém, inclusive si mesmo) em harmonia com (algo ou alguém); ADAPTAR; AJUSTAR; HARMONIZAR [***tdr.*** + *a, com*: *Ajeitou-se com o novo patrão; Ajeitou o regulamento às novas condições.*] **4** Pôr (algo) à disposição ou ao alcance de (alguém); OFERECER [***tdi.*** + *a, para*: *Ajeitara-lhe um lugar para ficar.*] **5** Conseguir se adaptar habilmente a situação nova, ou difícil [***int.***: *Mesmo sem gás para cozinhar conseguiu se ajeitar.*] **6** Surgir, suceder, deparar-se [***int.***: *Quando um momento propício se ajeitou, propôs um brinde.*] [▶ 1 ajeitar] [F.: *a-*[2] + *jeit(o)* + *-ar*[2].]

ajeré (a.je.*ré*) ***sm.*** **1** *Rel.* No candomblé, símbolo do orixá Omulu, que consiste num alguidar dentro do qual fica a sua otá, a pedra-fetiche que guarda a sua força e poder; ajerê **2** Em alguns cultos afro-brasileiros, prova de transe em que o fiel deve sustentar sobre a cabeça, sem se queimar, uma vasilha de barro toda perfurada, candaru, com fogo e brasas sobre as quais se derrama azeite [F.: Do ior. *ajere*.]

ajoeirar (a.jo.ei.*rar*) ***v. td. int.*** Ver *joeirar* [▶ 1 ajoeirar] [F.: *a-*[4] + *joeirar*.]

ajoelhado (a.jo:e.*lha*.do) ***a.*** **1** Que está de joelhos, abaixado com pelo menos um dos joelhos tocando o chão ou muito próximo dele; GENUFLEXO **2** *Fig.* Abatido moralmente; HUMILHADO [F.: Part. de *ajoelhar*.]

ajoelhar (a.jo:e.*lhar*) ***v.*** **1** Pôr de joelhos [***td.***: *Ajoelhou o escravo e o castigou.*] **2** Pôr-se ou ficar de joelhos [***int.***: *Restava-lhe apenas ajoelhar-se e rezar;* "...Joana Gorda (...) tratou de ajoelhar para segurar o seu genuflexório." (Antonio Callado, *Bar Don Juan*)] **3** *Fig.* Submeter, oprimir (alguém) [***td.***: *Injusto, ajoelhava os súditos.*] **4** *Fig.* Ficar ou estar submisso; HUMILHAR-SE [***int.***: *Não hesitou em (se) ajoelhar para conquistar fama.*] [▶ 1 ajoelhar] [F.: *a-*[2] + *joelh(o)* + *-ar*[2].]

ajorjar (a.jor.*jar*) ***v. td. int.*** *GO Pop.* Amasiar, amigar [▶ 1 ajorjar] [F.: prov. de *ajoujar*.]

ajornalado (a.jor.na.*la*.do) ***a.*** Que trabalha por remuneração diária, a jorna ou jornal [F.: part. de *ajornalar*.]

ajornalar (a.jor.na.*lar*) ***v. td.*** **1** Contratar para trabalhar mediante jornada ou diária; EMPREITAR: *Ajornalou dois pedreiros.* **2** Trabalhar por jornada ou diária: *Ajornalou-se numa loja de roupas.* [▶ 1 ajornalar] [F.: *a-* + *jornal* + *-ar*.]

ajoujado (a.jou.*ja*.do) ***a.*** **1** Preso por ajoujo (cães ajoujados) **2** *Fig.* Vergado ao peso de uma grande carga; muito carregado: *A estante está ajoujada de livros.* **3** *Fig.* Ligado, unido **4** *Fig.* Curvado ao jugo; SUBORDINADO; SUJEITADO [F.: Part. de *ajoujar*.]

ajoujamento (a.jou.ja.*men*.to) ***sm.*** Ação ou resultado de ajoujar(-se) [F.: *ajouja(r)* + *-mento*.]

ajoujar (a.jou.*jar*) ***v.*** **1** Ligar ou prender (cães, bois etc.) com ajoujo, dois a dois pelo pescoço [***td.***] **2** *P. ext. Fig.* Ligar(-se), juntar(-se) (coisas ou pessoas) [***td.***: *ajoujar palavras.*] [***int.***: *As crianças ajoujaram-se no pátio.*] **3** *Fig.* Fazer ficar ou ficar submisso, oprimido; SUBORDINAR(-SE); SUJEITAR(-SE) [***td.***: *O tirano ajoujara o povo.*] [***tdr.*** + *a*: *Ajoujou o povo à sua tirania.*] [***tr.*** + *a*: *Ingênuo, ajoujou-se a condições escorchantes.*] **4** *Fig.* Fazer envergar por excesso de peso [***td.***: *O balanço amarrado na árvore ajoujou o galho.*] [▶ 1 ajoujar] [F.: Do lat. *ad-jugare*.]

ajoujo (a.*jou*.jo) ***sm.*** **1** Correia ou qualquer peia us. para amarrar animais, aos pares, pelo pescoço **2** *P. ext.* Par de animais presos com ajoujo (1) **3** *Fig.* União ou relação imposta, não espontânea ou desejável **4** *N. E. RS* Tira de couro para amarrar bois pelos chifres **5** *N.* Embarcação para transporte de carga, formada por duas ou mais canoas presas, paralelamente, umas às outras [F.: Dev. de *ajoujar*. Hom./Par.: *ajoujo* (sm.), *ajoujo* (fl. de ajoujar).]

ajuacora (a.ju.a.*co*.ra) ***sf.*** *Bras. Etnog.* Colar indígena feito de conchas [F.: contrv.]

ajuaga (a.ju.*a*.ga) ***sm.*** *Vet.* Tumor que se forma no casco de cavalos, mulas, asnos; ENXOADA [F.: Do espn. *ajuagas*.]

ajucará (a.ju.ca.*rá*) ***sm.*** *Etnog.* Colar feito de dentes, us. pelos tupinambás como símbolo de vitória na caça ou na guerra

ajuda (a.*ju*.da) ***sf.*** **1** Ação ou resultado de ajudar **2** Ação de socorrer, de dar assistência **3** Aquilo que se faz para alguém de graça, sem obrigação de retribuição; FAVOR; OBSÉQUIO **4** *Pop.* Auxílio em dinheiro **5** *Inf.* Parte de um programa ou de um aplicativo para computador em que o usuário pode encontrar instruções seu uso e elucidar dúvidas quanto a isso **6** *Jur.* O auxílio que alguém presta a quem comete uma infração penal **7** *CE RN* Mobilização coletiva para auxílio mútuo; MUTIRÃO **8** Igreja ou capela sucursal de outra **9** *Mar.* Corda us. para reforçar outra **10** *N. E.* Adição de substância alcalina ao caldo de cana-de-açúcar, para a eliminação dos ácidos nele contidos **11** *Ant.* Certo tributo feudal **12** *Ant.* Introdução de água ou líquido medicamentoso no organismo por via retal [F.: Dev. de *ajudar*. Hom./Par; *ajuda* (sf.), *ajuda* (fl. de *ajudar*).] ■ **~ de custo** Quantia cedida a alguém para despesas de viagem, recursos de trabalho etc. **Ainda para mais ~** Ainda por cima

ajudadouro (a.ju.da.*dou*.ro) ***sm.*** Auxílio, ajuda para quem está em má situação; ajudadoiro; ajudouro; ajudoiro; SOCORRO [F.: rad. do part. *ajudad(o)* + *-ouro*.]

ajuda-mútua (a.ju.da-*mú*.tu:a) ***sf.*** Método terapêutico destinado a auxiliar pessoas que têm problemas em comum, esp. dependência de drogas, álcool etc., por meio de reuniões que lhes possibilitam trocar experiências e ouvir depoimentos de outros que viveram situações semelhantes [Pl.: *ajudas-mútuas*.]

ajudante (a.ju.*dan*.te) ***a2g.*** **1** Que ajuda, que auxilia **2** Diz-se de profissional que presta ajuda a outro profissional de mesma atividade, ger. o titular (cirurgião ajudante, professora ajudante) **3** *Mil.* Subalterno (diz-se de oficial) ***s2g.*** **4** Pessoa que, em qualquer campo de trabalho, tem como tarefa principal prestar auxílio a outras no desempenho de suas atividades [F.: *ajuda(r)* + *-nte*.]

ajudante de ordens (a.ju.dan.te de*or*.dens) ***s2g.*** *Mil.* Oficial sob as ordens de um superior militar ou civil [Pl.: *ajudantes de ordens*.]

ajudar (a.ju.*dar*) ***v.*** **1** Prestar ajuda, assistência, socorro (a alguém, inclusive si mesmo, e reciprocamente) [***td.***: *Ajudava os amigos necessitados; Os amigos se ajudam; Antes de pedir ajuda, você precisa se ajudar.*] [***ti.*** + *a*: *Fez o trabalho todo sem ninguém lhe ajudar.*] [***int.***: "...fazer tudo o que estiver ao nosso alcance para ajudar." (Ana Maria Machado, *Texturas*)] **2** Favorecer, auxiliar (algo ou alguém, processo, situação etc.) a (fazer algo, ter bom desempenho, ser mais fácil ou mais eficiente etc.); facilitar ou contribuir para (algo) [***td.***: *Exercícios ajudam o desempenho do atleta; A indexação só ajudou a inflação; Este dilatador nasal ajuda a respiração.*] [***tdr.*** + *a, em*: *Ajudou o ancião a levantar-se; Ajudava o pai nas despesas da casa.*] [***tr.*** + *a, em*: "...o vinho ajuda a amaciar a carne..." (Ana Maria Machado, *Texturas*): "...para ajudar nos trabalhos mais pesados." (Alberto da Costa e Silva, *A manilha e o libambo*)] **3** Valer-se, servir-se [***tr.*** + *de*: *O deficiente visual ajuda-se das mãos para ler.*] **4** *Bras. N. E.* Nos engenhos de açúcar, realizar ajuda (10) em (caldo da cana-de-açúcar) [***td.***] [▶ 1 ajudar] [F.: Do lat. *adjutare*. Hom./Par.: *ajuda* (fl.), *ajuda* (sf.).]

ajudengado (a.ju.den.*ga*.do) ***a.*** **1** Que se ajudengou, que se mantém fiel aos costumes judaicos; AJUDEADO **2** Que é próprio de judeu e da cultura judaica; AJUDEUZADO [F.: part. de *ajudengar*.]

ajudengar (a.ju.den.*gar*) ***v. td.*** **1** Transmitir ritos e costumes judaicos a **2** Converter-se ao judaísmo; assimilar a cultura judaica [▶ 14 ajudengar] [F.: *a-*[2] + *judeng(o)* + *-ar*[2].]

ajudeuzado (a.ju.deu.*za*.do) ***a.*** **1** Que tem aparência ou modos de judeu **2** Que é próprio de judeu e da cultura judaica; ajudengado [F.: part. de *ajudeuzar*.]

ajuizado (a.ju:i.*za*.do) ***a.*** **1** Que tem juízo, que pensa e age de forma sensata e prudente **2** *Jur.* Que está em juízo, submetido à apreciação da justiça **3** *Jur.* Que depende de análise e decisão da justiça [F.: Part. de *ajuizar*.]

ajuizamento (a.ju:i.za.*men*.to) ***sm.*** Ação ou resultado de ajuizar(-se) [F.: *ajuizar* + *-mento*.]

ajuizar (a.ju:i.*zar*) ***v.*** **1** Formar juízo ou ideia, conceito, opinião sobre (algo, alguém ou si mesmo); AVALIAR; CONSIDERAR; JULGAR [***td.***: "...pude ajuizar o quanto estavam reconhecidas..." (Josué Montello, *Sempre serás lembrada*)] [***tr.*** + *de, sobre*: "...ajuizar de um fato consumado..." (Cecília Meireles, "Sustentando a aposta" *in Crônicas de Educação 3*); "...ajuizar sobre créditos..." (Alberto da Costa e Silva, *A manilha e o libambo*)] [***tdp.***: *Ajuizara-o (como) destemido; Ajuiza-se muito influente.*] **2** Tornar(-se) ponderado, sensato [***td.***: *Procurou ajuizá-lo, trazendo-o à razão.*] [***int.***: *Depois de casado, ajuizou-se.*] **3** Fazer cálculo de; AVALIAR; CALCULAR [***td.***: *Não pôde ajuizar os prejuízos do desastre.*] **4** Pensar demoradamente, ponderar, refletir [***int.***: *Antes de responder ajuizou.*] **5** *Jur.* Levar ou submeter a juízo, transformar em ação, processo judicial [***td.***: *Ajuizou o litígio com os empregados.*] [▶ 18 ajuizar Aplica-se ao *i* a acentuação que o paradigma prevê para o *u*.] [F.: *a-*[2] + *juiz* + *-ar*[2].]

ajuizável (a.ju:i.*zá*.vel) ***a2g.*** **1** Que se pode ajuizar **2** *Jur.* Que se pode levar a juízo (questão ajuizável): *questão ajuizável.* [Pl.: *-veis*.] [F.: *ajuizar* + *-vel*. Hom./Par.: *ajuizáveis* (pl.), *ajuizáveis* (fl. de *ajuizar*).]

ajuntadeira (a.jun.ta.*dei*.ra) ***sf.*** Operária que reúne e costura as peças superiores dos sapatos antes de juntá-las à sola [F.: Fem. subst. de *ajuntadeiro*.]

ajuntador (a.jun.ta.*dor*) [ô] ***a.*** **1** Diz-se do pescador que, por baixo d'água, fecha a rede com os pés para impedir que os peixes escapem **2** Que ajunta, que tem meios de ajuntar ***sm.*** **3** Pescador que, por baixo d'água, fecha a rede com os pés para impedir que os peixes escapem **4** Aquele que ajunta, que tem meios de ajuntar [F.: *ajunta(r)* + *-dor*.]

ajuntamento (a.jun.ta.*men*.to) ***sm.*** **1** Ação ou resultado de ajuntar(-se) **2** Agrupamento de pessoas; AGLOMERAÇÃO **3** União de casal sem formalidade legal e/ou religiosa **4** *MG* O mesmo que *mutirão* [F.: *ajunta(r)* + *-mento*. Ideia de 'ajuntamento': *sin-, -lexia, -açal, -alha, -ama, -ame, -ório*.]

ajunta-pedra (a.jun.ta-*pe*.dra) ***sm.*** *Zool.* Peixe teleósteo perciforme da fam. dos ciclídeos, *Retroculus lapidifer*, parecido com os acarás, de cor esverdeada com cinco listras transversais e escuras, devendo o nome popular ao fato de construir com seixos o lugar para a desova [Pl.: *ajunta-pedras*.]

ajuntar (a.jun.*tar*) ***v.*** **1** Pôr junto ou perto; JUNTAR [***tdr.*** + *a, com*: *Ajuntou uma peça à outra; ajuntar peça com peça; ajuntou-se aos demais:* "Vai-te ajuntar com os outros!" (João Guimarães Rosa, *Sagarana*)] **2** Reunir (coisas ou pessoas espalhadas, dispersas) [***td.***: "Rasgou o desenho em quatro, ajuntou depois os bocados, e tornou a rasgá-lo." (Aquilino Ribeiro, *O homem que matou o diabo*); "...ajuntou os gravetos catados..." (João Guimarães Rosa, *Sagarana*)] **3** Apanhar, recolher [***td.***: *Ajuntava as mangas caídas do pé.*] **4** Unir, ligar [***td.***: *Ajuntar cédulas rasgadas.*] **5** Acumular [***td.***: *Ajuntava retalhos para fazer uma colcha.*] [***int.***: "...que da manhã à noite muita água ajuntara..." (João Guimarães Rosa, *Sagarana*)] **6** Congregar, convocar ou reunir(-se) (muitas pessoas) [***td.***: *ajuntara uma multidão.*] [***int.***: *os pedestres ajuntaram-se em volta do homem.*] **7** Fazer economia de (dinheiro); ECONOMIZAR; POUPAR [***td.***] **8** Passar a viver com alguém como um casal; AMANCEBAR-SE; AMASIAR-SE [***tr.*** + *com*: *Decidiu ajuntar(-se) com o namorado.*] **9** Acrescentar ao que já existe, dizer mais ainda, continuar [***td.***: "E Afonso ajuntou: minha mulher é um anjo." (Camilo Castelo Branco, *Amor de salvação*)] **10** *Bras. Gír.* Atacar de forma violenta; bater em (alguém); AGREDIR [***td.***] [▶ 1 ajuntar] [F.: *a-*[2] + *junt(o)* + *-ar*[2]. Ver tb.: *juntar*.]

ajupe (a.*ju*.pe) ***interj.*** *S.* Brado com que os tropeiros e arrieiros tocam os animais [F.: onom.]

ajuramentado (a.ju.ra.men.*ta*.do) ***a.*** Que está sob juramento, que prestou juramento (testemunha ajuramentada); JURAMENTADO [F.: Part. de *ajuramentar*.]

ajuramentar (a.ju.ra.men.*tar*) ***v.*** **1** Tomar juramento de; fazer jurar [***td.***: *ajuramentar as testemunhas.*] **2** Confirmar por juramento [***td.***: *Ajuramentaram as declarações do homem.*] **3** Obrigar(-se) a, prometer por juramento [***tdr.*** + *a, de*: *Ajuramentei-me a/de identificar o criminoso.*] [▶ 1 ajuramentar] [F.: *a-*[2] + *jurament(o)* + *-ar*[2].]

ajurana (co.man.da.*tu*.ba) ***sf.*** *PI Bot.* Ver *comandatuba*.

ajuru[1] (a.*ju*.ru) *Bras.* ***sm.*** **1** *Bot.* Nome comum a várias plantas da fam. das crisobalanáceas **2** *Bot.* Árvore pequena (*Hirtella triandra*), de flores brancas e drupas oblongas, encontrada em várias regiões do Brasil **3** *CE Bot.* Árvore amazônica (*Licania heteromorpha*) da fam. das crisobalanáceas, de folhas oblongas e frutos globosos; MACUCU-DO-RIO-NEGRO **4** *Bot.* Árvore ou arbusto (*Licania incana*) da fam. das crisobalanáceas, de madeira nobre e casca adstringente, e frutos com pelos pardos e polpa comestível; MILHO-COZIDO-PRETO **5** *Zool.* O mesmo que *papagaio* (1) [F.: Do tupi *ayu'ru*, 'papagaio'.]

ajuru[2] (a.*ju*.ru 2) *Bras.* ***s2g.*** **1** *Etnol.* Indivíduo dos ajurus, grupo indígena que habita o Noroeste de Rondônia ***a2g.*** **2** Pertencente ou relativo a esses indígenas ***sm.*** **3** *Ling.* Língua falada por esses indígenas, da fam. tupari [F.: Dessa língua.]

ajustado (a.jus.*ta*.do) ***a.*** **1** Justo, exato, preciso (mecanismo ajustado) **2** Que está em harmonia; ADAPTADO; ACOMODADO **3** Que foi combinado, acertado (preço ajustado) **4** Tornado estreito; APERTADO ***sm.*** **5** O que se ajustou [F.: Part. de *ajustar*.]

ajustador (a.jus.ta.*dor*) [ô] ***a.*** **1** Que ajusta ***sm.*** **2** Aquele que ajusta **3** Técnico especializado em ajustar ou consertar máquinas, aparelhos etc. [F.: *ajustar* + *-dor*.]

ajustagem (a.jus.*ta*.gem) ***sf.*** **1** Ação ou resultado de ajustar **2** Ação ou resultado de regular peças ou componentes de motor, mecanismo etc. [Pl.: *-gens*.] [F.: *ajusta(r)* + *-agem*[1]. Sin. ger.: *ajuste*.]

ajustamento (a.jus.ta.*men*.to) ***sm.*** Ação ou resultado de ajustar(-se); AJUSTE; AJUSTAGEM [F.: *ajusta(r)* + *-mento*.]

ajustar (a.jus.*tar*) ***v.*** **1** Tornar(-se) justo, certo, exato; ACERTAR [***td.***: *O técnico ajustou a balança.*] **2** *Fig.* Pôr(-se) em harmonia (com), amoldado (a); ACOMODAR; ADAPTAR [***tr.***

+ *a*, *com*: *A tampa ajusta(-se) à caixa.*] [*tdr.* + *a*, *para*: *Ajustar o relógio para o horário de verão.*: "...ensaiava ajustar seu pensamento ao dela..." (Josué Montello, "A extensão" *in Um rosto de menina*)] [*int.*: *Tentaram ser sócios mas não se ajustaram bem.*] **3** *Bras.* Fazer ajustagem (2), regulagem ou conserto (de máquinas) [*td.*: *O mecânico ajustou o motor do carro.*] **4** Fazer ajuste, combinação; COMBINAR [*td*: *Os revendedores ajustaram os detalhes do negócio.*] [*tdr.* + *com*: *Ajustaram o preço com o pintor.*] **5** Fazer ficar ou ficar (peça de roupa) justa, na medida certa para o corpo [*td.*: *ajustar uma saia.*] [*int.*: *Esta blusa ajustou-se perfeitamente.*] **6** Ser ou estar (peça de roupa) bem ou mal adaptada ao corpo; cair (bem ou mal) [*int.*: *Este casaco não se ajusta bem.*] [*tr.* + *a*: *Este terno está se ajustando mal a meu corpo.*] **7** Pôr (peça mecânica) no grau adequado de folga ou aperto, ou de distância a outra peça [*td.*: *ajustar um parafuso frouxo.*] **8** Completar, inteirar ou acertar (contas) [*td.*: *Faltam-me alguns centavos para ajustar esta quantia.*] **9** Preparar-se, armar-se, aprontar-se [*int.*: *Um grande escândalo ajusta-se aqui, à medida que crescem os indícios.*] **10** *Mat.* Estabelecido empiricamente um conjunto de pontos, montar uma função que, segundo certo critério, dele se aproxima [*td.*] [▶ 1 ajustar] [F.: *a-*^{2} + *just(o)* + *-ar*^{2}. Hom./Par.: *ajuste* (fl.), *ajuste* (sm.); *ajustáveis* (fl.), *ajustáveis* (pl. de ajustável).]

ajustável (a.jus.*tá*.vel) ***a2g.*** **1** Que se pode ajustar **2** *Restr.* Que se pode regular (volante ajustável) **3** *Restr.* Que se pode adaptar [Pl.: *-veis*. Superl.: *ajustabilíssimo*.] [F.: *ajusta(r)* + *-vel*. Hom./Par.: *ajustáveis* (pl.), *ajustáveis* (fl. de *ajustar*).]

ajuste (a.*jus*.te) ***sm.*** **1** Ação ou resultado de ajustar(-se); AJUSTAMENTO; AJUSTAGEM **2** Adaptação harmoniosa de um elemento a um conjunto, um contexto, ou de um conjunto como um todo **3** Instituição de um acordo ou pacto [F.: Dev. de *ajustar*.] ▪ **~ de contas** **1** *Cont.* Acerto entre créditos e débitos pendentes **2** *Fig.* Ação de revide ou desagravo por atitude hostil ou prejudicial sofrida **Não estar pelos ~** Não estar disposto a fazer acordos, ajuste de contas etc.

ajustura (a.jus.*tu*.ra) ***sf.*** Pequena reentrância na ferradura, que facilita o ajuste ao casco do animal [F.: *ajust(ar)* + *-ura*.]

ajusturar (a.jus.tu.*rar*) ***v. td.*** Efetuar a justura de ou modelar (ferradura) para conseguir ajuste ao casco do animal [▶ 1 ajusturar] [F.: *ajustura* + *-ar*.]

ajutório (a.ju.*tó*.ri:o) ***sm.*** Ver *adjutório*

⊕ **aka** (*Quimb.* /´aka/) ***interj.*** *Ang.* Exprime espanto, estupefação: *Nunca vi animal tão grande! Aka!* [F.: Do quimb.]

◎ **-al**^{1} ***suf. nom.*** Formador, primeiramente, de adjetivos em ger. com a noção de 'referência ou pertinência' ('referente ou pertencente a') ou do que é característico ('próprio ou típico de'), ao 'objeto, órgão ou parte do corpo humano ou de animal, lugar, tempo, período, ser, instituição, atividade etc. ' indicado pelo substantivo (ou pela base nominal) de que derivam, e, em segundo lugar, de substantivos com as noções de 'coletividade', 'coleção', 'quantidade', 'lugar em que há algo em demasia'; 'coletivo ou local de cultivo de dada planta': *abacial* (< lat.), *abdominal*, *abismal*, *abnormal* (< ing.), *abissal* (< fr.), *acidental*, *adjetival*, *aluvial*, *anal*^{1} (< lat.), *anal*^{2}, *angelical*, *anual* (< lat.), *arlequinal*, *asinal*, *assistencial*, *auroral*, *campal*, *cavernal*, *cerebral*, *comercial*, *constitucional*, *equatorial*, *espacial*, *industrial*, *intestinal*; *ninhal*, *platal*; *colmeal*, *pombal*, *aboboral*, *açafroal*, *adernal*, *bananal*, *beterrabal*, *cevadal*, *ervilhal*, *figueiral*, *funchal* [F.: Do suf. lat. *-alis*, *-ale* (conexo com o lat. *-aris*, *e*, donde no port. os adj. em *-ar* [veja *-ar*^{1}]). Ocorre em voc. de vária época, formados quer no próprio latim, quer no vernáculo ou em outra língua de cultura moderna. São f. conexas: *-açal* (q. v.), *-ial* (*cicatricial*), *-eal* (*purpureal*), *-oal* (*canzoal*), *-ual* (*contratual*), *-zal* (*açaizal*).]

◎ **-al**^{2} ***suf. nom.*** Da nomenclatura química, em geral com duas noções: **a**) 'álcool': *etal*, *cloral*; **b**) 'aldeído': *butanal*, *etanal*, *glioxal*, *metanal* [F.: Da primeira sílaba de *ál(cool)*.]

⊠ **Al**^{1} *Quím.* Símb. de *alumínio*

⊠ **AL**^{2} Sigla do estado de Alagoas

ala (*a*.la) ***sf.*** **1** Grupo de pessoas com um forte grau de afinidade ideológica ou de outra natureza; FACÇÃO:: *a ala moderada de um partido.* **2** *Bras.* Divisão de uma escola de samba ou bloco carnavalesco, cujos membros trajam a mesma fantasia e, por vezes, realizam a mesma coreografia **3** Conjunto de coisas ou pessoas que são parte de um todo, mas dele separado, e ger. disposto em fileira, em renque **4** *Cons.* Parte lateral (de edifício, ponte) **5** *Cons.* Resguardo lateral em ponte **6** *Cons.* Pesada pedra ou laje posta sobre muro ou parede para impedir que pedras ou fragmentos pequenos desmoronem **7** Em operação militar, unidade (tropa, barco, aeronave etc.) que age num flanco da unidade principal **8** *Mil.* Flanco de unidade militar; a parte de uma força militar que se dispõe e atua num dos lados da formação **9** *Esp.* No xadrez, cada metade do tabuleiro (direita ou esquerda, ou seja, no sentido perpendicular aos jogadores) **10** *Antq.* Asa **11** *Esp.* Posição tática na disposição de um time (de futebol, basquete etc.) junto às laterais (direita e esquerda) do campo, desde a defesa até o apoio ao ataque: *Ele joga na ala esquerda.* ***s2g.*** **12** Jogador que atua nessa posição: *Ele/ela é o/a ala direita do time.* [F.: Do lat. *ala*, *ae*, 'asa'.] ▪ **Abrir ~s** Disporem-se (pessoas) em duas fileiras ou grupos próximos, paralelos e frente a frente, deixando espaço para que alguém passe entre eles

Alá^1 (a.*lá*) ***sm.*** *Rel.* Designação de Deus, para os muçulmanos. [Com inicial maiúsc.] [F.: Do ár. *al-llah*, 'Deus'.]

alá^2 (a.*lá*) ***sm.*** *Bras. Rel.* Nos terreiros de candomblé, pano branco que se estende como um pálio para certos orixás e sob o qual se realizam algumas cerimônias rituais [F.: Do ior. *ala*, 'roupa branca'.]

alabá^1 (a.la.*bá*) ***sm.*** *Bras. Rel.* Espírito infantil protetor, considerado companheiro do Ibêji [F.: Do ior. *alaba*.]

alabá^2 (a.la.*bá*) *Bras. Rel.* ***sm.*** **1** Chefe do terreiro nos candomblés de eguns **2** Título que às vezes se atribui ao babalaô [F.: Do ior. *alagba*.]

alabama^1 (a.la.*ba*.ma) *Bras.* ***sm.*** **1** Brilhante de grande tamanho, mas de qualidade inferior **2** O mesmo que *caixeiro-viajante* **3** Aquele que encaminha clientes para casas de jogo [F.: De or. obsc.]

alabama^2 (a.la.*ba*.ma) ***sm.*** *Zool.* Nome comum aos insetos lepidópteros do gên. *Alabama*, que inclui a curuquerê, praga muito conhecida pelos plantadores de algodão [F.: Do lat. cient. *Alabama*, do top. *Alabama* (EUA).]

alabamba (a.la.*bam*.ba) ***sm.*** *Bras.* Papagaio de papel; PIPA; PANDORGA; ARRAIA; CAFIFA [F.: obsc.]

alabanda (a.la.*ban*.da) ***sf.*** Mármore negro, assim chamado (por Plínio o Velho, 23-79 d.C.) devido ao nome da cidade em que foi achado, na Cária, Ásia Menor [F.: Do top. *Alabanda*.]

alabão (a.la.*bão*) ***a.*** **1** Diz-se de gado leiteiro, esp. do que dá muito leite [Pl.: *alabões*.] ***sm.*** **2** Rebanho de ovelhas leiteiras **3** *P. ext.* Rebanho; ALAVÃO [F.: Do ár. *al-laban*.]

alabarar (a.la.ba.*rar*) ***v. td.*** **1** Colocar fogo em; INCENDIAR; QUEIMAR **2** Enegrecer por meio do fogo **3** Levar à destruição pelo fogo; EXTINGUIR; CONSUMIR **4** *Fig.* Tratar com desprezo, negligência [▶ 1 alabarar] [F.: De *labareda*.]

alabarda (a.la.*bar*.da) ***sf.*** Lança antiga, cuja ponta é atravessada por uma lâmina em forma de meia-lua [F.: Do al. *helmbarte*, pelo it. *alabarda*.]

alabardeiro (a.la.bar.*dei*.ro) ***sm.*** **1** Sentinela armada de alabarda **2** *Ant. Arm.* Soldado que guarda o paço; ARCHEIRO [F.: *alabard(a)* + *-eiro*.]

alabastrino (a.la.bas.*tri*.no) ***a.*** Que tem a cor ou alguma das qualidades do alabastro (1) [F.: Do it. *alabastrino*; ver *alabastro* + *-ino*^{1}.]

alabastro (a.la.*bas*.tro) ***sm.*** **1** *Min.* Rocha muito branca, tenra e transparente, constituída basicamente de gipsita **2** Vaso ou enfeite feito dessa rocha **3** *Fig.* Brancura, alvura [F.: Do b-lat. *alabaster*, *alabastrum*, do gr. *alábastros*.]

alabregado (a.la.bre.*ga*.do) ***a.*** Que parece ou se comporta como labrego, rústico; BRONCO; GROSSEIRO; LAPUZ [F.: *a-* + *labreg(o)* + *-ado*.]

⊕ ***à la carte*** (*Fr.* /alacárte/) ***loc. a.*** Em restaurantes, diz-se de serviço em que se escolhem pratos listados no cardápio, com valor especificado para cada um deles [F.: Fr., 'pelo cardápio'.]

alacil (a.la.*cil*) ***sm.*** Ver *alacir* [Pl.: *-cis*.]

alacir (a.la.*cir*) ***sm.*** **1** Colheita de azeitonas para fazer azeite **2** Colheita de uvas, esp. para fabricar vinho **3** Época de colheita ou vindima [F.: Do ár. *al-asir*. Tb. *alacil*.]

alaçor (a.la.*çor*) ***sm.*** *Bot.* Erva mediterrânea da fam. das compostas, *Carthamus tinctorius*, de caule esbranquiçado, folhas serreadas e flores vermelho-alaranjadas de que se extrai corante vermelho e amarelo; AÇAFROA; AÇAFROL; AÇAFRÃO-BASTARDO; SULTANA; CÁRTAMO [F.: Do ár. *al-asfur*.]

alacranado (a.la.cra.*na*.do) ***a.*** **1** *S.* Que foi picado por lacrau, escorpião **2** Diz-se de pele áspera, esfolada, cheia de cicatrizes **3** Diz-se de animal coberto de chagas ou feridas **4** *Fig.* Que se mostra abalado, desgostoso [F.: Posv. do espn. *alacrán* + *-ado*.]

álacre (*á*.la.cre) ***a2g.*** Que é alegre, jovial, animado [F.: Do lat. *alacer* (*alacris*) *is*, *e*.]

alacridade (a.la.cri.*da*.de) ***sf.*** Qualidade de álacre; ALEGRIA; JOVIALIDADE; ANIMAÇÃO [F.: Do lat. *alacritas*, *atis*.]

alactamento (a.lac.ta.*men*.to) ***sm.*** Ação ou resultado de alactar; ALEITAMENTO; AMAMENTAÇÃO [F.: *alacta(r)* + *-mento*.]

aladeirado (a.la.dei.*ra*.do) ***a.*** **1** Que tem ladeira (rua aladeirada) ***sm.*** **2** *SP* Terreno cheio de ladeiras [F.: *a-*^{2} + *ladeira* + *-ado*^{2}.]

ala-direita (a.la-di.*rei*.ta) ***s2g.*** *Esp.* Jogador que atua pela ala (11) direita, faixa lateral junto à lateral direita (no sentido do avanço para o ataque do time a que pertence) do campo ou da quadra [Pl.: *alas-direitas*.]

alado (a.*la*.do) ***a.*** **1** Que tem asas **2** *P. ext.* Que voa, ger. com leveza e graciosidade: *As borboletas são como que flores aladas.* **3** *Fig.* Que é leve, delicado, gracioso **4** Que tem forma de asa: *um símbolo alado.* **5** *Bot.* Que tem asas, ou expansões [F.: Do lat. *alatus*, *a*, *um*.]

aladroar (a.la.dro.*ar*) ***v. td. int.*** Fraudar, defraudar [▶ 16 aladroar] [F.: *a-* + *ladrão* + *-ar*.]

alaela (a.la.*e*.la) ***sf.*** Povoado ou bairro árabe; ALGELA [F.: Do ár. *al-hilla*.]

ala-esquerda (a.la-es.*quer*.da) ***s2g.*** *Esp.* Jogador que atua pela ala (11) esquerda, faixa lateral junto à lateral esquerda (no sentido do avanço para o ataque do time a que pertence) do campo ou da quadra [Pl.: *alas-esquerdas*.]

alagação (a.la.ga.*ção*) ***sf.*** **1** Ação ou resultado de alagar-se; ALAGAMENTO: *Com as chuvas intensas, grande foi a alagação nas ruas do bairro.* **2** *Amaz.* Inundação periódica nas terras que ficam à margem do rio Amazonas: "Quando a alagação do ano é excepcionalmente alta, virtualmente toda a reserva, ou mais de um milhão de hectares, fica submersa." (Helder Queiróz, "Reserva de Desenvolvimento Sustentável Mamirauá", *in Instituto de Desenvolvimento Sustentável Mamirauá* [On-line]) **3** *AM* Afundamento de barco pequeno [Pl.: *-ções*.] [F.: *alagar* + *-ção*.] ▪ **~ de outubro** *BA* Período de quatro a seis dias de chuva em outubro, que se crê anunciar que o verão será úmido

alagadeiro (a.la.ga.*dei*.ro) ***a.*** **1** Diz-se de quem gasta em demasia; ESBANJADOR; PERDULÁRIO [Ant.: *poupador*, *avarento*, *pão-duro*.] ***sm.*** **2** Aquele que gasta em demasia; ESBANJADOR; PERDULÁRIO [Ant.: *poupador*, *avarento*, *pão-duro*. Na 1a. acp., se usa esp. em alusão à mulher.] ***sm.*** **3** Solo denso e úmido, apropriado para se cultivar arroz; ALAGADIÇO [F.: rad. do part. *alagad(o)* + *-eiro*.]

alagadiço (a.la.ga.*di*.ço) ***a.*** **1** Que é sujeito a alagar-se, que se alaga com facilidade ou frequentemente (terreno alagadiço) **2** Da natureza do pântano; LODOSO; PANTANOSO ***sm.*** **3** Terreno alagadiço, saturado de água [Próprio (e muitas vezes us.) para cultivar arroz.] [F.: *alagad(o)* (part. de *alagar*) + *-iço*.]

alagado (a.la.*ga*.do) ***a.*** **1** Cheio, coberto de água (rua alagada); ENCHARCADO; INUNDADO ***sm.*** **2** Pequeno lago temporário, formado por águas acumuladas de chuva, de inundação etc. [F.: Part. de *alagar*.]

alagamento (a.la.ga.*men*.to) ***sm.*** **1** Ação ou resultado de alagar(-se); ENCHENTE; INUNDAÇÃO **2** *Mar.* Ação de afundar, de ir a pique (embarcação) **3** *Fig.* Destruição, ruína [F.: *alaga(r)* + *-mento*.]

alagar (a.la.*gar*) ***v.*** **1** Transformar(-se) (lugar) num lago, dar a ou adquirir aspecto de lago ao encher(-se), cobrir(-se), inundar(-se) de água [*td.*: *A chuva forte alagou a rua.*] [*int.*: *Com o rompimento da barragem, toda a região alagou(-se).*] **2** *P. ext.* Cobrir(-se) de qualquer líquido [*tdr.* + *com*, *de*, *em*: *O pavor alagou sua testa de suor.*] [*tr.* + *com*, *de*, *em*: *...olhos que se alagaram em lágrimas.*] [*int.*: *Derrubou a garafa de vinho e a toalha (se) alagou.*] **3** *Fig.* Encher(-se); ocupar ou ser ocupado (quase) totalmente [*td.*: *A saudade alagou seu coração.*] [*int.*: *A felicidade era total, e sua alma se alagou.*] [*tr.* + *de*, *com*, *em*: *Sua alma alagou-se de/em felicidade.*] **4** *Fig.* Alastrar-se por, invadir, infestar, ocupar [*td.*: *Várias pragas alagaram a plantação; Novas culturas e novos hábitos alagam o país.*] **5** *Fig.* Devastar, arrasar [*td.*: *Um terremoto alagou a cidade.*] **6** *Antq. Fig.* Gastar sem critério ou controle, dilapidar, dissipar (bens, fortuna, recursos etc.) [*td.*] [▶ 14 alagar] [F.: *a-*^{2} + *lago* + *-ar*^{2}. Hom./Par.: *alagáveis* (fl.), *alagáveis* (pl. de *alagável* [a2g.]).]

alagoano (a.la.go:*a*.no) ***sm.*** **1** Indivíduo nascido ou que vive no estado de Alagoas ***a.*** **2** De Alagoas; típico desse estado ou de seu povo [F.: Do top. *Alago(as)* + *-ano*.]

alagoense (a.la.go.*en*.se) ***s2g.*** ***a2g.*** O mesmo que *alagoano* [F.: Do top. *Alago(as)* + *-ense*.]

alagoinha (a.la.go.*i*.nha) [o-í] ***sf.*** *Bras.* Lagoa rasa e de pouca extensão, alimentada por cursos d'água transitórios [F.: *alago(a)* + *-inha*.]

alagoso (a.la.*go*.so) [ô] ***a.*** **1** Todo cheio de água; INUNDADO; ALAGADO **2** Que tem a água estagnada, enlameada e com vegetação; CHARCOSO; PALUDOSO; PANTANOSO [F.: *a-* + *lago* + *-oso*.]

alalá (a.la.*lá*) ***interj.*** **1** *Ant.* Exclamação de incitar, aclamar **2** *Folc.* Refrão de certas cantigas, jogos e danças infantis ***sm.*** **3** *Ant.* Brado de aclamação; INCITAÇÃO **4** *Bras. Ant. Jorn.* Artigo sensacionalista [F.: onom.]

alalia (a.la.*li*.a) ***sf.*** **1** *Med.* Perda total ou comprometimento da capacidade de falar causados por problemas orgânicos [Cf.: *afasia*.] **2** *Med.* Afasia ocasionada por distúrbios psíquicos

alálico (a.*lá*.li.co) ***a.*** **1** Que apresenta ou sofre de alalia **2** Ref. a alalia [F.: *alali(a)* + *-ico*.]

alamanda (a.la.*man*.da) *Bot.* ***sf.*** **1** Nome comum de plantas do gên. *Allamanda*, de arbustos e trepadeiras da família das apocináceas, de uso ornamental ou medicinal, ou qualquer espécie desse gênero, como, p. ex., a *Alamanda schottii* e a *Allamanda nobilis*, nativas do Brasil **2** Qualquer espécime dessas plantas, e sua flor [F.: Do lat. cient. *Allamanda*, do antr. (*Fréderique L.*) *Allamand*, naturalista suíço.]

alamar (a.la.*mar*) ***sm.*** **1** Enfeite de roupa feito de cordão ou trança de fios metálicos ou de seda, que passa de um lado a outro da frente de dólmã, casaco, jaqueta etc., com forma de fechá-los ou abotoá-los **2** *Mil.* Cordões entrelaçados, que ger. passam por uma ombreira, us. em uniformes militares de certas corporações por oficiais do estado-maior e por ajudante de ordens [Us. ger. no plural.] [F.: Do ár. *al -'amara*.]

alamarado (a.la.ma.*ra*.do) ***a.*** Guarnecido ou ornado com alamares (uniforme alamarado) [F.: *alamar* + *-ado*.]

alambazado (a.lam.ba.*za*.do) ***a.*** **1** Que gosta muito de comer, que é lambaz, guloso; LAMBISQUEIRO; GLUTÃO **2** *P. ext.* Que é gordo, corpulento; OBESO; ADIPOSO **3** Que mostra rudeza, grosseria; GROSSEIRO; RÚSTICO; BRONCO [Ant.: *perspicaz*, *atilado*.] **4** *Fig.* Que se mostra vaidoso em demasia; PRESUNÇOSO; PRESUMIDO [Ant.: *comedido*, *despretensioso*.] [F.: Part. de *alambazar*.]

alambazar-se (a.lam.ba.*zar*-se) ***v. int.*** **1** Tornar-se lambaz, comilão **2** Comer demais; empanturrar-se **3** Tornar-se grosseiro, mal-educado **4** Tornar-se gordo; ENGORDAR [▶ 1 alambazar-se] [F.: *a-* + *lambaz* + *-ar* + *se*.]

alambel (a.lam.*bel*) ***sm.*** **1** *Ant.* Pano ger. listado que se usava para cobrir móveis; lambel **2** *Ant.* Adorno colocado na barra de um vestido **3** *Ant.* Nó de fitas com que se enfeitavam chapéus [F.: Do ár. *al-hambal*.]

alambicado (a.lam.bi.*ca*.do) *a.* **1** Destilado em alambique **2** *N. Fig.* Bêbado, embriagado **3** *Fig. Pej.* Presunçoso, pretensioso, afetado **4** *Fig. Pej.* De discurso empolado, excessivamente rebuscado [F.: Part. de *alambicar*.]

alambicar (a.lam.bi.*car*) *v.* **1** Destilar (aguardente) no alambique [*td.*: *A engenhoca alambicava ótima aguardente.*] [*int.*: *Criado no engenho, logo aprendeu a alambicar.*] **2** *Fig.* Tornar(-se) presumido, afetado [*td.*: *Alambicar o espírito.*] [*int.*: *Seu jeito de falar alambicou-se.*] **3** *N. E.* Beber destilado de cana [▶ 11 alambicar] [F.: *alambi(que)* + *-c-* + *-ar.*]

alambique (a.lam.*bi*.que) *sm.* **1** Aparelho us. para destilação **2** Lugar onde fica instalado esse aparelho; DESTILARIA [F.: Do gr. *aábix, ikos*, pelo ár. *al-'anbiq*. Hom./Par.: *alambique(s)* (sm. [pl.]), *alambique(s)* (f. de *alambicar*).]

alambiqueiro (a.lam.bi.*quei*.ro) *sm.* **1** Aquele que trabalha em alambique **2** Aquele que é dono de alambique **3** *N. E. Fig.* Pessoa que mostra afetação no modo de ser, falar etc.; alambicado [F.: *alambiqu(e)* + *-eiro.*]

alambor (a.lam.*bor*) [ô] *sm. Arq.* Em algumas construções de alvenaria, suporte inclinado nas bases ou nos muros de arrimo; JORRO; ESCARPA [F.: obsc.]

alamborado (a.lam.bo.*ra*.do) *a. Arq.* Provido de alambor (muro alamborado) [F.: *alambor* + *-ado.*]

alamborar (a.lam.bo.*rar*) *v. td.* **1** *Arq.* Dar aspecto de alambor a **2** Dar forma convexa, abaulada a [▶ 1 alamborar] [F.: *alambor* + *-ar*. Hom./Par.: *alambores* (fl.), *alambores* /ô / (pl. *alambor* /ô / sm.).]

alambra (a.*lam*.bra) *sf.* **1** *Bot.* Árvore que pode atingir 25 m de altura (*Populus nigra*) das salicáceas; tb. *choupo-preto* **2** Resina extraída dessa árvore **3** Ver *âmbar*

alambrado (a.lam.*bra*.do) *sm.* **1** Cerca de arame us. para delimitar terreno ou servir de proteção **2** Terreno cercado com alambrado (1) *a.* **3** Diz-se de terreno assim cercado: *Vamos jogar na quadra alambrada, e dispensar apanhadores de bola* [F.: Part. de *alambrar*.]

alambrar¹ (a.lam.*brar*) *v. td.* Guarnecer, cercar (terreno) com alambre² [▶ 1 alambrar] [F.: Do espn. plat. *alambrar*. Hom./Par.: *alambra(s)* (fl.), *alambra(s)* (sf. e pl.); *alambre(s)* (fl.), *alambre(s)* (sm. e pl.).]

alambrar² (a.lam.*brar*) *v. td. int.* Adquirir ou fazer adquirir a cor do âmbar [▶ 1 alambrar] [F.: *alambre* + *-ar.*]

alambre¹ (a.*lam*.bre) *sm.* **1** O mesmo que *âmbar* **2** *Fig.* Indivíduo arguto, vivo, esperto [F.: Do ár. *al-hanbar*. Hom./Par.: *alambre* (sm.), *alambre* (fl. *alambrar*).]

alambre² (a.*lam*.bre) *sm.* Fio metálico, delgado, flexível; ARAME [F.: Do espn. *alambre*.]

alameda (a.la.*me*.da) [ê] *sf.* **1** Via urbana ladeada de álamos ou de árvores de outros tipos **2** Caminho em jardim ou parque ladeado de árvores ou arbustos; ALEIA **3** Plantação de álamos [F.: *álam(o)* + *-eda* (o mesmo que *-edo*).]

alamedar (a.la.me.*dar*) *v. td.* **1** Dar forma de alameda a: *alamedar um caminho* **2** Plantar álamos em: *Alamedou suas terras* [▶ 1 alamedar] [F.: *alameda* + *-ar*. Hom./Par. *alameda(s)* (fl.), *alameda* /ê / (sf. [e pl.]).]

alamia (a.la.*mi*.a) *sf. Ant.* Certa peça do arreamento de cavalos [F.: obsc.]

álamo (*á*.la.mo) *sm. Bot.* Designação comum às árvores do gen. *Populus*, da fam. das salicáceas; CHOUPO [alamal, alameda] [F.: Posv. do lat. **alamus*, do lat. clássico *alnus, i*. Hom./Par.: *álamos* (pl.), *alamos* (fl. de *alar*).]

alamoa (a.la.*mo*.a) *sf. PE Folc.* Em Fernando de Noronha, mulher lendária, fantasmagórica, branca e loura, que à noite aparece nua para os pescadores da ilha e, ante os incautos que se aproximam, se converte em esqueleto [F.: corruptela de *alemoa*.]

alanceado (a.lan.ce.*a*.do) *a.* **1** Atingido por uma lança **2** *Fig.* Moralmente torturado; ATORMENTADO; AFLITO; ANGUSTIADO; AMARGURADO **3** *Fig.* Magoado por ofensa, injúria; OFENDIDO; AFRONTADO; INJURIADO [F.: Part. de *alancear*.]

alanceamento (a.lan.ce.a.*men*.to) *sm.* **1** Ação ou resultado de alancear(-se) **2** Golpe de lança; LANÇADA **3** *Fig.* Ataque ou dano moral **4** *Fig.* Incitação, estímulo; INCENTIVO [F.: *alancea(r)* + *-mento.*]

alancear (a.lan.ce.*ar*) *v. td.* **1** Ferir com lança (esp. touro): *O objetivo era alancear o touro; Alanceara o gladiador, que desabou na areia.* **2** *Fig.* Fazer sofrer moralmente, afligir: *O ciúme alanceava-lhe o coração.* [▶ 13 alancear] [F.: *a-* + *lanç(a)* + *-ear.*]

alangiácea (a.lan.gi.*á*.ce.a) *sf. Bot.* Espécime da fam. das alangiáceas, da ordem das cornales, que abrange as 21 espécies do gên. *Alangium* [F.: Do lat. cient. *alangiaceae.*]

alangiáceo (a.lan.gi.*á*.ce.o) *a. Bot.* Ref. às alangiáceas [F.: *alangio* + *-áceo.*]

alângio (a.*lân*.gi.o) *sm.* **1** *Bot.* Nome genérico dado às árvores e arbustos do gên. *Alangium*, nativos das regiões tropicais da África e da China, cultivadas pela madeira e pelos alcaloides de uso medicinal extraídos dessas plantas **2** Espécie ou espécime desse gênero [F.: Do lat. cient. *Alangium*.]

alanhado (a.la.*nha*.do) *a.* Que traz lanhos; LANHADO; LACERADO [F.: part. de *alanhar*.]

alanina (a.la.*ni*.na) *sf. Bioq.* Aminoácido incolor ($C_3H_7NO_2$), e não essencial, o menor de todos os aminoácidos que compõem as proteínas; AMINOPROPIÔNICO [F.: Do al. *Alanin*.]

alanos (a.*la*.nos) *smpl. Etnol.* Antigo povo de origem asiática que invadiu a Gália e a península Ibérica no séc. V [F.: Do lat. *Alanos*, do gr. *Alanói, on.*]

◎ **alant(o)-** *el. comp.* = 'salsicha'; 'tripa': *alantoide* (< gr.), *alantósporo, alantotóxico* [F.: Do gr. *allâs, ântos*.]

alantoide (a.lan.*toi*.de) *a2g.* **1** Em forma de cilindro; BOTULIFORME *sf.* **2** *Emb.* Membrana embrionária de aves, répteis e mamíferos, com funções respiratórias e excretoras, e que, nos mamíferos, forma a placenta juntamente com o cório [F.: Do gr. *allantoeidés, és, és*, 'em forma de salsicha'.]

alantoidiano (a.lan.toi.di.*a*.no) *a.* **1** Ref. a alantoide (2) **2** *Zool.* Diz-se de todo vertebrado, réptil, ave ou mamífero, dotado de alantoide na fase embrionária [F.: *alantoide* + *-iano.*]

alantósporo (a.lan.*tós*.po.ro) *sm. Bot.* Esporo, uni ou plurricelular, de forma cilíndrica e levemente arqueada [F.: *alant(o)-* + *-sporo.*]

alantotóxico (a.lan.to.*tó*.xi.co) *Ant. Med. a.* **1** Diz-se de substância venenosa, causadora da alantíase, formada pela deterioração das proteínas dos alimentos enlatados *sm.* **2** Essa substância [Cf.: *botulismo*.] [F.: *alant(o)-* + *-tóxico.*]

alanzoar (a.lan.zo.*ar*) *v.* **1** Falar sem pensar no que está falando [*td.*: *O pobre mendigo alanzoava um palavrório incoerente.*] [*int.*: *Não tem o que dizer, mas vive alanzoando.*] **2** Dizer bazófias; fanfarronar [*td.*: *Gosta de alanzoar vitórias.*] [*int.*: *Alanzoava como se fosse o rei do mundo.*] [▶ 16 alanzoar] [F.: orig. duv.]

alão¹ (a.*lão*) *sm. Cinol.* Cão de fila us. em caça grossa: "Matilha de alões e de lebreus da Bretanha" (Eça de Queirós, *Cartas Inéditas de Fradique*) [Pl.: *alãos, alões, alães*.] [F.: Do espn. *alano*, posv.]

alão² (a.*lão*) *sm. Cons.* Lousa grande com que se encimam os muros, para evitar que as pedras pequenas fiquem soltas [Pl.: *alões*.] [F.: *ala*¹ + *-ão*¹.]

alapar (a.la.*par*) *v. td.* **1** Ocultar (algo ou alguém) em lapa, gruta, abrigo: *Alapou a maleta e retomou a fuga.* **2** Esconder(-se) debaixo ou atrás de alguma coisa: *Alapou-se atrás da árvore para não ser visto.* **3** Encolher(-se), agachar(-se): *Alapou-se quando começou o tiroteio.* **4** Dar aspecto de lapa a: *Trabalhadores alaparam um lado da encosta.* [▶ 1 alapar] [F.: *a-* + *lapa* + *-ar.*]

alaqueto (a.la.*que*.to) [ê] *sm. Rel.* Um dos nomes de Exu nos candomblés nagôs [Inic. maiúsc.] [F.: Do ior. *ala-* + *Keto.*]

alar¹ (a.*lar*) *a2g.* **1** Que tem forma de asa; ALIFORME; ANSIFORME **2** Ref. a asa (envergadura alar) [F.: Do lat. *ala, ae*, 'asa'.]

alar² (a.*lar*) *v.* **1** Puxar para cima; ALÇAR [*td.*: *Usaram cordas para alar o piano.*] **2** Fazer subir ou subir, elevar(-se) [*tda.*: *Alou suas preces ao céu.*] [*int.*: *Seu espírito alava-se e pairava sereno.*] [▶ 1 alar]

alar³ (a.*lar*) *v.* **1** Criar, adquirir, desenvolver asa(s) [*int.*: *Certas formigas alam-se em determinadas épocas.*] **2** Movimentar-se no espaço elevando-se, voando [*int.*: *O avião alava-se no céu azul.*] **3** *Fig.* Fazer elevar-se, voar (ideia, imaginação, pensamento etc.), dar asas a [*td.*: *alar o pensamento*] **4** Elevar (ideia, pensamento etc.) em direção a [*tdi.* + *a, para*: *alar uma prece a Deus.*] [*tda.*: *Alou suas preces ao céu.*] **5** Arrumar, dispor em ala(s) [*td.*: *Alou os alunos no pátio.*] **6** *MG SP MT Pop.* Imprimir ritmo mais intenso, acelerado a (ação, tarefa, trabalho etc.) [*td.*] [▶ 1 alar] [F.: *ala* + *-ar*².]

alaranjado (a.la.ran.*ja*.do) *a.* **1** Que tem forma, gosto ou cheiro de laranja **2** Que tem cor parecida ou que tende ao laranja, ou quase laranja **3** Diz-se dessa cor (cor alaranjada) *sm.* **4** A cor alaranjada [F.: *a-*² + *laranj(a)* + *-ado*¹.]

alaranjar (a.la.ran.*jar*) *v. td.* Dar (cor, forma, sabor) de laranja: *A tinta alaranjou-lhe os cabelos.* [▶ 1 alaranjar] [F.: *a-* + *laranj(a)* + *-ar.*]

alarar (a.la.*rar*) *v.* **1** Viver junto com (outra pessoa) na mesma moradia; compartilhar moradia [*int. td.*] **2** Viver como casal; amancebar-se [*int.*] **3** Estender na lareira [*td.*] [▶ 1 alarar] [F.: *a-* + *lar* + *-ar.*]

alarde (a.*lar*.de) *sm.* **1** Ação ou resultado de alardear, de ostentar; OSTENTAÇÃO:: *O livro foi lançado sem muito alarde.* **2** Ação ou resultado de vangloriar-se; FANFARRICE [F.: Do ár. *al-'ard* 'revista', 'resenha'.] ■ **Fazer ~ de** Ostentar, vangloriando-se

alardeado (a.lar.de.*a*.do) *a.* Mostrado com alarde; OSTENTADO [F.: Part. de *alardear*.]

alardear (a.lar.de.*ar*) *v.* **1** Fazer alarde ou ostentação de; anunciar com alarde; OSTENTAR [*td.*: *O catedrático não alardeava conhecimentos; Alardeou que tinha muito dinheiro.*] **2** Mostrar bazófia ou fanfarronice, contar vantagem, vangloriar-se, gabar-se; FANFARREAR; FANFARRONAR [*tdp.* + *de*: *O tratante alardeava(-se) de esperto.*] [*int.*: *Ele é respeitado e sabe disso, não precisa alardear(-se).*] [*tdr.* + *de*: *Alardeava-se de ter conquistado várias medalhas.*] [▶ 13 alardear] [F.: *alard(e)* + *-ear.*]

alardo (a.*lar*.do) *sm.* **1** Ver *alarde* **2** *Ant. Mil.* Revista anual das tropas **3** *Ant. Mil.* Demonstração com o fim de preparar e treinar a tropa para a luta iminente **4** *Ant. Mar.* Relação da tripulação com suas respectivas funções no navio; TABELA-MESTRA **5** *ES Folc.* Auto popular que representa os conflitos entre cristãos e mouros [F.: Do ár. *al- hard*.]

alargado (a.lar.*ga*.do) *a.* **1** Que se tornou largo ou mais largo (rua alargada; vestido alargado) **2** *Fig.* Tornado mais amplo (conhecimentos alargados); AUMENTADO [F.: Part. de *alargar*.]

alargador (a.lar.ga.*dor*) [ô] *a.* **1** Que alarga, amplia; DILATADOR; AMPLIADOR *sm.* **2** Aquele, aquela ou aquilo que alarga, amplia; DILATADOR; AMPLIADOR [F.: *alarga(r)* + *-dor.*]

alargamento (a.lar.ga.*men*.to) *sm.* **1** Ação ou resultado de alargar-se: *obras para o alargamento do rio.* **2** *Fig.* Ação ou resultado de se ampliar, dilatar; estado ou condição do que se ampliou: *alargamento de um prazo.* **3** *Fon.* Conversão de vogal em ditongo **4** *Ling.* Inserção de um elemento novo numa unidade da língua (radical, palavra etc.) [F.: *alargar* + *-mento*.] ■ **~ Doppler** *Astron.* Alargamento produzido em uma raia espectral pelo efeito Doppler, criado por movimento de átomos de uma massa gasosa, ou por essa massa

alargar (a.lar.*gar*) *v.* **1** Fazer ficar ou ficar, tornar(-se) largo ou mais largo [*td.*: *Precisavam alargar a rua.*] [*int.*: *O canal alargou(-se).*] **2** Tornar(-se) menos apertado, (mais) frouxo, folgado; AFROUXAR; FOLGAR [*td.*: *A costureira alargou o vestido.*] [*int.*: *Com o uso, o sapato alargou(-se).*] **3** Dar maior duração a; PROLONGAR [*td.*: *Como estava bem-disposto, alargou a caminhada; alargar o prazo de entrega do material.*] **4** Tornar(-se) mais amplo, mais abrangente; AMPLIAR [*td.*: *alargar a rede de convênios.*] [*int.*: *Com a eleição, o âmbito de sua atuação alargou-se.*] **5** Estender(-se), prolongar(-se) sobre ou tornar prolixo (um assunto) [*td.*: *Alargava a questão do desfalque.*] [*int.*: *Não vou me alargar para não tomar seu tempo.*] **6** Gastar muito dinheiro [*int.*: *Está tudo muito caro, não se pode alargar.*] **7** Ir além do esperado ou estipulado, das próprias atribuições etc. [*int.*: *Alargou-se nas medidas que lhe cabiam, e foi advertido pelo chefe.*] [▶ 14 alargar] [F.: *a-*² + *larg(o)* + *-ar*².]

alarido (a.la.*ri*.do) *sm.* **1** O som ruidoso de muitas vozes indistintas e simultâneas; GRITARIA; ALGAZARRA; VOZERIO **2** *P. ext.* Barulheira **3** Choro ou lamentação ruidosa e incessante; CHORADEIRA **4** Gritaria de guerra [F.: De or. contrv; posv. ár.]

alarife (a.la.*ri*.fe) *sm.* **1** Indivíduo velhaco, finório [Fem.: *-fona*. Aum.: *-faço*.] **2** *Ant.* Arquiteto ou mestre de obras *a2g.* **3** Velhaco, finório [Fem.: *-fona*. Aum.: *-faço*.] [F.: Do ár. *al-arif*.]

alarma (a.*lar*.ma) *sm.* Ver *alarme*

alarmante (a.lar.*man*.te) *a2g.* **1** Que assusta; que alarma, causa inquietação, preocupação (situação alarmante); ASSUSTADOR; PREOCUPANTE **2** Que representa perigo, ameaça: *O nível de segurança urbana já é alarmante.* [F.: *alarma(r)* + *-nte.*]

alarmar (a.lar.*mar*) *v.* **1** Causar em (pessoas, grupo, entidade etc.) ou experimentar sensação de alarme, de susto, de sobressalto; ASSUSTAR(-SE); SOBRESSALTAR(-SE) [*td.*: *As últimas notícias sobre o furacão alarmaram a população.*] [*int.*: *Quando soube da suspeita de um tumor, alarmou-se.*] **2** *Antq.* Dar, transmitir sinal de alarme a [*td.*: *O corneteiro alarmou a tropa.*] [▶ 1 alarmar] [F.: *a-*² + *alarm(e)* + *-ar*². Hom./Par.: *alarma(s)* (fl.), *alarma(s)* (sm. [pl.]); *alarme(s)* (fl.), *alarme(s)* (sm. [pl.]).]

alarme (a.*lar*.me) *sm.* **1** Sinal que adverte sobre algum perigo **2** Mecanismo de segurança que alerta para tentativas de furto ou de invasão, para violação de regras de segurança, para situações de perigo etc.: *O alarme do carro disparou de novo.* **3** Sentimento de preocupação e susto, ou tumulto causado pela percepção ou notícia de perigo real ou ilusório: *A notícia provocou alarme entre os convidados.* **4** *Antq.* Grito ou gesto para chamar às armas, ao combate [F.: Do it. *all'arme*, posv. do fr. *alarme*. Hom./Par.: *alarme(s)* (sm.), *alarme(s)* (fl. de *alarmar*); Tb. *alarma*.]

alarmismo (a.lar.*mis*.mo) *sm.* Propagação de boatos ou notícias que provocam alarme, inquietação, medo [F.: *alarme* + *-ismo.*]

alarmista (a.lar.*mis*.ta) *a2g.* **1** Que provoca alarme (3) através de boatos, notícias, interpretações etc. *s2g.* **2** Pessoa alarmista (1) [F.: *alarm(e)* + *-ista.*]

alarvada (a.lar.*va*.da) *sf.* **1** Comportamento, atitude ou dito de quem é alarve, idiota, tolo; TOLICE; BESTEIRA; IDIOTICE **2** Atitude ou dito obsceno; OBSCENIDADE; INDECÊNCIA [F.: fem. subst. de *alarvado*.]

alarvaria (a.lar.va.*ri*.a) *sf.* **1** Atitude própria de quem é alarve; BRUTALIDADE; GROSSERIA; RUSTICIDADE [Ant.: *delicadeza, finura*.] **2** *P. ext.* Qualidade de quem come em excesso, de quem tem gula; GLUTONARIA; GULODICE; VORACIDADE [F.: *alarv(e)* + *-aria.*]

alarve (a.*lar*.ve) *a2g.* **1** Que é parvo, tolo **2** Que é rude, grosseiro, bruto **3** Que come em excesso; GLUTÃO **4** *Ant.* Ref. aos beduínos salteadores *sm.* **5** Pessoa alarve (1, 2 e 3) **6** *Ant.* Beduíno salteador [F.: Do ár. *al-'arab*.]

alarvejado (a.lar.ve.*ja*.do) *a.* **1** Que é ou parece alarve; alarvajado; BRUTO; RUDE; GROSSEIRO **2** Próprio de alarve (modos alarvejados) [F.: part. de *alarvejar*.]

alarvejar (a.lar.ve.*jar*) *v.* **1** Tornar(-se) semelhante a alarve; tornar bruto ou tolo [*td. int.*] **2** Comportar-se como alarve, como um bruto ou um tolo [*int.*] [▶ 1 alarvejar] [F.: *alarve* + *-ejar.*]

alasquiano (a.las.qui:*a*.no) *sm.* **1** Pessoa nascida ou que vive no estado do Alasca (EUA) *a.* **2** Do Alasca; típico desse estado norte-americano ou de seu povo [F.: *Alasca* + *-i-* + *-ano.*]

alastrado (a.las.*tra*.do) *a.* **1** Que se alastrou, espalhou **2** Cheio, repleto **3** *Mar.* Disposto no fundo da embarcação, como o lastro (diz-se de material) *sm.* **4** *Bras. N. E. Bot.* O mesmo que *xiquexique* (1) [F.: Part. de *alastrar*.]

alastramento (a.las.tra.*men*.to) *sm.* Ação ou resultado de alastrar(-se) [F.: *alastrar* + *-mento.*]

alastrante (a.las.*tran*.te) *a2g.* Que se alastra, se difunde, espalha [F.: *alastra(r)* + *-nte.*]

alastrar (a.las.*trar*) *v.* **1** Tornar(-se) gradualmente mais largo, mais extenso; fazer cobrir ou cobrir área ou âmbito cada vez maior; ESPALHAR [*td.*: *O vento alastrou o fogo.*] [*int.*: *O incêndio alastrou(-se) e já atinge metade do bosque.*] **2** Fazer ficar ou ficar repleto de, tomar(-se), encher(-se) de [*td.*: *Vários tipos de brinquedo alastravam a loja.*] [*tdr.* + *de*: *A desenhista alastrou a mesa de canetas coloridas.*] [*tr.* + *de*: *O quintal alastrava-se de folhas e ramos.*] **3** Propagar(-se), difundir(-se), espalhar(-se) (doença ou seus agentes, epidemia etc.) [*td.*: *As condições climáticas acabaram por alastrar o vírus da gripe.*] [*int.*: *Naquelas condições, a epidemia alastrou-se rapidamente.*] **4** Fazer circular ou circular amplamente (notícia, boato etc.); DIFUNDIR; PROPAGAR [*td.*: *Fofoqueiros alastraram informações falsas sobre o técnico.*] [*int.*: *A notícia alastrou-se rapidamente.*] **5** *Mar.* Carregar com lastro (1); pôr lastro em (embarcação); LASTRAR [*td.*] [▶ 1 alastrar] [F.: *a-*[2] + *lastr(o)* + *-ar*[2].]

alastrim (a.las.*trim*) *sm.* Doença virótica, eruptiva e epidêmica; forma branda de varíola [F.: *alastrar* + *-im*.]

alatinado (a.la.ti.*na*.do) *a.* Que tem a forma, a pronúncia ou a construção do latim (palavras alatinadas) [F.: Part. de *alatinar*.]

alatinar (a.la.ti.*nar*) *v.* **1** Dar forma da língua latina a alfabeto, palavras, expressões; LATINIZAR [*td.*: *Os romanos alatinaram o nome da cidade.*] [*int.*: *A imprensa alemã alatinou(-se).*] **2** Adotar estilo, procedimentos dos povos latinos [*td.*: *Alatinou o ritmo da música.*] [*int.*: *Sua indumentária alatinou-se.*] [▶ 1 alatinar] [F.: *a-* + *latin(o)* + *-ar*.]

alativo (a.la.*ti*.vo) *a.* **1** *Gram. Ling.* Diz-se de caso que indica movimento na direção de algo, algum lugar, alguém *sm.* **2** Caso que indica movimento na direção de algo, algum lugar, alguém [F.: *ilativo*, com troca de *in-* por *ad-*. Como declinação, ocorre em línguas como o turco e o finlandês.]

alatoar (a.la.to.*ar*) *v. td.* Colocar cintas ou peças de latão em (certos objetos), com finalidades diversas, inclusive como ornamentação [▶ 16 alatoar] [F.: *a-* + *latão* + *-ar*.]

alauda (a.*lau*.da) *sf. Ornit.* Gênero de pássaros conirrostros do gên. *Alauda*, da fam. dos alaudídeos, que compreende a calhandra, a cotovia, o cochicho etc.

alaúde (a.la.*ú*.de) *sm. Mús.* Instrumento de cordas dedilháveis, com caixa de ressonância bojuda, muito difundido na Europa, da Idade Média ao Barroco [F.: Do ár. *al-'aud*.]

alaudídeo (a.la.u.*dí*.de.o) *sm.* **1** *Zool.* Espécime dos alaudídeos, fam. de pássaros com cerca de 77 espécies, popularmente chamadas de cotovias ou calhandras *a.* **2** Ref. aos alaudídeos [F.: Do lat. cient. *Alaudidae*.]

alaudista (a.la:u.*dis*.ta) *Mús. s2g.* **1** Pessoa que toca alaúde *a2g.* **2** Diz-se daquele que toca alaúde [F.: *alaúde* + *-ista*.]

alauita (a.la:u:*i*.ta) *s2g.* **1** Membro de uma dinastia reinante no Marrocos em fins do séc. XVII **2** Membro de uma seita xiita secreta fundada no séc. IX na Síria [F.: Do fr. *alaouites*, do antr. ár. *'Alauâ*.]

alavanca (a.la.*van*.ca) *sf.* **1** *Fís.* Barra inflexível que se apoia em um ponto qualquer de sua extensão, possibilitando levantar ou mover com maior facilidade objeto apoiado em uma extremidade, ao se aplicar força na outra extremidade [Considerada uma das três máquinas simples; fisicamente multiplica a força aplicada em sua extremidade livre, em função da distância desta ao ponto de apoio (chamado *fulcro*).] **2** Dispositivo (em forma de barra, haste etc.) que aciona um mecanismo: *Acionou a alavanca que abria o alçapão.* **3** Ação em que se desloca ou impulsiona algo ou alguém, usando um ponto de apoio, de modo similar ao da alavanca (1): *O zagueiro derrubou o atacante com uma alavanca.* **4** *Fig.* Meio us. para obter determinada meta **5** *Fig.* Tudo aquilo que possa vir a impulsionar ou a mover algo: *A educação é a alavanca do futuro.* [F.: De or. contrv. Hom./Par.: *alavanca* (sf.), *alavanca* (fl. de *alavancar*).] ■ **~ de câmbio** *Mec.* V. *Alavanca de mudanças* **~ de marcha** *Mec.* V. *Alavanca de mudanças* **~ de mudanças** *Mec.* Alavanca com a qual o motorista de veículo (automóvel, caminhão etc.) aciona alteração na relação de engrenagens que determina a velocidade do veículo **~ interfixa** *Fís.* Aquela em que o fulcro está entre a força aplicada e a resistência **~ interpotente** *Fís.* Aquela em que a força é aplicada entre a resistência e o fulcro **~ inter-resistente** *Fís.* Aquela em que a resistência está entre a força aplicada e o fulcro

alavancado (a.la.van.*ca*.do) *a.* **1** *Econ.* Que faz alavancagem (2) (diz-se de empresa) **2** Que recebeu incentivo, fomento: "Alavancado pelo petróleo da Bacia de Campos, o turismo de negócios tornou-se uma potência em Macaé." (*O Globo*, 26.06.2005) [F.: Part. de *alavancar*.]

alavancagem (a.la.van.*ca*.gem) *sf.* **1** Ação ou resultado de alavancar; ALAVANCAMENTO **2** *Econ.* Emprego de capital de terceiros para incrementar o lucro que se obtém sobre o capital próprio [Pl.: *-gens*.] [F.: *alavancar* + *-agem*[1].]

alavancamento (a.la.van.ca.*men*.to) *sm.* Ação ou resultado de alavancar; ALAVANCAGEM [F.: *alavancar* + *mento*.]

alavancar (a.la.van.*car*) *v. td.* **1** Mover, erguer (algo) por meio da ação de uma alavanca: *Alavancou a pedra com facilidade.* **2** *Fig.* Dar impulso ou ímpeto a, incentivar, fazer progredir ou crescer rapidamente (processo, carreira, empreendimento etc.): *Aquele filme alavancou a carreira do ator.* **3** *Fig.* Custear, promover: *Seu empréstimo alavancou a expansão do mercado.* [▶ 11 alavancar] [F.: *alavanca* + *-ar*[2]. Hom./Par.: *alavanca(s)* (fl.), *alavanca(s)* (sf. [pl.]).]

alavercar (a.la.ver.*car*) *v. td. int. Ant.* Curvar(-se), encolher(-se) em sinal de humildade, submissão ou subserviência [▶ 11 alavercar] [F.: orig. duv.]

alazão (a.la.*zão*) *a.* **1** Diz-se de cavalo que tem pelo de cor entre o marrom e o vermelho **2** Diz-se de pelagem de cavalo que é homogênea e dessa cor *sm.* **3** Cavalo com pelo dessa cor [Pl.: *-zões* e *-zães*. Fem.: *-zã*.] [F.: Do ár. *al-az'ar*, através do ár. hisp. *al-' azá'ár*.]

alba (*al*.ba) *sf.* **1** Primeira claridade matinal; ALVA; AURORA **2** *Rel.* Historicamente (esp. entre os batistas) vestimenta de todo cristão batizado **3** *Rel.* Vestimenta de linho branco que vestem sacerdotes no culto cristão (tb. *alba sacerdotal*) [F.: Do lat. *alba*.]

albácar (al.*bá*.car) *sm.* **1** Rebanho de bovinos **2** Estábulo, ou (em fortalezas mouras antigas) porta por onde passava o gado [F.: do ár. *al-baqar*. Tb. *albacar*.]

albacora[1] (al.ba.*co*.ra) *Bras. Zool. sf.* **1** Denominação comum aos peixes teleósteos do gên. *Thunnus*, com mais de 1 m de comprimento e com até 20 kg, de grande importância comercial **2** O mesmo que *atum* [F.: De or. contrv.]

albacora[2] (al.ba.*co*.ra) *sf.* Figo que amadurece antes ou depois do tempo próprio; figo temporão [F.: Do ár. *albakura*.]

albacorinha (al.ba.co.*ri*.nha) *sf. Zool.* Peixe (*Thunnus thynnus*), amplamente distribuído pelos oceanos, sobretudo o Atlântico, m. que *atum* [F.: *albacora* + *inha*.]

albafar (al.*ba*.far) *sm. Ict.* Cação da fam. dos hexanquídeos (*Hexanchus griseus*), encontrado em diversos oceanos, ger. em águas profundas, de cor cinza-escuro ou marrom, de comprimento que pode chegar a 4,5 m [F.: Prov. do ár. *albahár*.]

albanês (al.ba.*nês*) *sm.* **1** Indivíduo nascido ou que vive na Albânia **2** *Gloss.* Língua falada na Albânia [Pl. de 1, 3, 4: *-neses* [ê]. Fem de 1, 3, 4: *-nesa* [ê].] *a.* **3** Da Albânia (Europa); típico desse país ou de seu povo **4** Do ou ref. ao albanês (2) [Pl. de 1, 3 e 4: *-neses* [ê]. Fem. de 1, 3 e 4: *-nesa* [ê].] [F.: Do top. *Albânia* + *-ês*.]

albano[1] (al.*ba*.no) *sm. a.* O mesmo que *albanês* [F.: Do lat. *Albanus, a, um*, 'da Albânia', em Plínio, ou do gentílico lat. *Albani, orum*, tb. registrado em Plínio, tomado no sing.]

albano[2] (al.*ba*.no) *sm.* **1** Indivíduo nascido ou que vive em Alba Longa (Itália) *a.* **2** De Alba Longa; típico dessa cidade ou de seu povo [F.: Do top. *Alb(a)* (Longa) + *-ano*[1].]

albará (al.ba.*rá*) *sf.* **1** *Bot.* Planta herbácea da fam. das canáceas, *Canna angustifolia*, com flores vistosas e rizomas comestíveis de propriedades medicinais; ALBARÃ; ERVA-DOS-FERIDOS **2** *Bot.* Ver *bananeirinha-da-Índia* **3** *Bot.* Ver *coquilho* [F.: obsc.]

albarda (al.*bar*.da) *sf.* **1** Sela grosseira, feita ger. de estopa e palha, us. ger. em bestas de carga **2** *Fig.* Veste (casaco, jaqueta etc.) malfeita **3** *Fig.* Aquilo que vexa, humilha [F.: Do ár. *al-barda'a*.]

albardada (al.bar.*da*.da) *sf.* **1** *Cul.* Iguaria feita de fatias de pão cobertas com ovos batidos, fritas e polvilhadas de açúcar **2** *Cul.* Iguaria em que se cobre de ovo batido uma carne, peixe etc., fritando-se após (albardada de bacalhau) [F.: Fem. subst. de *albardado*.]

albardão (al.bar.*dão*) *sm.* **1** Sela grosseira (albarda) e grande **2** Sela semelhante à albarda, mas forrada com pele de carneiro **3** *Bras. Geog.* Ao longo de um curso de água, cadeia de coxilhas entremeadas por baixadas **4** *Bras. Geog.* Pequena coxilha **5** *Bras. Geog.* Elevação no terreno à beira-rio ou lagoa **6** *Bras. Geog.* Dique à margem de curso d'água [F.: *albard(a)* + *-ão*.]

albardar[1] *v. td.* **1** Equipar (animal de carga) com albarda ou albardão **2** Vestir(-se) com roupas malfeitas ou desajeitadas; vestir(-se) mal **3** *Cul.* Cobrir com ovos batidos (carne, frango, bifes etc.) antes de fritar **4** *Fig.* Realizar mal ou às pressas (um trabalho) **5** *Fig.* Dominar, oprimir, sujeitar: *Albardava os funcionários com intolerável prepotência.* [▶ 1 albardar] [F.: *albarda* + *-ar*.]

albardar[2] (al.bar.*dar*) *v. td.* Trancar com ferrolho ou aldrava [▶ 1 albardar] [F.: Alter. de *aldrabar*.]

albardar[3] (al.bar.*dar*) *v. td.* Enganar, lograr: *O vigarista albardou o ingênuo caipira.* [▶ 1 albardar] [F.: Do ár. *albardan*.]

albardaria (al.bar.da.*ri*.a) *sf.* **1** Porção de albardas **2** Local de fabrico ou venda de albardas [F.: *albarda* + *-ria*.]

albardeiro (al.bar.*dei*.ro) *a.* **1** Rel. a albarda ou a albardão **2** Que fabrica ou vende albarda ou albardão (profissional albardeiro) **3** *Fig. Pej.* Que trabalha sem cuidado, sem capricho **4** Diz-se de quem trabalha mal, sem bom acabamento **5** *Fig. Pej.* Que age de maneira falsa, enganadora **6** Que age de modo atrapalhado, desastrado; DESAJEITADO; DESAJEITOSO **7** Que é malfeito ou tem acabamento grosseiro; ABALDEIRADO; ABALDEIRO; IMPERFEITO *sm.* **8** Fabricante ou vendedor de albardas **9** Trabalhador incompetente ou descuidado **10** Embusteiro, enganador, vigarista [F.: *albarda* + *-eiro*.]

albarrã (al.bar.*rã*) *sf.* **1** *Arq.* Torre para vigia ou defesa que antigamente se erguia em castelos, ou, espaçadamente, ao longo de muralhas **2** *Bot.* Tipo de cebola silvestre; CEBOLA-ALBARRÃ [Pl.: *-ãs*.] [F.: Do ár. *al-barran* 'externo', 'silvestre'. Var.: *alvarrã*.]

albarrão (al.bar.*rão*) *a.* **1** *Lus.* Diz-se de perdigão que não está acasalado ou que perdeu a fêmea **2** Diz-se de pessoa que ainda não casou: *Homens de meia-idade, ainda albarrões.* **3** *Ant.* Diz-se de estrangeiro ou de pessoa sem domicílio **4** Diz-se de um tipo de cebola [Pl.: *-ões*. Fem.: *albarrã*.] *sm.* **5** Homem que nunca contraiu núpcias; SOLTEIRÃO [F.: Do ár. *al-barrani*, 'aquilo que é exterior, ou que é do campo'.]

albatroz (al.ba.*troz*) *sm. Zool.* Ave marinha de grande envergadura, cor branca e corpo robusto, da família dos diomedeídeos [Encontrada no hemisfério sul, é a maior das aves voadoras, com mais de 3,5 m de envergadura.] [F.: Do ár. *al-gattas*, pelo port. *alcatraz*, ing. *albatross* e fr. *albatros*.]

albatroz-real (al.ba.troz-re.*al*) *sm. Zool.* Grande albatroz (*Diomedea epomorphora*) da região antártica, de plumagem branca, pontas das asas negras, bico amarelo-rosado, que pode atingir até 110 cm de comprimento [Pl.: *albatrozes-reais*.]

albedo (al.*be*.do) [ê] *sm.* **1** *Ópt.* Razão entre a quantidade de luz difundida por uma superfície, e a quantidade de luz incidente sobre a mesma **2** *Astr.* Potência refletora de um corpo celeste, expressa pelo quociente entre a quantidade de luz recebida e a refletida **3** *Met.* Poder de reflexão da superfície da Terra **4** *Ant.* Alvura, brancura [F.: Do lat. *albedo, inis*.]

albergado (al.ber.*ga*.do) *a.* **1** Que está hospedado ou abrigado **2** Que foi recolhido em abrigo ou albergue **3** Diz-se de preso que desfruta do regime de prisão-albergue, que permite ao detento sair durante o dia para estudar ou trabalhar *sm.* **4** Indivíduo albergado [F.: Part. de *albergar*.]

albergador (al.ber.ga.*dor*) [ô] *a.* **1** Que abriga, aloja, alberga pessoas *sm.* **2** Quem ou instituição que oferece abrigo, alojamento, albergue [F.: *alberga(r)* + *-dor*.]

albergar (al.ber.*gar*) *v.* **1** Dar a, ou receber albergue, hospedagem; hospedar(-se) [*td.*: *O hotel albergava cinco hóspedes.*] [*ta.*: *O viajante albergou-se numa fazenda da região.*] [*tda.*: *Vou albergá-los em minha casa.*] **2** Dar a, ou receber abrigo, asilo; abrigar(se), asilar(-se); ASILAR(-SE) [*td.*: *A instituição albergava idosos.*] [*int.*: *As vítimas da enchente precisam albergar-se.*] [*ta.*: *Com a casa inundada, albergaram-se na escola.*] **3** *Fig.* Ter, trazer no íntimo; abrigar, guardar, encerrar [*td.*: *O ogro albergava bons sentimentos.*] [*tda.*: "Pois aquele homem (...) albergava no seio um segredo criminoso?" (Camilo Castelo Branco, "Prefácio" *in A freira no subterrâneo*)] **4** *Lus.* Conter em si, comportar [*td.*: *O estádio poderia albergar dez mil torcedores; O edifício albergava uma agência de publicidade.*] [▶ 14 albergar] [F.: Do ant. prov. *albergar*, deriv. do gót. **haribergôn* 'hospedar'. Hom./Par.: *albergue(s)* (fl.), *albergue(s)* (sm. [pl.]).]

albergaria (al.ber.ga.*ri*.a) *sf.* **1** Ação ou resultado de albergar(-se) **2** Local, ger. modesto, onde pessoas pagam para se hospedar; ALBERGUE; ESTALAGEM **3** Local onde se abrigam pessoas que necessitam de cuidados ou que não podem prover os meios necessários para a própria subsistência; ASILO **4** Contrato de hospedagem [F.: *alberg(ue)* + *-aria*.]

albergue (al.*ber*.gue) *sm.* **1** Local onde se recebem hóspedes para pernoite mediante pagamento; HOSPEDARIA; ALBERGARIA **2** Lugar onde se abrigam pessoas carentes ou que precisam de cuidados, assistência médica, sustento etc.; ASILO **3** Local, ger. público, onde moradores de rua se abrigam à noite; ABRIGO; ALOJAMENTO **4** Lugar de retiro, de refúgio [F.: Do gót. **haribairgo*, pelo provç. *albergue*.] ■ **~ noturno** Espécie de asilo para o pernoite de pessoas desabrigadas

albergueiro (al.ber.*guei*.ro) *sm.* Quem oferece abrigo ou hospedagem [F.: *albergu(e)* + *-eiro*.]

alberguista (al.ber.*guis*.ta) *s2g.* Membro de associação ou federação de albergues (1) [F.: *albergue* + *-ista*.]

albertismo (al.ber.*tis*.mo) *sm. Teol. Fil.* Doutrina do teólogo e filósofo bávaro Alberto Magno (1200-1280 d.C.), fortemente influenciada pela obra de Aristóteles [F.: do antrop. *Alberto* + *ismo*.]

albertista (al.ber.*tis*.ta) *a2g.* **1** Rel. a ou próprio do albertismo (princípios albertistas) *s2g.* **2** Adepto ou seguidor do albertismo [F.: do antrop. *Alberto* + *-ista*.]

◎ **albi-** *el. comp.* = 'branco', 'alvo': *albicaude, albicaule, álbido* (< lat.), *albificar, albifloro, albinerve, albirrostro; albocinéreo; alvinegro, alvinitente, alvirrubro, alviverde*. [F.: *albi-*, do lat. *albus, a, um*, por via erudita, e *alvi-*, do mesmo lat., por via pop.]

albicastrense (al.bi.cas.*tren*.se) *s2g.* **1** Indivíduo nascido ou que vive em Castelo Branco (Portugal) *a2g.* **2** De Castelo Branco; típico dessa cidade ou de seu povo [F.: *albi-* + lat. *castrum*, 'fortaleza', 'castelo', + *-ense*.]

albicaudado (al.bi.cau.*da*.do) *a. Zool.* O mesmo que *albicaude* [F.: *albi-* + *caudado*[1].]

albicaude (al.bi.*cau*.de) *a2g. Zool.* Diz-se de animal cuja cauda é branca; ALBICAUDADO [F.: *albi-* + *-caude*.]

albicaule (al.bi.*cau*.le) *a2g. Bot.* Diz-se de planta que possui caule branco ou esbranquiçado [F.: *albi-* + *-caule*.]

álbido (*ál*.bi.do) *a.* Diz-se daquilo em que a cor branca é predominante; ESBRANQUIÇADO; ALVACENTO; ALVADIO; BRANCACENTO [F.: Do lat. *albidus, a, um*.]

albiduria (al.bi.du.*ri*.a) *sf.* Ver *albidúria*

albidúria (al.bi.*dú*.ri:a) *sf. Med.* Eliminação de urina muito clara, esbranquiçada [F.: *álbido* + *-úria* (ou *-uria*). Tb. *albiduria*.]

albificar (al.bi.fi.*car*) *v. td.* Tornar alvo, branco: *Albificou a velha camisa.* [▶ 11 albificar] [F.: *albi-* + *-ficar*.]

albifloro (al.bi.*flo*.ro) *a. Bot.* Diz-se de planta que dá flores brancas [F.: *albi-* + *-floro*.]

albigense (al.bi.*gen*.se) *s2g.* **1** Indivíduo nascido ou que vive em Albi (França) **2** Cátaro *a2g.* **3** De Albi; típico dessa cidade ou de seu povo **4** Cátaro [F.: Do lat. *albigenses, ium* (< lat. *Albiga*, nome latino da cidade de *Albi*), tomado no sing.]

albina (al.*bi*.na) *sf. Bot.* Planta lenhosa (*Turnera ulmifolia*) de flores amarelas, da fam. das turneráceas, nativa do Brasil, cultivada como ornamental ou por suas propriedades medicinais; CHANANA [F.: do lat. *albina* (branca).]

albinerve (al.bi.*ner*.ve) ***a2g.*** *Bot.* Diz-se de órgão vegetal (esp. folha) cujas nervuras são brancas; ALBINERVADO [F.: *albi-* + *-nerve*.]

albinismo (al.bi.*nis*.mo) ***sm.*** **1** *Med.* Ausência congênita, total ou parcial, de pigmentação dos olhos, da pele e dos pelos **2** *Bot.* Ausência ou diminuição da quantidade de clorofila, e, consequentemente, da cor verde nas plantas [F.: *albin(o)* + *-ismo*.]

albino (al.*bi*.no) ***a.*** **1** Que sofre de albinismo (1) ***sm.*** **2** Indivíduo albino (1) [F.: Do espn. *albino*.]

albirrostro (al.bir.*ros*.tro) [ó] ***a.*** *Zool.* Diz-se de animal que tem bico ou focinho branco [F.: *albi-* + *-rostro*.]

◎ **albo-** ***el. comp.*** Ver *albi-*

albocinéreo (al.bo.ci.*né*.re:o) ***a.*** *Anat.* Diz-se de órgão nervoso constituído de substância branca e cinzenta [F.: *albo-* + *cinéreo*.]

alboque (al.*bo*.que) ***sm.*** **1** *Mús.* Antigo instrumento de sopro e palhetas us. pelos pastores bascos e em algumas regiões da Espanha **2** *Mús.* Cada um dos dois pratinhos de latão us. no acompanhamento musical de certas danças populares [Var.: *albogue*. F.: do ár. *al-boq*.]

albor (al.*bor*) [ô] ***sm.*** Ver *alvor*

albornoz (al.bor.*noz*) ***sm.*** **1** Manto comprido de lã, com capuz, us. pelos árabes **2** Casaco com mangas largas e capuz ou gola alta [F.: Do ár. *al-burnus*.]

alboroque (al.bo.*ro*.que) ***sm.*** **1** Refeição para celebrar um negócio ou contrato que acaba de ser firmado entre as partes; ALBORQUE; ALVAROQUE **2** Copo de vinho que se oferece após a realização de um negócio [F.: Do ár. *al* + *bo* + *rok*.]

alborotar (al.bo.ro.*tar*) ***v.*** O mesmo que *alvoroçar* [▶ 1 alborotar] [F.: *alboroto* + *-ar.* Hom./Par.: *alboroto* (fl.), *alboroto* /ô/ (sm.).]

albufeira (al.bu.*fei*.ra) ***sf.*** **1** *Lus. Geog. Mar.* Depressão não muito funda, inundada, que se comunica com o mar durante as marés cheias: "... aqui e acolá um burgalhão, ou albufeira, com o mexoalho de miúdos caranguejos..." (Guimarães Rosa, "A simples e exata estória do burrinho do Comandante", *in Estas estórias*) **2** *P. ext.* Lago de água salgada, criado por represamento artificial; REPRESA; LAGUNA **3** *P. ext.* Represa artificial que usa as águas das chuvas para irrigação **4** Líquido que escorre das azeitonas na fase inicial da preparação do azeite, mesmo que *almofeira* [F.: Do ár. *al-buhaira*.]

albugem (al.*bu*.gem) ***sf.*** **1** *Med.* Mancha esbranquiçada na córnea, causada pelo ajuntamento de granulações gordurosas **2** Mancha esbranquiçada nas unhas; LEUCONIQUIA; LÚNULA; ALBUGO **3** *Bot.* Doença causada por fungos que fazem surgir nas plantas pequenas pústulas brancas e salientes, ger. causando deformações e atrofias nas áreas atingidas [F.: *albugo, inis*.]

albuginácea (al.bu.gi.*ná*.ce.as) ***sf.*** *Biol.* Espécime das albugináceas, fam. de fungos parasitas causadores da albugem [F.: *albugi* + *nácea*.]

albugínea (al.bu.*gí*.ne.a) ***sf.*** *Anat.* Designação comum a várias membranas fibrosas e esbranquiçadas que revestem órgãos como olhos, testículos, ovários etc.; ESCLERA [F.: *albug* + *ínea*.]

albugíneo (al.bu.*gí*.ne.o) ***a.*** Rel. a albugínea; ALBUGINOSO; ALBUGINADO [F.: *albug* + *-íneo*.]

álbula (*ál*.bu.la) ***a.*** **1** Cujo corpo apresenta reflexos prateados, mesmo que *álbulo* ***sm.*** **2** *Zool.* Designação comum aos peixes do gên. *Álbula*, da família dos albulídeos, próprios dos mares tropicais, com apenas duas espécies encontradas no Brasil [F.: do lat. *albulus, a, um*.]

albulídeo (al.bu.*lí*.de.o) *Zool.* ***a.*** **1** Ref. aos albulídeos ***sm.*** **2** Espécime dos albulídeos, fam. de peixes teleósteos albuliformes, de corpo roliço, cauda bifurcada e focinho cônico, que ocorrem em mares tropicais [F.: *álbula* + *-ídeo*.]

álbum (*ál*.bum) ***sm.*** **1** Livro, ger. encadernado, próprio para receber fotografias, figurinhas, selos etc. **2** Revista cujas páginas têm espaços demarcados para neles se colarem determinadas estampas que se colecionam **3** Livro para o registro de autógrafos, desenhos, pensamentos e outros dados pessoais **4** *Mús.* Conjunto de gravações musicais presentes em um mesmo disco ou CD **5** *Hist.* Tábua ou painel em branco, em que os antigos romanos transcreviam éditos dos pretores, anúncios etc. para apreciação pública [Pl.: *-buns*.] [F.: Do latim *album, -i*, pelo al. *Album* ou pelo fr. *album*.] ■ **~ seriado** Grande bloco de folhas presas na margem superior, ger. num cavalete, us. em palestras, conferências etc.

albume (al.*bu*.me) ***sm.*** **1** Clara de ovo **2** *Bot.* Tecido que envolve e nutre o embrião de certas sementes [Pl. de albúmen: *albúmens* e (p. us. no Brasil) *albúmenes*.] [F.: Do lat. *albumen, -inis*. Tb. *albúmen*.]

albúmen (al.*bú*.men) ***sm.*** Ver *albume*

albumina (al.bu.*mi*.na) ***sf.*** *Bioq.* Proteína que se dissolve na água, coagula-se por aquecimento, e tem como função a manutenção do equilíbrio osmótico [Presente na clara do ovo, no leite, no sangue e em plantas.] [F.: Do lat. tard. *albumen, inis*, pelo fr. *albumine*.]

albuminado (al.bu.mi.*na*.do) ***a.*** Que contém albumina [F.: *albumin(a)* + *-ado*[1].]

albuminemia (al.bu.mi.ne.*mi*.a) ***sf.*** *Med.* Presença de albumina no sangue [F.: *albumina* + *-emia*.]

albuminífero (al.bu.mi.*ní*.fe.ro) ***a.*** *Med.* Que produz ou contém albumina [F.: *albumin(i/o)* + *-fero*.]

albuminoide (al.bu.mi.*noi*.de) ***a2g.*** Da natureza da albumina [F.: *albumina* + *-oide*.]

albuminoso (al.bu.mi.*no*.so) [ô] ***a.*** **1** Que contém albumina ou possui as propriedades da albumina **2** Que contém albume [Fem.: [ó]. Pl.: [ó].] [F.: *albumin(a)* + *-oso*.]

albuminúria (al.bu.mi.*nú*.ri:a) ***sf.*** Presença de albumina na urina [F.: *albumina* + *-úria*.]

albuminúrico (al.bu.mi.*nú*.ri.co) *Med.* ***a.*** **1** Rel. a albuminúria **2** Que sofre de albiminúria ***sm.*** **3** Portador de albuminúria [F.: *albumin(i/o)* + *-úrico*.]

alburno (al.*bur*.no) ***sm.*** *Bot.* Camada periférica e mais recente do tronco das árvores, de cor mais clara, formada por células vivas que realizam a condução da água; BORNE [F.: Do lat. *alburnum, i*.]

◎ **alc-** ***pref.*** = 'alquila': *alcano, alceno, alcino* [Us. em Quím.] [F.: Do al. *Alk(yl)*, do al. *Alk(ohol)*, 'álcool'.]

Alca (*Al*.ca) ***sf.*** *Pol. Econ.* Sigla de *Área de Livre Comércio das Américas*, organização destinada a anular barreiras alfandegárias entre países do continente americano

alça (*al*.ça) ***sf.*** **1** Peça us. para prender, puxar, segurar, transportar algo com a mão (alça da mala); ARGOLA; ASA **2** Tira que segura um vestido, maiô, sutiã etc., passando por cima dos ombros **3** *Vest.* Laçada feita com pano, cadarço, fita etc., para servir como casa de botão **4** Peça us. pelos sapateiros para tornar as formas dos sapatos mais altas **5** *Anat.* Órgão, ou parte de órgão, que tem a forma de um arco (alça intestinal) [F.: Dev. de *alçar*[1].] ■ **~ de mira** Em arma de fogo, régua graduada segundo a qual se posiciona a mira para a distância calculada ao alvo **~ sigmoide** *Anat.* A parte terminal do cólon **Estar na ~ de mira** *Bras. Pop.* Estar sob vigilância, ou ser parte do objetivo de alguém ou de uma ação

alcaçaria (al.ca.ça.*ri*.a) ***sf.*** **1** *Lus. Ant.* Rua ou local onde era permitido o comércio entre mouros e judeus [Mais us. no pl.] **2** Local destinado para curtir e preparar couros e peles; CURTUME [Mais us. no pl.] **3** *Lus.* Castelo ou fortaleza antiga, m. que *alcácer* [F.: do ár. *al-gaicaria*.]

alcácer (al.*cá*.cer) ***sm.*** **1** Fortaleza ou castelo fortificado, de origem moura, muitas vezes us. como residência de rei, governador, alcaide etc. **2** *P. ext.* Qualquer habitação imponente e suntuosa, como um castelo, um palácio, uma grande mansão [F.: Do ár. *alqasr*.]

alcacerense (al.ca.ce.*ren*.se) ***s2g.*** **1** Indivíduo nascido ou que vive em Alcácer (Portugal) ***a2g.*** **2** De Alcácer; típico dessa cidade ou de seu povo [F.: Do top. *Alcácer* + *-ense*.]

alcachinado (al.ca.chi.*na*.do) ***a.*** *Pop.* Que se encolheu ou se curvou; ENCOLHIDO; CURVADO; CORCOVADO [F.: Part. de *alcachinar*.]

alcachinar (al.ca.chi.*nar*) *Pop.* ***v. td. int.*** **1** Curvar(-se), corcovar(-se) **2** Encolher(-se), contrair(-se) **3** *Fig.* Tornar(-se) triste, acabrunhado [▶ 1 alcachinar] [F.: De orig. obsc.]

alcachofra (al.ca.*cho*.fra) [ô] ***sf.*** *Bot.* Planta hortense das compostas (*Cynara scolymus*), muito apreciada pelas brácteas que envolvem a base de sua inflorescência, comestíveis e ricas em vitamina C [F.: Do ár. *al-kharxofa*, posv.]

alcachofra-dos-telhados (al.ca.cho.fra-dos-te.*lha*.dos) ***sf.*** *Bot.* Planta nativa da Europa (*Sempervivum tectorum*), da fam. das crassuláceas, de folhas suculentas, carnosas, aveludadas, dispostas em rosetas, flores rosadas e frutos foliculares; CACHO-DOS-TELHADOS; SAIÃO-CURTO; ERVA-DOS-CALOS [Pl.: *alcachofras-dos-telhados*.]

alcachofral (al.ca.cho.*fral*) ***sm.*** Terreno plantado de pés de alcachofra [F.: *alcachofra* + *-al*.]

alcáçova (al.*cá*.ço.va) ***sf.*** **1** Castelo antigo, fortificado; CIDADELA; FORTALEZA **2** Fortificação central de um castelo **3** *Mar.* Castelo das antigas naus **4** *Mar.* Em navios antigos, parte alta e fortificada onde ficavam os bombardeiros [F.: Do ár.]

alcaçuz (al.ca.*çuz*) ***sm.*** **1** *Bot.* Nome comum de plantas (gên. *Glycyrrhiza* e *Periandra*) das leguminosas, e de similares quanto ao sabor adocicado de suas raízes e rizomas **2** *Bot.* Arbusto (*Glycyrrhiza glabra*) de raiz doce e medicinal, us. em confeitaria, xaropes etc. [F.: Do ár. *Harq as-sus*.]

alcaçuz-da-terra (al.ca.çuz-da-*ter*.ra) ***sm.*** *Bot.* Arbusto (*Periandra mediterranea*) de casca esbranquiçada, vagens achatadas, folhas trifolioladas e flores azuis, roxas ou purpúreas, cultivado pela madeira e pelas raízes doces, us. como medicamento; ALCAÇUZ; ALCAÇUZ-DO-BRASIL; ALCAÇUZ-DO-CERRADO; PAU-DOCE; RAIZ-DOCE [Pl.: *alcaçuzes-da-terra*.]

alçada (al.*ça*.da) ***sf.*** **1** *Jur.* Limite de competência de um juiz ou tribunal para conduzir uma causa sem recorrer a órgãos ou competências externas **2** Campo ou limite de atuação de qualquer pessoa ou órgão (por determinação legal ou administrativa, ou por competência ou disponibilidade de meios): *Esse assunto não é da sua alçada.* **3** *Jur.* Limite de competência ou autoridade de responsáveis por órgãos de administração pública **4** *Ant.* Tribunal ambulante que percorria aldeias e povoados para julgar casos e pendências [F.: Fem. substv. de *alçado*.]

alçado (al.*ça*.do) ***a.*** **1** Levado para cima; ERGUIDO; LEVANTADO **2** Conduzido a uma posição superior: "Chegou também com a ambição de ser alçado a vice-rei da Etiópia..." (Alberto da Costa e Silva, *A manilha e o libambo*) **3** *S.* Diz-se do gado que foge para o mato e se torna bravio ***sm.*** **4** *Arq.* Desenho que mostra uma construção de frente; ELEVAÇÃO **5** *Tip.* Numa tipografia, recinto onde se faz o alceamento [F.: Part. de *alçar*.]

alcáfar (al.*cá*.far) ***sm.*** **1** Lombo de animal, esp. aquele que costuma ser montado **2** A parte traseira do lombo [F.: Do ár. *al-kafal*. Tb. *alcáfer*.]

alcáfer (al.*cá*.fer) ***sm.*** Ver *alcáfar*

alcaguetagem (al.ca.gue.*ta*.gem) *Bras. Pop.* ***sf.*** Ação ou resultado de alcaguetar *Bras. Pop.*; CAGUETAGEM [F.: *alcaguetar* + *-agem*[1].]

alcaguetar (al.ca.gue.*tar*) ***v.*** **1** *Bras. Pop.* Delatar, denunciar alguém como culpado [***tdi.*** + *a, para*: *Alcaguetou o próprio cúmplice à polícia.*] [***td.***: *alcaguetar alguém.*] **2** Revelar, dar a conhecer [***tdi.*** + *a, para*: *Foi obrigado a alcaguetar o cativeiro às autoridades.*] [▶ 1 alcaguetar] [F.: *alcaguet(e)* + *-ar*[2]. Hom./Par.: *alcaguete(s)* (fl.), *alcaguete(s)* (s2g. sm. pl.) Tb. *caguetar*.]

alcaguete (al.ca.*gue*.te) [ê] *Bras. Pop.* ***s2g.*** **1** Espião que trabalha para a polícia **2** Aquele que denuncia, delata alguém; DEDO-DURO; DELATOR **3** *Gír.* Relógio despertador ***sm.*** **4** Homem que agencia encontros amorosos; ALCOVITEIRO **5** Homem que agencia prostitutas; CÁFTEN [F.: Do espn. *alcahuete*.]

alcaidaria (al.cai.da.*ri*.a) ***sf.*** **1** Função ou dignidade de alcaide; ALCAIDIA; ALCAIDERIA **2** Jurisdição do alcaide **3** Tributo ou foragem paga ao alcaide: "... fidalgos de Galiza, que em Portugal tinham préstamos e alcaidarias da bela infanta..." (Alexandre Herculano, *O bobo*) [F.: *alcaide* + *-aria*.]

alcaide (al.*cai*.de) ***sm.*** **1** Antigo governador de província, com jurisdição civil e militar **2** Antigo governador de castelo **3** Antigo oficial de justiça **4** Autoridade administrativa espanhola com função semelhante à de um prefeito **5** *Bras.* Objeto velho, imprestável **6** *Bras.* Pessoa muito velha ou feia **7** *RS* Cavalo ruim; PANGARÉ **8** *Bras.* Mercadoria encalhada [Nas 4 primeiras acp., fem.: *alcaidessa*.] [F.: Do ár. *al-qaid*, 'que conduz, que guia'.]

alcaide-mor (al.cai.de-*mor*) ***sm.*** Antigo governador de praça ou província [Pl.: *alcaides-mores*.]

alcaidessa (al.cai.*des*.sa) [ê] ***sf.*** **1** Mulher do alcaide **2** Mulher que exerce as funções de alcaide [F.: *alcaide* + *-essa*. Sin. ger.: *alcaidina*.]

alcalemia (al.ca.le.*mi*.a) ***sf.*** *Med. Bioq.* Aumento da concentração de bases no sangue, ou elevação do pH, tornando o sangue mais alcalino [F.: *alcal(i)-* + *-emia*.]

alcalescência (al.ca.les.*cên*.ci.a) *Quím.* ***sf.*** **1** Passagem de substância para o estado alcalino **2** Leve alcalinidade [F.: *alcalescente* + *-ia*[2], seg. o mod. analógico.]

alcalescente (al.ca.les.*cen*.te) *Quím.* ***a2g.*** Que apresenta ou tende a apresentar propriedades alcalinas [F.: **alcalescer* (< *álcali* + *-escer*) + *-nte*.]

◎ **alcal(i)-** ***el. comp.*** = 'álcali': *alcalemia, alcalificar, alcalimetria, alcalose* [Us. em Quím.] [F.: Do fr. *alcali*, do ár.]

álcali (*ál*.ca.li) ***sm.*** **1** *Quím.* Designação de qualquer hidróxido ou óxido de metal alcalino (césio, lítio, potássio, rubídio, sódio) **2** Substância com características de base química (que liberta hidroxila, ou OH-) [F.: Do ár. *al-qalyi*, prov. pelo fr. *alcali*.]

alcalificante (al.ca.li.fi.*can*.te) *Quím.* ***a2g.*** Que pode produzir numa substância a manifestação de propriedades alcalinas (diz-se de substância) [F.: *alcalificar* + *-nte*.]

alcalificar (al.ca.li.fi.*car*) ***v. td.*** *Quím.* Converter em base; passar ao estado de base [▶ 11 alcalificar] [F.: *alcal(i)-* + *-ficar*.]

alcalimetria (al.ca.li.me.*tri*.a) *Quím.* ***sf.*** Determinação da quantidade de álcali existente numa solução [F.: *alcal(i)-* + *-metria*.]

alcalinidade (al.ca.li.ni.*da*.de) ***sf.*** *Quím.* Qualidade de alcalino; propriedade de base química [F.: *alcalin(o)* + *-(i)dade*.]

alcalinização (al.ca.li.ni.za.*ção*) *Quím.* ***sf.*** Elevação do teor alcalino de uma solução; ALCALIZAÇÃO [Pl.: *-ções*.] [F.: *alcalinizar* + *-ção*.]

alcalinizante (al.ca.li.ni.*zan*.te) ***a2g.*** **1** Que alcaliniza ***sm.*** **2** O que alcaliniza [F.: *alcalinizar* + *-nte*.]

alcalinizar (al.ca.li.ni.*zar*) ***v. td.*** *Quím.* Tornar alcalino; extrair a parte ácida de um sal, deixando-lhe apenas a parte alcalina; ALCALIZAR; BASIFICAR: *Essa substância alcaliniza o solo* [▶ 1 alcalinizar] [F.: *alcalino* + *-izar*.]

alcalino (al.ca.*li*.no) ***a.*** **1** Ref. a, próprio de ou que contém álcali **2** *Quím.* Ref. a ou que tem o caráter ou propriedades de base química [F.: *alcal(i)-* + *-ino*[1]. Cf.: *ácido*.]

alcalino-terroso (al.ca.li.no-ter.*ro*.so) [ô] *Quím.* ***a.*** Denominação dos metais do segundo grupo da classificação periódica: bário, berílio, cálcio, estrôncio, magnésio e rádio [Pl.: *alcalino-terrosos* [ó].]

alcalinuria (al.ca.li.nu.*ri*.a) ***sf.*** Ver *alcalinúria*

alcalinúria (al.ca.li.*nú*.ri:a) *Pat.* ***sf.*** Micção de urina alcalina [F.: *alcalino* + *-úria* (ou *-uria*). Tb. *alcalinuria*.]

alcaloide (al.ca.*loi*.de) ***sm.*** *Quím.* Substância orgânica, nitrogenada, encontrada em vegetais, em alguns fungos, e tb. obtida por síntese [F.: *alcal(i)* + *-oide*.]

> 📖 Alguns alcaloides são us. como substâncias ou produtos terapêuticos, como a morfina, a atropina etc.

alcaloideu (al.ca.loi.*deu*) *Quím.* ***a.*** Ref. aos ou próprio dos alcaloides; ALCALOÍDICO [Fem.: *alcaloideia*.]

alcalose (al.ca.*lo*.se) [ó] *Med.* ***sf.*** Desequilíbrio metabólico que se caracteriza pela redução da concentração de ácidos no sangue [F.: *alcal(i)-* + *-ose*[2].]

alçamento (al.ça.*men*.to) ***sm.*** **1** Ação ou resultado de alçar(-se) **2** *Art. gr.* O mesmo que *alceamento* (2) [F.: *alça(r)* + *-mento*.]

alcamonia (al.ca.mo.*ni*.a) *Cul. sf.* Doce feito de farinha de mandioca e melaço; ALCOMONIA [F.: Do ár.]

alcânave (al.*câ*.na.ve) *a2g.* **1** Ref. ou semelhante ao cânhamo *sm.* **2** Linho semelhante ao cânhamo [F.: Do gr. *kánnabis*, 'cânhamo', pelo ár. *al-qunnab*. Var.: *alcâneve*.]

alcançadiço (al.can.ça.*di*.ço) *a.* Que se pode alcançar com facilidade [F.: Rad. do part. *alcançado* + *-iço*.]

alcançado (al.can.*ça*.do) *a.* **1** Apanhado, tocado, atingido por alguém que estava distante: *Os ladrões foram alcançados pela polícia.* **2** Obtido, conseguido (objetivo alcançado) **3** Compreendido, entendido: *O sentido da crítica não foi alcançado.* **4** Tocado com as mãos ou instrumento: *O galho foi alcançado com muito esforço.* **5** Abrangido com a vista; AVISTADO **6** Empenhado, endividado **7** Atrasado ou desfalcado nas suas contas [F.: Part. de *alcançar*.]

alcançamento (al.can.ça.*men*.to) *sm.* Ação ou resultado de alcançar [F.: *alcançar* + *-mento*.]

alcançar (al.can.*çar*) *v.* **1** Chegar a determinado lugar ou ponto (tb. *Fig.*); ATINGIR [*td.*: *Em suas andanças, alcançou os bairros mais afastados; A inflação alcançou seu nível mais alto no ano;* "...a lei não alcança seu fim..." (Joaquim Nabuco, *A escravidão*)] **2** Conseguir chegar a alguém ou algo distante, que se afasta ou está mais adiantado [*td.*: *Correu atrás do ônibus e conseguiu alcançá-lo; Estudou muito e alcançou os colegas.*] **3** Pôr ao alcance de; APROXIMAR; PROPORCIONAR [*tdi.* + *para*: *Alcance-me, por favor, esse livro de capa amarela.*] **4** Obter, conseguir [*td.*: *alcançar um prêmio.*: "...o padre não alcançava escutar." (João Guimarães Rosa, *Manuelzão e Miguilim*)] [*int.*: *Quem espera sempre alcança.*] **5** Compreender, entender [*td.*: *Não conseguia alcançar o sentido daquela ideia.*] **6** Abranger na esfera de sua ação; PODER [*int.*: *A força divina supriu onde as humanas não alcançam.*] **7** Atingir com a vista; AVISTAR; PERCEBER [*td.*: *Mesmo ao longe, seus olhos a alcançavam.*] **8** Provocar desgaste a, prejudicar, comprometer (alguém ou algo) [*td.*: *A doença alcançou o fígado; A velhice ainda não o alcançou.*] **9** Estar presente em, estar vivo durante (certa época), na ocasião de (acontecimentos etc.) [*td.*: *Meu avô alcançou a virada para o século XX.*] [▶ **12 alcançar**] [F.: Cruzamento de *encalçar* (do lat. **incalciare* 'perseguir correndo atrás') com o ant. *acalçar* (do lat. **accalciare*); a base comum é o lat. *calx, calcis* 'calcanhar'. Hom./Par.: *alcance* (fl.), *alcance* (sm.).]

alcançável (al.can.*çá*.vel) *a2g.* Que se pode alcançar [Pl.: *-veis*.] [F.: *alcança(r)* + *-vel*. Hom./Par.: *alcançáveis* (pl.), *alcançáveis* (fl. de *alcançar*).]

alcance (al.*can*.ce) *sm.* **1** Ação ou resultado de alcançar **2** Distância que permite que se toque, veja etc. algo: *ao alcance das mãos.* **3** Distância máxima que um instrumento, dispositivo eletrônico, projétil etc. atinge: *missil de longo alcance; alcance de uma antena, um binóculo* etc. **4** Área, campo, intensidade em que é eficaz uma ação, medida, lei, providência etc. **5** Capacidade de discernimento, de penetração de uma ideia, de um pensamento etc.: *Sua lógica carece de um maior alcance.* **6** A verdadeira intenção ou real significado (às vezes ocultos) de algo (afirmação, proposta etc.): *No início não captou o alcance insidioso daquelas propostas.* **7** Ação de seguir, de chegar perto; ENCALÇO: *Ia em alcance dos outros corredores.* **8** Capacidade, possibilidade: *Farei o que estiver dentro do meu alcance para ajudá-lo.* **9** Importância, relevância: *É algo de pouco alcance.* **10** *Fís. nu.* A maior espessura possível de um meio que um feixe de partículas pode atravessar [F.: Dev. de *alcançar*.]

alcancilhos (al.can.*ci*.lhos) *smpl. S.* Jogos, práticas e evoluções típicos do espetáculo das cavalhadas

alcanço (al.*can*.ço) *sm.* **1** O mesmo que *alcance* **2** *Zool.* Cada um dos dois dedos maiores das aves de rapina, que não assentam no chão [F.: Dev. de *alcançar*. Hom./Par.: *alcanço* (fl. de *alcançar*).]

alcândor (al.*cân*.dor) *sm.* **1** Lugar elevado, escarpado; CIMO; CUME; PÍNCARO **2** O mesmo que *alcândora* (1) [F.: Do ár. *al-kándara*. Hom./Par.: *alcândores* (pl.), *alcandores* (fl. de *alcandorar-se*).]

alcândora (al.*cân*.do.ra) *sf.* **1** Poleiro de falcão ou de papagaio; ALCÂNDOR **2** Espécie de cabide de alfaiate [F.: Do ár.: *al-kándara*. Hom./Par.: *alcândora(s)* (sf. [pl.]), *alcandora(s)* (fl. de *alcandorar-se*).]

alcandorado (al.can.do.*ra*.do) *a.* **1** Colocado na alcandôra **2** Situado em local elevado **3** *Fig.* Exaltado, engrandecido [F.: Part. de *alcandorar-se*.]

alcandorar-se (al.can.do.*rar-se*) *v. ta.* **1** Subir (a ave) em alcândora, poleiro, lugar alto; EMPOLEIRAR-SE; ENCARAPITAR-SE **2** *Fig.* Elevar(-se) social ou moralmente **3** *Fig.* Colocar(-se) em lugar alto; ENCARAPITAR-SE: *A casa se alcandorava no alto da colina.* [▶ **1 alcandorar**] [F.: *alcândor(a)* + *-ar*.]

alcanfor (al.can.*for*) [ô] *Ant. Pop. sm.* O mesmo que *cânfora* [Pl.: *alcanfores* /ô/.] [Var. de *alcânfora*. Hom./Par.: *alcanfores* /ô/ (pl.), *alcanfores* (fl. de *alcanforar*).]

alcânfora (al.*cân*.fo.ra) *Quím. sf.* O mesmo que *cânfora* [F.: Do ár. *al-kafur*. Tb. *alcanfor*.]

alcano (al.*ca*.no) *Quím. sm.* Qualquer composto constituído apenas por carbono e hidrogênio saturado; hidrocarboneto saturado [F.: *alc-* + *-ano*[2].]

alcanol (al.ca.*nol*) *Quím. sm.* Álcool alifático (metanol, p. ex.) considerado como derivado de um alcano [F.: *alcano* + *-ol*[2].]

alcântara (al.*cân*.ta.ra) *Antq. sf.* Ponte [F.: Do ár. *al-qantara*.]

alçante (al.*çan*.te) *a2g.* Que se alça ou levanta [F.: *alçar* + *-nte*.]

alcantil (al.can.*til*) *sm.* **1** Rocha ou qualquer lugar íngreme, escarpado; DESPENHADEIRO **2** Parte mais alta de uma elevação; CUME; PICO [Pl.: *-tis*.] [F.: De or. incerta.]

alcantilado (al.can.ti.*la*.do) *a.* **1** Íngreme, escarpado **2** Que tem a forma de alcantil (1) [F.: *al-* + *cantil*, 'instrumento para alisar pedras', + *-ado*[1].]

alcanzia (al.can.*zi*.a) *sf.* **1** Pequena bola oca de barro que era arremessada, recheada de flores e fitas coloridas, durante as antigas cavalhadas **2** Mealheiro de barro **3** Espécie de granada de barro, recheada de explosivos ou de material inflamável, que se lançava contra o alvo inimigo [Do ár. *al-kinzya(t)*. Var.: *alcancia*.]

alçapão (al.ça.*pão*) *sm.* **1** Porta ao nível do pavimento que dá passagem a um recinto abaixo do piso: *Este alçapão dá para o porão.* **2** Passagem que comunica dois ambientes em diferentes pavimentos **3** Cova ou buraco camuflado no solo: *A onça caiu no alçapão.* **4** *Teat.* Abertura com porta no chão do palco, por onde personagens ou objetos podem surgir ou desparecer da vista da plateia **5** *Bras.* Armadilha para prender passarinho **6** *Bras. Pop. Fut.* Estádio pequeno onde a torcida, por estar muito próxima do gramado, pode favorecer o time local, intimidando o adversário [Pl.: *-pões*.] [F.: *alça* + *pom*, forma antiga de *põe* (v. *pôr*).]

alcaparra (al.ca.*par*.ra) *Bot. sf.* **1** Botão da alcaparreira, us. como condimento **2** O mesmo que *alcaparreira* [Col., da acp. 2: *alcaparral*.] [F.: Do ár. *al-kabbar*, do gr. *kápparis, eos*.]

alcaparral (al.ca.par.*ral*) *sm.* Plantação de alcaparras [Pl.: *-ais*.] [F.: *alcaparra* + *-al*.]

alcaparreira (al.ca.par.*rei*.ra) *sf. Bot.* Arbusto (*Capparis spinosa*), da fam. das caparidáceas, nativo da região do Mediterrâneo, de folhas ovais, com espinhos estipulados, grandes flores brancas ou rosadas, frutos vermelhos polposos, e botão floral, a alcaparra, muito us. como condimento; ALCAPARRA [F.: *alcaparra* + *-eira*.]

alcaparreira-cheirosa (al.ca.par.rei.ra-chei.*ro*.sa) *sf. Bot.* Planta ornamental (*Capparis odoratissima*) da fam. das caparidáceas, de folhas coriáceas, bagas sésseis e flores aromáticas brancas e purpúreas [Pl.: *alcaparreiras-cheirosas*.]

alça-pé (al.ça-*pé*) *sm.* **1** Armadilha ou laço para apanhar a caça, prendendo-a pelo pé **2** Rasteira, pernada **3** *Fig.* Artifício para enganar alguém [Pl.: *alça-pés*.]

alçaprema (al.ça.*pre*.ma) *sf.* **1** Alavanca para levantar pesos **2** Espécie de alicate us. para extrair dentes **3** Espécie de alicate ou torquês **4** Instrumento comprido, em forma de pinça, com que se aperta o focinho de cavalo bravo **5** Armadilha para pássaros **6** *Fig.* Grande sofrimento ou aflição [F.: *alça* (fl. de *alçar*) + *prema* (fl. de *premir*).]

alçapremar (al.ça.pre.*mar*) *v. td.* **1** Levantar (algo) com alçaprema (espécie de alavanca) **2** Arrancar com alçaprema (ferramenta) **3** *Fig.* Alçar a um nível de caráter sublime, de grande excelência **4** *Fig.* Atormentar, afligir agoniar [▶ **1 alçapremar**] [F.: *alçaprema* + *-ar*. Hom./Par.: *alçaprema(s)* (fl.), *alçaprema* (sf. [e pl.]).]

alcaptona (al.cap.*to*.na) *Quím. sf.* Substância ($C_8H_8O_4$) resultante da ação bacteriana sobre a tirosina e que, presente na urina, a torna escura [F.: *ál(cali)* + lat. *capt-* (< lat. *captare*, 'captar') + *-ona*[2].]

alcaptonuria (al.cap.to.nu.*ri*.a) *sf.* Ver *alcaptonúria*

alcaptonúria (al.cap.to.*nú*.ri.a) *Med. sf.* Presença de alcaptona na urina [F.: *alcaptona* + *-úria* (ou *-uria*). Tb. *alcaptonuria*.]

alçar[1] (al.*çar*) *v.* **1** Colocar(-se) em posição mais alta; ALCEAR; LEVANTAR; SUSPENDER [*td.*: *Alçou o braço e agitou a bandeira.*] [*int.*: *O menino alçava-se para atingir a prateleira.*] **2** Erigir, levantar (uma construção, uma estátua etc.); ALCEAR [*td.*: *Ele mesmo alçou os muros de sua casa.*] **3** Levantar (os olhos, a vista) para cima [*tda.*: "Alçando os olhos para os quadros, correu a arrancar-lhe a lâmpada das mãos." (Aquilino Ribeiro, *O homem que matou o diabo*)] **4** Tornar mais alto, mais estridente (tom da voz) [*td.*: *Alçara tanto a voz que ficou rouco.*] **5** *Fig.* Pôr (algo ou alguém) em destaque ou posição superior, ou alcançar destaque, elevar-se [*tdp.*: *Alçaram-no diretor da empresa.*] [*tr.* + *a*: *À custa de muita dedicação alçou-se à diretoria.*] **6** *Fig.* Celebrar, exaltar [*td.*: *A multidão alçava a coragem do bombeiro.*] **7** Exaltar-se, ensoberbecer-se [*tdp.*: *Desde que foi premiado, alçou-se.*] **8** *Bras.* Escapar (o gado) para o mato, tornando-se selvagem [*int.*] **9** *Bras.* Sublevar-se, revoltar-se, formando guerrilha nas montanhas [*int.*: *Muitos rebeldes alçaram-se.*] **10** *Tip.* Arranjar (as folhas) para que fiquem em ordem correta para encadernação; ALCEAR [*td.*] [▶ **12 alçar**] [F.: Do lat. **altiare*, de *altus, a, um*, 'elevado'. Hom./Par.: *alça* (fl.), *alça* (sf.); *Alsa* (top.); *alças* (fl.), *alças* (pl. do sf.); *alce* (fl.), *alce* (sm.); *alces* (fl.), *alces* (pl. do sm.).]

alçar[2] (al.*çar*) *v. td.* Pôr alça em [▶ **12 alçar**] [F.: *alça* + *-ar*[2].]

alcaravão (al.ca.ra.*vão*) *Zool. sm.* **1** Ave noturna (*Burhinus oedicnemus*), caradriiforme, da fam. dos burinídeos, que ocorre em áreas áridas da Europa, Ásia e África **2** Tipo de garça da fam. dos ardeídeos (*Ardea stellaris*), de pescoço curto e plumagem raiada, que vive em charcos e lagoas [Pl.: *-ões*.] [F.: Do ár. *al-karawan*. Var.: *algorabão, algorovão, algravão*.]

alcaravia (al.ca.ra.*vi*.a) *Bot. sf.* **1** Erva nativa do Mediterrâneo, da fam. das umbelíferas (*Carum carvi*), cultivada por sua raiz aromática, pelas folhas e brotos comestíveis e, principalmente, pelo fruto cujas características o assemelham ao cominho **2** Fruto dessa planta, muitas vezes tomado por semente e que possui um óleo volátil de propriedades medicinais, também us. na culinária [F.: Do ár. *al-karawya*. Sin. ger.: *cariz, cominho-armênio*.]

alcaraviz (al.ca.ra.*viz*) *sf.* Tubo que conduz o ar dos foles à forja; ALGARAVIZ [De or. incerta; do ár., posv. Var.: *algaraviz*.]

alcaria (al.ca.*ri*.a) *sf.* **1** Pequena povoação; ALDEIA; VILA **2** Propriedade rural; FAZENDA; QUINTA [F.: Do ár. *al-qarya(t)*.]

alcarrada (al.car.*ra*.da) *sf.* Voo circular que as aves de rapina fazem, esp. os falcões, rondando a presa antes de atacá-la [F.: Or. obsc., do ár.]

alcatear (al.ca.te.*ar*) *v. int.* Pôr-se ou juntar-se em alcateia, bando de lobos [▶ **13 alcatear**] [F.: *alcateia* + *-ar*[2].]

alcateia (al.ca.*tei*.a) *sf.* **1** Bando de lobos **2** *P. ext.* Manada de animais ferozes **3** *Fig.* Bando de criminosos, de malfeitores; QUADRILHA **4** *Bras. Mar. G.* Grupo de submarinos que operam e atacam em conjunto; MATILHA [F.: Do ár. *al-qatih*, 'rebanho'.] ■ **De ~** À espreita, de tocaia

alcatifa (al.ca.*ti*.fa) *sf.* **1** Tapete espesso e bem macio; ALFOMBRA **2** *P. ext.* Aquilo que cobre o chão como um tapete **3** Tapete ou tecido de lã ou seda, com desenhos e cores variados, usado para cobrir o chão ou enfeitar as janelas em dias festivos [F.: Do ár. *al-qatifa*.]

alcatifado (al.ca.ti.*fa*.do) *a.* **1** Coberto com alcatifa; ATAPETADO *sm.* **2** As alcatifas de uma casa [F.: Part. de *alcatifar*.]

alcatifar (al.ca.ti.*far*) *v.* **1** Cobrir com tapete ou alcatifa; ATAPETAR [*td.*: *Alcatifar uma sala.*] **2** *Fig.* Revestir como um tapete [*td.*: *As flores alcatifavam o caminho.*] [*tr.* + *com, de*: "...puxou a canoa, alcatifou o fundo com as folhas macias das palmeiras..." (José de Alencar, *O Guarani*)] [▶ **1 alcatifar**] [F.: *alcatif(a)* + *-ar*.]

alcatifeiro (al.ca.ti.*fei*.ro) *sm.* Fabricante ou vendedor de alcatifas [F.: *alcatifa* + *-eiro*.]

alcatira (al.ca.*ti*.ra) *sf.* **1** *Bot.* Arbusto nativo da Ásia (*Astracantha gummifera*), de cujo caule se extrai uma goma mucilaginosa e farinácea **2** A goma extraída desse arbusto, us. como espessante em sorvetes, assim como na composição de medicamentos etc. [F.: Do ár.]

alcatra (al.*ca*.tra) *sf.* **1** Peça de carne de primeira localizada na parte posterior da coxa dos bovinos **2** A anca dos bois, vacas, touros e novilhos **3** *Tabu.* Nádega [F.: Do ár. *al-qatra*.] ■ **Andar nas ~s** *Bras. Pop.* Cavalgar sem sela, em pelo **Bater a ~ na terra ingrata** *RS Pop.* Morrer

alcatrão (al.ca.*trão*) *sm. Quím.* Mistura viscosa, escura e aromática, obtida pela destilação de substâncias orgânicas, como madeira, petróleo, carvão etc. [Pl.: *-trões*.] [F.: Do ár. *al-qatran*.]

alcatraz (al.ca.*traz*) *sm. Ornit.* Ave marinha (*Sula leucogaster*), da fam. dos sulídeos, de distribuição pantropical, que nidifica em ilhas oceânicas e costeiras; ATOBÁ-PARDO [F.: Do ár. *al-gattâs*.]

alcatreiro (al.ca.*trei*.ro) *Lus. Vulg. a.* Que tem grandes nádegas; NADEGUDO; BUNDUDO [F.: *alcatra* + *-eiro*.]

alcatroado (al.ca.tro.*a*.do) *a.* **1** Untado ou coberto com alcatrão: *barbante alcatroado.* **2** *Lus.* Revestido de asfalto; ASFALTADO [F.: Part. de *alcatroar*.]

alcatroar (al.ca.tro.*ar*) *v. td.* **1** Untar ou cobrir com alcatrão: *Alcatroar o casco de um navio.* **2** Pavimentar; asfaltar: *Alcatroaram um trecho da estrada.* [▶ **16 alcatroar**] [F.: *alcatrão* (rad. *alcatro-*) + *-ar*[2], com desnasalação.]

alcatroeiro (al.ca.tro.*ei*.ro) *sm.* Fabricante ou vendedor de alcatrão [F.: *alcatrão* + *-eiro*, com desnasalação.]

alcatruz (al.ca.*truz*) *sm.* **1** Vaso de barro, ger. cilíndrico, com que se tira água de um poço ou cisterna: "No passal, sob o telheiro da nora, com a grande roda e os alcatruzes calados" (Antero de Quental, *Senhora do Amparo*) **2** Manilha ou tubulação para canalização de água [F.: Do ár. *al-qadus*, do gr. *kádos*, *ou*, 'vaso (de barro)'.]

alcavala (al.ca.*va*.la) *sf.* **1** Tributo pago pelo vassalo ao senhor feudal **2** Imposto forçado; extorsão fiscal **3** Traficância, fraude [F.: Do ár. *al-qabala (t)*.]

alce (*al*.ce) *sm. Zool.* Mamífero da fam. dos cervídeos, de pelo escuro e focinho largo, que habita as regiões frias do hemisfério norte [O macho da espécie apresenta galhada com inúmeras pontas espalmadas.] [F.: Do lat. *alces, is*, de prov. or. germ. Hom./Par.: *alce* (sm.), *alce* (fl. de *alçar*).]

alceado (al.ce.*a*.do) *a.* **1** Posto no alto; ALÇADO; ERGUIDO **2** Grafado acima do alinhamento (diz-se de letra, número, sinal); SOBRESCRITO: *entradas com números alceados.* **3** *Art. gr.* Cujos cadernos foram agrupados para a montagem [F.: Part. de *alcear*.]

alceador (al.ce.a.*dor*) [ô] *sm.* **1** O que alceia **2** *Art. Gr.* Aquele que procede ao alceamento; ALÇADOR [F.: *alcear* + *-dor*.]

alceadora (al.ce.a.*do*.ra) [ô] *Art. Gr. sf.* Máquina para alcear; ALÇADORA [F.: *alcear* + *-dora*.]

alceamento (al.ce:a.*men*.to) *sm.* **1** Ação ou resultado de alcear, erguer, levantar **2** *Art. gr.* Agrupamento de cadernos (de livro, revista etc.) para montar um exemplar [F.: *alcear* + *-mento*.]

alcear (al.ce.*ar*) *v. td.* **1** O mesmo que *alçar*[1] (1 e 2) **2** *Tip.* O mesmo que *alçar*[1] (10) **3** *Náut.* Passar alça a uma peça do poleame [▶ **13 alcear**] [F.: Posv. de *alça* + *-ear*[2].]

alcedinídeo (al.ce.di.*ní*.de.o) *Zool. a.* **1** Ref. aos alcedinídeos *sm.* **2** Espécime dos alcedinídeos, fam. de aves coraciiformes, conhecidas como martins-pescadores, de bico grande, pescoço curto e plumagem adaptada para mergulhar em busca de peixes [F.: Do lat. cient. *Alcedinidae*.]

alceno (al.*ce*.no) *Quím. sm.* Qualquer composto de carbono e hidrogênio, insaturado com uma dupla ligação, cuja fórmula geral é C_nH_{2n} (n = 1, 2, 3...); OLEFINA [F.: *alc-* + *-eno*^{2}. Tb.: *alqueno*.]

alcino (al.*ci*.no) *Quím. sm.* Qualquer composto binário de carbono e hidrogênio, insaturado com uma ligação tripla, cuja fórmula geral é C_nH_{2n-2} (n = 1, 2, 3...) [F.: *alc-* + *-ino*^{2}. Tb.: *alquino*.]

alcionáceo (al.ci.o.*ná*.ce.o) *Zool. a.* **1** Ref. aos alcionáceos *sm.* **2** Espécime dos alcionáceos, ordem de cnidários antozoários com pólipos presos a uma massa carnosa, e cujas colônias têm formato de cogumelo [F.: Do lat. cient. *Alcyonacea*.]

alcionário (al.ci.o.*ná*.ri:o) *Zool. a.* **1** Ref. aos alcionários; OCTOCORAL; OCTOCORALIÁRIO *sm.* **2** Espécime dos alcionários, subclasse de cnidários antozoários marinhos cujos pólipos têm oito tentáculos e oito septos completos, e que inclui gorgônias e renilas; OCTOCORAIS; OCTOCORALIÁRIOS [F.: Do lat. cient. *Alcyonaria*.]

alcíone (al.*cí*.o.ne) *sf.* **1** *Mit.* Ave mitológica de canto prantivo que os gregos consideravam de bom augúrio **2** *Astron.* Uma das sete estrelas visíveis a olho nu das Plêiades **3** *Ornit.* Nome comum de algumas espécies de aves aquáticas da fam. dos alcedinídeos, com bico muito grande, encontradas na Ásia, África e Europa; MARTIM-PESCADOR [F.: Do gr. *halkyó* ou *alkyón, ónos* (fem.), pelo lat. *halcyon* ou *alcyon, onis*.]

alciônico (al.ci.*ô*.ni.co) *a.* **1** Ref. a alcíone **2** *Fig.* Em que há tranquilidade, bonança; SERENO [F.: *alcíone* + *-ico*^{2}. Sin. ger.: *alciôneo*.]

alcobaça (al.co.*ba*.ça) *sm.* Grande lenço de algodão, ger. de cor vermelha, esp. us. por quem cheira rapé [F.: Do top. *Alcobaça*, vila portuguesa produtora desses lenços.]

alcobacense^2 (al.co.ba.*cen*.se) *s2g.* **1** Indivíduo nascido ou que vive em Alcobaça (Portugal) **2** De Alcobaça; típico dessa cidade ou de seu povo **3** Ref. ao Mosteiro de Alcobaça, situado nessa cidade [F.: Do top. *Alcobaça* + *-ense*.]

alcofa (al.*co*.fa) *sf.* **1** *Lus.* Saca us. para fazer compras, ger. feita de folhas de palmeira ou de esparto trançadas **2** Espécie de berço portátil feito do mesmo material e acrescido de forro acolchoado **3** Cesto flexível feito de vime, esparto ou folha de palmeira, com asas, tampa e alças para ser levado a tiracolo

alcofar (al.co.*far*) *v. td.* Atuar como alcofa, alcoviteiro, em casos de amor: *Alcofava o desatino de Maria com João:* "Sua pérfida cunhada, Maria Teles, que tudo alcofou." (Antero de Figueiredo, *Leonor Teles*) [▶ **1** alcofar] [F.: *alcof(a)* + *-ar*.]

alcofor (al.co.*for*) [ô] *Ant. sm.* **1** *Quím.* Antimônio, sob a forma de alguns dos seus compostos **2** Pigmento à base de antimônio, us. como maquiagem para realçar a área ao redor dos olhos **3** *Fig.* Remédio para a vista **4** *Lus.* Cânfora

alcoice (al.*coi*.ce) *sm.* Ver *alcouce*

◎ **alcoo-** *el. comp.* Ver *alcool(o)-*.

álcool (*ál*.co.ol) *sm.* **1** *Quím.* Líquido incolor, inflamável, que evapora rapidamente, obtido pela fermentação de substâncias açucaradas ou por processos sintéticos; ETANOL **2** Qualquer bebida que contenha essa substância [Pl.: *alcoóis*.] [F.: Do ár. vulg. *al-kohol*, pelo lat. cient. *alcohol*, e pelo espn. *alcohol*.] ▪ **~ absoluto** *Quím.* Álcool etílico que não contém água; etanol; álcool anidro **~ amílico** *Quím.* Qualquer álcool isômero com cinco átomos de carbono [fórm.: $C_5H_{12}O$], us. como solvente etc.; pentanol **~ anidro** *Quím.* V. *Álcool absoluto* **~ benzílico** *Quím.* Álcool aromático encontrado em óleos vegetais [fórm.: C_7H_8O] **~ butílico** *Quím.* Todo álcool de cadeia saturada, com quatro átomos de carbono; butanol [fórm.: $C_4H_{10}O$] **~ etílico** *Quím.* Álcool obtido da fermentação de açúcares, us. em bebidas (espírito) ou como combustível; etanol [fórm.: C_2H_5OH] **~ isopropílico** *Quím.* Álcool incolor, volátil, us. como solvente; isopropanol [fórm.: C_3H_8O] **~ metílico** *Quím.* Álcool incolor, venenoso, us. na fabricação do aldeído fórmico e como combustível de aviação e de automóveis de corrida, anticongelante etc.; metanol [fórm.: CH_3O] **~ polivinílico** *Quím.* Nome usual de um polímero obtido na hidrólise de polímero do acetato de vinila, us. em adesivos **~ propílico** *Quím.* Qualquer dos (dois) alcoóis com três átomos de carbono; propanol [fórm.: C_3H_8O]

📖 Derivado de hidrocarboneto (todo álcool tem em sua fórmula o grupamento CH, e a hidroxila OH), o álcool tem propriedades energéticas, conhecidas desde a Antiguidade, quando o álcool obtido por fermentação de produtos vegetais (álcool etílico) já era usado em bebidas alcoólicas* e, modernamente, na indústria de alimentos. Outros alcoóis, mais tóxicos (como o metanol) têm utilização na fabricação de explosivos, como solvente, desinfetante, anticoagulante e como combustível de motores a explosão, sucedâneo de combustíveis à base de hidrocarbonetos fósseis (gasolina, querosene, óleo diesel, gás). No Brasil, com a crise do petróleo da década de 1970, desenvolveu-se muito a técnica de produção do álcool como combustível a partir de fontes renováveis, esp. da cana-de-açúcar. *Alguns exemplos de bebidas alcoólicas obtidas por fermentação de produtos agrícolas: aquavita, de batata; arak, da ameixa; bagaceira, de casca de uva; bourbon (uísque), de milho; cachaça, de melaço de cana; conhaque, de vinho de uva; gim, de cereais; grapa, de casca de uva; kirsch, de cereja; ouzo, de vinho de uva; rum, de melaço de cana; sidra, de maçã; slivowitz, da ameixa; tequila, de agave; uísque, de cereais; vinho, de uva; vodca, de cereais.

alcoolato (al.co.o.*la*.to) *sm.* **1** *Quím.* Composto resultante da reação de metais alcalinos sobre um álcool; ALCÓXIDO **2** *Farm.* Substância líquida que resulta da destilação conjunta do álcool com uma substância volátil [F.: *alcool(o)-* + *-ato*^{2}.]

alcoólatra (al.co.*ó*.la.tra) *s2g.* Pessoa que sofre de alcoolismo; ALCOÓLICO [F.: *álcool* + *-latra*.]

alcoolemia (al.co.o.le.*mi*.a) *Med. sf.* Concentração de álcool etílico no sangue resultante da ingestão de bebidas alcoólicas [F.: *alcool(o)-* + *-emia*.]

alcoolêmico (al.co.o.*lê*.mi.co) *Med. a.* **1** Ref. a alcoolemia **2** Que apresenta alcoolemia: *paciente alcoolêmico. sm.* **3** Indivíduo alcoolêmico (2) [F.: *alcoolemia* + *-ico*^{2}.]

alcoólico (al.co.*ó*.li.co) *a.* **1** Ref. ao álcool: *o teor alcoólico de uma bebida*. **2** Que contém álcool (bebida alcoólica) *sm.* **3** O mesmo que *alcoólatra* [F.: *álcool* + *-ico*^{2}.]

alcoólise (al.co.*ó*.li.se) *Quím. sf.* Reação química realizada com álcool [F.: *alcoo-* + *-lise*.]

alcoolismo (al.co.o.*lis*.mo) *sm. Psic.* Vício de ingerir bebidas alcoólicas com muita frequência, de maneira compulsiva, tornando o bebedor um dependente psicofísico; ETILISMO [F.: *álcool* + *-ismo*.]

📖 A ingestão de bebidas alcoólicas em níveis superiores aos que o organismo pode absorver normalmente (e que variam de pessoa a pessoa e com as circunstâncias) produz alterações fisiológicas, psíquicas e comportamentais que podem levar, no período de embriaguez, à perda ou diminuição dos controles sensoriais e emocionais e das reações psicomotoras, e a consequentes alterações no padrão de comportamento. Quando contumaz ou compulsivo, torna-se um problema crônico, pois pode levar à dependência psíquica e orgânica, incontrolável pela vontade. Nestes casos, o alcoolismo tem sido considerado uma doença, a exigir tratamento clínico e psiquiátrico, baseado na desintoxicação, na terapia psíquica e na abstinência total como indispensável profilaxia. Devido ao aumento dos índices de alcoolismo na juventude, e dos acidentes automobilísticos causados por ele, campanhas sociais têm sido empreendidas para alertar sobre todos os riscos físicos, individuais e sociais a ele inerentes.

alcoolizado (al.co.o.li.*za*.do) *a.* Que tomou uma quantidade excessiva de bebida alcoólica; BÊBADO [F.: Part. de *alcoolizar*.]

alcoolizar (al.co.o.li.*zar*) *v.* **1** Embriagar(-se); embebedar(-se) [*td.*: *O excesso de vinho alcoolizou-o.*] [*int.*: *Costuma alcoolizar-se.*] **2** Misturar (álcool) a outro líquido [*td.*: *Decidiram não alcoolizar demais os aperitivos.*] [▶ **1** alcoolizar] [F.: *álcool* + *-izar*.]

◎ **alcool(o)-** *el. comp.* = 'álcool': *alcoolemia; alcoolomania/alcoomania, alcoolômano/alcoômano, alcoolômetro/alcoômetro; alcooscopia* [Em geral em voc. da terminologia científica do séc. XIX em diante.] [F.: Do lat. cient. *alcohol*, do ár. vulg. *al-kohol*, com ou sem *-o-* de ligação, ou ainda com apócope do *-l-*.]

alcoolomania (al.co.o.lo.ma.*ni*.a) *sf. Med. Psiq.* Necessidade patológica de ingestão de bebida alcoólica, em período de intoxicação crônica [F.: *alcool(o)-* (ou *alcoo-*) + *-mania*. Tb. *alcoomania*.]

alcoolomaníaco (al.co.o.lo.ma.*ní*.a.co) *Med. Psiq. a.* **1** Ref. à alcoolomania **2** Alcoolômano (1) *sm.* **3** Alcoolômano (2) [F.: *alcoolomania* + *-iaco*, seg. o mod. gr. Tb. *alcoomaníaco*.]

alcoolômano (al.co.o.*lô*.ma.no) *Psiq. a.* **1** Ref. à alcoolomania **2** Que tem alcoolomania *sm.* **3** Aquele que tem alcoolomania [F.: *alcool(o)-* + *-mano*^{1}. Tb. *alcoômano*.]

alcoolômetro (al.co.o.*lô*.me.tro) *sm. Fís-quím.* Instrumento que mede a quantidade de álcool absoluto contida numa solução ou líquido [F.: *alcool(o)-* + *-metro*. Tb. *alcoômetro*.]

alcoolquímica (al.co.ol.*quí*.mi.ca) *Quím. sf.* Ramo da química que estuda os produtos derivados do álcool [F.: *álcool* + *química*.]

alcoolquímico (al.co.ol.*quí*.mi.co) *a.* Ref. à alcoolquímica (polo alcoolquímico) [F.: De *alcoolquímica*, com mud. de suf. (ver *-ico*^{2}).]

alcoomania (al.co:o.ma.*ni*.a) *sf.* Ver *alcoolomania*

alcoomaníaco (al.co.o.ma.*ní*.a.co) *a. sm.* Ver *alcoolomaníaco*

alcoômano (al.co.*ô*.ma.no) *a. sm.* Ver *alcoolômano*

alcoômetro (al.co.*ô*.me.tro) *sm.* Ver *alcoolômetro*

alcorânico (al.co.*râ*.ni.co) *a.* **1** Ref. ao Alcorão **2** Ref. à religião muçulmana [F.: *Alcorão* (sob a f. *alcoran-*) + *-ico*^{2}, seg. o mod. erudito.]

alcorα (al.co.ra.*nis*.ta) *a2g.* **1** *Teol.* Que é versado nas doutrinas do Alcorão **2** *Rel.* Que é sectário do alcorão *s2g.* **3** *Teol.* Indivíduo que é versado nas doutrinas do Alcorão **4** *Rel.* Aquele que é sectário do alcorão [F.: *Alcorão* + *-ista*, seg. o mod. erudito. Sin. nas acps. 2 e 4: *maometano*.]

Alcorão (Al.co.*rão*) *sm.* **1** *Rel.* O livro sagrado dos muçulmanos **2** *P. ext.* O Islamismo [Pl.: *-rões e -rães*.] [F.: Do ár. *al-quran*. Tb. *Corão*.]

📖 Para os islamitas, o Alcorão, originalmente, foi revelado por Alá, por intermédio do anjo Gabriel, ao profeta Maomé, que passou seu conteúdo a seus seguidores. O Alcorão é dividido em 30 partes, com 114 suratas, ou suras (capítulos), cada uma contendo entre 3 e 286 versículos e iniciadas quase sempre (com exceção de uma delas) com as palavras "Em nome de Deus, o Clemente, o Misericordioso". As suratas são de extensão variável, sendo que as mais extensas (com exceção da primeira) estão no começo do livro, não sendo seguida, portanto, uma ordem cronológica ou reunião por assunto. É essa ordem tradicional que se encontra em todas as edições árabes do Alcorão, cujo teor domina e orienta o pensamento muçulmano nos planos filosófico, social, jurídico e teológico.

alcorque (al.*cor*.que) *sm. Ant.* Antigo calçado com sola de cortiça [F.: Do ár. *al-qurq*, pelo cast. *alcorque*.]

alcova (al.*co*.va) [ô] *sf.* **1** Quarto de dormir pequeno e ger. sem janelas **2** Quarto de mulher ou de casal [F.: Do ár. *al-qubba*, posv. pelo ár. hisp.]

alcoveto (al.co.*ve*.to) [ê] *sm.* **1** Homem que serve de intermediário em relações amorosas; ALCOVITEIRO **2** Aquele que faz comércio explorando a prostituição; ALCOVITEIRO; PROXENETA; CÁFTEN [F.: Do ár. *al-qawwad*, 'intermediário'.]

alcovitagem (al.co.vi.*ta*.gem) *sf.* Ação ou resultado de alcovitar [Pl.: *-gens*.] [F.: *alcovitar* + *-agem*^{2}.]

alcovitar (al.co.vi.*tar*) *v.* **1** Ajudar como intermediário em relação amorosa; servir de alcoviteiro [*td.*: *Alcovitou muitos casais*.] [*int.*: *Ninguém alcovitava mais do que ela*.] **2** Fazer intrigas; MEXERICAR [*int.*: *Tem a mania de alcovitar*.] [▶ **1** alcovitar] [F.: *alcoveto* + *-ar*^{2}, pelas f. arc. *alcouvetar* e *alcouvitar*.]

alcovitaria (al.co.vi.ta.*ri*:a) *sf.* Ofício de alcoviteiro; ALCOVITEIRICE [F.: *alcoveto* + *-aria*, com evolução igual à de *alcovitar*.]

alcoviteira (al.co.vi.*tei*.ra) *sf.* **1** Mulher que faz intrigas; MEXERIQUEIRA **2** Mulher que serve de intermediária em relações amorosas [F.: *alcovitar* + *-eira*.]

alcoviteirice (al.co.vi.tei.*ri*.ce) *sf.* **1** Ação, ofício ou ocupação de alcoviteiro; ALCOVITARIA **2** Intriga, mexerico **3** O mesmo que *lenocínio* [F.: *alcoviteiro* + *-ice*. Sin. ger.: *alcovitice*.]

alcoviteiro (al.co.vi.*tei*.ro) *sm.* **1** Aquele que serve de intermediário de relações amorosas **2** Cáften, proxeneta [F.: *alcovitar* + *-eiro*. Sin. ger.: *alcoveto*.]

alcunha (al.*cu*.nha) *sf.* Cognome, ger. com valor depreciativo, dado a alguém devido a característica física ou moral; APODO: *Por ter perdido os dedos das mãos, o grande escultor ganhou a alcunha de Aleijadinho.* [F.: Do ár. *al-kunya*, 'sobrenome'; 'cognome'.]

alcunhar (al.cu.*nhar*) *v.* Pôr alcunha ou apelido em; APELIDAR [*td.*: *Só para implicar, alcunhavam-no*.] [*tdp.*: *Alcunhou-o (de) impertinente*.] [▶ **1** alcunhar] [F.: *alcunha* + *-ar*^{2}. Hom./Par.: *alcunha* (fl.), *alcunha* (sf.); *alcunhas* (fl.), *alcunhas* (pl. do sf.).]

alcuza (al.*cu*.za) *sf. Pop.* Pequeno vaso, de cerâmica ou de metal, com a boca estreita e o bojo largo, no qual se põe o azeite para uso diário; ALMOTOLIA [F.: Do ár. *al-kuza*.]

aldagrante (al.da.*gran*.te) *S. a2g.* **1** Que é velhaco, vagabundo, tratante *s2g.* **2** Indivíduo velhaco, vagabundo, tratante [F.: De or. obsc.]

aldeado (al.de:*a*.do) *a.* **1** Dividido em aldeias **2** Região povoada na forma de aldeias **3** Alocado em aldeia [F.: Part. de *aldear*.]

aldeamento (al.de:a.*men*.to) *sm.* **1** Ação ou resultado de aldear **2** Grupo de aldeias **3** Povoado indígena [F.: *aldear* + *-mento*.]

aldeão (al.de:*ão*) *a.* **1** Ref. a ou próprio de aldeia (hábitos aldeãos/aldeães/aldeões; família aldeã) **2** Que nasceu ou mora em aldeia *sm.* **3** Habitante de uma aldeia [Pl.: *-ãos, -ães e -ões*. Fem.: *-ã*.] [F.: *aldeia* + *-ão*^{2}.]

aldear (al.de.*ar*) *v. td.* **1** Separar ou distribuir por aldeias: *Aldear os índios era o seu trabalho.* **2** Reunir ou congregar num povo ou numa aldeia [▶ **13** aldear] [F.: *aldeia* + *-ar*^{2}. Hom./Par.: *aldeia* (fl.), *aldeia* (sf.); *aldeias* (fl.), *aldeias* (pl. do sf.).]

aldebarã (al.de.ba.*rã*) *sf. Astron.* Estrela de primeira grandeza, de luz avermelhada, da constelação de Touro: "Vagueio pela Noite decaída... / No espaço a luz de Aldebarã e de Árgus..." (Augusto dos Anjos, "Insônia", *in Eu e outras poesias*) [Com inicial maiúsc.] [Pl.: *-rãs*.] [F.: Do ár. *al-dabaran*.]

aldeia (al.*dei*.a) *sf.* **1** Pequena povoação, menor que a vila; POVOADO **2** Povoação de índios; ALDEAMENTO **3** *Bras.* Nos candomblés de caboclo, o local onde se realizam celebrações de cultos e as pessoas que delas participam **4** *Bras. RS* Conjunto de casas populares, ger. perto de quartéis, onde vivem as famílias dos soldados [Dim.: *aldeola* e *aldeota*.] [F.: Do ár. *ad-daya*.] ▪ **~ global** Termo que designa o mundo interligado pela comunicação de massa, internet etc.

aldeidase (al.dei.*da*.se) [e-i] *sf. Bioq.* Oxidase de que resulta a transformação do aldeído em ácido [F.: *aldeído* + *-ase*.]

aldeído (al.de.*í*.do) *Quím. sm.* Qualquer composto orgânico resultante da oxigenação parcial de alcoóis [F.: Do fr. *aldéhyde*. Ideia de 'aldeído': *ald(o)-* (*aldose*).]

⊕ **al dente** (*It. /ál dente/*) ***loc. adv.*** *Cul.* Tipo de cozimento de massa, arroz, legumes etc. que mantém a rigidez do produto quando mastigado
aldeola (al.de:*o*.la) ***sf.*** Pequena aldeia; ALDEOTA [Dim. irregular de *aldeia*.] [F.: *alde(ia)* + *-ola*.]
aldeota (al.de:o.ta) ***sf.*** O mesmo que *aldeola* [Dim. irregular de *aldeia*.]
alderamim (al.de.ra.*mim*) ***sf.*** *Astron.* Estrela de grandeza 2, 6, da constelação de Cefeu; ALFA DE CEFEU [Com inicial maiúsc.] [Pl.: *-rins.*] [F.: Do ár. *Adh-Dhira' al-Yamin*.]
alditol (al.di.*tol*) ***sm.*** *Quím.* Designação comum dos produtos obtidos pela redução a álcool do grupo carbonila de um monossacarídeo [Pl.: *-óis*.] [F.: *ald(ose)* + *-itol*.]
◎ **ald(o)-** ***el. comp.*** = '(função) aldeído': *aldose, aldoexose, aldotetrose, aldotriose*. [F.: Do fr. *ald(éhyde)* + *-o-*.]
aldoexose (al.do:e.*xo*.se) [cs] ***sf.*** *Bioq.* Aldose com seis átomos de carbono [F.: *ald(o)-* + *(h)exose*.]
aldol (al.*dol*) ***sm.*** *Quím.* Substância ($C_4H_8O_2$) obtida por condensação aldólica do aldeído acético [Pl.: *-óis*.] [F.: *ald(o)-* + *-ol*.]
aldose (al.*do*.se) ***sf.*** *Quím.* Carboidrato que tem tb. função de aldeído [F.: *ald(o)-* + *-ose*[2].]
aldosterona (al.dos.te.*ro*.na) *Bioq.* ***sf.*** Hormônio produzido pelas glândulas suprarrenais, que controla o metabolismo de água e eletrólitos [F.: *ald(o)-* + *(e)ster(ol)* + *-ona*[2].]
aldotetrose (al.do.te.*tro*.se) ***sf.*** *Bioq.* Aldose com quatro átomos de carbono [F.: *ald(o)-* + *tetrose*.]
aldotriose (al.do.tri:*o*.se) ***sf.*** *Bioq.* Aldose com três átomos de carbono [F.: *ald(o)-* + *triose*.]
aldraba (al.*dra*.ba) ***sf.*** **1** Argola de metal fixada na porta de entrada, com a qual se bate para ser atendido **2** Tranca pequena de metal para fechar portas e janelas **3** Pequena tranca de ferro com que se fecha a cana do leme **4** Tranca para escorar portas e janelas [F.: Do ár. *al-dabbâ*, 'lingueta, ferrolho de ferro'. Tb. *aldrava*.]
aldrabão (al.dra.*bão*) *Lus. Pop.* ***sm.*** **1** Pessoa que fala ou age confusamente; TRAPALHÃO **2** Pessoa que mente muito **3** Pessoa vigarista; TRAPACEIRO [Pl.: *-bões*. Fem.: *-bona*.] [F.: Do ár. *al-bardan*. Tb. *aldravão*.]
aldrabar[1] (al.dra.*bar*) ***v.*** **1** Pôr aldraba em; fechar com aldraba [***td.**: <u>aldrabar</u> o portão*] **2** Dar batidas com a aldraba para que se abra a porta [***tr.** + em*: <u>*aldrabar na porta*</u>] [▶ **1 aldrabar**] [F.: *aldraba* + *-ar*[2]. Hom./Par.: *aldraba(s)* (fl.), *aldraba(s)* (sf. [pl.]). Tb. *aldravar*.]
aldrabar[2] (al.dra.*bar*) ***v.*** **1** Executar mal, de modo imperfeito (trabalho, tarefa) [***td.***] **2** Falar depressa e confusamente [***int.***] **3** Mentir [***int.***] [▶ **1 aldrabar**] [F.: *aldrab(ão)* + *-ar*[2]. Tb. *aldravar*.]
aldrabas (al.*dra*.bas) ***sfpl.*** *Bras.* Peneira de couro us. pelos sertanejos [F.: Pl. de *aldraba*.]
aldragante (al.dra.*gan*.te) *RS* ***s2g.*** Indivíduo vagabundo, tratante: "Quase sempre é algum <u>aldagrante</u> velho e sem vergonha, dizedor de graças." (João Simões Lopes Neto, *Contos gauchescos e lendas do Sul*) [F.: De or. contrv.]
aldrava (al.*dra*.va) ***sf.*** O mesmo que *aldraba* [F.: Var. de *aldraba*. Hom./Par.: *aldrava* (sf.), *aldrava* (fl. de *aldravar*).]
aldravão (al.dra.*vão*) ***sm.*** Ver *aldrabão*
aldravar (al.dra.*var*) ***v.*** Ver *aldrabar*
aldravice (al.dra.*vi*.ce) ***sf.*** Mentira, impostura, patranha Tb. *aldrabice* [F.: Var. de *aldrabice* (*aldraba* + *-ice*.]
aldrin (*al*.drin) ***sm.*** *Quím.* Inseticida organoclorado, com altíssimo grau de toxidade e persistência no meio ambiente [Fórm.: $C_{12}H_{18}C_{15}$.] [F.: Do antr. After Kurt *Alder* (1902-1958), químico alemão.]
◎ **-ale** ***suf.*** *nom.* = 'espécime de planta (tb. fósseis), bactéria ou fungo, pertencente a certa ordem ou dada divisão científica: *antocerotale, aristoloquiale, cactale, cucurbitale, ericale, eufilicale, euforbiale, fagale, filicale, geraniale, helobiale, mirtale, palmale, piperale, rosale, rubiale, sapindale, sarraceniale; clamidiale, espiroquetale, eubacteriale; hifale: aristoloquiale; cicadofilicale; urticale* [F.: Adaptç. do lat. cient. *-ales*, do pl. do lat. *-alis, -ale*; uso ou retomada de uma forma singular para designar espécime de um taxônimo plural.]
álea[1] (*á*.le:a) ***sf.*** *Jur.* Probabilidade de lucro simultânea à de prejuízo [F.: Do lat. *alea, ae*. Hom./Par.: *álea* (sf.), *aleá* (sf.), *aliá* (sf.).]
álea[2] (*á*.le:a) ***sf.*** O mesmo que *aleia* [F.: Var. de *aleia*.]
⊕ **alea jacta est** (*Lat. /álea jacta est/*) ***loc. subst.*** A sorte está lançada [Frase atribuída a Júlio Cesar quando, em 49 a.C., resolveu atravessar o rio Rubicão e marchar para Roma, desobedecendo a ordem do Senado romano. Us. para revelar uma decisão definitiva.]
aleatoriedade (a.le:a.to.ri:e.*da*.de) ***sf.*** Qualidade do que é aleatório [F.: *aleatório* + *-edade*.]
aleatório (a.le:a.*tó*.ri:o) ***a.*** **1** Que não segue regra fixa: *A seleção foi feita de modo <u>aleatório</u>.* **2** Que depende das circunstâncias, do acaso, de fatores incertos, ou que ocorre por acaso ou por acidente; FORTUITO; CASUAL **3** Determinado pelas leis da probabilidade [F.: Do lat. *aleatorius, a, um*.]
alecítico (a.le.*cí*.ti.co) ***a.*** *Emb.* O mesmo que *alécito* [F.: *alécito* + *-ico*[2].]
alécito (a.*lé*.ci.to) ***a.*** *Emb.* Diz-se de ovo que não tem vitelo, ou que o tem em proporção mínima [F.: *a-*[3] + *lécito*[1].]
alecrim (a.le.*crim*) ***sm.*** **1** *Bot.* Arbusto (*Rosmarinus officinalis*), da fam. das labiadas, cujas flores e folhas são us. como tempero, para chá, em medicamento etc. **2** Flor ou folha desse arbusto [Pl.: *-crins*.] [F.: Do ár. *al-iklil*.]
alecrim-do-campo (a.le.crim-do-*cam*.po) ***sm.*** *Bot.* Designação comum a diversos arbustos das fam. das compostas, das labiadas e das verbenáceas [Pl.: *alecrins-do-campo*.]
alecrineiro (a.le.cri.*nei*.ro) ***sm.*** *Bot.* O mesmo que *alecrim* (*Rosmarinus officinalis*): "Pelos rosmaninhais, e inclina os topos / Do zimbro e <u>alecrineiro</u>, ao rés sentados..." (Alexandre Herculano, "A Arrábida" *in A harpa do crente*) [F.: *alecrim* + *-eiro*.]
aléctico (a.*léc*.ti.co) ***a.*** *Med.* Ref. a alexia; tb. *aléctico* [F.: *alexia* + *-ico*[2].]
alectório (a.lec.*tó*.ri:o) ***a.*** Que diz respeito ao galo [F.: Do lat. *alectorius, a, um*.]
◎ **alectoro-** ***el. comp.*** = 'galo': *alectoromancia, alectoromante, alectoromaquia* [F.: Do gr. *alektoro-* < gr. *aléktor, oros*.]
alectoromaquia (a.lec.to.ro.ma.*qui*.a) ***sf.*** *Lud.* Briga de galos [F.: *alectoro-* + *-maquia*.]
alectoromáquico (a.lec.to.ro.*má*.qui.co) ***a.*** Que diz respeito a alectoromaquia [F.: *alectoromaquia* + *-ico*[2].]
⊕ **alef** (*Heb. /álefe/*) ***sm.*** **1** A primeira letra do alfabeto hebraico **2** *Mat.* Designação comum aos cardinais dos conjuntos infinitos ∎ **~ zero** *Mat.* Número cardinal transfinito de todos os conjuntos infinitos numeráveis; o primeiro cardinal transfinito
alegação (a.le.ga.*ção*) ***sf.*** **1** Ação ou resultado de alegar **2** Aquilo que se alega, que se usa como argumento, prova etc. **3** Justificativa para atitude, afirmação etc. [Pl.: *-ções*.] [F.: Do lat. *allegatio, onis*.]
alegadamente (a.le.ga.da.*men*.te) ***adv.*** Com alegação; de modo comprovado: *terras <u>alegadamente</u> improdutivas*. [F.: Do fem. de *alegado* + *-mente*.]
alegante (a.le.*gan*.te) ***a2g.*** **1** Que alega ***s2g.*** **2** Aquele que alega [F.: Do lat. *allegans, antis*.]
alegar (a.le.*gar*) ***v.*** **1** Citar ou apresentar (fato, argumento, prova), como defesa, justificativa ou desculpa; ARGUMENTAR [***td.**: Atrasado, <u>alegou</u> desconhecimento do novo horário.*] [***tdi.** + a, para: <u>Alegou</u> <u>ao</u> delegado que tinha um álibi.*] **2** Referir (os próprios serviços) para ser recompensado [***td.**: <u>Alegou</u> que trabalhara à noite e conseguiu o aumento.*] **3** *Jur.* Expor em juízo, citando leis ou autoridades e produzindo argumentos [***td.**: <u>Alegou</u> a inconstitucionalidade da lei.*] [***tr.** + contra: O que <u>alegaram</u> <u>contra</u> o depoimento da testemunha?*] [▶ **14 alegar**] [F.: Do lat. *allegare*.]
alegoria (a.le.go.*ri*.a) ***sf.*** **1** Expressão do pensamento ou da emoção, muito us. em literatura, pintura e escultura, pela qual se representa simbolicamente um objeto para significar outro **2** *Bras.* Cada carro, apetrecho e adorno que ilustram o enredo de uma escola de samba: *A escola tirou dez no quesito <u>alegoria</u>.* [F.: Do lat. *allegoria, ae*.] ∎ **~ da caverna** *Fil.* Alegoria de Platão, na qual uma caverna representa a ignorância humana
alegórico (a.le.*gó*.ri.co) ***a.*** **1** Ref. a alegoria **2** Que contém ou apresenta uma alegoria [F.: Do lat. *allegoricus, a, um*.]
alegorista (a.le.go.*ris*.ta) ***a2g.*** **1** Que explica algo alegoricamente ***s2g.*** **2** Indivíduo que usa alegorias para representar, explicar ou interpretar, ou ainda para exprimir os seus pensamentos, emoções ou os pensamentos e emoções de outrem **3** *Bras.* Profissional que trabalha com alegorias: *O <u>alegorista</u> de uma escola de samba*. [F.: Do gr. *allegoristés*, pelo fr. *allégoriste*.]
alegorizar (a.le.go.ri.*zar*) ***v. td.*** Exprimir ou explicar através de alegorias: *Em seu Auto da alma, Gil Vicente <u>alegoriza</u> todo o conflito humano entre o bem e o mal.* [▶ **1 alegorizar**] [F.: *alegor(ia)* + *-izar*.]
alegrado (a.le.*gra*.do) ***a.*** Que se alegrou, que se tornou contente [F.: Part. de *alegrar*.]
alegramento (a.le.gra.*men*.to) ***sm.*** Ação ou resultado de alegrar(-se): *<u>Alegramento</u> causado pelo alvorecer ensolarado*. [F.: *alegrar* + *-mento*.]
alegrar (a.le.*grar*) ***v.*** **1** Tornar alegre, contente [***td.**: <u>Alegrou</u> todos os convidados.*] [***int.**: Uma boa caminhada <u>alegra</u>.*] **2** Sentir alegria ou muita satisfação [***tr.** + de: <u>Alegro</u>-<u>me</u> <u>de</u> o ver.*] **3** Beber um pouco além da conta, ficando mais alegre que de costume; EMBRIAGAR [***td.**: O vinho <u>alegrou</u>-o.*] **4** *Fig.* Tornar mais belo; ADORNAR; EMBELEZAR [***td.**: O sol <u>alegrava</u> os campos.*] **5** *Fig.* Dar viço e frescor a [***td.**: A chuva <u>alegrou</u> as searas.*] [▶ **1 alegrar**] [F.: *alegre* + *-ar*[2]. Ant. ger.: *entristecer*. Hom./Par.: *alegre* (fl.), *alegre* (a2g.); *alegro* (fl.), *alegro* (adv. sm.).]
alegrativo (a.le.gra.*ti*.vo) ***a.*** Que torna alegre, que alegra; ALEGRADOR [F.: *alegrar* + *-tivo*.]
alegre (a.*le*.gre) ***a2g.*** **1** Que sente alegria, contentamento; CONTENTE: *Acordou <u>alegre</u> hoje.* **2** Que encerra ou denota alegria (sorriso <u>alegre</u>; olhar <u>alegre</u>) **3** Que alegra, que dá prazer (notícia <u>alegre</u>; melodia <u>alegre</u>) **4** Em que há alegria (ambiente <u>alegre</u>; casa <u>alegre</u>; momento <u>alegre</u>) **5** Que é vivo, vistoso (diz-se de cor) [Nas acps. 1 a 5, ant.: *triste*.] **6** Um tanto embriagado: *Ficou <u>alegre</u> com a cerveja.* **7** Expansivo, comunicativo **8** Um tanto licencioso, um tanto libertino (viúva <u>alegre</u>) **9** *Gír.* Efeminado (rapaz <u>alegre</u>) [F.: Do lat. vulg. **alicer* (gen. **alecris*), posv. pelo occitano trovadoresco *alegre*.]
alegreto (a.le.*gre*.to) [ê] *Mús.* ***a.*** **1** Diz-se de andamento menos vivo que o alegro **2** Esse andamento **3** Trecho musical que se executa nesse andamento [F.: Do it. *allegretto*.]
alegria (a.le.*gri*.a) ***sf.*** **1** Sentimento de grande contentamento, de satisfação, de prazer [+ *com, de, em, por*: *<u>alegria</u> <u>com</u> a vitória; <u>alegria</u> <u>de</u>/<u>em</u>/<u>por</u> viver.*] **2** O estado de grande satisfação, próprio de quem está alegre **3** Fato ou acontecimento alegre, feliz: *É uma <u>alegria</u> recebê-los aqui.* **4** Aquilo que alegra, contenta, que causa satisfação, prazer: *Sua obra foi sua grande <u>alegria</u>.* **5** Divertimento, distração [F.: *alegre* + *-ia*[1]. Ant. ger.: *tristeza*.]
alegrinho (a.le.*gri*.nho) ***a.*** **1** Um pouco alegre **2** *Pop.* Que demonstra amabilidade e bom-humor por estar levemente embriagado ***sm.*** **3** *Bras. Pop. Pej.* Indivíduo que é dado a fazer brincadeiras, ger. ridículas e imprudentes **4** *Ornit.* Ave passeriforme (*Serpophaga subcristata*), da fam. dos tiranídeos, encontrada na copa das árvores e arbustos do S. e S. E. brasileiro; de até 11 cm de comprimento, possui coloração cinza-olivácea na parte superior, e branco-amarelada na inferior; ALEGRINHO-DO-LESTE; CAGA-SEBITO; HERNEIRO; JOÃO-POBRE-TOPETUDO; MODESTINHO **5** *Ornit.* Ave passeriforme (*Camptostoma obsoletum*), da fam. dos tiranídeos, encontrada na copa das árvores e arbustos da Costa Rica, Panamá e em quase toda América do Sul; com cerca de 11, 5 cm de comprimento, possui cabeça acinzentada, dorso esverdeado e asas com duas faixas claras; chama a atenção pela sua voz alegre, lembrando uma risada; ASSOVIA-CACHORRO; PAPA-MOSQUITO; RISADINHA [F.: *alegre* + *-inho*.]
alegro (a.*le*.gro) ***adv.*** **1** *Mús.* Em andamento vivo, alegre ***sm.*** **2** *Mús.* Trecho de composição musical nesse andamento [F.: Do it. *allegro*. Hom./Par.: *alegro* (adv. sm.), *alegro* (fl. de *alegrar*).]
aleia (a.*lei*.a) ***sf.*** **1** Conjunto de árvores dispostas em fileira: *<u>aleia</u> de palmeiras imperiais* **2** Rua ou avenida ladeada de árvores enfileiradas; ALAMEDA **3** Passagem ou caminho entre dois muros [F.: Do fr. *allée*.]
aleijada (a.lei.*ja*.da) ***sf.*** **1** Mulher que apresenta algum defeito ou mutilação física **2** *Agr.* Variedade de cana-de-açúcar [F.: Fem. substv. de *aleijado*.]
aleijado (a.lei.*ja*.do) ***a.*** **1** Que apresenta algum defeito ou mutilação física ***sm.*** **2** Indivíduo aleijado [F.: Part. de *aleijar*.]
aleijamento (a.lei.ja.*men*.to) ***sm.*** Ação ou resultado de aleijar(-se) [F.: *aleijar* + *-mento*.]
aleijão (a.lei.*jão*) ***sm.*** **1** Qualquer deformidade, física ou moral **2** Pessoa ou coisa muito disforme (natural ou malfeita); MONSTRO [Pl.: *-jões*.] [F.: *a-*[4] + lat. *laesio, onis*, 'lesão'.]
aleijar (a.lei.*jar*) ***v.*** **1** Causar aleijão a ou sofrer aleijão; tornar(-se) mutilado, deformado; DEFORMAR(-SE); MUTILAR(-SE) [***td.**: Atropelou o animal e o <u>aleijou</u>.*] [***int.**: <u>Aleijou-se</u> num grave acidente.*] **2** *Fig.* Estragar ou mutilar (qualquer coisa ou objeto) [***td.**: Na pressa, <u>aleijou</u> a escultura.*] **3** *Lus. Pop.* Ferir ou contundir (alguma parte do corpo) [***td.***] **4** *Fig.* Causar dano ou prejuízo financeiro a [***td.***] [▶**1 aleijar**] [F.: *aleij(ão)* + *-ar*[2].]
aleirar (a.lei.*rar*) ***v. td.*** Repartir em leiras; leirar [▶ **1 aleirar**] [F.: *a-* + *leir(a)* + *-ar*.]
aleitação (a.lei.ta.*ção*) ***sf.*** O mesmo que *aleitamento*[1] [Pl.: *-ções*.] [F.: *aleitar*[1] + *-ção*.]
aleitamento[1] (a.lei.ta.*men*.to) ***sm.*** Ação ou resultado de aleitar[1]; AMAMENTAÇÃO [F.: *aleita(r)*[1] + *-mento*.]
aleitamento[2] (a.lei.ta.*men*.to) ***sm.*** Ação ou resultado de aleitar[2] [F.: *aleitar*[2] + *-mento*.]
aleitar[1] (a.lei.*tar*) ***v.*** **1** Nutrir (criança pequena) com leite; AMAMENTAR [***td.**: <u>Aleitou</u> dois bebês ao mesmo tempo.*] [***int.**: Tinha condições de <u>aleitar</u>.*] **2** *Fig. P. us.* Tornar claro, sereno, como se fosse leite [***td.***] [▶ **1 aleitar**] [F.: *a-*[2] + *leit(e)* + *-ar*[2]. V. tb. *lactar*.]
aleitar[2] (a.lei.*tar*) ***v. td.*** **1** Pôr no leito ou na cama **2** Trabalhar a superfície de (uma pedra), para pôr outra em cima [▶ **1 aleitar**] [F.: *a-*[2] + *leito* + *-ar*[2].]
aleive (a.*lei*.ve) ***sm.*** O mesmo que *aleivosia*: "É um <u>aleive</u>, senhora, um <u>aleive</u> muito grande que levantou a pessoa que tal não merecia." (Manuel Antônio de Almeida, *Memórias de um sargento de milícias*) [F.: De or. contrv., posv. do ár. *aib*, 'vício', ou do gót. *lewjan*, 'atraiçoar'.]
aleivosia (a.lei.vo.*si*.a) ***sf.*** **1** Ação ou atitude que encerra traição, deslealdade para com alguém, sob a aparência de manifestação de amizade, apoio etc. **2** Acusação infundada, calúnia, injúria **3** Capacidade de enganar ou trair, qualidade de quem trai: *Sua <u>aleivosia</u> não tem limite.* [F.: *aleivos(o)* + *-ia*[1].]
aleivoso (a.lei.*vo*.so) [ô] ***a.*** **1** Que comete aleive ou aleivosia (homem <u>aleivoso</u>) **2** Praticado com aleive ou aleivosia (homicídio <u>aleivoso</u>) **3** Que calunia ou injuria (acusação <u>aleivosa</u>) [Fem.: [ó]. Pl.: [ó].] [F.: *aleive* + *-oso*.]
aleli (a.*le*.li) *Bot.* ***sm.*** **1** Planta (*Cheirantus cheiri*), da fam. das crucíferas, de flores odoríferas de coloração vermelha, branca, amarela ou violácea; GOIVO; GOIVEIRO **2** A flor dessa planta [F.: Do berbere *al-hiri*, posv.]
alélico (a.*lé*.li.co) ***a.*** *Gen.* Ref. a alelo [F.: *alelo* + *-ico*[2].]
alelismo (a.le.*lis*.mo) ***sm.*** *Gen.* Ocorrência de dois ou mais alelos de um mesmo gene; ALELOMORFISMO [F.: *alelo* + *-ismo*.]
◎ **alel(o)-** ***el. comp.*** = 'um ao outro', 'uns aos outros', 'de um a outro'; (*P. ext.*) 'alelo': *alelismo, alelobiose, alelomorfo, alelopatia, aleloquímico, alelositismo* [F.: Do gr. *allélon* (genit. pl., sem nominativo).]
alelo (a.*le*.lo) [é] *Gen.* ***sm.*** Forma alternativa de ocorrência de um gene [F.: F. red. de *alelomorfo*.]
alelobiose (a.le.lo.bi:*o*.se) ***sf.*** *Ecol.* Relacionamento vital entre os seres vivos [A alelobiose ocorre entre indivíduos de uma mesma espécie ou entre indivíduos de espécies diferentes.] [F.: *alel(o)-* + *-biose*.]
alelomorfismo (a.le.lo.mor.*fis*.mo) ***sm.*** *Gen.* O mesmo que *alelismo* [F.: *alelomorfo* + *-ismo*.]
alelomorfo (a.le.lo.*mor*.fo) *Gen.* ***sm.*** O mesmo que *alelo* [F.: *alel(o)-* + *-morfo*.]

alelopatia (a.le.lo.pa.*ti*.a) *sf. Bioq.* Dano em uma planta provocado por outra espécie que, como forma de defesa, produz e libera aleloquímicos no meio ambiente [F.: *alel(o)- + -patia.*]
alelopático (a.le.lo.*pá*.ti.co) *a.* **1** Ref. a alelopatia **2** Que apresenta alelopatia **3** Provocado por alelopatia [F.: *alelopatia + -ico².*]
aleloquímico (a.le.lo.*quí*.mi.co) *sm. Bioq.* Substância química produzida por uma planta que, ao ser liberada no meio ambiente, é capaz de matar ou impedir o desenvolvimento de outra espécie [F.: *alel(o)- + químico.*]
alelositismo (a.le.lo.si.*tis*.mo) *sm. Bot.* Caso de parasitismo de uma planta em relação a outra do mesmo grupo. Tb. *sintrofia* [F.: *alel(o)- + -sit(o)- + -ismo.*]
aleluia (a.le.*lui*.a) *Rel. sf.* **1** Cântico de alegria de origem hebraica, assimilado no culto cristão, entoado na Páscoa **2** A celebração da Ressurreição de Cristo, no sábado da semana santa *interj.* **3** Exclamação de alegria **4** *Litu.* Versículo (que se inicia com essa palavra) recitado na missa, antes do Evangelho **5** *Bot.* Certa árvore das leguminosas (*Senna multijuga*), nativa do Brasil, us. como ornamental e em reflorestamento **6** *Zool.* Nome comum de várias esp. de cupim e de insetos de vida efêmera [F.: Do heb. *Halelu Ia* 'louvai o Senhor', pelo lat. *aleluia.*]
aleluiar (a.le.lui.*ar*) *v.* **1** Entoar aleluias [*int.*] **2** *Mús.* Introduzir (antífonas, versículos) nas aleluias da liturgia [*td.*] **3** Ser tomado por grande alegria; REJUBILAR-SE [*int.*] [▶ 1 aleluiar] [F.: *alelui(a)* + *-ar*. Hom./Par.: *aleluia(s)* (fl.), *aleluia* (sf. [pl.]).]
além (a.*lém*) *adv.* **1** Mais adiante: "E apontou para a parede fronteira à porta de entrada, fazendo um gesto para mostrar que a casa se estendia além" (Visconde de Taunay, *Inocência*) **2** Naquele lugar, na parte de lá, acolá: "A aldeia repousa. Só além, junto das fogueiras os homens da montanha e do vale conversam suas saudades" (Álvares de Azevedo, *Macário*): "...algumas devotas, com o manteu escuro pela cabeça, rezavam aqui e além, ao pé dum altar envernizado de branco" (Eça de Queirós, *O crime do padre Amaro*) **3** A grande distância: *A fazenda é logo aí, mas o engenho fica além.* **4** Afora: "A única pessoa que não se surpreendeu por aí além foi o homem que tinha vindo pedir um barco." (José Saramago, *O conto da ilha desconhecida*) *sm.* **5** A vida depois da morte; o outro mundo: *vozes do além* [F.: Do lat. *(ad) illinc*, posv. Hom./ Par.: *além* (adv. sm.), *alem* (fl. de *alar*).] ■ **~ de 1** Mais adiante de: *Siga por ali, além da curva há uma fonte.* **2** Para mais de: *Esta estrada vai além dos cem quilômetros.* **3** Do outro lado de: *O povoado fica além do rio.* **4** Acima de: *A tarefa está além de sua capacidade.* **5** Ademais de: *Além de estudar muito, tem boa memória.* **6** Com exceção de: "Que é que te faz imaginar que não há, além de ti, nenhuma pessoa decente?" (Nicolai Gogol, "Diário de um louco", in *Mar de histórias 3*) **~ disso** Também, outrossim: *Ele é competente, além disso tem muita sorte.* **~ do mais** Ver *Além disso*
◎**além-** *pref.* = 'para além de'; 'depois de': *além-mar, além-túmulo* [F.: De *além.*]
alemânico (a.le.*mâ*.ni.co) *a.* **1** *P. us.* Da Alemanha, típico desse país ou de seu povo *sm.* **2** *Gloss.* Língua germânica falada em algumas regiões da Suíça, Áustria, Alemanha e França [F.: Do lat. *alamannicu.*]
alemanizar (a.le.ma.ni.*zar*) *v.* O mesmo que *germanizar* [▶ 1 alemanizar] [F.: *alemão + -izar.*]
alemão (a.le.*mão*) *sm.* **1** Indivíduo nascido ou que vive na Alemanha **2** *Gloss.* Língua falada na Alemanha, Áustria e em parte da Suíça *a.* **3** Da Alemanha; típico desse país ou de seu povo (arte alemã) **4** Do ou ref. ao alemão (2) [Pl.: *-mães.* Fem.: *-mã.*] [F.: Do lat. *alemanni, orum*, tomado no sing.]
alemão-ocidental (a.le.mão-o.ci.den.*tal*) *sm.* **1** Pessoa que nasceu ou viveu na antiga Alemanha Ocidental ou na ex-República Federal da Alemanha (1949-1990) *a.* **2** Da Alemanha Ocidental, típico desse país ou de seu povo [Pl.: *alemães-ocidentais.* Fem.: *alemã-ocidental.*]
alemão-oriental (a.le.mão-o.ri:en.*tal*) *sm.* **1** Pessoa que nasceu ou viveu na antiga Alemanha Oriental ou na ex-República Democrática Alemã (1949-1990) *a.* **2** Da Alemanha Oriental, típico desse país ou de seu povo [Pl.: *alemães-orientais.* Fem.: *alemã-oriental.*]
alembamento (a.lem.ba.*men*.to) *sm. Ang.* Na tradição angolana, dote pago pelo noivo à família da noiva (esta obriga-se a devolvê-lo em caso de não consumação do casamento, ou de rompimento legal do vínculo matrimonial); ALAMBAMENTO; LEMBAMENTO [F.: *alemba(r) + -mento.*]
além-mar (a.lém-*mar*) *adv.* **1** Do outro lado do mar *sm.* **2** Território situado do outro lado do mar: *O além-mar fascinava os portugueses no século XV.* [Pl.: *além-mares.*] [Ant. ger.: *aquém-mar.*]
alemoa (a.le.*mo*:a) [ô] *Pop. sf.* **1** Mulher nascida ou que vive na Alemanha (Europa) **2** *PE Etnog.* O mesmo que *alamoa* [F.: Fem. de *alemão.*]
além-túmulo (a.lém-*tú*.mu.lo) *sm.* A vida que, supostamente, existe depois da morte; o além [Pl.: *além-túmulos.*]
alencariano (a.len.ca.ri:*a*.no) *a.* **1** Do ou ref. ao escritor brasileiro José de Alencar (1829-1877), ou próprio dele **2** De estilo semelhante ao de José de Alencar (prosa alencariano) **3** Diz-se do indivíduo que admira ou conhece muito a obra e a vida desse escritor *sm.* **4** Esse especialista em José de Alencar [F: Do antr. (José de) *Alencar + -i- + -ano¹.* Sin. ger.: *alencarino.*]

◎**-aleno** *Quím. el. comp.* = 'hidrocarboneto com dois anéis iguais fundidos por um lado': *heptaleno, pentaleno* [F.: De *(naft)aleno.*]
aleno (a.*le*.no) *sm. Quím.* Hidrocarboneto alifático (C_3H_4), gasoso, inflamável à temperatura e pressão ambientes; PROPADIENO [F.: *al(ila) + -eno².*]
alentado (a.len.*ta*.do) *a.* **1** Que é volumoso, grande: *Um alentado volume de mais de 500 páginas.* **2** Que é farto, abundante (refeição alentada) **3** Que é destemido, enérgico, corajoso: "Matias de Albuquerque, com aspecto constante e belicoso, com alentado espírito e diligência incomparável..." (Conde da Ericeira (D. Luís de Meneses), *A batalha de Montijo*) [F.: Part. de *alentar.*]
alentador (a.len.ta.*dor*) [ô] *a.* **1** Que alenta *sm.* **2** O que alenta [F.: *alentar + -dor.* Ant. ger.: *desalentador.*]
alentar (a.len.*tar*) *v. td.* Dar (alento, ânimo, esperança) a: *A visita alentou os doentes* [▶ 1 alentar] [F.: *alent(o) + -ar.*]
alentecer (a.len.te.*cer*) *v. int.* Mover-se ou realizar-se com lentidão, tornar-se vagaroso [▶ 33 alentecer] [F.: *a- + lento + -ecer.*]
alentecimento (a.len.te.ci.*men*.to) *sm.* Ação ou resultado de alentecer [F.: *alentecer + -imento.*] ■ **~ dos relógios** *Fís.* Na medição de tempo entre dois eventos tomados como referência de início e fim dessa medição, o efeito relativístico que se manifesta como um aumento nessa medida para um observador em movimento inercial, em relação a um observador inercial imóvel
alentejano (a.len.te.*ja*.no) *sm.* **1** Pessoa nascida ou que vive no Alentejo (Portugal) *a.* **2** Do Alentejo; típico dessa região ou de seu povo [F.: Do top. *Alentejo + -ano¹.*]
alento (a.*len*.to) *sm.* **1** Fôlego, respiração: *Ficou sem alento ao subir a ladeira* **2** Ânimo, coragem: *Suas palavras deram-me alento* [Ant.: *desalento*] **3** *P. ext.* O que nutre, fortalece, revigora, sustenta: *Essa injeção de recursos será um alento para o projeto.* [F.: Do lat. *anhelitus, us*, posv.] ■ **Dar o último ~** Morrer, conceder a alma
alentos (a.*len*.tos) *smpl.* **1** *Vet.* Orifícios ou respiradouros dentro das ventas do cavalo **2** *Vest.* Ornamentos que antigamente enfeitavam o toucado de algumas freiras [F.: Pl. de *alento.*]
◎ **aleo-** *el. comp.* = 'diferente'; 'de outra natureza': *aleofilia, aleófilo* [F.: Do gr. *allοios, a, on.* F. conexas: *al(o)-, alel(o)-, alerg(o)-.*]
áleo (*á*.le:o) *a. Her.* Figurado com asas (nos brasões, em geral serpentes ou leões); ALADO [F.: Do lat. *ala*, 'asa', + *-eo.*]
aleofilia (a.le:o.fi.*li*.a) *sf.* Atração por pessoas do sexo oposto [F.: *aleo- + -filia¹.*]
aleofílico (a.le:o.*fí*.li.co) *a.* **1** Ref. ou inerente a aleofilia **2** Que tem aleofilia *sm.* **3** Aquele que tem aleofilia [F.: *aleofilia + -ico².*]
alepidoto (a.le.pi.*do*.to) *Zool. a.* **1** Diz-se de peixe sem escamas *sm.* **2** Peixe sem escamas [F.: Do gr. *alepidotos, os, on.*]
alepocéfalo (a.le.po.*cé*.fa.lo) *sm. Ict.* Designação comum aos peixes do gên. *Alepocephalus*, da fam. dos alepocefalídeos, caracterizados pela ausência de escamas na cabeça [F.: Do lat. cient. *Alepocephalus.*]
alergênico (a.ler.*gê*.ni.co) *a.* Que provoca alergia; ALERGIZANTE [F.: *alergênio + -ico²*, por infl. do ing. *allergenic.*]
alergênio (a.ler.*gê*.ni:o) *sm.* Ver *alérgeno*
alérgeno (a.*lér*.ge.no) *sm. Med.* Qualquer substância que causa ou que é capaz de causar reação alérgica em alguém [F.: Do fr. *allergène.* Tb. *alergênio.*]
alergia (a.ler.*gi*.a) *sf.* **1** *Med.* Reação anormal de determinado organismo a certas substâncias ou alimentos que não provocam tal reação em outros organismos; sensibilidade a ter esse tipo de reação (alergia a lã) **2** *Fig.* Ojeriza, antipatia, sentimento de rejeição a algo: *Tinha verdadeira alergia à preguiça e à irresponsabilidade.* [F.: Do fr. *allergie.*]

📖 A alergia é uma afecção provocada pela reação imunológica do organismo à invasão de elementos estranhos a ele. Os antígenos invasores suscitam a criação dos anticorpos, que os atacam, e nesse processo podem ocorrer reações das quais o organismo se ressente, reagindo, ele, por sua vez. O antígeno invasor que provoca a alergia é chamado alérgeno, e pode ser de vários tipos, de acordo com vários critérios, um dos quais é o de sua via de acesso ao organismo: pelas vias respiratórias, elementos como poeira, pólen e ácaros são causas frequentes de alergia; por ingestão, podendo chegar ao sangue, micróbios e parasitos são às vezes causa de alergias graves; por contato de pele, os mais variados materiais (certos metais, couro, plástico, tintas etc.) e mesmo agentes naturais como o vento, a luz solar, o calor, o frio etc. Especialmente grave, entre as reações alérgicas imediatas, é o choque anafilático, no qual o organismo, já sensibilizado por certo antígeno, reage violentamente a uma nova invasão desse antígeno produzindo substâncias (histamina, serotonina, heparina) que alteram o equilíbrio fisiológico contraindo músculos, dilatando vasos e bloqueando a coagulação do sangue.

alérgico (a.*lér*.gi.co) *a.* **1** Ref. a alergia **2** Que sofre de alergia (1) **3** *Fig.* Que sente alergia (2) [+ *a*: *Ela é alérgica a hipocrisia.*] *sm.* **4** Pessoa alérgica [F.: *alergi(a) + -ico².*]
alérgide (a.*lér*.gi.de) *sf. Imun.* Qualquer afecção cutânea causada por alergia [F.: Do ing. *allergid.*]
alergista (a.ler.*gis*.ta) *s2g.* Especialista em doenças alérgicas; ALERGOLOGISTA [F.: *alerg(ia) + -ista.*]

◎ **alerg(o)-** *el. comp.* = 'alergia': *alergodiagnóstico, alergologia, alergólogo* [F.: *alerg(ia) + -o-.*]
alergologia (a.ler.go.lo.*gi*.a) *sf. Med.* Ramo da medicina que estuda as reações e doenças alérgicas [F.: *alerg(o)- + -logia.*]
alergológico (a.ler.go.*ló*.gi.co) *a.* Ref. ou inerente a alergologia [F.: *alergologia + -ico².*]
alergologista (a.ler.go.lo.*gis*.ta) *a2g. s2g. Med.* O mesmo que *alergista* [F.: *alergologia + -ista.*]
alergólogo (a.ler.*gó*.lo.go) *sm.* O mesmo que *alergologista* [F.: *alerg(o)- + -logo.*]
alerta (a.*ler*.ta) *a2g.* **1** Atento ou vigilante [+ *a, para*: *policiais alertas (a/para qualquer sinal de perigo).*] *adv.* **2** De sobreaviso: *Este bairro é perigoso, é preciso ficar alerta o tempo todo.* *sm.* **3** Aviso ou sinal para que se tome precaução ou cuidado [+ *contra, para, sobre*: *As rachaduras no prédio serviram como um alerta contra/para/sobre o risco de desabamento.*] [F.: Do it. *all' erta.*]
alertar (a.ler.*tar*) *v.* **1** Deixar ou ficar em estado de alerta [*td.*: *O barulho alertou o vigilante.*] [*int.*: *Com o barulho, o vigilante alertou(-se).*] **2** Provocar inquietação ou temor em [*td.*: *Os tiros ao longe alertaram os passantes.*] **3** Avisar, advertir [*tdr.* + *contra, de, sobre*: *Nós os alertamos sobre o perigo.*] [▶ 1 alertar] [F.: *alerta + -ar².* Hom./Par.: *alerta(s)* (fl.), *alerta(s)* (a2g. adv. sm. [pl.]).]
alesagem (a.le.sa.*gem*) *sf.* Retificação do diâmetro do cilindro de uma espingarda, canhão ou qualquer outro tubo produzido por fundição, forjamento etc. [Pl.: *-gens.*] [F.: Do fr. *alésage.*]
alestesia (a.les.te.si.a) *sf. Neur.* Sensação tátil em uma região do corpo oposta simetricamente à área que sofreu a estimulação; ALAQUESTESIA; ALOQUESTESIA [F.: *al(o)- + -estes(i)- + -ia¹.*]
aleta (a.*le*.ta) [ê] *sf.* **1** Pequena ala **2** Cada uma das asas do nariz **3** *Aer.* Pequena asa articulada com a asa maior do avião **4** Pequena asa ou estabilizador na cauda de um míssil, foguete etc. **5** *Arq.* Curva ou voluta que serve para atenuar os ângulos retos de um frontão **6** *Tec.* Saliência que facilita a transmissão de calor entre uma parede e o fluido à sua volta **7** *Mec.* Peça metálica com seção em forma de asa [F.: *ala + -eta* [ê]. Hom./Par.: *aleta* (sf.), *alheta* (sf.).]
◎ **aleto-¹** *el. comp.* = 'verdadeiro'; (*P. ext.*) 'verdade': *aletófilo, aletologia* [F.: Do gr. *alethés, és, és*, 'verdadeiro'.]
◎ **aleto-²** *el. comp.* = 'errante': *aletócito* [F.: Do gr. *alétes, ou.*]
aletócito (a.le.*tó*.ci.to) *sm. Biol.* Célula móvel, que não se fixa [F.: *aleto- + -cito.*]
aletologia (a.le.to.lo.*gi*.a) *sf. Fil.* Tratado ou discurso cuja temática é a questão da verdade [F.: *alet(o)- + -logia.*]
aletológico (a.le.to.*ló*.gi.co) *a.* Ref. ou inerente a aletologia [F.: *aletologia + -ico².*]
aletria (a.le.*tri*.a) *sf.* **1** *Cul.* Variedade de macarrão muito fino, us. em sopas ou preparado com leite, ovos, açúcar etc.; CABELO DE ANJO **2** *Bras. Zool.* O mesmo que *manjuba* (1) [F.: Do ár. *al-itrya.*]
◎ **aleur(o)-** *el. comp.* = 'farinha'; 'glúten': *aleuromancia, aleurômetro* [F.: Do gr. *áleuron, ou.*]
aleuromancia (a.leu.ro.man.*ci*.a) *sf.* Arte de adivinhar por meio de farinha; ALFITOMANCIA [F.: *aleur(o)- + -mancia*, por infl. do gr. *aleuromanteíon, ou.*]
aleuromante (a.leu.ro.*man*.te) *s2g.* Indivíduo praticante da aleuromancia [F.: Do gr. *aleurómantis, eos.*]
aleuromântico (a.leu.ro.*mân*.tico) *a.* Ref. ou inerente a aleuromancia ou a aleuromante [F.: *aleuromante + -ico².*]
aleurômetro (a.leu.*rô*.me.tro) *sm.* Instrumento us. para medir a quantidade de glúten contido na farinha de trigo [F.: *aleur(o)- + -metro.*]
aleurona (a.leu.*ro*.na) *sf. Bot.* Proteína em forma de grânulos encontrada no endosperma de muitas sementes maduras, e que se destina à alimentação do embrião nas primeiras fases de crescimento [F.: *aleur(o)- + -ona.*]
aleúte (a.le.*ú*.te) *s2g.* **1** Pessoa pertencente a um povo das ilhas Aleutas (N.O. da América do Norte) e de certas partes do Estado do Alasca *sm.* **2** Grupo composto por várias línguas faladas nessas regiões *a2g.* **3** Do ou ref. ao aleúte [F.: Do ing. *aleut.*]
alevino (a.le.*vi*.no) *sm. Ict.* Embrião de peixe, caracterizado por grande bolsa vitelínica [F.: Do fr. *alevin.*]
alexânder (a.le.*xân*.der) [cs] *sm.* Coquetel a base de gim ou conhaque, licor de cacau e leite condensado; LEITE DE ONÇA [Pl.: *alexanders.*] [F.: Do ing. *alexander.*]
alexandrinismo (a.le.xan.dri.*nis*.mo) *sm.* **1** *Hist.* Conjunto de manifestações filosóficas, científicas, literárias e artísticas surgidas em Alexandria (Egito) entre os sécs. III a II a.C., período em que essa cidade era o principal centro intelectual do mundo helenístico **2** *Fil.* Doutrina filosófica neoplatônica da Escola de Alexandria **3** *Liter.* Estilo floreado do período alexandrino da literatura grega [F.: *alexandrino + -ismo.* Cf.: *alexandrismo.*]
alexandrino¹ (a.le.xan.*dri*.no) *sm.* **1** Indivíduo nascido ou que vive em Alexandria **2** Gramático alexandrino (4) *a.* **3** Da antiga Alexandria; típico dessa cidade ou de seu povo **4** Ref. a gramático(s) de Alexandria (Egito) que, no séc. III a.C., difundiram a língua grega [F.: Do lat. *alexandrinus, a, um.*]
alexandrino² (a.le.xan.*dri*.no) *a.* **1** *Hist.* Ref. a Alexandre o Grande da Macedônia, ou a sua época. **2** *Poét.* Ref. a verso de doze sílabas, ger. com acento na sexta sílaba (mas que pode recair em outras) [F.: Do antrop. *Alexandr(e) + -ino.*]

📖 O termo ref. ao verso provém do poema que lhe deu origem na canção de gesta francesa (séc. XII), *Le Roman d'Alexandre*, de Alexandre du Bernay.

alexandrino^{3} (a.le.xan.*dri*.no) *sm. Mil.* Uniforme composto de calça branca e jaquetão azul-marinho, us. pela Marinha do Brasil nas festividades da batalha do Riachuelo [F.: Do antr. *Alexandrino* Faria de Alencar, o almirante que instituiu o uso desse uniforme.]

alexandrismo (a.le.xan.*dris*.mo) *sm. Fil.* Doutrina de pensadores italianos dos sécs. XIV e XV, baseada na interpretação de Aristóteles feita pelo filósofo grego Alexandre de Afrodísia (fins do séc. II e início do III) [F.: Do antr. *Alexandre* de Afrodísia + *-ismo*. Cf.: *alexandrinismo*.]

alexandrita (a.le.xan.*dri*.ta) *sf. Min.* Pedra semipreciosa de cor verde, variedade de crisoberilo [F.: Do antr. *Alexandre* (czar da Rússia) + *-ita*.]

alexetérico (a.le.xe.*té*.ri.co) [cs] *a.* Ref. a alexetério [F.: *alexetério* + *-ico*^{2}.]

alexetério (a.le.xe.*té*.ri:o) *sm. Med.* O mesmo que *antídoto* (1) [F.: Do gr. *aleksetérion*, 'meio de defesa'; 'remédio contra qualquer coisa', do gr. *aleksetérios, a, on*, 'que defende'.]

◎ **alex(i)-** *el. comp.* = 'que expulsa', 'que protege': *alexifármaco, alexina, alexipirético* [F.: Do gr. *alexi-* < gr. *aléxein*, 'afastar'; 'expulsar'; 'afastar o mal de alguém'; 'proteger'.]

alexia (a.le.*xi*.a) [cs] *sf. Med.* Impossibilidade de ler devido a lesão cerebral [F.: *a-*^{3} + *-lexia*.]

aléxico (a.*lé*.xi.co) [cs] *Med. a.* **1** Ref. ou inerente a alexia **2** Que tem alexia *sm.* **3** Aquele que tem alexia [F.: *alexia* + *-ico*^{2}.]

alexifármaco (a.le.xi.*fár*.ma.co) [cs] *sm. Farm.* Medicamento que neutraliza os efeitos de um veneno; ANTÍDOTO [F.: *alex(i)-* + *fármaco*.]

alexina (a.le.*xi*.na) [cs] *sf. Imun.* Substância bactericida existente no soro sanguíneo normal [F.: *alex(i)-* + *-ina*^{2}.]

alexipirético (a.le.xi.pi.*ré*.ti.co) [cs] *a. sm. Med.* O mesmo que *antipirético* [F.: *alex(i)-* + *pirético*.]

◎ **alfa-** *pref. Quím.* = 'átomo ou grupo alfa de uma molécula'; 'uma entre várias substâncias relacionadas, segundo critérios mais ou menos arbitrários'; 'estrutura alfa'; 'anel de três átomos em lactona ou lactama': *alfa-aminoácido; alfa-ionona; alfa-(D)-glicopiranose; alfa-lactona* [F.: Do gr. *álpha*, 'primeira letra do alfabeto grego', do hebr. *aleph*.]

alfa (*al*.fa) *sm.* **1** A primeira letra do alfabeto grego. Corresponde ao *a* latino (A, α) **2** *Astron.* Estrela principal de uma constelação **3** *Fig.* Início, princípio [P. opos. a *ômega*.] **4** *Fig.* Estado de total relaxamento e paz; espécie de semiconsciência: *entrar em alfa.* **5** *Mús.* Na antiga notação musical, figura representativa de duas notas ligadas [Tb. us. como especificador invariável: *partícula alfa, raios alfa*.] [F.: Do gr. *álpha*, pelo lat. *alpha*.] ■ **~ e ômega** *Fig.* O princípio e o fim

alfabetação (al.fa.be.ta.*ção*) *sf.* Ação ou resultado de alfabetar; colocação, disposição em ordem alfabética [Pl.: *-ções*.] [F.: *alfabeta(r)* + *-ção*.]

alfabetado (al.fa.be.*ta*.do) *a.* Posto em ordem alfabética [F.: Part. de *alfabetar*.]

alfabetamento (al.fa.be.ta.*men*.to) *sf.* O mesmo que *alfabetação* [F.: *alfabetar* + *-mento*.]

alfabetar (al.fa.be.*tar*) *v. td.* Dispor (conjunto ou lista de palavras ou de nomes, de acordo com suas iniciais) conforme as letras do alfabeto: *alfabetar a lista de convidados.* [▶ 1 alfabetar] [F.: *alfabet(o)* + *-ar*^{2}. Hom./Par.: *alfabeto* (fl.), *alfabeto* (sm.); *alfabetaria* (fl.), *alfabetária* (fem. de *alfabetário*).]

alfabetário (al.fa.be.*tá*.ri:o) *a.* Ref. ou inerente a alfabeto [F.: *alfabeto* + *-ário*. Hom./Par.: *alfabetária(s)* (fem. [pl.]), *alfabetária(s)* (fl. de *alfabetar*).]

alfabético (al.fa.*bé*.ti.co) *a.* **1** Que segue a ordem das letras do alfabeto (índice alfabético) **2** Que utiliza o alfabeto (código alfabético) [F.: *alfabeto* + *-ico*^{2}.]

alfabetismo (al.fa.be.*tis*.mo) *sm.* **1** Sistema de escrita pelo alfabeto [P. opos. a *ideografismo*.] **2** Estado ou qualidade daquele que possui instrução, que foi alfabetizado: "O alfabetismo funcional é medido há pouco tempo no mundo. O conceito foi definido pela Unesco no fim da década de 70 e engloba aqueles que conseguem utilizar a leitura e escrita..." (*O Estado de S.Paulo*, 08.09.2005) [Ant.: *analfabetismo*.] [F.: *alfabeto* + *-ismo*.]

alfabetização (al.fa.be.ti.za.*ção*) *sf.* **1** Ação ou resultado de alfabetizar, de ensinar a ler e escrever: *a alfabetização de adultos.* **2** *Restr. Pedag.* Aprendizado e desenvolvimento da capacidade do uso da escrita [Pl.: *-ções*.] [F.: *alfabetizar* + *-ção*.]

alfabetizado (al.fa.be.ti.*za*.do) *a.* **1** Que aprendeu a ler e escrever (diz-se de pessoa) **2** *Restr.* Que adquiriu e desenvolveu a capacidade de fazer uso da escrita, da representação gráfica das palavras *sm.* **3** Essa pessoa [F.: Part. de *alfabetizar*. Ant. ger.: *analfabeto*.]

alfabetizando (al.fa.be.ti.*zan*.do) *sm.* Pessoa que está sendo alfabetizada [F.: *alfabetizar* + *-ndo*.]

alfabetizar (al.fa.be.ti.*zar*) *v.* **1** Ensinar ou aprender a ler e a escrever [*td.*: *alfabetizar crianças*] [*int.*: *Aos sessenta anos alfabetizou-se.*] **2** *Restr.* Transmitir ou adquirir capacidade ou hábito da comunicação e expressão pela escrita **3** *P. ext.* Dar a (alguém) ou adquirir os conhecimentos gerais básicos (inclusive leitura e escrita), a instrução primária [▶ 1 alfabetizar] [F.: *alfabet(o)* + *-izar*.]

alfabeto (al.fa.*be*.to) *sm.* **1** Numa língua escrita, o conjunto limitado de sinais gráficos (esp. letras) que são usados combinadamente para representar as palavras **2** A série completa das letras de uma língua, dispostas numa ordem fixa convencional; ABECEDÁRIO **3** Conjunto de sinais gráficos que representam, de modo convencional ou codificado, fonemas ou palavras de uma língua, letras do alfabeto (1), ideias ou mensagens etc. (alfabeto fonético/Morse/Braille) **4** *Fig.* A escrita, o uso convencional de letras e sinais para representar as palavras: *a invenção do alfabeto.* **5** *Fig.* Os conhecimentos básicos, a partir da leitura e da escrita, ou de determinado saber, campo de atividades etc.; Á-BÊ-CÊ; BÊ-Á-BÁ [F.: Do lat. tard. *alphabetum, i.*] ■ **~ árabe** Alfabeto que data do séc. IV a.C., com 28 consoantes e seis adicionais. A escrita árabe é feita da direita para a esquerda **~ aramaico** Alfabeto de 22 letras escritas da direita para a esquerda, origem de outros alfabetos da Antiguidade **~ Braille** Sistema de escrita através de matriz de pontos em relevo, destinado à leitura pelo tato, na ponta dos dedos, de deficientes visuais **~ cirílico** Alfabeto eslavo com 43 letras, derivado do alfabeto grego. Us. em línguas eslavas, como o russo **~ copta** Derivado do alfabeto grego, com 32 letras, us. no Egito **~ etrusco** Adaptação do alfabeto grego à língua etrusca, a partir do séc. VIII a.C. até c. 1000 a. D. Inicialmente com 26 letras, com 20 após o séc. V **~ fenício** Alfabeto com 22 consoantes, já existente no fim do 2º milênio a.C. **~ fonético** Sistema de caracteres gráficos que representam os sons da fala, podendo registrar os fonemas ou indicar a pronúncia das palavras **~ fonético internacional** *Ling.* Alfabeto fonético criado pela *Association Phonétique Internationale*, que serve de referência internacional para a representação fonética das palavras de qualquer língua **~ glagolítico** Alfabeto eslavo [V. tb. *Alfabeto cirílico*.] do séc. IX, derivado do grego, com 40 letras **~ gótico** Alfabeto criado pelo bispo Úlfilas, com unciais gregas e caracteres rúnicos **~ grego** Alfabeto adaptado do fenício em c. séc. IX ou X a.C. [No séc. V a.C. o alfabeto jônico de Mileto, com 24 letras, foi definitivamente adotado na escrita grega clássica.] **~ hebraico** Alfabeto semítico, com 22 consoantes; em sua versão 'antiga' foi originariamente escrito o Pentateuco. Foi substituído no séc. I pelo alfabeto hebraico quadrado, que, por sua vez, deu origem ao alfabeto hebraico moderno. Escreve-se da direita para a esquerda, e as vogais se representam com 14 sinais diacríticos, que ger. não são usados **~ latino** Adaptação do alfabeto etrusco ao latim, no séc. VII a.C., com 21 letras, às quais, mais tarde, se acrescentaram *J, U, W, Y* e *Z* **~ maiúsculo** O alfabeto escrito com letras maiúsculas **~ manual** Sistema de sinais feitos com os dedos das mãos, um sinal para cada letra, ger. us. na comunicação com ou entre surdos e mudos **~ minúsculo** O alfabeto escrito com letras minúsculas **~ Morse** Alfabeto em que as letras são representadas por grupos de pontos e traços (o ponto para duração muito rápida de som ou luz, o traço para uma duração mais longa), us. em comunicação pelo rádio ou, em distâncias menores, por emissores de som ou de luz **~ rúnico** *Graf.* Alfabeto com 24 letras, chamadas *runas*, talvez originado do alfabeto latino, us. no N. O. da Europa, na Escandinávia e nas Ilhas Britânicas, do séc. III ao séc. XVII

alfabetologia (al.fa.be.to.lo.*gi*.a) *sf. Hist.* Ramo da história da escrita responsável pelo estudo das origens do alfabeto [F.: *alfabeto* + *-logia*.]

alfabetológico (al.fa.be.to.*ló*.gi.co) *a.* Ref. a alfabetologia [F.: *alfabetologia* + *-ico*^{2}.]

alface (al.*fa*.ce) *sf. Bot.* Erva (*Lactuca sativa*) de folhas grandes e lisas, de cor verde-clara, us. esp. no preparo de saladas [Há variedades com folhas de outras colorações, texturas e tamanhos.] [No uso coloquial, ocorre por vezes como masculino, quando referido à planta individual (ou ao conjunto de suas folhas), por influência de *pé de alface*.] [F.: Do ár. *al-hassa(t)*.]

alfádega (al.*fá*.de.ga) *sf. Lus. Angios.* O mesmo que alfavaca [F.: Var. de *alfavaca*, por um arcaísmo *alfábega*.]

alfaemissor (al.fa.e.mis.*sor*) [ô] *Fís. nu. a.* **1** Diz-se de nuclídeo radioativo que emite partículas alfa *sm.* **2** Esse nuclídeo radioativo [F.: *alfa* + *emissor*.]

alfafa (al.*fa*.fa) *sf. Bot.* Planta (*Medicago sativa*) us. principalmente na alimentação do gado [F.: Do ár. *al-halfa*.]

alfafal (al.fa.*fal*) *sm.* Porção de alfafas próximas entre si; LUZERNAL; LUZERNEIRA [Pl.: *-fais*.] [F.: *alfafa* + *-al*.]

alfageme (al.fa.*ge*.me) *sm.* **1** *Ant.* Barbeiro ou sangrador que, além de suas funções, tb. limpava e afiava a navalha ou lanceta **2** Fabricante, polidor ou vendedor de armas brancas; ARMEIRO; ESPADEIRO [F.: Do ár. *al-hajjám*.]

alfaia (al.*fai*.a) *sf.* **1** Móvel ou objeto de uso doméstico **2** Enfeite, adorno; joia: "...pela cobiça das alfaias de ouro e prata que estes ali guardavam..." (Alberto da Costa e Silva, *A manilha e o libambo*) **3** Ornato de igreja [F.: Do ár. *al-hâiâ*.]

alfaiatar (al.fai:a.*tar*) *v.* **1** Costurar (roupas) [*td.*] **2** Exercer o ofício de alfaiate [*int.*] [▶ 1 alfaiatar] [F.: *alfaiate* + *-ar*. Hom./Par.: *alfaiate(s)* (fl.), *alfaiate* (sm. [e pl.]), *alfaiataria(s)* (fl.), *alfaiataria* (sf. [e pl.]).]

alfaiataria (al.fai.a.ta.*ri*.a) *sf.* Loja ou oficina de alfaiate [F.: *alfaiate* + *-aria*.]

alfaiate (al.fai.*a*.te) *sm.* **1** Costureiro que faz roupas com corte ou formato considerado de tipo masculino (paletós, terninhos etc.), para homens ou mulheres **2** Pessoa responsável por cuidar das roupas vestidas pelos atores, figurantes etc. de uma encenação teatral, de uma produção cinematográfica ou televisiva etc. [Fem., nesta acp.: *camareira*.] **3** *Bras. Ornit.* Tiziu [F.: Do ár. *al-hayyât*.]

alfaique (al.*fai*.que) *sm.* Ver *alfaque*

alfama (al.*fa*.ma) *Antq. sm.* **1** Bairro habitado por judeus **2** Local para onde se vai em busca de abrigo e proteção; REFÚGIO [F.: Do ár. *al-hammâ*.]

alfâmbar (al.*fâm*.bar) *sm.* Espécie de manta com múltiplas utilidades, ornamentada com cores variadas distribuídas em faixas [F.: Do ár. *al-hanbal*.]

alfândega (al.*fân*.de.ga) *sf.* **1** Serviço do governo que fiscaliza bagagens e mercadorias que chegam ao país ou dele saem, cobrando as devidas taxas **2** Lugar onde funciona esse serviço: *Fomos parados na alfândega.* **3** *Pop.* Taxa paga, cobrada ou devida pela entrada ou saída de mercadorias: *Teve de pagar alfândega para ficar com a câmera que trouxe do exterior.* **4** Conjunto das regras, leis e taxas relativas à exportação e importação de mercadorias [F.: Do ár. *al-fundaq*. Sin. ger.: *aduana*.] ■ **~ marítima** A que se instala em porto marítimo **~ seca** A que se instala em estação de trânsito terrestre ou aéreo

alfandegado (al.fan.de.*ga*.do) *a.* Armazenado ou despachado na alfândega [F.: Part. de *alfandegar*.]

alfandegagem (al.fan.de.*ga*.gem) *sf.* **1** Ação ou resultado de alfandegar **2** Cobrança de direitos alfandegários **3** Permanência de mercadorias na alfândega [Pl.: *-gens*.] [F.: *alfandegar* + *-agem*^{2}. Sin. ger.: *alfandegamento*.]

alfandegamento (al.fan.de.ga.*men*.to) *sm.* O mesmo que *alfandegagem* [F.: *alfandegar* + *-mento*.]

alfandegar (al.fan.de.*gar*) *v. td.* Estabelecer alfândega em: *A Secretaria concedeu licença para alfandegar o porto* [▶ 14 alfandegar] [F.: *alfândeg(a)* + *-ar*.]

alfandegário (al.fan.de.*gá*.ri:o) *a.* **1** Da alfândega; ADUANEIRO **2** *Restr.* Ref. às atividades da alfândega ou às leis e taxas relativas à exportação e importação de mercadorias (taxa alfandegária); ADUANEIRO *sm.* **3** Funcionário de alfândega, esp. funcionário público [F.: *alfândega* + *-ário*.]

alfandegueiro (al.fan.de.*guei*.ro) *a.* **1** Ref. ou pertencente à alfândega; ADUANEIRO; ALFANDEGÁRIO *sm.* **2** *Ant.* Funcionário de alfândega [F.: *alfândega* + *-eiro*.]

alfanje (al.*fan*.ge) *sm.* **1** Sabre oriental de lâmina larga e curva, com o fio na parte convexa **2** *Bras.* Foice para roçar mato; GADANHA (1): "...o jardineiro afiava o alfanje." (Coelho Neto, *Água de juventa*) [F.: Do ár. *al-handjar*.]

alfanumérico (al.fa.nu.*mé*.ri.co) *a.* Relativo ao uso de letras e algarismos, para escrever ou registrar palavras e números (teclado alfanumérico) seja na representação ou codificação de informação e mensagens (código alfanumérico) [F.: *alfa* + *numérico*.]

alfaque (al.*fa*.que) *sm.* **1** Banco de areia, pouco fundo, mas que fica oculto na maré baixa **2** Banco de areia movediça formado nas embocaduras dos rios, nas correntes marítimas e nas costas de fundo irregular **3** *P. ext.* Cova funda que se forma por movimentos de deslocação da areia **4** *P. ext. Mar.* Grupo de pedras soltas [F.: Do ár. *al-fakk*. Tb. *alfaique*...]

alfaqueque (al.fa.*que*.que) *Ant. sm.* **1** Indivíduo que negociava com os mouros o resgate dos cativos **2** Emissário encarregado de resgatar prisioneiros de guerra **3** Portador de mensagens; CORREIO; MENSAGEIRO [F.: Do ár. *al-fakkak*.]

alfaqui (al.fa.*qui*) *sm.* Entre os muçulmanos, teólogo e legista [F.: Do ár. *al-faqih*. Hom./Par.: *alfaqui* (sm.), *alfaque* (sm.).]

alfarda^{1} (al.*far*.da) *sf. Ant.* Espécie de vestuário feminino, us. por mulheres que não pertenciam à nobreza [F.: Do ár. *al-farda*, 'par', posv. de uma acepção 'veste de mulher', em ár. andaluz.]

alfarda^{2} (al.*far*.da) *sf.* Tributo que os mouros e os judeus pagavam em alguns reinos cristãos [F.: Do ár. *al-far dâ*, 'preceito, lei'.]

alfarém (al.fa.*rém*) *sm. Ant. Vest.* Véu com que se cobre o rosto das mulheres [Pl.: *-éns*.] [F.: Do ár. *al-ha rám*, 'peça de vestuário'.]

alfarge^{1} (al.*far*.ge) *Ant. sm.* **1** Moinho de vento **2** Espécie de tanque em que se espremem frutas, ou a sua mó [F.: Do ár. *al-hagr*, 'pedra'.]

alfarge^{2} (al.*far*.ge) *sm.* Estilo decorativo ibérico, de origem árabe, em que predominam entalhes multiformes com molduras cruzadas em arabescos [Tb. us. como adj.: *estilo alfarge*.] [F.: Do ár. *al-fars* 'soalho, mobília'.]

alfarrábico (al.far.*rá*.bi.co) *a.* Ref. a alfarrábio [F.: *alfarrábio* + *-ico*^{2}.]

alfarrábio (al.far.*rá*.bi:o) *sm.* **1** Livro antigo ou velho: "Apenas, hoje, os alfarrábios me chamam, na pequena loja próxima e detenho-me a percorrer as estantes, e a folhear papéis muito velhos..." (Cecília Meireles, *Obra em prosa*) **2** Qualquer livro, revista ou documento escrito (p. ex., de anotações pessoais) guardado há muito tempo e pouco usado: *Consultando seus alfarrábios, encontrou informações valiosas.* [Ger. us. no pl. Por vezes us. de modo irônico ou jocoso] [F.: Do antr. ár. *Al-Farabi*, filósofo turquestano (872-950).]

alfarrabista (al.far.ra.*bis*.ta) *s2g.* **1** Pessoa que negocia livros usados *sm.* **2** Estabelecimento que vende e compra livros usados; SEBO [F.: *alfarrábio* + *-ista*.]

alfarroba (al.far.*ro*.ba) *sf.* Fruto da alfarrobeira, carnudo e de sabor adocicado [F.: do ár. *al-harruba*.]

alfarrobal (al.far.ro.*bal*) *sm.* Extensa porção de alfarrobeiras próximas entre si [Pl.: *-bais*.] [F.: *alfarroba* + *-al*.]

alfarrobeira (al.far.ro.*bei*.ra) *sf. Bot.* Árvore frondosa da fam. das leguminosas (*Ceratonia siliqua*), muito cultivada em virtude de sua madeira, us. em marcenaria, e de seu fruto, a alfarroba, de polpa doce e comestível, com propriedades adstringentes [F.: *alfarroba* + *-eira*.]

alfatópico (al.fa.*tó*.pi.co) *a. Fís. nu.* Diz-se de núcleo que difere de outro por duas unidades no número atômico e quatro unidades no número de massa [F.: *alfa-* + *tópico*.]

alfavaca (al.fa.*va*.ca) *sf. Bot.* Nome comum a várias ervas do gênero *Ocimum*, esp. *Ocinum gratissimum*, originária da Índia, us. em temperos e saladas; MANJERICÃO [F.: Do ár. *al-habâqa*.]

alfazema (al.fa.*ze*.ma) *sf.* **1** *Bot.* Nome comum a várias plantas do gên. *Lavandula* (p. ex., o arbusto *Lavandula angustifolia*, de flores azuis em espigas), cultivadas como ornamentais e por seu aroma, das quais se extrai um óleo de propriedades medicinais tb. us. em perfumaria; LAVANDA **2** O mesmo que *lavanda* ('água-de-colônia') [F.: Do ár. *al-huzâma*.]

alfeça (al.*fe*.ça) *sf.* **1** Peça de ferro, vazada no centro, sobre a qual se abrem os alvados de enxadas, machados etc. por meio de punção **2** Instrumento pontiagudo com que se fazem esses alvados **3** Alvião, picareta [F.: Do ár. *al-fas*. Tb. *alfece, alfeço*.]

alfece (al.*fe*.ce) *sm.* Ver *alfeça*

alfeço (al.*fe*.ço) *sm.* Ver *alfeça*

alfeire (al.*fei*.re) *sm.* **1** Curral de porcos; CHIQUEIRO; POCILGA **2** Vara de porcos com menos de um ano de idade **3** Gado que não deu crias **4** Rebanho de cordeiros desmamados e apartados das mães [F.: Do ár. *al-hair*.]

alfeiro (al.*fei*.ro) *a.* **1** Diz-se de gado que não tem crias **2** Diz-se de animal novo, brincalhão e que ainda não dá cria [F.: Var. de *alfeire*.]

alféloa (al.*fé*.lo:a) *sf.* Massa de melaço ou de açúcar com a qual se fabricam balas e outras guloseimas: "...confeitos ou doces secos, alféloas, frutas..." (Alexandre Herculano, *O monge de Cister*) [F.: do ár. *al-halaua*.]

alfena (al.*fe*.na) *sf. Bot.* Arbusto (*Ligustrum vulgare*), da fam. das oleáceas, nativo da Europa e Mediterrâneo, cultivado esp. como planta ornamental; com 1 a 3 m de altura, tem flores brancas, paniculadas e aromáticas; as bagas pequenas, globosas e negras (quando ficam maduras) são us. na preparação de uma tinta violácea que serve tb. como corante para vinhos; ALFENEIRO; LIGUSTRO; SANTANTONINHAS [F.: Do ár. *al-hinna*.]

alfenar (al.fe.*nar*) *v. td.* **1** *P. us.* Tingir com alfeneiro, de preto com as bagas, de vermelho-escuro com o pó: "Irá alfenando os cabelos." (Gil Vicente, *Cortes de Júpiter*) **2** *Fig.* Tornar feminil, efeminado; EFEMINAR [▶ 1 alfenar] [F.: *alfen(a)* + *-ar*. Hom./Par.: *alfena(s)* (fl.), alfena (sf. [pl.]).]

alfeneiro (al.fe.*nei*.ro) *sm. Bot.* O mesmo que *alfena* [F.: *alfena* + *-eiro*.]

alfenim (al.fe.*nim*) *sm.* **1** Massa branca preparada com óleo de amêndoas e açúcar, com a qual se fazem doces delicados, ger. em forma de animais ou flores **2** *Fig.* Pessoa delicada, muito sensível: "...aquele alfenim se mata de amores..." (Antônio Feliciano de Castilho, *O outono*) **3** *Fig.* Muito branco: "...rosto de alfenim!" (Gil Vicente, *Velho da horta*) [F.: do ár. *al-fanid*.]

alfeninado (al.fe.ni.*na*.do) *a.* **1** Que tem modos de alfenim, veste-se com elegância; ELEGANTE; JANOTA [Ant.: *deselegante*.] **2** Delicado, franzino, frágil [Ant.: *grosseiro*.] **3** Que tem maneiras efeminadas [Ant.: *másculo, viril*.] [F.: Part. de *alfeninar*.]

alfeninar-se (al.fe.ni.*nar*-se) *v. td. int.* **1** Tornar-se frágil, franzino **2** Tornar-se delicado, feminil [▶ 1 alfeninar-se] [F.: *alfenim* + *-ar* + *-se*.]

alferes (al.*fe*.res) [é] *sm2n.* **1** Antigo posto militar, logo abaixo de tenente **2** Militar que tinha essa patente: "Tinha vinte e cinco anos, era pobre, e acabava de ser nomeado alferes da Guarda Nacional." (Machado de Assis, "O espelho" *in Mar de histórias*) **3** *Ant.* Porta-bandeira (de regimento militar) [F.: Do ár. *al-fâris*.]

alfim (al.*fim*) *adv. P. us.* Enfim, finalmente: "...arbusto, que viridente medra um dia no vale, secando alfim tombado pela fúria do vendaval..." (Antero de Quental, "Resposta a um pedido duma senhora", *in Antologia*) [Pl.: *-fins*.] [F.: *a* + *lo* (artigo) + *fim*.]

alfinetada (al.fi.ne.*ta*.da) *sf.* **1** Picada ou ferimento com alfinete **2** Dor forte e momentânea em algum ponto do corpo, que lembra a de uma picada de alfinete ou de objeto agudo; PONTADA **3** *Fig.* Crítica maliciosa, ou qualquer frase ou expressão com intenção agressiva, irônica ou de provocação, mas sem ofensa forte ou direta [F.: *alfinetar* + *-ada*[1].]

alfinetar (al.fi.ne.*tar*) *v.* **1** Dar picada(s) com alfinete; ferir com alfinete ou objeto pontudo semelhante [*td.*: *Alfinetou o dedo sem querer*.] **2** Provocar sensação corporal semelhante à de alfinetada(s) ou picada(s) [*td.*: *O medicamento alfinetava suas costas*.] **3** Pôr alfinete(s) em (roupa etc.), esp. para marcar, orientar a costura [*td.*: *Alfinetou a calça e fez a bainha*.] **4** Fixar (algo em algum lugar) com alfinete(s) [*tda.*: *Alfinetou o broche na camisa*.] **5** *Fig.* Importunar ou provocar com malícia; ferir com ditos mordazes; ofender ou agredir com palavras [*td.*: *A crítica foi equilibrada, mas alfinetara o livro*.] **6** Fazer crítica ferina (ger. sutil, irônica) a **7** Dar forma de alfinete a [*td.*] [▶ 1 alfinetar] [F.: *alfinet(e)* + *-ar*[2]. Hom./Par.: *alfinete(s)* [ê] (fl.), *alfinete(s)* [ê] (sm. pl.).]

alfinete (al.fi.*ne*.te) [ê] *sm.* **1** Pequena haste metálica que tem uma ponta aguda e a outra extremidade alargada (redonda ou achatada), us. para prender ou marcar tecidos, papel etc., ou para fixar certas peças ou objetos **2** Peça ou joia com essa forma, que se põe como enfeite em gravata, chapéu etc. **3** *P. ext.* O mesmo que *broche* [F.: Do ár. *al-hilal*. Hom./Par.: *alfinete* (sm.), *alfinete* (fl. de *alfinetar*).] ■ **~ de fralda/de segurança** Alfinete com formato semelhante a um V, cuja ponta é escamoteada na cabeça de modo a não se desprender nem ferir, e que se usava para prender ou fechar roupas de bebês **Não valer um ~** Não ter valor algum

alfineteira (al.fi.ne.*tei*.ra) *sf.* **1** Almofadinha onde se espetam alfinetes **2** Qualquer recipiente para guardar alfinetes [F.: *alfinete* + *-eira*.]

alfinetes (al.fi.*ne*.tes) *Antq. smpl.* **1** Pequenas despesas particulares: *Recebia do marido dinheiro para os alfinetes.* **2** *P. ext.* Objetos ou utensílios pequenos e de pouco valor; MIUDEZAS [F.: Pl. de *alfinete*.]

alfítena (al.*fí*.te.na) *sf.* Discórdia, conflito, hostilidade; tb. *alfétena* [F.: Var. de *alfétena*.]

alfitete (al.fi.*te*.te) *sm. Cul.* Massa feita de farinha, ovos, açúcar, manteiga e vinho que serve para vários usos culinários [F.: Do ár. *al-fitat*.]

alfola (al.*fo*.la) *sf. Ant. Vest.* Manto ou vestuário feito com tecidos finos e luxuosos vindos do reino de Granada [F.: Do ár. *al -hulla*.]

alfombra (al.*fom*.bra) *sf.* **1** O mesmo que *alcatifa* **2** *Fig.* Relva, ou porção de terreno coberta de relva, grama etc., com ou sem flores [F.: Do ár. *al-humra*.]

alfombrar (al.fom.*brar*) *v. td.* **1** Cobrir ou forrar com alfombra; ALCATIFAR; ATAPETAR **2** Cobrir de relva; ARRELVAR [▶ 1 alfombrar] [F.: *alfombra* + *-ar*. Hom./Par.: *alfombra(s)* (fl.), *alfombra* (sf. e[pl.]).]

alforjar (al.for.*jar*) *v. td.* **1** Colocar (algo) no alforje **2** Colocar (algo) nas algibeiras **3** *Fig.* Aguentar, tolerar: *Não tinha paciência apara alforjar aqueles insultos.* [▶ 1 alforjar] [F.: *alforje* + *-ar*. Hom./Par.: *alforja(s)* (fl.), *alforja* (sf. [e pl.]; *alforje(s)* (fl.), *alforje* (sm. [e pl.]).]

alforje (al.*for*.je) [ó] *sm.* **1** Espécie de bolsa ou saco com as duas extremidades fechadas e duas aberturas no meio, formando dois compartimentos separados, e que pode assim ser us. sobre o ombro ou para transporte de carga em cavalgaduras, com o peso igualmente distribuído nos dois lados **2** O conteúdo de um alforje (de um compartimento, ou dos dois) **3** *P. ext.* Peça única formada por dois compartimentos (caixas, bolsas etc.) ligados entre si, para ser transportada em um veículo (bicicleta, motocicleta) de modo análogo ao alforje (1) **4** *Fig. P. us. Pop.* Nariz grande e achatado **5** *Pop.* A bolsa escrotal, o par de testículos [F.: Do ár. *al- khurj*.]

alforra (al.*for*.ra) *sf. Bot.* Doença das searas, provocada por fungos, que enegrece e deixa os grãos com sabor ruim; FERRUGEM [F.: Do ár. *al-hurr*, 'doença inflamatória'. Hom./Par.: *alforra* (fl. de *alforrar*).]

alforrar (al.for.*rar*) *v. int.* Criar (o vegetal) alforra ou ferrugem das searas [▶ 1 alforrar] [F.: *alforra* + *-ar*. Hom./Par.: *alforra(s)* (fl.), *alforra* /ô / (sf. [e pl.]).]

alforreca (al.for.*re*.ca) *sf.* **1** *Lus. Zool.* O mesmo que *água-viva* **2** *Lus. Fig.* Pessoa ou coisa sem importância, desprezível [F.: Do ár. *al-hurraiqa*.]

alforria (al.for.*ri*.a) *sf.* **1** Liberdade dada ao escravo por seu senhor ou por autoridade (esp. mediante documento oficial) **2** *Fig.* Libertação, liberação de alguma obrigação; liberdade [F.: Do ár. *al-hurria*.]

alforriado (al.for.ri.*a*.do) *a.* **1** Diz-se de pessoa que ganhou alforria (escravo alforriado) *sm.* **2** Essa pessoa [F.: Part. de *alforriar*. Sin. ger.: *liberto*.]

alforriar (al.for.ri.*ar*) *v.* **1** Dar alforria, liberdade a; tirar da condição ou situação de escravo [*td.*: *A lei Áurea alforriou os escravos*.] **2** *P. ext.* Liberar (alguém) de obrigações, de submissão [*td.*] **3** Receber ou obter alforria; passar a ser livre; LIBERTAR-SE; LIVRAR-SE [*int.*: *Todos os escravos se alforriaram*.] [▶ 1 alforriar] [F.: *alforri(a)* + *-ar*[2]. Hom./Par.: *alforria(s)* (fl.), *alforria(s)* (sf. pl.).]

alfoz (al.*foz*) *Ant. sm.* **1** Circunscrição administrativa autônoma **2** Região situada ao redor de uma localidade ou povoação; ARREDOR; CERCANIA: "Terrenos que no alfoz de Lisboa se denominaram Campos de Ourique..." (Luís Gonzaga de Azevedo, *Histórias de Portugal*) [F.: Do ár. *al-húz*.]

alfurja (al.*fur*.ja) *Ant. sf.* **1** Saguão interno, sem cobertura, destinado a ventilar e iluminar os cômodos de uma casa **2** *Ant.* Viela onde se atirava o lixo das casas: "Este padre obscurecido na sua paleografia que lhe dava oito tostões por dia, naquela asquerosa alfurja chamada rua de S. Sebastião, com o aljube à esquerda e as imundícies da Pena Ventosa à direita..." (Camilo Castelo Branco, *A brasileira de Prazins*) **3** Monte de lixo, de coisas sujas ou imprestáveis; ESTERQUEIRA; MONTURO **4** *Fig.* Lugar em que se reúnem pessoas desclassificadas; ANTRO [F.: Do ár. *al-fujra*, 'lugar por onde escapa a água'. Var.: *alfúgera, alfuja, alfuje, alfújera, alfurje*.]

alga (al.ga) *sf. Bot.* Espécime das algas, plantas desprovidas de raízes e caule, com grande variedade de tamanho e formas, dotadas de clorofila e outros pigmentos, e que vive na água salgada ou doce ou em lugares úmidos [Muitas espécies são comestíveis ou medicinais.] [F.: Do lat. *alga, ae*. Ideia de 'alga', usar pref. *alg(i)-*, *fic(o)-* e *fuc(i)-* e suf. *-ficea*.]

algáceo (al.*gá*.ce:o) *a.* **1** Ref. ou pertencente às algas **2** Que se assemelha a uma alga [F.: *alg(i)-* + *-áceo*.]

algaço (al.*ga*.ço) *sm.* Denominação genérica das plantas marinhas que o mar deita fora [F.: *alga* + *-aço*.]

algália[2] (al.*gá*.li:a) *sf. Desus. Cir.* Antiga sonda para extração de urina ou para exames de cálculos vesicais; CANDELINHA [F.: Do gr. *ergaleîon, ou*, 'instrumento', pelo lat. medv. *algalia*.]

algar (al.*gar*) *sm.* **1** Caverna, concavidade, gruta **2** Barranco resultante de enchentes ou enxurradas **3** Abismo, ribanceira, despenhadeiro **4** *Lus.* Em regiões calcárias, ponto que faz a ligação entre o terreno e o interior de gruta ou caverna [F.: Do ár. *al-gár*.]

algarada (al.ga.*ra*.da) *sf.* **1** *Ant.* Incursão militar de surpresa; ALGARA **2** *Pop.* Barulho produzido por intenso falatório; ALGAZARRA; ASSUADA [F.: *algara* + *-ada*[2].]

algaravia (al.ga.ra.*vi*.a) *sf.* **1** Som de muitas vozes juntas; VOZERIO **2** O que é dito ou escrito de maneira confusa, ou em linguagem pouco compreensível **3** *P. ext.* Coisa ou situação difícil de entender **4** *Desus.* A língua árabe (falada pelos mouros) [F.: Do ár. *al-arabiyya*, '(a língua) árabe'.]

algaraviar (al.ga.ra.vi.*ar*) *v.* **1** Escrever ou falar confusamente, de maneira ininteligível [*int.*] **2** Mostrar-se atrapalhado, confuso [*td.*] [▶ 1 algaraviar] [F.: *algaravi(a)* + *-ar*[2]. Hom./Par.: *algaravia(s)* (fl.), *algaravia* (sf. [e pl.]).]

algarísmico (al.ga.*rís*.mi.co) *a.* Ref. a algarismo [F.: *algarismo* + *-ico*.]

algarismo (al.ga.*ris*.mo) *sm.* Cada um dos símbolos us. sozinhos ou combinados, segundo certas regras ou princípios, para representar os números na escrita [F.: Do ár. *al-khuarizmi*.] ■ **~ arábico** *Mat.* Cada um dos símbolos representativos de quantidades (de zero a nove), us. na notação decimal para escrever todos os demais números [são 0, 1, 2, 3, 4, 5, 6, 7, 8 e 9] **~ exato** *Mat.* Em um número aproximado ou arredondado, cada um dos algarismos que, a partir do primeiro algarismo à esquerda (e diferente de zero), está isento de erro **~ romano** *Mat.* Cada um dos símbolos (todos letras maiúsculas do alfabeto latino) que representam certos números no sistema romano, e com cuja combinação se representa qualquer número. [São I= 1, V= 5, X= 10, L= 50, C= 100, D= 500 e M= 1. 000] **~ significativo** *Mat.* Em um número aproximado, cada um dos algarismos que, a partir do primeiro à esquerda (e diferente de zero), está isento de erro, ou tem um erro de, no máximo, meia unidade de sua ordem decimal, a mais ou a menos

algarobeira (al.ga.ro.*bei*.ra) *sf. Bot.* Denominação comum a árvores e arbustos do gênero *Prosopis*, da fam. das leguminosas, como a *Prosopis juliflora*, nativa do Sul da América do Sul [F.: *algaroba* + *-eira*. Tb. *algarrobeira*.]

algarroba (al.gar.*ro*.ba) [ô] *sf. Bot.* Ver *algaroba*

algarrobeira (al.gar.ro.*bei*.ra) *sf. Bot.* Ver *algarobeira*

algarvio (al.gar.*vi*.o) *sm.* **1** Pessoa nascida ou que vive em Algarve (Portugal) **2** *Fig.* Indivíduo falador, tagarela *a.* **3** De Algarve, típico dessa região ou de seu povo **4** *Fig.* Diz-se de indivíduo que fala muito, falador [F.: Do ár. *al -garbii*, 'relativo ao Al-Garb (Algarve)' + *-io*.]

algazarra (al.ga.*zar*.ra) *sf.* **1** Ruído produzido por intenso falatório, por muitas vozes (de pessoas, de animais) ou sons ao mesmo tempo; GRITARIA **2** *Ant.* Os gritos de guerra com que os mouros iniciavam suas investidas ou combates [F.: Do ár. *al-gazara*.]

álgebra (*ál*.ge.bra) *sf.* **1** *Mat.* Ramo da matemática que constitui uma extensão da aritmética, e utiliza letras e outros símbolos para representar números e valores, de modo a estudar combinações de operações aritméticas e soluções gerais para problemas numéricos diversos **2** Obra que aborda sistematicamente os métodos e conhecimentos da álgebra (1) [F.: Do ár. *al-gabr*.] ■ **~ abstrata 1** Ramo da álgebra moderna que analisa os conceitos algébricos nos sistemas de números reais e outros sistemas mais genéricos **2** Ramo da álgebra que estuda as propriedades gerais que se podem obter de um conjunto mínimo de axiomas **3** Ramo da álgebra moderna que investiga as propriedades de sistemas algébricos que ficam invariantes nas transformações isomórficas **~ booliana** *Inf. Lóg.* Álgebra binária (em que uma variável só pode assumir um de dois valores) desenvolvida por G. Boole, com base na atribuição, a cada unidade de informação, da condição de verdadeira ou falsa; a partir dela desenvolveu-se a linguagem computacional **~ com divisão** *Álg.* Álgebra linear, em que qualquer elemento que seja diferente de zero tem um inverso multiplicativo **~ da lógica** *Lóg.* Álgebra booliana **~ linear** *Álg.* Conjunto de elementos que forma um espaço vetorial de ordem finita sobre um corpo, e em que se define um produto binário associativo e bilinear **~ matricial** *Álg.* Estudo das matrizes nas operações de soma, produto, multiplicação por escalar etc. **~ motorial** Parte do cálculo motorial em que se estudam as propriedades algébricas de motores **~ relacional** *Inf.* Paradigma para concepção, montagem, consulta e manipulação de bancos de dados que atuam sobre certos tipos de conjuntos (ditos *relações*) por meio de operações específicas **~ vetorial** *Cálc. vet.* Parte do cálculo vetorial em que se estudam as propriedades dos vetores em operações algébricas de soma, produto escalar, produto vetorial etc. **~ zero** *Álg.* Álgebra linear em que o produto de qualquer de seus elementos por si mesmo é igual a zero

algébrico (al.*gé*.bri.co) *a.* **1** Ref. a álgebra, seu objeto de estudo, métodos, operações, leis gerais (cálculo algébrico) **2** Ref. a, que envolve ou resulta da efetuação de um número finito de operações de soma, subtração, multiplicação, divisão, exponenciação ou extração de raiz, realizadas combinadamente ou em separado (número algébrico) **3** *Fig.* Próprio da álgebra; caracterizado por exatidão ou rigor que lembram os da álgebra [F.: *álgebra* + *-ico*.]

algebrista (al.ge.*bris*.ta) ***s2g.*** Especialista em álgebra [F.: *álgebra* + *-ista*.]

algema (al.*ge*.ma) ***sf.*** **1** Cada uma de um par de argolas de ferro ligadas entre si, provido de fecho, com que se prende alguém pelos pulsos **2** *Fig.* Obstáculo moral; opressão [Us. ger. no pl.] [F.: Do ár. *al-gama' a*. Hom./Par.: *algema* (sf.), *algema* (fl. de *algemar*).]

algemado (al.ge.*ma*.do) ***a.*** **1** Que tem um ou ambos os pulsos presos por algemas, ou que está preso a algo com algemas **2** *Fig.* Que está sem liberdade para agir; forçado, coagido; obrigado a conformar-se ou submeter-se a algo: *algemado às convenções.* [F.: Part. de *algemar*.]

algemar (al.ge.*mar*) ***v.*** **1** Prender com algemas [***td.***: *algemar o prisioneiro.*] [***tda.***: *Algemaram seus braços à cama.*] **2** *Fig.* Tirar liberdade de ação ou decisão; impedir de agir segundo a própria vontade; prender moralmente (por compromisso, coação etc.), sujeitar; COAGIR; SUBMETER [***td.***: *Um compromisso assumido algemara o tutor.*] [***tdr.*** + *a*: *Algemara-o a seus caprichos.*] [▶ **1 algemar**] [F.: *algem(a)* + *-ar*[2]. Hom./Par.: *algema(s)* (fl.), *algema(s)* (sf. pl.).]

algente (al.*gen*.te) ***a2g.*** Muito frio; GLACIAL; ÁLGIDO [F.: do lat. *algis, entis*.]

algeroz (al.ge.*roz*) ***sm.*** **1** Cano por onde se escoam as águas do telhado; AGUEIRO **2** Parte saliente do telhado para desviar as águas da parede [Pl.: *-ozes*.] [F.: Do ár. *al-zarub*.]

◎ **alges(i)-** ***el. comp.*** = 'dor': *algesímetro* [F.: Do gr. *álgesis, eos*, 'dor', 'sofrimento'. F. conexas: *-algesia, -algia, alg(o)-*.]

◎ **-algesia** ***el. comp.*** = '(dado tipo de) dor': *analgesia* (< gr.), *antalgesia, hipalgesia/hipoalgesia, hiperalgesia* [F.: Do gr. *-algesía, eos*, do gr. *álgesis, eos*, 'dor', 'sofrimento'. F. conexa: *alges(i)-, alg(o)-* e *-algia*.]

algesia (al.ge.*si*.a) ***sf.*** *Med.* Sensibilidade à dor [F.: *alges(i)-* + *-ia*[1].]

algésico (al.*gé*.si.co) ***a.*** Ref. ou inerente a algesia [F.: *algesia* + *-ico*[2].]

algesímetro (al.ge.*sí*.me.tro) ***sm.*** *Med.* Aparelho com o qual se mede a intensidade da excitação capaz de gerar uma sensação de dor; ALGÍMETRO [F.: *alges(i)-* + *-metro*.]

◎ **alg(i)-** ***el. comp.*** = 'alga': *algáceo, algicida, algoide; algologia*[1], *algologista*[1] [F.: Do lat. *alga, ae*.]

◎ **-algia** ***el. comp.*** = 'dor (esp. em certo órgão, em certa parte do corpo)': *adenalgia, analgia, angialgia, antalgia, aortalgia, artralgia, astalgia, costalgia, enteralgia, gastralgia, hemialgia, hepatalgia, lombalgia, mialgia, nevralgia, odontalgia, omalgia, proctalgia, retalgia, uretralgia* [F.: Do gr. *-algía, as*, do gr. *álgos, eos-ous*. F. conexas: *alg(o)-, alges(i)-* e *-algesia*.]

algia (al.*gi*.a) ***sf.*** Qualquer dor no corpo, muitas vezes sem lesão aparente [F.: *alg(o)-* + *-ia*[1].]

algibebe (al.gi.*be*.be) ***sm.*** *Desus.* Indivíduo que vende roupas prontas novas ou usadas [Fem.: *algibeba*.] [F.: Do ár. *al-jabbab*.]

algibeira (al.gi.*bei*.ra) ***sf.*** **1** Bolso costurado à parte interna da roupa **2** *Antq.* Pequena bolsa que as mulheres levavam presa à cintura **3** *Fig.* Recursos, dinheiro para gastos [F.: Do ár. *al-jibaira*.] ■ **De ~** **1** Adequado para ser levado na algibeira; pequeno e de fácil manuseio; de bolso: *relógio de algibeira; folhinha de algibeira.* **2** *Fig.* Prático, de fácil uso, que pode ser usado convenientemente **3** *Fig.* Que é ou pode ser dito sem esforço, sem reflexão; que já está preparado de antemão, previamente formulado (p. ex., para enganar, confundir): *perguntas de algibeira; críticas de algibeira.* **4** *Fig.* Trivial, banal, sem grande significado ou importância **5** Diz-se de informação mais ou menos sigilosa que alguém detém, e que comunica quando e a quem achar conveniente: *dados de algibeira.* **Pôr de sua ~** Arcar com os gastos; pagar com seus próprios recursos

algidez (al.gi.*dez*) [ê] ***sf.*** **1** Condição ou qualidade de álgido **2** *Med.* Esfriamento anormal das extremidades corporais (mãos, pés) devido a causas orgânicas, ou a sensação de frio intenso por ele provocada [F.: *álgido* + *-ez*.]

álgido (*ál*.gi.do) ***a.*** **1** Muito frio; GÉLIDO **2** *Med.* Em que há esfriamento forte do corpo (ou parte dele) ou sensação intensa de frio [F.: Do lat. *algidu(m)*.]

algina (al.*gi*.na) ***sf.*** *Quím.* Polissacarídeo ($C_8H_8O_6$) encontrado em determinadas algas, us. na indústria alimentícia, farmacêutica e na produção de cosméticos etc. [F.: *alg(i)-* + *-ina*[2].]

alginato (al.gi.*na*.to) ***sm.*** *Quím.* Qualquer sal do ácido algínico, us. na indústria alimentícia esp. como espessante de pudins, sucos de frutas, sorvetes e outros produtos semelhantes, e como estabilizante de espuma em cervejas, além de ser empregado nas indústrias têxtil, de cosméticos, de química fina e nos setores agrícola, farmacêutico, odontológico, médico [F.: *algina* + *-ato*[2].]

algo (*al*.go) ***pr. indef.*** **1** Alguma coisa; coisa indeterminada, não conhecida ou não especificada; qualquer coisa: *Coma algo antes de sair.* ***adv.*** **2** Um pouco; em algum grau ou medida: *Estavam algo assustados.* ***sm.*** **3** *Ant.* Indivíduo importante; homem nobre, ou de grande riqueza ou poder [Esta acp. ainda se observa no uso (raro, porém atual) em expressão como *ser algo* = 'ser alguém' (isto é, 'alguém importante, respeitado'); ver tb. a loc. *ser algo*.] **4** *Ant.* Dinheiro, riqueza, bens possuídos [F.: Do lat. *aliquod*.] ■ **~ mais** Aquilo que é suplementar, que excede; esp. algum elemento ou característica (não especificados ou não conhecidos) que distinguem uma pessoa, ou uma coisa, tornando-a melhor (ou pior) que as demais. [Não raro us. com artigo: *Destaca-se entre todos, tem (um) algo mais que chama a atenção.*]

◎ **algo-** ***el. comp.*** Ver *alg(i)-*

◎ **alg(o)-** ***el. comp.*** = 'dor': *algofilia, algofobia, algógeno, algogênico, algolagnia, algologia*[2], *algômetro, algóstase*[2] [F.: Do gr. *álgos, eos-ous*. F. conexas: *-algia, alges(i)-* e *-algesia*.]

algodão (al.go.*dão*) ***sm.*** **1** Material macio e fibroso, ger. branco, formado de pelos, que reveste e envolve as sementes do algodoeiro **2** Fio ou tecido fabricado com esses pelos (meias de algodão) **3** Algodão (1) dessecado e desinfetado, us. medicinalmente ou para limpeza; ALGODÃO HIDRÓFILO **4** *Bot.* O mesmo que *algodoeiro* [Pl.: *-dões*.] [F.: Do ár. *al-qutun*.] ■ **~ em rama** Algodão que não foi beneficiado **~ hidrófilo** Algodão esterilizado para uso médico e farmacêutico **~ mercerizado** Algodão tratado para ter mais brilho e ser mais facilmente tingido **Ser ~ entre cristais** Assumir papel pacificador entre adversários ou inimigos

algodão-bravo (al.go.dão-*bra*.vo) *Bot.* ***sm.*** **1** Arbusto aquático (*Ipomoea carnea fistulosa*), da fam. das convolvuláceas, encontrada do S. E. dos EUA à Argentina; com 1 a 4 m de altura, cresce somente em solo argiloso e muito alagável, sendo comum em lagoas rasas das planícies de inundação dos rios Negro, Abobral e Paraguai; perene, possui caule com interior esponjoso, semente pilosa e flores brancas com tons róseo-liláses; ALGODÃO-DO-PANTANAL; CAMPAINHA-DE-CANUDO; CANUDO; CANUDO-DE-PITA; MATA-CABRAS; MATA-PINTO [As folhas verdes são tóxicas para o gado se consumidas em grandes quantidades.] **2** Árvore (*Cochlospermum orinocense*), da fam. dos coclospermáceas, nativa da Amazônia; com até 15 m de altura, tem madeira leve cuja casca apresenta propriedades medicinais; PACOTÉ; PERIQUITEIRA; PERIQUITEIRA-DA-TERRA-FIRME; PERIQUITEIRA-DA-MATA [Pl.: *algodões-bravos*.]

algodão-da-praia (al.go.dão-da-*prai*.a) ***sm.*** *Bot.* Árvore (*Hibiscus tiliaceus*), da fam. das malváceas, encontrada ao longo da faixa litorânea de regiões tropicais e subtropicais do mundo; é ger. cultivada como planta ornamental e pode atingir até 10 m de altura; possui cápsula globular, com cerca de 2 cm de diâmetro, coberta com pelos amarelados, as flores em forma de taça são amareladas e apresentam uma mancha purpúrea no centro; ALGODOEIRO-DA-PRAIA [Pl.: *algodões-da-praia*.]

algodão-doce (al.go.dão-*do*.ce) [ô] ***sm.*** *Bras. Cul.* Doce que tem aspecto e maciez semelhante aos do algodão (1), feito com finíssimos fios de açúcar preparados e aglutinados por uma máquina especial [Pl.: *algodões-doces*.]

algodão-pólvora (al.go.dão-*pól*.vo.ra) ***sm.*** *Antq. Quím.* O mesmo que *celoidina*. [Pl.: *algodões-pólvoras, algodões-pólvora*.]

algodãorana (al.go.*dão*.ra.na) ***sm.*** *Bot.* Arbusto (*Pavonia paniculata*), da fam. das malváceas, encontrada na Amaz., da qual se extraem fibras têxteis [F.: *algodão* + *-rana*.]

algodoado (al.go.do.*a*.do) ***a.*** **1** Recheado de algodão **2** Semelhante ao algodão [F.: Part. de *algodoar*.]

algodoal (al.go.do:*al*) ***sm.*** Plantação de algodoeiros [Pl.: *-ais*.] [F.: *algodão* + *-al*[1].]

algodoar (al.go.do.*ar*) ***v. td.*** **1** Encher ou prover de algodão: *Algodoou os ouvidos para nem escutar.* **2** *Fig.* Assemelhar-se, em cor ou textura, ao algodão: *A neblina algodoava as montanhas.* [▶ **16 algodoar**] [F.: *algod(ã)o* + *-ar*.]

algodoaria (al.go.do:*ari*.a) ***sf.*** Fábrica de fios ou de tecidos de algodão [F.: *algodão* + *-aria*.]

algodoeiro (al.go.do.*ei*.ro) ***a.*** **1** Ref. ao algodão ***sm.*** **2** *Bot.* Nome dado a plantas do gên. *Gossypium*, da família das malváceas, que produzem o algodão (1), encontradas em diversas partes do mundo, e das quais a mais cultivada é o *Gossypium herbaceum*; ALGODÃO **3** Fabricante de algodão [F.: *algodão* + *-eiro*, com desnasalização.]

algodoeiro-da-praia (al.go.do.*ei*.ro-da-*pra*:i.a) ***sm.*** *Bot.* O mesmo que *algodão-da-praia* [Pl.: *algodoeiros-da-praia*.]

algofilia (al.go.fi.*li*.a) ***sf.*** *Psiq.* Perversão na qual o indivíduo é compelido a buscar sensações dolorosas [P. opos. a *algofobia*; difere do *masoquismo* pela ausência de qualquer componente erótico.] [F.: *alg(o)-* + *-filia*[1].]

algofílico (al.go.*fi*.li.co) *Psiq.* ***a.*** **1** Ref. ou inerente à algofilia **2** Que sofre de algofilia ***sm.*** **3** Indivíduo que sofre de algofilia [F.: *algofilia* + *-ico*[2]. Opõe-se a *algofóbico*.]

algofobia (al.go.fo.*bi*.a) ***sf.*** *Psiq.* Temor mórbido à dor física [F.: *alg(o)-* + *-fobia*. Opõe-se a *algofilia*.]

algofóbico (al.go.*fó*.bi.co) *Psiq.* ***a.*** **1** Ref. ou inerente à algofobia **2** Que sofre de algofobia ***sm.*** **3** Indivíduo que sofre de algofobia [F.: *algofobia* + *-ico*[2]. Opõe-se a *algofílico*.]

algogênico (al.go.*gê*.ni.co) ***a. sm.*** *Med.* O mesmo que *algógeno* [F.: *alg(o)-* + *-gen(o)-* + *-ico*[2].]

algógeno (al.*gó*.ge.no) ***a.*** **1** *Med.* Que provoca sensações dolorosas ***sm.*** **2** Substância ou tratamento que produz tais sensações [F.: *alg(o)-* + *-geno*. Sin. ger.: *algogênico*.]

algol[1] (al.*gol*) ***sm.*** *Astron.* Estrela de grandeza variável da constelação de Perseu [Com inicial maiúsc.] [Pl.: *-góis*.] [F.: Do ár. *al-ghûl*, 'espírito maléfico'.]

algol[2] (al.*gol*) ***sm.*** *Inf.* Fam. de linguagens de programação de computadores de alto nível, baseada em algoritmos, voltada para aplicações científicas e precursora de uma série de outras linguagens [A primeira versão foi criada em 1958.] [Pl.: *-góis*.] [F.: F. red. do ing. *Alg*(orithmic) *O*(riented) *L*(anguage).]

algolagnia (al.go.lag.*ni*.a) ***sf.*** *Psiq.* Perversão sexual de quem busca prazer na dor infligida a outrem ou a si próprio; SADOMASOQUISMO [F.: *alg(o)-* + *-lagnia*.] ■ **~ ativa** *Psiq.* A que se refere à dor infligida a outrem; sadismo (1) **~ passiva** *Psiq.* A que se refere a dor infligida a si mesmo; masoquismo (1)

algologia[1] (al.go.lo.*gi*.a) ***sf.*** *Bot.* Ramo da botânica que estuda as algas; FICOLOGIA [F.: *algo-* + *-logia*.]

algologia[2] (al.go.lo.*gi*:a) ***sf.*** *Med.* Ramo da medicina que estuda a dor [F.: *alg(o)-* + *-logia*.]

algologista[1] (al.go.lo.*gis*.ta) *Bot.* ***s2g.*** **1** Botânico que se especializou em algologia[1] ***a2g.*** **2** Diz-se desse botânico [F.: *algologia*[1] + *-ista*, seg. o mod. gr.]

algologista[2] (al.go.lo.*gis*.ta) *Med.* ***s2g.*** **1** Médico que se especializou em algologia[2] ***a2g.*** **2** Diz-se desse médico [F.: *algologia*[2] + *-ista*.]

algômetro (al.*gô*.me.tro) ***sm.*** *Med.* Aparelho us. para determinar níveis de sensação dolorosa [F.: *alg(o)-* + *-metro*.]

algonquino (al.gon.*qui*.no) ***sm.*** **1** Pessoa pertencente aos algonquinos, grupos de tribos indígenas que habitavam algumas regiões do Canadá **2** *Gloss.* Língua da família algonquina, falada por esses grupos indígenas **3** *Gloss.* Família de línguas indígenas da América do Norte ***a.*** **4** Do ou ref. a algonquino (1 e 2) [F.: Do ing. *Algonkian* ou *Algonquian*, do fr. canadense *Algonquin*. Sin. ger.: *algonquiano*.]

algor (al.*gor*) [ô] ***sm.*** Intensa sensação de frio [F.: Do lat. *algor, oris*.]

algorítmico (al.go.*rít*.mi.co) ***a.*** **1** Ref. a algoritmo **2** Que pode ser expresso por algoritmo(s) [F.: *algoritmo* + *-ico*.]

algoritmista (al.go.rit.*mis*.ta) ***s2g.*** Especialista em algoritmos [F.: *algoritmo* + *-ista*.]

algoritmo (al.go.*rit*.mo) ***sm.*** **1** *Mat.* Conjunto de regras e operações próprias para se fazer um cálculo **2** Método ou procedimento geral para se resolver determinado tipo de problema em um número finito de etapas, segundo regras predefinidas e uma série de operações (ger. repetidas) numa ordem estipulada **3** *Restr. Inf.* Sequência finita e não ambígua de instruções computáveis que, aplicadas a um conjunto de dados, conduzem à solução de um problema ou permitem realizar certa tarefa **4** *P. ext.* Série fixa de tarefas, ações, raciocínios etc. que, realizados passo a passo, levam a determinado resultado pretendido [F.: Do lat. *algorithmus* < ár. *al-khuwarizmi*, do antr. ár. *al-Khuwarizmi*, matemático árabe do séc. IX.] ■ **~ de Euclides** *Mat.* Algoritmo us. para obter o máximo divisor comum de dois números inteiros

algóstase[1] (al.*gós*.ta.se) ***sf.*** *Bot.* Suspensão do crescimento e/ou da reprodução de algas; FICÓSTASE [F.: *algo-* + *-stase*.]

algóstase[2] (al.*gós*.ta.se) ***sf.*** *Med.* Perda da sensibilidade à dor em casos de traumatismo [F.: *alg(o)-*[2] + *-stase*.]

algoz (al.*goz*) [ô] ***s2g.*** **1** Pessoa que executa a pena de morte, ou que aplica castigos corporais, torturas; CARRASCO **2** *P. ext.* Aquele ou aquilo que mata diretamente uma pessoa ou um animal **3** *Fig.* Indivíduo cruel, insensível ao sofrimento alheio: "Ser credor é ser algoz!" (Aluísio Azevedo, *Casa de pensão*) **4** *Fig.* Pessoa que causa sofrimento a outrem, ou que (de modo direto ou indireto, intencional ou não) determina a infelicidade, o fracasso, a derrota, a má sorte [F.: Do ár. *al-gozz*.]

algozar (al.go.*zar*) ***v. td.*** Tratar (alguém) como algoz, torturar, matar [▶ **1 algozar**] [F.: *algoz* + *-ar*[2]. Hom./Par.: *algozo* (fl.), *algoso* /ô / (a.).]

alguém (al.*guém*) ***pr. indef.*** **1** Alguma pessoa (não identificada, não nomeada, não conhecida); uma pessoa qualquer, indeterminada, ou certa pessoa que não se sabe ou não se quer dizer quem é: *Há alguém em casa?; uma carta de alguém que não quis se identificar; Nunca façam a alguém tal descortesia.* Nesta acp., é por vezes us. em frases negativas, em equivalência (ou quase) a 'ninguém, nenhuma pessoa'.] **2** Pessoa notável, importante, com boa posição ou consideração social: *Estude para ser alguém na vida* ***sm.*** **3** Ser humano, pessoa (considerada como indivíduo qualquer, que não se distingue, ou como ente singular): *Procura um alguém para amar; Sentia-se como apenas um alguém entre tantos outros anônimos.* [F.: Do lat. *aliquem*, posv.]

alguidar (al.gui.*dar*) ***sm.*** Vaso de barro ou de metal, em forma de tronco de cone invertido, us. como bacia [F.: Do ár. *al-gidár*.]

algum (al.*gum*) ***pr. indef.*** **1** Um entre vários: *Costuma ler algum livro antes de dormir; Na opinião de algumas pessoas/alguns, o réu é inocente.* **2** Qualquer: "Eu, Marília, não sou algum vaqueiro/ Que viva de guardar alheio gado..." (Tomás Antônio Gonzaga, *Marília de Dirceu*) **3** Quantidade, quantia ou medida indeterminada de algo; nem muito, nem pouco: *Comprar alguma comida; Trouxe comigo algum dinheiro; Com algum esforço, conseguirá passar na prova.* Ger. indica quantidade ou medida pequenas; por vezes tem conotação de 'quantidade/medida suficiente'. Opõe-se a *nenhum*, do qual não é, estritamente, um antônimo.] **4** (No plural:) poucos, pequeno número de: *Volto dentro de alguns minutos.* **5** Um (indefinido); ao menos um (Us. em interrogações.): *Ele tem algum amigo?* **6** Nenhum (posposto ao subst., em frases negativas): *Não recebi recado algum.* [Pl.: *-guns*. Fem.: *-guma*.] ***sm.*** **7** *Pop.* Pequena quantia de dinheiro: *Precisamos de algum para iniciar o negócio; Tens algum para emprestar?* [F.: Do lat. *alicunus*.] ■ **~ tanto** Um tanto, um pouco, não muito, em certo grau ou medida: *Ele estava algum tanto nervoso.*

alguns (al.*guns*) ***pr. indef.*** Ver *algum* (4) [F.: Pl. de *algum*.]

algures (al.*gu*.res) ***adv.*** Em algum lugar; em lugar que não se sabe ou não se quer indicar nem designar diretamente [F.: De or. duvidosa; talvez de *alhures*, com infl. de *algum*.

Opõe-se a *nenhures* (do qual não é, estritamente, um antônimo). Cf.: *alhures*.]

◎ **-alha** *suf. nom.* = '(algo em) quantidade' (tb. *Pej.*); (*Pej.*) '(algo) sem valor': *gentalha, miuçalha* [F.: Do it. *-aglia*, posv. F. conexa: *-alhada*.]

◎ **-alhada** *suf. nom.* = 'coletivo', '(algo) em quantidade ou em demasia' (por vezes com sentido pej.): *cambulhada, livralhada.* [F.: *-alha* (q. v.) + *-ada*¹ (q. v.).]

alhada (a.*lha*.da) *sf.* **1** Porção de alhos **2** Conserva de alhos **3** *Cul.* Iguaria em cujo tempero entra uma grande porção de alhos **4** Situação difícil, arriscada ou constrangedora: "...meu pecado me meteu nesta alhada..." (Jorge Ferreira, *Eufrosina*, ato IV, cena 4) [F.: *alho* + *-ada*¹.]

alhal (a.*lhal*) *sm.* Plantação de alho [Pl.: *-lhais*.] [F.: *alho* + *-al*.]

alhanar (a.lha.*nar*) *v. td.* **1** Mostrar-se lhano, delicado, gentil **2** Tornar lhano, plano, igual; NIVELAR **3** *Fig.* Facilitar as coisas, resolver dificuldades **4** *Fig.* Arrasar, assolar, destruir **5** *Fig.* Demonstrar extremada tolerância; DIMINUIR-SE; REBAIXAR-SE [▶ 1 alhanar] [F.: *a-* + *lhano* + *-ar*.]

◎ **-alhão** *suf. nom.* = 'de grande tamanho ou de grandes proporções'; 'tipo de (palavra base) em que há exagero de dada(s) característica(s) ou elemento(s)'; 'que é muito (palavra base ou rad. nom.)'; '(aquele) que é dado a fazer algo': *bagalhão, bagralhão, facalhão, livralhão; dramalhão, farsalhão; amigalhão, bambalhão, bestalhão, bobalhão, brandalhão, espertalhão, fracalhão, frescalhão, gordalhão, grandalhão, paspalhão, porcalhão; brigalhão, brincalhão, gritalhão.* [F.: *-alho* + *-ão*¹. Nesse caso, a integração entre o suf. *-alho*, formador ora de diminutivos, ora de aumentativos, não raro com valor pejorativo ou depreciativo, e o aumentativo *-ão* apresenta matizes tanto de pejoratividade como de intensidade ou de afetividade, negativa ou positiva.]

◎ **-alhar** *suf.* Formador de verbos, a partir de rad. nom., esp. de adj., ger. com as ideias de: **a**) 'tornar(-se) muito (aquilo que diz o rad. nom. ou adj.)': *abobalhar, abrutalhar, afrescalhar, amimalhar, aparvalhar*; **b**) 'tornar(-se) como (o referente do rad. nom., em relação a dada característica) ou atribuir certa característica ou valor (ger. depreciativo) típico ou tido como do referente': *emporcalhar, avacalhar, estraçalhar*; **c**) 'gerar ou produzir': *intrigalhar, guizalhar* [F.: *-alho* + *-ar*². A integração do suf. *-alho*, formador de dim. e tb. de aumentativos (*ramalho*, p. ex.), ao suf. *-ar*, de verbos, apresenta tanto valor pejorativo quanto a noção de demasia, de algo que se faz em excesso ou que gera excessos.]

◎ **-alhaz** *suf. nom.* = 'muito grande': *facalhaz, pratarraz* [F.: *-alho* + *-az*. A integração dos dois suf. tem valor reforçativo para a ideia de aumento.]

alheado (a.lhe.*a*.do) *a.* **1** Que não presta atenção ao que está em redor; ABSORTO; ALHEIO; DISTRAÍDO [Ant.: *atento*.] **2** Posto sob o domínio ou posse de outra pessoa; ALIENADO: *terrenos alheados*. **3** Que não está em seu juízo perfeito; ALIENADO [F.: Part. de *alhear*.]

alheamento (a.lhe.a.*men*.to) *sm.* Ação ou resultado de alhear(-se); ALHEAÇÃO; ALIENAÇÃO [F.: *alhear* + *-mento*.]

alhear (a.lhe.*ar*) *v.* **1** Ficar alheio, distraído, sem perceber ou sem prestar atenção ao que está próximo; perder os vínculos ou envolvimento com algo [*tr.* + *de*: *Alheava-se da realidade.*] **2** Fazer ficar ou ficar afastado, desviar(-se), apartar(-se) [*td. tdr.* + *de*: *alhear o pensamento (dos problemas).*] [*tr.* + *de*: *Alheou-se dos amigos.*] **3** Dar ou ceder (algo) para outra(s) pessoa(s); tornar alheio; ALIENAR [***td.***: *Alheou suas terras e propriedades.*] **4** Afetar fortemente os pensamentos ou o comportamento de alguém; perturbar a atenção ou concentração [***td.***: *A balbúrdia na sala de aula alheou o professor.*] **5** *Fig.* Fazer perder a calma, a consciência ou o domínio das próprias ideias, impulsos ou ações; DESVAIRAR; ALUCINAR [***td.***: *A intensa agitação alheou-a por completo*] **6** Enlevar-se, arrebatar-se, extasiar-se [***int.***: *Alheou-se diante da pintura.*] **7** Mostrar-se desinteressado por [***int.***: *Mesmo distante, não se alheava dos assuntos familiares.*] **8** Ficar louco, alienar-se [***int.***: *Alguns soldados com trauma de guerra alhearam-se.*] [▶ 13 alhear] [F.: Do lat. *alienare*. Hom./Par.: *alheio* (fl.), *alheio* (a. sm.).]

alheio (a.*lhei*.o) *a.* **1** Que pertence a outra(s) pessoa(s) e não a quem fala/escreve nem a quem ouve/lê: *Fazer cortesia com o chapéu alheio (ver esta loc.).* **2** Não relacionado (a determinado assunto, tema etc.), irrelevante (para determinada esfera de interesses ou atividades) [+ *a*: *comentário alheio ao debate.*] **3** Distraído, desatento; desinteressado de algo ou sem participação, envolvimento; distante [+ *a*: *Ele tem estado triste e alheio a tudo; Preferiu manter-se alheio à crise.*] **4** Ignorante, desconhecedor [+ *de*: *Alheio da importância da visita, quase comete uma gafe.*] **5** Que não apresenta (certa condição), não é afetado ou influenciado por (certos pensamentos, sentimentos etc.); isento, falto [+ *a, de*: *alheio a/de preocupações*] *sm.* **6** Aquilo que é de outrem, que não pertence ou não é relativo à pessoa que fala/escreve nem à que ouve/lê [F.: Do lat. *alienu(m)*.] ■ **~ de si** Distraído, absorto, mergulhado em seus pensamentos

alheios (a.*lhei*.os) *smpl.* Os estranhos; os que não são parentes: *Estimava mais os alheios que os próprios parentes.* [F.: Pl. de *alheio*.]

alheira (a.*lhei*.ra) *sf.* **1** Mulher que vende alho **2** *Lus.* Chouriço temperado com alho [F.: *alho* + *-eira*.]

alheiro (a.*lhei*.ro) *sm.* **1** Indivíduo que produz ou negocia alhos **2** Viveiro de alhos [F.: *alho* + *-eiro*.]

◎ **-alho** *suf. nom.* Formador de diminutivos e de aumentativos, muitas vezes com valor depreciativo ou pejorativo, ger. com as noções (muitas das quais correlatas) de: **a**) 'pequeno ou menor': *bisalho* (< *lat.), *chocalho, cibalho*; **b**) 'tipo de ou algo semelhante a (palavra original): *barbalho, borralho, escovalho, rengalho*; **c**) '(pequena) porção de (algo)': *ciscalho, cibalho*; **d**) 'conjunto de (algo)': *rimalho*; **e**) 'aquilo com que se faz (algo) ou aquilo que resulta dessa ação': *esfregalho, espantalho, remoalho*; **f**) 'grande, imenso': *lençalho (pej.), mangalho (chulo)*; **g**) 'que é muito (palavra original) ou que tem ou recebe (algo) em demasia': *parvoalho, podricalho, mimalho*; **h**) 'de baixa ou má qualidade': *politicalho, rebotalho, viscondalho.* [F.: Do lat. *-(a)culus, a, um*, formador de diminutivos, por via popular. Ver: *-acho* e *-culo*. F. conexas: *-alhão, -alhar, -alhaz*.]

alho (*a*.lho) *sm.* **1** *Bot.* Erva (*Allium sativum*) semelhante à cebola, que tem o bulbo (cabeça) formado por gomos (dentes), muito us. como tempero, por seu gosto e cheiro fortes, característicos, e por suas propriedades medicinais (antigripais) **2** Bulbo dessa planta; cabeça de alho **3** Gomo do bulbo dessa planta; dente de alho **4** Pessoa esperta [Cf. a expr. *esperto como um alho*.] [F.: Do lat. *allium*.] ■ **Misturar ~s com bugalhos** Confundir coisas muito diferentes uma da outra; tentar reunir coisas incompatíveis entre si

alho-poró (a.lho-po.*ró*) *sm. Bot.* Certa erva, o mesmo que *alho-porro* [Pl.: *alhos-porós*.]

alho-porro (a.lho-*por*.ro) [ô] *Bot. sm.* **1** Erva (*Allium ampeloprasum*, tb. *Allium porrum*) da fam. das aliáceas, de or. europeia, cultivada em várias partes do mundo; possui folhas longas, bulbos tunicados e atinge entre 40 a 60 cm de altura **2** O bulbo e as folhas dessa erva us. esp. na alimentação humana [Pl.: *alhos-porros*.] [Tb. *alho-poró, alho-porrô* e *alho-porró*.]

alho-porró (a.lho-por.*ró*) *sm. Bot.* Certa erva, o mesmo que *alho-porro*

alhures (a.*lhu*.res) *adv.* Em outro lugar [F.: Posv. do provç. *aliors* ou *alhors*.]

ali (a.*li*) *adv.* **1** Em lugar distinto daquele em que se está, que pode ser próximo ou distante; naquele lugar: *Por favor, deixem suas malas ali; Foi para a Europa, e vai ficar ali até o verão.* **2** A certo lugar (que se conhece, mesmo sem mencionar), até aquele lugar: *Foram ali, mas voltam já.* **3** Em local previamente citado: *Na sala há uma caixa; deposite ali suas sugestões.* **4** Aquele momento: *Até ali tudo corria bem.* **5** Nessa circunstância, nesse fato, nessa situação etc.: *Está fácil demais, ali tem coisa...* **6** Nesse assunto, nessa matéria ou questão: *A discussão passou para a política, e ali prefiro não me meter.* **7** Junto a nome (próprio ou comum) reforça a identificação e denota proximidade ou afetividade: *A Maria ali saberá responder; Pegue aquela caixa ali e ponha na mesa, por favor.* **8** Seguido da prep. *por* e de menção de tempo ou de lugar, introduz a esta caráter de aproximação, indicação vaga: *ali pelas oito horas; Comprou um terreno ali por Itaipava.* [Ver loc. *ali por*.] [F.: Do lat. *ad illic*.] ■ **~ por** Mais ou menos a/em (hora ou lugar): *Vou chegar ali pelas 7h; Chegou cedo e ficou ali pelas vizinhanças.* **Até ~** Até determinado ponto, e não além dele

◎ **ali-** *el. comp.* = 'asa': *alífero* (< lat.), *aliforme, alígero* (< lat.), *alípede* (< lat.) [F.: Do lat. *ali-*, do lat. *ala, ae*.]

aliá (a.li:*á*) *sf.* A fêmea do elefante [F.: Do cingalês *aliya*. Hom./Par.: *aliás* (pl.), *aliás* (adv.); *aliá* (sf.), *alia* (fl. de *aliar*).]

aliácea (a.li.*á*.ce.a) *Bot. sf.* Espécime das aliáceas, fam. de ervas perenes, da ordem das asparagales com 30 gêneros e 850 espécies, como o alho [Encontradas no mundo todo, com exceção da Austrália.] [F.: Do lat. cient. *Alliaceae*.]

aliáceo (a.li.*á*.ce:o) *a.* **1** Ref. ou semelhante a alho **2** Que tem cheiro de alho: *Está com um bafo aliáceo.* **3** *Bot.* Ref. às aliáceas [F.: Do lat. *allium, ii*, 'alho' + *-áceo*.]

aliado (a.li.*a*.do) *a.* **1** Que se aliou a outro(s), que estabeleceu aliança; unido a outro(s) não tão próximo(s) por algum tipo de vínculo (pessoal, social etc.) (parente *aliado*) **2** Que apoia ou defende outro(s) e é por ele(s) apoiado ou defendido (em empreendimentos, disputas, polêmicas etc.), por ter com ele(s) afinidades, convicções ou interesses comuns **3** *Restr.* Que se uniu a outro(s) formalmente, por pacto ou tratado (nações *aliadas*) *sm.* **4** Pessoa ou grupo que se une a outro(s) *sm.* **5** Pessoa ou grupo aliado (2), ou que estabeleceu aliança formal, coligação etc.: "Não contavam com a réplica arrogante de seus aliados de tantos séculos..." (Alberto da Costa e Silva, *Um rio chamado Atlântico*) [F.: Part. de *aliar*.]

aliadofilia (a.li.a.do.fi.*li*.a) *sf.* Qualidade de aliadófilo [Ant.: *aliadofobia*.] [F.: *aliado* + *-filia*¹.]

aliadofílico (a.li:a.do.*fi*.li.co) *a.* Ref. a aliadofilia [F.: *aliadofilia* + *-ico*².]

aliadofobia (a.li:a.do.fo.*bi*.a) *sf.* Sentimento de oposição aos aliados durante as duas grandes guerras mundiais [Ant.: *aliadofilia*.] [F.: *aliado* + *-fobia*.]

aliadofóbico (a.li:a.do.*fó*.bi.co) *a.* Ref. a aliadofobia ou a aliadófobo [F.: *aliadofobia* + *-ico*².]

aliadófobo (a.li.a.*dó*.fo.bo) *sm.* **1** Pessoa que era contrária, por temor ou antipatia, aos aliados durante as duas grandes guerras mundiais *a.* **2** Diz-se dessa pessoa [F.: *aliado* + *-fobo*. F. opos. a *aliadófilo*.]

aliamba (a.li.*am*.ba) *Bras. sf.* Maconha (1) [F.: *a-*⁴ + *liamba*.]

aliança (a.li:*an*.ça) *sf.* **1** Anel de noivado ou de casamento, que é us. por noivo ou noiva, ou por marido ou esposa, para simbolizar o vínculo conjugal **2** Pacto ou acordo que define um compromisso entre pessoas ou grupos, uma união ou colaboração para certos propósitos **3** *Restr.* União conjugal; casamento, matrimônio **4** União, ligação estável ou harmoniosa entre elementos diversos **5** *Rel.* Relação entre Deus e um povo, ou a humanidade, concebida como um acordo ou pacto, um compromisso mútuo **6** *Antr.* Relação social entre famílias ou outros subgrupos sociais, definida de modo mais ou menos convencional pelo fato de haver casamento(s) entre seus membros [F.: Do fr. *alliance*.]

aliançar (a.li.an.*çar*) *v. P. us.* Fazer aliança ou unir-se por aliança a; ALIAR(-SE) [***td.***] [*tr.* + *a, com*] [▶ 12 aliançar] [F.: *aliança* + *-ar*. Hom./Par.: *aliança(s)* (fl.), *aliança* (sf. [e pl.]).]

aliancismo (a.li.an.*cis*.mo) *sm.* **1** Tendência a buscar alianças em caso de conflito **2** *Bras. Hist.* Durante a Segunda República, movimento representado pela Aliança Nacional Libertadora, o principal grupo político contrário ao Integralismo, formado por comunistas, socialistas e liberais antifascistas [Inicial maiúsc.] [F.: *aliança* + *-ismo*.]

aliar (a.li.*ar*) *v.* **1** Estabelecer associação, vínculo, combinação de algo com outras coisas, juntar(-se), ligar(-se) [***td.***: *aliar esforços*] [*tdr.* + *a, com*: *aliar o ouro à/ com a prata*] **2** Reunir em um interesse comum, em uma ação comum (indivíduos, grupos, classes, países, povos) [***td.***: *A busca por justiça aliou toda a comunidade (contra o réu).*] [*tdr.* + *a, com*: *Os interesses do comércio aliaram a Inglaterra a Portugal.*] [*tr.* + *a, com*: *A Prússia aliou-se com a Itália (contra a Áustria); Os tamoios se aliaram aos franceses (contra os portugueses).*] **3** Unir por casamento [*tdi.* + *a*: *Aliara a moça ao pretendente.*] [***int.***: *Os filhos de famílias rivais não podiam se aliar.*] **4** Ter em si ou apresentar, de modo simultâneo ou combinado, diversas qualidades, atitudes etc. [***td.***: *aliar força e coragem.*] [*tdr.* + *a, com*: *aliar a valentia à/ com a prudência.*] **5** Harmonizar-se, conciliar-se [*tr.* + *com*: *A religião não pode se aliar com uma vida dissoluta.*] [▶ 1 aliar] [F.: Do lat. *alligare*, talvez pelo fr. *allier*. Hom./Par.: *alia* (fl.), *aliá* (sf.), *Ália* (top.); *alias* (fl.), *aliás* (sf. pl.), *aliás* (adv.); *aliáveis* (fl.), *aliáveis* (a2g. pl.).]

aliás (a.li:*ás*) *adv.* **1** Ou melhor; quer dizer; digo: *Os pecados capitais são oito; aliás, sete.* **2** A propósito; na verdade: "... nunca mais ousei repetir essas experiências, aliás inúteis." (Mário de Sá Carneiro, *A confissão de Lúcio*) **3** De outra forma: *Ganhou na loteria; aliás não teria enriquecido sem esse pequeno detalhe.* [Us. tanto para retificar ou averiguar uma informação, como para confirmá-la ou aperfeiçoá-la.] **4** Além do mais: *Casou tarde; aliás, com uma mulher muito mais nova.* **5** No entretanto, não obstante, contudo: *Escrever poemas para ele é simples; aliás, deve-se lembrar que começou há pouco.* [F.: Do lat. *alias* 'outra vez'. Hom./Par.: *aliás* (pl. de *aliá*, sf.) e *alias* (fl. de *aliar*).]

aliável (a.li:*á*.vel) *a.* Que pode ser aliado, unido [Ant.: *inaliável*.] [Pl.: *-veis*.] [F.: *aliar* + *-vel*. Hom./Par.: *aliáveis* (pl.), *aliáveis* (fl. de *aliar*).]

álibi (*á*.li.bi) *sm.* **1** *Jur.* Alegação, indício ou comprovação da inocência do réu, por estar ele presente em outro lugar no momento do crime **2** *Fig.* Justificativa que livra alguém de culpa [F.: Do lat. *alibi*.]

alíbil (a.*lí*.bil) *a2g.* **1** Próprio para a nutrição **2** Diz-se de substância completamente assimilável; COMESTÍVEL; COMÍVEL [Ant.: *incomível, intragável*.] [Pl.: *-beis*.] *sm.* **3** Parte dos alimentos que o organismo pode assimilar [Pl.: *-beis*.] [F.: Do lat. *alibilis, e*, 'nutritivo'.]

alibilidade (a.li.bi.li.*da*.de) *sf.* Qualidade do que é alíbil, próprio para a nutrição [F.: *alíbil* + *-(i)dade*.]

alicaído (a.li.ca:*í*.do) *a.* **1** *Poét.* De asas caídas, pendentes **2** *Fig.* Desalentado, desanimado [F.: *ali-* + *caído*.]

alicantina (a.li.can.*ti*.na) *Fam. sf.* Manha, astúcia, trapaça: "...Aí vens tu com as tuas alicantinas!" (Camilo Castelo Branco, *A brasileira de Prazins*) [F.: Do espn. *alicantina*.]

alicantineiro (a.li.can.ti.*nei*.ro) *sm.* Pessoa que usa de alicantinas, de trapaças; ALICANTINADOR; TRAPACEADOR [F.: *alicantina* + *-eiro*.]

alicate (a.li.*ca*.te) *sm.* **1** Ferramenta que tem duas barras metálicas que se cruzam de modo a poderem ser afastadas ou aproximadas até se tocarem nas extremidades (achatadas ou recurvadas), us. para prender ou cortar objetos, dobrar ou torcer fios e cabos metálicos etc. **2** *P. ext.* Utensílio de formato e funcionamento semelhante ao alicate (1), com as extremidades apropriadas para outros usos, como furar papéis ou tecido, aparar unhas ou cutículas etc. **3** *P. ext.* Golpe (p. ex., em luta corporal) ou outro tipo de manobra ou recurso em que os braços ou um par de objetos rígidos são usados como alavancas em sentidos contrários, para prender ou ferir **4** *Bras.* O mesmo que *cachaça* [F.: Do ár. *al-laqqat*.]

alicerçado (a.li.cer.*ça*.do) *a.* **1** Que tem alicerces **2** *Fig.* Que dispõe de bases sólidas: *amizade alicerçada em anos de convivência.* **3** *Fig.* Fundado, fundamentado: *argumentos bem alicerçados.* [F.: Part. de *alicerçar*.]

alicerçador (a.li.cer.ça.*dor*) [ô] *a.* **1** Que alicerça **2** O que alicerça [F.: *alicerçar* + *-dor*.]

alicerçamento (a.li.cer.ça.*men*.to) *sm.* Ação ou resultado de alicerçar(-se) [F.: *alicerçar* + *-mento*.]

alicerçar (a.li.cer.*çar*) *v.* **1** *Cons.* Estabelecer o(s) alicerce(s) de (uma construção) [***td.***: *alicerçar solidamente um prédio.*] **2** *Fig.* Elaborar ou formular (afirmações, argumentos etc.) recorrendo a informações ou ideias consideradas sólidas e seguras; apresentar as bases, os fundamentos de; BASEAR; FUNDAMENTAR [***td.***: *Alicerçara cientificamente suas teorias.*] [*tdr.* + *em*: *Alicercei-me na filosofia para redigir o* *texto.*] 3 *Fig.* Tornar forte, sólido, estável; CONSOLIDAR; FORTALECER [*td.: alicerçar convicções/uma relação/um sentimento.*] [▶ 12 alicerçar] [F.: *alicerc(e)* + *-ar*². Hom./Par.: *alicerce* (fl.), *alicerce* (sm.).]

alicerce (a.li.*cer*.ce) *sm.* 1 *Cons.* A parte inferior, que sustenta uma construção, um edifício etc., composta de pedras ou blocos de cimento, ger. dentro do solo, sobre os quais as estruturas externas se apoiam; FUNDAÇÃO 2 Local ou abertura no solo, em que são colocados os alicerces (1): *preparar/abrir/cavar os alicerces da casa.* 3 *Fig.* Aquilo em que algo se apoia; aquilo que dá firmeza, segurança, solidez; BASE; FUNDAMENTO: *o alicerce de uma análise.* [F.: Do ár. *al-isas*. Hom./Par.: *alicerce* (sm.), *alicerce* (fl. de *alicerçar*).]

aliche (a.*li*.che) [tche] *sf.* Anchova preparada na salmoura para conserva [F.: Do it. *alice.*]

aliciado (a.li.ci.*a*.do) *a.* 1 Que foi aliciado 2 Seduzido, atraído, envolvido: *pessoas aliciadas por criminosos.* 3 Que recebeu suborno; CORROMPIDO [F.: Part. de *aliciar.*]

aliciador (a.li.ci.a.*dor*) [ô] *a.* 1 Que alicia ou serve para aliciar; ALICIANTE *sm.* 2 O que alicia [F.: *aliciar* + *-dor.*]

aliciamento (a.li.ci:a.*men*.to) *sm.* Ação ou resultado de aliciar [F.: *aliciar* + *-mento.*]

aliciante (a.li.ci.*an*.te) *a2g.* Que alicia; ALICIADOR [F.: *aliciar* + *-nte.*]

aliciar (a.li.ci.*ar*) *v.* 1 Convencer ou estimular (alguém), por meio de promessas ou favores enganosos, a participar, colaborar ou agir com cumplicidade (ger. em atividade ilícita) [*td.:* "...procurava aliciar clientes..." (Alberto da Costa e Silva, *A manilha e o libambo*)] [*tdr.* + *a, para:* "...essa atividade de aliciar patuscos para roubar metralhadoras e assaltar um banco..." (Antonio Callado, *Bar Don Juan*)] 2 *P. ext.* Tentar subornar oferecendo vantagem material [*td.: Embora oferecesse dinheiro, não aliciou a testemunha de acusação.*] 3 Atrair ou conquistar a confiança de (alguém) e estimulá-lo a agir de certa maneira; incitar, instigar [*td.: aliciar a desobediência.*] [*tdr.* + *a: aliciou-os a desobedecerem.*] 4 Obter ou conquistar por meio de atração, sedução, promessas etc. [*td.: aliciar adeptos, seguidores.*] [▶ 1 aliciar] [F.: Do lat. *allicere*, através de **alliciare.*]

aliciável (a.li.ci.*á*.vel) *a2g.* Que se pode aliciar [Pl.: *-veis.*] [F.: *aliciar* + *-vel*. Hom./Par.: *aliciáveis* (pl.), *aliciáveis* (fl. de *aliciar*).]

alicíclico (a.li.*cí*.cli.co) *a.* Diz-se de composto orgânico de cadeia aberta cuja molécula possui um ou mais anéis não aromáticos [F.: *ali(fático)* + *cíclico.*]

alidade (a.li.*da*.de) *Fís. Mar. sf.* Dispositivo de certos instrumentos ópticos, formado por régua e arco graduados, us. para medir ângulos. Tb. *alidada* [F.: Do ár. *al-idada.*]

alienabilidade (a.li:e.na.bi.li.*da*.de) *sf.* Qualidade do que é alienável [F.: *alienável* + *-(i)dade*, seg. o mod. erudito.]

alienação (a.li:e.na.*ção*) *sf.* 1 Ação ou resultado de alienar(-se); estado ou condição daquilo ou daquele que se alienou 2 Falta de interesse, de conhecimento ou de consciência sobre as questões importantes da sociedade, sobre os acontecimentos do país e do mundo 3 *Psiq.* Perturbação mental que afasta a pessoa do convívio com outros 4 *Jur.* Transferência de bens, de direitos a outrem 5 *Fil.* Falta de compreensão a respeito da própria condição e das relações reais do sujeito, sua existência no mundo; no marxismo, falta de consciência ou consciência equivocada a respeito dos processos e relações sociais que determinam a situação do indivíduo; incapacidade de perceber que a ação e os pensamentos decorrem da condição de classe, do papel desta e de seus membros na infraestrutura da sociedade 6 Fato ou condição de ceder, perder, renunciar a ou estar privado de algo [Pl.: *-ções.*] [F.: Do lat. *alienatione(m).*] ▪ **~ fiduciária** *Econ.* Sujeição do bem de um devedor ao domínio do credor até que seja paga a dívida **~ mental** *Psiq.* Qualquer perturbação mental que provoca desligamento cognitivo da realidade, ou confusão ou perda de identidade cultural, tornando o indivíduo inapto para a vida social [Tb. apenas *alienação.*]

alienado (a.li:e.*na*.do) *a.* 1 Que se alienou; que foi objeto de alienação; cedido a outrem, transferido ou vendido 2 Diz-se de pessoa que não se interessa pelos acontecimentos do país ou do mundo, ou que não tem conhecimento da realidade social 3 Diz-se de pessoa perturbada mentalmente e afastada da sociedade ou do convívio considerado normal; DOIDO; LOUCO 4 Diz-se de quem está apartado, afastado, desinformado; sem vínculos, envolvimento ou interesse: *isolou-se, alienado de tudo e de todos.* 5 Que não tem consciência da verdadeira natureza dos processos sociais e sua inserção nestes, ou dos conflitos entre classes e da exploração de certas classes por outras *sm.* 6 Pessoa alienada (2, 3, 4, 5) [F.: Do lat. *alienatu(m).*]

alienador (a.li.e.na.*dor*) [ô] *a. sm.* O mesmo que *alienante* [F.: Do lat *alienator, oris.*]

alienante (a.li:e.*nan*.te) *a2g.* 1 Que provoca alienação; que desvia da percepção da realidade: *um divertimento alienante.* 2 *Jur.* Diz-se de pessoa que transfere para outrem a propriedade, o direito ou o domínio que tem sobre algo *s2g.* 3 *Jur.* Essa pessoa [F.: Do lat. *alienante(m).*]

alienar (a.li:e.*nar*) *v.* 1 Tornar alheio, desatento, indiferente em relação a algo [*tdr.* + *de: Alienara-se dos seus antigos interesses.*] 2 Apartar, desviar, separar; afastar ou excluir do convívio [*tdr.* + *de: Alienaram-no de nosso grupo.*] 3 Causar ou vir a ter perturbação mental; ENDOIDECER; ENLOUQUECER [*td.: O conflito familiar alienou seu juízo.*] [*int.: A irmã alienou-se.*] 4 *Fig.* Antagonizar, indispor [*td.: Tanta rivalidade acabou por alienar os colegas.*] 5 *Jur.* Transferir para outrem a posse de; tornar alheio ou de outro [*td.:* "...privar o Brasil daquele tesouro seria alienar um acervo que jamais poderíamos tornar a reunir." (Josué Montello, *O Juscelino Kubitschek de minhas recordações*)] [*tdi.* + *a, para:* "...não tinham a intenção de alienar o Daomé aos portugueses." (Alberto da Costa e Silva, *Um rio chamado Atlântico*)] 6 Impedir que alguém se torne consciente da realidade social ou seja crítico em relação a ela [*td.: O consumismo aliena principalmente os jovens.*] [▶ 1 alienar] [F.: Do lat. *alienare*. Sin. ger.: *alhear.*]

alienatório (a.li:e.na.*tó*.ri:o) *a.* 1 Que se transmite por alienação 2 Capaz de causar alienação [F.: *alienar* + *-tório.*]

alienia (a.li:e.*ni*.a) *sf. Med.* Ausência do baço; ANESPLENIA [F.: *a-*³ + *-lien(o)-* + *-ia*¹.]

aliênico (a.li:*ê*.ni.co) *a. Med.* Ref. ou inerente a alienia; ANESPLÊNICO [F.: *alienia* + *-ico*².]

alienígena (a.li:e.*ní*.ge.na) *a2g.* 1 *Fig.* Que pertence a ou se origina de outro(s) planeta(s) ou local(is) fora do sistema solar; EXTRATERRESTRE 2 Diz-se de pessoa de outro país; ESTRANGEIRO *s2g.* 3 *Fig.* Ser extraterrestre 4 Pessoa estrangeira; ESTRANGEIRO [F.: Do lat. *alienigena.*]

alienismo (a.li.e.*nis*.mo) *Psiq. sm.* 1 Estudo ou tratamento das doenças mentais 2 Insanidade mental [F.: Do fr. *aliénisme.*]

alienista (a.li:e.*nis*.ta) *s2g. P. us.* Médico especializado no tratamento de doenças mentais; PSIQUIATRA [F.: Do fr. *aliéniste.*]

alifático (a.li.*fá*.ti.co) *a. Quím.* Diz-se de composto orgânico de cadeia carbônica aberta; ACÍCLICO [F.: Do gr. *áleiphar, atos*, 'que serve para ungir', + *-ico*².]

alífero (a.*lí*.fe.ro) *a.* 1 Que tem asas (inseto alífero) *sm.* 2 *P. ext. Zool.* Animal dotado de asas [F.: Do lat. *alifer, fera, ferum.*]

aliforme (a.li.*for*.me) *a2g.* Que tem forma de asa; ALAR; ANSIFORME [F.: *ali-* + *-forme.*]

aligátor (a.li.*gá*.tor) *sm. Zool.* Denominação comum aos jacarés do gên. *Alligator*, da América do Norte e da China, que tem apenas duas espécies [Pl.: *aligátores.*] [F.: Do lat. cient. gên. *Alligator.*]

aligatorídeo (a.li.ga.to.*rí*.de:o) *Zool. a.* 1 Ref. aos aligatorídeos *sm.* 2 Espécime dos aligatorídeos, fam. de répteis crocodilianos popularmente conhecidos como jacarés [F.: Do lat. cient. *alligatoridae.*]

aligeirar (a.li.gei.*rar*) *v. td.* 1 Tornar(-se) mais ligeiro, dar maior velocidade a; APRESSAR: *Aligeirou o passo para chegar logo.* 2 Aliviar, mitigar, moderar: *Fez o possível para aligeirar as perdas.* 3 Tornar mais leve: *Jogaram a carga fora para aligeirar o navio.* [▶ 1 aligeirar] [F.: *a-* + *ligeir(o)* + *-ar.*]

alígero (a.*lí*.ge.ro) *a.* 1 *Poét.* Dotado de asas 2 Ligeiro, veloz [Ant.: *lento, vagaroso.*] [F.: Do lat. *aliger, era, erum.*]

alijado (a.li.*ja*.do) *a.* 1 Que foi lançado fora (carga alijada) 2 *P. ext.* Afastado, separado, rejeitado [F.: Part. de *alijar.*]

alijamento (a.li.ja.*men*.to) *sm.* Ação ou resultado de alijar(-se) [F.: *alijar* + *-mento.*]

alijar (a.li.*jar*) *v.* 1 Lançar fora (ger. de uma embarcação) [*td.: A tripulação viu-se forçada a alijar toda a carga ao mar.*] 2 Livrar-se de; desprezar, abandonar; DESCARTAR [*td.: Alijou amizades que julgava inúteis.*] [*tdr.* + *de: Alijou-se de todos os temores.*] 3 Impedir contato, presença próxima, envolvimento, participação em ou acesso a certa atividade etc.; AFASTAR; APARTAR; EXCLUIR [*td.: alijar más influências;* "...aplicara-lhe tal sarrafada que o alijara da prática do esporte." (Marques Rebelo, "Acudiram três cavaleiros" *in Contos reunidos*)] [*tdr.* + *de: querem alijar-te do processo decisório.*] 4 Negar ou impossibilitar a alguém um direito, o uso ou posse de algo; privar [*tdr.* + *de: quiseram alijar-nos de nossos bens e direitos.*] 5 Aliviar, tornar mais leve [*td.: Retirando algumas das malas, ela alijou o carro.*] 6 Não cumprir, não respeitar ou não reconhecer (um dever, uma responsabilidade) [*td.: Ao ser instado a pagar pensão alimentícia aos filhos, alijou-a.*] [▶ 1 alijar] [F.: Do lat. *alleviare*, posv. através do it. *leggiare* ou do fr. *alléger.*]

alil (a.*lil*) *sm. Quím.* Ver *alila* [F.: Do lat. *al* (*lium*), 'alho', 'cebola', + *-il*².]

alila (a.*li*.la) *Quím. sf.* Radical orgânico univalente insaturado (CH_2=CH-CH_2-), encontrado em vários compostos orgânicos; ALIL [F.: Do lat. *al* (*lium*), 'alho'; 'cebola', + *-ila*².]

alimanada (a.li.ma.*na*.da) *sf. RS Pop.* Conjunto de animais; animalada; ANIMALADA [F.: *animalada* (com metátese).]

alimária (a.li.*má*.ri:a) *sf.* 1 Animal irracional; ANIMÁLIA 2 Besta de carga; ANIMÁLIA 3 *Fig.* Pessoa estúpida, grosseira *Fig.* ANIMAL [F.: Do lat. *animalia, ium*, 'animais', por dissimilação.]

alimentação (a.li.men.ta.*ção*) *sf.* 1 Ação ou resultado de alimentar(-se) 2 Conjunto de alimentos ou substâncias normalmente ingeridas por um ser vivo, esp. um animal: *uma alimentação saudável.* 3 Abastecimento, fornecimento daquilo que é necessário para que algo funcione ou se mantenha: *A alimentação desse motor é feita com eletricidade; interromper a alimentação de papel para a impressora.* 4 Processo ou dispositivo de fornecimento de combustível a um motor: *O carro enguiçou por problemas na alimentação.* 5 *Elet.* O mesmo que *fonte de alimentação* [Pl.: *-ções.*] [F.: *alimentar* + *-ção.*]

alimentado (a.li.men.*ta*.do) *a.* 1 Que recebeu alimento: *crianças bem alimentadas e saudáveis.* [Ant.: *desnutrido.*] 2 Instigado, incitado, fomentado: *boato alimentado por gente mexeriqueira.* [F.: Part. de *alimentar.*]

alimentador (a.li.men.ta.*dor*) [ô] *sm.* 1 O que alimenta 2 Dispositivo ou mecanismo de abastecimento: *alimentador de papel da impressora.* [F.: *alimentar* + *-dor.*]

alimentar¹ (a.li.men.*tar*) *a2g.* 1 Ref. a alimento 2 Que é apropriado para a alimentação; alimentício [F.: *alimento* + *-ar*¹.]

alimentar² (a.li.men.*tar*) *v.* 1 Dar alimento a; NUTRIR [*td.: Alimentar os animais; Eu me alimento bem.*] [*tdr.* + *de, com: Só nos alimentamos de produtos naturais.*] 2 Servir de alimento; ser alimentício [*int.: O leite alimenta.*] 3 Prover do necessário; ABASTECER [*td.: Alimentar a mercearia; Alimentar a caldeira da máquina.*] [*tdr.* + *de, com: Alimentar de munição uma arma.*] 4 Concorrer para que se conserve ou aumente (tb. *Fig.*) [*td.: Os regatos alimentam os rios; e estes, o mar; Alimentar o fogo; Alimentar o ódio.*] 5 *Fig.* Enriquecer, fortalecer [*td.: A fé alimentava seu espírito.*] 6 *Fig.* Manter, conservar, reter [*td.: Só alimentava tristezas em seu coração.*] 7 *Elet.* Fornecer corrente elétrica a (aparelhos, circuitos etc.) [*td.*] 8 *Inf.* Incluir informações em (base de dados) [▶ 1 alimentar] [F.: *alimento* + *-ar*². Hom./Par.: *alimento* (fl.), *alimento* (sm.).]

alimentício (a.li.men.*tí*.ci:o) *a.* 1 De alimento, próprio de alimento; ref. à presença de elementos nutrientes; nutritivo: *A soja tem alto valor alimentício.* 2 Próprio para comer, que serve ou se destina a ser consumido na alimentação (gêneros alimentícios) 3 Ref. a ou que provê alimento (setor alimentício, pensão alimentícia) [F.: *alimentar* + *-ício.*]

alimento (a.li.*men*.to) *sm.* 1 Aquilo que é ou contém substância(s) de que um organismo necessita assimilar para continuar vivo ou para crescer 2 Aquilo que é ou pode ser ingerido por um animal (ou preparado por humanos para ser ingerido) para fornecer as substâncias de que o organismo necessita; COMIDA: *Doaram à creche um quilo de alimento.* 3 *Fig.* Aquilo que mantém ou garante a continuidade de algo, de um processo 4 *Fig.* Aquilo que, assimilado do exterior, permite o desenvolvimento de algo: *A leitura era o alimento de sua imaginação.* [F.: Do lat. *alimentu(m)*. Hom./Par.: *alimento* (sm.), *alimento* (fl. de *alimentar*).] ▪ **~ de poupança** Substância sem valor nutritivo que estimula o sistema nervoso central para suscitar energia passageira (ex.: café, chá, álcool etc.)

📖 Um ser vivo, pelo simples fato de estar vivo, já consome energia, que obtém de substâncias externas, para a continuidade de suas funções vitais. Mais energia é consumida para crescer e desenvolver-se. Mais para defender-se de doenças e invasores. E ainda mais para buscar essa energia, reproduzir-se, empreender qualquer tipo de ação ou atividade. No caso dos animais superiores, que ao contrário das plantas (clorofiladas) não sintetizam matéria orgânica a partir da inorgânica, essa energia provém principalmente de outros seres vivos, em verdadeiros ciclos ou cadeias alimentares, abrangentes na extensão (áreas geográficas) e na profundidade (níveis de complexidade orgânica). Assim, animais se alimentam de vegetais e/ou de outros animais. Eles precisam de calorias (unidades de energia), que obtêm de carboidratos e gorduras; precisam de elementos de reposição material, que obtêm das proteínas, e de proteção e fortalecimento, que obtêm das vitaminas e dos sais minerais. É do equilíbrio dessa composição alimentar que depende o bom funcionamento orgânico e uma vida saudável. Suas fontes, em tipos de alimento, variam em função do lugar (clima, flora, fauna), dos hábitos alimentares (cultura) e de condições sociais. É consenso que todo ser humano, seja qual for o lugar e condição social, tem direito a uma alimentação saudável, mas apesar de esforços e medidas de vários órgãos locais e internacionais, a carência alimentar – a fome – ainda não está totalmente erradicada no mundo, apesar de a capacidade de produção de alimentos não estar abaixo das necessidades totais da população do planeta.

⊕ ***a limine*** (*Lat. /a límini/*) *loc. adv.* Desde o início, de antemão, sem análise mais acurada

alimpa (a.*lim*.pa) *Agr. sf.* Desbaste ou corte de ramos ou folhas supérfluas; monda de plantas nocivas [F.: Dev. de *alimpar*. Hom./Par.: *alimpa* (fl. de *alimpar*); *alimpas* (pl.), *alimpas* (fl. de *alimpar*).]

alimpadura (a.lim.pa.*du*.ra) *sf.* O mesmo que *limpamento* [F.: *alimpar* + *-dura.*]

alimpar (a.lim.*par*) *P. us. v. td. tdr. int.* O mesmo que *limpar* [▶ 1 alimpar] [F.: *a-*² + *limpar*. Hom./Par.: *alimpa(s)* (fl.), *alimpa(s)* (sf. [pl.]).]

alindamento (a.lin.da.*men*.to) *sf.* Ação ou resultado de alindar(-se); ALINDE; EMBELEZAMENTO [F.: *alindar* + *-mento.*]

alindar (a.lin.*dar*) *v.* Tornar(-se) lindo, bonito; embelezar(-se) [*td.: Comprava flores para alindar a casa.*] [*int.:* "...creia que (...), para alindar nem afear, não porei aqui mais do que aquilo que vi..." (Pero Vaz de Caminha, *Carta a el-rei d. Manuel sobre o achamento do Brasil*)] [▶ 1 alindar] [F.: *a-* + *lind(o)* + *-ar.*]

alínea (a.*lí*.ne:a) *sf.* 1 Linha que inicia um parágrafo 2 *Jur.* Subdivisão de certos documentos jurídicos, como constituições, leis, decretos etc.; cada uma das partes de um artigo de lei, que se iniciam em uma nova linha de texto e são ger. indicadas por letras usadas na sequência alfabética [F.: Do lat. *alinea.*]

alinhado (a.li.*nha*.do) ***a.*** 1 Disposto em linha reta, em fila [+ *a, com*: *Amanhã a Lua e a Terra estarão alinhadas com o Sol.*] 2 Vestido com elegância: *Ele estava todo alinhado no domingo.* 3 Correto no modo de ser ou agir: *Ela respondeu à agressão de forma muito alinhada.* 4 Que pensa ou atua da mesma forma que outros; que segue a mesma orientação (esp. política e/ou econômica): *países alinhados.* 5 Que apresenta alinhamento, que está disposto segundo um alinhamento, um arranjo ou padrão de linhas 6 Colocado ou ajustado na posição ou lugar precisos, em relação a outras peças ou elementos de um mecanismo: *As peças da engrenagem não estão bem alinhadas.* [F.: Part. de *alinhar*.]

alinhador (a.li.nha.*dor*) [ô] ***a.*** 1 Que alinha ***sm.*** 2 O que alinha 3 *Art. Gr.* Dispositivo que, numa linotipo, ajusta e centraliza os brancos à esquerda ou à direita da composição [F.: *alinhar* + *-dor*.]

alinhamento (a.li.nha.*men*.to) ***sm.*** 1 Ação ou resultado de colocar(-se) em linha reta 2 Conjunto de coisas ou pessoas em linha reta, ou em determinadas posições: *Inspecionou a tropa, caminhando diante do alinhamento de soldados.* 3 *Fig.* Adesão, conformidade ou concordância com um grupo, uma ideia etc.; engajamento a uma causa, uma tarefa 4 Orientação ou posicionamento segundo certa direção, segundo determinado desenho ou plano: *alinhamento de parágrafos e de outros elementos gráficos.* 5 Ajuste ou regulagem da posição ou do funcionamento dos componentes de um dispositivo 6 *Restr. Mec.* Regulagem da posição das rodas de um automóvel, para que fiquem perfeitamente paralelas entre si e perpendiculares ao chassi 7 *Astr.* Conjunção simultânea de vários planetas [F.: *alinhar* + *-mento*.]

alinhar (a.li.*nhar*) ***v.*** 1 Colocar em linha reta, em fila ou fileira [***td.***: *alinhar os cavalos para a corrida.*] [***int.***: *Fez os cavalos alinharem-se.*] 2 Ter esmero no vestir, na aparência em geral [***td.***: *Queria alinhar o marido para vê-lo mais bonito; Alinhou-se para impressionar a pretendente.*] 3 *Fig.* Estar ou pretender estar no mesmo nível de; EQUIPARAR [*tr.* + *a, com*: *Alinhava-se aos melhores pintores.*] 4 *Fig.* Seguir as mesmas ideias ou conceitos [***tdr.*** + *com*: *Fez um esforço e alinhou-se com o adversário político.*] 5 *Tip. Art. gr.* Dispor (letras ou outros elementos gráficos) obedecendo a critério de diagramação (p. ex., de modo que as letras formem fileiras retas, ou que o início e o fim dessas fileiras estejam a determinada distância fixa das margens) [***td.***] 6 *Mec.* Corrigir a posição de peças ou componentes de um mecanismo, segundo o projeto original ou visando a um bom funcionamento [***td.***: *alinhar as rodas do carro.*] 7 *Elet. Eletrôn.* Ajustar circuitos para seu melhor funcionamento [▶ 1 alinhar] [F.: *a-*^{2} + *linh(a)* + *-ar*^{2}. Hom./Par.: *alinho* (fl.), *alinho* (sm.).]

alinhavado (a.li.nha.*va*.do) ***a.*** 1 Que se alinhavou, que foi cosido com pontos de alinhavo 2 Que foi apenas esboçado, delineado 3 Que foi feito às pressas ou de forma improvisada: *Não se pôde arranjar com aquelas desculpas alinhavadas.* [F.: Part. de *alinhavar*.]

alinhavar (a.li.nha.*var*) ***v. td.*** 1 Costurar de modo rápido e provisório, usando pontos largos, espaçados, esp. como preparação para costura definitiva: *alinhavar a camisa* 2 Realizar ou apresentar (algo) de modo provisório, preliminar; DELINEAR; ESBOÇAR: *Alinhavava seus contos, antes de escrevê-los em definitivo.* 3 *Fig.* Combinar, encadear, ligar elementos diversos, de modo frouxo ou apressado; executar, formar ou compor (algo) desse modo: *Depois de alinhavar algumas ideias, desenvolveu o argumento; Em poucas horas, alinhavou um projeto de pesquisa.* 4 *Fig.* Apresentar, dizer ou narrar (algo) improvisadamente, sem muita firmeza ou coerência: *alinhavar justificativas/ pretextos/ explicações* [▶ 1 alinhavar] [F.: *alinhavo* + *-ar*^{2}. Hom./Par.: *alinhavo* (fl.), *alinhavo* (sm.).]

alinhavo (a.li.*nha*.vo) ***sm.*** 1 Costura provisória, de pontos largos 2 *Fig.* Esboço de uma obra qualquer antes de sua realização definitiva 3 *Fig.* Arranjo ou execução rápidos, improvisados [F.: Da expr. (*coser*) *a linha vã*. Hom./Par.: *alinhavo* (sm.), *alinhavo* (fl. de *alinhavar*).]

alinho (a.*li*.nho) ***sm.*** 1 Disposição em linha reta; alinhamento 2 Cuidado especial na feitura de algo; APURO; ESMERO 3 Qualidade do que é feito com cuidado, capricho 4 Qualidade do que é moralmente direito, reto, correto 5 Elegância no modo de vestir 6 Atitude elegante, correta; retidão ou correção do comportamento 7 Enfeite, ornato [F.: Dev. de *alinhar*. Hom./Par.: *alinho* (sm.), *alinho* (fl. de *alinhar*).]

álio (*á*.li:o) *Bot.* ***sm.*** Denominação comum às plantas do gên. *Allium*, da fam. das aliáceas, algumas cultivadas pelas folhas, outras pelo bulbo (cebola, alho etc.), us. como alimento ou com fins medicinais, encontradas na América, Europa, Ásia e África [F.: Do lat. cient. *Allium*.]

alípede (a.*lí*.pe.de) ***a2g.*** 1 *Poét.* Que tem asas nos pés 2 *P. ext.* Que é muito veloz ou ligeiro; ALÍGERO [F.: Do lat. *alipes, edis*.]

aliquanta (a.li.*quan*.ta) *Mat.* ***sf.*** Quantidade que, numa outra, não se contém um número exato de vezes: *Dois é uma aliquanta de cinco.* [Ant.: *alíquota*. Us. tb. como adj.: *parte aliquanta*.] [F.: Do lat. *aliquanta* (*pars*).]

alíquota (a.*lí*.quo.ta) ***sf.*** 1 Parcela (calculada ou definida percentualmente) do valor de algo, e que deve ser paga como imposto 2 *Mat.* Divisor exato de uma quantidade; parcela que está contida num todo um número exato de vezes [F.: Do lat. *aliquot*.]

alisado (a.li.*sa*.do) ***a.*** 1 Que se tornou liso, plano, sem rugas 2 Que foi tratado para deixar de ser crespo (cabelo alisado) 3 Brunido, que passou por polimento [F.: Part. de *alisar*.]

alisador (a.li.sa.*dor*) [ô] ***a.*** 1 Que alisa ***sm.*** 2 O que alisa 3 Instrumento que serve para alisar ou polir [F.: *alisar* + *-dor*.]

alisamento (a.li.sa.*men*.to) ***sm.*** Ação ou resultado de alisar [F.: *alisar* + *-mento*.]

alisante (a.li.*san*.te) ***a.*** 1 Que alisa ***sm.*** 2 O que alisa 3 Produto cosmético, ger. creme, us. para alisar os cabelos [F.: *alisar* + *-nte*.]

alisar (a.li.*sar*) ***v.*** 1 Tornar liso, plano, suave ao tato; tirar irregularidades, dobras, rugas etc. de (uma superfície, um material, a pele etc.) [***td.***: *alisar uma folha de papel; alisar roupas com ferro quente.*] 2 Tornar liso; tirar ondulações, frisos, entrelaçamentos etc. de (cabelos, fios, pelos etc.) [***td.***] 3 Ficar liso [***int.***: *Fez escova, e os cabelos alisaram.*] 4 Passar a mão em (algo) com delicadeza [***td.***: *alisar a cabeça do neném.*] 5 *Bras. Fig.* Tratar com delicadeza ou excessiva gentileza, para agradar ou proteger (alguém); perdoar erro ou evitar castigo a; PROTEGER [***td.***: *Sempre que o menino cometia erros, a mãe alisava-o.*] [▶ 1 alisar] [F.: *a-*^{2} + *lis(o)* + *-ar*^{2}. Hom./Par.: *alisar* (v.), *alizar* (sm.).]

alisável (a.li.*sá*.vel) ***a2g.*** Que pode ser alisado [Pl.: *-veis*.] [F.: *alisar* + *-vel*. Hom./Par.: *alisáveis* (pl.), *alisáveis* (fl. de *alisar*).]

alísio (a.*lí*.si:o) ***a.*** 1 *Met.* Diz-se de vento que sopra de modo quase constante ao longo do ano, das regiões subtropicais para a região equatorial [No hemisfério Norte, os ventos alísios sopram do Nordeste; no hemisfério Sul, do Sudeste.] ***sm.*** 2 *Met.* Esse vento [F.: De or. contrv.]

alisma (a.*lis*.ma) *Bot.* ***sf.*** Denominação comum às plantas do gên. *Alisma*, da fam. das alismatáceas, ger. encontradas em pântanos, lagoas e terrenos úmidos, us. como ornamentais, na alimentação e com função medicinal [F.: Do lat. cient. *Alisma*.]

alismatácea (a.lis.ma.*tá*.ce:a) *Bot.* ***sf.*** Espécime das alismatáceas, fam. da ordem das *alismatales*, que compreende plantas aquáticas encontradas em regiões temperadas, cultivadas como ornamentais ou pelo poder nutritivo de suas folhas [F.: Do lat. cient. *Alismataceae*.]

alismatáceo (a.lis.ma.*tá*.ce:o) ***a.*** Ref. ou pertencente às alismatáceas [F.: *alismatácea*, com var. suf. (v. *-áceo*).]

alissoide (a.lis.*soi*.de) ***sf.*** *Mat.* Curva plana cujo raio da curvatura é uma função linear do quadrado do comprimento do arco

alistado (a.lis.*ta*.do) ***a.*** 1 Incluído em lista, arrolado 2 Que está ou foi recrutado ***sm.*** 3 Aquele que tem praça assente nas forças armadas [F.: Part. de *alistar*.]

alistamento (a.lis.ta.*men*.to) ***sm.*** 1 Ação ou resultado de alistar; inscrição de nome(s) em lista, esp. de natureza oficial ou formal, ou junto a autoridade ou poder público 2 *Restr.* O mesmo que *alistamento militar* 3 Relação de pessoas alistadas [F.: *alistar* + *-mento*.] ▪ **~ militar** Recrutamento, inscrição em serviço militar; registro formal de cidadãos junto às forças armadas do país, para incorporarem-se a elas

alistar (a.lis.*tar*) ***v.*** 1 Escrever (nome de algo ou de alguém) em lista, rol ou relação; ARROLAR; RELACIONAR [***td.***: *alistar os nomes dos candidatos; alistar as mercadorias a serem embaladas.*] 2 Começar a fazer parte de um grupo, instituição etc. (fazendo o próprio nome constar na lista de membros ou integrantes); AFILIAR; INSCREVER [***td.***: *Alistou os filhos para fazer o exame.*] [***tda.***: *Alistara-se no partido.*] 3 Inscrever no serviço militar; assentar praça [***td.***: *alistar o filho.*] [***tda.***: *Alistou-se na Marinha.*] [▶ 1 alistar] [F.: *a-*^{2} + *list(a)* + *-ar*^{2}.]

alistável (a.lis.*tá*.vel) ***a2g.*** Que pode ser alistado [Pl.: *-veis*.] [F.: *alistar* + *-vel*. Hom./Par.: *alistáveis* (pl.), *alistáveis* (fl. de *alistar*).]

aliteração (a.li.te.ra.*ção*) ***sf.*** *Gram.* (Efeito ou recurso estilístico que consiste na) repetição de fonemas consonantais iguais ou semelhantes no início de várias palavras ou sílabas próximas, em uma mesma frase ou verso [Pl.: *-ções*.] [F.: Do fr. *allitération*.]

aliterar (a.li.te.*rar*) ***v. td.*** Dispor (palavras, sílabas) em aliteração; repetir (sons, letras): *Aliterou os versos, sugerindo o ruído da chuva* [▶ 1 aliterar] [F.: Dev. de *aliteração*.]

aliteratado (a.li.te.ra.*ta*.do) ***a.*** Que se dá ares de literato [F.: Part. de *aliteratar-se*.]

aliteratar-se (a.li.te.ra.*tar*-se) ***v. int.*** Assumir ares de literato; exibir maneiras de ser de literato [▶ 1 aliteratar-se] [F.: *a-* + *literato* + *-ar*.]

aliterativo (a.li.te.ra.*ti*.vo) ***a.*** Em que ocorre aliteração; ALITERANTE [F.: *aliterar* + *-tivo*.]

alitúrgico (a.li.*túr*.gi.co) ***a.*** *Rel.* Em que não há celebração eucarística (dia alitúrgico) [F.: *a-* + *litúrgico*.]

aliviado (a.li.vi.*a*.do) ***a.*** 1 Que demonstra ou experimenta (ou experimentou) sensação de alívio: *Os montanhistas chegaram, aliviados, ao abrigo; semblante/sorriso aliviado.* 2 Livre de peso, ônus, encargo, incômodo ou preocupação 3 Mais leve, moderado; menos forte ou intenso (luto aliviado; encargos aliviados) 4 *Bras. Pop.* Que perdeu ou teve furtado dinheiro ou algum bem 5 Descansado, relaxado [F.: Part. de *aliviar*.]

aliviador (a.li.vi:a.*dor*) [ô] ***a.*** 1 Que alivia; ALIVIANTE ***sm.*** 2 O que alivia [F.: *aliviar* + *-dor*.]

aliviante (a.li.vi:*an*.te) ***a2g.*** Que alivia; ALIVIADOR [F.: *aliviar* + *-nte*.]

aliviar (a.li.vi.*ar*) ***v.*** 1 Dar ou sentir alívio; tirar, diminuir (ou deixar de ter) desconforto físico ou moral; tornar(-se) tranquilo [***td.***: *Aliviou-a com a boa notícia.*] [***int.***: *Aliviou-se quando ele ligou.*] 2 Tornar mais leve, mais suave; ALIJAR [***td.***: *Aliviou o peso da mochila retirando um livro.*] 3 Diminuir ou perder a intensidade; abrandar(-se), mitigar(-se) [***td.***: *O remédio aliviou a dor.*] [***int.***: *A minha dor de cabeça aliviou com o remédio.*] 4 *Pop.* Agir ou comportar-se de modo mais brando, menos agressivo [***int.***: *O professor tinha razão, mas aliviou na bronca aos alunos; Pressionaram o adversário, sem aliviar.*] 5 Tirar de alguém determinado ônus ou obrigação; livrar, isentar [***tdr.*** + *de*: *Aliviar o contribuinte de um imposto.*] 6 *Bras. Gír.* Furtar [***tdr.*** + *de*: *O trombadinha aliviou meu amigo do dinheiro da passagem.*] 7 *N. E. Pop.* Matar [***td.***: *O bandido aliviou o delator.*] 8 *Pop.* Defecar [***int.***: "A dona do cachorro (...) alegou que o animal agora só faz passeios de madrugada, mas precisava se aliviar naquele instante." (*O Globo*, 18.07.2005)] 9 *Pop.* Expelir gases pelo ânus [***int.***] 10 *Pop.* Dar à luz, parir [***int.***] 11 *Pop.* Copular [***int.***] [▶ 1 aliviar] [F.: Do lat. *alleviare*. Hom./Par.: *alivio* (fl.), *alívio* (sm).]

alívio (a.*lí*.vi:o) ***sm.*** 1 Ação ou resultado de aliviar(-se) *P. us.*; ALIVIAMENTO *P. us.*; ALIVIAÇÃO 2 Diminuição de dor, peso etc. 3 Condição de quem se livrou de opressão; DESAFOGO 4 Descanso, folga, tranquilidade 5 Consolo, conforto: "Alívios quais são os que eu posso dar-lhe? Nem ao menos escrever-lhe! E ela? Em que fará consistir o seu prazer?! Deus o sabe!" (Camilo Castelo Branco, *Coisas que só eu sei.*) [F.: Dev. de *aliviar*. Hom./Par.: *alívio* (sm.), *alivio* (fl. de *aliviar*).] ▪ **~ cômico** *Teat.* Intercalação, por autor de uma peça, de um momento de comicidade em situação dramática, para alívio momentâneo da tensão

alizaba (a.li.*za*.ba) ***sf.*** *Vest.* Espécie de túnica de mangas largas, aberta na parte da frente, us. pelos mouros [F.: De or. contrv.]

alizar (a.li.*zar*) ***sm.*** 1 Revestimento de madeira que contorna portas e janelas, cobrindo as bordas e as peças (ombreiras, padieira) que se fixam à parede 2 Peça em forma de régua, que é presa à parede na altura conveniente para impedir que esta seja danificada pelos encostos das cadeiras 3 O mesmo que *rodapé* (1) 4 *P. ext.* O mesmo que *lambri* [F.: Do ár. *al- izár*. Hom./Par.: *alizar, alizares* (sm. e pl.), *alisar/alisares* (v., fl.).]

aljamia (al.ja.*mi*.a) ***sf.*** 1 Língua estrangeira em relação ao árabe 2 Romance castelhano, moçárabe ou português escrito em caracteres arábicos 3 Uso de caracteres arábicos para a escrita de uma língua não árabe 4 Mescla de língua arábica com a língua românica que era falada em alguns lugares da península Ibérica durante a dominação árabe 5 Alteração no dialeto românico da península Ibérica provocada pelo contato com os árabes 6 *Fig.* Linguagem ou situação confusa, impossível de entender; ALGARAVIA [F.: Do ár. *al-Hajamiiâ*. Hom./Par.: *aljamia* (fl. de *aljamiar*).]

aljamiado (al.ja.mi:*a*.do) ***a.*** 1 Diz-se de texto em espanhol escrito em árabe 2 Diz-se de espanhol falado em que se mistura a língua árabe [F.: Part. de *aljamiar*. Var.: *algemiado*.]

aljamiar (al.ja.mi.*ar*) ***v.*** 1 *Ant.* Escrever (texto espanhol ou português antigos) utilizando caracteres árabes [***td.***] 2 Expressar-se oralmente ou por escrito em aljamia [***int.***] [▶ 15 aljamiar] [F.: *aljamia* + *-ar*. Hom./Par.: *aljamia(s)* (fl.), *aljamia* (sf. [e pl.]).]

aljava (al.*ja*.va) ***sf.*** Recipiente para setas, largo e aberto na parte superior, estreito na parte inferior, que se trazia pendente do ombro por meio de uma corda ou correia [F.: Do ár. *al-djaHaba*.]

aljôfar (al.*jô*.far) ***sm.*** 1 Pérola muito pequena 2 Porção de pequenas pérolas 3 *Fig.* Gota de água 4 *Fig.* Orvalho matinal 5 *Poét.* Lágrima, esp. de mulher bonita 6 *Fig.* Dente branco muito pequeno [F.: Do ár. *al-júhar*. Hom./Par.: *aljôfares* (pl.), *aljofares* (fl.). Tb. *aljofre*.]

aljofarado (al.jo.fa.*ra*.do) ***a.*** 1 Enfeitado ou ornado com aljôfar ou aljofre 2 *Fig.* Salpicado de pequenas gotas; ORVALHADO [F.: Part. de *aljofarar* ou *aljofrar*.]

aljofarar (al.jo.fa.*rar*) ***v. td.*** 1 Enfeitar com aljôfar ou aljofre 2 Dar aspecto de aljôfar ou aljofre a 3 Cobrir ou salpicar com pequenas gotas (algo, alguém ou a si mesmo); ORVALHAR(-SE): *O orvalho aljofarava as flores; O orvalho aljofrava as flores.* [▶ 1 aljofarar] [F.: *aljôfar* ou *aljofre* + *-ar*^{2}. Hom./Par.: *aljofares* (fl.), *aljôfares* (pl. de *aljôfar* [sm.]); *aljofres* (fl.), *aljofres* (pl. de *aljofre* [sm.]).]

aljuba (al.*ju*.ba) ***sf.*** 1 Veste árabe, semelhante a um colete, às vezes com meias-mangas 2 Veste talar que, us. pelos mouros, possuía mangas largas e se estendia até os joelhos 3 Vestimenta us. por judeus do séc. XIV, que tinha como adorno uma estrela de seis pontas feita de tecido colorido [F.: Do ár. *al-jubbâ*. Hom./Par.: *aljube* (sm.).]

aljube (al.*ju*.be) ***sm.*** 1 Antiga prisão subterrânea, destinada a padres, ger. ao lado de um mosteiro 2 Cárcere escuro 3 Aposento com precária iluminação e ventilação 4 Caverna, gruta [F.: Do ár. *al-jubb*. Hom./Par.: *aljuba* (sf.).]

⊕ **allegro** (*It. /alégro/*) *Mús.* ***sm. adv.*** Ver *alegro* [Pl.: *allegri* (*it.*).]

alma (*al*.ma) ***sf.*** 1 Princípio de vida, não corpóreo, do ser humano ou do animal 2 *Fil.* Entidade unificadora de todas as atividades características da vida (desde o nível orgânico até as manifestações da sensibilidade e do pensamento) e que se define em oposição à materialidade do corpo e, às vezes, a espírito [Ver *corpo, espírito e matéria*.] 3 *Rel.* Princípio espiritual, tido como imortal, e portanto separável do corpo material (do homem e, para muitos, do animal) [Ant.: *corpo*] 4 Conjunto das faculdades psíquicas, intelectuais e morais que caracterizam e personificam um ser humano; caráter; personalidade; psique **5** O conjunto de afetos, sentimentos, paixões etc. de um ser humano; o lugar virtual que os abriga: "Impressa tenho n'alma larga história/ deste passado bem que nunca fora; / ou fora, e não passara; mas já agora/ em mim não pode haver mais que a memória" (Luís de Camões, *Soneto 082*) **6** *Fig.* Caráter, índole, natureza de um indivíduo ou um grupo de indivíduos (alma carioca) **7** Indivíduo, em seu aspecto afetivo, ético, moral etc.: *Ela é uma boa alma.* **8** Sentimento, vida afetiva, generosidade: *O desprezo de seus filhos era a prova de que não tinha alma.* **9** Energia, valentia, disposição, ânimo: *Não tinha alma para dar fim àquela situação indecorosa.* **10** Arrebatamento, força de sentimento ou de expressão, entusiasmo: *Tocava piano com alma.* **11** Animação, dinamismo, vibração, vida: *Sua alegria deu alma à reunião.* **12** Pessoa, indivíduo: *Quarenta almas assistiram à palestra.* **13** Elemento (coisa ou pessoa) que é o principal animador de algo, que lhe dá vida: *O diretor é a alma do filme.* **14** *Pop.* Fantasma, espectro **15** *Espt.* Espírito de pessoa que viveu na Terra ou em outros mundos, e já não se encontra no seu corpo físico **16** Aquilo que é a condição essencial para a existência ou êxito de algo: *O segredo é a alma do negócio.* **17** *Arm.* Espaço vazio cilíndrico numa arma de fogo, que vai da culatra à boca do cano **18** *Fer.* Parte central de um trilho ferroviário **19** *Eng. ind.* Parte central e resistente de uma viga **20** *Pop.* A curva da sola do pé ou o vão por ela formado **21** Pedaço de couro entre a sola e a palmilha de sapato ou de bota **22** Pequena haste de madeira em volta da qual se enrola o tabaco de rolo **23** Pedaço de madeira, metal ou plástico que se reveste de pano para servir de botão **24** Num fole, pedaço de couro que impede a saída do ar quando se sopra, mas não sua entrada quando se aspira **25** Esqueleto de arame ou madeira de peças em gesso, modeladas em barro etc. **26** Molde em que se moldam objetos ou em que se funde a estátua; FÔRMA **27** *Expl.* Parte explosiva de estopim ou cordel detonante **28** *Mús.* Nos instrumentos de arco (violino, viola etc.), pequeno cilindro de madeira colocado verticalmente entre o fundo e o tampo da caixa de ressonância, para sustentar este (ante a pressão das cordas sobre o cavalete) e para transmitir vibrações sonoras **29** *Mús.* Em tubos de órgão e no bocal de certos instrumentos de sopro, abertura chanfrada para a saída do ar **30** *Arq.* Vão de uma escada [F.: Do lat. *anima, ae*, 'sopro', 'alento'.] ■ **Abrir a ~** Expressar sentimentos, desabafando **~ do outro mundo** Fantasma **~ penada 1** Segundo crença popular, espírito de morto que vagueia sem rumo na terra, cumprindo penitência **2** *P. ext.* Pessoa desorientada, sem rumo [Sin. *alma perdida.*] **~ perdida** O mesmo que *alma penada.* **Botar/pôr a ~ pela boca** Estar ou ficar ofegante, esp. por cansaço **Cortar a ~** Comover, emocionar **Criar ~ nova** Recobrar energia, ânimo, entusiasmo **Dar/entregar a ~ a Deus/ao Criador** Morrer **Dar a ~ ao Diabo** Fazer qualquer coisa para conseguir o que quer **De cortar a ~** Comovente, emocionante **Entregar/dar a ~ a Deus** Morrer **Render a ~ (a Deus/ao Criador)** Morrer **Rezar por ~ de** Desesperançar-se de ter de volta (o que se emprestou) **Sua ~, sua palma** Se (alguém) assim quer, assim seja, mesmo que para seu mal **Vender a ~ (ao Diabo)** Ver *Dar a ~ ao Diabo*

almácega¹ (al.*má*.ce.ga) *sf.* Tanque pequeno para receber a água da chuva ou da nora [F.: Do ár. *al-maskaba.*]

almácega² (al.*má*.ce.ga) Ver *almécega*

almaço (al.*ma*.ço) *a.* **1** Diz-se de papel forte, próprio para documentos, registros públicos e mercantis etc., ou de seu formato **2** Diz-se de determinado formato de papel, liso ou pautado, com 22 cm de altura e 32,5 cm de comprimento, que é dobrado ao meio na forma de caderno de 4 páginas *sm.* **3** Esse papel [F.: Da loc. port. ant. *a lo maço*, referindo-se ao modo com que é feito.]

alma-danada (al.ma-da.*na*.da) *s2g.* Pessoa perversa, malvada, cruel [Pl.: *almas-danadas.*]

alma-de-gato (*al*.ma-de-*ga*.to) *Bras. Zool. sf.* **1** Ave da fam. dos cuculídeos (*Piaya cayana*), encontrada em todo o Brasil, com quase 50cm de comprimento e uma longa cauda; MEIA-PATACA; PATACA; PIÁ; RABO-DE-PALHA; URRACA *sm.* **2** *RS* O mesmo que *anu-branco* [Pl.: *almas-de-gato.*]

almádena (al.*má*.de.na) *sf. Rel.* Torre de mesquita de onde o almuadem conclama os muçulmanos às orações; MINARETE: "Das almádenas de seiscentas mesquitas não sôa uma única voz de almuadem" (Alexandre Herculano, *O alcaide de Santarém*) [F.: Do ár. *al-madnâ.*]

almadia (al.ma.*di*.a) *sf.* Pequena embarcação feita de um único tronco, comprida e estreita, us. em algumas regiões da África e da Ásia [F.: Do ár. *al-maadya.*]

almadraba (al.ma.*dra*.ba) *sf.* **1** Armação para pescar atum **2** Pesca de atum **3** Lugar em que se pesca atum [F.: Do ár. *al-madrabâ*. Tb. *almadrava.*]

almadraque (al.ma.*dra*.que) *sm.* **1** Almofada que serve de assento ou us. para encostar a cabeça; COXIM **2** Assento ou divã improvisado **3** *P. ext.* Colchão rústico: "...se tivésseis procurado o aposento dos donzéis, nós vos daríamos, ao menos, um almadraque para repousar e repartiríamos convosco da nossa ceia." (Alexandre Herculano, *Arras por foro de Espanha*) [F.: Do ár. *al-matrah.*]

almadrava (al.ma.*dra*.va) *sf.* Ver *almadraba*

almafre (al.*ma*.fre) *Ant. sm.* **1** Parte da armadura que cobre a cabeça; CAPACETE; ELMO **2** Parte da cota de malha que protege a cabeça, sobre a qual se põe o elmo [F.: Var. de *almofre.*]

almagra (al.*ma*.gra) *sf. sm.* **1** Argila avermelhada (tipo de ocre) que se usa na indústria (para polimento de materiais, como corante etc.) e em pinturas ou gravuras toscas ou de aspecto grosseiro; RUBRICA **2** A cor avermelhada dessa argila **3** *Fig.* Sangue considerado impuro, de família de baixa estirpe; condição plebeia [F.: Do ár. *al-magrâ*, 'barro vermelho'. Hom./Par.: *almagra(s)* (sf. [pl.]), *almagra(s)* (fl.) Tb. *almagre.*]

almagrar (al.ma.*grar*) *v.* **1** Tingir com almagre [*td.*] **2** Assinalar, marcar [*td.*] **3** Apontar, destacar ou assinalar (alguém) como (algo) [*tdp.*: *Almagrou o comerciante por desonesto.*] [▶ 1 almagrar] [F.: *almagre* + *-ar*. Hom./Par.: *almagro* (fl.), *almagro* (sm.); *almagra(s)* (fl.), *almagra* (sf. [e pl.]; *almagre*(s) (fl.), *almagre* (sm. [e pl.]; *almagrais* (fl.), *almagrais* (pl. *almagral* [s. m.]).]

almagre (al.*ma*.gre) *sm.* Ver *almagra*

almajarra (al.ma.*jar*.ra) *sf.* Ver *almanjarra*

almanaque (al.ma.*na*.que) *sm.* **1** Publicação que traz um calendário completo, com datas históricas, feriados, fases da lua etc., além de textos humorísticos e literários e matéria científica e informativa **2** Edição especial de revistas, esp. de histórias em quadrinhos **3** Anuário com genealogias de famílias nobres ou importantes [F.: Do ár. *al-munakh* ou ár. *al-manakh.*] ■ **~ astronômico** *Astron.* Livro com informações e dados astronômicos de um determinado ano **~ náutico** *Náut.* Anuário que contém informações astronômicas e outras úteis à navegação **De ~** Diz-se de conhecimentos, cultura etc. superficiais

almandina (al.man.*di*.na) *sf. Min.* Silicato de alumínio e ferro do grupo das granadas, de cor vermelha semelhante ao rubi, muito us. como gema; ALMANDITA [F.: Do lat. *halambandina gemma*).]

almandra (al.*man*.dra) *sf.* **1** *Ant.* Colcha de linho ou lã **2** Espécie de tapete de linho ou lã bordado; ALCATIFA [F.: De or. contrv.]

almanjar (al.man.*jar*) *sm.* Ver *almanjarra*

almanjarra (al.man.*jar*.ra) *sf.* **1** Trave a que se prende o animal que puxa a nora *Bras.*; TRAQUITANDA **2** Rodo empregado nas salinas **3** *Fig.* Pessoa, móvel ou qualquer coisa muito avantajada [F.: Do ár. *al-majarr*. Tb. *almajarra*, *almanjar.*]

almanjarrar (al.man.jar.*rar*) *v. td.* Tirar (ger. líquido) com almanjarra; ALMAJARRAR [▶ 1 almanjarrar] [F.: *almanjarra* + *-ar*. Hom./Par.: *almanjarra(s)* (fl.), *almanjarra* (sf. [e pl.]).]

almarado (al.ma.*ra*.do) *a.* Diz-se de cavalo ou boi que tem em redor das aberturas naturais (boca, olhos etc.) uma área sem pelos, e rosada ou azulada [F.: Or. obsc.]

almargear (al.mar.ge.*ar*) *v. td.* **1** Converter (terreno) em almargem ou pastagem **2** Colocar (o gado) em almargem **3** *Fig.* Deixar no abandono; RELEGAR [▶ 13 almargear] [F.: *almarg(e)* + *-ear²*.]

almargem (al.*mar*.gem) *s2g.* **1** Campo, pastagem, prado **2** Erva para pasto que cresce nos almargeais **3** *Lus.* Lugar onde se jogam coisas que não têm mais serventia [F.: Do ár. *al-marj*. Forma paral. *almarge.*]

almargio (al.mar.*gi*.o) *Lus. a.* **1** Rel. a almargem **2** Diz-se de animal deixado em almargens, por incapacidade para o trabalho **3** Que anda ou pasta em almargens [F.: *almarge* + *-io.*]

almarraxa (al.mar.*ra*.xa) *sf.* **1** *Ant.* Vaso de vidro, semelhante a garrafa, de gargalo fechado e com orifícios no bojo para borrifar ou regar; REGADOR **2** *Her.* Peça semelhante a uma garrafa com asas e gargalo curvo [F.: Do ár. *al-marraxa.*]

almatrixa (al.ma.*tri*.xa) *sf.* Pano, manta que se coloca sobre uma cavalgadura, ger. fixada com uma cilha [F.: Do ár.]

almécega (al.*mé*.ce.ga) *sf.* **1** Resina de aroeira, usada como tempero e em mistura de tintas; MÁSTIQUE **2** *Bras. P. ext.* Goma ou matéria adesiva de diversos usos [F.: Do ár. vulg. *al-meskâ*. Hom./Par.: de *almécega*: *almecega* (fl. de *almecegar*). Tb. *almácega.*]

almecegado (al.me.ce.*ga*.do) *a.* **1** Misturado com almécega **2** Da cor de almécega; AMARELADO: "Estava amarelo almecegado, se curvava sem querer, e diziam que no verter água ele gemia." (João Guimarães Rosa, *Grande sertão: veredas*) [F.: *almécega* + *-ado.*]

almecegar (al.me.ce.*gar*) *v. td.* **1** Dar a algo tonalidade amarela, como a da resina almécega **2** Aplicar almécega a [▶ 14 almecegar] [F.: *alméceg(a)* + *-ar²*. Hom./Par.: *almecega(s)* (fl.), *almécega* (sf. [e pl.]).]

almecegueira (al.me.ce.*guei*.ra) *Bot. sf.* **1** Nome de diversas plantas brasileiras da fam. das burseráceas *sf.* **2** Arbusto da fam. das terebintáceas (*Pistacia terebinthus*) mesmo que *terebinto* **3** Árvore (*Protium icicariba*) da fam. das burseráceas; ALMÉCEGA-VERDADEIRA; ÁRVORE-DO-INCENSO; BREU-BRANCO **4** Arbusto (*Pistacia lentiscus*) da fam. das terebintáceas; AROEIRA-DO-CAMPO; LENTISCO; LENTISQUEIRO **5** Árvore resinosa (*Pistacia vera*), da fam. das terebintáceas; PISTÁCIA; PISTACHE **6** Árvore anacardiácea (*Icica icicariba*), que produz a resina elemi; ICICA; ELEMIEIRA; ICARIBA; ICICARIBA; IEI; UBIRACICÁ [F.: *almécega* + *-eira.*]

almeia¹ (al.*mei*.a) *sf.* Bálsamo natural, us. em farmácia e perfumaria, e que se extrai de certa árvore conífera [F.: Do ár. *al-maya.*]

almeia² (al.*mei*.a) *sf.* Dançarina e cantora oriental [F.: De or. duvidosa.]

almeida (al.*mei*.da) *sf.* **1** *Ant. Mar.* Parte curva do costado do navio que forma com este um ângulo obtuso **2** *Mar.* Abertura por onde entra a cana do leme **3** *Lus. Pop.* Gíria us. em Lisboa para designar o varredor das ruas; GARI [F.: De or. obsc.]

almeirão (al.mei.*rão*) *sm. Bot.* Espécie de chicória (*Cichorium intybus*), erva comestível da fam. das compostas [Pl.: *-rões.*] [F.: De orig. contrv.; posv. do gr. *ámyron*, 'sem perfume', pelo ár. *amirun.*]

almejado (al.me.*ja*.do) *a.* Muito desejado; que é objeto de ambição ou aspiração; ANSIADO; QUERIDO [F.: Part. de *almejar.*]

almejante (al.me.*jan*.te) *a2g.* Diz-se de quem almeja, de quem deseja alcançar algo; DESEJOSO; ANELANTE [F.: *almejar* + *-nte.*]

almejar (al.me.*jar*) *v.* **1** Querer ou desejar com muita intensidade; ANSIAR; ANELAR [*td.*: *Almejava ser um escritor.*] [*tr.* + *por*: *Almejei por um lugar tranquilo onde viver.*] **2** Estar prestes a morrer; AGONIZAR [*int.*: *A anciã almejava, e a família chamou o padre.*] [▶ 1 almejar] [F.: *alm(a)* + *-ejar*. Hom./Par.: *almejo* (fl.), *almejo* (sm.); *almejáveis* (fl.), *almejáveis* (adj. [pl.]).]

almejável (al.me.*já*.vel) *a2g.* Que se pode almejar; DESEJÁVEL; ANELÁVEL: *Nada mais almejável que a paz, mas que ela venha sem submissão ou supressão das liberdades.* [Pl.: *-veis.*] [F.: *almejar* + *-vel*. Hom./Par.: *almejáveis* (pl.), *almejáveis* (fl. de *almejar*).]

almejo (al.*me*.jo) [ê] *sm.* Desejo veemente; ação de almejar [F.: Dev. de *almejar*. Hom./Par.: *almejo* (fl. de *almejar*).]

almenara (al.me.*na*.ra) *sf.* **1** Facho que servia de sinal nas atalaias ou nas torres **2** *P. ext.* Torre em que se instalava esse facho [F.: Do ár. *al-manara.*]

almexia (al.me.*xi*.a) *sf.* **1** *Hist.* Espécie de túnica de mangas curtas que o rei Afonso I de Portugal mandou que os mouros usassem sobre as roupas, quando não estivessem usando seus trajes típicos, para diferençá-los dos cristãos **2** Espécie de túnica que se veste sobre outras roupas [F.: Do ár. *al-mexia.*]

almirantado (al.mi.ran.*ta*.do) *sm.* **1** *Mar.* Posto ou cargo de almirante **2** Conjunto de almirantes **3** Corporação de oficiais superiores de Marinha, ou (ant.) órgão cuja atribuição é julgar ou decidir questões relativas a atividades marítimas, à navegação e à marinha de guerra ou mercante *a.* **4** Diz-se de um tipo de latão us. em peças e equipamentos navais [F.: *almirante* + *-ado²*.]

almirante (al.mi.*ran*.te) *sm.* **1** *Mar.* Patente militar **2** *Mar.* F. red. de *almirante de esquadra*, *vice-almirante* e *contra-almirante* **3** Militar que tem essas patentes **4** *Biol.* Molusco marinho, da fam. dos conídeos (*Conus ammiralis*) **5** *Zool.* Borboleta diurna (*Vanessa atalanta*) da fam. dos ninfalídeos **6** *Agr.* Variedade de pera **7** *Bot.* Espécie de papoula (*Papaver paeonifolium*), erva da fam. das papaveráceas [F.: Do ár. *al-mír*, 'chefe', 'príncipe', + suf. *-ante.*]

almirante de esquadra (al.mi.ran.te de es.*qua*.dra) *Mar. sm.* **1** Patente militar **2** Militar que tem essa patente [Pl.: *almirantes de esquadra.*] [F. red.: *almirante.*]

almíscar (al.*mís*.car) *sm.* **1** Substância volátil, de aroma forte e penetrante e us. em perfumaria e farmácia, produzida por glândulas dos machos de certa espécie de cervídeo **2** *P. ext.* O cheiro do almíscar (1) ou, p. ext., cheiro muito ativo e persistente, semelhante ao do almíscar **3** *Fam.* Gosto ruim; SAIBO **4** *Bras. Bot.* Árvore ou arbusto grande (*Styrax glabratum*) da fam. das estiracáceas, comum nos cerrados, com flores brancas e folhas muito perfumadas, e que fornece resina semelhante ao almíscar (1), usada em perfumaria e farmácia **5** Resina odorífera extraída dessa planta, ou de outras, e que tem cheiro e uso semelhantes aos do almíscar (1) **6** *Bras. N. E.* Cheiro de peixe, de maresia **7** *Bot.* Nome de várias plantas, como o abelmosco e certas almecegueiras, das quais se obtêm substâncias aromáticas semelhantes ao almíscar (1) [F.: Do ár. *al-misk.*] ■ **~ vegetal** Substância aromática de cheiro e uso semelhantes aos do almíscar (1) e preparada a partir de partes de certas plantas

almiscarado (al.mis.ca.*ra*.do) *a.* **1** Que contém almíscar; que recende a almíscar: *essência almiscarada.* **2** Perfumado com almíscar **3** *P. ext.* Perfumado, cheiroso [F.: Part. de *almiscarar.*]

almiscarar (al.mis.ca.*rar*) *v. td.* Perfumar(-se) com almíscar: *almiscarar o lenço* [▶ 1 almiscarar] [F.: *almíscar* + *-ar.*]

almiscareira (al.mis.ca.*rei*.ra) *sf. Bot.* Planta da fam. das geraniáceas (*Geranium moschatum*), que exala um forte aroma de almíscar; MALVA-CHEIROSA [F.: *almíscar* + *-eira.*]

almiscareiro (al.mis.ca.*rei*.ro) *Zool. sm.* Pequeno veado asiático (*Moschus moschiferus*), desprovido de chifres, cujo macho traz no abdome uma glândula que secreta o almíscar, muito usado em perfumaria; ALGÁLIA [F.: *almíscar* + *-eiro.*]

almóada (al.*mó*.a.da) *s2g.* **1** *Hist. Rel.* Membro de uma dinastia berbere que dominou o Norte da África e a Espanha nos séculos XII e XIII, que se opunha a qualquer teologia antropomórfica e pregava a absoluta unidade de Deus *a2g.* **2** Ref. aos almóadas ou a sua seita [Do ár. *al-muwahhidun*, 'aqueles que creem em um só Deus'. Tb. *almôada, almóade, almôade.*]

almôada (al.*mô*.a.da) *a2g. s2g.* Ver *almóada*

almóade (al.*mó*.a.de) *a2g. s2g.* Ver *almóada*

almôade (al.*mô*.a.de) *a2g. s2g.* Ver *almóada*

almoadem (al.mo.a.*dem*) *sm.* Ver *almuadem*

almocafo (al.mo.*ca*.fo) *sm.* **1** Tipo de sacho us. em mineração; tb. *almocafre* **2** *BA* Sacho ou enxada gastos pelo uso, adaptáveis, ger., a um cabo longo [F.: Var. de *almocafre.*]

almocafre (al.mo.*ca*.fre) *sm.* Sacho terminado em ponta, us. em mineração [F.: Do ár. *al-mihfar*, 'enxada'. Tb. *almocafo*.]

almocântara (al.mo.*cân*.ta.ra) *sm. Astron.* Círculo da esfera celeste paralelo ao horizonte e que se imagina passar por todos os graus do meridiano [F.: Do ár. *al-mucantara*. Forma paral.: *almucântara*.]

almoçar (al.mo.*çar*) *v.* 1 Comer o almoço [*int.*: *Almoçou cedo.*] 2 Comer (certo alimento ou comida) como almoço [*td.*: *Almoçou rabada com agrião.*] [▶ 12 almoçar] [F.: *almoç(o)* + *-ar*²]. Hom./Par.: *almoço* [ó] (fl.), *almoço* [ô] (sm.).] ■ **~, jantar, (e) cear (algo)** Pensar em (um assunto) ou ocupar-se dele de modo exclusivo, ou obsessivo: *Ele almoça, janta e ceia futebol.*

almocávar (al.mo.*cá*.var) *sm. Ant.* Em Portugal, antigo cemitério ou sepulcro às vezes de mouros, às vezes de judeus, longe das aldeias, no tempo das mourarias e judiarias; almacáver; almocábar; almocave [▶ 1 almocávar] [F.: Do ár. *al-muqábar*.]

almocela (al.mo.*ce*.la) *sf.* 1 *Ant. Rel.* Tapete ou cobertor sobre o qual a pessoa se ajoelhava para orar 2 *Ant.* Manta que se colocava do lado inferior do catre ou da cama 3 Coberta, cobertor ou manta [F.: Do ár. *al-muçalla*.]

almoço (al.*mo*.ço) [ô] *sm.* 1 Refeição substancial (a primeira do dia, sem contar o desjejum), ger. ao meio-dia ou nas primeiras horas da tarde: *Está na hora do almoço.* 2 A comida servida nessa refeição: *O almoço estava muito apetitoso.* 3 *Fig.* Primeiro fato relevante do dia 4 *Fig.* Coisa fácil e breve: *Pode deixar essa missão comigo, vai ser um almoço.* [Pl.: [ô]. Em Portugal, [ó].] [F.: Do lat. vulg. **admordium* (< lat. *admordere*, 'começar a comer algo'), pelo port. ant. *almorço*. Hom./Par.: *almoço*[ô] (sm.), *almoço*[ó] (fl. de *almoçar*).] ■ **~ ajantarado** *Bras.* Almoço em hora intermediária entre a do almoço e a do jantar, substituindo ambas as refeições [Tb. apenas *ajantarado*.] **~ bravo** *Bras.* Almoço tardio **~ comercial** *Bras.* Almoço (2) simples, ger. de preço baixo, ger. já servido no prato **~ manso** *Bras.* Almoço na hora habitual **Pequeno ~** Desjejum, café da manhã

almocrevar (al.mo.cre.*var*) *v.* 1 Carregar em bestas de almocreve [*td.*] 2 Utilizar, num transporte, serviços de almocreve [*td.*] 3 Trabalhar como almocreve [*int.*] [▶ 1 almocrevar] [F.: *almocrev(e)* + *-ar*². Hom./Par.: *almocreve(s)* (fl.), *almocreve* (sm. [e pl.]), *almocrevaria(s)* (fl.), *almocrevaria* (sf. [e pl.]).]

almocreve (al.mo.*cre*.ve) *sm.* Condutor de bestas de carga; ARRIEIRO; MULADEIRO; TOCADOR [F.: De or. contrv.; posv. árabe.]

almoeda (al.mo:*e*.da) *sf.* Venda feita publicamente e por arrematação; LEILÃO: *Teve seus bens postos em almoeda a fim de que pudesse honrar suas dívidas.* [F.: Do ár. *almonada*.]

almoedar (al.mo.e.*dar*) *v. td.* 1 Colocar em almoeda; vender em leilão 2 *P. ext.* Dar a quem pode oferecer mais vantagens [▶ 1 almoedar] [F.: *almoeda* + *-ar*. Hom./Par.: *almoeda(s)* (fl.), *almoeda* (sf. [e pl.]).]

almofaça (al.mo.*fa*.ça) *sf.* Escova de ferro dentada para limpar as cavalgaduras [F.: Do ár. *al-muhaçça*.]

almofaçadura (al.mo.fa.ça.*du*.ra) *sf.* Ação ou resultado de almofaçar, de limpar as cavalgaduras com almofaça [F.: *almofaçar* + *-dura*.]

almofaçar (al.mo.fa.*çar*) *v. td.* Limpar com almofaça [▶ 12 almofaçar] [F.: *almofaç(a)* + *-ar*². Hom./Par.: *almofaça(s)* (fl.), *almofaça* (sf. [e pl.]), *almoface(s)* (fl.), *almoface* (sf. [e pl.]).]

almofada (al.mo.*fa*.da) *sf.* 1 Espécie de saco acolchoado para encosto, assento ou enfeite 2 Peça saliente ou superfície cercada por filete, moldura etc., em porta, móvel, parede etc. 3 Caixa de metal com um acolchoado interno em que se põe tinta para carimbos 4 *Enc.* Parte saliente na capa fronteira de um livro 5 *Arq.* Face aparente da aduela, no intradorso ou superfície côncava do interior da cúpula 6 *Tip.* Revestimento de papel, pano, borracha etc., que cobre o cilindro ou a platina das prensas, para abrandar o seu contato com a superfície impressora ou forma (ô) [Cf. cama, branqueta.] 7 *Tip.* Pequeno saco cheio de areia que serve de apoio à placa de metal, durante a gravação 8 *Lus.* Extremidade esponjosa nas patas de alguns animais [F.: Do ár. *al-muhaddâ*.]

almofadado (al.mo.fa.*da*.do) *a.* 1 Que tem almofadas, para adornar ou tornar confortável: *sofá almofadado*. 2 Acolchoado, estofado 3 *Carp. Marc.* Que tem na face uma ou mais almofadas (2) (diz-se de porta, janela etc.) *sm.* 4 *Carp. Marc.* Parte de uma porta, janela etc. que tem almofadas (2) [F.: Part. de *almofadar*.]

almofadão (al.mo.fa.*dão*) *sm.* 1 Almofada grande e ger. dura 2 Fronha com que se veste ou pano com que se cobre essa almofada 3 *Zool.* Massa de penas que cobre o dorso e a cauda de certo tipo de galinhas [Pl.: *-dões*.] [F.: *almofada* + *-ão*.]

almofadar (al.mo.fa.*dar*) *v. td.* 1 Cobrir ou adornar com almofadas 2 Encher (algo) de material macio, para tornar almofadado 3 *Carp.* Adornar com almofadas, relevos [▶ 1 almofadar] [F.: *almofad(a)* + *-ar*². Hom./Par.: *almofada(s)* (fl.), *almofada* (sf. [e pl.]).]

almofadinha (al.mo.fa.*di*.nha) *sf.* 1 Pequena almofada 2 Pregadeira para alfinetes e agulhas 3 Saquinho com plantas aromáticas para perfumar a roupa; CHEIRO; SACHÊ 4 Rodilha de pano ou palha colocada pelos carregadores na cabeça para sustentar o que levam *sm.* 5 *Bras. Pop.* Homem que se veste com excessivo apuro; CASQUILHO; DÂNDI; JANOTA [F.: *almofada* + *-inha*.]

almofariz (al.mo.fa.*riz*) *sm.* Recipiente em que se trituram e misturam substâncias sólidas; GRAL; PILÃO [F.: Do ár. *al-miharas*.]

almofate (al.mo.*fa*.te) *sm.* Espécie de furador ou de sovela com que os correeiros abrem olhos no couro [F.: Do ár. *al-muhait*.]

almofia (al.mo.*fi*.a) *sf.* 1 *Ant.* Vaso largo e baixo de barro ou metal que servia principalmente para lavar as mãos 2 *Lus.* Tigela baixa e larga, de barro vidrado: "Num ápice vasculhava caçoilas e tachos, arranjando um bazulaque com que atestava uma almofia em que os pequenos se atufavam até às orelhas." (Aquilino Ribeiro, *Os ladrões das almas*) 3 *P. ext.* Pequeno alguidar [F.: Do ár. *al-mihfia*.]

almogávar (al.mo.*gá*.var) *Ant. sm.* 1 Guerreiro que se ocultava nas matas e, a cavalo, fazia incursões armadas em terras ocupadas pelos mouros 2 Soldado de antigos corpos de cavalaria [F.: Do ár. *al-mugáuir*.]

almogavaria (al.mo.ga.va.*ri*.a) *sf.* 1 Tropa de almogávares 2 Entrada ou correria dos almogávares em terras de mouros [F.: *almogávar* + *-ia*.]

almojávena (al.mo.*já*.ve.na) *sf. Cul.* Espécie de bolo em forma de sonhos feito com farinha e queijo [F.: Do ár. *al-mujabaná*.]

almôndega (al.*môn*.de.ga) *sf.* Bolo de carne moída, ovos e temperos, frito e depois cozido em molho espesso [F.: Do ár. *al-bundqâ*. Cf.: *croquete*.]

almorávida (al.mo.*rá*.vi.da) *a2g.* 1 Que diz respeito aos almorávidas, últimos mouros que dominaram a Espanha até 1492 (conquista de Granada), tb. denominados *marabutos*: "Seu pai Ali, califa almorávida..." (Luís Gonzaga de Azevedo, *História de Portugal*) 2 Relativo a certa seita religiosa entre os árabes *s2g.* 3 Membro dos almorávidas: "Era seu alcaide um almorávida chamado Ali." (Luís Gonzaga de Azevedo, *História de Portugal*) [F.: Do ár. *al-murabit*, 'eremita'.]

almotacé *Ant. sm.* Funcionário encarregado de cuidar da exatidão dos pesos e medidas e taxar ou fixar os preços de gêneros alimentícios [F.: Do ár. *al-muhtásibi*.]

almotacel (al.mo.ta.*cel*) *sm. Ant.* Funcionário encarregado de cuidar da exatidão dos pesos e medidas e taxar ou fixar os preços de gêneros alimentícios [Pl. de almotacel: *almotacéis*.] [F.: Do ár. *al-muhtásibi*.]

almotolia (al.mo.to.*li*.a) *sf.* 1 Pequeno vaso de barro ou de metal, com boca estreita e bojo largo, para conservar azeite e outros líquidos oleosos 2 Aparelho com bico estreito e comprido para lubrificação de pequenas máquinas [F.: Do ár. *almutlia*.]

almoxarifado (al.mo.xa.ri.*fa*.do) *sm.* 1 Depósito de objetos, matérias-primas e materiais pertencentes a um estabelecimento público ou privado 2 Função ou cargo de almoxarife 3 Área de jurisdição do almoxarife [F.: *almoxarife* + *-ado*².]

almoxarife (al.mo.xa.*ri*.fe) *sm.* 1 Administrador de almoxarifado 2 *Ant.* Oficial da Fazenda responsável por cobrar as rendas reais 3 *Ant.* Aquele que administrava o tesouro público; tesoureiro da casa real 4 *Ant.* Empregado encarregado de administrar as propriedades da casa real 5 *Ant.* Cobrador de pedágio [F.: Do ár. *al-muxarif*, 'nobre, honrado'; 'tesoureiro'.]

almuadem (al.mu.a.*dem*) *sm.* O mesmo que *muezim* [F.: Do ár. *al-mu'adin*. Tb. *almoadem*, *almuédão*.]

almude (al.*mu*.de) *sm.* 1 Antiga medida de capacidade para líquidos, correspondente a 12 canadas, ou 31, 94 litros 2 Recipiente que comporta essa medida [F.: Do ár. *al'mudd*.]

almudeiro (al.mu.*dei*.ro) *a.* 1 Que tem a capacidade de um almude *sm.* 2 Aquele que fabrica ou vende almudes 3 Indivíduo que mede líquidos com o almude 4 *Ant.* Cobrador de imposto sobre o vinho [F.: *almude* + *-eiro*.]

almuédão (al.mu.*é*.dão) *sm.* Ver *almuadem*

alna (*al*.na) *sf. Ant.* Medida de comprimento, variável conforme os países e as regiões, que correspondia ger. a três palmos [F.: Do germ. *álina*, 'côvado'.]

alnico (al.*ni*.co) *sm. Metal.* Liga magnética bastante dura e resistente, composta de alumínio, ferro e níquel, e podendo conter tb. outros elementos, como cobre, cobalto, manganês, nióbio, silício, tântalo, titânio etc. [F.: *al*umínio + *ní*quel + *co*balto.]

◎ **al(o)-** *el. comp.* = 'outro'; 'diferente'; 'estrangeiro'; 'estranho': *alóctone, aloético, alógamo, alógrafo, alometria, aloftalmia, alopatia* [F.: Do gr. *állos, e, o*. F. conexas: *alel(o)-, aleo-* e *alerg(o)-*.]

alô (a.*lô*) *interj.* 1 Us. para alertar, para chamar a atenção de alguém 2 Us. como saudação, esp. ao se atender o telefone *sm.* 3 Cumprimento, ger. ao se chegar: *Quando chegou, ele me deu um alô entusiasmado; Disse que passou por lá só para dar um alô.* 4 Chamada de atenção, lembrete, aviso sobre alguma coisa: *Foi à reunião para dar um alô sobre o evento programado.* [F.: Do ing. *hallo*.] ■ **Dar um ~** Cumprimentar

alóbrogo (a.*ló*.bro.go) *sm.* 1 Indivíduo dos alóbrogos, antigo povo que viveu na Gália narbonense 2 *Fig.* Indivíduo grosseiro, rústico *a.* 3 Dos ou ref. aos alóbrogos; típico desse povo ou de sua cultura 4 *Fig.* Diz-se de indivíduo grosseiro, rústico [F.: Do lat. *allobroges, um*.]

alocação (a.lo.ca.*ção*) *sf.* Ação ou resultado de alocar [Pl.: *-ções*.] [F.: *alocar* + *-ção*.]

alocado (a.lo.*ca*.do) *a.* 1 Que se alocou, que se colocou em algum lugar 2 Que sem destinou a um fim específico (diz-se de verba, recurso etc.) [F.: Part. de *alocar*. Hom./Par.: *aloucado* (a.).]

alocar (a.lo.*car*) *v.* 1 Destinar (verba) para uma finalidade específica ou para uma entidade [*td.*: *Urge alocar os recursos disponíveis de uma forma responsável.*] [*tdr.* + *para*: *A escola alocou R$ 20.000,00 para a compra de computadores.*] 2 Determinar, destinar (algo, alguém, tempo) para um fim específico [*tdr.* + *para*: *O diretor alocou metade de sua carga horária para reuniões.*] [*td.*: *A empresa não sabe como alocar tantos funcionários.*] 3 *Inf.* Separar, reservar (espaço em disco ou dispositivo de memória) para um programa ou rotina [*td.*] [▶ 11 alocar] [F.: *a-*² + lat. *locare*, seg. o mod. erudito.]

alocásia (a.lo.*cá*.si:a) *sf. Bot.* Nome comum de plantas aráceas do gên. *Alocasia*, de origem asiática, que se cultivam nos jardins; compreende cerca de 65 espécies e numerosos híbridos, destacando-se a *Alocasia cuprea* entre as espécies de folhas persistentes [F.: Do lat cient. gên. *Alocasia*.]

alocativo (a.lo.ca.*ti*.vo) *a.* 1 Ref. ou inerente a alocação, esp. de verbas ou recursos (política alocativa) 2 Que tem por objetivo ou se destina a alocar (esp. verbas ou recursos) ou que implica alocação (processo alocativo) [F.: *alocar* + *-tivo*.]

alocável (a.lo.*cá*.vel) *a2g.* Que se pode alocar [F.: *alocar* + *-vel*.]

alocroísmo (a.lo.cro.*ís*.mo) *sm. Bioq.* Mudança ou diferença de cor em razão de alterações naturais ou propositais na qualidade ou quantidade dos pigmentos [F.: *alocro-* (do gr. *allókhroos, ou*, 'que muda de cor') + *-ismo*.]

alocromático (a.lo.cro.*má*.ti.co) *a. Min.* Diz-se de mineral cuja cor foge à normalidade, em consequência de impurezas; ALOCRÔMICO [F.: *al(o)-* + *-cromat(o)-* + *-ico*².]

alocromia (a.lo.cro.*mi*.a) *sf.* 1 *Oft.* Doença cujo portador vê cores diferentes das cores reais 2 *Ópt.* Difusão de luz em que o comprimento de onda da luz emitida difere do comprimento da que é absorvida 3 Mudança ou variação de cor, esp. a que se verifica em certos minerais [F.: *al(o)-* + *-cromia*.]

alocrômico (a.lo.*crô*.mi.co) *a.* 1 Ref. a alocromia 2 *Min.* O mesmo que *alocromático* [F.: *alocromia* + *-ico*².]

alóctone (a.*lóc*.to.ne) *a2g.* 1 Diz-se de pessoa que não é originária do país em que reside *s2g.* 2 Essa pessoa [F.: *al(o)-* + *-ctone*. Opõe-se a: *autóctone*.]

alocução (a.lo.cu.*ção*) *sf.* 1 Discurso breve, proferido em solenidade 2 *Ling.* Qualquer ato de fala de uma pessoa para outra [Pl.: *-ções*.] [F.: Do lat. *allocutio, onis*. Hom./Par.: *alocução* (sf.), *elocução* (sf.).]

alodê (a.lo.*dê*) *sm. BA Pop.* Indivíduo bastante negro na cor [F.: Afric. de or. duvidosa.]

alodial (a.lo.di:*al*) *a2g.* Diz-se de imóvel ou quaisquer outros bens que estão livres de foros, pensões, vínculos ou outro ônus ou encargo (bens alodiais) [Pl.: *-ais*.] [F.: Do lat. medv. *allodialis*.]

alódio (a.*ló*.di:o) *sm. Ant. Jur.* Propriedade ou bem isentos de direitos senhoriais [F.: Do lat. tardio *allodium*.]

alodiploide (a.lo.di.*ploi*.de) *a2g. Biol.* Diz-se de indivíduo que tem um ou mais cromossomos do que o número diploide que caracteriza sua espécie [F.: *al(o)-* + *diploide*.]

aloé (a.lo.*é*) *sm. sm2n.* 1 *Bot.* Denominação comum às plantas do gên. *Aloe*, da fam. das liliáceas, de folhas carnosas, denteadas, nativas de Madagascar e de regiões tropicais do Sul da África e da Ásia, cultivadas para extração de gel e fibras 2 *Bot.* Planta da família das liliáceas (*Aloe vera*) cultivada para extração de seu gel cicatrizante e emoliente; BABOSA 3 Esse gel, do qual se extrai aloína; BABOSA 4 Resina que se extrai de muitas espécies de aloé e é empregada como tônica e purgativa (pílulas de aloé) 5 Substância balsâmica que os habitantes da Índia queimavam como incenso nos templos de suas divindades (perfume de aloé) 6 Fibra extraída das folhas de aloé, us. em cordas e esteiras [F.: Do lat. *aloe, aloes* (< gr. *alóe, aloes*): as f. aloé (sm. / séc. XIII) e aloés (sm2n. / séc. XV = *aloees*) por infl. do fr. *aloé* (séc. XII) e *aloès* (atual); áloe (sm.), entretanto, segue a prosódia postulada pelo lat. (com o breve); o lat. cient. *Aloe* data de 1735. Tb. *áloe, aloés*.]

áloe (*á*.lo:e) *sm.* Ver *aloé*

aloendro (a.lo.*en*.dro) *Bot. sm.* O mesmo que *espirradeira* [F.: *a-*⁴ + *loendro*.]

aloenxerto (a.lo:en.*xer*.to) [ê] *sm. Cir.* Enxerto de tecido em que o doador é geneticamente diferente do receptor, embora pertençam à mesma espécie [F.: *al(o)-* + *enxerto*.]

aloeocélio (a.lo:e.o.*cé*.li:o) *Zool. a.* 1 Ref. ou pertencente aos aloeocélios, ordem de vermes platelmintos turbelários, ger. de 1 a 4cm de comprimento e esp. marinhos, providos de intestino reto com curtas ramificações cilíndricas *sm.* 2 Espécime dos aloeocélios [F.: Do lat. cient. ordem *Alloeocoela*.]

aloerotismo (a.lo:e.ro.*tis*.mo) *sm.* 1 *Psi.* Situação de alta excitação sexual em que um indivíduo consegue atingir o orgasmo por pura contemplação de uma imagem ou concentração nela, independentemente da atuação de um parceiro [Cf. *autoerotismo*.] 2 *Psic.* Busca da satisfação sexual com a utilização de objetos externos [F.: Do al. *Alloerotismus*; ver *al(o)-* e *erotismo*.]

aloés (a.lo.*és*) *sm.* Ver *aloé*

aloético (a.lo:*é*.ti.co) *a.* 1 Ref. a aloé 2 Que contém aloé (preparado aloético) [F.: *áloe* + *-ético*.]

alofásico (a.lo.*fá*.si.co) *a. Psiq.* Ref. a alofasia [F.: *alofasia* + *-ico*².]

alofone (a.lo.*fo*.ne) *Fon. Ling. sm.* 1 Cada manifestação de um mesmo fonema no contexto fonético em que se acha (p. ex., na pronúncia carioca, o fonema *d* tem um alofone na palavra *dedo* e outro em *dia*) 2 Cada variante de um fonema, caracterizada esp. por fatores sociais, geográficos etc. [F.: Do ing. *allophone.*]

alofonia (a.lo.fo.*ni*:a) *Fon. Ling. sf.* **1** Relação de semelhança entre dois sons, numa determinada língua **2** Presença de alofones relativos a determinado fonema [F.: *alofone* + *-ia*[1].]

alofônico (a.lo.*fô*.ni.co) *Ling. a. Fon. Ling.* Relativo a alofone ou à alofonia [F.: *alofone* + *-ico*[2].]

alófono (a.*ló*.fo.no) *sm. Ling.* Aquele cuja língua não é a da comunidade em que se acha [F.: *al(o)-* + *-fono.*]

aloftalmia (a.lof.tal.*mi*.a) *sf. Oft.* Diferença observada comparando-se os olhos de um mesmo indivíduo, ger. na coloração da íris; HETEROFTALMIA [F.: *al(o)-* + *-oftalmia.*]

aloftálmico (a.lof.*tál*.mi.co) *a. Oft.* Ref. à aloftalmia [F.: *aloftalmia* + *-ico*[2].]

alogamia (a.lo.ga.*mi*.a) *sf.* **1** *Bot.* Polinização do estigma de uma flor pelo pólen de outra; polinização cruzada [Por opos. a *autogamia.*] **2** *Biol.* O mesmo que *heterogamia* [F.: *al(o)-* + *-gamia.*]

alogâmico (a.lo.*gâ*.mi.co) *a.* **1** Ref. à alogamia **2** Que se reproduz por alogamia *sm.* **3** *Bot.* Espécie ou espécime que se reproduz por alogamia [Por opos. a *autogâmico.*] [F.: *alogamia* + *-ico*[2].]

alógamo (a.*ló*.ga.mo) *a. sm.* O mesmo que *alogâmico* (2 e 3) [Por opos. a *autógamo.*] [F.: *al(o)-* + *-gamo.*]

alogênico (a.lo.*gê*.ni.co) *a.* **1** *Med.* Diz-se de indivíduo que, embora da mesma espécie, difere de outro pela propriedade antigênica **2** *Ecol.* Diz-se de mudança ambiental que resulta de fatores externos, como a poluição, a seca etc. **3** *Geol.* O mesmo que *alógeno* (1) [F.: *al(o)-* + *-gênico.*]

alógeno (a.*ló*.ge.no) *a.* **1** *Geol.* Que tem origem diferente da de outras rochas; ALOGÊNICO **2** *Biol.* De outra etnia, nação ou tribo [F.: *al(o)-* + *-geno.*]

alogia (a.lo.*gi*:a) *sf.* **1** Disparate, absurdo, despropósito **2** *Med.* Afasia resultante de lesão no sistema nervoso central [F.: Do gr. *alogía, as*, pelo lat. *alogia, ae.*]

alógico (a.*ló*.gi.co) *a.* **1** Que não precisa de demonstração ou prova para se admitir como certo; EVIDENTE **2** *Fil.* Que não se rege pelos princípios da lógica [F.: *a-*[2] + *lógico.*]

alogismo (a.lo.*gis*.mo) *sm.* **1** Absurdo, despropósito, disparate; ALOGIA: *Todos riam do alogismo impregnado em seus discursos eleitoreiros.* **2** *Fil.* Pensamento com características alógicas: "O texto, graças às suas incoerências aparentes e a seu alogismo, é límpido. Foi redigido em 1937 por Malraux a partir de conversas com Picasso." (Jean-Hubert Martin, "O intercessor entre os deuses e os mortais", *in Folha on line*, 06.10.1996) **3** *Neur.* Estado de idiotia afásica [F.: *alogia* + *-ismo.*]

alógrafo (a.*ló*.gra.fo) *a.* **1** *Filol.* Diz-se de algo escrito por alguém como sendo outra pessoa (texto alógrafo) *sm.* **2** *Filol.* O texto assim escrito **3** *Fon.* A letra, ou conjunto de letras, us. para representar um mesmo fonema (p. ex., 'c' em *cem* e 's' em *sem*) **4** *Gram.* Cada uma das variantes de um grafema (p. ex., a forma minúscula e maiúscula, e os tipos e fontes de uma mesma letra) [F.: *al(o)-* + *-grafo.*]

aloidídeo (a.loi.*dí*.de:o) *a.* **1** Ref. ou pertencente aos aloidídeos, gênero de moluscos pelecípodes, encontrados em grandes quantidades nos sambaquis do S. do Brasil *sm.* **2** Espécime da família dos aloidídeos [F.: Do lat. cient. fam. *Alloididae.*]

aloína (a.lo.*í*.na) *sf. Quím.* Substância amarga cristalizável extraída das folhas de algumas espécies de aloé, que tem efeitos purgativos e é tb. us. em cosmética [Fórm.: $C_{21}H_{22}O_9$] [F.: *áloe* + *-ina.*]

aloirar (a.loi.*rar*) *v. td. int.* O mesmo que *alourar* [▶ 1 aloirar] [F.: *a-*[2] + *loiro* + *-ar*[2].]

aloite (a.*loi*.te) *sm. Bras. SP Pop.* Luta corporal, esforço, lida: "Entrega-te, então, a minha sorte/Como paga por tão penoso aloite /Para que, em ti, não ache a própria morte." (Eli Rodrigues de Lima, "Soneto da lua eterna", *in sonetos. com. br*) [F.: Posv. dev. de *aloitar.*]

alojado (a.lo.*ja*.do) *a.* Que se alojou [F.: Part. de *alojar.*]

alojamento (a.lo.ja.*men*.to) *sm.* **1** Ação ou efeito de alojar(-se) **2** Lugar de moradia ou hospedagem temporária **3** Acampamento, aquartelamento **4** *Ant.* Casa que serve de abrigo para viajantes; ESTALAGEM; HOSPEDARIA [F.: *alojar* + *-mento.*]

alojar[1] (a.lo.*jar*) *v.* **1** Dar alojamento a; HOSPEDAR(-SE) [*td.*: *alojar parentes distantes.*] [*tda.*: *Alojou o irmão no sótão; Alojou-se na cabine de um barco.* Ant.: *desalojar.*] **2** Fixar-se (ger. aplicado a projétil) [*ta.*: *A bala alojou-se no tórax.*] **3** Aquartelar(-se), acampar [*tda.*: *Os sem-terra alojaram-se numa fazenda notoriamente improdutiva.*] **4** Guardar, armazenar (em loja, despensa etc.) [*td.*: *Assim que chegou, alojou todas as mercadorias.*] [*tda.*: *Urge alojar os víveres em local escuro e seco.*] [▶ 1 alojar] [F.: *a-*[2] + *loja* + *-ar*[2]. Hom./Par.: *alojo* (fl.), *alojo* (ô) [sm.].]

alojar[2] (a.lo.*jar*) *v. td. int. MG* Expelir pela boca; vomitar [▶ 1 alojar] [F.: De or. contrv.]

alojo (a.*lo*.jo) [ô] *sm. MG* O mesmo que *vômito* [F.: Dev. de *alojar.* Hom./Par.: *alojo* (fl. de *alojar*).]

alolalia (a.lo.la.*li*.a) *sf. Neur.* Distúrbio da fala, produzido por lesão cerebral, em que são us. palavras diferentes das que se desejava falar [F.: *al(o)-* + *-lalia.*]

alombado (a.lom.*ba*.do) *a.* **1** Dotado de lombo; ABAULADO: *um perfil alombado.* **2** Cansado, extenuado: "Estavam todos cansados (...) os do andor, do peso com que tinham alombado." (Antônio Manuel Venda, *Os abençoados fiéis do senhor S. Romão*) **3** *Bras.* Indolente, preguiçoso: *Foi despedido por ser alombado demais.* [Ant.: *ativo, diligente, trabalhador.*] **4** Que está indisposto para qualquer tipo de ação; ALQUEBRADO; DERREADO: *Saltou do ônibus alombado pelas curvas da estrada.* [F.: Part. de *alombar.*]

alombamento (a.lom.ba.*men*.to) *sm.* Ação ou resultado de alombar [F.: *alombar* + *-mento.*]

alombar (a.lom.*bar*) *v. td.* **1** Ficar ou fazer ficar curvo como o lombo **2** Derrear, vergar com pancadas (no lombo, nas costas) **3** *Enc.* Colocar (lombada) em livro; enlombar; ENDORSAR [▶ 1 alombar] [F.: *a-*[2] + *lomb(o)* + *-ar*[2].]

alometria (a.lo.me.*tri*.a) *Biol. sf.* **1** Crescimento diferenciado de parte(s) do corpo, em comparação com o padrão normal de desenvolvimento, que pode ter relação com a genética ou com o ambiente e a nutrição, ou ainda com a não utilização de algum membro, órgão etc. **2** A análise ou mensuração desse crescimento desproporcional [F.: *al(o)-* + *-metria.*]

alomorfe (a.lo.*mor*.fe) *sm. Ling.* Cada uma das formas variantes de um morfema em um contexto linguístico (p. ex. a negatividade representada pelos sufixos *in-* em *infeliz*, *des-* em *descumprir* e *dis-* em *discordância*) [F.: Do ing. *allomorph.*]

alomorfia[1] (a.lo.mor.*fi*.a) *Ling. sf.* **1** Qualidade de alomorfe **2** Variação de um morfema, sem mudança no seu significado [F.: *alomorfe* + *-ia*[1].]

alomorfia[2] (a.lo.mor.*fi*.a) *sf.* **1** Passagem de uma forma a outra completamente diferente; METAMORFOSE **2** *Biol.* Mudança na forma e na estrutura de um corpo, órgão, tecido etc. [F.: *al(o)-* + *morf(o)-* + *-ia*[1].]

alomórfico[1] (a.lo.*mór*.fi.co) *a.* **1** Que diz respeito a alomorfia **2** Que tem forma diversa [F.: *alomorfia* + *-ico*[2].]

alomórfico[2] (a.lo.*mór*.fi.co) *a. Ling.* Ref. a alomorfe [F.: *alomorfe* + *-ico*[2].]

alongado (a.lon.*ga*.do) *a.* **1** Que tem uma forma longa (bandeja alongada); COMPRIDO **2** Que foi ou está estendido (músculos alongados) **3** Distante, afastado **4** *Bras.* Que fugiu para o mato (diz-se de animal doméstico) [F.: Part. de *alongar.* Ideia de 'alongado': *lept(o)-* (*leptorrino*).]

alongador (a.lon.ga.*dor*) [ô] *a.* **1** Que alonga *sm.* **2** O que alonga [F.: *alongar* + *-dor.*]

alongamento (a.lon.ga.*men*.to) *sm.* **1** Ação ou resultado de alongar(-se) **2** Modalidade de exercício físico em que se alongam os músculos **3** Extensão no tempo ou no espaço; PROLONGAMENTO **4** *Fon.* Passagem de um fonema breve a longo **5** *Econ.* Alongue [F.: *alongar* + *-mento.*]

alongar (a.lon.*gar*) *v.* **1** Fazer(-se) longo ou mais longo; ESTENDER(-SE); ENCOMPRIDAR(-SE) [*td.*: *As autoridades alongaram a ciclovia; A criança se alongou para espiar pela janela alta.*] **2** Prolongar(-se) [*td.*: *Obras na estrada alongaram a viagem.*] [*tr.* + *em*: *O palestrante alongou-se em detalhes desnecessários.*] **3** Distanciar(-se), apartar(-se) [*tdi.* + *de*: *Não conseguia alongar de si aquela obsessão.*] **4** Estender para longe (o olhar) [*td.*: *Alongou a vista até onde a distância alcançava.*] **5** Esticar, estirar (músculo, parte do corpo), como exercício físico [*td.*: *Gasta meia hora alongando os músculos.*] [*int.*: *É aconselhável alongar-se antes e depois de uma corrida.*] [▶ 14 alongar] [F.: *a-*[2] + *long(o)* + *-ar*[2]. Hom./Par.: *alongue(s)* (fl.), *alongue(s)* (sm.).]

alongue (a.*lon*.gue) *sm. Econ.* Extensão de papel que se cola a uma letra de câmbio quando não há mais espaço para endossos; ALONGAMENTO [F.: Dev. de *alongar.*]

alônimo (a.*lô*.ni.mo) *a.* **1** Que usa nome diverso do seu em um trabalho, uma obra **2** Diz-se de obra publicada com nome alheio *sm.* **3** Autor que usa um nome diferente do seu **4** Obra que se publica com nome alheio [F.: *al(o)-* + *-ônimo.*]

alopata (a.lo.*pa*.ta) *a2g.* **1** Diz-se do médico que pratica alopatia *s2g.* **2** Esse médico [F.: *al(o)-* + *-pata.* Cf.: *homeopata.* Var.: *alópata.*]

alopatia (a.lo.pa.*ti*.a) *sf. Med.* Tipo de tratamento com remédios que produzem efeitos contrários aos das doenças [F.: Do al. *Allopathie*; ver *al(o)-* e *-patia.* Cf.: *homeopatia.*]

alopático (a.lo.*pá*.ti.co) *a.* Ref. a alopatia (remédio alopático) [F.: *alopat(ia)* + *-ico*[2]. Cf.: *homeopático.*]

alopatria (a.lo.pa.*tri*:a) *Biol. sf.* Impossibilidade de certas espécies ou organismos coexistirem numa mesma área geográfica, em razão de umas excluírem as outras [Ant.: *simpatria.*] [F.: *al(o)-* + gr. *pátra*, 'pátria', + *-ia*[1].]

alopecia (a.lo.pe.*ci*.a) *sf. Med.* Queda dos cabelos ou pelos do corpo [F.: Do gr. *alopekía, as.* Tb. *alopécia.*]

alopécia (a.lo.*pé*.ci:a) *sf.* Ver *alopecia*

alopécico (a.lo.*pé*.ci.co) *a.* **1** Ref. a ou que sofre de alopecia *sm.* **2** Indivíduo que sofre de alopecia [F.: *alopec(ia)* + *-ico*[2].]

aloploide (a.lo.*ploi*.de) *a2g. Gen.* Diz-se de célula ou organismo que tem os cromossomos formados pela união de genomas haploides oriundos de diferentes espécies [F.: *al(o)-* + *-ploide.*]

aloploidia (a.lo.ploi.*di*.a) *sf. Gen.* Condição ou estado próprio de células ou organismos aloploides [F.: *aloploide* + *-ia*[1].]

alopoliploide (a.lo.po.li.*ploi*.de) *a2g. Gen.* Diz-se de célula ou organismo formados por duas séries diploides de cromossomos em que cada uma delas é proveniente de um dos genitores [Contrapõe-se a *autopoliploide*] [F.: *al(o)-* + *poliploide.*]

alopoliploidia (a.lo.po.li.ploi.*di*:a) *sf. Gen.* Estado de uma célula ou organismo que apresenta duas séries diploides parentais [Ant.: *autopoliploidia.*] [F.: *alopoliploide* + *-ia*[1].]

alopração (a.lo.pra.*ção*) *sf. Bras. Gír.* Estado ou comportamento de aloprado [F.: *aloprar* + *-ção.*]

aloprado (a.lo.*pra*.do) *a. Bras. Gír.* Aloucado, adoidado, perturbado [F.: Alter. de *alorpado*, posv.]

aloprar (a.lo.*prar*) *v. int. Bras. Gír.* Agitar(-se), enlouquecer: *Ficou com medo de aloprar.* [▶ 1 aloprar] [F.: Posv. dev. de *aloprado.*]

alóptero (a.*lóp*.te.ro) *a. Ict.* Diz-se dos peixes cujas barbatanas não têm posição fixa [F.: *al(o)-* + *-ptero.*]

alopurinol (a.lo.pu.ri.*nol*) *sm. Farm.* Agente inibidor seletivo das etapas finais da biossíntese de ácido úrico e de importantes efeitos farmacológicos na abordagem terapêutica da hiperuricemia primária da gota [Fórm.: $C_5H_4N_4O$] [F.: *al(o)-* + *purina* + *-ol.*]

aloquestesia (a.lo.ques.te.*si*.a) *sf. Neur.* Estado patológico em que as sensações táteis são percebidas em local diferente do ponto tocado; ALAQUESTESIA; ALESTESIA [F.: Do gr. *allakhe* ('em outro lugar' com alter. do *a* para *o*) + *aisthesía* (percepção).]

aloquiria (a.lo.qui.*ri*.a) *sf. Neur.* Fenômeno patológico em virtude do qual as sensações táteis resultantes de picada ou toque num membro são percebidas no membro simétrico [F.: *al(o)-* + *-quiria.*]

alor (a.*lor*) [ô] *sm.* **1** Modo de andar, caminhar, mover-se: *Um alor elegante que deixava todos extasiados.* **2** Encorajamento, excitação, incitamento: "O animal estacava, e logo de volta dele postava-se a rapaziada, mas num alor de fuga, não lhe desse na bolha atacá-los." (Trindade Coelho, *Meus amores*) **3** Estímulo, entusiasmo, ímpeto: "Amar assim, com tal alor que a alma pairava acima do real." (Aquilino Ribeiro, *O homem que matou o diabo*) [F.: Posv. do fr. *allure*, 'maneira de se mover'.]

alorritmia (a.lor.rit.*mi*.a) *sf. Med.* Denominação genérica de várias arritmias periódicas do coração e do pulso [F.: *al(o)-* + *-ritmia.*]

alorrítmico (a.lor.*rít*.mi.co) *a. Med.* Que diz respeito a alorritmia [F.: *alorritmia* + *-ico*[2].]

alossauro (a.los.*sau*.ro) *sm. Pal.* Denominação comum aos dinossauros, bípedes e carnívoros, do gên. *Allosaurus*, que habitaram a América do Norte durante o final do Jurássico [F.: Do lat. cient. *Allosaurus*; ver tb. *al(o)-* e *-sauro.*]

alossomo (a.los.*so*.mo) *sm. Gen.* Cromossomo que carrega pelo menos um gene responsável pelo início da determinação sexual e difere em qualidade e quantidade entre machos e fêmeas; CROMOSSOMO SEXUAL [F.: *al(o)-* + *-somo.*]

alotar (a.lo.*tar*) *v. td.* **1** Separar em lotes **2** *Bras.* Impedir a debandada de (lote de éguas sob a liderança de um garanhão) **3** *Bras.* Manter (reses) em manada [▶ 1 alotar] [F.: *a-* + *lote* + *-ar.* Hom./Par.: *alote(s)* (fl.), *alote* (sm. [e pl.]).]

alotetraploide (a.lo.te.tra.*ploi*.de) *a2g. Gen.* Diz-se de célula ou de organismo alopoliploide portador de dois genomas [F.: *al(o)-* + *tetraploide.*]

alotipia (a.lo.ti.*pi*.a) *sf. Cit.* O mesmo que *meiose* [F.: *al(o)-* + *-tipia.*]

alotípico (a.lo.*tí*.pi.co) *a. Gen.* Diz-se do processo em que a divisão celular ocorrendo em células diploides, leva à formação de células haploides; MEIÓTICO [Contrapõe-se a *somático.*] [F.: *alotipia* + *-ico*[2].]

alotransplante (a.lo.trans.*plan*.te) *sm. Cir.* Transplante de órgãos ou tecidos em que o doador é da mesma espécie do receptor, embora geneticamente diferente; ALOENXERTO [F.: *al(o)-* + *transplante.*]

◎ **alotri(o)-** *el. comp.* = 'estranho': *alotriosmia, alotriomorfo.* [F.: gr. *allótrios, a, on*, 'de outrem'; 'estranho'; 'incompatível'. F. conexas: *al(o)-, alerg(o)-.*]

alotriosmia (a.lo.tri:os.*mi*.a) *sf. Pat.* Anomalia do olfato em virtude da qual o indivíduo não identifica corretamente os cheiros [F.: *alotri(o)-* + *-osmia.*]

alotropia (a.lo.tro.*pi*.a) *sf.* **1** *Quím.* Propriedade em virtude da qual um corpo simples pode apresentar-se em estados diversos, a cada um dos quais correspondem propriedades químicas diferentes [O carbono que se apresenta sob a forma de carvão e de diamante é um exemplo de alotropia.] **2** *Ling.* Ocorrência de alótropos em uma determinada língua **3** *Ling.* Qualidade de alótropo [F.: Do gr. *allotropia.*]

alotrópico (a.lo.*tró*.pi.co) *a.* **1** Que diz respeito a, ou em que se manifesta a alotropia **2** Diz-se de vocábulos divergentes que derivam de um étimo comum como, p. ex., plaga, praia e chaga do lat. *plaga* [F.: *alotropia* + *-ico*[2]. Sin. ger.: *alótropo.*]

alótropo (a.*ló*.tro.po) *a.* **1** O mesmo que *alotrópico* **2** *Bot.* Diz-se de flor em que o pólen e o néctar ficam a descoberto, podendo ser alcançados por qualquer inseto **3** *Zool.* Cujo corpo não se adapta à morfologia floral, e por isso tem de recorrer a outras fontes de alimento (diz-se de inseto visitante de flores) *sm.* **4** *Fís.* Elemento ou corpo que apresenta alotropia **5** *Ling.* Grupo de vocábulos com formas e significados divergentes, que derivam de um étimo comum (p. ex., *plaga, praia* e *chaga*, do lat. *plaga*) [F.: Do gr. *allótropos.*]

aloucado (a.lou.*ca*.do) *a.* **1** Que parece ou se comporta como louco; AMALUCADO **2** Que age sem bom-senso; INSENSATO [F.: Part. de *aloucar.* Hom./Par.: *alocado* (a.).]

aloucar (a.lou.*car*) *v. td. int.* Tornar(-se) louco, doido, maluco [▶ 11 aloucar] [F.: *a-* + *louco* + *-ar.* Hom./Par.: *al ocar* (todos os tempos do v.).]

alourado (a.lou.*ra*.do) *a.* **1** Que apresenta tom de louro ou quase louro (mechas alouradas): "Num desses cartórios trabalhava um rapaz alourado, prestativo e acolhedor..." (Murilo Badaró, *Aposentadoria precoce*) **2** *Enol.* Diz-se de vinho tinto envelhecido cerca de 10 anos e que apresenta cor semelhante à do topázio: *Um vinho tinto alourado, como* *o Porto Tawny.* **3** *Cul.* Diz-se de alimento que se colocou no forno para assar e dourar ou se fritou em óleo: *Alho e cebola alourados, fritos na manteiga.* [F.: Part. de *alourar.* Tb. *aloirado.*]

alourar (a.lou.*rar*) ***v.*** **1** Tornar(-se) louro ou alourado [***td.:*** *Ela sempre alourava os cabelos; Alourou-se para viver Marilyn Monroe numa peça.*] [***int.:*** *Todas aquelas garotas alouraram.*] **2** Dar a (alimento) tom dourado, ou adquirir esse tom, quando levado ao fogo [***td.:*** *Mistura-se açúcar no tempero para alourar a ave.*] [***int.:*** *Aumentou a temperatura do forno para que o frango (se)alourasse mais rápido.*] [▶ 1 alour**ar**] [F.: *a-*[2] *louro* + *ar*[2]. Sin. ger.: *aloirar*, *enloirar*, *enlourar*.]

alpaca (al.*pa*.ca) ***sf.*** **1** *Zool.* Mamífero (*Lama pacos*) da fam. dos camelídeos, de pelo comprido e sedoso, que vive nas montanhas dos Andes **2** A lã da alpaca **3** Tecido feito dessa lã (paletó de alpaca) [F.: Do espn. *alpaca.*]

alpargata (al.par.*ga*.ta) ***sf.*** **1** *Bras. N. E.* Sandália baixa, presa ao pé por tiras de couro ou pano: "Pelo que ouvimos: um galope, o chegar, o riscar, o desapeio, o xaxaxo de alpercatas." (Guimarães Rosa, *Grande sertão: veredas*) **2** Sapato feito de lona com sola de corda [F.: Do ár. hispânico *al-pargat.* Tb. *alpercata.*]

alpedo (al.*pe*.do) [ê] ***adv.*** *Bras. RS* À toa, debalde, em vão, em pura perda: "...bem montado em flor de flete; /pelas bailantas, fandangueando alpedo, /arrastando a asa pra morochas lindas." (Moisés Silveira de Menezes, *Fragmentos memoriais de um anônimo*) [F.: Do cast. *al pedo.*]

alpendrado[1] (al.pen.*dra*.do) ***a.*** Que tem alpendre; coberto por alpendre [F.: Part. de *alpendrar*.]

alpendrado[2] (al.pen.*dra*.do) ***a.*** Que tem forma ou aspecto de alpendre [F.: *alpendre* + *-ado*[1].]

alpendrar (al.pen.*drar*) ***v. td.*** Cobrir com ou dotar de alpendre: *alpendrar uma varanda.* [▶ 1 alpendr**ar**] [F.: *alpendre* + *-ar*[2].]

alpendre (al.*pen*.dre) *Arq.* ***sm.*** **1** Telhado de uma só vertente sustentado em colunas ou pilastras e formando uma saliência na entrada de casa ou prédio; TELHEIRO **2** Pátio coberto **3** Varanda coberta [F.: Posv. de *pender*.]

alpercata (al.per.*ca*.ta) ***sf.*** O mesmo que *alpargata* [F.: Var. de *alparcata*.]

alperche (al.*per*.che) ***sm.*** **1** *Angios.* Espécie de damasco grande; ALBERGE; ALPECE; ALPERCE **2** O mesmo que *damasqueiro.* (*Prunus armeniaca*) [F.: Do gr. *persikos* (da Pérsia) pelo moçárabe *alberchiga*.]

alpercheiro (al.per.*chei*.ro) ***sm.*** *Angios.* O mesmo que *damasqueiro.* (*Prunus armeniaca*) [F.: *alperche* + *-eiro.*]

alpestre (al.*pes*.tre) ***a.*** **1** Ref. ou pertencente aos Alpes; ALPINO **2** Montanhoso, alcantilado, como os Alpes **3** Relativo às montanhas; MONTÊS **4** Rústico, rude **5** Que vive nas altas montanhas (diz-se de planta ou animal); ALPINO [F.: Do lat. *alpestris*.]

alpinismo (al.pi.*nis*.mo) ***sm.*** *Esp.* Esporte em que se escalam rochas, montanhas etc.; MONTANHISMO [F.: Do it. *alpinismo*.]

alpinista (al.pi.*nis*.ta) ***a2g.*** **1** Ref. a ou que pratica alpinismo ***s2g.*** **2** Pessoa que pratica esse esporte [F.: Do it. *alpinista.* Sin. ger.: *montanhista.*]

alpino (al.*pi*.no) ***sm.*** **1** Indivíduo nascido ou que vive nos Alpes (Europa) ***a.*** **2** Dos Alpes; típico dessa região ou de seu povo **3** Diz-se dos animais e plantas que vivem nos Alpes ou nas altas montanhas [F.: Do lat. *alpinus, a, um.*]

alpista (al.*pis*.ta) ***sf.*** **1** *Angios.* Planta da família das gramíneas (*Phalaris canariensis*), muito cultivada pelos grãos que produz; ALPISTE **2** *Angios.* Os grãos dessa planta, us. para sustento de passarinhos, como canários, pintassilgos etc.; ALPISTE **3** *Bras. Pop.* Aguardente de cana, cachaça [F.: Do espn. *alpiste.*]

alpiste (al.*pis*.te) ***sm.*** **1** *Bot.* Planta (*Phalaris canariensis*) da fam. das gramíneas **2** Semente dessa planta, us. esp. na alimentação de passarinhos **3** *Bras. Pop.* Cachaça [F.: Do espn. *alpiste.*]

alpondras (al.*pon*.dras) ***sfpl.*** Pedras que servem de passadeiras para se atravessar um rio, uma ribeira de pouca água; PASSADEIRAS; POLDRAS: "...largou a estrada, passou embaixo, no vale, sobre as alpondras, o riacho que fugia entre os aloendros em flor..." (Eça de Queirós, *Frei Genebro*) [F.: De or. contrv.]

alporque (al.*por*.que) ***sm.*** *Agr.* Técnica de reprodução vegetal em que um ramo, depois de colocado em terra preparada para criar raízes e brotos, é cortado como nova planta; ALPORCA; MERGULHIA [F.: Var. de *alporca.*]

alquebrado (al.que.*bra*.do) ***a.*** **1** Curvado, vergado (corpo alquebrado) **2** Fraco, debilitado, abatido (velho/paciente alquebrado) **3** *Mar.* Que tem a quilha deformada, com a popa e a proa descaídas [F.: Do espn. *aliquebrado,* posv.]

alquebrar (al.que.*brar*) ***v.*** **1** Levar ao cansaço, à prostração [***td.:*** *O esforço alquebrou o idoso.*] [***int.:*** *Ela alquebrou-se depois que o marido morreu.*] **2** Curvar pela espinha dorsal; DERREAR [***td.:*** *Uma doença nos ossos alquebrou-o.*] **3** *Mar.* Adquirir deformação por causa de alquebramento [***int.***] [▶ 1 alquebr**ar**] [F.: De or. duvidosa, posv. do espn. *aliquebrare.*]

alqueirado (al.quei.*ra*.do) ***a.*** Que se alqueirou, se mediu em alqueires [F.: Part. de *alqueirar.*]

alqueirar (al.quei.*rar*) ***v. td.*** **1** Medir em alqueires **2** Avaliar (produção) em alqueires [▶ 1 alqueir**ar**] [F.: *alqueir*(*e*) + *-ar*[2]. Hom./Par.: *alqueire*(*s*) (fl.), *alqueire* (sm. [e pl.]).]

alqueire (al.*quei*.re) ***sm.*** **1** *Bras.* Medida agrária de superfície, variável de acordo com o lugar (equivale a 2,42 ha em SP, a 4,84 ha em GO, MG, RJ ***sm.*** **2** Antiga medida de capacidade para secos e líquidos, variável de lugar para lugar **3** Terreno que leva um alqueire (2) de semeadura **4** Recipiente (para medida) que comporta um alqueire (2) de grãos de cereais **5** *Lus.* O peso dos cereais contidos nesse recipiente [F.: Do ár. *al-káil.*] ■ **~ do Norte** *Bras.* Medida agrária, equivale e 27.225 m^2 **~ do Pará** *Bras.* Medida de capacidade para farinha-d'água, equivale a cerca de 30 kg

alqueivar (al.quei.*var*) ***v. td.*** Lavrar (a terra) e deixá-la em pousio, descanso (por um ano ou mais), para ficar mais fértil [▶ 1 alqueiv**ar**] [F.: *alqueiv*(*e*) + *-ar*[2]. Hom./Par.: *alqueive*(*s*) (fl.), *alqueive* (sm. [e pl.]).]

alqueive (al.*quei*.ve) ***sm.*** **1** Ação ou resultado de alqueivar **2** O estado de uma terra lavrada que não se semeia durante um ou mais anos, para conservar ou aumentar a sua força produtiva **3** Abrição de terras, a primeira lavra de terra que esteve em pousio (terreno em alqueive) [F.: Posv. do ár. *al-qewe.*]

alquermes (al.*quer*.mes) ***sm2n.*** **1** Espécie de licor napolitano **2** Eletuário composto de grãos de quermes e outros ingredientes **3** *Ant.* Bebida que se fabricava em Florença [F.: Do ár. *al-qirmiz* (encarnado).]

alquibla (al.*qui*.bla) ***sf.*** Direção ou ponto no horizonte ou na mesquita para onde se voltam os muçulmanos quando rezam [F.: Do ár. *al-qibla.*]

alquifa (al.*qui*.fa) ***sf.*** **1** Galena pulverizada us. pelas mulheres orientais na pintura das sobrancelhas; ALQUIFOL **2** Essa mesma galena empregada em cerâmica para envernizamento da louça ordinária [F.: Red. de *alquifol*, do ár. *al-kuhul.*]

alquila (al.*qui*.la) ***sf.*** *Quím.* Radical alcoólico monovalente obtido pela retirada de um átomo de hidrogênio de um alcano [Fórm. ger.: C_nH_{2n+1}] [F.: *alc-* (de *álcool*) + *-ila*[2].]

alquilar (al.qui.*lar*) ***v. td.*** Alugar (ger. cavalgadura) para transporte [▶ 1 aquil**ar**] [F.: *alquil*(*é*) + *-ar*[2]. Hom./Par.: *alquilaria*(*s*) (fl.), *alquilaria* (sf. [e pl.]), *alquile*(*s*) (fl.), *alquilé* (sm. [e pl.]).]

alquimia (al.qui.*mi*.a) ***sf.*** Química da Idade Média, que consistia na busca da pedra filosofal, capaz de transformar metais em ouro, e da panaceia, ou elixir para uma vida longa [F.: Do ár. *al-kimiyâ.*]

alquímico (al.*quí*.mi.co) ***a.*** Ref. ou pertencente a alquimia [F.: *alquimia* + *-ico*[2].]

alquimista (al.qui.*mis*.ta) ***a2g.*** **1** Ref. a alquimia (práticas alquimistas) **2** Que praticava alquimia ***s2g.*** **3** Aquele que praticava alquimia [F.: *alquimia* + *-ista.*]

alrotar (al.ro.*tar*) ***v. td. int.*** **1** Provocar grande tumulto, assuada **2** Pedir esmolas por meio de súplicas e gritos **3** Lançar insultos, zombarias; escarnecer [▶ 1 alrot**ar**] [F.: Posv. de *arrotar.*]

alsaciano (al.sa.ci.*a*.no) ***sm.*** **1** Indivíduo nascido ou que vive na Alsácia (França) ***a.*** **2** Da Alsácia; típico dessa região ou de seu povo [F.: *Alsácia* + *-ano.*]

alstroemeriácea (als.tro:e.me.ri.*á*.ce:a) ***sf.*** *Angios.* Espécime das alstroemeriáceas [F.: Do lat. cient. fam. *Alstroemeriaceae.*]

alta[1] (*al*.ta) ***sf.*** **1** Aumento (de preço, cotação etc.); ELEVAÇÃO; SUBIDA: *a alta do dólar.* [Ant.: *baixa, redução.*] **2** Autorização de saída de hospital ou declaração de término de tratamento dada ao paciente pelo médico; o documento que a registra e comprova; ALTA HOSPITALAR: *O médico assinou a alta do paciente/deu alta ao paciente.* **3** *Mil.* Volta (de militar) ao serviço ativo após ausência por qualquer motivo **4** Parte mais elevada de uma região, cidade etc. **5** *Pop.* F. red. de *alta sociedade*; alta-roda: *Nem parece, de tão simples e discreta, mas ela é da alta.* **6** *Teat.* Parte superior do palco, entre o centro e o fundo do espaço cênico **7** *Lus. Ant.* Dança em que se erguem muito os pés **8** *Met.* O mesmo que *anticiclone* [F.: Fem. substv. de *alto*[1].] ■ **Estar em ~** Estar na moda, estar prestigiado

alta[2] (*al*.ta) ***sf.*** *Mil.* Ação de parar (uma tropa ou força) em dado lugar, quando se está em marcha [F.: Do al. *halt*, do v. *halten*, 'parar'.]

alta-costura (al.ta-cos.*tu*.ra) *Vest.* ***sf.*** **1** Roupa, ger. exclusiva e cara, criada por grandes costureiros: *A mulher do senador só usa alta-costura.* **2** Conjunto dos grandes costureiros: *Desenha bem, mas ainda não pertence à alta-costura.* [Pl.: *altas-costuras.*]

alta-fidelidade (al.ta-fi.de.li.*da*.de) *Eletrôn.* ***sf.*** **1** Tecnologia que permite reproduzir e amplificar os sons, quase sem distorção **2** Aparelhagem de som que funciona com base nessa tecnologia [Pl.: *altas-fidelidades.*]

altaico (al.*tai*.co) ***sm.*** **1** Indivíduo nascido ou que vive nos montes Altai (Ásia central) **2** *Gloss.* Família linguística constituída por cerca de 60 línguas, entre vivas e desaparecidas, que se estendem dos Bálcãs ao Nordeste da China, e que se subdivide em três grupos: turcomano, mongólico e tungúsico ***a.*** **3** Dos montes Altai; típico dessa região ou dos povos que a habitam **4** Do ou ref. ao altaico (2) [F.: *Altai* + *-ico.*]

altaíta (al.ta.*í*.ta) ***sf.*** *Min.* Telureto de chumbo de cor branca, cúbico, com brilho metálico, encontrado nos montes asiáticos do Altai, na Mongólia [F.: Do top. *Altai* + *-ita.*]

altamisa (al.ta.*mi*.sa) ***sf.*** *Bras. SP RS GO Angios.* Arbusto da família das compostas (*Baccharis artemisioides*); ERVA-DE-ANJINHO; SUJEIRA-DO-BATISTA [Na falta de bom pasto, é us. como forragem, embora dê ao leite das vacas um sabor desagradável.] [F.: De or. obsc.]

altanado (al.ta.*na*.do) ***a.*** **1** Altaneiro, erguido, levantado **2** Altivo, grosseiro, indomável, soberbo **3** Alvoroçado, amotinado: *A população estava altanada.* **4** Estroina, leviano ***sm.*** **5** *Pop.* Juiz do tribunal criminal **6** Indivíduo altivo, soberbo **7** Indivíduo estroina, leviano [F.: Part. de *altanar.*]

altanaria (al.ta.na.*ri*.a) ***sf.*** **1** Qualidade de altaneiro; ALTANERIA **2** *Fig.* Qualidade de altivez, orgulho, soberba **3** Qualidade que têm certas aves de voar muito alto **4** A caça que se faz às aves altaneiras **5** O adestramento de determinadas aves, como águias e falcões, para esse tipo de caça; FALCOARIA **6** *Fig.* A pretensão de obter grandes feitos, de ter sucesso em uma profissão, atividade ou arte [F.: Do espn. *altaneria.* Tb. *altaneria.*]

altanar-se (al.ta.*nar*-se) ***v. td. int.*** **1** Colocar(-se) em posição altaneira **2** *Fig.* Apresentar(-se) de maneira soberba, envaidecida **3** *Fig.* Mostrar-se excitado, alvoroçado **4** Ficar ou fazer ficar leviano, irresponsável [▶ 1 altan**ar**-se] [F.: Rad. *altan-* (do lat. * *altanus, a, um*) + *-ar*[2].]

altaneiro (al.ta.*nei*.ro) ***a.*** **1** Que se eleva muito (castelo altaneiro); ALTO **2** Soberbo, sobranceiro, orgulhoso (povo altaneiro) **3** Que voa alto (águia altaneira) [F.: Do espn. *altanero.*]

altaneria (al.ta.ne.*ri*.a) ***sf.*** Ver *altanaria*

altar (al.*tar*) ***sm.*** **1** Mesa us. para cerimônia religiosa, esp. em missas **2** Espécie de mesa de pedra us. para sacrifícios religiosos; ARA **3** *Maçon.* Mesa, ger. triangular, à qual se sentam o venerável e outros dignitários **4** *Fig.* Religião, culto **5** *Fig.* Amor que chega quase à idolatria; ADORAÇÃO **6** *Fig.* Objeto santo, venerável, digno de sacrifícios heroicos **7** *P. us. Astron.* Constelação austral [Ger. com inicial maiúsc.] [F.: Do lat. *altare, is.*]

altareiro (al.ta.*rei*.ro) ***sm.*** **1** O que tem a seu cargo a limpeza e ornato dos altares [Este ofício já não existe hoje isolado, porque se acha ordinariamente acumulado com o de sacristão.] **2** O que é apto para o ministério eclesiástico **3** O sacerdote que canta a missa **4** Indivíduo beato, carola [F.: *altar* + *-eiro.*]

altar-mor (al.tar-*mor*) ***sm.*** Altar principal de um templo [Pl.: *altares-mores.*]

alta-roda (al.ta-*ro*.da) ***sf.*** **1** Alta sociedade; ALTA **2** A elite de um grupo: *Ele participa da alta-roda da música erudita no Brasil.* [Pl.: *altas-rodas.*]

alta-tensão (*al*.ta-ten.*são*) ***sf.*** **1** *Elet.* Tensão elétrica superior a 1.000 volts **2** *Radt.* Tensão elétrica que alimenta a placa de uma válvula [Pl.: *altas-tensões.*]

alta-traição (al.ta-tra.i.*ção*) ***sf.*** *Jur. Pol.* Traição contra o próprio país ou contra a sua soberania, que pode consistir, p. ex., na tentativa de derrubar o governo ao qual se deve fidelidade, de participar de uma guerra contra o próprio país, ou ainda de matar o chefe de Estado [Pl.: *altas-traições.* Esta palavra ger. não se usa no pl.]

altazimutal (al.ta.zi.mu.*tal*) ***a2g.*** **1** *Astron.* Que diz respeito a altazimute **2** Diz-se de sistema de determinação da altura e do azimute de um astro [F.: *altazimute* + *-al*[1].]

altazimute (al.ta.zi.*mu*.te) ***sm.*** *Astron.* Instrumento us. para determinar a altura e o azimute de um astro [F.: *alt*(*itude*) + *azimute*. Tb. *altazímute.*]

altazímute (al.ta.*zí*.mu.te) ***sm.*** Ver *altazimute*

alteamento (al.te:a.*men*.to) ***sm.*** **1** Ação ou efeito de altear(-se), de levantar(-se); ALTEAÇÃO: *O alteamento da estrada em relação ao nível do rio que a margeia.* **2** *Arq.* Elevação de uma parede, de um andar, de uma abóbada [F.: *altear* + *-mento.*]

altear (al.te.*ar*) ***v.*** **1** Tornar(-se) alto ou mais alto [***td.:*** *Os vizinhos altearam o muro.*] [***int.:*** *Alteou-se com aqueles sapatos.*] **2** Tornar mais forte, elevar (som, voz) [***td.:*** *Teve que altear a voz para ser ouvido.*] [***int.:*** *Os gritos das crianças assustadas se altearam ainda mais.*] **3** Crescer, avolumar-se [***int.:*** *O terreno alteou com o entulho;* "...As labaredas se altearam diante da população..." (*Correio Braziliense*, 16.04.2003)] **4** Erguer-se, estar mais alto (tb. *Fig.*) [***td.:*** *Drummond se alteou entre tantos poetas brasileiros.*] **5** Voltar para cima, para o alto; ELEVAR; ERGUER [***td.:*** *Alteando o rosto para o céu, pediu perdão a Deus.*] **6** Tornar mais excelente, mais sublime; aproximar da perfeição [***td.:*** *Alteou o poema num transe de paixão.*] **7** Aumentar, elevar (preço) [***td.***] [▶ 13 alte**ar**] [F.: *alto* + *-ear*[2]. Hom./Par.: *alteia*(*s*) (fl.), *alteia*(*s*) (sf.).]

alteia (al.*tei*.a) *Angios.* ***sf.*** **1** *Bot.* Gênero de plantas da fam. das malváceas, tb. chamada vulgarmente *gigante* e *malvaísco* **2** Mais particularmente a espécie *Althaea officinalis*. Tem a raiz fusiforme, carnuda, branca, e uma haste herbácea, reta e cilíndrica. As folhas são alternadas pecioladas e cordiformes, flores esbranquiçadas ou róseas. A raiz tem muita aplicação na medicina, em consequência das suas propriedades emolientes, devidas ao princípio mucilaginoso que contém em abundância [F.: Do lat. cient. gên. *Althaea.*]

álter (*ál*.ter) ***sm.*** Outro ser, outra pessoa com quem um indivíduo se identifica [F.: Do lat. *alter*, 'outro'. Hom./Par.: *álter* (sm.), *alter* (sm.), *halter* (sm.), *alteres* (pl.), *alteres* (fl. de *alterar*), *halteres* (pl.).]

alteração (al.te.ra.*ção*) ***sf.*** **1** Ação ou resultado de alterar(-se) **2** Mudança, modificação **3** Adulteração, falsificação: *Houve uma alteração das notas fiscais.* **4** Degeneração, apodrecimento, deterioração: *alteração de um alimento.* **5** Passagem do estado normal a outro que indique agitação, perturbação, irritação (alteração das feições/ da voz) **6** Motim, desordem, revolta **7** Discussão, altercação **8** Qualquer modificação feita em um texto durante a revisão tipográfica **9** *Mús.* Acidente [Pl.: *-ções.*] [F.: Do lat. *alteratio, onis.*]

alterado (al.te.*ra*.do) ***a.*** **1** Modificado, transformado **2** Falsificado, adulterado **3** Perturbado, irritado (ânimos alterados) 4 Deteriorado, estragado 5 Amotinado, sublevado [F.: Do lat. *alteratus, a, um.*]

alterar (al.te.*rar*) *v.* 1 Fazer ficar ou ficar diferente; MODIFICAR; MUDAR [*td.*: *Alterei o último parágrafo.*] [*int.*: *O estado do paciente não se alterou durante a noite.*] 2 Adulterar, falsificar [*td.*: *Alteraram o documento.*] 3 Tornar(-se) perturbado ou irritado [*td.*: *O desrespeito alterou o ânimo do policial.*] [*int.*: *Altera-se à toa e quer logo brigar.*] 4 Perturbar, tumultuar [*td.*: *A entrada dos retardatários alterou o andamento da palestra.*] 5 Fazer piorar as condições de; ESTRAGAR; DETERIORAR [*td.*: *alterar o leite.*] [*int.*: *A comida alterou-se por causa do calor.*] [▶ 1 alterar] [F.: Do lat. *altero, as, avi, atum, are.* Hom./Par.: *alteres* (fl.), *álteres* (pl. de *álter* [sm.]); *altere(s)* (fl.), *haltere(s)* (sm.); *alteráveis* (fl.), *alteráveis* (pl. de *alterável* [a2g.]).]

alterativo (al.te.ra.*ti*.vo) *a.* Que tem a faculdade, o poder de alterar [F.: Rad. de *alterado* sob a f. *alterat-* + *-ivo.*]

alterável (al.te.*rá*.vel) *a2g.* Que pode ser alterado [Pl.: *-veis.*] [F.: *alterar* + *-vel.* Hom./Par.: *alteráveis* (pl.), *alteráveis* (fl. de *alterar*).]

altercação (al.ter.ca.*ção*) *sf.* Ação ou resultado de altercar [Pl.: *-ções.*] [F.: Do lat. *altercatio, onis.*]

altercar (al.ter.*car*) *v.* 1 Discutir com veemência [*tr.* + *com*: *Por banalidade, altercou com o vizinho.*] [*int.*: "...e por toda a viagem discutiram e altercaram em grande troça..." (Aluísio de Azevedo, *O cortiço*)] 2 Defender (uma ideia, tese, argumento) em polêmica [*td.*: *altercar a dissertação.*] [▶ 11 altercar] [F.: Do lat. *altercare.*]

⊕ ***alter ego*** (*Lat. /álter égo/*) *loc. subst.* 1 Pessoa em quem se confia plenamente 2 Personalidade secundária ou alternativa, numa mesma pessoa [F.: Do lat. *alter*, 'outro', + *ego*, 'eu'.]

alteridade (al.te.ri.*da*.de) *sf.* 1 Qualidade ou natureza do que é outro, diferente 2 *Fil.* Fato de ser um outro ou qualidade de uma coisa ser outra [F.: Do lat. *alter*, 'outro', + *-(i)dade.*]

alternação (al.ter.na.*ção*) *sf.* Ação ou resultado de alternar; ALTERNÂNCIA [Pl.: *-ções.*] [F.: Do lat. *alternatio, onis.*]

alternado (al.ter.*na*.do) *a.* 1 Em que há alternação; REVEZADO 2 Que ocorre a intervalos regulares, ora um, ora outro: *Trabalha em dias alternados.* [F.: Do alt. *alternatus, a, um.*]

alternador (al.ter.na.*dor*) [ô] *a.* 1 Que alterna *sm.* 2 O que alterna 3 *Eel.* Sistema elétrico, mecânico ou eletromecânico que fornece corrente alternada [F.: *alternar* + *-dor.*]

alternância (al.ter.*nân*.ci:a) *sf.* 1 Ação ou resultado de alternar; ALTERNAÇÃO 2 Repetição sucessiva e alternada, a intervalos regulares, de dois temas, dois eventos, dois objetos etc. 3 *Agr.* Prática agrícola de alternar culturas (cultivando ora uma ora outra no mesmo terreno) 4 *Bot.* Disposição de folhas, flores, suas divisões etc. ao longo do caule, alternadamente, um elemento em cada nó 5 *Geol.* Transição, no sentido vertical, da disposição das camadas de rochas 6 *Ling.* Variação em fonema ou grupo de fonemas; a relação entre as formas variantes [F.: *alternar* + *-ância.*] ∎ **~ de fases** *Biol.* Aquela que ocorre entre duas fases do processo de reprodução sexuada de um organismo, uma em que o número de cromossomos é normal (haploide), outra em que é o dobro do normal (diploide) **~ de gerações** *Biol.* A que ocorre entre duas fases do ciclo de vida de um organismo, uma em que se reproduz sexualmente, outra em que se reproduz assexuadamente **~ vocálica** *Ling.* A que ocorre na vogal tônica de uma palavra, em função de mudança de flexão gramatical, ou de formação de derivada

alternar (al.ter.*nar*) *v.* 1 Usar, fazer ou ocorrer em intervalos regulares ou não, ora um, ora outro [*td.*: *Sempre alternou técnicas diferentes, para confundir o adversário.*] [*tdr.* + *com*: *Alternava expressões de bom humor com tiradas amargas.*] [*int.*: *O saxofonista e o pianista se alternavam na execução da música.*] 2 Fazer suceder repetida e regularmente duas ou mais coisas ou pessoas; REVEZAR [*int.*: *As enfermeiras se alternam no plantão do hospital.*] [*tdr.* + *com*: *Eu alterno com a minha irmã a ceia de Natal.*] 3 *Mat.* Intercambiar (os meios ou os extremos de uma proporção) [*td.*] [▶ 1 alternar] [F.: Do lat. *alternare.* Hom./Par.: *alterno* (fl.), *alterno* (a.); *alterna(s)* (fl.), *alterna(s)* (a.).]

alternativa (al.ter.na.*ti*.va) *sf.* 1 Opção, escolha entre duas ou mais possibilidades: *Informática é uma alternativa profissional para os jovens.* 2 Aquilo que pode substituir alguma coisa: *o metrô como alternativa aos ônibus.* 3 Sucessão de coisas diversas que ocorrem umas após outras alternadamente 4 *Gram.* Conjunção alternativa [F.: Fem. substv. de *alternativo.*]

alternatividade (al.ter.na.ti.vi.*da*.de) *sf.* Qualidade do que é alternativo [F.: *alternativo* + *-(i)dade.*]

alternativo (al.ter.na.*ti*.vo) *a.* 1 Que se pode escolher: *Há caminhos alternativos para se chegar lá.* 2 Não convencional: *estilo de vida alternativo.* [Ant.: *convencional, tradicional.*] 3 *Gram.* Diz-se da conjunção coordenativa que leva a escolha de um entre dois ou mais (p. ex.: *ou*) 4 Que se diz, faz ou ocorre com alternação *sm.* 5 Indivíduo que não está ligado a grupos ou tendências dominantes, adotando posição independente [F.: *alternar* + *-tivo.*]

◎ **alterni-** *el. comp.* = 'alternado', 'em que há alternância': *alternipede, alterniflоro, alternipétalo.* [F.: Do lat. *alternus, a, um.*]

alterniflóreo (al.ter.ni.*fló*.re:o) *a. Bot.* O mesmo que *alternifloro.* [F.: *alterni-* + *flor(i)-* + *-eo.*]

alternifloro (al.ter.ni.*flo*.ro) *a. Bot.* Que tem flores alternas; ALTERNIFLÓREO [F.: *alterni-* + *-floro.*]

alternifólio (al.ter.ni.*fó*.li:o) *a. Bot.* Que tem folhas alternas; ALTERNIFOLIADO [F.: *alterni-* + *-fólio.*]

alternipétalo (al.ter.ni.*pé*.ta.lo) *a. Bot.* Diz-se dos órgãos vegetais inseridos em pontos fronteiros aos intervalos que separam as pétalas [F.: *alterni-* + *-pétalo.*]

alternissépalo (al.ter.nis.*sé*.pa.lo) *a. Bot.* Que tem as peças florais dispostas em alternância com as sépalas [F.: *alterni-* + *-sépalo.*]

alterno (al.*ter*.no) *a.* 1 Alternado; que ocorre alternadamente 2 *Bot.* Que nasce dos lados opostos de uma mesma haste (folhas alternas) 3 *Geom.* Diz-se de ângulos que se formam de um e outro lado de uma reta que corta outras duas [F.: Do lat. *alternus, a, um.* Hom./Par.: *alterno* (fl. de *alternar*).]

alterosas (al.te.*ro*.sas) *sfpl.* Us. na loc. *as Alterosas* [F.: Fem. pl. substv. do adj. *alteroso.*] ∎ **As ~** O Estado de Minas Gerais

alteroso (al.te.*ro*.so) [ô] *a.* 1 Que é alto e majestoso, imponente: "A cordilheira (...) fecha o horizonte com seus visos alterosos..." (Raul Pompeia, *O Ateneu*) 2 Altivo, altaneiro 3 *Mar.* Diz-se de embarcação de alto bordo 4 *Mar.* Diz-se de mar cujas ondas são muito altas [Pl.: *ó.* Fem.: *ó.*] [F.: De or. contrv., posv. do espn. *alteroso.*]

alteza[1] (al.*te*.za) [ê] *sf.* 1 Elevação moral: *a alteza dos pensamentos.* 2 Qualidade do que é alto; ALTURA [F.: Do lat. tardio *altitia.*]

alteza[2] (al.*te*.za) [ê] *sf.* Título honorífico dado inicialmente a reis, e depois somente a príncipes [F.: Do it. *altezza.*]

◎ **alti-** *el. comp.* = 'alto', 'elevado': *altícola, altiloquente, altimetria, altímetro, altirrostro, altíssono* (< lat.) [F.: Do lat. *altus, a, um*, 'alto'; 'elevado'; 'desenvolvido'.]

altibaixos (al.ti.*bai*.xos) *smpl.* 1 O mesmo que *altos e baixos* 2 Desnivelamentos em terrenos acidentados 3 *Fig.* Sucessão de êxitos e fracassos: *Muitos atletas têm a carreira permeada de altibaixos.* 4 Inconstância de atitudes, comportamento, reações [F.: Pl. substv. de *altibaixo.*]

alticídeo (al.ti.*cí*.de:o) *Zool. a.* 1 Ref. ou pertencente aos alticídeos *sm.* 2 Espécime dos alticídeos [F.: Do lat. cient. gên. *Altica* + *-ídeo.*]

altícola (al.*tí*.co.la) *a.* Que vive em regiões de grande altitude [F.: *alti-* + *-cola.*]

altiloquência (al.ti.lo.*quên*.ci:a) *sf.* Modo de falar elevado e grandioso, fazendo uso de linguagem magnífica, de alta eloquência; ALTILOQUIA; ALTILÓQUIA [F.: *alti-* + *loquentia* (lat.).]

altiloquente (al.ti.lo.*quen*.te) *a2g.* Que fala com altiloquência, que se expressa com facilidade, com grande eloquência; ALTÍLOQUO

altimetria (al.ti.me.*tri*.a) *sf.* 1 Estudo e técnica de medição de altitudes por meio do altímetro 2 Representação dessas altitudes em planta topográfica [F.: *alti-* + *-metria.* Sin. ger.: *hipsometria.*]

altimétrico (al.ti.*mé*.tri.co) *a.* Ref. a altimetria e altímetro [F.: *altímetr(ia)* + *-ico*[2].]

altímetro (al.*tí*.me.tro) *sm.* 1 Instrumento para medição de altitudes [Cf. *hipsômetro.*] 2 *Aer.* Barômetro aneroide us. em aeronaves que capta a alternância de pressão que acompanha as mudanças de altitude [F.: *alti-* + *-metro.*]

altiplano (al.ti.*pla*.no) *sm. Geog.* O mesmo que *planalto* [F.: Do espn. americano *altiplano*; ver *alti-* + *plano.*]

altiplanura (al.ti.pla.*nu*.ra) *sf.* Planura numa região elevada; PLANALTO; ALTIPLANO [F.: *alti-* + *-planura.*]

altirna (al.*tir*.na) *sf. Ant. Vest.* Nome oriental de estola sacerdotal chinesa de cor verde: "Os quais (religiosos) por insígnia do sacerdócio andam vestidos de roxo com suas altirnas verdes sobraçadas." (Fernão Mendes Pinto, *Peregrinação*) [F.: De or. contrv.]

altirrostro (al.tir.*ros*.tro) [ó] *a. Zool.* Diz-se das aves cujo bico é mais alto que comprido, como p. ex. as araras e os papagaios [F.: *alti-* + *-rostro.*]

altíssimo (al.*tís*.si.mo) *a.* 1 Muito alto [Superl. abs. sint. de *alto.*] *sm.* 2 Deus, o Ser supremo [Nesta acp, com inicial maiúscula] [F.: Do lat. *altissimus.*]

altissonância (al.tis.so.*nân*.ci:a) *sf.* Qualidade de altissonante [F.: Do lat. *altissonantia*, neutro pl. de *altissonans, antis.*]

altissonante (al.tis.so.*nan*.te) *a2g.* 1 Que soa muito alto (voz altissonante) 2 *Fig.* Cujo tom é pomposo (diz-se de fala, discurso etc.) [F.: Do lat. *altisonans, antis.* Sin. ger.: *altíssono.*]

altíssono (al.*tís*.so.no) *a.* O mesmo que *altissonante* [F.: Do lat. *altisonus, a, um.*]

altista[1] (al.*tis*.ta) *a2g.* 1 Que se refere à elevação de preço, de ganhos, de lucro (tendência altista; movimento altista) 2 Que joga na alta do câmbio, ou que procura elevar o preço das mercadorias *s2g.* 3 Especulador que joga na alta do câmbio, ou que procura elevar o preço das mercadorias [F.: *alta* + *-ista.* Hom./Par.: *autista* (a2g. s2g.).]

altista[2] (al.*tis*.ta) *s2g.* 1 *Mús.* Cantor ou cantora de conjunto vocal (quarteto, coro etc.) cuja voz se caracteriza como de alto ou contralto 2 *Mús.* Em quarteto de cordas, o músico que toca a parte do alto, ou viola [F.: Do fr. *altiste.*]

altitonante (al.ti.to.*nan*.te) *a2g.* 1 *Poét.* Que troveja nas alturas: "No decênio confiam abater/A cidade Priameia, e conduzir/A que Leda gerou do Altitonante." (Eduardo Banks, *Aquiles Ultrajado*) [Como cognome de Júpiter, deus do trovão para os antigos romanos, com inicial maiúscula.] 2 *P. ext.* Estrondoso, retumbante, ruidoso: *o altitonante norte.* [F.: Do lat. *altitonans, antis.*]

altitude (al.ti.*tu*.de) *sf.* 1 Altura, ou medida da altura de um ponto qualquer da superfície terrestre em relação ao nível do mar 2 A maior altitude (1) de uma montanha, uma cordilheira etc.: *A altitude do Everest é de quase 9 mil metros.* 3 Altura (e sua medida) de qualquer coisa, acima do nível do mar: *altitude de uma nuvem; O avião voava a uma altitude de 5 mil metros.* 4 *Fig.* Elevação, nobreza: *altitude nos gestos e no falar.* [F.: Do lat. *altitudo, inis.*] ∎ **~ absoluta** *Avi.* Altitude de uma aeronave em relação à superfície que está sobrevoando **~ de voo** *Avi.* Altitude de uma aeronave em relação ao nível do mar

altivez (al.ti.*vez*) [ê] *sf.* 1 Qualidade de altivo; NOBREZA; DIGNIDADE; BRIO 2 Arrogância, presunção, soberba [F.: *altivo* + *-ez.*]

altivo (al.*ti*.vo) *a.* 1 Que expressa nobreza, dignidade (porte altivo) 2 Arrogante, soberbo, presunçoso (olhar altivo) 3 Alto, elevado [F.: *alto* + *-ivo.*]

alto (*al*.to) *a.* 1 Que tem grande dimensão vertical (torre alta; mulher alta) [Ant.: *baixo, pequeno.*] 2 Que está a grande altura ou que a atinge (voo alto): *Ergueu uma bola alta para o atacante cabecear.* [Ant.: *baixo.*] 3 Que se vê muito acima da linha do horizonte: *o Sol alto do meio-dia* [Ant.: *baixo.*] 4 Empinado, erguido, levantado (seios altos): *cabeça alta, olhar altaneiro.* [Ant.: *baixo, caído, descaído.*] 5 Que apresenta ou atingiu grau, valor, medida, índice etc. (muito) acima da média ou do considerado razoável, normal, comum ou padrão (febre alta; preço alto): *Houve um alto índice de abstenção nas eleições.* [Ant.: *baixo.*] 6 Que apresenta nível elevado (de percepção, qualidade, eficiência etc.): *Seu desempenho foi muito alto; Revelou alta sensibilidade em sua reação.* [Ant.: *baixo.*] 7 Que soa forte (som alto, gritos altos) [Ant.: *baixo.*] 8 Que tem ou que é próprio de quem tem poder, notoriedade, fama ou posição social ou econômica privilegiada (alta sociedade): "...viam nela a feliz esposa de um alto espírito, de um varão ilustre, e, se lhe tinham inveja, era a santa e nobre inveja dos admiradores..." (Machado de Assis, *O alienista*) 9 Que supera ou está acima de outras coisas ou pessoas em hierarquia, mérito, importância etc.: *Exercia altas funções no governo; É um alto fucionário da administração.* 10 De grande importância ou relevância: *Estão há horas em altas negociações.* 11 *Fig.* Grave, sério (alta traição) 12 De nível ou dificuldade elevados; superior (alta matemática, altos estudos) 13 No limite ou além do nível de percepção ou entendimento: *Quem pode decifrar os altos mistérios da natureza?* 14 Sublime, venerável: "O mais alto ponto a que se pode levantar e subir a oração humana não é pedir a Deus para nós, é pedir a Deus para Deus." (Pe. Antônio Vieira, *Sermão I – Maria Rosa Mística*) [Ant.: *baixo.*] 15 Que impressiona por seu valor, ousadia, arrojo etc. (altas proezas, altos feitos) 16 Completo, absoluto, imenso; pleno: *Nenhum barulho interrompia a alta paz daquele instante.* 17 Afastado no tempo ou no espaço (alta Antiguidade; alto sertão); DISTANTE; LONGÍNQUO; REMOTO [Ant.: *baixo.*] 18 Muito adiantado (alta noite; altas horas) 19 Distante da costa (diz-se do mar) (alto mar) [Ver tb. *alto-mar.*] 20 Situado em nível ou altitude superior à de outro (terras altas, cidade alta) [Ant.: *baixo.*] 21 Diz-se de trecho (e circunvizinhanças) de um rio mais próximo às suas nascentes (alto Amazonas) [Ant.: *baixo.*] 22 Situado mais ao Norte (Alto Minho) [Ant.: *baixo.*] 23 *Bras. Pop.* O mesmo que *embriagado* 24 *Fon.* Diz-se de som vocálico articulado com a língua em posição elevada na cavidade bucal 25 *Teat.* Que fica entre a parte central e o fundo do palco (diz-se de espaço cênico) [Ant.: *baixo*] [Superl.: *altíssimo, supérrimo, supremo, sumo.*] *sm.* 26 Altura, elevação: *3 m de alto.* 27 Ponto mais elevado de algo; CIMO; CUME; TOPO: *alto da montanha/do prédio.* 28 Monte, outeiro, elevação: *O sítio foi construído num alto.* 29 Instituição, entidade ou estância superior: *As decisões vinham do alto.* [Ant.: *baixo*] 30 Espaço que fica a certa (grande) altitude: *A pipa está lá no alto.* 31 *Fig.* O céu: *Benção que vêm do Alto.* [Inicial maiúsc.] 32 Saliência, protuberância: *Com a pancada, formou-se um alto em sua cabeça.* 33 Trecho de rio longe da foz: *o alto do Amazonas.* *adv.* 34 A grande altura; em lugar elevado: *O avião voava muito alto.* [Ant.: *baixo.*] 35 Em som ou voz alta (falar alto): "Com a porta fechada, cantando alto para o saguão, e escamando o seu peixe, a cozinheira não ouvira nada, não sabia nada" (Eça de Queirós, *Alves & Cia*) [Ant.: *baixo.*] 36 Com grande intensidade, ousadia, determinação etc. (no que está fazendo): *Apostou alto no sucesso do plano.* [F.: Do lat. *altus, a, um.*] ∎ **~s e baixos** Alternância entre momentos bons e ruins numa situação, num estado, num desempenho, num processo etc. **Chutar/jogar para o ~** Abandonar, desistir de, deixar de interessar-se por (algo) **Por ~** Superficialmente, sem esmiuçar, sem atentar para detalhes **~ lá!** 1 Pare! 2 *P. ext.* Espere aí

alto-astral (al.to-as.*tral*) *Bras. Pop. a2g.* 1 Diz-se de indivíduo que é alegre, animado (por suposta influência positiva dos astros) [Pl.: *alto-astrais.*] *s2g.* 2 Esse indivíduo [Pl.: *altos-astrais.*] *sm.* 3 Alegria, animação (por suposta influência positiva dos astros): *o alto-astral do aniversariente.* [Pl.: *altos-astrais.*] [Ant. ger.: *baixo-astral.*]

alto-contraste (al.to-con.*tras*.te) *sm.* 1 *Fot.* Processo de revelação fotográfica que consiste em reduzir acentuadamente os tons intermediários, reforçando os claros e escuros para maior realce e definição do objeto em foco 2 *P. ext.* O resultado desse processo 3 *Tip.* Eliminação dos meios-tons nos processos de impressão [Pl.: *altos-contrastes.*]

alto-cúmulo (al.to-*cú*.mu.lo) *sm. Met.* Conjunto de nuvens em forma de flocos a uma altitude média de 3.500 m [Pl.: *altos-cúmulos.*]

alto e malo (al.to *e*ma.lo) *adv.* **1** Por acaso **2** A monte, por grosso, sem escolha (compras alto e malo) **3** Apressadamente [Sin. ger.: *auto-e-mau.*]

alto-estrato (al.to-es.*tra*.to) *sm. Met.* Nuvem de tonalidade acinzentada e normalmente situada a uma altitude média entre 2.000 e 6.000 m, com aspecto semelhante a uma fumaça densa [Pl.: *altos-estratos.*]

alto-falante (al.to-fa.*lan*.te) *sm.* **1** Megafone **2** *Eletrôn.* Aparelho que transforma um sinal de audiofrequência em onda acústica [Pl.: *alto-falantes.*] ■ **~ dinâmico** *Eletrôn.* Aquele em que as variações de onda, por ação de campo magnético, fazem oscilar uma bobina móvel ligada ao diafragma flexível que transfere as vibrações ao ar, reproduzindo o som **~ eletrostático** *Eletrôn.* Aquele em que forças eletrostáticas que reproduzem as variações de onda são transmitidas a uma membrana que vibra, reproduzindo o som

alto-forno (al.to-*for*.no) [ô] *sm.* Forno para fundir o minério de ferro em ferro-gusa que, refinado, se transforma em aço [Pl.: *altos-fornos* [ó].]

alto-fundo (al.to-*fun*.do) *sm.* Região do fundo do mar que se eleva em relação a outras áreas, não atingindo, entretanto, altura suficiente para colocar em risco a navegação [Pl.: *altos-fundos.*]

alto-mar (al.to-*mar*) *sm.* **1** *Mar.* Parte do mar distante do litoral e de onde não se avista terra **2** *Jur.* Parte do mar fora das águas territoriais de uma nação [Pl.: *altos-mares.*] [Ideia de 'alto-mar': *pelag(o)-* (*pelagografia*).]

alto-relevo (al.to-re.*le*.vo) [ê] *sm.* **1** Escultura em que as figuras se destacam quase inteiramente do plano de fundo [Cf.: *baixo-relevo.*] **2** *Art. gr.* Impressão ou gravura cujas figuras se destacam do fundo; impressão em relevo [Pl.: *altos-relevos.*]

altos (*al*.tos) *smpl. Bras. N. E.* Terreno bastante rochoso e irregular [F.: Pl. substv. de *alto.*]

alto-vácuo (al.to-*vá*.cu:o) *sm. Fís.* Intermitência de pressões não superiores a um centésimo de milímetro de mercúrio [Pl.: *altos-vácuos.*]

altriz (al.*triz*) *a.* **1** Que nutre ou sustenta *sf.* **2** Aquela que nutre, cria ou sustenta: "Esse leve clarão no teu lábio, indeciso, /É a dobrez ancestral, a malícia primeva, /Da Ísis, da pecadora altriz do Paraíso..." (Olavo Bilac, *Gioconda*) **3** A parte nutritiva de uma substância [Fem. irreg. de *altor* [ô].] [F.: Do lat. *altrix, icis.*]

altruísmo (al.tru:*ís*.mo) *sm.* Dedicação desinteressada ao próximo; FILANTROPIA [Ant.: *egoísmo.*] [F.: Do fr. *altruisme.*]

altruísta (al.tru:*ís*.ta) *a2g.* **1** Ref. a altruísmo; ALTRUÍSTICO *a2g.* **2** Que demonstra altruísmo *s2g.* **3** Aquele que demonstra altruísmo [F.: Do fr. *altruiste.* Ant. ger.: *egoísta.*]

altruístico (al.tru:*ís*.ti.co) *a.* Ref. a altruísmo ou a altruísta [F.: *altruísta* + *-ico*².]

altura (al.*tu*.ra) *sf.* **1** Qualidade de alto **2** Dimensão vertical de um corpo, de seu ponto mais baixo ao mais alto: *altura de um cone.* **3** Medida vertical de um ser vivo; ESTATURA: *Oscar tem mais de 2 m de altura:* "Manoel Barbosa era homem de boa altura, um tanto magro." (Júlio Ribeiro, *A carne*) **4** Posição elevada de algo, de um ponto, lugar etc. em relação a sua distância ao solo; essa distância; ALTITUDE: *A águia voava a grande altura.* **5** Ponto elevado: *Daquela altura, pode-se ver toda a cidade.* **6** Ponto, localização, posição de algo em relação ao âmbito de espaço em que se encontra: *Não sei em que altura da rua fica a loja.* **7** Instante, momento, em relação ao decorrer do tempo: *Nessa altura já devem ter chegado lá.* **8** Fase ou etapa na execução de um trabalho; PARTE: *Em que altura anda a investigação do caso?* **9** Mérito, valor, importância: *Nunca imaginou que seu nome alcançasse tamanha altura.* **10** *Acús.* Intensidade da sensação auditiva resultante da frequência das vibrações sonoras: *A altura do som era de ensurdecer.* **11** A intensidade da frequência vibratória de um som, de voz etc.: *A altura da voz dela a define como soprano.* [Quanto maior a frequência, mais agudo é o som.] **12** *Geom.* Num triângulo, perpendicular à base que parte dela e termina no vértice oposto, ou em paralela à base que passa por esse vértice; sua medida **13** *Geom.* Num quadrado ou num retângulo, qualquer perpendicular à base que parte dela e termina no lado oposto e paralelo; sua medida **14** *Geom.* Num paralelogramo, perpendicular à base que começa nela e termina no lado oposto e paralelo, ou em seu prolongamento; sua medida **15** *Geom.* Num prisma, perpendicular à base que começa nela e termina na base oposta e paralela; sua medida **16** *Geom.* Numa pirâmide, perpendicular à base que começa em seu centro e termina no vértice, ou em plano paralelo à base que contém o vértice; sua medida **17** *Geom.* Num cone, perpendicular à base que começa no seu centro e termina no vértice, ou em plano paralelo à base que contém o vértice; sua medida **18** *Geom.* Num cilindro, perpendicular à base que começa nela e termina na base oposta, paralela à primeira; sua medida **19** *Astron.* Medida da distância angular de um ponto da esfera celeste em relação ao horizonte, tomada no arco de círculo contido na esfera e que passa por esse ponto [F.: *alto*¹ + *-ura.*] ■ **À ~ (da situação)** Como deveria ser, como a situação exige: *Respondeu às provocações à altura.* **~ absoluta** **1** Ver *Altitude absoluta* **2** *Mús.* Relação entre a altura (determinada pela frequência da onda sonora) e o nome de uma nota musical **~ americana** *Tip.* Ver *Altura inglesa* **~ barométrica** *Fís.* Altura de uma coluna de mercúrio cujo peso é equilibrado pela pressão atmosférica, e cuja medida é a própria medida dessa pressão **~ da maré** *Oc.* Altura do nível da água do mar acima de uma referência local (chamada zero hidrográfico) em determinado momento **~ de arrebentamento** *Mil.* Altura em relação ao solo em que explode uma bomba ou artefato explosivo **~ de um astro** *Astron.* Ângulo entre a linha do horizonte e a linha de observação de um astro **~ de voo** Ver *Altitude de voo* **~ do polo** *Náut.* Ângulo que o eixo da Terra faz com o plano do horizonte do observador **~ francesa** *Tip.* Altura de uma folha de papel no sistema Didot, equivalente a 23,566 mm, adotada na América Latina e em grande parte da Europa **~ inglesa** *Tip.* Altura de uma folha de papel no sistema anglo-norte-americano, equivalente a 23,317 mm, e vigorante nos EUA e na Inglaterra; altura americana **~ negativa** *Astron.* Depressão **~ padrão** *Fís.* Padrão sonoro de frequência, em acústica, igual a 440 Hz **~ piezométrica** *Geol.* Distância compreendida entre a superfície do terreno e a superfície do lençol de água subterrâneo **Cair das ~s** Surpreender-se, decepcionando-se: *Caiu das alturas quando soube que sua sugestão fora rejeitada.* **Ganhar ~** Subir, elevar-se no ar **Nesta ~ da situação/do campeonato/dos acontecimentos** Neste ponto, agora: *Não podemos desistir nesta altura do campeonato.* **Perder ~** Baixar no ar, descender **Pôr (algo/alguém) nas ~s** Elogiar muito **Responder à ~** Revidar, reagir adequadamente a provocação, agressão etc., com energia, ações ou argumentos que as neutralizem

alturas (al.*tu*.ras) *sfpl.* **1** *Poét.* O que está no céu ou nos céus: *Anjos e santos das alturas.* **2** *Fig. P. ext.* O que está muito alto, elevado: *Os preços chegaram às alturas.* **3** *Mús.* As notas de uma escala musical como, p. ex., na escala de Dó maior, as notas que correspondem às alturas são: Dó, Ré, Mi, Fá, Sol, Lá, Si [F.: Pl. de *altura.*]

aluá¹ (a.lu.*á*) *sm.* Bebida fermentada, feita com cascas de abacaxi, farinha de arroz ou de milho, água e açúcar [Cf.: *abacaxibirra.*] [F.: Do quimb. *walu'a'.*]

aluá² (a.lu.*á*) *Cul. sm.* **1** Doce natalino, feito com amêndoas, farinha, jagra, manteiga, coco e pinhão **2** Doce preparado com leite, amêndoas trituradas, manteiga (ou coco ralado), jagra, castanha de caju e gergelim [F.: Do ár.]

aluado (a.lu:*a*.do) *a.* **1** Que é distraído demais **2** Que é amalucado, lunático **3** Diz-se do animal que está no cio *sm.* **4** Indivíduo aluado (1 e 2) [F.: Part. de *aluar-se.*]

aluamento (a.lu:a.*men*.to) *sm.* **1** Condição de aluado; DOIDICE; MALUQUICE **2** *Náut.* Corte curvo da esteira ou da parte inferior da vela de gávea **3** *P. ext. Náut.* O encurvamento da esteira da vela **4** O cio dos animais [F.: *aluar* + *-mento.*]

aluanda (a.lu:*an*.da) *sf. Bras. Rel.* O paraíso dos orixás e de outras entidades da umbanda, quimbanda e dos candomblés; ARUANDA; ARUANDÊ; ARUENDA; ZALUANDA [Por vezes com inicial maiúscula.] [F.: *a-* + top. *Luanda* (cap. de Angola).]

aluarado (a.lu.a.*ra*.do) *a.* **1** Iluminado pelo luar; ENLUARADO **2** Semelhante ao luar, na cor [F.: *a-* + *luar* + *-ado*, por derivação parassintética.]

aluar-se (a.lu.*ar*-se) *v. int.* **1** Ficar ou fazer ficar lunático, aluado, doido **2** Mostrar-se aluado (de excitação sexual), no cio [▶ 1 aluar-se] [F.: *a-*² + *lu(a)* + *-ar*² + *se.*]

alucinação (a.lu.ci.na.*ção*) *sf.* **1** Ação ou resultado de alucinar(-se) **2** *Psiq.* Percepção de sensações sem haver objeto externo que as cause, ou de algo que, na realidade, não está presente: *Sem o remédio, tinha alucinações.* **3** Ilusão, devaneio, delírio **4** Desvario, desatino, loucura [Pl.: *-ções.*] [F.: Do lat. *alucinatio, onis.*]

alucinado (a.lu.ci.*na*.do) *a.* **1** Que sofre de alucinações; DEMENTE; LOUCO **2** Que está ou é desvairado, tresloucado; INSENSATO **3** *Fig.* Que está ou ficou fascinado, arrebatado: "João de Melo ficou alucinado quando a viu..." (Machado de Assis, *Esaú e Jacó*) *sm.* **4** Indivíduo alucinado [F.: Part. de *alucinar.*]

alucinante (a.lu.ci.*nan*.te) *a2g.* **1** Que alucina, que perturba a mente com percepções imaginárias (bebida alucinante) **2** Arrebatador, estonteante (paixão alucinante) [F.: *alucinar* + *-nte.*]

alucinar (a.lu.ci.*nar*) *v.* **1** Privar da razão, do entendimento; fazer perder o equilíbrio emocional ou mental; DESVAIRAR; ENLOUQUECER [*td.: Ela me alucina com essa insistência.*] [*int.: Ele se alucina quando lhe fazem uma injustiça.*] **2** Fazer sentir ou sentir alucinação, delírio [*int.: Ele começou a alucinar, a ouvir vozes.*] **3** Fazer ficar ou ficar deslumbrado, apaixonado [*td.: O charme do rapaz alucinou a garota.*] [*int.: Foi um espetáculo de alucinar.*] [▶ 1 alucinar] [F.: Do lat. *alucinor, aris, atus sum, ari.*]

alucinatório (a.lu.ci.na.*tó*.ri:o) *a.* Ref. a ou em que há alucinação: *uma visão alucinatória.* [F.: *alucinar* + *-tório.*]

◎**alucin(o)-** *el. comp.* = 'alucinação', 'delírio': *alucinógeno, alucinose.* [F.: *alucin(ar)* + *-o-.*]

alucinogênese (a.lu.ci.no.*gê*.ne.se) *sf.* Gênese ou origem da alucinação [F.: *alucin(o)-* + *-gênese.*]

alucinogênico (a.lu.ci.no.*gê*.ni.co) *a.* **1** Ref. a ou próprio de alucinógeno **2** Provocado por alucinógeno [F.: *alucinógeno* + *-ico*².]

alucinógeno (a.lu.ci.*nó*.ge.no) *a.* **1** Diz-se de droga ou substância que provoca alucinações *sm.* **2** Essa droga ou substância [F.: *alucin(o)-* + *-geno.*]

alucinose (a.lu.ci.*no*.se) *Psiq. sf.* Fenômeno alucinatório vivenciado criticamente pelo doente, ocasionado por afecção orgânica, esp. epiléptica [F.: *alucin(ação)* + *-ose*².]

alude (a.*lu*.de) *sm. Geol.* O mesmo que *avalancha* [F.: Do espn. *alud*, de or. pré-romana.]

aludel (a.lu.*del*) *sm. Alq.* Conjunto de vasos encaixados uns nos outros em forma de tubo, us. em processos de sublimação nos laboratórios de química [F.: Do ár. *al-uthal.*]

aludido (a.lu.*di*.do) *a.* A que se fez alusão; MENCIONADO [F.: Part. de *aludir.*]

aludir (a.lu.*dir*) *v.* Fazer alusão, menção [*tr.* + *a*: *O diretor não aludiu ao que acontecera na véspera.*] [▶ 3 aludir] [F.: Do lat. *aludere.* Hom./Par.: *alude(s)* (fl.), *alude* (sm. e pl.).]

alufá (a.lu.*fá*) *sm. RJ Rel.* **1** *Bras. Rel.* Sacerdote dos negros malês ou muçulmis, outrora trazidos do Noroeste da África **2** Título honorífico dos chefes de terreiros de umbanda [F.: Posv. do ár. *al-awf(a)*, 'o fiel, o puro'.]

alugado (a.lu.*ga*.do) *a.* **1** Dado ou tomado em aluguel **2** Assalariado; que tem trabalho temporário (trabalhador alugado) *sm.* **3** Trabalhador contratado para desempenhar uma tarefa específica: *trabalhar como alugado.* **4** *BA* Garimpeiro assalariado, que não tem direito às pedras encontradas [F.: Part. de *alugar.*]

alugar (a.lu.*gar*) *v.* **1** Entregar (bem) por meio de pagamento de aluguel [*td.: O proprietário não conseguiu alugar o imóvel.*] [*tdi.* + *a, para*: *Aquela firma aluga televisores para hotéis.*] **2** Usufruir de (um bem) mediante pagamento de aluguel [*td.: Como ia viajar e não gosta de andar de ônibus, alugou um carro.*] **3** *Bras. Pop.* Tomar tempo de alguém, ger. para conversar [*td.: Como precisava desabafar, alugou o amigo por uma hora.*] [▶ 14 alugar] [F.: Posv. de *a-*² + lat. *locare.* Hom./Par.: *alugueis* (fl.), *aluguéis* (pl. de *aluguel*).]

aluguel (a.lu.*guel*) *sm.* **1** Cessão do uso de propriedade ou prestação de serviços por tempo e preço determinados (aluguel de carro) **2** A quantia correspondente a esse preço: "...e com o dinheiro que me deram completei o aluguel..." (Júlio Dinis, *Os fidalgos da casa mourisca*) **3** *Bras. Pop.* Ação ou resultado de tomar tempo de alguém [Pl.: *-guéis.*] [F.: De or. incerta; posv. de *alugar* com infl. de *alquilel.* Hom./Par.: *aluguéis* (pl.), *alugueis* (fl. de *alugar*).]

aluguer (a.lu.*guer*) *sm.* O mesmo que *aluguel*: *Adiantei-lhe o aluguer da casa.* [Mais us. em Portugal.] [F.: De *aluguel* por dissimilação.]

aluição (a.lu.i.*ção*) [u-i] *sf.* Ação ou resultado de aluir(-se); ALUIMENTO: *A capela está sujeita a aluição, em virtude da infiltração de águas pluviais.* [Pl.: *-ões.*] [F.: *aluir* + *-ção.*]

aluído (a.lu.*í*.do) *a.* **1** Que (se) aluiu; que ameaça desabar; ABALADO **2** Desmoronado, derribado **3** Diz-se de barril ou tonel cujas aduelas estão frouxas [F.: Part. de *aluir.*]

aluir (a.lu.*ir*) *v.* **1** Causar abalo a; ABALAR [*td.: O vendaval aluiu os pilares da ponte.*] **2** Deixar de estar firme ou seguro; OSCILAR; VACILAR [*int.: Algumas pedras do cais aluíram com o vendaval.*] **3** Abalar, prejudicar (reputação, crédito etc.) [*td.: aluir os bons costumes.*] **4** *Bras.* Mover-se, deslocar-se [*ta.:* "...Mas o menino não se aluía do lugar..." (Guimarães Rosa, *Grande sertão: veredas*)] [*int.: Tentaram de tudo para fazer com que a mula aluísse.*] [F.: Do lat. *alluere.*]

alujá (a.lu.*já*) *sm.* **1** *Bras. Rel.* Dança sagrada no candomblé, dedicada a Xangô **2** O acompanhamento musical dessa dança [F.: Do ior. *aluja*, 'perfuração'.]

álula (*á*.lu.la) *sf.* **1** Asa pequena **2** Asa rudimentar, não desenvolvida **3** *Zool.* Parte da asa das aves que se fixa ao lado externo do polegar **4** *Zool.* Pequeno lobo basal em certos insetos dípteros que encobre os balancins; CALIPTRA [F.: *ala* + *-ula.*]

alumbrado (a.lum.*bra*.do) *a.* **1** Que se alumbrou, que foi colocado sob a luz (local alumbrado); ILUMINADO **2** Que se deslumbrou, maravilhou com algo ou alguém **3** *Fig.* Que se inspirou, se iluminou, se entusiasmou (escritor alumbrado) *sm.* **4** Membro de seita herege do séc. XVII, que se dizia iluminado pelo Espírito Santo [F.: Part. de *alumbrar.*]

alumbramento (a.lum.bra.*men*.to) *P. us. sm.* **1** Ação ou resultado de alumbrar(-se); DESLUMBRAMENTO **2** Imaginação criadora; INSPIRAÇÃO [F.: *alumbrar* + *-mento.*]

alumbrar (a.lum.*brar*) *v. td. int.* **1** Iluminar(-se), alumiar(-se) **2** Deslumbrar(-se), maravilhar(-se) [▶ 1 alumbrar] [F.: Do espn. *alumbrar.*]

alume (a.*lu*.me) *sm. Quím.* Sulfato duplo de alumínio e potássio, adstringente, us. para fixar cores, purificar água, clarificar açúcar etc.; PEDRA-UME [Pl. de *alúmen*: *alúmens* e (p. us. no Brasil) *alúmenes.*] [F.: Do lat. *alumen, inis.* Ideia de 'alume': *alumin(i)-* (*aluminífero*). Tb. *alúmen.*]

alúmen (a.*lú*.men) *sm.* Ver *alume*

alumiado (a.lu.mi.*a*.do) *a.* **1** Que tem luz, claridade (praça alumiada); CLARO; ILUMINADO **2** Que tem instrução, que é esclarecido (juri alumiado); INSTRUÍDO [F.: Part. de *alumiar.*]

alumiar (a.lu.mi.*ar*) *v.* **1** Lançar luz em; ILUMINAR [*td.: O sol alumiava o monte.*] **2** *Bras. Fig.* Resplandecer, iluminar-se [*int.: Seu rosto sombrio alumiou-se.*] **3** Acender [*td.: alumiar a lâmpada.*] **4** Instruir(-se), ilustrar(-se) [*td.: A lição dos livros alumia o entendimento.*] [*int.: O espírito dos jovens se alumiava com os ensinamentos dos mais velhos.*] [▶ 1 alumiar] [F.: Do lat. *illuminare.*]

alumina (a.lu.*mi*.na) *sf. Quím.* Óxido natural ou sintético de alumínio [F.: Do lat. cient. *Alumina*, do lat. *alumen, inis*; ver *alumin(i)-*. Hom./Par.: *alumina* (sf.), *alumina* (fl. de *aluminar* [v.]).]

aluminar¹ *v. P. us.* O mesmo que *alumiar* [▶ 1 aluminar] [F.: Ver *alumiar*. Hom./Par.: *alumina(s)* (fl.), *alumina(s)* (sf. e pl.).]

aluminar² (a.lu.mi.*nar*) *v. td.* Misturar com alume [▶ 1 aluminar] [F.: *alumin(i)-* + *-ar²*.]

aluminato (a.lu.mi.*na*.to) *sm. Quím.* Sal de alumínio (AlO_2) obtido pela reação deste com base ou ânion [F.: *alumin(i)-* + *-ato²*.]

◎ **-alumin(i)-** *el. comp.* Ver *alumin(i)-*

◎ **alumin(i)-** *el. comp.* = 'alumínio'; 'pedra-ume, alume': *aluminato, aluminífero, aluminizar; aluminografia, aluminossilicato, aluminotermia; silicaluminoso* [F.: Do lat. *alumen, inis*, 'pedra-ume'.]

alumínico (a.lu.*mí*.ni.co) *a.* **1** Relativo ao alumínio ou que o contém (sal alumínico) **2** *Quím.* Diz-se dos sais que têm por base a alumina [F.: *alumínio* + *-ico²*.]

aluminífero (a.lu.mi.*ní*.fe.ro) *a.* Que contém ou produz alume ou alumínio: "...o Pará, que detém a maior província metalogenética do mundo, que é Carajás, e é o polo aluminífero mais importante do Brasil..." (*O Estado de S.Paulo*, 21.02.2006) [F.: *alumin(i)-* + *-fero*.]

alumínio (a.lu.*mí*.ni:o) *sm. Quím.* Elemento químico metálico, de número atômico 13 [Símb.: *Al*.] [F.: Do ing. *aluminum* (mais tarde alterado para *aluminium*), voc. criado por H. Davy, em 1812.]

> 🕮 Metal leve, bom condutor de calor e eletricidade, resistente à corrosão pelo ar e pela água, o alumínio tem várias aplicações industriais (indústrias aeronáutica e automobilística, cabos elétricos, materiais de construção, embalagens, ligas metálicas, como o duralumínio etc.). Sua fabricação industrial teve início em fins do século XIX, baseada principalmente no tratamento da alumina, esta extraída da bauxita. O Brasil tem, em nível mundial, importantes jazidas de bauxita, avaliadas em bilhões de toneladas, principalmente no Pará.

aluminita (a.lu.mi.*ni*.ta) *sf. Min.* Subsulfato de alumínio, substância branca e terrosa [F.: *alumin(i)-* + *-ita²*.]

aluminizado (a.lu.mi.ni.*za*.do) *a.* Recoberto com uma camada de alumínio [F.: Part. de *aluminizar*.]

aluminizar (a.lu.mi.ni.*zar*) *v. td.* Revestir com camada de alumínio: *Mandou aluminizar os espelhos.* [▶ 1 aluminizar] [F.: *alumin(i)-* + *-izar*.]

◎ **alumin(o)-** *el. comp.* Ver *alumin(i)-*

◎ **alumino-** *el. comp.* Ver *alumin(i)-*

aluminossilicato (a.lu.mi.nos.si.li.*ca*.to) *sm. Quím.* Composto de alumínio combinado com oxigênio e silício [Us. em odontologia, na fabricação de vidros, vernizes etc.] [F.: *alumino-* + *silicato*.]

alunado (a.lu.*na*.do) *sm.* Ver *alunato*

alunar (a.lu.*nar*) *v. int. Astnáut.* Pousar (foguete, nave) na Lua; ALUNISSAR: *A Apolo 11 foi a primeira nave a alunar.* [▶ 1 alunar] [F.: *a-⁴* + *Lua (lun-)* + *-ar²*.]

alunato (a.lu.*na*.to) *sm.* **1** A coletividade de alunos de uma escola; ALUNADO: "...redundando numa melhoria substancial do grau de entendimento do alunato." (Correio de Sergipe, 16.05.2006) **2** Estabelecimento de ensino dos noviços de algumas congregações religiosas [F.: Do lat. *alumnatus, a, um*.]

alunissagem (a.lu.nis.*sa*.gem) *sf. Astnáut.* Pouso na superfície da Lua; ALUNIZAGEM [Pl.: *-gens*.] [F.: Do fr. *alunissage*.]

alunissar (a.lu.nis.*sar*) *v. int. Astnáut.* Pousar (uma cosmonave ou quem estiver dentro) na superfície lunar; ALUNAR; ALUNIZAR [▶ 1 alunissar] [F.: Voc. deduzido de *alunissagem* (do v. fr. *alunir* + *-age*, seg. a morfologia fr.), por anal. com *aterrissar*, assim tb. formado.]

alunizagem (a.lu.ni.*za*.gem) *sf. Astnáut.* O mesmo que *alunissagem* [Pl.: *-gens*.] [F.: *alunizar* + *-agem*.]

alunizar (a.lu.ni.*zar*) *v. int.* O mesmo que *alunissar* [▶ 1 alunizar] [F.: *a-²* + *-lun(i)-* + *-izar*.]

aluno (a.*lu*.no) *sm.* **1** Quem recebe instrução de um ou mais professores, em estabelecimento de ensino ou mediante aulas particulares; ESTUDANTE; ESCOLAR [Col.: *alunado, alunato*.] **2** Quem tem pouco conhecimento de uma matéria, ciência ou arte; APRENDIZ **3** *Ant.* Indivíduo nascido em um certo lugar; NATURAL [F.: Do lat. *alumnus, i*. Hom./Par.: *aluno* (sm.), *aluno* (fl. de *alunar*).]

alusão (a.lu.*são*) *sf.* **1** Ação ou resultado de aludir **2** Referência vaga, breve e indireta que se faz a alguma pessoa ou coisa; MENÇÃO: "Álvaro sorriu-se da franqueza do índio, e corou da alusão que havia em suas palavras." (José de Alencar, *O guarani*) [+ *a, sobre*: *As cores do vestido são uma alusão à /sobre a bandeira brasileira.*] **3** *Ret.* Crítica ou comentário indireto a respeito de uma pessoa ou coisa mediante referência a outra, bem conhecida (p. ex.: a frase 'as tarefas domésticas são um trabalho de Sísifo' significa 'trabalho que sempre recomeça', por *alusão* à lenda grega) [Pl.: *-sões*.] [F.: Do lat. *allusio, onis*.]

alusivo (a.lu.*si*.vo) *a.* **1** Que alude ou encerra alusão; REFERENTE; RELATIVO [+ *a*: "Cantilenas alusivas ao nascimento do Deus-menino." (Camilo Castelo Branco, *Amor de salvação*)] **2** Alegórico, figurado, metafórico: *Esse filme é confuso, muito alusivo.* [F.: Do fr. *allusif*.]

aluvai (a.lu.*vai*) *interj. Bras. N. N. E.* O mesmo que *alto lá* [F.: Palavra de natureza expressiva.]

aluvial (a.lu.vi:*al*) *a2g.* Que tem as características de aluvião ou que é resultante de aluvião (diz-se de solo, terreno etc.) (planície aluvial); ALUVIONÁRIO [Pl.: *-ais*.] [F.: *aluvi(ão)* + *-al¹*.]

aluvião (a.lu.vi.*ão*) *s2g.* **1** *Geol.* Depósito de cascalho, areia, argila etc. deixado por águas fluviais ou pluviais em foz ou margens de rios (solos de aluvião) [Cf.: *eluvião*.] **2** Inundação, cheia, enxurrada: *As aluviões causaram forte erosão no terreno.* **3** *Fig.* Grande quantidade de pessoas ou coisas: *Recebeu um aluvião de cartas.* [Pl.: *-ões*.] [F.: Do lat. *alluvio, onis*.]

aluvional (a.lu.vi.o.*nal*) *a2g.* O mesmo que *aluvial* [Pl.: *-nais*.] [F.: De *aluvião*, sob a f. rad. *aluvion-* + *-al*.]

aluvionamento (a.lu.vi:o.na.*men*.to) *sm. Geol.* Formação de aluviões [F.: De *aluvião*, pelo rad. *aluvion-*, + *-a-* + *-mento*.]

aluvionário (a.lu.vi:o.*ná*.ri:o) *a.* O mesmo que *aluvial* [F.: *aluvião* + *-ário*, seg. o mod. erudito.]

alva (*al*.va) *sf.* **1** Primeiro clarear do horizonte; AURORA: "Na manhã seguinte, na alva do dia, ergueu-se." (Antero de Figueiredo, *Leonor Teles*) **2** *Litu.* Veste comprida e branca us. pelos padres na missa e em outras cerimônias **3** *Lus. Fig.* O branco do olho; ESCLERA [F.: Fem. substv. de *alvo*, posv.]

alvação (al.va.*ção*) *a.* **1** Esbranquiçado, alvacento **2** *Bras. N. E.* De pelo esbranquiçado (diz-se de rês) [Pl.: *-ções*. Fem.: *-çã*] [F.: Do lat. **albatianum*, de *albus*, 'alvo, branco'.]

alvacento (al.va.*cen*.to) *a.* Quase branco; ALVADIO; ESBRANQUIÇADO: "...o reflexo alvacento da escuma, que fervia lá em baixo, no meio do crepúsculo frouxo do córrego profundo..." (Alexandre Herculano, *Eurico, o presbítero*) [F.: O fem. de *alvo* + *-aço* + *-ento*.]

alvadio (al.va.*di*:o) *a.* O mesmo que *alvacento* [F.: Posv. do lat. *albativu*.]

alvado (al.*va*.do) *sm.* **1** O buraco da colmeia por onde passam as abelhas; AIVADO **2** Lugar em que assenta o cortiço das abelhas **3** A parte oca e cilíndrica de certos instrumentos de ferro, por meio da qual se adaptam a outro corpo (alvado da baioneta/da enxada) **4** *Pop.* O alvéolo (em ralação aos dentes) **5** *Bras. AL Pop.* O mesmo que *ânus* [F.: Do lat. *alveatus, a, um*.]

alvaiade (al.vai.*a*.de) *sm. Quím.* Pigmento branco, de carbonato natural de chumbo, us. na fabricação de tintas, maquiagem etc. [F.: Do ár. *al-bayad*.]

alvanega (al.va.*ne*.ga) *sf.* **1** Capuz, coifa, touca de mulher **2** *Ant.* Objeto triangular colocado internamente nas mangas das camisas para alargá-las [F.: Do ár. *al-baniga*.]

alvar (al.*var*) *a2g.* **1** Próprio de tolo (sorriso alvar) **2** Atoleimado, aparvalhado **3** *P. us.* Alvacento, esbranquiçado [F.: *alvo* + *-ar¹*.]

alvará (al.va.*rá*) *sm.* **1** Documento emitido por autoridade judicial ou administrativa, que ordena ou autoriza a alguém a prática de determinado(s) ato(s) [+ *de*: *O juiz concedeu um alvará de soltura ao preso.*] **2** Licença concedida por autoridade administrativa para o exercício de atividades comerciais e de serviços, construção ou reforma de imóveis etc. [+ *de, para*: *alvará de/para funcionamento de um parque de diversões.*] **3** *Ant.* Decisão, autorização, concessão etc. (ger. provisórias) por parte de soberano sobre determinado assunto; o documento que as registra [F.: Do ár. *al-barâa*, 'carta'.] ▪ **~ de saída** Aquele no qual a alfândega autoriza partida de navio ou de avião **~ de soltura** Aquele no qual um juiz ordena a soltura de um preso

alvarado (al.va.*ra*.do) *sm. Bras. Angios.* Nome comum de três plantas ciperáceas: *Scleria hirtella, S. tenella*, fornecedoras de celulose, empregada na fabricação de papel, e *S. verticillata* [F.: De or. obsc.]

alvaraz (al.va.*raz*) *sm.* **1** *Derm.* Manifestação de manchas brancas na pele **2** *Vet.* Aparecimento de nódoas escamosas na pele dos animais, provocando a queda dos pelos nesses regiões [F.: Do ár. *al-baras*. Hom./Par.: *alvaraz* (sm.), *alvarás* (pl.).]

alvarenga (al.va.*ren*.ga) *Bras. Mar. sf.* Embarcação us. para carregar e descarregar navios [F.: De or. incerta; posv. do antr. *Alvarenga*.]

alvarengueiro (al.va.ren.*guei*.ro) *sm. Bras. N. N. E.* Tripulante ou dono de alvarenga [F.: *Alvarenga* + *-eiro*.]

alveamento (al.ve:a.*men*.to) *sm.* Ação ou resultado de alvear; CAIAÇÃO; CAIADURA; CAIAMENTO [F.: *Alvear* + *-mento*.]

alvear (al.ve.*ar*) *v. P. us.* Mesmo que *caiar.* [▶ 13 alvear] [F.: *alvo* + *-ear*.]

alveário (al.ve.*á*.ri:o) *sm.* **1** Colmeia, enxame: *Mantinha um alveário no quintal para mostrar às crianças a atividade das abelhas.* **2** *P. ext.* O favo de mel **3** *Ant. Anat.* A concha da orelha [F.: Do lat. *alvearia, ium*.]

alvedrio (al.ve.*dri*:o) *sm.* Vontade própria; ARBÍTRIO; BEL-PRAZER: *Quanto a se batizar, isso fica ao alvedrio de cada um.* [F.: Do lat. *arbitrium, ii*.]

alveiro (al.*vei*.ro) *a.* **1** Que é alvo ou branco (pão alveiro) **2** Diz-se do moinho que só mói trigo alvo *sm.* **3** Marco ou pedra que serve de ponto de mira **4** *Lus.* Pano branco que serve de avental **5** *Lus.* Pano de linho com que se cobre o pão que sai do forno [F.: *Alvo* + *-eiro*.]

alveitar (al.vei.*tar*) *sm.* **1** Pessoa que trata animais doentes com base somente na experiência, sem os necessários conhecimentos de veterinária: "...um péssimo cirurgião que poderia ser bom alveitar." (Aluísio de Azevedo, *Noite na taberna*) **2** Ferrador: "...um preto, domador de cavalos e alveitar estimado." (Lima Barreto, *Manuel Capineiro*) **3** *Pej.* Médico incompetente [F.: Do ár. *al-baitar*, 'o veterinário', este, do gr. *hippiatrós*, 'médico de cavalos'.]

alvejado (al.ve.*ja*.do) *a.* Que se tornou alvo ou branco (por ação de produto químico ou por exposição aos raios solares) [F.: Part. de *alvejar¹*.]

alvejamento (al.ve.ja.*men*.to) *sm.* Ação ou resultado de alvejar¹; BRANQUEAMENTO [F.: *alvejar¹* + *-mento*.]

alvejante (al.ve.*jan*.te) *a2g.* **1** Que alveja, que embranquece (produto alvejante) **2** Que é ou se mostra alvo ou branco: "Ela graciosa e alvejante, ele severo e sombrio..." (Júlio Dinis, *Os fidalgos da casa mourisca*) *sm.* **3** Substância us. para alvejar tecidos etc.: *O cloro é um bom alvejante.* [F.: *alvejar* + *-nte*.]

alvejar¹ (al.ve.*jar*) *v.* **1** Tornar alvo, branco; ALVOREJAR; BRANQUEAR [*td.*: *alvejar roupas.*] **2** Despontar mostrando uma cor branca [*int.*: "...e longe (...) alvejava a brancura de um joão-grande, voando..." (J. Simões Lopes Neto, *Trezentas onças*)] **3** Começar a luzir (a alvorada) [*int.*] [▶ 1 alvejar] [F.: *alvo²* + *-ejar*.]

alvejar² (al.ve.*jar*) *v. td.* Ter como ponto de mira; tomar como alvo: *alvejar a caça* [▶ 1 alvejar] [F.: *alvo¹* + *-ejar*.]

alvenaria (al.ve.na.*ri*:a) *sf.* **1** Ofício, arte ou trabalho de pedreiro **2** *Cons.* Conjunto de tijolos, pedras ou uma mistura dos dois, ligados com argamassa, us. na construção de muros, paredes etc. **3** *Cons.* Processo de construção de parede, muro ou obra similar em que se usam esses materiais: "...construiu casa sólida, de alvenaria e chão de cimento..." (Antônio Callado, *Entre o Deus e a vasilha*) **4** Obra, construção feita em alvenaria (2, 3) [F.: De *alveneria* (< *alvener*, 'pedreiro', + *-ia¹*).] ▪ **~ aparelhada** A que utiliza pedras originalmente irregulares, desbastadas nas faces de encosto **~ de pedra seca** Aquela que não utiliza argamassa; alvenaria insossa **~ gorda** A que usa muita quantidade de cal **~ hidráulica** A que usa argamassa ou cimento hidráulicos **~ insossa** Ver *Alvenaria de pedra seca*. **~ ordinária** A que emprega pedras irregulares, unidas por argamassa ordinária

álveo (*ál*.ve:o) *sm.* **1** Leito (de rio ou de outra corrente de água) **2** *Anat.* Canal ou cavidade [F.: Do lat. *alveus, i*.]

alveolado (al.ve:o.*la*.do) *a.* Que tem alvéolos [F.: Do lat. *alveolatus, a, um*.]

alveolar (al.ve:o.*lar*) *a2g.* **1** Ref. ou pertencente a alvéolo **2** *Fon.* Diz-se de consoante que se pronuncia com a ponta da língua encostada nos alvéolos dos dentes superiores *sf.* **3** *Fon.* Consoante alveolar [F.: *alvéolo* + *-ar¹*.]

alveolite (al.ve:o.*li*.te) *sf.* **1** *Od.* Periostite dos alvéolos dentários **2** *Pneumo.* Inflamação dos alvéolos pulmonares [F.: *Alvéolo* + *-ite*.]

alvéolo (al.*vé*:o.lo) *sm.* **1** Cada uma das células que formam o favo, onde a abelha deposita os ovos e o mel **2** *Anat.* Cavidade minúscula no interior dos pulmões, em que se dá a hematose **3** *Od.* Cavidade óssea em que se encaixa a raiz do dente **4** *Cons.* Pequena escavação que se faz para assentar alicerce; CAVOUCO **5** *Bot.* Cavidade diminuta existente em alguns fungos **6** *Geog.* Ampla área de um vale fluvial em que se depositam sedimentos, ger. encontrada à saída de uma garganta [F.: Do lat. *alveolus, i*.]

alvéolo-palatal (al.vé.o.lo-pa.la.*tal*) *Gram. Fon. a2g.* **1** Diz-se de consoante ou fonema cuja articulação é realizada pelo toque da porção anterior da língua em qualquer ponto da área bucal situado entre os alvéolos dos dentes incisivos superiores e o palato duro *s2g.* **2** Consoante ou fonema alvéolo-palatal [Pl.: *alvéolo-palatais*.]

álveo-palatal (ál.veo-pa.la.*tal*) *a2g. sf.* O mesmo que *alvéolo-palatal*

alverca (al.*ver*.ca) *Lus. sf.* **1** Reservatório, tanque que represa as águas de um rio para rega ou para dar de beber aos animais **2** Terra alagadiça, pantanosa **3** Viveiro de peixes [F.: Do ár. *al-birka*.]

◎ **alvi-** *el. comp.* Ver *albi-*

alvião (al.vi.*ão*) *sm.* Instrumento de ferro com uma extremidade mais larga terminada em lâmina, como a de enxada, e outra que acaba em bico, como o da picareta, us. na agricultura, para arrancar pedras etc.; ENXADÃO: "...curvos, seminus, (...) com alvião e bateia, a lavar ou revolver o cascalho..." (Guimarães Rosa, *Estas estórias*) [Pl.: *-ões*.] [F.: De or. obsc.]

alvinegro (al.vi.*ne*.gro) [ê] *a.* **1** Que é branco e negro **2** *Bras.* Ref. a um clube cujas cores são o branco e o negro (como, p. ex., o Atlético Mineiro, o Botafogo, o Corinthians etc.): *A torcida alvinegra foi em massa ao estádio.* *sm.* **3** *Bras.* Jogador ou torcedor de um desses clubes, ou o próprio clube [F.: *alvi-* + *negro*.]

alvinitente (al.vi.ni.*ten*.te) *a2g.* De cor branca brilhante: "...bagas de suor alvinitente." (Machado de Assis, *Casa velha*) [F.: *alvi-* + *nitente*.]

alvirrubro (al.vir.*ru*.bro) *a.* **1** Que é branco e vermelho **2** *Bras.* Ref. a um clube cujas cores são o branco e o vermelho (como, p. ex., o Bangu, o Náutico etc.) (bandeira alvirrubra) *sm.* **3** *Bras.* Jogador ou torcedor de um desses clubes, ou o próprio clube: *Os alvirrubros vão jogar desfalcados.* [F.: *alvi-* + *rubro*.]

alvissarar (al.vis.sa.*rar*) *v.* **1** Dar uma boa notícia, para receber alvíssaras, recompensa [*td.*] [*tdi.* + *a*] **2** *P. ext.* Propalar (fato ainda não conhecido), noticiar [*td.*: *Alegre, alvissarava a boa notícia.*] **3** *P. us.* Encontrar, descobrir [*td.*: *Alvissarou no livro vários trechos interessantes.*] [▶ 1 alvissarar] [F.: *alvíssar(as)* + *-ar²*. Hom./Par.: *alvissaras* (fl.), *alvíssaras* (interj.).]

alvíssaras (al.*vís*.sa.ras) *interj.* **1** Us. para manifestar alegria, em razão de uma boa notícia: *Alvíssaras! Passei no concurso!* *sfpl.* **2** Recompensa a quem dá boas notícias ou entrega um objeto perdido: "Ora, pois, em alvíssaras desta boa nova, quero que me diga como se chama..." (Antônio José da Silva, *Guerras do Alecrim e da Manjerona*) [F.: Do ár. *al-bixra*. Hom./Par.: *alvíssaras* (interj. smpl.), *alvissaras* (fl. de *alvissarar*).]

alvissareiro (al.vis.sa.*rei*.ro) *a.* **1** Que dá esperança; AUSPICIOSO; PROMISSOR: "Coração dos Outros encheu-se de um alvissareiro contentamento." (Lima Barreto, *O triste fim de Policarpo Quaresma*) **2** Que dá ou promete boas notícias *sm.* **3** Portador de boas notícias *sm.* **4** *Ant.* Aquele que anunciava a chegada de algum navio ao porto, recebendo alvíssaras do dono da embarcação [F.: *alvíssara* + *-eiro.*]

alvitana (al.vi.*ta*.na) *sf.* **1** Rede larga de malha bem fechada para a pesca de peixes pequenos **2** Cada um dos dois panos exteriores do tresmalho [F.: Do ár. *al-bitana.*]

alvitramento (al.vi.tra.*men*.to) *sm.* Ação ou resultado de alvitrar; ALVITRE [F.: *alvitrar* + *-mento.*]

alvitrar (al.vi.*trar*) *v.* **1** Lembrar, aconselhar, sugerir [*td.*: *Alvitrei que agíssemos com prudência.*] [*tdi.* + *a, para*: *Alvitrou-lhe o uso da diplomacia.*] **2** *Ant.* Oferecer parecer sobre, arbitrar [*td.*] [▶ 1 alvitrar] [F.: *alvitr(e)* + *-ar*[2]. Hom./Par.: *alvitre(s)* (fl.), *alvitre* (sm. e pl.).]

alvitre (al.*vi*.tre) *sm.* **1** Aquilo que se sugere; SUGESTÃO; CONSELHO: "...e apresentar-lhes (...) o alvitre de prosseguirem naquela arremetida até o arraial." (Euclides da Cunha, *Os sertões*) **2** Livre vontade; ARBÍTRIO: *alvitre para ir ou ficar.* **3** *Ant.* Nova, notícia [F.: Dev. de *alvitrar*. Hom./Par.: *alvitre* (sm.), *alvitre* (fl. de *alvitrar*).]

alvo[1] (*al*.vo) *sm.* **1** Ponto, área ou objeto que se pretende atingir, atirando: *Cravou a flecha no alvo.* **2** *Fig.* Resultado que se deseja obter; META; ESCOPO: *O alvo da equipe é vencer o Mundial.* **3** *Fig.* Objeto, motivo: "...regiões com diferentes níveis de instrução e riqueza têm de ser alvo de políticas específicas." (*Veja*, 09.06.2004) *a.* **4** De cor muito branca; CLARO: "Nunca vi tão formosas barbas de velho e tão alvas." (Almeida Garrett, *Frei Luís de Sousa*) **5** *Fig.* Cândido, puro, inocente [F.: Do lat. *albus, a, um.* NOTA: Nas acps. 2 e 3, posposto a outro subst., a que se liga por hífen, é um *especificador invariável* e significa 'que se deseja alcançar ou atingir': *mercado-alvo, públicos-alvo.*]

alvo[2] (*al*.vo) *sm.* **1** A cor branca; BRANCO **2** O branco do olho; ESCLERA [F.: Do lat. *album, i.* Ideia de 'alvo': *albi-* (*albinismo*); *alvi-* (*alviverde*).]

alvor (al.*vor*) [ô] *sm.* **1** A primeira luz do dia; ALVA: "Ao despontar do sol o alvor primeiro..." (Alexandre Herculano, *A harpa do crente*) **2** Qualidade de alvo; ALVURA; BRANCURA **3** Brilho, fulgor **4** *Fig.* Início, começo: *os alvores da civilização.* [F.: Do lat. *albor, oris.* Hom./Par.: *alvores* (pl.), *alvores* (fl. de *alvorar*). Tb. *albor.*]

alvorada[1] (al.vo.*ra*.da) *sf.* **1** O nascer do sol, com sua luminosidade; crepúsculo da manhã; AMANHECER: "Veio a luz da alvorada / e brilhou nas palmeiras..." (Cecília Meireles, "Cantata matinal" *in Retrato natural*) **2** Primeiro toque da manhã nos quartéis, para acordar os soldados **3** Música tocada ao amanhecer **4** Canto dos pássaros ao amanhecer **5** *Fig.* O período inicial; COMEÇO; PRINCÍPIO [F.: *alvorar* + *-ada*[1].]

alvorada[2] (al.vo.*ra*.da) *sf.* *Lus.* Descompostura, reprimenda, repreensão [F.: De or. incerta.]

alvorar (al.vo.*rar*) *v.* **1** *Ant.* Levantar-se (cavalo, proa de embarcação); arvorar; EMPINAR-SE [*int.*] **2** Erguer, elevar ao alto (de haste, mastro, vara); arvorar; HASTEAR; IÇAR; ALÇAR [*td.*] **3** *P. ext.* Iniciar, inaugurar, dar começo a [*td.*] **4** Afastar-se de onde se encontra; ir-se embora; cair fora [*int.*] [▶ 1 alvorar] [F.: De *arvorar*, com dissimilação. Hom./Par.: *alvores* (fl.), *alvores* /ô/ (pl. *alvor* /ô/); *alvoro* (fl.), *alvoro* /ô/ (sm.).]

alvorecente (al.vo.re.*cen*.te) *a2g.* **1** Ref. ao ou próprio do alvorecer **2** Em que há alvor [F.: *alvorecer* + *-nte.*]

alvorecer (al.vo.re.*cer*) *v. int.* **1** Despontar o dia; AMANHECER: *Saí quando estava alvorecendo.* **2** Começar a aparecer, a manifestar-se (ideia, movimento etc.): *As ideias libertárias alvoreceram no século XVIII.* [▶ 33 alvore**cer**] *sm.* **3** O início do dia **4** *Fig.* Princípio, começo: *o alvorecer da civilização.* [F.: *alvor* + *-ecer.* V. impess. na acp. 1.]

alvorejar (al.vo.re.*jar*) *v.* **1** Romper o dia; alvorecer [*int.*: *O dia alvorejava, quando saiu.*] **2** Tornar alvo, branco; alvejar [*td.*: *Alvorejou as ceroulas com o anil.*] [▶ 1 alvorejar] [F.: *alvor* + *-ejar.*]

alvoroçado (al.vo.ro.*ça*.do) *a.* **1** Que está agitado, irrequieto, por motivo de alegria ou ansiedade (crianças alvoroçadas) **2** Em que há grande tumulto, movimento (casa alvoroçada) **3** Apressado, açodado **4** *Bras. Pop.* Diz-se de cabelo despenteado, revolto **5** *Bras. N. E. Pop.* Amalucado, adoidado **6** *RS* Que está no cio (diz-se de fêmea de animal) [F.: Part. de *alvoroçar*. Tb. *alvorotado.*]

alvoroçamento (al.vo.ro.ça.*men*.to) *sm.* Ação ou resultado de alvoroçar(-se); ALVOROÇO [F.: *alvoroçar* + *-mento.*]

alvoroçar (al.vo.ro.*çar*) *v.* **1** Provocar ou pôr(-se) em alvoroço [*td.*: *A chegada do bispo alvoroçou a paróquia.*] [*int.*: *Em segundos, o ambiente alvoroçou-se.*] **2** Agitar(-se), alegrar(-se) [*td.*: *A notícia alvoroçou a família.*] [*int.*: *As crianças se alvoroçaram quando viram o palhaço.*] **3** Incitar a revolta ou o motim (por parte de) [*td.*: *Temia-se que a notícia alvoroçasse a guarnição.*] **4** *RS* Encontrar-se (a fêmea) no cio [*int.*] [▶ 12 alvoro**çar**] [F.: *alvoroço* + *-ar*[2]. Hom./Par.: *alvoroço* (fl.), *alvoroço* (ô) (sm.) Tb. *alvorotar.*]

alvoroço (al.vo.*ro*.ço) [ô] *sm.* **1** Agitação, inquietação de ânimo **2** Tumulto, confusão **3** Pressa, açodamento **4** *Bras.* Algazarra, gritaria, balbúrdia **5** *RS* Cio [F.: Do ár. *al-buruz*. Ant. ger. (exceto acp. 5): *calma, tranquilidade.* Tb. *alvoroto.*]

alvorotado (al.vo.ro.*ta*.do) *a.* Ver *alvoroçado*

alvorotar (al.vo.ro.*tar*) *v.* O mesmo que *alvoroçar* [F.: *alvoroto* (= alvoroço) + *-ar*[2].]

alvura (al.*vu*.ra) *sf.* **1** Qualidade do que é alvo ou muito branco; ALVOR; BRANCURA **2** *Fig.* Pureza, candura, inocência [F.: *alvo* + *-ura.*]

⊕ **alzheimer** (*Al.* /Alzáimer/) *sm.* *Pat.* Doença que causa degeneração dos neurônios do cérebro, com diminuição das faculdades mentais, e que leva à morte; mal de Alzheimer; doença de Alzheimer: "...mapa da mente ajudará a tratar doenças como Alzheimer..." (*Jornal Extra*, 29.07.2003) [Com inic. maiúsc.] [F.: Do antr. (Alois) *Alzheimer* (1864-1917), médico alemão que identificou a doença.]

> 🕮 O mal de Alzheimer, ou simplesmente 'alzheimer', é uma doença ainda incurável causada por certo tipo de degeneração de células nervosas do cérebro, em seus lobos frontal e temporal. Suas causas parecem ser associadas ao envelhecimento, mas não foram identificadas com segurança, havendo indícios de que possam advir da deficiência de acetilcolina – um neurotransmissor –, ou de infecção por vírus, ou da presença anormal de alumínio no cérebro. O principal sintoma é uma progressiva perda de memória e do sentido de orientação, depois da capacidade de se comunicar e de agir, até o alheamento total e a morte, ger. por alguma infecção.

⊠ **AM**[1] *Eletrôn. Telc.* Símb. de *amplitude modulada*

⊠ **a. m.** Abrev. de *ante meridiem* (q. v.) [Por op. a *p. m.*]

⊠ **AM**[2] Sigla do Estado do Amazonas

⊠ **Am**[3] *Quím.* Símb. de *amerício*

⊠ **AM**[4] *Art. gr.* F. red. de *formato americano*

◎ **-ama** *suf. nom.* Ver *-ame.*

ama (*a*.ma) *sf.* **1** Ama-seca, babá **2** Babá que amamenta; AMA DE LEITE **3** A dona de casa em relação aos empregados; PATROA; SENHORA **4** Mulher que administra casa alheia; GOVERNANTA **5** Dama de companhia; AIA **6** *Bras. N. E.* Qualquer criada [F.: Do lat. *amma*. Hom./Par.: *ama(s)* (sf. [pl.]), *ama(s)* (fl. de *amar*).]

amabilidade (a.ma.bi.li.*da*.de) *sf.* **1** Qualidade de amável **2** Palavra ou gesto amável; GENTILEZA: "...e a outra de cara sempre amarrada a responder às amabilidades que lhe dizem com desaforos e muxoxos..." (França Júnior, *Maldita parentela*) [F.: Do lat. *amabilitas, atis.* Ant. ger.: *grosseria.*]

amabilíssimo (a.ma.bi.*lís*.si.mo) *a.* Bastante amável [Superl. abs. sint. de *amável.*] [F.: Do lat. *amabilissimus, a, um.*]

amacacar (a.ma.ca.*car*) *v. td.* **1** Imitar, macaquear: *Não para de amacacar os americanos.* **2** Assemelhar a macaco: *amacacar o jeito de andar.* [▶ 11 amaca**car**] [F.: *a-* + *macac(o)* + *-ar.*]

amaçarocado (a.ma.ça.ro.*ca*.do) *a.* **1** Que tem a forma de maçaroca, encanudado **2** Que se emaranhou, embaraçou, enrolou [F.: Part. de *amaçarocar.*]

amaçarocar (a.ma.ça.ro.*car*) *Bras. v. td. int.* **1** Dar aspecto ou forma de maçaroca a **2** *Fig.* Ficar embaraçado, enleado [▶ 11 amaçaro**car**] [F.: *a-*[2] + *maçaroc(a)* + *-ar*[2].]

amaciado (a.ma.ci.*a*.do) *a.* **1** Que se tornou macio **2** Que foi submetido a processo de amaciamento [F.: Part. de *amaciar.*]

amaciamento (a.ma.ci:a.*men*.to) *sm.* **1** Ação ou resultado de amaciar(-se) **2** *Mec.* Funcionamento temporário de motor novo, abaixo de sua capacidade, para ajuste das peças [F.: *amaciar* + *-mento.*]

amaciante (a.ma.ci:*an*.te) *a2g.* **1** Que amacia *sm.* **2** Qualquer produto us. para amaciar (roupas, cabelos, couros etc.) [F.: *amaciar* + *-nte.*]

amaciar (a.ma.ci.*ar*) *v.* **1** Tornar macio ou mais macio; tornar mais suave ao tato [*td.*: *amaciar o travesseiro*; *amaciar os cabelos, a pele.*] **2** Tornar suave; abrandar (tb. *Fig.*) [*td.*: *Amaciou a aspereza do vinho colocando um pouco de açúcar; O tempo amacia os rancores.*] **3** *Fig.* Acalmar, serenar [*int.*: "O vento se amacia, o mar se aplana." (Bocage, *Sonetos e outros poemas*) **4** *Bras. Mec.* Fazer funcionar ou funcionar (motor novo ou retificado) abaixo de sua potência máxima durante algum tempo, a fim de ajustar o seu funcionamento: *amaciar o motor.* [*td. int.*] [▶ 1 amaciar] [F.: *a-*[2] + *macio* + *-ar*[2].]

amadeirado[1] (a.ma.dei.*ra*.do) *a.* A que se aplicou madeira; guarnecido com madeira; EMADEIRADO [F.: *a-*[2] + *madeira* + *-ado*[2], por parassíntese.]

amadeirado[2] (a.ma.dei.*ra*.do) *a.* Que se parece com madeira [F.: *a-*[2] + *madeira* + *-ado*[1].]

amadeirar (a.ma.dei.*rar*) *v.* **1** Guarnecer de madeira; EMADEIRAR [*td.*] **2** Dar ou adquirir aspecto de madeira [*td. int.*] [▶ 1 amadeirar] [F.: *a-*[2] + *madeira* + *-ar*[2].]

ama de leite (a.ma de *lei*.te) *sf.* Babá que amamenta; AMA; MÃE DE LEITE [Pl.: *amas de leite.*]

amado (a.*ma*.do) *a.* **1** De que se gosta muito; que é objeto de especial amor; QUERIDO: "...ó pátria amada, idolatrada..." (José Osório Duque Estrada, *Hino nacional brasileiro*) [Ant.: *odiado, detestado.*] *sm.* **2** Pessoa a quem se ama [F.: Part. de *amar.*]

amador (a.ma.*dor*) [ô] *a.* **1** Que pratica uma atividade por prazer e não por profissão; DILETANTE [P. opos. a *profissional.*] **2** Que gosta muito de alguma coisa ou pessoa; AMANTE; APRECIADOR **3** *Pej.* Que é inexperiente em algum assunto ou atividade **4** Diz-se da atividade praticada por amadores (1) (esporte amador) *sm.* **5** Aquele que pratica uma atividade por prazer e não por profissão; DILETANTE [P. opos. a *profissional.*] **6** Aquele que gosta muito de alguma coisa ou pessoa; AMANTE; APRECIADOR **7** *Pej.* Aquele que é inexperiente em algum assunto ou atividade [F.: Do lat. *amator, oris.* Ideia de 'amador': *-filo* (*bibliófilo*).]

amadoresco (a.ma.do.*res*.co) *a.* *Pej.* Próprio de amador (7); que é de um amadorismo tal que o torna criticável, insustentável: *O trabalho amadoresco foi ridicularizado pelo crítico.* [F.: *amador* + *-esco.*]

amadorismo (a.ma.do.*ris*.mo) *sm.* **1** Condição ou qualidade de amador, de quem não é profissional; DILETANTISMO [Ant.: *profissionalismo.*] **2** *Fig.* Inexperiência em algum assunto ou atividade [Tb. *pej.*] **3** Regime ou doutrina contrários ao profissionalismo [F.: *amador* + *-ismo.*] ▪ ~ **marrom** *Esp.* Falso amadorismo, no qual se remuneram desportistas supostamente amadores de forma oculta ou disfarçada

amadorista (a.ma.do.*ris*.ta) *a2g.* **1** Diz-se de quem professa o amadorismo *s2g.* **2** Quem professa o amadorismo [F.: *amadorismo* + *-ista.*]

amadorístico (a.ma.do.*rís*.ti.co) *a.* Ref. a amadorismo [F.: *amadorista* + *-ico*[2].]

amadrinhado (a.ma.dri.*nha*.do) *a.* **1** Que anda sempre junto a outro (diz-se de animal, esp. cavalgadura) **2** *P. ext.* Acompanhado, junto [+ *com*: "...p'ra que foi que eu havia de andar dois anos amadrinhado com os ciganos?" (Guimarães Rosa, *Grande sertão: veredas*)] [F.: *a-*[2] + *madrinha* + *-ado*[2], por parassíntese.]

amadrinhador (a.ma.dri.nha.*dor*) [ô] *sm.* **1** Aquele que amadrinha animais **2** O que auxilia na doma de cavalos ou outros animais [F.: *Amadrinhar* + *-dor.*]

amadrinhar (a.ma.dri.*nhar*) *v. td.* **1** Servir de madrinha a; batizar: *Amadrinhou o recém-nascido.* **2** Paraninfar; proteger: *Foi escolhida para amadrinhar a escola.* **3** *S.* Seguir ou fazer seguir (o cavalo, a tropa, o domador) a égua madrinha ou guia: *O treinador estava amadrinhando o potro.* [▶ 1 amadrinhar] [F.: *a-* + *madrinh(a)* + *-ar.*]

amadurar (a.ma.du.*rar*) *v.* Ver *amadurecer*

amadurecer (a.ma.du.re.*cer*) *v.* **1** Tornar(-se) maduro; MATURAR [*td.*: *O sol amadureceu os abacates.*] [*int.*: *As jabuticabas amadureceram(-se) rapidamente.*] **2** *Fig.* Tornar(-se) experiente, prudente, emocional e mentalmente maduro [*td.*: *O sofrimento o amadureceu.*] [*int.*: *Ficou mais velho, amadureceu.*] **3** C chegar ou chegar a um estado (mais) desenvolvido, propício, aprimorado; aprimorar(-se), aperfeiçoar(-se) [*td.*: *Amadurecer um plano/um projeto/uma ideia.*] [*int.*: *Aos poucos, o projeto amadureceu em sua mente.*] **4** *Fig.* Fazer atingir ou atingir (ferida, abscesso etc.) ponto de supuração [*td. int.*] [▶ 33 amadure**cer**] [F.: *a-* + *maduro* + *-ecer.*]

amadurecido (a.ma.du.re.*ci*.do) *a.* **1** Que está maduro, sazonado (fruto amadurecido) [Ant.: *verde.*] **2** Que se desenvolveu plenamente; EXPERIENTE; VIVIDO [Ant.: *imaturo.*] **3** Que foi pensado, que é produto de reflexão (ideia amadurecida) [Ant.: *irrefletido.*] [F.: Part. de *amadurecer.*]

amadurecimento (a.ma.du.re.ci.*men*.to) *sm.* Ação, processo ou resultado de amadurecer, de tornar-se maduro (amadurecimento das frutas; amadurecimento do indivíduo); MATURAÇÃO [Tb. *Fig.*] [F.: *amadurecer* + *-imento.*]

amagar (a.ma.*gar*) *v. td.* **1** *RS* Balançar (o corpo) para a frente, quando montado, para dar maior impulso ao cavalo **2** *Lus.* Deitar-se ou recostar-se para repousar **3** *Lus.* Ficar abatido, prostrado por enfermidade qualquer **4** *Lus.* Abaixar-se para não ser visto por alguém [▶ 14 ama**gar**] [F.: Posv. do espn. *amagar*. Hom./Par.: *amago* (fl.), *amago* (sm.); *amago* (fl.), *âmago* (sm.).]

âmago (*â*.ma.go) *sm.* **1** A parte mais íntima de um ser; ÍNTIMO; ALMA: "Ofendido até ao âmago pela derradeira ironia, Tadeu ergueu-se de ímpeto..." (Camilo Castelo Branco, *Amor de perdição*) **2** A parte fundamental; ESSÊNCIA; CERNE: *o âmago do problema.* **3** O centro, meio ou parte interna de alguma coisa: "No âmago desse jardim vasto e delicioso..." (Martins Pena, *As casadas solteiras*) **4** *Bot.* A medula ou cerne do caule das plantas [F.: De or. contrv.]

âmago-furado (â.ma.go-fu.*ra*.do) *sm.* *Bras.* Doença que ataca a planta do fumo [Pl.: *âmagos-furados.*]

amagotado (a.ma.go.*ta*.do) *a.* **1** Disposto em magotes **2** Amontoado; em montões ou grupos [F.: Part. de *amagotar.*]

amagotar (a.ma.go.*tar*) *v. td.* Colocar ou dispor em magotes [▶ 1 amagotar] [F.: *a-*[2] + *magot(e)* + *-ar*[2].]

amainado (a.mai.*na*.do) *a.* **1** Que se amainou **2** Que tem velas colhidas (diz-se de embarcação) **3** *Fig.* Que se tornou sereno; ACALMADO [F.: Part. de *amainar.*]

amainar (a.mai.*nar*) *v.* **1** Tornar(-se) brando, calmo; ABRANDAR; CEDER [*td.*: *O fim da tempestade amainou o mar.*] [*int.*: *O furacão amainou.*] **2** Tornar(-se) mais brando ou menos intenso; ACALMAR [*td.*: *O presidente amainou a crise com um pronunciamento à nação.*] [*int.*: *A crise afinal se amainou.*] **3** *Náut.* Colher ou arriar (a[s] vela[s]) [*td.*: *amainar a vela grande.*] [*int.*: *Bradamos aos marinheiros que amainassem.*] [▶ 1 amainar] [F.: Posv. do cat. *amainar.*]

amajouva (a.ma.*jou*.va) *sf.* *Bras. Angios.* Árvore laurácea (*Aiouea brasiliensis*) cujas folhas são empregadas no tratamento das úlceras [F.: Do lat. cient. gên. *Aiouea.*]

amaldiçoado (a.mal.di.ço.*a*.do) *a.* **1** Que foi alvo de maldição [Ant.: *abençoado.*] **2** Que é muito mau; MALVADO; PERVERSO **3** Desagradável, detestável: *Essa fila amaldiçoada que não anda! sm.* **4** Indivíduo amaldiçoado [F.: Part. de *amaldiçoar.* Sin. ger.: *maldito.*]

amaldiçoamento (a.mal.di.ço:a.*men*.to) *sm.* Ação ou resultado de amaldiçoar; MALDIÇÃO [F.: *amaldiçoar* + *-mento.*]

amaldiçoar (a.mal.di.ço.*ar*) *v. td.* **1** Desejar o mal, com palavras ou em pensamento, a; lançar maldição sobre: *Amaldiçoou o homem que lhe fizera mal.* **2** Reprovar, condenar, proferindo palavras cheias de cólera, aversão ou ódio: *Job amaldiçoou o dia em que nasceu.* **3** Abominar, execrar: *amaldiçoar o autoritarismo.* 4 Destinar ao infortúnio, à danação: *Deus amaldiçoa os que não seguem seus mandamentos.* [▶ 16 amaldiçoar] [F.: *a-*[2] + *maldição* + *-ar*[2], com desnasalação.]

amalecita (a.ma.le.*ci*.ta) ***a2g.*** 1 Relativo ou pertencente aos amalecitas, tribos de árabes nômades do deserto de Neguev ***s2g.*** 2 Indivíduo dessas tribos [F.: Do hebr. *Amaleqi*, de *Amaleq*, neto de Esaú (*Gên.* 36:12), de quem o povo descende + *-ita.*]

amálgama (a.*mál*.ga.ma) ***s2g.*** 1 *Quím.* Liga que contém mercúrio 2 *Od.* Liga de mercúrio e pó de prata, us. em obturações dentárias 3 *Fig.* Mistura de coisas ou pessoas de natureza diferente, formando um todo: "Homens de todas as cores, amálgamas de diversas raças..." (Euclides da Cunha, *Os sertões*) 4 *Min.* Mineral constituído de mercúrio e prata em misturas isomorfas [F.: Do lat. dos alquimistas *amalgama*, posv. de or. ár. Hom./Par.: *amálgama(s)* (s2g. [pl.]), *amalgama(s)* (fl. de *amalgamar*).]

amalgamação (a.mal.ga.ma.*ção*) ***sf.*** 1 Ação ou resultado de amalgamar(-se) 2 *Min.* Processo metalúrgico para separar o ouro da prata por meio do mercúrio [Pl.: *-ções.*] [F.: *amalgamar* + *-ção.*]

amalgamado (a.mal.ga.*ma*.do) ***a.*** Que se amalgamou [F.: Part. de *amalgamar.*]

amalgamar (a.mal.ga.*mar*) ***v.*** 1 Fazer amálgama de [***td.***: *amalgamar o cobre.*] 2 *Fig.* Misturar (coisas ou pessoas diferentes) [***td.***: *amalgamar ideias opostas.*] [***tdr.*** + *com*: *amalgamar ódio com amor; Várias culturas se amalgamaram naquela região.*] [▶ 1 amalgamar] [F.: *amálgama* + *-ar*[2]. Hom./Par.: *amalgama(s)* (fl.), *amálgama* (s2g. e pl.).]

amalhar[1] (a.ma.*lhar*) ***v. td.*** 1 Envolver, prender nas malhas (caça, peixe etc.) 2 *Fig.* Enredar, enlaçar: *Amalhava maquinações malévolas.* [▶ 1 amalhar] [F.: *a-* + *malha* + *-ar*[2].]

amalhar[2] (a.ma.*lhar*) ***v.*** 1 Levar ou encaminhar-se (o animal) para dentro da malhada, curral ou agrupamento de gado [***td.***: *Amalharam os bois logo de início.*] [***int.***: *As cabras amalharam(-se) à noitinha.*] 2 *Fig.* Colocar(-se) em abrigo; ACOMODAR(-SE); RECOLHER(-SE) [***td.***: *Encontrou onde amalhar os cachorros.*] [***int.***: *Os peões amalharam no galpão.*] 3 *Fig.* Levar pelo caminho do bem [***td.***: *Dedicava-se a amalhar delinquentes.*] [▶ 1 amalhar] [F.: *a-*[2] + *malhar*[2] + *-ar*[2].]

amalocar (a.ma.lo.*car*) ***v. td.*** *Bras.* Repartir por malocas; malocar; ALDEAR [▶ 11 amalocar] [F.: *a-*[2] + *malocar*. Hom./Par.: *amaluca*r.]

amalucado (a.ma.lu.*ca*.do) ***a.*** Meio maluco; ADOIDADO [F.: Part. de *amalucar.*]

amalucar (a.ma.lu.*car*) ***v.*** Deixar ou ficar maluco ou meio maluco; ENDOIDECER [***td.***: *A tragédia amalucou-o.*] [***int.***: *Amalucou-se com a perda do emprego.*] [▶ 11 amalucar] [F.: *a-*[2] + *maluc(o)* + *-ar*[2]. Hom./Par.: *amalocar.*]

amame (a.*ma*.me) ***a2g.*** Diz-se de cavalos malhados igualmente de preto e branco [F.: De or. obsc.]

amamentação (a.ma.men.ta.*ção*) ***sf.*** Ação ou resultado de amamentar; ALEITAMENTO [Pl.: *-ções.*] [F.: *amamentar* + *-ção.*]

amamentado (a.ma.men.*ta*.do) ***a.*** Que se amamentou; ALEITADO [F.: Part. de *amamentar.*]

amamentador (a.ma.men.ta.*dor*) [ô] ***a.*** 1 Que amamenta, alimenta; ALEITADOR ***sm.*** 2 O que amamenta, nutre [F.: *amamentar* + *-dor.*]

amamentar (a.ma.men.*tar*) ***v. td.*** 1 Dar o leite do peito a; ALEITAR: *Amamentava o bebê com grande alegria.* 2 *P. ext.* Alimentar, nutrir (tb. *Fig.*) [▶ 1 amamentar] [F.: *a-*[2] + *mama* + *-entar.*]

⊠ **Aman** Sigla de *Academia Militar das Agulhas Negras*

amancebado (a.man.ce.*ba*.do) ***a.*** 1 Que vive em mancebia ou concubinato ***sm.*** 2 Indivíduo amancebado [F.: Part. de *amancebar-se.* Sin. ger.: *amante.*]

amancebamento (a.man.ce.ba.*men*.to) ***sm.*** 1 Ação ou resultado de amancebar-se; AMASIAMENTO: *Houve um amancebamento da mucama com o senhor.* 2 Condição de quem vive amancebado; CONCUBINATO; MANCEBIA 3 *Pej.* Aliança ou ligação desonesta, ilícita: *Amancebamento de instituições para burlar o fisco.* [F.: *Amancebar* + *-mento.*]

amancebar-se (a.man.ce.*bar*-se) ***v.*** 1 Passar a viver com alguém sem ser casado; AMASIAR-SE [***tr.*** + *com*: *Na época da colonização, muitos portugueses se amancebaram com índias.*] [***int.***: *Sem poder casar, amancebaram-se.*] 2 *Pej.* Aliar-se, ligar-se a [***tr.*** + *com*: *Alguns políticos se amancebam promiscuamente com o poder.*] [▶ 1 amancebar-se] [F.: *a-*[2] + *mancebo* + *-ar*[2].]

amaneirado (a.ma.nei.*ra*.do) ***a.*** 1 Afetado, artificial, estudado (gestos amaneirados) 2 Muito rebuscado, exagerado (estilo amaneirado) [F.: *a-*[2] + *maneira* + *-ado*[2], por parassíntese.]

amaneiramento (a.ma.nei.ra.*men*.to) ***sm.*** Ação ou resultado de amaneirar-se [F.: *amaneirar* + *-mento.*]

amaneirar (a.ma.nei.*rar*) ***v.*** Tornar(-se) afetado, amaneirado [***td.***: *amaneirar a linguagem de um livro.*] [***int.***: *Seu estilo amaneirou-se.*] [▶ 1 amaneirar] [F.: *a-* + *maneir(a)* + *-ar.*]

amanhã (a.ma.*nhã*) ***adv.*** 1 No dia que se segue àquele em que estamos: "...é preciso que este serviço fique pronto amanhã..." (Aluísio Azevedo, *Casa de pensão*) 2 No futuro: *Hoje na opulência, amanhã na miséria.* ***sm.*** 3 O dia seguinte: *Ele terá folga na tarde de amanhã.* 4 O futuro: "...quem se preocupa com o amanhã." (Kurban Said, *Ali e Nino*) [F.: Do lat. vulg. *maneana*. Hom./Par.: *amanhã* (adv. sm.), *amanha* (fl. de *amanhar*).]

amanhar (a.ma.*nhar*) ***v.*** 1 Preparar (a terra) para o cultivo; CULTIVAR [***td.***] 2 Preparar, ajeitar [***td.***: *amanhar o peixe.*] 3 *Pop.* Conseguir, arranjar [***tr.*** + *com*: *Cada qual amanhou-se com o que pôde.*] 4 Compor-se, vestir-se [***tda.***: *Aquela mulher não se amanha mal.*] [▶ 1 amanhar] [F.: Posv. de *a-*[2] + *manha* + *-ar*[2].]

amanhecer (a.ma.nhe.*cer*) ***v.*** 1 Surgir a manhã; nascer o dia [***int.***: *Amanhecia quando chegaram ao lago.*] 2 Surgir, raiar [***int.***: *O dia amanheceu (nublado).*] 3 *Fig.* Estar (em um lugar) de manhã [***ta.***: *O ônibus deve amanhecer na capital.*] 4 *Fig.* Estar (em certa condição ou situação) pela manhã [***tp.***: "...Um sábado amanheci enfermo..." (Machado de Assis, "Ideias do canário" *in Novas seletas*)] [▶ 33 amanhecer V. unipessoal nas acps. 1 e 2.] ***sm.*** 5 Início do dia, quando nasce o sol; ALVORADA 6 *Fig.* O começo de algo, a origem, a aurora: *O amanhecer da telefonia.* [F.: *a-*[2] + *manhã* + *-ecer.*]

amanhecido (a.ma.nhe.*ci*.do) ***a.*** 1 Que amanheceu 2 Do dia anterior (pão amanhecido); DORMIDO [F.: Part. de *amanhecer.*]

amanhecimento (a.ma.nhe.ci.*men*.to) ***sm.*** 1 Ato de amanhecer 2 *Fig.* O começo, o início de algo: *Por volta dos século V e VI deu-se a queda do Império Romano do Ocidente e o amanhecimento do mundo medieval.* [F.: *Amanhecer* com alter. da vogal temática *e>i* + *-mento.*]

amanho (a.*ma*.nho) ***sm.*** 1 Cultivo da terra; LAVOURA 2 Ação de arranjar, preparar, dispor [F.: Dev. de *amanhar*. Hom./Par.: *amanho* (sm.), *amanho* (fl. de *amanhar*).]

amanonsiado (a.ma.non.si.*a*.do) ***a.*** 1 *Bras. S.* Diz-se do cavalo que é manso mas ainda não foi montado; AMANOSEADO 2 *Bras. S.* Diz-se do redomão que já obedece ao cabresto e se deixa lidar sem dificuldade [F.: Part. de *amanonsiar.*]

amanonsiador (a.ma.non.si:a.*dor*) [ô] ***a.*** 1 Que amanonsia os cavalos; DOMADOR ***sm.*** 2 *S.* Aquele que doma os cavalos; AMANOSEADOR [F.: *Amanonsiar* + *-dor.*]

amanonsiar (a.ma.non.si.*ar*) ***v. td.*** *S.* Amansar (cavalo); DOMESTICAR; DOMAR; AMANOSEAR: "...o negro Bonifácio fora o primeiro (...) a amanonsiar a Tudinha..." (Simões Lopes Neto, *Contos gauchescos*) [▶ 1 amanonsiar] [F.: *a-*[4] + espn. platino *manosear.*]

amansado (a.man.*sa*.do) ***a.*** Domado, domesticado [F.: Part. de *amansar.*]

amansador (a.man.sa.*dor*) [ô] ***a.*** 1 Que amansa ***sm.*** 2 O que amansa [F.: *amansar* + *-dor*. Sin. ger.: *domador, domesticador.*]

amansamento (a.man.sa.*men*.to) ***sm.*** 1 Ação ou resultado de amansar(-se): "...No mais, é onda!... O negócio do 'amansamento' são outros quinhentos!... Nós todos do Flamengo fomos 'amansados' pela atitude verdadeiramente comovedora que o Vasco tomou na morte de Gilberto Cardoso." (Ary Barroso, *A História das camisas*) 2 A doma ou o adestramento a que são submetidos os animais: *Amansamento de equídeos para montaria.* 3 *Bras. Amaz.* Preparação que se faz nas seringueiras, antes de estender nelas os canequinhos de folha de flandres, para começo da sangria: *O potencial de produção da seringueira é analisado no período de amansamento.* [F.: *amansar* + *-mento.*]

amansar (a.man.*sar*) ***v.*** 1 Fazer ficar ou ficar manso; DOMAR; DOMESTICAR [***td.***: "...amansava animal de maior brabeza..." (Guimarães Rosa, *Grande sertão: veredas*)] [***int.***: *Obedecendo ao domador, a fera amansou.*] 2 Sossegar(-se), apaziguar(-se) [***td.***: "...amansou o ambiente a seu modo..." (José J. Veiga, *Entre irmãos*)] [***int.***: *Chegou irritado, mas depois (se) amansou.*] 3 *Fig.* Fazer ficar ou ficar mais suave [***td.***: *As explicações amansaram sua raiva.*] [***int.***: *O temporal amansou(-se).*] [▶ 1 amansar] [F.: *a-*[2] + *manso* + *-ar*[2].]

amansia (a.man.*si*.a) ***sf.*** O ato ou o modo de amansar o touro para adaptá-lo ao trabalho [F.: *amansar* + *-ia.*]

amante (a.*man*.te) ***s2g.*** 1 Pessoa que tem relação amorosa com outra fora do casamento; AMÁSIO 2 Pessoa que ama alguém; NAMORADO 3 Aquele que gosta muito de alguma coisa (amante das artes); AFICIONADO; APRECIADOR ***a2g.*** 4 Que ama alguém ou alguma coisa [F.: Do lat. *amans, antis.*]

amanteigado (a.man.tei.*ga*.do) ***a.*** 1 Parecido com manteiga, na cor, na consistência ou no gosto (queijo amanteigado) 2 Feito com manteiga ***sm.*** 3 Biscoito feito com muita manteiga [F.: Part. de *amanteigar.*]

amanteigar (a.man.tei.*gar*) ***v. td.*** 1 Dar cor, consistência ou gosto de manteiga a 2 Preparar (alimento) com manteiga: *amanteigar biscoitos.* 3 Passar manteiga em: *Amanteigue as fatias de pão.* 4 *Fig.* Tornar mais sensível ou brando; ENTERNECER: *A história do infeliz amanteigou os corações dos jurados.* [▶ 14 amanteigar] [F.: *a-*[2] + *manteig(a)* + *-ar*[2].]

amantelar (a.man.te.*lar*) ***v. td.*** 1 *Ant.* Cercar de muralhas 2 *Fig.* Esconder, ocultar [▶ 1 amantelar] [F.: Posv. *a-* + *mantel* + *-ar.*]

amantético (a.man.*té*.ti.co) ***a.*** 1 *Joc.* Que se expõe a atitudes ridículas por estar extremamente apaixonado 2 *Fam.* Que é excessivamente carinhoso ***sm.*** 3 Indivíduo muito apaixonado 4 Amante [F.: *amante* + *-ético* (suf. burlesco como em *piadético*).]

amantilhar[1] *Mar.* ***v. td.*** 1 Pôr amantilhos em (verga, pau de surriola etc.) 2 Manobrar (esp. verga) com amantilho, para colocar na posição horizontal 3 Levantar (pau de surriola, retranca etc.) para que fique em posição vertical [▶ 1 amantilhar] [F.: *amantilho* + *-ar.* Hom./Par.: *amantilho* (fl.), *amantilho* (sm.).]

amantilhar[2] (a.man.ti.*lhar*) ***v. td.*** 1 Relacionar-se sexualmente com; COPULAR 2 *Lus.* Amancebar-se, amasiar-se [▶ 1 amantilhar] [F.: *amante* + *-ilhar.*]

amantilhar[3] (a.man.ti.*lhar*) *Lus.* ***v. td.*** 1 Enrolar em mantilha ou cueiro; EMBRULHAR 2 Oferecer proteção a; TAPAR; OCULTAR [▶ 1 amantilhar] [F.: *a-*[2] *mantilha* + *-ar*[2].]

amanuense (a.ma.nu:*en*.se) ***s2g.*** 1 Pessoa que copia o que outros escrevem ou ditam; ESCREVENTE; ESCRITURÁRIO 2 *Ant.* Funcionário público que copiava ou registrava documentos, tratava da correspondência etc. [F.: Do lat. *amanuensis, is.*]

amapá (a.ma.*pá*) ***sm.*** 1 *Bras. PA Angios.* Árvore apocinácea (*Hancornia amapa*) de frutos comestíveis e uso medicinal 2 Goma extraída dessa árvore 3 Nome comum a duas árvores mexicanas, cuja madeira é empregada em marchetaria [F.: De or. tupi.]

amapaense (a.ma.pa:*en*.se) ***s2g.*** 1 Pessoa nascida ou que vive no estado do Amapá (AP) ***a2g.*** 2 Do Amapá; típico desse estado ou de seu povo [F.: Do top. *Amapá* + *-ense.*]

amapola (a.ma.*po*.la) [ô] ***sf.*** *Bot.* Planta arbustiva da fam. das cactáceas (*Pereskia amapola*), característica das regiões de clima seco [F.: Do espn. *amapola*, 'papoula', do moçárabe *habapáura*, alter. do lat. *papaver, eris*, 'id', com infl. do ár. *hábba*, 'grão de cereal'. Note-se que no port. o voc. não designa a mesma planta que em espn.]

amar (a.*mar*) ***v.*** 1 Sentir amor ou ternura por; ter grande afeição por [***td.***: *Amava os filhos; Ama-se tanto que procura alguém à sua semelhança.*] 2 Gostar muito de (algo ou fazer algo); APRECIAR [***td.***: *Ele ama a literatura francesa; Amava acampar com os amigos.*] 3 Experimentar o sentimento de amor (a) [***td.***: *Amou a moça desde que a viu.*] [***int.***: *Cativa é a pessoa que ama.*] 4 Sentir profunda afeição ou devoção por [***td.***: *amar (a) Deus / (a)o próximo.* O *a* é enfático e não configura o verbo como transitivo relativo.] 5 Ter relações sexuais [***td.***: *Amou-a como se fosse a primeira vez; Amaram-se sob a luz das estrelas.*] [▶ 1 amar] [F.: Do lat. *amare*. Hom./Par.: *amais* (fl.), *a mais* (loc.); *amo* (fl.), *amo* (sm.); *ama(s)* (fl.), *ama(s)* (sf. e pl.); *amara, amaram, amaras, amarem, amares, amaremos* (fl. e fl. de *amarar*); *amasse, amassem, amasses* (fl. e fl. de *amassar*); *amáramos* (fl.), *amaramos* (fl. de *amarar*); *amáreis* (fl.), *amareis* (fl. de *amarar*); *amásseis* (fl.), *amasseis* (fl. de *amassar*); *amássemos* (fl.), *amassemos* (fl. de *amassar*); *amem* (fl.), *amém* (adv., interj. e sm.).]

amáraco (a.*má*.ra.co) ***sm.*** *Angios.* O mesmo que *manjerona* [F.: Do gr. *amárakon, ou*, 'manjerona'.]

amarado (a.ma.*ra*.do) ***a.*** 1 Posto ao largo, no mar alto 2 *Fig.* Diz-se dos olhos quando estão cheios de água (olhos amarados); MAREJADO 3 *Aer.* Diz-se do hidroavião que pousou sobre a água [F.: *a-* + *mar* + *-ado.*]

amaragem (a.ma.*ra*.gem) ***sf.*** 1 Ação ou resultado de amarar 2 Pouso (de aeronave ou veículo espacial) no mar 3 *Antq.* Ação ou resultado de pôr-se ao largo [Pl.: *-gens.*] [F.: *amarar* + *-agem*[1].]

amarantácea (a.ma.ran.*tá*.ce:a) ***sf.*** *Angios.* Espécime das amarantáceas, família de plantas que tem por tipo o gênero amaranto, e contém plantas herbáceas e subarbustos de folhas simples, ordinariamente alternas [F.: Do lat. cient. gên. *Amaranthus* + *-ácea.*]

amarantáceo (a.ma.ran.*tá*.ce:o) ***a.*** 1 Semelhante ao amaranto 2 Ref. às *amarantáceas* [F.: Do lat. cient. *Amaranthus* + *-ácea.*]

amarantino (a.ma.ran.*ti*.no) ***sm.*** 1 Indivíduo nascido ou que vive em Amarante (Portugal) ***a.*** 2 De Amarante; típico dessa cidade ou de seu povo [F.: Do top. *Amarante* + *-ino*[1].]

amaranto (a.ma.*ran*.to) ***sm.*** *Bot.* Gênero de plantas da fam. das amarantáceas, muitas delas cultivadas como ornamentais e comestíveis (p. ex., o caruru) [F.: Do lat. cient. *Amaranthus.*]

amarar (a.ma.*rar*) ***v. int.*** 1 *Antq.* Fazer-se ao mar; sair para o mar alto: *A tripulação preparou-se para amarar.* 2 Pousar (hidroavião ou nave espacial) no mar [▶ 1 amarar] [F.: *a-*[2] + *mar* + *-ar*[2]. Hom./Par.: *amaro* (fl.), *amaro* (a.).]

amarasmear (a.ma.ras.me.*ar*) ***v. int.*** Pôr-se ou cair em marasmo [▶ 13 amarasmear] [F.: *a-*[2] + *marasm(o)* + *-ear*[2].]

amarelado (a.ma.re.*la*.do) ***a.*** 1 Que apresenta tom de amarelo ou quase amarelo (páginas amareladas); AMARELENTO 2 *Fig.* Pálido, descorado (pele amarelada) [F.: Part. de *amarelar.*]

amarelamente (a.ma.re.la.*men*.te) ***adv.*** À maneira de quem sorri forçado, de quem esboça um riso amedrontado: *A única reação do covarde foi sorrir amarelamente.* [F.: *amarelo* + *-mente.*]

amarelamento (a.ma.re.la.*men*.to) ***sm.*** Ação ou resultado de amarelar [F.: *amarelar* + *-mento.*]

amarelão (a.ma.re.*lão*) ***sm.*** 1 *Bras. Pop. Med.* O mesmo que *ancilostomíase* [Pl.: *-lões.*] ***a.*** 2 *Bras.* Diz-se de certo tipo de arroz [Pl.: *-lões.*] [F.: *amarelo* + *-ão*[1].]

amarelar (a.ma.re.*lar*) ***v.*** 1 Fazer ficar ou ficar amarelo ou um tanto amarelo [***td.***: *amarelar os cabelos (com água oxigenada.)*] [***int.***: *O jornal amarelou de um dia para o outro; Os lençóis se amarelam depois de muito uso.*] 2 *Fig. Pop.* Sentir medo, acovardar-se [***int.***: *O atacante amarelou diante do zagueiro.*] 3 Perder o frescor (tb. *Fig.*) [***td.***: *O tempo amarelou as recordações.*] [***int.***: *A lembrança se amarelou com o tempo.*] [▶ 1 amarelar] [F.: *amarelo* + *-ar*[2]. Sin. ger. (exceto na acp. 2): *amarelecer*. Hom./Par.: *amarelo* (fl.), *amarelo* (a. sm.); *amarela(s)* (fl.), *amarela(s)* (fem. do adjetivo).]

amarelas (a.ma.*re*.las) ***sfpl.*** *CE PE Pop.* Us. em locuções, como, p. ex., *ver-se nas amarelas* (ver-se em apuros)

amarelecer (a.ma.re.le.*cer*) ***v.*** 1 Tornar(-se) amarelo; AMARELAR [***td.***: *A ferrugem amareleceu o tecido.*] [***int.***: *A* *roupa guardada no armário amareleceu.*] **2** Envelhecer, tornando(-se) desbotado, amarelado [***td.***: *O tempo e a umidade amareleceram as folhas do diário.*] [***int.***: *No outono, as folhas amarelecem e caem.*] **3** Amadurecer, tornando-se amarelado [***int.***: *As frutas amareleceram.*] [***td.***: *O calor amareleceu as espigas de milho.*] [▶ 33 amarelecer] [F.: *amarel(o)* + *-ecer*. Ver *amarelar*.]

amarelecido (a.ma.re.le.*ci*.do) ***a.*** Que se tornou amarelo ou tirante a amarelo [F.: Part. de *amarelecer*.]

amarelecimento (a.ma.re.le.ci.*men*.to) ***sm.*** Ação ou resultado de amarelecer(-se) [F.: *amarelecer* + *-imento*.]

amarelento (a.ma.re.*len*.to) ***a.*** **1** Um tanto amarelo; AMARELADO ***sm.*** **2** *Bras.* Doente de febre amarela [F.: *amarelo* + *-ento*.]

amarelidão (a.ma.re.li.*dão*) ***sf.*** **1** Qualidade do que é amarelo **2** Cor amarela **3** *Fam.* Palidez [Pl.: *-dões*.] [F.: *amarelo* + *-idão*. Sin. ger.: *amarelidez*.]

amarelinha (a.ma.re.*li*.nha) ***sf.*** *Bras. Lud.* Jogo infantil que consiste em pular, num pé só, uma série de casas riscadas no chão [F.: Do fr. *marelle*, posv.]

amarelinho (a.ma.re.*li*.nho) ***sm.*** **1** *Angios.* Nome comum a plantas de gêneros e fam. diferentes, devido às flores amarelas que possuem **2** *Angios.* Árvore (*Raputia magnifica*) da fam. das rutáceas, mesmo que *arapoca* **3** *Angios.* Árvore (*Plathymenia reticulata*) da fam. das leguminosas, mesmo que *vinhático-testa-de-boi* **4** *Angios.* Árvore (*Maclura tinctoria*) da fam. das moráceas, mesmo que *moreira* **5** *Angios.* Árvore (*Senna multijuga*) da fam. das leguminosas, mesmo que *aleluia* **6** *Bras.* Variedade de tabaco em rama [F.: *amarelo* + *-inho*.]

amarelo (a.ma.*re*.lo) ***sm.*** **1** A cor do ouro, da gema do ovo **2** Por metonímia, roupa dessa cor: *Saiu vestida de amarelo.* **3** *Bras.* Doente de amarelão **4** *Bras. Bot.* O mesmo que *vinhático*. ***a.*** **5** Cuja cor é o amarelo (1) (bolsas amarelas) **6** Diz-se dessa cor: *A cor amarela da sua saia chamava a atenção.* **7** *Fig.* Que perdeu a cor; PÁLIDO **8** *Fig.* Diz-se de sorriso constrangido [F.: Do lat. hispânico *amarellus, a, um*. Hom./Par.: *amarelo* (a. sm.), *amarelo* (fl. de *amarelar*). Ideia de 'amarelo': *icter(i/o)-* (*icterícia*).] ■ **~ do ovo** *Pop.* A gema do ovo **Rir/sorrir ~** Rir ou sorrir sem naturalidade, de maneira forçada ou constrangida **Ver-se nas ~s** Ver-se em dificuldades, em apuros

amarelo-claro (a.ma.re.lo-*cla*.ro) ***sm.*** **1** Cor amarela de tonalidade clara [Pl.: *amarelos-claros*.] ***a.*** **2** Diz-se dessa cor **3** Que tem essa cor [Pl.: *amarelo-claros*.]

amarelo-ouro (a.ma.re.lo-*ou*.ro) ***sm.*** **1** A cor amarela parecida com a do ouro [Pl.: *amarelos-ouros, amarelos-ouro*.] ***a2g2n.*** **2** Que é dessa cor (cortinas amarelo-ouro)

⊕ **amaretto** (*It.* /amaréto/) ***sm.*** Licor de amêndoas amargoso [F.: Do it. *amaretto*, dim. de *amaro*, 'amargo'.]

amarfanhado (a.mar.fa.*nha*.do) ***a.*** Que se amarfanhou; AMARROTADO; AMASSADO [F.: Part. de *amarfanhar*.]

amarfanhar (a.mar.fa.*nhar*) ***v.*** **1** Comprimir(se) (tecido, papel etc.), provocando o aparecimento de vincos e dobras; AMARROTAR [***td.***: *amarfanhar a roupa.*] [***int.***: *A calça amarfanhou(-se) na mala.*] **2** Causar acabrunhamento a; ABATER; VEXAR [***td.***: *O escritor amarfanhou a classe dos mais ricos com sua sátira mordaz.*] [▶ 1 amarfanhar] [F.: De or. incerta.]

amarfinado (a.mar.fi.*na*.do) ***a.*** Diz-se do que tem cor e/ou aspecto de marfim [F.: Part. de *amarfinar*.]

amargado (a.mar.*ga*.do) ***a.*** **1** Muito amargo: "Ao passo que, os homens, na procura precisavam de aprender o teor do chão, farejando-o, de se provar e cuspir, amargado." (Guimarães Rosa, *Estas histórias*) **2** Amargurado, triste [F.: Part. de *amargar*.]

amargar (a.mar.*gar*) ***v.*** **1** Dar sabor amargo a [***td.***: *O limão em excesso amargou o pudim.*] **2** Ter sabor amargo [***int.***: *As laranjas verdes amargavam.*] **3** *Fig.* Tornar(-se) penoso, sofrido; ATORMENTAR [***td.***: *A solidão amargava sua vida.*] **4** Sofrer por causa de; AMARGURAR(-SE) [***td.***: *Amargar a morte do cão.*] [▶ 14 amargar] [F.: Do lat. *amaricare*. Hom./Par.: *amargo* (fl.), *amargo* (a.).] ■ **De ~** *Bras.* Difícil (pessoa, situação, problema, adversário etc.) de suportar, de resolver, de vencer

amargo (a.*mar*.go) ***a.*** **1** Que tem sabor desagradável (como o do fel, do quinino etc.); ACRE **2** Com pouco ou nenhum adoçante (café amargo) **3** *Fig.* Cheio de tristeza ou sofrimento; DOLOROSO; PENOSO: "...respondeu com um sorriso amargo a Leonor..." (Miguel Torga, *Rua*) **4** *Fig.* Ressentido pelo sofrimento ou pela dor (pessoa amarga); AMARGURADO; SOFRIDO **5** *Pop.* De gosto azedo [Superl.: *amarguíssimo, amaríssimo*.] ***sm.*** **6** O sabor amargo (1): *o amargo do jiló.* **7** *Bras. S.* Mate chimarrão [F.: Do lat. *amaricus, a, um*. Ant. ger. (exceto acp. 7): *doce*. Hom./Par.: *amargo*. (a. sm.), *amargo* (fl. de *amargar*).]

amargor (a.mar.*gor*) [ô] ***sm.*** **1** Qualidade de amargo; sabor amargo: *amargor de bílis na boca* [Ant.: *doçura*.] **2** *Fig.* Sensação de mágoa, desgosto [F.: *amargo* + *-or.* Sin. ger.: *amargura*.]

amargoseira (a.mar.go.*sei*.ra) ***sf.*** *Angios.* Árvore (*Melia azedarach*) da fam. das meliáceas, mesmo que *cinamomo* [F.: *amargosa* + *-eira*.]

amargoso (a.mar.*go*.so) [ô] ***a.*** **1** Que amarga ou que tem amargor, sabor amargo **2** *Fig.* Que encerra ou revela amargura; penoso, triste, doloroso **3** *S.* Muito valente [Fem.: [ó]. Pl.: [ó].] ***sm.*** **4** Planta da família das leguminosas (*Tipuana fusca*) ***sm.*** **5** Amargor: "Ao partir para a guerra, no amargoso do último abraço." (Castilho, *Noite do castelo*) [F.: *amargo* + *-oso*.]

amarguíssimo (a.mar.gu:*ís*.si.mo) ***a.*** Que é extremamente amargo; AMARÍSSIMO [Superl. abs. sint. de *amargo*.]

amargura (a.mar.*gu*.ra) ***sf.*** **1** Sabor amargo; AMARGOR [Ant.: *doçura*.] **2** *Fig.* Tristeza, mágoa, amargor [F.: *amargo* + *-ura*. Hom./Par.: *amargura* (sf.), *amargura* (fl. de *amargurar*).]

amargurado (a.mar.gu.*ra*.do) ***a.*** Cheio de amargura; DESGOSTOSO [F.: Part. de *amargurar*.]

amargurante (a.mar.gu.*ran*.te) ***a2g.*** Que causa amargura, tristeza [F.: *amargurar* + *-nte*.]

amargurar (a.mar.gu.*rar*) ***v.*** **1** Causar amargura a; AFLIGIR(-SE) [***td.***: *Amargurava a mãe com seus atos violentos.*] [***int.***: *Amargurou-se com a traição que sofreu.*] **2** *Fig.* Tornar amargo, severo [***td.***: *A idade amargurou-o.*] **3** Sofrer por causa de; AMARGAR [***td.***: *A nação indígena amargurou a pressão dos colonizadores.*] [***int.***: *Ele se amargurou pelo destino da família.*] [▶ 1 amargurar] [F.: *amagur(a)* + *-ar*[2]. Hom./Par.: *amargura(s)* (fl.), *amargura* (sf.).]

amaricar (a.ma.ri.*car*) ***v.*** Dar ou tomar aspecto feminino (nos modos, gestos, atitudes); tornar(-se) afeminado; AFEMINAR [***td.***: *Assim vais amaricar o rapaz!*] [***int.*** O rapaz amaricou-se.] [▶ 11 amaricar] [F.: *a-*[2] + *maricas* + *-ar*[2].]

amaricar-se (a.ma.ri.*car*-se) ***v.*** *Pop.* Mostrar-se efeminado, maricas; EFEMINAR(-SE) [***td.***: *A mãe amaricou o garoto.*] [***int.***: *De tanto andar com as colegas se amaricou.*] [▶ 11 amaricar-se] [F.: *a-*[2] + *maric(as)* + *-ar*[2].]

amárico (a.*má*.ri.co) ***sm.*** *Gloss.* Língua africana do grupo etiópico, falada na Etiópia; ETIÓPICO [F.: Do top. *Amhara*, província no noroeste da Etiópia, + *-ico*[2].]

amaridar (a.ma.ri.*dar*) ***v.*** **1** Ver *maridar* [***td.***] [***tr.*** + *com*] **2** *Fig.* Desfrutar da intimidade de; estar muito ligado a [***tr.*** + *com*] [▶ 1 amaridar] [F.: *a-*[2] + *maridar*.]

amarilho (a.ma.*ri*.lho) *Bras.* ***sm.*** **1** Ligadura, atadura, mesmo que *amarrilho* **2** *Angios.* Árvore (*Terminalia australis*) da fam. das combretáceas, natural de certas regiões do Brasil, que fornece madeira de lei de cor amarela; AMARELA; SARANDI-AMARELO [F.: Do espn. *amarillo*.]

amarilidácea (a.ma.ri.li.*dá*.ce:a) ***sf.*** *Angios.* Espécime das amarilidáceas, fam. da ordem das asparagales, reunindo 67 gên. de ervas e nativa de regiões tropicais e subtropicais, muitas delas cultivadas como ornamentais [F.: Do lat. cient. *Amaryllidaceae*.]

amarilidáceo (a.ma.ri.li.*dá*.ce:o) ***a.*** Ref. às amarilidáceas [F.: *amarílide* + *-áceo*.]

amarílis (a.ma.*rí*.lis) ***sf2n.*** **1** *Bot.* Planta ornamental (*Amaryllis belladonna*) de bulbo volumoso e grandes flores avermelhadas, que exalam perfume suave **2** A flor dessa planta [F.: Do lat. cient. *Amaryllis, idis*.]

amaríntias (a.ma.*rín*.ti.as) ***sfpl.*** *Hist. Mit.* Festas em honra da deusa Ártemis (tb. chamada Diana), celebradas na cidade grega de Amarinto, na Eubeia [F.: Do lat. *amarynthis, idis*, de *Amarinto*.]

amario (a.ma.*ri*:o) ***a.*** *SP* Diz-se de cavalo baio que tem cauda e crina de cor branca [F.: De or. obsc.]

amariolar-se (a.ma.ri.o.*lar*-se) ***v. int.*** Virar mariola, velhaco, safado [▶ 1 amariolar-se] [F.: *a-*[2] + *mariol(a)* + *-ar*[2] + *se*.]

amaríssimo (a.ma.*rís*.si.mo) ***a.*** Muito amargo [Superl. abs. sint. de *amargo* e *amaro*.] [F.: Do lat. *amarissimus, a, um*.]

amaro (a.*ma*.ro) ***a.*** O mesmo que *amargo* [Superl.: *amaríssimo*] [F.: Do lat. *amarus, a, um*. Hom./Par.: *amaro* (a. sm.), *amaro* (fl. de *amarar*).]

amarra (a.*mar*.ra) ***sf.*** **1** *Náut.* Corrente grossa que prende a âncora à embarcação **2** Cabo ou corda que serve para prender coisa pesada **3** *Fig.* Aquilo que prende: *Quer livrar-se das amarras dos pais.* **4** *Lus. Gír.* Corrente de relógio [Dim.: *amarreta* (acps. 1 e 2).] [F.: Dev. de *amarrar*. Hom./Par.: *amarra* (sf.), *amarra* (fl. de *amarrar*).] ■ **Colher a ~** *Marinh.* Livrar a amarra, para facilitar manobra; ferrar a amarra **Cortar as ~ com** *Fig.* Desligar(-se) de algo ou alguém de que(m) se tem dependido, ou sido protegido **Estar a duas ~s** **1** *Pop.* Ter dois empregos **2** *Pop.* Ter duas mulheres **Ferrar a ~** *Mar.* V. *Colher a amarra*.

amarração (a.mar.ra.*ção*) ***sf.*** **1** Ação ou resultado de amarrar(-se) **2** *Mar.* Conjunto de cabos ou cordas us. para prender uma embarcação ao cais ou a outra embarcação (amarração de argolas/com catracas) **3** *Bras. Pop.* Forte ligação amorosa **4** *Cons.* Disposição dos materiais de maneira a dar maior estabilidade ao todo [Pl.: *-ções*.] [F.: *amarrar* + *-ção*.]

amarrado (a.mar.*ra*.do) ***a.*** **1** Que se amarrou; ATADO; PRESO: *cavalo amarrado à árvore.* **2** *Fig.* Com feições carregadas (cara amarrada); CARRANCUDO **3** *Pop.* Comprometido (por ligação amorosa) **4** *Bras. Fig. Pop.* Que tem grande interesse ou paixão por (amarrada em balé/no namorado) **5** *RS Fig.* Acanhado, tímido ***sm.*** **6** *Bras.* Apanhado de coisas (ger. ervas, flores, varas etc.) reunidas em um só feixe **7** *Bras.* Embrulho, volume atado **8** *Bras.* Mato emaranhado de cipós **9** Pirão ou angu muito seco [F.: Part. de *amarrar*.]

amarramento (a.mar.ra.*men*.to) ***sm.*** **1** *Bras.* Ação ou resultado de amarrar **2** Feitiço ou sortilégio para prender, em termos amorosos, uma pessoa a outra [F.: *amarrar* + *-mento*.]

amarrar (a.mar.*rar*) ***v.*** **1** Prender com corda, cordão etc.; ATAR [***td.***: *Amarrou os pés do ladrão para que não fugisse.*] [***tda.*** + *a, em*: *Amarrou-o a um poste.*] **2** *Fig.* Carregar (a fisionomia) com expressão de aborrecimento ou zanga [***td.***: *Amarrou a cara e não quis mais conversar.*] **3** *Fig.* Prender(-se) moralmente [***td.***: *Não se sentia livre, suas promessas o amarravam.*] [***tdr.*** + *a*: *Seus compromissos o amarram à firma; Amarrou-se a seus propósitos e não desistiu.*] **4** *Bras. Pop.* Apaixonar-se ou casar-se [***tr.*** + *em*: *Pedro amarrou-se na vizinha.*] **5** *Bras. Pop.* Conquistar (alguém) [***td.***: *Ele amarrou a vizinha.*] **6** *Bras. Pop.* Ter muito interesse por [***tr.*** + *em*: *amarrar-se em matemática.*] **7** *Fig.* Prender-se obstinadamente a (ideia, opinião etc.) [***tr.*** + *a*: *Amarrou-se à ideologia de sua geração.*] **8** Ligar, relacionar [***tdr.*** + *a*: *Amarrou suas férias às dos filhos.*] **9** *Bras.* Concluir, ajustar definitivamente (um negócio) [***td.***: *Finalmente amarrou o contrato como queria.*] **10** *Bras.* Impor obstáculos a, dificultar, tolher [***td.***: *Como não decidia nada, amarrava o andamento do processo.*] **11** *Mar.* Atar, segurar, prender com amarras [***td.***: *amarrar o barco.*] **12** *Bras.* Deitar farinha ou fubá demais ao pirão ou angu tornando-o seco **13** *Bras. Pop.* Jogar sempre em (o mesmo bicho) [***td.*** Ver *jogo do bicho*.] [▶ 1 amarrar] [F.: Do hol. *aenmarren*, passando pelo fr. *amarrer*. Hom./Par.: *amarra* (fl.), *amarra* (sf.).]

amarroado (a.mar.ro.*a*.do) ***a.*** **1** Batido com marrão (grande martelo) **2** *Fig.* Diz-se de indivíduo alquebrado, abatido **3** *Fig.* Que se encontra melancólico, deprimido **4** *P. ext.* Diz-se de chama ou fogo que se tornou fraco **5** *Fig.* Diz-se de indivíduo que demonstra insistência, que se revela teimoso **6** Que possui corcunda, giboso [F.: Part. de *amarroar*.]

amarroar (a.mar.ro.*ar*) ***v.*** **1** Bater ou derrubar com o marrão, o maior martelo [***td.***] **2** Ficar abatido, prostrado [***int.***] **3** Amortecer, enfraquecer [***td.***] **4** *Fig.* Mostrar-se insistente, teimoso [***int.***] [▶ 16 amarroar] [F.: *a-*[2] + *marr(ão)o* + *-ar*[2].]

amarronzado (a.mar.ron.*za*.do) *Bras.* ***a.*** **1** Que apresenta cor num tom de marrom ou quase marrom **2** Diz-se dessa cor ***sm.*** **3** A cor amarronzada [F.: Part. de *amarronzar*.]

amarrotado (a.mar.ro.*ta*.do) ***a.*** **1** Que se amarrotou, que se enrugou ou amassou (papel amarrotado; saia amarrotada); AMARFANHADO; AMASSADO **2** *Fig.* Diz-se de feições amarfanhadas, enrugadas: *Acordou com o rosto amarrotado.* **3** *Fig.* Contundido [F.: Part. de *amarrotar*.]

amarrotamento (a.mar.ro.ta.*men*.to) ***sm.*** Ação ou resultado de amarrotar [F.: *amarrotar* + *-mento*.]

amarrotar (a.mar.ro.*tar*) ***v.*** **1** Comprimir(-se) (tecido, papel etc.), provocando o aparecimento de vincos e dobras; AMARFANHAR; AMASSAR [***td.***: *Amarrotou o papel.*] [***int.***: *O terno de linho (se) amarrotou na mala.*] **2** Ficar com a roupa que traja com vincos, rugas, dobras [***int.***: *Amarrotaram-se durante a longa viagem.*] **3** *Fig. Pop.* Dar repetidas pancadas em (alguém ou no rosto de alguém) [***td.***] [▶ 1 amarrotar] [F.: Do espn. ant. *marrotar*.]

amartelado (a.mar.te.*la*.do) ***a.*** **1** Batido com martelo, martelado **2** *Fig.* Que se repete muitas vezes, de maneira insistente **3** *Fig.* Que foi derrotado, vencido **4** *Fig.* Diz-se de que se amoldou, do que se ajeitou [F.: Part. de *amartelar*.]

amartilhar (a.mar.ti.*lhar*) ***v. td.*** *S.* Engatilhar arma de fogo: *Amartilhou a pistola.* [▶ 1 amartilhar] [F.: *a-* + *martilhar*.]

amarugem (a.ma.*ru*.gem) ***sf.*** **1** Gosto amargo persistente provocado por bebida, remédio ou doença; AMARGOR **2** *P. ext.* Amargura, tristeza: "As estórias – tinham amarugem e docice." (Guimarães Rosa, "Uma estória de amor", *in Manuelzão e Miguilim*) **3** *P. ext.* Sentimento de irritação, de azedume [Pl.: *-gens*.] [F.: *amaro* + *-ugem*. Hom./Par.: *amarujem*. (fl. de *amarujar*), *amaragem* (sf.).]

amarujar (a.ma.ru.*jar*) ***v. int.*** **1** Apresentar-se levemente amargo; amargar **2** *Fig.* Ficar amargo, aborrecido [▶ 1 amarujar] [F.: Posv. do lat. tard. *amarizari*. Hom./Par.: *amarujo* (fl.), *amarujo* (sm.); *amarujem* (fl.), *amarugem* (sf.); *amerujar* (todos os tempos do v.).]

amarume (a.ma.*ru*.me) ***sm.*** *P. us.* Amargor, mesmo que *amarugem* [F.: *amaro* + *-ume*.]

ama-seca (a.ma-*se*.ca) [ê] ***sf.*** Ama (1) [Pl.: *amas-secas*.]

amasiado (a.ma.si.*a*.do) ***a.*** Que se amasiou, que mora com amásio; AMANCEBADO: "Numa casa séria não devia entrar um homem como aquele, que, além de tudo, vivia amasiado." (Lima Barreto, *O cemitério dos vivos*) [F.: Part. de *amasiar*.]

amasiar-se (a.ma.si.*ar*-se) ***v.*** O mesmo que *amancebar-se* (1) [▶ 1 amasiar-se] [F.: *amásio* + *-ar*[2]. Hom./Par.: *amasio* (fl.), *amasio* (sm.), *amásio* (sm.); *amasia(s)* (fl.), *amazia(s)* (sf. e pl.).]

amasio (a.ma.*si*.o) ***sm.*** Estado de quem vive amasiado; CONCUBINATO; MANCEBIA [F.: Dev. de *amasiar*. Hom./Par.: *amasio* (fl. de *amasiar*), *amásio* (sm.).]

amásio (a.*má*.si:o) ***sm.*** Indivíduo amancebado; AMANTE [F.: Do lat. *amasius, ii*. Hom./Par.: *amásio* (sm.), *amasio* (sm.).]

amassadeira (a.mas.sa.*dei*.ra) ***sf.*** **1** Mulher que amassa farinha para fazer pão **2** Recipiente em que se amassa alguma coisa, ger. farinha para fabricar pão **3** Máquina de amassar [F.: *amassar* + *-deira*.]

amassadela (a.mas.sa.*de*.la) ***sf.*** **1** Ação ou resultado de amassar ligeiramente, ou uma vez só: *Dê uma amassadela na massa e deixe-a descansar.* **2** Ação ou resultado de amassar, amolgar, criar amolgamento ou mossa **3** A parte amolgada resultando da amassadela (2); AMOLGADELA; AMOLGADURA; MOSSA: *Depois do acidente, o carro ficou com uma amassadela na porta.* **4** *Lus. Pop.* Lesão, contusão **5** *Lus. Pop.* Surra, sova [F.: *amassar* + *-dela*.]

amassado (a.mas.*sa*.do) ***a.*** **1** Que se amassou (chapéu amassado); AMARROTADO; AMARFANHADO **2** Que se deformou por ter sofrido colisão (para-choque amassado) ***sm.*** **3** Depressão causada por aperto ou choque; AMASSADURA; AMASSO: *O carro está com alguns amassados.* [F.: Part. de *amassar*.]

amassador (a.mas.sa.*dor*) [ô] *a.* **1** Que amassa **2** Que tem como tarefa preparar a argamassa (diz-se de operário de construção) *sm.* **3** Aquele ou aquilo que amassa **4** Operário amassador (2) **5** Lugar onde se prepara essa argamassa **6** Aquele que amassa farinha para fazer pão **7** Lugar onde a farinha é amassada; AMASSARIA [F.: *amassar* + *-dor*.]

amassadouro (a.mas.sa.*dou*.ro) *sm.* Tabuleiro, tábua, pedra, mesa, gamela, ou qualquer recipiente onde se amassa alguma coisa [F.: *amassar* + *-douro*[2].]

amassadura (a.mas.sa.*du*.ra) *sf.* **1** Ação ou resultado de amassar(-se); AMASSADO; AMASSAMENTO; AMASSO **2** Porção de pães assados de uma só vez num forno; FORNADA [F.: *amassar* + *-dura*.]

amassamento (a.mas.sa.*men*.to) *sm.* **1** Ação ou resultado de amassar(-se); AMASSADURA **2** Amolgamento, mossa **3** *Antq. Cnav.* Estreitamento progressivo da largura do navio [F.: *amassar* + *-mento*.]

amassar (a.mas.*sar*) *v.* **1** Transformar em massa [*td.*: *Amassar argila.*] **2** Tornar(-se) amarrotado; AMARROTAR [*td.*: *Amassar um bilhete.*] [*int.*: *O linho (se) amassa facilmente.*] **3** Fazer ficar ou ficar (objeto) deformado por pressão ou batida; AMOLGAR [*td.*: *Apalpando, amassou o ovo de páscoa.*] [*int.*: *Com a batida, o para-choque (se) amassou.*] **4** Esmagar, achatar [*td.*: *O peso do caminhão amassou o gramado.*] **5** Misturar, mesclar [*td.*: *Amassou o nariz numa briga de rua.*] **6** Espancar, machucar, contundir [*td.*: *Não se fez de rogado e foi logo amassando a menina no primeiro encontro.*] [▶ 1 amassar] [F.: *a-*[2] + *massa* + *-ar*[2]. Hom./Par.: *amasso* (fl.), *amasso* (sm.); *amasse* (fl.), *amassem* (fl.), *amasses* (fl.), *amasse, amassem, amasses* (fl. de *amar*); *amasseis* (fl.), *amassemos* (fl.), *amásseis, amássemos* (fl. de *amar*).]

amassilho (a.mas.*si*.lho) *sm.* **1** Porção de farinha que se amassa de uma só vez **2** *P. ext.* Instrumento us. para amassar **3** *Fig.* Mistura de coisas diferentes entre si [F.: *amass(ar)-* + *-ilho*.]

amasso (a.*mas*.so) *sm.* **1** Ação ou resultado de amassar; AMASSAMENTO; AMASSADURA **2** *Bras. Gír.* Beijos, abraços e carícias (ger. ardorosos); AGARRO [F.: Dev. de *amassar.* Hom./Par.: *amasso* (sm.), *amasso* (fl. de *amassar*).]

amastia (a.mas.*ti*:a) *sf. Med.* Ausência de mamas; AMAZIA [F.: *a-* + *-mastia*.]

amastozoário (a.mas.to.zo.*á*.ri:o) *a.* **1** *Zool.* Diz-se de animal vertebrado que não possui mamas *sm.* **2** Esse animal [F.: *a-* + *mast (o)-* + *-zoário*.]

amatalotar (a.ma.ta.lo.*tar*) *Ant. v.* **1** *Mar.* Desfrutar o rancho com outros marinheiros ou matalotes [*td. int.*] **2** *Mar.* Estar numa mesma mesa de rancho **3** Ligar(-se) a (uma ou mais pessoas) para realizar algo; ASSOCIAR(-SE) [*td.*] [▶ 1 amatalotar] [F.: *a-*[2] + *matalot(e)* + *-ar*[2].]

amatilhar (a.ma.ti.*lhar*) *v. td.* **1** Reunir(-se) (os cachorros) em matilha **2** *Pej.* Juntar(-se), reunir(-se), agrupar(-se), esp. para fins pouco recomendáveis: *Amatilhou seis outros para o assalto; Amatilharam-se para o vandalismo.* [▶ 1 amatilhar] [F.: *a-*[2] + *matilh(a)* + *-ar*[2].]

amatol (a.*ma*.tol) *sm. Quím.* Explosivo que resulta da mistura de nitrato de amônio e trinitrotolueno (TNT) [Pl.: *-tóis.*] [F.: Do ing. *amatol.*]

amatório (a.ma.*tó*.ri:o) *a.* **1** Ref. ao amor, próprio do amor (poesias amatórias, arroubos amatórios); AMOROSO **2** Que incita, desperta ou estimula amor, sensualidade (elixir amatório, arte amatória); ERÓTICO *sm.* **3** *Antq. Anat. Oft.* Músculo oblíquo do olho [Na nova nomenclatura médica, *músculo oblíquo (superior* e *inferior).*] [F.: Do lat. *amatorius, a, um.*]

amatronar (a.ma.tro.*nar*) *v. td. int.* **1** Conferir aspecto de matrona a ou adquiri-lo **2** Tornar-se gordo demais, obeso [▶ 1 amatronar] [F.: *a-*[2] + *matron(a)* + *-ar*[2].]

amatular-se (a.ma.tu.*lar*-se) *v. int. tr.* Reunir-se em matula, canalha, gente de má índole e desordeira; ABANDAR-SE [▶ 1 amatular-se] [F.: *a-*[2] + *matul(a)* + *-ar*[2] + *se*[1].]

amatutado (a.ma.tu.*ta*.do) *a.* Que tem modos ou aparência de matuto; ACAIPIRADO [F.: Part. de *amatutar.*]

amatutar-se (a.ma.tu.*tar*-se) *v. int.* Adquirir hábitos ou jeito de matuto [▶ 1 amatutar-se] [F.: *a-*[2] + *matut(o)* + *-ar*[2].]

amaurose (a.mau.*ro*.se) *Med. sf.* Cegueira total ou parcial, esp. aquela em que não há lesão aparente nos olhos, nervos ou cérebro, mas decorrente de doença que atinge o nervo óptico ou a retina; *Pop.* GOTA-SERENA; *Pop.* CATARATA NEGRA [F.: Do gr. *amaúrosis, eos.*]

amaurótico (a.mau.*ró*.ti.co) *Med. a.* **1** Ref. a amaurose **2** Que padece de amaurose *sm.* **3** *Med.* Aquele que padece de amaurose [F.: Do gr. *amaurotikós, é, ón.*]

amável (a.*má*.vel) *a2g.* **1** Que pode ou merece ser amado **2** Que é simpático, atencioso, gentil; AFÁVEL; CORTÊS: *amável com os clientes.* [Pl.: *-veis.* Superl.: *amabilíssimo.*] [F.: Do lat. *amabilis, e.* Ant. ger.: *detestável, grosseiro.* Hom./Par.: *amáveis* (pl.), *amáveis* (fl. de *amar*).]

amavios (a.ma.*vi*:os) *smpl.* **1** Meios de sedução; ENCANTOS; FEITIÇOS: *Os amavios de Maria conquistaram Pedro.* **2** Filtros, poções para despertar o amor [P. us. no sing.] [F.: De or. contrv.]

amavioso (a.ma.vi:*o*.so) [ô] *a.* **1** Em que há amavios **2** Que é suave, amável **3** Diz-se do que é mavioso, suave [F.: *amavio* + *-oso*.]

◎ **amaxo-** [cs] *el. comp.* = 'carro', 'veículo': *amaxofobia, amaxófobo* [F.: Do gr. *amakso-*, do gr. *ámaksa, es,* 'carro de quatro rodas'.]

amaxofobia (a.ma.xo.fo.*bi*:a) [cs] *sf. Psiq.* Temor patológico de viajar em qualquer veículo [F.: *amaxo-* + *-fobia*.]

amaxofóbico (a.ma.xo.*fó*.bi.co) [cs] *a. Psiq.* Ref. a amaxofobia [F.: *amaxofobia* + *-ico*[2].]

amaxófobo (a.ma.*xó*.fo.bo) [cs] *Psiq. a.* **1** Diz-se de indivíduo que sofre de amaxofobia *sm.* **2** Esse indivíduo [F.: *amaxo-* + *-fobo*.]

amazona (a.ma.*zo*.na) *sf.* **1** Mulher que monta a cavalo **2** Mulher corajosa **3** *Vest.* Saia longa, abotoada na frente até a cintura, us. por mulheres para montar a cavalo [F.: Do lat. *amazon, onis,* do gr. *amazón.*]

amazonas (a.ma.*zo*.nas) *sfpl.* Mulheres guerreiras da Antiguidade, prov. lendárias, que viveram na Ásia e possuíam grande espírito de luta [F.: Pl. de *amazona.*]

amazonense (a.ma.zo.*nen*.se) *s2g.* **1** Pessoa nascida ou que vive no Amazonas (AM) *a2g.* **2** Do Amazonas; típico desse estado ou de seu povo [F.: Do top. *Amazonas* + *-ense.*]

amazônico (a.ma.*zô*.ni.co) *a.* **1** Da Amazônia (floresta amazônica) **2** Do rio Amazonas (bacia amazônica) [F.: Do top. *Amazônia* + *-ico*[2].]

amazônida (a.ma.*zô*.ni.da) *s2g.* **1** Pessoa nascida ou que vive na Amazônia *a2g.* **2** Ref. à Amazônia [F.: Do top. *Amazônia* + *-ida*[1].]

amazonita (a.ma.zo.*ni*.ta) *Min. sf.* Variedade de microclina (ou microclínio) verde ou verde-azulada, encontrada nas margens do rio Amazonas, na Sibéria e em outras regiões, us. na confecção de joias ou bijuterias; PEDRA DAS AMAZONAS [F.: Do top. *Amazonas* + *-ita*[3].]

amazonologia (a.ma.zo.no.lo.*gi*:a) *sf.* Tratado, estudo sobre a Amazônia e seu conjunto de problemas [F.: Do top. *Amazôn(ia)* + *-o-* + *-logia.*]

ambaquista (am.ba.*quis*.ta) *s2g. Ang. Pej.* Indivíduo que, para compensar sua posição subalterna em uma sociedade, esp. a colonialista, usa de astúcia para ludibriar os outros [F.: Do top. *Ambaca* (Angola) + *-ista.*]

âmbar (*âm*.bar) *sm.* **1** Substância sólida, de cor escura e intenso cheiro almiscarado, segregado por certos moluscos e que se extrai do intestino do cachalote [Tb. *âmbar-cinzento* e *âmbar-gris.*] **2** Resina fóssil, sólida, translúcida ou opaca, us. em joalheria; ALAMBRE [Tb. *âmbar-amarelo.*] **3** A cor amarelada ou castanha dessa resina *a2g.* **4** Que é dessa cor (cristal âmbar) [F.: Do ár. *al-anbar.*]

ambárico (am.*bá*.ri.co) *a.* **1** Ref. a ou que lembra o âmbar **2** Feito de âmbar-amarelo [F.: *âmbar* + *-ico*[2]. Sin. ger.: *ambarino.*]

ambarino (am.ba.*ri*.no) *a.* **1** Ref. ao âmbar, ou que a ele se assemelha em algum aspecto (líquido ambarino); AMBÁRICO **2** Feito de âmbar [F.: *âmbar* + *-ino.*]

ambe (*am*.be) *sm. Ant. Cir.* Instrumento cirúrgico para aliviar as luxações da escápula [F.: Do gr. *ámbe.*]

◎ **ambi-** *pref.* = 'os dois', 'ambos': *ambidestro, ambíparo, ambivalente.* [F.: Do lat. *ambi-*, do lat. *ambo, ae, o,* 'dois ao mesmo tempo'.]

ambicanhestro (am.bi.ca.*nhes*.tro) *a.* Que não tem destreza em qualquer das mãos; AMBIESQUERDO [F.: *ambi-* + *canhestro.*]

ambição (am.bi.*ção*) *sf.* **1** Desejo intenso de obter riquezas, poder, fama etc.: *Sua ambição incentivava-o na carreira.* **2** Desejo, intenção de alcançar um objetivo; ASPIRAÇÃO: *Minha ambição é ser um ator renomado.* [Pl.: *-ções.*] [F.: Do lat. *ambitio, onis.*]

ambicionar (am.bi.ci:o.*nar*) *v. td.* **1** Ter ambição de; querer muito: *O escritor ambicionava o sucesso.* **2** Buscar com empenho; PRETENDER: *Ambiciona passar no concurso já na primeira tentativa.* [▶ 1 ambicionar] [F.: *ambição* (sob o rad. *ambicion-*) + *-ar*[2], seg. o mod. erudito.]

ambicioso (am.bi.ci:*o*.so) [ô] *a.* **1** Que tem ambição: *uma mulher ambiciosa.* **2** Em que há ambição: *maneira ambiciosa de encarar a carreira.* **3** Que exige muita capacidade, coragem ou habilidade; OUSADO; AUDACIOSO: *um projeto ambicioso. sm.* **4** Aquele que tem ambição [Pl.: *ó.* Fem.: *ó.*] [F.: Do lat. *ambitiosus, a, um.*]

ambidesteridade (am.bi.des.te.ri.*da*.de) *sf.* Qualidade de ambidestro, de quem usa ambas as mãos com a mesma habilidade; esse uso; AMBIDESTREZA; AMBIDESTRIA; AMBIDESTRISMO [F.: *ambidestro* + *-(i)dade.*]

ambidestreza (am.bi.des.*tre*.za) [ê] *sf.* Qualidade de ambidestro; AMBIDESTERIDADE; AMBIDESTRIA [F.: *ambidestro* + *-eza.*]

ambidestria (am.bi.des.*tri*:a) *sf.* O mesmo que *ambidesteridade* [F.: *ambidestro* + *-ia.*]

ambidestrismo (am.bi.des.*tris*.mo) *sm.* **1** Capacidade de ambidestro; AMBIDESTERIDADE; AMBIDESTREZA; AMBIDESTRIA **2** Treinamento para usar ambas as mãos com a mesma habilidade [F.: *ambidestro* + *-ismo.*]

ambidestro (am.bi.*des*.tro) [ê ou é] *a.* **1** Que usa ambas as mãos com a mesma habilidade *sm.* **2** Pessoa ambidestra [F.: Do lat. tard. *ambidexter, tri.* Cf.: *ambisesquerdo.*]

ambiência (am.bi:*ên*.ci:a) *sf.* **1** Meio físico ou moral em que se vive; espaço envolvente; meio ambiente (ambiência hospitalar; ambiência religiosa) **2** *P. ext.* Conjunto das condições de meio ambiente (culturais, sociais etc.) que envolve alguém e que influi em seu comportamento **3** *Acús.* Ambiente sonoro, conjunto das características acústicas de um ambiente, por influência de sons refletidos e reverberados [F.: Do fr. *ambiance.*]

ambientação (am.bi:en.ta.*ção*) *sf.* **1** Ação ou resultado de ambientar(-se) **2** *Cin. Teat. Telv.* Arranjo dos elementos cenográficos, sonoros etc. em uma obra, de acordo com a época e/ou lugar em que ela se ambienta [Pl.: *-ções.*] [F.: *ambientar* + *-ção.*]

ambientado (am.bi:en.*ta*.do) *a.* **1** Que se ambientou, que se adaptou a um ambiente **2** Que se situa em determinada época ou lugar [+ *em*: *Filme ambientado nos anos setenta.*] [F.: Part. de *ambientar.*]

ambiental (am.bi:en.*tal*) *a2g.* Ref. a ambiente (estrago ambiental) [Pl.: *-tais.*] [F.: *ambiente* + *-al.*]

ambientalismo (am.bi:en.ta.*lis*.mo) *sm.* **1** *Ecol.* Estudo para a preservação do meio ambiente **2** *Pol.* Movimento de defesa do meio ambiente; movimento ecológico [F.: *ambiental* + *-ismo*, por infl. do ing. *environmentalism.* Cf.: *conservacionismo.*]

ambientalista (am.bi:en.ta.*lis*.ta) *Ecol. a2g.* **1** Ref. a ambientalismo **2** Ref. ao meio ambiente ou dele próprio **3** Que é especialista em assuntos ou atividades referentes ao meio ambiente ou que, de alguma forma, está envolvido com a sua defesa (diz-se de pessoa ou entidade) *s2g.* **4** Pessoa ou entidade ambientalista: *A ambientalista denunciou o crime ecológico.* [F.: *ambiental* + *-ista.*]

ambientar (am.bi.en.*tar*) *v.* **1** Adaptar(-se) a um ambiente [*td.*: *Ambientou os recém-chegados com facilidade.*] [*tdr.* + *a*: *Ambientar o novo jogador ao time.*] [*tr.* + *a*: *Ambientou-se com dificuldade à cidade.*] **2** Fazer transcorrer ou transcorrer (livro, peça, filme, novela etc.) em certa época ou lugar [*tda.*: *O autor ambientou a novela na Bahia.*] [*ta.*: *O filme ambienta-se em 2030.*] [▶ 1 ambientar] [F.: *ambient(e)* + *-ar*[2]. Hom./Par.: *ambiente* (fl.), *ambiente* (sm.).]

ambiente (am.bi:*en*.te) *a2g.* **1** Que envolve, rodeia as pessoas ou coisas (som ambiente) *sm.* **2** O meio em que se vive; meio ambiente: *a flora do ambiente marinho.* **3** O espaço (aberto ou fechado) em que se está: *O ambiente desta sala está carregado de fumaça.* **4** As condições físicas, morais, emocionais etc. em que se está ou se vive: *um ambiente de alegria.* **5** *Inf.* Conjunto das características de um computador e/ou do aplicativo em que um programa é executado [F.: Do lat. *ambiens, entis.* Hom./Par.: *ambiente(s)* (a. sm. [pl.]), *ambiente(s)* (fl. de *ambientar*).]

ambiesquerdo (am.bi.es.*quer*.do) *a.* **1** Diz-se de indivíduo desajeitado com as duas mãos [Tb. subst. Cf. *ambidestro.*] **2** *Fig.* Que se mostra inábil, incapaz; CANHESTRO; DESASTRADO; INABILIDOSO [Ant.: *desenvolto, hábil, habilidoso.*] [F.: *ambi-* + *esquerdo.*]

ambígeno (am.*bí*.ge.no) *a.* Que nasce ou se origina de duas espécies diferentes [F.: Do lat. *ambigenus, a, um.*]

ambigrama (am.bi.*gra*.ma) *sm.* Palavra ou série de palavras representada graficamente de tal forma que propicia alguns efeitos em sua leitura (ver achega enciclopédica) [F.: Do fr. *ambigramme.*]

> 📖 Há vários tipos de ambigramas. Nos ambigramas de rotação, pode-se ler o mesmo texto, ou outro texto, ao se girar sua representação gráfica em 180° (ou seja, olhando-a de cabeça para baixo). No ambigrama de reflexão a imagem do texto apresenta um eixo de simetria, que pode ser vertical ou horizontal. E há ambigramas escalares, nos quais cada elemento é na verdade a representação do conjunto numa escala menor, sendo, portanto, infinitamente crescentes ou reduzíveis (como os fractais). E há ambigramas que, em sua imobilidade, podem representar para o observador textos diferentes, de acordo com o foco visual de sua atenção, que irá formar a relação figura-fundo ou outra relação de gestalt. Nas ilustrações, o ambigrama circular *infinity* permite a leitura sequencial tanto do ponto de vista do interior do círculo quanto de fora do círculo; no ambigrama gótico, a rotação de 180° muda a palavra de *life* para *death*; em outro, a rotação de 180° não muda a leitura da palavra *learning*; e num quarto ambigrama, o nome Gustavo tem simetria especular em relação a um eixo vertical.

ambiguidade (am.bi.gui.*da*.de) *sf.* **1** Característica do que é ambíguo, do que apresenta vários sentidos **2** Falta de clareza **3** Dúvida entre duas ou mais possibilidades; INCERTEZA; HESITAÇÃO [+ *de, em*: *ambiguidade nos sentimentos.*] [F.: Do lat. *ambiguitas, atis.*] ▪▪ **~ estrutural** *Ling.* A que resulta em mais de uma interpretação de significado para um agrupamento de palavras, como em: *Leu para o filho muitos poemas e lendas da Grécia.* ['da Grécia' refere-se só às lendas ou também aos poemas?] **~ lexical** *Ling.* A que resulta da existência de mais um significado para uma palavra (polissemia), como em *Sonhava toda noite com louros.*

ambíguo (am.*bí*.gu:o) *a.* **1** Que tem ou pode ter vários sentidos (frases ambíguas); DÚBIO **2** Impreciso, incerto, indefinido (sentimento ambíguo) **3** A que falta firmeza ou clareza de opinião; HESITANTE [F.: Do lat. *ambiguus, a, um.*]

ambilateralidade (am.bi.la.te.ra.li.*da*.de) *sf.* Qualidade do que é ambilateral; BILATERALIDADE [F.: *ambilateral* + *-(i)dade.*]

ambilevidade (am.bi.le.vi.*da*.de) *sf.* Incapacidade de realizar ações que exijam habilidade manual [Ant.: *destreza, habilidade.*] [F.: *ambilevo* + *-i-* + *-dade.*]

ambilocalidade (am.bi.lo.ca.li.*da*.de) *Antr. Etnol. sf.* **1** Qualidade do que é ambilocal **2** Tipo de relação em que os dois parceiros moram em endereços separados e eventualmente se veem ou dormem juntos, em casa de um ou do outro [F.: *ambilocal* + *-(i)dade.*]

ambiopia (am.bi:o.*pi*.a) *sf. Oft.* O mesmo que *diplopia* [F.: *ambi-* + *-opia.*]

ambíparo (am.*bí*.pa.ro) *a. Bot.* Diz-se dos brotos que produzem folhas e flores simultaneamente [F.: *amb(i)-* + *-paro.*]

ambisséxuo (am.bis.*sé*.xu:o) [cs] *a.* Que tem características de ambos os sexos; BISSEXUAL; HERMAFRODITA [F.: *ambi-* + *sexo.*]

ambistomatídeo (am.bis.to.ma.*tí*.de:o) *Zool.* ***a.*** **1** Que se refere aos ambistomatídeos, fam. de salamandras de pequeno porte, cabeça larga e cauda achatada, com cerca de 30 sp. ***sm.*** **2** Espécime dos ambistomatídeos [F.: Do lat. cient. *Ambystomatidae*.]

âmbito (*âm*.bi.to) ***sm.*** **1** Espaço compreendido dentro de certos limites; RECINTO **2** *Fig.* Campo ou espaço em que se exerce ou se insere uma atividade, uma ideia etc.: *Essa questão está no âmbito de sua responsabilidade.* **3** Circunferência, periferia [F.: Do lat. *ambitus, us.*]

ambivalência (am.bi.va.*lên*.ci:a) ***sf.*** **1** Qualidade de ambivalente, do que tem dois valores **2** *Psiq.* Simultaneidade de sentimentos opostos em relação a um mesmo objeto [F.: *ambi-* + *valência*.]

ambivalente (am.bi.va.*len*.te) ***a2g.*** Ref. a ou em que apresenta ambivalência (efeito/atitude ambivalente) [F.: *ambi-* + *valente*.]

◎ **ambl(i)-** ***el. comp.*** = 'embotado'; 'fraco'; 'arredondado': *amblícero* (< lat. cient.), *amblípigo* (< lat. cient.), *amblígono* [F.: Do gr. *amblýs, eîa, ý*.]

amblígono (am.*blí*.go.no) ***a.*** Que tem um dos ângulos obtuso; OBTUSÂNGULO [F.: *ambli-* + *-gono*.]

amblíope (am.*blí*:o.pe) ***a2g.*** **1** *Oft.* Diz-se de quem sofre de ambliopia **2** Diz-se de animal que tem olhos pequenos ***s2g.*** **3** *Oft.* Portador de ambliopia [F.: Pros. de *ambliope*.]

ambliopia (am.bli:o.*pi*.a) *Med.* ***sf.*** *Oft.* Enfraquecimento da visão por defeito da sensibilidade da retina, sem que haja qualquer lesão orgânica aparente no globo ocular [F.: Do gr. *amblyopía*.]

amblioscópio (am.bli.os.*có*.pi:o) ***sm.*** *Oft.* Instrumento que se destina a exercitar o olho amblíope e, nos casos de estrabismo, o sentido de fusão dos olhos [F.: *ambli-* + *-scópio*.]

amblípigo (am.*blí*.pi.go) *Zool.* ***a.*** **1** Que se refere aos amblípigos, ordem de artrópodes arácnidos, com cerca de 60 sp. ***sm.*** **2** Espécime dos amblípigos [F.: Do lat. cient. *Amblypygi*; *ambl(i/o)-* + *-pígio*.]

amblirrinco (am.blir.*rin*.co) *Zool.* ***sm.*** **1** Nome comum aos lagartos do gên. *Amblyrhynchus*, fam. dos iguanídeos, com uma única espécie, a iguana-marinho (*Amblyrhynchus cristatus*), encontrada em regiões rochosas do continente americano **2** Qualquer espécime desse gênero [F.: Do lat. cient. *Amblyrhynchus*.]

amblótico (am.*bló*.ti.co) *Med.* ***a.*** **1** Ref. a amblose, ou aborto **2** Que provoca aborto; o mesmo que *abortivo* (2) ***sm.*** **3** Substância capaz de provocar aborto; o mesmo que *abortivo* (8) [F.: Do gr. *amblotikós, é, ón*.]

amboré (am.bo.*ré*) *Ict.* ***sm.*** **1** Peixe teleósteo, perciforme (*Bathygobius soporator*), de pequeno tamanho, nadadeira ventral em uma só peça, conhecido em certas regiões pelo nome popular de *babosa*; AIMORÉ; AMORÉ; AMOREIA **2** Peixe teleósteo perciforme (*Eleotris pisonis*), mesmo que *peixe-macaco* **3** Peixe teleósteo perciforme (*Gobioides broussonnetti*), mesmo que *dragão* [F.: De or. duv.]

amborepinima (am.bo.*re*.pi.ni.ma) [ê] ***sm.*** *Bras. Ict.* Peixe teleósteo, perciforme (*Muraena ocellata*), de cor preta e manchas amarelas, pertencente ao grupo das moreias ou caramurus [F.: Do tupi *amo're* + *pi'nima*.]

ambos (*am*.bos) ***num.*** Um e outro (citados anteriormente ou a seguir); os dois [F.: Do lat. *ambo, ae, o*.] **~ de dois/os dois** *Pop.* Os dois, ambos [forma pleonástica, a evitar]

ambrear (am.bre.*ar*) ***v. td. int.*** **1** Conferir ou ganhar a cor do âmbar-amarelo **2** Perfumar(-se) com o âmbar-gris [▶ **13 ambrear**] [F.: *ambre* + *-ar*[2].]

ambreta (am.*bre*.ta) [ê] ***sf.*** **1** *Angios.* Planta da fam. das malváceas (*Hibiscus abelmoschus*), cujas sementes exalam aroma de almíscar, quando esfregadas, e das quais se extrai um óleo perfumado **2** *Agr.* Certo tipo de pera com leve odor de almíscar [F.: *ambre* (âmbar) + *-eta*.]

ambrosia (am.bro.*si*.a) ***sf.*** **1** *Bras. Cul.* Doce de ovos com leite: "Primeiro, havia uma receita de ambrosia, incluindo leite talhado entre os ingredientes." (Ana Maria Machado, *A audácia dessa mulher*) **2** *Mit.* Alimento dos deuses gregos, que dava e conservava a imortalidade **3** *Fig.* Comida ou bebida deliciosa [F.: Do gr. *ambrosía, as*.]

ambrosia-americana (am.bro.si:a-a.me.ri.*ca*.na) ***sf.*** *Bras. Angios.* Erva da fam. das compostas (*Ambrosia polystachya*), dotada de folhas e flores que possuem propriedades antelmínticas e anti-hemorrágicas, entre outras [Pl.: *ambrosias-americanas*.]

ambrosíaco (am.bro.*sí*:a.co) ***a.*** **1** Ref. a ambrosia **2** *P. ext.* Que tem sabor delicioso: "Vamos hoje cear as mais ambrosíacas rabanadas que ainda os deuses coraram em suas celestiais gargantas." (Camilo Castelo Branco, *Amor de salvação*) [F.: Do lat. *ambrosiacus, a, um*.]

ambrósio (am.*bró*.si:o) ***a.*** **1** Ref. a ambrosia, mesmo que *ambrosíaco* ***sm.*** **2** *BA Pop.* Suporte que sustenta o saco de coar café [F.: Para acp. 1, de *ambrosia*; para acp. 2 provavelmente do antr. *Ambrósio*.]

ambu (am.*bu*) ***sm.*** Equipamento hospitalar manual destinado a prover pressão de ventilação positiva a pacientes sem respiração ou com dificuldades respiratórias, servindo às vezes, portanto, como dispositivo de ressuscitação [F. Do ing. *ambu*, marca registrada de uma companhia dinamarquesa.]

âmbula (*âm*.bu.la) ***sf.*** **1** Vaso de bojo redondo e gargalo fino, ger. de pequeno tamanho **2** *Rel.* Vaso para guardar os santos óleos [F.: Do lat. *ampulla, ae*. Hom./Par.: *ambula* (fl. de *ambular*).]

ambulação (am.bu.la.*ção*) ***sf.*** Ação ou resultado de ambular, andar sem destino, passear, perambular; DEAMBULAÇÃO: *O excesso de peso prejudica a ambulação.* [Pl.: *-ções*.] [F.: Do lat. *ambulatio, onis*.]

ambulacral (am.bu.*la*.cral) *Zool.* ***a2g.*** **1** Ref. às saliências cilíndricas que se situam na face inferior dos equinodermos e lhes servem para locomoção **2** Ref. ao ambulacro, mesmo que *ambulacrário* [Pl.: *-crais*.] [F.: *ambulacro* + *-al*.]

ambulacro[1] (am.bu.*la*.cro) ***sm.*** Caminho plantado com árvores alinhadas [F.: Do lat. *ambulacrum, i*.]

ambulacro[2] (am.bu.*la*.cro) ***sm.*** *Zool.* Cada uma das fileiras de tubos que servem para a locomoção dos equinodermos [F.: Do lat. cient. *ambulacrum*.]

ambulância (am.bu.*lân*.ci:a) ***sf.*** **1** Veículo que transporta feridos e doentes, ger. com equipamento para atendimento de urgência; *Bras.* ASSISTÊNCIA **2** *Mil.* Hospital ambulante que segue um exército **3** *Lus.* Vagão dos correios nas ferrovias [F.: Do fr. *ambulance*.]

ambulante (am.bu.*lan*.te) ***a2g.*** **1** Que se movimenta, que anda **2** Que não é fixo ou não tem lugar fixo (comércio ambulante; músico ambulante); ITINERANTE ***s2g.*** **3** Vendedor ambulante [F.: Do lat. *ambulans, antis*.]

ambular (am.bu.*lar*) ***v. int.*** Andar sem destino; deambular, passear, perambular [▶ **1 ambular**] [F.: Do lat. *ambulare*. Hom./Par.: *ambula(s)* (fl.), *âmbula* (sf. [e pl.]).]

ambulatorial (am.bu.la.to.ri:*al*) ***a2g.*** Ref. a ambulatório: *plano de saúde com assistência médica ambulatorial.* [Pl.: *-ais*.] [F.: *ambulatório* + *-al*.]

ambulatório (am.bu.la.*tó*.ri:o) ***sm.*** **1** Setor de hospital em que se atendem doentes de pouca gravidade **2** Enfermaria para primeiros socorros ***a.*** **3** Diz-se de doença ou tratamento que não obriga o paciente a hospitalizar-se [F.: Do lat. *ambulatorius, a, um*.]

◎ **ambul(i)-** ***el. comp.*** = 'que anda'; 'que se move': *ambulípede*; *clunâmbulo, noctâmbulo, sonâmbulo* [F.: Do v.lat. *ambulare*, 'dar uma volta', 'passear'.]

ambulípede (am.bu.*lí*.pe.de) ***a2g.*** *Zool.* Diz-se de mamífero que tem os pés bem ajustados para andar [F.: *ambul(i)-* + *-pede*.]

◎ **-âmbulo** ***el. comp.*** Ver *ambul(i)-*

◎ **-ame** ***suf. nom.*** = 'coleção', 'coletividade', 'algo em grande quantidade' (tb. *-ama*): *dinheirame, dinheirama; madeirame.* [F.: Da term. lat. *-amine-*.]

ameaça (a.me:*a*.ça) ***sf.*** **1** Intimidação por ato, gesto ou palavra [+ *a*, *contra*: *Fazia ameaças aos adversários.*] **2** Promessa de agressão, castigo etc. **3** Indício de acontecimento desagradável, perigoso etc. (ameaça de temporal) [F.: Do lat. vulg. *minacia*, com aglutinação do art.]

ameaçado (a.me:a.*ça*.do) ***a.*** Que sofreu ou está sob ameaça: *animais ameaçados de extinção; Foi preciso proteger os policiais ameaçados.* [F.: Part. de *ameaçar*.]

ameaçador (a.me:a.ça.*dor*) [ô] ***a.*** **1** Que ameaça (gesto ameaçador); AMEAÇANTE **2** Que indica chuva ou tempestade prestes a acontecer (diz-se de tempo) ***sm.*** **3** Aquele ou aquilo que ameaça [F.: *ameaçar* + *-dor*.]

ameaçante (a.me:a.*çan*.te) ***a2g.*** **1** Que ameaça; o mesmo que *ameaçador* (1) **2** *Her.* Em posição ou atitude de ataque, ameaça (diz-se ger. de figura de animal): *um leão ameaçante.* [F.: *ameaçar* + *-nte*.]

ameaçar (a.me:a.*çar*) ***v.*** **1** Fazer ameaça(s) a [***td.***: *O governo ameaçou o país agressor com sérias retaliações; Ameaçou contar toda a verdade.* A prep. de, que rege o infinitivo (objeto direto), é expletiva e não configura o verbo como transitivo relativo.] [***tdr.*** + *de*: *Ameaçou-o de punição.*] [***int.***: *É um covarde; só ameaça.*] **2** Colocar em perigo [***td.***: *Um conflito nuclear ameaçaria a humanidade.*] **3** Demonstrar intenção de [***td.***: *Ameaçou rasgar a carta, mas desistiu da ideia.*] **4** Estar na iminência de [***int.***: *Está ameaçando um temporal.*] [▶ **12 ameaçar**] [F.: *ameaça* + *-ar*[2]. Hom./Par.: *ameaça(s)* (fl.), *ameaça(s)* (sf. e pl.).]

amealhado (a.me:a.*lha*.do) ***a.*** **1** Que se economizou ou juntou, poupou (diz-se de dinheiro): *Quantia amealhada com sacrifício.* **2** *Fig.* Que foi acumulado; que se aprofundou ou ficou maior (experiência amealhada) **3** Que foi distribuído, repartido ou dado em pequenas parcelas, ou mealhas **4** Regateado mealha a mealha, tostão a tostão [F.: Part. de *amealhar*.]

amealhar (a.me:a.*lhar*) ***v.*** **1** Juntar pouco a pouco; ECONOMIZAR; POUPAR [***td.***: *Lola amealhava as gorjetas para viajar.*] [***int.***: *É comedido; sabe amealhar.*] **2** *Ant.* Regatear mealha por mealha, moeda por moeda, na compra de algo [***int.***] **3** Repartir em pequenas parcelas [***td.***] **4** *Fig.* Acumular, juntar [***td.***: *Durante a vida, amealhou muitas vitórias.*] [▶ **1 amealhar**] [F.: *a-*[2] + *mealha* + *-ar*[2].]

amear (a.me.*ar*) ***v. td.*** **1** Prover de ameias **2** Fazer fendas ou aberturas parecidas com ameias [▶ **13 amear**] [F.: *ameia* + *-ar*. Hom./Par.: *ameia(s)* (fl.), *ameia* (sf. [e pl.]).]

ameba (a.*me*.ba) [é] *Zool.* ***sf.*** **1** Nome de vários animais protozoários unicelulares do gên. *Amoeba* **2** Protozoário (*Entamoeba hystolitica*) que parasita o intestino humano [F.: Do lat. cient. *Amoeba*.]

amebelodonte (a.me.be.lo.*don*.te) *Pal.* ***sm.*** **1** Gênero de mastodontes que viveram na América do Norte no período pliocênico **2** Espécime desse gênero [F.: Do tax. *Amebelodon*.]

amebiano (a.me.bi:*a*.no) ***a.*** **1** Ref. à ameba; AMÉBICO **2** Em que há presença de amebas [F.: *ameba* + *-iano*.]

amebíase (a.me.*bí*.a.se) ***sf.*** *Med.* Infecção causada por ameba (2) e caracterizada por diarreia com perda de sangue [F.: *ameba* + *-íase*.]

amebicida (a.me.bi.*ci*.da) ***a2g.*** **1** Que mata amebas (remédio amebicida); ANTIAMEBIANO ***sm.*** **2** Substância ou medicamento amebicida [F.: *ameba* + *-i-* + *-cida*.]

amebócito (a.me.*bó*.ci.to) *Biol.* ***sm.*** Célula móvel, cuja forma, variável, lembra a de uma ameba [F.: *ameba* + *-o-* + *-cito*.]

ameboide (a.me.*boi*.de) *Biol.* ***a2g.*** **1** Ref. à ameba **2** Que lembra ou se assemelha à ameba (diz-se esp. do movimento característico das amebas e dos amebócitos) [F.: *ameba* + *-oide*.]

ameboma (a.me.*bo*.ma) ***sf.*** *Pat.* Tumor ocasionado por processo inflamatório amebiano [F.: *ameba* + *-oma*.]

amedalhar (a.me.da.*lhar*) ***v. td.*** Conferir (medalha) a: *Os jurados amedalharam o desportista.* [▶ **1 amedalhar**] [F.: *a-* + *medalha* + *-ar*.]

amedrontado (a.me.dron.*ta*.do) ***a.*** Tomado de medo; ATEMORIZADO [F.: Part. de *amedrontar*.]

amedrontador (a.me.dron.ta.*dor*) [ô] ***a.*** **1** Que amedronta, que desperta medo, aterrador ***sm.*** **2** Aquele ou aquilo que amedronta [F.: *amedrontado* + *-or*.]

amedrontamento (a.me.dron.ta.*men*.to) ***sm.*** Ação ou resultado de amedrontar(-se) [F.: *amedrontar* + *-mento*.]

amedrontar (a.me.dron.*tar*) ***v.*** **1** Fazer sentir ou sentir medo; ASSUSTAR; ATEMORIZAR [***td.***: *O tipo agressivo amedrontava a moça.*] [***int.***: *Amedrontou-se diante da arma.*] **2** Levar (alguém) (a fazer algo) por medo; ameaçar [***tdr.*** + *a*: *Os inspetores amedrontaram os alunos a não cabularem aula.*] [▶ **1 amedrontar**] [F.: Do port. arc. *amedorentar* (< port. arc. *medorento, medoroso*, f. arc. de *medroso*).]

ameia (a.*mei*.a) ***sf.*** *Arq.* Cada um dos parapeitos denteados no alto de muralhas ou torres de castelos [Mais us. no pl.] [F.: Do lat. *minae, arum*, com aglutinação do art. Hom./Par.: *ameia(s)* (sf. [pl.]), *ameia(s)* (fl. de *amear*).]

ameigado (a.mei.*ga*.do) ***a.*** **1** Tratado com meiguice, com carinho; AFAGADO; ACARINHADO; AMIMADO **2** Que é meigo, carinhoso [F.: Part. de *ameigar*.]

ameigar (a.mei.*gar*) ***v. td.*** **1** Tratar com meiguice, brandura: *Acarinhava e ameigava o bebê.* **2** Tornar(-se) meigo; abrandar: *Tentava ameigar o inimigo.* [▶ **14 ameigar**] [F.: *a-* + *meigo* + *-ar*.]

amêijoa (a.*mêi*.jo:a) ***sf.*** *Zool.* Nome comum a vários moluscos bivalves, de concha arredondada, apreciados como alimento [F.: De or. contrv. Hom./Par.: *amêijoa(s)* (sf. [pl.]), *ameijoa(s)* (fl. de *ameijoar*).]

amêijoa-branca (a.mêi.jo:a-*bran*.ca) ***sf.*** *SC Zool.* Molusco da fam. dos venerídeos (*Dosinia concentrica*), com concha semelhante a amêijoa; CERNAMBITINGA [Pl.: *amêijoas-brancas*.]

ameijoada[1] (a.mei.jo:*a*.da) ***sf.*** *Cul.* Guisado de amêijoas [F.: *amêijoa* + *-ada*[2].]

ameijoada[2] (a.mei.jo:*a*.da) ***sf.*** **1** *Bras.* Noite maldormida (passada em diversões ou no trabalho) **2** Pastagem onde se junta o gado, à noite **3** *Ant.* Período de tempo durante o qual o caçador fica à espera da caça [F.: De or. contrv.]

ameijoar (a.mei.jo.*ar*) ***v.*** **1** *Ant.* Juntar (gado) na ameijoada, na malhada [***td.***] **2** Juntar (animais) ao ar livre, durante a noite [***td.***] **3** *Bras. P. ext.* Abrigar (alguém) durante a noite [***td.***] **4** *Bras.* Passar a noite toda em atividade qualquer de trabalho ou diversão [***td. int.***] [▶ **16 ameijoar**] [F.: Voc. deduzido de *ameijo(ada)*[2] (+ *-ar*[2]). Hom./Par.: *ameijoa(s)* /ô/ (fl.), *amêijoa* (sf. [e pl.]).]

amêijoa-redonda (a.mêi.jo:a-re.*don*.da) ***sf.*** *Zool.* Molusco da fam. dos venerídeos (*Dosinia exoleta*), de cor branco-amarelada, de 3 a 4 cm de comprimento, encontrado no Mediterrâneo e no Atlântico [Pl.: *amêijoas-redondas*.]

ameiose (a.mei:*o*.se) *Cit.* ***sf.*** Processo de divisão celular atípico que possibilita a formação de células diploides (com dupla cadeia de cromossomos) a partir de células haploides (com uma só cadeia de cromossomos); APOMEIOSE [F.: *a-*[1] + *meiose*.]

ameiva (a.*mei*.va) *Bras. Zool.* ***sf.*** Gênero de répteis lacertílios, com uma espécie comum no Brasil, a *Ameiva ameiva*, conhecida como *calango* [F.: Do lat. cient. *Ameiva*.]

ameixa (a.*mei*.xa) ***sf.*** **1** Fruto da ameixeira, doce e comestível **2** *Bot.* Ameixeira **3** *GO Gír.* Projétil ou bala de arma de fogo [F.: De or. contrv.]

ameixa-amarela (a.mei.xa-a.ma.*re*.la) *Angios.* ***sf.*** **1** Árvore da fam. das rosáceas (*Eriobotrya japonica*), mesmo que *nespereira* **2** O fruto dessa árvore, mesmo que *nêspera* [Pl.: *ameixas-amarelas*.]

ameixal (a.*mei*.xal) ***sm.*** Plantação de ameixeiras; AMEIXIAL; AMEIXOAL [F.: *ameixa* + *-al*.]

ameixa-preta (a.mei.xa-*pre*.ta) ***sf.*** Passa do fruto da ameixeira. [No Brasil, se diz tb. apenas *ameixa*.] [Pl.: *ameixas-pretas*.]

ameixeira (a.mei.*xei*.ra) ***sf.*** *Bot.* Árvore (*Prunus domestica*) da fam. das rosáceas, originária da Europa, cujo fruto é a ameixa [ameixal.] [F.: *ameixa* + *-eira*.]

ameixeira-do-brasil (a.mei.xei.ra-do-bra.*sil*) ***sf.*** *Bras. Bot.* Grande arbusto (*Ximenia americana*) da fam. das olacáceas, cujas flores são utilizadas na indústria de perfumes [Pl.: *ameixeiras-do-brasil*.]

amelaçar (a.me.la.*çar*) ***v. td.*** **1** Dar gosto ou aspecto de melaço a **2** Converter em melaço **3** *Fig.* Deixar muito doce e viscoso; ADOÇAR **4** *Fig.* Tornar brando, suave: *Amelaçou a voz para parecer educado.* [▶ **12 amelaçar**] [F.: *a-*[2] + *melaç(o)* + *-ar*[2].]

amélia (a.*mé*.li:a) *Bras. Pop.* ***sf.*** Mulher dedicada e submissa, que se sacrifica pelo bem de seu companheiro [F.: Do antr. *Amélia*, do samba "Ai! que saudade da Amélia", de Ataulfo Alves e Mário Lago]

amelopia (a.me.lo.*pi*:a) ***sf.*** *Oft.* Perda parcial ou diminuição da visão [F.: *a-* + *mela* (*n*)- + *-opia*.]

amelópico (a.me.*ló*.pi.co) *a.* **1** Ref. à amelopia **2** Diz-se de indivíduo que sofre de amelopia *sm.* **3** Esse indivíduo [F.: *amelopia* + *-ico*².]

amém (a.*mém*) *interj.* **1** *Litu.* Palavra litúrgica que indica aprovação de um texto de fé (us. esp. no fim de orações); ASSIM SEJA *sm.* **2** Atitude ou ação de concordar com algo; CONCORDÂNCIA; APROVAÇÃO: *Não quero saber de seus améns.* [Pl.: *améns.*] [F.: Do lat. *amen*, do hebr. *amén.* Hom./Par.: *amém* (interj. sm.), *amem* (fl. de *amar*).] ■ **Dizer/dar ~ a** Aprovar, consentir em, apoiar: *Dava amém ao que dissesse ou fizesse o amigo.*

amêndoa (a.*mên*.do:a) *sf.* **1** Fruto ou semente da amendoeira **2** Qualquer semente contida em um caroço **3** *Cul.* A semente da amendoeira, us. em doces ou salgados **4** *Min.* Pequena cavidade total ou parcialmente cheia de minerais secundários; AMÍGDALA [F.: Do lat. *amygdala*, do gr. *amygdále.* Ideia de 'amêndoa': *amigdal(i)-* (*amígdala*).]

amendoado (a.men.do:*a*.do) *a.* **1** Parecido com a amêndoa, na forma e/ou na cor e/ou no aspecto **2** Que contém ou é feito de amêndoas (doces amendoados) **3** Diz-se de olho repuxado [F.: *amêndoa* + *-ado*².]

amendoal (a.men.do.*al*) *sm.* Plantação de amendoeiras [F.: *amêndoa* + *-al.*]

amendoar (a.men.do:*ar*) *v. td.* Dar forma de amêndoa a: *A cirurgia vai amendoar-lhe os olhos.* [▶ **16** amendoar] [F.: *amêndoa* + *-ar*².]

amendoeira (a.men.do:*ei*.ra) *Bot. sf.* Árvore (*Prunus dulcis*) da fam. das rosáceas cuja semente oleaginosa apreciada como fruto é a amêndoa [F.: *amêndoa* + *-eira.*]

amendoeira-da-praia (a.men.do:ei.ra-da-*prai*.a) *Bot. sf.* Árvore (*Terminalia catappa*) da fam. das combretáceas, comum em regiões litorâneas, que produz excelente madeira e é rica em propriedades medicinais; AMENDOEIRA-DA-ÍNDIA; CASTANHOLA; GUARDA-SOL [Pl.: *amendoeiras-da-praia.*]

amendoim (a.men.do:*im*) *sm.* **1** *Bot.* Planta (*Arachis hypogaea*) da fam. das leguminosas cujos óleos e sementes são us. na alimentação e (os óleos) em lubrificação **2** A semente dessa planta [Pl.: *-ins.*] [F.: Do tupi *mandu'wi.*]

amenia (a.me.*ni*:a) *sf. P. us. Ginec.* O mesmo que *amenorreia* [F.: *a-* + *men (o)-* + *-ia*¹.]

amênico (a.*mê*.ni.co) *a.* Ref. a amenia; AMENORREICO [F.: *amenia* + *-ico*².]

amenidade (a.me.ni.*da*.de) *sf.* **1** Caráter do que é ameno **2** Suavidade, delicadeza (amenidade do estilo/do trato) **3** Conjunto de condições e qualidades pelas quais a natureza desperta em nós uma sensação de prazer ou bem-estar: *a amenidade dos campos/dos bosques.* [F.: Do lat. *amoenitas, atis.* Ver tb. *amenidades.*]

amenidades (a.me.ni.*da*.des) *sfpl.* Assuntos ou atividades leves, agradáveis, prazerosos [F.: Pl. de *amenidade.* Ver tb. *amenidade.*]

ameninado (a.me.ni.*na*.do) *a.* **1** Que tem modos e maneiras de menino; ACRIANÇADO; INFANTILIZADO; PUERIL [Ant.: *adulto, maduro.*] **2** Característico de menino (atitudes ameninadas); INFANTIL **3** *Fig.* Que se tornou mais jovem; REJUVENESCIDO; REMOÇADO [Ant.: *avelhantado, envelhecido.*] **4** *Fig.* Enfraquecido, debilitado, fragilizado [Ant.: *encorajado, estimulado.*] [F.: Part. de *ameninar.*]

amenizado (a.me.ni.*za*.do) *a.* Que se amenizou, se tornou ameno; ABRANDADO [F.: Part. de *amenizar.*]

amenizante (a.me.ni.*zan*.te) *a2g.* Que ameniza; AMENIZADOR [F.: *amenizar* + *-nte.*]

amenizar (a.me.ni.*zar*) *v.* Fazer ficar ou ficar ameno, suave [*td.*: *O toldo amenizou o impacto da queda.*] [*int.*: *O clima no hemisfério norte ameniza-se com a primavera; Passada a noite, sua fúria amenizou.*] [▶ **1** amenizar] [F.: *ameno* + *-izar.*]

ameno (a.*me*.no) *a.* **1** Que é agradável e aprazível aos sentidos (clima/regato ameno) **2** Que demonstra delicadeza, ternura, meiguice (pessoa amena) **3** Que se apresenta ou é realizado de maneira simples, suave (leitura amena) [F.: Do lat. *amoenus, a, um.*]

amenorreia (a.me.nor.*rei*:a) *sf. Med.* Falta ou suspensão de menstruação [F.: *a-*¹ + *men(o)-* + *-reia.*]

amenorreico (a.me.nor.*rei*.co) *a.* Ref. à amenorreia [F.: *amenorreia* + *-ico*².]

amensalismo (a.men.sa.*lis*.mo) *Ecol. sm.* Interação entre espécies em que uma delas não se beneficia nem se prejudica, mas inibe ou impede o crescimento ou a reprodução da outra [F.: Do ing. *amensalism.*]

amentáceo (a.men.*tá*.ce:o) *Bot. a.* **1** *Antq.* Ref. às amentáceas, classe de plantas que apresentam flores apétalas dispostas em amentos **2** Que se assemelha a um amento [F.: *amento* + *-áceo.*]

amentar¹ (a.men.*tar*) *v. td.* **1** Trazer à mente, à lembrança; recordar **2** Relembrar (os mortos) para encomendá-los a Deus **3** Invocar por conjuro; conjurar [▶ **1** amentar] [F.: *a-* + *mente* + *ar.* Hom./Par.: *amento* (fl.), *amento* (sm.).]

amentar² (a.men.*tar*) *Ant. v. td. int.* Privar do juízo, da inteligência; DEMENTAR [▶ **1** amentar] [F.: *a-*¹ + *mente* + *-ar*².]

amentar³ (a.men.*tar*) *v. td.* **1** Ligar com correias **2** *P. ext.* Atar, amarrar, prender [▶ **1** amentar] [F.: Do lat. *amentare.*]

◎ **ament(i)-** *el. comp.* = 'amento': *amentífero, amentifloro* [Em voc. de Botânica.] [F.: Do lat. *amentum, i*, 'correia de atar'.]

amentífero (a.men.*tí*.fe.ro) *a. Bot.* Que tem flores dispostas em amento [F.: *ament(i)-* + *-fero.*]

amentifloro (a.men.ti.*flo*.ro) *a. Bot.* Diz-se de planta que tem flores dispostas em amento [F.: *ament(i)-* + *-floro.*]

amentilho (a.men.*ti*.lho) *sm. Bot.* O mesmo que *amento* (3) [F.: *ament(i)-* + *-ilho.*]

amento (a.*men*.to) *sm.* **1** *Ant.* Correia que se fixava à lança para impulsioná-la **2** *Ant.* O mesmo que *dardo* **3** *Bot.* Tipo de inflorescência constituída por pequenas flores inconspícuas, ger. unissexuais, característica de árvores de climas temperados do Norte; AMENTILHO [F.: Do lat. *amentum, i.* Hom./Par.: *amento* (fl. de *amentar*).]

amercear (a.mer.ce.*ar*) *v.* **1** Outorgar mercê, graça, perdão; APIEDAR-SE; COMPADECER-SE [*tr.* + *de*] **2** Comutar, suspender a pena de; PERDOAR; INDULTAR [*td.*: *O soberano amerceou o condenado.*] [▶ **13** amercear] [F.: *a-*² + *mercê* + *-ar*².]

amerceável (a.mer.ce.*á*.vel) *a2g.* A quem ou a que se pode amercear, conceder mercê [Pl.: *-veis.*] [F.: *amercear* + *-vel.* Hom./Par.: (pl.) *amerceáveis, amerceáveis* (fl. de *amercear*).]

◎ **amer(i)-** *pref.* = 'americano': *ameríndio* [F.: F. red. de *américo.*]

americana (a.me.ri.*ca*.na) *sf.* **1** *Ant.* Antiga carruagem pequena e leve, de quatro rodas **2** Coleção de livros e documentos relativos à América, em particular aos EUA [F.: Fem. subst. de *americano.*]

americanice (a.me.ri.ca.*ni*.ce) *Pej. Pop. sf.* **1** Extravagância própria de americano, esp. de norte-americano ou estadunidense **2** Ato ou modo de agir característicos de americano, esp. norte-americano [F.: *americano* + *-ice.*]

americanismo (a.me.ri.ca.*nis*.mo) *sm.* **1** Admiração e imitação do que é americano (modo de vida, cultura, política etc.), esp. norte-americano e estadunidense **2** Tudo que se refere ao ou caracteriza o continente americano, esp. os Estados Unidos da América (cultura, modo de vida, economia, política etc.) **3** Disposição afetiva para com o continente americano; amor à América [Sin., nas acps. 1 a 3: *americanidade.*] **4** Conjunto de ciências e disciplinas voltados para o estudo do continente americano, ou aos Estados Unidos da América **5** *Ling.* Particularidade de línguas como são faladas na América (o inglês dos Estados Unidos e do Canadá, o espanhol da América Latina, ou o português do Brasil) **6** *Ling.* Palavra ou expressão própria de língua falada na América, us. em línguas faladas fora da América **7** *Ling.* Especificamente, palavra ou expressão própria do inglês dos Estados Unidos da América, us. no inglês falado fora desse país **8** Atos característicos de americanos ou de estadunidenses [F.: *americano* + *-ismo.*]

americanista (a.me.ri.ca.*nis*.ta) *a2g.* **1** Que estuda ou é versado em línguas, usos e costumes americanos, particularmente dos Estados Unidos da América; AMERICANOLOGISTA *s2g.* **2** Aquele que estuda ou é versado em línguas, usos e costumes americanos, particularmente dos Estados Unidos da América; AMERICANOLOGISTA **3** Simpatizante ou partidário da cultura americana, esp. a estadunidense [F.: *americano* + *-ista.*]

americanização (a.me.ri.ca.ni.za.*ção*) *sf.* Ação ou resultado de americanizar(-se) [Pl.: *-ções.*] [F.: *americanizar* + *-ção.*]

americanizado (a.me.ri.ca.ni.*za*.do) *a.* Que se americanizou; que tomou características de norte-americano [F.: Part. de *americanizar.*]

americanizar (a.me.ri.ca.ni.*zar*) *v.* **1** Adaptar(-se) à maneira de viver dos norte-americanos [*td.*: *Americanizou seus hábitos alimentares.*] [*int.*: *Ficou tanto tempo nos EUA, que se americanizou.*] **2** Dar aspecto de norte-americano a [*td.*: *O cineasta francês americanizou seu novo filme.*] [▶ **1** americanizar] [F.: *americano* + *-ar*².]

americano (a.me.ri.*ca*.no) *sm.* **1** Pessoa nascida ou que vive na América (do Norte, Central ou do Sul) **2** Pessoa nascida ou que vive nos Estados Unidos da América; ESTADUNIDENSE; NORTE-AMERICANO *a.* **3** Do continente das Américas (do Norte, Central ou do Sul); típico desse continente ou de seus povos **4** Dos Estados Unidos da América (América do Norte); típico desse país ou de seu povo; ESTADUNIDENSE; NORTE-AMERICANO [F.: Do top. *América* + *-ano*¹.]

americanofilia (a.me.ri.ca.no.fi.*li*.a) *sf.* Afeto, interesse, admiração pela América, pelos americanos ou pela cultura americana, ou especificamente pelos Estados Unidos da América; AMERICOFILIA [F.: *americano* + *-filia*¹.]

americanófilo (a.me.ri.ca.*nó*.fi.lo) *a.* **1** Diz-se de pessoa que admira, se interessa por ou se dedica entusiasticamente às coisas americanas, particularmente às estadunidenses *sm.* **2** Indivíduo americanófilo (1) [F.: *americano* + *-filo*¹. Sin. ger.: *americófilo.*]

americanofobia (a.me.ri.ca.no.fo.*bi*.a) *sf.* Aversão aos usos e costumes da América; horror às coisas americanas, esp. as estadunidenses; AMERICOFOBIA [F.: *americano* + *-fobia.*]

americanófobo (a.me.ri.ca.*nó*.fo.bo) *sm.* **1** Indivíduo que tem americanofobia *a.* **2** Diz-se desse indivíduo [F.: *americano* + *-fobo.*]

americanomania (a.me.ri.ca.no.ma.*ni*:a) *sf.* Profunda admiração por ou mania de imitar usos e costumes americanos, esp. os dos EUA [F.: *americano* + *-mania.*]

americanômano (a.me.ri.ca.*nô*.ma.no) *a.* **1** Diz-se de indivíduo que nutre sentimentos de americanomania *sm.* **2** Esse indivíduo [F.: *americano* + *-mano.*]

amerício (a.me.*rí*.ci:o) *Quím. sm. Quím.* Elemento metálico artificial e radioativo de número atômico 95, pertencente ao grupo dos actinídeos [Símb.: *Am.*] [F.: Do lat. cient. *americium.*]

ameríndio (a.me.*rín*.di:o) *sm.* **1** Indígena das Américas: "Era à maneira dos ameríndios que da mandioca se faziam, no que hoje é Angola, a farinha, o beiju e o pirão..." (Alberto da Costa e Silva, *A manilha e o libambo*) *a.* **2** Dos ou ref. aos ameríndios [F.: *amer(i)-* + *índio.*]

amerissagem (a.me.ris.*sa*.gem) *sf. Bras. Aer. Mar.* O mesmo que *amaragem* [Pl.: *-gens.*] [F.: Do fr. *amerrisage* (do v. fr. *amerrir* + *-age*, seg. a morfologia fr.); ver *-agem*².]

amerissar (a.me.ris.*sar*) *v. int.* Pousar (esp. aeronave) na água [▶ **1** amerissar] [F.: Voc. deduzido de *amerrissagem* (< fr. *amerrissage* < v. fr. *amerrir* + *-age*), por anal. com *aterrissar*, assim tb. formado.]

amesendar (a.me.sen.*dar*) *v. td. int.* **1** *Ant.* Sentar(-se), colocar(-se) à mesa **2** *P. ext.* Sentar(-se) de maneira confortável; refestelar(-se) **3** Ficar agachado, abaixado, de cócoras [▶ **1** amesendar] [F.: *a-* + *mesa* + *-end-* + *ar.* Sin. ger.: *amesendrar.*]

amesquinhado (a.mes.qui.*nha*.do) *a.* Que se amesquinhou, tornou-se mesquinho; DEPRECIADO; HUMILHADO; APOUCADO: "...palitando os dentes à porta do presbitério ou no adro da Matriz, sentia-se amesquinhado e infeliz." (Lima Barreto, *O cemitério dos vivos*) [F.: Part. de *amesquinhar.*]

amesquinhamento (a.mes.qui.nha.*men*.to) *sm.* Ação ou resultado de amesquinhar(-se); APEQUENAMENTO; APOUCAMENTO [F.: *amesquinhar* + *-mento.*]

amesquinhar (a.mes.qui.*nhar*) *v.* **1** Tornar(-se) mesquinho, pequeno [*td.*: *Foi a dureza da vida que amesquinhou o seu caráter.*] [*int.*: *O homem se amesquinha diante da morte.*] **2** Tornar-se avarento, pouco generoso [*int.*: *Amesquinha-se nas ocasiões em que devia mostrar-se generoso.*] **3** Fazer comportar-se ou comportar-se de maneira estreita, limitada e intolerante [*td.*: *O ciúme amesquinhava suas ações.*] [*int.*: *Amesquinhou-se demais para poder subir na vida.*] **4** Entristecer(-se), amofinar(-se) [*td.*: *A morte da filha amesquinhou-o.*] [*tr.* + *com*: *Amesquinhava-se com as extravagâncias da esposa.*] [▶ **1** amesquinhar] [F.: *a-*² + *mesquinho* + *-ar*².]

amestiçado (a.mes.ti.*ça*.do) *a.* Que tem traços mestiços; MESTIÇO [F.: *a-*² + *mestiço* + *-ado*¹, por parassíntese.]

amestrado (a.mes.*tra*.do) *a.* **1** Adestrado, treinado (cão amestrado) **2** Amansado, domado (leão amestrado) **3** Tornado mestre (cavaleiro amestrado); INDUSTRIADO [F.: Part. de *amestrar.*]

amestrador (a.mes.tra.*dor*) [ô] *a.* **1** Que amestra *sm.* **2** Aquele que amestra [F.: *amestrar* + *-dor.* Sin. ger.: *adestrador.*]

amestramento (a.mes.tra.*men*.to) *sm.* Ação ou resultado de amestrar(-se) [F.: *amestrar* + *-mento.*]

amestrar (a.mes.*trar*) *v.* **1** Tornar (animal) manso e treinado; ADESTRAR [*td.*: *Amestrou o cachorrinho para trabalhar num filme.*] **2** Tornar(-se) competente e apto [*td.*: *amestrar estudantes para o vestibular.*] [*tr.* + *em*: *Ela se amestrou na arte de fazer amigos.*] [▶ **1** amestrar] [F.: *a-*² + *mestre* + *-ar*².]

ametabólico (a.me.ta.*bó*.li.co) *a.* **1** *Zool.* Que se desenvolve sem metamorfose (diz-se esp. de inseto) e por isso assemelha-se a seus progenitores **2** *Fisl.* Que não apresenta metabolismo [F.: *a-*¹ + *-metabol(e)-* + *-ico*². P. op. a *metabólico.*]

ametal (a.*me*.tal) *sm. Quím.* Nome comum aos elementos químicos eletronegativos, ger. maus condutores de calor e eletricidade; NÃO METAL [Pl.: *-ais.*] [F.: *a-*¹ + *metal.*]

ametalar (a.me.ta.*lar*) *v. td.* **1** Dar aspecto ou cor de metal a **2** Guarnecer com metal **3** misturar, fazer liga com metal [▶ **1** ametalar] [F.: *a-*² + *metal* + *-ar*².]

ametista (a.me.*tis*.ta) *sf. Min.* Pedra semipreciosa de cor lilás e que é uma variedade de quartzo [F.: Do lat. *amethystus, i*, do gr. *améthystos.*]

ametódico (a.me.*tó*.di.co) *a.* Que não tem método, organização; DESORDENADO; DESORGANIZADO [Ant.: *ordenado, organizado.*] [F.: *a-*¹ + *metódico.*]

ametria¹ (a.me.*tri*:a) *sf. P. us. Ginec.* Ausência congênita de útero [F.: *a-*¹ + *metr (o)-* + *-ia*¹.]

ametria² (a.me.*tri*:a) *sf.* Ausência de medida, de ordem [F.: *a-*¹ + *-metria.*]

amétrico (a.*mé*.tri.co) *a.* Que se refere a ametria¹; que não tem útero [F.: *ametria*¹ + *-ico*².]

amétrope (a.*mé*.tro.pe) *a2g.* **1** *Oft.* Diz-se de olho que apresenta ametropia **2** Diz-se de pessoa que sofre de ametropia *sm.* **3** Essa pessoa [F.: *ametr (o)-* + *-ope.* Var.: *ametrope.*]

ametropia (a.me.tro.*pi*:a) *sf. Oft.* Perturbação na refração ocular que faz com que as imagens não sejam recebidas pela retina no foco adequado, do que resulta hipertrofia, miopia ou astigmatismo [F.: *ametr (o)-* + *-opia.*]

ametrópico (a.me.*tró*.pi.co) *a.* Ref. a ametropia [F.: *ametropia* + *-ico*².]

ami (a.*mi*) *Bras. sf. Amaz. Pop. Zool.* Nome comum de certas aranhas solitárias que não tecem teia [F.: De or. indígena.]

amianto (a.mi:*an*.to) *sm.* **1** *Min.* Mineral refratário us. na confecção de produtos resistentes ao fogo: *Os bombeiros usam roupas de amianto.* **2** Fibra mineral us. na fabricação de telhas, caixas-d'água, canos etc. [F.: Do lat. *amiantus, i*, do gr. *amíantos.* Cf. *asbesto.*]

amiastenia (a.mi:as.te.*ni*:a) *sf. Med.* Astenia muscular que provoca sensação de cansaço e debilidade [F.: *a-*³ + *-mi(o)-* + *-astenia.*]

amiastênico (a.mi.as.*tê*.ni.co) *a. Med.* Ref. a amiastenia, ou que a apresenta [F.: *amiastenia* + *-ico*².]

amical (a.mi.*cal*) *a2g.* Que é amistoso, amigável; AMIGO [Ant.: *inamistoso.*] [Pl.: *-ais.*] [F.: Do lat. *amicalis, e.*]

amicíssimo (a.mi.*cís*.si.mo) *a.* Que é muito amigo; AMIGUÍSSIMO [Superl. abs. sint. de *amigo.*] [F.: Do lat. *amicissimus, a, um.*]

◎ **amico-** *el. comp.* = 'arranhão', 'arranhadura': *amicofobia, amicófobo* [F.: Do gr. *amykhé, ês.*]
amicofobia (a.mi.co.fo.*bi*:a) *sf. Psiq.* Medo patológico de ser arranhado, esp. por animal [F.: *amico-* + *-fobia.*]
amicofóbico (a.mi.co.*fó*.bi.co) *Psiq. a.* **1** Ref. à amicofobia **2** Diz-se de indivíduo que sofre de amicofobia; AMICÓFOBO *sm.* **3** Esse indivíduo; AMICÓFOBO [F.: *amicofobia* + *-ico*².]
amicófobo (a.mi.*có*.fo.bo) *Psiq. a. sm.* O mesmo que *amicofóbico* (2 e 3) [F.: *amico-* + *-fobo.*]
amicto (a.*mic*.to) *sm.* **1** *Litu.* Na missa católica, pano branco que cobre o pescoço e os ombros do padre paramentado **2** *P. ext. Vest.* Veste sobreposta a outra(s); SOBREVESTE **3** *Fig.* Símbolo que sugere pureza [F.: Do lat. ecl. *amictum, i.*]
amículo (a.*mí*.cu.lo) *sm.* **1** *Ant.* Pequeno manto us. pelas mulheres na Roma antiga **2** Variedade de mantilha [F.: Do lat. *amiculum, i.*]
amida (a.*mi*.da) *Quím. sf.* Nome genérico dos compostos orgânicos que derivam de amônia pela substituição de hidrogênio por radicais ácidos [F.: Do lat. cient. *amida*, deriv. de *am(ônia)* + *-ida*³.]
amídala (a.*mí*.da.la) *sf. Anat. Min.* Ver *amígdala*
◎ **amidal(i)-** *el. comp.* Ver *amigdal(i)-*
amidalite (a.mi.da.*li*.te) *sf. Med.* Ver *amigdalite* [F.: *amídala* + *-ite.*]
◎ **amidalo-** *el. comp.* Ver *amigdal(i)-*
amídalo (a.*mí*.da.lo) *Bot. sm.* Ver *amígdalo*
amido (a.*mi*.do) *sm.* **1** *Quím.* Substância existente em muitos vegetais, esp. em grãos de cereais, us. na indústria alimentícia, farmacêutica, de cosméticos etc. **2** Fécula, em forma de pó, extraída desses vegetais e us. na alimentação; POLVILHO [F.: Do it. *amido*, do lat. *amylum, i*, e, este do gr. *ámylon*. Ideia de 'amido': *amil(o)-* (*amiláceo*).]
amieiral (a.mi.*ei*.ral) *sm.* Plantação de amieiros; AMIAL [Pl.: *-ais.*] [F.: *amieiro* + *-al.*]
amieiro (a.mi.*ei*.ro) *sm. Angios.* Árvore (*Alnus glutinosa*) da fam. das betuláceas, de flores em amentos, casca adstringente (us. em curtume) e madeira apropriada para a fabricação de instrumentos musicais (natural da Europa e do Norte da África) [amial, amieiral] [F.: Do lat. vulg. **amoenarium.*]
amielia (a.mi:e.*li*.a) *sf. Trt.* Anomalia congênita que se caracteriza pela ausência da medula espinhal [F.: *a-*¹ + *-miel(o)-* + *-ia*¹.]
amiélico (a.mi.*é*.li.co) *Trt. a.* Ref. à amielia [F.: *amielia* + *-ico*².]
amiga (a.*mi*.ga) *sf.* **1** Mulher que mantém relações de amizade com alguém **2** *Fig.* Entidade ou órgão feminino que é benéfico, benfazejo **3** *Fig.* Amásia, amante, concubina **4** *PE Cul.* Iguaria preparada com caldo de feijão engrossado com farinha, pimenta e outros temperos [F.: Do lat. *amica, ae.* Hom./Par.: *amiga* (fl. de *amigar*).]
amigação (a.mi.ga.*ção*) *sf.* **1** Ação ou resultado de amigar(-se) **2** Estado de quem se amigou; AMASIO; CONCUBINATO; MANCEBIA: "...e assim ele não estaria mais casado; tudo não passara de amigação." (Jorge Amado, *Gabriela Cravo e Canela*): "Aquela amigação com a Rita Baiana era uma coisa muito complicada e vinha de longe." (Aluísio Azevedo, *O cortiço*) [Pl.: *-ções.*] [F.: *amigar* + *-ção.*]
amigado (a.mi.*ga*.do) *a.* Diz-se de quem vive em comum com alguém sem registro legal; AMANCEBADO; AMASIADO [F.: Part. de *amigar.*]
amigão (a.mi.*gão*) *sm.* **1** Quem é considerado um bom amigo; muito amigo; grande amigo **2** *Pop.* Usado como chamamento informal: "Comandante! Capitão! Tio! Brother! Camarada! Chefia! Amigão! Desce mais uma rodada" (Skank, *Saideira*) [Pl.: *-gões.*] [F.: *amig(o)* + *-ão*¹.]
amigar (a.mi.*gar*) *v.* **1** Ligar-se amorosa e sexualmente a alguém sem estar com ele casado; AMASIAR-SE [*int.: Eles se amigaram recentemente.*] [*tr.* + *com*: *O forasteiro amigou-se com uma jovem da cidade.*] **2** Tornar(-se) amigo [*td.: A paixão pela música amigou os dois jovens.*] [*int.: Amigaram-se logo, numa amizade sincera e desinteressada.*] [▶ **14 amigar**] [F.: *amigo* + *-ar*². Hom./Par.: *amigo* (fl.), *amigo* (a., sm.); *amiga(s)* (fl.), *amiga(s)* (fem. de *amigo* [e pl.]).]
amigável (a.mi.*gá*.vel) *a2g.* **1** Que encerra sentimento de amizade, que é próprio de amigo (conselhos amigáveis); AMISTOSO **2** Que revela ou se comporta com delicadeza, benevolência, tolerância etc. (convivência amigável) **3** Feito de comum acordo entre as partes (separação amigável) **4** *Inf.* Diz-se de programa, aplicativo etc. de fácil utilização [Pl.: *-veis.*] [F.: Do lat. *amicabilis, e.* Hom./Par.: *amigáveis* (pl.), *amigáveis* (fl. de *amigar*).]
amígdala (a.*míg*.da.la) *sf.* **1** *Anat.* Formação arredondada de tecido, esp. a localizada em cada lado da garganta, e que atua na defesa contra infecções [Na nova nomenclatura médica, *tonsila* substituiu *amígdala.*] **2** *Anat.* Qualquer formação por agregação de tecido linfoide **3** *Min.* Pequena cavidade total ou parcialmente cheia de minerais secundários; AMÊNDOA [F.: Do gr. *amygdále*, pelo lat. *amygdala, ae.* Tb. *amídala.*] ▪ **~ lingual** *Anat.* Tonsila **~ palatina** *Anat.* Tonsila **~ rinofaríngea** *Anat.* Tonsila **~ tubária** Amígdala (2) junto ao orifício da trompa de Eustáquio
amigdalectomia (a.mig.da.lec.to.*mi*.a) *Cir. sf.* Incisão ou ablação das amígdalas; TONSILECTOMIA [F.: *amigdal(i)-* + *-ectomia.* Tb. *amidalectomia.*]
amigdalectômico (a.mig.da.lec.*tô*.mi.co) *a. Cir.* Ref. a amigdalectomia; TONSILECTÔMICO [F.: *amigdalectomia* + *-ico*². Tb. *amidalectômico.*]
◎ **amigdal(i)-** *el. comp.* = 'amêndoa'; 'em forma de amêndoa'; 'amídala, tonsila': *amigdalino/amidalino, amigdalífero, amidalífero; amigdalite, amidalite; amigdalotomia, amidalotomia.* [F.: Do lat. *amygdala, ae*, do gr. *amygdále, es.*]
amigdaliano (a.mig.da.li:*a*.no) *a. Anat.* Ref. ou concernente às amígdalas [F.: *amígdala* + *-iano.* Tb. *amidaliano.*]
amigdalite (a.mig.da.*li*.te) *sf. Med.* Inflamação das tonsilas; TONSILITE [F.: *amígdala* + *-ite.* Tb. *amidalite.*]
◎ **amigdalo-** *el. comp.* Ver *amigdal(i)-*
amígdalo (a.*míg*.da.lo) *sm. Bot.* Denom. comum a árvores e arbustos do gên. *Prunus*, da fam. das rosáceas, originários da Eurásia [F.: Do lat. cient. *Amygdalus*, de antigas classificações, tido por alguns como subgênero de *Prunus.* Tb. *amídalo.*]
amigo (a.*mi*.go) *sm.* **1** Aquele que mantém (com outrem) relação de amizade, coleguismo ou companheirismo: *Vive cercado de amigos; Convidou todos os amigos da faculdade.* **2** Indivíduo que toma o partido de alguém ou de algo ou o protege (amigo da natureza) **3** Povo, nação, instituição etc. que mantém boas relações com outro (povo, nação etc.): *Os amigos do Brasil na América do Sul.* **4** Aquele que cultiva algum hábito, vício, *hobby* etc. **5** Aquele que tem ou demonstra apreciação, simpatia, afeto etc. por algo ou alguém: *Fundaram um clube dos amigos de Papai Noel; Era um amigo da boa mesa.* [Aum.: *amigaço, amigalhão, amigão.*] *a.* **6** Que demonstra afeto, simpatia, benevolência por algo ou alguém: *um patrão amigo dos empregados.* **7** Que protege, consola, defende, acolhe: *Recebeu um abraço amigo e caloroso:* "Aqui tens casa amiga..." (Machado de Assis, "19 de maio de 1888" in *Novas seletas*) **8** Que mantém relações amistosas com outro (povo, nação, país): *as nações amigas do Brasil.* **9** Que está do mesmo lado, numa causa, competição, conflito etc. (exército amigo) **10** Diz-se de fogo (tiros, explosão etc.) originário de forças amigas (9) **11** Que favorece, que é benéfico, promissor: *Esta é uma circunstância amiga, deve ser aproveitada.* [Superl.: *amicíssimo, amiguíssimo.*] [F.: Do lat. *amicus, i.* Ant.: (acps. 1 a 6, 8 a 10): *inimigo*, (acp. 9: tb. *adversário.*] ▪ **~ de seus amigos** Um verdadeiro amigo **~ do alheio** Ladrão, gatuno **~ do copo** Ébrio, beberrão **~ do peito** Amigo muito querido, grande amigo **~ oculto** *Bras.* Nas festas de fim de ano, pessoa que, por sorteio ou outra forma de escolha, deve presentear outra, só se revelando quando da entrega do presente **~ secreto** O mesmo que *amigo oculto* **Falsos ~s** *Ling.* Palavras em línguas diferentes que têm grafias iguais ou muito semelhantes, mas significados totalmente diferentes. [Ex.: *embarazada*, em espanhol, significa 'grávida']
amigo da onça (a.mi.go da*on*.ça) *sm. Bras. Pop.* Falso amigo; quem finge ser amigo; AMIGO-URSO [Pl.: *amigos da onça.*]
amigo-oculto (a.mi.go-o.*cul*.to) *sm. Bras.* Sorteio de presentes realizado entre amigos ou familiares, que ocorre ger. na época do Natal e em que cada participante recebe sigilosamente o nome da pessoa a quem deve presentear [Pl.: *amigos-ocultos.*]
amigo-secreto (a.mi.go-se.*cre*.to) *sm.* O mesmo que *amigo-oculto* [Pl.: *amigos-secretos.*]
amigo-urso (a.mi.go-*ur*.so) *sm. Fam.* O mesmo que *amigo da onça* [Pl.: *amigos-ursos.*]
amigueiro (a.mi.*guei*.ro) *a.* Amável, atencioso, afável: "Nascido amável e amigueiro, requintava o Capitão em gentileza desde a proclamação da sua candidatura a Intendente..." (Jorge Amado, *Gabriela Cravo e Canela*) [F.: *amigo* + *-eiro.*]
amiláceo (a.mi.*lá*.ce:o) *a.* **1** Constituído por, ou que contém amido (alimento amiláceo) **2** Que se assemelha ao amido [F.: *amil(o)-* + *-áceo.*]
amilase (a.mi.*la*.se) *Bioq. sf.* Enzima que torna o amido solúvel e o transforma em dextrinas e maltose [F. pref. mas pouco us.: *amílase.*] [F.: *amil(o)-* + *-ase.* Tb. *amílase.*]
amílase (a.*mí*.la.se) *sf.* Ver *amilase*
amilasemia (a.mi.la.se.*mi*:a) *sf. Med.* Teor de amilase no sangue [F.: *amilase* + *-emia.*]
amilasuria (a.mi.la.su.*ri*.a) *sf.* Ver *amilasúria*
amilasúria (a.mi.la.*sú*.ri:a) *Med. sf.* Presença de amilase na urina [F.: *amilase* + *-úria.* Tb. *amilasuria.*]
amilhar (a.mi.*lhar*) *v. td. Bras.* Alimentar com ração de milho: "Outrora se amilhavam asnos, porcos e galinhas." (Rui Barbosa, *A imprensa e o dever da verdade*) [▶ **1 amilhar**] [F.: *a-*² + *milh(o)* + *-ar*².]
◎ **amil(o)-** *el. comp.* = 'amido'; 'que se relaciona ao amido': *amiláceo, amilase, amílase, amiloide, amilólise, amilopectina, amiloplasto, amilose* [F.: Do lat. *amylum, i*, do gr. *ámylon*, 'polvilho'.]
amilo (a.*mi*.lo) *sm. P. us. Quím.* O mesmo que *amido* [F.: Do lat. *amylum*, do gr. *ámylon.*]
amiloide (a.mi.*loi*.de) *sm.* **1** *Quím.* Substância proteica insolúvel que, uma vez depositada em órgãos e tecidos, prejudica suas funções **2** *Quím.* Substância obtida da celulose pela ação do ácido sulfúrico concentrado, a frio *a2g.* **3** Semelhante ao amido; AMILÁCEO [F.: *amil(o)-* + *-oide.*]
amilólise (a.mi.*ló*.li.se) *sf. Bioq.* Digestão do amido ou sua conversão em glicose, por ação da amilase [F.: *amil(o)-* + *-lise.*]
amilopectina (a.mi.lo.pec.*ti*.na) *sf. Quím.* Polímero (de glicose) pouco solúvel, que é um dos dois componentes do amido [F.: *amil (o)-* + *pectina.*]
amiloplasto (a.mi.lo.*plas*.to) *sm. Anat. Bot.* Plastídio ou corpúsculo intracelular que transforma os açúcares solúveis em amido [F.: *amil (o)-* + *-plasto.*]
amilose (a.mi.*lo*.se) *sf. Quím.* Polímero (de glicose) solúvel que, com a amilopectina, entra na formação do amido e é us. como elemento dispersante em tintas, vernizes etc. [F.: *amil(o)-* + *-ose*¹.]
amimado (a.mi.*ma*.do) *a.* Tratado com mimo; MIMADO; PAPARICADO: "...Glória já chegou a uma idade em que não deve ser tratada como o animalzinho amimado que é." (Júlia Lopes de Almeida, *A intrusa*) [F.: Part. de *amimar.*]
amimar (a.mi.*mar*) *v. td.* Tratar com mimo, com carinho; MIMAR: *Amimou-o com um gracioso sorriso.* [▶ **1 amimar**] [F.: *a-*² + *mimo* + *-ar*².]
amina (a.*mi*.na) *Quím. sf.* Classe de compostos orgânicos que derivam da amônia pela troca de um ou mais átomos de hidrogênio por radicais alquila ou arila [F.: Do fr. *amine* ou de *am(ônia)* + *-ina*².]
amineirar (a.mi.nei.*rar*) *v. td. int. Bras.* Dar ou ganhar maneiras típicas de quem nasceu em Minas Gerais [▶ **1 amineirar**] [F.: *a-*² + *mineir(o)* + *-ar*².]
◎ **amin(o)-** *el. comp. Quím.* = '(grupo) amina': *aminoácido, aminose, aminoglicosídeo; dimetilaminopiridina; alilamina, benzilamina, diamina* [F.: De *amina* (q. v.).]
aminoácido (a.mi.no:*á*.ci.do) *sm. Quím.* Classe de compostos orgânicos, componentes das proteínas [F.: *amin(o)-* + *ácido.*] ▪ **~ essencial** *Bioqu.* O que deve ser obtido do alimento, uma vez que não é sintetizado pelo organismo em quantidade suficiente

📖 O aminoácido é uma substância orgânica, componente da proteína, portanto uma das bases do organismo vivo. Por ter em sua molécula um grupamento amina – composição de nitrogênio com hidrogênio NH_2 – e uma carboxila (carbono, oxigênio e hidrogênio – COOH), pode ter propriedades de ácido e de base, dependendo do terceiro componente, chamado radical -R. Por seu papel na síntese de proteínas, os aminoácidos são indispensáveis ao organismo, esp. aqueles não produzidos no próprio organismo (chamados essenciais), encontráveis na carne e em alguns vegetais.

aminoacidúria (a.mi.no.a.ci.du.*ri*.a) *sf.* Ver *aminoacidúria*
aminoacidúria (a.mi.no:a.ci.*dú*.ri:a) *sf. Pat.* Presença de aminoácidos na urina [F.: *aminoácido* + *-úria.* Tb. *aminoaciduria.*]
aminoglicosídeo (a.mi.no.gli.co.*sí*.de:o) *sm. Med.* Cada um de um grupo de antibióticos bactericidas, derivados de espécies de *Streptomyces* ou *Micromonosporum*, que agem provocando a inibição da síntese proteica nos ribossomas bacterianos e que são efetivos contra bacilos aeróbicos gram-negativos [F.: *amin(o)-* + *glicosídeo.*]
aminopirina (a.mi.no.pi.*ri*.na) *sf. Quím.* Substância ($C_{13}H_{17}N_3O$) us. como analgésico e antipirético [F.: *amin(o)-* + *(anti)pirina.*]
aminose (a.mi.*no*.se) *sf. Med.* Produção patológica de aminoácidos no organismo [F.: *amin (o)-* + *-ose*¹.]
aminosuria (a.mi.no.su.*ri*.a) *sf.* Ver *aminosúria*
aminosúria (a.mi.no.*sú*.ri:a) *sf. Pat.* Presença de aminas na urina [F.: *amin(o)-* + *-s-* (incerto) + *-úria.* Tb. *aminosuria.*]
◎ **amio-** *el. comp.* = 'sem músculo'; 'sem força ou tônus muscular': *amiotonia, amiotrofia* [F.: Do gr. *ámyos, os, on.* F. conexa: *mi(o)-.*]
amiotonia (a.mi:o.to.*ni*:a) *sf. Med.* Ausência ou debilidade do tônus muscular; atonia muscular [F.: *amio-* + *-tonia.*]
amiotônico (a.mi:o.*tô*.ni.co) *a2g.* Ref. a amiotonia [F.: *amiotonia* + *-ico*².]
amiotrofia (a.mi:o.tro.*fi*.a) *sf. Med.* Atrofia muscular [F.: *amio-* + *-trofia.*]
amiotrófico (a.mi:o.*tró*.fi.co) *a.* Ref. à amiotrofia [F.: *amiotrofia* + *-ico*².]
🌐 **amish** (*Ing.* /êimich/) *s2g.* **1** Membro de seita religiosa menonita fundada na Alemanha e Suíça por Jacob Amman, e radicado nos Estados Unidos *a2g.* **2** Próprio ou típico dessa seita
amistoso (a.mis.*to*.so) [ô] *a.* **1** Que é próprio de amigo; AMIGÁVEL: *uma relação amistosa.* **2** Que expressa ou encerra sentimento de amizade (gesto amistoso) **3** *Esp.* Diz-se de partida esportiva realizada fora de competição, para fins de treinamento, comemoração ou arrecadação de fundos (jogo amistoso) *sm.* **4** Essa partida [Pl.: *ó.* Fem.: *ó.*] [F.: Do espn. *amistoso.*]
amitalocal (a.mi.ta.*lo*.cal) *a2g. Antr. Etnol.* Ref. à regra ou padrão de habitação que se estabelece quando um novo casal vai viver na localidade da irmã do pai de um dos noivos [F.: Do lat. *amita* 'irmã do pai' + *local.*]
amiudado (a.mi:u.*da*.do) *a.* Que ocorre amiúde, com frequência; FREQUENTE: "Surpreendia-se amiudadas vezes..." (Júlio Ribeiro, *A carne*) [F.: Part. de *amiudar*¹.]
amiudar¹ (a.mi.u.*dar*) *v.* **1** Fazer suceder ou suceder amiúde, frequentemente [*td.: Sentindo-se bem recebido, amiudava as visitas.*] [*int.: Os acessos de tosse amiudaram, mas depois desapareceram; Os obstáculos amiúdam-se à medida que ele avança.*] **2** Cantar (o galo) repetidas vezes ao raiar do dia [*int.:* "...quando a noite esfriou e os galos amiudaram." (Cora Coralina, *O lampião da rua do Fogo*)] [▶ **18 amiudar**] [F.: *amiúde* + *-ar*².]
amiudar² (a.mi:u.*dar*) [i-u] *v.* **1** Fazer ficar ou ficar, fazer parecer ou parecer, tornar(-se) miúdo; APEQUENAR(-SE) [*td.: O professor amiudou as qualidades do aluno; A seca amiudou as espigas de trigo.*] [*int.: Aos poucos, suas espe-

ranças amiudaram(-se).] **2** Observar em detalhes; ESMIUÇAR [*td.: Amiudava os problemas com zelo excessivo.*] [▶ 18 amiudar] [F.: *a-*[2] + *miudar.* Hom./Par.: ver *amiudar*[1].]

amiúde (a.mi.*ú*.de) *adv.* Com frequência; repetidas vezes; a miúdo; FREQUENTEMENTE: *Conversava amiúde com os amigos.* [Ant.: *raramente.*] [F.: Do lat. *adminutim.* Hom./Par.: *amiúde* (adv.), *amiúde* (fl. de *amiudar*).]

amixia (a.mi.*xi*.a) [cs] *sf.* **1** *Biol.* Impossibilidade de cruzamento entre uma espécie e outra ou entre indivíduos **2** *Bot.* Estado celular primitivo em que não há reprodução sexuada entre espécies vegetais **3** *Med.* Ausência de secreção mucosa [F.: *a-*[3] + *-mixia.*]

amizade (a.mi.*za*.de) *sf.* **1** Sentimento de estima ou de solidariedade entre pessoas, grupos etc. [+ *a, (para) com, por*: *Tem amizade às irmãs; Sua amizade (para) com/por eles nunca diminuiu.*] **2** Pessoa amiga: *Luísa é uma de suas amizades.* **3** Relação de caráter social: *Ele faz amizade(s) facilmente.* [Mais us. no pl.] **4** Sentimento ou estado de entendimento entre pessoas, grupos, países etc.: *a amizade interamericana.* **5** Apego de alguns animais pelo homem **6** Benevolência [F.: Do lat. vulg. *amicitatem.*] ■ **~ colorida** *Bras.* Relacionamento amoroso sem compromisso formal ou de continuidade **Nossa ~** *Pop.* Expressão interlocutória informal; meu chapa, meu amigo

amnalgesia (am.nal.ge.*si*:a) *sf. Med.* Processo de anestesiamento em que se anula a dor por meio de drogas ou por hipnose [F.: *amn (ésia)* + *-algesia.*]

amnésia (am.*né*.si:a) *sf. Med.* Perda total ou parcial da memória [F.: Do fr. *amnésie*, do gr. *amnesía.*] ■ **~ infantil** *Psic.* Na psicanálise freudiana, incapacidade de recordar os primeiros anos da infância

amnésico (am.*né*.si.co) *a.* **1** Ref. à amnésia **2** Diz-se de pessoa que sofre de amnésia *sm.* **3** Essa pessoa [F.: *amnésia* + *-ico*[2].]

◎ **amni(o)-** *el. comp.* = 'membrana que envolve o feto'; 'âmnio'; 'líquido amniótico': *amniocele, amniocentese; trofâmnio* [F.: Do gr. *amníon, ou*, 'vaso com o sangue de animais imolados'; 'membrana que envolve o feto'.]

◎ **-âmnio** *suf.* Ver *amni(o)-*

âmnio (*âm*.ni:o) *sm. Emb.* Membrana que protege o feto humano e de vertebrados superiores, no interior da qual está contido o líquido amniótico [F.: Do gr. *amníon, ou.*]

amniocele (am.ni:o.*ce*.le) *sf. Pat.* O mesmo que *onfalocele* [F.: *amni(o)-* + *-cele*[1].]

amniocentese (am.ni:o.cen.*te*.se) *sf.* **1** *Med.* Punção de líquido amniótico do abdome materno para diagnóstico clínico **2** *Med.* Exame, para fins de diagnóstico, de células do líquido amniótico, obtido por punção [F.: *amni(o)-* + *-centese.*]

amniomancia (am.ni:o.man.*ci*:a) *sf. Oct.* Adivinhação do futuro de um recém-nascido por meio do exame do âmnio [F.: *âmnio-* + *-mancia.*]

amniomante (am.ni:o.*man*.te) *s2g. Oct.* Pessoa que pratica a amniomancia [F.: *amni(o)-* + *-mante.*]

amniomântico (am.ni:o.*mân*.ti.co) *a.* Ref. a amniomancia ou a amniomante [F.: *amniomante* + *-ico*[2].]

amnioscopia (am.ni:os.co.*pi*.a) *sf. Med.* Exame do líquido amniótico (ger. ao final da gravidez) com emprego do amnioscópio [F.: *amni(o)-* + *-scopia.*]

amnioscópio (am.ni:os.*có*.pi:o) *sm. Med.* Instrumento próprio para visualização do líquido amniótico, que se introduz pelo canal cervical uterino [F.: *amni(o)-* + *-scópio.*]

amniota (am.ni:*o*.ta) *sm. Zool.* Vertebrado cujo embrião se desenvolve dentro do âmnio [F.: *amni(o)-* + *-ota*[2].]

amniótico (am.ni:*ó*.ti.co) *Emb. a.* **1** Ref. a âmnio **2** Que contém âmnio **3** Que é contido pelo âmnio (líquido amniótico) [F.: Do fr. *amniotique.*]

amo (*a*.mo) *sm.* **1** Dono da casa (em relação aos empregados) **2** Aquele que emprega ou chefia; CHEFE; PATRÃO **3** *MA Folc.* No bumba meu boi, o dono do boi **4** Tratamento dado antigamente ao rei pelos cortesãos [F.: De *ama.* Hom./Par.: *amo* (sm.), *amo* (fl. de *amar*).]

amocambado (a.mo.cam.*ba*.do) *Bras. a.* **1** Refugiado em mocambo ou quilombo; AQUILOMBADO **2** *P. ext.* Que se refugiou; ESCONDIDO: *amocambado na caverna.* **3** *Fig.* Que se isolou, retraiu: *É um sujeito amocambado, sempre calado num canto qualquer.* [F.: Part. de *amocambar.*]

amocambar (a.mo.cam.*bar*) *Bras. v. td.* **1** Juntar(-se) em mocambo ou quilombo **2** Ocultar(-se), esconder(-se) **3** Ficar retraído, fechar-se **4** Ocultar-se (o gado) no meio do mato [F.: *a-*[2] + *mocamb(o)* + *-ar*[2].]

amochar-se (a.mo.*char*.se) *v. int.* **1** Encolher o corpo (em função do frio, da febre etc.) **2** *Lus.* Retrair-se, fechar-se; ENSIMESMAR-SE **3** *Lus.* Ficar zangado **4** *Lus.* Dobrar o corpo para a frente, com as pernas firmes, como na carniça [▶ 1 amochar-se] [F.: *a-*[2] + *moch(o)* + *-ar*[2] + *se.*]

amodernar (a.mo.der.*nar*) *v.* Passar a ter maneiras e hábitos modernos; modernizar(-se) [*td.: Amodernou o vocabulário.*] [*int.: Sua linguagem amodernou-se.*] [▶ 1 amodernar] [F.: *a-*[2] + *modern(o)* + *-ar*[2].]

amodorrar (a.mo.dor.*rar*) *v.* **1** Cair ou fazer cair em modorra, em sonolência [*int.: Depois de almoçar, amodorrava-se.*] [*td.: A monotonia do espetáculo amodorrou o público.*] **2** Deixar-se dominar pelo abatimento, pelo vício [*int.: Amodorrou-se na preguiça.*] [▶ 1 amodorrar] [F.: *a-*[2] + *modorr(a)* + *-ar*[2].]

amoedado (a.mo:e.*da*.do) *a.* **1** Feito, batido em moeda (ouro amoedado); CUNHADO **2** *Pop.* Que possui muitas moedas; ENDINHEIRADO [F.: Part. de *amoedar.*]

amoedar (a.mo:e.*dar*) *v. td.* Transformar em moeda; CUNHAR: *Mandava-se amoedar o ouro na capital.* [▶ 1 amoedar] [F.: *a-*[2] + *moed(a)* + *-ar*[2].]

amofinação (a.mo.fi.na.*ção*) *sf.* Ação ou resultado de amofinar(-se); ABORRECIMENTO; AMOLAÇÃO [Pl.: *-ções.*] [F.: *amofinar* + *-ção.*]

amofinado (a.mo.fi.*na*.do) *a.* Que se amofinou; ABORRECIDO; IRRITADO [F.: Part. de *amofinar.*]

amofinador (a.mo.fi.na.*dor*) [ô] *a.* **1** Diz-se de indivíduo que amofina, apoquenta; ABORRECEDOR; IMPORTUNO; IRRITANTE *sm.* **2** Esse indivíduo [F.: *amofinar* + *-dor.*]

amofinar (a.mo.fi.*nar*) *v.* Fazer(-se) mofino; APOQUENTAR(-SE); AFLIGIR(-SE); AGASTAR(-SE) [*td.: Amofinava os outros com aquela conversa.*] [*int.: Amofinava-se com qualquer coisa.*] [▶ 1 amofinar] [F.: *a-*[2] + *mofino* + *-ar*[2].]

amoitado (a.moi.*ta*.do) *a.* **1** Escondido em moita; ENCOBERTO; OCULTO: "Antes do pessoal esparramar, na passagem do córrego, amoitado numas touceiras de gravatá, havia um garrafão de cachaça com umburana..." (Bernardo Élis, *Caminhos e descaminhos*) **2** *P. ext.* Escondido, ocultado **3** *Bras.* Protegido, defendido, abrigado **4** *Bras.* Agachado, procurando esconder-se **5** Diz-se de moça que foi levada para o mato, em rapto ou sedução **6** *Bras.* Com feição de moita, ou que formou moita (planta, arbusto etc.) **7** *Gír.* Que está na moita, mantém silêncio sobre algo, guarda segredo [F.: Part. de *amoitar.*]

amoitar (a.moi.*tar*) *v. Bras.* Enfiar(-se) em moita, mata; OCULTAR(-SE) [*ta.*: "...resolvida a sumir-se no mais escondido recanto da casa, ou amoitar-se em algum esconderijo..." (Bernardo Guimarães, *A escrava Isaura*)] [*td.: O tesoureiro amoitou parte do dinheiro.*] [*int.: Procurava um lugar para se amoitar.*] [▶ 1 amoitar] [F.: *a-*[2] + *moit(a)* + *-ar*[2].]

amojado (a.mo.*ja*.do) *a.* **1** Cheio de leite, substância, suco (diz-se de tetas, grãos etc.) **2** *N.E. MG* Prestes a parir (diz-se de vacas e outras fêmeas de animais) **3** *N.E. MG Antq.* Mungido, ordenhado [F.: Part. de *amojar.*]

amojar (a.mo.*jar*) *v.* Encher(-se) de leite (teta, seio) [*td.: A fartura do pasto amojava as tetas das vacas.*] [*int.: Prestes a parir, suas tetas amojaram-se.*] [▶ 1 amojar] [F.: Do lat. *emulgere*, com dissimilação.]

amojo (a.*mo*.jo) [ô] *sm.* **1** Ação ou resultado de amojar(-se) **2** Grande afluência de leite aos peitos da fêmea; APOJADURA **3** *P. ext.* Estado lactescente dos grãos de cereais que antecede a maturação **4** *Lus.* Teta, úbere [F.: Dev. de *amojar.* Hom./Par.: *amojo* (fl. de *amojar*).]

amolação (a.mo.la.*ção*) *sf.* **1** Ação ou resultado de amolar(-se); AMOLADURA **2** Situação, tarefa, compromisso etc. aborrecido, incômodo, inoportuno; ABORRECIMENTO; AMOFINAÇÃO; ESTORVO [Pl.: *-ções.*] [F.: *amolar* + *-ção.*]

amoladeira (a.mo.la.*dei*.ra) *sf.* **1** Pedra de amolar; ESMERIL **2** Mulher que amola, chateia, importuna [F.: *amola(r)* + *-deira.*]

amolado (a.mo.*la*.do) *a.* **1** Que é, está ou se tornou afiado, cortante (faca amolada) **2** *Bras.* Que está aborrecido, amofinado: *Ficou amolado com a brincadeira de mau gosto.* [F.: Part. de *amolar.*]

amolador (a.mo.la.*dor*) [ô] *a.* **1** Que amola ou afia utensílios cortantes **2** *Bras.* Que amola, aborrece ou entedia *sm.* **3** Aquele ou aquilo que amola ou afia utensílios cortantes **4** *Bras.* Quem amola, aborrece ou entedia [F.: *amolar* + *-dor.*]

amoladura (a.mo.la.*du*.ra) *sf.* **1** Ação ou resultado de amolar; AMOLAÇÃO; AMOLAGEM **2** O conjunto dos restos que permanecem na água em que se amolece a pedra durante o processo de amolação [F.: *amolar* + *-dura.*]

amolante (a.mo.*lan*.te) *a2g. Bras.* Que amola, aborrece, entendia; ENFADONHO; MAÇANTE [Ant.: *estimulante, instigante, interessante.*] [F.: *amolar* + *-nte.*]

amolar (a.mo.*lar*) *v.* **1** Deixar (objeto cortante) mais afiado; AFIAR [*td.: Amolar uma tesoura.*] **2** *Bras.* Aborrecer(-se), chatear(-se) [*td.: Estou ocupado, não me amole!*] [*int.*: "... talvez se amole com a brincadeira..." (Miguel Torga, *O senhor Ventura*)] **3** Ficar pensando no que ouviu dizer [*tr.* + *sobre*: *Antes de começar a escrever, o roteirista ficava amolando sobre as conversas que ouvia na rua.*] [▶ 1 amolar] [F.: Do espn. *amolar.*]

amoldagem (a.mol.*da*.gem) *sf.* Ação ou resultado de amoldar; AMOLDAMENTO: *massa com grande poder de amoldagem.* [Pl.: *-gens.*] [F.: *amoldar* + *-agem*[2].]

amoldar (a.mol.*dar*) *v.* **1** Ajustar (massa, barro) a molde; MOLDAR [*td.: amoldar a argila.*] [*int.: O barro não se amoldou direito.*] **2** *Fig.* Pôr(-se) de acordo com; ADAPTAR(-SE); AJUSTAR(-SE) [*tdr.* + *a*: *Ela amoldou-se ao novo estilo de vida:* "Teremos que amoldar nosso programa ao da Olimpíada." (*Folha de S.Paulo*, 08.08.1999)] *v.* **3** Ajustar (massa, barro) a molde [*tdr.* + *a*: *Pouco a pouco amoldou os filhos a uma dieta mais saudável.*] [*tr.* + *a*: *Nunca se amoldou ao papel de líder do grupo.*] [▶ 1 amoldar] [F.: *a-*[2] + *molde* + *-ar*[2].]

amolecado (a.mo.le.*ca*.do) *a.* **1** Que tem aparência ou ar de moleque **2** Que age como moleque [F.: Part. de *amolecar.*]

amolecar (a.mo.le.*car*) *v.* **1** Tratar de maneira humilhante; DEBOCHAR; REBAIXAR [*td.: O professor amolecou o aluno publicamente.*] **2** Ficar com jeito ou comportamento de moleque, de pessoa indigna [*int.: Passou a ter más companhias e amolecou-se.*] [▶ 11 amolecar] [F.: *a-*[2] + *moleque* + *-ar*[2].]

amolecedor (a.mo.le.ce.*dor*) [ô] *a.* **1** Que amolece *sm.* **2** Aquilo ou aquele que amolece [F.: *amolecer* + *-dor.* Ant. ger.: *endurecedor, enrijecedor.*]

amolecer (a.mo.le.*cer*) *v.* **1** Fazer ficar ou ficar (mais) mole, flexível, macio [*td.: Este produto amolece o couro.*] [*int.: Com o tempo, o couro amoleceu.*] **2** *Fig.* Fazer ficar ou ficar comovido, enternecido [*td.: O pedido de ajuda amoleceu o coração do rapaz.*] [*int.: O chefe caxias amoleceu.*] **3** Tornar mais fácil, simples ou brando [*td.: O professor amoleceu as questões da prova.*] [*int.: Diante das muitas queixas dos alunos, o professor amoleceu na correção da prova.*] **4** Fazer perder ou perder o vigor, força, energia, ânimo; ENFRAQUECER [*td.: O verão nos trópicos amolece qualquer um.*] [▶ 33 amolecer] [F.: *a-*[2] + *mole*[2] + *-ecer.*]

amolecido (a.mo.le.*ci*.do) *a.* **1** Que se tornou mole, frouxo [Ant.: *endurecido, enrijecido.*] **2** *Fig.* Que se tornou terno, compassivo (coração amolecido) [Ant.: *empedernido.*] **3** *Fig.* Que perdeu o ímpeto, a energia, o ânimo [F.: Part. de *amolecer.*]

amolecimento (a.mo.le.ci.*men*.to) *sm.* Ação ou resultado de amolecer(-se) [Ant.: *endurecimento.*] [F.: *amolecer* + *-imento.*]

amolegar (a.mo.le.*gar*) *v. td. int.* **1** Amolecer, amolengar **2** *Lus.* Dar massagem no ventre de (alguém) [▶ 14 amolegar] [F.: Do lat. vulg. **admollicare*, 'tornar mole', < lat. *mollis, e*, 'mole', 'brando'.]

amolengar (a.mo.len.*gar*) *v. td.* Ficar ou fazer ficar molenga, mole, fraco, sem ânimo: "Foi essa desgraça de diploma que te amolengou, Lilico." (José Cândido de Carvalho, *Um ninho de mafagafes cheio de mafagafinhos*) [▶ 14 amolengar] [F.: *a-*[2] + *moleng(a)* + *-ar*[2].]

amolentado (a.mo.len.*ta*.do) *a.* **1** Que foi um tanto amolecido, ou que se tornou mole (cimento amolentado); AMOLECIDO [Ant.: *endurecido.*] **2** Que perdeu a energia; ENFRAQUECIDO: "Um rapazinho raquítico, em mangas de camisa, com manchas de tinta no rosto e um ar amolentado..." (Adolfo Caminha, *A normalista*) **3** *Fig.* Que se enterneceu; COMOVIDO: "Antonio Beatinho, o altaneiro, tomava de um crucifixo (...) e entregava-o, com um gesto amolentado, ao fiel mais próximo..." (Euclides da Cunha, *Os sertões*) [F.: Part. de *amolentar.*]

amolentar (a.mo.len.*tar*) *v.* **1** Tornar mole; amolecer [*td.: Use a solução para amolentar a argamassa.*] [*int.: Coloque o arroz no fogo para amolentar.*] **2** Enfraquecer(-se); perder o ânimo, o vigor [*td.: O calor amolentava os passantes.*] [▶ 1 amolentar] [F.: *a-*[2] + *mol(e)* + *-entar.*]

amolgado (a.mol.*ga*.do) *a.* **1** Diz-se do que se amolgou (chapa amolgada); AMASSADO; DEFORMADO [Ant.: *desamassado.*] **2** *P. ext.* Que foi vencido, esmagado [F.: part. de *amolga.*]

amolgadura (a.mol.ga.*du*.ra) *sf.* **1** Ação ou resultado de amolgar(-se) **2** Marca em objeto que foi amolgado [F.: *amolgar* + *-dura.*]

amolgar (a.mol.*gar*) *v.* **1** Causar deformação por compressão ou esmagamento; AMASSAR [*td.: O choque amolgou a frente do carro.*] **2** Conformar(-se), ajustar(-se) [*tdr.* + *a*: *Amolgou suas ideias ao programa do partido; Amolgou-se às exigências do chefe.*] **3** *Fig.* Vencer, derrotar [*td.: Amolgar o inimigo.*] **4** *Fig.* Ceder, sujeitar-se [*int.: Foram criticados em seu comportamento, mas não amolgaram.*] **5** *Expl.* Comprimir a parte vazia de (espoleta) sobre o estopim [*td.*] [▶ 14 amolgar] [F.: Do lat. **admollicare*, a partir de *mollis*, 'mole'. Hom./Par.: *amolgáveis* (fl.), *amolgáveis* (pl. de *amolgável*).]

amolgável (a.mol.*gá*.vel) *a2g.* Que se pode amolgar; DEFORMÁVEL [Ant.: *indeformável.*] [Pl.: *-veis.*] [F.: *amolgar* + *-vel.* Hom./Par.: (pl.) *amolgáveis, amolgáveis* (fl. de *amolgar*).]

amonal (a.mo.*nal*) *sm. Expl.* Mistura explosiva de nitrato de amônia, alumínio em pó, carvão e trinitrotolueno [F.: *amôn(io)* + *al(umínio).*]

amonetário (a.mo.ne.*tá*.ri:o) *a. Econ.* Que não se tem como referência dinheiro ou finanças como base de valor, de troca, de comércio etc. (sistema amonetário) [F.: *a-*[1] + *monetário.*]

amônia (a.*mô*.ni:a) *sf. Quím.* Solução aquosa do amoníaco, incolor e de odor intenso [F.: Do lat. cient. *ammonia.*]

amoniacal (a.mo.ni:a.*cal*) *a2g.* **1** Ref. a ou próprio de amoníaco **2** Que contém amoníaco ou que tem suas propriedades [Pl.: *-cais.*] [F.: *amoníaco* + *-al.*]

amoníaco (a.mo.*ní*.a.co) *sm. Quím.* Gás (NH_3) incolor de odor intenso, solúvel em água, us. em fertilizantes, detergentes etc. [F.: Do lat. *ammoniacum*, do gr. *ammoniakós.*]

amoniemia (a.mo.ni.e.*mi*.a) *sf.* **1** *Pat.* Presença de amônia no sangue **2** *Pat.* O teor de amônia presente no sangue na amoniemia (1) [F.: *amôni(a)* + *-emia.*]

amônio (a.*mô*.ni:o) *sm.* **1** *Quím.* Cátion monovalente formado por um átomo de nitrogênio e quatro de hidrogênio (NH_4^+), encontrado nos compostos de amônia **2** Qualquer cátion derivado do NH_4+, no qual um ou mais átomos de hidrogênio são substituídos por grupos hidrocarbônicos [F.: Do lat cient. *ammonia*, pelo lat. cient. *amonium.*]

amonita[1] (a.mo.*ni*.ta) *sf. Expl.* Explosivo constituído principalmente de nitrato de amônio [F.: Adaptç. do fr. *ammonite.*]

amonita[2] (a.mo.*ni*.ta) *s2g.* **1** Pessoa pertencente a um antigo povo da Palestina (Ásia) *a2g.* **2** Dos ou ref. aos amonitas [F.: Do lat. *ammonitae, arum.*]

amonite (a.mo.*ni*.te) *sf. Zool.* Nome comum aos moluscos cefalópodes, fósseis, de concha externa em espiral [F.: *amônio* + *-ite.*]

amoniuria (a.mo.ni:u.*ri*.a) *sf.* Ver *amoniúria*

amoniúria (a.mo.ni.*ú*.ri:a) [i-u] *sf. Pat.* Alta concentração de amônia na urina [F.: *amôn(ia)* + *-úria.* Tb. *amoniuria.*]

amonômetro (a.mo.*nô*.me.tro) *sm.* Aparelho destinado a dosar a amônia [F.: *amon (i /o)-* + *-metro.*]

amontado (a.mon.*ta*.do) *a.* **1** Que tem ou que tomou feição ou forma de monte **2** Diz-se de animal domesticado que se extraviou ou fugiu para o mato, tornando-se selvagem **3** *Lus. P. ext.* Extraviado, desgarrado, fugido [F.: Part. de *amontar*[2].]

amontanhar (a.mon.ta.*nhar*) *v.* **1** Crescer ou acumular-se até parecer uma montanha [*td.*: *Amontanhou a areia junto do viveiro.*] [*int.*: *O sal amontanhava-se à beira das estradas.*] **2** *Fig.* Juntar-se em grande quantidade; EMPILHAR(-SE) [*td.*: *Amontanhou os livros na sala.*] [*int.*: *Os discos amontanhavam (-se) sobre a mesa.*] [▶ 1 amontanhar] [F.: *a-*[2] + *montanh(a)* + *-ar*[2].]

amontar (a.mon.*tar*) *v.* **1** Dar feição ou aspecto de monte a [*td.*: *Com um balde e uma pá amontou a pilha de areia que recolhera.*] **2** Fazer ir ou deixar ir para um monte [*td.*: *Amontou seu rebanho, na busca de melhores pastagens.*] **3** Fugir para monte ou mato (animal domesticado) tornando-se selvagem [*int.*] **4** *Lus. P. ext.* Fugir, escapar [*int.*: *Aproveitou a bobeada do guarda e amontou(-se).*] [▶ 1 amontar] [F.: *a-*[2] + *monte* + *-ar*[2].]

⊕ **amontillado** (*Espn.* /amontilhádo/) *sm.* Tipo de xerez seco e claro proveniente da cidade de Montilla, na Espanha

amontoa (a.mon.*to*.a) [ô] *sf. Agr.* Técnica que consiste em cobrir de terra a base das plantas como meio de proteção às raízes [F.: Dev. de *amontoar*. Hom./Par.: *amontoa* (fl. de *amontoar*).]

amontoado (a.mon.to.*a*.do) *a.* **1** Que se amontoou **2** Que foi agrupado em monte e sem ordem (livros amontoados); EMPILHADO *sm.* **3** Conjunto de coisas ou pessoas postas em montão; AMONTOAMENTO: *Num instante formou-se um amontoado de curiosos.* [F.: Part. de *amontoar*.]

amontoamento (a.mon.to:a.*men*.to) *sm.* Ação ou resultado de amontoar(-se); AMONTOADO [F.: *amontoar* + *-mento*.]

amontoar (a.mon.to.*ar*) *v.* **1** Juntar em grande quantidade ou sem ordem; pôr em montão [*td.*: *Amontoaram toda a terra no quintal.*] [*int.*: *Com a chuva, o lixo amontoou-se.*] **2** *Fig.* Juntar(-se), aglomerar(-se) [*td.*: *O fotógrafo amontoou os participantes do evento para uma foto.*] [*int.*: *Amontoaram-se sob a marquise quando a chuva caiu.*] **3** Arrecadar, acumular [*td.*: *Trabalhou muito e amontoou uma fortuna.*] **4** *Fig.* Expor ou apresentar (ideias, argumentos, elementos etc.), sem coerência ou nexo [*td.*: *Amontoou as frases pensando que estava redigindo um parágrafo.*] **5** *Fig.* Crescer em número, multiplicar-se [*int.*: *Parecia que os problemas se amontoavam cada vez mais.*] [▶ 16 amontoar] [F.: *a-*[2] + *montão* (sob a f. *monto-*) + *-ar*[2]. Hom./Par.: *amontoa(s)* (fl.), *amontoa(s)* (sf. [pl.]).]

amoquecar (a.mo.que.*car*) *Bras. v.* **1** *PE Pop.* Assar a carne em grelha de varas (o moquém), envolvida numa folha; MOQUEAR [*td.*] **2** Colocar-se em lugar seguro, sem perigo; moquecar-se [*td. int.*] **3** Não enfrentar a luta, afrouxar; ACOVARDAR-SE [*td. int.*] [▶ 11 amoquecar] [F.: *a-*[2] + *moquec(a)* + *-ar*[2].]

amor (a.*mor*) [ô] *sm.* **1** Sentimento que faz alguém querer o bem de outrem ou de alguma coisa [+ *a*, *por*: *amor (da juventude.) à pátria; amor pelos humildes.*] **2** Afeto profundo, devoção de uma pessoa a outra (amor materno) **3** Sentimento terno e caloroso de uma pessoa por outra, inclusive de natureza física e sexual: "Nosso amor que eu não esqueço..." (Noel Rosa, *Último desejo*) **4** Relação amorosa: *A duquesa tinha vários amores.* **5** O ato sexual (fazer amor) **6** Inclinação, apego ao que desperta prazer ou empatia (amor à música) **7** *Rel.* Sentimento de devoção a Deus; VENERAÇÃO **8** O ente objeto do amor: *Dalila foi o amor de Sansão.* **9** Cuidado, zelo, dedicação: *Fazer alguma coisa com amor.* **10** *Mit.* Cupido [F.: Do lat. *amor, oris*.] ▪ **~ ao próximo** Sentimento ou exercício da caridade **~ à primeira vista** Instantâneo interesse amoroso por alguém logo ao primeiro encontro **~ carnal** O mesmo que *amor físico* **~ cortês** *Liter.* Na literatura medieval, amor nobre, puro e leal de um cavaleiro por uma mulher **~ físico** O que busca a satisfação sexual; amor carnal **~ livre** O que prescinde de, e mesmo repudia, convenções morais ou legais **~ platônico** O que é isento de desejo sexual **De mil ~es** *Bras.* Com o maior prazer, com todo o gosto: *Não se preocupe, farei isso por você de mil amores.* **Fazer ~** Ter relações sexuais **Pelo ~ de Deus** Por favor, por caridade **Por ~ à arte** De modo gratuito, desinteressado **Por ~ de** Por causa de; em atenção a **Um ~** **1** *Pop.* Pessoa ou coisa muito bonita, graciosa; um encanto; um doce **2** Pessoa muito gentil, bondosa, simpática; um doce

amora (a.*mo*.ra) *sf.* Fruto da amoreira, quase negro, pequeno, macio e de sabor agridoce, muito us. em geleias [F.: Do lat. vulg. *mora*, com aglut. do art. def. *a*.]

amora-da-mata (a.mo.ra-da-*ma*.ta) *sf. Angios.* Árvore das moráceas (*Helicostylis tomentosa*), tb. chamada *pau-de-letras* [Pl.: *amoras-da-mata*.]

amor-agarradinho (a.mor-a.gar.ra.*di*.nho) *sm. Angios.* Trepadeira da fam. das poligonáceas (*Alnus glutinosa*), de folhas verde-claras, pequenas flores róseas ou brancas, em cachos, natural do México e muito apreciada como ornamental; AMOR-AGARRADO; AMOR-EM-PENCA; MIMO-DO-CÉU [Pl.: *amores-agarradinhos*.]

amoral (a.mo.*ral*) *a2g.* **1** Que não está de acordo com a moral nem é contrário a ela; indiferente à moral **2** Carente de moral ou de senso de moralidade, seja por desconhecimento, seja por indiferença: *uma obra amoral, que chocava os mais puritanos. s2g.* **3** Pessoa que não tem senso moral: *Comportou-se como um amoral.* [Pl.: *-rais*.] [F.: Do fr. *amoral*; ver *a-*[1] + *moral*. Cf.: *imoral*.]

amoralidade (a.mo.ra.li.*da*.de) *sf.* Qualidade de ou comportamento amoral; AMORALISMO [F.: *amoral* + *-(i)dade*. Cf.: *imoralidade*.]

amoralismo (a.mo.ra.*lis*.mo) *sm.* **1** Ausência de parâmetros morais nos princípios, comportamentos etc.; AMORALIDADE **2** Estado, condição ou propriedade do que ou de quem é amoral **3** *Fil.* Doutrina que não admite a formulação de juízos morais de valor na investigação da verdade [F.: *amoral* + *-ismo*. Cf.: *imoralismo*.]

amoralista (a.mo.ra.*lis*.ta) *a2g.* **1** Ref. a amoralismo **2** Que pratica o amoralismo *s2g.* **3** Quem pratica o amoralismo [F.: *amoral* + *-ista*.]

amora-preta (a.mo.ra-*pre*.ta) *sf. Angios.* Arbusto da fam. das rosáceas (*Rubus fruticosus*) com comprimento que atinge 4 a 5 m, de flores brancas ou róseas e frutos comestíveis, e ramos armados de espinhos; SARÇA; SILVA-DAS-AMORAS [Pl.: *amoras-pretas*.]

amorativo (a.mo.ra.*ti*.vo) *sm.* **1** Capaz de amar **2** Apropriado para amar **3** Em que existe amor, afeição, ternura [F.: *amor* + *-a-* + *-tivo*.]

amorável (a.mo.*rá*.vel) *a2g.* **1** Que facilmente cria relação de amor ou de amizade, que é a elas propenso; AFÁVEL; TERNO **2** Que encerra ou manifesta amor, amizade etc.; amigável, afetuoso (relação amorável) **3** *Fig.* Que se mostra aprazível; AGRADÁVEL: *um cantinho amorável do bairro.* [Pl.: *-veis*.] [F.: **amorar* + *-vel*.]

amora-vermelha (a.mo.ra-ver.*me*.lha) *sf. Angios.* Arbusto da fam. das rosáceas (*Rubus rosifolius*), de flores brancas e drupas vermelhas, nativa das Ilhas Maurício e do Leste da Ásia, cultivada como cerca viva em regiões tropicais; seus frutos são comestíveis e suas raízes têm uso medicinal; FRAMBOESA [Pl.: *amoras-vermelhas*.]

amordaçado (a.mor.da.*ça*.do) *a.* **1** Que se amordaçou, sujeito a mordaça (cão amordaçado) **2** *Fig.* Impedido de falar ou exprimir opinião (imprensa amordaçada) [F.: Part. de *amordaçar*.]

amordaçamento (a.mor.da.ça.*men*.to) *sm.* Ação ou resultado de amordaçar [F.: *amordaçar* + *-mento*.]

amordaçar (a.mor.da.*çar*) *v. td.* **1** Colocar mordaça em: *O ladrão amordaçou o negociante para que não gritasse.* **2** *Fig.* Impedir de se pronunciar: *Já tentaram amordaçar a imprensa.* [▶ 12 amordaçar] [F.: *a-*[2] + *mordaça* + *-ar*[2].]

amor-de-moça (a.mor-de-*mo*.ça) *sf. Bot.* Nome comum a diversas spp. da fam. das compostas, como, p. ex., a *Cosmos bipinnatus*, popularmente conhecida como *beijo-de-moça* [Pl.: *amores-de-moça*.]

amor-de-negro (a.mor-de-*ne*.gro) *sm. Bot.* Erva (*Bidens graveolens*) da família das compostas, nativa do Brasil, que tem flores amarelas e caule pilífero; PICÃO [Pl.: *amores-de-negro*.]

amoreco (a.mo.*re*.co) *sm.* Pessoa querida ou vista com muita simpatia, ger. por ser graciosa ou muito agradável no trato com os outros [F.: *amor* + *-eco*.]

amoreira (a.mo.*rei*.ra) *sf. Bot.* Árvore da fam. das moráceas (*Morus nigra*), que produz a amora e cujas folhas servem de alimento para o bicho-da-seda [amoreiral.] [F.: *amora* + *-eira*.]

amoreira-branca (a.mo.rei.ra-*bran*.ca) *sf. Angios.* Árvore da fam. das moráceas (*Morus alba*), com comprimento que chega a 10 m de altura, de frutos brancos comestíveis e folhas forrageiras que são aproveitadas no cultivo do bicho-da-seda [Pl.: *amoreiras-brancas*.]

amoreiral (a.mo.rei.*ral*) *sm.* Plantação de amoreiras [Pl.: *-ais*.] [F.: *amoreira* + *-al*.]

amor-em-penca (a.mor-em-*pen*.ca) *sm. Angios.* O mesmo que *amor-agarradinho* [Pl.: *amores-em-penca*.]

amorenado (a.mo.re.*na*.do) *a.* Que apresenta tonalidade morena ou quase morena (pele amorenada) [F.: *a-*[2] + *moreno* + *-ado*[2].]

amorenar (a.mo.re.*nar*) *v.* Fazer ficar ou ficar, tornar(-se) moreno [*td.*: "Oh! venezianas, venezianas belas, / Que o sol da Itália amorenou,..." (Álvares de Azevedo, *Lábios e sangue*)] [*int.*: "O rosto moreno amorenou-se mais:..." (Raul Pompeia, *O Ateneu*)] [▶ 1 amorenar] [F.: *a-*[2] + *moreno* + *-ar*[2].]

amorepixuna (a.mo.re.pi.*xu*.na) *sm. Bras. Ict.* Peixe teleósteo perciforme da fam. dos eleotrídeos (*Eleotris pisonis*), encontrado tb. na região amazônica. Tb. chamado *peixe-macaco*. [F.: Do tupi *amo're*, 'peixe' + *pi'xuna*, 'preto'.]

amores (a.*mo*.res) [ô] *smpl.* **1** Relação amorosa: *Ele está de amores com a vizinha.* **2** *Mit.* Divindades subordinadas a Vênus e a Cupido **3** *Bot.* Espécie de carrapicho (3) (*Desmodium discolor*) [F.: Pl. de *amor*.] ▪ **Lindo como os ~** Muito lindo **Morrer de ~ por** Sentir grande amor, estima ou paixão por **Não morrer de ~ por** Não gostar de, ou gostar muito pouco de

amorfa (a.*mor*.fa) *Bot. sf.* **1** Gênero de arbustos e ervas da fam. das leguminosas, dotadas de corola com uma só pétala **2** Qualquer spp. desse gênero [F.: Do lat. cient. gên. *Amorpha*.]

amor-febril (a.mor-fe.*bril*) *sm. N. E. Pop.* Us. na loc. *no amor-febril*

amorfia (a.mor.*fi*.a) *sf.* Carência de forma definida [F.: Do gr. *amorphía, as*.]

amórfico (a.*mór*.fi.co) *a.* Em que há amorfia; AMORFO; INFORME [F.: *a-*[1] + *mórfico*.]

amorfo (a.*mor*.fo) [ó] *a.* **1** Que não tem forma definida **2** Sem caráter ou natureza definida (indivíduo amorfo) **3** *Min.* Diz-se de mineral que não tem forma cristalina ou cuja cristalização é confusa [F.: Do gr. *ámorphos, os, on*.]

amorico (a.mo.*ri*.co) *sm.* **1** Namoro de pouca duração (amorico de verão); NAMORICO **2** *Angios.* Arbusto (*Desmodium adscendens*), da fam. das leguminosas, tb. chamado *carrapicho-de-beiço-de-boi*. [F.: *amor* + *-ico*[1].]

amorífero (a.mo.*rí*.fe.ro) *a.* **1** Que contém amor **2** Que desperta amor [F.: do lat. *amorifer, era, erum*.]

amorio (a.mo.*ri*:o) *P. us. sm.* **1** Afeição amorosa **2** Breve relação amorosa; NAMORICO: "É este o período dos seus amorios com uma caixeirinha." (Antero de Figueiredo, *Último olhar de Jesus*) [F.: *amor* + *-io*[1].]

amoriscar-se (a.mo.ris.*car*-se) *v. int.* Ficar apaixonado; enamorar-se [▶ 11 amoriscar-se] [F.: *amor* + *-iscar* + *se*. Hom./Par.: *amouriscar* (todos os tempos do v.).]

amorita (a.mo.*ri*.ta) *Hist. s2g.* **1** Indivíduo dos amoritas, um dos povos semitas que habitavam a Mesopotâmia, a Síria e a Palestina entre 2000 e 1500 a.C. *sm.* **2** Língua semítica que era falada pelos amoritas *a2g.* **3** Próprio ou típico dos amoritas [F.: Do hebr. *emori* + *-ita*[2].]

amornado (a.mor.*na*.do) *a.* **1** Que se tornou morno **2** Que ficou apenas um pouco aquecido; TÉPIDO **3** *Fig.* Que não tem ânimo, entusiasmo (romance amornado); FRACO [Ant.: *acalorado, fervoroso*.] [F.: Part. de *amornar*.]

amornar (a.mor.*nar*) *v.* **1** Tornar(-se) morno; aquecer um pouco [*td.*: *amornar o leite.*] [*int.*: *A água do banho amornou.*] **2** *Fig.* Fazer perder ou perder energia, ânimo [*td.*: *As altas cifras necessárias para o projeto amornaram os possíveis investidores.*] [*int.*: *A empolgação da plateia amornou no meio do espetáculo.*] [▶ 1 amornar] [F.: *a-*[2] + *morno* + *-ar*[2]. Sin. ger.: *mornar*.]

amorosidade (a.mo.ro.si.*da*.de) *sf.* Qualidade, característica do que é amoroso (amorosidade feminina) [F.: *amoroso* + *-(i)dade*.]

amoroso (a.mo.*ro*.so) [ô] *a.* **1** Ref. ao amor; que encerra ou revela amor (casos amorosos; carta amorosa) **2** Que sente amor (mulher amorosa) **3** Que encerra ou manifesta ternura, meiguice (gesto amoroso); AFETUOSO; CARINHOSO *sm.* **4** Quem tem ou sente amor: *um poema digno de todos os amorosos.* [Pl.: *ó*. Fem.: *ó*.] [F.: *amor* + *-oso*.]

amor-perfeito (a.mor-per.*fei*.to) *sm. Bot.* Planta da fam. das violáceas (*Viola tricolor*), típica de jardim, de flores vistosas e coloridas; FLOR-SERÁFICA; VIOLETA-TRICOLOR [Pl.: *amores-perfeitos*.]

amor-perfeito-bravo (a.mor-per.fei.to-*bra*.vo) *sm. Bot.* Planta calcífuga da fam. das violáceas (*Viola tricolor*), de folhas ovais, flores amarelas, brancas, roxas ou de cores variadas, dotada de propriedades antirreumáticas e expectorantes e tb. us. no tratamento do herpes e da escrufulose [Pl.: *amores-perfeitos-bravos*.]

amor-próprio (a.mor-*pró*.pri:o) *sm.* **1** Consciência do próprio valor, da própria dignidade; AUTOESTIMA; BRIO **2** Orgulho de si mesmo; VAIDADE [Pl.: *amores-próprios*.]

amorrinhar-se (a.mor.ri.*nhar*-se) *v. int.* **1** Sofrer de morrinha (sarna); morrinhar **2** *Fig.* Ficar muito debilitado; ENFRAQUECER(-SE); DEBILITAR(-SE) **3** *Fig.* Ir chegando ao fim; DECLINAR [▶ 1 amorrinhar-se] [F.: *a-*[2] + *morrinh(a)* + *-ar*[2] + *se*.]

amortalhado (a.mor.ta.*lha*.do) *a.* **1** Que se amortalhou; envolvido em mortalha ou algo à guisa de mortalha **2** *Fig.* Vestido com muita modéstia, ou como quem despreza as coisas mundanas **3** *P. ext.* Envolvido em um pano qualquer *sm.* **4** Corpo amortalhado **5** *P. ext.* Fantasma [F.: Part. de *amortalhar*.]

amortalhamento (a.mor.ta.lha.*men*.to) *sm.* Ação ou resultado de amortalhar(-se) [F.: *amortalhar* + *-mento*.]

amortalhar (a.mor.ta.*lhar*) *v.* **1** Envolver (cadáver) em mortalha [*td.*] **2** Cobrir com algo semelhante a mortalha [*td.*: *Amortalharam a cruz com um pano escuro.*] **3** *Fig.* Causar destruição, aniquilar [*td.*: "...Onde vai soturno amortalhando as vidas..." (Cruz e Souza, *Velho*)] [*int.*: *Alegria de viver que a miséria amortalhou.*] **4** Vestir(-se) com trajes simples e grosseiros, como quem morreu para o mundo [*td.*: *Descrentes do mundo, as inválidas pediram que as amortalhassem em túnicas simples; O piedoso padre amortalhava-se em uma batina velha e desbotada.*] [▶ 1 amortalhar] [F.: *a-*[2] + *mortalha* + *-ar*[2].]

amortecedor (a.mor.te.ce.*dor*) [ô] *sm.* **1** *Mec.* Qualquer peça ou mecanismo para amortecer choques ou vibrações em máquinas e veículos **2** O que amortece *a.* **3** Que amortece [F.: *amortecer* + *-dor*.]

amortecer (a.mor.te.*cer*) *v.* **1** Fazer ficar ou ficar como morto, desfalecido, insensível [*td.*: *Desmaios que o amorteciam; A injeção amorteceu-lhe o braço.*] **2** Fazer perder ou perder a força, o ímpeto ou o impulso; ENFRAQUECER [*td.*: *O colete amorteceu o impacto da bala.*] [*int.*: *Mal chutada, a bola logo amorteceu.*] **3** Fazer perder ou perder a intensidade [*td.*: *amortecer um barulho; O tempo amortece as tintas dos quadros.*] [*int.*: *O fogo amorteceu.*] **4** *Fig.* Abrandar, moderar (sentimentos) [*td.*: *amortecer o ódio.*] [*int.*: *Os mais profundos ódios com o tempo se amortecem*: "...estreita faixa de mangues e restingas, ante a qual se amorteciam todas as cobiças." (Euclides da Cunha, *Os sertões*)] **5** *Fut.* Interromper a trajetória de (uma bola); MATAR [*td.*: *Amorteceu a bola no peito.*] [▶ 33 amortecer] [F.: *a-*[2] + *morto* + *-ecer*.]

amortecido (a.mor.te.*ci*.do) *a.* **1** Que tem a sensibilidade reduzida (membros amortecidos); ENTORPECIDO **2** Que não tem ou perdeu força ou intensidade (choque amortecido, som amortecido); NEUTRALIZADO **3** Quase extinto (luz amortecida); MORTIÇO **4** Que se aplacou (paixões amortecidas) **5** Que não tem ou perdeu o brilho, a vivacidade (olhar amortecido) **6** Quase morto, ou com esse aspecto: *Fitou o rosto amortecido do moribundo.* [F.: Part. de *amortecer*.]

amortecimento (a.mor.te.ci.*men*.to) ***sm.*** **1** Ação ou resultado de amortecer(-se) **2** Diminuição ou perda de força, de vigor, de intensidade **3** Dormência, formigamento [F.: *amortecer* + *-imento*.]

amortiçado (a.mor.ti.*ça*.do) ***a.*** **1** Que se amortiçou; que se tornou mortiço; AMORTECIDO **2** Que se apagou (fogo amortiçado); APAGADO; EXTINTO [Ant.: *aceso, vivo*.] **3** Que se mostra fosco, opaco; BAÇO [Ant.: *brilhante, luzidio*.] **4** *Fig.* Destituído de vigor; ENFRAQUECIDO; FRACO [Ant.: *forte, vigoroso*.] [F.: Part. de *amortiçar*.]

amortiçar (a.mor.ti.*çar*) ***v.*** Tornar(-se) mortiço, fraco; amortecer(-se) [***td.***: *A luz da vela amortiçava-lhe as feições*.] [***int.***: *Sua visão amortiçava-se a cada dia*.] [▶ 12 amortiçar] [F.: *a-*^{2} + *mortiç(o)* + *-ar*^{2}.]

amortização (a.mor.ti.za.*ção*) ***sf.*** **1** Ação ou resultado de amortizar **2** Redução de uma dívida mediante pagamento parcelado **3** Cada parcela desse pagamento **4** *Econ.* No uso de um bem de produção, ou que serve como meio de vida, retenção de uma parte do valor de sua produção para compensar sua depreciação e prover sua futura substituição [Pl.: *-ções*.] [F.: *amortizar* + *-ção*.] ■ **~ de ações** *Jur.* Pagamento a acionistas de sociedade anônima, feito por esta, do valor de suas ações, que deixam com isso de ter valor patrimonial enquanto é mantido intacto o capital social

amortizado (a.mor.ti.*za*.do) ***a.*** **1** Que se amortizou, que foi pago gradual e parceladamente (empréstimo amortizado) **2** Que foi quitado; LIQUIDADO: *financiamento amortizado em cinco anos*. **3** *Econ.* Cujo valor de aquisição (diz-se de bem de produção) foi integralmente coberto pela parcela da produção (do bem) a isso destinada, durante a vida útil do bem [F.: Part. de *amortizar*.]

amortizador (a.mor.ti.za.*dor*) [ô] ***a.*** **1** Que amortiza (efeito amortizador) ***sm.*** **2** Aquilo ou aquele que amortiza [F.: *amortizar* + *-dor*.]

amortizar (a.mor.ti.*zar*) ***v. td.*** **1** Eliminar (dívida) gradativamente: *Amortizou seu débito em pagamentos mensais.* **2** Diminuir (dívida) pagando uma parte dela: "...se o Município amortizar extraordinariamente valor equivalente a dez por cento do saldo devedor..." (*Medida Provisória nº 1891-8*, 24.09.1999) **3** Passar o domínio de (bens) para corporações de mão-morta **4** *Econ.* Separar parte do valor produzido por bem de produção, ou que é meio de vida, para compensar sua depreciação [▶ 1 amortizar] [F.: *a-*^{2} + *morte* + *-izar*. Hom./Par.: *amortizáveis* (fl.), *amortizáveis* (a2g. pl.).]

amortizável (a.mor.ti.*zá*.vel) ***a2g.*** Que é passível de amortização, que pode ser amortizado (dívida amortizável) [Pl.: *-veis*.] [F.: *amortizar* + *-vel*. Hom./Par.: *amortizáveis* (pl.), *amortizáveis* (fl. de *amortizar*).]

amorzinho (a.mor.*zi*.nho) ***sm.*** **1** Indivíduo que desperta muita afeição, grande simpatia **2** Indivíduo a quem se quer muito, a quem se tem muito amor [F.: *amor* + *-z-* + *-inho*.]

amostra (a.*mos*.tra) ***sf.*** **1** Ação ou resultado de amostrar(-se) **2** Pequena porção de um produto, us. para demonstrar a qualidade do todo: *Pedimos à vendedora uma amostra do perfume.* **3** Trecho, fragmento significativo de alguma coisa e representativo de sua totalidade: *Uma amostra de seus poemas foi incluída no jornal.* **4** Sinal, indício de algo; MOSTRA: *Dava amostras de brutalidade; Eis uma amostra de seu potencial.* **5** Modelo ou padrão a ser seguido; exemplo perfeito: *Ela é uma amostra de bondade.* **6** *Est.* Parte representativa de um conjunto para fins estatísticos **7** *Ling.* Conjunto de enunciados de uma língua que pode servir como representação da própria língua para estudo sincrônico de seus vários aspectos **8** *Art. pl.* Pintura monocromática que serve de estudo para obra ainda a ser realizada **9** *Soc.* Conjunto de pessoas que, por suas qualidades e características, podem representar todo um segmento social a ser estudado [F.: Dev. de *amostrar*.] ■ **~ acidental** *Est.* Amostra obtida por processo de amostragem acidental; amostra randômica **~ casual** *Estat.* Ver *Amostra acidental* **~ pequena** *Est.* Amostra que tem um número insuficiente de elementos para dela se projetar uma estimativa confiável dos parâmetros da população **~ randômica** *Est.* Ver *Amostra acidental* **~ representativa** *Est.* Amostra obtida por um processo sem vícios

amostração (a.mos.tra.*ção*) *P. us.* ***sf.*** **1** Ação ou resultado de amostrar **2** Demonstração, mostra **3** *Rel.* Admoestação canônica que precede a excomunhão **4** Intimidação, ameaça de castigo, por meio de gesto ou palavra; AMEAÇA [Pl.: *-ções*.] [F.: *amostrar* + *-ção*.]

amostradiço (a.mos.tra.*di*.ço) ***a.*** **1** Que aparece ou se mostra facilmente **2** *Ant.* Diz-se de indivíduo iniciado há pouco no ofício de pescador [F.: *amostrar* + *-diço*.]

amostragem (a.mos.*tra*.gem) ***sf.*** Ação, processo ou técnica de escolher amostra(s) adequada(s) para análise de um todo: *O censo deste ano será por amostragem.* [Pl.: *-gens*.] [F.: *amostrar* + *-agem*.] ■ **~ acidental** *Est.* Amostragem cuja seleção se faz segundo uma lei probabilística. que leva à formação de uma amostra acidental **~ casual** *Est.* O mesmo que *amostragem acidental* **~ forçada** *Publ.* Expediente de vendas no qual se oferecem vantagens especiais para induzir consumidores a experimentarem um novo produto **~ randômica** *Est.* O mesmo que *amostragem acidental* **~ simples** *Est.* Amostragem na qual a probabilidade de escolha de um membro da população para participar da amostra é igual para todos os membros em todas as escolhas

amostral (a.mos.*tral*) ***a2g.*** Ref. a estudo, plano etc. realizado por amostragem (pesquisa amostral) [Pl.: *-trais*.] [F.: *amostra* + *-al*.]

amostrar (a.mos.*trar*) ***v.*** **1** Ver *mostrar.* **2** Separar (elementos) como amostra ou exemplo de [***td.***: *O método consiste em amostrar indivíduos aleatoriamente (em geral, os dez primeiros)*.] [▶ 1 amostrar] [F.: *a-*^{2} + *mostrar.* Hom./Par.: *amostra(s)* (fl.), *amostra(s)* (sf. [pl.]).]

amotinação (a.mo.ti.na.*ção*) ***sf.*** **1** Ação ou resultado de amotinar(-se); AMOTINAMENTO **2** Motim, rebelião, sublevação **3** *Fig.* Agitação, excitação, alvoroço [Ant.: *calma, tranquilidade*.] [Pl.: *-ções*.] [F.: *amotinar* + *-ção*.]

amotinado (a.mo.ti.*na*.do) ***a.*** **1** Que se amotinou ***sm.*** **2** Aquele que se amotinou [F.: Part. de *amotinar*. Sin. ger.: *insurgente, rebelde, revoltoso*.]

amotinar (a.mo.ti.*nar*) ***v.*** **1** Pôr em desordem, alvoroçar; INSURGIR(-SE); REBELAR(-SE); SUBLEVAR(-SE) [***td.***: *As brutalidades do comandante amotinaram a tripulação*.] [***int.***: *Os presidiários amotinaram-se*.] **2** Pôr em desordem, alvoroçar [***td.***: "Pelas velhas vidraças arrombadas entram bramindo os úmidos tufões, batendo as portas, amotinando os ermos corredores." (António Feliciano de Castilho, *A noite do Castelo*)] [***int.***: *O povo se amotinou nas ruas reclamando contra a alta dos preços*.] [F.: *a-*^{2} + *motim* + *-ar*^{2}. Hom./Par.: *amotináveis* (fl.), *amotináveis* (a2g. pl.).]

amoucado (a.mou.*ca*.do) ***a.*** Que reage como amouco, com fúria; ENFURECIDO; ENRAIVECIDO [F.: Part. de *amoucar*.]

amoucar (a.mou.*car*) ***v.*** **1** Fazer agrados servis aos superiores [***td.***] **2** Mostrar-se submisso diante de chefes, de autoridades; rebaixar-se [***int.***] **3** Cair em desespero; desesperar-se [***int.***] [▶ 11 amoucar] [F.: *amouco* + *ar*. Hom./Par.: *amocar* (todos os tempos do v.).]

amoucar-se (a.mou.*car*-se) ***v. int.*** Ficar ou mostrar-se mouco, surdo ou fingindo surdez; EMOUQUECER [▶ 11 amoucar-se] [F.: *a-*^{2} + *mouc(o)* + *-ar*^{2} + *se*.]

amouco (a.*mou*.co) ***a.*** **1** Dominado por fúria: "Diadorim a vir do topo da rua, punhal em mão, avançar correndo amouco..." (Guimarães Rosa, *Grande sertão: veredas*) **2** Que revela servilismo; BAJULADOR ***sm.*** **3** *Ant.* Em alguns lugares do Oriente (esp. na Índia), indivíduo que se preparava para lutar até a morte pelo seu senhor ou por sua própria honra **4** *Ant.* Na Índia, indivíduo fanático por uma crença, por uma seita **5** *Ant.* Na Índia, indivíduo servil, bajulador de seus chefes ou superiores **6** Reação repentina, ger. violenta, seguida de estado depressivo **7** Raiva, irritabilidade [F.: Do malaio *ámoq*. Hom./Par.: *amouco* (fl. de *amoucar*).]

amouriscado (a.mou.ris.*ca*.do) ***a.*** **1** Que adquiriu aspecto ou características mouriscas **2** Que foi realizado à moda dos mouros **3** Diz-se de telhado em que cada carreira de telhas é ligada dos dois lados com argamassa [F.: Part. de *amouriscar*.]

amouriscar (a.mou.ris.*car*) ***v.*** Dar ou adquirir aspecto ou caráter mourisco [***td.***] [***int.***] [▶ 11 amouriscar] [F.: *a-*^{2} + *mourisc(o)* + *-ar*^{2}. Hom./Par.: *amouriscar-se* (todos os tempos do v.).]

amouxar (a.mou.*xar*) *Bras.* ***v. td.*** **1** Guardar (bens) com avareza; ENTESOURAR **2** Esconder (bens) da cobiça do próximo [▶ 1 amouxar] [F.: De or. obsc. Hom./Par.: *amouxo* (fl.), *amouxo* (sm.); *amochar* (todos os tempos do v.).]

amouxo (a.*mou*.xo) ***sm.*** Ação ou resultado de amouxar; ENTESOURAMENTO [F.: Dev. de *amouxar*. Hom./Par.: *amouxo* (fl. de *amouxar*).]

amovível (a.mo.*ví*.vel) ***a2g.*** **1** Que se pode mover ou remover ou transferir: *Como estamos com falta de pessoal, não há nenhum funcionário amovível.* **2** Que não é vitalício; TEMPORÁRIO: *O cargo de presidente da República é amovível.* [Pl.: *-veis*.] [F.: *amover* + *-ível*. Ant. ger.: *inamovível*.]

amoxicilina (a.mo.xi.ci.*li*.na) [cs] ***sf.*** *Quím.* Antibiótico semissintético de amplo espectro de ação, derivado do núcleo básico da penicilina; AMOXILINA [Fórm.: $C_{16}H_{19}N_3O_5S$] [F.: Voc. farmacopeico; ing.: *amoxicilline*.]

amoxilina (a.mo.xi.*li*.na) [cs] ***sf.*** *Quím.* Ver *amoxicilina* [F.: Voc. farmacopeico.]

⊠ **AMP** *Bioq.* Sigla de *monofosfato de adenosina* (em ing. *adenosine monophosphate*)

amparado (am.pa.*ra*.do) ***a.*** **1** Apoiado em alguma coisa; ESCORADO: *Anda amparado a uma bengala.* **2** Protegido, defendido, resguardado: *amparado pela legislação.* **3** *Fig.* Protegido material ou afetivamente: *A viúva ficou amparada.* [F.: Part. de *amparar*. Ant. ger.: *desamparado*.]

amparar (am.pa.*rar*) ***v.*** **1** Conceder apoio, sustentação a [***td.***: *Amparou o ancião que atravessava a rua*.] [***tr.*** + *a*, *contra*: "... se amparava à firmeza do barco..." (Guimarães Rosa, *Estas estórias*)] **2** Sustentar(-se), apoiar(-se), escorar(-se), para evitar uma queda [***td.***: *Ampararam o prédio que ameaçava ruir*.] [***ta.***: *Amparou-se no corrimão ao descer a escada*.] **3** Dar ou receber proteção [***td.***: *Amparou o amigo que perdera a casa na enchente*.] [***tr.*** + *em*: *Amparou-se em amigos para subir na vida*.] **4** Dar ou receber apoio moral e espiritual [***td.***: *Amparou o amigo naquele momento de luto*.] [***tr.*** + *a*, *em*: *Tão solitário, não via em quem se amparar*.] **5** Fornecer meios de subsistência a [***td.***: *Amparava os netos financeiramente*.] **6** Fornecer sustentação para [***td.***: *Amparou sua tese em experimentos*.] [***tr.*** + *em*: "...amparou-se em dados levantados no Vestibular de 2003..." (*Diversa – Revista da UFMG*, 06.2004)] [▶ 1 amparar] [F.: Do lat. **anteparare*, 'preparar antecipadamente', do v.lat. *parare*, 'preparar'. Hom./Par.: *amparo* (fl.), *amparo* (sm.).]

amparo (am.*pa*.ro) ***sm.*** **1** Ação ou resultado de amparar(-se) **2** Pessoa ou objeto que protege, que serve de apoio ou de abrigo: *Tropeçou e usou a bengala como amparo* [+ *a*, *contra*: *Apresentou provas em amparo a sua defesa; Sob a marquise encontramos amparo contra a chuva*.] [F.: Dev. de *amparar*. Hom./Par.: *amparo* (sm.), *amparo* (fl. de *amparar*).]

◎ **ampel(o)-** ***el. comp.*** = 'vinha'; 'videira': *ampelografia, ampelógrafo* [F.: Do gr. *ámpelos, ou*.]

ampelografia (am.pe.lo.gra.*fi*.a) ***sf.*** *Vit.* Estudo e descrição da vinha [F.: *ampel(o)-* + *-grafia*.]

ampelográfico (am.pe.lo.*grá*.fi.co) ***a.*** *Vit.* Ref. a ampelografia [F.: *ampelografia* + *-ico*^{2}.]

ampelógrafo (am.pe.*ló*.gra.fo) ***sm.*** *Vit.* Aquele que se especializou em ampelografia [F.: *ampel(o)-* + *-grafo*.]

amperagem (am.pe.*ra*.gem) ***sf.*** *Elet.* Intensidade de corrente elétrica, medida em ampères: *amperagem de um circuito.* [Pl.: *-gens*.] [F.: *ampère* + *-agem*^{2}.]

ampere (am.*pe*.re) ***sm.*** Ver *ampère*

ampère (am.*pè*.re) ***sm.*** *Elet.* Unidade internacional de medida de intensidade da corrente elétrica [Símb.: *A*.] [F.: Do fr. *ampère*, do nome do físico francês (André-Marie) *Ampère* (1775-1836). Tb. *ampere*.] ■ **~ absoluto** *Elet.* O mesmo que *ampère* **~ internacional** *Elet.* Unidade de medida de intensidade de corrente elétrica igual a 0,99985 *ampères*

ampère-espira (am.pè.re-es.*pi*.ra) ***sm.*** *Elet.* Unidade de medida de força magnetomotriz no Sistema Internacional [Símb.: *Ae*.] [Pl.: *ampères-espiras, ampères-espira*.] ■ **~ por weber** *Elet.* Unidade de medida de relutância no Sistema Internacional igual à relutância de um meio homogêneo e isotrópico quando uma força magnetomotriz invariável de um ampère-espira produz um fluxo de indução magnética uniforme de um weber [símb.: *Ae/Wb*.]

ampère-hora (am.pè.re-*ho*.ra) ***sm.*** *Elet.* Volume de carga elétrica que circula, durante uma hora, num condutor percorrido por corrente elétrica de intensidade invariável, igual a um ampère [Símb.: *Ah*.] [Pl.: *ampères-horas* e *ampères-hora*.]

◎ **amper(i)-** ***el. comp.*** = 'ampère, ampere': *amperagem, amperimetria, amperometria, amperímetro, amperômetro* [F.: Do fr. *ampère* (1881), do antr. (*André-Marie*) *Ampère* (1775-1836), físico francês.]

amperimetria (am.pe.ri.me.*tri*.a) ***sf.*** *Elet.* Técnica ou conjunto de técnicas us. para medir a intensidade de uma corrente elétrica [F.: *amper(i)-* + *-metria*^{1}. Tb. *amperometria*.]

amperímetro (am.pe.*rí*.me.tro) ***sm.*** *Elet.* Aparelho graduado em ampères, com o qual se mede a intensidade de uma corrente elétrica [F.: *amper(i)-* + *-metro*. Tb. *amperômetro*.]

◎ **ampero-** ***el. comp.*** Ver *amper(i)-*

amperometria (am.pe.ro.me.*tri*.a) ***sf.*** Ver *amperimetria*

amperômetro (am.pe.*rô*.me.tro) ***sm.*** Ver *amperímetro*

⊕ **ampersand** (*Ing. /ampersã/*) ***sm.*** Sinal gráfico (&) que representa o *e* comercial: *Almeida & Associados.*

ampicilina (am.pi.ci.*li*.na) *Quím.* ***sf.*** Antibiótico semissintético derivado do núcleo básico da penicilina [Fórm.: $C_{16}H_{19}N_3O_4S$] [F.: Voc. farmacopeico.]

ampletivo (am.ple.*ti*.vo) *Bot.* ***a.*** Diz-se de órgão vegetal que envolve ou enlaça outro como, por ex., uma folha que enlaça outras [Var.: *amplectivo*.] [F.: Do lat. *amplecti*, 'abraçar', + *-ivo*.]

◎ **amplexi-** ***el. comp.*** = 'que abraça, envolve': *amplexicaule, amplexifloro, amplexifólio* [F.: Do lat. *amplexus, us*, 'abraço', 'contorno', do part. pass. *amplexus, a, um*, do v.lat. *amplectari*, 'abraçar', 'compreender', 'abarcar'.]

amplexicaule (am.ple.xi.*cau*.le) [cs] *Bot.* ***a2g.*** Diz-se de folha cujo limbo enlaça o caule [F.: *amplexi-* + *-caule*.]

amplexifloro (am.ple.xi.*flo*.ro) ***a.*** *Bot.* Diz-se de bráctea que rodeia ou enlaça as flores [F.: *amplexi-* + *-floro*.]

amplexo (am.*ple*.xo) [cs] ***sm.*** Abraço (1) [F.: Do lat. *amplexus, us*.]

ampliação (am.pli:a.*ção*) ***sf.*** **1** Ação ou resultado de ampliar(-se) **2** Material (cópia de documento, fotografia) que teve seu tamanho aumentado [Pl.: *-ções*.] [F.: Do lat. *ampliatio, onis*.]

ampliado (am.pli:*a*.do) ***a.*** **1** Que se ampliou, tornou-se mais amplo, mais extenso, mais intenso (prazo ampliado, esforço ampliado) **2** Que se tornou mais abrangente (pesquisa ampliada) **3** Reproduzido em formato maior: *detalhe fotográfico ampliado.* **4** Exagerado, hiperbólico: *Fez um relato ampliado de suas aventuras.* [F.: Part. de *ampliar*.]

ampliador (am.pli:a.*dor*) [ô] ***a.*** **1** Que amplia (lente ampliadora) ***sm.*** **2** O que amplia **3** *Ópt.* Aparelho dotado de uma lente que aumenta a imagem de um objeto **4** *Fot.* Instrumento, montado em estrutura móvel, us. para obter reproduções ger. ampliadas de negativos fotográficos [F.: *ampliar* + *-dor*.]

ampliar (am.pli.*ar*) ***v. td.*** **1** Tornar mais ampla a extensão ou a área de: *Derrubou a parede para ampliar o quarto.* **2** Dar formato maior a (fotografia, cópia) **3** Tornar mais abrangente: *Ampliou o artigo que havia escrito.* **4** Tornar maior, aumentar: *A empresa ampliou seu lucro em 10%; A universidade ampliou o prazo de inscrição.* **5** *Fig.* Exagerar: *Os aventureiros costumam ampliar seus feitos.* [▶ 1 ampliar] [F.: Do lat. *ampliare*. Sin. ger.: *amplificar*. Hom./Par.: *ampliáveis* (fl.), *ampliáveis* (pl. de *ampliável*).]

ampliável (am.pli.*á*.vel) ***a2g.*** Passível de ser ampliado [Pl.: *-veis*.] [F.: *ampliar* + *-vel*. Hom./Par.: *ampliáveis* (pl.), *ampliáveis* (fl. de *ampliar* [v.]).]

amplidão (am.pli.*dão*) ***sf.*** **1** Qualidade do que é amplo, extenso (amplidão dos mares) **2** Grandeza, vastidão: *A* amplidão dos seus conhecimentos surpreende a todos. **3** Céu, espaço indefinido [Pl.: -dões.] [F.: Do lat. *amplitudo, inis*, por via popular. Sin. ger.: *amplitude*.]

amplificação (am.pli.fi.ca.*ção*) *sf.* **1** Ação ou resultado de amplificar **2** *Eletrôn.* Aumento da força de um sinal por meio de amplificador **3** *Ret.* Figura que consiste em desenvolver um assunto enumerando detalhes ou particularidades [Pl.: -ções.] [F.: Do lat. *amplificatio, onis*.]

amplificado (am.pli.fi.*ca*.do) *a.* **1** Que se amplificou, se tornou maior; AMPLIADO **2** Que teve a intensidade, o volume ou amplitude aumentados (diz-se esp. de som, de sinal sonoro ou de onda vibratória) [F.: Part. de *amplificar*.]

amplificador (am.pli.fi.ca.*dor*) [ô] *a.* **1** Que amplifica (caixa amplificadora) *sm.* **2** *Eletrôn.* Aparelho que amplifica, para a saída, um sinal de entrada **3** *Eletrôn.* Aparelho eletrônico que reproduz, amplificando, sinais de áudio ou de vídeo **4** Aquele ou aquilo que amplifica, aumenta [F.: Do lat. *amplificator, oris*.] ∎ **~ classe A** *Eletrôn.* Amplificador linear (a válvula, transistor ou circuito integrado) em que a corrente de coletor de um transistor específico circule num ciclo completo (ângulo de 360°) **~ classe AB** *Eletrôn.* Amplificador linear (a válvula, transistor ou circuito integrado) em que a corrente de coletor de um transistor específico circule num ciclo maior que a metade e menor que o completo (ângulo maior que 180° e menor que 360°) **~ classe B** *Eletrôn.* Amplificador linear (a válvula, transistor ou circuito integrado) em que a corrente de coletor de um transistor específico circule num ciclo de tempo igual à metade do completo (ângulo de 180°) **~ classe C** *Eletrôn.* Amplificador linear (a válvula, transistor ou circuito integrado) em que a corrente de coletor de um transistor específico circule num ciclo de tempo menor que a metade do completo (ângulo menor que 180°) **~ de áudio** *Eletrôn.* Amplificador de sinais de audiofrequência **~ de crominância** *Eletrôn.* Circuito que, no aparelho de televisão em cores, amplifica o sinal das cores da imagem **~ de potência** *Eletrôn.* Aquele que aumenta consideravelmente a potência de saída de um sistema, numa impedância relativamente baixa **~ de vídeo** *Eletrôn.* Amplificador de faixa larga que amplifica sinais de videofrequência, como os pulsos de um radar e sinais em televisão **~ dinamelétrico** *Eletrôn.* Aquele em que a tensão da saída é diretamente proporcional à da entrada **~ inversor** *Eletrôn.* Aquele no qual o sinal de saída está defasado de 180° em relação ao de entrada **~ linear** *Eletrôn.* Aquele no qual o sinal de saída é diretamente proporcional ao de entrada correspondente

amplificar (am.pli.fi.*car*) *v. td.* **1** Tornar maior; AMPLIAR: *A tecnologia amplificou as facilidades da vida moderna; O discurso do decano amplificou os méritos da universidade.* **2** Aumentar a intensidade, o volume de (esp. som): *amplificar a voz.* [▶ 11 amplificar] [F.: Do lat. *amplificare*. Hom./Par.: *amplificáveis* (fl.), *amplificáveis* (fl. de *amplificar* [v.]).]

amplificável (am.pli.fi.*cá*.vel) *a2g.* Passível de ser amplificado [Pl.: -veis.] [F.: *amplificar* + -vel. Hom./Par.: *amplificáveis* (pl.), *amplificáveis* (fl. de *amplificar* [v.]).]

amplitude (am.pli.*tu*.de) *sf.* **1** Qualidade do que é amplo, abrangente: *a amplitude das medidas garantia o sucesso do plano.* **2** Amplidão, vastidão: *a amplitude do campo.* **3** *Astr.* Curva descrita por um astro desde o ponto onde aparece no horizonte até aquele onde se oculta; o complemento do azimute **4** *Geom. an.* O mesmo que *ângulo polar* [F.: Do lat. *amplitudo, inis*.] ∎ **~ da maré** *Oc.* Diferença, em altura, entre uma preamar e a baixa-mar anterior ou subsequente **~ diurna** *Geog.* O mesmo que *amplitude térmica* **~ de classe** *Est.* Diferença, numa classe, entre os limites de distribuição de frequências **~ ecológica** O grau de tolerância de um ser (vegetal ou animal) às variações do meio ambiente **~ modulada** *Elet.* Modulação de sinal através da superposição de dois sinais de frequências diferentes. O de maior frequência (onda portadora) varia sua amplitude de um valor proporcional à amplitude do sinal de menor frequência (a onda moduladora). [Símb.: *AM*] **~ ortiva** *Astron.* Amplitude de um astro em seu nascer **~ térmica** *Geog.* Diferença entre as temperaturas máxima e mínima registradas no decorrer de um dia, no decurso de um dia, um mês, um ano; amplitude diurna

amplo (*am*.plo) *a.* **1** Grande, espaçoso (sala ampla) **2** Que tem grande abrangência; extenso: *Nosso conhecimento do assunto é amplo.* **3** Abundante, farto, rico: *uma ampla refeição.* **4** Ilimitado, irrestrito: *A procuração lhe dá amplos poderes.* [F.: Do lat. *amplus, a, um*.]

ampola (am.*po*.la) [ô] *sf.* **1** Pequeno tubo fechado, de vidro ou plástico, us. para conter líquido (ger. para injeção) **2** O conteúdo desse tubo: *Tem que tomar três ampolas de antibiótico.* **3** *Med.* Empola, vesícula **4** *Anat.* Dilatação da extremidade de uma estrutura tubular (ampola retal) [F.: Do lat. *ampulla, ae*.]

ampuláceo (am.pu.*lá*.ce.o) *a.* Que tem forma de ampola; AMPULAR; AMPULIFORME [F.: Do lat. *ampullaceus, a, um*.]

ampularídeo (am.pu.la.*rí*.de:o) *Zool. sm.* **1** Espécime dos ampularídeos, fam. de caramujos de água doce, providos de estrutura tubular que alcança a superfície com função respiratória *Pop.*; ARUÁ *Pop.*; URUÁ *a.* **2** Referente ou pertencente aos ampularídeos [F.: Adaptç. do lat. cient. *Ampullaridae*.]

ampulheta (am.pu.*lhe*.ta) [ê] *sf.* Instrumento que mede o tempo por meio do escoamento de areia através de um recipiente de vidro dividido em dois compartimentos cônicos sobrepostos que se comunicam nos vértices por um pequeno orifício [F.: Do espn. *ampolleta*.]

amputação (am.pu.ta.*ção*) *sf.* **1** Ação ou resultado de amputar **2** *Cir.* Operação pela qual se corta e separa do corpo algum membro ou parte dele **3** *Fig.* Supressão, corte [Pl.: -ções.] [F.: Do lat. *amputatio, onis*.]

amputado (am.pu.*ta*.do) *a.* **1** Que sofreu amputação (pessoa amputada); MUTILADO **2** Que se amputou, que se decepou cirurgicamente ou não (perna amputada) **3** *Fig.* Que se tornou incompleto por ter perdido parte de si (obra amputada, direitos amputados) *sm.* **4** Pessoa que sofreu amputação: *Um amputado participou da competição.* [F.: Part. de *amputar*.]

amputar (am.pu.*tar*) *v. td.* **1** Cortar (membro do corpo ou parte dele): *O pintor Van Gogh amputou a própria orelha.* **2** *Fig.* Promover a eliminação de: *A censura amputou parte do filme.* [▶ 1 amputar] [F.: Do lat. *amputare*.]

amsterdamês (ams.ter.da.*mês*) *sm.* **1** Quem é natural ou habitante de Amsterdã, capital dos Países Baixos (Europa) *a.* **2** De Amsterdã; típico dessa cidade ou de seu povo [F.: Do top. *Amsterdã* + -ês.]

amuado (a.mu.*a*.do) *a.* **1** Que tem amuo, que é ou está mal-humorado: *Ficou amuado com a peça que lhe pregaram.* **2** Diz-se do dinheiro que está guardado, sem render **3** Diz-se de fogo que não produz chama, apenas fumaça [F.: Part. de *amuar*.]

amuar (a.mu.*ar*) *v.* **1** Fazer ficar ou ficar aborrecido, de mau humor; ABORRECER(-SE); CHATEAR(-SE) [***td.***: "E xingava-a depois, amuando-a quando ela não estava na cozinha..." (Orlando Alves, "O haras carioca e o mumbava" *in A Notícia*, 11.06.2000)] [***int.***: *Amuou(-se) e passou o dia trancado no quarto.*] **2** Não chegar a amadurecer ou a desenvolver completamente [***int.***: *A pera amuou; O tumor amuou.*] **3** Guardar, aferrolhar, amontoar (bens, dinheiro), não permitindo que entrem em circulação ou rendam [***tda.***: *Amuou toda a fortuna em um cofre secreto.*] **4** Insistir, obstinar(-se) [***tr.*** + *em*: *Apesar de resfriado amuou em sair.*] [▶ 1 amuar] [F.: *a-*[2] + *mu*[1] + *-ar*[2]. Hom./Par.: *amuo* (fl.), *amuo* (sm.).]

amulatado (a.mu.la.*ta*.do) *a.* Que tem cor ou feições de mulato (pele amulatada; pessoa amulatada) [F.: *a-*[2] + *mulato* + *-ado*[2].]

amulatar (a.mu.la.*tar*) *v.* Tornar(-se) semelhante a mulato, na cor ou nas feições [***int.***: *O samba amulatou-se e embranqueceu.*] [***td.***: *O pintor amulatou as figuras femininas.*] [▶ 1 amulatar] [F.: *a-*[2] + *mulat(o)* + *-ar*[2].]

amulatar-se (a.mu.la.*tar*-se) *v. int.* Adquirir cor de mulato (ger. se expondo demais ao sol) [▶ 1 amulatar-se] [F.: *a-*[2] + *mulat(o)* + *-ar*[2] + *se*.]

amuleto (a.mu.*le*.to) [ê] *sm.* Figa, medalha ou outro objeto que alguém traz consigo por superstição, atribuindo-lhe o poder de proteger contra má sorte, doenças, acidentes etc. [F.: Do lat. *amuletum, i.* Cf.: *talismã*.]

amulherado (a.mu.lhe.*ra*.do) *a.* Que tem modos ou jeito de mulher; AFEMINADO; EFEMINADO [F.: *a-*[2] + *mulher* + *-ado*[1].]

amulherar-se (a.mu.lhe.*rar*-se) *v. td. int.* Dar ou passar a ter modos de mulher; AFEMINAR(-SE); EFEMINAR(-SE) [▶ 1 amulherar-se] [F.: *a-*[2] + *mulher* + *-ar*[2] + *se*.]

amumiado (a.mu.mi.*a*.do) *a.* **1** Com aparência de múmia; MUMIFICADO **2** *P. ext.* Excessivamente magro, mirrado; MAGÉRRIMO; DEFINHADO [F.: *a-*[2] + *múmia* + *-ado*[1].]

amumiar (a.mu.mi.*ar*) *v. td. int.* **1** *P. ext.* Dar ou ganhar aparência de múmia; mumificar(-se) **2** Tornar(-se) seco e magro demais; DEFINHAR; MIRRAR [▶ 1 amumiar] [F.: *a-*[2] + *múmi(a)* + *-ar*[2].]

amundiçado (a.mun.di.*ça*.do) *a.* **1** De aspecto sórdido, imundo, repugnante **2** De modos grosseiros, rudes; MAL-EDUCADO [F.: *a-*[2] + *mundiça* + *-ado*[1].]

amunhecar (a.mu.nhe.*car*) *v. int.* **1** *N. E.* Fraquejar; acovardar(-se): "Aí Fabiano baixou a pancada e amunhecou." (Graciliano Ramos, *Vidas secas*) **2** *N. E.* Afrouxar as rédeas da montaria, deixá-las cair: *Depois de tamanha fuga a galope, amunhecou.* [▶ 11 amunhecar] [F.: *a-*[2] + *munhec(a)* + *-ar*[2].]

amunhegado (a.mu.nhe.*ga*.do) *a. SE* Que se abateu, enfraqueceu; ENFRAQUECIDO; ABATIDO; ALQUEBRADO [F.: De *amunhecado*.]

amuo (a.*mu*.o) *sm.* Mau humor que se revela nos gestos, na expressão do rosto, no silêncio etc. [F.: Dev. de *amuar*. Hom./Par.: *amuo* (sm.), *amuo* (fl. de *amuar*).]

amura (a.*mu*.ra) *Mar. sf.* **1** Cabo com o qual se estendem de várias maneiras as velas redondas e latinas **2** A parte mais saliente do costado na proa de uma embarcação; BOCHECHA [F.: Regress. de *amurada*. Hom./Par.: *amura(s)* (sf. [pl.]), *amura(s)* (fl. *amurar*).]

amurada (a.mu.*ra*.da) *sf.* **1** *Mar.* Parapeito no costado de um navio **2** Muro, paredão [F.: De or. contrv.; de *a-*[4] + *murada*, posv.]

amurado[1] (a.mu.*ra*.do) *a.* O mesmo que *amuralhado* [F.: Part. de *amurar*[1]. Hom./Par.: *amurada* (fem.), *amurada* (sf.).]

amurado[2] (a.mu.*ra*.do) *Mar. a.* Com as amuras fixadas em um dos bordos: *amurado a bombordo.* [F.: Part. de *amurar*[2].]

amuralhado (a.mu.ra.*lha*.do) *a.* Com muralhas, com muros; AMURADO [F.: Part. de *amuralhar*.]

amuralhar (a.mu.ra.*lhar*) *v.* **1** Cercar de muralhas; AMURAR [***td.***: *Mandou amuralhar a cidade.*] **2** Retrair-se; fechar-se em silêncio [***ta.***: *Com vergonha, amuralhou-se no quarto.*] [▶ 1 amuralhar] [F.: *a-*[2] + *muralha* + *-ar*[2].]

amurar[1] (a.mu.*rar*) *v. td.* **1** *Náut.* Prender as amuras de uma vela de embarcação **2** Suspender as amuras de (uma vela) [▶ 1 amurar] [F.: *amura* + *-ar*[2].]

amurar[2] (a.mu.*rar*) *v. td.* **1** Cercar (casa, terreno, propriedade etc.) de muros ou muralhas; AMURALHAR **2** *Fig.* Encarcerar em prisão; PRENDER [▶1 amurar] [F.: *a-*[2] + *muro* + *-ar*[2].]

amurê (a.mu.*rê*) *sm.* Ver *amurê*

amurê (a.mu.*rê*) *sm. Etnog.* Casamento, entre os escravos malês da Bahia e os alufás do Rio de Janeiro [F.: Posv. de or. hauçá. Tb. *amuré*.]

amuri (a.mu.*ri*) *sm.* Cacique dos índios parecis [F.: De or. indígena.]

amusia (a.mu.*si*.a) *sf.* **1** *Med. Neur. Psiq.* Incapacidade de perceber, produzir ou reproduzir sons musicais **2** Perda ou bloqueamento da sensibilidade diante da música e das artes de maneira geral [F.: Do lat. *amusia, ae*, 'ignorância musical', do gr. *amousía, as*, 'ignorância'; 'dissonância'.]

amúsico (a.*mú*.si.co) *a.* Relativo a ou próprio da amusia (sintoma amúsico) [F.: *amusia* + *-ico*[2].]

◎ **an-** *pref.* Ver *a-*[3]

◎ **an(a)-** *pref.* = 'movimento contrário ou para cima'; 'privação': *anabatismo, anacronismo.* [F.: Do gr. *an-* ou *ana-*, do adv. e prep. *aná*, 'no alto, em cima'; 'de baixo para cima'.]

anã (a.*nã*) *sf.* **1** Fem. de anão **2** *Astron.* F. red. de *estrela anã* [F.: Fem. de *anão*, seg. o modelo vern.] ∎ **~ branca** *Astron.* Estrela em estágio final de sua evolução, apresentando-se densa e quente e de baixa luminosidade **~ marrom** *Astron.* Corpo celeste em estágio intermediário, entre o de estrela e o de planeta **~ negra** *Astron.* Estrela quase morta, em seu último estágio na evolução **~ vermelha** *Astron.* Estrela de pequeno volume, pequena massa, e a mais fraca luminosidade

anabantídeo (a.na.ban.*tí*.de:o) *Ict. sm.* **1** Espécime dos anabantídeos, fam. de peixes teleósteos fluviais, perciformes, dotados de espinhos nas nadadeiras ventrais e peitorais que permitem que eles subam nas árvores às margens dos rios e lagos onde vivem, na região entre Índia e Filipinas e na África *a.* **2** Ref. ou pertencente aos anabantídeos [F.: Adaptç. do lat. cient. *Anabantidae*, do lat. cient. *Anabas*, do v. gr. *anabaíno*, 'subir', 'montar'.]

anábase (a.*ná*.ba.se) *sf. Med.* Fase em que uma doença progride ou se intensifica [F.: Do gr. *anábasis, eos*.]

anabático (a.na.*bá*.ti.co) *Med. a.* **1** Ref. a anábase **2** Que piora aos poucos (diz-se de doença) [F.: Do gr. *anabatikós* 'que tende a subir'.]

anabatismo (a.na.ba.*tis*.mo) *sm. Rel.* Seita protestante que defende o batismo somente na idade adulta [F.: Do fr. *anabaptisme*, do gr. *anabaptismós*.]

anabatista (a.na.ba.*tis*.ta) *a2g.* **1** Ref. a ou que é adepto do anabatismo *s2g.* **2** Adepto do anabatismo [F.: Do fr. *anabaptiste*.]

anabenodáctilo (a.na.be.no.*dác*.ti.lo) *a. Zool.* Diz-se de animais cujos dedos têm forma e características apropriadas para trepar, galgar [F.: Do v. gr. *anabaíno*, 'subir', 'montar', + *-dáctilo*. Tb. *anabenodátilo*.]

anabenodátilo (a.na.be.no.*dá*.ti.lo) *a.* Ver *anabenodáctilo*

anabi (a.na.*bi*) *sf. Bot.* Arbusto aromático de até 1m (*Potalia amara*) da fam. das gencianáceas, nativo das Guianas e do Brasil (AM e MT), com flores brancas, folhas extremamente amargas com propriedades adstringentes e mucilaginosas, e resina amarela com aplicação medicinal, us. especialmente contra picadas de cobra; PAU-COBRA; PAU-DE-COBRA; POTÁLIA [F.: Do tupi *ana'bi*.]

anabiose (a.na.bi:*o*.se) *sf. Biol.* Suspensão temporária das funções vitais (de organismo vivo), dando a impressão de morte [F.: Do fr. *anabiose*, do gr. *anabíosis*.]

anabiótico (a.na.bi:*ó*.ti.co) *a.* Ref. a ou que apresenta anabiose [F.: *anabiose* + *-ótico*.]

anablepídeo (a.na.ble.*pí*.de:o) *Ict. sm.* **1** Espécime dos anablepídeos, fam. de peixes teleósteos, ciprinodontiformes, vivíparos, abrangendo três gên. e cerca de nove espécies predominantemente fluviais, encontrados nos rios e lagos do México à Argentina; possuem olhos muito salientes divididos em duas partes *a.* **2** Ref. ou pertencente aos anablepídeos [F.: Adaptç. do lat. *Anablepidae*, do lat. cient. *Anableps*.]

anabólico (a.na.*bó*.li.co) *a.* **1** *Fisl.* Do ou ref. ao anabolismo **2** O mesmo que *anabolizante* [F.: Do fr. *anabolique*, do lat. tardio *anabolicus*.]

anabolismo (a.na.bo.*lis*.mo) *sm. Fisl.* Processo pelo qual o organismo transforma o alimento em energia para o funcionamento e a regeneração das células; ASSIMILAÇÃO [F.: Do fr. *anabolisme*, do lat. cient. *anabolismus*. Cf.: *catabolismo* e *metabolismo*.]

anabolizante (a.na.bo.li.*zan*.te) *a2g.* **1** Diz-se de substância que estimula o anabolismo, aumentando esp. a massa muscular (esteroide anabolizante); ANABÓLICO *sm.* **2** Essa substância: *O atleta foi suspenso por usar anabolizantes.* [F.: *anabolizar* + *-nte*.]

anabolizar (a.na.bo.li.*zar*) *v. td.* **1** *Bioq.* Realizar anabolismo em; assimilar: *O produto ajuda a anabolizar a cartilagem degenerativa.* **2** *Fig.* Fazer crescer; ativar: *A notícia vai anabolizar as vendas do produto.* [▶ 1 anabolizar] [F.: *anabol(ismo)* + *-izar*.]

anacá (a.na.*cá*) *sm.* Ver *anacã*

anacã (a.na.*cã*) *sm. Ornit.* Ave amazônica psitaciforme de até 35 cm (*Deroptyus accipitrinus*), da fam. dos psitacídeos, de corpo verde com parte da cauda azul e grande crista de penas vermelho-escuras margeadas de azul; PAPAGAIO-DE-COLEIRA; VANAQUIÁ; CURICA-BACABAL [F.: Do tupi. Tb. *anacá*.]

anaçar (a.na.*çar*) *v. td. Ant.* Revolver e agitar bastante, esp. líquido; MISTURAR; BATER [► 12 anaçar] [F.: De or. contrv.]

anacardiácea (a.na.car.di:*á*.ce:a) *sf. Bot.* Espécime das anacardiáceas, fam. de árvores e arbustos da ordem das sapindales, nativos das regiões tropicais e temperadas, cultivadas esp. pelos frutos, como a manga, o caju e o pistache, e pela madeira, como a aroeira, o gonçalo-alves [F.: Adaptç. do lat. cient. *Anacardiaceae*, do lat. cient. *Anacardium* (ver tb. *anacárdio*).]

anacardiáceo (a.na.car.di.*á*.ce.o) *a. Bot.* Ref. ou pertencente às anacardiáceas [F.: De *anacardiácea*, com var. de suf. (ver *-áceo*).]

anacárdio (a.na.*cár*.di:o) *Bot. sm.* **1** Nome comum dado às árvores ou arbustos do gên. *Anacardium*, da fam. das anacardiáceas, em que se incluem 11 espécies encontradas em regiões tropicais e subtropicais da América **2** Qualquer uma dessas espécies, como, p. ex., o cajueiro (*Anacardium occidentale*) **3** Árvore (*Semecarpus anacardium*), da fam. das anacardiáceas, tb. conhecida como *balador* [F.: Do lat. cient. *Anacardium*.]

anacatártico (a.na.ca.*tár*.ti.co) *a. Med.* Diz-se de substância ou medicamento que provoca ou facilita a expectoração; EXPECTORANTE [F.: Do gr. *anakathartikós, é, ón*, 'que serve para purificar'.]

anacenose (a.na.ce.*no*.se) *sf. Ling. Ret.* Figura de linguagem em que ocorre uma identificação com as ações ou as opiniões de outrem [F.: Do gr. *anakoínosis*, eos, 'comunicação', pelo lat. *anacoenosis, is.*]

anáclase (a.*ná*.cla.se) *sf.* **1** *Fís.* O mesmo que *refração* **2** *Med. Neur.* O mesmo que *reflexo* **3** *Med. Ort.* Flexão de um membro com objetivo de romper a imobilidade de sua articulação **4** *Liter.* Recurso de versificação que consiste na troca de lugar entre a sílaba longa do fim de um verso pela sílaba breve do começo do verso seguinte [F.: Do gr. *anáklasis, eos*, 'refração da luz'.]

anáclise (a.*ná*.cli.se) *sf. Psic.* Estado de dependência psíquica, de extrema necessidade de apoio [F.: Do gr. *anáklisis, eos*, 'ação de deitar(-se)'. Ver tb. *anaclisia*.]

anaclisia (a.na.cli.*si*.a) *sf. Med.* Posição horizontal ou quase horizontal de alguém acamado (ger. um enfermo) ou recostado em cadeira inclinada; DECÚBITO [F.: Do gr. *anáklisis*. Ver tb. *anáclise*.]

anaclítico (a.na.*clí*.ti.co) *a.* **1** Ref. à anaclisia **2** *Psic.* Ref. à anáclise; ref. à dependência da libido em relação a impulsos de origem não sexual **3** *Psic.* Ref. à escolha de objeto de amor ligada à satisfação de necessidades físicas, ger. envolvendo as imagens dos progenitores, por serem os alimentadores e os protetores [F.: Do ingl. *anaclitic*, termo criado a partir do gr. *anáklitos*, 'deitado', 'reclinado'.]

anacolia (a.na.co.*li*.a) *sf. Med.* Ausência de secreção biliar [F.: *an(a)-* + *-colia*[1].]

anacólico (a.na.*có*.li.co) *a. Med.* Referente à ou próprio da anacolia [F.: *anacolia* + *-ico*[2].]

anacoluto (a.na.co.*lu*.to) *sm. Gram.* Ruptura da organização gramatical da frase que deixa um dos termos sem função sintática; frase quebrada [Ex. de anacoluto em frase de J. Lins do Rêgo, citada por Celso Cunha: "Umas carabinas que guardava atrás do guarda-roupa, a gente brincava com elas, de tão imprestáveis"] [F.: Do lat. tardio *anacoluthon*, do gr. *anakólouthos*.]

anaconda (a.na.*con*.da) *sf. Zool.* O mesmo que *sucuri* [F.: Do tâmul *anai-kondra*.]

anacorese (a.na.co.*re*.se) *sf.* **1** *Imun.* Teoria que diz que o indivíduo vacinado torna-se mais resistente, não só para o germe específico daquela vacina como em relação a outros microrganismos infecciosos **2** *Med.* Atração sofrida por micro-organismos para pontos do organismo atingidos por infecções, devido ao estado inflamatório por elas causado [F.: Do lat. cient. *anachoresis*, posv. do gr. *anachóresis, eos*, 'ação de retirar-se'.]

anacoreta (a.na.co.*re*.ta) [ê] *sm.* **1** Religioso que vive na solidão para se entregar à vida contemplativa **2** *Fig.* Pessoa que vive recolhida, afastada da sociedade [F.: Do lat. tardio *anachoreta*, do gr. *anachorétés*. Cf.: *cenobita*.]

anacorético (a.na.co.*ré*.ti.co) *a.* Próprio de ou referente a anacoreta [F.: Do gr. *anakhoretikós, é, ón*, pelo lat. ecles. *anachoreticus, a, um*.]

anacronia (a.na.cro.*ni*.a) *sf.* Característica ou condição do que é anacrônico, do que encerra ou revela anacronismo [F.: *anacron(ismo)* + *-ia*[1].]

anacrônico (a.na.*crô*.ni.co) *a.* **1** Que apresenta ou encerra anacronismo (1) **2** Que não se enquadra nos usos ou costumes atuais (ideias anacrônicas) **3** Antiquado, retrógrado [F.: De *anacronismo* + *-ico*[2], seg. o mod. grego.]

anacronismo (a.na.cro.*nis*.mo) *sm.* **1** Situação, estado ou qualidade do que não é adequado ou não ocorre no tempo ou época em que deveria ou se espera: *O anacronismo dessas medidas compromete sua eficácia.* **2** Aquilo que revela anacronismo (1) **3** Erro cronológico que consiste em relacionar certa data com fatos, pensamentos, costumes etc. que não lhe correspondem [F.: Do fr. *anachronisme*, do gr. *anachronismós*.]

anacruse (a.na.*cru*.se) *sf.* **1** *Mús.* Presença e/ou execução de nota ou notas no início de obra musical e no tempo fraco do compasso, como preparação para o seu tempo forte; ÁRSIS **2** *Poét.* Sílaba ou conjunto de sílabas que, no início de um verso (grego ou latino), precedem a sílaba forte que marca o acento métrico [F.: Do gr. *anákrousis*, pelo fr. *anacrouse* ou *anacruse*.]

anacusia (a.na.cu.*si*.a) *sf. Med.* Perda parcial ou total da audição [F.: *an-* + *-acusia*.]

anacústico (a.na.*cús*.ti.co) *a.* Relativo a ou próprio de anacusia (sequela anacústica) [F.: *an-* + *-acústico*.]

anadigi (a.na.*di*.gi) *a2g2n.* Que é simultaneamente analógico e digital (relógios anadigi, sistema anadigi) [F.: *ana(lógico)* + *digi(tal)*.]

anadiomênico (a.na.di:o.*mê*.ni.co) *a. Bot.* Ref. a anadiômena [F.: *anadiômena* + *-ico*[2].]

anadiplose (a.na.di.*plo*.se) *sf. Ret.* Repetição de palavra(s) que finaliza(m) frase ou verso no começo da frase ou verso seguinte [F.: Do lat. tard. *anadiplosis, is*, do gr. *anadíplosis, eos*. Cf.: *epanadiplose*.]

anadiplótico (a.na.di.*pló*.ti.co) *a.* Relativo a anadiplose, ou em que se verifica anadiplose (estrofe anadiplótica) [F.: *anadipl(ose)* + *-ótico*.]

anádromo (a.*ná*.dro.mo) *sm.* **1** *Med.* Passagem dos humores da parte inferior para a superior do corpo, Tb. se diz *anástase*. *a.* **2** *Zool.* Diz-se de peixe que, sendo do mar, sobe o rio para desovar, ou que, sendo de rio, nada contra a correnteza para reproduzir-se na nascente [Cf.: *catádromo*.] **3** *Bot.* Em plantas pteridófitas, diz-se de nervação em que as nervuras pares localizam-se na face inferior e as ímpares na face superior das folhas [Cf.: *catádromo*.] [F.: Do gr. *anadrómos, os, on*, 'que sobe correndo', ou de *an(a)-* + *-dromo*.]

anaeróbico (a.na:e.*ró*.bi.co) *a.* Que se realiza sem consumo ou com pouco consumo de oxigênio (exercício anaeróbico) [Ant.: *aeróbico*.] [F.: *an-* + *aeróbico*.]

anaeróbio (a.na:e.*ró*.bi:o) *a.* **1** *Biol.* Diz-se de organismo que não precisa de oxigênio ou ar (bactéria anaeróbia) **2** Ref. aos organismos anaeróbios (respiração anaeróbia) *sm.* **3** Organismo anaeróbio (1) [F.: *an-* + *aeróbio*. Ant. ger.: *aeróbio*.]

anaerobiose (a.na:e.ro.bi:*o*.se) *sf. Biol.* Vida orgânica que se desenvolve e reproduz na ausência de oxigênio ou ar [P. op. a *aerobiose*.] [F.: *an-* + *aerobiose*.]

anafa (a.*na*.fa) *Bot. sf.* **1** Denominação comum às ervas aromáticas do gên *Meliotus*, da fam. das leguminosas, subfam. papilionoídea, semelhante à cevada, us. como forrageira e na fabricação de adubo; ANAFE **2** Planta (*Melilotus officinalis*) da fam. das leguminosas, tb. chamada *trevo-cheiroso*.

anafado (a.na.*fa*.do) *a.* Que se anafou; bem nutrido, gordo; ADIPOSO *Pop.*; BALOFO; CORPULENTO; OBESO: "(...) anafada presença do nosso amigo e velho Sancho Pança." (Almeida Garrett, *Viagens na minha terra*) [Ant.: *esquálido, magro, mirrado*.] [F.: Part. de *anafar*.]

anafar (a.na.*far*) *v. td.* **1** Alimentar com anafa, leguminosa parecida com a cevada **2** *P. ext.* Engordar (ger. gado) com alimentação apropriada **3** Esfregar (o corpo) com bálsamo ou outra substância oleosa **4** Acariciar, alisar, ger. com as mãos [► 1 anafar] [F.: *anaf(a)* + *-ar*[2]. Sin. ger.: *anafear*. Hom./Par.: *anafa(s)* (fl.), *anafa* (sf. [e pl.]); *anafe(s)* (fl.), *anafe* (sf. [e pl.]).]

anáfase (a.*ná*.fa.se) *sf. Biol.* Fase da mitose ou da meiose, na qual as cromátides migram em direção a polos opostos da célula [F.: *an(a)-* + *-fase*.]

anafásico (a.na.*fá*.si.co) *a.* Relativo à anáfase [F.: *anáfase* + *-ico*[2].]

anafiláctico (a.na.fi.*lác*.ti.co) *a.* Ver *anafilático*

anafilactoide (a.na.fi.lac.*toi*.de) *a2g. Biol.* Diz-se de reação semelhante à da anafilaxia, porém sem participação de imunoglobulinas [F.: *anafiláct(ico)* + *-oide(o)*.]

anafilático (a.na.fi.*lá*.ti.co) *Imun. a.* **1** Ref. a ou típico da anafilaxia **2** Provocado por anafilaxia (choque anafilático) [F.: *an(a)-* + *-filá(c)tico*. Tb. *anafiláctico*.]

anafilatoxina (a.na.fi.la.to.*xi*.na) [cs] *Imun. sf.* Substância que se forma no soro sanguíneo quando o sistema complexo de globulinas é ativado por complexos imunes ou por certos coloides, promovendo a liberação de histamina e de outros mediadores químicos [F.: *anafila(xia)* + *toxina*. Var.: *anafilotoxina*.]

anafilaxia (a.na.fi.la.*xi*.a) [cs] *sf. Imun.* Reação imunológica do organismo a nova introdução de alguma substância estranha (antígeno), que pode levar à morte por asfixia [F.: *an(a)-* + *-filaxia*.]

anafonese (a.na.fo.*ne*.se) *sf.* Exercício vocal para aumento da capacidade de respiração, fortalecendo as vias respiratórias [F.: Do gr. *anaphónesis, eos*, 'exclamação'; 'declamação'.]

anáfora (a.*ná*.fo.ra) *sf.* **1** *Poét. Ret.* Figura de linguagem que consiste em repetir uma ou mais palavras no início de frases ou versos consecutivos; EPANÁFORA [Ex.: "É pau, é pedra, é o fim do caminho..." (Tom Jobim, *Águas de março*)] **2** *Gram.* Processo sintático pelo qual uma palavra (p. ex., um pr. pess.) remete a outra(s) anteriormente referida(s) [Ex.: *João e José são meus amigos. Eles também me consideram seu amigo.*] [F.: Do lat. *anaphora*, do gr. *anaphorá*.]

anaforese (a.na.fo.*re*.se) *sf. Fís. Quím.* Na eletroforese, movimento em direção ao ânodo [F.: *an(a)-* + *-forese*.]

anafórico (a.na.*fó*.ri.co) *Gram. Ling. a.* **1** Ref. a anáfora **2** Diz-se de elemento linguístico em que há anáfora; EPANAFÓRICO [F.: *anáfora* + *-ico*[2].]

anafrodisia (a.na.fro.di.*si*.a) *sf. P. us. Med.* Ausência de desejo sexual [F.: Do gr. *anaphrodisia* < *a(n)-* + *aphrodisia*.]

anafrodisíaco (a.na.fro.di.*sí*.a.co) *P. us. Med. a.* **1** Ref. a anafrodisia **2** Que diminui ou evita o desejo sexual (medicamento anafrodisíaco) **3** Que sofre de anafrodisia; ANAFRODITA *sm.* **4** Substância ou medicamento anafrodisíacos (2) **5** Aquele que sofre de anafrodisia [F.: *anafrodisia* + *-ico*[2]. P. op. a 2, 4: *afrodisíaco*.]

anafrodita (a.na.fro.*di*.ta) *a2g.* **1** *Med.* Que sofre de anafrodisia, apresentando frigidez ou impotência sexual; ANAFRODISÍACO **2** *P. ext.* Que não tem sensibilidade ao amor carnal *s2g.* **3** *Med.* Aquele que sofre de anafrodisia; ANAFRODISÍACO **4** *P. ext.* Indivíduo insensível ao amor carnal [F.: Do gr. *anaphróditos, os, on*, 'que não foi agraciado por Afrodite, a deusa do amor', posv. com influência da f. *afrodita*.]

anagênese (a.na.*gê*.ne.se) *sf. Med.* Regeneração de tecidos destruídos [F.: Do gr. *anagénnésis*.]

anagenético (a.na.ge.*né*.ti.co) *a.* Ref. a anagênese [F.: *anagên(ese)* + *-ético*.]

anaglífico (a.na.*glí*.fi.co) *a.* Relativo a anáglifo. [F.: *anáglifo* + *-ico*[2].]

anáglifo (a.*ná*.gli.fo) *sm.* **1** *Art. Pl.* Obra gravada a cinzel em baixo-relevo **2** *Fot.* Figura que combina duas imagens fotografadas de pontos de visão diferentes, impressas em cores contrastantes (ger. vermelho e verde) e que, vistas através de óculos especial, dão a ilusão de profundidade e relevo [Do gr. *anáglyphos*, pelo lat. *anaglyphu*.]

anagliptografia (a.na.glip.to.gra.*fi*.a) *sf.* Sistema de escrita em relevo para cegos, criada pelo francês Louis Braille (1809-1852); BRAILE

anagliptográfico (a.na.glip.to.*grá*.fi.co) *a.* Ref. a anagliptografia [F.: *anagliptografia* + *-ico*[2].]

anagnosia (a.nag.no.*si*.a) *sf.* Leitura e interpretação excessivas de textos [F.: gr. *anágnosis*, 'leitura', + *-ia*[1].]

anagnosigrafia (a.nag.no.si.gra.*fi*.a) *sf. Pedag.* Sistema de alfabetização que ensina a ler e a escrever de forma simultânea

anagnosigráfico (a.nag.no.si.*grá*.fi.co) *a.* Ref. a anagnosigrafia [F.: *anagnosigrafia* + *-ico*[2].]

anagnosta (a.nag.*nos*.ta) *sm.* **1** Na Roma e Grécia antigas, escravo que lia em voz alta para seus senhores durante banquetes **2** Aquele que lê em voz alta para os outros **3** *Ecles.* Sacerdote da Igreja Ortodoxa que canta ou proclama as Sagradas Escrituras durante a liturgia [F.: Do lat. *agnostés, ae*, do gr. *anagnôstés, ou*.]

anagogia (a.na.go.*gi*.a) *sf.* **1** Arrebatamento místico pela contemplação de coisas sagradas; ÊXTASE **2** Interpretação mística das simbologias das Sagradas Escrituras ou de obras clássicas da literatura [F.: gr. *anagogé*, 'ação de fazer subir', + *-ia*[1]. Var.: *anagoge*.]

anagógico (a.na.*gó*.gi.co) *a.* **1** Relativo à anagogia (emoção anagógica; sentido anagógico) **2** *Psic.* Na terminologia junguiana, relativo à elevação moral do inconsciente

anagrama (a.na.*gra*.ma) *sm.* Palavra ou frase formada pela permutação das letras de outra palavra ou frase (p. ex.: *amor* e *Roma*; *Pedro, podre* e *poder*.) [F.: Do lat. medv. *anagramma*, do gr. **anágramma*, de *anagrammatismós, ou*, 'transposição de letras'.]

anagramático (a.na.gra.*má*.ti.co) *a.* **1** Ref. a anagrama **2** Composto por anagrama(s) ou que contém anagrama(s) (texto anagramático; poema anagramático) [F.: De *anagrama*, sob a f. *anagramat-*, + *-ico*[2], seg. o mod. gr.]

anagramatista (a.na.gra.ma.*tis*.ta) *s2g.* Aquele que faz ou é dado a fazer anagramas [F.: De *anagrama*, sob a f. *anagramat-*, + *-ista*, seg. o mod. gr.]

anágua (a.*ná*.gua) *sf. Vest.* Saia us. sob vestido ou sob outra saia; saia de baixo [F.: Do espn. *enagua*.]

anaiá (a.nai.*á*) *sm. Bot.* Ver *inajá*

anais (a.*nais*) *smpl.* **1** Registro de fatos em ordem cronológica: *os anais da República.* **2** Publicação periódica de qualquer área das ciências ou das artes: *anais da Sociedade Brasileira de Pediatria*. [F.: Do lat. *annales, ium*. Cf.: *anal*.]

anajá[1] (a.na.*já*) *sm. Bot.* Ver *inajá*

anajá[2] (a.na.*já*) *s2g.* **1** Indivíduo dos anajás, grupo indígena extinto que habitou a ilha de Marajó *a2g.* **2** Ref. ou pertencente aos anajás [F.: Do tupi-guarani.]

anal (a.*nal*) *a2g.* Do ou ref. ao ânus [Pl.: *-nais*.] [F.: *ân (us)* + *-al*. Cf.: *anais*.]

analema (a.na.*le*.ma) *Astron. sm.* **1** Antigo instrumento astronômico para marcar a posição do Sol **2** Projeção planisférica da declinação progressiva do Sol em cada dia do ano [F.: Do gr. *análemma*, pelo lat. *analemma*.]

analemática (a.na.le.*má*.ti.ca) *sf. Astron.* Arte e técnica de localizar a posição de um astro usando analema (1) [F.: *analema* + *-ática*.]

analemático (a.na.le.*má*.ti.co) *a.* Ref. a analema [F.: *analema*, sob a f. *analemat-*, + *-ico*[2], seg. o mod. gr.]

analepsia (a.na.lep.*si*.a) *sf. Med.* Recuperação das forças perdidas durante uma enfermidade; ANALEPSE; ANACTESIA; CONVALESCÊNCIA

analéptica (a.na.*lép*.ti.ca) *sf. Med.* Especialidade médica que trata do fortalecimento dos convalescentes [F.: Fem. subst. de *analéptico*.]

analéptico (a.na.*lép*.ti.co) *a.* **1** *Med.* Ref. a analepsia **2** *Farm. Med.* Diz-se de medicamento que ajuda a convalescença, restaurando as forças **3** *Farm. Med.* Diz-se de qualquer substância que provoca a excitação do sistema nervoso central *sm.* **4** *Farm. Med.* Substância excitante ou estimulante do sistema nervoso central **5** Substância ou medicamento que restaura as forças (de enfermo, pessoa debilitada etc.); FORTIFICANTE; TÔNICO [F.: Do gr. *analeptikós*, pelo lat. *analepticus, a, um*.]

analérgico (a.na.*lér*.gi.co) *a.* **1** Ref. à analergia (ausência de alergia) **2** Diz-se de substância química ou fator físico que não produz alergia [F.: *analergia* + *-ico*[2].]

analfa (a.*nal*.fa) *s2g. Bras. Pej.* F. red. de *analfabeto*: *Esse sujeito é um analfa!*

analfabetismo (a.nal.fa.be.*tis*.mo) *sm.* Qualidade, estado ou condição de analfabeto [F.: *analfabeto* + *-ismo*.]

📖 Durante muito tempo o analfabetismo foi considerado apenas como a incapacidade de ler e de escrever, e sua erradicação como condição necessária e suficiente para uma educação de qualidade e a elevação dos níveis social, cultural e econômico de uma sociedade. Atualmente entende-se que o simples domínio dos caracteres da escrita não constitui o fim do chamado 'analfabetismo funcional', no qual mesmo uma pessoa que sabe ler e escrever não faz uso desse conhecimento em seu dia a dia, nem como ferramenta para adquirir conhecimentos, informar-se, comunicar-se etc. O índice do analfabetismo funcional no Brasil era estimado em 70% no início do séc. XXI, contra 13,6% de analfabetismo. Neste, as diferenças regionais eram muito grandes: c. 7% nas regiões Sudeste e Sul, 24% no Nordeste.

analfabeto (a.nal.fa.*be*.to) *a.* **1** Que não sabe ler nem escrever [Ant.: *alfabetizado*.] **2** Que não conhece determinado assunto ou matéria **3** Muito ignorante *sm.* **4** Indivíduo analfabeto (1) [Ant.: *alfabetizado*.] **5** Aquele que não conhece determinado assunto ou matéria: *um analfabeto em informática.* **6** Pessoa muito ignorante [F.: Do lat. *analphabetus*, do gr. *analphábetos*.] ■ **~ de pai e mãe** Quem é totalmente analfabeto **~ funcional** Pessoa cuja alfabetização é restrita ao campo de suas funções, o que não lhe permite compreender textos fora dessa área

analgesia (a.nal.ge.*si*.a) *sf. Med.* Ausência de sensibilidade à dor ou sua cessação por meio de medicamentos [F.: Do fr. *analgésie*, do gr. *analgesía*.]

analgésico (a.nal.*gé*.si.co) *a.* **1** Ref. a analgesia **2** *Farm.* Diz-se de medicamento que diminui ou faz cessar a dor *sm.* **3** *Farm.* Esse medicamento [F.: *analgesia* + *-ico*².]

analgesídeo (a.nal.ge.*sí*.de:o) *Zool. sm.* **1** Espécime dos analgesídeos, fam. de ácaros parasitas, encontrados nas penas das aves *a.* **2** Ref. ou pertencente aos analgesídeos [F.: Adaptç. do lat. cient. *Analgesidae*.]

analgia (a.nal.*gi*:a) *sf. P. us. Med.* O mesmo que *analgesia* [F.: *an-* + *-algia*.]

análgico (a.*nál*.gi.co) *a.* **1** *Med.* Que se refere a analgia **2** *Neur.* Que traz alívio à dor [F.: *analgia* + *-ico*².]

analisado¹ (a.na.li.*sa*.do) *a.* **1** Que se analisou; que sofreu análise **2** Minuciosamente investigado, examinado [F.: Part. de *analisar*.]

analisado² (a.na.li.*sa*.do) *a.* **1** *Psic.* Que se submeteu à terapia psicanalítica *sm.* **2** *Psic.* Pessoa que se submeteu ao processo de psicanálise [F.: Part. de *analisar*. Sin. ger.: *psicanalisado*.]

analisador (a.na.li.sa.*dor*) [ô] *a.* **1** Que analisa; que observa criticamente **2** *Fís.* Diz-se de sistema que permite separar partículas elementares segundo seu valor energético **3** *Ópt.* Num sistema óptico, diz-se de elemento que, num processo de polarização da luz, só é transparente a raios luminosos paralelos a certo plano *sm.* **4** Aquele que analisa, que observa, que examina **5** *Pej.* Pessoa que vive observando criticamente outros, seus hábitos, seus gestos e palavras etc. **6** *Elet. Eletrôn.* Equipamento de teste que verifica as características ou desempenho de componentes, dispositivos ou circuitos elétricos ou eletrônicos **7** *Fís.* Sistema físico que possibilita a separação de partículas segundo a carga de energia **8** *Ópt.* Num sistema óptico, elemento analisador (3) [F.: *analisar* + *-dor*.] ■ **~ harmônico** *Fís.* Instrumento que analisa um sinal periódico em função de seus componentes harmônicos

analisando (a.na.li.*san*.do) *a.* **1** *Psic.* Que se encontra em tratamento psicanalítico *sm.* **2** *Psic.* Indivíduo que se encontra em tratamento psicanalítico [F.: *analisar* + *-ndo*. Sin. ger.: *psicanalisando*.]

analisar¹ (a.na.li.*sar*) *v. td.* **1** Fazer a análise de; estudar (algo) pelo exame de suas partes constituintes: *O laboratório analisou o sangue da vítima.* **2** Observar (algo ou alguém) em seus pequenos detalhes: *Analisou a fisionomia da amiga.* **3** Criticar: *analisar um romance.* **4** *Ling.* Decompor e classificar as diferentes partes ou elementos de uma palavra, oração ou período [▶ 1 analisar] [F.: *análise* + *-ar*². Hom./Par.: *analisáveis* (fl.), *analisáveis* (pl. de *analisável*); *analise(s)* (fl.), *análise(s)* (sf. [pl.]).]

analisar² (a.na.li.*sar*) *v. td. Psic. Psi.* F. red. de *psicanalisar* [▶ 1 analisar]

analisável (a.na.li.*sá*.vel) *a2g.* Que pode ser analisado [Pl.: *-veis*.] [F.: *analisar* + *-vel*. Hom./Par.: *analisáveis* (pl.), *analisáveis* (fl. de *analisar*).]

análise¹ (a.*ná*.li.se) *sf.* **1** Estudo de um todo pelo exame de suas partes: *análise de uma amostra de sangue; análise de um texto.* **2** O resultado desse estudo **3** Exame, avaliação, crítica [F.: Do lat. cient. *analysis*, do gr. *análysis*. Hom./Par.: *análise* (sf.), *analise* (fl. de *analisar*).] ■ **~ cartesiana** *Fil.* Análise baseada no método de análise de René Descartes, de dividir um problema em quantas partes sejam necessárias para resolvê-lo **~ clínica** *Med.* Conjunto de análises laboratoriais de material colhido de um paciente, para fins de diagnóstico **~ colorimétrica** *Quím.* Análise quantitativa em que se compara a absorvância ou a transmitância de uma solução de concentração desconhecida com as de outra solução idêntica, mas de concentração conhecida; colorimetria **~ combinatória** *Mat.* Parte da matemática que estuda e conta as disposições possíveis dos membros de um conjunto em seus subconjuntos **~ componencial** *Ling.* A que atribui a uma unidade léxica os componentes semânticos mínimos de seu significado. Ex.: para *cinto*: [faixa ou tira] + [material (couro, pano etc.) + [função (cingir, segurar] = [especificidade (calça ou saia, ou o tronco, no cinto de segurança)] **~ contrastiva** *Ling.* Comparação de línguas diferentes, para identificar as diferenças estruturais entre elas **~ de Fourier** *Fís.* O mesmo que *análise harmônica* **~ de sistemas** *Inf.* Atividade que visa à conceituação, formulação e planejamento de operações de processamento de dados e de desenvolvimento de soluções por meio da informática **~ de variância** *Est.* Método estatístico para determinar, nos conjuntos de alternativas de um atributo, a influência de alguns fatores sobre uma variável aleatória desse atributo **~ didática** *Psic.* Psicanálise de formação a que se submete quem pretende atuar como psicanalista **~ dimensional** *Fís.* Método us. para verificar a conformidade entre uma expressão matemática e uma lei física, ou para estabelecer relações entre grandezas físicas, tomando por base o princípio de que os termos de ambos os lados de uma equação devem ter as mesmas dimensões **~ diofantina** *Álg.* Parte da álgebra em que se estudam as soluções inteiras de tipos de equações com coeficientes inteiros **~ do discurso** *Ling.* Estudo das regras para produzir textos (orais ou escritos) maiores do que a frase **~ espectral** *Quím.* Conjunto das técnicas us. para analisar qualitativa e quantitativamente os espectros de emissão, absorção, fluorescência etc. **~ fatorial** *Est.* Análise de um fenômeno estatístico complexo com base na correlação dos resultados das medidas de determinados fatores desse fenômeno **~ gramatical** *Ling.* Aquela em que se determina a classe gramatical de cada uma das palavras que compõem uma frase; análise léxica **~ gravimétrica** *Quím.* Análise quantitativa para determinar massas por meio de pesagens **~ harmônica** *Fís.* Análise de um movimento ou sinal periódico pela sua decomposição em componentes harmônicos simples; análise de Fourier **~ infinitesimal** *Mat.* O mesmo que *análise matemática* **~ léxica** *Ling.* O mesmo que *análise gramatical* **~ lógica** *E. Ling.* O mesmo que *análise sintática* **~ matemática** *Mat.* Parte da matemática que compreende o cálculo diferencial e integral, o cálculo variacional etc.; análise infinitesimal **~ morfológica** *Ling.* Determinação do processo de formação das palavras por meio da classificação de morfemas **~ qualitativa** *Quím.* Aquela em que se determinam os elementos ou constituintes de uma amostra **~ quantitativa** *Quím.* Aquela em que se determinam as quantidades de cada um dos elementos ou constituintes de uma amostra **~ sequencial** *Est.* Investigação estatística na qual o número de observações sucessivas necessárias para provar uma hipótese é função dos resultados obtidos nas observações anteriores **~ sintática** *Ling.* Divisão de um período em orações, com identificação e classificação da relação estabelecida entre os termos que as constituem; análise lógica **~ técnica** *Cin.* Relação minuciosa e sistemática dos elementos do roteiro de um filme, com base para o orçamento e planejamento da produção **~ térmica** *Fís. -quím.* Mensuração de um parâmetro de certa substância quando esta é aquecida ou resfriada **~ transacional** *Psi.* Técnica de psicoterapia com base na análise sistemática das reações de indivíduos ou de grupos a estímulos sociais, como o aprendizado **Em última ~** Em conclusão, em resumo

análise² (a.*ná*.li.se) *sf. Psic.* F. red. de *psicanálise*

analista¹ (a.na.*lis*.ta) *a2g.* **1** Que faz análises *s2g.* **2** Aquele que faz análises [F.: Do fr. *analyste*, do gr. *analýstes*.] ■ **~ de sistema(s)** *Inf.* Profissional capacitado a conceber, planejar, organizar e produzir sistemas de informações. [Tb. apenas *analista*]

analista² (a.na.*lis*.ta) *a2g. s2g. Psic.* F. red. de *psicanalista*

analiticamente (a.na.li.ti.ca.*men*.te) *adv.* De modo analítico [F.: *analítica* (f. de *analítico*) + *-mente*.]

analítico (a.na.*lí*.ti.co) *a.* **1** Ref. a análise (método analítico) **2** Que se faz por meio de análise (estudo analítico) [F.: Do fr. *analytique*, do lat. *analyticus*, e, este, do gr. *analytikós*.]

analogia (a.na.lo.*gi*.a) *sf.* **1** Relação ou ponto de semelhança, criado mentalmente, entre coisas ou seres diferentes [+ *com*, *entre*: *analogia do homem com o macaco/ entre a poesia e a música*.] **2** Comparação: *Vamos fazer uma analogia entre estas pinturas.* [F.: Do lat. *analogia*, do gr. *analogía*.]

analógico (a.na.*ló*.gi.co) *a.* **1** Que se faz por analogia (raciocínio analógico.) **2** *Fís. Mat.* Ref. ou próprio de método de cálculo que emprega, para a resolução de um problema, a sua semelhança ou relação com medidas contínuas de fenômenos fisicamente diferentes **3** Baseado em analogias (conhecimento analógico) **4** *Inf.* Que mede uma grandeza ou apresenta valores de modo contínuo ou linear: *relógio com mostrador analógico.* [Cf., nesta acp., *digital*.] [F.: Do gr. *analogikós, ê, ón*, pelo lat. *analogicus, a, um*.]

analogístico (a.na.lo.*gís*.ti.co) *a.* **1** Em que se procede por analogismo **2** Que tem origem numa analogia [F.: Do gr. *analogistikós, é, ón*.]

análogo (a.*ná*.lo.go) *a.* **1** Em que há ou que manifesta analogia; afim; comparável: "...como outros episódios análogos, me tem servido pela vida afora..." (João Ubaldo Ribeiro, *Diário do farol*) **2** *Biol.* Que desempenha funções idênticas, em comparação com outro, mas tem origem e estrutura diferentes (diz-se de órgão) [F.: Do gr. *análogos, os, on*, pelo lat. *analogu s, a, um*.] ■ **~ acústico** *Fís.* Fenômeno acústico que tem analogia (q. v.) com outra classe de fenômenos físicos

anambé (a.nam.*bé*) *Bras. sm. AM Zool.* Nome comum a aves passeriformes da fam. dos cotingídeos, que se alimentam de bagas e frutas e habitam nas matas virgens; COARACIUIRÁ; COTINGA [F.: Do tupi * *wana'mbe*. Tb.: *guainambé, guinambé, uanambé*.]

anambé-açu (a.nam.bé-*a*.çu) *Bras. Zool. sm.* **1** Ave passeriforme (*Gymnoderus foetidus*), da Amazônia, de coloração preta e asas claras **2** Ave passeriforme (*Haematoderus militaris*), da floresta amazônica, de corpo avermelhado, e asas e cauda escuras [Pl.: *anambés-açus*.] [F.: *anambé* + *açu*.]

anambé-azul (a.nam.bé-*a*.zul) *Bras. Zool. sm.* **1** Nome comum a diversas aves passeriformes do gênero *Cotinga*, da fam. dos cotingídeos, de plumagem vistosa e brilhante **2** *Restr.* Ave passeriforme (*Cotinga cotinga*), cujo macho tem coloração azulada, e a fêmea apresenta tonalidade parda **3** *Restr.* Ave passeriforme (*Cotinga cayana*), de plumagem azul, asas e cauda negras, encontrada em regiões da Amazônia [Pl.: *anambés-azuis*.] [Sin. ger.: *bacaca, curuá*.]

anambé-branco (a.nam.bé-*bran*.co) *Bras. Zool. sm.* **1** Ave passeriforme (*Xipholena lamellipennis*), da fam. dos cotingídeos, de cor negra brilhante, com cauda e asas brancas, e 19 cm de comprimento; ocorre na Amazônia brasileira; ANAMBÉ-DE-RABO-BRANCO; ANAMBÉ-PRETO **2** Ave passeriforme (*Tityra cayana*), da fam. dos cotingídeos, do Brasil amazônico, Guianas, Venezuela à Bolívia e Peru; com cerca de 21 cm e bico vermelho na base; ANAMBÉ-BRANCO-DE-RABO-PRETO [Pl.: *anambés-brancos*.]

anambé-preto (a.nam.bé-*pre*.to) *Bras. Zool. sm.* **1** Anambé (*Cephalopterus ornatus*) de plumagem negra, penacho em forma de chapéu, com cerca de 48 cm de comprimento; GUIRAMOMBUCU; MACANÁ; PAVÃO-DE-MATO-GROSSO; PAVÃO-DO-MATO; PAVÃO-PRETO **2** O mesmo que *anambé-branco* (*Xipholena lamellipennis*) **3** O mesmo que *anambeúna* (*Querula purpurata*) [Pl.: *anambés-pretos*.]

anambé-roxo (a.nam.bé-*ro*.xo) *sm. Bras. Zool.* Ave passeriforme (*Xipholena punicea*), da fam. dos cotingídeos, cujo macho tem coloração purpúrea, enquanto a fêmea apresenta tons acinzentados; ANAMBÉ-POMPADOR; BACACA; BACACU [Pl.: *anambés-roxos*.]

anambeúna (a.nam.be:*ú*.na) [é] *sm. Bras. Zool.* Ave passeriforme (*Querula purpurata*) da fam. dos cotingídeos, de coloração negra e cerca de 27 cm de comprimento, asas e cauda longas; ANAMBÉ-PRETO [F.: *anambé* + *-una*.]

anamês (a.na.*mês*) *sm.* **1** Indivíduo nascido ou que vive em Aname (região central do Vietnã) **2** *Ling.* A língua dos anameses **3** O mesmo que *vietnamita* *a.* **4** De Aname; típico dessa região ou de seu povo **5** *Ling.* Diz-se da língua dos anameses **6** O mesmo que *vietnamita*. [F.: Do top. *Aname* + *-ês*. Sin. ger.: *anamita*.]

anamita (a.na.*mi*.ta) *s2g. a2g.* O mesmo que *anamês* [F.: Do top. *Aname* + *-ita*².]

anamítico (a.na.*mí*.ti.co) *a.* Relativo ou pertencente aos anamitas; ANAMÊS [F.: *anamita* + *-ico*².]

anamnese (a.nam.*ne*.se) *sf.* **1** *Med.* Histórico de uma doença feito pelo médico com base nas informações colhidas com o paciente **2** *Ret.* Figura pela qual o orador finge recordar-se de algo que havia esquecido **3** *P. ext.* Recordação, reminiscência [F.: Do gr. *anámnésis, eós*. Sin. ger.: *anamnésia*.]

anamnésia (a.nam.*né*.si:a) *sf.* O mesmo que *anamnese* [F.: Do gr. *anámnesis* + *-ia*².]

anamnésico (a.nam.*né*.si.co) *a.* **1** Ref. a anamnese **2** Que é próprio para reforçar, estimular a memória, ou que a reforça e estimula **3** *Med.* Que revela ou explora o histórico de uma doença [F.: *anamnésia* + *-ico*². Sin. ger.: *anamnéstico*.]

anamnéstico (a.nam.*nés*.ti.co) *a.* Ver *anamnésico* [F.: Do gr. *anamnestikós, é, ón*.]

anamniota (a.nam.ni:*o*.ta) *Zool. a2g.* **1** Diz-se de vertebrado (como os peixes e anfíbios) cujo ovo é desprovido de âmnio *sm.* **2** Esse vertebrado [F.: *an-* + *amniota*.]

anamorfismo (a.na.mor.*fis*.mo) *sm. Geol.* Processo metamórfico caracterizado pela formação de rochas de composição complexa, que se realiza em grandes profundidades [F.: *an(a)-* + *-morf(o)-* + *-ismo*.]

anamorfose (a.na.mor.*fo*.se) [ó] *sf.* **1** *Ópt.* Fenômeno óptico pelo qual a dimensão vertical da imagem de um objeto aparece com grau de ampliação diferente do da dimensão longitudinal ou transversal **2** *Rlog.* Deformação de uma chapa radiográfica para evidenciar certos detalhes anatômicos **3** *Mat.* Substituição de escalas métricas por funcionais para simplificar o gráfico resultante **4** *Biol.* Processo de evolução contínua, sem descontinuidades ou saltos **5** *Art. Pl.* Técnica artística que confere à obra pictórica ou gráfica, ou parte dela, formas distorcidas, cuja configuração real só é visível quando olhada por um certo ângulo ou por meio de uma lente ou de um espelho cônico ou convexo [F.: Do gr. *anamórphosis*.]

ananás (a.na.*nás*) *Bot. sm.* **1** Planta bromeliácea nativa da América tropical (gên. *Ananas*) de casca grossa e espinhosa; o fruto dessa planta **2** O mesmo que *abacaxi* (2) [Pl.: *-nases*.] [F.: Do tupi *naná*.]

ananaseiro (a.na.na.*sei*.ro) *sm. Bot.* O mesmo que *abacaxi* (1) [F.: *ananás* + *-eiro*.]

anancástico (a.nan.*cás*.ti.co) *a. Psic.* Ref. a um tipo de transtorno de personalidade que se caracteriza por obsessão compulsiva por rigor, disciplina, perfeccionismo, integridade etc. [F.: Do gr. *anankastikós*.]

anandamida (a.nan.da.*mi*.da) *sf.* Composto produzido pelo cérebro (tb. aracdonil-etanolamida, ou AEA) que funciona como neurotransmissor e intervém em diversas funções fisiológicas, na percepção da dor e nos estados de humor do ser humano [F.: Do sânscr. *ananda*, 'felicidade' + *-amida* [ver *amid(o)-*].]

anandria (a.nan.*dri*:a) *sf. Bot.* Característica ou condição do que é anândrio, do que não tem órgãos reprodutores masculinos (diz-se de flor, planta etc.) [F.: *an-* + *-andria*.]

anândrio (a.*nân*.dri:o) *a. Bot.* Diz-se de flor ou vegetal desprovidos de órgãos reprodutores masculinos; ANANDRO [F.: *an-* + *andr(o)-* + *-io*[3].]

anandro (a.*nan*.dro) *a. Bot.* Ver *anândrio* [F.: *an-* + *-andro*.]

anani (a.*na*.ni) *Bras. Bot. sm.* **1** Árvore da fam. das gutíferas (*Symphonia globulifera*), de madeira muito utilizada em carpintaria e casca cuja resina tem uso em medicina (encontrada em várias regiões da América do Sul); PAUBREU **2** A resina dessa árvore [F.: Do tupi.]

ananicado (a.na.ni.*ca*.do) *a.* **1** Que é pequenino, de desenvolvimento precário **2** *Fig.* Desprezível, mesquinho, vil [F.: *a-*[2] + *nanico* + *-ado*[1].]

ananicar (a.na.ni.*car*) *v. td.* **1** Ficar ou fazer ficar nanico, anão; ANANZAR(-SE): *O produto ananicou as plantas.* **2** *Fig.* Mostrar-se mesquinho, miserável: *Ananicava as qualidades alheias.* [▶ 11 anani**car**] [F.: *a-*[2] + *nanic(o)* + *-ar*[2]. Sin. ger.: *ananzar.* Hom./Par.: *ananico* (fl.), *ananico* (a. sm.); *anânico* (fl.), *anânico* (a.).]

anantero (a.nan.*te*.ro) *a. Bot.* Diz-se de estame destituído de anteras [F.: *an-* + *-antero*.]

ananzar (a.nan.*zar*) *v. td.* Ver *ananicar* [▶ 1 anan**zar**]

anão (a.*não*) *sm.* **1** Indivíduo que tem altura muito abaixo da normal; indivíduo que apresenta nanismo **2** *Pej.* Indivíduo muito baixo e franzino; NANICO [Pl.: *anões, anãos*. Fem. Pl.: *anãs*] *a.* **3** Que apresenta nanismo **4** *Pej.* Que é muito baixo e franzino; NANICO **5** Diz-se ger. de animal ou planta de tamanho ou altura muito abaixo da normal (árvore anã) **6** *Fig.* Acanhado, apoucado (inteligência anã) [Pl.: *anões, anãos.* Fem.: *anã*] [F.: Do lat. *nanus, i.* O uso deste termo nas acps. 1 a 4 pode ferir suscetibilidades.]

anapéstico (a.na.*pés*.ti.co) *a. Poét.* Diz-se de verso composto de anapestos [F.: Do lat. *anapaesticus, a, um.*]

anapesto (a.na.*pes*.to) *a.* **1** *Poét.* Diz-se de pé métrico de verso grego ou latino, composto de duas sílabas breves seguidas de uma longa *sm.* **2** *Poét.* Pé métrico de verso grego ou latino com duas sílabas breves e uma longa [F.: Do gr. *anapaistos*, pelo lat. *anapaestum, i.* Cf.: *dátilo* (1, 2).]

anaplasia (a.na.pla.*si*:a) *sf.* **1** *Pat.* Fenômeno em que as células perdem a diferenciação e organização normais, o que ocorre na maioria dos casos de câncer; ANAPLASTIA **2** *P. us. Cir.* Cirurgia de reparação [F.: Do lat. cient. *anaplasia*, do gr. *anáplasis, eos*, 'remodelação'.]

anaplásico (a.na.*plá*.si.co) *a. Pat. Cir.* Ref. à anaplasia [F.: *anaplasia* + *-ico*[2].]

anaplasmose (a.na.plas.*mo*.se) *sf. Vet.* Doença infecciosa de bovinos, ovinos e caprinos, transmitida por carrapatos, cujos sintomas são a presença de anemia, icterícia e febre [Ocorre tb. no Brasil.] [F.: Do gr. *anáplasma*, pelo lat. cient. *anaplasmosis*.]

anaplastia (a.na.plas.*ti*:a) *sf. Pat.* O mesmo que *anaplasia* (1) [F.: *an(a)-* + *-plastia*.]

anaplástico (a.na.*plás*.ti.co) *a. Pat.* Ref. à anaplastia [F.: *anaplastia* + *-ico*[2].]

anaptixe (a.nap.*ti*.xe) [cs] *sf. Ling.* Vogal intercalar, que desune consoantes; tb. *suarabácti* [F.: Do gr. *anáptyksis, eos*, 'ação de desdobrar'.]

anarcossindicalismo (a.nar.cos.sin.di.ca.*lis*.mo) *Pol. sm.* **1** Tipo de sindicalismo que, sob influência do anarquismo, aspira ao fim do Estado e vê nos sindicatos o principal instrumento de luta pelas reivindicações sociais e econômicas *sm.* **2** Tendência a reivindicar a soberania dos sindicatos na gestão das questões econômicas **3** Tendência a valorização de forças políticas descentralizantes e contrárias ao Estado [F.: *anarco* (por *anarquia*) + *sindicalismo*, como no fr. *anarco-syndicalisme*.]

anarcossindicalista (a.nar.cos.sin.di.ca.*lis*.ta) *a2g.* **1** *Pol.* Ref. a anarcossindicalismo **2** Que é adepto, segue e/ou defende as tendências do anarcossindicalismo *sm.* **3** *Pol.* Seguidor ou simpatizante do anarcossindicalismo [F.: *anarcossindical(ismo)* + *-ista*.]

anari (a.na.*ri*) *sm. Bras. Zool.* Peixe (*Creagrutus anary*) da fam. dos caracídeos, de cor prateada e nadadeira dorsal alta, encontrado no rio Madeira [F.: De or. tupi, posv.]

anarmônico (a.nar.*mô*.ni.co) *a.* **1** Desprovido de harmonia; que não tem harmonia; INARMÔNICO **2** *Fís.* Diz-se de sistema em movimento periódico no qual a oscilação não é harmônica; diz-se dessa oscilação ou desse movimento [F.: *an-* + *harmônico*.]

anarquia (a.nar.*qui*.a) *sf.* **1** Ausência de governo, de autoridade, de liderança **2** Desordem, confusão resultante da falta de regras ou princípios reguladores: *Naquela casa reina a completa anarquia.* **3** O mesmo que *anarquismo* [F.: Do gr. *anarchía, as*, pelo lat. medv. *anarchia, ae*.]

anárquico (a.*nár*.qui.co) *a.* **1** Que está em anarquia, sem governo ou autoridade (país anárquico) **2** Que leva ou induz à anarquia: *discurso anárquico.* **3** Confuso, caótico: *gestão anárquica.* [F.: *anarquia* + *-ico*[2].]

anarquismo (a.nar.*quis*.mo) *sm.* Teoria política que rejeita o governo e a autoridade do Estado; ANARQUIA [F.: *anarquia* + *-ismo*.] ■ **~ individualista** *Pol.* Anarquismo que prega a soberania absoluta do indivíduo, sem sua sujeição ao Estado, instituições etc. **~ socialista** *Pol.* Corrente do anarquismo que prega a substituição da propriedade privada e do poder do Estado pela coletivização dos meios de produção, pela democracia direta (decisão das questões pelo próprio indivíduo e não por seu representante político) e pela autonomia de pequenas comunidades

> 📖 A ideia fundamental do anarquismo é que a liberdade do homem não deve ser cerceada ou limitada, seja pelo Estado, seu governo e suas leis, seja por convenções, seja pela defesa da propriedade, seja por imposições de caráter moral ou religioso. Na visão anarquista, a consequência dessa liberdade individual absoluta não seria o caos e a violência, mas uma sociedade baseada na solidariedade advinda de contratos individuais, e de uma permanente livre escolha. O movimento surgiu no início do séc. XIX, após formulações teóricas no fim do séc. XVIII. Foram anarquistas famosos os franceses Babeuf e Proudhon, os russos Bakunin e Kropotkin, o norte-americano Nozick. No Brasil o movimento nasceu no Paraná, em 1889, com o italiano Giovanni Rossi. Apesar do caráter militante, às vezes revolucionário, de sua atuação, o anarquismo não teve adeptos suficientes para vir a ser uma alternativa viável.

anarquista (a.nar.*quis*.ta) *a2g.* **1** Que defende o anarquismo **2** Do ou próprio do anarquismo (ideais anarquistas) *s2g.* **3** Pessoa partidária do anarquismo [F.: *anarquia* + *-ista*.]

anarquização (a.nar.qui.za.*ção*) *sf.* Ação ou resultado de anarquizar(-se) [Pl.: *-ções*.] [F.: *anarquizar* + *-ção*.]

anarquizado (a.nar.qui.*za*.do) *a.* **1** Que se anarquizou; que é, está ou se tornou anárquico, desgovernado, sem comando **2** *Bras. Fig.* Desmoralizado, sem postura ou seriedade **3** *Bras. Pop.* Sem qualquer ordem ou organização; DESORDENADO; DESORGANIZADO *sm.* **4** Indivíduo que não tem organização, disciplina, método [F.: Part. de *anarquizar*.]

anarquizar (a.nar.qui.*zar*) *v.* **1** Fazer ficar ou ficar anárquico, desgovernado [*td.*: *Com seu desrespeito à hierarquia e ao regulamento, anarquizou a empresa.*] [*int.*: *Em sua gestão a empresa anarquizou-se.*] **2** Fazer ficar ou ficar sem ordem ou organização [*td.*: *Desorganizado e confuso, anarquizou o departamento.*] [*int.*: *Com tantas interrupções e apartes, o debate anarquizou-se.*] **3** Criticar dura e irreverentemente, desmoralizar [*td.*: *O crítico anarquizou o autor em resenha.*] [*tr.* + *com*: *Impiedoso, anarquizou com o espetáculo.*] [▶ 1 anarqui**zar**] [F.: *anarquia* + *-izar*.]

anartria (a.nar.*tri*:a) *sf.* **1** *Neur.* Dificuldade de articular as palavras em decorrência de lesão central ou de problema no nervo hipoglosso **2** *Psic.* Dificuldade de expressão em virtude de perturbação na pronúncia de certos fonemas [F.: *an-* + *-artria*.]

anártrico (a.*nár*.tri.co) *a.* Ref. à anartria [F.: *anartria* + *-ico*[2].]

anartro (a.*nar*.tro) *Neur. a.* **1** Que sofre de anartria *sm.* **2** Aquele que tem essa deficiência [F.: Do gr. *ánarthros, os, on*.]

anasalado (a.na.sa.*la*.do) *a.* Ver *nasalado* [F.: Part. de *anasalar*.]

anasalar (a.na.sa.*lar*) *v.* Ver *nasalar* [▶ 1 anasa**lar**] [F.: *a-*[2] + *nasalar*.]

anasarca (a.na.*sar*.ca) *sf.* **1** *Pat.* Edema generalizado em todo o corpo, produzido por infiltração de líquido seroso nas células subcutâneas: "(...) a desagradável matrona morreu de uma anasarca (...)." (Eça de Queirós, *A ilustre casa de Ramires*) **2** *Vet.* Doença ger. oriunda de infecção e caracterizada pela presença de edemas que acometem alguns animais, como cavalos, bois, carneiros, porcos e cães [F.: *an(a)-* + *-sarca*.]

anasárcico (a.na.*sár*.ci.co) *Pat. a.* **1** Ref. à anasarca **2** Diz-se de indivíduo que padece dessa enfermidade *sm.* **3** Esse indivíduo [F.: *anasarca* + *-ico*[2].]

anaspidáceo (a.nas.pi.*dá*.ce:o) *Zool. sm.* **1** Espécime dos anaspidáceos, ordem de crustáceos (superordem *Syncarida*) de água doce, sem carapaça, encontrados na parte austral da América do Sul, na Nova Zelândia, no sul da Austrália, e esp. na Tasmânia [São tidos como fósseis vivos, dada a semelhança com crustáceos fósseis encontrados em rochas com mais de 250 milhões de anos.] *a.* **2** Ref. ou pertencente aos anaspidáceos [F.: Adaptç. do lat. cient. *Anaspidacea*.]

anáspide (a.*nás*.pi.de) *Zool. sm.* **1** Nome comum a crustáceos anaspidáceos do gên. *Anaspides*, semelhantes a camarões destituídos de carapaça **2** *Restr.* Crustáceo endêmico da Tasmânia (*Anaspides tasmaniae*) [F.: Do lat. cient. *Anaspides*.]

anaspídeo (a.nas.*pí*.de:o) *Zool. sm.* **1** Espécime dos anaspídeos, ordem de moluscos opistobrânquios conhecidos popularmente como lebres-do-mar *a.* **2** Ref. ou pertencente aos anaspídeos [F.: Adaptç. do lat. cient. *Anaspidea*.]

anastalse (a.nas.*tal*.se) *Med. sf.* **1** Adstringência **2** Série de contrações de órgãos musculares ocos que impele seu conteúdo na direção contrária à imprimida pelo movimento peristáltico; ANTIPERISTALSE [F.: *an(a)-* + gr. *stálsis*, 'estreitamento', pelo lat. cient. *anastalsis*.]

anastáltico (a.nas.*tál*.ti.co) *Med. a.* **1** Ref. a ou próprio de anastalse **2** *Farm.* Que é anti-hemorrágico, por sua forte adstringência *sm.* **3** Substância, medicamento ou produto anti-hemorrágico [F.: Do gr. *anastaltikós, e, ón*, 'que adstringe, comprime'.]

anastigmata (a.nas.tig.*ma*.ta) *sf. Ópt.* Lente com correção para o astigmatismo [F.: Do ing. *anastigmat*.]

anastigmático (a.nas.tig.*má*.ti.co) *a.* Que se refere ao sistema óptico aplanético, livre de astigmatismo [F.: *an-* + *astigmático* ou do ing. *anastigmatic*.]

anastomosado (a.nas.to.mo.*sa*.do) *a.* Que se juntou por anastomose (veias anastomosadas; canais anastomosados) [F.: Part. de *anastomosar*.]

anastomosante (a.nas.to.mo.*san*.te) *a2g.* Que se anastomosa, que se une por anastomose [F.: *anastomosar* + *-nte*.]

anastomosar (a.nas.to.mo.*sar*) *v. Anat. Med.* Juntar vasos sanguíneos, nervos etc. por anastomose [*tdr.* + *a*: *Anastomosaram a artéria pulmonar proximal à aorta descendente.*] [*td.*: *Podem-se anastomosar nervos seccionados.*] [*int.*: *Vasos linfáticos correm grande percurso sem se anastomosarem.*] [▶ 1 anastomo**sar**] [F.: *anastomos(e)* + *-ar*[2].]

anastomose (a.nas.to.*mo*.se) [ó] *sf.* **1** *Anat.* Comunicação ou junção anatômica entre dois vasos, nervos, fibras musculares ou quaisquer órgãos tubulares do organismo **2** *Cir.* Ligação ou passagem entre duas estruturas tubulares ou ocas, feita por intervenção cirúrgica **3** *Pat.* Junção anômala entre dois órgãos, duas estruturas orgânicas etc., normalmente separados **4** Ramo vascular que põe dois vasos em comunicação **5** *Bot.* Confluência de certas estruturas como as nervuras das folhas, as raízes, os ramos etc. **6** *Geog.* Intercomunicação entre cursos d'água independentes [F.: Do gr. *anastómosis*.]

anastomótico (a.nas.to.*mó*.ti.co) *a.* **1** *Anat. Cir.* Ref. ou próprio de anastomose **2** *Anat.* Que apresenta anastomose [F.: Do gr. *anastomotikós*.]

anástrofe (a.*nás*.tro.fe) *sf. Gram. Ret.* Inversão da ordem natural dos termos em uma oração ou um sintagma [Ex. clássico, do Hino Nacional Brasileiro: *Ouviram do Ipiranga as margens plácidas...* por *As margens plácidas do Ipiranga ouviram...*] [F.: Do gr. *anastrophé*, pelo lat. tard. *anastrophe, es*.]

anastrófico (a.nas.*tró*.fi.co) *a. Gram. Ret.* Ref. a ou que contém anástrofe (versos anastróficos) [F.: *anástrofe* + *-ico*[2].]

anata (a.*na*.ta) *sf. Ant. Ecles.* Taxa paga à autoridade eclesiástica por aqueles que recebiam qualquer benefício, proporcional ao rendimento do período de um ano desse benefício; ANÁSIA [F.: Do lat. medv. *annata, ae.* Hom./Par.: *anata* (sf.), *anata* (fl. de *anatar*). Ideia de: *an(i/u)-*.]

anatar (a.na.*tar*) *v.* **1** Encher de nata [*td.*] **2** Ficar ou fazer ficar semelhante à nata [*td. int.*] **3** Ganhar nata [*int.*] [▶ 1 ana**tar**] [F.: *a-*[2] + *nat(a)* + *-ar*[2].]

⊠ **Anatel** *Bras.* Sigla de Agência Nacional de Telecomunicações [Com inicial maiúscula.]

anátema (a.*ná*.te.ma) *sm.* **1** Pena que exclui uma pessoa do convívio de uma comunidade religiosa; EXCOMUNHÃO **2** Maldição, opróbrio, execração: *Carregará para sempre o anátema da traição.* [+ *a, contra*: *anátema aos covardes.*] **3** Repreensão solene, reprovação enérgica [+ *contra*: *Todo o discurso foi um anátema contra o procedimento do ministro.*] *a2g.* **4** Anatematizado, excomungado: "Se alguém não ama o Senhor Jesus Cristo, seja anátema." (*Primeira Epístola de S.Paulo aos Coríntios*, capítulo 16, versículo 22) [F.: Do lat. ecles. *anathema, atis*.]

anatemático (a.na.te.*má*.ti.co) *a.* **1** Ref. a, que envolve ou encerra anátema **2** Que se oferece em penitência a fim de anular um anátema [F.: *anátema* + *-ático.* Ideia de: *anatem(at)-*.]

anatematizar (a.na.te.ma.ti.*zar*) *v.* **1** O mesmo que *excomungar* (1) [*td.*] **2** Condenar, reprovar energicamente [*td.*: *A assembleia anatematizou a conduta daquele sócio.*] **3** Expulsar, banir, excluir [*tdr.* + *de*: *Costuma anatematizar dos textos todos os neologismos vulgares.*] [▶1 anatemati**zar**] [F.: *anatem(at)-* + *-izar*.]

anatexia (a.na.te.*xi*.a) [cs] *sf. Petr.* Processo metamórfico que ocorre na crosta terrestre a grandes profundidades, é provocado por temperaturas muito elevadas, e resulta em refusão magmáticas de rochas preexistentes [F.: Do gr. *anáteksis, eos*, 'liquefação', + *-ia*[1].]

anatídeo (a.na.*tí*.de:o) *Zool. sm.* **1** Ref. aos anatídeos, aves anseriformes (cisnes, marrecos, patos e afins), aquáticas, de bico largo e guarnecido de lamelas, pernas curtas e patas com membranas natatórias, alimentam-se de matéria vegetal e de pequenos animais e invertebrados, e são encontradas em bandos em várias partes do mundo *a.* **2** Ref. ou pertencente aos anatídeos [F.: Do lat. cient. fam. *Anatidae.* Sin. ger.: *anátida.* Ideia de: *anat(i)-*.]

anato (a.*na*.to) *sm.* **1** Pigmento amarelo-avermelhado us. para dar cor a certos queijos; URUCUM **2** *Bras. Ict.* Peixe osteoglossiforme (*Arapaima gigas*), da bacia amazônica, mesmo que *pirarucu* [F.: Do *caraíba*, conexo com o galibi annoto, a acepç. 2 deve-se, posv., à cor do peixe, por anal. Hom./Par.: *anato* (sm.), *anato* (fl. de *anatar*).]

anatoliano[1] (a.na.to.li:*a*.no) *a.* **1** Do, ou ref. ao escritor francês Anatole France (1844-1924), ou próprio dele **2** De estilo semelhante ao de Anatole (escritor anatoliano) **3** Diz-se do indivíduo que admira ou conhece muito a obra e a vida deste escritor *sm.* **4** Esse indivíduo [F.: De *Anatole (France)*, pseudônimo do francês *Jacques Anatole François Thibault*, + *-iano*.]

anatoliano[2] (a.na.to.li:*a*.no) *sm. a.* O mesmo que *anatólio* (acps. 1 e 3: natural ou habitante da Anatólia) [F.: Do top. *Anatólia* + *-ano*[1].]

anatólio (a.na.*tó*.li:o) *sm.* **1** Indivíduo nascido ou que vive em Anatólia (Turquia) **2** *Gloss.* Língua falada em Anatólia *a.* **3** De Anatólia; típico dessa cidade ou de seu povo **4** Do ou ref. ao anatólio (2) [F.: Do gr. *anatólios, e, on.* Sin. ger.: *anatoliano*.]

anatomia (a.na.to.*mi*.a) *sf.* **1** *Med.* Parte da medicina que descreve a estrutura interna e externa do corpo humano **2** *Biol.* Estudo da estrutura de qualquer ser vivo (anatomia zoológica) 3 A estrutura de um corpo organizado ou de parte dele: *a anatomia do sistema nervoso.* 4 Dissecação de um organismo para estudar-lhe a estrutura e a de seus tecidos 5 *Fig.* A forma exterior do corpo humano; compleição, formas: *Ela vestia uma roupa justa, que realçava sua anatomia perfeita.* 6 Compêndio sobre anatomia 7 *Fig.* Análise detalhada: *a anatomia de um texto.* [F.: Do lat. tard. *anatomia, ae.*] ■ ~ **artística** A que estuda a estrutura anatômica do corpo humano ou de animal para propiciar uma boa reprodução artística

anatômico (a.na.*tô*.mi.co) ***a.*** 1 Ref. ou próprio da anatomia 2 Que se ajusta aos contornos do corpo humano (calçado anatômico) [F.: Do lat. *anatomicus, a, um.*]

anatomista (a.na.to.*mis*.ta) ***a2g.*** 1 Que se especializou em anatomia ***s2g.*** 2 Indivíduo especializado em anatomia [F.: *anatomia* + *-ista.*]

anatomizar (a.na.to.mi.*zar*) ***v. td.*** 1 Fazer anatomia (1) em; dissecar corpo humano ou animal para estudo e análise: *Anatomizar um cadáver.* 2 *Fig.* Analisar ou estudar (algo) a fundo, com rigor: *Anatomizar um processo/uma obra literária.* [▶ 1 anatomizar] [F.: *anatomia* + *-izar.*]

anatomocirurgia (a.na.to.mo.ci.rur.*gi*:a) ***sf.*** *Cir.* Cirurgia realizada com aplicação de conhecimentos anatômicos [F.: *anatom(ia)* + *-o-* + *cirurgia.*]

anatomocirúrgico (a.na.to.mo.ci.*rúr*.gi.co) ***a.*** *Cir.* Ref. a ou próprio da anatomocirurgia [F.: *anatomocirurgia* + *-ico²*.]

anatomofisiologia (a.na.to.mo.fi.si:o.lo.*gi*:a) ***sf.*** *Med.* Ramo da medicina que estuda a fisiologia em relação à conformação anatômica do organismo [F.: *anatom(ia)* + *-o-* + *fisiologia.*]

anatomofisiológico (a.na.to.mo.fi.si:o.*ló*.gi.co) ***a.*** *Med.* Ref. a ou próprio da anatomofisiologia [F.: *anatomofisiologia* + *-ico²*.]

anatomofuncional (a.na.to.mo.fun.ci:o.*nal*) ***a2g.*** *Med.* Ref. às funções vitais de um organismo, considerando sua conformação anatômica [Pl.: *-nais.*] [F.: *anatom(ia)* + *-o-* + *funcional.*]

anatomopatologia (a.na.to.mo.pa.to.lo.*gi*:a) ***sf.*** *Med.* Estudo das partes do organismo, como órgãos, tecidos, células etc., alteradas por processos patológicos [F.: *anatom(ia)* + *-o-* + *patologia.*]

anatomopatológico (a.na.to.mo.pa.to.*ló*.gi.co) ***a.*** *Med.* Ref. a ou próprio da anatomopatologia [F.: *anatomopatologia* + *-ico²*.]

anatomopatologista (a.na.to.mo.pa.to.lo.*gis*.ta) ***a2g.*** 1 *Med.* Que se especializou em anatomopatologia ***s2g.*** 2 *Med.* Médico especialista em anatomopatologia [F.: *anatomopatologia* + *-ista.*]

anatossauro (a.na.tos.*sau*.ro) *Pal.* ***sm.*** 1 Gênero de dinossauros hadrossaurídeos, anfíbios, herbívoros, com cerca de 10 m, focinho largo em forma de bico de pato, que viveu na América do Norte, no cretáceo 2 Espécie pertencente a esse gênero [F.: Do tax. *Anatosaurus.*]

anatropia (a.na.tro.*pi*.a) ***sf.*** 1 *Oft.* Fenômeno que consiste no desvio para cima do eixo visual de um dos olhos, quando o outro está fixo [Cf. *catatropia.*] 2 *Bot.* Característica ou qualidade de anátropo; ANATROPISMO [F.: *anátropo* + *-ia¹*.]

anatrópico (a.na.*tró*.pi.co) ***a.*** 1 *Oft.* Ref. à anatropia 2 Que apresenta anatropia, mesmo que *anátropo* [F.: *anatropia* + *-ico²*.]

anátropo (a.*ná*.tro.po) ***a.*** 1 Que apresenta anatropia 2 *Bot.* Diz-se do óvulo que, no início do seu desenvolvimento, sofre um movimento de 180° e se torna invertido, pois se curva sobre o filamento que o prende à placenta, o funículo, e solda-se lateralmente a ele [Cf. *campilótropo* e *ortótropo.*] 3 *Bot.* Diz-se do embrião de eixo retilíneo nesse óvulo [Cf. *anfitropo.*] [F.: *an(a)-* + *-tropo.* Sin. ger.: *anatrópico.*]

anauê (a.nau.*ê*) ***interj.*** *Bras. Antq.* Salve [Palavra de origem tupi, us. como saudação inicialmente pelos escoteiros (1923) e mais tarde (1930), pelos membros da Ação Integralista Brasileira.] [F.: Do tupi.]

anavalhar (a.na.va.*lhar*) ***v. td.*** 1 O mesmo que *navalhar* 2 Dar o formato de navalha a [▶ 1 anavalhar] [F.: *a-²* + *navalha* + *-ar²*.]

anca (*an*.ca) ***sf.*** 1 Quadril, cadeira [Tb. us. no pl.] 2 Parte traseira dos quadrúpedes; GARUPA [F.: Do lat. medv. **hancha.* Ideia de 'anca', usar pref. *cox(o)-*.] ■ **Dar ~** Deixar (cavalgadura) que se lhe monte na garupa

◎ **-ança** ***suf. nom.*** = 'ação', 'estado'; 'quantidade', 'intensidade'; 'qualidade', 'caráter de'; 'cargo' (tb. *-ância*): *andança, festança; aspirância, concordância; constância, dominância, intolerância; comandância* [F.: Do lat. *-antia, ae*, por via popular (*-ança*), ou por via erudita (*-ância*). Tb.: *-anço* (q.v.). Ver *-ia²*.]

ancarense (an.ca.*ren*.se) ***s2g.*** 1 Indivíduo nascido ou que vive em Ancara, capital da Turquia (Ásia/Europa) ***a2g.*** 2 De Ancara; típico dessa cidade ou de seu povo [F.: Do top. *Ancar(a)* + *-ense.*]

ancestral (an.ces.*tral*) ***s2g.*** 1 Pessoa da qual outras descendem; ANTEPASSADO ***a2g.*** 2 Ref. a ou próprio dos antepassados [Pl.: *-trais.* O pl. *ancestrais* tem sentido mais amplo: as sucessivas gerações das quais descende um indivíduo; a totalidade dos seus ascendentes.] [F.: Do fr. *ancestral.*]

ancestralidade (an.ces.tra.li.*da*.de) ***sf.*** 1 Qualidade ou condição do que é ancestral 2 Herança, legado das gerações passadas; ATAVISMO; HEREDITARIEDADE: *Dedicou-se ao estudo da ancestralidade das etnias de Angola.* [F.: *ancestral* + *-(i)dade.*]

anchietano (an.chi:e.*ta*.no) ***a.*** Ref. ao, ou do, ou próprio do padre José de Anchieta, jesuíta que atuou no Brasil no séc. XVI [F.: Do antr. *Anchieta* + *-ano¹*.]

ancho (*an*.cho) ***a.*** 1 De grande extensão; AMPLO; ESPAÇOSO; LARGO: "Na estrada da ribeira /até o mar ancho vou." (João Cabral de Melo Neto, "O rio", *in Serial e antes*) [Ant.: *acanhado, pequeno.*] 2 Vaidoso, orgulhoso, presumido: "Esbarrou e desapeou, num pronto ser, se via que estava ancho com muitas plenipotências." (João Guimarães Rosa, *Grande sertão: veredas*) [Ant.: *humilde, simples.*] ***sm.*** 3 Orgulho, presunção; ANCHURA: "Dizem que esfaqueava rasgado, só pelo ancho de ver a vítima caretear." (João Guimarães Rosa, "A benfazeja", *in Primeiras estórias*) 4 *Antq.* Largura, extensão [F.: Do lat. *amplus, a, um.*]

anchova (an.*cho*.va) [ô] ***sf.*** *Ict.* Peixe (*Engraulis encrasicholus*), semelhante à manjuba, de grande valor comercial na Europa [F.: Do espn. ant. *anchova.* Tb. *enchova.*]

anchura (an.*chu*.ra) ***sf.*** 1 Qualidade ou característica do que é ancho, largo, amplo; AMPLIDÃO: *A anchura do mar o atraía.* 2 Atitude de orgulho; VAIDADE; PRESUNÇÃO; ANCHO [F.: *ancho* + *-ura.*]

◎ **-ância** ***suf. nom.*** Ver *-ança.*

ancianato (an.ci.a.*na*.to) ***sm.*** *P. us.* O mesmo que *ancianidade* [F.: *ancião* + *-ato¹*, seg. o mod. erudito.]

ancianidade (an.ci:a.ni.*da*.de) ***sf.*** 1 Qualidade de ancião; VELHICE 2 Qualidade de antigo; ANTIGUIDADE: "...a religião judaica, em sua venerável ancianidade..." (Mário Barreto, *Cartas persas*) [F.: *ancião* (sob. a f. *ancian-*) + *-(i)dade*, seg. o mod. erudito.]

ancião (an.ci:*ão*) ***a.*** 1 Diz-se de pessoa que tem idade avançada e merece respeito e consideração [Pl.: *-ãos, -ães* e *-ões.* Fem.: *-ã*] ***sm.*** 2 Essa pessoa [Pl.: *-ãos, -ães* e *-ões.* Fem.: *-ã.*] [F.: Do lat. vulg. **antianus.*]

⊕ **ancien régime** (*Fr.* /anciã regim/) *Hist. Pol.* ***loc. subst.*** 1 Na França, regime monárquico anterior à Revolução de 1789 2 Qualquer regime ou sistema não mais vigente

ancila (an.*ci*.la) ***sf.*** 1 Escrava, serva 2 Mulher que se dedica ao ascetismo 3 *Fig.* Coisa que auxilia outra [F.: Do lat. *ancilla, ae.*]

ancilar (an.ci.*lar*) ***a2g.*** 1 Ref. à ancila; SERVIL 2 Auxiliar, acessório, secundário [F.: Do lat. *ancillaris, e.*]

◎ **ancil(o)-** ***el. comp.*** = 'curvo', 'apertado'; 'ligado, atado, soldado'; 'que adere'; (*p. ext.*) 'aderência': *ancilloglossia, ancilossauro* (< lat.), *anciltomia* [F.: Do gr. *ankýlos, e, on*, 'curvo'; 'atado'; 'soldado'; 'apertado'.]

anciloglossia (an.ci.lo.glos.*si*.a) ***sf.*** *Med.* Aderência congênita da língua à parede inferior ou ao céu da boca; ANCILOGLOSSA; LÍNGUA PRESA [F.: *ancil(o)-* + *-glossia.*]

ancilosado (an.ci.lo.*sa*.do) ***a.*** *Med.* Que não se pode dobrar, por sofrer de ancilose (dedo ancilosado) [F.: Part. de *ancilosar.*]

ancilosamento (an.ci.lo.sa.*men*.to) ***sm.*** Ação ou resultado de ancilosar; ANQUILOSAMENTO [F.: *ancilosar* + *-mento.*]

ancilosante (an.ci.lo.*san*.te) ***a2g.*** Que causa ancilose [F.: *ancilosar* + *-nte.*]

ancilosar (an.ci.lo.*sar*) ***v. td.*** 1 *Med.* Causar ancilose a; fazer perder o movimento das articulações: *A doença pode ancilosar a coluna vertebral.* 2 *Fig.* Imobilizar; fazer perder a flexibilidade: *A lei não pode ancilosar o funcionamento do sistema.* [▶ 1 ancilosar] [F.: *ancilos(e)* + *-ar²*.]

ancilose (an.ci.*lo*.se) ***sf.*** 1 *Med.* Falta de movimento em uma articulação; ANQUILOSE; ACAMPSIA 2 *Fig.* Rigidez de ideias etc. [F.: Do gr. *ankýlosis.* Hom./Par.: *ancilose* (sf.), *ancilose* (fl. de *ancilosar*).]

ancilossauro (an.ci.los.*sau*.ro) *Pal.* ***sm.*** 1 Gênero de dinossauros do final do período cretáceo, naturais da América do Norte, com mais de 10 m de altura, corpo, crânio e membros recobertos por placas ósseas e grossas pontas corniformes e cauda longa com extremidade esférica 2 Espécie pertencente a esse gênero [F.: *ancil(o)-* + *-sauro*; tax. *Ankylosaurus.*]

ancilostomatídeo (an.ci.los.to.ma.*tí*.de:o) *Zool.* ***sm.*** 1 Espécime dos ancilostomatídeos, fam. de helmintos que parasitam o intestino do homem e dos animais ***a.*** 2 Pertencente ou referente aos ancilostomatídeos [F.: Adaptç. do lat. cient. *Ancylostomatidae.* Tb.: *ancilostomídeo.*]

ancilostomíase (an.ci.los.to.*mí*.a.se) ***sf.*** *Med.* Infecção causada por vermes, que atinge o homem e vários mamíferos e se caracteriza por anemia grave; ANCILOSTOMOSE; NECATORÍASE *Bras.*; OPILAÇÃO *Bras. Pop.*; AMARELÃO *S. SP*; MAL DA TERRA *Bras. Pop.*; MAL DA TERRA [F.: Do lat. cient. *Ancylostoma* (*duodenale*), verme nematódeo causador dessa infecção, + *-íase.*]

ancilostomídeo (an.ci.los.to.*mí*.de:o) *Zool.* ***sm. a.*** Ver *ancilostomatídeo* [F.: Adaptç. do lat. cient. *Ancylostomidae*, do lat. cient. gên. *Ancylostoma.*]

ancilóstomo (an.ci.*lós*.to.mo) ***sm.*** *Zool.* Designação comum aos vermes nematódeos do gên. *Ancylostoma*, da fam. dos ancilostomídeos, como, p. ex., a sp. *Ancylostoma duodenale*, causadora da ancilostomíase [F.: Adaptç. do lat. cient. *Ancylostoma.*]

ancilostomose (an.ci.los.to.*mo*.se) ***sf.*** *Med.* O mesmo que *ancilostomíase* [F.: Do lat. cient. *Ancylostoma* + *-ose²*.]

ancilotomia (an.ci.lo.to.*mi*:a) ***sf.*** *Cir.* Intervenção cirúrgica em que se corta o freio da língua para libertá-la de aderência ao chão da boca [F.: *ancil(o)* + *-tomia.*]

ancinho (an.*ci*.nho) ***sm.*** Ferramenta agrícola dentada, com cabo longo, us. para juntar folhas secas, palha etc. [F.: Do lat. vulg. *incinus* < lat. clás. *uncinus, i.*]

ancípite (an.*cí*.pi.te) ***a.*** 1 De duas cabeças, de dois lados, de dois gumes etc. 2 Ambíguo, incerto, duvidoso 3 *Gram. Poét.* Diz-se da sílaba que tanto pode ser longa como breve 4 *Edit.* Diz-se da edição sem referência ao impressor, à data e ao local de impressão [F.: Do lat. *anceps, itis.*]

◎ **-anço** ***suf. nom.*** De cunho popular, em alguns poucos vocábulos com ideia de 'ação ou resultado de (dada ação)' ou de 'estado ou condição': *chegança, espetanço, falhanço, mimanço, pescanço, recuanço* [F.: De *-ança* (q. v.).]

ancôneo (an.*cô*.ne:o) ***a.*** *Anat.* Diz-se de músculo situado na face lateral do cúbito; ANCONEU [F.: *ancon(o)-* + *-eo.*]

âncora (*ân*.co.ra) ***sf.*** 1 *Náut.* Peça de ferro que se atira à água para impedir que as embarcações se movam; FERRO 2 *Fig.* Alguém ou algo que dá apoio ou proteção: *Meu avô é a âncora da família.* ***s2g.*** 3 Jornalista que apresenta e coordena um programa de televisão ou rádio [F.: Do lat. *ancora, ae.*] ■ ~ **cambial** *Econ.* Atrelamento do valor da moeda e um parâmetro cambial fixo, para manter seu poder aquisitivo ~ **flutuante** *Marinh.* Aparelho flutuante usado para manter embarcação à deriva na direção do vento ou da maré ~ **monetária** V. *Âncora cambial* **Levantar** ~ Partir (navio) depois de içar a âncora

ancorado (an.co.*ra*.do) ***a.*** 1 Preso com âncora (navio ancorado); FUNDEADO 2 *Fig.* Baseado, fundamentado, estribado 3 Diz-se de programa de televisão ou rádio apresentado por um(a) âncora (3) [F.: Part. de *ancorar.*]

ancoradouro (an.co.ra.*dou*.ro) ***sm.*** Local em que os navios ancoram ou podem ancorar; FUNDEADOURO [F.: Part. *ancorar* + *-douro.*]

ancoragem (an.co.*ra*.gem) ***sf.*** 1 Ação ou resultado de ancorar (ancoragem de navios); ANCORAMENTO 2 Ancoradouro, fundeadouro 3 Imposto pago pelos navios que fundeiam em certos portos: "(...) arrecadava as ancoragens das naus (...)." (Fernão Lopes de Castanheda, *História da Índia*) [Pl.: *-gens.*] [F.: *âncora* + *-agem²*.]

ancoramento (an.co.ra.*men*.to) ***sm.*** Ação ou resultado de ancorar; ANCORAGEM [F.: *ancorar* + *-mento.*]

ancorar (an.co.*rar*) ***v.*** 1 Lançar (a embarcação) âncora à água, para interromper a navegação; FUNDEAR [***int.:*** *O navio ancorou na Baía de Guanabara:* "E entraram todas as naus dentro, e ancoraram em cinco ou seis braças." (Pero Vaz de Caminha, *Carta a El-Rei D. Manuel*)] [***td.:*** *Não foi possível ancorar o navio devido à profundidade do mar.*] 2 Ter como suporte ou base [***tdr.*** + ***em:*** *Ancorou sua tese em ideias ultrapassadas; Ela se ancorava nos amigos.*] 3 *Econ.* Relacionar (preço, moeda etc.) (a um indicador financeiro, que lhe dá suporte) [***tdr.*** + ***a:*** *Ancorar o real ao dólar.*] 4 *Telv.* Ser o apresentador principal e o responsável pelas matérias em um programa de televisão (ger. noticiário) [***td.:*** *Jô Soares ancorou um programa especial durante a Copa do Mundo.*] 5 *Com.* Ser o principal ponto de venda em um centro comercial [***tda.:*** "...nenhum grupo ainda firmou contrato para ancorar o *shopping* na área de alimentação..." (*Tribuna do Norte*, 28.07.2001)] [***td.:*** *A loja de departamentos vai ancorar o novo centro comercial da cidade.*] [▶ 1 ancorar] [F.: *âncora* + *-ar²*. Hom./Par.: *ancora(s)* (fl.), *âncora(s)* (sf. [pl.]).]

andaço (an.*da*.ço) ***sm.*** 1 *Pop.* Epidemia de curta duração e pouca gravidade (andaço de gripe) 2 *Bras.* Diarreia [F.: *andar* + *-aço.* Cf.: *surto.*]

andada (an.*da*.da) ***sf.*** Ação ou resultado de andar; CAMINHADA [F.: *andar* + *-ada¹*.]

andadeira (an.da.*dei*.ra) ***sf.*** 1 Tiras de pano com que se cinge uma criança pela cintura, nas quais alguém pega para ensiná-la a andar [Mais us. no pl.] 2 Ajuda, conselho, orientação [Mais us. no pl.] 3 Mó giratória em cujo centro caem os grãos [F.: *andar* + *-deira.*]

andado (an.*da*.do) ***a.*** 1 Percorrido: "...duas léguas andadas da cidade..." (Manuel Ribeiro, *Deserto*) 2 Passado, decorrido (dias andados) 3 *Pop.* Que percorreu muitos lugares; VIAJADO [F.: Part. de *andar.*]

andador (an.da.*dor*) [ô] ***a.*** 1 Que anda muito; veloz no andar 2 *Bras. S.* Diz-se do cavalo forte e ágil, que sustenta a andadura 3 *Bras. N. E.* Diz-se do cavalo ensinado exclusivamente para montaria ***sm.*** 4 *Bras.* Aparelho que dá apoio a crianças que começam a andar ou a adultos com problemas de locomoção [F.: Part. *andar* + *-dor.*]

andadura (an.da.*du*.ra) ***sf.*** Modo de andar, esp. o dos animais de montaria; MARCHA [F.: *andar* + *-dura.*]

andaime (an.*dai*.me) ***sm.*** Estrutura de metal ou madeira sobre a qual trabalham os operários de uma construção [F.: Do ár. *ad-dah Aím*, pl. de *ad-dahamâ*, 'pilar', 'coluna'.] ■ ~ **fixo** O que se apoia no chão ou na parede em que se trabalha ~ **rolante** O que se pode deslocar horizontalmente, apoiado em rodas

andala (an.*da*.la) ***sf.*** *Afr.* Folha de palmeira, us. para cobrir cubatas, tabiques e outras vedações, e fabricar esteiras, vassouras etc. [F.: Do quimbundo *an'dala.*]

andaluz¹ (an.da.*luz*) ***sm.*** 1 Indivíduo nascido ou que vive na Andaluzia (Espanha) [Fem.: *-luza*] ***a.*** 2 Da Andaluzia; típico dessa região ou de seu povo [Fem.: *-luza*] [F.: Do ár. *andalus*, 'nome da península Ibérica', donde o top. *Andaluzia.*]

andaluz² (an.da.*luz*) *Zool.* ***a.*** 1 Diz-se de certa raça de cavalos espanhola ***sm.*** 2 Essa raça [F.: Do ár. *andalus.*]

andamanês (an.da.ma.*nês*) ***sm.*** 1 Indivíduo nascido ou que vive nas Ilhas Andaman 2 *Gloss.* Língua falada nas Ilhas Andaman ***a.*** 3 Das ilhas Andaman (Índia); típico dessas ilhas ou de seu povo 4 *Gloss.* Do ou ref. ao andamanês (2) [F.: Do top. Ilhas *Andaman* + *-ês.* Pl. de 1, 3 e 4: *-neses* [ê]. Fem. de 1, 3 e 4: *-nesa* [ê].]

andamento (an.da.*men*.to) *sm.* **1** Ação ou resultado do que está andando, avançando, progredindo; DESENVOLVIMENTO; PROSSEGUIMENTO: *A obra ainda está em andamento.* **2** Modo de prosseguir, rapidez ou intensidade com que se faz algo ou com que algo avança: *É preciso acelerar o andamento das investigações.* **3** *Mús.* Velocidade com que se executa um trecho de peça musical [F.: *andar* + *-mento.*] ■ **Dar ~ a** Fazer prosseguir (ação, processo etc.)

andança (an.*dan*.ça) *sf.* **1** Ação ou resultado de andar, esp. em viagem, passeio, excursão etc. [+ *em, por*: *andanças na /pela Bahia.* Mais us. no pl.] **2** *Fam.* Ação de andar muito e apressadamente; PRESSA; FAINA; LIDA [F.: *andar* + *-ança.*]

andante[1] (an.*dan*.te) *a2g.* **1** Que anda, que vagueia (cavaleiro andante); ERRANTE *s2g.* **2** Aquele que anda; TRANSEUNTE; VIAJANTE [F.: *andar* + *-nte.*]

andante[2] (an.*dan*.te) *Mús. adv.* **1** Em andamento moderado, entre o adágio e o alegro *sm.* **2** Trecho de peça musical com esse andamento [F.: Do it. *andante.*]

andar (an.*dar*) *v.* **1** Deslocar-se (um ser animado) no solo, mediante o movimento coordenado dos membros; dar passos; CAMINHAR [*int.*: *Aos nove meses, a criança já começou a andar; Andamos, andamos, e não chegamos a lugar algum.*] **2** Percorrer (certa distância, extensão, lugar) [*td.*: *É preciso andar um quilômetro para chegar à próxima estação.*] [*ta.* + *por*: *Fez-nos andar por toda a propriedade para conhecer as suas benfeitorias.*] **3** Ter, manter movimento (um corpo inanimado) [*int.*: *Os ponteiros do relógio andam muito rápido quando estamos com pressa; O carro está tão velho, que já não anda.*] **4** Deslocar-se, transportar-se [*ta.* + *de*: *andar de mula, de carro, de navio, de avião.*] **5** Estar, encontrar-se, achar-se [*int.*: "Onde andará Nicanor?" (Chico Buarque, *Nicanor*)] [*ta.* + *em*: *Andava no terraço e não ouvi você chegar.*] [*tp.*: *Ela anda doente; Ultimamente, ando estressado.*] **6** Usar (certa peça de vestuário) [*ta.* + *de*: *Costuma andar de chinelos pela casa.*] **7** Frequentar [*ta.* + *em*: *andar em más companhias; Já andas na universidade?*] **8** Tomar parte (em certa atividade por determinado período) [*ta.* + *em*: *Andamos juntos nas refregas da juventude.*] **9** Ter como companhia, frequentemente ou por hábito [*ta.* + *com*: *Prometa que não andará mais com aquele patife!*] **10** *Fam.* Manter relação amorosa (com alguém) [*int.*: *Desde quando vocês andam juntos?*] [*ta.* + *com*: *Pensei que não andasses com mulheres desse tipo.*] **11** Atingir aproximadamente (certa idade, quantidade, valor, preço etc.) [*ta.* + *por*: *A despesa anda pelos dez mil reais; Vovô já anda pelos noventa anos.*] **12** Comportar-se, agir, proceder [*int.*: *Você andou bem nessa querela.*] **13** Progredir, avançar, prosperar [*int.*: *Já fizemos o possível, mas o nosso negócio não anda.*] **14** Seguir os trâmites, as etapas naturais ou previstas [*int.*: *Naquela comarca, os processos só andam na base da propina.*] **15** Transcorrer, decorrer, passar (tempo) [*int.*] **16** Apressar-se, aviar-se, despachar-se [*int.*: *Ande, garoto! termine logo essa tarefa!*] *sm.* **17** Maneira de andar; ANDADURA **18** Ritmo em que um processo se desenvolve; ANDAMENTO **19** *Arq.* Em prédio ou construção, cada um dos níveis superpostos; PAVIMENTO; PISO **20** *P. ext.* Camada (de coisas superpostas) **21** *Bot.* Nível ou altura da vegetação **22** *Bras. N. E.* Qualquer dos passos ensinados aos cavalos (baixo, meio, esquipado) [F.: Do lat. *ambulare.*] ■ **~ naufragado** *N. E.* Estar pobremente vestido **~ para** Estar a ponto de, prestes a; ter a intenção de: *É melhor você ir logo vê-la, pois ela anda para viajar; Já fazia algum tempo que andava para te perguntar isso.* **~ por** Ter aproximadamente (certa idade, certo valor); estar orçado ou estimado em: *Ele deve andar pelos vinte anos; O grama do ouro anda pelos quarenta reais.* **~ trincado** *Bras.* Andar aborrecido, amuado, mal-humorado **~, virar, mexer** *Bras.* Agitar-se, movimentar-se, no afã de ganhar a vida **A quantas anda** Em que pé está, em que estágio se encontra, como está indo

andarilho (an.da.*ri*.lho) *sm.* **1** Aquele que anda muito; ANDADOR **2** *Ant.* Lacaio que acompanhava o senhor quando se locomovia a cavalo ou de carruagem *a.* **3** Que anda muito, sem se cansar [F.: *andar* + *-ilho.*]

andas (*an*.das) *sfpl.* **1** Peças de madeira com estribo ou ressalto para apoio dos pés, com as quais se caminha de estatura aumentada; PERNAS DE PAU **2** Cama ou liteira com suporte de varas, que se pode transportar com homens ou cavalos **3** O mesmo que *andor* **4** *Ant.* Varais que serviam de apoio para esquifes [Do lat. *amites.* Hom./Par.: *andas* (sf. pl.), *andas* (fl. de *andar*).]

andebol (an.de.*bol*) *sm. Esp.* Ver *handebol*

andejar (an.de.*jar*) *v. int.* Andar ao acaso; vagar: *Quando o trabalho o cansava, saía andejando pela estrada.* [▶ 1 andejar] [F.: *and-* (rad. de *andar*) + *-ejar.*]

andejo (an.*de*.jo) [ê] *a.* **1** Que anda muito (bois andejos) **2** Que anda por muitos lugares; ANDARENGO **3** Que não para em casa (jovens andejos); RUEIRO **4** *Fig.* Que é suscetível à mudança; que se mostra inconstante (amores andejos) [F.: Regress. de *andejar.* Hom./Par.: *andejo* (a.), *andejo* (fl. de *andejar*).]

andino (an.*di*.no) *sm.* **1** Indivíduo nascido ou que vive nos Andes (cordilheira da América do Sul) *a.* **2** Dos Andes; típico dessa região ou de seu povo [F.: Do top. *Andes* + *-ino*[1].]

andirá[1] (an.di.*rá*) *sm. Bras. N. Zool.* O mesmo que *morcego* [F.: Do tupi *andi'ra.*]

andirá[2] (an.di.*rá*) *Bot. sf.* Árvore leguminosa-mimosácea (*Parkia pendula*, Benth.), que fornece excelente madeira para construções civis e navais; tb. *fava-de-bolota* [F.: De or. incerta.]

andirá[3] (an.di.*rá*) *Bras. Etnol. s2g.* **1** Indivíduo dos andirás, povo indígena extinto que habitava as regiões Oeste do PA e Leste do AM, perto do rio Andirá *a2g.* **2** Dos ou ref. aos andirás [F.: T. indígena de or. incerta.]

andirá-açu (an.di.rá-a.*çu*) *sm. Bras. Zool.* Denominação comum aos grandes morcegos do gên. *Phyllostomus*, da fam. dos filostomídeos, que habitam as Américas do Sul e Central, com envergadura que chega a 46 cm; ANDIRÁGUAÇU; GUANDIRAÇU [Pl.: *andirás-açus.*] [F.: *andirá* + *-açu.*]

andiroba (an.di.*ro*.ba) *sf. Bras. Bot.* Árvore silvestre do Brasil, da fam. das meliáceas (*Carapa guianensis*), de madeira nobre e de cujas sementes se faz azeite [andiroba] [F.: Do tupi *ñandi'rowa.*]

ândito (*ân*.di.to) *sm.* **1** Em pontes, túneis, ruas, cais, passagem lateral estreita e elevada, feita para ser us. por pedestres **2** Espaço em volta de prédios, monumentos etc., reservado à movimentação de pedestres [F.: Do it. *andito.*]

◎ **-ando** *suf. nom.* = 'em processo de', 'prestes a (ser)': *bacharelando, doutorando, vestibulando.* [F.: Do lat. *-(a)ndus, a, um*, de verbos latinos em *-are.*]

ando-peruano (an.do-pe.ru:*a*.no) *sm.* **1** Indivíduo nascido ou que vive em Andes Peruanos (Peru) [Pl.: *ando-peruanos.*] *a.* **2** De Andes Peruanos; típico dessa cidade ou de seu povo [Pl.: *ando-peruanos.*] [F.: Do top. *Andes Peruanos.*]

andor (an.*dor*) [ô] *sm.* Padiola enfeitada em que se carregam imagens sagradas em procissões; ANDAS; CHAROLA [F.: Do malaiala *andola.*]

andorinha (an.do.*ri*.nha) *sf.* **1** Denominação comum às aves passeriformes da fam. dos hirundinídeos, cosmopolitas, muitas das quais migratórias, de asas longas, bico curto, largo e chato **2** *Bras.* Veículo para transporte de móveis **3** *RS* Prostituta que se desloca pelas cidades [F.: Do lat. vulg. *harundo, inis.*]

andorinha-de-casa (an.do.ri.nha-de-*ca*.sa) *sf. Bras. S. Ornit.* Ave passeriforme e hirundinídea, *Progne chalybea domestica*, de corpo azulado, pescoço cinzento, abdome branco, cauda bifurcada, encontrada em habitações e igrejas [Pl.: *andorinhas-de-casa.*]

andorinha-de-rabo-branco (an.do.ri.nha-de-ra.bo-*bran*.co) *sf. Bras. Ornit.* Ave passeriforme e hirundinídea, *Tachycineta albiventer*, da América do Sul, de dorso verde-azulado, uropígio e lado inferior brancos; ANDORINHA-DO-RIO [Pl.: *andorinhas-de-rabo-branco.*]

andorinha-do-mar (an.do.ri.nha-do-*mar*) *Ornit. sf.* **1** Denominação de diversas aves marinhas caradriiformes da fam. dos larídeos, caracterizadas pelo bico reto e pontiagudo, asas estreitas e cauda bifurcada **2** Ave procelariiforme da fam. dos hidrobatídeos, *Oceanodroma castro*, que vive no Atlântico e Pacífico tropicais e tem plumagem marrom-escura, cabeça e pescoço cinzentos, uropígio e coberteiras da cauda brancas **3** Ver *trinta-réis* [Pl.: *andorinhas-do-mar.*]

andorinhão (an.do.ri.*nhão*) *Zool. sm. Bras.* Denominação comum a várias aves apodiformes, da fam. dos apodídeos [Pl.: *-nhões.*] [F.: *andorinha* + *-ão.*]

andorinhão-das-tormentas (an.do.ri.nhão-das-tor.*men*.tas) *sf. Bras. Ornit.* Ave procelariiforme hidrobatídea, *Oceanites oceanicus*, acinzentada, com as coberteiras da cauda brancas, encontrada na parte meridional dos oceanos Índico, Atlântico e Pacífico; ALMA-DE-MESTRE [Pl.: *andorinhões-das-tormentas.*]

andorinha-pequena (an.do.ri.nha-pe.*que*.na) *sf. Bras. Ornit.* Ave passeriforme hirundinídea, *Pygochelidon cyanoleuca*, encontrada no Sul da América Central e em toda a América do Sul cisandina, com dorso azul-aço, brilhante, abdome branco e crisso azul; alimenta-se de insetos e constrói os ninhos em barrancos; ANDORINHA-DE-BANDO [Pl.: *andorinhas-pequenas.*]

andorrano (an.dor.*ra*.no) *sm.* **1** Pessoa nascida em Andorra (Europa) *a.* **2** De Andorra; típico desse principado ou de seu povo [F.: Do top. *Andorra* + *-ano.*]

andradita (an.dra.*di*.ta) *sf. Min.* Silicato de ferro e cálcio, variedade de granada [F.: Do antr. (*José Bonifácio de*) *Andrada* (*e Silva*) + *-ita.*]

andragogia (an.dra.go.*gi*.a) *sf.* Ciência, arte, atividade, de metodizar e orientar a aprendizagem de adultos [F.: *andr(o)-* + *-agogia.*]

andrajo (an.*dra*.jo) *sm.* **1** Trapo, farrapo **2** Roupa velha, esfarrapada [Nesta acp., mais us. no pl.] [F.: Pl. de *andrajo*, do espn. *andrajo*, de or. incerta.]

andrajoso (an.dra.*jo*.so) [ô] *a.* Coberto de andrajos; MALTRAPILHO [Pl. e fem.: ó.] [F.: *andrajo* + *-oso.*]

andrecia (an.dre.*ci*.a) *sf. Bot.* Presença exclusiva, em determinada planta, de flores masculinas [F.: *andr(o)-* + *-ecia.*]

◎ **-andria** *el. comp.* = 'virilidade', 'masculinidade'; 'homem', 'macho', 'sexo masculino'; 'qualidade, característica ou condição do que é masculino ou do(s) estame(s) de uma flor': *anandria, apandria, ginandria, pecilandria, sinandria; heptandria* [F.: Do gr. *-andría, as*, do gr. *aner, andrós.* F. conexa: *andr(o)-.*]

◎ **-andr(o)-** *el. comp.* Ver *andr(o)-*

◎ **-andro** *el. comp.* Ver *andr(o)-*

◎ **andr(o)-** *el. comp.* = 'homem'; 'macho'; (*Bot.*) 'estame': *androide, andrógino; ginandrismo; escafandro, dodecandro, heptandro* [F.: Do gr. *anér, andrós.* F. conexa: *-andria.*]

androcêntrico (an.dro.*cên*.tri.co) *a.* Ref. ao androcentrismo (sociedade androcêntrica); ANDROCENTRISTA [F.: *androcentrismo* + *-ico*[2].]

androcentrismo (an.dro.cen.*tris*.mo) *sm.* Propensão a supervalorizar o ponto de vista masculino [F.: *andr(o)-* + *-centr(o)-* + *-ismo.*]

androcentrista (an.dro.cen.*tris*.ta) *a2g.* O mesmo que *androcêntrico* [F.: *androcentrismo* + *-ista.*]

androceu (an.dro.*ceu*) *sm. Bot.* Conjunto dos estames (órgãos masculinos) de uma flor. [Cf. *gineceu.*] [F.: Do lat. cient. *androceum.*]

androfobia (an.dro.fo.*bi*.a) *sf.* **1** Rejeição total aos seres humanos **2** *Psiq.* Aversão ou horror ao sexo masculino [F.: *andro-* + *-fobia.*]

androfóbico (an.dro.*fó*.bi.co) *Psiq. sm.* **1** Aquele que sofre de androfobia; ANDRÓFOBO *a.* **2** Ref. a androfobia **3** Diz-se de quem sofre de androfobia; ANDRÓFOBO [F.: *androfob(ia)* + *-ico.*]

andrófobo (an.*dró*.fo.bo) *Psiq. a. sm.* Ver *androfóbico* [F.: *andr(o)-* + *-fobo.*]

androgênese (an.dro.*gê*.ne.se) *sf. Biol.* Desenvolvimento de ovo somente com o núcleo do gameta masculino; ANDROGENIA [F.: *andr(o)-* + *-gênese.*]

androgenia (an.dro.ge.*ni*.a) *Biol. sf.* **1** Em partenogênese, produção de machos **2** O mesmo que *androgênese* [F.: *andr(o)-* + *-genia.* Hom./Par.: *androgenia* (sf.), *androginia* (sf.).]

androgênico (an.dro.*gê*.ni.co) *a.* Ref. a androgenia ou a andrógênio [F.: *androgenia* ou *androgênio* + *-ico*[2].]

androgênio (an.dro.*gê*.ni:o) *sm. Bioq.* Hormônio esteroide que estimula o desenvolvimento dos caracteres masculinos secundários [F.: *andr(o)-* + *-geno* + *-io*[3].]

andrógeno (an.*dró*.ge.no) *Biol. a.* **1** Que origina os caracteres masculinos *sm.* **2** O que origina os caracteres masculinos [F.: *andr(o)-* + *-geno.* Hom./Par.: *andrógeno* (a. sm.), *andrógino* (a. sm.).]

androginia (an.dro.gi.*ni*.a) *sf.* **1** Qualidade de andrógino **2** *Biol.* Presença num mesmo indivíduo dos dois sexos; HERMAFRODITISMO [F.: *andrógino* + *-ia*[1]. Sin. ger.: *androginismo.* Hom./Par.: *androgenia.*]

androginismo (an.dro.gi.*nis*.mo) *sm.* O mesmo que *androginia* [F.: *andrógino* + *-ismo.*]

andrógino (an.*dró*.gi.no) *a.* **1** *Biol.* Diz-se de ser vivo que tem órgãos reprodutores masculinos e femininos simultaneamente; HERMAFRODITA **2** *Biol.* Diz-se de fungo em que ambos os sexos ocorrem em um mesmo talo **3** *P. ext.* Que tem aparência e/ou comportamento sexual indefinido entre os dois sexos *sm.* **4** Indivíduo andrógino [F.: Do lat. *androgynus, i*, do gr. *andrógynos.* Hom./Par.: *andrógeno* (a. sm.).]

androide (an.*droi*.de) *a2g.* **1** Que se assemelha ao homem; ANTROPOIDE *sm.* **2** Robô de aparência humana, que reproduz os movimentos do corpo humano [F.: *andr(o)-* + *-oide.*]

andrólatra (an.*dró*.la.tra) *s2g.* Pessoa que rende culto a um homem; aquele que pratica a androlatria [F.: *andro-* + *-latra.*]

androlatria (an.dro.la.*tri*.a) *sf.* Adoração ou culto a determinado homem [F.: *andro-* + *-latria.*]

andrologia (an.dro.lo.*gi*.a) *sf. Med.* Especialidade médica que trata das doenças do aparelho genital masculino [Cf.: *urologia.*] [F.: *andro-* + *-logia.*]

andrologista (an.dro.lo.*gis*.ta) *s2g.* **1** Médico que se especializou em andrologia *a2g.* **2** Diz-se desse médico [F.: *andrologia* + *-ista.*]

andrômeda (an.*drô*.me.da) *sf.* **1** Constelação boreal vizinha das constelações de Triângulo, Peixes, Pégaso, Lagarto, Cassiopeia e Perseu [Us. com inicial maiúsc.] **2** *Bot.* Nome de várias plantas do gên. *Andromeda* e fam. das ericáceas, nativas das regiões boreal e ártica, cultivadas como ornamentais, sempre-verdes, de flores claras ou cor-de-rosa em umbelas terminais e folhas coriáceas **3** *Bot.* Espécime pertencente a esse gênero [F.: Do gr. *Andromédé, és.*]

andropausa (an.dro.*pau*.sa) *sf. Med.* Tendência à redução da atividade genital masculina [F.: *andr(o)-* + *-pausa.*]

androplasma (an.dro.*plas*.ma) *sm. Cit.* Nos gametas masculinos, o citoplasma [F.: *andro-* + *-plasma.*]

androsperma (an.dros.*per*.ma) *sm. Biol.* Gameta que determina a formação de embrião masculino e que é produzido por indivíduo heterogamético [F.: *andro-* + *-sperma.*]

androsterona (an.dros.te.*ro*.na) [ô] *sm. Quím.* Substância esteroidal ($C_{19}H_{30}O_2$) encontrada na urina, nos testículos, em plantas ou obtida sinteticamente, produzindo no organismo humano o efeito fisiológico do hormônio masculino; é utilizado em pesquisas biológicas e na medicina [F.: *andro-* + *-ster(o)(l)-* + *-ona*[2].]

anduiá (an.du:i.*á*) *Ict. sm.* **1** *Bras.* Peixe teleósteo siluriforme e auquenipterídeo, *Glanidium albescens*, muito encontrado no rios do Brasil, cinzento, de c. 12 cm de comprimento, abdome branco, pedúnculo e nadadeira dorsal com pequenas manchas escuras; BUREVA **2** Ver *anujá* [F.: Do tupi.]

anecúmeno (a.ne.*cú*.me.no) *Geog. sm.* **1** Região ou área inabitada pelo homem, ger. por se localizar em grandes altitudes ou em altas latitudes; ANECÚMENA *a.* **2** Diz-se de região ou área que não é habitada pelo ser humano [F.: *a(n)* + *ecúmeno* ou *ecúmena.* Ant. ger.: *ecúmeno.* Ideia de: *ec(o)-.*]

anedonia (a.ne.do.*ni*.a) *sf. Psi.* Perda da capacidade de sentir prazer, observada em estados de grave depressão [F.: *a(n)-* + gr. *hedoné*, 'prazer', + *-ia*[1].]

anedota (a.ne.*do*.ta) *sf.* **1** Historieta engraçada sobre fato real ou imaginário **2** Aspecto curioso ou picante sobre personalidade, evento etc. **3** *P. ext.* Piada, chiste [F.: Do fr. *anecdote*, do gr. *anékdota*, neutro pl. do gr. *anékdotos, os, on*.]

anedotário (a.ne.do.*tá*.ri:o) *sm.* Coleção de anedotas [F.: *anedota* + *-ário*.]

anedótico (a.ne.*dó*.ti.co) *a.* Ref. a ou que contém anedota [F.: *anedota* + *-ico²*.]

anejo (a.*ne*.jo) [ê] *sm.* **1** Animal com apenas um ano de idade; ANACO *a.* **2** Diz-se de animal que tem um ano de idade; ANACO; ANELHO [F.: Do espn. *añejo*, pelo lat. *anniculus*. Ideia de: *an(i/u)*.]

anel (a.*nel*) *sm.* **1** Qualquer tira, fio ou fita em formato circular, formando um aro, que serve para cercar, cingir, prender algo: *Estava acorrentado à parede por um anel de ferro em seu punho.* **2** Pequeno aro us. em dedo, às vezes de metal precioso, às vezes ornado com gemas, sinete, figuras lavradas etc., us. como adorno ou símbolo (de compromisso, profissão, filiação a grupo ou entidade etc.) **3** *P. ext.* Cada elo de uma corrente **4** *P. ext.* Qualquer coisa (objeto, disposição de elementos etc.) com o formato de anel (1): *Um anel de fogo os cercava na mata.* **5** Cacho de cabelos; CARACOL **6** *Anat.* Abertura em músculo ou membrana pela qual passam nervos, vasos etc. **7** *Astron.* Cada um dos círculos formados por gelo, pedra e poeira que giram em torno de um planeta: *os anéis de Saturno.* **8** *Quím.* Cadeia de átomos que constitui a estrutura de muitos compostos **9** *Álg.* Conjunto que contém operações aditiva e multiplicativa, de modo que em relação à primeira é um grupo, com operação associativa em relação à segunda, sendo o produto associativo e distributivo em relação à soma **10** *Bot.* Fileira de células especializadas que, nas pteridófitas, envolve o esporângio **11** *Bot.* Porção restante, após sua ruptura, do véu que cobre o píleo de certos fungos **12** *Geom.* Figura geométrica formada pelo espaço entre as circunferências de dois círculos concêntricos; coroa circular **13** *Arq.* Filete ornamental circular nos capitéis dóricos **14** *Her.* Círculo, as vezes ornado de gemas, que guarnece um escudo **15** *Cit.* Formação composta por cromossomos na meiose [Pl.: *-néis*.] [F.: Do lat. *annelus, i.* Ideia de 'anel': *anel(i)-* (*aneliforme*); *cicl (o)-* (*ciclometria*); *-ciclo* (*triciclo*); *dactilio-* (*dactilioteca*).] ■ **anéis coletores** *Elet.* Anéis de um dínamo que recebem a corrente ou dos quais as esta é captada pelas escovas **anéis de Newton** *Ópt.* Interferência em forma de anéis que se forma quando uma lente plano-convexa apoiada sobre a face convexa numa lâmina de vidro é atravessada verticalmente por um feixe luminoso **anéis de Saturno** *Astron.* Formações de partículas em forma de anéis em torno do plano equatorial de Saturno **~ asteroidal/asteróidico** *Astron.* Ver *Anel de asteroides* **~ astronômico** *Astron.* Antigo instrumento us. para determinar a altura do Sol **~ de asteroides** *Astron.* Região entre as órbitas de Marte e de Júpiter, percorrida pela maior parte dos asteroides; anel asteroidal, anel asteróidico, faixa de asteroides **~ de Bishop** *Astron.* Halo lunar ou solar peculiar, observado quando o astro está próximo à linha do horizonte, e causado por partículas de poeira na alta atmosfera **~ de colisão** *Fís. nu.* Tipo de acelerador de partículas em que dois feixes de partículas, girando em sentidos opostos, chocam-se em vários pontos, a cada passagem **~ de compressão** *Mec.* Nos motores de veículos, anel que faz manter a compressão no cilindro **~ de Einstein** *Astron.* Anel luminoso em torno de um corpo maciço esférico com forte campo gravitacional, visível em certas condições **~ de fogo** *Astron.* Anel luminoso estreito em volta do disco lunar durante um eclipse anular do Sol **~ de grau** Anel usado por quem cola grau; a cor da gema nele engastada identifica a ciência ou profissão em que se colou grau **~ de Kuiper** *Astron.* Reservatório de cometas que teoricamente deveria existir além da região dos planetas **~ de pistão** *Mec.* Num cilindro de motor a explosão, anel do êmbolo, que impede que o óleo do cárter entre na câmara de combustão na fase de aspiração **~ do pescador** *Ecles.* Anel us. pelo papa para selar os breves, cujo sinete tem a imagem de são Pedro lançando uma rede **~ esférico** *Geom.* Sólido gerado pelo giro completo de um segmento de círculo em torno de um diâmetro deste círculo que não o atravessa **~ fibroso** *Anat.* A parte externa de um disco intervertebral, de tecido fibroso **~ rodoviário** Conjunto de rodovias que circunda uma cidade ou área urbana

anelado (a.ne.*la*.do) *a.* **1** Em forma de anel; ANELIFORME **2** Que forma anéis; ENCARACOLADO [F.: *anel* + *-ado²*.]

anelante (a.ne.*lan*.te) *a2g.* **1** Que anela, que deseja com ânsia: "Acudiu aos anelantes desejos de sua amiga." (Camilo Castelo Branco, *Amor de salvação*) **2** Que respira com dificuldade; OFEGANTE [F.: Do lat. *anhelans, antis*.]

anelar¹ (a.ne.*lar*) *v.* **1** Desejar muito [*td.*: "Aqui lânguido à noite debati-me/ Em vãos delírios anelando um beijo..." (Álvares de Azevedo, *Lira dos vinte anos*)] [*tr.* + *a, por*: *anelar pela paz entre os povos.*] **2** Respirar com dificuldade; OFEGAR; ARFAR [*int.*] [▶ 1 anelar] [F.: Do lat. *anhelare*. Hom./Par.: *anelo* (fl.), *anelo* (sm.).]

anelar² (a.ne.*lar*) *v.* Dar ou adquirir forma de anel; ENCARACOLAR(-SE) [*td.*: *Mamãe gostava de anelar meus cabelos.*] [*int.*: *Meus cabelos não se anelam, são muito lisos!*] [▶ 1 anelar] [F.: *anel* + *-ar²*.]

anelar³ (a.ne.*lar*) *a2g.* **1** Ref. a anel **2** Diz-se do dedo em que se coloca o anel ou a aliança; ANULAR **3** Que tem forma ou feição de anel; ANELIFORME [F.: *anel* + *-ar¹*.]

◎ **anel(i)-** *el. comp.* = 'anel': *anelado¹*, *aneliforme*, *anelídeo* (< lat. cient.) [F.: Do lat. *anellus, i*, 'anelzinho', dim. do lat. *anulus, i*, 'anel de ouro', do lat. *anus, i*, 'anel'; 'ânus'. F. conexa: *anul(i)-*.]

anelídeo (a.ne.*lí*.de:o) *Zool. sm.* **1** Espécime dos anelídeos, filo de animais invertebrados, vermiformes, que inclui as minhocas, sanguessugas e poliquetas *a.* **2** Ref. aos anelídeos [F.: Adaptç. do lat. cient. *Annelida*.]

anelo (a.*ne*.lo) *sm.* Desejo intenso; ANSEIO; ASPIRAÇÃO: *anelo por fazer justiça.* [F.: Do lat. *anhelus*. Hom./Par.: *anelo* (sm.), *anelo* (fl. de *anelar*).]

anemia (a.ne.*mi*.a) *sf.* **1** *Med.* Diminuição do número e/ou do volume de glóbulos vermelhos ou do teor de hemoglobina no sangue **2** *Fig.* Condição de fraqueza, de debilidade [F.: Do gr. *anaimía, as*, pelo lat. cient. *anemia*.] ■ **~ falciforme** *Pat.* Doença hereditária, caracterizada pela presença no sangue de glóbulos vermelhos em forma de foice **~ hemolítica** *Pat.* Aquela em que a diminuição dos glóbulos vermelhos do sangue não é compensada por sua produção pela medula óssea **~ hipercrônica** *Pat.* Aquela em que há um aumento no teor de hemoglobina desproporcional (maior) ao aumento de volume do glóbulo vermelho **~ hipocrônica** *Pat.* Aquela em que há diminuição no teor de hemoglobina nos glóbulos vermelhos do sangue

> 📖 As anemias (anomalias na composição de certos elementos do sangue) podem decorrer da diminuição do número de hemácias no sangue, da diminuição do teor de hemoglobina e da diminuição do volume das hemácias. Entre suas possíveis causas estão: a) perda de sangue (seja abrupta, seja pela soma de pequenas hemorragias, às vezes não percebidas) provocando a anemia pós-hemorrágica. Além do tratamento da causa, a transfusão de sangue é medida emergencial; b) destruição acentuada de hemácias, devido a infecções, tóxicos (inclusive certos remédios), fatores genéticos (caso da anemia falciforme, que afeta principalmente os negros) etc.; c) comprometimento na produção de hemácias por falta no organismo de substâncias que a incrementam, como o ácido fólico, o ferro e a vitamina B12 (caso da chamada anemia perniciosa, causada esp. por carência de proteínas e de vitamina B12).

anemiante (a.ne.mi:*an*.te) *a2g.* Que produz anemia [F.: *anemiar* + *-nte*.]

anêmico (a.*nê*.mi.co) *a.* **1** Ref. a anemia **2** Que tem anemia **3** *Fig.* Sem força ou intensidade: *cores anêmicas.* **4** *Fig.* Sem destaque ou brilho: *interpretação anêmica. sm.* **5** Indivíduo que tem anemia [F.: *anemia* + *-ico²*.]

◎ **anemo-** *el. comp.* = 'vento': *anemômetro, anemografia, anemofilia; barosânemo* [F.: Do gr. *ánemos, ou*.]

◎ **-ânemo** *el. comp.* Ver *anemo-*

anemocoria (a.ne.mo.co.*ri*:a) *Bot. sf.* Disseminação, pelo vento, das estruturas reprodutivas das plantas [F.: *anemo-* + *-coria*.]

anemocórico (a.ne.mo.*có*.rico) *Bot. a.* Referente a anemocoria [F.: *anemocoria* + *-ico²*.]

anemofilia (a.ne.mo.fi.*li*.a) *sf. Bot.* Polinização efetuada pela ação do vento, que transporta grãos de pólen pelo ar, fazendo com que estes fecundem os óvulos de outra flor à distância; ANEMOGAMIA [F.: *anemo-* + *-filia¹*.]

anemófilo (a.ne.*mó*.fi.lo) *Bot. a.* **1** Ref. à ou próprio da anemofilia **2** Diz-se de planta ou flor polinizada pela ação do vento [F.: *anemo-* + *-filo¹*. Sin. ger.: *anemogâmico, anemógamo*.]

anemofobia (a.ne.mo.fo.*bi*:a) *Psiq. sf.* Medo mórbido de vento [F.: *anemo-* + *-fobia*.]

anemofóbico (a.ne.mo.*fó*.bi.co) *Psiq. a.* **1** Ref. a anemofobia **2** Diz-se de indivíduo que tem anemofobia *sm.* **3** Esse indivíduo [F.: *anemofobia* + *-ico²*.]

anemogamia (a.ne.mo.ga.*mi*.a) *sf. Bot.* O mesmo que *anemofilia* [F.: *anemo-* + *-gamia*.]

anemogâmico (a.ne.mo.*gâ*.mi.co) *Bot. a.* **1** Ref. à ou própria da anemogamia **2** Que foi polinizado por anemogamia [F.: *anemogamia* + *-ico²*. Sin. ger.: *anemógamo*.]

anemógamo (a.ne.*mó*.ga.mo) *a. Bot.* O mesmo que *anemogâmico* [F.: *anemo-* + *-gamo*.]

anemógrafo (a.ne.*mó*.gra.fo) *Met. sm.* **1** Indivíduo que se especializou em anemografia **2** Instrumento que registra a direção e a velocidade dos ventos [F.: *anemo-* + *-grafo*.]

anemologia (a.ne.mo.lo.*gi*:a) *Met. sf.* Ciência que estuda os ventos [F.: *anemo-* + *-logia*.]

anemometria (a.ne.mo.me.*tri*:a) *Met. sf.* Medida de velocidade e força dos ventos [F.: *anemo-* + *-metria*.]

anemômetro (a.ne.*mô*.me.tro) *sm. Met.* Instrumento que mede a velocidade, a força e, por vezes, a direção dos ventos [F.: *anemo-* + *-metro*.]

anêmona (a.*nê*.mo.na) *sf.* **1** *Bot.* O mesmo que *anêmone* **2** *Zool.* O mesmo que *anêmona-do-mar* [F.: Do lat. cient. *Anemone*.]

anêmona-do-mar (a.nê.mo.na-do-*mar*) *sf. Zool.* Designação comum a numerosos pólipos actinários, de vida solitária, ger. grandes, medindo de 1,5 a 5 cm, sem esqueleto, de colorido brilhante, com aparência de flor conferida por sua forma e cores variegadas, e pelos tentáculos que lhes circundam a boca; vivem em águas costeiras, onde frequentemente aderem a substratos submersos e se reproduzem sexualmente ou, em casos raros, mediante esquizogênese; alimentam-se de pequenos animais capturados com seus tentáculos; ACTÍNIA; ANÊMONA; ANIMAL-FLOR; FLOR-DAS-PEDRAS [Pl.: *anêmonas-do-mar*.]

anêmone (a.*nê*.mo.ne) *Angios. sf.* **1** Gên. de plantas herbáceas, da fam. das ranunculáceas, perenes, de ampla distribuição pelos continentes e que, por suas flores de colorido variado, são cultivadas como ornamentais **2** Designação comum às espécie desse gên. como, p. ex., a pulsatila; ANÊMONA **3** Qualquer flor das espécies desse gên; ANÊMONA [F.: Do lat. cient. gên. *Anemone*.]

anemoscopia (a.ne.mos.co.*pi*.a) *sf. Met.* Estudo que tem por objeto de observação a direção dos ventos [F.: *anemo-* + *-scopia*.]

anemoscópico (a.ne.mos.*có*.pi.co) *a. Met.* Ref. a ou próprio da anemoscopia [F.: *anemoscopia* + *-ico²*.]

anemoterapia (a.ne.mo.te.ra.*pi*.a) *sf. Ter.* Terapia à base de inalações para a cura de certas doenças [F.: *anemo-* + *-terapia*.]

anencefalia (a.nen.ce.fa.*li*:a) *Med. sf.* Monstruosidade fisiológica que consiste na falta do encéfalo [F.: *an-* + *-encefalia*.]

anencefálico (a.nen.ce.*fá*.li.co) *Med. a.* Ref. à anencefalia [F.: *anencefalia* + *-ico²*.]

anencéfalo (a.nen.*cé*.fa.lo) *Med. a.* **1** Que apresenta anencefalia *sm.* **2** Aquele que apresenta anencefalia [F.: *an-* + *-encéfalo*.]

◎ **-âneo** *suf. nom.* = 'referente a'; 'em lugar, em tempo, em condição semelhante a': *cutâneo, contemporâneo* (< lat.), *litorâneo*. [F.: Do lat. *-aneus, a, um*.]

anequim (a.ne.*quim*) *sm. Bras. Zool.* Tubarão da fam. dos lamnídeos (*Carcharodon carcharias*), de grande porte e ferocidade; TUBARÃO-BRANCO [Pl.: *-quins*.] [F.: De or. obsc.]

anergia¹ (a.ner.*gi*.a) *sf.* **1** *Med.* Perda ou ausência de forças, de energia; ANENERGIA **2** *Psiq.* Enfraquecimento, diminuição da resistência psíquica (psicastenia) ou nervosa (neurastenia); ASTENIA [F.: Red., por haplologia, de *anenergia*.]

anergia² (a.ner.*gi*.a) *sf. Imun.* Capacidade orgânica reduzida de reação à injeção de antígenos ou alérgenos [F.: *an-* + *-erg-* + *-ia¹*.]

anérgico (a.*nér*.gi.co) *a.* **1** Ref. a ou próprio de anergia¹ **2** Ref. a ou próprio de anergia² [F.: *anergia* + *-ico²*.]

aneroide (a.ne.*roi*.de) *a2g. Fís.* Diz-se de instrumento de medida que funciona sem o uso de líquidos (barômetro aneroide) [F.: Do fr. *anéroïde*.]

anesférica (a.nes.*fé*.ri.ca) *sf. Geom.* Superfície sem raio de curvatura constante [Ant.: *esférica*.] [F.: Fem. de *anesférico*. Ideia de: *esfer(i/o)-*.]

anesférico (a.nes.*fé*.ri.co) *Geom. a.* **1** Diz-se do que não é esférico, do que não possui forma esférica **2** Diz-se de superfície sem raio de curvatura constante [F.: *a(n)-* + *esférico*. Ant. ger.: *esférico*. Ideia de: *esfer(i/o)-*.]

anesplenia (a.nes.ple.*ni*.a) *sf. Med.* O mesmo que *alienia* [F.: *an-* + *-(e)splenia*.]

anesplênico (a.nes.*plê*.ni.co) *a. Med.* Ref. à anesplenia; ALIÊNICO [F.: *anesplenia* + *-ico²*.]

anestesia (a.nes.te.*si*.a) *Med. sf.* **1** Supressão parcial ou total da sensibilidade, provocada por doença ou por meios medicamentosos, com o objetivo de aliviar a dor ou evitá-la durante uma cirurgia **2** Medicamento que suprime, parcial ou completamente, a sensibilidade; ANESTÉSICO [F.: Do gr. *anaisthesía*, pelo fr. *anesthésie*. Hom./Par.: *anestesia* (fl. de *anestesiar*).]

anestesiado (a.nes.te.si.*a*.do) *a.* **1** Que está sob efeito de anestesia **2** *Fig.* Entorpecido; paralisado: "...as drogas que envenenam esse povo carioca, anestesiado pelo carnaval, pelo futebol..." (Otto Maria Carpeaux, "Introdução" *in Marafa* de Marques Rebelo) [F.: Part. de *anestesiar*.]

anestesiamento (a.nes.te.si:a.*men*.to) *Med. sm.* **1** Ação ou resultado de anestesiar **2** *Fig.* Torpor, indiferença, apatia [F.: *anestesiar* + *-mento*.]

anestesiante (a.nes.te.si:*an*.te) *a2g.* Que anestesia; ANESTÉSICO [F.: *anestesiar* + *-nte*.]

anestesiar (a.nes.te.si.*ar*) *v. td.* **1** *Med.* Suprimir temporariamente a sensibilidade de (o corpo ou parte dele) pela administração de substância anestésica, a fim de evitar ou aliviar a dor **2** *Fig.* Deixar em estado de torpor, de indiferença [▶ 1 anestesiar] [F.: *anestesia* + *-ar²*. Hom./Par.: *anestesia(s)* (fl.), *anestesia(s)* (sf. [pl.]).]

anestésico (a.nes.*té*.si.co) *a.* **1** Que anestesia; ANESTESIANTE *sm.* **2** *Med.* Substância que diminui ou elimina a sensibilidade à dor [F.: *anestesia* + *-ico²*.]

◎ **anestesio-** *el. comp.* = 'anestesia': *anestesiologia* [F.: *anestesi(a)* + *-o-*.]

anestesiologia (a.nes.te.si.o.lo.*gi*.a) *Med. sf.* **1** Estudo das substâncias que produzem anestesia para fins médico-cirúrgicos **2** Estudo das técnicas de anestesia e de reanimação [F.: *anestesio-* + *-logia*.]

anestesiologista (a.nes.te.si.o.lo.*gis*.ta) *Med. sf. Med.* Especialização da medicina que estuda e realiza a aplicação de anestésicos em cirurgias [F.: *anestesiologia* + *-ista*.]

anestesista (a.nes.te.*sis*.ta) *Med. s2g.* Médico, ger. um anestesiologista, ou enfermeiro que pratica anestesia [F.: *anestesia* + *-ista*.]

aneurisma (a.neu.*ris*.ma) *Pat. sm.* Dilatação permanente e localizada de uma artéria, ger. causada por enfraquecimento da parede arterial [F.: Do gr. *aneúrysma, atos*.]

aneurismático (a.neu.ris.*má*.ti.co) *a.* **1** Ref. a aneurisma **2** Que sofre de aneurisma [F.: *aneurisma* + *-ático*.]

aneurismectomia (a.neu.ris.mec.to.*mi*.a) *sf. Med.* Excisão de um aneurisma [F.: *aneurisma* + *-ectomia*.]

anexação (a.ne.xa.*ção*) [cs] *sf.* **1** Ação ou resultado de anexar(-se) **2** Reunião de um país, província, território etc. a outro, conservando ou não a sua autonomia: *Em 1580 realizou-se a anexação de Portugal à Espanha, sob o domínio de Filipe II.* [Pl.: *-ções.*] [F.: *anexar* + *-ção.*]

anexado (a.ne.*xa*.do) *a.* Juntado, reunido, incorporado [F.: Part. de *anexar.*]

anexar (a.ne.*xar*) [cs] *v.* **1** Colocar junto, como anexo; APENSAR [*tdi.* + *a*: *Anexou o cheque ao contrato.*] **2** Incorporar no seu domínio (país, província, território etc.), ger. pela força [*td.*: *O III Reich anexou a Polônia.*] [*tdi.* + *a*: *Stalin anexou a Ucrânia à União Soviética.*] **3** *Inf.* Acrescentar (arquivo) a uma mensagem eletrônica, para que ambos sejam enviados ao destinatário [*tdi.* + *a*: *Anexar o documento ao e-mail.*] [▶ 1 anexar] [F.: *anexo* + *-ar*[2]. Hom./Par.: *anexo* (fl.), *anexo* (a. sm.); *anexa* (fl.), *anexa* (fem. de *anexo*).]

anexim (a.ne.*xim*) [ch] *sm.* Sentença popular; DITADO; PROVÉRBIO [Pl.: *-xins.*] [F.: Do ár. *an-nasid.*]

anexo (a.*ne*.xo) [cs] *a.* **1** Que se anexou; APENSO: *depoimento anexo ao processo.* [Ant.: *separado.*] **2** Que fica perto ou junto (sala anexa); CONTÍGUO **3** Que tem analogia, relação funcional ou lógica com o que já foi citado: *Dedicou-se à produção artística e atividades anexas.* *sm.* **4** Aquilo que se junta como acessório ou complemento: *um contrato e seus anexos.* **5** Edificação ligada a outra que se considera principal: *o anexo de um hotel.* **6** *Anat.* Parte acessória de um órgão ou estrutura: *Ovário e tuba são os anexos do útero.* [F.: Do lat. *annexus, a, um.* Hom./Par.: *anexo* (a. sm.), *anexo*, (fl. de *anexar*).] ▪ **~s uterinos** *Anat.* Os órgãos adjacentes ao útero: os ovários, as trompas de Falópio e respectivos ligamentos

anfetamina (an.fe.ta.*mi*.na) *sf. Quím.* Substância ($C_9H_{13}N$) estimulante do sistema nervoso central, tb. us. como vasoconstritor, inibidor do apetite e no tratamento da depressão [F.: Do ing. *amphetamine.*]

anfetamínico (an.fe.ta.*mí*.ni.co) *a.* Ref. a anfetamina [F.: *anfetamina* + *-ico*[2].]

◎ **anfi-** *pref.* = 'em volta'; 'dos dois lados', 'de ambos os lados': *anfigamia, anfigamo, anfigastro, anfigênese, anfigeno, anfigonia, anfiteatro* (< gr.) [F.: Da prep. gr. *amphí*, 'em torno de', 'através de'.]

anfíbio (an.*fí*.bi:o) *sm.* **1** *Zool.* Espécime dos anfíbios, classe de vertebrados, ger. de pele nua, que durante o estado larval respiram por meio de brânquias e, quando adultos, por pulmões, entre os quais se incluem os sapos, as rãs e as salamandras. *a.* **2** Ref. aos anfíbios **3** Que vive em terra e na água (diz-se de animal ou vegetal) **4** Que se pode usar tanto em terra quanto na água (veículo anfíbio) **5** *Fig.* Que tem duas naturezas distintas, duas opiniões opostas ou qualquer conduta dúplice **6** *Mar. G.* Destinado a desembarcar em ou retirar força terrestre de litoral defendido ou atacado pelo inimigo (diz-se de operação naval) [F.: Do gr. *amphíbios, os, on*, pelo lat. tard. *amphibion, ii.*]

> 🕮 Os anfíbios constituem uma classe dos vertebrados ditos 'de sangue frio', ou seja, aqueles cuja temperatura sanguínea varia com a do ambiente. Ambiente de dupla natureza, pois parte de seu ciclo de vida ocorre na água (doce, em rios e lagoas, mas não no mar), parte em terra firme. Já presentes na Terra há cerca de 300 milhões de anos, alguns de seus fósseis apontam para animais de grande tamanho. Dividem-se em: anuros ou batráquios (sem cauda e saltadores, são os sapos e pererecas); urodelos (com cauda e semelhantes a répteis, são as salamandras e os tritões); ápodes (sem patas, assemelhando-se a vermes, ou minhocões, como as cecílias).

anfibiótico (an.fi.bi:*ó*.ti.co) *Biol. a.* Diz-se de organismo que, na fase larvar, vive na água e, na fase adulta, na terra [F.: *anfi-* + *bi(o)-* + *-ótico.*]

anfibólio (an.fi.*bó*.li:o) *sm. Min.* Designação comum aos minerais do grupo dos silicatos ortorrômbicos triclínicos ou monoclínicos, extremamente complexos, que contêm cálcio, magnésio ou ferro, e podem conter ainda manganês, sódio e potássio; totalizam aproximadamente 60 espécies e ocorrem esp. em rochas ígneas e metamórficas; ANFÍBOLA; ANFÍBOLO [F.: Do gr. *amphíbolos.*]

anfibologia (an.fi.bo.lo.*gi*.a) *sf. Gram.* Duplo sentido em uma construção sintática (p. ex.: *adora a mãe a filha.*); AMBIGUIDADE [F.: Do lat. *amphibologia.*]

anfibológico (an.fi.bo.*ló*.gi.co) *a.* Que contém anfibologia; AMBÍGUO [F.: *anfibologia* + *-ico*[2].]

anfíbraco (an.*fí*.bra.co) *Poét. sm.* **1** Pé métrico do sistema poético greco-latino que tem quatro tempos, com uma sílaba longa entre duas breves *a.* **2** Diz-se de pé métrico com uma sílaba longa entre duas breves [F.: Do lat. *amphibrăchus* ou *amphibrăchys*, pelo gr. *amphíbrakhus.* Ideia de: *anf(i)-* e *-braco.*]

anficelo (an.fi.*ce*.lo) [é] *a.* Que tem (vértebra) o centro côncavo nas duas faces, a anterior e a posterior; tb. *anficélice* [F.: Do gr. *amphíkoilos, on.* Ideia de: *anf(i)-* e *-celo.*]

anfictíone (an.fic.*tí*.o.ne) *sm. Hist.* Cada membro do conselho de representantes dos Estados na Grécia antiga, que se reunia com regularidade para deliberar sobre assuntos de interesse geral; ANFICTIÃO [Col. *anfictionia.*] [F.: Do gr. *amphiktúon* ou *amphiktíon, onos.*]

anfictionia (an.fic.ti:o.*ni*.a) *sf.* Assembleia dos anfictíones [F.: Do gr. *amphiktyonía.*]

anfídio (an.*fí*.di:o) *sm. Zool.* Nos vermes nematódeos, cada órgão sensorial localizado na porção lateral e anterior do corpo [F.: Do gr. *amphidéa, as*, pelo ingl. *amphid.* Ideia de: *anf(i)-*. Cf.: *anfíbio.*]

anfidrômico (an.fi.*drô*.mi.co) *a. Oc.* Diz-se de ponto do oceano em que é nula a oscilação da maré [F.: *anfi-* + *drom(o)-* + *-ico*[2].]

anfifílico (an.fi.*fí*.li.co) *Quím. a.* Que tem uma parte hidrófila e outra lipofílica (diz-se de composto ou molécula) [F.: *anfi-* + *fil(o)-* + *-ico*[2].]

anfigamia (an.fi.ga.*mi*.a) *sf. Biol.* Fecundação em que os gametas provêm de mais de um indivíduo, do mesmo indivíduo ou de variedades e ainda de espécies distintas [F.: *anfi-* + *-gamia.*]

anfígamo (an.*fí*.ga.mo) *a.* **1** Ref. a anfigamia; ANFIGÂMICO **2** Que realiza a anfigamia [F.: *anfi-* + *-gamo.*]

anfigastro (an.fi.*gas*.tro) *sm. Bot.* Apêndice foliáceo que forma na face ventral das hepáticas uma terceira série de folhas que cobrem a parte inferior do caule; ANFIGÁSTRIO [F.: *anfi-* + *-gastro.*]

anfigênese (an.fi.*gê*.ne.se) *sf. Biol.* Tipo de reprodução em que ocorre junção de gametas ou troca de material genético, mesmo que *reprodução sexuada* [F.: *anfi-* + *-gênese.*]

anfígeno (an.*fí*.ge.no) *a.* **1** *Biol.* Que é produzido por meio de reprodução sexuada **2** *Bot.* Que é encontrado ou que se desenvolve em ambas as páginas da folha **3** *Quím.* Que traz em si mesmo duas qualidades ou características opostas, mesmo que *anfótero.* [F.: *anfi-* + *-geno.*]

anfigonia (an.fi.go.*ni*.a) *sf. Biol.* Reprodução efetuada por dois indivíduos diferentes, mesmo que *fecundação cruzada* [F.: *anfi-* + *-gonia.*]

anfigônico (an.fi.*gô*.ni.co) *a.* Ref. a anfigonia ou resultante desta [F.: *anfigonia* + *-ico*[2].]

anfiguri (an.fi.gu.*ri*) *sm.* **1** Discurso ou trecho, em prosa ou verso, que de propósito se redige de modo ininteligível **2** Discurso, escrito, afirmação etc. sem ordem nem sentido; BESTIALÓGICO [F.: Do fr. *amphigouri.*]

anfimixia (an.fi.mi.*xi*:a) [cs] *sf.* **1** *Biol.* Fusão dos núcleos dos gametas masculino e feminino, na fecundação; SINGAMIA **2** *Psic.* Simultaneidade de erotização anal, clitorídea, oral, uretral, vaginal [F.: *anfi-* + *-mixia.*]

anfioxo (an.fi:*o*.xo) [cs] *Zool. sm.* Designação comum a diversos animais cefalocordados, semelhantes a peixes [F.: Adaptç. do lat. cient. *amphioxus.*]

anfípode (an.*fí*.po.des) *Zool. sm.* **1** Espécime dos anfípodes, ordem de crustáceos, principalmente marinhos *a2g.* **2** Ref. aos anfípodes [F.: Adaptç. do lat. cient. *Amphipoda.*]

anfisbena (an.fis.*be*.na) *sf.* **1** *Her.* Serpente de duas cabeças *sm.* **2** *Zool.* Denominação comum aos répteis lacertílios do gên. *Amphisbaena*, da fam. dos anfisbenídeos, vulgarmente chamados de cobras-de-duas-cabeças [F.: Do lat. *amphisbaena*, do gr. *amphísbaina*; na acp. de *Zool.*, do lat. cient. *Amphisbaena.*]

anfisbenídeo (an.fis.be.*ní*.de.o) *Zool. sm.* **1** Espécie dos anfisbenídeos, fam. de lagartos, de corpo longo e desprovido de pés, tb. conhecidos como cobras-de-duas-cabeças *a.* **2** Ref. ou pertencente aos anfisbenídeos [F.: *anfisbena* + *-ídeo.*]

anfiteatro (an.fi.te:*a*.tro) *sm.* **1** Antiga construção oval ou circular, com arquibancadas ao redor de uma arena onde se realizavam espetáculos públicos, lutas e jogos **2** *P. ext.* Auditório fechado ou ao ar livre com arquibancada e palco para apresentações teatrais, aulas, palestras etc. [F.: Do gr. *amphithéatron*, pelo lat. *amphitheatrum, i.*] ▪ **~ de erosão** *Geol.* Área de terreno escavada por erosão, de forma circular ou elíptica, ger. na encosta de uma montanha

anfitrião (an.fi.tri.*ão*) *sm.* Indivíduo que recebe convidados para banquete, festa etc., ou arca com as suas despesas [Pl.: *-ãos.* Fem.: *-ã, -oa.*] [F.: Do fr. *amphitryon*, do antr. gr. *Amphitrýon.*]

anfitrioa (an.fi.tri.o.a) *sf.* Ver *anfitriã*

ânfora (*ân*.fo.ra) *sf.* **1** Vaso grande e com duas asas simétricas, us. pelos antigos gregos e romanos para armazenar e transportar líquidos **2** Qualquer vaso com essa forma **3** *Bot.* Valva de alguns frutos que se fendem no tempo da maturação [F.: Do lat. *amphora.*]

anfótero (an.*fó*.te.ro) *a.* **1** Que reúne em si duas qualidades ou características opostas **2** *Quím.* Diz-se de íon ou substância que ora se comporta como ácido ora como base; ANFIGÊNEO; ANFÍGENO; ANFOTÉRICO [F.: Do gr. *amphóteros, a, on.* Ideia de: *anfo-*.]

anfractuosidade (an.frac.tu:o.si.*da*.de) *sf.* **1** Qualidade do que é anfractuoso **2** *Geol.* Sucessão de saliências ou reentrâncias em terreno ou rocha [F.: *anfractuoso* + *-(i)dade.*]

anfractuoso (an.frac.tu:*o*:so) [ô] *a.* Cheio de saliências, depressões ou sinuosidades [Pl.: *ó.* Fem.: *ó*] [F.: Do lat. *anfractuosus, a, um.* Tb. *anfratuoso.*]

anfratuoso (an.fra.tu.o.so) [ô] *a.* Ver *anfractuoso*

anga (*an*.ga) *sm. PE* Olhar nocivo, maléfico; ENGUIÇO; MAU-OLHADO [F.: Do tupi *'anga.*]

angapora (an.ga.*po*.ra) *sf. Amaz. Zool.* Espécie de tartaruga da Amazônia [F.: Do tupi *anga'pora.*]

angariação (an.ga.ri.a.*ção*) *sf.* Ação ou resultado de angariar; ANGARIAMENTO [Pl.: *-ções.*] [F.: *angariar* + *-ção.*]

angariado (an.ga.ri.*a*.do) *a.* **1** Que se angariou, se obteve por meio de pedido (donativos angariados) **2** Que se conquistou, granjeou: *Credibilidade angariada ao longo de muitos anos.* [F.: Part. de *angariar.*]

angariamento (an.ga.ri:a.*men*.to) *sm.* O mesmo que *angariação* [F.: *angariar* + *-mento.*]

angariar (an.ga.ri.*ar*) *v. td.* **1** Obter, ger. dinheiro, por meio de promoções ou pedidos: *O espetáculo angariava fundos para crianças abandonadas.* **2** Conseguir para si: *Rapidamente angariou reputação no meio esportivo.* **3** Atrair ou recrutar (pessoas) para um determinado fim: *O professor angariou dez alunos para trabalhar na feira de ciências.* [▶ 1 angariar] [F.: Do lat. *angariare*, do gr. *aggareúo*, 'pressionar'.]

angeleno (an.ge.*le*.no) *sm.* **1** Pessoa nascida ou que vive em Los Angeles (EUA) *a.* **2** De Los Angeles; típicos dessa cidade ou de seu povo [F.: Do top. (Los) *Angeles* + *-eno.*]

◎ **angel(i)-** *el. comp.* = 'anjo, emissário divino': *angelicida; angelismo, angelitude; angelólatra, angelolatria, angelologia* [F.: *angel(i)-*, do lat. *angelus, i*, este do gr. *ángelos, ou*, fonte de *angelo-*.]

angélica[1] (an.*gé*.li.ca) *Bot. sf.* **1** Designação comum às plantas do gên. *Angelica*, da fam. das umbelíferas, como, p. ex., *Angelica archangelica*, de propriedades medicinais e us. na fabricação de perfumes e licores **2** Planta da fam. das agaváceas (*Polianthes tuberosa*), cuja flor branca é us. em perfumaria **3** Árvore da fam. das rubiáceas (*Guettarda argentea*), nativa da Amazônia [F.: Adaptç. do lat. cient. *Angelica.*]

angélica[2] (an.*gé*.li.ca) *sf.* **1** *Mús.* Instrumento musical do séc. XVII; espécie de espineta **2** *Mús.* Tipo de alaúde do séc. XVI, com 17 cordas, longo braço e bojo pequeno **3** *Mús.* Certo registro do órgão **4** *Lit.* Lição que se canta para a bênção do círio pascal [F.: Do lat. *angelica*, fem. de *angelicus.*]

angélica-da-mata (an.gé.li.ca-da-*ma*.ta) *sf. Bras. BA Bot.* Árvore (*Plumeria bracteata*) da fam. das apocináceas, nativa do Brasil, com grandes flores brancas; BANANA-DE-PAPAGAIO; JANAÚBA [Pl.: *angélicas-da-mata.*]

angélica-do-mato (an.gé.li.ca-do-*ma*.to) *sf. Bras. Bot.* Árvore (*Guettarda angelica*) da fam. das rubiáceas, de flores brancas e aromáticas, drupas globosas, us. na medicina popular por suas propriedades febrífugas e adstringentes, e cuja madeira é usada em pequenos trabalhos de marcenaria; ANGÉLICA-MANSA; RAIZ-DE-ANGÉLICA [Pl.: *angélicas-do-mato.*]

angélica-do-pará (an.gé.li.ca-do-pa.*rá*) *sf. Bras. Bot.* Árvore (*Dicorynia paraensis*) da fam. das leguminosas, subfamília cesalpinoidea, nativa das Guianas e do Brasil, de flores brancas, vagens achatadas e madeira de boa qualidade, própria para trabalhos hidráulicos, de marcenaria e de carpintaria [Pl.: *angélicas-do-pará.*]

angelical (an.ge.li.*cal*) *a2g.* **1** Ref. a anjo **2** *Fig.* Puro, imaculado **3** *Fig.* Muito belo, lindíssimo [Pl.: *-cais.*] [F.: *angélico* + *-al*[1]. Sin. ger.: *angélico.*]

angélico (an.*gé*.li.co) *a.* O mesmo que *angelical* [F.: Do lat. *angelicus, a, um.*]

angelim-araroba (an.ge.lim-a.ra.*ro*.ba) *sm. Bras. Bot.* Árvore (*Vataireopsis araroba*) da fam. das leguminosas, nativa do Brasil, de madeira de qualidade; sua casca tem propriedades purgativas e é us. também contra doenças de pele; ANGELIM-AMARELO; ANGELIM-AMARGOSO; ARAROBA [Pl.: *angelins-ararobas* e *angelins-araroba.*]

angelim-coco (an.ge.lim-*co*.co) [ô] *sm. Bras. Bot.* Árvore pequena (*Andira stipulacea*) da fam. das leguminosas, nativa do Brasil, de flores violeta, vagens drupáceas, sementes achatadas e madeira de boa qualidade, cuja casca tem propriedades vermífugas; ANGELIM-DOCE; PAU-PINTADO; URAREMA [Pl.: *angelins-cocos* e *angelins-coco.*]

angelim-do-pará (an.ge.lim-do-pa.*rá*) *sm. Bras. Bot.* Designação comum a espécies do gênero *Hymenolobium*, da fam. das leguminosas, nativas do Brasil, de árvores altas e frondosas, com flores róseo-violáceas e róseo-purpúreas [Pl.: *angelins-do-pará.*]

angelismo (an.ge.*lis*.mo) *sm.* **1** Desejo de pureza, busca de uma espiritualização exagerada **2** *Pej.* Inocência, simplicidade ou mera covardia que impedem de enfrentar adequadamente a realidade **3** *Fil.* Tendência a encarar o ser humano como puro espírito, sem condicionamentos materiais [F.: *angel(i)-* + *-ismo.*]

angelitude (an.ge.li.*tu*.de) *sf.* **1** Qualidade ou característica de anjo **2** *Fig.* Inocência, candura [F.: *angel(i)-* + *-tude.*]

◎ **angelo-** *el. comp.* Ver *angel(i)-*

angelólatra (an.ge.*ló*.la.tra) *a2g.* **1** Que idolatra os anjos *s2g.* **2** Aquele que pratica ou é adepto da angelolatria [F.: *angelo-* + *-latra.*]

angelolatria (an.ge.lo.la.*tri*.a) *sf.* Adoração, culto ou idolatria de anjos [F.: *angelo-* + *-latria.*]

angelologia (ange.lo.lo.*gi*:a) *Rel. sf.* **1** Estudo a respeito dos anjos **2** Crença na existência dos anjos [F.: *angelo-* + *-logia.*]

angelológico (an.ge.lo.*ló*.gi.co) *a. Rel.* Ref. à angelologia [F.: *angelologia* + *-ico*[2].]

ângelus (*ân*.ge.lus) *Rel. sm2n.* **1** Oração em latim à Virgem Maria, rezada ao amanhecer, ao meio-dia e à noitinha **2** Ave-marias (1) [F.: Do lat. *angelus, i.*]

angevino (an.ge.*vi*.no) *sm.* **1** Indivíduo nascido ou que vive em Anjou, ou Anju (França) **2** *Gloss.* Dialeto francês falado nessa região *a.* **3** De Anjou, ou Anju; típico dessa região ou de seu povo [F.: Do fr. *angevin.*]

angialgia (an.gi.al.*gi*.a) *sf. Med.* Dor sentida em um vaso sanguíneo, ou no seu trajeto [F.: *angi(o)-* + *-algia.*]

angiálgico (an.gi.*ál*.gi.co) *a. Med.* Ref. a angialgia [F.: *angialgia* + *-ico*[2].]

angico (an.*gi*.co) *sm. Bot.* Árvore brasileira de grande porte, da fam. das leguminosas (*Piptadenia paniculata*), subfam. das mimosoideas, cuja madeira é de grande utilidade [F.: De or. obsc.]

angiectasia (an.gi.ec.ta.*si*.a) *sf. Pat.* Denominação genérica das dilatações patológicas que ocorrem em artéria, veia ou vaso linfático [F.: *angi(o)-* + *-ectasia.*]

angiectásico (an.gi.ec.*tá*.si.co) ***a.*** *Pat.* O mesmo que *angiectático* [F.: *angiectasia* + *-ico*², seg. o mod. vern.]
angiectático (an.gi.ec.*tá*.ti.co) ***a.*** *Pat.* Ref. a angiectasia; ANGIECTÁSICO [F.: *angiect(asia)* + *-ático*, seg. o mod. gr.]
angina (an.*gi*.na) ***sf.*** **1** *Med.* Dor intensa e espasmódica; quadro clínico configurado por tal dor **2** *Med.* Esp., dor muito intensa, no peito; ver *angina do peito* [Tb.: *angina do peito.*] **3** *Otor.* Qualquer inflamação aguda na garganta ou na faringe, com dificuldade de deglutir e/ou de respirar [F.: Do lat. *angina, ae.*] ■ **~ do peito** *Med.* Forte dor no tórax, que pode se irradiar para o braço esquerdo, provocada por circulação sanguínea deficiente e consequente pouca oxigenação do miocárdio, ger. resultante de doença coronariana; *angina pectoris*
anginoso (an.gi.*no*.so) [ô] ***a.*** **1** Ref. a ou da natureza da angina **2** Diz-se de pessoa que sofre de angina, esp. a do peito ***sm.*** **3** *Med.* Essa pessoa [Pl.: *ó.* Fem.: *ó.*] [F.: *angina* + *-oso.*]
◎ **-angi(o)-** ***el. comp.*** Ver *angi(o)-*
◎ **angi(o)-** ***el. comp.*** = 'vaso'; 'vaso capilar': *angiologia, angiosperma; angiectasia; colangiografia; esporângio* [F.: Do gr. *angeîon, ou.*]
◎ **-ângio** ***el. comp.*** Ver *angi(o)-*
angioblasto (an.gi:o.*blas*.to) ***sm.*** *Biol.* Cada uma das células a partir das quais se formam os vasos sanguíneos [F.: *angi(o)* + *-blasto.*]
angiocardiografia (an.gi:o.car.di:o.gra.*fi*:a) *Card.* ***sm.*** **1** Visualização do coração e de seus vasos sanguíneos, que se obtém por meio de raio X feito com auxílio de contraste **2** A imagem resultante desse exame [F.: *angi(o)-* + *-cardi(o)-* + *-grafia.*] ■ **~ seletiva** *Med.* Tipo de angiocardiografia que se concentra em parte das cavidades cardíacas, da artéria pulmonar ou da aorta
angiodermatite (an.gi:o.der.ma.*ti*.te) ***sf.*** *Pat.* O mesmo que *angiodermite* [F.: *angi(o)-* + *-dermatite.*]
angiodermite (an.gi:o.der.*mi*.te) ***sf.*** *Pat.* Inflamação em vasos sanguíneos da pele [F.: *angi(o)-* + *dermite.*] ■ **~ pigmentar** *Pat.* Manchas que aparecem nas pernas devido a hemorragia de pequenos vasos sanguíneos da pele
angiodisplasia (an.gi:o.dis.pla.*si*.a) ***sf.*** *Med.* Má-formação dos vasos sanguíneos [F.: *angi(o)-* + *displasia.*]
angioedema (an.gio.e.*de*.ma) ***sm.*** *Med.* Reação vascular em camada profunda da derme, em que a dilatação e aumento da permeabilidade capilares conduzem a um edema localizado [F.: *angi (o)-* + *edema.*]
angiogênese (an.gi:o.*gê*.ne.se) *Anat.* ***sf.*** Origem e formação dos vasos sanguíneos [F.: De *angi(o)-* + *-gênese.*]
angiografia (an.gi:o.gra.*fi*.a) ***sf.*** **1** *Anat.* Descrição dos vasos do corpo humano **2** *Rlog.* Radiografia de vaso sanguíneo [F.: *angi(o)-* + *-grafia.*]
angiologia (an.gi:o.lo.*gi*.a) ***sf.*** **1** *Med.* Parte da medicina que estuda as doenças circulatórias **2** *Anat.* Parte da anatomia descritiva que trata dos vasos [F.: *angi(o)-* + *-logia.*]
angiológico (an.gi:o.*ló*.gi.co) ***a.*** Ref. a angiologia [F.: *angiologia* + *-ico*².]
angiologista (an.gi:o.lo.*gis*.ta) ***s2g.*** Médico que se especializou em angiologia [F.: *angiologia* + *-ista.*]
angioma (an.gi:*o*.ma) ***sm.*** *Med.* Tumor formado pela proliferação de vasos sanguíneos ou linfáticos [F.: *angi(o)-* + *-oma.*]
angiopatia (an.gi:o.pa.*ti*:a) ***sf.*** *Pat.* Designação genérica das doenças do aparelho vascular [F.: *angi (o)-* + *-patia.*]
angiopático (an.gi:o.*pá*.ti.co) ***a.*** Ref. ou inerente a angiopatia [F.: *angiopatia* + *-ico*².]
angioplastia (an.gi:o.plas.*ti*.a) ***sf.*** *Cir.* Pequena cirurgia para corrigir alteração em um vaso sanguíneo [F.: *angi(o)-* + *-plastia.*]
angioplastizar (an.gi:o.plas.ti.*zar*) ***v. td.*** *P. us. Cir.* Submeter a angioplastia [▶ 1 angioplastizar] [F.: *angioplastia* + *-izar.*]
angiorrafia (an.gi:or.ra.*fi*.a) ***sf.*** *Cir.* Sutura de vasos sanguíneos [F.: *angi(o)-* + gr. *raphé*, 'sutura', + *-ia*¹.]
angiosclerose (an.gi:os.cle.*ro*.se) ***sf.*** *Med.* Esclerose vascular [F.: *angi(o)-* + *esclerose.*]
angioscopia (an.gi:os.co.*pi*.a) ***sf.*** *Med.* Exame dos vasos capilares [F.: *angi(o)-* + *-scopia.*]
angiosperma (an.gi:os.*per*.ma) ***sf.*** *Bot.* Espécime das angiospermas, grupo de plantas que dão flores e cujas sementes ficam dentro do pericarpo [F.: Adaptç. do lat. cient. *Angiospermae*; ver *angi(o)-* e *-sperma.*]
angiospérmico (an.gi:os.*pér*.mi.co) *Bot.* ***a.*** **1** Que tem as sementes revestidas pelo pericarpo **2** Ref. às angiospermas [F.: *angiosperma* + *-ico*².]
angite (an.*gi*.te) ***sf.*** *Med.* Qualquer inflamação do sistema vascular [F.: *angi (o)-* + *-ite*¹.]
anglesita ***sf.*** *Min.* Sulfato de chumbo natural, ortorrômbico, utilizado na produção de chumbo ou como gema, que se extrai das minas da ilha de Anglesey [F.: Do top. *Anglesey* + *-ita*³.]
◎ **angl(i)-** ***el. comp.*** = 'inglês': *anglizar, anglicida; anglofilia, anglófilo, anglofobia, anglófono* [F.: Do lat. *Angli, orum.*]
anglicanismo (an.gli.ca.*nis*.mo) ***sm.*** Religião oficial da Inglaterra desde 1534, quando o rei Henrique VIII rompeu com o Papa [F.: Do ing. *anglicanism.* Cf.: *protestantismo.*]

> 🕮 Em 1527, o papa Clemente VII recusou-se a anular o casamento do rei da Inglaterra, Henrique VIII, com Catarina de Aragão, para que ele pudesse se casar com Ana Bolena. A anulação e o subsequente casamento foram realizados em 1533 pelo arcebispo de Cantuária, nomeado pelo rei. O rei foi excomungado, e proclamou-se chefe da Igreja da Inglaterra, reprimindo com violência as reações negativas do alto clero católico do país. Vinte e cinco anos depois a nova Igreja Anglicana se consolidava, no reinado de Elizabeth I. Em tempos recentes houve uma reaproximação com o Vaticano, apesar de persistirem diferenças quanto a certos dogmas, como o da infalibilidade papal. A comunhão anglicana inclui, além da Igreja da Inglaterra e de suas ex-colônias, as da África do Sul, Austrália, Canadá, Gales e Irlanda, a Episcopal da Escócia e a Episcopal Protestante dos EUA

anglicano (an.gli.*ca*.no) ***a.*** **1** Ref. ao, do ou próprio do anglicanismo (igreja anglicana) **2** Diz-se de indivíduo que segue o anglicanismo ***sm.*** **3** Seguidor do anglicanismo [F.: Do ing. *anglican.*]
anglicismo (an.gli.*cis*.mo) ***sm.*** **1** *Ling.* Palavra, expressão ou construção própria do inglês, us. por empréstimo linguístico em outra língua [No português temos anglicismos de uso muito comum, p. ex.: *show, site, e-mail* etc.] **2** Costume, comportamento ou hábito próprio dos ingleses [F.: Do fr. *anglicisme* ou de *ânglico* + *-ismo.*]
anglicizar (an.gli.ci.*zar*) ***v.*** **1** Dar ou ganhar aparência inglesa [***td.***: *Os imigrantes anglicizavam seus nomes.*] [***int.***: *O jargão da informática anglicizou-se completamente.*] **2** Tomar empréstimos à língua inglesa (ger. em excesso ou sem critério) ou se mostrar submisso a sua influência [***td.***: *Anglicizaram sua linguagem mais cotidiana.*] [***int.***: *Sua teoria anglicizou-se nos conceitos e preconceitos.*] [▶ 1 anglicizar] [F.: *ânglico* + *-izar.* Sin. ger.: *anglizar.*]
ânglico (*ân*.gli.co) ***a.*** Anglo, inglês [F.: Do lat. medv. *anglicus.*]
anglizar (an.gli.*zar*) ***v. td. int.*** *P. us.* O mesmo que *anglicizar* [▶ 1 anglizar] [F.: *angl(i)-* + *-izar.*]
anglo (*an*.glo) ***a.*** **1** Inglês **2** Diz-se do indivíduo de um povo germânico antigo que colonizou parte da Inglaterra e originou-lhe o nome ***sm.*** **3** Indivíduo inglês **4** Indivíduo de um povo germânico antigo que colonizou parte da Inglaterra e originou-lhe o nome [F.: Do lat. *Angli, orum* (tomado no sing.).]
◎ **anglo-** ***el. comp.*** Ver *angl(i)-*
anglo-americano (an.glo-a.me.ri.*ca*.no) ***sm.*** **1** Indivíduo de origem inglesa e americana [Pl.: *anglo-americanos.*] ***a.*** **2** Ref. a, da ou próprio da Grã-Bretanha e dos EUA concomitantemente (tradições anglo-americanas) **3** Firmado entre a Grã-Bretanha e os EUA (aliança anglo-americana) [Pl.: *anglo-americanos.*]
anglo-brasileiro (an.glo-bra.si.*lei*.ro) ***sm.*** **1** Indivíduo de origem inglesa e brasileira [Pl.: *anglo-brasileiros.*] ***a.*** **2** Ref. a, da ou próprio da Grã-Bretanha e do Brasil **3** Firmado entre a Grã-Bretanha e o Brasil [Pl.: *anglo-brasileiros.*]
anglofilia (an.glo.fi.*li*:a) ***sf.*** Admiração ou amor pela Inglaterra, seu povo ou sua cultura [Ant.: *anglofobia.*] [F.: *anglo-* + *-filia*¹.]
anglófilo (an.*gló*.fi.lo) ***a.*** **1** Que manifesta anglofilia ***sm.*** **2** Aquele que manifesta anglofilia [Ant.: *anglófobo.*] [F.: *anglo-* + *-filo*¹.]
anglofobia (an.glo.fo.*bi*:a) ***sf.*** Aversão à Inglaterra e a tudo o que lhe diz respeito [Ant.: *anglofilia.*] [F.: *anglo-* + *-fobia.*]
anglófobo (an.*gló*.fo.bo) ***a.*** **1** Diz-se de indivíduo que tem anglofobia ***sm.*** **2** Esse indivíduo [F.: *anglo-* + *-fobo.*]
anglófono (an.*gló*.fo.no) ***a.*** **1** Que fala inglês ou que tem o inglês como língua oficial ou dominante ***sm.*** **2** Aquele que fala inglês [F.: *anglo-* + *-fono.*]
anglo-saxão (an.glo-sa.*xão*) ***sm.*** **1** Pessoa pertencente a um dos povos germânicos (anglos, jutos, saxões) que colonizaram a Inglaterra no séc. V **2** *Gloss.* Língua falada por esses povos **3** Indivíduo inglês ou de origem inglesa [Pl.: *anglo-saxões.*] ***a.*** **4** Do ou ref. a anglo-saxão (1 e 2) **5** Que é inglês ou de origem inglesa [Pl.: *anglo-saxões.*] [Sin. ger.: *anglo-saxônico.*]
anglo-saxônico (an.glo-sa.*xô*.ni.co) ***a. sm.*** O mesmo que *anglo-saxão* [Pl.: *anglo-saxônicos.*]
angoia (an.*goi*.a) ***sf.*** Instrumento idiófono us. em danças do jongo ou batuque e constituído por uma cabaça, lata ou cestinha de bambu com pedrinhas dentro. [F.: De or. obsc.]
angola (an.*go*.la) ***a2g.*** **1** Ver *angolano* **2** Ref. a Angola ou aos angolas ***sm.*** **3** *Etnol.* Indivíduo dos angolas, grupo étnico da região da atual República de Angola, do qual vieram muitos escravos para o Brasil **4** *Ling.* Língua banta dos angolas ***sf.*** **5** *Esp.* Um tipo de capoeira; CAPOEIRA ANGOLA **6** *Zool.* Ver *galinha-d'angola* [F.: Do top. *Angola.*]
angolanismo (an.go.la.*nis*.mo) ***sm.*** *Ling.* Palavra ou locução de uma das línguas faladas em Angola que foi absorvida por outra língua: *Os angolanismos estão presentes na língua portuguesa.* [F.: *angolano* + *-ismo.*]
angolano (an.go.*la*.no) ***sm.*** **1** Pessoa nascida ou que vive em Angola ***a.*** **2** De Angola (África); típico desse país ou de seu povo [F.: Do top. *Angola* + *-ano*¹. Sin. ger.: *angolense.*]
angorá (an.go.*rá*) ***a2g.*** **1** Diz-se de raça (de gatos, cabras e coelhos) que tem pelo comprido e fino ***sm.*** **2** Tecido ou lã feita com esse pelo ***s2g.*** **3** Gato ou gata angorá (1) [F.: Do fr. *angora*, do top. *Angora*, hoje Ancara (Turquia).]
angra (*an*.gra) ***sf.*** *Geog.* Pequena baía em enseada que forma um porto natural [Dim.: *angreta.*] [F.: De or. contrv.]
angstrom (angs.*trom*) ***sm.*** Unidade de comprimento de onda de radiações luminosas e de raios X, igual a a 10^{-10} m [Símb.: *Å*] [Pl.: de angstrom: *troms;* de angström: *tröms.*] [F.: Do antr. (Anders Jonas) *Ångström*, (1814-1874), físico sueco. Tb. *angström.*]
angu (an.*gu*) *Bras.* ***sm.*** **1** *Cul.* Papa grossa feita com farinha de milho (fubá), de mandioca ou de arroz [Cf.: *polenta.*] **2** *Cul.* Papa de banana cozida **3** *Pop.* Briga ou discussão entre muitas pessoas; CONFUSÃO; ROLO [F.: De or. afric., mas de étimo incerto.]
angu de caroço (an.gu de ca.*ro*.ço) *Bras. Pop.* ***sm.*** **1** Fato que acontece de forma imprevisível, tornando-se complicado e de difícil solução: "...Conseguiste juntar três palavras diferentes, vindas de três radicais diferentes, num verdadeiro angu de caroço!" (Prof. Cláudio Moreno, *Sua língua – pergunte ao doutor*) **2** Angu (3) [Pl.: *angus de caroço.*]
◎ **angui-** ***el. comp.*** = 'cobra', 'serpente': *anguícomo, anguídeo* (< lat. cient.) [F.: Do lat. *anguis, is.* F. conexa: *anguil(i)-.*]
anguícomo (an.*guí*.co.mo) ***a.*** *Antq. Poét.* Coroado de serpentes; ANGUICOMADO [Segundo Domingos Vieira, foi este o adjetivo usado por Bocage para se referir à cabeça da Medusa] [F.: *angui-* + *-como.*]
anguídeo (an.*guí*.de:o) *Zool.* ***sm.*** **1** Espécime dos anguídeos, fam. de lagartos, com cerca de 70 spp., encontradas em várias partes do mundo ***a.*** **2** Ref. ou pertencente aos anguídeos [F.: Adaptç. do lat. cient. *Anguidae.*]
anguila (an.*gui*.la) ***sf.*** *Zool.* Designação comum aos peixes do gên. *Anguilla*, mais conhecidos como enguias [F.: Adaptç. do lat. cient. *Anguilla.*]
◎ **anguil(i)-** ***el. comp.*** = 'enguia'; 'serpente': *anguilídeo* (< lat. cient.), *anguiliforme* (< lat. cient.) [F.: Do lat. *anguilla, ae*, do lat. *anguis, is.* F. conexa: *angui-.*]
angulação (an.gu.la.*ção*) ***sf.*** Ação ou resultado de angular² [Pl.: *-ções.*] [F.: *angular* + *-ção.*]
angulado (an.gu.*la*.do) ***a.*** Que tem um ou mais ângulos; ANGULOSO [F.: Do lat. *angulatus, a, um.*]
angular¹ (an.gu.*lar*) ***a2g.*** **1** Ref. a ângulo **2** Que tem um ou mais ângulos; ANGULADO; ANGULOSO **3** Que tem formato de ângulo **4** Que se dispõe de tal modo que forma ângulo **5** Fundamental, basilar (pedra angular) [F.: Do lat. *angularis, e.*]
angular² (an.gu.*lar*) ***v.*** **1** Andar formando ângulo; DOBRAR [***ta.***: *Desceu a rua com calma, depois angulou para a esquerda.*] **2** Fazer (algo) andar ou mover-se provocando trajetória que forma ângulo (em ref. à trajetória anterior) [***td.***: *O tenista angulou a bola e tirou-a do alcance do adversário.*] **3** Fazer ângulo com, fazer ficar anguloso [***td.***: *A criança angulou a massa de modelar para fazer uma casa.*] [***tr.*** + *com*: *O sofá angula com a parede.*] [▶ 1 angular] [F.: Do lat. *angulare*. Hom./Par.: *angulo* (fl.), *ângulo* (sm.).]
angularidade (an.gu.la.ri.*da*.de) ***sf.*** Qualidade do que tem ângulo ou ângulos; ANGULOSIDADE [F.: *angular*¹ + *-(i)dade.*]
angulista (an.gu.*lis*.ta) ***sf.*** *Zool.* O mesmo que *bicudo* (9) [F.: *ângulo* + *-ista*, em alusão ao bico angulado.]
ângulo (*ân*.gu.lo) ***sm.*** **1** *Geom.* Figura formada por duas semirretas com a mesma origem, ou por dois semiplanos a partir de uma aresta comum **2** *Geom.* Medida do afastamento entre essas semirretas ou esses semiplanos [Dim.: *angulete.*] **3** *Fig.* Ponto de vista, perspectiva: *Visto por esse ângulo, o problema é grave.* **4** Canto, esquina, aresta **5** *Bras. Fut.* Junção das traves com o travessão **6** *Cin. Fot. Telv.* Posição da câmara em relação ao objeto enquadrado e seu entorno [F.: Do lat. *angulus, i.* Hom./Par.: *ângulo* (sm.), *angulo* (fl. de *angular*).] ■ **~ agudo** *Geom.* Ângulo menor que um ângulo reto (de 90°) **~ central** *Geom.* O que tem o vértice no centro de uma circunferência **~ circunscrito** *Geom.* Aquele cujos lados são todos tangentes a uma circunferência **~ complementar** *Geom.* Aquele que se deve somar a outro para completar 90 graus **~ conjugado** *Geom.* Aquele que se deve somar a outro para completar 360°; ângulo explementar; ângulo replementar **~ de condução** *Eletrôn.* Parte do ciclo de uma corrente alternada, expressa como um ângulo **~ de defasagem** *Eletrôn.* O que expressa a diferença de fase entre uma oscilação periódica e outra oscilação semelhante **~ de desvio** *Ópt.* O que é formado pelas direções de um feixe luminoso antes e depois de incidir num meio, causando reflexão ou refração **~ de desvio mínimo** *Ópt.* O menor ângulo de desvio entre um feixe luminoso incidente em um prisma e o feixe por este refratado **~ de entrada** *Astnáut.* Ângulo em que é colocada uma nave espacial em sua entrada na atmosfera e no qual o arrasto aerodinâmico começa a aumentar, causando redução de velocidade **~ de fase** *Astron.* Ângulo cujo vértice está centrado no objeto observado, e cujos lados passam um pelo observador e outro pelo centro do astro que ilumina o objeto **~ de Mach** *Fís.* O do vértice da frente de onda cônica que se forma com o deslocamento de um corpo num fluido a velocidades supersônicas **~ de reflexão** **1** *Ópt.* Ângulo entre a direção de um feixe luminoso refletido por uma superfície e a perpendicular a esta superfície no ponto em que ele incide **2** O que é formado por uma frente de onda plana refletida por uma superfície e esta mesma superfície **~ de refração** **1** *Ópt.* Ângulo entre a direção de um raio luminoso refratado por uma superfície e a perpendicular a esta superfície no ponto de incidência **2** Ângulo formado por uma frente de onda plana refratada por uma superfície e esta mesma superfície **3** *Astrôn.* Ângulo entre a direção real de um astro e a tangente ao raio luminoso no ponto

de observação ~ **de repouso** *Fís.* O maior ângulo, de um plano inclinado, no qual um corpo sujeito à gravidade, estando sobre esse plano, nele permanece sem deslizar ~ **de segmento** *Geom.* Numa circunferência, ângulo entre uma tangente e uma secante que passa pelo ponto de tangência ~ **diedro** *Geom.* Figura formada por dois planos que se cortam, formando uma aresta [Tb. apenas *diedro*] ~ **esférico** *Geom.* Aquele formado pela interseção de duas circunferências de uma esfera na superfície desta ~ **excêntrico** *Geom.* Ângulo entre duas cordas de uma circunferência, uma das quais, pelo menos, não é um diâmetro ~ **explementar** *Geom.* O mesmo que *ângulo conjugado.* ~ **exterior/externo** *Geom.* Ângulo formado, num polígono, por um lado e pelo prolongamento de um lado adjacente ~ **facial** *Anat.* O formado por duas retas tiradas da base dos incisivos superiores, uma para o canal auditivo externo, outra para o ponto mais saliente da testa ~ **horário** *Náut.* Ângulo diedro entre o círculo de declinação do astro e o meridiano celeste superior (*ângulo horário astronômico*) ou inferior (*ângulo horário civil*) do observador ~ **inscrito** *Geom.* O que tem o vértice na circunferência e cujos lados são cordas ~ **interior/interno** **1** *Geom.* Ângulo, no interior de um polígono, formado por dois lados sucessivos desse polígono **2** Cada um dos quatro ângulos formados pela interseção de duas retas do mesmo plano com uma secante comum e situados na região entre as retas ~ **limite de refração** *Ópt.* Aquele formado pela refração de um feixe luminoso que incide paralelamente à superfície de separação entre os meios ~ **negativo** *Trig.* O que tem o sentido horário ~ **oblíquo** *Geom.* Ângulo que não tem como medida um múltiplo de 90° ~ **obtuso** *Geom.* Ângulo com mais de 90° ~ **orientado** *Geom. an.* Aquele cuja medida considera um sentido de rotação positiva e um de rotação negativa. [Cf.: *ângulo negativo* e *ângulo positivo.*] ~ **polar** *Geom. an.* Num sistema de coordenadas polares, o que é orientado entre o eixo polar e o raio vetor; ângulo vetorial; amplitude ~ **poliédrico** *Geom.* Figura formada por vários planos que se interceptam dois a dois e têm um só vértice; ângulo sólido ~ **positivo** *Trig.* O que tem o sentido anti-horário ~ **replementar** *Geom.* O mesmo que *ângulo conjugado* ~ **reto** *Geom.* O que é formado por retas perpendiculares ~**s adjacentes** *Geom.* Os que têm o mesmo vértice e um lado comum, situando-se em semiplanos opostos a esse lado; ângulos consecutivos ~ **s alternos externos** *Geom.* Ângulos formados de um lado e outro de uma secante que corta duas retas paralelas e situados no exterior destas ~**s alternos internos** *Geom.* Ângulos formados de um lado e outro de uma secante que corta duas retas paralelas e situados no interior destas ~**s colaterais** *Geom.* Ângulos formados do mesmo lado de uma secante que corta duas retas paralelas ~**s congruentes** *Geom.* Aqueles entre os quais há uma diferença de um múltiplo inteiro de 360°; ângulos côngruos. ~**s côngruos** *Geom.* O mesmo que *ângulos congruentes.* ~**s consecutivos** *Geom.* O mesmo que *ângulos adjacentes* ~**s correspondentes** *Geom.* O mesmo que *ângulos externo-interno.* ~**s externo-interno** *Geom.* Os dois ângulos não adjacentes formados do mesmo lado de uma secante que corta duas retas paralelas, um no exterior destas e o outro no interior; ângulos interno-externo; ângulos correspondentes ~**s interno-externo** *Geom.* O mesmo que *ângulos externo-interno* ~ **sólido** *Geom.* Figura delimitada pela interseção de uma superfície cônica com uma esfera que tem como centro o vértice do cone ~**s opostos pelo vértice** *Geom.* Dois ângulos em que os lados de um são o prolongamento dos lados do outro ~ **suplementar** *Geom.* Aquele que se deve somar a outro para completar 180 graus; suplemento ~ **vetorial** *Geom. an.* O mesmo que *ângulo polar.*

angulosidade (an.gu.lo.si.*da*.de) *sf.* Qualidade de anguloso; ANGULARIDADE: "...que injetou modernidade e angulosidade na sombria, sobretudo dos personagens..." (Geraldo Galvão Ferraz, *Estadão*, 12.06.2001) [F.: *anguloso* + *-(i)dade.*]

anguloso (an.gu.*lo*.so) [ô] *a.* **1** Em forma de ângulo ou que é cheio de ângulos; ANGULADO; ANGULAR[1] **2** *Fig.* Que apresenta ossos salientes (feições angulosas) [Pl.: *ó*. Fem.: *ó.*] [F.: Do lat. *angulosus, a, um.*]

◎ **angusti-** *el. comp.* = 'estreito'; 'apertado'; 'acuminado'; 'pontudo': *angustifoliado, angustifólio, angustipene.* [F.: Do lat. *angustus, a, um.*]

angústia (an.*gús*.ti:a) *sf.* **1** Ansiedade intensa; AFLIÇÃO; AGONIA **2** Sofrimento **3** *Psiq.* Medo sem causa identificada **4** Estreiteza, aperto [F.: Do lat. *angustia.* Hom./Par.: *angústia(s)* (sf. [pl.]), *angustia(s)* (fl. de *angustiar*).]

angustiado (an.gus.ti.*a*.do) *a.* Cheio de angústia, de preocupação; AFLITO; AGONIADO: *angustiado com a demora do resultado.* [F.: Part. de *angustiar.*]

angustiante (an.gus.ti:*an*.te) *a2g.* Que causa angústia; ANGUSTIOSO; AFLITIVO [F.: *angustiar* + *-nte.*]

angustiar (an.gus.ti.*ar*) *v.* Fazer sentir ou sentir angústia; AFLIGIR; ATORMENTAR [*td.: A incerteza quanto ao futuro sempre angustiou os homens.*] [*int.: Ele se angustiava com as suas dificuldades financeiras.*] [▶ 1 angustiar] [F.: Do lat. *angustiare.* Hom./Par.: *angustia(s)* (fl.), *angústia(s)* (sf. [pl.]).]

angustioso (an.gus.ti:*o*.so) [ô] *a.* **1** Que causa angústia; ANGUSTIANTE: "...estremecia, agora, pálida e tímida, em angustioso sobressalto de consciência..." (Domingos Olímpio, *Luzia Homem*) **2** Cheio de angústias [Pl.: *ó*. Fem.: *ó.*] [F.: *angústia* + *-oso.*]

angusto (an.*gus*.to) *a. Antq.* Com pouco espaço; APERTADO; ESTREITO: "Ao meio deste trecho angusto, quando o morro mais avança para as águas..." (Herman Lima, *Tigipió – Ressaca*) [F.: Do lat. *angustus, a, um.*]

angustura (an.gus.*tu*.ra) *sf.* **1** Licor preparado com a casca da árvore do mesmo nome, de sabor amargo, podendo ser bebido puro ou utilizado no preparo de drinques e coquetéis **2** *Bot.* Árvore (*Galipea officinalis*) de cuja casca se prepara o licor de mesmo nome **3** *Bot.* Árvore das rutáceas (*Esenbeckia intermedia*), nativa do Brasil, pode atingir 6m de altura; APOJITAGUARA **4** Desfiladeiro, passagem estreita entre ribanceiras, garganta: "...mergulhando por fim, feito um túnel, na angustura de um desfiladeiro..." (Euclides da Cunha, *Os sertões*) **5** Estreitamento acentuado do curso de um rio **6** *Antq.* Angústia: "...Que pena eu te avistar sob a angustura louca da mágoa que me põe no inferno deste entrudo..." (Celso Pinheiro, *Gilbués*) [F.: *angusto* + *-ura.*]

anguzô (an.gu.*zô*) *Bras. Cul. sm.* **1** Angu com caruru **2** Tipo de angu feito com fubá de milho **3** *PE* Verdura refogada, de consistência pastosa, que se come com angu [F.: Do ior. *angu* + *-z-* + *-o.* Var.: *anguzó.*]

anhá (a.*nhá*) *sm. Bras. Ict.* Peixe teleósteo siluriforme, da fam. dos loricariídeos (*Hypostomus agna*), de cor cinza, ventre esbranquiçado, cabeça e nadadeiras com manchas pretas, com cerca de 22 cm de comprimento, encontrado no Brasil (SP ao PA) [F.: Posv. de or. indígena.]

anhangá (a.nhan.*gá*) *Bras. sm.* **1** Na mitologia tupi, espírito que protege os animais contra caçadores e pescadores **2** Espírito do mal, segundo os jesuítas [F.: Do tupi *a'ñanga.*]

anhima (a.*nhi*.ma) *sf. Bras. Ornit.* O mesmo que *anhuma* (*Anhima cornuta*) [F.: Do lat. cient. gên. *Anhima.*]

anhimídeo (a.nhi.*mí*.de:o) *Ornit. a.* **1** Ref. aos anhimídeos, fam. de aves anseriformes, com dois gêneros e 3 spp., tb. chamadas de anhumas e tachãs, encontradas em regiões da América do Sul *sm.* **2** Espécime dos anhimídeos [F.: Do lat. cient. *Anhimidae.*]

anhingídeo (a.nhin.*gí*.de:o) *Ornit. a.* **1** Ref. aos anhingídeos, fam. de aves pelicaniformes, de pescoço comprido e bico pontiagudo, encontradas em regiões tropicais do continente americano e da África, Ásia e Austrália *sm.* **2** Espécime dos anhingídeos [F.: Do lat. cient. *Anhingidae.*]

anho (*a*.nho) *sm.* Filhote de ovelha; CORDEIRO [F.: Do lat. *agnus, i.*]

aniagem (a.ni.*a*.gem) *Têxt. sf.* Tecido ordinário de fibra vegetal (juta, linho cru etc.), us. para confeccionar fardos e sacos; SERAPILHEIRA [F.: Posv. de **niagem*, alter. de *linhagem*, com prótese.]

aniba (a.*ni*.ba) *Angios. sf.* **1** Nome comum às plantas do gên. *Aniba*, da fam. das lauráceas, encontradas no Andes **2** Arbusto (*Ocotea aniboides*) de casca amarga e flores brancas, em panículas, nativo do Brasil [F.: Do lat. cient. gên. *Aniba.*]

anictérico (a.nic.*té*.ri.co) *a.* **1** *Med.* Diz-se de paciente que, ao ser examinado, não apresenta sintomas de icterícia **2** Diz-se de doença em que não há sinais de icterícia [F.: *an-* + *ictérico.*]

anidremia (a.ni.dre.*mi*:a) *sf.* Baixa quantidade de líquidos no sangue [F.: *anidr(o)-* + *-emia.*]

anidrido (a.ni.*dri*.do) *sm. Quím.* Produto químico obtido de ácidos pela eliminação de molécula(s) de água [F.: Do fr. *anhydride.*] ■ ~ **acético** *Quím.* Líquido ($C_4H_6O_3$) derivado do ácido acético, us. na fabricação de produtos farmacêuticos, corantes, perfumes etc. ~ **ftálico** *Quím.* Substância ($C_8H_4O_3$) derivada do ácido ftálico, us. em diversas sínteses

◎ **anidr(o)-** *el. comp.* = 'sem água'; 'em que falta água'; 'ausência ou falta de água': *anidremia, anidrobiose, anidrose* [F.: Do gr. *ánydros, os, on*, 'seco'; 'sem água'.]

anidro (a.*ni*.dro) *a. Quím.* Sem água (álcool anidro) [F.: Do gr. *ánydros, os, on.*]

anidrobiose (a.ni.dro.bi:*o*.se) *sf. Bot.* Vida sob condições em que ocorre carência de água, observada em muitos vegetais que medram em lugares secos [F.: *anidr(o)-* + *-biose.*]

anidrose (a.ni.*dro*.se) *sf.* **1** *Med.* Ausência ou diminuição da secreção do suor **2** *Bot.* Carência hídrica em terrenos nos quais vivem muitas plantas [F.: *anidr(o)-* + *-ose*[1]. Ant. ger.: *hiperidrose.*]

anidrótico (a.ni.*dró*.ti.co) *a.* Ref. a anidrose [F.: *anidr(ose)* + *-ótico.*]

anijuaganga (a.ni.ju:a.*gan*.ga) *sm. Bras. Herp.* Réptil da fam. dos iguanídeos (*Enyalius catenatus*), que vive nas árvores, de coloração verde-escura, pernas e cauda avermelhadas, parte inferior branca e com 30 cm de comprimento [F.: Do tupi.]

anil (a.*nil*) *sm.* **1** *Quím.* Substância ($C_{16}H_{10}N_2O_2$) azul, extraída de vegetais ou obtida sinteticamente, us. como corante; ÍNDIGO **2** Tonalidade da cor azul própria dessa substância [Pl.: *-nis.*] *a2g2n.* **3** Que é dessa cor (camisolas anil) [F.: Do ár. *an-nil.*]

anilado (a.ni.*la*.do) *a.* **1** Da cor do anil; AZULADO **2** Tingido com anil (1) [F.: Part. de *anilar.*]

anilar (a.ni.*lar*) *v.* Tingir com anil; pintar de azul; AZULAR [*int.: O céu anilou-se.*] [*td.: A lavadeira anilava todas as peças brancas.*] [▶ 1 anilar] [F.: *anil* + *-ar*[2].]

anil-bravo (a.nil-*bra*.vo) *Bras. Angios. sm.* **1** Nome comum às plantas do gên. *Tephrosia*, us. para tinguijar peixes em lagoas e rios **2** Planta leguminosa (*Tephrosia toxicaria*, Pers.); tb. *timbó-de-caiena* [Pl.: *anis-bravos.*]

anileira (a.ni.*lei*.ra) *sf. Bot.* Designação comum a várias plantas do gên. *Indigofera*, da fam. das leguminosas, das quais se extrai o anil (1) [F.: *anil* + *-eira.*]

anileira-verdadeira (a.ni.lei.ra-ver.da.*dei*.ra) *sf. Bot.* Arbusto da fam. das leguminosas (*Indigofera anil*) que contém substâncias de uso medicinal e produz anil (1) [Pl.: *anileiras-verdadeiras.*]

anilha (a.*ni*.lha) *sf.* **1** Pequeno aro ou argola **2** *Zool.* Tipo de anel que se emprega na marcação individual de aves **3** *Bras. Esp.* Haltere em forma de disco, us. para aumentar o peso de alguns instrumentos de ginástica **4** *Lus. Cons.* Aro de ferro para proteger a parte de cima de uma estaca **5** *Mar.* O mesmo que *anilho* **6** *Lus.* Em carros de bois, grande prego de cabeça redonda que se prende ao eixo das rodas **7** *Lus. Tabu.* O ânus [F.: Do espn. *anilla.* Hom./Par.: *anilha* (fl. de *anilhar*).]

anilho (a.*ni*.lho) *sm.* **1** *Bras.* Argola de identificação para animais (p. ex.: pombos-correios) **2** Pequeno aro que serve de debrum para ilhós **3** *Bras. S. S. E.* Passador para arreios **4** Espécie de algema com que se prendem os dois dedos polegares dos criminosos [F.: Do espn. *anillo.*]

anilina (a.ni.*li*.na) *sf.* **1** *Quím.* Substância (C_6H_7N) corante sintetizada a partir do benzeno **2** Corante feito com essa substância [F.: Do fr. *aniline.*]

anil-trepador (a.nil-tre.pa.*dor*) [ô] *sm. Angios.* Trepadeira da fam. das vitáceas (*Cissus sicyoides*), nativa do Brasil e cultivada como ornamental; possui bagas pretas das quais se extrai tintura [Pl.: *anis-trepadores.*]

⊕ ***anima*** (*Lat.*/*ânima*/) *sf. Psi.* Na teoria de Carl Gustav Jung (1875-1961), a personificação da natureza feminina do subconsciente do homem [P. opos. a *animus.*] ■ ~**mundi** *Rel.* Força divina que anima as almas dos homens e a matéria do universo

animação (a.ni.ma.*ção*) *sf.* **1** Ação ou resultado de animar(-se) **2** Estado de boa disposição, energia; ENTUSIASMO; VIVACIDADE: *É notável a sua animação para o trabalho.* **3** Agitação, movimentação: *a animação do recreio.* **4** Alegria, empolgação: *O bloco desfilou na maior animação.* **5** *Cin. Telv.* Técnica de simular o movimento de desenhos ou bonecos por meio de recursos mecânicos ou eletrônicos, us. na produção de filmes, programas de computador etc. **6** *Cin. Telv.* O resultado da animação (5), em filme, programa etc.; DESENHO ANIMADO [Pl.: *-ções.*] [F.: Do lat. *animatio, onis.* Ant. (acps. 2 a 4): *desanimação, desânimo.*]

animado (a.ni.*ma*.do) *a.* **1** Que recebeu vida, que tem vida (seres animados) [Ant.: *inanimado.*] **2** *Fig.* Que se mostra bem-disposto, alegre, entusiasmado [Ant.: *desanimado.*] **3** Agitado, movimentado, alegre (baile animado) [Ant.: *desanimado.*] **4** Que tem ou apresenta aspecto de movimento (desenho animado) [F.: Part. de *animar.*]

animador (a.ni.ma.*dor*) [ô] *a.* **1** Que anima (notícias animadoras) [Ant.: *desanimador.*] *sm.* **2** Quem anima [Ant.: *desanimador.*] **3** *Bras. Rád. Telv.* O mesmo que *animador de programa* **4** *Cin. Telv.* Pessoa que faz filmes de animação [F.: Do lat. *animator, oris.*] ■ ~ **de programa** *Bras.* Profissional de rádio ou televisão que anima programas, ger. de auditório, apresentando atrações, fazendo entrevistas, promovendo competições etc. [Tb. apenas *animador.*]

animadversão (a.ni.mad.ver.*são*) *sf.* **1** Sentimento de ódio, rancor, aversão: "E a animadversão gratuita, dia a dia avolumando-se, traduzia-se ao cabo em desacatos e desmandos." (Euclides da Cunha, *Os sertões*) **2** Censura, repreensão, reprimenda [Pl.: *-sões.*] [F.: Do lat. *animadversio, onis.*]

animal (a.ni.*mal*) *sm.* **1** Ser vivo organizado, com sensibilidade e capacidade de locomover-se **2** *Restr.* O mesmo que *animal irracional*; BICHO **3** *Pej.* Pessoa estúpida ou abrutalhada [É ofensivo.] **4** *Pej.* Pessoa cruel, desumana **5** *Bras. Gír.* Pessoa muito competente naquilo que faz **6** *Bras.* Animal cavalar [Pl.: *-mais.* Aum.: *animalaço.* Dim.: *animalejo, animálculo* e *animalito.*] *a2g.* **7** Ref. a, de ou próprio de animal (1, 2) (instintos animais; gordura animal) **8** *Bras. Gír.* Que é espetacular, sensacional (moto animal) [Pl.: *-mais.*] [F.: Do lat. *animal.* Hom./Par.: *animais* (pl.), *animais* (fl. de *animar*). Ideia de 'animal': *zo(o)-* (*zoologia*).] ■ ~**s fabulosos** *Mit.* Animais mitológicos, de características extraordinárias (p. ex.: o *dragão*, o *centauro*, a *fênix* etc.) ~ **inferior** *Zool.* Qualquer animal invertebrado ~ **irracional** Todo animal, com exceção do ser humano ~ **racional** O ser humano ~ **sem fogo** *CE* Animal que ainda não foi marcado ~ **sem rabo** *Bras. Pej.* Pessoa mal-educada, grosseira ~ **superior** *Zool.* Qualquer animal vertebrado

animalejo (a.ni.ma.*le*.jo) [ê] *sm.* **1** Animal de pequeno tamanho; BICHINHO **2** *Fig. Pej.* Pessoa estúpida, bronca, rude [F.: *animal* + *-ejo.*]

animalesco (a.ni.ma.*les*.co) [ê] *a.* **1** Ref. a, de ou próprio de animal (1, 2) **2** *Fig.* Cruel, brutal (conduta animalesca) [F.: *animal* + *-esco.*]

animália (a.ni.*má*.li:a) *sf.* **1** Animal irracional **2** Animal de carga; BESTA; ALIMÁRIA **3** Animal carnívoro e violento [F.: Do lat. *animalia, um.*]

animalidade (a.ni.ma.li.*da*.de) *sf.* **1** Caráter, qualidade, condição do que é animal **2** O conjunto dos atributos que definem a condição do que é animal **3** Manifestação desses atributos no homem [F.: Do lat. *animalitatem.*]

animalismo (a.ni.ma.*lis*.mo) *sm.* Qualidade ou natureza de animal [F.: *animal* + *-ismo.*]

animalista (a.ni.ma.*lis*.ta) *Art. Pl. a2g.* **1** Que se especializou em pintar ou esculpir animais *s2g.* **2** Aquele que se especializou em pintar ou esculpir animais [F.: *animal + -ista.*]

animalizar (a.ni.ma.li.*zar*) *v.* **1** Tornar(-se) animalesco, bestial; BESTIALIZAR(-SE) [*td.: Animalizou os filhos ao educá-los com violência.*] [*int.: Animalizou-se ao viver isolado por vinte anos.*] **2** Transformar (alimento) em substância adequada para nutrição e/ou desenvolvimento do animal [*td.*] **3** Tornar habitado por animais [*td.: Animalizaram o novo zoológico ontem.*] [▶ 1 animalizar] [F.: *animal + -izar.*]

animar *v.* **1** Dotar de alma; dar vida a [*td.: Segundo a Bíblia, Deus animou Adão ao soprar-lhe nas narinas.*] **2** Encher(-se) de ânimo, entusiasmo, coragem; ENCORAJAR(-SE); ESTIMULAR(-SE) [*td.: A torcida animava os atletas.*] [*tdr. + a: A esperança de um futuro melhor animava-o a seguir em frente.*] [*tr. + a: Não me animei a sair de casa no meio do temporal.*] [*int.: Ao ver a mãe na plateia, a jovem cantora animou-se.*] **3** Tornar(-se) vivaz, alegre [*td.: A nova orquestra logo animou o salão.*] [*int.: Animou-se com as boas notícias.*] **4** Dar cor, vivacidade a; AVIVAR [*td.:* "Um sorriso lhe animou os lábios sem cor..." (Machado de Assis, *Helena*)] **5** Dar aparência de vida, de movimento a (estátuas, pinturas etc.) [*td.*] **6** Promover o progresso e o crescimento de; FOMENTAR [*td.: A Lei Rouanet animou as atividades culturais no Brasil.*] **7** Dar movimento, aceleração a [*td.: A velocidade que anima a bala em sua trajetória pode ser medida.*] **8** Estimular (emoção, pensamento, sentimento) [*td.: A negação do aumento de salário animava a ideia da greve.*] **9** Tomar uma decisão; DECIDIR(-SE); RESOLVER(-SE) [*tr. + a: Animou-se a pedir um aumento.*] [▶ 1 animar] [F.: Do lat. *animare.* Hom./Par.: *animais* (fl.), *animais* (pl. de *animal*); *animo* (fl.), *ânimo* (sm.).]

animatismo (a.ni.ma.*tis*.mo) *sm. P. us.* Corrente do animismo que sustenta a impessoalidade da alma [F.: Do ing. *animatism.* Cf.: *animismo.*]

⊕ **animato** (*It.* /animato/) *Mús. adv.* **1** Palavra que se escreve num trecho de música para indicar que deve ser tocado com animação e calor *sm.* **2** Esse trecho musical

animável (a.ni.*má*.vel) *a2g.* Passível de ser animado [Pl.: *-veis.*] [F.: Do lat. *animabilis, e.* Hom./Par.: (pl.) *animáveis, animáveis* (fl. de *animar*).]

animê (a.ni.*mê*) *sm.* **1** Desenho animado japonês, ger. adaptado de histórias em quadrinhos homônimas, conhecidas como mangás **2** Indústria dos desenhos animados japoneses [F.: Do jap. *anime* ou *animei,* f. apocopada de *animeshon,* transcrição (adaptç.) jap. do ing. *animation* (< lat. *animatio, onis*), 'animação'.]

◎ **anim(i)-** *el. comp.* = 'alma': *animar* (< lat.), *animismo* [F.: Do lat. *anima, ae.*]

anímico (a.*ní*.mi.co) *a.* **1** Da ou próprio da alma **2** Ref. a animismo [F.: *anim(i)- + -ico*[2].]

animismo (a.ni.*mis*.mo) *sm. Fil.* Crença segundo a qual todas as pessoas, plantas, animais e fenômenos da natureza possuem uma alma [F.: *anim(i)- + -ismo.*]

animista (a.ni.*mis*.ta) *a2g.* **1** Ref. a animismo **2** Que é seguidor do animismo *s2g.* **3** Seguidor do animismo [F.: *animismo + -ista,* seg. o mod. gr.]

animização (a.ni.mi.za.*ção*) *sf.* **1** Ação ou resultado de animizar **2** *Ling.* Prosopopeia, personificação [Pl.: *-ções.*] [F.: *animizar + -ção.*]

animizar (a.ni.mi.*zar*) *v. td.* Dar (alma, vida) a; ANIMAR: *O autor animizou a paisagem e desumanizou as personagens.* [▶ 1 animizar] [F.: *ânim(o) + -izar.*]

ânimo (*â*.ni.mo) *sm.* **1** Alma, espírito, ou estado de espírito (*ânimo* guerreiro) **2** Vontade, determinação ante situação de desafio ou perigo; CORAGEM: *Faltou-lhe ânimo para a disputa final.* [Ant.: *desânimo.*] **3** Temperamento, índole (*ânimo* cruel) **4** Manifestação de vontade; DESEJO: "João tinha entendido tão bem o que Eustáquio sentia que não teve ânimo de consolá-lo." (Antônio Callado, *Bar Don Juan*) *interj.* **5** Coragem, força [F.: Do lat. *animus, i.* Hom./Par.: *ânimo* (sm.), *animo* (fl. de *animar*).]

animosidade (a.ni.mo.si.*da*.de) *sf.* **1** Antipatia, aversão [+ *com, contra: Bento não escondia sua animosidade com/contra o primo.*] **2** Veemência numa discussão. debate ou polêmica [F.: Do lat. *animositas, atis.*]

animoso (a.ni.*mo*.so) [ô] *a.* Cheio de ânimo, determinação; CORAJOSO; VALOROSO: "...Nas situações difíceis, animoso e forte mostra-te..." (Horácio, *Odes – X – Livro II*) [Pl.: *ó.* Fem.: *ó.*] [F.: Do lat. *animosus, a, um.*]

⊕ **animus** (Lat./ ânimus /) *sm. Psi.* Na teoria de Carl Gustav Jung (1875-1961), a personificação da natureza masculina do subconsciente da mulher [P. opos. a *anima.*]

aninga (a.*nin*.ga) *sf. Bot.* Planta da fam. das aráceas (*Philodendron speciosum*), que cresce na periferia de manguezais e tem propriedades vermífugas e cicatrizantes [aningal.] [F.: Do tupi *a'ninga.*]

aninhado (a.ni.*nha*.do) *a.* **1** Recolhido em ninho (pássaro aninhado) **2** Abrigado, aconchegado: *aninhado no colo da mãe.* **3** Escondido em algum lugar; OCULTADO [F.: Part. de *aninhar.*]

aninhamento (a.ni.nha.*men*.to) *sm.* Ação ou resultado de aninhar(-se); ANINHAGEM [F.: *aninhar + -mento.*]

aninhar *v.* **1** Colocar(-se), abrigar(-se) no ninho [*td.: Aninhou os filhotes cuidadosamente.*] [*int.: A águia voou até o topo da montanha e lá se aninhou.*] **2** Aconchegar(-se) de maneira confortável; ACOMODAR(-SE) [*td.: Aninhou o bebê na hora de mamar.*] [*tda.: Aninhou a menina no canto do sofá.*] [*int.: Aninhou-se e dormiu.*] **3** *Fam.* Recolher-se para dormir [*int.: Já te vais aninhar a essas horas?*] **4** Fazer ou estar em ninho; NINHAR [*int.: Vi as andorinhas aninharem-se durante a primavera.*] [▶ 1 aninhar] [F.: *a-*[2] *+ ninho + -ar*[2].]

aníon (a.*ní*.on) *sm. Quím.* Ver *ânion*

ânion (*â*.ni:on) *sm. Quím.* Átomo ou grupo de átomos com carga elétrica negativa [Pl.: de ânion: *ânions* e (p. us.) *aniones;* de aníon: *aníons* e *aníones.*] [F.: Do gr. *aníon, ontos.* Cf.: *cátion.* Tb. *aníon, anionte.*]

aniônico *Fís. Quím. a.* **1** Ref. a ou próprio de ânion **2** Que possui um ânion ativo [F.: *ânion + -ico*[2].]

aniquilação (a.ni.qui.la.*ção*) *sf.* O mesmo que *aniquilamento* [Pl.: *-ções.*] [F.: *aniquilar + -ção.*]

aniquilado (a.ni.qui.*la*.do) *a.* **1** Arruinado, destruído completamente **2** *Fig.* Abatido, arrasado, humilhado [F.: Part. de *aniquilar.*]

aniquilador (a.ni.qui.la.*dor*) [ô] *a.* **1** Que aniquila; ANIQUILANTE *sm.* **2** Aquele que aniquila [F.: *aniquilar + -dor.*]

aniquilamento (a.ni.qui.la.*men*.to) *sm.* **1** Ação ou resultado de aniquilar(-se) **2** *Fís. nu.* Choque entre uma partícula e sua antipartícula, resultando em radiação; DESMATERIALIZAÇÃO [F.: *aniquilar + -mento.* Sin. ger.: *aniquilação.*]

aniquilante (a.ni.qui.*lan*.te) *a2g.* Que aniquila (vício aniquilante); ANIQUILADOR [F.: *aniquilar + -nte.*]

aniquilar (a.ni.qui.*lar*) *v.* **1** Levar à destruição completa; reduzir a nada [*td.: Só quem tudo criou do nada pode aniquilar o que existe; Hernan Cortez venceu e aniquilou o império asteca.*] [*tr. + com: Aniquilou com o inimigo.*] **2** Fazer perder ou perder força física ou psicológica; abater(-se) [*td.:* "Paixão não me aniquila" (Noel Rosa e Vadico, *Feitiço da Vila*)] [*int.: O paciente aniquilou-se com a evolução da doença.*] **3** Anular, abolir, nulificar [*td.* / *tr. + com: Ninguém pode aniquilar (com) os princípios do direito.*] [▶ 1 aniquilar] [F.: Do lat. *annihilare.*]

anis (a.*nis*) *sm.* **1** *Bot.* Erva aromatizante, da fam. das umbelíferas (*Pimpinella anisum*), us. em balas, xaropes e licores; ERVA-DOCE [Col.: *anisal.*] **2** Anisete [Pl.: *-ses.*] [F.: Do fr. *anis,* do lat. *anisum, ii,* e, este, do gr. *ánison.* Hom./Par.: *anises* (pl.), *anises* (fl. de *anisar*).]

anisado (a.ni.*sa*.do) *a.* **1** Com anis, que tem anis **2** Que foi manipulado com anis (refrigerante anisado) *sm.* **3** Licor com aroma e sabor de anis: *O anisado é produzido pela destilação de alcaçuz.* [F.: Part. de *anisar.*]

anisanto (a.ni.*san*.to) *a. Bot.* Diz-se de planta que apresenta flores desiguais [F.: *anis(o)- + -anto.*]

anisar (a.ni.*sar*) *v. td. P. us.* Preparar com anis; dar sabor de anis a: *Anisar uma bebida.* [▶ 1 anisar] [F.: *anis + -ar*[2].]

anis-estrelado (a.nis-es.tre.*la*.do) *sm. Angios.* Arbusto da fam. das magnoliáceas (*Illicium anisatum*), de flores amarelas e frutos perfumados em forma de estrela, com sementes que são utilizadas na fabricação de licores, em perfumaria e farmácia; BADIANA; BADIANA-DA-CHINA; BADIANA-DE-CHEIRO [Pl.: *anises-estrelados.*]

anisete (a.ni.*se*.te) *sm.* Licor de anis; ANIS [F.: Do fr. *anisette.*]

anisina (a.ni.*si*.na) *sf. Quím.* Alcaloide do anis [F.: *anis + -ina.*]

◎ **anis(o)-** *el. comp.* = 'desigual': *anisanto, anisopia; anisogamia, anisocéfalo, anisospermo* [F.: Do gr. *ánisos, os, on.*]

anisocéfalo (a.ni.so.*cé*.fa.lo) *a. Bot.* Diz-se de planta cujas flores apresentam capítulos desiguais [F.: *anis(o)- + -céfalo.*]

anisocromia (a.ni.so.cro.*mi*.a) *sf. Hem.* Diferença considerável de cor entre hemácias circulantes, o que se deve ao conteúdo desigual de hemoglobina [F.: *anis(o)- + -cromia.*]

anisofilia (a.ni.so.fi.*li*:a) *sf. Bot.* Presença, em um mesmo ramo, de folhas diferentes (na forma, no tamanho etc.) [Cf. *isofilia* e *heterofilia.*] [F.: *anis(o)- + -filia*[2].]

anisofilo (a.ni.so.*fi*.lo) *Bot. a.* Que tem folhas desiguais em um mesmo ramo [F.: *anis(o)- + -filo*[2].]

anisogamia (a.ni.so.ga.*mi*.a) *sf. Biol.* Reprodução sexuada em que os indivíduos produzem gametas diferentes, como óvulo e espermatozoide; HETEROGAMIA [F.: Do fr. *anisogamie* ou de *anis(o)- + -gamia.* Cf.: *isogamia.*]

anisogâmico (a.ni.so.*gâ*.mi.co) *a. Biol.* Ref. a anisogamia [F.: *anisogamia + -ico*[2].]

anisógamo (a.ni.*só*.ga.mo) *a. Biol.* Diz-se de espécie em que ocorre anisogamia [F.: *anis(o)- + -gamo.*]

anisógino (a.ni.*só*.gi.no) *a. Bot.* Diz-se de flor ou planta que contém carpelos e sépalas em número desigual [F.: *anis(o)- + -gino.*]

anisomelia (a.ni.so.me.*li*.a) *sf. Med.* Ausência de igualdade entre membros que ger. são iguais: *anisomelia nas pernas.* [F.: *anis(o)- + -melia.*]

anisômero (a.ni.*sô*.me.ro) *a. Bot.* O mesmo que *heterômero,* ref. aos heterômeros, seção dos insetos coleópteros caracterizada por cinco artículos nos tarsos dos dois pares de patas anteriores e só quatro nos tarsos posteriores [F.: *anis(o)- + -mero.*]

anisopétalo (a.ni.so.*pé*.ta.lo) *a. Bot.* Diz-se de flor que apresenta pétalas desiguais [F.: *anis(o)- + -pétalo.*]

anisopia (a.ni.so.*pi*.a) *sf. Oft.* Desigualdade de percepção visual entre os dois olhos [Cf. *isopia.*] [F.: *anis(o)- + -opia.*]

anisópico (a.ni.*só*.pi.co) *a. Oft.* Ref. a anisopia [F.: *anisopia + -ico*[2].]

anisóptero[1] (a.ni.*sóp*.te.ro) *a.* Que tem asas desiguais [F.: *anis(o)- + -ptero.*]

anisóptero[2] (a.ni.*sóp*.te.ro) *Zool. sm.* **1** Espécime dos anisópteros, subordem de insetos odonatos com as asas posteriores mais largas na base que as anteriores *a.* **2** Ref. aos anisópteros [F.: Adaptç. do lat. cient. *Anisoptera.*]

anisostêmone (a.nis.sos.*tê*.mo.ne) *a2g. Bot.* Diz-se de flor com número de estames diferente do número de carpelos, pétalas e sépalas [F.: *anis(o)- + -stêmone.*]

anisostemonia (a.ni.sos.te.mo.*ni*.a) *sf.* Qualidade ou condição do que é anisostêmone [F.: *anisostêmone + -ia*[1].]

anisotrópico (a.ni.so.*tró*.pi.co) *a.* **1** Ref. a anisotropia **2** Que manifesta anisotropia [F.: *anis(o)- + -trópico.* Sin. ger.: *anisótropo.* Ant. ger.: *isotrópico, isótropo.*]

anisótropo (a.ni.*só*.tro.po) *a.* O mesmo que *anisotrópico* [F.: *anis(o)- + -tropo.*]

anistia (a.nis.*ti*.a) *sf.* **1** Perdão generalizado: *anistia de multas para motoristas infratores.* **2** *Jur.* Perdão concedido por ato do poder público, esp. por delitos políticos [F.: Do lat. tardio *amnestia, ae,* do gr. *amnestía.* Hom./Par.: *anistia(s)* (sf. [pl.]), *anistia(s)* (fl. de *anistiar*).]

anistiar (a.nis.ti.*ar*) *v. td.* **1** Conceder anistia a: *anistiar um preso político.* **2** *P. ext.* Perdoar, desculpar [▶ 1 anistiar] [F.: *anistia + -ar*[2]. Hom./Par.: *anistia(s)* (fl.), *anistia(s)* (sf. [pl.]).]

anistoricismo (a.nis.to.ri.*cis*.mo) *sm.* **1** Qualidade ou condição de anistórico **2** Privação ou omissão de participação da história [F.: *an- + histórico + -ismo.*]

anistórico (a.nis.*tó*.ri.co) *a.* **1** Que não é histórico; alheio à história; AISTÓRICO **2** Avesso, contrário à história; ANTI-HISTÓRICO [F.: *an- + histórico.*]

anisuria (a.ni.su.*ri*.a) *sf.* Ver *anisúria*

anisúria (a.ni.*sú*.ri:a) *sf.* **1** Emissão de urina a intervalos irregulares **2** Alternância entre oligúria e poliúria [F.: *anis (o)- + úria.* Tb. *anisuria.*]

aniversariante (a.ni.ver.sa.ri:*an*.te) *a2g.* **1** Que faz aniversário *s2g.* **2** Aquele que faz aniversário [F.: *aniversariar + -nte.*]

aniversariar (a.ni.ver.sa.ri.*ar*) *Bras. v. int.* Celebrar aniversário [▶ 1 aniversariar] [F.: *aniversário + -ar*[2]. Hom./Par.: *aniversario* (fl.), *aniversário* (sm.).]

aniversário (a.ni.ver.*sá*.ri:o) *sm.* **1** Dia em que se completa um ou mais anos de idade: *Hoje é meu aniversário.* **2** Dia em que se completa um ou mais anos da ocorrência de um fato: *Quinze de novembro é o aniversário da Proclamação da República.* **3** Festa comemorativa de aniversário: *Foram todos a um aniversário. a.* **4** Ref. a aniversário (data aniversária) [F.: Do lat. *anniversarius, a, um.* Hom./Par.: *aniversário* (sm.), *aniversario* (fl. de *aniversariar*).]

anjinho (an.*ji*.nho) *sm.* **1** Dim. de anjo; pequeno anjo **2** *Fig.* Criança tranquila e obediente; ANJO **3** *Fig.* Criança morta; ANJO: "era ele o encarregado dos caixões de anjinhos na movelaria" (Ana Maria Machado, *A audácia dessa mulher*) **4** Imagem ou figura de um anjo (pintura, fotografia, cerâmica, escultura etc.) **5** *Irôn.* Quem se faz de bobo, de ingênuo: "São uns anjinhos todos eles, com o olho nos *marchands,* mas na verdade na unha deles..." (Marques Rebelo, "O bilhete" *in Contos reunidos*) [F.: *anjo + -inho*[1].] ■ **Fazer-se de ~** Fazer-se de inocente, de desentendido

anjo (*an*.jo) *sm.* **1** Ser espiritual que, segundo algumas religiões, serve de mensageiro divino **2** Personificação desse ser como figura humana e alada, em pinturas, esculturas etc. **3** *Fig.* Pessoa muito bondosa, cordata, ou que aparenta sê-lo **4** *Fig.* Criança vestida de anjo (2) em cerimônias religiosas **5** Ver *anjinho* (2 e 3) [F.: Do gr. *ággelos,* pelo lat. tard. *angelus, i.*] ■ **~ corredor** *AL Folc.* Personagem fantástico, homem errante armado de cacete ou cajado com o qual golpeia porteiras de engenhos e sítios, amedrontando crianças **~ custódio** *Rel.* Anjo da guarda (1) **~ da guarda** **1** *Rel.* Criatura celestial que se acredita proteger uma pessoa e velar por ela **2** *P. ext.* Pessoa que protege outra, e vela por ela **~ mau** O diabo, o demônio **~ rebelde** Ver *Anjo mau* **como um ~** De maneira enlevada, ou tranquila: *Pinta como um anjo; Dormia como um anjo.*

anjo-mau (an.jo-*mau*) *sm. MG Pop. Zool.* Mosquito do vale do rio Doce cuja picada é dolorosa [Pl.: *anjos-maus.*]

◎ **-ano**[1] *suf. nom.* = 'relativo ou pertencente a'; 'próprio de'; 'natural ou habitante de (certo lugar)'; '(nome de) língua, dialeto'; 'que é adepto, partidário ou seguidor de certa doutrina (filosófica, religiosa, política) ou de certa teoria científica'; 'que admira ou conhece muito (certo autor, pintor etc. ou sua obra)'; 'que nasceu sob o signo de'; 'que tem certo ofício, certa profissão': *simiano; alagoano, araguaiano, sevilhano, peruano; tanoano, tarascano; deweyano; ceciliano; ariano, aquariano; coimbrão; escrivão, tecelão.* [Do lat. *-anus, a, um,* por via erudita (*-ano*) ou por via popular (*-ão*). Outras formas: *-eano, -iano* (q. v.).]

◎ **-ano**[2] *suf. nom.* Formador de voc. da terminologia química com sentidos vários, em especial de 'hidrocarboneto (saturado)': *adamantano, alcano, butano, cetano, etano, heptano, metano, octano, pentano, propano* [F.: Do fr. *-ane* ou do ing. *-ane.*]

ano[1] (*a*.no) *sm.* **1** Cada um dos intervalos de 12 meses, de 1º de janeiro a 31 de dezembro, numerados sequencialmente em função de uma data tomada como início da contagem: *o ano de 2005.* [No calendário solar gregoriano, us. internacionalmente, a partir do nascimento de Jesus] **2** *Astron.* Período de 12 meses seguidos que corresponde ao tempo que a Terra leva para completar uma revolução em torno do Sol: *Vamos concluir o projeto dentro de dois anos.* **3** *Astron.* Duração da revolução de qualquer astro do sistema solar em torno do Sol: *o ano de Júpiter.* **4** Período anual em que se praticam certas atividades (ano fiscal) **5** Cada ano (2) tomado como unidade de medida de idade, ou de um tempo decorrido qualquer: *Ele tem 50 anos de idade e 25 anos de formado.* [F.: Do lat. *annus, i.*]

■■ Adiantado em ~s Ver *Entrado em anos.* no v. *ano.* ~ **abundante** No calendário (lunar) judaico, ano comum quando tem 355 dias, e o ano embolístico, que tem um mês a mais ~ **agrícola** Tempo de atividade agrícola, entre a semeadura e a colheita ~ **anomalístico** *Astron.* Período de uma passagem a outra da Terra pelo periélio, ou seja, de sua revolução completa em torno do Sol, com uma média de 365 dias, 6 horas, 13 minutos e 53 segundos ~ **bissêxtil/bissexto** *Astron.* Ano com 366 dias, tendo fevereiro nesse ano 29 dias, e que ocorre de 4 em 4 anos, somando no dia a mais a diferença de cerca de 6 horas em cada ano anomalístico ~ **capicua** Aquele cuja notação numérica pode ser lida também da direita para esquerda. Ex.: 1991, 2002 ~ **civil** O período de 1º de janeiro a 31 de dezembro do mesmo ano ~ **climatérico** Ano a que certas crenças atribuíam supostos perigos; sejam os anos múltiplos de sete e de nove, principalmente o sexagésimo terceiro por ser múltiplo de sete e de nove; ano decretório ~ **comercial** Ano no qual todos os meses são todos considerados como de 30 dias ~ **corrente** O que está transcorrendo ~ **decretório** Ver *Ano climatérico* ~ **embolísmico** *Cron.* Ano com número de dias ou meses diferente dos outros, intercalado para fazer coincidir o ano lunar com o ano solar [Us. nos calendários grego antigo e judaico. Neste, em sete anos, em cada ciclo de 19 anos, é acrescentado um mês de 29 dias.] ~ **emergente** O que se conta a partir de uma data qualquer e vai até a mesma data do ano seguinte ~ **escolar** Período de todas as atividades escolares durante um ano (aulas, provas, exames etc.) ~ **fiscal** *Econ.* Período de 12 meses de execução do orçamento anual de governo e de arrecadação dos impostos ~ **galáctico** *Astron.* Período no qual a estrela de uma galáxia dá uma volta completa em torno do núcleo da galáxia ~ **grande** *Astron.* Período que dura um ciclo completo dos equinócios em redor da eclíptica [cerca de 25.800 anos]; ano platônico ~ **letivo** O período, em cada ano, no qual funcionam os estabelecimentos de ensino ~ **litúrgico** *Rel.* Ciclo anual de comemorações católicas do mistério de Jesus [tempo do Advento, Natal, Epifania, tempo comum, Quaresma, Semana Santa, Páscoa, tempo pascal, Pentecostes e tempo comum; o ciclo se encerra no primeiro domingo do Advento.] ~ **lunar** *Cron.* Período que compreende 12 revoluções lunares, ou seja, cerca de 354 dias ~ **móvel** *Jur.* Período de 365 dias que, para fins jurídicos, pode começar em qualquer momento ~ **orçamentário** *Econ.* Ano fiscal ~ **platônico** *Astron.* Ano grande ~ **sabático** 1 No judaísmo, o sétimo e último ano de um ciclo de sete, no qual não se cultivavam as terras e não se cobravam as dívidas 2 *P. ext.* Modernamente, ano de reciclagem para acadêmicos, professores etc. ~ **santo** *Rel.* Ano em que se inaugura o jubileu católico, que ocorre de 25 em 25 anos ~ **secular** *Astron.* Ano cujo número termina em 00, sendo portanto o último de cada século ~ **sideral** *Astron.* O tempo no qual a Terra completa uma revolução completa na sua órbita aparente, correspondente a 365,25636 dias solares médios ~ **solar** *Cron.* Período formado por um número inteiro de dias, que corresponde a uma revolução completa da Terra em torno do Sol ~ **trópico** O tempo durante o qual o Sol completa uma revolução de equinócio vernal a equinócio vernal ~ **útil** O conjunto dos dias úteis (sem fins de semana e feriados) de um ano **Avançado em ~s** Ver *Entrado em anos* no v. *ano* **Entrado em ~s** Velho, idoso; adiantado em anos; avançado em anos **Fazer ~s** Completar mais um ano de vida; aniversariar **Não passarem os ~s por** Mostrar-se muito bem conservado apesar da idade, sem demonstrar na aparência ou na atitude os efeitos do passar do tempo **Para o ~** No ano que vem **Passar de ~** Ser aprovado para cursar série superior no período escolar (ou universitário) seguinte

ano² (*a*.no) *sm.* Ver *ânus*

ano-bom (a.no-*bom*) *sm.* Dia 1º de janeiro; ANO-NOVO [Pl.: *anos-bons.*]

anodal (a.no.*dal*) *a2g. Fís. Quím.* Diz-se do processo que ocorre quando um eletrodo anodo (carga positiva) é colocado em uma solução contendo íons carregados positivamente (cátions) [P. opos. a *catodal.*] [Pl.: *-dais.*] [F.: *anodo + -al.*]

anodinia (a.no.di.*ni*.a) *sf. Med.* Ausência de dor [F.: Do gr. *anodynía.*]

anódino (a.*nó*.di.no) *a.* 1 Que alivia as dores (diz-se de medicamento); ANALGÉSICO 2 *Fig.* Sem importância, que não causa impressão, que não desperta interesse; INSIGNIFICANTE: "Em vez de ouvir alguma coisa positiva, escutou frases anódinas, vagas promessas." (Camilo Castelo Branco, *Freira no subterrâneo*) [F.: Do gr. *anódynos, on.*]

anodização (a.no.di.za.*ção*) *sf. Quím.* Processo eletrolítico de acabamento e proteção de peças metálicas que forma na superfície desses materiais uma camada uniforme de óxido de alumínio [Pl.: *-ções.*] [F.: *anodizar + -ção.*]

anodizado (a.no.di.*za*.do) *a.* Diz-se de metal que passou por processo de anodização, garantindo-lhe melhor acabamento e proteção contra a corrosão [F.: Part. de *anodizar.*]

anodizar (a.no.di.*zar*) *v. td.* Recobrir (metal), por meio de corrente elétrica, de camada protetora ou decorativa de oxidação anódica [▶ 1 anodizar] [F.: *ânodo + -izar.*]

anodo (a.*no*.do) [ô] *sm.* Ver *ânodo*

ânodo (*â*.no.do) *sm. Elet.* Eletrodo positivo [F.: Do gr. *ánodos.* Cf.: *catodo.* Tb. *anodo.*]

anodontia (a.no.don.*ti*.a) *sf.* Falta total ou parcial dos dentes, por problema congênito ou devido à doença no período inicial da infância [F.: *an- + -odont (o)- + -ia¹.*]

anoético (a.no.*é*.ti.co) *a.* 1 Ref. à anoesia (dificuldade de compreensão) 2 Que demonstra idiotia ou dificuldade para compreender alguma coisa 3 *Fil.* Diz-se de função ou ato psíquico independente da percepção intelectual (p. ex.: a sensibilidade) [F.: *anoesia + -ico².*]

anófele (a.*nó*.fe.le) *sm. Zool.* Nome comum aos mosquitos da fam. dos culicídeos (gên. *Anopheles*), responsáveis universalmente pela transmissão da malária [F.: Do lat. cient. gên. *Anopheles.*]

anoitecer (a.noi.te.*cer*) *v.* 1 Fazer-se noite, terminar o dia; começar a noite [*int.*: *Anoiteceu cedo.*] 2 Encontrar-se em algum lugar ou em certo estado quando a noite chega [*ta.*: *O grupo anoiteceu no hotel.*] [*int.*: *Bebeu tanto que nem se lembrava onde anoitecera.*] [*tp.*: *Pegou chuva e anoiteceu febril.*] 3 *Fig.* Fazer ficar escuro, sombrio, como noite; ESCURECER [*td.*: *O eclipse anoiteceu a face da Terra.*] [▶ 33 anoitecer V. impess. na acp. 1.] *sm.* 4 O início, o cair da noite [F.: *a-² + noite + -ecer.*]

anojadiço (a.no.ja.*di*.ço) *a.* 1 Que se anoja com muita facilidade 2 *Fig.* Que se destempera por qualquer motivo; IRASCÍVEL; IRRITADIÇO [F.: *anojado + -iço.*]

anojar (a.no.*jar*) *v.* 1 Causar nojo a ou sentir nojo; ENOJAR(-SE) [*td.*: *Suas mãos imundas anojam qualquer um.*] [*int.* Ao ver a sujeira do hotel, anojou-se.] 2 Estar de luto; ENLUTAR(-SE) [*int.*] 3 Causar ou sentir tédio; ABORRECER(-SE) [*td.*: *Esse programa chato anoja o telespectador.*] [*int.*: "Muito especial devia ser a compleição do moço (...) que se anojava em Paris." (Camilo Castelo Branco, *Agulha em palheiro*)] 4 Causar dissabor, desgosto a [*td.*: *Teus modos bruscos anojam teu pai.*] [▶ 1 anojar] [F.: *a-² + nojo + -ar².*]

anólis (a.*nó*.lis) *Herp. sm2n.* 1 Nome comum aos lagartos do gên. *Anolis*, da fam. dos iguanídeos, de pequeno tamanho, com cerca de 200 spp., com capacidade para mudar de cor, encontrados na América Central e na América do Sul 2 Espécime desse gênero [F.: Do lat. cient. *Anolis.*]

ano-luz (a.no-*luz*) *sm. Astron.* Unidade equiv. à distância que a luz percorre no vácuo em um ano, à velocidade aproximada de 300.000 km/s [Pl.: *anos-luz.*]

anomalia (a.no.ma.*li*.a) *sf.* 1 O que se desvia do normal; ANORMALIDADE; ABERRAÇÃO 2 *Astron.* Ângulo que define a posição de um astro em movimento orbital em volta de outro 3 *Astron.* Qualquer alteração periódica e repetitiva na órbita de um planeta 4 *Geom.* Em sistema de coordenadas polares, ângulo orientado entre eixo polar e o raio vetor [Tb. *ângulo polar.*] 5 *Ling.* Princípio linguístico segundo o qual as línguas não se enquadram em rígidos paradigmas regulares, comportando muitas exceções; qualquer expressão linguística que, ao não seguir regras, expresse tal exceção [F.: Do gr. *anomalía*, pelo lat. *anomalia, ae.*] **■■ ~ cromossômica** *Gen.* Aberração cromossômica ~ **da maré** *Geof.* Irregularidade na amplitude e na periodicidade da maré

anômalo (a.*nô*.ma.lo) *a.* 1 Que apresenta anomalia; ANORMAL [Ant.: *normal.*] 2 *Gram.* Diz-se de verbo cuja conjugação é muito irregular (p. ex., os verbos *ser* e *ir*) [F.: Do gr. *anómalos, os, on.*]

anomia (a.no.*mi*.a) *sf.* 1 Inexistência de leis ou regras fixas 2 *Soc.* Processo ou estado da sociedade em que se perdem ou não se reconhecem valores ou regras normativos de conduta, ou de crença, o que dificulta a referência do indivíduo ante as situações comportamentais e éticas contraditórias com que se depara 3 *Teol.* Não observância, desrespeito à lei divina 4 *Med.* Perda da faculdade de dar nome a ou de contar objetos, embora se os reconheça [F.: Do gr. *anomía.*]

anômico (a.*nô*.mi.co) *a.* 1 Ref. ou inerente a anomia 2 Que é produto de desorganização [F.: *anomia + -ico².*]

◎ **anom(o)-** *el. comp.* = 'irregular'; 'desigual'; 'anormal': *anomocarpo, anomocéfalo, anomósporo* [F.: Do gr. *ánomos, os, on,* 'sem lei', 'sem regra', 'ilegal'.]

anomocarpo (a.no.mo.*car*.po) *a.* 1 *Bot.* Diz-se de plantas que têm frutos desiguais; HETEROCARPO 2 *Micol.* Diz-se de fungos de frutificação irregular, variada [F.: *anom(o)- + -carpo.*]

anomocelo (a.no.mo.*ce*.lo) *Zool. a.* 1 Que pertence aos anomocelos, subordem de anuros formada por sapos de patas achatadas que vivem em cavidades abertas no solo *sm.* 2 Espécime dos anomocelos [F.: Do tax. *Anomocoela.*]

anona (a.*no*.na) *sf. Bot.* Designação comum às plantas do gên. *Anona*, da fam. das anonáceas, de frutos ger. comestíveis, como, p. ex., a fruta-de-conde e a graviola [F.: Adaptç. do lat. cient. *Annona.*]

anonácea (a.no.*ná*.ce:a) *sf. Angios.* Espécime das anonáceas, fam. da ordem das magnoniales, que compreende 112 gên. e 2.150 spp. de árvores, arbustos e lianas, algumas cultivadas pelos frutos, pela madeira, como ornamentais ou para a produção de essências [F.: Do lat. cient. *Annonaceae.*]

anonimato (a.no.ni.*ma*.to) *sm.* 1 Estado ou condição de anônimo 2 Hábito de escrever anonimamente [F.: *anônimo + -ato¹.*]

anonímia (a.no.*ní*.mi:a) *sf.* 1 Qualidade do que é anônimo; ANONIMIDADE 2 *Bibl.* Listagem de obras anônimas [F.: Do gr. *anonymía.*]

anonimidade (a.no.ni.mi.*da*.de) *sf.* Anonímia (1) [F.: *anônimo + -(i)dade.*]

anônimo (a.*nô*.ni.mo) *a.* 1 Que não leva o nome ou a assinatura do autor (carta anônima) 2 Cuja autoria não se conhece (denúncia anônima) 3 Que não revela seu nome (autor anônimo) 4 Que é desconhecido, sem fama *sm.* 5 Aquele que não revela seu nome 6 Pessoa desconhecida, sem fama [F.: Do gr. *anónymos, os, on.*]

ano-novo (a.no-*no*.vo) [ô] *sm.* 1 Ano que começa 2 Dia 1º de janeiro; ANO-BOM [Pl.: *anos-novos* [ó].]

◎ **anopl(o)-** *el. comp.* = 'sem armas'; 'sem escudo'; 'sem defesa': *anoplotério* (< lat. cient.), *anopluro* (< lat. cient.) [F.: Do gr. *ánoplos, os, on.*]

anoplo (a.*no*.plo) *Zool. sm.* 1 Espécime dos anoplos, classe de vermes que têm abertura bucal superior ao cérebro, com uma tromba simples *a.* 2 Ref. ou pertencente aos anoplos [F.: Adaptç. do lat. cient. *Anopla.*]

anopluro (a.no.*plu*.ro) *Zool. sm.* 1 Espécime dos anopluros, ordem de insetos hematófagos, ectoparasitas de mamíferos (inclusive o homem), dotados de aparelho bucal sugador; são os piolhos *a.* 2 Ref. ou pertencente aos anopluros [F.: Adaptç. do lat. cient. *Anoplura*; ver *anopl(o)-* e *-uro.*]

anopsia (a.no.*psi*:a) *sf. Oft.* Desuso ou perda da visão em um olho, como ocorre na catarata congênita ou no estrabismo muito marcante; ANOPIA [F.: *an- + -opsia.*]

anópsico (a.*nó*.psi.co) *a. Oft.* Que diz respeito a anopsia [F.: *anopsia + -ico².*]

anoraque (a.no.*ra*.que) *sm.* 1 Casaco com capuz, feito de pele de foca, us. pelos esquimós 2 *P. ext.* Casaco do mesmo tipo, ger. de tecido impermeável [F.: Do esquimó *anoraq.*]

anorético (a.no.*ré*.ti.co) *a. sm.* O mesmo que *anoréxico* [F.: *anorexia + -ico²*, seg. o mod. erudito.]

anorexia (a.no.re.*xi*.a) [cs] *sf.* 1 *Med.* Perda ou ausência de apetite; INAPETÊNCIA *sf.* 2 *Psiq.* Ver *anorexia nervosa* [Tb. *anorexia nervosa.*] [F.: Do gr. *anorexía.* Cf.: *bulimia.*] **■■ ~ nervosa** *Psiq.* Distúrbio mental caracterizado por medo doentio de engordar, e consequente recusa de comer, ou indução de vômito após comer [Tb. apenas *anorexia.*]

anoréxico (a.no.*ré*.xi.co) [cs] *a.* 1 Que sofre de anorexia 2 Ref. a, de ou típico de anorexia (sintomas *anoréxicos*) *sm.* 3 Aquele que sofre de anorexia [F.: *anorexia + -ico².*]

anorexigênico (a.no.re.xi.*gê*.ni.co) [cs] *Med. a. sm.* Ver *anorexígeno.*

anorexígeno (a.no.re.*xí*.ge.no) [cs] *Med. a.* 1 Diz-se de substância que provoca anorexia *sm.* 2 Essa substância [F.: *anorexia + -geno.* Ant. ger.: *orexígeno.*]

anormal (a.nor.*mal*) *a2g.* 1 Que não está de acordo com a norma, o padrão; ANÔMALO: *Tem um comportamento anormal.* 2 Fora do comum; extraordinário: *Sua habilidade com a bola é anormal.* 3 Que apresenta deficiência física ou mental; EXCEPCIONAL [Pl.: *-mais.*] *sm.* 4 Pessoa anormal (3); EXCEPCIONAL 5 Indivíduo sexualmente degenerado; TARADO 6 Aquilo que não é normal: *O anormal nele não é falar muito, é nunca querer ouvir.* [Pl.: *-mais.*] [F.: Do fr. *anormal.*]

anormalidade (a.nor.ma.li.*da*.de) *sf.* 1 Qualidade do que é anormal; ANOMALIA 2 Coisa anormal [F.: *anormal + -(i)dade.*]

anorquia (a.nor.*qui*:a) *sf. P. us. Med.* Ausência congênita dos testículos; ANORQUIDIA [F.: *an- + -orqu(i)- + -ia¹.*]

anorretal (a.nor.re.*tal*) *a2g.* 1 *Med.* Ref. ao ânus e ao reto em conjunto (exame anorretal) 2 Localizado no ânus e no reto (fissura anorretal) [Pl.: *-tais.*] [F.: *ano² + reto + -al.*]

anorretite (a.nor.re.*ti*.te) *sf. Med.* Inflamação que ataca o ânus e o reto [F.: *ano² + reto + -ite¹.*]

anorrinco (a.nor.*rin*.co) *a. Zool.* Desprovido de bico ou nariz; ARRINCO [F.: *an- + -o- + -rinco.*]

anortografia (a.nor.to.gra.*fi*:a) *sf.* 1 Inobservância ou uso incorreto das normas ortográficas 2 Erro ortográfico *sf.* 3 *Neur.* Perda da capacidade de escrever com correção [F.: *an- + ortografia.*]

anortose (a.nor.*to*.se) *Med. sf.* 1 *P. us.* Falta de capacidade de manter-se ereto (o pênis) 2 Perda da capacidade de manter o corpo ereto [F.: *an- + -ort (o)(s)- + -ose¹.*]

anoscopia (a.nos.co.*pi*:a) *sf. Med.* Exame endoscópico do ânus e da parte inferior do reto [F.: *ano² + -scop- + -ia¹.*]

anoscópico (a.nos.*có*.pi.co) *a. Anat.* Que diz respeito a anoscopia [F.: *anoscopia + -ico².*]

anoscópio (a.nos.*có*.pi:o) *sm. Med.* Instrumento com que se faz o exame de anoscopia [F.: *ano² + -scópio.*]

anoso (a.*no*.so) [ô] *a.* Diz-se do que ou de quem tem muitos anos; VELHO: *As anosas oliveiras.* [Pouco us. em relação a pessoas.] [F.: Do lat. *annosu.*]

anostráceo (a.nos.*trá*.ce:o) *Carc. a.* 1 Ref. ou pertencente aos anostráceos, ordem de crustáceos branquiópodes, de corpo alongado, sem carapaça e com olhos pedunculados, encontrados em águas doces ou salgadas *sm.* 2 Espécime dos anostráceos [F.: Do lat. cient. *Anostraca + -áceo.*]

anotação (a.no.ta.*ção*) *sf.* 1 Ação ou resultado de anotar 2 Nota, apontamento, registro 3 Observação sobre obra literária ou artística; COMENTÁRIO [Pl.: *-ções.*] [F.: Do lat. *annotatio, onis.*]

anotado (a.no.*ta*.do) *a.* 1 Com anotações, apontamentos (caderno anotado) 2 Comentado com anotações (texto anotado) 3 Que foi registrado por escrito [F.: Do lat. *adnotatus, a, um.*]

anotador (a.no.ta.*dor*) [ô] *a.* 1 Que faz anotações *sm.* 2 Aquele que faz anotações [F.: Do lat. *annotator, oris.*]

anotar (a.no.*tar*) *v. td.* 1 Fazer nota, apontamento de: *Não anote a senha do banco no talão de cheques.* 2 Comentar com anotações: *Anotou o livro criticamente do começo ao fim.* [▶ 1 anotar] [F.: Do lat. *adnotare* ou *annotare.*]

anovulação (a.no.vu.la.*ção*) *sf. Med.* Falta de ovulação, natural ou provocada [Pl.: *-ções.*] [F.: *an- + ovulação.*]

anovulatório (a.no.vu.la.*tó*.ri:o) *a.* 1 Ref. a anovulação 2 Diz-se de medicamento que impede a ovulação *sm.* 3 Esse medicamento [F.: *anovulação* (sob a f. *anovulat-*) + *-ório*, seg. o mod. erudito.]

anoxemia (a.no.xe.*mi*.a) [cs] *sf. Med.* Falta de oxigênio no sangue [F.: *an-* + *ox(i/o)-* + *-emia*.]

anoxêmico (a.no.*xê*.mi.co) [cs] *a. Med.* Ref. a anoxemia [F.: *anoxemia* + *-ico*^{2}.]

anoxia (a.no.*xi*.a) [cs] *sf. Med.* Falta de oxigênio; estado de oxigenação insuficiente dos tecidos [F.: *an-* + *ox(i/o)-* + *-ia*^{1}.]

anóxico (a.*nó*.xi.co) [cs] *a.* Ref. a anoxia [F.: *anoxia* + *-ico*^{2}.]

⊠ **ANP** Sigla de *Agência Nacional do Petróleo*

anquilosado (an.qui.lo.*sa*.do) *a.* Ver *ancilosado*

anquilosamento (an.qui.lo.sa.*men*.to) *sm.* Ver *ancilosamento*

anquilosante (an.qui.lo.*san*.te) *a2g.* Ver *ancilosante*

anquinhas (an.*qui*.nhas) *sfpl.* Armação de arame ou almofadas us. pelas mulheres para altear os quadris e tornar as saias mais rodadas [F.: Dim. pl. de *anca*.]

ansa (*an*.sa) *sf.* **1** Azo, pretexto, ensejo, oportunidade, ocasião; MOTIVO: "O episódio não dá ansa para mensão especial." (Camilo Castelo Branco, *Homem de brios*) **2** *Anat.* Órgão ou segmento encurvado com formato de asa **3** *Anat.* Disposição de segmentos anatômicos com funções idênticas ou semelhantes **4** *Ant. Geog.* Pequena enseada protegida **5** *Ant.* Asa de animal ou de objeto [F.: Do lat. *ansa, ae.* Hom./Par.: *ansa* (sf.), *hansa* (sf.).] ■ **~s de Saturno** *Astron.* Bordas internas dos anéis de Saturno, que na observação parecem ser saliências no corpo desse planeta

⊕ **anschluss** (*Al.* /*ánchlus*/) *sf.* **1** *Hist.* Anexação da Áustria à Alemanha ocorrida sob o regime nazista em março de 1938 e anulada pela vitória dos Aliados ao fim da Segunda Guerra Mundial [Em alemão, com inicial maiúscula.] **2** Qualquer anexação feita nesses moldes

anseio (an.*sei*.o) *sm.* **1** Aspiração ou desejo intenso; ÂNSIA (2) *sm.* **2** Estado de ânsia (1), de aflição [F.: Dev. de *ansiar*. Hom./Par.: *anseio* (sm.), *anseio* (fl. de *ansiar*).]

anselmiano (an.sel.mi:*a*.no) *a.* **1** Ref. a, de ou próprio de Anselmo, filósofo e teólogo italiano do séc. XI-XII, ou suas ideias, esp. a tentativa de demonstrar racionalmente, na tradição escolástica, a existência de Deus *sm.* **2** Seguidor de Anselmo e de suas ideias [F.: Do antr. *Anselmo* + *-iano*^{1}.]

anseriforme (an.se.ri.*for*.me) *s2g.* **1** *Zool.* Espécime dos anseriformes, ordem de aves aquáticas encontradas em todo o mundo e que inclui os patos, gansos, cisnes etc. *a2g.* **2** Ref. aos anseriformes **3** Que tem aspecto de pato ou ganso [F.: De *anseri-* (< lat. *anser, eris*, 'pato') + *-forme*.]

anseriformes (an.se.ri.*for*.mes) *smpl. Ornit.* Ordem de aves aquáticas de pernas curtas, pés palmados ou dedos livres, bicos com lâminas córneas transversais, e que incluem patos, gansos, marrecos, cisnes e anhumas [F.: Do lat. cient. *Anseriformes*.]

anserino (an.se.*ri*.no) *a.* Ref. ou semelhante a pato ou ganso (pele/ voz anserina) [F.: Do lat. *anserinus, a, um*.]

ânsia (*ân*.si:a) *sf.* **1** Inquietação intensa e sofrida, causada esp. pela incerteza; ANGÚSTIA; AFLIÇÃO **2** Desejo ardente; ANSEIO **3** Agonia, estertor (ânsias da morte) [F.: Do lat. tard. *anxia, ae.* Ver tb. *ânsias*.]

ansiado (an.si.*a*.do) *a.* **1** Que está ansioso, angustiado **2** Muito desejado (encontro ansiado); ALMEJADO **3** Que sente ânsias; NAUSEADO [F.: Do lat. *anxiatus, a, um*.]

ansiar (an.si.*ar*) *v.* **1** Desejar ardentemente; ALMEJAR [*td.*: *Os pais ansiavam que o filho se formasse médico.*] [*tr.* + *por*: *Ansiava pela presença da companheira.*] **2** Fazer ficar ou ficar ansioso, preocupado, aflito; AFLIGIR(-SE); ANGUSTIAR(-SE) [*td.*: *A demora no nascimento do filho ansiava o pai.*] [*int.*: *Ansiava-se quando não podia fazer nada para ajudar.*] **3** Sentir ânsias, náuseas [*int.*] **4** Respirar com esforço e fazendo ruído; ARFAR; OFEGAR [*int.*] [▶ **15** ansiar] [F.: Do lat. *anxiare*. Hom./Par.: *anseio* (fl.), *anseio* (sm.).]

ânsias (*ân*.si:as) *sfpl.* Náuseas, enjoo [F.: Pl. de *ânsia*. Ver tb. *ânsia*.]

ansiedade (an.si:e.*da*.de) *sf.* **1** Sensação de aflição, receio ou agonia, sem causa aparente **2** Inquietação ou impaciência causada por algum desejo ou vontade [+ *de, por*: "...persistia em mim a ansiedade de uma carta de Elisabeth..." (Josué Montello, *Sempre serás lembrada*)] [F.: Do lat. *anxietas, atis*.]

ansiógeno (an.si:*ó*.ge.no) *a.* Que provoca ansiedade (fator ansiógeno); ANSIOGÊNICO [F.: *ânsia* + *-geno*.]

ansiolítico (an.si:o.*lí*.ti.co) *a.* **1** *Med.* Diz-se de medicamento que cessa ou alivia a ansiedade (1) *sm.* **2** Esse medicamento [F.: Do ing. *anxiolytic*. Sin. ger.: *tranquilizante*.]

ansiosidade (an.si:o.si.*da*.de) *sf.* Ver *ansiedade*

ansioso (an.si:*o*.so) [ô] *a.* **1** Que sente ansiedade ou ânsia **2** Que deseja impacientemente; ÁVIDO: *Ansioso por encontrar os pais.* [Pl.: *ó*. Fem.: *ó*.] *sm.* **3** Indivíduo ansioso (1) [F.: Do lat. *anxiosus, a, um*.]

anspeçada (ans.pe.*ça*.da) *Mil. sm.* **1** Antigo posto militar, imediatamente acima de soldado **2** Militar que tinha essa patente [F.: Do fr. *anspessade*.]

anta (*an*.ta) *sf.* **1** *Zool.* Mamífero da fam. dos tapirídeos (*Tapirus terrestris*), originário da América do Sul, de focinho em forma de pequena tromba e cauda curta; TAPIR **2** A pele da anta *s2g.* **3** *Bras. Fam. Fig.* Pessoa de pouca inteligência [É ofensivo.] [F.: Do ár. *lamta*.]

antagônico (an.ta.*gô*.ni.co) *a.* Que se mostra contrário (personalidades antagônicas); OPOSTO [F.: Do fr. *antagonique*.]

antagonismo (an.ta.go.*nis*.mo) *sm.* **1** Ação em sentido oposto **2** Oposição ou incompatibilidade de ideias, opiniões, sistemas etc. **3** Ação ou resultado de opor-se a, ou manifestação de princípio ou vontade contrários a (algo); OPOSIÇÃO **4** *Fig.* Relação de oposição ou rivalidade entre dois ou mais personagens **5** *Fig.* Rivalidade entre pessoas ou instituições **6** *Farm.* Interação de duas substâncias de ação oposta, com o objetivo de neutralizar ou atenuar o efeito nocivo uma da outra [F.: Do fr. *antagonisme*.]

antagonista (an.ta.go.*nis*.ta) *a2g.* **1** Que atua em sentido oposto **2** Que se opõe a algo ou alguém; ADVERSÁRIO; OPOSITOR **3** *Anat.* Diz-se de músculo que exerce ação oposta a, ou realiza movimento contrário ao de outro, em uma mesma região anatômica **4** *Od.* Diz-se de dente que se articula em oposição ao dente da maxila oposta **5** *Farm.* Diz-se de agente (esp. substância) que neutraliza ou atenua a ação de outro *s2g.* **6** Aquele que se opõe ou atua contrariamente a algo ou alguém; ADVERSÁRIO; OPOSITOR [F.: Do gr. *antagonistés, ou*, pelo lat. tard. *antagonista, ae*, e pelo fr. *antagoniste*.]

antagonização (an.ta.go.ni.za.*ção*) *sf.* Ação de antagonizar; OPOSIÇÃO [Pl.: *-ções*.] [F.: *antagonizar* + *-ção*.]

antagonizar (an.ta.go.ni.*zar*) *v.* Opor-se (ger. contínua e sistematicamente) a algo ou alguém [*td.*: *O vendedor antagonizava o concorrente.*] [*tr.* + *com*: *Antagonizei-me com a turma toda.*] [▶ **1** antagonizar] [F.: De *antagon-*, como em *antagonismo, antagonista* e *antagônico*, + *-izar*, seg. o mod. gr.]

antalgesia (an.tal.ge.*si*.a) *sf. Med.* Estado não doloroso, ausência de dor; tb. *antalgia* [F.: *ant(i)-* + *-algesia*.]

antalgésico (an.tal.*gé*.si.co) *a. Med.* Que se opõe a dor, que combate a dor, que a abranda. Também se usa substantivamente para designar a substância que tem a propriedade de abrandar a dor. Tb. *antálgico* [F.: *antalgesia* + *-ico*^{2}.]

antalgia (an.tal.*gi*:a) *sf. Med.* Combate à dor; ANTALGESIA [F.: *ant(i)-* + *-algia*. Tb. *antialgia*.]

antálgico (an.*tál*.gi.co) *Med. a.* **1** Ref. à antalgia *a.* **2** Que combate a dor ou a abranda [F.: *antalgia* + *-ico*^{2}. Sin. ger.: *antalgésico*. Tb. *antiálgico*.]

antanagoge (an.ta.na.*go*.ge) *sf. Ret.* Figura pela qual o acusado usa os mesmos argumentos que serviram a seu acusador [F.: Do gr. * *antagogé, ês*.]

antanho (an.*ta*.nho) *adv.* **1** Antigamente, outrora **2** No ano passado *sm.* **3** Tempos antigos [F.: Do espn. *antaño*.]

antarquismo (an.tar.*quis*.mo) *sm.* Oposição metódica, ordenada, a qualquer tipo de governo [F.: *ant(i)-* + *-arqu(i)-* + *-ismo*.]

antarquista (an.tar.*quis*.ta) *a2g.* **1** Ref. a antarquismo **2** Diz-se de quem é partidário do antarquismo *s2g.* **3** Partidário do antarquismo [F.: *antarquismo* + *-ista*, seg. o mod. gr.]

antártico (an.*tár*.ti.co) *a.* **1** Que se situa no polo sul ou imediações (polo antártico) **2** Que faz parte do ou vive no polo sul ou em regiões próximas (animais antárticos) [F.: Do lat. *antarcticus, a, um*. Cf.: *ártico*.]

ante (*an*.te) *prep.* **1** Diante de; em presença de: *Intimidou-se ante o olhar sério do pai.* **2** Em consequência de: *a insegurança do povo cresce ante a violência cotidiana.* **3** Indica a posição; em frente de, diante de: *Refrescou-se ante o ventilador.* **4** Indica direção e movimento: *O criminoso será levado ante o juiz.* **5** Indica causa; por causa de: *Ante a falta de dinheiro, resolveu trabalhar cedo.* **6** Indica a circunstância em que algo se realiza, ou em consequência de: *O atletismo decai ante a falta de incentivos empresariais.* *adv.* **7** *Ant.* Antes [F.: Do lat. *ante*.]

◎ **ante-** *pref.* = 'em frente de'; 'antes de'; 'anterioridade (no espaço ou [*fig.*] no tempo)': *anteavante, antecor, antebraço, antediluviano, ante-estreia, antegosto, anterrosto, antessala* [F.: Da prep. lat. *ante*.]

antebraço (an.te.*bra*.ço) *sm. Anat.* Parte do braço entre o pulso e o cotovelo [F.: *ante-* + *braço*.]

antebraquial (an.te.bra.qui.*al*) *a2g. Anat.* Que se refere ou pertence ao antebraço [Pl.: *-ais*.] [F.: *ante-* + *braquial*.]

antecâmara (an.te.*câ*.ma.ra) *sf.* **1** Aposento anterior à câmara, ao quarto de dormir **2** Sala de espera; ANTESSALA [F.: *ante-* + *câmara*.]

antecapela (an.te.ca.*pe*.la) *sf.* Espaço na entrada de uma capela, formado pelo prolongamento do telhado sobre uma área de acesso, constituindo assim um recinto [F.: *ante-* + *capela*.]

antecedência (an.te.ce.*dên*.ci:a) *sf.* **1** Ação ou resultado de anteceder(-se): *Graças a sua antecedência, conseguiu ser atendido logo.* **2** Qualidade ou situação daquilo que antecede, precede; ANTERIORIDADE; PRECEDÊNCIA: *É inegável a antecedência deste fato em relação a todos os outros aqui analisados.* [F.: *anteceder* + *-ência*.] ■ **Com ~** Antes do tempo ou do prazo; adiantadamente: *Vamos chegar com antecedência para ter bons lugares.*

antecedente (an.te.ce.*den*.te) *a2g.* **1** Que aconteceu ou existiu anteriormente: *Ao contrário do jogo antecedente, no qual brilhou, neste ele teve fraca atuação.* **2** *Gram.* Diz-se de um elemento linguístico que ocorre numa oração ou frase e é substituído, mais adiante, por um pronome [P. ex., na frase *Esta é a mulher da qual lhe falei, 'mulher'* é o termo antecedente, que vai ser substituído pelo pronome *qual*.] *sm.* **3** *Fil.* Fato, fenômeno, que antecede, numa sucessão temporal, a outro fato ou fenômeno do qual é a causa **4** Qualquer fato, circunstância, condição etc. que implica ou provoca uma consequência: *A ignorância é um antecedente da injustiça e da miséria.* **5** *Gram.* Termo antecedente (2) **6** *Lóg.* Numa proposição condicional (por meio da conj. *se*), a afirmação que estabelece a condição ou suposição necessária para que se realize o que se afirma em consequência [P. ex.: na frase *Se chover não vou sair*, 'se chover' é o antecedente] **7** *Mat.* Numa progressão, qualquer termo em relação ao seguinte **8** *Mat.* Num termo de uma proporção, ou razão, o numerador [F.: Do lat. *antecedens, entis*.]

antecedentes (an.te.ce.*den*.tes) *smpl.* **1** Os fatos ocorridos anteriormente, que permitem supor o que poderá ocorrer em seguida **2** Atos ou fatos do passado de um indivíduo relevantes para certo fim (esp. jurídico ou médico) **3** Os antepassados de uma família, de um povo etc. [F.: Pl. de *antecedente*.] ■ **Bons ~** *Jur.* Ausência de antecedentes criminais que possam desqualificar uma pessoa para um cargo, um emprego etc.

anteceder (an.te.ce.*der*) *v.* **1** Exercer uma ação, estar, ir ou vir antes ou adiante de (algo ou alguém); PRECEDER [*td.*: *O réu ia falar, mas o advogado o antecedeu; Os prefixos antecedem os radicais.*] [*tr.* + *a*: *As críticas antecederam aos elogios.*] **2** Ocorrer ou existir (fato, tempo, pessoa) antes de (outro, outrem) [*td.*: *A revolta dos marinheiros antecedeu a revolução de 1964.*] [*tr.* + *a*: *Beethoven antecedeu a Brahms.* Ant.: *suceder*.] **3** Exceder, ser superior a [*td.* / *tr.* + *a*: *Deve sempre a razão anteceder o/ ao coração na decisão dos negócios públicos; O escritor premiado antecedeu os/ aos demais em originalidade.* Ant.: *suceder*.] **4** Tomar a dianteira, antecipar-se [*tr.* + *a*: *O navegante português antecedeu-se aos demais na descoberta de um caminho marítimo para as Índias.*] [▶ **2** anteceder] [F.: Do lat. *antecedere*.]

antecessor (an.te.ces.*sor*) [ô] *a.* **1** Que antecede ou precede; PREDECESSOR *sm.* **2** O que antecede ou precede; PREDECESSOR: *O antecessor do presidente renunciou ao cargo.* [F.: Do lat. *antecessor, oris*. Ant. ger.: *sucessor*.]

antecipação (an.te.ci.pa.*ção*) *sf.* **1** Ação ou resultado de antecipar, de fazer com que algo ocorra antes do tempo normal [+ *a, de*: *Este texto é uma antecipação ao/do artigo que sairá amanhã.*] **2** Transferência (de evento) para data ou hora anterior à marcada **3** Recebimento ou pagamento feito antecipadamente; ADIANTAMENTO: *antecipação do 13º salário.* **4** *Com.* Adiantamento de parte do valor de mercadorias em consignação **5** *Mús.* Execução prematura de uma ou muitas notas pertencentes ao acorde seguinte **6** *Ret.* Figura pela qual o orador refuta previamente possíveis objeções [Pl.: *-ções*.] [F.: Do lat. *anticipatio, onis*.] ■ **~ bancária** *Econ.* Operação de crédito feita por banco, com garantia de mercadorias, de títulos que as representam ou de ações cotadas em bolsa e de boa liquidez **~ de legítima** *Jur.* Doação, por pai ou mãe viúvos, de um bem a um filho, por conta da futura herança **Por ~** Antes do tempo ou do prazo; antecipadamente

antecipado (an.te.ci.*pa*.do) *a.* **1** Feito ou ocorrido antes do tempo normal **2** Dito de antemão; PREVISTO: *acidente antecipado pelos jornais.* **3** Recebido ou pago antes do tempo (salário antecipado) [F.: Do lat. *anticipatus, a, um*.]

antecipar (an.te.ci.*par*) *v.* **1** Fazer ou acontecer antes do tempo; ADIANTAR(-SE) [*td.*: *Antecipar as compras de Natal; Antecipou o pagamento para ter desconto.*] [*int.*: *As chuvas anteciparam(-se) este ano.*] **2** Fazer algo antes de outrem ou antes de um evento; tomar a dianteira; ADIANTAR(-SE) [*tr.* + *a*: *Preencheu a ficha de inscrição rapidamente e antecipou-se a todos na entrega.*] **3** Chegar antes de; PRECEDER [*td.*: *Apressou-se para o encontro, mas ela o antecipou assim mesmo.*] **4** Dar indício de ou perceber com antecedência [*td.*: *A carta antecipou sua chegada*: "CPI de 96 antecipou a crise dos presídios." (Paulo San Martin, O Estado de São Paulo, 22.02.2001)] **5** Avisar, comunicar com antecedência [*tdi.* + *a, para*: *Antecipou a notícia ao amigo.*] [▶ **1** antecipar] [F.: Do lat. *anticipare*.]

antecipatório (an.te.ci.pa.*tó*.ri:o) *a.* Que antecipa; ANTECIPADOR: "A musculatura lisa dos meus órgãos internos, minhas glândulas endócrinas crispavam-se numa fulgurância antecipatória das delícias do repasto." (Rubem Fonseca, *Bufo & Spallanzani*) [F.: *antecipar* + *-tório*.]

antecor (an.te.*cor*) *Vet. sm.* **1** Tumoração que se forma no peito do cavalo; LOBA; LOBÃO **2** Carbúnculo que ataca mortalmente os bovinos [F.: *ante-* + *cor* (ó).]

antecos (an.*te*.cos) *smpl.* Habitantes do globo que vivem no mesmo meridiano, mas em latitude oposta [F.: Do gr. *ántoikos*. Cf.: *periecos* e *antípoda*.]

antedata (an.te.*da*.ta) *sf.* Data anterior à real que é posta em documento para fazer crer que foi feito naquele dia [F.: *ante-* + *data*. Ant.: *pós-data*. Hom./Par.: *antedata* (sf.), *antedata* (fl. de *antedatar*).]

antedatado (an.te.da.*ta*.do) *a.* Que se antedatou; em que se pôs antedata [F.: Part. de *antedatar*. Ant.: *pós-datado*. Cf.: *pré-datado*.]

antedatar (an.te.da.*tar*) *v. td.* Colocar data anterior em (escrito ou documento), para se fazer supor que foi feito na data a que se refere: *A data do documento era verdadeira, ninguém o havia antedatado.* [▶ **1** antedatar] [F.: *ante-* + *datar*. Ant.: *pós-datar*. Cf.: *pré-datar*. Hom./Par.: *antedata* (fl.), *antedata* (sf.).]

antediluviano (an.te.di.lu.vi:*a*.no) *a.* **1** Anterior ao dilúvio narrado na Bíblia; PRÉ-DILUVIANO [Ant.: *pós-diluviano*.] **2** *Fig.* Muito antigo [F.: *ante-* + *diluviano*.]

antedizer (an.te.di.*zer*) *v. td.* Imaginar a possibilidade de ou prever (um acontecimento); PREDIZER; PROGNOSTICAR [▶ **20** antedizer] [F.: *ante-* + *dizer*.]

ante-estreia (an.te-es.*trei*.a) *sf.* O mesmo que *pré-estreia* [Pl.: *ante-estreias*.] [F.: *ante-* + *estreia*.]

antefixa (an.te.*fi*.xa) [cs] *Arq. sf.* **1** Nas cumeeiras e beirais, cada uma das telhas que amparam as telhas convexas que cobrem o vazio deixado pelas telhas ocas **2** Peça ornamental (espécie de gárgula) que permite a passagem da água [F.: Do lat. *antefixa, orum*, tomado no sing.]

antefletir (an.te.fle.*tir*) *v. td.* Fletir, flexionar, curvar para a frente: *antefletir a cabeça.* [Ant.: *retrofletir.*] [▶ **50** ante**fletir**] [F.: *ante-* + *fletir.*]

antegosto (an.te.*gos*.to) [ô] *sm.* **1** Gosto que imaginamos de uma coisa antes de prová-la **2** *Fig.* Prazer antecipado; ANTEGOZO [F.: *ante-* + *gosto.*]

antegozar (an.te.go.*zar*) *v. td.* Ter o sentimento antecipado de algo que se deseja ou se espera gozar, de um prazer futuro; PRELIBAR: *Antegozava a satisfação de algum dia rever o velho amigo.* [▶ **1** antego**zar**] [F.: *ante-* + *gozar.* Hom./Par.: *antegozo* (fl.), *antegozo* [ô] (sm.).]

antegozo (an.te.*go*.zo) [ô] *sm.* Ação ou resultado de antegozar [F.: *ante-* + *gozo.* Hom./Par.: *antegozo* (sm.), *antegozo* (fl. de *antegozar*).]

antejulgar (an.te.jul.*gar*) *v. td.* Fazer julgamento antecipado; PREJULGAR: *Não devemos antejulgá-lo.* [▶ **14** ante**julgar**] [F.: *ante-* + *julgar.*]

⊕ ***ante litem*** (*lat.*) *loc. a. Jur.* Diz-se de medida preliminar ou preparatória que se antepõe à ação [F.: Lat., *'antes do litígio'*.]

antelóquio (an.te.*ló*.qui:o) *sm.* Prefácio, prólogo, prolóquio [F.: Do lat. *anteloquium, ii.*]

antelucano (an.te.lu.*ca*.no) *a.* Feito antes da luz do dia [F.: Do lat. *antelucanus, a, um.*]

antemão (an.te.*mão*) *adv. P. us.* Antecipadamente, previamente [Mais us. na loc. *de antemão.*] [F.: *ante-* + *mão.*] **∎ De ~** Antecipadamente, logo de saída: *Avisou, de antemão, que só chegaria às 10 horas.*

antemeridiano (an.te.me.ri.di:*a*.no) *a.* Anterior ao meio-dia [F.: Do lat. *antemeridianus, a, um.* Ant.: *pós-meridiano.*]

⊕ ***ante meridiem*** (*Lat.* /ante merídiem/) *loc. adv.* Expressão que denota hora antemeridiana, ou seja, antes do meio-dia [Abrev.: *a. m.*] [Cf.: *post-meridiem.*]

◎ **-ântemo** *el. comp.* = 'flor': *argirântemo, crisântemo* (< lat. < gr.) [F.: Do gr. *-ánthemon, ou*, do gr. *ánthemon, ou.*]

antemurado (an.te.mu.*ra*.do) *a.* **1** Fortalecido com (ou protegido por) antemuros (como pode ocorrer, p. ex., com uma fortaleza) **2** *Fig.* Que é protegido, defendido [F.: Part. de *antemurar.*]

antemurar (an.te.mu.*rar*) *v. td.* **1** *Mil.* Cercar, fortificar com antemuros **2** *P. ext.* Proteger do que oferece muitos riscos; DEFENDER **3** *Fig.* Colocar obstáculos a [▶ **1** antemu**rar**] [F.: *antemuro* + *-ar*[2]. Hom./Par.: *antemuro* (fl.), *antemuro* (sm.).]

antemuro (an.te.*mu*.ro) *sm.* **1** *Mil.* Muralha que se constrói na frente da muralha principal, para reforçar a defesa de um ponto que se quer proteger; ANTEMURALHA **2** *Mil.* Muro avançado, construído entre a muralha e o fosso de uma fortificação; BARBACÃ **3** *Anat.* O mesmo que *claustro* [F.: *ante-* + *muro.* Hom./Par.: *antemuro* (sm.), *antemuro* (fl. de *antemurar*).]

◎ **-antena** *el. comp.* Ver *anten(i)-*

antena (an.*te*.na) *sf.* **1** *Eletrôn.* Dispositivo externo, ger. de grandes dimensões e que pode ter vários tamanhos e formas, cuja função é captar ou transmitir ondas eletromagnéticas: *antena da Embratel.* **2** *Eletrôn.* Dispositivo interno ou externo de um aparelho receptor de rádio ou de ondas eletromagnéticas, que capta as ondas para seu processamento ou transmite aquelas por ele geradas: *antena de rádio, de televisão.* **3** *Zool.* Cada um dos pequenos prolongamentos da cabeça dos insetos, crustáceos etc. com função sensitiva **4** *Bot.* Cada um de um par de sensíveis prolongamentos na base da coluna de certas orquídeas, que provoca, se tocado ou deslocado, uma emissão reativa de polínias pelas anteras **5** *Fig.* Percepção do que está à sua volta **6** *Cnav. Mar.* Grande haste de madeira, destinada à fabricação de mastro ou verga; esse mastro ou verga (esp. verga de vela bastarda) [F.: Do lat. *antemna* > *antenna.*] **∎ ~ parabólica** *Telc.* Antena com uma superfície refletora parabólica que concentra os sinais recebidos num ponto, para retransmiti-los, us. na comunicação por satélite [Tb. apenas *parabólica.*] **~ unidirecional** *Telc.* Antena cujo máximo de ganho se verifica numa certa direção **De ~(s) ligada(s)** *Bras.* Atento, alerta ao que se passa **Ter ~s** *Bras.* Ser muito perceptivo para o que se passa

antenado (an.te.*na*.do) *a.* **1** Que tem antena(s) **2** *Bras. Fig. Gír.* Que está ou procura estar bem informado sobre o que acontece à sua volta: *Era um jornalista antenado com os bastidores da política.* [F.: *antena* + *-ado*[2].]

antenariídeo (an.te.na.ri.*í*.de:o) *Zool. sm.* **1** Espécime dos antenariídeos, fam. de peixes teleósteos de cabeça e boca de grande tamanho, encontrados em mares tropicais e subtropicais *a.* **2** Ref. aos antenariídeos [F.: Adaptç. do lat. cient. *Antennariideae.*]

antenar-se (an.te.*nar*-se) *v. td. Pop. Fig.* Manter-se bem informado ou atualizado a respeito de algo; ficar atento às novidades, às novas tendências: *Ainda não se antenou com a nova moda.* [▶ **1** ante**nar**-se] [F.: *antena* + *-ar*[2] + *se*[1].]

◎ **anten(i)-** *el. comp.* = 'antena': *antênula, antenífero, antenista, anteniforme; astroantena, crioantena* [F.: Do lat. medv. *antenna*, lat. cláss. *antemna, ae.*]

antenífero (an.te.*ní*.fe.ro) *Zool. a.* **1** O mesmo que *antenal* **2** Que tem antenas [F.: *anten(i)-* + *-fero.*]

antenista (an.te.*nis*.ta) *s2g.* Profissional que instala ou conserta antenas de rádio, televisão etc. [F.: *antena* + *-ista.*]

antênula (an.*tê*.nu.la) *sf.* **1** Antena pequena **2** *Zool.* O segundo par de antenas dos artrópodes crustáceos [F.: *anten(i)-* + *-ula.*]

antenupcial (an.te.nup.*ci*.al) *a2g.* O mesmo que *pré-nupcial* (contrato/convenção antenupcial) [Pl.: *-ais.*] [F.: Do lat. *antenuptialis, e.* Hom./Par.: *antenupcial* (a2g.), *antinupcial* (a2g.).]

anteontem (an.te:*on*.tem) *adv.* No dia anterior ao de ontem [F.: *ante-* + *ontem.*]

anteparar (an.te.pa.*rar*) *v.* **1** Pôr anteparo em; COBRIR [*td.*: *Anteparou a entrada com um biombo.*] **2** *P. ext. Fig.* Dar proteção a (algo ou alguém, inclusive si mesmo); PROTEGER; RESGUARDAR [*td.*: *Ofuscado pelo sol, anteparou os olhos; Quando começou a chover, anteparou-se sob uma marquisa.*] [*tdr.* + *contra, de*: *Anteparou os olhos contra o /do sol.*] **3** *Fig.* Fazer parar ou parar antes do esperado, ou repentinamente; deter(-se); ESTANCAR; SOBRESTAR [*td.*: *No meio da corrida anteparou o cavalo, que não parecia estar bem.*] [*int.*: *Ofegante, anteparou a cem metros da chegada; Em pleno galope, assustado com o relâmpago, meu cavalo anteparou e empinou.*] **4** *Fig.* Impedir, impossibilitar; evitar [*td.*: "Diga-se desde já, para anteparar estranhezas futuras, que o brasileiro andava cismático..." (Camilo Castelo Branco, *Os brilhantes do brasileiro*)] [▶ **1** antepa**rar**] [F.: Do lat. *anteparare.*]

anteparo (an.te.*pa*.ro) *sm.* **1** Qualquer objeto (tb. biombo, tabique etc.) que se põe diante de alguém ou de algo para ocultá-lo ou protegê-lo **2** *Fig.* Proteção, amparo, defesa: "Melhoraram de vida, porque tinham o anteparo do comerciante." (Camilo Castelo Branco, *Filha do dr. Negro*) [F.: Dev. de *anteparar*. Hom./Par.: *anteparo* (sm.), *anteparo* (fl. de *anteparar*).]

anteparto (an.te.*par*.to) *sm.* **1** Conjunto de sintomas que antecedem o parto **2** O tempo imediatamente anterior ao parto [F.: *ante-* + *parto.* Cf.: *pós-parto.*]

antepassado (an.te.pas.*sa*.do) *sm.* **1** Pessoa de quem se descende; ASCENDENTE **2** Antecessor, predecessor: *fóssil de um antepassado dos elefantes.* [F.: Part. de *antepassar*. Ver tb. *antepassados.*]

antepassados (an.te.pas.*sa*.dos) *smpl.* Gerações anteriores de uma pessoa; ASCENDÊNCIA [F.: Pl. de *antepassado.* Ver tb. *antepassado.*]

antepasto (an.te.*pas*.to) *sm.* Série de iguarias que se servem antes do primeiro prato da refeição; PETISCO [F.: *ante-* + *pasto.*]

antepenúltimo (an.te.pe.*núl*.ti.mo) *a.* Que vem imediatamente antes do penúltimo [F.: Do lat. tard. *antepaenultimus, a, um.*]

anteplatônico (an.te.pla.*tô*.ni.co) *Fil. a.* **1** Diz-se de filósofo ou filosofia que antecede o filósofo grego Platão (429 a.C.–347 a.C.) *sm.* **2** Esse filósofo ou filosofia [F.: *ante-* + *platônico.*]

antepor (an.te.*por*) *v.* **1** Pôr(-se) ou colocar(-se) antes [*tdr.* + *a*: *antepor um prefixo ao número do telefone; Apresentou-se para a fila e se antepôs a todos.* Ant.: *pospor.*] **2** *Fig.* Ter preferência por; considerar melhor ou prioritário [*tdr.* + *a*: *Em seu relacionamento, sempre antepunha a sinceridade a qualquer outra qualidade.*] **3** Colocar(-se) em posição contrária a; CONTRAPOR(-SE); OPOR(-SE) [*tdr.* + *a*: *Os jovens professores antepunham suas ideias progressistas à inércia dos mais velhos; O patriota se antepõe a tudo o que ameaça seu país.*] [▶ **60** ante**por**] [F.: Do lat. *anteponere.*]

anteposição (an.te.po.si.*ção*) *sf.* **1** Ação ou resultado de antepor(-se) [Ant.: *posposição.*] **2** Precedência, preferência [F.: *ant(e)-* + *posição.*]

anteposto (an.te.*pos*.to) [ô] *a.* **1** Posto antes, na frente (de algo) (no tempo ou no espaço) [Ant.: *posposto.*] **2** *Fig.* Preferido, priorizado em relação a outras coisas **3** Posto em posição contrária; OPOSTO [Fem. e pl.: [ó].] [F.: Part. de *antepor.*]

anteprojeto (an.te.pro.*je*.to) *sm.* Estudo preparatório de um projeto: *anteprojeto de lei/anteprojeto arquitetônico.* [F.: *ante-* + *projeto.*]

antera (an.*te*.ra) *sf. Bot.* Parte terminal e dilatada do estame das flores, e que contém os grãos de pólen [F.: Do lat. cient. *anthera*, do gr. *antherós.* Ideia de 'antera': *anter(o)-* (*anterífero*); *-antero* (*anantero*).]

antérico (an.*té*.ri.co) *a.* **1** Ref. ou pertencente a antera; ANTERAL *sm.* **2** *Angios.* Nome comum às plantas do gên. *Anthericum*, da fam. das antericáceas, encontradas na Europa e na África [F.: Do lat. cient. *Anthericum.*]

anterídio (an.te.*rí*.di:o) *sm. Biol.* Órgão que produz as células do sexo masculino em algas, liquens, briófitas, pteridófitas, samambaias e musgos [F.: Adaptação do lat. cient. *antheridium.*]

anterífero (an.te.*rí*.fe.ro) *a. Bot.* Que possui antera(s) [F.: *anter(o)-* + *-ífero.*]

anterior (an.te.ri:*or*) [ô] *a2g.* **1** Que aconteceu ou se fez ou se situa antes [+ *a*: *Época anterior ao descobrimento.*] **2** Situado na frente: *O motor fica na parte anterior do carro.* [F.: Do lat. *anterior, oris.* Ant. ger.: *posterior.* Ideia de 'anterior': *antero* (*anterolateral*).]

anterioridade (an.te.ri:o.ri.*da*.de) *sf.* **1** Qualidade ou condição do que é anterior, no tempo ou no espaço: *Espero que minha proposta seja examinada primeiro, por sua anterioridade.* **2** *Jur.* Atribuição de prioridade ou prevalência ao que é anterior [F.: *anterior* + *-(i)dade.*] **∎ ~ lógica** *Lóg.* Qualidade de premissa, de condição ou de princípio

anteriorização (an.te.ri:o.ri.za.*ção*) *sf.* Ação ou resultado de anteriorizar, de pôr em posição anterior, precedente (no tempo ou no espaço) [Pl.: *-ções.*] [F.: *anteriorizar* + *-ção.*]

anteriorizado (an.te.ri:o.ri.*za*.do) *a.* Que se anteriorizou, que se pôs ou foi posto em posição anterior (no tempo ou no espaço) [F.: Part. de *anteriorizar.*]

anteriorizar (an.te.ri:o.ri.*zar*) *v.* **1** *Bras. Med.* Projetar(-se) ou deslocar(-se) para a parte anterior (de algo), para a frente [*td.*: *Evitar exercícios que anteriorizem a pelve.*] [*int.*: *Quando o ligamento cede, a tíbia tende a se anteriorizar frente ao fêmur.*] **2** *P. us.* Vir ou ocorrer antes de; ANTECEDER; PRECEDER [*td.*: *O geocentrismo anteriorizou a teoria de Copérnico.* Ant.: *sobrevir.*] [▶ **1** anteriori**zar**] [F.: *anterior* + *-izar.*]

◎ **-anter(o)-** *el. comp.* Ver *anter(o)-*

◎ **-antero** *el. comp.* Ver *anter(o)-*

◎ **anter(o)-** *el. comp.* = '(ref. a) flor'; 'antera': *anterífero, anteriforme, anterofilia; euleterantéreo, heptanterado; anantero, octantero* [F.: Do gr. *antherós, á, ón*, 'florido'. F. conexa: *ant(o)-*.]

◎ **antero** *el. comp.* = 'anterior', 'que está antes': *anteroinferior, anterolateral, anteroposterior, anterossuperior* [F.: Do lat. *anterior, oris.*]

anterofilia (an.te.ro.fi.*li*:a) *sf. Bot.* Processo de transformação das anteras em folhas [F.: *anter (o)-* + *-filia.*]

anteroinferior (an.te.ro:in.fe.ri:*or*) [ô] *a2g.* Que diz respeito à, ou está situado na parte anterior e inferior [F.: *ântero-* + *inferior.*]

anterolateral (an.te.ro.la.te.*ral*) *a2g.* Que diz respeito à, ou está situado na parte lateral e anterior [Pl.: *-rais.*] [F.: *antero* + *lateral.*]

anteroposterior (an.te.ro.pos.te.ri:*or*) [ô] *a2g.* Que diz respeito à, ou está situado na parte anterior e posterior; que vai desde a parte da frente até a parte de trás [F.: *antero* + *posterior.*]

anterossuperior (an.te.ros.su.pe.ri:*or*) [ô] *a2g.* Ref. à ou que está situado na parte anterior e superior (de algo) [F.: *ântero-* + *superior.*]

anterozoide (an.te.ro.*zoi*.de) *sm. Bot.* Célula masculina reprodutora (de quase todas as plantas verdes) dotada de cílios ou flagelos e de movimento, produzida pelo anterídio [F.: *anter(o)-* + *-zoide.*]

anterrosto (an.ter.*ros*.to) *sm.* **1** *Bibl.* Folha do livro que precede a folha do rosto e que ger. só contém o título da obra; FALSO-ROSTO; OLHO **2** Informação contida na primeira página do livro (ger. o título da obra) [Pl.: *anterrostos.*] [F.: *ante-* + *rosto.*]

antes (*an*.tes) *adv.* **1** Em tempo ou lugar anterior (em relação a algo, explícito ou não): *Saiu antes por causa do trânsito; Desceu do ônibus antes do ponto final.* **2** Em tempos passados; antigamente: *Antes se estudava latim nas escolas.* **3** Preferivelmente, melhor: *Antes prestigiado no interior do que invisível na cidade.* **4** Em primeiro lugar, precedentemente (em relação a algo): *Antes o futebol, depois o churrasco.* **5** Pelo contrário, ao contrário: *Não é um tipo tolo, antes, é bem esperto.* **6** Mais definível como ou comparável a (algo) do que como ou a (outra coisa): *Ela é antes ruiva do que loura.* [F.: Do lat. *ante*, com *-s* adverbial.] **∎ ~ assim** Melhor assim **~ de 1** Em tempo anterior a: *O goleiro casou antes da Copa.* **2** No espaço que antecede a: *Vai desfilar na cabeça do desfile, antes da bateria.* **3** Mais perto que (em relação ao que fala): *Minha rua fica antes da sua.* **~ que** Indica antecipação de ação, de visão etc.: *Pagou a conta antes que a amiga abrisse a bolsa.* **Em ~** Dantes **Em ~ de** Antes de **O quanto ~** O mais cedo possível: *Vou resolver isso o quanto antes.* **Ou ~** Ou melhor, quer dizer **Quanto ~** Quanto mais cedo: *Quanto antes você se tratar, mais rapidamente vai se curar.*

antese (an.*te*.se) *sf. Bot.* O desabrochar dos botões em flores; FLORESCÊNCIA [F.: Do gr. *ánthesis, eos*, 'floração'.]

antessala (an.tes.*sa*.la) *sf.* Sala de espera que antecede a sala principal; ANTECÂMARA [Pl.: *antessalas.*] [F.: *ante-* + *sala.*]

antever (an.te.*ver*) *v. td.* **1** Ver antes, ver com antecedência, com antecipação: *Não conseguiu antever o buraco em que cairia.* **2** Prever, pressagiar: "... meu destino, ele já antevia, era o de um fracassado." (João Ubaldo Ribeiro, *Diário do farol*) [▶ **32** ante**ver**] [F.: *ante-* + *ver.*]

anteversão (an.te.ver.*são*) *sf.* **1** Ação ou resultado de anteverter **2** *Pat.* Posição oblíqua de um órgão, esp. do útero [Pl.: *-sões.*] [F.: *ante-* + *versão.*]

antevéspera (an.te.*vés*.pe.ra) *sf.* O dia antes da véspera [F.: *ante-* + *véspera.*]

antevisão (an.te.vi.*são*) *sf.* **1** Ato de antever, previsão **2** *P. ext.* Presságio, pressentimento, premonição [Pl.: *-sões.*] [F.: *ante-* + *visão.*]

antevisto (an.te.*vis*.to) *a.* **1** Visto antes, previsto, pressentido, adivinhado **2** Preconizado, previsto por meios sobrenaturais; PRESSENTIDO [F.: Part. de *antever.*]

antevocálico (an.te.vo.*cá*.li.co) *a. Fon.* Que vem antes de uma vogal; PRÉ-VOCÁLICO [F.: *ante-* + *vocálico.*]

◎ **ant(i)-** *pref.* = 'contra'; 'contrário', 'adverso'; 'oposição'; 'que combate (a), atua contra, evita, ou protege (de)', 'extermina'; 'que protege ou resiste a'; 'que impede'; (*Fís.*) 'antipartícula': *antiamericano, antiaristocrata, antielitista, antirracismo, antissocial; antalgia, antalgesia, antiapoplético, antiácido, antianêmico, antialérgico, antiabortivo, antiemético, antivírus, antifúngico, antipirético antimicrobiano; antiaéreo, antissísmico; antiderrapante, antideslizante, antidetonante; antinêutron, antimúon* [F.: Do pref. gr. *anti-*, da prep. gr. *antí*, 'em frente de'; 'de encontro a'; 'em lugar de'; 'em oposição'; 'contra'.]

anti (*an*.ti) [ân] *a2g2n. Quím.* Diz-se de um dos dois isômeros em certos compostos que apresentam ligação dupla entre dois átomos de nitrogênio

antiabolicionista (an.ti:a.bo.li.ci:o.*nis*.ta) ***a2g.*** **1** Contrário à abolição da escravidão ***s2g.*** **2** Pessoa contrária à abolição da escravidão [F.: *ant(i)- + abolicionista*.]

antiabortista (an.ti.a.bor.*tis*.ta) ***a2g.*** **1** Contrário à prática ou à legalização do aborto ***s2g.*** **2** Indivíduo que se opõe à prática ou à legalização do aborto [F.: *ant(i)- + aborto + -ista*.]

antiabortivo (an.ti:a.bor.*ti*.vo) *Farm.* ***a.*** **1** Diz-se de medicação que se destina a evitar o aborto ***sm.*** **2** Essa medicação [F.: *ant(i)- + abortivo*.]

antiaborto (an.ti.a.*bor*.to) [ô] ***a2g2n.*** Contrário à prática do aborto [F.: *ant(i)- + aborto*.]

antiabsolutista (an.ti.ab.so.lu.*tis*.ta) *Pol.* ***a2g.*** **1** Contrário ao absolutismo (1) ***s2g.*** **2** Indivíduo que se opõe ao absolutismo (1) [F.: *ant(i)- + absolutista*.]

antiacadêmico (an.ti:a.ca.*dê*.mi.co) ***a.*** Que se opõe ao formalismo acadêmico; contrário às doutrinas acadêmicas [F.: *ant(i)- + acadêmico*.]

antiácido (an.ti:*á*.ci.do) *Med.* ***a.*** **1** Diz-se de substância que combate a acidez gástrica ***sm.*** **2** Essa substância [F.: *ant(i)- + ácido*.]

antiacústico (an.ti:a.*cús*.ti.co) ***a.*** Que isola acusticamente um ambiente (revestimento antiacústico) [F.: *ant(i)- + acústico*.]

antiaderente (an.ti:a.de.*ren*.te) ***a2g.*** **1** Diz-se de material que, aplicado o objeto ou utensílio (esp. de cozinha), impede aderências **2** Revestido com esse material (frigideira antiaderente.) ***sm.*** **3** Material antiaderente [F.: *ant(i)- + aderente*.]

antiaéreo (an.ti:a.*é*.re:o) ***a.*** **1** Que é us. contra ataques aéreos (canhão antiaéreo) **2** Que defende ou protege de ataques aéreos (abrigo antiaéreo) [F.: *ant(i)- + aéreo*.]

antiálcool (an.ti.*ál*.co.ol) ***a2g2n.*** Contrário ao consumo abusivo de álcool: *campanhas antiálcool*. [F.: *ant(i)- + álcool*.]

antialcoólico (an.ti.al.co.*ó*.li.co) ***a.*** **1** Que combate os efeitos do álcool **2** Que é contra o alcoolismo ***sm.*** **3** Substância que combate os efeitos do álcool [F.: *ant(i)- + alcoólico*.]

antialérgico (an.ti:a.*lér*.gi.co) ***a.*** **1** *Med.* Que atua contra alergias (diz-se de medicamento) **2** Que não causa alergias (tecido antialérgico) ***sm.*** **3** *Med.* Medicamento antialérgico (1) [F.: *ant(i)- + alérgico*.]

antialgia (an.ti.al:*gi*.a) ***sf.*** Ver *antalgia*.

antiálgico (an.ti.*ál*.gi.co) ***a. sm.*** Ver *antálgico* [F.: *ant(i)- + algia + -ico*[2].]

antiamericanismo (an.ti:a.me.ri.ca.*nis*.mo) ***sm.*** Sentimento e ideologia de antiamericano [F.: *antiamericano + -ismo*.]

antiamericano (an.ti:a.me.ri.*ca*.no) ***a.*** **1** Que é contrário aos americanos ou aos EUA, à sua influência cultural, política etc. ***sm.*** **2** Indivíduo antiamericano [F.: *ant(i)- + americano*.]

antianêmico (an.ti.a.*nê*.mi.co) *Farm.* ***a.*** **1** Que se emprega no tratamento da anemia (diz-se de substância) ***sm.*** **2** Substância que se emprega no tratamento da anemia [F.: *ant(i)- + anêmico*.]

antiápex (an.ti.*á*.pex) [cs] ***sm2n.*** *Astr.* O ponto diametralmente oposto ao ápex astronômico, localizado na constelação de Columba (Pomba) [Por op. a *ápex*.] [F.: *ant(i)- + ápex*.]

antiapartheid (an.ti.a.par.*theid*) (*táid*) ***a2g2n.*** Contrário ao apartheid ou a qualquer forma de segregação [F.: *ant(i)- + apartheid*.]

antiárabe (an.ti.*á*.ra.be) ***a2g.*** Contrário ao povo e à cultura árabes [F.: *ant(i)- + árabe*.]

antiarabismo (an.ti.a.ra.*bis*.mo) ***sm.*** Sentimento ou atitude típicos de antiárabe [F.: *ant(i)- + arabismo*.]

antiáris (an.ti.*á*:ris) *Angios.* ***sm2n.*** **1** Nome comum às árvores do gên. *Antiáris*, da fam. das moráceas, cuja madeira é us. na fabricação de compensado **2** Qualquer sp. desse gên., como é o caso da *Antiaria toxicaria*, conhecida popularmente como árvore-da-morte [F.: do lat. cient. *Antiaris*.]

antiarmamentista (an.ti.ar.ma.men.*tis*.ta) ***a2g.*** **1** Que é contra o armamentismo ***s2g.*** **2** Indivíduo que é contra o armamentismo [F.: *ant(i)- + armamentista*.]

antiarmas (an.ti.*ar*.mas) ***a2g2n.*** **1** Cujo objetivo é restringir ou suprimir o uso de armas: *lei antiarmas*. **2** Que é contrário ao uso de armas [F.: *ant(i)- + armas* (pl. de *arma*).]

antiaromaticidade (an.ti:a.ro.ma.ti.ci.*da*.de) ***sf.*** *Quím.* Propriedade de certas substâncias de serem mais instáveis que seus semelhantes acíclicos [F.: *antiaromático + -(i)dade*.]

antiaromático (an.ti:a.ro.*má*.ti.co) ***a.*** *Quím.* Que apresenta antiaromaticidade [F.: *ant(i)- + aromático*.]

antiarrítmico (an.ti.ar.*rít*.mi.co) ***a.*** **1** Que se emprega no tratamento da arritmia cardíaca (diz-se de droga, procedimento etc.) ***sm.*** **2** *Farm.* Substância empregada no tratamento da arritmia cardíaca [F.: *ant(i)- + arrítmico*.]

antiarte (an.ti.*ar*.te) ***sf.*** *Art. pl.* Movimento de vanguarda do séc. XX (*dadaísmo, pop art* etc.) que valoriza objetos comuns fabricados em série, com desprezo pelos padrões estéticos convencionais [F.: *ant(i)- + arte1*.]

antiassalto (an.ti.as.*sal*.to) ***a2g2n.*** **1** Que combate assalto: *esquadrão antiassalto*. **2** Que previne ou evita assaltos: *dispositivo antiassalto*. [F.: *ant(i)- + assalto*.]

antiatômico (an.ti.a.*tô*.mi.co) ***a.*** **1** Que se opõe à tecnologia atômica, esteja ela voltada para o desenvolvimento de armas ou para a geração de energia ***a.*** **2** Que protege dos efeitos da radiação atômica: *abrigo antiatômico*. [F.: *ant(i)- + atômico*. Sin. ger.: *antinuclear*.]

antiautomorfismo (an.ti.au.to.mor.*fis*.mo) ***sm.*** *Álg.* Interrelacionamento biunívoco de um conjunto sobre um conjunto idêntico [F.: *ant(i)- + automorfismo*.]

antiautoritarismo (an.ti.au.to.ri.ta.*ris*.mo) ***sm.*** Conjunto de princípios e práticas dos que contestam o autoritarismo [F.: *ant(i)- + autoritarismo*.]

antibacteriano (an.ti.bac.te.ri.*a*.no) *Med.* ***a.*** **1** Diz-se de agente ou substância capaz de destruir bactérias ou de inibir o seu desenvolvimento: *efeito antibacteriano do oxigênio sob pressão*. ***sm.*** **2** Esse agente ou substância [F.: *ant(i)- + bacteriano*.]

antibactericida (an.ti.bac.te.*ri*.ci.da) *Bac.* ***a2g. sm.*** Ver *bactericida* [Apesar de, etimologicamente, o termo *antibactericida* expressar o oposto de *bactericida*, tem sido comum e frequentemente us. como seu sinônimo] [F.: *ant(i)- + bactericida*.]

antibala (an.ti.*ba*.la) ***a2g2n.*** Que é à prova de balas, blindado: *coletes antibala*. [F.: *ant(i)- + bala*.]

antibalístico (an.ti.ba.*lís*.ti.co) ***a.*** Us. para interceptar e destruir mísseis balísticos [F.: *ant(i)- + balístico*.]

antibaquio (an.ti.ba.*qui*:o) ***a.*** **1** *Poét.* Que diz respeito ao, ou que apresenta o pé métrico grego ou latino formado por duas sílabas longas e uma breve ***sm.*** **2** Versificação que segue essa métrica [F.: do gr. *antibákkheios, ou*, pelo lat. tard. *antibacchiu, ii*. Tb. *antibáquio*.]

antibáquio (an.ti.*bá*.qui:o) ***a. sm.*** Ver *antibaquio*.

antibárion (an.ti.*bá*.ri.on) ***sm.*** *Fís. nu.* Nome comum às antipartículas de um bárion [F.: *ant(i)- + bárion*.]

antibelicismo (an.ti.be.li.*cis*.mo) ***sm.*** Atitude contrária à guerra ou ao belicismo; PACIFISMO [F.: *ant(i)- + belicismo*.]

antibelicista (an.ti.be.li.*cis*.ta) ***a2g.*** **1** Relativo ao antibelicismo **2** Que prega o antibelicismo ***s2g.*** **3** Adepto, defensor do antibelicismo; PACIFISTA [F.: *ant(i)- + belicista*.]

antibélico (an.ti.*bé*.li.co) ***a.*** Que se opõe à guerra ou ao belicismo [F.: *ant(i)- + bélico*.]

antibiograma (an.ti.bi:o.*gra*.ma) ***sm.*** *Pat.* Exame realizado para conhecer a resistência dos micróbios a antibióticos e quimioterápicos [F.: *ant(i)- + -bio- + -grama*.]

antibiose (an.ti.bi.*o*.se) *Biol. Ecol.* ***sf.*** Associação entre dois ou mais organismos, a qual acarreta prejuízo ou destruição de um deles [F.: *ant(i)- + -biose*.]

antibioterapia (an.ti.bi.o.te.ra.*pi*:a) *Med.* ***sf.*** Ver *antibioticoterapia*.

antibiótico (an.ti.bi.*ó*.ti.co) ***a.*** **1** *Farm.* Diz-se de substância que impede o desenvolvimento de microrganismos ou é capaz de destruí-los **2** Ref. a antibiose **3** Que causa a morte ***sm.*** **4** *Med.* Medicamento antibiótico (1) produzido por seres vivos ou por síntese [F.: *ant(i)- + biótico*.]

antibioticoterapia (an.ti.bi.o.ti.co.te.ra.*pi*.a) ***sf.*** *Med.* Tratamento de infecções com antibióticos [F.: *antibiótico + -terapia*. Tb. *antibioterapia*.]

antiblocante (an.ti.blo.*can*.te) *Aut. Mec.* ***a2g.*** **1** Que impede o travamento das rodas do carro (diz-se de dispositivo) ***sm.*** **2** Esse mecanismo [F.: *ant(i)- + bloc-* (<ing. *to block* 'travar, bloquear) *+ -a- + -nte*.]

antibloqueio (an.ti.blo.*quei*.o) *Aut. Mec.* ***a2g2n.*** Diz-se de dispositivo que não permite o bloqueio das rodas do carro [F.: *ant(i)- + bloqueio*.]

antibomba (an.ti.*bom*.ba) ***a2g2n.*** **1** Especializado na desativação ou na detonação controlada de explosivos (esquadrão antibomba) **2** Que protege contra bombas: *abrigos antibomba* [F.: *ant(i)- + bomba*.]

antibrasileiro (an.ti.bra.si.*lei*.ro) ***a.*** **1** Que se opõe ao Brasil ou aos brasileiros ***sm.*** **2** Aquele que se opõe ao Brasil ou aos brasileiros [F.: *ant(i)- + brasileiro*.]

antiburguês (an.ti.bur.*guês*) ***a.*** **1** Que se opõe ao modo de vida e às instituições burguesas ***sm.*** **2** Indivíduo antiburguês [F.: *ant(i)- + buguês*.]

anticalvície (an.ti.cal.*ví*.ci:e) ***a2g2n.*** Que combate a calvície (diz-se de substância, medicamento ou tratamento) [F.: *ant(i)- + calvície*.]

anticâncer (an.ti.*cân*.cer) ***a2g2n.*** Que se emprega no tratamento ou na prevenção do câncer [F.: *ant(i)- + câncer*.]

anticancerígeno (an.ti.can.ce.*rí*.ge.no) *Med.* ***a.*** **1** Que previne ou combate o câncer (diz-se de substância ou medicamento) ***sm.*** **2** Substância ou medicamento anticancerígeno [F.: *ant(i)- + cancerígeno*.]

anticanceroso (an.ti.can.ce.*ro*.so) [ô] ***a.*** Que combate o câncer; ANTICANCERÍGENO [Pl.: *ó*. Fem.: *ó*] [F.: *anti- + canceroso*.]

anticandidatura (an.ti.can.di.da.*tu*.ra) ***sf.*** *Pol.* Candidatura sem possibilidade de vitória, postulada simbolicamente como protesto em uma eleição de resultados previsíveis [F.: *anti- + candidatura*.]

anticapitalismo (an.ti.ca.pi.ta.*lis*.mo) ***sm.*** *Pol.* Doutrina e prática contrárias aos princípios do capitalismo [F.: *anti- + capitalismo*.]

anticárie (an.ti.*cá*.ri:e) ***a2g2n.*** *Od.* Que combate ou evita cáries [F.: *anti- + cárie*.]

anticarro (an.ti.*car*.ro) ***sm.*** *Mil.* Qualquer sistema ou arma que se emprega contra carros de combate [F.: *ant(i)- + carro*.]

anticaspa (an.ti.*cas*.pa) ***a2g2n.*** **1** Que evita ou combate a caspa (diz-se de substância ou produto) ***sm.*** **2** Substância ou produto anticaspa [F.: *ant(i)- + caspa*.]

anticastrismo (an.ti.cas.*tris*.mo) ***sm.*** *Pol.* Oposição ao castrismo [F.: *ant(i)- + castrismo*.]

anticátodo (an.ti.*cá*.to.do) ***sm.*** *Fís.* Elétrodo de um tubo que produz raios X sobre o qual incide o feixe de elétrons, e de onde se emite a radiação X; ANTICATODO [F.: *anti- + cátodo/catódio/catodo*.]

anticatólico (an.ti.ca.*tó*.li.co) ***a.*** **1** Contrário ao catolicismo ou à Igreja Católica ***sm.*** **2** Indivíduo anticatólico [F.: *anti- + católico*.]

antichama (an.ti.*cha*.ma) ***a2g2n.*** **1** Que é à prova de fogo: *tecido antichama*. **2** Que não se inflama: *fios antichama*. [F.: *ant(i)- + chama*.]

antichoque (an.ti.*cho*.que) ***a2g2n.*** Que amortece choques ou é a prova de choques [F.: *anti- + choque*.]

anticiclone (an.ti.ci.*clo*.ne) ***sm.*** *Met.* Zona de altas pressões atmosféricas, difusoras de vento, e em que o tempo se apresenta bom e seco; centro de alta pressão [F.: *ant(i)- + ciclone*. Cf. *ciclone*.]

anticiência (an.ti.ci.*ên*.ci:a) ***sf.*** Doutrina ou atitude contrária à ciência ou ao método científico [F.: *ant(i)- + ciência*.]

anticientífico (an.ti.ci.en.*tí*.fi.co) ***a.*** Que é contrário à ciência ou ao método científico [F.: *ant(i)- + científico*.]

anticlerical (an.ti.cle.ri.*cal*) ***a2g.*** **1** Que é contrário ao clero ou à sua influência política e/ou social [Pl.: *-cais*.] ***s2g.*** **2** Indivíduo anticlerical [Pl.: *-cais*.] [F.: *ant(i)- + clerical*.]

anticlericalismo (an.ti.cle.ri.ca.*lis*.mo) ***sm.*** Oposição ao clero e ao clericalismo [F.: *ant(i)- + clericalismo*.]

anticlimático (an.ti.cli.*má*.ti.co) ***a.*** Ref. a ou caracterizado por anticlímax [F.: *anticlima+ -t- + -ico*[2].]

anticlímax (an.ti.*clí*.max) [cs] ***sm2n.*** **1** Fato, cena (de filme, peça teatral etc.), situação etc. que frustra a expectativa de um clímax por ser menos relevante, às vezes decepcionante **2** *Ret.* Figura de linguagem que consiste no emprego, numa mesma frase, de gradação descendente de sentido [F.: *ant(i)- + clímax*. Ant. ger.: *clímax*.]

anticlinal (an.ti.*cli*.nal) ***a2g.*** **1** *Geol.* Que diz respeito a anticlíneo **2** *Bot.* Diz-se da membrana ou das paredes celulares de um órgão que são perpendiculares à sua superfície **3** *Zool.* Diz-se de vértebra torácica que tem espinho neural situado em sentido contrário ao do espinho neural adjacente; ANTICLÍNEO ***sf.*** **4** *Geol.* O mesmo que *anticlíneo* [Pl.: *-ais*.] [F.: *anti- + clinal*.]

anticlíneo (an.ti.*clí*.ne:o) ***a.*** **1** *Bot.* O mesmo que *anticlinal* ***sm.*** **2** *Geol.* Dobra em cujo núcleo há rochas estratigraficamente mais velhas; ANTICLINAL [F.: *ant(i)- + -clíneo*.]

anticoagulante (an.ti.co:a.gu.*lan*.te) *Med.* ***a2g.*** **1** Diz-se de medicamento que impede ou retarda a coagulação do sangue ***sm.*** **2** Esse medicamento [F.: *ant(i)- + coagulante*.]

anticólera (an.ti.*có*.le.ra) *Med.* ***a2g.*** Ver *anticolérico* [F.: *ant(i)- + cólera*.]

anticolérico (an.ti.co.*lé*.ri.co) *Med.* ***a.*** Que se emprega no tratamento da cólera [F.: *ant(i)- + colérico*.]

anticolesterol (an.ti.co.les.te.*rol*) *Farm.* ***a2g2n.*** Que reduz os níveis sanguíneos de colesterol (diz-se de substância) [F.: *ant(i)- + colesterol*.]

anticolinérgico (an.ti.co.li.*nér*.gi.co) ***a.*** **1** *Med.* Que suprime a ação da acetilcolina ***sm.*** **2** *Farm.* Substância que suprime a ação da acetilcolina [F.: *ant(i)- + colinérgico*.]

anticolonial (an.ti.co.lo.ni.*al*) ***a2g.*** *Hist. Pol.* Contrário ao regime colonialista; que se opõe ao domínio de uma metrópole (4); ANTICOLONIALISTA [Pl.: *-ais*.] [F.: *ant(i)- + colonial*.]

anticolonialismo (an.ti.co.lo.ni:a.*lis*.mo) *Pol.* ***sm.*** **1** Movimento ou doutrina contrária ao colonialismo **2** Oposição ao colonialismo [F.: *ant(i)- + colonialismo*.]

anticolonialista (an.ti.co.lo.ni.a.*lis*.ta) *Pol.* ***a2g.*** **1** Que diz respeito ao anticolonialismo, que se opõe ao sistema ou à exploração colonial ***s2g.*** **2** Indivíduo partidário do anticolonialismo [F.: *ant(i)- + colonialista*.]

anticomercial (an.ti.co.mer.ci.*al*) ***a2g.*** Contrário aos interesses ou às práticas do comércio [F.: *ant(i)- + comercial*.]

anticompetitivo (an.ti.com.pe.ti.*ti*.vo) ***a.*** *Econ.* Que restringe ou impede a livre competição comercial [O *dumping* e a cartelização, p. ex., são práticas anticompetitivas.] [F.: *ant(i)- + competitivo*.]

anticomunismo (an.ti.co.mu.*nis*.mo) ***sm.*** *Pol.* Doutrina contrária às ideias comunistas; combate ao comunismo [F.: *ant(i)- + comunismo*.]

anticomunista (an.ti.co.mu.*nis*.ta) *Pol.* ***a2g.*** **1** Ref. ao que se opõe ao comunismo ***s2g.*** **2** Seguidor do anticomunismo [F.: *ant(i)- + comunista*.]

anticoncepção (an.ti.con.cep.*ção*) ***sf.*** *Med.* Qualquer método para evitar a concepção de filhos; CONTRACEPÇÃO [Pl.: *-ções*.] [F.: *ant(i)- + concepção*.]

anticoncepcional (an.ti.con.cep.ci:o.*nal*) *Med.* ***a2g.*** **1** Diz-se de método ou medicamento que evita a concepção de filhos (pílula anticoncepcional) [Pl.: *-nais*.] ***sm.*** **2** Método ou medicamento anticoncepcional [Pl.: *-nais*.] [F.: *anticoncepção + -al*, seg. o mod erudito. Sin. ger.: *contraceptivo*.]

anticonceptivo (an.ti.con.cep.*ti*.vo) *Med.* ***a. sm.*** O mesmo que *contraceptivo* [F.: *ant(i)- + conceptivo*.]

anticonformismo (an.ti.con.for.*mis*.mo) ***sm.*** Atitude que rejeita as normas legais ou morais estabelecidas, bem como as tradições vigentes [F.: *ant(i)- + conformismo*.]

anticonformista (an.ti.con.for.*mis*.ta) ***a2g.*** **1** Ref. a anticonformismo; que se opõe ao conformismo ***s2g.*** **2** Indivíduo que se opõe ao conformismo [F.: *ant(i)- + conformista*.]

anticongelante (an.ti.con.ge.*lan*.te) ***a2g.*** **1** Que evita o congelamento ***sm.*** **2** Substância (p. ex., o álcool) que se adiciona a um líquido, para evitar congelamento [F.: *ant(i)- + congelante*.]

anticongestionante (an.ti.con.ges.ti.o.*nan*.te) *Med.* ***a2g.*** **1** Que impede a congestão, especificamente a congestão nasal ***sm.*** **2** Medicamento anticongestionante [F.: *ant(i)- + congestionar + -nte*.]

anticonservacionismo (an.ti.con.ser.va.ci:o.*nis*.mo) ***sm.*** Oposição ao conservacionismo [F.: *ant(i)-* + *conservacionismo.*]

anticonservacionista (an.ti.con.ser.va.ci:o.*nis*.ta) ***a2g.*** **1** Contrário ao conservacionismo ***s2g.*** **2** Pessoa que se opõe ao conservacionismo [F.: *ant(i)-* + *conservacionista.*]

anticonstitucional (an.ti.cons.ti.tu.ci:o.*nal*) ***a2g.*** Contrário à constituição[1] (5) de um país [Pl.: *-nais.*] [F.: *ant(i)-* + *constitucional.*]

anticonvencional (an.ti.con.ven.ci:o.*nal*) ***a2g.*** **1** Não convencional **2** Que não aceita ou se opõe a convenções [Pl.: *-ais.*] [F.: *ant(i)-* + *convencional.*]

anticonvulsivo (an.ti.con.vul.*si*.vo) *Med.* ***a.*** **1** Diz-se de medicamento que previne ou combate convulsões ***sm.*** **2** Medicamento anticonvulsivo [F.: *ant(i)-* + *convulsivo.*]

anticorpo (an.ti.*cor*.po) [ô] ***sm.*** *Imun.* Proteína presente no sangue, produzida como reação à introdução de substância estranha (antígeno) no organismo; IMUNOGLOBULINA [A produção de anticorpos é uma das formas de expressão da resposta imunológica.] [Pl.: [ó].] [F.: *ant(i)-* + *corpo.* Cf.: *antígeno.*] ■ **~ monoclonal** *Imun.* O que é produzido por um grupo de células clonadas, específico para um só antígeno

anticorrosão (an.ti.cor.ro.*são*) ***a2g2n.*** Ver *anticorrosivo* [F.: *ant(i)-* + *corrosão.*]

anticorrosivo (an.ti.cor.ro.*si*.vo) ***a.*** **1** Que impede a corrosão (revestimento anticorrosivo) ***sm.*** **2** Substância anticorrosiva [F.: *ant(i)-* + *corrosivo.*]

anticorrupção (an.ti.cor.rup.*ção*) ***a2g2n.*** Que combate ou denuncia a corrupção (4): *normas anticorrupção.* [F.: *ant(i)-* + *corrupção.*]

anticrepúsculo (an.ti.cre.*pús*.cu.lo) ***sm.*** *Astr.* Claridade que ilumina fracamente o ponto do horizonte oposto ao Sol, antes da aurora e depois do ocaso desse astro [F.: *ant(i)-* + *crepúsculo.*]

anticrese (an.ti.*cre*.se) *Jur.* Contrato pelo qual o devedor dá ou destina ao credor, para segurança da dívida, uma propriedade imóvel, cuja renda serve para garantir o pagamento sucessivo dos juros, e em alguns casos como amortização da dívida [F.: do lat. tard. *antichrésis.*]

anticriminalidade (an.ti.cri.mi.na.li.*da*.de) ***a2g.*** Que previne ou combate a criminalidade (programa anticriminalidade) [F.: *ant(i)-* + *criminalidade.*]

anticristo (an.ti.*cris*.to) ***sm.*** **1** *Rel.* Segundo o livro do Apocalipse, personagem que, antes do final dos tempos, virá ao mundo fazer a humanidade sofrer horrivelmente até ser, afinal, derrotado por Cristo **2** Símbolo de tudo que se opõe a Cristo e nega a sua divindade **3** *P. ext.* Qualquer perseguidor feroz dos cristãos [F.: Do lat. ecles. *antichristus*, do gr. *antíchristos.*]

anticsi (an.*tic*.si) ***sm.*** *Fís. nu.* Antipartícula de bárion csi

anticsi-mais (an.tic.si-*mais*) ***sm.*** *Fís. nu.* Antibárion de massa igual a 1,415 unidade de massa atômica [Pl.: *anticsis-mais.*]

anticsi-zero (an.tic.si-*ze*.ro) ***sm.*** *Fís. nu.* Antipartícula do csi-zero [Pl.: *anticsis-zero.*]

anticultura (an.ti.cul.*tu*.ra) ***sf.*** O mesmo que *contracultura* (2) [F.: *ant(i)-* + *cultura.*]

antidemocracia (an.ti.de.mo.cra.*ci*:a) ***sf.*** Doutrina ou regime contrários à democracia, ou que a rejeitam [F.: *ant(i)-* + *democracia.*]

antidemocrata (an.ti.de.mo.*cra*.ta) ***a2g.*** **1** Que se opõe à democracia ***s2g.*** **2** Indivíduo que se opõe à democracia [F.: *ant(i)-* + *democrata.*]

antidemocrático (an.ti.de.mo.*crá*.ti.co) ***a.*** Contrário à democracia (movimento antidemocrático); ANTIDEMOCRATA [F.: *ant(i)-* + *democrático.*]

antidengue (an.ti.*den*.gue) ***a2g2n.*** Que combate ou previne o dengue (1): *vacina antidengue; campanhas antidengue.* [F.: *ant(i)-* + *dengue.*]

antidepressivo (an.ti.de.pres.*si*.vo) *Med.* ***a.*** **1** Diz-se de medicamento que trata ou evita a depressão ***sm.*** **2** Medicamento antidepressivo [F.: *ant(i)-* + *depressivo.*]

antiderrapante (an.ti.der.ra.*pan*.te) ***a2g.*** **1** Que impede derrapagens e/ou escorregões (pneu antiderrapante; solado antiderrapante) ***sm.*** **2** O que impede derrapagens e/ou escorregões [F.: *ant(i)-* + *derrapante.*]

antidesemprego (an.ti.de.sem.*pre*.go) ***a2g2n.*** Que combate o desemprego: *medidas antidesemprego.* [F. *ant(i)-* + *desemprego.*]

antidesportivo (an.ti.des.por.*ti*.vo) ***a.*** O mesmo que *antiesportivo* [F.: *ant(i)-* + *desportivo.*]

antidetonante (an.ti.de.to.*nan*.te) *Quím.* ***a2g.*** **1** Diz-se de substância que, adicionada à gasolina, impede a detonação desta quando submetida a alta compressão nos motores de explosão ***s2g.*** **2** Substância antidetonante [F.: *ant(i)-* + *detonante.*]

antidiabético (an.ti.di.a.*bé*.ti.co) *Med.* ***a.*** **1** Que combate ou controla o diabete ***sm.*** **2** Substância que combate ou controla o diabete [F.: *ant(i)-* + *diabético.*]

antidiarreico (an.ti.di.ar.*rei*.co) *Med.* ***a.*** **1** Eficaz contra a diarreia ***sm.*** **2** Substância eficaz no combate à diarreia [F.: *ant(i)-* + *diarreico.*]

antidifamatório (an.ti.di.fa.ma.*tó*.ri:o) ***a2g2n.*** Que combate, previne ou pune a difamação [F.: *ant(i)-* + *difamatório.*]

antidiftérico (an.ti.dif.*té*.ri.co) *Med.* ***a.*** **1** Que atua contra a difteria ***sm.*** **2** Substância que atua contra a difteria [F.: *ant(i)-* + *-diftérico.*]

antidínico (an.ti.*dí*.ni.co) *Farm.* ***a.*** **1** Diz-se de medicamento empregado contra a vertigem ***sm.*** **2** Esse medicamento [F.: *ant(i)-* + *dino-* + *-ico.*]

antidiscriminação (an.ti.dis.cri.mi.na.*ção*) ***a2g2n.*** **1** Que combate a discriminação: *leis antidiscriminação.* ***sf.*** **2** Doutrina ou atitude contrária a qualquer tipo de discriminação [Pl.: *-ões.*] [F.: *ant(i)-* + *discriminação.*]

antidispneico (an.ti.disp.*nei*.co) *Med.* ***a.*** **1** Eficaz contra a dispneia ***sm.*** **2** Substância eficaz contra a dispneia [F.: *ant(i)-* + *dispneico.*]

antidistônico (an.ti.dis.*tô*.ni.co) *Med.* ***a.*** **1** Que se emprega no tratamento da distonia (2) ***sm.*** **2** Substância antidistônica [F.: *ant(i)-* + *-distônico.*]

antidiurético (an.ti.di.u.*ré*.ti.co) *Med.* ***a.*** **1** Que reduz ou suprime a secreção de urina ***sm.*** **2** Substância que reduz ou suprime a secreção de urina [F.: *ant(i)-* + *diurético.*]

antidogmático (an.ti.dog.*má*.ti.co) ***a.*** Contrário aos dogmas [F.: *ant(i)-* + *-dogmático.*]

antidopagem (an.ti.do.*pa*.gem) ***a2g2n.*** **1** Empregado para detectar a prática de dopagem (2) em competições esportivas **2** Que combate a prática da dopagem (2) [F.: *ant(i)-* + *dopagem.*]

⊕ ***antidoping*** (*Ing.* /antidópin/) *Esp.* ***a2g2n.*** **1** Que combate o uso do *doping* nos esportes (programa *antidoping*) **2** Diz-se de teste ou exame para detectar o *doping* ***s2g2n.*** **3** Esse teste ou exame: *O atleta foi pego no antidoping.*

antídoto (an.*tí*.do.to) ***sm.*** **1** *Farm.* Medicamento que neutraliza os efeitos de um veneno; CONTRAVENENO ***sm.*** **2** *Fig.* Remédio, recurso, solução: *O melhor antídoto contra o tédio é o trabalho.* [F.: Do lat. *antidotum, i*, do gr. *antídoton.*]

antidroga (an.ti.*dro*.ga) ***a2g2n.*** Que combate o tráfico e o consumo de drogas ilícitas: *medidas antidroga; campanha antidroga.* [F.: *ant(i)-* + *droga.*]

antidrogas (an.ti.*dro*.gas) ***a2g2n.*** Ver *antidroga* [F.: *ant(i)-* + o pl. de *droga.*]

antiecológico (an.ti.e.co.*ló*.gi.co) ***a.*** Contrário à preservação da natureza ou ao equilíbrio ecológico [F.: *ant(i)-* + *ecológico.*]

antieconômico (an.ti:e.co.*nô*.mi.co) ***a.*** **1** Que acarreta um alto custo final, ger. acompanhado de baixa produtividade: *A pulverização é um método antiecológico e antieconômico.* **2** Contra a boa administração da economia (medidas antieconômicas) [F.: *ant(i)-* + *econômico.*]

antielectrão (an.ti.e.lec.*trão*) ***sm.*** *Lus. Fís. nu.* Ver *antielétron* [Pl.: *-trões.*]

antielétron (an.ti:e.*lé*.tron) ***sm.*** *Fís. nu.* O mesmo que *pósitron* [F.: *ant(i)-* + *elétron.*]

antiembaçante (an.ti.em.ba.*çan*.te) ***a2g.*** **1** Que evita o embaçamento **2** Que não embaça (espelho antiembaçante) ***sm.*** **3** Produto us. para evitar o embaçamento [F.: *ant(i)-* + *embaçante.*]

antiemético (an.ti.e.*mé*.ti.co) *Farm.* ***a.*** **1** Que suprime o vômito ***sm.*** **2** Substância que suprime o vômito [F.: *ant(i)-* + *emético.*]

antienchente (an.ti.en.*chen*.te) ***a2g2n.*** Que evita enchentes: *obras antienchentes.* [F.: *ant(i)-* + *enchente.*]

antiepiléptico (an.ti.e.pi.*lép*.ti.co) *Med.* ***a.*** **1** Que se emprega no tratamento da epilepsia ***sm.*** **2** Droga antiepiléptica [F.: *ant(i)-* + *epiléptico.* Tb. *antiepilético.*]

antiepilético (an.ti:e.pi.*lé*.ti.co) ***a.*** Ver *antiepiléptico*

antiescorbútico (an.ti.es.cor.*bú*.ti.co) *Farm.* ***a.*** **1** Que combate ou previne o escorbuto ***sm.*** **2** Substância antiescorbútica [F.: *ant(i)-* + *escorbútico.*]

antiespasmódico (an.ti:es.pas.*mó*.di.co) *Med.* ***a.*** **1** Diz-se de medicamento que elimina ou atenua os espasmos ***sm.*** **2** Esse medicamento [F.: *ant(i)-* + *espasmódico.*]

antiesportivo (an.ti:es.por.*ti*.vo) ***a.*** Que não respeita as regras ou a compostura numa competição esportiva (atitude antiesportiva) [F.: *ant(i)-* + *esportivo.*]

antiestático (an.ti.es.*tá*.ti.co) ***a.*** **1** Que reduz, remove ou evita o aparecimento de eletricidade estática **2** Que reduz ou evita o efeito da eletricidade estática em aparelhos eletrônicos ***sm.*** **3** Aparelho destinado a eliminar cargas elétricas em materiais têxteis [F.: *ant(i)-* + *estático.*]

antiestético (an.ti:es.*té*.ti.co) ***a.*** Sem estética; desprovido de senso estético ou de beleza (ornamento antiestético) [F.: *ant(i)-* + *estético.*]

antiestresse (an.ti.es.*tres*.se) ***a2g2n.*** Que combate ou evita o estresse [F.: *ant(i)-* + *estresse.*]

antiético (an.ti:*é*.ti.co) ***a.*** Contrário à ética (conduta antiética) [F.: *ant(i)-* + *ético.* Cf.: *aético.*]

antieuropeu (an.ti.eu.ro.*peu*) ***a.*** Que se opõe à Europa e aos europeus, seus costumes, cultura etc. [F.: *ant(i)-* + *europeu.*]

antievangélico (an.ti.e.van.*gé*.li.co) ***a.*** **1** Que está em consonância com os Evangelhos; contrário aos Evangelhos **2** Que se opõe aos cristãos evangélicos ***sm.*** **3** Indivíduo que se opõe aos Evangelhos ou aos cristãos evangélicos [F.: *ant(i)-* + *evangélico.*]

antifascismo (an.ti.fas.*cis*.mo) *Pol.* ***sm.*** **1** Doutrina contrária ao fascismo **2** Combate ao fascismo [F.: *ant(i)-* + *fascismo.*]

antifascista (an.ti.fas.*cis*.ta) ***a2g.*** **1** Ref. ao antifascismo **2** Que é adepto do antifascismo ***s2g.*** **3** Adepto do antifascismo [F.: *ant(i)-* + *fascista.*]

antifebril (an.ti.fe.*bril*) ***a2g. sm.*** *Med.* O mesmo que *antipirético* [Pl.: *-bris.*] [F.: *ant(i)-* + *febril.*]

antifederalismo (an.ti.fe.de.ra.*lis*.mo) ***sm.*** Oposição ou movimento contrário ao federalismo [F.: *ant(i)-* + *federalismo.*]

antifeminismo (an.ti.fe.mi.*nis*.mo) ***sm.*** Oposição ao feminismo [F.: *ant(i)-* + *feminismo.*]

antifeminista (an.ti.f e.mi.*nis*.ta) ***a2g.*** **1** Ref. ao antifeminismo ***s2g.*** **2** Que é partidário do antifeminismo ***s2g.*** **3** Partidário do antifeminismo [F.: *ant(i)-* + *feminista.*]

antífen (an.*tí*.fen) ***sm.*** *Art. gr.* Na revisão e correção de provas, sinal (#) de separar o que, por lapso de composição, ficou sem o devido espaço [Pl.: *antífens ou antífenes.*]

antiferromagnetismo (an.ti.fer.ro.mag.ne.*tis*.mo) ***sm.*** *Fís.* Propriedade de certas substâncias que possuem spins atômicos antiparalelos [F.: *anti-* + *ferromagnetismo.*]

antiferrugem (an.ti.fer.*ru*.gem) ***a2g2n.*** **1** Que evita ou impede a ação da ferrugem; que protege contra a ferrugem ***s2g.*** **2** Produto eficaz contra a ferrugem [F.: *ant(i)-* + *ferrugem.*]

antifibrilante (an.ti.fi.bri.*lan*.te) ***a2g.*** **1** *Med.* Que combate ou evita a fibrilação **2** *Têxt.* Que evita a formação de fibras em tecidos sintéticos ***sm.*** **3** Medicamento antifibrilante (1) [F.: *ant(i)-* + *fibrilante.*]

antiflatulento (an.ti.fla.tu.*len*.to) *Farm.* ***a.*** **1** Diz-se de medicamento que combate a flatulência ***sm.*** **2** Esse medicamento [F.: *ant(i)-* + *flatulento.* Sin. ger.: *antifisético; carminativo.*]

antifogo (an.ti.*fo*.go) ***a.*** *Quím.* Que não entra em combustão; que evita a propagação do fogo (vinil antifogo) [F.: *ant(i)-* + *fogo.*]

antífona (an.*tí*.fo.na) ***sf.*** *Litu.* Versículo que se diz ou entoa, todo ou em parte, antes de um salmo ou canto bíblico, e depois se repete em coro [Col.: *antifonário.*] [F.: Do lat. *antiphona*, do gr. *antíphonos.*]

antifonal (an.ti.fo.*nal*) ***a2g.*** **1** Ref. a antífona [Pl.: *-nais.*] ***sm.*** **2** *Mús.* Peça opcional adaptada ao teclado de um órgão e que serve para produzir certos efeitos, separadamente ou em conjunto com o órgão [Pl.: *-nais.*] [F.: *antífona* + *-al.*]

antífrase (an.*tí*.fra.se) ***sf.*** *Ret.* Uso de uma palavra ou frase em sentido oposto ao usual, por superstição ou por ironia (p. ex.: *pois sim* por *de forma alguma*) [F.: Do gr. *antíphrasis, eos*, pelo lat. *antiphrasis, is.* Cf.: *eufemismo.*]

antifraude (an.ti.*frau*.de) ***a2g2n.*** Diz-se do sistema ou dispositivo destinado a evitar fraudes [F.: *ant(i)-* + *fraude.*]

antifumo (an.ti.*fu*.mo) ***a2g2n.*** Contrário ao fumo, ao ato de fumar; ANTITABAGISTA [F.: *ant(i)-* + *fumo.*]

antifúngico (an.ti.*fún*.gi.co) ***a.*** **1** Que combate ou evita a proliferação de fungos; FUNGICIDA ***sm.*** **2** Substância antifúngica [F.: *ant(i)-* + *fúngico.*]

antifurto (an.ti.*fur*.to) ***a2g2n.*** Que dificulta ou impede furtos (portas antifurto) [F.: *ant(i)-* + *furto.*]

antigaláctico (an.ti.ga.*lác*.ti.co) ***a.*** **1** Diz-se de substância que pode diminuir ou eliminar a secreção do leite ***sm.*** **2** Essa substância [F.: *ant(i)-* + *-galact(o)-* + *-ico*[2].]

antigalha (an.ti.*ga*.lha) ***sf.*** Ver *antigualha*

antigamente (an.ti.ga.*men*.te) ***adv.*** Em épocas passadas; há muito tempo; OUTRORA [F.: O fem. de *antigo* + *-mente.*]

antigás (an.ti.*gás*) ***a2g2n.*** Que combate ou evita os efeitos de gases tóxicos (máscaras antigás) [F.: *ant(i)-* + *gás.*]

antigênico (an.ti.*gê*.ni.co) ***a.*** **1** Ref. a ou que tem as propriedades de um antígeno **2** Produzido por antígenos [F.: *antígeno* + *-ico*[2].]

antígeno (an.*tí*.ge.no) ***sm.*** *Imun.* Substância que, introduzida no organismo, provoca a formação de anticorpos específicos [F.: *ant(i)-* + *-geno.*]

antigermânico (an.ti.ger.*mâ*.ni.co) ***a.*** Contrário ao que é alemão (sentimento antigermânico) [F.: *ant(i)-* + *germânico.*]

antiginástica (an.ti.gi.*nás*.ti.ca) ***sf.*** Modalidade de ginástica em que se empregam exercícios suaves e técnicas de relaxamento para corrigir vícios de postura [F.: *ant(i)-* + *ginástica.*]

antigo (an.*ti*.go) ***a.*** **1** Que existe ou atua há muito tempo, que é de longa data: *Os índios são antigos habitantes desta floresta; Visitei uma exposição de joias antigas.* **2** Que existiu ou aconteceu em épocas passadas: *o antigo Império Romano; as antigas invasões bárbaras.* **3** Que se mantém ou conserva há muito tempo (antiga parceria) **4** Que exerceu mas já não exerce (função ou atividade), que ocupou mas já não ocupa (cargo), que precedeu (atual titular de cargo ou função): *Convidou todos os antigos diretores para a cerimônia; Este é o antigo gerente desta firma.* **5** *Ling.* Diz-se do português us. entre o séc. IX e meados do séc. XVI; ARCAICO [Superl.: *antiquíssimo* e *antiguíssimo.*] ***sm.*** **6** Tudo que é antigo, como objetos, costumes, cultura, tradição etc.: *Tradicionalista, preferia o antigo ao moderno.* **7** No pl., pessoas, povos, grupos etc. que viveram na Antiguidade [Us. somente no pl.] [F.: Do lat. *antiquus, a, um.*] ■ **À antiga** À maneira dos antigos, como antigamente

antigório (an.ti.*gó*.ri:o) ***sm.*** Esmalte grosseiro para revestir louça de qualidade inferior [F.: Do top. *Antigório* (Itália).]

antigovernamental (an.ti.go.ver.na.men.*tal*) ***a2g.*** **1** Que é contra o governo constituído, ou contra a sua política [Pl.: *-ais.*] ***s2g.*** **2** Adversário do governo constituído [F.: *ant(i)-* + *governamental.* Sin. ger.: *antigovernista, oposicionista.*]

antigovernista (an.ti.go.ver.*nis*.ta) ***a2g. s2g.*** O mesmo que *antigovernamental.* [F.: *ant(i)-* + *governista.*]

antigoverno (an.ti.go.*ver*.no) ***a2g2n.*** Ver *antigovernamental* [F.: *ant(i)-* + *governo.*]

antigravitacional (an.ti.gra.vi.ta.ci.o.*nal*) *Fís.* ***a2g.*** **1** Diz-se de força capaz de diminuir ou eliminar os efeitos da gravidade **2** Que permite ganhar altitude por meio de aceleração ascendente [Pl.: *-nais.*] [F.: *ant(i)-* + *gravitacional.*]

antigripal (an.ti.gri.*pal*) *Med.* ***a2g.*** **1** Que combate ou previne a gripe ou os seus sintomas (diz-se de medicamento) [Pl.: *-pais.*] ***sm.*** **2** Medicamento antigripal [Pl.: *-pais.*] [F.: *ant(i)-* + *gripal.*]

antigualha (an.ti.*gua*.lha) *sf.* **1** Antiguidade, objeto antigo: "... antigualha de capelinha..." (Guimarães Rosa, *Estas estórias*) **2** Monumentos, restos, ruínas de antigas construções **3** *Pej.* Coisas velhas e sem utilidade; FERRO-VELHO; VELHARIA [F.: Do fr. *antiquaille*, do it. *anticaglia*, do it. *antico* < lat. *antiquus, a, um*. Tb.: *antigalha, antiqualha*.]

antiguano (an.ti.*gua*.no) *sm.* **1** Indivíduo nascido ou que vive em Antígua e Barbuda, ilhas do mar das Antilhas *a.* **2** De Antígua e Barbuda; típico desse país ou de seu povo [F.: Do top. *Antígua (e Barbuda)* + *-ano*[1].]

antiguerra (an.ti.*guer*.ra) *a2g.* Que se opõe à guerra; PACIFISTA [F.: *ant(i)-* + *guerra*.]

antiguerrilha (an.ti.guer.*ri*.lha) *a2g.* Que combate a guerrilha [F.: *ant(i)-* + *guerrilha*.]

antiguidade (an.ti.gui.*da*.de) *sf.* **1** Qualidade ou condição de antigo: *Aquele relógio tem valor pela sua antiguidade.* **2** Tempo de serviço em determinada função: *O funcionário foi promovido por antiguidade.* **3** Objeto antigo, raro, a que se atribui valor artístico, cultural etc.: *Esse vaso é uma preciosa antiguidade.* **4** *Hist.* Período que compreende a época no nascimento das mais antigas civilizações até a queda do Império Romano, no séc. V [Com inicial maiúsc.] [F.: Do lat. *antiquitas, atis*.]

anti-hádron (an.ti-*há*.dron) *sm. Fís.* Antipartícula de hádron [Pl.: *anti-hádrons*.]

anti-halo (an.ti-*ha*.lo) *sm. Ópt.* Num sistema óptico, camada que absorve parte das radiações, impedindo a formação de halo [Pl.: *anti-halos*.]

anti-hélio (an.ti-*hé*.li.o) *sm.* **1** Imagem do sol que, por efeito da reflexão, aparece do lado diametralmente oposto a este astro **2** *Astr.* Ponto da esfera celeste que se opõe diametralmente ao Sol [Pl.: *anti-hélios*.] [F.: Do greg. *anthelion, ou*. Sin. ger.: *antélio*.]

anti-helmíntico (an.ti.-hel.*mín*.ti.co) *Farm. a.* **1** Diz-se daquilo (substância, processo ou produto) que é próprio para combater vermes, impedindo que penetrem no hospedeiro ou eliminando-os *sm.* **2** Substância ou produto anti-helmíntico (1) [Pl.: *anti-helmínticos*.]

anti-hemorrágico (an.ti-he.mor.*rá*.gi.co) *Farm. a.* **1** Diz-se de medicamento, substância ou procedimento que combate a hemorragia *sm.* **2** O que combate a hemorragia [Pl.: *anti-hemorrágicos*.]

anti-herói (an.ti-he.*rói*) *sm.* Protagonista (de obra de ficção) que não possui as características de um herói clássico: *Macunaíma é um anti-herói brasileiro.* [Pl.: *anti-heróis*.]

anti-herpético (an.ti-her.*pé*.ti.co) *Farm. a.* **1** Diz-se de medicamento próprio para combater o herpes *sm.* **2** Medicamento us. no combate ao herpes [Pl.: *anti-herpéticos*.]

anti-higiênico (an.ti-hi.gi.*ê*.ni.co) *a.* Contrário às normas da higiene [Ant.: *higiênico*.] [Pl.: *anti-higiênicos*.]

anti-hipertensivo (an.ti-hi.per.ten.*si*.vo) *Farm. a.* **1** Diz-se de medicamento próprio para baixar a pressão sanguínea *sm.* **2** Medicamento us. para baixar a pressão sanguínea [Pl.: *anti-hipertensivos*.]

anti-hipnótico (an.ti-hip.*nó*.ti.co) *Farm. a.* **1** Diz-se de substância que impede o sono *sm.* **2** Essa substância [Pl.: *anti-hipnóticos*.]

anti-histamínico (an.ti-his.ta.*mí*.ni.co) *Med. a.* **1** Diz-se de medicamento que combate os efeitos da histamina e se usa esp. no tratamento das alergias [Pl.: *anti-histamínicos*.] *sm.* **2** Esse medicamento [Pl.: *anti-histamínicos*.]

anti-histórico (an.ti-his.*tó*.ri.co) *a.* Que é contrário à história, a seus fatos e princípios; anistórico [Pl.: *anti-históricos*.] [Hom./Par.: *anti-histórico* (a.), *ante-histórico* (a.).]

anti-horário (an.ti-ho.*rá*.ri:o) *a.* Diz-se do sentido de rotação que é contrário ao do movimento dos ponteiros do relógio [Pl.: *anti-horários*.]

anti-ibérico (an.ti-i.*bé*.ri.co) *a.* Que é contrário ao iberismo [F.: *ant(i)-* + *ibérico*.]

anti-iberismo (an.ti-i.be.*ris*.mo) *sm.* Posição ou doutrina contrária à união dos povos ibéricos [F.: *ant(i)-* + *iberismo*.]

anti-iberista (an.ti-i.be.*ris*.ta) *a2g.* **1** Ref. ou inerente ao anti-iberismo *s2g.* **2** Partidário do anti-iberismo [F.: *ant(i)-* + *iberista*.]

anti-imperialismo (an.ti-im.pe.ri:a.*lis*.mo) *sm.* Teoria, postura, atitude ou movimento de oposição ao imperialismo [F.: *ant(i)-* + *imperialismo*.]

anti-imperialista (an.ti-im.pe.ri:a.*lis*.ta) *a2g.* **1** Relativo ao anti-imperialismo *s2g.* **2** Indivíduo que se opõe ao imperialismo [F.: *ant(i)-* + *imperialista*.]

anti-incêndio (an.ti-in.*cên*.di:o) *a2g2n.* **1** Diz-se de substância, equipamento ou obra que evita a origem ou a propagação de incêndio (pintura/janelas anti-incêndio); ANTIFOGO **2** Ref. àquilo que visa prevenir ou combater incêndios (treinamento anti-incêndio) [F.: *ant(i)-* + *incêndio*.]

anti-indígena (an.ti-in.*dí*.ge.na) *a2g.* Que se mostra hostil aos indígenas e à sua cultura (discurso anti-indígena) [F.: *ant(i)-* + *indígena*.]

anti-industrial (an.ti-in.dus.tri.*al*) *a2g.* Que se opõe à indústria ou ao que é industrializado [F.: *ant(i)-* + *industrial*.]

anti-infeccioso (an.ti-in.fec.ci.*o*.so) [ô] *Farm. a.* **1** Diz-se de medicamento ou substância que combate infecções [Pl.: *ó*. Fem.: *ó*] *sm.* **2** Esse medicamento ou substância [Pl.: *ó*. Fem.: *ó*] [F.: *ant(i)-* + *infeccioso*.]

anti-inflação (an.ti-in.fla.*ção*) *a2g2n.* Diz-se de estratégia, política, medida etc. usada para combater a inflação: "Governo tem poucas armas anti-inflação" (*Folha Online*) [F.: *ant(i)-* + *inflação*.]

anti-inflacionário (an.ti-in.fla.ci:o.*ná*.ri:o) *a.* Que combate ou reduz a inflação (medidas anti-inflacionárias) [F.: *ant(i)-* + *inflacionário*.]

anti-inflamatório (an.ti-in.fla.ma.*tó*.ri:o) *Med. a.* **1** Que combate inflamação (diz-se de medicamento) *sm.* **2** Medicamento anti-inflamatório [F.: *ant(i)-* + *inflamatório*. Sin. ger.: *antiflogístico*.]

anti-intervencionismo (an.ti-in.ter.ven.ci:o.*nis*.mo) *sm.* Posição oposta a qualquer ação direta do governo federal sobre os Estados ou municípios [F.: *ant(i)-* + *intervencionismo*.]

anti-islâmico (an.ti-is.*lâ*.mi.co) *a.* Que se opõe à fé e aos preceitos professados pela religião islâmica; contrário ao islamismo [F.: *ant(i)-* + *islâmico*.]

anti-israelense (an.ti-is.ra.e.*len*.se) *a2g.* Que se opõe aos israelenses (propaganda/linguagem anti-israelense) [F.: *ant(i)-* + *israelense*.]

antijogo (an.ti.*jo*.go) [ô] *sm.* **1** *Esp.* Prática de faltas desonestas ou de expedientes ilícitos, ou qualquer ação de desrespeito à ética esportiva, em competição, partida etc.: "Foi uma demonstração do antijogo da França" (*BBCBrasil.com*) **2** A competição ou partida em que isso acontece **3** *Fig.* Qualquer prática ou ação abusiva, que desrespeite a ética, a moralidade ou a legalidade [F.: *ant(i)-* + *jogo*. Cf.: *antifutebol*.]

antijornalismo (an.ti.jor.na.*lis*.mo) *sm.* Jornalismo praticado irresponsavelmente, sem respeito à ética e à competência jornalísticas [F.: *ant(i)-* + *jornalismo*.]

antijudaico (an.ti.ju.*dai*.co) *a.* Que se opõe aos judeus ou ao judaísmo; ANTISSEMITA [F.: *ant(i)-* + *judaico*.]

antijudaísmo (an.ti.ju.da.*ís*.mo) *sm.* Doutrina e prática de combate aos judeus e ao judaísmo; ANTISSEMITISMO [F.: *ant(i)-* + *judaísmo*.]

antijurídico (an.ti.ju.*rí*.di.co) *a.* **1** Que não se enquadra nas normas jurídicas **2** Contrário aos princípios do direito [F.: *ant(i)-* + *jurídico*. Sin. ger.: *ilegal; injurídico*.]

antijuros (an.ti.*ju*.ros) *Econ. a2g2n.* **1** Diz-se da política ou da medida financeira que visa diminuir a taxa de juros **2** Que se opõe à alta dos juros, aos altos juros: "Nem o vice-presidente, José de Alencar, levantará sua tradicional bandeira antijuros dessa vez." (*IstoÉ online*, 23.06.2006) [F.: *ant(i)-* + pl. de *juro*.]

antikáon (an.ti.*ká*.on) *sm. Fís. nu.* Antipartícula do méson K [Pl.: *antikáons*.] [F.: *ant(i)-* + *káon*.]

antikáon-zero (an.ti.ká.on-*ze*.ro) *sm. Fís. nu.* Antipartícula do káon-zero [Pl.: *antikáons-zero*.] [F.: *ant(i)-* + *káon -zero*.]

antiladrão (an.ti.la.*drão*) *a2g2n.* **1** Que previne ou combate a ação de ladrões (diz-se de ou refere-se a aparelho, mecanismo, dispositivo, medida etc.) (fechadura antiladrão; parede antiladrão): "(...) uma multidão que (...) vai querer se cercar de garantias antiladrão – sem enfeiar a casa (...)" (*Revista Casa e Jardim*) *sm.* **2** Radar us. para identificar veículos roubados [Pl.: *-drões*.] [F.: *ant(i)-* + *ladrão*.]

antilatifundiário (an.ti.la.ti.fun.di:*á*.ri:o) *a.* **1** Que é contra o latifúndio (política antilatifundiária) *sm.* **2** Indivíduo que combate o latifúndio [F.: *ant(i)-* + *latifundiário*.]

antilépton (an.ti.*lép*.ton) *sm. Fís. nu.* Antipartícula de lépton. Os antineutrinos, o múon positivo, o pósitron e o tau positivo são antiléptons [Pl.: *antiléptons*.] [F.: *ant(i)* + *lépton*.]

antileucêmico (an.ti.leu.*cê*.mi.co) *Farm. a.* **1** Diz-se de medicamento eficaz contra a leucemia *sm.* **2** Esse medicamento [F.: *ant(i)-* + *leucêmico*.]

antileucocitário (an.ti.leu.co.ci.*tá*.ri:o) *Biol. a.* **1** Diz-se de substância ou medicamento que age contra o aumento ou número elevado de leucócitos *sm.* **2** Essa substância [F.: *ant(i)-* + *leucócito* + *-ário*.]

antilhano (an.ti.*lha*.no) *sm.* **1** Pessoa nascida ou que vive nas Antilhas (América Central) *a.* **2** Das Antilhas; típico desse arquipélago ou de seu povo [F.: Do top. *Antilhas* + *-ano*.]

antiliberal (an.ti.li.be.*ral*) *a2g.* **1** Contrário ao liberalismo [Pl.: *-rais*.] *s2g.* **2** Aquele que é contrário ao liberalismo [Pl.: *-rais*.] [F.: *ant(i)-* + *liberal*.]

antiliberalismo (an.ti.li.be.ra.*lis*.mo) *sm.* **1** *Econ. Fil. Pol.* Doutrina, opinião ou movimento que se opõe à liberdade, aos liberais ou às ideias liberais **2** Qualidade ou condição de quem é antiliberal [F.: *ant(i)-* + *liberalismo*.]

antilipêmico (an.ti.li.*pê*.mi.co) *a.* Diz-se de medicamento ou procedimento terapêutico para manter a lipemia nos parâmetros normais [F.: *ant(i)-* + *lipêmico*.]

antiliteratura (an.ti.li.te.ra.*tu*.ra) *sf.* Corrente ou obra que contraria os princípios ou tradições da arte literária: "Uma antiliteratura menina moça." (*Jornal do Brasil*, 10.11.2001) [F.: *ant(i)-* + *literatura*.]

antilogaritmo (an.ti.lo.ga.*rit*.mo) *sm. Mat.* Número que é logaritmo de outro número dado [F.: *ant(i)-* + *logaritmo*.]

antilogia (an.ti.lo.*gi*.a) *sf.* **1** Confronto, contradição ou oposição em ideias ou argumentações **2** Contradição ou incoerência existente entre as ideias de um discurso, ou entre diversas partes de um livro, artigo etc. **3** *Jur.* Contradição entre dois ou mais dispositivos legais **4** *Med.* Conjunto de sintomas contraditórios que dificulta ou impossibilita um diagnóstico preciso **5** *Fil.* A arte de opor um assunto a outro **6** *Fil.* Nos diálogos socráticos, conflito entre afirmações ou argumentos contrários, o que não impede que se vislumbre a verdade, possibilitando até mesmo o surgimento de novas ideias **7** *Fil.* Entre antigos filósofos gregos, contradição sem solução entre juízos ou argumentos opostos e de igual valor, o que conduz à ideia de que a verdade não é algo absoluto [F.: do gr. *antilogia, as*, de *antílogos, os, on*.]

antilógico (an.ti.*ló*.gi.co) *a.* **1** Em que há antilogia **2** Que não é concordante com a lógica [F.: do gr. *antilogikós, ê, ón*.]

antilogismo (an.ti.lo.*gis*.mo) *sm. Fil.* Doutrina filosófica ou pensamento que contraria a lógica, podendo, entretanto, ser formulado e expresso [F.: Do gr. *antilogismós, ou*.]

antílope (an.*tí*.lo.pe) *sm. Zool.* Designação comum a vários mamíferos ruminantes da fam. dos bovídeos, encontrados esp. na África, de chifres longos e permanentes [F.: Do lat. medv. *antilops*, do gr. *anthálops, opos*.]

antílope-cabra (an.tí.lo.pe-*ca*.bra) *sm.* **1** *Zool.* Gênero-tipo dos antilopecaprídeos **2** A espécie desse gên., representada pelo Antilocapra americana, mamífero semelhante ao antílope [Pl.: *antílopes-cabras e antílopes-cabra*.] [F.: do tax. *Antilocapra*.]

antimachismo (an.ti.ma.*chis*.mo) *sm.* **1** Opinião ou comportamento contrários ao machismo **2** Qualidade ou postura antimachista [F.: *ant(i)-* + *machismo*.]

antimachista (an.ti.ma.*chis*.ta) *a2g.* **1** Ref. ao antimachismo **2** Diz-se de indivíduo adepto do antimachismo *s2g.* **3** Esse indivíduo [F.: *ant(i)-* + *machista*.]

antimalária (an.ti.ma.*lá*.ri:a) *a2g2n. Med.* O mesmo que *antimalárico* [F.: *ant(i)-* + *malária*.]

antimarxismo (an.ti.mar.*xis*.mo) *sm.* Oposição ou movimento contrário ao marxismo [F.: *ant(i)-* + *marxismo*.]

antimarxista (an.ti.mar.*xis*.ta) [cs] *a2g.* **1** Contrário ao marxismo *a2g.* **2** Ref. ao antimarxismo **3** Diz-se de indivíduo adepto do antimarxismo *s2g.* **4** Esse indivíduo [F.: *ant(i)-* + *marxista*.]

antimatéria (an.ti.ma.*té*.ri:a) *sf. Fís.* Inversão elétrica hipotética da matéria comum constituída de átomos [Tal matéria seria formada por antipartículas.] [F.: *ant(i)-* + *matéria*.]

antimercadológico (an.ti.mer.ca.do.*ló*.gi.co) *a.* Que se opõe às ideias ou padronizações mercadológicas, ao modelo básico exigido ou imposto pelas grandes empresas etc. (movimento antimercadológico) [F.: *ant(i)-* + *mercadológico*.]

antimeridiano (an.ti.me.ri.di:*a*.no) *sm. Geog.* Semicírculo máximo em posição oposta ao semicírculo local, e que dele difere em 180º de longitude [F.: *ant(i)-* + *meridiano*.]

antiméson (an.ti.*mé*.son) *sm. Fís. nu.* Antipartícula de méson [Pl.: *antimésons*.]

antimetábole (an.ti.me.*tá*.bo.le) *sf. Ret.* Figura que consiste em inverter as palavras de uma oração, construindo uma nova oração de sentido oposto, como ocorre, p. ex., em o *homem deve trabalhar para viver, não viver para trabalhar*; ANTIMETALEPSE; ANTIMETÁTASE [F.: do gr. *antimetabole*.]

antimicótico (an.ti.mi.*có*.ti.co) *Farm. a.* **1** Diz-se de substância ou medicamento que age contra as micoses *sm.* **2** Esse medicamento ou substância [F.: *ant(i)-* + *micótico*. Sin. ger.: *antifúngico*.]

antimicrobiano (an.ti.mi.cro.bi:*a*.no) *Farm. a.* **1** Que combate os micróbios (diz-se de substância) *sm.* **2** Substância ou medicamento que combate os micróbios [F.: *ant(i)-* + *microbiano*.]

antimilitarismo (an.ti.mi.li.ta.*ris*.mo) *sm.* **1** Movimento, sentimento ou opinião contrária ao militarismo **2** Antagonismo à guerra [F.: *ant(i)-* + *militarismo*.]

antimilitarista (an.ti.mi.li.ta.*ris*.ta) *a2g.* **1** Ref. ao antimilitarismo **2** Que se opõe ao militarismo *s2g.* **3** Aquele que se opõe ao militarismo [F.: *ant(i)-* + *militarista*.]

antimíssil (an.ti.*mís*.sil) *Mil. a2g.* **1** Que se destina a interceptar e/ou destruir mísseis (diz-se de armamento ou dispositivo) (escudo antimíssil) [Pl.: *-seis*. Tb. us. como *a2g2n*: mísseis antimíssil.] *sm.* **2** Armamento ou dispositivo antimíssil [Pl.: *-seis*.] [F.: *ant(i)-* + *míssil*.]

antimodernista (an.ti.mo.der.*nis*.ta) *a2g.* **1** Próprio do, ou relativo ao antimodernismo: *obra antimodernista.* **2** Que se opõe ou que não valoriza as coisas modernas: *intelectual antimodernista.* *s2g.* **3** Pessoa antimodernista: *Um antimodernista repele o improviso.* [F.: *ant(i)-* + *modernista*.]

antimofo (an.ti.*mo*.fo) [ô] *a2g2n.* **1** Que impede ou inibe o aparecimento de mofo: *produtos antimofo.* *sm.* **2** Substância ou produto antimofo: *O lugar é úmido, é necessário usar um antimofo.* [F.: *ant(i)-* + *mofo*.]

antimola (an.ti.*mo*.la) *sf. Mec.* Tipo de amortecedor a gás com resfriamento magnético [F.: *ant(i)-* + *mola*.]

antimonarquia (an.ti.mo.nar.*qui*.a) *a2g2n.* Que é contrário à monarquia, seus costumes e suas práticas: *protestos antimonarquia; canção antimonarquia.* [F.: *ant(i)-* + *monarquia*.]

antimonárquico (an.ti.mo.*nár*.qui.co) *a.* **1** Ref. ou inerente ao antimonarquismo **2** Contrário ao sistema monárquico de governo [F.: *ant(i)-* + *monárquico*.]

antimonarquismo (an.ti.mo.nar.*quis*.mo) *sm.* Doutrina, postura ou ação contrária à monarquia ou ao monarquismo [F.: *ant(i)-* + *monarquismo*.]

antimonarquista (an.ti.mo.nar.*quis*.ta) *a2g.* **1** Ref. ao antimonarquismo **2** Contrário à monarquia ou ao monarquismo **3** Diz-se de indivíduo adepto do antimonarquismo *s2g.* **4** Esse indivíduo [F.: *ant(i)-* + *monarquista*.]

◎ **antimon(i)-** *el. comp. Quím.* = 'antimônio': *antimonial, antimonita* [F.: Do lat. medv. *antimonium*, de or. contrv.]

antimonial (an.ti.mo.ni.*al*) *a2g.* **1** *Quím.* Referente ao antimônio, ou em cuja composição há antimônio **2** Diz-se de medicamento que contém antimônio [Pl.: *-ais*.] *sm.* **3** Esse medicamento [Pl.: *-ais*.] [F.: *antimon(i)-* + *-al*[1].]

antimônio (an.ti.*mô*.ni:o) *sm. Quím.* Elemento químico de número atômico 51, aspecto metálico, cor branco-azulada, us. em ligas metálicas e semicondutores. [Simb.: Sb] *Ant.;* ESTÍBIO [Ger. não se emprega no pl.] [F.: Do lat. med. *antimonium*, de or. contrv.]
antimonita (an.ti.mo.*ni*.ta) *sf. Miner.* Sulfeto de antimônio natural, o principal minério de antimônio; ESTIBINA; ESTIBINITA [F.: *antimon(i)-* + *-ita²*.]
antimonopólio (an.ti.mo.no.*pó*.li:o) *a2g2n.* Contrário ao monopólio e às suas práticas: *acordos antimonopólio; legislação antimonopólio.* [F.: *ant(i)-* + *monopólio.*]
antimotim (an.ti.mo.*tim*) *a2g2n.* Que se destina a evitar ou combater motins (forças antimotim) [F.: *ant(i)-* + *motim.*]
antimúon (an.ti.*mú*.on) *sf. Fís. nu.* Antipartícula de múon [Pl.: *antimúons.*]
antimusical (an.ti.mu.si.*cal*) *a2g.* **1** Que não conhece ou não tem inclinação para a música (pessoa antimusical) **2** Que não agrada ao ouvido: "... Se você insiste em classificar/ meu comportamento de antimusical..." (Tom Jobim, Newton Mendonça, *Desafinado*) [Pl.: *-cais.*] *sm.* **3** Filme ou espetáculo teatral que se contrapõe aos musicais tradicionais, embora também utilize a música e a dança como meios de expressão: "O Festival de Cannes, aliás, consagrou o dinamarquês Lars von Trier, que apresentou lá seu musical (e antimusical) 'Dançando no escuro', com música e interpretação de Björk" (*Rede global info*, 30.12.2000) [Pl.: *-cais.*] [F.: *ant(i)-* + *musical.*]
antinacional (an.ti.na.ci:o.*nal*) *a2g.* Que se opõe à nação ou aos seus interesses, usos e costumes [Pl.: *-nais.*] [F.: *ant(i)-* + *nacional.*]
antinarcotráfico (an.ti.nar.co.*trá*.fi.co) *a2g2n.* Que combate o narcotráfico (operações antinarcotráfico): *coordenar tarefas antinarcotráfico.* [F.: *ant(i)-* + *narcotráfico.*]
antinarrativa (an.ti.nar.ra.*ti*.va) *sf. Liter.* Narrativa sem encadeamento lógico aparente, que não segue o fluxo do raciocínio linear [F.: *ant(i)-* + *narrativa.*]
antinatural (an.ti.na.tu.*ral*) *a2g.* Que é contrário ou se opõe às leis da natureza ou ao que é natural: *Alguns consideram antinatural o uso de anticoncepcionais.* [Pl.: *-rais.*] [F.: *ant(i)-* + *natural.*]
antinazismo (an.ti.na.*zis*.mo) *sm.* **1** *Pol.* Ideologia, movimento ou ação de combate ao nazismo *a2g2n.* **2** Que se opõe ou combate o nazismo ou os nazistas: *Multinacional perde batalha judicial contra grupo antinazismo.* [F.: *ant(i)-* + *nazismo.*]
antinazista (an.ti.na.*zis*.ta) *a2g.* **1** Ref. ao antinazismo **2** Contrário ao nazismo (artigo antinazista) **3** Diz-se de indivíduo adepto do antinazismo *s2g.* **4** Esse indivíduo [F.: *ant(i)-* + *nazista.*]
antineoplásico (an.ti.ne:o.*plá*.si.co) *Med. a.* **1** Diz-se de medicamento ou substância que combate a neoplasia *sm.* **2** Esse medicamento ou substância [F.: *ant(i)-* + *neoplásico.*]
antineurítico (an.ti.neu.*rí*.ti.co) *Med. a.* **1** Diz-se de medicamento ou substância *sm.* **2** Esse medicamento ou substância [F.: *ant(i)-* + *neurítico.*]
antineutrão (an.ti.neu.*trão*) *sm. Lus. Fís. nu.* Ver *antinêutron.* [Pl.: *-trões.*]
antineutrino (an.ti.neu.*tri*.no) *sm. Fís. nu.* Antipartícula do neutrino [F.: *ant(i)-* + *neutrino.*]
antinêutron (an.ti.*nêu*.tron) *sm. Fís. nu.* Antipartícula do nêutron [Pl.: *antinêutrons e antinêutrones.*] [F.: *ant(i)-* + *nêutron.* Tb. (lus.): *antineutrão.*]
antinomia (an.ti.no.*mi*.a) *sf.* **1** Contradição entre leis, princípios ou doutrinas **2** *P. ext.* Qualquer contradição: "(...) o amor romântico está vivendo o seu canto do cisne. Está vivendo a antinomia que o inviabiliza (...)" (Jurandir Freire Costa, *Ética versus moralidade*) **3** *Fil.* Contradição entre duas proposições apresentadas com lógica, coerência e rigor, mas que chegam a conclusões opostas; OPOSIÇÃO **4** *Fil.* Afirmação que colide com sistemas ou pressupostos antes considerados indiscutíveis; PARADOXO [F.: Do lat. *antinomia, ae*, do gr. *antinomía, as.*]
antinomianismo (an.ti.no.mi:a.*nis*.mo) *sm. Teol.* Doutrina que radicaliza o princípio reformador da justificação pela fé, e afirma que ao cristão basta ter fé, e que não precisa submeter-se a nenhum padrão de conduta previsto na lei mosaica [F.: *antinomiano* + *-ismo.*]
antinomiano (an.ti.no.mi:*a*.no) *a.* **1** Ref. ou pertencente ao antinomianismo *sm.* **2** Aquele que é seguidor dessa doutrina religiosa [F.: *antinomia* + *-ano.*]
antinômico (an.ti.*nô*.mi.co) *a.* Que contém ou forma antinomia; CONTRADITÓRIO; OPOSTO [F.: *antinomia* + *-ico²*.]
antinomismo (an.ti.no.*mis*.mo) *sm.* **1** *Rel.* O mesmo que *antinomianismo* **2** *Fil.* Desenvolvimento de raciocínio filosófico a partir de ideias ou conceitos antinômicos, cada um deles coerente e válido por si [F.: *antinomia* + *-ismo.*]
antinotícia (an.ti.no.*tí*.ci:a) *sf. Jorn.* Relato jornalístico de fato que não aconteceu, notícia falsa *Gír.;* BARRIGA: *Quatro grandes jornais divulgaram uma antinotícia.* [F.: *ant(i)-* + *notícia.*]
antinuclear (an.ti.nu.cle.*ar*) *a2g.* **1** Que se opõe ao uso de armas nucleares ou de energia nuclear (política antinuclear) **2** Que protege dos efeitos da radiação nuclear (abrigo antinuclear) [F.: *ant(i)-* + *nuclear.*]
antiocidental (an.ti.o.ci.den.*tal*) *a2g.* Contrário ao Ocidente, a seus usos e costumes: *Há grupos radicais que praticam uma política fundamentalista e antiocidental.* [Pl.: *-tais.*] [F.: *ant(i)-* + *ocidental.*]
antiofídico (an.ti:o.*fí*.di.co) *Med. a.* **1** Diz-se de substância que combate o veneno de cobras (soro antiofídico) *sm.* **2** Essa substância [F.: *ant(i)-* + *ofídico.*]
antiofuscante (an.ti.o.fus.*can*.te) *a2g.* Que evita a ofuscação: *proteção de tela antiofuscante.* [F.: *ant(i)-* + *ofuscante.*]
antiordem (an.ti.*or*.dem) *sf.* Movimento ou sistema de, ou inversão, negação dos valores, fundamentos, regras, modelos, parâmetros que norteiam a ordem estabelecida; a totalidade das ações, práticas, conceitos, ideias, propostas etc. que negam ou rompem com o princípio de ordem dominante: "(...) A antiordem foi moderna no modernismo (...)" (Antonio Carlos Secchin, *Todos os ventos*): "Após a derrota da 2ª expedição, os militares passam a ver no 'atraso' conselheirista, mais do que a desordem, uma antiordem, com poderes eficazes contra o 'progresso'." (Marcos Veneu, *A cruz e o barrete: tempo e história no conflito de canudos*) [F.: *ant(i)-* + *ordem.*]
antiovulatório (an.ti:o.vu.la.*tó*.ri:o) *a.* **1** *Med.* Diz-se do medicamento que provoca a anovulação, o mesmo que *anovulatório sm.* **2** Esse medicamento [F.: *ant(i)-* + *ovulatório.*]
antioxidante (an.ti:o.xi.*dan*.te) [cs] *Quím. a2g.* **1** Diz-se de substância que reduz ou elimina os efeitos da oxidação, ou que inibe as reações de oxidação removendo radicais livres derivados do oxigênio [Us. para conservar alimentos, evitar a deterioração da borracha, plásticos etc.] *sm.* **2** Essa substância [F.: *ant(i)-* + *oxidante.*]

> 🕮 Chamam-se antioxidantes substâncias que, ao atrair em oxigênio para sua própria oxidação, impedem ou tornam mais lenta a oxidação de outras. Como uma das causas possíveis do câncer é a oxidação celular, certos antioxidantes, ao serem absorvidos pelo organismo, podem funcionar como preventivos da doença, como é o caso da vitamina E e do ácido ascórbico.

antipalúdico (an.ti.pa.*lú*.di.co) *a. sm. Med.* O mesmo que *antimalárico* [F.: *ant(i)-* + *palúdico.*]
antipapa (an.ti.*pa*.pa) *sm.* Aquele que usurpa o trono pontifício em prejuízo de um papa legítimo, canonicamente eleito; falso papa [F.: *ant(i)-* + *papa.*]
antipapado (an.ti.pa.*pa*.do) *sm.* **1** Dignidade de antipapa **2** Tempo do governo de um antipapa [F.: *ant(i)-* + *papado.*]
antipapismo (an.ti.pa.*pis*.mo) *sm.* **1** Posição daqueles que não reconhecem o verdadeiro papa (o do Vaticano) **2** Oposição ao papado [F.: *ant(i)-* + *papismo.*]
antipapista (an.ti.pa.*pis*.ta) *a2g.* **1** Diz-se de partidário de um antipapa **2** Que é adversário do papa *s2g.* **3** O partidário de um antipapa *s2g.* **4** Aquele que é adversário do papa [F.: *ant(i)-* + *papista.*]
antiparalelo (an.ti.pa.ra.*le*.lo) *a.* **1** *Geom.* Diz-se da reta que corta os lados de um ângulo, determinando ângulos iguais e opostos aos traçados por outra secante naqueles mesmos ângulos **2** *Fís.* Diz-se do que está posicionado paralelamente, mas em direções opostas **3** *Ret.* Recurso retórico que consiste em repetir-se as mesmas palavras ora numa ordem, ora em ordem oposta à anterior [F.: *ant(i)-* + *paralelo.*]
antipartícula (an.ti.par.*tí*.cu.la) *sf. Fís. nu.* Partícula subatômica que possui a mesma massa de uma partícula de matéria ordinária, mas cargas e momento magnético opostos [F.: *ant(i)-* + *partícula.*]

> 🕮 A descoberta da antipartícula fez aventar a ideia de 'antiprótons', 'antinêutrons' e 'antielétrons', formando um possível 'antiátomo', que por sua vez seria o elemento básico da antimatéria. A reunião dessa suposta antimatéria com a matéria resultaria na anulação de ambas, ou seja, o fim de tudo que existe materialmente.

antipartidário (an.ti.par.ti.*dá*.ri:o) *a.* **1** *Pol.* Que é hostil aos partidos políticos em geral, às suas normas e às suas práticas: *comportamento antipartidário.* **2** *Pol.* Que apresenta conduta contrária a um determinado partido: *Foi expulso do Partido Conservador por sua conduta considerada antipartidária. sm.* **3** Aquele que apresenta posição contrária aos partidos políticos em geral ou a um partido em particular: *Os antipartidários formam o grosso do número de indecisos.* [F.: *ant(i)-* + *partidário.*]
antipassadista (an.ti.pas.sa.*dis*.ta) *a2g.* **1** Que não tem devoção pelo passado; que não é saudosista: "(...) É assim que se propõe o Modernismo brasileiro: antipassadista, antiacademicista (...)" (Juarez Poletto, *Memórias sentimentais de João Miramar: constituição de uma origem*) *s2g.* **2** Aquele que recusa qualquer atitude de nostalgia pelo passado [F.: *ant(i)-* + *passadista.*]
antipatia (an.ti.pa.*ti*.a) *sf.* **1** Sentimento de aversão espontânea por algo ou alguém [+ *a, contra, por*: *Tinha grande antipatia ao /pelo vizinho.*] **2** Qualidade ou condição daquele que demonstra tal sentimento ou que o desperta nos outros: *A sua antipatia afasta novas amizades.* [F.: Do lat. *antipathia*, do gr. *antipátheia.* Ant. ger.: *simpatia.* Cf.: *empatia.*]
antipático (an.ti.*pá*.ti.co) *a.* **1** Que desperta antipatia (1) (atitude antipática) **2** Que sente ou revela antipatia (1) [+ *a, com*: *Meu pai é antipático aos modismos; Foi antipático com ela.*] *sm.* **3** Pessoa antipática [Superl.: *antipaticíssimo, antipatiquíssimo.*] [F.: *antipat(ia)* + *-ico.* Ant. (acps. 1 e 2): *simpático.*]
antipatinação (an.ti.pa.ti.na.*ção*) *a2g2n.* Diz-se de dispositivo que evita a patinação das rodas motrizes de um veículo em pisos de baixa aderência (sistema antipatinação.) [F.: *ant(i)-* + *patinação.*]
antipatizar (an.ti.pa.ti.*zar*) *v. tr.* Ter antipatia [+ *com*: *Antipatizava com os prepotentes.* Ant.: *simpatizar.*] [▶ **1** antipatizar] [F.: *antipatia* + *-izar.*]
antipatriota (an.ti.pa.tri:*o*.ta) *a2g.* **1** Que se opõe ou é contrário à pátria ou aos seus interesses **2** *Fig.* Que não ama a sua pátria *s2g.* **3** Indivíduo antipatriota [F.: *ant(i)-* + *patriota.*]
antipatriótico (an.ti.pa.tri:*ó*.ti.co) *a.* Contrário aos interesses da pátria ou ao sentimento de amor à pátria; DESPATRIÓTICO [F.: *ant(i)-* + *patriótico.*]
antipatriotismo (an.ti.pa.tri:o.*tis*.mo) *sm.* Atitude e comportamento próprio de antipatriotas; falta de patriotismo [F.: *ant(i)-* + *patriotismo.*]
antipedagógico (an.ti.pe.da.*gó*.gi.co) *a.* Contrário aos princípios da pedagogia [F.: *ant(i)-* + *pedagógico.*]
antipêndio (an.ti.*pên*.di:o) *sm.* **1** A parte da frente do altar, entre a mesa e o solo **2** *P. ext.* O conjunto de tábuas que formam os lados do altar
antiperistalse (an.ti.pe.ris.*tal*.se) *sf. Fisl. Med.* Contração anormal do esôfago, do estômago ou do intestino em sentido oposto ao da peristalse [F.: *ant(i)-* + *peristalse.*]
antiperistáltico (an.ti.pe.ris.*tál*.ti.co) *a.* **1** *Farm.* Diz-se de medicação para conter o peristaltismo **2** Diz-se dos movimentos contrários aos peristálticos, que ocorrem, de baixo para cima, nas contrações anormais do esôfago, do estômago e do intestino [A eructação e o vômito são exemplos de movimentos antiperistálticos do esôfago.] [F.: *ant(i)-* + *peristáltico.*]
antiperspirante (an.ti.pers.pi.*ran*.te) *a2g.* **1** Diz-se de substância que impede a transpiração *sm.* **2** Essa substância [F.: *anti-* + *perspirar* + *-nte.* Sin. ger.: *antitranspirante.*]
antipessoal (an.ti.pes.so.*al*) *a2g. Mil.* Utilizado contra pessoas, e não contra instalações (diz-se de arma) (minas antipessoais) [Us. tb. como *a2g2n* (minas antipessoal).] [F.: *ant(i)-* + *pessoal.*]
antipirataria (an.ti.pi.ra.ta.*ri*:a) *a2g2n.* **1** Que combate a pirataria comercial (campanha antipirataria; projetos antipirataria) *sf.* **2** Combate à pirataria, ou seja, à cópia ou reprodução de artigos ou bens artísticos sem a autorização dos detentores de seus direitos [F.: *ant(i)-* + *pirataria.*]
antipirético (an.ti.pi.*ré*.ti.co) *Med. a.* **1** Diz-se de medicamento que combate a febre *sm.* **2** Esse medicamento [F.: *ant(i)-* + *pirético.* Sin. ger.: *antifebril, antitérmico.*]
antipirina (an.ti.pi.*ri*.na) *sf. Farm.* Substância medicamentosa us. como analgésico e antipirético; ANALGESINA [Fórm.: $C_{11}H_{12}N_{2}O$.] [F.: *antipir(ético)* + *-ina.*]
antiplástico (an.ti.*plás*.ti.co) *a.* **1** Diz-se do material que se adiciona à argila para permitir que seja moldada e suporte as mudanças de temperatura, esp. durante a secagem de peças *sm.* **2** Esse material [F.: *ant(i)-* + *plástico.*]
antiplatônico (an.ti.pla.*tô*.ni.co) *a.* **1** Que se opõe ao platonismo: *filósofo antiplatônico. sm.* **2** Indivíduo, esp. filósofo, que não aceita os princípios da filosofia platônica [F.: *ant(i)-* + *platônico.*]
antipobreza (an.ti.po.*bre*.za) [ê] *a2g2n.* Que combate a pobreza (programas antipobreza; fundo antipobreza). [F.: *ant(i)-* + *pobreza.*]
antípoda (an.*tí*.po.da) *sm.* **1** Habitante da Terra que, em relação a outro, vive em lugar diametralmente oposto: *Os japoneses são os antípodas dos brasileiros.* **2** O contrário, o oposto: *O segundo orador era em tudo o antípoda do primeiro. a2g.* **3** Que se encontra em lugar da Terra diametralmente oposto a outro lugar: *Portugal e Nova Zelândia são países antípodas.* **4** Contrário, oposto [F.: Do lat. *antipodes, um* (pl.), do gr. *antípodes* (pl. de *antípous, podós*).]
antipodal (an.ti.po.*dal*) *a2g.* Ref. a antípoda [Pl.: *-dais.*] [F.: *antípoda* + *-al.*]
antípode (an.*tí*.po.de) *a2g. s2g.* Ver *antípoda*
antipoético (an.ti.po.*é*.ti.co) *a.* **1** Que se opõe ou se contrapõe à poesia: *Usa sempre um vocabulário antipoético em tudo que escreve:* "(...) e Fergus a te adorar, a esquecer seu jogo antipoético, seu jogo antipático (...)" (R. Leontino Filho, *Quando brotam as borboletas*) **2** Em que não existe poesia ou espírito poético; APOÉTICO: "Parece antipoético por excelência um tema como a poluição..." (Heitor Ferraz de Mello, *Drummond, o orelhista*) [F.: *ant(i)-* + *poético.*]
antipólio (an.ti.*pó*.li:o) *Med. a2g2n.* **1** Diz-se de medicamento destinado a evitar a poliomielite (vacina antipólio) **2** De combate à poliomielite (campanha antipólio) [F.: *ant(i)-* + *pólio.*]
antipoliomielítico (an.ti.po.li:o.mi:e.*lí*.ti.co) *Med. a.* **1** Diz-se de medicamento ou substância que evita ou combate a poliomielite *sm.* **2** Esse medicamento ou substância [F.: *ant(i)-* + *poliomielite* + *-ico²*.]
antipoluente (an.ti.po.lu:*en*.te) *a2g.* **1** Que serve para diminuir a poluição do meio ambiente (diz-se de substância ou sistema) *sm.* **2** Substância antipoluente [F.: *ant(i)-* + *poluente.*]
antipoluição (an.ti.po.lu:i.*ção*) *a2g2n.* Que combate ou evita a poluição (barreira antipoluição; medidas antipoluição.) [F.: *ant(i)-* + *poluição.*]
antipopular (an.ti.po.pu.*lar*) *a2g.* **1** Que não é bem-visto, nem querido ou estimado pelo povo; IMPOPULAR: *Pouco simpático e sisudo demais, é o tipo do candidato antipopular.* **2** Que não goza de popularidade; que não é conhecido, não é notório, não é popular; IMPOPULAR **3** Contrário às esperanças de uma classe ou da população: *Por opor-se à gratuidade do ensino, essa reforma é antipopular.* [F.: *ant(i)-* + *popular.*]
antipopulista (an.ti.po.pu.*lis*.ta) *a2g.* **1** Que se opõe ao populismo: *Cansado da demagogia política, o eleitorado prefere um candidato antipopulista. s2g.* **2** Indivíduo, esp. político, que evita atitudes e pronunciamentos populistas:

O candidato apresentou-se claramente como um antipopulista. [F.: *ant(i)-* + *populista.*]

antipornografia (an.ti.por.no.gra.*fi*.a) ***a2g2n.*** **1** Que combate a pornografia (legislação antipornografia): "Como os outros, também possui bate-papo com usuários e filtros antipornografia (...)" (*Folha online*) ***sf.*** **2** Sistema ou movimento que combate a pornografia [F.: *ant(i)-* + *pornografia.*]

antipositivista (an.ti.po.si.ti.*vis*.ta) ***a2g.*** **1** Que se opõe ao positivismo: *visão antipositivista.* ***s2g.*** **2** Aquele que não aceita os princípios do positivismo [F.: *ant(i)-* + *positivista.*]

antipreconceito (an.ti.pre.con.*cei*.to) ***a2g2n.*** **1** Que combate todas as formas de preconceito (leis antipreconceito) ***sm.*** **2** Doutrina, sentimento ou movimento que combate os preconceitos: "(...) essa ausência de racismo subjetivo, esse antipreconceito teórico (...)" (*O Estado de São Paulo*, 28.06.1995) [F.: *ant(i)-* + *preconceito.*]

antiprivatização (an.ti.pri.va.ti.za.*ção*) ***a2g2n.*** **1** *Econ.* Que é contrário ou que se opõe à privatização de empresas estatais (lobby antiprivatização; posições antiprivatização) ***sf.*** **2** Movimento contrário à privatização: *Só uma energica antiprivatização poderá deter a venda do patrimônio público nacional.* [F.: *ant(i)-* + *privatização.*]

antiprivatizante (an.ti.pri.va.ti.*zan*.te) ***a2g.*** *Bras. Econ.* Diz-se do que é contra a privatização, ou contra processos ou medidas de privatização (protesto antiprivatizante; manobras antiprivatizantes) [F.: *ant(i)-* + *privatizante.*]

antiprofissional (an.ti.pro.fis.si.o.*nal*) ***a2g.*** **1** Que não condiz com o profissionalismo (comportamento antiprofissional; postura antiprofissional) **2** Diz-se de indivíduo que não age com profissionalismo [Pl.: *-nais.*] ***s2g.*** **3** Esse indivíduo [Pl.: *-nais.*] [F.: *ant(i)-* + *profissional.*]

antiprogressista (an.ti.pro.gres.*sis*.ta) ***a2g.*** **1** Diz-se do que é contrário ao progresso (discurso antiprogressista; ideias antiprogressistas); RETRÓGRADO; REACIONÁRIO ***s2g.*** **2** Aquele que se opõe ao progresso [F.: *ant(i)-* + *progressista.*]

antipropaganda (an.ti.pro.pa.*gan*.da) ***a2g.*** **1** *Publ.* Que se contrapõe ou é contrário a uma determinada propaganda: *Optou por uma campanha antipropaganda para deter a crescente popularidade do concorrente.* ***sf.*** **2** Propaganda que é feita com o objetivo direto de opor-se a outra propaganda; CONTRAPROPAGANDA: *A antipropaganda foi uma das armas dos aliados contra os facistas.* [F.: *ant(i)-* + *propaganda.*]

antiprotão (an.ti.pro.*tão*) ***sm.*** *Lus. Fís. nu.* Ver *antipróton* [Pl.: *-tões.*]

antiprotecionismo (an.ti.pro.te.ci:o.*nis*.mo) ***a2g2n.*** **1** *Pol. Econ.* Que se opõe ao protecionismo (postura antiprotecionismo) ***sm.*** **2** *Pol. Econ.* Movimento ou política que se opõe ao sistema protecionista [F.: *ant(i)-* + *protecionismo.*]

antiprotecionista (an.ti.pro.te.ci:o.*nis*.ta) ***a2g.*** **1** *Pol. Econ.* Contrário ou adverso ao sistema protecionista (decreto antiprotecionista; pressões antiprotecionistas) ***s2g.*** **2** *Pol. Econ.* Aquele que se opõe ao protecionismo: *Os antiprotecionistas condenaram com veemência as barreiras comerciais.* [F.: *ant(i)-* + *protecionista.*]

antipróton (an.ti.*pró*.ton) ***sm.*** **1** *Fís.* Antipartícula do próton **2** *Fís.* Partícula de massa igual à de um próton, com carga elétrica oposta [o antipróton é composto de antiquarks.] [Pl.: *antiprótons; antiprótones.*] [F.: *ant(i)-* + *próton.* Tb. (lus.): *antiprotão.*]

antipsicanálise (an.ti.psi.ca.*ná*.li.se) ***sf.*** *Psic.* Conjunto dos princípios, métodos e práticas que se opõem aos princípios tradicionais da psicanálise clássica e da doutrina freudiana [F.: *ant(i)-* + *psicanálise.*]

antipsicologia (an.ti.psi.co.lo.*gi*.a) ***sf.*** *Psi.* Doutrina e prática psicoterapêutica que se opõe à orientação tradicional da psicologia: *O que ele faz é nitidamente antipsicologia.* [F.: *ant(i)-* + *psicologia.*]

antipsicológico (an.ti.psi.co.*ló*.gi.co) ***a.*** *Psi.* Diz-se de conceito, prática, orientação etc. que é contrário à orientação tradicional da psicologia (diagnóstico antipsicológico) [F.: *ant(i)-* + *psicológico.*]

antipsicótico (an.ti.psi.*có*.ti.co) *Med.* ***a.*** **1** Diz-se do medicamento e/ou da psicoterapia que se destina a tratar, combater ou evitar psicoses e surtos psicóticos (tratamento antipsicótico) ***sm.*** **2** Esse medicamento [F.: *ant(i)-* + *psicótico.*]

antipsiquiatria (an.ti.psi.qui:a.*tri*.a) ***sf.*** *Psiq.* Movimento de crítica à psiquiatria ortodoxa, que considera preponderantes no diagnóstico das doenças mentais fatores de ordem social e familiar e propõe o tratamento dentro de comunidades terapêuticas, e não nos hospitais psiquiátricos convencionais [F.: *ant(i)-* + *psiquiatria.*]

antipsiquiátrico (an.ti.psi.qui:*á*.tri.co) *Psiq.* ***a2g.*** **1** Ref. ou inerente à antipsiquiatria **2** Que é contrário à doutrina e à prática da psiquiatria tradicional [F.: *ant(i)-* + *psiquiátrico.*]

antipsórico (an.ti.*psó*.ri.co) *Farm.* ***a.*** **1** Diz-se de medicamento que combate a psoríase ***sm.*** **2** Esse medicamento [F.: *ant(i)-* + *psórico.*]

antipuritano (an.ti.pu.ri.*ta*.no) ***a.*** **1** Que se opõe ao puritanismo, ou aos seus excessos: *Contra os rigores da moral vitoriana foi necessário adotar uma postura antipuritana.* ***sm.*** **2** Aquele que combate o puritanismo exacerbado [F.: *ant(i)-* + *puritano.*]

antiquado (an.ti.*qua*.do) ***a.*** Que é ou ficou fora de moda (ideias antiquadas); DESUSADO; OBSOLETO; ULTRAPASSADO [F.: Do lat. *antiquatus.*]

antiqualha (an.ti.*qua*.lha) ***sf.*** Ver *antigualha*

antiquar (an.ti.*quar*) ***v.*** Tornar antigo, antiquado, desusado [***td.***: *O tempo antiquou esses quadros.*] [***int.***: *Essas palavras antiquaram-se com o passar do tempo.*] [▶ 17 antiquar] [F.: do lat. *antiquare.*]

antiquário (an.ti.*quá*.ri:o) ***sm.*** **1** Conhecedor, colecionador ou vendedor de objetos antigos e raros **2** Estabelecimento onde se vendem coisas antigas de valor [F.: Do lat. *antiquarius, ii.*]

antiquark (an.ti.*quark*) [á] ***sm.*** *Fís. nu.* Antipartícula do quark, de sinal oposto ao do quark que lhe é correspondente [Pl.: *antiquarks.*] [F.: *ant(i)-* + *quark.*]

antiquíssimo (an.ti.*quís*.si.mo) ***a.*** Muito antigo [Superl. abs. sint. de *antigo.*] [F.: Do lat. *antiquissimus, a, um.*]

antirrábico (an.tir.*rá*.bi.co) ***a.*** *Med.* Que evita ou combate a raiva ou hidrofobia: *Mordido pelo cachorro, precisou tomar vacina antirrábica.* [Pl.: *antirrábicos.*]

antirracismo (an.tir.ra.*cis*.mo) ***sm.*** Postura, sentimento, movimento, conceito de oposição ao racismo [Pl.: *antirracismos.* P. us. no pl.]

antirracista (an.tir.ra.*cis*.ta) ***a2g.*** **1** Diz-se do que ou de quem se opõe ao racismo (líder antirracista; medidas antirracistas) **2** Ref. a ou partidário do antirracismo: *Reuniu os militantes antirracistas para um protesto.* [Pl.: *antirracistas.*] ***s2g.*** **3** Quem é contrário ao racismo ou partidário do antirracismo [Pl.: *antirracistas.*]

antirregimental (an.tir.re.gi.men.*tal*) ***a2g.*** Que contraria o que estabelece o regimento de uma entidade, instituição etc. [Pl.: *antirregimentais.*]

antirreligioso (an.tir.re.li.gi:*o*.so) [ô] ***a.*** **1** Diz-se do que ou de quem é contrário a (qualquer) religião (libelo antirreligioso; pregador antirreligioso.) [Pl.: *antirreligiosos.* Fem. e pl.: [ó].] ***sm.*** **2** Quem é contrário à religião [Pl.: *antirreligiosos.* Fem. e pl.: [ó].]

antirressonância (an.tir.res.so.*nân*.cia) ***sf.*** *Fís.* Característica, propriedade ou condição de um sistema físico oscilante (mecânico ou elétrico/eletrônico) com alta impedância de entrada, o que o torna incapaz de entrar em ressonância [Pl.: *antirressonância.* P. us. no pl.] [F.: *anti-* + lat. *resonántia.*]

antirrevolucionário (an.tir.re.vo.lu.cio.*ná*.rio) [á] ***a.*** **1** Diz-se de que ou de quem se opõe à revolução como caminho para mudança de regime, ou a uma determinada revolução (movimento antirrevolucionário, filósofo antirrevolucionário) [Pl.: *antirrevolucionários.*] ***sm.*** **2** Quem se opõe a revoluções ou a determinada revolução [Pl.: *antirrevolucionários.*]

antirromance (an.tir.ro.*man*.ce) ***sm.*** *Lit.* Forma de ficção que busca romper com os métodos tradicionais de construção do romance: *Ulisses, de James Joyce, é um antirromance por excelência.* [Pl.: *antirromances.*]

antirroubo (an.tir.*rou*.bo) ***a2g2n.*** Diz-se do que tem por objetivo prevenir ou impedir roubo (dispositivo antirroubo; precauções antirroubo); ANTIFURTO: *Seguradora cria novo sistema antirroubo.*

antirrugas (an.tir.*ru*.gas) ***a2g2n.*** **1** Diz-se de substância, produto ou processo us. para prevenir, atenuar ou eliminar rugas (esp. as faciais) (creme antirrugas); ANTIRRUGA ***sm2n.*** **2** Cosmético antirrugas (1)

🌐 ***antispam*** (*Ing.: /antispâm/*) ***sm.*** *Inf.* Programa que protege serviços de correio eletrônico (*e-mails*) de *spams*, mensagens comerciais (e outras) não solicitadas, enviadas em massa para muitos endereços eletrônicos ao mesmo tempo

antispasto (an.tis.*pas*.to) ***sm.*** Pé de verso grego ou latino composto de duas sílabas longas entre duas breves [F.: do gr. *antíspastos*, pelo lat. tard. *antispastu.* Hom./Par.: *antispasto* (sm.), *antepasto* (sm.).]

antissemita (an.tis.se.*mi*.ta) ***a2g.*** **1** Que tem preconceito contra ou é hostil aos semitas, esp. aos judeus; ANTISSEMÍTICO ***s2g.*** **2** Pessoa que tem esse tipo de preconceito [Pl.: *antissemitas.*]

antissemítico (an.tis.se.*mí*.ti.co) ***a.*** **1** Que se refere a antissemitismo ou antissemita **2** O mesmo que *antissemita* (adj.) [Pl.: *antissemíticos.*]

antissemitismo (an.tis.se.mi.*tis*.mo) ***sm.*** Preconceito ou movimento contra os judeus [Pl.: *antissemitismos.*]

> 📖 Apesar de significar, literalmente, atitude de preconceito e de rejeição quanto aos semitas, o termo, em seu sentido histórico, tem aplicação restrita aos judeus e ao judaísmo. O conceito surgiu com o termo, em 1879, mas a rejeição e as perseguições aos judeus, como tais, são bem mais antigas. Suas primeiras manifestações são uma reação à resistência dos judeus à aculturação (às conquistadoras culturas grega e romana), a se deixarem converter (primeiro ao nascente cristianismo, que se apartava de suas raízes judaicas, depois ao islamismo, quando da conquista árabe), e a seu apego a uma identidade própria, religiosa e cultural, principalmente quando, perdida para os romanos sua guerra de independência, no século II, espalham-se pela Europa e pelo norte da África como minorias inseridas em outras culturas e religiões. Os judeus são perseguidos, muitas vezes até o extermínio físico, durante toda a Idade Média. A Emancipação trazida pela modernidade não extirpou o antissemitismo em vários níveis de expressão, inclusive, de novo, o do extermínio, no Holocausto do século XX, quando o regime nazista decretou a política de uma Europa judenrein, cuja 'solução final' foi o assassinato de seis milhões de judeus.

antissepsia (an.tis.sep.*si*.a) ***sf.*** *Med.* O mesmo que *antissepsia* [Pl.: *antissepsias.*]

antissepsia (an.tis.sep.*si*.a) ***sf.*** Emprego de substâncias antissépticas; DESINFECÇÃO [F.: *ant(i)-* + *sepsia.* Cf.: *assepsia.*]

antisséptico (an.tis.*sép*.ti.co) ***a.*** **1** O mesmo que *antisséptico* ***sm.*** **2** Esse medicamento [F.: *ant(i)-* + *séptico.*]

antissequestro (an.tis.se.*ques*.tro) [ê] ***a2g2n.*** **1** Diz-se do que tem por objetivo prevenir ou impedir sequestro (programa antissequestro; medidas antissequestro) **2** Que se ocupa em evitar sequestro, ou em resgatar sequestrados: *Divisão antissequestro da polícia.*

antissigma (an.tis.*sig*.ma) ***sm.*** *Pal.* Letra que o imperador Cláudio quis introduzir no alfabeto romano com o valor de 'ps', e que consistia em dois sigmas invertidos [F.: *ant(i)-* + *sigma.*]

antissigma-mais (an.tis.sig.ma-*ma*.is) ***sm.*** *Fís. nu.* Antipartícula do sigma-mais [Pl.: *antissigmas-mais.*] [F.: *ant(i)-* + *sigma -mais.*]

antissigma-menos (an.tis.sig.ma-*me*.nos) ***sm.*** *Fís. nu.* Antipartícula do sigma-menos [Pl.: *antissigmas-menos.*] [F.: *ant(i)-* + *sigma -menos.*]

antissigma-zero (an.tis.sig.ma-*ze*.ro) ***sm.*** *Fís. nu.* Antipartícula do sigma-zero [Pl.: *antissigmas-zero.*] [F.: *ant(i)-* + *sigma -zero.*]

antissísmico (an.tis.*sís*.mi.co) [í] *Geof.* ***a.*** **1** Diz-se do que tem por objetivo evitar ou atenuar os efeitos da ação de abalos sísmicos (equipamento antissísmico; normas antissísmicas) **2** Que é concebido, projetado e construído de modo a resistir a sismos ou terremotos (alicerces antissísmicos) [Pl.: *antissísmicos.*]

antissocial (an.tis.so.ci:*al*) ***a2g.*** Que é contrário aos interesses, costumes ou ideias da sociedade; que não respeita hábitos e convenções sociais [Pl.: *antissociais.*]

antissociável (an.tis.so.ci.*á*.vel) ***a2g.*** Que não é sociável, que é alheio ao convívio social; INSOCIÁVEL [Pl.: *antissociáveis.*] [F.: *ant(i)-* + *sociável.*]

antissoro (an.tis.*so*.ro) [ô] ***sm.*** *Imun.* Soro de animal imunizado que tem anticorpos capazes de criar um estado de imunização passiva [Pl.: *antissoros.*] [F.: *ant(i)-* + *soro.*]

antissubmarino (an.tis.sub.ma.*ri*.no) ***a2g2n.*** *Mar.* Diz-se de embarcação, armamento, dispositivo ou operação militar para combater submarinos [Pl.: *antissubmarinos.*] [F.: *ant(i)-* + *submarino.*]

antístite (an.*tís*.ti.te) ***sm.*** **1** Sumo sacerdote pagão, entre os antigos gregos e romanos **2** *Rel.* Sacerdote ou pontífice de qualquer religião pagã **3** *P. ext.* Título honorífico dado a bispos, padres etc. **4** *Fig.* Doutor, corifeu; presidente de entidade respeitável [Us. em discursos, saudações, perorações.] [F.: Do lat. *antistes, itis.*]

antístrofe (an.*tís*.tro.fe) ***sf.*** **1** *Poét.* A segunda das três partes da antiga ode grega [Cf.: *estrofe* e *epodo.*] **2** *Ret.* Figura de linguagem que consiste na repetição de um grupo de palavras em ordem inversa, com alteração de sentido (p. ex.: *a força do poder e o poder da força.*) [F.: Do lat. *antistrophe, es*, do gr. *antistrophé.*]

antitabagismo (an.ti.ta.ba.*gis*.mo) ***sm.*** Movimento, opinião ou sentimento contra o tabagismo ou vício de fumar [F.: *ant(i)-* + *tabagismo.*]

antitabagista (an.ti.ta.ba.*gis*.ta) ***a2g.*** **1** Ref. ao antitabagismo ***s2g.*** **2** Adepto do antitabagismo [F.: *antitabagismo* + *-ista.*]

antitanque (an.ti.*tan*.que) ***a2g2n.*** Destinado ao combate a tanques de guerra ou à proteção contra eles (armas antitanque; abrigo antitanque) [F.: *ant(i)-* + *tanque*[2].]

antitérmico (an.ti.*tér*.mi.co) ***a.*** **1** Que protege do calor (revestimento antitérmico) **2** *Med.* Diz-se de medicamento que combate a febre; ANTIPIRÉTICO; ANTIFEBRIL ***sm.*** **3** *Med.* Esse medicamento; ANTIPIRÉTICO; ANTIFEBRIL [F.: *ant(i)-* + *term(o)-* + *-ico*[2].]

antiterremoto (an.ti.ter.re.*mo*.to) [ó] ***a2g2n.*** *Geof.* Que previne ou ameniza os efeitos dos terremotos (dispositivo antiterremoto; precauções antiterremoto) [F.: *ant(i)-* + *terremoto.*]

antiterror (an.ti.ter.*ror*) [ô] ***a2g2n.*** Que se opõe ou combate o terrorismo, ou visa prevenir ações terroristas (medidas antiterror; lei antiterror) [F.: *ant(i)-* + *terror.*]

antiterrorismo (an.ti.ter.ro.*ris*.mo) ***sm.*** Movimento, opinião ou sentimento contrário ao terrorismo [F.: *ant(i)-* + *terrorismo.*]

antiterrorista (an.ti.ter.ro.*ris*.ta) ***a2g.*** **1** Ref. a antiterrorismo (lei antiterrorista) **2** Que é partidário do antiterrorismo ***s2g.*** **3** Partidário do antiterrorismo [F.: *antiterrorismo* + *-ista.*]

antítese (an.*tí*.te.se) ***sf.*** **1** Oposição entre duas palavras ou ideias: *O dia é a antítese da noite.* **2** *Ret.* Figura de linguagem que consiste em usar de modo simétrico palavras ou pensamentos de sentido oposto para intensificar-lhes o contraste (p. ex.: *Minha tristeza vem da minha alegria.*) [F.: Do lat. tardio *antithesis*, do gr. *antíthesis.*]

antitetânico (an.ti.te.*tâ*.ni.co) *Med.* ***a.*** **1** Diz-se de substância que previne ou combate o tétano (vacina antitetânica) ***sm.*** **2** Essa substância [F.: *ant(i)-* + *tetânico.*]

antitético (an.ti.*té*.ti.co) ***a.*** Que estabelece ou contém antítese; que se baseia numa oposição (paralelismo antitético); ANTAGÔNICO; CONTRADITÓRIO; CONTRÁRIO [F.: Do gr. *antithetikós, é, on.*]

antitipia (an.ti.ti.*pi*:a) ***sf.*** *Fil.* Nome dado à resistência considerada como propriedade da matéria, que impede que dois corpos ocupem o mesmo espaço [F.: do gr. *antitypía.*]

antitotalitarismo (an.ti.to.ta.li.ta.*ris*.mo) ***sm.*** *Pol.* Postura, ação, comportamento etc. contrário ao totalitarismo; oposição a sistemas de governo totalitário [F.: *ant(i)-* + *totalitarismo.*]

antitóxico (an.ti.*tó*.xi.co) [cs] ***a.*** **1** Que é contra ou combate tóxicos como a cocaína, o *crack* etc.: *A prefeitura criou o Conselho Antitóxico.* ***sm.*** **2** *Med.* Substância que age contra uma toxina ou um veneno; ANTÍDOTO: *O soro antiofídico é um poderoso antitóxico contra o veneno de cobras.* [F.: *ant(i)-* + *tóxico.* Cf.: *toxina.*]

antitoxina (an.ti.to.*xi*.na) [cs] ***sf.*** **1** *Bac* Substância neutralizadora da ação das toxinas (antitoxinas contra vírus) **2** Anticorpo que se forma no organismo como defesa contra toxinas nele geradas por certas bactérias [F.: *ant(i)-* + *toxina.*]

antitráfico (an.ti.*trá*.fi.co) ***a2g2n.*** Que combate ou visa prevenir o tráfico (de mercadorias, de escravos, de drogas, de influência etc.): *leis antitráfico.* [F.: *ant(i)-* + *tráfico.*]

antitravamento (an.ti.tra.va.*men*.to) ***a2g2n.*** **1** Que impede o travamento acidental (de uma roda, um equipamento, um veículo etc.); ANTITRAVAÇÃO: *sistemas antitravamento.* ***sm.*** **2** Ação ou resultado de impedir o travamento [F.: *ant(i)-* + *travamento.*]

antitrinitário (an.ti.tri.ni.*tá*.ri:o) *Rel.* ***a.*** **1** Que não aceita o dogma da Trindade ***sm.*** **2** Aquele que não aceita esse dogma [F.: *ant(i)-* + *trinitário.*]

antitrombina (an.ti.trom.*bi*.na) ***sf.*** *Biol. Farm.* Substância que inibe a ação da trombina, e que pode ser natural ou não [F.: *ant(i)-* + *trombina.*]

antitruste (an.ti.*trus*.te) ***a2g2n.*** Que limita ou se opõe à formação de trustes, cartéis e monopólios (leis antitruste; controle antitruste) [F.: *ant(i)-* + *truste.*]

antitumoral (an.ti.tu.mo.*ral*) *Med.* ***a2g.*** **1** Que impede ou combate a formação e o desenvolvimento de tumores [Pl.: *-rais.*] ***sm.*** **2** Medicamento ou tratamento contra tumores [Pl.: *-rais.*] [F.: *ant(i)-* + *tumoral.*]

antitussígeno (an.ti.tus.*sí*.ge.no) *Med.* ***a.*** **1** Diz-se do medicamento que acalma ou combate a tosse (xarope antitussígeno) ***sm.*** **2** Esse medicamento [F.: *ant(i)-* + *tussígeno.*]

antiumectante (an.ti:u.mec.*tan*.te) ***a2g.*** *Quím.* Diz-se de substância que misturada a pó ou a sal, esp. alimentício, diminui as características higroscópicas deste; substância que reduz a absorção de umidade pelos alimentos [F.: *ant(i)-* + *umectante.*]

antivandalismo (an.ti.van.da.*lis*.mo) ***a2g2n.*** Que evita ou combate o vandalismo: *A polícia desenvolveu algumas providências antivandalismo.* [F.: *ant(i)-* + *vandalismo.*]

antivariólico (an.ti.va.ri.*ó*.li.co) *Med.* ***a.*** **1** Diz-se do medicamento ou medida profilática que atua contra a varíola, prevenindo-a ou tratando-a ***sm.*** **2** Esse medicamento ou medida [F.: *ant(i)-* + *variólico.*]

antiveneno ***sm.*** *Med.* Substância antitóxica que combate os efeitos do veneno das serpentes e outros animais [F.: *ant(i)-* + *veneno.*]

antivenéreo (an.ti.ve.*né*.re:o) ***a.*** *Farm.* Eficaz contra as doenças venéreas [F.: *ant(i)-* + *venéreo.*]

antiviolência (an.ti.vi:o.*lên*.ci:a) ***a2g2n.*** **1** Que combate ou visa prevenir a violência (cruzada antiviolência; projetos antiviolência) ***sf.*** **2** Ação ou resultado de prevenir ou combater a violência [F.: *ant(i)-* + *violência.*]

antiviral *Med.* ***a2g.*** **1** Diz-se de substância que combate vírus: *Nova droga antiviral foi testada.* [Pl.: *-rais.*] ***sm.*** **2** Essa substância [Pl.: *-rais.*] [F.: Do ing. *antiviral.*]

antivirótico (an.ti.vi.*ró*.ti.co) ***a. sm.*** *Med.* O mesmo que *antiviral* [F.: *ant(i)-* + *virótico.*]

antivirulento (an.ti.vi.ru.*len*.to) ***a. sm.*** *Med.* O mesmo que *antiviral* (1 e 2) [F.: *ant(i)-* + *virulento.*]

antivírus (an.ti.*ví*.rus) ***sm2n.*** *Inf.* Programa us. como proteção contra entrada ou permanência de vírus em computadores [Tb. us. como especificador invariável: programas *antivírus.*] [F.: *anti-* + *vírus.*]

◎ **-ant(o)-** ***el. comp.*** Ver *ant(o)-*

◎ **-anto** ***el. comp.*** Ver *ant(o)-*

◎ **ant(o)-** ***el. comp.*** = 'flor(es)'; '(de) flores com dada característica'; 'receptáculo floral': *antestéria* (< gr.), *antociano, antófago, antofobia, antografia; ciclantácea* (< lat. cient.), *clorantácea* (< lat. cient.); *agapanto* (< lat. cient.), *anisanto, gimnanto, nictanto, rizanto; cladanto, clinanto, hipanto* [F.: Do gr. *ánthos, eos-ous*, 'broto', 'flor'. F. conexa: *anter(o)-*.]

antocerotácea (an.to.ce.ro.*tá*.ce:a) ***sf.*** *Bot.* Espécime das antocerotáceas, fam. da ordem das antocerotales [F.: Adaptç. do lat. cien. *Anthocerotaceae.*]

antocerotópsida (an.to.ce.ro.*tóp*.si.da) ***sf.*** *Bot.* Espécime das antocerotópsidas, classe de vegetais das antocerotófitas [F.: Adaptç. do lat. cient. *Anthocerotopsida.*]

antofilo (an.to.*fi*.lo) ***sm.*** *Bot.* Qualquer uma das chamadas folhas florais, como pétalas, estames, carpelos etc. [F.: *ant(o)-* + *-filo*[2].]

antófita (an.*tó*.fi.ta) ***sf.*** *Desus. Bot.* Espécime das antófitas, grupo de plantas, segundo classificação antiga, que reúne todas as plantas com flores (angiospermas e gimnospermas) [F.: Adapt. do lat. cient. *Anthophyta.* Tb.: *antófito.*]

antófito (an.*tó*.fi.to) ***sm.*** *Desus. Bot.* Ver *antófita*

antofobia (an.to.fo.*bi*:a) ***sf.*** *Psiq.* Aversão patológica, repulsão ou temor mórbido a flores [F.: *ant(o)-* + *-fobia.*]

antofóbico (an.to.*fó*.bi.co) *Psiq.* ***a.*** **1** Ref. ou inerente à antofobia (sintomas antofóbicos) **2** Diz-se de indivíduo que sofre de antofobia; ANTÓFOBO ***sm.*** **3** Esse indivíduo; ANTÓFOBO [F.: *antofobia* + *-ico*[2].]

antófobo (an.*tó*.fo.bo) *Psiq.* ***a.*** **1** Diz-se de indivíduo que sofre de antofobia ***sm.*** **2** Esse indivíduo [F.: *ant(o)-* + *-fobo.* Sin. ger.: *antofóbico.*]

antogênese (an.to.*gê*.ne.se) ***sf.*** *Bot.* Processo de formação de gemas florais [F.: *ant(o)-* + *-gênese.*]

antógeno (an.*tó*.ge.no) ***a.*** *Bot.* Capaz de provocar a antogênese [F.: *ant(o)-* + *-geno.*]

antografia (an.to.gra.*fi*:a) ***sf.*** **1** Descrição das flores **2** Expressão de ideias ou sentimentos por meio das flores [F.: *ant(o)-* + *-grafia.*]

antojadiço (an.to.ja.*di*.ço) ***a.*** Que é cheio de caprichos, vontades; CAPRICHOSO; VOLUNTARIOSO [F.: Do espn. *antojadizo.*]

antojado[1] (an.to.*ja*.do) ***a.*** **1** Posto diante dos olhos **2** Que foi imaginado **3** *Fig.* Que é muito cobiçado, desejado [F.: Part. de *antojar*[1].]

antojado[2] (an.to.*ja*.do) ***a.*** Que se antojou, aborreceu; ENTEDIADO; ENFASTIADO; ABORRECIDO [F.: Part. de *antojar*[2].]

antojar (an.to.*jar*) ***v.*** **1** Pôr(-se) diante dos olhos [***td.***: *Antojava suas velhas fotos; O animal antojou-se diante dele.*] **2** Afigurar(-se), representar(-se) [***td.***: *Aquela aprovação antojou uma sensação de sucesso no aluno.*] [***int.***: *Quando a oportunidade antojou-se ao rapaz, ele a aproveitou.*] **3** *Fig.* Sentir muito desejo por [***td.***: *Antojava um tipo de experiência que jamais tivera.*] [▶ **1** **antojar**] [F.: Do espn. *antojar.* Hom./Par.: *antojo* (fl.), *antojo* /ô/ (sm.).]

antojo[1] (an.*to*.jo) [ô] ***sm.*** **1** Ação ou resultado de antojar (1), de pôr diante dos olhos; ANTOLHO **2** Aparência enganosa, visão, figuração; imaginação desordenada, fértil; ilusão **3** *Fig.* Desejo intenso e vigoroso, contrário à razão; capricho desarrazoado **4** *P. ext. Fig.* Apetite ou desejo por vezes extravagante que costumam ter certos doentes ou mulheres grávidas [F.: Do espn. *antojo.*]

antojo[2] (an.*to*.jo) [ô] ***sm.*** **1** Ação ou resultado de antojar (2) **2** Aborrecimento ou desinteresse profundos **3** Sentimento de aversão, de repulsa, de nojo; REPUGNÂNCIA **4** Aquilo que causa aborrecimento ou repulsa [F.: Regr. de *antojar* (2).]

antolhar (an.to.*lhar*) ***v.*** **1** Apresentar-se de determinada forma, parecer; AFIGURAR-SE; ASSEMELHAR-SE [***ti.*** + *a*: "As radiantes elipses que as estrelas. / Traçam, e ao espectador falsas se antolham. / São verdades de luz que os homens olham/..." (Augusto dos Anjos, "As cismas do destino", *in Obras completas*)] **2** Pôr-se diante dos olhos; ser visto; APARECER; MOSTRAR-SE [***ti.*** + *a*: "Sem exagero – este primeiro dia de viagem (...) patenteia já todos os tropeços que antolharam às expedições anteriores..." (Euclides da Cunha, *Diário de uma expedição*): "Só para o fim da terceira década do século XVIII, se nos antolham alguns escritores em prosa mais estimáveis que os aludidos." (José Veríssimo, *História da literatura brasileira*)] **3** Apetecer, desejar intensamente [***td.***: *Antolhavam as mordomias do poder.* Ant.: *desprezar, rejeitar.*] [▶ **1** **antolhar**] [F.: *ante-* + *olhar.* Sin. ger.: *antojar.*]

antolhos (an.*to*.lhos) [ó] ***smpl.*** **1** Peças de couro ou de outro material opaco que, colocadas ao lado dos olhos de certos animais, limitam a sua visão lateral, o que os impede de se distraírem ou se espantarem **2** Anteparos para proteção dos olhos contra luz intensa **3** *Fig.* Visão limitada; pouca capacidade de percepção; compreensão parcial: *Seus antolhos não o deixam entender meus argumentos.* [F.: *ante-* + *olho(s).*] ■ **Ter ~** *Fig.* Ter pouca acuidade intelectual, ser limitado intelectualmente

antologia (an.to.lo.*gi*:a) ***sf.*** **1** Coleção de textos (em prosa ou em verso) selecionados de forma que melhor representem a obra de um autor, ou um tema comum a vários autores, ou uma época etc.; COLETÂNEA; SELETA **2** *P. ext.* Coleção semelhante de músicas, ou de filmes etc. **3** *Bot.* Estudo das flores **4** *Bot.* Coleção de flores; FLORILÉGIO [F.: Do gr. *anthología, as*, 'ação de colher flores'; 'coleção de trechos literários'. Hom./Par.: *antologia(s)* (sf. [pl.]), *antologia(s)* (fl. de *antologiar*).]

antológico (an.to.*ló*.gi.co) ***a.*** **1** Ref. ou pertencente a antologia, ou a uma antologia **2** Que merece ser incluído em uma antologia: "... [Radamés Gnatalli] fez um arranjo antológico de 'Aquarela do Brasil'..." (*Veja*, 26.01.2000) **3** *P. ext.* Que merece ser lembrado; MEMORÁVEL; NOTÁVEL: *um gol antológico.* [F.: *antologia* + *-ico*[2].]

antologista (an.to.lo.*gis*.ta) ***s2g.*** **1** *Liter.* Autor ou organizador de uma antologia **2** *Bot.* Indivíduo especializado em antologia (estudo das flores) ***a2g.*** **3** Ref. ou inerente a antologia (1 e 2) [F.: *antologia* + *-ista.*]

antologizar (an.to.lo.gi.*zar*) ***v. td.*** Reunir em antologia; ANTOLOGIAR: *Segundo o professor, antologizar os poemas de Neruda foi uma experiência única.* [▶ **1** **antologizar**] [F.: *antologia* + *-izar*, ou adaptç. do ing. (*to*) *anthologize.*]

antomedusa (an.to.me.*du*.sa) ***sf.*** *Zool.* Espécime das antomedusas, subordem de animais metazoários, dotados de pólipos [F.: Adaptç. do lat. cient. *Anthomedusae.*]

antomiídeo (an.to.mi.*í*.de:o) *Ent.* ***sm.*** **1** Espécime dos antomiídeos, fam. de insetos dípteros que compreende pequenas moscas de corpo delgado e cor escura ***a.*** **2** Ref. ou pertencente aos antomiídeos [F.: Adaptç. do lat. cient. *Anthomyiidae.*]

antonímia (an.to.*ní*.mi:a) *Ling.* ***sf.*** **1** Relação entre palavras antônimas **2** Caráter das palavras antônimas **3** Lista de antônimos **4** Estudo ou obra sobre antônimos **5** Emprego de antônimos, esp. para fins estilísticos [F.: *ant(i)-* + *-onímia.* Opõe-se a *sinonímia.*]

antonímico (an.to.*ní*.mi.co) ***a.*** **1** Que diz respeito a antonímia ou a antônimo; ANTÔNIMO **2** Em que existe antonímia [F.: *antônimo* ou *antonímia* + *-ico*[2]. Opõe-se a *sinonímico.*]

antônimo (an.*tô*.ni.mo) *Ling.* ***sm.*** **1** Palavra ou expressão que tem significado oposto ao de outra (p. ex.: *ir/vir, bonito/feio*) ***a.*** **2** Diz-se dessa palavra ou expressão [F.: *ant(i)-* + *-ônimo.* Opõe-se a *sinônimo.* Hom./Par.: *antônimo* (sm.), *autônimo* (a.).]

antonino (an.to.*ni*.no) ***a.*** **1** Ref. a, de ou próprio de santo Antônio, santo católico **2** Ref. a, de ou próprio da Ordem de Santo Antônio ou de religiosos dessa ordem católica ***sm.*** **3** Frade antonino (2) [F.: Do hierônimo *Antônio* + *-ino.*]

antonomásia (an.to.no.*má*.si:a) ***sf.*** **1** *Ling. Ret.* Figura que consiste na substituição do nome próprio por um nome comum ou por uma expressão que informe seu significado (p. ex.: *o bruxo do Cosme Velho* por 'Machado de Assis'); ou vice-versa (p. ex.: *um nero*, por 'um homem cruel') **2** Alcunha, cognome: *Sebastião Prata, por antonomásia "Grande Otelo".* [F.: Do lat. *antonomasia, ae*, do gr. *antonomasía, as.*]

antonomasta (an.to.no.*mas*.ta) ***s2g.*** *Ret.* Aquele que faz uso de antonomásias [F.: *antonom(ásia)* + *-asta*, seg. o mod. gr.]

antonomástico (an.to.no.*más*.ti.co) ***a.*** *Ret.* Ref. a, ou em que há antonomásia [F.: *antonomasta* + *-ico*[2].]

antotaxia (an.to.ta.*xi*:a) [cs] ***sf.*** *Bot.* Disposição que a flor apresenta na haste ou na inflorescência [F.: *ant(o)-* + *-taxia.*]

antozoário (an.to.zo:*á*.ri:o) *Zool.* ***sm.*** **1** Espécime dos antozoários, grande classe de cnidários marinhos, com mais 6.000 spp., que abrange as anêmonas-do-mar, os corais e formas afins ***a.*** **2** Ref. ou pertencente aos antozoários [F.: Do lat. cient. *Anthozoa* + *-ário*, em adaptç. do tax. ao port.]

antracemia (an.tra.ce.*mi*:a) *Med.* ***sf.*** **1** Septicemia produzida pela presença do *Bacillus anthracis* **2** Intoxicação produzida por monóxido de carbono [F.: *antrac(o)-* + *-emia.*]

antracêmico (an.tra.*cê*.mi.co) *Med.* ***a.*** **1** Ref. à antracemia **2** Que apresenta antracemia ***sm.*** **3** Indivíduo antracêmico [F.: *antracemia* + *-ico*[2].]

antraceno (an.tra.*ce*.no) ***sm.*** *Quím.* Hidrocarboneto ($C_{14}H_{10}$) aromático policíclico, us. na fabricação de corantes e tintas [F.: *antrac(o)-* + *-eno*[2].]

antracito (an.tra.*ci*.to) ***sm.*** *Min.* Carvão mineral, negro, de grande poder calorífico e que arde sem chama, fumaça ou cheiro [F.: *antrac(o)-* + *-ito*[2].]

antracnose (an.trac.*no*.se) ***sf.*** *Bot.* Doença das videiras e outras plantas cultivadas, causada por diferentes fungos que atacam os ramos e as folhas, produzindo manchas escuras; doença negra [F.: *antrac(o)-* + *-nose.*]

◎ **antrac(o)-** ***el. comp.*** = 'carvão'; 'monóxido de carbono'; 'carbúnculo'; '*Bacillus anthracis*': *antracemia, antracito, antracnose, antracologia* [F.: Do gr. *ánthraks, ánthrakos*, 'carvão'; 'carbúnculo'.]

antracologia (an.tra.co.lo.*gi*:a) ***sf.*** *Arqueol.* Conjunto de estudos e análises de matéria vegetal carbonizada encontrada em sítios arqueológicos, pelo qual se faz a identificação das espécies vegetais [F.: *antrac(o)-* + *-logia.*]

antraquinona (an.tra.qui.*no*.na) ***sf.*** *Quím.* Substância ($C_{14}H_8O_2$) obtida pela oxidação do antraceno e us. no fabrico de corantes [F.: Do ing. *anthraquinone.*]

antraz (an.*traz*) *Pat.* ***sm.*** Infecção cutânea, gastrintestinal ou pulmonar grave, causada pelo *Bacillus anthracis* ou seus esporos, que ocorre esp. em caprinos, equinos e ovinos, e pode ser transmitida ao ser humano pelo contato direto com animais doentes ou com seus dejetos, pela ingestão de carne contaminada ou ainda pela inalação dos esporos do bacilo; CARBÚNCULO [F.: Do gr. *ánthraks, akos*, pelo lat. *anthrax, acis.*]

antrectomia (an.trec.to.*mi*.a) ***sf.*** *Cir.* Remoção da porção inferior do estômago [F.: *antro* + *-ectomia.*]

antríbido (an.*trí*.bi.do) *Ent.* ***a.*** **1** Ref. ou pertencente aos antríbidos ***sm.*** **2** Espécime dos antríbidos [F.: Do tax. *Anthribus* + *-ido.*]

antro (*an*.tro) ***sm.*** **1** Caverna, gruta natural, ger. funda e escura, que serve de abrigo a animais selvagens (antro de feras) **2** *P. ext.* Habitação escura, miserável e insalubre **3** *P. ext.* Esconderijo de bandidos, viciados, malandros **4** *Fig.* Lugar de diversão sórdido, de baixa categoria, mal frequentado **5** *Fig.* Qualquer lugar onde há corrupção, vícios, degradação moral **6** *Anat.* Cavidade, esp. no interior de um osso **7** *Anat.* Uma das porções do estômago [F.: Do gr. *ántron, ou*, pelo lat. *antrum, i.*] ■ **~ folicular** *Embr.* Cavidade de folículo de Graaf com o líquido folicular **~ mastoideo** *Anat.* Cavidade no osso temporal, que se comunica com a orelha média e com as células mastoides [Antigo *antro timpânico.*] **~ pilórico** *Anat.* A parte terminal do estômago, logo antes do piloro **~ timpânico** *Anat.* Antigo nome do *antro mastoideo.*

antroduodenectomia (an.tro.du:o.de.nec.to.*mi*:a) ***sf.*** *Cir.* Procedimento cirúrgico que consiste na retirada do antro, do piloro e de parte do duodeno [F.: *antro* + *duodeno* + *-ectomia.*]

antropagogia (an.tro.pa.go.*gi*:a) ***sf.*** *Pedag.* Pedagogia de caráter social que estuda formas de expandir a educação para além do círculo escolar e do meio familiar [F.: *antrop(o)-* + *-agogia.*]

◎ **-antropia** ***el. comp.*** = 'homem'; 'sociedade'; 'doença mental (em que o indivíduo se julga transformado em certo animal ou em certa coisa)': *filantropia* (< gr.), *misantropia* (< gr.), *monantropia; galeantropia, hipantropia, licantropia* (< gr.), *zoantropia* [F.: Do gr. *-anthropía, as*, como em *lykanthropía, as* (> port. *licantropia*). F. conexa: *antrop(o)-*.]

antropia (an.tro.*pi*:a) ***sf.*** *Ecol.* Estudo da ação do homem sobre o meio ambiente [F.: *antrop(o)-* + *-ia*[1].]

antrópico (an.*tró*.pi.co) *a.* **1** Ref. ou pertencente ao homem **2** Ref. à ação do homem, esp. sobre a natureza [F.: *antrop(o)-* + *-ico*[2].]
◎ **-antropo** *el. comp.* Ver *antrop(o)-*
◎ **antrop(o)-** *el. comp.* = 'homem (em opos. a[os] Deus [deuses], ou em opos. à mulher/fêmea); 'ser humano', 'pessoa'; 'humanidade'; 'sociedade'; '(aquele) que sofre de dada doença (voc. em *-antropia*)': *antropagogia, antropia, antropofagia* (< gr.), *antropofobia, antropometria, antropomorfo, antropônimo; apantropo, ginantropo, misantropo* (< gr.), *pitecantropo* (< lat. cient.), *zoantropo* [F.: Do gr. *ánthropos, ou*. F. conexa: *-antropia*.]
antropobiologia (an.tro.po.bi:o.lo.*gi*:a) *sf.* Biologia do homem, ciência que estuda o ser humano no seu aspecto evolutivo [F.: *antrop(o)-* + *biologia*.]
antropocêntrico (an.tro.po.*cên*.tri.co) *a.* **1** Ref. ao antropocentrismo **2** Diz-se de doutrina baseada no antropocentrismo [F.: *antrop(o)-* + *-centr(o)-* + *-ico*[2].]
antropocentrismo (an.tro.po.cen.*tris*.mo) *Fil. sm.* Concepção ou doutrina segundo a qual o ser humano é o centro ou a razão da existência do universo [F.: *antrop(o)-* + *-centr(o)-* + *-ismo*.]
antropocentrista (an.tro.po.cen.*tris*.ta) *a2g.* **1** Ref. ao ou que é adepto do antropocentrismo *s2g.* **2** Adepto do antropocentrismo [F.: *antropocentrismo* + *-ista*, seg. o mod. gr.]
antropocoria (an.tro.po.co.*ri*.a) *sf.* Disseminação feita pelo homem, voluntária ou involuntariamente, de semente, fruto, esporo etc. de dada planta [F.: *antrop(o)-* + *-coria*[1].]
antropocórico (an.tro.po.*có*.ri.co) *a.* Ref. a antropocoria [F.: *antropocoria* + *-ico*[2].]
antropofagia (an.tro.po.fa.*gi*.a) *sf.* **1** Ação, comportamento ou condição de antropófago; CANIBALISMO **2** *Antr.* Prática, ger. com caráter ritual, de canibalismo entre seres humanos **3** *Bras. Hist. Liter. Art. pl.* Movimento brasileiro de vanguarda, na literatura e nas artes, que, no fim dos anos 1920, defendia uma combinação de modernização e nativismo, pregando a assimilação crítica, irônica e irreverente de elementos estrangeiros (industrialização, ideias modernistas etc.), tomando como modelo a antropofagia dos antigos tupinambás (ingestão do inimigo para apropriação de suas qualidades guerreiras) [F.: Do gr. *anthropophagía, as*; ver *antrop(o)-* e *-fagia*. Sin. ger.: *androfagia, antropofagismo*.]
antropofágico (an.tro.po.*fá*.gi.co) *a.* **1** Ref. à antropofagia **2** Próprio de antropófago; CANIBALESCO [F.: *antropofagia* + *-ico*[2]. Sin. ger.: *androfágico*.]
antropofagismo (an.tro.po.fa.*gis*.mo) *sm.* O mesmo que *antropofagia* [F.: *antropófago* + *-ismo*.]
antropófago (an.tro.*pó*.fa.go) *a.* **1** Que come carne humana (diz-se ger. ser humano) *sm.* **2** Indivíduo que come carne humana [F.: Do gr. *anthropophágos, os, on*, pelo lat. *anthropophagus, i*, e pelo fr. *anthropophage*; ver *antrop(o)-* e *-fago*. Sin. ger.: *andrófago, canibal*.]
antropofobia (an.tro.po.fo.*bi*.a) *sf.* Aversão aos homens, à sociedade humana; MISANTROPIA [Ant.: *filantropia*.] [F.: *antrop(o)-* + *-fobia*.]
antropofóbico (an.tro.po.*fó*.bi.co) *a.* **1** Ref. a antropofobia ou a antropófobo **2** Que apresenta antropofobia; ANTROPÓFOBO [F.: *antropofobia* + *-ico*[2].]
antropófobo (an.tro.*pó*.fo.bo) *a.* **1** Que não gosta do ser humano; que tem aversão à sociedade **2** Que prefere viver em reclusão; MISANTROPO *sm.* **3** Aquele que tem aversão ao ser humano e cultiva a solidão [F.: *antrop(o)-* + *-fobo*. Ant. ger.: *antropófilo*.]
antropogênese (an.tro.po.*gê*.ne.se) *sf.* **1** *Biol.* Ciência que estuda a geração do homem e os fenômenos de sua reprodução; ANTROPOGENIA **2** *Antr.* Estudo das origens e das formas do desenvolvimento humano [F.: *antrop(o)-* + *-gênese*.]
antropogenético (an.tro.po.ge.*né*.ti.co) *a.* *Biol. Antr.* Ref. ou inerente a antropogênese [F.: *antropogên(ese)* + *-ético*, seg. o mod. gr.]
antropogenia (an.tro.po.ge.*ni*:a) *sf.* *Biol.* O mesmo que *antropogênese* (1) [F.: *antrop(o)-* + *-genia*.]
antropogênico (an.tro.po.*gê*.ni.co) *a.* *Biol.* Ref. a antropogenia; ANTROPOGENÉTICO [F.: *antropogenia* + *-ico*[2].]
antropogeografia (an.tro.po.ge:o.gra.*fi*.a) *sf.* Parte da geografia que trata da distribuição da população humana na Terra e de sua relação com o meio ambiente; GEOGRAFIA HUMANA [F.: *antrop(o)-* + *geografia*.]
antropografia (an.tro.po.gra.*fi*:a) *sf.* **1** *Anat.* Descrição da anatomia humana **2** *Antr.* Parte da antropologia que estuda a raça humana a partir do aspecto físico, da língua, das instituições e dos costumes em geral [F.: *antrop(o)-* + *-grafia*.]
antropográfico (an.tro.po.*grá*.fi.co) *a.* *Anat. Antr.* Ref. ou pertencente a antropografia [F.: *antropografia* + *-ico*[2].]
antropoide (an.tro.*poi*.de) *a2g.* **1** Semelhante ao homem *sm.* **2** *Zool.* Macaco sem cauda, semelhante ao homem, como, p. ex., o chimpanzé, o orangotango e o gorila [F.: Do fr. *anthropoïde*.]
antropologia (an.tro.po.lo.*gi*.a) *sf.* **1** O estudo da espécie humana em seus aspectos biológicos (origem, evolução, características distintivas, distribuição de subgrupos e variedades) e comportamentais (especialmente os referentes a costumes, técnicas e modos de vida de grupos e coletividades) **2** Reflexão filosófica, ger. de caráter abrangente e sistemático, acerca da natureza humana [F.: *antrop(o)-* + *-logia*.] ■ **~ biológica** Estudo da constituição biológica da espécie humana em sua evolução pré-histórica e em suas expressões e modificações históricas, incluindo as características corporais e genéticas das diversas populações, e suas relações com os modos de vida, de comportamento e de organização coletiva **~ cultural** O mesmo que *antropologia social*, esp. quando a ênfase é na noção de cultura como conjunto de processos e práticas simbólicos, próprios de determinados grupos sociais **~ filosófica** *Filos.* Ver *antropologia* (2) **~ física** O mesmo que *antropologia biológica*, esp. quando envolve o estudo de material paleontológico e arqueológico (ossos, artefatos etc.) **~ social** Estudo antropológico dos aspectos e expressões coletivos da condição humana, através de métodos de observação empírica dos modos de vida ou das realizações culturais e materiais (costumes, instituições, técnicas) dos diferentes povos, sociedades, grupos e populações, e considerado como parte das ciências sociais, em conjunto com a sociologia, a história, a geografia humana, a economia, a linguística etc.; antropologia cultural
antropológico (an.tro.po.*ló*.gi.co) *a.* Ref. à antropologia [F.: *antropologia* + *-ico*[2].]
antropólogo (an.tro.*pó*.lo.go) *sm.* Aquele que se dedica ao estudo da antropologia; ANTROPOLOGISTA [F.: *antrop(o)-* + *-logo*.]
antropomagnetismo (an.tro.po.mag.ne.*tis*.mo) *sm.* Magnetismo animal considerado a partir das relações estabelecidas entre o homem e os outros corpos, ou o homem e os elementos da natureza [F.: *antrop(o)-* + *magnetismo*.]
antropometria (an.tro.po.me.*tri*.a) *sf.* **1** *Antr.* Estudo das medidas do corpo humano e das diversas proporções de suas partes **2** Registro das particularidades físicas dos indivíduos da espécie humana (medidas, impressões digitais etc.) [F.: *antrop(o)-* + *-metria*.]
antropométrico (an.tro.po.*mé*.tri.co) *a.* Ref. à, ou próprio da antropometria (identificação antropométrica) [F.: *antropometria* + *-ico*[2].]
antropomorfia (an.tro.po.mor.*fi*.a) *sf.* Qualidade ou característica de antropomorfo; semelhança com a forma humana [F.: *antropomorfo* + *-ia*[1].]
antropomórfico (an.tro.po.*mór*.fi.co) *a.* **1** Que tem forma humana ou se assemelha ao homem; ANTROPOIDE; ANTROPOMORFO **2** Ref. a antropomorfismo **3** Próprio do antropomorfismo [F.: *antrop(o)-* + *-morf(o)-* + *-ico*[2].]
antropomorfismo (an.tro.po.mor.*fis*.mo) *Fil. sm.* **1** Conceito ou ação de atribuir a Deus, aos deuses ou aos seres sobrenaturais sentimentos, ideias, paixões e atitudes próprias dos seres humanos **2** Conceito ou ação de atribuir aos seres irracionais e inanimados formas e comportamentos humanos [F.: Do fr. *anthropomorphisme*.]
antropomorfista (an.tro.po.mor.*fis*.ta) *a2g.* **1** Ref. ou pertencente ao antropomorfismo *s2g.* **2** Adepto dessa crença ou doutrina [F.: *antropomorfismo* + *-ista*, seg. o mod. gr.]
antropomorfizar (an.tro.po.mor.fi.*zar*) *v.* **1** Atribuir características humanas a (seres não humanos ou coisas) [*td.*: *Antropomorfiza as casas de suas paisagens*.] **2** Adquirir forma ou características humanas [*int.*: *Os animais antropomorfizam-se nas fábulas*.] [▶ **1** antropomorfizar] [F.: *antropomorfo* + *-izar*.]
antropomorfo (an.tro.po.*mor*.fo) *a.* **1** Que tem forma humana ou se assemelha ao homem; ANTROPOIDE; ANTROPOMÓRFICO *sm.* **2** Ser que tem forma humana ou se assemelha ao homem [F.: Do gr. *anthropómorphos, os, on*, pelo lat. tard. *anthropomorphus, i*.]
antroponímia (an.tro.po.*ní*.mi:a) *sf.* **1** Estudo dos nomes próprios ou antropônimos **2** Lista de antropônimos [F.: *antropônimo* + *-ia*[2].]
antropônimo (an.tro.*pô*.ni.mo) *sm.* Nome próprio de pessoa [F.: *antrop(o)-* + *-ônimo*.]
antropopiteco (an.tro.po.pi.*te*.co) *sm.* *Pal.* Designação comum, considerada obsoleta, às formas mais primitivas dos hominídeos, que seriam o elo intermediário entre os macacos e os seres humanos [F.: Do lat. cient. *Anthropopithecus*.]
antroposfera (an.tro.pos.*fe*.ra) *sf.* *Geog.* Parte da Terra na qual vive o ser humano; IDEOSFERA [F.: *antrop(o)-* + *-sfera*.]
antroposofia (an.tro.po.so.*fi*.a) *sf.* **1** Ciência ou conhecimento da natureza moral e espiritual do ser humano **2** Doutrina espiritual e mística, com origem na teosofia e criada pelo pensador austríaco Rudolf Steiner (1861-1925), segundo a qual, a realidade engloba entidades e processos mentais e psíquicos a seu modo tão reais quanto os fenômenos físicos, e sua observação ampliada deve incluir os planos mental e espiritual, e não só o material [F.: *antrop(o)-* + *-sofia*.]
antroposófico (an.tro.po.*só*.fi.co) *a.* Ref. à antroposofia [F.: *antroposofia* + *-ico*[2].]
antropossociologia (an.tro.pos.so.ci:o.lo.*gi*:a) *sf.* **1** *Antr.* Estudo das sociedades humanas segundo os princípios da antropologia **2** Doutrina que se fundamenta na ideia de que a sociologia deve se basear essencialmente na antropologia [F.: *antrop(o)-* + *sociologia*.]
antropossociológico (an.tro.pos.so.ci:o.*ló*.gi.co) *a.* Ref. ou pertencente à antropossociologia [F.: *antropossociologia* + *-ico*[2].]
antrotomia *sf.* *Cir.* Intervenção cirúrgica em que se faz abertura de um antro (6), esp. o do osso mastoide [F.: *antro* + *-tomia*.]
antuerpiano (an.tu:er.pi:a.no) *sm.* **1** Indivíduo nascido ou que vive em Antuérpia (Bélgica) *a.* **2** De Antuérpia; típico dessa cidade ou de seu povo [F.: Do top. *Antuérpia* + *-ano*[1]. Sin. ger.: *antuerpiense*.]
antuerpiense (an.tu.er.pi.*en*.se) *s2g.* *a2g.* O mesmo que *antuerpiano* (1 e 2) [F.: Do top. *Antuérpia* + *-ense*.]
antúrio (an.*tú*.ri:o) *Bot. sm.* Planta herbácea ornamental, nativa da América tropical, de folhas grandes e flores ger. vermelhas, que cresce ao abrigo do vento [F.: Do lat. *anthurium*, pelo gr. *anthos* 'flor' + *oura* 'cauda'.]
anu (a.*nu*) *Bras. sm.* **1** *Zool.* Denominação comum a pássaros da família dos cuculídeos, gên. *Crotophaga* e *Guira*, de longa cauda e bico forte, que se alimenta de insetos e faz ninhos coletivos **2** *RS* O mesmo que *chupim* **3** *Bras. Dnç.* Certa modalidade de fandango [F.: Do tupi *a'nu*.]
ânua (â.*nu*:a) *Ant. sf.* **1** Carta que registrava os êxitos ocorridos durante um ano **2** Relatório anual enviado pelas casas da Companhia de Jesus ao seu Geral em Roma [F.: fem. subst. de *ânuo*. Hom./Par.: *anua* (fl. anuir); *ânuas* (pl.), *anuas* (fl. anuir).]
anual (a.nu.al) *a.* **1** Que ocorre, se realiza ou se repete uma vez a cada ano: *encontro anual de psiquiatria*. **2** Que dura um ano: *cargo anual*. **3** Que se publica ou atualiza uma vez ao ano: *relatório anual*. **4** Que se paga ou se recebe a cada ano: *taxa anual*. [Sin. nessas acps.: *ânuo*.] **5** *Bot.* Diz-se de planta que nasce, cresce, floresce e morre em certo período do ano, e cujas sementes deixadas no solo dão origem a novo ciclo de um ano [F.: Do lat. *annuale*. Hom./Par.: *anuais* (pl.), *anuais* (fl. de *anuir*).]
anualidade (a.nu:a.li.*da*.de) *sf.* **1** Qualidade do que é anual (anualidade dos impostos) **2** O mesmo que *anuidade* (2) [F.: *anual* + *-(i)dade*.]
anualizar (a.nu.a.li.*zar*) *v. td.* **1** *Econ.* Calcular determinado valor de modo que represente o total previsto ou aproximado no período de um ano, tendo por base uma taxa ou índice ref. a período mais curto **2** Dar periodicidade anual a [▶ **1** anualizar] [F.: *anual* + *-izar*.]
anualmente (a.nu:al.*men*.te) *adv.* **1** De ano em ano: *Pagamos o IPVA anualmente*. **2** Todos os anos: *Passávamos o Natal com nossos avós anualmente*. [F.: *anual* + *-mente*.]
anuário (a.nu:*á*.ri:o) *sm.* **1** Publicação anual que registra as principais ocorrências e atividades de uma instituição ou empresa em determinado ano **2** Publicação anual com notícias ou artigos literários, científicos, artísticos, esportivos etc. **3** Qualquer publicação anual [F.: *ano* + *-uário*.] ■ **~ astronômico** *Astron.* Almanaque astronômico
anu-branco (a.nu-*bran*.co) *sm.* *Bras. Zool.* Ave sul-americana campestre (*Guira guira*), da fam. dos cuculídeos, comum em áreas rurais e cidades, de cauda longa e plumagem branco-amarelada; tb. denominada alma-de-gato, anu-do-campo e pelincho [Pl.: *anus-brancos*.]
anucleado (a.nu.cle:a.do) *a.* *Biol.* Que não tem núcleo (diz-se de célula) [F.: *a-*[3] + *nucleado*.]
anuência (a.nu.*ên*.ci:a) *sf.* Ação ou resultado de anuir; APROVAÇÃO; CONSENTIMENTO: *Ela agiu com a anuência do marido*. [+ *a, em*: *anuência a um pedido; anuência do diretor em ratificar o acordo*.] [F.: Do lat. *annuentia*.]
anuênio (a.nu:*ê*.ni:o) *sm.* **1** Período correspondente a doze meses, ou seja, um ano **2** Período de doze meses de exercício de um cargo ou função **3** *Bras.* Remuneração, benefício, gratificação etc. por serviços ou vantagem correspondente a um anuênio (2) [F.: De *ano* (na f. latina *annu*) + *-ênio*, por analogia com *biênio, triênio* etc.]
anuente (a.nu.*en*.te) *a2g.* Que anui, que dá consentimento [F.: Do lat. *annuente*.]
anuidade (a.nu.i.*da*.de) *sf.* **1** Quantia que se paga a cada ano **2** Quantia paga periodicamente, ger. a cada ano, para constituir um capital ou amortizar uma dívida, incluindo os juros; ANUALIDADE [F.: *ânuo* + *-idade*.]
anuir (a.nu.*ir*) *v.* Dar consentimento; AQUIESCER; CONCORDAR; CONSENTIR [*tr.* + *a, em*: *Anuir a uma sugestão; anuir em tudo; A empresa anuiu a / em patrocinar a peça teatral*.] [*int.*: *Ela anuiu com um sorriso*.] [▶ **56** anuir] [F.: Do lat. *annuere*. Hom./Par.: *anua(s)* (fl.), *ânua(s)* (sf. [pl] e fem. de *ânuo*); *anuo* (fl.), *ânuo* (a.).]
anujá (a.nu.*já*) *Bras. sm.* *N. E. Ict.* Peixe teleósteo siluriforme (*Trachycorystes galeatus*), de corpo escuro com manchas brancas, encontrado em diversos rios brasileiros; anduiá, anuiá, carataí, chorão, cachorro, cachorro-de-padre, cumbá, cumbaca [F.: do tupi *anu'ya*.]
anulabilidade (a.nu.la.bi.li.*da*.de) *sf.* Qualidade do que é anulável [F.: *anulável* (sob a f. *anulabil-*) + *-(i)dade*, seg. o mod. erudito.]
anulação (a.nu.la.*ção*) *sf.* **1** Ação ou resultado de anular(-se) **2** Ação ou efeito de tornar algo inválido, nulo, sem efeito legal: *anulação de um jogo; anulação de uma venda; anulação matrimonial*. **3** Eliminação ou neutralização dos efeitos de uma coisa sobre outra (anulação de uma substância) **4** *Fig.* Ação, circunstância ou condição de quem desiste ou abre mão de realizar-se (emocional, intelectual ou profissionalmente etc.) em favor esp. de alguém (cônjuge, filhos, família etc.) ou de algo (causa, trabalho etc.), mas em detrimento próprio **5** *Fig.* Submissão **6** *Fig.* Vitória (esp. em situação de oposição ou combate) sobre adversário [Pl.: *-ções*.] [F.: Do lat. *annulatio, onis*.] ■ **~ retroativa** *Psic.* Mecanismo de defesa em que um paciente neurótico tenta demonstrar com seu comportamento que fatos, pensamentos, ações ou palavras do passado não teriam ocorrido
anulado (a.nu.*la*.do) *a.* **1** Que se anulou; tornado nulo, sem validade (voto anulado; prova anulada) **2** *Fig.* Abatido moralmente ou frustrado por não se realizar ou por não ter feito ou vivido aquilo que gostaria [F.: *anular* + *-ado*[1].]
anulador (a.nu.la.*dor*) [ô] *a.* **1** Que anula; ANULANTE *sm.* **2** Aquele que anula [F.: *anular* + *dor*.]

anulante (a.nu.*lan*.te) *a2g.* Que anula, que tem força para anular; ANULADOR [F.: *anular²* + *-nte*.]

anular¹ (a.nu.*lar*) *v.* **1** Tornar(-se) nulo, sem validade ou sem valor; INVALIDAR(-SE) [*td.*: *O juiz anulou o concurso; anular o voto; A forte defesa anulou o ataque do time adversário.*] [*int.*: *Com baixa autoestima, anulava-se nos relacionamentos.*] **2** Fazer desaparecer; ANIQUILAR; ELIMINAR; DESTRUIR [*td.*: *A miséria anula o futuro das nossas crianças; As duas aldeias anularam-se numa guerra fratricida.*] **3** Oferecer resistência a; eliminar os efeitos de [*td.*: *anular o envelhecimento, a ferrugem* etc.] **4** Tornar(-se) insignificante [*td.*: *A luz do sol anula o brilho das estrelas.*] **5** Vencer, subjugar com sobras [*td.*: *O meu time anulou o seu.*] [▶ 1 anular] [F.: Do lat. *annullare*. Hom.: /Par.: *anuláveis* (fl.), *anuláveis* (pl. de *anulável* [a2g.]); *anulo* (fl.), *ânulo* (sm.).]

anular² (a.nu.*lar*) *a2g.* **1** Em forma de anel; ANELIFORME **2** Ref. a anel **3** *Anat.* Diz-se do dedo que se localiza entre os dedos médio e mínimo e no qual se coloca a aliança ou o anel *sm.* **4** *Anat.* Esse dedo [F.: Do lat. *anularis, e*, do lat. *anulus, i*, 'anel'.]

anulativo (a.nu.la.*ti*.vo) *a.* Que anula, que tem o poder ou a força para anular algo, ou que encerra anulação; ANULATÓRIO [F.: *anular¹* + *-tivo*.]

anulatório (a.nu.la.*tó*.ri:o) *a.* O mesmo que *anulativo* [F.: *anular¹* + *-tório*.]

anulável (a.nu.*lá*.vel) *a2g.* Que se pode ou deve anular [Pl.: *-veis*.] [F.: *anular²* + *-vel*. Hom./Par.: *anuláveis* (pl.), *anuláveis* (fl. de *anular*).]

◎ **anul(i)-** *el. comp.* = 'anel': *anular²* (< lat.), *anuliforme, anuloso*. [F.: Do lat. *anulus, i*, 'anel de ouro'; 'título de cavaleiro, daquele que recebeu a ordem da cavalaria', do lat. *anus, i*, 'anel'; 'ânus'. F. conexa: *anel(i)-*.]

ânulo (*â*.nu.lo) *sm.* **1** *Arq.* No capitel da coluna dórica, filete colocado sob a cornija **2** *P. us.* O mesmo que *anel* [F.: Do lat. *anulus, i*, 'anel de ouro'; 'título de cavaleiro'; 'ânulo'. Hom./Par.: *ânulo* (sm.), *anulo* (fl. de *anular*).]

anuloso (a.nu.*lo*.so) [ô] *a.* **1** Que é formado por anéis **2** Que tem forma de anel [Pl.: *ó*. Fem.: *ó*] [F.: *anul(i)-* + *-oso*.]

anum (a.*num*) *sm.* Ver *anu*

anum-branco (a.num-*bran*.co) *sm. Bras. Ornit.* Ave cuculiforme cuculídea (*Guira guira*), de cabeça avermelhada, penas com raias negras, dorso com manchas brancas, cauda preta, que vive em matas e cerrados e costuma se alimentar de insetos ortópteros [Pl.: *anuns-brancos*.] [F.: var. de *anu-branco*.]

anum-coroca (a.num-co.*ro*.ca) *sm. Bras. Ornit.* Ave cuculiforme cuculídea (*Crotophaga major*), de coloração preta e dorso azulado, encontrada na beira de rios e lagos de regiões que vão da Argentina ao Panamá [Pl.: *anuns-corocas*.] [F.: var. de *anu-coroca*.]

anum-preto (a.num-*pre*.to) [ê] *sm. Bras. Zool.* Ave cuculiforme, cuculídea (*Crotophaga ani*), que vive junto ao gado, se alimenta de insetos e pode ser encontrada esp. nas Antilhas e na América do Sul, mas tb. na América Central, México e EUA; ANUM-PEQUENO [Pl.: *anuns-pretos*.]

anunciação (a.nun.ci.a.*ção*) *sf.* **1** Ação ou resultado de anunciar **2** *Teol.* Mensagem do anjo Gabriel à Virgem Maria, para lhe anunciar o mistério da Encarnação **3** *Rel.* Dia fixado pela Igreja Cristã para a comemoração desse mistério [Pl.: *-ções*.] [F.: Do lat. *annuntiatione*.]

anunciado (a.nun.ci.*a*.do) *a.* **1** Que se anunciou; NOTICIADO **2** Divulgado por meio de anúncio ou propaganda [F.: Do lat. *annuntiatus, a, um*.]

anunciador (a.nun.ci:a.*dor*) [ô] *a.* **1** Que anuncia; ANUNCIANTE *sm.* **2** O que anuncia; ANUNCIANTE [F.: Do lat. *annuntiator, oris*.]

anunciante (a.nun.ci.*an*.te) *a2g.* **1** Que anuncia; ANUNCIADOR *s2g.* **2** Quem anuncia; ANUNCIADOR **3** *Publ.* Entidade, empresa, sociedade ou indivíduo que faz uso da propaganda **4** *Publ.* Pessoa física ou jurídica que assina e autoriza a veiculação de uma mensagem publicitária, e que é responsável por seu conteúdo e custos [F.: Do lat. *annuntiante*.]

anunciar (a.nun.ci.*ar*) *v.* **1** Tornar de conhecimento público; dar notícia de; NOTICIAR; PARTICIPAR [*td.*: *Os jornais anunciaram o aumento das tarifas.*] [*tdi.* + *a*: *O ministro anunciou à imprensa a decisão de demitir-se.*] **2** Ser indício, sinal ou prenúncio de [*td.*: *A empresa anunciou o novo produto na TV.*] [*int.*: *Para vender, é preciso anunciar.*] **3** Ser indício, sinal ou prenúncio de; PRENUNCIAR [*td.*: *as nuvens escuras anunciam a chegada da chuva.*] [*tdi.* + *a*: *O toque do sino anuncia aos fiéis a hora da missa.*] [*int.*: *Em meio à intensa obscuridade, anuncia-se um dia de chuva.*] **4** Fazer saber com antecedência; PREDIZER; VATICINAR [*td.*: *Místicos anunciam o fim do mundo.*] [*tdi.* + *a*: *Cassandra anunciou aos troianos o destino funesto de Troia.*] **5** Comunicar a presença ou chegada de [*td.*: *O mordomo anunciou as visitas; Ele se anunciou intempestivamente no salão de festas.*] [*tdi.* + *a*: *Anunciou a todos, solenemente, o monsenhor.*] [F.: Do lat. *annuntiare*. Hom./Par.: *anuncio* (fl.), *anúncio* (sm.).]

anúncio (a.*nún*.ci:o) *sm.* **1** Notícia, aviso por meio do qual se faz conhecer alguma coisa ao público, oralmente ou por escrito **2** *Publ.* Mensagem de propaganda em forma de texto, música, filme etc., para divulgar os benefícios e/ou qualidades de um produto, serviço, atividade etc. **3** Prenúncio, indício, sinal; INDÍCIO: *Essas nuvens são anúncio de chuva.* [F.: do lat. tard. *annuntius*. Hom./Par.: *anuncio* (fl. de *anunciar*).] ∎ **~ classificado** *Publ.* Pequeno anúncio em seção especializada por assunto, em jornal ou revista. [Tb. apenas *classificado*] **~ cooperativo** *Publ.* Anúncio financiado cooperativamente (pelo fabricante do produto, pela loja ou revendedor etc.) **~ de sustentação** *Publ.* Aquele que visa reforçar a propaganda de produto ou serviço já existente no mercado

ânuo (*â*.nu:o) *a.* O mesmo que *anual* (1 a 4) [F.: Do lat. *annuus, a, um*. Hom./Par.: *anuo* (fl. de *anuir*).]

anu-preto (a.nu-*pre*.to) *Bras. Zool. sm.* Anu (*Crotophaga ani*) de plumagem negra e bico alto, encontrado da Flórida até a Argentina [Pl.: *anus-pretos*.]

anurese (a.nu.*re*.se) *Pat. sf.* Diminuição anormal da urina, que pode chegar à supressão total [F.: *an-* + *-urese*. Cf.: *anúria*.]

anuria (a.nu.*ri*.a) *sf.* Ver *anúria*

anúria (a.*nú*.ri:a) *Pat. sf.* Supressão da secreção urinária [F.: *an-* + *-úria*. Tb. *anuria*. Cf.: *anurese*.]

anuro¹ (a.*nu*.ro) *a. Zool.* Que não tem cauda [F.: *an-* + *-uro*.]

anuro² (a.*nu*.ro) *Zool. sm.* **1** Espécime dos anuros, ordem de anfíbios de corpo curto, desprovidos de cauda no estado adulto, com dois pares de membros, sendo os posteriores próprios para o salto; inclui os sapos, as rãs e as pererecas *a.* **2** Ref. aos anuros [F.: Adaptç. do lat. cient. *Anura*; ver *an-* + *-uro*.]

ânus (*â*.nus) *Anat. sm2n.* Abertura externa do reto por onde se expelem as fezes *P. us.*; ANO [F.: Do lat. *anus*. Hom./Par.: anos (pl. de *ano*). Ideia de 'ânus': *proct(o)-* (proctologia).]

anuscopia (a.nus.co.*pi*:a) *sf. Med.* Exame interno do ânus por meio de anuscópio [F.: *ânus* + *-scopia*.]

anuscópio (a.nus.*có*.pi:o) *Med. sm.* Aparelho us. para examinar visualmente a parte interna do ânus [F.: *ânus* + *-scópio*.]

anuviado (a.nu.vi.*a*.do) *a.* **1** Coberto de nuvens; NUBLADO **2** *Fig.* Sombrio, perturbado [F.: Part. de *anuviar*. Ant. ger.: *desanuviado*.]

anuviamento (a.nu.vi.a.*men*.to) *P. us. sm.* Ação ou resultado de anuviar(-se) [F.: *anuviar* + *-mento*.]

anuviar (a.nu.vi.*ar*) *v.* **1** Encher(-se) de nuvens; NUBLAR(-SE) [*td.*: *Ventos fortes anuviaram o céu.*] [*int.*: *O céu anuviou-se no início da tarde.*] **2** *Fig.* Fazer ficar ou ficar carregado, sombrio ou melancólico [*td.*: *A tristeza anuvia-lhe o semblante.*] [*int.*: *Anuviou-se-lhe o rosto.*] [▶ 1 anuviar] [F.: Do lat. *annubilare*.]

anverso (an.*ver*.so) *sm.* **1** Face de uma medalha ou moeda em que se encontra a efígie ou emblema [P. opos. a *reverso*.] **2** Parte principal de um objeto que tenha dois lados opostos [P. opos. a *reverso* e *verso*.] **3** *Edit.* Página que fica à direita quando uma publicação está aberta [F.: Do lat. *anteversu*.]

anzol (an.*zol*) *sm.* **1** Pequeno gancho que se prende a uma linha numa extremidade, com uma farpa na outra, e no qual se coloca uma isca, para pescar **2** *Fig.* Artimanha para enganar alguém *Fig.* ISCA [Pl.: *-zóis*.] [F.: Do lat. *hamiceolus*.] ∎ **Cair no ~** Cair em armadilha, logro, esparrela

anzol-de-lontra (an.zol-de-*lon*.tra) *Bras. Amaz. Bot. sm.* Trepadeira arbustiva da fam. das loganiáceas (*Strychnos ericetina*), nativa da Amazônia, de ramos cinzentos com bagas alaranjadas e flores brancas aromáticas; a casca da raiz é amarga e contém tintura avermelhada [Pl.: *anzóis-de-lontra*.]

ao **1** Comb. da prep. *a* com o art. def. masc. *o*: *Maria entregou o dever ao professor.* **2** Comb. da prep. *a* com o pron. dem. *o*; ÀQUELE: *Dirijo-me aos que me podem entender.* **3** Comb. da prep. *a* com o pron. dem. *o*; ÀQUILO: *Juntou ao que disse provas convincentes.*

◎ **-ão¹** *suf. nom.* Formador de aumentativos presente desde muito cedo na língua, seja com valor dimensivo, afetivo ou expressivo, ger. com as seguintes noções (muitas das quais correlatas): **a)** 'que é grande ou que é maior (em tamanho ou dimensão [por extensão, largura ou diâmetro etc.], ou proporção [ou número], ou duração) que os elementos de sua categoria ou que os outros de sua espécie': *abelhão, abertão, animalão, baixadão, barrigão, bibocão, bundão; bandão, boiadão; bocelão; campão, casão; feriadão; fivelão, livrão, pernão*; **b)** (dessa ideia de 'algo em maior tamanho ou dimensão' surge a noção de) 'algo similar mas com outras características ou algo específico ou até mesmo diferente (mas com alguma coisa em comum com o referente original)': *agulhão, anelão, argolão, baetão, batelão, bermudão, bezerrão, bicão, blusão, bolsão, brechão, calçadão, calção, camisão, camisolão, carão, cavalão, cestão, dedão, empadão, escovão, espigão, facão, farpão, fogão, frescão, garotão, garrafão, jeitão, lixão, orelhão, papelão, paredão, partidão, pastelão, peixão, pimentão, portão, pulgão, ribeirão, salsichão*; **c)** '(palavra base) de grande valor, qualidade, ou beleza': *carrão, festão, mulherão, negocião*; **d)** 'mais forte ou mais intenso, extremo ou excessivo (sentimento, sensação, movimento, golpe etc.)': *alegrão, apertão, bofetão, calorão, febrão, laborão, trabalhão*; **e)** 'que é muito (palavra)': *acanhadão, achadão, amigão, atrevidão, beatão, bonitão, burrão, caladão, desligadão, doidão, esquisitão, felizão, grandão, grosseirão, malucão, mediocrão, paradão, pesadão, quadradão, queridão*; **f)** 'algo que é muito (palavra base)': *clarão, escurão*; **g)** 'tom mais forte de (palavra base = 'cor') ou aquilo ou aquele que apresenta essa tonalidade': *amarelão, azulão, vermelhão*; **h)** 'o macho de dada espécie (em virtude de ser maior que a fêmea)': *cabrão* (< lat. **capro, onis*, 'grande cabra'; 'bode'), *lebrão*; **i)** 'coletividade': *povão, mundão*; **j)** 'que é dado a fazer algo ou que o faz com frequência ou em demasia': *adivinhão, adulão, babão, brigão, cagão, cansão, chorão, chupão, enrolão, fujão, mijão*; **l)** 'que ou aquele que está na faixa dos x anos': *vintão* (p. us.), *trintão* (p. us.), *quarentão, cinquentão, sessentão, setentão, oitentão, noventão*. [Nesta acpç. é usual a noção de 'alguém (com x anos) muito bem-conservado, em boa forma física'.] [Por ser o aumentativo um recurso da linguagem afetiva, os voc. com esse suf. (por sinal, o mais representativo na formação de aumentativos) apresentam muitas vezes valor depreciativo ou pejorativo (*bundão, idiotão, militarão, palavrão*) ou de apreço (*meninão, negão, mengão, timão, verdão*). Ocorre ainda em alguns poucos casos de antífrase, ou seja, com ideia oposta à do aumentativo: *caravelão* ('pequena caravela'), *feirão* (*Lus.* 'pequena feira'), *rabão* ('cujo rabo é curto ou cortado').] [O fem. de *-ão* é *-ona* (*bonitona, lindona, gatona, quarentona*); é comum, entretanto, na linguagem moderna a formação de subst. masc. a partir de subst. fem. + *-ão*: *mulherão, moscão*.] [F.: Do suf. lat. (vulg.) *-one* (cl. *-onis*). Integrado a outros suf. ou elementos de ligação, ocorre tb. em: *-achão, -alhão, -arão, -arrão, -eirão, -etão, -gão, -(i)lhão, -zão, -zarrão*.]

◎ **-ão²** *suf. nom.* Ver *-ano¹*: *coimbrão*

◎ **-ão³** *suf. nom.* Formador de nomes de ação, ger. com o sentido de 'ato, ação, efeito ou resultado (da ação referida no rad. verbal)': *arranhão, arrastão, arrepelão, atracão, beliscão, tropeção* [F.: Do suf. lat. *-io, -ionis*, de nomes formados a partir de verbos. Integrado às consoantes *-t-* e *-s-* dos suf. lat. *-tus* e *-sus*, de part. pass. e supino, ocorre em português em *-ção* e *-são*.]

aonde (a.*on*.de) *adv.* Para onde; para que lugar ou para o lugar que; a que lugar, ao qual lugar: *Aonde vais?*; *A cidade aonde finalmente chegamos.* [Emprega-se apenas com verbos que indicam movimento. No entanto, usa-se *onde* se antes desse advérbio houver preposição] [F.: *a* + *onde*.]

aoristo (a.o.*ris*.to) *Ling. sm.* Tempo verbal do grego antigo que expressa ação passada [F.: Do lat. medv. *aoristus, i*, do gr. *aóristos*. Cf. *oaristo*.]

aorta (a.*or*.ta) *sf. Anat.* Artéria principal que parte do ventrículo esquerdo e irriga todo o corpo, por meio de artérias subsidiárias e arteríolas [F.: Do gr. *aorté*.]

aortalgia (a.or.tal.*gi*.a) *Med. sf.* Dor provocada por lesão na aorta [F.: *aort(o)-* + *-algia*.]

aortálgico (a.or.*tál*.gi.co) *a.* Ref. a aortalgia [F.: *aortalgia* + *-ico²*.]

aortectasia (a.or.tec.ta.*si*.a) *Med. sf.* Dilatação da aorta [F.: *aort(o)-* + *-ectasia*.]

aortectomia (a.or.tec.to.*mi*.a) *Cir. sf.* Ressecção parcial da aorta [F.: *aort(o)-* + *-ectomia*.]

aórtico (a.*ór*.ti.co) *a. Med.* Ref. ou pertencente à aorta [F.: *aorta* + *-ico²*.]

aortite (a.or.*ti*.te) *sf. Med.* Inflamação da aorta [F.: *aort(o)-* + *-ite¹*.]

◎ **aort(o)-** *el. comp.* = 'aorta': *aortalgia, aortoclasia, aortografia, aortopatia* [F.: Do gr. *aorté, ês*.]

aortoclasia (a.or.to.cla.*si*.a) *Med. sf.* Ruptura da aorta [F.: *aort(o)-* + *-clasia*.]

aortografia (a.or.to.gra.*fi*.a) *sf. Rlog.* Radiografia da aorta [F.: *aort(o)-* + *-grafia*.]

aortopatia (a.or.to.pa.*ti*.a) *Med. sf.* Qualquer patologia da aorta [F.: *aort(o)-* + *-patia*.]

⊕ **à outrance** (*fr.* /a utrãsse/) **1** Sem tréguas: *Queriam guerra à outrance.* **2** A todo transe; a qualquer preço

⊠ **AP** Sigla do Estado do Amapá

apacanim (a.pa.ca.*nim*) *Bras. Ornit. sf.* Denominação comum aos gaviões do gên. *Spizaetus*, encontrados desde a América Central até a Argentina, como as spp. *S. ornatus*, conhecida como gavião-de-penacho, e *S. tyrannus*, chamada gavião-pega-macaco [F.: Do tupi *yapa'kani*.]

apache (a.*pa*.che) *s2g.* **1** *Etnol.* Indivíduo pertencente aos apaches, povo indígena do Sudoeste dos EUA **2** *Gloss.* Língua da família atabasca, falada por esse povo *a2g.* **3** De ou ref. a apache (1 e 2) [F.: Do ing. *apache*, deriv. de uma língua indígena do Novo México.]

apachorrar-se (a.pa.chor.*rar*-se) *v. int.* Encher-se de pachorra, de grande paciência, calma; ACALMAR-SE [▶ 1 apachorrar-se] [F.: *a-* + *pachorr(a)* + *-ar*.]

apadrinhado (a.pa.dri.*nha*.do) *a.* **1** Que tem padrinho **2** Patrocinado, favorecido, protegido [F.: Part. de *apadrinhar*.]

apadrinhamento (a.pa.dri.nha.*men*.to) *sm.* Ação ou resultado de apadrinhar(-se), de tornar(-se) padrinho [F.: *apadrinhar* + *-mento*.]

apadrinhar (a.pa.dri.*nhar*) *v.* **1** Servir de padrinho a [*td.*] **2** Servir de fiador a; empenhar-se em favor de; FAVORECER; PATROCINAR [*td.*: *O senador costuma apadrinhar os amigos, arrumando-lhes bons empregos.*] **3** Defender, sustentar [*td.*: *Os médicos apadrinharam a campanha contra o fumo.*] **4** Buscar apoio ou crédito; AUTORIZAR-SE [*tdr.* + *com*: *O jovem procurou apadrinhar-se com pessoas de prestígio.*] **5** Emparelhar um cavalo domesticado com (outro, ger. potro indomado), a fim de amansá-lo [*td.*] [▶ 1 apadrinhar] [F.: *a-²* + *padrinho* + *-ar²*.]

apadroar (a.pa.dro.*ar*) *v.* **1** Ser padroeiro de (ger. algum lugar) [*td.*] **2** *Fig.* Dar patrocínio ou amparo a; APADRINHAR [*td.*] **3** Entregar-se à proteção de; APADRINHAR-SE [*int.*] [▶ 16 apadroar] [F.: *a-* + *padro (n)-* + *-ar*.]

⊠ **Apae** (A.pae) Sigla de *Associação de Pais e Amigos dos Excepcionais*

apagado (a.pa.*ga*.do) *a.* **1** Que já não arde, já não tem fogo, luz ou brilho (cigarro apagado) [Ant.: *aceso*.] **2** *Fig.* Sem vivacidade, ânimo ou entusiasmo: *uma personalidade apagada.* **3** *Fig.* Pouco talentoso (escritor apagado); MEDÍO-

CRE 4 Sumido, riscado ou raspado (tabuleta apagada) 5 Diz-se de aparelho, lâmpada, eletrodoméstico, mecanismo etc. que está desligado ou teve o seu funcionamento ou fluxo de corrente elétrica interrompido (faróis apagados); DESLIGADO 6 *Fig.* Inerte, prostrado: *A tristeza a deixou apagada.* 7 Em estado de torpor ou de inconsciência, dada a ingestão de bebida, droga etc.: *Os tranquilizantes deixaram-no apagado.* 8 *Gír.* Morto, vítima de assassinato: *Disse que seu desafeto já estava apagado.* [F.: Part. de *apagar*.]

apagador (a.pa.ga.*dor*) [ô] *sm.* 1 O que apaga 2 Objeto provido de uma superfície coberta de feltro, us. para apagar o que se escreveu em quadro-negro ou similar *a.* 3 Que apaga [F.: *apagar* + *-dor*.]

apagamento (a.pa.ga.*men*.to) *sm.* Ação ou resultado de apagar(-se) [F.: *apagar* + *-mento*.]

apagão (a.pa.*gão*) *Bras. sm.* 1 Colapso parcial ou total no fornecimento de energia elétrica a grandes áreas, esp. urbanas, ou a toda uma cidade, um estado, país etc. 2 *P. ext.* Colapso generalizado em um serviço ou atividade, em um sistema de fornecimento, distribuição ou controle, que se dá quando uma falha localizada acarreta outras falhas (apagão aéreo) [Pl.: *-gões*.] [F.: Do espn. *apagón*.] ■ **~ aéreo** Colapso total ou parcial nos sistemas de transporte aéreo de uma região, ou de todo um país, devido a problemas de controle de voo, atrasos e cancelamentos de voos programados, dificuldades logísticas de atendimento nos aeroportos etc.

apagar (a.pa.*gar*) *v.* 1 Fazer desaparecer ou fazer cessar (fogo ou luz); EXTINGUIR(-SE) [*td.*: *Os bombeiros apagaram o incêndio; Apague a luz antes de deitar.*] [*int.*: *A fogueira apagou(-se).*] Ant.: *acender*.] 2 Tirar ou perder o brilho a [*td.*: *apagar a vela, o fogão, o castiçal.*] 3 Fazer cessar fluxo ou corrente elétrica; DESLIGAR(-SE) [*td.*: *apagar a lâmpada.*] [*int.*: *A lâmpada apagou(-se).*] 4 *Bras. P. ext.* Deixar de funcionar [*td.*: *A tristeza apagou-lhe o brilho dos olhos.*] [*int.*: *Após a separação, sua fisionomia (se) apagou.*] 5 Fazer sumir (o que está escrito, desenhado etc.); PARAR [*int.*: *A máquina apagou.*] 6 *P. ext. Inf.* Excluir (informação, texto, arquivo), em geral por meio de tecla ou comando determinado; SUPRIMIR; ELIMINAR [*td.*: *Apague o desenho com a borracha.*] 7 Fazer desaparecer ou cair no esquecimento [*td.*: *Apague o quadro depois de encerrada a aula.*] 8 Perder a intensidade (cor); DELETAR [*td.*] 9 Reduzir a intensidade ou a duração até desaparecer [*td.*: "... era a única que poderia apagar a lembrança de Lúcia..." (José de Alencar, *Lucíola*)] 10 *Fig.* Deixar de praticar uma atividade, tarefa, ação; perder o empenho; DESANIMAR; ESMORECER [*int.*] 11 *Fig.* Desaparecer tendo em vista a morte do último membro; ANIQUILAR [*td.*: *O vício apagou-lhe a saúde.*] 12 *Fig.* Perder a lembrança de; OBSCURECER [*td.*: *Sua inteligência apaga a daqueles que a querem emular.*] 13 *Fig.* Destruir totalmente; DESMAIAR; DESFALECER [*td.*: *Com um soco, o policial apagou o ladrão.*] [*int.*: *Na festa, bebeu tanto que apagou sobre a mesa.*] 14 Diminuir ou tirar a importância, o valor de (algo ou alguém); tornar obscuro; MATAR [*td.*] 15 Perder ou fazer perder os sentidos; MORRER [*int.*] [▶ 14 apagar] [F.: *a-*² + lat. *pacare*, 'pacificar'. Hom./Par.: *apagáveis* (fl.), *apagáveis* (pl. de *apagável*).]

apagável (a.pa.*gá*.vel) *a2g.* Que pode ser apagado [Ant.: *inapagável*.] [Pl.: *-veis*.] [F.: *apagar* + *-vel*. Hom./Par.: *apagáveis* (pl.), *apagáveis* (fl. de *apagar*).]

apagogia (a.pa.go.*gi*.a) *Lóg. sf.* 1 Raciocínio pelo absurdo, mesmo que *redução ao absurdo* 2 Raciocínio que consiste em provar uma tese pela refutação de todas as outras teses alternativas, mesmo que *raciocínio disjuntivo* 3 Para Aristóteles, silogismo em que a premissa maior é evidente, mas a premissa menor é apenas provável, donde a conclusão ser igualmente apenas uma probabilidade; ABDUÇÃO [F.: Do gr. *apagoge, ês*, 'ação de levar', + *-ia*¹.]

apainelar (a.pai.ne.*lar*) *v. td.* 1 Conferir forma de painel a 2 Executar ou dividir em painéis 3 Enfeitar (paredes, tetos) com molduras [▶ 1 apainelar] [F.: *a-*² + *painel* + *-ar*².]

apaiolar (a.pai:o.*lar*) *v. td.* Guardar em paiol ou coisa parecida; empaiolar; ARMAZENAR [▶ 1 apaiolar] [F.: *a-* + *paiol* + *-ar*.]

apaisanado (a.pai.sa.*na*.do) *a.* Que se apaisanou, que assumiu maneiras e/ou aparência de paisano [F.: *a-*² + *paisano* + *-ado*¹.]

apaisanar (a.pai.sa.*nar*) *v. td. int.* Dar ou adquirir trajes, modos, costumes de paisano; virar paisano [▶ 1 apaisanar] [F.: *a-* + *paisan(o)* + *-ar*.]

apaixonadamente (a.pai.xo.na.da.*men*.te) *adv.* 1 De modo apaixonado; com paixão: *D. Pedro I de Portugal amou apaixonadamente D. Inês de Castro.* 2 Com fervor, com energia; intensamente: *Tiradentes lutou apaixonadamente pela independência do Brasil.* [F.: Fem. de *apaixonado* + *-mente*.]

apaixonadiço (a.pai.xo.na.*di*.ço) *a.* 1 Que se apaixona facilmente 2 Que está frequentemente apaixonado [F.: *apaixonado* + *-iço*.]

apaixonado (a.pai.xo.*na*.do) *a.* 1 Que se apaixonou; que vive uma paixão intensa 2 Cheio de sentimento, de entusiasmo; EXALTADO; ARREBATADO: "Associa a isto um temperamento apaixonado, que o leva à cólera e à vingança..." (Capistrano de Abreu, *Capítulos de história colonial*) 3 Que se dedica com grande entusiasmo (a uma atividade); AFICIONADO; ENTUSIASTA: "... João Semana era também proprietário rural, e portanto, apaixonado pela lavoura..." (Júlio Dinis, *As pupilas do senhor reitor*) 4 Que a paixão impediu de ser imparcial; FACCIOSO; PARCIAL [Prep. para todas as acp.: *por*.] *sm.* 5 Indivíduo apaixonado [F.: Part. de *apaixonar*.]

apaixonante (a.pai.xo.*nan*.te) *a2g.* Que apaixona, que seduz; CATIVANTE; SEDUTOR [F.: *apaixonar* + *-nte*.]

apaixonar (a.pai.xo.*nar*) *v.* 1 Fazer sentir ou sentir paixão, amor ou forte atração [*td.*: *Sua beleza e doçura apaixonaram o severo cinquentão.*] [*tr.* + *por, de*: *Em pouco tempo de conversa, ela se apaixonou pelo forasteiro.*] 2 Fazer experimentar ou experimentar grande interesse ou entusiasmo [*td.*: *O trabalho da bailarina apaixona o público.*] [*tr.* + *por*: *Nosso amigo alemão apaixonou-se pela língua portuguesa.*] 3 *Bras. N. E. Pop.* Gostar de, agradar-se de, apreciar [*td.*: *Macambúzio, não apaixona uma boa prosa.*] 4 Fazer sentir ou sentir tristeza, sofrimento, desgosto; ENTRISTECER(-SE); MAGOAR(-SE) [*td.*: *Muitas tristezas apaixonaram-lhe o coração.*] [*int.*: *O pai sempre soubera que se apaixonaria quando a filha casasse.*] [▶ 1 apaixonar] [F.: *a-*² + *paixão* (sob. a f. de *paixon*) + *-ar*². Ant. ger.: *desapaixonar*. Hom./Par.: *apaixonáveis* (fl.), *apaixonáveis* (a2g. pl.).]

apalachiano (a.pa.la.chi:*a*.no) *a.* 1 Ref. aos montes Apalaches (América do Norte); típico dessa região, do seu povo ou de sua cultura 2 Diz-se do tipo de relevo que apresenta cristas paralelas separadas por vales alongados [F.: Do top. *Apalach(es)* + *-eano*.]

apalancar (a.pa.lan.*car*) *v. td.* 1 Dotar de palanques 2 Defender ou fortificar com palancas (fortificação militar) 3 *P. ext.* Defender-se, entrincheirar-se [▶ 11 apalancar] [F.: *a-* + *palanc(a)* + *-ar*.]

apalavrado (a.pa.la.*vra*.do) *a.* 1 Combinado verbalmente; AJUSTADO; PROMETIDO: *Fiou-se na transação apalavrada.* 2 Preso a um compromisso; COMPROMETIDO [+ *com... para/sobre, para, sobre*: *Estou apalavrado com meu irmão para ensinar-lhe o dever; O jogador está apalavrado com o time sobre a venda de seu passe.* Ant.: *desobrigado*.] [F.: Part. de *apalavrar*.]

apalavramento (a.pa.la.vra.*men*.to) *sm.* Ação ou resultado de apalavrar(-se), comprometer(-se); ACERTO; COMBINADO; COMPROMISSO [F.: *apalavrar* + *-mento*.]

apalavrar (a.pa.la.*vrar*) *v.* 1 Combinar de viva voz, mediante a palavra dada; AJUSTAR; PROMETER [*td.*: *O cliente apalavrou duas compras para o dia seguinte.*] [*tdr.* + *para*: *Apalavraram a cerimônia para dali a seis meses.*] 2 Contratar (alguém) mediante a palavra dada [*tdr.* + *para*: *Vou apalavrá-lo para ajudar-me nos preparativos.*] 3 Comprometer(-se), empenhar(-se) mediante a palavra dada [*tdr.* + *para*: *Apalavremo-nos para uma trégua nas brigas de família.*] [▶ 1 apalavrar] [F.: *a-* + *palavra* + *-ar*.]

apaleamento (a.pa.le.a.*men*.to) *sm.* Ação ou resultado de apalear; ESPANCAMENTO [F.: *apalear* + *-mento*.]

apalear (a.pa.le.*ar*) *v. td.* Bater com pau em; SOVAR; SURRAR [▶ 13 apalear] [F.: Do espn. *apalear*.]

apalermado (a.pa.ler.*ma*.do) *a.* 1 Que tem ou adquiriu modos de palerma *sm.* 2 Indivíduo apalermado [F.: Part. de *apalermar*.]

apalermar (a.pa.ler.*mar*) *v.* Tornar(-se) palerma; APATETAR(-SE); APARVALHAR(-SE) [*td.*: *A falta de estímulos apalermou-lhe o filho.*] [*int.*: *Não se vá apalermar com tanto ócio, rapaz!*] [▶ 1 apalermar] [F.: *a-*² + *palerma* + *-ar*².]

apalpação (a.pal.pa.*ção*) *sf.* Ação ou resultado de apalpar(-se); APALPAMENTO; APALPO [Pl.: *-ções*.] [F.: *apalpar* + *-ção*.]

apalpadela (a.pal.pa.*de*.la) *sf.* Ação ou resultado de apalpar levemente; PALPADELA [F.: *apalpar* + *-dela*.] ■ **Às ~s** 1 Apalpando, tateando 2 *Fig.* Às cegas; hesitantemente

apalpamento (a.pal.pa.*men*.to) *sm.* Ação ou resultado de apalpar; APALPAÇÃO; APALPO [F.: *apalpar* + *-mento*.]

apalpão (a.pal.*pão*) *sm.* Apalpadela forte, ger. executada de forma grosseira ou obscena [Pl.: *-pões*.] [F.: *apalpar* + *-ão*³.]

apalpar (a.pal.*par*) *v.* 1 Tocar(-se) com as mãos mais de uma vez, para reconhecer ou examinar [*td.*: *Apalpou os bolsos procurando a carteira. Apalpava-se desalentada, achando-se gorda.*] 2 Procurar, examinar ou experimentar pelo tato; TENTEAR; SONDAR [*td.*: *Apalpar o caminho, o rio, o vau.*] 3 Passar a(s) mão(s) levemente sobre; ACARICIAR [*td.*: *apalpar o rosto do bebê.*] 4 *Pop.* Passar a(s) mão(s) em (alguém) com fins libidinosos; BOLINAR [*td.*: *Acusaram-no de apalpar a jovem.*] 5 *Fig.* Buscar conhecer a índole, a disposição de (alguém), ou o estado de (um negócio) antes de tratar com os envolvidos na questão; SONDAR [*td.*: *Apalpar os indiciados num processo.*] [*tdr.* + *acerca de, sobre*: *apalpar os candidatos acerca de / sobre seus projetos de governo.*] 6 *Fig.* Causar aflição a; MALTRATAR [*td.*: *O frio intenso apalpava os desabrigados.*] 7 *Fig.* Fazer perder as forças; ABATER; ACACHAPAR [*td.*: *A doença a apalpava a olhos vistos.*] [▶ 1 apalpar] [F.: *a-*² + lat. *palpare*. Hom./Par.: *apalpo* (fl.), *apalpo* (sm.).]

apalpo (a.*pal*.po) *sm.* O mesmo que *apalpação* [F.: Dev. de *apalpar*. Hom./Par.: *apalpo* (sm.), *apalpo* (fl. de *apalpar*).]

apanágio (a.pa.*ná*.gi:o) *sm.* 1 Característica particular (de alguém ou algo); ATRIBUTO; CONDIÇÃO: *As doenças são o apanágio da velhice.* 2 Vantagem que se concede a uma pessoa ou grupo, em detrimento da maioria; PRIVILÉGIO; REGALIA 3 *Jur.* Pensão oriunda do rendimento dos bens deixados pelo cônjuge falecido, à qual tem direito o cônjuge vivo [F.: Do fr. *apanage*.]

apandilhar (a.pan.di.*lhar*) *v.* 1 Trapacear no jogo; ROUBAR [*td.*] 2 Juntar-se em pandilha com o fim de lesar alguém, esp. no jogo [*td.*] 3 Mostrar-se canalha, vil, indecoroso [*int.*] [▶ 1 apandilhar] [F.: *a-* + *pandilh(a)* + *-ar*.]

apandria (a.pan.*dri*.a) *sf. Psiq.* Aversão mórbida ao sexo masculino [F.: *ap(o)-* + *-andria*.]

apândrico (a.*pân*.dri.co) *Psiq. a.* 1 Rel. a apandria 2 Que sofre de apandria, que tem horror ao sexo masc. [F.: *apandria* + *-ico*².]

apanha (a.*pa*.nha) *sf.* 1 Ação ou resultado de apanhar 2 *Agr.* Colheita de produtos agrícolas: *a apanha da azeitona.* 3 Captura de animais, ger. em grande quantidade: *Nesta área é proibida a apanha da fauna marinha.* [F.: Dev. de *apanhar*. Hom./Par.: *apanha* (sf.), *apanha* (fl. de *apanhar*).]

apanhadeira (a.pa.nha.*dei*.ra) *sf.* 1 Mulher que trabalha na apanha de produtos agrícolas 2 Mulher que apanha malhas em fábricas e oficinas de malhas 3 Pá de apanhar o lixo, quando se varre 4 Agulha us. para fazer pregas em malhas [F.: *apanhar* + *-deira*.]

apanhado (a.pa.*nha*.do) *sm.* 1 Conjunto dos aspectos mais relevantes de um fato, acontecimento ou texto, com o fim de dar uma visão mais esclarecedora ou imediata; SINOPSE; SÍNTESE; SÚMULA 2 Parte repuxada de uma vestimenta, formando tufo, franzido ou pregas *a.* 3 Que se apanhou [F.: Part. de *apanhar*.]

apanhador (a.pa.nha.*dor*) [ô] *a.* 1 Que apanha, que colhe com a mão; COLHEDOR *sm.* 2 O que apanha; COLHEDOR 3 Indivíduo ou máquina que apanha ou colhe frutos ou outros produtos agrícolas 4 Indivíduo que extrai o látex das seringueiras e com ele prepara a borracha; SERINGUEIRO 5 Cesto us. na colheita do café [F.: *apanhar* + *-dor*.]

apanhadura (a.pa.nha.*du*.ra) *sf.* Ação ou resultado de apanhar, de colher produto agrícola; APANHA; APANHAÇÃO; COLHEITA [F.: *apanhar* + *-dura*.]

apanha-moscas (a.pa.nha-*mos*.cas) *sm2n.* 1 Objeto ou produto us. para apanhar moscas *sf2n.* 2 *Bot.* Planta (*Dionaea muscipula*) da fam. das droseráceas, cujas folhas se fecham quando algum inseto pousa sobre elas, apertando-o até matá-lo 3 *Zool.* Papa-moscas [F.: *apanhar* + o pl. de *mosca*.]

apanha o bago (a.pa.nha o *ba*.go) *Bras. BA Etnog. sm.* Passo do samba de roda em que o dançarino se agacha como se apanhasse o bago, ou caroço, de jaca [Pl.: *apanha os bagos*.]

apanhar (a.pa.*nhar*) *v.* 1 Tomar, pegar com a mão; COLHER; RECOLHER [*td.*: *Apanhar frutos que pendem das árvores; Apanhar conchas na areia da praia; Apanhar a roupa que se pôs ao sol para secar.*] 2 Recolher (produtos da terra); fazer a apanha de; COLHER [*td.*] 3 Tirar do lugar onde estava [*td.*: *Apanhou um frasco da prateleira.*] 4 Segurar, capturar com as mãos, impedindo que se movimente ou fuja; AGARRAR [*td.*: *Apanhar peixes. Fez uma armadilhar para apanhar passarinhos. Conseguiu apanhar a criança antes que chegasse à rua.*] 5 Agarrar, segurar (objeto em movimento) [*td.*: *Apanhou a bola e fez um arremesso certeiro.*] 6 Conseguir encontrar ou descobrir (alguém que praticou um crime, uma falta etc.); PRENDER; CAPTURAR [*td.*: *A polícia ainda não conseguiu apanhar o assassino.*] 7 Surpreender (alguém) no momento em que comete uma falta, um delito [*td.*: *Apanhou o aluno colando.*] 8 Encontrar, deparar com (alguém) [em certo estado, circunstância, lugar etc.] [*tdp.*: *Eis que os apanhamos despreparados.*] 9 Encontrar-se em meio a, ou ser surpreendido por (fenômeno atmosférico) [*td.*: "... Eu quero te contar / Das chuvas que apanhei / Das noites que varei / No escuro a te buscar..." (Chico Buarque, *Sem fantasia*)] 10 Entrar em (meio de transporte) para seguir viagem; PEGAR; TOMAR [*td.*: *Apanhei o ônibus errado.*] 11 Tomar posse ou partido de (algo que pertence a outrem); apropriar-se de; APROVEITAR [*td.*: *Fez carreira apanhando ideias de seus subordinados.*] 12 Perceber, apreender [*td.*: *Não pude apanhar a tua última frase.*] 13 Captar com exatidão (imagem, som etc.) [*td.*: *O cartunista apanhou-lhe bem as feições.*] 14 Passar a ter (hábito, comportamento, vício etc.) [*td.*: *Olhe que não apanhes trejeitos femininos!*] 15 Contrair (doença); PEGAR [*td.*: "Eu batia queixo na garoa paulistana, apanhei um pleuris, não havia dinheiro em casa para me comprarem uma capa." (Manuel Bandeira, *Prosa esparsa*)] 16 Ser sujeito a (alguma forma de violência física) [*td.*: *Vai apanhar umas palmadas, menina!*] [*tr.* + *de*: *De quem apanhaste para ficares assim, todo arrebentado?*] [*int.*: *Apanhou tanto, que caiu desfalecido.*] 17 Perder uma luta, uma competição qualquer (por certo resultado ou placar) [*tr.* + *de*: *Meu time apanhou de 3 x 0; O Flamengo apanhou do Fluminense.*] [*int.*: *Perdeu a paciência com o time, que, durante todo o campeonato, só apanhava.*] 18 Enfrentar muitas dificuldades para levar a efeito um intento, para chegar a determinada conclusão, para perceber o que não se conhece com clareza etc. [*int.*: *Apanhou muito até encontrar a solução para tal dilema.*] [*tr.* + *de*: *Prepara-te, que irás apanhar muito da vida.*] 19 Encontrar-se ger. numa situação à que se almejava [*td.*: *Apanhando-se na presidência, demitiu imediatamente seus desafetos.*] [*tdp.*: "Quando Maria Elvira se apanhou de boca bonita, arranjou logo um namorado." (Manuel Bandeira, *Tragédia brasileira*)] [▶ 1 apanhar] [F.: Do cast. *apañar*. Hom./Par.: *apanha(s)* (fl.), *apanha(s)* (sf. e pl.); *apanho* (fl.), *apanho* (sm.).]

apanho (a.*pa*.nho) *sm.* Ação ou resultado de apanhar, de colher, capturar etc.; APANHA; APANHADURA; CAPTURA; COLHEITA [F.: Dev. de *apanhar*.]

apaniguado (a.pa.ni.*gua*.do) *a.* 1 Diz-se daquele que é protegido, afilhado de outrem 2 Que é partidário ou seguidor de uma doutrina, de uma pessoa, de um partido etc. *sm.* 3

Aquele que é protegido, afilhado de outrem **4** Partidário, seguidor; ASSECLA: "Sentia-me sempre desgostoso por (...) ter consentido em ser um vulgar assecla e apaniguado de um outro qualquer." (Lima Barreto, *Recordações do escrivão Isaías Caminha*) [F.: Part. de *apaniguar*.]

apaniguar (a.pa.ni.*guar*) *v.* Apadrinhar, favorecer alguém; PROTEGER [*td.*: *Acabou apaniguando o rapaz.* Ant.: *desamparar, renegar.*] [▶ 9 apaniguar] [F.: *a-*[4] + lat. *panificare*, 'fabricar pão', com mud. de sentido para 'alimentar', e daí, 'proteger', por via popular.]

apantomancia (a.pan.to.man.*ci*.a) *sf.* Adivinhação por meio daquilo que se apresenta súbita ou inopinadamente à vista [F.: Do v. gr. *apantá, ó*, 'ocorrer', + *-mancia*.]

apantomante (a.pan.to.*man*.te) *s2g.* Pessoa que pratica a apantomancia [F.: Do v. gr. *apantá, ó*, 'ocorrer', + *-mante*.]

apantropia (a.pan.tro.*pi*.a) *Desus. Psiq. sf.* Medo da companhia de outra(s) pessoa(s); MISANTROPIA [F.: *ap(o)-* + *-antrop(o)-* + *-ia*[1].]

apantufado (a.pan.tu.*fa*.do) *a.* **1** Que é semelhante a pantufa (sapatos apantufados) **2** *Fig.* Orgulhoso, presumido [F.: Part. de *apantufar*.]

apantufar (a.pan.tu.*far*) *v.* **1** Dar aspecto de pantufa a [*td.*] **2** Usar pantufas [*td.*] **3** *Fig.* Mostrar-se orgulhoso [*int.*] [▶ 1 apantufar] [F.: *a-* + *pantuf(a)* + *-ar*.]

apapá (a.pa.*pá*) *Ict. sm.* **1** *Bras.* Denominação comum a sardinhas dos gên. *Pellona* e *Pristigaster*, marinhas ou fluviais, de coloração ger. prateada e amarelada **2** Peixe marinho (*Pelona harroweri*), mesmo que pelada ou sardinhão **3** Peixe (*Pelona castelneana*), do baixo Amazonas e bacia do rio Parnaíba, mesmo que arenga ou cagona **4** Peixe marinho (*Pelona flavipinnis*), adaptado à água doce, mesmo que sardinha-dourada [F.: Do tupi *apa'pa*.]

apapagaiado (a.pa.pa.*gai*.a.do) *a.* **1** Que lembra ou parece um papagaio, p. ex., pela exuberância das cores **2** Que é ridícula e exageradamente colorido ou enfeitado (traje apapagaiado) [F.: *a-*[2] + *papagaio* + *-ado*[1].]

apapocuva (a.pa.po.*cu*.va) *Etnol. s2g.* **1** Indivíduo dos apapocuvas, povo extinto dos guaranis que habitavam a bacia do rio Iguatemi (MS) *a2g.* **2** Dos ou ref. aos apapocuvas

apar (a.*par*) *sm. Bras. Zool.* Ver *tatu-bola*. [F.: F. red. de *tatuapara*.]

apara (a.*pa*.ra) *sf.* **1** Pedaço ou resto do que foi aparado; RASPA; SOBRA: *aparas de carne, de tecido, de metal.* **2** *Art. gr.* Sobra do papel aparado por instrumento cortante [Mais us. no pl. em ambas as acps.] [F.: F. regress. de *aparar*.]

aparadeira (a.pa.ra.*dei*.ra) *Pop. sf.* **1** Parteira tradicional, sem diploma; CURIOSA **2** Tipo de urinol us. por doente que não pode sair da cama; COMADRE **3** *AL* Vaso no qual se vomita [F.: *aparar* + *-deira*.]

aparado (a.pa.*ra*.do) *a.* **1** Recebido, tomado, segurado **2** De que se tirou o excesso (barba/grama aparada) **3** Que foi igualado nas bordas ou extremidades **4** Aguçado, apontado (lápis aparado) **5** *Fig.* Polido, elegante (diz-se de estilo) *sm.* **6** *Bras. RS* Ponto em que uma serra termina abruptamente [F.: Part. de *aparar*.]

aparador (a.pa.ra.*dor*) [ô] *a.* **1** Que apara *sm.* **2** O que apara **3** Móvel sobre o qual se põem travessas com a comida a ser servida em uma refeição; BUFÊ: "... no aparador a travessa de arroz-doce tinha as iniciais de Maria." (Eça de Queirós, *Os Maias*) [F.: Part. de *aparar*.]

aparafusado (a.pa.ra.fu.*sa*.do) *a.* Preso com parafuso; PARAFUSADO [F.: Part. de *aparafusar*.]

aparafusamento (a.pa.ra.fu.sa.*men*.to) *sm.* Ação ou resultado de aparafusar [F.: *aparafusar* + *-mento*.]

aparafusar (a.pa.ra.fu.*sar*) *v.* **1** Fixar, apertar por meio de parafuso ou rosca [*td.*] **2** Apertar, atarraxar (parafusos) com chave própria; PRENDER [*td.*] **3** *Fig. Pop.* Pensar demoradamente em *Pop.* MATUTAR [*tr. int.*] [▶ 1 aparafusar] [F.: *a-*[2] + *parafuso* + *-ar*[2]. Var.: *parafusar*.]

aparar (a.pa.*rar*) *v. td.* **1** Tomar, segurar, pegar (objeto que cai ou vem impelido) **2** Receber (golpe) no braço, na espada, no escudo etc., para defender-se **3** Cortar as pontas de; cortar alguma porção inútil de: *aparar as unhas, o cabelo, a barba.* **4** Tornar mais aguçado: *Aparou o lápis e começou a escrever.* **5** Desbastar (matéria bruta), tornando-a plana; ALISAR: *Aparar a madeira.* **6** *Fig.* Aprimorar; aperfeiçoar (estilo, vestuário) **7** Resignar-se com (dor, sofrimento) **8** *Bras.* Dar assistência durante o parto de; ajudar (bebê) a nascer **9** *Bras.* Agradar alguém de modo interessado ou exagerado; MIMAR: *O marido vive aparando a esposa com presentes.* **10** *Art. gr.* Aparar com guilhotina as bordas de maço de folhas de papel, ou laterais de livro (excetuando a lombada) para alinhar essas bordas [▶ 1 aparar] [F.: Do lat. *aparare*. Hom./Par.: *apara(s)* (fl.), *apara(s)* (sf. e pl.).]

aparas (a.*pa*.ras) *sfpl.* **1** Sobras do queijo prensado **2** Pedaços ou lascas que sobram de qualquer alimento **3** Fragmentos de papel que sobram após o corte da guilhotina [F.: Pl. de *apara*. Hom./Par.: *aparas* (fl. de *aparar*).]

aparatado (a.pa.ra.*ta*.do) *a.* Que se aparatou; ADORNADO; ENFEITADO [F.: Part. de *aparatar*.]

aparatar (a.pa.ra.*tar*) *v. td.* **1** *P. us.* Fazer aparatoso, cheio de pompa, ostentação **2** Encher(-se) de adornos, enfeites; ADORNAR(-SE); ENFEITAR(-SE) [▶ 1 aparatar] [F.: *aparat(o)* + *-ar*.]

aparato (a.pa.*ra*.to) *sm.* **1** Conjunto de elementos materiais que se exibem ostensivamente para demonstrar capacidade, força, luxo, poder: *aparato militar.* **2** Ostentação, fausto, pompa **3** Conjunto de elementos com função específica: *aparato institucional; aparato corporal:* "O que o professor pretende é oferecer aos leitores um aparato, um método capaz de os levar a julgar com autonomia obras de arquitetura, de escultura, de pintura, de gravura." (Manuel Bandeira, *Uma história crítica de arte*) [F.: Do lat. *apparatus*.] ■ **~ crítico** *Ling.* Elenco de notas explicativas numa edição crítica, em que o editor justifica seus critérios e escolhas

aparatoso (a.pa.ra.*to*.so) [ô] *a.* **1** Em que há grande demonstração de luxo e riqueza; FAUSTOSO; POMPOSO; SUNTUOSO **2** Em que há muito ornato e pouco fundamento ou conteúdo: *discurso aparatoso.* [Pl.: *ó*. Fem.: *ó*.] [F.: *aparato* + *-oso*.]

aparceirar (a.par.cei.*rar*) *v.* **1** Tomar como parceiro ou sócio; fazer entrar ou entrar em sociedade [*td.*: *Aparceirei seu irmão para me acompanhar às festas; Mecânico e lanterneiro aparceiraram-se.*] [*tdr.* + *de*, *com*: *O mecânico aparceirou-se com o/do lanterneiro e abriram uma oficina.*] **2** Admitir ou entrar em sociedade; ASSOCIAR(-SE) [*td.*: *O clube aparceirou novos membros.*] [*tdr.* + *a*: *Meu pai aparceirou-se ao Flamengo.*] **3** Pôr(-se) de acordo para um objetivo determinado; CONLUIAR(-SE); MANCOMUNAR(-SE) [*td.*: *Há políticos que se aparceiram visando a objetivos particulares.*] [*tdr.* + *com*, *de*: *O bandido aparceirou-se com o/do menor para praticar o crime.*] [▶ 1 aparceirar] [F.: *a-*[2] + *parceiro* + *-ar*[2].]

aparecer (a.pa.re.*cer*) *v.* **1** Começar a ser visto; tornar-se visível [*int.*: *Olhe, a Lua já apareceu; Num átimo, as tropas apareceram na clareira.*] **2** Ficar subitamente manifesto (o que estava oculto, perdido) [*int.*: *Apareceram as joias da rainha.*] **3** Tornar-se patente, evidente [*int.*: *Suas tendências políticas apareciam claramente.*] [*tr.* + *em*: *Sua personalidade aparece em sua maneira de vestir-se e falar.*] **4** Comparecer a reuniões, ter vida social [*ta.*: *O professor apareceu na reunião.*] **5** Ser publicado, exibido etc. [*int.*: *O livro e o filme apareceram no final do ano.*] **6** Passar a ser realidade, acontecer; SURGIR; SUCEDER [*int.*: *Estão aparecendo muitas manifestações pedindo paz.*] **7** Ficar ou mostrar-se de algum modo [*tp.*: *Todos apareceram atônitos com a notícia.*] **8** Ser notado publicamente, pôr-se em evidência; EXIBIR-SE [*int.*: *Ela faz tudo para aparecer.*] **9** Demonstrar alguma particularidade; MOSTRAR-SE; APRESENTAR-SE [*tp.*: *O entardecer aparecia tenebroso.*] **10** Tornar-se factual, verdadeiro, real; EXISTIR [*int.*: *Após a discussão, a verdade apareceu.*] **11** Comparecer a reuniões, ter vida social [*int.*: *Depois de tanto tempo longe dos amigos apareceu.*] [▶ 33 aparecer] [F.: Do lat. *apparescere*.]

aparecido (a.pa.re.*ci*.do) *a.* **1** Que apareceu; que foi visto ou achado de repente ou sem se esperar *sm.* **2** Aquele ou aquilo que apareceu [F.: Part. de *aparecer*. Ant. ger.: *desaparecido*.]

aparecimento (a.pa.re.ci.*men*.to) *sm.* **1** Ação ou resultado de aparecer; APARIÇÃO **2** Primeira apresentação; SURGIMENTO [+ *de*... *em*: *O aparecimento do homem na Terra.* Ant.: *desaparecimento, desaparição, sumiço*.] **3** Início, origem, começo [F.: *aparecer* + *-imento*.]

aparelhado (a.pa.re.*lha*.do) *a.* **1** Que se aparelhou **2** Preparado, disposto, pronto **3** Arreado (diz-se de cavalo): "Quando chegou à porta da cavalariça, viu aparelhados dois animais..." (Álvares de Azevedo, *Noite na taverna*) **4** Abastecido, provido, munido [+ *com*, *de*, *para*, *por*: *Biblioteca aparelhada com/de muitos livros:* "Os homens aparelhados pelos recursos bélicos da indústria moderna é que eram materialmente fortes e brutais" (Euclides da Cunha, *Os sertões*)] [F.: Part. de *aparelhar*. Ant. ger.: *desaparelhado*. Ideia de: *para-*.]

aparelhador (a.pa.re.lha.*dor*) [ô] *a.* **1** Que aparelha ou prepara *sm.* **2** Pessoa encarregada dessa função **3** *Cons.* Aquele que dirige uma obra, subordinado ao mestre de obras e ao arquiteto [Pl.: *-ores*.] [F.: *aparelhado* + *-or*.]

aparelhagem (a.pa.re.*lha*.gem) *sf.* **1** Conjunto de aparelhos para determinada atividade **2** *Carp.* Ação de aparelhar a madeira, aplainando-a e lixando-a [Pl.: *-gens*.] [F.: *aparelho* + *-agem*.]

aparelhamento (a.pa.re.lha.*men*.to) *sm.* Ação ou resultado de aparelhar(-se); APARELHO [F.: *aparelhar* + *-mento*.]

aparelhar[1] (a.pa.re.*lhar*) *v.* **1** Munir(-se) dos recursos necessários para um fim específico, ou para atingir determinado objetivo; PREPARAR(-SE); APRONTAR(-SE) [*td.*: *Aparelhar o exército. O governo deve aparelhar-se para enfrentar novos desafios.*] [*int.*: *Para realização da viagem, a esquadra aparelhava.*] **2** Pôr enfeites em; adornar(-se) [*td.*: *Aparelhava o escritório com muitos quadros. Aparelhou-se para esperar o namorado.*] **3** Aplicar a primeira camada de tinta, óleo, gesso etc. em (superfícies que serão trabalhadas) [*td.*] **4** *Cons.* Desengrossar (peça de madeira ou pedra), cortando a matéria inútil [*td.*] **5** Arrear (cavalgadura) [*td.*] **6** *Mar.* Prover (embarcação) de todos os aparelhos e instrumentos indispensáveis à navegação [*td.*] [▶ 1 aparelhar Apresenta o *e* fechado nas formas rizotônicas.] [F.: Do lat. vulgar *appariculare*. Hom./Par.: *aparelho* (fl.), *aparelho* [ê] (sm.); *aparelháveis* (fl.), *aparelháveis* (a2g. e pl.).]

aparelhar[2] (a.pa.re.*lhar*) *v. int.* Colocar-se lado a lado, em igualdade; EMPARELHAR; IGUALAR-SE [F.: *a-*[2] + *parelha* + *-ar*[2].]

aparelhável (a.pa.re.*lhá*.vel) *a2g.* Que se pode aparelhar [Pl.: *-veis*.] [F.: *aparelhar* + *-vel*. Hom./Par.: *aparelháveis* (pl.), *aparelháveis* (fl. de *aparelhar*).]

aparelhismo (a.pa.re.*lhis*.mo) *Pol. sm.* Uso do aparelho de Estado em benefício de um partido, de uma corporação etc., por meio da nomeação de filiados ou simpatizantes [F.: *aparelho* + *-ismo*.]

aparelho (a.pa.*re*.lho) [ê] *sm.* **1** Ato ou efeito de aparelhar(-se); APARELHAMENTO **2** Disposição prévia; preparativo, organização **3** Máquina, instrumento ou utensílio para um certo uso: *aparelho de barbear.* **4** Conjunto de dispositivos, mecanismos, peças ou utensílios com finalidade específica (em máquina, ferramenta etc., ou como *kit*): *aparelho de pontaria (numa arma); aparelho de som.* **5** *Anat.* Conjunto de órgãos animais ou vegetais que desempenham certas funções vitais (aparelho digestivo; aparelho circulatório) [Foi substituído na nova nomenclatura anatômica por *sistema;* nos exemplos dados, *sistema digestório* e *sistema circulatório*, respectivamente.] **6** *Bras.* Conjunto de peças de louça, porcelana etc., para servir certas refeições à mesa; SERVIÇO: *O jantar foi servido em aparelho luxuoso e raro.* [Pode referir-se ao uso (aparelho de chá) ou ao material de que é feito (aparelho de porcelana).] **7** *Ort.* Conjunto de elementos (gesso, talas, ataduras, bota ortopédica etc.) com que se tratam lesões ósseas ou articulares, como fraturas, luxações etc. **8** *Od.* Peça anatomicamente ajustada à boca ou à arcada dentária de modo a corrigir-lhe as imperfeições, esp. as referentes à posição, proporção dos dentes etc. **9** *Esp.* Em ginástica, cada um dos elementos ou equipamentos (bola, bastão, corda, aro, maça, fitas, barra, argolas, cavalo, solo etc.) nos quais ou com os quais o ginasta executa movimentos e exercícios, em treino ou competição **10** *Arq.* Maneira de assentar pedras, tijolos, blocos etc. nas construções de alvenaria, de forma a se manterem firmes e com boa amarração **11** *Bras. Rel.* Médium que recebe um espírito ou orixá no candomblé, na umbanda e em diversas manifestações espíritas; CAVALO DE SANTO **12** *Bras.* Dispositivo (o instrumento físico) que permite conexão de voz com outros dispositivos similares através de redes, centrais, satélites de comunicação etc.; telefone **13** *Bras.* Vaso sanitário; LATRINA; PRIVADA **14** *Bras. Hist.* Local us. por um grupo político clandestino para se reunir ou se esconder, guardar material, dar refúgio a seus membros etc. **15** *Bras. Avi.* Qualquer veículo aéreo: *Ele faz a manutenção de todos os aparelhos do aeroclube.* **16** Preparação de uma superfície (emassando, aplainando, lixando etc.) para ser pintada [F.: Do lat. vulg. **apparicu̯lus* (de um v.lat. vulg. **appariculare*, 'preparar'), ou dev. de *aparelhar*[1]. Hom./Par.: *aparelho* (sm.), *aparelho* (fl. de *aparelhar*).] ■ **~ ciliar** *Zool.* Sistema de cílios em protozoário, que permite sua locomoção em meio líquido **~ circulatório** *Fisl.* Na antiga nomenclatura anatômica, o sistema circulatório, responsável pela circulação do sangue no organismo **~ de Golgi** *Cit.* Sistema de vesículas, ou pequenos sacos, no citoplasma das células, que tem, entre outras funções, a da secreção celular **~ dentário** *Od.* Peça fixa ou móvel para correção da arcada dentária **~ digestivo** *Fisl.* Na antiga nomenclatura anatômica, o sistema digestório, responsável pela digestão dos alimentos **~ de laborar** *Marinh.* Sistema de moitões, ou cadernais, um fixo e outro móvel **~ do navio** *Marinh.* Conjunto das peças us. na propulsão de um veleiro [Nele se incluem *aparelho fixo, aparelho de laborar*.] **~ esporífero** *Bot.* Órgão aéreo dos cogumelos que produz os esporos, que atuam na reprodução; aparelho esporígeno [Cf.: *píleo* (3).] **~ esporígeno** *Bot.* Ver *Aparelho esporífero* **~ fixo** *Marinh.* Sistema de cabos e polias, estais, enxárcias etc., ligados a mastros, vergas etc. **~ fonador** *Anat. Fon.* O conjunto dos órgãos que são empregados na produção dos sons da fala do ser humano **~ genital** *Fisl.* Na antiga nomenclatura anatômica, o sistema genital **~ sanitário** *Cons.* Conjunto de peças e seus acessórios us. em banheiros, lavabos etc. [como pia, banheira, bidê, vaso sanitário etc.]

aparência (a.pa.*rên*.ci:a) *sf.* **1** O que aparece exteriormente, o que se mostra à primeira vista; o que causa uma impressão imediata; ASPECTO: *moça de bela aparência:* "Mas a maneira larga do 'Adágio', a romança de Beethoven, que esconde sob aquelas aparências de meiguice um trabalho tão ingrato do violino..." (Manuel Bandeira, *Prosa esparsa*) **2** Forma, figura: *A arte só trabalha com as aparências.* [P. opos. a *essência*.] **3** Aspecto exterior enganoso ou dúbio, que se pode revelar falso: *A felicidade de seu casamento era pura aparência. Diante da sociedade, aquela família somente conserva as aparências.* **4** Vestígio, sinal, indício: *Essa mulher já não conserva, uma aparência, ao menos, da sua formosura de outro tempo.* [F.: Do lat. tar. *apparentia, ae*.]

aparentado (a.pa.ren.*ta*.do) *a.* **1** Que tem parentesco [+ *a*, *com*, *de*, *entre*: *Ele é um nordestino aparentado com os portugueses.*] **2** Que tem parentes influentes, poderosos [+ *a*, *com*, *de*, *entre*: *Um fidalgo aparentado da realeza.*] [F.: Part. de *aparentar*[2].]

aparentar[1] (a.pa.ren.*tar*) *v. td.* **1** Mostrar na aparência, exteriormente; PARECER [*td.*: *Aparentava ter 20 anos;* "... magríssimo, aparentava grande fraqueza..." (Edgar Allan Poe, "O homem da multidão" *in Mar de histórias*)] **2** Exibir (qualidade que não tem); dar-se ares de [*td.*: *Aparenta ser homem de caráter, mas não é.*] [*tr.* + *de*: *O jovem ator aparentava de pessoa importante, que nem olhava mais para os amigos.*] **3** Tornar-se parecido, sobretudo na forma exterior [*tdr.* + *em*: *As molduras aparentavam-se na cor.*] [*tdr.* + *a*: *A forma do robô o aparenta a uma pessoa.*] [▶ 1 aparentar] [F.: *aparente* + *-ar*[2].]

aparentar[2] (a.pa.ren.*tar*) *v.* **1** Tornar(-se) parente; ligar em parentesco [*td.*: *O casamento dos filhos aparentou-os; Aparentaram-se com o casamento dos filhos.*] [*tdr.* + *com*: *A união do filho aparentava-os com uma família da alta-roda.*] **2** Estabelecer parentesco, semelhança [*tdr.* + *com*: *A castidade nos aparenta com os espíritos do céu.*] [▶ 1 aparentar] [F.: *a-*[2] + *parente* + *-ar*[2].]

aparente (a.pa.*ren*.te) *a2g.* **1** Que aparece; VISÍVEL; EVIDENTE; MANIFESTO: *Manobrava o trator descomunal sem nenhum esforço aparente.* **2** Que parece real mas não é; SUPOSTO; FICTÍCIO; FALSO: *O movimento aparente dos astros. Tratou-nos com uma aparente deferência.* **3** Parecido, semelhante [F.: Do lat. *apparens, entis.*]

aparentemente (a.pa.ren.te.*men*.te) *adv.* **1** Na aparência, exteriormente, à primeira vista: *Depois da plástica, suas feições ficaram aparentemente mais joviais.* "E toda gente pergunta, sobretudo o presidente, o que estará por trás desse gesto aparentemente tão natural do seu Ministro." (Manuel Bandeira, *Prosa esparsa*) **2** De maneira enganosa, não correspondente à realidade: "Rebulindo, a serpe se recompunha, para quedar aparentemente prostrada, calculada, imóvel. Desentorpecera-se de todo, porém, e jazia em secreta excitação." (João Guimarães Rosa, "Bicho mau" *in Estas estórias*) **3** Provavelmente, supostamente; ao que parece: "Era leitor da revista *Seleções* e aparentemente julgava que aquilo o tornava enciclopédico..." (João Ubaldo Ribeiro, *Diário do Farol*) [F.: *aparente* + *-mente.*]

⊕ ***a pari*** (*Lat.* /a pari/) *loc. a. Lóg.* Us. nas expressões 'argumento *a pari*' e 'raciocínio *a pari*' para indicar relação de semelhança ou igualdade entre o que se propõe e o que se conclui; igualmente; por paridade; pela mesma razão [Cf. *a fortiori.*]

aparição (a.pa.ri.*ção*) *sf.* **1** Ação ou resultado de aparecer; APARECIMENTO **2** Surgimento, princípio: *aparição de uma nova música.* **3** Apresentação pública: *São raras as aparições daquele ator no cinema* **4** Manifestação de um espectro, de um fantasma **5** O mesmo que *fantasma* [Pl.: *-ções.*] [F.: Do lat. *apparitio, onis.*]

aparoquiar-se (a.pa.ro.qui.*ar*-se) *v. int.* Tornar-se paroquiano, integrante de uma paróquia [▶ 1 aparoquiar-se] [F.: *a-* + *paróqui(a)* + *-ar* + *se.*]

aparreirar (a.par.rei.*rar*) *v. td.* **1** Plantar ou cobrir de parreiras **2** Tornar (algo) parecido com a parreira [▶ 1 aparreirar] [F.: *a-* + *parreir(a)* + *-ar.*]

apartação (a.par.ta.*ção*) *sf.* **1** Ato ou efeito de apartar(-se); APARTAMENTO **2** *Bras.* Ato de separar o gado para algum fim *Bras. S.* APARTE **3** *Bras.* Ato de arrebanhar o gado em determinadas épocas para amansá-lo e para evitar que se disperse; VAQUEJADA [Pl.: *-ções.*] [F.: *apartar* + *-ção.*]

apartado (a.par.*ta*.do) *a.* **1** Que se desviou do caminho; AFASTADO; DESVIADO **2** Longínquo, distante, remoto **3** Que foi separado, isolado **4** Que vive só; RETIRADO; SOLITÁRIO *sm.* **5** *Lus.* Caixa postal (1) [F.: Part. de *apartar.*]

apartamento[1] (a.par.ta.*men*.to) *sm.* **1** Ação ou resultado de apartar(-se); APARTAÇÃO **2** *Náut.* Distância dos portos, das costas **3** Desvio, divisão: *Fez-se um apartamento na eira.* **4** Isolamento, solidão, retiro **5** Lugar oculto, retirado; RECANTO [F.: *apartar* + *-mento.*]

apartamento[2] (a.par.ta.*men*.to) *sm.* **1** Cada uma das unidades residenciais, compostas ger. por dois ou mais cômodos, em prédio de habitação coletiva **2** Parte independente de um hotel, constituída ger. por sala e suíte (e por vezes de copa e cozinha) que se pode usar para habitação, em geral temporária **3** Aposento particular; QUARTO; CÂMARA **4** Muro divisório; cerca [F.: D o fr. *appartement.*] ■ **~ conjugado** Apartamento (1) de sala e quarto em uma só peça, banheiro e cozinha [Tb. se diz apenas *conjugado.*]

apartar (a.par.*tar*) *v.* **1** Afastar, separar [*td.: Aparte as cadeiras para ganharmos espaço; O fiscal apartou os vestibulandos antes de a prova começar; Não se moveu para apartar os rapazes que trocavam socos.*] [*tdr.* + *de: Foram buscar o boi que se apartou da manada; O guarda apartou um do outro.*] **2** Separar do que estava junto, pondo de parte [*tdr.* + *de: Apartou as frutas estragadas das boas.*] **3** Induzir, provocar o afastamento afetivo de; fazer romper o vínculo entre [*td.: As muitas divergências os apartaram; Com tantas divergências entre eles, apartaram-se.*] [*tdr.* + *de: apartar os jovens dos maus exemplos.*] **4** Ser o objeto de separação entre; SEPARAR [*td.: A laguna aparta as duas cidades.*] [*tdr.* + *de: Um muro alto aparta a casa da rua.*] **5** Afastar(-se) [de caminho, direção etc.] [*td.* / *tdr.* + *de: apartar os olhos (do jovem).*] [*ta.: Esquecida, apartou-se do caminho de casa.*] **6** Fazer alguém ou a si mesmo desistir de algo; DEMOVER; DESESTIMULAR-SE [*tdr.* + *de: Vamos tentar apartá-la da ideia de pedir demissão.*] **7** Ir de um lado a outro; atravessar; cortar (águas, ondas, estradas etc.) [*td.: A pequena embarcação apartava com dificuldade as ondas.*] **8** Separar de modo ordenado; DIVIDIR; REPARTIR [*td.: apartar os fios do cabelo.*] **9** *Bras.* Dividir (o gado) em grupos durante as vaquejadas [*td.: O fazendeiro apartou as reses para ferrá-las.*] **10** *Bras.* Secar (rio caudaloso) na época da seca [*int.*] **11** *Bras.* Esgotar-se (o leite da vaca) até a geração de nova cria; SECAR [*int.: Por causa da doença, o leite da vaca apartou.*] **12** *Bras. N. E. Pop.* Efetuar troca de (dinheiro) em miúdos [*td.*] [F.: *a-*[2] + *parte* + *-ar*[2]. Hom./Par.: *aparte* (fl.), *à parte* (loc. adv.); *apartes* (*fl.*), *aparte(s)* (sm. e pl.).]

aparte[1] (a.*par*.te) *sm.* **1** Palavra ou frase com que se interrompe quem fala durante um discurso formal ou uma conversa, ou que a própria pessoa introduz como esclarecimento ou adendo **2** *Teat.* O que um ator diz em cena como se estivesse falando consigo mesmo ou com o público e não quisesse ser ouvido pelas demais personagens [F.: *à* + *parte.* Hom./Par.: *aparte* (sm.), *à parte* (loc.), *aparte* (fl. de *apartar*).]

aparte[2] (a.*par*.te) *Bras. S. sm.* O mesmo que *apartação* (2) [F.: Dev. de *apartar.*]

aparteador (a.par.te.a.*dor*) [ô] *a. sm.* O mesmo que *aparteante* [F.: *apartear* + *-dor.*]

aparteante (a.par.te.*an*.te) *a2g.* **1** Que faz apartes[1] (1) *s2g.* **2** Aquele que faz apartes[1] (1) [F.: *apartear* + *-nte.* Sin. ger.: *aparteador.*]

apartear (a.par.te.*ar*) *v.* Dirigir apartes a; interromper com apartes (alguém que fala) [*td.: Indignado, o deputado aparteou o orador.*] [*int.: Enquanto o orador discursava, o público aparteava o tempo todo.*] [▶ 13 apartear] [F.: *aparte* + *-ar*[2].]

aparteísmo (a.par.te.*ís*.mo) *Neol. sm.* Qualquer tipo de segregação, seja racial, social, cultural etc. [F.: Do ing. *apartheism*, do ing. /africânder *aparthe(id)* + *-ism* (ver *-ismo*).]

⊕ ***apartheid*** (*Ing.* /apartaid/ ou /aparteid/) *sm.* **1** *Pol. Hist.* Sistema político que vigorou na África do Sul até 1993, e que tinha por base a segregação racial imposta pela minoria branca **2** *P. ext.* Qualquer tipo de segregação, esp. racial [Pl.: *apartheids.*] [Do africânder.]

apart-hotel (a.part-ho.*tel*) *sm.* Prédio de apartamentos residenciais em que há serviços de hotelaria, como limpeza, lavanderia, restaurante etc. [Pl.: *apart-hotéis.*] [F.: Red. de *apartmento* + *hotel.*]

apartidário (a.par.ti.*dá*.ri:o) *a.* Que não se vincula ou subordina a um partido político: *associação apartidária; movimento apartidário.* [F.: *a(n)* + *-partidário.*]

apartidarismo (a.par.ti.da.*ris*.mo) *sm.* Atitude, teoria ou sistema que excluem o domínio ou a interferência de qualquer partido político [F.: *apartidário* + *-ismo.*]

aparvalhado (a.par.va.*lha*.do) *a.* **1** Tolo, basbaque, idiota **2** Desorientado, atrapalhado, atarantado [F.: Part. de *aparvalhar.*]

aparvalhamento (a.par.va.lha.*men*.to) *sm.* Ação ou resultado de aparvalhar(-se) [F.: *aparvalhar* + *-mento.*]

aparvalhar (a.par.va.*lhar*) *v. td. int.* **1** Tornar(-se) parvo; APALERMAR(-SE); APATETAR(-SE) **2** Confundir(-se), atrapalhar(-se), desnortear(-se) [▶ 1 aparvalhar] [F.: *a-*[2] + *parvo* + *-alhar.* Sin. ger.: *aparvoar.*]

aparvoado (a.par.vo.*a*.do) *a.* Diz-se de quem é um tanto parvo; APALERMADO [F.: *a-*[2] + *parvo* + *-oado.*]

aparvoar (a.par.vo.*ar*) *v. td. int.* O mesmo que *aparvalhar* [▶ 16 aparvoar] [F.: *a-* + *párvo(a)* + *-ar.*]

apascentado (a.pas.cen.*ta*.do) *a.* Que se apascentou; que se levou ao pasto [F.: Part. de *apascentar.*]

apascentador (a.pas.cen.ta.*dor*) [ô] *a.* **1** Que apascenta *sm.* **2** Aquele que apascenta: *O apascentador de ovelhas.* [F.: *apascentar* + *-dor.*]

apascentamento (a.pas.cen.ta.*men*.to) *sm.* Ação ou resultado de apascentar(-se), mesmo que *apascentação* [F.: *apascentar* + *-mento.*]

apascentar (a.pas.cen.*tar*) *v.* **1** Levar (ovelhas, gado etc.) ao pasto, para se alimentarem; PASTOREAR [*td.*] **2** *Fig.* Dar ensinamento ou alimento espiritual a [*td.: Era um venerável pastor de almas, que bem apascentava os seus fiéis.*] **3** *Fig.* Nutrir(-se), alimentar(-se); NUTRIR(-SE) [*td.: Não apascentes o ódio ao teu irmão; Apascenta-se mediante leituras elevadas.*] **4** *Fig.* Proporcionar deleite, prazer, diversão; DELEITAR(-SE); ENTRETER(-SE) [*td.: O luar apascenta os casais.*] [*tdr.* + *com, em: apascentar os olhos com / em uma serena paisagem.*] [*int.: Ao olharmos o mar, nosso olhos se apascentam.*] [▶ 1 apascentar] [F.: *a-*[2] + *pascentar.*]

apassamanar (a.pas.sa.ma.*nar*) *v. td. Vest.* Enfeitar com passamanes ou passamanaria; passamanar [▶ 1 apassamanar] [F.: *a-* + *passaman(e)* + *-ar.*]

apassivação (a.pas.si.va.*ção*) *sf.* Ação ou resultado de apassivar; APASSIVAMENTO [Pl.: *-ções.*] [F.: *apassivar* + *-ção.*]

apassivador (a.pas.si.va.*dor*) [ô] *a. Gram.* Diz-se de elemento gramatical que apassiva; p. ex.: na frase *regam-se plantas*, o *se* é us. como pronome (ou partícula) apassivador [F.: *apassivar* + *-dor.*]

apassivamento (a.pas.si.va.*men*.to) *sm.* **1** Ação ou resultado de apassivar; APASSIVAÇÃO **2** *Gram.* Emprego de um verbo na voz passiva [F.: *apassivar* + *-mento.*]

apassivar (a.pas.si.*var*) *v.* **1** *Gram.* Fazer tomar ou tomar (verbo, oração) a forma passiva [*td. int.*] **2** *Bras.* Tornar(-se) passivo, dócil, obediente [*td.*] [▶ 1 apassivar] [F.: *a-*[2] + *passivo* + *-ar*[2].]

apatacado (a.pa.ta.*ca*.do) *Bras. a.* **1** Que tem patacas ou moedas; ENDINHEIRADO; ABASTADO **2** Em cujo pelo há manchas arredondadas (diz-se de cavalo) [F.: *a-*[2] + *pataca* + *-ado*[2].]

apatetado (a.pa.te.*ta*.do) *a.* **1** Que tem aparência ou comportamento de pateta; que é meio pateta; APALERMADO; APARVALHADO **2** Próprio de quem é ou se tornou meio pateta: *Fingiu um ar apatetado para não cumprimentar o desafeto.* **3** Desnorteado, confuso, perplexo

apatetar (a.pa.te.*tar*) *v. td. int.* Tornar(-se) pateta; APARVALHAR(-SE) [▶ 1 apatetar] [F.: *a-*[2] + *pateta* + *-ar*[2].]

apatia (a.pa.*ti*.a) *sf.* **1** Estado de insensibilidade, de quem não é suscetível a nenhuma emoção; INDIFERENÇA **2** Indolência; falta absoluta de energia **3** *Fil.* Estado em que a alma se torna insensível às paixões e à dor [Do gr. *apatheia.*]

apático (a.*pá*.ti.co) *a.* Relativo a ou que manifesta apatia [F.: *apatia* + *-ico*[2].]

apatifar (a.pa.ti.*far*) *v. td. int.* Virar ou mostrar(-se) patife; ACANALHAR(-SE) [▶ 1 apatifar] [F.: *a-* + *patif(e)-* + *-ar.*]

apatita (a.pa.*ti*.ta) *Min. sf.* Fosfato de cálcio natural, encontrado em estado cristalino ou terroso, e que se cristaliza no sistema hexagonal [F.: Do fr. *apatite.*]

apatogênico (a.pa.to.*gê*.ni.co) *a.* Não patogênico (vírus apatogênico) [F.: *a-*[1] + *patogênico.*]

apatossauro (a.pa.tos.*sau*.ro) *Pal. sm.* Gênero de grandes dinossauros herbívoros, da ordem dos saurópodes, que inclui os brontossauros [F.: Do lat. cient. *Apatosaurus.*]

apátrida (a.*pá*.tri.da) *a2g.* **1** Que, tendo perdido a nacionalidade de origem, não adquiriu outra legalmente; que não tem pátria *s2g.* **2** Indivíduo apátrida [F.: Do gr. *ápatris, idos.*]

apaulistar (a.pau.lis.*tar*) *Bras. v. td.* Tornar(-se) paulista; dar(-se) modos de paulista [▶ 1 apaulistar] [F.: *a-*[2] + *paulista* + *-ar*[2].]

apavonar (a.pa.vo.*nar*) *v.* **1** *Fig.* Enfeitar ou adornar com roupas ou enfeites coloridos [*td.*] **2** *Fig.* Mostrar-se muito vaidoso ou encher-se de vaidades [*int.*] [▶ 1 apavonar] [F.: *a-*[2] + *pavão* (sob a f. *pavon-*) + *-ar*[2], seg. o mod. erudito.]

apavorado (a.pa.vo.*ra*.do) *a.* Tomado de pavor; ATERRORIZADO [F.: Part. de *apavorar.*]

apavorador (a.pa.vo.ra.*dor*) [ô] *a.* Que apavora; APAVORANTE [F.: *apavorar* + *-dor.*]

apavoramento (a.pa.vo.ra.*men*.to) *sm.* Ação ou resultado de apavorar(-se) [F.: *apavorar* + *-mento.*]

apavorante (a.pa.vo.*ran*.te) *a2g.* Que apavora; APAVORADOR [F.: *apavorar* + *-nte.*]

apavorar (a.pa.vo.*rar*) *v.* Fazer sentir ou sentir pavor; ATERRORIZAR(-SE) [*td.: Apavorou o colega com suas histórias.*] [*int.: Suas histórias são de apavorar; Apavora-se ante a perspectiva da morte.*] [▶ 1 apavorar] [F.: *a-*[2] + *pavor* + *-ar*[2].]

apaziguação (a.pa.zi.gua.*ção*) *sf.* O mesmo que *apaziguamento* [Pl.: *-ções.*] [F.: *apaziguar* + *-ção.*]

apaziguado (a.pa.zi.*gua*.do) *a.* **1** Que se apaziguou; em paz; PACIFICADO; SERENADO **2** Aplacado, aquietado [F.: Part. de *apaziguar.*]

apaziguador (a.pa.zi.gua.*dor*) [ô] *a.* **1** Que apazigua; APAZIGUANTE *sm.* **2** Aquele que apazigua [F.: *apaziguar* + *-dor.* Sin. ger.: *pacificador, conciliador.*]

apaziguamento (a.pa.zi.gua.*men*.to) *sm.* Ação ou resultado de apaziguar(-se) [F.: *apaziguar* + *-mento.*]

apaziguante (a.pa.zi.*guan*.te) *a2g.* Que apazigua; APAZIGUADOR [F.: *apaziguar* + *-nte.*]

apaziguar (a.pa.zi.*guar*) *v.* **1** Fazer ficar ou ficar em paz, em tranquilidade; PACIFICAR(-SE); AQUIETAR(-SE); ACALMAR(-SE) [*td.: Tome um trago para apaziguar o espírito;* "... a praia tivera o dom de apaziguá-lo." (Josué Montello, *Um rosto de menino*)] [*int.: Os ânimos por fim se apaziguaram.*] **2** Pôr(-se) de acordo; pôr(-se) em concórdia; HARMONIZAR(-SE) [*td.: Apaziguar os países em guerra.*] [*tr.: Os grupos antagônicos não se apaziguaram.*] [▶ 9 apaziguar Apresenta o -u- tônico nas f. rizotônicas: *apazigue(s), apaziguem.*] [F.: *a-*[2] + lat. *pacificare.*]

apê[1] (a.*pê*) *Bras. Bot. sm.* Planta da família das aráceas (*Urospatha caudata*), nativa da Amazônia, de folhas grandes e lobadas, comestíveis [F.: Do tupi. Hom./Par.: *apé* (sm.), *a pé* (loc. adv.).]

apê[2] (a.*pê*) *sm. Pop.* Red. de *apartamento*: *Alugou um apê no subúrbio.*

apeadeira (a.pe.a.*dei*.ra) *sf.* Pedra ou cepo que serve de apoio ou degrau para montar ou apear-se do cavalo; APEADOURO [F.: *apear* + *-deira.* Cf.: *apeadeiro.*]

apeadeiro (a.pe.a.*dei*.ro) *sm.* Ponto da linha férrea, ger. sem estação, onde os trens param somente para embarque ou desembarque de passageiros; APEADOURO; PARADA [F.: *apear* + *-deiro.* Cf.: *apeadeira.*]

apeado (a.pe.*a*.do) *a.* **1** Desmontado, descido de montaria ou veículo **2** *Fig.* Demitido de algum alto cargo: *político apeado do poder.* **3** *Fig.* Privado de riqueza ou grandeza [F.: Part. de *apear.*]

apeadouro (a.pe.a.*dou*.ro) *sm.* **1** Pedra ou cepo para ajudar a pessoa a apear-se, mesmo que *apeadeiro* **2** Parada de trem para descida ou subida de passageiros, mesmo que *apeadeiro* [F.: *apear* + *-douro*[2].]

apeamento (a.pe.a.*men*.to) *sm.* Ação ou resultado de apear(-se) [F.: *apear* + *-mento.*]

apear (a.pe.*ar*) *v.* **1** Descer ou fazer descer (de montaria, veículo etc.); DESMONTAR [*td.: Ajude a apear a velhinha.*] [*ta.* + *de*] [*tda.* + *de: Apeou a moça do cavalo.*] [*int.: Ao chegar ao seu ponto, o passageiro fez sinal e apeou.*] **2** *Bras.* Instalar-se como hóspede, ao chegar de viagem [*tda.* + *em: Quando chegou a Coimbra, apeou-se na pensão Antunes.*] **3** Fazer algo cair; pôr abaixo; DEMOLIR [*td.: Apearam o antigo prédio da escola.*] **4** *Fig.* Tirar o posto ou cargo de; DEMITIR(-SE) [*tdr.* + *de: O diretor apeou os incompetentes de seus cargos.*] **5** *Fig.* Pôr termo a; acabar; HUMILHAR; REBAIXAR [*tdr.* + *de: Apeou-o da prosápia.*] [▶ 13 apear] [F.: *a-*[2] + *pé* + *-ar*[2].]

⊠ **Apec** Sigla de *Cooperação Econômica da Ásia e do Pacífico* (*Asia and Pacific Economic Cooperation*)

apedeuta (a.pe.*deu*.ta) *s2g.* Indivíduo sem instrução, ignorante [F.: Do gr. *apaideutos, os, on.* Tb. *apedeuto.*]

apedeuto (a.pe.*deu*.to) *s2g.* Ver *apedeuta*

apedicelado (a.pe.di.ce.*la*.do) *P. us. Bot. a. P. us. Bot.* Que é sustentado por pedicelo (glândula apedicelada) [F.: *a-*[2] + *pedicelo* + *-ado*[1].]

apedrejado (a.pe.dre.*ja*.do) *a.* **1** Ferido ou atacado a pedradas: "... deitaram a fugir que nem cães apedrejados..." (Aluízio Azevedo, *O cortiço*) **2** *Fig.* Exposto ao opróbrio, às maledicências etc. [F.: Part. de *apedrejar.*]

apedrejador (a.pe.dre.ja.*dor*) [ô] *a.* **1** Diz-se da pessoa que apedreja *sm.* **2** Pessoa maledicente, acusadora **3** *Rel.* Pessoa que participa da execução da pena de apedrejamento [Pl.: *-ores.*] [F.: *apedrejado* + *-or.*]

apedrejamento (a.pe.dre.ja.*men*.to) *sm.* **1** Ação ou resultado de apedrejar **2** Suplício que consistia em executar o condenado a pedradas; LAPIDAÇÃO [F.: *apedrejar + -mento*.]

apedrejar (a.pe.dre.*jar*) *v.* **1** Arremessar pedras sobre [*td.*: *A multidão apedrejou-o impiedosamente; Os manifestantes apedrejavam-se.*] [*int.*: "A mão que afaga é a mesma que apedreja." (Augusto dos Anjos, *Eu*)] **2** Matar a pedradas; impor a pena de apedrejamento a; LAPIDAR [*td.*] **3** *Fig.* Proferir injúrias, calúnias, insultos; INSULTAR [*td.*: *Os colunistas apedrejam os maus jogadores de futebol em suas matérias; apedrejar o adversário com injúrias.*] [*tr.*] [*int.*: *Com a corrupção, o povo apedreja.*] [▶ 1 apedrejar] Pronuncia-se como [ê] o segundo *e* das formas rizotônicas do pres. do indic., pres. do subj. e do imper.] [F.: *a- + pedra + -ejar*.]

apegado (a.pe.*ga*.do) *a.* **1** Que tem apego, afeição; AFEIÇOADO: *apegado à família.* **2** Fortemente ligado; AFERRADO: *É muito apegado às suas ideias.* [F.: Part. de *apegar*.]

apegamento (a.pe.ga.*men*.to) *sm.* **1** Ação ou resultado de apegar(-se) (apegamento ao dinheiro); APEGO **2** Aderência, tenacidade [F.: *apegar + -mento*. Hom./Par.: *apagamento*.]

apegar¹ (a.pe.*gar*) *v.* **1** Pegar, fazer aderir, unir [*tdr.* + *a*: *As cracas se apegaram ao casco do navio.*] **2** Sentir apego ou tomar gosto (por alguém ou algo); AFEIÇOAR-SE [*tr.* + *a*: *Logo me apeguei aos novos amigos.*] **3** Transmitir por contágio, por contaminação (doença, hábito etc.); CONTAGIAR [*tr.* + *a*: *A gripe apegou a todos da casa.*] **4** Insistir, agarrar-se, aferrar-se [*tr.* + *a*: *Apegamo-nos à tua palavra dada.*] **5** Procurar proteção ou auxílio (de algo ou alguém); RECORRER [*tr.* + *a, com*: *No desespero, apegou-se com seus santos*: "Corina se apegava ao seu terço..." (Josué Montello, *Sempre serás lembrada*)] [▶ 14 apegar] [F.: *a-² + pegar*. Hom./Par.: *apego* (fl.), *apego* [ê] (sm.).]

apegar² (a.pe.*gar*) *v.* **1** Pegar, fazer aderir, juntar, unir [*td.*] **2** Fazer aderir a cola a; COLAR-SE [*td.*] **3** Criar hábito em; ACOSTUMAR [*tdi.* + *a*] **4** Criar laços afetivos com [*tr.* + *a*: *Apegou-se logo à nova babá.*] **5** Comunicar por contágio (doença, maus costumes etc.) [*td.*] [*int*] **6** Ficar sob a proteção de; AMPARAR-SE [*ti.* + *a*] [*tr.* + *com*: *Desorientado, apegou-se com o vizinho.*] [▶ 14 apegar] [F.: *a- + pegar*. Hom./Par.: *apego* (fl.), *apego* /ê/ (sm.).]

apego (a.*pe*.go) [ê] *sm.* **1** Dedicação obstinada; PERTINÁCIA; AFERRO: *apego ao poder, ao dinheiro.* **2** Afeição, afeto: "... entre as minhas virtudes públicas constava meu grande apego aos idosos..." (João Ubaldo Ribeiro, *Diário do Farol*) [Ant.: *Nessas acps.*: *desapego*.] **3** *Agr.* Braço do arado; timão de charrua [F.: Dev. de *apegar¹*. Hom./Par.: *apego* (fl. de *apegar*).]

apeiragem (a.pei.*ra*.gem) *sf.* **1** Ação ou resultado de apeirar *sf.* **2** Conjunto das peças próprias para jungir os bois ao carro, ao arado ou a qualquer instrumento agrícola; APEIRO: "A traquitana continua a se afundar morro abaixo... as ferragens tinindo e toda a apeiragem fazendo uma balbúrdia..." (Guimarães Rosa, "Conversa de bois", *in Sagarana*) **3** Conjunto dos utensílios de casa ou de uma oficina **4** Petrechos [F.: *apeirar + -agem²*.]

apeirar (a.pei.*rar*) *v.* *td.* **1** *Agr.* Atrelar (animais) ao carro, ao arado etc. **2** Proporcionar os instrumentos necessários à realização de um trabalho [▶ 1 apeirar] [F.: do lat. vulg. **appariare*.]

apelação (a.pe.la.*ção*) *sf.* **1** Ação ou resultado de apelar **2** Chamamento; APELO **3** *Pop.* Meio usado para obter vantagem ou evitar situação inconveniente oriunda da exploração dos sentimentos ou da ingenuidade de outrem; RECURSO; REMÉDIO: *Aquele lance violento do atacante foi uma enorme apelação.* **4** *Jur.* Recurso a instância ou tribunal superior, a fim de corrigir ou anular uma sentença proferida anteriormente [Pl.: *-ções*.] ■ **~ comum** *Jur.* A que vai a julgamento de tribunal imediatamente superior ao de primeira instância **~ especial** *Jur.* A que vai diretamente a julgamento por tribunal de última instância **~ necessária** *Jur.* Apelação feita pelo próprio juiz de um processo, quando sua sentença contraria a posição do poder público **~ voluntária** *Jur.* A que depende de interposição pela parte vencida

apelante (a.pe.*lan*.te) *a2g.* **1** Que apela *s2g.* **2** Aquele que apela [F.: Do lat. *appellans, antis*.]

apelar (a.pe.*lar*) *v.* **1** Pedir socorro, ajuda [*ti.* + *a, para*: "... esses moços já apelaram para o ministro..." (Cecília Meireles, *Crônicas de educação 2*)] **2** *Bras. Pop.* Usar (meios violentos ou condenáveis) para resolver um problema [*tr.* + *para*: *apelar para a força bruta.*] [*int.*: *Vendo-se humilhado, apelou.*] **3** *Jur.* Pedir reavaliação (de sentença judicial) em instância superior; RECORRER [*tr.* + *de*: *apelar da sentença.*] [*int.*: *O promotor desistiu de apelar.*] **4** *P. us.* Ter o nome de; NOMEAR(-SE) [*tdp.*: *Apelaram-no Chiquinho.*] [▶ 1 apelar] [F.: Do lat. *appellare*. Hom./Par.: *apelo* (fl.), *apelo* (sm.).]

apelativo (a.pe.la.*ti*.vo) *a.* **1** *Gram.* Diz-se do nome que se pode aplicar a qualquer dos indivíduos de uma espécie ou classe comum [Opõe-se a próprio ou individual: *rio, cidade, monte, homem, cavalo* etc. são apelativos; e *Amazonas, Recife, Parnaso, Catão, Bucéfalo* etc., próprios] **2** Que chama ou invoca; que apela; VOCATIVO; APÓSTROFE: *Usou um tom apelativo para convencê-la.* *sm.* **3** *Gram.* Nome apelativo [F.: Do lat. *appellativu*.]

apelatório (a.pe.la.*tó*.ri.o) *Jur.* *a.* **1** Rel. a apelação **2** Que expõe os fatos e razões do apelante [F.: Do lat. *appellatorius, a, um*.]

apelável (a.pe.*lá*.vel) *Jur.* *a2g.* **1** De que se pode apelar: *A sentença é apelável, e os advogados vão recorrer.* [Ant.: *inapelável*] **2** Diz-se da instância para a qual se pode apelar ou recorrer: *Nesse caso, a única instância apelável é o Supremo.* [Pl.: *-veis*.] [F.: *apelar + -vel*. Hom./Par.: *apeláveis* (pl.), *apeláveis* (fl. de *apelar*).]

apele (a.*pe*.le) *Med.* *a2g.* **1** Que não é coberto por pele **2** Que não tem prepúcio, ou cujo prepúcio não recobre a glande [F.: *a-³ + pele*. Hom./Par.: *apele* (fl. de *apelar*); *apeles* (pl.), *apeles* (fl. de *apelar*).]

apelegar (a.pe.le.*gar*) *Bras. P. us.* *v.* *int.* Adotar modo, procedimento ou atitudes próprias de pelego (2 e 3): *Há centrais sindicais que se apelegaram em troca de cargos no governo.* [▶ 14 apelegar] [F.: *a-² + pelego + -ar²*.]

apelidado (a.pe.li.*da*.do) *a.* Que recebeu apelido; ALCUNHADO; COGNOMINADO [F.: Part. de *apelidar*.]

apelidar (a.pe.li.*dar*) *v.* **1** Chamar(-se) por apelido, alcunha ou sobrenome; CHAMAR; DENOMINAR [*td.*: *Costumam apelidar depreciativamente os neófitos.*] [*tdp.*: *Apelidaram Recife a Veneza brasileira; Apelidaram-no Maneco; Arrogante, apelidava-se "O Bom".*] **2** *P. us.* Chamar (alguém) para comparecer a algum lugar; CONVIDAR; CONVOCAR [*td.*: *A escola apelidou os candidatos aprovados.*] [*tdr.* + *a*: *O toque da corneta apelidava os tripulantes ao rancho.*] [▶ 1 apelidar] [F.: Do lat. *appellitare*. Hom./Par.: *apelido* (fl.), *apelido* (sm.).]

apelido (a.pe.*li*.do) *sm.* **1** Designação especial de alguém ou alguma coisa; COGNOME; ALCUNHA **2** Nome de família; SOBRENOME **3** Nome particular que se dá a certas coisas [F.: Dev. de *apelidar*. Hom./Par.: *apelido* (fl. de *apelidar*).] ■ **Ser ~** *Bras. Gír.* Não ser a qualificação de alguém ou algo suficiente para descrevê-lo: *Você diz que ele é rico? Rico é apelido, ele é milionário.*

apelo (a.*pe*.lo) [ê] *sm.* **1** Chamamento, invocação, apelação: "Era o vulto do secretário... 'a tentação', chamando-a para o mistério do gozo e para a desonra, num apelo fidalgo de cavalheiro do Amor, num requinte dom-juanesco de volúpia mundana." (Adolfo Caminha, *Tentação*) **2** Solicitação de auxílio; ROGO **3** Caracterização positiva e chamativa atribuída a um produto para atrair o consumidor: *As cores daquele tênis têm grande apelo* **4** Função gramatical por meio da qual o falante interpela o interlocutor; VOCATIVO; APÓSTROFE [F.: Dev. de *apelar*. Hom./Par.: *apelo* (é) (fl. de *apelar*).]

apenado (a.pe.*na*.do) *sm.* Condenado a pena²; CASTIGADO; PUNIDO [F.: Part. de *apenar*.]

apenar (a.pe.*nar*) *v.* **1** Impor pena a; CASTIGAR; PUNIR [*td.*: "Mas daí a se imputar culpa e apenar os culpados, abrindo-lhes o direito a novos recursos, ou faz a pessoa perder a vergonha ou admitir o campo aberto da corrupção." (*Correio Braziliense*, 07.04.2005)] **2** *Jur.* Intimar, embargar, cominando pena ou multa, para comparecer e prestar algum serviço [*td.*: "Mandou apenar quantos carpinteiros e calafates havia na terra." (Fernão Lopes de Castanheda, *História do descobrimento e conquista da Índia*)] **3** *Fig.* Contratar, empregar para determinado serviço [*td.*: *Apenamos alguns homens para enfeitar o salão de festas.*] [▶ 1 apenar] [F.: *a-² + pena² + -ar²*.]

apenas (a.*pe*.nas) *adv.* **1** Exclusivamente, só, somente: *A chuva cai sobre todos, e não apenas sobre alguns; Ingressou no grêmio apenas para obter prestígio; Tem apenas duas mudas de roupa para usar.* **2** Penosamente, com dificuldade, a custo: *Estava com tanto sono, que apenas podia abrir os olhos.* *conj.* **3** Logo que, mal: "A viúva rompeu a capa de papel que embrulhava o volume, e pôs o livro sobre a mesa da sala; meia hora depois voltou e pegou no livro para ler. Apenas o abriu, caiu-lhe a carta aos pés." (Machado de Assis, *Miss Dollar*) [F.: Prep. *a + penas* (pl. de *pena²*).]

apendectomia (a.pen.dec.to.*mi*.a) *Cir.* *sf.* O mesmo que *apendicectomia* [F.: *apendic(i)- + -ectomia*.]

apender (a.pen.*der*) *v.* *tdr.* Anexar, juntar (alguma coisa) a (outra); APENSAR: *O juiz apendeu ao processo novas provas contra o réu.* [▶ 2 apender] [F.: Do lat. *appendere*.]

apêndice (a.*pên*.di.ce) *sm.* **1** Anexo que complementa uma obra; ANEXO; ADENDO **2** *Anat.* Prolongamento de um órgão, de uma estrutura **3** *Anat.* O mesmo que *apêndice cecal* **4** *Biol.* Parte saliente do corpo de um animal ou de um órgão ou parte de uma planta [Dim.: *apendículo*.] [F.: Do lat. *appendix, icis*.] ■ **~ cecal** *Anat.* Saliência vermiforme do ceco, sem função fisiológica. Antes denominado *apêndice ileocecal*. [Tb. apenas *apêndice*] **~ ileocecal** *Anat.* Antiga denominação do *apêndice cecal* **~ xifoide/xifóideo** *Anat.* Apêndice na extremidade inferior do esterno

apendicectomia (a.pen.di.cec.to.*mi*.a) *Cir.* *sf.* Remoção do apêndice ileocecal; APENDECTOMIA [F.: *apendic(i)- + -ectomia*.]

apendicectômico (a.pen.di.cec.*tô*.mi.co) *a.* Rel. a apendicectomia [F.: *apendicectomia + -ico²*.]

◎**apendic(i)-** *el. comp.* = 'apêndice': *apendicectomia, apendiciforme* [F.: Do lat. *appendix, icis*.]

apendiciforme (a.pen.di.ci.*for*.me) *a2g.* Que tem forma de apêndice [F.: *apendic(i)- + -forme*.]

apendicite (a.pen.di.*ci*.te) *sf.* *Med.* Inflamação do apêndice cecal [F.: *apendic(i)- + -ite*.]

apendiculado (a.pen.di.cu.*la*.do) *Bot.* *a.* Terminado por um apêndice ou prolongamento [F.: *apendículo + -ado¹*.]

apendicular¹ (a.pen.di.cu.*lar*) *a2g.* **1** Ref. ou pertencente a apêndice **2** Que é acrescentado, que não é essencial ao todo de que faz parte [F.: *apendículo + -ar¹*.]

apendicular² (a.pen.di.cu.*lar*) *v.* *td.* Acrescentar apêndice ou apendículo a; ANEXAR [▶ 1 apendicular] [F.: *apendículo + -ar²*.]

apendículo (a.pen.*dí*.cu.lo) *sm.* Pequeno apêndice [F.: Do lat. *appendicullum, i*.]

apendoado (a.pen.do.*a*.do) *a.* **1** Guarnecido ou ornado de pendões **2** Embandeirado, enfeitado com estandartes **3** *Bot.* Diz-se de milho que criou bandeira [F.: Part. de *apendoar*.]

apendoar (a.pen.do.*ar*) *v.* **1** Inclinar-se, pender (a seara), com o peso das espigas [*int.*] **2** Brotar (pendão, esp. das gramíneas) [*int.*] **3** Ornamentar ou guarnecer de pendões [*td.*] [▶ 16 apendoar] [F.: *a-² + pendão + -oar*.]

apenhado¹ (a.pe.*nha*.do) *a.* *Ant.* Dado em penhor; PENHORADO; EMPENHADO [F.: Part. de *apenhar*.]

apenhado² (a.pe.*nha*.do) *a.* **1** Cheio ou coberto de penhas ou penedos **2** Semelhante a penha ou penedo [F.: *a-² + penha + -ado¹*.]

apenhar (a.pe.*nhar*) *v.* *td.* Pôr ou dar (algo) em penhor; PENHORAR; EMPENHAR; HIPOTECAR [▶ 1 apenhar] [F.: De *empenhar*, com mud. de pref; ver *a-²*.]

apensado (a.pen.*sa*.do) *a.* Que se apensou; ANEXADO; APENSO [F.: Part. de *apensar*.]

apensamento (a.pen.sa.*men*.to) *sm.* Ação ou resultado de apensar; APENSÃO; APENSAÇÃO; ANEXAÇÃO: *Solicitou ao juiz o apensamento das provas ao processo.* [F.: *apensar + -mento*.]

apensar (a.pen.*sar*) *v.* Juntar em apenso (p. ex. um documento a outro); ANEXAR [*td.* / *tdi.* + *a*: *apensar os autos (ao processo).*] [▶ 1 apensar] [F.: *apenso + -ar*. Hom./Par.: *apenso* (fl.), *apenso* (a. sm.).]

apenso (a.*pen*.so) *a.* **1** Que se apensou; ANEXO; APENSADO **2** *P. us.* Pendurado, pendente, suspenso: *um ventilador apenso ao teto.* *sm.* **3** O que se apensou; ANEXO; ADENDO [F.: Do lat. *appensus, a, um*. Hom./Par.: *apenso* (fl. de *apensar*).]

apepsia (a.pep.*si*.a) *Gast.* *sf.* Dificuldade ou incapacidade de digerir; INDIGESTÃO [Ant.: *digestão, pepsia*.] [F.: Do gr. *apepsía, as*.]

apéptico (a.*pép*.ti.co) *a.* **1** Ref. a apepsia **2** Diz-se de pessoa que sofre de apepsia [Ant.: *péptico*.] [F.: *a- + péptico*.]

apequenado (a.pe.que.*na*.do) *a.* Um tanto pequeno ou baixo [F.: Part. de *apequenar*.]

apequenamento (a.pe.que.na.*men*.to) *sm.* Ação ou resultado de apequenar(-se) [F.: *apequenar + -mento*.]

apequenar (a.pe.que.*nar*) *v.* **1** Tornar(-se) ou fazer(-se) pequeno ou parecer pequeno ou menor; DIMINUIR(-SE); REDUZIR(-SE) [*td.*: *As grossas lentes apequenam os olhos.*] [*int.*: *À distância, os barcos apequenam-se.*] **2** *Fig.* Diminuir o valor de (si próprio ou de outra pessoa) [*td.*: *O chefe costuma apequenar os funcionários.*] [*int.*: *Apequenou-se diante do adversário.*] [▶ 1 apequenar] [F.: *a-² + pequeno + -ar²*.]

aperaltar (a.pe.ral.*tar*) *v.* *td.* **1** Tornar(-se) peralta ou garrido **2** Vestir(-se) com exagero, com excesso de elegância ou de rebuscamentos [▶ 1 aperaltar] [F.: *a-² + peralta + -ar²*. Sin. ger.: *ajanotar*.]

aperar (a.pe.*rar*) *Bras.* *v.* *td.* **1** *S* Colocar aperos em (cavalo) **2** *Fig. Pop.* Vestir(-se) apuradamente; enfeitar(-se) [▶ 1 aperar] [F.: Do espn. plat. *aperar*.]

aperceber (a.per.ce.*ber*) *v.* **1** Passar a conhecer ou ver (o que está próximo); NOTAR; PERCEBER [*td.*: *Apercebendo a manobra, ficou à espreita.*] [*tr.* + *de*: "... nem se apercebia do lugar que estava." (José de Alencar, *O tronco do ipê*)] **2** Ver ao longe; ENXERGAR [*td.*: *Aperceber um ponto no horizonte.*] **3** Pôr(-se) em condições de; preparar-se para (tarefa, missão etc.) [*td.*: *O capitão mandou aperceber os soldados.*] [*tdr.* + *para*: *Aperceber as tropas para a luta; aperceber-se para a missão espacial.*] **4** *P. ext.* Guarnecer(-se) do que for necessário; PROVER(-SE) [*td.*: *aperceber o navio.*] [*tdr.* + *de*: *Apercebeu a esquadra de armas e munições para uma longa viagem.*] **5** Dar aviso, prevenir, avisar [*td.*: *Com a chegada do chefe, apercebeu o amigo.*] [*tdr.* + *de*/*sobre*: *Carlos apercebeu o irmão da / sobre a gravidade da situação.*] [▶ 2 aperceber] [F.: *a-² + perceber*.]

apercebido (a.per.ce.*bi*.do) *a.* Provido do necessário; PREPARADO; APARELHADO [Ant.: *desapercebido*.] [F.: Part. de *aperceber*.]

apercepção (a.per.cep.*ção*) *sf.* **1** Faculdade de perceber claramente um objeto **2** Consciência imediata, apreensão direta de um objeto; INTUIÇÃO **3** *Fil.* Percepção acompanhada de consciência **4** *Psic.* Aquisição do saber pela apreensão das qualidades de um objeto relativamente a conhecimentos já internalizados [Pl.: *-ções*.] [F.: Do lat. cient. *apperceptio, onis*. Cf.: *percepção*.]

aperema (a.pe.*re*.ma) *Bras. Amaz. Herp.* *sf.* Quelônio da fam. dos testudinídeos (*Nicoria punctulata*), presente na Amazônia; tb. *jabuti-aperema* [F.: Do tupi *ape'rema*.]

aperfeiçoado (a.per.fei.ço.*a*.do) *a.* Que se tornou perfeito ou melhor; APRIMORADO; MELHORADO [F.: Part. de *aperfeiçoar*.]

aperfeiçoamento (a.per.fei.ço.a.*men*.to) *sm.* Ação ou resultado de aperfeiçoar(-se); APRIMORAMENTO [F.: *aperfeiçoar + -mento*.]

aperfeiçoar (a.per.fei.ço.*ar*) *v.* **1** Tornar(-se) melhor (algo ou alguém que já é bom); APRIMORAR [*td.*: *aperfeiçoar os métodos.*] [*tdr.* + *em*: *aperfeiçoar-se nos estudos.*] **2** Levar a termo o que está incompleto ou o que precisa de complementação; TERMINAR; FINALIZAR [*td.*: *Aperfeiçoar o discurso de paraninfo.*] **3** Concluir com qualidade (o que está quase pronto); ARREMATAR [*td.*: *aperfeiçoar um relatório.*]

4 Tornar-se exímio no que faz; ESPECIALIZAR-SE [*tdr.* + *em: aperfeiçoar-se em medicina.*] [▶ 16 aperfeiçoar] [F.: *a-*[2] + *perfeição* + *-ar*[2]. Hom./Par.: *aperfeiçoáveis* (fl.), *aperfeiçoáveis* (pl. de *aperfeiçoável* [a2g.]).]

aperfeiçoável (a.per.fei.ço.*á*.vel) ***a2g.*** Que é suscetível de aperfeiçoar-se [Pl.: *-veis.*] [F.: *aperfeiçoar* + *-vel.* Hom./Par.: *aperfeiçoáveis* (pl.), *aperfeiçoáveis* (fl. de *aperfeiçoar*).]

apergaminhado (a.per.ga.mi.*nha*.do) ***a.*** Que tem o aspecto de pergaminho [F.: *a-*[2] + *pergaminho* + *-ado*[2].]

aperiente (a.pe.ri:*en*.te) ***a2g.*** **1** O mesmo que *aperitivo*; que abre o apetite **2** *Desus. Med.* Que dilata os poros ***sm.*** **3** Qualquer alimento ou bebida que abre o apetite (e por isso se come ou se bebe antes de uma refeição) **4** *Desus. Med.* Substância ou produto que dilata os poros [F.: Do lat. *aperiens*, part. de *aperire* 'abrir'.]

aperiódico (a.pe.ri:*ó*.di.co) ***a.*** **1** Que não tem períodos; que não é periódico [Ant.: *periódico.*] **2** *Eletrôn.* Diz-se do circuito que não tem período próprio de oscilação **3** *Fís.* Diz-se do movimento de um sistema móvel em torno de um eixo fixo, quando esse movimento não apresenta oscilações [F.: *a-*[1] + *periódico.*]

aperistalse (a.pe.ris.*tal*.se) *Fisl.* ***sf.*** Ausência de peristalse em qualquer parte do intestino; APERISTALTISMO [Ant.: *peristalse, peristaltismo.*] [F.: *a-* + *peristalse.*]

aperistáltico (a.pe.ris.*tál*.ti.co) ***a.*** Ref. a aperistalse [Ant.: *peristáltico.*] [F.: *a-* + *peristáltico.*]

aperistaltismo (a.pe.ris.tal.*tis*.mo) *Fisl.* ***sm.*** O mesmo que *aperistalse* [Ant.: *peristaltismo.*] [F.: *a-* + *peristaltismo.*]

aperitivo (a.pe.ri.*ti*.vo) ***a.*** **1** Que abre o apetite; APERIENTE **2** *Desus. Med.* Que abre os poros, que torna os humores mais fluidos ***sm.*** **3** Qualquer alimento que abre o apetite, que ger. se consome antes da refeição principal; ACEPIPE; PETISCO **4** Bebida alcoólica que se toma antes da refeição, supostamente para abrir o apetite [F.: Do lat. *aperitivu.*]

aperolar (a.pe.ro.*lar*) ***v. td.*** **1** Dar aspecto, forma ou cor de pérola a; PERLAR; PEROLAR **2** Enfeitar, ornamentar (um vestido, um objeto etc.) com pérola [▶ 1 aperol**ar**] [F.: *a-*[2] + *pérola* + *-ar*[2].]

aperrar (a.per.*rar*) ***v.*** Levantar o perro ou cão de (arma de fogo), para dispará-la; ENGATILHAR [***td.***] [▶ 1 aperr**ar**] [F.: *a-* + *perro* + *-ar.*]

aperreação (a.per.re.a.*ção*) ***sf.*** **1** Ação ou resultado de aperrear(-se) **2** O que causa aborrecimento **3** Situação de submissão forçada; OPRESSÃO **4** *Bras.* Dificuldade, apuro [Pl.: *-ções.*] [F.: *aperrear* + *-ação.* Sin. ger.: *aperreamento, aperreio.*]

aperreado (a.per.re.*a*.do) ***a.*** **1** Aborrecido, apoquentado, amofinado **2** Oprimido, preso: "... na ópera, nem saboreei Lohengrin – entalado, aperreado, cortado nos sovacos pela casaca..." (Eça de Queirós, *A cidade e as serras*) **3** *Bras.* Que vive com dificuldades financeiras; APERTADO **4** *Bras. S.* Enfraquecido, emagrecido [F.: Part. de *aperrear.*]

aperreador (a.per.re.a.*dor*) [ô] ***a.*** **1** Que aperreia, chateia, amofina ***sm.*** **2** O que aperreia [F.: *aperrear* + *-dor.*]

aperreamento (a.per.re.a.*men*.to) ***sm.*** O mesmo que *aperreação* [F.: *aperrear* + *-mento.*]

aperrear (a.per.re.*ar*) ***v.*** **1** Incomodar(-se) continuamente; AMOFINAR(-SE); APOQUENTAR(-SE) [***td.:*** *Aperreava a irmã caçula.*] [***int.:*** *Por qualquer motivo se aperreia.*] **2** *Fig.* Submeter (alguém) a uma severa disciplina; OPRIMIR [***td.***] **3** Fazer perseguir por cães; lançar cães sobre [***td.***] [▶ 13 aperr**ear**] [F.: *a-*[2] + *perro*, 'cão', + *-ar*[2]. Hom./Par.: *aperreio* (fl.), *aperreio* (sm.).]

aperreio (a.per.*rei*.o) *Bras. N. E.* ***sm.*** O mesmo que *aperreação* [F.: Dev. de *aperrear*. Hom./Par.: *aperreio* (sm.), *aperreio* (fl. de *aperrear*).]

apertadela (a.per.ta.*de*.la) ***sf.*** **1** Ação ou resultado de apertar levemente **2** *Fig. Pop.* Situação complicada; APERTO; DIFICULDADE **3** *Fig. Pop.* Reprovação, repreensão, censura [F.: *apertar* + *-dela.*]

apertado (a.per.*ta*.do) ***a.*** **1** Que se apertou, comprimiu, restringiu etc. **2** Que se fechou, prendeu, cingiu, amarrou com força (nó apertado; cinto apertado) **3** Que é pouco espaçoso, por ter dimensões reduzidas, por ser estreito, por estar muito cheio etc. (corredor apertado; cabine apertada; vagão apertado) **4** De tamanho menor que o adequado, a ponto de ser desconfortável (calças apertadas; sapato apertado; anel apertado) **5** Que se uniu, juntou com força (mãos apertadas) **6** Com pouca folga (no tempo ou no espaço) (fileiras apertadas; agenda apertada; prazo apertado) **7** Diz-se de margem ou diferença de contagem muito pequenas (escore apertado; margem [de lucro] apertada); INSUFICIENTE **8** Diz-se de algo (ger. resultado, conquista etc.) em que a diferença é muito pequena ou que é conseguido a custo: *A conquista do campeonato foi apertada; Foi uma vitória apertada, com um gol de diferença.* **9** Cheio de dificuldades e atribulações, penoso (vida apertada; tarefa apertada): *É um período apertado para a economia do país.* **10** Austero, severo, rigoroso (regulamento apertado; dieta apertada) **11** *Fig.* Cheio de angústia e aflição (diz-se ger., metaforicamente, do coração, da alma, do ânimo de pessoa angustiada): *Despediu-se dela com o coração apertado.* **12** Que está em dificuldade, esp. financeira: *Está sempre apertado, sem dinheiro e sem crédito.* **13** Constrito, pressionado, impensado (por limite físico, tempo exíguo, condições adversas etc.): *Está sempre apertado, sem tempo para nada; O rio segue um curso apertado, entre altas montanhas.* ***adv.*** **14** A custo, com dificuldade (ganharam apertado) ***sm.*** **15** *Bras.* Situação difícil, perigosa; APERTO **16** *Bras.* Trecho estreito de rio ou caminho, ger. em desfiladeiro, ou entre montanhas [F.: Part. de *apertar.*] ▪ **Estar ~** *Pop.* Estar com muita vontade de urinar ou defecar

apertador (a.per.ta.*dor*) [ô] ***a.*** **1** Que aperta **2** O que aperta [F.: *apertar* + *-dor.*]

apertão (a.per.*tão*) ***sm.*** **1** Aperto forte: *Deu-lhe um apertão no braço.* **2** Multidão de pessoas que se apertam e acotovelam **3** Aperto que se dá com intenção lasciva [Pl.: *-tões.*] [F.: *aperto* + *-ão*[1].] ▪ **Dar um ~** *Bras.* Insistir com alguém para que faça algo, pressionando **Levar um ~** *Bras.* Ser pressionado para fazer algo

apertar (a.per.*tar*) ***v.*** **1** Exercer pressão sobre, para acionar ou comprimir; PREMER [***td.:*** *apertar o botão da campainha/ o pedal do freio/ o gatilho.*] **2** Segurar, pressionando com força [***td.:*** *apertar as mãos; Apertou bem, sovou impiedosamente a massa de pão.*] **3** Cingir-se, apertando; ABRAÇAR(-SE) [***td.:*** *Apertou o amigo num abraço fraternal; Apertaram-se num abraço.*] [***tdr.*** + *a, contra: apertar o filho ao / contra o peito.*] **4** Atarraxar, para não ficar folgado ou frouxo [***td.:*** *apertar os parafusos da cama.* Ant.: *afrouxar*] **5** Comprimir por meio ou efeito de pressão [***td.:*** *Apertava os olhos por causa da dor.*] **6** Ficar ou fazer ficar muito junto, com pouca ou nenhuma folga [***td.:*** *Apertou os alunos numa sala muito pequena.*: "A massa de ouvintes apertava-se curiosa..." (Raul Pompeia, *O Ateneu*)] [***int.:*** *Ainda há muito espaço, vamos apertar!*] **7** Exercer pressão sobre (por ser menor do que devia), constrangendo [***td.:*** *O sapato apertava seus dedos.*] **8** Pedir com insistência; INSISTIR [***tr.*** + *com: Apertou com o cunhado para conseguir a função.*] **9** Ajustar (peças de vestuário), moldando-as ao corpo [***td.:*** *apertar o vestido.*] **10** Cingir o corpo, comprimindo-o; ENFAIXAR(-SE) [***td.:*** *Para dar elegância ao tronco, as mulheres apertam a cintura com um colete.*] **11** Ficar muito justo; ESTREITAR [***int.:*** *A saia aperta no cós.*] **12** Fazer-se sentir com maior intensidade, força [***int.:*** *Vamos entrar, que a chuva apertou.*] **13** *Fig.* Tornar mais rigoroso, mais criterioso [***td.:*** *apertar a vigilância no bairro.* Ant.: *relaxar.*] **14** *Fig.* Tornar mais rápido; ACELERAR; APRESSAR [***td.:*** *Por medo do cão, apertou as passadas.* Ant.: *retardar.*] **15** *Fig.* Sentir ou causar dor ou sofrimento a; AFLIGIR-SE [***td.:*** *A doença do filho apertava seu coração.*] [***int.:*** *O coração (se) aperta no exílio.*] **16** *Fig.* Ficar mais intenso; AUMENTAR [***int.:*** *Parece que a chuva vai apertar*: "Apertou em mim aquela tristeza..." (Guimarães Rosa, *Grande sertão: veredas*) Ant.: *diminuir.*] **17** *Fig.* Ficar estreito; ESTREITAR-SE [***int.:*** *Encontram-se no ponto em que a rua aperta.* Ant.: *alargar-se.*] **18** *Fig.* Exercer pressão sobre (alguém) para obrigar a fazer algo; PRESSIONAR [***td.:*** *O policial apertou o bandido para que ele confessasse o crime.*] **19** Fazer breves considerações; RESUMIR [***td.:*** *Apertar uma narração.*] **20** Analisar em pormenor; APURAR [***td.:*** *apertar o inquérito policial.*] **21** *Bras. Fig. Pop.* Diminuir, reduzir (gastos, despesas, custos); ECONOMIZAR [***td.:*** *Temos de apertar o orçamento.*] [***int.:*** *Gastou demais e se apertou.*] **22** *Bras. Pop.* Estar, ver-se em dificuldades financeiras [***int.:*** *Com a perda do salário, apertou-se muito.*] **23** *Fig.* Encurtar, tornar menor (tempo para a conclusão de algo) [***td.:*** *A imobiliária apertou o prazo para desocupação da casa.*] [***int.:*** *Para o término da prova, o tempo está apertando.*] **24** Tornar-se improrrogável; não permitir atraso ou demora [***int.:*** *O tempo apertava, precisávamos partir.*] **25** Tornar-se acalorado, animado; ACALORAR(-SE) [***int.:*** *A discussão entre as partes adversas começava a apertar.*] **26** *Fig.* Tornar-se desfavorável, difícil [***int.:*** *Quando a situação apertava, procurava os pais.*] **27** Ter sabor meio amargo; AMARGAR [***int.:*** *O caju aperta.*] **28** *Art. Gr.* Reduzir o espaço existente entre as letras, palavras, linhas e desenhos ou entre quaisquer elementos gráficos [***td.:*** *apertar as linhas do texto.* Ant.: *abrir.*] [▶ 1 apert**ar**] [F.: Do lat. *appectorare.* Hom./Par.: *aperto* (fl.), *aperto* /ê/ (sm.).]

aperto (a.*per*.to) [ê] ***sm.*** **1** Ação ou resultado de apertar(-se) **2** Opressão, dor, angústia (tb. *Fig.*): *aperto na garganta, no coração.* **3** *Fig.* Situação difícil; APERTURA; APURO; ARROCHO: "E como não suportava os parentes... não procurou as duas irmãs que tinha para ajudá-lo no aperto." (Marques Rebelo, *Marafa*) **4** *Fig.* Grande pressa, urgência **5** Grande número de pessoas reunidas em um espaço que não as comporta com folga **6** Lugar apertado, estreito, acanhado **7** *Fig.* Escassez extrema, indigência, penúria **8** Rigor, intensidade: *No maior aperto do inverno.* [F.: Dev. de *apertar*. Hom./Par.: *aperto* [ê] (fl. de *apertar*).] ▪ **~ de mão** Gesto em que duas pessoas apertam-se mutuamente as mãos, como cumprimento ou sinal de que entraram em acordo sobre algo

apertura (a.per.*tu*.ra) ***sf.*** **1** Qualidade do que é apertado, acanhado; ESTREITEZA **2** Urgência (apertura de tempo) **3** Situação difícil; APERTO: "...os soldados, ainda quando caíssem nas maiores aperturas, não podiam sair do lugar em que se achavam..." (Euclides da Cunha, *Os sertões*) [F.: *aperto* + *-ura.*]

apesar (a.pe.*sar*) ***adv.*** Us. nas loc. adv. *apesar de* e *apesar de que* ▪ **~ de** A despeito de, não obstante: *Tivemos êxito, apesar dos problemas.* **~ de que** Embora, ainda que: *Foi nadar, apesar de que ainda estava gripado.*

apessoado (a.pes.so.*a*.do) ***a.*** **1** Que tem boa estatura **2** De boa aparência, elegante; BEM-APESSOADO: "O principal caixeiro era o Novais, moço de vinte e cinco anos, apessoado e simpático..." (Artur de Azevedo, *Os dois andares*) [F.: *a-*[2] + *pesso(a)* + *-ado*[2].]

apetalia (a.pe.ta.*li*.a) ***sf.*** *Bot.* Ausência de pétalas [F.: *a-*[3] + *-petal(o)-* + *-ia*[1].]

apétalo (a.*pé*.ta.lo) ***a.*** *Bot.* Que não tem pétalas (diz-se de planta ou flor) [F.: Do gr. *apétalos.*]

apetecedor (a.pe.te.ce.*dor*) [ô] ***a.*** **1** Que pode ser ou é desejável, provoca o apetite; APETECÍVEL ***sm.*** **2** O que apetece ou deseja muito algo [F.: *apetecer* + *-dor.*]

apetecer (a.pe.te.*cer*) [ê] ***v.*** **1** Ter apetite ou desejo de (comida) [***td.:*** *Apetecer uma boa macarronada.*] **2** Desejar muito, aspirar a; COBIÇAR; PRETENDER; AMBICIONAR [***td.:*** *Apetecia os mais caros enfeites.*] **3** Provocar apetite ou desejo [***ti.*** + *a: Um churrasco apetece muito ao gaúcho.*] [***int.:*** *No verão, comidas quentes não apetecem.*] **4** Provocar ou estimular o interesse; AGRADAR [***ti.*** + *a: O estilo do autor não lhe apetecia.*] [***int.:*** *Nos dias quentes, não apetece trabalhar.*] [▶ 33 apetec**er**] [F.: Do lat. *appetescere*, f. incoativa de *appetere.*]

apetecido (a.pe.te.*ci*.do) ***a.*** Que é muito desejado; COBIÇADO: "... pedir a Dulce, a minha bem amada, / a esmola dum carinho apetecido..." (Augusto dos Anjos, "A esmola de Dulce" *in Eu e outros poemas*) [F.: Part. de *apetecer.*]

apetecível (a.pe.te.*cí*.vel) ***a2g.*** **1** Que provoca a vontade de comer ou beber; APETITOSO **2** Digno de se apetecer; que provoca desejo; DESEJÁVEL [Pl.: *-veis.*] [F.: *apetecer* + *-ível.*]

apetência (a.pe.*tên*.ci:a) ***sf.*** Vontade de comer; APETITE [Ant.: *inapetência.*] [F.: Do lat. *appetentia, ae.*]

apetente (a.pe.*ten*.te) ***a2g.*** **1** Que apetece; que tem apetite **2** *P. ext.* Que sente vontade, que tem desejos [F.: Do lat. *appetens, entis.* Ant. ger.: *inapetente.*]

apetitar (a.pe.ti.*tar*) *P. us.* ***v. td.*** **1** Causar apetite a; APETECER **2** *Fig.* Excitar, tentar [▶ 1 apetit**ar**] [F.: *apetite* + *-ar*[2]. Hom./Par.: *apetite(s)* (fl.), *apetite(s)* (sm. [pl.]).]

apetite (a.pe.*ti*.te) ***sm.*** **1** Vontade de comer; APETÊNCIA [Ant.: *inapetência.*] **2** *P. ext.* Vontade, disposição, ânimo **3** Ambição, cobiça, ânsia, desejo [+ *de: Apetite de conhecimento.*] [+ *por: Apetite por novas conquistas.*] **4** Predileção, preferência, gosto particular por algo: *Em seus escritos era patente o apetite pelo Modernismo brasileiro.* [F.: Do lat. *appetitus, us.*]

apetitivo (a.pe.ti.*ti*.vo) ***a.*** **1** Que sente apetite **2** Apetitoso, saboroso **3** Sensual, lascivo [F.: Do lat. *appetitivus, a, um.*]

apetitoso (a.pe.ti.*to*.so) [ô] ***a.*** **1** Que excita o apetite; que provoca a vontade de comer ou de beber; APETITIVO; APETECÍVEL **2** Saboroso, gostoso: *sobremesa apetitosa.* **3** *P. us.* Que deseja ardentemente; DESEJOSO; COBIÇOSO [Pl.: *ó.* Fem.: *ó.*] [F.: *apetite* + *-oso.*]

apetrechado (a.pe.tre.*cha*.do) ***a.*** Que tem apetrechos; APARELHADO; MUNIDO: "... voltou para Lisboa (...) muito apetrechado, com o seu criado Mateus, uma linda égua (...) e dois caixotes de livros." (Eça de Queirós, *A ilustre casa de Ramires*) [F.: Part. de *apetrechar.*]

apetrechar (a.pe.tre.*char*) ***v.*** Prover(-se) de apetrechos; dar ou reservar (para alguém, para si mesmo) (os objetos e provisões necessários para determinada tarefa etc.); PETRECHAR [***td.:*** *apetrechar uma tropa; apetrechar-se, antes de viajar.*] [***tdr.*** + *de: Apetrechar a tropa de munições e equipamentos; Apetrechar-se de ferramentas.*] [▶ 1 apetrech**ar**] [F.: *apetrecho* + *-ar*[2].]

apetrechos (a.pe.*tre*.chos) [ê] ***smpl.*** O mesmo que *petrechos* [F.: *a-*[2] + *petrechos.*]

ápex (*á*.pex) [cs] ***sm2n.*** **1** *Astron.* Ponto da abóbada celeste para onde aparentemente se dirige o Sol, no movimento em relação às outras estrelas **2** *Anat.* A ponta de qualquer órgão (ápex do coração) **3** *Geom.* Ponto, em uma figura geométrica, em que a distância a um plano horizontal pertencente a esta figura é máxima [F.: Do lat. *apex, icis.*]

⊕ **apfelstrudel** (*Al./apfelstrúdel/*) ***sm.*** *Cul.* Torta de massa folhada, enrolada como rocambole, recheada de maçãs e uvas-passas, umedecida com rum e polvilhada com açúcar de confeiteiro [Em alemão, com inicial maiúsc.]

◎ **ap(i)-** ***el. comp.*** = 'abelha': *apiário* (< lat.), *apicultor, apicultura, apifobia* [F.: Do lat *apis, is.*]

apiacá[1] (a.pi.a.*cá*) *Bras. MT Pop. Zool.* ***sm.*** Espécie de marimbondo, não identificado cientificamente, cuja ferroada é muito dolorosa [F.: Posv. do tupi *yapii* ('japim') *cawa.*]

apiacá[2] (a.pi.a.*cá*) *Etnol.* ***s2g.*** **1** Indivíduo dos apiacás, povo indígena tupi-guarani do Mato Grosso ***a2g.*** **2** Ref. aos apiacás

apiário (a.pi.*á*.ri:o) ***a.*** **1** Ref. às abelhas ***sm.*** **2** Lugar destinado à criação de abelhas e à produção de mel; COLMEAL [F.: Do lat. *apiarium, ii.*]

apical (a.pi.*cal*) ***a2g.*** **1** Ref. ao ápice **2** *Fon.* Diz-se das consoantes que se pronunciam com o ápice da língua [Pl.: *-cais.*] ***sf.*** **3** *Fon.* Consoante apical [Pl.: *-cais.*] [F.: *ápice* + *-al.*]

ápice (*á*.pi.ce) ***sm.*** **1** Parte mais elevada, ou ponta; CIMO; CUME; VÉRTICE **2** Grau mais elevado; AUGE; APOGEU: *Em Roma a civilização antiga atingiu o ápice.* **3** Perfeição, máximo rigor: *Pretendia escrever um livro que atingisse o ápice da sofisticação.* **4** Mínimo intervalo de tempo, átimo: *Num ápice, percebeu que havia se enganado.* **5** Detalhe, minúcia, pormenor: *Discutiram durante horas sobre um ápice.* **6** *Bot.* Porção terminal de folha, raiz e de outros órgãos vegetais **7** Sinal usado para indicar vogal longa nas antigas inscrições latinas [F.: Do lat. *apex, icis.*] ▪ **Num ~** Num átimo, num abrir e fechar de olhos **Por um ~** Por pouco, por um triz

apichar-se (a.pi.*char*-se) ***v. int.*** *RS* Mostrar-se medroso, covarde; acovardar-se [▶ 1 apich**ar**-se] [F.: De or. obsc.]

◎ **apic(i)-** *el. comp.* = 'ápice'; 'cume'; 'ponta ou extremidade superior'; 'ápex': *apicifixo, apicifloro, apiciforme; apicoectomia/apicectomia, apicodental; ápico-pré-palatal* [F.: Do lat. *apex, apicis.*]

apicifixo (a.pi.ci.fi.xo) [cs] *Bot. a.* Fixo pelo ápice de determinado órgão (diz-se ger. de antera) [Por opos. a *basifixo.*] [F.: *apic(i)- + -fixo.*]

apicifloro (a.pi.ci.*flo*.ro) *Bot. a.* Que tem flores na ponta dos ramos (planta apiciflora) [Por opos. a *axifloro.*] [F.: *apic(i)- + -floro.*]

◎ **apic(o)-** *el. comp.* Ver *apic(i)-*

◎ **ápico-** *el. comp.* Ver *apic(i)-*

apicoado[1] (a.pi.co.*a*.do) *Bras. a.* Íngreme, escarpado (ladeira apicoada) [Ant.: *plano, reto.*] [F.: *a-[2] + pico[1] + -oado.*]

apicoado[2] (a.pi.co.*a*.do) *a.* **1** Lavrado ou cortado a picão **2** *Enol.* Diz-se do vinho que ganhou sabor ácido *sm.* **3** *Cons.* Acabamento rústico, feito com o picão, em superfície de pedra, de concreto armado etc.: "... eu que jamais fui além do apicoado grosso que deixa a pedra no grão do esgalho aspérrimo..." (Antero de Figueiredo, *Último olhar de Jesus*) [F.: Part. de *apicoar.*]

apicoar (a.pi.co.*ar*) *v.* **1** Desbastar com o picão (instrumento de lavrar) [*td.*] **2** Fazer acabamento tosco com o picão [*td.*] **3** *Lus.* Ganhar (o vinho) sabor ácido [*int.*] [▶ **16** apicoar] [F.: *a-[2] + picão* (rad. *pico-*) *+ -ar[2]*, com desnasalação.]

apícola (a.*pí*.co.la) *a2g.* **1** Relativo ou pertencente à apicultura *s2g.* **2** O mesmo que *apicultor* [Hom./Par.: *apícola* (a2g. s2g.), *apícula* (sf.).]

apícula (a.*pí*.cu.la) *Bot. Zool. sf.* O mesmo que *apículo* [F.: De *apículo*. Hom./Par.: *apícula* (sf.), *apícola* (s2g.).]

apículo (a.*pí*.cu.lo) *sm.* **1** *Bot.* Ponta aguda, curta e de pouca consistência, presente em órgão vegetal **2** *Zool.* Prolongamento filiforme do corpo de certos protistas [F.: Do lat. *apiculum, i.* Tb.: *apícula.*]

apicultor (a.pi.cul.*tor*) [ô] *sm.* Criador de abelhas; APÍCOLA; ABELHEIRO; COLMEEIRO [F.: *ap(i)- + -cultor.*]

apicultura (a.pi.cul.*tu*.ra) *sf.* **1** Ciência da criação de abelhas para a produção de mel, geleia real, cera, própolis, e também para a polinização de pomares **2** *P. ext.* Criação de abelhas [F.: *ap(i)- + -cultura.*]

apicum (a.pi.*cum*) *sm.* **1** *Bras. N.* Brejo de água salgada à beira-mar **2** *Bras. PE* Terreno arenoso, impróprio para o plantio de cana-de-açúcar **3** *Bras. BA e MA* Aclive muito íngreme **4** *Bras. BA* Limite da terra firme com o mangue [F.: Do tupi *ape'ku.*]

apídeo (a.*pí*.de:o) *Ent. sm.* **1** Espécime dos apídeos, fam. de insetos himenópteros que inclui spp. de abelhas transportadoras de pólen e cujo corpo é recoberto de pelos *a.* **2** Ref. ou pertencente aos apídeos [F.: Adaptç. do lat. cient. *Apidae.*]

apidose (a.pi.*do*.se) *Desus. Med. sf.* Etapa em que as manifestações de uma doença começam a desaparecer [Cf. *anábase.*] [F.: *ap(o)- + -id(o)- + -ose[2].*]

apiedado (a.pi.e.*da*.do) *a.* Cheio de piedade; COMOVIDO; CONDOÍDO [Ant.: *desapiedado.*] [F.: Part. de *apiedar.*]

apiedar (a.pi.e.*dar*) *v.* **1** Fazer sentir ou sentir pena, compaixão; CONDOER(-SE); COMPADECER(-SE) [*td.*: *Tanto se lastimou que conseguiu apiedá-los.*] [*tr.* + *de*: *apiedar-se dos pobres.*] **2** *P. us.* Tratar de maneira piedosa, com compaixão [*td.*] [▶ **1** apiedar NOTA: Pronuncia-se o *e* aberto nas formas rizotônicas.] [F.: *a-[2] + piedade + -ar[2]*, com haplologia. Ant. ger.: *desapiedar.*]

apifobia (a.pi.fo.*bi*.a) *Psiq. sf.* Medo mórbido de abelhas ou de sua picada [F.: *ap(i)- + -fobia.*]

apiloar (a.pi.lo.*ar*) *v.* Socar no pilão; PILAR; PISAR [*td.*] [▶ **16** apiloar] [F.: *a-[2] + pilão + -oar.*]

apimentado (a.pi.men.*ta*.do) *a.* **1** Temperado com pimenta **2** *Fig.* Picante, malicioso, licencioso (histórias apimentadas) [F.: Part. de *apimentar.*]

apimentar (a.pi.men.*tar*) *v.* **1** Pôr pimenta em [*td.*: *apimentar o vatapá.*] **2** Atiçar (apetite, desejo); ESTIMULAR [*td.*: *O cheiro vindo da cozinha apimentou o apetite dos convidados.*] **3** Fazer ficar picante (com uso de condimentos) [*td.*: *apimentar um molho.*] **4** *Fig.* Acrescentar detalhes maliciosos a: *apimentar uma fofoca.* **5** *Lus. P. us.* Tornar-se rubro como pimenta; ENRUBESCER(-SE) [*int.*: *Os comentários fizeram seu rosto apimentar-se.*] [▶ **1** apimentar] [F.: *a-[2] + pimenta + -ar[2].*]

apinajé (a.pi.na.*jé*) *Bras. Etnol. s2g.* **1** Indivíduo dos apinajés, povo indígena que habita as margens do rio Tocantins (TO) *a2g.* **2** De ou ref. a apinajé ou aos apinajés

apincelar (a.pin.ce.*lar*) *v. td.* **1** Dar aparência de pincel a **2** Aplicar (com pincel) tinta ou cal em [▶ **1** apincelar] [F.: *a-[2] + pincel + -ar[2].*]

apinchar (a.pin.*char*) *Bras. S. v. td.* Atirar, arremessar, lançar fora; PINCHAR [▶ **1** apinchar] [F.: *a-[2] + pinchar.*]

apíneo (a.*pí*.ne:o) *Ent. a.* **1** Ref. a ou próprio dos apíneos *sm.* **2** Espécime dos apíneos, subfam. de apídeos que inclui abelhas com palpos maxilares vestigiais e tíbias posteriores sem esporão

apinhado (a.pi.*nha*.do) *a.* **1** Muito cheio [+ *de*: *sala apinhada de gente; ramo apinhado de frutos.*] **2** Aglomerado, amontoado, muito junto: *A gente vinha apinhada nos batéis.* [F.: Part. de *apinhar*. Hom./Par.: *apenhado* (a.).]

apinhar (a.pi.*nhar*) *v.* **1** Encher todo o espaço de; LOTAR [*td.*: *Os convidados apinharam a sala.*] **2** Ficar cheio (de coisas ou pessoas), sem espaço livre [*tr.* + *com, de*: *As salas apinharam-se de convidados.*] **3** Ficar muito junto; AGLOMERAR-SE [*int.*: *Os convidados apinharam-se no elevador:* "...já se tinham apinhado ao ouvir os debates." (Almeida Garrett, *Viagens na minha terra*)] **4** *Bras.* Dar formato de pinha a [*td.*: *apinhar o barro.*] [▶ **1** apinhar] [F.: *a-[2] + pinha + -ar[2].*]

apinhoscar-se (a.pi.nhos.*car*-se) *Bras. RS v.* Apinhar-se, agrupar-se, juntar-se [*int.*: "E a gente (...) apinhoscou-se por debaixo das figueiras e no galpão. Quando passou o aguaceiro..." (João Simões Lopes Neto, *Contos gauchescos*) Ant.: *dispersar-se, espalhar-se.*] [▶ **11** apinhos**car**-se] [F.: resultante da fusão de *apinhar-se + (enr)oscar-se.*]

ápio (*á*.pi:o) *Bot. sm.* **1** Nome comum de ervas (gên. *Apium*) da fam. das umbelíferas, com 25 espécies, mais conhecidas como aipo, muitas das quais são de uso alimentício ou medicinal **2** O mesmo que *aipo* (*Apium graveolens*) [F.: Do lat. cient. gên. *Apios.*]

apiogênico (a.pi.o.*gê*.ni.co) *a.* **1** Que não produz pus **2** Que não é causado por pus [F.: *a- + piogênico*. Ant. ger.: *piogênico.*]

apirético (a.pi.*ré*.ti.co) *a.* Que não tem febre [Ant.: *febril, pirético.*] [F.: *a- + pirético.*]

apirexia (a.pi.re.*xi*.a) [cs] *Med. sf.* **1** Cessação ou interrupção da febre **2** Estado em que se acha o doente nos intervalos das febres intermitentes [F.: *a-[1] + pirexia.*]

ápiro (*á*.pi.ro) *a.* Resistente ao fogo; não combustível; INCOMBUSTÍVEL [Ant.: *combustível.*] [F.: Do gr. *ápyros, os, on.*]

apisoar (a.pi.so.*ar*) *v. td.* **1** Bater e comprimir com pisão o pano, para encorpar; PISOAR: *apisoar o tecido.* **2** Consolidar (terreno) batendo com soquete ou macaco [▶ **16** apisoar] [F.: *a-[2] + pisão + -ar[2]*, com desnasalação.]

apisto (a.*pis*.to) *sm.* **1** Caldo muito espesso, feito com sumo de carne, que se dá aos doentes **2** *Fig.* Conforto, lenitivo [F.: De or. contrv.]

apitar (a.pi.*tar*) *v.* **1** Emitir som agudo soprando um apito [*int.*] **2** Soltar apito como forma de aviso ou advertência [*int.*: *Apressemo-nos, porque o trem já apita.*] **3** *Bras. Esp.* Marcar (interrupção ou infração por tempo esgotado, ou início ou reinício de jogo) soprando apito [*td.*: *O árbitro apitou o pênalti.*] [*int.*: *O juiz viu o pênalti, mas não apitou.*] **4** *Bras. Esp.* Ser o árbitro em competições; ARBITRAR [*td.*: *apitar jogos internacionais.*] [*int.*: *Velho e gordo, já não consegue apitar.*] **5** *Pop.* Dar opinião [*int.*: *Nesse assunto, ninguém apita.*] **6** *Pop.* Morrer [*int.*] [▶ **1** apitar] [F.: Or. onomatopaica. Hom./Par.: *apito* (fl.), *apito* (sm.).]

apito (a.*pi*.to) *sm.* **1** Pequeno instrumento de metal, plástico ou outro material, do qual se obtém um som agudo por meio de sopro; ASSOBIO: *apito de um guarda de trânsito, de um árbitro de futebol.* **2** Instrumento que produz um som agudo mediante o atrito de um fluido que o atravessa: *apito de um trem.* **3** Som produzido por qualquer um desses instrumentos; SILVO **4** Qualquer som que se assemelhe ao desses instrumentos [F.: Dev. de *apitar.*] ■ **Engolir o ~** *Bras. Fut.* Dirigir (juiz) mal um jogo, errando muito **Ganhar no ~** *Bras. Fut.* Ganhar um jogo graças aos erros do juiz

apitoxina (a.pi.to.*xi*.na) [cs] *sf.* Veneno produzido pelas abelhas operárias, com propriedades anti-inflamatórias, usado no tratamento de doenças reumáticas [F.: *ap(i)- + toxina.*]

aplacado (a.pla.*ca*.do) *a.* Que se aplacou; ACALMADO; SERENADO [F.: Part. de *aplacar.*]

aplacamento (a.pla.ca.*men*.to) *sm.* Ação ou resultado de aplacar(-se) [F.: *aplacar + -mento.*]

aplacar (a.pla.*car*) *v.* **1** Fazer diminuir a força, o ímpeto de; tornar mais brando, plácido; ACALMAR; SERENAR [*td.*: *Com palavras mágicas, o bruxo aplacou a tempestade.*] [*int.*: *Com a medicação, a dor de cabeça aplacou-se.*] **2** Perder força ou ímpeto [*int.*: *A tempestade aplacou(-se);* "... minha consciência jamais se aplacará." (João Ubaldo Ribeiro, *Diário do farol*)] **3** Tornar brando ou menos intenso (sentimento); ALIVIAR; MITIGAR [*td.*: *aplacar a dor/a raiva.*] [*int.*: *O tempo faz qualquer tristeza aplacar.*] [▶ **11** aplacar] [F.: Do lat. * *applacare*. Hom./Par.: *aplacáveis* (fl.), *aplacáveis* (pl. *aplacável* [a2g.]).]

aplacável (a.pla.*cá*.vel) *a2g.* Que pode ser aplacado (ira aplacável); PLACÁVEL [Pl.: *-veis.*] [F.: *aplacar + -vel*. Hom./Par.: (pl.) *aplacáveis, aplacáveis* (fl. de *aplacar*).]

aplacóforo (a.pla.*có*.fo.ro) *Zool. a.* **1** Ref. a ou próprio dos aplacóforos *sm.* **2** Espécime dos aplacóforos, subclasse de moluscos marinhos com aprox. 250 espécies, vulgarmente conhecidas como solenogastros [F.: Do lat. cient. subclasse *Aplacophora.*]

aplainado (a.plai.*na*.do) *a.* **1** Alisado com a plaina **2** Tornado plano; NIVELADO **3** *Fig.* Educado, polido: "... filhos de lapuzes, mal aplainados..." (Aquilino Ribeiro, *O homem que matou o diabo*) [F.: Part. de *aplainar.*]

aplainamento (a.plai.na.*men*.to) *sm.* Ação ou resultado de aplainar(-se) [F.: *aplainar + -mento.*]

aplainar (a.plai.*nar*) *v.* **1** Tornar liso usando a plaina; APARELHAR [*td.*] **2** O mesmo que *aplanar* (1 e 2) [*td. int.*] [▶ **1** aplainar] [F.: *a-[2] + plaina + -ar[2].*]

aplanação (a.pla.na.*ção*) *sf.* Ação ou resultado de aplanar(-se) [Pl.: *-ções.*] [F.: *aplanar + -ção.*]

aplanar (a.pla.*nar*) *v.* **1** Fazer ficar ou ficar plano, liso; APLAINAR; NIVELAR [*td.*: *aplanar o chão.*] [*int.*: *A erosão fez a superfície aplanar.*] **2** *Fig.* Cessar ou fazer cessar dificuldade, empecilho, problema; FACILITAR; APLANAR [*td.*: *A conversa aplanou as diferenças entre os amigos.*] [*int.*: *Paciência, todos os problemas se aplanarão.*] [▶ **1** aplanar] [F.: Do lat. medv. *applanare* deriv. de *planus, -a, -um*. Sin. ger.: *aplainar.*]

aplanético (a.pla.*né*.ti.co) *a.* **1** *Biol.* Diz-se de fungo que apresenta somente aplanósporos **2** *Ópt.* Ref. a aplanetismo **3** *Ópt.* Diz-se de sistema óptico que não apresenta aberração esférica [F.: *aplanet-* (rad. do gr. *aplanétos*, 'que não se move') *+ -ico[2].*]

aplanetismo (a.pla.ne.*tis*.mo) *sm. Ópt.* Propriedade de um sistema óptico que faz convergir, no mesmo ponto, os raios luminosos emitidos de um outro ponto, e que de um objeto plano forma uma imagem tb. plana [F.: Do gr. *aplánetos, os, on*, 'que não se move', 'fixo', *+ -ismo.*]

◎ **aplan(o)-** *el. comp.* = 'que não se move', 'fixo': *aplanogameta/aplanogâmeta, aplanosporo* [F.: Do gr. *aplanés, és, és.*]

aplasia (a.pla.*si*.a) *sf. Med.* Atrofia, perturbação no desenvolvimento celular [F.: *a-[1] + -plas(i)- + -ia[1].*] ■ **~ medular** *Med.* Diminuição da capacidade da medula óssea de fabricar glóbulos vermelhos

aplásico (a.*plá*.si.co) *a.* Ref. a aplasia; APLÁSTICO [F.: *aplas(ia) + -ico.*]

aplastamento (a.plas.ta.*men*.to) *Bras. S. sm.* Ação ou resultado de aplastar(-se) [F.: *aplastar + -mento.*]

aplastante (a.plas.*tan*.te) *a2g.* Que aplasta; CANSATIVO; FATIGANTE [F.: *aplastar + -nte.*]

aplastar[1] (a.plas.*tar*) *Bras. S. v. td.* Derrotar, vencer (algo ou alguém, inclusive si mesmo), em conflito de interesses; ESFALFAR(-SE); EXTENUAR(-SE); FATIGAR(-SE) [▶ **1** aplastar] [F.: Do espn. *aplastar.*]

aplastar[2] (a.plas.*tar*) *v. td.* Desfraldar (vela) [▶ **1** aplastar] [F.: De or. incerta.]

aplástico[1] (a.*plás*.ti.co) *a.* O mesmo que *aplásico* [F.: *aplasia + ico[2]*, seg. o mod. gr; ver *-plast(o)-*.]

aplástico[2] (a.*plás*.ti.co) *a.* Que não é plástico ou que não tem plasticidade [F.: *a-[3] + plástico.*]

aplaudido (a.plau.*di*.do) *a.* Que recebeu aplauso [F.: Part. de *aplaudir.*]

aplaudir (a.plau.*dir*) *v.* **1** Louvar, manifestando agrado, batendo palmas; ACLAMAR [*td.*: *aplaudir um espetáculo.*] [*int.*: *A peça foi tão boa que o público aplaudiu de pé.*] **2** *Fig.* Demonstrar aprovação a (algo, alguém ou si mesmo); APROVAR(-SE); ELOGIAR(-SE) [*td.*: *aplaudir uma decisão; Aplaudiram-se pela brilhante ideia.*] [*int.*: *Aquele foi um excelente projeto, razão por que todos aplaudiram.*] [▶ **3** aplaudir] [F.: Do lat. vulgar **applaudire.*]

aplausível (a.plau.*sí*.vel) *a2g.* **1** Que merece aplauso **2** Aprovável, admissível [Pl.: *-veis.*] [F.: *aplauso + -ível*. Sin. ger.: *aplaudível.*]

aplauso (a.*plau*.so) *sm.* **1** Ação ou resultado de aplaudir; ACLAMAÇÃO; OVAÇÃO **2** Demonstração, em tom entusiástico, de aprovação, de pleno assentimento; LOUVOR [F.: Do lat. *applausus, us.*]

aplebear-se (a.ple.be.*ar*-se) *v. td. int.* **1** Fazer-se plebeu; adquirir os modos e/ou a linguagem de um plebeu **2** *Fig.* Adquirir modos, hábitos e costumes de gente rude; tornar-se grosseiro [▶ **15** aplebear-se] [F.: *a-[2] + plebeu + -ar[2] + se[1].*]

aplicabilidade (a.pli.ca.bi.li.*da*.de) *sf.* Qualidade do que é aplicável [F.: *aplicável + -(i)dade*, seg. o mod. erudito.]

aplicação (a.pli.ca.*ção*) *sf.* **1** Ação ou resultado de aplicar(-se) [+ *de... a, em, sobre*: *aplicação de gaze e pomada a/em/sobre um ferimento.*] **2** Ação de ou resultado de impor, de infligir (pena, castigo, punição): *A aplicação de multas cresceu 15% no ano passado.* **3** Ação de administrar um remédio; ADMINISTRAÇÃO **4** Destino, emprego, uso: *aplicação de verbas públicas.* **5** Concentração do espírito, da atenção, dos sentidos; DEDICAÇÃO; DILIGÊNCIA; ZELO: *aplicação nos estudos.* **6** Investimento de dinheiro para produzir rendimentos: *Vive de suas aplicações na bolsa de valores.* **7** Ação de pôr em prática, em execução: *aplicação da lei, de regras.* **8** Emprego de uma teoria, disciplina etc. num objeto específico: *Aplicação de teses psicopedagógicas ao desenvolvimento de crianças excepcionais.* **9** Enfeite que se aplica, prega ou sobrepõe a um objeto, uma peça de vestuário etc.: *brincos com aplicações de metal.* **10** *Inf.* O mesmo que *aplicativo* (2) [Pl.: *-ções.*] [F.: Do lat. *applicatio, onis.*]

aplicado (a.pli.*ca*.do) *a.* **1** Que se aplicou; SOBRESPOSTO **2** Empenhado, zeloso, diligente: *aplicado aos estudos, ao trabalho.* **3** Que põe em prática um conhecimento teórico: *matemática aplicada.* **4** *Bot.* Folha que está unida ao eixo, mas sem soldadura [F.: Part. de *aplicar.*]

aplicador (a.pli.ca.*dor*) [ô] *a.* **1** Que aplica *sm.* **2** O que aplica **3** Aquele que faz aplicações financeiras; INVESTIDOR **4** Instrumento com que se aplica algo [F.: *aplicar + -dor.*]

aplicar (a.pli.*car*) *v.* **1** Pôr (algo) sobre, em cima de; SOBREPOR [*td.*: *Sob sol forte, aplique filtro solar.*] [*tda.* + *em*: *Aplique filtro solar no rosto.*] **2** Pôr em execução, em prática; empregar (algo que se aprendeu a alguma coisa) [*td.*: *Conseguiu enfim aplicar seu plano:* "Quem é que aplica esse teste?" (João Ubaldo Ribeiro, *O Conselheiro come*)] [*tdr.* + *a, em*: "...aplicava nas lutas os conhecimentos adquiridos." (Marques Rebelo, *Marafa*)] **3** *Med.* Administrar medicamento em (alguém ou si mesmo) [*td.*: *aplicar o soro.*] [*tdr.* + *em*: *A enfermeira aplicou-lhe uma injeção.*] **4** *P. ext.* Injetar (alucinógeno, entorpecente) em si mesmo [*td.*: *aplicar a droga.*] [*int.*: *Aplica-se desde os 12 anos.*] **5** Infligir, impor (multa, castigo etc.) [*td.*: *A receita federal costuma aplicar multas pesadas.*] [*tdi.* + *a, para*: *O pai aplicou um duro castigo ao filho.*] **6** *Bras. Pop.* Desferir com violência [*tdr.* + *em*: *Aplicou uns tapas no irmão, mas logo se desculpou.*] **7** *Econ.* Empregar (dinheiro etc.) com certa finalidade [*td.*: *Não soube aplicar a herança.*] [*tr.* + *em*: *Ficou rico e aplicou na bolsa.*] [*tdr.* + *em*: *Aplique o prêmio na poupança.*] **8**

Dedicar-se com perseverança [*tr.* + *em*: *Depois de formado, aplicou-se nas pesquisas.*] **9** Fazer aplicação de (algo) como enfeite [*tdr.* + *a*, *em*: *Aplicou bordados na blusa.*] **10** Tornar adequado a; ADAPTAR [*tdr.* + *a*: *Quero ver aplicar a teoria à prática.*] [▶ 11 aplicar] [F.: Do lat. *applicare*. Hom./Par.: *aplicáveis* (fl.), *aplicáveis* (pl. *aplicável* [a2g.]); *aplique(s)* (fl.), *aplique(s)* (sm. [pl.]).]

aplicativo (a.pli.ca.*ti*.vo) *a.* **1** *P. us.* Que se pode aplicar; APLICÁVEL *sm.* **2** *Inf.* Programa destinado a auxiliar o usuário em determinada tarefa; APLICAÇÃO [Tb. *programa aplicativo.*] [F.: *aplicar* + *-tivo*.]

aplicável (a.pli.*cá*.vel) *a2g.* Que se pode aplicar *P. us.* APLICATIVO [Pl.: *-veis.*] [F.: *aplicar* + *-vel*. Hom./Par.: *aplicáveis* (pl.), *aplicáveis* (fl. de *aplicar*).]

aplique (a.*pli*.que) *sm.* **1** *Bras.* Enfeite ou mecha de cabelo que se prende ao próprio cabelo para compor o penteado ou para alongá-lo **2** Enfeite fixado em roupa, objeto, superfície etc. **3** Artefato que se aplica à parede para servir de ornamento e/ou como foco de iluminação [F.: Dev. de *aplicar*. Hom./Par.: *aplique* (sm.), *aplique* (fl. de *aplicar*).]

aplísia (a.*plí*.si:a) *Zool. sf.* **1** Gên. de moluscos, da fam. dos aplisídeos, caracterizados pela ausência de concha externa ou com a presença apenas de uma concha residual na cavidade do manto **2** Designação comum a qualquer espécie desse gên. [F.: Do lat. cient. *Aplysia* (< gr. *aplysía, as*, 'imundície').]

aplisídeo (a.pli.*sí*.de:o) *Zool. sm.* **1** Espécime dos aplisídeos, fam. de moluscos opistobrânquios que reúne animais marinhos herbívoros, de concha interna pequena ou ausente, com dois pares de tentáculos sensoriais na cabeça *a.* **2** Ref. ou pertencente aos aplisídeos [F.: Adaptç. do lat. cient. *Aplysidae* (< lat. cient. *Aplysia*).]

⊕ ***aplomb*** (*Fr.*/aplõm/) *sm.* Grande confiança em si próprio; SEGURANÇA

aplúvio (a.*plú*.vi:o) *sm.* *Geol.* Depósito de materiais transportados pelas águas da chuva; APLUVIÃO [F.: Do lat. *appluere*, por analogia com *alúvio* (< lat. *alluvium, ii*, 'aluvião').]

apneia (ap.*nei*.a) *Med. sf.* Suspensão temporária da respiração [F.: Do gr. *ápnoia* < gr. *ápnous* 'que respira com dificuldade', pelo fr. *apnée.*]

apneico (ap.*nei*.co) *a.* Ref. a apneia [F.: *apneia* + *-ico*², seg. o mod. gr.]

◎ **ap(o)-** *pref.* = 'longe de', 'distante'; 'separado de', 'fora de'; 'contrário (a)'; 'aversão'; 'divisão'; 'derivado de': *apostro, apófito, apocarpo, apofoco; apogamia, apomixia; apandria; apócito; apomorfina* [F.: Do gr. *apó*.]

apo (a.po) *sm. Agr.* Haste de madeira ou de ferro à qual se prendem as principais peças do arado ou da charrua [F.: Regress. de *apeiro*, posv.]

apocalipse (a.po.ca.*lip*.se) *sm.* **1** *Rel.* O último livro do Novo Testamento, atribuído ao apóstolo João, que prediz e narra o fim do mundo [Nesta acp., com maiúsc.] **2** *Fig.* Acontecimento catastrófico ou desastre de grandes proporções **3** Discurso ou escrito em estilo sibilino e obscuro [F.: Do lat. tard. *apocalypsis, is*, do gr. *apokálypsis, eos*, 'revelação'.]

apocalíptico (a.po.ca.*líp*.ti.co) *a.* **1** Relativo ao apocalipse ou ao livro bíblico do Apocalipse **2** *Fig.* De difícil compreensão (discurso apocalíptico) **3** *Fig.* Que evoca o fim dos tempos (imagem apocalíptica) [F.: Do gr. *apokalyptikós, é, ón*, 'revelador'.]

apocárpico (a.po.*cár*.pi.co) *a. Bot.* Diz-se de flor, gineceu ou fruto que tem origem em vários carpelos independentes entre si [P. opos. a *sincárpico.*] [F.: *ap(o)-* + *-carp(o)-* + *-ico*².]

apocarpo (a.po.*car*.po) *sm. Bot.* Fruto cujos carpelos se acham separados entre si [F.: *ap(o)-* + *-carpo.*]

apocinácea (a.po.ci.*ná*.ce:a) *sf. Bot.* Espécime das apocináceas, fam. de árvores, arbustos, ervas e cipós da ordem das gencianales, muito frequentes nas regiões tropicais e que ger. destilam um suco leitoso [F.: Adaptç. do lat. cient. *Apocynaceae.*]

apocináceo (a.po.ci.*ná*.ce:o) *a. Bot.* Ref. ou pertencente às apocináceas [F.: De *apocinácea*, com var. de suf. (ver *-áceo*).]

apócito (a.*pó*.ci.to) *sm. Biol.* Célula multinucleada [F.: *ap(o)-* + *-cito.*]

apocopado (a.po.co.*pa*.do) *a.* Que sofreu apócope (palavra apocopada) [F.: Part. de *apocopar.*]

apocopar (a.po.co.*par*) *Gram. v. td.* Fazer apócope em (vocábulo) [▶ 1 apocopar] [F.: *apócope* + *-ar*². Hom./Par.: *apocope(s)* (fl. *apocopar*).]

apócope (a.*pó*.co.pe) *sf. Gram.* Supressão de fonema ou de sílaba no fim de uma palavra (p. ex.: *mui* por *muito*) [F.: Do lat. tard. *apocope, es*, do gr. *apokopé, ês*, 'supressão'; 'amputação'.]

apócrifo (a.*pó*.cri.fo) *a.* **1** Diz-se de obra erroneamente atribuída a um autor ou cuja autoria não se provou: *Sua interpretação desse autor baseia-se em uma carta apócrifa, e não em um texto autêntico.* **2** *Rel.* Diz-se de texto religioso cristão que não se inclui na lista canônica de livros da Bíblia: *Os evangelhos apócrifos principais são o de São Pedro e o de São Tomé.* **3** Não autêntico; FALSO: *Esta é uma história apócrifa. sm.* **4** Obra erroneamente atribuída a um autor ou cuja autoria não se provou: *Os apócrifos de Platão foram escritos por seus discípulos.* **5** *Rel.* Texto religioso não aceito pela Igreja como canônico [F.: Do lat. tard. *apocryphus, a, um*, do gr. *apókryphos, os, on*, 'secreto', 'escondido'.]

apodáceo (a.po.*dá*.ce.o) *Zool. sm.* **1** Espécime dos apodáceos, subclasse de equinodermos holoturoides de tentáculos digitados ou pinados, pés ambulacrais ausentes, sem músculos retratores, que podem apresentar corpúsculos calcários *a.* **2** Ref. ou pertencente aos apodáceos [F.: Adaptç. do lat. cient. *Apodacea.*]

apodar (a.po.*dar*) *v.* **1** Descrever ou qualificar com apodos; qualificar de modo desabonador, afrontoso e/ou escarnecedor; ACOIMAR; APOSTROFAR; TACHAR [*td.*: *Os amigos não o apodaram.*] [*tdp.*: *Ele apodou o gordinho de baleia assassina:* "O contador de histórias, como o apodaram, em determinado momento, numa tentativa de diminuí-lo, foi, antes de tudo, um observador atento e um crítico arguto da realidade." (Antonio Hohlfeldt, "Érico Veríssimo, nem tão perto, nem tão longe")] **2** Comparar, cotejar de modo ridículo ou afrontoso, com; ALCUNHAR; APELIDAR [*tdr.* + *com*: *O Senhor nos apodou com os carvões da vinha.* (*Dic. Acad. de Lisboa.* 1ª ed.)] **3** Descrever com jocosas e agudas comparações, em tom de zombaria [*td.*: *Ele desdenha e apoda filmes de terror; Nós sempre apodávamos a cultura do cineasta.*] **4** *Ant.* Contar, computar por estimativa ou aproximação; AVALIAR; CALCULAR; ESTIMAR [*td.*: "Apodavam 50.000 vacas." (*Dic. Acad. de Lisboa*, 1ª ed.)] [▶ 1 apodar] [F.: Do lat. *apputare*, deriv. de *putare* 'julgar, calcular'. Hom./Par.: *apodo* (fl.), *apodo* [ô] (sm.); *apode(s)* (fl.), *ápode(s)* (a2g. sm. [pl.]); *apodo* (fl.), *ápodo* (a. sm.).]

ápode¹ (*á*.po.de) *Zool. a2g.* Que não tem pés, patas ou nadadeiras; ÁPODO [F.: Do gr. *ápous, odos*. Hom./Par.: *apode(s)* (fl. de *apodar*).]

ápode² (*á*.po.de) *Zool. sm.* **1** Espécime dos ápodes, ordem de anfíbios desprovidos de pernas, conhecidos vulgarmente como cobras-cegas **2** Ref. ou pertencente aos ápodes [F.: Adaptç. do lat. cient. *Apoda.*]

apódema (a.*pó*.de.ma) *sm. Zool.* Invaginação da cutícula dos artrópodes para inserção muscular [F.: *ap(o)-* + gr. *démas*, 'corpo'.]

apoderar-se (a.po.de.*rar*-se) *v. tr.* **1** Tomar como seu (ger. sem o consentimento de outrem); APOSSAR-SE: *Apoderou-se da fortuna do pai.* **2** *Fig.* Dominar (mente ou espírito de): *À noite, o medo apoderou-se de todos.* [▶ 1 apoderar-se] [F.: *a-*² + *poder* + *-ar*².]

apodia (a.po.*di*.a) *sf. Med.* Anomalia congênita caracterizada pela ausência dos pés [F.: Do gr. *apodía, as.*]

apodíctico (a.po.*díc*.ti.co) *a.* **1** Convincente em virtude das evidências **2** Indiscutível, irrefutável (argumento apodíctico) **3** *Lóg.* Que apresenta validade necessária e de direito, e não de fato, como no enunciado "dois mais dois são quatro" [F.: Do gr. *apodeiktikós, é, ón*, pelo lat. *apodicticus, a, um*. Tb. *apodítico.*]

apodídeo (a.po.*dí*.de:o) *Ornit. sm.* **1** Espécime dos apodídeos, fam. de aves apodiformes, migratórias, caracterizadas pelas asas longas, estreitas e rígidas, bico pequeno e largo na base, cauda e pernas curtas e os dois dedos anteriores juntos até à última articulação; são vulgarmente conhecidas como andorinhões *a.* **2** Ref. ou pertencente aos apodídeos [F.: Adaptç. do lat. cient. *Apodidae.*]

apodiforme (a.po.di.*for*.me) *Ornit. sm.* **1** Espécime dos apodiformes, ordem de aves de pés pequenos e asas longas e pontudas, adaptadas para voos rápidos, como os beija-flores *a2g.* **2** Ref. ou pertencente aos apodiformes [F.: Adaptç. do lat. cient. *Apodiformes.*]

apodítico (a.po.*dí*.ti.co) *a.* Ver *apodíctico*

apodização (a.po.di.za.*ção*) *sf. Ópt.* Num sistema óptico, redução gradual da intensidade luminosa dos anéis externos de difração de uma imagem pontual [Pl.: *-ções.*] [F.: Do ing. *apodization.*]

apodizar (a.po.di.*zar*) *v. td. Ópt.* Fazer a apodização de (um sistema óptico) [▶ 1 apodizar] [F.: Adaptç. do ing. *(to) apodize.*]

apodo (a.*po*.do) [ô] *sm.* **1** Denominação, ger. espirituosa, dada a alguém com o objetivo de brincadeira ou zombaria; APELIDO; ALCUNHA **2** Zombaria, mofa, gracejo **3** Comparação jocosa, depreciativa [F.: Dev. de *apodar*. Hom./Par.: *apodo* (fl. de *apodar*), *ápodo* (a. sm.).]

ápodo (*á*.po.do) *a. sm.* F. mais us. e não pref. de *ápode* (ver)

apódose (a.*pó*.do.se) *sf.* **1** Retribuição, restituição **2** *Gram.* A segunda parte de um período com relação à primeira (que se chama *prótase*), cujo sentido completa e explica. Por exemplo: 'se você não se esforçar (prótase), não conseguirá vencer (apódose)' **3** *Gram.* A oração principal numa construção condicional [F.: Do gr. *apódosis, eos*. Cf.: *prótase.*]

apodrecer (a.po.dre.*cer*) *v.* **1** Fazer ficar ou ficar podre; PUTREFAZER(-SE) [*td.*: *O calor apodreceu as goiabas.*] [*int.*: *O queijo apodreceu(-se) fora da geladeira.*] **2** Corromper(-se) moralmente; PERVERTER(-SE) [*td.*: *Andar com essas pessoas vai apodrecer sua personalidade.*] [*int.*: *As más companhias fizeram-no apodrecer.*] **3** *Fig.* Ficar muito tempo (num lugar), sem ajuda ou atenção [*int.*: *Aquele assassino vai apodrecer na cadeia.*] [▶ 33 apodrecer] [F.: *a-*² + *podre* + *-ecer.*]

apodrecido (a.po.dre.*ci*.do) *a.* **1** Que apodreceu; PODRE; PUTREFATO **2** *Fig.* Que foi moralmente corrompido, pervertido [F.: Part. de *apodrecer.*]

apodrecimento (a.po.dre.ci.*men*.to) *sm.* **1** Ação ou resultado de apodrecer(-se); PUTREFAÇÃO **2** *Fig.* Corrupção (moral ou institucional) [F.: *apodrec(er)* + *-imento.*]

apoenzima (a.po:en.*zi*.ma) *sf. Bioq.* Parte proteica de uma enzima [F.: *ap(o)-* + *enzima.*]

apoético (a.po:*é*.ti.co) *a.* **1** Que não demonstra interesse ou preferência pela poesia **2** Contrário à poesia; ANTIPOÉTICO **3** Destituído de poesia; PROSAICO: "...e o haikai, incompreendido em sua peculiaridade, é referido como apoético." (Oscar Fussato Nakasato, *Haikai*) [F.: *a-*³ + *poético*. Ant. ger.: *poético.*]

apofântico (a.po.*fân*.ti.co) *a. Lóg.* Na lógica aristotélica, diz-se de qualquer enunciado verbal suscetível de ser considerado verdadeiro ou falso, em relação a uma correta descrição do mundo real [F.: Do gr. *apophantikós, é, ón*, 'que afirma positiva ou negativamente'.]

apófase (a.*pó*.fa.se) *sf. Ret.* Contestação de algo que acaba de ser dito; DENEGAÇÃO; REFUTAÇÃO [Por opos. a *catáfase.*] [F.: Do gr. *apóphasis, eos.*]

apófige (a.*pó*.fi.ge) *sf. Arq.* Moldura de perfil côncavo que circunda o fuste de uma coluna, junto à base ou ao capitel [F.: Do lat. *apophygis, is.*]

apófise (a.*pó*.fi.se) *sf.* **1** *Anat.* O mesmo que *processo* (8) **2** *Zool.* Saliência de qualquer segmento do corpo dos artrópodes ou da concha dos moluscos **3** *Bot.* Excrescência piramidal das escamas dos estróbilos de várias coníferas **4** *Biol.* Nos fungos, porção dilatada da haste que sustenta os esporângios **5** *Bot.* Proliferação anômala vegetativa em uma inflorescência **6** *Geol.* Terminação aguçada resultante da redução gradual de espessura de grande massa de rocha intrusiva [F.: Do fr. *apophyse*, do gr. *apóphysis, eos.*] ■ **~ coracoide/coracoidea** *Anat.* O mesmo que *processo coracoide* **~ espinhosa** *Anat.* O mesmo que *processo espinhoso* **~ estiloide** *Anat.* O mesmo que *processo estiloide* **~ mastoide/mastoidea** *Anat.* O mesmo que *processo mastoide*.

apófito (a.*pó*.fi.to) *sm. Bot.* Planta autóctone que, pela ação do homem, vegeta fora de seu *habitat* natural [F.: *ap(o)-* + *-fito.*]

apofonia (a.po.fo.*ni*.a) *sf. Ling.* Variação de um fonema vocálico (por outro), esp. no timbre de vogais breves, por influência ou não de um prefixo [p. ex.: *porco* /ô/, pl. *porcos* /ó/; lat. *in* + *aptus* = *inaptus* (> *inepto*) etc.]; INFLEXÃO [F.: Do fr. *apophonie*; ver *ap(o)-* e *-fonia.*]

apofônico (a.po.*fô*.ni.co) *a.* **1** Ref. à apofonia **2** Em que há apofonia [F.: *apofonia* + *-ico*².]

apogamia (a.po.ga.*mi*.a) *sf. Biol.* Tipo de agamospermia em que há desenvolvimento do gametófito em esporófito sem que haja união gamética [F.: *ap(o)-* + *-gamia.*]

apogâmico (a.po.*gâ*.mi.co) *a. Biol.* Ref. a ou em que há apogamia [F.: *apogamia* + *-ico*².]

apogáster (a.po.*gás*.ter) *a2g. Zool.* Diz-se de molusco cujo ventre é desprovido de pés; APOGÁSTREO; APOGASTRO [Pl.: *-eres.*] [F.: *ap(o)-* + *-gáster.*]

apogeu (a.po.*geu*) *sm.* **1** O ponto ou o grau mais elevado; ÁPICE; AUGE **2** O ponto culminante de uma trajetória pessoal, profissional ou de outra natureza; ÁPICE; AUGE: *Aquele jogador está vivendo agora seu apogeu.* **3** *Astron.* Posição na órbita de um satélite terrestre (natural ou artificial) quando, em sua revolução, se encontra mais afastado da Terra [Cf.: *perigeu.*] **4** *Astron.* Posição do Sol, em sua órbita relativa aparente em torno da Terra, quando se encontra mais afastado desta [F.: Do lat. *apogaeum, i*, do gr. *apógeion*, neutro substv. do gr. *apógeios, os, on*, 'afastado da Terra'.]

apogiatura (a.po.gi:a.*tu*.ra) *Mús. sf.* **1** Ornamento numa linha melódica, que consiste numa nota de curtíssima duração que introduz a nota principal (fazendo parte do tempo desta), e que ger. fica a um ou meio-tom acima ou abaixo dela **2** A notação que representa a apogiatura (1) [F.: Do it. *appoggiare* 'apoiar' + *-tura*. Tb. *apojatura*]

apógrafo (a.*pó*.gra.fo) *sm.* **1** Cópia de um escrito original, em oposição a *autógrafo*; TRASLADO **2** Instrumento usado para copiar desenhos [F.: Do gr. *apógraphos, ou.*]

apoiado (a.poi.*a*.do) *a.* **1** Que se apoiou; SUSTENTADO; ESCORADO [+ *a, contra, em, sobre*: *Apoiado ao corpo/sobre os braços/em uma das pernas/contra a parede.*] **2** Que tem fundamento (em algo); FUNDAMENTADO: *tese apoiada em estudos recentes.* **3** Que obteve apoio, concordância, aquiescência, aprovação: *decisão apoiada por ser a mais sensata; candidato apoiado pela oposição. interj.* **4** Us. para exprimir assentimento ou aprovação [F.: Part. de *apoiar.*]

apoiador (a.poi.a.*dor*) [ô] *a.* **1** Que apoia *sm.* **2** O que apoia **3** *Fut.* Jogador de meio-campo que distribui a bola aos atacantes [F.: *apoiar* + *-dor*. Sin. ger.: *apoiante.*]

apoiamento (a.poi.a.*men*.to) *sm. P. us.* Ação ou resultado de apoiar; APOIO [F.: *apoiar* + *-mento.*]

apoiar (a.poi.*ar*) *v.* **1** Firmar(-se) encostando(-se) em (algo ou alguém) [*tdr.*: *Apoie o braço no corrimão; Apoiou-se no muro para não cair.*] **2** *Fig.* Fundamentar(-se), dar fundamento a ou ter fundamento [*tdr.* + *em*: *Apoiou seus argumentos nas evidências; Os advogados se apoiaram nos fatos.*] **3** Dar apoio ou ajuda a [*td.*: *É preciso apoiar os idosos.*] **4** Dar aprovação a [*td.*: "...apoiando a resolução de minha mãe..." (Machado de Assis, *Dom Casmurro*)] **5** Dar apoio a; favorecer (algo ou alguém); PATROCINAR [*td.*: *Apoio as causas ecológicas.*] **6** Ficar ou estar de acordo com (atitude, opinião etc.) [*td.*: *Não apoio que fale dos outros pelas costas.*] **7** *Fut.* Dar apoio a (tática, jogada, setor do time, jogador etc.) realizando jogadas, dando proteção, passando a bola etc. [*td.*: *Os laterais apoiaram o ataque mas deixaram brechas atrás.*] **8** *Mar.* Colaborar com atividade realizada por outrem (por meio de operação complementar) [*td.*: *Precisamos apoiar as atividades dos aliados.*] [▶ 1 apoiar] [F.: Do it. *appoggiare*. Ant. ger.: *desapoiar*. Hom./Par.: *apoio* (fl.), *apoio* [ô] (sm.).]

apoideo (a.*poi*.de:o) *Ent. sm.* **1** Espécime dos apoideos, superfamília de insetos himenópteros que reúne as fam. de abelhas *a.* 2 Ref. ou pertencente aos apoideos [F.: Adaptç. do lat. cient. *Apoidea*.]

apoio (a.*poi*.o) [ô] *sm.* 1 Ação ou resultado de apoiar 2 Aquilo que serve para sustentar, fixar ou amparar algo ou alguém; SUPORTE; BASE 3 Auxílio de qualquer natureza (financeiro, operacional, moral etc.) que se presta a alguém; AJUDA; COLABORAÇÃO: *Sem o nosso apoio eles já teriam sucumbido.* 4 Aprovação, concordância ou aplauso: *A campanha obteve apoio popular.* 5 Argumento, prova: *Apresentou testemunhos em apoio à sua versão dos fatos.* 6 Fundamento, base: *Essa ideia não tem apoio na lógica.* 7 *Arq.* Qualquer elemento que sirva como suporte de cargas 8 *Fut.* Ação ou tática de apoiar jogada, setor do time, jogador etc., fazendo jogada, passando a bola etc.: *Foi forte o apoio do meio-campo ao ataque.* [F.: Dev. de *apoiar*. Hom./Par.: *apoio* (sm.), *apoio* (fl. de *apoiar*).]

apojado (a.po.*ja*.do) *a.* 1 Cheio, intumescido com algum líquido: "O açude apojado, a roça verde, amarela e vermelha, os caminhos estreitos mudados em riachos, ficaram-me na alma." (Graciliano Ramos, *Infância*) 2 *P. ext.* Totalmente cheio, repleto [F.: Part. de *apojar*.]

apojadura (a.po.ja.*du*.ra) *sf.* 1 Afluência de grande quantidade de leite aos seios de mulher que amamenta ou à tetas da fêmea (de um animal) que deu cria 2 *S.* O mesmo que *apojamento* [F.: *apoja(r)* + *-dura*.]

apojamento (a.po.ja.*men*.to) *sm.* Ação ou resultado de apojar *S.*; APOJADURA [F.: *apoja(r)* + *-mento*.]

apojar (a.po.*jar*) *v.* 1 Intumescer(-se) ou encher(-se) de leite ou de outro líquido (p. ex., os seios da mulher ou as tetas de outras fêmeas); AMOJAR [*td.*: "A jovem mãe suspendeu o filho à teta; mas a boca infantil não emudeceu. O leite escasso não apojava o peito." (José de Alencar, *Iracema*)] [*int.*: *A búfalas primíparas, mesmo estressadas, apojam com mais facilidade que as multíparas;* "...o Menino Jesus acordou-se e teve fome; mas, com o muito cansaço e sofrimento, o seio de Maria não apojou..." (João Simões Lopes Neto, "A mãe mulita" in *Lendas do Sul*) Ant.: *murchar, secar.*] 2 *Bras.* Pôr para mamar (o novilho), após a primeira ordenha, para estimular as glândulas mamárias da vaca e então se ordenhar o apojo [*td.*: *Ainda se usa o bezerro para apojar as vacas.*] [*int.*: *Forma de ordenha em que o bezerro fica em pé, à disposição para apojar na hora da ordenha.* Regionalismo encontradiço tb. no Minho] 3 Fluir, brotar, manar em grande quantidade; ABUNDAR; AFLUIR [*tr.* + *de, em*: *Nobres exemplos apojam de /em sua conduta.* Ant.: *escassear, minguar.*] 4 *Fig.* Subir ao nível máximo (volume d'água) [*int.*: *O açude apojou.*] [▶ 1 apojar] [F.: Or. contrv. Sin. ger.: *amojar*. Ant. ger.: *esvaziar*. Hom./Par.: *apojo* (fl.), *apojo* [ô] (sm.).]

apojatura (a.po.ja.*tu*.ra) *Mús.* Ornamento musical que consiste em uma nota que antecede a nota real num intervalo de uma segunda (maior ou menor), anotada na pauta em tamanho menor do que o da nota real, e cuja execução pode variar em duração e acentuação. ger. roubando parte da duração, e às vezes a acentuação, da nota real [Do it. *appoggiatura*.]

apojo (a.*po*.jo) [ô] *sm.* *Bras.* Leite mais grosso tirado da vaca, após extrair-se o primeiro, que é pouco espesso [Pl.: ô.] [F.: Dev. de *apojar*. Hom./Par.: *apojo* (fl. de *apojar*).]

apolar (a.po.*lar*) *a2g.* 1 *Fís.* Que não tem polo (anel magnético apolar) 2 *Fís. Quím.* Diz-se de moléculas, substâncias etc., que têm momento dipolo nulo ou com tendência a zero 3 *Biol.* Diz-se da célula nervosa sem prolongamentos [F.: *a-*[1] + *polar*.]

apolegar (a.po.le.*gar*) *P. us. v. td.* Machucar, amassar com os dedos: "... e enquanto se apolegava / essa pêra mal madura, / assim pela noite escura / ficara a moça sincera / derretida como cera / batida como costura." (Gregório de Matos, *Crônica do viver baiano seiscentista*) [▶ 14 apolegar] [F.: *a-*[2] + *polegar* + *-ar*[2], com haplologia.]

apólice (a.*pó*.li.ce) *sf.* 1 Documento que comprova crédito, dívida ou outra obrigação nele estabelecida 2 Comprovante de um contrato de seguro e de suas condições 3 *Econ.* Ação negociável na bolsa de valores [F.: Do fr. *police*, deriv. do it. *polizza* (< lat. med. *apodixa*, do gr. biz. *apodeixis* 'prova').]

apolinarismo (a.po.li.na.*ris*.mo) *sm. Hist. Rel.* Doutrina herética de Apolinário (c. 310-c. 390), bispo de Laodiceia, que nega a união do homem com Deus e que substitui a alma de Jesus Cristo pela ação divina do Verbo [F.: Do antr. *Apolinário* + *-ismo*.]

apolinarista (a.po.li.na.*ris*.ta) *Rel. a2g.* 1 Ref. a Apolinário (310-390), bispo de Laodiceia, ou próprio de sua doutrina herética 2 Diz-se de indivíduo que era sectário do apolinarismo *s2g.* 3 Esse indivíduo [F.: Do lat. tardio *apolinaristae, arum*.]

apolíneo (a.po.*lí*.ne:o) *a.* 1 Ref. a Apolo, deus da mitologia grega 2 Que possui grande beleza, tal como Apolo; APOLÍNICO 3 Que tem como característica o equilíbrio, a sobriedade 4 *P. ext. Fil.* Que expressa harmonia, tranquilidade, beleza, como num sonho [Segundo Nietzsche, e p. op. a *dionisíaco*.] [F.: Do lat. *Apollineus, a, um*.]

apolipoproteína (a.po.li.po.pro.te.*í*.na) *sf. Bioq.* Principal constituinte proteico das lipoproteínas de alta densidade, *HDL* (A1) e das *LDL* (B) [F.: *ap(o)-* + *lipoproteína*.]

apólise (a.*pó*.li.se) *sf.* 1 *Litu.* No rito grego, final do ofício divino 2 *Zool.* No processo de muda, separação entre a cutícula e a epiderme (apólise larval) [F.: Do gr. *apólysis, eos*, 'ação de libertar'.]

apolítico (a.po.*lí*.ti.co) *a.* 1 Que não é político, que é destituído de caráter ou significado político (manifesto apolítico) 2 Diz-se de indivíduo que não se interessa por política ou que não orienta por ela sua atividade, opinião etc. (artista apolítico) *sm.* 3 Esse indivíduo: *Ele é um apolítico que se envolveu com políticos.* [F.: Do gr. *apolitikos, e, on*.]

apolitismo (a.po.li.*tis*.mo) *sm.* 1 Característica ou condição de apolítico 2 Ausência de política [F.: *apolítico* + *-ismo*, seg. o mod. gr.]

apolo (a.*po*.lo) [ó] *sm.* 1 Homem belo e robusto 2 *Zool.* Certa borboleta europeia (*Parnassius apollo*) [F.: Do mit. *Apolo*, deus greco-romano, do lat. *Apollo, inis* < gr. *Apóllon, onos*.]

apologal (a.po.lo.*gal*) *a2g.* Ref. a ou que contém apólogo [Pl.: *-gais*.] [F.: *apólogo* + *-al*[1].]

apologeta (a.po.lo.*ge*.ta) *sm.* 1 *Teol.* Aquele que tem por fim defender a religião cristã contra os argumentos de seus detratores 2 Apologista

apologética (a.po.lo.*gé*.ti.ca) *sf.* 1 *Teol.* Defesa da fé que pode ser comprovada por argumentos racionais *sf.* 2 *Teol.* Segmento da teologia que se concentra no trabalho de defender a religião católica contra os que tentam depreciá-la 3 *P. ext.* Defesa argumentativa de alguma ideia, doutrina ou teoria [F.: Fem. substv. de *apologético*.]

apologético (a.po.lo.*gé*.ti.co) *a.* Em que se faz apologia (discurso apologético) [F.: Do gr. *apologetikós, é, ón*.]

apologia (a.po.lo.*gi*.a) *sf.* 1 Discurso ou escrito que tem por fim justificar, defender, louvar alguém ou alguma coisa 2 Elogio, louvor [F.: Do gr. *apología, as*, pelo lat. ecles. *apologia, ae*.]

apológico (a.po.*ló*.gi.co) *a.* Relativo a, ou que tem caráter de apologia [F.: *apologia* + *-ico*[2].]

apologismo (a.po.lo.*gis*.mo) *sm. Ret.* Discurso apologético; APOLOGIA [F.: *apologia* + *-ismo*, seg. o mod. gr.]

apologista (a.po.lo.*gis*.ta) *a2g.* 1 Que faz apologia 2 Que é seguidor ou partidário fervoroso de uma ideia, doutrina ou movimento *s2g.* 3 Indivíduo apologista: *apologista do desenvolvimento.* [F.: *apologia* + *-ista*, seg. o mod. gr.]

apologizar (a.po.lo.gi.*zar*) *v. td.* Fazer a apologia, o elogio de: *Apologizou o feito do atleta.* [▶ 1 apologizar] [F.: *apologia* + *-izar*.]

apólogo (a.*pó*.lo.go) *sm.* Narrativa que traz uma lição moral e ger. tem como personagens animais ou objetos que agem e dialogam como seres humanos [Ver tb. *fábula*.] [F.: Do lat. *apologus, i*, do gr. *apólogos, ou*.]

apoltronar-se (a.pol.tro.*nar*-se) *v. int.* Revelar-se medroso, covarde, poltrão [▶ 1 apoltronar-se] [F.: *a-*[2] + *poltrão* (sob o rad. *poltron-*) + *-ar*[2] + *se*[1], seg. o mod. erudito.]

apomixia (a.po.mi.*xi*.a) [cs] *sf. Biol.* Reprodução de sementes por meios assexuais: *Uma das áreas de destaque da biotecnologia é a apomixia, que tem como objetivo desenvolver materiais genéticos e procedimentos para clonagem vegetal pela utilização direta de sementes.* [F.: *ap(o)-* + *-mixia*.]

aponeurologia (a.po.neu.ro.lo.*gi*.a) *sf. Anat.* Parte da anatomia que estuda as aponeuroses [F.: *aponeuro(se)* + *-logia*.]

aponeurológico (a.po.neu.ro.*ló*.gi.co) *a.* Ref. a aponeurologia [F.: *aponeurologia* + *-ico*[2].]

aponeurorrafia (a.po.neu.ror.ra.*fi*.a) *sf. Cir.* Sutura de qualquer aponeurose [F.: *aponeuro(se)* + *-rafia*.]

aponeurose (a.po.neu.*ro*.se) *sf. Anat.* Membrana delgada, branca, luzidia, muito rija e de textura fibrosa, que envolve os músculos e os prende aos ossos [F.: *ap(o)-* + *-neuro* + *-ose*. Tb. *aponevrose*.]

aponeurótico (a.po.neu.*ró*.ti.co) *a.* Ref. a aponeurose [F.: *ap(o)-* + *neurótico*.]

aponevrose (a.po.ne.*vro*.se) *Anat. sf.* Ver *aponeurose* [F.: Do gr. *aponeurosis*.]

aponia (a.po.*ni*.a) *sf. Fil.* No epicurismo, ausência de dor [F.: Do gr. *aponía*.]

apontado (a.pon.*ta*.do) *a.* 1 Terminado em ponta 2 Guarnecido de pontas 3 Indicado, designado: *Funcionário apontado para substituir o chefe.* 4 Lembrado, proposto, sugerido [F.: Part. de *apontar*[1].]

apontador[1] (a.pon.ta.*dor*) [ô] *sm.* 1 *Bras.* Instrumento usado para fazer ponta em lápis 2 Indivíduo que faz ponta em instrumentos 3 Ponteiro de relógio 4 *Bras.* Indivíduo que auxilia animal reprodutor na cobertura da fêmea *a.* 5 Que aponta[1] [F.: *aponta(r)*[1] + *-dor*.]

apontador[2] (a.pon.ta.*dor*) [ô] *sm.* 1 *Bras.* Pessoa que anota apostas no jogo do bicho 2 Pessoa que, numa obra, controla o ponto dos operários ou a entrada de material 3 Livro no qual se registram faltas ou serviços de empregados 4 *Teat.* Indivíduo que serve de ponto no teatro 5 Indivíduo que aponta[2] arma (canhão, morteiro etc.) na direção do alvo *a.* 6 Que aponta[2] [F.: *aponta(r)*[2] + *-dor*.]

apontamento (a.pon.ta.*men*.to) *sm.* 1 Ação ou resultado de apontar 2 Registro escrito, ger. abreviado, de acontecimentos, ideias, compromissos etc., para referência futura, como lembrete etc.; ANOTAÇÃO 3 Anotação por aluno de matéria dada em sala de aula 4 Primeiros traços ou planos de uma obra literária ou artística 5 *Bras.* Preparação de engenho de açúcar para a operação de moagem [Mais us, no pl. nas acps. 2, 3 e 4.] [F.: *aponta(r)* + *-mento*.]

apontar[1] (a.pon.*tar*) *v.* 1 Aguçar a ponta de [*td.*: *apontar um lápis.*] 2 Indicar com dedo, com gesto, com sinal gráfico etc. [*td.*: *Aponte no texto os substantivos abstratos.*] [*tdi* + *a, para*: *Apontei a entrada aos convidados.*] [*tr.* + *para*: *Apontou para ela.*] 3 *Fig. P. ext.* Fazer alusão a; CITAR; INDICAR [*td.*: *O relatório apontou falhas no equipamento.*] 4 *Fig. P. ext.* Designar (alguém) para (cargo, posto etc.) [*tdp.*: *Apontou o sobrinho como seu sucessor.*] 5 *Fig.* Mostrar (razões, argumentos, evidências etc.) [*td.*: *O advogado apontou novas provas no tribunal.*] 6 *Fig.* Tornar o(s) sentido(s) mais aguçado(s); AGUÇAR [*td.*: *Apontar os ouvidos para a música.*] 7 Mostrar a direção de (algo); voltar-se (para certa direção) [*tr.* + *para*: *O hotel aponta para o norte.*] 8 Tornar-se visível, mostrar-se; APARECER [*ta.*: *Meu pai apontou à entrada da casa.*] [*int.*: *Depois da chuva, apontaram muitas estrelas.*] 9 Despontar, começar a aparecer; SURGIR [*int.*: "Nesse momento (...) um Boeing apontou, com seus faróis acesos..." (Josué Montello, *Um rosto de menino*)] 10 Começar a desenvolver-se; BROTAR [*int.*: *Apontaram os botões das rosas.*] 11 *Mar.* Dirigir a proa (da embarcação) para (algum rumo ou lugar); APROAR [*tda.*: *O capitão mandou apontar o navio para a saída do porto.*] [▶ 1 apontar] [F.: *a-*[2] + *ponta* + *-ar*[2]. Hom./Par.: *apontáveis* (fl.), *apontáveis* (a2g. pl.).]

apontar[2] (a.pon.*tar*) *v.* 1 Assinalar, marcar com ponto, sinal ou qualquer marca; ASSINALAR; INDICAR [*td.*: *A bandeira vermelha aponta os trechos perigosos da praia.*] 2 Direcionar para um ponto ou alvo; ASSESTAR [*td.*: *Apontar o revólver.*] [*tdi.* + *a, para*: *Apontou-lhe a arma, mas não atirou.*] [*int.*: *O policial pegou a arma e apontou.*] 3 Coser, passar a linha em pontos largos; dar alinhavo; ALINHAVAR [*td.*: *O alfaiate apontou a camisa.*] 4 Fazer o esboço de; ESBOÇAR [*td.*: *O desenhista apontava o corpo da modelo.*] 5 Registrar por escrito, tomar nota; ANOTAR [*td.*: *Apontava tudo o que o professor dizia.*] 6 *Jur.* Fazer o registro (de título) [*td.*] 7 *Esp.* Marcar pontos no jogo; PONTUAR [*td.*: *Apontamos o jogo na cartela.*] 8 *Fig.* Tomar uma resolução; resolver alguma coisa; DETERMINAR [*td.*: *apontar as regras do jogo.*] 9 *Fig.* Fazer sugestão, uma proposta; SUGERIR [*td.*: *apontar uma solução para o caso.*] 10 *Fig.* Empenhar-se na realização de algo; ESMERAR-SE [*tdr.* + *em*: *A modelo apontava-se no vestir.*] 11 *Teat.* Proferir em voz baixa (a fala do ator) durante a sua apresentação, para lhe ativar a memória [*td.*: *O contrarregra apontava a cena trágica repetidas vezes.*] [*int.*: *Há cinco anos apontava no teatro Carlos Gomes.*] [▶ 1 apontar] [F.: *a-*[2] + *ponto* + *-ar*[2]. Hom./Par.: cf. *apontar*[1].]

apontável[1] (a.pon.*tá*.vel) *a2g.* Que pode ser apontado[1] (ter feita a ponta, ou ser indicado, mostrado) [Pl.: *-veis*.] [F.: *aponta(r)* + *-vel*. Hom./Par.: (pl.) *apontáveis*, *apontáveis* (fl. de *apontar*).]

apontável[2] (a.pon.*tá*.vel) *a2g.* Que pode ser apontado, assinalado [Pl.: *-veis*.] [F.: *apontar*[2] + *-vel*.]

apontoar[1] (a.pon.to.*ar*) *v. td.* 1 Dar sustento ou base a (algo) por meio de pontões, barrotes etc.; ARRIMAR: *Trabalhavam para apontoar a muralha.* 2 *Fig.* Dar base, fundamento a: *Apontoou seus argumentos com ideias de Platão.* [▶ 16 apontoar] [F.: *a-*[2] + *pontão* (sob a f. *ponto-*) + *-ar*[2].]

apontoar[2] (a.pon.to.*ar*) *v. td.* 1 O mesmo que *alinhavar* 2 *Fig.* Entremear, pontilhar [▶ 16 apontoar] [F.: *a-*[2] + *ponto*[1] + *-oar*.]

apopléctico (a.po.*pléc*.ti.co) *a.* Ver *apoplético*

apoplético (a.po.*plé*.ti.co) *a.* 1 *Med.* Ref. a apoplexia ou dela característico (ataque apoplético) 2 Que já sofreu surtos apopléticos ou possui predisposição para a apoplexia 3 *Fig.* Que se encontra tomado pela ira e pela cólera; FURIOSO *sm.* 4 *Med.* Indivíduo que sofreu apoplexia ou que tem predisposição para essa doença [F.: Do gr. *apoplektikós, é, on*, pelo lat. tard. *apoplecticus, a, um*. Tb. *apopléctico*.]

apoplexia (a.po.ple.*xi*.a) [cs] *Med. sf.* 1 *Antq.* Lesão vascular cerebral súbita (hemorragia, trombose etc.) com possível desmaio, privação de movimentos, etc.; AVC (acidente vascular cerebral) 2 Derrame de sangue ou de serosidade no interior de um órgão [F.: Do gr. *apoplexía*, pelo lat. *apoplexia*.]

apoptose (a.pop.*to*.se) *Biol. sf.* Mecanismo pelo qual a célula provoca a autodestruição de modo programado, atuando no controle da densidade populacional das células saudáveis [F.: Do gr. *apóptosis*.]

apoquentação (a.po.quen.ta.*ção*) *sf.* 1 Ação ou resultado de apoquentar(-se) 2 Aquilo que apoquenta; ABORRECIMENTO; APORRINHAÇÃO [Pl.: *-ções*.] [F.: *apoquenta(r)* + *-ção*.]

apoquentado (a.po.quen.*ta*.do) *a.* Aflito, torturado moralmente; ABORRECIDO; ATORMENTADO: "...tão apoquentado se viu pela cara-metade, que um belo dia..." (Artur de Azevedo, *Mal por mal*) [F.: Part. de *apoquentar*.]

apoquentar (a.po.quen.*tar*) *v.* 1 Aborrecer(-se), ger. com miudezas, coisas não muito importantes; APORRINHAR; CHATEAR [*td.*: *Não me apoquente, estou ocupado agora.*] [*tdr.* + *com*: *Apoquentava o amigo com suas brincadeiras de mau gosto.*] [*int.*: *Nervoso, apoquentava-se por qualquer coisa.*] 2 *Ant.* Diminuir (algo ou alguém) [*td.*: *Seu desejo era apoquentar as injustiças.*] [▶ 1 apoquentar] [F.: *a-*[2] + *pouco* + *-entar*.]

apor (a.*por*) *v.* 1 Pôr junto ou em cima de; JUSTAPOR [*tdi.* + *em*: *Apôs sua foto no documento.*] 2 Colocar (algo) como acréscimo; JUNTAR [*tdi.* + *a*: *Apôs observações próprias ao texto final.*] 3 Aplicar, atrelar, encaixar (uma coisa em outra) [*tdi.* + *em, a*: *Apôs o novo forro ao sofá.*] 4 Colocar (assinatura) em tratado, lei, documento etc. [*tdi.* + *a*] [▶ 60 apor] [F.: do lat. *apponere*. Hom./Par.: *aposto* /ô/ (part.), *aposto* (fl. apostar); *apôs* (fl.), *após* (adv.).]

aporético (a.po.*ré*.ti.co) *a.* 1 Ref. a aporia 2 Que contém aporia 3 Diz-se daquele que vive em constante indecisão ou dúvida; CÉPTICO [F.: Do gr. *aporetikós*.]

aporia (a.po.*ri*.a) *sf.* 1 *Fil.* Dificuldade de escolher entre duas opiniões igualmente racionais, mas contrárias 2

Ret. Dúvida, figura pela qual o orador parece hesitar acerca do que há de dizer [F.: Do gr. *aporía*.] ■ **~s de Zenão** *Fil.* Aporias do filósofo grego Zenão (Zenon) de Eleia em que se demonstram ideias por absurdo, pela primeira vez

aporismo (a.po.*ris*.mo) *sm.* 1 *Mat.* Problema de resolução difícil ou impossível; ÁPORO 2 *Med.* Derramamento de sangue 3 *Derm.* Lesão superficial na pele [F.: *a-* + *por(i/o)-* + *-ismo*.]

áporo (*á*.po.ro) *sm. Mat.* O mesmo que *aporismo* [F.: Do gr. *áporos, os, on* 'sem passagem'.]

aporreado (a.por.re:*a*.do) *a.* 1 Que foi espancado 2 Aborrecido, aporrinhado 3 *Bras. RS* Mal domado ou indomável (diz-se de cavalo): "...um fazendeiro afamado que tinha um potro aporreado..." (Arin Neri de Oliveira e Silva, *A doma do potro Corisco*) [F.: Part. de *aporrear*.]

aporrear (a.por.re.*ar*) *v.* 1 Espancar, bater muito em; DESANCAR [*td.*] 2 *S.* Domar mal (cavalgadura) [*td.*] 3 *Bras. S.* Tornar-se traiçoeiro, indomável (cavalgadura), por ter sido mal domado [*int.*] 4 Fazer ficar ou ficar aborrecido, irritado, amofinado; APOQUENTAR(-SE); APORRINHAR(-SE) [*td. int.*] [► 13 aporrear] [F.: *a-*² + *porra* + *-ear*².]

aporrinhação (a.por.ri.nha.*ção*) *sf.* 1 Ação ou resultado de aporrinhar(-se) 2 Aquilo que aporrinha; ABORRECIMENTO; AMOFINAÇÃO; APOQUENTAÇÃO [Pl.: *-ções*.] [F.: *aporrinha(r)* + *-ção*.]

aporrinhado (a.por.ri.*nha*.do) *a. Pop.* Apoquentado, aborrecido, amofinado [Ant.: *desenfadado, desentediado*.] [F.: Part. de *aporrinhar*.]

aporrinhamento (a.por.ri.nha.*men*.to) *sm.* O mesmo que *aporrinhação* [F.: *aporrinhar* + *-mento*.]

aporrinhar (a.por.ri.*nhar*) *v.* 1 *Pop.* Tirar o sossego de; APOQUENTAR; IMPORTUNAR [*td.*: *Vivia a aporrinhar o irmão com seus problemas.*] 2 Ficar chateado, entediado, incomodado, ger. com coisas sem muita importância; APOQUENTAR-SE [*int.*: *Aporrinhou-se na fila do banco.*] [► 1 aporrinhar] [F.: *a-*² + *porr(a)* + *-inhar*.]

aportado (a.por.*ta*.do) *a.* Que aportou [F.: Part. de *aportar*.]

aportar (a.por.*tar*) *v.* 1 Chegar em um porto, entrar (embarcação) em um porto [*ta.*: *O navio aportou em Recife.*] [*int.*: *Ancoramos durante a noite para aportar na manhã seguinte.*] 2 Levar (algo ou alguém) a um porto [*tda.*: *O capitão aportou o navio no Uruguai; Aportou os marinheiros na ilha.*] 3 Chegar (algo, alguém) a um lugar, uma situação, um âmbito etc. [*ta.*: *Esperávamos aportar na escola em pouco mais de 10 minutos; Seu novo disco aportou no mercado e já é um sucesso.*] 4 *Fig.* Levar (alguém, algo) a [*tdr.* + *a, em*: *As incertezas o aportaram ao desespero e à angústia.*] [► 1 aportar] [F.: *a-*² + *porto* + *-ar*². Hom./Par.: *aporte(s)* (fl.), *aporte(s)* (sm. [pl.]).]

aporte (a.*por*.te) *sm.* Contribuição, subsídio ou insumo de qualquer natureza, esp. pecuniária, para determinada finalidade; ACHEGA; SUBSÍDIO: *aporte científico/social/financeiro.* [F.: Do fr. *apport*.]

aportuguesado (a.por.tu.gue.*sa*.do) *a.* 1 Que se aportuguesou, i. e., assimilou a forma portuguesa ou o jeito de ser português 2 Que sofreu aportuguesamento (diz-se de palavra) [F.: Part. de *aportuguesar*.]

aportuguesamento (a.por.tu.gue.sa.*men*.to) *sm.* 1 Ação ou resultado de aportuguesar(-se) 2 *Ling.* Adaptação fonética de palavra estrangeira para o português, que pode acarretar tb. adaptação ortográfica [P. ex.: *foot-ball* pronunciava-se 'futeból' e gerou a grafia 'futebol'.] [F.: *aportuguesa(r)* + *-mento*.]

aportuguesar (a.por.tu.gue.*sar*) *v.* 1 Dar estrutura, grafia etc. da língua portuguesa a (palavra estrangeira) [*td.*: *A imprensa esportiva aportuguesa muitos termos estrangeiros que não têm correspondentes em português.*] 2 Dar ou adquirir jeito, modo, hábitos, sotaque portugueses [*td.*: *Aportuguesaram o enredo e as locações daquele romance francês.*] [*int.*: *Anos em Portugal fizeram-no aportuguesar-se.*] [► 1 aportuguesar] [F.: *a-*² + *português* + *-ar*².]

após (a.*pós*) *prep.* 1 Depois de, em seguida a (em sentido temporal): *Após alguns minutos, contou tudo o que sabia.* 2 Atrás de, em seguida a (em sentido espacial): *O carnavalesco dispôs a bateria após a terceira ala*; *adv.* 3 *P. us.* Em outra ocasião; DEPOIS: *Antes implorara, após desdenhou sua ajuda.* 4 Atrás de si: *O trem passou, deixando após um rastro de fumaça e desolação.* [F.: Do lat. *ad post*. Hom./Par.: *após* (prep. adv.), *após* (fl. de *apor*).] ■ **~ de** O mesmo que *após* (depois de, atrás de)

aposentado (a.po.sen.*ta*.do) *a.* 1 Que se aposentou, que recebe aposentadoria (professor aposentado) *sm.* 2 Indivíduo que se aposentou: *Os aposentados fundaram uma nova associação.* [F.: Part. de *aposentar*.]

aposentador (a.po.sen.ta.*dor*) [ô] *a.* 1 Que aposenta ou leva à aposentadoria 2 Que hospeda ou abriga (alguém) 3 *Ant.* Que tinha o encargo ou a função de distribuir os aposentos entre os hóspedes 4 *Ant. Mil.* Diz-se de oficial que inspecionava ou coordenava a permanência da tropa em dado lugar, por certo tempo *sm.* 5 Aquele ou aquilo que aposenta 6 Aquele que hospeda ou abriga (alguém) 7 *Ant.* O encarregado pela distribuição dos aposentos entre os hóspedes 8 *Ant. Mil.* Oficial aposentador (4) [F.: *aposentar* + *-dor*.]

aposentadoria (a.po.sen.ta.do.*ri*.a) *sf.* 1 Ação ou resultado de se aposentar 2 Dispensa remunerada do trabalho, regulamentada por lei, e concedida por idade, tempo de serviço ou invalidez: *Ela já tem direito à aposentadoria.* 3 Estado ou condição de quem se encontra aposentado: *Mauro sonha com uma aposentadoria tranquila.* 4 Pagamento que um aposentado deve receber mensalmente: *Sua aposentadoria não era suficiente para seu sustento.* 5 *Antq.* Hospedagem, alojamento [F.: *aposentador* + *-ia*¹.]

aposentar (a.po.sen.*tar*) *v.* 1 Dar ou obter aposentadoria [*td.*: *O governo aposenta os funcionários depois dos setenta anos.*] [*int.*: *Meu pai vai (se) aposentar daqui a dois anos.*] 2 *Fig.* Deixar de lado [*td.*: *Aposentei essa roupa há muito tempo.*] 3 Dar pousada a (alguém ou si mesmo); ALOJAR(-SE); HOSPEDAR(-SE) [*td.*: *Aposentou o amigo que chegava de viagem.*] [*tda.*: *Aposentou-se na casa dos pais.*] 4 *Fig.* Dar abrigo a; ACOLHER [*tdr.* + *em*: *Aposenta um grande segredo em seu íntimo.*] [*tr.* + *em*: *A paixão aposentou-se em seu interior.*] 5 *P. us.* Residir em algum lugar; HABITAR; VIVER [*ta.*: *Aposenta-se em outra cidade; Aposento nesta rua desde criança.*] [► 1 aposentar] [F.: Do port. ant. *apousentar*, de *a-*² + *pous(ar)* + *-entar*, com redução de ditongo.]

aposento (a.po.*sen*.to) *sm.* 1 Compartimento de uma casa, esp. o quarto de dormir 2 *P. us.* Lugar em que se mora; CASA; RESIDÊNCIA [F.: Dev. de *aposentar*. Hom./Par.: *aposento* (sm.), *aposento* (fl. de *aposentar*).]

aposentos (a.po.*sen*.tos) *smpl.* Quarto(s) privativo(s) de alguém, ger. quarto de dormir: *Recolheu-se aos seus aposentos.* [F.: Pl. de *aposento*.]

após-guerra (a.pós-*guer*.ra) *sm.* O período que se segue imediatamente ao fim de uma guerra; PÓS-GUERRA [Ref. ger. ao período posterior à primeira ou à segunda das guerras mundiais.] [Pl.: *após-guerras*.]

aposia (a.po.*si*.a) *Med. sf.* 1 Ausência de sede; ADIPSIA 2 Abstenção de líquidos [F.: *a-*¹ + gr. *pósis*, 'ação de beber', + *-ia*¹.]

aposição (a.po.si.*ção*) *sf.* 1 Colocação de uma coisa junto a outra; ajuntamento de duas coisas 2 Junção de corpos da mesma natureza: *Os minerais crescem por aposição.* 3 *Ling.* O mesmo que *prótese* (2) 4 *Gram.* Figura que consiste em pôr um substantivo, ou uma locução substantiva, seguidamente a outro sem conjunção e separados por vírgula, servindo um de qualificativo ao outro (p. ex.: Brasília, capital da República; Pedro, o Grande) [Pl.: *-ções*.] [F.: Do lat. *appositio, onis*.]

aposiopese (a.po.si:o.*pe*.se) *sf. Ret.* Interrupção intencional no meio de uma frase ou de um discurso, ger. com intenção de fazer ressaltar, obliquamente, algo significativo que deve ser mantido em silêncio; RETICÊNCIA [F.: Do gr. *aposiópēsis*.]

apositia (a.po.si.*ti*:a) *sf.* Rejeição a alimentos; falta de apetite; ANOREXIA; FASTIO; INAPETÊNCIA [Ant.: *apetência, apetite, fome*.] [F.: Do gr. *apositía*.]

apositico (a.po.*sí*.ti.co) *Med. a.* 1 Ref. a apositia 2 Que diminui o apetite (medicamento apositico) [F.: Do gr. *apositikós, é, ón*. Ant. ger.: *aperitivo*.]

apositivo (a.po.si.*ti*.vo) *a.* 1 Ref. a aposição 2 *Gram.* Em que há aposição (4) [F.: Do lat. *appositivus, a, um*.]

apósito (a.*pó*.si.to) *sm. Med.* Emplastro, compressa ou curativo que se aplica sobre lesão ou ferida: "...mas podes vê-lo e falar-lhe contanto que imediatamente à operação, e mudados os apósitos, ele te não veja..." (Camilo Castelo Branco, *Os brilhantes do brasileiro*) [F.: Do lat. *appositus, us*.]

apossado (a.pos.*sa*.do) *a.* 1 De que se tomou posse: *bens apossados* 2 Que tomou posse (de algo) [F.: Part. de *apossar*.]

apossar (a.pos.*sar-se*) *v.* 1 Tomar posse de [*tr.* + *de*: *Apossou-se da parte da herança que lhe cabia.*] 2 *Fig.* Tomar posse indevidamente [*tr.* + *de*: *Os inimigos apossaram-se do país.*] 3 Dar ou tomar posse; EMPOSSAR(-SE) [*td.*: *O prefeito apossou os secretários.*] [*tdr.* + *em*: *O presidente apossou os ministros no cargo.*] [*tp.*: *Apossou-se diretor da empresa.*] 4 *Fig.* Encher-se a mente ou o espírito [*td.*: *Apossou-o profunda tristeza.*] [*tr.* + *de*: *A raiva apossou-se dele.*] [► 1 apossar-se] [F.: *a-*² + *posse* + *-ar*². Sin. ger.: *apoderar-se*.]

aposta (a.*pos*.ta) *sf.* 1 Acordo que fazem entre si pessoas de opiniões diferentes quanto ao resultado possível de jogo, processo, situação etc., segundo o qual o perdedor pagará ao vencedor o que se estipulou previamente 2 Ação ou resultado de apostar, de arriscar dinheiro em algum tipo de jogo 3 Afirmação ou postura de crença, de confiança em algo ou alguém: *Seu otimismo é na verdade uma aposta na economia brasileira.* 4 A quantia ou coisa que se aposta 5 *Fig.* Tarefa ou empreendimento a que se dedica grande esforço e de que se esperam bons resultados: *Este projeto é uma aposta, mas tem tudo para ter êxito.* [F.: Fem. subst. de *aposto*.] ■ **~ de Pascal** *Fil.* Tese do filósofo francês Blaise Pascal, de que acreditar em Deus, mesmo sem o fundamento da fé, é uma aposta desejável, pois a possibilidade de erro ou perda não traz maiores consequências, enquanto um possível acerto (a existência de Deus) traria o enorme ganho da felicidade eterna

apostado¹ (a.pos.*ta*.do) *a.* 1 Que se apostou, que foi objeto de aposta (valor apostado) 2 *Lus.* Que tem ou revela firmeza, convicção, determinação; DETERMINADO: *Ante a indecisão geral, adotou discurso e atitudes apostados.* [F.: Part. de *apostar*¹.]

apostado² (a.pos.*ta*.do) *a.* 1 Fixado em algum posto, em determinado lugar: *Representante apostado no interior.* 2 *P. us.* Preparado, aparelhado, adubado (terreno apostado) [F.: Part. de *apostar*².]

apostador (a.pos.ta.*dor*) [ô] *sm.* Aquele que aposta [F.: *aposta(r)* + *-dor*.]

apostar¹ (a.pos.*tar*) *v.* 1 Arriscar (dinheiro, algo) em aposta; JOGAR [*td.*: *Apostou até o que não tinha.*] [*tr.* + *em*: *Vamos apostar naquele cavalo.*] [*tdr.* + *em, contra*: *Apostarei dez reais na loteria.*] [*int.*: *Gostava de apostar.*] 2 Dizer com confiança; ASSEGURAR [*td.*: *Aposto que você vai gostar do filme.*] 3 Ter certeza do sucesso ou vitória (de alguém, de empreendimento etc.), inclusive aplicando esforços, recursos etc. [*tr.* + *em*: *Os pais sempre apostam nos filhos; Apostou naquele projeto, e deu-se bem.*] 4 Disputar algo (com alguém) [*td.*: *Vamos apostar uma corrida?*] [*tdr.* + *com*: *Apostarei uma corrida com você.*] 5 Competir por (algo); PLEITEAR; PORFIAR [*td.*: *Apostou uma vaga desejada por muitos.*] 6 *P. us.* Aplicar-se em algo; EMPENHAR-SE [*td.*: *Apostou-se em ser a melhor da classe.*] [► 1 apostar] [F.: *aposta* + *-ar*². Hom./Par.: *aposta(s)* (fl.), *aposta(s)* (sf. e fem. de *aposto* [ô] (adj.) [pl.]); *aposto* (fl.), *aposto* [ô] (a. sm. e part. de *apor* [ô]).]

apostar² (a.pos.*tar*) *v.* 1 Pôr(-se), fixar(-se) em posto; JOGAR [*td.*: *O sargento apostou os sentinelas.*] [*ta.*: *O sentinela apostou-se na entrada do quartel.*] [*tds.*: *O sargento apostou os sentinelas na entrada do quartel.*] 2 *P. ext.* Pôr-se em certo lugar, posição etc. [*ta.*: *Apostou-se ao lado do amigo para defendê-lo.*] 3 Dispor-se, organizar-se, preparar-se [*int.*: *A população apostou-se para enfrentar a tempestade.*] [► 1 apostar] [F.: *aposta* + *-ar*². Hom./Par.: *aposta(s)* (fl.), *aposta(s)* (sf. e fem. do adj. *aposto* [ô] [pl.]); *aposto* (fl.), *aposto* [ô] (a. sm. e part. de *apor*).]

apóstase (a.*pós*.ta.se) *sf.* 1 *Pat.* Formação de abscesso 2 *Antq. Med.* Crise ou fim de um acesso de doença [F.: Do gr. *apóstasis*.]

apostasia (a.pos.ta.*si*.a) *sf.* 1 *Rel.* Renegação de uma religião ou renúncia à fé religiosa; ABJURAÇÃO [Esp. a cristã.] 2 *Rel.* Desistência, abandono de vínculo sacerdotal ou religioso 3 Renúncia a uma opinião ou crença de qualquer natureza, ou a instituição, agremiação etc. [F.: Do lat. tard. *apostasia*, deriv. do gr. tard. *apostasía* 'abandono de partido'.]

apóstata (a.*pós*.ta.ta) *a2g.* 1 Que cometeu apostasia *s2g.* 2 Pessoa apóstata [F.: Do lat. tard. *apostata*, deriv. do gr. *apostátes* 'desertor (da própria religião)'. Hom./Par.: *apóstata* (a. s2g.), *apostata* (fl. de *apostatar*).]

apostatar (a.pos.ta.*tar*) *v.* 1 Abandonar (a religião, a fé) que professava [*tr.* + *de*: *apostatar do cristianismo.*] [*int.*: *No fim dos tempos, quase todos apostatarão.*] 2 *P. ext.* Abandonar, sem dispensa legal, a vida religiosa ou sacerdotal [*int. tr.* + *de*: *O frei Leonardo Boff apostatou (da Igreja Católica) em 1992.*] 3 *P. ext.* Renunciar a (princípios, opiniões, ideias etc.) [*int. tr.* + *de*: *Militante comunista nos anos 60, apostatou definitivamente (de suas crenças).*] [► 1 apostatar] [F.: *apóstata* + *-ar*². Hom./Par.: *apostata(s)* (fl. de *apostatar*), *apóstata(s)* (s2g. e pl.).]

apostema (a.pos.*te*.ma) *sm.* 1 O mesmo que *abscesso* 2 *Fig.* Ferida moral; DESGOSTO; SOFRIMENTO [apostemeira.] [F.: Do gr. *apóstema, atos*. Hom./Par.: *apostema* (fl. de *apostemar*). Tb. *postema*.]

apostemação (a.pos.te.ma.*ção*) *sf.* 1 Ação ou resultado de apostemar(-se) 2 *Med.* Formação de apostema [Pl.: *-ções*.] [F.: *apostemar* + *-ção*.]

apostemado (a.pos.te.*ma*.do) *a.* Que se apostemou [F.: Part. de *apostemar*.]

apostemar (a.pos.te.*mar*) *v.* 1 Criar apostema, abscesso (em) [*td. int.*] 2 Supurar [*int.*: *A ferida apostemou-se.*] 3 *Fig.* Infectar, estragar, corromper [*td.*] 4 *Fig.* Tornar(-se) irritado, agastado; AGASTAR(-SE); IRRITAR(-SE); ZANGAR(-SE) [*int.*: *Apostemo-me diante de tanto cinismo.*] [► 1 apostemar] [F.: *apostema* + *-ar*². Hom./Par.: *apostema(s)* (fl.), *apostema(s)* (sf. [pl.]).]

apostemeira (a.pos.te.*mei*.ra) *sf. Bras.* Conjunto (em grande quantidade) de apostemas [F.: *apostem(a)* + *-eira*.]

⊕ ***a posteriori*** (*Lat. / a posterióri/*) *loc. a.* 1 *Fil.* Que depende da experiência ou nela se baseia (conhecimento a posteriori, impressão a posteriori) 2 *P. ext. Psic.* Que foi repensado, reinterpretado, de acordo com novas informações ou experiências, ou por estar em uma fase de desenvolvimento posterior (reavaliação a posteriori) 3 Diz-se de argumento ou raciocínio em que se prova a existência de uma causa com base na constatação da existência de seu efeito (raciocínio a posteriori) *loc. adv.* 4 *P. ext.* Ulteriormente à observação empírica: *Observou a corrida para formular a posteriori as sugestões de mudanças.* [Ant.: *a priori*.]

apostia (a.pos.*ti*.a) *sf. Med.* Ausência de prepúcio [F.: *a-* + *post(e)-* (do gr. *posthé, és* 'pênis, prepúcio') + *-ia*¹.]

apostila (a.pos.*ti*.la) *sf.* 1 *Bras.* Conjunto impresso de aulas, capítulos ou temas para uso de alunos (apostila de matemática); POLÍGRAFO; *Lus.*; SEBENTA 2 Anotação feita nas margens de um texto, com o intuito de complementá-lo 3 Adendo a um documento oficial 4 Acréscimo ao final de uma carta; PÓS-ESCRITO 5 *Bibl.* Livro que reúne anotações e observações feitas em obras impressas [F.: Do lat. medv. *postilla*, de *post illa* 'em seguida'. F. não preferencial: *apostilha*.]

apostilar (a.pos.ti.*lar*) *v. td.* Apor apostilas, notas marginais, explicações a (livro, texto etc.) [► 1 apostilar] [F.: *apostila* + *-ar*². Hom./Par.: *apostila(s)* (fl.), *apostila(s)* (sf. [pl.]).]

apostilha (a.pos.*ti*.lha) *sf.* Ver *apostila*

aposto (a.*pos*.to) [ô] *sm.* 1 *Gram.* Palavra ou expressão, ger. isolada por vírgulas ou equivalente (parênteses ou travessão), que se acrescenta a um termo de uma frase para explicá-lo, restringi-lo ou qualificá-lo [Quando o aposto especifica um termo de sentido amplo (rio, mês etc.), não fica entre vírgulas: o rio Amazonas, o mês de maio.] *a.* **2** Posto junto; JUSTAPOSTO [+ *a*: *O novo artigo aposto à terceira cláusula.*] [Fem.: [ó]. Pl.: [ó].] [F.: Do lat. *appositus*. Hom./Par.: *aposto* (sm. a.), *aposto* (fl. de *apostar*).]

apostolado (a.pos.to.*la*.do) *sm.* **1** *Rel.* Missão de apóstolo **2** *P. ext.* Propagação, difusão, ensino de uma doutrina, uma ideologia **3** *Rel.* Congregação dos apóstolos **4** *Art. pl. Esc.* Representação pictórica ou escultórica dos doze apóstolos [F.: Do lat. ecl. *apostolatus, us.*]

apostolar (a.pos.to.*lar*) *a2g.* **1** Ref. a ou próprio de apóstolo **2** Que inspira sentimentos nobres, piedosos; EDIFICANTE [F.: *apóstolo* + *-ar*¹.]

apostólico (a.pos.*tó*.li.co) *a.* **1** *Rel.* Que procede ou deriva dos apóstolos (doutrina apostólica) **2** Ref. a apóstolo(s) ou próprio dele(s) (virtudes apostólicas) **3** Ref. à Santa Sé ou que a representa (núncio apostólico) **4** Ref. ao papa; PAPAL *sm.* **5** *Antq.* O papa [Sin. nas acps 1 a 3: *apostolical*.] [F.: Do lat. ecl. *apostolicus, a, um*, deriv. do gr. *apostolikós, é, ón*.]

apóstolo (a.*pós*.to.lo) *sm.* **1** *Rel.* Cada um dos doze discípulos de Jesus **2** Pioneiro na difusão da fé cristã em uma região; CATEQUIZADOR; EVANGELIZADOR **3** *P. ext. Rel.* Missionário abnegadamente dedicado à catequização, à evangelização **4** *Fig.* Defensor e divulgador de uma instituição, de uma ideologia, de um sistema de crenças etc.: *apóstolo da democracia*. [F.: Do gr. *apóstolos, ou*, 'enviado' (de *apostello* 'eu envio'), pelo lat. *apostolus, i*. Hom./Par.: *apóstolo* (sm.), *apostolo* (fl. de *apostolar*).]

apostrofar¹ (a.pos.tro.*far*) *v.* Interpelar, injuriar (alguém) dirigindo(-lhe) apóstrofe [*td.*: "...dali a pouco de novo o apostrofaram: – Bêbado, outra vez?" (Guimarães Rosa, "Nós, os temulentos", *in Tutameia*)] [*int.*: *Durante uma discussão com o marido, a mulher apostrofava sem parar.*] [▶ 1 apostrofar] [F.: *apóstrofe* + *-ar*². Hom./Par.: *apostrofe(s)* (fl.) *apóstrofe(s)* (sf. [pl.]); *apostrofo* (fl.) *apóstrofo* (sm.).]

apostrofar² (a.pos.tro.*far*) *v. td.* Pôr apóstrofo em: *Devem-se apostrofar as traduções de termos estrangeiros.* [▶ 1 apostrofar] [F.: *apóstrofo* + *-ar*². Hom./Par.: ver *apostrofar*¹.]

apóstrofe (a.*pós*.tro.fe) *sm.* **1** *Ret. Liter.* Figura que consiste em dirigir-se o orador ou o escritor, fazendo uma interrupção súbita, a uma pessoa ou coisa real ou fictícia **2** Dito violento ou mordaz com que se interrompe ou interpela alguém **3** Discurso de crítica ou acusação enérgica de alguém; CATILINÁRIA [F.: Do gr. *apóstrophe*, pelo lat. tard. *apostrophe* e *apostropha*. Hom./Par.: *apóstrofe* (sf.), *apostrofe* (fl. de *apostrofar*). Cf.: *apóstrofo*.]

apóstrofo (a.*pós*.tro.fo) *sm.* **1** *Gram.* Sinal diacrítico em forma de vírgula elevada ou reto ('), que indica a supressão de letra (ger. vogal) ou som, como, p. ex., em *copo d'água*. **2** *Gram.* O mesmo sinal, us. para abrir e fechar palavras ou expressões ou frases que representam significados de palavras, expressões ou frases antes mencionadas [Ex.: O termo do tênis e vôlei *ace*, 'saque que o adversário não alcança', não tem correspondente em português.] **3** *Fon.* Em transcrição fonética e transliteração, indica palatalização quando posposto ao símbolo [F.: Do lat. tard. *apostrophus*, deriv. do gr. *apóstrophos*. Sin. ger.: *viracento*. Cf.: *apóstrofe*.]

apotecial (a.po.te.ci.*al*) *a2g.* Ref. a apotécio [Pl.: *-ais*.] [F.: *apotécio* + *-al*¹.]

apotécio (a.po.*té*.ci.o) *sm.* **1** *Micol.* Nos cogumelos e líquens, órgão de frutificação em forma de disco, no qual se situam esporos **2** *Hist.* Na antiga Grécia, lugar de depósito, celeiro, despensa [F.: Do lat. cient. *Apothecium*. Sin. ger.: *apoteca*.] ▪ **~ ântico** *Bot.* O que se localiza na face superior do talo

apotegma (a.po.*teg*.ma) [é] *sm.* Dito notável de pessoa ilustre; sentença breve; dito sentencioso; AFORISMO; MÁXIMA [F.: Do gr. *apophtegma, -atos* 'sentença'.]

apótema (a.*pó*.te.ma) *Geom. sm.* **1** Em um polígono regular, segmento de reta que une o centro do polígono ao ponto mediano de qualquer um de seus lados, e que é perpendicular a esse lado **2** Geratriz de um cone ou tronco de cone **3** Em um tronco de pirâmide, altura de qualquer dos trapézios isósceles que constituem suas faces laterais **4** Em uma pirâmide regular, altura de qualquer dos triângulos isósceles que constituem suas faces laterais [F.: Do gr. *apóthema* 'abaixamento'.]

apoteosar (a.po.te.o.*sar*) *v. td.* Fazer apoteose a; GLORIFICAR [*td.*: "...e foi uma vertiginosa expansão de júbilo a apoteosar a inauguração dos cursos jurídicos..." (*Diário de Pernambuco*, 11.08.2002)] [▶ 1 apoteosar] [F.: *apoteose* + *-ar*². Hom./Par.: *apoteose(s)* (fl.), *apoteose(s)* (sf. [pl.]).]

apoteose (a.po.te.*o*.se) *sf.* **1** Momento final glorioso em desfile, espetáculo, peça teatral, *show* etc., quando se apresenta o conjunto dos participantes, ger. com efeitos de luz **2** *RJ SP* Local do Sambódromo onde se agrupam as alas da escola de samba, ao final do desfile, para a despedida do público [Red. de *praça da Apoteose*.] **3** *P. ext.* O ponto culminante, o momento mais importante de um acontecimento **4** Glorificação (de uma pessoa ou de algo) por meio de honrarias, láureas, elogios etc. **5** Inclusão entre os deuses; DIVINIZAÇÃO **6** Profusão de luzes; CINTILAÇÃO; CLARÃO [F.: Do gr. *apothéosis*, pelo lat. tard. *apotheosis* e pelo fr. *apothéose*.]

apoteótico (a.po.te.*ó*.ti.co) *a.* **1** Ref. a ou que se apresenta como apoteose (festa apoteótica) **2** *Fig.* Que tem características de ou que se assemelha a apoteose: *A homenagem teve um fecho apoteótico*. **3** Que é muito elogioso e laudatório (discurso apoteótico) [F.: *apoteo(se)* + *-t-* + *-ico*².]

apótese (a.*pó*.te.se) *sf.* *Cir.* Posição que se deve dar a um membro fraturado para ser sustentado por uma ligadura [F.: Do gr. *apóthesis*.]

apotrar-se (a.po.*trar*-se) *S. v. int.* **1** Tornar-se (o cavalo) bravio e arisco como um potro **2** *Fig.* Tornar-se grosseiro, enfurecido; ENCOLERIZAR-SE; ENFURECER-SE [▶ 1 apotrar-se] [F.: *a-*² + *potro* + *-ar*².]

apotropaico (a.po.tro.*pai*.co) *Oct. a.* **1** Ref. a apotropismo **2** Que supostamente evita malefícios; apotropeu **3** Diz-se de deuses que outrora eram considerados capazes de evitar desgraças **4** Diz-se de animal outrora imolado propiciatoriamente a esses deuses [F.: Do gr. *apotrópaios*.]

apotropismo (a.po.tro.*pis*.mo) *sm.* **1** *Ant. Med.* Na medicina primitiva, conjunto de ritos com que se supunham afastar os males **2** *Oct.* Fórmula mágica com a qual supostamente se afasta o mal, a desgraça, a infelicidade etc. [F.: Do gr. *apotropân*.]

apoucado (a.pou.*ca*.do) *a.* **1** Que se reduziu a pouco: *Resolveu investir seus apoucados recursos.* **2** *Fig.* Que não se desenvolveu ou cresceu, ou que se desenvolveu pouco (menino apoucado; apoucados conhecimentos) **3** *Fig.* Que não é valorizado; que é menosprezado, humilhado **4** *Fig.* De pouco préstimo, acanhado, apático, mesquinho [F.: Part. de *apoucar*.]

apoucar (a.pou.*car*) *v.* **1** Tornar(-se) menor em tamanho ou quantidade; DIMINUIR; REDUZIR [*td.*: *As novas medidas apoucaram sua remuneração*; "Recrescem os imigos sobre a pouca gente do fero Nuno que os apouca." (Luís de Camões, *Os lusíadas*); "Trabalhos, aflições, fados adversos / a melodia, a graça me apoucaram /..." (Bocage)] [*int.*: *As visitas apoucaram-se à medida que empobreciam.*] **2** Representar ou apresentar (algo ou alguém, inclusive si mesmo) como de pouco valor ou importância, desvalorizando-lhe o mérito; DEPRECIAR; ENVILECER; REBAIXAR [*td.*: *É gente que costuma apoucar os outros; Apoucou-se para não despertar a inveja dos poderosos*: "O homem pervertido pelo pecado de origem tem jeito especial para desmerecer e apoucar tudo o que é belo, elevado e nobre..." (Manuel Ribeiro, *O deserto*)] **3** Tirar ou perder o ânimo, a energia, a coragem; ABATER; ACABRUNHAR; DESCOROÇOAR; DESESTIMULAR [*td.*: "Numa ansiedade que te apouca, / Encharcando de raiva e de suor / os lábios sós." (J. G. de Araújo Jorge, *Ímpeto*)] [*int.*: *O promissor atleta apoucou-se diante de seu ídolo.*] **4** *S.* Ficar pouco a pouco mais magro; emagrecer; definhar [*int.*: *Doente e envelhecido, apoucava-se a cada dia.*] [▶ 11 apoucar] [F.: *a-*² + *pouco* + *-ar*².]

apózema (a.*pó*.ze.ma) *sf.* *Farm.* Cozimento, decocção ou infusão de uma ou mais ervas medicinais, a que se adicionam outros medicamentos ou substâncias [F.: Do lat. imp. *apozema, atis*. Hom./Par.: *apozema* (fl. de *apozemar*).]

🌐 **approach** (*Ing. /aproutch/*) *sm.* **1** Modo de encarar determinado assunto ou problema; ENFOQUE: *O crítico fez um novo approach do livro.* **2** Maneira particular de lidar com algo; ATITUDE: *Approaches objetivos surtem efeito mais rápido.* [F.: Do ing. medv. *a (p) prochen*, do fr. *approcher*.]

apraxia (a.pra.*xi*.a) [cs] *sf.* *Neur.* Incapacidade de efetuar movimentos coordenados, embora sem a presença de paralisia ou outros distúrbios congêneres [F.: Do gr. *apraksía*.]

apráxico (a.*prá*.xi.co) [cs] *a.* *Neur.* Ref. a apraxia [F.: *apraxia* + *-ico*².]

aprazado (a.pra.*za*.do) *a.* Que teve o tempo ou prazo para sua realização fixado [F.: Part. de *aprazar*.]

aprazamento (a.pra.za.*men*.to) *sm.* Ação ou resultado de aprazar, de marcar prazo: "Deveria ser suprimido esse aprazamento de data, e o Copom só se reunir quando necessário, sem anúncio prévio." (*Correio Braziliense*, 20.09.2004) [F.: *aprazar* + *-mento*.]

aprazar (a.pra.*zar*) *v.* **1** Fixar a data de [*td.*: *Já aprazaram a entrevista do cardeal.*] [*tda.*: *Aprazou o encontro para o final da semana.*] **2** Fixar, combinar (evento, reunião etc.) [*td.*: *Aprazou a viagem com a amiga.*] **3** Delimitar a duração de [*tdr.* + *para*: *Aprazamos uma semana para concluir o trabalho.*] [▶ 1 aprazar] [F.: *a-*² + *praz(o)* + *-ar*².]

aprazer (a.pra.*zer*) *v.* Proporcionar prazer (de algo) a (alguém, inclusive si mesmo); DELEITAR(-SE); SATISFAZER(-SE) [*ti.* + *a*: *Muito lhe aprazia passear pelos jardins da casa; Apraz -me sair em sua companhia.*] [*int.*: *Os novos espetáculos não aprazem.*] [*tir.* + *em*: *Aprazia-se em aproveitar o frescor da tarde no jardim.*] [▶ 22 aprazer] [F.: *a-*² + *prazer*.]

aprazibilidade (a.pra.zi.bi.li.*da*.de) *sf.* Qualidade ou característica do que é aprazível [F.: *aprazível* (*-vel* > *-bil(i)-*) + *-i-* + *-dade*.]

aprazimento (a.pra.zi.*men*.to) *sm.* **1** Sensação de contentamento, deleite **2** Consentimento, concordância em relação a algo; APROVAÇÃO; BENEPLÁCITO: *Sua atitude contou com o aprazimento de todos.* [F.: *apraz(er)* + *-imento*.]

aprazível (a.pra.*zí*.vel) *a2g.* **1** Que apraz ou que apraz; que proporciona sensação prazerosa, agradável (clima aprazível; vista aprazível; leitura aprazível) **2** Diz-se de lugar que tem bela paisagem, clima ameno etc. **3** Que se apresenta como positivo, amistoso, favorável: *Vislumbrava um futuro aprazível.* [Pl.: *-veis*.] [F.: *apraz(er)* + *-ível*. F. paral. (p. us.): *prazível*.]

apreçado (a.pre.*ça*.do) *a.* Que recebeu um preço (mercadoria apreçada) [F.: Part. de *apreçar*. Cf. *apressado*.]

apreçamento (a.pre.ça.*men*.to) *sm.* Ação ou resultado de apreçar, de fixar preço ou valor de algo [F.: *apreça(r)* + *-mento*. Hom./Par.: *apreçamento* (sm.), *apressamento* (sm.).]

apreçar (a.pre.*çar*) *v.* **1** Ajustar, combinar o preço de [*td.*: *Apreçaram a casa depois de muita discussão.*] **2** Perguntar, negociar o preço de [*td.*: *Apreçou o produto em várias lojas antes de comprar.*] **3** Calcular o preço de [*td.*: *Chamei um perito para apreçar o lote.*] [*tdr.* + *em*: *Apreçou a bicicleta em duzentos reais.*] **4** Atribuir valor a, ter ou demonstrar apreço por [*td.*: *Todos apreçaram sua conduta delicada e atenciosa.*] [▶ 12 apreçar] [F.: *a-*² + *preço* + *-ar*². Cf. *apressar*. Hom./Par.: *apreço* (fl.), *apreço* [ê] (sm.), *apresso* (fl. de *apressar*).]

aprecatar (a.pre.ca.*tar*) *v. td. tdr.* O mesmo que *precatar*. [F.: *a-*⁴ + *precatar*.]

apreciação (a.pre.ci:a.*ção*) *sf.* **1** Ação ou resultado de apreciar **2** Concentração da atenção em algo que proporcione prazer aos sentidos ou à mente: *Apreciação de um vinho/ de um livro.* **3** Análise para estimação do valor de objeto, obra ou feito; AVALIAÇÃO: *Os trabalhos foram submetidos à apreciação do júri.* **4** O resultado dessa análise; opinião, julgamento, conceito **5** *Fil.* Reconhecimento do grau de perfeição de uma ideia ou de um fenômeno em relação a um determinado fim [Pl.: *-ções*.] [F.: *aprecia(r)* + *-ção*.]

apreciado (a.pre.ci:*a*.do) *a.* **1** Que proporciona prazer sensorial ou estético (música apreciada, sobremesa apreciada) **2** Que é objeto de afeto (irmão apreciado); ESTIMADO; QUERIDO **3** Que foi objeto de exame, de avaliação **4** Que teve seu valor determinado através de uma avaliação (bens apreciados) [F.: Part. de *apreciar*.]

apreciador (a.pre.ci:a.*dor*) [ô] *a.* **1** Que aprecia, que gosta de algo *sm.* **2** Indivíduo apreciador (de algo): *É um apreciador de vinhos italianos.* [F.: *aprecia(r)* + *-dor*.]

apreciar (a.pre.ci.*ar*) *v. td.* **1** Dar valor, apreço a; ESTIMAR: *Aprecia a boa literatura.* **2** Observar com prazer: *Toda tarde aprecio o pôr do sol.* **3** Submeter a avaliação, a apreciação; AVALIAR; CONSIDERAR: *O diretor apreciará o nosso pedido.* **4** Buscar conhecer a circunstância, resultado ou valor; AVALIAR; ESTIMAR: *Apreciavam as consequências de suas decisões.* [▶ 1 apreciar] [F.: Do lat. *appretiare*.]

apreciativo (a.pre.ci:a.*ti*.vo) *a.* **1** Que expressa, denota apreciação (comentário apreciativo) **2** *Restr.* Que expressa apreciação positiva [Ant.: *depreciativo*.] [F.: *aprecia(r)* + *-tivo*.]

apreciável (a.pre.ci:*á*.vel) *a2g.* **1** Que é passível de apreciação, de que se pode estimar o preço ou o valor; CALCULÁVEL; ESTIMÁVEL: *Passados tantos anos, a dimensão do prejuízo já não é apreciável.* **2** Digno de avaliação positiva, de apreço (conduta apreciável) **3** A que se pode atribuir ou se atribui efetivamente grande valor, importância, tamanho etc.; CONSIDERÁVEL; VULTOSO: *Receberam uma quantia apreciável.* [Pl.: *-veis*.] [F.: *aprecia(r)* + *-vel*. Hom./Par.: *apreciáveis* (pl.), *apreciáveis* (fl. de *apreciar*).]

apreço (a.*pre*.ço) [ê] *sm.* Estima, consideração (por alguém ou alguma coisa) [+ *a, de, por*: *Apreço à / da /pela vida.*] [F.: Dev. de *apreçar*. Hom./Par.: *apreço* (sm.), *apreço* (fl. de *apreçar*), *apresso* (fl. de *apressar*).] ▪ **Em ~** Referido, de que se está tratando: *A medida em apreço não deu o resultado esperado.*

apreender (a.pre.en.*der*) *v.* **1** Pegar ou tomar posse de, por decisão judicial ou não [*td.*: *A polícia apreendeu os celulares da quadrilha.*] **2** Pegar, capturar, apanhar **3** Captar, assimilar (ideia, pensamento, conhecimento etc.); COMPREENDER [*td.*: "Essas leis são simples, fáceis de apreender..." (Cecília Meireles, *Crônicas de educação 4*)] **4** *P. us.* Remoer-se de inquietude, preocupação etc.; CISMAR; RUMINAR [*int.*: *Seu coração apreendia-se nas incertezas e nas dúvidas.*] [▶ 2 apreender Apresenta duplo part. *apreendido* e *apreenso*.] [F.: Do lat. *apprehendere*. Hom./Par.: *apreender*, *aprender* (em todas as fl.).]

apreendido (a.pre:en.*di*.do) *a.* **1** De que se tomou posse judicialmente (droga apreendida; mercadoria apreendida); CONFISCADO **2** Que se assimilou ou se captou mentalmente [F.: Part. de *apreender*.]

apreensão (a.pre.en.*são*) *sf.* **1** Ação ou resultado de apreender, tomar posse, apanhar **2** Apropriação judicial de algo; CONFISCO: *O juiz ordenou a apreensão da mercadoria contrabandeada.* **3** Desassossego do espírito provocada por incerteza do futuro; INQUIETAÇÃO; RECEIO **4** Ação ou resultado de captar, assimilar, compreender algo: *Os exemplos facilitam a apreensão do significado das palavras.* **5** *Fil.* Segundo a doutrina escolástica, compreensão intelectual de um conteúdo que se realiza independentemente do raciocínio e do julgamento **6** *P. ext.* Conhecimento intuitivo, imediato de um objeto [Pl.: *-sões*.] [F.: Do lat. *apprehensio, onis*.]

apreensibilidade (a.pre:en.si.bi.li.*da*.de) *sf.* **1** Qualidade ou condição do que é apreensível, do que se pode apreender **2** Faculdade, capacidade de apreender, de captar (conhecimento, informação etc.) [F.: *apreensível*, sob a f. radical *apreensibil-* + *-(i)dade*.]

apreensível (a.pre:en.*sí*.vel) *a2g.* Que se pode apreender; suscetível de apreensão [Pl.: *-veis*.] [F.: Do lat. *apprehesibilis, le*.]

apreensivo (a.pre:en.*si*.vo) *a.* **1** Que sente apreensão; PREOCUPADO; RECEOSO **2** Que apreende ou é capaz de apreender [F.: Do b. lat. *aprehensivus*.]

apreensor (a.pre:en.*sor*) [ô] *a.* **1** Que apreende algo ou é apropriado para fazê-lo (organismo apreensor) **2** Ref. a apreensão ou que a envolve (ato apreensor) *sm.* **3** Aquilo ou aquele que apreende [F.: De *apreender*, pela f. radical *apreens-* + *-or*.]

apreensório (a.pre:en.*só*.ri:o) ***a.*** Que serve ou se usa para apreender, tomar, segurar [F.: De *apreender* sob f. radical *apreens-* + *-ório*.]

aprefixar (a.pre.fi.*xar*) [cs] ***v.*** *Gram.* O mesmo que *prefixar* [▶ 1 aprefixar] [F.: *a-* + *prefixar*.]

apregoado (a.pre.go.*a*.do) ***a.*** **1** Que se apregoou, que se anunciou, ou proclamou, ou divulgou, ou publicou através de pregão **2** Que se tornou notório, muito conhecido: *Não confirmou seu suposto e apregoado talento.* [F.: Part. de *apregoar*.]

apregoar (a.pre.go.*ar*) ***v.*** **1** Dizer ou anunciar em público e em voz alta; fazer pregão de [***td.***: *O beato apregoava as bênçãos de Deus; Os feirantes apregoam suas mercadorias.*] **2** Tachar, acusar, chamar (alguém) publicamente de [***tdp.***: *Apregoam-no de caloteiro.*] **3** Fazer ficar conhecido (algo ou alguém, inclusive si mesmo) [***td.***: *Apregoava o amigo por ter salvo sua vida; Além de bom profissional, sabia apregoar-se.*] **4** Indicar como bom ou útil; ACONSELHAR [***td.***: *O médico apregoa o uso de remédios naturais.*] **5** *Jur.* Solicitar a apresentação de pessoas que precisam comparecer em juízo às audiências [***td.***: *Apregoaram as testemunhas do caso.*] [▶ 16 apregoar] [F.: *a-*[2] + *pregoar*.]

aprender (a.pren.*der*) ***v.*** **1** Alcançar, obter conhecimento, compreensão ou domínio de (informação, assunto, matéria etc.), por meio de estudo ou prática [***td.***: *aprender um idioma.*] [***int.***: *Crianças desnutridas têm dificuldade para aprender.*] [***tr.*** + *com*: *aprender com os próprios erros.*] **2** Adquirir a habilidade de; tornar-se adestrado em [***td.***: *Quero aprender capoeira.*] [***tr.*** + *a*: "...Eu sou poeta e não aprendi a amar..." (Cássia Eller, *Malandragem*) (seguido de verbo no infinit.).] **3** Fixar na memória; DECORAR; MEMORIZAR [***td.***: *João aprendeu todos os rios da Amazônia.*] **4** Entender melhor, tirar como lição [***td.***: *Aprendemos que é melhor dar que receber.*] [***tdr.*** + *com*, *de*: *Maria aprendeu a prudência com os avós.*] [▶ 2 aprender] [F.: Do lat. *apprendere*. Hom./Par.: *aprender*, *apreender* (em todas as fl.).]

aprendido (a.pren.*di*.do) ***a.*** Que se aprendeu (lição aprendida) [F.: Part. de *aprender*.]

aprendiz (a.pren.*diz*) ***sm.*** **1** Quem aprende uma arte, técnica ou profissão (aprendiz de vitrinista) **2** *P. ext.* Quem começa a aprender qualquer coisa; NOVATO; PRINCIPIANTE **3** Quem tem pouca experiência em certa atividade ou em geral [Fem.: (*p. us.*) *aprendiza*.] [F.: Do a. fr. ant. *aprentiz*.]

aprendizado (a.pren.di.*za*.do) ***sm.*** **1** Processo, ação ou resultado de aprender; APRENDIZAGEM: *Todos tiveram de se submeter a um duro aprendizado.* **2** Tempo de duração desse processo; APRENDIZAGEM **3** Exercício inicial daquilo que se aprendeu; EXPERIÊNCIA; PRÁTICA; TIROCÍNIO **4** *Bras.* Ensino técnico ou profissionalizante [F.: *aprendiz* + *-ado*[2].]

aprendizagem (a.pren.di.*za*.gem) ***sf.*** Ver *aprendizado* (1, 2, 3) [Pl.: *-gens*.] [F.: *aprendiz* + *-agem*[2].]

apresador (a.pre.sa.*dor*) [ô] ***a.*** **1** Que apresa, agarra, ou toma ***sm.*** **2** Quem (pessoa ou animal) toma alguém ou algo como presa: *Fernão Dias, famoso apresador de índios; O buldogue campeiro é usado na caça como apresador.* [F.: *apresar* + *-dor*.]

apresamento (a.pre.sa.*men*.to) ***sm.*** **1** *Mar.* Ação ou resultado de apresar (apresamento de índios); CAPTURA; APRISIONAMENTO **2** Tomada de um navio, mercante ou de guerra [F.: *apresar* + *-mento*.]

apresar (a.pre.*sar*) ***v.*** **1** Apresar, tomar como presa (esp. embarcação, seus tripulantes e/ou carga); APREENDER; APRISIONAR; CONFISCAR [***td.***: "Não só apresaram numerosos carregamentos pelos quais o Chachá era responsável, mas até mesmo navios de sua propriedade..." (Alberto da Costa e Silva, "O senhor dos desgraçados", *in Nossa História*): "Surpreendeu, aí, alguns piquetes inimigos, apresando-lhes treze cargueiros." (Euclides da Cunha, *Os sertões*)] **2** Fazer prisioneiro; APRISIONAR; ENCARCERAR; PRENDER [***td.***: *A polícia apresara os bandidos em flagrante; Os bandeirantes apresavam índios para escravizá-los.*] **3** Tomar posse, conforme a lei, de; APREENDER; CAPTURAR; CONFISCAR [***td.***: *A Receita Federal apresou R$12 milhões em contrabando no Rio de Janeiro.*] **4** *Fig.* Agarrar (algo) com firmeza, como o fazem as aves de rapina [***td.***: "Mas o filho, de um salto, susteve-lhe a carreira e apresou-o energicamente pelo vigoroso dorso..." (Aluísio Azevedo, *Heranças*): "E, num bote traiçoeiro, o silêncio apresou o mundo..." (Luiz Ruffato, "O ataque") Ant.: *libertar*, *soltar*.] **5** Prender com presilha; APRESILHAR [***td.***: *Apresei o cabelo.*] [***tdr.*** + *a*: *Apresou a pulseira ao pulso.*] [▶ 1 apresar] [F.: *a-*[2] + *presa* + *-ar*[2].]

apresentação (a.pre.sen.ta.*ção*) ***sf.*** **1** Ação ou resultado de apresentar(-se) **2** Ação de apresentar algo ou alguém (inclusive si mesmo) a outrem, para que este o conheça **3** Ação de exibir ou mostrar algo: *Para entrar na festa exigia-se a apresentação do convite.* **4** Discurso breve que introduz alguém ao público: *Antes da palestra o diretor fez a apresentação do orador.* **5** Texto ou dizeres no início de obra literária, filme etc. no qual se apresentam o autor e/ou a própria obra, ou atores, técnicos, produtores e diretores etc. **6** Execução de um espetáculo artístico: *A última apresentação da peça foi um sucesso.* **7** Aparência ou aspecto de algo: *O fabricante modernizou a embalagem do xampu para melhorar sua apresentação.* **8** Aparência ou aspecto de uma pessoa: *funcionários com boa apresentação.* **9** Exibição de algo (produto, criação, obra etc.) ao público pela primeira vez: *A apresentação do novo anúncio deu-se em horário nobre.* **10** Comparecimento de um profissional a seu superior ou empregador: *A apresentação do jogador ao técnico foi adiada em uma semana.* **11** Proposta pela qual se recomenda alguém para ocupar um determinado cargo ou função; INDICAÇÃO **12** Ação de submeter algo à apreciação de outrem: *apresentação de um projeto.* **13** *Rel.* Proposta, indicação de nome(s) para certos cargos eclesiásticos **14** *Rel.* Festa celebrada pela Igreja Católica no dia 21 de novembro, em que a Virgem Maria, tendo três anos de idade, foi apresentada no templo e consagrada a Deus [Com inicial maiúsc.] **15** *Jur.* Ato pelo qual o beneficiário ou portador de título de crédito o exibe ao devedor para que o aceite ou pague **16** *Obst.* Posição do feto no início do parto, em referência à parte que se apresenta na entrada do útero **17** Em arma de fogo, colocação de projétil ainda não disparado em condição de sê-lo [Pl.: *-ções*.] [F.: *apresenta(r)* + *-ção*.]

apresentado (a.pre.sen.*ta*.do) ***a.*** **1** Que se apresenta, que se mostra, de que ou de quem se faz apresentação: *Fez uma lista das propostas apresentadas.* **2** Que se expõe como identificação, prova, ilustração (documentos apresentados) **3** Que vem como resultado (lucros apresentados) **4** *Bras. Pop.* Que se exibe sem modéstia ou recato: *Sujeitinho apresentado, este! Não para de se gabar!* ***sm.*** **5** Aquele que se apresenta: *Pedi-lhe que recebesse meu apresentado.* [F.: Part. de *apresentar*.]

apresentador (a.pre.sen.ta.*dor*) [ô] ***a.*** **1** Que apresenta ***sm.*** **2** Aquele que apresenta **3** *Rád. Telv.* Aquele que, no comando de um programa de rádio, televisão, espetáculo ou evento ao vivo, apresenta os artistas convidados, convoca as atrações e conduz as entrevistas **4** *Jorn. Telv.* Aquele que apresenta telejornal [F.: *apresenta(r)* + *-dor*.]

apresentante (a.pre.sen.*tan*.te) ***a2g.*** **1** Que apresenta (algo ou alguém) **2** Que apresenta título de crédito (banco apresentante) ***s2g.*** **3** Quem apresenta algo; APRESENTADOR **4** Quem apresenta título de crédito [F.: *apresentar* + *-nte*.]

apresentar (a.pre.sen.*tar*) ***v.*** **1** Pôr (uma pessoa) em contato com outra(s), dizendo seu nome e/ou sua condição [***tdi.*** + *a*, *para*: *Apresentaram-se um ao outro*: "Apresentaram-me a uma moça grega..." (Guimarães Rosa, *Ave, palavra*)] **2** Pôr (algo ou alguém, inclusive si mesmo) ao alcance da percepção de outrem; EXIBIR; MOSTRAR [***td.***: *O artista apresentou sua obra; Apresente-se quem souber a resposta.*] [***tdi.*** + *a*, *para*: *Vou apresentar a casa aos novos inquilinos.*] **3** Exibir-se em público (teatro, show etc.); atuar como profissional [***int.***: *A atriz vai apresentar-se no teatro da faculdade.*] **4** Exibir claramente, como evidência (de algo); DEMONSTRAR [***td.***: *A porta apresentava marcas de arrombamento.*] **5** Mostrar(-se), exibir(-se) ao público [***td.***: *A TV apresentou um programa sobre Noel Rosa.*] [***tdi.*** + *a*, *para*: *A turma da tarde apresentou um mural à professora.*] [***int.***: "...o time do Cruzeiro se apresentou melhor..." (*Folha de São Paulo*, 27.11.1999)] **6** Levar (algo ou alguém, inclusive si mesmo) à presença de alguém, ger. uma autoridade) [***td.***: *Os investigadores apresentaram o suspeito; O embaixador apresentou suas credenciais.*] [***tdi.*** + *a*, *para*: *O promotor apresentará o réu ao juiz; Vou apresentar-me à Justiça Eleitoral.*] **7** Fazer(-se) conhecer; EXPOR(-SE) [***td.***: *Na reunião, o diretor apresentou suas decisões.*] [***tdi.*** + *a*, *para*: *Apresentei minha preocupação à família.*] [***int.***: *Quando se examinou melhor o projeto, novos problemas se apresentaram.*] **8** Submeter (algo) à apreciação de (alguém) [***td.***: *O monitor apresentará seu trabalho na jornada de iniciação científica.*] [***tdi.*** + *a*, *para*: *O doutorando apresentou o exame de qualificação à banca examinadora.*] **9** Indicar para avaliação ou julgamento; PROPOR [***tdi.*** + *a*, *para*: *O técnico vai apresentar garotos ao time do bairro.*] [***tdp.***: *Apresentou a proposta como irrecusável; Levantou-se e apresentou-se como candidato à reeleição.*] **10** Indicar como justificativa, causa etc. [***td.***: *O diagnóstico apresentava as causas da doença.*] [***tdi.*** + *a*, *para*: *O médico apresentou ao paciente novas explicações para a doença.*] **11** Revelar (sentimento de gratidão ou simpatia), por meio de palavras; manifestar verbalmente (cumprimentos, homenagem etc.) [***tdi.*** + *a*, *para*: *O papa apresentou felicitações aos novos cardeais; Apresentei-lhe os meus cumprimentos.*] **12** Expor (obras artísticas, científicas, espetáculo etc.); EXIBIR [***td.***: *No teatro da faculdade, os alunos apresentaram uma excelente peça.*] **13** Tornar conhecido do público; DIFUNDIR; DIVULGAR [***td.***: *A revista da TV apresenta previamente o resumo da programação.*] [***tdi.*** + *a*, *para*: *O jornal apresentou aos eleitores o resultado da pesquisa eleitoral.*] **14** Manifestar(-se) sob certo aspecto, de certa maneira (pessoa ou coisa); MOSTRAR(-SE) [***td.***: *Apresentava um comportamento indigno do cargo; Apresentou-se muito bem num traje azul-marinho.*] **15** Ter em si; CONTER; ENCERRAR [***td.***: *O caso judicial apresenta pistas obscuras.*] **16** Pôr à disposição; OFERECER [***td.*** / ***tdi.*** + *a*, *para*: *O comprador apresentou fiança (ao dono da loja).*] **17** Mandar de volta; ENTREGAR; RESTITUIR [***tdi.***: *Apresentei na delegacia os documentos roubados.*] [***tdi.*** + *a*, *para*: *Apresentei ao gerente da loja o aparelho defeituoso.*] **18** Dar algo a alguém; OFERECER [***tdi.*** + *a*, *para*: *Apresentei-lhe uma bela pulseira como presente de aniversário.*] **19** Entrar com recurso; dar entrada em [***tda.***: *Apresentei uma solicitação em juízo.*] **20** Fazer(-se) notar por alguma particularidade [***td.***: *Suas mãos apresentavam muitas rugas.*] **21** Começar a aparecer; figurar-se de modo real ou imaginário; SURGIR [***int.***: *Apresentam-se novos problemas em meu trabalho.*] **22** Indicar o nome, função etc. de; IDENTIFICAR-SE; NOMEAR-SE [***tdp.***: *O menino apresentou-se como Alexandre; Carlos apresentou-o como o novo diretor do colégio.*] **23** *Econ.* Exibir (documento de crédito) para ser aceito ou pago [***td.***: *Apresentar uma nota promissória.*] [***tdi.*** + *a*, *para*: *Os advogados apresentaram ao presidente da empresa as promissórias vencidas.*] **24** Pôr na presença de um público (real ou virtual, neste último caso através de meios de comunicação) (conferencista, espetáculo e/ ou elementos que nele desempenham um papel) [***td.***: *O coordenador da sessão apresentou o conferencista.*] [▶ 1 apresentar] [F.: *a-*[2] + *presente* + *-ar*[2]. Hom./Par.: *apresentáveis* (fl.), *apresentáveis* (a2g. pl.).]

apresentável (a.pre.sen.*tá*.vel) ***a2g.*** **1** Que é passível ou digno de ser apresentado (letra apresentável) **2** Que tem boa aparência, boa apresentação (pessoa apresentável) [Pl.: *-veis*.] [F.: *apresenta(r)* + *-vel*. Hom./Par: *apresentáveis* (pl.), *apresentáveis* (fl. de *apresentar*);.]

apresilhar (a.pre.si.*lhar*) ***v.*** **1** Prender com presilha(s); fechar a presilha de [***td.***: "...apresilhei o cabresto; o pingo agarrou a volta e eu montei, aliviado." (João Simões Lopes Neto, *Contos gauchescos*)] [***tr.*** + *a*: "...e fazendo a cada movimento tanger o cincerro que apresilhara ao próprio pescoço..." (Euclides da Cunha, *Os sertões*)] **2** Guarnecer de presilhas ou cordões de trancelim de seda ou de lã [***td.***: *Apresilhou o chapéu à moda antiga.*] [▶ 1 apresilhar] [F.: *a-*[2] + *presilha* + *-ar*[2].]

apressado (a.pres.*sa*.do) ***a.*** **1** Que tem pressa (motorista apressado); AÇODADO **2** Que é feito ou realizado de maneira intempestiva; PRECIPITADO: *Não tire conclusões apressadas.* **3** Que é feito com rapidez: *Fez uma refeição apressada antes de sair.* **4** Ansioso, impaciente (sujeito apressado) [F.: Part. de *apressar*. Hom./Par.: *apressado* (a.), *apreçado* (a.).]

apressador (a.pres.sa.*dor*) [ô] ***a.*** **1** Que apressa, acelera ou precipita (elemento apressador) ***sm.*** **2** Aquele ou aquilo que apressa, acelera ou precipita: *um apressador de soluções.* [F.: *apressar* + *-dor*. Hom./Par.: *apreçador* (a. sm.).]

apressamento (a.pres.sa.*men*.to) ***sm.*** Ação ou resultado de apressar(-se) [F.: *apressa(r)* + *-mento*. Hom./Par.: *apressamento* (sm.), *apreçamento* (sm.).]

apressar (a.pres.*sar*) ***v.*** **1** Tornar ou tentar tornar mais rápido (ação ou alguém [inclusive si mesmo] que executa uma ação) [***td.***: *Apressou o irmão / as pedaladas para alcançar os colegas; Apresse-se, temos de sair logo.*] [***tdr.*** + *a*, *em*: *João apressou-se a responder*: "...por isso que me apresso em dizer que não sou contra..." (João Ubaldo Ribeiro, *O conselheiro come*)] **2** Fazer ou tentar fazer acontecer antes do tempo previsto; ANTECIPAR [***td.***: *A frente fria apressou a chegada do inverno.*] [▶ 1 apressar] [F.: *a-*[2] + *pressa* + *-ar*[2]. Cf. *apreçar*. Hom./Par.: *apreçar* (em todas as fl.); *apresso* (fl.), *apresso* [ê] (sm.); *apresso* (fl.), *apreço* (sm.). Ant ger.: *desapressar*.]

apressurado (a.pres.su.*ra*.do) ***a.*** **1** Que tem pressa ou se apressa; AÇODADO; APRESSADO; DILIGENTE; PRESSUROSO **2** *Antq.* Que não tem paciência **3** *Antq.* Que age sem prudência, precipitadamente; PRECIPITADO [F.: Part. de *apressurar*.]

apressuramento (a.pres.su.ra.*men*.to) ***sm.*** Ação ou resultado de apressurar(-se); PRECIPITAÇÃO; PRESSA [Ant.: *vagar*.] [F.: *apressurar* + *-mento*.]

apressurar (a.pres.su.*rar*) ***v.*** Executar com muita rapidez; tornar(-se) apressado; APRESSAR(-SE) [***td.***: *Apressurou medidas de contenção.*] [***tdr.*** + *em*, *para*: *Apressurou-se na resposta e errou.*] [▶ 1 apressurar] [F.: Do espn. *apresurar*.]

aprestamento (a.pres.ta.*men*.to) ***sm.*** **1** Ação ou resultado de aprestar(-se) **2** *Mil.* Conjunto das medidas, que incluem instrução, adestramento e logística, necessárias para preparar uma organização militar para ação imediata [F.: *apresta(r)* + *-mento*.]

aprestar (a.pres.*tar*) ***v.*** **1** Preparar(-se) prontamente [***td.***: *Como tivesse de partir imediatamente, aprestou o essencial.*] [***tdr.*** + *para*: *Aprestou os cavalos para a viagem; Aprestava-se para entrar em cena.*] **2** *Mar.* Aparelhar, equipar (navio) com aprestos [***td.***: *Os marinheiros aprestaram a embarcação.*] [▶ 1 aprestar] [F.: Do adv. latino *praesto* 'pronto, à disposição', pelo lat. medv. *apparaestare 'pôr à disposição'. Hom./Par.: *apresto* (fl.), *apresto* (sm.). Ant. ger.: *desaprestar*.]

apresto (a.*pres*.to) [ê] ***sm.*** **1** Ação ou resultado de aprestar(-se); APRESTAMENTO **2** Material, equipamento necessário para trabalho, obra, tarefa etc.; PETRECHO [Nesta acp., mais us. no pl.] **3** Preparativo para ação, tarefa etc. [F.: Dev. de *aprestar*. Hom./Par.: *apresto* (sm.), *apresto* (fl. de *aprestar*).]

aprestos (a.*pres*.tos) [ê] ***smpl.*** **1** *Mar.* Utensílios que precisam ser colocados em um navio para que ele possa zarpar **2** Petrechos [F.: Pl. de *apresto*.]

aprilino (a.pri.*li*.no) ***a.*** **1** Ref. a ou próprio do mês de abril; ABRILINO **2** *Fig.* Que é novo e apresenta aspecto saudável; FRESCO; VIÇOSO: "Flor cujo corpo é o aprilino oásis..." (Eugênio de Castro, *Oaristos*) [F.: *abril* (f. rad. *april-*) + *-ino*.]

aprimorado (a.pri.mo.*ra*.do) ***a.*** **1** Que foi aperfeiçoado, melhorado (edição aprimorada) ***a.*** **2** Que foi feito com capricho, primor, esmero (trabalho aprimorado) **3** Que denota requinte, sofisticação (acabamento aprimorado) [F.: Part. de *aprimorar*.]

aprimorador (a.pri.mo.ra.*dor*) [ô] ***a.*** **1** Que aperfeiçoa, que aprimora ***sm.*** **2** Aquele que aperfeiçoa, que aprimora [F.: *aprimora(r)* + *-dor*.]

aprimoramento (a.pri.mo.ra.*men*.to) *sm.* **1** Ação ou resultado de aprimorar(-se) *sm.* **2** Ação ou processo de tornar melhor, mais perfeito; APERFEIÇOAMENTO: *O aprimoramento constante dos processos de produção.* **3** Excelência, perfeição resultantes desse processo: *produtos de grande aprimoramento técnico.* [F.: *aprimora(r)* + *-mento*.]

aprimorar (a.pri.mo.*rar*) *v.* Fazer ficar ou ficar melhor (qualidade de) algo ou alguém (inclusive si mesmo); tornar(-se) primoroso; APERFEIÇOAR(-SE) [*td.*: *aprimorar o estilo.*] [*tr.* + *em*: *aprimorar-se no inglês.*] [*int.*: *O aluno aprimorou-se, ao ler bons livros.*] [▶ 1 **aprimorar**] [F.: *a-*² + *primor* + *-ar*².]

⊕ ***a priori*** (*Lat. / a prióri/*) *loc. a.* **1** *Fil.* Que independe completamente da experiência (conhecimento *a priori*, ciência *a priori*) **2** *Fil.* Diz-se de argumento ou raciocínio em que se demonstra um efeito com base em sua causa **3** *P. ext.* Determinado sem análise ou verificação **4** *P. ext.* Procedente de análise ou dedução, cujos princípios e informações foram dados previamente *loc. adv.* **5** Por dedução, com base em dados preliminares: *A priori, todos tem direito à educação.* **6** *P. ext.* Independentemente da experiência: *A priori, sei que o trabalho vai dar certo.* **7** *P. ext.* Por suposição ou convenção [Ant.: *a posteriori*]

apriorismo (a.pri:o.*ris*.mo) *sm. Fil.* Sistema, doutrina dos que atribuem, como causa de fenômenos e processos, elementos presentes *a priori*, ou seja, independentemente da natureza dos fatos e do desenvolvimento dos processos [F.: Do fr. *apriorisme*, da loc. lat. *a priori*.]

apriorista (a.pri:o.*ris*.ta) *a2g.* **1** Ref. a apriorismo; apriorístico (subjetivismo apriorista) *s2g.* **2** Que raciocina com base em elementos admitidos *a priori* **3** Que é partidário do apriorismo *sm.* **4** Indivíduo apriorista (3) [F.: Da loc. lat. *a prior(i)* + *-ista*.]

apriorístico (a.pri:o.*rís*.ti.co) *a.* Ref. a apriorismo ou a apriorista; em que há apriorismo, que não depende da experiência: *Essa conclusão é apriorística, não considerou as evidências.* [F.: *apriorista* + *-ico*².]

apriscar (a.pris.*car*) *v. td.* **1** *P. us.* Encerrar(-se) em aprisco, em curral **2** *P. ext.* Conceder abrigo a (alguém ou si mesmo); abrigar(-se) **3** *Fig.* Meter em cárcere, em prisão; PRENDER [▶ **11 apriscar**] [F.: Do lat. *appressicare. Hom./Par.: *aprisco* (fl.), *aprisco* (sm.).]

aprisco (a.*pris*.co) *sm.* **1** Curral, esp. de ovelhas; REDIL **2** *Fig. Rel.* A igreja, como abrigo de fiéis (configurados como rebanho): *Todas as ovelhas de Deus estão no aprisco de Jesus.* **3** *P. ext.* O lar, a casa, como abrigo **4** *P. ext.* Choupana, casa rústica **5** *P. ext.* Local suspeito ou misterioso; ANTRO; COVIL [F.: Dev. de *apriscar*.]

aprisionado (a.pri.si:o.*na*.do) *a.* **1** Que se aprisionou; feito prisioneiro, preso, encarcerado **2** *Fig.* Retido, capturado (instante aprisionado) **3** *Fig.* Sujeito, submisso, cativo (coração aprisionado) [F.: Part. de *aprisionar*.]

aprisionador (a.pri.si:o.na.*dor*) [ô] *a.* **1** Que aprisiona *sm.* **2** Aquele ou aquilo que aprisiona [F.: *aprisionar* + *-dor*. Sin. ger.: *captor, prendedor*.]

aprisionamento (a.pri.si:o.na.*men*.to) *sm.* Ação ou resultado de aprisionar, de fazer prisioneiro; CAPTURA; PRISÃO [F.: *aprisionar* + *-mento*.]

aprisionar (a.pri.si:o.*nar*) *v. td.* **1** Tornar cativo, privar da liberdade: *aprisionar um inimigo/um cão raivoso.* [Ant.: *libertar, soltar*.] **2** Pôr na prisão [▶ **1 aprisionar**] [F.: *a-*² + *prisão* + *-ar*², seg. o mod. erudito. Sin. ger.: *prender*.]

aproamento (a.pro:a.*men*.to) *sm.* Ação ou resultado de aproar [F.: *aproar* + *-mento*.]

aproar (a.pro.*ar*) *v.* **1** *Mar.* Dar certa direção à proa de (embarcação) [*tda.*: *De manhã aproaremos o navio para o sul.*] **2** Direcionar-se (embarcação) para certa direção, para certo lugar [*ta.*: *O veleiro aproou para a costa.*] **3** Chegar (a um porto ou a outro lugar); ARRIBAR [*ta.*: *Bem cedo aproamos em Santos.*] [▶ **16 aproar**] [F.: *a-*² + *proa* + *-ar*².]

aprobativo (a.pro.ba.*ti*.vo) *a.* **1** Que aprova (resposta aprobativa) **2** Que exprime aprovação: *Esta análise da proposta tem um teor aprobativo.* [F.: Do lat. *approbativus, a, um.* Sin. ger.: *aprobatório*.]

aprobatório (a.pro.ba.*tó*.ri:o) *a.* Que aprova, que expressa aprovação; APROBATIVO: *Emitiu um parecer aprobatório ao plano de expansão.* [F.: *aprovado*, sob a f. radical *aprobat-* + *-ório*.]

aprochegar-se (a.pro.che.*gar*-se) *Bras. Pop. v.* Chegar muito perto; ABEIRAR-SE; ACHEGAR-SE; ABEIRAR-SE [*tr.* + *a, de*: *A gata aprochegou-se a mim, ronronando.*] [*int.*: *Vamos, entre; aprochegue-se!*] [▶ **14 aprochegar-se**] [F.: Fusão de *aproximar-se* + *chegar-se*.]

aprofundado (a.pro.fun.*da*.do) *a.* **1** Que se aprofundou, que penetrou profundamente (sofrimento aprofundado) **2** *Fig.* Em que se foi a fundo, em que se desceu a minúcias (debate/estudo aprofundado) **3** Que se tornou mais intenso, mais denso, mais agudo (conflito aprofundado) [F.: Part. de *aprofundar*.]

aprofundamento (a.pro.fun.da.*men*.to) *sm.* Ação ou resultado de aprofundar(-se) [+ *de, em*: *aprofundamento de /em uma questão.*] [F.: *aprofunda(r)* + *-mento*.]

aprofundar (a.pro.fun.*dar*) *v.* **1** Tornar(-se) fundo ou mais fundo [*td.*: *aprofundar um poço.*] [*int.*: *O buraco aprofundou-se com a chuva.*] **2** Introduzir(-se) (mais) profundamente [*ta.*: *O coelho aprofundou-se na toca; Os meninos aprofundaram-se no bosque.*] [*td.*: *Martelou a estaca com força para aprofundá-la.*] **3** *Fig.* Investigar, examinar a fundo [*td.*: *O mestrando aprofundou a pesquisa.*] [*tr.* + *em*: *Aprofundou-se no estudo da história.*] **4** Tornar(-se) (mais) profundo (sentimento) [*td.*: *A convivência aprofundou sua amizade.*] [*int.*: *Com a convivência, sua amizade aprofundou-se.*] **5** Levar a fundo, ao extremo [*td.*: "Lula destaca que o Mercosul aprofundou relação entre países." (*Estado de São Paulo*, 17.12.2004)] [▶ **1 aprofundar**] [F.: *a-*² + *profundar*.]

aprontado (a.pron.*ta*.do) *a.* **1** Que se aprontou, que se preparou; PRONTO; PREPARADO: *No jogo se viu a diferença: o time aprontado ganhou fácil.* **2** Preparado ardilosamente (jogada aprontada) [F.: Part. de *aprontar*.]

aprontar (a.pron.*tar*) *v.* **1** Fazer ficar ou ficar pronto (para uso, para ação); PREPARAR [*td.*: *É hora de aprontar o equipamento:* "Tua esposa (...) aprontará as mais saborosas iguarias..." (José de Alencar, *Ubirajara*)] [*tdr.* + *para*: *Apronte-se para o que der e vier.*] **2** Dar conclusão, arrematar a; ACABAR; TERMINAR [*td.*: *Já aprontamos o relatório.*] **3** Vestir(-se) para sair; ARRUMAR(-SE) [*td.*: *Apronte as crianças, que já vamos sair; Lúcia gasta muito tempo se aprontando.*] **4** *Bras. Pop.* Fazer, executar (algo que surpreende, travessura, confusão etc.) [*td.*: *Essa garota só apronta confusão.*] [*int.*: *Esses meninos já aprontaram bastante!*] **5** *Bras. Pop.* Preparar uma armadilha, um ardil [*td.*: *O chefe vive aprontando sujeiras.*] **6** *MG Pop.* Dar a (alguém) chá de raízes, para conquistar-lhe a afeição, a amizade, a estima [*td.*: *Para despertar o amor do namorado, a jovem aprontou-lhe um chá de raízes.*] **7** *Bras. Esp.* Realizar o último treino antes de um jogo, uma corrida (de cavalos) etc. [*int.*: *A seleção aprontou hoje em Teresópolis; O cavalo favorito aprontou bem.*] **8** *Bras. Pop.* O mesmo que *engravidar* [*int.*: *Foi mãe muito jovem, porque aprontou cedo.*] [▶ **1 aprontar**] [F.: *a-*² + *pronto* + *-ar*².]

apronto (a.*pron*.to) *sm.* **1** Aprestamento, preparo **2** *Turfe* Último galope de treinamento de um cavalo antes da corrida de que irá participar **3** *Esp.* Último exercício ou preparação para uma competição esportiva [F.: Regress. de *aprontar*. Hom./Par.: *apronto* (fl. *aprontar*).]

apropinquação (a.pro.pin.qua.*ção*) *sf.* Ação ou resultado de apropinquar(-se); APROXIMAÇÃO; AVIZINHAMENTO; PROXIMIDADE [Ant.: *afastamento, arredamento, distanciamento*.] [Pl.: *-ções*.] [F.: Do lat. *appropinquatio, onis*.]

apropinquar (a.pro.pin.*qu ar*) *v.* O mesmo que *aproximar* (pôr(-se) próximo, tornar(-se) próximo, estar próximo) [*td.*] [*tdr.* + *a, de*] [▶ **17 apropinquar**] [F.: Do lat. *appropinquare*.]

⊕ ***à propos*** (*Fr. /apropô/*) *loc. adv.* **1** De modo oportuno, ou no tempo apropriado, oportuno; CONVENIENTEMENTE; OPORTUNAMENTE *loc. a.* **2** Oportuno, conveniente **3** A propósito de, concernente a [F.: Do fr. *à* (prep.) + *propos*, 'propósito', do v. fr. *proposer*, 'propor'. Cf.: *à-propos* (sm.).]

à-propos (*Fr. /apropô/*) *sm.* O mesmo que *a propósito* [Cf.: *à propos* (loc.).]

apropositar (a.pro.po.si.*tar*) *v.* **1** Fazer ou dizer (alguma coisa) a propósito, de maneira adequada, oportuna [*td.*] **2** Fazer com que (algo) fique adequado à razão, à sensatez; acomodar [*td.*] [*tdr.*] **3** Tornar-se sensato [*td.*] [▶ **1 apropositar**] [F.: *a-*² + *propósito* + *-ar*². Hom./Par.: *aproposito* (fl.), *apropósito* (sm.) e *a propósito* (snt.).]

a propósito (a pro.*pó*.si.to) *sm.* Propriedade, justeza ou correção naquilo que se diz ou se faz [F.: Substv. da loc. *a propósito*.]

apropriação (a.pro.pri:a.*ção*) *sf.* **1** Ação ou resultado de apropriar(-se), de tornar(-se) próprio, adequado, conveniente; ADAPTAÇÃO; ADEQUAÇÃO **2** Ação ou resultado de apropriar-se de algo, de tomar como próprio, de apoderar-se **3** *Publ.* Orçamento para plano publicitário apresentado ao cliente **4** *Bras.* Destinação e aplicação de verba para certa atividade [Pl.: *-ções*.] [F.: Do lat. *appropriatio, onis*.] ▪ **~ direta** *Etnog.* Atividade econômica dos povos primitivos, que consistia na coleta direta da natureza, como na caça e na pesca rudimentares **~ indébita** *Jur.* Ato de se apoderar de bem alheio, sem consentimento do dono legal

apropriado (a.pro.pri:*a*.do) *a.* **1** Que se apropriou, que foi objeto de apropriação **2** Adequado, oportuno para uma certa situação, uso ou propósito: *Fez um discurso apropriado para a ocasião.* [+ *a, para*: *apropriado aos/para os objetivos.*] [F.: Part. de *apropriar*.]

apropriador (a.pro.pri:a.*dor*) [ô] *a.* **1** Que se apropria de algo *sm.* **2** Aquele ou aquilo que se apropria de algo: *É mais que um agente, é um verdadeiro apropriador de talentos.* **3** Funcionário de uma empresa encarregado de fazer apontamentos dos diversos aspectos do processo de produção da empresa; APONTADOR: *Meu cargo era de apropriador e tinha que medir metros cúbicos de produção, nos tanques de areia.* **4** *Vest.* Oficial de chapelaria que trabalha numa fase do acabamento de chapéus (chamada *apropriagem*) [Pl.: *-ores*.] [F.: *apropriar* + *-dor*.]

apropriar (a.pro.pri.*ar*) *v.* **1** Tomar posse de; tomar como propriedade; fazer(-se) dono de; APODERAR(-SE) [*td.*: *O homem moderno apropriou novas tecnologias.*] [*tr.* + *de*: "...Era incapaz de apropriar-se do alheio..." (José de Alencar, *Senhora*)] **2** Tornar(-se) adequado ou certo; tornar próprio; ACOMODAR; ADEQUAR(-SE); ADAPTAR(-SE) [*tdr.* + *a*: *Não soube apropriar a linguagem àquele momento solene.*] [*tr.* + *a, para*: *Há trajes que se apropriam à ocasião.*] [▶ **1 apropriar**] [F.: *a-*² + *próprio* + *-ar*². Ant. ger.: *desapropriar*.]

aprosexia (a.pro.se.*xi*.a) [cs] *sf. Psiq.* Quadro clínico caracterizado pela ausência de atenção ou impossibilidade de fixá-la, e que pode ser causado por debilidade mental ou por distúrbio auditivo [F.: Do lat. cient. *aprosexia*, do gr. *aproseksía, as* 'desatenção'.]

aprosodia (a.pro.so.*di*.a) *sf. Neur.* Distúrbio de linguagem caracterizado pela ausência do tom, do ritmo e das variações normais de acento na fala [F.: *a-*¹ + gr. *prosodía* 'acento tônico'.]

aprosopia (a.pro.so.*pi*.a) *sf. Trt.* Anomalia congênita caracterizada pela ausência, total ou parcial, de formações anatômicas da face [F.: *a-*¹ + *-prosop(o)-* + *-ia*¹.]

aprovação (a.pro.va.*ção*) *sf.* **1** Ação ou resultado de aprovar **2** Manifestação de consentimento, de anuência: *É menor de idade, e precisa da aprovação dos pais para se casar.* **3** Manifestação de avaliação positiva, favorável de algo ou de alguém: *Pesquisas indicam que a medida obteve aprovação da população.* **4** Reconhecimento formal de desempenho satisfatório em prova, exame ou concurso: *Obteve aprovação em todas as disciplinas.* **5** *Jur.* Homologação, confirmação por ato judicial, ratificação de ato ou contrato **6** *Fil.* Avaliação positiva segundo critério de avaliação predeterminado [Pl.: *-ções*.] [F.: Do lat. *approbatio, onis*.]

aprovado (a.pro.*va*.do) *a.* **1** Sancionado por instância competente: *As leis aprovadas entraram em vigor imediatamente.* **2** Que se aprovou ou aprova; considerado bom **3** Que obteve êxito em prova, exame ou concurso: *Lista de estudantes aprovados no vestibular.* *sm.* **4** Aquele ou aquilo que foi aprovado, que obteve aprovação: *Os aprovados no exame devem-se apresentar amanhã.* [F.: Part. de *aprovar*.]

aprovador (a.pro.va.*dor*) [ô] *a.* **1** Que aprova: *Fez um comentário aprovador.* *sm.* **2** Aquele que aprova: *O presidente da banca é, no fundo, o grande aprovador ou desaprovador de candidatos.* **3** *Ant.* No processo de censura (de livros, filmes, notícias etc.), aquele a quem cabia aprovar (ou não) a liberação do material examinado [F.: *aprovar* + *-dor*.]

aprovar (a.pro.*var*) *v.* **1** Achar bom ou merecedor de elogios; dar aprovação a, gostar de, aplaudir [*td.*: *Minha mãe não aprova o seu comportamento.*] **2** Concordar com (lei, medida, regulamento etc.) e autorizar; SANCIONAR [*td.*: *O congresso aprovou o novo orçamento.*] **3** Dar consentimento a; PERMITIR [*td.*: *Os pais aprovaram sua mudança de escola.*] **4** Considerar (aluno, candidato) apto em exame ou segundo determinados critérios [*td.*: *O professor aprovou toda a turma.*] [*int.*: *Há professores que não gostam de aprovar.*] **5** Dar a (alguém) condições para passar em prova, concurso etc. [*td.*: *Nosso cursinho aprova muita gente no vestibular.*] **6** Mostrar-se ou ser considerado bom ou útil [*int.*: *O novo uniforme do time não aprovou.*] [▶ **1 aprovar**] [F.: Do lat. *approbare*.]

aprovável (a.pro.*vá*.vel) *a2g.* Digno de aprovação [Pl.: *-veis*.] [F.: Do lat. *approbabilis, e.* Hom./Par.: (pl.) *aprováveis, aprováveis* (fl. de *aprovar*).]

aproveitado (a.pro.vei.*ta*.do) *a.* **1** Que se aproveitou [+ *em, para, por*: "As palavras latinas foram apenas aproveitadas na hierarquia da Igreja." (João Ribeiro, *Curiosidades verbais*): "Músicas de dança aproveitadas pelos moradores da fazenda para o sapateio..." (Alberto Rangel, *Fura-mundo*)] **2** De que se retira proveito: *O passeio foi bem aproveitado* **3** Que tem apresentado aproveitamento **4** Que se revela útil ou lucrativo: *Um investimento bem aproveitado.* **5** *Lus. Pop.* Econômico, poupado, que sabe tirar proveito de tudo [F.: Part. de *aproveitar*. Ant. ger.: *desaproveitado*.]

aproveitador (a.pro.vei.ta.*dor*) [ô] *a.* **1** Que aproveita **2** *Pej.* Que se vale de uma situação para se aproveitar de outrem, para obter vantagem pessoal (parente aproveitador) *sm.* **3** *Pej.* Indivíduo aproveitador (2) [F.: *aproveita(r)* + *-dor*.]

aproveitamento (a.pro.vei.ta.*men*.to) *sm.* **1** Ação ou resultado de aproveitar (algo), ou de aproveitar-se (de algo) **2** Utilização apropriada de alguém ou de algo, ou das qualidades de algo: *O aproveitamento de açúcares pelas células.* **3** Progresso em alguma atividade, ger. de estudo ou aprendizado: *Maria tem demonstrado ótimo aproveitamento no curso.* [F.: *aproveita(r)* + *-mento*.]

aproveitar (a.pro.vei.*tar*) *v.* **1** Fazer bom uso de; usar bem; tirar vantagem de (algo ou alguém) [*td.*: *Aproveitei as sobras e fiz uma sopa;* "...Viera só aproveita o sábado..." (Ana Maria Machado, *A audácia dessa mulher*)] [*int.*: *É melhor aproveitar enquanto se é jovem.*] **2** Usar (uma situação) para conseguir benefício; UTILIZAR(-SE) [*td.*: *Aproveitou o cochilo do irmão e pegou o brinquedo.*] [*tr.* + *de*: "...não se aproveitou da vitória para invadir as terras..." (Alberto da Costa e Silva, *A manilha e o libambo*)] **3** *Bras. Pop.* Tirar vantagem de (inocência ou ingenuidade de) (alguém), para praticar ato ger. libidinoso [*tr.* + *de*: *O malandro se aproveitou da mocinha romântica.*] **4** Fazer uso proveitoso de ou ter uso proveitoso (algo, material, atividade etc.) [*td.*: *Aproveitou a sobra da fazenda e fez uma blusa.*] [*tr.* + *a*: *A quem aproveita tanta ginástica?*] **5** Ter resultado vantajoso; ter progresso, ger. intelectual (em) [*td.*: *O aluno aproveitou bem as aulas partiulares.*] [*int.*: *Tem tudo para aproveitar, mas não gosta de estudar.*] [▶ **1 aproveitar**] [F.: *a-*² + *proveito* + *-ar*². Hom./Par.: *aproveitáveis* (fl.), *aproveitáveis* (pl. de *aproveitável* [a2g.]).]

aproveitável (a.pro.vei.*tá*.vel) *a2g.* Que se pode aproveitar [+ *a, em, para*: *princípios aproveitáveis à/na/para a educação.*] [Ant.: *inaproveitável*] [Pl.: *-veis*.] [F.: *aproveita(r)* + *-vel*. Hom./Par.: *aproveitáveis* (pl.), *aproveitáveis* (fl. de *aproveitar*).]

aprovisionado (a.pro.vi.si:o.*na*.do) *a.* Que se aprovisionou, abasteceu; ABASTECIDO; PROVIDO: *No fim do mês, tinha sempre uma despensa aprovisionada.* [F.: Part. de *aprovisionar*.]

aprovisionador (a.pro.vi.si:o.na.*dor*) [ô] *a.* **1** Que aprovisiona, que abastece, que provê *sm.* **2** Aquele ou aquilo que aprovisiona, abastece: *Este supermercado é meu principal aprovisionador.* [F.: *aprovisionar* + *-dor.*]

aprovisionamento (a.pro.vi.si:o.na.*men*.to) *sm.* Ação ou resultado de aprovisionar(-se), de munir-se, abastecer-se de provisões [F.: *aprovisiona(r)* + *-mento.*]

aprovisionar (a.pro.vi.si:o.*nar*) *v.* Encher, abastecer (inclusive si mesmo) com provisões, mercadorias etc.; ABASTECER [*td.: Precavido, aprovisionou a despensa.*] [*tdr.* + *de: Sempre que acampam, aprovisionam-se de mantimentos.*] [▶ 1 aprovisionar] [F.: *a-*² + *provision-* (*provisão*) + *-ar*².]

aproximação (a.pro.xi.ma.*ção*) [ss] *sf.* **1** Ação ou resultado de aproximar(-se) **2** Proximidade (no tempo ou no espaço); AVIZINHAÇÃO; AVIZINHAMENTO: *Os dias mais longos indicavam a aproximação do verão.* **3** *Fig.* Estabelecimento de vínculos entre pessoas, grupos, países etc.: *O Brasil busca aproximação com a África.* [+ *de...a, com, entre: aproximação do povo aos / com os governantes; aproximação entre povos.*] **4** *Mat.* Cálculo que determina valor próximo ao valor exato de algo; ESTIMATIVA: *resultado obtido por aproximação.* **5** *Mat.* Este valor aproximado **6** *Art. gr.* Face lateral da matriz de um tipo tipográfico, que determina a distância entre duas letras seguidas **7** *Art. gr.* Espaçamento entre duas letras numa composição tipográfica [Pl.: *-ções.*] [F.: *aproxima(r)* + *-ção.*]

aproximadamente (a.pro.xi.ma.da.*men*.te) [ss] *adv.* **1** Por volta de, cerca de, em torno de: *Levei aproximadamente duas horas para chegar aqui.* **2** Por aproximação (diz-se de cálculo ou avaliação), de modo que o erro cometido seja desprezível [F.: *aproximada*, fem. de *aproximado* + *-mente.*]

aproximado (a.pro.xi.*ma*.do) [ss] *a.* **1** Que se aproximou; PRÓXIMO **2** Obtido (valor, resultado de conta etc.) por aproximação (valor aproximado); APROXIMATIVO **3** *Fil.* Diz-se de conhecimento que ainda não adquiriu caráter definitivo, embora se considere válido [F.: Part. de *aproximar.*]

aproximador (a.pro.xi.ma.*dor*) [ss, ô] *a.* **1** Que aproxima: *Sua atitude era amistosa e aproximadora.* *sm.* **2** Aquilo ou aquele que aproxima: *A solidariedade é um aproximador de pessoas.* **3** *Mat.* Dispositivo matemático (algoritmo, fórmula etc.) que calcula com aproximação **4** *Cir.* Aparelho que, em cirurgia, aproxima partes afastadas (órgãos, ossos ou partes deles) [F.: *aproximar* + *-dor.*]

aproximante (a.pro.xi.*man*.te) [ss] *a2g.* **1** Que aproxima ou se aproxima *sf.* **2** Consoante aproximante [F.: *aproximar* + *-nte.*]

aproximar (a.pro.xi.*mar*) [ss] *v.* **1** Pôr(-se), estar ou ficar (mais) próximo (no espaço); AVIZINHAR(-SE) [*td.: Aproxime mais os vasos de flores.*] [*tdr.* + *de: Quer aproximar a sua cadeira da nossa?*] [*int.: Cuidado! Um caminhão está se aproximando!*] [Ant.: *afastar.*] **2** Fazer parecer mais próximo [*td.: Os óculos aproximam os objetos.*] **3** Estar (evento, situação etc.) mais perto de acontecer (no tempo) [*td.: As falcatruas aproximam a queda do governo.*] [*tr.* + *de: Muitos animais se aproximam da extinção.*] [*int.: As férias estão se aproximando.*] **4** Estabelecer vínculo, relação com, entre [*td.: Queria aproximar os irmãos brigados.*] [*tdr.* + *de: É preciso aproximar a população dos centros comunitários;* "...não queria que eu me aproximasse da irmã..." (João Ubaldo Ribeiro, *Diário do farol*)] **5** Ter semelhança(s) com [*tr.* + *a, de: Em certos aspectos, o carnaval do Rio se aproxima ao / do de Veneza.*] **6** *Mat.* Calcular resultado de conta, medida etc., com aproximação [*td.: aproximar o valor dos juros.*] **7** *Cin. Fot. Telv.* Fechar uma cena (ocupar o enquadramento com um detalhe) diminuindo a distância da lente, lente de aproximação ou zum) [*int.*] [▶ 1 aproximar] [F.: Do lat. *approximare.*]

aproximativo (a.pro.xi.ma.*ti*.vo) [ss] *a.* **1** Obtido por aproximação (cálculo aproximativo); APROXIMADO **2** Que (se) aproxima [F.: *aproxima(r)* + *-tivo.*]

aprumado (a.pru.*ma*.do) *a.* **1** Que está ou foi posto na posição vertical: *Mantenha o barco o mais aprumado possível.* **2** *P. ext.* Empertigado, ereto **3** *Fig.* Que se veste com elegância, bem-vestido; ALINHADO **4** *Fig.* Diz-se de indivíduo digno, honesto, íntegro **5** *Fig. Bras.* Que se encontra em boa situação de vida, após ter sofrido problema financeiro ou de saúde [F.: Part. de *aprumar.*]

aprumar (a.pru.*mar*) *v.* **1** Pôr(-se) a prumo, em posição reta e vertical; EMPERTIGAR [*td.: Foi difícil aprumar essa parede; Aprumou-se a fim de parecer mais alto.*] **2** *Bras. Fig.* Melhorar de saúde, de situação econômica, de aparência etc. [*int.: Trabalhou duro e aprumou-se na vida.*] **3** *Fig.* Vestir-se elegantemente, com requinte e apuro [*td.: Aprumou-se para o encontro.*] **4** *Fig.* Tornar(-se) altivo, arrogante [*td.: A riqueza aprumou-a.*] [*int.: Depois da defesa de tese, aprumou-se.*] **5** *Mar.* Usar o prumo para verificar a profundidade da água; PRUMAR [*int.*] [▶ 1 aprumar] [F.: *a-*² + *prumo* + *-ar*²; na acp. 5 *a-*² + *prumar*. Hom./Par.: *aprumo* (fl.), *aprumo* (sm.), *a prumo* (loc.).]

aprumo (a.*pru*.mo) *sm.* **1** Ação ou resultado de aprumar(-se) **2** Posição vertical **3** *Fig.* Elegância no vestir **4** *Fig.* Altivez, arrogância **5** *Bras.* Melhoria sensível nas condições de vida, de saúde etc. [F.: Dev. de *aprumar*. Hom./Par.: *aprumo* (sm.), *aprumo* (fl. de *aprumar*), *a prumo* (loc.).]

apside (ap.*si*.de) *sf.* *Astr.* Ponto de órbita de um astro, satélite artificial ou veículo espacial em que este se encontra mais afastado ou menos afastado do seu centro de atração; ABSIDE [F.: Do gr. *apsís*, *apsidos*.]

apsiquia (ap.si.*qui*.a) *sf.* **1** *Med.* Perda dos sentidos, desmaio **2** *Psiq.* Ausência de consciência **3** *Espt.* Ausência de personalidade que vai de um estado simples e passageiro até a demência [F.: *a-*¹ + *-psiqu(e)-* + *-ia*¹.]

apterigídeo (ap.te.ri.*gí*.de:o) *Ornit.* *sm.* **1** Espécime dos apterigídeos, fam. de aves apterigiformes, com apenas um gên. (*Apterix*) e três espécies caracterizadas pelas pernas curtas, asas vestigiais e ausência de cauda; de hábitos noturnos, habitam a floresta tropical da Nova Zelândia (Oceania) e são conhecidas vulgarmente como quivis *a.* **2** Ref. aos apterigídeos [F.: Do lat. cient. fam. *Apterygidae.*]

apterigiforme (ap.te.ri.gi.*for*.me) *Ornit.* *s2g.* **1** Espécime dos apterigiformes, ordem de aves paleógnatas, não voadoras, que compreende os apterigídeos *a2g.* **2** Ref. aos apterigiformes [F.: Do lat. cient. ordem *Apterygiformes.*]

apterigoto (ap.te.ri.*go*.to) *Ent.* *sm.* **1** Espécime dos apterigotos, subclasse de insetos primitivos sem asas *a.* **2** Ref. aos apterigotos [F.: Do lat. cient. subclasse *Apterygota.*]

aptério (ap.*té*.ri:o) *sm.* *Ant. Arq.* Na Grécia antiga, edifício sem colunas nas fachadas laterais [F.: *a-*¹ + *-pter(o)-* + *-io.*]

áptero (*áp*.te.ro) *a.* **1** Que não tem asa (inseto áptero); DESALADO: *É muito bonzinho, um anjo áptero.* [Ant.: *alado.*] **2** *Bot.* Sem expansão de membranas (pecíolo áptero) *sm.* **3** *Zool.* Espécime dos ápteros, antiga classificação taxonômica para insetos sem asas da ordem dos tisanuros apterigotos (ex.: traça) e dos anopluros artrópodes (ex.: piolho) [F.: *a-*¹ + *-ptero.*]

aptidão (ap.ti.*dão*) *sf.* **1** Capacidade inata; TALENTO: *aptidão para a dança.* **2** Capacidade adquirida ou aprendida: *aptidão para distinguir o certo do errado.* **3** Conjunto de requisitos necessários para o desempenho de uma determinada tarefa ou função: *Ele tem aptidão para a função.* [Pl.: *-dões.*] [F.: Do lat. *aptitudo, inis.*]

apto (*ap*.to) *a.* **1** Que satisfaz as condições para desempenhar uma função ou atividade; HABILITADO; CAPAZ; IDÔNEO [+ *a, para; em: Os candidatos aptos ao / para o cargo deverão retornar amanhã; foi considerado apto em matemática.*] **2** Que preenche as condições legais **3** Que é adequado, apropriado: *livros aptos para um bom aprendizado.* [F.: Do lat. *aptus, a, um.*]

apuá (a.pu:*á*) *sf.* *Bras. Zool.* A fêmea do siri [F.: De or. obsc., posv. do tupi.]

apuar (a.pu.*ar*) *v.* **1** Dar forma de pua a; AGUÇAR [*td.*] **2** Atacar com puas [*td.*] **3** Supliciar com puas [*td.*] **4** *Fig.* Afligir(-se), angustiar(-se); TORTURAR(-SE) [*td. int.*] [▶ 1 apuar] [F.: *a-*² + *pua* + *-ar*².]

apuava (a.pu:*a*.va) *a2g.* *Bras.* Diz-se de cavalo espantadiço ou pouco dócil; ARISCO [Ant.: *dócil, manso.*] [F.: De or. obsc, posv. do tupi. Hom./Par.: *apuava* (fl. de *apuar*).]

⊕ ***apud*** (*Lt. /ápud/*) *Prep. Bibl.* Junto de, perto de, em [Emprega-se em bibliografia para indicar a fonte de uma citação indireta.]

⊕ ***apud acta*** (*Lat. /ápud ácta/*) *Loc. adv. Jur.* Que está junto aos autos e nos autos (diz-se de procuração que réu passa a seu defensor por declaração oral ao juiz do processo)

apuí (a.pu.*í*) *sm.* **1** *Bras. Bot.* Árvore (*Ficus fagifolia*) da fam. das moráceas, da qual se extrai infusão calmante e sedativa; *apuizeiro* **2** Árvore gutífera (*Clusia insignis*) de suco resinoso, usado como purgativo; CEBOLA-GRANDE-DA-MATA [F.: Do tupi **apu'í.*]

apuirana (a.pui.*ra*.na) *sf.* *Bot.* Árvore (*Strychnos rouhamon*), da fam. das loganiáceas, nativa da América tropical, com madeira de boa qualidade, ramos compridos, folhas coriáceas, flores brancas e bagas amarelas [F.: Posv. do tupi *apuirapui'rana.*]

apuizeiro (a.pu:i.*zei*.ro) *Bras. Bot.* *sm.* **1** Árvore morácea da Amazônia (*Ficus fagifolia*) cuja casca e cujas folhas e raízes são us. em infusões de efeito calmante; APUÍ **2** Árvore gutífera (*Clusia insignis*) da Amazônia, de frutos comestíveis, tb. de uso ornamental; APUÍ; CEBOLA-GRANDE-DA-MATA; MATA-PAU; QUAPOIA [F.: Do tupi *apui* + *-z-* + *-eiro.*]

apulso (a.*pul*.so) *sm.* **1** *Ant. Jur.* No direito romano, lei que permitia a passagem do gado por propriedade de outrem, quando a caminho do tanque comum **2** *Astr.* Configuração celeste em que parece muito pequena a distância entre dois astros [F.: Do lat. *appulsus, us*. Hom. Par.: *a pulso* (loc. adv.).]

apunhalado (a.pu.nha.*la*.do) *a.* **1** Ferido ou morto com punhal **2** *Fig.* Ofendido gravemente, traído de modo vil; ATRAIÇOADO [F.: Part. de *apunhalar.*]

apunhalar (a.pu.nha.*lar*) *v.* **1** Dar golpe de punhal ou faca em (algo ou alguém, inclusive si mesmo) [*td.: Apunhalou o desafeto; Errou o golpe e apunhalou-se.*] **2** *Fig.* Ferir (com palavras, atitudes); MAGOAR; OFENDER [*td.: Seu desprezo apunhalou-me.*] [*int.: A indiferença apunhala mais do que a raiva.*] [▶ 1 apunhalar] [F.: *a-*² + *punhal* + *-ar*².]

apupado (a.pu.*pa*.do) *a.* Que se apupou, que recebeu apupos; VAIADO [F.: Part. de *apupar.*]

apupar (a.pu.*par*) *v.* **1** Dar vaias a; perseguir com vaias e apupos; VAIAR [*td.:* "...onde todos os correeiros te apuparam e desancaram." (Machado de Assis, *Memórias póstumas de Brás Cubas*)] [*int.: No show, alguns aplaudiam, outros apupavam.*] **2** Manifestar-se à distância por meio de sinais, gritos etc. [*int.: De longe, ouviram-no apupar.*] **3** Tocar buzina, para reunir os monteiros [*int.*] [▶ 1 apupar] [F.: Or. onomatopaica. Hom./Par.: *apupo* (fl.), *apupo* (sm.).]

apupo (a.*pu*.po) *sm.* **1** Manifestação ruidosa de desaprovação ou troça; VAIA: *O discurso foi recebido com apupos e gritos de protesto.* **2** *Ant.* Búzio em que se assoprava produzindo um som desafinado e estridente **3** Buzina de som estridente **4** *P. ext.* O som dessa buzina [F.: Dev. de *apupar.*]

apuração (a.pu.ra.*ção*) *sf.* **1** Ação ou resultado de apurar(-se); APURAMENTO **2** Investigação minuciosa [+ *de, sobre: apuração do / sobre o ocorrido.*] **3** Contagem de votos: *A apuração deve ser encerrada ainda hoje.* **4** *Jorn.* Levantamento de informações para feitura de matéria ou reportagem **5** Acerto de contas **6** Ação de deixar (alimento) mais tempo no fogo ou imerso em temperos para melhorar a consistência e/ou o sabor **7** Disputa entre duas pessoas; ZANGA; QUEZÍLIA **8** Aguçamento dos sentidos, da sensibilidade **9** *Bras.* Última etapa na lavagem do cascalho diamantífero **10** *Est.* Operação que consiste em reunir em tabelas ou modelos apropriados os dados de pesquisas colhidos em questionários [Pl.: *-ções.*] [F.: *apura(r)* + *-ção.*]

apurado (a.pu.*ra*.do) *a.* **1** Submetido a ou revelado em investigação (fato apurado; evidências apuradas) **2** Que é capaz de distinguir bem sensações, percepções etc. (ouvido apurado) **3** Que denota requinte, sofisticação (gosto apurado); REQUINTADO **4** Feito com apuro (edição apurada); ESMERADO **5** Que se computou (votos ou valor arrecadado) (valor apurado; votos apurados) **6** Que tem pressa; IMPACIENTE: *Fale logo, pois estou apurado.* **7** Sobrecarregado de trabalho, tarefas etc.; ASSOBERBADO **8** Deixado por muito tempo no fogo ou em imersão (molho apurado; carne apurada) **9** *Bras.* Que está em apuros ou em dificuldades financeiras *sm.* **10** Quantia que se apurou nas vendas de um estabelecimento comercial em um período determinado [F.: Part. de *apurar.*]

apurador (a.pu.ra.*dor*) [ô] *a.* **1** Que apura **2** Que faz ou que tem por função fazer apuração (comitê apurador) *sm.* **3** Aquilo ou aquele que apura [F.: *apurar* + *-dor.*]

apuramento (a.pu.ra.*men*.to) *sm.* *Lus.* O mesmo que *apuração* [F.: *apurar* + *-mento.*]

apurar (a.pu.*rar*) *v.* **1** Fazer ficar ou ficar (algo ou alguém, inclusive si mesmo) (mais) puro, sem impurezas (inclusive morais); PURIFICAR [*td.: apurar a água; Fez penitência e meditação para apurar-se.*] [*int.: Com a decantação, o vinho apura.*] **2** Fazer ficar ou ficar (algo ou alguém, inclusive si mesmo), tornar(-se) melhor; APERFEIÇOAR(-SE); APRIMORAR(-SE) [*td.: Você precisa apurar sua escrita.*] [*int.: Seu gosto musical apurou-se.*] **3** Computar, contabilizar (quantia, votos) [*td.: Vão começar a apurar os votos.*] **4** Procurar a verdade sobre; AVERIGUAR [*td.: apurar as causas do acidente.*] **5** Selecionar de maneira cuidadosa [*td.: Quando vai à feira, apura bem as frutas.*] **6** Conseguir juntar (determinado valor); ARRECADAR [*td.: Apuraram mil reais com a rifa.*] **7** Tornar mais aguçado, sensível (sentido, percepção etc.); AGUÇAR [*td.: Apure os ouvidos e preste bem atenção.*] [*tdr.* + *a: Apurara os ouvidos às brigas dos vizinhos.*] **8** Tornar(-se) mais concentrado por meio de fervura [*td.: Apurou o doce de leite.*] [*int.: O molho está apurando.*] **9** Saldar, liquidar (quantia, valor); QUITAR [*td.: O cliente foi ao banco apurar sua dívida.*] **10** *Bras.* Estar em apuros, em adversidade; ver-se em dificuldade (esp. financeira) [*int.: Sem a aposentadoria, o idoso apurava-se.*] **11** Acelerar (o passo); caminhar rapidamente; APRESSAR [*td.: Apure os passos! Temos pressa!*] [*int.: Para chegarmos mais cedo, vamos ter de (nos) apurar.*] **12** *Bras.* Lavar (cascalho, terreno arenoso onde se encontram diamantes) [*td.: apurar o cascalho.*] **13** Vestir-se com capricho, com esmero; arrumar-se elegantemente [*td.: Apurou-se para sair com o marido.*] **14** *Est.* Juntar num modelo relacional dados estatísticos esparsos em fontes diversas [*td.*] **15** *Jorn.* Verificar (material) a ser publicado [*td.: O chefe de edição apurou todas as matérias daquele dia.*] **16** Perder a paciência com (algo ou alguém); IRRITAR-SE [*tr.* + *com: Apura-se sempre com os filhos.*] [*int.: Apura-se por qualquer motivo.*] [▶ 1 apurar] [F.: *a-*² + *puro* + *-ar*².]

apuratório (a.pu.ra.*tó*.ri:o) *a.* **1** Ref. à apuração; que envolve, realiza ou tem a função de realizar apuração (procedimento apuratório; poder apuratório) *sm.* **2** Processo apuratório (conclusão do apuratório; arquivamento do apuratório) [F.: De *apurado*, sob f. radical *apurat-* + *-ório.*]

apurinã (a.pu.ri.*nã*) *sm.* **1** *Etnol.* Indivíduo dos apurinãs, povo indígena do Alto Purus, na Amazônia: *Os apurinãs são da família linguística aruaque.* **2** *Gloss.* Língua aruaque falada pelos apurinãs *a.* **3** *Etnol.* Ref. aos apurinãs; dos apurinãs, típico desse povo **4** *Gloss.* Do ou ref. ao apurinã (2)

apuro (a.*pu*.ro) *sm.* **1** Ação ou resultado de apurar(-se); APURAÇÃO *sm.* **2** Situação difícil, ger. por problemas financeiros; APERTO: *A família passou por momentos de apuro.* [Ger. us. no pl.] **3** Perfeição, esmero, requinte [+ *de, em: apuro de/na linguagem.*] **4** Montante de quantia apurada ou arrecadada **5** *S.* Pressa, azáfama, corre-corre [+ *em, com: O apuro nos / com os preparativos para o torneio.*] [F.: Dev. de *apurar*. Hom./Par.: *apuro* (sm.), *apuro* (fl. de *apurar*).] ■ **Em ~s** Em dificuldades, em perigo, em situação complicada

⊠ **aq** *Quím.* Abrev. de *molécula de água*

aquacultor (a.qua.cul.*tor*) [ô] *sm.* O mesmo que *aquicultor* [F.: De *água* sob a f. lat. *aqua-* + *-cultor.*]

aquacultura (a.qua.cul.*tu*.ra) *sf.* O mesmo que *aquicultura* [F.: De *água* sob a f. lat. *aqua-* + *-cultura.*]

aquadrilhamento (a.qua.dri.lha.*men*.to) *sm.* Ação ou resultado de aquadrilhar(-se); formação de quadrilha [F.: *aquadrilhar* + *-mento.*]

aquadrilhar (a.qua.dri.*lhar*) *v. td.* Reunir(-se) em quadrilha: *Aquadrilhou uns rapazes para o assalto; Aquadrilhou-se numa turma de traficantes.* [▶ 1 aquadrilhar] [F.: *a-*² + *quadrilha* + *-ar*².]

aqualouco (a.qua.*lou*.co) *sm. Bras.* Acrobata cômico que, vestindo roupa de banho típica do início do séc. XX, diverte a plateia dando saltos desengonçados de um trampolim de piscina [F.: De *água* sob a f. lat. *aqua-* + *louco*.]
aquaplanagem (a.qua.pla.*na*.gem) *sf.* **1** Pouso de hidroavião sobre a água; AMERISSAGEM **2** Deslizamento de um veículo sobre a água, ger. por ser adequado a isso **3** *Pop. Aut.* Derrapagem de um veículo causada pela falta de aderência dos pneus à pista molhada [Pl.: *-gens*.] [F.: Do lat. "aqua" (água) + *plan(o)* + *-agem*[2].]
aquaplanar (a.qua.pla.*nar*) *v. int.* **1** *Bras.* Pousar (hidroavião) sobre a água **2** Deslizar (hidroavião ou qualquer veículo) sobre a superfície da água **3** *Pop.* Deslizar (automóvel, carro de corrida, veículo sobre rodas) em superfície molhada devido à falta de aderência dos pneus nessas condições [▶ 1 aquaplanar] [F.: *aquaplano* + *-ar*[2].]
aquarela (a.qua.*re*.la) *sf.* **1** Tinta obtida pela diluição em água de uma massa colorida: *estojo de aquarelas.* **2** Técnica de pintura que faz uso dessa tinta: *pintores especialistas em aquarela.* **3** Pinturas produzidas com o uso dessa técnica: *O museu adquiriu novas aquarelas.* **4** *P. ext. Fig.* Vista, paisagem, panorama alegre, cheio de matizes coloridas [Forma corrente em Portugal: *aguarela*.] [F.: Do it. *acquarèlla*.]
aquarelar (a.qua.re.*lar*) *v.* **1** Pintar com aquarela; AGUARELAR [*td.*: *Aquarelei todos os mapas.*] [*int.*: *Aprendi a aquarelar com o professor de desenho.*] **2** *P. ext.* Dar ou adquirir o tom matizado e transparente semelhante ao da aquarela [*td.*: "Uma dúbia claridade de lamparina aquarelava meias sombras vagas e transparentes em torno do leito..." (Aluísio Azevedo, *Filomena Borges*)] [*int.*: *O céu da foto aquarelou-se.*] **3** *Fig.* Fazer a descrição de; DESCREVER; PINTAR [*td.*: *O texto aquarela as paisagens bucólicas da região.*] [▶ 1 aquarelar] [F.: *aquarela* + *-ar*[2].]
aquarelista (a.qua.re.*lis*.ta) *a2g.* **1** Diz-se de pintor especializado em aquarelas *s2g.* **2** Pintor aquarelista [Forma corrente em Portugal: *aguarelista*.] [F.: *aquarel(a)* + *-ista*.]
aquariano (a.qua.ri:*a*.no) *Astrol. a.* **1** Ref. ao signo de Aquário, ou às qualidades ou influências a ele atribuídas, segundo a astrologia **2** Que nasceu sob o signo de Aquário *sm.* **3** Aquele que nasceu sob o signo de Aquário [F.: *aquári(o)* + *-ano*.]
aquário (a.*quá*.ri:o) *sm.* **1** Recipiente ou reservatório com água destinado à criação e observação de peixes ou de outros animais e plantas aquáticos [Pode ser de dimensões reduzidas, para uso doméstico, ou de grande dimensões, para visitação pública.] **2** *Bras. Fig.* Compartimento separado por divisórias de vidro (p. ex., em estúdios de gravação, redações de jornal etc.) **3** *Astron.* Décima primeira constelação do Zodíaco, situada no hemisfério sul **4** *Astrol.* Signo (do zodíaco) das pessoas nascidas entre 20 de janeiro e 19 de fevereiro [Com inicial maiúsc. nas acps. 3 e 4.] *s2g.* **5** O mesmo que *aquariano* (1) *a2g.* **6** O mesmo que *aquariano* (2) [F.: Do lat. *aquarium, ii*, neutro substv. do adj. *aquarius, a, um*.]
aquariofilia (a.qua.ri:o.fi.*li*.a) *sf.* **1** Conjunto codificado do saber sobre criação de peixes e plantas hidrófilas em aquário: *A Associação Brasileira de Aquariofilia dá consultoria aos seus associados.* **2** O *hobby* da criação de peixes ornamentais em aquário; a prática desse *hobby* e a dedicação a ele; AQUARISMO [F.: *aquário* + *-filia*[1].]
aquariófilo (a.qua.ri:*ó*.fi.lo) *a.* **1** Diz-se de indivíduo que se dedica à criação de peixes ornamentais em aquários, como amador ou profissional *sm.* **2** Esse indivíduo [F.: *aquário* + *-filo*. Sin. ger.: *aquarista*.]
aquarismo (a.qua.*ris*.mo) *sm.* Criação de peixes e plantas em aquário ou em reservas marinhas; o *hobby* e o gosto de fazê-la; AQUARIOFILIA [F.: *aquário* + *-ismo*.]
aquarista (a.qua.*ris*.ta) *s2g.* **1** Pessoa que cria peixes em aquário *a2g.* **2** Ref. a ou de aquarismo (revista aquarista; competição aquarista) [F.: *aquário* + *-ista*.]
aquartelado[1] (a.quar.te.*la*.do) *a.* **1** Alojado em quartel: *Parte da tropa ficou aquartelada no Rio de Janeiro.* **2** Diz-se de militar que, por insubordinação politicamente motivada ou não, se recusa a deixar o quartel onde se encontra: *Os soldados aquartelados resolveram abrir negociações com o governo.* [F.: Part. de *aquartelar*[1].]
aquartelado[2] (a.quar.te.*la*.do) *a. Her.* Diz-se de escudo dividido em quatro partes [F.: Part. de *aquartelar*[2].]
aquartelamento[1] (a.quar.te.la.*men*.to) *sm.* **1** Local, construção onde se alojam soldados; QUARTEL: *O regimento foi transferido para seu novo aquartelamento.* **2** Ação ou resultado de aquartelar(-se) (aquartelamento dos recrutas) [F.: *aquartelar*[1] + *-mento*.]
aquartelamento[2] (a.quar.te.la.*men*.to) *sm. Her.* Nos brasões de nobreza, divisão do escudo em quartéis [F.: *aquartelar*[2] + *-mento*.]
aquartelar[1] (a.quar.te.*lar*) *v.* **1** Alojar(-se) (ger. soldados, contingentes militares) em quartel [*td.*: *aquartelar as tropas.*] [*int.*: *Os soldados se aquartelaram antes da batalha.*] **2** *P. ext.* Instalar(-se) em qualquer lugar [*td.*: *Aquartelei o hóspede por algum tempo.*] [*ta.*: *A lebre aquartelou-se na toca.*] **3** Prover alojamento, acomodação para (alguém, inclusive si mesmo) [*td.*: *Aquartelou o forasteiro.*] [*tda.*: *Ao anoitecer, o caminhante aquartelou-se numa hospedaria.*] [▶ 1 aquartelar] [F.: a^{-2} + *quartel*[2] + *-ar*[2].]
aquartelar[2] (a.quar.te.*lar*) *v. td. Her.* Dividir (o escudo) em quartéis, em quatro partes [▶ 1 aquartelar] [F.: a^{-2} + *quartel*[1] + *-ar*[2].]
aquartilhar (a.quar.ti.*lhar*) *v. td.* Medir ou comerciar (algo) aos quartilhos [▶ 1 aquartilhar] [F.: a^{-2} + *quartilho* + *-ar*[2].]
aquático (a.*quá*.ti.co) *a.* **1** Ref. ou pertencente à água **2** Que vive na água ou à tona d'água (planta aquática); AQUÁTIL **3** Que é praticado na água (esqui aquático) **4** Que frequenta estâncias hidrominerais *sm.* **5** *Bras.* Indivíduo que frequenta estâncias hidrominerais [F.: Do lat. *aquaticus, a, um*.]
aquavia (a.qua.*vi*.a) *sf. P. us.* O mesmo que *hidrovia* [F.: *aqua-* + *via*.]
aquaviário (a.qua.vi:*á*.ri:o) *a.* Que se faz por via aquática (transporte aquaviário) [F.: *aquavi(a)* + *-ário*.]
aquavita (a.qua.*vi*.ta) *sf.* Aguardente de batata, ou de certas sementes, com acréscimo de substâncias aromáticas [F.: Do la F.: Do lat. med. *aqua vitae*.]
aquebrantar (a.que.bran.*tar*) *v.* O mesmo que *quebrantar* [▶ 1 aquebrantar] [F.: a^{-4} + *quebrantar*.]
aquecedor (a.que.ce.*dor*) [ô] *a.* **1** Que aquece *sm.* **2** Aparelho doméstico us. para aquecer a água **3** Aparelho destinado à calefação de casas, veículos etc.; CALORÍFERO [F.: *aquece(r)* + *-dor*. Sin. ger.: *esquentador*.]
aquecer (a.que.*cer*) *v.* **1** *Fig.* Tornar quente, ou mais quente; ESQUENTAR [*td.*: *aquecer a sopa.*] [*int.*: "O sol começa a aquecer." (Pepetela, *A geração da utopia*)] **2** *Esp.* Preparar(-se) para correr, jogar etc., por meio de exercícios físicos [*td.*: *aquecer os músculos; Os atletas já estavam se aquecendo.*] **3** *Fig.* Receber ou dar conforto; CONFORTAR [*td.*: *Sua presença aquece meu coração.*] [*int.*: *A religião aquece.*] **4** *Fig.* Tornar(-se) animado, movimentado [*td.*: *aquecer a discussão.*] [*int.*: *A galera se aquecia ao som do rock.*] **5** *Fig.* Incrementar (atividade econômica) [*td.*: *A proximidade do Natal aquecia as vendas.*] **6** *Fig.* Fazer ficar ou ficar exaltado, irritado [*td.*: *Discussões seguidas aqueceram os ânimos na reunião.*] [*int.*: *Aquecia-se ante a menor discordância.*] **7** *Art. pl.* Acrescentar traços em cores quentes a (pintura), para fazê-la mais vibrante [*td.*] [F.: Do lat. vulg. **adcalescere*. Ant. ger.: *esfriar*.]
aquecido (a.que.*ci*.do) *a.* **1** Que recebeu calor, esquentado (comida aquecida; ferro aquecido) **2** Que recebeu ou manifestou impulso, energia; ativado, intensificado (economia aquecida; mercado aquecido; competição aquecida) **3** *Fig.* Que recebeu conforto, consolo, acalento **4** *Fig.* Que se inflamou, excitou, irritou: *Teve de interferir para acalmar os ânimos aquecidos.* **5** Que se preparou, por aquecimento (4), para exercício físico (músculos aquecidos; corpo aquecido) [F.: Part. de *aquecer*.]
aquecimento (a.que.ci.*men*.to) *sm.* **1** Ação ou resultado de aquecer(-se) **2** Elevação da temperatura **3** Geração de calor numa fonte de energia (combustão, eletricidade etc.) ou sua irradiação a partir dela (aquecimento central, aquecimento a gás) **4** *Esp.* Conjunto de exercícios físicos leves e de alongamento que ajudam a condicionar os músculos antes da realização de uma prática esportiva **5** *Econ.* Crescimento da atividade econômica: *aquecimento das vendas no Natal.* [F.: *aquec(er)* + *-imento*. Ideia de 'aquecimento': *-termia, hipotermia; -termo, homeotermo*.] ∎ **~ aerodinâmico** *Fis.* O que se verifica com a passagem de um corpo num meio fluido gasoso (como o ar), esp. em alta velocidade, devido principalmente ao atrito **~ central** Aquecimento (do ar ambiente, ou de água) por meio de um sistema central, que distribui o ar ou a água aquecidos por rede de dutos, ou canos **~ global** Elevação de temperatura generalizada no planeta Terra, devido ao aumento do efeito estufa pelo crescente acúmulo na atmosfera de gases como o dióxido de carbono, metano, clorofluoreto de carbono etc.

> 📖 O aquecimento global é causado pelo aumento do efeito estufa, por sua vez devido ao acúmulo de dióxido de carbono, clorofluoretos de carbono e outros gases na atmosfera (resultado da queima de combustíveis fósseis, atividades industriais, uso de aerossóis etc.). O efeito estufa em si é benéfico, por reter parte da radiação solar e manter a Terra aquecida, mas seu aumento, e o consequente aquecimento global, pode levar a catastróficas alterações climáticas, derretimento de geleiras com aumento dos níveis do oceano etc. Estudos científicos e alertas para o controle da emissão desses gases têm se intensificado, num esforço para controlar ou mesmo reverter as consequências do aquecimento global.

aquecível (a.que.*cí*.vel) *a2g.* Que se pode aquecer (piscina aquecível) [Pl.: *-veis*.] [F.: *aquecer* + *-vel*.]
aqueduto (a.que.*du*.to) *sm.* **1** Sistema de canalização, ao ar livre ou subterrâneo, para conduzir água de um lugar a outro **2** Construção de alvenaria composta de arcadas superpostas que serviam de suporte a um canal condutor de água (ger. cruzando um vale ou depressão no terreno) **3** *Anat.* Pequeno canal que atravessa estrutura óssea ou órgão [F.: Do lat. *aquaeductus, us*.]
aquela (a.*que*.la) *pron. dem.* **1** Fem. de *aquele sf.* **2** Pessoa do sexo feminino a quem não se nomeia ou cujo nome não se conhece
aquelar (a.que.*lar*) *v. td. Lus.* Palavra-ônibus a que se recorre para suprir um verbo que foi momentaneamente esquecido ou que se desconhece, e que expressa múltiplos significados, como arranjar, fazer, compor, preparar, perceber etc. [▶ 1 aquelar] [F.: *aquele* + *-ar*[2]. Hom./Par.: *aquela* (fl.), *aquela* (pron., sf.), *àquela* (contr.); *aquelas* (fl.), *aquelas* (pl. do pron. e sf.), *àquelas* (pl. da contr.); *aquele* (fl.), *aquele* /ê/ (pron., sm.), *àquele* /ê/ (contr.); *aqueles* (fl.), *aqueles* /ê/ (pl. do pron., sm.), *àqueles* /ê/ (pl. da contr.).]
aquele (a.*que*.le) [ê] *pr. dem.* **1** Indica ou refere-se a pessoa ou coisa distante do ouvinte e do falante, no tempo ou no espaço: *Aquele tempo já passou; Aquele homem de azul cometeu uma infração.* **2** Indica ou refere-se a algo pouco conhecido, distante ou perdido na memória: *Como é mesmo aquela poesia?* **3** Indica ou refere-se a algo ou alguém anteriormente mencionado ou que se subentende conhecido pelo interlocutor: *Aquele beijo ficou guardado em minha memória.* **4** Faz referência a alguém ou algo indefinido, genérico: *Aquele que ajuda o próximo será recompensado.* **5** Empresta noção de intensidade, de qualidade diferenciada à coisa ou à pessoa mencionada (com ligeira acentuação na inflexão): *Estávamos voltando quando caiu aquela chuva; Recomendo João, é aquele professor de ginástica.* **6** Indica ou refere-se a algo especial, que se quer diferenciar (aquele abraço) **7** Após citação de duas coisas ou pessoas, indica a mais afastada (p. op. a *este*, que indica a mais próxima): *Maria e Mário já viajaram, este a Londres, aquela a Paris.* **8** Aquela pessoa: *Você não conhece Luísa? É aquela que chegou por último. sm.* **9** Pessoa cujo nome não se sabe ou não se pode ou quer mencionar: *Aquele é um facínora.* [F.: Do lat. vulg. **accuille* (< lat. *eccu* + *ille*). Hom./Par.: *aquele* (pr. dem. sm.), *àquele* (contr. prep. *a* + *aquele*). Cf.: *este, esse*.] ∎ **Sem mais aquela** **1** Sem qualquer cerimônia, sem acanhamento **2** Sem preâmbulos ou introduções
àquele (à.*que*.le) Contração da prep. *a* com o pr. dem. *aquele*: *O médico deu mais atenção àquele caso.* [Ver *crase*.] [Hom./Par.: *àquele* (contr.), *aquele* (pr. dem. sm.).]
aqueloutro (a.que.*lou*.tro) Contração dos pronomes *aquele* e *outro*; indica coisa ou pessoa mais distante (no tempo ou no espaço), ou para diferenciá-la da que foi designada por *aquele*: *Traga aquele vaso ali da esquerda e, aqueloutro, à sua direita; Eu fico com este lápis, você com aquele, e ele fica com aqueloutro.* [Emprega-se quando há mais de um objeto distante no espaço.] [F.: *aquele* + *outro*.]
aquém (a.*quém*) *adv. P. us.* Do lado de cá (em relação a algo): *A casa dele fica lá no alto do terreno; a minha fica aquém.* [F.: Do lat. vulg. **accu* + *inde* > **accuinde*. Ideia de 'aquém': *cis-, cisplatino*. Ant. ger.: *além*.] ∎ **~ de** **1** Do lado de cá de: *A casa dela fica aquém do rio.* **2** Pior que, inferior a: *O resultado ficou aquém da expectativa.* **3** Menos de, abaixo de: *Toda a compra ficou aquém dos 100 reais.*
aquemênida (a.que.*mê*.ni.da) *s2g.* **1** Indivíduo dos aquemênidas (smpl.), dinastia persa fundada por Aquêmenes, e que sucedeu a de Ciro *a2g.* **2** Ref. aos ou dos aquemênidas, ou que foi deles típico (os reis aquemênidas) [F.: Do ant. persa *Hachamanis*, 1º rei persa, que reinou entre 700-675 a.C., pelo gr. *Akhaiménides*, pelo lat. *Achaemenides, ae*.]
aquém-mar (a.quém-*mar*) *adv.* **1** Aquém do mar; para cá do mar *sm.* **2** *P. ext.* Terra ou região situada no aquém-mar [Pl.: *aquém-mares*.]
aquênio (a.*quê*.ni:o) *sm. Bot.* Tipo de fruto seco cuja semente se une à casca por apenas um ponto (como o girassol e a castanha do caju) [F.: Do lat. científico *achaenium* 'id', de *a* $^{-3}$ 'não' + o v. grego *cháinoo* 'abrir-se', por tratar-se de um fruto indeiscente, i. e. que não se abre ao amadurecer.]
aquense (a.*quen*.se) *s2g.* **1** Indivíduo nascido ou que vive em Aix (França) *a2g.* **2** De Aix; típico dessa cidade ou de seu povo [F.: Do lat. *aquensis, e*.]
aquentado (a.quen.*ta*.do) *a.* **1** Que se aquentou, que se aqueceu **2** *Fig.* Encorajado, estimulado *sm.* **3** Comida requentada, prato requentado [F.: Part. de *aquentar*.]
aquentamento (a.quen.ta.*men*.to) *sm.* Ato ou resultado de aquentar(-se); ACALORAMENTO; AQUECIMENTO [Ant.: *desaquecimento, resfriamento*.] [F.: *aquentar* + *-mento*.]
aquentar (a.quen.*tar*) *P. us. v.* **1** Fazer ficar ou ficar, tornar(-se) quente; AQUECER; ESQUENTAR [*td.*: *Já aquentei água para o mate;* "...Por mais tempo que o Sol o mundo aquente." (Luís de Camões, *Os lusíadas*)] [*int.*: *O leite já aquentou.* Ant.: *arrefecer, esfriar*.] **2** *Fig.* Dar ou adquirir coragem, energia; imprimir ou adquirir energia para fazer alguma coisa; ANIMAR; ENCORAJAR; ESTIMULAR [*td.*: *Aquentou seu ânimo com palavras de estímulo.*] [*int.*: *Começou apático, mas logo aquentou(-se).* Ant.: *desanimar, esfriar*.] [▶ 1 aquentar] [F.: a^{-4} + *quentar*. Sin. ger.: *esquentar*.]
aqueredor (a.que.re.*dor*) [ô] *sm. GO Pop.* Credor: "... o aqueredor, que era doente, não havia outorgado autorização a ninguém para receber a importância..." (Bernardo Élis, *Veranico de janeiro*) [F.: De *credor*, mediante a prótese de *a* $^{-4}$ e o desfazimento do grupo consonantal (suarabácti) *-cr-* pelo acréscimo epentético de *-e-*, com a transformação para *-quere-*.]
aquerenciadeira (a.que.ren.ci:a.*dei*.ra) *sf. RS* Égua madrinha que acostuma outro animal a acompanhá-la [F.: *aquerenciar* + *-deira*.]
aquerenciado (a.que.ren.ci.*a*.do) *a. RS* Acostumado a certo lugar e às companhias que ali tem: *É do Nordeste, mas aquerenciado em Porto Alegre.* [Diz-se de animal vacum, cavalar ou lanígero e, às vezes, de pessoas.] [F.: Part. de *aquerenciar*.]
aquerenciador (a.que.ren.ci:a.*dor*) [ô] *a.* **1** Que aquerencia **2** Diz-se de campo com características que atraem os animais *sm.* **3** Aquele ou aquilo que aquerencia: "Prendeu a liberdade/dos potros, do gado e dos gaudérios/que fizeram estradas e querências/quando a sombra as aguadas e o pasto eram atrativos/ – forte laço, aquerenciador." (Ubirajara Anchieta, "O arame", *in Jornal Correio Brigadiano*, jan. 2004) [F.: *aquerenciar* + *-dor*.]

aquerenciar (a.que.ren.ci.*ar*) *RS v.* **1** Habituar (o animal) a viver em lugar que não é seu pouso habitual ou seu lugar de nascimento [*td. int.*] **2** *P. ext.* Habituar-se (alguém) a viver em lugar estranho, a conviver com pessoas pouco conhecidas ou desconhecidas [*int.*] [▶ 1 aquerenciar] [F.: Do espn. plat. *aquerenciar.*]

aqueu (a.*queu*) *Ant. sm.* **1** Indivíduo nascido ou que vivia na Acaia, região da antiga Grécia (hoje Corinto) **2** Indivíduo dos aqueus, um dos quatro ramos do antigo povo grego [Fem.: *aqueia*] *a.* **3** Da Acaia, típico dessa região ou de seu povo **4** Dos aqueus (2), típico desse povo [Fem.: *aqueia.*] [F.: Do gr. *achaiós*, pelo lat. *achaeus.*]

◎ **aqu(i)-** *el. comp.* = 'água': *aquicultura, aquífero*

aqui (a.*qui*) *adv.* **1** Neste lugar: *Estou aqui em São Paulo desde ontem.* **2** A este lugar: *De Porto Alegre aqui são 24 horas de ônibus.* **3** Neste momento ou ocasião: *Quero saudar aqui nosso prefeito.* **4** Este momento: *Até aqui transcorreram dez anos.* **5** Us. para fazer referência a algo que se exibe; EIS: *Aqui estão as fotos que você pediu.* **6** *Fig.* Nesta vida terrena: *Aqui se planta, aqui se colhe.* **7** Usa-se, esp. em Portugal, antes de certas expressões que designam tempo decorrido: *Os meninos, aqui há tempos, não brincam neste lugar.* [Ant.: *acolá, lá.*] *sm.* **8** O lugar em que se está; este lugar: *Gosto de viajar, mas aqui é bem melhor.* [F.: Do lat. *eccum hic.*] ■ **~ e ali** Ora aqui, ora ali; já num lugar, já noutro **Por ~** Nesta redondeza, neste lugar: *Por aqui nada se ouviu a respeito.*

aquícola (a.*quí*.co.la) *a2g.* **1** Ref. a aquicultura **2** Que vive na água *s2g.* **3** Quem vive na água [F.: *aqu(i)-* + *-cola.*]

aquicultor (a.qui.cul.*tor*) [ô] *a.* **1** Diz-se de quem se dedica à aquicultura *sm.* **2** Aquele que se dedica à aquicultura: *Os aquicultores compareceram à manifestação a favor da despoluição do rio Tietê.* [F.: *aqu(i)-* + *-cultor.*]

aquicultura *sf. Tec.* Atividade técnico-científica-econômica destinada à criação de seres vivos aquáticos (peixes, crustáceos, algas etc.), com o objetivo de aumentar a produtividade dos ambientes em que vivem [F.: *aqu(i)-* + *-cultura.*]

aqui del-rei (a.qui-del-*rei*) *interj. Antq.* Expressa pedido de socorro

aquiescência (a.qui.es.*cên*.ci.a) *sf.* Ação ou resultado de aquiescer, de concordar; ANUÊNCIA; ASSENTIMENTO [+ *a, em*: *Aquiescência a um pedido; aquiescência em colaborar.*] [F.: Do lat. *acquiescentia.*]

aquiescente (a.qui:es.*cen*.te) *a2g.* Que aquiesce; que anui, consente: *um olhar aquiescente* [F.: Do lat. *aquiescens, entis.*]

aquiescer (a.qui:es.*cer*) *v.* Estar ou pôr-se de acordo; ANUIR [*tr.* + *a, em*: *Aquiescia à solicitação da filha; Aquiesceu em pedir desculpas.*] [*int.*: *A muito custo, aquiesceu.*] [▶ 33 aquiescer] [F.: Do lat. *acquiescere.*]

aquietação (a.qui:e.ta.*ção*) *sf.* **1** Ação ou resultado de aquietar(-se); AQUIETAMENTO; QUIETAÇÃO [Ant.: *movimentação, tumulto.*] **2** Estado de quietude, de calma; TRANQUILIDADE; SERENIDADE [Ant.: *agitação, alvoroço.*] **3** Restabelecimento da paz; APAZIGUAMENTO; CONCILIAÇÃO; PACIFICAÇÃO [Ant.: *levante, motim.*] [Pl.: *-ções.*] [F.: *aquietar* + *-ção*. Ant. ger.: *desassossego, inquietação.*]

aquietado (a.qui:e.*ta*.do) *a.* Que se aquietou, que se tornou quieto, calmo, apaziguado [F.: Part. de *aquietar.*]

aquietamento (a.qui:e.ta.*men*.to) *sm.* Ação ou resultado de aquietar(-se), de fazer ficar ou ficar, de tornar(-se) quieto, tranquilo; AQUIETAÇÃO: *Tivera vida agitada, mas a velhice trouxe-lhe o aquietamento.* [F.: *aquietar* + *-mento.*]

aquietar (a.qui:e.*tar*) *v.* Tornar(-se) quieto, calmo; ACALMAR; TRANQUILIZAR [*td.*: *aquietar os ânimos.*] [*int.*: *Enfim, a criança (se) aquietou.*] [▶ 1 aquietar] [F.: *a-*[2] + *quieto* + *-ar*[2].]

aquífero (a.*quí*.fe.ro) *a.* **1** Que conduz água **2** Que contém ou que encerra água **3** *Hidr.* Diz-se de solo ou formação geológica porosa que emana água (para poços, mananciais) que absorve da chuva *sm.* **4** *Geol.* Esse tipo de solo ou formação geológica [F.: *aqu(i)-* + *-fero.*]

aquifoliácea (a.qui.fo.li:*á*.ce:a) *sf. Bot.* Espécime das aquifoliáceas, fam. de plantas da ordem das teles, que reúne quatro gêneros e cerca de 400 espécies de árvores pequenas e arbustos, algumas cultivadas pelas folhas, como a erva-mate, outras pela madeira e como ornamentais [F.: Do lat. cient. fam. *Aquifoliaceae.*]

aquifoliáceo (a.qui.fo.li:*á*.ce:o) *a.* Ref. a aquifoliáceas [F.: *aquifólio* + *-áceo.*]

aquifólio (a.qui.*fó*.li:o) *sm. Bot.* O mesmo que *azevinho* (*Ilex aquifolium*) [F.: Do lat. cient. gên. *Aquifolium.*]

águila (*á*.qui.la) *Ornit. sf.* **1** Gên. de aves falconiformes, da fam. dos acipitrídeos, que reúne cerca de dez espécies cosmopolitas de águias **2** Designação comum às aves desse gên. [F.: Do lat. cient. gên. *Aquila.*]

aquilão[1] (a.qui.*lão*) *sm.* **1** *Poét.* Vento norte **2** *Antq.* Vento nordeste **3** *P. ext.* Vento frio, tempestuoso [Us. ger. no pl.] **4** *Antq.* O Norte [Pl.: *-lões.*] [F.: Do lat. *aquilo, onis.*]

aquilão[2] (a.qui.*lão*) *sm. Bras.* Unguento supurativo, feito à base de cera, azeite, pez e resina, e similar ao basilicão [Pl.: *-lões.*] [F.: De or. incerta.]

aquilária (a.qui.*lá*.ri:a) *Bot. sf.* **1** Gên. de plantas da fam. das aquilariáceas, que reúne cerca de 15 espécies de árvores e arbustos nativos do S. E. Asiático **2** Designação comum às plantas desse gên [F.: Do lat. cient. gên. *Aquilaria.*]

aquilatação (a.qui.la.ta.*ção*) *sf.* **1** Ação ou resultado de aquilatar, de determinar o quilate de (algo); AQUILATAMENTO; QUILATAÇÃO **2** *Fig.* Apreciação da qualidade, do merecimento ou do valor de algo ou alguém: *Foi criteriosa a aquilatação do espetáculo.* [Pl.: *-ções.*] [F.: *aquilatar* + *-ção.*]

aquilatado (a.qui.la.*ta*.do) *a.* Que se aquilatou [F.: Part. de *aquilatar.*]

aquilatador (a.qui.la.ta.*dor*) [ô] *a.* **1** Que aquilata, que determina o quilate de **2** *Fig.* Que aprecia, avalia ou atribui valor, merecimento, a algo ou alguém *sm.* **3** Aquele que aquilata: *Ele é gemólogo, e bom aquilatador.* [F.: *aquilatar* + *-dor.*]

aquilatamento (a.qui.la.ta.*men*.to) *sm.* Ação ou resultado de aquilatar; AQUILATAÇÃO [F.: *aquilatar* + *-mento.*]

aquilatar (a.qui.la.*tar*) *v.* **1** Determinar o quilate, o número de quilates de (metal precioso ou pedra preciosa) [*td.*: *Aquilatei o anel de brilhantes.*] **2** *P. ext.* Fazer juízo do valor ou mérito de algo ou alguém; AVALIAR [*td.*: *Por sua conduta pode-se aquilatar seu caráter.*] **3** *Fig.* Fazer ficar ou ficar, tornar(-se) melhor; APERFEIÇOAR; APRIMORAR [*td.*: *A bondade aquilata o espírito.*] [*tr.* + *em*: *Aquilatou-se em música.*] [*int.*: *Sua sensibilidade musical aquilatou-se.*] [▶ 1 aquilatar] [F.: *a-*[2] + *quilatar.*]

aquilégia (a.qui.*lé*.gi:a) *Bot. sf.* **1** Gên. de plantas, da fam. das ranunculáceas, que reúne cerca de 70 espécies de ervas nativas de regiões temperadas do hemisfério norte **2** Designação comum às plantas desse gên. [F.: Do lat. cient. gên. *Aquilegia.*]

aquilia[1] (a.qui.*li*.a) *Pat. sf.* Ausência patológica de um lábio ou de ambos [F.: *a-*[1] + *quil(o)-*[1] + *-ia*[1].]

aquilia[2] (a.qui.*li*.a) *sf. Gast.* Deficiência de formação de quilo (líquido secretado pelo intestino durante a digestão) [F.: *a-*[3] + *quil(o)-*[2] + *-ia*[1].]

aquiliano (a.qui.li:*a*.no) *a. Mit.* Ref. ao herói grego Aquiles, personagem da *Ilíada* de Homero; AQUILEU; AQUILÍACO [F.: *Aquil(es)* + *-iano.*]

aquilino (a.qui.*li*.no) *a.* **1** Ref. a, pertencente a ou próprio de águia **2** Recurvo, de modo a lembrar o bico da águia (nariz aquilino); ADUNCO **3** Diz-se de olhar perspicaz e penetrante, como o da águia [F.: Do lat. *aquilinus, a, um.* Sin. ger.: *aguilenho.*]

aquilo (a.*qui*.lo) *pr. dem.* **1** Us. para fazer referência a coisa ou fato mencionados anteriormente: *Luciana saía todas as tardes, aquilo dava o que falar.* **2** Aquela(s) coisa(s): *Aquilo era um despropósito.* **3** Us. para fazer referência depreciativa a uma pessoa: *Aquilo não era um marido, mas um atraso de vida.* [F.: Do lat. *eccu illu.* Hom./Par.: *aquilo* (pr. dem.), *àquilo* (contr. prep. *a* + *aquilo*), *a quilo* (loc.).]

àquilo (à.*qui*.lo) Contração da prep. *a* com o pron. dem. *aquilo*: *É insensato atribuir importância àquilo.* [Não confundir com a loc. *a quilo* (ver no verbete *quilo*).] [Hom./Par.: *àquilo* (contr. prep. *a* + *aquilo*), *aquilo* (pr. dem.), *a quilo* (loc.).]

aquilombado (a.qui.lom.*ba*.do) *Bras. a.* **1** Dizia-se de escravo refugiado em quilombo **2** Que é semelhante a um quilombo [F.: Part. de *aquilombar.*]

aquilombar (a.qui.lom.*bar*) *Bras. v. td.* **1** Juntar ou refugiar-se (escravos fugitivos) em quilombo; amocambar **2** Dar aparência de quilombo a [▶ 1 aquilombar] [F.: *a-*[2] + *quilombo* + *-ar*[2].]

aquilotado (a.qui.lo.*ta*.do) *a. N. E. Pop.* Que se aquilotou; ACOSTUMADO; HABITUADO [F.: Part. de *aquilotar.*]

aquilotar-se (a.qui.lo.*tar*-se) *v. int. N. E. Pop.* Contrair hábito(s), costume(s); habituar-se, acostumar-se, quilotar-se [▶ 1 aquilotar-se] [F.: *a-*[2] + *quilotar* + *se*[1].]

aquinhoado (a.qui.nho.*a*.do) *a.* **1** Que recebeu quinhão **2** Dividido em quinhões, partilhado **3** *Fig.* Favorecido, contemplado [+ *com/de*: *uma atriz aquinhoada com talento e beleza; Região aquinhoada de muitos recursos naturais.*] [F.: Part. de *aquinhoar.*]

aquinhoador (a.qui.nho:a.*dor*) [ô] *a.* **1** Diz-se de indivíduo que aquinhoa, que distribui e/ou divide em quinhões *sm.* **2** Esse indivíduo [F.: *aquinhoar* + *-dor.*]

aquinhoamento (a.qui.nho:a.*men*.to) *sm.* Ação ou resultado de aquinhoar; divisão e/ou distribuição em quinhões: *Seu aquinhoamento em testamento foi a casa em que mora.* [F.: *aquinhoar* + *-mento.*]

aquinhoar (a.qui.nho.*ar*) *v.* **1** Dividir e repartir em quinhões [*td.*: *Herdaram a fazenda e o gado e os aquinhoaram.*] **2** Dar (algo) a, favorecer (alguém) [*td.*: *Confie, pois a sorte ainda vai aquinhoá-lo.*] [*tdr.* + *com, de*: *Aquinhoou os amigos com obras de arte; A natureza aquinhoou-a de virtudes.*] **3** Tomar parte, participar de; COMPARTILHAR [*td.*: *Aquinhoaram a tristeza do amigo.*] [*tr.* + *de*: *Aquinhoava do sofrimento da mãe.*] [▶ 16 aquinhoar] [F.: *a-*[2] + *quinh(ã)o* + *-ar*[2].]

aquisição (a.qui.si.*ção*) *sf.* **1** Ação ou resultado de adquirir, de tomar posse de algo: *aquisição de novos livros.* **2** Desenvolvimento de capacidade ou captar ou dominar certo conjunto de conhecimentos, símbolos, costumes ou valores: *Aquisição de linguagem; aquisição de cultura.* **3** Coisa que se adquiriu, da qual se tomou posse: *Este quadro foi sua melhor aquisição.* **4** *Astron.* Processo de localização da órbita de satélite ou engenho espacial, para rastreá-lo ou para obter seus dados telemétricos [Pl.: *-ções.*] [F.: Do lat. tard. *acquisitio, onis.*]

aquisitivo (a.qui.si.*ti*.vo) *a.* **1** Ref. a aquisição (poder aquisitivo) **2** Próprio para ser adquirido; AQUIRITIVO [F.: Do lat. tard. *acquisitivus, a, um.*]

⊕ **a quo** (*Lat.* / a *quô*/) *loc. a.* **1** Desinformado, na ignorância: *Permaneceu a quo.* **2** Em jejum **3** *Jur.* Diz-se do tribunal ou juiz de cuja sentença se recorre **4** Diz-se da data que dá início a uma contagem de prazo

◎ **aquo-** *Pref.* Ver *aqu(i)-*

aquosidade (a.quo.si.*da*.de) *sf.* Qualidade, condição de aquoso [F.: Do lat. *aquositate.*]

aquoso (a.*quo*.so) [ô] *a.* **1** Que contém água (fruto aquoso) **2** Que é da natureza da água ou semelhante à água (humor aquoso) [Fem.: [ó]. Pl.: [ó].] [F.: Do lat. *aquosus, a, um.* Sin. ger.: *áqueo.*]

◎ **-ar**[1] *suf. nom.* Formador de adjetivos em ger. com os sentidos de: **a)** 'De, ref. ou pertencente a, ou próprio ou típico de (*objeto, órgão ou parte do corpo humano ou de animal, ser, instituição etc., indicados pelo subst. ou bases nominais de que derivam)': *alimentar*[1] (< lat.), *auricular* (< lat.), *alveolar, axilar, articular*[1], *biliar, capilar, ciliar, crepuscular, curricular, domiciliar, escolar* (< lat.), *familiar* (< lat.), *hospitalar, invulgar, lunar* (< lat.), *muscular, nuclear*[1], *ocular*[1], *particular* (< lat.), *popular* (< lat.), *tumular*[1], *vei-cular*[1], *vocabular*; **b)** 'em forma de ou semelhante a, ou em que há, ou que tem ou é provido de (*)': *acicular, angular* (< lat.), *aureolar, capsular, peciolar, quadrangular* (< lat.), *retangular, tricapsular*; c) 'que serve de/para, ou que faz, realiza (algo)': *complementar, exemplar* (< lat.), *salutar* (< lat.) [F.: Do lat. *-aris, e.* Ver *-al*[1].]

◎ **-ar**[2] *suf. v.* Da 1ª conjugação (formado pela vogal temática *a* + *r* desinencial do infinitivo), em vocábulos de várias épocas, formados já no latim, já no vernáculo ou em outra língua moderna de cultura (em adaptação à morfologia portuguesa [ex.: *degringolar* < fr. *dégringoler*; *mixar* < ing. (*to*) *mix*; *deletar* < ing. (*to*) *delete*]): *abaianar, abalar, administrar, adotar, aflorar, agachar, agravar, alcovitar, aliciar, alimentar*[2], *ampliar, antecipar, berrar, beijar, bicar, biografar, botar, bufar, caçar, caducar, calcular, calibrar, candidatar, capitular*[2], *casar, cessar, chamar, cifrar, clivar, colaborar, debelar, debilitar, decepar, defumar, desarmar, descolar, desregular, disparar, documentar, durar, eclipsar, elaborar, elevar, embargar, embolsar, emendar, empolar, encapotar, enclausurar, encurvar, escriturar, evaporar, ferrar, fibrilar*[2], *fintar, fritar, ganhar, gelar, gerar, gostar, hipotecar, hospedar, humilhar, ignorar, imitar, impugnar, inalar, instalar, jogar, lembrar, levantar, maquinar, melhorar, mirar, montar, murar, nadar, notar, objetar, obturar, ocultar, ovacionar, pagar, paquerar, perpassar, pousar, raptar, roubar, reativar, recapitular, reformular, reprisar, ressaltar, restaurar, rolar, sabotar, saltar, soltar, surfar, topar, tramar, transformar, tricotar, varar, vegetar, usar, xerografar, zarpar* [F.: Do lat. *-are.*]

ar *sm.* **1** Mistura de gases que forma a atmosfera terrestre, constituída principalmente por nitrogênio e oxigênio, e uma proporção mínima de vapor d'água e gases nobres **2** Camada de ar(1) que envolve a Terra; o espaço que ela ocupa; ATMOSFERA **3** Espaço ocupado pela atmosfera: *A águia cortou o ar em voo rasante.* **4** Clima, ou condição climática de um determinado lugar: *O ar da montanha faz bem à saúde.* [Muito us. no pl.: *ares de montanha.*] **5** Vento, aragem: *Sentia no rosto o ar fresco da manhã.* **6** *Fig.* A aparência ou a postura de alguém: *ar de nobreza/ ar de superioridade.* **7** *Fig.* Conjunto de relações e disposições humanas que constituem um ambiente; ATMOSFERA: *A sala tinha um ar carregado.* **8** Indício; aspecto, aparência: *Estas palavras dão ao enredo um ar de mistério.* **9** Respiração, fôlego (falta de ar) **10** *Bras. Pop.* Paralisia, estupor **11** *Fig.* Motivo, razão: *Que ares o trazem aqui?* [Us. no pl.] [F.: Do gr. *aér, aéros*, pelo lat. *aer, aeris.* Hom./Par.: *ares* (pl.), *ares* (fl. de *arar*). Ideia de 'ar': *aer(i/o)-, aeroviário*, e *pneumat-, pneumático.*] ■ **Ao ~ livre** Fora de ambiente ou recinto fechado **Apanhar ~** Tomar ar fresco **Apanhar no ~** Captar (informação, conhecimento) com rapidez **~ comprimido** Ar confinado em câmara fechada, sob pressão maior que a da atmosfera **~ condicionado** Ar ambiente resfriado, ou aquecido, ou umidificado de acordo com certa regulagem, em aparelhagem a isso destinada [Cf.: *ar-condicionado.*] **~ de família** Semelhança entre os traços fisionômicos dos membros de uma família **~ de poucos amigos** Semblante fechado e carrancudo **~ encanado** Ver *Corrente de ar* **Dar um (o) ~ de sua graça** *Fam.* Manifestar presença com ação, dito etc.: *Durante toda a reunião, não deu o ar de sua graça.* **Estar fora do ~** **1** *Telc.* Estar suspensa transmissão de rádio, televisão etc., provisória ou definitivamente **2** *P. ext.* Estar provisória ou definitivamente inativo canal de rádio, televisão etc. **3** *Fig. Gír.* Estar (alguém) desatento, distraído, com lapso de memória **Ir ao ~** *Telc.* Ser transmitido (programa, notícia etc.) **Ir pelos ~es** **1** Explodir **2** *Fig.* Deixar de se realizar (projeto, plano etc.): *Com os problemas na produção, suas férias foram pelos ares.* **Mudar de ~es** Mudar de lugar, de residência, de trabalho etc., ger. para tentar melhorar as condições de vida **No ~** **1** Não definido, não bem delineado, não completamente resolvido: *Está tudo no ar, ainda não temos um projeto claro.* **2** Com sinais perceptíveis, mas imprecisos, sendo motivo de boatos e comentários: *Há mais coisas no ar que aviões de carreira.* **3** Distraído, alheio, desatento: *Tentei explicar, mas ele parecia estar no ar.* **Sair do ~** Passar a estar fora do ar **Tomar ~** Ver *Apanhar ar*

◎ **ar-**[1] *pref.* Ver *a-*[2]

◎ **ar-**[2] *pref.* Ver *a-*[3]

◎ **ar-**[3] *pref.* Ver *a-*[4]

ara (*a*.ra) *sf.* **1** Altar: "...Diante dos crucifixos, únicas imagens que se viam sobre as aras nuas..." (Alexandre Herculano, *Eurico, o presbítero*) **2** Espécie de mesa de pedra, entre os pagãos, destinada aos sacrifícios **3** *Fig.* Em nome de (ou em homenagem a) um princípio ou conceito digno de sacrifícios: "... Mas fiel ao rei e à pátria, imolou-se nas aras do dever..." (R. da Silva) 4 *Astron.* Constelação austral próxima à de Escorpião [F.: Do lat. *ara.*] ■ ~ **da cruz** *Rel.* A cruz em que foi crucificado Jesus

árabe (*á*.ra.be) *s2g.* 1 Pessoa nascida na Arábia, península do Sul da Ásia, entre o mar Vermelho e o golfo Pérsico 2 Pessoa pertencente a qualquer dos povos semitas de origem árabe espalhados pelo Oriente Médio, o norte da África e o leste da Ásia, ou que emigrou ou descende de quem emigrou dessas regiões para qualquer outra parte do mundo *sm.* 3 *Gloss.* A língua semítica falada pelos árabes; ARÁBICO *a2g.* 4 Da Arábia; típico dessa região ou de seu povo; ARÁBICO 5 Ref. ou pertencente aos árabes 6 *Gloss.* Do ou ref. ao árabe (3) [F.: Do lat. *arabs, abis.*]

árabe-saudita (á.ra.be-sau.*di*.ta) *s2g.* 1 Pessoa nascida ou que vive na Arábia Saudita, país do Oriente Médio, S. O. da Ásia *a2g.* 2 Da Arábia Saudita; típico desse país ou de seu povo [Pl.: *árabes-sauditas.*] [Sin. ger.: *saudi-arábico* e *saudita.*]

arabesco (a.ra.*bes*.co) [ê] *sm.* 1 Desenho, pintura ou entalhe decorativo de origem árabe, que se caracteriza pelo entrelaçamento de linhas retas ou curvas, ramagens, flores etc., e pela ausência de figuras humanas 2 Rabisco, garatuja *a.* 3 Próprio dos árabes [F.: Do it. *arabesco.*]

arábias (a.*rá*.bi:as) *sfpl.* Us. na loc. *das arábias* [F.: Do top. *Arábia.*] ■ **Das** ~ Muito esperto [No pl., em alusão às três Arábias: a *Feliz*, a *Pétrea* e a *Deserta.*]

arábico (a.*rá*.bi.co) *a.* 1 Da Arábia, ou dos árabes, ou deles próprio 2 Diz-se dos algarismos criados pelos árabes, de uso universal e em aritmética, matemática etc. *sm.* 3 *Gloss.* A língua árabe; ÁRABE 4 *Rel.* Indivíduo da seita dos arábicos, heréticos que negavam o conceito da imortalidade da alma [F.: Do lat. *arabicus, a, um.*]

arabinose (a.ra.bi.*no*.se) [ó] *sf. Quím.* Aldopentose (açúcar com cinco átomos de carbono e grupo aldeído) que se tira por hidrólise da arabina (da goma-arábica), e us. como meio de cultura para determinadas bactérias [Fórm.: $C_5H_{10}O_5$] [F.: Do lat. cient. *arabin-* + *-ose.*]

arabiófono (a.ra.bi.*ó*.fo.no) *a.* 1 Que fala a língua árabe *sm.* 2 Pessoa que fala a língua árabe 3 Qualquer coletividade que fala a língua árabe [F.: *arábio* + *-fono.*]

arabismo (a.ra.*bis*.mo) *sm.* 1 *Ling.* Palavra, construção ou expressão característica da língua árabe 2 *Ling.* Uso de palavra ou expressão árabe em outra língua 3 *Pol.* Movimento em prol do reconhecimento e da defesa dos valores da cultura árabe, bem como dos interesses dos países árabes [F.: *árab(e)* + *-ismo.*]

arabista (a.ra.*bis*.ta) *a2g.* 1 Ref. ao arabismo (movimento arabista) *s2g.* 2 Especialista em língua árabe ou em cultura e política árabes 3 Adepto do arabismo (3) [F.: *árab(e)* + *-ista.*]

arabizado (a.ra.bi.*za*.do) *a.* 1 Que se arabizou, que se tornou árabe 2 Que se assemelha, cultural ou fisicamente, aos árabes ou ao que é árabe 3 Que sofreu influência árabe [F.: Part. de *arabizar.*]

arabizar (a.ra.bi.*zar*) *v.* 1 Tornar(-se) árabe ou semelhante a árabe; adquirir ou transmitir feição ou características árabes [*td.*: *A expansão árabe arabizou populações africanas.*] [*int.*: *Algumas populações nativas arabizaram-se.*] 2 Difundir, transmitir ou adotar a cultura árabe [*td.*: *A conquista moura no século VIII arabizou a Espanha.*] [*int.*: *A Espanha arabizou-se durante a conquista moura.*] 3 Assumir ou dar características próprias da língua árabe (p. ex., a palavra, língua) [*td.*: *A presença moura na Espanha arabizou o espanhol.*] [*int.*: "O castelhano, (...) só chegou àquele resultado, depois de arabizar-se muito, de adotar o gutural árabe..." (Francisco Adolfo de Varnhagen, *Ensaio histórico sobre as letras no Brasil*)] 4 Dedicar-se ao estudo do árabe [*int.*] [▶ 1 arabizar] [F.: *árabe* + *-izar*. Cf.: *islamizar.*]

araboia (a.ra.*boi*:a) *Zool. sf.* 1 O mesmo que *caninana* (*Spilotes pullatus*) 2 Réptil ofídio (*Chironius fuscus*) encontrado na região amazônica [F.: Posv. do tupi.]

arabu (a.ra.*bu*) *sm. N. Cul.* Pirão preparado com ovos de tartaruga, ou de tracajá, batidos com açúcar e farinha [F.: De or. obsc.]

araca (a.*ra*.ca) *sf.* Bebida alcoólica que se prepara mediante a fermentação do arroz, do melado ou da seiva de coqueiro ou de palmeira, comum no Extremo Oriente e no Oriente Médio [F.: Do ar. *Haraq.* Var. e f. paral.: *araque* e *áraque.*]

araçá (a.ra.*çá*) *sm.* 1 Fruto silvestre semelhante à goiaba em forma e sabor 2 *Bot.* Nome de várias árvores dos gên. *Psidium, Campomanesia* e *Myrcia*, esp. a *Psidium guajava*, que dá o araçá (1); ARAÇAZEIRO 3 Boi com pelo amarelo e manchas pretas *a.* 4 Diz-se desse boi [F.: Do tupi *ara'sa.*]

araçá-do-pará (a.ra.çá-do-pa.*rá*) *Bot. sm.* Árvore da fam. das mirtáceas (*Campomanesia acida*), de flores brancas, bagas amarelas e frutos comestíveis, encontrada na Amazônia [Pl.: *araçás-do-pará.*]

araçá-felpudo (a.ra.çá-fel.*pu*.do) *Bot. sm.* Planta da fam. das mirtáceas (*Psidium incanescens*), de bagas comestíveis, com casca e folhas dotadas de propriedades medicinais, encontrada em algumas regiões do Brasil [Pl.: *araçás-felpudos.*]

aracambi (a.ra.cam.*bi*) *sm. Bras.* Pau encavilhado no centro da jangada [F.: De or. obsc., posv. do tupi.]

aracambus (a.ra.cam.*bus*) *N. E. smpl.* 1 Nas jangadas, cruzeta em que descansa a verga da mezena 2 Nas jangadas, armação onde se penduram os aparelhos de pesca [F.: Do tupi, mas de étimo obsc.]

araçanga (a.ra.*çan*.ga) *sf. N. E.* Cacete ou vara com que os jangadeiros matam o peixe já ferrado no anzol; BURAÇANGA; BURUÇANGA [F.: Do tupi *ara'sanga.*]

aracanguira (a.ra.can.*gui*.ra) *sm. Ict.* Peixe (*Alectis ciliaris*), da fam. dos carangídeos, encontrado nos mares tropicais do mundo todo; de até 1,5 m de comprimento, possui corpo alto e comprimido lateralmente, coloração prateada com tons azulados, dorso cinza-esverdeado; nos indivíduos jovens, os raios anteriores das nadadeiras anal e segunda dorsal são extremamente alongados e filamentosos; ABACATUAIA; ALETO; ARACAMBÉ; GALO-DO-ALTO; GALO-RABUDO; XARÉU-BRANCO [F.: Posv. do tupi.]

aração¹ (a.ra.*ção*) *sf.* Ação ou resultado de arar, de revolver a terra com o arado, preparando-a para o plantio; ARADA: *A aração desse campo foi muito bem feita.* [Pl.: *-ções.*] [F.: Do lat. *aratio, onis*, 'cultivo de terra'; 'terra cultivada'.]

aração² (a.ra.*ção*) *Bras. sf.* 1 Ação ou resultado de arar² 2 Ação de comer de modo descontrolado, apressado ou excessivo 3 Fome excessiva; FOME CANINA; FOME DE LOBO [Pl.: *-ções.*] [F.: *arar²* + *-ção.*]

araçarana (a.ra.ça.*ra*.na) *Bot. sf.* 1 Arbusto (*Tocoyena bullata*), da fam. das rubiáceas, nativo do Brasil, com flores amareladas tubulares e boa madeira; pode atingir entre 4 e 5 m de altura; ARAÇÁ-DA-PRAIA 2 Árvore (*Calyptranthes concinna*), da fam. das mirtáceas, de até 4 m de altura, encontrada nas matas ciliares do Brasil; tem flores de cor creme; GUAMIRIM-FERRO; GUAMIRIM-FACHO [F.: Do tupi.]

araçari (a.ra.ça.*ri*) *sm. Zool.* Designação de diversas aves sul-americanas, florestais, da fam. dos ranfastídeos, como o araçaripoca e o araçari-banana, menores que os tucanos mas igualmente caracterizadas pelo tamanho desproporcional do bico; TUCANI; TUCANINHO [F.: Do tupi *arasa'ri.*]

araçari-banana (a.ra.ça.ri-ba.*na*.na) *sm. Ornit.* Ave (*Baillonius bailloni*), da fam. dos ranfastídeos, que vive em regiões montanhosas e buracos de árvores em regiões da Argentina, Paraguai e Brasil (do ES e MG ao RS); de dorso oliváceo e ventre amarelado, possui bico grande, oliváceo, com uma mancha vermelha na parte posterior que se estende até a volta dos olhos; pode atingir 35 cm de comprimento; ARAÇARI-BRANCO; TUCANINHO [Pl.: *araçaris-bananas* e *araçaris-banana.*]

araçari-minhoca (a.ra.ça.ri-mi.*nho*.ca) *sm. Ornit.* Ave (*Pteroglossus aracari*), das fam. dos ranfastídeos, encontrada na copa de florestas altas de terra firme, várzeas e igapós do Brasil, Guianas e Venezuela; com cerca de 43 cm de comprimento, possui asas e cauda verdes, cabeça, pescoço e garganta negros, fita peitoral vermelha, região abdominal amarela e bico negro na mandíbula e branco na maxila com estria preta na cumeeira; ARAÇARI; ARAÇARI-DA-MATA; CAMISA-DE-MEIA; CULICO; TUCANO-DE-CINTA; TUCANUÍ [Pl.: *araçaris-minhocas* e *araçaris-minhoca.*]

araçaripoca (a.ra.ça.ri.*po*.ca) *sm. Ornit.* Ave (*Selenidera maculirostris*), da fam. dos ranfastídeos, encontrada em florestas úmidas da Argentina e do Brasil (BA e MG ao RS); pode atingir cerca de 33 cm de comprimento, possui bico esbranquiçado com manchas verticais pretas, região perioftálmica verde com uma faixa amarelada atrás do olho; o macho apresenta cabeça, garganta e peito pretos e, na fêmea, essas partes são marrons; ARAÇARI-TIRADOR-DE-LEITE; SARIPOCA; SARIPOCA-DE-BICO-RISCADO [F.: *araçari* + *-poca* (do tupi *poka*, 'barulhento, ruidoso, estridente').]

araçari-preto (a.ra.ça.ri-*pre*.to) [ê] *sm. Ornit.* Ave (*Selenidera culik*), da fam. dos ranfastídeos, encontrada na Amaz; com cerca de 33 cm de comprimento, possui cabeça e pescoço pretos e marginados na nuca por uma faixa amarela (no macho) ou castanho-escura (na fêmea), região perioftálmica azul com uma faixa amarela atrás do olho, dorso verde-escuro, parte inferior preta (no macho) ou acinzentada (na fêmea), baixo-ventre e flancos verde-amarelados; ARAÇARI; ARAÇARI-NEGRO; ARAÇARIPOCA-DE-BICO-VERMELHO; SARIPOCA-CULIQUE [Pl.: *araçaris-pretos.*]

aracati (a.ra.ca.*ti*) *sm.* Vento que, durante as tardes de verão, sopra de nordeste para sudoeste em certas regiões do N. E., esp. no Ceará: "Era o tempo em que o doce aracati chega do mar, e derrama a deliciosa frescura pelo árido sertão..." (José de Alencar, *Iracema*) [F.: De or. obsc., posv. do tupi.]

aracatu (a.ra.ca.*t u*) *sm. Amaz.* Dia claro e de tempo firme [F.: Do tupi *ara-catu.*]

araçazeiro (a.ra.ça.*zei*.ro) *sm. Bot.* Nome de várias árvores das mirtáceas, dos gêneros *Psidium* e *Campomanesia*, das quais a *Psidium littorale* dá um fruto apreciado, o araçá [F.: *araçá* + *zeiro.*]

arácea (a.*rá*.ce:a) *sf. Bot.* Espécime das aráceas, família de plantas monocotiledôneas, vivazes, de raiz tuberosa, folhas invaginantes na base, espadice ordinariamente contido numa espata em forma de capuz, e flores unissexuais e nuas dispostas na superfície do espadice, sendo as masculinas no alto e as femininas na base. Muitas de suas 2.000 esp. encontram-se no Brasil, como o inhame, a taioba, o filodendro e o antúrio [F.: Do lat. *araceae.*]

aráceo (a.*rá*.ce:o) *a.* Ref. a aráceas [F.: *aráce(a)* + *-o.*]

◎ **aracni-** *el. comp.* Ver *aracn(o)-*.

aracnícola (a.rac.*ní*.co.la) *s2g.* 1 Aquele que se dedica a aranicultura; ARACNICULTOR *a2g.* 2 Diz-se desse indivíduo; ARACNICULTOR [F.: *aracni-* + *-cola¹.*]

aracnicultor (a.rac.ni.cul.*tor*) [ô] *a.* 1 Que se dedica à aracnicultura *sm.* 2 Esse indivíduo [F.: *aracni-* + *-cultor*. Sin. ger.: *aracnícola.*]

aracnicultura (a.rac.ni.cul.*tu*.ra) *sf.* Criação de aranhas [F.: *aracni-* + *-cultura.*]

aracnídeo (a.rac.*ní*.de:o) *Zool. a.* 1 Ref. aos ou dos aracnídeos, classe de artrópodes popularmente conhecidos como aranhas, ácaros e escorpiões, de corpo dividido em cefalotórax e abdome, com quatro pares de patas e um par de palpos (reúne 50 mil espécies distribuídas em 11 ordens) *sm.* 2 Espécime dos aracnídeos [F.: Do lat. cient. *Arachnida.*]

◎ **aracn(o)-** *el. comp.* = 'aranha': *aracnofobia, aracnófobo, aracnoide, aracnologia, aracnólogo; aracnicultor, aracnicultura* [F.: Do gr. *arákhne*, es. Tb. *aracni-.*]

aracnofobia (a.rac.no.fo.*bi*.a) *Psiq. sf.* Pavor, horror mórbido a aranha [F.: *aracn(o)-* + *-fobia.*]

aracnofóbico (a.rac.no.*fó*.bi.co) *Psiq. a.* 1 Ref. a aracnofobia 2 Diz-se de indivíduo que sofre de aracnofobia; ARACNÓFOBO *sm.* 3 Esse indivíduo; ARACNÓFOBO [F.: *aracnofobia* + *-ico².*]

aracnófobo (a.rac.*nó*.fo.bo) *a. sm. Psiq.* O mesmo que *aracnofóbico* (2 e 3) [F.: *aracn(o)-* + *-fobo.*]

aracnoide (a.rac.*noi*.de) *sf.* 1 *Anat.* Membrana serosa, delgada e transparente, localizada entre a dura-máter e a pia-máter, envolvendo o cérebro e a medula espinhal *a2g.* 2 Diz-se dessa membrana 3 Semelhante a aranha ou a teia de aranha 4 *Bot.* Diz-se de micélios (parte estrutural de certos fungos) frouxos, cujos filamentos (hifas), espaçados, lembram uma teia de aranha [F.: *aracn(o)-* + *-oide.*]

aracnoídeo (a.rac.no.*í*.de:o) *a2g. Anat.* Ref. à membrana aracnoide [Tb. *aracnóideo*, mais us., mas não prefer.] [F.: *aracnoide* + *-eo.*]

aracnóideo (a.rac.*nói*.de:o) Ver *aracnoídeo*

aracnoidite (a.rac.noi.*di*.te) *Neur. sf.* 1 Inflamação da aracnoide 2 Inflamação da leptomeninge cerebral da medula espinhal [F.: *aracnoide* + *-ite¹.*]

aracnologia (a.rac.no.lo.*gi*.a) *sf.* Ramo da zoologia que estuda os aracnídeos [F.: *aracn(o)-* + *-logia.*]

aracnológico (a.rac.no.*ló*.gi.co) *a. Zool.* Ref. a aracnologia [F.: *aracnologia* + *-ico².*]

aracnologista (a.rac.no.lo.*gis*.ta) *Zool. s2g.* 1 Aquele que se especializou em aracnologia; ARACNÓLOGO *a2g.* 2 Diz-se desse especialista [F.: *aracnologia* + *-ista*, seg. o mod. gr.]

aracnólogo (a.rac.*nó*.lo.go) *sm. Zool.* O mesmo que *aracnologista* (1) [F.: *aracn(o)-* + *-logo.*]

aracuã (a.ra.cu:*ã*) *sm. Zool.* Nome comum dado a diversas aves galiformes da fam. dos cracídeos (gên. *Ortalis*), semelhantes ao jacus; ARAQUÃ [F.: Do tupi *ara'kwã.*]

araçuaba *s2g. BA Etnog.* Mulato claro: "A filhinha da mãe-d'água/vai ficar araçuaba. /É tão branca que parece/ lagartixa descascada." (Sosígenes Costa, "V", *in Iararana* (1979) – Jornal de Poesia.) [F.: Posv. do tupi.]

aracu-branco (a.ra.cu-*bran*.co) *sm. Bras. Ict.* O mesmo que *piaba* (*Leporinus friderici*) [Pl.: *aracus-brancos.*]

aracu-pintado (a.ra.cu-pin.*ta*.do) *Ict. sm.* 1 Peixe (*Schizodon fasciatus*), da fam. dos anostomídeos, encontrado nos rios da Amaz. e da Guiana Francesa; com até 40 cm de comprimento, possui coloração cinza-amarelada com quatro faixas transversais no corpo; ARACUPINIMA; PIAU-LAVRADO 2 Peixe (*Leporinus aripuanaensis*), da fam. dos anostomídeos, encontrado no rio Aripuanã (Amaz.); com até 12 cm de comprimento, os indivíduos adultos apresentam no dorso faixas transversais, que, nos mais jovens, ger. chegam a atingir o ventre 3 Peixe (*Leporinus cylindriformis*), da fam. dos anostomídeos, encontrado na bacia amazônica; com cerca de 11 faixas escuras transversais sobre o dorso, possui manchas arredondadas pelo corpo e pode atingir cerca de 19 cm de comprimento [Pl.: *aracus-pintados.*]

◎ **-arada** *suf. nom.* Formador de substantivos com noção de 'algo em grande quantidade ou em número excessivo', ou com valor reforçativo, indicando a 'forte intensidade ou a extensão com que algo acontece ou com que uma ação se dá': *bicharada, filharada, gentarada; pingarada; chuvarada, cusparada.* [F.: De um el. *-ar-*, de or. e valor expressivos, + *-ada¹* (q. v.).]

arada (a.*ra*.da) *sf.* 1 Ação ou resultado de arar; AMANHAÇÃO; ARADURA; CULTIVO; LAVRA 2 Terra lavrada com arado; GLEBA; LEIRA; PLANTAÇÃO 3 Quantidade de terra que se ara em um dia [F.: Fem. substv. de *arado.*]

arado¹ (a.*ra*.do) *sm.* 1 *Agr.* Instrumento para lavrar a terra 2 *Fig.* A lavoura, a vida agrícola [F.: Do lat. *aratrum, i*, pelo port. ant. *aradro*, com dissimilação.]

arado² (a.*ra*.do) *a. Bras.* Faminto, varado, esfomeado [F.: Part. de *arar².*]

arador (a.ra.*dor*) [ô] *a.* 1 Que ara: *Preciso de um boi arador. sm.* 2 Aquele que ara; AGRICULTOR; LAVRADOR [F.: *arar* + *-dor.*]

aradura (a.ra.*du*.ra) *sf.* 1 Ação ou resultado de arar; ARADA 2 Terra que uma junta de bois lavra num dia [F.: *arar* + *-dura.*]

aragem (a.*ra*.gem) *sf.* 1 Vento brando, suave; BRISA 2 *Fig. Pop.* Sorte, ocasião favorável: *aproveite a aragem, pois nunca se sabe o que virá depois.* [F.: *ar* + *-agem².*]

aragonês (a.ra.go.*nês*) *sm.* 1 Indivíduo nascido ou que vive em Aragão, província da Espanha 2 *Gloss.* O dialeto de Aragão [Pl.: *-eses.* Fem.: *-esa*] *a.* 3 De Aragão, típico dessa região ou de seu povo 4 Do ou ref. ao aragonês (2) [Pl.: *-eses.* Fem.: *-esa*] [F.: Do espn. *aragonés.*]

aragonesa (a.ra.go.*ne*.sa) [ê] *sf.* 1 Mulher nascida ou que vive em Aragão (Espanha) 2 *Mús.* Música e dança típicas de Aragão *af.* 3 Ref., de ou própria de Aragão ou de aragonesa (1) (paisagem aragonesa; beleza aragonesa) [F.: Fem. de *aragonês.*]

aragonita (a.ra.go.*ni*.ta) *sf. Min.* Carbonato de cálcio ortorrômbico, mais duro que a calcita, encontrado tb. em corais, conchas e pérolas [F.: Do top. *Aragón* + *-ita.*]

araguaiano (a.ra.guai:*a*.no) *sm.* **1** Indivíduo nascido ou que vive na região banhada pelo rio Araguaia *a.* **2** *Bras.* Ref. ao rio Araguaia ou às regiões (nos estados de Goiás, Mato Grosso, Tocantins e Pará) por ele banhadas [F.: Do top *Araguaia* + *-ano*¹.]

araiú (a.ra.i:*ú*) *Bras. sm. AM Zool.* Peixe actinopterígio, siluriforme (*Tachysurus oncina*), da fam. dos ariídeos, de coloração pardacenta e manchas escuras, que se movimenta durante a noite [F.: Posv. do tupi.]

arália (a.*rá*.li:a) *sf. Angios.* Nome comum às plantas do gên. *Arália*, da fam. das araliáceas, nativas do Sudeste da Ásia e da América do Norte, cultivadas com fins ornamentais e medicinais [F.: Do lat. cient. gên. *Aralia.*]

araliácea (a.ra.li:*á*.ce:a) *sf. Angios.* Espécime das araliáceas, fam. da ordem das apiales com 47 gên. e 1.325 spp. de árvores, arbustos, trepadeiras e algumas ervas nativas dos trópicos, de folhas quase sempre compostas, flores hermafroditas e frutos bacáceos ou drupáceos; são cultivadas como ornamentais (hera), outras pela madeira ou por propriedades medicinais (ginseng) [F.: do lat. cient. *Araliaceae.*]

araliáceo (a.ra.li:*á*.ce:o) *a.* Ref. às araliáceas [F.: *arália* + *-áceo.*]

araliano (a.ra.li:*a*.no) *sm.* **1** Indivíduo nascido ou que vive nas regiões banhadas pelo mar de Aral (ant. União Soviética) *a.* **2** Ref. ao mar de Aral (ant. União Soviética) ou às regiões por ele banhadas **3** De ou típico dessas regiões ou dos povos dessas regiões [F.: Do top. *Aral* + *-iano.*]

aramá (a.ra.*má*) *Bras. sf. AM Ent.* Inseto himenóptero (*Trigona heideri*), abelha social dotada de grande agressividade, de coloração escura, asas amareladas, que faz seu ninho, muito largo, em ocos de árvores [F.: Do tupi *ara'mã.* Var.: *aramã.*]

aramado (a.ra.*ma*.do) *a.* **1** *Bras.* Fechado com cerca de arame; ALAMBRADO **2** Feito de arame **3** *Lus.* Diz-se de lanterna que tem proteção de lata na beira dos vidros *sm.* **4** Cerca de arame; ALAMBRADO **5** Placa ou painel de arame trançado [F.: Part. de *aramar.*]

aramaico (a.ra.*mai*.co) *sm.* **1** *Ling.* Antiga língua do grupo semítico, falada na Caldeia, Síria e Assíria, ainda hoje presente em algumas áreas da região **2** O alfabeto aramaico (3) *a.* **3** Ref. a essa língua, seu alfabeto etc. **4** O mesmo que *arameu*; ref. a esse povo, sua cultura etc. [F.: Do lat. *aramaicus.*]

> 🕮 O aramaico teve algumas variantes em sua evolução. Era a língua em uso na Judeia quando do nascimento de Jesus, e deve ter sido o idioma que ele falava. A variante judaica babilônica pós-exílio é a língua usada no Talmude da Babilônia, e a variante da Judeia, a língua us. no Talmude de Jerusalém

aramandaia (a.ra.man.*dai*.a) *Bras. sf. PE PB Zool.* Besouro curculionídeo (*Rhynchophorus palmarum*), de coloração negra, com 4, 5cm de comprimento; BROCA-DOS-COQUEIROS [F.: Posv. do tupi. Var.: *aramandaiá.*]

arame (a.*ra*.me) *sm.* **1** Fio de metal flexível **2** Liga de cobre e zinco, a que também se dá o nome de latão ou metal amarelo, e de que se fazem utensílios de cozinha ou serviço de mesa **3** Esse serviço **4** *Bras. Pop.* Dinheiro; COBRES; DINDIM; GAITA; GRANA **5** *Lus.* Proteção de lata nos vidros de certas lanternas [F.: Do lat. *aeramen, inis.*] **∎ ~ farpado** Cabo feito de fios de arame enrolados, com farpas regularmente espaçadas, us. como cerca de proteção de terrenos, áreas restritas etc.

arameiro (a.ra.*mei*.ro) *sm. Bras.* Indivíduo que trabalha com arame (fabricando ou vendendo) [F.: *arame* + *-eiro.*]

arameu (a.*ra*.meu) *sm.* **1** Indivíduo dos arameus, povo semita que viveu em Aram (região da atual Síria) e tb. na Mesopotâmia **2** *Gloss.* Língua falada pelos arameus; o mesmo que *aramaico a.* **3** De ou ref. a Aram ou arameus; típico dessa região ou de seu povo **4** *Gloss.* Do ou ref. ao arameu (2) ou aramaico [Fem.: *-meia*] [F.: Do lat. tardio *aramaei, orum.*]

aramídeo (a.ra.*mí*.de:o) *Zool. sm.* **1** Espécime dos aramídeos, fam. de aves gruiformes, conhecidas popularmente como *carões a2g.* **2** Ref. ou pertencente aos aramídeos [F.: Adaptç. do lat. cient. *Aramidae.*]

aramifício (a.ra.mi.*fí*.ci:o) *Bras. sm.* **1** Fábrica de arame **2** Tela tecida com arame [F.: *arame* + *-i-* + *-fício.*]

aramita (a.ra.*mi*.ta) *s2g.* **1** Indivíduo dos aramitas, povo indígena extinto que habitava a costa da Bahia *a2g.* **2** Ref. ou pertencente aos aramitas [F.: De or. indígena.]

arampatere (a.ram.pa.te.re) [té] *sm. Bras. Cul.* Prato afro-brasileiro em que entram, como ingredientes básicos, fígado, boi e músculo de boi [F.: Posv. do ior.]

arandela (a.ran.*de*.la) *sf.* **1** Luminária presa à parede **2** Peça presa à parede para se colocar vela **3** Suporte de vela que, no castiçal, recebe os pingos da cera derretida **4** *Bras. P. us.* Peça de metal ou vaso de barro em forma de aro que se enche de água e se coloca em volta de uma planta para impedir a passagem de formigas **5** Guarda-mão nas lanças, espadas, maças etc. **6** *Bras. P. us.* Bico de gás fixado na parede **7** *Ant. Vest.* Gola ou punhos com pregas ou tufos [F.: Do espn. *arandela.*]

arânea (a.*râ*.ne:a) *sf.* **1** *Zool.* Gênero de aracnídeos que inclui os argeopídeos **2** Qualquer espécie desse gênero, como a aranha-de-jardim (*Aranea diatemata*) **3** Qualquer espécime desse gênero [F.: Do lat. cient. gên. *Aranea.*]

◎ **arane(i)-** *el. comp.* = 'aranha': *araneídeo* (< lat. cient.), *araneífero, araneiforme*; *araneomorfo* (< lat. cient.) [F.: Do lat. *araneus, i* (masc.). Tb. *araneo-.*]

araneídeo (a.ra.ne:*í*.de:o) *Zool. sm.* **1** Espécime dos araneídeos, fam. de aracnídeos com cerca de 2.500 spp., de forma e coloração variadas *a.* **2** Ref. ou pertencente aos araneídeos [F.: Adaptç. do lat. cient. *Araneidae.*]

araneiforme (a.ra.nei.*for*.me) *a2g.* Semelhante, na forma, a uma aranha [F.: *arane(i)-* + *-forme.*]

◎ **araneo-** *el. comp.* Ver *arane(i)-*

araneomorfo (a.ra.ne:o.*mor*.fo) *Zool. sm.* **1** Espécime dos araneomorfos, subordem de artrópodes aracnídeos, com quelíceras verticais; LABIDÓGNATO *a.* **2** Ref. ou pertencente aos araneomorfos; LABIDÓGNATO [F.: Adaptç. do lat. cient. *Araneomorpha.*]

aranha (a.*ra*.nha) *sf.* **1** *Zool.* Designação comum a várias espécies de aracnídeos dotados de glândulas produtoras de seda, com as quais tecem a teia que serve de armadilha para suas presas [Aum.: *aranhuço.* Dim.: *aranhiço.*] **2** Nome dado a vários objetos cuja forma lembra a de uma aranha **3** *Bras. Bot.* Planta da fam. das orquidáceas (*Renanthera coccinea*), cultivada como ornamental por suas flores vermelhas **4** *Bras. Bot.* Planta da fam. das liliáceas (*Gloriosa simplex*) **5** Peça que sustenta pratos ornamentais em paredes **6** Pequena carruagem de duas rodas, puxada por um cavalo **7** *CE* Nos circos, cavalo velho abatido para alimentação de feras **8** *Bras. Tabu.* A vulva *s2g.* **9** *Pop.* Pessoa desajeitada, atrapalhada [F.: Do lat. *aranea, ae.* Hom./Par.: *aranha(s)* (sf. s2g. [pl.]), *aranha(s)* (fl. de *aranhar*). Ideia de 'aranha': *aracn (i/o)-* (*aracnofobia*).]

aranha-armadeira (a.ra.nha-ar.ma.*dei*.ra) *Bras. Zool. sf.* O mesmo que *armadeira* [Pl.: *aranhas-armadeiras.*]

aranha-caranguejeira (a.ra.nha-ca.ran.gue.*jei*.ra) [ê] *sf. Zool.* Designação comum a várias grandes aranhas peludas, da fam. dos terafosídeos, encontradas esp. nos trópicos, e que não produzem teia [Pl.: *aranhas-caranguejeiras.*]

aranha-caranguejo (a.ra.nha-ca.ran.*gue*.jo) [ê] *sf. Bras. Zool.* Aranha heteropodídea (*Heteropoda venatoria*), de cor parda, corpo achatado, pernas abertas para os lados, o que lhe permite andar como o caranguejo, muito encontrada em cachos de bananas [Pl.: *aranhas-caranguejos, aranhas-caranguejo.*]

aranha-de-jardim (a.ra.nha-de-*jar*.dim) *sf. Zool.* Aranha argiopídea (*Aranea diadermata*), ger. encontrada em lugares em que há vegetação [Pl.: *aranhas-de jardim.*]

aranha-do-mar (a.ra.nha-do-*mar*) *sf. Zool.* Nome comum a certos crustáceos oxirrincos, marinhos, como os da fam. dos majídeos, esp. o *santola* (*Macrocheira kaempferi*). Tb. *caranguejo-aranha* [Pl.: *aranhas-do-mar.*]

aranhar (a.ra.*nhar*) *Bras. v. int.* **1** Mover-se como uma aranha **2** *Fig.* Andar sem pressa, devagar **3** *Fig.* Demorar-se na execução de uma tarefa [▶ 1 aranhar] [F.: *aranha* + *-ar*². Hom./Par.: *aranha* (fl.), *aranha* (sf., sm. e a2g. s2g.); *aranhas* (fl.), *aranhas* (pl.).]

aranhinha (a.ra.*nhi*.nha) *Bras. sf. RJ Zool.* Aranha (*Latrodectus geometricus*) da fam. dos teridiídeos, de abdome ovalado e coloração cinzenta com desenhos geométricos, muito encontrada nos recantos internos das paredes, porões etc. [F.: *aranha* + *-inha.*]

aranhol (a.ra.*nhol*) *sm.* **1** Profusão de teias de aranha; o local onde há muitas teias de aranha **2** Buraco ou toca onde a aranha se recolhe **3** Armadilha para capturar pássaros, cuja forma lembra uma teia de aranha **4** *Bras.* Rede de pesca que tem uma das extremidades fixada ao barranco de um rio e a outra presa por meio de uma corda a um objeto pesado (poita), que fica no fundo da água **5** *Pop. Eletrôn.* Circuito eletrônico que apresenta forma confusa pelo descuido e desordem com que foi montado [Pl.: *-óis.*] [F.: *aranha* + *-ol.*]

aranzel (a.ran.*zel*) *sm.* **1** Discurso enfadonho, cheio de pormenores desnecessários; ARENGA: "O deputado prolongou por três quartos de hora (...) um aranzel de lugares comuns." (Camilo Castelo Branco, *Amor de salvação*) **2** *GO* Confusão, briga, rolo **3** *Ant.* Regulamento, regimento [Pl.: *-zéis.*] [F.: do espn. *alanzel*, posv. de or. ár.]

◎ **-arão** *suf. nom.* = 'de grande tamanho'; '(algo) em grande quantidade': *casarão*; *lamarão.* [F.: *-ar-* + *-ão*¹.]

arapaçu (a.ra.*pa*.çu) *Bras. Ornit. sm.* Nome comum a diversas aves passeriformes, arborícolas, de asas e cauda avermelhadas, bico longo e curvo, cujo hábito de escalar troncos de árvore, à procura de insetos e larvas, lembra certas características do pica-pau [F.: Do tupi *arapa'su.*]

arapaçu-grande (a.ra.pa.çu-*gran*.de) *Bras. Ornit. sm.* Ave passeriforme (*Dendrocolaptes platyrostris*), de cor parda, abdome com manchas negras, cauda castanha e garganta branca, encontrada no Sudeste do Brasil [Pl.: *arapaçus-grandes.*]

arapapá (a.ra.pa.*pá*) *sm. Bras. Ornit.* Ave ciconiiforme (*Cochlearius cochlearius*), de plumagem cinza, penacho nucal negro, peito e abdome castanhos, com cerca de 54cm de comprimento, de hábitos noturnos, encontrada na América tropical; COLHEREIRO; SOCÓ-DE-BICO-LARGO [F.: Do tupi *arapa'pa.*]

arapari (a.ra.pa.*ri*) *Angios. sm. Bras.* Árvore da fam. das leguminosas (*Macrolobium acaciaefolium*), de grande tamanho, madeira branca e porosa, vagens coriáceas, encontrada no Amazonas, Peru, Colômbia e Guianas [araparizal.] [F.: Do tupi *arapa'ri.*]

arapati (a.ra.*pa*.ti) *Bras. sm. BA Angios.* Árvore da fam. das leguminosas (*Arapatiella psilophylla*), de madeira vermelha e nobre, encontrada no Brasil [F.: Posv. de or. indígena.]

arapoca (a.ra.*po*.ca) *sf. Angios.* Árvore da fam. das rutáceas (*Raputia magnifica*), de madeira amarela us. na construção de móveis, folhas coriáceas e flores pálidas, e cuja casca contém propriedades medicinais; AMARELINHO; ARAPOCA-AMARELA [F.: Do tupi *ara'poka.*]

arapoca-branca (a.ra.po.ca-*bran*.ca) *sf. Bras. Angios.* Árvore da fam. das rutáceas (*Raputia alba*), de madeira nobre, folhas coriáceas e flores brancas, encontrada em várias regiões do Brasil [Pl.: *arapocas-brancas.*]

araponga *Bras. Zool. sf.* **1** Ave da fam. dos cotingídeos (*Procnias nudicollis*), encontrada em várias regiões do Brasil, cujo canto forte e estridente faz lembrar batidas de martelo numa bigorna *s2g.* **2** *Fig.* Pessoa que fala muito alto e tem voz estridente **3** *Bras. Gír.* Espião, esp. o que trabalha em escuta clandestina [F.: Do tupi *gwira'ponga.*]

arapongagem (a.ra.pon.*ga*.gem) *sf.* **1** *Bras.* Espionagem feita especialmente através de escutas telefônicas (grampos) **2** Ação específica desse tipo de espionagem: *Foi vítima de uma arapongagem muito bem armada.* [Pl.: *-gens.*] [F.: *araponga* + *-agem.*]

araponguinha (a.ra.pon.*gui*.nha) *Bras. Ornit. sf.* **1** Araponga de pequeno porte **2** Ave passeriforme (*Tityra cayana*), encontrado no Brasil, Guianas e da Venezuela à Bolívia e ao Peru, com cerca de 21cm de comprimento, bico forte colorido de vermelho na base e cauda relativamente curta, o macho de cor cinza-esbranquiçado, cabeça e cauda pretas **3** Ave passeriforme (*Tityra inquisitor*), encontrado em orla de matas, do México à Argentina e no Brasil, com cerca de 17 cm de comprimento, de cor cinza-esbranquiçada, parte das asas e cauda pretos, parte inferior branca; ARAPONGA-DA-HORTA; CANJICA; URUBUZINHO [F.: *araponga* + *-inha.*]

arapuã (a.ra.pu:*ã*) *sf.* **1** *Bras. Zool.* Certa abelha social brasileira meliponídea (*Trigona spinipes*), agressiva e de mel pouco apreciado; ABELHA-CACHORRO; ARAPUÁ; IRAPUÁ; IRAPUÃ **2** *Bras.* Cabeleira revolta ou emaranhada [F.: Do tupi *eirapu'a.*]

arapuar (a.ra.pu.*ar*) *MG Fam. v. int.* Zangar-se, irar-se, encolerizar-se: *Ele arapuou(-se) e não quis mais brincar.* [▶ 1 arapuar] [F.: *arapuã(á)* + *-ar*².]

arapuca (a.ra.*pu*.ca) *sf.* **1** *Bras.* Armadilha para capturar passarinhos, ger. feita de varinhas dispostas em forma piramidal **2** Cilada, embuste: *A proposta não passava de uma arapuca.* **3** *Pop.* Banco, seguradora, empresa etc. que ilude os clientes **4** Prédio velho, que ameaça desabar [F.: Do tupi *ara' puka.*] **∎ Cair na ~** Deixar-se apanhar em armadilha, conto do vigário etc.

arapuçá (a.ra.pu.*çá*) *Bras. sf. AM Zool.* Tartaruga da fam. dos pelomedusídeos (*Podocnemis lewyana*), de cor parda, carapaça malhada de preto, de até 45cm de comprimento [F.: Posv. do tupi.]

arapuqueiro (a.ra.pu.*quei*.ro) *AM a.* **1** Diz-se de indivíduo embusteiro, trapaceiro *sm.* **2** Esse indivíduo [F.: *arapuca* (*-c-* > *-qu-*) + *-eiro.*]

araquã (a.ra.*quã*) *Bras. sm. Ornit.* Ave galiforme cracídea (gên. *Ortalis*), que vive quase sempre nas árvores e se alimenta de pequenos frutos e vegetais; ARACUÃ; ARANCUÃ; ARANQUÃ [F.: Do tupi *ara'kwã.*]

araque (a.*ra*.que) *sm. Bras. Gír.* O que é casual; acaso, casualidade [F.: Do espn. *araque.*] **∎ De ~** **1** *Bras. Gír.* Que aparenta ou finge ser o que não é; cuja qualificação não satisfaz: *É um advogado de araque; um vinho de araque.* **2** Por acaso, sem intenção: *Acertou nas respostas de araque.*

áraque (*á*.ra.que) *sm.* Bebida alcoólica de origem árabe, feita à base de anis e diluída em água [F.: Da loc. ár. *Harak at-tamr* 'seiva da tamareira'.]

araqueado (a.ra.que:*a*.do) *Bras. Gír. a.* **1** *Turfe* Diz-se de apostador azarado **2** *Turfe* Diz-se de cavalo perdedor **3** Diz-se de indivíduo sem sorte [F.: *araque* + *-ado*².]

aráquis (a.*rá*.quis) *sf2n. Angios.* Nome comum às plantas do gên. *Arachis*, da fam. das leguminosas, cultivadas pelas sementes e pelo óleo e conhecidas popularmente como amendoim [F.: Do lat. cient. gên. *Arachis.*]

arar¹ (a.*rar*) *v. td.* **1** Revolver (o solo) com arado, preparando para o plantio: "Não seria necessário que os camponeses arassem a terra, nem semeassem..." (Padre Antônio Vieira, *Sermões*) **2** *Fig.* Navegar: *arar os mares.* [▶ 1 arar] [F.: Do lat. *arare.* Hom./Par.: *arara(s)* (fl.), *arara(s)* (sf. s2g. [pl.]); *aras* (fl.), *haras* (sm2n.); *aráveis* (fl.), *aráveis* (pl. de *arável* [a2g.]); *arem* (fl.), *harém* (sm.); *aro* (fl.), *aro* (sm.).]

◎ **-arar** *suf. verbal* De alguns poucos voc. de uso popular, em que o suf. tem valor reforçativo, intensificador: *abicharar, fumarar* [F.: De *-ar-*, el. intensificador de or. posv. express., + *-ar*².]

arar² (a.*rar*) *v. int.* **1** Ficar ou estar sem ar **2** *Bras.* Meter-se em apuros, em confusão; ficar enrolado, embaraçado **3** *Bras.* Sentir ou estar com muita fome **4** *Lus.* Ficar ou estar muito ansioso para que algo aconteça [▶ 1 arar] [F.: *ar* + *-ar*².]

arara¹ *sf.* **1** *Bras. Zool.* Designação comum às aves psitaciformes da fam. dos psitacídeos, gên. *Anodorhynchus, Ara* e *Cyanopsitta*, que possuem bico curvo, cauda longa e plumagem colorida **2** Estrutura dotada de uma peça roliça de madeira ou metal para pendurar cabides com roupas, us. ger. em lojas **3** *Lus. Pop.* Mentira, peta, balela *s2g.* **4** *Bras. Pop.* Tolo, pateta [F.: Do tupi *a'rara.* Hom./Par.: *arara(s)* (sf. s2g. [pl.]), *arara(s)* (fl. de *arar.*)]

arara² (a.ra.ra) *s2g.* **1** *Etnol.* Indivíduo pertencente aos araras, grupo indígena que habita a margem esquerda do rio Iriri (PA) *sm.* **2** *Gloss.* Língua falada por esse grupo indígena *a2g.* **3** Do ou ref. ao arara (1 e 2) [F.: Do etn. br. *Arara*.]

arara[3] (a.*ra*.ra) *sm. Bras. Zool.* Espécie de cupim [F.: Do tupi *ara'ra*.]

arara-azul (a.ra.ra-*a*.zul) *Bras. Ornit. sf.* **1** Ave psitaciforme (*Anodorhynchus leari*), espécie ameaçada de extinção encontrada apenas no Raso da Catarina, N.E. da Bahia; tem até 71 cm de comprimento, cor azul no dorso, asas e cauda e cabeça e pescoço azul-esverdeados **2** O mesmo que *araraúna* (*Anodorhynchus hyacinthinus*) **3** Espécie de arara (*Ara ararauna*) presente no Brasil; tb. *arara-de-barriga-amarela* [Pl.: *araras-azuis*.]

araracanga (a.ra.ra.*can*.ga) *sf.* **1** *Zool.* Ave psitaciforme (*Ara macao*), da fam. dos psitacídeos, com cerca de 90 cm de comprimento e colaração predominantemente vermelha, com asas em amarelo, azul e um pouco de verde e grande área nua branca na face. Ocorre na América Central e na Amazônia; ARACANGA; ARARA-VERMELHA; ARARA-VERMELHA-PEQUENA; MACAU **2** *Bot.* Planta apocinácea (*Aspidosperma album*), de madeira castanho-avermelhada, semelhante, tb. no uso, à peroba; PEQUIÁ-MARFIM [F.: Do tupi.]

arara-canindé (a.ra.ra-ca.nin.*dé*) *Bras. Ornit. sf.* Ver *arara-azul* [Pl.: *araras-canindés*.]

ararajuba (a.ra.ra.*ju*.ba) *sf. Bras. Zool.* Ave da fam. dos psitacídeos (*Guaruba guarouba*) com cerca de 35 cm de comprimento, de coloração amarelo-gema e uma faixa verde-bandeira nas asas, com ocorrência restrita às matas da Amazônia brasileira, esp. nos estados do Maranhão e Pará; ARAJUBA; GUARUBA; PAPAGAIO-IMPERIAL; TANAJUBA [F.: Do tupi *a'rara* + *'yuwa* 'amarelo'.]

ararama (a.ra.*ra*.ma) *sf. Bras. Bot.* Árvore cuja madeira é aproveitada em construções [F.: Posv. do tupi.]

araramboia (a.ra.ram.*bói*:a) *Bras. Zool. sf.* Réptil ofídio (*Boa canina*), de coloração verde com traços amarelos, comprimento até 2 m, que vive em árvores e se alimenta esp. de pássaros pequenos [F.: Do tupi *arara'mboya*.]

ararapiranga (a.ra.ra.pi.*ran*.ga) *Bras. Ornit. sf.* **1** O mesmo que *arara-vermelha* (*Ara chloroptera*) **2** O mesmo que *araracanga* (*Ara macao*) [F.: *arara* + *-piranga*.]

araraúna (a.ra.ra.*ú*.na) *Bras. Ornit. sf.* **1** Ave psitaciforme (*Anodorhynchus hyacinthinus*), de cor azul, encontrada em matas ciliares e cerrados brasileiros; é o maior dos psitacídeos, com 98 cm de comprimento e plumagem azul; ARARA-AZUL; ARARA-PRETA **2** Arara encontrada no Brasil (*Anodorhynchus glaucus*), tb. *arara-azul-pequena* **3** O mesmo que *arara-azul* (*Ara ararauna*) [F.: Do tupi *a'rara* + *'una*.]

arara-vermelha (a.ra.ra-ver.*me*.lha) *Bras. Ornit. sf.* **1** Arara (*Ara chloroptera*) encontrada no Brasil; tb. *arara-vermelha-grande* **2** O mesmo que *araracanga* (*Ara macao*) [Pl.: *araras-vermelhas*.]

araribá (a.ra.ri.*bá*) *sf.* Nome de várias plantas papilionáceas, gên. *Centrolobium* e rubiáceas, gên. *Simira*; ARARIBA [F.: Do tupi *arari'wa*.]

araribá-amarelo (a.ra.ri.bá-a.ma.*re*.lo) *sm. Bras. Angios.* Árvore da fam. das leguminosas (*Centrolobium robustum*), de madeira útil para obras hidráulicas e tb. para fazer lenha, dotada de casca da qual se produz matéria corante; ARARAÚVA [Pl.: *araribás-amarelos*.]

araribá-rosa (a.ra.ri.bá-*ro*.sa) *Bras. Angios. s2g.* Árvore da fam. das leguminosas (*Centrolobium tomentosum*), de grande tamanho, madeira útil, de casca e tronco que fornecem substância resinosa us. em tinturaria; ARARUVA [Pl.: *araribás-rosas*.]

ararinha-de-cabeça-encarnada (a.ra.ri.nha-de-ca.be.ça-en.car.*na*.da) *sf. Bras. Zool.* Ave psitaciforme (*Pyrrhura picta lucianii*), encontrada no Amazonas e no Peru, de coloração geral verde, peito verde-oliváceo, coberteiras articulares claras [Pl.: *ararinhas-de-cabeça-encarnada*.]

araripirá (a.ra.ri.pi.*rá*) *sm. Bras. Ict.* Peixe teleósteo caraciforme da fam. dos caracídeos (*Chalceus macrolepidotus*); tb. *saragui* [F.: D o tupi *ara'ri* 'espécie de peixe' + *pi'ra*.]

araroba (a.ra.*ro*.ba) [ó] *sf.* **1** *Bot.* O mesmo que *angelim-araroba* **2** Pó extraído dessa árvore, de uso medicinal e na tinturaria; PÓ DE GOA [F.: Do tupi *ara'rowa*.]

araruta (a.ra.*ru*.ta) *Bras. sf.* **1** *Bot.* Erva da fam. das marantáceas (*Maranta arundinacea*), de que se obtém um tipo de farinha comestível **2** Essa farinha, da qual se fazem ger. mingaus e biscoitos [F.: De or. contrv; do aruaque *aru-aru*, posv.]

arataca (a.ra.*ta*.ca) *sf.* **1** *Bras.* Espécie de armadilha feita de gravetos, bambu etc. para capturar animais silvestres; ARAPUCA *s2g.* **2** *S. Pej.* Brasileiro do Norte, nortista, cabeça-chata *a2g.* **3** Diz-se de cavalo pequeno, de má qualidade *sm.* **4** Utensílio para raspar a mandioca no fabrico da farinha [F.: Do tupi *ara'taka*.]

aratanha (a.ra.*ta*.nha) *N. N. E. sf.* **1** Pequeno camarão de água doce **2** Espécie de sapo pequeno; entanha **3** Vaca pequena **4** Pessoa que tem as pernas tortas [F.: Do tupi *a'ra taem*.]

araticum (a.ra.ti.*cum*) *Bot. sm.* **1** Nome comum de várias árvores anonáceas do Brasil, esp. as do gên *Annona* e *Rollinia*, que têm frutos comestíveis **2** O fruto dessas árvores, esp. o da *Annona reticulata*; CORAÇÃO-DE-BOI [F.: Do tupi *arati'ku*.]

aratinga (a.ra.*tin*.ga) *sf.* **1** *Bras. Ornit.* Denominação geral de aves psitaciformes da fam. dos psitacídeos (gên. *Aratinga*), de plumagem ger. verde, bico curvo, porte médio e cauda longa **2** Qualquer espécie desse gênero [F.: Posv. do tupi *ar'a* 'arara' + *-tinga* (do tupi *tinga* 'branco').]

aratório (a.ra.*tó*.ri:o) *a.* **1** Ref. a arado **2** *P. ext.* Ref. a agricultura [F.: *arar* + *-tório*.]

aratu (a.ra.*tu*) *Bras. Zool. sm.* **1** Nome comum a diversos caranguejos da fam. dos grapsídeos, que vivem em mangues **2** Caranguejo (*Aratus pisoni*) da fam. dos grapsídeos, de carapaça trapezoidal e cor acinzentada, que vive nos arbustos dos mangues [F.: Do tupi *ara'tu*.]

aratu-vermelho (a.ra.tu-ver.*me*.lho) [ê] *sm. Bras. Zool.* Caranguejo (*Goniopsis* sp.) da fam. dos grapsídeos, de carapaça esverdeada, pernas e quelhas avermelhadas, que ocorre da Flórida ao Rio de Janeiro e vive em mangues [Pl.: *aratus-vermelhos*.]

arauá (a.ra:u:*á*) *Bras. s2g.* **1** Indivíduo de qualquer grupo dos arauás, família indígena considerada extinta e cujas línguas pertencem à família linguística arauá *sm.* **2** *Gloss.* Essa família linguística **3** Grupo indígena extinto que habitava o Acre, às margens do rio Juruá *a2g.* **4** Ref. ou pertencente a arauá (1 a 3) [F.: Do arauá[1].]

araucária (a.rau.*cá*.ri:a) *Bot. sf.* **1** Designação comum às árvores do gên. *Araucaria*, nativas da América do Sul e da Austrália, que produzem pinhas com amêndoas ger. comestíveis e cuja madeira é de boa qualidade **2** O mesmo que *pinheiro-do-paraná* [F.: Adaptç. do lat. cient. *Araucaria*.]

araucariácea (a.rau.ca.ri:*á*.ce:a) *sf. Bot.* Espécime das araucariáceas, fam. da classe das pinópsidas que inclui três gên. e 39 espécies de grandes árvores, de folhas ger. pequenas e aciculares; a espécie mais importante no Brasil é o *pinheiro-do-paraná* [F.: Do lat. cient. fam. *Araucariaceae*.]

araucariáceo (a.rau.ca.ri:*á*.ce:o) *a.* Ref. às araucariáceas [F.: *araucária* + *-áceo*.]

araúna (a.ra.*ú*.na) *Bras. sf.* **1** *Folc.* Figura feminina que faz parte da festa popular conhecida como reisado **2** *AM Zool.* O mesmo que *arara-azul* (*Anodorhynchus glaucus*) [F.: Do tupi.]

arauto (a.*rau*.to) *sm.* **1** Na Idade Média, oficial que fazia proclamações solenes e anunciava a guerra e a paz **2** Nas monarquias modernas, dignatário da corte que serve de pregoeiro nas cerimônias de casamento e aclamação dos reis **3** *Fig.* Porta-voz: *Era o arauto do presidente.* **4** *Fig.* Aquele que anuncia (arauto da primavera); MENSAGEIRO [F.: Do fr. *héraut*, do frâncico *hariwald*.]

arável (a.*rá*.vel) *a2g.* Que pode ser arado ou lavrado [Pl.: *-veis*.] [F.: Do lat. *arabilis, e.* Hom./Par.: *aráveis* (pl.), *aráveis* (fl. de *arar*).]

aravela (a.ra.*ve*.la) *sf.* Peça de madeira da charrua ou do arado, na qual se apoia a mão de quem a manobra [F.: De or. duv.]

aravia (a.ra.*vi*.a) *sf.* **1** *Pop.* Linguagem confusa, de difícil compreensão; ALGARAVIA: "Estes homens, como chegaram aos navios, entraram dentro mui seguramente, como que conheceram os portugueses... e falavam aravia, no que se conheceu que eram mouros." (Fernão Lopes de Castanheda, *História do descobrimento e conquista da Índia pelos portugueses*) **2** *Liter. Mús.* Espécie de canção medieval portuguesa [F.: Do ár. *arabîia* 'língua árabe'. Hom./Par.: *aravia* (fl. de *araviar*).]

araxá (a.ra.*xá*) *Bras. sm.* **1** *Etnol.* Indivíduo dos araxás, povo indígena que habitava o planalto do extremo ocidental de Minas Gerais; CARIJÓ; PATO *a.* **2** *Etnol.* Dos ou ref. aos araxás; típico desse povo *sm.* **3** *Geog.* Área plana e elevada; CHAPADÃO; PLANALTO [F.: Prov. do tupi **ara'xa*.]

arbaleta (ar.ba.*le*.ta) [ê] *sf. Astr.* O mesmo que *balestilha* [F.: Do fr. *arbalète*.]

arbim (*ar*.bim) *sm. Ant.* Tecido grosseiro de lã: "Vestindo os trajos de vilão – o arbim e o zorame de burel – entrara no burgo..." (Alexandre Herculano, *O bobo*) [F.: Posv. do ár. *arabim*.]

arbitrado (ar.bi.*tra*.do) *a.* **1** Decidido por árbitro ou árbitros **2** Que resulta de julgamento, avaliação, arbitramento; JULGADO **3** Determinado segundo arbítrio próprio, ou pela própria consciência [F.: Part. de *arbitrar*.]

arbitrador (ar.bi.tra.*dor*) [ô] *a.* **1** Que arbitra *sm.* **2** Aquele que arbitra [F.: *arbitrar* + *-dor*.]

arbitragem (ar.bi.*tra*.gem) *sf.* **1** Ação ou resultado de arbitrar; ARBITRAMENTO **2** Julgamento, decisão ou avaliação por árbitro(s) ou perito(s) **3** *Esp.* Atuação do árbitro em uma competição esportiva: *O técnico atribuiu a derrota de seu time aos erros da arbitragem.* [Pl.: *-gens*.] [F.: Do fr. *arbitrage*; ou *arbitrar* + *-agem*[1].]

arbitral (ar.*bi*.tral) *a2g.* **1** *Dir.* Ref. a árbitro ou árbitros, ou feito por ele(s): "Instituído o juízo arbitral, os árbitros deverão declarar, no prazo de dez (10) dias, se aceitam a nomeação, presumindo-se a recusa do que, interpelado, não responder." (*Cód. Proc. Civ. Bras., art. 1. 032*) **2** Constituído por árbitros, com a finalidade de arbitrar (conselho arbitral) **3** Que não tem base ou fundamento; que independe de métodos ou regras prefixadas; arbitrário [F.: Do lat. *arbitralis*.]

arbitramento (ar.bi.tra.*men*.to) *sm.* O mesmo que *arbitragem* (1) [F.: *arbitrar* + *-mento*.]

arbitrar (ar.bi.*trar*) *v.* **1** Atuar como árbitro, julgar (conflito, questão litigiosa) [*td.: Arbitrou o litígio entre os herdeiros.*] [*int.: Quando as divergências aumentaram, convidaram um amigo para arbitrar.*] **2** Atuar como árbitro ou juiz de (competição, partida etc.); APITAR [*td.: arbitrar um jogo*] **3** Decidir (algo) na qualidade de árbitro, juiz [*td.: Arbitrar uma pensão.*] [*tdi.* + *a, em, para: Arbitrar multa aos infratores; Arbitrou a multa em sessenta reais.*] **4** Resolver por arbítrio, segundo a própria consciência [*td.: Arbitraram anular o voto.*] [▶ **1** arbitrar] [F.: Do lat. *arbitrare*.]

arbitrariedade (ar.bi.tra.ri:e.*da*.de) *sf.* **1** Qualidade do que é arbitrário **2** Procedimento contrário à regra ou à lei; ABUSO; DESPOTISMO [F.: *arbitrário* + *-edade*.]

arbitrário (ar.bi.*trá*.ri:o) *a.* **1** Que depende do arbítrio ou vontade de quem decide; que não tem regras estabelecidas (medidas arbitrárias) **2** Que segue a sua vontade, sem consideração pela opinião ou necessidade dos outros; DESPÓTICO **3** Não necessário nem obrigatório; FACULTATIVO **4** *Ling.* Que se baseia unicamente em acordo ou convenção social (diz-se do signo linguístico) [F.: Do lat. *arbitrarius, a, um*.]

arbitrarismo (ar.bi.tra.*ris*.mo) *sm.* **1** Qualidade do que é arbitrário, do que não se guia por lei, regras ou princípios lógicos **2** *P. ext.* Princípio pelo qual a relação entre seres, coisas, ações etc. tende a ser imprevisível **3** *P. ext.* Tendência para praticar ações ou tomar atitudes arbitrárias [F.: *arbitrário* + *-ismo*.]

arbitrável (ar.bi.*trá*.vel) *a2g.* Suscetível de ser arbitrado, que se pode arbitrar [Pl.: *-veis*.] [F.: *arbitrar* + *-vel*. Hom./Par.: *arbitráveis* (pl.), *arbitráveis* (fl. de *arbitrar*).]

arbítrio (ar.*bí*.tri:o) *sm.* **1** Decisão que só leva em conta a própria vontade; ALVEDRIO **2** Capacidade de decidir os fatores que formulação essa vontade e de decidir por ela **3** Juízo, parecer ou opinião acerca de algo **4** Decisão, parecer, sentença de árbitro ou juiz **5** O mesmo que *arbitragem* (1, 2) **6** Ideia ou medida adequada para algo; ALVITRE; EXPEDIENTE: *Naquela situação, o melhor arbítrio era calar.* [F.: Do lat. *arbitrium ii*.] ■ **Livre ~** Capacidade e poder de decidir livremente, sem coação

arbitrista (ar.bi.*tris*.ta) *s2g.* **1** Aquele que estabelece regras e regulamentos, que determina medidas e toma decisões **2** Aquele que faz uso de meios não convencionais para conseguir determinado fim [F.: *arbítrio* + *-ista*.]

árbitro (*ár*.bi.tro) *sm.* **1** *Jur.* Em uma disputa ou litígio, aquele que é designado por uma instância exterior, ou escolhido pelas partes para resolver a demanda em que estão envolvidas **2** *P. ext.* Aquele que faz as vezes de juiz, decidindo, julgando ou opinando numa questão ou disputa qualquer **3** *Esp.* Aquele que, em jogo ou competição esportivos, é designado para controlar o cumprimento das regras, apontar faltas, decidir sobre eventos específicos, manter a disciplina etc.; JUIZ **4** *Fig.* Aquele que é tido como modelo ou padrão a ser seguido: *Seus trajes e gestos eram árbitros da moda e do comportamento.* **5** Soberano, senhor absoluto, aquele que decide a seu arbítrio [F.: Do lat. *arbiter -tri*. Hom./Par.: *arbitro* (fl. de *arbitrar*), *arbitra(s)* (f., f. pl.), *arbitra* (fl. de *arbitrar*), *arbitras* (fl. de *arbitrar*).] ■ **~ da elegância** Pessoa que se veste com bom gosto, de acordo com a moda

arbóreo (ar.*bó*.re:o) *a.* **1** De ou ref. a árvore **2** Que se assemelha a árvore (diz-se de planta) [F.: Do lat. *arboreus, a, um*.]

arborescência (ar.bo.res.*cên*.ci:a) *sf. Bot.* Qualidade ou estado do que é arborescente; ARVORECÊNCIA [F.: Do lat. *arborescentia*.]

arborescente (ar.bo.res.*cen*.te) *a2g.* **1** *Bot.* Diz-se das plantas herbáceas, cujos caules ou ramos adquirem consistência lenhosa **2** *Bot.* Diz-se de uma planta de tronco lenhoso, cuja forma e cujo porte se aproximam dos de uma árvore **3** *Mic.* Diz-se do micélio cujas hifas se apresentam no formato dos ramos de uma árvore [F.: Do lat. *arborescens, entis*. Sin. ger.: *arvorecente*.]

arborescer (ar.bo.res.*cer*) *v. int.* **1** Transformar-se em árvore: *A mangueira afinal arboresceu.* **2** *Fig.* Crescer, desenvolver-se, como se fosse uma árvore: *A empresa arboresceu em pouco tempo.* [▶ **33** arbores**cer**] [F.: Do lat. *arborescere*.]

arboreto (ar.bo.*re*.to) [ê] *sm.* **1** Conjunto de árvores e plantas herbáceas plantadas com finalidades diversas (estudos científicos, exibição ao público etc.) **2** Mata em que há grande quantidade de plantas lenhosas [F.: Do lat. *arboretum, i*.]

arborícola (ar.bo.*rí*.co.la) *a2g.* **1** Diz-se de animal ou vegetal que vive em árvore **2** Ref. a ou próprio de animal ou vegetal que vive em árvore (hábitos arborícolas) **3** Diz-se dos epífitos, vegetais que se apoiam estruturalmente em outros [F.: *arbor(i)-* + *-cola*.]

arboricultor (ar.bo.ri.cul.*tor*) [ô] *a.* **1** Diz-se de quem que se especializa em ou se dedica a arboricultura *sm.* **2** Especialista em arboricultura; ARBORISTA [F.: *arbor(i)-* + *-cultor*.]

arboricultura (ar.bo.ri.cul.*tu*.ra) *sf.* Técnica e prática do cultivo de árvores, esp. frutíferas e ornamentais [F.: *arbor(i)-* + *cultura*.]

arborização (ar.bo.ri.za.*ção*) *sf.* **1** Ação ou resultado de arborizar **2** Plantação, conjunto de árvores em um lugar **3** *Min.* Disposição natural dos veios de certos minerais no formato das ramificações de uma árvore, como se observa nas ágatas [F.: *arborizar* + *-ção*.]

arborizado (ar.bo.ri.*za*.do) *a.* **1** Cheio de árvores (rua arborizada) **2** Diz-se do mineral que apresenta veios em forma de ramificações [F.: Part. de *arborizar*.]

arborizar (ar.bo.ri.*zar*) *v. td.* Plantar árvores em: *A prefeitura arborizou a minha rua.* [▶ **1** arbori**zar**] [F.: árvore (sob a f. *arbor-*) + *-izar*, seg. o mod. erudito.]

arbovirose (ar.bo.vi.*ro*.se) *sf. Vir.* Virose causada por arbovírus [F.: *arbovírus* + *-ose*.]

arbovírus (ar.bo.*ví*.rus) *sm. Vir.* Qualquer dos vírus transmitidos por mosquitos e carrapatos, como os da dengue, da febre amarela e da encefalite [F.: do ingl. *arbovirus*.]

arbúscula (ar.*bús*.cu.la) *sf. Bot.* Árvore de pequeno tamanho; ARBÚSCULO; ARVORETA: *uma arbúscula que ainda nem dá frutos.* [F.: Do lat. *arbuscula, ae.*]

arbuscular (ar.bus.cu.*lar*) *a2g.* **1** Ramificado como uma árvore **2** Ref. a arbúscula [F.: *arbúscula* + *-ar*¹.]

arbúsculo (ar.*bús*.cu.lo) *sm. Bot.* O mesmo que *arbúscula* [F.: *arbus* (do lat. *arbos, arboris* 'árvore') + *-culo.*]

arbustivo (ar.bus.*ti*.vo) *a.* **1** Do ou ref. a arbusto (aspecto arbustivo) **2** Com feição, característica, formato, porte de arbusto **3** Composto por ou em que predominam arbustos (vegetação arbustiva) [F.: do lat. *arbustivus.*]

arbusto (ar.*bus*.to) *sm. Bot.* Vegetal lenhoso, desprovido de tronco, que tem ramificações desde a base e altura máxima de 6m [F.: Do lat. *arbustum, i.*]

arbuto (ar.*bu*.to) *Bot. sm.* **1** Nome comum de árvores e arbustos (gên. *Arbutus*) da fam. das ericáceas, de flores brancas ou róseas e frutos avermelhados, encontradas na América do Norte e na Europa **2** Espécime desse gênero [F.: Do lat. cient. gên. *Arbutus.*]

⊠ **ARC** *sm. Med.* Conjunto de manifestações mórbidas e precoces relacionadas a AIDS, que se revelam pela queda da capacidade orgânica, febre, infecções etc. em pessoas infectadas pelo HIV [F.: Do acrônimo ing. A *ids* R *elated* C *omplex.*]

◎ **-arca**¹ *el. comp.* = 'soberano'; '(aquele) que comanda, governa, chefia'; 'membro de uma forma de governo'; 'alto dignitário (de instituição)': *diarca, etnarca, heptarca, hierarca, matriarca, monarca* (< lat. < gr.), *nesiarca* (< gr.), *oligarca* (< gr.), *patriarca* (< lat. < gr.), *pentarca, quiliarca* (< gr.), *tetriarca* (< lat. < gr.), *toparca* (< gr.), *triarca.* [F.: Do gr. *-árkhes, ou* (do v. gr. *árkho*, 'dar início a, começar'; 'governar', 'comandar', 'dirigir') ou do lat. *-archa* ou *-arches, ae.* F. conexa: *-arco.*]

◎ **-arca**² *el. comp.* = 'início'; 'começo'; 'primeiro': *menarca* [F.: Do gr. *arkhé, ês*, 'início', 'começo', do v. gr. *árkho*, 'dar início a, começar'; 'governar', 'comandar', 'dirigir'. F. conexa: *arque-.*]

arca (*ar*.ca) *sf.* **1** Grande caixa retangular, ger. de madeira, com tampa plana, us. para guardar roupas ou outros objetos **2** *Ant.* Cofre us. para guardar dinheiro, joias ou outros valores **3** *Ant.* O tesouro de alguma corporação ou instituição (a arca da universidade) **4** *MG Anat.* A última costela flutuante **5** *Zool.* Tipo de molusco bivalve revestido de grossa concha [F.: Do lat. *arca.*] ■ **~ congeladora** *Lus.* Congelador horizontal, *freezer* horizontal **~ da Aliança** No Antigo Testamento, arca sagrada na qual os hebreus guardavam as tábuas da lei **~ de Noé** Segundo o Antigo Testamento, embarcação que, seguindo ordem de Deus, Noé construiu para salvar do dilúvio sua família e casais de animais **~ do peito** *Anat.* A cavidade torácica [Tb. apenas *arca.*]

arcabouço (ar.ca.*bou*.ço) *sm.* **1** Armação de uma estrutura, de uma construção **2** Conjunto dos traços delineadores de algo; ESBOÇO: *arcabouço de um projeto/ de um romance.* **3** *Anat.* Conjunto dos ossos que formam o peito; TÓRAX [F.: De *arca.*]

arcabuz (ar.ca.*buz*) *sm.* Antiga arma de fogo portátil que se disparava inflamando a pólvora com uma mecha [O arcabuz de croque ou de forquilha era tão pesado, que o arcabuzeiro tinha de apoiá-lo sobre uma forquilha para atirar.] [F.: Do hol. *hakebus*, pelo fr. *arquebuse.*]

arcabuzamento (ar.ca.bu.za.*men*.to) *sm.* **1** Ação ou resultado de arcabuzar, ferir ou matar por meio de arcabuz: "Na última 6ª feira, 13 de janeiro, o arcabuzamento do Frei Caneca, como ficou conhecido pela história o frei Joaquim do Amor Divino Rabelo, foi rememorado no Museu da Cidade do Recife..." (*Arcabuzamento do Frei Caneca revivido*) **2** *P. ext.* Ação ou resultado de ferir ou matar por meio de tiros; FUZILAMENTO [F.: *arcabuzar* + *-mento.*]

arcabuzar (ar.ca.bu.*zar*) *v.* **1** Disparar tiro(s) de arcabuz [*int.*] **2** Ferir ou matar com tiro(s) de arcabuz [*td.*] **3** *P. ext.* Matar ou ferir a tiro(s) de espingarda ou arma semelhante; ESPINGARDEAR; FUZILAR [*td.*] [▶ **1** arcabuzar] [F.: *arcabuz* + *-ar*².]

arcabuzeiro (ar.ca.bu.*zei*.ro) *sm.* **1** Indivíduo, esp. soldado, armado de arcabuz **2** Aquele que vendia arcabuzes **3** Armeiro que fazia arcabuzes *a.* **4** Diz-se de quem vende, produz ou está armado com arcabuz **5** Ref. a arcabuz [F.: *arcabuz* + *-eiro.*]

arcada (ar.*ca*.da) *sf.* **1** *Arq.* Passagem, galeria ou estrutura com uma série de arcos em sequência **2** *Arq.* Abertura, vão em forma de arco em parede, muralha etc. **3** *Arq.* Abóbada arqueada **4** *Mús.* Em instrumento de cordas, passagem do arco sobre as cordas para produzir som musical **5** *Mús.* Tipo de arcada (4) que se executa sucessivamente num trecho musical **6** *Anat.* Estrutura óssea, fibrosa, vascular etc. em forma de arco (arcada dentária) **7** Movimento da arca do peito (caixa torácica) de quem respira ofegando [Ger. no pl.] [F.: Do lat. med. *arcata*, pelo it. *arcata.*] ■ **~ dentária** *Anat. Od.* Cada um dos conjuntos (um superior, outro inferior) em forma de arco formado pelas coroas dos dentes

arcadas (ar.*ca*.das) *sfpl.* Movimentos ofegantes da arca do peito de quem respira com dificuldade ou vomita; ARQUEJOS [F.: Pl. de *arcada.*]

árcade (*ár*.ca.de) *s2g.* **1** Pessoa nascida ou que vivia na Arcádia, antiga província da Grécia **2** Membro de arcádia (sociedade literária) *a2g.* **3** Da Arcádia (antiga região da Grécia); típico dessa região ou de seu povo **4** Típico ou ao estilo de membro de arcádia [F.: Do gr. *Arkás, ádos*, pelo lat. *arcas, adis.*]

arcádia (ar.*cá*.di:a) *sf.* Sociedade literária, muito em voga nos séculos XVII e XVIII, cujos componentes adotavam pseudônimos poéticos, ger. de contexto pastoril, e cultivavam o classicismo [F.: Do top. gr. *Arkadía*, pelo lat. *arcadia.*]

arcádico (ar.*cá*.di.co) *a.* **1** Ref. a arcádia (sociedade literária) **2** Da ou ref. à Arcádia, antiga província do Peloponeso, Grécia **3** Bucólico, pastoril [F.: Do gr. *Arkadikós*, pelo lat. *arcadicus.*]

arcadismo (ar.ca.*dis*.mo) *sm.* **1** *Lit.* Corrente ou escola literária cujo fundamento conceitual ou estilístico inspira-se no das arcádias, ou de seus adeptos e imitadores; esse conceito, esse estilo; NEOCLASSICISMO [A estética árcade pressupunha um estilo de vida bucólico, em pleno contato contato com a natureza.] **2** Influência das arcádias em escolas literárias, escritores etc. **3** Caráter pastoril, bucólico etc. em obra artística, escrita etc. literária [F.: *arcádia* + *-ismo.*]

arcado (ar.*ca*.do) *a.* Que tem forma de arco; ARQUEADO; CURVO: "De trombetas arcadas em redondo." (Camões, *Os Lusíadas*) [F.: Part. de *arcar.*]

arcaicidade (ar.ca:i.ci.*da*.de) *sf.* Qualidade, característica ou condição do que é arcaico [F.: *arcaico* + *-(i)dade.*]

arcaico (ar.*cai*.co) *a.* **1** Ref. a épocas antigas (português arcaico) **2** Que se encontra em desuso (costumes arcaicos); ANTIQUADO; OBSOLETO **3** Que está ultrapassado, fora de moda [F.: Do gr. *arkhaikós, é, ón*, 'antigo'; 'arcaico', do gr. *arkhaîos, a, on* (ver *arqueo-*).]

arcaísmo (ar.ca.*ís*.mo) *sm.* **1** *Ling.* Palavra, expressão ou construção muito antiga, fora de uso **2** Modo, estilo antiquado de falar ou de escrever **3** *Pej. Liter.* Vício do escritor que faz uso de termos antiquados [F.: Do lat. tardio *archaismus*, do gr. *archaismós.*]

arcaizante (ar.ca:i.*zan*.te) *a2g.* **1** Que tende para o arcaísmo ou o arcaico, que tem feição de arcaico **2** Que empresta caráter de arcaico (a algo) **3** *Lit.* Diz-se de movimento literário ou de estilo que faz reviver formas arcaicas de expressão **4** Que, na linguagem, utiliza arcaísmos, que tem por eles predileção; ARCAÍSTA *s2g.* **5** Pessoa arcaizante (4) [F.: *arcaizar* + *-nte.*]

arcaizar (ar.ca:i.*zar*) *v.* **1** Fazer ficar ou ficar, tornar(-se) arcaico, obsoleto, ultrapassado [*td.*: *Arcaizou a grafia, escrevendo 'pharmacia'.*] [*int.*: *Com o desuso, muitas palavras se arcaizam.*] **2** Usar palavras ou expressões arcaicas (em) [*td.*: *Arcaizar o discurso.*] [*int.*: *É difícil entender o que ele quer dizer pois arcaíza muito.*] [▶ **1** arcaizar Para a acentuação do 'i', ver paradigma **18.**] [F.: Do gr. *arkhaizen.*]

arcangélico (ar.can.*gé*.li.co) *a.* Ref. a, de ou próprio de arcanjo: "a bondade das flores e a castidade das estrelas estavam naquele claro sorriso distraído, espiritual, arcangélico, com que ela seguia o giro fulgurante da peça de ouro nova." (Eça de Queirós, *Singularidades de uma rapariga loura*) [F.: Do gr. *arkhangelikós, é, ón.*]

arcanita (ar.ca.*ni*.ta) *sf. Min.* Sulfato de potássio [F.: Do fr. *arkanit.*]

arcanjo (ar.*can*.jo) *sm. Rel.* Anjo de ordem superior [F.: Do lat. ecles. *archangelus, i*, do gr. *arkhángelos, ou*, do gr. *arkhi-* (ver *arqui-*) e *ángelos, ou.*]

arcano (ar.*ca*.no) *a.* **1** Que é secreto, misterioso, enigmático *sm.* **2** Grande segredo ou mistério **3** Na alquimia, preparado misterioso, reservado unicamente aos adeptos **4** Cada uma das cartas do baralho de tarô [F.: Do lat. *arcanus, a, um.*]

arção (ar.*ção*) *sm.* Peça de madeira arqueada e proeminente, que faz parte da estrutura da sela de montaria ou da cangalha, em suas bordas dianteira e traseira: "Uma dama vestida de branco parecia mal poder já manter-se na sela, segurando-se umas vezes ao arção, outras às crinas flutuantes do valente animal." (Alexandre Herculano, *Eurico, o presbítero*) [Pl.: *-ções.*] [F.: do lat. vulg. *arcio, onis.*]

arcar¹ (ar.*car*) *v.* **1** Responsabilizar-se por; ASSUMIR [*tr.* + *com*: *arcar com as despesas/consequências de seus atos.*] **2** Levar (algo pesado); sustentar o peso de [*tr.* + *com*: "Os cavaleiros mais possantes arcavam com pedras enormes..." (Alexandre Herculano, *O bobo*)] **3** Lutar corpo a corpo; INVESTIR [*tr.* + *com*: *Arcou com os adversários.*] [*int.*: *Os inimigos arcaram até a morte.*] **4** Arquejar, ofegar [*int.*: *Enquanto subia a ladeira, o velho arcava.*] [▶ **11** arcar] [F.: *arca* + *-ar*². Hom./Par.: *arca(s)* (fl.), *arca(s)* (sf. [pl.]); *arcaria(s)* (fl.), *arcaria(s)* (sf. [pl.]); *arco* (fl.), *arco* (sm.).]

arcar² (ar.*car*) *v. td.* **1** Dar forma de arco a **2** *Fig.* Arquear(-se), vergar(-se), curvar(-se) [▶ **11** arcar] [F.: Do lat. *arcare*, 'dobrar em arco'.]

arcaria (ar.ca.*ri*:a) *sf. Arq.* Série de arcos que sustentam uma construção ou elemento arquitetônico, que formam galeria ou passagem etc.; ARCADA [F.: *arco* + *-aria.*]

arcaz (ar.*caz*) *sm.* Arca com gavetões us. em sacristias para guardar paramentos, alfaias e outros objetos sagrados: "Um arcaz de madeira, com pilastras de ordem jónica semelhantes às das capelas laterais do transepto da Igreja..." (*Mosteiro dos Jerónimos – sacristia*) [F.: *arca* + *-az.*]

⊠ **arc cos** *Mat.* Símb. de *arco cosseno*

⊠ **arc cosec** *Mat.* Símb. de *arco cossecante*

⊠ **arc cosech** *Mat.* Símb. de *arco cossecante hiperbólica*

⊠ **arc cosh** *Mat.* Símb. de *arco cosseno hiperbólico*

⊠ **arc cosv** *Mat.* Símb. de *arco cosseno verso*

⊠ **arc cot** *Mat.* Símb. de *arco cotangente*

⊠ **arc cotg** *Mat.* Símbolo de *arco cotangente*

⊠ **arc cotgh** *Mat.* Símb. de *arco cotangente hiperbólica*

⊠ **arc coth** *Mat.* Símb. de *arco cotangente hiperbólica*

⊠ **arc csc** *Mat.* Símb. de *arco cossecante*

⊠ **arc csch** *Mat.* Símbolo de *arco cossecante hiperbólica*

⊠ **arc ctg** *Mat.* Símb. de *arco cotangente*

⊠ **arc ctgh** *Mat.* Símb. de *arco cotangente hiperbólica*

⊠ **arc ctn** *Mat.* Símb. de *arco cotangente*

⊠ **arc ctnh** *Mat.* Símb. de *arco cotangente hiperbólica*

◎ **arce-** *pref.* Ver *arqui-*

arcebispado (ar.ce.bis.*pa*.do) *Ecles. sm.* **1** Dignidade ou título de arcebispo **2** Território em que o arcebispo tem jurisdição eclesiástica **3** Local onde o arcebispo reside [F.: *arcebispo* + *-ado*². Sin. ger.: *arquiepiscopado.*]

arcebispal (ar.ce.*bis*.pal) *a2g.* *P. us.* O mesmo que *arquiepiscopal* [Pl.: *-pais.*] [F.: *arcebispo* + *-al*¹.]

arcebispo (ar.ce.*bis*.po) *sm.* Principal bispo de uma arquidiocese [F.: Do lat. ecles. *archiepiscopus, i*, do gr. *arkhiepískopos, ou.*]

arcediagado (ar.ce.di.a.*ga*.do) *sm.* **1** Dignidade de arcediago **2** Território sob a autoridade de um arcediago **3** Residência de arcediago [F.: *arcediago* + *-ado*².]

arcediago (ar.ce.di.*a*.go) *sm.* **1** *Ecles.* Eclesiástico investido pelo bispo de certos poderes sobre os párocos da sua diocese **2** Na Idade Média, auxiliar do bispo nos ofícios **3** *Antq.* O mais importante dos diáconos [F.: Do gr. *arkhidiákonos, ou*, pelo lat. *archidiaconus, i.*]

archa (*ar*.cha) *sf.* Antiga arma com cabo, espécie de alabarda us. pelos archeiros [F.: De or. contrv., posv. de *acha* 'arma antiga em forma de machado'.]

archeiro (ar.*chei*.ro) *sm.* Antigo guarda do paço, armado de archa [F.: Do fr. *archier.*]

archete¹ (ar.*che*.te) [ê] *sm.* Pequena arca; ARQUETA [F.: Do fr. *archette.*]

archete² (ar.*che*.te) [ê] *sm.* **1** *Cons.* Peça que completa a espessura da parede, por trás de moldura (padieira) de porta ou janela; CONTRAPADIEIRA **2** *Arq. Cons.* Pequeno arco que suplementa a função estrutural de outro arco **3** Em tapeçaria, ornato que imita pequenas archas ou machados [F.: Do fr. *archet.*]

archote (ar.*cho*.te) *sm.* **1** Facho untado com breu a que se ateia fogo para iluminar; TOCHA **2** *Mar.* Ponta de cabo presa à parte retesada do mesmo cabo [F.: Do espn. *hachote.*]

◎ **arci-** (ar.ci) *pref.* Ver *arqui-*

arcífero (ar.*cí*.fe.ro) *a.* Armado de arco [F.: *arc(o)* + *-i-* + *-fero.*]

arcifínio (ar.ci.*fí*.ni:o) *sm.* **1** Terreno cujos limites são acidentes geográficos naturais *a.* **2** Diz-se desse terreno [F.: Do lat. *arcifinius, a, um.*]

arciforme (ar.ci.*for*.me) *a2g.* Que tem forma de arco; ARCUAL [F.: *arc(o)* + *-i-* + *-forme.*]

arciprestado (ar.ci.pres.*ta*.do) *sm.* **1** Dignidade de arcipreste **2** Território sob a autoridade de um arcipreste [F.: *arcipreste* + *-ado*².]

arciprestal (ar.ci.pres.*tal*) *a2g.* Ref. a arcipreste [Pl.: *-ais.*] [F.: *arcipreste* + *-al.*]

arcipreste (ar.ci.*pres*.te) *Ecles. sm.* **1** Título de dignidade que dá aos párocos de certas igrejas preeminência e jurisdição sobre os demais párocos **2** Sacerdote idoso que participava das decisões da diocese; ARQUIPRESBÍTERO **3** Título honorífico conferido aos párocos em certos países europeus [F.: do lat. *archipresbyter.*]

◎ **-arco** *el. comp.* Ver *-arca*¹: *exarco* (< lat. < gr.), *hiparco* (< gr.), *polemarco* (< gr.), *quiliarco* (< gr.) [F.: Do gr. *-arkhos, os, on*, do v. gr. *árkho*, 'dar início a, começar'; 'governar', 'comandar', 'dirigir'.]

arco (*ar*.co) *sm.* **1** *Geom.* Porção de uma circunferência, ou de uma curva, entre dois pontos **2** *Geom.* Medida linear de um arco (1) **3** Numa circunferência, arco (1) que define o ângulo formado pelos raios da circunferência que passam por seus pontos extremos **4** Qualquer coisa (estrutura, desenho, imagem etc.) em forma de arco (1) [P. ex.: prendedor de cabelos com essa forma, estrutura decorativa enfeitada de flores, o arco-íris etc.] **5** *Arq.* Curva de abóboda **6** *Arq.* Elemento arquitetônico construído em forma de abóbada, ger. encimando vãos **7** Estrutura arquitetônica formada de pilares (de pedra, tijolo etc.) que sustentam elemento estrutural em forma de arco (1) **8** Haste curva, flexível e resistente, com uma corda presa às extremidades, com a qual se atiram flechas, ou setas, ao se puxar a corda, encurvando a haste, e soltá-la, liberando, com a volta da haste à curvatura original, a força que impulsiona a flecha [Pode ser uma simples haste com uma corda, ou dotada de implementos que lhe conferem equilíbrio, estabilidade, mira acurada etc., para uso esportivo.] **9** *Mús.* Vara ligeiramente flexível, entre cujas extremidades se estende, tenso, um feixe de crinas de cavalo com que se fricciona as cordas de violino, violoncelo etc., fazendo-as soar **10** *Mús.* Indicação, em partitura musical, da utilização do arco (9) **11** *Mús.* Cinta de madeira na borda superior do corpo de instrumentos de percussão (tambor, tímpano etc.) que, por meio de elementos reguladores, aumenta ou diminui a tensão do couro **12** Cinta circular que sustenta a armação das aduelas num barril **13** *Fut.* Espaço retangular limitado por traves pelo qual a bola deve passar para se marcar um gol; GOL; META **14** *Gram.* Cada um dos sinais curvos que formam parêntese **15** Brincadeira infantil que consiste em fazer rolar um aro de ferro ou madeira, empurrando-o com uma haste com uma das extremidades retorcida de forma a empurrar o aro e mantê-lo na vertical **16** *Elet.* Descarga elétrica entre dois eletrodos; clarão luminoso gerado por essa descarga **17** *Anat.* Toda estrutura (tecido, órgãos, nervos etc.) em forma de arco

(1) [F.: Do lat. *arcus, us.*] ▪ **Abrir o** ~ *Bras. Pop.* Fugir ~ **abatido** *Arq.* Arco cuja flecha é menor que metade da largura do vão ~ **abaulado** *Arq.* Aquele cujo perfil é um segmento de círculo menor que 180° ~ **aórtico** *Anat.* Curva da artéria aorta, assim que sai do ventrículo esquerdo do coração para cruzar tórax e abdome ~ **aviajado** *Arq.* Aquele que tem as linhas de nascença paralelas entre si, mas em níveis diferentes; arco rampante ~ **bizantino** *Arq.* Ver *Arco mourisco* ~ **coronal** *Astron.* Arco solar que se estende até a coroa ~ **cossecante** *Trig.* Função inversa da função cossecante; cossecante inversa [Símb.: *arc csc* e *arc cosec*. Tb., impropriamente, *csc*-1 e *cosec*-1.] ~ **cossecante hiperbólica** *Trig.* Função inversa da função cossecante hiperbólica; cossecante hiperbólica inversa [Símb.: *arc csch* e *arc cosech*. Tb., impropriamente, *csch* -1 e *cosech* -1.] ~ **cosseno** *Trig.* Função inversa da função cosseno; cosseno inverso [Símb.: *arc cos*. Tb., impropriamente, *cos* -1.] ~ **cosseno hiperbólico** *Trig.* Função inversa da função cosseno hiperbólico; cosseno hiperbólico inverso [Símb.: *arc cosh*. Tb., impropriamente, *cosh* -1.] ~ **cosseno verso** *Trig.* Função inversa da função cosseno verso [Símb.: *arc cosv*. Tb., impropriamente, *cosv* -1.] ~ **cotangente** *Trig.* Função inversa da função cotangente; cotangente inversa [Símb.: *arc cot, arc ctg, arc cotg* e *arc ctn*. Tb, impropriamente, *cot* -1, *ctg* -1, *cotg* -1 e *ctn* -1.] ~ **cotangente hiperbólica** *Trig.* Função inversa da função cotangente hiperbólica; cotangente hiperbólica inversa [Símb.: *arc coth, arc ctgh, arc cotgh* e *arc ctnh*. Tb., impropriamente, *coth* -1, *ctgh* -1, *cotgh* -1 e *ctnh* -1.] ~ **crepuscular** *Astron.* Segmento de arco diurno de um astro, da interseção com o horizonte racional até uma distância zenital de 108° ~ **cruzeiro** **1** *Arq.* Numa abóbada de aresta, aquele que, em seu dorso interior, une diagonalmente os ângulos **2** *Pop. Arq.* Arco que separa a nave de uma igreja da capela principal ~ **de descarga** *Arq.* Ver *Arco de escarção* ~ **de escarção** *Arq.* O que se constrói sobre a verga para aliviar a carga de alvenaria sobre esta; arco de descarga ~ **de ferradura** *Arq.* Ver *Arco mourisco* ~ **de ferradura apontado** Ver *Arco lanceolado* ~ **de geração** *Arq.* Ver *Arco abatido* ~ **de triunfo** *Arq.* Grande pórtico em forma de arco, ger. ostentando esculturas, baixos-relevos etc., erigido para comemorar um grande acontecimento ~ **de volta abatida** *Arq.* Ver *Arco abatido* ~ **de volta inteira** *Arq.* Ver *Arco pleno* ~ **diurno** *Astron.* Arco descrito pela órbita de um astro em movimento diurno, acima da linha do horizonte ~ **elementar** *Mat.* Comprimento da corda que liga dois pontos infinitamente próximos de uma curva; elemento de arco ~ **elétrico** *Elet.* Forte descarga elétrica, e de baixa tensão, entre dois eletrodos de metal ou carvão ~ **lanceolado** *Arq.* Arco mourisco formado por duas curvas que se juntam num vértice, como ponta de lança; arco de ferradura apontado ~ **mourisco** *Arq.* Arco cuja curvatura atinge mais de 180°; arco revindo; arco de ferradura; arco bizantino ~ **ogival** *Arq.* Arco formado por dois segmentos de um mesmo círculo, que se cruzam e formam um vértice no alto ~ **pleno** *Arq.* Arco cujo perfil é uma semicircunferência; arco de volta inteira; arco semicircular ~ **revindo** *Arq.* Ver *Arco mourisco* ~**s circunzenitais** *Met.* Arcos com refração colorida da luz do Sol, semelhante à do arco-íris, nos cristais de gelo da alta atmosfera ~ **congruentes** *Geom.* Dois arcos de circunferência em que a diferença dos comprimentos é múltiplo inteiro de 2 radianos; arcos côngruos ~ **côngruos** *Geom.* Ver *Arcos congruentes* ~ **secante** *Trig.* Função inversa da função secante; secante inversa [Símb.: *arc sec*. Tb., impropriamente, *sec* -1.] ~ **secante hiperbólica** *Trig.* Função inversa da função secante hiperbólica; secante hiperbólica inversa [Símb.: *arc sech*. Tb., impropriamente, *sech* -1.] ~ **semicircular** *Arq.* Ver *Arco pleno* ~ **semidiurno** *Astron.* Ângulo horário de um astro no seu ocaso ~ **senil** *Ger. Oft.* Círculo esbranquiçado, opaco, em volta da córnea, que ger. ocorre em idosos ~ **seno** *Trig.* Função inversa da função seno; seno inverso [Símb.: *arc sen*. Tb., impropriamente, *sen* -1.] ~ **seno hiperbólico** *Trig.* Função inversa da função seno hiperbólico; seno hiperbólico inverso [Símb.: *arc senh*. Tb., impropriamente, *senh* -1.] ~ **seno verso** *Trig.* Função inversa da função seno verso [Símb.: *arc senv* e *arc vers*. Tb., impropriamente., *senv* -1 e *vers* -1.] ~ **solar** *Astron.* Matéria em forma de arco, ejetada pela fotosfera solar [Cf.: *Arco coronal, Arco eruptivo* e *Arco protuberancial*.] ~ **tangente** *Trig.* Função inversa da função tangente; tangente inversa [Símb.: *arc tg*. Tb., impropriamente, *tan* -1 e *tg* -1.] ~ **tangente hiperbólica** *Trig.* Função inversa da função tangente hiperbólica; tangente hiperbólica inversa [Símb.: *arc tgh*. Tb., impropriamente, *tanh* -1 e *tgh* -1.] ~ **triunfal** *Arq.* Arco de triunfo ~ **vertebral** *Anat.* Formação que se projeta de cada vértebra e que protege a medula de lesões. A primeira vértebra tem dois arcos vertebrais, um posterior e outro anterior ~ **voltaico** Ver *Arco elétrico*. **Embandeirado em** ~ *Bras.* Muito feliz **Meter o** ~ *Bras. Pop.* Abrir o arco; fugir

arcobotante (ar.co.bo.*tan*.te) *sm.* **1** *Arq.* Construção exterior que termina em arco de círculo e que serve para amparar uma parede ou abóbada **2** *P. ext. Arq.* Pilar que apoia uma construção; BOTARÉU **3** Estrada coberta por ramos de árvores em forma de arco [F.: Do fr. *arcboutant*.]

arco da aliança (ar.co da a.li:*an*.ça) *sm.* Ver *arco-íris* [Pl.: *arcos da aliança*.]

arco-da-velha (*ar*.co-da-*ve*.lha) *Pop. sf.* Ver *arco-íris* [Pl.: *arcos-da-velha*.] ▪ **Do** ~ Fantástico, inacreditável

arco e flecha (*ar*.co e *fle*.cha) *sm.* **1** Arma, brinquedo ou equipamento esportivo que consiste num arco flexível, sua corda e a flecha que desta se arremessa **2** *Esp.* Modalidade esportiva em que, com tal equipamento, se compete para acertar um alvo [Pl.: *arco e flechas* e *arcos e flechas*.]

arco-íris (ar.co-*í*.ris) *sm2n. Met. Ópt.* Arco, composto de faixas coloridas, que aparece no céu em consequência da dispersão da luz solar em gotículas de chuva

📖 Quando os raios luminosos do Sol ou da Lua incidem sobre gotículas de água suspensas na atmosfera, essas gotículas provocam reflexão, refração e difusão dos raios (de luz branca). Cada ângulo de saída do raio luminoso corresponde a um dos componentes cromáticos da luz branca, referenciados nas cores do espectro visível: vermelho, laranja, amarelo, verde, azul, roxo, violeta. Essas radiações coloridas, por sua vez refletidas nas gotículas, num determinado ângulo de saída (42) formam a imagem de um arco, inteira ou parcialmente visível, do qual cada uma delas é uma faixa, ficando o vermelho na parte externa, o violeta na interna. Em certas condições pode-se formar um segundo arco externo ao primeiro. O centro do arco estaria sobre um eixo imaginário entre a fonte de luz e o ponto de observação

ar-condicionado (ar-con.di.ci:o.*na*.do) *sm.* **1** *Tec.* Aparelho que se destina a regular a temperatura e a umidade de ambientes fechados **2** Aparelho que se destina a resfriar a temperatura de ambientes fechados; condicionador de ar; AR-REFRIGERADO [Pl.: *ares-condicionados*.] [Cf.: *ar condicionado*, no verbete *ar*.]

arcontado (ar.con.*ta*.do) *sm.* **1** Dignidade de arconte **2** Assembleia de arcontes **3** Período de vigência dessa assembleia **4** Título ou cargo de arconte [F.: *arconte* + *-ado*[2].]

arconte (ar.*con*.te) *Pol. sm.* **1** Na antiga Grécia, magistrado que, até o século VI a.C., exercia o poder de legislar, e a partir de então só o de executor das leis **2** *Ecles.* Eclesiástico da Igreja grega, com diversas funções [F.: Do gr. *arkhon*, pelo lat. *archon, ontis*.] ▪ ~ **epônimo** *Teatr.* Entre os gregos antigos, magistrado que se incumbia da preparação e organização dos concursos de tragédias e comédias: "Na Grécia, o arconte epônimo, a cargo de quem o Estado delegava as despesas das representações, estimava o dispêndio de cada um em dois talentos" (Camilo Castelo Branco, *A queda dum anjo*)

arcossáurio (ar.cos.*sáu*.ri:o) *Pal. a. sm.* Ver *arcossauro*

arcossauro (ar.cos.*sau*.ro) *Pal. a.* **1** Ref. aos arcossauros *sm.* **2** *Pal.* Espécime dos arcossauros, infraclasse de répteis diapsidas que reúne os crocodilianos, dinossauros e pterossauros [F.: Do lat. cient. infraclasse *Archosauria*.]

⊠ **arc sec** *Mat.* Símb. de *arco secante*

⊠ **arc sech** *Mat.* Símb. de *arco secante hiperbólica*

⊠ **arc sen** *Mat.* Símb. de *arco seno*

⊠ **arc senh** *Mat.* Símb. de *arco seno hiperbólico*

⊠ **arc senv** *Mat.* Símb. de *arco seno verso*

arctação (arc.ta.*ção*) *Med. sf. Pat.* Estreitamento de um meato ou ducto; COARCTAÇÃO [Pl.: *-ções*.] [F.: Do lat. *arctatio, onis*.]

⊠ **arc tg** *Mat.* Símb. de *arco tangente*

⊠ **arc tgh** *Mat.* Símb. de *arco tangente hiperbólica*

◎ **-arctia** *el. comp.* = 'estreitamento (patológico)': *arteriarctia, bronquiarctia* [F.: Do lat. *arctus, a, um*, 'estreito', 'apertado' (part. pass. do v.lat. *arcere*, 'apertar'), + *-ia*[1].]

⊠ **arc vers** *Mat.* Símb. de *arco seno verso*

ar de dia (ar de *di*.a) *sm. BA CE PI* Crepúsculo matutino ou vespertino [Pl.: *ares de dia*.]

ardedura (ar.de.*du*.ra) *sf.* **1** Ação ou resultado de arder, queimar; ARDOR; ARDÊNCIA **2** Sensação do que arde, queima, ou do que tem sabor picante [F.: *arder* + *-dura*.]

árdego (*ár*.de.go) *a.* **1** Que é ou se manifesta ardente, impetuoso (árdego cavalo); FOGOSO **2** Que se impacienta ou irrita com facilidade; IRASCÍVEL; IRRITADIÇO **3** Que é custoso, difícil ou trabalhoso (trabalho árdego); ÁRDUO; ESPINHOSO [F.: Do lat. *ardere*, por **ardicare*.]

ardeídeo (ar.de.*í*.de:o) *Ornit. a.* **1** Relativo a ou próprio dos ardeídeos *sm.* **2** Espécime dos ardeídeos, fam. de aves ciconiiformes, ger. paludícolas, com aprox. 18 gêneros, conhecidas como garças e socós; de regiões tropicais, temperadas e de ilhas, possuem pernas e dedos compridos, pescoço fino e anguloso, bico longo e pontiagudo e cauda curta [F.: Do lat. cient. fam. *Ardeidae*.]

ardência (ar.*dên*.ci:a) *sf.* **1** Estado de uma coisa que arde; qualidade do que causa ardor **2** Sensação de ardor, de queimação **3** O sabor ácido ou picante de algumas substâncias **4** *Fig.* Veemência, vivacidade, impaciência **5** *Hip.* Energia excessiva do animal [F.: Do lat. *ardentia*.]

ardente (ar.*den*.te) *a2g.* **1** Que arde, que está em chamas ou em brasa **2** *Fig.* Que é muito intenso, vivo, impetuoso (paixão ardente) **3** Que abrasa, que causa calor **4** Que é picante; que faz arder a língua **5** *Fig.* Que revela sensualidade ou desejo sexual (corpos ardentes) **6** Diz-se da mó que corta e quebra o grão em vez de triturá-lo [F.: Do lat. *ardens, entis*.]

ardentia (ar.den.*ti*.a) *sf.* **1** Fosforescência sobre as ondas do mar, à noite: "O mar em troca acende as ardentias..." (Castro Alves, *Os escravos*) **2** Calor, ardor do sol, canícula **3** *RS Biol.* Nome comum de organismos protistas, cuja luminescência produz ardentia (1), ao transmitir efeito de fosforescência noturna às águas do mar; FOSFORESCÊNCIA-DO-MAR [F.: *ardente* + *-ia*[1].]

arder (ar.*der*) *v.* **1** Queimar-se [*int.*: *O pão já ardia esquecido no forno; O canavial ardia em chamas*.] **2** Estar muito quente [*int.*: *A criança ardia em febre*.] **3** Doer como se queimasse [*int.*: *Meu machucado ardeu quando molhou; Seus olhos ardiam de sono*.] **4** Causar sensação de ardor; QUEIMAR [*int.*: *Em dias ensolarados, o céu arde*.] **5** Ter a propriedade de combustão [*int.*: *A madeira seca ardeu facilmente*.] **6** Estar aceso [*int.*: *A lâmpada ardeu a noite inteira*.] **7** Ter sabor picante [*int.*: *Essa mostarda arde bem*.] **8** Emanar luz, brilho; BRILHAR; CINTILAR [*int.*: *Na noite escura, a lua cheia ardia intensamente*.] **9** *P. ext.* Sentir calor intenso [*int.*: *No verão, os cariocas ardem*.] **10** *P. ext.* Ficar ou fazer ficar rubra (a face) [*int.*: *Os comentários indecorosos fizeram a face da moça arder*.] **11** *Fig.* Ser dominado por sentimento intenso [*tr.* + *de, em*: *O marido ardia em ciúmes*: "... começava a arder de curiosidade." (Machado de Assis, "Conto de escola" in *Novas Seletas*)] **12** Desejar intensamente; ANSIAR [*tr.* + *por*: *Ardia por conseguir o emprego*.] **13** *Fig.* Desbaratar-se, gastar-se muito depressa [*int.*: *Sua fortuna ardia com tantos gastos*.] [▶ 2 arder] [F.: Do lat. *ardere*.]

ardidez (ar.di.*dez*) [ê] *sf. P. us.* O mesmo que *ardimento*[2] [F.: *ardido*[2] + *-ez*.]

ardido[1] (ar.*di*.do) *a.* **1** Que ardeu, que queimou **2** Picante, ardente (pimenta ardida) **3** Que fermentou (farinha ardida) **4** *Bras.* Irritação da pele; ASSADURA [F.: Part. de *arder*.]

ardido[2] (ar.*di*.do) *a.* **1** Ousado, corajoso, intrépido, audaz: "Qual cão de caçador, sagaz e ardido, / usado a tomar na água a ave ferida..." (Luís Vaz de Camões, *Os Lusíadas, canto IX*) **2** Disputado com ardor; RENHIDO [F.: Do fr. *hardi*.]

ardil (ar.*dil*) *sm.* **1** Estratagema para enganar; ARDILEZA; ARTIMANHA; ASTÚCIA **2** Cilada, armadilha [Pl.: *-dis*.] [F.: De orig. contrv.]

ardileza (ar.di.*le*.za) *sf.* O mesmo que *ardil* (1) [F.: *ardil* + *-eza*.]

ardiloso (ar.di.*lo*.so) [ô] *a.* Que usa de ardis; ASTUCIOSO; MANHOSO; SAGAZ [Pl.: [ó]. Fem.: [ó].] [F.: *ardil* + *-oso*.]

ardimento[1] (ar.di.*men*.to) *sm.* O mesmo que *ardência* (1) [F.: *arder* + *-mento*.]

ardimento[2] (ar.di.*men*.to) *sm.* Qualidade, característica ou atitude de quem é ousado, intrépido; ARDIDEZ; BRAVURA; CORAGEM [F.: *ardido*[2] (sob a f. *ardi-*) + *-mento*.]

◎ **-ardo** *suf. nom.* = 'aumento'; 'que é muito (o que quer dizer a palavra base)'; 'tipo de (o que quer dizer a palavra original): *moscardo, javardo, felizardo* [F.: De or. incerta.]

ardor (ar.*dor*) [ô] *sm.* **1** Ardência, queimação **2** Calor intenso: *o ardor dos trópicos*. **3** Sabor picante como o da pimenta e outros condimentos **4** *Fig.* Grande atividade, energia, entusiasmo: *trabalhar com ardor*. **5** *Fig.* Paixão, desejo violento [F.: Do lat. *ardor, oris*.]

ardoroso (ar.do.*ro*.so) [ô] *a.* Cheio de ardor (fãs ardorosos); ENTUSIASTA [Pl.: [ó]. Fem.: [ó].] [F.: *ardor* + *-oso*.]

ardósia (ar.*dó*.si:a) *sf.* **1** Pedra cinzenta, esverdeada ou azulada, que se separa naturalmente em folhas, us. para revestir pisos, paredes etc. **2** *Lus.* Lousa, quadro-negro [F.: Do fr. *ardoise*.]

ardoso (ar.*do*.so) [ô] *Bras. a.* Ácido, picante, ardente (tempero ardoso) [F.: *ardido* + *-oso*, por haplologia.]

arduidade (ar.dui.*da*.de) *sf.* Qualidade de árduo; DIFICULDADE [Ant.: *facilidade*.] [F.: *árduo* + *-i-* + *-dade*.]

ardume (ar.*du*.me) *Bras. sm.* Qualidade ou característica do que arde, do que é picante; ARDOR; ARDÊNCIA [F.: Do rad. *ard-* de *arder* + *-ume*.]

árduo (*ár*.du:o) *a.* **1** Que é difícil de ser realizado ou cumprido (trabalho árduo; tarefa árdua) **2** Penoso, difícil de suportar (vida árdua) **3** Que é escarpado, espinhoso, de difícil acesso [F.: Do lat. *arduus, a, um*.]

are (*a*.re) *sm.* Unidade de medida agrária que equivale a $100m^2$ [Símb.: *a*.] [F.: Do fr. *are*.]

área (*á*.re:a) *sf.* **1** Extensão (bidimensional) ocupada por algo: *A fazenda ocupa vasta área do município*. **2** *Geom.* Medida de uma superfície: *A área da fazenda é de 100 ha*. **3** *Geom.* Medida da superfície total de uma figura geométrica [A área de um poliedro é o limte da soma das áreas de todas as suas faces, considerando as arestas como de área zero.] **4** Espaço ou terreno delimitado; REGIÃO: *Essa área é perigosa à noite*. **5** *Cons.* Espaço aberto no interior de um edifício ou construção **6** Campo de conhecimento, de atividade ou de interesse: *O parecerista não era especialista na área*. **7** *Geom.* Região de plano ou superfície curva limitada por uma linha **8** *Astr.* O espaço percorrido durante um certo tempo pelo raio vetor de um astro **9** *Fig.* Região de influência ou com a qual se é familiar: *Os ladrões não costumam roubar na própria área*. **10** *Fut.* O mesmo que *grande área*, no verbete *área* **11** *Bras.* Área de serviço [F.: Do lat. *area, ae*. Hom./Par.: *ária* (sf.).] ▪ ~ **ativa** *Astron.* Grupo de manchas solares ~ **ciclonal** *Met.* Área da superfície da Terra em que ocorrem ciclones ~ **crítica** *Mar. G.* Área marítima de importância estratégica, por isso visada por inimigos em tempos de guerra ~ **cultural** *Ant.* Território geográfico no qual estão presentes, em sua população, um conjunto de elementos culturais, como a ecologia, a economia, determinados traços de organização social, sistemas de crenças e de valores culturais ~ **de afundamento** *Geol.* Região que sofreu ou está em processo de sofrer um abaixamento, por ação de forças tectônicas, ou de erosão em terrenos calcários ~ **de construção** *Arq.* Soma das áreas de todos os pavimentos de uma edificação [Cf.: *Área útil*.] ~ **de livre comércio** *Econ.* Associação de países em que são abolidas possíveis restrições ao comércio entre eles, como tarifas alfandegárias, certos impostos etc.; zona de livre comércio **~ de memória** *Inf.* A parte da memória de um computador ou sistema de informática us. para armazenamento de determinado tipo de informação **~ de ocupação** *Arq.* No nível do solo, a área da projeção horizontal da edificação **~ de proteção ambiental** *Bras.* Área protegida por lei para conservação do meio ambiente, de espécies vegetais e animais, para preservação de fatores genéticos e da qualidade de vida de seus habitantes **~ de serviço** *Bras.* Em apartamento, espaço (ger. junto à cozinha e à entrada de serviço) destinado à lavagem e secagem de roupa, armários para material de limpeza etc. **~ de subsidência** *Geol.* Região em processo de abaixamento, devido ao peso de sedimentos acumulados **~ de trabalho** *Inf.* O mesmo que *desktop* **~ de transferência** *Inf.* Área de memória na qual o usuário de computador pode armazenar provisoriamente informações para movê-las para outro arquivo ou aplicativo, com os comandos de *copiar* e *colar.* [Tb. *clipboard.*] **~ focal** *Mar.* Área marítima para a qual, devido a suas condições e características, convergem necessariamente rotas marítimas [Cf.: *Área crítica.*] **~ linguística** *Ling.* Área em que ocorre um fato, ou um conjunto de fatos linguísticos **~ útil** *Arq.* Soma das áreas das dependências de uma construção, descontada a área das projeções horizontais das paredes [Cf.: *Área de construção.*] **~ verde** *Urb.* Terreno em área urbana, coberto com vegetação ou jardins, onde não se constrói **Grande ~** *Fut.* Área demarcada diante do gol, dentro da qual é permitido ao goleiro usar as mãos e em que as faltas cometidas pelo time que se defende são cobradas, sem barreira, da marca do pênalti **Pequena ~** *Fut.* Área demarcada diante do gol, no interior da grande área, dentro da qual o goleiro não pode ser acossado por jogador adversário

areado[1] (a.re.*a*.do) *a.* **1** Que se areou, que se esfregou com areia ou algo abrasivo para polir ou limpar (panela areada) **2** Cheio ou coberto de areia **3** Diz-se de açúcar refinado **4** *S. Gír.* Sem dinheiro algum; DURO; TESO [F.: Part. de *arear.*]

areado[2] (a.re.*a*.do) *a.* **1** Distraído, desatento, alheado, absorto, aéreo **2** Sem noção do que fazer ou do caminho a seguir; desorientado, desnorteado [F.: Part. de *arear*[2].]

areal (a.re:*al*) *sm.* **1** Extensão de terreno onde há muita areia **2** Lugar de onde se extrai areia **3** Praia (1) [Pl.: *-ais.*] [F.: *areia* + *-al.* Hom./Par.: *areais* (pl.), *areais* (fl. de *arear*).]

areão (a.re:*ão*) *Bras. sm.* **1** Grande superfície coberta de areia; o mesmo que *areal* **2** *S.* Areia grossa, espessa **3** Areia misturada com argila e pedra; SAIBRO [Pl.: *-ões.*] [F.: *areia* + *-ão*[1].]

arear[1] (a.re.*ar*) *v. td.* **1** Limpar com areia, pasta, sabão ou produto apropriado: *arear as panelas:* "...no dia marcado, banhou-se em várias águas e areou os dentes até fazê-los bem limpos..." (Aluísio de Azevedo, *O cortiço*) **2** Cobrir com areia: *A ventania areou a calçada da praia.* [▶ 13 arear] [F.: *areia* + *-ar*[2]. Hom./Par.: *areais* (fl.), *areais* (pl. de *areal* [sm.]); *areia(s)* (fl.), *areia(s)* (sf. [pl.]).]

arear[2] (a.re.*ar*) *v. int.* **1** Perder a direção, o rumo, o senso de orientação; DESNORTEAR-SE **2** Perder o juízo, o tino; DESVAIRAR **3** Ficar pasmo, apatetado, estonteado; APATETAR-SE; ESTONTEAR-SE; PASMAR-SE [▶ 13 arear] [F.: *ar* + *-ear*[2].]

areca (a.*re*.ca) *Bot. sf.* **1** Gên. (*Areca*) de palmeiras de origem asiática, ornamentais, algumas tb. cultivadas por seus frutos e seu palmito, e de cujo córtex se extraem fibras para fabricação de cordas **2** Espécie desse gênero, *Areca triandra*, de flores brancas e perfumadas; ARECA-BANGUÁ **3** Espécie desse gên., *Areca catechu*, cultivada pelo palmito, pelas folhas (de ação antisséptica), e pela semente, a noz-de-areca, da qual se prepara goma de mascar de efeito embriagante, o bétele (2); AREQUEIRA [F.: Do malaiala *adekka.*]

◎ **-aredo** [ê] *suf. nom.* = '(algo) em grande número ou em quantidade: *bicharedo, chinaredo* [F.: De or. expressiva, a partir de *-edo* (q. v.).]

areento (a.re:*en*.to) *a.* Coberto ou cheio de areia; ARENOSO [F.: *areia* + *-ento.*]

areia (a.*rei*.a) *sf.* **1** Conjunto formado por minúsculos (de 0. 06 a 2 milímetros) grãos produzidos pela erosão ou fragmentação de rochas graníticas, siliciosas ou argilosas, que cobre ger. praias, leitos de rios, desertos etc. **2** *P. ext.* Área coberta por esses grãos, esp. junto ao mar, rio ou lago; AREAL; PRAIA **3** *P. ext.* Qualquer matéria no formato desses grãos; PÓ **4** *P. ext. Med.* Presença de grânulos na urina **5** *Lus.* Tolice, falta de bom senso; qualquer coisa (que se diz ou que se faz) que a denota *sm.* **6** Cor bege com tom semelhante ao da areia: *O areia ficaria bem nessa parede. a2g2n.* **7** Diz-se dessa cor **8** Que tem essa cor (sapatos areia) [F.: Do lat. *arena.*] ▪▪ **~ monazítica** Areia que contém monazita **~ movediça** Aquela que não resiste ao peso (de gente, animal ou coisas), podendo assim provocar o afundamento total do que lhe está em cima **Botar ~ em** *Bras. Gír.* Atrapalhar; prejudicar: *Este mau tempo botou areia em meu passeio.* **Entrar ~ em** *Bras. Gír.* Ocorrer algo que dificulte ou impeça o prosseguimento de ação, projeto etc. **Escrever na ~** *Fig.* Fazer coisas que não duram ou que pouco duram **Morder a ~** Cair sobre a areia

arejado (a.re.*ja*.do) *a.* **1** Que se arejou; exposto ao ar (cômodos arejados); VENTILADO **2** *Fig.* Compreensivo, liberal, esclarecido (espírito arejado) **3** *Bras. Fig. Tabu.* Homossexual do sexo masculino [F.: Part. de *arejar.*]

arejador (a.re.ja.*dor*) [ô] *a.* **1** Que areja *sm.* **2** O que areja [F.: *arejar* + *-dor.*]

arejamento (a.re.ja.*men*.to) *sm.* **1** Ação ou resultado de arejar(-se) **2** Ventilação **3** *Bras.* Tipo de doença que ataca os gados cavalar e muar [F.: *arejar* + *-mento.*]

arejar (a.re.*jar*) *v.* **1** Fazer com que o ar circule em; VENTILAR [*td.: Abra as janelas para arejar a sala.*] **2** Deixar(-se) ficar exposto ao ar [*td.: arejar as roupas guardadas.*] [*int.:* "...senhoras, que se arejavam debaixo das latadas de maracujás..." (Aluísio de Azevedo, *O mulato*)] **3** *Fig.* Dar novos ares, novo alento a (algo); RENOVAR [*td.: Vamos arejar nossos métodos.*] **4** *Fig.* Tornar mais compreensível; ENTENDER [*td.: Arejei os conceitos com as explicações do professor.*] **5** *Fig.* Distrair(-se), espairecer [*td.: arejar a cabeça.*] [*int.: Vamos sair para arejar.*] [▶ 1 arejar] [F.: *ar* + *-ejar.* Hom./Par.: *arejo* (fl.), *arejo* (sm.).]

arejo (a.*re*.jo) [ê] *sm.* O mesmo que *arejamento* (1 e 2) [F.: Dev. de *arejar.* Hom./Par.: *arejo* (sm.), *arejo* [ê] (fl. de *arejar*).]

arena (a.*re*.na) *sf.* **1** Área central e arenosa de antigos anfiteatros (esp. os romanos), onde se travavam combates entre feras e gladiadores, sacrificavam-se prisioneiros etc. **2** *P. ext.* Qualquer anfiteatro **3** Disposição de teatro em que a plateia circunda o espaço, ou o palco, em que se realiza o espetáculo (teatro de arena) **4** Área central de circo, onde se apresentam os artistas e os animais; PICADEIRO **5** Área circular, fechada, onde se realizam touradas ou outros espetáculos **6** Área quadrada, cercada por cordas, em que acontecem lutas de boxe; RINGUE **7** *Zool.* Espaço, área ou território no qual machos de uma espécie de ave cortejam as fêmeas para fins de reprodução, exibindo-se em certos rituais **8** *Fig.* Campo de contenda, de discussão: *Transpondo para a arena política as contendas ecológicas.* **9** *Geol.* O mesmo que *saibro* [F.: Do lat. *arena, pelo* cast. *arena.*] ▪▪ **Direito de ~** Direito a remuneração pela participação em espetáculo, *show* etc.

arenário (a.re.*ná*.ri:o) *a.* **1** *Biol.* O mesmo que *arenícola* (1) *sm.* **2** Na Roma antiga, aquele que, ao dar lições de aritmética, usava areia para fazer cálculos **3** Entre os antigos romanos, gladiador que lutava na arena [F.: Do lat. *arenarius, a, um.*]

arenga (a.*ren*.ga) *sf.* **1** Discurso feito em público **2** Discurso longo, monótono e prolixo; LENGA-LENGA **3** Discussão, altercação, disputa **4** *Bras.* Mexerico, intriga, fofoca **5** *Lus. Pop.* Menstruação [F.: De orig contrv.; posv. do provç. *arenga*, de or. germânica. Hom./Par.: *arenga(s)* (*sf.* [*pl.*]), *arenga(s)* (fl. de *arengar*).]

arengada (a.ren.*ga*.da) *Pop. Bras. sf.* Conversa longa e maçante, enfadonha; LENGA-LENGA [F.: *arenga* + *-ada*[1].]

arengar (a.ren.*gar*) *v.* **1** Fazer discurso longo e monótono, exortando ou pregando [*td.:* "No paiol vazio em que Salviano arengava os lavradores quando ia visitar João da Cancela..." (Antonio Callado, *Assunção de Salviano*)] [*ti. + a:* "Um homem vestido de valencina (...) arengava a um troço de besteiros e peões..." (Alexandre Herculano, *Arras por Foro de Espanha*)] [*int.: No palanque, o político arengou durante mais de uma hora.*] **2** *RS* Discutir com veemência; ALTERCAR [*int.: Os condôminos arengavam durante a reunião.*] **3** *Bras. Pop.* Fazer fofoca, mexerico [*int.: Por não ter o que fazer, vive arengando.*] **4** *RS* Não se deixar pegar (o cavalo) [*int.: Sendo arisco, o cavalo arengava sempre que se desejava montá-lo.*] [▶ 14 arengar] [F.: *arenga* + *-ar*[2]. Hom./Par.: *arenga(s)* (fl.), *arenga(s)* (sf. [pl.]).]

arengueiro (a.ren.*guei*.ro) *a.* **1** Que arenga (1, 2), que faz discurso(s) maçante(s), ou que discute, alterca **2** Que arenga, que faz mexericos ou intrigas; MEXERIQUEIRO **3** *RS* Que arenga, que não se deixa pegar (diz-se de cavalo) *sm.* **4** Aquele que arenga (1, 2) **5** Pessoa intrigante, mexeriqueira **6** *RS* Cavalo que não se deixa pegar [F.: *arenga* + *-eiro.*]

◎ **aren(i)-** *el. comp.* = 'areia': *arenícola, arenífero, arenito, arenoso* (< lat.) [F.: Do lat. *(h)arena, ae,* 'areia'; 'praia'; 'arena'; 'anfiteatro'.]

arenícola (a.re.*ní*.co.la) *Biol. a2g.* **1** Que vive em terreno arenoso; ARENÁRIO *s2g.* **2** Organismo que vive em terreno arenoso [F.: *aren(i)-* + *-cola*[1].]

arenífero (a.re.*ní*.fe.ro) *a.* Que contém ou leva areia [F.: *aren(i)-* + *-fero.*]

arenismo (a.re.*nis*.mo) *Bras. sm.* Ideologia ou compromisso da Arena (Aliança Renovadora Nacional), partido político que existiu de 1965 a 1979, identificado com a ditadura militar [F.: *Arena,* partido político, + *-ismo.*]

arenítico (a.re.*ní*.ti.co) *Min. a.* Constituído de arenito [F.: *arenito* + *-ico*[2].]

arenito (a.re.*ni*.to) *sm. Pet.* Rocha constituída de grãos de areia unidos por cimento natural argiloso ou calcário [F.: *aren(i)-* + *-ito*[2].]

arenoso (a.re.*no*.so) [ô] *a.* **1** Cheio, coberto de areia; ARENTO **2** Misturado com areia **3** Que tem o aspecto ou a cor da areia [Pl.: [ó]. Fem.: [ó].] [F.: Do lat. *(h)arenosus, a, um.*]

arenque (a.*ren*.que) *sm.* **1** *Zool.* Peixe da fam. dos clupeídeos (*Clupea harengus*), de c. 30 cm de comprimento, proveniente dos mares do Norte e muito apreciado como alimento **2** *Fig.* Pessoa muito magra e franzina: "Disse que a prima lhe parecia um arenque. Fundava o desdenhoso a sua crítica na magreza delicada e cortesã de Teodora." (Camilo Castelo Branco, *Amor de salvação*) [F.: Do fr. *hareng,* do lat. *(h)aringus,* de or. germânica.]

arensar (a.ren.*sar*) *v. int.* **1** Emitir a voz (o cisne) [▶ 1 arensar] *sm.* **2** Voz do cisne [F.: De or. obsc.]

aréola (a.*ré*:o.la) *sf.* **1** Diminutivo de *área*; pequena área **2** *Anat.* Círculo pigmentado que fica em torno do mamilo; ver tb. *aréola mamária* **3** *Med.* Círculo pigmentado que se forma em torno de um ponto inflamado na pele ou de uma erupção cutânea **4** *Anat. Oft.* Na íris, a parte que circunda a pupila, junto a esta **5** *Astron.* Área de brilho intenso entre a coroa e o disco do Sol ou da Lua **6** Canteiro redondo de jardim **7** *Bot.* Em certas células de condutores lenhosos de vegetais, borda circular em torno de lacunas em suas membranas **8** *Bot.* Nas cactáceas, broto do qual podem emergir pelos, espinhos, flores ou ramos **9** *Bot.* Borda estreita e translúcida de manchas em folhas, produzidas por fungos **10** *Bot.* Em órgão vegetal, parte circular que se distingue do resto por sua estrutura ou sua cor [F.: Do lat. *areola,* dim. de *area.*] ▪▪ **~ mamária** *Anat.* Círculo pigmentado que circunda o bico da mama

areolar (a.re:o.*lar*) *a2g.* Da aréola, ou a ela ref [F.: *aréola* + *-ar*[1].]

areopagita (a.re:o.pa.*gi*.ta) *sm.* Membro do areópago de Atenas [F.: Do gr. *areiopagítes,* pelo lat. *areopagita.*]

areópago (a.re:*ó*.pa.go) *sm.* **1** *Hist.* Supremo tribunal de justiça de Atenas, célebre pela retidão e imparcialidade; reunia-se na colina de Ares **2** *P. ext.* Reunião de magistrados, sábios, cientistas **3** *P. ext.* Toda assembleia, tribunal etc. respeitados pela justiça e probidade de seu julgamento [F.: Do gr. *Areios pagos,* pelo lat. *Areopagus.*]

ares (*a*.res) *smpl.* **1** Condições climáticas ou atmosféricas: *Preferia os ares da serra.* **2** Modo de falar ou de se comportar; aparência: *Ela tinha ares de aristocrata.* [F.: Pl. de *ar.*] ▪▪ **Beber os ~ por** **1** Demonstrar extrema devoção a **2** Amar (alguém) com paixão **Dar ~ de sua graça** Ver *Dar um (o) ar de sua graça,* no verbete *ar* **Ir pelos ~** Ver no verbete *ar.* **Mudar de ~** Ver no verbete *ar.*

aresta (a.*res*.ta) *sf.* **1** *Geom.* Ângulo formado pela interseção de dois planos; a reta resultante dessa interseção **2** Ângulo saliente de qualquer móvel, de um pilar, pedra etc.; QUINA: "Assobia o nordeste pelas arestas dos jazigos." (Camilo Castelo Branco, *Amor de salvação*) **3** Ponto de discordância entre pessoas, ideias etc.: *Há algumas arestas entre nós que devemos aparar.* [Mais us. no pl.] **4** Coisa sem valor nem importância **5** Barba de espiga de trigo, milho etc.; PRAGANA [F.: Do lat. tardio *aresta,* por *arista.*]

aresto (a.*res*.to) *sm.* **1** *Jur.* Ver *acórdão* **2** *P. ext.* Solução, decisão de uma questão [F.: Var. de *arresto.*]

aretino (a.re.*ti*.no) *sm.* **1** Indivíduo nascido ou que vive em Arezzo (Itália) *a.* **2** De Arezzo; típico dessa cidade ou de seu povo [F.: Do lat. *aretinus* ou *arretinus, a, um.*]

arfagem (ar.*fa*.gem) *sf.* **1** Ação ou resultado de arfar **2** *Mar.* Balanço do navio de popa a proa e vice-versa [P. opos. a *jogo.*] **3** *Aer.* Balanço da aeronave no sentido longitudinal [Pl.: *-gens.*] [F.: *arfar* + *-agem*[1].]

arfante (ar.*fan*.te) *a2g.* **1** Que arfa; OFEGANTE; ARQUEJANTE **2** *Mar.* Que balança, ondula ao sabor das ondas [F.: *arfar* + *-nte.*]

arfar (ar.*far*) *v. int.* **1** Respirar com dificuldade; ARQUEJAR; OFEGAR: "Lavado de suor e arfando de fadiga cheguei finalmente a alto ermo do Corcovado." (Joaquim Manuel de Macedo, *A luneta mágica*) **2** Mover-se ritmadamente (seio, peito, ventre): "O peito da filha de Araquém arfou..." (José de Alencar, *Iracema*) **3** Sentir palpitações; PALPITAR: *Seu coração arfava ao ver o namorado.* **4** Oscilar, balançar (a embarcação), abaixando ora a proa, ora a popa; JOGAR: *Em meio à tempestade, o navio arfava violentamente.* [▶ 1 arfar] [F.: Posv. do lat. vulg. **arfare,* do lat. clássico *arefacere,* 'secar'.]

argamassa (ar.ga.*mas*.sa) *sf.* Massa que combina areia, água e um aglutinante (cal, cimento etc.), us. em obras de alvenaria [F.: De or. contrv. Hom./Par.: *argamassa(s)* (sf. [pl.]), *argamassa(s)* (fl. de *argamassar*).] ▪▪ **~ bastarda** Aquela em que entram dois aglutinantes diferentes, como, p. ex., cimento e cal **~ gorda** A que contém muito aglutinante **~ hidráulica** Aquela que endurece com água **~ magra** A que contém pouco aglutinante

arganaz (ar.ga.*naz*) *sm.* **1** *Zool.* Denominação comum a diversas espécies de pequenos roedores arborícolas, da fam. dos glirídeos, semelhantes a esquilos e encontrados na Europa, Ásia e África **2** *Zool.* O mesmo que *ratazana* (*Ratus norvegicus*) **3** *Fig.* Homem muito alto; GALALAU **4** *Fig.* Indivíduo que come muito; comilão; GLUTÃO [F.: De or. obsc.]

argasídeo (ar.ga.*sí*.de:o) *Zool. sm.* **1** Espécime dos argasídeos, fam. de carrapatos ectoparasitas de aves e mamíferos, destituídos de escudo dorsal e providos de tegumento coriáceo *a.* **2** *Zool.* Ref. ou pertencente aos argasídeos [F.: Adaptç. do lat. cient. *Argasidae.*]

argelino[1] (ar.ge.*li*.no) *sm.* **1** Pessoa nascida ou que vive na Argélia (África) **2** *Gloss.* Língua árabe falada na Argélia *a.* **3** Da Argélia; típico desse país ou de seu povo **4** Do ou ref. ao argelino (2) [F.: Do top. *Argélia* + *-ino*[1].]

argelino[2] (ar.ge.*li*.no) *sm.* **1** Indivíduo nascido ou que vive em Argel (Argélia) *a.* **2** De Argel; típico dessa cidade ou de seu povo [F.: Do top. *Argel* (do ár.) + *-ino*[1].]

argentário (ar.gen.*tá*.ri:o) *sm.* **1** Armário ou móvel semelhante em que se guarda a prataria **2** Homem muito endinheirado; MILIONÁRIO; RICAÇO [F.: Do lat. *argentarium.*]

argênteo (ar.*gên*.te:o) *a.* **1** De prata ou que contém prata (colares argênteos); PRATEADO **2** Que tem a cor ou o brilho da prata (claridade argêntea); PRATEADO **3** De timbre vibrante, agudo (voz argêntea) [F.: Do lat. *argenteus, a, um.* Sin. ger.: *argentino*[1].]

◎ **argent(i)-** *el. comp.* = 'prata'; 'de prata': *argentário* (< lat.), *argênteo* (< lat.), *argentífero*; *argentófilo.* [F.: Do lat. *argentum, i.* Tb. *argento-.*]

argentífero (ar.gen.*tí*.fe.ro) ***a.*** **1** Que contém prata, em cuja composição existe prata (mineral argentífero) **2** Em que se acha prata (águas argentíferas) [F.: *argent(i/o)-* + *-fero*.]
argentinidade (ar.gen.ti.ni.*da*.de) ***sf.*** **1** Qualidade, propriedade ou condição do que é típico e característico de argentino[1] ou da Argentina **2** O amor, a admiração pela República Argentina **3** O conjunto dos cidadãos argentinos [F.: *argentino*[1] ou (top.) *Argentina* + *-i)dade*.]
argentinismo (ar.gen.ti.*nis*.mo) ***sm.*** **1** *Ling.* Palavra ou expressão peculiar ao espanhol argentino **2** Peculiaridade da Argentina ou de seu povo [F.: *argentino*[1] ou (top) *Argentina* + *-ismo*.]
argentino[1] (ar.gen.*ti*.no) ***a.*** O mesmo que *argênteo* [F.: Do lat. *argentinus, a, um*.]
argentino[2] (ar.gen.*ti*.no) ***sm.*** **1** Pessoa nascida ou que vive na Argentina (América do Sul) ***a.*** **2** Da Argentina; típico desse país ou de seu povo [F.: Do top. *Argentina*.]
◎ **argento-** ***el. comp.*** Ver *argent(i)-*
argila (ar.*gi*.la) ***sf.*** Substância terrosa, formada basicamente por sílica e alumina, que adquire consistência plástica quando misturada à água, podendo então ser us. para moldagem de vasos, peças de arte etc.; BARRO [F.: Do gr. *árgillos*, pelo lat. *argilla, ae*.] ■ **~ gorda** Aquela em cuja composição há grande quantidade de alumina **~ magra** Aquela em cuja composição predomina a sílica
argiláceo (ar.gi.*lá*.ce:o) ***a.*** O mesmo que *argiloso* [F.: Do lat. *argillaceus*.]
argilito (ar.gi.*li*.to) *Geol.* ***sm.*** Rocha compacta, sedimentar, produzida pela compressão de argila; argila xistosa [F.: *argila* + *-ito*.]
argiloso (ar.gi.*lo*.so) [ô] ***a.*** **1** Que contém argila (terreno argiloso) **2** Que é da natureza da argila [Pl.: [ó]. Fem.: [ó]] [F.: Do lat. *argillosus, a, um*. Sin. ger.: *argiláceo*.]
arginina (ar.gi.*ni*.na) *Bioq.* ***sf.*** Aminoácido que faz parte das proteínas, de carga negativa, e que contém um grupo guanidina [Fórm.: $C_6H_{14}N_4O_2$] [F.: Posv. do ing. *arginine*.]
◎ **argir(i/o)-** ***el. comp.*** = 'prata'; 'branco (como a prata)': *argirismo, argirófilo*. [F.: Do gr. *árgyros, ou*, 'prata'; 'moeda de prata'.]
argirismo (ar.gi.*ris*.mo) ***sm.*** *Pat.* Descoloração da pele, de conjuntiva ou de órgão, que assumem tom acinzentado, provocada por intoxicação com sais de prata [F.: *argir(o)-* + *-ismo*.]
argirófilo (ar.gi.*ró*.fi.lo) ***a.*** Que tem folhas prateadas, argênteas; ARGENTIFÓLIO [F.: *argir(o)-* + *-filo*[2].]
argola (ar.*go*.la) ***sf.*** **1** Anel ou círculo, ger. de metal, que serve para prender ou puxar algo **2** Qualquer objeto em forma circular e vazio no centro **3** Brinco em forma de aro us. nas orelhas **4** Círculo de ferro em que se prendiam pelo pescoço ou pelas pernas a um poste os escravos ou os criminosos; GOLILHA **5** *Esp.* Aparelho de ginástica que consiste em dois aros suspensos por cordas [Mais us. no pl.] [F.: Do ár. *al-gúlla*. Hom./Par.: *argola(s)* (sf. [pl.]), *argola(s)* (fl. de *argolar*).]
argolar (ar.go.*lar*) ***v.*** **1** Unir ou prender com argola(s) [***td.***] **2** Pôr argola(s) em [***td.***: *Argolou o caixote para poder suspendê-lo.*] **3** *Lus. Gír.* Falar muito; TAGARELAR; TARAMELAR [***int.***] **4** *Bras. Gír.* Pôr coleira em; ENCOLEIRAR [***td.***: "Pena que não dê para usar como coleira, pra argolar gatos soltos..." (Hildegard Angel, *O Globo*, 01.02.2002)] **5** *Bras. Gír.* O mesmo que *casar-se. Gír.*; AMARRAR-SE *Gír.*; ENFORCAR-SE [***int.***: *Meu amigo Jorge está prestes a se argolar.*] **6** *S.* Meter (o pé) no estribo até tocar no peito do pé; ENGARGANTAR [***td.***: *Argolou o pé e firmou-se na sela.*] **7** *Lus. Gír.* Cometer erro ou falta; ERRAR; FALHAR [***int.***] **8** *Lus.* Bater com a argola da aldrava na porta [***int.***] [▶ 1 argolar] [F.: *argola* + *-ar*[2].]
argonauta[1] (ar.go.*nau*.ta) ***sm.*** **1** *Mit.* Cada um dos tripulantes da nau Argo, que viajaram à procura do velocino de ouro ***s2g.*** **2** Navegante ousado, de espírito aventureiro [F.: Do lat. *Argonauta*, do gr. *Argonáutes*.]
argonauta[2] (ar.go.*nau*.ta) ***sm.*** *Zool.* Nome comum aos polvos do gên. *Argonauta*, da fam. dos argonautídeos; as fêmeas desses octópodes expelem um tipo de concha calcária, própria para a deposição dos ovos [F.: Do lat. cient. *Argonauta*, do gr. *Argonaútes, ou*.]
argônio (ar.*gô*.ni:o) *Quím.* ***sm.*** *Quím.* Elemento químico de número atômico 18; gás nobre, inerte, incolor e inodoro, encontrado na atmosfera terrestre; us. em lâmpadas incandescentes, soldas metálicas, *laser* etc. [Símb.: *Ar*] [F.: Do gr. *argón*.]
⊕ **argot** (*Fr.* /argô/) *Ling.* ***sm.*** **1** Gíria, calão; linguagem de marginais **2** Linguajar peculiar de certa atividade; JARGÃO
argúcia (ar.*gú*.ci:a) ***sf.*** **1** Agudeza de raciocínio; PERSPICÁCIA; SAGACIDADE **2** Habilidade, sutileza na argumentação **3** Argumento astucioso, matreiro [F.: Do lat. *argutia, ae*. Hom./Par.: *argúcia(s)* (sf. [pl.]), *argucia(s)* (fl. de *arguciar*).]
argueiro (ar.*guei*.ro) ***sm.*** **1** Partícula minúscula, separada de qualquer corpo; CISCO **2** *Fig.* Coisa insignificante; NINHARIA [F.: De or. obsc.] ■ **Fazer de um ~ um cavaleiro** Dar demasiada importância a coisa insignificante
arguente (ar.*gu en*.te) ***a2g.*** **1** Que argui e questiona, com argumentos; que argumenta; ARGUMENTANTE; ARGUMENTADOR **2** *Jur.* Diz-se da parte que levanta uma arguição ***s2g.*** **3** Aquele que argui ou argumenta **4** *Jur.* Parte que levanta uma arguição [F.: Do lat. *arguens, entis*.]
arguição (ar.gui.*ção*) ***sf.*** **1** Ação ou resultado de arguir **2** *P. ext.* Exame ou prova oral **3** Ação de censurar ou recriminar **4** Argumentação, alegação de razões na defesa de ideia, causa etc.; contestação fundamentada de argumentação contrária [Pl.: *-ções*.] [F.: Do lat. tardio *arguitione*.] ■ **~ de descumprimento** *Jur.* Alegado descumprimento da Constituição apresentado ao Supremo Tribunal Federal **~ de divergência** *Jur.* Situação de divergência de entendimentos entre turmas do mesmo tribunal **~ de falsidade** *Jur.* Num processo, alegação, por uma das partes, de que é falso documento apresentado pela outra como prova **~ de inconstitucionalidade** *Jur.* Alegação de uma parte em processo, ou de membro de tribunal, de inconstitucionalidade de lei, a ser avaliada pelo tribunal **~ de relevância** *Jur.* Alegação da suma importância de um recurso extraordinário ao STF, como tentativa de remover obstáculos regimentais à sua apreciação
arguido (ar.gu:*i*.do) ***a.*** **1** Que se submeteu a arguição **2** Que foi acusado de ou qualificado como: *projeto arguido por ser inconstitucional*. **3** Que foi contestado, na tentativa de sua impugnação, ou que foi impugnado: *projeto de lei arguido, por inconstitucionalidade*. **4** Que foi apresentado como argumento, como razão ou evidência de (algo): *Os fatos arguidos em sua denúncia são incontestáveis*. **5** Que parece indicar, demonstrar, revelar (caráter, condição etc.): *um projeto de arguida inconstitucionalidade*. **6** Que passou por inquirição, exame etc.: *Os aunos arguidos podem sair.* ***sm.*** **7** Aquele que se submeteu a arguição **8** *Jur.* Órgão ao qual se submete arguição [F.: Part. de *arguir*.]
arguir (ar.*guir*) ***v.*** **1** Fazer perguntas a, interrogar (alguém) para avaliar seu conhecimento de algo [***td.***: *Uma vez por semana a professora argui a turma.*] [***tdr.*** + *acerca de, sobre*: *O juiz arguiu a testemunha acerca do ocorrido.*] [***int.***: *Nosso professor de história prefere debater a arguir.*] **2** Acusar, censurar ou repreender, dando as razões [***td.***: *Quem o argui é a própria consciência.*] [***tdr.*** + *de, por*: *Arguia a filha de não estar cumprindo com suas obrigações; Arguia-se por não ter sido um bom filho.*] **3** Combater ou discordar de (algo) com argumentos [***td.***: *Líderes do partido arguiram a proposta do ministro.*] [***tdr.*** + *de, sobre*: *Arguiu sobre a decisão.*] [***int.*** *Ao saber do programa, arguiu sem muita convicção.*] **4** Alegar como razão [***td.*** *Argui a falta de merecimento para obter o prêmio.*] **5** Atribuir (a alguém) qualidade negativa; ACUSAR; TACHAR [***tdp.*** *Arguiram-no de covarde.*] **6** Revelar, denotar, aparentar [***td.***: "O seu trajar arguia decente mediocridade." (Camilo Castelo Branco, *Consolação*)] **7** Investigar, averiguar [***td.***: *Arguir o sumiço do dinheiro.*] [▶ **48 arguir**] [F.: Do lat. *arguere*.]
argumentação (ar.gu.men.ta.*ção*) ***sf.*** **1** Ação ou resultado de argumentar **2** Conjunto de argumentos apresentados para convencer alguém ou chegar a uma conclusão: *Foi vigorosa a sua argumentação a favor do projeto de lei*. [Pl.: *-ções*.] [F.: Do lat. *argumentatio, onis*.]
argumentador (ar.gu.men.ta.*dor*) [ô] ***a.*** **1** Diz-se do indivíduo que argumenta, que sabe e/ou que gosta de argumentar ***sm.*** **2** Esse indivíduo **3** *Ant. Teat.* No teatro antigo, ator, ou seu personagem, que explicava ao público o argumento da peça [F.: *argumentar* + *-dor*.]
argumentar (ar.gu.men.*tar*) ***v.*** **1** Apresentar razões ou argumentos [***tr.*** + *contra*: *Argumentou contra a proposta da diretoria.*] [***int.*** O candidato argumenta bem.] **2** Discutir questionando; ALTERCAR [***tr.*** + *com*: *Estava disposto a argumentar com todos que se lhe opusessem.*] [***int.***: *Argumentaram o dia inteiro e não chegaram a um acordo.*] **3** Dar como argumento; ALEGAR [***td.***: *Argumentou que não recebera a cópia do processo.*] [▶ **1 argumentar**] [F.: Do lat. *argumentare*. Hom./Par.: *argumento* (fl.), *argumento* (sm.).]
argumentativo (ar.gu.men.ta.*ti*.vo) ***a.*** **1** Que envolve argumento ou que serve de argumento: *Seguia-se à proposta longo texto argumentativo*. **2** Diz-se de pessoa, e de (seu) discurso, texto etc., que se baseiam em fundamentos lógicos e na persuasão, e não em afirmações normativas e impositivas **3** Que envolve a exposição do tema (prólogo argumentativo) [F.: *argumentar* + *-tivo*.]
argumentável (ar.gu.men.*tá*.vel) ***a2g.*** Que se pode argumentar [Pl.: *-veis*.] [F.: *argumentar* + *-vel*. Hom./Par.: *argumentáveis* (pl.), *argumentáveis* (fl. de *argumentar* [v.]).]
argumentista (ar.gu.men.*tis*.ta) ***a2g.*** **1** Que se baseia em argumento ou lhe dá preferência **2** Que escreve argumentos ***s2g.*** **3** Aquele que usa de argumento, que escolhe este meio **4** Aquele que escreve argumentos (para cinema, televisão) [F.: *argumento* + *-ista*.]
argumento (ar.gu.*men*.to) ***sm.*** **1** Raciocínio que se pretende baseado em fatos e em relações lógicas a partir deles, us. para se chegar a uma conclusão ou para justificá-la, para convencer alguém de algo etc.: *Seus argumentos convenceram a todos*. [+ *a favor de, contra, pró*: *argumento a favor de/contra/pró eleições diretas*.] **2** Indício ou prova us. para demonstrar, afirmar ou negar alguma coisa: *As manchas de sangue na camisa foram o argumento definitivo contra o suspeito*. **3** *Cin. Telv.* Resumo do enredo de filme, novela etc.: *O autor teve mais um argumento rejeitado*. **4** Disputa verbal, discussão, contenda **5** O que se constitui ou pode se constituir em assunto, tema: *Este é um bom argumento para sua tese*. **6** *Mat.* A variável independente de uma função **7** *Ling.* Termo que é sujeito de uma predicação **8** *Ling.* Numa oração, cada termo que tem uma função sintática em relação a uma palavra que estabelece predicação [Na oração *Pelé passou a bola para Zito, 'passar'* tem três argumentos: Pelé, bola e Zito.] **9** *Fil.* De acordo com a filosofia analítica da linguagem, termo que substitui uma variável em função, determinando seu valor, se verdadeiro ou falso [F.: Do lat. *argumentum, i*.] ■ **~ ad auctoritatem** *Jur.* Ver *Argumento da autoridade* **~ ad hominem** *Jur.* Argumento que opõe ao adversário seus próprios atos ou palavras, visando a confundi-lo **~ ad judicium** *Jur.* Argumento que apela para o senso comum **~ ad populum** *Lóg.* Argumento que se apoia em fatores que envolvem necessidades, anseios etc. do público a ser convencido **~ ad rem** *Jur.* Argumento dirigido a assunto que está sendo focalizado **~ a fortiori** *Jur.* Argumento que ganha força porque já é válido em premissa menos evidente que aquela para a qual é evocado **~ a posteriori** *Jur.* Argumento baseado em verificação experimental, do efeito para a causa **~ a priori** *Jur.* Argumento baseado em suposição, da causa para o efeito **~ baculino** **1** *Fil.* Argumento que pretende demonstrar a existência do mundo exterior pelo ato de golpear o solo (ou o adversário na argumentação) com um bastão **2** *P. ext.* Argumentação sobre uma ideia filosófica através de uma ação material demonstrativa dessa ideia **3** Argumentação baseada na imposição do argumento pela força, ante a fraqueza ou timidez do argumentador contrário **~ cosmológico** *Fil.* Argumento de Tomás de Aquino que defende a existência de Deus, baseado na interdependência de todos os seres como prova de que derivam se um ser independente de tudo **~ da aposta** *Filos.* Ver *Aposta de Pascal*, em *aposta* **~ da autoridade** *Jur.* Aquele baseado na opinião de reconhecida autoridade no assunto; argumento *ad auctoritatem* **~ da latitude** *Astron.* Ângulo na órbita de um astro, na direção de seu movimento, a partir do nodo ascendente **~ de periélio** *Astron.* Arco de círculo máximo da esfera celeste, medido no sentido positivo, do nodo ascendente ao periélio **~ do desígnio** *Fil.* Argumento de origem grega que defende a existência de Deus, a partir da visão do universo como uma máquina ou complexa estrutura arquitetônica, a exigir um inventor, arquiteto ou artista divino como autor **~ do periastro** *Astron.* Distância angular medida sobre o plano da órbita, do nodo ascendente ao periastro **~ ontológico** *Fil.* Argumento do filósofo Anselmo que tenta defender racionalmente a existência de Deus como Ser além do qual nada maior poderia ser concebido **Levar um ~** *Bras. Gír.* Tratar ou discutir um assunto, dialogar
arguto (ar.*gu*.to) ***a.*** **1** Capaz de perceber e compreender rapidamente fatos, significados, situações etc.; ESPERTO; PERSPICAZ **2** Em que há argúcia; ENGENHOSO; SUTIL **3** De som agudo e afinado: *voz clara e arguta*. [F.: Do lat. *argutus, a, um*.]
◎ **-aria** ***suf. nom.*** Formador de substv. ger. com as seguintes ideias: **a)** 'lugar em que se fabrica ou se vende (um dado produto)': *algodoaria, alpargataria, azulejaria, bilhetaria, botelharia, botoaria, caixotaria, camisaria, carvoaria, cervejaria, chapelaria* (< fr.), *charutaria, chitaria, chocolataria, churrascaria, cigarraria, colchoaria, confeitaria, correaria, doçaria, drogaria, ervanaria, livraria, padaria, papelaria, pastelaria, peixaria, perfumaria, pizzaria, queijaria, vidraçaria*; **b)** 'lugar em que se presta dado serviço': *albergaria, branquearia, engomadaria*; **c)** 'local de': *enfermaria*; **d)** 'local em que se exerce certo ofício ou profissão': *abegoaria, alfaiataria, borracharia, cutelaria, marcenaria, relojoaria, sapataria*; **e)** 'dignidade, cargo ou função de': *alcaidaria, almotaçaria, anadelaria*; **f)** 'ofício ou arte de certo profissional': *alfagemaria, almocrevaria, calcetaria, carpintaria, engenharia, marinharia*; **g)** 'conjunto, grupo ou série de (algo), algo em grande quantidade': *albardaria, andaimaria, arcabuzaria, arcaria, argentaria, armaria, beataria, belezaria, bicharia, boataria, bugraria, cacaria, caixaria, caixilharia, canária, carraria, casaria, cavalaria, chaparia, comparsaria, doençaria, escadaria, gritaria, infantaria, louçaria, pedraria, pradaria, prataria*; **h)** 'ação, dito ou modos de': *alarvaria, asnaria, baixaria, bargantaria, beguinaria, bisonharia, bruxaria, bufonaria, carniçaria, casquilharia, castelhanaria, charlatanaria, chibantaria, ciganaria, feitiçaria, glutonaria, lisonjaria, mesquinharia, patifaria, pedantaria, pirataria, politicaria, porcaria, putaria* (chulo), *selvajaria* [Observe que muitos voc. com esse suf. apresentam mais de um sentido apresentado: *alfagemaria, carpintaria, cestaria, estamparia, ferraria, fidalgaria, gravataria, hotelaria*.] [F.: Do suf. do lat. vulgar *-aria*, este do suf. lat. *-ariu* (ver *-ário* e *-eiro*) + -suf. gr. *-ia* (ver *-ia*[1]), ou do suf. lat. *-aria* (ver *-eira*) com infl. do port. *-ia* (ver *-ia*[1]). Outra f.: *-oaria*. F. conexa: *-eria*.]
ária[1] (*á*.ri:a) *Mús.* ***sf.*** **1** Peça musical para uma só voz, ger. em ópera, oratório ou cantata **2** Qualquer composição para ser cantada; CANÇÃO; CANTIGA [F.: Do it. *aria*. Hom./Par.: *ária* (*sf.*), *área* (sf.).]
ária[2] (*á*.ri:a) ***a2g. s2g.*** O mesmo que *ariano*[2]. [F.: Do sânsc. *arya*.]
arianismo[1] (a.ri:a.*nis*.mo) ***sm.*** *Pol.* Pressuposto da ideologia nazista segundo o qual o homem branco e alemão constituiria raça superior, descendente dos árias ou arianos [F.: *ariano*[2] + *-ismo*.]
arianismo[2] (a.ri:a.*nis*.mo) ***sm.*** *Rel.* Doutrina de Ário (250-336), padre cristão de Alexandria (Egito), para o qual a natureza do Cristo era entre humana e divina [F.: *ariano*[3] + *-ismo*.]
arianista[2] (a.ri:a.*nis*.ta) ***a2g.*** **1** Ref. ao arianismo[2] **2** Diz-se de indivíduo adepto dessa doutrina ***s2g.*** **3** Esse indivíduo [F.: *ariano*[3] + *-ista*.]
arianizar[1] (a.ri:a.ni.*zar*) ***v. td. int.*** **1** Fazer assimilar ou assimilar a doutrina do arianismo[1] **2** Dar ou adquirir características arianas [▶ **1 arianizar**] [F.: *ariano*[2] + *-izar*.]
arianizar[2] (a.ri:a.ni.*zar*) ***v. td.*** Converter à doutrina do arianismo[2], ou instituí-lo em [▶ **1 arianizar**] [F.: *ariano*[3] + *-izar*.]

ariano[1] (a.ri:*a*.no) *Astrol. sm.* **1** Aquele que nasceu sob o signo de Áries *a.* **2** Diz-se de ariano[1] (1) **3** Ref. ao signo de Áries, ou às qualidades ou influências que lhe são atribuídas, segundo a astrologia [F.: *Áries* + *-ano*[1].]

ariano[2] (a.ri:*a*.no) *sm.* **1** Indivíduo dos árias, povo originário da Ásia Central que supostamente imigrou para a Europa e para a Índia **2** Segundo conceitos e teorias nazistas, suposto descendente dos árias[2], de raça pura e superior **3** *Gloss.* Língua original do ramo indo-europeu *a.* **4** Dos ou ref. aos arianos[2] (1), típico deles **5** *Gloss.* Do ou ref. ao ariano[2] (3) [F.: *ária*[2] + *-ano*[1].]

📖 A teoria racial adotada pelo regime nazista na Alemanha, no início da década de 1930, considerava haver uma raça europeia pura e superior, descendente dos árias – os arianos –, à qual pertenceriam os alemães. A ciência refuta categoricamente tal classificação.

ariano[3] (a.ri:*a*.no) *a.* **1** Ref. ou pertencente a Ário (250-336) ou ao arianismo[2] **2** Diz-se de seguidor de Ário ou do arianismo[2] *sm.* **3** Esse indivíduo [F.: Do lat. *arianus* ou *arrianus, a, um*, do lat. *Arius* ou *Arrius*, 'Ário, padre cristão de Alexandria (Egito), fundador do arianismo[2]'.]

aridamente (a.ri.da.*men*.te) *adv.* De maneira árida, estéril, seca [F.: Do fem. de *árido* + *-mente*.]

aridez (a.ri.*dez*) [ê] *sf.* **1** Falta de umidade; SECURA: *aridez de um deserto/ de um clima.* **2** Esterilidade, infertilidade: *a aridez destes campos.* **3** *Fig.* Falta de sensibilidade, de suavidade, de graça: "Amaciara a aridez do espírito nas frivolidades da vida." (Camilo Castelo Branco, *Homem de brios*) [F.: *árido* + *-ez*.]

árido (*á*.ri.do) *a.* **1** Seco, sem umidade (região árida) **2** Que nada produz (solo árido); ESTÉRIL **3** *Fig.* Que não demonstra sensibilidade; DURO; INSENSÍVEL: "Dramaturgos e romancistas, por via de regra, são umas pessoas áridas, frias e falsas." (Camilo Castelo Branco, *Amor de salvação*) **4** *Fig.* Que entedia e aborrece (assunto árido) [F.: Do lat. *aridus, a, um*.]

Áries (*Á*.ri:es) *Astrol. sm2n.* **1** Signo (do Zodíaco) das pessoas nascidas entre 21 de março e 20 de abril **2** Ariano[1]: *Minha neta é Áries.* [F.: Do lat. *aries, etis*.]

aríete (a.*rí*:e.te) *sm.* **1** *Mil.* Na Antiguidade e Idade Média, engenho bélico de formato fálico e extremidade anterior de bronze, para arrombar grandes portas e muralhas, em movimentos para a frente e para trás; VAIVÉM **2** *Mar.* Na Antiguidade, saliência de proa para ser lançada contra embarcação inimiga; ESPORÃO [F.: Do lat. *aries, etis*.]

arilo (a.*ri*.lo) *Bot. sm.* Excrescência que existe em vários tipos de semente, como a mamona e a noz-moscada, sendo por vezes pilosa, como na paineira [F.: Do lat. medv. *arillus*, 'pevide de uva'.]

◎ **-ário** *suf. nom.* Registra-se em voc. originalmente lat. ou formados no vernáculo ou em outra língua de cultura, em geral com as seguintes noções: **a)** 'referente ou relativo a, ou próprio de (aquilo a que se refere o rad. original)': *abecedário* (< lat.), *acionário, acidentário, adenoipofisário, agrário* (< lat.), *alfandegário, aluvionário, ambulacrário, asinário, autoritário, autositário, bancário, biliário, caducário* (< lat.), *cambiário, carcerário, cavitário* (< ingl.), *centenário* (< lat.), *complementário, conciliário, culinário* (< lat.), *dentário* (< lat.), *fagocitário, imobiliário, leucocitário, orçamentário*; **b)** 'semelhante a ou em forma de': *bucelário, formicário, olivário*; **c)** 'em que há': *deficitário, deflacionário, inflacionário*; **d)** 'coleção ou conjunto de (aquilo a que se refere o substv. ou rad. original)': *adagiário, anedotário, antifonário* (< lat.), *bulário* (< lat.), *exemplário* (< lat.), *fabulário, fichário, hinário* (< lat.), *ideário, maquinário*; **e)** 'local ou espaço em que há, existe, fica, ou se guarda ou se cria (aquilo a que se refere o rad. ou substv. original, ger. em certa quantidade)': *acipitrário, apiário, argentário* (< lat.), *armário* (< lat.), *aviário* (< lat.), *berçário, bicicletário, campanário* (< lat.), *fossário, leprosário, morcegário, moscário, ninhário, ofidiário, ranário*; **f)** 'local em que se vende (o que indica o rad.)': *herbanário*; **g)** 'lugar próprio para (dada ação)': *balneário* (< lat.), *confessionário*; **h)** 'aquele que realiza dada ação ou que é profissional em dado setor, lugar ou área': *aeroviário, armazenário, ascensionário, bibliotecário, boticário, cartorário, comerciário, filmotecário, industriário, midiatecário, portuário*; **i)** 'aquele que participa ou é membro de, ou realiza, pratica, faz (aquilo a que se refere o rad. original)': *cerimoniário, cessionário, comissário* (< lat.), *demissionário* ('que requer demissão'), *expedicionário, extorsionário, missionário, partidário*; **j)** 'que ou aquele que está na casa dos anos': *septuagenário* (< lat.), *sexagenário* (< lat.); **l)** 'instrumento ou aparelho com o qual se faz algo (relativo ao rad. ou substv. base)': *angulário, lunário*. [Ocorre ainda como uso ou retomada de uma forma singular (conforme à morfologia port.) para designar o espécime de um taxônimo plural terminado em *-aria*, ger. de ordem, classe ou subclasse: *actiniário* (< lat. cient. *Actiniaria*), *alcionário* (< lat. cient. *Alcyonaria*).] [F.: Do suf. lat. *-arius, a, um*, formador de adj., e de seus derivados *-arium, ii*, e *-arius, ii*, formadores de substv., por via erudita ou semierudita. Outra f.: *-eiro*. F. conexas: *-aria* e *-eria*.]

ariranha (a.ri.*ra*.nha) *Zool. sf.* Mamífero carnívoro diurno da fam. dos mustelídeos (*Pteronura brasiliensis*), parente da lontra, com hábitos semiaquáticos, vivendo ao longo das margens de rios da América Central e do Sul, pode atingir até 1m de comprimento, com coloração amarronzada, garganta branca e cauda em forma de remo. Alimenta-se basicamente de peixes [F.: Do tupi *ari'rana*.]

ariri[1] (a.ri.*ri*) *Bras. Bot. sm.* **1** Palmeira de fruto amarelo e propriedades febrífugas, com folhas empregadas em artesanato e fabrico de vassouras; BURI-DO-CAMPO; COCO-DE-VASSOURA **2** O mesmo que *acumã* [F.: Do tupi *ari'ri*.]

ariri[2] (a.ri.*ri*) *Bras. s2g.* **1** Indivíduo dos ariris, povo indígena extinto que habitava a região entre Minas Gerais e Rio de Janeiro *a2g.* **2** Referente a esse povo

ariscar (a.ris.*car*) *v.* **1** *SP* Tornar(-se) arisco, esquivo [*td.*] [*int.*] **2** Sobressaltar-se, assustar-se, espantar-se [*int.*: "– Vamos devagar... disse; se não o pássaro se arisca!" (Aluísio Azevedo, *O cortiço*)] [▶ **11** ariscar] [F.: *arisco* + *-ar*[2].]

arisco (a.*ris*.co) *a.* **1** Que tem dificuldade de se aproximar dos outros, de ser sociável; ARREDIO; ESQUIVO **2** Difícil de ser domesticado (diz-se de animal); BRAVIO **3** Abundante de areia (terra arisca); ARENOSO *sm.* **4** *Bras. N.E.* Terreno arenoso, rico em humo e bastante fértil, tb. chamado *aresco* [F.: De orig. contrv. Hom./Par.: *arisco* (a. sm), *arisco* (fl. de *ariscar*).]

aristocracia (a.ris.to.cra.*ci*.a) *sf.* **1** Organização sociopolítica em que uma classe composta de pessoas nobres e privilegiadas monopoliza o poder, ger. por herança **2** A classe dos nobres; NOBREZA; FIDALGUIA **3** Nobreza, grandeza, superioridade, preeminência, distinção [F.: Do fr. *aristocratie*, do lat. *aristocratia* e, este, do gr. *aristokratía*.]

aristocrata (a.ris.to.*cra*.ta) *a2g.* **1** Que pertence à aristocracia; NOBRE; FIDALGO **2** Que tem maneiras nobres, distintas *s2g.* **3** Quem pertence à aristocracia; NOBRE; FIDALGO **4** Aquele que tem maneiras nobres, distintas [F.: Do fr. *aristocrate*. Ant. ger.: *plebeu*.]

aristocrático (a.ris.to.*crá*.ti.co) *a.* **1** Da ou próprio da aristocracia (governo aristocrático) **2** Distinto, elegante, refinado (estilo/ar aristocrático) [F.: Do fr. *aristocratique*, do gr. *aristokratikós*.]

aristocratismo (a.ris.to.cra.*tis*.mo) *sm.* Modo de vida ou sistema político baseado na noção ou no conceito de aristocracia: *mentalidade marcada por um aristocratismo que repugna a elite local.* [F.: *aristocrata* + *-ismo*.]

aristocratizar (a.ris.to.cra.ti.*zar*) *v.* Tornar(-se) aristocrata ou aristocrático, ou dar ou assumir ares ou foros de aristocrata ou de aristocrático; AFIDALGAR(-SE); ENOBRECER(-SE); NOBILITAR(-SE) [*td.*: "...Joaquim Nabuco (...) que, democratizando-se, aristocratizou as causas populares que defendeu um tanto teatralmente das varandas dos sobrados do Recife..." (Gilberto Freyre, *O velho Félix e suas "memórias de um Cavalcanti"*)] [*tdp.* + *em*: "A cultura da cana (...) Aristocratizou a casa de pedra e cal em casa grande e degradou a choça de palha em mocambo..." (Idem, *Nordeste*)] [*int.*: *Machado de Assis aristocratizou-se pelo talento e pela disciplina que se impôs.*] [▶ **1** aristocratizar] [F.: *aristocrata* + *-izar*.]

aristotélico (a.ris.to.*té*.li.co) *a.* **1** Ref. a Aristóteles ou ao aristotelismo **2** Que é partidário do aristotelismo *sm.* **3** Partidário do aristotelismo; PERIPATÉTICO [F.: Do gr. *Aristotelikós*, pelo lat. *Aristotelicus, a, um*, 'de ou ref. a Aristóteles (384-322 a.C.), filósofo grego (de origem macedônica)'.]

aristotelismo (a.ris.to.te.*lis*.mo) *Fil. sm.* Doutrina de Aristóteles (384-322 a.C.), filósofo grego, que exerceu profunda influência no desenvolvimento do pensamento ocidental; PERIPATETISMO; PERÍPATO [F.: Do antr. *Aristóteles* + *-ismo*.]

aritenoide (a.ri.te.*noi*.de) *Anat. sf.* Cada uma das duas pequenas cartilagens da laringe, fixadas na parte posterior da cricoide, a que se prendem as cordas vocais [F.: Do gr. *arytainoeidés, és, és*, 'em forma de jarro-d'água'.]

aritmética (a.rit.*mé*.ti.ca) *sf.* **1** *Mat.* Ramo da matemática que trata das operações numéricas (adição, subtração, multiplicação, divisão etc.) **2** Livro em que se expõem os princípios desta ciência [F.: Do lat. *arithmetica*, do gr. *arithmetiké*.]

aritmético (a.rit.*mé*.ti.co) *a.* **1** Ref. à aritmética ou a ela pertencente (cálculo aritmético) *sm.* **2** Pessoa especializada em aritmética [F.: Do lat. *arithmeticus*, do gr. *arithmetikós*.]

◎ **-aritmo** *el. comp.* Ver *aritm(o)-*

◎ **aritm(o)-** *el. comp.* = 'número'; 'quantidade': *aritmografia, aritmologia, aritmomancia, aritmômano, aritmometria, aritmosofia*; *logaritmo* (< lat. cient.) [F.: Do gr. *arithmós, oû*.]

aritmomania (a.rit.mo.ma.*ni*:a) *Psiq. sf.* Compulsão mórbida de fazer cálculos e contar, associada a ansiedade em relação aos números [F.: *aritm(o)-* + *-mania*.]

aritmomaníaco (a.rit.mo.ma.*ní*:a.co) *Psiq. a.* **1** Ref. a aritmomania **2** Diz-se de indivíduo que sofre de aritmomania; ARITMÔMANO *sm.* **3** Esse indivíduo; ARITMÔMANO [F.: *aritmoman(ia)* + *-íaco*.]

aritmômano (a.rit.*mô*.ma.no) *a. sm. Psiq.* O mesmo que *aritmomaníaco* (2 e 3) [F.: *aritm(o)-* + *-mano*[1].]

arlequim (ar.le.*quim*) *sm.* **1** *Teat.* Personagem da antiga comédia italiana que, vestindo roupas coloridas, divertia o público durante os intervalos dos espetáculos **2** *P. ext.* Fantasia de carnaval inspirada nesse personagem **3** *Fig.* Pessoa irresponsável e fanfarrona **4** *Fig.* Amante hipócrita e sem-vergonha **5** *Zool.* Besouro negro da fam. dos cerambicídeos (*Acrocinus longimanus*), encontrado em todo território brasileiro **6** *N. E. Folc.* Personagem do bumba meu boi [Pl.: *-quins*.] *a2g.* **7** Que tem muitas cores (diz-se esp. de animal) [Pl.: *-quins*.] [F.: Do it. *arlecchino*.]

arlequinal (ar.le.qui.*nal*) *a2g.* Referente a ou próprio de arlequim [Pl.: *-nais*.] [F.: *arlequim* (sob a f. *arlequin-*) + *-al*[1], seg. o mod. erudito.]

arlequinesco (ar.le.qui.*nes*.co) *a.* Que apresenta características de arlequim [F.: *arlequim* (sob a f. *arlequin-*) + *-esco*.]

arma (*ar*.ma) *sf.* **1** Objeto fabricado com o propósito de ataque ou de defesa: *É perigoso ter armas em casa.* **2** Qualquer objeto que serve para atacar ou defender: *Usa o taco de beisebol como arma.* **3** *Fig.* Recurso us. para obter o que se quer; MEIO; EXPEDIENTE: *A inteligência é sua principal arma.* **4** *Mil.* Cada uma das subdivisões de tropa do exército (cavalaria, infantaria etc.) **5** Cada uma das três Forças Armadas (Exército, Marinha e Aeronáutica) [F.: Do lat. *arma, ae.* Hom./Par.: *arma(s)* (sf. [pl.]), *arma(s)* (fl. de *armar*).] ▪▪ **~ automática** Aquela cujo recarregamento é acionado pela força dos gases liberados com a combustão da pólvora num disparo **~ biológica** Arma que usa organismos vivos (vírus, bactérias etc.) para disseminar doenças e, com isso, provocar baixas no inimigo **~ branca** Qualquer arma formada por lâmina de metal, cortante ou perfurante **~ de arremesso** Arma (não de fogo) que é lançada a distância, como lança, dardo, flecha **~ de dois gumes** *Fig.* Providência, medida, instrumento etc. que, de um lado, tem aspectos vantajosos, mas de outro pode ser prejudicial ou perigoso **~ de fogo** Arma que dispara um projétil pela força de gases resultantes da explosão de um cartucho de pólvora ou outro material de combustão **~ de repetição** Arma de fogo que permite tiros rápidos em série por dispor de dispositivo mecânico de recarregamento **~ de retrocarga** Arma de fogo que é carregada pela culatra **~ estriada** Arma de fogo com estrias em espiral ao longo do cano, o que imprime ao projétil movimento de rotação que lhe dá maior alcance e precisão; arma raiada **~ não automática** A que precisa ser recarregada manualmente pelo atirador a cada tiro **~ nuclear** Arma que provoca destruição pela libertação de energia proveniente da fissão (divisão) ou fusão do núcleo atômico de certos elementos, como o urânio, o hidrogênio etc. **~ química** Arma que provoca baixas nos seres vivos pela disseminação de substâncias químicas tóxicas **~ raiada** O mesmo que *arma estriada* **~s de São Francisco** *Lus.* Gesto obsceno com o antebraço; banana **~ semiautomática** Arma de fogo que tem recarregamento mecânico, mas acionado pelos gases de combustão da pólvora, permitindo que o atirador possa disparar um tiro (apenas) a cada vez que pressiona o gatilho **Com/de ~s e bagagem** *Bras.* De maneira integral, total **Depor as ~s** Dar-se por vencido, render-se **Ensarilhar as ~s 1** *Mil.* Dispor armas (ger. fuzis) em forma de pirâmide, apoiadas uma na outra pela extremidade do cano **2** Depor as armas **3** *Fig.* Dar fim a uma luta **Mostrar as ~s** *Bras. Tabu.* Mostrar (o homem) os órgãos genitais **Passar pelas ~s 1** Fuzilar **2** *Tabu.* Possuir sexualmente **Passar-se com/de ~s e bagagem para** Passar para outro lado, ou o lado do adversário, com todos os pertences **Pegar em ~s 1** Prestar serviço militar **2** Lutar, com armas na mão **Terçar ~s 1** Pelejar em defesa de alguém ou de algo **2** *Fig.* Defender uma causa, uma ideia etc. **Valente como as ~s** Muito corajoso, muito valente

armação (ar.ma.*ção*) *sf.* **1** Ação ou resultado de armar(-se) **2** Conjunto de peças que sustentam ou reforçam as partes de um todo; ARCABOUÇO; ESQUELETO: *a armação de um guarda-chuva.* **3** *Cons.* Conjunto de peças que dão estrutura a uma construção **4** Conjunto de utensílios de uma loja (balcões, prateleiras etc.) **5** *Pop.* Situação montada para obtenção de algum proveito, ger. de forma fraudulenta: *O sequestro foi uma armação.* **6** *Bras.* Lugar próximo da praia onde as ondas se encorpam **7** *Bras.* Agrupamento de nuvens, com vento, chuva, trovões etc., que resulta em trovoada ou tempestade **8** *Fut.* Escalação dos jogadores que formam uma equipe (armação ofensiva) **9** *Fut.* Preparação de uma jogada em campo **10** Os chifres de um touro, veado etc. **11** *Mar.* Em um veleiro, conjunto de mastros, velas e acessórios **12** *Ant. Mar.* Local de aparelhagem de navios para a pesca da baleia **13** *Bras. S. Ant.* Empresa de bandeirantes para caçar índios [Pl.: *-ções*.] [F.: *armar* + *-ção*.] ▪▪ **Ter muita ~ e pouco jogo** Diz-se de pessoa muito simpática, cativante etc., mas com quem não se pode contar em situações difíceis

armada (ar.*ma*.da) *sf.* **1** *Mar.* Conjunto dos navios que pertencem à Marinha de Guerra de um país **2** *Bras. S.* Laço corrediço para prender a rês **3** Armadilha, cilada **4** *Bras. Cap.* Golpe em que o capoeirista gira sobre o seu eixo, mantendo uma das pernas estendida horizontalmente para tentar atingir o adversário com o lado externo do pé **5** *Bras. N.E.* Proeza, façanha **6** *Bras. N. E.* Fantasma, assombração [F.: *armar* + *-ada*[1].] ▪▪ **Ser de/usar ~ grande** *Bras. S.* Contar vantagem

armadeira (ar.ma.*dei*.ra) *Bras. Zool. sf.* Denominação comum às aranhas do gên. *Phoneutria*, da fam. dos ctenídeos, com tamanho variando entre 3,5 a 5 cm de comprimento; são agressivas e sua picada instila perigosa substância neurotóxica; adota uma atitude peculiar de ataque, com as patas dianteiras erguidas; ARANHA-ARMADEIRA [F.: *armar* + *-deira*.]

armadilha (ar.ma.*di*.lha) *sf.* **1** Artefato para capturar animais **2** *Fig.* Artifício para enganar ou seduzir alguém (armadilha amorosa); ARDIL; CILADA [F.: Do espn. *armadilla*.]

armado (ar.*ma*.do) *a.* **1** Provido, munido de arma(s) (assaltante armado; tropas armadas) **2** Que se realiza com o uso de armas (conflito armado) 3 Acautelado, prevenido 4 Diz-se do tecido que apresenta textura rígida porém flexível, ou que tem bom caimento 5 *Gír.* Que tem consigo muito dinheiro; ENDINHEIRADO 6 *Bot.* Que tem espinhos 7 *Tabu.* Que tem o pênis ereto [F.: Do lat. *armatus, a, um.*]

armador (ar.ma.*dor*) [ô] *a.* 1 Que arma *sm.* 2 O que arma 3 Pessoa (física ou jurídica) que explora navios mercantes 4 *Bras.* Gancho para prender o punho da rede de dormir 5 *Bras. Esp.* Em alguns esportes coletivos, esp. o futebol, jogador que organiza as jogadas do time 6 *Pop. Bras.* Aquele que monta situações para tirar algum proveito 7 Decorador, esp. de igrejas [F.: Do lat. *armator, oris.*]

armadura (ar.ma.*du*.ra) *sf.* 1 Vestimenta metálica us. por antigos guerreiros para proteção durante lutas e batalhas 2 Aquilo que serve para reforçar uma construção 3 O que o animal usa (dentes, chifres, carapaça etc.) como meio de defesa e ataque 4 *Elet.* Motor ou gerador de máquina elétrica 5 *Elet.* Cada uma das placas de um capacitor; ELETRODO [F.: Do lat. *armatura, ae.*] ■ **~ bucal** *Zool.* Conjunto das peças da boca de insetos e crustáceos **~ de clave** *Mús.* Conjunto de sustenidos ou de bemóis que se colocam junto à clave para indicar o tom em que se deve executar a peça

armagedão (ar.ma.ge.*dão*) *sm.* 1 *Rel.* Segundo o livro do Apocalipse (16: 14-16), cenário da batalha decisiva entre o Bem e o Mal, que ocorreria no Juízo Final. [Ger. com inicial maiúsc.] 2 *P. ext.* Confronto final e aniquilador [F.: Do gr. *Armageddon* ou *Harmagedon*, do hebraico *har Meguido*, 'monte Megiddo (na Galileia)'. Tb. *armagedom.*]

armagedom (ar.ma.ge.*dom*) *sm.* Ver *armagedão*

armamentário (ar.ma.men.*tá*.ri:o) *a.* Ref. a armamento; ARMAMENTISTA [F.: *armamento* + *-ário.*]

armamentismo (ar.ma.men.*tis*.mo) *sm.* Teoria que preconiza o aumento do material bélico de um ou mais países [F.: *armamento* + *-ismo.*]

armamentista (ar.ma.men.*tis*.ta) *a2g.* 1 Ref. ao armamentismo 2 Que é partidário do armamentismo *s2g.* 3 Partidário dessa teoria [F.: *armamentismo* + *-ista.*]

armamento (ar.ma.*men*.to) *sm.* 1 Ação ou resultado de armar 2 Conjunto de armas 3 Conjunto de armas e equipamento militar de um país, navio de guerra etc. [F.: Do lat. *armamentus.*]

armar (ar.*mar*) *v.* 1 Munir (algo ou alguém, inclusive si mesmo) de arma(s) [*td.*: *Armaram os exércitos para a guerra.*] [*tdr.* + *com, de*: *Armaram os soldados com os melhores petrechos de guerra*: "...armou-se de uma garrucha..." (Machado de Assis, *O alienista*)] 2 Prover (algo ou alguém, inclusive si mesmo) de armadura ou outro meio similar de proteção [*td.*: *O escudeiro trouxe a armadura e armou o cavaleiro para o combate.*] [*tdr.* + *com, de*: *Armou-se com colete à prova de bala.*] 3 Preparar (com armas, equipamento, medidas etc.) para enfrentar inimigos ou adversário; abastecer de armamentos ou recursos [*td.*: *Armou o povo para a resistência.*] [*tdr.* + *contra*: *Armou a defesa contra o poderoso ataque adversário.*] 4 Proteger(-se), acautelar(se) contra algo; RESGUARDAR [*tdr.* + *contra*: *Armava-se contra os efeitos nocivos do sol usando protetor solar.*] 5 *Arm.* Preparar (arma ou dispositivo de explosão) para disparar ou explodir, puxando o cão (peça de arma de fogo), preparando estopim, detonador etc. [*td.*: *Armaram a bomba cuidadosamente.*] 6 *P. ext.* Preparar um aparelho (ou qualquer dispositivo) para funcionar [*td.*: *armar uma ratoeira.*] 7 *P. ext.* Juntar ou acoplar as partes de algo, de uma estrutura etc., na disposição correta de modo a que funcione ou possa ser usado; MONTAR [*td.*: *armar uma barraca, uma rede, um brinquedo etc.*] 8 *P. ext.* Encaixar, justapor, juntar adequadamente as partes de um todo; MONTAR [*td.*: *armar um quebra-cabeça.*] [*int.*: *Compramos um jogo de armar.*] 9 *P. ext.* Fazer desenvolver ou desenvolver-se gradualmente uma situação que parece levar a (certo resultado) [*int.*: *É melhor não sair, arma-se um temporal*: "De repente, armava-se uma grande briga..." (Júlio Ribeiro, *A carne*)] [*td.*: *Com esses apartes agressivos ele está armando uma grande confusão.*] 10 *P. ext.* Fazer ficar (tecido, peça de roupa, armação mole ou maleável etc.) encorpado; ENCORPAR [*td.*: *A costureira usou uma tela para armar a gola da camisa.*] 11 *P. ext.* Pender no corpo (tecido, peça de vestuário ou parte dela) com certo caimento (bom ou mau) [*int.*: *Aquela saia de algodão arma bem.*] 12 *Fig.* Incutir ânimo, força, coragem, estado de espírito etc. em (algo ou alguém, inclusive si mesmo) [*td.*: *Armou o espírito para enfrentar a desilusão amorosa.*] [*tdr.* + *com, de*: *Armou-se de paciência para suportar as grosserias do filho.*] 13 *Fig.* Conceber, preparar situação (empreendimento, plano, estratégia etc.) que leve a resultado desejado; ARQUITETAR [*td.*: *Armou uma tática infalível para aprovar seu projeto.*] 14 Maquinar, arquitetar (golpe, manobra capciosa, travessura etc.); TRAMAR [*td.*: *armar um golpe.*] [*tdr.* + *contra, para*: *Armou uma cilada contra o inimigo.*] [*int.*: *A julgar pela carinha maliciosa, este menino está armando.* Obs.: No uso sem complemento (...*este menino está armando*), pode-se entender que a ação definida pelo verbo já inclui um complemento (seria então intransitivo) ou que está implícito um complemento (seria então transitivo direto).)] 15 *Esp.* Preparar (equipe ou setor de equipe) com táticas, instruções etc. para jogo, competição etc. [*tdr.* + *com*: *Armou o time com três atacantes.*] 16 *Esp.* Em determinados jogos (ger. de bola), desencadear ação (ger. ataque) com uma jogada, um passe etc. [*td.*: *Com um genial passe de calcanhar o meia armou um contra-ataque.*] 17 *Esp.* Formar, escalar e instruir (equipe ou parte da equipe); COMPOR [*td.*: *O técnico da seleção já armou a defesa para o decisivo jogo.*] 18 *Bras. Art. gr.* Organizar e/ou determinar a montagem de trabalho gráfico (publicações em geral) a ser impresso [*td.*: *No computador, o diagramador armou os textos e ilustrações da tese a ser impressa.*] 19 *Mar.* Equipar (embarcação) do necessário, esp. de armas e munições [*td.*] [▶ 1 armar] [F.: Do lat. *armare*. Hom./Par.: *arma(s)* (fl.), *arma(s)* (sf. [pl.]).]

armaria (ar.ma.*ri*:a) *sf.* 1 Depósito de armas; ARSENAL 2 Conjunto de armas; ARMAMENTO 3 Heráldica [F.: *arma* + *-aria.*]

armarinho (ar.ma.*ri*.nho) *sm.* 1 *Bras.* Loja em que se vendem tecidos e aviamentos de costura 2 Pequeno armário [F.: *armário* + *-inho*[1].]

armário (ar.*má*.ri:o) *sm.* 1 Móvel, ger. de madeira, com divisões internas, prateleiras e gavetas, para guardar objetos, roupas etc. 2 *Bras. Gír.* Homem alto e muito forte: *Contratou dois armários como seguranças.* [F.: Do latim *armarium, ii.*] ■ **~ embutido** Armário construído num vão de parede **Sair do ~** *Gír.* Assumir a própria homossexualidade

armas (ar.*mas*) *sfpl.* 1 As forças militares (Exército, Marinha e Aeronáutica) de um país 2 A carreira militar 3 Expedição, empresa ou feito militar 4 As insígnias de um brasão 5 Os chifres de um animal [F.: Pl. de *arma.*]

armazém (ar.ma.*zém*) *sm.* 1 Depósito para estocar mercadorias, munições etc. 2 Mercearia (1) [Pl.: *-zéns.*] [F.: Do ár. *al-máhzan.*]

armazenado (ar.ma.ze.*na*.do) *a.* Que se armazenou, que foi guardado em armazém [F.: Part. de *armazenar.*]

armazenagem (ar.ma.ze.*na*.gem) *sf.* 1 Ação ou resultado de armazenar; ARMAZENAMENTO 2 Valor que se paga para guardar mercadorias em alfândegas, depósitos portuários, ferroviários etc. [Pl.: *-gens.*] [F.: *armazenar* + *-agem*[1].]

armazenamento (ar.ma.ze.na.*men*.to) *sm.* O mesmo que *armazenagem* [F.: *armazenar* + *-mento.*]

armazenar (ar.ma.ze.*nar*) *v.* 1 Conservar em armazém ou depósito [*td.*: *Armazenou o trigo.*] 2 Juntar em quantidade; ACUMULAR [*td.*: *armazenar energia.*] 3 *Inf.* Guardar (dados) na memória do computador [*tda.*: *Armazenou todas as informações em um banco de dados.*] 4 Fazer provisão (de) [*td.*: *A população armazenou alimentos e remédios.*] [*tr.* + *para*: *As formigas armazenam para o inverno.*] [▶ 1 armazenar] [F.: *armazém* + *-ar*[2], com a cons. nasal dental no rad.]

armeiro (ar.*mei*.ro) *sm.* Pessoa que fabrica, conserta ou vende armas [F.: *arma* + *-eiro.*]

armeniano (ar.me.ni:*a*.no) *sm. a.* O mesmo que *armênio* (1 e 2) [F.: Do top. *Armênia* + *-ano*[1].]

armênio (ar.*mê*.ni:o) *sm.* 1 Pessoa nascida ou que vive na Armênia (Ásia) 2 *Gloss.* Língua falada na Armênia [Única língua do ramo armênio da família indo-europeia.] *a.* 3 Da Armênia; típico desse país ou de seu povo 4 Do ou ref. ao armênio (2) [F.: Do lat. *armenius, a, um.*]

armila (ar.*mi*.la) *sf.* 1 *Ant.* Bracelete ou manilha: "Esta noite é como uma dançarina, das que bailam nos festins, (...) fazendo soar as armilas, que lhes cingem os braços." (Coelho Neto, *Pastoral*) 2 *Astr.* Um dos círculos, máximos ou paralelos, de uma esfera que representa a esfera celeste com os seus meridianos e paralelos 3 *Arq.* Nas colunas dóricas, conjunto de filetes salientes que circundam o capitel [F.: Do lat. *armilla, ae.*]

armilar (ar.mi.*lar*) *a2g.* 1 Que tem armilas 2 *Astron.* Que é formado de armilas (2) [F.: *armila* + *-ar*[1].]

arminho (ar.*mi*.nho) *sm.* 1 *Zool.* Mamífero polar, da fam. dos mustelídeos (*Mustela erminea*), cuja pele é muito apreciada por sua maciez e pelo tom alvo que adquire no inverno 2 Essa pele 3 *Fig.* Brancura [F.: Do lat. *armenius (mus).*]

armistício (ar.mis.*tí*.ci:o) *sm.* Acordo entre países em guerra para pôr fim às hostilidades ou suspendê-las temporariamente [F.: Do lat. diplomático moderno *armistitium.*]

armorial (ar.mo.ri:*al*) *a2g.* 1 Ref. aos brasões ou à heráldica [Pl.: *-ais.*] *sm.* 2 Livro de registro de brasões [Pl.: *-ais.*] [F.: Do fr. *armorial.*]

⊠ **ARN** *Gen.* Sigla de *ácido ribonucleico*, molécula que atua na transmissão de informação genética. [Tb. us. em ing., *RNA.*]

arnês (ar.*nês*) *sm.* 1 Armadura completa dos antigos guerreiros 2 *P. ext.* Arreios de cavalo 3 *Fig.* Proteção, amparo, escudo [F.: Do fr. ant. *herneis.*]

arnica (ar.*ni*.ca) *sf.* 1 *Bot.* Designação comum a várias plantas do gên. *Arnica*, da fam. das compostas 2 *Med.* Tintura extraída dessa planta, us. externamente em contusões e internamente em medicamentos homeopáticos [F.: Adaptç. do lat. cient. *Arnica.*]

aro (*a*.ro) *sm.* 1 Tira de metal, madeira etc. curvada em forma de círculo; ANEL; ARGOLA 2 Qualquer objeto em forma de aro 3 Armação circular metálica das rodas de alguns veículos 4 Armação de óculos 5 Peça ger. de madeira que serve de moldura ao vão da janela 6 Arredores de uma cidade grande [F.: Do lat. *arvum*. Hom./Par.: *aro* (sm.), *aro* (fl. de *arar*).]

aroeira (a.ro:*ei*.ra) *sf.* *Bras. Bot.* Árvore da fam. das anacardiáceas (*Schinus molle*), de madeira dura, cuja casca tem propriedades medicinais [F.: De or. contrv; posv. do ár. *daru*, 'lentisco', + *-eira*, com aférese do *d.*]

aroma (a.*ro*.ma) *sm.* 1 Cheiro agradável de substâncias de diversas origens (aroma floral); PERFUME; FRAGRÂNCIA 2 *P. ext.* Qualquer cheiro agradável: "...o café encheu a casa com o seu aroma quente..." (Aluísio Azevedo, *O cortiço*) 3 Essência perfumada [F.: Do lat. *aroma, atis*, do gr. *ároma, atos.*]

aromaterapeuta (a.ro.ma.te.ra.*peu*.ta) *s2g.* Pessoa especializada em aromaterapia [F.: *aroma* + *-terapeuta.*]

aromaterapia (a.ro.ma.te.ra.*pi*.a) *sf.* Técnica terapêutica que emprega óleos vegetais aromáticos em inalações, massagens etc. [F.: *aroma* + *-terapia.*]

aromaterápico (a.ro.ma.te.ra.*pi*.co) *a.* Ref. à ou característico da aromaterapia (efeito aromaterápico) [F.: *aromaterapia* + *-ico*[2].]

aromático (a.ro.*má*.ti.co) *a.* 1 Ref. a aroma 2 Que tem aroma, perfume, fragrância (flores aromáticas); ODORÍFERO; PERFUMADO [F.: Do lat. tardio *aromaticus*, do gr. *aromatikós.*]

aromatização (a.ro.ma.ti.za.*ção*) *sf.* 1 Ação ou resultado de aromatizar(-se) 2 Uso ou aplicação de produtos ou condimentos aromáticos (em receitas, ambientes, roupas etc.) [Pl.: *-ções*. P. us. no pl.] [F.: *aromatiza(r)* + *-ção.*]

aromatizado (a.ro.ma.ti.*za*.do) *a.* 1 Que se aromatizou, que se impregnou de aroma ou perfume: *roupa de cama aromatizada com lavanda.* 2 Condimentado com aroma, especiaria, tempero etc.: *doce aromatizado com canela.* [F.: Part. de *aromatizar.*]

aromatizador (a.ro.ma.ti.za.*dor*) [ô] *a.* 1 Que aromatiza (velas aromatizadoras); AROMATIZANTE *sm.* 2 Produto ou dispositivo aromatizador (aromatizador de ambientes) 3 Profissional especializado em aromatizar alimentos industrializados [F.: *aromatizar* + *-dor.*]

aromatizante (a.ro.ma.ti.*zan*.te) *a2g.* 1 Diz-se de algo que perfuma, que aromatiza *sm.* 2 Substância que serve para aromatizar [F.: *aromatiza(r)* + *-nte.* Sin. ger.: *aromatizador.*]

aromatizar (a.ro.ma.ti.*zar*) *v.* 1 Fazer ficar ou ficar, tornar(-se) aromático, perfumado; PERFUMAR(-SE) [*td.*: *As flores aromatizam o ambiente.*] [*int.*: *A terra aromatiza-se com a chuva.*] 2 *Cul.* Acrescentar tempero, condimento, especiaria a; TEMPERAR [*td.*: *Ela aromatizou o assado com especiarias exóticas.*] [*int.*: *O cravo-da-índia aromatiza.*] [▶ 1 aromatizar] [F.: Do gr. *aromatízo*, pelo lat. *aromatizare.*]

aromista (a.ro.*mis*.ta) *s2g.* Indivíduo especializado no desenvolvimento de aromas naturais por meio da utilização de produtos químicos [F.: *aroma* + *-ista.*]

arpão (ar.*pão*) *sm.* 1 Espécie de seta de ferro fixada em um cabo us. para fisgar peixe em pesca submarina ou cetáceos de grande porte em pesca industrial; ARPÉU; FISGA 2 Certa arma indiana de arremesso 3 *P. ext.* Objeto em forma de gancho 4 *Bras. Gír.* Seringa us. para aplicar drogas injetáveis 5 *Cap.* Golpe de pernas em tesoura, desferido quando o capoeirista está com o corpo rente ao chão, de costas para o adversário e controlando por cima do ombro seus movimentos [Pl.: *-pões.*] [F.: Do fr. *harpon.*]

arpejar (ar.pe.*jar*) *v. int. Mús.* Executar arpejo(s): *Sentou-se ao piano e começou a arpejar.* [▶ 1 arpejar] [F.: *arpejo* + *-ar*. Hom./Par.: *harpejar* (todas as fl.); *arpejo* (fl.), *arpejo* [ê] (sm.).]

arpejo (ar.*pe*.jo) [ê] *sm. Mús.* Acorde em que as notas são executadas não simultaneamente, mas rápida e sucessivamente [F.: Do it. *arpeggio*. Hom./Par.: *arpejo* (fl. de *arpejar*) e *harpejo* (fl. de *harpejar*).]

arpéu (ar.*péu*) *Mar. sm.* 1 Pequeno arpão 2 *Lus.* Instrumento de ferro dotado de dentes ou ganchos us. no passado para abordar embarcações inimigas 3 Pequena âncora [F.: Do fr. ant. *harpeau.*]

arpoador (ar.po:a.*dor*) [ô] *sm.* 1 Pescador que usa o arpão: *É excelente arpoador, raro é o peixe que escapa de seu arpão.* *a.* 2 Diz-se desse pescador [F.: *arpoa(r)* + *-dor.*]

arpoar (ar.po.*ar*) *v.* 1 Cravar arpão em, fisgar com arpão [*td.*: *Arpoou uma baleia azul.*] 2 Lançar o arpão contra [*td.*: *Arpoou o tubarão, mas não acertou.*] [*int.*: *Quando os pescadores arpoaram, a baleia sumiu.*] 3 *Fig.* Cativar, seduzir; dominar, tornar submisso; FISGAR [*td.*: *Ela arpoava os incautos com seu olhar sedutor.*] 4 Reter firmemente, não deixar escapar [*td.*: *Arpoou as folhas de fichário para não voarem.*] 5 *CE* Mostrar-se altivamente ressentido [*int.*: *Arpoou-se ao ouvir tantas críticas injustas.*] [▶ 16 arpoar] [F.: *arp(ã)o* + *-ar*[2].]

◎ **arque-** *pref.* = 'começo'; 'origem'; 'primazia', 'superioridade'; 'comando', 'autoridade': *arquegônio, arquiano, arquelogia* [F.: Do gr. *arkhé, ês*, 'aquilo que está na frente'; 'começo', 'origem'; 'supremacia'; 'autoridade', do v. gr. *árkho*, 'ser o primeiro'; 'estar à frente'; 'mostrar o caminho'; 'guiar'; 'ser o chefe'; 'fazer algo pela primeira vez'; 'começar'; 'dar início'. F. conexas: *arqueo-* e *arqui-.*]

arqueação (ar.que:a.*ção*) *sf.* 1 Ação ou efeito de arquear ou curvar em arco (arqueação das aduelas de um tonel) 2 Curvatura de um arco 3 Medição da capacidade de quaisquer recipientes arqueados, esp. os cilindros 4 *Mar.* Capacidade de carga de um navio: *A escuna tem 120 toneladas de arqueação.* [Pl.: *-ções.*] [F.: *arquear* + *-ção.*]

arqueado (ar.que.*a*.do) *a.* 1 Que tem forma de arco (ponte arqueada); CURVO 2 Que se arqueou, se curvou; ENCURVADO: *O velho tinha as costas arqueadas.* 3 Que tem arco, provido de arco ou ornado com arco (pórtico arqueado) [F.: Part. de *arquear*. Ideia de 'arqueado': *cifo-.*]

arqueadura (ar.que:a.*du*.ra) *sf.* 1 Ação ou resultado de arquear; ARQUEAMENTO 2 Curvatura em arco; ARQUEAMENTO [F.: *arquear* + *-dura.*]

arqueamento (ar.que:a.*men*.to) *sm.* 1 O mesmo que *arqueadura* (1 e 2) 2 *Geol.* Movimento epirogenético do qual resultam levantamentos em forma de arco de trechos inteiros da crosta terrestre; BOMBEAMENTO; EMPENAMENTO [F.: *arquear* + *-mento*.]

arquear (ar.que.*ar*) *v.* **1** Curvar(-se) em forma de arco [*td.*: *arquear as sobrancelhas*: "Arqueou os braços mimosos..." (José de Alencar, *Ubirajara*)] [*int.*: *As costas da vovó arquearam(-se) com o tempo.*] **2** Medir o bojo de (vasilhas cilíndricas) [*td.*: *arquear os vasilhames.*] **3** *Mar.* Medir a capacidade (seja em volume seja em peso) de (navio de carga) [*td.*: *arquear a embarcação.*] [▶ 13 arquear] [F.: *arco* (- *co* > *-qu-*) + *ear*².]

arquegônio (ar.que.*gô*.ni:o) *Bot. sm.* Pequeno órgão sexual feminino, ger. com formato de garrafa, que dá origem à oosfera ou gameta feminino, esp. nas gimnospermas [F.: *arqu(e)-* + *-gônio*.]

arqueiro (ar.*quei*.ro) *sm.* **1** Quem dispara flechas com o arco; FLECHEIRO **2** Combatente ou soldado armado com arco e flecha **3** Quem fabrica e/ou vende arcos **4** *Fut.* Ver *goleiro* [F.: *arco* (-*co-* > *-qu-*) + *-eiro*.]

arquejante (ar.que.*jan*.te) *a2g.* Que arqueja; ARFANTE; OFEGANTE [F.: *arqueja(r)* + *-nte*.]

arquejar¹ (ar.que.*jar*) *v.* **1** Respirar com ânsia, com dificuldade; OFEGAR [*int.*: *Chegou ao final da maratona arquejando.*] **2** *Fig.* Deixar escapar, soltar, emitir (som que expressa sofrimento, dor) [*td.*: *Arquejava lamentos com a morte dos pais.*] [▶ 1 arquejar] [F.: *arca* (*do peito*) + *-ejar*. Hom./Par.: *arquejo* (fl.), *arquejo* (sm.).]

arquejar² (ar.que.*jar*) *v. td. int.* O mesmo que *arquear* [▶ 1 arquejar] [F.: *arco* + *-ejar*.]

arquejo (ar.*que*.jo) [ê] *sm.* **1** Ação de arquejar, de respirar de maneira ofegante: "Estorce-se no crebo e derradeiro arquejo..." (Olavo Bilac, "O caçador de esmeraldas".) **2** Respiração difícil, ger. acelerada e ofegante, devido tensão nervosa, esgotamento físico etc.; ÂNSIA [F.: Dev. de *arquejar*¹. Hom; /Par.: *arquejo* (sm.), *arquejo* (fl. de *arquejar*).]

◎ **arqueo-** *el. comp.* = 'antigo'; 'arcaico'; 'antiguidade (com ou sem maiúsc.)': *arqueoastronomia, arqueografia, arqueologia* (< gr.), *arqueólogo, arqueologista* [F.: Do gr. *arkhaio-*, do adj. gr. *arkhaîos, a, on*, 'primitivo'; 'originário'; 'antigo'; 'velho', do subst. *arkhé, ês*, ver *arqu(e)-*, do v. gr. *árkho*, 'ser o primeiro', etc. F. conexa: *arqui-*.]

arqueoastronomia (ar.que:o.as.tro.no.*mi*.a) *Astr. sf.* Ciência que estuda a astronomia dos povos antigos, esp. através das representações gráficas e monumentos que deixaram [F.: *arqueo-* + *astronomia*.]

arqueografia (ar.que:o.gra.*fi*.a) *sf.* Descrição dos monumentos da Antiguidade [F.: *arqueo-* + *-grafia*.]

arqueográfico (ar.que:o.*grá*.fi.co) *a.* Ref. a arqueografia [F.: *arqueografia* + *-ico*².]

arqueologia (ar.que:o.lo.*gi*.a) *sf.* **1** Ciência que estuda a história da humanidade, os costumes e a cultura de povos antigos através de seus monumentos, documentos e de objetos encontrados em escavações **2** Os fundamentos e as técnicas dessa ciência [F.: Do gr. *arkhaiología, as*, 'estudo das coisas antigas'.] ∎ **~ astronômica** *Astron.* Arqueoastronomia

arqueológico (ar.que:o.*ló*.gi.co) *a.* **1** Ref. a arqueologia e a arqueólogo (pesquisa arqueológica; museu arqueológico) **2** *Fig. Joc.* Muito antigo, ou muito velho: *Este relógio é arqueológico* [F.: *arqueologia* + *-ico*².]

arqueólogo (ar.que.*ó*.lo.go) *sm.* Aquele que se especializou em arqueologia [F.: *arqueo-* + *-logo*.]

arqueoptérix (ar.que:op.*té*.rix) *Pal. sm2n.* Denominação comum às aves do gên. *Archaeopteryx*, com uma única sp. (*A. lithographica*), primeira ave conhecida, viveu durante o período jurássico superior. Representa um organismo intermediário entre os pássaros atuais e os pequenos dinossauros carnívoros da era mesozoica. Apresentava dentes e garras, mas já possuía penas e ossos ocos [F.: Do lat. cient. *Archaeopterix*.]

arquetípico (ar.que.*tí*.pi.co) *a.* **1** Ref. a arquétipo (imagem arquetípica; sonho arquetípico) **2** Característico de arquétipo (aspecto arquetípico) [F.: *arquétipo* + *-ico*².]

arquétipo (ar.*qué*.ti.po) *sm.* **1** Modelo, padrão de algo (objeto, produto, qualidade, comportamento etc.); PADRÃO: *Pelé é o arquétipo do jogador de futebol.* **2** *Fil.* Na filosofia platônica, ideia originária que serve como modelo para a origem e princípio explicativo para os objetos sensíveis **3** *Psic.* Na psicanálise junguiana, modelo de pensamento comum a toda a humanidade, composto de símbolos ou imagens que constituem uma espécie de inconsciente coletivo [F.: Do gr. *arkhétypon* (substv. do gr. *arkhétypos, os, on*, 'que é o modelo'), pelo lat. *archetypum, i*, e pelo fr. *archétype*.]

◎ **arqui-** *pref.* Registra-se em voc. formados no próprio grego, ou no vernáculo ou em outra língua de cultura, em geral com os seguintes sentidos: **a)** 'original'; 'primitivo': *arquicérebro, arquigástrula*; **b)** 'aquele ou aquilo que é o principal (de uma série, grupo, ou conjunto)': *arquidiocese*; **c)** 'o maior ou o primeiro de todos': *arquiatro, arquidemônio, arqui-inimigo, arquirrival, arquivilão*; **d)** 'que é muito ou extremamente (algo)': *arquiconhecido, arquiconservador, arquifamoso, arquimilionário, arquirreacionário*; **e)** 'de altura elevada ou que está na parte mais alta': *arquibancada* [F.: Do pref. gr. *arkhi-*, do v. gr. *árkho*, 'ser o primeiro'; 'estar à frente'; 'mostrar o caminho'; 'guiar'; 'ser o chefe'; 'fazer algo pela primeira vez'; 'começar'; 'dar início', fonte tb. do gr. *arkhé, ês*, ver *arque-*. Há tb. as formas vulgares *arc-* (*arcanjo* < lat. < gr), *arce-* (*arcebispo* < lat. < gr.) e *arci-* (*arcidiago* < lat. < gr.).]

◎ **-arquia** *el. comp.* Registra-se em voc. formados no próprio grego (por vezes com interveniência lat., com manutenção, porém, da tônica preconizada pelo gr.), ou no vernáculo, ou em outra língua de cultura, em geral com as seguintes noções: **a)** 'governo': *anarquia* (< lat. < gr.), *eparquia* (< gr.); **b)** 'governo exercido por (x elemento[s])': *diarquia, dodecarquia, pentarquia, poliarquia* (< gr.), *tetrarquia* (< lat. < gr.); **c)** (donde) 'forma de governo ou regime político': *monarquia* (< lat. < gr.), *oligarquia*; **d)** '(*fig.*) forma de organização, entre insetos sociais': *ginandrarquia, ginarquia*; **e)** 'comando': *hiparquia* (< gr.); **f)** 'divisão territorial ou território governado por': *nomarquia* (< gr.) [F.: Do gr. *-arkhía, as*, formador de subst. abstratos para voc. em *-arkhos, os, on* (ver *-arco*) e em *-arkhes, ou* (ver *-arca*¹) – todos do v. gr. *árkho*, 'ser o primeiro'; 'estar à frente'; 'mostrar o caminho'; 'guiar'; 'ser o chefe'; 'governar'; 'fazer algo pela primeira vez'; 'começar'; 'dar início'- + suf. gr. *-ía, as* (ver *-ia*¹).]

arquiano (ar.qui.*a*.no) *Geol. a.* **1** Diz-se do período geológico no qual se formaram as rochas mais antigas e em que não são encontrados sinais de vida; AZOICO *sm.* **2** Esse período; AZOICO [Nesta acp. com inicial maiúscula.] [F.: *arqu(e)-* + *-ano*¹.]

arquiatro (ar.qui:*a*.tro) *Ant. Med. sm.* **1** O médico principal, o médico do rei **2** O médico mais antigo num contexto de médicos [F.: *arqui-* + *-iatro*.]

arquibaldo (ar.qui.*bal*.do) *sm. Bras. Pop. Fut.* Na gíria do futebol, aquele que assiste o jogo na arquibancada [F.: Uso jocoso do nome próprio *Arquibaldo*, pela suposta presença do elemento *arqui-*, aludindo à arquibancada. Cf.: *geraldino*.]

arquibancada (ar.qui.ban.*ca*.da) *sf.* **1** *Bras.* Construção destinada ao público de espetáculos artísticos, desportivos etc., na qual os assentos são dispostos em longas rampas de mesmo nível que se sucedem inclinadamente no sentido da altura **2** *P. ext.* O conjunto de pessoas aí sentadas: *A arquibancada vaiou o atacante.* [F.: *arqui-* + *bancada*.]

arquidiácono (ar.qui.di.*á*.co.no) *Ecles. sm.* **1** Na Igreja católica, eclesiástico que recebe do bispo certos poderes na gestão de uma diocese **2** Na Igreja anglicana, título e função do religioso encarregado da disciplina e dos bens materiais em certas áreas [F.: Do lat. ecles. *archidiaconus, i*, por via erudita.]

arquidiocesano (ar.qui.di:o.ce.*sa*.no) *a.* Ref. a arquidiocese [F.: *arquidiocese* + *-ano*¹.]

arquidiocese (ar.qui.di:o.*ce*.se) *sf.* A diocese principal, da qual outras são sufragâneas; ARCEBISPADO [F.: *arqui-* + *diocese*.]

arquiducado (ar.qui.du.*ca*.do) *sm.* **1** Título e dignidade de arquiduque **2** Domínio territorial de um arquiduque [F.: *arquiduque* + *-ado*².]

arquiducal (ar.qui.du.*cal*) *a2g.* Do ou ref. ao arquiduque ou ao arquiducado [Pl.: *-cais*.] [F.: *arquiduque* + *-al*¹.]

arquiduque (ar.qui.*du*.que) *sm.* **1** Título de nobreza superior ao de duque **2** *Ant.* Título us. pelos príncipes da Áustria **3** Homem que tem um desses títulos [Fem.: *-quesa* [ê].] [F.: *arqui-* + *duque*.]

arquiepiscopado (ar.qui:e.pis.co.*pa*.do) *sm. Rel.* O mesmo que *arcebispado* [F.: *arqui-* + *episcopado*.]

arquiepiscopal (ar.qui:e.pis.co.*pal*) *a2g. Rel.* Ref. a arcebispo ou a arcebispado [Pl.: *-pais*.] [F.: *arqui-* + *episcopal*.]

arquifamoso (ar.qui.fa.*mo*.so) [ô] *a.* Muitíssimo famoso (em geral por alguma qualidade ou característica notável): "Nesse anterior Código Civil, cujo construtor foi o arquifamoso jurista brasileiro Clóvis Bevilaqua (...)" (Giselda Hironaka, *O novo Código Civil brasileiro*) [Pl.: *ó*. Fem.: *ó*.] [F.: *arqui-* + *famoso*.]

arqui-inimigo (ar.qui-i.ni.*mi*.go) *sm.* **1** O inimigo por excelência, o maior ou um dos maiores inimigos (de alguém, de um país, de algo): *O Coringa é o arqui-inimigo do Batman.* *a.* **2** Diz-se de alguém ou de algo que é ou se comporta como um arqui-inimigo (1) [F.: *arqui-* + *inimigo*.]

arquimilionário (ar.qui.mi.li:o.*ná*.ri:o) *a.* **1** Diz-se de quem é extremamente rico *sm.* **2** Pessoa arquimilionária [F.: *arqui-* + *milionário*. Sin. ger.: *multimilionário*.]

arquipelágico (ar.qui.pe.*lá*.gi.co) *a.* Ref. a ou situado em um arquipélago: "O país não é a praia da meseta peninsular mas sim um vasto território arquipelágico (...)" (*Correio da Manhã – Portugal*, 11.08.2004) [F.: *arquipélago* + *-ico*².]

arquipélago (ar.qui.*pé*.la.go) *sm. Geog.* Conjunto de ilhas mais ou menos próximas umas das outras [F.: Do gr. bizantino **archipélagos*, pelo it. *arcipelago*.]

arquipterígio (ar.qui.pte.*rí*.gi:o) *Zool. sm.* Nadadeira filiforme de base estreita e eixo com radiais laterais [F.: *arqui-* + *-ptérigio*.]

arquirrival (ar.quir.ri.*val*) *a2g.* **1** Diz-se do rival mais antigo, mais forte e mais constante (time arquirrival) [Pl.: *arquirrivais*.] *s2g.* **2** Indivíduo ou entidade arquirrival; o maior inimigo de algo ou de alguém: "O Paysandu Sport Club nasceu para ser o arquirrival do Remo." (*Jornal do Brasil*, 03.12.2004) [Pl.: *arquirrivais*.] [F.: *arqui-* + *rival*.]

arquitetado (ar.qui.te.*ta*.do) *a.* **1** *Fig.* Concebido detalhadamente; PLANEJADO; TRAMADO: "O assassinato do casal foi arquitetado pela própria filha (...)" (*Notícia comentada*, 10.11.2002) **2** Elaborado arquitetonicamente: *centro arquitetado em estilo barroco.* [F.: Part. de *arquitetar*.]

arquitetar (ar.qui.te.*tar*) *v. td.* **1** *Arq.* Conceber, idealizar, planejar e desenvolver (projetos de arquitetura); PLANEJAR: *Niemeyer arquitetou o museu de arte de Niterói.* **2** *P. ext. Fig.* Conceber, organizar, planejar qualquer projeto, ação, medida etc.: *Arquitetou uma estratégia para neutralizar a concorrência.* **3** *Fig.* Planejar algo em detalhes: *O mestrando arquitetou todo o seu projeto.* **4** *Fig.* Planejar com astúcia; MAQUINAR; TRAMAR; URDIR: *A jovem arquitetou um crime perfeito.* **5** Exercer a função de arquiteto [*int.*: *Há dez anos, meu filho arquiteta.*] [▶ 1 arquitetar] [F.: Do lat. *architectare*. Hom./Par.: *arquiteto* (fl.); *arquiteto* (sm.).]

arquiteto (ar.qui.*te*.to) *sm.* **1** Profissional formado em arquitetura, habilitado a trabalhar ou que trabalha em arquitetura **2** *Fig.* Aquele que planeja ou idealiza qualquer coisa: *Bismarck foi o arquiteto da unificação alemã.* [F.: Do gr. *architékton, onos*, pelo lat. *architectus, i*. Hom./Par.: *arquiteto* (sm.), *arquiteto* (fl. de *arquitetar*).]

arquitetônica (ar.qui.te.*tô*.ni.ca) *sf.* Arte da construção; ARQUITETURA [F.: Do gr. *arkhitektoniké*.]

arquitetônico (ar.qui.te.*tô*.ni.co) *a.* De ou ref. a arquitetura, ou a arquiteto (projeto arquitetônico, estilo arquitetônico); ARQUITETURAL [F.: Do gr. *arkhitektonikós*, pelo lat. *architectonicus*.]

arquitetura (ar.qui.te.*tu*.ra) *sf.* **1** *Arq.* Arte e técnica de projetar espaços e edificações adequados a vivências e atividades humanas, e de acordo com padrões estéticos **2** *Arq.* Conjunto das obras arquitetônicas de uma época, de um lugar, de um povo etc. (arquitetura grega; arquitetura barroca) **3** *Arq.* Disposição dos elementos em uma edificação ou em um conjunto arquitetônico **4** *Arq.* O conjunto dos princípios, normas, técnicas e materiais us. para criar o espaço arquitetônico; ARQUITETÔNICA **5** *Fig.* O modo como as partes se relacionam com o todo em qualquer estrutura: *Em sua filosofia, Kant tentou descrever a arquitetura do pensamento.* **6** *Fig.* Plano, projeto **7** *Fig.* O artifício, a contextura, a disposição especial de qualquer conjunto harmônico; ESTRUTURA: *A arquitetura celestial.* [F.: Do lat. *architectura, ae*.]

arquitetural (ar.qui.te.tu.*ral*) *a2g.* O mesmo que *arquitetônico* [Pl.: *-rais*.] [F.: *arquitetura* + *-al*¹.]

arquitrave (ar.qui.*tra*.ve) *sf.* **1** *Arq.* Viga mestra, assentada horizontalmente sobre colunas ou pilares, para os quais transmite o peso da cobertura ou dos andares superiores da edificação **2** Na arquitetura clássica, parte inferior do entablamento, que assenta diretamente sobre os capitéis das colunas; EPISTÍLIO [F.: *arqui-* + *trave*.]

arquivado (ar.qui.*va*.do) *a.* **1** Guardado em arquivo (ou como se em arquivo): *documentos arquivados.* **2** *Fig.* Guardado na memória **3** Que teve a tramitação interrompida (inquérito arquivado) [F.: Part. de *arquivar*.]

arquivamento (ar.qui.va.*men*.to) *sm.* **1** Ação ou resultado de arquivar **2** Ação de guardar documento ou qualquer forma de informação, ger. com registro que permita localizá-los e facilmente ter acesso a eles para consulta [F.: *arquiva(r)* + *-mento*.]

arquivar (ar.qui.*var*) *v. td.* **1** Guardar (documento, informação em qualquer formato) em arquivo, ger. com um registro que permita facilmente localizá-los e ter acesso a eles: *A secretária arquivou as fichas.* **2** *Jur.* Interromper a tramitação de (processo, causa, investigação, inquérito etc.): *arquivar um processo.* **3** *Fig.* Reter na memória: *Ninguém arquiva a matéria só de ouvi-la na sala de aula.* **4** *Fig.* Frustrar, com certas medidas, as pretensões ou expectativas (de alguém) quanto a seu desenvolvimento profissional, sua carreira etc.: *Sabotaram o estagiário, e arquivaram sua meteórica carreira; Temeroso da concorrência, conseguiu arquivar seu jovem assistente.* **5** *Fig.* Não levar em consideração, descartar: *arquivar uma reprimenda.* [▶ 1 arquivar] [F.: *arquivo* + *-ar*². Hom./Par.: *arquivo* (fl.), *arquivo* (sm.).]

arquivilão (ar.qui.vi.*lão*) *sm. Cin. Liter. Telv.* Grandíssimo vilão; (*p. ext.*) o maior de todos os vilões ou o grande vilão de uma obra: "O clássico filme de Fritz Lang, *Dr. Mabuse, o jogador*, começa mostrando o arquivilão do título em ação..." (*O Estado de S.Paulo*, 24.11.1998) [Pl.: *-lões, -lãos e -lães*. Fem.: *-lã e-loa*.] [F.: *arqui-* + *vilão*.]

arquivista (ar.qui.*vis*.ta) *s2g.* Pessoa responsável pela organização e manutenção de um arquivo; PAPELISTA [F.: *arquiv(o)* + *-ista*.]

arquivística (ar.qui.*vís*.ti.ca) *sf.* O mesmo que *arquivologia* [F.: Fem. substv. de *arquivístico*.]

arquivo (ar.*qui*.vo) *sm.* **1** Conjunto de documentos ou elementos de informação, em diversos tipos de suporte (manuscritos, impressos, fotográficos, fonográficos etc.) guardados e conservados, ger. com registro que permita sua fácil localização e consulta, mantidos sob a guarda de uma pessoa ou de uma instituição **2** *P. ext.* Qualquer conjunto de elementos de informação (anotações, fotografias, recortes) assim guardados e preservados **3** Lugar, entidade, instituição etc. onde se guardam esses documentos e elementos de informação **4** Móvel próprio para se guardar documentos, de forma a conservá-los e permitir fácil localização e acesso **5** *Fig.* Repositório: *Aquele homem é um arquivo de todas as anedotas de sua terra.* **6** *Inf.* Conjunto de dados (textos, imagens, sons, animações, rotinas, programas etc.) gravados e armazenados como uma unidade independente e identificável [F.: Do gr. *archeion*, pelo lat. *archivum, i*. Hom./Par.: *arquivo* (sm.), *arquivo* (fl. de *arquivar*).] ∎ **~ ASCII** *Inf.* Arquivo cujos caracteres são codificados em ASCII; arquivo de texto **~ binário** *Inf.* Arquivo no qual o conteúdo é codificado diretamente em dígitos binários (cada caractere é representado por uma combinação de apenas dois dígitos, 0 e 1) **~ de texto** *Inf.* Arquivo ASCII **~ morto** Arquivo já não consultado, ou pouco consultado **~ público** Órgão que reúne documentos de arquivos de entidades públicas e privadas para sua conservação e disponibilização para consulta ~ **vivo** *Bras. Gír. Pol.* Pessoa que pode depor testemunhando sobre um crime **Queima de ~** Ação e resultado de eliminar, matando, possível testemunha de um crime, para evitar que o revele ou denuncie os responsáveis por ele **Queimar ~** *Pop.* Ver *Queima de arquivo*

arquivologia (ar.qui.vo.lo.*gi*.a) *sf.* Estudo da organização dos arquivos; ARQUIVÍSTICA [F.: *arquivo* + *-logia*.]

◎ **-arra** *suf. nom.* = '(muito) grande': *baitarra, bandarra* (posv.), *bicarra, bocarra, naviarra* [F.: De or. basca. Tb.: *-arro* (*chibarro*).]

arrabalde (ar.ra.*bal*.de) *sm.* **1** Área na periferia de uma cidade, em torno e junto a seus limites; SUBÚRBIO **2** *P. ext.* Zona de uma cidade afastada de seu centro; ARREDOR; CERCANIA [Muito us. no pl., nas duas acps.] [F.: Do ár. *ar-rabad*.]

arraia[1] (ar.*rai*.a) *sf.* **1** *Ict.* Nome comum a vários peixes de forma achatada, com três barbatanas no rabo fino com um ferrão na ponta; RAIA **2** *Bras.* Pequeno papagaio ou pipa com o formato desse peixe; RAIA [F.: F. protética de *raia*[2].]

arraia[2] (ar.*rai*.a) *sf.* Fronteira de um país; RAIA [F.: *ar-*[3] + *raia*.]

arraia[3] (ar.*rai*.a) *sf. Pej.* A camada social mais baixa; ARRAIA-MIÚDA; PLEBE; RALÉ [Denota preconceito.][F.: Do ár. *ar-rahya*.]

arraial (ar.rai.*al*) *sm.* **1** Lugar onde se realizam festas populares, esp. juninas [Nas festas juninas, o arraial ganha aspecto de roça, em uma cidadezinha do interior do Brasil, com sua maneira típica de comemorar (roupas, músicas, danças, comidas, fogueira e, ger., a encenação cômica de um casamento).] **2** Cidade muito pequena; POVOADO **3** Acampamento militar **4** Lugar onde se agrupam romeiros, com tendas provisórias, comércio de comestíveis, diversões etc. **5** Povoação temporária, formada em função de atividades extrativas, como garimpo etc. **6** *Pop.* Muita confusão e desordem; BAGUNÇA [Pl.: *-ais*.] [F.: Posv. do a. *real*, na acp. ant. de 'acampamento do rei'.]

arraia-miúda (ar.rai.a-mi.*ú*.da) *sf. Pej.* Em uma sociedade ou grupo social, a camada social mais baixa, as pessoas mais pobres e desvalidas; PLEBE; RALÉ [Pl.: *arraias-miúdas*.] [F.: *arraia* + *-eiro*.]

arraigado (ar.rai.*ga*.do) *a.* **1** Que se arraigou, que lançou raízes; ENRAIZADO **2** Que se estabeleceu, se fixou (em certo lugar); RADICADO: *imigrantes arraigados na cidade há muitos anos.* **3** *Fig.* Aferrado (a uma ideia, convicção, hábito etc.) **4** *Fig.* Que se fixou firme e consistentemente na memória, nos hábitos, na cultura de um indivíduo ou de um povo, e que, portanto, é difícil de ser erradicado ou esquecido (preconceito arraigado) [F.: Part. de *arraigar*.]

arraigar (ar.rai.*gar*) *v.* **1** Fixar (planta) pela raiz [*td.*: *arraigar uma planta (no solo).*] **2** *Fig.* Fixar(-se); estabelecer(-se); assentar(-se); firmar(-se) [*td.*: *A educação é o melhor meio de arraigar o conceito da cidadania; Chegaram à cidade recentemente, mas já se arraigaram.*] [*tr.* + *em*: *Esses hábitos arraigaram-se rapidamente na sociedade urbana.*] [▶ 14 arraigar] [F.: Do lat. *ad* + *radicare* = *arradicare*.]

arrais (ar.*rais*) *sm2n.* **1** Pessoa especializada em conduzir embarcações em portos ou próximo destes em função de seu conhecimento da região **2** Mestre ou capitão de navio ou barco costeiro **3** *Fig.* Guia, condutor [F.: Do ár. *ar-rais*, 'capitão de navio'. Hom./Par.: *arrais* (sm2n.), *arras* (sfpl.).]

arrancada (ar.ran.*ca*.da) *sf.* **1** Ação ou resultado de arrancar; ARRANCAMENTO **2** Aceleração ou partida repentina e violenta (de veículo) **3** Movimento súbito e enérgico, ação impetuosa que visa a um bom resultado; ARRANCO: *Estamos em último lugar, mas vamos dar uma arrancada.* **4** *Esp.* Em competição de corrida (atlética, de natação, automobilística etc.), aumento no ritmo de desempenho para melhorar colocação ou obter melhor tempo: *Ele correu os últimos 50 metros numa arrancada impressionante.* **5** *Fut.* Investida repentina e rápida contra o gol adversário **6** *Fig.* Melhora de desempenho e/ou de resultados em certa atividade, devido ao incremento de esforços e dedicação: *No segundo semestre ela deu uma grande arrancada nos estudos.* **7** *Mil.* Ataque, investida impetuosa de tropas **8** Terreno de onde se arrancaram raízes de árvores ou de mato, para ser cultivado; a ação ou o trabalho de arrancá-las [F.: *arranca(r)* + *-ada*[1].] ∎ **De ~** Num ímpeto, de forma impetuosa e repentina

arrancado (ar.ran.*ca*.do) *a.* **1** Tirado, extraído com força (dente arrancado) **2** Desprendido da terra; DESENRAIZADO **3** Extorquido: *propina arrancada pelos fiscais corruptos.* [F.: Part. de *arrancar*.]

arrancador (ar.ran.ca.*dor*) [ô] *sm.* **1** O que arranca **2** Ferramenta para arrancar batatas **3** *BA SE* Terreno para pasto do gado, onde anteriormente havia plantação de mandioca e legumes [F.: *arrancar* + *-dor*.]

arrancamento (ar.ran.ca.*men*.to) *sm.* Ação ou resultado de arrancar [F.: *arrancar* + *-mento*.]

arranca-peito (ar.ran.ca-*pei*.to) *Bras. Pop. sm.* Cigarro ordinário e muito forte; MATA-RATO [Pl.: *arranca-peitos*.] [F.: *arrancar* (na 3ª pess. sing. pres. ind.) + *peito*.]

arrancar (ar.ran.*car*) *v.* **1** Fazer sair, tirar com força [*td.*: *arrancar um dente.*] [*tdr.* + *a, de*: *Arrancar folhas a/de um caderno; O policial arrancou a arma das mãos do bandido.*] **2** Desprender da terra; DESARRAIGAR; DESENRAIZAR [*td.*: "...arrancava as flores silvestres para enfeitar-lhe..." (José de Alencar, *Lucíola*)] [*tda.*: *arrancar as cenouras do chão.*] **3** Fazer surgir, suscitar [*td.*: *uma beleza que arranca suspiros.*] **4** Conseguir, obter com muito esforço [*tdr.* + *a, de*: *A promotoria arrancou ao / do réu a confissão.*] [*td.*: *Nem que tenha de implorar, vou arrancar seu consentimento.*] **5** *Fig.* Fazer abandonar, apartar, separar [*tdr.* + *do*: *Conseguiu arrancar o filho das drogas.*] **6** Exterminar, eliminar, extinguir, destruir [*td.*: *Os conquistadores arrancaram todos os vestígios da cultura nativa.*] **7** Erguer com esforço, num arranco [*tda.*: *O atleta tentava arrancar do chão a barra.*] **8** Fazer sair (alguém) da situação, atitude etc. em que está [*tdr.* + *de*: *Um súbito rumor arrancou a moça de seus devaneios.*] **9** Sair (de um lugar) com ímpeto e de repente, numa arrancada [*int.*: *O nadador arrancou bem, mas perdeu posições.*] **10** Partir de repente e com pressa [*ta.*: *O animal arrancou para o campo.*] [*ta.*: *Os ladrões se arrancaram quando a polícia chegou.*] **11** Pôr(-se) em movimento (veículo); dar a partida [*int.*: *O automóvel arrancou.*] [*tr.* + *com*: *O motorista arrancou com o carro.*] **12** Obter algo de alguém por meio de ameaça ou violência; EXTORQUIR [*tdr.* + *a, de*: *Aproveitaram para arrancar dinheiro dos motoristas.*] **13** Deixar de existir; morrer [*int.*: *Quando o socorro chegou, o doente arrancara.*] **14** Livrar (de jugo, de opressão); LIBERTAR [*tdr.* + *de*: *Arrancar o país do domínio estrangeiro.*] **15** *Mar.* Soltar (a âncora) do fundo [*td.*: *Arrancar a âncora para zarpar.*] [*int.*: *O comandante mandou arrancar e zarpar.*] **16** *Mar.* Acelerar (a remada) aumentando o ritmo dos remadores [*td.*] [▶ 11 arrancar] [F.: Or. controversa. Hom./Par.: *arranco* (fl.), *arranco* (sm.); *arranque(s)* (fl.), *arranque(s)* (sm. e pl.).]

arranca-rabo (ar.ran.ca-*ra*.bo) *sm. Bras. Pop.* Discussão violenta, briga generalizada; ROLO: *A festa acabou no maior arranca-rabo.* [Pl.: *arranca-rabos*.]

arranca-sola (ar.ran.ca-*so*.la) *sf. Bras. N. E. Pop.* Tipo de dança popular em que os participantes arrastam a sola dos sapatos no chão, acompanhando o ritmo da música [Pl.: *arranca-solas*.] [F.: *arrancar* (na 3ª pess. sing. pres. ind.) + *sola*.]

arranca-toco (ar.ran.ca-*to*.co) [ô] *Bras. Pop. sm.* **1** Arranca-rabo **2** Indivíduo brigão, valentão **3** Partida violenta de futebol [Pl.: *arranca-tocos*.] [F.: *arrancar* (na 3ª pess. sing. pres. ind.) + *toco*.]

arranchado (ar.ran.*cha*.do) *a.* **1** Admitido, abrigado no rancho **2** Diz-se do soldado que come no quartel: "Cabo arranchado, mal ganha para o cigarro..." (Rachel de Queiroz, *Rapadura*) *sm.* **3** Soldado que come no quartel [F.: Part. de *arranchar*.]

arranchamento (ar.ran.cha.*men*.to) *sm.* **1** *Bras.* Conjunto de ranchos ou casebres **2** *RS* Moradia rural com terreno, galpões, currais etc.: "(...) este arranchamento era um paraíso: o arvoredo todo crescido e dando (...)" (Simões Lopes Neto, "No Manantial" *in Contos gauchescos*) [F.: *arranchar* + *-mento*.]

arranchar (ar.ran.*char*) *v.* **1** Dar hospedagem a, ou receber abrigo, acolhida; ABRIGAR(-SE); ALBERGAR(-SE); HOSPEDAR(-SE) [*td.*: *Vocês me arrancham esta noite?*] [*ta.*: "De uma feita, arranchou-se na casa em que morávamos como marido e mulher, um moço rico e bonito..." (Domingos Olímpio, *Luzia Homem*)] [*tr.* + *com*: *Arrancho com vocês enquanto faço a obra lá em casa.*] **2** Estabelecer ou prover pousada ou acampamento provisório (em); ACAMPAR [*tda.*: *O coronel arranchou a tropa no paiol.*] [*ta.*: *Os tropeiros arrancharam(-se) com o gado à/na margem esquerda do rio.*] [*tr.* + *com, para*: "Dormia no mato, debaixo de estrela, arranchava junto com nós." (Guimarães Rosa, *Grande sertão: Veredas*)] **3** Fixar morada em ou dar como morada; ESTABELECER(-SE); INSTALAR(-SE); FIXAR(-SE) [*tda.*: *Ele arranchou a sogra na própria casa.* Ant.: *desalojar*.] [*int.*: *Daqui não saio; arranchei-me.* Ant.: *desalojar(-se)*. Us. tb. no sentido *Fig.*] **4** Juntar(-se), reunir(-se) em grupos e/ou com outras pessoas, temporariamente e com um objetivo em comum [*tr.* + *com*: *As meninas se arrancharam com os rapazes na sala para construir o aeromodelo*; "Arranchava com vadios nas noitadas das tavernas, onde se jogava esquineta e monte." (Camilo Castelo Branco, *A brasileira dos Prazins*)] **5** *Bras. Mil.* Fornecer refeições a (militares em serviço ou em qualificação profissional), em espécie ou em dinheiro, ger. mediante desconto módico no soldo [*td.*] **6** *Mil.* Distribuir (a tropa ou tripulação) em ranchos para pernoitar, comer à mesa comum etc. [*td.*: *arranchar a tropa.*] **7** *Mil.* Reunir-se (a tropa ou tripulação) em camaratas ou casernas, em rancho ou mesa comum, associando-se por meio de uma contribuição módica [*tr.* + *com*: *Os oficiais inferiores arranchavam com os músicos do regimento.*] [▶ 1 arranchar] [F.: *ar-*[1] + *rancho* + *-ar*[2].]

arrancho (ar.*ran*.cho) *sm.* **1** Abrigo, acolhida, hospedagem: "...chegou numa cidade importante e pediu arrancho numa casinha pobre." (Luís da Câmara Cascudo, "A história do papagaio" *in Contos tradicionais do Brasil*) **2** Local onde se encontra acolhida, hospedagem; POUSADA; ABRIGO [F.: Dev. de *arranchar*.]

arranco (ar.*ran*.co) *sm.* **1** Ação ou resultado de arrancar **2** Movimento forte e repentino realizado de uma só vez; ARRANQUE **3** Partida ou aceleração repentina e impetuosa; ARRANCADA **4** Esforço para respirar ou gemer, às vezes com movimentos convulsivos do peito; ARQUEJO [Nesta acp., tb. us. no pl.] **5** Esse esforço na agonia da morte; ESTERTOR [Tb. no pl.] **6** *Teat.* Carga dramática exagerada na interpretação de um ator **7** *Esp.* No halterofilismo, movimento que consiste em erguer do chão a barra, de uma só vez, levá-la e mantê-la acima da cabeça, com os braços esticados [F.: Dev. de *arrancar*. Hom./Par.: *arranco* (sm.), *arranco* (fl. de *arrancar*).] ∎ **Aos ~** Em movimentos espasmódicos, convulsivos, não continuados: *Soluçando, recitou seu papel aos arrancos; Com o motor rateando, o carro subiu a ladeira aos arrancos.* ~ **dramático** Exagero, pelo ator, na interpretação de um texto dramático **De ~** Ver *De arrancada*

arranha-céu (ar.ra.nha-*céu*) *sm.* Edifício muito alto [Tb. se diz *arranha-céus*.] [Pl.: *arranha-céus*.] [F.: *arranha(r)* + *céu*, trad. do ing. *skyscraper*.]

arranhado (ar.ra.*nha*.do) *a.* **1** Que se arranhou, ou que apresenta arranhões em sua superfície, ou em sua pele (mesa arranhada; testa arranhada; pele arranhada) **2** *Fig.* Prejudicado, atingido em sua integridade (inclusive moral) ou completude (prestígio arranhado, reputação arranhada) *sm.* **3** Ferimento longitudinal na superfície de algo, ou da pele; ARRANHÃO; ARRANHADURA [F.: Part. de *arranhar*.]

arranhadura (ar.ra.nha.*du*.ra) *sf.* **1** Ver *arranhão* **2** *Grav.* Traços ou talhos incertos **3** *Pint.* Pinceladas ligeiras [F.: *arranha(r)* + *-dura*.]

arranhão (ar.ra.*nhão*) *sm.* **1** Ferimento superficial na pele **2** Sulco, ranhura pouco profunda em uma superfície lisa: *Há um arranhão na porta do seu carro.* **3** *Fig.* Qualquer coisa (atitude, dito, ideia etc. de alguém) que abale o mérito, a integridade moral, a qualidade, a completude de algo (prestígio, fama, carreira, desempenho etc.): *Este caso será sempre um arranhão na sua carreira política.* [Pl.: *-nhões*.] [F.: *arranh(ar)* + *-ão*[3]. Sin. ger.: *arranhadura*.]

arranhar (ar.ra.*nhar*) *v.* **1** Ferir(-se) levemente com a unha ou com objeto pontiagudo, provocando ou sofrendo arranhão (1) [*td.*: *O menino arranhou a mão no espinho.*] [*int.*: *Arranhou-se quando brincava; As unhas do gato arranham.*] **2** Raspar de leve, produzindo ranhura, arranhão em [*td.*: *Arranhou o carro na pilastra.*] **3** Causar sensação desagradável a (alguém, pele, sentido etc.) [*td.*: *Essa música arranha os ouvidos.*] [*int.*: *Toalhas pouco felpudas arranham.*] **4** Tocar mal (instrumento musical) [*td.*: *Arranha o violão.*] **5** Saber superficialmente (língua, ciência, disciplina) [*td.*: *Não fala bem, mas arranha o inglês.*] **6** *Fig.* Abalar (reputação, imagem etc.) [*td.*: *O episódio arranhou a imagem da instituição.*] [▶ 1 arranhar] [F.: Posv. do espn. *arañar*.]

arranjado (ar.ran.*ja*.do) *a.* **1** Que se arranjou (casamento arranjado) **2** *Bras. Pop.* Que não é rico nem pobre; REMEDIADO [F.: Part. de *arranjar*.]

arranjador (ar.ran.ja.*dor*) [ô] *sm.* **1** *Bras. Mús.* Aquele que faz arranjos musicais **2** Aquele que arranja *a.* **3** Que arranja [F.: *arranja(r)* + *-dor*.]

arranjar (ar.ran.*jar*) *v.* **1** Pôr ou dispor em ordem, ou numa certa ordem; ARRUMAR; ORDENAR; ORGANIZAR [*td.*: "...podia até arranjar a vida, se soubesse trabalhar..." (Aluísio Azevedo, *O cortiço*)] [*tda.*: *Arranjou a roupa no armário.*] [*tdr.* + *em*: *Arranjou as cartas do baralho em fileiras de quatro.*] **2** Conseguir, obter [*td.*: "...até arranjar marido não saía da fossa..." (Antonio Callado, *Bar Don Juan*)] [*tdi.* + *para*: *Arranjou um emprego para o afilhado.*] **3** Resolver de maneira conciliatória [*td.*: *Nosso advogado arranjou a questão, e obteve um acordo.*] **4** *Mús.* Fazer arranjo de (peça musical) [*td.*: *Ele sabe arranjar uma canção.*] **5** Ficar em boa situação; ARRUMAR-SE [*int.*: *Passou no concurso e arranjou-se.*] **6** Sair-se bem em situações delicadas ou adversas, dar um jeito [*int.*: *Na falta de móveis, a família se arranjou com caixotes e mesas improvisadas.*] **7** Apresentar como desculpa, explicação, argumento etc. (ger. coisa inventada, fantasiada) [*td.*: *Arranjou uma história convincente para explicar seu atraso.*] **8** Enfeitar, adornar, ornamentar [*td.*: *Arranjou o salão para a festa.*] **9** Fazer conserto em, reparar, dar um jeito em [*td.*: *Veja se consegue arranjar essa cafeteira.*] **10** Contrair (doença) [*td.*: *Onde você arranjou essa gripe?*] **11** Obter (algo) por meio artificial ou ilícito [*td.*: *Arranjou um casamento com uma estrangeira para obter o visto.*] **12** Fazer casar ou casar-se; unir(-se) [*tdr.* + *com*: *O pai arranjou a filha com o melhor pretendente.*] [*int.*: *Depois de divorciada, arranjou-se rapidamente.*] **13** *Lus.* Compor a aparência de (alguém, inclusive si mesmo), cuidando de (cabelos, unhas, roupa etc.) [*td.*: *arranjar unhas e cabelos; Escolheu um lindo vestido e arranjou-se para o encontro.*] [▶ 1 arranjar] [F.: Do fr. *arranger*. Hom./Par.: *arranjo* (fl.), *arranjo* (sm.).]

arranjável (ar.ran.*já*.vel) *a2g.* Que se pode arranjar [Pl.: *-veis*.] [F.: *arranjar* + *-vel*. Hom./Par.: *arranjáveis* (pl.), *arranjáveis* (fl. de *arranjar* [v.]).]

arranjo (ar.*ran*.jo) *sm.* **1** Ação ou resultado de arranjar **2** Arrumação bela e harmoniosa dos elementos que compõem um todo: *Arranjo de flores.* **3** Acordo entre pessoas; COMBINAÇÃO **4** *Bras.* Acordo feito para prejudicar outras pessoas; NEGOCIATA **5** *Bras.* Ajuda obtida à custa de pessoa influente **6** *Mús.* Adaptação de uma peça musical para outro tipo de execução: *Arranjo para flauta.* **7** *Mat.* Subconjunto ordenado de um conjunto finito **8** *Lus.* Conserto, reparo **9** Organização das atividades domésticas **10** *Bras. Pop.* Relação extraconjugal; CASO **11** *Pop.* Parceiro ou parceira num caso extraconjugal; AMANTE; CASO [F.: Dev. de *arranjar*. Hom./Par.: *arranjo* (sm.), *arranjo* (fl. de *arranjar*).] ∎ ~ **com repetição** *Mat.* Arranjo em que há repetição de pelo menos um dos elementos ~ **simples** *Mat.* Arranjo em que não se repete nenhum elemento

arranjos (ar.*ran*.jos) *smpl.* **1** Ações realizadas para preparar ou possibilitar algum evento ou acontecimento; PREPARATIVOS **2** Objetos, utensílios necessários para a execução de tarefa; PETRECHOS [F.: Pl. de *arranjo*.]

arranque (ar.*ran*.que) *sm.* **1** Movimento de partida **2** Ação de iniciar o funcionamento de um motor ou máquina **3** *Arq.* Ponto no qual começa e se apoia um arco ou abóbada; a aduela que o constitui **4** *Autom.* O mesmo que *motor de arranque* [F.: Dev. de *arrancar*. Hom./Par.: *arranque* (sm.), *arranque* (fl. de *arrancar*).]

◎ **-arrão** *suf. nom.* = 'que é grande (maior que os outros de sua espécie)'; 'que é muito (palavra base)'; '(algo) muito bom': *cascarrão, coparrão, gatarrão, insetarrão, laçarrão, pratarrão; doidarrão, estupidarrão, feiarrão, mansarrão, moucarrão, quietarrão; negociarrão* [F.: *-arra* + *-ão*[1]. A integração dos dois suf. aumentativos (*-arra* e *-ão*) tem, ger., valor reforçativo.]

arras (*ar*.ras) *sfpl.* **1** Sinal que se dá como garantia de um ajuste ou contrato; PENHOR **2** Quantia ou bens que o noivo assegura por contrato à esposa para garantir sua sobrevivência **3** Demonstração, prova, evidência [F.: Do lat. *arrha, ae*, pelo acus. pl.]

arrasado (ar.ra.*sa*.do) *a.* **1** Que se arrasou, que foi deixado raso **2** Que foi destruído; DEVASTADO; ASSOLADO: *Um país arrasado pela guerra.* **3** Sem ânimo; TRISTE; DEPRIMIDO: *Ficou arrasada com a prisão do filho.* **4** Desmoralizado, humilhado: *A goleada deixou o time arrasado.* **5** Muito cansado; EXAUSTO: *Ao terminar o trabalho estava arrasado.* **6** Sem dinheiro ou capital algum; FALIDO **7** Completamente cheio, até as bordas, quase a transbordar [F.: Part. de *arrasar*.]

arrasador (ar.ra.sa.*dor*) [ô] *a.* **1** Que arrasa (temporal arrasador, gripe arrasadora, derrota arrasadora); ARRASANTE *sm.* **2** Aquele que arrasa **3** Pau roliço com que se arrasam (nivelam) grãos que excedem o volume a ser medido; RASOURA [F.: *arrasa(r)* + *-dor*.]

arrasamento (ar.ra.sa.*men*.to) *sm.* **1** Ação ou resultado de arrasar(-se) **2** *Vet.* Desgaste dos dentes incisivos do cavalo ou do boi [F.: *arrasa(r)* + *-mento*.]

arrasante (ar.ra.*san*.te) *a2g.* Que arrasa; ARRASADOR: *humor arrasante* [F.: *arrasar* + *-nte*.]

arrasar (ar.ra.*sar*) *v.* **1** Tornar raso, plano, nivelado (terreno, área etc.); APLAINAR; NIVELAR [*td.*: *As enxurradas arrasaram o terreno.*] **2** Causar danos, perdas ou estragos consideráveis a; ARRUINAR; DESTRUIR [*td.*: *A chuva de granizo arrasou a plantação.*] [*tr.* + *com*: *A chuva de granizo arrasou com a plantação.*] **3** Deitar por terra; DEMOLIR; DERRUBAR [*td.*: *O terremoto arrasou todas as construções.*] **4** Abater(-se) física e/ou moralmente [*td.*: *A doença o arrasou.*] [*int.*: *Arrasou-se com a notícia.*] **5** Descompor com palavras injuriosas; HUMILHAR [*td.*: *Arrasou-o diante de todos.*] [*tr.* + *com*: *Arrasou com o funcionário relapso.*] **6** Fazer perder ou perder os bens; ARRUINAR(-SE) [*td.*: *Investimentos malsucedidos o arrasaram; Arrasou-se com as dívidas.*] **7** *Gír.* Destacar-se positivamente, ser um grande sucesso [*int.*: *A seleção arrasou na Copa do Mundo.*] **8** Nivelar grãos num recipiente de medida, passando arrasador (3) (ou *rasoura*) para eliminar os que excedem do volume a ser medido [▶ 1 arrasar] [F.: *a-*[2] + *raso* + *-ar*[2].]

arraso (ar.*ra*.so) *sm.* **1** *Pop.* Ação ou resultado de arrasar **2** *Gír.* Pessoa ou coisa que faz muito sucesso: *Esta modelo é um arraso.* [F.: Dev. de *arrasar*.]

arrastado (ar.ras.*ta*.do) *a.* **1** Que se arrasta **2** Que, ao se realizar ou mover, não se levanta do chão ou daquilo sobre o qual desliza (passos arrastados) **3** *Fig.* Que é lento, pausado (voz arrastada) **4** *Fig.* Que é demorado, delongado (processo arrastado) **5** *Fig.* De má vontade, compelido, forçado: *Foi um colaborador arrastado, e não voluntário.* **6** *Fig.* Humilde, miserável *sm.* **7** Ação ou resultado de arrastar; ARRASTAMENTO **8** Baile popular; ARRASTA-PÉ **9** Certo toque de viola ou guitarra no qual os dedos deslizam, se arrastam (2) sobre as cordas [F.: Part. de *arrastar*.]

arrastamento (ar.ras.ta.*men*.to) *sm.* Ação ou resultado de arrastar(-se) [F.: *arrasta(r)* + *-mento*.]

arrastão (ar.ras.*tão*) *sm.* **1** Ação ou resultado de arrastar com violência **2** Rede de pesca que se arrasta pelo fundo de mar, lago, rio etc. e recolhe todo tipo de peixe **3** *Bras.* Ação de recolher a rede de pesca **4** Pesca feita com esse tipo de rede **5** *Lus.* Tipo de barco de pesca próprio para o uso dessa rede **6** *Pop.* Ação realizada por cordão de pessoas que se dão as mãos ou os braços e avançam sobre ajuntamento ou multidão para dispersá-los; esse cordão **7** *Pop.* Tipo de assalto realizado por grupo numeroso de delinquentes enquanto avança rapidamente em meio a grande concentração de pessoas **8** *Agr.* Vara rasteira que nasce próximo ao pé da videira **9** *Cap.* Tipo de golpe em que se aplica um pontapé contra uma parte desprotegida do corpo do adversário **10** *Têxt.* Tecido com trama semelhante à de uma rede, empregado na confecção de camisas, meias etc. *a2g2n.* **11** Diz-se de meia(s) feita(s) com esse tecido [Pl.: *-tões*.] [F.: *arrast(o)* + *-ão*[1].] ▪▪ **Ir no ~** *Bras. Pop.* Deixar-se levar numa atitude coletiva, ou deixar-se influenciar por alguém, por ideias ou ações de outrem

arrasta-pé (ar.ras.ta-*pé*) *sm.* **1** *Bras. Pop.* Baile popular; FORRÓ; FORROBODÓ **2** Festa improvisada em que há dança [Tb. apenas *arrasta*.] [Pl.: *arrasta-pés*.]

arrastar (ar.ras.*tar*) *v.* **1** Puxar ou empurrar (algo, alguém) sem levantar do chão ou da superfície em que se apoia [*td.*: *Arrastou a mesa para tirar as teias de aranha.*] [*tda.*: *Arrastei o caixote do quarto até o corredor.*] **2** Fazer deslizar ou deslizar pelo chão, sempre em contato com ele [*td.*: *Arrastava atrás de si a cauda de seu vestido de noiva.*] [*int.*: *A cauda do vestido arrastava(-se) sobre o chão da passarela.*] **3** Levar ou trazer de rastos ou à força [*td.*: *O policial arrastou o delinquente; Arrastou-a pelos cabelos.*] **4** *Fig.* Mover(-se) com dificuldade [*td.*: *Arrastava o corpo cansado de bar em bar.*] [*int.*: *Ao fim da prorrogação, o time já se arrastava em campo.*] **5** Fazer mover-se ou avançar em direção a [*tda.*: *A correnteza arrastou o tronco para a cachoeira.*] **6** Fazer-se seguido por; ATRAIR [*td.*: *O trio elétrico arrastou uma multidão de foliões.*] **7** *Inf.* Mover algum objeto na tela do computador usando o *mouse* [*td.*: *arrastar um ícone.*] **8** Passar (o tempo) mais lentamente do que se espera [*int.*: *Os dias arrastavam-se.*] **9** Mover-se de rastos; RASTEJAR [*td.*: *Escapou do tiroteio se arrastando.*] [*tda.*: *O bebê se arrastou até a porta.*] **10** Induzir alguém a algo; levar atrás de si [*tdr.* + *a*, *para*: *O vício arrastava o jovem à/para a desgraça.*] **11** Pescar de arrasto (4), puxando a rede e fazendo-a deslizar sobre o fundo do mar ou do rio para assim recolher os peixes [*int.*] [▶ 1 arrastar] [F.: *a-*[2] + *rasto* + *-ar*[2]. Hom./Par. *arrasto* (fl.), *arrasto* (sm.).]

arraste (ar.*ras*.te) *sm.* Ação ou resultado de arrastar(-se); ARRASTO [F.: Dev. de *arrastar*. Hom./Par.: *arraste* (sm.), *arraste* (fl. de *arrastar*).]

arrasto (ar.*ras*.to) *sm.* **1** Ação ou resultado de arrastar(-se) **2** Ação de arrastar rede: *pesca de arrasto* **3** Rede de arrasto (ver no verbete *rede*) **4** Método de pesca com rede de arrasto **5** *Astnáut.* Resistência do meio ao deslocamento de nave espacial **6** Lugar mais alto dos leitos dos rios em que as canoas roçam com o fundo **7** Nas minas, condução de minério em vasilhames que se deslocam ao longo de planos inclinados **8** *RS* Transporte de toros de madeira em carreta **9** *RS* Vala criada nas encostas de morros ou nas margens de rios pelo deslizamento de toros de madeira **10** *BA* Nas lavras diamantíferas, pequena galeria que liga entre si as partes mais espaçosas de uma escavação exploratória [F.: Dev. de *arrastar*. Hom./Par.: *arrasto* (sm.), *arrasto* (fl. de *arrastar*).]

◎ **-arraz** *suf. nom.* = 'que é muito grande': *pratarraz* [F.: *-arra* + *-az*.]

arrazoado (ar.ra.zo.*a*.do) *a.* **1** Que é conforme à razão, que está de acordo com o bom senso; RAZOÁVEL; CONGRUENTE **2** Que é justo, equilibrado **3** Que fala e age segundo os ditames da razão; SENSATO *sm.* **4** Discurso ou texto em defesa de uma ideia, causa, tese etc. **5** Exposição de razões, argumentos, alegações, justificativas etc.; ALEGAÇÃO [F.: Part. de *arrazoar*.]

arrazoar (ar.ra.zo.*ar*) *v.* **1** Expor ideias, argumentos, razões etc. em defesa de (causa, ideia etc.) [*td.*: *O advogado arrazoou a causa.*] **2** Altercar, invocando razões; DISCUTIR [*tr.* + *com*, *sobre*: *A secretária arrazoava com o chefe; Arrazoou sobre o preço da obra.*] [*int.*: *Arrazoam o tempo todo, mas não chegam a um acordo.*] **3** Chamar à razão; CENSURAR; REPREENDER [*td.*: *A diretora arrazoou o aluno indisciplinado.*] **4** Expor (ideia, fato etc.) ou expressar-se oralmente; DISCORRER; FALAR [*tr.* + *sobre*: *Arrazoar sobre seu projeto de lei.*] [*int.*: *Enquanto o orador arrazoava, a plateia dormitava.*] [▶ 16 arrazoar] [F.: *a-*[2] + *raz(ã)o* + *-ar*[2].]

arre (*ar*.re) *interj.* **1** Expressa irritação ou aborrecimento **2** Us. para tocar animais de carga [F.: De or. expressiva.]

arreador (ar.re:a.*dor*) [ô] *sm.* **1** Arrieiro **2** *RS* Tipo de chicote longo para tocar os animais: "...com gritos, cavalaços, estalos de arreador..." (Fernando Adauto, *Tropeando*) [F.: *arrear* + *-dor*.]

arreamento (ar.re:a.*men*.to) *sm.* **1** Ação ou resultado de arrear(-se) **2** O conjunto de móveis, utensílios, ornatos etc. de uma casa **3** *Bras.* O conjunto das peças com que se arreia um cavalo para montaria; ARREIO [F.: *arrea(r)* + *-mento*.]

arrear (ar.re.*ar*) *v.* **1** Colocar arreios em [*td.*: *Pediu que arreassem um cavalo manso.*] **2** Pôr enfeites, ornatos em (algo ou alguém, inclusive si mesmo); ATAVIAR; ENFEITAR; ORNAMENTAR [*td.*: "...e, desse modo, ela desaparecia dentro do vestido, dos véus e daqueles atavios obsoletos com que se arreiam as moças que se vão casar." (Lima Barreto, *O triste fim de Policarpo Quaresma*)] **3** Pôr, dispor móveis em (lugar); MOBILIAR [*td.*: *arrear um escritório.*] **4** Contar vantagem, jactando-se de (qualidades, êxitos etc.) [*tr.* + *de*: *Arreava-se de ser o melhor jogador do time.*] [▶ 13 arrear] [F.: Do lat. *arredare*. Hom./Par.: *arrear*, *arriar* (todas as fl.).]

arreata (ar.re:*a*.ta) *sf.* Corda ou correia para prender e conduzir bestas de carga atrás umas das outras [F.: Dev. de *arreatar*.]

arrebanhado (ar.re.ba.*nha*.do) *a.* **1** Reunido em rebanho ou em bando **2** Conduzido, como se em rebanho **3** Recolhido, arrecadado (diz-se de valor, dinheiro, quantia, bens materiais etc.) [F.: Part. de *arrebanhar*.]

arrebanhamento (ar.re.ba.nha.*men*.to) *sm.* **1** Ação ou resultado de arrebanhar, de reunir rebanho **2** *Fig.* Ação ou resultado de arrebanhar, de reunir como que num rebanho pessoas ou coisas [F.: *arrebanha(r)* + *-mento*.]

arrebanhar (ar.re.ba.*nhar*) *v. td.* **1** Reunir em rebanho: *arrebanhar o gado.* **2** Agrupar(-se), juntar(-se) como que num rebanho: *O artista arrebanhou milhares de fãs na excursão; Os manifestantes arrebanharam-se na praça.* **3** *P.ext.* Reunir objetos, coisas etc., até então dispersas: *Arrebanhou tudo que era seu antes de mudar-se.* **4** Tomar para si, apoderar-se de, conquistar: *O escritor arrebanhou todos os prêmios do ano.* [▶ 1 arrebanhar] [F.: *a-*[2] + *rebanho* + *-ar*[2].]

arrebatado (ar.re.ba.*ta*.do) *a.* **1** Que se arrebatou **2** Que se deslumbrou, encantou; ENLEVADO; EXTASIADO; MARAVILHADO **3** Dominado por entusiasmo, paixão, emoção (discurso arrebatado); EXALTADO **4** Diz-se de quem ou do que é irrefletido, impulsivo (gesto arrebatado; pessoa arrebatada) [F.: Part. de *arrebatar*.]

arrebatador (ar.re.ba.ta.*dor*) [ô] *a.* **1** Que arrebata (entusiasmo arrebatador). **2** Que enleva e cativa os sentidos (música arrebatadora; beleza arrebatadora); ENCANTADOR: *Música arrebatadora; beleza arrebatadora.* *sm.* **3** Aquele ou aquilo que arrebata: *O arrebatador, neste artigo, é sua conclamação ao entendimento e à tolerância.* [F.: *arrebata(r)* + *-dor*.]

arrebatamento (ar.re.ba.ta.*men*.to) *sm.* **1** Ação ou resultado de arrebatar(-se) **2** Estado de profundo êxtase e enlevo espiritual: *Jó entregava-se ao arrebatamento da fé.* **3** Empolgação, exaltação: *O arrebatamento do orador emocionou a plateia.* **4** Irritação, raiva, fúria repentinas; IRA; IRRITAÇÃO **5** Atitude ou comportamento impulsivo e irrefletido; PRECIPITAÇÃO [F.: *arrebata(r)* + *-mento*.]

arrebatar (ar.re.ba.*tar*) *v.* **1** Tirar com força ou violência; ARRANCAR [*td.*: *Arrebatou o bilhete incriminatório.*] [*tdr.* + *a*, *de*: *A polícia arrebatou dos cambistas todos os ingressos.*] **2** Carregar consigo (o vento) ao soprar [*td.*: *Súbita ventania arrebatou as folhas secas (do chão).*] **3** Extasiar(se), encantar(-se) [*td.*: *A música clássica o arrebata.*] [*tr.* + *com*: *Arrebatou-se com a cena final.*] **4** Tornar(-se) colérico; ENFURECER(-SE) [*td.*: *Nada o arrebata mais do que a falsidade.*] [*tr.* + *com*: *Arrebatou-se com a injúria.*] **5** Suscitar, provocar; ARRANCAR [*td.*: *O filme arrebatou muitos elogios.*] [*tdr.* + *a*, *de*: *Seu desempenho arrebatou à/da plateia merecida ovação.*] **6** Conquistar [*td.*: *O tenista arrebatou o primeiro lugar.*] [▶ 1 arrebatar] [F.: *a-*[2] + *rebat(e)* + *-ar*[2].]

arrebentação (ar.re.ben.ta.*ção*) *sf.* **1** Ação ou resultado de arrebentar(-se) **2** *Oc.* Quebra das ondas na praia ou de encontro a obstáculo natural (recife, banco de areia etc.) **3** Faixa de água, paralela à margem, na qual a água deixa de se mover em ondulação para quebrar sobre ela mesma **4** O lugar na costa em que as ondas quebram **5** *Pop.* Falta de dinheiro; DUREZA; PINDAÍBA [Pl.: *-ções*.] [F.: *(ar)rebenta(r)* + *-ção*. Tb. *rebentação*.]

arrebenta-cavalo (ar.re.ben.ta-ca.*va*.lo) *Bot. sm.* Erva da fam. das solanáceas (*Solanum aculeatissimum*), nativa das Américas e naturalizada no Velho Mundo, muito espinhosa, tóxica para os animais e us. como medicinal, com flores brancas e frutos globosos, vermelhos, grandes e comestíveis; ARREBENTA-BOI; BABÁ; BOBÓ; JUÁ; JUÁ-ARREBENTA-CAVALO; JUÁ-BRAVO; JUATI; MELANCIA-DA-PRAIA [Pl.: *arrebenta-cavalos*.] [F.: *arrebentar* (na 3ª pess. sing. pres. ind.) + *cavalo*.]

arrebentado (ar.re.ben.*ta*.do) *a.* **1** Que se arrebentou **2** *Fig.* Muito cansado; EXAUSTO **3** Que se danificou, quebrou ou destruiu: *Após o furacão, era uma cidade arrebentada.* **4** *Fig.* Muito machucado ou ferido, ou com os músculos muito doloridos: *Ficou todo arrebentado no acidente; No fim da maratona estava arrebentado, não conseguia dar mais um passo.* **5** *Fig.* Sem dinheiro ou sem recursos; QUEBRADO; FALIDO [F.: Part. de *arrebentar*. Tb. *rebentado*.]

arrebentador (ar.re.ben.ta.*dor*) [ô] *a.* **1** Que arrebenta (efeito arrebentador) *sm.* **2** O que arrebenta [F.: *arrebentar* + *-dor*.]

arrebentar (ar.re.ben.*tar*) *v.* **1** Romper(-se) (ger. por causa de uma pressão) [*td.*: *A força das águas arrebentou os diques.*] [*int.*: *O balão de gás arrebentou.*] **2** Romper(-se) por tensão [*td.*: *Esticou a corda até arrebentá-la.*] [*int.*: *Puxou demais o elástico, e ele arrebentou.*] **3** Fazer(-se) em pedaços (tb. *Fig.*) [*td.*: *Arrebentou o copo ao deixá-lo cair.*] [*int.*: *O teto arrebentou de repente.*] **4** *Fig.* Arruinar [*td.*: *A inflação arrebenta a economia do país.*] [*tr.* + *com*: *A inflação arrebenta com a economia do país.*] **5** Quebrar-se ou romper-se (ger. com violência ou repentinamente) [*int.*: *O telefone caiu e arrebentou(-se) no chão; A onda arrebenta na praia.*] **6** Bater em (alguém) com violência [*td.*: "... eu te arrebento de pancada, se tornares a fugir." (Josué Montello, *Um rosto de menina*)] **7** *Gír.* Ter desempenho excepcional [*int.*: *Pedro estudou muito e arrebentou nas provas.*] **8** Apresentar desgaste material, físico ou mental [*int.*: *Sem óleo, o motor do carro se arrebentou todo; Arrebentou-se de tanto trabalhar.*] **9** Surgir de repente [*int.*: *O Sol arrebentou de entre as nuvens, e o dia esquentou:* "Quantas perversidades rebentam na luz suja dos cárceres preventivos?" (João do Rio, *A alma encantadora das ruas*)] **10** Não ter comportamento ou resultado conforme o esperado [*int.*: *Ele quis ganhar muito dinheiro e se arrebentou.*] [▶ 1 arrebentar] [F.: (*a-*[2] +) posv. do lat **repentare*. Tb. *rebentar*.]

arrebicar (ar.re.bi.*car*) *v.* **1** Enfeitar(-se), alindar(-se) com minucioso e ridículo apuro [*td.*: *O cabeleireiro arrebicou a moça para o baile:* "...se o judeu teve alguma vez a intenção satírica, arrebicando ou empolando a expressão, tal intenção foi somente literária e nenhuma outra." (Machado de Assis, *Relíquias da casa velha*) Us. tb. em sent. fig.] **2** Pintar com arrebique ou qualquer cosmético [*td.*: *O maquiador arrebicou-a para a festa de casamento:* "...serviu-se de perfumes de Chipre, arrebicou-se com tintas e pomadas, e epilou-se a fogo cuidadosamente." (Alberto Rangel, *Livro de figuras*)] **3** Maquiar(-se) de modo exagerado e ridículo [*td.*: *Arrebicou a filha para que parecesse mais velha.*] [▶ 11 arrebicar] [F.: *arrebique* + *-ar*[2]. Hom./Par.: *arrebique(s)* (fl.), *arrebique(s)* (sm. [pl.]).]

arrebique (ar.re.*bi*.que) *sm.* **1** Enfeite ridículo ou exagerado: "...dai-lhes por arma o lançon, por glorioso arrebique o elmo rútilo..." (Raul Pompeia, *Cavaleiros andantes*) **2** *Fig.* Artificialismo nos gestos, na fala, no comportamento; AFETAÇÃO **3** Cosmético avermelhado para maquiar o rosto [F.: Do ár. *ar-rabik*, 'mistura'.]

arrebitado (ar.re.bi.*ta*.do) *a.* **1** Cuja ponta é virada para cima (nariz arrebitado) **2** *Bras. Fig.* Que falta com o respeito devido a alguém; ATREVIDO; PETULANTE: *Que sujeito petulante, respondão e arrebitado!* **3** *Bras. Fig.* Que se irrita facilmente; IRASCÍVEL **4** *Bras. Fig.* Ladino, esperto [F.: Part. de *arrebitar*.]

arrebitar (ar.re.bi.*tar*) *v.* **1** Revirar(-se) para cima (a ponta ou extremidade de); REBITAR [*td.*: *Arrebitou o nariz para responder à altura.*] [*int.*: *As bordas da chapa arrebitaram-se com o calor.*] **2** *Fig.* Tornar-se ou assumir ares de presunçoso, convencido [*int.*: *Arrebitou-se ao ouvir tantos elogios.*] **3** *Fig.* Ficar irritado [*int.*: *Esperou demais e acabou se arrebitando.*] [*tr.* + *com*: *Arrebitou-se com a espera.*] [▶ 1 arrebitar] [F.: *arrebit(e)* + *-ar*[2]. Hom./Par.: *arrebite(s)* (fl.), *arrebite(s)* (sm. e pl.).]

arrebite (ar.re.*bi*.te) *sm.* O mesmo que *rebite* [F.: Do ár. *arribat*, 'laço', ou dev. de *arrebitar*.]

arrebol (ar.re.*bol*) *sm.* **1** Cor rubra visível no céu ao amanhecer ou ao pôr do sol **2** *P. ext.* O amanhecer ou o pôr do sol [Pl.: *-bóis*.] [F.: Der. do lat. *rubor, oris*.]

arrecadação (ar.re.ca.da.*ção*) *sf.* **1** Ação ou resultado de arrecadar **2** O montante obtido através da cobrança de taxas e impostos: *A arrecadação do governo dobrou em dez anos.* **3** O montante obtido em venda de ingressos, campanha de doações, eventos como feiras e quermesses etc. **4** Lugar onde se arrecadam e/ou guardam coisas; DEPÓSITO **5** Lugar onde se retêm pessoas e/ou coisas, por segurança; CUSTÓDIA; PRISÃO **6** *Jur.* Por ordem judicial, suspensão do direito de uma pessoa a dispor de seus bens [Pl.: *-ções*.] [F.: *arrecada(r)* + *-ção*.]

arrecadado (ar.re.ca.*da*.do) *a.* **1** Recolhido mediante arrecadação ou cobrança **2** Guardado em lugar seguro **3** Econômico, parcimonioso [F.: Part. de *arrecadar*.]

arrecadador (ar.re.ca.da.*dor*) [ô] *a.* **1** Que guarda ou arrecada *sm.* **2** Aquele que guarda ou arrecada [F.: *arrecadar* + *-dor*.]

arrecadar (ar.re.ca.*dar*) *v. td.* **1** Recolher (impostos, taxas): *A Receita Federal arrecadou 20% mais este ano.* **2** Coletar, juntar (fundos, alimentos etc.): *A campanha já arrecadou toneladas de alimentos.* **3** Conseguir, juntar, amealhar: *Em sua longa carreira arrecadou uma fortuna.* **4** Obter em pagamento; RECEBER: *A faxineira arrecada um bom salário por mês.* **5** Tomar posse de, apossar-se de: *O fazendeiro arrecadou um bom lote de terra.* **6** Tomar e reter, deter, segurar: *Arrecadou entre as suas a mão da namorada.* **7** Obter, conseguir: *Arrecadou na vida tudo que quis.* [*int.*: *Se você se esforçar, vai arrecadar.*] [▶ 1 arrecadar] [F.: Posv. *ar-*[1] + forma lat. *recaptare*.]

arrecadatório (ar.re.ca.da.*tó*.ri:o) *a.* Ref. a arrecadação, esp. de tributos: "...são ações sem lógica, adotadas por puro oportunismo arrecadatório..." (*O Globo*, 21.11.2003) [F.: *arrecadar* + *-tório*.]

arrecadável (ar.re.ca.*dá*.vel) *a2g.* Que se pode ou deve arrecadar [Ant.: *inarrecadável*.] [Pl.: *-veis*.] [F.: *arrecadar* + *-vel*. Hom./Par.: *arrecadáveis* (pl.), *arrecadáveis* (fl. de *arrecadar* [v.]).]

arrecife (ar.re.*ci*.fe) *sm.* O mesmo que *recife* [F.: Do ár. *arrasif*. Col.: *barreira*.]

arrecuas (ar.re.*cu*.as) *sfpl.* Us. na loc. *às arrecuas* ■ **Às ~** Andando para trás, retrocedendo, recuando, retrogradando

arredamento (ar.re.da.*men*.to) *sm.* **1** Ação ou resultado de arredar(-se) **2** Desvio, afastamento, recuo [F.: *arredar* + *-mento*.]

arredar (ar.re.*dar*) *v.* **1** Mover(-se) para trás, (fazer) retroceder, afastar(-se) [*td.*: *Arredou os curiosos do local.*] [*int.*: *Ante o arrastão da polícia, os manifestantes arredaram-se.*] [*tda.*: *O PM arredou dali os intrusos.*] **2** Mover (algo ou alguém, inclusive si mesmo) de onde está; fazer abandonar ou abandonar; AFASTAR [*tdr.* + *de*: "...fazia esforço para arredar os olhos dela..." (Machado de Assis, "O enfermeiro", *in Novas seletas*)] [*tda.*: *Ninguém me arreda de minha casa; Não me arredo daqui.*] **3** *Fig.* Afastar, dissuadir (alguém, inclusive si mesmo) de ideia, propósito etc. [*tdr.* + *de*: *Fiz o que pude para arredá-lo daquele projeto.*] [▶ 1 arredar] [F.: Posv. do lat. *ad retro* + *-ar*.]

arredio (ar.re.*di*:o) *a.* **1** Que evita o convívio social, inclusive afastando-se dos amigos que tinha e dos ambientes que frequentava; ARISCO **2** Que se afasta ou está afastado, que se separa ou está separado; APARTADO **3** Diz-se da rês que se desgarra do rebanho **4** *Ornit.* Designação comum a diversas aves passeriformes do gênero *Cranioleuca*, da família dos furanídeos [F.: *arred(ar)* + *-io*[2].]

arredondado[1] (ar.re.don.*da*.do) *a.* **1** Que se arredondou **2** Diz-se de cálculo, valor etc. em que se desprezam as frações **3** *Ling.* Diz-se de som da fala produzido com arredondamento dos lábios [F.: Part. de *arredondar*.]

arredondado[2] (ar.re.don.*da*.do) *a.* Que tem formato redondo, com curvas; que tem forma circular ou esférica [F.: *ar-*[1] + *redondo* + *-ado*[1].]

arredondamento (ar.re.don.da.*men*.to) *sm.* **1** Ação ou resultado de arredondar(-se) **2** *Mat.* Em cálculo ou contagem, ação ou resultado de se desprezarem as frações de número, valor etc., até determinada ordem decimal **3** *Fon.* Movimento articulatório em que os lábios assumem uma forma arredondada para a emissão de certos fonemas; LABIALIZAÇÃO **4** Remate estilístico de frases ou textos com o uso de recursos de estilo, acréscimo de palavras etc. [F.: *arredonda(r)* + *-mento*.]

arredondar (ar.re.don.*dar*) *v.* **1** Dar contornos redondos, curvos ou circulares a [*td.*: *A Volkswagen arredondou a linha de seus carros; A idade e uma dieta desregrada arredondou seu corpo.*] **2** Assumir forma arredondada (inclusive o corpo, por ter engordado) [*int.*: *Com os anos, o corpo de Maria arredondou; Com o desgaste pela água, o seixo arredondou(-se).*] **3** Fazer arredondamento de número, desprezando frações ou unidades de uma ordem numérica [*td.*: *O comerciante arredondou seus preços (para cima).*] [*tdr.* + *para*: *Deu 47? Arredonde para 50.*] **4** *Fig.* Obter; aumentar (bens, dinheiro) [*td.*: *Arredondar juros de capital.*] **5** Usando recursos de estilo ou fonética, tornar agradável, harmonioso, expressivo (período, frase, texto, voz etc.) [*td.*: *O mestrando arredondou seu texto.*] **6** *Fon.* Pronunciar (fonema) dando forma arredondada aos lábios [*td.*: *arredondar o 'ê'*] [▶ 1 arredondar] [F.: *a-*[2] + *redond(o)* + *-ar*[2].]

arredor (ar.re.*dor*) [ó] *adv.* **1** Em volta, no entorno *a2g.* **2** Que está nas proximidades, na vizinhança *sm.* **3** O conjunto de terreno, localidades, áreas que estão na vizinhança (mais us. no pl.) [F.: De or. contrv.]

arredores (ar.re.*do*.res) *smpl.* As áreas próximas a um local, cidade etc.; CERCANIAS; VIZINHANÇAS: *Mora nos arredores da capital.* [F.: Pl. de *arredor*.]

arreeiro (ar.re.*ei*.ro) *sm.* Ver *arrieiro*[1]

arrefecer (ar.re.fe.*cer*) *v.* **1** Fazer ficar ou ficar, tornar(-se) (mais) frio; ESFRIAR [*td.*: *O ar-condicionado arrefece o ambiente.*] [*int.*: "O tempo ia passando: o jantar arrefecera." (Júlio Ribeiro, *A carne*)] **2** Ficar mais ameno, mais brando; CEDER [*int.*: *A febre arrefeceu.*] **3** *Fig.* Fazer ficar ou ficar desanimado, desalentado, com menos entusiasmo; DESALENTAR(-SE) [*td.*: *O desinteresse do público arrefeceu o artista.*] [*int.*: *Sua alegria arrefeceu(-se) com o tempo.*] [▶ 33 arrefecer] [F.: *a-*[2] + lat. *refrigescere*.]

arrefecido (ar.re.fe.*ci*.do) *a.* **1** Que se arrefeceu **2** Abrandado, atenuado, enfraquecido [F.: Part. de *arrefecer*.]

arrefecimento (ar.re.fe.ci.*men*.to) *sm.* **1** Ação ou resultado de arrefecer(-se) **2** Diminuição de temperatura, perda de calor; ESFRIAMENTO **3** *Fig.* Perda de entusiasmo, de ímpeto, de ânimo; DESANIMAÇÃO [F.: *arrefec(er)* + *-imento*.]

arreflexia (ar.re.fle.*xi*.a) [cs] *sf.* *Med.* Falta de reflexos [F.: *a-*[3] + *reflexo* + *-ia*[1].]

ar-refrigerado (ar-re.fri.ge.*ra*.do) *sm.* O mesmo que *ar-condicionado (2)*. [Pl.: *ares-refrigerados*.]

arregaçado (ar.re.ga.*ça*.do) *a.* **1** Que se arregaçou; que foi enrolado ou dobrado sobre si mesmo, ou puxado de modo a descobrir a parte do corpo que cobria (diz-se de roupa ou parte de roupa, como camisa, manga, calça etc.) (mangas arregaçadas; calças arregaçadas) **2** *P. us.* Diz-se de parte do corpo posta a descoberto por estar arregaçada a roupa que a cobria (braços arregaçados) [F.: Part. de *arregaçar*.]

arregaçar (ar.re.ga.*çar*) *v.* **1** Enrolar, dobrar sobre si mesma ou puxar para cima (parte de uma veste) [*td.*: *Arregaçou as mangas.*] **2** Puxar para cima a borda de (vestido, saia, avental etc.), formando regaço [*td.*: *arregaçar a saia.*] **3** Levantar(-se), formando arco, dobras, rugas etc. [*int.*: *Os lábios arregaçaram-se numa careta.*] [*td.*: *Arregaçou os lábios num sorriso forçado.*] [▶ 12 arregaçar] [F.: Posv. *a-*[2] + *regaçar*.]

arregado (ar.re.*ga*.do) *Bras. Gír.* *a.* **1** Que pediu arrego *a.* **2** Que foi subornado: "...quando o agente penitenciário aparece, um bandido tranquiliza dizendo: 'Tá arregado'..." (*O Globo*, 09.12.2003) [F.: Part. de *arregar*.]

arregalado (ar.re.ga.*la*.do) *a.* Muito aberto (olho) (olhos arregalados); ESBUGALHADO [F.: Part. de *arregalar*.]

arregalar (ar.re.ga.*lar*) *v. td.* Abrir muito (os olhos) por medo, surpresa, espanto, admiração etc.; ESBUGALHAR [▶ 1 arregalar] [F.: *a-*[2] + *regalar*.]

arreganhado (ar.re.ga.*nha*.do) *a.* **1** Diz-se dos dentes que ficam à mostra quando os lábios se abrem, ger. contraindo-se **2** Que está aberto (olhos arreganhados) **3** *S.* Diz-se do cavalo cujos maxilares e narinas se acham contraídos em função de cansaço e sede [F.: Part. de *arreganhar*.]

arreganhar (ar.re.ga.*nhar*) *v.* **1** Mostrar (os dentes, numa expressão de raiva, riso etc.) [*td.*: *Acuado, o animal arreganhou os dentes.*] [*int.*: *Não se arreganhe, você não me assusta!*] **2** Abrir muito (os lábios) contraindo músculos da face [*td.*] **3** *P. ext.* Abrir muito [*td.*: *arreganhar os olhos*] **4** Rir às gargalhadas [*int.*: *As piadas não eram boas, mas a plateia arreganhava-se.*] **5** Zombar, troçar [*tr.* + *de*: *arreganhava-se da timidez do amigo.*] **6** Ficar com raiva, manifestar irritação [*int.*: *O cantor arreganhou-se ao ouvir as vaias.*] [*tr.* + *com*: *O professor arreganhou-se com a turma bagunceira.*] **7** Rachar, fender-se (fruto) [*int.*: *O tomate passou do ponto e arreganhou(-se).*] [▶ 1 arreganhar] [F.: Posv. *a-*[2] + *reganhar*. Hom./Par.: *arreganho* (fl.), *arreganho* (sm.).]

arreganho (ar.re.*ga*.nho) *sm.* **1** Ação ou resultado de arreganhar **2** Abertura da boca mostrando os dentes **3** Gesto ou semblante ameaçador e feroz: "...não temo o arreganho de A, B, ou C..." (*O Globo*, 15.01.1997) [F.: Dev. de *arreganhar*. Hom./Par.: *arreganho* (sm.), *arreganho* (fl. de *arreganhar*).]

arregar (ar.re.*gar*) *Bras. Gír.* *v.* **1** Querer arrego, desistência, rendição; mostrar medo ante adversário ou adversidade; ACOVARDAR-SE; AGACHAR-SE; AMARELAR; AMEDRONTAR-SE [*int.*: *Na hora H, arregou e correu.* Ant.: *encorajar-se*.] **2** Aceitar a derrota; dar-se por vencido; DESISTIR; RENUNCIAR [*int.*: *Resistiu até a morte, não (se) arregou.* Ant.: *enfrentar, resistir*.] [▶ 14 arregar] [F.: *arrego* + *-ar*[2]. Sin. ger.: *pedir arrego; pedir penico*.]

arregimentação (ar.re.gi.men.ta.*ção*) *sf.* Ação ou resultado de arregimentar; RECRUTAMENTO; REUNIÃO [Pl.: *-ções*.] [F.: *arregimenta(r)* + *-ção*.]

arregimentado (ar.re.gi.men.*ta*.do) *a.* **1** Que se arregimentou **2** *Mil.* Que integra um regimento militar **3** Reunido em grupo [F.: Part. de *arregimentar*.]

arregimentador (ar.re.gi.men.ta.*dor*) [ô] *a.* **1** Que arregimenta *sm.* **2** Aquele que arregimenta [F.: *arregimentar* + *-dor*.]

arregimentar (ar.re.gi.men.*tar*) *v.* **1** *Mil.* Alistar, convocar, reunir em regimento, em corporação militar [*td.*: *Arregimentaram novos soldados.*] **2** Reunir(-se), incorporar(-se) em grupo, partido etc. [*td.*: *Os partidos arregimentam colaboradores em época de eleições.*] [*int.*: *Os moradores arregimentaram-se na associação de bairro.*] [▶ 1 arregimentar] [F.: *a-*[2] + *regiment(o)* + *-ar*[2].]

arregimentável (ar.re.gi.men.*tá*.vel) *a2g.* Que pode ser arregimentado [Pl.: *-veis*.] [F.: *arregimentar* + *-vel*. Hom./Par.: *arregimentáveis* (pl.), *arregimentáveis* (fl. de *arregimentar*).]

arreglar (ar.re.*glar*) *RS* *v.* **1** Solucionar, resolver (problema, transtorno) [*td.*: "...arreglou as suas contas e mandou avisar e convidar o vizindário para correr a bagualada no veranico de maio." (João Simões Lopes Neto, "Correr eguada" *in Contos gauchescos*)] **2** Entrar em acordo (duas ou mais pessoas); AVIR-SE; ENTENDER-SE [*int.*: *As crianças brigaram no começo mas depois se arreglaram.*] **3** Pôr em ordem; ORDENAR; ORGANIZAR [*td.*: *arreglar a casa/os livros/as roupas.*] **4** Acertar, ajustar, combinar [*td.*: *Arreglaram um encontro para amanhã.*] [▶ 1 arreglar] [F.: Do espn. *arreglar*, 'pôr em ordem'.]

arreglo (ar.*re*.glo) *RS* *sm.* **1** Ajuste, combinação, acordo **2** Adaptação de peça teatral [F.: Do espn. *arreglo*. Hom./Par.: *arreglo* (sm.), *arreglo* (fl. de *arreglar*).]

arrego (ar.*re*.go) [ê] *sm.* **1** *Pop.* Ação de render-se, submeter-se, desistir, reconhecer derrota *interj.* **2** *Pop.* Palavra us. para expressar desistência (por cansaço, impaciência, irritação etc.) de continuar aceitando certa situação: *Arrego! Saia daqui!* [F.: Posv. alt. de *arreglo*.] ■ **Pedir ~** **1** *Bras. Gír.* Recuar ou desistir diante de dificuldade, ameaça etc. **2** Dar-se por vencido, entregar os pontos, render-se

arreia (ar.*rei*.a) *sf.* *Bras. N. E.* Cada uma das peças terminais, em forma de segmento de círculo, das rodas cheias dos carros de bois [F.: Alter. de *relha*, posv.]

arreio (ar.*rei*.o) *sm.* **1** Conjunto de peças que equipam a cavalgadura para a montaria [Mais us. no pl.] **2** Conjunto de peças que equipam a cavalgadura para o trabalho de carga [Mais us. no pl.] **3** Enfeite, adorno, adereço [F.: Dev. de *arrear*. Hom./Par.: *arreio* (sm.), *arreio* (fl. de *arrear*).] ■ **Sacudir os ~s** *S.* Rejeitar ordens ou imposições, rebelando-se **Sair vendendo os ~s** *RS* Disparar (cavalo) sem cavaleiro e livrando-se dos arreios

arreitado (ar.rei.*ta*.do) *a.* Que se arreitou; sexualmente excitado; ARRETADO [F.: Part. de *arreitar*.]

arreitar (ar.rei.*tar*) *v.* **1** Causar ou provocar desejos sexuais em; atrair ou estimular sexualmente [*td.*] **2** Ter desejos sexuais (por alguém); ficar sexualmente excitado [*int.*: *Arreitou-se ao ver tão linda mulher.*] [▶ 1 arreitar] [F.: Do lat. **adrectare* ou **arrectare*, 'ficar excitado sexualmente', do lat. *arrectus, a, um*, part. do v.lat. *arrigere*, 'levantar'; 'erguer'. Tb. *arretar* 2.]

arrelia (ar.re.*li*.a) *sf.* **1** Falta de paciência; SOFREGUIDÃO **2** Estado de nervosismo, aborrecimento ou irritação; APOQUENTAÇÃO **3** Desavença, desentendimento, rixa **4** Conflito com maior ou menor grau de violência, envolvendo várias pessoas; ROLO **5** Mau pressentimento, mau agouro **6** *N. E. Pop.* O mesmo que mutirão (1) [F.: Dev. de *arreliar*. Hom./Par.: *arrelia* (sf.), *arrelia* (fl. de *arreliar*).]

arreliado (ar.re.li.*a*.do) *a.* **1** Que se arreliou; irritado, aborrecido **2** Que vive se metendo em brigas, em confusão; BRIGÃO **3** Cheio de empáfia, atrevido, insolente [F.: Part. de *arreliar*.]

arreliante (ar.re.li.*an*.te) *a2g.* Que provoca arrelia, aborrecimento, irritação; ARRELIENTO [F.: *arreliar* + *-nte*.]

arreliar (ar.re.li.*ar*) *v.* Fazer ficar ou ficar irritado, aborrecido; IRRITAR(-SE) [*td.*: *Pare de falar, você está me arreliando!*] [*int.*: *Calma, não se arrelie.*] [▶ 1 arreliar] [F.: Or. prov. a partir da interjeição "arre".]

arreliento (ar.re.li:*en*.to) *a.* O mesmo que *arreliante* [F.: *arrelia* + *-ento*.]

arreligioso (ar.re.li.gi.*o*.so) [ô] *a.* Que não tem espírito religioso ou é indiferente a qualquer religião [Pl.: *ó*. Fem.: *ó*] [F.: *a-*[3] + *religioso*. Cf.: *agnóstico*.]

arrematação[1] (ar.re.ma.ta.*ção*) *sf.* Ação ou resultado de arrematar[1] [Pl.: *-ções*.] [F.: *arrematar*[1] + *-ção*.]

arrematação[2] (ar.re.ma.ta.*ção*) *sf.* Ação ou resultado de arrematar[2]; compra em leilão de bem ou objeto leiloado, mediante o lance mais alto [Pl.: *-ções*.] [F.: *arrematar*[2] + *-ção*.]

arrematado[1] (ar.re.ma.*ta*.do) *a.* Que foi concluído; ACABADO; FINALIZADO [F.: Part. de *arrematar*[1].]

arrematado[2] (ar.re.ma.*ta*.do) *a.* Que se arrematou em leilão; que foi comprado ou vendido durante um leilão [F.: Part. de *arrematar*[2].]

arrematador[1] (ar.re.ma.ta.*dor*) [ô] *a. sm.* O mesmo que *arrematante*[1] [F.: *arrematar*[1] + *-dor*.]

arrematador[2] (ar.re.ma.ta.*dor*) [ô] *a. sm.* O mesmo que *arrematante*[2] [F.: *arrematar*[2] + *-dor*.]

arrematante[1] (ar.re.ma.*tan*.te) *a2g.* **1** Que arremata, finaliza, conclui *s2g.* **2** Quem arremata, finaliza [F.: *arrematar*[1] + *-nte*. Sin. ger.: *arrematador*.]

arrematante[2] (ar.re.ma.*tan*.te) *a2g.* **1** Que arremata (algo) em leilão; que dá o lance vitorioso em leilão *s2g.* **2** Indivíduo, grupo ou empresa arrematante[2] (1) [F.: *arrematar*[2] + *-nte*. Sin. ger.: *arrematador*.]

arrematar[1] (ar.re.ma.*tar*) *v. td.* **1** Finalizar; REMATAR: *Sempre arremata suas cartas com uma mensagem de paz.* **2** Dar remate, acabamento em: *A costureira já arrematou o vestido.* **3** Dar um nó em ponto final de costura em (bordado, tapeçaria, etc.) para que ele não se solte: *Você me ensina como arrematar a bainha?* **4** Dizer como fecho, finalização de (discurso, frase etc.): *Irritado, o advogado arrematou que não ficaria com a causa.* **5** *Fut.* Finalizar uma jogada, um ataque etc. chutando ou cabeceando em gol [***int.:*** *A bola sobrou para o meia, que arrematou.*] [▶ 1 arrematar] [F.: *ar-*[1] + *rematar*. Hom./Par.: *arremate* (fl.), *arremate* (sm.).]

arrematar[2] (ar.re.ma.*tar*) *v. td.* Oferecer o lance mais alto em leilão, e com isso adquirir (objeto ou bem leiloado): *O colecionador arrematou o quadro de Portinari.* [▶ 1 arrematar] [F.: Posv. de *ar-*[1] + *ramo*, 'lote de objetos em leilão', + *-at-* + *-ar*[2]. Hom./Par.: *arremate* (fl.), *arremate* (sm.).]

arremate (ar.re.*ma*.te) *sm.* **1** Ação ou resultado de arrematar[1] **2** Ponto ou nó com que se arremata obra de costura, tecelagem etc. **3** Detalhe para finalizar algo: *O marceneiro deu o arremate na porta.* **4** *Bras. Fut.* Chute ou cabeçada a gol, em conclusão a uma jogada ou série de jogadas **5** Desfecho, término, remate **6** Detalhe que dá acabamento a uma roupa (botão, renda, costura, chuleio etc.) [F.: Dev. de *arrematar*. Hom./Par.: *arremate* (sm.), *arremate* (fl. de *arrematar*).]

arremedar (ar.re.me.*dar*) *v. td.* **1** Imitar (alguém, animal, coisa) de forma ridícula, jocosa, zombeteira; REMEDAR: *Sempre arremeda os colegas, e eles não acham graça.* **2** Reproduzir ou tentar reproduzir (som, gesto, comportamento, estilo etc.), imitando; REMEDAR: *Pedrinho arremeda bem as vozes de animais.* **3** Tentar (alguém) fazer parecerem verdadeiras qualidades pessoais que na realidade não tem; SIMULAR: *Ele arremeda uma integridade que todos sabem não ter.* **4** Ser parecido com, ter semelhança com: "Defronte da casa as árvores erguiam-se arremedando uma apoteose de inferno." (Aluísio de Azevedo, *O mulato*) **5** Falar mal (língua): *Ele não fala inglês, arremeda inglês.* **6** Permitir prever resultado ou consequência; prenunciar: *A corrupção arremedava um grande escândalo.* [▶ 1 arremedar] [F.: *a-*[2] + *remedar*. Hom./Par.: *arremedo* (fl.), *arremedo* (sm.).]

arremedo (ar.re.*me*.do) [ê] *sm.* **1** Ação ou resultado de arremedar **2** Cópia, imitação **3** Cópia ou imitação malfeita: *Este quadro é um arremedo do original.* **4** Imitação ridícula, caricatural **5** *P. ext.* O que, por sua qualidade, seu caráter etc. está muito aquém de (aquilo que sua denominação implica ser ou dever ser): *arremedo de político; arremedo de vida amorosa.* [F.: Dev. de *arremedar*. Hom./Par.: *arremedo* (sm.), *arremedo* (fl. de *arremedar*).]

arremessado (ar.re.mes.*sa*.do) *a.* **1** Atirado, lançado com força **2** Lançado à distância, na intenção de um alvo, uma marca, uma cesta etc. **3** Precipitado, irrefletido, arrebatado [F.: Part. de *arremessar*.]

arremessador (ar.re.mes.sa.*dor*) [ô] *a.* **1** Que arremessa; diz-se de indivíduo que faz arremessos *sm.* **2** Esse indivíduo [F.: *arremessa(r)* + *-dor*.]

arremessar (ar.re.mes.*sar*) *v.* **1** Lançar, atirar (algo) com força [***td.:*** "...arremessavam o projétil que ia bater em cheio sobre a calva do devoto." (Manuel Antônio de Almeida, *Memórias de um sargento de milícias*)] [***tda.:*** *Os meninos arremessavam pedras no muro.*] **2** Lançar, fazer avançar (algo, animal ou alguém, inclusive si mesmo) ou arremeter em uma direção [***tdr.*** *+ a, contra, sobre: Os soldados arremessavam os cavalos sobre a multidão; Pedindo clemência, arremessaram-se aos pés do rei.*] [***tda.:*** *Arremessou o carro contra o muro;* "De um salto, o negro arremessou-se para a frente." (Josué Montello, *Um rosto de menina*)] **3** *Basq.* Atirar (a bola) em direção à cesta [***td.:*** *O técnico ensinava aos jogadores a arremessar lances livres.*] [***int.:*** *Oscar arremessou da linha de três pontos.*] [▶ 1 arremessar] [F.: *a-*[2] + *remessar*. Hom./Par.: *arremesso* (fl.), *arremesso* (sm.).]

arremesso (ar.re.*mes*.so) [ê] *sm.* **1** Ação ou resultado de arremessar **2** Ataque ou investida: "E, três dias mais tarde, o arremesso contra o arraial" (Euclides da Cunha, *Os sertões*) **3** Primeira abordagem de um tema, questão ou problema: *A filosofia, nos seus primeiros arremessos, é necessariamente empírica e experimental.* **4** *Esp.* No basquetebol, lançamento da bola à cesta **5** Gesto que indica uma intenção; MENÇÃO: *Fez arremesso de sair.* **6** Arrojo, ousadia [F.: Dev. de *arremessar*. Hom./Par.: *arremesso* (sm.), *arremesso* (fl. de *arremessar*).] ∎ **De ~** Impetuosa e subitamente

arremeter (ar.re.me.*ter*) *v.* **1** Lançar-se ou atacar com ímpeto [***tr.*** *+ contra, sobre: A multidão, enfurecida, arremeteu contra os soldados;* "...a autora arremete sobre as armações do governo..." (*Folha de S.Paulo*, 09.02.1999)] [***int.:*** "...e os dois povos arremetendo travaram a batalha..." (José de Alencar, *Ubirajara*)] **2** Fazer atacar com ímpeto; atiçar, instigar ao ataque (o animal); INCITAR [***tdr.*** *+ contra, sobre: O policial arremeteu o cão contra/sobre os ladrões.*] **3** Entrar impetuosamente; adentrar [***ta.:*** *O aluno, atrasado, arremete pela sala.*] **4** Dirigir-se apressadamente para, em direção a [***ta.:*** *Com a chegada da polícia, os ladrões arremeteram-se para os becos.*] **5** *Aer.* Aumentar (piloto de avião) subitamente a potência dos motores e dirigir o bico para cima para distanciar-se do solo, interrompendo a aproximação para aterrissagem [***int.:*** *Alertado pela torre, o piloto arremeteu no último momento.*] [▶ 2 arremeter] [F.: *a-*[2] + *remeter*.]

arremetida (ar.re.me.*ti*.da) *sf.* **1** Ação ou resultado de arremeter **2** Investida impetuosa, ataque **3** Ação arrojada **4** *Aer.* Especificamente, a subida brusca de aeronave, quando o piloto interrompe a aproximação para pouso e busca ganhar altura para recomeçá-la [F.: *arremet(er)* + *-ida*[2].] ∎ **De ~** De arranco; de arrancada; de arremesso

arremetido (ar.re.me.*ti*.do) *a.* Que arremeteu; que se lançou em ataque [F.: Part. de *arremeter*.]

arrendado (ar.ren.*da*.do) *a.* **1** Concedido ou tomado em arrendamento (granja arrendada) **2** Que tem bons rendimentos [F.: Part. de *arrendar*[1].]

arrendador (ar.ren.da.*dor*) [ô] *sm.* **1** Aquele que cede um bem em arrendamento [P. op. a *arrendatário*.] *a.* **2** Que cede um bem em arrendamento [F.: *arrenda(r)* + *-dor*.]

arrendamento (ar.ren.da.*men*.to) *sm.* **1** Ação ou resultado de arrendar *sm.* **2** *Jur.* Contrato pelo qual uma pessoa cede a outrem, por um tempo e preço previamente estipulados, o uso de algum bem (ger. imóvel) **3** O instrumento desse contrato, o documento que o formaliza [F.: *arrenda(r)* + *-mento*. Cf.: *locação*.] ∎ **~ mercantil** *Econ.* Operação na qual uma pessoa jurídica cede a outra o uso de bens de sua propriedade, contra o pagamento de prestações, ger. com opção de compra dos bens pelo arrendatário ao fim do contrato. [Sin. (ingl.): *leasing*]

arrendar[1] (ar.ren.*dar*) *v.* **1** *Jur.* Ceder em arrendamento [***td.:*** *Arrendou parte de suas terras.*] [***tdi.*** *+ a, para: Arrendou a sua fazenda para o amigo.*] **2** Tomar em arrendamento [***td.:*** *Para montar a firma arrendou um andar inteiro.*] [***tdr.*** *+ a, de: Queria ser agricultor, e arrendou ao/do amigo uma fazenda.*] [▶ 1 arrendar] [F.: *a-*[2] + *renda* + *-ar*[2].]

arrendar[2] (ar.ren.*dar*) *v. td.* Enfeitar ou adornar com rendas; RENDAR [▶ 1 arrendar] [F.: *ar-*[1] + *rendar*[2].]

arrendar[3] (ar.ren.*dar*) *v. td.* Cavar (a vinha) de novo, para retirar as ervas da área próxima ao pé da vinha; REDRAR; REDAR [▶ 1 arrendar] [F.: *ar-*[3] + **rendar*, por *redar*[3] (< *redrar*).]

arrendar[4] (ar.ren.*dar*) *v. td.* Sujeitar (a montaria) à rédea [▶ 1 arrendar] [F.: Do espn. (plat.) *arrendar*.]

arrendatário (ar.ren.da.*tá*.ri:o) *sm.* Pessoa que toma um bem em arrendamento (2); LOCATÁRIO [P. op. a *arrendador*.] [F.: *arrenda(r)* + *-tário*.]

arrendável (ar.ren.*dá*.vel) *a2g.* Que se pode arrendar[1] [Pl.: *-veis*.] [F.: *arrendar*[1] + *-vel*. Hom./Par.: *arrendáveis* (pl.), *arrendáveis* (fl. de *arrendar*).]

arrenegação (ar.re.ne.ga.*ção*) [ê] *sf.* **1** Ato ou efeito de arrenegar(-se); RENEGAÇÃO **2** Apostasia **3** *Fam.* Enfado, agastamento, irritação [F.: *arrenegar* + *-ção*.]

arrenegado (ar.re.ne.*ga*.do) *a.* **1** Que arrenegou; RENEGADO **2** *Fam.* Irritado, zangado *sm.* **3** *Bras. Pop.* O diabo [F.: Part. de *arrenegar*.]

arrenegar (ar.re.ne.*gar*) *v.* **1** Renunciar a, abandonando; ABJURAR; RENEGAR [***td.:*** "Até o padre Manuel de Morais (...) teve o descoro de arrenegar a sua religião." (Paulo Setúbal, *O príncipe de Nassau*)] [***tr.*** *+ de: Mário arrenegou da sociedade.*] **2** Rejeitar [***tr.*** *+ de: Quando emigrou, arrenegou da família e de seu país.*] **3** Lançar uma maldição sobre [***td.:*** *Ao partir, Joaquim arrenegou os que o condenaram.*] **4** Ficar irritado, colérico [***int.:*** *É intratável, arrenega-se com ou sem motivos.*] [▶ 14 arrenegar] [F.: *a-*[2] + *renegar*.]

arrepanhado (ar.re.pa.*nha*.do) *a.* **1** Enrugado ou engelhado **2** Tirado, arrebatado, assaltado **3** *Fig.* Sovina [F.: Part. de *arrepanhar*.]

arrepanhar (ar.re.pa.*nhar*) *v.* **1** Apanhar, pegar (algo) de maneira impetuosa [***td.:*** *Arrepanhou a planta com um único puxão.*] **2** Apossar-se do que não lhe pertence; roubar [***td.:*** *Arrepanhou o colar da moça e fugiu depressa.*] **3** Puxar fazendo dobras, rugas [***td.:*** *Arrepanhou a saia até o meio das coxas e correu para pegar o ônibus.*] **4** Fazer ficar ou ficar enrugado, engelhado [***td.:*** *O emagrecimento arrepanhou a pele de seu pescoço.*] [***int.:*** *Sua boca arrepanhava-se num esgar de terror.*] **5** Economizar, poupar avaramente [***td.:*** *Arrepanhava miudezas de qualquer valor e as guardava numa caixa.*] [▶ 1 arrepanhar] [F.: De or. contrv; posv. de *a-*[2] + ** repanhar*, por *reapanhar* (< *re-* + *apanhar*).]

arrepelamento (ar.re.pe.la.*men*.to) *sm.* O mesmo que *arrepelão* (1) [F.: *arrepelar* + *-mento*.]

arrepelão (ar.re.pe.*lão*) *sm.* **1** Ação ou efeito de arrepelar(-se); ARREPELAMENTO **2** Repelão [Pl.: *-lões*.] [F.: *ar-*[1] + *repelão*.]

arrepelar (ar.re.pe.*lar*) *v.* **1** Arrancar, puxar (pelos, penas etc.) de (alguém ou si próprio) [***td.:*** *Numa crise histérica, começou a arrepelar os cabelos.*] [***int.:*** *A menina gritava e se arrepelava.*] **2** Esticar, puxar [***td.:*** *Arrepelou brutalmente a cauda do animal.*] **3** Lamentar-se expressando arrependimento [***int.:*** *Arrepelava-se por ter declarado amor à vizinha.*] **4** Chocar-se ou esbarrar de maneira violenta em (alguém) [***td.:*** *Entrou correndo no metrô e arrepelou uma mulher que desembarcava.*] [▶ 1 arrepelar] [F.: *a-*[4] + *repelar*. Hom./Par.: *arrepelo* (fl.), *arrepelo* /ê/ (sm.).]

arrepender-se (ar.re.pen.*der*-se) *v.* **1** Mudar de ideia ou atitude, voltar atrás [***int.:*** *Álvaro ia pedir demissão, mas arrependeu-se.*] [***tr.*** *+ de, por:* "...arrependia-me de ter vindo." (Machado de Assis, "O enfermeiro" *in Novas seletas*)] **2** Ter (alguém) remorso por algum mal praticado [***tr.*** *+ de, por: A ré arrependeu-se pelo crime cometido.*] [***int.:*** *Lembrou todos os seus pecados e arrependeu-se sinceramente.*] **3** Lamentar (alguém) ter agido de certa forma, preferindo não tê-lo feito, ou ter agido diferentemente [***tr.*** *+ de, por: Arrependeu-se de não ter ido assisir ao jogo.*] [***int.:*** *Resolveu não aceitar o emprego, mesmo sabendo que ia se arrepender depois.*] **4** *Pop.* Mudar (o tempo) de bom para ruim, de enso-larado para chuvoso [***int.:*** *Pode levar o guarda-chuva que o tempo se arrependeu, e está chovendo.*] [▶ 2 arrepender-se] [F.: Do lat. *repoenitere*, > *ar-*[3] + (port. ant.) *repender*.]

arrependido (ar.re.pen.*di*.do) *a.* **1** Que se arrependeu [+ *de, por: Uma pessoa arrependida dos/pelos seus erros.*] *sm.* **2** Pessoa que se arrependeu, que mostra arrependimento: *Os arrependidos aspiram às graças dos inocentes.* [F.: Part. de *arrepender-se*.]

arrependimento (ar.re.pen.di.*men*.to) *sm.* **1** Ação ou resultado de arrepender-se **2** Remorso por um mal cometido **3** Mudança de opinião ou de atitude em relação a fatos passados **4** *Rel.* Contrição sincera por ter incorrido em pecados, a serem redimidos pela prática do bem [F.: *arrepend(er-se)* + *-imento*.]

arrepia-cabelo (ar.re.pi.a-ca.*be*.lo) *sm.* **1** Sentido contrário ao do crescimento do pelo **2** Pessoa áspera, ríspida, severa [Pl.: *arrepia-cabelos*.] ∎ **A ~** A contrapelo; em sentido contrário ao do crescimento do pelo

arrepiado (ar.re.pi.*a*.do) *a.* **1** Que se arrepia ou arrepiou; que sente arrepios (por frio, medo etc.): *A menina está arrepiada de frio.* **2** Diz-se de pelo ou cabelo que se eriçou, ficou em pé ou a contrapelo (cabelos arrepiados); ERIÇADO; OURIÇADO **3** *Fig.* Que está amedrontado, assustado etc. [+ *com, por: Ficou arrepiado com/por aquele filme de terror.*] **4** *Bras.* Que é desconfiado, esquivo [F.: Part. de *arrepiar*.]

arrepiador (ar.re.pi:a.*dor*) [ô] *a.* O mesmo que *arrepiante* [F.: *arrepiar* + *-dor*.]

arrepiante (ar.re.pi.*an*.te) *a2g.* Que arrepia, que provoca arrepios (de medo, frio etc.) [F.: *arrepia(r)* + *-nte*.]

arrepiar (ar.re.pi.*ar*) [ê] *v.* **1** Eriçar(-se), levantar(-se) (cabelos ou pelos) [***td.:*** *Uma lufada de vento arrepiou seus cabelos.*] [***td.:*** *Foi um grito que fez seus cabelos (se) arrepiarem; Esse filme tem cenas que arrepiam.*] **2** Provocar ou ter arrepios, ou tremores de frio, medo, susto etc. [***td.:*** *Aqueles gritos arrepiavam os mais medrosos.*] [***int.:*** *João arrepiou-se na sala gelada.*] **3** *Fig.* Provocar ou sentir emoção, medo, horror, indignação etc. [***td.:*** *Cenas de violência arrepiam qualquer um.*] [***int.:*** "Nino se arrepia com a lembrança..." (Kurban Said, *Ali e Nino*)] **4** *Fig.* Voltar atrás, não seguir adiante (por medo, hesitação etc.) [***int.:*** *Pedro ia mudar de emprego, mas na hora agá arrepiou.*] [***td.:*** *Quando ouviu a freada, o cãozinho arrepiou carreira.*] **5** *Bras. Gír.* Ter destaque, fazer sucesso [***int.:*** *Meu time arrepiou na competição.*] **6** Tornar-se (o tempo) instável, chuvoso ou tempestuoso [***int.***] **7** Repuxar, franzir, vincar [***td.:*** *arrepiar os lábios.*] **8** Esfregar sal em (peixe, no sentido contrário ao das escamas) [***td.***] [▶ 1 arrepiar] [F.: Do lat. *horripilare*. Hom./Par.: *arrepio* (fl.), *arrepio* (sm.).] ∎ **De ~ (os cabelos)** De espantar, assombroso; assustador

arrepio (ar.re.*pi*:o) *sm.* **1** Breve tremor causado por frio, medo, susto etc.; CALAFRIO **2** Ligeiro estremecimento, tênue vibração [F.: Dev. de *arrepiar*. Hom./Par.: *arrepio* (sm.), *arrepio* (fl. de *arrepiar*).] ∎ **Ao ~** Na direção inversa **Ao ~ de** Ao contrário de

arrestamento (ar.res.ta.*men*.to) *sm.* O mesmo que *arresto* [F.: *arrestar* + *-mento*.]

arrestar (ar.res.*tar*) [ê] *v. td.* *Jur.* Fazer, por decisão judicial, apreensão de qualquer bem como garantia de pagamento de dívida; CONFISCAR; EMBARGAR: *O banco arrestou a mansão do casal endividado.* [▶ 1 arrestar] [F.: Do lat. vulg. **arrestare*. Hom./Par.: *arresto* (fl.), *arresto* (sm.).]

arresto (ar.*res*.to) *sm.* *Jur.* Apreensão judicial de qualquer bem de um devedor, para garantir o pagamento de suas dívidas; CONFISCO; EMBARGO [F.: Dev. *arrestar*. Hom./Par.: *arresto* (sm.), *arresto* (fl. de *arrestar*).]

arretado (ar.re.*ta*.do) *a.* **1** *N. E. Pop.* Palavra-ônibus que expressa, por vezes hiperbolicamente, conceitos positivos sobre alguém ou algo: *uma festa arretada; um cabra arretado.* **2** *Bras.* Sexualmente excitado; ARREITADO; ASSANHADO **3** *Bras. PE* Irritado [F.: Part. de *arretar*[2].]

arretar[1] (ar.re.*tar*) *v.* **1** Fazer com que (algo ou alguém) retorne ou recue [***td.:*** *Ao ver que o caminho estava bloqueado, arretou a manada.*] **2** Deter a marcha de (animais, rebanhos etc.) [***td.:*** *Os vaqueiros arretaram o rebanho e acamparam.*] **3** Sustar o próprio movimento; parar, deter-se: *O cachorro arretou-se diante do lobo.* [***int.:*** *Ao chegar à beira do precipício, arretou-se.*] [▶ 1 arretar] [F.: Do lat. **arreptare*, de *arreptus*, part. de *arripere*. Hom./Par.: *arreto* (em todas as fl.).]

arretar[2] (ar.re.*tar*) *v.* O mesmo que *arreitar.*

arrevesado (ar.re.ve.*sa*.do) *a.* **1** Que é, está ou foi posto ao contrário, ao revés, às avessas: *suéter arrevesado; percurso arrevesado.* **2** Que não é reto, direito, correto: *caráter arrevesado.* **3** De difícil compreensão; confuso: *O estrangeiro falava um português arrevesado.* **4** Difícil de pronunciar (diz-se de vocábulo, palavra) [F.: Part. de *arrevesar*.]

arrevesamento (ar.re.ve.sa.*men*.to) *sm.* **1** Ação ou resultado de arrevesar **2** Característica, atitude ou caráter de quem ou do que é arrevesado [F.: *arrevesa(r)* + *-mento*.]

arrevesar (ar.re.ve.*sar*) *v. td.* **1** Colocar ao revés, ao avesso ou às avessas: *Arrevesou o pijama.* **2** Não ser fiel, ou dar significado inverso a (ideia, intenção, dito, declaração etc.), ger. usando as mesmas palavras ou os mesmos recursos expressivos, mas com modificações: *Arrevesaram o que ele havia dito; A edição da cena arrevesou a intenção original do roteirista.* **3** *Fig.* Tornar confuso, obscuro: *Arrevesou de tal forma seu discurso que ninguém entendeu nada.* [▶ 1 arrevesar] [F.: *ar-*[1] + *revés* + *-ar*[2]. Hom./Par.: *arrevesa* (em todas as fl.); *arrevesado* (part.), *arrevesado* (a. sm.).]

arriado (ar.ri.*a*.do) *a.* **1** Que se arriou (bandeira arriada); DESCIDO; ABAIXADO **2** *Fig.* Muito cansado, sem disposição física: *Ficou arriado depois da corrida.* [F.: Part. de *arriar*. Hom./Par.: *arriado* (a.), *arreado* (part. de *arrear*).]

arriamento (ar.ri:a.*men*.to) ***sm.*** Ação ou resultado de arriar(-se) [F.: *arriar* + *-mento*. Hom./Par.: *arriamento* (sm.), *arreamento* (sm.).]

arriar (ar.ri.*ar*) ***v.*** **1** Fazer descer ou baixar (o que estava levantado, em cima, no alto) [***td.***: *arriar as meias; arriar a bandeira*] **2** Baixar (algo que se carrega) sobre uma superfície, o chão etc. [***td.***: *Chegamos, pode arriar as malas.*] [***tda.***: *O carteiro arriou os pacotes na calçada.*] **3** Curvar-se, vergar, cair sob peso ou sob o próprio peso [***int.***: *Com tanta carga, o cavalo arriou; Com o peso dos livros, a estante arriou.*] **4** Fazer ceder ou ceder ao cansaço, abatimento ou desânimo [***td.***: *A longa estrada não arriou o andarilho.*] [***int.***: *Por causa da gripe, a turma inteira arriou(-se).*] **5** Descarregar-se (a bateria de veículo a motor) [***int.***] **6** Esvaziar-se (o pneu de veículo) [***int.***] **7** Depor (armas), declarando-se vencido [***td.***] **8** *Mar.* Baixar o que estava em ponto elevado, por meio de cabos e roldanas; abater, amainar [***td.***] **9** *Bras. Pop.* Ficar apaixonado, caído de amor por alguém [***int.***: *Deslumbrou-se com a beleza da moça, e arriou.*] [► **1** arriar] [F.: Or. posv. da forma "arrear". Hom./Par.: *arriar, arrear* (todas as fl.); *arrieis* (fl.), *arriéis* (sm. e pl.).]

arriba (ar.*ri*.ba) ***adv.*** **1** Acima, para cima, para adiante ***interj.*** **2** Acima, adiante **3** *Mar.* Ordem para fazer o navio arribar ou desviar **4** Ordem (a alguém) para que fique de pé [F.: *a* (prep.) + *riba*. Hom./Par.: *arriba* (adv. interj.), *arriba* (fl. de *arribar*).]

arribação (ar.ri.ba.*ção*) ***sf.*** **1** Ação ou resultado de arribar **2** Movimento migratório de animais (esp. aves), ger. em determinada estação do ano **3** *Bras.* Comida preparada com arroz, feijão e a carne da ave denominada *arribação* (5) **4** *Bras. Amaz.* Período da vazante, durante o qual as tartarugas fazem a postura nas praias fluviais **5** *Bras. Ornit.* Ave sul-americana da fam. dos columbídeos (*Zenaida auriculata*), de dorso pardo, com duas faixas laterais escuras na cabeça e manchas negras nas asas, tb. conhecida como *avoante* [Pl.: *-ções.*] [F.: *arribar* + *-ção.*]

arribado (ar.ri.*ba*.do) ***a.*** **1** Acolhido (o navio) ao porto **2** Chegado (animal, ave) a algum lugar na época da arribação **3** *Fig.* Cuja saúde melhorou **4** *Fig.* Que se tornou rico, enriqueceu [F.: Part. de *arribar*.]

arribar (ar.ri.*bar*) ***v.*** **1** *Mar.* Voltar ao porto de partida ou chegar a porto que não estava previsto [***ta.***: *O navio avariado arribou ao porto mais próximo.*] **2** *Mar.* Chegar (ger. embarcação) a porto, costa etc. [***ta.***: "...*arribou* a certo porto do Brasil, onde eu vivia, um galeão..." (Tomás Antônio Gonzaga, *Cartas chilenas*)] **3** *Fig.* Chegar (a algum lugar) por acaso ou sem estar previsto [***ta.***: *O inverno e um surto de gripe arribaram juntos a São Paulo.*] **4** Ir para cima ou chegar em lugar elevado [***int.***: *Resolveram não interromper a escalada até arribar.*] [***ta.***: *Faltava pouco para arribarem ao cume.*] **5** Erguer, elevar [***td. tdr.*** + *a, em. sobre*: *Arribou a pesada carga (aos/nos/sobre os ombros).*] **6** Sair sem avisar ou pedir licença [***int.***: *Vendo que a situação se dificultava, arribou.*] **7** Melhorar de saúde, de estado, de sorte etc. [***int.***: *Depois da visita do veterinário, o cão arribou.*] **8** Mudar de um lugar para outro; MIGRAR [***ta.***: *No inverno, as andorinhas arribam para locais mais quentes.*] **9** Não continuar (alguém na direção em que estava, ou a fazer o que fazia) [***tr.*** + *de*: *arribar de uma rota; arribar de uma tarefa.*] **10** *Bras.* Estourar (boiada) [***int.***] [► **1** arribar] [F.: *a-*[2] + *riba* + *-ar*[2]. Hom./Par.: *arriba* (fl.); *arriba* (adv., interj., sf.).]

arrieiro[1] (ar.ri.*ei*.ro) ***sm.*** Condutor de bestas de carga; ARREADOR; TROPEIRO [F.: Do espn. *arriero*.]

arrieiro[2] (ar.ri.*ei*.ro) ***sm.*** Tripulante de embarcação baleeira que tem a incumbência de arriar a vela durante a caça à baleia [F.: *arriar* (sob a f. *arri-*) + *-ar*[2].]

arriel (ar.ri.*el*) ***sm.*** **1** Pequena barra de ouro ou de prata **2** Anel ou argola de ouro que alguns povos usavam nas orelhas e no nariz [Pl.: *éis.*] [F.: Do espn. *riel*. Hom./Par.: *arriéis* (pl.), *arrieis* (fl. de *arriar*).]

arrimado (ar.ri.*ma*.do) ***a.*** Encostado, apoiado [F.: Part. de *arrimar*.]

arrimar (ar.ri.*mar*) ***v.*** **1** Colocar em rima, pilha, ruma; arrumar, ordenar [***td.***: *Arrimou os volumes da enciclopédia sobre a cômoda.*] **2** Dar arrimo, apoio, suporte a (alguém, algo ou si mesmo) [***td.***: *Arrimou o muro que tombava com uma estaca de madeira.*] [***tda.*** + *em*: *Arrimou a muleta na banca de jornal; Arrimou-se no corrimão para não cair.*] **3** *Fig.* Conceder amparo (material ou moral) a [***td.***: *Arrimava os netos e também os sobrinhos.*] **4** Juntar-se a (um grupo, agremiação, partido político etc.) [***tdr.*** + *a*: *Nunca pensara em arrimar-se a um grupo de terroristas.*] **5** Buscar apoio em; socorrer-se [***tr.*** + *em*: *Arrimava-se na generosidade do irmão mais velho.*] **6** Procurar base de apoio (para argumentação, opinião, atitude etc.) [***tr.*** + *em*: *Arrimava-se em alguns indícios para suspeitar do tio.*] [► **1** arrimar] [F.: *ar-*[1] + *rima*[2] + *-ar*[2]. Hom./Par.: *arrimo* (fl.), *arrimo* (sm.).]

arrimo (ar.*ri*.mo) ***sm.*** **1** Peça, construção ou qualquer coisa que serve de apoio; o apoio assim provido: *muro de arrimo* **2** *Fig.* Algo ou alguém que serve de auxílio ou proteção [F.: Dev. de *arrimar*. Hom./Par.: *arrimo* (sm.), *arrimo* (fl. de *arrimar*).] ■ **~ de família** Pessoa que mantém sua família provendo-lhe o necessário para o sustento

arrinconar (ar.rin.co.*nar*) *Bras.* ***v.*** **1** Pôr(-se) em rincão [***td.***] **2** Encurralar, acuar [***td.***] [***tda.***] **3** Ir para local distante, afastado [***td.***] [***tda.***] **4** Fugir ou afastar do convívio social; isolar(-se) [***td.***] [***tda.***] [► **1** arrinconar] [F.: *ar-*[1] + *rincão* (sob a f. *rincon-*) + *-ar*[2].]

arriosca (ar.ri:*os*.ca) ***sf.*** **1** Armadilha, cilada, esparrela **2** *Lud.* Certo jogo com pedrinhas redondas [F.: De or. contrv.]

arriscado (ar.ris.*ca*.do) ***a.*** **1** Que apresenta risco; PERIGOSO: *missão arriscada.* **2** Que não é seguro; que é duvidoso, incerto; AVENTURESCO; AVENTUROSO: *A empresa envolveu-se em projetos arriscados.* **3** Que se arrisca; que se lança ao perigo sem medo; DESTEMIDO; INTRÉPIDO: *A tropa contava com homens arriscados.* [F.: Part. de *arriscar*.]

arriscar (ar.ris.*car*) ***v.*** **1** Colocar em perigo ou risco [***td.***: *O alpinista arriscou a vida numa escalada insensata; Não me arrisco no mar bravo.*] [***int.***: *Nos esportes radicais, muitos são os que arriscam.*] **2** Expor (algo ou alguém, inclusive si mesmo) às circunstâncias da sorte, tentando sem a certeza de sucesso [***td.***: *O centroavante arriscou um chute de fora da área; Arriscou-se em investimentos duvidosos; Arriscou muito dinheiro na roleta.*] [***int.***: *Quem não arrisca não petisca.*] [► **11** arriscar] [F.: *a-*[2] + *risco* + *-ar*[2].]

arritmia (ar.rit.*mi*.a) ***sf.*** **1** Ausência total de ritmo ou irregularidade de ritmo (numa sequência continuada de eventos a intervalos de tempo supostamente regulares) **2** *Card.* Anormalidade no ritmo dos batimentos cardíacos [Nesta acp., tb. *arritmia cardíaca.*] [F.: Do gr. *arrhythmía*, pelo lat. *arrhythmia*. Ant. ger.: *eurritmia*. Cf.: *disritmia.*] ■ **~ cardíaca** *Med.* Anormalidade no ritmo dos batimentos cardíacos. [Tb. apenas *arritmia.*]

arrítmico (ar.*rít*.mi.co) ***a.*** **1** Ref. a arritmia, ou que manifesta arritmia **2** A que falta ritmo [F.: *arritm(ia)* + *-ico*[2].]

arritmogênico (ar.rit.mo.*gê*.ni.co) ***a.*** *Med.* Que causa arritmia cardíaca [F.: *arritm(ia)* + *-o-* + *-gen(o)-* + *-ico*[2].]

⊕ **arrivedérci** ***Interj.*** Us. como saudação de despedida; até logo

arrivismo (ar.ri.*vis*.mo) ***sm.*** Procedimento ou qualidade de arrivista [F.: Do fr. *arrivisme.*]

arrivista (ar.ri.*vis*.ta) ***a2g.*** **1** Que usa de quaisquer meios para obter sucesso, para se afirmar na vida ***s2g.*** **2** Pessoa arrivista [F.: Do fr. *arriviste.*]

arrizotônico (ar.ri.zo.*tô*.ni.co) ***a.*** *Gram.* Cujo acento tônico recai na terminação e não no radical (diz-se de forma verbal) [Ant.: *rizotônico.*] [F.: *ar-*[2] + *rizotônico.*]

◎ **-arro** ***suf. nom.*** Ver *-arra*

arroba (ar.*ro*.ba) [ô] ***sf.*** **1** *Inf.* Sinal gráfico (@) us. em endereços de correio eletrônico como separação entre o nome do usuário e o do provedor a que está vinculado **2** Unidade de medida de peso us. na agropecuária brasileira, equivalente a 15 kg [Nessa acp., tb. *arroba métrica.*] **3** Antiga medida para líquidos equivalente a 16,8 litros ou mais, de acordo com as regiões [F.: Do ár. *ar-ruba*, 'a quarta parte'.] ■ **~ métrica** Unidade de peso us. no Brasil, equivale a 15 kg [Tb. apenas *arroba*. Símb.: @]

arrochado (ar.ro.*cha*.do) ***a.*** **1** Muito apertado, ligado ou estreito (calça arrochada) **2** *Pop.* Que sofreu arrocho; OPRIMIDO **3** *Pop.* Difícil, apertado, penoso (vida arrochada) [F.: Part. de *arrochar.*]

arrochante (ar.ro.*chan*.te) ***a2g.*** Que arrocha [F.: *arrochar* + *-nte.*]

arrochar (ar.ro.*char*) [ô] ***v.*** **1** Fixar, apertar bem (carga), torcendo as cordas de amarração com arrocho (5) [***td.***] **2** Comprimir(-se), apertar(-se) com força (tb. *Fig.*): [***td.***: *A empresa continua a arrochar os salários; Ela se arrochou na saia apertada.*] **3** *Pop.* Abraçar (alguém) com força [***td.***: *Arrochou a namorada.*] **4** Ser exigente com subordinado, sobrecarregá-lo, pressioná-lo [***int.***: *Se você continuar tão relapso, o chefe vai arrochar.*] [***td.***: *Insatisfeito com o rendimento, vai arrochar os funcionários ainda mais.*] **5** *Amaz.* Amarrar (o tronco da seringueira) e fazer-lhe talhos para obter mais látex [***td.***] [► **1** arrochar] [F.: *arrocho* + *-ar*[2]. Hom./Par.: *arrocho* (fl.); *arrocho* (sm.).]

arrocho (ar.*ro*.cho) [ô] ***sm.*** **1** Ação ou resultado de arrochar **2** *Bras.* Dificuldade, apuro, aperto **3** *Bras.* Situação de constrangimento, aperto, contenção: *arrocho financeiro.* **4** *Bras.* Repressão exercida por autoridade; OPRESSÃO **5** Pedaço de pau curto e torto, que serve para apertar e torcer as cordas com que se ata um volume qualquer, esp. as cargas das cavalgaduras **6** *P. ext.* Qualquer coisa que sirva para apertar, fixar, amarrar **7** *N. E.* Bordão rígido com que se espanca **8** *Bras. N. E.* Aparelho us. para espremer a massa da mandioca **9** *Amaz.* Método de obter mais látex de seringueira, arrochando (5) o tronco [F.: De or. incerta. Hom./Par.: *arrocho* (sm.), *arrocho* (fl. de *arrochar*).] ■ **~ salarial** *Bras. Econ.* Contenção de aumentos de salários, ger. para conter despesas ou impedir subida de preços e inflação **Dar um ~ em** Exercer muita pressão sobre (alguém) para obter algo; coagir **Levar um ~** Sofrer muita pressão ou coação

arrogação (ar.ro.ga.*ção*) ***sf.*** **1** Ação ou resultado de arrogar(-se) **2** *Jur.* Perfilhação de uma pessoa adulta [Pl.: *-ções.*] [F.: Do lat. *adrogatio, onis* ou *arrogatio, onis.*]

arrogância (ar.ro.*gân*.ci:a) ***sf.*** **1** Ação ou resultado de atribuir a si mesmo prerrogativa(s), direito(s), qualidade(s) etc. **2** Qualidade de arrogante, de quem se pretende superior ou melhor e o manifesta em atitudes de desprezo aos outros, de empáfia, de insolência etc. **3** Atitude, comportamento prepotente de quem se considera superior em relação aos outros; INSOLÊNCIA: "...e atirou-lhe com arrogância o troco sobre o balcão." (José de Alencar, *A viuvinha*) **4** Ação desrespeitosa, que revela empáfia, insolência, desrespeito: *Suas arrogâncias ultrapassam todo limite.* [F.: Do lat. *adrogantia, ae* ou *arrogantia, ae.*]

arrogante (ar.ro.*gan*.te) ***a2g.*** **1** Que tem ou demonstra arrogância **2** Orgulhoso; insolente, atrevido [F.: Do lat. *adrogans, antis* ou *arrogans, antis.*]

arrogar (ar.ro.*gar*) ***v.*** **1** Tomar, assumir, adotar como seu [***td.***: *O líder arrogava as decisões do grupo.*] **2** Atribuir a (alguém, inclusive si mesmo) autoria, prerrogativa, direito, responsabilidade etc. [***tdi.*** + *a, para*: *Arrogou ao filho o poder de decisão; O gerente arrogou-se o direito de demitir funcionários.*] [► **14** arrogar] [F.: Do lat. *arrogare.*]

arroio (ar.*roi*.o) [ô] ***sm.*** **1** Pequeno curso de água; REGATO; RIACHO **2** *P. ext.* Pequena corrente de um líquido qualquer: *arroios de lágrimas, de sangue.* [F.: De or. contrv; do lat. *arrugium*, posv.]

arrojado (ar.ro.*ja*.do) ***a.*** **1** Que se arrojou **2** Que não demonstra temor (piloto arrojado); INTRÉPIDO; OUSADO **3** Que tem ou manifesta aspectos ou características inovadoras (*design* arrojado) **4** Arriscado, perigoso: *empreendimento arrojado.* **5** Violento, impetuoso: *paixão arrojada.* **6** *Bras. N. E. GO* Animado, movimentado: *festança arrojada.* **7** *Bras. N. E.* Que mostra progresso, desenvolvimento: *É uma cidade pequena, porém arrojada.* **8** *N. E.* Abastecido com grande variedade de produtos (feira arrojada) ***sm.*** **9** *Lus.* Namorado, amante **10** *Bras.* Indivíduo valente e impetuoso; VALENTÃO [F.: Part. de *arrojar.*]

arrojar (ar.ro.*jar*) [ô] ***v.*** **1** Atirar(-se), lançar(-se) com força; ARREMESSAR(-SE) [***td. / tda.***: *Enfurecido, arrojou os pacotes (contra a parede).*] [***int.***: *Vestiu o paraquedas e arrojou-se.*] **2** Atrever-se; OUSAR [***int.***: *O tímido não se arroja.*] **3** Arrastar (algo ou alguém, inclusive si mesmo) [***td.***: *O índio arrojava a caça morta pela mata; A cascavel se arrojava pela estrada.*] **4** Atirar-se impetuosamente (a algo) com ousadia, ou sem considerar as consequências; ATREVER-SE; AVENTURAR-SE [***ta.*** + *a, em*: *Arrojou-se naquele projeto sem titubear.*] **5** *Fig.* Submeter-se a humilhação, vexame, aviltamento [***int.***: *O filho arrojava-se diante do pai.*] **6** *Bras. N. N. E. MG* Expelir (o alimento ingerido); VOMITAR [***td.***: *Arrojou tudo que comera.*] [***int.***: *Muito enjoada, depois de arrojar sentiu-se melhor.*] [► **1** arrojar] [F.: Do espn. *arrojar*. Hom./Par.: *arrojo* (fl.); *arrojo* (sm.).]

arrojo (ar.*ro*.jo) [ô] ***sm.*** **1** Ação ou resultado de arrojar(-se) **2** O movimento de arrojar(se), de lançar(-se), de atirar(-se); LANÇAMENTO: *O atleta treinava o arrojo do dardo.* **3** *P. ext.* Ação de expelir, de lançar para fora: *arrojo do vômito* **4** Grande ousadia; IMPETUOSIDADE: *Seu arrojo já beira a irresponsabilidade.* **5** Solenidade, aparato, pompa **6** *Bras. N. E. Pop.* Grande animação, entusiasmo (esp. em festas) **7** *Bras. AC* Grande afluência de peixes para rios ou lagos **8** *Lus. Pop.* Abscesso, furúnculo, tumor **9** Detrito lançado à praia pela ondas do mar [Ger. no pl.] [F.: Dev. de *arrojar*. Hom./Par.: *arrojo* (sm.), *arrojo* (fl. de *arrojar*).]

arrolado (ar.ro.*la*.do) ***a.*** **1** Incluído em rol ou lista: *Seu nome foi arrolado entre as testemunhas.* **2** Que foi inventariado [F.: Part. de *arrolar*[1].]

arrolamento (ar.ro.la.*men*.to) ***sm.*** **1** Ação ou resultado de arrolar **2** Listagem, relação, lista, rol **3** *Jur.* Forma simplificada de inventário de bens [F.: *arrola(r)* + *-mento.*]

arrolar[1] (ar.ro.*lar*) ***v.*** **1** Incluir em uma lista [***td.***: *O advogado arrolou as testemunhas.*] **2** Fazer lista ou inventário de [***td.***: *Arrolaram os bens do finado; O prefeito arrolou os casos de dengue.*] **3** Incluir (algo ou alguém) em lista de; CLASSIFICAR [***tdr.*** + *em, entre*: *Arrolaram Maria e Léa entre as candidatas ao cargo.*] [***tdp.***: *Arrolaram-no como suspeito.*] **4** Alistar(-se) em (grupo organizado) [***td.***: *Arrolamos voluntários para o projeto.*] [***tr.*** + *com, em*: *Arrolou-se na marinha.*] [► **1** arrolar] [F.: *ar-*[1] + *rol* + *-ar*[2].]

arrolar[2] (ar.ro.*lar*) ***v.*** **1** Dar a ou adquirir forma de rolo [***td.***: *Arrolou a massa e levou-a ao forno.*] [***int.***: *O manuscrito arrolou-se, e foi preciso esticá-lo.*] **2** Imprimir movimento de rolagem a; ROLAR [***td.***: *Arrolou a grande pedra até o rio.*] [► **1** arrolar] [F.: *ar-*[1] + *rolo* + *-ar*[2].]

arrolar[3] (ar.ro.*lar*) ***v. int.*** **1** O mesmo que arrulhar, emitir (pomba, rola etc.) arrulhos(s) [***int.***] **2** Cantar acalantos [► **1** arrolar] [F.: De or. onom.]

arrolável (ar.ro.*lá*.vel) ***a2g.*** Que pode ser arrolado [Pl.: *-veis.*] [F.: *arrolar*[1] + *-vel*. Hom./Par.: *arroláveis* (pl.), *arroláveis* (fl. de *arrolar*).]

arrolhado (ar.ro.*lha*.do) ***a.*** Que foi tampado com rolha (garrafão arrolhado) [F.: Part. de *arrolhar*[2].]

arrolhar[1] (ar.ro.*lhar*) ***v.*** **1** Tampar colocando rolha [***td.***: *Arrolhei a garrafa.*] **2** *Fig.* Fazer (alguém) permanecer calado (por pressão, suborno etc.) [***td.***: *O capanga tentou arrolhar a testemunha.*] **3** *Bras. S.* Emudecer ou fugir, por medo [***int.***: *Apavorados com tal perigo, todos arrolharam*: "...os bichos se arrolharam, assustados..." (João Simões Lopes Neto, *Contos gauchescos*)] **4** *Bras. S.* Vencer (o adversário) [***td.***: *Na refrega, arrolhou o inimigo.*] **5** *Bras. S.* Dobrar, arquear a corcova (o cavalo) [***int.***: *O cavalo arrolhou-se.*] [► **1** arrolhar] [F.: *ar-*[1] + *rolha* + *-ar*[2]. Cf.: *arrulhar.*]

arrolhar[2] (ar.ro.*lhar*) *RS* ***v.*** **1** Dispor (cavalos, montarias) em círculo [***td.***] **2** Desfolhar a erva-mate [***int.***] [► **1** arrolhar] [F.: Do espn. *arollar.*]

arromba (ar.*rom*.ba) ***sf.*** **1** Cantiga alegre e muito ruidosa, tocada em viola **2** Certa dança portuguesa, que se acompanha com palmas e guitarra [F.: Dev. de *arrombar.*] ■ **De ~** *Pop.* Ótimo, sensacional: *festa de arromba.*

arrombado (ar.rom.*ba*.do) ***a.*** **1** Que se arrombou (cofre arrombado; carro arrombado) **2** Cheio de rombos; ESBURACADO **3** *Pop.* Quebrado, arrebentado, escangalhado:

Esse motor está todo arrombado. **4** *RJ Pop.* Sortudo, afortunado [F.: Part. de *arrombar*.]

arrombador (ar.rom.ba.*dor*) [ô] ***a.*** **1** Que arromba ***sm.*** **2** Aquele que arromba [F.: *arrombar* + *-dor*.]

arrombamento (ar.rom.ba.*men*.to) ***sm.*** **1** Ação ou resultado de arrombar, de abrir com violência **2** *Jur.* Invasão e abertura forçada, judicialmente autorizadas, de imóveis, cofres, móveis etc., para achamento e apreensão de documentos, evidências etc. [F.: *arromba(r)* + *-mento*.]

arrombar (ar.rom.*bar*) ***v. td.*** **1** Abrir rombo em, forçando, rompendo: *arrombar um muro.* **2** Invadir (um lugar), ger. forçando a entrada: *Os assaltantes arrombaram o apartamento.* **3** Abrir ou romper usando a força: *arrombar a porta; As fortes águas arrombaram a represa.* **4** *Gír. Esp.* Alcançar vitória sobre; VENCER: *O time do colégio arrombou o adversário, ganhando a partida.* **5** Sujeitar a humilhações; MENOSPREZAR: *As crianças arrombam-no com palavras grosseiras.* **6** *Bras. Tabu.* Violentar sexualmente [► 1 arrombar] [F.: *ar-*[1] + *rombo*[1] + *-ar*[2]. Hom./Par.: *arromba* (fl.), *arromba* (sf.).]

arrostar (ar.ros.*tar*) ***v.*** Olhar de frente, sem medo (alguém ou algo que ameaça, perigo); encarar, enfrentar [***td.:*** *arrostar o adversário.*] [***tr.*** + *a, com*: *Arrostou ao adversário; Arrostou-se com muitos perigos.*] [► 1 arrostar] [F.: *a-*[2] + *rosto* + *-ar*[2].]

arrotação (ar.ro.ta.*ção*) ***sm.*** **1** Ação ou resultado de arrotar **2** *Fig.* Gabolice, jactância [Pl.: *-ções*.] [F.: *arrotar* + *-ção*.]

arrotar (ar.ro.*tar*) ***v.*** **1** Soltar (gases do estômago) pela boca, ger. com ruído característico; emitir arroto; ERUCTAR [***int.:*** *Não se deve arrotar à mesa.*] **2** *Pop.* Revelar, no comportamento, pretensão (ger. injustificada) a, vangloriar-se, jactar-se de [***td.:*** *Desfilou com o nariz empinado, arrotando elegância; Arrotava conhecimentos que nunca teve.*] [► 1 arrotar] [F.: Do lat. *ructare*, com *a* protético, por infl. de *arroto*, posv. Hom./Par.: *arroto* [ó] (fl.), *arroto* [ô] (sm.).]

arrotear (ar.ro.te.*ar*) ***v. td.*** **1** *Agr.* Desmatar, preparar (terreno) para posterior plantação **2** *Agr.* Fazer o primeiro cultivo; lavrar pela primeira vez **3** *Fig.* Ministrar ensinamentos, educação a; tornar instruído, civilizado [► 13 arrotear] [F.: *a-*[2] + *roto* + *-ear*. Hom./par.: *arroteia* (fl.), *arroteia* (sf.).]

arroto (ar.*ro*.to) [ô] ***sm.*** **1** Saída de gases estomacais pela boca, produzindo barulho e odor desagradáveis; ERUCTAÇÃO **2** *Bras.* Respiradouro de gruta ou caverna [F.: Do lat. *ructus, a, um* (part. pass. de *ructare*), com *a* protético, posv. Hom./Par.: *arroto* [ô] (sm.), *arroto* [ó] (fl. de *arrotar*).]

arroubado (ar.rou.*ba*.do) ***a.*** Em que há arroubo, arrebatamento, ou que foi tomado pelo êxtase: "Amava então estas coisas com o transporte arroubado e sereno dos tísicos." (Camilo Castelo Branco, *Amor de salvação*) [F.: Part. de *arroubar*.]

arroubamento (ar.rou.ba.*men*.to) ***sm.*** O mesmo que *arroubo* [F.: *arroubar* + *-mento*.]

arroubar (ar.rou.*bar*) *P. us.* ***v.*** Causar ou sentir arroubo, arrebatamento; ARREBATAR(-SE); ENLEVAR(-SE); EXTASIAR(-SE) [***td.:*** *A melodia arroubou os convidados.*] [***int.:*** "(...) se não se arroubava, como os exaltados otimistas, a considerar nos destinos futuros da humanidade, evitava também o estorcer-se nas garras do demônio da hipocondria (...)" (Júlio Dinis, *Uma família inglesa*)] [► 1 arroubar] [F.: De or. incerta; posv. de *ar-*[1] + *roubar*. Hom./Par.: *arroubo* (fl. de *arrobar*), *arroubo* (sm).]

arroubo (ar.*rou*.bo) ***sm.*** Manifestação ou expressão súbita e intensa êxtase, entusiasmo, enlevo etc.; ARREBATAMENTO: *Num arroubo de ternura, abraçou-a forte.* [F.: Dev. de *arroubar*.]

arroucado (ar.rou.*ca*.do) ***a.*** Um tanto rouco [F.: *ar-*[1] + *rouco* + *-ado*[1].]

arroxeado (ar.ro.xe.*a*.do) ***a.*** **1** Que tem ou adquiriu tom de roxo ou quase roxo: *De tanto cair, vive com os joelhos arroxeados.* **2** Diz-se dessa cor: *Seus lábios tinham um tom arroxeado.* ***sm.*** **3** A cor arroxeada: *Não me agrada esse arroxeado em seus lábios.* [F.: Part. de *arroxear*.]

arroxear (ar.ro.xe.*ar*) ***v.*** Tornar(-se) roxo; ARROXAR(-SE); ROXEAR(-SE) [***td.:*** *A pancada arroxeou seu olho.*] [***int.:*** *No fim da tarde o céu começou a arroxear; Sua face arroxeou-se.*] [► 13 arroxear] [F.: *a-*[2] + *roxo* + *-ear*.]

arroz (ar.*roz*) [ô] ***sm.*** **1** *Bot.* Planta da fam. das gramíneas (*Oryza sativa*), originária da Ásia, com numerosas variedades e própria de terrenos alagadiços, largamente us. na alimentação humana **2** Grão dessa planta **3** *Cul.* Qualquer prato à base de arroz **4** *Pop.* Dinheiro **5** *Gír.* Rapaz que acompanha moças (em festas) mas não namora firme qualquer uma delas [Tb. *arroz de festa*.] [F.: Do ár. *ar-ruzz*. Col.: *arrozal, arrozeira*.] ■ **~ à crioula** *Cul.* Arroz branco cozido com água e sal, sem outro tempero **~ à grega** *Cul.* Arroz cozido misturado com passas e pedacinhos de presunto, toucinho defumado, pimentão, cebola e *petit-pois* **~ de festa** *Gír.* Ver *arroz de festa*

📖 O arroz é um dos alimentos mais consumidos no mundo, e um dos mais antigos e há registro de seu uso como alimento já em c. 3000 a.C. A cultura desse cereal é feita em terras alagadas durante a maior parte do tempo de cultivo, ger. drenados algum tempo antes da colheita, para a secagem dos grãos. Dos grãos colhidos podem-se separar as cascas (arroz branco), mas cada vez mais prefere-se deixá-las (arroz integral), já que a casca contém proteína, vitamina e minerais. A Ásia é o continente que mais consome arroz, e por isso é lá que estão os países com maior produção: China, Índia (juntos, representam metade da produção mundial), Indonésia, Bangladesh, Vietnam, Tailândia, Mianmar, Japão. O Brasil é o maior produtor na América Latina, e o Rio Grande do Sul é o estado de maior produção.

arroz-agulha (ar.roz-a.*gu*.lha) ***sm.*** **1** Tipo de arroz de grãos compridos e finos **2** Esse grão [Tb. apenas *agulha*.] [Pl.: *arrozes-agulhas*.]

arrozal (ar.ro.*zal*) ***sm.*** **1** Concentração de pés de arroz numa certa área **2** Plantação de pés de arroz [Pl.: *-zais*.] [F.: *arroz* + *-al*.]

arroz com feijão (ar.roz com fei.*jão*) ***sm2n.*** **1** *Pop.* Coisa fácil de fazer ou resolver: *Isso aí para mim é um arroz com feijão.* **2** Algo comum, banal, sem brilho: *Esse time só joga o arroz com feijão.* [Tb. se diz *feijão com arroz*.]

arroz de cuxá (ar.roz de cu.*xá*) ***sm.*** *Bras. Cul.* Arroz cozido que se mistura ao cuxá [Pl.: *arrozes de cuxá*.]

arroz de festa (ar.roz de *fes*.ta) ***sm.*** **1** *Bras. RJ SP Pop.* Indivíduo aficionado por festas, que não perde uma festa; ARROZ DOCE DE PAGODE; PERU DE FESTA **2** Indivíduo que acompanha mulheres em festas, sem se relacionar com nenhuma delas [Pl.: *arrozes de festa*.]

arroz-doce (ar.roz-*do*.ce) ***sm.*** **1** *Cul.* Doce de arroz previamente cozido, recozido com leite e adoçado, que se serve polvilhado com canela **2** *N. N. E.* Arroz-doce (1) feito com leite ao qual se adiciona leite de coco [Pl.: *arrozes-doces*.]

arrozeiro (ar.ro.*zei*.ro) ***a.*** **1** Referente a lavoura de arroz **2** Que gosta muito de arroz ***sm.*** **3** Cultivador ou negociante de arroz; RIZICULTOR [F.: *arroz* + *-eiro*.]

arruaça (ar.ru:*a*.ça) ***sf.*** **1** Tumulto, agitação, confusão de rua **2** *P. ext.* Briga que envolve várias pessoas, desordem, tumulto ruidoso **3** *P. ext.* Confusão, bagunça, barulheira [F.: *ar-*[1] + *rua* + *-aça*. Hom./Par.: *arruaça(s)* (sf.), *arruaça(s)* (fl. de *arruaçar*).]

arruaçar (ar.ru.a.*çar*) ***v. int.*** **1** Fazer arruaça; promover desordem: *grupos revoltosos arruaçavam próximo ao cais do porto.* **2** *Fig.* Fazer muita algazarra, muito barulho: *A turma do pagode arruaçou a noite toda.* [► 12 arruaçar] [F.: *arruaça* + *-ar*[2].]

arruaceiro (ar.ru:a.*cei*.ro) ***a.*** **1** Que faz ou costuma fazer arruaça: *O diretor suspendeu os alunos arruaceiros.* ***sm.*** **2** Indivíduo arruaceiro (1): *Os arruaceiros vão se dar mal.* [F.: *arruaç(a)* + *-eiro*.]

arruado (ar.ru.*a*.do) ***a.*** **1** Disposto em ruas ***sm.*** **2** Arruamento **3** *Bras. N. E.* Pequeno povoado à margem da estrada [F.: Part. de *arruar*.]

arruamento (ar.ru:a.*men*.to) ***sm.*** **1** Ação ou resultado de arruar, de demarcar ou abrir ruas **2** Traçado e disposição das ruas em determinada área, em loteamento etc. **3** Presença ou instalação em rua ou em certo conjunto de ruas, de lojas, estabelecimentos etc. do mesmo ramo de atividade [F.: *arrua(r)*+ *-mento*.]

arruar (ar.ru.*ar*) ***v.*** **1** Abrir ruas, caminhos em (loteamentos, cidades, bairros etc.) [***td.:*** *O prefeito mandou arruar a orla da lagoa.*] **2** Andar, vagar pelas ruas [***int.:*** *No feriado, arruou a tarde inteira.*] **3** Vagar pelas ruas como um desocupado, um vagabundo [***int.:*** *Arruava pelas madrugadas, bebendo de bar em bar.*] **4** *Ant.* Andar pelas ruas de maneira pomposa, exibindo altivez [***int.***] **5** Formar-se, estabelecer-se em uma rua (grupo de profissionais que têm a mesma atividade) [***td.:*** *Muitos dentistas arruaram-se nessa ruela sem saída.*] [► 1 arruar] [F.: *ar-*[1] + *rua* + *-ar*[2].]

arruda (ar.*ru*.da) ***sf.*** *Bot.* Nome comum a várias plantas de famílias diversas, esp. das rutáceas (gên. *Ruta*, entre outros), como o subarbusto *Ruta graveolens*, de odor intenso, flores amarelas e frutos secos, de cujas folhas se extrai um óleo de propriedades medicinais e us. popularmente contra o mau-olhado [F.: Do lat. *ruta, ae*, com provável aglut. do art.]

arruela (ar.ru:*e*.la) [é] ***sf.*** **1** Chapa metálica ger. circular com um furo no centro, que serve de base à porca para distribuir a pressão desta e evitar que desgaste a peça que está sendo aparafusada **2** *Her.* Círculo em forma de moeda nas armas ou brasões **3** *Our.* Pedaço de prata arredondado que se obtém vazando a prata fundida em tijolo [F.: Do lat. *rotella*, dim. de *rota* 'roda', pelo fr. ant. *roelle* (atual *rouelle*).]

arrufado (ar.ru.*fa*.do) ***a.*** **1** Que revela aborrecimento ou irritação: "Luís Bastinhos foi; estava porém arrufado com a moça: deixou-se ficar a um canto..." (Machado de Assis, *A chave*) **2** Diz-se de pena ou pelo arrepiado ***sm.*** **3** Barco com proa bem elevada [F.: Part. de *arrufar*.]

arrufar (ar.ru.*far*) ***v.*** **1** Fazer ficar ou ficar (pena, pelo, pluma, cabelo) arrepiado, encrespado [***int.:*** *Os cabelos da atriz arrufavam com o vento.*] [***td.:*** *Os pássaros arrufavam suas plumas.*] **2** *Fig.* Fazer ficar ou ficar irritado, aborrecido, zangado [***td.:*** *Ele me arrufa com as suas manias.*] [***int.:*** *Não (se) arrufe por tão pouco.*] [► 1 arrufar] [F.: Posv. *a-*[2] + *rufo* + *-ar*[2]. Hom./Par.: *arrufo* (fl.); *arrufo* (sm.).]

arrufo (ar.*ru*.fo) ***sm.*** **1** Ação ou resultado de arrufar(-se) **2** Zanga passageira entre namorados ou entre pessoas que se gostam **3** Aborrecimento, mau humor [F.: Dev. de *arrufar*.]

arruinado (ar.ru:i.*na*.do) ***a.*** **1** Que se arruinou **2** Em ruínas, posto abaixo, destruído **3** Que perdeu todos os bens que possuía; FALIDO **4** *Fig.* Que teve grande perda ou prejuízo, que se estragou, danificou, avariou, inviabilizou: *Projetos arruinados e futuro incerto, eram agora sua realidade.* **5** Diz de saúde, ou de quem tem a saúde combalida, abalada: *O vício rendeu-lhe uma saúde arruinada; Com esse vício, era um homem física e psicologicamente arruinado.* **6** *Fig. Pop.* Que se infeccionou, inflamou: *ferimento arruinado.* [F.: Part. de *arruinar*.]

arruinamento (ar.ru:i.na.*men*.to) ***sm.*** Ação ou resultado de arruinar(-se); RUÍNA [F.: *arruina(r)* + *-mento*.]

arruinar (ar.ru:i.*nar*) ***v.*** **1** Causar destruição ou devastação a; ARRASAR [***td.:*** *O granizo arruinou a plantação.*] **2** Reduzir a ruínas [***td.:*** *O terremoto arruinou um bairro inteiro.*] **3** Prejudicar fortemente; ABALAR [***td.:*** *O fumo arruinou sua saúde;* "...a escravidão arruinou uma geração de agricultores." (Joaquim Nabuco, *O abolicionismo*)] **4** Fazer cair ou cair em desgraça moral, física ou financeira [***td.:*** *Os maus negócios arruinaram a firma.*] [***int.:*** *Tornou-se um viciado e arruinou-se em pouco tempo.*] **5** Estragar(-se), deteriorar-se [***int.:*** *Os cereais arruinaram(-se) no depósito.*] **6** *Bras.* Infeccionar [***int.:*** *A ferida ficou exposta e arruinou.*] [► 18 arruinar Quanto à acentuação do *i*, substituir o *u* do paradigma pelo *i* do radical.] [F.: *ar-*[1] + *ruína* + *-ar*[2].]

arruivado (ar.rui.*va*.do) ***a.*** O mesmo que *arruivascado* [F.: *a*[1] + *ruivo* + *-ado*[1].]

arruivar (ar.rui.*var*) ***v.*** Tornar ruivo ou arruivado [***td.:*** *Resolveu arruivar os cabelos.*] [***int.:*** *Seu cabelo arruivou.*] [► 1 arruivar] [F.: *ar-*[1] + *ruivo* + *-ar*[2].]

arrulhante (ar.ru.*lhan*.te) ***a2g.*** Que arrulha (pombas arrulhantes) [F.: *arrulhar* + *-nte*.]

arrulhar (ar.ru.*lhar*) ***v.*** **1** Produzir sons típicos (pombos e rolas) [***int.:*** *Duas pombas arrulhavam perto da janela:* "A juriti arrulhou docemente na mata..." (José de Alencar, *Ubirajara*)] **2** *Fig.* Dizer em tom baixo e doce [***td.:*** *Pedro arrulhava segredinhos no ouvido da namorada.*] [***int.:*** *O pai era tranquilo, mas não costumava arrulhar nos momentos críticos.*] [► 1 arrulhar Na 1ª acepç. é unipessoal] [F.: Do espn. *arrullar*, de or. onom. Hom./Par.: *arrulho* (fl.), *arrulho* (sm.).]

arrulho (ar.*ru*.lho) ***sm.*** **1** Som emitido pelos pombos, rolas etc. **2** *Fig.* Conversa terna ou amorosa **3** *Fig.* Canto para adormecer crianças [F.: Dev. de *arrulhar*. Hom./Par.: *arrulho* (sm.), *arrulho* (fl. de *arrulhar*).]

arrumação (ar.ru.ma.*ção*) ***sf.*** **1** Ação ou resultado de arrumar(-se) **2** Arranjo, boa disposição de um ambiente ou de um conjunto de objetos; o processo de pô-los em ordem (arrumação da casa) **3** *Pop.* Negócio ou negociação fraudulentos; ARRANJO (4) **4** *Com.* Exatidão, regularidade com que se escrituram os livros [Pl.: *-ções*.] [F.: *arrumar* + *-ção*.]

arrumada (ar.ru.*ma*.da) ***sf.*** Arrumação ligeira; ARRUMADELA: *Deu uma arrumada no quarto e saiu correndo.* [F.: *arrumar* + *-ada*[1].]

arrumadeira (ar.ru.ma.*dei*.ra) ***sf.*** *Bras.* Empregada que se encarrega da arrumação de casa, consultórios, escritórios etc. [F.: *arrumar* + *-deira*.]

arrumado (ar.ru.*ma*.do) ***a.*** **1** Que se arrumou **2** Que está em ordem (casa arrumada) **3** Vestido e com todos os implementos para se apresentar adequadamente (moça arrumada) [F.: Part. de *arrumar*.]

arrumar (ar.ru.*mar*) ***v.*** **1** Colocar ou pôr em ordem; organizar ou dispor ([os elementos de] algo) de modo conveniente ou no lugar apropriado [***td.:*** *arrumar o quarto.*] [***tda.:*** *Arrumou parte da louça no armário da sala.*] **2** Aprontar, preparar [***td.:*** *Vou arrumar a mesa para o jantar.*] **3** Obter, conquistar [***td.:*** *Preciso arrumar um apartamento para alugar.*] [***tdi.*** + *a, para*: *José está desempregado, mas João vai arrumar-lhe um trabalho.*] **4** *Fig.* Inventar, imaginar, criar [***td.:*** *Jorge é mestre em arrumar apelidos.*] **5** *Fam.* Consertar [***td.:*** *Você pode arrumar minha TV velha?*] **6** Vestir(-se) [***td.:*** *Vou arrumar minha afilhada para a festa; Vou me arrumar para sair.*] **7** *Pop.* Causar, provocar [***td.:*** *Os baderneiros arrumaram uma briga na saída da boate.*] **8** Conseguir uma boa posição; dar-se bem [***int.:*** "...precisava se arrumar na vida..." (Marques Rebelo, *Marafa*)] **9** Dar rumo ou direção a (embarcação) [***td.***] [► 1 arrumar] [F.: De or. contrv; posv. do fr. *arrumer* ou de *ar-*[1] + *rumo* + *-ar*[2].]

arsenal (ar.se.*nal*) ***sm.*** **1** Depósito ou fábrica de material bélico **2** *Fig.* Grande acervo de elementos apropriados para algo (ação, reação, formulação de ideias etc.): *Para aquela pergunta ele tinha um arsenal de respostas.* [Pl.: *-nais*.] [F.: Do it. *arsenale*, do ár. *dar-sina'a*.] ■ **~ de marinha** *Mar.* Centro de construção e manutenção de navios

arseniato (ar.se.ni:*a*.to) ***sm.*** *Quím.* Sal do ácido arsênico [F.: *arsênio* + *-ato*[2].]

arsenical (ar.se.ni.*cal*) ***a2g.*** Que contém arsênio ou arsênico [Pl.: *-cais*.] [F.: *arsênico* + *-al*[1].]

arsênico (ar.*sê*.ni.co) *Quím.* ***sm.*** **1** Cada uma de várias substâncias altamente tóxicas em cuja composição entra o arsênio, como, p. ex., o trióxido de arsênio (As_2O_3), us. em inseticidas e herbicidas ***a.*** **2** Diz-se de composto em cuja composição entra o arsênio [F.: Do lat. *arsenicum*, do gr. *arsenikós*.]

arsenífero (ar.se.*ní*.fe.ro) ***a.*** *Quím.* Que contém arsênio [F.: *arsênio* + *-fero*.]

arsênio (ar.*sê*.ni:o) ***sm.*** *Quím.* Elemento químico, sólido, de número atômico 33 [Símb.: *As*] [F.: Adaptç. do lat. cient. *arsenium*.]

arsenioso (ar.se.ni:*o*.so) [ô] ***a.*** Diz-se do ácido que contém arsênio trivalente [Pl.: [ó.] fem. [ó.] [F.: *arsênio* + *-oso*.]

arsenopirita (ar.se.no.pi.*ri*.ta) ***sf.*** *Min.* Sulfoarsenieto de ferro, o principal minério de arsênio; MISPÍQUEL [F.: *arsên(io)* + *-o-* + *pirita*.]

arsina (ar.*si*.na) ***sf.*** *Quím.* Gás venenoso (AsH_3), incolor, com cheiro de alho [F.: Do ing. *arsine*.]

🌐 **art déco** (*Fr.* /ardecô/) *Art. Pl.* ***loc. subst.*** **1** Estilo decorativo que teve seu apogeu na década de 1930, caracterizado por formas geométricas e pelo uso não só de materiais nobres como de materiais simples (plástico, concreto armado etc.) *loc. a.* **2** Ref. a ou próprio de *art déco* (móveis *art déco*) [Tb. só *déco.*]

arte (*ar*.te) *sf.* **1** Capacidade e aptidão do ser humano de aplicar conhecimentos e habilidades na execução de uma ideia, de um pensamento; essa aplicação e essa execução: *Esse quadro revela toda a arte de da Vinci.* [Cf. *teoria, ciência.*] **2** Atividade criadora do espírito humano, sem objetivo prático, que busca representar as experiências coletivas ou individuais através de uma impressão estética, sensorial, emocional, como tal apreendida por seu apreciador [Designa esp. as belas-artes, contrapondo-se à ciência e à tecnologia. Cf. *estética.*] **3** Produto dessa atividade: *obras de arte.* **4** Conjunto de preceitos, regras, técnicas etc. indispensáveis à realização de qualquer atividade criadora, ofício etc.; esses preceitos etc. aplicados a alguma atividade, algum ofício etc.: *arte de pintar; arte da ourivesaria.* **5** Cada campo específico dessa atividade e de seu produto, de acordo com o tipo de expressão estética e sensorial, os meios de realizá-la etc.: *a arte da música, da poesia, da escultura etc.* **6** Conjunto das obras de arte de um povo, país, época, artista etc. (arte brasileira; arte clássica): *exposição da arte de Rodin.* **7** Obra, tratado que contém os preceitos e as regras de alguma arte (5): *Arte poética, de Aristóteles.* **8** Artifício, engenho, esmero na criação de algo, p. op. à naturalidade: *Este prato foi preparado com muita arte.* **9** Modo jeitoso de fazer algo, aptidão; JEITO: *Tinha uma arte toda sua para convencer.* **10** Habilidade, perícia na concepção ou realização de algo: *Com que arte ela executou os movimentos na barra assimétrica!* **11** *Bras.* Travessura, traquinice: *As crianças andaram fazendo arte.* **12** Capacidade, jeito, habilidade para enganar, seduzir; ARTIMANHA; ASTÚCIA: *Com muita manha e muita arte conseguiu engabelar o público.* **13** *Art. gr.* Original (ilustração e texto) em fase de leiaute ou de arte-final **14** *Edit. Jorn. Publ.* Editoria ou setor responsável pela preparação de ilustrações, gráficos, diagramas de página, anúncios, cartazes, folhetos, letreiros etc. [Tb. *editoria de arte* (*Jorn.*).] **15** *Publ.* Conjunto das atividades que visam a apresentação visual de peças publicitárias **16** Cada um dos aparelhos de pesca em que se empregam redes: *arte de arrasto; de xávega.* [Nesta acp., tb. us. no pl.] [F.: Do lat. *ars, artis.* Ideia de 'arte': *-aria* (*carpintaria*).] ■ **~ abstrata** A que se expressa em formas puramente estéticas, sem pretender a representação física de pessoas, objetos, paisagens etc., portanto não figurativa; abstracionismo **~ cibernética** *Art. pl.* Expressão artística do séc. XX, por meio de tecnologias tais como as da informática, da reprografia, da holografia etc. **~ cinética** *Art. pl.* Expressão artística por meio de elementos móveis, acionados por motor ou manualmente **~ conceitual** *Art. pl.* Corrente artística (a partir da década de 1960) ancorada mais em conceitos, como propostas artísticas, do que em cada obra em si mesma **~ concreta 1** Ver *Arte abstrata* **2** Expressão artística surgida na Europa na década de 1930 e baseada na 'concretização' visual de seus conceitos estéticos e intelectuais **~ de vanguarda** Forma de arte que privilegia a inovação, ou seja, o rompimento com padrões anteriores, seja na forma, seja no conteúdo da obra de arte **~ dramática** O teatro, desde a dramaturgia até a arte do espetáculo teatral **~ figurativa** *Art. pl.* A que, ao contrário da arte abstrata, visa a representação de seus temas em formas reconhecíveis visualmente **~ marcial** O conjunto de técnicas, movimentos e gestos de defesa e ataque individual, com ou sem o uso de armas ou outros implementos **~ moderna 1** O conjunto e os conceitos das expressões artísticas a partir do Renascimento (séc. XV) **2** Termo genérico que designa as escolas e obras de arte do fim do séc. XIX até a década de 1940 **~ naval** *Mar.* Estudo das partes e componentes do navio, das técnicas de seu funcionamento e conservação, e das manobras nele e com ele realizadas [Cf.: *marinharia.*] **~ performática** *Art. pl.* Forma de expressão artística em que a produção artística é feita, pelo artista, como um espetáculo para o público **~ plumária** Em sociedades indígenas, a que se faz pela combinação de plumas coloridas **~s aplicadas** As que se expressam na produção ou combinação de objetos artesanais ou industriais **~s decorativas** As que se ocupam da decoração de interiores, usando mobiliário, tapeçarias, objetos etc. **~s de reprodução** *Art. gr.* As que se baseiam na reprodução de um original pela impressão a partir de chapa, ou matriz [Nelas se incluem a gravura, a tipografia etc.] **~s do espetáculo** As que se expressam na exibição e talentos e desempenhos diretos do artista, como o teatro, o cinema, o circo etc. **~s gráficas** *Art. gr.* O conjunto de técnicas e meios empregados na impressão de livros, revistas, cartazes etc. **~s liberais 1** Termo que designa, a partir do séc. I, os campos de saber então considerados merecedores da atenção do homem: aritmética, arquitetura, astronomia, geometria, gramática, lógica, medicina, música e retórica **2** *P. ext.* Na Idade Média, conjunto das matérias ensinadas nas escolas **3** *P. ext.* Atividades cujo exercício se baseia no conhecimento sistemático de técnicas próprias, e na inteligência e discernimento de quem as exerce (medicina, advocacia etc.) **~ plásticas** As que empregam elementos visuais como expressão: o desenho, a pintura, a gravura, a escultura, etc. **Fazer ~** Fazer traquinagem, travessura **Por ~s de berliques e berloques** Miraculosamente, de maneira inexplicável, por mágica ou como que por mágica **Por ~s do diabo** Por desgraça **Sétima ~** O cinema

artefato (ar.te.*fa*.to) *sm.* Qualquer objeto feito à mão ou industrialmente [F.: Do lat. *arte factus*, 'feito com arte'.]

artefatual (ar.te.fa.*tu*:al) *a2g.* Ref. a artefato [F.: *artefato* + *-ual.*]

arte-final (ar.te-fi.*nal*) *Art. gr. sf.* **1** Detalhamento final de um trabalho artístico a ser produzido graficamente **2** Trabalho gráfico pronto para ser reproduzido [Pl.: *artes-finais.*]

arte-finalista (ar.te-fi.na.*lis*.ta) *a2g.* **1** *Art. gr.* Diz-se de quem (ger. como desenhista ou artista gráfico profissional) realiza arte-final [Pl.: *arte-finalistas.*] *s2g.* **2** Esse profissional [Pl.: *arte-finalistas.*]

arteiro (ar.*tei*.ro) *a.* **1** *Bras.* Que faz travessuras (menino arteiro); TRAQUINAS **2** Astuto, manhoso, ardiloso [F.: *arte* + *-eiro.*]

artelho (ar.*te*.lho) [ê] *sm. Anat.* Cada dedo do pé; PODODÁCTILO [F.: Do lat. *articulus, i.*]

artemísia (ar.te.*mí*.si:a) *sf. Bot.* Gênero de plantas da fam. das compostas, a que pertencem, p. ex., o absinto e o estragão [F.: Do gr. *artemisía, as, pelo lat. artemisia, ae,* fonte do lat. cient. *Artemisia.*]

◎ **arter(i)-** *el. comp.* Ver *arterio-*

artéria (ar.*té*.ri:a) *sf.* **1** *Anat.* Cada um dos vasos que levam o sangue do coração para o resto do corpo **2** Via de comunicação de grande importância para o tráfego urbano [Dim.: *arteríola.*] [F.: Do lat. *arteria, ae,* do gr. *artería, as.* Ideia de 'artéria': *arterio-* (*arteriosclerose*).] ■ **~ aorta** *Anat.* Principal artéria do corpo, sai do ventrículo esquerdo do coração e se ramifica em sub-ramos (abdominal, ascendente, descendente, torácica), estes em outras artérias e estas em vasos sanguíneos, para levar o sangue oxigenado a todo o organismo [Tb. apenas *aorta.*] **~ basilar** *Anat.* Artéria formada pela união de duas artérias vertebrais, e que irriga o cérebro **~ carótida** *Anat.* Cada uma de duas artérias (direita e esquerda) que irrigam o pescoço e a cabeça, e se ramificam (em duas carótidas externas e duas internas) para irrigar o pescoço e a cabeça [Tb. apenas *carótida.*] **~ coronária** *Anat.* Cada uma das duas artérias (direita e esquerda) que irrigam o coração, oxigenando-o [T. apenas *coronária.*] **~ femoral** *Anat.* Artéria que irriga a coxa, dividindo-se em externa e interna **~ pulmonar** *Anat.* Artéria que sai do ventrículo direito do coração para levar sangue venoso aos pulmões [É a única artéria que conduz sangue venoso.] **~ terminal** *Anat.* Artéria que se subdivide diretamente em vasos capilares

> 📖 As artérias são os vasos sanguíneos que levam o sangue do coração à rede de vasos que o levará a todos os tecidos do corpo. Todas as artérias, com uma exceção, conduzem, portanto, sangue rico em oxigênio. A exceção é a artéria pulmonar, que leva sangue rico em CO_2 (dióxido de carbono) do coração aos pulmões, onde o CO_2 será liberado para ser expirado, e onde o sangue receberá o oxigênio inspirado, para ser levado ao coração pela veia pulmonar. O sangue oxigenado sai do coração pela maior artéria do corpo, a aorta, para ir alimentar as artérias e os capilares que o levarão aos órgãos e tecidos.

arterial (ar.te.ri:*al*) *a2g. Med.* Das ou ref. às artérias (sangue arterial, pressão arterial) [Pl.: *-ais.*] [F.: *artéria* + *-al*[1].]

arteriectasia (ar.te.ri.ec.ta.*si*.a) *sf. Med.* Dilatação de artéria, em virtude de doença circulatória [F.: *arter(i)-* + *-ectasia.*]

arteriectomia (ar.te.ri.ec.to.*mi*.a) *sf. Med.* Excisão de parte de uma artéria [F.: *arter(i)-* + *-ectomia.*]

◎ **arterio-** *el. comp.* = 'artéria': *arteriografia, arteriograma, arteriorragia, arteriosclerose; arteriectasia, arteriectomia* [F.: Do gr. *artería, as.*]

arteriografia (ar.te.ri:o.gra.*fi*.a) *sf. Rlog.* Exame radiológico das artérias [F.: *arterio-* + *-grafia.*]

arteriograma (ar.te.ri.o.*gra*.ma) *sm. Rlog.* Radiografia das artérias obtida após injeção de contraste [F.: *arterio-* + *-grama.*]

arteríola (ar.te.*rí*:o.la) *sf. Anat.* Pequena artéria [F.: Do fr. *artériole.*]

arteriolar (ar.te.ri:o.*lar*) *a2g.* Ref. a arteríola [F.: *arteríola* + *-ar*[1].]

arteriopatia (ar.te.ri.o.pa.*ti*.a) *sf. Med.* Qualquer doença das artérias [F.: *arterio-* + *-patia.*]

arteriosclerose (ar.te.ri:os.cle.*ro*.se) *sf.* **1** *Med.* Doença que leva ao endurecimento das artérias, ger. causada por hipertensão arterial ou pelo avanço da idade **2** *Fig. Pop.* Condição de quem está caduco ou perdeu parcialmente o juízo [F.: Do fr. *artériosclérose*; ver *arterio-, escler(o)-* e *-ose*[1]. Cf.: *aterosclerose.*]

arterioscleroso (ar.te.ri:os.cle.*ro*.so) [ô] *a.* **1** Ref. a arteriosclerose; ARTERIOSCLERÓTICO **2** Diz-se de indivíduo que sofre dessa doença [Pl.: *ó.* Fem.: *ó*] [F.: *arterioscler(ose)* + *-oso.*]

arteriosclerótico (ar.te.ri:os.cle.*ró*.ti.co) *a.* Referente a arteriosclerose; ARTERIOSCLEROSO [F.: *arterioscler(ose)* + *-ótico*, seg. o mod. gr.]

arteriovenoso (ar.te.ri:o.ve.*no*.so) [ô] *a. Med.* Ref. ao mesmo tempo às artérias e às veias [Pl.: *ó.* Fem.: *ó.*] [F.: *arterio-* + *venoso.*]

arterite (ar.te.*ri*.te) *sf. Med.* Inflamação das artérias [F.: *arter(i)-* + *-ite*[1].]

artesã (ar.te.*sã*) *sf.* Fem. de *artesão.*

artesanal (ar.te.sa.*nal*) *a2g.* **1** Ref. a artesão ou artesanato, ou deles próprio **2** Feito por artesão (produto artesanal) [Pl.: *-nais.*] [F.: *artesão* (sob a f. *artesan-*) + *-al*[1].]

artesanato (ar.te.sa.*na*.to) *sm.* **1** Arte ou técnica do trabalho feito por artesão: *obras de artesanato.* **2** Obra ou conjunto de obras feitas por artesanato (1): *artesanato nordestino.* **3** O conjunto dos artesãos **4** Local onde se faz ou ensina o artesanato (1) [F.: Do fr. *artisanat*; ver *artesão* + *-ato*[1].]

artesão (ar.te.*são*) *sm.* **1** Pessoa que trabalha em ofício produtivo manual **2** Pessoa que exerce esse ofício em estabelecimento próprio [Pl.: *-sãos.* Fem.: *-sã.*] [F.: Do it. *artigiano.*]

artesiano (ar.te.si:*a*.no) *a.* **1** Diz-se do lençol de água subterrâneo escoado em jorro por um poço **2** Diz-se desse poço **3** De Artésia (Artois, França); típico dessa província ou de seu povo *sm.* **4** Indivíduo nascido ou que vive em Artésia [F.: Do fr. *artésien.*]

arteterapia (ar.te.te.ra.*pi*.a) *sf. Psi.* Psicoterapia que utiliza a expressão artística como tratamento [F.: *arte* + *-terapia.*]

ártico (*ár*.ti.co) *a.* Situado no extremo norte da Terra, nas proximidades do polo Norte [F.: Do lat. *arcticus,* do gr. *arktikós.* Cf.: *antártico.*]

articulação (ar.ti.cu.la.*ção*) *sf.* **1** Ação ou resultado de articular(-se) **2** *Anat.* Ponto e dispositivo anatômico de junção (móvel ou não) de ossos ou de partes ósseas: *articulação do joelho.* **3** Ponto de junção (fixa ou móvel) de duas partes de objeto, máquina etc., podendo servir de eixo ou apoio para a movimentação de uma parte em relação à outra **4** *Fon.* Movimento dos órgãos fonadores na emissão dos sons de determinada língua **5** *Bot.* Junção em que dois órgãos ou duas partes contíguas de um órgão se separam sem que haja ruptura **6** *Jur.* Exposição, em artigos ou parágrafos, dos fatos e razões em que a parte fundamenta o seu pedido, acusação ou defesa; ARTICULADO **7** *Bras. N. E. Lus.* Discussão, altercação [Pl.: *-ções.*] [F.: Do lat. *articulatio, onis.*] ■ **~ primária** *Fon.* A articulação mais marcada entre as que atuam na produção de uma consoante **~ secundária** *Fon.* A articulação menos marcada entre as que atuam na produção de uma consoante **~ sinovial** *Anat.* Articulação entre ossos (ger. de membros do corpo) que permitem movimento articulado entre eles **~ sistente** *Fon.* Nas fases de articulação de um fonema, aquela em que os músculos da face sustentam a emissão do fonema, antes de relaxar **Primeira ~** *Ling.* A morfologia e a sintaxe como um conjunto **Segunda ~** *Ling.* A fonologia

articulado[1] (ar.ti.cu.*la*.do) *a.* **1** Que apresenta articulação ou articulações (boneco articulado) **2** Ligado de forma lógica, coerente: *Suas ideias são articuladas.* **3** Pronunciado de forma clara e distinta **4** Que se expressa com clareza (orador articulado) **5** *Ling.* Que se baseia na combinação e recombinação de unidades elementares (diz-se de linguagem) *sm.* **6** *Jur.* Articulação (6) [F.: Do lat. *articulatus, a, um.*]

articulado[2] (ar.ti.cu.*la*.do) *Zool. sm.* **1** Espécime dos articulados, classe de braquiópodes com valvas providas de articulação e ger. denteadas *a.* **2** Ref. aos articulados [F.: Adaptç. do lat. cient. *Articulata.*]

articulador (ar.ti.cu.*la*.dor) [ô] *sm.* **1** Aquele que articula **2** *Fon.* Cada um dos órgãos fonadores que participam da articulação dos sons *a.* **3** Que articula [F.: Do lat. *articulator, oris.*] ■ **~ ativo** *Fon.* Toda parte do aparelho fonador que se move (aproximando-se, afastando-se, abrindo ou fechando caminho ao ar) para a articulação de um som: a faringe, o palato mole, a língua, os lábios, a mandíbula **~ passivo** *Fon.* Toda parte do aparelho fonador que não se move para a articulação de um som: dentes incisivos superiores, alvéolos, palato duro e, às vezes, palato mole

articular[1] (ar.ti.cu.*lar*) *v.* **1** Unir(-se) por pontos de junção, de articulação, de modo que cada parte possa mover-se independentemente [*td.*: *Articulou as duas pernas da tesoura.*] [*int.*: *A coxa e a perna se articulam no joelho.*] **2** Estabelecer relações entre (partes), unindo [*td.*: *Aquele político sabe articular as ideias.*] [*int.*: *Aos poucos seus argumentos se articulavam, e formavam uma proposta.*] **3** Fazer planos, criar estratégias para; TRAMAR [*td.*: *O prefeito está articulando uma nova aliança.*] **4** Combinar, coordenar medidas (com algo ou alguém) para (determinado fim) [*tdr.* + *com*: *Articulou com os colegas uma tática para aprovar o projeto; Articulou-se com os colegas para aprovar a proposta.* Note-se que no primeiro exemplo o complemento direto é a tática; no segundo, é o próprio agente.] **5** Pronunciar correta ou claramente [*td.*: *Em seu discurso, o orador articulava cada palavra.*] **6** Falar, pronunciar [*td.*: "A moça sofreu consigo; não articulou uma palavra." (Machado de Assis, *Luís Soares*)] **7** Combinar, promover [*td.*: *Articulou um encontro com os investidores.*] **8** *Bras. N. E.* Entrar em discussão; provocar polêmica; ALTERCAR; DISCUTIR [*tr.* + *com*: *Vive articulando com o marido.*] [*int.*: *Eles não se entendem, articulam-se diariamente.*] **9** *Fon.* Realizar os movimentos (dos articuladores) necessários à emissão dos sons da fala [*td.*: *articular os lábios.*] [▶ 1 articular] [F.: Do lat. *articulare.* Hom./Par.: *articulo* (fl.), *artículo* (dim. de *artigo*).]

articular[2] (ar.ti.cu.*lar*) *a2g.* **1** Que pertence ou diz respeito às articulações **2** *Gram.* Que é da natureza do artigo ou a ele se refere [F.: Do lat. *articularis, e.*]

articulatório (ar.ti.cu.la.*tó*.ri.o) *a.* Que diz respeito a, ou é próprio de articulação [F.: *articular*[2] + *-tório.*]

articulável (ar.ti.cu.*lá*.vel) *a2g.* Que pode ser articulado [Pl.: *-veis.*] [F.: *articular*[2] + *-vel.* Hom./Par.: *articuláveis* (pl.), *articuláveis* (fl. de *articular* [v.]).]

articulista (ar.ti.cu.*lis*.ta) *s2g.* Aquele que escreve artigos para jornais, revistas etc. [F.: *artículo* + *-ista*.]

artífice (ar.*ti*.fi.ce) *s2g.* **1** Artesão ou operário especializado em determinado tipo de trabalho **2** *Fig.* Pessoa que inventa, cria ou realiza alguma coisa: *Ele foi o artífice do plano* [F.: Do lat. *artifex, icis*.]

artificial (ar.ti.fi.ci:*al*) *a2g.* **1** Produzido por arte e indústria e não pela natureza (flores/seios artificiais); POSTIÇO [Ant.: *natural*.] **2** Que revela fingimento, que não é espontâneo ou sincero (sorriso artificial) [Pl.: *-ais*.] [F.: Do lat. *artificialis, e*.]

artificialidade (ar.ti.fi.ci:a.li.*da*.de) *sf.* **1** Qualidade do que é artificial; ARTIFICIALISMO [Ant.: *naturalidade*] **2** *Fig.* Falta de naturalidade, de espontaneidade ao falar, agir, proceder **3** *Fig.* Característica daquilo ou daquele que é superficial [F.: *artificial* + *-(i)dade*.]

artificialismo (ar.ti.fi.ci:a.*lis*.mo) *sm.* **1** O mesmo que *artificialidade* (1) **2** *Psi.* Para Piaget, tendência infantil em crer que as coisas naturais são obra do homem [F.: *artificial* + *-ismo*.]

artifício (ar.ti.*fí*.ci:o) *sm.* **1** Recurso inteligente: *Sem material, usou de um artifício para fazer o trabalho.* **2** Recurso astucioso; ARTIMANHA: *Usou de artifícios para conseguir o emprego.* **3** Método ou processo us. na fabricação de artefato **4** *BA GO RN Pop.* Isqueiro [F.: Do lat. *artificium, ii*.] ■ **~ de cálculo** *Mat.* Recurso us. para simplificar a demonstração de um teorema ou a solução de um problema **~ de fogo** *Expl.* Dispositivo us. para deflagrar a explosão de uma carga; artefato pirotécnico

artificioso (ar.ti.fi.ci:*o*.so) [ô] *a.* **1** Em que há artifício; ENGENHOSO **2** Astucioso, enganador (argumentos artificiosos) [Pl.: *ó*. Fem.: *ó*.] [F.: Do lat. *artificiosus, a, um*.]

artigo (ar.*ti*.go) *sm.* **1** Produto, mercadoria: *loja de artigos de beleza.* **2** *Jorn.* Matéria sobre certo assunto, publicada em jornal, revista etc. **3** Cada uma das partes numeradas de uma lei, estatuto, relatório etc.: *A Constituição do Brasil tem 245 artigos.* **4** *Gram.* Palavra que antecede o substantivo (ou palavra substantivada), com o qual concorda em gênero e número [Cf.: *artigo definido* e *artigo indefinido*.] [F.: Do lat. *articulus, i*.] ■ **~ de fé** *Teol.* Ponto de doutrina religiosa que envolve revelação **~ definido** *Gram. Ling.* O que identifica o substantivo como algo preciso **~ de fundo** *Jorn.* Aquele que exprime a opinião do próprio jornal ou revista; editorial **~ indefinido** *Gram. Ling.* O que identifica o substantivo como algo impreciso **Em ~ de morte** Prestes a morrer

artiguete (ar.ti.*gue*.te) [ê] *sm.* **1** *Pej. Jorn.* Artigo (2) pequeno e sem importância; escrito insignificante; ARTIGUELHO **2** Pequeno artigo [F.: *artigo* + *-ete* (ê).]

artilharia (ar.ti.lha.*ri*.a) *sf.* **1** *Mil.* Material bélico composto de canhões, morteiros e outros lançadores de projéteis **2** *Mil.* Conjunto dos militares encarregados desse material e de seu emprego; uma das armas do Exército **3** *Mil.* Fogo disparado pelas peças de artilharia **4** *Mil.* Ciência que ensina as normas para utilização do material de artilharia **5** *Fig.* Arma poderosa, meio violento de ataque ou defesa numa argumentação **6** *Bras. Fut.* Conjunto dos jogadores de ataque [F.: Do fr. *artillerie*.]

artilheiro (ar.ti.*lhei*.ro) *sm.* **1** *Mil.* Soldado da artilharia **2** *Bras. Fut.* Jogador que habitualmente faz gol; GOLEADOR **3** *Bras. Fut.* Jogador que faz o maior número de gols para a equipe (em partida ou campeonato): *Ronaldo foi o artilheiro da Copa.* [F.: Do fr. *artilleur*.]

artimanha (ar.ti.*ma*.nha) *sf.* Modo hábil de enganar alguém para conseguir alguma coisa; ARDIL; ARTIFÍCIO: "Cuidavam que eu fosse tão simples que me deixasse lograr por tais artimanhas..." (Camilo Castelo Branco, *Freira no subterrâneo*) [F.: Do espn. *artimaña*, posv.]

artimanhoso (ar.ti.ma.*nho*.so) [ô] *a.* Cheio de artimanhas; ASTUCIOSO: "Você, que é danado de artimanhoso, poderia procurar o Capitão Eucaristo, sondar o espírito dele." (Mário Palmério, *Chapadão do bugre*) [Pl.: *ó*. Fem.: *ó*] [F.: *artimanha* + *-oso*.]

◎ **artio-** *el. comp.* = 'par', 'em pares'; (*P. ext.*) 'bem ajustado, bem proporcionado': *artiodáctilo, artiodátilo* (< lat. cient.) [F.: Do gr. *ártios, os, on*, 'que forma par'.]

artista (ar.*tis*.ta) *s2g.* **1** Pessoa que se dedica a uma atividade artística **2** Pessoa que demonstra sensibilidade e gosto por arte: *Ela tem alma de artista.* **3** Ator de teatro, cinema, televisão ou circo [Col.: *elenco*.] **4** Artífice talentoso e engenhoso **5** Pessoa que representa, finge ou engana muito bem: *Chorou tanto, que todos acreditaram. É um artista!* *a2g.* **6** Que demonstra sensibilidade e gosto por arte **7** Que é talentoso, engenhoso **8** Astucioso, manhoso [F.: Posv. do it. *artista*, do lat. medv. *artista*.]

artístico (ar.*tís*.ti.co) *a.* **1** De, ou que tem arte, ou ref. a arte e a artistas (direção artística; comunidade artística) **2** Cuja feitura demonstra habilidade, talento, sensibilidade (acabamento artístico); PRIMOROSO [F.: *artista* + *-ico*², por infl. do fr. *artistique*.]

⊕ ***art nouveau*** (*Fr.* /arnuvô/) *Art. pl. loc. subst.* **1** Estilo decorativo caracterizado por traços alongados terminando em arabescos e motivos de flores e folhas, que foi moda na Europa entre 1890 e 1925 *loc. a.* **2** Ref. a ou próprio do *art nouveau*. (prédios art nouveau.)

artralgia (ar.tral.*gi*.a) *sf.* *Reum.* Dor nas articulações [F.: Do fr. *arthralgie* ou de *artr(o)-* + *-algia*.]

◎ **-artria** *el. comp.* = 'inflamação de articulação'; '(distúrbio ou dificuldade na) articulação das palavras': *anartria* (< gr.), *bradiartria, coxartria, disartria, mogiartria* [F.: Do gr. *-arthría*, as, do gr. *árthron, ou*, 'articulação'. F. conexa: *artr(o)-*.]

artrite (ar.*tri*.te) *sf.* *Med.* Inflamação de uma ou mais articulações [F.: Do lat. tard. *arthritis, idis* < gr. *arthrîtis, ítidos*.] ■ **~ reumatoide** *Pat.* Doença crônica que ataca o tecido conjuntivo, esp. articulações, causando inflamação, dores, deformações e dificuldade de movimentos, podendo levar à destruição da articulação

artrítico (ar.*trí*.ti.co) *Med.* *a.* **1** Que diz respeito a artrite **2** Que sofre de artrite ou artritismo *sm.* **3** Indivíduo que sofre de artrite ou artritismo [F.: Do lat. *arthriticus, a, um*, 'que sofre de gota artrítica'.]

artritismo (ar.tri.*tis*.mo) *sm.* *Pat.* Predisposição do organismo para contrair certas doenças articulares, como gota, reumatismos, entre outras [F.: *artrite* + *-ismo*.]

◎ **-artr(o)-** *el. comp.* Ver *artr(o)-*

◎ **-artro** *el. comp.* Ver *artr(o)-*

◎ **artr(o)-** *el. comp.* = 'junção'; 'articulação'; 'articulação das palavras'; 'que apresenta processo inflamatório em dada articulação, ou que tem certo distúrbio da fala': *artralgia, artrite* (< gr.); *artrodinia, artrografia, artropatia, artroplastia, artrópode* (< lat. cient.); *hidrartrose, pneumoartrografia*; *anartro* (< gr.), *coxartro, condilartro* (< lat. cient.), *xenartro* (< lat. cient.) [Ger. em voc. de medicina, neurologia, biologia e zoologia.] [F.: Do gr. *árthron, ou*, 'junção'; 'articulação'; 'articulação na língua'; 'artigo'. F. conexa: *-artria*.]

artrografia (ar.tro.gra.*fi*.a) *sf.* **1** *Med.* Descrição das articulações no organismo animal **2** *Rlog.* Radiografia de articulação obtida por intermédio da inoculação de contraste [F.: *artr(o)-* + *-grafia*.]

artrográfico (ar.tro.*grá*.fi.co) *a.* Ref. a artrografia [F.: *artrografia* + *-ico*².]

artropatia (ar.tro.pa.*ti*:a) *sf.* *Med.* Doença que afeta as articulações [F.: *artr(o)-* + *-patia*.]

artroplastia (ar.tro.plas.*ti*:a) *sf.* **1** *Cir.* Intervenção cirúrgica para restabelecer os movimentos nas articulações ancilosadas **2** *Ort.* Formação de articulação artificial; ARTROPLÁSTICA [F.: *artr(o)-* + *-plastia*.]

artrópode (ar.*tró*.po.de) *Zool.* *sm.* **1** Espécime dos artrópodes (*Arthropoda*), filo de animais invertebrados que têm corpo segmentado, revestido de carapaça quitinosa, e membros articulados (p. ex.: caranguejos, insetos, aranhas etc.) *a2g.* **2** Do ou ref. ao filo dos artrópodes [F.: Adaptç. do lat. cient. *Arthropoda*; ver *artr(o)-* e *-pode*.]

artroprótese (ar.tro.*pró*.te.se) *sf.* *Ort.* Prótese implantada no corpo para recuperar articulação [F.: *artr(o)-* + *prótese*.]

artroscopia (ar.tros.co.*pi*.a) *sf.* *Med.* Exame do interior de uma articulação mediante um endoscópio especial (o artroscópio) [F.: *artr(o)-* + *-scopia*.]

artroscópico (ar.tros.*có*.pi.co) *a.* *Ort.* Ref. a artroscópio ou a artroscopia [F.: *artroscópio* ou *artroscopia* + *-ico*².]

artroscópio (ar.tros.*có*.pi:o) *sm.* *Med.* Aparelho óptico que permite visualizar e realizar pequenas cirurgias nas articulações [F.: *artr(o)-* + *-scópio*.]

artrose (ar.*tro*.se) *sf.* *Med.* Processo degenerativo de uma articulação [F.: *artr(o)-* + *-ose*¹.]

arturiano (ar.tu.ri.*a*.no) *a.* Ref. à saga do rei Artur e sua corte, sobretudo as lendas relativas aos cavaleiros da Távola Redonda [F.: Do antr. *Artur*, lendário rei britânico, + *-iano*.]

aruá¹ (a.ru.*á*) *sm.* *Bras. Zool.* Pequeno molusco gastrópode (*Pomacea sp.*), da fam. dos ampularídeos, de água doce; encontrado na América do Sul; FUÁ [F.: Do tupi *uru'gwa*.]

aruá² (a.ru.*á*) *a2g.* **1** Diz-se de cavalo ou boi arisco **2** *Fig.* Bravio, indócil, selvagem **3** Diz-se de animal ou de indivíduo com maus instintos, perverso [F.: Do tupi.]

aruá³ (a.ru.*á*) *sm.* *Bras. Zool.* O mesmo que *jacaré-de-papo-amarelo* [F.: Ver *ururau*.]

aruá⁴ (a.ru.*á*) *sm.* *Bras.* Ver *aluá*¹

aruá⁵ (a.ru.*á*) *s2g.* **1** Indivíduo dos aruás, grupo indígena do sul de Rondônia (Rio Branco e Rio Guaporé) *sm.* **2** *Ling.* Língua da família mondé, falada pelos aruás *a2g.* **3** Ref. ou pertencente aos aruás ou ao aruá⁵ (2) [F.: Dessa língua.]

aruá⁶ (a.ru.*á*) *s2g.* **1** Indivíduo dos aruás, grupo indígena extinto, que, no séc. XIX, habitava a região central do Piauí *sm.* **2** *Ling.* A língua falada pelos extintos aruás *a2g.* **3** Ref. ou pertencente aos aruás ou ao aruá⁶ (2) [F.: Dessa língua.]

aruaque (a.ru.*a*.que) *s2g.* **1** *Etnol.* Indivíduo dos aruaques, nome comum a vários grupos indígenas de língua da família aruaque *sm.* **2** *Ling. Gloss.* Família linguística andino-equatorial, com línguas faladas por povos indígenas na Bolívia, Brasil, Colômbia (na fronteira com a Venezuela), Guiana, Guiana Francesa, Paraguai, Peru, Suriname e Venezuela **3** *Ling. Gloss.* Língua dessa família, falada, no passado, nas Antilhas, e atualmente na Guiana Francesa (na costa), na Guiana, no Suriname e na Venezuela **4** Vocábulo dessa família ou dessa língua *a2g.* **5** Ref. ou pertencente aos aruaques ou ao aruaque (2 e 3) [F.: Do aruaque, 'comedor de farinha'.]

arubé (a.ru.*bé*) *sm.* *Bras. N Cul.* Massa de mandioca com sal, alho e pimenta, dissolvida em molho de peixe e servida como tempero [F.: Do tupi *aru'mbe*.]

arubenho (a.ru.*be*.nho) *sm.* **1** Indivíduo nascido ou que vive na ilha de Aruba, protetorado holandês na costa noroeste da Venezuela; ARUBANO *a.* **2** De Aruba; típico dessa ilha ou de seu povo; ARUBANO [F.: Do top. *Aruba* + *-enho*.]

arupemba (a.ru.*pem*.ba) *sf.* *Bras. N. N. E.* Ver *urupema*

arúspice (a.*rús*.pi.ce) *sm.* Na Roma antiga, sacerdote que previa o futuro pela análise das entranhas das vítimas sacrificais; ÁUSPICE; HARÚSPICE [F.: Do lat. *(h)aruspex, icis*.]

arvoar (ar.vo.*ar*) *v.* Fazer ficar ou ficar, tornar(-se) aturdido, estonteado; ATURDIR [*td.*: *O acidente arvoou o motorista.*] [*int.*: *Arvoou-se quando viu a terrível imagem.*] [▶ 16 arvoar] [F.: De or. obsc.]

arvorado (ar.vo.*ra*.do) *a.* **1** Em que se plantou árvores; ARBORIZADO **2** Içado, hasteado **3** Elevado provisoriamente a cargo, título ou posto (arvorado a diretor) *sm.* **4** Soldado que exerce interinamente a função de cabo [F.: Part. de *arvorar*.]

arvorar (ar.vo.*rar*) *v.* **1** Plantar árvores em; ARBORIZAR [*td.*: *Arvoraram minha rua.*] **2** *Fig.* Erguer verticalmente; EMPINAR; LEVANTAR [*td.*: *Arvorou a taça propondo um brinde.*] **3** Hastear, içar (bandeira, pavilhão etc.) [*td.*: *Todo navio pode arvorar a bandeira de seu país.*] **4** Ostentar (algo) alardeando; EXIBIR; MOSTRAR [*td.*: *Sempre arvora seus conhecimentos em informática.*] **5** Elevar(-se) ou atribuir(-se) cargo, função, título etc. [*tdp.*: *Arvoraram-no (em) líder do grupo.*] [*tp.*: *Arvorava-se (em) salvador da pátria.*] **6** Estar sobre [*int.*: *Uma pequena igreja arvora no topo da montanha.*] **7** *Mar.* Erguer, levantar (mastaréu, mastro etc.) [*td.*: *arvorar o mastro.*] **8** *Lus. Mar.* Colocar (remos de embarcação pequena) verticalmente, com os punhos apoiados no fundo da embarcação e as pás voltadas para cima [*td.*: *arvorar os remos.*] **9** *Bras. Ant. Mar.* Desistir de fazer (manobra etc.) [*td.*: *O capitão ordenou que arvorassem a manobra.*] **10** *Bras. P. ext. Mar.* Parar de remar, deixando as pás dos remos na horizontal [*int.*: *Arvoramos devido ao vento forte.*] [▶ 1 arvorar] [F.: *árvore* + *-ar*². Hom./Par.: *arvore(s)* (fl.), *árvore(s)* (sf. [pl.]).]

árvore (*ár*.vo.re) *sf.* **1** *Bot.* Grande vegetal lenhoso cujo caule é um tronco elevado, despido na base e com ramificações que formam uma copa [Col.: *arvoredo*.] **2** Qualquer dispositivo, estrutura etc. que lembre uma árvore (árvore genealógica) **3** *Mar.* Mastro de embarcação [Dim.: *arvoreta* [ê].] [F.: lat. *arbor, oris*. Hom./Par.: *árvore(s)* (sf. [pl.]), *arvore(s)* (fl. de *arvorar*). Ideia de 'árvore': *arbor(i)-* (*arborizar*), *dendr(o)-* (*dendrologia*). Cf.: *arbusto*.] ■ **~ de manivelas** O mesmo que *virabrequim* **~ de Natal** Pinheiro natural ou artificial, ou qualquer planta ou objeto que se enfeita com lâmpadas, bolas etc., us. como símbolo e decoração do Natal **~ de Porfírio** *Hist. Fil.* Diagrama que representa, pelo encadeamento dos conceitos nele representados, um modelo de definição filosófica através de sucessivas dicotomias, do gênero ou complexo ao particular ou simples **~ genealógica** **1** Esquema que representa a linha desde os antepassados até os descendentes de uma família **2** Descendência, linhagem

> 📖 A principal característica dessa planta é seu caule lenhoso, ou tronco, que ger. se subdivide em ramos e em galhos em cujas extremidades crescem as folhas e as flores. As raízes retiram do solo água e nutrientes, que são conduzidos pelos vasos lenhosos (xilema) até os galhos e folhas. Os vasos do líber (floema) levam a seiva elaborada pela árvore. Esse sistema de vasos fica na periferia do tronco, que vai criando um córtex externo de proteção (a casca da árvore), e aumentando de espessura, em camadas sucessivas de dentro para fora, à medida que as estações se sucedem e o tronco se espessa. Essas camadas, visíveis num corte transversal do tronco, permitem, pois, estabelecer a idade da árvore. Certas árvores de regiões frias perdem as folhas no inverno (árvores decíduas, ou de folhas caducas), outras não (perenes). Certas árvores podem atingir mais de 100 m de altura, como eucaliptos e a sequoia (130 m). Alguns baobás chegam a ter 20 m de diâmetro no tronco. Algumas árvores vivem milhares de anos, como a oliveira, o baobá e a sequoia gigante (3.000 anos). A importância das árvores (e das florestas) é enorme, como fornecedoras de frutos e de madeira, como fator de equilíbrio dos ecossistemas e das condições climáticas, e como fornecedoras de oxigênio pela fotossíntese, verdadeiros pulmões da natureza.

árvore-de-natal (ár.vo.re-de-na.*tal*) *sf.* **1** *Bot.* Árvore da fam. das pináceas (*Cryptomeria japonica*), cultivada como ornamental e pela madeira de qualidade; CEDRO-JAPONÊS **2** *Petr.* Conjunto de válvulas que, colocado sobre solo oceânico, controla a pressão e a vazão de um poço submarino [Nesta acp., sem hifens: *árvore de natal*. Tb. *árvore de natal molhada*.] [Pl.: *árvores-de-natal, árvores de natal*.]

arvoredo (ar.vo.*re*.do) [ê] *sm.* **1** Conjunto de árvores **2** *Mar.* Conjunto de mastros de uma embarcação [F.: *árvore* + *-edo*.]

arvoreta (ar.vo.*re*.ta) [ê] *sf.* *Bot.* Árvore pequena, pouco maior que o arbusto: "...ervinhas e arvoretas..." (Antônio Feliciano de Castilho, *Telas literárias*) [F.: *árvore* + *-eta*.]

◎ **as-**¹ *pref.* Ver *a-*²

◎ **as-**² *pref.* Ver *a-*³

◎ **as-**³ *pref.* Ver *a-*⁴

ás *sm.* **1** *Lud.* Carta inicial ou final de cada naipe do baralho e que tem um só ponto marcado **2** *Fig.* Pessoa muito hábil em qualquer atividade, esp. em automobilismo e aviação [Pl.: *ases*.] [F.: Do lat. *as, assis*. Hom./Par.: ás (sm.), *az* (sm.), *hás* (fl. de *haver*).]

asa (*a*.sa) *sf.* **1** *Zool.* Cada um dos membros anteriores das aves, providos de penas, que ger. servem para voar

2 *Zool.* Cada um dos apêndices membranosos de certos mamíferos, como os morcegos, úteis para o voo ou para saltos planados [Cf.: *patágio.*] 3 *Zool.* Cada um dos dois ou mais prolongamentos córneos ou membranosos do tórax dos insetos, que ger. servem para o voo 4 *Zool.* Cada uma das nadadeiras peitorais de certos peixes, que permitem um breve voo rasante sobre a água 5 *Fig.* Asa (1) semelhante à das aves, ou sua representação, atribuída a ou imaginada em outros seres: *as asas de um querubim; as asas de Pégaso.* 6 *Aer.* Estrutura horizontal que se projeta lateralmente para os dois lados da fuselagem de um avião, cujo formato lhe dá sustentação aerodinâmica no voo 7 Parte saliente do corpo de um recipiente (xícara, caneca etc.) que serve para segurá-lo 8 *Fig.* Representação simbólica de rapidez, alcance, voo: *as asas da imaginação; nas asas do progresso.* 9 *Fig.* Proteção, abrigo: *Foi consolar-se sob as asas da mãe.* 10 Cada uma das duas placas de uma dobradiça, ligadas entre si por um pino que serve de eixo 11 Caixilho guarnecido de tela em moinho de vento 12 *Arq.* Nave lateral de templo ou igreja 13 *Arq.* Parte do edifício que se estende de um ou de outro lado do corpo principal; ALA 14 *Bot.* Expansão membranosa de certos frutos ou sementes 15 *Anat.* Denominação de cada uma de certas estruturas anatômicas em par bilateral simétrico, ou parte dela [Como as partes externas das narinas, as escápulas etc.] 16 *Pop.* Os ombros ou os braços 17 *RS Pop.* Cheiro desagradável das axilas [F.: Do lat. *ansa, ae.* Hom./Par.: *asa* (sf.), *asa* (fl. de *asar*), *aza* (fl. de *azar*); *asas* (pl. de *asa*), *asas* (fl. de *asar*), *azas* (fl. de *azar*). Ideia de 'asa': *-ptero* (*coleóptero*). Dim. ger.: *álula, aselha.*] ■ **Abrir as ~s** 1 Deixar de ser tímido 2 Expandir-se, ter mais abrangência **Abrir as ~s sobre** Dar proteção, pôr sob sua guarda: "Liberdade, liberdade, abre as asas sobre nós..." (Medeiros de Albuquerque, *Hino da Proclamação da República*) **Aparar/cortar as ~s de** *Fig.* Restringir, coibir ou limitar algo ou alguém que demonstra ou exprime independência, liberdade **Arrastar a ~ a** Fazer galanteios, tentar namorar, cortejar **~ de cesto** *Arq.* Curva na forma aproximada de uma elipse, composta de três seções de círculo e us. em abóbadas, vãos etc. **Bater (as) ~s** *Pop.* Fugir **Criar ~s** *Bras.* Desaparecer, sumir; ser roubado, furtado: *Acho que meu celular criou asas, não o encontro de jeito algum.* **Dar ~ a** Dar intimidade, confiança a: *Não lhe dê asa, guarde alguma distância.* **Dar ~s a** Permitir que se expanda ou fazer expandir-se: *dar asas à imaginação.* **De ~ caída** Desanimado, triste, deprimido **Debaixo da ~** Sob proteção, amparo, cuidado (de alguém) **Ter ~s nos pés** 1 Ser ou estar muito feliz 2 Ser muito rápido no andar

asa-branca (a.sa-*bran*.ca) *sf. Zool.* Pomba (*Patagioenas picazuro*) da fam. dos columbídeos, a maior do Brasil, com 34 cm de comprimento, encontrada do Nordeste do Brasil ao Rio Grande do Sul, Bolívia e Argentina; POMBA TROCAZ; POMBÃO [Pl.: *asas-brancas.*]

asa-delta (a.sa-*del*.ta) *Esp. sf.* 1 Esporte que consiste em voar suspenso numa armação metálica em forma de asa triangular, coberta por tecido, controlando a direção e a velocidade por meio de leves mudanças na posição do corpo [Tb. *voo livre.*] 2 Equipamento us. nesse esporte: *voar de asa-delta.* [Pl.: *asas-deltas, asas-delta.*]

asado (a.*sa*.do) *a.* 1 Que tem asas *sm.* 2 *P. us.* Vaso com asa [F.: Part. de *asar.* Hom./Par.: *asado* (a. sm), *azado* (a.).]

asar (a.*sar*) *v. td.* Pôr asa(s) em; prover de asa(s) [▶ 1 asar] [F.: *asa* + *-ar*².]

asbesto (as.*bes*.to) [ê] *sm. Min.* Massa fibrosa, composta em grande parte de silicato de cálcio e de magnésio, us. como isolante térmico, acústico e elétrico [F.: Do lat. *asbestos, i,* do gr. *ásbestos.* Cf.: *amianto.*]

ascaríase (as.ca.*rí*.a.se) *sf. Med.* O mesmo que *ascaridíase*

ascaricida (as.ca.ri.*ci*.da) *sm.* 1 Medicamento que combate a infecção provocada por ascárides *sf.* 2 *Bot.* Planta da família das compostas com propriedades vermífugas [F.: *áscaris* + *-cida.*]

ascáride (as.*cá*.ri.de) *s2g. Zool.* Denominação de vermes nematódeos do gên. Ascaris (fam. dos ascaridídeos), como a lombriga, (*Ascaris lumbricoides*) cujas spp. parasitam o intestino de mamíferos, inclusive do homem [F.: Do gr. *askarís*, pelo lat. cient. *Ascaris.*]

ascarídeo (as.ca.*rí*.de:o) *sm. Zool.* Família de vermes parasitas nematoides, o mesmo que *ascaridídeo* [F. Do lat. cient. *Ascaris* + *-ídeo*¹.]

ascaridíase (as.ca.ri.*dí*.a.se) *sf.* Afecção produzida por ascárides; ASCARÍASE; ASCARIDOSE [F.: Do gr. *askarís, ídos*, pelo lat. *ascaris, idis* + *-íase.*]

ascaridídeo (as.ca.ri.*dí*.de:o) *sm. Zool.* Espécime dos ascaridídeos, família de vermes nematódeos, onde se incluem parasitas do intestino de animais vertebrados [F.: Do lat. cient. *Ascarididae.*]

áscaris (*ás*.ca.ris) *sm. Zool.* Forma não pref. de *ascáride.* [F.: Do gr. *askarís, ídos.*]

ascendência (as.cen.*dên*.ci:a) *sf.* 1 Linha dos ascendentes; conjunto de antepassados de uma pessoa; ORIGEM; LINHAGEM: *uma família de ascendência italiana.* 2 Influência, liderança que se exerce sobre pessoas, grupos, países: *O senador tem forte ascendência sobre os membros do partido.* 3 *P. us.* Ação de subir; ASCENSÃO [F.: *ascender* + *-ência.*]

ascendente (as.cen.*den*.te) *a2g.* 1 Que ascende, que se eleva, sobe: *O gráfico mostra uma curva ascendente; A cantora é uma estrela ascendente do samba. s2g.* 2 Qualquer dos parentes de que uma pessoa descende; ANTEPASSADO: *Jonas tem um ascendente alemão. sm.* 3 *Astrol.* Signo que está surgindo na linha do horizonte no momento do nascimento de uma pessoa [F.: Do lat. *ascendens, entis.*]

ascender (as.cen.*der*) *v.* 1 Mover-se para cima, literal ou figuradamente; SUBIR [*int.*: *Joaquim estuda muito para ascender socialmente.*] [*ta.*: *O meu time ascendeu à primeira divisão.*] 2 Atingir, chegar a (valor, medida, nível etc.) [*tr. + a*: *A safra pode ascender a cem toneladas.*] [▶ 2 ascender] [F.: Do lat. *ascendere* ou *adscendere.* Hom./Par.: *ascender* (v.), *acender* (em todas as fl.); *ascenso* (part.), *acenso* (sm.), *assenso* (sm.).]

ascensão (as.cen.*são*) *sf.* 1 Ação ou resultado de ascender, de atingir ponto mais elevado: *A ascensão de D. Pedro II ao trono.* 2 *Rel.* Entre os cristãos, celebração, no 40º dia depois do Domingo de Páscoa, da subida de Jesus Cristo ao céu [Ger. com inicial maiúscula.] 3 Deslocamento no espaço, feito de baixo para cima; SUBIDA: *Em sua ascensão, nem olhava para baixo.* 4 Melhora, progresso ou promoção na carreira, no aproveitamento ou no desempenho de uma atividade: *ascensão a gerente da empresa* [Pl.: *-sões.*] [F.: Do lat. *ascensio, onis.* Cf.: *assunção.*] ■ **~ oblíqua** *Astron.* Arco do equador celeste compreendido entre o ponto vernal e o ponto do equador que se apresenta no horizonte ao mesmo tempo que o astro **~ reta** *Astron.* Arco do equador entre o ponto equinocial da primavera e aquele em que o meridiano que passa pelo astro corta o equador

ascensional (as.cen.si:o.*nal*) *a2g.* 1 Ref. ao movimento de ascensão 2 Que obriga a subir (força ascensional) [Pl.: *-ais.*] [F.: *ascensão* + *-al*¹, seg. o mod. erudito.]

ascensionista (as.cen.si.o.*nis*.ta) *s2g. Bras.* Indivíduo que ascende a pontos elevados (em balão ou de outra maneira) [F.: *ascensão* (sob o a f. *ascension-*) + *-ista*, seg. o mod. erudito.]

ascenso (as.*cen*.so) *sm.* 1 O mesmo que *ascensão* 2 *Fig.* Promoção, elevação a alto cargo, função ou dignidade [F.: Do lat. *ascensus, us,* 'ação de subir'. Hom./Par.: *ascenso* (sm.), *acenso* (sm.), *assenso* (sm.).]

ascensor (as.cen.*sor*) [ô] *a.* 1 Que ascende *sm.* 2 Aquele ou aquilo que ascende 3 Elevador (1) [F.: Do fr. *ascenseur*, do lat. *ascensor, oris,* 'que ascende'.]

ascensorial (as.cen.so.*ri*.al) *a2g.* 1 Que impele para cima (força ascensorial); ASCENSIONAL 2 Que se expande para cima (umidade ascensorial) [Pl.: *-ais.*] [F.: *ascensor* + *-ial.*]

ascensorista (as.cen.so.*ris*.ta) *s2g. Bras.* Pessoa responsável por manejar um ascensor ou elevador; CABINEIRO [F.: *ascensor* + *-ista.*]

ascentismo (as.cen.*tis*.mo) *sm.* 1 Ideia ou doutrina de que a ascese é a base do aperfeiçoamento moral do indivíduo 2 As práticas, atitudes e o comportamento que favorecem a ascese [F.: *asceta* + *-ismo.*]

ascese (as.*ce*.se) *sf.* Conjunto de exercícios (oração, meditação etc.) que visam ao aperfeiçoamento espiritual [F.: Do b-lat. *ascesis*, do gr. *áskesis.*]

asceta (as.*ce*.ta) *s2g.* Pessoa que leva vida austera, em busca de perfeição espiritual [F.: Do fr. *ascète*, do b-lat. *asceta, ascetes* e, este, do gr. *asketés.*]

ascético (as.*cé*.ti.co) *a.* 1 Ref. a asceta ou a ascetismo 2 Austero, severo, rígido (disciplina ascética) [F.: Do fr. *ascétique*, do gr. *asketikós.* Hom./Par.: *ascético* (a.), *acético* (a. sm.), *asséptico* (a.).]

ascetismo (as.ce.*tis*.mo) *Fil. sm.* 1 Prática da ascese para alcançar elevação espiritual 2 Moral fundada no desprezo do corpo e das sensações físicas [F.: Do fr. *ascétisme*; ver *asceta* + *-ismo.* Sin. ger.: asceticismo.]

ascite (as.*ci*.te) *Pat. sf.* Acúmulo de serosidade na cavidade peritoneal [F.: Do gr. *askítes*, pelo lat. *ascites, ae.*]

ascítico (as.*cí*.ti.co) *a.* 1 Ref. à ou que é próprio da ascite 2 Que sofre de ascite; HIDRÓPICO *sm.* 3 Quem sofre de ascite [F.: *ascite* + *-ico*².]

asco¹ (*as*.co) *sm.* 1 Sensação de repugnância; NOJO 2 Aversão, desprezo [F.: De or. contrv.; posv. regress. de *ascoroso* (por *asqueroso*).]

◎ **-asc(o)** *suf.* Ver *-asco*

◎ **-asco** *suf. nom.* = 'diminuição'; '(que é) um tanto (algo)' [tb. *-asc(o)*]: *verdasco; arruivascado* [F.: De or. incerta, posv. expressiva.]

asco² (*as*.co) *sm. Bot.* Célula reprodutora dos fungos ascomicetos [F. Do gr. *askós.*]

ascomiceto (as.co.mi.*ce*.to) [ê] *Micol. sm.* 1 Espécime dos ascomicetos, classe de fungos (*Ascomycetes*) que reúne grande variedade de formas, como, p. ex., as trufas e leveduras e que se caracteriza pela formação dos esporos em uma célula especializada chamada asco *a.* 2 Ref. ou pertencente aos ascomicetos [F.: Adaptç. do lat. cient. *Ascomycetes.*]

ascorbato (as.cor.*ba*.to) *sm. Quím.* Todo sal (ou éster) do ácido ascórbico; éster derivado desse ácido [F.: *ascórbico* (red. para *ascorb-*) + *-ato*².]

ascórbico (as.*cór*.bi.co) *a. Med.* Diz-se do ácido ($C_6H_8O_6$) extraído de frutas cítricas e de certas verduras e legumes, us. como antioxidante e no tratamento do escorbuto e outras afecções, causadas pela carência de vitamina C [F.: Do ing. *ascorbic.* Ver tb. *vitamina C.*]

⊕ **a se** (*Lat. /a se/*) *loc. adv. Fil.* Por si mesmo, independentemente de outros, de modo próprio, de origem própria; POR SI [P. opos. a *por outro.*]

aselha (a.*se*.lha) [ê] *sf.* 1 Pequena asa 2 Pequena alça de cadarço na parte de cima do cano da bota para ajudar a calçá-la 3 Pequena alça feita de fita de tecido ou de linha, para nela encaixar botão ou colchete *a2g.* 4 *Lus. Pej.* Diz-se de quem é desastrado, desajeitado *s2g.* 5 *Lus. Pej.* Pessoa desastrada, desajeitada [F.: Do lat. *ansicula, ae.*]

asfaltadeira (as.fal.ta.*dei*.ra) *sf.* Máquina us. para asfaltar [F.: *asfaltar* + *-deira.*]

asfaltado (as.fal.*ta*.do) *a.* Coberto de asfalto (estrada asfaltada) [F.: Part. de *asfaltar.*]

asfaltamento (as.fal.ta.*men*.to) *sm.* 1 Ação ou resultado de asfaltar; ASFALTAGEM 2 Pavimento asfáltico [F.: *asfaltar* + *-mento.*]

asfaltar (as.fal.*tar*) *v. td.* Pavimentar com asfalto ou com matéria ou substância asfáltica: *Asfaltaram a rua onde moro.* [▶ 1 asfaltar] [F.: *asfalto* + *-ar*². Hom./Par.: *asfalto* (fl.), *asfalto* (sm.).]

asfáltico (as.*fál*.ti.co) *a.* 1 Ref. a asfalto 2 Que é feito de, ou que contém asfalto em sua composição (piso asfáltico) 3 *Min.* Diz-se de pirobetume com ponto de fusão mais alto e grau de dureza maior que as asfaltitas [F.: *asfalto* + *-ico*².]

asfalto (as.*fal*.to) *sm.* 1 Substância escura extraída de betume ou obtida do petróleo ou do alcatrão, us. na pavimentação de ruas e estradas 2 Rua, estrada ou pista asfaltada: *O carro ziguezagueou no asfalto molhado.* 3 *Fig.* Nas metrópoles, as zonas urbanas socialmente mais favorecidas, em oposição às favelas ou à periferia: *O morro e o asfalto são duas faces dessa cidade.* [F.: Do fr. *asphalte* (< lat. *asphaltus, i* < gr. *ásphaltos, ou*). Hom./Par.: *asfalto* (sm.), *asfalto* (fl. de *asfaltar*).]

asfixia (as.fi.*xi*.a) [cs] *sf.* 1 Suspensão da respiração e da circulação sanguínea por estrangulação, submersão etc. 2 *Fig.* Falta de condições para o exercício de uma atividade, faculdade etc.: *O despotismo causa a asfixia das liberdades individuais.* [F.: Do gr. *asphyksía, as.*]

asfixiado (as.fi.xi.*a*.do) [cs] *a.* 1 Que se asfixiou; SUFOCADO 2 *Fig.* Oprimido, tolhido [F.: Part. de *asfixiar.*]

asfixiante (as.fi.xi:*an*.te) [cs] *a2g.* 1 Que asfixia, sufoca 2 *Fig.* Que oprime [F.: *asfixiar* + *-nte.*]

asfixiar (as.fi.xi.*ar*) [cs] *v.* 1 Causar asfixia a; impedir de respirar; SUFOCAR [*td.*: *A fumaça/a angústia o asfixiava.*] [*int.*: *O cheiro de queimado asfixia.*] 2 *Fig.* Fazer definhar ou causar grave prejuízo a (algo ou alguém), ao tolher-lhe as forças, o desenvolvimento, a progressão etc.; SUFOCAR [*td.*: *Os juros altos asfixiam o comércio.*] 3 Ter asfixia, não poder respirar; SUFOCAR [*int.*: *Presos no quarto, asfixiavam com a falta de ar.*] 4 *Fig.* Impedir a livre ação de; OPRIMIR [*td.*: *O rigor das regras asfixiava os funcionários.*] [▶ 1 asfixiar] [F.: *asfixia* + *-ar*².]

asfíxico (as.*fi*.xi.co) [cs] *a.* 1 Que causa asfixia 2 Em que há ou houve asfixia [F.: *asfixia* + *-ico*². Sin. ger.: *asfixiante.*]

asfódelo (as.*fó*.de.lo) *sm.* 1 *Bot.* Gênero (*Asphodelus*) de plantas ornamentais da família das liliáceas, de raiz fasciculada ou tuberiforme, belas flores brancas em cachos 2 Espécime dessa planta [F.: Do lat. cient. *Asphodelus.*]

asiático (a.si:*á*.ti.co) *sm.* 1 Pessoa nascida ou que vive na Ásia *a.* 2 Da Ásia; típico desse continente ou de seu povo 3 *Fig.* Diz-se do luxo excessivo, exagerado 4 *Fig. Pej.* Preguiçoso, indolente 5 Empolado, pomposo, prolixo (estilo asiático) [F.: Do lat. *asiaticus, a, um.*]

asiatismo (a.si.a.*tis*.mo) *sm.* 1 Comportamento, mentalidade, estilo próprios e característicos de países asiáticos 2 Influência do asiatismo (1) ou preferência por ele na visão política ou cultural, no comportamento etc. 3 Palavra ou expressão de língua asiática em outra língua [F.: *asiático* + *-ismo*, seg. padrão erudito. Sin. ger.: *asiaticismo.*]

asilado (a.si.*la*.do) *a.* 1 Que recebeu asilo político 2 Recolhido em asilo *sm.* 3 Pessoa que recebeu asilo político 4 Aquele que está recolhido em asilo [F.: Part. de *asilar.* Cf.: *exilado.*]

asilar (a.si.*lar*) *v.* 1 Recolher em asilo (1) [*td.*: *Este orfanato asila muitas crianças.*] 2 Dar abrigo, proteção a [*td.*: *O Brasil asilou muitos perseguidos políticos.*] 3 Buscar ou encontrar proteção ou abrigo; REFUGIAR-SE [*tda.*: *O dissidente asilou-se no país vizinho.*] 4 *Fig.* Não manifestar, não exteriorizar; ESCONDER [*td.*: *Asilava sua paixão pelo primo.*] [▶ 1 asilar] [F.: *asilo* + *-ar*². Hom./Par.: *asilo* (fl.), *asilo* (sm.).]

asilo (a.*si*.lo) *sm.* 1 Instituição beneficente que acolhe crianças, mendigos ou idosos 2 Amparo, proteção, abrigo: *Quem daria asilo àqueles órfãos?* [F.: Do lat. *asylum, i.* Hom./Par.: *asilo* (sm.), *asilo* (fl. de *asilar*).] ■ **~ político** *Dipl.* Proteção concedida por um país (ou sua embaixada) a um estrangeiro perseguido por motivos políticos

asinino (a.si.*ni*.no) *a.* 1 De, ref. a ou próprio de asno (orelha/resistência/obstinação asinina) 2 *Fig. Pej.* Estúpido, bronco, falto de inteligência 3 *Zool.* Dos ou ref. aos asininos (4) *sm.* 4 *Zool.* Espécime dos asininos, mamíferos da família dos equídeos [São os burros, os jumentos, os mulos.] [F.: Do lat. *asininus, a, um.*]

asma (*as*.ma) *sf. Med.* Doença caracterizada por crises repetidas de falta de ar (dispneia), com respiração ruidosa, tosse seca e sensação de opressão no peito [F.: Do lat. *asthma, atis*, do gr. *ásthma, atos.*]

asmático (as.*má*.ti.co) *a.* 1 Ref. a asma (crise asmática) 2 Que sofre de asma *sm.* 3 Quem sofre de asma [F.: Do lat. *asthmaticus, a, um*, do gr. *asthmatikós, e, on.*]

asnático (as.*ná*.ti.co) *a.* 1 De, ref. a ou próprio de asno 2 *Pej.* Tolo, estúpido [F.: *asno* + *-ático.* Sin. ger.: *asinino.*]

asneira (as.*nei*.ra) *sf.* 1 Ato ou dito sem sentido, tolo; BOBAGEM; SANDICE 2 Ato ou dito ingênuo, que revela ignorância ou pouca experiência: *Ele caiu na asneira de recusar o emprego.* [F.: *asno* + *-eira.* Hom./Par.: *asneira(s)* (sf. [pl.]), *asneira(s)* (fl. de *asneirar*).]

asneirar (as.nei.*rar*) *v. int.* Fazer ou dizer asneiras; ASNEAR [▶ 1 asneirar] [F.: *asneira* + *-ar²*. Hom./Par.: *asneiro* (fl.), *asneiro* (a. sm.); *asneira(s)* (fl.), *asneira* (sf. e pl.).]

asnice (as.*ni*.ce) *sf.* O mesmo que *asneira* [F.: *asno* (2) + *-ice*.]

asno (*as*.no) *sm.* **1** *Zool.* Jumento, burro **2** *Fig. Pej.* Pessoa ignorante [É ofensivo.][F.: Do lat. *asinus, i.*]

aspa (*as*.pa) *sf.* **1** Cruz em forma de X; cruz de Santo André **2** Antigo instrumento de tortura formado por dois pedaços de madeira em forma de aspa (1), no qual se prendia o torturado **3** *P. ext. Cons.* Peça em forma de X que confere estabilidade a armações e estruturas **4** *Her.* Insígnia em forma de X; peça honrosa formada pela combinação da banda com a barra **5** *Bras. Zool.* Chifre de animal; CORNO; GUAMPA [Mais us. no pl.] **6** *Arq.* Ornato em forma de V, aplicado em série e de modo alternado, um com o vértice para baixo, outro com o vértice para cima, e assim por diante [Us. no pl.] [F.: Do gót. **haspa*.] ▪▪ **Estar de ~ torta** *RS Pop.* Estar zangado, mal-humorado

aspar (as.*par*) *v.* **1** Crucificar na aspa (instrumento de suplício) [*td.*] **2** *P. ext.* Infligir martírio a; torturar [*td.*] **3** Apagar, eliminar [*tdi.* + *de*: *Aspou o nome do sócio da lista de convidados.*] **4** O mesmo que *aspear* [▶ 1 aspar] [F.: *aspa* + *-ear*. Hom./Par.: *aspa(s)* (fl.), *aspa* (sf. e pl.); *aspe(s)* (fl.), *aspe* (sf. s2g. e pl.).]

aspargo (as.*par*.go) *sm.* **1** *Bot.* Designação comum a várias plantas do gên. *Asparagus*, da fam. das asparagáceas, como, p. ex., a sp. *Asparagus officinalis*, de brotos carnosos e comestíveis **2** Esse broto [F.: Do lat. *asparagus, i*, do gr. *aspáragos, ou*. Tb. *espargo*.]

aspartame (as.par.*ta*.me) *sm. Quím.* Substância sintética ($C_{14}H_{18}N_2O_5$) us. como adoçante [F.: Acrôn. do ing. *aspart(ic acid)* + *(phenyl)a(lanine)* + *m(ethyl)* + *e(ster)*.]

aspartato (as.par.*ta*.to) *sm. Quím.* Todo sal (ou éster) resultante da combinação do ácido aspártico com uma base [F.: *aspart-* (rad. de *aspártico*) + *ato²*.]

aspártico (as.*pár*.ti.co) *Bioq. sm.* **1** Aminoácido de carga negativa que compõe as proteínas e tem como característica um grupamento carboxila em uma cadeia lateral curta *a.* **2** Diz-se desse aminoácido [F.: Do ing. *aspartic (acid)*.]

aspas (*as*.pas) *sfpl.* **1** Sinal de pontuação em forma de vírgulas suspensas, que podem ser simples ('...') ou duplas ("..."), com que se abrem e se fecham citações, se marca o início e o fim de termos estrangeiros etc.; COMAS **2** Asa (10) **3** *Bras.* Chifres, cornos [F.: Pl. de *aspa*.] ▪▪ **~ alemãs** *Tip.* Aspas duplas na forma de vírgulas, estando no nível da linha as que abrem a citação, e invertidas e ao alto as que a fecham [,, citação"] **~ americanas** *Tip.* Aspas duplas na forma de vírgula, ao alto, para abrir citação e invertidas, ao alto, para fechá-la ["citação"] **~ francesas** *Tip.* Aspas duplas de forma angular e alinhamento na altura do próprio texto **~ francesas simples** *Tip.* Aspas francesas, mas não duplas; aspas suíças **~ inglesas** *Tip.* O mesmo que *aspas americanas* **~ simples** *Tip.* Sinal de pontuação com que se destaca uma palavra no texto, ou uma tradução, ou expressão estrangeira, ou uma citação dentro de outra citação etc. ['palavra'] **Bater ~** *RS* Andar lado a lado com alguém, emparelhado com ele **Fincar as ~** *RS Pop.* Cair batendo com a cabeça **Fincar as ~ no inferno** *RS Pop.* Morrer (referindo-se a desafeto)

aspa-torta (as.pa-*tor*.ta) *sm. RS Pop.* Indivíduo desordeiro, arruaceiro, metido a valente; BRIGÃO

aspear (as.pe.*ar*) *v. td. Gram.* Pôr entre aspas; ASPAR: *Aspeou a citação de Balzac.* [▶ 13 aspear] [F.: *aspa* + *-ear*.]

aspecto (as.*pec*.to) *sm.* **1** Maneira como se vê alguém ou algo em seu conjunto; APARÊNCIA: *Voltaram das férias com aspecto mais saudável; Esse molho de camarão está com mau aspecto.* **2** Traço característico, particularidade: *Há um aspecto intrigante na questão.* **3** Cada uma das maneiras pelas quais se pode considerar uma coisa; PONTO; ÂNGULO: *Sob esse aspecto, ele não tem razão.* **4** *Ling.* Parte da significação do verbo relativa à duração ou às etapas do processo que ele exprime [F.: Do lat. *aspectus, us*. Ideia de 'aspecto': *-forme* (*multiforme*). Tb. *aspeto*.] ▪▪ **~ atélico** *Ling.* Aspecto (4) que indica um processo cujo encerramento não se define (p. ex.: *ele viaja*). [P. opos. a *aspecto télico*.] **~ durativo** *Ling.* Aspecto (4) que indica um processo continuado, uma ação que se prolonga por determinado tempo (p. ex.: *Ele estuda durante o verão*). [P. opos. a *aspecto pontual*.] **~ habitual** *Ling.* Aspecto (4) que indica que ação ou situação se repete habitualmente (p. ex.: *Eles lancham todos os dias*) **~ pontual** *Ling.* Aspecto (4) que indica que um evento é momentâneo, não dura além de um momento (p. ex.: *Ela espirrou*). [P. opos. a *aspecto durativo*.] **~ télico** *Ling.* Aspecto (4) que indica um processo que não prosseguirá além de certo ponto (p. ex.: *Ela está terminando o dever*.). [P. opos. a *aspecto atélico*.]

aspereza (as.pe.*re*.za) [ê] *sf.* **1** Qualidade do que é áspero **2** Irregularidade numa superfície **3** Rispidez, rudeza **4** Desarmonia dos sons, com predominância dos agudos **5** Acidez, amargor [F.: *áspero* + *-eza*. Sin. ger.: *asperidade*.]

aspergilo (as.per.*gi*.lo) *sm. Micol.* Nome comum aos fungos do gên. *Aspergillus*, esp. à espécie *Aspergillus flavus*, que produz a aflatoxina [F.: Do lat. cient. *Aspergillus*.]

aspergilose (as.per.gi.*lo*.se) *sf. Pat. Vet.* Micose provocada por fungos do gên. *Aspergillus* (aspergilos), que ataca sobretudo as vias respiratórias dos seres humanos e de algumas aves [F.: *aspergilo* + *-ose*.]

aspergir (as.per.*gir*) *v.* Espalhar (líquido) em forma de borrifo; BORRIFAR; RESPINGAR [*td.*: *Ela aspergiu os quartos com essência de jasmim; Prevenido, aspergiu-se com água-benta.*] [*tda.*: *A camareira aspergiu um perfume de sabonete sobre os lençóis; Foi preciso aspergir detergente por toda a cozinha.*] [▶ 45 aspergir] [F.: Do lat. *adspergere*.]

aspermia (as.per.*mi*:a) *sf.* **1** *Bot.* Ausência de sementes em frutos **2** *Med.* Ausência de secreção do esperma; ASPERMATISMO [F.: *a-³* + *sperm(o)-* + *-ia¹*.]

áspero (*ás*.pe.ro) *a.* **1** Que tem superfície desigual, incômoda ao tato (pele *áspera*) **2** Que é desagradável ao paladar (vinho *áspero*); ÁCIDO; AZEDO **3** Que é desagradável aos ouvidos (som *áspero*) **4** Não delicado, ríspido; GROSSEIRO: *O colega dirigiu-lhe palavras ásperas; É um homem áspero, de trato difícil.* [Superl.: *asperíssimo, aspérrimo*.] [F.: Do lat. *asper, era, erum*.]

aspersão (as.per.*são*) *sf.* **1** Ação ou resultado de aspergir **2** Ação de aspergir com água-benta [Pl.: *-sões*.] [F.: Do lat. *a(d)spersio, onis*.]

asperso (as.*per*.so) *a.* O mesmo que *aspergido* [F.: Do lat. *a(d)spersus, a, um*.]

aspersor (as.per.*sor*) [ô] *a.* **1** Que asperge *sm.* **2** *Agr.* Aparelho, ger. giratório, us. em irrigação [F.: *asperso* + *-or*.]

aspersório (as.per.*só*.ri:o) *sm. Litu.* Instrumento com que se asperge água-benta; HISSOPE: "...caldeira de cobre com seu aspersório..." (Júlio Dantas, *Pátria portuguesa*) [F.: Do lat. ecl. *aspersorium, ii*.]

aspeto (as.*pe*.to) [é] *sm.* Ver *aspecto*

áspide (*ás*.pi.de) *sf.* **1** *Zool.* Serpente da fam. dos viperídeos (*Vipera aspis*), encontrada na Europa, marrom com listras negras, venenosa, sem fossas nasais **2** *Fig.* Pessoa maldizente [F.: Do gr. *aspís, idos* pelo lat. *aspis, idis*.]

aspiração (as.pi.ra.*ção*) *sf.* **1** Ação ou resultado de aspirar **2** *Fig.* Desejo intenso (de atingir um objetivo) [+ *a, de, para, por*: *Aspiração por um mundo melhor.*] **3** *Fon.* Ruído produzido pela passagem de ar pela glote, como, p. ex., no *h* inicial do inglês **4** *Mec.* Entrada da mistura ar/combustível no cilindro de um motor de explosão; ADMISSÃO [Pl.: *-ções*.] [F.: Do lat. *aspiratio, onis*.]

aspirado (as.pi.*ra*.do) *a.* **1** Que se aspirou *a.* **2** Sorvido ou absorvido (devido esp. à criação de vácuo ou rarefação do ar) **3** *Fon.* Diz-se de fonema articulado com aspiração (3) **4** *Mec.* Diz-se de motor a explosão que aspira ar do exterior e o injeta na câmara de combustão para formar a mistura combustível [F.: Do lat. *aspiratus, a, um*.]

aspirador (as.pi.ra.*dor*) [ô] *a.* **1** Que aspira *sm.* **2** Eletrodoméstico que limpa poeira e partículas de lixo aspirando-as [Tb. *aspirador de pó*.] **3** Qualquer aparelho próprio para aspirar ar, gases, líquidos ou partículas, como os us. em cirurgia [F.: *aspirar* + *-dor*.] ▪▪ **~ de pó** Aspirador (2)

aspirante (as.pi.*ran*.te) *a2g.* **1** Que aspira, almeja [+ *a*: *candidatos aspirantes a um cargo.*] **2** Que suga (bomba *aspirante*) *s2g.* **3** *Mil.* Patente de quem conclui o curso de uma escola militar e está pronto para ser promovido a oficial **4** *Mil.* Militar que tem essa patente **5** *P. us. Fut.* Categoria de atletas em início de carreira **6** *P. us. Fut.* Cada um desses atletas [F.: Posv. do it. *aspirante*, do lat. *aspirans, antis*. Nas acps. 3 e 4, ver tb. *cadete*.]

aspirante a oficial (as.pi.ran.te. a. o.fi.ci:*al*) *sm.* **1** Primeiro posto do oficialato na hierarquia do exército brasileiro; em termos gerais, equivale ao de subtenente, entre o de primeiro-sargento e o de segundo-tenente **2** Militar que tem essa patente [Pl.: *aspirantes a oficial*.]

aspirar (as.pi.*rar*) *v.* **1** Introduzir (ger. ar, mas também qualquer fluido) para dentro dos pulmões [*td.*: *É bom aspirar ar puro.*] [*int.*: *Em regiões muito altas, é difícil aspirar.*] **2** Introduzir (pó, odores, fumaça, partículas etc.) para dentro de si, pelo nariz ou pela boca [*td.*: *Aspirei o perfume das flores.*] **3** Atrair ou recolher (pó, odores, fumaça, partículas etc.) por meio de vácuo; SUGAR [*td.*: *Comprei um aparelho para aspirar a sujeira do teclado.*] **4** Desejar muito, almejar [*tr.* + *a*: "Não aspirava a outros domínios..." (Josué Montello, *Sempre serás lembrada*)] **5** *Ling.* Articular (um fonema) com um ruído de fricção, produzido durante a expiração do ar; emitir som aspirado [*td.*: *Os ingleses aspiram o som inicial de algumas palavras.*] [▶ 1 aspirar] [F.: Do lat. *a(d)spirare*.]

aspirina (as.pi.*ri*.na) *sf.* **1** *Quím.* Nome comercial de medicamento analgésico, antitérmico e anticoagulante, formado pelo ácido acetilsalicílico **2** Comprimido desse medicamento [F.: A marca registrada, com inicial maiúsc.]

aspone (as.*po*.ne) *s2g. Gír. Joc.* Termo inventado para designar indivíduo que assume ares de importância e atitude de alguém muito atarefado quando, na realidade, nada ou quase nada faz ou produz [F.: Sigla de '*as* sessor de *po* rra *ne* nhuma'.]

aspudo (as.*pu*.do) *a.* **1** *S.* Diz-se de animal que tem grandes aspas, ou chifres **2** *S. Pop.* Diz-se de marido atraiçoado pela mulher; CORNO; CORNUDO *sm.* **3** Touro de grandes chifres *sm.* **4** Homem traído pela esposa [F.: *aspa* + *-udo*.]

asquelminto (as.quel.*min*.to) *sm. Zool.* **1** Ref. aos asquelmintos **2** Espécime dos asquelmintos, invertebrados vermiformes, marinhos ou de água doce, de corpo cilíndrico não segmentado e revestido de quitina [F.: Do lat. cient. *Aschelminthes*.]

asquenaze (as.que.*na*.ze) *a2g.* **1** Dos, ref. aos ou próprio dos asquenazes (3), de seus costumes e tradições *a2g.* **2** Diz-se de judeu natural da Europa central ou do leste, de fala iídiche, e de seus descendentes; ASQUENAZITA *s2g.* **3** Judeu (ou judia) asquenaze [F.: Do heb. *ashkenazi* < top. *Ashkenaz*, região da Europa central, esp. a Alemanha. Tb. *asquenazi*.]

📖 O termo diferencia os judeus não descendentes de judeus de origem ibérica ou balcânica (sefaraditas) ou do norte da África e do Oriente Médio (orientais)

asquenazi (as.que.na.*zi*) *a. sm.* Ver *asquenaze*.

asqueroso (as.que.*ro*.so) [ô] *a.* Que causa asco; NOJENTO; REPUGNANTE [Pl.: *ó*. Fem.: *ó*.] [F.: Do lat. vulg. **ascarosus*, por **escharosus*, do lat. *eschara, ae*.]

assacadilha (as.sa.ca.*di*.lha) *sf.* Imputação, acusação caluniosa, malévola [F.: *assacado* + *-ilha*.]

assacado (as.sa.*ca*.do) *a.* Que se assacou, a que ou a quem se imputou acusação aleivosa, infundada [F.: Part. de *assacar*.]

assacar (as.sa.*car*) *v.* Atribuir, imputar de maneira aleivosa ou caluniosa [*tdi.* + *a*: *Assacou à moça a autoria do furto.*] [▶ 11 assacar] [F.: *a-²* + *sacar*.]

assadeira (as.sa.*dei*.ra) *sf.* Tabuleiro us. para assar alimentos; ASSADOR [F.: *assar* + *-deira*.]

assado (as.*sa*.do) *a.* **1** Que se assou **2** *Fam.* Com assadura: *A fralda molhada deixa o bebê assado.* **3** *Bras. N. E.* Irritado, zangado *sm.* **4** *Cul.* Qualquer iguaria assada, esp. carne **5** *Bras. S* Carne apropriada para ser assada [F.: Part. de *assar*.] ▪▪ **Assado com/de couro** *S.* Carne assada na brasa com o couro **Assim ou ~** De um jeito ou de outro

assadura (as.sa.*du*.ra) *sf.* **1** Irritação da pele causada por umidade, atrito ou calor; INTERTRIGEM **2** Pedaço de carne que se põe para assar de uma vez **3** Ação ou resultado de assar [F.: Do lat. *assatura, ae*.]

assa-fétida (as.sa-*fé*.ti.da) *sf.* **1** *Bot.* Qualquer de várias plantas umbelíferas que exalam mau cheiro (*Ferula assafoetida, F. foetida, F. narthex*) **2** *Med.* Resina extraída de uma dessas plantas e us. como antiespasmódico e vermífugo [F.: Do persa *asa* 'almácega' + lat. *foetida* 'que tem mau cheiro', pelo lat. med. *assafoetida*.]

assalariado (as.sa.la.ri:*a*.do) *a.* **1** Remunerado com salário (trabalho *assalariado*; empregado *assalariado*) *sm.* **2** Indivíduo que vive de salário **3** Conjunto de assalariados (2): *Houve queda de 0, 2% no assalariado da indústria.* [F.: Part. de *assalariar*.]

assalariar (as.sa.la.ri.*ar*) *v. td.* **1** Empregar(-se) por salário: *Assalariou dois pintores; Assalariou-se como pedreiro.* **2** *Pop.* Corromper ou deixar-se corromper, ger. por dinheiro: *Assalariou o porteiro para vigiar a vizinha; Assalariou-se para revelar segredos da empresa.* [▶ 1 assalariar] [F.: *a-²* + *salário* + *-ar²*. Sin. ger.: *salariar*.]

assaltado (as.sal.*ta*.do) *a.* **1** Que sofreu assalto, que teve seus pertences levados por assaltante mediante violência ou grave ameaça: *Cresce o número de pessoas assaltadas em plena luz do dia.* **2** Que foi atacado impetuosamente e de surpresa: *Os mouros foram assaltados por sucessivas legiões de cristãos.* **3** Tomado por algum desejo ou pressão psicológica [+ *de, por*: "Assaltado de súbitas alucinações, via, sobre o paço dos reis, ataúdes agoureiros, línguas de flamas misteriosas." (Euclides da Cunha, *Os sertões*): "Se eu me visse assaltado pela tentação de escrever a vida oculta de Lisboa..." (Camilo Castelo Branco, *Mistérios de Lisboa*)] **4** Perseguido com insistência: *O professor foi assaltado pelos alunos com todo tipo de perguntas.* [F.: Part. de *assaltar*.]

assaltante (as.sal.*tan*.te) *s2g.* **1** Indivíduo que assalta (pessoas, casas etc.), esp. para roubar *a2g.* **2** Que assalta, esp. para roubar **3** Que investe contra o inimigo: *tropas assaltantes* [F.: *assaltar* + *-nte*.]

assaltar (as.sal.*tar*) *v.* **1** Atacar (alguém ou algum lugar) para roubar [*td.*: *Assaltaram o banco.*] [*int.*: *O bando aproveitou o engarrafamento para assaltar.*] **2** Atacar repentina e furiosamente [*td.*: *O comando assaltou o acampamento.*] [*int.*: *As tropas assaltaram peça retaguarda.*] **3** Ocorrer, surgir repentinamente (sentimento, ideia, lembrança etc.) [*td.*: "Então um receio assaltou a mulher..." (Machado de Assis, *Quincas Borba*)] **4** *Fig.* Importunar com pretensões insistentes; ASSEDIAR [*td.*: *Uma dezena de fãs exaltados assaltou o famoso ator na saída do teatro.*] **5** *Fig.* Ter efeitos sobre (algo ou alguém); ACOMETER [*td.*: *Uma gripe forte assaltou-o*; "...a denominação que prefiro dar à enfermidade que assaltou esse organismo..." (Antônio Austregésilo, "Frustos" *in Obras Completas*)] **6** Sentir medo; APAVORAR(-SE) [*int.*: *A mulher assaltou-se com os tiros.*] [▶ 1 assaltar] [F.: De or. contrv; posv. do lat. vulg. **assaltare*, ou de *as-¹* + *salto*, ou de *assalto* (posv. do it.) + *-ar²*. Hom./Par.: *assalto* (fl.), *assalto* (sm.).]

assalto (as.*sal*.to) *sm.* **1** Ação ou resultado de assaltar; avanço ou ataque impetuoso **2** Ataque súbito e ger. violento, para roubar **3** *Mil.* Ataque de surpresa **4** *Mil.* Fase final de um ataque, após o reconhecimento e a aproximação **5** *Bras. Fig.* Exagero na cobrança de preço; ROUBO: *Vinte reais por um ingresso? Isso é um assalto!* **6** *Esp.* Cada um dos curtos períodos em que se divide uma luta (p. ex., no boxe) **7** Em luta de espadas, em esgrima etc., investida sobre o adversário **8** Acesso repentino, por vezes violento, de mal físico ou psíquico: *Agiu sob o assalto do ódio.* **9** *Pop.* Festinha íntima e de surpresa [F.: De or. contrv; dev. de *assaltar* ou do it. *assalto*, posv.]

assamês (as.sa.*mês*) *sm.* **1** Indivíduo nascido ou que vive em Assam, estado do Nordeste da Índia [Pl.: *-meses*. Fem.: *-mesas*.] **2** *Ling. Gloss.* Língua do ramo indo-iraniano, falada em Assam e no Oeste de Bangladesh [Falado por mais de 12 milhões de pessoas, o assamês é uma das línguas oficiais da Índia.] *a.* **3** De Assam; típico desse estado ou de seu povo **4** *Ling. Gloss.* De ou ref. ao assamês (2) [Pl.: *-meses*. Fem.: *-mesas*] [F.: Do top. *Assam* + *-ês*.]

assanhado (as.sa.*nha*.do) ***a.*** **1** *Bras.* Alvoroçado, inquieto, agitado **2** *Bras.* Que está ou costuma estar tomado de excitação lúbrica; LASCIVO; SENSUAL **3** Que, sexual ou amorosamente excitado, dá-se a ousadias, investidas etc. **4** Enraivecido, furioso (diz-se ger. de animal) **5** Hirto, eriçado: *Ficou atônito, os cabelos assanhados.* [F.: Part. de *assanhar*.]

assanhamento (as.sa.nha.*men*.to) ***sm.*** **1** Ação ou resultado de assanhar(-se) **2** *Bras. Pop.* Excitação sexual ou amorosa; sua expressão em atitudes ou gestos provocativos, maliciosos etc.: *Pare com esse assanhamento, menino!* [F.: *assanhar* + *-mento*.]

assanhar (as.sa.*nhar*) ***v.*** **1** Tornar(-se) animado, alvoroçado [***td.***: *As meninas se assanharam quando viram o bonitão.*] [***int.***: *A torcida começou a assanhar-se depois do gol.*] **2** Demonstrar interesse por algo revelando, às vezes, falta de comedimento [***tr.*** *+ com*: *Assanhou-se com as aulas de teatro.*] **3** *P. ext.* Causar ou sentir (manifestar) forte interesse sexual [***td.***: *Seu olhar a assanhou.*] [***int.***: *Assanhava-se toda vez que o via voltando da praia.*] **4** Causar ou provocar reação em (alguém) ou ser estimulado a (algo); ESTIMULAR [***td.***: *A fome assanha o apetite.*] [***tr.*** *+ com*: *Assanhou-se com as palavras de coragem.*] **5** *Fig.* Descabelar(-se) [***td.***: "Vento que assanha os cabelos da morena..." (G. Chaves, F. Luiz, Alcir P. Vermelho, *Prece ao vento*)] [***int.***: *Usava um boné, pois seus cabelos se assanhavam à menor brisa.*] **6** Tornar(-se) enraivecido [***td.***: *Se assanham a Laura, ela briga pra valer.*] [▶ **1 assanhar**] [F.: *as*-[1] + *sanha* + *-ar*[2]. Hom./Par.: *assanho* (fl.), *assanho* (sm.).]

assa-peixe (as.sa-*pei*.xe) *Bot.* ***sm.*** **1** Nome de vários arbustos do gên. *Vernonia*, família das compostas, comuns na região central do Brasil: *Vernonia grandiflora* (cambará-guaçu), de cujas folhas se extrai tintura sucedânea da arnica; *Vernonia scabra* (erva-preá); *Vernonia tweedieana* (mata-pasto); *Vernonia beyrichii* (salsa-da-praia) **2** Arbusto das urticáceas (*Boehmeria caudata*), comum no Brasil, do qual se extrai o mel assa-peixe; URTIGA-MANSA [Pl.: *assa-peixes*.]

assar (as.*sar*) ***v.*** **1** Colocar (alimento) em forno ou braseiro para cozinhar e dourar [***td.***: *Vou assar um bolo para a festa.*] [***int.***: *O galeto demorou para assar.*] **2** Arder em chamas ou ser queimado até o fim [***td.***: *A Inquisição mandou assar os impiedosos.*] [***int.***: *Muitos inocentes assaram nas fogueiras da Inquisição.*] **3** Causar inflamação ou irritação em (pele ou [fig.] parte do corpo ou indivíduo) por efeito de calor ou atrito [***td.***: *A fralda molhada pode assar o bebê.*] [***int.***: *No calor, a pele dos bebês costuma assar.*] **4** Causar calor intenso [***td.***: *O sol da África assava-lhe o rosto.*] [***int.***: *O calor do deserto assava.*] [▶ **1 assar**] [F.: Do lat. *assare*. Hom./Par.: *assa* (fl.), *aça* (a2g. s2g.); *asso* (fl.), *aço* (a. sm.); *assai* (fl.), *açaí* (sm.); *assem* (fl.), *acém* (sm.).]

assassinado (as.sas.si.*na*.do) ***a.*** Que foi morto por alguém [F.: Part. de *assassinar*.]

assassinar (as.sas.si.*nar*) ***v.*** **1** Tirar a vida de (pessoa) voluntariamente [***td.***: *Os bandidos assassinaram os rivais.*] [***int.***: *O bandido era conhecido por assassinar friamente.*] **2** Destruir a vida de (animal) com crueldade [***td.***: *Sou contra pessoas que assassinam qualquer animal.*] **3** Causar a destruição de [***td.***: *Assassinar as instituições filantrópicas.*] **4** *Fig.* Desempenhar uma atividade com muitas imperfeições [***td.***: *Não se importa de assassinar o inglês, desde que se comunique; Fez pose, mas acabou assassinando um noturno de Chopin ao piano.*] [▶ **1 assassinar**] [F.: Do it. *assassinare* ou de *assassino* + *-ar*[2]. Hom./Par.: *assassina(s)* (fl.), *assassina(s)* (fem. de *assassino* (a. sm.) [pl.]); *assassino* (fl.), *assassino* (a. sm.).]

assassinato (as.sas.si.*na*.to) ***sm.*** **1** Ação ou resultado de assassinar; ASSASSÍNIO; HOMICÍDIO **2** Extinção, intencional por inadvertência ou omissão, de vida animal ou vegetal: *Esses caçadores ilegais estão consumando o assassinato de várias espécies.* **3** *Fig.* Extinção de algo, intencional, por desleixo, descaso etc.: *Essa política trará o assassinato da arte popular no país; A impunidade é o início do assassinato da ética e da probidade.* [F.: Do fr. *assassinat*.]

assassínio (as.sas.*sí*.ni:o) ***sm.*** O mesmo que *assassinato* [F.: Do it. *assassinio*, posv.]

assassino (as.sas.*si*.no) ***sm.*** **1** Pessoa que assassina, que comete assassinato, homicídio; HOMICIDA **2** *Fig.* Aquele ou aquilo que destrói, elimina, dá fim a algo: *Sua intransigência foi a assassina de qualquer acordo possível.* ***a.*** **3** Que causa assassinato ou que leva a ele (instinto assassino) **4** *Fig.* Que serve de agente letal em assassinato ou morte (arma assassina; imprudência assassina) **5** *Fig.* Que leva a tragédia, a sofrimento, a desastre etc.: *uma política de assassina indiferença à preservação ecológica* [F.: Do ár. *haxaxin* 'consumidor de haxixe' pelo persa *hassassin* e pelo it. *assassino*. Hom./Par.: *assassino* (a. sm.), *assassino* (fl. de *assassinar*); *assassinas* (f. pl.), *assassinas* (fl. de *assassinar*).] ▪ **~ serial/em série** Pessoa que comete vários assassinatos, em série, usando ger. os mesmos métodos

assaz (as.*saz*) ***adv.*** **1** Muito, demais: *Ficou assaz interessado no projeto.* **2** Bastante, suficientemente: *Ela é assaz sincera para dizer o que sente.* ***pr. indef.*** **3** *P. us.* Muito, demais: *O casal age com assaz complacência em relação aos filhos.* **4** Bastante, suficiente: *O magistrado decidiu-se com assaz prudência.* [F.: Do lat. *ad satis (< lat. satis), pelo provç. *assatz*.]

asseado (as.se.*a*.do) ***a.*** **1** Que tem cuidado com a limpeza, com a higiene; que tem asseio: *cozinheiro asseado.* **2** Que é limpo: *casa asseada.* **3** Feito com capricho, cuidado, esmero (trabalho asseado) **4** *S.* Elegante, garboso (diz-se de cavalo) **5** *S. P. ext.* Bem-feito, bem-acabado (diz-se de objeto) [F.: Part. de *assear*.]

assear (as.se.*ar*) ***v. td.*** **1** Fazer a higiene; LAVAR(-SE); LIMPAR(-SE): *O padre asseou o altar para a missa; Asseou-se com esmero.* [Ant.: *emporcalhar, sujar*] **2** Vestir(-se) com desvelo: *Asseia-se para encontrar com o namorado.* [▶ **13 assear**] [F.: De or. contrv; posv. do lat. vulg. **assedare*, 'pôr as coisas no lugar'. Hom./Par.: *asseio* (fl.), *asseio* (sm.).]

assecla (as.*se*.cla) ***s2g.*** Aquele que é adepto de uma causa, de uma instituição, movimento etc.; partidário, seguidor, acólito; ACÓLITO; PARTIDÁRIO [F.: Do lat. *assecla, ae*.]

assecuratório (as.se.cu.ra.*tó*.rio) ***a.*** Que assegura, que proporciona garantias: *Tomaram-se algumas medidas assecuratórias do bom êxito da missão.* [F.: *assecurat* (rad. do part. lat. *assecuratus*) + *-ório*[1].]

assedar (as.se.*dar*) ***v. td.*** **1** Tornar macio como a seda **2** Passar (o linho) pelo sedeiro, para alinhar-lhe os filamentos [▶ **1 assedar**] [F.: *as*-[1] + *seda* + *-ar*[2].]

assediado (as.se.di.*a*.do) ***a.*** Que sofre assédio: *A atriz todo dia é assediada por caçadores de autógrafos; O diretor foi assediado pelos empregados ansiosos por esclarecimentos.* [F.: Part. de *assediar*.]

assediante (as.se.di.*an*.te) ***a2g.*** Que assedia; ASSEDIADOR [F.: *assediar* + *-nte*.]

assediar (as.se.di.*ar*) ***v. td.*** **1** Tentar conquistar amorosamente, com insistência: *O ator foi acusado de assediar as mulheres.* **2** *Fig.* Perseguir, importunando com perguntas, propostas etc.: *O empresário vive assediando jogadores famosos.* **3** Impor cerco militar a: *assediou os inimigos.* [▶ **1 assediar**] [F.: De or. contrv; posv. de *assédio* + *-ar*[2]. Hom./Par.: *assedia(s)* (fl.), *acedia(s)* (fl. de *aceder* e sf. [pl.]); *assediam* (fl.), *acediam* (fl. de *aceder*); *assedio* (fl.), *acedio* (sm.), *assédio* (sm.), *acédio* (sm.); *assedia(s)* (fl.), *acédia(s)* (sf. [pl.]) etc.]

assédio (as.*sé*.di:o) ***sm.*** **1** Ação militar de cerco a lugar, posição, bastião etc. que se quer conquistar **2** *Fig.* Insistência em aproximar-se de, em abordar alguém: *O assédio dos fãs irritou o astro.* [F.: De or. contrv; posv. do lat. *absedius* ou *obsidium, ii*, pelo it. *assedio*. Hom./Par.: *assédio* (sm.), *assedio* (fl. de *assediar*).] ▪ **~ sexual** Tentativa de forçar um relacionamento sexual, esp. aquela em que se usa a posição hierárquica como forma de pressão

assegurado (as.se.gu.*ra*.do) ***a.*** **1** Que se assegurou, garantiu (direitos assegurados); GARANTIDO **2** Tido como certo, seguro, indubitável (vitória assegurada) **3** Protegido, seguro (anonimato assegurado; segredo assegurado) [F.: Part. de *assegurar*.]

assegurar (as.se.gu.*rar*) ***v.*** **1** Tornar certo, seguro; GARANTIR [***td.***: *A chuva assegurou uma boa safra.*] [***tdi.*** *+ a, para*: *O governo quer assegurar a paz para seus cidadãos.*] **2** Dizer algo com certeza ou com conhecimento de causa; ASSEVERAR [***td.***: *O cientista assegura ter descoberto uma nova vacina.*] [***tdi.*** *+ a, para*: "...até que me asseguravam que o próprio ordenança do ministro já estava longe..." (Joaquim Manuel de Macedo, *A luneta mágica*)] **3** Dar ou adquirir certeza; CERTIFICAR(-SE) [***td.***: *O juiz assegurou a posse do bem pretendido pelo solicitante.*] [***tr.*** *+ de*: *O candidato quis assegurar-se de que havia passado.*] **4** Oferecer algo ou conceder autorização com segurança; RATIFICAR [***td.***: *O dono da casa assegurou a venda do imóvel com o desconto solicitado.*] [***tdi.*** *+ a, para*: *Os pais asseguraram ao filho a compra do automóvel.*] **5** Garantir a autorização de (um direito) [***td.***: *O prefeito assegurou o direito de todos.*] [***tdi.*** *+ a*: *O juiz assegurou o divórcio à mulher.*] **6** Proporcionar, possibilitar (algo) a (alguém) [***tdi.*** *+ a, para*: *O novo emprego assegurou-lhe uma vida melhor.*] **7** *P. us.* Fazer contrato de seguro para (algo, alguém ou si mesmo); SEGURAR [***td.***: *assegurar o carro/a casa.*] **8** *Fig.* Nortear-se por ou basear-se em (algo ou alguém) para fazer ou afirmar algo; APOIAR(-SE); FIRMAR(-SE) [***tr.*** *+ em*: *Não é possível assegurar-se nesse autor para fazer a pesquisa.*] [▶ **1 assegurar**] [F.: Posv. de lat. vulg. **assecurare*, do lat. *securus, a, um*, 'calmo'; 'seguro'. Hom./Par.: *asseguráveis* (fl.), *asseguráveis* (pl. de *assegurável* [a2g.]).]

asseio (as.*sei*.o) ***sm.*** **1** Qualidade do que é asseado; LIMPEZA; HIGIENE ***sm.*** **2** Qualidade ou condição do que é bem-acabado, bem-feito; PERFEIÇÃO **3** Esmero na aparência pessoal, na maneira de vestir; ALINHO [F.: Dev. de *assear*.]

asselvajar (as.sel.va.*jar*) ***v.*** Fazer ficar ou ficar, tornar(-se) selvagem, embrutecido, rude [***td.***: *O longo isolamento asselvajou-o.*] [***int.***: *Viveu por longos isolado no mato, e asselvajou-se.*] [▶ **1 asselvajar**] [F.: *as*-[1] + *selvage(m)* + *-ar*[2].]

assemântico (as.se.*mân*.ti.co) ***a.*** Que não possui interpretação possível por não enquadrar-se nas regras semânticas, por não ter sentido [Ex.: a frase *Gritam verdes janelas azuis.*] [F.: *a*-[3] + *semântico*.]

assembleia (as.sem.*blei*.a) ***sf.*** **1** Reunião de pessoas em que se tomam decisões sobre um ou mais assuntos **2** Reunião ou grupo de pessoas que fazem parte de uma corporação, ger. detentoras de mandatos, e que são regularmente convocadas para legislar ou deliberar sobre assuntos de interesse público ou privado **3** Local onde se reúne uma assembleia (1 e 2) **4** *Pol.* Ver *assembleia legislativa* [F.: Do fr. *assemblée*.] ▪ **~ legislativa** **1** O conjunto de deputados estaduais eleitos pelo povo, responsáveis pela feitura de leis para o estado. [Com inicial maiúscula] **2** O prédio em que funciona a Assembleia Legislativa

⊕ ***assembler*** (*Ing.* /*assémbler*/) ***sm.*** *Inf.* Programa escrito em linguagem *assembly*, que transforma os códigos de operação nessa linguagem em códigos em linguagem de máquina

⊕ ***assembly language*** (*Ing.* /*assémbli lênguidji*/) *Inf.* Linguagem de programação de baixo-nível, cujos códigos representam instruções em linguagem de máquina, e que se transformam instruções mediante programa *assembler*

assemelhado (as.se.me.*lha*.do) ***a.*** **1** Que se tornou ou que é semelhante (a algo); PARECIDO **2** Diz-se de produto, mercadoria etc. que é da mesma natureza, tipo ou classificação de outro ***sm.*** **3** Produto, mercadoria etc. que é da mesma natureza, tipo ou classificação de outro [F.: Part. de *assemelhar*.]

assemelhar (as.se.me.*lhar*) ***v.*** **1** Tornar parecido; ASSIMILHAR [***td.***: *A convivência nos assemelhou.*] [***tdr.*** *+ a*: *A forma desse robô o assemelha a uma pessoa.*] [***tr.*** *+ a*: *A arte assemelha-se à vida.*] **2** Ser parecido com; PARECER(-SE) [***int.***: *As duas irmãs se assemelham muito.*] **3** Considerar semelhante (em comparação a); COMPARAR [***tdr.*** *+ a, com*: *Não se assemelha aos/com os irmãos.*] [▶ **1 assemelhar**] [F.: Posv. de *as*-[1] + *semelhar*. Ant. ger.: *dessemelhar*.]

assemelhável (as.se.me.*lhá*.vel) ***a2g.*** Que pode ser assemelhado; que pode tornar-se semelhante ou comparável a um outro [Pl.: *-veis*.] [F.: *assemelhar* + *-vel*. Hom./Par.: *assemelháveis* (pl.), *assemelháveis* (fl. de *assemelhar* [v]).]

assendeirado (as.sen.dei.*ra*.do) ***a.*** Com feição ou jeito de montaria ruim e insegura: "...amolece as orelhas e arranca, nada macio, no seu viajeiro assendeirado, de ângulo escasso, pouca bulha e queda pronta." (Guimarães Rosa, "O burrinho pedrês", *in Sagarana*) [F.: *a*-[2] + *sendeiro* (cavalo ou burro velho) + *-ado*[1].]

assenhoreamento (as.se.nho.re:a.*men*.to) ***sm.*** Ação ou resultado de assenhorear(-se) [F.: *assenhorear* + *-mento*.]

assenhorear (as.se.nho.re.*ar*) ***v.*** **1** Ter atitudes e privilégios de senhor; dominar como senhor [***td.***: *Os persas assenhorearam muitas regiões gregas.*] **2** Fazer-se dono (ou agir como tal); APROPRIAR-SE [***tr.*** *+ de*: *O fazendeiro assenhoreou-se dos lotes vizinhos.*] [▶ **13 assenhorear**] [F.: *as*-[1] + *senhor* + *-ear*[2].]

assentada (as.sen.*ta*.da) ***sf.*** **1** *Jur.* Sessão do tribunal para ouvir as testemunhas **2** *Jur.* Auto com depoimentos das testemunhas **3** Ação ou aquilo que se faz de uma vez, sem interrupções e de modo imediato: *Leu tudo de uma assentada.* **4** Tempo em que se está sentado **5** *Bras.* Esbarrada do cavalo **6** *Amaz.* Parte mais alta da praia, onde desovam as tartarugas **7** *Bras.* Terra plana em alto de morro **8** *Lus.* Assembleia de eleitores [F.: Fem. substv. de *assentado*.] ▪ **De uma ~ (só)** De uma só vez; do início ao fim, sem interrupção: *Li aquele romance de uma assentada (só).*

assentado (as.sen.*ta*.do) ***a.*** **1** Que se assentou, que se sentou ou está sentado **2** Que se assentou, que se depositou ou pousou sobre algo **3** Firme, solidamente fixado sobre uma base **4** Que foi combinado ou decidido (questão assentada) **5** Que é membro de assentamento (3) **6** Circunspecto, discreto, prudente (pessoa assentada; juízo assentado) ***sm.*** **7** Indivíduo que é membro de um assentamento **8** *BA* Extensão de terreno plano em alto de serra ou morro; ASSENTADA [F.: Part. de *assentar*.]

assentador (as.sen.ta.*dor*) [ô] ***a.*** **1** Diz-se daquele ou daquilo que assenta ***sm.*** **2** *Jur.* Funcionário que inscreve, registra ou anota **3** Profissional encarregado de montar as peças de uma máquina **4** Pedreiro que assenta tijolos, ladrilhos ou azulejos **5** Operário encarregado de cuidar das ferrovias **6** Peça de madeira ou couro em que se afia a navalha [F.: *assentar* + *-dor*.] ▪ **~ de provas** *Tip.* Espécie de tamborete com revestimento de flanela, us. para nele se tirarem provas tipográficas

assentamento (as.sen.ta.*men*.to) ***sm.*** **1** Ação ou resultado de assentar(-se) **2** Ação ou resultado de estabelecer residência, moradia, atividade profissional etc. em um lugar **3** Ação de dar posse legal de terra a trabalhadores rurais ou camponeses **4** Essa terra, já ocupada pelos camponeses; o lugar desse assentamento, a terra mais o conjunto de construções, facilidades etc. nela instaladas **5** Nota por escrito; REGISTRO; AVERBAMENTO; ASSENTO **6** *Cons. Tec.* Colocação do devido lugar das peças de qualquer construção ou aparelho **7** *Cons.* A pressão que, de cima para baixo, é exercida sobre elementos assentados de um muro, uma parede **8** *Pint.* Aplicação das cores na tela, tábua etc. **9** *Rel.* Ser ou objeto onde se crê assentar-se o espírito e a energia de uma entidade do culto afro-brasileiro [F.: *assentar* + *-mento*.]

assentar (as.sen.*tar*) ***v.*** **1** Dispor de maneira que fique firme [***td.***: *Assentou as pedras (no muro).*] **2** Colocar(-se) sobre um assento; SENTAR(-SE) [***td.***: *Assentou a criança no sofá; Assentaram-se à mesa.*] **3** Baixar, depositando-se [***int.***: *A poeira da obra assentou sobre o chão.*] **4** Firmar(-se) sobre [***tr.*** *+ sobre*: *O muro assentava sobre uma viga; Suas ideias assentam sobre o pensamento de Platão.*] **5** Dar posse de terra a (trabalhadores rurais, camponeses), para que nela habitem [***td.***: *O governo vai assentar cem famílias (na área).*] **6** Colocar em (povoamento, núcleo habitacional) [***td.***: *A prefeitura assentou as 60 famílias que perderam suas casas nas enchentes do início do ano.*] **7** Estabelecer-se em (determinado lugar) [***tda.***: *Meu tio se assentou no sul do país.*] **8** Combinar, condizer [***ti.*** *+ com, em*: *Esta roupa assenta bem em você.*] **9** Manter em forma (cabelos, penteado) [***td.***: *Usava gel para assentar o cabelo.*] **10** Dar (soco, bofetão etc.) [***td.***: *Assentou um tapa no rosto do rapaz.*] **11** Ordenar (pensamentos, ideias) [***td.***: *Às vezes, é difícil assentar as ideias.*] **12** Resolver, decidir [***td.***: "Resignei-me e assentei que o melhor era cuidar de outra coisa" (José de Alencar, *Cinco minutos*)] [*tr.* + *de*: *Assentou de viajar com a namorada.*] **13** Fazer a anotação de; registrar [*td.*: *Costumava assentar os gastos semanais.*] **14** Ter como base ou estrutura [*tr.* + *sobre*: *A boa administração deve assentar sobre princípios morais rígidos.*] **15** Combinar, firmar, estabelecer [*td.*: *Precisava assentar um momento de paz naquele conflito.*] **16** Fazer a aplicação de; passar [*tdr.* + *sobre, em*: *Assentou o verniz sobre a pintura.*] **17** Preparar (arma de artilharia) de maneira a atingir o alvo com maior precisão [*td.*: *Assentou o canhão no alto da colina.*] **18** Alistar-se, ligar-se [*tr.* + *em*: *O crente assentou-se em nova igreja.*] **19** *Art. gr.* Colocar no mesmo nível (tipos de uma forma [ô]) utilizando maço e tamborete [*td.*] **20** Impor moderação, comedimento, sensatez a [*td.*: *Os conselhos do pai assentaram definitivamente o rapaz.*] **21** *Rel.* Fixar, por meio de cerimônias ritualísticas, a força de um orixá ou entidade similar num objeto (pedra, rio, árvore etc.) [*td.*] **22** *Emec.* Colocar as diferentes peças de uma máquina em seu lugar [*td.*] **23** Adestrar-se em qualquer exercício manual [*td.*] **24** Pousar (líquidos) no fundo de uma superfície qualquer (copo, garrafa etc.) [*int.*] **25** *Esp.* Aperfeiçoar-se em uma técnica ou modalidade de esporte [*tr.* + *em*: *Ele assentou muito na natação.*] **26** Combinar, ser adequado (diz-se de objetos ou qualidade em relação uma as outras) [*td.*] **27** *Bras. Pop.* Esbarrar, encontrar por acaso [*td.*] [▶ 1 assentar] [F.: Posv. do lat. vulg. *adsentare. Hom./Par.: *assento* fl.), *acento* (sm.) e *assento* (sm.); *assente(s)* (fl.), *assente(s)* (a. e sm. [e pl.]), *assente* (fl. de *assentir*).]

assente (as.*sen*.te) ***a2g.*** **1** Colocado, apoiado, assentado (sobre): *Altaneiro como uma estátua assente sobre seu pedestal.* ***a2g.*** **2** Firme, sólido: *Depois de muito negociar, chegaram a um acordo assente e duradouro:* "Ampla (a igreja), retangular, firmemente assente sobre o solo..." (Euclides da Cunha, *Os sertões*) **3** Arrimado, apoiado, fundamentado: *Comportamento assente em firmes convicções e princípios.* **4** Assimilado, incorporado: "Essas leis nem por isso se combatem, quando bem assentes na tradição geral do idioma." (Rui Barbosa, *Réplica*) **5** Que foi aceito ou estabelecido em acordo, com a concordância de todos **6** Registrado, anotado em lugar próprio: *Os termos da negociação assentes no contrato.* **7** Diz-se de líquido clarificado por decantação: *A mistura já assente pode ser levada ao fogo.* **8** Diz-se do terreno plano no alto de um morro: *As glebas assentes foram preferidas pelos novos moradores.* [F.: Dev. de *assentar*.]

assentimento (as.sen.ti.*men*.to) ***sm.*** **1** Ação ou resultado de assentir; CONSENTIMENTO; ANUÊNCIA **2** *Fil. Rel.* Aceitação, como verdade, do conteúdo de um juízo, de uma ideia ou de uma doutrina [F.: *assentir* + *-mento*. Hom./Par.: *assentimento*, *assentamento* (sm.).]

assentir (as.sen.*tir*) ***v.*** **1** Concordar (com palavras ou gestos); entrar em acordo; AQUIESCER [*td.*: "Casar é bom, assentiu o Aires." (Machado de Assis, *Esaú e Jacó*)] [*tr.* + *a, em*: *O diretor assentiu em falar na reunião.*] [*int.*: *Quando indagaram se ela estava cansada, ela assentiu com a cabeça.*] **2** Dar consentimento, aprovação; CONSENTIR [*tr.* + *a, em*: *O escritor assentiu em ceder os direitos de seu livro.*] [▶ **50** assentir] [F.: Do lat. *assentire* ou *adsentire*. Hom./Par.: *assente(s)* (fl.), *assente(s)* (fl. de *assentar*).]

assento (as.*sen*.to) ***sm.*** **1** Superfície, ou parte de um móvel em que se pode sentar: *assento de uma cadeira.* **2** Móvel apropriado para sentar, como um banco, uma cadeira etc.: *A sala de projeção tem duzentos assentos.* **3** Lugar sobre o qual alguma coisa está colocada ou segura; APOIO; BASE **4** *Pop.* Conjunto das nádegas *Pop.*; TRASEIRO **5** *P. ext.* Parte da roupa à altura das nádegas; FUNDILHO(S) **6** Tampo ou fundo de uma vasilha, sobre o qual ela assenta: *assento de um tonel.* **7** Lugar em que está ou esteve erguida uma edificação, ou um conjunto delas **8** *Ant.* Residência, habitação **9** Anotação, apontamento, registro: *assento de um batismo.* **10** *Ant.* Resolução, acórdão prolatado por um tribunal **11** Declaração, termo de qualquer ato de natureza oficial **12** Ponderação no comportamento, nas ações; SENSATEZ; SENSO; DISCERNIMENTO: *Tome assento, rapaz!* **13** Paz de espírito, tranquilidade, sossego **14** *Bras.* Parte plana do cume de um monte **15** *Bras. Rel.* Pequena construção de formato retangular, erguida fora do terreiro, para morada dos orixás; PEDRA DOS ORIXÁS **16** *Fig.* Lugar, posição ocupados pelo titular de cargo ou função **17** *Cons.* Face de uma pedra, lajota etc. que deve se apoiar sobre a que está embaixo ou sobre o chão [F.: Dev. de *assentar*. Hom./Par.: *assento* (sm.), *assento* (fl. de *assentar*), *acento* (sm.).] ■ **~ etéreo** O céu; o paraíso **De ~** Bem-comportado **Tomar ~** **1** Sentar-se **2** *Fig.* Passar a ocupar cargo, função etc.

assépalo (as.*sé*.pa.lo) ***a.*** *Bot.* Diz-se de vegetal sem sépalas [F.: *a-*[3] + *-sépalo*.]

assepsia (as.sep.*si*.a) ***sf.*** **1** Ausência de infecção ou de agentes infecciosos ou patogênicos **2** *Med.* Conjunto de procedimentos que visam a evitar a entrada de germes no organismo ou num ambiente [F.: *as-*[2] + *-sepsia*.]

asséptico (as.*sép*.ti.co) ***a.*** **1** Que passou por assepsia; livre de agentes patogênicos: *ambiente asséptico.* **2** Ref. a ou que envolve assepsia: *métodos assépticos de cirurgia.* [F.: *as-*[2] + *séptico*. Hom./Par.: *asséptico*, *acético* (a.) e *ascético* (a.).]

asserção (as.ser.*ção*) ***sf.*** **1** Afirmação que se faz com certeza; afirmação categórica; ASSERTIVA; ASSERTO **2** *Lóg.* Proposição declarativa, em forma afirmativa ou negativa, que se tem como completa, independentemente se ser verdadeira ou falsa **3** *Ling.* Forma modal de enunciado declarativo de afirmação ou negação tido como válido pelo seu emissor [Outras formas modais seriam de interrogação, indagação, exclamação etc.] [Pl.: *-ções*.] [F.: Do lat. *assertio, onis*.]

asserido (as.se.*ri*.do) ***a.*** **1** Que se asseriu, que se afirmou, declarou; AFIRMADO; DECLARADO **2** Ligado, anexado **3** *Antq.* Diz-se do escravo levado à presença do juiz para ser declarado livre [F.: part. de *asserir*.]

asserir (as.se.*rir*) ***v. int.*** *P. us.* Dizer algo de maneira categórica; afirmar, asseverar [▶ **50** asserir] [F.: Do lat. *asserere*.]

assertiva (as.ser.*ti*.va) ***sf.*** Proposição afirmativa, declaração de caráter categórico; ASSERÇÃO [F.: Fem. substv. de *assertivo*.]

assertividade (as.ser.ti.vi.*da*.de) ***sf.*** **1** Qualidade do que é assertivo **2** *Psi.* Conjunto de recursos cognitivos e comportamentais, inatos ou adquiridos, que permitem ao indivíduo afirmar-se social e profissionalmente sem desrespeitar os direitos de outrem [F.: *assertivo* + *-(i)dade*.]

assertivo (as.ser.*ti*.vo) ***a.*** **1** Que contém ou apresenta caráter de assertiva; AFIRMATIVO; DECLARATÓRIO **2** *Psi.* Que revela assertividade (2) (comportamento assertivo) [F.: *asserto* + *-ivo*.]

asserto (as.*ser*.to) [ê] ***sm.*** Afirmação verdadeira ou tida, ou reconhecida como tal; ASSERÇÃO; ASSERTIVA [F.: Do lat. *assertum, i*. Hom./Par.: *asserto* (sm.), *acerto* (sm.), *acerto* (fl. de *acertar*).]

assessor (as.se.*sor*) [ô] ***sm.*** **1** Pessoa que assessora; AUXILIAR; ASSISTENTE; AJUDANTE **2** Especialista em determinado assunto, que auxilia uma pessoa, uma empresa etc. com informações técnicas, a fim de dirimir dúvidas e sugerir medidas a implementar; pessoa que presta assessoria **3** Cargo de assessor (2), numa carreira administrativa estatal ou privada **4** Pessoa que exerce esse cargo, ou instituição, empresa etc. que exerce essa função ***a.*** **5** Que assessora; que presta assessoria [F.: Do lat. *assessor, oris*. Hom./Par.: *assessora* (f. de *assessor*), *assessora* (fl. de *assessorar*); *assessoras* (f. pl. de *assessor*), *assessoras* (fl. de *assessorar*); *assessores* (pl. de *assessor*), *assessores* (fl. de *assessorar*).]

assessorado (as.ses.so.*ra*.do) ***sm.*** **1** Cargo de assessor **2** Período durante o qual uma pessoa exerce esse cargo: *Depois de três anos de assessorado, foi promovido a diretor.* [F.: *assessor* + *-ado*[2].]

assessoramento (as.ses.so.ra.*men*.to) ***sm.*** **1** Ação ou resultado de assessorar; ASSESSORIA **2** Ver *assessoria* (2) [F.: *assessorar* + *-mento*.]

assessorar (as.ses.so.*rar*) ***v.*** **1** Prestar assistência técnica a [*td.*: *Os especialistas assessoravam o ministro.*] **2** Servir como assessor; AUXILIAR [*td.*: *Assessorava o gerente do projeto.*] **3** Utilizar-se da assessoria de alguém [*tr.* + *de*: *O diretor assessora-se de técnicos de informática.*] [*int.*: *Buscava sempre se assessorar antes de fechar um negócio.*] [▶ **1** assessorar] [F.: *assessor* + *-ar*[2]. Hom./Par.: *assessora(s)* (fl.), *assessora(s)* [ô] (fem. de *assessor* (a. sm.) [pl.]); *assessores* (fl.), *assessores* [ô] (sm. pl.).]

assessoria (as.ses.so.*ri*.a) ***sf.*** **1** Ação ou resultado de assessorar; ASSESSORAMENTO **2** Departamento, instituição ou conjunto de especialistas que assessoram pessoas físicas ou jurídicas [Ver tb. *assessor* (4).] **3** Instituição ou empresa que reúne dados, informações, análises etc. sobre certo(s) assunto(s), campo(s) de interesse etc.; [F.: *assessor* + *-ia*[1].]

assessorial (as.ses.so.ri.*al*) ***a2g.*** **1** De ou ref. a assessor; ASSESSÓRIO **2** Próprio de assessor ou de sua atividade ou alçada [Pl.: *-ais*.] [F.: *assessoria* + *-al*[1].]

assessório (as.ses.*só*.ri:o) ***a.*** De ou próprio de assessor ou assessoria; ASSESSORIAL [F.: Do lat. *assessorius, a, um*. Hom./Par.: *assessório* (a.), *acessório* (a.); *assessória* (fem. de *assessório*), *assessoria* (sf.).]

assestado (as.ses.*ta*.do) ***a.*** **1** Que se assestou, apontou, mirou, dirigiu-se na direção de algo ou alguém [+ *a, contra, em, para*: *arma assestada ao/contra o peito do adversário; binóculo assestado no/para o palco.*] **2** Desferido (golpe assestado) [F.: Part. de *assestar*.]

assestar (as.ses.*tar*) ***v.*** **1** Apontar (arma, instrumento óptico) em direção a; DIRECIONAR [*tdr.* + *a, contra, em, para*: *Assestou a mira no animal.*: "Padre Augusto assestou mais de perto e demoradamente a luneta sobre o grupo do resgate" (Aquilino Ribeiro, *O homem que matou o diabo*)] **2** Lançar, voltar (olhos, atenção, indiretas etc.) em direção a [*tdr.* + *a, contra, em, para, sobre*: *Assestava injúrias contra seu competidor; O ladrão assestou seus olhos de cobiça sobre o colar.*] **3** Atingir fisicamente; bater; acertar [*tdr.* + *em*: *Assestou um golpe certeiro no adversário.*] [▶ **1** assestar] [F.: Do it. *assestare*.]

asseveração (as.se.ve.ra.*ção*) ***sf.*** **1** Ação ou resultado de asseverar **2** Aquilo que se assevera, declaração afirmativa e tida como válida; AFIRMAÇÃO; ASSERÇÃO; ASSERTIVA [Pl.: *-ções*.] [F.: Do lat. *asseveratio, onis*.]

asseverar (as.se.ve.*rar*) ***v.*** **1** Afirmar com segurança; ASSEGURAR; CERTIFICAR [*td.*: *A testemunha asseverou que o réu é culpado.*] [*tdi.* + *a*: *Assevero a todos que serão bem-vindos*; "Então asseveras-me que posso entrar no baile...?" (Camilo Castelo Branco, *Um homem de brios*)] **2** Provar; atestar (um fato) [*td.*: *Tudo asseverava que a casa funcionava como um cativeiro.*] [▶ **1** asseverar] [F.: Do lat. *asseverare*.]

assexuado (as.se.xu:*a*.do) [cs] ***a.*** **1** Que não tem órgãos sexuais **2** *Biol.* Que não desenvolve gametas; que não se reproduz sexualmente (diz-se de ser vivo, p. ex. os protistas); AGÂMICO; ÁGAMO **3** *Biol.* Que se realiza sem a união de gametas (diz-se de reprodução); ASSEXUAL **4** *Fig.* Que não tem ou parece não ter sexualidade, características sexuais definidas [F.: *as-*[2] + *sexuado*.]

assexual (as.se.xu:*al*) [cs] ***a2g.*** *Biol.* Sem fecundação, sem participação de gametas (diz-se de reprodução); assexuado (3) [Pl.: *-ais*.] [F.: *as-*[2] + *sexual*.]

assexualidade (as.se.xu:a.li.*da*.de) [cs] ***sf.*** **1** Qualidade, estado ou condição de assexual **2** *Biol.* Ausência de relação sexual ou reprodução sexuada [F.: *a-*[3] + *sexualidade*.]

assibilar (as.si.bi.*lar*) ***v. td.*** Tornar(-se) sibilante [▶ **1** assibilar] [F.: *a-*[2] + *sibilo* + *-ar*[2].]

assiduidade (as.si.du:i.*da*.de) ***sf.*** **1** Qualidade ou condição de assíduo **2** Frequência, regularidade, constância [+ *a, em*: *assiduidade às aulas; assiduidade no cumprimento das tarefas.*] [F.: Do lat. *assiduitas, atis*.]

assíduo (as.*sí*.du:o) ***a.*** **1** Que não falta às suas obrigações; APLICADO; DEDICADO; DILIGENTE **2** Que comparece com frequência e regularidade no lugar em que estuda, trabalha etc. [+ *a, em*: *aluno assíduo às/nas aulas.*] **3** Que comparece com frequência a um certo lugar: *É freguês assíduo desse restaurante.* **4** Feito com constância e afinco (trabalho assíduo); CONTÍNUO; CONSTANTE [F.: Do lat. *assiduus, a, um*.]

assim (as.*sim*) ***adv.*** **1** Deste, desse ou daquele modo: *Não pensei que ele fosse agir assim.* **2** Com tal qualidade, característica, natureza, forma etc.: *A um jogo assim não se assiste todo dia.* **3** *Pop.* Com grande quantidade, cheio: *A árvore estava assim de marimbondos.* [Usa-se ger. acompanhado de um gesto que consiste em juntar e soltar intermitentemente as pontas dos dedos.] **4** Desta altura, deste tamanho: *Embora novinho, seu filho já está assim.* [Usa-se ger. acompanhado de gestual que indica uma determinada elevação, altura, tamanho.] **5** Prediz uma consequência: *Assim você machuca seu irmão.* **6** Assinala uma conclusão; CONSEQUENTEMENTE; ENTÃO; PORTANTO: *Fica acertado, assim, o local da próxima reunião.* **7** Exprime desejo ou esperança, com o verbo no subjuntivo; OXALÁ; QUEM (ME) DERA: *Assim eu fosse mais afortunado!* ***conj. concl.*** **8** Us. para ligar duas orações coordenadas, indicando conclusão; LOGO; PORTANTO; ASSIM SENDO: *O concurso é puxado; assim, não esmoreça nos estudos.* **9** Us. para dar continuação a ideia, fato, situação etc. anteriormente expressa: *Vou ter de ir lá de qualquer maneira, assim, posso lhe dar carona.* [Us. às vezes com função adjetiva significando "parecido" (com característica antes mencionada): *Coisa assim, nunca tinha visto*; "Meteu-se numa fazenda ou coisa assim." (Antonio Callado, *Bar Don Juan*). F.: Do lat. *ad sic*.] ■ **~, ~** Mais ou menos: – *Como vai seu irmão?* – *Assim, assim.* **~ ou assado** *Pop.* De um jeito ou de outro **~ como** Da mesma maneira que: *Assim como chegou, partiu: em silêncio.* **~ como** De qualquer maneira; seja lá como for: *Eles disseram que já corrigiram o programa. Assim como assim, vou rever tudo.* **~ mesmo/mesmo ~** Apesar disso, todavia, ainda assim: *Chove muito, assim mesmo vou sair.* **~ que** No mesmo momento em que, logo que: *Assim que chegar, telefone-me.* **~ seja** Amém

assimetria (as.si.me.*tri*.a) ***sf.*** **1** Ausência de simetria **2** Não correspondência, falta de paridade ou de similaridade entre valores, qualidades etc.; DISPARIDADE **3** *Lóg.* Propriedade ou condição de uma relação estabelecida entre dois valores A e B quando essa relação é impossível no sentido inverso [P. ex., tem assimetria a afirmação *x é maior que z*, que não comporta o inverso *z é maior que x*; assim como a afirmação *João é filho de Pedro*, que não permite o inverso *Pedro é filho de João*.] [F.: *as-*[2] + *simetria*.]

assimétrico (as.si.*mé*.tri.co) ***a.*** Que não tem ou não apresenta simetria: *um prédio arrojado, com uma fachada assimétrica.* [F.: *as-*[2] + *simétrico*.]

assimilação (as.si.mi.la.*ção*) ***sf.*** **1** Ação ou resultado de assimilar **2** *Bioq. Fisl.* Processo metabólico pelo qual as substâncias úteis ao organismo, depois de dissociadas do alimento na digestão, se recompõem e se integram nas células; ANABOLISMO **3** *Ecol.* Consumo de elementos energéticos para o crescimento de organismos ou sua reprodução **4** *Fig.* Apropriação de ideias, conhecimentos ou sentimentos alheios **5** *Fon.* Transformação de um fonema que, por influência de outro contíguo ou próximo, se torna igual ou semelhante a este (p. ex., o lat. *capsa* deu o port. *caça*, e *ipse* deu o port. *esse*, por assimilação do *p* ao *s*) [Nesta acp., opõe-se a *dissimilação*.] **6** *Antr. Soc.* Fusão ou absorção de um agrupamento étnico ou cultural em outro, ger. dominante **7** *Psi.* Processo de adaptação a situações novas que consiste em associar os novos dados captados do meio a experiências anteriores [Segundo J. Piaget] [Pl.: *-ções*.] [F.: Do lat. *assimilatio, onis*.] ■ **~ clorofiliana** *Biol.* Fotossíntese **~ do carbono** *Biol.* Incorporação do carbono inorgânico a compostos orgânicos, por meio da fotossíntese **~ genética** *Biol.* Fixação de um caráter genético evocado pelo meio

assimilacionismo (as.si.mi.la.ci:o.*nis*.mo) ***sm.*** **1** *Antr.* Corrente que preconiza a possibilidade de assimilação das culturas periféricas pela cultura dominante **2** *Antr.* Tendência que apresentam certas culturas de serem assimiladas por outras mais fortes; ACULTURAÇÃO [F.: *assimilacion* (forma que toma o radical de assimilação) + *ismo*.]

assimilado (as.si.mi.*la*.do) ***a.*** **1** Que se assimilou ou deixou-se assimilar **2** Metabolizado, integrado ao organismo **3** Compreendido, aprendido [F.: Do lat. *assimilatus, a, um*.]

assimilador (as.si.mi.la.*dor*) [ô] *a.* **1** Que assimila, ou que é próprio para assimilar **2** Que promove a assimilação; ASSIMILATIVO [F.: *assimilar* + *-dor*.]

assimilar (as.si.mi.*lar*) *v.* **1** Apropriar-se de (conceitos novos); incorporar (ideias, costumes); aprender [**td.**: *A indústria assimilou as novas tecnologias.*] [**tdr.** + *a*: *Assimilou a música brasileira ao seu repertório.*] **2** Incorporar-se, integrar-se (a) [**tr.** + *a*: *O novo aluno logo assimilou-se aos demais.*] **3** *Biog.* Transformar (uma substância) em outra; absorver; anabolizar [**td.**: *Seu organismo não assimila vitamina. B.*] **4** *Fon.* Adquirir (traços fonéticos) de fones vizinhos [**td.**: *A consoante assimila a sonoridade do fonema inicial da palavra seguinte.*] [**tr.** + *a*: *A consoante assimilou-se ao ponto de articulação da seguinte.*] **5** Estabelecer confronto, comparação entre; COMPARAR; COTEJAR [**tdr.** + *a*, *com*: *Quando pai e filho têm a mesma profissão é comum assimilarem um ao outro.*] **6** Tornar(-se) semelhante, similar [**td.**: *A civilização tende a assimilar os diversos povos.*] [**tdi.** + *a*: *Seu modo de agir assimila-o aos selvagens.*] [**ti.** + *a*: *Os nativos não se assimilaram ao colonizador.*] [▶ 1 assimilar] [F.: Do lat. *assimilare* ou *adsimilare*.]

assimilável (as.si.mi.*lá*.vel) *a2g.* **1** Que pode ser assimilado **2** *Biol.* Que é suscetível de absorção pelo organismo [Pl.: *-veis*.] [F.: *assimilar* + *-vel*. Hom./Par.: *assimiláveis* (pl.), *assimiláveis* (fl. de *assimilar*).]

assinado (as.si.*na*.do) *a.* **1** Em que há assinatura: *cheques assinados*. **2** Autenticado pelo artista ou autor com sua assinatura: *gravura assinada*. *sm.* **3** Documento autenticado com a assinatura de uma ou mais pessoas [Ver tb. *certificado*.] [F.: Do lat. *assignatus, a, um*.]

assinalação (as.si.na.la.*ção*) *sf.* Ação ou resultado de assinalar; ASSINALAMENTO [Pl.: *-ções*.] [F.: *assinalar* + *-ção*.]

assinalado (as.si.na.*la*.do) *a.* **1** Marcado ou indicado com sinal, cor etc.: *Os itens assinalados estão em promoção.* **2** Que se assinalou (6), que se distinguiu; DESTACADO; ILUSTRE; INSIGNE: "...As armas e os barões assinalados..." (Luís de Camões, *Os lusíadas*) **3** *Hip.* Diz-se de cavalo cuja pelagem tem marcas ou sinais **4** *Bras.* Diz-se de gado marcado por meio de um corte na orelha [F.: Part. de *assinalar*.]

assinalamento (as.si.na.la.*men*.to) *sm.* **1** Ação ou resultado de assinalar; ASSINALAÇÃO **2** Corte feito na orelha de uma rês para indicar a quem ou a que fazenda pertence [F.: *assinalar* + *-mento*.]

assinalar (as.si.na.*lar*) *v.* **1** Colocar marca ou sinal em [**td.**: *Assinale a alternativa correta.*] **2** Distinguir (algo ou alguém) por meio de marca, sinal etc. [**td.**: *A cor de sua pele assinalava sua origem.*] [**tdp.**: *Seu sotaque o assinala como mineiro.*] **3** Especificar com marcas particulares; DIFERENCIAR [**td.**: *O que assinala a diferença entre os gêmeos é uma pinta no rosto.*] **4** Ser indicação de [**td.**: *A bandeira vermelha assinala perigo.*] **5** Colocar em destaque; RESSALTAR; SALIENTAR: *Cumpre assinalar a importância de sua participação.* **6** Pôr (alguém ou si mesmo) em evidência; DESTACAR(-SE) [**td.**: *A maneira como se comportou assinala sua boa educação.*] [**int.**: *Assinala-se por sua preocupação com os animais.*] **7** Evidenciar de modo a permitir o reconhecimento de [**td.**: *O olhar desviado assinala sua culpa.*] **8** Pôr-se à vista; tornar-se visível; APARECER; SURGIR [**int.**: *Ao cair da tarde, a lua e as estrelas começaram a se assinalar no céu.*] **9** Marcar (gado) por meio de cortes nas orelhas [**td.**: *Assinalaram as novas cabeças de gado com o mesmo corte.*] [▶ 1 assinalar] [F.: *as-*[1] + *sinal* + *-ar*[2]. Hom./Par.: *assinaláveis* (fl.), *assinaláveis* (pl. de *assinalável* [a2g.]).]

assinalável (as.si.na.*lá*.vel) *a2g.* Que pode ou deve ser assinalado, que é digno de nota [Pl.: *-veis*.] [F.: *assinalar* + *-vel*. Hom./Par.: *assinaláveis* (pl.), assinaláveis (fl. de *assinalar*).]

assinante (as.si.*nan*.te) *s2g.* **1** Pessoa que faz assinatura (4), que paga uma quantia fixa para, durante determinado período, receber um produto (jornal, revista etc.) ou serviço (TV a cabo, linha telefônica etc.) **2** Pessoa que assina um documento, uma obra etc. *a2g.* **3** Que faz assinatura (4) **4** Que assina um documento, uma obra etc. [F.: Do lat. *assignans, antis*.]

assinar (as.si.*nar*) *v.* **1** Escrever seu nome ou pôr sua marca em (carta, documento etc.) para identificar-se ou responsabilizar-se por seu conteúdo [**td.**: *Esqueceu-se de assinar o cheque.*] [**ta.**: *Onde devo assinar?*] **2** Pôr (marca, sinal etc.) designando autoria, personalidade etc. [**td.**: *Assinei a calça quando bordei minhas iniciais; Assinou o quarto pintando-o com sua cor predileta.*] **3** Reconhecer-se como autor de [**td.**: *O autor assina também a adaptação para o cinema.*] **4** Contratar o recebimento ou uso de (publicação, serviço etc.) [**td.**: *Assinei minha revista preferida.*] **5** Responsabilizar-se por [**tr.** + *por*: *O diretor assina pelos atos dos funcionários.*] **6** Registrar horário de entrada e saída do trabalho [**td.**: *assinar o ponto.*] **7** *Fig.* Concordar totalmente com (atitude, opinião etc.) [**ta.**: *assinar embaixo.*] [**td.**: *Assino o que você disser.*] **8** Firmar seu nome em papel em branco ou concordar com (algo) em confiança [**ta.**: *Confiante no marido, a mulher assinou em branco.*] **9** Apontar precisamente; APONTAR; ASSINALAR; INDICAR [**td.**: *Assinei os erros em seus discursos.*] **10** Marcar prazo; APRAZAR [**td.**: *O juiz assinará o prazo para o cumprimento da ordem; O professor assinou a data para a entrega do trabalho.*] [**tdi.** + *a*, *para*: *A editora assinou um período ao autor para a criação de sua nova obra.*] **11** Usar por nome; usar como assinatura [**td.**: *Aquela atriz só assina seu nome artístico; Assino o sobrenome do meu marido.*] **12** Impor marcas, limites; DELIMITAR; DEMARCAR [**td.**: *Assinou a fronteira entre seu terreno e o do vizinho.*] **13** Atribuir (algo) a (alguém) por mérito; CONFERIR; OUTORGAR [**tdi.** + *a*, *para*: *Assinaram ao diretor da empresa diversos prêmios.*] **14** Pôr (alguém ou si mesmo) em evidência; DESTACAR(-SE); NOTABILIZAR(-SE) [**int.**: *Assina-se por ser um excelente ator.*] [**tdp.**: *Assina-se como uma pessoa calma.*] [▶ 1 assinar] [F.: Do lat. *assignare* ou *adsignare*.]

assinatura (as.si.na.*tu*.ra) *sf.* **1** Ação ou resultado de assinar **2** Nome assinado: *O documento precisa da sua assinatura.* **3** Maneira de escrever o próprio nome **4** Contrato que dá direito a receber um produto (jornal, revista) ou serviço (TV a cabo, linha telefônica): *Fez assinatura de uma revista.* **5** Preço ou mensalidade que se paga por esse direito **6** Marca ou estilo pessoal: *um prato com a assinatura do famoso chef francês.* **7** *Art. gr. Enc.* Letra, marca ou numeração postas no pé das folhas dos cadernos de um livro ou na primeira página de cada um, para indicar a sua localização **8** *Antq.* Honorários pagos a magistrados por assinarem certos documentos **9** Representação gráfica, por meio de logotipo, logomarca, símbolo ou ícone etc., que identificam autor ou responsável por uma produção editorial, artística etc. **10** Indicação de responsabilidade autoral, artística, editorial etc. registrada em obra de arte, página de expediente de livro, apresentação de filme etc. **11** *Mar.* Formato gráfico que identifica o tipo de um navio, obtido em equipamento próprio por captação de ondas sonoras, magnéticas ou infravermelhas emitidas ou refletidas desse navio [F.: *assinar* + *-tura*.] ▪ **~ a rogo** Assinatura em nome de analfabeto, a pedido deste **~ digital** Sistema de autenticação digital do emissor de documento ou mensagem em formato digital Essa autenticação representa para o receptor a certeza de que o documento foi emitido pelo detentor da assinatura, impede qualquer mudança no documento ou mensagem posterior à assinatura e significa a aceitação inconteste da condição de emissor por este **~ em branco** A que se faz, em confiança, em documento ou formulário não preenchidos **~ musical** *Publ.* Trecho musical que, em mensagem publicitária, identifica produto ou marca que estão sendo anunciados **Tomar ~ com** *Bras. Pop.* Insistir em importunar alguém, não o deixando em paz

assincronia (as.sin.cro.*ni*.a) *sf.* **1** Ausência de sincronia, de concomitância; ASSINCRONISMO **2** Qualidade, estado ou condição do que é assíncrono, do que não é concomitante (com outra coisa) no tempo **3** *Fig.* Desacordo: *Não se pôde assinar o tratado por absoluta assincronia entre as partes.* [F.: *a-*[3] + *sincronia*.]

assincrônico (as.sin.*crô*.ni.co) *a.* Em que há assincronia, assíncrono [F.: *a-3* + *sincrônico*.]

assincronismo (as.sin.cro.*nis*.mo) *sm.* Qualidade ou estado de assíncrono; ASSINCRONIA [F.: *a-*[3] + *sincronismo*.]

assíncrono (as.*sín*.cro.no) *a.* **1** Que não se realiza ao mesmo tempo, ou no mesmo ritmo de desenvolvimento (em relação a outra coisa); ASSINCRÔNICO **2** *Elet.* Diz-se de motor elétrico de indução a corrente alternada em que não há relação fixa entre a frequência da força que o alimenta e a velocidade de rotação que ele adquire [F.: *a-*[3] + *síncrono*.]

assíndese (as.*sín*.de.se) *sf.* **1** *Cit.* Durante a meiose, ausência de emparelhamento de cromossomos homólogos; ASSINAPSE **2** Ver *assíndeto* [F.: *a-*[3] + *síndese*.]

assindético (as.sin.*dé*.ti.co) *a.* *Gram.* Diz-se de período em que há assíndeto, em que não há conectivos entre palavras, termos de uma oração ou entre orações; JUSTAPOSTO; PARATÁTICO [P. op. a *sindético*.] [F.: *a-*[3] + *sindético*.]

assíndeto (as.*sín*.de.to) *sm.* *Gram.* Ausência ou supressão estilística de conjunção aditiva entre palavras ou termos de uma oração ou entre orações. Ex: "...*Almas tristes, severas, resignadas/ De guerreiros, de santos, de poetas...*" (Camilo Pessanha, *Clepsidra*) [F.: *a-*[3] + *síndeto*.]

assinergia (as.si.ner.*gi*:a) *sf.* **1** *Med.* Falta de sinergia, ou de coordenação entre órgãos que normalmente as têm **2** *Med.* Coordenação falha ou antagonismo entre movimentos musculares devido a má função do cerebelo [F.: *a-*[3] + *sinergia*.]

assintomático (as.sin.to.*má*.ti.co) *a.* Que não apresenta sintomas (doença assintomática; portador assintomático) ou que não é um sintoma (dores assintomáticas) [F.: *as-*[2] + *sintomático*.]

assíntota (as.*sín*.to.ta) *sf.* *Geom.* Reta que é tangente de uma curva no infinito, ou seja, que, prolongada indefinidamente, aproxima-se cada vez mais do ponto de tangência de uma curva, mas sem jamais encontrá-lo [Tb. *assímptota*.] [F.: Do gr. *asúmptotos, os, on*.]

assintótico (as.sin.*tó*.ti.co) *a.* Ref. a assíntota [Tb. *assimptótico*.] [F.: *assíntota* + *-ico*[2].]

assírio (as.*sí*.ri:o) *sm.* **1** Indivíduo nascido ou que vivia no antigo reino da Assíria **2** *Gloss.* Dialeto do acadiano falado na antiga Assíria; ASSIRIANO; ASSÍRICO *a.* **3** Da Assíria, típico desse antigo reino ou de seu povo **4** *Gloss.* Do ou ref. ao assírio (2) [F.: Do top. gr. *Assuría* e lat. *Assyria*, pelo lat. *assyrius, a, um*.]

assiriologia (as.si.ri:o.lo.*gi*.a) *sf.* *Hist.* Estudo da civilização assíria, do seu povo e de sua cultura [F.: *assírio* + *-logia*.]

assiriólogo (as.si.ri:*ó*.lo.go) *a.* **1** Que se dedica a assiriologia, ou é especialista em coisas da Assíria ou dos assírios; ASSIRIOLOGISTA *sm.* **2** Aquele que se dedica a assiriologia, ou é especialista em coisas da Assíria e dos assírios [F.: *assírio* + *-logo*. Sin. ger.: *assiriologista*.]

assisado (as.si.*sa*.do) *a.* Que tem siso, que age com siso; judicioso, sensato, ponderado: "E eu agora é que faço de forte e assisada, que zombo de agouros e de sinais." (Almeida Garrett, *Frei Luís de Souza*) [F.: *a-*[2] + *siso* + *-ado*[1].]

assistemático (as.sis.te.*má*.ti.co) *a.* Que não tem ou não segue sistema, ou que não é parte de um sistema: *método assistemático, caótico; comportamento assistemático, eventual, casual.* [F.: *as-*[2] + *sistemático*.]

assistência (as.sis.*tên*.ci:a) *sf.* **1** Ação ou resultado de assistir; PRESENÇA [+ *a*, *de*: *assistência às/das aulas.*] **2** Grupo de pessoas que assistem a uma apresentação, reunião, espetáculo etc.; PÚBLICO; AUDIÊNCIA **3** Ajuda, amparo; socorro [+ *a*: *assistência aos necessitados.*] **4** Cuidados dispensados a doentes, acidentados etc.; intervenção médica [Tb. *assistência médica*.] **5** *Basq. Fut.* Passe dirigido a jogador em condições de fazer cesta ou gol **6** *Bras.* Ambulância (1) **7** Hospital de pronto-socorro **8** *Jur.* Intervenção judicial de um indivíduo em um pleito, em que não é autor nem réu, mas em que tem interesse **9** *Jur.* Intervenção de pessoa legalmente autorizada para isso nos atos e providências de outrem cuja capacidade civil esteja comprometida por questões de saúde, de idade etc. [F.: Do lat. **assistentia, ae*.] ▪ **~ domiciliar** *Med.* Tratamento de doente ministrado em residência, e não em hospital, esp. para reduzir custos ou evitar infecções hospitalares **~ judiciária** *Jur.* Benefício que garante, por lei, a pessoa de baixo poder aquisitivo, gratuidade dos serviços jurídicos em causa em que esteja envolvido **~ pública** Serviço público que provê assistência médica gratuita à população **~ social** Serviço gratuito, no qual entidades governamentais ou não governamentais procuram atender a pessoas carentes quanto a necessidades básicas como alimentação, saúde, atendimento a maternidade e a crianças, geriatria etc.

assistencial (as.sis.ten.ci:*al*) *a2g.* **1** Que presta assistência, ajuda: *obra assistencial.* **2** Ref. a assistência [Pl.: *-ais*.] [F.: *assistência* + *-al*[1].]

assistencialismo (as.sis.ten.ci.a.*lis*.mo) *sm.* **1** *Soc.* O conceito e a prática de organizar e prestar assistência a membros ou camadas mais carentes de uma sociedade, ao invés de atuar para a eliminação das causas de sua carência **2** *Pej. Pol.* Sistema ou prática populista, que circunstancialmente proporciona certos benefícios aos pobres com vistas ao seu aliciamento eleitoral [F.: *assistencial* + *ismo*.]

assistencialista (as.sis.ten.ci.a.*lis*.ta) *a2g.* **1** Ref. a assistencialismo: *A prática assistencialista pode angariar votos, mas não resolve a questão social.* *s2g.* **2** Adepto ou praticante do assistencialismo [F.: *assistencial* + *ista*.]

assistente (as.sis.*ten*.te) *a2g.* **1** Que assiste; que está presente (público assistente) **2** Que assiste; que presta assistência: *O médico assistente nos dará informações.* **3** Que ajuda outrem nas suas funções (enfermeira assistente; professor assistente); ADJUNTO; AUXILIAR *s2g.* **4** Pessoa que assiste a, que está presente em qualquer ato, cerimônia, espetáculo etc.: *O comício foi um fracasso, só havia uns cem assistentes.* **5** Pessoa que ajuda a outrem no desempenho das suas funções; ADJUNTO; AUXILIAR: *Os gerentes estão convocados; seus assistentes aguardarão chamado.* **6** Adjunto de um professor titular, de um médico etc.: *O médico pediu a seu assistente que o substituísse.* **7** Pessoa que presta assistência a um doente **8** *Fut.* Auxiliar de juiz na lateral do campo; BANDEIRINHA **9** Pessoa, ger. mulher, que ajuda parturientes **10** *Jur.* Pessoa que intervém em um pleito, não como parte, mas como interessado na causa [F.: Do lat. *adsistens* ou *assistens, entis*.] ▪ **~ social** Profissional do Serviço Social que presta assistência social, esp. a populações carentes, orientando famílias, auxiliando em situações de emergência etc.

assistido (as.sis.*ti*.do) *a.* **1** Que recebeu ou recebe assistência, ajuda ou atenção de alguém: "E por que, se era tão poderoso e assistido de Deus, vivia em tamanha penúria?" (Coelho Neto, *Imortalidade*) **2** Diz-se de quem é dependente de assistência por não possuir idade ou capacidade legal para manter-se sozinho *a.* **3** Diz-se do parto que contou com a ajuda da parteira [F.: Part. de *assistir*.]

assistir (as.sis.*tir*) *v.* **1** Estar presente, vendo ou ouvindo (algo) [**tr.** + *a*: *Assistir ao espetáculo.*] **2** Presenciar (um fato) como observador [**tr.** + *a*: "Nos anos 60, assistia-se à crise do populismo..." (*Folha de São Paulo*, 22.10.1999)] **3** Prestar ajuda a; dar assistência; SOCORRER [**td.**: *Organizaram-se para assistir os desabrigados.*] [**ti.** + *a*: *Assiste aos amigos nas horas difíceis.*] **4** Acompanhar (o médico ou enfermeiro) (um doente ou agonizante) para prestar ajuda ou conforto [**td.**: *A equipe médica assistiu o doente.*] **5** Acompanhar (alguém) na qualidade de ajudante ou assessor [**td.**: *O especialista foi chamado para assistir o ministro.*] **6** *Bras.* Ser ou servir de parteira [**td.**: *A parteira andou quilômetros para assistir a mulher.*] [**tdi.** + *a*: *A mulher que assistiu à minha esposa é nossa amiga até hoje.*] [**int.**: *Aquela é a mulher que assiste nessa região.*] **7** Ser da competência de; CABER; COMPETIR [**ti.** + *a*: *Não lhe assiste dizer se isto é certo ou errado.*] **8** Ter residência em [**ta.**: *Assisto no Rio de Janeiro; O lugar onde assisto é longe daqui.*] **9** Estar, permanecer em [**tr.** + *em*: *O amor que assiste em seus corações é muito grande.*] [**ta.**: *O cantor assistirá na cidade por uma semana.*] **10** *Esp.* Passar (a bola) para outro jogador auxiliando-o a marcar o ponto [**td.**: *O lateral assiste o atacante para que este marque o gol.*] [▶ 3 assistir Nota: Nas aceps. 1 e 2, na linguagem coloquial, o verbo é freq. us. como td.: *assistir um programa/ uma aula*.] [F.: Do lat. *assistere* ou *adsistere*. Hom./Par.: *assistia(s)* (fl.), *acistia(s)* (sf. [pl.]).]

assistível (as.sis.*tí*.vel) ***a.*** **1** Que se pode assistir **2** Diz-se de alguém ou algo (pessoa, instituição etc.) a que se pode ou deve prestar assistência **3** Diz-se de espetáculo (peça teatral, filme etc.) que vale a pena ver [Pl.: *-veis.*] [F.: *assistir* + *-vel.*]

assistolia (as.sis.to.*li*.a) ***sf.*** **1** *Med.* Ausência de sístole (ou seja, de batimento do coração); HIPOSSISTOLIA **2** Sístole insuficiente ou incompleta, por incapacidade cardíaca [F.: *a-*[3] + *sístole* + *-ia*[1].]

assistólico (as.sis.*tó*.li.co) ***a.*** **1** Ref. a assistolia **2** Que sofre de assistolia ***sm.*** **3** Indivíduo assistólico (2) [F.: *a-*[3] + *sistólico.*]

assoalhado[1] (as.so.a.*lha*.do) ***a.*** **1** Que recebeu assoalho ***sm.*** **2** Piso constituído por tábuas ou tacos [F.: Part. de *assoalhar*[1].]

assoalhado[2] (as.so:a.*lha*.do) ***a.*** **1** Exposto ao sol **2** *Fig.* Divulgado, tornado público [F.: Part. de *assoalhar*[2].]

assoalhamento[1] (as.so.a.lha.*men*.to) ***sm.*** Ação ou resultado de assoalhar[1]; ASSOALHADURA [F.: *assoalhar*[1] + *-mento.*]

assoalhamento[2] (as.so:a.lha.*men*.to) ***sm.*** Ação ou resultado de assoalhar[2]; exposição ao sol [F.: *assoalhar*[2] + *-mento.*]

assoalhar[1] (as.so.a.*lhar*) ***v. td.*** Cobrir com tábuas ou tacos de madeira (ou outro material) o piso de; SOALHAR: *Mandou assoalhar a sala com pinho-de-riga.* [Ant.: *dessoalhar*] [▶ 1 assoalhar] [F.: *as-*[1] + *soalho* + *-ar*[2]. Hom./Par.: *assoalho* (fl.), *assoalho* (sm.).]

assoalhar[2] (as.so.a.*lhar*) ***v.*** **1** Expor(-se) ao sol [***td.***: *Esquecera de assoalhar a roupa branca;* (*P. us.*) *Estava no terraço assoalhando-se.*] **2** *Fig.* Tornar público, divulgar (algo secreto ou íntimo) [***td.***: "Nem era homem de assoalhar as confidências alheias..." (Machado de Assis, *Relíquias de Casa Velha*)] **3** Ostentar(-se); gabar(-se) [***td.***: *assoalhar luxo, riqueza.*] [***tdp.*** + *como, por*: *assoalhá-lo como sábio:* "Esse Aimé Paris, digo, que a si se assoalhava despejadamente por autor de um sistema" (Antônio Feliciano de Castilho, *A noite do castelo*)] [▶ 1 assoalhar] [F.: *as-*[1] + *soalhar.*]

assoalho (as.so:*a*.lho) ***sm.*** **1** *Cons.* Piso de madeira (em tábuas ou tacos) de uma construção **2** *Cons.* Piso de qualquer material [F.: *as-*[3] + *soalho.* Do lat. **solaculum*, dim. de *solum* 'solo'. Hom./Par.: *assoalho* (sm.), *assoalho* (fl. de *assoalhar*); *soalho* (sm.), *soalho* (fl. de *soalhar*). Tb. *soalho.*]

assoar (as.so.*ar*) ***v.*** **1** Limpar (o nariz), expelindo o ar com força, fazendo com que saia a secreção nasal [***td.***: *Assoou o nariz no lenço.*] **2** Assoar (1) o nariz (referindo-se ao próprio nariz) [***int.***: *Ele se assoou ruidosamente.*] [▶ 16 assoar] [F.: Do lat. *assonare* (*adsonare*), 'soar juntamente'; 'responder a uma só voz', ou de *as-*[1] + *so(m)* + *-ar*[2], em referência ao som que se produz durante a ação. Hom./Par.: *assoar, assuar* (em várias fl.).]

assoberbado (as.so.ber.*ba*.do) ***a.*** **1** Sobrecarregado, ger. de trabalho **2** Cheio, repleto, carregado: *Loja assoberbada de quinquilharias.* **3** Que se tornou soberbo, arrogante **4** Dominado (na vista, na altura) por algo mais elevado: *Vale assoberbado por altos picos nevados.* [F.: Part. de *assoberbar.*]

assoberbante (as.so.ber.*ban*.te) ***a2g.*** Que assoberba, sobrecarrega; ASSOBERBADOR: *trabalho intelectual interminável e assoberbante.* [F.: *assoberbar* + *-nte.*]

assoberbar (as.so.ber.*bar*) ***v.*** **1** Sobrecarregar (alguém) com (tarefas) [***tdr.*** + *com, de*: *A programação intensa assoberbava-os de trabalho.*] [***td.***: *Assoberbou a babá que logo pediu demissão.*] **2** Tratar com soberba ou portar-se com soberba [***int.*** */* ***td.***: *Não era capaz de assoberbar* (*ninguém*).] **3** Dominar; vexar; abater [***td.***: *As constantes reclamações assoberbavam o síndico.*] **4** Dominar, ficar sobranceiro ou superior a [***td.***: *A rainha assoberba seus súditos; O deputado não assoberbava os demais políticos presentes.*] **5** Fazer ficar ou ficar orgulhoso; ENSOBERBECER(-SE) [***td.***: *O nascimento do filho assoberbou o pais*] [***int.***: *O escritor assoberbou-se quando viu seu livro editado em muitos países.*] [▶ 1 assoberbar] [F.: *as-*[1] + *soberba* + *-ar*[2].]

assobiada (as.so.bi.*a*.da) ***sf.*** **1** Som de muitos assobios **2** Vaia por meio de assobios [F.: *assobiar* + *-ada*[1]. Tb. *assoviada.*]

assobiadeira (as.so.bi.a.*dei*.ra) ***sf.*** *Bras. Zool.* O mesmo que *irerê* [F.: *assobiar* + *-deira.* Tb. *assoviadeira.*]

assobiado (as.so.bi.*a*.do) ***a.*** **1** Que se assobiou (música assobiada) **2** Diz-se do que tem forma de assobio **3** Vaiado, apupado por meio de assobios **4** *Lus.* Pálido e tolhido pelo frio [F.: Part. de *assobiar.* Tb. *assoviado.*]

assobiador (as.so.bi:a.*dor*) [ô] ***a.*** **1** Que assobia ***sm.*** **2** Aquele que assobia **3** *Bras. Zool.* Ave passeriforme da família dos trogloditídeos (*Donacobius atricapillus*), de ampla presença no Brasil e na América do Sul; JACAPANIM; JACAPANI **4** *RJ Zool.* Pássaro (*Tijuca atra*) da fam. dos cotingídeos, encontrado nas matas do Sudeste do Brasil. O macho é negro, com bico e espelho amarelados, e a fêmea tem coloração verde; FEITICEIRO; SAUDADE; TIJU; TIJUCA **5** *RS Zool.* Ave passeriforme dos tamnofilídeos (*Mackenziana leachii*), presente no Brasil, de longa cauda e penas negras com pontos brancos ou pardos; BORRALHARA; PAPA-OVO; PAPA-PINTO [F. *assobiar* + *-dor.* Tb. *assoviador.*]

assobiar (as.so.bi.*ar*) ***v.*** **1** Produzir som sibilante assoprando através dos lábios comprimidos e arredondados [***int.***: *Nunca aprendi a assobiar.*] **2** Reproduzir (melodia, música) assobiando [***td.***: *Você sabe assobiar "A banda"?*] **3** Emitir (o vento, um animal) som semelhante a assobio [***int.***: "Nem o vento lá fora assobiava mais." (Marques Rebelo, *Contos reunidos*)] **4** Reprovar com assobios ou vaias; perseguir com assobios, apupos, escárnio [***td.***: *Assobiaram a primeira comédia que ele pôs em cena.*] [***int.***: *Quando o réu entrou no recinto, assobiaram.*] [▶ 1 assobiar] [Do lat. *adsibilar* e ou *assibilare.* Hom./Par.: *assobio, assobio* (fl.), *assobio, assovio* (sm.); *assobiáveis, assoviáveis* (fl.), *assobiáveis, assoviáveis* (pl. de *assobiável, assoviável.* [a2g.]). Tb. *assoviar.*]

assobiável (as.so.bi.*á*.vel) ***a2g.*** Que se pode assobiar [Pl.: *-veis.*] [F.: *assobiar* + *-vel.* Hom./Par.: *assobiáveis* (pl.), *assobiábeis* (fl. de *assobiar*). Tb. *assoviável.*]

assobio (as.so.*bi*:o) ***sm.*** **1** Som agudo que se produz expirando o ar com os lábios bem unidos; tb. *assovio* **2** Qualquer som similar; tb. *assovio*: "Um assovio muito agudo deu o primeiro sinal de bordo, chamando os últimos passageiros." (Aluísio de Azevedo, *O mulato*) **3** Som agudo produzido por algumas serpentes e aves **4** Instrumento com que se assobia, ou apita; APITO [F. de *assobio*: dev. de *assobiar.* F. de *assovio*: dev. de *assoviar.* Hom./Par.: *assobio, assobio* (sm.), *assobio, assovio* (fl. de *assobiar*).]

assobradado (as.so.bra.*da*.do) ***a.*** **1** Que se assobradou **2** Que dispõe de um pavimento sobre o térreo: "...era uma casa velha, um palacete assobradado..." (Adoniran Barbosa, *Saudosa maloca*) [F.: Part. de *assobradar.*]

assobradar (as.so.bra.*dar*) ***v. td.*** **1** Construir sobrado em; ensobradar: *Assobradou a casa* **2** *Lus.* O mesmo que *assoalhar* [▶ 1 assobradar] [F.: *a-*[2] + *sobrado* + *-ar*[2].]

associação (as.so.ci:a.*ção*) ***sf.*** **1** Ação ou resultado de associar(-se) **2** Combinação de coisas de modo a produzir determinado efeito: *associação de cores e tons.* **3** União organizada de pessoas ou entidades com um objetivo comum: *A Constituição garante o direito de associação.* **4** Grupo organizado de pessoas ou entidades visando a um objetivo comum; SOCIEDADE: *associações secretas.* **5** *P. ext.* Lugar onde se reúne ou funciona esse grupo de pessoas ou entidades: *A reunião será na associação de moradores.* **6** *Psi.* Relação entre estados e atividades psíquicas que se sugerem mutuamente e em cadeia: *associação de ideias.* **7** *Farm. Med.* Combinação de substâncias a fim de obter efeitos múltiplos ou aumentar a ação de um medicamento **8** *Ecol.* Conjunto de seres vivos, animais ou vegetais, que coexistem num mesmo hábitat **9** *Gen.* Fase da ligação fatorial (entre dois genes no mesmo cromossomo) na qual os dois genes dominantes ou os dois recessivos estão em cromossomos homólogos **10** *Est.* Relação de dependência entre dois fatores qualitativos, observável e mensurável pela presença (ou ausência) simultânea de ambos na mesma amostragem de população [Pl.: *-ções.*] [F.: *associar* + *-ção.*] ▪▪ **Livre** ~ *Psi. Psic.* Técnica psicanalítica que consiste em suscitar ao paciente associações livres de ideias a partir de estímulos, ger. verbais, sugeridos pelo terapeuta

associacionismo (as.so.ci.a.ci.o.*nis*.mo) ***sm.*** **1** *Fil.* Doutrina que busca explicar a gênese do conhecimento pela associação de ideias **2** *Psic.* Explicação dos fenômenos psicológicos pela livre associação de ideias [F.: Do ing. *associationism* ou de *associação* (sob a f. *associacion-*) + *-ismo*, seg. o mod. erudito.]

associado (as.so.ci.*a*.do) ***a.*** **1** Que se associou **2** Que é membro de um clube, de uma associação; SÓCIO: *Todos os atletas associados terão remissão de mensalidade.* **3** Que faz parte de uma coligação, associação (emissoras associadas) [+ *a, com*: *cansaço associado à/com a falta de sono; João é associado ao irmão na firma.*] **4** Relacionado (com algo já citado): *Fique atento à evolução da doença e dos sintomas associados.* ***sm.*** **5** Aquele que é membro de um clube, de uma sociedade: *O clube convocou os associados para uma assembleia.* [F.: Part. de *associar.*]

associal (as.so.ci.*al*) ***a2g.*** Que não se integra socialmente; ANTISSOCIAL [Ant.: *social, sociável.*] [Pl.: *-ais.*] [F.: *as-*[2] + *social.*]

associar (as.so.ci.*ar*) ***v.*** **1** Estabelecer relação de analogia ou correspondência [***tdr.*** + *a, com*: *Costuma-se associar o número 13 ao azar; Não se deve associar a busca de independência dos jovens com rebeldia.*] [***tr.*** + *em*: *Funcionalidade e beleza associam-se no novo modelo de ventilador.*] **2** Reunir(-se) em grupo para finalidade comum [***td.***: *Queriam associar mais alguns escritores para irem falar com o ministro.*] [***tdr.*** + *a*: *Associou-se ao grupo para reivindicar aumento.*] **3** Tornar-se membro de (sociedade, partido, clube etc.) [***tdr.*** + *a*: *Associei-me ao clube.*] **4** Tomar como sócio [***td.***: *A corporação associou dois novos diretores.*] **5** Agregar(-se), ligar(-se), unir(-se), somar(-se) [***td.***: *Na decoração da casa conseguiu associar os contrários.*] [***tdr.*** + *a*: *associar o moderno ao clássico.*] [***tr.*** + *a, com*: *A nova pista associou-se às/com as demais.*] **6** Fazer tomar ou tomar parte em (algo); COMPARTILHAR; PARTILHAR [***tdr.*** + *a*: *Associou toda a família a sua vitória.*] [***tr.*** + *a*: *Não era da nossa rua, mas se associava a nossas festas.*] **7** *Mat.* Estabelecer correspondência entre (dois conjuntos) [***td.***] **8** *Mat.* Agrupar em um único conjunto (dois ou mais elementos de um conjunto) [***td.***] [▶ 1 associar] [F.: Do lat. tard. *associare.* Hom./Par.: *associáveis* (fl.), *associáveis* (pl. de *associável* [a2g.]).]

associatividade (as.so.ci.a.ti.vi.*da*.de) ***sf.*** **1** Qualidade ou característica de associativo **2** Disposição ou tendência para associar-se [F.: *associativo* + *-(i)dade.*]

associativismo (as.so.ci.a.ti.*vis*.mo) ***sm.*** **1** *Soc.* Movimento que visa unir pessoas ou instituições em sociedade (sindicatos, órgãos de classe etc.) para defesa de seus interesses comuns **2** A prática ou ação dos participantes desse movimento [F.: *associativo* + *-ismo.*]

associativo (as.so.ci.a.*ti*.vo) ***a.*** **1** Ref. a, ou em que há associação (quadro associativo) **2** Que associa **3** *Mat.* Diz-se de propriedade da adição que faz o resultado ser o mesmo qualquer que seja a ordem das parcelas **4** *Inf.* Diz-se de programação baseada nos aspectos associativos da memória [F.: *associar* + *-tivo.*]

associável (as.so.ci.*á*.vel) ***a2g.*** Que se pode associar [Pl.: *-veis.*] [F.: *associar* + *-vel.* Hom./Par.: *associáveis* (pl.), *associáveis* (fl. de *associar*).]

associológico (as.so.ci.o.*ló*.gi.co) ***a.*** **1** Que não é sociológico **2** Que não apresenta interesse sociológico [F.: *as-*[2] + *sociológico.*]

assolado (as.so.*la*.do) ***a.*** **1** Que sofreu assolamento (terra assolada); ARRUINADO; DESTRUÍDO; DEVASTADO **2** *Fig.* Aflito, agoniado: *Pais assolados com o desaparecimento do filho.* [F.: Part. de *assolar.*]

assolador (as.so.la.*dor*) [ô] ***a.*** **1** Que assola; DEVASTADOR; DESTRUIDOR: "...guerra mais assoladora..." (Rebelo da Silva, *Fastos da Igreja*) ***sm.*** **2** O que assola [F.: *assolar* + *-dor.*]

assolar (as.so.*lar*) ***v. td.*** **1** Causar destruição, devastação em; ANIQUILAR; ARRUINAR; DESTRUIR: *A seca assolava a região; Não permitam que assolem a Floresta Amazônica.* **2** *Fig.* Causar muita aflição; AGONIAR; CONSTERNAR: *Uma dúvida assolava seus pensamentos; Crises que assolam nosso país.* [▶ 1 assolar] [F.: Do lat. *assolare.*]

assoldadar (as.sol.da.*dar*) ***v. td.*** **1** Fazer o serviço militar em troca de soldo **2** *P. ext.* Trabalhar, servir a alguém em troca de soldo [▶ 1 assoldadar] [F.: *as-*[1] + *soldada* + *-ar*[2].]

assolear (as.so.le.*ar*) ***v. td. int.*** *S.* Cansar(-se) (animal e tb. pessoa) por ter andado muito em dia de sol forte [▶ 13 assolear] [F.: *as-*[1] + *sol* + *-ear*[2].]

assomar (as.so.*mar*) ***v.*** **1** Subir a lugar alto, ao topo [***ta.***: *Assomou à torre da igreja para tocar o sino.*] **2** Surgir, geralmente em lugar alto [***ta.***: *O papa assomou na/à/da/pela janela.*] **3** *Fig.* Surgir (ideia, pensamento) [***tr.*** + *a*: *A solução para o problema assomou à sua cabeça.*] **4** Começar a aparecer; MOSTRAR(-SE); SURGIR [***ta.***: *Eis que assoma na terra adubada um pequeno ponto verde buscando a luz do sol.*] [***int.***: *Quando a luz do sol assoma, ele acorda.*] **5** Deixar(-se) perceber; MANIFESTAR(-SE); REVELAR(-SE) [***tr.*** + *em*: *A tristeza pela briga assomava-se em seu rosto.*] **6** Alcançar, atingir (determinado ponto ou etapa) [***tr.*** + *a*: *Assomava às suas metas mesmo com dificuldade.*] **7** Fazer ficar ou ficar enfurecido, irado; ENRAIVECER(-SE); IRRITAR(-SE) [***td.***: *Assomava o irmão todos os dias.*] [***int.***: *Assomava-se frente a qualquer problema.*] **8** Ficar alegre com o uso de bebidas alcoólicas [***int.***: *Bebia para esquecer os problemas e assomar-se.*] [▶ 1 assomar] [F.: Do lat. vulg. **assummare.*]

assombração (as.som.bra.*ção*) ***sf.*** **1** Ação ou resultado de assombrar(-se) **2** *Bras.* Terror causado pela aparição de fenômeno inexplicável ou sobrenatural, como fantasmas etc. **3** Essa aparição [Pl.: *-ções.*] [F.: *assombrar* + *-ção.*]

assombradiço (as.som.bra.*di*.ço) ***a.*** **1** Que se assusta com facilidade **2** Sujeito a ficar ensombreado, sombrio [F.: *assombrar* + *-diço.*]

assombrado (as.som.*bra*.do) ***a.*** **1** Que se assombrou **2** Em que (lugar) ocorre assombração (casarão assombrado) [Ver tb. *mal-assombrado*] **3** Muito assustado, aterrorizado; APAVORADO **4** Espantado, cheio de assombro **5** Coberto de sombra; SOMBRIO **6** *P. ext. Fig.* Triste, melancólico [F.: Part. de *assombrar.*]

assombramento (as.som.bra.*men*.to) ***sm.*** **1** Ação ou resultado de assombrar(-se); ASSOMBRO; ESPANTO **2** Ação ou resultado de cobrir de sombras (esp. um lugar); SOMBREAMENTO **3** O mesmo que *assombração* [F.: *assombrar* + *-mento.*]

assombrar (as.som.*brar*) ***v.*** **1** Causar ou sentir espanto, medo, assombro; ESPANTAR; ASSUSTAR [***td.***: *A notícia assombrou a população.*] [***int.***: *Aquela história assombrava; As autoridades pediam que as pessoas não se assombrassem.*] **2** Cobrir(-se) de sombra; fazer sombra; ENSOMBRAR; SOMBREAR [***td.***: *O prisioneiro tentava assombrar os olhos com as mãos.*] [***int.***: *Pouco a pouco o dia assombrava-se.*] **3** Fazer ficar triste, lúgubre; ENTRISTECER [***td.***: *A triste notícia assombrou a família.*] **4** Causar admiração; MARAVILHAR [***td.***: *Os números do mágico assombraram a plateia.*] [***int.***: *Os feitos de Madre Teresa foram de assombrar.*] **5** Manifestar-se (fantasma, assombração) (em algum lugar) [***td.***: *Fantasmas assombravam as ruínas.*] [***int.***: *Na noite sombria, os fantasmas assombravam.*] **6** Fazer pouco de; APOUCAR; DESMERECER [***td.***: *A tia sempre tentava assombrar a sobrinha.*] [▶ 1 assombrar] [F.: *as-*[1] + *sombra* + *-ar*[2]. Hom./Par.: *assombro* (fl.), *assombro* (sm.).]

assombro (as.*som*.bro) ***sm.*** **1** Grande admiração ou espanto; PASMO: *Não escondeu seu assombro ante o inexplicável fracasso do time.* **2** Pessoa ou coisa que causa assombro (1), admiração; PRODÍGIO: *Essa moça é um assombro, destaca-se nos estudos e no esporte; A cultura dela é um assombro.* **3** Pessoa ou coisa que causa terror, pavor: *Não importa a causa ou a circunstância, a guerra é sempre um assombro.* [F.: Dev. de *assombrar.*]

assombrosamente (as.som.bro.sa.*men*.te) ***adv.*** **1** Com assombro; ESPANTOSAMENTE; MARAVILHOSAMENTE **2** Em grandes proporções; ENORMEMENTE: *cresceu assombrosamente o número de assaltos a pedestres.* [F.: Fem. de *assombroso* + *-mente.*]

assombroso (as.som.*bro*.so) [ô] ***a.*** Que suscita assombro, espanto; que impressiona, causa admiração; ESPANTOSO [Fem.: [ó]. Pl.: [ó].] [F.: *assombro* + *-oso.*]

assomo (as.*so*.mo) [ô] *sm.* **1** Ação ou resultado de assomar, de aparecer ou começar a aparecer **2** Indício, aparência ou sinal revelador de algo: *assomo de doença.* **3** Ímpeto, impulso: *Num assomo de indignação, rasgou o abaixo-assinado.* **4** Manifestação de raiva: *Já se acostumara com seus assomos, e esperou que se acalmasse.* [F.: Dev. de *assomar.*]

assonância (as.so.*nân*.ci:a) *sf.* **1** Harmonia de sons, tons, formas etc. **2** *Liter. Poét.* Uso de vogais semelhantes ou iguais, ou da mesma inflexão de voz em palavras próximas ou no final de versos para efeito rítmico e expressivo **3** *Poét.* A característica sonora de rimas que se baseiam apenas na similaridade entre suas vogais tônicas [F.: Talvez do espanhol *asonancia.* Ant. ger.: *dissonância.*]

assonante (as.so.*nan*.te) *a2g.* **1** Que produz ou tem assonância; ASSOANTE [Ant.: *dissonante.*] **2** Diz-se de palavra que tem afinidade sonora com outra (apenas) por ter a mesma vogal tônica *s2g.* **3** O que é assonante (1 e 2) [F.: Do lat. *assonans, antis.*]

assonsado² (as.son.*sa*.do) *a. SP* Apalermado, tolo [Ant.: *arguto, esperto*] [F.: *as-¹* + *sonso* + *-ado¹.*]

assonsar (as.son.*sar*) *v. td. int. S* Cansar(-se) um pouco (o cavalo) [▶ 1 assonsar] [F.: *as-¹* + *sonso* + *-ar².*]

assopração (as.so.pra.*ção*) *sf.* Ação ou resultado de assoprar; ASSOPRADA; SOPRO [Pl.: *-ções.*] [F.: *assoprar* + *-ção.*]

assoprada (as.so.*pra*.da) *sf.* O mesmo que *assopração.* [F.: *assoprar* + *-ada¹.*]

assopradela (as.so.pra.*de*.la) *sf.* Ação ou resultado de soprar brevemente e com pouca força; ligeiro sopro [F.: *assoprar* + *-dela.*]

assoprado (as.so.*pra*.do) *a.* **1** Que se assoprou **2** Em que se introduziu ar por meio de sopro; SOPRADO **3** Cheio, inchado, rechonchudo **4** *Fig.* Inchado de vaidade; ENFATUADO [F.: Part. de *assoprar.*]

assopramento (as.so.pra.*men*.to) *sm.* Ação ou resultado de assoprar, ou soprar; SOPRO [F.: *assoprar* + *-mento.*]

assoprar (as.so.*prar*) *v.* **1** O mesmo que *soprar* [*int. td. tda. tdi.*] **2** *Lus. Pop.* Delatar, denunciar (alguém) [*td.*] [▶ 1 assoprar] [F.: *as-¹* ou *as-³* + *soprar*. Hom./Par.: *assopro* (fl.), *assopro* (sm.).]

assoreado (as.so.re.*a*.do.) *a.* Que sofreu assoreamento (canal assoreado) [F.: Part. de *assorear.*]

assoreamento (as.so.re:a.*men*.to) *sm.* Acúmulo sedimentar de areia, terra, detritos etc. em rio, canal, lago, baía etc., diminuindo sua profundidade e, no caso de águas correntes, causando redução ou obstrução da correnteza, o que por sua vez faz recrudescer o processo, com prejuízo do equilíbrio ecológico, da economia e das condições ambientais (dificuldade de navegação, enchentes etc.) [F.: *assorear* + *-mento.*]

assorear (as.so.re.*ar*) *v.* Obstruir (canal, rio etc.) com areia, terra, detritos ou apresentar obstrução [*td.*: *O lixo assoreia os dutos de esgoto.*] [*int.*: *A lagoa assoreou com as chuvas.*] [▶ 13 assorear] [F.: *as-¹* + *so(b)* + *areia* + *-ar².*]

assoviada (as.so.vi.*a*.da) *sf.* Ver *assobiada*

assoviadeira (as.so.vi.a.*dei*.ra) *sf.* Ver *assobiadeira*

assoviado (as.so.vi.*a*.do) *a.* Ver *assobiado*

assoviador (as.so.vi.a.*dor*) [ô] *a. sm.* Ver *assobiador*

assoviar (as.so.vi.*ar*) *v. td. int.* Ver *assobiar*

assoviável (as.so.vi.*á*.vel) *a2g.* Ver *assobiável*

assovio (as.so.*vi*:o) *sm.* Ver *assobio*

assuada (as.su:*a*.da) *sf.* **1** Vaia, apupo **2** Vozearia, gritaria, algazarra **3** Arruaça, confusão, tumulto **4** Ajuntamento de gente armada, para fazer desordem e dano [F.: *assuar* + *-ada¹.* Hom./Par.: *assuada* (sf.), *assoada* (fem. de *assoado*, part. de *assoar*).]

assuanês (as.su.a.*nês*) *sm.* **1** Indivíduo nascido ou que vive em Assuã (Egito) [Pl.: *-neses* [ê]. Fem.: *-nesa* [ê].] *a.* **2** De Assuã; típico dessa cidade ou de seu povo [Pl.: *-neses* [ê]. Fem.: *-nesa* [ê].] [F.: Do top. *Assuã* (sob a f. *assuan-*) + *-ês.*]

assuar (as.su.*ar*) *v. td.* **1** Apupar, vaiar: *O público assuou o violeiro.* **2** Arregimentar (pessoas) ger. para fazer um motim; amotinar [▶ 1 assuar] [F.: Do lat. **ad* + *sub* + *unare.* Hom./Par.: *assoar* (vários tempos do v.).]

assumido (as.su.*mi*.do) *a.* **1** Diz-se de quem se assumiu, de quem assume (aceita e não esconde) suas próprias características, ideias, opiniões, preferências, inclinação sexual etc.: *Ele é um pessimista assumido.* **2** Diz-se de algo que se assumiu, aceitou, admitiu *Antq.*; ASSUNTO **3** *Ling.* Diz-se de texto, declaração, enunciado etc. de caráter assertivo e inequívoco, em que o autor assume a responsabilidade pela afirmação [F.: Part. de *assumir.*]

assumir (as.su.*mir*) *v.* **1** Passar a ter, a apresentar ou adquirir (aparência, aspecto, determinada atitude, postura) [*td.*: *A casa reformada assume o aspecto de nova; Assumir um comportamento responsável; Assumir a posição de observador.*] **2** Reconhecer-se responsável por; avocar, tomar a si (responsabilidade, direito, compromisso etc.) [*td.*: *O acusado assumiu a autoria do crime.*] **3** Passar a ocupar ou exercer (cargo, função etc.) [*td.*: *Assumir o trono; Assumir uma cadeira na ABL.*] **4** Reconhecer (algo) publicamente; declarar(-se), reconhecer(-se) [*td.*: *Precisamos assumir nosso namoro.*] [*tdp.* + *como*: *O ator assumiu-se como homossexual.*] **5** Vir a ter, alcançar [*td.*: *A questão ambiental vem assumindo magnitude.*] **6** Pôr-se em boa postura, aprumado, empertigado [*int.*: *Quando o comandante entrou, os soldados assumiram-se.*] **7** *Gír.* Reconhecer-se homossexual e passar a agir como tal [*int.*: *Decidiu sair do armário e (se) assumir.*] **8** *Fil.* O mesmo que *admitir.* (9) [▶ 3 assumir] [F.: Do lat. *assumere* ou *adsumere.*]

assunção (as.sun.*ção*) *sf.* **1** Ação ou resultado de assumir: *A assunção da responsabilidade não o perturbou.* **2** *Lóg.* Proposição admitida meramente como hipótese, a fim de examinar-lhe as consequências; proposição menor que um silogismo **3** Elevação a função ou cargo importante; PROMOÇÃO [+ *a*: *Comemoraram sua assunção ao ministério.*] **4** *Rel.* No catolicismo, subida de Maria ao céu, depois da sua morte **5** *Rel.* Comemoração desse evento pela Igreja Católica, no dia 15 de agosto **6** Representação da subida de Maria ao céu, em quadros, imagens etc. [Com inicial maiúsc. nas acp. 4 e 5.] [Pl.: *-ções.*] [F.: Do lat. *assumptionis.* Cf.: *ascensão.*]

assuntar (as.sun.*tar*) *v.* **1** *Bras.* Coletar informações sobre, apurar, verificar [*td. tr.* + *sobre*: *O inspetor assuntava (sobre) o desaparecimento de peças do museu.*] **2** Pensar muito, refletir, ponderar [*tr.* + *em*: *Ficou assuntando no que lhe contaram.*] [*int.*: *Depois de muito assuntar tomou uma decisão.*] **3** Ficar observando, reparando, escutando, prestando atenção (em) [*td.* / *tr.* + *para*: *Não se deve assuntar (para) conversas alheias; Pela janela, assuntava os/para os vizinhos.*] [*int.*: *Andava pelos cantos assuntando.*] **4** Vigiar para (que [não] se faça algo) [*tr.* + *para*: *Assunte para que não saiam atrasados.*] [▶ 1 assuntar] [F.: *assunto* + *-ar².* Hom./Par.: *assunto* (fl.), *assunto* (sm.).]

assunto (as.*sun*.to) *sm.* **1** Aquilo sobre o que se conversa, fala ou escreve; TEMA; MATÉRIA *a.* **2** *Antq.* Assumido (2) **3** Que se elevou; ELEVADO: "Esse Jesus que dentre vós foi assunto ao céu, assim virá do modo como o vistes subir." (Atos 1:11, em alguns traduções) [F.: Do lat. *assumptus, a, um.*]

assustadiço (as.sus.ta.*di*.ço) *a.* Propenso a assustar-se; que se assusta com facilidade [F.: *assustar* + *-diço.*]

assustado (as.sus.*ta*.do) *a.* **1** Que levou susto; SOBRESSALTADO **2** Um tanto amedrontado: *Ante a onda de assaltos, os assustados moradores do bairro pediram proteção especial.* **3** Que denota medo, susto, inquietação: *Narrou com voz assustada a terrível experiência. sm.* **4** *Bras.* Festinha (ger. familiar) improvisada e com dança; ARRASTA-PÉ [F.: Part. de *assustar.*]

assustador (as.sus.ta.*dor*) [ô] *a.* **1** Que assusta, que mete medo: *A ameaça de tsunami era terrível, assustadora. sm.* **2** Aquilo que assusta: *O assustador, neste caso, é a inevitabilidade do processo.* [F.: *assustar* + *-dor.*]

assustar (as.sus.*tar*) *v.* **1** Provocar susto em ou levar susto; SOBRESSALTAR [*td.*: *O barulho assustou as crianças.*] [*int.*: *É feia de assustar!; Quando viu a medusa, assustou-se.*] **2** Amedrontar(-se), atemorizar(-se), intimidar(-se) [*int.*: *Alguns filmes de terror nem assustam.*] [*td.*: *Assustava o animal com um chicote.*] [▶ 1 assustar] [F.: *as-¹* + *susto* + *-ar².*]

astasia (as.ta.*si*.a) *sf. Med. Neur.* Impossibilidade de manter o corpo ereto devido a falta de coordenação motora [F.: Do gr. *astasía.*]

astático (as.*tá*.ti.co) *a.* **1** Ref. a astasia **2** *Fís.* Que tem ou apresente astasia *sm.* **3** Indivíduo astático (2) [F.: *astat-*, rad. de *astasia* + *-ico².*]

asteca (as.*te*.ca) [é] *s2g.* **1** *Etnol.* Indivíduo dos astecas, povo indígena que habitava o México antes da colonização espanhola *sm.* **2** *Gloss.* Idioma dos astecas, hoje extinto [Cf.: *náuatle.*] *a2g.* **3** Do ou ref. aos astecas; típico desse povo **4** *Gloss.* Do ou ref. ao asteca (2) [F.: Do espn. *azteca.*]

asteísmo (as.te.*ís*.mo) *sm. Ret.* **1** Finura de linguagem, sutileza de expressão **2** Ironia fina e sutil que disfarça cumprimento ou elogio [F.: Do gr. *asteismós*, pelo lat. *asteismus, i.*]

◎ **-astenia** *el. comp.* = 'fraqueza (de certo órgão, parte do corpo etc.)'; 'astenia'; 'esgotamento'; 'dificuldade (para algo)': *aerastenia, cerebrastenia, ergastenia, logastenia, neurastenia, psicastenia* [F.: Do gr. *asthéneia, as.* F. conexa: *asten(o)-.*]

astenia (as.te.*ni*.a) *sf.* **1** *Med.* Diminuição da força física ou orgânica; debilidade, fraqueza **2** *Psiq.* Diminuição da resistência do sistema nervoso; debilitação psíquica; NEURASTENIA; PSICASTENIA [F.: Do gr. *asthéneia, as.* Ideia de 'astenia': *asten(o)-.* Ant. ger.: *estênico.*]

astênico (as.*tê*.ni.co) *Med. a.* **1** Ref. a astenia **2** Que sofre de astenia *sm.* **3** Quem sofre de astenia [F.: *astenia* + *-ico².* Ant. ger.: *estênico.*]

◎ **asten(o)-** *el. comp.* = 'fraco', 'sem força ou vigor': *astenopia, astenosfera* [F.: Do gr. *asthenés, és, és.* F. conexa: *-astenia.*]

astenosfera (as.te.nos.*fe*.ra) *sf. Geol.* Camada interior, frágil e plástica, do manto terrestre, logo abaixo da litosfera [F.: *asten(o)-* + *-sfera.*]

áster (*ás*.ter) *sm.* **1** *Cit.* Conjunto de microtubos finíssimos, dispostos radialmente em forma de estrela **2** *Ant. Astron.* Estrela (1) [Pl.: *ásteres.*] [F.: Do lat. *aster, eris*, 'estrela'.]

astereognosia (as.te.re:og.no.*si*.a) *sf. Neur.* Ausência ou perda da faculdade de reconhecer objetos pelo tato [F.: *a-³* + *estereognosia.*]

asterisco (as.te.*ris*.co) *sm.* **1** Sinal gráfico em forma de estrela (*), us. para marcar uma palavra, indicando que há uma nota de pé de página, ou alguma outra explicação a ela relativa, ou como registro de uma convenção etc.; ESTRELINHA **2** O mesmo sinal, us. em grupo de três, para substituir um nome que não se deseja mencionar; ASTERÔNIMO: *o deputado**** **3** *Ling.* O mesmo sinal, us. antes de uma palavra de existência hipotética [F.: Do gr. *asterískos, ou*, pelo lat. *asteriscus, i.*]

asterismo (as.te.*ris*.mo) *sm.* **1** *Min.* Propriedade de alguns minerais (p. ex., a safira, a esmeralda, a granada) apresentarem, por efeito da reflexão ou da refração da luz, a imagem de uma estrela **2** *Astron.* Grupo de estrelas em uma constelação, reconhecível por sua configuração [F.: Do gr. *asterismós, ou.*]

asteroide (as.te.*roi*.de) *sm.* **1** *Astron.* Qualquer dos numerosos e pequenos corpos celestes que se movem em torno do Sol, esp. entre as órbitas de Marte e Mercúrio; planetoide **2** *Zool.* Espécime dos asteroides, subclasse de equinodermos, de corpo em forma de estrela de cinco pontas ou de pentágono; é a estrela-do-mar *a2g.* **3** Em forma de estrela; ESTRELÁRIO **4** De ou ref. a asteroide(s) (1 e 2) [F.: Do gr. *asteroeidés*; para a acp (2), pelo lat. cient. *Asteroidea.*]

> 🕮 Os asteroides são pequenos corpos celestes (o maior deles, Ceres, tem menos de 1.000 m de diâmetro), a maioria deles em órbitas entre Marte e Júpiter. São conhecidos e catalogados cerca de 4.000, mas podem chegar a 30 ou 40 mil. Presume-se que, pelo menos alguns deles, possam ser cometas que perderam seu envoltório gasoso.

astigmata (as.tig.*ma*.ta) *s2g.* Quem tem astigmatismo; ASTIGMÁTICO [F.: Do fr. *astigmate.*]

astigmático (as.tig.*má*.ti.co) *a.* **1** Ref. a astigmatismo (1 e 2) **2** *Oft.* Que tem astigmatismo *sm.* **3** *Oft.* Aquele que tem astigmatismo *P. us.*; ASTIGMATA [F.: *astigmat(ismo)* + *-ico²*, pelo padrão erudito.]

astigmatismo (as.tig.ma.*tis*.mo) *sm.* **1** *Oft.* Defeito da visão causado por irregularidade na curvatura da córnea, ou (raramente) do cristalino ou do globo ocular [Essa curvatura faz com que os raios luminosos refratados não tenham foco na retina, mas além dela.] **2** *Oft.* Defeito de um sistema óptico (como uma lente) que não forma, a partir de um ponto, uma imagem exata, pontual [P. op. a *estigmatismo.*] [F.: Do ing. *astigmatism*, pelo fr. *astigmatisme*; ou *a-³* + *-stigm(at)-* + *-ismo.*]

astrágalo (as.*trá*.ga.lo) *sm.* **1** *Anat.* Na antiga nomenclatura anatômica, nome do osso do tarso, substituído por *tálus* **2** *Arq.* Moldura fina e arredondada que circunda a parte superior do fuste de uma coluna **3** *P. ext.* Qualquer moldura ou filete que serve de arremate (em alvenaria, marcenaria etc.) **4** *Bot.* Gênero de plantas (*Astragalus*) da fam. das leguminosas, subfam. papilionácea, com mais de 1.700 espécies em regiões temperadas setentrionais **5** *Bot.* Planta arbustiva asiática (*Astracantha gummifera*) da qual se extrai a goma adraganta; ADRAGANTO [F.: Do gr. *astrágalos*, pelo lat. cient. *Astragalus.*]

astral (as.*tral*) *a2g.* **1** Dos ou próprio dos astros; SIDERAL **2** *Oct.* Ref. a, de ou próprio do que é espiritual, do que pertence ao mundo espiritual **3** *Oct.* Diz-se de suposta substância invisível e sobrenatural que ocupa o espaço e constitui, para cada indivíduo, um segundo corpo, independente do corpo físico e que não morre com este (corpo astral) [Pl.: *-trais.*] *sm.* **4** *Pop.* Estado de espírito; disposição, ânimo; HUMOR **5** *Pop.* Circunstância ambiental ou conjunto de circunstâncias (que alguns creem influenciadas pelos astros) carregadas de fatores espirituais, emocionais ou mentais positivos ou negativos, que influem no humor ou ânimo das pessoas [Diz-se tb. no pl., *fluidos, vibrações.*] **6** *Pop.* Essa suposta influência que um lugar ou ambiente exerce sobre alguém [Pl.: *-trais.*] [F.: Do lat. *astralis.* Hom./Par.: *austral.* Ver tb. *alto-astral, baixo-astral.*]

◎ **-astro¹** *el. comp.* Ver *astr(o)-*

◎ **-astro²** *suf. nom.* = 'aumento (esp. de más qualidades)'; 'aquele que é muito ruim em algo, ou que tem péssimas qualidades': *criticastro, filosofastro, medicastro, musicastro, poetastro, politicastro, pulhastro* [F.: De or. incerta, posv. expressiva. É característico neste suf. o valor depreciativo.]

◎ **astr(o)-** *el. comp.* = 'astro'; 'corpo celeste'; 'constelação'; 'dos astros'; '(em forma de) estrela'; 'astronomia': *astroanálise, astrócito, astrofísica, astrofotografia, astrolábio* (< lat. < gr.), *astrologia* (< lat. < gr.), *astrometria, astronauta, astronáutica* (< fr.), *astronave, astronomia* (< lat. < gr.), *astrônomo* (< lat. < gr.), *astroquímica, astrostática*; *apoastro, periastro* [F.: Do gr. *ástron, ou*, 'astro'; 'constelação'.]

astro (*as*.tro) *sm.* **1** *Astron.* Qualquer corpo existente no espaço (estrela, planeta etc.) **2** *Astrol.* Cada astro ou (no pl.) o conjunto de astros (1) que, segundo a astrologia e os astrólogos, têm influência no caráter, nas ações, no destino das pessoas **3** *Fig.* Principal ator de uma peça, novela, filme; ator afamado, prestigioso **4** *Fig.* Pessoa famosa, esp. artista ou atleta; CELEBRIDADE [F.: Do gr. *ástron*, pelo lat. *astrum.*] ▪ **~ acrônico** *Astron.* Aquele que nasce quando o Sol se põe, ou vice-versa **~ fictício** *Astron.* Planeta imaginário, de período idêntico ao de um planeta real, com velocidade orbital constante, imaginado pelos astrônomos para estudar o movimento orbital dos planetas **~ fixo** *Astron.* Astro cuja posição na esfera celeste muda muito lentamente. [São todos os situados fora do sistema solar, como estrelas, nebulosas, galáxias etc.] **~ móvel** *Astron.* Astro cuja posição na esfera celeste muda rapidamente. [São os que estão no sistema solar]

astroanálise (as.tro:a.*ná*.li.se) *sf. Astron.* Análise da posição dos corpos celestes para estudos e projeções de sua evolução e movimentos [F.: *astr(o)-* + *análise.*]

astrócito (as.*tró*.ci.to) *sm. Histl.* Célula estrutural do tecido nervoso e de fibras nervosas, com prolongamentos que lhe dão forma de estrela [F.: *astr(o)-* + *-cito.*]

astrocitoma (as.tro.ci.*to*.ma) [ô] *sm. Pat.* Tumor do tecido nervoso que deriva dos astrócitos [F.: *astrócito* + *-oma¹.*]

astrofísica (as.tro.*fí*.si.ca) *sf. Astrfs.* Estudo físico dos astros (composição, propriedades, evolução etc.), baseado principalmente em métodos espectroscópicos; física cósmica [F.: *astr(o)-* + *física*.]

astrofísico (as.tro.*fí*.si.co) ***a.*** **1** Da ou ref. à astrofísica ***sm.*** **2** Especialista em astrofísica [F.: *astr(o)-* + *físico*.]

astrofotografia (as.tro.fo.to.gra.*fi*.a) ***sf.*** *Astron.* Conjunto das técnicas fotográficas utilizadas na astronomia e sua aplicação; fotografia celeste [F.: *astr(o)-* + *fotografia*.]

astrolábio (as.tro.*lá*.bi:o) ***sm.*** *Astron.* Antigo instrumento para medir a altura dos astros em relação à linha do horizonte, o que permitia determinar latitude e longitude do ponto de observação [F.: Do gr. *astrolábion* ou *astrolábus*, pelo lat. cient. *astrolabium*.] ▪ **~ de prisma** *Astron.* Instrumento astronômico que determina simultaneamente a latitude e a hora, por meio da observação simultânea de duas ou mais estrelas a determinada altura acima do horizonte **~ impessoal** *Astron.* Astrolábio de prisma cujos aperfeiçoamentos diminuem a influência do observador, diminuindo com isso os erros de observação

astrologia (as.tro.lo.*gi*.a) ***sf.*** Estudo (e o conhecimento e a prática dele decorrentes) da suposta influência dos astros no destino, no caráter e no comportamento das pessoas; URANOSCOPIA [F.: Do gr. *astrología, as*, pelo lat. *astrologia, ae*.]

astrológico (as.tro.*ló*.gi.co) ***a.*** Ref. a astrologia; URANOSCÓPICO [F.: Do gr. *astrologikós, ê, ón*, pelo lat. *astrologicus, a, um*.]

astrólogo (as.*tró*.lo.go) ***a.*** **1** Diz-se de quem estuda e pratica astrologia ***sm.*** **2** Aquele que estuda ou pratica astrologia [F.: Do gr. *astrológos, ou*, pelo lat. *astrolugus, i*.]

astrômetra (as.*trô*.me.tra) ***s2g.*** *Astron.* Especialista em astrometria; ASTROMETRISTA [F.: *astr(o)-* + *-metra*.]

astrometria (as.tro.me.*tri*.a) ***sf.*** *Astron.* Parte da astronomia que cuida de estabelecer e medir as posições, as dimensões e os movimentos dos corpos celestes [F.: *astr(o)-* + *-metria*.]

astrométrico (as.tro.*mé*.tri.co) ***a.*** Ref. a astrometria ou a astrômetra [F.: *astrometria* + *-ico*^{2}.]

astronauta (as.tro.*nau*.ta) *Astnáut.* ***s2g.*** **1** Pessoa treinada para pilotar uma nave espacial ou para viajar em missão espacial; COSMONAUTA **2** Pessoa que viaja no espaço cósmico, além da atmosfera terrestre [F.: *astr(o)-* + *-nauta*.]

astronáutica (as.tro.*náu*.ti.ca) ***sf.*** *Astnáut.* Ciência e técnica da construção de veículos espaciais e de realização e controle de voos no espaço cósmico [F.: Do fr. *astronautique*.]

> 🕮 As grandes conquistas da astronáutica começaram em 1957, quando a antiga União Soviética lançou o primeiro satélite artificial, o Sputnik. O primeiro homem a ser lançado no espaço foi o soviético Iuri Gagarin, em 1961. Em 1968 a espaçonave Apolo 8, dos EUA, fez o primeiro voo tripulado em torno da Lua, filmando a face até então oculta do satélite. Em 1969 foi transmitido ao vivo, pela televisão, o pouso da Apolo 11 e a descida do primeiro homem a pisar na Lua, Neil Armstrong. Em 1976 um laboratório automático pousou em Marte. Em 1990 foi lançado ao espaço o telescópio Hubble, dos EUA, o que permitiu novas descobertas. Os ônibus espaciais reutilizáveis tornaram as expedições ao espaço mais econômicas. O lançamento e a manutenção no espaço de estações espaciais deu grande impulso às pesquisas. Além das estações russas Mir e Salyut e da norte-americana Skylab, um grande projeto de cooperação internacional prevê a construção módulo a módulo, em pleno espaço, de uma grande e avançada estação espacial internacional (EEI, ou ISS). O primeiro astronauta brasileiro viajou em março de 2006 com um astronauta russo e um norte-americano até a Estação Espacial Internacional, onde permaneceu oito dias.

astronáutico (as.tro.*náu*.ti.co) ***a.*** Ref. a astronáutica ou a astronauta [F.: *astronauta* + *-ico*^{2}, ou de *astronáutica*, com mudança do sufixo.]

astronave (as.tro.*na*.ve) ***sf.*** *Astnáut.* O mesmo que *espaçonave* [F.: *astr(o)-* + *nave*.]

astronomia (as.tro.no.*mi*.a) ***sf.*** **1** *Astron.* Ciência que observa e perscruta os corpos celestes e o espaço sideral, para estudar sua origem, sua evolução, sua constituição, suas dimensões, seus movimentos etc. **2** *P. ext.* Conjunto dos conhecimentos astronômicos de um povo, de uma época, de um cientista etc. (<u>astronomia</u> chinesa; <u>astronomia</u> de Newton) **3** Livro, tratado, manual sobre astronomia (1) [F.: Do gr. *astronomía, as*, pelo lat. *astronomia, ae*.] ▪ **~ de campo** Ramo da astronomia que se ocupa da determinação das coordenadas geográficas de um ponto na superfície da Terra **~ de posição** Ver *astrometria* **~ descritiva** Ramo da astronomia voltado para a descrição do universo; cosmografia **~ elementar** O estudo básico da astronomia. [Antes designado *geografia astronômica*] **~ estelar** Ramo da astronomia que estuda as estrelas **~ geral** Parte da astronomia que estuda seus aspectos fundamentais e genéricos **~ instrumental** Ver *Astronomia prática*. **~ métrica** Ver *astrometria*. **~ prática** **1** Ramo da astronomia que trata dos instrumentos astronômicos e de sua utilização; astronomia instrumental **2** Parte da astronomia que cuida de suas aplicações práticas, esp. em navegação

astronômico (as.tro.*nô*.mi.co) ***a.*** **1** Da ou ref. à astronomia; **2** *Pop. Fig.* Diz-se do que é muito elevado, esp. ref. a quantia, preço, custo etc. (inflação <u>astronômica</u>; preço <u>astronômico</u>; orçamento <u>astronômico</u>) [F.: Do gr. *astronomikós, é ón*, pelo lat. *astronomicus, a, um*.]

astrônomo (as.*trô*.no.mo) ***sm.*** Quem estuda astronomia ou a ela se dedica; quem é especialista nessa área [F.: Do gr. *astronómos, ou*, pelo lat. *astronomus, i*.]

astroquímica (as.tro.*quí*.mi.ca) ***sf.*** *Astron. Quím.* Parte da astronomia e da química que estuda a composição química dos astros e sua evolução, baseada esp. em métodos espectroquímicos [F.: *astr(o)-* + *química*.]

astro-rei (as.tro-*rei*) ***sm.*** O astro do dia; o Sol [Pl.: *astros-reis e astros-rei*.]

astrostática (as.tros.*tá*.ti.ca) ***sf.*** *Astron.* Parte da astronomia que trata do cálculo do volume dos astros e das distâncias entre eles [F.: *astr(o)-* + *estática*.]

astúcia (as.*tú*.ci:a) ***sf.*** **1** Habilidade maliciosa em enganar ou ludibriar, ou em conceber e realizar estratégia ou método para se obter o que se deseja; DISSIMULAÇÃO; LÁBIA; MALÍCIA; MANHA **2** Habilidade maliciosa para não se deixar enganar ou surpreender; ESPERTEZA; SAGACIDADE [Ant.: *ingenuidade*.] **3** Ação ou medida feita com astúcia (1, 2) ou que a revela; ARTIMANHA **4** Travessura, arte, diabrura [F.: Do lat. *astutia, ae*.]

astuciador (as.tu.ci:a.*dor*) [ô] ***a.*** **1** Que astucia, que usa de astúcia em plano, ação etc. ***sm.*** **2** Aquele que astucia [F.: *astuciar* + *dor*.]

astuciar (as.tu.ci.*ar*) ***v.*** **1** Fazer (algo) de maneira astuciosa [***td.***: *<u>Astuciou</u> um plano que lhe parecia infalível*.] **2** Agir com astúcia, com subterfúgios ou dissimulações [***int.***: *Essas crianças estão <u>astuciando</u> outra vez!*] [▶ **1 astuciar**] [F.: *astúcia* + *-ar*^{2}. Hom./Par.: *astucia(s)* (fl.), *astúcia* (sf. e pl.).]

astucioso (as.tu.ci:*o*.so) [ô] ***a.*** **1** Que tem ou revela astúcia; ESPERTO [Ant.: *ingênuo*] **2** Que sabe agir de maneira a obter vantagens (mesmo enganando outrem) e a não se deixar enganar; ARDILOSO; FINÓRIO; LADINO; MATREIRO **3** Que é travesso; ARTEIRO; TRAQUINAS [Fem. e pl.: [ó].] [F.: *astúcia* + *-oso*. Sin. ger.: *astuto*.]

asturiano (as.tu.ri:*a*.no) ***sm.*** **1** Indivíduo nascido ou que vive nas Astúrias (Espanha) ***a.*** **2** Das Astúrias; típico dessa região ou de seu povo [F.: Do top. *Astúrias* + *-ano*.]

astuto (as.*tu*.to) ***a.*** O mesmo que *astucioso* [F.: Do lat. *astutus, a, um*.]

ata^1 (*a*.ta) ***sf.*** **1** Registro escrito do que ocorreu em uma sessão, convenção, assembleia etc. (<u>ata</u> da assembleia) **2** Registro escrito de obrigação assumida por alguém, corpo coletivo, instituição etc.: *Foi lida a <u>ata</u> da doação do terreno*. **3** *Fig.* Relato, narrativa, crônica [F.: Do lat. *acta, orum*. Hom./Par.: *ata* (sf.), *ata* (fl. de *atar*); *atas* (sfpl.), *atas* (fl. de *atar*).]

ata^2 (*a*.ta) ***sf.*** **1** *Bot.* O mesmo que *fruta-de-conde* **2** O mesmo que *coração-de-boi* **3** O mesmo que *graviola* [F.: De or. contrv.]

ata^3 (*a*.ta) ***sf.*** Denominação comum às formigas do gên. *Atta*, da fam. dos formicídios, popularmente conhecidas como saúvas [F.: Do lat. cient. gên. *Atta*.]

atabacado (a.ta.ba.*ca*.do) ***a.*** **1** Que tem cor igual à do tabaco ou parecida com ela; diz-se de tal cor **2** Cujo odor lembra o do tabaco; diz-se de tal odor [F.: *a-*^{2} + *tabaco* + *-ado*^{1}.]

atabalhoado (a.ta.ba.lho.*a*.do) ***a.*** **1** Feito às pressas, sem ordem, sem cuidado (serviço <u>atabalhoado</u>); CONFUSO; DESORDENADO [Ant.: *caprichado, esmerado, organizado*.] **2** Diz-se de quem faz (algo, ou coisas em geral) apressadamente, desordenadamente, precipitadamente (pessoa <u>atabalhoada</u>) [Ant.: *ordeiro, meticuloso*.] **3** Diz-se de quem faz algo (ou as coisas em geral) desastradamente; DESASTRADO; ESTOUVADO [Ant.: *desenvolto, habilidoso*.] [F.: Part. de *atabalhoar*.]

atabalhoar (a.ta.ba.lho.*ar*) ***v.*** **1** Fazer (alguma coisa) de qualquer maneira, sem capricho [***td.***: *<u>Atabalhoaram</u> o relatório porque o prazo terminava hoje*.] [***int.***: *No trabalho, <u>atabalhoou</u> para sair mais cedo*.] **2** Dizer ou fazer (algo) sem propósito, sem sentido [***td.***: *<u>Atabalhou</u> tanto sua redação que acabou reprovado*.] **3** Aturdir(-se), embaralhar(-se) [***td.***: *A capotagem do carro <u>atabalhoou</u> o trânsito; <u>Atabalhoou-se</u> ao fazer a curva*.] [▶ **16 atabalhoar**] [F.: De or. obsc.]

atabaque (a.ta.*ba*.que) *Mús.* ***sm.*** **1** *Ant.* Tipo de tambor antigo, pequeno, oriental, com um couro só **2** *Rel.* Espécie de tambor alto, com couro de um lado só, percutido com as mãos, e us. esp. nos cultos afro-brasileiros ou em danças populares deles derivadas **3** Tambor de origem africana ou asiática, de corpo cônico e um couro só, que pode ser percutido com as mãos, com baquetas ou com uma mão e uma baqueta [F.: Do ár. *at-tabaq* 'prato'.]

atabuleirado (a.ta.bu.lei.*ra*.do) ***a.*** De formato semelhante ao de um tabuleiro [F.: *a-*^{2} + *tabuleiro* + *-ado*^{1}.]

ataca (a.*ta*.ca) ***sf.*** **1** Cadarço para amarrar sapatos; ATACADOR **2** Tira de cordão, fita ou couro com que se prendem ou amarram uma coisa a outra (esp. peça de vestuário) [F.: Dev. de *atacar*^{2}, posv.]

atacadista (a.ta.ca.*dis*.ta) ***a2g.*** **1** Diz-se de comércio, comerciante, firma etc. que operam por atacado (5), que compram e/ou vendem mercadoria em grosso ***s2g.*** **2** Comerciante ou firma atacadista (1) [F.: *atacado* (5) + *-ista*. Sin. ger.: *grossista*. Ant. ger.: *varejista*.]

atacado (a.ta.*ca*.do) ***a.*** **1** Que sofre ou sofreu ataque: *O time <u>atacado</u> em geral comete mais faltas*. **2** *Pop.* Que se comporta de modo estranho, perturbado: *Que sujeito <u>atacado</u>, cuidado com ele!* **3** Que tem ou manifesta irritação, mau humor: *Hoje ela está <u>atacada</u>, insuportável*. ***sm.*** **4** Aquele que sofreu ataque **5** Comércio atacadista, de venda em grosso: *Vou comprar no <u>atacado</u>, sai mais barato*. [F.: Part. de *atacar*^{1}.] ▪ **Por ~** **1** *Com.* Em grosso: *vendas <u>por atacado</u>*. **2** *Fig.* Em grande quantidade, de uma só vez: *Os problemas quando vêm, vêm <u>por atacado</u>*.

atacador^1 (a.ta.ca.*dor*) [ô] ***sm.*** **1** Fita, cordão, cadarço etc. us. para aproximar e prender duas partes de uma roupa, para cerrá-la; ATACA **2** Cordel ou fita com que se prendem duas partes laterais de sapato ou bota para ajustá-lo ao pé; CADARÇO **3** *P. ext.* Qualquer fita, nastro, cadarço etc. us. para prender, atar ou ajustar **4** *arm.* Instrumento em forma de vareta com o qual se socava pólvora no cartucho ou no cano de armas de fogo, ou com que se carregam espoletas e bombas, foguetes sinalizadores etc. [F.: *atacar* + *-dor*.]

atacador^2 (a.ta.ca.*dor*) [ô] ***sm.*** O mesmo que *ataca* (1) [F.: *atacar*^{2} + *-dor*.]

atacante (a.ta.*can*.te) ***a2g.*** **1** Que ataca; que inicia ou realiza ação ofensiva ou agressiva; AGRESSOR **2** Que agride moralmente, ofende, injuria (palavras <u>atacantes</u>); INJURIOSO; OFENSIVO ***s2g.*** **3** O que ataca; AGRESSOR **4** *Bras. Fut.* Jogador que tem função de atacar, que integra o ataque de um time; DIANTEIRO [F.: *atacar* + *-nte*.]

atacar^1 (a.ta.*car*) ***v.*** **1** Investir com ímpeto (sobre algo ou alguém) [***td.***: *Prepararam-se para <u>atacar</u> as forças inimigas*.] [***int.***: *O touro estava pronto para <u>atacar</u>*.] **2** Agredir fisicamente, com golpes, mordidas ou outros meios [***td.***: *Um marimbondo me <u>atacou</u> com seu ferrão; Desentenderam-se e se <u>atacaram</u> violentamente*.] **3** Manifestar-se contra (algo ou alguém), falar mal de, criticar, reprovar [***td.***: *A crítica <u>atacou</u> a peça; Fizeram uma trégua e deixaram de se <u>atacar</u> na imprensa*.] **4** Proferir ofensas, injúrias contra (algo ou alguém); OFENDER; INJURIAR [***td.***: *Pode me criticar, mas não me <u>ataque</u> com calúnias*.] **5** *Bras. Pop.* Lançar-se a, ou abordar (algo), dando início a uma ação, uma atuação [***td.***: *Maestro, <u>ataca</u> aí um forró dos bons!; Não sabia como <u>atacar</u> o problema*.] **6** *Esp.* Investir (um jogador, um time ou parte dele) no campo do adversário para conseguir um gol, uma cesta etc. [***int.***: "A seleção brasileira pouco <u>atacava</u>..." (*Folha de S.Paulo*, 14.11.1999)] **7** *Esp.* Em competição de corrida (entre atletas, cavalos, automóveis etc.) tentar, quem está atrás, alcançar quem está à sua frente e ultrapassá-lo [***td.***: *Do jeito que Senna está <u>atacando</u> Prost, vai ultrapassá-lo na próxima volta*.] **8** *Esp.* Em jogos como vôlei, tênis etc., desferir (jogador, ou, por metonímia, o time) golpe na bola para lançá-la com força no campo do adversário [***td.***: *Fechou o game <u>atacando</u> o adversário com um voleio indefensável*.] [***int.***: *Com essa formação na rede, a seleção de vôlei tem tudo para <u>atacar</u> com sucesso*.] **9** Manifestar-se (doença, sentimento, preocupação etc.) de repente (em), acometer [***td.***: *Dessa vez a gripe <u>atacou</u>-o para valer; De repente, <u>atacaram</u>-no as dúvidas*.] [***intr.***: *Quando a saudade <u>ataca</u>, não tem jeito, é melhor voltar*.] **10** Causar desgaste, corrosão a [***td.***: *A substância <u>atacou</u> o fundo da vasilha*.] **11** *Pop.* Passar a exercer uma atividade [***tp.***: *O ator agora está <u>atacando</u> de dançarino*.] **12** *Pop.* Esforçar-se com denodo para obter (alguma coisa) [***int.***: *O ator <u>atacou</u> firme para obter o melhor papel*.] **13** *Bras. Pop.* Lançar-se à comida com grande apetite, com voracidade [***td.***: *<u>Atacou</u> o prato de comida com grande fúria*.] **14** Insinuar-se de repente em [***td.***: *As suspeitas o <u>atacaram</u> naquele dia*.] **15** Atear (fogo) [***td.***] **16** Insinuar-se de repente em [***td.***: *Atacar pedras/tiros*.] **17** *Com.* Negociar (comprando ou vendendo) no atacado (partida de mercadorias) [***td.***] [▶ **11 atacar**] [F.: Do it. *attaccare* ou do fr. *attaquer*. Hom./Par.: *ataca(s)* (fl.), *ataca(s)* (sf. [e pl.]); *ataque(s)* (fl.), *ataque(s)* (sm. [e pl.]).]

atacar^2 (a.ta.*car*) ***v.*** **1** Prender ou unir com ataca ou atacador [***td.***] **2** *N. E.* Prender (uma peça de vestuário) com botões [***td.***] **3** Encher(-se) (de modo excessivo) [***tdr.*** + *de*] [▶ **11 atacar**] [F.: De or. contrv.]

atachê (a.ta.*chê*) ***sm.*** **1** Adido (em função diplomática) (<u>atachê</u> comercial) **2** Indivíduo incorporado circunstancialmente a um grupo do qual não faz parte: *Prefiro não sair com sua turma, eu seria um <u>atachê</u>, quase um intruso*. [F.: Do fr. *attaché*.]

atado (a.*ta*.do) ***a.*** **1** Preso, amarrado, unido [Ant.: *desamarrado, desatado, solto*.] **2** *Fig.* Impedido de agir, de se manifestar etc. (mãos <u>atadas</u>); TOLHIDO: *A censura deixa a impressa <u>atada</u>*. [Ant.: *liberado, livre, solto*.] **3** *Fig.* Sem iniciativa ou desembaraço; ACANHADO **4** Embargado, abafado, sem livre curso (voz <u>atada</u>) **5** *Fig.* Constrangido, tolhido, imobilizado por forte emoção: *A notícia daquela morte deixou-nos todos <u>atados</u>*. **6** Ligado (a algo, alguém) por fortes vínculos, afinidades, convicções, sentimentos etc.: *Quanto à família e às convenções, é um homem <u>atado</u>*. ***sm.*** **7** Embrulho, trouxa **8** Conjunto de coisas que se atou; ATADA; LIO; MOLHO: *Levava um <u>atado</u> de feixes de lenha às costas*. [F.: Part. de *atar*.]

atadura (a.ta.*du*.ra) ***sf.*** **1** Ação ou resultado de atar; ATAMENTO [Ant.: *desatamento*.] **2** Tira ou faixa que serve para prender, envolver, amarrar algo; atilho (1): *múmias envoltas em <u>ataduras</u>* **3** *Cir.* Faixa destinada a envolver e proteger partes lesadas ou, ainda, a manter curativos no lugar; BANDAGEM [F.: *atar* + *-dura*.]

atafona (a.ta.*fo*.na) ***sf.*** Engenho de moer grão, acionado manualmente ou por animal; MOINHO; AZENHA [F.: Do ár. *at-tahuna*.]

atafulhado (a.ta.fu.*lha*.do) ***a.*** Muito cheio; cheio demais; ABARROTADO [F.: Part. de *atafulhar*.]

atafulhar (a.ta.fu.*lhar*) ***v. td.*** **1** Encher em demasia; abarrotar: *<u>Atafulhou</u> o armário com um monte de livros velhos*. **2** Encher demais (o estômago); empanturrar-se: *<u>Atafulhou</u> o estômago com um prato fundo de farofa; <u>Atafulhou-se</u> com uma baita feijoada*. **3** Encher até transbordar: *<u>Atafulhou</u>*

o bule de café. [▶ 1 atafulhar] [F.: De or. obsc. Sin. ger.: *tafulhar.*]

atalaia[1] (a.ta.*lai*.a) *s2g.* **1** Indivíduo que vigia; SENTINELA *sf.* **2** Guarita para serviço desse indivíduo **3** Torre ou lugar de vigia em situação elevada **4** *MA* A montanha ou morro mais elevados de uma serra [F.: Do ár. *at-talai'a*, 'lugar elevado de onde se vigia'. Hom./Par.: *atalaia* (*s2g*), *atalaia* (fl. de *atalaiar*); *atalaias* (pl.), *atalaias* (fl. de *atalaiar*).] ■ **De ~** À espreita

atalaia[2] (a.ta.*lai*:a) *sf. Bot.* Nome comum de plantas sapindáceas, do gên. *Atalaya*, originárias da Austrália e da África [F.: Do lat. cient. *Atalaya*. Hom./Par.: *atalaia*[1].]

atalaiado (a.ta.lai.*a*.do) *a.* **1** Provido, guarnecido de atalaia[1] (2, 3); VIGIADO **2** Vigiado por alguém em atalaia; observado, monitorado **3** Precavido, de sobreaviso, cauteloso [F.: Part. de *atalaiar.*]

atalaiador (a.ta.lai.a.*dor*) [ô] *sm.* O que está de atalaia; SENTINELA [F.: *atalaiar* + *-dor.*]

atalaiar (a.ta.lai.*ar*) *v.* **1** Manter-se em atalaia; ficar à espreita; vigiar [*td.*: *Atalaiou o inimigo durante semanas.*] [*int.*: *Subiram à torre para atalaiar.*] **2** Dar proteção a; proteger, guardar [*td.*: *Os piratas atalaiavam a entrada do esconderijo.*] **3** Ficar de sobreaviso; tomar precaução [*td.*: *Atalaiava-se contra o novo supervisor.*] [▶ 1 atalaiar] [F.: *atalaia* + *-ar*[2]. Hom./Par.: *atalaia(s)* (fl.), *atalaia* (s2g., sf. e pl.).]

atalhador (a.ta.lha.*dor*) [ô] *a.* **1** Que corta ou atalha *sm.* **2** Aquele ou aquilo que corta ou atalha **3** *Lus.* Funcionário que percorre os açougues (talhos) para receber encomendas de cortes de carne [F.: *atalhar* + *-dor.*]

atalhar (a.ta.*lhar*) *v.* **1** Impedir (um incêndio, uma febre, um mal, uma corrente etc.) de continuar, de crescer, de se propagar; CORTAR; DETER; INTERROMPER [*td.*] **2** Encurtar, abreviar [*td.*: *atalhar razões; Pediram-lhe que atalhasse sua palestra.*] **3** Fazer calar (alguém), ou reduzi-lo ao silêncio com fortes argumentos e razões sólidas; responder (alguém que está falando) interrompendo [*td.*: *Durante o debate, atalhou várias vezes o adversário político.*] **4** Embaraçar, estorvar, atravancar, impedir, interromper (o caminho de) [*td.* /*tdi.* + *a*: *a queda de uma barreira atalhou o caminho (aos transeuntes).*] [*td.*: *Uma mulher atalhou o cidadão para pedir uma informação:* "O arrependimento dos desvarios da mocidade não costuma atalhar tão cedo a carreira dos grandes desgraçados." (Camilo Castelo Branco, *Amor de salvação*)] **5** Encurtar (caminho, trajeto) indo por um atalho [*td.*: *Não conseguiu atalhar a travessia do deserto.*] [*int.*: *Em vez de seguir pela longa avenida, atalhou.*] **6** Ficar perplexo, indeciso, embaraçado, com medo ou vergonha [*int.*: *Quando perguntaram se tinha uma amante, atalhou(-se).*] [▶ 1 atalhar] [F.: De or. controv; posv. de *a-*[2] + *talhar*. Hom./Par.: *atalho* (fl.), *atalho* (sm.).]

atalho (a.*ta*.lho) *sm.* **1** Ação ou resultado de atalhar; o mesmo que *atalhamento* **2** Caminho fora da via principal, pelo qual se encurta a distância entre dois lugares; SENDA; VEREDA **3** *P. ext. Fig.* Método alternativo pelo qual se busca atingir certo objetivo em menos tempo ou com menos esforço **4** Embaraço, dificuldade para se conseguir algo; EMPECILHO; ESTORVO **5** *Inf.* Ícone na área de trabalho que permite acesso rápido a um programa, um arquivo de dados, um texto ou uma página da Web **6** *Inf.* Acionamento simultâneo de teclas que permite executar com mais rapidez determinadas ações, sem recorrer a menus ou ao mouse [F.: Dev. de *atalhar*. Hom./Par.: *atalho* (sm.), *atalho* (fl. de *atalhar*).] ■ **Pôr ~** Pôr fim

atamancado (a.ta.man.*ca*.do) *a.* Feito ou consertado sem cuidado ou capricho, grosseiramente, precariamente (serviço atamancado) [F.: Part. de *atamancar.*]

atamancamento (a.ta.man.ca.*men*.to) *sm.* Ação ou resultado de atamancar [F.: *atamancar* + *-mento.*]

atamancar (a.ta.man.*car*) *v.* **1** Executar (tarefa, trabalho) de maneira descuidada, apressadamente [*td.*: *Meu Deus, esse redator atamancou o texto inteiro!*] **2** Efetuar um conserto, um reparo, de maneira grosseira, tosca [*td.*: *O bombeiro atamancou o conserto da pia.*] **3** Agir de maneira atabalhoada [*int.*] [▶ 11 atamancar] [F.: *a-*[2] + *tamanco* + *-ar*[2].]

atamento (a.ta.*men*.to) *sm.* **1** Ação ou resultado de atar **2** Faixa de pano com que se enrola algo, ou que serve de penso, curativo; ATADURA **3** *Fig.* Enlace, união **4** *Fig. Pop.* Timidez, acanhamento [F.: *atar* + *-mento.*]

atanatismo (a.ta.na.*tis*.mo) *sm.* **1** *Fil. Rel.* Crença na imortalidade da alma e do espírito e negação de que a vocação da vida seja a morte **2** *Psic.* Doutrina que rejeita a teoria freudiana de pulsão da morte [F.: *a-*[3] + *-tanat(o)-* + *-ismo.*]

atanazado (a.ta.na.*za*.do) *a.* Ver *atazanado*

atanazador (a.ta.na.za.*dor*) [ô] *a.* Ver *atazanador*

atanazamento (a.ta.na.za.*men*.to) *sm.* Ver *atazanamento*

atanazar (a.ta.na.*zar*) *v. td.* Ver *atazanar*

atapetado (a.ta.pe.*ta*.do) *a.* **1** Coberto com tapete **2** *Fig.* Coberto ou forrado com alguma coisa macia, como se fosse um tapete: *campo atapetado, coberto de grama macia.* [F.: Part. de *atapetar.*]

atapetar (a.ta.pe.*tar*) *v.* **1** Cobrir (o piso de) com tapete [*td.*: *Mandei atapetar o escritório.*] **2** *Fig.* Cobrir como se fosse tapete [*td.*: *A relva atapetava a colina.*] [▶ 1 atapetar] [F.: *a-*[2] + *tapete* + *-ar*[2].]

ataque (a.*ta*.que) *sm.* **1** Ação ou resultado de atacar[1], investir, assediar; ASSÉDIO; INVESTIDA: *As tropas preparavam-se para o ataque.* **2** Ação de agredir moralmente, de injuriar; AGRESSÃO; INJÚRIA **3** Crítica violenta, denúncia **4** Acesso repentino, manifestação súbita (de doença, sintoma, bom ou mau humor etc.): *ataque de asma; ataque de riso; ataque de fúria.* **5** *Esp.* Ofensiva realizada por jogador(es) de uma equipe na intenção de marcar contra o adversário **6** *Esp.* Conjunto de jogadores, setor de equipe com a função de atacar **7** Iniciativa e ação enérgica para realizar uma tarefa, levar adiante uma missão, trabalho, projeto etc. **8** *Fig.* Manifestação súbita (de um sentimento, uma atitude, comportamento etc., com ou sem conotação de ironia): *De repente teve um ataque de honestidade; Não resistiu a um ataque de saudades e voltou para casa.* **9** *Mús.* Início da emissão de um som, seja de instrumento, seja de voz: *uma longa nota da viola aguardando o ataque dos violinos.* **10** *Mús.* Breve trecho musical executado no ataque (9), ger. preparatório do tema [F.: Dev. de *atacar*[1].] ■ **Dar um ~** *Gír.* Ter um ataque **De ~** **1** *AM* Enfrentando a força da água (ao descer corredeira ou cachoeira) **2** Diz-se da parte de uma ferramenta, peça etc., que abre caminho no meio em que se desloca: *borda de ataque (de uma asa de avião).* **Ter um ~** **1** *Bras. Pop.* Ser acometido de crise nervosa, com ou sem perda de consciência: *Ao ouvir a notícia, teve um ataque.* **2** *Bras. Gír.* Perder a compostura, irar-se, tornar-se violento em palavras e/ou atos: *Ao ser fechado no trânsito, teve um ataque e saiu do carro aos berros.*

atar (a.*tar*) *v.* **1** Unir, prender, amarrar ou cingir com corda, fita etc. [*td.*: *O peão atou as pernas traseiras do touro.*] [*tdr.* + *a*, *em*: *Atou o prisioneiro ao poste:* "Atou o laço na garupa..." (Guimarães Rosa, *Primeiras estórias*)] **2** Prender animal ou alguma coisa (a veículo); ATRELAR [*tdr.* + *a*: *Atou a parelha de cavalos ao carro.*] [*td.*: *Preparou o carro e atou os bois.*] **3** Estabelecer relação, vínculo, entre elementos, situações etc.; VINCULAR [*td.*: *A solidariedade atava as pessoas.*] [*tdr.* + *a*, *com*: *Buscava atar os sonhos à realidade; Atou-se a novos projetos, abandonando os antigos.*] **4** Firmar, iniciar (relacionamento) [*tdr.* + *com*: *Atar o namoro com a secretária.*] **5** Sujeitar(-se), submeter(-se) (a algo ou alguém) [*td.*: *As condições do contrato o atavam.*] [*tdr.* + *a*: *Atou seu projeto às condições do chefe; Teve de atar-se às cláusulas do contrato.*] **6** Impedir que (algo ou alguém) se movimente, aja, manifeste etc.; CONSTRANGER; REFREAR; TOLHER [*td.*: *O medo atava suas mãos; O pavor atou sua voz na garganta.*] **7** *RS* Fazer um ajuste, um contrato; AJUSTAR; CONTRATAR [*td.*: *Atou um acordo altamente vantajoso.*] **8** *Fig.* Estabelecer relação (entre partes) com lógica, sentido [*td.*: *Atou muito bem as partes de seu texto.*] [▶ 1 atar] [F.: Do lat. *aptare*. Hom./Par.: *ato* (fl.), *ato* (sm.); *atem* (fl.), *atêm* (fl. de *ater*).] ■ **Não ~ nem desatar** Não concluir (trabalho, processo etc.), não dar solução (a situação, problema etc.), por inação, comodismo, hesitação etc.

atarantado (a.ta.ran.*ta*.do) *a.* Atordoado, confuso, desnorteado: *A notícia deixou-o atarantado, perplexo.* [F.: Part. de *atarantar.*]

atarantamento (a.ta.ran.ta.*men*.to) *sm.* **1** Ação ou resultado de atarantar(-se) **2** Atrapalhação, confusão, perturbação [F.: *atarantar* + *-mento.*]

atarantar (a.ta.ran.*tar*) *v.* Fazer (alguém) ficar ou ficar confuso, desnorteado ou perturbado [*td.*: *As constantes mudanças de humor do chefe o atarantavam.*] [*int.*: *Atarantou-se ante a situação caótica da empresa.*] [▶ 1 atarantar] [F.: Do cast. *atarantar.*]

ataraxia (a.ta.ra.*xi*.a) [cs] *sf.* **1** *Fil.* Ideal de tranquilidade de espírito preconizado pelos filósofos cépticos, epicuristas e estoicos, baseado na eliminação de toda inquietação ou angústia, por sua vez conseguida com a abdicação de desejo, cobiça, paixão ou qualquer aspiração sensorial **2** *P. ext.* Sentimento ou sensação de serenidade, tranquilidade **3** *P. ext.* Ausência de reação ante estímulos; apatia, indiferença **4** *Med.* Estado de indiferença, apatia ou tranquilidade, obtido por meio de tranquilizante [F.: Do gr. *atarakxía*, pelo fr. *ataraxie.*]

ataráxico (a.ta.*rá*.xi.co) [cs] *a.* Ref. a ataraxia; ATARÁTICO [F.: *ataraxia* + *-ico*[2].]

atarefado (a.ta.re.*fa*.do) *a.* **1** Cheio de tarefas, muito ocupado [Ant.: *desocupado, livre, ocioso.*] **2** Que tem acúmulo de tarefas a cumprir; ABAFADO; SOBRECARREGADO [F.: Part. de *atarefar.*]

atarefar (a.ta.re.*far*) *v.* **1** Dar tarefa a [*td.*: *Atarefei os estagiários para que ninguém ficasse à toa.*] **2** Sobrecarregar(-se) de tarefas, de trabalho [*tdr.* + *com*: *O empresário atarefou a secretária com mil providências.*] [*int.*: *Atarefava-se quando aceitava fazer vários projetos ao mesmo tempo.*] [▶ 1 atarefar] [F.: *a-*[2] + *tarefa* + *-ar*[2].]

atarracado (a.tar.ra.*ca*.do) *a.* **1** Excessivamente apertado; ARROCHADO [Ant.: *folgado, largo.*] **2** Diz-se de pessoa ou de animal muito baixo e gordo ou largo **3** *P. ext.* Diz-se de algo ou de animal de aparência deselegante, pesadona, grosseira etc. [F.: Part. de *atarracar.*]

atarracar (a.tar.ra.*car*) *v. td.* **1** Bater com o malho (na ferradura) para depois encaixá-la corretamente no casco do animal **2** Prender (a ferradura) utilizando cravos **3** Preparar (o cravo) para o processo de ferração **4** Manter apertado com corda ou cunha; atochar **5** Vencer (um adversário) de maneira acachapante; arrasar **6** *Fig.* Pôr (alguém) em situação difícil, embaraçosa ou que lhe cause dano, ger. por meio de críticas, insinuações etc. **7** Tornar submissa (uma cavalgadura) utilizando métodos duros, severos, enérgicos [▶ 11 atarracar] [F.: Do ár. *tarraqa.*]

atarraxado (a.tar.ra.*xa*.do) *a.* Apertado com tarraxa; PARAFUSADO [Ant.: *desatarraxado.*] [F.: Part. de *atarraxar.*]

atarraxar (a.tar.ra.*xar*) *v. td.* **1** Apertar (parafuso, rosca etc.), com movimento giratório: *Atarraxe bem a tampa da garrafa térmica.* **2** Apertar com tarraxa: *Atarraxou o brinco.* [▶ 1 atarraxar] [F.: *a-*[2] + *tarraxa* + *-ar*[2].]

atascadeiro (a.tas.ca.*dei*.ro) *sm.* Lugar onde há muita lama, onde é fácil atolar; ATOLEIRO; LAMAÇAL [F.: *atascar* + *-deiro.*]

atascar (a.tas.*car*) *v. td.* **1** *Fig.* Meter(-se) em atascadeiro, em lamaçal **2** Deixar-se dominar por vícios, maus hábitos etc.; degradar-se [▶ 11 atascar] [F.: *a-*[2] + *tascar*. Hom./Par.: *atascais* (fl.), *atascais* (pl. de *atascal* [s. m.]).]

atassalhar (a.tas.sa.*lhar*) *v. td.* **1** Cortar em tassalhos, em postas, pedaços; DILACERAR; RETALHAR **2** *Fig.* Destroçar, desbaratar, dizimar: *A infantaria atassalhou a tropa inimiga.* **3** Lançar calúnia sobre; acusar falsamente; CALUNIAR; DIFAMAR: "Atassalhava sempre Bonaparte nas suas alocuções..." (Camilo Castelo Branco, *Filha do dr. Negro*) **4** Causar abalo ou tormento moral a; ATORMENTAR: *O pecado que cometera atassalhava-o.* **5** Dar mordida(s), dentada(s) em; ABOCANHAR; MORDER: *O lobo atassalhou o pescoço do cordeiro; As hienas atassalhavam-se mutuamente.* [▶ 1 atassalhar] [F.: *a-*[2] + *tassalho* + *-ar*[2].]

ataúde (a.ta.*ú*.de) *sm.* Caixão no qual se coloca o corpo de um morto para que seja sepultado; ESQUIFE; FÉRETRO [F.: Do ár. *at-tábût.*]

ataviado (a.ta.vi.*a*.do) *a.* Que se ataviou; enfeitado, ornado [F.: Part. de *ataviar.*]

ataviamento (a.ta.vi:a.*men*.to) *sm.* Ação ou resultado de ataviar(-se); ATAVIO; ORNAMENTAÇÃO [F.: *ataviar* + *-mento.*]

ataviar (a.ta.vi.*ar*) *v. td.* **1** Pôr atavios, enfeites em; ornamentar **2** *P. ext.* Vestir-se com gosto [▶ 1 ataviar] [F.: Do gót. *taujar*. Hom./Par.: *atavio* (fl.), *atavio* (sm.).]

atávico (a.*tá*.vi.co) *a.* **1** Ref. a atavismo **2** Que se transmite, adquire, produz ou manifesta por atavismo: "Quem está demonstrando na prática um apego atávico à democracia e ao estado de direito...?" (Gilberto Gil, *Aula magna* (*USP*)) [F.: Do fr. *atavique.*]

atavio (a.ta.*vi*:o) *sm.* **1** Ação ou resultado de ataviar(-se); o mesmo que *ataviamento sm.* **2** Adorno, enfeite; o que serve para adornar, ataviar, enfeitar [F.: Dev. de *ataviar*. Hom./Par.: *atavio* (sm.), *atavio* (fl. de *ataviar*).]

atavismo (a.ta.*vis*.mo) *sm.* **1** *Biol.* Reaparecimento, no ser animal ou vegetal, de caracteres genéticos (características naturais, físicas, psicológicas, intelectuais, comportamentais etc.) não presentes em seus ascendentes imediatos, mas sim em ascendentes remotos, e que haviam ficado latente ao longo de gerações [tb. denomin. herança ou hereditariedade ancestral ou reversão.] **2** *Fig.* Suposta transmissão hereditária de habilidades, comportamentos, características intelectuais ou psicológicas etc. **3** *Lit.* Retorno a um estilo, enfoque etc. (atavismo ficcional) ["A reversão a um tipo anterior" tem sido, durante séculos, tema recorrente da literatura] [F.: Do lat. *atavus*, *i* 'antepassado' + *-ismo*, posv. por infl. do fr. *atavisme*. Cf. *hereditariedade.*]

ataxia (a.ta.*xi*.a) [cs] *Neur. sf.* Perda parcial ou total da coordenação muscular em movimentos voluntários, devido a disfunção neurológica que pode ter diversas causas; AMIOTAXIA [F.: Do gr. *ataksía.*] ■ **~ locomotora progressiva** *Patol.* V. *tabe*

atáxico (a.*tá*.xi.co) [cs] *Neur. a.* **1** Ref. a ataxia (andar atáxico) **2** Que sofre de ataxia *sm.* **3** Indivíduo que sofre de ataxia [F.: *ataxia* + *-ico*[2].]

◎ **ataxo-** *el. comp.* = 'desordem', 'confusão': *ataxofobia, ataxófobo* [F.: Do gr. *ataksía, as*, 'abandono de posto, de lugar'; 'desordem'; 'confusão', + *-o-*.]

ataxofobia (a.ta.xo.fo.*bi*.a) [cs] *sf. Psiq.* Aversão patológica à desordem, à confusão [F.: *ataxo-* + *-fobia.*]

ataxofóbico (a.ta.xo.*fó*.bi.co) [cs] *Psiq. a.* **1** Ref. a ataxofobia **2** Que sofre de ataxofobia ou que manifesta seus sintomas (surto ataxofóbico); ATAXÓFOBO *sm.* **3** Indivíduo que sofre de ataxofobia; ATAXÓFOBO [F.: *ataxofobia* + *-ico*[2].]

ataxófobo (a.ta.*xó*.fo.bo) [cs] *a. sm. Psiq.* O mesmo que ataxofóbico (2, 3) [F.: *ataxo-* + *-fobo.*]

atazanado (a.ta.za.*na*.do) *a.* **1** Aborrecido, importunado, azucrinado **2** Torturado, mortificado, espicaçado [F.: Part. de *atazanar*. Tb. *atenazado, atanazado.*]

atazanador (a.ta.za.na.*dor*) [ô] *a.* **1** Que atazana, atormenta **2** Que aperta com tenaz *sm.* **3** Aquele ou aquilo que atazana [F.: *atazanar* + *-dor*. Tb. *atenazador, atanazador.*]

atazanamento (a.ta.za.na.*men*.to) *sm.* Ação ou resultado de atazanar [F.: *atazanar* + *-mento*. Tb. *atenazamento, atanazamento.*]

atazanar (a.ta.za.*nar*) *v.* **1** *Fig.* Fazer ficar ou ficar irritado, aborrecido, contrariado [*td.*: *Costumava atazaná-lo com reclamações.*] [*tr.* + *com*: *Atazanava-se com vendedores insistentes.*] **2** *Fig.* Causar sofrimento, aflição a; AFLIGIR; TORTURAR [*td.*: *As memórias da guerra o atazanavam.*] **3** Apertar com tenaz [*td.*] **4** *P. ext.* Submeter a suplício [*td.*] **5** *P. ext.* Espicaçar, apertar como se com tenaz [*td.*] [▶ 1 atazanar] [F.: var. metatética de *atenazar*, e var. por assimilação de *atenazar*, de *a-*[2] + *tenaz* + *-ar*[2]. Tb. *atenazar, atanazar.*]

até (a.*té*) *prep.* **1** Indica a distância limite (no espaço) a que se chega ou se pode chegar: *Vá de bicicleta só até a esquina, disse a mãe; Espere, vou até aí; Foi até o rio e voltou.* **2** Designa um tempo limite em que alguma coisa, evento etc. termina ou deve terminar: *A aula de português vai até as dez horas da manhã; O campeonato vai até dezembro.* [Não se recomenda o uso da preposição *a* após *até* (*chegar até o cais*, e não *até ao cais*), a não ser em casos de dúvida, como adiante mencionado. Mas mesmo nesses casos, em frases dúbias quanto à função prepositiva ou adverbial de *até* (na frase *O rio inundou tudo até o vale* poderia haver dúvida quanto a se *até* é preposição, indicando o limite a que chegou a inundação (ou seja, excluindo o vale), ou advérbio, indicando que o rio inundou também o vale), a pontuação esclarece: na frase *O rio inundou tudo até o vale, até* é nitidamente preposição que indica o limite da inundação; na frase *O rio inundou tudo, até o vale, até* é nitidamente advérbio que indica a inclusão do vale na área inundada. Mas para melhor esclarecimento, há quem recomende, em casos assim, o reforço da preposição *a* após *até* na função prepositiva: *O rio inundou tudo até ao vale.*] **adv.** 3 Indica inclusão; AINDA; INCLUSIVE; TAMBÉM: *Lê de tudo, até catálogo telefônico.* 4 Indica o máximo que se pode fazer ou até onde se pode chegar: "Você pode até dizer que eu estou por fora..." (Belchior, *Como nossos pais*) [F.: De or. contrv.] ■ ~ **já/breve** Fórmulas de despedida que anunciam breve reencontro ~ **logo** Expressão us. em despedida ~ **que** Assinala o limite do processo, ação ou estado expressos na oração principal: *Fique aqui até que ele volte.*

atear (a.te.*ar*) *v.* 1 Levar (fogo) a, ou abrasar(-se), avivar(-se) (fogo, incêndio, chama, lume) [*tdr.* + *a, em*: *O jardineiro ateou fogo às/nas folhas secas.*] [*td.*: *Colocaram mais lenha para atear o fogo da lareira.*] [*int.*: *O contato com o álcool fez as chamas atearem-se ainda mais.*] 2 Alastrar(-se), propagar(-se) (incêndio, fogo, chama) [*tdr.* + *a, em*: *O combustível derramado ateou fogo à/na fábrica.*] [*int.*: *O fogo ateou-se na mata.*] 3 *Fig.* Inflamar(-se), avivar(-se), exacerbar(-se), propagar(-se) (a discórdia, a guerra, as paixões e tudo que se compara ao fogo ou a um incêndio) [*td.*: "Não posso atear toda a retórica de chamas que ali correu sobre Pentápolis. Fica uma amostra do enxofre." (Raul Pompeia, *O ateneu*)] [*int.*: *Com uma grave acusação, o debate ateou-se.*] [▶ 13 atear] [F.: *a-*[2] + *teia*[2] + *-ar*[2]. Hom./Par.: *ateia(s)* (fl.), *ateia(s)* (sf. [pl.]).]

ateia (a.*tei*.a) *a. sf.* Fem. de *ateu* [Hom./Par: *ateia(s)* (a. sf. [pl.]) *ateia* [ê] (fl. de *atear*), *ateias* [ê] (fl. de *atear*).]

ateísmo (a.te.*ís*.mo) *sm.* 1 Falta de crença em Deus; DESCRENÇA [Ant.: *crença, fé*] 2 *Fil.* Doutrina (com várias nuanças na história da filosofia) que recusa a ideia da existência de Deus, tanto a que se baseia diretamente na fé quanto a que se apoia em argumentação ou explanação racional; seus adeptos podem se fundamentar numa visão materialista e alegadamente científica, ou num pessimismo de fundo ético quanto à natureza do universo e da humanidade [A doutrina mais conhecida de ateísmo materialista é o *marxismo.*] [F.: *ateu* + *-ismo.*]

ateísta (a.te.*ís*.ta) *a2g.* 1 Ref. a ateísmo, que expressa ateísmo (pensamento ateísta); ATEÍSTICO 2 Que é adepto do ateísmo; que nega a existência de Deus ou de qualquer outra divindade; ATEU; ATEIA 3 *P. ext.* Que não acredita em nada; CÉTICO; DESCRENTE *s2g.* 4 Adepto do ateísmo; que nega a existência de Deus ou de qualquer divindade; ATEU; ATEIA 5 *P. ext.* Indivíduo que não acredita em nada; CÉTICO; DESCRENTE [F.: *ateu-* + *-ista.*]

atelano (a.te.*la*.no) *sm.* 1 Indivíduo nascido ou que viveu na antiga cidade de Atela (Itália) *a.* 2 De Atela; típico dessa cidade ou de seu povo [F.: Do lat. *atellanus, a, um.*]

átele (*á*.te.le) *sm. Zool.* Denom. comum a macacos do gên. *Ateles*, da fam. dos cebídeos, que compreende os cuatás, e que têm cauda e membros excepcionalmente longos em relação ao corpo; MACACO-ARANHA [F.: Do lat. cient. *Ateles.*]

atelectasia (a.te.lec.ta.*si*.a) *Med. sf.* 1 Falta de dilatação, ou dilatação deficiente dos pulmões em recém-nascidos 2 Expansão pulmonar deficiente ou incompleta, causada por agentes estranhos, tumor etc. [F.: *atel(o)-* + *-ectasia.*]

atelectasiado (a.te.lec.ta.si:*a*.do) *Med. a.* 1 Que apresenta atelectasia 2 Diz-se de pulmão ou tecido pulmonar de dilatação ou expansão deficiente ou incompleta [F.: *atelectasia* + *-ado*[1].]

atelia (a.te.*li*.a) *Med. sf.* 1 Ausência de parte(s) num todo; incompletude *sf.* 2 Ausência congênita do mamilo 3 Na Grécia antiga, isenção de impostos concedida a beneméritos [F.: *atel(o)-* + *-ia*[1].]

atélico[1] (a.*té*.li.co) *a.* Ref. a atelia [F.: *atelia* + *-ico*[2].]

atélico[2] (a.*té*.li.co) *a. Ling.* Diz-se de verbos ou de nomes que expressam ações que não visam a atingir um fim explícito (*andar, pensar, respirar, suspiro, espirro* etc.) ou estados psicológicos ou emocionais (*gostar, sofrer, otimismo, desespero* etc.) [P. op. a *télico.*] [F.: *a-*[3] + *télico.*]

ateliê (a.te.li.*ê*) *sm.* 1 Lugar onde se reúnem artesãos, artífices, operários etc. para realizarem uma mesma obra de arte específica, ou várias dessas obras para a mesma pessoa; ESTÚDIO 2 Oficina ou estúdio de pintor, fotógrafo, alfaiate, costureiro etc. 3 *P. ext.* Grupo de artistas aprendizes que trabalham sob a direção de um artista ou artesão [F.: Do fr. *atelier.*]

◎ **-atel(o)-** *el. comp.* Ver *atel(o)-*

◎ **atel(o)-** *el. comp.* = 'incompleto', 'imperfeito'; (*P. ext.*) 'desenvolvimento incompleto'; 'deficiente'; 'deficiência'; 'falta, ausência': *atelocardia, ateloglossia; atelectasia; cromatelopsia* [F.: Do gr. *atelês, és, és*, 'sem fim'; 'inacabado', 'incompleto', 'imperfeito'; 'sem resultado'.]

atelocardia (a.te.lo.car.*di*.a) *sf. Pat.* Desenvolvimento irregular do coração [F.: *atel(o)-* + *-cardia.*]

ateloglossia (a.te.lo.glos.*si*.a) *sf. Pat.* Desenvolvimento irregular da língua (1) [F.: *atel(o)-* + *-glossia.*]

atemático (a.te.*má*.ti.co) *a.* 1 Não temático, ou que não contém um tema principal: *Propôs para a reunião uma pauta atemática, aberta a sugestões dos participantes.* 2 *Ling.* Diz-se do radical ou palavra que não possui vogal temática 3 *Mús.* Diz-se de composição musical sem um tema definido [F.: *a-*[3] + *temático.*]

atemoia (a.te.*moi*.a) *Bot. sf.* 1 Fruta semelhante ao kiwi, de casca verde-escura, polpa branca, doce e cremosa, originária dos Andes 2 Arbusto tropical, rústico, de folhas ásperas e flores grandes [F.: De or. incerta, esp. *atemoia.*]

atemorização (a.te.mo.ri.za.*ção*) *sf.* Ação ou resultado de atemorizar(-se) [Pl.: *-ções.*] [F.: *atemorizar* + *-ção.*]

atemorizado (a.te.mo.ri.*za*.do) *a.* Tomado por temor; AMEDRONTADO; ASSUSTADO; INTIMIDADO [Ant.: *desassombrado, encorajado.*] [F.: Part. de *atemorizar.*]

atemorizador (a.te.mo.ri.za.*dor*) [ô] *a.* 1 Que atemoriza, que causa temor, medo, terror; ASSUSTADOR; ATEMORIZANTE; ATERRADOR *sm.* 2 Aquele ou aquilo que atemoriza [F.: *atemorizar* + *-dor.*]

atemorizante (a.te.mo.ri.*zan*.te) *a2g.* O mesmo que *atemorizador* (1) [F.: *atemorizar* + *-nte.*]

atemorizar (a.te.mo.ri.*zar*) *v.* Causar ou sentir medo, temor:; AMEDRONTAR(-SE); ASSUSTAR(-SE); INTIMIDAR(-SE): *A violência atemoriza os cidadãos.* [*td. int.*] [▶ 1 atemorizar] [F.: *a-*[2] + *temor* + *-izar.*]

⊕ **a tempo** (*It. /a têmpo/*) *loc. adv. Mús.* Notação musical que indica volta ao andamento inicial de uma seção ou de um movimento, após um trecho em que se acelerou ou ralentou

atemporal (a.tem.po.*ral*) *a2g.* 1 Fora do domínio do tempo; que não se enquadra em tempo algum, que não pertence a um tempo específico; pertencente a todos os tempos (dogma atemporal); INTEMPORAL 2 Em que se abstrai o tempo; ACRÔNICO 3 *Ling.* Diz-se da forma verbal que não indica tempo [Em português, o presente simples do indicativo (*meninas brincam de boneca*), o imperativo (*faça-me o favor*) e o infinitivo (*recordar é viver*).] [Pl.: *-rais.*] [F.: *a-*[3] + *temporal.* Ant. ger.: *temporal.*]

atemporalidade (a.tem.po.ra.li.*da*.de) *sf.* Qualidade, característica ou condição do que é atemporal, do que não se altera com o tempo ou não tem relação com o tempo; INTEMPORALIDADE [F.: *atemporal* + *-(i) dade.*]

atenazado (a.te.na.*za*.do) *a.* Ver *atazanado*

atenazador (a.te.na.za.*dor*) [ô] *a.* Ver *atazanador*

atenazamento (a.te.na.za.*men*.to) *sm.* Ver *atazanamento*

atenção (a.ten.*ção*) *sf.* 1 Concentração total ou parcial da mente em alguma coisa, ou na perspectiva de algo: *Leia com muita atenção, antes de assinar; Atenção para não cair.* [Ant.: *distração.*] 2 Ação de se ocupar ou preocupar com alguém ou algo, em geral ou em certa circunstância; CUIDADO; DEDICAÇÃO; ZELO: *Pessoas idosas precisam de muita atenção; Foi muita atenção dele ceder o lugar à senhora idosa.* 3 Ação ou dito que demonstra carinho, consideração, urbanidade; a atitude de concedê-los ou fazê-los; DELICADEZA; GENTILEZA: *Cercava o filho de atenções.* [Mais us. no pl., nesta acp.] 4 Paciência ou disposição para ouvir o que alguém diz: *Pediu atenção para o que tinha a dizer.* [Pl.: *-ções.*] *interj.* 5 Expressa um alerta para que a(s) pessoa(s) alertada(s) se concentre(m) em possível perigo ou iminência de algo a evitar: *Atenção! Olha o degrau!* 6 *Mil.* Comando us. para pôr o soldado de sobreaviso quanto à ordem que virá em seguida [F.: Do lat. *attentio, onis.*] ■ ~ **flutuante** *Psic.* Libertação da atenção do psicanalista de motivações habituais, favorecendo escuta livre da fala do paciente **Chamar ~** Ser muito visível ou vistoso, dar na vista **Chamar a ~ de** Advertir, repreender **Chamar a ~ para** Alertar para, mostrar, ressaltar **Dar ~ a** Ser atencioso com, tratar com respeito, ouvir atentamente (alguém) **Em ~ a** Por consideração a, por respeito a: *Em atenção a você, vou aceitar o convite.* **Prestar ~ (a/em)** Ficar atento (a algo ou alguém), concentrar a atenção em

atenciosamente (a.ten.ci:o.sa.*men*.te) *adv.* De modo atencioso, gentil [F.: Fem. de *atencioso* + *-mente.*]

atencioso (a.ten.ci:*o*.so) [ô] *a.* 1 Que presta atenção; ATENTO; CONCENTRADO [Ant.: *desatento, distraído.*] 2 Cortês, obsequioso, gentil: *É atencioso com os idosos.* [Ant.: *descortês, rude.*] 3 Realizado com muita atenção (exame atencioso); RIGOROSO [Ant.: *impreciso, superficial.*] [Fem. e pl.: [ó].] [F.: *atenção* (f. rad. *atenci-*) + *-oso.* Ant. ger.: *desatencioso.*]

atendente (a.ten.*den*.te) *a2g.* 1 Que atende (ao telefone, como recepcionista etc.) 2 *Bras.* Que atende como enfermeiro, que presta serviço de auxiliar de enfermagem *s2g.* 3 *Bras.* Auxiliar de enfermagem em hospital, clínica, ambulatório etc. 4 *Bras.* Pessoa que atende (ao telefone, como recepcionista etc.) [F.: *atender* + *-nte.*]

atender (a.ten.*der*) *v.* 1 Responder a chamado (de telefone, campainha etc.) [*td.*: *Pode atender a porta, por favor?*] [*int.*: *O telefone toca, mas ninguém atende.*] [*tr.* + *a*: *Atenda à campainha!*] 2 Prestar atenção a (algo ou alguém) [*td.*: *Atenda a professora na aula.*] [*tr.* + *a*: *Não atendeu ao aviso das placas e acabou por se perder.*] 3 Receber (alguém) profissionalmente (um médico, um advogado etc.) [*td.*: *O médico pode atender meu filho?*] [*ti.* + *a*: *Hoje o doutor não atende às pessoas carentes.*] 4 Conceder audiência; RECEBER [*td.*: *Não atendia ninguém após as vinte e uma horas.*] [*ti.* + *a*: *Não queria atender às visitas, por isso mandou dizer que não estava.*] 5 Receber (alguém) de modo cortês [*td.*: *Sempre atendia os amigos que lhe pediam ajuda.*] 6 Dar assistência a; SOCORRER [*td.*: *O hospital atende a população do bairro.*] [*tr.* + *a*: *Os bombeiros atenderam ao pedido de socorro.*] 7 Servir à mesa ou a clientes (em restaurante, loja etc.) [*td.*: *Chame o garçom para nos atender.*] [*int.*: *O restaurante da faculdade não atende bem.*] 8 Observar, notar (algo); ATENTAR; PERCEBER [*tr.* + *a, para*: *O detetive atendera a detalhes que ninguém havia percebido.*] 9 Resolver questão dando solução (favorável ou não) [*td.*: *O pai atendeu a discussão entre os filhos.*] [*tr.* + *a*: *O prefeito atendeu à greve e cortou o pagamento daquele mês.*] 10 Satisfazer (vontade, intenção etc.) [*td.*: "... atenda a última vontade de quem está se acabando!" (Josué Montello, *Um rosto de menina*)] [*tr.* + *a*: *A medida adotada não atende aos meus propósitos.*] 11 *Bras.* Responder por nome ou apelido [*tr.* + *por*: *Só atendia por seu apelido.*] 12 Acatar (conselho, ordem etc.); OBEDECER; SEGUIR [*td.*: *Atenda o que eu digo, é para o seu bem.*] [*tr.* + *a*: *Atenda às minhas ordens imediatamente.*] [*int.*: *Aconselhei mil vezes, mas minha filha não atende.*] 13 Concordar, levar em consideração [*td.*: "...pediu-lhe justiça, e Deus atendia-o." (Cecília Meireles, *Rui*)] [*tr.* + *a*: *Atendeu às reivindicações dos empregados.*] [▶ 2 atender] [F.: Do lat. *attendere.*]

atendido (a.ten.*di*.do) *a.* 1 Que se atendeu 2 Que recebeu auxílio, ajuda 3 Acolhido, recebido com atenção e cortesia 4 Deferido, autorizado, permitido (requerimento atendido) [F.: Part. de *atender.*]

atendimento (a.ten.di.*men*.to) *sm.* 1 Ação ou resultado de atender 2 Forma como costumam ser atendidos os usuários de certo serviço; a ação de atendê-los, de ouvir suas queixas e de tentar resolver problemas, de dar informações, de auxiliá-los em certos procedimentos etc.: *O atendimento naquela loja é muito ruim.* 3 Setor de um estabelecimento em que se faz esse atendimento (2) 4 *Publ.* Conjunto das atividades de uma agência publicitária referentes ao contato com o cliente e à execução e veiculação de anúncios; o setor disso encarregado [F.: *atender* (*-e-* > *-i-*) + *-mento.*]

ateneu (a.te.*neu*) *sm.* 1 Na Grécia antiga, lugar público onde literatos liam suas obras 2 *P. ext.* Instituição ou associação (ger. particular) com objetivos culturais ou científicos; a sede onde funciona; ACADEMIA 3 *P. ext.* Educandário; instituição de ensino [F.: Do gr. *Athénaion*, pelo lat. *Athenaeum, i.*]

ateniense (a.te.ni:*en*.se) *s2g.* 1 Pessoa nascida ou que vive em Atenas, capital da Grécia (Europa) *a2g.* 2 De Atenas; típico dessa cidade ou de seu povo [F.: Do lat. *atheniensis, e.*]

atentado[1] (a.ten.*ta*.do) *sm.* 1 Tentativa ou execução de crime contra pessoas, ideias etc., ger. em nome de uma causa política ou religiosa: *Um atentado em um ônibus escolar causou comoção na Espanha.* 2 Ofensa aos preceitos morais, ou às disposições legais, ou às convenções aceitas pela sociedade: *Seus atos são um atentado à fé cristã; atentado ao pudor.* [F.: Do lat. *adtemptare*, pelo fr. *attentat.*]

atentado[2] (a.ten.*ta*.do) *a.* Que tem tento, que se atenta, que está ou costuma estar atento, alerta [F.: Part. de *atentar*[1].]

atentado[3] (a.ten.*ta*.do) *a.* 1 *Bras. Pop.* Que é muito levado, irrequieto; ENDIABRADO 2 *AM* Que está sofrendo moralmente, agoniado, atormentado [F.: Part. de *atentar*[3].]

atentar[1] (a.ten.*tar*) *v.* 1 Olhar atentamente, prestar atenção, observar com tento [*td.*: *O investigador atentava cada passo do suspeito.*] [*tr.* + *a, em, para*] 2 Refletir, considerar sobre [*td.* /*tr.* + *a, em, para*: *Passou a tarde atentando (ao/para) o que ele havia dito.*] [*int.*: *Se você atentar, verá que tenho razão.*] 3 Olhar por, cuidar de [*tr.* + *de*: *Cada um que atente por si.*] 4 Tomar em consideração, levar em conta [*tr.* + *a, para*: *O síndico atentava às solicitações dos condôminos presentes na reunião.*] 5 Pôr em prática a acuidade sensorial de [*td.*: *atentar o faro, a audição etc.*] [▶ 1 atentar] [F.: *atento* + *-ar*[2]. Hom./Par.: *atento* (fl.), *atento* (a.).]

atentar[2] (a.ten.*tar*) *v.* 1 Pôr em prática, empreender [*td.*: *Com patrocínio, o professor atentou a criação de uma escola no vilarejo.*] 2 Cometer um atentado, atacar ou ofender (pessoa, instituição, lei, valores etc.) [*tr.* + *contra*: *Atentaram contra o papa; Atentar contra as liberdades democráticas.*] 3 Intentar, projetar [*td.*: *O arquiteto atentava obras que nunca se concretizavam.*] [▶ 1 atentar] [F.: Do lat. *attemptare.*]

atentar[3] (a.ten.*tar*) *v.* 1 Instigar ou seduzir para o mal, para o erro [*td.*: *Pediu que o colega corrupto parasse de atentá-lo, pois não era dado a falcatruas.*] 2 Causar aborrecimento, perturbação ou irritação a (alguém); IMPORTUNAR; IRRITAR; ABORRECER [*td.*: *Ao anoitecer, os mosquitos atentavam a todos nós.*] [*int.*: *Durante a festa, o moleque não parou de atentar.*] [▶ 1 atentar] [F.: *a-*[4] + *tentar.*]

atentatório (a.ten.ta.*tó*.ri:o) *a.* Que atenta contra autoridade, lei, poder, costumes e valores; em que há atentado [+ *a, contra, de*: *Sua conduta é atentatória à moral; um projeto de lei atentatório contra a/da democracia.*] [F.: Do lat. *attentatus*, pelo fr. *attentat* > *attentatoire.*]

atento (a.*ten*.to) *a.* 1 Que mantém os sentidos em alerta, que não se distrai; ALERTA 2 Que se aplica, se concentra no que está fazendo, vendo ou ouvindo (aluno atento; leitor atento; motorista atento) 3 Que se faz com atenção, com cuidado, com concentração (leitura atenta; análise atenta) 4 Que é levado em conta, que é ponderado, considerado: *Esperava que, com tantos argumentos atentos, o projeto fosse aprovado.* 5 Reverente, respeitoso: *Era atento e gentil com os idosos.* [F.: Do lat. *attentus, a, um.* Hom./Par.: *atento* (a.), *atento* (fl. de *atentar*), *a tento* (loc.). Ant. ger.: *desatento.*]

atenuação (a.te.nu:a.*ção*) *sf.* 1 Ação ou resultado de atenuar(-se) 2 Diminuição, enfraquecimento, redução, abrandamento 3 *Fís.* Diminuição da intensidade de uma onda, de um sinal ou de um feixe de partículas que atravessa um meio **4** *Bac.* Redução da capacidade patogênica de um microrganismo, ger. para utilizá-lo na produção de soros ou vacinas [Pl.: *-ções.*] [F.: Do lat. *attenuatio, onis.*]

atenuado (a.te.nu.*a*.do) *a.* **1** Que se atenuou; DIMINUÍDO; ENFRAQUECIDO; MINORADO: *dor atenuada por medicamentos.* [Ant.: *agravado, aumentado.*] **2** *Bot.* Diz-se de folha que se torna mais estreita perto da base [F.: Do lat. *attenuatus, a, um.*]

atenuador (a.te.nu.a.*dor*) [ô] *a.* **1** Que atenua, reduz ou suaviza; MODERADOR: "...sorriso atenuador..." (Manuel Ribeiro, *Planície heroica*) [Ant.: *agravador, agravante.*] *sm.* **2** Aquilo que atenua, que reduz (atenuador de volume; atenuador de vibração) **3** *Eel.* Dispositivo para diminuir a amplitude de uma grandeza elétrica (atenuador de potência) [F.: *atenuar + -dor.*]

atenuante (a.te.nu.*an*.te) *a2g.* **1** Que atenua, que diminui a intensidade ou a gravidade (de algo): *A correção monetária foi uma medida atenuante da desvalorização do dinheiro na inflação.* **2** *Jur.* Diz-se de circunstância de crime ou delito que reduz a noção de sua gravidade, podendo acarretar diminuição da pena *sf.* **3** *Jur.* Circunstância atenuante (2) [F.: Do lat. *attenuans, antis.*]

atenuar (a.te.nu.*ar*) *v.* **1** Tornar(-se) menos intenso, forte ou menos nítido, visível; ABRANDAR(-SE); AMENIZAR(-SE) [*td.*: *É preciso tomar medidas para atenuar as diferenças sociais; O hidratante atenuara as rugas; A lente atenuava as cores mais vivas.*] [*int.*: *Com o acordo que fizeram sua revolta atenuou.*] **2** Minorar, diminuir a gravidade ou importância de; servir de circunstância atenuante a [*td.*: *O porta-voz tentou atenuar suas declarações; Atenuar uma infração, uma pena.*] **3** Fazer ficar ou ficar delgado, fino [*td.*: *A doença atenuou seu corpo.*] [*int.*: *Em pouco tempo viu seu rosto atenuar-se.*] **4** Tornar(-se) tênue, fino, ralo; adelgaçar (o sangue, os humores) [*td.*] [*int.*] [▶ 1 **atenuar**] [F.: Do lat. *attenuare* ou *adtenuare.*]

ater (a.*ter*) *v.* **1** Ficar preso a; fixar-se a [*tr.* + *a, em*: *Minuciosa, atinha-se sempre aos detalhes.*] **2** *Fig.* Pôr toda a sua confiança em; FIAR-SE [*tr.* + *a*: *Havia de se ater ao irmão.*] **3** Arrimar-se a; sustentar-se; apoiar-se [*tr.* + *a, em*: *Ateve-se à/na bengala para levantar; Nunca se ateve nos parentes.*] **4** Ficar restrito a; limitar-se a [*tr.* + *a, em*: *Ele não se atinha a ouvir, e começava a opinar.*] **5** *P. us.* Não deixar prosseguir; DETER; RETER [*td.*: *Ia perguntar mas alguém o ateve.*] [▶ 7 **ater** Acento agudo no *e* nas 2ª e 3ª pess. sing. pres. ind. e na 2ª pess. sing. imper. afirm.] [F.: Do lat. *attinere.* Hom./Par.: *atém* (fl.), *atem* (fl. de *atar*).]

◎ **ater(o)-** *el. comp.* = 'ateroma'; 'da natureza do ateroma, ateromatoso': *aterogênese, aterosclerose.* [F.: De *atero(ma)*, do gr. *athéroma, atos*, 'tumor de natureza graxa, gordurosa'.]

aterogênese (a.te.ro.*gê*.ne.se) *sf.* *Med.* Formação de lesões ateromatosas ou de ateromas nas paredes arteriais [F.: *ater(o)- + -gênese.*]

ateroma (a.te.*ro*.ma) *sm.* *Med.* Processo degenerativo da parte interna da parede das artérias, com formação de acúmulo de lipídios, ou gorduras (esp. o colesterol) [F.: Do gr. *atheróma, atos* pelo lat. *atheroma, atis.*]

ateromatose (a.te.ro.ma.*to*.se) [ó] *sf.* *Med.* Estado mórbido por formação mais ou menos generalizada de ateromas nas artérias [F.: *ateroma*, sob a f. *ateromat-*, + *-ose*[1], seg. o mod. gr.]

ateromatoso (a.te.ro.ma.*to*.so) [ô] *a.* *Med.* Ref. a ateroma; afetado por ateroma, ou causado por ateroma (artérias ateromatosas; lesão ateromatosa) [Fem.: [ó]. Pl.: [ó].] [F.: *ateroma*, sob a f. *ateromat-*, + *-oso*, seg. o mod. gr.]

aterosclerose (a.te.ros.cle.*ro*.se) *sf.* *Med.* Endurecimento de parede arterial causado pela presença de ateromas [F.: *ater(o)- + (e)sclerose.* Cf.: *arteriosclerose.*]

aterosclerótico (a.te.ros.cle.*ró*.ti.co) *Med.* *a.* **1** Ref. a aterosclerose **2** Que sofre de aterosclerose *sm.* **3** Indivíduo portador de aterosclerose [F.: *ateroscler(ose) + -ótico*, seg. o mod. gr.]

aterrado (a.ter.*ra*.do) *a.* **1** Que se aterrou (área aterrada) **2** *Aer.* Diz-se de aeronave pousada em terra **3** *Mar.* Diz-se de embarcação próxima à terra **4** *Eel.* Diz-se de circuito elétrico ligado à terra *sm.* **5** *Bras.* Terreno formado por nivelamento ou aterro; aterro **6** *MT* Terra firme no meio de pântano **7** *MA* Terreno de aluvião às margens de um rio [F.: Part. de *aterrar*[1].]

aterrador (a.ter.ra.*dor*) [ô] *a.* Que causa terror, pavor (notícia aterradora); AMEAÇADOR; ATERRORIZADOR; PAVOROSO [F.: *aterrar*[2] + *-dor.*]

aterragem (a.ter.*ra*.gem) *sf.* O mesmo que *aterrissagem* [Pl.: *-gens.*] [F.: *aterrar*[1] + *-agem*[2].]

aterramento (a.ter.ra.*men*.to) *sm.* **1** Ação ou resultado de aterrar; ATERRO **2** Acúmulo de terra sobre terreno para aumentar espessura ou fertilidade **3** *Eel.* Contato de um condutor com a terra [F.: *aterrar*[1] + *-mento.*]

aterrar[1] (a.ter.*rar*) *v.* **1** Encher ou cobrir com terra ou entulho; alterar (um terreno) acumulando terra ou entulho [*td.*: *Aterraram o manguezal.*] **2** *Elet.* Ligar (circuito elétrico) à terra [*td.*: *Para não dar choque, é preciso aterrar esse fio.*] **3** *Aer.* Fazer pousar ou pousar (aeronave etc.); ATERRISSAR; ATERRIZAR [*td.*: *O piloto aterrou o avião com perícia.*] [*int.*: *O helicóptero acaba de aterrar.*] **4** *Mar.* Chegar à terra, tomar terra (um navio) [*int.*] **5** Esconder-se debaixo da terra em tocas (falando de coelhos e outros animais) [*int.*] **6** Pôr ou ir abaixo; ARRASAR(-SE); DESTRUIR(-SE) [*td.*: *Os invasores aterraram o vilarejo.*] [*int.*: *Toda a região aterrou-se com a erupção do vulcão.*] [▶ 1 **aterrar**] [F.: *a-*[2] + *terra* + *-ar*[2]. Hom./Par.: *aterro* (fl.), *aterro* [ê] (sm.).]

aterrar[2] (a.ter.*rar*) *v.* *td.* *int.* O mesmo que *aterrorizar* [▶ 1 **aterrar**] [F.: *a-*[2] + lat. *terrere*, 'aterrorizar', com mud. de conjug., posv.]

aterrissagem (a.ter.ris.*sa*.gem) *sf.* *Aer.* Ação ou resultado de aterrissar, de pousar em terra; ATERRAGEM; POUSO; ATERRIZAGEM [Pl.: *-gens.*] [F.: Do fr. *atterrissage* (do v. fr. *aterrir* + *-age*, seg. a morfologia fr.); ver *-agem*[2].]

aterrissar (a.ter.ris.*sar*) *v.* **1** Levar ou ir ao solo (ger. uma aeronave ou quem nela estiver), encerrando o voo; ATERRAR; POUSAR [*td.*: *O piloto aterrissou o avião suavemente.*] [*int.*: *Depois de três horas de viagem, aterrissamos (em Brasília).*] **2** *Pop. Fig.* Chegar repentinamente em [*ta.*: *Dezenas de pedidos aterrissaram na mesa do prefeito.*] [▶ 1 **aterrissar**] [F.: Voc. deduzido de *aterrissagem* (< fr. *atterrissage* < vfr. *aterrir* + *-age*). Sin. ger.: *aterrizar.*]

aterrizagem (a.ter.ri.*za*.gem) *sf.* O mesmo que *aterrissagem* [Pl.: *-gens.*] [F.: *aterrizar* + *-agem*[2].]

aterrizar (a.ter.ri.*zar*) *v.* *td.* *int.* *ta.* O mesmo que *aterrissar* [▶ 1 **aterrizar**] [F.: *a-*[2] + *terra* + *-izar.*]

aterro (a.*ter*.ro) [ê] *sm.* **1** Ação ou resultado de aterrar; ATERRAMENTO **2** Terra ou entulho com que se nivela ou eleva um terreno **3** *Bras.* Terreno aterrado (aterro do Flamengo) [F.: Dev. de *aterrar*[1]. Hom./Par.: *aterro* (sm.), *aterro* [é] (fl. de *aterrar*).] ■ **~ hidráulico** *Cons.* Aterro realizado com material trazido por água, em tubos ou calhas **~ sanitário** *Ecol.* Depósito de lixo compactado ou em camadas, para minimizar o impacto do lixo no meio ambiente; lixão

aterrorizado (a.ter.ro.ri.*za*.do) *a.* Tomado de terror, de pavor; APAVORADO; PÁVIDO [F.: Part. de *aterrorizar.*]

aterrorizador (a.ter.ro.ri.za.*dor*) [ô] *a.* **1** Que aterroriza, que provoca terror (pesadelo aterrorizador); ATERRADOR; HORRIPILANTE; PAVOROSO *sm.* **2** O que aterroriza; ATERRADOR: *O aterrorizador, nestes tempos, é nossa vulnerabilidade à violência.* [F.: Do part. *aterrorizado* + *-or.*] [F.: *aterrorizar* + *-dor.*]

aterrorizante (a.ter.ro.ri.*zan*.te) *a2g.* Que aterroriza; o mesmo que *aterrorizador* (1) [F.: *aterrorizar* + *-nte.*]

aterrorizar (a.ter.ro.ri.*zar*) *v.* Encher(-se) de terror, pavor; APAVORAR(-SE); ATERRAR(-SE) [*td.*: *Os bandidos aterrorizam a população; A ideia de engordar demais aterrorizava muita gente.*] [*int.*: *Aterrorizou-se ao ver uma cena macabra.*] [▶ 1 **aterrorizar**] [F.: *a-*[2] + *terror* + *-izar.*]

atestação (a.tes.ta.*ção*) *sf.* **1** Ação ou resultado de atestar **2** *Jur.* Documento declaratório escrito e assinado, que declara ou confirma um fato; ATESTADO; CERTIDÃO [Pl.: *-ções.*] [F.: Do lat. *attestatio, onis.*]

atestado[1] (a.tes.*ta*.do) *a.* **1** Que se atestou[1], ou que foi comprovado *sm.* **2** Documento que constitui atestação, que atesta algo **3** *Jur.* Declaração escrita e assinada que uma pessoa devidamente qualificada faz sobre a verdade de um fato, e que serve como documento atestatório; CERTIDÃO; CERTIFICADO; DECLARAÇÃO **4** *Pop.* Evidência, prova; CONFIRMAÇÃO: *Sua conduta no caso é um atestado de sua inocência.* [F.: Part. de *atestar.*]

atestado[2] (a.tes.*ta*.do) *a.* Que se atestou[2], que se encheu completamente ou em excesso; muito cheio [F.: Part. de *atestar*[2].]

atestar[1] (a.tes.*tar*) *v.* **1** Afirmar com convicção; ASSEVERAR [*td.*: *O rapaz atestava dizer a verdade.*] **2** Fornecer prova escrita, documento, testemunho oficial que comprove a verdade de [*td.*: *O cartório atestou a certidão de casamento.*] **3** Comprovar uma evidência, revelar [*td.*: "...a barba escassa e nova atestava a sua pouca idade." (Franklin Távora, *O cabeleira*)] [*tdi.* + *a*: *Atestou ao juiz a inocência do réu.*] **4** Dar testemunho, servir de testemunha; TESTEMUNHAR [*tr.* + *contra, sobre*: *Atestaram contra o réu; Atestaram sobre o assalto ao banco.*] [▶ 1 **atestar**] [F.: Do lat. *attestare.*]

atestar[2] (a.tes.*tar*) *v.* **1** Encher (recipiente) completamente, ou demasiadamente; ABARROTAR; ATULHAR [*td.*: *A colheita foi abundante, e atestou o celeiro.*] [*tdr.* + *com, de*: *Atestou o tanque de/com gasolina.*] **2** Encher (a si mesmo) de comida ou bebida; comer ou beber demais; EMPANTURRAR [*td.*: *Foi ao banquete e atestou-se.*] [*tdr.* + *com, de*: *Insaciável, atestou-se com os/dos melhores pratos e com os/dos melhores vinhos.*] [▶ 1 **atestar**] [F.: *a-*[2] + *testo* + *-ar*[2], posv.]

atestatório (a.tes.ta.*tó*.ri:o) *a.* Que atesta ou que serve para atestar[1] ou provar (documento atestatório): *São gravações atestatórias de seu envolvimento no caso.* [F.: *atestar*[1] + *-tório.* Sin. ger.: *comprobatório.*]

atetose (a.te.*to*.se) [ó] *sf.* *Med.* Estado patológico na forma de distúrbio motor, caracterizado pela impossibilidade de manter paradas as extremidades dos membros e a face, que apresentam movimentos involuntários, lentos e coleantes [F.: Do gr. *áthetos* 'sem posição fixa' + *-ose*[1].]

ateu (a.*teu*) *a.* **1** Que não crê na existência de Deus ou de deuses em geral; ATEÍSTA **2** *Pej.* Que não respeita as crenças religiosas alheias; ÍMPIO **3** De ou próprio de ateu (4) (ceticismo ateu) [Fem.: *ateia* (*Bras.*) *e ateia* (*Lus.*)] *sm.* **4** Aquele que não crê em Deus ou deuses; ATEÍSTA [Fem.: *ateia* (*Bras.*) *e ateia* (*Lus.*)] [F.: Do gr. *átheos, os, on*, pelo lat. *atheus, i.* Hom./Par.: *ateia* (fem.), *ateia* (fl. de *atear*); *ateias* (fem. pl.), *ateias* (fl. de *atear*).]

◎ **-ática** *suf.* *nom.* = 'estudo'; 'arte'; 'classificação': *estemática, fonemática, glossemática, heuremática.* [F.: Do gr. *-atiké*, fem. do suf. *-atikós, é, ón* (formador de adjetivos), em formações modernas, seguindo o padrão grego, para palavras terminadas em *-ema.* Ver *-ica.*]

atiçado (a.ti.*ça*.do) *a.* **1** Diz-se de fogo que se avivou, abanando ou soprando (brasa atiçada) **2** Estimulado, fomentado, incitado: *Os ingredientes da crise foram boatos insinuados e ódios atiçados.* **3** Que foi instado ou provocado a fazer algo (cão atiçado) [F.: Part. de *atiçar.*]

atiçador (a.ti.ça.*dor*) [ô] *a.* **1** Que atiça, açula ou instiga *sm.* **2** Aquele que atiça, açula ou instiga **3** Instrumento metálico próprio para atiçar ou revirar o fogo, o braseiro, as brasas; ESPEVITADOR [F.: *atiçar* + *-d or.* Sin. (1 e 2): *açulador.*]

atiçar (a.ti.*çar*) *v.* *td.* **1** Fazer surgir, despertar, estimular (a fome, a sede, a cobiça, a inveja etc.) [*td.*: *A cena atiçou minha curiosidade.*] **2** Fomentar, promover, provocar (ódio, intriga, discórdia, dissensões) [*td.*] **3** *Fig.* Excitar, instigar; estimular a fazer algo [*td.*: *A correria das crianças atiçou o bebê; O público atiçava os lutadores (com gritos).*] [*tdr.* + *a, contra*: *O pai atiçou-o a seguir em frente.*] **4** Manter aceso, avivar, espertar (o fogo) soprando-o ou lançando-lhe combustível [*td.*] **5** Ficar irritado, enfurecido; EXASPERAR-SE [*int.*: *Quando disseram-lhe desaforos, atiçou-se.*] [▶ 12 **atiçar**] [F.: Do lat. **attitiare*, de *titio, onis*, 'tição', 'archote'.]

atiço (a.*ti*.ço) *sm.* *PE* Pedaço de pau incompletamente queimado no fabrico do carvão [F.: Dev. de *atiçar.* Hom./Par.: *atiço* (sm.), *atiço* (fl. de *atiçar*).]

◎ **-ático** *suf.* *nom.* = 'referente ou pertencente a': *aforismático, anagramático, analemático, anatemático, aneurismático, aromático* (< gr.), *axiomático* (< gr.), *bacteriostático, blastemático, blenostático, bregmático, carismático, catabático, catafático, categoremático, citoplasmático, climático, floemático, hipostático* (< gr.) [F.: Do gr. *-atikós, é, ón*, do final do rad. anterior (de palavras terminadas em *-ma* [gen. em *-atos*]) + suf. *-ikós, é, ón*, ou conforme o padrão morfológico grego para adj. de substantivos terminados em *-asis, eos* (de voc. em *-stásis, -phásis, -básis* etc.). Ver *-ico*[2].]

ático (*á*.ti.co) *sm.* **1** Indivíduo nascido ou que vive na Ática, região da Grécia **2** *Gloss.* Dialeto e língua literária da antiga Ática, us. por clássicos gregos como Ésquilo, Sófocles, Platão e Aristóteles; autor que escreveu nesse dialeto **3** *Arq.* Remate de fachada na parte superior de edificação, imitando um andar baixo para ocultar a beirada do telhado; ou construção (p. ex., na forma de pequenas colunas) sobre a cornija, com o mesmo fim **4** *Arq.* Andar recuado e baixo no topo de uma edificação, ger. us. para máquinas (de elevador, bomba etc.), depósito, reservatório de água etc. **5** *Anat. Otor.* Na antiga nomenclatura anatômica, espaço na orelha, acima do tímpano, que abriga a cabeça do martelo e a bigorna [Termo substituído por *recesso epitimpânico.*] *a.* **6** Da Ática; típico dessa região da Grécia ou de seus habitantes **7** Elegante, sóbrio, despojado (estilo ático) **8** *Gloss.* Do ou ref. ao ático (2) [F.: Do gr. *attikós*, pelo lat. *atticus, a, um.*]

atijolado (a.ti.jo.*la*.do) *a.* **1** Que tem cor de tijolo ou parecida com ela **2** Feito ou recoberto com tijolos (construção atijolada) [F.: Part. de *atijolar.*]

atijolar (a.ti.jo.*lar*) [ô] *P. us.* *v.* **1** Dar ou adquirir cor ou aparência de tijolo [*td.*: *A argila atijolou a água.*] [*int.*: *A tonalidade da parede se atijolou devido ao sol.*] **2** Assoalhar, revestir ou construir com tijolos [*td.*: *Atijolamos a calçada.*] **3** *Bras. Pop.* Atacar, arremessando tijolo(s) em [*td.*: *Tive vontade de atijolar o ladrão.*] [▶ 1 **atijolar**] [F.: *a-*[2] + *tijolo* + *-ar*[2].]

atilado (a.ti.*la*.do) *a.* **1** Que cumpre diligentemente suas obrigações; CORRETO; DILIGENTE; ESCRUPULOSO **2** Que tem discernimento, sensatez, prudência, tino; AJUIZADO **3** Que tem sagacidade, perspicácia; PERSPICAZ; SAGAZ **4** Que é feito com capricho, esmero, elegância, ou que os denota; APURADO; ELEGANTE; ESMERADO [F.: Part. de *atilar.*]

atilamento (a.ti.la.*men*.to) *sm.* **1** Qualidade, característica ou condição de atilado **2** Exatidão, correção, pontualidade no cumprimento de tarefas, deveres, incumbências etc. **3** Discernimento, prudência, juízo, tino **4** Apuro, capricho, cuidado, esmero [F.: *atilar* + *-mento.*]

atilar (a.ti.*lar*) *v.* *td.* **1** Fazer ou executar algo com cuidado, capricho, esmero, desvelo, meticulosidade [*td.*: *Passou horas atilando alguns versos.*] **2** Fazer ficar ou ficar, tornar(-se) esperto, perspicaz, habilidoso [*td.*: *A experiência e a prática atilaram-no.*] [*int.*: *Atento aos próprios erros, aprendeu muito, atilou-se.*] **3** Aprimorar, rematar, dar um último toque de qualidade em [*td.*: *Resolveu atilar o texto antes de publicá-lo.*] **4** Pôr o til em [*td.*] [▶ 1 **atilar**] [F.: Or. obsc.]

atilho (a.*ti*.lho) *sm.* **1** Tira estreita de tecido, barbante, fita, palha etc. us. para amarrar algo; CADARÇO; CORDÃO: *Peixes presos aos pares por atilho de embira*: "...sapatos de casimira com atilhos..." (Eça de Queirós, *Singularidades de uma rapariga loura*) **2** Aquilo que foi amarrado com atilho (1) **3** *Bras.* Molho de espigas de milho **4** Fio preso a carga explosiva, que se acende para que a chama, ao atingi-la, a detone; ESTOPIM [F.: *at(ar)* + *-ilho.*]

atimia[1] (a.ti.*mi*.a) *sf.* **1** *Med. Psiq.* Estado depressivo, caracterizado por desânimo, inação, tristeza etc. **2** *Neur.* Ausência patológica de emoções, de sensações [F.: Do gr. *athymia.*]

atimia[2] (a.ti.*mi*.a) *sf.* Ausência congênita do timo, ou o estado produzido por essa ausência, ou pela extirpação dessa glândula [F.: *a-*[3] + *timo* + *-ia*[1].]

atimia³ (a.ti.*mi*.a) *sf. Ant. Hist.* Em Atenas, na antiga Grécia, privação de direitos do cidadão (total ou parcial) [F.: Do gr. *atimía*.]

átimo (á.*ti*.mo) *sm.* **1** *Bras.* Brevíssimo intervalo de tempo; instante, momento, segundo: *Ao toque do despertador, num átimo estava de pé.* **2** Pequena porção [F.: Do gr. *en atomo*, pelo lat. tar. *in atomo* > it. *attimo*.] ■ **Num ~** *Bras.* Num instante, muito rapidamente; num abrir e fechar de olhos

atinado (a.ti.*na*.do) *a.* **1** Que tem tino; AJUIZADO; ATILADO; PRUDENTE: "... as atinadas observações..." (Mário Barreto, *Fatos da língua*.) [Ant.: *desajuizado, imprudente, insensato*.] **2** Que tem bom raciocínio (aprendiz atinado); INTELIGENTE; PERSPICAZ; SAGAZ [F.: Part. de *atinar*.]

atinar (a.ti.*nar*) *v.* **1** Descobrir, perceber ou entender (algo) usando o raciocínio, o tino [*tr.* + *com, em, para*: *Não atinava com/para o motivo de tanto riso*: "Quando eu vim para esse mundo/Eu não atinava em nada" (Dorival Caymmi, *Modinha para Gabriela*)] [*td.*: *Atinou que era a melhor atitude a tomar.*] **2** Dirigir-se, encaminhar-se (para algum lugar), seguindo algum indício ou conjetura [*tr.* + *para*: *Pelo barulho que ouvira atinava para o porão.*] **3** Encontrar o que se procurava; acertar, descobrir [*int.*: *Por mais que procures, não atinas.*] **4** Lembrar-se de, recordar [*tr.* + *com*: *Não atinava com o lugar onde deixara o carro.*] [► **1** atinar] [F.: *a-²* + *tino* + *-ar²*, posv.]

atinência (a.ti.*nên*.ci:a) *sf.* Qualidade ou condição do que é atinente [F.: Do lat. *attinentia*.]

atinente (a.ti.*nen*.te) *a2g.* Que se refere, diz respeito, concerne a, que tem a ver com [+ *a*: *O Congresso aprovou medidas atinentes à economia nacional*] [F.: Do lat. *attinens, entis*.]

atingido (a.tin.*gi*.do) *a.* **1** Que se atingiu, alcançou, obteve (metas atingidas); ALCANÇADO **2** Que se atingiu, que recebeu ataque, ação ou impacto de algo: *Depois do granizo, foram examinar a área atingida.* [F.: Part. de *atingir*.]

atingimento (a.tin.gi.*men*.to) *sm.* Ação ou resultado de atingir (atingimento do objetivo); ALCANCE; CONQUISTA; OBTENÇÃO [F.: *atingir* + *-mento*.]

atingir (a.tin.*gir*) *v.* **1** Chegar a um ponto determinado; ALCANÇAR; TOCAR [*td.*: *O projétil atingiu o alvo; O aventureiro atingiu o pico da montanha.*] **2** Alcançar certo nível, grau, patamar [*td.* /*tr.* + *a*: *A temperatura atingiu (a) graus extremos; A inflamação atingiu (a) índices alarmantes.*] **3** *Fig.* Alcançar (objetivo, finalidade) [*td.*: *A empresa atingiu a meta de vendas.*] **4** Abranger, incluir, ter como alvo [*td.*: *A campanha de vacinação atinge os idosos.*] **5** Alcançar de modo violento; acertar física ou moralmente; afetar, abalar [*td.*: *A explosão atingiu os prédios vizinhos; Críticas infundadas não me atingem.*] **6** Compreender, perceber (algo) [*td.* /*tr.* + *a*: *Não conseguia atingir o/ao significado da expressão.*] [► **46** atingir] [F.: Do lat. *attingere*.]

atingível (a.tin.*gí*.vel) *a.* **1** Que se pode atingir, alcançar [Ant.: *inatingível, inalcançável*] **2** Que se pode compreender; COMPREENSÍVEL; INTELIGÍVEL [Ant.: *incompreensível, ininteligível*.] **3** A que se pode ter acesso; ACESSÍVEL [Ant.: *inacessível*] [Pl.: *-veis*.] [F.: *atingir* + *-vel*.]

atipia (a.ti.*pi*:a) *sf. Med.* Irregularidade nos acessos de moléstias periódicas [F.: *a-³* + *-tipo-* + *-ia¹*.]

atipicidade (a.ti.pi.ci.*da*.de) *sf.* **1** Qualidade do que é atípico **2** *Jur.* Qualidade do fato que não está coberto pelo direito penal por não se enquadrar em qualquer definição legal [F.: *atípico* + *-(i)dade*.]

atípico (a.*tí*.pi.co) *a.* **1** Que não se enquadra no que é típico, característico, normal ou esperado (comportamento atípico); ANÔMALO; INCOMUM; SINGULAR: *Fevereiro é um mês atípico em sua duração.* **2** *Med.* Sem tipo ou caráter definidos (diz-se de doenças cujos sintomas ou acessos reaparecem em intervalos irregulares) [F.: *a-³* + *típico*.]

atiradeira (a.ti.ra.*dei*.ra) *sf. Bras.* Forquilha de madeira (ou de metal, plástico etc.) em forma de Y, em cujas pontas duplas se amarra um elástico à maneira de funda, us. para atirar pequenas pedras; BADOQUE; BALADEIRA; BODOQUE; ESTILINGUE; PETECA: "Passarinho na mão, pedra de atiradeira/É uma ave no céu, é uma ave no chão..." (Tom Jobim, *Águas de março*) [F.: *atirar* + *-deira*.]

atirado (a.ti.*ra*.do) *a.* **1** Que se atirou **2** Que, sem muita cautela, se lança em aventuras, projetos arriscados, decisões impetuosas etc.; ATIRADIÇO **3** Que demonstra coragem, destemor, ousadia; DESTEMIDO; OUSADO **4** *Bras. Pop.* Que não perde uma chance de paquerar, flertar ou tentar seduzir alguém; ATIRADIÇO: *Eu não gosto de rapazes atirados.* *sm.* **5** Indivíduo atirado: *A garota mais atirada topou voar de asa-delta.* [F.: Part. de *atirar*.]

atirador (a.ti.ra.*dor*) [ô] *sm.* **1** Aquele que atira **2** Pessoa treinada para atirar com arma de fogo ou de arremesso **3** Quem, por treino ou habilidade natural, tem boa pontaria e sabe atirar muito bem **4** *Arm.* Gatilho que faz disparar a arma de fogo **5** *Mil.* Cada um dos soldados de infantaria ligeira que se dispersam pelo campo para fazerem fogo sobre a retaguarda do inimigo **6** *Lus. Fut.* O jogador que marca mais gols numa partida ou durante um campeonato; ARTILHEIRO; GOLEADOR *a.* **7** Que atira ou que foi treinado para atirar **8** Ref. a atirador (5) [F.: *atirar* + *-dor*.]

atirar (a.ti.*rar*) *v.* **1** Disparar com uma arma [*ti.* + *a, contra, em, sobre*: *O caçador atirou na jaguatirica.*] [*int.*: *De repente, começaram a atirar.*] [*ta.*: *Atirou ao ar/na porta/no alvo.*] **2** Disparar (tiro, flecha, dardo etc.) [*td.*: *Sensato, o soldado não atirou uma única bala.*] **3** Lançar(-se), arrojar(-se); arremessar(-se) [*td.*: *A menina atirava pedrinhas no lago*: "Atirou-se no banco da varanda..." (Marques Rebelo, *Marafa*)] **4** *Fig.* Proferir de súbito [*tdi.* + *a, contra*: *Atirava ofensas à plateia.*] **5** *Fig.* Dar impulso para; impulsionar, impelir, lançar [*tdr.* + *a*: *O desemprego o atirou ao tráfico.*] **6** *Fig.* Mostrar propensão para [*tdr.* + *para*: *Já atirava para esse vício há muito tempo.*] **7** *Fig.* Jogar-se, lançar-se [*tdr.* + *a, em*: *Atirou-se à pintura com grande paixão.*] **8** Deixar-se tombar; estender-se [*td.*: *Morto de sono, atirou-se na cama.*] **9** *Fig.* Tentar conquistar ou seduzir (alguém) [*td.*: *Atirou-se à primeira mulher bonita que apareceu.*] **10** *CE Pop.* Em danças de roda, sapatear defronte à pessoa com que se deseja dançar [*ti.* + *em*: *Atirou na moça de vermelho e logo começaram a rodopiar.*] **11** *Bras.* Chamar alguém para dançar [*td.*] **12** *Lus.* Jogar, bater com porta, gaveta [*td.*] **13** *Fig.* Aludir, referir-se a [*td.*] [► **1** atirar] [F.: *a-⁴* + *tirar*.]

atitude (a.ti.*tu*.de) *sf.* **1** Maneira de portar-se, de agir ou de reagir, em função de uma disposição interna e de uma situação específica ou genérica; COMPORTAMENTO; CONDUTA; PROCEDIMENTO: *Qual foi a atitude dele ante tais fatos?* "...mais do que nunca, disposto a conservar a sua austera atitude de homem fino..." (Aluísio Azevedo, *Girândola de amores*) **2** *P. ext.* Maneira arrojada, desinibida e confiante de proceder ou de enfrentar as situações; DECISÃO; INTREPIDEZ; OUSADIA: *À seleção brasileira faltou decisão, faltou atitude.* **3** Manifestação de um intento ou propósito; DISPOSIÇÃO; INTENÇÃO; INTUITO: "É o sopro do Criador, numa atitude repleta de amor." (Gonzaguinha, *O que é, o que é*) **4** Modo afetado de agir ou de se comportar, que não condiz com os verdadeiros sentimentos ou disposições; AFETAÇÃO: *Essa fleugma, essa impassividade é só atitude.* **5** Modo de posicionar o corpo; POSE; POSTURA: *Ajoelhavam-se e persignavam-se, em atitude de adoração.* **6** *Art. pl.* Postura, pose (e o que elas expressam) com que o artista plástico concebe e realiza as figuras que cria em sua obra **7** Modo de ser ou pensar em relação a algo ou alguém: *Qual é sua atitude quanto a esse programa de governo?* **8** *Astnáut.* Posição, situação ou orientação de aeronave, foguete, míssil ou satélite artificial em relação a ponto de referência, tomada pela inclinação de seu eixo em relação a esse ponto **9** *Dnç.* Posição do balé clássico, no qual o corpo se apoia em uma das pernas, esticada, enquanto a outra se eleva, com o joelho dobrado **10** *Psi.* Tendência básica de comportamento, disponível para situações hipotéticas, e alimentada por experiência adquirida [F.: Do lat. *actitudo, inis*, pelo it. *attitudine* e pelo fr. *attitude*.] ■ **~ de voo** *Aer.* Situação ou posição de aeronave em relação ao vento **Tomar uma ~** Adotar energicamente um procedimento para enfrentar e superar situação desfavorável, para reagir a um desafio etc.

ativa (a.*ti*.va) *sf.* **1** A parte funcional, central, principal num ato, numa situação ou circunstância **2** Período de atividade profissional dos militares: *O Estado-Maior convocou todos os generais da ativa.* **3** *P. ext.* Período de atividade de qualquer categoria profissional: *Esse engenheiro tem 75 anos, e ainda está na ativa.* **4** Conjunto dos profissionais na ativa (3): *O aumento é só para os da ativa.* [F.: Fem. subst. de *ativo*. Hom./Par.: *ativa* (af. e sf.), *ativa* (fl. de *ativar*), *ativas* (af. e sf. pl.), *ativas* (fl. de *ativar*).]

ativação (a.ti.va.*ção*) *sf.* **1** Ação ou resultado de ativar **2** *Fís. nu.* Processo de formação de nuclídeos radioativos por meio de bombardeio de partículas aceleradas **3** *Eletrôn.* Na manufatura de tubos eletrônicos, tratamento químico do catodo para que possa emitir elétrons **4** *Quím.* Processo químico pelo qual se ativa uma substância [Pl.: *-ções*.] [F.: *ativar* + *-ção*.]

ativado (a.ti.*va*.do) *a.* **1** Que se ativou **2** Que se tornou ativo ou mais ativo: *Em dezembro, aqueceu-se o já ativado consumo.* [Ant.: *desativado*.] **3** *Fís. nu. Fís-Quím.* Que foi submetido a processo de ativação (2, 4) (carvão ativado) **4** *Inf.* Aberto na tela, pronto para ser usado (diz-se de programa): *Abra o Excell e deixe-o ativado.* [F.: Part. de *ativar*.]

ativador (a.ti.va.*dor*) [ô] *a.* **1** Que ativa; ATIVANTE; ESTIMULANTE *sm.* **2** Aquele ou aquilo que ativa, estimula **3** *Med.* Substância que favorece a atividade de uma enzima: *ativador de plasminogênio urinário.* **4** *Quím.* Substância que aumenta a atividade de um catalisador (ativador de cachos) **5** *Emb.* Substância ou produto que ativa ou estimula o desenvolvimento de tecido embrionário [F.: *ativar* + *-dor*.]

ativante (a.ti.*van*.te) *a2g.* O mesmo que *ativador* (1) [F.: *ativar* + *-nte*.]

ativar (a.ti.*var*) *v.* **1** Pôr ou entrar em atividade, tornar(-se) ativo [*td.*: *ativar a caixa alta do teclado; ativar a caixa postal do celular.*] [*int.*: *A máquina ativou-se quando apertou o botão.*] **2** Acelerar(-se) o ritmo de [*td.*: *Exercícios ativam a circulação do sangue.*] [*int.*: *A produção sebácea ativou-se com o medicamento.*] **3** Atear(-se) [*td.*: *Ativar o fogo.*] [*int.*: *Com o combustível, o fogo ativou-se.*] **4** Provocar ativação (2) de [*td.*] [► **1** ativar] [F.: *ativo* + *-ar²*.]

atividade (a.ti.vi.*da*.de) *sf.* **1** Qualquer ação ou função determinada (atividade comercial/produtiva): *É preciso estimular a atividade agrícola.* **2** Qualidade, estado ou condição daquilo ou de quem é ou está ativo, do que ou de quem faz ou está fazendo ou realizando algo: *Os turistas estão em atividade desde cedo.* **3** Algo que se faz ou que se pode fazer: *Meia hora de atividade física diária ajuda a manter o peso.* **4** Disposição incansável, grande vigor físico e moral: "Graças a sua atividade espantosa, armou com o auxílio da corda a ponte pênsil sobre o precipício..." (José de Alencar, *O Guarani*) [Ant.: *desânimo, apatia, prostração*.] **5** Trabalho ou movimentação intensa; AFÃ; AGITAÇÃO: "O escrivão Domingos, esse sim, vibrava de atividade! O seu lápis rascunhava com furor..." (Eça de Queirós, *O crime do padre Amaro*) **6** Funcionamento, operação: *As caldeiras estão em plena atividade.* [Ant.: *inatividade, repouso*.] **7** Meio de vida, profissão; OCUPAÇÃO; OFÍCIO: *O magistério no Brasil é uma atividade muito mal remunerada.* **8** *Fil.* Faculdade de ser causa de qualquer efeito ou de sofrer uma modificação **9** *Eletrôn.* Intensidade ou magnitude da oscilação em cristais piezelétricos, em função da tensão de excitação neles aplicada **10** *Fisl.* Exercício da função de um organismo, de um órgão etc. (atividade cerebral) [F.: Do lat. *activitas, atis*. Ideia de atividade: *cine-* (no sentido de 'movimento': *cinema*), *-aria*: *engenharia*.] ■ **~ geomagnética** *Geof.* Conjunto de fenômenos capazes de caracterizar, em certo momento, a presença e os efeitos do magnetismo terrestre **~ nuclear** *Fís. nu.* A intensidade de uma reação nuclear, medida pelo número de desintegrações nucleares de uma amostra por unidade de tempo **~ óptica** *Ópt.* Propriedade de certas substâncias (como os cristais), soluções ou vapores de causarem uma rotação no plano de polarização da luz que incide sobre eles **~ sísmica** *Geof.* A intensidade, a frequência e a distribuição de movimentos sísmicos da terra numa certa área **~ solar** *Astron.* Conjunto de fenômenos físicos que ocorrem no Sol, e que determinam e caracterizam seu estado **Em ~** **1** Em pleno exercício (funcionários, empregados etc.) de suas funções ou de seu emprego **2** Funcionando, trabalhando, não em repouso: *vulcão ainda em atividade.*

ativismo (a.ti.*vis*.mo) *sm.* **1** *Fil.* Doutrina ou conjunto de princípios segundo os quais se deve buscar a transformação da realidade por meio da ação, da prática efetiva, em lugar de se dedicar à mera especulação teórica **2** A aplicação desses princípios em qualquer atividade, com vista à conquista de objetivos políticos, revolucionários etc., a sua propaganda, à defesa e disseminação de convicções políticas, ideológicas, religiosas etc.; MILITÂNCIA **3** *Liter.* Gênero literário de conteúdo político e de índole normativa ou doutrinária [F.: *ativo* + *-ismo*.]

ativista (a.ti.*vis*.ta) *a2g.* **1** Ref. ao ativismo (concepção ativista) **2** Que é partidário do ativismo; que milita numa causa, num partido etc. *s2g.* **3** Quem atua ativamente por uma causa, um ideal político ou social etc.; MILITANTE [F.: *ativo* + *-ista*.]

ativo (a.*ti*.vo) *a.* **1** Diz-se de alguém que está sempre em atividade, que se caracteriza pela disposição de agir e de realizar, pelo dinamismo etc. (criança ativa); DINÂMICO: *Minha avó ainda é uma mulher ativa, participa de comitês e faz trabalho social.* [Ant.: *inativo*.] **2** Em atividade; em funcionamento; OPERANTE: *O velho cinema ainda continua ativo.* [Ant.: *desativado, inativo, inoperante*.] **3** Que participa intensamente, que exerce influência; ATUANTE; INFLUENTE; PARTICIPANTE: *O Brasil vem buscando um papel mais ativo nas decisões internacionais.* **4** Que exerce ação marcante, que se faz sentir, que produz efeito (odor ativo); EFICAZ: *Os remédios genéricos têm o nome de seu princípio ativo.* **5** Que exerce efetivamente alguma atividade profissional; PRODUTIVO; ATUANTE: *Os funcionários ativos têm mais benefícios que os aposentados.* [Ant.: *aposentado, inativo, reformado*.] **6** Diz-se de vulcão ainda em atividade, que pode entrar em erupção a qualquer momento [Ant.: *extinto*.] **7** *Gram.* Diz-se da voz do verbo (e, por extensão, da respectiva frase, oração ou sentença) cujo sujeito tem a função de agente (voz ativa) [Ant.: *passivo*] **8** *Gram.* Diz-se de verbo que exprime ação **9** *Elet. Eletrôn.* Diz-se de equipamento ou componente em funcionamento, ou de circuito que está alimentado por corrente elétrica [Ant.: *inativo*.] **10** *Inf.* Diz-se de programa, aplicativo, documento etc. carregado na memória RAM, e, portanto, operacional **11** *Fís. nu.* Diz-se de nuclídeo passível de fissão nuclear **12** Em relação homossexual entre parceiros homens, diz-se daquele que faz a penetração [Ant.: *passivo*.] *sm.* **13** Esse parceiro **14** Nuclídeo ativo (11) **15** *Econ.* Conjunto dos bens de uma empresa ou pessoa que podem ser convertidos em dinheiro: *O ativo daquela empresa engloba imóveis e aplicações.* [F.: do lat. *activus, a, um*.] ■ **~ circulante/corrente** *Cont. Econ.* Parte do ativo de empresa representada por dinheiro em caixa e por tudo que possa ser convertido imediatamente em dinheiro, como saldo em conta corrente, títulos de liquidez imediata etc. **~ financeiro** *Cont. Econ.* Parte do ativo representada por títulos que garantem a seu detentor recebimentos futuros, cujo valor e circunstâncias de resgate são nele determinadas **~ fixo/imobilizado** *Cont. Econ.* Parte do ativo não conversível de imediato em dinheiro, mas indispensável para a atividade da empresa, como imóveis, móveis, máquinas, equipamentos etc. **~ realizável a longo prazo** *Cont. Econ* Parte do ativo constituída de bens que podem ser convertidos em dinheiro a longo prazo

atlântico (a.*tlân*.ti.co) *a.* **1** Diz-se do oceano que fica entre a costa leste das Américas e a costa oeste da Europa e da África [Com inic. maiúsc.] **2** Ref. ou pertencente ao oceano Atlântico (litoral atlântico, fauna atlântica) **3** Que se situa no oceano Atlântico ou se limita com ele (ilhas atlânticas; países atlânticos) **4** Ref. a, ou situado na cadeia de montanhas do Atlas, no norte da África **5** *Bot.* Ref. ou pertencente à flora predominante na cordilheira marítima brasileira e suas ramificações para o interior (mata atlântica; floresta atlântica) **6** *Fig.* Que possui força descomunal; ATLANTE; HERCÚLEO *sm.* **7** O oceano Atlântico [Com inic. maiúsc.] [F.: Do lat. *atlanticus, a, um*.]

atlas (*a*.tlas) *sm2n.* 1 Livro composto por uma coleção de mapas ou cartas geográficas (atlas geográfico) 2 Livro que contém um conjunto de quadros, gráficos, ilustrações e textos esclarecedores sobre determinada área do conhecimento: *atlas de anatomia.* 3 *Anat.* A primeira vértebra cervical, que sustenta o crânio 4 *Mit.* Gigante da mitologia grega que sustentava sobre os ombros o peso da abóbada celeste [Nesta acp., com inic. maiúsc.] [F.: Do gr. *Átlas, antos.*] ■ ~ **celeste** *Astron.* Acervo de mapas que registram as posições das estrelas na esfera celeste, através de projeções planas

atleta (a.*tle*.ta) *s2g.* 1 Pessoa que pratica o atletismo 2 Pessoa que ganha a vida praticando algum esporte (atleta profissional) 3 Pessoa que pratica exercícios físicos regularmente: *Naquela fábrica, todos os empregados são atletas.* [Sin. nas acp. 1, 2 e 3: *desportista, esportista.*] 4 Indivíduo forte, musculoso, ágil, dotado de grande resistência física 5 *Antq.* Na Grécia e na Roma antigas, homem treinado em luta para combater nos jogos solenes; LUTADOR *sm.* 6 *Gír. Turfe* Cavalo de corrida [F.: Do gr. *athletés*, pelo lat. *athleta.*]

atleticano (a.tle.ti.*ca*.no) *a.* 1 *Bras.* Ref. a qualquer clube denominado Atlético (p. ex. Atlético Mineiro ou Atlético Paranaense) ou a torcedor desse clube (torcida atleticana) *sm.* 2 Jogador ou torcedor desse clube [F.: *Atlético* + *-ano.*]

atlético (a.*tlé*.ti.co) *a.* 1 Ref. a, ou próprio de atleta ou do atletismo: *As competições atléticas começam no verão.* 2 Forte, musculoso, ou que lembra um atleta (compleição atlética, disciplina atlética) [Ant.: *débil, franzino, raquítico.*] [F.: do gr. *athletikós, é, ón*, pelo lat. *athleticus, a, um.*]

atletismo (a.tle.*tis*.mo) *sm.* 1 Modalidade esportiva e conjunto dos esportes cujos objetivos são a superação dos adversários e a obtenção dos melhores resultados possíveis em competições de corrida, salto, arremesso etc. 2 Prática desses esportes: *O ex-tenista dedica-se agora ao atletismo.* [F.: *atleta* + *-ismo.*]

> 🕮 As principais provas do atletismo são: a) corridas de velocidade: 100, 200 e 400 metros rasos; 100 (para mulheres), 110 e 400 metros com barreiras; b) corridas de meio-fundo: 800, 1.500 e 3.000 metros com obstáculos; c) corridas de fundo: 5.000 e 10.000 metros e a maratona (42.195 metros); d) corridas de revezamento: 4x100 e 4x400 metros; e) saltos: em altura, em distância, tríplice e com vara; f) arremessos: de peso, de disco, de dardo e de martelo; g) provas combinadas: decatlo (homens) e heptatlo (mulheres).

atmosfera (at.mos.*fe*.ra) *sf.* 1 Camada de ar que envolve a Terra: *A atmosfera é rarefeita nas grandes altitudes.* [V. tb. *estratosfera, ionosfera* e *troposfera.*] 2 Camada de gases que envolve um astro: *Na atmosfera de Júpiter ocorrem tempestades constantes.* 3 O ar que se respira em determinado lugar: *O calor tornava pesada a atmosfera da sala.* 4 Condições atmosféricas; CÉU; TEMPO: "...e a atmosfera tranquila nenhum indício dava de tempestade." (Bernardo Guimarães, *O ermitão do Muquém*) 5 *Fig.* Conjunto dos estados psicológicos que envolve um grupo de pessoas; AMBIENTE: "...tem o baile com sua atmosfera de lisonjas e mentiras" (J. Manuel de Macedo, *A moreninha*) [F.: Do gr. *atmós* 'gás, vapor' + *-sfera.*] ■ ~ **física** *Fís.* Unidade de medida de pressão correspondente à da atmosfera terrestre no nível do mar, equivalente à pressão exercida por uma coluna de mercúrio de 760 mm de altura cuja massa volumétrica é igual a 13,5951 g/cm³, sujeita à aceleração normal da gravidade (980, 665 cm/s²); equivale a 1,01325 x 10^5 Pa (101.325 pascals) [Tb. apenas *atmosfera.* Símb.: *atm.*] ~ **livre** *Met.* A camada da atmosfera na qual o movimento do ar não é influenciado pela sua fricção com a superfície terrestre ~ **normal** *Fís.* Ver *Atmosfera física* ~ **técnica** *Fís.* Unidade de medida de pressão equivalente à pressão de um quilograma-força/cm², e igual a 9,80665 x 10^4 Pa (98066,5 pascals) [Tb. apenas *atmosfera.* Símb.: *at.*] ~ **territorial** *Jur.* Espaço aéreo sobre o território e as águas territoriais de um estado

> 🕮 A atmosfera terrestre tem em sua composição dois elementos básicos para a vida na Terra, seu desenvolvimento e sua preservação: o nitrogênio (78% da composição gasosa da atmosfera) e o oxigênio (21%) [O restante, 1%, é formado por argônio, dióxido de carbono, hidrogênio, hélio, ozônio e outros gases. O nitrogênio vai compor as proteínas vegetais, que serão nutrientes básicos dos organismos vivos, o oxigênio é fundamental na respiração, que mantém vivas as células dos tecidos orgânicos. É na atmosfera que são filtrados os raios solares e é onde se verificam e se equilibram os fatores climáticos, como vento, temperatura, chuva, neve etc. Estima-se a altura da camada atmosférica em 1.000 km, e ela pode ser dividida em subcamadas: troposfera, até c. 16 km; estratosfera, até os 50 km de altura; mesosfera, até 90 km de altura; ionosfera, até 500 km; exosfera, entre 500 e 1.000 km, limite do espaço interplanetário. A camada exterior a esse limite chama-se magnetosfera.

atmosfera-litro (at.mos.fe.ra-*li*.tro) *sf. Fís.* Unidade de medida de energia, correspondente ao trabalho realizado por um gás que se expande contra uma pressão constante de uma atmosfera, e cujo volume aumenta de um litro [Se a pressão for medida em atmosfera física, a atmosfera-litro é igual a 101,3278 joules; se medida em atmosfera técnica, é igual a 98,0692 joules. Símb.: *atm. l.*] [Pl.: *atmosferas-litro.*]

atmosférico (at.mos.*fé*.ri.co) *a.* Ref. a ou da atmosfera (fenômenos atmosféricos) [F.: *atmosfera* + *-ico²*.]

◎ **-ato¹** *suf. nom.* Forma culta de *-ado²* (q. v.), com o qual coexiste em muitos pares (*decenvirado/decenvirato, duunvirado/duunvirato, generalado, generalato*), ocorre em voc. formados no próprio lat. (*celibato, clericato, concubinato, famulato*), no vernáculo ou em outra língua moderna (*anonimato, indigenato*): *abacomitato, bacharelato, canonicato, catecumenato, coronelato, decanato, estrelato* [F.: Do lat. *-atus, us* (< suf. lat. *-tus, a, um*, de part. pass.).]

◎ **-ato²** *suf. Quím. nom.* = 'sal ou éster de um ácido'; 'radical aniônico de ácido em *-ico*': *acetato, arseniato, aspartato, benzoato, borato, bromato, carbonato, cianato, estearato, fosfonato* [F.: Da terminologia científica internacional.]

ato (*a*.to) *sm.* 1 Aquilo que se faz, se está fazendo ou se pode fazer; AÇÃO: "...praticou Jorge aquele ato insensato de declarar à moça que a amava..." (Machado de Assis, *A mão e a luva*) 2 Aquilo que se fez; FEITO: *Ficou famoso por seus atos heroicos.* 3 Modo de agir; ATITUDE; CONDUTA; PROCEDIMENTO: *Esse ato merece nosso repúdio.* 4 Momento em que se faz alguma coisa: *As chaves da casa serão entregues no ato da compra.* 5 Acontecimento formal; CERIMÔNIA; SOLENIDADE: "Não se sabendo quem mandava dizer a missa, ninguém lá foi. A igreja escolhida deu ainda menos relevo ao ato..." (Machado de Assis, *Esaú e Jacó*) 6 Cada uma das partes em que se divide uma peça de teatro, ópera, balé etc. 7 *Jur.* Decisão de uma autoridade expressa em documento público (ato administrativo) 8 Documento redigido de acordo com determinadas normas, e ger. de caráter político 9 *Ética* Ação de um ser livre, consciente, e responsável pelo que faz 10 O exercício de um direito ou prerrogativa: *O voto é um ato cívico.* 11 *Fil.* Para Aristóteles, transformação de um potencial em realidade (como de um embrião para um ser, de matéria-prima para objeto etc.) [F.: do lat. *actum, i.*] ■ ~ **adicional** *Jur.* Dispositivo de emenda à constituição de um país, e que passa a integrá-la ~ **atributivo** *Jur.* O que atribui um direito ~ **autêntico** *Jur.* O que se origina de autoridade ou na presença de autoridade, ou de portador de fé pública ~ **contínuo** 1 De imediato, imediatamente: *Preparou o memorando e, ato contínuo, mandou distribuí-lo.* 2 Continuamente, sem interrupção [Tb. *Em ato contínuo.*] ~ **de fala** *Ling.* Enunciado proferido por falante (ou apresentado por escrito) com suas intenções e seus efeitos ~ **de libidinagem** *Jur.* Relação sexual, ou outra ação que vise a satisfação da libido ~ **de variedades** *Teat.* Ver *Ato variado* ~ **falhado** *Psic.* Ato falho ~ **falho** *Psic.* Ato (ou termo, fala, gesto etc.) não intencional que interfere em outro intencional, e que tem como origem uma vontade inconsciente, por aquele expressa ou simbolizada ~ **formal** *Jur.* Ato cuja validade, por lei, se manifesta a partir de formalidade, ou solenidade especial; ato solene ~ **gratuito** *Jur.* O que se origina em liberalidade, não obrigando a contraprestação ~ **institucional** *Jur.* Declaração de caráter solene ou regulamento baixados por um governo [Quando específico, com iniciais maiúsculas.] ~ **jurídico** *Jur.* O que, expressando intenção individual, busca produzir efeitos jurídicos sobre direitos (proteger, transferir, extinguir etc. ~ **oneroso** *Jur.* O que estabelece a reciprocidade das vantagens e das obrigações entre partes ~ **público** Reunião aberta ao acesso de público, em recinto aberto ou fechado, para tratar de temas de natureza política, social, econômica etc. [Cf.: *comício* (1).] ~ **resolúvel** *Jur.* Ato ou contrato que prevê no seu texto o prazo ou a condição que o terminará ~ **solene** *Jur.* Ato formal ~ **variado** *Teat.* Curta apresentação (cenas cômicas, declamação, música, dança etc.), ger. entre atos de uma peça; ato de variedades **Fazer ~ de presença** Comparecer (em determinado lugar, cerimônia, evento etc.) para que conste a presença, demorando-se pouco

◎ **ato-** *pref.* Ver *atto-.*

à toa (à*to*.a) [ô] *a2g2n.* 1 Que se faz sem pensar; IMPENSADO; IRREFLETIDO: *Não imaginou que um comentário à toa despertaria tanta polêmica.* 2 Sem utilidade, sem proveito (precaução à toa); INÚTIL 3 Que não exige esforço; FÁCIL: *É um trabalho à toa, termino num instante.* 4 Que não merece respeito; DESPREZÍVEL: *Aquele sujeito à toa é incapaz de um gesto de solidariedade.* 5 Sem importância; INSIGNIFICANTE: *Não se preocupe, é um machucado à toa.* 6 Que não tem boa reputação, ou que já demonstrou ter má índole ou conduta [Cf.: *à toa* (a2g2n.), *à toa* (loc. adv., no verbete *toa*).]

atoalhado (a.to:a.*lha*.do) *a.* 1 Coberto com toalha 2 Diz-se de tecido com textura igual ao da toalha de banho *sm.* 3 Tecido semelhante ao da toalha 4 Toalha de mesa, ou pano us. como toalha de mesa [F.: Part. de *atoalhar.*]

atoalhar (a.to.a.*lhar*) *v. td.* 1 *P. us.* Dar a (tecido) aspecto ou textura de toalha: *Esse processo de fabricação atoalhava o tecido.* 2 *P. us.* Cobrir com toalha [▶ 1 atoalhar] [F.: *a-²* + *toalha* + *-ar²*.]

atobá (a.to.*bá*) *sm. Bras. Zool.* Nome comum a algumas aves da família dos sulídeos, do gên. *Sula*, da cor do café, com asas compridas e bico serrilhado, encontradas em águas tropicais e subtropicais, e que vivem da captura de peixes que pegam ao mergulhar; MERGULHÃO [F.: De or. indígena, posv.]

atocaiado (a.to.ca.*ia*.do) *a.* Que se atocaiou; que foi alvo de tocaia [F.: Part. de *atocaiar.*]

atocaiar (a.to.cai.*ar*) *v.* 1 Esconder-se para atacar de surpresa (uma pessoa ou animal) [*td.*: *O leão atocaiava a presa.*] 2 Ficar de espreita, de vigia; espreitar a chegada ou a movimentação (de alguém); VIGIAR [*td.*: *O guarda florestal atocaiava os caçadores.*] [*int.*: *A mulher atocaiava todos os dias pela janela.*] [▶ 1 atocaiar] [F.: *a-²* + *tocaia* + *-ar²*.]

atochado (a.to.*cha*.do) *a.* 1 Que se atochou 2 Preso com atocha ou cunha 3 Cheio em demasia; ATULHADO; ENTULHADO 4 Preso em passagem apertada ou qualquer outro lugar, sem poder mover-se ou menear; ENTALADO [F.: Part. de *atochar.*]

atochar (a.to.*char*) *v.* 1 Fazer entrar à força; ENFIAR [*tda.*: *Atochou a rolha na garrafa.*] 2 Encher em excesso; ATRAVANCAR; ATULHAR [*td.*: *Atochou a mala e depois não conseguia fechar; A menina atochava o gato de comida.*] 3 Firmar ou apertar usando atocho ou cunha [*td.*] 4 *Bras. Pop.* Mentir, lorotar [*int.*] [▶ 1 atochar] [F.: Do espn. *atochar*, do espn. *atocha*, posv. do pré-romano *tautia*. Hom./Par.: *atocho* (fl.), *atocho* [ô] (sm.).]

atocho (a.*to*.cho) [ô] *sm.* 1 Ação ou resultado de atochar 2 Cunha, pau ou qualquer outra coisa us. para atochar [F.: Dev. de *atochar*. Hom./Par.: *atocho* [ô] (sm.), *atocho* [ó] (fl. de *atochar*).]

atofarad (a.to.fa.*rad*) *sm. Fís.* Ver *attofarad*

atol (a.*tol*) *sm. Oc.* Grupo circular de ilhas, em forma de coroa fechada ou não, com uma lagoa ao centro e constituído de corais que se juntaram sobre a boca de antigos vulcões marinhos [Pl.: *-tóis.*] [F.: De or. incerta; posv. de uma língua indo-ariana das ilhas Maldivas, posv. pelo ing. *atoll*; ou do cingalês *atul* ou *etul.*]

atoladiço (a.to.la.*di*.ço) *a.* Que facilmente forma atoleiro; que está sempre a formar atoleiro; ALAGADIÇO: "...caminho atoladiço..." (Aquilino Ribeiro, *Maria Benigna*) [F.: *atolado¹* + *-iço.*]

atolado¹ (a.to.*la*.do) *a.* 1 Que se atolou¹; preso em atoleiro; ATASCADO: *O carro atolado não se movia.* 2 *Fig.* Sobrecarregado, cheio (de coisas para fazer ou resolver); ASSOBERBADO [+ *de*: *Ele está atolado de trabalho.*] 3 *Fig. Pop.* Que tem dificuldade para se desincumbir de tarefas simples; ATRAPALHADO; ENROLADO: *Que moça atolada! Ainda não se vestiu!* [+ *com*: *Está atolada com o vestido de noiva.*] [F.: Part. de *atolar¹*.]

atolado² (a.to.*la*.do) *a.* Que é ou parece ser um tanto tolo; APALERMADO [F.: Part. de *atolar²*.]

atolador (a.to.la.*dor*) [ô] *a.* 1 Que (se) atola 2 *Bras.* Diz-se de local em que se atola 3 Aquilo que (se) atola 4 Local em que se atola; ATOLEIRO; ATOLADOURO; LODAÇAL [F.: *atolar* + *-dor.*]

atoladouro (a.to.la.*dou*.ro) *sm.* O mesmo que *atoleiro*: "... ela pensava somente naquele homem de 'olhos azuis que puxavam a gente como atoladouro'." (Érico Veríssimo, *Um certo capitão Rodrigo*) [F.: *atolar* + *-douro²*. Tb. *atoladoiro.*]

atolamento (a.to.la.*men*.to) *sm.* Ação ou resultado de atolar(-se) [F.: *atolar* + *-mento.*]

atolar¹ (a.to.*lar*) *v.* 1 Ficar ou fazer que (algo) fique parcialmente enterrado em lama, impossibilitado de mover-se [*td.*: *Meteu-se numa estradinha de barro e atolou o carro.*] [*int.*: *O jipe atolou na lama.*] 2 *Fig.* Ficar em situação de difícil solução; EMBARAÇAR-SE [*int.*: *Atolou-se com as contas a pagar.*] [*tdr.* + *em*: *Atolou a empresa em dívidas.*] 3 Impor (trabalho, responsabilidades etc.) demasiadas a; SOBRECARREGAR(-SE) [*tdr.* + *com, de*: *Atolou a secretária de trabalho.*] 4 *Fig.* Deixar-se envolver em excesso; ENTREGAR-SE [*td.*: *Atolou-se no vício.*] 5 Ficar sobrecarregado [*tdr.* + *com, de*: *Atolou-se com a quantidade de coisas a fazer em casa.*] [▶ 1 atolar] [F.: De or. contrv.]

atolar² (a.to.*lar*) *v. td. int.* Tornar(-se) tolo, palerma, parvo [▶ 1 atolar] [F.: *a-²* + *tolo* (ô) + *-ar²*.]

atoleimado (a.to.lei.*ma*.do) *a.* Que parece ser tolo, ou que se comporta como tolo, tonto, parvo, pateta; APARVALHADO; APATETADO [F.: Part. de *atoleimar.*]

atoleimar (a.to.lei.*mar*) *v.* 1 Agir como tolo por debilidade mental ou fingimento; APALERMAR(-SE); APARVALHAR(-SE); APATETAR(-SE) *Lus. N. E.*; ATOLAMBAR(-SE) [*int.*: *As autoridades atoleimaram(-se) com tamanha fraude.*] 2 Fazer agir como tolo; APALERMAR; APARVALHAR; APATETAR *Lus. N. E.*; ATOLAMBAR [*td.*: *Inventei uma brincadeira para atoleimar meu irmão.*] [▶ 1 atoleimar] [F.: *a-²* + *toleima* + *-ar²*.]

atoleiro (a.to.*lei*.ro) *sm.* 1 Lugar de solo mole, lamacento ou pantanoso, onde é fácil atolar¹; ATASCADEIRO; ATOLADOURO; LAMAÇAL 2 *Fig.* Situação de dificuldade ou embaraço da qual não é fácil sair; APERTO; APURO; ENRASCADA 3 *Fig.* Estado de aviltamento e desonra moral; DEGRADAÇÃO; DEVASSIDÃO; VÍCIO [F.: *atolar¹* + *-eiro.*] ■ **Sair do ~** Conseguir superar ou livrar-se de situação difícil, ou perigosa, ou degradante

atomicidade (a.to.mi.ci.*da*.de) *sf.* 1 *Quím.* Qualidade ou característica de ser constituído de átomos 2 *Quím.* Número de átomos de uma molécula 3 *Quím.* Propriedade do átomo de um elemento de unir-se a um ou mais átomos de outro 4 *Econ.* Característica do mercado em que vendedores ou compradores, por serem pequenos ou muito numerosos, não podem interferir isoladamente nos preços [F.: *atômico* + *-(i)dade.*]

atômico (a.*tô*.mi.co) *a.* 1 *Fís-quím.* Ref. ou pertencente a ou próprio de átomo (núcleo atômico) 2 *P. ext.* Ref. ou pertencente a ou próprio de núcleo de átomo 3 *Fís. nu.* Ref. à energia libertada na fissão do núcleo do átomo de elementos pesados e aos processos que a causam e dela consequentes; NUCLEAR 4 *P. ext.* Ref. ao uso dessa energia e ao que usa essa energia (combustível atômico; submarino atômico; guerra atômica; arma atômica); NUCLEAR **5** *Pop.* Diz-se do lixo radioativo [F.: *átomo* + *-ico*².]

atomismo (a.to.*mis*.mo) *sm.* **1** *Fil.* Doutrina que considera a formação do universo como uma combinação fortuita e mecânica de átomos, partículas eternas e indivisíveis **2** *Fís. Quím.* Conjunto de teorias científicas modernas que se baseiam nos conceitos filosóficos do atomismo (1) para explicar os fenômenos da natureza [F.: *átomo* + *-ismo*.]

atomista (a.to.*mis*.ta) *a2g.* **1** Ref. ao atomismo ou que é seguidor dessa doutrina (escola atomista; filósofo atomista) *s2g.* **2** Partidário do atomismo [F.: *átomo* + *-ista*.]

atomística (a.to.*mís*.ti.ca) *sf. Fís-quím.* Teoria atomística; teoria segundo a qual toda matéria é constituída de átomos [F.: Fem. substv. de *atomístico*.]

atomístico (a.to.*mís*.ti.co) *a.* Ref. a atomista, ou a atomismo ou a atomística [F.: *atomista* + *-ico*².]

atomizador (a.to.mi.za.*dor*) [ô] *a.* **1** Que atomiza **2** Que permite aspergir líquidos em gotas finíssimas *sm.* **3** Dispositivo atomizador (2) **4** Artefato que asperge líquido no ar em gotas muito pequenas; NEBULIZADOR; VAPORIZADOR [F.: *atomizar* + *-dor*.]

atomizar (a.to.mi.*zar*) *v.* **1** Reduzir a átomos ou a partículas mínimas [*td. int.*] **2** Reduzir(-se) a gotículas [*td.*: *Um carburador convencional tem de atomizar o combustível líquido.*] [*int.*: *A viscosidade indica a facilidade do combustível atomizar-se.*] **3** Pulverizar ou borrifar líquido em gotículas, com um atomizador; NEBULIZAR; VAPORIZAR [*td.*: *A pistola atomiza a tinta, permitindo a pintura uniforme.*] **4** Dividir(-se) em partes menores; FRAGMENTAR(-SE); PULVERIZAR(-SE); SUBDIVIDIR(-SE) [*td.*: *Atomizar as responsabilidades.*] [*int.*: *Com muitos candidatos, o eleitorado atomiza-se; A luz do sol atomiza-se ao atravessar as copas movidas pela brisa.*] [▶ 1 atomizar] [F.: *átomo* + *-izar*.]

átomo (*á*.to.mo) *sm.* **1** *Fís-quím.* A menor partícula de um elemento químico, formada por um núcleo, que contém nêutrons e prótons, e por elétrons que circundam o núcleo **2** *P. ext.* Coisa extremamente pequena, insignificante **3** *P. ext.* Período de tempo brevíssimo; INSTANTE; MOMENTO [F.: do lat. *atomu*.] ■ **~ marcado** *Fís. nu.* Átomo de um isótopo radioativo observável, nas reações químicas e processos biológicos, pelas radiações que emite **~ primordial** *Astron.* Termo us. pelo astrônomo belga Georges Lamaître para designar porção muito compacta de matéria da qual teria se originado o universo; ovo cósmico

📖 As teorias sobre o átomo descrevem-no como constituído de um núcleo, formado por prótons (partículas de carga positiva) e nêutrons (partículas sem carga), em torno do qual orbitam elétrons (partículas de carga negativa), num equilíbrio de forças e cargas. A perda de elétrons faz o átomo ficar com carga positiva, e vice-versa. É essa migração de elétrons que produz as reações elétricas e eletromagnéticas. Já os elétrons na órbita mais afastada do núcleo, pela facilidade de se permutarem com os de outros átomos, são os que determinam as reações químicas. A divisão do átomo libera as energias que ele emprega no equilíbrio intra-atômico, o que é o fundamento da energia nuclear.

átomo-grama (á.to.mo-*gra*.ma) *sm. Quím.* A quantidade de um elemento químico cuja massa em gramas equivale à massa atômica desse elemento [Pl.: *átomos-gramas, átomos-grama*.]

atonal (a.to.*nal*) *Mús. a2g.* Diz-se de música ou linha melódica que não se baseia em tonalidade, que não se desenvolve segundo um tom definido [Ant.: *tonal*.] [Pl.: *-nais*.] [F.: *a*-³ + *tonal*.]

atonalidade (a.to.na.li.*da*.de) *Mús. sf.* **1** Qualidade ou característica de atonal **2** Conjunto das estruturas melódicas e harmônicas atonais [F.: *atonal* + *-(i)dade*.]

atonalismo (a.to.na.*lis*.mo) *sm. Mús.* Conceito e sistema de composição musical baseados na atonalidade, na abdicação de uma estrutura tonal clássica para a melodia e a harmonia [F.: *atonal* + *-ismo*.]

atonalista (a.to.na.*lis*.ta) *a2g.* **1** Ref. a atonalismo *s2g.* **2** Músico que compõe segundo os princípios da atonalidade [F.: *atonal* + *-ista*.]

atonia (a.to.*ni*:a) *sf.* **1** *Med.* Perda ou ausência de tônus, de elasticidade e resistência de órgão ou tecido; ATONICIDADE **2** Fraqueza de órgão (esp. órgão contrátil); fraqueza geral, debilidade **3** *P. ext. Fig.* Inércia moral ou intelectual; apatia: "...ao ressurgir-se de sua atonia..." (Camilo Castelo Branco, *Filha do Dr. Negro*) [F.: Do gr. *atonía, as*.]

atonicidade (a.to.ni.ci.*da*.de) *sf.* **1** *Med.* O mesmo que *atonia* (1) **2** *Gram.* Qualidade de átono (de palavras ou sílabas que não têm acento tônico) [Ant.: *tonicidade*.] [F.: *atônico* + *-(i)dade*.]

atônico (a.*tô*.ni.co) *a.* **1** *Fon.* Que não tem acento tônico; o mesmo que *átono* (2) [Ant.: *tônico*] **2** *Med.* Ref. a atonia [F.: *atonia* + *-ico*².]

atônito (a.*tô*.ni.to) *a.* **1** Tomado de grande espanto, admiração, assombro; ABISMADO; ESTUPEFATO; PASMO; PERPLEXO: "Atônito, eu ouvia o poeta como que hipnotizado – mudo de espanto, sem poder articular uma palavra..." (Mário de Sá-Carneiro, *A confissão de Lúcio*) **2** Em estado de desorientação mental, confuso, perturbado, sem saber o que dizer ou fazer; ATARANTADO; ATURDIDO; DESNORTEADO [F.: do lat. *attonitus, a, um*.]

átono (*á*.to.no) *a.* **1** *Fon.* Que não tem acento tônico (vogal átona; pronome átono; sílaba átona); ATÔNICO [Ant.: *tônico*.] **2** *Gram.* Diz-se de pronome pessoal oblíquo (*me, te, se, lhe/lhes, nos, vos, o/a, os/as*) [F.: do gr. *átonos, os, on*.]

atontado (a.ton.*ta*.do) *a.* Tonto, estonteado, entontecido [F.: *a*-² + *tonto* + *-ado*¹.]

atopetar (a.to.pe.*tar*) *v.* **1** *Mar.* Erguer, içar (bandeira, galhardete etc.) até o tope do mastro [*td.*] **2** *Bras.* Encher em excesso; ABARROTAR [*td.*: *Atopetou a despensa.*] [*tdr.* + *com, de*: *Atopetou a varanda com/de móveis desnecessários.*] [▶ 1 atopetar] [F.: *a*-² + *topete* + *-ar*².]

atopia (a.to.*pi*:a) *sf.* **1** Situação do que está fora do lugar próprio, ou que seguiu caminho errado: "E logo essa quimera localista se inscreveu na atopia congregadora..." (Martim de Gouveia e Sousa, *Carta ao meu corpo*) **2** *Med.* Tendência hereditária a apresentar frequentes reações alérgicas a antígenos ambientais (como asma, rinite alérgica, certas dermatites) [F.: *a*-³ + *-topo-* + *-ia*¹.]

atópico (a.*tó*.pi.co) *a.* **1** Ref. a atopia (1), ou ao que está fora de lugar **2** *Med.* Ref. a, próprio de ou que apresenta atopia (2) (dermatite atópica) **3** *Med.* Que sofre de atopia (paciente atópico) [F.: *a*-³ + *-tópico*.]

atopomenorreia (a.to.po.me.nor.*re*.ia) *sf. Med.* Menstruação vicária, suplementar [F.: *a*-³ + *-topo-* + *menorreia*.]

ator (a.*tor*) [ô] *sm.* **1** Aquele que interpreta personagens em peças de teatro, filmes de cinema, filmes ou novelas de TV etc. **2** *Fig.* Indivíduo dissimulado, que sabe fingir; ENGANADOR; FARSANTE; HIPÓCRITA; IMPOSTOR: *É um grande ator, enganou todo mundo com sua carinha de anjo.* **3** Aquele que participa ativamente de um ato, de um acontecimento [Fem.: *atriz*] [F.: Do lat. *actor, ris*.] ■ **~ de feira** **1** *Teat.* O que representa em teatros ambulantes **2** *Pej.* Ator que representa mal; canastrão

atordoado (a.tor.do.*a*.do) *a.* **1** Que se atordoou *a.* **2** Que está sem pleno domínio dos sentidos ou do raciocínio, que ficou tonto ou quase desmaiou devido a pancada, queda, forte emoção, embriaguez, sedação etc.; ATURDIDO; TONTO: "Parei na varanda; ia tonto, atordoado, as pernas bambas, o coração parecendo querer sair-me pela boca fora." (Machado de Assis, *Dom Casmurro*) **3** Perturbado, confuso, atônito [F.: Part. de *atordoar*.]

atordoamento (a.tor.do:a.*men*.to) *sm.* **1** Ação ou resultado de atordoar(-se) **2** *Fig.* Vertigem, tontura; confusão mental [F.: *atordoar* + *-mento*.]

atordoante (a.tor.do:*an*.te) *a2g.* Que atordoa, que deixa tonto; ATORDOADOR [F.: *atordoar* + *-nte*.]

atordoar (a.tor.do.*ar*) *v.* **1** Causar (pancada, queda, abalo emocional, bebida, muito barulho etc.) a, ou sofrer (alguém) perturbação dos sentidos, confusão mental, tontura etc.; ATURDIR(-SE) [*td.*: *A traição do irmão atordoou-a.*] [*int.*: *Atordoava-se com o buzinaço.*] **2** *Fig.* Causar a ou sentir (alguém) assombro, admiração [*td.*: "A menina de catorze anos... atordoou-o." (Camilo Castelo Branco, *Amor de salvação*)] [*int.*: *Atordoou-se com tão bela visão.*] **3** Fazer ficar ou ficar menos sensível, menos intenso (sentimento, sofrimento etc.) [*td.*: *Os analgésicos atordoaram sua dor.*] [*int.*: *Depois de muito sofrimento se atordoara, e já não era capaz de sentir.*] [▶ 16 atordoar] [F.: De or. contr., talvez do lat. **atordonare*.]

atormentação (a.tor.men.ta.*ção*) *sf.* Ação ou resultado de atormentar(-se); AFLIÇÃO; TORMENTO: "E logo em seguida aquele amor foi só atormentação. Sofrimento." (Lygia Fagundes Telles, *Invenção e memória*) [Pl.: *-ções*.] [F.: *atormentar* + *-ção*.]

atormentado (a.tor.men.*ta*.do) *a.* **1** Que se atormenta; que sofre tormentos, tortura, suplício; FLAGELADO; TORTURADO **2** *Fig.* Que sofre de angústia, aflição; AFLITO; ANGUSTIADO: *Com tantos problemas, é um homem atormentado.* **3** Que é perseguido por algo perturbador (ideia fixa, lembrança ruim etc.) *sm.* **4** Indivíduo atormentado [F.: Part. de *atormentar*.]

atormentador (a.tor.men.ta.*dor*) [ô] *a.* **1** Que atormenta (espírito atormentador) *sm.* **2** Aquele ou aquilo que atormenta [F.: *atormentar* + *-dor*.]

atormentar (a.tor.men.*tar*) *v.* **1** Provocar ou sofrer tormento, angústia, aflição; AFLIGIR(-SE); APOQUENTAR(-SE); TORTURAR(-SE) [*td.*: *Os romanos atormentaram os primeiros cristãos no Egito; A incerteza atormentava-o.*] [*int.*: *Atormentava-se com a espera por doadores de sangue.*] **2** *Mar.* Agitar com violência, açoitar (uma embarcação) [*td.*: *O maremoto atormentou os navios.*] [▶ 1 atormentar] [F.: *a*-² + *tormento* + *-ar*².]

ato-show (a.to-*show*) *sm. Bras.* Ato público (comício político, evento em apoio a uma causa ou campanha etc.) durante o qual se realiza também um espetáculo com apresentação de artistas [Pl.: *atos-show*.]

atossegundo (a.tos.se.*gun*.do) *sm. Fís.* Ver *attossegundo*

atóxico (a.*tó*.xi.co) [cs] *a.* Que não é tóxico ou venenoso (adubo atóxico) [F.: *a*-³ + *tóxico*.]

⊠ **ATP** Sigla de *adenosine triphosphate* ('adenosina trifosfato' ou 'trifosfato de adenosina'), molécula que, ao se degradar no metabolismo, libera energia

atrabiliário (a.tra.bi.li:*á*.ri:o) *a.* **1** *Med.* Ref. a atrabílis: "... repugnância atrabiliária..." (Arnaldo Gama, *O sargento-mor de Vilar*) **2** Diz-se de pessoa que supostamente teria atrabílis, e por isso melancolia; MELANCÓLICO **3** Diz-se de indivíduo irascível, neurastênico *sm.* **4** Indivíduo atrabiliário (2, 3) [F.: *atrabílis* + *-ário*.]

atrabílis (a.tra.*bí*.lis) *sf.* **1** *Med.* Suposto humor (a bílis negra ou bile negra) secretado pelas glândulas suprarrenais ou pelo baço, e que seria a causa da melancolia e da irritabilidade: "No entanto – envolva-nos embora a atrabílis ou o humorismo de muitos – sentimo-nos admiravelmente bem, nesta posição." (Euclides da Cunha, "Amanhã", *in Democracia*, 12.05.1890) **2** *P. ext.* Condição de quem está muito irritado; CÓLERA; IRASCIBILIDADE [F.: Do lat. *atra bilis* 'bile negra'.]

atracação (a.tra.ca.*ção*) *sf.* **1** Ação ou resultado de atracar(-se) **2** *Náut.* Ação ou resultado de encostar e amarrar uma embarcação a outra ou a ancoradouro; AMARRAÇÃO **3** Ação ou resultado de encostar e prender-se uma aeronave a outra, ou uma aeronave ou um satélite artificial a uma estação espacial **4** Lugar onde se atracam embarcações; ANCORADOURO; CAIS; FUNDEADOURO **5** Luta corporal na qual os contendores se atracam, se engalfinham **6** *Bras. Gír. Pop.* Contato amoroso muito íntimo, que pode incluir cópula ou não; AGARRAÇÃO; AGARRAMENTO; AMASSO [Pl.: *-ções*.] [F.: *atracar* + *-ção*.]

atracado (a.tra.*ca*.do) *a.* **1** Que se atracou *a.* **2** Diz-se de barco amarrado ao cais ou a outra embarcação **3** *Fig.* Agarrado em luta corporal; ENGALFINHADO **4** *Bras. Pop.* Em contato amoroso íntimo; ABRAÇADO; AGARRADO [F.: Part. de *atracar*.]

atracadouro (a.tra.ca.*dou*.ro) *sm.* Lugar onde embarcações atracam [F.: *atracar* + *-douro*². Tb. *atracadoiro*.]

atracamento (a.tra.ca.*men*.to) *sm.* **1** *Náut.* O mesmo que *atracagem*; ATRACAÇÃO **2** Ação ou resultado de atracar-se, abraçar-se, agarrar-se, engalfinhar-se; AGARRAMENTO [F.: *atracar* + *-mento*.]

atração (a.tra.*ção*) *sf.* **1** Ação ou resultado de atrair, de chamar ou trazer a si [Ant.: *repulsão*] **2** Força que atrai um corpo: *a atração da Terra sobre a Lua; a atração de um ímã.* **3** Conjunto de atributos que despertam interesse, desejo, cobiça etc.; ATRATIVO; FASCÍNIO; SEDUÇÃO: *Era uma garota tímida e sem atração.* **4** Interesse (de ordem amorosa, afetiva, sexual etc.) que desperta uma pessoa em outrem: "...sentira irresistível atração pela moça, mas... não ousara afagar muito aquele sentimento..." (Bernardo Guimarães, *O garimpeiro*) **5** Afinidade, inclinação, propensão: *Nunca tive atração pela medicina.* [Ant.: *aversão, ojeriza, repulsa*.] **6** Algo que serve para chamar a atenção, divertir ou distrair; DIVERTIMENTO; DISTRAÇÃO: *O singelo parque de diversões era a única atração do lugar.* **7** Número ou quadro de um espetáculo, programa de TV etc.: *A festa do Boi-bumbá é a maior atração do festival de Parintins.* **8** Pessoa ou coisa que atrai, fascina o público: *Pelé foi a grande atração da Copa de 1958.* [Pl.: *-ções*.] [F.: Do lat. *attractio, onis*.] ■ **~ paronímica** *Ling.* Mudança na percepção do sentido de uma palavra por influência do significado (totalmente diferente) de outra palavra da qual a primeira é parônima, ou contém componente que o seja

atracar (a.tra.*car*) *v.* **1** Encostar ou fazer encostar (embarcação, aeronave) em (terra, outra embarcação ou aeronave etc.) [*ta.* + *em*: *O navio atracou no cais.*] **2** *Fig.* Prender (um objeto) a outro, ger. por encaixe [*td.*] **3** Agarrar (alguém) fortemente, em luta corporal [*tr.* + *com*: *O policial atracou-se com o ladrão.*] **4** *Bras. Pop.* Agarrar (alguém) de modo intenso [*td.*: *Na festa, o rapaz atracava muitas moças.*] [*tr.* + *com*: *Estava se atracando com o namorado na porta de casa.*] **5** *Pop.* Comer com apetite, com voracidade; DEVORAR [*td.*: *Com fome, atracou um prato de comida.*] [*tr.* + *com*: *Atracou-se com um grande sanduíche.*] [▶ 11 atracar] [F.: De or. contrv; posv. do it. *attraccare*. Ant. ger.: *desatracar*.]

atraente (a.tra.*en*.te) *s2g.* **1** Que atrai ou seduz pela beleza, pelo charme (rapaz atraente); BONITO; FORMOSO; VISTOSO **2** Que desperta o interesse (proposta atraente) **3** Que atrai por ser agradável, conveniente, ou por ter atributos que induzem a bem-estar, satisfação etc. (cidade atraente, emprego atraente) [F.: Do lat. *attrahens, entis*.]

atraiçoado (a.trai.ço.*a*.do) *a.* **1** Que foi traído, que sofreu traição; TRAÍDO: "...havia ele desde certo tempo concebido fundadas suspeitas de que era atraiçoado." (Manuel Antonio de Almeida, *Memórias de um sargento de milícias*) **2** Que é desleal, hipócrita; FALSO; TRAIÇOEIRO [Ant.: *leal, fiel*] [F.: Part. de *atraiçoar*.]

atraiçoar (a.trai.ço.*ar*) *v. td.* **1** Enganar alguém cometendo ato de traição; TRAIR: *Atraiçoou o sócio para ficar com o dinheiro.* **2** Deixar escapar segredo íntimo ou revelação oculta; TRAIR-SE: *O gesto comprometedor o atraiçoou; Atraiçoou-se ao fazer um sinal para o amante.* **3** Cometer adultério ou infidelidade; TRAIR: *Atraiçoou o marido em plena lua de mel.* **4** Estar em desacordo com as expectativas; FALHAR: *Sua presença de espírito nunca o atraiçoava.* **5** Desvirtuar, deturpar: *Atraiçoaste os dogmas desta instituição ao proferir tais palavras.* [▶ 16 atraiçoar] [F.: *a*-² + *traição*. (sob a f. *traiço-*) + *-ar*², com desnasalação.]

atraído (a.tra.*í*.do) *a.* **1** Que sofreu atração [Ant.: *repelido*.] **2** Que se trouxe para mais perto; APROXIMADO **3** Seduzido, fascinado **4** Instigado, movido, incitado **5** Cooptado, aliciado [F.: Part. de *atrair*.]

atraimento (a.tra.i.*men*.to) *sm. P. us.* Ação ou resultado de atrair; ATRAÇÃO: "Mas por outra parte sentia um atraimento feroz (...)" (João do Rio, *O seminário*) [F.: *atrair* + *-mento*.]

atrair (a.tra.*ir*) *v.* **1** Trazer para ou fazer aproximar de si, por ação de força ou qualidade específica [*td.*: *Ímãs atraem objetos metálicos; A luz atrai mariposas; Com o susto, o pai atraiu com ímpeto o filho.*] [*tdi.* + *a, para*: *A gravidade atrai os objetos para a terra*: "...sorriu-lhe, atraiu-a para junto de si." (Josué Montello, *Um rosto de menina*)] **2** Fazer voltar ou dirigir para si; mover, suscitar, provocar (a favor ou contra si) [*td. /tdi. + para*: *atrair olhares, a atenção (para si); atrair o respeito, o ódio, a inveja (para si).*] 3 Incitar a aproximar-se [*td.*: *A chegada do ator atraiu centenas de pessoas; O grito atraiu a vizinhança.*] 4 Conquistar, obter, despertando interesse, apoio, adesão etc. [*tdr. + a, para*: *Tentou atrair adeptos para a campanha.*] 5 Chamar de modo apelativo; fascinar, seduzir [*td.*: *A paternidade o atraía, queria ter muitos filhos.*] [*int.*: *Era dessas mulheres bonitas, que atraem.*] 6 Granjear, conciliar o afeto, a vontade de alguém [*td.*: *Por mais resistente que estivesse, um pedido do filho o atraía.*] [▶ 43 atrair] [F.: Do lat. *attrahere.*]

atrapalhação (a.tra.pa.lha.*ção*) *sf.* 1 Ação ou resultado de atrapalhar(-se) 2 Situação cheia de dificuldades, transtornos, preocupações, empecilhos: *Agora que perdi todos documentos, tirar o passaporte vai ser uma grande atrapalhação* 3 Falta de ordem, de organização, de método; BAGUNÇA; BARAFUNDA; CONFUSÃO 4 Acanhamento, timidez; falta de jeito, de destreza [Pl.: *-ções.*] [F.: *atrapalhar + -ção.*]

atrapalhado (a.tra.pa.*lha*.do) *a.* 1 Que tem ou que passa por dificuldades para pensar, agir, atuar adequadamente; EMBARAÇADO; ESTABANADO; ESTOUVADO: "...e caminhava todo atrapalhado nos apertados sapatos de verniz." (Lima Barreto, *O triste fim de Policarpo Quaresma*): "Faísca, todo atrapalhado, procurava uma palavra." (Aluísio Azevedo, *O mulato*) 2 Sem sentido; CONFUSO; DESCONEXO; INCOERENTE: *Não compreendi sua conversa atrapalhada.* 3 *Pop.* Que tem ou está com dificuldade para administrar suas finanças; APERTADO; ENROLADO 4 Que dispõe de pouco tempo por ter muitos afazeres; ATAREFADO; AZAFAMADO; OCUPADO: "...o homem está atrapalhado, não pode agora; mais tarde com certeza ele fará a coisa..." (Lima Barreto, *O triste fim de Policarpo Quaresma*) 5 Malfeito ou mal consertado: "O trabalho era atrapalhado, às vezes por desazo, outras de propósito para desfazer o feito e refazê-lo." (Machado de Assis, *Dom Casmurro*) [F.: Part. de *atrapalhar.*]

atrapalhar (a.tra.pa.*lhar*) *v.* 1 Causar algum tipo de impedimento ou perturbação, ser ou servir de obstáculo, complicador (à ação ou intenção de outrem, a um acontecimento ou situação etc.); ESTORVAR; PERTURBAR [*td.*: *O toque do celular atrapalhava a reunião*: "Morreu na contramão atrapalhando o tráfego." (Francisco Buarque de Holanda, *Construção*)] [*int.*: *Se a chuva não atrapalhar, a festa será um sucesso.*] 2 Fazer ficar ou ficar confuso, desorientado; CONFUNDIR(-SE); EMBARAÇAR(-SE) [*td.*: *Conversar com o motorista pode atrapalhá-lo na direção.*] [*int.*: *O excesso de instruções atrapalha mais do que ajuda; O trapezista atrapalhou-se e caiu na rede de proteção.*] 3 Fazer trapalhices, trapaças [*int.*: *No jogo, esteja atento com quem atrapalha.*] [▶ 1 atrapalhar] [F.: *a-*[2] + *trapo* + *-alhar*, posv.]

atrás (a.*trás*) *adv.* 1 Às costas ou na retaguarda; DETRÁS: "O seu esboço, na marinha turva.../ De pé flutua, levemente curva/ Ficam-lhe os pés atrás, como voando..." (Camilo Pessanha, "Vênus", *in Clepsidra*) [Ant.: *adiante.*] 2 Em posição anterior ou inferior: *O cavalo favorito chegou muito atrás.* [Ant.: *adiante*] 3 No encalço de (algo ou alguém já mencionado): *Correu atrás do fugitivo.* 4 Em seguida; APÓS; DEPOIS: *Entrou o presidente; atrás vieram os ministros.* 5 Antes, anteriormente (no tempo): *Um ano atrás nos encontramos na rua.* [Ant.: *a seguir, depois.*] 6 Na parte oposta à da frente, ou do rosto, ou à que se vê: *O decote é muito grande atrás*: "...soltou o cabelo atrás, que a incomodava um pouco..." (Machado de Assis, *Quincas Borba*) [Ant.: *à frente.*] [F.: Do lat. *ad trans.*] ■ ~ **de** 1 Em posição posterior ou inferior (no tempo ou no espaço): *O cachorro está atrás da porta; Ponha este livro atrás daquele; Chegou atrás dele na corrida.* 2 Depois de (no espaço, em relação ao observador): *Minha casa fica atrás da sua.* 3 Em seguida a, seguidamente (no tempo): *Desfiava uma queixa atrás da outra.* 4 No encalço: *O policial correu atrás do ladrão.* 5 À procura de, em busca de: *Ele está atrás de um emprego.* 6 Em inferioridade (quanto a qualidade, desempenho etc.): *No que tange ao preparo físico, ele está muito atrás dos demais.*

atrasado (a.tra.*sa*.do) *a.* 1 Que se atrasou, que chegou, está chegando ou vai chegar depois da hora marcada: *Estou cinco minutos atrasada para a aula.* [Ant.: *adiantado.*] 2 Que não foi feito ou que está em vias de não ser concluído no tempo devido (tarefas atrasadas; jantar atrasado); DEMORADO; TARDIO [Ant.: *adiantado, antecipado.*] 3 Longe (no tempo) de ser concluído: *Nosso projeto está muito atrasado.* 4 Que não foi pago no prazo ou na data marcada (aluguel/pagamento atrasado); VENCIDO 5 Que marca hora anterior à hora certa (diz-se de relógio) 6 Que não alcançou o devido desenvolvimento intelectual ou escolar: "Sem contar que o pequeno está muito atrasado. A não ser um bocado de inglês, não sabe nada." (Eça de Queirós, *Os Maias*) [Ant.: *adiantado.*] 7 Que não progrediu ou se modernizou suficientemente (país atrasado); SUBDESENVOLVIDO [Ant.: *adiantado, avançado, desenvolvido.*] 8 Diz-se de quem tem ideias ultrapassadas, ou que não está em dia com informações, conceitos, conhecimentos novos e recentes; DESATUALIZADO; RETRÓGRADO: "Essa tribo é atrasada demais. / Eles querem acabar com a violência/ Mas a paz é contra a lei e a lei é contra a paz." (Gabriel, o Pensador, *Cachimbo da paz*) [Ant.: *atualizado, avançado*] 9 Imediatamente anterior ao passado; RETRASADO: *Passei o carnaval atrasado na Bahia.* [Ant.: *seguinte, subsequente.*] 10 *Bras. Pop.* Diz-se de quem não mantém relações sexuais há mais tempo do que o normal para sua sexualidade *sm.* 11 O que se atrasou, está atrasado (1) 12 O que é atrasado (6, 7, 8) 13 Quantia, pagamento etc. que se recebe com atraso [*Este mês todos receberão seus atrasados.* Us. no pl.] *adv.* 14 Com atraso, depois do tempo ou do prazo previsto; ATRASADAMENTE: *Eles chegaram atrasado ao encontro.* [F.: Part. de *atrasar.*]

atrasar (a.tra.*sar*) *v.* 1 Provocar a demora ou adiamento de (atividade, tarefa etc.); ADIAR; PROTELAR [*td.*: *As chuvas atrasaram o início da colheita.*] 2 Deixar de ocorrer no tempo devido [*int.*: *Esse mês o salário atrasou.*] 3 Chegar depois da hora prevista, não ser pontual [*int.*: *O professor atrasou(-se) hoje.*] 4 Fazer retrogradar, impedir de progredir, ou prosperar; causar prejuízo a [*td.*: *A falta de verba atrasava a pesquisa; A burocracia estava atrasando a demarcação da reserva indígena; A irregularidade da documentação atrasou a venda do imóvel.*] 5 Não conseguir cumprir com (compromisso) no prazo determinado [*td.*: *Atrasar o pagamento das prestações, a entrega do equipamento, a hora do remédio.*] [*int.*: *Atrasar-se no pagamento das contas.*] 6 Mover-se, trabalhar ou fazer algo com menos presteza ou velocidade que deve, ficando para trás [*int.*: *Atrasaram(-se) na marcha e ficaram por último; Com a bateria fraca, o relógio atrasava.*] 7 Fazer ir ou ficar para trás, recuar [*td.*: *Atrasar o relógio no término do horário de verão; atrasar os ponteiros.*] 8 Marcar ou registrar (uma data falsa e anterior) como sendo verdadeira; antedatar (escrito ou documento) [*td.*: *Atrasar a data do recibo.*] 9 Deixar de adquirir técnicas ou conhecimentos recentes, de se atualizar; deixar de evoluir [*int.*: *O país não se atrasou em tecnologia.*] 10 *Fut.* Jogar (a bola) para trás [*td.*: *O jogador atrasou a bola (para o goleiro).*] [▶ 1 atrasar] [F.: *atrás* + *-ar*[2]. Hom./Par.: *atraso* (fl.), *atraso* (sm.).]

atraso (a.*tra*.so) *sm.* 1 Ação ou resultado de atrasar(-se) 2 Quando há atraso (1), o tempo que decorre entre a ocasião estipulada e a real ocorrência do evento: *A conferência começou com um atraso de meia hora.* 3 Falta de pontualidade: *Chegou tarde e pediu desculpas pelo atraso.* [Ant.: *adiantamento.*] 4 Demora ou adiamento de um pagamento: *atraso no aluguel/nos salários.* 5 *Fig.* Ausência ou retardamento de desenvolvimento, de progresso (atraso social/ cultural/industrial) [Ant.: *adiantamento, desenvolvimento, progresso.*] 6 Carência, escassez, privação (de algo: alimentação, desfrute cultural ou de lazer etc.): *Depois de seis meses na Antártida, ia ao cinema todo dia para tirar o atraso.* 7 *P. ext. Vulg.* Período de abstinência sexual (de alguém) além do normal para sua sexualidade [F.: Dev. de *atrasar*. Hom./Par.: *atraso* (sm.), *atraso* (fl. de *atrasar*).] ■ ~ **de vida** Ideia, ação, circunstância etc. que causa transtorno, problema, dificuldade: *Essa decisão de trocar de equipamento foi um atraso de vida.*

atratividade (a.tra.ti.vi.*da*.de) *sf.* 1 Qualidade ou condição de quem ou do que é atrativo: *Foi a atratividade do negócio que o fez investir nele.* 2 Característica do que é capaz de atrair; capacidade de atrair: *A qualidade básica de um anúncio é sua atratividade.* [F.: *atrativo* + *-(i)dade.*]

atrativo (a.tra.*ti*.vo) *a.* 1 Que tem a propriedade de atrair, de tracionar para si (forças atrativas) 2 Que atrai, que desperta interesse (preço atrativo); ATRAENTE 3 *Mús.* Diz-se da nota que é o sétimo grau da escala diatônica maior (chamada *sensível*), por estar a meio tom da tônica (oitavo grau dessa escala, e primeiro da escala que se lhe segue) e, por isso, 'atrair' a tônica *sm.* 4 Aquilo que atrai, que desperta interesse; ATRAÇÃO; CHAMARIZ: *O desfile dos blocos é um dos atrativos do carnaval de Salvador.* 5 Aquilo que estimula, incentiva; ESTÍMULO; INCENTIVO: *O prêmio é o maior atrativo para os competidores.* [F.: Do lat. *attractivus, a, um.*]

atrativos (a.tra.*ti*.vos) *smpl.* Atributos pessoais que atraem, que despertam interesse, simpatia, afeição etc.; CHARME; ENCANTO: *A moça tem muitos atrativos.* [F.: Ver *atrativo.*]

atraumático (a.trau.*má*.ti.co) *a.* Em que não ocorre trauma; que não causa trauma: *restauração dentária atraumática.* [Ant.: *traumático.*] [F.: *a-*[3] + *traumático.*]

atravancado (a.tra.van.*ca*.do) *a.* 1 Impedido com traves, tranqueiras ou qualquer outro obstáculo 2 *P. ext.* Com a passagem obstruída: "Ao sul os altos da Favela fechavam-se-lhes atravancados de feridos e doentes." (Euclides da Cunha, *Os sertões*) [Ant.: *desimpedido, desobstruído.*] 3 *Fig.* Embaraçado, estorvado, pejado de dificuldades [F.: Part. de *atravancar.*]

atravancador (a.tra.van.ca.*dor*) [ô] *a.* 1 Que atravanca *sm.* 2 Aquele ou aquilo que atravanca: *A alta taxa de juros é um atravancador da economia.* [F.: *atravancar* + *-dor.*]

atravancamento (a.tra.van.ca.*men*.to) *sm.* 1 Ação ou resultado de atravancar(-se); ATRAVANCO 2 Impedimento, obstrução; EMPECILHO; ESTORVO [F.: *atravancar* + *-mento.*]

atravancar (a.tra.van.*car*) *v.* 1 Impedir (trânsito ou acesso) com traves, tranqueiras ou outro obstáculo [*td.*: *A passeata atravancava a avenida.*] 2 *Fig.* Impedir ou dificultar (uma ação); EMBARAÇAR; ESTORVAR [*td.*: *Atravancar um processo, a ação da justiça.*] 3 Encher (um lugar) com objetos, sem deixar espaço livre; ATULHAR; ENTULHAR [*td.*: *Um monte de coisas atravancava o quarto; atravancar a passagem (com móveis).*] 4 Colocar-se entre (pessoas ou coisas); intrometer-se [*tr. + entre*: *A carruagem atravancou-se entre os pedestres.*] [▶ 11 atravancar] [F.: *a-*[2] + *travanca* + *-ar*[2]. Hom./Par.: *atravanco* (fl.), *atravanco* (sm.).]

através (a.tra.*vés*) *adv. Pop.* Transversalmente; de lado a lado [F.: *a* (prep.) + *través.*] ■ ~ **de** 1 *Fig.* De um a outro lado: *A flecha passou através de seu corpo; Perseguiram a caça através do bosque e do matagal.* 2 Por entre: *Dava para ver a Lua através da neblina.* 3 No decurso de (tempo): *A humanidade evoluiu através dos tempos.* 4 *Fig.* Por meio de: *Através de muito esforço, conseguiu o que queria.*

atravessado (a.tra.ves.*sa*.do) *a.* 1 Posto de través; CRUZADO; OBLÍQUO; TRANSVERSAL: *Um tronco atravessado impedia a estrada.* 2 Posto em forma de cruz (madeiras atravessadas) 3 Traspassado, transfixado, vazado: *corpo atravessado por uma bala de revólver.* 4 *Fig.* Que padece de estrabismo (olhos atravessados); TORTO; VESGO 5 Que resulta de cruzamento de duas raças ou espécies diferentes; MESTIÇO 6 *Fig.* Totalmente contrário, oposto (ideias atravessadas) 7 Muito aborrecido; ENCOLERIZADO; IRRITADO: *O chefe chegou atravessado, melhor nem chegar perto.* [Ant.: *bem-humorado, calmo.*] 8 Que passa por um atravessador (mercadoria atravessada); AÇAMBARCADO *sm.* 9 *GO* Qualquer cão de fila *adv.* 10 De través, de esguelha: *Olhou-o atravessado, desconfiando de suas intenções.* [F.: Part. de *atravessar.*]

atravessador (a.tra.ves.sa.*dor*) [ô] *sm.* 1 *Bras.* Indivíduo que serve de intermediário na distribuição de produto, comprando do produtor para revender ao comerciante; INTERMEDIÁRIO 2 Especificamente, atravessador (1) que opera com grande margem de lucro, onerando a mercadoria e encarecendo-a para o consumidor 3 Que atravessa; ref. a ou que age como atravessador (1, 2) *a.* 4 Que atravessa [F.: *atravessar* + *-dor.*]

atravessamento (a.tra.ves.sa.*men*.to) *sm.* 1 Ação ou resultado de atravessar 2 *Mús.* Perda da sincronia de ritmo de escola de samba ou de uma ou mais de suas alas, bateria etc. 3 *Eng.* Em uma sequência, tempo computado entre o início da primeira de uma série de atividades e a conclusão da última delas; LEAD TIME 4 *Art. gr.* Durante a impressão, passagem da tinta para o outro lado do papel, por excesso de carga ou de solvente; VAZAMENTO [F.: *atravessar* + *-mento.*]

atravessar (a.tra.ves.*sar*) *v.* 1 Passar de um lado a outro (através, por cima etc.); TRANSPOR [*td.*: *O prego atravessou a parede fina.*] 2 Colocar enviesado [*td.*: *Colocou um biombo atravessando a sala.*] 3 Ir de um extremo ao outro; CRUZAR [*td.*: *A avenida atravessa o bairro.*] 4 Passar por, viver (uma situação) [*td.*: "...atravessaram uma crise difícil." (Marques Rebelo, *Marafa*)] 5 Prolongar-se ao longo do tempo [*td.*: *Alguns costumes atravessam séculos.*] 6 Pôr-se como obstáculo [*td.*: *Ele sempre atravessa meu caminho.*] 7 *Pop.* Perder a sincronia da melodia ou ritmo (ger. em desfile de escola de samba) [*td. int.*: *A bateria da escola atravessou (o samba).*] 8 Comprar (atravessador) mercadoria para vender mais caro, criando assim mais uma etapa no caminho do produtor ao consumidor [*td.*: *Se não houvesse alguém atravessando a produção, o produto estaria mais barato.*] 9 Andar, passar [*ta. + por*: *Atravessar por caminhos difíceis.*] 10 Avançar (em determinada direção) [*ta.*: *Atravessou para o lado mais ameno da praça.*] 11 Passar entre, pelo meio [*td.*: *Atravessou a massa de torcedores que saíam do estádio.*] 12 Passar por [*td.*: *Há uma estrada que atravessa toda a região.*] 13 Passar um pelo outro, cruzando-se [*tr. + com*: *Atravessei com meu cunhado ontem à noite.*] [*td.*: *Essas estradas se atravessam mais adiante.*] 14 Penetrar, perfurar [*td.*: *O punhal atravessou o braço do rapaz.*] 15 *Bras.* Negociar clandestinamente [*td.*: *Durante a crise de abastecimento, esse canalha atravessava gasolina.*] 16 *Mar.* Posicionar as velas de uma embarcação para impedir ou parar a navegação [*td.*] [▶ 1 atravessar] [F.: Do lat. **ad- + transversare*, posv.]

atreito (a.*trei*.to) *a.* 1 Habituado, costumado, useiro e vezeiro: "Dispensava-a o soldado atreito à tarefa." (Euclides da Cunha, *Os sertões*) 2 *Lus.* Sujeito a, exposto a: *criança atreita a doenças.* 3 Inclinado, propenso: *paciente atreito a depressões frequentes.* [F.: Do lat. *attractus, a, um.*]

atrelado (a.tre.*la*.do) *a.* 1 Preso por trela ou algo semelhante (corda, correia etc.) (cães atrelados) 2 Preso (animal de tração) a um veículo, para puxá-lo: *Enfeitou a charrete e o cavalo atrelado.* 3 Preso ou engatado a outro veículo (diz-se de veículo) [Ger. um deles sem tração própria.] 4 *Fig.* Sujeito, subordinado, dependente [+ *a*: *Crescimento econômico atrelado às exportações.*] 5 *Lus.* Que não tem tração própria (diz-se de veículo) *sm.* 6 *Lus.* Veículo sem tração própria, que se atrela a outro que a tenha [F.: Part. de *atrelar.*]

atrelagem (a.tre.*la*.gem) *sf.* 1 Ação ou resultado de atrelar(-se) 2 Dispositivo para atrelar a máquina do trem aos vagões, ou estes entre si [Pl.: *-gens.*] [F.: *atrelar* + *-agem.*]

atrelamento (a.tre.la.*men*.to) *sm.* 1 Ação ou resultado de atrelar(-se); ATRELAGEM 2 Sujeição, subordinação, vinculação [+ *a*: *Atrelamento do orçamento à arrecadação.*] [F.: *atrelar* + *-mento.*]

atrelar (a.tre.*lar*) *v.* 1 Prender animal de tração a veículo ou um veículo a outro [*td.*: *Mande atrelar os cavalos.*] [*tdr. + a, em*: *Atrelou o vagão à locomotiva.*] 2 Prender com trela; conduzir (animal) preso por trela [*td.*: *Atrelar animais para caça.*] 3 *Fig.* Exercer domínio sobre (algo ou alguém); SOFREAR [*td.*: *Atrele seu orgulho e peça desculpas.*] 4 Atar (alguém ou si mesmo) por meio de fortes ligações [*td.*: *As amigas atrelaram-se com um juramento; O padre atrelou o homem e a mulher no casamento.*] 5 *P. ext.* Prender (algo ou alguém), a, criando vínculos [*tdr. + a*: *Atrelou os filhos às suas crenças.*] 6 *Fig.* Tornar dependente [*tdr. + a*: *Para manter a ordem em casa, atrelou os filhos a novos hábitos.*] 7 Passar a seguir, acompanhar alguém de maneira insistente por interesse ou não [*tr.* + *a*: *Atrelou-se ao professor para conseguir aulas extras.*] 8 Estabelecer relação de condição entre duas ações [*tdr.* + *a*: *Atrelou a concessão de aumento salarial ao resultado do projeto.*] [▶ 1 atrelar] [F.: *a-*[2] + *trela* + *-ar*[2]. Ant. ger.: *desatrelar.*]

atrepsia (a.trep.*si*.a) *sf.* 1 *Pat.* Estado de extrema fraqueza e marasmo, por desnutrição aguda que incide sobre crianças acometidas de determinadas doenças, esp. a diarreia muito prolongada 2 *Imun.* Imunidade à inoculação tumoral, posv. (segundo Paul Ehrlich, bacteriologista alemão) devido a ausência de material nutritivo que possibilite e suscite o crescimento de um tumor [F.: Do fr. *athrepsie.*]

atresia (a.tre.*si*.a) *Pat. sf.* 1 Imperfuração ou obstrução de orifício natural do corpo 2 *P. ext.* Estreitamento de um canal do corpo [F.: *a-*[1] + gr. *trêsis*, 'canal, perfuração' + *-ia*[1].]

atrever-se (a.tre.*ver*-se) *v.* 1 Ter coragem, audácia para (fazer algo); ARRISCAR-SE; AVENTURAR-SE; OUSAR [*tr.* + *a*: *Não me atrevo a criticá-lo.*] 2 Afrontar, lutar [*tr.* + *a, com, contra*: *Atrevia-se com eles, apesar de estar em desvantagem.*] 3 *P. us.* Ter confiança, fiar-se [*tr.* + *em*: *atreve-se nos irmãos.*] [▶ 2 atrever-se] [F.: De or. incerta; posv. do lat. *attribuere* + *se*[1].]

atrevido (a.tre.*vi*.do) *a.* 1 Que se atreve; AUDACIOSO; OUSADO: "Eu tive o arrojo atrevido/ De amar um anjo sem luz." (Almeida Garrett, "O anjo caído", *in Folhas caídas*) [Ant.: *pusilânime, tímido.*] 2 Que não tem ou não demonstra medo ou temor, que não se submete ou se deixa subjugar; CORAJOSO; DESTEMIDO; VALENTE 3 Que não manifesta respeito ou consideração para com outrem; que trata os outros com desconsideração, descortesia, insolência, irreverência; DESAFORADO; GROSSEIRO; INSOLENTE; MAL-EDUCADO: "Carrancudo, o olhar atrevido e ameaçador..." (Adolfo Caminha, *Bom-crioulo*): "Está ficando bastante adiantado e atrevido. Retire-se daqui, se não irei dizer tudo ao senhor Leôncio." (Bernardo Guimarães, *A escrava Isaura*) [Ant.: *educado, respeitoso.*] 4 Diz-se de quem se julga melhor que os outros e o manifesta em suas atitudes; PETULANTE; PRESUNÇOSO [Fem.: *atrevidota*. Aum.: *atrevidaço, atrevidão*. Dim.: *atrevidote.*] *sm.* 5 Indivíduo atrevido [Ant.: *covarde, medroso, pávido.*] [F.: Part. de *atrever.*]

atrevimento (a.tre.vi.*men*.to) *sm.* 1 Qualidade de atrevido, de quem é atrevido (em qualquer de seus sentidos): *O atrevimento dele nos causa às vezes admiração, às vezes repulsa.* *sm.* 2 Ação ou resultado de atrever(-se), de ousar, de fazer algo que exige coragem; AUDÁCIA; OUSADIA: *Teve o atrevimento de enfrentar o traficante:* "Vossa senhoria é doutor, saberá muito, mas de justiça não sabe nada, e há-de perdoar o meu atrevimento" (Camilo Castelo Branco, *Amor de perdição*) 3 Atitude ou ato de quem desconsidera os limites dos direitos de outrem, abusa de confiança, manifesta desrespeito, desdém por alguém ou algo; AFRONTA; DESAFORO; DESPLANTE; INSOLÊNCIA: *Teve o atrevimento de abrir minha correspondência sem me perguntar.* 4 Atitude arrogante e agressiva de quem se julga acima dos outros; ARROGÂNCIA; PETULÂNCIA: "...o rei, ...haveria de sentir-se curioso de ver a cara de quem, ...com notável atrevimento, o mandara chamar." (José Saramago, *O conto da ilha desconhecida*) 5 Desrespeito às convenções e ao padrão de comportamento do outro em manifestação de interesse amoroso ou abordagem sexual: *Beijou-a de repente, e desculpou-se pelo atrevimento.* [F.: *atrever* + *-mento.*]

atrial (a.tri:al) *a2g. Anat.* Ref. ao, do ou próprio do átrio (aurícula) do coração (fibrilação atrial) [Na antiga nomenclatura anatômica, *auricular.*] [Pl.: *-ais.*] [F.: *átrio* + *-al.*]

atribuição (a.tri.bu:i.*ção*) *sf.* 1 Ação ou resultado de atribuir: *atribuição de responsabilidades; atribuição de verbas.* 2 Responsabilidade específica de cargo ou função, ou de quem os exerce; COMPETÊNCIA; OBRIGAÇÃO: *A proposta e a aprovação de leis é de atribuição do Congresso.* 3 Direito, prerrogativa, poder específico de certos cargos, funções etc.: *as atribuições do Presidente da República* [Us. no pl.] [Pl.: *-ções.*] [F.: *atribuir* + *-ção.*]

atribuído (a.tri.bu.*í*.do) *a.* 1 Que se atribuiu, que foi concedido (vantagens atribuídas) 2 Que foi imputado [+ *a*: *Ignorou as críticas atribuídas a seu desafeto.*] [F.: Part. de *atribuir.*]

atribuir (a.tri.bu.*ir*) *v.* 1 Considerar (algo) como originário ou próprio de, de autoria de, de responsabilidade de; reputar, julgar como ato ou atributo de [*tdi.* + *a*: *Atribuem-lhe qualidades fictícias:* "...não devemos atribuir nenhuma culpa a ninguém..." (Antonio Callado, *Reflexos do baile*)] 2 Designar tarefa, responsabilidade a; conceder, conferir [*tdi.* + *a*: *A atriz atribuiu à secretária a tarefa de falar com a imprensa; A constituição atribui à família a obrigação de amparar o idoso.*] 3 Distribuir, dar (algo) a [*tdi.* + *a*: *Os jurados atribuíam notas às escolas de samba.*] 4 Tomar como seu (direito, privilégio, poder etc.); ARROGAR(-SE) [*tdi.* + *a*: *O pretensioso atribui-se qualidades que não possui.*] [▶ 56 atribuir] [F.: Do lat. *attribuere.*]

atribuível (a.tri.bu.*í*.vel) *a2g.* Que se deve ou pode atribuir [Pl.: *-veis.*] [F.: *atribuir* + *-vel.*]

atribulação (a.tri.bu.la.*ção*) *sf.* 1 Circunstância desfavorável, adversa; ADVERSIDADE; AGRURA; CONTRARIEDADE; CONTRATEMPO; DIFICULDADE 2 Tormento moral; AFLIÇÃO; MORTIFICAÇÃO [Pl.: *-ções.*] [F.: *atribular* + *-ção.*]

atribulado (a.tri.bu.*la*.do) *a.* 1 Que passa por dificuldades (inclusive morais), que sofre atribulação; que é ou está atormentado física ou moralmente; AFLITO; AGONIADO; ANGUSTIADO: "A morte... veio suavizar o martírio daquela alma atribulada." (Alexandre Herculano, *Eurico, o presbítero*) [Ant.: *calmo, despreocupado, sereno.*] 2 Cheio de problemas, dificuldades e obstáculos (dia a dia atribulado); ADVERSO; TORMENTOSO 3 Cheio de compromissos, responsabilidades etc.; ATAREFADO: *A carreira de repórter é muito atribulada.* [Ant.: *ameno, tranquilo.*] *sm.* 4 Indivíduo atribulado (1) [F.: Part. de *atribular.*]

atributivo (a.tri.bu.*ti*.vo) *a.* 1 Que atribui, que concede, confere (condição, responsabilidade, cargo, prerrogativa etc.): *diploma atributivo de um título.* 2 *Ling.* Que exerce função de atributo (2) [Ver *verbo de ligação* e *adjetivo.*] [F.: *atributo* + *-ivo.*]

atributo (a.tri.*bu*.to) *sm.* 1 Aquilo que é próprio de alguém ou de algo; APANÁGIO; CARACTERÍSTICA: *A comunicação verbal é um atributo do ser humano.* 2 *Ling.* Termo que acrescenta um sentido de qualidade a outra palavra (p. ex.: em *nuvens negras*, *negras* é atributo de *nuvens*) 3 Sinal distintivo; EMBLEMA; ÍCONE; SÍMBOLO: *A coroa e o cetro são os atributos da realeza.* 4 Característica, qualidade, condição de algo ou alguém, que lhe confere um bom aspecto, uma apreciação positiva, atratividade etc.: *Vestia-se de modo a realçar seus atributos físicos.* [M. us. no pl.] 5 *Fil.* Para Aristóteles, qualidade ou característica que não faz parte da essência do ser, mas que decorre desta e a ela se soma para caracterizá-lo (p. ex., a cor de um objeto) 6 *Fil. Rel.* Para a escolástica, cada uma das qualidades transcendentes de Deus [F.: Do lat. *atributus, a, um.*] ■ **~ homógrado** *Est.* Atributo que só se pode manifestar como uma entre duas alternativas que se anulam mutuamente

atrição (a.tri.*ção*) *sf.* 1 Ação ou resultado de atritar 2 *P. us.* O mesmo que *atrito* 3 Efeito do atrito, o desgaste por ele provocado 4 Fricção no corpo ou em parte dele a fim de elevar a temperatura 5 Ferida superficial resultante de fricção; ESFOLADURA 6 *Teol.* Remorso por ter ofendido Deus, esp. o causado pelo temor do castigo [Cf.: *contrição.*] 7 *P. ext. Fig.* Arrependimento, remorso 8 *Vet.* Contração de tendão no pé do cavalo [Pl.: *-ções.*] [F.: Do lat. *attritio, -onis.*]

átrio (*á*.tri:o) *sm.* 1 *Arq.* Nas antigas casas romanas, espaço interior imediato à entrada, local dos altares dos (deuses) lares 2 *Arq.* Compartimento de entrada de um edifício, no qual se distribui a circulação dos que entram; VESTÍBULO 3 *Arq.* Pátio interno de uma edificação, ger. cercado de arcadas ou galerias 4 *Arq.* Espaço externo junto a uma igreja, cercado ou não 5 *Anat.* Compartimento de entrada em órgão do corpo, esp. o coração [Nesta acp., tb. *aurícula.*] 6 *Anat.* Cavidade da orelha média 7 *Zool.* Cavidade central, por onde circula a água, no corpo das esponjas 8 *Geol.* Depressão semicircular resultante do desmoronamento parcial de cratera vulcânica [F.: Do lat. *atrium, ii.*]

atrioventricular (a.tri:o.ven.tri.cu.*lar*) *a2g. Anat.* Ref. a átrio e a ventrículo [Na antiga nomenclatura anatômica, *auriculoventricular.*] [F.: *átrio* + *ventricular.*]

atritado (a.tri.*ta*.do) *a.* 1 Que sofre ou sofreu atrito, fricção 2 *Fig.* Que se atritou, agastou, entrou em discórdia (com algo ou alguém): *Estavam atritados, e deixaram de falar-se.* [+ *com*: *Atritado com o chefe, pediu demissão.*] [F.: Part. de *atritar.*]

atritar (a.tri.*tar*) *v.* 1 Friccionar, esfregar, roçar (um corpo contra outro) [*tdr.* + *a, com, contra*: *Atritou um bastão ao outro para produzir faíscas.*] 2 Entrar em discórdia; criar desavença; DESENTENDER-SE; INDISPOR-SE [*tr.* + *com*: *Atritou-se com o grupo e foi excluído.*] 3 Causar ou sentir angústia, mágoa; ATORMENTAR(-SE); MAGOAR(-SE) [*td.*: *O pai não atritava os filhos com suas preocupações.*] [*int.*: *atritar-se com as ofensas de alguém.*] [▶ 1 atritar] [F.: *atrito* + *-ar*[2]. Hom./Par.: *atrito* (fl.), *atrito* (sm.).]

atrito (a.*tri*.to) *sm.* 1 Resistência que oferecem as superfícies de dois corpos ao movimento de uma sobre a outra, devido a suas asperezas e a força de adesão entre elas *sm.* 2 Fricção, resultante dessa resistência, entre (as superfícies de) dois corpos: *O atrito causou o desgaste da peça.* 3 *Fig.* Desentendimento ou conflito entre pessoas, instituições, países etc.: *Terminou o atrito entre as universidades e o governo.* [F.: Do lat. *attritus, us.*] ■ **~ de deslizamento/ escorregamento** *Fís.* Atrito entre duas superfícies em contato e que deslizam uma sobre a outra **~ de rolamento** *Fís.* O que se manifesta entre uma superfície e um corpo que rola (sem deslizar) sobre ela **~ estático** *Fís.* O que existe entre duas superfícies em contato quando nenhuma delas se move em relação à outra **~ interno de um fluido** *Fís.* Resistência de um fluido ao próprio escoamento, devido ao movimento interno de suas partes

atriz (a.*triz*) *sf.* 1 Mulher que interpreta um papel em peça de teatro, filme, novela de rádio ou televisão etc. 2 *Fig.* Mulher dissimulada, que sabe fingir [F.: Do lat. *actrix, icis.*]

atro (*a*.tro) *a.* 1 Que tem cor negra; ESCURO: "...o polvo, tintureiro atro..." (Guimarães Rosa, *Ave, palavra!*) [Ant.: *branco, claro.*] 2 *Fig.* Que é carregado de tristeza, de maus pressentimentos; sombrio, aziago (destino atro); SINISTRO 3 *Fig.* Que faz mal, que causa desastre ou desgraça; MEDONHO; TERRÍVEL: "Cedo virá, porém, o funerário/ atro dragão da escura noite, hedionda..." (Augusto dos Anjos, *Insônia*); "A revolver da terra o atro e infecundo arcano." (Augusto dos Anjos, *História de um vencido*) [F.: Do lat. *ater, atra, atrum.*]

atroada (a.tro:*a*.da) *sf.* Grande ruído; ATROO; ESTRONDO: "...e, dentre centenares de exclamações irreprimidas, de espanto, retumbou a atroada de explosões fortíssimas..." (Euclides da Cunha, *Os sertões.*) [Ant.: *calada*] [F.: *atroar* + *-ada*[1].]

atroador (a.tro.a.*dor*) [ô] *a.* 1 Que atroa, que provoca estrondo, que faz muito barulho; BARULHENTO; ESTRONDOSO: "...coaxar atroador..." (Carlos Malheiro Dias, *Esperança e morte*) 2 *Fig.* Que suscita falatório, disse me disse (boatos atroadores) 3 Diz-se de pessoa que provoca desordem, confusão, arruaça *sm.* 4 Indivíduo atroador (3) [F.: *atroar* + *-dor*. Sin. nas acp. 3 e 4: *arruaceiro, desordeiro.*]

atroar (a.tro.*ar*) *v.* 1 Fazer estremecer ou retumbar por efeito de estrondo; ESTRONDAR; ESTRUGIR; RETUMBAR [*td.*: "...Ou do férreo cano a força brava/com estrondos que atroam mar e terra..." (Luís de Camões, "À morte de D. Miguel de Meneses...")] [*tdr.* + *com, de*: *Atroou a sala com seus gritos roucos; A onça atroa de rugidos coléricos a floresta.*] 2 Perturbar, aturdir [*td.*: *Dentro do campanário, atroava os ouvidos a estrídula confusão das badaladas.*] 3 Fazer grande estrondo; ESTRONDAR; ESTRUGIR; RETUMBAR [*int.*: "E perto, bem perto, o tambor atroava, e uma melopeia áspera e selvagem ouvia-se próxima." (Alexandre José de Melo, *Festas e tradições populares do Brasil*)] 4 Soar, ribombando (o trovão) [*int.*] 5 *Fig. Vet.* Machucar com pancadas (o casco de cavalgadura) ao pregar-lhe a ferradura [*td.*] [▶ 16 atroar] [F.: *a-*[2] + *troar*. Hom./Par.: *atroo* (fl. de *atroar*), *atroo* (sm).]

atrocidade (a.tro.ci.*da*.de) *sf.* 1 Qualidade do que é atroz, desumano; CRUELDADE; DESUMANIDADE 2 Ação atroz, desumana, perversa; BARBARIDADE: *O atentado terrorista foi uma atrocidade.* [F.: Do lat. *atrocitas, atis.*]

atrofia (a.tro.*fi*.a) *sf.* 1 *Biol.* Falta de desenvolvimento, ou desenvolvimento insuficiente de tecido, órgão, membro, parte do corpo etc. 2 *Med.* Redução do volume e do peso de tecido, órgão, parte do corpo, célula, por desnutrição, falta de uso etc. (atrofia muscular) 3 *Fig.* Enfraquecimento, definhamento, degeneração (de capacidade mental, de um sentido etc.): *atrofia da memória.* 4 *Fig.* Decadência (de instituição, valores públicos, parâmetros de conduta etc.): *Constata-se uma verdadeira atrofia da moralidade política; atrofia dos sistemas de controle.* [F.: Do gr. *atrophía*, pelo lat. *atrophia.*] ■ **~ óptica** *Oft.* Atrofia do nervo óptico

atrofiado (a.tro.fi.*a*.do) *a.* 1 Que se atrofiou; que apresenta atrofia; que não se desenvolveu normalmente ou que degenerou, definhou (pernas atrofiadas) 2 *Fig.* Limitado no desenvolvimento ou que degenerou: *um talento atrofiado.* [F.: Part. de *atrofiar.*]

atrofiamento (a.tro.fi:a.*men*.to) *sm.* Ação ou resultado de atrofiar(-se); ATROFIA [F.: *atrofiar* + *-mento.*]

atrofiar (a.tro.fi.*ar*) *v.* 1 Tornar(-se) reduzido (ger. órgãos ou partes de órgãos do corpo) por falta de nutrição ou movimento, por lesão etc.; causar atrofia a ou sofrer atrofia, definhar(-se) [*td.*: *A doença atrofia os músculos.*] [*int.*: *Sem fisioterapia, suas pernas podem (se) atrofiar.*] 2 Não deixar se manifestar ou se desenvolver; ACANHAR; COIBIR; TOLHER [*td.*: *A humilhação foi tanta que atrofiou seu orgulho.*] 3 *Fig.* Arruinar-se, decair [*int.*: *Com a guerra, os suntuosos palácios atrofiaram-se.*] [▶ 1 atrofiar] [F.: *atrofia* + *-ar*[2].]

atroo (a.*tro*.o) *sm.* 1 Ação ou resultado de atroar; ATROAMENTO 2 O mesmo que *atroada*: *pássaros espantados pelo atroo dos tiros.* [F.: Dev. de *atroar*. Hom./Par.: *atroo* (sm.), *atroo* (fl. de *atroar*).]

atropeladamente (a.tro.pe.la.da.*men*.te) *adv.* 1 De maneira atropelada; de tropel; APRESSADAMENTE; RAPIDAMENTE: *a bancada votou o projeto atropeladamente, sem medir as consequências.* 2 Confusamente, desordenadamente, aos atropelos: *falavam atropeladamente, ao mesmo tempo.* [F.: Fem. de *atropelado* + *-mente.*]

atropelado (a.tro.pe.*la*.do) *a.* 1 Que foi vítima de atropelamento (2) 2 Confuso, atrapalhado, ger. devido a pressa, a atropelo (2, 3): *Ninguém entendeu seu discurso atropelado.* *sm.* 3 Quem foi vítima de atropelamento (2) [F.: Part. de *atropelar.*]

atropelador (a.tro.pe.la.*dor*) [ô] *a.* 1 Que atropela; ATROPELANTE *sm.* 2 Aquele ou aquilo que atropela [F.: *atropelar* + *-dor.*]

atropelamento (a.tro.pe.la.*men*.to) *sm.* 1 Ação ou resultado de atropelar; ATROPELO 2 Colisão de algo em movimento (ger. veículo) com objeto, animal ou pessoa, derrubando-os, ou arremetendo-os, ou passando por cima, ger. causando danos, ferimentos ou mesmo morte: *O atropelamento deixou cinco pessoas feridas.* [F.: *atropelar* + *-mento.*]

atropelar (a.tro.pe.*lar*) *v.* 1 Chocar(-se) (veículo) contra (algo ou alguém), passando ou não por cima de [*td.*: *O caminhão atropelou os pedestres.*] 2 Chocar-se com (alguém ou uns com os outros), numa correria, para abrir caminho etc.; EMPURRAR(-SE) [*td.*: *Saiu correndo, atropelando quem estava na frente; Quando o alarme soou, todos se atropelaram para evacuar o edifício.*] 3 *Fig.* Não considerar, menosprezar (a lei, uma autoridade, o direito etc.); infringir, transgredir [*td.*: *O acordo atropela a lei.*] 4 *Fig.* Prejudicar o andamento, a organização ou execução de [*td.*: *O incidente atropelou o planejamento.*] 5 Ultrapassar correndo (algo ou alguém) [*td.*: *O atleta atropelou os outros competidores.*] [*int.*: *O cavalo atropelou na reta final e venceu a corrida.*] 6 Reunirem-se (ideias, pensamentos), sem ordem e sem prioridade [*int.*: *As ideias se atropelavam em sua cabeça.*] 7 *Fig.* Fazer (algo) com desleixo, de forma apressada ou desordenada [*td.*: *Atropelou o trabalho para sair mais cedo.*] 8 *Fig.* Provocar perturbação, desorientação em; ATURDIR [*td.*: *O aluno atropelou o professor com muitas dúvidas.*] [▶ 1 atropelar] [F.: *a-*[2] + *tropel* + *-ar*[2]. Hom./Par.: *atropelo* (fl.), *atropelo* [ê] (sm.).]

atropelo (a.tro.*pe*.lo) [ê] *sm.* 1 Ação ou resultado de atropelar; ATROPELAMENTO 2 Falta de cuidado ou calma para fazer algo: atropelo no trabalho 3 Confusão gerada pela presença de muita gente ou de muitas coisas: Na saída do estádio houve grande atropelo. [F.: Dev. de atropelar. Hom./Par.: atropelo[ê] (sm.), atropelo[é] (fl. de atropelar).] ■ **Aos ~s** Atropeladamente, sem ordem, sem método

atropina (a.tro.*pi*.na) *sf. Med.* Alcaloide extraído das folhas de certas solanáceas, como a beladona, e us. como medicamento antiespasmódico, sedativo etc. [F.: Do gr. *Átropos*, pelo al. *Atropin*.]

atroz (a.*troz*) [ó] *a2g.* 1 Que demonstra ou encerra muita crueldade, desumanidade (castigo atroz; vingança atroz) 2 Que é difícil de suportar (saudade atroz; sofrimento atroz) 3 Monstruoso, enorme (algo negativo) a ponto de espantar (feiura atroz) [Superl.: *atrocíssimo*.] [F.: Do lat. *atrox, ocis*.]

◎ **atto-** *pref.* do SI, equivalente a um multiplicador 10^{-18} = 'um trilionésimo de (unidade de medida)': *attofarad, atofarad, attossegundo, atossegundo* [F.: Do dinamarquês e norueguês *atten*, 'dezoito'. Tb. *ato-*.]

attofarad (at.to.fa.*rad*) *sm. Elet.* Unidade SI de capacitância elétrica igual a 10^{-18} farad [Pl.: *-rads*.] [F.: *atto-* + *farad*. Tb. *atofarad*.]

attossegundo (at.tos.se.*gun*.do) *sm. Fís.* Unidade SI de medida de tempo, equivalente a 10^{-18} segundo, um trilionésimo de segundo [F.: *atto-* + *segundo*. Tb. *atossegundo*.]

atuação (a.tu:a.*ção*) *sf.* 1 Ação ou resultado de atuar 2 *Bras.* O desempenho em qualquer atividade: *Teve uma importante atuação nas negociações; A atuação do time foi decepcionante.* 3 *Fil.* Para Aristóteles, a passagem de um estado de potencialidade para um estado de realidade 4 *Psic.* Ação, ger. impulsiva e contrária à índole, de caráter defensivo em sua essência mas muitas vezes na forma de agressão contra outrem ou si mesmo [Pl.: *-ções*.] [F.: *atuar* + *-ção*. Hom./Par.: *autuação*.]

atuador (a.tu:a.*dor*) [ô] *sm.* 1 *Mec.* Num mecanismo, dispositivo que produz movimentos, atendendo a comandos manuais ou mecânicos, us. esp. para movimentar cargas 2 *Mec.* Num servomecanismo, dispositivo que usa a energia por ele recebida para mover uma carga 3 Pessoa que atua *a.* 4 Que atua [F.: *atuar* + *-dor*.]

atual (a.tu:*al*) *a2g.* 1 Que existe, funciona, ocorre, acontece, vige, realiza-se etc. no presente: *Na atual conjuntura, é melhor adiar o investimento; Ele é o atual ministro da Cultura.* 2 Que faz parte da época presente em seu caráter, em suas características etc.; que se enquadra na mentalidade vigente (moda atual; arte atual) 3 *Fil.* Que atua, que é imediato, efetivo, real, em oposição ao que é mediato, potencial e virtual: *Ela manifestou atual interesse pelo programa.* 4 *Fil.* Para Aristóteles, que realizou todas as potencialidades em realidade, em ato, em configuração final [F.: Do lat. *actualis, e*.]

atualidade (a.tu:a.li.*da*.de) *sf.* 1 Qualidade ou condição do que é atual: *A atualidade de uma lei.* 2 A época presente: *A poluição é um grave problema da atualidade.* 3 Adequação à realidade atual (de um conceito, um tema, um texto, um estilo etc.): *Não gostei do filme, não tem atualidade.* 4 O conjunto de fatores atuais (ambiente, mentalidade, circunstâncias) numa certa área de interesse (atualidade cultural; atualidade artística) [F.: Do lat. *actualitas, atis*.]

atualidades (a.tu:a.li.*da*.des) *sfpl.* 1 Notícias atuais, do momento presente 2 *P. ext.* Cinejornal com notícias atuais [Pl. de *atualidade*.]

atualismo (a.tu:a.*lis*.mo) *sm.* 1 Estudo dos fatos que ocorreram no passado, suas relações com os fatos do presente e sua influência sobre eles 2 *Geol.* Teoria segundo a qual os fenômenos geológicos do passado teriam ocorrido de forma análoga, na dinâmica e na intensidade, aos do presente 3 *Fil.* Doutrina ou conceito que vê na ação e na atividade a essência da realidade [F.: *atual* + *-ismo*.]

atualista (a.tu:a.*lis*.ta) *a2g.* 1 Ref. ao ou próprio do atualismo 2 Diz-se de indivíduo adepto do atualismo *s2g.* 3 Esse indivíduo [F.: *atual* + *-ista*.]

atualístico (a.tu:a.*lís*.ti.co) *a.* Ref. a atualismo ou a atualista [F.: *atualista* + *-ico*².]

atualização (a.tu:a.li.za.*ção*) *sf.* 1 Ação ou resultado de atualizar(-se) 2 Adaptação a uma nova realidade, ou necessidade, ou possibilidade: *Fiz uma atualização dos programas do meu computador.* 3 Ação ou resultado de tornar atual, condizente com o presente, suas informações, conhecimentos, mentalidade, estilo etc.: *atualização de uma enciclopédia; atualização de um roteiro cinematográfico.* 4 *Fil.* Para Aristóteles, processo de passagem de uma realidade potencial para atual, sua forma final; ATUAÇÃO [Pl.: *-ções*.] [F.: *atualizar* + *-ção*; ou do fr. *actualisation*.]

atualizado (a.tu:a.li.*za*.do) *a.* 1 Que se atualizou, que sofreu mudanças para se adequar a informações, técnicas, possibilidades, métodos atuais (*software* atualizado; dicionário atualizado) 2 Que está bem-informado, em dia com as informações, os conhecimentos, os fatos mais recentes (profissional atualizado; noticiário atualizado) 3 *Econ.* Diz-se de moeda, preço, ativo financeiro etc. cujo valor monetário foi corrigido para acompanhar as mudanças na economia (salários atualizados; orçamento atualizado) [F.: Part. de *atualizar*.]

atualizador (a.tu:a.li.za.*dor*) [ô] *a.* 1 Que atualiza, que é capaz de atualizar *sm.* 2 Aquele ou aquilo que atualiza, que é capaz de atualizar [F.: *atualizar* + *-dor*.]

atualizar (a.tu.a.li.*zar*) *v.* 1 Tornar(-se) atual, fornecendo ou adquirindo informações, tendências etc. mais recentes [**td.**: *Atualizei meu fotolog esta semana; Passou um mês no exterior, mas lia jornais brasileiros para se atualizar.*] [**int.**: *Com tanta informação disponível, as pessoas se atualizam diariamente.*] 2 Tornar(-se) atual, mais moderno, de acordo com novas técnicas ou conhecimentos; MODERNIZAR(-SE) [**td.**: *O ministro quer atualizar o setor agrícola.*] [**int.**: *Os novos modelos se atualizaram, já dispõem de todas as inovações.*] 3 *Inf.* Trocar componentes ou programas de computador por versões mais recentes, com mais recursos ou aperfeiçoadas [**td.**: *Atualize seu antivírus periodicamente.*] 4 *Edit.* Acrescentar ou modificar informações em (nova edição ou impressão de livro, relatório, folheto etc.) para adequar a novos fatos, conceitos etc. (atualizar um dicionário) 5 *Econ.* Alterar o valor de referência, o câmbio, o preço etc. de (moeda, produto, índice etc.) para ajustá-lo às condições presentes (inflação, oferta e procura, parâmetros econômicos, política financeira etc.) [▶ 1 atualizar] [F.: *atual* + *-izar*.]

atualmente (a.tu:al.*men*.te) *adv.* Na época atual, nos dias de hoje [F.: *atual* + *-mente*.]

atuante (a.tu:*an*.te) *a2g.* 1 Que está em pleno exercício de uma ação, ou uma atividade; ATIVO: *médico atuante.* 2 Que atua, age, participa, sem se omitir: *Ela é uma mulher muito atuante na política.* [F.: *atuar* + *-nte*.]

atuar (a.tu.*ar*) *v.* 1 Praticar uma ação, uma atividade; AGIR [**tr.** + *em, para*: *Atuou energicamente para reverter a decisão.*] [**ta.**: *Duas empresas rodoviárias atuam na cidade.*] [**int.**: *É preciso atuar rápido/bem.*] 2 Ter ou tentar ter influência ou efeito; AGIR [**tr.** + *em, sobre*] 3 *Teat. Cin. Telv.* Desempenhar um papel [**ta.**: *Atuou em diversas peças de teatro.*] [**tp.**: *Ele sempre atua como o vilão da história.*] 4 Desempenhar uma função [**pred.**: *Ele atuava como líder dos grevistas.*] 5 Acarretar uma consequência, um efeito [**tr.** + *sobre*: *O remédio atuou perfeitamente sobre a doença.*] [**int.**: *O remédio atuou satisfatoriamente.*] 6 Exercer pressão, coação; pressionar [**tr.** + *para, sobre*: *Atuou sobre a direção da empresa para mudar de cargo.*] 7 Agir para obter algum resultado; contribuir [**tr.** + *para*: *O pedido do produtor atuou para que o ator conseguisse o papel.*] [▶ 1 atuar] [F.: Do lat. medv. *actuare*. Hom./Par.: *atuar* (v.), *atoar* (em todas as fl. do v.); *atuaria* (s.), (fl.), *atuária* (sf. e f. *atuári*o [s. m.] e pl.).]

atuária (a.tu:*á*.ri:a) *Cont. sf.* Parte da estatística que trata das questões relacionadas com a teoria e o cálculo de seguros [F.: Ver em *atuário*.]

atuarial (a.tu:a.ri:*al*) *a2g.* Ref. a atuária [Pl.: *-ais*.] [F.: *atuária* + *-al*.]

atuário (a.tu:*á*.ri:o) *sm.* 1 Pessoa formada em atuária; especialista em atuária 2 *Hist.* Escriba que, na Roma antiga, redigia as atas do Senado [F.: Do lat. *actuarius, i*.]

atufado (a.tu.*fa*.do) *a.* 1 Que se atufou; INCHADO; DILATADO 2 Cheio, abarrotado [+ *com, de*: *celeiros atufados com/de grãos.*] 3 Submerso, mergulhado, atolado [F.: Part. de *atufar*.]

atufar *v.* 1 Embrenhar(-se), meter(-se) (na água, no mato etc.) [**tda.**: *O cão atufou-se na lama; Atufou a matilha mato adentro.*] 2 Fazer inchar, tornar bojudo; ENFUNAR [**td.**: *O vento atufou as velas e deslizamos sobre as águas.*] 3 Encher(-se) em excesso, abarrotar(-se) [**td.**: *Tivemos que atufar as sacas.*] [**int.**: *Com a boa safra, os celeiros atufaram-se.*] [**tdr.** + *com, de*: *Atufaram o silo com/de cereais.*] 4 Fazer entrar, introduzir, atochar [**tda.**: *O menino atufou a rolha na garrafa.*] [▶ 1 atufar] [F.: *a-*² + lat. vulg. *tufu* 'inchação' + *-ar*².]

atulhado (a.tu.*lha*.do) *a.* Que se atulhou; que está completamente cheio (despensa atulhada); ABARROTADO [+ *com, de*: *armário atulhado com/de revistas.*] [F.: Part. de *atulhar*.]

atulhar (a.tu.*lhar*) *v.* O mesmo que *entulhar* [**td.**] [**tr.**] [▶ 1 atulhar] [F.: *a-*² + *tulha* + *-ar*². Hom./Par.: *atulho* (fl.), *atulho* (sm.).]

atum (a.*tum*) *sm. Ict.* Nome comum a grandes peixes marinhos da fam. dos escombrídeos (ger. do gên. *Thunnus*), com várias espécies de carne apreciada, como a *Thunnus thynnus*, encontrada em vários oceanos, esp. nas águas profundas do oceano Atlântico, a *Thunnus atlanticus*, comum nas costas brasileiras, a *Thunnus albacares* etc. [F.: Do gr. *thýnnos*, pelo lat. *thunnus, i* e pelo ár. *at-tun*.]

atuoso (a.tu:*o*.so) [ô] *a.* Que atua, que se mantém em atividade; ATIVO; DILIGENTE; OPERANTE [Fem.: [ó]. Pl.: [ó].] [F.: Do lat. *actuosus, a, um*.]

aturado (a.tu.*ra*.do) *a.* 1 Continuado por muito tempo e com custo 2 Persistente, perseverante 3 Suportado com resignação [F.: Part. de *aturar*.]

aturar (a.tu.*rar*) *v.* 1 Aguentar (algo, alguém) com paciência, resignação; SUPORTAR [**td.**: *Não aturo falta de educação!*] 2 Ter paciência com; ACEITAR [**td.**: *Ela não atura injustiças.*] 3 Persistir em (algo); PERSEVERAR [**tr.** + *em*: *Aturou naquela discussão em vão.*] [**int.**: *Apesar dos apelos dos amigos, ela não conseguiu aturar.*] 4 Conseguir suportar; AGUENTAR [**td.**: *Aturava, com resignação, as consequências dos seus atos.*] 5 Preservar (algo ou alguém); SUSTENTAR [**td.**: *Tentava aturar a tranquilidade, mas não conseguiu.*] [**tdp.**: *Tentava aturar seu temperamento calmo, mas a situação não permitiu.*] 6 Conseguir suportar (força, peso, pressão etc.) [**td.**: *O pequeno prego não aturou o peso do quadro.*] 7 Continuar a existir, por certo tempo, em algum estado ou situação; PERDURAR [**int.**: *Aturou por muito tempo até os problemas se resolverem.*] 8 Conseguir comportar [**td.**: *A caixa não aturou a grande quantidade de objetos.*] [▶ 1 aturar] [F.: De or. contrv; posv. do lat. *obturare*.]

aturdido (a.tur.*di*.do) *a.* 1 Que se aturdiu; com a mente desnorteada ou perturbada; ATORDOADO; TONTO; ZONZO: *Depois do terremoto, a população aturdida vagava pelas ruas, sem saber para onde ir.* 2 Cheio de assombro, de espanto; ASSOMBRADO; PASMO: *A notícia deixou-os aturdidos, perplexos.* [F.: Part. de *aturdir*.]

aturdimento (a.tur.di.*men*.to) *sm.* 1 Ação ou resultado de aturdir(-se) 2 Estado de quem está aturdido, tonto, zonzo 3 Estado de quem está aturdido, maravilhado, perplexo 4 Perturbação dos sentidos em resultado de uma sensação violenta ou de efusão de sangue no cérebro 5 Estouvamento, falta de ponderação, precipitação ao agir sem pensar nem refletir [F.: *aturdir* + *-mento*.]

aturdir (a.tur.*dir*) *v.* 1 *Fig.* Causar ou sentir grande espanto, assombro; surpreender(-se), deslumbrar(-se); ASSOMBRAR(-SE) [**td.**: *O comportamento irresponsável do irmão o aturdiu.*] [**int.**: *Os astronautas aturdiram-se com a visão da Terra no espaço.*] 2 Provocar ou sentir tonteira ou perturbação dos sentidos, confusão; ATORDOAR(-SE); ESTONTEAR(-SE) [**td.**: *O golpe na nuca aturdiu o adversário.*] [**int.**: *Aturdia-se com excesso de bebida.*] [▶ 3 aturdir] [F.: De or. contrv; posv. do espn. *aturdir*, do espn. *tordo*.]

audácia (au.*dá*.ci:a) *sf.* 1 Qualidade, índole ou tendência que leva a empreender ações difíceis ou perigosas, enfrentando riscos; o que foi assim empreendido: *É preciso audácia para ser paraquedista; Foi uma audácia escalar essa montanha à noite; Essa maneira de interpetar Mozart é uma audácia.* 2 Qualidade, índole ou ímpeto de romper com lugares-comuns ou padrões aceitos em benefício de inovações, de ideias e conceitos de vanguarda; o que foi assim concebido e/ou realizado: *Que acha da audácia de Scorcese em A última tentação de Cristo?; Essa interpretação de Mozart foi uma audácia do pianista.* 3 Qualidade de quem tem falta de consideração ou desrespeito; ação que a manifesta; ATREVIMENTO; INSOLÊNCIA: *Teve a audácia de ofender o chefe; A audácia dessa mulher não tem limite, agora ofendeu o chefe.* [F.: Do lat. *audacia, ae*.]

audacioso (au.da.ci:*o*.so) [ô] *a.* 1 Diz-se de quem tem ou revela audácia, arrojo (piloto audacioso) 2 Diz-se de ação, empreendimento etc. feito com audácia (1), que envolve risco (plano audacioso) 3 Diz-se de ideia, obra, conceito etc. que são inovadores, vanguardistas, que revelam audácia (2); diz-se daquele que os concebe ou realiza (versão audaciosa; maestro audacioso) 4 Diz-se de quem age com insolência, petulância; diz-se de ação, dito, ideia etc. que as revela; ATREVIDO; INSOLENTE; PETULANTE [Fem. e pl.: [ó].] [F.: *audácia* + *-oso*.]

audaz (au.*daz*) *a2g.* O mesmo que *audacioso* (1, 2) [Superl.: *audacíssimo*.] [F.: Do lat. *audax, acis*.]

audibilidade (au.di.bi.li.*da*.de) *sf.* 1 Qualidade de audível 2 Nível de um sinal sonoro ou de um som, em função da sua capacidade de se fazer ouvir: *Aumente o volume, a audibilidade não está boa.* [F.: *audível* (na forma lat. *audibil*) + *-(i)dade*.]

audição (au.di.*ção*) *sf.* 1 *Fisl.* Um dos cinco sentidos do ser humano, responsável pela percepção dos sons, captando-os e enviando-os ao cérebro para serem identificados e interpretados 2 Ação ou resultado de ouvir, escutar: *Teve dificuldade na audição da mensagem telegráfica.* 3 Teste no qual um artista (ator, músico, cantor, bailarino etc.) apresenta um trecho representativo de sua arte a avaliador(es), visando a sua admissão num elenco 4 Exibição de obra musical ou teatral: *A banda faz várias audições por ano.* 5 *Mús.* Exibição de alunos de música (cantores, instrumentistas etc.) ger. de um mesmo professor, curso ou escola de música 6 *Rád. Telv.* Transmissão de programa radiofônico ou televisivo [Pl.: *-ções*.] [F.: Do lat. *auditio-, onis*. Ideia de audição: *acu(o)-, audi(o)-*.]

audiência (au.di:*ên*.ci:a) *sf.* 1 Conjunto de pessoas que, por estimativa ou por comprovação em pesquisa estatística, assistem simultaneamente a certo programa ou canal de televisão, ou sintonizam certo programa ou estação de rádio; a medida desse conjunto: *A audiência dessa novela caiu muito.* 2 *P. ext.* Plateia, público em geral 3 Ação ou resultado de ouvir, ou de escutar, prestar atenção; AUDIÇÃO 4 Ação de receber (esp. autoridade) alguém para ouvir o que tem a relatar, a pedir etc.; essa recepção, e seu tempo de duração: *Marcou uma audiência com o diretor da empresa.* 5 *Jur.* Sessão solene de tribunal para julgamento de uma causa: *A audiência no fórum foi adiada.* 6 O local dessa sessão; o conjunto de pessoas que a assistem [F.: Do lat. *audientia, ae*.]

audímetro (au.*dí*.me.tro) *sm.* Instrumento com que se mede a audiência de rádio e tevê, por meio do registro eletrônico das emissoras sintonizadas [F.: *audi(o)-* + *-metro*.]

◎ **-audi(o)-** *el. comp.* Ver *audi(o)-*

◎ **audi(o)-**, *el. comp.* = 'audição'; 'ouvir'; 'audível'; (p. ext.) 'som'; 'sonoro'; 'parte sonora de algo': *audímetro, audiófilo, audiofone, audiofrequência, audiograma, audiolivro, audiologia, audiólogo, audiometria, audiossensorial, audioteca, audiotexto, audiovisual; fonoaudiologia, fonoaudiólogo* [F.: Do lat. *audio*, 1ª pess. pres. do v.lat. *audire*, 'ouvir'.]

áudio (*áu*.di:o) *sm.* 1 *Eletrôn.* O som, transmitido ou reproduzido eletronicamente; essa transmissão ou reprodução: *O áudio da televisão está ruim.* 2 *Eletrôn.* Por metonímia, equipamento de áudio (1); equipamento para transmissão, recepção e reprodução de som 3 *Eletrôn.* Em equipamento de transmissão, recepção e reprodução de som e imagem, a parte destinada ao áudio (1) 4 *Cin. Rád. Telv.* Parte sonora de filme, programa de televisão, vídeo, DVD etc.: *O filme tem um áudio perfeito.* 5 *Eletrôn.* O som considerado como movimento vibratório em certa frequência; o sinal sonoro que representa essa vibração [F.: De *audi(o)-*. Cf.: *vídeo*.]

audiófilo (au.di:*ó*.fi.lo) *a.* **1** Que é apreciador da reprodução sonora de alta qualidade, tanto ao vivo quanto, esp., em aparelhos de som de alta fidelidade *sm.* **2** Aquele que é apreciador de som assim reproduzido [F.: *audi(o)-+ -filo.*]
audiofone (au.di:o.*fo*.ne) *sm.* **1** Pequeno aparelho para amplificar sons, us. ger. dentro do pavilhão da orelha por pessoas com deficiência auditiva **2** Par de pequenos alto-falantes ajustáveis a cada orelha, que podem ser acoplados a um arco, ajustável à cabeça; fone de ouvido [F.: *audi(o)- + -fone.*]
audiofrequência (au.di:o.fre.*quên*.ci:a) *Acús. sf.* Frequência (de sinal sonoro) situada entre 20 e 20.000 Hz, perceptível ao ouvido humano normal [F.: *audi(o)- + frequência.*]
audiograma (au.di:o.*gra*.ma) *Acús. sm.* Gráfico indicador da variação, ao longo de diferentes frequências, da intensidade mínima de som, em cada frequência, perceptível para cada orelha de uma pessoa [F.: *audi(o)- + -grama.*]
audiolivro (au.di:o.*li*.vro) *sm.* Texto de um livro narrado pelo autor ou por um locutor, gravado em suporte que permite a reprodução em qualquer aparelho de som, computador etc. [F.: *audi(o)- + livro.*]
audiologia (au.di:o.lo.*gi*.a) *sf. Med.* Estudo da audição, de suas doenças, de seu tratamento [F.: *audi(o)- + -logia.*]
audiologista (au.di:o.lo.*gis*.ta) *s2g. Ter. Otor.* Profissional especializado em audiologia, esp. em recuperação auditiva; AUDIÓLOGO [F.: *audiologia + -ista.*]
audiólogo (au.di:*ó*.lo.go) *sm.* O mesmo que *audiologista* [F.: *audi(o)- + -logo.*]
audiometria (au.di:o.me.*tri*.a) *sf.* **1** *Med.* Exame da capacidade auditiva por meio de instrumentos **2** *Fon.* Avaliação da capacidade de captar os sons da fala e de discernir as diferenças entre eles [F.: *audi(o)- + -metria.* Cf.: *acuometria.*]
audiométrico (au.di:o.*mé*.tri.co) *a.* Ref. a audiometria [F.: *audiometria + -ico*[2].]
audiossensorial (au.di:os.sen.so.ri:*al*) *a2g.* Ref. às sensações auditivas [Pl.: *-ais.*] [F.: *audi(o)- + sensorial.*]
audioteca (au.di:o.*te*.ca) [é] *sf.* Coleção organizada de documentos sonoros, como discos e fitas magnéticas, em local ger. dotado de equipamento para ouvi-los [F.: *audi(o) + -teca.*]
audiotexto (au.di:o.*tex*.to) [ês] *sm. Telc.* Gravação us. em serviços de atendimento eletrônico, caixa eletrônico ou outros serviços de informação com voz [F.: Do ing. *audiotext.*]
audiovisual (au.di:o.vi.su:*al*) *a2g.* **1** Diz-se de mensagem, informação, programa etc. compostos por som e imagem, que alcançam simultaneamente os sentidos da audição e da visão do receptor: *mensagem audiovisual.* **2** Diz-se de equipamento, meio de comunicação, tecnologia etc. que criam, transmitem e/ou captam tal mensagem, informação, programa etc.: *métodos audiovisuais.* **3** *Pedag.* Que faz uso simultâneo de som e imagem como técnica ou recurso para ministrar ensinamento, conhecimento, treinamento etc. (método audiovisual) *sm.* **4** Qualquer produção audiovisual (que pode ser num suporte só, como um DVD, ou numa associação de projeção de imagem com reprodução sincronizada de som em fita, trilha sonora etc.): *Na conferência será apresentado um audiovisual.* [Pl.: *-ais.*] [F.: *audi(o)- + visual.*]
auditado (au.di.*ta*.do) *a.* Que se auditou, que passou por auditoria [F.: Part. de *auditar.*]
auditagem (au.di.*ta*.gem) *sf.* O mesmo que *auditoria* (1) [F.: *auditar + -agem*[2].]
auditar (au.di.*tar*) *v. td. Cont.* Realizar auditoria em: *auditar uma empresa.* [▶ 1 auditar] [F.: Do lat. *auditare.*]
auditivo (au.di.*ti*.vo) *a.* **1** Ref. ou pertencente a orelha ou a audição (nervo auditivo, problemas auditivos) **2** Que assimila melhor aquilo que ouve do que aquilo que vê: *memória auditiva.* [F.: Do fr. *auditif.*]
auditor (au.di.*tor*) [ô] *a.* **1** Que ouve; OUVIDOR *sm.* **2** *P. us.* Aquele que ouve; OUVIDOR *sm.* **3** Especialista em contabilidade que se encarrega de fazer auditoria (1) **4** *Jur.* Magistrado que atua na justiça militar [F.: Do lat. *auditor, oris.*]
auditorado (au.di.to.*ra*.do) *a.* Ver *auditado*
auditorar (au.di.to.*rar*) *v. td.* Fazer auditoria em; analisar algo como auditor [▶ 1 auditorar] [F.: *auditor + -ar*[2].]
auditoria (au.di.to.*ri*.a) *sf.* **1** *Cont.* Exame minucioso das operações contábeis de uma empresa, instituição etc., para avaliar a correção das contas; AUDITAGEM **2** Acompanhamento ou monitoramento externo de uma operação, um processo, um desempenho, uma informação etc., como forma de controle de sua legalidade, autenticidade etc. **3** Cargo ou função de auditor **4** Local de trabalho do auditor [F.: *auditor + -ia*[1].]
auditório (au.di.*tó*.ri:o) *sm.* **1** Sala com instalações adequadas para nela se realizarem conferências, concertos, espetáculos etc., com a presença de público **2** *Rád. Telv.* Tal sala em estação de rádio ou de televisão, para realização de programas realizados na presença de plateia **3** Essa plateia; conjunto de pessoas que se reúnem para assistir a programas em auditório (2); ASSISTÊNCIA; PLATEIA *a.* **4** *Antq.* Pertencente ao sentido da audição; AUDITIVO [F.: Do lat. *auditorium, ii.*]
audível (au.*dí*.vel) *a2g.* Que pode ser ouvido ou que se ouve; perceptível ao ouvido [Ant.: *inaudível.*] [Pl.: *-veis.* Superl.: *audibilíssimo.*] [F.: Do lat. *audibilis, e.*]
auê (au:*ê*) *sm. Gír.* Situação de grande desordem e alvoroço; confusão, tumulto [F.: Posv. do ior. *a'we.*]
auferido (au.fe.*ri*.do) *a.* Que se auferiu, que se obteve [F.: Part. de *auferir.*]
auferir (au.fe.*rir*) *v.* Obter ou dar (lucro, vantagem, direitos etc.) [*td.: A compra do título auferiu privilégios.*] [*tdr.* + *com, de: O município aufere recursos do turismo.*] [▶ 50 auferir] [F.: Do lat. **auferere.* Hom./Par.: *auferir* (v.), *aferir* (todas as fl.).]
⊕ **aufklärung** (*Al. /auf kloe´rrunk/*) *sm. Fil. Hist.* Movimento do século XVIII, que tinha como eixo o racionalismo e a ciência; ver *iluminismo* [Com inicial maiúscula, em alemão.]
⊕ **auf wiedersehen** (*Al. /auf víderzé´hen/*) Até a vista, até logo
auge (*au*.ge) *sm.* **1** O ponto mais elevado; pico, cume *sm.* **2** O ponto de maior intensidade, o mais alto grau (de uma situação, um processo, um sentimento etc.); ÁPICE; APOGEU: *Está no auge da carreira; No auge da confusão, ele saiu sorrateiramente; Estava no auge do desespero quando recebeu a notícia tranquilizadora.* [F.: Do ár. *awg'.*]
⊕ **au grand complet** (*Fr. /ô grrã complé/*) *loc. adv.* Por inteiro, totalmente; sem faltar nada ou ninguém: *A diretoria compareceu au grand complet.*
augurar (au.gu.*rar*) *v.* **1** Fazer augúrio (sobre); prognosticar, prever [*td.: O frango do goleiro augurava a derrota.*] [*tdi.* + *a: Augurou um bom futuro ao casal.*] **2** Dar a ideia de; ser sinal de [*td.: As brigas constantes auguravam um divórcio litigioso.*] **3** Apresentar indícios de; indicar, sugerir [*td.: A fuga dos animais augurava um abalo sísmico.*] **4** Fazer votos de; desejar com fervor [*tdi.* + *a: Augurou boa sorte aos jogadores.*] [▶ 1 angurar] [F.: Do lat. *augurare.* Hom./Par.: *augure* (fl.), *áugure* (sm.).]
áugure (*áu*.gu.re) *Rel. sm.* **1** Na Roma antiga, sacerdote que tirava presságios e previa o futuro a partir do canto e do voo das aves **2** *P. ext.* Aquele que prediz o futuro; ADIVINHO; PROFETA [F.: Do lat. *augur, uris.*]
augúrio (au.*gú*.ri:o) *sm.* **1** *Ant.* Previsão ou profecia feita por áugure, com base no voo e no canto das aves **2** *P. ext.* Prenúncio, previsão de acontecimento futuro; AGOURO; PRESSÁGIO; VATICÍNIO [F.: Do lat. *augurium, ii.*]
augusto (au.*gus*.to) *a.* **1** Que é digno de respeito ou veneração **2** Majestoso, imponente **3** Excelso, sublime **4** Sagrado, sacro, divino *sm.* **5** *Hist.* Título conferido a imperadores romanos [F.: Do lat. *augustus, a, um.*]
aula (*au*.la) *sf.* **1** Ensinamento sobre determinada área de conhecimento, dado por professor a alunos ou a um auditório; LIÇÃO **2** Local (ger. uma sala em um estabelecimento de ensino) onde se leciona: *Chegou atrasado na aula.* **3** O conjunto de atividades em um estabelecimento de ensino: *As aulas recomeçam hoje.* **4** Desempenho que, por sua qualidade, se constitui num ensinamento: *O desempenho do time foi uma aula de futebol.* **5** *Ant.* Residência de um rei, de um soberano; paço **6** O conjunto de pessoas que frequenta a aula (5); a corte e os cortesãos [F.: Do gr. *aulé, es,* pelo lat. *aula, ae.*] ∎ **~ magna** **1** Aula inaugural (de um curso) **2** *Lus.* Salão nobre de universidade
áulico (*áu*.li.co) *a.* **1** Da ou ref. à corte (de um soberano), ou a seu palácio (lembranças áulicas) **2** Peculiar a, próprio de corte ou cortesão (pompa áulica) **3** Que pertence à corte (nobreza áulica); PALACIANO; CORTESÃO *sm.* **4** Aquele que pertence à corte; CORTESÃO; PALACIANO: *O banquete é para os áulicos; os fogos de artifício são para o povo.* [F.: Do gr. *aulikós,* pelo lat. *aulicus.*]
aulido (au.*li*.do) *sm.* **1** Uivo ou grito de animais, esp. cães e lobos **2** *P. ext.* Grito de qualquer animal **3** *Fig.* Grito lastimoso, plangente [F.: Do cast. *aullido.*]
aumentado (au.men.*ta*.do) *a.* **1** Que se aumentou, que se tornou maior ou mais intenso **2** Em que houve exagero, deturpação **3** *Mús.* Diz-se de nota ou intervalo cujo tempo normal de duração foi ampliado em metade deste (com a colocação de um ponto a sua direita) **4** *Mús.* Diz-se de intervalo musical que tem um semitom a mais que sua configuração maior ou justa **5** *Mús.* Diz-se de acorde que em seu estado fundamental contém um intervalo aumentado (4) [F.: Part. de *aumentar.*]
aumentar (au.men.*tar*) *v.* **1** Tornar(-se) maior em tamanho, extensão, valor, quantidade etc.; AVULTAR(-SE); EXACERBAR(-SE) [*td.: O patrão aumentou os salários.*] [*int.: Os casos de desidratação aumentaram no verão.*] [*tr.* + *de: aumentar de tamanho, de preço.*] **2** Tornar(-se) mais intenso; agravar(-se) [*td.: O desemprego aumentou sua angústia.*] [*int.: A febre aumentou.*] **3** Acrescentar (algo) (a), tb. inventando ou exagerando [*tr.* + *a: O escritor aumentou dois capítulos ao livro.*] [*td.: Meu colega aumenta tudo o que eu digo.*] **4** Fazer parecer maior; AMPLIAR [*td.: A maquiagem aumenta seus olhos.*] **5** Fazer progressos, prosperar, adiantar-se [*tr.* + *em: aumentar em popularidade, em influência.*] [*int.: Com a diminuição dos impostos, seu negócio aumentou.*] **6** Fazer prosperar; acrescentar em ganhos, riquezas ou posição social; engrandecer [*td.: Ao longo da vida Deus o aumentou.*] [▶ 1 aumentar] [F.: Do lat. tard. *augmentare.*]
aumentativo (au.men.ta.*ti*.vo) *sm.* **1** *Gram.* Grau que modifica o substantivo ou o adjetivo para exprimir intensificação ou aumento *a.* **2** Que aumenta **3** *Gram.* Diz-se do grau, ou de sufixo ou prefixo que o expressam, que modifica o substantivo ou o adjetivo para exprimir intensificação ou aumento [F.: *aumentar + -tivo.*] ∎ **~ analítico** *Ling.* Aumentativo que se forma pela adjunção ao termo de um adjetivo ou advérbio de intensidade: *cachorro grande; muito bonito.* **~ sintético** *Ling.* Aumentativo que se forma pela aposição, ao termo, de um sufixo: *cachorrão, bonitona*
aumento (au.*men*.to) *sm.* **1** Ação ou resultado de aumentar, de tornar maior ou mais alto: *aumento de salário; aumento na produção.* **2** Progresso, desenvolvimento: *aumento do bem-estar social.* **3** *Ópt.* Relação entre o ângulo de visão de um objeto através de um sistema óptico e o ângulo de visão a olho nu do mesmo objeto à mesma distância **4** *Ópt.* Relação entre a dimensão linear da imagem de um objeto num sistema óptico e sua dimensão linear; a medida dessa relação; AMPLIAÇÃO: *Qual é o aumento dessa lente?* [F.: Do lat. *augmentum -i.* Ant. ger.: *diminuição, redução.*] ∎ **Ir em ~** Fazer progresso, progredir (alguma coisa): *Sua fama vai sempre em aumento.*
aura (*au*.ra) *sf.* **1** Suposta qualidade imaterial que cerca algumas pessoas: *Havia uma aura de bondade em torno dela.* **2** *Parap. Rel.* Substância etérea que alguns creem irradiar-se de todos os seres vivos, perceptível pelos clarividentes **3** Aragem, brisa **4** *Neur.* Conjunto de fenômenos e sensações subjetivas que precedem uma crise epiléptica ou histérica **5** *Psic.* Ambiente psicológico que envolve externamente um fato, ou um estado de espírito [F.: Do gr. *áura,* pelo lat. *aura.*] ∎ **~ epiléptica** *Neur.* A que denuncia ou avisa ataque epiléptico **~ popular** Popularidade, prestígio popular **~ vital** O alento
áureo (*áu*.re:o) *a.* **1** Ref. ao ouro; feito ou recoberto de ouro; DOURADO **2** Que tem a cor ou o brilho do ouro **3** *Fig.* Diz-se de época, tempo, período de grande desenvolvimento material, cultural, econômico etc.; de grande esplendor: *tempos áureos.* **4** Diz-se do ciclo de calendário lunar, com duração de 19 anos **5** Diz-se de razão entre duas grandezas igual ao número áureo [(raiz quadrada de 5 - 1)/ 2] [F.: Do lat. *aureus.*]
auréola (au.*ré*:o.la) *sf.* **1** Círculo dourado que envolve a cabeça de Jesus e dos santos nas imagens sacras **2** Qualquer clarão ou círculo luminoso em volta de um objeto etc.; HALO **3** *Astron.* Círculo luminoso que se observa em redor de alguns astros; HALO **4** *Fig.* Prestígio, fama positiva que cerca uma pessoa: *auréola de glória.* **5** *Geol.* Zona que envolve um mineral, resultante da reação de sua periferia com o magma onde se originou [F.: Do lat. *aureola,* dim. de *aurea.* Hom./Par.: *auréola* (sf.), *aureola* (fl. de *aureolar*); *auréola* (sf.), *aréola* (sf.).] ∎ **~ de contato** *Geol.* Terreno em volta de rochas eruptivas, em que estas, por intrusão, causaram metamorfoses
aureolado (au.re:o.*la*.do) *a.* **1** Cingido com auréola ou que tem auréola **2** *Fig.* Cheio de esplendor e glória, celestiais ou terrenos **3** Envolvido por mancha circular (mamilo aureolado): *Aquele soco deixou-lhe um olho aureolado e roxo.* [F.: Part. de *aureolar.*]
aureolar (au.re.o.*lar*) *v. td.* **1** Rodear com auréola; coroar: *Aureolar uma rainha; O rei aureolou-se.* **2** Cingir como se fosse com auréola: *Uma espécie de turbante aureolava sua cabeça.* **3** Abrilhantar, glorificar: *Seu último ato aureolou uma carreira de atos heroicos.* [▶ 1 aureolar] [F.: *auréola* + *-ar*[2]. Hom./Par.: *aureolar(s)* (fl.), *auréola* (sf. e pl.).]
⊕ **au revoir** (*Fr. /ô revuar/*) *loc. subst.* Até a vista, até logo
aurícula (au.*rí*.cu.la) *sf.* **1** *Anat.* Parte externa da orelha; o pavilhão auditivo **2** *Anat.* Cada uma das cavidades superiores do coração, que recebem o sangue trazido pelas veias cava ou pulmonar [Nesta acp., tb. *átrio.*] **3** *Anat.* Qualquer cavidade que dá acesso a um órgão do corpo ou, num mesmo órgão, a cavidade adjacente **4** *Bot.* Apêndice laminar presente na base ou no pecíolo de certas folhas **5** *Bot.* Planta da fam. das primuláceas (*Primula auricula*), encontrada na Europa e na Ásia, tb. conhecida como *orelha-de-urso* **6** *Zool.* Tufo de penas que cobre, exteriormente, os órgãos auditivos de algumas aves de rapina [F.: Do lat. *auricula,* dim. de *auris.*]
auricular (au.ri.cu.*lar*) *a2g.* **1** *Anat.* Ref. a aurícula ou orelha (pavilhão auricular) **2** Ref. às aurículas (átrios) do coração [Pela nova nomenclatura anatômica, *atrial.*] **3** *P. ext.* Com formato de aurícula, ou orelha, ou semelhante a ela **4** Diz-se de testemunha que depõe sobre algo de que só tomou conhecimento por ouvir dizer (testemunha auricular) **5** Diz-se daquilo que é dito ou sussurrado junto à orelha do ouvinte (confissão auricular) **6** Diz-se do dedo mínimo *sm.* **7** O dedo mínimo **8** *Telc.* Parte de um aparelho de escuta (como um telefone) que transforma ondas elétricas em vibrações sonoras e que se usa junto à orelha; auscultador [F.: Do lat. *auricularis, e.*]
◎ **auricul(i)-** *el. comp.* = 'orelha'; 'aurícula': *auriculífero, auriculiforme, auriculoso* (< lat.), *auriculoventricular* [F.: Do lat. *auricula, ae,* dim. de *auris, is,* 'orelha', ver *auri(i)-*[2].]
auriculiforme (au.ri.cu.li.*for*.me) *a.* Que tem formato de uma aurícula, ou pequena orelha [F.: *auricul(a)* + *-i-* + *-forme.*]
◎ **auriculo-** *el. comp.* Ver *auricul(i)-*
aurífero (au.*rí*.fe.ro) *a.* Que contém ouro, ou que o produz (reservas auríferas) [F.: Do lat. *aurifer, era, erum,* pelo *fr. aurifère.*]
aurifulgente (au.ri.ful.*gen*.te) *a2g.* Que fulge, brilha, reluz como o ouro; AURIFÚLGIDO [F.: *aur(i/o)-* + *fulgente.*]
◎ **aur(i/o)-** *el. comp.* = 'ouro'; 'cor de ouro'; 'dourado': *auriazul, auribranco, auribrilhante, áurico, auricolor, auricomo* (< lat.), *auricórneo, auricrinito, auridulce, aurífero* (< lat.), *aurificar, aurífice* (< lat.), *aurífico* (< lat.), *auriluzir, auripene, aurirrosado, aurirroxo, aurirrubro, auriverde, auroso* (< lat.); *aurogástreo, aurostibita* [F.: Do lat. *aurum, i,* 'ouro'.]
auriverde (au.ri.*ver*.de) *a2g.* **1** Que é verde e dourado **2** Que é verde e amarelo (bandeira auriverde) [F.: *aur(i/o)-* + *verde.*]

aurora (au.*ro*.ra) [ó] *sf.* 1 Período que antecede o nascer do Sol 2 Luminosidade que se observa no horizonte durante esse período 3 *Fig.* Os primeiro anos da vida; a infância, a juventude: "Que saudade que tenho | Da aurora de minha vida | De minha infância querida..." (Casimiro de Abreu, *Meus oito anos*) 4 *Fig.* A primeira manifestação (de algo); APARECIMENTO; COMEÇO: *aurora do novo milênio.* 5 *Poét.* Conjunto dos países situados a leste da Europa; o Oriente 6 *Poét.* Cor branca rósea; ROSICLER 7 *Bot.* Nome comum a duas spp. da fam. das esterculiáceas, um arbusto africano (*Dombeya mollis*) e uma árvore pequena nativa de Madagascar (*Dombeya wallichii*), muito cultivadas em jardins por suas inflorescências globosas e grandes 8 *Bot.* Arbusto da fam. das malváceas (*Hibiscus mutabilis*), de flores vistosas cuja coloração se alterna, no decorrer do dia, entre o vermelho e o branco; tb. conhecido como *rosa-louca* [F.: Do lat. *aurora.*] ■ **~ austral** *Geof.* Aurora polar em latitudes próximas ao polo sul **~ boreal** *Geof.* Aurora polar em latitudes próximas ao polo norte **~ polar** *Geof.* Fenômeno que ocorre em regiões de alta latitude (próximas aos polos) da Terra, devido ao choque de partículas oriundas do Sol – que se movem para os polos magnéticos – com partículas da atmosfera. Manifesta-se na forma de camadas, faixas e arcos brilhantes e coloridos

ausculta (aus.*cul*.ta) *sf.* 1 Ação ou resultado de auscultar; AUSCULTAÇÃO 2 *Med.* Prospecção se sintomas clínicos baseada na escuta dos ruídos internos do organismo, ger. os dos batimentos cardíacos e os respiratórios, com ou sem o auxílio de instrumentos (ausculta torácica) [F.: Dev. de *auscultar.*]

auscultação (aus.cul.ta.*ção*) *sf.* O mesmo que *ausculta* [Pl.: *-ções.*] [F.: Do lat. *auscultatio, onis,* pelo fr. *auscultation.*]

auscultador (aus.cul.ta.*dor*) [ô] *a.* 1 Que ausculta ou serve para auscultar *sm.* 2 Aquele ou aquilo que ausculta ou que serve para auscultar 3 *Med.* Ver *estetoscópio* 4 *Telc.* Dispositivo, no telefone, que converte impulsos elétricos em ondas sonoras 5 *P. ext. Telc.* Peça do telefone que contém auscultador (4) e microfone, e que se leva junto à cabeça, aquele junto a uma orelha, este junto à boca 6 *Lus. Eletrôn.* O mesmo que *audiofone*; fone de ouvido [F.: *auscultar + -dor.*]

auscultar (aus.cul.*tar*) *v. td.* 1 *Med.* Ouvir os sons produzidos por (órgão no interior do corpo do paciente), encostando no corpo a orelha ou aparelho (ger. estetoscópio): *O médico auscultou-lhe os pulmões.* 2 Fazer ausculta de (doente, paciente): *Bastou-lhe auscultar o paciente para chegar ao diagnóstico.* 3 *Fig.* Ouvir (pessoas) para sondar-lhes a opinião sobre algo; SONDAR; ESCUTAR: *Antes de decidir, auscultava a opinião pública.* [▶ 1 auscultar] [F.: Do lat. *auscultare,* pelo fr. *ausculter.*]

ausência (au.*sên*.ci:a) *sf.* 1 Não comparecimento a algum lugar: *Registrou na caderneta a ausência do aluno.* [+ *a,* em: *Ninguém notou sua ausência à / na reunião.* Ant.: *comparecimento, presença.*] 2 Condição, estado de ausente: *Era tal sua liderança que, mesmo em sua ausência, influía no ânimo da equipe.* 3 Falta, carência, inexistência: *A ausência de proteínas compromete o crescimento da criança.* [Ant.: *existência, presença.*] 4 *Jur.* Desaparecimento, sumiço de alguém de seu domicílio habitual, reconhecido como situação jurídica 5 Afastamento de algum lugar ou de alguma atividade: *A ausência do artilheiro enfraqueceu o time.* 6 Período de tempo desse afastamento: *Após longa ausência, reapareceu.* 7 *Psiq.* Falha da memória ou do raciocínio 8 *Psiq.* Perda temporária de consciência [F.: Do lat. *absentia, ae.* Ant. ger.: *presença.*] ■ **~ de gravidade** *Astron.* Fenômeno que ocorre em pontos do espaço afastados de massas de corpos celestes, e, portanto, da ação de suas gravidades, fazendo com que os corpos nesses pontos não tenham peso **Fazer boa/má ~ de** Falar bem/mal de (alguém ausente)

ausentar-se (au.sen.*tar*-se) *v.* 1 Afastar-se, deixar um lugar qualquer; arredar-se [*ta.*: *O criminoso ausentou-se da região.*] [*int.*: *Preciso ausentar-me por alguns minutos.*] 2 Ir-se, retirar-se [*int.*: *Ditas estas palavras, ausentou-se.*] 3 Não estar presente em (algum lugar); não comparecer [*int.*: *Se alguém se ausentar, nosso time vai jogar desfalcado.*] 4 Deixar de se manifestar; desaparecer [*int.*: *Sua constante calma ausentou-se naquele momento.*] 5 Afastar-se de um cargo [*int.*: *Se o diretor ausentar-se, o vice assume em seu lugar.*] 6 Deixar de tomar parte em [*tr.* + *de*: *Os pais não devem ausentar-se de sua responsabilidade.*] [▶ 1 ausentar-se] [F.: Do lat. tard. *absentare + se*[1].]

ausente (au.*sen*.te) *a2g.* 1 Que não está presente, que não compareceu em algum lugar, em algum evento etc.: *Em seu discurso mencionou pessoas presentes e ausentes.* 2 Que está afastado do lugar em que mora, ou que frequenta, ou onde trabalha ou estuda etc.: *Tinha saudades do irmão ausente há tanto tempo.* 3 Que não se relaciona ativamente; DISTANTE: *Sempre foi um pai ausente.* 4 *Psi.* Diz-se de quem apresenta lapso de memória, ou de quem não se liga no que está acontecendo; DISTRAÍDO: *Não me respondeu, estava ausente.* 5 *Jur.* Diz-se de quem é jurídica e oficialmente reconhecido como desaparecido *s2g.* 6 Pessoa ausente (2): *Os ausentes serão eliminados do concurso.* [F.: Do lat. *absens, entis.*]

ausentismo (au.sen.*tis*.mo) *sm.* Ver *absentismo*

auspiciar (aus.pi.ci.*ar*) *v.* Fazer auspício ou prognóstico de (ger. algo bom, positivo) [*td.*: *Auspiciava melhores dias.*] [*tdi.* + *a*: *Auspiciou um casamento feliz aos noivos.*] [▶ 1 auspiciar] [F.: *auspício + -ar*[2]. Hom./Par.: *auspicio* (fl.), *auspício* (sm.).]

auspício (aus.*pí*.ci:o) *sm.* 1 *Antq.* O mesmo que *augúrio* (1); AUGÚRIO; PRESSÁGIO 2 *Fig.* Previsão, profecia, prenúncio de algo bom ou ruim [F.: Do lat. *auspicium, ii.* Hom./Par.: *auspício* (sm.), *auspicio* (fl. de *auspiciar*).] ■ **Sob os ~s de** Com o patrocínio de, com o apoio de

auspícios (aus.*pí*.ci:os) *smpl.* Apoio financeiro; PATROCÍNIO: *O evento teve os auspícios de uma grande empresa.* [Pl. de *auspício.*]

auspicioso (aus.pi.ci:*o*.so) [ô] *a.* Que parece de bom auspício; que é promissor, que suscita esperança de bons resultados: *Os resultados da pesquisa foram auspiciosos.* [Fem. e pl.: [ó].] [F.: *auspício + -oso.*]

austeridade (aus.te.ri.*da*.de) *sf.* Qualidade, caráter de austero [F.: Do lat. *austeritas, atis.*]

austero (aus.*te*.ro) [é] *a.* 1 Que é severo, rígido em costumes, opiniões ou caráter (pai austero) 2 Que é inflexível, sem concessões, digressões (disciplina austera) 3 Que é sóbrio e despojado (cores austeras, ambiente austero) 4 Que é circunspecto, grave, sombrio (fisionomia austera) 5 Ríspido, seco, áspero (voz austera; tom austero) 6 Diz-se do que é penoso, cruel, difícil de suportar: *A vida austera do retirante.* 7 Acre, acerbo, adstringente (sabor austero) [F.: Do gr. *austerós, á, ón,* pelo lat. *austerus, a, um.*]

austral (aus.*tral*) *a2g.* 1 Que se localiza no sul (ilhas austrais) 2 Que se origina do sul (tempestades austrais) 3 Que é do hemisfério sul ou próprio dele (polo austral) 4 Que é natural ou habitante do sul (população austral) [Pl.: *-trais.*] [F.: Do lat. *australis, e.* Hom./Par.: *astral.* Cf.: *boreal* e *setentrional.*]

australásio (aus.tra.*lá*.sio) *sm.* 1 Indivíduo nascido ou que vive na Australásia (Oceania) *a.* 2 De Australásia; típico dessa região ou de seu povo [F.: Do top. *Australásia.*]

australiano (aus.tra.li:*a*.no) *sm.* 1 Pessoa nascida ou que vive na Austrália 2 *Gloss.* Grupo de línguas aborígines faladas na Austrália *a.* 3 Da Austrália (Oceania); típico desse país ou de seu povo 4 Do ou ref. ao australiano (2) [F.: *Austrália + -ano*[1].]

australopiteco (aus.tra.lo.pi.*te*.co) [é] *Pal. sm.* Denominação comum de primatas da fam. dos hominídeos, gên. *Australopithecus,* bípedes e de postura ereta. Uma ou algumas de suas espécies são prov. antecessoras imediatas do gênero *Homo* [F.: Do lat. cient. *Australopithecus.*]

austríaco (aus.*trí*:a.co) *sm.* 1 Indivíduo nascido ou que vive na Áustria (Europa) *a.* 2 Da Áustria; típico desse país ou de seu povo [F.: Do top. *Áustria + -iaco.*]

austro-húngaro (aus.tro-*hún*.ga.ro) *sm.* 1 Indivíduo nascido ou que vivia no antigo império austro-húngaro (Europa) [Pl.: *austro-húngaros.*] *a.* 2 Do império austro-húngaro, típico desse país ou de seu povo [Pl.: *austro-húngaros.*]

autarcese (au.tar.*ce*.se) *Imun. Med. sf.* Resistência natural das células do organismo à infecção, sem intervenção de anticorpos [Cf.: *imunidade.*] [F.: *aut(o)*-[1] + gr. *arkein* 'afastar' + *-ese.*]

autarcesiologia (au.tar.ce.si:o.lo.*gi*:a) *Imun. sf.* Parte da imunologia que estuda a autarcese [F.: *autarcese + -o- + -logia.*]

autarcético (au.tar.*cé*.ti.co) *Imun. a.* Ref. a autarcese [F.: *autarcese + -ético.*]

autarquia (au.tar.*qui*.a) *sf.* 1 *Pol.* Sistema de governo baseado no poder absoluto de um indivíduo ou um grupo sobre a nação; AUTOCRACIA 2 *Pol.* Nação, país, estado etc. governado nesse sistema 3 *Pol.* Governo de unidade política (estado, província etc.) conduzido por seus cidadãos *sf.* 4 Entidade pública com autonomia administrativa, inclusive quanto a seu patrimônio e sua receita 5 *Econ.* Sistema econômico que visa a autossuficiência de um país e máxima independência possível em relação à economia de outros países 6 *Fil.* Na filosofia grega, estado de autossuficiência interna, de uma subjetividade satisfeita que prescinde de estímulos externos; AUTARCIA [F.: Do gr. *autárkeia,* pelo fr. *autarcie,* ou *autarchie.*]

autárquico (au.*tár*.qui.co) *a.* 1 Pertencente ou ref. a autarquia 2 Diz-se de instituição que mantém ou preserva sua autonomia [F.: *autarquia + -ico*[2].]

autemesia (au.te.me.*si*:a) *Med. sf.* Vômito sem causa orgânica perceptível, ou cuja causa é desconhecida; autoemesia [F.: *aut(o)*-[1] + *-emes(i)- + -ia*[1].]

autêntica (au.*tên*.ti.ca) *sf.* 1 Carta, certidão ou atestado aceitos como autênticos, verdadeiros 2 *Rel.* Certificado de reconhecimento eclesiástico da autenticidade de determinada relíquia 3 *Jur.* Documento legalmente reconhecido e autorizado como autêntico 4 *Jur.* Conjunto das novelas de Justiniano; cada uma dessas novelas [F.: Fem. subst. de *autêntico.*]

autenticação (au.ten.ti.ca.*ção*) *sf.* 1 Ação ou resultado de autenticar 2 Reconhecimento, por tabelião, da autenticidade de um documento [Pl.: *-ções.*] [F.: *autenticar + -ção.*]

autenticado (au.ten.ti.*ca*.do) *a.* 1 Que se autenticou 2 *Jur.* Cuja autenticidade foi reconhecida em cartório (assinatura autenticada) [F.: Part. de *autenticar.*]

autenticar (au.ten.ti.*car*) *v. td.* 1 Reconhecer (documento, obra etc.) como próprio, verdadeiro ou legítimo: *O perito autenticou o quadro.* 2 *Jur.* Tornar autêntico, certificar segundo as fórmulas legais; justificar, legalizar [▶ 11 autenticar] [F.: *autêntico + -ar*[2]. Hom./Par.: *autentico* (fl.), *autêntico* (a.); *autentica* (fl.), *autêntica* (fem. de *autêntico*).]

autenticidade (au.ten.ti.ci.*da*.de) *sf.* 1 Qualidade ou caráter do que é autêntico, do que não é falso, forjado, nem sofreu adulteração (autenticidade da gravação/mensagem/foto); FIDEDIGNIDADE; VERACIDADE: "Ainda não se pôde verificar a autenticidade da voz da fita." (*Folha Online,* 27.12.2004) 2 Espontaneidade, naturalidade, sinceridade: *A autenticidade da cantora no palco é extraordinária; Um ator negro dá mais autenticidade ao papel de Otelo.* 3 Qualidade de uma obra que realmente foi criada pelo autor a quem é atribuída; FIDEDIGNIDADE: *A autenticidade desse quadro foi contestada por especialistas.* 4 Caráter de ato ou documento que está conforme a lei; LEGITIMIDADE: *A autenticidade da decisão judicial é questionável.* [F.: *autêntico + -(i) dade.*]

autêntico (au.*tên*.ti.co) *a.* 1 Que é verdadeiro, legítimo, genuíno: *No Nordeste, visitamos um autêntico engenho de cana-de-açúcar* "Se aparecer uma irmã do Maia, legítima e autêntica..." (Eça de Queirós, *Os Maias*) [Ant.: *falso, ilegítimo.*] 2 Que não foi adulterado ou falsificado (gravação/cópia autêntica); GENUÍNO; LEGÍTIMO; LÍDIMO [Ant.: *adulterado, contrafeito, falsificado, falso, ilegítimo, inautêntico.*] 3 Que se mostra tal qual é, sem fingimento; espontâneo, natural, sincero, franco (pessoa autêntica, depoimento autêntico) [Ant.: *falso, forçado, fingido.*] 4 Diz-se de criação, obra de arte etc. que é realmente do autor ou da origem aos quais se atribui (cerâmica indígena autêntica: *Este quadro é um autêntico Portinari.* [Ant.: *apócrifo, falso, inautêntico.*] 5 *Jur.* Em que se pode confiar como legítimo, a que se pode dar fé; LÍDIMO 6 Que imita fielmente o original: *Para ser mais autêntico, o carnaval portenho também tem desfile das escolas de samba locais.* 7 Que serve ou pode servir de tipo (estilo autêntico); CARACTERÍSTICO; TÍPICO 8 Cuja assinatura foi reconhecida por tabelião (documento autêntico); AUTENTICADO 9 *Fil.* Para o filósofo alemão Martin Heidegger (1889-1976), situação em que se reconhece a existência como inevitavelmente destinada ao fim, um ser para a morte, e toda circunstancialidade humana é enxergada sob o prisma dessa conscientização [F.: Do gr. *authentikós, é, ón,* pelo lat. *authenticus, a, um.*]

autismo (au.*tis*.mo) *sm. Psiq.* Estado mental patológico que leva a pessoa a fechar-se em seu próprio mundo, alheando-se, em grande medida, do mundo exterior [Cf. *altismo.*] [F.: *aut(o)*-[1] + *-ismo.* Ou do al. *altismus,* pelo fr. *altisme.*]

autista (au.*tis*.ta) *a2g.* 1 Que sofre de autismo *s2g.* 2 Pessoa que sofre de autismo [F.: *autismo + -ista.* Hom./Par.: *autista*[1], *autista*[2].]

◎ **aut(o)-**[1] *el. comp.* = 'por ou de si mesmo'; 'próprio': *autismo, autocrítica, autoestima, autolimpante* [F.: Do gr. *autós, é, ó,* '(eu) mesmo; (tu) mesmo; (ele) mesmo'. Antes de *h* ou *o* usa-se com hífen.]

◎ **aut(o)-**[2] *el. comp.* = 'auto', 'automóvel': *autódromo, autoescola, autopista, autorama* (< *aut(o)*-[2] + *-orama*), *autorrádio, autossocorro, autossilo* [F.: F. red. de *automóvel,* do fr. *automobile.* Antes de *h* ou *o* usa-se com hífen.]

auto[1] (*au*.to) *sm.* 1 *Jur.* Registro escrito detalhado de diligência judicial ou administrativa, autenticado, e que serve como prova ou evidência da ocorrência *sm.* 2 Certo gênero dramático de cunho moral, místico ou satírico, com um só ato, originário da Idade Média: *Os autos de Gil Vicente.* 3 Representação dramática do ciclo natalino, com canções e danças (auto de Natal) 4 Solenidade ou ato público 5 *Jur.* Ato público por determinação legal ou ordem judicial [F.: Do lat. *actum, i.* Cf.: *alto.*]

auto[2] (*au*.to) *sm.* F. red. de *automóvel*

auto[3] (*au*.to) *sm. Bras.* Breve instante; MOMENTO; ÁTIMO [F.: De *átomo,* posv.]

autoabastecer-se (au.to.a.bas.te.*cer*-se) *v.* Abastecer a si mesmo; prover-se do necessário [*int.*: *Antes de viajar, autoabasteceu-se.*] [*tr.* + *com, de*: *O exército autoabasteceu-se com/de provisões.*] [▶ 33 autoabastecer-se] [F.: *aut (o)*-[1] + *abastecer + se*[1].]

autoabastecimento (au.to.a.bas.te.ci.*men*.to) *sm.* Ação ou resultado de autoabastecer-se, de prover a si mesmo do necessário [Pl.: *autoabastecimentos.*] [F.: *aut(o)*-[1] + *abastecimento.*]

autoabsolvição (au.to.ab.sol.vi.*ção*) *sf.* Ação ou resultado de absolver a si mesmo [Pl.: *autoabsolvições.*] [F.: *aut(o)*-[1] + *absolvição.*]

autoabsorver-se (au.to.ab.sor.*ver*-se) *v. int.* Estar absorto em pensamentos sobre si próprio, voltar toda a atenção para si [▶ 2 autoabsorver-se] [F.: *aut(o)*-[1] + *absorver-se.*]

autoaceitação (au.to.a.cei.ta.*ção*) *sf.* Ação ou resultado de aceitar a própria forma de ser, a própria personalidade, os próprios defeitos e qualidades etc. [Pl.: *autoaceitações.*] [F.: *aut(o)*-[1] + *aceitação.*]

autoadaptação (au.to.a.dap.ta.*ção*) *sf.* Ação ou resultado de adaptar a si mesmo a nova situação, condição, circunstância, realidade etc. [Pl.: *autoadaptações.*] [F.: *aut(o)*-[1] + *adaptação.*]

autoadesivo (au.to.a.de.*si*.vo) *a.* 1 Diz-se de material (etiqueta, pequeno cartaz etc.) que adere por si mesmo a uma superfície, por já conter substância aderente em uma das faces (etiqueta autoadesiva) *sm.* 2 Material autoadesivo (1) (ger. etiqueta de papel ou plástico com uma das faces impressas) [Pl.: *autoadesivos.*] [F.: *aut(o)*-[1] + *adesivo.*]

autoadministrável (au.to.ad.mi.nis.*trá*.vel) *a2g.* 1 Que pode administrar-se, gerenciar-se por si mesmo, que dispensa interferência externa 2 Que o próprio paciente pode administrar a si mesmo (diz-se de medicamento) [Pl.: *autoadministráveis.*] [F.: *aut(o)*-[1] + *administrável.*]

autoafirmação (au.to.a.fir.ma.*ção*) *sf.* Ação ou resultado de autoafirmar-se, de impor a própria vontade, opinião, identidade etc., ou de procurar demonstrar o próprio valor e competência às pessoas com quem se convive; AFIRMAÇÃO [Pl.: *autoafirmações.*] [F.: *aut(o)*-[1] + *afirmação.*]

autoafirmar-se (au.to.a.fir.*mar*-se) *v. int. Psic.* No meio em que (alguém) atua, fazer-se respeitar, impor-se, conferir autoridade à própria identidade, personalidade, maneira de ser etc. [▶ 1 autoafirm**ar**-se] [F.: *aut (o)*-[1] + *afirmar* + *se*[1].]
autoajuda (au.to.a.*ju*.da) *sf.* **1** Conjunto de informações e orientações que visam a possibilitar a alguém a superação de seus problemas emocionais e dificuldades de ordem prática, ou a conquista de objetivos específicos, por meio dos próprios recursos mentais e morais da pessoa **2** Processo de aprimoramento pessoal por meio dos próprios recursos mentais e morais, orientado ou não por profissionais ou por livros especializados **3** *Edit.* Gênero de livro cujo tema se concentra em orientar o leitor para a autoajuda (2) **4** *P. ext.* O próprio ato de autoajuda (2) [Pl.: *autoajudas.*] [F.: *aut(o)*-[1] + *ajuda.*]
autoajustável (au.to.a.jus.*tá*.vel) ***a2g.*** Que se ajusta ou que pode ajustar-se por si mesmo, sem interferência externa: *Freios autoajustáveis à medida que se desgastam.* [Pl.: *autoajustáveis.*] [F.: *aut(o)* -[1] + *ajustável.*]
autoalarme (au.to.a.*lar*.me) ***sm.*** Alarme utilizado em automóveis [Pl.: *autoalarmes.*] [F.: *aut(o)* -[2] + *alarme.*]
autoanálise (au.to.a.*ná*.li.se) *sf.* **1** Processo introspectivo no qual alguém busca, sozinho, a compreensão de si mesmo, sua personalidade, suas emoções, seus problemas, seu comportamento etc. **2** *Psic.* Psicanálise de si mesmo com método e recursos psicanalíticos, sem interferência de psicanalista [Pl.: *autoanálises.*] [F.: *aut(o)* -[1] + *análise.*]
autoanticorpo (au.to.an.ti.*cor*.po) *Pat.* ***sm.*** Anticorpo criado por um autoantígeno e que ataca os antígenos do organismo que o produz [Pl.: *autoanticorpos* [ó].] [F.: *aut(o)*-[1] + *anticorpo.*]
autoantígeno (au.to.an.*ti*.ge.no) *Imun.* ***sm.*** Anticorpo que provoca no organismo a que pertence a formação de autoanticorpo, ou seja, de anticorpo que vai combatê-lo como se fosse um agente infeccioso, e não um anticorpo ele mesmo [Indica distúrbio do sistema imunológico.] [Pl.: *autoantígenos.*] [F.: *aut(o)* -[1] + *antígeno.*]
autoaperfeiçoamento (au.to.a.per.fei.ço:a.*men*.to) ***sm.*** Ação, resultado ou processo de aperfeiçoar a si mesmo [Pl.: *autoaperfeiçoamentos.*] [F.: *aut(o)*-[1] + *aperfeiçoamento.*]
autoaperfeiçoar-se (au.to.a.per.fei.ço.*ar*-se) ***v. int.*** Aperfeiçoar a si mesmo: *Aceitou fazer estágio não remunerado para autoaperfeiçoar-se.* [▶ **16** autoaperfeiço**ar**-se] [F.: *aut(o)*-[1] + *aperfeiçoar* + *se*[1].]
autoaplicar-se (au.to.a.pli.*car*-se) ***v. td.*** Aplicar (algo) em si mesmo: *autoaplicar-se uma injeção.* [▶ **11** autoaplic**ar**-se] [F.: *aut(o)*-[1] + *aplicar* + *se*[1].]
autoaplicável (au.to.a.pli.*cá*.vel) ***a2g.*** Que se aplica ou que se pode aplicar por si mesmo: *A diretoria adotou medidas autoaplicáveis, que carecem de autorização suplementar.* [Pl.: *autoaplicáveis.*] [F.: *aut(o)*-[1] + *aplicável.*]
autoapreço (au.to.a.*pre*.ço) [ê] ***sm.*** Apreço por si mesmo; AUTOESTIMA [Pl.: *autoapreços.*] [F.: *aut(o)*-[1] + *apreço.*]
autoaprendizado (au.to.a.pren.di.*za*.do) ***sm.*** Aprendizado sem mestre, no qual o aprendiz aprende sozinho, consigo mesmo e com a própria experiência; AUTOAPRENDIZAGEM [Pl.: *autoaprendizados.*] [F.: *aut(o)*-[1] + *aprendizado.*]
autoaprendizagem (au.to.a.pren.di.*za*.gem) *sf.* O mesmo que *autoaprendizado* [Pl.: *autoaprendizagens.*] [F.: *aut(o)*-[1] + *aprendizagem.*]
autoapresentar-se (au.to.a.pre.sen.*tar*-se) ***v.*** Apresentar a si mesmo, sem intermediação de outrem [***int.:*** *Subiu ao palco e autoapresentou-se.*] [***tp.:*** *Autoapresentou-se como gerente do estabelecimento.*] [***ti.*** + *a, para*: *Autoapresentou-se aos convidados que não conhecia.*] [▶ 1 autoapresent**ar**-se] [F.: *aut (o)*-[1] + *apresentar* + *se*[1].]
autoaprimoramento (au.to.a.pri.mo.ra.*men*.to) ***sm.*** Aprimoramento de si mesmo [Pl.: *autoaprimoramentos.*] [F.: *aut(o)*-[1] + *aprimoramento.*]
autoaprovação (au.to.a.pro.va.*ção*) *sf.* Aprovação de si mesmo, dos próprios atos, comportamento, decisões, caráter etc. [F.: *aut(o)*-[1] + *aprovação.*]
autoativação (au.to.a.ti.va.*ção*) *sf.* Ação ou capacidade (de um dispositivo, uma máquina etc.) de ativar a si mesmo, automaticamente, em determinadas situações [Pl.: *autoativações.*] [F.: *aut(o)*-[1] + *ativação.*]
autoatribuição (au.to.a.tri.bu.i.*ção*) *sf.* Ação de atribuir a si mesmo (qualidade, característica, prerrogativa, tarefa etc.): *A diretora exagerou na autoatribuição de direitos e prerrogativas.* [Pl.: *autoatribuições.*] [F.: *aut(o)*-[1] + *atribuição.*]
autoavaliação (au.to.a.va.li:a.*ção*) *sf.* Avaliação que alguém faz de si mesmo [Pl.: *autoavaliações.*] [F.: *aut(o)*-[1] + *avaliação.*]
autobanimento (au.to-ba.ni.*men*.to) ***sm.*** Ação ou resultado de banir a si próprio (de um país, região, agremiação etc.) [F.: *aut(o)*-[1] + *banimento.*]
autobeneficiar-se (au.to.be.ne.fi.ci.*ar*-se) ***v.*** Conceder benefício a si próprio [***int.:*** *Naquelas nomeações, o deputado autobeneficiou-se.*] [***tr.*** + *com, de*: "... o legislador... quis que sua fixação ocorresse de forma impessoal, evitando que (...) o Prefeito Municipal possa autobeneficiar-se de valores exorbitantes." (*Tribunal de Justiça do Rio Grande do Sul*, 30.08.2002)] [▶ 1 autobenefici**ar**-se] [F.: *aut(o)*-[1] + *beneficiar* + *se*[1].]
autobiografado (au.to.bi:o.gra.*fa*.do) ***a.*** **1** Diz-se de quem foi biografado por ele mesmo ***sm.*** **2** Aquele que foi biografado por ele mesmo [F.: *aut(o)*-[1] + *biografado.*]
autobiografar-se (au.to.bi:o.gra.*far*-se) ***v. int.*** Escrever sua autobiografia [▶ 1 autobiograf**ar**-se] [F.: *aut(o)*-[1] + *biografar* + *se*[1].]
autobiografia (au.to.bi:o.gra.*fi*.a) *sf.* Biografia de alguém contada ou escrita por ele mesmo, em forma de memória, ou narrativa, ou romance etc. [F.: *aut(o)*-[1] + *biografia.*]
autobiográfico (au.to.bi:o.*grá*.fi.co) ***a.*** De ou ref. a autobiografia (livro/filme autobiográfico) [F.: *autobiografia* + *-ico*[2].]
autobiógrafo (au.to.bi:*ó*.gra.fo) ***sm.*** Autor de sua própria biografia [F.: *aut(o)*-[1] + *biógrafo.*]
autoblocante (au.to.blo.*can*.te) ***a2g.*** **1** *Mec.* Diz-se de sistema ou dispositivo mecânico que trava seu movimento por si mesmo em certas situações (ger. como medida de segurança) **2** *Mec.* Diz-se de diferencial dotado de sistema autoblocante (1), que bloqueia a transmissão de movimento a uma roda motriz que esteja patinando, para transferi-lo a outra ***sm.*** **3** Sistema ou dispositivo autoblocante (1); diferencial autoblocante [F.: *aut(o)*-[1] + *bloqu(ear)* + *-nte.*]
autobronzeador (au.to.bron.ze.*a*.dor) [ô] ***a.*** **1** Diz-se de loção que, por si mesma, é capaz de bronzear a pele, mesmo sem a incidência de raios solares ou sucedâneo ***sm.*** **2** Esta loção [F.: *aut(o)*-[1] + *bronzeador.*]
autocanibalização (au.to.ca.ni.ba.li.za.*ção*) *sf.* Ação ou resultado de canibalizar a si mesmo, de desmontar seus próprios componentes ou recursos (empresa, indústria, estabelecimento etc.) para reaproveitá-los de outra maneira [Pl.: *-ções.*] [F.: *aut(o)*-[1] + *canibalização.*]
autocapacitação (au.to.ca.pa.ci.ta.*ção*) *sf.* Ação ou resultado de capacitar a si mesmo, de fazer-se apto ou equipado (de conhecimentos, recursos, condições etc.) para determinado fim [Pl.: *-ções.*] [F.: *aut(o)*-[1] + *capacitação.*]
autocastração (au.to.cas.tra.*ção*) *sf.* Castração de si próprio (tb. *Fig.*) [Pl.: *-ções.*] [F.: *aut(o)*-[1] + *castração.*]
autocensura (au.to.cen.*su*.ra) *sf.* Exercício de censura, repressão, contenção, controle censório dos próprios atos, manifestações, escritos, pronunciamentos, obras etc. [F.: *aut(o)*-[1] + *censura.*]
autocensurar-se (au.to.cen.su.*rar*-se) ***v. int.*** Exercer autocensura; controlar, reprimir, condicionar os próprios atos, formas de expressão, criação etc.: "São os produtores de cultura que, tendo assegurada a liberdade de publicar ou não publicar itens que possam ser lidos como blasfêmia, estão sendo pressionados a autocensurar-se..." (Vinícius Mota, *Folha Online*, 12.02.2006) [▶ 1 autocensur**ar**-se] [F.: *aut(o)*-[1] + *censurar* + *se*[1].]
autocentrado (au.to.cen.*tra*.do) ***a.*** **1** Que se baseia nos próprios recursos, sem contar com ajuda externa ***a.*** **2** Que se centra em si mesmo, só considera os próprios desejos, conflitos, carências etc. [F.: *aut(o)*-[1] + *centrado.*]
autoclavar (au.to.cla.*var*) ***v.*** Desinfetar a cada uso ou esterilizar em autoclaves [***td.:*** *O dentista autoclavou os instrumentos.*] [▶ 1 autoclav**ar**] [F.: *autoclave* + *-ar*[2].]
autoclave (au.to.*cla*.ve) *sf.* **1** Aparelho que consiste em recipiente hermeticamente fechado em que se aquece líquido, obtendo-se altas temperatura e pressão, indutores de reações químicas **2** Aparelho desse tipo us. para esterilizar instrumentos por meio de vapor de água sob pressão [F.: *aut(o)*-[1] + *clave* (lat.).]
autoclichê (au.to.cli.*chê*) ***sm.*** Representação estereotipada, clichê de si mesmo: *Era um canastrão repetitivo, que se perdia em autoclichês* [F.: *aut(o)*-[1] + *clichê.*]
autocobrança (au.to.co.*bran*.ça) *sf.* Cobrança ou exigência que se faz a si mesmo: *Antes de cobrar dos subordinados impunha-se uma autocobrança.* [F.: *aut(o)*-[1] + *cobrança.*]
autocolágeno (au.to.co.*lá*.ge.no) ***sm.*** *Med.* Colágeno que se obtém a partir da centrifugação da gordura do próprio paciente [F.: *aut(o)*-[1] + *colágeno.*]
autocomiseração (au.to.co.mi.se.ra.*ção*) *sf.* Comiseração por si mesmo; AUTOPIEDADE [Pl.: *-ções.*] [F.: *aut(o)*-[1] + *comiseração.*]
autocomiserativo (au.to.co.mi.se.ra.ti.vo) ***a.*** Que revela autocomiseração, que dela resulta (lamento autocomiserativo) [F.: *aut(o)*-[1] + *comiserativo.*]
autocompaixão (au.to.com.pai.*xão*) *sf.* Compaixão por si mesmo; AUTOPIEDADE [Pl.: *-xões.*] [F.: *aut(o)*-[1] + *compaixão.*]
autocompatível (au.to.com.pa.*tí*.vel) ***a2g.*** *Bot.* Diz-se de planta que pode se fecundar com o próprio pólen [F.: *aut(o)*-[1] + *compatível.*]
autocomplacência (au.to.com.pla.*cên*.ci:a) *sf.* **1** Ação de comprazer, de beneficiar, de gratificar a si mesmo **2** Inclinação a ser complacente, transigente consigo mesmo [F.: *aut(o)*-[1] + *complacência.*]
autocomplacente (au.to.com.pla.*cen*.te) ***a2g.*** Que é complacente, condescendente, transigente consigo mesmo [F.: *aut(o)*-[1] + *complacente.*]
autocomposição (au.to.com.po.si.*ção*) *sf. Jur.* Modo de solucionar conflitos em que as partes compõem-se num acordo, sem a intervenção da Justiça [Pl.: *-ções.*] [F.: *aut(o)*-[1] + *composição.*]
autocompreensão (au.to.com.pre:en.*são*) *sf.* Compreensão dos próprios problemas e motivações, do próprio comportamento e de suas consequências [Pl.: *-sões.*] [F.: *aut(o)*-[1] + *compreensão.*]
autoconceder-se (au.to.con.ce.*der*-se) ***v. td.*** Conceder a si mesmo (algo); fazer concessão a si mesmo: *O diretor autoconcedeu-se um aumento salarial.* [▶ 1 autoconced**er**-se] [F.: *auto*-[1] + *conceder* + *se*[1].]
autoconcessão (au.to.con.ces.*são*) *sf.* Concessão que se faz a si próprio [F.: *aut(o)*-[1] + *concessão.*]
autocondenação (au.to.con.de.na.*ção*) *sf.* Condenação, reprimenda, crítica que se faz a si mesmo [Pl.: *-ções.*] [F.: *aut(o)*-[1] + *condenação.*]
autoconferido (au.to.con.fe.*ri*.do) ***a.*** Que foi conferido a si mesmo: *Apregoava seu autoconferido título de "Rei do samba".* [F.: *aut(o)*-[1] + *conferido.*]
autoconferir-se (au.to.con.fe.*rir*-se) ***v. td.*** Conferir, outorgar (algo) a si mesmo [***tdi.:*** *Autoconferiu-se um título de campeão.*: "... o discurso dos setores dominantes..., é capaz de autoconferir-se positividade..." (Eloísa Pereira Barroso, "Artigo I", *in Brasília: a cidade entre o mito e a razão*)] [▶ **50** autoconfer**ir**-se] [F.: *aut (o)*-[1] + *conferir* + *se*[1].]
autoconfiança (au.to.con.fi:*an*.ça) *sf.* Confiança em si mesmo [F.: *aut(o)*-[1] + *confiança.*]
autoconfiante (au.to.con.fi:*an*.te) ***a2g.*** Que tem confiança em si mesmo; que revela segurança em suas opiniões e ações [F.: *aut (o)*-[1] + *confiante.*]
autoconfinamento (au.to.con.fi.na.*men*.to) ***sm.*** Confinamento ou reclusão que alguém impõe a si mesmo [F.: *aut(o)*-[1] + *confinamento.*]
autoconhecimento (au.to.co.nhe.ci.*men*.to) ***sm.*** Conhecimento que se tem de si mesmo, dos próprios defeitos e qualidades, caráter, gostos e tendências, opiniões, limites etc. [F.: *aut(o)*-[1] + *conhecimento.*]
autoconsagração (au.to.con.sa.gra.*ção*) *sf.* Consagração de si mesmo [F.: *aut(o)*-[1] + *consagração.*]
autoconsciência (au.to.cons.ci:*ên*.ci:a) *sf.* **1** Consciência, conhecimento que se tem de si mesmo, das próprias motivações, dos próprios conflitos interiores etc.; AUTOCONHECIMENTO **2** *Fil.* Para Kant, consciência do eu como agente do pensamento e do conhecimento da realidade **3** *P. ext. Fil.* Para Hegel, a consciência que o eu adquire de si mesmo quando se reconhece como agente da realidade externa, vista como seu próprio reflexo [F.: *aut(o)*-[1] + *consciência.*]
autoconscientização (au.to.cons.ci:en.ti.za.*ção*) *sf.* Conscientização de si próprio; processo de trazer à própria consciência o que ocorre no fundo do pensamento, do espírito etc. [F.: *aut(o)*-[1] + *conscientização.*]
autoconservação (au.to.con.ser.va.*ção*) *sf.* Conservação de si mesmo: *instinto de autoconservação.* [F.: *aut(o)*-[1] + *conservação.*]
autoconstrução (au.to.cons.tru.*ção*) *sf.* Construção de casa própria, ger. a baixo custo, levada a cabo pelo futuro usuário com seu próprio trabalho e seus próprios meios [Pl.: *-ções.*] [F.: *aut(o)*-[1] + *construção.*]
autoconstrutor (au.to.cons.*tru*.tor) [ô] ***a.*** **1** Que constrói sua própria casa ***sm.*** **2** Indivíduo autoconstrutor [F.: *aut(o)*-[1] + *construtor.*]
autoconsumo (au.to.con.*su*.mo) ***sm.*** *Econ.* Consumo (de produto, bem, mercadoria etc.) pelo próprio produtor (ger. produtor agrícola) [F.: *aut(o)*-[1] + *consumo.*]
autocontaminação (au.to.con.ta.mi.na.*ção*) *sf.* Contaminação por agentes produzidos por ou oriundos de si mesmo [F.: *aut(o)*-[1] + *contaminação.*]
autocontemplação (au.to.con.tem.pla.*ção*) *sf.* Contemplação, admiração, observação de si mesmo, das próprias qualidades, realizações, vontades etc.: *Passava horas diante do espelho, em autocontemplação.* [Ger. de cunho narcisista, egocentrista.] [F.: *aut(o)*-[1] + *contemplação.*]
autocontenção (au.to.con.ten.*ção*) *sf.* Contenção de si mesmo, de seus próprios impulsos, reações, tendências, vontades etc.; AUTOCONTROLE [Pl.: *-ções.* P. us. no pl.] [F.: *aut(o)*-[1] + *contenção.*]
autocontrole (au.to.con.*tro*.le) [ô] ***sm.*** Controle ou domínio sobre si mesmo; capacidade, e seu exercício, de manter equilíbrio emocional, contenção e comedimento [Ant.: *descontrole.*] [F.: *aut(o)*-[1] + *controle.*]
autoconvencimento (au.to.con.ven.ci.*men*.to) ***sm.*** Ação ou resultado de convencer a si mesmo (de algo) [F.: *aut(o)*-[1] + *convencimento.*]
autoconvocação (au.to.con.vo.ca.*ção*) *sf.* Convocação de si mesmo (ger. de uma comissão, junta, instituição, assembleia etc. para reunião, encontro, sessão etc.) [F.: *aut(o)*-[1] + *convocação.*]
autoconvocar-se (au.to.con.vo.*car*-se) ***v. int.*** Convocar a si mesmo (ger. comissão, junta, instituição, assembleia etc. para reunião, encontro, sessão etc.): "Congresso pode autoconvocar-se em julho" (Marcos Chagas) [▶ **11** autoconvoc**ar**-se] [F.: *aut(o)*-[1] + *convocar* + *se*[1].]
autocórico (au.to.*có*.*ri*.co) ***a.*** *Bot.* Diz-se de vegetal que dissemina seus frutos, sementes, esporos etc. por meios próprios (planta autocórica) [F.: *aut(o)*-[1] + *-coria*[1]- + *-ico*[2].]
autocoroar-se (au.to.co.ro.*ar*-se) ***v.*** Coroar a si mesmo [***int.:*** *Restaurou o monarquismo e autocoroou-se.*] [***tp.:*** *Napoleão autocoroou-se imperador.*] [▶ **16** autocoro**ar**-se] [F.: *aut(o)*-[1] + *coroar* + *se*[1].]
autocorreção (au.to.cor.re.*ção*) ***sm.*** **1** *Inf.* Correção automática de texto: *Muitos processadores de texto têm o recurso da autocorreção.* **2** Correção dos próprios erros e faltas, do próprio caráter e modo de agir etc. **3** *Ling.* Correção feita pelo próprio falante de erros cometidos em seu enunciado [Pl.: *-ções.*] [F.: *aut(o)*-[1] + *correção.*]
autocorrigir-se (au.to.cor.ri.*gir*-se) ***v. int.*** Corrigir ou emendar a si mesmo, seus erros, faltas, falhas de caráter etc.: *Reconheceu seus erros e autocorrigiu-se.* [▶ **46** autocorrig**ir**-se] [F.: *aut(o)*-[1] + *corrigir* + *se*[1].]
autocracia (au.to.cra.*ci*.a) *Pol. sf.* **1** Poder político ilimitado e absoluto **2** Governo exercido por uma só pessoa ou grupo, com tal poder **3** *P. ext. Pol.* País, estado, unidade política que tem essa forma de governo **4** *P. ext.* Poder absoluto e concentrado [F.: Do gr. *autokráteia, as*, prov. pelo fr. *autocracie.*]
autocrata (au.to.*cra*.ta) ***a2g.*** **1** *Pej.* Diz-se de governante que exerce seu poder de forma absoluta e independente

2 Diz-se de quem concentra em si o poder e o exerce arbitrária e tiranicamente ***s2g.*** **3** *Pej.* Aquele que tem poder e assim o exerce [Fem.: *autocratriz.*] [F.: Do gr. *autokratés* prov. pelo fr. *autocrate.* Tb. *autócrata.*]

autocrático (au.to.*crá*.ti.co) ***a.*** **1** Ref. a ou próprio de autocrata ou de autocracia (regime autocrático, sistema autocrático) [Ant.: *democrático.*] **2** Que é autoritário, despótico: *Realizou um governo autocrático, tirânico.* [F.: *autocrata* + *-ico*[2].]

autocratismo (au.to.cra.*tis*.mo) ***sm.*** Qualidade ou condição de autocrático, autoritário, despótico [F.: *autocrata* + *-ismo.*]

autocrítica (au.to.*crí*.ti.ca) ***sf.*** **1** Ação e resultado de autocriticar-se; crítica de si próprio ou das próprias ações, com reconhecimento dos próprios erros, defeitos e qualidades; AUTOANÁLISE: *A autocrítica dela foi uma aula de honestidade política.* **2** A capacidade e a disposição de fazer essa crítica: *Ele tem autocrítica, por isso está sempre se aprimorando.* [F.: *aut(o)-*[1] + *crítica.*]

autocriticar-se (au.to.cri.ti.*car*-se) ***v. int.*** Fazer autocrítica, criticar a si mesmo: *O candidato autocriticou-se pelos maus resultados.* [▶ **11** autocriticar-se] [F.: *aut(o)-*[1] + *criticar* + *se*[1].]

autocrítico (au.to.*crí*.ti.co) ***a.*** Que faz ou que expressa autocrítica: *Apresentou um relatório contundente e autocrítico da sua gestão.* [F.: *aut(o)-*[1] + *-crítico.*]

autocromo (au.to.*cro*.mo) ***sm.*** *Fot.* Chapa fotográfica que reproduz com exatidão as cores do original (mediante processo chamado *autocromia*) [F.: *aut(o)-*[1] + *cromo.*]

autocruciante (au.to.cru.ci:*an*.te) ***a2g.*** Que inflige sofrimento, aflição a si mesmo (lembrança autocruciante) [F.: *aut(o)-*[1] + *cruciante.*]

autóctone (au.*tóc*.to.ne) ***a2g.*** **1** Que é natural da região onde habita ou se encontra (povo autóctone, flora autóctone); ABORÍGINE; INDÍGENA [P. opos. a *alóctone.*] **2** *Geol.* Diz-se de rocha formada por elementos originados no próprio local de sua formação [P. opos. a *alóctone.*] **3** *Med.* Que se formou no lugar em que é detectado (tumor autóctone) **4** *Ling.* Diz-se da língua que primeiramente se forma e é falada numa região, num país etc. ***s2g.*** **5** Habitante nativo de uma região; ABORÍGINE; INDÍGENA [F.: Do gr. *authóchton, on*, pelo lat. *autochthon, onis.*]

autoctonia (au.toc.to.*ni*:a) ***sf.*** Condição ou caráter de autóctone; AUTOCTONISMO [F.: *autóctone* + *-ia*[1].]

autoctonismo (au.toc.to.*nis*.mo) ***sm.*** O mesmo que *autoctonia* [F.: *autóctone* + *-ismo.*]

autocura (au.to.*cu*.ra) ***sf.*** Ação ou resultado de alguém curar a si mesmo; cura de si mesmo [F.: *aut(o)-*[1] + *cura.*]

autocurar-se (au.to.cu.*rar*-se) ***v. int.*** Curar a si mesmo: *Um organismo bem-cuidado é capaz de autocurar-se.* [▶ **1** autocurar-se] [F.: *aut(o)-*[1] + *curar* + *se*[1].]

autocustear (au.to.cus.te.*ar*) ***v.*** **1** Custear as despesas consigo mesmo; prover o custeio do próprio sustento [***int.:*** *Desempregado, não tinha condição de autocustear-se.*] **2** Custear as próprias despesas com (algo) [***td.:*** *O ministério resolveu autocustear os hospitais que construía.*] [▶ **13** autocustear] [F.: *aut(o)-*[1] + *custear.*]

autocusteio (au.to.cus.*te*.i.o.) ***sm.*** Custeio de suas próprias despesas: *Começadas as vendas, o projeto previa o autocusteio da produção.* [F.: *aut(o)-*[1] + *custeio.*]

autodecifrar-se (au.to.de.ci.*frar*-se) ***v. int.*** Decifrar ou entender a si mesmo, os próprios mistérios e enigmas, as complexidades do próprio caráter, comportamento etc. [▶ **1** autodecifrar-se] [F.: *aut(o)-*[1] + *decifrar* + *se*[1].]

autodeclarar-se (au.to.de.cla.*rar*-se) ***v. tp.*** Fazer declaração ou qualificação pública de si mesmo (como): *autodeclarar-se culpado de um crime; O louco se autodeclara imperador.* [▶ **1** autodeclarar-se] [F.: *auto(o)-*[1] + *declarar* + *-se*[1].]

auto de fé (au.to de *fé*) ***sm.*** **1** *Hist. Rel.* Solenidade celebrada pelo Tribunal da Inquisição, na qual compareciam os penitenciados do Santo Ofício e onde tinham proclamadas suas sentenças e eram executados: os arrependidos por estrangulamento antes de serem queimados na fogueira; os hereges, queimados vivos **2** *P. ext.* Destruição por meio do fogo [Pl.: *autos de fé.*]

autodefender-se (au.to.de.fen.*der*-se) ***v.*** Defender a si mesmo [***int.:*** *Entrou na academia para aprender a autodefender-se.*] [***tr.*** + de: *O réu autodefendeu-se das acusações.*] [▶ **2** autodefender-se] [F.: *aut(o)-*[1] + *defender* + *se*[1].]

autodefensivo (au.to.de.fen.*si*.vo) ***a.*** **1** Que visa a defender ou que defende os próprios interesses (corporativismo autodefensivo) **2** Que visa a defender ou que defende, protege a si mesmo: *Ante o ataque iminente, adotou uma postura autodefensiva.* [F.: *aut(o)-*[1] + *defensivo.*]

autodefesa (au.to.de.*fe*.sa) [ê] ***sf.*** **1** Ação ou capacidade de defender-se contra uma agressão (física, militar, de agentes patogênicos etc.); conjunto de meios para isso **2** *Jur.* Defesa de um direito feita pelo próprio titular desse direito **3** *Imun. Med.* Capacidade e ação de defender-se (alguém) de influências estranhas [F.: *aut(o)-*[1] + *defesa.*]

autodefinição (au.to.de.fi.ni.*ção*) ***sf.*** Ação ou resultado de definir a si mesmo; definição de si mesmo: *Sua autodefinição não primava pela modéstia.* [F.: *aut(o)-*[1] + *definição.*]

autodefinir-se (au.to.de.fi.*nir*-se) ***v.*** Definir a si mesmo, seu próprio caráter ou suas características, suas opiniões ou posturas quanto a algo etc. [***int.:*** *O jovem tem dificuldade para autodefinir-se.*] [***tp.:*** *Ela autodefiniu-se como independente.*] [▶ **3** autodefinir-se] [F.: *aut(o)-*[1] + *definir* + *se*[1].]

autodegradante (au.to.de.gra.*dan*.te) ***a2g.*** Que degrada a si próprio (conduta autodegradante) [F.: *aut(o)-*[1] + *degradante.*]

autodelegar-se (au.to.de.le.*gar*-se) ***v. td.*** Delegar (poder, função, tarefa, prerrogativa etc.) a si mesmo: *O judiciário não pode autodelegar-se o que é da competência do legislativo.* [▶ **14** autodelegar-se] [F.: *aut(o)-*[1] + *delegar* + *se*[1].]

autodenominação (au.to.de.no.mi.na.*ção*) ***sf.*** Ação ou resultado de autodenominar-se; o nome, a denominação atribuída a si mesmo por quem se autodenomina [Pl.: *-ções.*] [F.: *aut(o)-*[1] + *denominação.*]

autodenominado (au.to.de.no.mi.*na*.do) ***a.*** Que se autodenominou: *O gaúcho José Joaquim de Campos Leão, autodenominado Corpo Santo, foi um dramaturgo do séc. XIX.* [F.: Part. de *autodenominar-se.*]

autodenominar-se (au.to.de.no.mi.*nar*-se) ***v.*** Denominar-se a si mesmo [***tp.:*** *Não são mais que vândalos, mas autodenominam-se 'revolucionários'*: "Não é à toa que 'as esquerdas' – como gostam de autodenominar-se – jogam, muitas vezes..." (Ubiratan Iório, "Outras Opiniões" in *Jornal do Brasil*)] [▶ **1** autodenominar-se] [F.: *aut(o)-*[1] + *denominar* + *se*[1].]

autodenunciar-se (au.to.de.nun.ci.*ar*-se) ***v.*** Denunciar a si mesmo [***int.:*** *O ladrão deixou pistas, e com isso autodenunciou-se.*] [***tp.:*** *Ao deixar escapar o termo, autodenunciou-se como racista*] [▶ **1** autodenunciar-se] [F.: *aut(o)-*[1] + *denunciar* + *se*[1].]

autodepreciação (au.to.de.pre.ci:a.*ção*) ***sf.*** Desvalorização que uma pessoa faz de sua própria imagem, qualidade, capacidade etc.: "Ogden, 27, nota que a discrepância entre a ideia de corpo ideal vendida pela publicidade e o corpo que cada mulher observa diariamente diante do espelho provoca um estranho fenômeno de autodepreciação..." (*Folha de S.Paulo*, 30.01.1994) [Pl.: *-ções.*] [F.: *aut(o)-*[1] + *depreciação.*]

autodepreciativo (au.to.de.pre.ci:a.*ti*.vo) ***a.*** **1** Diz-se de quem rebaixa, desvaloriza, despreza a si mesmo: *Era um sujeito autodepreciativo.* **2** Que encerra, revela ou em que há autodepreciação; diz-se de ação, comportamento ou discurso etc. que deprecia aquele que o(s) tem ou apresenta (atitudes autodepreciativas; palavras autodepreciativas; processo autodepreciativo) [F.: *aut(o)-*[1] + *depreciativo.*]

autodepuração (au.to.de.pu.ra.*ção*) ***sf.*** **1** *Ecol.* Processo biológico de purificação e recuperação das características naturais que é iniciado pelo próprio corpo ou substância que recebeu uma carga poluidora (autodepuração de um lago; autodepuração do ar) **2** Processo no qual uma instituição, grupo, partido etc. procura recuperar a sua confiabilidade por meio de eliminação, por iniciativa própria, de membro(s) que não segue(m) os padrões éticos aceitos: "A PF não hesitou em cortar na própria carne, foi em cima de delegados e agentes e acabou fazendo um processo de autodepuração..." (*O Globo*, 15.03.2005) [Pl.: *-ções.*] [F.: *aut(o)-*[1] + *depuração.*]

autodesativação (au.to.de.sa.ti.va.*ção*) ***sf.*** *Arm.* Esgotamento irreversível de um componente de uma arma que a torna automaticamente inoperável: *Minas com mecanismos de autodesativação.* [Pl.: *-ções.*] [F.: *aut(o)-*[1] + *desativação.*]

autodescoberta (au.to.des.co.*ber*.ta) ***sf.*** Descoberta de si mesmo (ger. ref. aos próprios valores, características, qualidades etc.): "...professores desmotivados e despreparados, que não sabem colocar um aluno carente na pista da autodescoberta e da promoção pessoal..." (*O Globo*, 10.02.2006) [F.: *aut(o)-*[1] + *descoberta.*]

autodescrever-se (au.to.des.cre.*ver*-se) ***v.*** Descrever a si mesmo [***int.:*** *Autodescreveu-se no romance.*] [***tp.:*** *Autodescreveu-se como uma boa aluna.*] [▶ **2** autodescrever-se] [F.: *aut (o)-*[1] + *descrever* + *se*[1].]

autodesenvolvimento (au.to.de.sen.vol.vi.*men*.to) ***sm.*** **1** Desenvolvimento de si mesmo **2** Concentração de esforços de um indivíduo na busca do próprio crescimento pessoal e/ou profissional: "Aplicar novas tecnologias de informação e educação a distância da denominada terceira geração, aquela que induz o indivíduo ao seu autodesenvolvimento..." (*Jornal do Brasil*, 05.01.2006) [F.: *aut(o)-*[1] + *desenvolvimento.*]

autodesignar-se (au.to.de.sig.*nar*-se) ***v.*** Designar a si próprio [***int.:*** "O ato de conhecer realizado pelo antropólogo depende da capacidade de interrogar-se sobre o fator de autodesignar-se face à alteridade do outro." (Rocha, Ana Luiza Carvalho da e Eckert, Cornelia, *Revista de Antropologia, vol. 41, nº 2. São Paulo,* 1998)] [***tp.:*** *Autodesignou-se o salvador da pátria.*] [▶ **1** autodesignar-se] [F.: *aut(o)-*[1] + *designar* + *se*[1].]

autodesligar-se (au.to.des.li.*gar*-se) ***v. int.*** Desligar a si mesmo: *Esse aparelho é programado para autodesligar-se.* [▶ **14** autodesligar-se] [F.: *aut(o)-*[1] + *desligar* + *se*[1].]

autodesprezo (au.to.des.*pre*.zo) [ê] ***sm.*** Falta de apreço ou de estima por si mesmo [F.: *aut(o)-*[1] + *desprezo.*]

autodestruição (au.to.des.tru:i.*ção*) ***sf.*** Ação ou resultado de autodestruir-se (inclusive *Fig.*); degradação ou extinção de si mesmo: *O álcool o levou à autodestruição.* [Pl.: *-ções.*] [F.: *aut(o)-*[1] + *destruição.*]

autodestruir-se (au.to.des.tru.*ir*-se) ***v. int.*** Destruir a si próprio (inclusive *Fig.*): *Bebia demais, sua tendência era a de autodestruir-se.* [▶ **56** autodestruir-se. F. alternativas no pres. indic.: 2ª pess. sing.: *autodestróis*; 3ª pess. sing.: *autodestrói*; 3ª pess. pl.: *autodestroem.*] [F.: *aut(o)-*[1] + *destruir* + *se*[1].]

autodestrutivo (au.to.des.tru.*ti*.vo) ***a.*** **1** Que destrói a si mesmo **2** *Restr.* Que, consciente ou inconscientemente, busca a autodestruição, a eliminação de si mesmo; que é (ou está) propenso a infligir sofrimento ou prejuízo a si mesmo: *Uma pessoa autodestrutiva deve receber tratamento psicológico.* **3** *Restr.* Que foi feito, ajustado, preparado ou programado etc. ou que recebeu mecanismo, dispositivo etc. para se autodestruir ou para ser eliminado, apagado (após certo tempo): "Britânicos criam torpedo de celular autodestrutivo" (*Folha Online*, 13.12.2005): "Entenda como funciona o DVD autodestrutivo" (*Folha Online*, 30.07.2005) **4** Próprio de indivíduo autodestrutivo (2), ou que leva à autodestruição: "Além das drogas e da automutilação, o comportamento autodestrutivo de Marcelo inclui ainda transar sem camisinha..." (*Folha de S.Paulo*, 24.08.1997) [F.: *aut(o)-*[1] + *destrutivo.*]

autodeterminação (au.to.de.ter.mi.na.*ção*) ***sf.*** **1** Ação ou resultado de decidir por si mesmo **2** *P. ext.* Capacidade, direito ou ação (de um indivíduo, grupo, uma instituição etc.) de decidir, por si mesmo, as questões que afetam sua própria vida e de lutar, perseverar para atingir seus objetivos e realizar seus próprios projetos: "O doente não tem autodeterminação na escolha de sua doença..." (*Folha de S.Paulo*, 23.02.1994) **3** *Pol.* Direito de um povo determinar sua própria vida comunitária (leis, normas, instituições, símbolos etc.) e seu próprio destino político: "O fim do colonialismo afirmou, na esfera política, o direito dos povos à autodeterminação..." (*O Estado de S.Paulo*, 22.09.2004) [Pl.: *-ções.*] [F.: *aut(o)-*[1] + *determinação.*]

autodeterminar-se (au.to.de.ter.mi.*nar*-se) ***v. int.*** Determinar a si mesmo, seu próprio futuro; exercer o direito ou a opção de autodeterminação: *O manifesto daquela minoria nacional invocava seu direito de autodeterminar-se.* [▶ **1** autodeterminar-se] [F.: *aut(o)-*[1] + *determinar* + *se*[1].]

autodevoração (au.to.de.vo.ra.*ção*) ***sf.*** *Fig.* Ação ou resultado de devorar (*Fig.*), consumir, destruir a si mesmo [Pl.: *-ções.*] [F.: *aut(o)-*[1] + *devoração.*]

autodevorar-se (au.to.de.vo.*rar*-se) ***v. int.*** **1** *Fig.* Degradar, destruir a si mesmo **2** *Fig.* Atacar-se (mutuamente) com violência, tentar destruir-se mutuamente: *Numa campanha acirrada, os candidatos autodevoravam-se.* [▶ **1** autodevorar-se] [F.: *aut (o)-*[1] + *devorar* + *se*[1].]

autodidata (au.to.di.*da*.ta) ***a2g.*** **1** Que aprende por si mesmo, sem a ajuda de professor ***s2g.*** **2** Indivíduo autodidata [F.: Do gr. *autodídaktos, os, on.*]

autodidático (au.to.di.*dá*.ti.co) ***a.*** **1** Ref. a autodidata ou a autodidatismo, ou deles próprio **2** Diz-se de curso, sistema, material etc. que propicia ao aluno aprender por si mesmo, sem ajuda de professor ou instrutor [F.: *autodidata* + *-ico*[2].]

autodidatismo (au.to.di.da.*tis*.mo) ***sm.*** **1** Ação, processo ou resultado de instruir-se por si mesmo, sem o auxílio de professores; AUTODIDÁTICA; AUTODIDAXIA **2** Qualidade ou caráter de autodidata [F.: *autodidata* + *-ismo.*]

autodigestão (au.to.di.ges.*tão*) ***sf.*** *Cit.* Autodestruição de tecido, pela ação de células dele mesmo, ou de célula (ou organelas de seu citoplasma) pela ação de suas próprias enzimas; AUTODISSOLUÇÃO; AUTÓLISE [Pl.: *-tões.*] [F.: *aut(o)-*[1] + *digestão.*]

autodirecional (au.to.di.re.ci:o.*nal*) ***a2g.*** *Mec.* Diz-se de eixo traseiro (de veículo) com sensores que movem as rodas traseiras automaticamente, conforme o esterçamento nas rodas dianteiras do automóvel, e que garante maior estabilidade nas curvas e torna as manobras mais fáceis e seguras [Pl.: *-nais.*] [F.: *aut(o)-*[1] + *direcional.*]

autodirecionável (au.to.di.re.ci.o.*ná*.vel) ***a2g.*** *Mec.* O mesmo que *autodirecional.* [Pl.: *-veis.*] [F.: *aut(o)-*[1] + *direcionável.*]

autodisciplina (au.to.dis.ci.*pli*.na) ***sf.*** **1** Ação ou resultado de autodisciplinar-se **2** Capacidade de impor a si mesmo disciplina; o exercício dessa capacidade [F.: *aut(o)-*[1] + *disciplina.*]

autodisciplinar-se (au.to.dis.ci.pli.*nar*-se) ***v. int.*** Submeter a si mesmo a regras de disciplina; impor disciplina a si próprio: *Quando saiu da casa dos pais, precisou autodisciplinar-se.* [▶ **1** autodisciplinar-se] [F.: *aut (o)-*[1] + *disciplinar* + *se*[1].]

autodissolução (au.to.dis.so.lu.*ção*) ***sf.*** **1** Ação ou resultado de autodissolver-se, de dissolver a si mesmo **2** Desagregação ou dissolução que se dá em função, em razão ou por meio de si mesmo: *autodissolução de um partido político.* **3** *Fig.* Desaparecimento espontâneo de uma situação, problema etc.: "Gosta o presidente de ir levando os problemas a um ponto de autodissolução que, às vezes, não chega nunca..." (*Valor Econômico*, 08.06.2005) **4** *Cit.* Destruição total de um tecido por enzimas e células do próprio organismo; AUTODIGESTÃO; AUTÓLISE [Pl.: *-ções.*] [F.: *aut(o)-*[1] + *dissolução.*]

autodissolver-se (au.to.dis.sol.*ver*-se) ***v. int.*** *Fig.* Desfazer, extinguir, dar fim a si mesmo (grupo, instituição, órgão etc.): *Sem ideologia e sem partidários, a legenda autodissolveu-se.* [▶ **2** autodissolver-se] [F.: *aut (o)-*[1] + *dissolver* + *se*[1].]

autodomínio (au.to.do.*mí*.ni:o) ***sm.*** Domínio sobre si mesmo; capacidade e ação de controlar os próprios sentimentos, reações etc.; AUTOCONTROLE: "Ela lidava com tudo que a vida lhe atirava com grande calma e autodomínio." (*Folha de S.Paulo*, 21.05.1994) [F.: *aut(o)-*[1] + *domínio.*]

autódromo (au.*tó*.dro.mo) ***sm.*** *Esp.* Lugar com instalações específicas (pista, boxes, arquibancadas) para corridas de automóveis [F.: *aut(o)-*[2] + *-dromo.*]

autoecologia (au.to.e.co.lo.*gi*.a) ***sf.*** *Ecol.* Estudo das relações de uma única espécie com seu meio ambiente [Pl.: *autoecologias.*] [F.: *aut(o)-*[1] + *ecologia.*]

autoelogio (au.to.e.lo.*gi*.o) ***sm.*** Elogio de si mesmo; discurso em louvor de si próprio: "Não fica bem a um presidente da República o autoelogio a todo instante, arrogar-se como único herói do crescimento econômico." (*O Estado de S.Paulo*, 31.07.2005) [Pl.: *autoelogios*.] [F.: *aut(o)*-¹ + *elogio*.]

autoemancipação (au.to.e.man.ci.pa.*ção*) *sf.* Ação ou resultado de obter a própria liberdade ou independência: "Mantém-se fiel à luta de classes, à autoemancipação coletiva dos de baixo e ao socialismo (reformista e revolucionário)" (*Folha de S.Paulo*, 16.05.1994) [Pl.: *autoemancipações*.] [F.: *aut(o)*-¹ + *emancipação*.]

autoempossado (au.to.em.pos.*sa*.do) *a.* Que investiu a si mesmo em um cargo: "O governo autoempossado depois da morte de Habyarimana é composto por hutus (maioria étnica do país) de linha-dura, que dominam o Exército." (*Folha de S.Paulo*, 31.05.1994) [Pl.: *autoempossados*.] [F.: *aut(o)*-¹ + *empossado*.]

autoenganação (au.to.en.ga.na.*ção*) *sf.* Ação de esconder de si mesmo a verdade: "E isto só serve para atrasar o país, que não se desenvolve, obstaculado por essa autoenganação." (*Folha de S.Paulo*, 16.10.1994) [Pl.: *autoenganações*.] [F.: *aut(o)*-¹ + *enganação*.]

autoengrandecimento (au.to.en.gran.de.ci.*men*.to) *sm.* Ação ou resultado de elevar a própria riqueza, dignidade, fama etc. [Pl.: *autoengrandecimentos*.] [F.: *aut(o)*-¹ + *engrandecimento*.]

autoentrega (au.to.en.*tre*.ga) *sf.* **1** Ação de entregar-se, render-se: "É ainda tempo de autoentrega aos prazeres da boa mesa..." (*Folha de S.Paulo*, 14.04.1994) **2** *Fil. Rel.* Entrega incondicional do iogue a Ishvara (deus pessoal), uma das prescrições éticas da ioga para atenuar as fontes de aflição ou misérias existenciais [Pl.: *autoentregas*.] [F.: *aut(o)*-¹ + *entrega*.]

autoerótico (au.to.e.*ró*.ti.co) *a. Psic.* Ref. a autoerotismo [Pl.: *autoeróticos*.] [F.: *aut(o)*-¹ + *erótico*.]

autoerotismo (au.to.e.ro.*tis*.mo) *Psic. sm.* **1** Impulso ou emoção sexual de ocorrência espontânea, isto é, sem que haja qualquer tipo de estímulo externo, direto ou indireto [O orgasmo durante o sono é a forma típica de autoerotismo.] **2** O mesmo que *masturbação* [Pl.: *autoerotismos*.] [F.: *aut(o)*-¹ + *erotismo*.]

autoescola (au.to.es.*co*.la) *sf.* Escola onde se ensina a dirigir automóvel e se prepara o motorista para exame de habilitação [Pl.: *autoescolas*.] [F.: *aut(o)*-² + *escola*.]

autoestima (au.to.es.*ti*.ma) *sf.* Qualidade ou condição psicológica de quem está satisfeito consigo mesmo e demonstra confiança no próprio modo de ser e de agir; AMOR-PRÓPRIO: *As frequentes derrotas abalaram a autoestima dos jogadores.* [Pl.: *autoestimas*.] [F.: *aut(o)*-¹ + *estima*.]

autoestimulação (au.to.es.ti.mu.la.*ção*) *sf.* **1** O mesmo que *autoestímulo* (1) **2** *Med. Psic.* Estimulação aplicada a si mesmo para provocar uma resposta fisiológica ou de comportamento no próprio organismo; AUTOESTÍMULO [Pl.: *autoestimulações*.] [F.: *aut(o)*-¹ + *estimulação*.]

autoestímulo (au.to.es.*tí*.mu.lo) *sm.* **1** Incentivo a si próprio para alcançar um determinado objetivo; AUTOESTIMULAÇÃO: "Histórias de sucesso e autoestímulo atraíram quase um milhão de profissionais preocupados com formação." (*Folha de S.Paulo*, 09.01.1994) **2** *Med. Psic.* Autoestimulação (2) [Pl.: *autoestímulos*.] [F.: *aut(o)*-¹ + *estímulo*.]

autoestrada (au.to.es.*tra*.da) *sf.* Estrada para tráfego de veículos automotores a alta velocidade, com pistas separadas entre si e acessos limitados, sem cruzamentos de nível; AUTOPISTA [Pl.: *autoestradas*.] [F.: *aut(o)*-² + *estrada*.]

autoexaltação (au.to.e.xal.ta.*ção*) *sf.* Exaltação ou engrandecimento dos próprios feitos, qualidades ou talentos: "... durante um discurso de autoexaltação de sua gestão..." (*Jornal do Brasil*, 25.08.2005) [Pl.: *autoexaltações*.] [F.: *aut(o)*-¹ + *exaltação*.]

autoexame (au.to.e.*xa*.me) [z] *sm.* **1** Exame de si mesmo **2** *Ginec.* Exame das mamas efetuado pela própria mulher, apalpando-as ou deslizando os dedos por elas, indo até as axilas, com o objetivo de detectar deformações ou alterações em seu formato, caroços (nas mamas ou axilas) ou secreções pelos mamilos [Pl.: *autoexames*.] [F.: *aut(o)*-¹ + *exame*.]

autoexclusão (au.to.ex.clu.*são*) *sf.* Ação daquele que se afasta ou se retira de um grupo, trabalho etc. por acreditar que é incompatível com as características (físicas e/ou intelectuais) dos outros membros: "...dar aos bons alunos a oportunidade de concorrerem a uma vaga na universidade pública, estimulando-os a superar, assim, uma possível autoexclusão por se julgarem despreparados." (*Folha de S.Paulo*, 11.11.2005) [Pl.: *autoexclusões*.] [F.: *aut(o)*-¹ + *exclusão*.]

autoexilado (au.to.e.xi.*la*.do) [z] *a.* **1** Que se exilou voluntariamente: "...Parks é um inglês autoexilado em Verona, Itália..." (*Folha de S.Paulo*, 31.12.1997) [Pl.: *autoexilados*.] *sm.* **2** Aquele que vive no exílio por vontade própria: *Fez amizade com outro autoexilado.* [Pl.: *autoexilados*.] [F.: *aut(o)*-¹ + *exilado*.]

autoexilar-se (au.to.e.xi.*lar*-se) *v. td.* Exilar-se por conta própria [▶ 1 autoexilar-se] [F.: *aut(o)*-¹ + *exilar* + -*se*¹.]

autoexplicativo (au.to.ex.pli.ca.*ti*.vo) *a.* Que esclarece o próprio funcionamento ou conteúdo: "O contribuinte pode baixar o programa no *site* da Receita Federal [...]. O programa, que é autoexplicativo, estará disponível a partir do dia 1° de março..." (*Correio Braziliense*, 16.02.2005) [Pl.: *autoexplicativos*.] [F.: *aut(o)*-¹ + *explicativo*.]

autoexpressão (au.to.ex.pres.*são*) *sf.* Manifestação do próprio pensamento, vontade, opinião etc. por meio de palavra, gesto ou arte (pedagogia da autoexpressão): "Enquanto existirem músicos que toquem com dedicação e tratem a música como arte, como uma forma de autoexpressão, ela jamais será inferior" (*Folha de S.Paulo*, 16.08.1994) [Pl.: *autoexpressões*.] [F.: *aut(o)*-¹ + *expressão*.]

autofagia (au.to.fa.*gi*.a) *sf.* **1** Nutrição à custa de componentes ou reservas do próprio organismo; ação ou resultado de alimentar-se (homem, animal) da própria substância, da própria carne **2** *Cit.* Processo celular de destruição e digestão de seus próprios componentes por enzimas [Cf.: *autodigestão*; *autólise*.] **3** *Fig.* Processo no qual um grupo, partido, instituição etc. assimila novos elementos, captados dentro do próprio âmbito: "Começou o período de autofagia partidária no Congresso Nacional – em que os partidos assediam fortemente os parlamentares a mudar de legenda..." (*Valor Econômico*, 03.02.2005) [F.: *aut(o)*-¹ + -*fagia*.]

autofágico (au.to.*fá*.gi.co) *a.* Ref. a ou próprio da autofagia, ou que a encerra, é dela consequente: "O crescimento econômico constante, um dogma para políticos e economistas, é uma impossibilidade física e, portanto, autofágico e insustentável." (*O Globo*, 09.06.2005) [F.: *autofagia* + -*ico*².]

autófago (au.*tó*.fa.go) *a.* **1** Diz-se do que ou de quem comete autofagia: "é necessária..., fundamentalmente, para que os atletas, num futuro próximo, não entrem num processo autófago." (Miguel Pinto, "Comer o pó", *in Outro olhar*, 20.08.2004) *sm.* **2** Aquilo ou aquele que comete autofagia: "Não seria esse bicho um autófago a devorar-se no ato mesmo da autocontemplação?" (Luciano Santos, "Autoconhecimento: suicídio da linguagem?" *in Usina de letras*, 27.11.2002) [F.: *aut(o)*-¹ + -*fago*.]

autofavorecimento (au.to.fa.vo.re.ci.*men*.to) *sm.* Ação ou resultado de favorecer a si mesmo: *A autoridade foi acusada de autofavorecimento à custa do interesse público.* [F.: *aut(o)*-¹ + *favorecimento*.]

autofecundação (au.to.fe.cun.da.*ção*) *sf.* **1** Ação ou resultado de autofecundar-se **2** *Biol.* Formação de zigotos a partir de óvulos e espermatozoides de um mesmo indivíduo **3** *Bot.* Fecundação de uma flor a partir do pólen da própria planta, nas flores hermafroditas [Pl.: -*ções*.] [F.: *aut(o)*-¹ + *fecundação*.]

autofecundar-se (au.to.fe.cun.*dar*-se) *v. int. Bot.* Fecundar a si mesmo, fazer autofecundação: *Os hermafroditas podem autofecundar-se.* [▶ 1 autofecundar-se] [F.: *aut(o)*-¹ + *fecundar* + *se*¹.]

autofelação (au.to.fe.la.*ção*) *sf.* Prática da felação em si mesmo [Pl.: -*ções*.] [F.: *aut(o)*-¹ + *felação*.]

autofiltro (au.to.*fil*.tro) *sm. Inf.* Opção rápida e prática de programa de computação que permite aplicar critérios de filtragem a uma planilha [F.: *aut(o)*-¹ + *filtro*.]

autofinanciamento (au.to.fi.nan.ci:a.*men*.to) *Econ. sm.* **1** Ação ou resultado de autofinanciar **2** Aplicação em uma empresa de recursos próprios, ger. obtidos de seus lucros [F.: *aut(o)*-¹ + *financiamento*.]

autofinanciar (au.to.fi.nan.ci.*ar*) *v. td. Econ.* Suprir (algo) com seus próprios recursos financeiros: *Com o lucro, a empresa autofinanciou sua expansão; A indústria autofinanciou-se com os lucros obtidos.* [▶ 1 autofinanciar] [F.: *aut(o)*-¹ + *financiar.* Hom./Par.: *autofinanciáveis* (fl.), *autofinanciáveis* (a. pl.).]

autofinanciável (au.to.fi.nan.ci:*á*.vel) *a2g.* Diz-se de projeto, atividade, programa etc. capaz de produzir recursos para a sua própria realização, continuação ou aprimoramento (empreendimento autofinanciável) [Pl.: -*veis*.] [F.: *aut(o)*-¹ + *financiável.* Hom./Par.: *autofinanciáveis* (pl.), *autofinanciáveis* (fl. de *autofinanciar*).]

autoflagelação (au.to.fla.ge.la.*ção*) *sf.* Ação ou resultado de autoflagelar-se, de aplicar flagelo a si mesmo (ritual de autoflagelação); AUTOFLAGELO: "*Aldeia espanhola celebra dia santo com autoflagelação.*" (BBCBrasil.com, Notícias, 29.03.2006) [Pl.: -*ções*.] [F.: *autoflagelar(-se)* + -*ção*.]

autoflagelar-se (au.to.fla.ge.*lar*-se) *v. int.* Aplicar flagelo a si mesmo: *O religioso autoflagelava-se com um chicote.* [▶ 1 autoflagelar-se] [F.: *aut(o)*-¹ + *flagelar* + *se*¹. Hom./Par.: *autoflagelo*(-me) (fl.), *auflagelo* (sm.).]

autoflagelo (au.to.fla.*ge*.lo) *sm.* O mesmo que *autoflagelação* [F.: Dev. de *autoflagelar(-se)*. Hom./Par.: *autoflagelo* (sm.), *autoflagelo*(-me) (fl. de *autoflagelar*[-*se*]).]

autofobia (au.to.fo.*bi*.a) *sf. Psiq.* Aversão a si mesmo ou a estar ou ficar sozinho; medo mórbido e irracional da solidão [F.: *aut(o)*-¹ + -*fobia*.]

autofóbico (au.to.*fó*.bi.co) *Psiq. a.* **1** Ref. a autofobia **2** Que tem ou demonstra autofobia; AUTÓFOBO *sm.* **3** Aquele que tem ou demonstra autofobia; AUTÓFOBO [F.: *autofobia* + -*ico*².]

autófobo (au.*tó*.fo.bo) *a. sm. Psiq.* O mesmo que *autofóbico* (2 e 3) [F.: *aut(o)*-¹ + -*fobo*.]

autofocalização (au.to.fo.ca.li.za.*ção*) *sf.* **1** *Ópt.* Focagem automática de um sistema óptico em relação a objeto, paisagem etc., obtida graças a um dispositivo acoplado a câmaras, filmadoras, telescópios etc.: *mecanismo de autofocalização adaptado às lentes de um telescópio.* **2** Concentração em si mesmo; colocação de si mesmo como foco de interesse [Pl.: -*ções*.] [F.: *aut(o)*-¹ + *focalização*.]

autofoco (au.to.*fo*.co) [ó] *Ópt. sm.* **1** Dispositivo que permite, em sistema óptico, focalização automática: *Essa câmera dispõe de autofoco a2g.* **2** Que tem autofoco (câmera autofoco) [F.: *aut(o)*-¹ + *foco*.]

autofunção (au.to.fun.*ção*) *sf.* **1** *Álg. Mat.* Função que, submetida a um operador, é apenas multiplicada por um escalar; função característica **2** *Mat.* Dada uma equação diferencial ou integral que contém um parâmetro, toda solução que só exista para certos valores desse parâmetro [Pl.: -*ções*.] [F.: *aut(o)*-¹ + *função*.]

autogênese (au.to.*gê*.ne.se) *sf. Biol.* Hipótese (já superada cientificamente) de acordo com a qual seres vivos poderiam ser gerados espontaneamente a partir de matéria não viva; essa geração; geração espontânea; ABIOGÊNESE; HETEROGÊNESE [Cf. *biogênese*.] [F.: *aut(o)*-¹ + *gênese*.]

autógeno (au.*tó*.ge.no) *a. Biol.* Que tem origem em si mesmo, sem interferência externa (vacina autógena; enxerto autógeno); AUTOGERADO; AUTOPRODUZIDO [F.: *aut(o)*-¹ + -*geno*.]

autogerência (au.to.ge.*rên*.ci:a) *sf. Adm.* O mesmo que *autogerenciamento* [F.: *aut(o)*-¹ + *gerência*. Hom./Par.: *autogerência(s)* (sf. [pl.]) *autogerencia(s)* (fl. de *autogerenciar*).]

autogerenciamento (au.to.ge.ren.ci:a.*men*.to) *sm. Adm.* Capacidade e ação de se autogerenciar, de gerir a própria atividade, os próprios negócios, a própria carreira profissional etc.; AUTOGERÊNCIA: *A autogerência das carreiras por parte dos artistas.* [F.: *aut(o)*-¹ + *gerenciamento*.]

autogerenciar (au.to.ge.ren.ci.*ar*) *v. td.* Gerenciar com recursos próprios (a própria atividade ou carreira, os próprios negócios etc.): *Ele passou a autogerenciar seus compromissos.* [▶ 1 autogerenciar] [F.: *aut(o)*-¹ + *gerenciar*.]

autogerenciável (au.to.ge.ren.ci:*á*.vel) *a2g.* Que se pode autogerenciar, que é passível de autogerenciamento (equipe autogerenciável) [Pl.: -*veis*.] [F.: *autogerenciar* + -*vel*. Hom./Par.: *autogerenciáveis* (a. pl.), *autogerenciáveis* (fl. de *autogerenciar*).]

autogerido (au.to.ge.*ri*.do) *a.* Que se autogeriu; gerido por si mesmo (mutirão autogerido) [F.: Part. de *autogerir*.]

autogerir (au.to.ge.*rir*) *v. td.* O mesmo que *autogerenciar*: *Os próprios trabalhadores autogeriam a pequena empresa.* [▶ 50 autogerir] [F.: *aut(o)*-¹ + *gerir*.]

autogestão (au.to.ges.*tão*) *sf. Econ.* Direção e/ou gerenciamento de uma empresa pelos próprios empregados [Pl.: -*tões*.] [F.: *aut(o)*-¹ + *gestão*.]

autogestionário (au.to.ges.ti:o.*ná*.ri:o) *a.* **1** Ref. a autogestão (método autogestionário) **2** Que adota a autogestão (cooperativa autogestionária) **3** *Pol.* Que é partidário da autogestão (movimento autogestionário) *sm.* **4** Aquele (grupo, indivíduo etc.) que adota ou tem como objetivo a autogestão [F.: *autogestão* (f. rad. *autogestion*-) + -*ário*; ou do espn. *autogestionario*.]

autogiro (au.to.*gi*.ro) *sm. Ant. Aer.* Antigo modelo de aeronave, antecessor do helicóptero, cuja sustentação era dada por uma espécie de asa giratória na parte superior, e cuja propulsão era feita por um motor a hélice convencional [Foi inventado em 1923 pelo espanhol Juan de la Cierva] [F.: *aut(o)*-¹ + *giro*.]

autoglorificação (au.to.glo.ri.fi.ca.*ção*) *sf.* Glorificação de si mesmo: "Como não podia deixar de ser, contudo (...) tira disso um pretexto para autoglorificação." (*Folha de S.Paulo*, 21.03.2006) [Pl.: -*ções*.] [F.: *aut(o)*-¹ + *glorificação*.]

autoglorificador (au.to.glo.ri.fi.ca.*dor*) [ô] *a.* Diz-se daquilo ou daquele que promove autoglorificação (anúncio autoglorificador) [F.: *aut(o)*-¹ + *glorificador*.]

autognose (au.to.*gno*.se) *sf.* Conhecimento de si próprio; AUTOCONHECIMENTO: *Sócrates convidava à autognose.* [F.: Do gr. *autógnosis, eos*.]

autogovernar-se (au.to.go.ver.*nar*-se) *v. int.* **1** Governar a si mesmo, sem precisar da ação ou da determinação advindas de fatores externos: *A democracia iraquiana poderá autogovernar-se.* **2** Ter autocontrole, autodomínio [▶ 1 autogovernar-se] [F.: *aut(o)*-¹ + *governar* + *se*¹.]

autogoverno (au.to.go.*ver*.no) [ê] *sm.* Ação ou resultado de autogovernar-se: "Croatas da Bósnia celebram novo autogoverno com orações." (*Folha de S.Paulo*, 19.03.2001) [F.: *aut(o)*-¹ + *governo*. Hom./Par.: *autogoverno* (sm.), *autogoverno* (fl. de *autogovernar-se*).]

autogozação (au.to.go.za.*ção*) *sf. Bras. Pop.* Gozação, graça feita a respeito de si mesmo: *Fazer autogozação é brincar com os próprios defeitos e rir das próprias gafes.* [Pl.: -*ções*.] [F.: *aut(o)*-¹ + *gozação*.]

autogozador (au.to.go.za.*dor*) [ô] *Bras. a.* **1** Diz-se de pessoa que faz comentários divertidos ou irônicos a respeito de si mesmo: "Virador por natureza, janota por defesa psicológica, autocrítico e autogozador não poupando..." (Millôr Fernandes, "O carioca É. Antes de tudo", *in Que país é este?*) *sm.* **2** Essa pessoa: "É um espetáculo de risco, tão crítico e irreverente quanto o Artur, um autogozador." (*Folha Online ilustrada*, 25.03.2004) [F.: *aut(o)*-¹ + *gozador*.]

autogozativo (au.to.go.za.*ti*.vo) *a. Bras.* Que exprime autogozação (humor autogozativo) [F.: *aut(o)*-¹ + *gozar* + -*tivo*.]

autografado (au.to.gra.*fa*.do) *a.* Que se autografou, que recebeu a assinatura do autor (texto, livro, disco etc.) ou de quem representa (retrato, desenho etc.): *Ganhou do autor um livro autografado.* [F.: Part. de *autografar*.]

autografar (au.to.gra.*far*) *v. td.* **1** Escrever (ger. pessoa famosa) sua assinatura em: *O cantor autografou vários CDs.* **2** *Art.gr.* Reproduzir (original) por meio de autografia [▶ 1 autografar] [F.: *autógrafo* + *ar*². Hom./Par.: *autografo* (fl.), *autógrafo* (sm.).]

autografia (au.to.gra.*fi*.a) *sf.* **1** Arte de reproduzir pela impressão um manuscrito qualquer **2** Processo de reprodução litográfica que consiste em escrever, com tinta especial, em determinado tipo de papel, passar a escrita à pedra litográfica e daí a outro papel por meio de impressão

3 Reprodução obtida por meio da autografia [F.: *autógrafo* + *-ia*[1].]

autógrafo (au.*tó*.gra.fo) *sm.* 1 Assinatura de pessoa famosa 2 Ação de autografar: *Noite de autógrafos.* 3 Original escrito do punho do seu autor; MANUSCRITO 4 Aparelho que, com base em fotos estereoscópicas (duas fotos do mesmo assunto tiradas de ângulos diferentes), permite levantar carta topográfica de um lugar *a.* 5 Escrito pelo próprio punho do autor (carta autógrafa) [P. op. a *apógrafo*, nas acps. 3 e 4.] [F.: Do gr. *autógraphos, os, on*, pelo lat. *autographus, a, um*. Ver *aut(o)-*[1] e *-grafo*. Hom./Par.: *autógrafo* (sm. a.), *autografo* (fl. de *autografar*).]

auto-hipnose (au.to-hip.*no*.se) *sf. Psiq.* Hipnose a que alguém submete a si mesmo: "Ela ensina relaxamento através da auto-hipnose e ajuda seus pacientes a se medicarem 'pensando pensamentos'." (*Folha de S.Paulo*, 24.07.1994) [Pl.: *auto-hipnoses.*] [F.: *aut(o)-*[1] + *hipnose.*]

auto-homenagem (au.to-ho.me.*na*.gem) *sf.* Homenagem que alguém faz a si mesmo: "Pintolândia parece nome de brincadeira, mas trata-se de um batismo oficial do governo, numa auto-homenagem a Ottomar Pinto, um brigadeiro da reserva da Aeronáutica, que administra Roraima pela segunda vez." (*Folha de S.Paulo*, 23.10.1994) [Pl.: *auto-homenagens.*] [F.: *aut(o)-*[1] + *homenagem.*]

autoidentidade (au.to.i.den.ti.*da*.de) *sf. Psi.* Consciência de si mesmo como indivíduo, grupo, nação etc. que possui características próprias e exclusivas: *O surgimento da linguagem é um fator importante para a autoidentidade da criança.* [Pl.: *autoidentidades.*] [F.: *aut(o)-*[1] + *identidade.*]

autoidentificação (au.to.i.den.ti.fi.ca.*ção*) *sf.* Ação ou resultado de reconhecer a própria identidade: "O critério da 'autoidentificação' como negro para fazer jus ao benefício..." (*Folha de S.Paulo*, 13.01.2004) [Pl.: *autoidentificações.*] [F.: *aut(o)-*[1] + *identificação.*]

autoidolatria (au.to.i.do.la.*tri*.a) *sf.* Culto, veneração de si mesmo; AUTOLATRIA: "A autoidolatria não foi inventada pela soprano norte-americana Kathleen Battle, que se julgava importante para conversar até com o próprio motorista." (*Folha de S.Paulo*, 04.11.1997) [Pl.: *autoidolatrias.*] [F.: *aut(o)-*[1] + *idolatria.*]

autoignição (au.to.ig.ni.*ção*) *sf. Mec.* Em um motor de explosão, ignição espontânea do combustível [Pl.: *autoignições.*] [F.: *aut(o)-*[1] + *ignição.*]

autoiluminação (au.to.i.lu.mi.na.*ção*) *sf.* 1 Capacidade, ação e resultado de iluminar-se por si mesmo: *Os geradores garantiam a autoiluminação dos carros alegóricos.* 2 *Rel.* No budismo, estágio no qual uma pessoa alcança os estados mais elevados da própria mente e passa a enxergar a verdadeira natureza das coisas (caminho da autoiluminação) 3 *Rel.* No espiritismo, percepção de si mesmo como reflexo de Deus [F.: *aut(o)-*[1] + *iluminação.*]

autoimagem (au.to.i.*ma*.gem) *sf.* Imagem que se tem de si mesmo, ger. ref. aos fatores positivos: "Quem se apega ao poder não suporta crítica, que mina sua autoimagem e exibe suas contradições aos olhos de outrem." (*Jornal do Brasil*, 15.06.2005) [Pl.: *autoimagens.*] [F.: *aut(o)-*[1] + *imagem.*]

autoimolação (au.to.i.mo.la.*ção*) *sf.* Sacrifício voluntário de si mesmo (tb. *Fig.*): "...o radicalismo [...] vitimou o ambientalista em sua autoimolação contra a construção de usinas de álcool no Pantanal do Mato Grosso do Sul." (*Valor Econômico*, 02.12.2005) [Pl.: *autoimolações.*] [F.: *aut(o)-*[1] + *imolação.*]

autoimpor-se (au.to.im.*por*-se) *v.* Impor algo a si mesmo [*td.*: *Autoimpôs-se rigorosa disciplina.*] [*int.*: *Desafiado pelos rebeldes, resolveu se autoimpor.*] [*tp.*: *Com o tempo, autoimpôs-se como líder.*] [▶ 60 autoim**por**-se] [F.: *aut(o)-*[1] + *impor* + *se*[1].]

autoimportância (au.to.im.por.*tân*.ci:a) *sf.* Conceito elevado e lisonjeiro de si mesmo: "Existe um tipo bem ruim de cinema, que é aquele que se acha importante [...]. Não são apenas filmes que padecem desse mal, a autoimportância existe em todos os lugares..." (*Jornal do Commercio*, 23.02.2006) [Pl.: *autoimportâncias.*] [F.: *aut(o)-*[1] + *importância.*]

autoimune (au.to.i.*mu*.ne) *a2g.* 1 Ref. a autoimunidade (processo autoimune) 2 Causado por autoimunidade, por anticorpos ou linfócitos produzidos contra substâncias naturalmente presentes no organismo (doença autoimune) [Pl.: *autoimunes.*] [F.: *aut(o)-*[1] + *imune.*]

autoimunidade (au.to.i.mu.ni.*da*.de) *sf. Imun.* Condição patológica de um organismo que é afetado por seus próprios agentes imunológicos [Pl.: *autoimunidades.*] [F.: *aut(o)-*[1] + *imunidade.*]

autoimunitário (au.to.i.mu.ni.*tá*.ri:o) *a.* Ref. a ou característico da autoimunidade: *disfunção do sistema autoimunitário.* [Pl.: *autoimunitários.*] [F.: *aut(o)-*[1] + *imunitário.*]

autoimunização (au.to.i.mu.ni.za.*ção*) *sf.* 1 *Imun.* Processo pelo qual o sistema imunológico produz anticorpos que atacam os próprios tecidos do organismo [Ger. devido à produção de antígenos a partir de tecidos afetados por algum distúrbio.] 2 *Fig.* Ação ou resultado de fazer-se insensível ou indiferente a algo: *autoimunização contra os males e tentações da fama.* [Pl.: *autoimunizações.*] [F.: *aut(o)-*[1] + *imunização.*]

autoinclusão (au.to.in.clu.*são*) *sf.* 1 Ação ou resultado de incluir algo em si mesmo: "Há muitas versões diversas do paradoxo da autoinclusão em Borges; um dos mais frequentes é o da mente como representação do universo, ou de cada livro como enciclopédia total." (*Folha de S.Paulo*, 19.06.1994) 2 Processo no qual a própria pessoa, ger. portadora de necessidades especiais, procura incluir-se em escola, turma, atividade etc. (autoinclusão digital) 3 *Inf.* Código de programação que inclui o nome do arquivo que será executado automaticamente antes ou depois do arquivo principal [Pl.: *autoinclusões.*] [F.: *aut(o)-*[1] + *inclusão*. Ant. ger.: *autoexclusão.*]

autoincriminação (au.to.in.cri.mi.na.*ção*) *sf. Jur.* Ação ou resultado de incriminar a si mesmo: "...a Constituição assegura a qualquer pessoa o direito de ficar em silêncio quando houver risco de autoincriminação em depoimentos." (*Folha de S.Paulo*, 19.07.2005) [Pl.: *autoincriminações.*] [F.: *aut(o)-*[1] + *incriminação.*]

autoincriminar-se (au.to.in.cri.mi.*nar*-se) *v.* Incriminar a si mesmo, voluntariamente ou não [*int.*: *O ladrão autoincriminou-se ao vender a joia roubada.*] [*tp.*: *Pressionado, autoincriminou-se como o chefe da quadrilha.*] [▶ 1 autoincrimi**nar**-se] [F.: *aut(o)-*[1] + *incriminar* + *se*[1].]

autoindicar-se (au.to.in.di.*car*-se) *v.* Indicar a si próprio; fazer indicação de si mesmo (para algo, como tarefa, cargo, função etc.) [*int.*: *O projeto precisava de um coordenador, e Luísa autoindicou-se.*] [*tr.* + *a, para*: *Autoindicou-se ao cargo de secretária.*] [*tp.*: *Autoindicou-se gerente geral.*] [▶ 11 autoindi**car**-se] [F.: *aut (o)-*[1] + *indicar* + *se*[1].]

autoindução (au.to.in.du.*ção*) *sf. Elet.* Indução eletromagnética provocada por campo magnético criado por variações de uma corrente no próprio circuito [Pl.: *autoinduções.*] [F.: *aut(o)-*[1] + *indução.*]

autoindulgência (au.to.in.dul.*gên*.ci:a) *sf.* Disposição para perdoar os próprios erros: "A sinfônica dá sempre a impressão de haver ensaiado menos do que deveria e a autoindulgência faz com que sejam encarados com naturalidade os problemas de ritmo da percussão..." (*Folha de S.Paulo*, 16.08.1998) [Pl.: *autoindulgências.*] [F.: *aut(o)-*[1] + *indulgência.*]

autoindulgente (au.to.in.dul.*gen*.te) *a2g.* 1 Diz-se de pessoa ou instituição que tem disposição para perdoar os próprios erros: "Por mais que um partido tenha empáfia e meios para criar uma imagem autoindulgente sobre sua história e a história de seus governos, ele não conseguirá escapar do tribunal da história..." (*Gazeta Mercantil*, 06.06.2005) *sm.* 2 Pessoa ou instituição autoindulgente (1): *O autoindulgente é geralmente egoísta.* [Pl.: *autoindulgentes.*] [F.: *aut(o)-*[1] + *indulgente.*]

autoinjetar-se (au.to.in.je.*tar*-se) *v. td.* Injetar (algo) em si mesmo: *Diabético, autoinjeta-se insulina.* [▶ 1 autoinje**tar**-se] [F.: *aut(o)-*[1] + *injetar* + *se*[1].]

autoinstituído (au.to.ins.ti.tu.*í*.do) *a.* Diz-se daquilo que alguém, instituição, entidade etc. instituiu sobre si mesmo: *Essa facção guia-se por um estatuto autoinstituído, e não pelas regras do partido.* [Pl.: *autoinstituídos.*] [F.: *aut(o)-*[1] + *instituído.*]

autointitulado (au.to.in.ti.tu.*la*.do) *a.* 1 Diz-se de indivíduo ou grupo que deu a si mesmo o título ou nome citado em seguida: *Um grupo autointitulado 'Os Vingadores' reivindicou a autoria das explosões.* [Pl.: *autointitulados.*] *sm.* 2 Esse indivíduo ou grupo: "O sobrado rosa e branco habitado pelo autointitulado 'homem forte' ostenta janelas envidraçadas..." (*Folha de S.Paulo*, 09.08.1998) [Pl.: *autointitulados.*] [F.: *aut(o)-*[1] + *intitulado.*]

autointitular-se (au.to.in.ti.tu.*lar*-se) *v. tp.* Dar ou atribuir a si mesmo nome ou título citado em seguida: *Autointitulava-se líder do grupo.* [▶ 1 intitu**lar**-se] [F.: *aut(o)-*[1] + *intitular* + *se*[1].]

autointoxicação (au.to.in.to.xi.ca.*ção*) [cs] *sf.* 1 *Pat.* Envenenamento por substância tóxica produzida pelos próprios órgãos e tecidos de um indivíduo (autointoxicação intestinal) 2 Ação ou resultado de ingerir algo que possa provocar a própria intoxicação: *autointoxicação por álcool.* [Pl.: *autointoxicações.*] [F.: *aut(o)-*[1] + *intoxicação.*]

autoisolamento (au.to.i.so.la.*men*.to) *sm.* Ação ou resultado de isolar a si mesmo; estado de quem vive isolado por vontade própria: "...o deprimido tanto pode recolher-se ao autoisolamento, sendo o suicídio o ponto extremo dessa atitude..." (*Folha de S.Paulo*, 05.12.1994): "Estão entrando num legítimo autoisolamento que só tende a piorar as condições de vida dos argentinos." (Gilberto Simões Pires, "Argentina: autoisolamento" *in Ponto crítico*, ANO III – Nº 209 – 01.09.2004) [Pl.: *autoisolamentos.*] [F.: *aut(o)-*[1] + *isolamento.*]

autojustificar-se (au.to.jus.ti.fi.*car*-se) *v. int.* Justificar seus própios atos: *Os tiranos procuram sempre autojustificar-se.* [▶ 11 autojustifi**car**] [F.: *aut(o)* -[1] + *justificar* + *se*[1].]

autolançado (au.to.lan.*ça*.do) *a.* 1 Que se autolançou; que promoveu a si mesmo (candidato autolançado) 2 Registrado, escriturado pelo interessado: *prazo para recolhimento de tributo, retido na fonte ou autolançado.* [F.: Part. de *autolançar(-se).*]

autolançar-se (au.to.lan.*çar*-se) *v. tp.* Lançar a si mesmo, o próprio nome, ger. como candidato a cargo eletivo: *Autolançou-se candidato à prefeitura de São Paulo.* [▶ 12 autolan**çar**-se] [F.: *aut(o)-*[1] + *lançar* + *se*[1].]

autolatria (au.to.la.*tri*.a) *sf.* Culto, veneração de si mesmo; amor-próprio exagerado ou excessivo [F.: *aut(o)-*[1] + *-latria.*]

autolegitimação (au.to.le.gi.ti.ma.*ção*) *sf.* Ação ou resultado de legitimar a si mesmo, de dar ou atribuir a si mesmo condição de legítimo [Pl.: *-ções.*] [F.: *aut (o)-*[1] + *legitimação.*]

autolimitação (au.to.li.mi.ta.*ção*) *sf.* 1 Ação ou resultado de limitar a si mesmo, de fixar limites para si próprio ou para algo que faz, ou que é de seu interesse: *Acordos entre governos para autolimitação de importações.* 2 Restrição a si mesmo: *Não fumar era apenas uma de suas várias autolimitações.* [Pl.: *-ções.*] [F.: *aut(o)-*[1] + *limitação.*]

autolimitante (au.to.li.mi.*tan*.te) *a2g.* Que limita a si mesmo; que impõe limites para si próprio (princípios autolimitantes) [F.: *autolimitar* + *-nte.*]

autolimitar-se (au.to.li.mi.*tar*-se) *v.* Impor limitação a si mesmo ou àquilo que depende de suas ações [*td.*: *Apertado no orçamento, pediu aos gerentes que se autolimitassem; Pediu aos gerentes que autolimitassem seus gastos.*] [*tdr.* + *a, em*: *Pediu aos gerentes que se autolimitassem ao/no estritamente necessário.*] [▶ 1 autolimi**tar**] [F.: *aut(o)* -[1] + *limitar.*]

autolimpante (au.to.lim.*pan*.te) *a2g.* Que faz a própria limpeza (forno autolimpante) [F.: *aut(o)-*[1] + *limpante.*]

autolimpar-se (au.to.lim.*par*-se) *v. int.* Limpar a si mesmo: "O rio tem a capacidade de se autolimpar, mas para que isso aconteça, é preciso recuperar as valas e a mata ciliar." (Marcello Miranda, *Ministério Público de Santa Catarina*) [▶ 1 autolim**par**-se] [F.: *aut(o)-*[1] + *limpar* + *se*[1].]

autolimpeza (au.to.lim.*pe*.za) [ê] *sf.* 1 Limpeza de si mesmo: "Saiba por que os alimentos detergentes são capazes de fazer uma autolimpeza durante a mastigação..." (Caliandra Silveira, *Instituto de Eucação Superior de Brasília*, 03.05.2006) 2 Limpeza que se realiza automaticamente: *forno com função de autolimpeza.* [F.: *aut(o)-*[1] + *limpeza.*]

autoliquidar-se (au.to.li.qui.*dar*-se) *v. int.* Promover a liquidação de si mesmo; AUTODESTRUIR-SE: *Presidente diz que partido pode se autoliquidar se não estiver unido.* [▶ 1 autoliqui**dar**-se] [F.: *aut(o)-*[1] + *liquidar* + *se*[1].]

autólise (au.*tó*.li.se) *sf. Biol.* Processo de autodestruição das células, organelas celulares ou tecidos, pela ação de suas próprias enzimas; AUTODIGESTÃO [F.: *aut(o)-*[1] + *-lise.*]

autolocadora (au.to.lo.ca.*do*.ra) [ô] *sf.* 1 Empresa especializada no aluguel de veículos automóveis 2 O lugar, a loja em que essa empresa opera [F.: *aut(o)-*[2] + *locadora.*]

autológico (au.to.*ló*.gi.co) *a. Lóg.* Diz-se de vocábulo ou locução que indica uma propriedade que pode ser atribuída a si mesmo [P. ex., o adjetivo 'polissílabo' expressa que uma palavra tem mais de três sílabas, que é o caso da própria palavra 'polissílabo'.] [F.: *aut(o)-*[1] + *-log(o)-* + *ico*[2]. Cf.: *heterológico.*]

autólogo (au.*tó*.lo.go) *a.* 1 Ref. ao próprio indivíduo 2 Ref. a elementos ou componentes do próprio organismo do indivíduo (enxerto autólogo; transfusão autóloga) [F.: *aut(o)-*[1] + *-logo.*]

autolouvação (au.to.lou.va.*ção*) *sf.* Louvação, enaltecimento de si mesmo: "...ainda garante o palanque e o auditório bem-comportado para ouvir e aplaudir os improvisos de autolouvação..." (*Jornal do Brasil*, 23.04.2006) [Pl.: *-ções.*] [F.: *aut(o)-*[1] + *louvação.*]

autoludíbrio (au.to.lu.*dí*.bri:o) *sm.* Ação ou resultado de enganar a si mesmo [F.: *aut(o)-*[1] + *ludíbrio.*]

automação (au.to.ma.*ção*) *sf. Ind.* Uso de máquinas para controlar e executar suas tarefas quase sem interferência humana, empregando instruções previamente programadas e nelas registradas, e servomecanismos, que detectam e interpretam situações para, de acordo com esses programas, dar novas instruções, adequando a ação às situações detectadas; AUTOMATIZAÇÃO [Pl.: *ções.*] [F.: Do ing. *automation.*]

automaníaco (au.to.ma.*ní*.a.co) *sm.* Indivíduo que tem interesse exagerado por automóveis [F.: *aut(o)-*[2] + *maníaco.*]

automanter-se (au.to.man.*ter*-se) *v. int.* Sustentar-se com seus próprios recursos; manter-se por conta própria: *Sem verbas governamentais, alguns institutos de pesquisa vêm sendo obrigados a automanter-se.* [▶ 7 automan**ter**-se] [F.: *aut(o)-*[1] + *manter* + *se*[1].]

automassagem (au.to.mas.*sa*.gem) *sf.* Massagem que se aplica em si mesmo: *A automassagem ativa a circulação e favorece a drenagem de toxinas.* [Pl.: *-gens.*] [F.: *aut(o)-*[1] + *massagem.*]

automática (au.to.*má*.ti.ca) *sf.* F. red. de *pistola automática* (ver no verbete *pistola*) [F.: Fem. substv. de *automático.*]

automaticidade (au.to.ma.ti.ci.*da*.de) *sf.* Característica ou condição do que é automático; AUTOMATISMO [F.: *automático* + *-(i) dade.*]

automático (au.to.*má*.ti.co) *a.* 1 De, ref. a ou que é próprio de autômato 2 Diz-se de ação ou conjunto de ações de equipamento mecânico, sistema, máquina etc. que se faz com pouca ou nenhuma interferência humana (câmbio automático, piloto automático) 3 *Fig.* Que é feito de forma inconsciente, sem pensar, por hábito (gesto automático); INCONSCIENTE; INSTINTIVO; INVOLUNTÁRIO; MAQUINAL [Ant.: *consciente, deliberado, estudado, voluntário.*] 4 Que opera ou se move por meios mecânicos; MECÂNICO 5 Que se realiza sem a interferência do indivíduo, obedecendo a programação prévia (débito automático) 6 *Fig.* Diz-se de reação, consequência, extensão (de ocorrência, fato, processo etc.) considerada, pelos padrões, por experiência etc., inevitável: *Aqui, desrespeito às normas significa demissão automática.* *sm.* 7 Equipamento que permite a aquisição de objetos nele armazenados mediante a introdução de dinheiro, ficha etc., com o que o objeto é automaticamente retirado e apresentado ao comprador [F.: Do gr. *autómatos* + *-ico*[2], pelo fr. *automatique.*]

automatismo (au.to.ma.*tis*.mo) *sm.* 1 Qualidade ou condição do que é automático; AUTOMATICIDADE 2 Atividade ou movimento decorrente de estímulos involuntários ou inconscientes: *Estava tenso, e sua face se contraía em automatismos e cacoetes.* 3 Falta de vontade própria como motivadora de ações: *Sua obediência cega revelava um automatismo preocupante.* 4 *Psic.* Ato realizado sem motivação própria, não originado em reflexão ou vontade conscientes 5 Atividade artística ou literária realizada sob a ação do subconsciente 6 *Tec.* Dispositivo que dá a um aparelho condição de automático: *automatismo de porta de garagem.* 7 *Fisl.* Propriedade de certos órgãos que os faz funcionar independentemente de conexões específicas com o resto do organismo (automatismo cerebral) [F.: *autômato* + *-ismo.*]

automatização (au.to.ma.ti.za.*ção*) *sf.* 1 Ação ou resultado de automatizar 2 Ver *automação* [Pl.: *-ções.*] [F.: *automatizar* + *-ção.*]

automatizado (au.to.ma.ti.*za*.do) *a.* 1 Que se tornou automático (gesto automatizado) 2 Que funciona por meio de sistema de automatização (produção automatizada) [F.: Part. de *automatizar.*]

automatizar (au.to.ma.ti.*zar*) *v.* 1 Prover (indústria, certo processo industrial, qualquer atividade ou operação) de máquinas para executar tarefa ou parte de tarefa ou processo sem a intervenção humana [*td.*: *A indústria de laticínios automatizou sua produção.*] 2 Reorganizar e realizar com auxílio de programas computacionais [*td.*: *A escola vai automatizar o processo de matrícula.*] 3 Tornar(-se) (o comportamento de [pessoa, animal]) instintivo, maquinal, inconsciente, pela repetição [*td.*: *Com os ensaios, o ator vai automatizar os cacoetes da personagem.*] [*int.*: *Com o tempo, a direção (de veículo) se automatiza.*] [▶ 1 automatizar] [F.: Do gr. *automatizein*, pelo fr. *automatiser*, ou *autômato* + *-izar.*]

autômato (au.*tô*.ma.to) *sm.* 1 Aparelho, ger. com aparência de ser humano ou animal, que imita seus movimentos por meios mecânicos e/ou eletrônicos; ROBÔ: "Aires acompanhou-o pisada sobre pisada, com a impassibilidade de um autômato." (José de Alencar, *O guarani*) 2 *Fig.* Pessoa que age apática e automaticamente, como uma máquina; ROBÔ: *Obedece cegamente ao chefe; é um autômato.* 3 Máquina, dispositivo, engenho etc. que, com maior ou menor complexidade, funciona por meios mecânicos, que lhe dão movimento(s) 4 *Inf.* Programa para estudo das linguagens de programação 5 *Inf.* Programa que resolve algoritmos [F.: Do gr. *autómatos, e, on* pelo lat. *automatus, a, um.*]

automecânica (au.to.me.*câ*.ni.ca) *sf.* Oficina especializada em consertos de veículos automotores [F.: *aut(o)-*[2] + *mecânica.*]

automedicação (au.to.me.di.ca.*ção*) *sf. Med.* Ação ou resultado de automedicar-se, de ministrar a si mesmo medicamento sem prescrição de médico [Pl.: *-ções.*] [F.: *automedicar(-se)* + *-ção.*]

automedicamentoso (au.to.me.di.ca.men.*to*.so) [ô] *a.* Ref. a automedicação [Fem. e pl.: [ó].] [F.: *aut (o)-*[1] + *medicamentoso.*]

automedicar-se (au.to.me.di.*car*-se) *v. int.* Tomar remédio por sua própria indicação e não por prescrição médica: *Automedicar-se é perigoso.* [▶ 1 automedicar-se] [F.: *aut(o)-*[1] + *medicar* + *se*[1].]

automobilismo (au.to.mo.bi.*lis*.mo) *sm.* 1 *Esp.* Esporte de corridas e competições de veículos automotores 2 *Aut.* Sistema de viação com veículos automotores 3 *Aut.* Fabricação de automóveis (indústria do automobilismo) [F.: *automóvel* + *-ismo*, seg. o modelo erudito.]

> 📖 O esporte das corridas de automóvel teve início em 1894, na França, e logo se difundiu pela Europa e pelos EUA, onde uma das provas, a de Indianápolis (1911), tornou-se uma das mais famosas. O desenvolvimento dos circuitos e dos carros de corrida estendeu-se a países como a Itália, a Inglaterra e a Alemanha, com avanços na técnica e na popularidade. Vários tipos de carros e de circuitos foram desenvolvidos. As competições de automobilismo dividem-se em várias 'fórmulas', de acordo com o tipo de carro, de pista e das regras de corrida. Entre as principais, Fórmula 1, Fórmula 3.000, Fórmula 3, Fórmula Ford, Fórmula Indy, Stock Cars (carros comuns, de série, adaptados), GT etc., e competições de resistência e regularidade (ralis). Vários pilotos brasileiros destacaram-se no automobilismo, esp. na Fórmula 1 (como Emerson Fittipaldi, duas vezes campeão, Nelson Piquet, três vezes, e Ayrton Senna, três vezes) e na Fórmula Indy (o mesmo Fittipaldi, Hélio Castroneves, Tony Kanaan, Gil de Ferran).

automobilista (au.to.mo.bi.*lis*.ta) *a2g.* 1 *Esp.* Diz-se de quem pratica o automobilismo (1) 2 Diz-se de quem dirige automóvel *s2g.* 3 Aquele que pratica o automobilismo (1) 4 Aquele que dirige automóvel [F.: *automobilis(mo)* + *-ista.*]

automobilístico (au.to.mo.bi.*lís*.ti.co) *a.* Do ou ref. ao automobilismo (esporte automobilístico; indústria automobilística) [F.: *automobilista* + *-ico*[2].]

automodificar-se (au.to.mo.di.fi.*car*-se) *v. int.* Modificar a si mesmo [▶ 11 automodificar-se] [F.: *aut(o)-*[1] + *modificar* + *se*[1].]

automotivar-se (au.to.mo.ti.*var*-se) *v. int.* Motivar a si mesmo e por si mesmo, por seu próprio esforço e decisão: *Sem outro estímulo para melhorar seu rendimento, ele procurava automotivar-se.* [▶ 1 automotivar-se] [F.: *aut(o)-*[1] + *motivar* + *se*[1].]

automotivo (au.to.mo.*ti*.vo) *a.* 1 Que dispõe de sistema de autopropulsão (veículo automotivo) 2 De ou ref. a automóvel ou a indústria automobilística (setor automotivo, indústria automotiva) [F.: *aut(o)-*[1] + *motivo* (adj.).]

automotor (au.to.mo.*tor*) [ô] *a.* 1 Que é dotado de mecanismo próprio (motor) para movimentar-se, sem necessidade de fatores externos (veículo automotor); AUTOMÓVEL; AUTOMOTIVO 2 Ref. à fabricação de automóveis (setor automotor); AUTOMOTIVO [F.: *aut(o)-*[1] + *motor.*]

automotriz (au.to.mo.*triz*) *sf.* Veículo ferroviário que, provido de motor, serve ao mesmo tempo como locomotiva e vagão; LITORINA [F.: *aut(o)-*[1] + *-motriz.*]

automóvel (au.to.*mó*.vel) *sm.* 1 Veículo automóvel (3) destinado ao transporte de passageiros ou de carga, ou em alguns casos a competições esportivas; CARRO [Tb. se diz apenas *auto.*] [Pl.: *-veis.*] *a2g.* 2 Que se locomove por meios próprios 3 Que se move acionado por motor próprio, ger. de explosão, a gasolina, álcool, gás ou óleo diesel 4 *Lus.* De ou ref. a automóvel (1) (indústria automóvel); AUTOMOBILÍSTICO [Pl.: *-veis.*] [F.: *aut(o)-*[1] + *móvel*, e prov. do fr. *automobile.* Ideia de 'automóvel', usar pref. *auto.*] ▪▪ ~ **conversível** Automóvel cuja capota (rígida ou flexível) é retrátil ou removível. [Tb. apenas *conversível*] ~ **de praça** Táxi; carro de praça

> 📖 Os primeiros e rudimentares modelos de automóvel surgiram entre o fim do séc. XVIII e início do séc. XIX e eram movidos a vapor. Os primeiros automóveis com motor a explosão foram criados pelos alemães Carl Benz (1885) e Gottlieb Daimler (1886). Mas foi o modelo T, do norte-americano Henry Ford, que transformou o automóvel num produto de série (1908), tendo sido fabricadas, desse modelo, 15 milhões de unidades, em 10 anos. Um automóvel baseia-se fundamentalmente a) num chassi (estrutura) com quatro rodas, onde se montam os mecanismos de transmissão de força, de amortecimento de choques (suspensão) e de direcionamento; b) numa carroçaria, montada sobre o chassi, habitáculo dos passageiros; c) num motor a explosão, no qual uma mistura combustível (ar e gasolina, ou óleo diesel, ou álcool, ou gás) continuamente injetada em diferentes cilindros explode (por ação de faísca, ou outra ação) impulsionando dentro dos cilindros e em fases diferentes pistões que, por sua vez, por meio de uma biela, movimentam um eixo cuja rotação é transmitida às rodas motrizes; d) em mecanismos que ampliam ou reduzem a velocidade e o sentido da rotação transmitida às rodas (caixa de marchas); e) em mecanismos reguladores da marcha (sistema de direção, de freio etc.; f) em equipamentos de controle, manejo, segurança etc. (mostradores, alavancas, interruptores, sistema elétrico, sinalizadores, protetores contra choques, climatizadores, espelhos etc.).

automutilação (au.to.mu.ti.la.*ção*) *sf.* 1 Mutilação feita por alguém em si mesmo 2 *Pat. Psic.* Distúrbio de comportamento, no qual a pessoa afetada, intencionalmente, inflige a si mesma ferimentos 3 *Fig.* Ação ou comportamento de alguém que propositalmente se incapacita para algo [Pl.: *-ções.*] [F.: *aut(o)-*[1] + *mutilação.*]

automutilador (au.to.mu.ti.la.*dor*) [ô] *a.* Ref. a ou que encerra automutilação (comportamento automutilador) [F.: *aut(o)-*[1] + *mutilador.*]

autônimo (au.*tô*.ni.mo) *a.* 1 Diz-se da obra assinada com o verdadeiro nome do seu autor 2 Diz-se do autor que assinou a obra com o seu verdadeiro nome 3 Diz-se do nome (verdadeiro) com que autor de obra a assina 4 *Ling.* Diz-se de palavra (em relação a essa outra palavra) que tem na mesma ou em outra língua outra palavra correspondente ao mesmo sentido *sm.* 5 O nome verdadeiro com que autor assina sua obra [P. op.: *pseudônimo.* Cf.: *heterônimo.*] [F.: *aut(o)-*[1] + *-ônimo.* Hom./Par.: *autônimo* (a.), *antônimo* (a. sm.).]

autonomeado (au.to.no.me.*a*.do) *a.* 1 Que deu nome, alcunha ou título a si mesmo; AUTODENOMINADO; AUTOINTITULADO 2 Que designou a si mesmo para um cargo ou função [F.: Part. de *autonomear(-se).*]

autonomear-se (au.to.no.me.*ar*-se) *v.* Nomear a si mesmo; INTITULAR-SE [*int.*: *O departamento precisava de um auditor, e ele, usando de sua prerrogativa, autonomeou-se.*] [*tp.*: *Autonomeou-se auditor do departamento:* "O passo seguinte foi autonomear-se 'pai dos pobres'..." (Carlos Marchi, *O Estado de São Paulo*, 07.05.2006)] [▶ 13 autonomear-se] [F.: *aut(o)-*[1] + *nomear* + *se*[1].]

autonomia (au.to.no.*mi*.a) *sf.* 1 Qualidade, estado ou condição de autônomo 2 Capacidade, faculdade ou direito (de indivíduo, grupo, instituição, entidade etc.) de se autogovernar, de tomar suas próprias decisões ou de agir livremente, sem interferência externa (mesmo se organicamente incluído num âmbito maior de soberania) 3 *Fil.* Para Kant, faculdade (e seu exercício) de o ser humano estabelecer os próprios padrões morais de comportamento sem a influência de fatores externos (paixões, coerções etc.) 4 Situação de um país, território, região ou povo que governa a si mesmo, segundo suas próprias leis; AUTOGOVERNO; SOBERANIA: *Proposta de Emenda à Constituição garante autonomia a 55 novos municípios.* 5 Independência na gestão de instituição pública: *Texto da reforma universitária prevê autonomia para universidades federais.* 6 Autossuficiência em relação a determinado produto [+ *em*: *O Brasil busca autonomia em petróleo.*] 7 Distância máxima que um veículo, aeronave ou embarcação pode percorrer sem se reabastecer de combustível 8 Período máximo durante um dispositivo qualquer pode funcionar sem se reabastecer em alguma fonte de energia: *Este celular, com esta bateria, tem 36 horas de autonomia.* 9 *Bras.* Independência de um profissional de vínculos empregatícios no exercício de sua atividade 10 *Bras.* Licença (adquirida ou outorgada) para que taxista possa exercer sua profissão [F.: Do gr. *autonomía*, pelo fr. *autonomie.*] ▪▪ ~ **da vontade** *Jur.* Conceito de que a vontade livremente exercida por pessoa capaz e idônea, se dentro da lei, é considerada soberana ~ **necessária** *Jur.* Poder e prerrogativa que têm herdeiros para modificar normas de partilha judicial, contanto que não de ordem pública

autonômico (au.to.*nô*.mi.co) *a. P. us.* O mesmo que *autônomo* [F.: *autonomia* + *-ico*[2].]

autonomismo (au.to.no.*mis*.mo) *sm. Pol.* Sistema baseado na autonomia das diferentes divisões do Estado [F.: *autonomia* + *-ismo.*]

autonomista (au.to.no.*mis*.ta) *a2g.* 1 Que é partidário da autonomia ou do autonomismo (emenda autonomista) *s2g.* 2 Partidário da autonomia ou do autonomismo: *Os autonomistas hoje constituem a maioria na Câmara Municipal.* [F.: *autonomia* + *-ista.*]

autonomização (au.to.no.mi.za.*ção*) *sf.* Ação ou resultado de autonomizar(-se) [Pl.: *-ções.*] [F.: *autonomizar* + *-ção.*]

autonomizar (au.to.no.mi.*zar*) *v.* Fazer ficar ou ficar, tornar(-se) autônomo, independente [*td.*: *O governo queria autonomizar certas instituições.*] [*int.*: *Com o tempo, o pequeno país se autonomizou.*] [▶ 1 autonomizar] [F.: *autônomo* + *-izar.*]

autônomo (au.*tô*.no.mo) *a.* 1 Que tem (indivíduo, organização, instituição etc.) autonomia, a capacidade e a possibilidade de governar ou administrar a si mesmo segundo suas próprias regras ou normas, sem interferência externa 2 *Jur.* A que ou a quem foi concedida (por autoridade, poder central) liberdade de governar ou administrar a si mesmo segundo suas próprias normas; INDEPENDENTE; LIVRE [Ant.: *dependente, submisso.*] 3 Diz-se de trabalhador, profissional etc. que trabalha por conta própria, sem vínculo empregatício 4 *Tec.* Diz-se de dispositivo ou sistema cujo funcionamento não depende de conexão a outro dispositivo ou sistema 5 *Ling.* Diz-se da unidade linguística cujo sentido ou funções independem de sua colocação no enunciado em relação a outros elementos *sm.* 6 Trabalhador autônomo (3) [F.: Do gr. *autónomos*, pelo fr. *autonome.* Hom./Par.: *autônomo* (a. sm.), *autônimo* (a.).]

auto-observação (au.to-ob.ser.va.*ção*) *sf.* Observação, estudo, análise de si mesmo: "...é necessária uma auto-observação do profissional, já que o conflito limita – e muito – o campo de visão das pessoas e suas diversas interações na sociedade." (*Valor Econômico*, 21.09.2004) [Pl.: *auto-observações.*] [F.: *aut(o)-*[1] + *observação.*]

auto-organização (au.to-or.ga.ni.za.*ção*) *sf.* 1 Organização por si mesmo: *No ensino a distância, a auto-organização do aluno é importante para o sucesso de sua aprendizagem.* 2 Capacidade dos organismos de construir, manter ou mudar a sua organização e produzir novas estruturas sem a presença de um supervisor central e sem qualquer contribuição (material ou informativa) exterior 3 *Ecol.* Capacidade de um sistema ecológico mudar sua organização interna por seus próprios meios para se adaptar a um novo quadro ambiental [Pl.: *auto-organizações.*] [F.: *aut(o)-*[1] + *organização.*]

auto-oxidação (au.to-o.xi.da.*ção*) [cs] *sf. Quím.* Reação química não induzida que fixa o oxigênio molecular sobre uma substância química orgânica ou inorgânica: *auto-oxidação de ácidos graxos insaturados.* [Pl.: *auto-oxidações.*] [F.: *aut(o)-*[1] + *oxidação.*]

autoparódia (au.to.pa.*ró*.di:a) *sf.* Paródia que alguém faz de si mesmo: "...o autor repete a autoparódia, que virou uma fórmula consagrada..." (*Revista Época*, 24.01.2005) [F.: *aut(o)-*[1] + *paródia.*]

autoparodiar-se (au.to.pa.ro.di.*ar*-se) *v. int.* Fazer paródia de si mesmo: "...poucos ou quase ninguém entendeu (...) a importância interna de Noel ou Hendrix (...) criadores incomparáveis (...) pela quantidade e versatilidade de sua obra extensa, da capacidade de tentar e não conseguir repetir-se (ou autoparodiar-se) no verso polido..." (Rogério Sganzerla) [▶ 1 autoparodiar-se] [F.: *aut(o)-*[1] + *parodiar* + *se*[1].]

autoparódico (au.to.pa.*ró*.di.co) *a.* Ref. a autoparódia [F.: *aut(o)-*[1] + *paródico.*]

autopercepção (au.to.per.cep.*ção*) *sf.* Percepção, consciência que se tem de si mesmo [Pl.: *-ções.*] [F.: *aut(o)-*[1] + *percepção.*]

autoperpetuação (au.to.per.pe.tu:a.*ção*) *sf.* Ação ou resultado de autoperpetuar-se; perpetuação de si mesmo [Pl.: *-ções.*] [F.: *aut(o)-*[1] + *perpetuação.*]

autoperpetuar-se (au.to.per.pe.tu.*ar*-se) *v.* Tornar a si mesmo perpétuo (em geral, ou em certa condição); criar condições para perpetuar-se [*int.*: *Não querendo abrir mão do cargo, autoperpetuou-se mudando o estatuto.*] [*tr.* + *em*: *Autoperpetuou-se no cargo.*] [*tp.*: *Mudou o estatuto e autoperpetuou-se como presidente da firma.*] [▶ 1 autoperpetuar-se] [F.: *aut(o)-*[1] + *perpetuar* + *se*[1].]

autopiedade (au.to.pi:e.*da*.de) *sf.* Piedade de si mesmo [F.: *aut(o)-*[1] + *piedade.*]

autopista (au.to.*pis*.ta) *sf.* O mesmo que *autoestrada* [F.: *aut(o)-*[2] + *pista.*]

autopoliciar-se (au.to.po.li.ci.*ar*-se) *v. int.* Policiar, vigiar a si mesmo; exercer controle sobre os próprios atos: *Auto-*

policiava-se para não beber demais [▶ 1 autopoliciar-se] [F.: aut(o)-¹ + policiar + se¹.]
autopolinização (au.to.po.li.ni.za.ção) sf. Bot. Polinização de uma flor pelo seu próprio pólen [Pl.: -ções.] [F.: aut(o)-¹ + polinização.]
autopoliploide (au.to.po.li.ploi.de) a2g. Gen. Diz-se de organismo poliploide cujos genomas constituintes são formados pela duplicação de um conjunto haploide (com número típico para a espécie) de cromossomos [F.: aut(o)-¹ + poliploide.]
autopoliploidia (au.to.po.li.ploi.di.a) sf. Gen. Condição de organismo autopoliploide [P. op.: alopoliploidia.] [F.: autopoliploide + -ia¹.]
autoposto (au.to.pos.to) [ô] sm. Posto para abastecimento de combustível e outros serviços para automóvel [Pl.: [ó].] [F.: aut (o)-² + posto.]
autopremiação (au.to.pre.mi:a.ção) sf. Ação ou resultado de dar prêmio a si mesmo [Pl.: -ções.] [F.: aut(o)-¹ + premiação.]
autopreservação (au.to.pre.ser.va.ção) sf. Ação ou resultado de autopreservar-se; tendência instintiva de proteger-se, de preservar a própria vida, integridade etc. (instinto de autopreservação) [Pl.: -ções.] [F.: aut(o)-¹ + preservação.]
autopreservar-se (au.to.pre.ser.var-se) v. int. Preservar a si mesmo, colocando-se a salvo de dano (físico ou moral), deterioração etc.: Autopreservava-se, mantendo-se alheio às intrigas; Para se autopreservar, deixou de fumar e de beber. [▶ 1 autopreservar-se] [F.: aut(o)-¹ + preservar + se¹.]
autoproclamação (au.to.pro.cla.ma.ção) sf. Ação ou resultado de autoproclamar-se [Pl.: -ções.] [F.: auto(o)-¹ + proclamação.]
autoproclamar-se (au.to.pro.cla.mar-se) v. tp. Atribuir a si mesmo posição, dignidade, cargo ou função e anunciá-lo publicamente; proclamar a si mesmo: Sem consultar ninguém, autoproclamou-se soberano vitalício do país; Na falta de uma decisão do tribunal desportivo, os dois clubes autoproclamaram-se campeões. [▶ 1 autoproclamar-se] [F.: aut(o)-¹ + proclamar + se¹.]
autoprodução (au.to.pro.du.ção) sf. Econ. Produção (de bens, alimentos, energia etc.) para o próprio consumo; produção (de algo) por si mesmo, sem intervenção de fatores externos: "As indústrias de alumínio (...) sabem que seus contratos, como estão, não serão renovados e correm para a autoprodução de energia." (O Globo, 06.06.2001) [Pl.: -ções.] [F.: aut(o)-¹ + produção.]
autoprodutor (au.to.pro.du.tor) [ô] sm. Econ. Aquele que produz (mercadorias ou serviços) para o próprio uso [F.: aut(o)-¹ + produtor.]
autoproduzir-se (au.to.pro.du.zir-se) v. int. **1** Produzir a si mesmo: "Porém, enquanto é para si também para si mesmo, então é esse autoproduzir-se, o puro conceito..." (G. W. F. Hegel, Prefácio à 'Fenomenologia do Espírito', 1807) **2** Arrumar-se bem; EMBELEZAR-SE: A mulher autoproduziu-se para sair. [▶ 57 autoproduzir-se] [F.: aut(o)-¹ + produzir + se¹.]
autoprogramar-se (au.to.pro.gra.mar-se) v. int. **1** Fazer, por si mesmo, a própria programação; preparar a si mesmo para situações determinadas: Autoprogramou-se para enfrentar as dificuldades que sabia inevitáveis. **2** Programar a si mesmo (dispositivo, servomecanismo etc.) de acordo com as circunstâncias: Esse sistema de refrigeração se autoprograma à medida que ocorrem mudanças no tempo. [▶ 1 autoprogramar-se] [F.: aut(o)-¹ + programar + se¹.]
autopromoção (au.to.pro.mo.ção) sf. Ação ou resultado de autopromover-se, de enaltecer ou divulgar a si mesmo, de ressaltar as próprias qualidades etc.: "...um trabalho muito bem-feito de autopromoção e de superestimação do próprio trabalho..." (O Globo, 14.03.2006) [Pl.: -ções.] [F.: aut(o)-¹ + promoção.]
autopromocional (au.to.pro.mo.ci:o.nal) a2g. Ref. a autopromoção; que faz autopromoção (campanha autopromocional) [Pl.: -nais.] [F.: aut(o)-¹ + promocional.]
autopromover-se (au.to.pro.mo.ver-se) v. int. Fazer propaganda de si mesmo, ostentar seu suposto mérito e qualidades; PROMOVER-SE: Desprestigiado, fazia tudo para se autopromover. [▶ 2 autopromover-se] [F.: aut(o)-¹ + promover + se¹.]
autopromovido (au.to.pro.mo.vi.do) a. Que se autopromoveu, que fez promoção de si mesmo [F.: Part. de autopromover-se.]
autopropulsão (au.to.pro.pul.são) sf. Eng. Propulsão (de um veículo, equipamento, arma etc.) por seus próprios meios: Muitos canhões são dotados de autopropulsão. [Pl.: -sões. Raramente us. no pl.] [F.: aut(o)-¹ + propulsão.]
autoproteção (au.to.pro.te.ção) sf. Ação ou resultado de autoproteger-se, de proteger a si mesmo: "No item autoproteção, 88% dos entrevistados responderam que não querem ter armas de fogo." (O Globo, 19.12.2004) [Pl.: -ções. Não se usa no pl.] [F.: aut(o)-¹ + proteção.]
autoproteger-se (au.to.pro.te.ger-se) v. Defender a si próprio [tr. + contra, de: O corpo tem mecanismos para autoproteger-se de muitas doenças.] [int.: Tomou várias medidas para se autoproteger.] [▶ 35 autoproteger-se] [F.: aut(o)-¹ + proteger + se¹.]
autoprotetor (au.to.pro.te.tor) [ô] a. Que protege a si mesmo: Sua aparente indiferença é na verdade uma atitude autoprotetora. [F.: aut(o)-¹ + protetor.]
autópsia (au.tóp.si:a) sf. **1** Med. leg. Exame de cadáver (que pode incluir dissecação de tecidos) para determinar a causa da morte; NECRÓPSIA; NECROPSIA **2** Exame atento de si mesmo **3** Fig. Análise crítica minuciosa; ESQUADRINHAMENTO **4** Lus. Pop. Entre delinquentes, ação de roubar todos os pertences de uma vítima; DEPENAGEM; LIMPA [F.: Do gr. autopsía, pelo fr. autopsie. Hom./par.: autopsia (sf.), autopsia (fl. de autopsiar). Tb. autopsia.]
autopsiado (au.top.si.a.do) a. De que se fez autópsia [F.: Part. de autopsiar.]
autopsiar (au.top.si:ar) v. td. Fazer a autópsia de: O médico-legista autopsiou o corpo. [▶ 11 autopsiar] [F.: autópsi(a) + -ar².]
autopunição (au.to.pu.ni.ção) sf. Punição que alguém impõe a si mesmo [Pl.: -ções.] [F.: aut(o)-¹ + punição.]
autopunir-se (au.to.pu.nir-se) v. int. Punir a si próprio; castigar-se: Parou de comer para se autopunir. [▶ 3 autopunir-se] [F.: aut(o)-¹ + punir + se¹.]
autopunitivo (au.to.pu.ni.ti.vo) a. **1** Diz-se de ação, medida etc. realizadas por alguém para punir a si mesmo **2** Que tem caráter de autopunição: Sua súbita caridade é mais autopunitiva do que solidária. [F.: aut(o)-¹ + punitivo.]
autopurificação (au.to.pu.ri.fi.ca.ção) sf. Purificação de si mesmo [Pl.: -ções.] [F.: aut(o)-¹ + purificação.]
autoqualificar-se (au.to.qua.li.fi.car-se) v. **1** Caracterizar a si próprio; classificar-se [tp. + como, de: O autor se autoqualifica como romântico.] **2** Preparar a si próprio para o trabalho ou determinada atividade [int.: Precisamos autoqualificar-nos constantemente.] [▶ 11 autoqualificar-se] [F.: aut(o)-¹ + qualificar + se¹.]
autor (au.tor) [ô] sm. **1** Criador de obra literária, artística ou científica: A autora acaba de lançar mais um livro. **2** Pessoa responsável por uma invenção ou descoberta; DESCOBRIDOR; INVENTOR **3** Pessoa que faz, realiza, comete, um ato ou fato (autor do crime/gol/incêndio) **4** Por metonímia, obra de autor (1): Só lia autores contemporâneos. **5** Jur. Pessoa que propõe demanda judicial contra outra **6** Jur. Pessoa que pratica um crime ou contravenção **7** Pessoa responsável pela fundação ou instituição de algo; CRIADOR; FUNDADOR; INSTITUIDOR: **8** A primeira pessoa a divulgar: Dizem que ele é o autor desses boatos. [F.: Do lat. auctor, oris. Ideia de 'autor': -asta: cineasta, pederasta.] ∎ **~ dramático** Teat. Autor de peças teatrais; dramaturgo **~ físico/material** Jur. Aquele que na prática comete um crime, por ordem ou indução de terceiro **~ intelectual/moral** Jur. Aquele que concebe e planeja um crime, realizado na prática pelo autor físico **O ~ de seus dias** Pai ou mãe, em relação a filho(s)
autoral (au.to.ral) a2g. Ref. a ou próprio de autor de obra literária, artística ou científica (direito autoral) [Pl.: -rais.] [F.: autor + -al¹.]
autoralismo (au.to.ra.lis.mo) sm. Conjunto de conceitos e princípios sobre direitos autorais
autorama (au.to.ra.ma) sm. Pista automobilística em miniatura com carrinhos de brinquedo que disputam corrida [F.: aut(o)-² + -orama.]
autoria (au.to.ri.a) sf. **1** Condição de autor; o trabalho ou produção de autor: Vidas Secas é de autoria de Graciliano Ramos; Não se conhece a autoria do texto. **2** Jur. Presença do autor em um julgamento [F.: autor + -ia¹.] ∎ **Chamar à ~** Jur. Chamar (alguém) à responsabilidade por algo
autoridade (au.to.ri.da.de) sf. **1** Direito, poder ou prerrogativa de tomar decisões e dar ordens **2** Pessoa que tem esse direito ou poder: Fale com o sargento, ele é a autoridade aqui. **3** Entidade institucional (política, judicial, policial, militar ou eclesiástica) que, em sua alçada, tem direito de exigir obediência a suas ordens: "Disseram-me que estava presente a autoridade e tratava de remover o morto." (Raul Pompeia, O Ateneu) **4** Superioridade ou energia moral decorrente da posição que se ocupa num grupo, seja por maturidade, experiência de vida ou profissional, soma de conhecimentos ou hierarquia: "O farmacêutico deu a sua opinião, numa voz vagarosa, sobrecarregada da autoridade dum vasto entendimento." (Eça de Queirós, O crime do Padre Amaro) **5** Especialista, grande entendido em determinado assunto: "passava pela talentosa da família, e era em pontos de doutrina e etiqueta uma autoridade em Resende." (Eça de Queirós, Os Maias) **6** Energia, vigor, empenho para exercer influência: "Pedro, já médico, ainda que sem prática, punha mais autoridade nas perguntas." (Machado de Assis, Esaú e Jacó) **7** Condição de credibilidade e prestígio baseada na excelência, na qualidade, na acuidade e atualidade das informações, argumentações, análises etc. que apresenta: a autoridade de um dicionário/de uma opinião. [F.: Do lat. auctoritas, atis.]
autoritário (au.to.ri.tá.ri:o) a. **1** Ref. a autoridade **2** Que se apoia na autoridade, na imposição, na prerrogativa e no poder de comandar (chefe autoritário) **3** Que impõe respeito por sua postura ou expressão enérgica; ENÉRGICO; IMPOSITIVO: Passou-lhe as instruções num tom autoritário. **4** Que se fundamenta no autoritarismo (governo autoritário); DESPÓTICO; DITATORIAL [Ant.: democrático, liberal] [F.: Do lat. auctoritas 'autoridade' + -ário.]
autoritarismo (au.to.ri.ta.ris.mo) sm. **1** Qualidade do que ou de quem é autoritário **2** Maneira autoritária de agir ou de proceder **3** Regime político em que o poder está concentrado em uma pessoa ou em um pequeno grupo que, para impor sua autoridade, ger. viola direitos e liberdades individuais; AUTOCRATISMO; ABSOLUTISMO; DESPOTISMO [F.: autoritário + -ismo.]
autorização (au.to.ri.za.ção) sf. **1** Ação ou resultado de autorizar, de dar permissão a outrem para fazer algo; CONCESSÃO; CONSENTIMENTO; LICENÇA [Ant.: coibição, desautorização, interdição, proibição.] **2** Jur. Concessão de poder ou permissão a alguém para praticar ato jurídico **3** P. ext. O poder ou a permissão assim concedidos **4** P. ext. Documento que registra essa autorização (2, 3) [Pl.: -ções.] [F.: autorizar + -ção.]
autorizado (au.to.ri.za.do) a. **1** Que se autorizou, permitiu; APROVADO; CONSENTIDO **2** Que tem aprovação expressa do autor ou de quem constitui o tema (de livro, filme, hino, canção etc.) (biografia autorizada) **3** Que recebeu autorização ou licença para atuar (representante autorizado, oficina autorizada); CREDENCIADO; OFICIAL **4** Que tem autoridade; digno de respeito e crédito: "Falou por último Andiara, o mais venerável e o mais autorizado dos pajés." (Bernardo Guimarães, O ermitão do Muquém) [F.: Part. de autorizar.]
autorizar (au.to.ri.zar) v. **1** Dar ou conferir autoridade, poder a [td.] **2** Dar licença ou permissão para se fazer algo; PERMITIR [td.: O engenheiro autorizou o início das obras; As Filipinas autorizaram teste com algodão transgênico.] [tdr. + a: "...não me autorizou a sentar-me..." (João Ubaldo Ribeiro, Diário do farol)] **3** Dar motivo ou direito a; validar, confirmar; JUSTIFICAR [td.: O fato de ser criminoso confesso não autoriza a tortura; O gramático autoriza esse uso da crase.] [tdr. + a: O erro dele não te autoriza a cometer outro.] **4** Fundamentar-se na autoridade de (alguém); abonar-se, justificar-se [tr. + em: Sua afirmação autoriza-se em bons autores.] [tdr. + em, com: Os pequenos autorizam-se no/com o exemplo dos maiores.] **5** Adquirir autoridade, granjear consideração, apreço ou respeito [int.: Depois de tanta experiência, autorizou-se.] [▶ 1 autorizar] [F.: Do lat. medv. auctorizare.]
autorrádio (au.tor.rá.di:o) sm. Aparelho de rádio³ (4) próprio para ser instalado em automóveis [Pl.: autorrádios.] [F.: aut(o)-² + rádio.]
autorreajuste (au.tor.re:a.jus.te) sm. **1** Reajuste salarial para si mesmo: "Também deveria pesar na avaliação dos congressistas o efeito cascata do autorreajuste sobre os já combalidos cofres estaduais e municipais..." (Diário de Cuiabá, 02.03.2005) **2** Capacidade de uma máquina regular o próprio funcionamento [Pl.: autorreajustes.] [F.: aut(o)-¹ + reajuste.]
autorrealização (au.tor.re:a.li.za.ção) sf. Transformação das próprias potencialidades em realidade por decisão, iniciativa e esforços próprios: "O jovem necessita de apoio, atenção e perspectivas de autorrealização..." (Folha de S.Paulo, 23.11.2005) [Pl.: autorrealizações.] [F.: aut(o)-¹ + realização.]
autorrealizar-se (au.tor.re.a.li.zar-se) v. int. Dar livre curso a suas próprias potencialidades, concretizá-las existencialmente: Só se autorrealiza no palco. [▶ 1 autorrealizar-se] [F.: aut(o)-¹ + realizar + se¹.]
autorrealizável (au.tor.re:a.li.zá.vel) a2g. Que pode ser realizado por si mesmo, sem interferência externa [Pl.: -veis.] [F.: auto- + realizável.]
autorreconhecimento (au.tor.re.co.nhe.ci.men.to) sm. **1** Percepção ou concepção da própria imagem: "O autorreconhecimento é o primeiro passo da criança rumo à formação de sua personalidade?" (Márcia Gonçalves, Tese de mestrado, Unifesp, in Jornal da Paulista, on line, março de 2001) **2** Aceitação da própria identidade, e de sua legitimidade: "O Estatuto do Índio, de 1973, ainda que conservador, estabelece que a condição de ser índio repousa no autorreconhecimento pelo indivíduo e por sua comunidade..." (Jornal do Brasil, 19.04.2004); "descendentes quilombolas finalmente receberam a certidão de autorreconhecimento." (Comissão Pastoral da Terra, 07.05.2006) [Pl.: autorreconhecimentos.] [F.: aut(o)-¹ + reconhecimento.]
autorreflexão (au.tor.re.fle.xão) [cs] sf. Reflexão sobre si mesmo, para examinar as próprias ideias, os próprios sentimentos etc.: "O entrelaçamento da intuição com a autorreflexão servia tanto para analisar o humorismo como era o mecanismo básico da criação literária." (Folha de S.Paulo, 20.11.1994) [Pl.: autorreflexões.] [F.: aut(o)-¹ + reflexão.]
autorrefrigeração (au.tor.re.fri.ge.ra.ção) sf. Diminuição da temperatura de um objeto, dispositivo, máquina etc., por meio de mecanismo de refrigeração nele mesmo instalado; esse mecanismo: Esses motores funcionam com autorrefrigeração. [Pl.: autorrefrigerações.] [F.: aut(o)-¹ + refrigeração.]
autorregeneração (au.tor.re.ge.ne.ra.ção) sf. **1** Ação ou resultado de regenerar-se, de reabilitar-se: "Essa ausência de iniciativa de reforma reiterа, lamentavelmente, a percepção de incapacidade de autorregeneração do sistema político-partidário." (Folha de S.Paulo, 22.01.2006) **2** Requisição de condições ambientais adequadas (autorregeneração de lagoas) **3** Processo ou capacidade de gerar por si mesmo novos elementos constituintes para substituir os que se perderam (autorregeneração celular) [Pl.: autorregenerações.] [F.: aut(o)-¹ + regeneração.]
autorreger-se (au.tor.re.ger-se) v. int. Governar a si próprio; ditar suas próprias regras: Tem autonomia para autorreger-se [▶ 35 autorreger-se] [F.: aut(o)-¹ + reger + se¹.]
autorregulação (au.tor.re.gu.la.ção) sf. **1** Capacidade de um sistema ordenar e organizar o funcionamento de seus próprios componentes de acordo com as condições ou com as exigências conjunturais: autorregulação de uma indústria química. **2** Econ. Conjunto de normas e procedimentos, criado por entidades privadas, para fiscalizar o cumprimento dos deveres legais e dos padrões éticos

nas operações de seus próprios associados: "O Banco Central parece estar apostando em uma autorregulação do mercado de dólares no país: em certo momento os bancos vão achar o dólar atrativo e voltarão a comprar..." (*Folha de S.Paulo*, 08.03.2004) [Pl.: *autorregulações.*] [F.: *aut(o)-*[1] *+ regulação.*]

autorregulado (au.tor.re.gu.*la*.do) ***a.*** Que passou por processo de autorregulação (mercado autorregulado; sistema autorregulado) [Pl.: *autorregulados.*] [F.: *aut(o)-*[1] *+ regulado.*]

autorregulador (au.tor.re.gu.la.*dor*) [ô] ***a.*** **1** Que se regula por si mesmo: "...defender o papel autorregulador dos mercados e de seus agentes, sem concessões a interferências governamentais como os subsídios e as políticas industriais..." (*O Estado de S.Paulo*, 28.07.2005) **2** Que é responsável pela fiscalização das atividades dos membros do grupo a que pertence ou representa: "...Conar, o órgão autorregulador dos publicitários..." (*Folha de S.Paulo*, 19.06.1996) [Pl.: *autorreguladores.*] [F.: *aut(o)-*[1] *+ regulador.*]

autorregulamentação (au.tor.re.gu.la.men.ta.*ção*) ***sf.*** Ação ou resultado de impor um regulamento a si mesmo, estabelecendo as próprias regras [Pl.: *autorregulamentações.*] [F.: *aut(o)-*[1] *+ regulamentação.*]

autorregulamentar-se (au.tor.re.gu.la.men.*tar*-se) ***v. td.*** Sujeitar ou impor a si próprio uma série de regras, condições etc. criadas ou desenvolvidas por si mesmo; criar e cumprir suas próprias regras: *O mercado se autorregulamenta.* [▶ 1 autorregulamentar-se] [F.: *aut(o)-*[1] *+ regulamentar*[2] *+ se*[1].]

autorregular-se (au.tor.re.gu.*lar*-se) ***v. td.*** Regular a si mesmo, estabelecendo os próprios limites, as próprias regras etc. [▶ 1 autorregular-se] [F.: *aut(o)-*[1] *+ regular*[2] *+ se*[1].]

autorregulável (au.tor.re.gu.*lá*.vel) ***a2g.*** Que tem condições de regular a si mesmo; que pode ser objeto de autorregulação (mercado autorregulável) [Pl.: *autorreguláveis.*] [F.: *aut(o)-*[1] *+ regulável.*]

autorrejeição (au.tor.re.jei.*ção*) ***sf.*** Rejeição, repúdio de si mesmo, da própria identidade, dos próprios valores etc.: *Baixa autoestima implica autorrejeição.* [Pl.: *autorrejeições.*] [F.: *aut(o)-*[1] *+ rejeição.*]

autorrenovação (au.tor.re.no.va.*ção*) ***sf.*** **1** Renovação por si mesmo: "Para se protegerem da falência e esconder que estão insolváveis, banqueiros e empresas embarcam numa autorrenovação de empréstimos que jamais poderão ser honrados..." (*Folha de S.Paulo*, 31.01.1996) **2** *Biol.* Capacidade que possuem os sistemas vivos de renovar e reciclar seus próprios componentes: *a autorrenovação de células-tronco.* **3** *Jur.* Renovação automática de contrato, serviço etc.: *autorrenovação de assinatura de jornal.* [Pl.: *autorrenovações.*] [F.: *aut(o)-*[1] *+ renovação.*]

autorreplicação (au.tor.re.pli.ca.*ção*) ***sf.*** *Gen.* A capacidade que um material genético (esp. o DNA) tem de controlar a própria duplicação [Pl.: *autorreplicação.*] [F.: *aut(o)-*[1] *+ replicação.*]

autorreplicante (au.tor.re.pli.*can*.te) *Gen.* ***a2g.*** Que controla a sua própria duplicação (diz-se de elemento genético) [Pl.: *autorreplicantes.*] [F.: *aut(o)-*[1] *+ replicante.*]

autorrepressão (au.tor.re.pres.*são*) ***sf.*** Repressão de si mesmo, individual ou coletiva: "...estudo do conflito interno da rainha, dividida entre a autorrepressão puritana e o desejo de prazer..." (*Folha de S.Paulo*, 20.03.1998) [Pl.: *autorrepressões.*] [F.: *aut(o)-*[1] *+ repressão.*]

autorrespeito (au.tor.res.*pei*.to) ***sm.*** **1** Sentimento que leva um indivíduo a ter um comportamento ou atitude coerente com seus próprios valores, sua dignidade: *O autorrespeito está intimamente relacionado com a autoestima.* **2** Respeito que um grupo, comunidade, associação etc. manifesta por si próprio: "Segundo o ministro das Relações Exteriores, o Brasil defende uma 'integração saudável' para a América do Sul, marcada pelo autorrespeito..." (*Jornal do Brasil*, 05.06.2004) [Pl.: *autorrespeitos.*] [F.: *aut(o)-*[1] *+ respeito.*]

autorretificação (au.tor.re.ti.fi.ca.*ção*) ***sf.*** Retificação ou correção dos próprios erros [Pl.: *autorretificações.*] [F.: *aut(o)-*[1] *+ retificação.*]

autorretrato (au.tor.re.*tra*.to) ***sm.*** Retrato de si mesmo feito por alguém (em pintura, desenho, escultura, texto literário etc.) [Pl.: *autorretratos.*] [F.: *aut(o)-*[1] *+ retrato.*]

autorrotular-se (au.tor.ro.tu.*lar*-se) ***v. tp.*** Definir ou classificar a si próprio (como): *O partido se autorrotula liberal.* [▶ 1 autorrotular-se] [F.: *aut(o)-*[1] *+ rotular + se*[1].]

autos (*au*.tos) ***smpl.*** *Jur.* Conjunto organizado das peças de um processo judicial [F.: Pl. de *auto.*]

autoscopia (au.tos.co.*pi*.a) ***sf.*** Exame ou auscultação de si próprio [F.: *aut(o)-*[1] *+ -scopia.*]

autossatisfação (au.tos.sa.tis.fa.*ção*) ***sf.*** **1** Satisfação consigo mesmo **2** *Psic.* Satisfação sexual a partir da manipulação dos próprios órgãos genitais; AUTOEROTISMO; MASTURBAÇÃO **3** *Jur.* Recuperação por alguém, por sua própria ação, de direito seu violado ou espoliado por outrem [Pl.: *autossatisfações.*] [F.: *aut(o)-*[1] *+ satisfação.*]

autossegregação (au.tos.se.gre.ga.*ção*) ***sf.*** Isolamento ou segregação que indivíduo ou grupo impõe a si mesmo para com outras pessoas ou grupos (autossegregação social) [Pl.: *autossegregações.*] [F.: *aut(o)-*[1] *+ segregação.*]

autossegurança (au.tos.se.gu.*ran*.ça) ***sf.*** **1** Conjunto de medidas de precaução que uma pessoa adota para evitar ser vítima de assaltos, acidentes, sequestros etc. **2** *Esp.* No alpinismo, técnica de segurança que trava a corda automaticamente em caso de queda do escalador **3** Qualquer dispositivo de segurança, us. por um esportista ou um trabalhador, acionado automaticamente em caso de acidentes: *descida em rapel com autossegurança.* **4** Confiança em si mesmo, que se reflete em atitude decidida, firmeza nas decisões, tranquilidade no enfrentamento de problemas etc.; AUTOCONFIANÇA: "A gente desenvolve muito o equilíbrio entre a mente e o corpo, os reflexos e a autossegurança..." (*Folha de S.Paulo*, 19.04.1994) [F.: *aut(o)-*[1] *+ segurança.*]

autosserviço (au.tos.ser.*vi*.ço) *Com.* ***sm.*** **1** Sistema adotado em estabelecimentos comerciais (supermercados, lojas de departamento, restaurantes, bombas de gasolina etc.) no qual o próprio consumidor se serve e depois paga o que consumiu ou o que vai levar consigo **2** *P. ext.* Estabelecimento que adota esse sistema [Muito us. nesta acp. o termo que lhe corresponde em inglês: *self-service.*] **3** *P. ext.* Máquina de venda automática de diversos produtos (bebidas, alimentos, cigarros etc.), ger. acionada por moeda ou ficha [Pl.: *autosserviços.*] [F.: *aut(o)-*[1] *+ serviço.*]

autossocorro (au.tos.so.*cor*.ro) [ô] ***sm.*** **1** Estabelecimento com profissionais capacitados para socorrer automóveis enguiçados em qualquer lugar; esse serviço **2** Veículo equipado para socorrer automóveis enguiçados [Pl.: *autossocorros.*] [F.: *aut(o)-*[2] *+ socorro.*]

autossômico (au.tos.*sô*.mi.co) ***a.*** *Gen.* Ref. a autossomo [F.: *autossomo + -ico*[2].]

autossomo (au.tos.*so*.mo) ***sm.*** *Gen.* Cromossomo cujos genes não participam na determinação do sexo [F.: *aut(o)-*[1] *+ -somo.*]

autossoro (au.tos.*so*.ro) [ô] ***sm.*** *Ter.* Soro elaborado com material que se colheu do próprio paciente que irá recebê-lo [Pl.: *autossoros.*] [F.: *aut(o)-*[1] *+ soro* [ô].]

autossuficiência (au.tos.su.fi.ci.*ên*.ci.a) ***sf.*** **1** Qualidade ou condição de autossuficiente; AUTONOMIA: *Ele se acha autossuficiente, prescinde de assessores e de secretários.* **2** *Econ.* Independência econômica: *Em 2006 o Brasil atingiu a autossuficiência em petróleo.* [Ant.: *dependência.*] [Pl.: *autossuficiências.*] [F.: *aut(o)-*[1] *+ suficiência.*]

autossuficiente (au.tos.su.fi.ci.*en*.te) ***a2g.*** **1** Que se basta a si próprio, que vive ou sobrevive sem depender de nada ou de ninguém; AUTÔNOMO; INDEPENDENTE: [Ant.: *dependente.*] **2** *Econ.* Que, por ter em quantidade suficiente para seu consumo, não precisa importar certos produtos ou matérias-primas (diz-se de indústria, unidade política, setor econômico etc.) [Pl.: *autossuficientes.*] [F.: *aut(o)-*[1] *+ suficiente.*]

autossugestão (au.tos.su.ges.*tão*) ***sf.*** **1** Ação ou resultado de autossugestionar-se **2** *Psi.* Influência que alguém exerce sobre si mesmo ao se sugestionar quanto a algo **3** *Psi.* Forma de terapia psicológica baseada na autossugestão (2) [Pl.: *autossugestões.*] [F.: *aut(o)-*[1] *+ sugestão.*]

autossuperação (au.tos.su.pe.ra.*ção*) ***sf.*** Superação dos próprios limites ou limitações [Pl.: *autossuperações.*] [F.: *aut(o)-*[1] *+ superação.*]

autossustentabilidade (au.tos.sus.ten.ta.bi.li.*da*.de) ***sf.*** Qualidade ou condição do que é autossustentável [Pl.: *autossustentabilidades.*] [F.: *aut(o)-*[1] *+ sustentabilidade.*]

autossustentação (au.tos.sus.ten.ta.*ção*) ***sf.*** **1** Capacidade de uma organização ou de uma pessoa sustentar-se de modo independente ou por meios próprios: "Rumo à autossustentação, a UnB tornou-se um balcão de negócios. Captou ano passado R$ 107 milhões com diversas fontes..." (*Jornal do Brasil*, 16.05.2004) **2** Capacidade, ação ou condição de uma aeronave sustentar-se no ar pela ação de forças aerodinâmicas: *Geralmente são as asas que proporcionam a autossustentação de um avião.* [Pl.: *autossustentações.*] [F.: *aut(o)-*[1] *+ sustentação.*]

autossustentado (au.tos.sus.ten.*ta*.do) ***a.*** Sustentado, amparado, financiado por si mesmo (desenvolvimento autossustentado) [Pl.: *autossustentados.*] [F.: *aut(o)-*[1] *+ sustentado.*]

autossustentável (au.tos.sus.ten.*tá*.vel) ***a2g.*** Que é capaz de se manter com recursos próprios, sem necessidade de ajuda externa (desenvolvimento autossustentável) [Pl.: *autossustentáveis.*] [F.: *aut(o)-*[1] *+ sustentável.*]

autotelia (au.to.te.*li*.a) ***sf.*** *Fil.* Faculdade de determinar por si mesmo a própria finalidade e os próprios objetivos, o sentido de sua existência [F.: Do gr. *autotéleia, as.*]

autotélico (au.to.*té*.li.co) ***a.*** Designa aquilo que tem sentido apenas para si mesmo, que não precisa ter um resultado, uma finalidade além dele próprio [Como a estética da arte pela arte, que contesta qualquer referência ao mundo exterior.] [F.: Do gr. *autotéles + -ico*[2]. P. opos. a *heterotélico.*]

autotomia (au.to.to.*mi*.a) ***sf.*** *Zool.* Mutilação espontânea de parte do próprio corpo, recurso de certos animais (insetos, crustáceos, lagartos etc.) para escapar de seu predador [F.: *aut(o)-*[1] *+ -tomia.*]

autotoxina (au.to.to.*xi*.na) [cs] ***sf.*** *Med.* Toxina produzida pelo próprio organismo [F.: *aut(o)-*[1] *+ toxina.*]

autotransformação (au.to.trans.for.ma.*ção*) ***sf.*** Transformação de si mesmo: "São todos movidos (...) pelo desejo de mudança – de autotransformação e de transformação do mundo em redor..." (*O Globo*, 07.11.2000) [Pl.: *-ções.*] [F.: *aut(o)-*[1] *+ transformação.*]

autotransformar-se (au.to.trans.for.*mar*-se) ***v.*** Mudar sua própria forma, suas características etc. [***int.:*** *Autotransformou-se através da fé.*] [***tp.*** *+ em: A bruxa autotransformou-se em linda mulher.*] [▶ 1 autotransformar-se] [F.: *aut(o)-*[1] *+ transformar + se*[1].]

autotransfusão (au.to.trans.fu.*são*) ***sf.*** **1** *Med.* Transfusão que é feita com o sangue do próprio receptor **2** *Med.* Termo que, impropriamente, designa um procedimento que visa a melhorar a irrigação sanguínea de órgãos vitais (coração, cérebro etc.), mediante a compressão gradativa de braços e pernas, a partir da extremidade até a conexão com o tronco, para incrementar o fluxo de sangue na direção do órgão em questão [Pl.: *-ções.*] [F.: *aut(o)-*[1] *+ transfusão.*]

autotransplante (au.to.trans.*plan*.te) ***sm.*** *Med. Cir.* Transplante em que tecido ou órgão é transferido de um para outro local do corpo do próprio doador [F.: *aut(o)-*[1] *+ tranplante.*]

autotreinamento (au.to.trei.na.*men*.to) ***sm.*** Treinamento que alguém faz por conta própria, sem orientação de outrem [F.: *aut(o)-*[1] *+ treinamento.*]

autotributo (au.to.tri.*bu*.to) ***sm.*** Tributo, homenagem a si mesmo: *Como um autotributo, gravou um CD com seus maiores sucessos.* [F.: *aut(o)-*[1] *+ tributo.*]

autotrofia (au.to.tro.*fi*:a) ***sf.*** *Biol.* Capacidade de um organismo (como o de vegetais) utilizar uma fonte de energia para sintetizar substâncias inorgânicas em orgânicas, produzindo o próprio alimento; esse fenômeno; AUTOTROFISMO [Como acontece na fotossíntese. Cf.: *heterotrofia.*] [F.: *aut(o)-*[1] *+ -trofia.*]

autotrófico (au.to.*tró*.fi.co) ***a.*** *Biol.* Que tem autotrofia; diz-se do organismo capaz de produzir seu próprio alimento a partir de substâncias inorgânicas [Cf.: *heterotrófico.*] [F.: *autotrofia + -ico*[2].]

autótrofo (au.*tó*.tro.fo) ***sm.*** *Biol.* Organismo autotrófico [F.: *aut(o)-*[1] *+ -trofo.*]

autovacina (au.to.va.*ci*.na) ***sf.*** *Med.* Vacina preparada com culturas de germes obtidos do próprio organismo que recebe a vacina [F.: *aut(o)-*[1] *+ vacina.*]

autovacinação (au.to.va.ci.na.*ção*) ***sf.*** *Med.* Ação ou resultado de ministrar autovacina [Pl.: *-ções.*] [F.: *aut(o)-*[1] *+ vacinação.*]

autovalorização (au.to.va.lo.ri.za.*ção*) ***sf.*** **1** Ação ou resultado de autovalorizar-se **2** Valorização de si mesmo; atribuição a si mesmo de valores, qualidades, méritos etc.: *Com tantos autoelogios isto não é um currículo, é um manifesto de autovalorização.* [Pl.: *-ções.*] [F.: *aut(o)-*[1] *+ valorização.*]

autovalorizar-se (au.to.va.lo.ri.*zar*-se) ***v. int.*** Dar ou atribuir valor a si próprio: *Só quando outros o elogiaram começou a autovalorizar-se.* [▶ 1 autovalorizar-se] [F.: *aut(o)-*[1] *+ valorizar + se*[1].]

autoveneração (au.to.ve.ne.ra.*ção*) ***sf.*** Veneração de si mesmo [Pl.: *-ções.*] [F.: *aut(o)-*[1] *+ veneração.*]

autovia (au.to.*vi*.a) ***sf.*** O mesmo que *rodovia* [F.: *aut(o)-*[2] *+ via.*]

autozigótico (au.to.zi.*gó*.ti.co) ***a.*** *Gen.* Ref. a ou próprio de autozigoto [F.: *autozigoto + -ico*[2].]

autozigoto (au.to.zi.*go*.to) [ô] ***sm.*** *Gen.* Zigoto com dois alelos idênticos, provenientes, portanto, de um gene comum aos seus genitores [O autozigoto é decorrente de um endocruzamento.] [F.: *aut(o)-*[1] *+ zigoto.*]

autuação (au.tu.a.*ção*) ***sf.*** **1** Ação ou resultado de autuar, de lavrar um auto **2** Termo inicial dos autos de um processo [Pl.: *-ções.*] [F.: *autua(r) + -ção.* Hom./Par.: *autuação* (sf.), *atuação* (sf.).]

autuado (au.tu.*a*.do) ***a.*** **1** Que se autuou; diz-se daquele contra quem se lavrou auto de infração (motorista autuado) ***sm.*** **2** Aquele contra quem foi lavrado um auto de infração: *Os autuados não poderão renovar a carteira.* [F.: Part. de *autuar.*]

autuar (au.tu.*ar*) ***v. td.*** **1** *Jur.* Lavrar um auto contra (alguém); meter em processo, formar processo contra (alguém): *O policial autuou o motorista por excesso de velocidade; A Feema autuou seis empresas por poluição.* **2** Reunir (documentos) em forma de processo [▶ 1 autuar] [F.: *auto + -uar.*]

auxiliador (au.xi.li.a.*dor*) [ss...ô] ***a.*** **1** Diz-se de quem ou do que auxilia ***sm.*** **2** Aquele ou aquilo que auxilia [F.: Do lat. *auxiliator, oris.* Sin. ger.: *auxiliar.*]

auxiliar[1] (au.xi.li:*ar*) [ss] ***a2g.*** **1** Que auxilia (programa auxiliar); SUBSIDIÁRIO **2** Diz-se de algo ou alguém que não é principal em sua função ou tarefa (motor auxiliar; garçom auxiliar) **3** Que acode, que socorre (doação auxiliar) ***s2g.*** **4** Pessoa encarregada de auxiliar outra no trabalho; ASSESSOR: *Vou contratá-la como minha auxiliar.* **5** Pessoa que tem atribuições secundárias em determinada atividade (auxiliar de enfermagem/de escritório) [F.: Do lat. *auxiliaris, e.*]

auxiliar[2] (au.xi.li.*ar*) [ss] ***v.*** **1** Dar auxílio, ajuda a; AJUDAR; SOCORRER [***td.:*** *O guarda auxiliou o motorista que pedia informação; Resolveram se auxiliar nos trabalhos escolares.*] [***tdr.*** *+ a, em: O menino queria auxiliar o deficiente visual a atravessar a rua.*] **2** Colaborar com trabalho, dinheiro etc. para [***td.:*** *Auxílio várias obras de caridade.*] [***tr.*** *+ em: Minha mãe auxiliou nos preparativos da festa.*] **3** Agir de forma a promover, favorecer; contribuir para [***tr.*** *+ em: Um grupo de palhaços visita hospitais para auxiliar no tratamento dos enfermos.*] **4** Exercer função de ajudante de alguém em algum trabalho [***td.:*** *Foi contratada para auxiliar o advogado.*] [▶ 1 auxiliar] [F.: Do lat. *auxiliare.*]

auxílio (au.*xí*.li:o) [ss] ***sm.*** **1** Colaboração na forma de ajuda material, operacional ou moral [*+ a, contra, em, para: auxílio aos/para os agricultores; auxílio contra as pragas/na lavoura.*] **2** Apoio, amparo **3** Uso (de um recurso): *Escalaram o muro com o auxílio de cordas.* **4** *Pop.* Ajuda aos pobres, por caridade; ESMOLA; ÓBOLO [F.: Do lat. *auxilium, ii.* Hom./Par.: *auxílio* (sm.), *auxilio* (fl. de *auxiliar*).] ■■ **~ à navegação** **1** *Náut.* Toda referência em carta náutica que serve para ajudar o navegante a localizar sua posição e evitar perigos na navegação 2 Nome de publicações do Ministério da Marinha do Brasil que contêm informações de utilidade para quem navega em águas do litoral e dos rios brasileiros

auxina (au.*xi*.na) [cs] *sf. Bioq.* Hormônio ou qualquer das substâncias que estimula o crescimento das plantas [F.: Do gr. *auxo-* ou *auxi-* + *-ina*, pelo fr. *auxine*.]

av *sm.* Quinto mês do calendário civil judaico, corresponde aproximadamente a julho/agosto [F.: Do heb. *av*. Tb. *ab*.]

avacalhação (a.va.ca.lha.*ção*) *sf.* 1 *Bras. Pop.* Ação ou resultado de avacalhar 2 *Pop.* Estado ou condição em que prevalece a desordem, a bagunça, a falta de seriedade: *Este ensaio está uma avacalhação, cada um faz o que quer.* [Pl.: *-ções*.] [F.: *avacalhar* + *-ção*.]

avacalhado (a.va.ca.*lha*.do) *Bras. Pop. a.* 1 Que sofreu avacalhação, que foi desacreditado, desmoralizado; RIDICULARIZADO 2 Cuja aparência foi descuidada; DESLEIXADO; DESMAZELADO 3 Que se fez ou realizou sem apuro, sem cuidado, de qualquer maneira; em que tudo deu errado; MAL-ACABADO; MALFEITO: *Apresentou um protótipo avacalhado, fora de escala e sem acabamento; Que festa avacalhada, a bebida acabou logo e o som enguiçou.* [Ant.: *caprichado, esmerado*.] 4 Que se bagunçou, tumultuou: *Foi uma reunião avacalhada, onde ninguém se entendia.* [F.: Part. de *avacalhar*.]

avacalhar (a.va.ca.*lhar*) *v.* 1 *Bras. Pop.* Tornar(-se) ridículo, desmoralizar(-se), aviltar(-se) [*td.*: *No trote, avacalharam os calouros.*] [*int.*: *O calouro avacalhou-se fazendo tudo que o veterano mandava.*] 2 Dizer mal de; arrasar com [*td.*: *O crítico avacalhou a peça do diretor estreante.*] 3 Fazer algo sem capricho, sem atenção, com descaso [*td.*: *Avacalhou a limpeza porque estava com pressa.*] 4 *Pop.* Promover desordem, confusão em; pôr a perder ou agir de modo a tornar (algo) um fiasco, um vexame etc. [*td.*: *Não seguia as regras, queria avacalhar o jogo.*] [*tr.* + *com*: *Bêbado, só sossegou depois que avacalhou com a festa.*] 5 Voltar atrás no que disse; DESDIZER-SE [*int.*] [▶ 1 avacal**har**] [F.: *a-*^{2} + *vaca* + *-alhar*.]

avá-canoeiro (a.vá-ca.no:*ei*.ro) *s2g.* 1 *Etnol.* Pessoa pertencente a um grupo indígena que habita a ilha do Bananal (TO) e as proximidades do rio Tocantins (GO) *sm.* 2 *Gloss.* Língua falada por esse grupo *a2g.* 3 Do ou ref. a avá-canoeiro (1); típico desse povo indígena 4 *Gloss.* Do ou ref. ao avá-canoeiro (2) [Pl.: *avás-canoeiros*.]

aval (a.*val*) *sm.* 1 Garantia de pagamento de empréstimo feito por outrem; a assinatura que confirma essa garantia: *Pedro fará o empréstimo com o aval do tio.* 2 *P. ext.* Aprovação ou apoio a uma proposta, opinião, decisão, ação etc.: *Sua proposta é boa, mas precisa do aval do chefe:* "Venda de semente modificada tem aval no Senado." (*Folha de S.Paulo*, 22.12.2004) 3 *Fig.* Algo que serve de garantia: *Minha palavra é meu aval.* [Pl.: *avales, avais*.] [F.: Do ár. *halwa*, pelo it. *avallo* e pelo fr. *aval*.] ■ **~ completo** V. *Aval em preto* **~ em branco** O que não menciona a pessoa por ele favorecida, nele constando apenas a assinatura do avalista **~ em preto** O que menciona a pessoa por ele favorecida; aval pleno, aval completo **~ pleno** V. *Aval em preto*

avalancha (a.va.*lan*.cha) *sf.* 1 *Geol.* Massa de neve e gelo que se desprende e desmorona de uma montanha, arrastando o que encontra adiante; ALUDE 2 Desmoronamento (de parte de uma montanha, de edificação etc.) cujos fragmentos despencam numa torrente 3 *Fig.* Grande quantidade de gente, animais, coisas ou fatos que se precipitam subitamente: "...sob uma avalanche de risos saudando-lhe a derrota." (Euclides da Cunha, *Os sertões*) 4 *Fís.* Conjunto de íons e elétrons que, por ionização e a partir de um íon ou elétron, vai se formando cumulativamente [Embora p. us., a palavra *alude* é preferível a esse galicismo que o uso consagrou em sua forma original (*avalanche*), em detrimento da forma aportuguesada (*avalancha*).] [F.: do fr. *avalanche*. Tb. *avalanche*, sendo esta f. considerada gal.] ■ **~ seca** *Geol.* Avalancha de terra, rochas etc. (e não de neve)

avalentoar-se (a.va.len.to.*ar*-se) *v. int.* 1 *Bras.* Tornar-se valentão: *Avalentoava-se por qualquer coisa e saía brigando.* 2 Colocar-se contra; INSURGIR(-SE); REBELAR(-SE): *Revoltados com as medidas impostas pelo novo diretor, os funcionários avalentoaram-se.* [▶ 16 avalento**ar**-se] [F.: *a-*^{2} + *valentão* (sob a f. *valento-*, com desnasalação) + *-ar*^{2} + *se*^{1}.]

avaliação (a.va.li:a.*ção*) *sf.* 1 Ação ou resultado de avaliar 2 Estimativa do valor ou importância de algo 3 Valor atribuído por quem avalia: *A avaliação do quadro foi muito alta.* 4 Consideração objetiva sobre as reais condições de algo; ANÁLISE; CÁLCULO; EXAME: *Qualquer erro de avaliação do piloto pode ser fatal.* 5 Exame para avaliar conhecimento adquirido por aluno, competência de profissional etc. [Pl.: *-ções*.] [F.: *avaliar* + *-ção*.] ■ **~ judicial** *Jur.* Avaliação de bens por perito nomeado judicialmente

avaliado (a.va.li.*a*.do) *a.* 1 Que tem ou a que se deu valor determinado: *colar foi avaliado em R$ 5. 000.* 2 Que teve o mérito examinado: *candidato avaliado pela banca.* 3 Estimado, calculado (lucros avaliados) [F.: Part. de *avaliar*.]

avaliador (a.va.li:a.*dor*) [ô] *a.* 1 Que faz avaliação *sm.* 2 Aquele que faz avaliação, que avalia [F.: *avaliar* + *-dor*.]

avaliar (a.va.li.*ar*) *v.* 1 Fazer análise de (algo), pesando suas vantagens e desvantagens; AQUILATAR: [*td.*: *A comissão avaliou as medidas adotadas.*] 2 Estimar, calcular [*td.*: *Não avaliamos que a tarefa tomaria tanto tempo.*] 3 Atribuir valor ou preço a; COMPUTAR; ORÇAR [*td.*: *O leiloeiro avaliou o quadro (em alguns mulhões).*] 4 Examinar conhecimento adquirido por (para conferir peso ou nota) [*td.*: *A professora vai avaliar a turma.*] 5 Reconhecer a grandeza, a intensidade, a força de [*td.*: *Avalio a preocupação de uma mãe com seus filhos.*] 6 *Fig.* Calcular o valor de; prezar [*td.*: *Não era capaz de avaliar os filhos que tinha.*] 7 Reputar(-se), ter(-se) em conta (de) [*tdp.*: *Avalia-se um artista completo; Avaliava a irmã por aliada.*] 8 Formar juízo ou ideia; AJUIZAR; JULGAR [*tr.* + *de*: *avaliar das razões, dos méritos.*] [▶ 1 avali**ar**] [F.: *a-*^{2} + *valia* + *-ar*^{2}.]

avaliativo (a.va.li:a.*ti*.vo) *a.* Ref. a, ou em que há avaliação (processo avaliativo) [F.: *avaliar* + *-tivo*.]

avalista (a.va.*lis*.ta) *Jur. s2g.* 1 Pessoa que dá aval, que dá garantia de pagamento de um título, nota promissória etc. *a2g.* 2 Diz-se dessa pessoa [F.: *aval* + *-ista*. Sin. ger.: *avalizador*.]

avalizador (a.va.li.za.*dor*) [ô] *a. sm.* O mesmo que *avalista* [F.: *avalizar* + *-dor*.]

avalizar (a.va.li.*zar*) *v. td.* 1 *Jur.* Conceder garantia de pagamento em (título de crédito): *avalizar uma duplicata/uma transação.* 2 *Jur.* Obrigar-se por aval sobre (notas promissórias, títulos etc.) de (alguém): *Meu tio sempre avalizou minhas transações.* 3 *Fig.* Dar garantia de (qualidade, caráter, veracidade etc.) a; AFIANÇAR: *Estou certo de que vai avalizar minha idoneidade.* 4 *Fig.* Dar apoio, suporte a; ABONAR: *Os pais sempre avalizam os filhos.* [▶ 1 avaliz**ar**] [F.: *aval* + *-izar*.]

⊕ **à-valoir** (*Fr.* /a valoá/) *sm. P. us. Teat. Edit.* Pagamento adiantado pela cessão de direitos autorais; ADIANTAMENTO

avançada (a.van.*ça*.da) *sf.* 1 Ação ou resultado de avançar; AVANÇO 2 Ataque súbito contra o inimigo; INVESTIDA; ASSALTO 3 Dianteira, vanguarda [F.: *avançar* + *-ada*^{1}.] ■ **Às ~s** Pouco a pouco, gradualmente, aos pouquinhos

avançado (a.van.*ça*.do) *a.* 1 Muito desenvolvido (tecnologia avançada) [+ *em*: *avançado em questões de direitos humanos.*] 2 Adiantado (no tempo) em relação a sua época; diferente (por ser inovador) do que é comum e habitual, e por isso ger. rejeitado pela maioria (ideias avançadas); MODERNO; VANGUARDISTA [+ *em, para, sobre*: *avançado em suas concepções; avançado para o seu tempo; Um homem avançado sobre seus contemporâneos.* Ant.: *antiquado, conservador*.] 3 À frente, em posição adiantada (sentinela avançada, tropas avançadas) 4 Projetado para a frente; SALIENTE; PROTUBERANTE: "...nariz adunco, avançado, seco, quase translúcido como um nariz de vidro." (Raul Pompeia, *O Ateneu*) 5 Que já conta com muitos anos (idade avançada) [+ *em*: *Ela é avançada em anos.*] *sm.* 6 *Lus. Esp.* Jogador com função ofensiva, de marcar gols ou pontos; ATACANTE; PONTA DE LANÇA [F.: Part. de *avançar*.] ■ **~ central** *Lus. Fut.* Centroavante

avançamento (a.van.ça.*men*.to) *sm.* 1 Ação ou resultado de avançar; AVANÇADA; AVANÇO [Ant.: *recuo, retrocesso*.] 2 *Arq.* Em um edifício, parte que sobressai à linha geral das paredes, como balcão, sacada etc.; BALANÇO 3 *N. E.* Assentamento da superestrutura nas ferrovias 4 *Cir.* Técnica cirúrgica que consiste em deslocar, ou 'avançar' tecido após incisão [Na cirurgia oftalmológica do estrabismo, p. ex., após incisão no músculo ocular, ele é avançado para a posição correta e suturado. Na cirurgia de correção da posição do útero, a intervenção é nos ligamentos do útero.] [F.: *avançar* + *-mento*.]

avançar (a.van.*çar*) *v.* 1 Fazer ir ou ir adiante; mover(-se) para frente; ADIANTAR(-SE) [*td.*: *O técnico avançou o meio-campo.*] [*int.*: *Os alpinistas avançavam lentamente.*] 2 Progredir ou fazer progredir; DESENVOLVER(-SE) [*td.*: *O tratamento equivocado avançou a doença.*] [*tr.* + *em*: *É o único meio de avançar na carreira.*] [*int.*: "...a medicina avançou bastante..." (Josué Montello, *Sempre serás lembrada*)] 3 Lançar-se sobre, com ganância [*tr.* + *em, sobre*: *Os herdeiros avançaram no dinheiro.*] 4 *P. ext.* Lançar-se (para pegar algo) com avidez [*tr.* + *em*: *As crianças avançaram nos presentes.*] 5 Arremessar-se contra; ATACAR [*tr.* + *em, sobre*: *Durante a rebelião, víamos os homens avançando nos policiais.*] 6 Ultrapassar (sinal de trânsito, limite etc.) [*td.*: *Avançou o sinal e bateu.*] 7 Projetar(-se) sobre um espaço; ESTENDER(-SE); PROLONGAR(-SE) [*ta.*: *As mesas do bar avançavam para a (pela, sobre a) calçada.*] [*int.*: *As barracas de sol avançavam colorindo a praia.*] 8 *P. ext.* Tomar espaço, lugar; PROPAGAR(-SE) [*ta.*: *A minissaia avançou no mundo da moda.*] 9 Chegar a; ALCANÇAR; ATINGIR [*tr.* + *em*: *As doações avançam em dois milhões.*] 10 Ser superior a; EXCEDER; SUPERAR [*td.*: *Os resultados da turma avançaram as expectativas do professor.*] 11 Passar, transcorrer (o tempo) com rapidez [*int.*: *Os minutos avançam e o jogo vai terminar.* Há ger. certa atenção à proximidade do fim de um limite, do fim de um prazo ou de um fato, acontecimento ou ocasião, o que causa a impressão de que o tempo passa depressa.] 12 Dizer ou afirmar (algo) antes do tempo; ADIANTAR; ANTECIPAR [*td.*: *Já avancei algumas ideias antes da reunião.*] 13 Apresentar (ideias, pensamentos avançados, ousados); EXPOR [*td.*: *Avançou diversas estratégias na reunião.*] 14 Penetrar ou fazer penetrar no interior de; EMBRENHAR(-SE) [*ta.*: *Os pesquisadores avançaram pela floresta.*] 15 *Arq.* Realizar avançamento [*int.*: *Os arqueólogos vão avançar.*] [▶ 12 avan**çar**] [F.: Do cat. *avansar*, de um lat. **abantiare*. Hom./Par.: *avance* (fl.), *avance* (sm.); *avanço* (fl.), *avanço* (sm.).]

avanço (a.*van*.ço) *sm.* 1 Ação ou resultado de avançar, de ir para a frente, de progredir: *Com o avanço das tropas, a batalha acirrou-se.* [+ *a, contra, em, para*: *avanço da obscuridade ao/para o estrelato; avanço contra o muro; avanço no tempo; avanço para o futuro.* Ant.: *recuo, retrocesso*.] 2 Desenvolvimento, progresso: "Além do avanço tecnológico e científico, a corrida à Lua..." (*Folha de S.Paulo*, 30.12.1999.) [Ant.: *retrocesso*] 3 Mudança para melhor (em saúde, finanças, carreira profissional etc.); MELHORA 4 Diferença (em tempo ou distância) de quem está à frente em relação a quem está atrás; VANTAGEM: *Chegou com um avanço de dez metros sobre o segundo colocado.* [F.: Dev. de *avançar*. Hom./Par.: *avanço* (sm.), *avanço* (fl. de *avançar*). Ideia de 'avanço', pref. *pro-*^{2}.] ■ **~ do periastro** *Astron.* Numa órbita espacial, deslocamento da linha das apsides, no plano da órbita **~ do periélio** *Astron.* Deslocamento do periélio dos planetas, devido à curvatura do espaço nas vizinhanças de massas materiais

avantajado (a.van.ta.*ja*.do) *a.* 1 Que leva ou tem vantagem sobre os outros; que excede o que é considerado normal; DESTACADO; NOTÁVEL; SUPERIOR: "...o professor excedeu o juízo avantajado que ele próprio fazia de sua vocação oratória." (Camilo Castelo Branco, *A queda de um anjo*) [+ *a... em*: *Ele é avantajado aos colegas em leitura.*] 2 De grandes dimensões; maior que o comum [F.: Part. de *avantajar*.]

avantajar (a.van.ta.*jar*) *v.* 1 Aumentar, crescer (em tamanho, intensidade, importância etc.) [*td.*: *Avantajou o ocorrido para nos preocupar.*] [*int.*: *As nuvens negras avantajam-se no céu.*] 2 Mostrar(-se) maior ou superior a; levar vantagem sobre; DISTINGUIR(-SE) [*td.*: *Ninguém o avantajava no ringue.*] [*tdr.* + *a, diante de, sobre*: *Por sua facilidade de expressão, avantaja-se aos outros.*] [*int.*: *O candidato da oposição avantajou-se nas pesquisas.*] 3 Dar vantagem a; FAVORECER [*td.*: *Meu irmão sempre me avantaja quando jogamos.*] [*tdr.* + *a*: *Avantajou o filho aos demais candidatos.*] 4 Perceber (algo ou alguém [ou a si mesmo]) como melhor do que realmente é; contar vantagens [*td.*: *Sempre avantajava suas próprias proezas.*] [*int.*: *O pescador avantajava e ninguém acreditava.*] 5 Tornar(-se) mais vantajoso, proveitoso, melhor [*td.*: *Avantajar um acordo.*] [*int.*: *O negócio avantajou-se com a redução dos impostos.*] 6 Tornar(-se) saliente, destacado ou notável; DESTACAR(-SE); DISTINGUIR(-SE) [*td.*: *Avantajou sua beleza com a leve maquiagem.*] [*tdr.* + *a*: *Sua versatilidade o avantaja aos demais.*] [*int.*: *Onde quer que fosse, sua delicadeza sempre se avantajava.*] 7 Fazer progressos; ADIANTAR-SE [*int.*: *Com as aulas particulares, avantajou-se na escola.*] [▶ 1 avanta**jar**] [F.: *a-*^{2} + *vantag(em)* + *-ar*^{2}.]

avante (a.*van*.te) *adv.* 1 Para a frente, adiante: *Não hesitou e foi avante.* 2 Na frente, adiante: *Avante encontraremos uma cancela.* *interj.* 3 Us. como incentivo ou ordem para avançar: *Avante, companheiros, não desistam!* [F.: Do lat. tard. *abante*.] ■ **~ de** Além de, ou em posição anterior à de (algo ou alguém)

⊕ **avant-garde** (*Fr.* /avã-gárd/) *sf.* 1 Grupo de intelectuais que criam inovações artísticas, culturais etc.; VANGUARDA *a2g.* 2 De vanguarda (ideia avant-garde) [F.: fr. *avant*, 'adiante', + *garde*, 'guarda'.]

⊕ **avant la lettre** (*Fr.* /avã la lètre/) *loc. a. Fig.* Diz-se do que existe antes mesmo de existir o próprio termo que o define [P. ex., um vanguardista *avant la lêttre* já era um vanguardista antes de existir a palavra 'vanguardista'.]

⊕ **avant-première** (*Fr.* /avã-premiêr/) *sf. Cin. Teat.* Exibição antes da estreia; PRÉ-ESTREIA [Pl.: *avant-premières*.] [F.: fr. *avant*, 'antes', + *première*, 'primeira'.]

avaramente (a.va.ra.*men*.te) *adv.* De maneira avara; com avareza; PARCAMENTE [F.: Fem. de *avaro* + *-mente*.]

avarandado (a.va.ran.*da*.do) *a.* 1 Que tem varanda (apartamento avarandado) *sm.* 2 *Bras. N* Prédio com varanda 3 Varanda coberta, à frente ou em volta da casa: "De um lado e outro corria um avarandado, ficando à esquerda alguns quartos, e à direita a cozinha e a copa." (Machado de Assis, "Antes e depois da missa", *in Casa velha*) [F.: Part. de *avarandar*.]

avarandar (a.va.ran.*dar*) *v. td. Bras.* Prover de varanda: *Avarandou toda a frente da casa* [▶ 1 avaran**dar**] [F.: *a-*^{2} + *varanda* + *-ar*^{2}.]

avarento (a.va.*ren*.to) *a.* 1 Excessivamente apegado ao dinheiro; SOVINA 2 *P. ext.* Que não é generoso; MESQUINHO *sm.* 3 Indivíduo extremamente apegado ao dinheiro (e *por ext.* aos bens materiais), sendo por isso incapaz de gestos de generosidade [F.: *avaro* + *-ento*. Sin. ger.: *avaro*.]

avares (a.*va*.res) *smpl.* Um dos maiores grupos étnicos da República do Daguestão, ao norte do Cáucaso, uma das mais extensas divisões da Federação da Rússia

avareza (a.va.*re*.za) [ê] *sf.* 1 Apego excessivo ao dinheiro e aos bens materiais, com grande preocupação em juntá-los; SOVINICE 2 Falta de generosidade; MESQUINHEZ 3 Ação ou comportamento de avarento, de avaro [F.: Do lat. *avaritia, ae*.]

avaria (a.va.*ri*.a) *sf.* 1 Qualquer dano, prejuízo, estrago: *O temporal causou avarias na fachada do prédio.* 2 Falha, dano, defeito ou mau funcionamento causado por desgaste, colisão etc.: *O automóvel está com algumas avarias.* 3 *Mar. Merc.* Dano causado a um navio, ou às mercadorias que ele transporta 4 *Mar. Merc.* Toda a despesa imprevista, necessária à segurança de um navio ou de suas mercadorias, desde a saída até a entrada no porto a que se destina 5 *Mar. Merc.* Direito que paga um navio para conservação do porto em que fundeia 6 Estragos causados aos campos e propriedades por temporais, inundações, guerra etc. 7 Gêneros danificados, esp. cereais [F.: Do it. *avaria*, posv.

do ár. *Hawariya*, pl. de *hawar*, 'prejuízo'.] ■ **~ comum** *Mar. Merc.* V. *Avaria grossa* **~ grossa** *Mar. Merc.* Dano ou prejuízo a navio ou carga que o comandante, em caso de acidente ou perigo, causa propositalmente para evitar danos ou perigos ainda maiores. [Cf.: *Avaria simples*] **~ particular** *Mar. Merc.* V. *Avaria simples* **~ simples** *Mar. Merc.* Dano ou prejuízo não deliberados ao navio ou a sua carga, por acidente, naufrágio etc. [Cf.: *Avaria grossa.*]

avariado (a.va.ri.*a*.do) ***a.*** **1** Que teve ou sofreu avaria (motor avariado); DANIFICADO; ESTRAGADO **2** *Fig.* Meio doido; AMALUCADO [F.: Part. de *avariar.*]

avariar (a.va.ri.*ar*) ***v.*** Provocar ou sofrer estrago, avaria; CORROMPER(-SE); DANIFICAR(-SE); ESTRAGAR(-SE) [***td.***: *O combustível adulterado avariou o motor.*] [***int.***: *O celular avariou quando pegou chuva.*] [▶ 1 avariar] [F.: *avaria* + *-ar*[2]. Hom./Par.: *avaria(s)* (fl.), *avaria(s)* (sm. [pl.]).]

avaro (a.*va*.ro) ***a. sm.*** O mesmo que *avarento* [F.: Do lat. *avarus, a, um.*]

avascular (a.vas.cu.*lar*) ***a2g.*** **1** *Bot.* Que é desprovido de vasos condutores (diz-se de algas, vegetais) **2** *Med.* Diz-se de cartilagens e tecidos desprovidos de vasos sanguíneos ou linfáticos [F.: *a-*[3] + *vascular.*]

avassalador (a.vas.sa.la.*dor*) [ô] ***a.*** **1** Que oprime, subjuga a mente, o espírito; que avassala (pânico avassalador); OPRESSOR **2** Que arrasa (tb. *Fig.*) (ataque avassalador); ARRASADOR; DEVASTADOR [F.: *avassalar* + *-dor*. Sin. ger.: *avassalante.*]

avassalar (a.vas.sa.*lar*) ***v. td.*** **1** Exercer (total) domínio sobre, tomar conta de (pessoa, comunidade, grupo, lugar etc.); dominar, submeter [***td.***: *A cultura hippie avassalou os EUA na década de 1960.*] **2** Destruir, arrasar [***td.***: *A epidemia avassalou o país.*] **3** Tornar(-se) vassalo; ESCRAVIZAR [***td.***: *Os colonizadores tentaram avassalar os indígenas.*] [***int.***: *Muitas tribos não se deixaram avassalar.*] [▶ 1 avassalar] [F.: *a-*[2] + *vassalo* + *-ar*[2].]

avatar (a.va.*tar*) ***sm.*** **1** *Rel.* Descida de um deus à Terra, onde se manifesta materializado (esp. no hinduísmo, em que Krishna e Rana são avatares do deus Vixnu) **2** Processo e resultado de transformação, metamorfose, transfiguração; o; TRANSFIGURAÇÃO: *Aquele personagem de Shakespeare foi o avatar do ator.* **3** *P. ext. Inf.* Personificação imaginária de si mesmo que internauta usa como sua representação em ambientes virtuais, internet etc. [F.: Do sânsc. *avatara*, pelo fr. *avatar*, 'descida do céu à Terra'.]

ave[1] (*a*.ve) ***sf.*** **1** *Zool.* Espécime das aves, classe de animais vertebrados, ovíparos, de sangue quente e respiração pulmonar, com o corpo revestido de penas, os membros anteriores transformados em asas e boca terminada em um bico córneo, desprovido de dentes [Aum.: *avejão*. Dim.: *avezinha e avícula.*] **2** *Bras.* Pessoa muito astuta, esperta, mas indigna de confiança [F.: Do lat. *avis, is.*] ■ **~ de arribação** A que costuma migrar, de acordo com a estação **~ de rapina** A que tem bico curvo, grandes asas e garras, e se alimenta da carne dos animais que caça

📖 As aves surgiram na Terra há cerca de 180 milhões de anos, e são vertebrados de temperatura constante (sangue frio) que, por terem asas, podem ter a capacidade de voar (algumas, como o avestruz e o pinguim, porém, não voam). São ovíparas, isto é, reproduzem-se pondo e chocando ovos. Podem-se classificar em: corredoras, as que não voam; marinhas, que vivem sobrevoando o mar ou nele nadando, e nele se alimentando, como pinguins, gaivotas, albatrozes etc.; aquáticas (de água doce), como os patos, cisnes, marrecos, gansos, garças, flamingos, grous, narcejas; galiformes, como galos e galinhas, perus, faisões; papagaios, como a arara, o papagaio; de rapina ou rapaces, como águias, falcões, gaviões, abutres, condores, corujas; pombos como suas várias espécies; pássaros, que incluem as aves canoras, como sabiás, bem-te-vis, curiós, pardais, pintassilgos; outras, como beija-flores, pica-paus, martins-pescadores.

ave[2] (*a*.ve) ***interj.*** Us. em saudações ou cumprimentos; SALVE [F.: Do lat. *ave*, a 2ª pess. imperat. do v.lat. *avere*, 'saudar'.]

ave-do-paraíso (a.ve-do-pa.ra.*í*.so) ***sf.*** **1** *Zool.* Denom. comum às aves da fam. dos paradiseídeos encontradas nas florestas da Austrália e da Nova Guiné; os machos apresentam plumagem de colorido vivo, com longas plumas na cabeça e na cauda **2** *Astron.* Constelação do hemisfério celestial sul, próxima ao Pavão, formada por estrelas de brilho fraco [Nesta acp., com inicial maiúsc.] [Pl.: *aves-do-paraíso.*]

ave-fragata (a.ve-fra.*ga*.ta) ***sf.*** *Zool.* Ave pelecaniforme (*Fregata magnificens*) da fam. dos fregatídeos, de pelagem negra, que ocorre em grande parte do litoral brasileiro [Pl.: *aves-fragatas.*]

aveia (a.*vei*.a) ***sf.*** **1** *Bot.* Nome comum às ervas do gên. *Avena*, da fam. das gramíneas, como a sp. *Avena sativa*, cujos grãos são largamente us. na alimentação humana e animal [Col.: *aveal, avenal.*] **2** Grão dessas ervas **3** Farinha que se obtém da trituração desses grãos: *mingau de aveia.* [F.: Do lat. *avena, ae.*]

avelã (a.ve.*lã*) ***sf.*** *Bot.* Fruto da aveleira, ovoide, de casca dura e semente comestível [F.: Do lat. (*nux*) *abellana* ou *avellana.*]

aveleira (a.ve.*lei*.ra) ***sf.*** *Bot.* Árvore da fam. das betuláceas (*Corylus avellana*), nativa da Europa e da Ásia, cultivada esp. pela semente de seu fruto, a avelã [F.: *avelã* + *-eira*, com desnasalação.]

avelhacado (a.ve.lha.*ca*.do) ***a.*** **1** Que é um tanto velhaco (corretor avelhacado) **2** Dito ou ação próprios de indivíduo velhaco [F.: *a-*[2] + *velhaco* + *-ado*[1].]

avelhentado (a.ve.lhen.*ta*.do) ***a.*** **1** Precocemente envelhecido (rosto avelhentado) **2** Que é ou parece velho (sofá avelhentado) [F.: Part. de *avelhentar.*]

avelhentar (a.ve.lhen.*tar*) ***v.*** **1** Tornar(-se) velho prematuramente; envelhecer antes do tempo [***td.***] [***int.***] **2** Dar aparência ou aspecto de velho a (algo ou alguém [inclusive a si mesmo]) [***td.***] [▶ 1 avelhentar] [F.: *a-*[2] + *velho* + *-entar.*]

avelórios (a.ve.*ló*.ri:os) ***smpl.*** **1** Contas miúdas de vidro ou miçangas que servem para enfeitar **2** *Fig.* Coisas de pouco ou nenhum valor; ninharias, bagatelas [F.: Do gr. *béryllos*, pelo ár. *billáuri*, posv. pelo cast. *abalorio.*]

avelós (a.ve.*lós*) ***sm.*** *Bot.* Planta (*Euphorbia tirucalli*) da fam. das euforbiáceas, presente no N. E. do Brasil, purgartiva e antissifilítica; COROA-DE-CRISTO [F.: De or. obsc.]

aveludado[1] (a.ve.lu.*da*.do) ***a.*** **1** Macio como o veludo **2** *Fig.* Suave e agradável aos ouvidos, à vista, ao tato etc. (voz aveludada, luz aveludada) **3** *Bot.* Cuja superfície é coberta de pelos curtos, densos e macios; VELUTINO [F.: *a-*[2] + *veludo* + *-ado*[1].]

aveludado[2] (a.ve.lu.*da*.do) ***a.*** A que se deu aspecto ou textura de veludo (tecido aveludado) [F.: Part. de *aveludar.*]

aveludar (a.ve.lu.*dar*) ***v. td.*** **1** Tornar suave e macio como veludo: "...o campo aveludava a macia pelúcia da relva..." (José de Alencar, *Lucíola*) **2** Dar (a tecidos) aspecto de veludo: *Passa-se o tecido pelo avesso, para aveludá-lo.* **3** *Fig.* Tornar(-se) mais suave, mais agradável aos sentidos [***td.***: *Aveludou a voz para falar com o rapaz.*] [***int.***: *Este tipo de vinho não se aveluda com o tempo.*] [▶ 1 aveludar] [F.: *a-*[2] + *veludo* + *-ar*[2].]

ave-maria (a.ve-ma.*ri*.a) ***sf.*** **1** *Rel.* Oração católica dirigida à Virgem Maria **2** Composição ou cântico que tem como tema essa oração ou a Virgem Maria **3** Cada uma das contas do terço ou do rosário, menor que o padre-nosso, e que marcam o número de vezes que se tem de rezar uma ave-maria (1) [Pl.: *ave-marias.*] [F.: Do lat. ecles. *Ave Maria*, início da prece.]

ave-marias (a.ve-ma.*ri*.as) ***sfpl.*** **1** Toque do sino da igreja ao nascer do sol, ao meio-dia e ao pôr do sol, como sinal para se rezar a ave-maria; ÂNGELUS **2** O anoitecer; TRINDADES [F.: Pl. de *ave-maria.*] ■ **Às ~s** Ao entardecer, à noitinha: *Costumava sair às ave-marias para espairecer.*

avenca (a.*ven*.ca) ***sf.*** *Bot.* Nome comum a diversas plantas, esp. as do gên. *Adiantum*, da fam. das pteridáceas, de folhas delicadas, como a sp. *Adiantum capillus-veneris*, tb. conhecida como cabelo-de-vênus, espontânea em ambientes úmidos e cultivada como ornamental e com aplicações medicinais [F.: *a-*[4] + lat. *vinca, ae.*]

avença (a.*ven*.ça) ***sf.*** **1** *Jur.* Acordo, pacto ou conciliação entre partes litigantes **2** *P. ext.* União, concórdia **3** Salário pago por serviços durante prazo ajustado **4** Pagamento antecipado de imposto sobre consumo [F.: Do lat. *advenientia, ae*, por via pop.]

avençado (a.ven.*ça*.do) ***a.*** Que se avençou, combinou; AJUSTADO [F.: Part. de *avençar.*]

avenca-dourada (a.ven.ca-dou.*ra*.da) ***sf.*** *Bot.* Planta (*Polypodium aureum*) da fam. das polipodiáceas [Pl.: *avencas-douradas.*]

avençar (a.ven.*çar*) ***v.*** *Jur.* Fazer contrato de avença, acordo sobre prestação de serviços; ACORDAR: *As partes avençaram a forma de pagamento.* [***td.***: *As partes avençaram a forma de pagamento.*] [***int.***: *Depois de muitas reuniões, avençaram-se*] [▶ 12 avençar] [F.: *avença* + *-ar*[2].]

avenida (a.ve.*ni*.da) ***sf.*** **1** Rua larga, ger. com mais de uma pista para trânsito de carros **2** Caminho ou via de acesso ger. ladeada de árvores; ALAMEDA **3** Caminho amplo que conduz à casa principal de uma propriedade rural **4** *Bras.* Conjunto de pequenas moradias, ger. idênticas, dispostas de modo que forme uma rua ou praça interior; VILA [F.: Do espn. *avenida*, do fr. *avenue.*] ■ **~ processional** *Arq.* Caminho margeado por colunas, figuras esculpidas etc. **Abrir uma ~ em** *RJ Gír.* Dar golpe de arma branca, ou navalhada, abrindo um talho em (alguém ou parte do corpo de alguém)

aventado (a.ven.*ta*.do) ***a.*** **1** Que se aventou; AREJADO; VENTILADO **2** Que foi proposto, sugerido (ideia aventada) [F.: Part. de *aventar.*]

avental (a.ven.*tal*) ***sm.*** **1** Peça de vestuário, de couro, plástico ou tecido espesso, que se usa sobre a roupa, para protegê-la **2** Pedaço de tecido us. como adorno pelas mulheres, pendente da cintura e por diante da saia **3** Pedaço de couro ou de lona que servia de proteção da chuva e da lama a quem viajava na dianteira de uma carruagem [Pl.: *-tais.*] [F.: *avante* + *-al*[1], com dissimilação.]

aventar[1] (a.ven.*tar*) ***v.*** **1** Apresentar (ideia, hipótese, possibilidade etc.), como algo que pode vir a ser cogitado; falar por alto sobre (algo), sem, porém, definir ou firmar nada; sugerir [***td.***: *O diretor aventou a possibilidade de dar férias coletivas.*] **2** Pensar em, ocorrer (ideia, possibilidade etc.): [***td.***: *Não consigo nem aventar essa hipótese.*] **3** Ter o pressentimento de [***td.***: *Aventou que a empreitada não daria certo.*] **4** Desfazer-se de; atirar fora [***td.***: *Aventou os textos que não serviam.*] **5** Surgir na mente, na imaginação; ocorrer [***ti.*** + *em*: *A ideia de fugir aventou em seu espírito.*] **6** Ter percepção olfativa de [***td.***: *Do quarto, conseguiu aventar que havia chocolate quente na cozinha.*] **7** Declarar, enunciar, manifestar [***td.***: *Em meio minuto aventou suas reivindicações básicas.*] **8** Aborrecer-se, irritar-se [***tr.*** + *com*: *Aventou-se com o comentário maldoso.*] **9** *Bras.* Tirar da forma [ô] o pão de açúcar [***int.***] **10** Abrir uma tábua em sentido longitudinal [***int.***] [▶ 1 aventar] [F.: *a-*[2] + *vento* + *-ar*[2]. Hom./Par.: *aventais* (fl.), *aventais* (pl. *avental* [sm.]).]

aventar[2] (a.ven.*tar*) ***v. td.*** Segurar (um animal), ao apertar-lhe o septo nasal com o polegar e o dedo indicador [▶ 1 aventar] [F.: *a-*[2] + *venta* + *-ar*[2].]

aventura (a.ven.*tu*.ra) ***sf.*** **1** Situação que envolve ousadia, incertezas, perigo, emoção etc.: *Perdido na floresta, viveu uma grande aventura.* **2** Empreendimento de grande risco: *Lançar-se candidato agora é uma aventura.* **3** Acontecimento inesperado, surpreendente; PERIPÉCIA: *Meteu-se em brios mesmo diante de tantas aventuras.* **4** Sorte, acaso **5** Relacionamento amoroso de curta duração **6** Façanha dos cavaleiros andantes [F.: Do fr. *aventure*, do lat. *adventura, ae.*]

aventurado (a.ven.tu.*ra*.do) ***a.*** **1** Que se aventurou **2** Que se aventura ou arrisca; OUSADO [F.: Part. de *aventurar.*]

aventurar (a.ven.tu.*rar*) ***v.*** Ousar dizer ou fazer algo perigoso, com caráter de aventura [***td.***: *Aventurou um mergulho no escuro.*] [***tdr.*** + *a, em*: *Não me aventuro a entrar no mar; Aventuraram-se na mata.*] [▶ 1 aventurar] [F.: *a-*[2] + *ventura* + *-ar*[2].]

aventureirismo (a.ven.tu.rei.*ris*.mo) ***sm.*** **1** Qualidade, ação ou comportamento de aventureiro **2** Espírito aventureiro [F.: *aventureiro* + *-ismo.*]

aventureiro (a.ven.tu.*rei*.ro) ***a.*** **1** Que gosta de ou que se lança a aventuras; AVENTUROSO **2** Propenso a aventuras (espírito aventureiro) **3** Que envolve risco; ARRISCADO ***sm.*** **4** Aquele que gosta de ou que se lança a aventuras **5** Indivíduo inescrupuloso, que usa de meios desonestos para o seu progresso econômico ou social **6** *Antq.* Soldado mercenário [F.: *aventura* + *-eiro.*]

aventuresco (a.ven.tu.*res*.co) [ê] ***a.*** Que implica aventura, risco ou acaso; AVENTUROSO [F.: *aventura* + *-esco.*]

aventurina (a.ven.tu.*ri*.na) ***sf.*** **1** *Min.* Variedade de quartzo semitransparente com pequenas palhetas de hematita ou de outros minerais que lhe dão brilho avermelhado, amarelado ou esverdeado **2** Vidro amarelado, com pequenos fragmentos de cobre disseminados [F.: Do fr. *aventurine.*]

aventurismo (a.ven.tu.*ris*.mo) ***sm.*** Turismo voltado para atividades que envolvem aventura, risco, emoção [F.: *aventura* + *turismo*, com haplologia.]

aventuroso (a.ven.tu.*ro*.so) ***a.*** **1** Que se lança a venturas; AVENTUREIRO **2** Cheio de aventuras: *Contou lances aventurosos daquela jornada.* **3** Que envolve risco; AVENTURESCO [Pl.: *ó*. Fem.: *ó*] [F.: *aventura* + *-oso.*]

averbação (a.ver.ba.*ção*) ***sf.*** **1** Ação ou resultado de averbar[2] **2** *Jur.* Nota ou declaração feita à margem de documento para assinalar alteração feita no seu texto ou registro [Pl.: *-ções.*] [F.: *averbar*[2] + *-ção*. Sin. ger.: *averbamento.*]

averbamento (a.ver.ba.*men*.to) ***sm.*** O mesmo que *averbação* [F.: *averbar*[2] + *-mento.*]

averbar[1] (a.ver.*bar*) ***v. td.*** Transformar (nome) em verbo: *averbar um substantivo.* [▶ 1 averbar] [F.: *a-*[2] + *verbo* + *-ar*[2].]

averbar[2] (a.ver.*bar*) ***v.*** **1** Transcrever (depoimento); reduzir a termo [***td.***] **2** *Jur.* Fazer nota ou declaração na margem de documento ou registro público para assinalar alteração de texto [***td.***] **3** Registrar, anotar [***td.***] **4** Atribuir a (algo ou alguém) valor negativo; qualificar negativamente; TACHAR [***tdp.***] [▶ 1 averbar] [F.: *a-*[2] + *verba* + *-ar*[2].]

averdengar (a.ver.den.*gar*) ***v. td.*** Esverdear: *O limo averdengou as pedras.* [▶ 14 averdengar] [F.: *a-*[2] + *verde* + *-engar.* Tb. *averdoengar.*]

averdoengar (a.ver.do:en.*gar*) ***v.*** Ver *averdengar* [▶ 14 averdoengar]

averiguação (a.ve.ri.gua.*ção*) ***sf.*** Ação ou resultado de averiguar; INVESTIGAÇÃO; INQUÉRITO [Pl.: *-ções.*] [F.: *averiguar* + *-ção.*]

averiguado (a.ve.ri.*gua*.do) ***a.*** Que se averiguou (denúncia averiguada); INVESTIGADO; APURADO [F.: Part. de *averiguar.*]

averiguar (a.ve.ri.*guar*) ***v. td.*** **1** Investigar para descobrir ou confirmar uma informação; APURAR: [***td.***: *Vamos averiguar os antecedentes do acusado.*] **2** Concluir após pesquisa, estudo etc. [***td.***: *O técnico de saúde averiguou que a água da região estava contaminada.*] **3** Procurar obter informações sobre; INDAGAR [***tdr.*** + *de*: *Averiguou da assessora qual o real estado de saúde do general.*] [▶ 9 averiguar] [F.: *a-*[4] + lat. tard. *verificare*, por via pop.]

avermelhado (a.ver.me.*lha*.do) ***a.*** **1** Que apresenta cor num tom de vermelho ou quase vermelho **2** Diz-se dessa cor ***sm.*** **3** A cor avermelhada [F.: *a-*[2] + *vermelho* + *-ado*[1].]

avermelhamento (a.ver.me.lha.*men*.to) ***sm.*** Ação ou resultado de avermelhar(-se) [F.: *avermelhar* + *-mento.*]

avermelhar (a.ver.me.*lhar*) ***v.*** Tornar(-se) vermelho ou avermelhado [***td.***: *Os últimos raios de sol avermelham o horizonte.*] [***int.***: *No outono, as folhas avermelham(-se).*] [▶ 1 avermelhar] [F.: *a-*[2] + *vermelho* + *-ar*[2].]

averroísmo (a.ver.ro:*ís*.mo) ***sm.*** *Fil.* Doutrina filosófica de Averróis (1126-1198), médico e pensador árabe [F.: Do antr. *Averróis* + *-ismo.*]

averroísta (a.ver.ro:*ís*.ta) ***a2g.*** **1** Ref. ao averroísmo ou a Averróis **2** Que é adepto do averroísmo ***sm.*** **3** Adepto do averroísmo [F.: *averro(ismo)* + *-ista.*]

aversão (a.ver.*são*) ***sf.*** **1** Grande antipatia (a alguém ou algo); ÓDIO; RANCOR [+ *a, por*: *aversão à rotina/por falsos amigos.*] **2** Repugnância, repulsa: *aversão a quiabo.* [Pl.: *-sões.*] [F.: Do lat. *aversio, onis.*]

avessas (a.*ves*.sas) [é] ***sfpl.*** Coisas contrárias, em oposição [Us. apenas na loc. *às avessas*] [F.: Fem. pl. de *avesso*. Hom./

Par.: *avessas* /é/ (sfpl.), *avessas* /ê / (f. pl. de *avesso* /ê/).] ▪ **Às ~** Ao contrário, ao revés

avesso (a.*ves*.so) [ê] *a.* 1 Que é inverso; contrário, oposto: *o lado avesso.* 2 Que não se inclina (a algo) ou que se opõe (a algo) [+ *a*: *uma pessoa avessa a festas.*] 3 Que não favorece, que é adverso: *Enfrentou corajosamente um destino avesso. sm.* 4 Face ou parte oposta à direita, ou principal; REVERSO: *o avesso da fazenda/da blusa.* 5 *Fig.* O que não se mostra na índole ou no caráter de uma pessoa: *Por trás daquela afabilidade, há um avesso ignóbil.* 6 *Fig.* O contrário, o oposto (em caráter, aspecto, comportamento etc.): *Tímida e retraída, é o avesso da irmã sapeca.* 7 Aspecto negativo de algo, falha, defeito: *Tem suas qualidades e seus avessos.* [F.: Do lat. *adversus*. Hom./Par.: *avessas* (fem. pl.), *avessas* (sfpl.).] ▪ **Virar pelo ~** 1 Fazer ficar externa a parte interna de (algo): *Virou a calça pelo avesso para fazer-lhe a bainha.* 2 Examinar (assunto, problema) em todos os detalhes: *Vamos virar esse relatório pelo avesso antes de emitir opinião.* 3 Fazer busca, pesquisa meticulosa em (local): *Virou a escrivaninha pelo avesso até encontrar sua caneta.*

avestruz (a.ves.*truz*) *s2g.* 1 *Zool.* Ave corredora da fam. dos estrutionídeos (*Struthio camelus*), encontrada em zonas áridas da África e da Arábia, de até 2,5 m de altura, pernas e pescoço compridos, que ingere muitos tipos de alimento 2 *Bras. RS* Macho da ema (*Rhea americana*) 3 *Bras.* No jogo do bicho, o primeiro grupo, que inclui as dezenas 01, 02, 03 e 04, e corresponde ao número 1 4 *Bras. Fig.* Pessoa arredia 5 *Bras. Fig.* Pessoa de reputação duvidosa [F.: De *ave* + port. /espn. ant. *estruz* (< occitânico ant. *estrutz* < lat. *struthio, onis*), ou do espn. *avestruz* ou *abestruz*, de igual origem.] ▪ **Bancar ~** 1 *Bras.* Fingir que não vê dificuldades ou perigos; deixar de enfrentá-los, fazendo-se alheio 2 *PE Pop.* Tomar bebida alcoólica

avexado (a.ve.*xa*.do) *a.* 1 Envergonhado, vexado 2 *N. E.* Apressado, impaciente [F.: Part. de *avexar*.]

avexar (a.ve.*xar*) *v.* Ver *vexar* [*td. int. tr.*] [▶ 1 avexar] [F.: *a-*[4] + *vexar*.]

avezar (a.ve.*zar*) *v.* Fazer adquirir vezo, costume, hábito, ou contraí-lo; HABITUAR(-SE); ACOSTUMAR(-SE) [*tdr.* + *a*, *com*: *Não se avezava aos costumes do lugar.*] [▶ 1 avezar] [F.: *a-*[2] + *vezo* + *-ar*[2].]

◎ **avi-** *el. comp.* = 'ave(s)': *avícola, avícula* (< lat.), *avicultor, avicultura* [F.: Do lat. *avi-*, do lat. *avis, is.*]

aviação (a.vi:a.*ção*) *sf.* 1 Navegação por meio de aeronaves 2 Técnica de fabricação e operação de aeronaves 3 O conjunto de aviões (de um país, de um certo tipo ou finalidade etc.) (*aviação* nacional/civil/comercial) [Pl.: *-ções*.] [F.: Do fr. *aviation*.] ▪ **~ embarcada** *Bras. Mar. G.* Os aviões que operam a partir de bases em navio-aeródromo, porta-aviões ou outro tipo de navio **~ naval** *Mar. G.* Força aérea integrada no poder naval, sob comando da Marinha

aviado (a.vi.*a*.do) *a.* 1 Pronto, preparado, concluído (trabalho *aviado*) 2 Que se aviou, se apressou 3 Posto a caminho (correspondência *aviada*); DESPACHADO *sm.* 4 *Amaz.* Seringueiro que, trabalhando em seringal de terceiros, tem empregados próprios 5 *Amaz.* Mascate que negocia no interior por conta de comerciantes da cidade [F.: Part. de *aviar*.] ▪ **Bem ~** *Lus. Irôn.* Em má situação, em dificuldade, em maus lençóis

aviador[1] (a.vi:a.*dor*) [ô] *sm.* Piloto de aeronaves [F.: Adaptç. do fr. *aviateur*.]

aviador[2] (a.vi:a.*dor*) [ô] *a.* 1 Que fornece, que avia *sm.* 2 Aquele que avia 3 *Bras. Amaz.* Negociante que fornece mercadorias aos seringueiros ou que serve de intermediário entre eles e o dono do seringal [F.: *aviar* + *-dor*.]

aviamento (a.vi:a.*men*.to) *sm.* 1 Ação ou resultado de aviar; AVIO 2 Conclusão ou andamento de um negócio, de uma atividade 3 Material necessário à realização de uma obra 4 Material para acabamento de costura ou bordado (botões, forros, linhas etc.) [Nesta acp., mais us. no pl.] 5 Auxílio, ajuda 6 *Bras.* Engenho rústico para a fabricação da farinha de mandioca 7 *Bras. Amaz.* Conjunto de mercadorias que o aviador[2] fornece ao aviado [F.: *aviar* + *-mento*.]

avião (a.vi:*ão*) *sm.* 1 *Aer.* Aeronave mais pesada que o ar, provida de asas e propulsão a motor; AEROPLANO [Col.: *aviação, esquadrão, esquadrilha, frota*.] 2 *Bras. Gír.* Mulher bonita e de corpo bem-feito 3 *Bras. Gír.* Pessoa que compra droga a traficantes e a leva ao usuário [Pl.: *-ões*.] [F.: Do fr. *avion*, criado a partir do lat. *avis, is*, 'ave', 'pássaro'.] ▪ **~ a ja(c)to** O movido por propulsão a ja(c)-to, por reatores a ja(c)to **~ anfíbio** *Ant.* O que pousa (ou decola) tanto na (da) terra quanto na (da) água **~ de bombardeio** Avião cuja missão principal é carregar bombas e despejá-las sobre alvos inimigos; bombardeiro **~ de caça** Avião de combate leve e de grande maneabilidade, us. para interceptar aviões inimigos e para servir de escolta a bombardeiros aliados. [Tb. apenas *caça*] **~ supersônico** Aquele que pode alcançar velocidade superior à do som. [Tb. apenas *supersônico*] **Fazer ~** *Bras. Gír.* Ser intermediário no comércio de tóxicos

📖 O avião foi inventado pelo brasileiro Alberto Santos Dumont, em 1906, quando realizou na França o primeiro voo comprovado de um aparelho mais pesado que o ar, com propulsão própria e que decolou com seus próprios recursos (em 1903, os irmãos Orville e Wilbur Wright, norte-americanos, haviam catapultado um aparelho para um curto voo). Rapidamente o avião impôs-se como meio de transporte e, na Primeira Guerra Mundial, como arma de guerra. A invenção do reator a jato trouxe uma nova dimensão ao uso de aviões com objetivos civis e militares, ao atingirem velocidades duas a três vezes maiores que a do som. Em inícios do século XXI já se construíam aviões capazes de conduzir 800 passageiros num voo. O princípio da sustentação de um avião no ar baseia-se na associação da velocidade com o perfil aerodinâmico do elemento de sustentação (como as asas do avião, ou as lâminas de um rotor de helicóptero). Esse perfil faz com que o ar, cortado pelo bordo de ataque desse elemento, mova-se com velocidades diferentes sobre as suas superfícies superior e inferior, já que nele a superfície superior tem mais espaço a percorrer que a inferior. Em consequência, o ar desloca-se ao longo da superfície superior em velocidade maior do que ao longo da superfície inferior. Quanto maior a velocidade, menor a pressão, ou seja, a pressão do ar sobre a superfície inferior (de baixo para cima) é maior que sobre a superfície superior (de cima para baixo), o que resulta na sustentação da superfície, e da aeronave à qual ela pertence.

aviar (a.vi.*ar*) *v.* 1 Preparar (receita de medicamento, óculos etc.) [*td.* /*tdi.* + *para*: *É preciso aviar um par de óculos para minha mãe.*] 2 Dar andamento a (assunto, negócio etc.) [*td.*: *Aviou o serviço em menos de uma hora.*] 3 Enviar a um destino determinado; DESPACHAR; EXPEDIR [*td.*: *aviar uma encomenda.*] 4 Preparar-se com rapidez [*int.*: *Avie-se, que o trem já vai partir.*] 5 *Pop.* Matar 6 Atender a (cliente); DESPACHAR [*td.*: *Aviou o freguês com presteza.*] [▶ 1 aviar] [F.: *a-*[2] + *via* + *-ar*[2].]

aviário[1] (a.vi:*á*.ri:o) *sm.* 1 Lugar onde se criam aves 2 Loja em que se vendem aves [F.: Do lat. *aviarium, ii.*]

aviário[2] (a.vi:*á*.ri:o) *a.* Ref. a aves, ou próprio delas; AVÍCOLA [F.: Do lat. *aviarius, a, um*. Hom./Par.: *aviária* (fem.), *aviaria* (fl. de *aviar*).]

avícola (a.*ví*.co.la) *s2g.* 1 Avicultor *sf.* 2 *Bras. SP* Aviário[1] (2) *a2g.* 3 Ref às, das ou próprio das aves; AVIÁRIO [F.: *avi-* + *-cola*. Hom./Par.: *avícola* (s2g. sf. a2g.), *avícula* (sf.).]

avícula (a.*ví*.cu.la) *sf.* Ave pequena [F.: Do lat. *avicula, ae*. Hom./Par.: *avícula* (sf.), *avícola* (s2g. sf. a2g.).]

avicultor (a.vi.cul.*tor*) [ô] *sm.* Criador de aves; aquele que se dedica a avicultura; AVÍCOLA [F.: *avi-* + *-cultor*.]

avicultura (a.vi.cul.*tu*.ra) *sf.* Criação de aves [F.: *avi-* + *cultura*.]

avidez (a.vi.*dez*) *sf.* 1 Desejo vivo e ardente, imoderado por algo (ou alguém); COBIÇA 2 Grande desejo de comer ou de beber; VORACIDADE; SOFREGUIDÃO 3 Estado de grande ansiedade, provocado por expectativa ou espera [F.: *ávido* + *-ez*.]

ávido (*á*.vi.do) *a.* 1 Que deseja com grande intensidade; SÔFREGO [+ *de*, *por*: *ávido de /por riquezas.*] 2 Com muita fome ou sede: *ávido por uma boa refeição.* 3 *Fig.* Em estado de grande ansiedade, sofreguidão à espera de algo ou de alguém [F.: Do lat. *avidus, a, um*.]

avigorar (a.vi.go.*rar*) *v.* 1 Dar vigor a, ou adquirir vigor; fortalecer(-se) [*td.*: *O esforço vai avigorar-lhe o espírito.*] [*int.*: *Avigorou-se após descansar.*] 2 Firmar(-se), consolidar(-se) [*td. int.*] [▶ 1 avigorar] [F.: *a-*[2] + *vigor* + *-ar*[2].]

aviltado (a.vil.*ta*.do) *a.* 1 Que perdeu o valor (salário *aviltado*); DESVALORIZADO 2 Que se tornou vil; envilecido, desmoralizado, desonrado 3 Humilhado, espezinhado [F.: Part. de *aviltar*.]

aviltamento (a.vil.ta.*men*.to) *sm.* 1 Ação ou resultado de aviltar; ULTRAJE 2 Depreciação, desvalorização [F.: *aviltar* + *-mento*.]

aviltante (a.vil.*tan*.te) *a2g.* Que avilta, humilha, desonra; ULTRAJANTE [F.: *aviltar* + *-nte*.]

aviltar (a.vil.*tar*) *v. td.* 1 Tornar(-se) vil, desprezível, indigno de respeito; DESONRAR: *O alcoolismo aviltava a sua reputação; Aviltou-se aceitando o suborno.* 2 Ofender de modo grave a dignidade de (pessoa, grupo, comunidade etc.); ULTRAJAR; DESONRAR: *Suas palavras aviltaram-nos profundamente.* 3 Humilhar(-se), rebaixar(-se): *Queria ajudar, mas aviltou o pai ao oferecer-lhe dinheiro; Aviltou-se para que ele voltasse.* 4 Diminuir drasticamente o preço ou o valor de: *A inflação avilta os salários.* [▶ 1 aviltar] [F.: *a-*[2] ou *a-*[4] + v.lat. *viltare*, 'tornar vil'.]

avinagrado (a.vi.na.*gra*.do) *a.* 1 Com sabor ou cheiro de vinagre 2 Que demonstra irritação, azedume: *Menina avinagrada, vive de cara amarrada; Deu um sorriso fingido e avinagrado.* 3 *Ant.* Um tanto embriagado 4 *Ant.* Injetado de sangue, avermelhado (olhos *avinagrados*) [F.: Part. de *avinagrar*. Sin. ger.: *envinagrado*.]

avinagrar (a.vi.na.*grar*) *v.* 1 Temperar com vinagre [*td.*: *Avinagrar o molho da salada.*] 2 Azedar (uma bebida qualquer) [*td.*: *Não vá avinagrar o saquê, deixando-o destampado.*] [*int.*: *O licor avinagrou(-se).*] 3 Converter-se em vinagre (o vinho) [*int.*] 4 *Fig.* Irritar(-se); tornar(-se) azedo [*td.*: *As decepções avinagraram-no.*] [▶ 1 avinagrar] [F.: *a-*[2] + *vinagre* + *-ar*[2].]

avinhado[1] (a.vi.*nha*.do) *a.* 1 Que tem sabor ou cheiro de vinho 2 Embebido em vinho; impregnado de vinho (diz-se de recipiente) 3 Embriagado 4 *Bras. CE Pop.* Que se embriaga facilmente (diz-se de bebedor contumaz) [F.: Part. de *avinhar*.]

avinhado[2] (a.vi.*nha*.do) *a.* 1 Que apresenta cor num tom de vinho ou quase vinho 2 Diz-se dessa cor *sm.* 3 *Zool.* Curió (*Oryzoborus angolensis*) [F.: *a-*[2] + *vinho* + *-ado*[1].]

avinhar (a.vi.*nhar*) *v. td.* 1 Misturar ou temperar com vinho: *avinhar o peixe.* 2 Fazer ficar ou ficar embriagado, bêbado; EMBRIAGAR(-SE); EMBEBEDAR(-SE): *Poucos goles foram suficientes para avinhá-lo; Avinha-se todas as noites.* 3 Dar sabor ou cheiro de vinho a: *avinhar a água.* [▶ 1 avinhar] [F.: *a-*[2] + *vinho* + *-ar*[2].]

avio (a.*vi*:o) *sm.* 1 Ação ou resultado de aviar; AVIAMENTO 2 Apetrecho necessário a uma atividade ou tarefa; ver *avios* [F.: Dev. de *aviar*.]

aviógrafo (a.vi:*ó*.gra.fo) *sm. Tec.* Equipamento para mapeamento e interpretação aerofotográfica florestal, que armazena digitalmente as informações compiladas [F.: Do ing. *aviograph*.]

aviônica (a.vi:*ô*.ni.ca) *Aer. Astnáut. Avi. sf.* 1 Eletrônica (pesquisa, concepção, projeto, desenvolvimento e produção de equipamentos) a serviço da aviação, da astronáutica etc. 2 Conjunto desses equipamentos us. a bordo de uma aeronave ou espaçonave, no controle de um míssil etc. [F.: Do ing. *avionics*.]

aviônico (a.vi:*ô*.ni.co) *a.* Ref. a aviônica ou a equipamento por ela criado, desenvolvido etc. (sistemas *aviônicos*) [F.: Do ing. *avionic*.]

avios (a.*vi*.os) *smpl.* Conjunto de apetrechos ou materiais necessários para a execução de uma atividade; AVIAMENTOS [F.: Pl. de *avio*.]

avir-se (a.*vir*-se) *v.* Concordar ou fazer concordar com; HARMONIZAR(-SE); CONCILIAR(-SE) [*tdr.* + *com*: *A senhora teve de avir-se com o marido!*] [▶ 42 avir-se] [F.: Do lat. *advenire*.]

avisado (a.vi.*sa*.do) *a.* 1 Que recebeu aviso; INFORMADO 2 Que age com cautela e prudência; AJUIZADO 3 Acertado, conveniente, prudente [F.: Part. de *avisar*. Ant. ger.: *desavisado*.]

avisar (a.vi.*sar*) *v.* 1 Transmitir (uma informação) (a); INFORMAR [*td.*: *Avisaram que o curso começa amanhã.*] [*tdi.* + *a*: *Avisou a todos que iria atrasar-se.*] [*tdr.* + *de*: *Avisei Marta da data da prova.*] [*tr.* + *de*, *sobre*: *O diretor vai avisar da/sobre a mudança de planos.*] 2 Alertar para a possibilidade de; PREVENIR [*td.*: *O fornecedor avisou que os pagamentos atrasados sofreriam multas.*] [*tdi.* + *a*: *O médico avisou a ele que tinha que parar de fumar.*] [*tdr.* + *de*: *A mãe avisou as crianças do risco de brincar com fogo.*] [*tr.* + *de*, *sobre*: *Os jornais avisavam do perigo de soltar balões.*] [▶ 1 avisar] [F.: Do fr. *aviser*.]

aviso (a.*vi*.so) *sm.* 1 Ação ou resultado de avisar; NOTÍCIA; COMUNICAÇÃO; INFORMAÇÃO 2 Documento em que se dá aviso 3 Advertência, conselho, admoestação 4 Opinião, conceito, juízo 5 Discrição, juízo, prudência (homem de *aviso*) [F.: Dev. de *avisar*.] ▪ **~ aos navegantes** *Náut.* Boletim emitido (diariamente) por departamento de hidrografia, com informações aos navegantes sobre tudo que precisem saber para bem conduzir a navegação **~ de instrução** *Mar.* Pequena embarcação a motor para treinamento de marinheiros **~ prévio** 1 Comunicação de empregador a empregado, ou vice-versa, de sua intenção de interromper o contrato de trabalho dentro de certo prazo (ger. um mês) 2 *P. ext.* Quantia paga pelo empregador ao empregado quando do aviso prévio (1), quando é daquele a iniciativa de interromper o contrato ou acordo de trabalho

⊕ **avis rara** (*Lat.* /*ávis rára*/) *loc. subst.* 1 Pessoa que raramente aparece, ou difícil de encontrar 2 Pessoa de raras qualidades ou de raro talento

avistado (a.vis.*ta*.do) *a.* Que se avistou, que se viu ao longe [F.: Part. de *avistar*.]

avistagem (a.vis.*ta*.gem) *sf. P. us.* Ação ou resultado de avistar [Pl.: *-gens*.] [F.: *avistar* + *-agem*[2].]

avistar (a.vis.*tar*) *v.* 1 Ver ao longe [*td.*: *Do alto do morro, pode-se avistar toda a cidade.*] 2 Ver, enxergar [*td.*: *Ao avistar o inimigo, alvejou-o.*] 3 Ter um encontro ou entrevista; ENCONTRAR-SE [*tr.* + *com*: *O presidente do Brasil vai avistar-se com o da Argentina.*] [▶ 1 avistar] [F.: *a-*[2] + *vista* + *-ar*[2].]

avitaminose (a.vi.ta.mi.*no*.se) *sf. Med.* Qualquer doença causada pela carência de determinada vitamina no organismo [Ex.: xeroftalmia, pelagra, escorbuto etc.] [F.: *a-*[3] + *vitaminose*.]

avivado (a.vi.*va*.do) *a.* 1 Que se avivou, atiçou (diz-se de fogo) 2 Que se tornou mais vivo, ativo, animado, intenso: *Retomaram uma avivada conversação* 3 Que se tornou mais visível, mais nítido: *Sob o luar, discernia seus avivados contornos.* [F.: Part. de *avivar*.]

avivamento (a.vi.va.*men*.to) *sm.* Ação ou resultado de avivar(-se) [F.: *avivar* + *-mento*.]

avivar (a.vi.*var*) *v.* 1 Tornar(-se) mais forte, mais ativo [*td.*: *avivar o fogo, a brasa*] 2 Tornar(-se) mais vivo, ativo, animado ou visível [*td.*: *Seus comentários avivaram o debate.*] [*int.*: *As cores do quadro avivam-se com a luz.*] 3 Tornar(-se) mais vivo, alerta [*td.*: *Leia minhas anotações para avivar a memória.*] [*int.*: *Meu espírito avivou-se com as suas palavras.*] 4 Trazer à mente, à memória [*tdr.* + *em*: *A foto avivou em mim a lembrança do meu pai.*] 5 Ornar com tiras coloridas, com debruns [*td.*: *avivar um vestido, uma saia.*] [▶ 1 avivar] [F.: *a-*[2] + *vivo* + *-ar*[2].]

aviventar (a.vi.ven.*tar*) *v.* 1 Dar ou adquirir (novo) ânimo, vitalidade, vigor; AVIVAR(-SE); REANIMAR(-SE); REVIGORAR(-SE); VIVIFICAR [*td.*: "A peste negra na Europa aviventou um renascimento artístico que veio do verso triunfal de Petrarca... ao pincel funéreo de Rembrandt." (Euclides da Cunha, *Confrontos e contrastes*)] [*int.*: "...Onde a fronte macilenta / Sinta o calor, que aviventa / Com suave languidez..." (Franklin Dória, "A felicidade", *in academia.org.br/imortais*)] 2 Fazer ficar ou ficar, tornar(-se) mais intenso, vibrante; dar ou adquirir mais vida, realce, destaque; AVIVAR(-SE); REAVIVAR(-SE) [*td.*: *aviventar o fogo/a paixão/o entusiasmo/as cores; As* *flores vermelhas aviventaram a decoração.*] [**int.**: *O horizonte aviventou-se num rubro pôr do sol.*] **3** Tornar(-se) mais vivo (o fogo) [**td.**: *Aviventou o fogo com um abano.*] [**int.**: *Atiçado por repentino vento, o incêndio aviventou-se.*] **4** *RS Fig.* Reabrir (caminho, trilha, picada etc. invadidos pela vegetação) [**td.**: *Aviventando as trilhas, chegaram ao sítio arqueológico.*] [▶ 1 aviventar] [F.: *a-*[2] + *vivo* + *-entar.*]

avizinhar (a.vi.zi.*nhar*) *v.* **1** Fazer ficar mais perto ou chegar mais perto (física, espacial, temporal ou moralmente); APROXIMAR(-SE) [**td.**: *O frade avizinhou pobres e ricos na sua homilia.*] [**tdr.** + *de*: *O professor avizinhou os calouros dos veteranos.*] [**int.**: *As nuvens indicam que o temporal se avizinha.*] **2** *P. us.* Estar perto de; CONFINAR [**td.**: *A estalagem avizinha o armazém.*] [▶ 1 avizinhar] [F.: *a-*[2] + *vizinho* + *-ar*[2].]

avo (*a*.vo) *sm.* **1** *Mat.* Palavra que se segue a número representado no denominador de uma fração (quando acima de 10, e ger., quando menor que 100, não múltiplo de 10) para indicar que esse número indica em quantas partes iguais o todo foi dividido (enquanto o numerador indica quantas dessas partes compõem a quantidade expressa pela fração) [P. ex., 4/12 lê-se 'quatro doze avos', e indica que o todo foi dividido em 12 partes iguais, e que a fração representa uma grandeza igual a quatro dessas partes.] **2** *Num.* Moeda que corresponde à centésima parte da pataca [Usa-se somente no plural.] [F.: De *oitavo*, entendido como 'oito avo(s)', e, portanto, *avo* como uma fração de um todo dividido em (no caso, oito) parte iguais.]

avó (a.*vó*) *sf.* Mãe do pai ou da mãe de uma pessoa (em relação a essa pessoa) [F.: Do lat. vulg. *aviola*, dim. do lat. *avia* ou *ava, ae.* Hom./Par.: *avó* (sf.), *avo* (sm.), *avô* (sm.).] ■ **Amanhecer com a ~ atrás do toco** *MG Pop.* Acordar de mau humor **~ torta** A mãe do padrasto ou da madrasta, ou a madrasta do pai ou da mãe

avô (a.*vô*) *sm.* Pai do pai ou da mãe de uma pessoa (em relação a essa pessoa) [Pl.: *avós* (quando referido ao casal, ao avô e à avó) e *avôs* (quando referido só aos homens, ao avô paterno e ao materno).] [F.: Do lat. **aviolus* (< * *aviola*, dim. de *avia* ou *ava*, 'avó'). Hom./Par.: *avô* (sm.), *avo* (sm.), *avó* (sf.).] ■ **~ torto** O pai do padrasto ou da madrasta, ou o padrasto do pai ou da mãe **Mais velho que meu ~** Muito velho

avoação (a.vo:a.*ção*) *sf.* **1** Ação ou resultado de avoar, de voar **2** *Bras.* O mesmo que *avoamento* (1), condição ou estado de quem está avoado, distraído, desconcentrado: "Com a chegada do dentista, Tonho Inácio voltou a si da avoação em que andava." (Mário Palmério, *Chapadão do bugre*) [Pl.: *-ções.*] [F.: *avoar* + *-ção.*]

avoado (a.vo:*a*.do) *a.* **1** *Bras.* Que vive com a cabeça no ar; DESATENTO; DISTRAÍDO **2** Estabanado, trapalhão **3** Diz-se de pipa, papagaio etc. que depois de empinada desprendeu-se da linha (ou cuja linha se rompeu) e se foi pelos ares [F.: Part. de *avoar.*]

avoamento (a.vo:a.*men*.to) *sm.* **1** Ação ou resultado de avoar; AVOAÇÃO **2** Qualidade ou estado de avoado, distraído, alheado; AVOAÇÃO **3** Considerados um arco e sua corda, a maior altura do arco, ou seja, a maior distância de um ponto do arco à corda, medida por perpendicular à corda; FLECHA [F.: *avoar* + *-mento.*]

avoante (a.vo:*an*.te) *s2g. Bras. Zool.* Ave da família dos columbídeos, espécie de pomba campestre (*Zenaida auriculata*) com c. 20 cm de comprimento, de dorso pardo, com duas faixas laterais escuras na cabeça e manchas negras nas asas, que surge em grandes bandos migratórios nos sertões do N. E. do Brasil, sendo às vezes capturada para servir de alimento às populações locais; ARRIBAÇÃO; POMBA-DE-ARRIBAÇÃO; POMBA-DE-BANDO; POMBA-DO-SERTÃO [F.: *avoar* + *-nte.*]

avoar (a.vo.*ar*) *v. int.* **1** *Pop.* O mesmo que *voar* **2** *Bras. Pop.* Ir-se (pipa, papagaio etc.) pelos ares, ao vento, após ter sua linha rompida [▶ 16 avoar] [F.: *a-*[4] + *voar.*]

avocação (a.vo.ca.*ção*) *sf.* **1** Ação ou resultado de avocar **2** *Jur.* Chamamento de uma causa em andamento a juízo ou instância superior [Pl.: *-ções.*] [F.: Do lat. *advocatio, onis.*]

avocar (a.vo.*car*) *v.* **1** Atribuir a si próprio (tarefa, responsabilidade etc.); ARROGAR [**tdi.** + *a, para*: *O presidente avocou a / para si a decisão final; Avocou-se tarefas que não pôde realizar.*] **2** *Jur.* Pedir para receber (auto, processo etc.) [**td.**: *O relator poderá avocar os processos.*] [▶ 11 avocar] [F.: Do lat. *advocare.*]

avocatória (a.vo.ca.*tó*.ri:a) *sf. Jur.* O mesmo que *carta avocatória*, na qual juiz faz avocação (2), chamando a juízo as causas sob a sua jurisdição [F.: Fem. substv. de *avocatório.*]

avocatório (a.vo.ca.*tó*.ri:o) *a.* Ref. a avocação, ou que expressa ou contém avocação (carta avocatória) [F.: *avocar* + *-tório.*]

avoengo (a.vo:*en*.go) *a.* **1** Que vem ou se herdou dos avós (tradição avoenga; bens avoengos) *sm.* **2** Antepassado, ascendente: *tradição herdada de antigos avoengos.* [Mais us. no pl.] [F.: *avô* + *-engo.*]

avolumado (a.vo.lu.*ma*.do) *a.* Que se avolumou, tornou-se volumoso, apresenta grande volume: *Exibia seu avolumado bíceps, produto de muita malhação.* [F.: Part. de *avolumar.*]

avolumar (a.vo.lu.*mar*) *v.* Fazer crescer ou crescer em número ou tamanho; AVULTAR(-SE) [**td.**: "...sem querer avolumar a crueldade." (Miguel Torga, *Senhor Ventura*)] [**int.**: *As dívidas avolumaram-se, e a empresa faliu.*] [▶ 1 avolumar] [F.: *a-*[2] + *volume* + *-ar*[2].]

à vontade (à von.*ta*.de) *sm.* Naturalidade ao agir, falar; DESENVOLTURA; DESINIBIÇÃO; DESEMBARAÇO: *Chegou com grande à-vontade e já foi tomando conta da situação.*

avós (a.*vós*) *smpl.* **1** O avô e a avó de uma pessoa (por parte de mãe e/ou pai) **2** Os antepassados [F.: Pl. de *avô.*]

avulso (a.*vul*.so) *a.* **1** Que não faz parte de um conjunto ou coleção (selos avulsos) **2** Destacado do conjunto a que pertence: *Comprei alguns números avulsos da revista.* **3** Que não faz parte de um grupo fixo: *funcionários contratados e trabalhadores avulsos.* **4** Arrancado, separado com violência *sm.* **5** Folha impressa contendo anúncio, manifesto, declaração etc., para ser distribuída ao público; FOLHA AVULSA; FOLHA VOLANTE; VOLANTE [F.: Do lat. *avulsus, a, um.*]

avultado (a.vul.*ta*.do) *a.* **1** Que avulta, que se apresenta em grande vulto ou volume, em grandes dimensões (corpo avultado); VOLUMOSO **2** Considerável, grande, intenso; que aumentou ou se intensificou (quantias avultadas; avultado esforço) [F.: Part. de *avultar.*]

avultar (a.vul.*tar*) *v.* **1** Aparecer com destaque; SOBRESSAIR [**int.**: *O cônego, por sua altura, avultava durante a procissão.*] **2** Aumentar em número ou tamanho; fazer ganhar ou ganhar vulto [**td.**: *A poluição avulta as mudanças no clima.*] [**int.**: *Depois da catástrofe, a peste avultou.*] **3** Chegar a; importar em; ATINGIR [**tr.** + *a*: *Os custos avultam a dez mil reais.*] [▶ 1 avultar] [F.: *a-*[2] + *vulto* + *-ar*[2].]

avuncular (a.vun.cu.*lar*) *a2g.* **1** Ref. a tio ou tia **2** Ref. especificamente a tio ou tia maternos: Entre os tupis, o matrimônio avuncular (tio materno e sobrinha), ou entre primos cruzados, era o mais desejado. (*IBGE*) [F.: *avúnculo* + *-ar*[1].]

avunculato (a.vun.cu.*la*.to) *sm. Antr.* Em certas sociedades, sistema de relações institucionalizadas entre tio materno e seus sobrinhos, que inclui a autoridade daquele sobre estes e um esquema de mútuos e variados direitos e obrigações [Tb. *avunculado.*] [F.: Do lat. *avunculus* + *-ato*[1].]

axadrezado (a.xa.dre.*za*.do) *a.* **1** Que tem quadrados de duas cores dispostos alternadamente, lembrando um tabuleiro de xadrez (tecido axadrezado); XADREZ **2** Cuja disposição lembra a de um tabuleiro de xadrez [F.: Part. de *axadrezar.*]

axadrezar (a.xa.dre.*zar*) *v. td.* Pintar ou desenhar quadrados de cores diferentes em, como os do tabuleiro de xadrez; ENXADREZAR: *Axadrezar um tecido.* [▶ 1 axadrezar] [F.: *a-*[2] + *xadrez* + *-ar*[2].]

axânti (a.*xân*.ti) *s2g.* **1** *Etnol.* Indivíduo dos axântis, povo do sul de Gana e áreas próximas de Togo e Costa do Marfim (África) *sm.* **2** *Gloss.* Língua falada por esse povo *a2g.* **3** Dos ou ref. aos axântis; típico desse povo **4** *Gloss.* Do ou ref. ao axânti (2) [F.: Afr. *ashanti.*]

◎ **axe-** *el. comp.* Ver *axi-*

axé (a.xé) *Bras. Rel. sm.* **1** *Bras. Rel.* No candomblé, a força sagrada e a energia dos orixás, que se revigoram com as oferendas do culto; para os iorubas, a energia vital de cada ser **2** Conjunto de objetos, pedras, plantas etc. nos quais se estabelece ritualmente essa força *Interj.* **3** Us. para expressar votos de felicidade **4** Oxalá; tomara [F.: Do ior. Hom./Par.: *axé* (sm. interj.), *ache* (fl. de *achar*).]

◎ **axi-** [cs] *el. comp.* = 'eixo': *axial, axiforme, axípeto, isoaxe* [F.: Do lat. *axis, is.*]

axial (a.xi:*al*) [cs] *a2g.* **1** Ref. a ou que serve de eixo **2** Que tem forma de eixo; AXIFORME **3** *Fig.* Essencial, fundamental **4** *Bot.* Diz-se da raiz principal que penetra no solo verticalmente e com ramificações de menor calibre [Pl.: *-ais.*] [F.: *axi-* + *-al*[1].]

axiforme (a.xi.*for*.me) *a2g.* Que tem forma de eixo; AXIAL [F.: *axi-* + *-forme.*]

axila (a.*xi*.la) [cs] *sf.* **1** *Anat.* Cavidade na parte interna da junção do braço com o ombro *Pop.*; SOVACO **2** *Bot.* Ponto de junção de uma folha com o ramo ou o caule [F.: Do lat. *axilla, ae.* Hom./Par.: *axila* (sf.), *áxila* (fem. de *áxilo*).]

axilar (a.xi.*lar*) [cs] *a2g.* **1** *Anat.* Ref. a axila, ou da axila (1): *Hiperidrose axilar é o excesso de sudorese nas axilas.* **2** *Bot.* Diz-se do que se encontra ou se desenvolve em uma axila (2) [F.: *axila* + *-ar*[1].]

áxilo (*á*.xi.lo) [cs] *a. Bot.* Que não produz madeira (diz-se de planta) [F.: *a-*[3] + *-xilo.* Hom./Par.: *áxila* (fem.), *axila* (sf.).]

◎ **axi(o)-** *el. comp.* = 'que tem peso ou valor'; 'digno'; 'ponderável'; 'ajustado'; 'conveniente': *axiograma, axiologia, axioma* (< gr.) [F.: Do gr. *áksios, a, on.*]

axiograma (a.xi:o.*gra*.ma) [cs] *sm.* Autodeclaração de valores e antivalores [F.: *axi(o)-* + *-grama.*]

axiologia (a.xi:o.lo.*gi*.a) [cs] *sf. Fil.* Qualquer das teorias, avaliações, análises e estudos que abordam a questão dos valores, esp. valores morais [F.: *axi(o)-* + *-logia* ou do fr. *axiologie.*]

axiológico (a.xi:o.*ló*.gi.co) [cs] *a.* **1** Ref. a, que constitui ou que tem caráter de axiologia **2** Ref. a, que constitui ou que tem caráter de um valor [F.: *axiologia* + *-ico*[2].]

axioma (a.xi:*o*.ma) [cs ou ss] *sm.* **1** *Fil.* Afirmação que não exige prova para que se considere verdadeira **2** Expressão com um sentido geral ou um princípio moral; MÁXIMA [F.: Do lat. *axioma, atis*, do gr. *aksíoma, atos.*]

axiomático (a.xi:o.*má*.ti.co) *a.* **1** Ref. a ou que encerra axioma **2** Claro, evidente, incontestável (verdade axiomática) [F.: Do gr. *aksiomatikós, é, ón.*]

axiomatizar (a.xi:o.ma.ti.*zar*) [cs ou ss] *v. td.* Dar caráter de axioma a (teoria, ideia etc.); formalizar matematicamente: *Euclides procurou axiomatizar a geometria.* [▶ 1 axiomatizar] [F.: De *axioma* (sob o rad. *axiomat-*) + *-izar*, seg. o mod. erudito.]

axiômetro (a.xi:*ô*.me.tro) [cs] *sm. Mar.* Aparelho munido de mostrador e ponteiro, colocado junto à roda do leme para indicar em quantos graus o leme se inclina para um bordo ou outro da embarcação [F.: *axi(o)-* + *-metro*, ou de *axi-* + *-o-* + *-metro.*]

axípeto (a.*xí*.pe.to) [cs] *a.* Que tende a se aproximar do eixo (de rotação); CENTRÍPETO [Ant.: *axífugo, centrífugo.*] [F.: *axi-* + *-peto.*]

axônico (a.*xô*.ni.co) [cs] *a.* Ref. a axônio [F.: *axônio* + *-ico*[2].]

axônio (a.*xô*.ni:o) [cs] *sm. Cit.* Prolongamento de célula nervosa (neurônio), protegido por mielina, e que leva os impulsos elétricos do corpo celular para outro neurônio, ou outra célula distante [F.: Do gr. *áxon* + *-io*[2].]

axoplasma (a.xo.*plas*.ma) [cs] *sm. Histl.* Citoplasma do axônio [F.: Do ing. *axoplasm*, ou do gr. *áxon* + *-plasma.*]

⊕ ***ayurveda*** (*sânsc.* /aiurvêda/) *sm.* **1** Ciência médica desenvolvida na Índia há cinco mil anos **2** Conjunto de conhecimentos e práticas (alimentares, respiratórias etc.), utilizados na medicina ayurvédica como prevenção ou tratamento, que visam manter ou recuperar o equilíbrio do indivíduo, do ponto de vista físico, psicoemocional, social e espiritual [Segundo o Ayurveda, a saúde do organismo deve-se ao equilíbrio de três humores biológicos (os chamados Doshas), cada um ligado de modo predominante a um elemento: o Vata, no qual predomina o elemento ar, o Pitta, em que há o predomínio do elemento fogo, e o Kapha, no qual predomina a água.] [A palavra *ayurveda* significa 'conhecimento da vida', e vem do sânscr. *ayus*, 'vida', e *veda*, 'conhecimento'.]

ayurvédica (ay:ur.*vé*.di.ca) *sf.* Sistema tradicional de medicina indiana baseado esp. na homeopatia e na naturopatia, tido por vezes no ocidente como técnica ou prática alternativa; AYURVEDA [F.: Do ingl. *ayurvedic*, do sânsc. *ayurveda* (ver).]

ayurvédico (ay:ur.*vé*.di.co) *a.* Do ou referente ao ayurveda [F.: *ayurveda* + *-ico*[2].]

◎ **-az** *suf. nom.* Formador já no latim de adj. com a noção de 'que faz ou é dado a fazer algo (ger. com ideia de intensidade, excesso ou demasia, competência, aptidão, regularidade, rapidez etc.)': *audaz, capaz, contumaz, edaz, eficaz, falaz, feraz, fugaz, loquaz, mendaz, minaz, mordaz, perspicaz, procaz, pugnaz, rabaz, rapaz* (em lat. 'que toma rapidamente; que tende ao roubo'), *roaz, sagaz, sequaz, suspicaz, tenaz, vivaz, veraz, voraz.* Os voc. formados no vernáculo com esse suf., além da noção referida (*estouraz, folgaz*), apresentam ainda as seguintes ideias: **a)** 'de grande porte ou tamanho (diz-se do referente da palavra base)': *arcaz, cabronaz.* **b)** 'que é muito ou um grande (aquilo que quer dizer a palavra base)': *poltronaz, tolaz, velhacaz.* **c)** 'semelhante a ou que tem atributos de': *galgaz, vilanaz.* [F.: Do suf. lat. *-ax, acis.* Ocorre tb. em f. integradas: *-alhaz, -acaz.* Há tb. o registro de voc. formados diretamente sobre a f. do infinito verbal: *beberraz, falaraz* (RS).]

az *Ant. Mil. sm.* **1** *Ant. Mil.* Linha de combate comparável a gume de espada (com os combatentes dispostos em fileira estreita que avança sobre o inimigo, como que cortando-o) **2** Divisão, ala de um exército **3** *P. ext.* Agrupamento de pessoas ou de coisas **4** Agrupamento de pessoas em fileiras ou alas, para cercar e atacar lobos **5** Alcateia, bando de lobos **6** Acampamento [F.: Do lat. *acies, e.* Hom./Par.: *az* (sm.), *ás* (sm.), *hás* (fl. de *haver*).]

azado (a.*za*.do) *a.* **1** Oportuno, propício **2** Próprio para algo [F.: *azo* + *-ado*[1]. Hom./Par.: *azado* (a.), *asado* (a. sm.).]

azáfama (a.*zá*.fa.ma) *sf.* **1** Grande pressa e dedicação na execução de um trabalho, de uma tarefa etc.: "(...) um menino que entrava e saía sem descanso, numa azáfama dos diabos (...)" (Adolfo Caminha, *A normalista*) **2** *P. ext.* Grande movimentação de pessoas, que resulta, por vezes, em confusão; ATROPELO **3** Grande pressa; URGÊNCIA [F.: Do ár. *az-zahma.* Hom./Par.: *azáfama* (sf.), *azafama* (fl. de *azafamar*).]

azafamar (a.za.fa.*mar*) *v. td.* Apressar(-se) para dar conta de (tarefa, trabalho): "Ninguém se azafamava correndo atrás dos galopantes cavalinhos de Dona Isabel..." (Aluísio de Azevedo, *O Japão.*) [▶ 1 azafamar] [F.: *azáfam(a)* + *-ar*[2].]

azagaia (a.za.*gai*.a) *sf.* **1** Certa árvore cornácea (*Curtisia dentata*) da África meridional, cuja madeira é matéria-prima para móveis e lanças de arremesso **2** Essa madeira **3** Lança feita com essa madeira **4** *P. ext.* Qualquer lança [F.: Do ár. *az-zagaya* pelo berbere *zagaya.*]

azálea (a.*zá*.le:a) *sf.* F. menos us., mas pref., de *azaleia* (ver)

azaleia (a.za.*lei*.a) *sf.* **1** *Bot.* Nome comum às plantas do gên. *Rhododendron*, da fam. das ericáceas, como, p. ex., a espécie *R. indicum*, arbusto originário do Japão, de flores brancas ou purpúreas, muito cultivado como ornamental e com numerosos híbridos e cultivares **2** A flor dessas plantas **3** O mesmo que *rododendro* [F.: Var. menos pref. porém mais us. de *azálea*, do lat. cient. *Azalea* (1735), criado por Lineu, do gr. *azalea*, fem. de *azaléos, a, on*, 'seco', 'árido'. Tb. (pref.) *azálea.*]

azambrado (a.zam.*bra*.do) *a.* Que tem as pernas muito tortas, malformadas; CAMBAIO [F.: *a-*[2] + *zambro* + *-ado*[1]. Tb.: *ajambrado.*]

azar[1] (a.*zar*) *sm.* **1** Falta de sorte; CAIPORISMO [+ *em*: *Tivemos azar em perder tantos gols.*] **2** Desgraça, fatalidade: *Por azar, quebrou a perna ao cair.* **3** Sorte, acaso [Ver tb. *jogo de azar* em *jogo.*] **4** *Bras. RJ* Azarão (1) *interj.* **5** Expressa conformidade, aceitação (ou mesmo superação) de um fato, de um acontecimento desfavorável (ou seja, da má sorte): "Azar, a esperança equilibrista sabe que o show de todo artista tem que continuar" (João Bosco e Aldir Blanc, *O bêbado e a equilibrista*) [Ger. acompanhado de gestual expressivo.] [F.: Do ár. *az-zahr*, 'flor'; *p. ext.* 'dado' (por pintarem uma flor numa das faces dos dados). Hom./Par.: *azar* (sm.), *asar* (v.); *azares* (pl.), *asares* (fl. de *asar*).]

azar² (a.*zar*) *v.* **1** Dar oportunidade, azo a; CAUSAR [*td.: O descaso dos governantes azou a epidemia.*] **2** Vir a propósito; tornar-se oportuno [*int.*] [▶ 1 azar] [F.: *azo* + *-ar²*.]

azaração (a.za.ra.*ção*) *sf. Bras. Gír.* Ação ou resultado de azarar, de paquerar *Gír.*; PAQUERA [Pl.: *-ções.*] [F.: *azarar* + *-ção.*]

azarado (a.za.*ra*.do) *Bras. a.* **1** Que tem azar (1) *sm.* **2** Aquele que tem azar, má sorte [F.: Part. de *azarar*. Sin. ger.: *azarento, caipora.*]

azarão (a.za.*rão*) *sm.* **1** *RJ* Cavalo que, numa corrida, tem poucas possibilidades de vitória; AZAR **2** *P. ext.* Aquele que tem poucas possibilidades de vencer um jogo, uma competição etc. [Pl.: *-rões.*] [F.: *azar* + *-ão¹*.]

azarar (a.za.*rar*) *Bras. v.* **1** Trazer má sorte a ou ter azar [*td.: A sua visita azarou o meu dia; Ela azarou-se e não conseguiu o emprego.*] **2** *Gír.* Tentar namorar; PAQUERAR [*td.: João azarou Maria durante a festa.*] [*int.: Os rapazes saíram para azarar.*] [▶ 1 azarar] [F.: *azar¹* + *-ar²*.]

azarento (a.za.*ren*.to) *a.* **1** *Bras.* Que dá azar **2** O mesmo que *azarado* (1) *sm.* **3** O mesmo que *azarado* (2) [F.: *azar¹* + *-ento.*]

azatioprina (a.za.ti:o.*pri*.na) *sf. Farm.* Agente imunossupressor, us. esp. para prevenir a rejeição do organismo no pós-transplante: *Prednisona e azatioprina são usadas no tratamento da hepatite autoimune.* [Fórm.: $C_9H_7N_7O_2S$] [F.: Do ing. *azathioprine.*]

azedado (a.ze.*da*.do) *a.* **1** Que azedou, tornou-se azedo (comida azedada) **2** *Fig.* Irritado, exacerbado (ânimos azedados); AGASTADO [F.: Part. de *azedar.*]

azedar (a.ze.*dar*) *v.* **1** Deixar ou ficar com sabor azedo [*td.: O limão azedou o creme.*] [*int.: O vinho azedou(-se).*] **2** Talhar (leite, creme etc.) [*int.:* "...o leite azedou e ficou ambrosia..." (Ana Maria Machado, *A audácia dessa mulher*)] **3** Estragar(-se) [*td.: O forte calor azedou a comida.*] [*int.: A comida azedou no mesmo dia em que foi feita.*] **4** *Fig.* Irritar(-se); fazer ficar ou ficar mal-humorado, angustiado. [*td.: As seguidas decepções o azedaram.*] [*int.: Azedou(-se) com tantos infortúnios.*] **5** Tornar(-se) amargo ou penoso [*td.: As constantes brigas azedaram o nosso relacionamento.*] [*int.: Não deixe o seu casamento azedar(-se).*] [▶ 1 azedar] [F.: *azed(o)* + *-ar.*]

azedete (a.ze.*de*.te) [ê] *a2g.* Um pouco azedo; AZEDOTE [F.: *azedo* + *-ete* (ê).]

azedia (a.ze.*di*.a) *sf.* O mesmo que *azedume* [F.: *azedo* + *-ia¹*.]

azedinha (a.ze.*di*.nha) *Bot. sf.* **1** Nome comum a diversas ervas da fam. das oxalidáceas, do gên. *Oxalis*, de folhas trifólias, ger. comestíveis; TREVO **2** Erva (*Rumex acetosella*) da fam. das poligonáceas, de folhas comestíveis, tb. denominada *azeda-miúda* ou *azedinha-miúda*. **3** Arbusto (*Hibiscus sabdariffa*) da fam. das malváceas, tb. denominado *caruru-azedo* e *quiabo-azedo*. **4** Nome comum a várias plantas da fam. das begoniáceas, gên. *Begonia*, como a begônia-sempre-florida (*Begonia semperflorens*) e a erva-de-saracura (*Begonia acida*) [F.: *azeda* + *-inha.*]

azedo (a.*ze*.do) [ê] *a.* **1** Que tem sabor ácido ou amargo; ACRE [Dim.: *azedete, azedote.*] **2** Estragado por fermentação (diz-se de alimento) **3** *Fig.* De mau humor, irritado **4** *Fig.* Que mostra mau humor, irritação: *resposta azeda*. **5** *Fig.* Rude, severo, contundente: *críticas azedas*. **6** *Fig.* Diz-se de indivíduo amargo, amargurado, de difícil trato *sm.* **7** Sabor azedo, ácido [F.: Do lat. *acetum, i*, 'vinagre'. Hom./Par.: *azedo* (a. sm.), *azedo* (fl. de *azedar*); *azeda* (fem.), *azeda* (fl. de *azedar*); *azedas* (fem. pl.), *azedas* (fl. de *azedar*).]

azedote (a.ze.*do*.te) *a.* Que é um tanto azedo [F.: *azedo* + *-ote.*]

azedume (a.ze.*du*.me) *sm.* **1** Sabor ácido; ACIDEZ **2** *Fig.* Mau humor que revela amargura, irritação [F.: *azedo* + *-ume*. Sin. ger.: *azedia, aziúme.*]

azeitado (a.*zei*.ta.do) *a.* **1** Que se azeitou; LUBRIFICADO **2** Temperado com azeite [F.: Part. de *azeitar.*]

azeitamento (a.zei.ta.*men*.to) *sm.* **1** Ação ou resultado de azeitar **2** *Fig.* Conjunto de ações para fazer algo funcionar melhor: *azeitamento da máquina administrativa*. [F.: *azeitar* + *-mento.*]

azeitão (a.zei.*tão*) *Bras. a.* **1** De pelo negro e lustroso (diz-se de gado) [Pl.: *-tões.*] *sm.* **2** Azeite de mamona [Pl.: *-tões.*] [F.: *azeite* + *-ão¹*.]

azeitar (a.zei.*tar*) *v. td.* **1** Temperar com azeite; pôr azeite em: *azeitar uma salada* **2** Passar óleo (em uma engrenagem, máquina etc.); LUBRIFICAR: *Azeitamos a máquina para iniciarmos o trabalho.* **3** *Fig.* Facilitar a execução de: *O governo quer azeitar as conversações com os sindicatos.* **4** *Bras. Pop.* Namorar, cortejar [▶ 1 azeitar] [F.: *azeite* + *-ar²*.]

azeite (a.*zei*.te) *sm.* **1** Óleo extraído da azeitona **2** Óleo que se extrai de alguns vegetais ou da gordura de certos animais **3** *Bras. Pop.* Namoro, derriço **4** *Bras. Pop.* Cachaça **5** *Bras. Pop.* Mau humor, irritação; ZANGA [Nesta, acp. mais us. no pl.] [F.: Do ár. *az-zayt*. Hom./Par.: *azeite* (sm.), *azeite* (fl. de *azeitar*). Ideia de 'azeite': *ole(i)-, oleo-* (*oleicultura*).] ■ **~ virgem** O primeiro azeite obtido da azeitona, ou seja, na primeira pressão **Beber ~** *Bras.* Ser astuto, vivo **Com os seus ~s** *Pop.* Aborrecido, mal-humorado **Estar nos ~s** *N. E. Pop.* Estar irritado, aborrecido **Nos seus ~s** *Pop.* V. *Com os seus azeites* **Ser mais velho que ~ ou vinagre** Ser muito velho **Vender ~ às canadas** Ficar em má situação, furioso ou decepcionado

azeite de dendê (a.zei.te de den.*dê*) *sm. Bras.* Óleo avermelhado extraído do fruto do dendezeiro, us. na alimentação e na indústria; DENDÊ [Pl.: *azeites de dendê.*]

azeite-doce (a.zei.te-*do*.ce) [ô] *sm.* Óleo extraído da azeitona; AZEITE [Pl.: *azeites-doces.*]

azeiteira (a.zei.*tei*.ra) *sf.* **1** Recipiente para guardar ou servir azeite; AZEITEIRO; GALHETA **2** Almotolia (1) **3** *Bras. Pop.* Moça que gosta muito de namorar, que namora muito; NAMORADEIRA [F.: *azeite* + *-eira.*]

azeiteiro (a.zei.*tei*.ro) *sm.* **1** Quem faz ou vende azeite **2** Azeiteira, galheta **3** *Bras. Pop.* Quem gosta muito de namorar, ou quem namora muito; NAMORADOR *a.* **4** Ref. ao azeite **5** Diz-se de quem gosta muito de namorar, ou de quem namora muito (rapaz azeiteiro) [F.: *azeite* + *-eiro.*]

azeitona (a.zei.*to*.na) *sf.* **1** *Bot.* Pequeno fruto da oliveira; OLIVA **2** *Bot.* Pequena árvore (*Rhamnidium elaeocarpum*) da fam. das ramnáceas, nativa do Brasil, com bagas elipsoides; TARUMAÍ **3** *Afr.* Árvore (*Sideroxylon densiflorum*) da fam. das sapotáceas, originária da África tropical, de frutos oblongos pretos comestíveis **4** *Afr.* O fruto dessa árvore **5** *Zool.* Peixe (*Anchoviella lepidentostole*) da costa do Atlântico, encontrado das Guianas ao Paraná, de corpo alongado fusiforme; MANJUBA; MANJUVA **6** *Bras. Pop.* Bala de revólver *sm.* **7** A cor verde da azeitona (1); OLIVA; VERDE-OLIVA *a2g2n.* **8** Que tem essa cor; OLIVA; VERDE-OLIVA [F.: Do ár. *az-zaituna.*] ■ **Pôr ~ na empada de** *Pop.* Ajudar (alguém, instituição etc.) sem nada receber em troca, ou sendo prejudicado por isso

azeitonado (a.zei.to.*na*.do) *a.* **1** Que tem cor, aspecto ou sabor parecidos com os da azeitona (pele azeitonada, olhos azeitonados) **2** Diz-se de prato, iguaria etc. que têm azeitonas ou aos quais se acrescentaram azeitonas (salada azeitonada) [F.: *azeitona* + *-ado¹*.]

azêmola (a.*zê*.mo.la) *sf.* **1** Besta de carga: "E trago, sem bramânicas tesouras, / Como um dorso de azêmola passiva, / A solidariedade subjetiva / de todas as espécies sofredoras." (Augusto dos Anjos, "Monólogos de uma sombra", *in Eu*) **2** Cavalo velho e cansado **3** *Fig.* Indivíduo tolo ou inútil [F.: Do ár. *az -zâmila.*]

azenha (a.*ze*.nha) *sf.* Moinho de roda, movido a água [F.: Do ár. *as-sâniya.*]

azerbaidjano (a.zer.baid.*ja*.no) *sm.* **1** Indivíduo nascido na República do Azerbaidjão, no sudoeste da Ásia *sm.* **2** *Gloss.* Língua turcomana ocidental, do grupo ogúzico, falada no Azerbaidjão e no noroeste do Irã; AZERI *a.* **3** Do Azerbaidjão; típico desse país ou de seu povo **4** Do ou ref. ao azerbaidjano (2) [F.: Do top. *Azerbaidjão* + *-ano¹*.]

azerbaijano (a.zer.bai.*ja*.no) *sm. a.* Ver *azerbaidjano*

azeviche (a.ze.*vi*.che) *sm.* **1** Tipo de carvão fóssil muito negro, us. em bijuterias **2** *Fig.* A cor negra do azeviche [F.: Do ár. *az-zabadj*, pelo ár. andaluz *az-zabidj.*]

azevinho (a.ze.*vi*.nho) *sm. Bot.* Pequena árvore, ou arbusto (*Ilex aquifolium*) da fam. das aquifoliáceas, nativa da Europa, com folhas que apresentam denteado irregular com feição de espinhos, flores brancas e drupas vermelhas globulares; é cultivado pela madeira, pelas propriedades medicinais da casca, raízes, folhas e frutos e como ornamental, sendo esp. empregado em decorações de Natal [F.: De or. contrv; posv. do lat. *aquifolium* > **acifolio* > **azevo* + *-inho.*]

azia (a.*zi*.a) *sf. Med.* Sensação de ardência no esôfago causada por excesso de acidez no estômago; PIROSE [F.: De or. contrv; posv. do lat. *acidiva.*]

aziago (a.zi.*a*.go) *a.* **1** Que traz azar (palavras aziagas); AGOURENTO **2** Em que há infortúnio, desventura, má sorte, infelicidade [F.: Do lat. *aegytiacus, a, um*, em alusão às pragas do Egito, às dez pestes que, segundo a tradição, Deus teria enviado para salvar os judeus da escravidão.]

ázigo (*á*.zi.go) *a.* **1** Que não tem par, único; ímpar; ÍMPAR **2** *Anat.* Diz-se de cada uma das três veias que levam o sangue das paredes torácica e abdominal até a veia cava superior [Por serem em número ímpar (quando ger. as veias são pares) receberam essa denominação.] *sm.* **3** Cada uma dessas veias [F.: Do gr. *ázygos* 'que não tem par, não acasalado'.]

azimutal (a.zi.mu.*tal*) *a2g.* Ref. a azimute (ângulo azimutal) [Pl.: *-tais.*] [F.: *azimute* + *-al¹*.]

azimute (a.zi.*mu*.te) *sm.* **1** *Astron.* Ângulo formado pelo plano vertical de um astro e o plano meridional do ponto de observação **2** *Ópt.* Ângulo entre o plano de polarização da luz polarizada e um plano específico de referência [F.: Do fr. *azimut*, do ár. *as-sumut*, pl. de *samt*, 'paralelo'; 'ponto no horizonte'.]

azinhaga (a.zi.*nha*.ga) *sf. Lus.* Caminho estreito fora de aldeias e povoados, entre muros, valados, sebes, chácaras etc. [F.: Do ár. *az -zinaiqa.*]

azinhavrado (a.zi.nha.*vra*.do) *a.* Coberto de azinhavre: "...os móveis antigos, o alambique seco e azinhavrado, um resto de tropa, velhos e aposentados bois de canga..." (Mauro Santayana, "Acerto com espólio", *in revista Palavra*, out. 1999) [F.: Part. de *azinhavrar.*]

azinhavrar (a.zi.nha.*vrar*) *v.* Cobrir(-se) de azinhavre [*td.: A umidade azinhavrou as canecas de cobre.*] [*int.: A jarra azinhavrou-se.*] [▶ 1 azinhavrar] [F.: *azinhavre* + *-ar²*.]

azinhavre (a.zi.*nha*.vre) *sm.* Camada esverdeada que se forma em objetos de cobre ou latão devido à umidade; ZINABRE [F.: Do ár. *az-zindjafr.*]

azitromicina (a.zi.tro.mi.*ci*.na) *sf. Farm.* Antibiótico que age inativando a síntese proteica bacteriana, com a vantagem de poder ser administrado em uma dose diária e a qualquer hora do dia [F.: Do ing. *azithromycin*, de *az(ane)* + *(ery)thromycin.*]

aziúme (a.zi:*ú*.me) *sm.* O mesmo que *azedume* [F.: De or. incerta; posv. de *azia* + *-ume.*]

azo (*a*.zo) *sm.* Ocasião, motivo, ensejo, oportunidade [F.: Do provençal *aize.*]

azoada (a.zo:*a*.da) *sf.* **1** Ruído que provoca atordoamento; ZOADA: "...debochando do valente, pelo que logo um bolão de povo, em azoada de vivas e mais vivas, agarrou a minha pessoa..." (José Cândido de Carvalho, *O coronel e o lobisomem*) **2** Pequena amolação; ZANGA; ENFADO [F.: Fem. substv. do part. de *azoar*. Sin. ger.: *azoamento.*]

azoar (a.zo.*ar*) *v.* **1** Atordoar, perturbar, com barulho ou gritaria [*td.: O ensaio da banda de rock azoava alguns vizinhos.*] **2** *Fig.* Fazer ficar ou ficar entediado, irritado, zangado [*td.: Azoava os amigos repetindo sempre aquela longa história.*] [*int.: Azoou(-se) quando teve que passar o dia no aeroporto esperando a hora do embarque.*]

azoico (a.*zoi*.co) *a.* **1** *Quím.* Diz-se de composto, esp. de corante que contém o grupo azo *sm.* **2** *Geol.* Período azoico [F.: *az (o)-* + *-oico²*.]

azonal (a.zo.*nal*) *a2g.* *Geol.* Diz-se de solo que não tem características bem desenvolvidas devido ao pouco tempo de sua formação [Pl.: *-nais.*] [F.: *a-³* + *zona* + *-al¹*.]

azoospermia (a.zo.os.per.*mi*.a) *sf. Urol.* Ausência de espermatozoides no sêmen ou falha na formação de espermatozoides [F.: Do gr. *ázoos-* + *-sperm(o)-* + *-ia¹*.]

azoretado (a.zo.re.*ta*.do) *N. E. a.* **1** Um tanto atordoado, desorientado, desequilibrado, perturbado (psicologicamente); TRANSTORNADO: "Mas desprevenido, no escuro, levantei-me azuretado, com o cabresto na mão..." (Graciliano Ramos, "Primeira aventura de Alexandre" *in Alexandre e outros heróis*) **2** Que é ou parece ser um tanto maluco; AMALUCADO **3** Que age de maneira irresponsável e gasta dinheiro excessivamente, esp. em farra; DOIDIVANAS; ESTROINA **4** Torturado moralmente; APOQUENTADO [F.: *azoretado*, part. de *azoretar*. Tb. *azuretado.*]

azoretar (a.zo.re.*tar*) *v. int. Bras. Pop.* Ficar amalucado: *O malandro azoretou de vez.* [▶ 1 azoretar] [F.: Var. de *azoratar.*]

azorragar (a.zor.ra.*gar*) *v. td.* Bater com azorrague, chicote; AÇOITAR; CHICOTEAR: "Reputo-o tão covarde..., que o hei de mandar azorragar..." (Camilo Castelo Branco, *Amor de perdição.*) [▶ 14 azorragar] [F.: *azorrag(ue)* + *-ar²*.]

azorrague (a.zor.*ra*.gue) *sm.* **1** Açoite formado de uma ou mais correias entrançadas e munido de cabo; CHICOTE; LÁTEGO; VERGASTA: "Abominado mais do que o senhor cruel, que o muniu do azorrague desapiedado para açoitá-los e acabrunhá-los de trabalhos." (Bernardo Guimarães, *A escrava Isaura*); "...o marido de Sofia, armado de um azorrague de cinco pontas de couro, rematando em bicos de ferro, castigava-as despiedadamente." (Machado de Assis, *Quincas Borba*) **2** *Fig.* Castigo físico ou moral; FLAGELO; PUNIÇÃO; SUPLÍCIO: "...o ridículo é a queda no charco; é o aviltamento sem compaixão; é o pelourinho mil vezes pior que o patíbulo; é o azorrague mais cruel que a guilhotina; é a morte pelo desprezo..." (Joaquim Manuel de Macedo, *A luneta mágica*) [F.: De or. obsc. Hom./Par.: *azorrague(s)* (sm. [pl.]), *azorrague(s)* (fl. de *azorragar*).]

azoto (a.*zo*.to) [ô] *sm. Antq. Quím.* Ver *nitrogênio* [Simb.: Az.] [F.: Do fr. *azote.*]

azougado (a.zou.*ga*.do) *a.* **1** Misturado ou coberto com ou que contém azougue (tb. dito mercúrio) (ouro azougado) **2** Que tem muita vivacidade, desinibição; que está sempre ativo, em movimento; IRREQUIETO: "Mostraram-me um dia / Na roça dançando / Mestiça formosa / De olhar azougado..." (Lima Barreto, *Clara dos Anjos*) [Ant.: *inibido.*] **3** Diz-se de indivíduo muito esperto, cheio de manhas e astúcias; FINÓRIO; LADINO [Ant.: *bobo, bocó, ingênuo.*] **4** *Bras.* Que está irritado, ou que se irrita com facilidade [Ant.: *calmo, tranquilo.*] [F.: Part. de *azougar.*]

azougar (a.zou.*gar*) *v.* **1** *P. us.* Cobrir algo com azougue, mercúrio, amálgama de metal [*td.: A amálgama do estanho serve para azougar os espelhos.*] **2** *Fig.* Deixar esperto, vivo; ESPERTAR [*td.*] **3** Inquietar, tirar o sossego [*td.*] **4** *Lus.* Apodrecer (legumes, frutos) [*int.*] [▶ 14 azougar] [F.: *azoug(ue)* + *-ar²*.]

azougue (a.*zou*.gue) *sm.* **1** *Fig.* Indivíduo muito esperto e agitado **2** *Pop.* O mesmo que *mercúrio* (2) **3** *Pop.* Cachaça, aguardente de cana **4** *Bot.* O mesmo que *mercurial²* [F.: Do ár. *az-zawq*, 'mercúrio'. Hom./Par.: *azougue* (sm.), *azougue* (fl. de *azougar*).]

⊠ **AZT** *sm. Farm.* Droga antiviral ($C_{10}H_{13}N_5O_4$) que inibe a replicação de alguns tipos de retrovírus (p. ex., o HIV) e é us. no tratamento da AIDS; AZIDOTIMIDINA; ZIDOVUDINA [F.: Acrônimo do ing. *az ido t hymidine*, aport. *azidotimidina.*]

azucrinado (a.zu.cri.*na*.do) *a. Bras.* Que se azucrinou, aborreceu; ABORRECIDO; APOQUENTADO [F.: Part. de *azucrinar.*]

azucrinante (a.zu.cri.*nan*.te) *a2g. Bras.* Que azucrina, aborrece, irrita: "Outros cães vieram se juntar ao primeiro e fez-se logo em torno do negro um alarido infernal, que aumentava pouco a pouco, ensurdecedor e azucrinante." (Adolfo Caminha, *Bom-Crioulo*) [F.: *azucrinar* + *-nte.*]

azucrinar (a.zu.cri.*nar*) *Bras. v.* Perturbar ou aborrecer (alguém), ger. com dada continuidade ou insistência, ou aborrecer-se, perturbar-se, chatear-se; APOQUENTAR(-SE); IMPORTUNAR(-SE) [*td.*: *Os repórteres azucrinaram a modelo para que ela falasse sobre seu romance.*] [*int.*: *O síndico se azucrinou com as constantes reclamações dos condôminos.*] [▶ 1 azucri**nar**] [F: Posv. de *azucrim* (sob a f. *azucrin-*) + *-ar²*.]

azul (a.*zul*) *sm.* **1** Cor situada, no espectro solar, entre o verde e o violeta; cor do céu em dia claro e sem nuvens **2** Por metonímia, roupa dessa cor: *Foi ao baile vestida de azul.* **3** *Poét.* Céu, firmamento [Pl.: *azuis.*] *a2g.* **4** Cuja cor é o azul (1) **5** Diz-se dessa cor: *A cor azul é a minha preferida.* **6** *Fig.* Muito assustado **7** *Bras.* Que tem pelo cinzento (diz-se de rês) **8** *Lus.* Um pouco embriagado [Pl.: *azuis.*] [F: Do ár. *lazurd*, var. do persa *lajward*, 'lápis-lázuli'. Ideia de 'azul': *cian(o)-* (*cianose*).] ▪ ~ **de metileno** *Quím.* Substância orgânica, cristalina, de um azul intenso, cujas soluções são us. como corante, bactericida, antídoto, indicador de oxirredução etc. [fórm.: $C_{16}H_{18}C_1N_3S$] **Tudo ~** *Bras.* Tudo bem, tudo ótimo

azulado (a.zu.*la*.do) *a.* **1** Que apresenta cor num tom de azul ou quase azul **2** Diz-se dessa cor *sm.* **3** A cor azulada [F: *azul* + *-ado¹*.]

azulão (a.zu.*lão*) *sm.* **1** Tom muito forte de azul **2** Tecido grosseiro de algodão, de cor azul; ZUARTE **3** *Bras. Zool.* Denom. comum às aves do gên. *Passerina*, da fam. dos emberezídeos, distribuídas por todo o país; os machos têm plumagem azulada, donde o nome popular **4** *Bras. Zool.* Ave (*Passerina brissonii*) de beira de pântanos, matas e plantações do nordeste ao sul do país, e tb. da Bolívia, Paraguai e Argentina **5** *Zool.* Borboleta da fam. dos ninfalídeos (*Morpho catenarius*), de coloração azulada com ocelos escuros *a2g2n.* **6** Que tem a cor azul muito forte: *calças azulão.* **7** Diz-se dessa cor [Pl.: *-lões.*] [F: *azul* + *-ão¹*.]

azular (a.zu.*lar*) *v.* **1** Tornar(-se) da cor azul ou azulada; AZULECER [*td.*: *Um defeito azulou a tela do meu computador.*] [*int.*: *Sua face azulou(-se) por falta de oxigênio.*] **2** *Bras. Pop.* Fugir [*int.*: *Ele azulou quando avistou seu desafeto.*] [▶ 1 azu**lar**] [F: *azul* + *-ar²*.]

azul-celeste (a.zul-ce.*les*.te) *sm.* **1** A cor azul do céu quando limpo, sem nuvens **2** Por metonímia, roupa dessa cor: *Resolveu ir à festa vestida de azul-celeste.* [Pl.: *azuis-celestes*.] *a2g2n.* **3** Cuja cor é o azul-celeste (1) (olhos azul-celeste) **4** Diz-se dessa cor: "Era um elegante gabinete forrado com um lindo papel de cor azul-celeste..." (José de Alencar, *A viuvinha*) [Sin. ger.: *azul do céu, azul-fino, azul-pombinho.*]

azul-claro (a.zul-*cla*.ro) *sm.* **1** Tom claro de azul; cor com essa tonalidade: *Para essa parede, prefiro o azul-claro.* [Pl.: *azuis-claros.*] *a.* **2** Que tem essa cor ou tonalidade [Pl.: *azul-claros.* Pode ser tb. *a2g. 2n.*: *duas blusas azul-claro.*]

azul do céu (a.zul do.*céu*) *a2g2n. sm.* O mesmo que *azul-celeste* [Pl. do sm.: *azuis do céu.*]

azulego (a.zu.*le*.go) [ê] *a.* **1** Que tem cor levemente azul; AZULADO **2** *RS* Diz-se de cavalo de pelo escuro entremeado de pintas brancas que, a certa distância, tem um reflexo azulado *sm.* **3** *MG Zool.* Ave passeriforme (*Molothrus bonariensis*), da fam. dos emberizídeos, de plumagem azulescura (machos) e negra (fêmeas), muito conhecida por botar seus ovos em ninhos de outros pássaros; CHOPIM *SP*; CHUPIM; ENGANA-TICO-TICO *PE*; GAUDÉRIO *S*; MARIA-PRETA *SP PE*; PÁSSARO-PRETO **4** *MG Zool.* O mesmo que *azulão* (*Passerina glaucocaerulea*) [F: *azul* + *-ego.*]

azulejado¹ (a.zu.le.*ja*.do) *a.* Revestido ou guarnecido de azulejos [F: Part de *azulejar¹*.]

azulejado² (a.zu.le.*ja*.do) *a.* Que se aproxima de ou se assemelha ao azul [F: Part de *azulejar²*.]

azulejador (a.zu.le.ja.*dor*) [ô] *a.* **1** Diz-se de indivíduo que fabrica ou assenta azulejos; AZULEJISTA *sm.* **2** Esse indivíduo [F: *azulejar¹* + *-dor.*]

azulejar¹ (a.zu.le.*jar*) *v. td.* Fazer a colocação, a aplicação de azulejos, de ladrilhos sobre (parede, superfície) ou em um ambiente (cozinha, banheiro, área etc.); LADRILHAR; REVESTIR: *Azulejou a cozinha até o teto.* [▶ 1 azule**jar**] [F: *azulejo* + *-ar².* Hom./Par.: *azulejo* (fl.), *azulejo* (sm.).]

azulejar² (a.zu.le.*jar*) *v.* Tornar(-se) da cor azul ou azulada; AZULAR; AZULECER [*td.*: *Na lavagem, a calça soltou tinta e azulejou as outras roupas*; *As lentes de contato azulejavam seus olhos.*] [*int.*: *Os olhos do bebê azulejaram.*] [▶ 1 azule**jar**] [F: *azul* + *-ejar.*]

azulejaria (a.zu.le.ja.*ri*.a) *sf.* **1** Estabelecimento onde se fabricam azulejos; produção de azulejos **2** Coleção ou conjunto de azulejos: "Atualmente trabalham na recuperação da azulejaria inglesa..." (*Folha de S. Paulo*, 09.10.1999) [F: *azulejo* + *-aria.* Hom./Par.: *azulejaria* (fl. de *azulejar*).]

azulejista (a.zu.le.*jis*.ta) *a2g.* **1** Diz-se de profissional que fabrica ou assenta azulejos (pedreiro azulejista) *s2g.* **2** Esse profissional: *Preciso de um azulejista para reformar minha cozinha.* [F: *azulejo* + *-ista.* Sin. ger.: *azulejador.*]

azulejo (a.zu.*le*.jo) [ê] *sm.* Ladrilho esmaltado us. para cobrir paredes [F: Do espn. *azulejo*, do ár. *az-zuleidj*.]

azuleno (a.zu.*le*.no) [ê] *sm. Quím.* Hidrocarboneto ($C_{10}H_8$) de cor azul-escura, us. em muitos cosméticos: *Creme com azuleno alivia a sensação de ardência causada pela depilação.* [F: *azul* + *-eno².*]

azul-ferrete (a.zul-fer.*re*.te) [ê] *sm.* **1** Azul muito carregado, quase preto: "Os cachos da viúva também negrejavam diante dela, entre a doença e o júri, com uns tons de azul-ferrete..." (Machado de Assis, "A senhora do Galvão" in *História sem data*) [Pl.: *azuis-ferretes e azuis-ferrete.*] *a2g2n.* **2** Que tem essa cor: "E na manhã seguinte, por um mar azul-ferrete..." (Eça de Queirós, *O mandarim*) **3** Diz-se dessa cor

azul-fino (a.zul-*fi*.no) *a2g2n. sm.* O mesmo que *azul-celeste* [Pl. do sm.: *azuis-finos.*]

azul-marinho (a.zul-ma.*ri*.nho) *sm.* **1** Tom de azul bem escuro [Pl.: *azuis-marinhos.*] *a2g2n.* **2** Que é dessa cor (bermudas *azul-marinho*) **3** Diz-se dessa cor

azulona (a.zu.*lo*.na) *sf. Zool.* Ave da fam. dos tinamídeos (*Tinamus tao*), encontrada na Amazônia, que habita exclusivamente as áreas de terra firme de florestas úmidas; de até 50 cm de comprimento e coloração cinza-azulada [F: *azul* + *-ona¹*.]

azul-piscina (a.zul-pis.*ci*.na) *sm.* **1** Tom de azul esverdeado que lembra as águas de uma piscina [Pl.: *azuis-piscinas ou azuis-piscina.*] *a2g2n.* **2** Que é dessa cor (cortinas azul-piscina) **3** Diz-se dessa cor

azul-pombinho (a.zul-pom.*bi*.nho) *a2g2n. sm.* O mesmo que *azul-celeste* [Pl. do sm.: *azuis-pombinhos ou azuis-pombinho.*]

azulzinha (a.zul.*zi*.nha) *sf.* **1** *Bot.* Planta herbácea (*Evolvulus glomeratus*), da fam. das convolvuláceas, nativa do Brasil; pode atingir cerca de 30 cm de altura, tem folhas ovaladas e aveludadas, e possui pequenas flores azuis que aparecem quase o ano todo **2** *N. E. Pop.* Cachaça, aguardente **3** *Gír.* Comprimido de Viagra® (citrato de sildenafila), indicado para o tratamento da disfunção erétil [F: *azul* + *-zinha.*]

azulzinho (a.zul.*zi*.nho) *sm.* **1** Tom de azul bem claro **2** *RS Pop.* Agente de fiscalização da Empresa Pública de Transporte e Circulação de Porto Alegre: "Azulzinho é atropelado durante blitz na capital." (*Zero Hora*, 22.07.2005) [Designação dada em referência à cor do uniforme us. pelo fiscal.] *a.* **3** De tom azul bem claro **4** *Fig.* Totalmente azul ou bem azul [F: *azul* + *-zinho.*]

azurita (a.zu.*ri*.ta) *sf. Min.* Mineral azul, monoclínico, composto basicamente de carbonato de cobre e us. principalmente em joias e para a obtenção de pigmento mineral azul [F: Do fr. *azur* + *-ita³*.]

azurmalaquita (a.zur.ma.la.*qui*.ta) *sf. Min.* Azurita associada a malaquita [F: *azur* (ita) + *malaquita.*]

azurrar (a.zur.*rar*) *v. int. Pop. P. us.* O mesmo que *zurrar* [▶ 1 azur**rar**] [F: *a-²* + *zurrar.*]

b¹ [/bê/] ***sm.*** **1** A segunda letra do alfabeto, que representa a consoante oclusiva bilabial sonora **2** *Fon.* O som ou fonema representado pela letra b **3** A representação gráfica ou a figura da letra b (ou B) ***num.*** **4** O segundo, em uma série (fila b; bloco B) ***a2g2n.*** **5** De qualidade inferior; de importância, prestígio ou poder econômico secundários, menores (filme B, classe B) **6** *Inf.* Abrev. de *bit* **7** Abrev. de *bária* **8** *Fís.* Símb. de *quark bottom* **9** *Fís.* Símb. de *número bariônico* **10** *Fís. nu.* Símb. de *barn* **11** *Mús.* Abrev. de *bemol* [Ger. us. ao alto e à direita da nota, para marcar acidente, ou no início de partitura, como indicação da(s) nota(s) bemóis, conforme a tonalidade da peça ou do trecho.] [F.: Sinal alfabético b, 2ª letra do alfabeto lat.]

⊠ **B**² **1** *Quím.* Símb. de Boro **2** *Fís.* Abrev. de *byte* ***num.*** **3** *Mat.* O número do 11 no sistema hexadecimal ***sm.*** **4** *Mús.* Na notação alfabética, a nota *si* **5** *Mús.* Na notação alfabética alemã, representa o *si bemol* **6** *Quím.* Seção central de uma forma ternária **7** Seção de uma forma binária

⊠ **Ba**¹ *Quím.* Símb. de *bário*

⊠ **BA**² Sigla do Estado da Bahia

bá ***sf.*** *Bras.* F. red. de *babá*; ama-seca

baamiano (ba:a.mi:*a*.no) ***sm.*** **1** Indivíduo nascido ou que vive em Baamas (Arquipélago das Antilhas) ***a.*** **2** De Baamas; típico desse arquipélago ou de seu povo [F.: Do top. *Baam(as)* + *-iano*. Sin. ger.: *baamense, baamês, bahamense, bahamiano.*]

baba¹ (*ba*.ba) ***sf.*** **1** Saliva que escorre da boca **2** Salivação excessiva e espumante decorrente de certas doenças (p. ex. epilepsia), segregada em momentos de crise **3** Mucosidade segregada por certos animais: *A baba do caracol deixou um caminho na parede.* **4** *Bras. Pop.* Substância viscosa presente em certos vegetais: *a baba do quiabo.* **5** *Bras. Pop.* Conversa ardilosa, com o objetivo de enganar; LÁBIA [F.: Onomat. do falar balbuciante da criança. Hom./Par.: *baba* (sf.), *baba* (fl. de *babar*).] ∎ **Uma ~** Grande quantidade de dinheiro: *Ele gastou uma baba para reformar a casa.*

baba² (*ba*.ba) ***sm.*** Pequeno tambor de forma cônica us. em Timor Leste

baba³ (*ba*.ba) ***sm.*** *Moç.* Forma de tratamento respeitosa para se dirigir aos homens mais velhos

babá¹ (ba.*bá*) ***sf.*** **1** *Bras.* Mulher que é paga para cuidar de criança; AMA; AMA-SECA **2** *P. ext.* Mulher que amamenta filho de outrem; tb. *ama de leite* [F.: Voc. expressivo da linguagem infantil. Tb. se diz apenas *bá*. Hom./Par.: *babá* (sf. sm.), *baba* (sf. sm.), *baba* (fl. de *babar*).] ∎ **~ eletrônica** Par de aparelhos de transmissão e recepção recíproca de sons, que permite a monitoração do choro de um bebê ou de uma criança fora do quarto onde se encontra

babá² (ba.*bá*) ***sm.*** *Cul.* Espécie de pudim feito de farinha, leite e ovos [F.: Do polonês *baba*, pelo fr. *baba*.]

babá³ (ba.*bá*) ***sm.*** *Ant.* Tratamento carinhoso que era dispensado aos rapazes na Índia

babá⁴ (ba.*bá*) ***sm.*** **1** *Bot.* Arbusto rasteiro (*Solanum agrarium*) da fam. das solanáceas, que ocorre no Brasil, cultivado pelos frutos comestíveis; MELANCIA-DA-PRAIA **2** *BA Bot.* O mesmo que *arrebenta-cavalo* [F.: De or. obsc.]

babá⁵ (ba.*bá*) ***sm.*** *Bras. Rel.* Red. de babalaô; pai de santo [F.: Do iorubá.]

babaca (ba.*ba*.ca) *Bras.* ***a2g.*** **1** *Vulg.* Que é muito crédulo, abobado, pouco inteligente ou age de modo subserviente; BABAQUARA; BOBOCA; TOLO **2** *Pop.* Que é desinteressante ou irrelevante (conversa babaca) ***sf.*** **3** *Bras. Tabu.* A genitália feminina; VULVA ***s2g.*** **4** *Bras. Vulg.* Pessoa boba, que se deixa enganar facilmente ou não tem atitude, desembaraço, vigor [F.: Posv. do tupi *babaquara*, ou do lat. hispânico *baburrus*, ou do port. *basbaque*.]

babação (ba.ba.*ção*) ***sf.*** **1** Ação ou resultado de babar(-se) **2** *Pop.* Bajulação [Pl.: *-ções*.] [F.: *baba(r)* + *-ção*.]

babaçu (ba.ba.*çu*) *Bot.* ***sm.*** **1** Nome comum às palmeiras do gên. *Orbignia*, como, p. ex., *Orbignia phalerata*, nativa da região que abrange a Bolívia, Guiana, Suriname e Brasil, de cujas sementes se extrai óleo comestível, tb. us. na indústria cosmética, e cujas folhas e espatas são us. para trançar [Col.: *babaçual, babaçuzal*.] **2** O fruto e a semente dessas plantas [F.: Do tupi *iuaua'su*. Sin.: *baguaçu, bauaçu, guaguaçu*.]

babaçual (ba.ba.çu:*al*) ***sm.*** Grande conjunto de pés de babaçu aglomerados numa certa área; plantação de babaçus [Pl.: *-ais*.] [F.: *babaçu* + *-al*¹.]

baba de moça (ba.ba de *mo*.ça) ***sf.*** *Bras. Cul.* Doce feito com leite de coco, gemas de ovos e açúcar, cozidos em fogo brando [Pl.: *babas de moça*.]

babado¹ (ba.*ba*.do) ***sm.*** **1** Tira de tecido, franzida ou plissada, com que se enfeitam vestidos, roupas de cama e mesa etc; FOLHO **2** *Bras. Gír.* Notícia surpreendente que pode ser mero boato; comentário maldoso, intrigante; especulação, fofoca: *Soube de um babado que você nem imagina.*

babado² (ba.*ba*.do) ***a.*** **1** Molhado de baba **2** *Pop.* Apaixonado, enamorado [F.: Part. de *babar*.]

babador (ba.ba.*dor*) [ô] ***sm.*** **1** *Bras.* Peça de pano, ou plástico, que se põe sobre o peito das crianças, presa ao pescoço, para que não se sujem com a comida ou com a baba; BABADOURO **2** *PE* Peça de metal que segura as extremidades da brida dos cavalos [F.: *babad(o)* + *-or*.]

babalaô (ba.ba.la.*ô*) ***sm.*** **1** *Bras. Rel.* Para os iorubas, sacerdote de Ifá, e guia espiritual dos candomblés jeje-nagôs (e que não faz parte da hierarquia interna) **2** Em certos terreiros, babalorixá que joga búzios para fazer adivinhações **3** *Bras. P. ext.* Pai de santo [F.: Do ior. *babalawo*.]

babalorixá (ba.ba.lo.ri.*xá*) ***sm.*** *Bras. Rel.* Chefe espiritual e administrador de centros de candomblé, ou de xangô ou de certos terreiros de umbanda; BABALOXÁ; PAI DE SANTO; PAI DE TERREIRO [Fem.: *ialorixá*] [F.: Do ior. *babalorixa*.]

B *b*

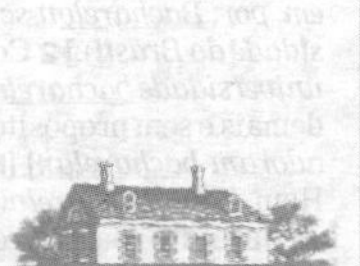

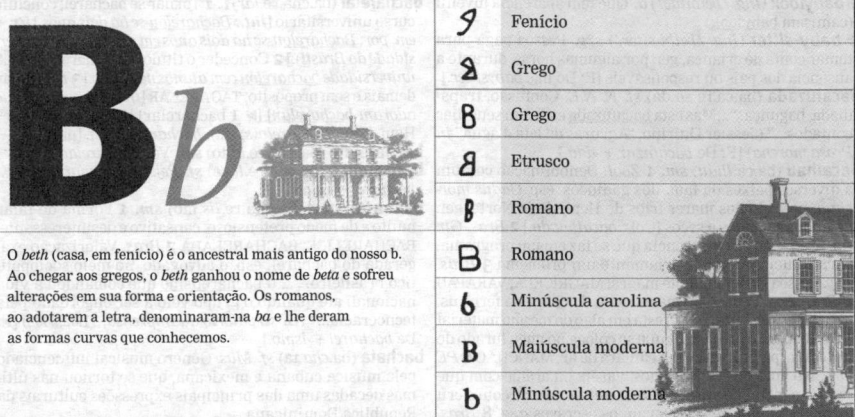

O *beth* (casa, em fenício) é o ancestral mais antigo do nosso b. Ao chegar aos gregos, o *beth* ganhou o nome de *beta* e sofreu alterações em sua forma e orientação. Os romanos, ao adotarem a letra, denominaram-na *ba* e lhe deram as formas curvas que conhecemos.

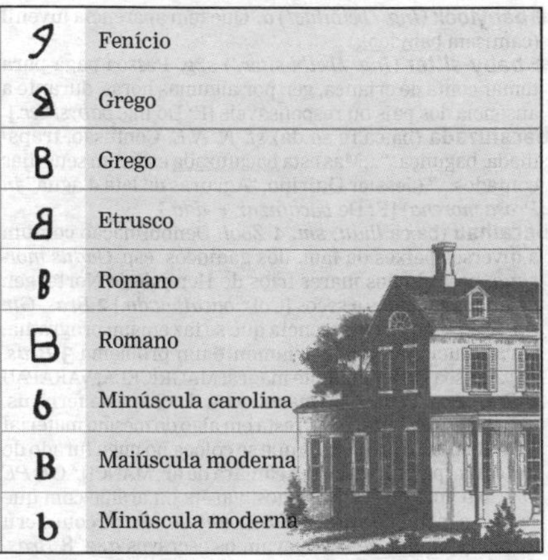
Fenício
Grego
Grego
Etrusco
Romano
Romano
Minúscula carolina
Maiúscula moderna
Minúscula moderna

babão (ba.*bão*) ***a.*** **1** *Pop.* Que produz baba em grande quantidade; BABOSO **2** *Fig. Pop.* Que fica pasmo com tudo, ou que acredita em tudo; TOLO; INGÊNUO **3** *Fig. Pop.* Diz-se de quem está apaixonado **4** *Fig. Pop.* Que diz ou faz bobagens, asneiras; BOBO; TOLO; PARVO **5** *Bras. N.E. Pej.* O mesmo que *bajulador*. [Pl.: *-bões*. Fem.: *-bona*.] ***sm.*** **6** Indivíduo babão [Pl.: *-bões*. Fem.: *-bona*.] [F.: *babar* + *-ão*¹.]

baba-ovo (ba.ba-o.vo) ***sm.*** Pessoa que procura agradar de maneira servil, por interesse; ADULADOR; BAJULADOR; PUXA-SACO: *Conseguiu a promoção porque é um grande baba-ovo.* [Pl.: *baba-ovos* [ó].]

babaquara (ba.ba.*qua*.ra) ***a2g.*** **1** *Bras. Pej.* Diz-se de pessoa que faz ou diz idiotices; BABACA; INGÊNUO; TOLO **2** *CE* Que é influente, poderoso ***s2g.*** **3** *Bras. Pop.* Indivíduo de modos simples e rústicos que vive no campo; CAIPIRA; ROCEIRO **4** *CE* Indivíduo influente, poderoso **5** *Bras. Pej.* Pessoa tola [F.: Do tupi = 'o que nada sabe'. Tem caráter ofensivo.]

babaquice (ba.ba.*qui*.ce) *Bras. Pop.* ***sf.*** **1** Ação ou dito tolo, falto de inteligência ou sagacidade, próprio de babaca; ASNEIRA; TOLICE: *Sua atitude grosseira foi uma babaquice sem tamanho.* **2** Coisa desinteressante ou irrelevante: *O roteiro do filme era uma babaquice só.* [F.: *babaca* + *-ice*.]

babar (ba.*bar*) ***v.*** **1** Molhar(-se) com baba ou soltar baba [***td.***: *babar a roupa.*] [***int.***: *O bebê parou de babar.*] **2** *Fig.* Ficar tomado por um sentimento; ENLEVAR-SE [***tr.*** + *de*: *Babou-se de inveja da amiga.*] **3** *Fig.* Gostar muito de [***tr.*** + *por*: *Ela se baba por churrasco.*] **4** *Gír.* Dar errado [***int.***: *Babou, perdemos a eleição.*] [▶ **1** **babar**] [F.: *baba* + *-ar*². Hom./Par.: *baba(s)* (fl.), *baba(s)* (sf. [pl.]), *babá(s)* (sf. sm. [pl.]); *babeis* (fl.), *babéis* (pl. de *babel*).]

babau¹ (ba.*bau*) ***interj.*** *Pop.* Expressão indicativa de que algo se perdeu irremediavelmente: *A atriz entrou em decadência e babau, não se fala mais nela.* [F.: Prov. de or. onomatopeica.]

babau² (ba.*bau*) ***sm.*** *Folc.* Nome de certo personagem do bumba meu boi e do reisado [F.: De or. obsc.]

babau³ (ba.*bau*) ***sm.*** *MA PA Rel.* Em ritual afro-brasileiro (babaçuê, batuque) o sacerdote que o conduz e que sacrifica os animais oferecidos às divindades; MAITATÁ [F.: De or. obsc., posv. do ioruba *baba* 'chefe'.]

babel (ba.*bel*) ***sf.*** **1** Mistura confusa de várias línguas faladas ao mesmo tempo **2** *P. ext.* Vozearia tumultuosa; ALGAZARRA; BALBÚRDIA; BARULHEIRA **3** *Fig.* Tumulto de pessoas: *Transformaram a reunião numa babel.* **4** *Fig.* Reunião de muitos elementos diferentes; MULTIPLICIDADE; VARIEDADE: *uma babel de interesses e opiniões.* **5** *Telc.* Interferência causada por grande quantidade de canais simultâneos de comunicação [Pl.: *-béis*.] [F.: Do top. bíblico *Babel*. Hom./Par.: *babéis* (pl.), *babeis* (fl. de *babar*).]

babélico (ba.*bé*.li.co) ***a.*** **1** Ref. à Babel bíblica: "... anterior ao *'confusio linguarum'* narrado no episódio babélico..." (*Folha S.Paulo*, 01.07.2001) **2** Ref. a ou em que há babel, confusão, desordem; CAÓTICO: *Foi um debate babélico, ninguém se entendia.* [F.: *babel* + *-ico*². Sin. ger.: *babelesco, babeliano*.]

babelismo (ba.be.*lis*.mo) ***sm.*** **1** Mistura ou sobreposição confusa de comentários, línguas, estilos etc.: "... cenas explícitas de babelismo, onde seguidos *takes* mostravam os três participantes numa algaravia ininteligível..." (*Portal da Imprensa*, 10.12.2004) **2** Obra desmesuradamente gigante que, aos moldes da torre de Babel, revela inconsistências e fragilidades **3** Desordem metodológica ou falta de unidade nos processos do raciocínio ou da inteligência **4** *Ling.* Teoria (sécs. XVIII e XIX) que admitia a possibilidade de as línguas terem tido origens independentes em diversos locais do planeta [F.: *babel* + *-ismo*.]

babelizar (ba.be.li.*zar*) ***v.*** **1** Fazer ficar ou ficar, tornar(-se) babélico, caótico, confuso, agitado; criar confusão em; ALVOROÇAR; BAGUNÇAR; TUMULTUAR [***td.***: *As intervenções intempestivas e as reações a elas babelizaram a reunião.*] [***int.***: *Todos se envolveram na briga, e a festa babelizou-se.*] **2** Confundir, embaralhar, misturar [***td. int.*** Ant.: *ordenar, organizar.*] [▶ **1** **babelizar**] [F.: *babel* + *-izar*.]

babilônia (ba.bi.*lô*.ni:a) ***sf.*** **1** Cidade grande que cresceu de forma desordenada, sem planejamento urbano **2** *Fig.* Confusão, caos, babel **3** *N.E.* Prédio ou casa muito grande [F.: Do top. *Babilônia*, antiga capital do império da Babilônia.]

babilônico (ba.bi.*lô*.ni.co) ***a.*** **1** Ver *babilônio* **2** Ref. ao império ou à cidade da Babilônia, ou a tudo que era deles ou típico deles (calendário babilônico) **3** *Fig.* Que apresenta grandiosidade, imponência; MAJESTOSO: "... propôs um babilônico jardim suspenso no lugar onde..." (*O Globo*, 23.09.2004) **4** *Fig.* Em que predomina a desordem e/ou a libertinagem **5** Em que há muita confusão, caos, babilônia (2) [F.: *babilônia* ou (top.) *Babilônia* + *-ico*².]

babilônio (ba.bi.*lô*.ni:o) ***sm.*** **1** Indivíduo nascido ou que vivia na Babilônia, antigo império da Mesopotâmia, ou em sua capital de mesmo nome **2** *Gloss.* Dialeto antigo derivado do acádio ***a.*** **3** Da Babilônia, típico desse império, ou dessa cidade, ou de seus povos; BABILÔNICO **4** *Gloss.* Do ou ref. ao babilônio (2) **5** De enormes dimensões, imenso [F.: Do top. *Babilônia*.]

babosa (ba.*bo*.sa) *Bot.* ***sf.*** **1** Planta (*Aloe vera*) de cujas folhas se extrai um sumo de mesmo nome, com propriedades medicinais; ALOÉ **2** Planta (*Agave americana*) cultivada como ornamental; AGAVE **3** Arbusto da fam. das solanáceas (*Brugmansia suaveolens*), cujas folhas têm uso medicinal como calmante; TROMBETA-CHEIROSA **4** Planta da fam. das liliáceas (*Aloe spicata*); BABOSA-DE-ESPIGA [F.: Fem. substv. de *baboso*.]

baboseira (ba.bo.*sei*.ra) ***sf.*** **1** Dito ou conversa de tolos; BOBAGEM; DISPARATE; TOLICE **2** Trabalho ou obra artística, científica, literária etc. sem mérito ou valor **3** *Bras.* Sujeira deixada por quem é babão ou baboso; BABUGEM [F.: *baboso* + *-eira*.]

baboso (ba.*bo*.so) [ô] ***a.*** **1** Diz-se de quem (se) baba muito; BABÃO **2** Relativo a quem articula mal as palavras **3** *Fig.* Ref. ao que se encanta com algo ou alguém (pai/olhar baboso) [**Fem.:** [ó]. **Pl.:** [ó].] ***sm.*** **4** Indivíduo baboso (1, 2 e 3) [F.: Ver *baba*.]

babucha (ba.*bu*.cha) ***sf.*** Espécie de chinelo oriental sem salto [F.: Do fr. *Babouche*, pelo ár. *Babush*, do persa *Papush*. Tb. *babuche*.]

babuche (ba.*bu*.che) ***sf.*** Espécie de chinela oriental, sem salto; tb. *babucha*

babugem (ba.*bu*.gem) ***sf.*** **1** Espuma que se forma na superfície da água: "... na babugem das águas, de olhos vítreos..." (Cândido da Velha, "As idades da pedra" *in Autores africanos*) **2** Saliva que escorre da boca; BABA **3** Todo tipo de restos, esp. de comida **4** *Fig.* Coisa de pouco valor ou importância; NINHARIA **5** *N.E.* Erva que brota depois das primeiras chuvas [Pl.: *-gens*.] [F.: *baba* + *-ugem*, ver *baba*.]

babuíno (ba.bu:*í*.no) ***sm.*** *Zool.* Nome comum dado aos macacos do gên. *Papio*, fam. dos cercopitecídeos, encontrados ger. nas savanas africanas, onde vivem em bandos numerosos [F.: Do fr. *babouin*.] ∎ **~ sagrado** *Zool. V. hamadríade*³.

babujar (ba.bu.*jar*) ***v.*** **1** Sujar com baba ou restos de comida; BABAR [***td.***: "... os animais (...) ficavam por ali, a turrar, a babujar folha seca do chão..." (Lindolfo Rocha, *Maria Dusá*)] **2** *Fig.* Tentar agradar de modo exagerado, indigno e servil; ADULAR; BAJULAR; CHALEIRAR; INCENSAR [***td.***: "... quebrava a cara com a bengala ao Sr. Gomes se ele ousasse babujar outra vez esse cavalheiro..." (Eça de Queirós, *Os Maias*)] **3** *Fig.* Pronunciar mal, como que babando; RESMONEAR; RESMUNGAR [***td.***: *Bêbado, adormeceu babujando suas queixas;* "... babujou esta cousa vilíssima: – Resta saber, cavalheiros, de que relíquia se trata." (Idem, *A relíquia*)] **4** *Fig.* Enxovalhar, achincalhar, aviltar [***td.***] **5** *N. N.E.* Comer pouco, sem vontade; BELISCAR [***td.***: *Babujar a comida.*] [***int.***: *Fica babujando, mas não come.*] **6** Chuviscar [***int.***] [▶ **1** **babujar**] [F.: *babug(em)* + *-ar*², com troca do *g* por *j*. Hom./Par.: *babugem* (sf.), *babujem* (fl. de *babujar*). Variação: *babuge*.]

⊕ **babushka** (*Russo* /*babúchca*/) ***sf.*** **1** Lenço triangular para cabeça, us. como proteção ou adorno, ger. de algodão **2** Cada uma das bonecas de madeira pintada que se encaixam uma sobre a outra, formando um conjunto típico do artesanato russo [F.: Do russo *babushka* 'avó'.]

⊕ **baby-doll** (*Ing.* /*beibidól*/) ***sm.*** Traje de dormir feminino de duas peças, ger. leve, curto e adornado com fitas e renda

⊕ ***babylook*** (*Ing.* /*beibilúc*/) ***a.*** Que tem aparência juvenil (camiseta babylook)

⊕ ***baby-sitter*** (*Ing.* /*beibi-síter*/) ***s2g.*** Pessoa paga para tomar conta de criança, ger. por algumas horas, durante a ausência dos pais ou responsáveis [F.: Do ing. *babysitter*.]

bacafuzada (ba.ca.fu.*za*.da) ***sf.*** *N. N.E.* Confusão, trapalhada, bagunça: "...Mas esta bacafuzada está com seus dias contados..." (Jessier Quirino, "Agruras da lata d'água" *in Prosa morena*) [F.: De *bacafuzar* + *-ada*.]

bacalhau (ba.ca.*lhau*) ***sm.*** **1** *Zool.* Denominação comum a diversos peixes da fam. dos gadídeos, esp. *Gadus morrhua*, pescado nos mares frios do Hemisfério Norte, ger. vendidos salgados e secos [Col.: *bacalhoada*.] **2** *Bras. Gír. Inf.* Alteração de emergência que se faz em um programa, para solucionar provisoriamente um problema **3** *Bras. Pop.* Pessoa extremamente magra; MAGRICELA; VARAPAU **4** *Bras. Pop.* Pedaço de madeira ou de chapa de ferro us. para tapar um buraco ou fresta em algo do mesmo material **5** *RS* Remendo provisório que se coloca no pneu furado de um carro, para preservar a câmara de ar; MANCHÃO **6** *PE Folc.* No auto dos caboclinhos, vareta ou arame com que se toca o metal do surdo **7** *Bras. Ant.* Açoite de couro cru torcido com que se castigavam os escravos ***a2g.*** **8** *Bras. Joc.* Diz-se de torcedor do time carioca de futebol Clube de Regatas Vasco da Gama [F.: De or. contrv.] ▪ **~ de porta de venda** *Bras.* Pessoa muito magra **Meter o ~ em** *Bras. Pop.* Criticar, falar mal de

bacalhoada (ba.ca.lho.*a*.da) ***sf.*** **1** *Cul.* Prato feito com postas de bacalhau, batata, cebola, couve, azeite etc.: *O chef tinha algumas receitas de bacalhoada.* **2** *P. ext.* Refeição ou reunião festiva em que é servida bacalhoada (1): *Fui convidado para uma bacalhoada.* **3** Quantidade grande de bacalhau (1) **4** *Bras.* Surra aplicada com bacalhau (7) [F.: *bacalhau* + *-ada*[2].]

bacamarte (ba.ca.*mar*.te) ***sm.*** **1** Arma de fogo com cano curto e largo **2** *Bras. Pej.* Pessoa, cavalo ou coisa quando muito velhos, antiquados ou imprestáveis **3** *P. ext. pej.* Livro velho, muito volumoso e sem utilidade [F.: Provavelmente do fr. *braquemart*.]

bacamarteiro (ba.ca.mar.tei.ro) ***ssm.*** Atirador de bacamarte que atualmente se apresenta junto com grupos de tocadores de zabumba, animando festejos com descargas de pólvora seca [F.: De *bacamarte* + *-eiro*.]

bacana (ba.*ca*.na) ***a2g.*** *Bras. Gír.* **1** Palavra-ônibus, com inúmeros significados positivos, que se aplica a pessoas (agradável, bom, bonito, bem-educado, bem-apessoado, correto, honesto, simpático etc.) e a coisas (bom, bonito, legal, divertido etc.), *gír.* LEGAL; *gír.* MANEIRO; *gír.* BÁRBARO: *Chico é sempre muito bacana com todos; Achou o projeto bacana.* ***s2g.*** **2** Pessoa rica, grã-fina: *Pelas mansões via-se que era rua de bacana.* [F.: Or. contrv.]

bacanal (ba.ca.*nal*) ***sf.*** **1** *P. ext.* Festa em que há libertinagem, desregramento moral; ORGIA **2** *P. ext.* Orgia sexual da qual participam três ou mais pessoas; SURUBA ***sf.*** **3** *Antq.* Na Roma antiga, festa em honra a Baco, deus do vinho [Nesta acp. tb. us. no pl.] ***a2g.*** **4** *P. us.* Em que há sensualidade, volúpia; BACÂNTICO; BÁQUICO; CARNAL [Pl.: *-nais*.] [F.: Do lat. *bacchanal, alis*.]

bacanear-se (ba.ca.ne.*ar*-se) ***v.*** *Bras. Gír.* Fazer-se passar por bacana; EXIBIR-SE; PAVONEAR-SE [***tr.*** + *com, para*: *Sempre se bacaneou com meu dinheiro; Gosta de bacanear-se para os usuários ingênuos.*] [***int.***: *É um exibido, adora bacanear-se.*] [▶ 13 bacan**ear**-se] [F.: *bacana* + *-ear*.]

bacaneza (ba.ca.*ne*.za) [ê] ***sf.*** **1** *Bras. Gír.* Qualidade do que é bacana: *A bacaneza da festa impressionou todo mundo.* **2** Algo muito bacana: *A festa foi uma bacaneza.* [F.: De *bacana* + *-eza*.]

bacante (ba.*can*.te) ***sf.*** **1** Sacerdotisa de Baco **2** *Fig.* Mulher sem pudor, de costumes dissolutos: "... Compreenda agora por que a bacante ficou fria e gelada para mim, na sua ardente lascivia..." (José de Alencar, *Lucíola*) [F.: Do lat. *Bacchantes*, pl. do part. *bacchans*, de *bacchari* 'festejar Baco'.]

bacará (ba.ca.*rá*) ***sm.*** Jogo de azar que se joga com dois ou mais baralhos de cartas, entre um banqueiro e um número indeterminado de parceiros [Os melhores pontos com que se ganha são 9, 19 ou 29. É análogo ao trinta e um. As cartas têm valor facial e as figuras valem dez pontos.] [F.: 'tipo de jogo carteado'. Do fr. *baccara*.]

bacelo (ba.ce.lo) [ê] ***sm.*** **1** Vara que se tira de uma videira velha para formar uma nova planta **2** *P. ext.* Videira nova [F.: Do lat. *bacillum* 'varinha'.]

bacharel (ba.cha.*rel*) ***sm.*** **1** Indivíduo diplomado em qualquer curso de graduação **2** *Restr.* Indivíduo que concluiu a graduação em faculdade de Direito **3** *P. us.* Indivíduo que completou o ensino fundamental **4** *Pej.* Indivíduo tagarela, palrador [Pl.: *-réis*. Fem.: *-rela*.] [F.: Do lat. *baccalarius* pelo fr. ant. *bacheler*, depois *bachelier*.]

bacharelada (ba.cha.re.*la*.da) ***sf.*** *Pej.* Palavreado pretensioso e enfadonho, ger. sem muita importância ou sentido; BACHARELISMO; BACHARELICE [F.: *bacharel* + *-ada*[1].]

bacharelado[1] (ba.cha.re.*la*.do) ***sm.*** **1** Indivíduo a quem foi concedido o grau de bacharel ***a.*** **2** Diz-se de quem recebeu esse grau: *Ela é bacharelada em Ciências.* [F.: Part. de *bacharelar*.]

bacharelado[2] (ba.cha.re.*la*.do) ***sm.*** **1** Curso que confere o grau de bacharel **2** Esse grau [F.: *bacharel* + *-ado*[2]. Tb. *bacharelato*.]

bacharelando (ba.cha.re.*lan*.do) ***sm.*** Estudante universitário que está prestes a tornar-se bacharel (bacharelando em informática); FORMANDO; GRADUANDO [F.: De *bacharelar* + *-ando*.]

bacharelar (ba.cha.re.*lar*) ***v.*** **1** Tornar-se bacharel; concluir curso universitário [***int.***: *Bacharelou-se há dois anos.*] [***tr.*** + *em, por*: *Bacharelou-se há dois anos em direito (pela Universidade do Brasil).*] **2** Conceder o título de bacharel a [***td.***: *A universidade bacharelou cem alunos neste ano.*] **3** *Lus.* Falar demais e sem propósito; TAGARELAR [***int.***: *Há políticos que adoram bacharelar.*] [▶ 1 bacharel**ar**] [F.: *bacharel* + *-ar*[2]. Hom./Par.: *bacharela(s)* (fl.), *bacharela(s)* (sf. [pl.]).]

bacharelato (ba.cha.re.*la*.to) ***sm.*** Ver *bacharelado*[2]

bacharelice (ba.cha.re.*li*.ce) ***sf.*** *Pej.* Ver *bacharelada* [F.: *bacharel* + *-ada*.]

bacharelismo (ba.cha.re.*lis*.mo) ***sm.*** **1** Forma de falar muito e de modo pretensioso, cansativo e desinteressante; BACHARELICE; BACHARELADA **2** *Bras.* Valorização exagerada do bacharel, esp. o advogado, no meio sociopolítico brasileiro: "... o bacharelismo que comandou a vida nacional, até quando o grupo veio a ser engordado pela tecnocracia..." (*Observatório da Imprensa*, 11.02.2002) [F.: De *bacharel* + *-ismo*.]

bachata (ba.*cha*.ta) ***sf.*** *Mús.* Gênero musical influenciado pela música cubana e mexicana, que se tornou nas últimas décadas uma das principais expressões culturais da República Dominicana

bachiano (ba.chi:*a*.no) [qui] ***a.*** **1** Ref. a Johann Sebastian Bach (1685-1750), compositor e organista alemão, ou característico de sua obra (fuga tipicamente bachiana) ***sm.*** **2** Pessoa que admira, conhece ou estuda a obra de Bach [F.: De *Bach* + *-iano*.]

bacia (ba.*ci*.a) ***sf.*** **1** Recipiente redondo e pouco fundo, feito de metal, louça, plástico etc., us. ger. para lavar roupas, ou mãos e rosto, ou no preparo de alimentos, mas não para levá-los ao fogo [Dim. irreg.: *bacineta*.] **2** *Anat.* Conjunto de ossos da extremidade inferior do tronco (sacro, cóccix e, especialmente, os ilíacos); o mesmo que *pélvis* **3** *Geol.* Região banhada por um rio e seus afluentes; bacia fluvial, bacia hidrográfica **4** Extensão de jazida que constitui unidade geológica (bacia carbonífera) **5** *Geol.* Conjunto das vertentes às margens de um mar interior (bacia do Mediterrâneo) **6** *Geol.* Denominação geral de depressões de terreno, esp. cercadas de montes **7** Caldeira ou tacho de cobre us. nas confeitarias para torrar amêndoas, castanhas etc. **8** *Ecles.* Prato onde se depositam esmolas nas igrejas **9** Cada um dos pratos de uma balança, onde se colocam os objetos que se quer pesar **10** *Mar.* Parte do porto limitada por cais e diques **11** Pequeno lago circular em um jardim **12** *Cons.* Pedra sobre a qual assenta o peitoril do púlpito **13** *Cons.* Pedra que serve de piso nas janelas de sacada **14** *Antq.* Bandeja **15** Vaso us. para urinar e defecar; BACIO; PENICO; URINOL **16** *Metal.* Cavidade feita no solo para onde corre o metal fundido **17** *Bras.* Lugar em que são realizadas brigas de galo; rinha [Col.: *bategaria, fustalha*.] [F.: Do lat. vulg. *baccinum*.] ▪ **~ artesiana** *Geol.* Lençol de água subterrâneo situado entre duas camadas impermeáveis, que pode brotar na superfície em poço artesiano, sem bombeamento **~ das almas 1** Prato ou recipiente em que são depositadas as esmolas, nas igrejas **2** *Fig.* Situação dramática, desesperadora, crítica **~ de afundamento** *BA Geol.* Depressão de origem tectônica **~ de captação** *Geol.* Depressão no terreno de formato afunilado, na qual acumulam-se águas de escoamento superficial e formam-se torrentes; bacia de recepção **~ de drenagem** *Geog.* Ver *Bacia fluvial* **~ de janela** *Arq.* Pedra no piso de janelas e de portas de sacada **~ de recepção** *Geog.* Ver *Bacia de captação* **~ de subsidência** *Geol.* Região em processo de abaixamento, devido ao peso de sedimentos acumulados; área de subsidência **~ estrutural** *Geol.* Depressão do terreno originada da estrutura geológica das camadas subjacentes; bacia sinclinal **~ fluvial** *Geog.* Área que cobre todas as terras cortadas por um rio e por seus afluentes; bacia de drenagem, bacia hidrográfica **~ hidrográfica** *Geog.* Ver *Bacia fluvial* **~ oceânica** *Oc.* Extensa depressão do fundo do oceano, que se estende pela maior parte (80% ou mais) de sua área total **~ sedimentar** *Geol.* Depressão do terreno aonde chegam e acumulam-se sedimentos trazidos por águas correntes ou depositados em período de lento rebaixamento **~ sinclinal** *Geol.* Ver *Bacia estrutural* **~ submarina** *Oc.* Depressão no fundo do oceano **~ tectônica** *Geol.* Depressão do terreno de origem tectônica, onde acumulam-se sedimentos provindos de regiões mais altas **~ terminal** *Geog.* Depressão do terreno coberta de gelo e cercada por elevações oriundas de geleiras **Na ~ das almas 1** *Bras. Fig. Pop.* Muito barato, a preço ínfimo: *Cheio de dívidas, vendeu o carro na bacia das almas.* **2** Com muita dificuldade; com muito esforço; em tentativa desesperada: *Vencer o jogo na bacia das almas, com um gol no último minuto.*

baciada (ba.ci:*a*.da) ***sf.*** O conteúdo de uma bacia ou de um bacio [F.: De *baci(o)* + *-ada*.]

bacilar (ba.ci.*lar*) ***a2g.*** **1** Ref. a ou próprio de bacilo **2** Que é longo, delgado e cilíndrico como um bacilo; BACILIFORME **3** *Min.* Diz-se do cristal comprido e estriado e do aglomerado cristalino que tem as partes componentes paralelas [F.: De *bacil(o)* + *-ar*.]

baciliforme (ba.ci.li.*for*.me) ***a2g.*** Que tem a forma de bacilo; BACILAR [F.: De *bacil(o)* + *-iforme*.]

bacilo (ba.*ci*.lo) ***sm.*** **1** *Bac.* Denominação comum às bactérias do gên. *Bacillus*, com espécies patogênicas para o homem e os animais ***sm.*** **2** *Bac.* Bactéria em forma de bastonete [F.: Do lat. *bacillum, i*, dim. de *baculus, i*.] ▪ **~ de Ducrey** *Bac.* O causador do cancro mole **~ de Eberth** *Bac.* O causador da febre tifoide **~ de Hansen** *Bac.* O causador da lepra ou hanseníase **~ de Koch** *Bac.* O causador da tuberculose humana **~ de Nicolaier** *Bac.* O causador do tétano **~ de Pfeiffer** *Bac.* O causador de certas infecções (respiratórias, otite, meningite)

bacilofobia (ba.ci.lo.fo.*bi*.a) *Psiq.* Medo mórbido de bacilos, ou de outros microrganismos [F.: *bacilo* + *-fobia*.]

bacilose (ba.ci.*lo*.se) ***sf.*** *Med.* Qualquer infecção causada por bacilos [F.: De *bacil(o)* + *-ose*.]

bacilúria (ba.ci.lu.*ri*.a) ***sf.*** Ver *bacilúria*

bacilúria (ba.ci.*lú*.ri:a) ***sf.*** *Pat.* Ocorrência de bacilos na urina [F.: *bacil(o)* + *-úria*. Tb. *baciluria*.]

bacinete (ba.ci.*ne*.te) [ê] ***sm.*** **1** *Anat.* Termo substituído por *pelve renal* **2** *Antq.* Casquete de ferro ou couro us. por baixo do capacete para reforçar a proteção da cabeça [F.: Do fr. *bassinet*.]

bacitracina (ba.ci.tra.*ci*.na) ***sf.*** *Med.* Antibiótico de amplo espectro produzido a partir da cepa do *Bacillus subtilis*, cuja função bactericida é evidente em bactérias gram-positivas, incluindo estafilococos resistentes à penicilina [F.: De *baci(lo)* + *-trac-*(de Margareth Tracy) + *-ina*.]

⊕ ***backbone*** (*Ing.* /*béquiboun*/) ***sm.*** *Eet.* Rede elétrica ou de fibra ótica que conjugada com equipamentos apropriados, esp. computadores, permite o funcionamento de canais para transmissão de dados, imagem e voz

⊕ ***background*** (*Ing.* /*bécgráund*/) ***sm.*** **1** Paisagem ou ambiente ao fundo de uma cena, quadro, fotografia etc. **2** Conjunto de ruídos (vozes, música) que se ouve em segundo plano em um ambiente [Tb. *Cin. Teat. Telv.*] **3** Conjunto de conhecimentos e aptidões de uma pessoa em determinado campo de atividades, adquiridos a partir de experiência anterior, de formação profissional etc.: *Qual é o background musical dele?* **4** Origens familiares ou classe social de uma pessoa **5** Conjunto dos elementos ou fatos que servem de base para o entendimento de um assunto ou para explicar a causa de algo [F.: Do ing. *background*.]

⊕ ***backhand*** (*Ing.* /*becrrênd*/) ***sm.*** *Esp.* No tênis, *squash* etc. rebatida da bola no sentido oblíquo, com as costas da mão acompanhando a direção do movimento do braço [Ver tb. *revés* (5).]

⊕ ***backlight*** (*Ing.* /*becláit*/) ***sm.*** *Fot. Teat.* Feixe de luz secundário colocado atrás do objeto, que serve para destacá-lo do fundo e sugerir maior profundidade [Ver tb. *contraluz*.]

⊕ ***backup*** (*Ing.* /*bécap*/) ***sm.*** *Inf.* Cópia de arquivo ou programa que se guarda em separado para o caso de inutilização do arquivo ou programa original; CÓPIA DE SEGURANÇA [F.: Do ing. *backup*. F. aport.: *becape*.]

baclava (ba.*cla*.va) ***sm.*** *Cul.* Doce árabe feito de massa folheada, recheado de mel e amêndoas e polvilhado com pistache [F.: Do turco.]

baço[1] (ba.ço) ***sm.*** *Anat.* Víscera localizada acima do rim esquerdo e atrás do estômago [F.: De or. incerta, talvez do gr. *hepátion*, pelo lat. *hepatia*. Ideia de 'baço': *esplen(i/o)-* (*esplênico, esplenite*).]

> 📖 O baço fica no lado esquerdo do abdome, tem forma oval e mede c. 10 x 12 cm. Tem como principal função a defesa do organismo contra partículas estranhas e infecções. Elimina os glóbulos vermelhos (hemácias) que perderam suas funções, destrói bactérias e produz anticorpos. É o baço que controla o número de glóbulos brancos (leucócitos) e de plaquetas sanguíneas, que agem na coagulação do sangue.

baço[2] (*ba*.ço) ***a.*** **1** Que perdeu o brilho (espelho baço); EMBACIADO **2** Que tem pele morena; TRIGUEIRO [F.: Do lat. *badius, a, um*, 'baio', castanho', 'avermelhado', posv.]

⊕ ***bacon*** (*Ing.* /*bêicon*/) ***sm.*** Toucinho defumado [F.: Do ing. *bacon*.]

baconiano (ba.co.ni:*a*.no) ***a.*** **1** Ref. a ou próprio do filósofo inglês Francis Bacon (1561-1626) **2** Ref. ao que se baseia nas ideias de Bacon ou a quem segue ou conhece a fundo suas teorias ***sm.*** **3** Seguidor ou conhecedor profundo das ideias de Bacon [F.: De *Bacon* + *-iano*.]

bacorim (ba.co.*rim*) ***sm.*** Ver *bacorinho* [Pl.: *-rins*.]

bacorinha[1] (ba.co.*ri*.nha) ***sf.*** **1** *Bras.* Chapéu alto de feltro **2** *N.E.* Bagunça do cassaco (trabalhador ambulante)

bacorinha[2] (ba.co.*ri*.nha) ***sf.*** *Bras. Joc. Pop.* A vulva [F.: bácoro + -inha. Hom./Par.: *bacorinho*.]

bacorinho (ba.co.*ri*.nho) ***sm.*** **1** Bácoro pequeno; LEITÃO: "... Nesse momento um bacorinho de pelo ruivo, embestegava com um trote miúdo..." (José de Alencar, *Til*) **2** *Bras. Pop.* Filho ou criança pequena; NENÉM [F.: Dim. de *bácoro*. Tb. *bacorim*.]

bácoro (*bá*.co.ro) ***sm.*** Porco novo e ainda pequeno: "... baixote, barrigudo, de óculos escuros, movendo-se com vivacidade de bácoro..." (Raul Pompeia, *O ateneu*) [F.: De or. contrv.]

bacteremia (bac.te.re.*mi*.a) ***sf.*** *Pat.* Processo infeccioso caracterizado pela presença de bactérias vivas no sangue, sem que ocorra, entretanto, a multiplicação destas [F.: *bacter(i)-* + *-emia*. F. mais correta, porém menos us.: *bacteriemia*.]

◎ **bacter(i)-** ***el. comp.*** = 'bactéria': *bacteremia, bactericida, bacteriófago, bacteriologia, bacteriostático, eubacteriale* (< lat. cient.) [F.: Do lat. cient. *bacterium* (1838), do gr. *baktérion, ou*, 'bastonete', dim. do gr. *baktería, as*, 'bastão', por anal. com a forma dos micro-organismos. O termo foi criado pelo zoólogo alemão C. Gottfried Ehrenberg (1795-1876)]

bactéria (bac.*té*.ri:a) *sf. Bac.* Microrganismo unicelular desprovido de membrana nuclear [F.: Do gr. *baktérion*, pelo lat. cient. *bacterium* e através do fr. *bactérie*. Ver tb. *micróbio*. Ideia de *bactéria*: *bacter(i)-*, *bacteri(o)-*.]

As bactérias são microscópicas, dos menores seres vivos que se conhece. Atuam em várias transformações químicas importantes, como a fermentação e a eliminação de detritos orgânicos. Mas também podem ser nocivas e provocar anomalias e doenças nos seres vivos. Apresentam-se em formas diversas: de esfera (os cocos), de bastão (bacilos), em espiral (espirilos) e em curva (vibriões).

bacteriano (bac.te.ri.*a*.no) *a. Bac.* Ref. a, de ou próprio de, ou causado por bactéria (atividade bacteriana, morfologia bacteriana, infecção bacteriana, placa bacteriana) [F.: *bactéria* + *-ano*.]

bactericida (bac.te.ri.*ci*.da) *Bac. a2g.* **1** Que destrói bactérias *sm.* **2** Substância que destrói bactérias [F.: *bacter(i)-* + *-cida*.]

bacteriemia (bac.te.ri:e.*mi*.a) *sf. Med.* F. correta e menos us. de *bacteremia*

-bacteri(o)- *el. comp.* Ver *bacter(i)-*

bacteri(o)- *el. comp.* Ver *bacter(i)-*

bacteriófago (bac.te.ri:*ó*.fa.go) *sm. Bac.* Vírus que é parasita de bactéria [F.: *bacteri(o)-* + *-fago*. F. red.: *fago*.]

bacteriologia (bac.te.ri:o.lo.*gi*.a) *Bac. sf.* Ciência que estuda a forma, a natureza e os efeitos das bactérias [F.: *bacteri(o)-* + *-logia*.]

bacteriológico (bac.te.ri:o.*ló*.gi.co) *a.* Ref. à ou à luz da bacteriologia (critérios bacteriológicos, análise bacteriológica, diagnóstico bacteriológico) [F.: *bacteriologia* + *-ico*².]

bacteriologista (bac.te.ri:o.lo.*gis*.ta) *Bac. s2g.* **1** Indivíduo que se especializou em bacteriologia; BACTERIÓLOGO *a2g.* **2** Diz-se de quem é especializado em bacteriologia [F.: *bacteriologia* + *-ista*.]

bacteriólogo (bac.te.ri:*ó*.lo.go) *sm. Bac.* Aquele que se especializou em bacteriologia; BACTERIOLOGISTA [F.: *bacteri(o)-* + *-logo*.]

bacterioscopia (bac.te.ri:os.co.*pi*.a) *sf. Biol.* Observação direta, através de microscópio, de diversos materiais biológicos [F.: *bacteri(o)-* + *-scopia*.]

bacteriospermia (bac.te.ri:os.per.*mi*.a) *sf. Bac.* Ocorrência de bactérias no esperma [F.: *bacteri(o)-* + *-spermia*.]

bacteriostase (bac.te.ri:os.*ta*.se) *sf. Bac.* Processo no qual a proliferação bacteriana é suspensa ou inibida, sem que ocorra, entretanto, a eliminação das bactérias já existentes [F.: *bacteri(o)-* + *-stase*; ing. *bacteriostasis*. Tb. *bacteriostase*.]

bacteriostático (bac.te.ri:os.*tá*.ti.co) *a. Bac.* **1** Diz-se de medicamento capaz de inibir ou reduzir o crescimento e a reprodução de bactérias *sm.* **2** Esse medicamento [F.: *bacteriost(ase)* + *-ático*.]

bacteriúria (bac.te.ri:*ú*.ri:a) *sf. Med.* Ocorrência de bactérias na urina [F.: *bacter(i)-* + *-úria*. Tb. *bacteriuria*.]

bacteriúrico (bac.te.ri:*ú*.ri.co) *a. Med.* Ref. à bacteriúria [F.: *bacteriúria* ou *bacteriuria* + *-ico*².]

bactofuga (bac.to.*fu*.ga) *sf.* Centrífuga hermética esp. concebida para reduzir a carga microbiana do leite

bactofugação (bac.to.fu.ga.*ção*) *sf.* Processo de redução da carga microbiana do leite por meio da bactofuga [Pl.: *-ções*.]

bactofugado (bac.to.fu.*ga*.do) *a.* Que passou por bactofugação (leite bactofugado)

bactriano (bac.tri:*a*.no) *sm.* **1** Pessoa nascida na Báctria ou Bactriana, região da Ásia Central, ao norte do atual Afeganistão *a.* **2** Da Báctria; típico dessa região ou de seu povo [F.: Do lat. *bactriani*.]

bacu (ba.*cu*) *sm.* **1** *Bras. Ict.* Designação comum de alguns peixes da família dos doradídeos que vivem no fundo dos rios. Apresentam o corpo coberto por placas ósseas em forma de armadura, com raios cortantes espalhados pelo corpo; VACU **2** *Amaz. Pop.* Pessoa barriguda [F.: Do tupi.]

báculo (*bá*.cu.lo) *sm.* **1** *Ecles.* Bastão alto com a extremidade superior curva, us. pelos bispos como símbolo de sua missão pastoral; CROSSA; BAGO: "Tinha deposto o báculo de pastor para cingir a espada de guerreiro." (Alexandre Herculano, *Eurico, o presbítero*) **2** *P. ext.* Bastão us. como apoio; BORDÃO; CAJADO **3** *Fig.* Suporte moral ou material; AMPARO; ARRIMO **4** *Anat. Zool.* Osso localizado no pênis de vários grupos de mamíferos [F.: Do lat. *baculu*.]

baculovírus (ba.cu.lo.*ví*.rus) *sm2n. Biol.* Vírus que infecta e mata insetos, sendo por isso utilizado como inseticida biológico, em substituição aos inseticidas químicos no controle de pragas [F.: De *baculo-* + *vírus*.]

bacupari (ba.cu.pa.*ri*) *Bras. Bot. sm.* **1** Arbusto da família das eritoxiláceas, nativo do RJ, de folhas membranosas e flores brancas **2** Arbusto da família das clusiáceas, nativo do Vietnã, de folhas comestíveis, flores brancas e bagas amarelo-avermelhadas; MANGUSTÃO-AMARELO **3** Nome comum a várias plantas da fam. das celastráceas, de frutos ger. comestíveis **4** Arbusto da fam. das hipocrateáceas (*Salacia cognata*), de folhas cerradas e flores claras, encontrado do Amazonas a São Paulo **5** Arbusto da fam. das hipocrateáceas (*Salacia elliptica*) **6** Arbusto da fam. das hipocrateáceas (*Salacia laxiflora*), de flores pálidas e bagas amarelas **7** Arbusto da fam. das hipocrateáceas (*Salacia paniculata*), de flores ovais e flores em panículas [F.: Do tupi.]

bacurau (ba.cu.*rau*) *sm.* **1** Designação comum a diversas aves caprimulgídeas; CURIANGO **2** *Bras. Pop.* Indivíduo que costuma sair somente à noite **3** *PE* Cova de carvão vegetal formada pelos atiços de outra **4** *RJ* Pessoa negra [F.: Do Tupi.]

bacuri¹ (ba.cu.*ri*) *Bras. Bot. sm.* **1** Árvore da fam. das gutíferas (*Platonia esculenta*), nativa do Brasil e das Guianas, cuja casca produz uma resina amarela de uso medicinal, de fruto grande e carnoso, com polpa amarelada e saborosa, e semente comestível; BACURIZEIRO; IBACURUPARI [Col.: *bacurizal*.] **2** O fruto dessa árvore **3** Espécie de palmeira (*Attalea princeps*, M.); tb. *guacuri* [F.: Do tupi *iwaku'ri*.]

bacuri² (ba.cu.*ri*) *sm. Bras. Pop.* Bebê, menino ainda bem pequeno [F.: do tupi.]

badalação (ba.da.la.*ção*) *Bras. Pop. sf.* **1** Ação ou resultado de badalar **2** Vida social intensa; frequentação de festas, lugares da moda, aonde se vai ger. com a intenção de ver pessoas famosas e ser visto com elas: *Buscava sossego, fugia de badalação.* [Ant.: *isolamento, recolhimento, reclusão*.] **3** Divulgação na mídia; circulação de notícias e comentários (ger. positivos, ou um tanto exagerados) a respeito de algo: *Apesar da badalação, a peça foi um fracasso; Há muita badalação em torno/a respeito das novidades tecnológicas.* **4** Atividade intensa, agitação, ger. de lazer ou envolvendo consumo de bens e serviços: "A cidade segue seu ritmo de badalação de fim de ano, com restaurantes e hotéis cheios..." (*O Globo, Rio Show*, 30.12.2004) [Pl.: *-ções*.] [F.: *badala(r)* + *-ção*.]

badalada (ba.da.*la*.da) *sf.* **1** Som produzido pela pancada do badalo no sino **2** Essa pancada [Col.: *badaladal*.] [F.: *badalar* + *-ada*¹.]

badalado (ba.da.*la*.do) *Bras. Pop. a.* **1** De que se fala muito; que é muito conhecido, que tem fama (escritora badalada); AFAMADO **2** Que é muito frequentado, ger. por estar na moda (restaurante badalado) [F.: Part. de *badalar*.]

badalar (ba.da.*lar*) *v.* **1** Fazer soar ou soar (sino); BIMBALHAR; TANGER [*td.*: *Durante a missa, o padre badala o sino.*] [*int.*: *Sinos badalam ao meio-dia.*] **2** Dar (as horas) por meio de badaladas [*td.*: *Os sinos badalaram (as) doze horas.*] **3** *Fig.* Dizer ou anunciar com entusiasmo [*td.*: *Os cartazes badalavam a chegada do circo.*] **4** *Bras. Pop.* Frequentar eventos sociais, ger. para se exibir [*int.*: *A socialite estava sempre badalando.*] **5** *Bras. Pop.* Sair para se entreter [*int.*: *Pegou a bolsa e foi badalar.*] **6** *Bras. Pop.* Procurar agradar a (alguém) exageradamente e por interesse próprio; ADULAR; BAJULAR [*td.*: *Os funcionários do hotel badalavam o hóspede milionário.*] **7** *Bras. Pop.* Anunciar com ostentação seus próprios atributos ou méritos [*td.*: *Há pessoas que se badalam o tempo todo.*] **8** *Pop.* Contar, referir, revelar com indiscrição; PROPALAR [*td.*: *Badalou o que ouvira nos corredores.*] **9** *Bras. Pop.* Divulgar (algo) ou promover (alguém) alardeando ou inventando virtudes [*td.*: *Badalou o livro sem ao menos tê-lo lido.*] [▶ **1** **badalar**] [F.: *badal(o)* + *-ar*². Hom./Par.: *badalo* (fl.), *badalo* (sm.).]

badalativo (ba.da.la.*ti*.vo) *Bras. Pop. a.* **1** Que gosta de frequentar eventos sociais, de ser visto, de ser notado; BADALADOR **2** Que se distingue pela badalação, pela divulgação excessiva: "... Brasília tem a característica de ser um festival mais sério, menos badalativo que seu concorrente..." (*O Estado de São Paulo*, 21.11.2001) [F.: De *badalar* + *-tivo*.]

badalhocas (ba.da.*lho*.cas) [ó] *s2g2n. Lus. Pej. Pop.* Indivíduo imundo, repulsivo ou que dá essa impressão; BADALHOCO [F.: *badalho* + *-oca*.]

badalo (ba.*da*.lo) *sm.* **1** Peça de metal pendurada dentro do sino, us. para fazê-lo soar **2** *Gír. Tabu.* O pênis **3** *Lus. Fam.* A língua [F.: Do lat. vulg. *batuaculum*, do lat. *battuere* 'golpear, bater'.] ■ **Correr o ~** *Lus. Pop.* Falar demais, além do que deveria; ser indiscreto, tagarelar; dar ao badalo **Dar ao ~** *Lus. Pop.* Ver *Correr o badalo*

badameco (ba.da.*me*.co) *sm.* **1** Homem sem importância; JOÃO-NINGUÉM: "... cineasta e poeta, sendo que eu, sórdido badameco, esnobei-o um pouco..." (*O Globo*, 17.08.1999) **2** *Fig.* Homem jovem; RAPAZOLA **3** *Lus.* Criança malcriada **4** *Lus.* Indivíduo presunçoso e atrevido **5** *Antq.* Pasta em que os estudantes levavam papéis e livros para a escola [F.: Do lat. *vade mecum* 'vai comigo'.]

badana (ba.*da*.na) *sf.* **1** Ovelha magra e velha que não procria mais **2** A carne dessa ovelha **3** *Pop. Zool.* Nadadeira de peixe **4** Pelanca flácida do pescoço do boi **5** *Lus. Bibl.* Orelha de livro **6** *S.* Pele macia que se põe sobre o coxilho do cavalo de montaria *s2g.* **7** *Lus. Pop.* Pessoa insignificante; JOÃO-NINGUÉM **8** *Lus. Pop.* Pacóvio, simplório [F.: Do ár. *bitâna* 'forro'.]

badejo (ba.*de*.jo) [é ou ê] *sm.* **1** *Bras. Zool.* Designação comum a diversos peixes da fam. dos serranídeos, frequentes no litoral dos trópicos, com seis espécies brasileiras de grande interesse comercial e na pesca submarina, esp. os do gênero *Mycteroperca*; ABADEJO **2** *Lus. Zool.* Peixe da fam. dos gadídeos (*Gadus pollachius*), nativo do Atlântico Norte, muito parecido com o bacalhau; ABADIVA *a.* **3** *Bras. Pop.* Muito extenso; GRANDE **4** *Bras. Pop.* Que é atraente, vistoso **5** *Bras. Pop.* Difícil de se acreditar; INCRÍVEL; EXTRAORDINÁRIO [F.: Do cast. *abadejo*.]

baderna (ba.*der*.na) *sf.* **1** *Bras. Pop.* Desordem barulhenta; confusão, bagunça, bulício: "... você vai preparar as armas, para enfrentar o Targino amanhã, na hora da baderna, não vai?" (Guimarães Rosa, *Sagarana*) **2** *Bras. Pop.* Conflito em que se envolvem muitas pessoas; BRIGA; BAFAFÁ; FURDUNÇO; ROLO: "... se dizia que Tãozão e o Mão-na-Lata estavam reunindo uns, que iam amassar a gente, armar baderna de briga." (Guimarães Rosa, *Primeiras estórias*) **3** *Bras. Pej.* Grupo de pessoas de má índole, que fazem arruaça; BANDO; CORJA; SÚCIA **4** Boemia, noitada **5** *Lus. Pej.* Pessoa sem préstimo **6** *Lus.* Objeto gasto, inútil [F.: Do antr. *Baderna*, dançarina italiana que passou pelo Brasil em 1851.]

baderneiro (ba.der.*nei*.ro) *a. Bras.* **1** Que cria baderna, que gera desordem, que faz arruaça **2** Que é dado a farras, a boemia; FARRISTA; BOÊMIO *sm.* **3** Indivíduo baderneiro (1 e 2) [F.: *badern(a)* + *-eiro*. Sin. ger.: *badernista*.]

badulaque (ba.du.*la*.que) *sm.* **1** Bijuteria barata, ger. pendente; BERLOQUE; PENDURICALHO **2** Objeto de pouco valor **3** *BA Pop.* Móvel de qualidade inferior [Nas acps. 1, 2 e 3 é mais us. no pl.] **4** *Bras. Cul.* Doce feito com coco e mel **5** *Cul.* Guisado de fígado e bofe em pequenos pedaços; CHANFANA **6** *Pej.* Pessoa baixa e gorda; BUZARATE [F.: Posv. do esp. *badulaque*.]

baeta (ba.*e*.ta) [ê] *sf.* **1** Tecido felpudo de lã ou algodão grosso: "... precisavam comprar baeta azul e galões vermelhos para roupas..." (Mário Sette, "Passadores de Festas", *in Maxambombos e maracatus*) *sm.* **2** *Ant.* Nome que se dava no litoral aos habitantes de Minas Gerais [F.: Do antigo picardo *bayette*.] ■ **Romper as ~** **1** *PE* Ficar indignado, revoltado **2** Desentender-se, agastar-se

baetatá (ba.e.ta.*tá*) *Etnol. sm.* **1** Fogo-fátuo; facho cintilante **2** Aparição sobrenatural; ASSOMBRAÇÃO **3** *S.* Cobra de fogo [F.: Do tupi. Cf.: *boitatá*.]

bafafá (ba.fa.*fá*) *sm. Bras. Pop.* Manifestação confusa, agitação barulhenta, tumulto, ger. envolvendo muitas pessoas [F.: Posv. onomatopaico.]

bafagem (ba.*fa*.gem) *sf.* **1** Brisa leve; VIRAÇÃO: "... uma fresca bafagem do mar vinha quebrar um pouco os ardores do estio..." (Machado de Assis, *A ressurreição*) **2** Ar que sai dos pulmões; BAFO **3** *Fig.* Pensamento criativo; IMAGINAÇÃO; ESTRO [Pl.: *-gens*.] [F.: De *bafo* + *-agem*.]

bafejado (ba.fe.*ja*.do) *a.* **1** Que foi favorecido; BENEFICIADO: [+ *pelo(a)*: *bafejado pela sorte*.] **2** Agitado ou refrescado suavemente pela brisa (bafejado por uma suave aragem) [F.: De *bafej(ar)* + *-ado*.]

bafejar (ba.fe.*jar*) *v.* **1** Soltar bafo [*int.*: *Ele bafeja durante o sono.*] **2** Fazer mover levemente com o sopro, ou soprar de leve (vento) [*td.*: *O vento bafejava o canavial.*] [*int.*: *Uma brisa bafejava.*] **3** Esquentar com o bafo, com o sopro [*td.*: *Por causa do frio, bafejava as mãos.*] **4** Soprar de leve [*int.*: *Na praia, bafejava uma brisa agradável.*] **5** Favorecer, beneficiar [*td.*: *A sorte bafejou-o.*] **6** *Fig.* Dar incentivo, inspiração a; ENCORAJAR; ESTIMULAR [*td.*: *O discurso bafejou o brio dos soldados.*] **7** Prestar auxílio **8** Fazer sentir; TRANSMITIR [*tdr.* + *a*: *Os bombeiros bafejaram segurança aos moradores.*] **9** *Fig.* Fazer brotar, surgir (uma ideia, um sentimento) [*td.*: *O canto dos pássaros bafejava-lhe a inspiração musical.*] **10** *Bras. N. N.E.* Exalar mau cheio (ger. cadáver); TRESANDAR [*int.*] **11** Alimentar, nutrir (ambições, sonhos etc.); ENCORAJAR; ESTIMULAR [*td.*: *Bafejava empreendimentos irrealizáveis.*] [▶ **1** **bafejar**] [F.: *bafo* + *-ejar*. Hom./Par.: *bafejo* (fl.), *bafejo* (sm.).]

bafejo (ba.*fe*.jo) [ê] *sm.* **1** Ação ou resultado de bafejar **2** Ar exalado pelos pulmões durante a respiração; BAFO; EXPIRAÇÃO; SOPRO [Ant.: *inalação, inspiração*.] **3** *Fig.* Proteção, benefício, boa sorte, ventura: *bafejo do destino*. **4** Vento brando; aragem; viração [F.: Regress. de *bafejar*. Hom./Par.: *bafejo* (sm.), *bafejo* (fl. de *bafejar*).]

bafio (ba.*fi*:o) *sm.* Cheiro desagradável resultante da umidade e da falta de renovação do ar; BOLOR; MOFO: "... e eu folheá-lo estou que o leitor há de sentir o bafio de velhice..." (José de Alencar, *Alfarrábios*) [F.: De *bafo* + *-io*.]

bafo (*ba*.fo) *sm.* **1** Ar que sai dos pulmões pela boca; BAFEJO; HÁLITO; SOPRO; EXPIRAÇÃO **2** *Bras. Gír.* Hálito, ar que sai pela boca, impregnado de outro odor; esp. mau hálito: *Senti seu bafo de cerveja.* **3** *Bras. Gír.* Palavreado com que se alardeiam qualidades que de fato não se tem; conversa-fiada; BAZÓFIA; BRAVATA **4** *Bras. Pop.* Afirmação ou relato falsos; MENTIRA; CASCATA **5** *Fig.* Sopro, jato de ar ou de vapor; BAFORADA: "... a boca do cânion da Serra Geral cospe um bafo gelado sobre a cidade..." (*Revista Época*, 24.04.2000) **6** *Fig.* Ar, odor ou outra emanação que provém de algo, como num sopro: "A calçada refletia por debaixo das calças dos transeuntes o seu bafo quente, ..." (Stanislaw Ponte Preta, *Conto de Natal*) **7** *Pop. Cul.* Vapor em que se cozem certos alimentos: *camarões cozidos no bafo*. **8** Imaginação criadora; ALENTO; INSPIRAÇÃO [F.: De or. onomatopaica. Hom./Par.: *bafo* (sm.), *bafo* (fl. de *bafar*).] ■ **~ de boca** *Gír.* Lorota, mentira, bravata **~ de onça/de tigre** **1** *Gír.* Mau hálito **2** Hálito com forte cheiro de bebida alcoólica

bafômetro (ba.*fô*.me.tro) *sm. Bras. Pop.* Aparelho que mede o grau de concentração de álcool no organismo por meio do ar expirado pela boca [F.: *bafo* + *-metro*.]

baforada (ba.fo.*ra*.da) *sf.* **1** Quantidade de fumaça de cigarro, charuto ou cachimbo etc. que se solta pela boca de uma só vez **2** Ar malcheiroso que se exala pela boca **3** Expiração forte e longa **4** Jato de ar ou de vapor; BAFO: "E o vendeiro empurrou a porta do fundo da estalagem, de onde escapou, como de uma panela fervendo que se destapa, uma baforada quente..." (Aluísio Azevedo, *O cortiço*) **5** *Fig.* Bravata, bazófia **6** *Fig.* Manifestação ou expressão ruidosa; acesso, ataque: *baforadas de ira*. [F.: *baforar* + *-ada*¹.]

baforar (ba.fo.*rar*) *v.* **1** Expelir bafo (de); EXALAR [*tda.*: *Resmungou, baforando conhaque (no meu rosto).*] [*int.*: *Exausto, baforava e suava.*] **2** Fumar, esp. soltando baforadas [*td.*: "Getúlio sorri, baforando o charutão..." (Carlos Drummond de Andrade, *Elegia carioca*)] [*tda.*: *Baforou a fumaça do cigarro nas pessoas.*] [*int.*: *Gosta de baforar após o jantar.*] 3 Lançar de si (fumaça, vapor); EXALAR; EXPELIR; SOLTAR [*td. int.*: *A fábrica baforava (colunas de fumaça); A panela de pressão baforava (um cheiro bom).*] 4 Vangloriar-se, jactar-se, gabar-se [*td.*: *Bafora prestígio, mas não sei se o tem.*] [*int.*] [▶ 1 baforar] [F.: bafo + *r* + *-ar*.]

bafuntar (ba.fun.*tar*) *BA SP v. int.* O mesmo que *morrer* [*int.*] [▶ 1 bafuntar] [F.: or. contrv.]

baga (*ba*.ga) *sf.* 1 *Bot.* Fruto carnoso, freq. comestível e com várias sementes, como o mamão, a uva, o tomate, o café, a goiaba etc. 2 *P. ext.* Gota de suor ou orvalho: "... o suor começou a descer-lhe em bagas da fronte..." (Alexandre Herculano, *Lendas e narrativas*) 3 *Bras. Bot.* Semente de mamona 4 *Bras. Pop.* Aguardente de cana; CACHAÇA 5 *Bras. Pop.* Ponta de cigarro; BAGANA; PIOLA [Aum.: *bagalhão*. Col.: *bagada*.] [F.: Do lat. *bacca, ae*.]

bagaça (ba.*ga*.ça) *sf.* 1 *Angios.* Nome dado às plantas do gên. *Bagassa*, da fam. das moráceas, representadas por uma única espécie existente, a bagaceira 2 *Bot.* Árvore de grande porte (*Bagassa guianensis*), semelhante à amoreira, presente na Amazônia, da qual se aproveita a madeira (marcenaria, construção) e se obtêm tinturas

bagaceira (ba.ga.*cei*.ra) *sf.* 1 Cova ou paiol onde se junta o bagaço da uva 2 Aguardente produzida com o bagaço da uva 3 Conjunto de coisas inúteis 4 *Bras.* Lugar próximo dos engenhos de açúcar onde se amontoa o bagaço da cana; BAGACEIRO 5 *Bras.* O ambiente dos engenhos de cana-de-açúcar 6 *Bras. Pop.* Qualquer cachaça 7 *Bras.* Pilha de lenha disposta de modo que a miúda não se confunda com a graúda 8 *S* Classe social menos favorecida 9 *Bras.* Palavreado sem valor 10 *Bras. Bot.* Ver *amoreira* 11 *Bras. Bot.* Ver *tatajuba* [F.: De *bagaço* + *-eira*.]

bagaceiro (ba.ga.*cei*.ro) *sm.* 1 Pessoa que lança o bagaço acumulado na bagaceira 2 Lugar onde se acumula o bagaço; BAGACEIRA *a.* 3 Que se alimenta de bagaço (animal bagaceiro) 4 *S.* Que convive bem com a plebe *a.* 5 *Bras. Gír.* Que está ao alcance de todos (roupa bagaceira; cinema bagaceiro); POPULAR [F.: De *bagaço* + *-eiro*.]

bagacilho (ba.ga.*ci*.lho) *sm.* Conjunto de fragmentos de cana ou bagaço que sai das moendas junto com o caldo [F.: De *bagaço* + *-ilho*.]

bagaço (ba.*ga*.ço) *sm.* 1 Resíduo de frutos, cana-de-açúcar etc. depois de espremido e extraído o suco; ENGAÇO 2 *P. ext.* Resto imprestável de qualquer coisa; BAGACEIRA 3 *Bras.* Em certos jogos de baralho, o monte de cartas onde se descartam as que não servem, e de onde se compram outras; LIXO 4 *Lus.* Aguardente feita do bagaço da uva; BAGACEIRA 5 *Bras. Pop.* Festa ou dança popular; FOLGUEDO; FOLIA 6 *Bras.* Grupo de arruaceiros 7 *Vulg. Pej.* Prostituta velha 8 *MG* Desordem, tumulto 9 Movimento brusco com que se vira o corpo de ponta-cabeça e volta-se à posição anterior; CAMBALHOTA [Col.: *bagaçada, bagaceira*.] 10 *Fig.* O corpo humano quando se encontra excessivamente cansado ou sem vitalidade e com maus aspecto: *Andei o dia todo, estou um bagaço.* 11 *P. ext.* Grande cansaço ou desgaste físico [F.: *bag(a)* + *-aço*.] ■ **No ~** *Fig.* Em péssimo estado, desgastado pelo uso, pela idade, pelo cansaço, pela doença etc. (diz-se de coisa ou pessoa) **Um ~** Pessoa abatida e sem energia, com aparência cansada, envelhecida etc.

bagageiro (ba.ga.*gei*.ro) *sm.* 1 Lugar para bagagem em veículos, ou o próprio veículo que a transporta 2 Pessoa paga para transportar bagagem; CARREGADOR 3 *Bras. Mil.* Soldado que presta serviço como ordenança 4 *Bras. Min.* Epídoto 5 *Bras. S. Pej.* Aquele que costuma andar com pessoas de baixa classe 6 *Zool.* Ave passeriforme da fam. dos tiranídeos (*Phaeomyias murina*), comum no Brasil 7 *Bras. Antq. Turfe* Cavalo de corrida que chega em último lugar *a.* 8 Que transporta bagagem (vagão bagageiro) 9 *Bras. S.* Que tende a conviver com pessoas de baixa classe [F.: *bagag(em)* + *-eiro*.]

bagagem (ba.*ga*.gem) *sf.* 1 Conjunto de objetos pessoais, empacotados ou guardados em malas, sacolas etc., que alguém leva quando viaja; EQUIPAGEM; PERTENCES 2 *Fig.* Soma de conhecimentos e experiências de uma pessoa (bagagem cultural): "Na idade madura eles [os provérbios] devem já fazer parte da bagagem da vida, frutos da experiência antiga e comum." (Machado de Assis, *Esaú e Jacó*) 3 *Fig.* O conjunto das obras de um escritor, artista etc. (bagagem literária) 4 *Fig.* Peso, fardo da existência; dificuldades, estorvos e sofrimentos que é preciso suportar: "Eu permaneci com as bagagens da vida." (Guimarães Rosa, *Primeiras estórias*) 5 *Mil.* As armas e equipagens de uma tropa 6 O conjunto de viaturas e cavalgaduras que transportam a bagagem (5) 7 *S.* A classe mais baixa da sociedade; PLEBE; RALÉ [Pl.: *-gens*.] [F.: Do fr. *bagage*.] ■ **Dar ~** *Bras. N.E.* Vencer facilmente

bagalhão (ba.ga.*lhão*) *sm.* Bago ou baga grandes [Pl.: *-lhões*.] [F.: *bago*[1] + *-alhão*.]

bagana (ba.*ga*.na) *sf. Bras.* 1 O que sobra de um cigarro, charuto ou cigarro de maconha, depois de fumado; BITUCA; GUIMBA; PIOLA 2 *P. ext.* Cigarro 3 Coisa de pouco ou nenhum valor, insignificante; BAGATELA 4 Comida ruim 5 *AL Cul.* Bolo feito em tabuleiro [F.: De or. obsc.]

bagarote (ba.ga.*ro*.te) *sm. Bras. Antq. Pop.* 1 Antiga nota ou moeda de mil réis; BAGO 2 Qualquer quantidade de dinheiro; BAGALHOÇA [Mais us. no pl.] [F.: De *baga* + *r* + *-ote*.]

bagatela (ba.ga.*te*.la) *sf.* 1 Objeto de pouco valor ou inútil; BUGIGANGA; CACARECO; NINHARIA 2 *Bras. Pop.* Quantia insignificante; preço muito baixo: *Comprei os sapatos por uma bagatela.* 3 *Irôn.* Quantia muito alta, exorbitante; FÁBULA; FORTUNA: "... gastou a bagatela de US$825 milhões por um naco de 20% das ações." (*IstoÉ Dinheiro*, 11.01.2002) 4 Coisa frívola, sem importância; FUTILIDADE: *Não perca seu tempo com bagatelas.* 5 *Mús.* Certo tipo de obra instrumental curta [F.: Do it. *bagattella*.]

bagdali (bag.*da*.li) *s2g.* 1 Indivíduo nascido ou que vive em Bagdá (Iraque) *a2g.* 2 De Bagdá; típico dessa cidade ou de seu povo [F.: Do top. *Bagdá*.]

bago[1] (*ba*.go) *sm.* 1 Cada uva de um cacho 2 *P. ext.* Qualquer fruto que se assemelhe à uva [Col. (nas acps. 1 e 2): *bagoeirada*.] 3 *P. ext.* Qualquer grão pequeno: *bago de trigo.* 4 *Pop.* Grão pequeno de chumbo 5 *P. ext.* Conta de rosário 6 *Pop.* Testículo [Nesta acp. é mais us. no pl.] 7 *Pop.* Qualquer quantia de dinheiro; BAGAROTE; CHETA 8 *Bras. Ant. Gír.* Nota ou moeda de mil-réis; BAGAROTE [Aum.: *bagalhão*.] [F.: Deriv. de *baga*.]

bago[2] (*ba*.go) *sm. Ant. Ecles.* O mesmo que *báculo*

bagoeirada (ba.go.ei.*ra*.da) *sf.* Grande porção de bagos [F.: *bago*[1] + *-eiro* + *-ada*[1].]

bagre (*ba*.gre) *sm.* 1 *Zool.* Designação comum a diversos peixes das fam. dos ariídeos e pimelodídeos, sem escamas, dotados de longos barbilhões ao redor da boca, e que vivem no fundo de rios e mares; JUNDIÁ; NHANDIÁ: "... descair o anzol iscado, e ficar caladinho esperando o arranco irado da traíra ou os puxões pesados do bagre." (Guimarães Rosa, *Sagarana*) [Nos rios do interior são chamados de jundiá.] 2 *Bras. Pej. Pop.* Pessoa feia 3 *PA Folc.* Espécie de quadrilha dançada na marujada, na festa de São Benedito [F.: De or. contrv. Hom./Par.: *bagres* (pl.), *bagrês* (a. sm.).]

bagrinho (ba.*gri*.nho) *Pop. Bras. sm.* 1 Substituto ocasional do estivador e que não tem garantias legais por não ser sindicalizado 2 Profissional que aceita substituir o titular do cargo por remuneração inferior 3 Pessoa que trabalha sem carteira assinada 4 *Ict.* Pequeno bagre [F.: De *bagre* + *-inho*.]

baguá (ba.*guá*) *a. sm.* 1 *Bras.* Ver *bagual sm.* 2 *GO Cinol.* Certo tipo de cão mestiço 3 No Feng Shui figura octogonal que representa os pontos ou energias importantes da vida [F.: Do guarani.]

bagual (ba.*gual*) *S. a2g.* 1 Diz-se de potro recém-domado 2 Diz-se de potro ou cavalo arisco 3 Diz-se de cavalo que não obedece, que se tornou selvagem 4 *Fig.* Que se assusta facilmente 5 *Fig.* Muito grande, bonito e vistoso 6 *Fig.* Pouco sociável; GROSSEIRO *sm.* 7 Potro ou cavalo bagual: "... quando, meio maneado no laço e ladeado por um sofrenaço de pulso, o bagual planchou-se..." (João Simões Lopes Neto, "Juca Terra" *in Contos Gauchescos*) [Fem. pouco us.: *baguala*. F.: Do hispano-americano *bagual*.]

bagualada (ba.gua.*la*.da) *sf.* 1 *S.* Manada de baguais 2 *Fig.* Grosseria, indelicadeza, estupidez [F.: Do espn. platino *bagualada*.]

baguari (ba.gua.*ri*) *sm.* 1 *Bras. Ornit.* Garça de plumagem cinzenta clara, pescoço branco e pernas escuras, encontrada em todo o Brasil; MAGUARI *a2g.* 2 *S.* Que se move vagarosamente; LENTO [F.: Do tupi.]

baguete (ba.*gue*.te) *sf.* 1 Pão do tipo francês, comprido e fino 2 *Gem.* Diamante lapidado em formato retangular, com 25 facetas 3 *Cons.* Certo tipo de moldura simples, de seção reduzida, ger. no formato de um arco de círculo, em madeira, plástico ou metal, us. para ornamentação, fixação de vidros etc. 4 Bordado que adorna a meia na direção do tornozelo [F.: Do fr. *baguette*.]

bagulhada (ba.gu.*lha*.da) *sf. Bras. Pop.* Quantidade de objetos imprestáveis, de bagulhos: "... alguém tem que estar na cidade, para comprar a bagulhada deles..." (*O Globo*, 20.04.2003) [F.: De *bagulh(o)* + *-ada*.]

bagulhar (ba.gu.*lhar*) *v. int. N.E.* Comer (ger. na rua) comidinhas de origem duvidosa [▶ 1 bagulhar] [F.: *bagulho* + *-ar*[2].]

bagulho (ba.*gu*.lho) *sm.* 1 *Bras. Pop.* Utensílio velho, sem valor ou sem utilidade; CACARECO; CACARÉU; TRASTE 2 *Bras. Pop.* Qualquer objeto pessoal; COISA; PERTENCE 3 *Bras. Pej.* Pessoa feia e sem qualquer atrativo; CANHÃO; CAMBURÃO; DRAGÃO 4 *Bras. Pej.* Pessoa envelhecida e/ou malcuidada 5 *Bras. Gír.* Maconha 6 *Bras. Gír.* Cigarro de maconha; BASEADO 7 *Bras. Gír.* Objeto que se roubou ou furtou 8 Vassoura de cabo longo, us. para limpar o teto; VASCULHADOR 9 *Bot.* Semente da uva e de outras bagas [Col.: *bagulhada*.] [F.: *bag(o)* + *-ulho*. Nas acps. 3 e 4 é ofensivo.]

bagunça (ba.*gun*.ça) *sf.* 1 *Bras. Pop.* Falta de ordem, de arrumação, de organização; DESORDEM; CONFUSÃO: *Não repare na bagunça da sala.* 2 *Bras. P. ext. Pop.* Instituição, atividade ou sistema mal organizados: *O concurso foi uma bagunça só.* 3 *Bras. Pop.* Diversão barulhenta; FARRA; PÂNDEGA: *O carnaval é sempre uma grande bagunça.* 4 *Bras.* Máquina removedora de aterro [F.: Posv. de or. expressiva. Hom./Par.: *bagunça* (sf.), *bagunça* (fl. *bagunçar*).]

bagunçado (ba.gun.*ça*.do) *a.* 1 *Bras. Pop.* Fora de ordem; desarrumado (mesa bagunçada) 2 Mal organizado; confuso (campeonato bagunçado) 3 Diz-se de alguém que está vestido de forma deselegante; MALVESTIDO [F.: Part. de *bagunçar*. Sin. ger.: *abagunçado*.]

bagunçar (ba.gun.*çar*) *v.* 1 *Bras. Pop.* Fazer bagunça ou desordem (em); ANARQUIZAR [*td.*: *Bagunçou as gavetas à procura da chave.*] [*int.*: *É uma criança inquieta, vive bagunçando.*] 2 Atuar de modo destrutivo com relação a [*tr.* + com: *O vírus bagunçou com meus arquivos; O presidente do clube bagunçou com as propostas dos novos sócios.*] [▶ 12 bagunçar] [F.: *bagunça* + *-ar*[2]. Sin. ger.: *bagunceear*. Hom./Par.: *bagunça(s)* (fl.), *bagunça(s)* (sf. [pl.]).]

bagunceiro (ba.gun.*cei*.ro) *a.* 1 *Bras. Pop.* Que faz bagunça, que é desorganizado 2 Que é dado a fazer estripulia ou baderna, arruaça *sm.* 3 Pessoa bagunceira [F.: *bagunç(a)* + *-eiro*.]

baha'i (ba.*ha'i*) *sm. Rel.* 1 A seita do bahaísmo *s2g.* 2 Pessoa adepta dessa seita; BAHAÍSTA [Com inicial maiúscula.] [F.: Do persa 'da glória', 'do esplendor'.]

bahaísmo (ba.ha:*ís*.mo) *sm. Rel.* 1 Religião, também conhecida como *Fé no Baha'i*, tem sua origem no babismo. Foi fundada na Pérsia por Mirza Husayn, o Bahaullah (1817-1892) 2 Doutrina e prática ético-religiosa dessa religião, baseada na necessidade e na certeza da futura unificação espiritual dos homens [F.: De *Baha'i* + *-ismo*.]

bahaísta (ba.ha:*ís*.ta) *a2g.* 1 Ref. a ou próprio do bahaísmo 2 Que é adepto do bahaísmo *s2g.* 3 *Rel.* Pessoa adepta do bahaísmo [F.: De *Baha'i* + *-ista*.]

baia (*bai*.a) *sf.* 1 Local para alojamento individual de animais nas cocheiras e estábulos; BOXE 2 *P. ext.* Cada um dos compartimentos separados por divisórias em um ambiente de trabalho 3 *Bras.* Recuo nas calçadas destinado à parada de ônibus e táxis e a facilitar o embarque e desembarque de passageiros [F. red. do quimb. *ribaia*. Hom./Par.: *baía* (sf.), *baia* (fem. de *baio*), *Bahia* (top.).]

baía (ba.*í*.a) *Geog. sf.* 1 Parte do litoral em que a terra recua, formando um pequeno golfo 2 Espaço do mar compreendido entre duas terras ou costas, que se prolongam deixando entre si uma grande abertura 3 *Bras.* Lagoa ligada a um rio através de um canal 4 Canal para escoamento de pântanos [F.: Posv. do baixo-lat. *baia* pelo fr. *baie*. Hom./Par.: *baía* (sf.), *Bahia* (top.), *baia* (sf. e fem. de *baio*).]

baiacu (bai.a.*cu*) *Bras. sm.* 1 *Zool.* Designação comum a diversos peixes tetraodontiformes, de corpo coberto por escamas, espinhos ou placas ósseas, que podem inflar o corpo quando ameaçados ou fora da água, e cuja carne pode ser venenosa se não for tratada com cuidados adequados; SAPO-DO-MAR 2 *Pej.* Pessoa gorda e baixa [É ofensivo.] 3 *Zool.* Ave hematopodínea (*Haematopus ostralegus paliatus*, Temm.); tb. *pirupiru* [F.: Do tupi *gwambaya'ku*. Var.: *baiagu*.]

baiana (bai.*a*.na) *sf.* 1 Mulher nascida ou que vive na Bahia 2 Vendedora de iguarias da culinária afro-baiana, que se veste tipicamente com saia rodada e bata de renda branca, turbante, colares e balangandãs 3 *P. ext. Etnog.* Fantasia inspirada nesse traje 4 *Etnog.* Figura tradicional e obrigatória dos desfiles de escolas de samba, que veste esse tipo de fantasia (ala das baianas) 5 *Bras.* Capa de couro posta sobre a sela, para o transporte de roupas e outros objetos; CARONA 6 *Bot.* O mesmo que *bertalha* [F.: Fem. substv. de *baiano*. Hom./Par.: *baiana* (sf.), *baiana* (fem. de *baiano*).] ■ **Rodar a ~** *Bras. Gír.* Reagir de modo intempestivo a uma situação ou provocação, com palavras ou com ações

baianada (bai.a.*na*.da) *sf.* 1 *Pop.* Grupo de pessoas nascidas na Bahia 2 *Bras. Pop.* Comportamento extrovertido e fanfarrão de baiano 3 *Pej. Pop. Bras.* Coisa malfeita por desrespeito às regras e/ou aos costumes: *Fez uma baianada no trabalho e foi demitido.* 4 Inabilidade para o montaria e/ou o manuseio com cavalos 5 *S* Ação própria de quem desconhece os costumes ou não pode imitar as habilidades equestres dos gaúchos [F.: De *baian(o)* + *-ada*.]

baianês (bai.a.*nês*) *sm. Pop. Bras.* Linguajar próprio dos habitantes da Bahia [F.: *baian(o)* + *-ês*.]

baianidade (bai.a.ni.*da*.de) *sf.* 1 Característica própria e diferenciadora das coisas ou das pessoas da Bahia: "A discussão em torno do conceito da baianidade se desenrola..." (*Correio da Bahia*, 19.11.2004) 2 Afinidade e/ou amor pela Bahia, seu povo e seus costumes [Sin. ger.: *baianismo*. F.: *baian(o)* + *-(i)dade*.]

baianizar (bai.a.ni.*zar*) *Bras. v.* 1 Adquirir ou dar feição, caráter próprio dos baianos (a) [*td.*: *Não queremos baianizar o carnaval de Olinda.*] [*int.*: *Meu sotaque se baianizou.*] 2 Adquirir o modo de ser, de falar, de agir próprio dos baianos [*int.*: *Passou férias em Salvador e baianizou-se.*] [▶ 1 baianizar] [F.: *baiano* + *-izar*. Sin. ger.: *abaianar*.]

baiano (bai.*a*.no) *sm.* 1 Indivíduo nascido ou que vive no estado da Bahia 2 *BA* Indivíduo nascido ou que vive na cidade de Salvador (BA); SOTEROPOLITANO 3 *Bras. S.* Aquele que nasceu ou vive em qualquer dos estados brasileiros, salvo a região Sul; NORTISTA 4 *MA* Boiadeiro que veio da Bahia, Piauí ou Goiás trazendo gado para feiras do Maranhão 5 *MA* Gado vindo do sertão 6 *PI Pej.* Indivíduo simples, de modos rústicos, que ger. mora na roça; CAIPIRA; ROCEIRO 7 *Bras. S. Pej. Pop.* Indivíduo que é mau cavaleiro 8 *Bras. S.* Soldado de infantaria 9 *Bras. Dnç.* O mesmo que *baião a.* 10 Da Bahia; típico desse estado ou de seu povo 11 De Salvador; típico dessa cidade ou de seu povo 12 *MA* Diz-se do gado vindo do sertão [F.: Do top. *Bahia* + *-ano*[1].]

baião (bai.*ão*) *sm. N.E.* 1 *Dnç. Mús.* Gênero musical e dança originados de formas tradicionais do lundu e do toque de violas no interior nordestino, e que se popularizou por todo o Brasil a partir da década de 1940, com elementos de samba e outros, e ger. com acompanhamento instrumental de sanfona ou acordeão: "Eu vou mostrar pra vocês/ como se dança o baião..." (Luiz Gonzaga e Humberto Teixeira, *Baião*) 2 *Mús.* Trecho musical breve, executado no instrumento (viola, ou rebeca, ou pandeiro etc.) como acompanhamento de cantoria, ou, nos desafios, para dar tempo de o adversário preparar os versos que cantará em resposta; ROJÃO [Pl.: *-ões*.] [F.: Red. de *baiano*.]

baião de dois (bai.ão de *dois*) *Bras. N.E. Cul. sm.* Prato à base de feijão e arroz, cozidos juntos, misturado com queijo coalho, carnes etc; RUBACÃO [Pl.: *baiões de dois*.]

baila (*bai*.la) *sf.* **1** Baile, bailado *sf.* **2** Us. em algumas locs., com o sentido fig. de 'o centro das atenções': *Trouxe à baila o problema do funcionário* [Tb. se diz *balha*.] [F.: Regress. de *bailar*. Hom./Par.: *baila* (sf.), *baila* (fl. de *bailar*).] ■ **Andar/estar na ~** Estar em evidência, ser muitas vezes mencionado ou lembrado **Chamar/trazer à ~** Fazer (alguém) lembrar-se de (fato, assunto etc.), no momento certo: *Chamou / trouxe à baila a questão do aumento salarial.* **Estar na ~** Ver *Andar na baila* **Trazer à ~** Ver *Chamar à baila* **Vir à ~** Ser lembrado (fato, assunto etc.) no momento apropriado

bailado (bai.*la*.do) *sm.* **1** Dança, movimentação harmônica, artística ou prazerosa do corpo, ger. ao som de música **2** *Dnç.* Número de dança que faz parte de um espetáculo, cerimônia etc. **3** Dança de várias pessoas ao som de músicas, por prazer ou diversão; baile **4** *Dnç. Mús.* Obra musical composta especialmente para acompanhar espetáculo de danças, ou balé; BALÉ: *uma nova coreografia para o bailado O quebra-nozes, de Tchaikovsky.* **5** *Dnç. Mús.* Espetáculo completo de dança coreografada e música (inclusive cenários e outros elementos); BALÉ: *A companhia de dança apresentará três bailados.* **6** *P. ext.* Conjunto de movimentos que lembram uma dança: *o bailado do povo andando nas ruas; o bailado das folhas sopradas pelo vento.* **a. 7** Que foi dançado; que foi realizado ou apresentado como dança **8** Acompanhado de dança(s) [F.: Part. de *bailar*.]

bailar (bai.*lar*) *v.* **1** Movimentar o corpo, obedecendo ger. a um ritmo musical; DANÇAR [*td.*: *bailar uma valsa.*] [*int.*: *A criança parecia bailar.*] **2** *Fig.* Mover-se em curvas, volteios, de um lado para outro ou de modo trêmulo; oscilar, vacilar, tremer [*int.*: *As lágrimas bailavam ao cair.*] [*ta.*: *Com o vento, as roupas bailavam no varal.*] [▶ **1 bailar**] [F.: Do lat. *ballare*. Hom./Par.: *baila(s)* (fl.), *baila(s)* (sf. [pl.]); *baile(s)* (fl.), *baile(s)* (sm. [pl.]).]

bailarico (bai.la.*ri*.co) *sm.* **1** Baile simples e popular **2** Festa improvisada em que há dança; ARRASTA-PÉ [Sin. ger.: *bailareco*. F.: *bailar* + *-ico*.]

bailarino (bai.la.*ri*.no) *sm.* **1** Pessoa cuja profissão é bailar [No Brasil, us. esp. para quem dança balé clássico ou moderno. Para outras modalidades de dança se diz ger. *dançarino*.] **2** *P. ext.* Pessoa que dança muito bem **3** *Pop. Lud.* No jogo de cartas, pessoa que arrisca muito, que conta com a sorte [Nas acp. 1, 2 e 3, tb. se diz *bailarim*.] **4** *Pap.* Na fabricação industrial do papel, rolo de material leve, us. para melhorar a distribuição do papel, ou gravar marca d'água ou acabamento [F.: Do lat. *ballare*, pelo it. *ballerino*.]

baile (*bai*.le) *sm.* **1** Reunião ou festa para se dançar ao som de música **2** Dança informal, festiva, alegre **3** *Fig.* Desempenho ou atuação excelentes (por comparação a de outrem), e que demonstram grande superioridade (esp. em algum tipo de confronto, disputa, competição) **4** *Restr.* Jogo desportivo vencido com grande facilidade **5** *Fig. Irôn.* Conjunto de movimentos corporais ou de atividades e movimentações de várias pessoas relativamente independentes e descoordenadas, mas que têm o mesmo propósito ou algum assunto comum [Dim.: *bailareco*, *bailarico*, *baileco*.] [F.: Regress. de *bailar*. Hom./Par.: *baile* (sm.), *baile* (fl. de *bailar*).] ■ **~ a fantasia** Aquele em que os participantes usam fantasias, escondendo, ou não, sua identidade **~ de máscaras** Aquele em que os participantes, ger. fantasiados, escondem o rosto com máscaras, impedindo ou dificultando a identificação de cada um; mascarada **Dar um ~ (em)** **1** *Bras.* Desempenhar-se muito bem em alguma atividade: *Ele dá um baile em matemática.* **2** Sobrepor-se a (adversário em competição, concorrência etc.), demonstrando grande superioridade: *Ontem, meu time deu um baile (no seu).* **3** *Futb.* Trocar longa série de passes sem deixar os jogadores adversários tocarem a bola

bailundo (bai.*lun*.do) *Ang. sm.* **1** Indivíduo dos bailundos [Os bailundos são um povo que habita o planalto de Benguela em Angola.] **2** *Gloss.* Língua banta falada por esse povo **a. 3** Do ou ref. ao bailundo

bainha (ba.*i*.nha) *sf.* **1** Dobra na barra, ou nas barras, de peça de vestuário, roupa de cama etc. e costurada pelo avesso, para que o tecido não se desfie **2** Estojo, ger. us. preso ao cinto, onde se guarda a lâmina de uma arma branca para que não se embote ou oxide **3** *Anat.* Tecido que envolve um órgão, músculo, nervos, tendões etc. **4** *Bot.* Porção alargada da base da folha, que pode envolver o caule ou o ramo **5** *Bot.* Camada gelatinosa que cobre os filamentos de certas algas **6** *Elet.* Tubo de proteção dos dutos elétricos embutidos na parede ou no soalho **7** *Metal.* Dobra feita na beirada de placa de metal para reforçá-la **8** *Mnh.* Debrum feito nas velas como reforço [F.: Do lat. *vagina*. Hom./Par.: *bainha* (sf.), *bainha* (fl. de *bainhar*).]

baio (*bai*.o) *a.* **1** Que apresenta cor castanho-amarelada (cavalo baio) **2** Diz-se dessa cor **3** Que é muito moreno, amulatado *sm.* **4** Equídeo de pelo baio **5** *RS* Cigarro de fumo de rolo que tem como envoltório a folha seca do milho [F.: Do lat. *badius, a, um*. Hom./Par.: *baio* (fl. de baiar); *baia* (sf.); *baia* (f.), *baía* (sf.), e *Bahia* (top.).]

baioneta (bai.o.*ne*.ta) [ê] *sf.* **1** *Arm.* Arma branca que se adapta ao extremo do cano da espingarda ou fuzil por meio do alvado que tem a extremidade mais grossa, e serve para a luta corpo a corpo **2** *Fot.* Dispositivo de fixação de objetiva em máquina fotográfica [F.: Do fr. *baionette*.]

baionetada (bai.o.ne.*ta*.da) *sf.* Golpe dado com baioneta [F.: De *baioneta* + *-ada*.]

baionetas (bai.o.*ne*.tas) *sfpl.* Soldados de infantaria: *um ataque de baionetas.* [F.: Do fr. *baionette*.]

bairrismo (bair.*ris*.mo) *sm.* Qualidade ou atitude de bairrista [F.: *bairro* + *-ismo*.]

bairrista (bair.*ris*.ta) *a2g.* **1** Que habita ou frequenta um bairro **2** Que defende com veemência os interesses de seu bairro ou terra natal, em detrimento dos demais **3** *Bras.* Que revela afeição exagerada por sua cidade ou estado, e demonstra desprezo por tudo que se refira às demais cidades ou estados (atitude bairrista) *s2g.* **4** Pessoa bairrista [F.: *bairro* + *-ista*.]

bairro (*bair*.ro) *sm.* **1** Cada uma das áreas habitadas de uma cidade [Os bairros, em cidades médias e grandes, podem ter limites administrativos mais ou menos precisos, ou ser definidos e nomeados tradicionalmente, pelo uso informal dos habitantes, segundo características urbanas (geográficas, históricas, econômicas ou sociais, etc.), facilitando a orientação das pessoas.] **2** Arrabalde, subúrbio **3** *MG* Pequeno povoado [F.: Do ár. vulg. *barri*.] ■ **~ de lata** Conjunto de habitações populares muito simples, ou toscamente construídas [Cf.: *favela* 1 (1).]

baita (*bai*.ta) *a2g.* **1** *Bras. Pop.* Muito grande; ENORME; IMENSO: *um baita cão; uma baita dificuldade* [*uma baita despesa; uma baita dor de cabeça; levamos um baita susto; um baita enxame de abelhas; é um baita cafajeste.* us. tb. (assim como o adj. *grande*) para dar ideia não só de tamanho, mas de força, intensidade, grande quantidade etc., ou para reforçar, enfatizar.] **2** Muito bom; ÓTIMO; EXCELENTE: *Didi foi um baita jogador.* [Ant.: *terrível*.] **3** Que se desenvolveu muito, que se tornou robusto: *É um baita rapaz.* **4** Us. para dar ideia de que algo ou alguém se destaca e impressiona pela aparência ou por alguma outra característica (ger. positiva): *Comprou um baita aparelho de som.* [*i. e., caro, bonito, luxuoso etc., não necessariamente de ótima qualidade*] [Us. antes do substantivo.] [F.: De or. obsc.]

baitola (bai.*to*.la) [ó ou ô] *sm. Bras. Pej. Pop.* Homossexual do sexo masculino; BAITOLO [F.: De or. pop.]

baiuca (bai.*u*.ca) *sf.* **1** Botequim simples que ger. vende bebidas alcoólicas; bodega **2** *Pej.* Habitação humilde, pobre, miserável; biboca **3** Estabelecimento (casa de espetáculos, casa de jogo, bar etc.) ou outro lugar sem nenhuma categoria, de aspecto sórdido ou decadente, frequentado por pessoas desqualificadas, ou que abriga atividades clandestinas: *Esse cabaré é uma baiuca.* **4** Casa de prostituição; bordel [F.: Do espn. *bayuca*.]

baixa (*bai*.xa) *sf.* **1** Redução em quantidade ou intensidade: *uma baixa no conteúdo de sódio no corpo; Está ocorrendo uma baixa no consumo em geral.* Ant.: *alta*. **2** Diminuição de preço, valor ou cotação: *a baixa do dólar; O algodão teve uma grande baixa.* [Ant.: *alta*.] **3** Diminuição em altura; deslocamento para posição menos alta; ABAIXAMENTO **4** Declínio, decadência; situação de perda ou ausência de poder, importância, influência etc. [Ant.: *alta*. Ger. us. na expressão *em baixa*.] **5** Enfraquecimento; diminuição da eficiência: *O estado emocional pode acarretar uma baixa do sistema imunológico.* **6** *Mil.* Perda de um combatente, por morte, ferimento ou captura, sofrida por uma tropa **7** Indivíduo morto ou gravemente ferido em manifestações públicas reprimidas pela polícia, em catástrofes ou em ataque militar **8** Depressão de terreno; BAIXOS **9** *PA* Campo que fica submerso durante o inverno **10** Lugar mais raso em mar ou rio **11** O fundo de um vale: *A aldeia fica numa baixa.* **12** *Mil.* Dispensa do serviço militar ativo **13** Dispensa de serviço ou emprego **14** Situação em que se considera algo como visto ou encerrado **15** *Com.* Abatimento ou dedução, nos documentos de controle, da quantidade de peças retiradas de um estoque **16** *Jur.* Eliminação do nome de um acusado do rol dos culpados, em vista de sentença que o absolve **17** *Met.* Região de baixa pressão atmosférica **18** *Lus.* A parte baixa de uma cidade, ou o seu centro comercial e administrativo: *a baixa lisboeta.* [F.: Fem. substv. de *baixo*. Hom./Par.: *baixa* (sf.), *baixa* (fl. de *baixar*), *baixa* (fem. de *baixo* [a.]).] ■ **~ de capim** *PE* Terreno cultivado com capim-angola **Dar ~ (de/em)** **1** Registrar (saída de documento ou mercadoria, pagamento efetuado etc.): *Essa é a lista dos produtos já entregues, por favor dê baixa (no estoque); Obrigado pelo cheque, vou dar baixa da sua dívida.* **2** Terminar serviço militar, dispensar dele ou dele ser dispensado **3** Anular, cancelar: *Não vamos mais viajar, vou dar baixa na reserva que fiz.* **4** Internar-se em hospital **Em ~** **1** Em declínio ou decadência; em processo de perda de intensidade, valor, importância, poder, atividade etc.: *O comércio está em baixa; O casamento está em baixa na sociedade moderna?* **2** Em má situação, esp. aquela em que não sem conta com o respeito, a consideração ou a preferência de alguém: *As indústrias poluidoras estão em baixa (junto à opinião pública).* **Ter ~** Dar baixa (2)

baixada (bai.*xa*.da) *sf.* **1** Planície localizada entre montanhas **2** Terreno baixo junto de uma lombada **3** *Jur.* Envio dos autos de um processo, por meio de baixa, à instância inferior [F.: De *baix(ar)* + *-ada*.] ■ **~ de capim** V. *Baixa de capim*

baixadão (bai.xa.*dão*) *sm. Bras.* Grande baixada [Pl.: *-dões*.] [F.: *baixada* + *-ão*[1].]

baixa-mar (bai.xa-*mar*) *sf.* Nível mais baixo da maré, antes de recomeçar a encher; MARÉ BAIXA; VAZANTE [Ant.: *preamar*.] [Pl.: *baixa-mares, baixas-mares*.]

baixamente (bai.xa.*men*.te) *adv.* **1** De modo baixo, vil, indigno; INDIGNAMENTE; VILMENTE: *Agiu baixamente contra o próprio irmão.* **2** De maneira baixa, humilde; HUMILDEMENTE [F.: Fem. de *baixo* + *-mente*.]

baixão (bai.*xão*) *sm.* **1** *Mús.* Instrumento de sopro de som grave que lembra o fagote **2** *BA MA PI* Grande baixada; BAIXADÃO [Pl.: *-ões*.] [F.: De *baix(o)* + *-ão*.]

baixar (bai.*xar*) *v.* **1** Abaixar, descer, pôr embaixo; arriar, apear [*td.*: *É preciso baixar aquele muro.*] **2** Passar de um lugar ou nível para outro menos elevado [*tda.*: *Havia uma escada por onde se baixava ao térreo.*] **3** Fazer diminuir ou diminuir o volume, a intensidade ou o valor (de) [*int.*: *A água já vai baixando; O euro não baixou.*] [*td.*: *O antitérmico baixara sua febre; Pediu para baixarem o som.*] **4** Inclinar, fazer pender, ou curvar-se, inclinar-se [*td.*: *baixar a espada; Baixou-se para beijar a criança.*] **5** Dirigir para baixo; abaixar [*tdr.* + *para, sobre*: *A atriz baixou os olhos para / sobre a plateia.*] **6** Expedir, publicar (aviso, decreto, ordem, portaria etc.) a subordinados [*td.*: *O presidente baixou um decreto.*] [*tdi.* + *a*: *A empresa baixou novas normas aos auxiliares.*] **7** *Bras. Gír.* Chegar ou comparecer em (algum lugar); APARECER [*ta.*: *Os amigos baixaram em sua casa de surpresa.*] **8** Internar-se (em ambulatório, casa de saúde, enfermaria, hospital) [*ta.*: *Baixou ao hospital com dengue.*] **9** Diminuir de importância, influência, prestígio etc. [*int.*: *O conceito de algumas universidades baixou ultimamente; A sua autoridade baixou bastante.*] [*tr.* + *em*: *Ele baixou no conceito do chefe.*] **10** *Inf.* Obter cópia de (arquivo localizado em uma rede de computadores ou na internet) [*td.*: *Baixar um programa.*] [*tdr.* + *de*: *Baixou mensagens do servidor de e-mails.*] **11** *Bras. Rel.* Manifestar-se (ente espiritual) por meio de gestos ou palavras de outra pessoa; INCORPORAR [*tr.* + *em*: *Orixás diversos baixam no pai de santo.*] [*ta.*: *Nenhum exu baixa naquele terreiro.*] [*int.*: *Depois da meia-noite, os voduns começam a baixar.*] **12** Pôr-se ou aproximar-se do ocaso (o Sol) [*int.*: *O Sol baixou mais cedo hoje.*] **13** *Jur.* Fazer retornar (autos) a juízo ou tribunal inferior [*ta.*: *O processo baixou à primeira vara cível.*] [*tdi.* + *a*: *Já baixaram todos os processos ao juizado de pequenas causas.*] [▶ **1 baixar**] [F.: Do lat. vulg. **bassiare*. Hom./Par.: *baixo* (fl.), *baixo* (a. sm.); *baixa(s)* (fl.), *baixa(s)* (sf. e fem. de *baixo* [pl.]); *baixaria(s)* (fl.), *baixaria(s)* (sf. [pl.]); *baixeis* (fl.), *baixéis* (pl. de *baixel*).]

baixaria (bai.xa.*ri*.a) *sf. Bras.* **1** *Pop.* Ação, dito ou comportamento grosseiro; falta de classe; VILEZA **2** *Pop.* Obscenidade ou qualquer dito ou comportamento que ofende a dignidade, que apela exageradamente ao mau gosto: *Só tem baixaria nesse programa de TV.* **3** *Mús.* Parte do acompanhamento (p. ex., no chorinho) formada pelas notas mais graves [F.: *baixo* + *-aria*. Hom./Par.: *baixaria* (sf.), *baixaria* (fl. de *baixar*).]

baixeiro (bai.*xei*.ro) *a.* **1** Que se põe por baixo **2** *N.* Diz-se do cavalo ensinado a andar no passo baixo, que não maltrata o cavaleiro *sm.* **3** *Bras.* Manta que se coloca entre a sela e o lombo do animal **4** *SP Agr.* O conjunto dos galhos que fica por baixo da copa das árvores ou arbustos [F.: De *baix(o)* + *-eiro*.]

baixel (bai.*xel*) *sm. Antq. Poét.* Navio ou outra embarcação: "... Esse baixel nas praias derrotado/ Foi nas ondas narciso presumido..." (Francisco de Vasconcelos, *Fênix renascida*) [Pl.: *-éis*.] [F.: Do catalão *vaixell*, pelo esp. *bajel*.]

baixela (bai.*xe*.la) *sf.* **1** Conjunto de recipientes, ger. de prata, para servir alimentos à mesa, como travessas, sopeiras, molheiras etc.: "Pedira que servissem baixela e comida, dum modo que era o modo." (Guimarães Rosa, *Noites do sertão*) **2** *Lit.* Conjunto de objetos litúrgicos de uma igreja, esp. os de grande valor [F.: Do lat. vulg. *vascella*, pelo cat. *vaixell*.]

baixeza (bai.*xe*.za) [ê] *sf.* **1** Qualidade de baixo; pouca altura ou elevação; PEQUENEZ **2** Estado do que está embaixo **3** *Fig.* Falta de dignidade; MESQUINHEZ; TORPEZA; VILEZA: "... e como a cobardia para as almas grandes se associa à baixeza, lembrou-se de uma traição." (José de Alencar, *O guarani*) **4** Ação vil: *cometer uma baixeza.* **5** Rebaixamento moral, servilismo, humilhação [F.: *baixo* + *-eza*.]

baixio (bai.*xi*.o) *sm.* **1** Banco de areia ou rochedo próximo à superfície da água **2** *Amaz.* Enseada formada pelos rios na época da vazante **3** *N.E.* Depressão rodeada de cadeia de montanhas, onde se depositam as águas pluviais [F.: *baixo* + *-io*.]

baixista (bai.*xis*.ta) *s2g.* **1** *Mús.* Pessoa que toca qualquer instrumento de som mais grave, classificado como baixo ou contrabaixo no seu grupo (flauta, trombone, viola etc.) **2** *Mús.* Pessoa que toca contrabaixo ou baixo elétrico (guitarra baixo) **3** *Econ.* Aquele que opera na baixa do câmbio *a2g.* **4** *Econ.* Ref. à baixa cambial ou da bolsa de valores ou de mercadorias **5** *Econ.* Diz-se de quem, no mercado financeiro, atua com a intenção de provocar baixa nas cotações [F.: *baixo* + *-ista*.]

baixo (*bai*.xo) *a.* **1** De pequena estatura ou altura; que tem pequeno comprimento, medido verticalmente (homem baixo; casa baixa) **2** Que está a pouca distância vertical de determinado plano ou nível, esp. do chão ou da superfície da terra (teto baixo; nuvens baixas; voo baixo) **3** Inclinado, dobrado ou encurvado, fora da posição vertical ou horizontal; voltado ou dirigido para o chão; ABAIXADO: *O cão estava com as orelhas baixas e a cauda também baixa:* "Olhos negros e pestanudos, baixos de acanhamento." (Gustavo Barroso, *Terra de sol*) **4** Pouco audível; de pouco volume ou intensidade: *Ele sempre fala em voz baixa.* **5** Não graduado; que ocupa posição menos importante ou menos prestigiosa, numa hierarquia (baixo clero) **6** (Ref. a ou próprio da parcela de uma sociedade ou população) que tem pouco prestígio social ou pouco poder econômico (classe baixa, baixo comércio) 7 Cuja medida ou valor é inferior ao normal (renda baixa; pressão baixa) 8 De grau inferior (expresso por número menor) marcado pelo termômetro (temperatura baixa) 9 Que está inferior ao seu nível médio habitual (maré baixa) 10 Que está ao nível do mar ou inferior a ele (diz-se de terras, rios etc.) (Países Baixos) 11 Us. para designar a parte ou região de um bairro ou cidade etc., ger. plana, que está mais próxima do nível do mar, em relação a outras partes ou bairros em colinas, encostas etc. (cidade baixa) 12 *Pej.* Vulgar, ordinário; que revela falta de educação, refinamento ou civilidade 13 *Pej.* Que é desprezível, vil (sentimentos baixos) 14 *Pej.* Que é chulo (palavreado baixo) 15 Que é barato; ref. a pequenas quantias (preços baixos; custo baixo) 16 *Lus.* Us. para designar área ou região meridional em relação a outra, ou a uma região ou província maior: *o baixo Minho.* 17 Ref. a ou situado em latitude próxima à linha do Equador 18 Próximo ao horizonte 19 Diz-se de curso, parte ou trecho de um rio, situados mais perto da foz (ou seja, em terrenos de menor altitude): *o baixo São Francisco.* 20 *Hist.* Us. para designar período mais recente de uma época histórica, ou os últimos desenvolvimentos de uma instituição, de uma corrente ou tendência: *o Baixo Império (i. e., os últimos séculos do Império Romano); o baixo classicismo.* [Us. antes do substantivo.] 21 *Fig.* Caracterizado por grau mínimo de sucesso ou de excelência, ou por decadência: *um dos pontos baixos de sua carreira de ator.* 22 Que tem menor pureza, presença proporcionalmente menor do elemento puro (ouro baixo) 23 *Mús.* Que tem um som grave, caracterizado por lenta frequência ou que está mais próximo das menores frequências audíveis, registráveis (por algum equipamento) ou produzíveis (por determinado instrumento) (nota baixa, tom baixo) 24 *Fon.* Diz-se de vogal emitida com a língua situada na parte inferior da cavidade bucal [Superl.: *ínfimo.*] *a2g2n.* 25 *Mús.* Diz-se de instrumento de diapasão mais grave (saxofone baixo; flautas baixo) [Por vezes, us. com hífen: *guitarra-baixo.*] 26 *Bras. Pop. Joc.* Que é a parte mais movimentada e frequentada de um bairro, esp. por jovens e para diversão noturna [Tb. us. como substantivo, ger. acompanhado do nome do bairro (quando este é do gên. fem.): *o baixo Leblon, o baixo Gávea* (no Rio de Janeiro).] *sm.* 27 Parte que tem pouca ou menor altura; região ou terreno mais próximos do solo, ou do nível do mar: *no baixo da montanha.* 28 *Mús.* Instrumento de diapasão mais grave de cada família de instrumentos. 29 *Restr. Mús.* O baixo da guitarra elétrica, ger. com quatro cordas e braço mais longo [Tb. designado como *baixo elétrico.*] 30 *Mús.* A mais grave das vozes masculinas 31 *Mús.* Cantor que tem essa voz 32 *Mús.* A nota mais grave de um acorde 33 *Mús.* A linha melódica proveniente do(s) instrumento(s) mais grave(s) de uma peça musical 34 *RJ Pop.* Parte movimentada de um bairro ou de uma cidade, que é ponto de encontro para lazer [Tb. us. de modo joc. ou irôn., como em *baixo bebê*, para designar lugar aonde se costuma levar crianças pequenas para passear e brincar, e que tb. se torna ponto de encontro dos adultos que as acompanham.] *adv.* 35 A pouca altura do chão: *Os caças voavam baixo.* 36 Com pouco volume sonoro, ou de modo pouco audível: *Ele só ouve música baixo; Fale baixo que tem gente por perto.* [Dim.: *baixote.* Superl.: *ínfimo*] [F.: Do lat. *bassus, a, um.* Ant. ger.: *alto.* Hom./Par.: *baixo* (fl. de *baixar*), *baixa* (fem.), *baixa* (sf.).] ■ **~ contínuo** *Mús.* Numa composição ou peça musical, esp. na polifonia barroca, sucessão de notas que formam linha melódica grave e prolongada executada em instrumento de acompanhamento (ger. de teclado ou de cordas), e que serve de base para contrapontos e harmonias construídos sobre ela (ger. sendo os acordes indicados na partitura por cifras) **~ da serra** *MS MT* (*Pantanal*) Parte mais elevada de planície, em chapadas ou no sopé de serras **Por ~** 1 *Fig.* Desprestigiado, em situação difícil ou de inferioridade; em dificuldades: *Ele anda meio por baixo na firma.* 2 Com diminuição, com atribuição de valor ou importância menor. Us. para dizer que a quantidade mencionada é provavelmente menor do que a correta (p. ex., ao se fazer uma estimativa ou avaliação): *Ele avaliou por baixo este apartamento; Na passeata havia, por baixo, dez mil manifestantes.*

baixo-astral (bai.xo-as.*tral*) *Bras. Pop. a2g.* 1 Diz-se de pessoa que está ou é desanimada, triste e/ou depressiva 2 Diz-se de ambiente, situação, coisa ou lugar deprimente, lúgubre, que provoca melancolia, sensações ruins, que entristece (filme baixo-astral) *sm.* 3 Estado de espírito sombrio, triste: *O que te deixou nesse baixo-astral todo?* [Pl.: *baixos-astrais.*] [Ant. ger.: *alto-astral.*]

baixo-latim (bai.xo-la.*tim*) *sm. Gloss.* Latim medieval que sucede o latim us. pelos monges dos primórdios do cristianismo, ajustado às novas condições históricas da língua e da gramática [Pl.: *baixos-latins.*]

baixo-relevo (bai.xo-re.*le*.vo) [ê] *sm. Art. pl.* Escultura sobre fundo plano do qual as figuras sobressaem apenas ligeiramente; CELATURA [Pl.: *baixos-relevos.*]

baixote (bai.*xo*.te) *a.* 1 Que é muito baixo *sm.* 2 *Pej. Pop.* Pessoa muito baixa: "... O imperador Napoleão III, sobrinho do famoso baixote corso, no ano seguinte nomeou..." (*O Globo*, 02.08.2002) 3 *Lus. Cinol.* Cão da raça bassê [F.: De *baix(o)* + *-ote.*]

baixo-ventre (bai.xo-*ven*.tre) *sm. Anat.* A parte inferior do abdome [Pl.: *baixos-ventres.*]

bajoujar (ba.jou.*jar*) *v. td. Fam.* 1 Lisonjear de modo demasiadamente afetuoso; ADULAR; BABUJAR; BAJULAR *N.E;* CHALEIRAR; TURIBULAR 2 Tratar com carinho; fazer carinho em; ACARICIAR; ACARINHAR; AMIMAR [▶ 1 bajoujar] [F.: Do lat. vulg. *bajoliare*, por *bajulare.* Hom./Par.: *bajouja(s)* (a. sf.), *bajouja(s)* (fl. de *bajoujar*), *bajoujo* (a. sm.), *bajoujo* (fl. de *bajoujar*).]

bajoujo (ba.*jou*.jo) *a.* 1 Que adula de modo ridículo 2 Que está tomado de paixão; BABOSO; ENAMORADO 3 Que é ingênuo; PARVO *sm.* 4 Indivíduo bajoujo [F.: De *bajoujar.*]

bajulação (ba.ju.la.*ção*) *sf.* Ação ou resultado de bajular; atitude de quem bajula; ADULAÇÃO; BAJULICE; BAJULISMO: "Os funcionários disputavam-se em bajulação, em servilismo..." (Lima Barreto, *O triste fim de Policarpo Quaresma*) [Pl.: *-ções.*] [F.: Do lat. *bajulatio, onis.*]

bajulado (ba.ju.*la*.do) *a.* 1 Que foi adulado em troca de favores: "... era um homem bajulado e poderosíssimo, porque todo mundo sabia que ele era o melhor caminho para chegar ao presidente..." (*O Globo*, 29.08.2003) *sm.* 2 Indivíduo bajulado: *A bajulação tem efeito duplo: engole tanto o bajulador quanto o bajulado.* [F.: De *bajul(ar)* + *-ado.*]

bajulador (ba.ju.la.*dor*) [ô] *a.* 1 Que bajula, que enaltece exageradamente os méritos de alguém com fim interesseiro; ADULADOR; *Pop.* PUXA-SACO *sm.* 2 Indivíduo bajulador [F.: Do lat. *bajulatore.*]

bajular (ba.ju.*lar*) *v. td.* Tentar agradar and enaltecer de forma exagerada, servil, para cair nas graças de ou obter favores de; ADULAR: *Vive bajulando os poderosos.* [▶ 1 bajular] [F.: Do lat. *bajulare*, 'levar às costas'.]

bajulativo (ba.ju.la.*ti*.vo) *a.* Que se destina a bajular (publicação de caráter bajulativo) [De: *bajula(r)* + *-tivo.*]

bajulatório (ba.ju.la.*tó*.ri:o) *a.* 1 Que contém bajulação: "... Contrariando todas as regras do *marketing* bajulatório..." (*Jornal do Brasil*, 28.08.2001) 2 Que é característico de bajulador (comportamento bajulatório) [F.: De *bajula(r)* + *-tório.*]

bala (*ba*.la) *sf.* 1 *Bras.* Pequeno doce feito de açúcar misturado e cozido com substâncias aromáticas ou medicamentosas, e solidificado, seja em consistência vítrea ou macia; CONFEITO; REBUÇADO 2 Projétil de arma de fogo: *bala de revólver, de canhão, de fuzil; vidro à prova de balas.* [Nessa acp., aum. irreg.: *balaço, balázio*; dim. irreg.: *balim, balote.*] 3 *Pap.* Pacote com dez resmas de papel (ao todo, cinco mil folhas) 4 Pacote para ser transportado; FARDO; CARGA 5 *Pop.* Dinheiro [F.: Do fr. *balle.*] ■ **~ de festim** *Bras. Ant.* Bala sem efeito destrutivo, por se desfazer ao sair do cano da arma, us. em exercícios militares, cenas de teatro ou cinema, salvas comemorativas etc. **~ delícia** Confeito feito com leite de coco, que se dissolve na boca **~ dum-dum** Bala cuja ponta é em forma de cruz, causando maior dilaceramento nos tecidos, ao atingi-los e explodir **~ perdida** *Bras. Pop.* Num tiroteio, bala que não atinge nenhum dos alvos ou não vai na direção deles e eventualmente atinge coisa ou pessoa que não estava sendo visada **Como uma ~** *Fig.* Com muita rapidez, presteza ou agilidade: *Saiu correndo como uma bala* **Cuspindo ~** 1 *N.E. Pop.* Embriagado 2 Muito irritado; uma bala. **Mandar ~** 1 *Bras. Pop.* Atirar, abrir fogo contra alguém 2 *Bras. Fig.* Dirigir acusações ou ofensas contra alguém 3 *Bras. Pop. Fig.* Dedicar-se a uma atividade com energia e afinco 4 *Bras. Pop.* Em jogos como futebol, vôlei, tênis etc., acertar a bola com força em chute contra o gol, cortada, saque etc. **Ter ~ na agulha** *Bras. Pop.* Ter dinheiro, recursos; ter capacidade para obter ou realizar algo que parece inacessível, difícil, perigoso **Uma ~** *Gír.* Furioso, em grande irritação; cuspindo bala: *Ficou uma bala quando percebeu que o haviam enganado.*

balaclava (ba.la.*cla*.va) *sf.* Espécie de capuz de diversos tecidos (algodão, microfibra, elastano, tecido antifogo etc.), que cobre de modo anatômico a cabeça até os ombros, com abertura dupla para cada um dos olhos, ou única, para os olhos ou todo o rosto, us. como proteção ger. por pilotos de corrida, bombeiros, alpinistas e esquiadores e, como disfarce, por militares em campanha e policiais em serviço; NINJA; TOUCA NINJA [F.: Do top. *Balaclava*, cidade da Crimeia.]

balaço (ba.*la*.ço) *sm.* 1 *Arm.* Grande bala; BALÁZIO 2 *Arm.* Tiro de bala; BALÁZIO 3 *Fut.* Chute violento e preciso na bola [Aum. irreg. de *bala.*] [F.: *bala* + *-aço.*]

balacobaco (ba.la.co.*ba*.co) *sm.* 1 *Bras. Pop.* Virtude, esp. beleza, fora do comum 2 Farra, festa animada e barulhenta: "Ando mesmo contente... os trabalhos da barra foram para o balacobaco." (Jorge Amado, *Gabriela, cravo e canela*) [F.: Segundo Nei Lopes, pode vir da interj. do ronga *mba'laku!*] ■ **Do ~** Excelente, ótimo (coisa ou pessoa): *A festa foi do balacobaco; Que sujeito do balacobaco!*

balada[1] (ba.*la*.da) *sf.* 1 *Poét.* Poema popular, originário dos países nórdicos, que narra um acontecimento real ou fabuloso 2 *Poét.* Poema de origem francesa medieval (séc. XIV), ger. composto por três estrofes de oito ou dez versos, terminadas pelo mesmo verso e seguidas de uma oferta ou ofertório (quadra ou quintilha de encerramento que identifica a pessoa a quem o poeta dedica o poema) que repete as rimas e o último verso de cada parte 3 *Mús.* Canção popular, de natureza romântica ou sentimental, que possui ritmo lento e melodia simples, acompanhada por conjuntos de instrumentos modernos, como guitarra, teclado etc.: *as baladas de Elvis Presley.* 4 *Mús. Poét.* Composição poética de caráter narrativo, outrora acompanhada por instrumentos musicais e dançada 5 *Mús.* Composição exclusivamente instrumental, de forma livre, comum entre os compositores românticos do século XVIII 6 *Dnç.* Dança executada com esse fundo musical 7 *Bras. Gír.* Divertimento noturno dos centros urbanos (ger. bares, danceterias, *shows*): *sair para a balada.* 8 *Bras.* Casa noturna com bar e pista para dançar ao som de música gravada, ger. selecionada e comandada por um DJ; danceteria; discoteca: *lista das mais variadas baladas de São Paulo.* [F.: Do provç. *ballada.*]

balada[2] (ba.*la*.da) *sf. Pirot.* Grão feito de misturas de produtos químicos, expelido pelo bastão ou pela pistola de fogo de artifício [F.: *bala* + *-ada*[2].]

baladeira (ba.la.*dei*.ra) *sf. AC a PE* Atiradeira, estilingue [F.: De *bala* + *-deira.*]

baladista (ba.la.*dis*.ta) *s2g.* Compositor ou cantor de baladas (baladista romântico) [F.: De *balad(a)* + *-ista.*]

balafom (ba.la.*fom*) *sm. Mús.* Certo instrumento musical, formado por tabuinhas de madeira que se percutem com martelos ou baquetas, similarmente a um xilofone, ressoando o som de cada uma numa cabaça disposta sob ela [F.: De dialeto nigero-congolês (*bala* 'instrumento' + *fo* 'tocar'), pelo fr. *balafon.*]

balaiada (ba.lai:*a*.da) *sf. Bras. Hist.* Rebelião de inspiração liberal, ocorrida no Maranhão entre 1838 e 1841, liderada pelos 'balaios', e que acabou sufocada pelas forças imperiais [Us. com inicial maiúscula.] [F.: De *balai(o)* + *-ada.*]

balaio (ba.*lai*:o) *sm.* 1 Cesto grande de palha, junco, bambu ou cipó, cuja boca ger. é mais larga do que o fundo; CANASTRA; PATUÁ 2 *Bras.* As nádegas, os quadris, ger. quando volumosos; ANCAS; PANDEIRO 3 *Bras.* Refeição ligeira para se levar em jornada; FARNEL; MATULA; MERENDA 4 *RS* Antiga dança, espécie de fandango, originalmente dançada pelos negros; BAMBAQUERÊ [F.: De or. gaulesa, pelo fr. *balai.*]

balaio de gatos (ba.lai:o de *ga*.tos) *Bras. Pop. sm.* 1 Tumulto envolvendo muitas pessoas; ROLO 2 Grupo ou associação onde predomina a confusão: *A fusão dos dois partidos vai gerar um balaio de gatos.* 3 Reunião de coisas díspares, heterogêneas; MISCELÂNEA; MIXÓRDIA 4 Situação confusa, bagunça [Pl.: *balaios de gatos.*]

balalaica (ba.la.*lai*.ca) *sf.* 1 *Mús.* Espécie de bandolim russo de três cordas, com caixa de ressonância triangular, braço longo, dedilhado com ou sem palheta, muito us. na música popular russa 2 *Moç. Vest.* Camisa masculina de tecido leve com dois ou quatro bolsos

balança (ba.*lan*.ça) *sf.* 1 Instrumento que mede e indica numericamente o peso de corpos ou de porções de substâncias 2 Instrumento mecânico us. para comparar pesos, e que consiste em dois pratos pendurados nas duas extremidades de uma barra horizontal, a qual é sustentada por um suporte vertical de modo a poder oscilar, indicando assim em qual dos pratos há um peso maior; a barra permanece na horizontal quando os objetos colocados nos dois pratos têm o mesmo peso 3 *P. ext. Elet.* Instrumento que mede forças elétricas ou magnéticas 4 *Fig.* Capacidade de julgar, avaliar e agir adequadamente; equilíbrio, ponderação 5 Comparação direta, para observar diferenças; CONFRONTAÇÃO; COTEJO 6 O mesmo que *libra* 7 *Eletrôn.* Potenciômetro destinado a equilibrar os níveis sonoros em um sistema estereofônico 8 *Hip.* Certo passo cadenciado da montaria 9 *Hip.* Espécie de estribo curto para apoio apenas dos dedos 10 *Icon.* Símbolo da justiça [F.: Do lat. *bilanx*, pelo lat. vulg. *bilancia*, e cast. *balanza.* Hom./Par.: *balança, Balança* (sf. s2g.), *balança* (fl. de *balançar*).] ■ **~ analítica** *Fís.* Instrumento us. ger. em laboratório para pesagem de precisão, com dois braços de cujas extremidades pendem os pratos nos quais se colocam as cargas, com sensores sensíveis para a medição e um mostrador eletrônico **~ comercial** *Econ.* Registro das importações e exportações de um país em determinado período, para acompanhamento estatístico e cálculo do saldo monetário: *A balança comercial registrou saldo positivo em todos os meses do ano* **~ de Arquimedes** *Fís.* Instrumento que serve para demonstrar o princípio de Arquimedes **~ de Coulomb** *Elet.* Balança us. para medir, mediante torção, a força entre duas cargas elétricas **~ de Jolly** *Fís.* Balança hidrostática de mola us. para medir densidade relativa de minerais **~ de mola** *Fís.* Designação de vários instrumentos em que se emprega uma mola cuja força elástica é calibrada para resistir à massa do corpo que se quer pesar; o corpo é preso a uma das extremidades da mola e a distensão desta indica o peso (proporcional à massa) **~ de pagamentos** Ver *balanço de pagamentos* **~ de torção** Balança sensível us. para medir uma força pequena, a partir da medida do torque aplicado por essa força a um fio ou fibra torcidos **~ de Westphal** *Fís.* Instrumento us. na determinação da massa específica de um líquido, ou sua densidade **~ eletrônica** Balança que usa sensores eletrônicos para determinar o peso de um corpo **~ gravimétrica** *Fís.* Instrumento que mede a ação da gravidade terrestre **~ hidrostática** *Fís.* Balança que mede o empuxo que sofre um corpo ou amostra quando mergulhados num fluido, e us. para determinar sua densidade relativa por comparação com o peso na atmosfera **~ magnética** 1 *Fís.* Balança que usa um dispositivo magnético de amortecimento 2 Balança que mede a força de interação que atua entre dois corpos magnetizados **~ semiautomática** *Fís.* Balança analítica na qual os pesos de medição podem ser colocados em um de seus pratos mediante um mecanismo operado manualmente

balançado (ba.lan.*ça*.do) *sm.* 1 Modo peculiar de balançar o corpo ao andar ou dançar: "... moça do corpo dourado/ do sol de Ipanema/ O seu balançado / é mais que um poema..." (Tom Jobim e Vinícius de Moraes, *Garota de Ipanema*) *a.* **2** Que se moveu de um lado para o outro (galhos balançados pelo vento) **3** *Fig.* Abalado, afetado (casamento balançado; economia balançada pela crise) **4** Que se sente atraído ou tentado por algo ou por alguém: *Ficou balançado pelas excelentes ofertas; Sentiu-se balançado pela beleza da morena.* [F.: De *balanç(ar)* + *-ado.*]

balançante (ba.lan.*çan*.te) *a2g.* Que balança ou faz balançar (rede/ritmo balançante); BALANGANTE [F.: De *balança(r)* + *-nte.*]

balançar (ba.lan.*çar*) *v.* **1** Mover(-se) de um lado para o outro; fazer oscilar ou oscilar; BALANCEAR(-SE); BALOUÇAR(-SE) [*td.: Balançava o filho para que adormecesse; Pendurou-se num galho e começou a se balançar.*] [*int.: A turbulência fez o avião balançar assustadoramente.*] **2** *Mar.* Pôr-se em balanço (embarcação), em virtude da ação das vagas; JOGAR [*int.: Este bote balança muito.*] **3** Equilibrar(-se), compensar(-se), balancear(-se) [*td.: A bondade balança o seu jeito rude.*] [*tdr.* + *com: balançar uma repreensão com um elogio.*] [*tr.* + *com: Seus temperamentos se balançam.*] **4** *Fig.* Mostrar-se indeciso, hesitante; VACILAR [*int.: Diante da proposta do outro clube, o atleta balançou.*] [*tr.* + *entre, em: Balancei entre sair e ficar; Não balança em suas opiniões.*] **5** Examinar por comparação; balancear [*td.: Balançou benefícios e efeitos colaterais do medicamento.*] **6** *Fig.* Causar impacto a; ABALAR; AFETAR; DESESTABILIZAR [*td.: Essa revelação balançou muito a família.*] **7** *Cont.* Conhecer a diferença entre ativo e passivo; fazer o balanço de; BALANCEAR [*td.: Durante a reunião, o contador da firma balançou o crédito e o débito do semestre.*] [▶ **12 balançar**] [F.: *balança* + *-ar*[2]. Hom./Par.: *balanço* (fl.), *balanço* (sm.); *balança(s)* (fl.), *balança(s)* (sf. [pl.]); *balance(s)* (fl.), *balancê(s)* (sm. [pl.]).]

balancê (ba.lan.*cê*) *sm.* **1** *Dnç.* Passo de dança comum na quadrilha, e que consiste em balançar o corpo sem movimentar os pés; BALANCEIO **2** *Fig.* Agitação mental provocada pela evocação de alguma lembrança especial: "Mas pela astúcia que têm certas coisas passadas – de fazer balancê, de se remexerem dos lugares." (Guimarães Rosa, *Grande sertão: veredas*) **3** *Ant.* O mesmo que *balancim* (3 e 4) [F.: Do fr. *balancé.* Hom./Par.: *balancê* (sm.), *balance* (fl. de *balançar*).]

balanceado (ba.lan.ce.*a*.do) *a.* **1** Que contém os nutrientes necessários em quantidades adequadas (refeição balanceada; cardápio balanceado; dieta balanceada) **2** Cujos componentes ou partes estão presentes em proporções adequadas ou satisfatórias: *O show é eclético, mas o repertório é balanceado.* **3** Em que há equilíbrio e estabilidade; cujo peso está simétrica ou regularmente distribuído (rodas balanceadas) **4** Que está na iminência de falir **5** *S.* Um tanto amalucado, aloucado **6** *S.* Diz-se do cavalo bem amestrado *sm.* **7** Balanceio, gingado [F.: Part. de *balancear.*]

balanceamento (ba.lan.ce.a.*men*.to) *sm.* **1** Ação ou resultado de balancear(-se) **2** *Mec.* Distribuição uniforme do peso de um sistema de rotação de forma a situar o centro de gravidade do conjunto no eixo de rotação ou de forma que as forças de inércia se compensem **3** *Autom.* Procedimento que visa equilibrar as rodas do veículo para aumentar sua estabilidade [F.: *balancear* + *-mento.*] ■ **~ de rodas** *Bras. Mec.* Regulagem da distribuição de peso em cada roda de um veículo, para dar-lhe estabilidade e dirigibilidade

balancear (ba.lan.ce.*ar*) *v.* **1** Tornar equilibrado [*td.: balancear a alimentação.*] **2** O mesmo que *balançar* (1, 3, 5, 7) **3** *Autom.* Equilibrar (rodas, pneus) para dar-lhes melhor estabilidade e segurança [*td.*] **4** *Quím.* Determinar os valores dos coeficientes de (uma equação) de modo a satisfazer certas condições [*td.*] **5** *Eletrôn.* Tornar (um sinal) eletricamente simétrico e idêntico em relação a outro tomado como referência [*td.*] [▶ **13 balancear**] [F.: *balança* + *-ear*[2]. Hom./Par.: *balanceio* (fl.), *balanceio* (sm.).]

balanceio (ba.lan.*cei*:o) *sm.* **1** *S.* Ação ou resultado de balancear; BALANCEAMENTO **2** *N.E.* Dança originada dos passos típicos dos integrantes de conjuntos de baião [F.: De *balanç(o)* + *-eio.*]

balanceiro (ba.lan.*cei*.ro) *sm.* **1** Peça de madeira ou de metal, que tem movimento oscilatório destinado a transmitir ou a regular outro movimento; BALANCIM *sm.* **2** Indivíduo encarregado de pesar mercadorias em armazéns ou cana em usinas [F.: De *balanç(a)* + *-eiro.*]

balancete (ba.lan.*ce*.te) [ê] *sm.* **1** *Cont.* Balanço parcial das finanças de uma empresa, resumo do balanço geral ou anual **2** *Fig.* Cálculo, avaliação **3** *Cont.* Levantamento dos saldos credores e devedores de uma empresa [F.: *balança* + *-ete.*]

balancim (ba.lan.*cim*) *sm.* **1** *Tec.* Peça de movimento oscilatório que transmite movimento a outras peças de uma máquina; BALANCEIRO **2** *Mec.* Componente do sistema de distribuição mecânica do motor que auxilia no acionamento das válvulas; BALANCEIRO **3** Antiga prensa de cunhar moedas, por meio do choque súbito de uma peça móvel contra uma mesa fixa onde se depositava o metal; BALANCÊ **4** Qualquer prensa semelhante us. para cortar, moldar, estampar em relevo etc; BALANCÊ **5** *S.* Peça de madeira ou metal, onde seguram os tirantes, para atrelagem de animal **6** *S.* Porteira de travessas verticais seguras por fios de arame no sentido horizontal [Pl.: *-cins.*] *smpl.* **7** *Mar.* Cabos que se amarram às pontas das vergas, para mantê-las direitas ou abaixá-las do lado de onde vem o vento [F.: Do cast. *balancín.*]

balanço (ba.*lan*.ço) *sm.* **1** Ação ou resultado de balançar(-se) **2** Movimento alternativo em sentidos opostos; OSCILAÇÃO; VAIVÉM: *Enjoou com o balanço do barco.* **3** Oscilação natural do corpo ao andar; MENEIO; REQUEBRO; REQUEBRADO: "... Num doce balanço a caminho do mar" (Tom Jobim e Vinícius de Morais, *Garota de Ipanema*) **4** Brinquedo que consiste em um assento suspenso por cordas ou correntes presas a um suporte no alto, em que a criança se senta, e que oscila com o impulso do corpo; BALOUÇO **5** *Mús.* Ritmo e andamento característicos de certo tipo de música ou da forma usual de executá-la (p. ex., para dançar): *Tocou uma valsa com balanço de bolero.* **6** Exame minucioso de uma situação, esp. para avaliar a relação ou proporção entre seus vários aspectos, entre pontos positivos e negativos etc; ANÁLISE: *um balanço das realizações do governo:* "Depois de um balanço sobre as possibilidades de triunfo dos liberais..." (Luís Viana Filho, *A vida de Rui Barbosa*) **7** Análise comparativa: *O estudo faz um balanço entre rigor e liberdade.* **8** Relação de equilíbrio; boa proporção entre coisas distintas ou opostas: *o time buscou um balanço entre a defesa e o ataque.* **9** *Cont.* Verificação ou resumo das contas de um estabelecimento, para análise do resultado dos negócios **10** *Cont.* Apuração da receita e da despesa **11** *Cont.* Registro contábil da situação do patrimônio de uma organização, por meio de seu passivo (contas que indicam a origem dos bens) e de seu ativo (contas que indicam a aplicação desses bens), em um período determinado; AVANÇAMENTO **12** *Arq.* Projeção de uma estrutura pesada para além das paredes externas ou pilastras de um edifício **13** *Eletrôn.* Equilíbrio entre os diferentes canais de som em uma aparelhagem de reprodução, gravação ou transmissão sonora [F.: Masc. de *balança.*] ■ **~ de pagamentos** *Econ.* Nas relações comerciais entre países ou praças econômicas, diferença entre os valores dos pagamentos e os dos recebimentos feitos (com mercadorias, fretes, serviços, impostos, juros etc.) em determinado período

balanço-d'água (ba.lan.ço-*d'á*.gua) *sm. Biol.* Relação entre a absorção e a eliminação de água processada por um ser vivo; EQUILÍBRIO HÍDRICO [Pl.: *balanços-d'água.*]

balançoso (ba.lan.*ço*.so) [ô] *sm. RS* Movimento de balanço bem amplo: "...Num dos balançosos, o macaco prendeu-se a um galho forte de uma enorme sucupira..." (João Simões Lopes Neto, *Casos do Romualdo*) [Pl.: *ó.* Fem.: *ó*] [F.: De *balanç(o)* + *-oso.*]

balandrau (ba.lan.*drau*) *sm.* **1** *Antq.* Vestimenta com capuz e mangas largas abotoada na frente: "... sai dom Gil como de por casa, gualteira, balandrau e chinelas..." (Francisco Manuel de Melo, *O fidalgo aprendiz*) **2** Opa us. por religiosos **3** Espécie de capa us. pelos maçons **4** *RS* Poncho leve com franjas: "... por debaixo do seu balandrau remendado..." (João Simões Lopes Neto, *Lendas do Sul*) **5** *Fig.* Pessoa ou roupa desajeitada **6** *N.E. Pop.* O mesmo que *sobretudo* **7** *Bras. Pop.* O mesmo que *sobrecasaca* **8** *S Ant.* O mesmo que *pala* (4) [F.: De origem controvertida, talvez do lat. medieval *balandrana.*]

balangandã (ba.lan.gan.*dã*) *sm.* **1** *Bras.* Penduricalho (com formato de conta, figa, medalha, cruz, animal etc.) que se junta a outros para formar um conjunto que pende de colar, broche, pulseira etc., us. pelas baianas em dias festivos e tb. como joia ou bijuteria **2** *P. ext.* Qualquer tipo de penduricalho us. como ornamento [Mais us. no pl.] [F.: De or. onom.]

balangar (ba.lan.*gar*) *v.* Oscilar, balançar(-se), mover(-se) de um lado para o outro; BALOUÇAR(-SE) [*td.: Sentado no muro, balangava as pernas.*] [*int.:* "... balangando no beiço furado pendia a muiraquitã." (Mário de Andrade, *Macunaíma*)] [▶ **1 balangar**] [F.: De or. obsc., posv. relacionado com *balangandã.*]

balanífero (ba.la.*ní*.fe.ro) *a. Bot.* Que tem glande ou bolota [F.: *balan(o)-* + *-fero.*]

◎**balan(o)-** *el. comp.* = 'glande'; (*bot.*) 'bolota'; (*anat. urol.*) 'cabeça do pênis': *balanífero, balanoplastia, balanopostite* [F.: Do gr. *bálanos, ou.*]

bálano (*bá*.la.no) *sm.* **1** *Anat.* A cabeça do pênis; GLANDE **2** *Zool.* Denominação comum às cracas do gên. *Balanus*, como a craca da sp. *Balanus amphitrite*, encontrada no litoral brasileiro [F.: Do lat. *Balanus.*]

balanoplastia (ba.la.no.plas.*ti*:a) *sf. Cir. Urol.* Reparação ou restauração da glande [F.: *balan(o)-* + *-plastia.*]

balanopostite (ba.la.no.pos.*ti*.te) *sf. Urol.* Inflamação da glande (cabeça do pênis) e do prepúcio [F.: *balan(o)-* + *postite.*]

balão (ba.*lão*) *sm.* **1** *Aer.* Aeróstato ger. de forma esférica, us. como transporte e em medições atmosféricas, meteorológicas etc. **2** Artefato de papel fino, de formas variadas, que se faz subir, ger. nas festas juninas, por força do ar quente produzido em seu interior por buchas acesas **3** Artefato de borracha ou de plástico, em forma de pequeno saco, que se enche de ar ou de um gás mais pesado que o ar e adquire formas diversas (de esfera, pera, salsicha, coração etc.), us. em decoração de festas e como brinquedo infantil; BALÃO DE GÁS; BEXIGA; BOLA DE GÁS **4** Nas histórias em quadrinhos e fotonovelas, espaço arredondado com uma ponta alongada ou bolinhas na direção de cada personagem, e que contém as falas ou pensamentos deles **5** *Fut.* Jogada em que a bola é lançada por cima da cabeça do adversário e recuperada em seguida pelo jogador que a lançou **6** *Quím.* Frasco esférico, com um ou mais gargalos, us. para diversas operações **7** Qualquer objeto esférico; BOLA; ESFERA; GLOBO **8** *Bras.* Ponto ou trecho de uma rua ou estrada onde os veículos manobram para retornar; RETORNO **9** *Bras.* Montão cônico, formado por camadas de lenha ou madeira, entremeadas de terra, e que tem um buraco no vértice por onde se lança o fogo para fabricar carvão, ger. no mesmo lugar onde se corta a madeira; CAIEIRA; CARVOEIRA **10** *Pop.* Notícia falsa ou exagerada **11** *Esp.* Em lutas corporais, golpe que consiste em lançar o adversário por cima do próprio corpo [Pl.: *-lões.*] [F.: Do fr. *ballon.*] ■ **~ cativo** **1** Balão contendo hélio ou hidrogênio, preso à terra por um cabo, us. como barragem aérea ou para observações militares **2** Mesmo tipo de balão acima, us. para fins de publicidade **~ de anestesia** *Med.* Espécie de bolsa de borracha presa a máscara que cobre nariz e boca de um paciente, para recolher sua expiração ou ministrar gás para sua inspiração **~ de oxigênio** *Pop. Med.* Cilindro de aço-carbono munido de válvula de controle, medidor de fluxo e máscara, que contém oxigênio, us. para auxiliar a oxigenação de pacientes com dificuldade respiratória **~ dirigível** Aeróstato, grande balão cheio da gás mais leve que o ar, munido de motor(es) de propulsão a hélice e de sistemas de direção, us. como meio de transporte, publicidade etc. **~ japonês** Balão de papel de pequenas dimensões, que cai quando sua bucha de cera se apaga

balão de ensaio (ba.lão de en.*sai*.o) *sm.* **1** Pequeno balão us. para verificar a direção dos ventos, p. ex. antes de fazer subir um balão maior com carga ou passageiros **2** *Fig.* Experiência para verificar uma hipótese, ou testar a exequibilidade de um plano ou projeto; ENSAIO; TENTATIVA **3** Recipiente de vidro em formato de balão (gargalo estreito e corpo esférico), us. em experiências de laboratório **4** *Fig.* Boato divulgado para sondar as tendências da opinião pública [Pl.: *balões de ensaio.*]

balão-sonda (ba.lão-*son*.da) *sm. Met.* Balão que transporta aparelhos meteorológicos para sondagens nas altas camadas da atmosfera [Pl.: *balões-sondas.*]

balar (ba.*lar*) *v. int.* Dar balidos (a ovelha ou o cordeiro); BALIR: "A rês que está dentro balando de fome." (Camilo Castelo Branco, *Santo da montanha*) [▶ **1 balar** V. defec., ger. só empregado nas 3ªs. pessoas, exceto no sentido fig.] [F.: Do lat. *balare.*]

balastraca (ba.las.*tra*.ca) *sf. Bras.* **1** *Num. Hist.* Antiga moeda de prata de 400 réis (nome dado à peseta ou patacão argentino ou uruguaio) [Por falta de moeda divisionária durante a Guerra do Paraguai, foi cortada em duas ou quatro partes para servir de troco.] **2** Patacão argentino ou uruguaio [F.: Or. obsc.]

balata (ba.*la*.ta) *sf.* **1** *Bot.* Designação comum a várias árvores da família das sapotáceas que fornecem látex e madeira arroxeada us. na construção civil e naval **2** O látex dessa planta [F.: Do caribenho insular *balatá.*]

balaustrada (ba.la.us.*tra*.da) *sf.* **1** *Arq.* Fileira de balaústres formando um corrimão, parapeito ou grade para servir de anteparo ou fechar um recinto **2** *P. ext.* Qualquer corrimão, parapeito ou grade, com ou sem balaústres [F.: Do it. *balaustrata.*]

balaústre (ba.la.*ús*.tre) *sm.* **1** *Arq.* Cada uma das pequenas colunas, ger. bojudas no meio e semelhantes a colunas arquitetônicas maiores, que sustentam um corrimão de escada ou parapeito de sacada, terraço, ponte etc. **2** *Arq.* A parte lateral da voluta do capitel jônico **3** Haste vertical, ger. de metal, presa ao chão e ao teto de veículo coletivo (como bonde, ônibus etc.), para apoio do passageiro, ao embarcar e desembarcar **4** Peça de móvel, em forma de balaústre (1); esp. cada uma das pequenas colunas torneadas que compõem o espaldar de cadeira ou a cabeceira de cama **5** Parte mais grossa ao meio da haste ou do pé de alguns candelabros e lustres **6** *Mob.* Cada uma das colunas que suportam o dossel do leito [Dim.: *balaustrilho*] [F.: Do it. *balaustra.* Hom./Par.: *balaústre* (sm.), *balaustre* (fl. de *balaustrar*) Col.: balaustrada.]

balázio (ba.*lá*.zi:o) *sm.* **1** Grande bala (de projétil) **2** Tiro certeiro de arma de fogo [Sin. ger.: *balaço.* F.: *bala* + *-ázio.*]

balbuceio (bal.bu.*cei*:o) *sm.* **1** Ação ou resultado de balbuciar, de gaguejar (balbuceio ansioso da criança) **2** *Fig.* Primeira experiência; INICIAÇÃO: "... que tecnicamente falando, é um rascunho, um balbuceio do que futuramente viria a ser o cinema..." (*Correio Braziliense*, 8.03.03) [Sin. ger.: *balbucio.* F.: De *balbuciar.*]

balbuciação (bal.bu.ci:a.*ção*) *sf.* Ação ou resultado de balbuciar; BALBUCIAMENTO; BALBUCIO [Pl.: *-ções.*] [F.: De *balbuciar* + *-ção.* Sin. ger.: *balbucei balbucio.*]

balbuciante (bal.bu.ci:*an*.te) *a2g.* **1** Que balbucia, que hesita na pronunciação ou na fala (voz balbuciante, criança balbuciante) **2** Feito por meio de balbucios: *a comunicação balbuciante dos bebês.* **3** *Fig.* Tímido, inseguro, hesitante: *Sua resposta balbuciante não nos convenceu; O presidente se manifestou de modo balbuciante.* **4** *Fig.* Iniciante; experimental: *movimento social ainda balbuciante.* [F.: *balbucia(r)* + *-nte.*]

balbuciar (bal.bu.ci.*ar*) *v.* **1** Articular (sons, palavras) de modo imperfeito ou confuso; GAGUEJAR [*td.: O doente balbuciou alguns nomes.*] [*int.: A criança ainda não sabia falar, por isso só balbuciava.*] **2** Exprimir com hesitação ou dizer confusamente por timidez, ignorância ou comoção [*td.: Agradeceu, emocionado, balbuciando um 'muito obrigado'.*] **3** *Fig.* Falar sobre (algum assunto) de modo confuso e sem conhecimento suficiente [*td.: Sem estar inteirado da crise política, balbuciou sua opinião.*] [*int.: Como não sabia responder, apenas balbuciava.*] [▶ **1 balbuciar**] [F.: Do lat. vulg. **balbutiare.* Hom./Par.: *balbucio* (fl.), *balbucio* (sm.); *balbucie(s)* (fl.), *balbúcie(s)* (sf. [pl.]).]

balbúcie (bal.*bú*.ci:e) *sf.* Modo de falar de quem balbucia, ger. por encontrar dificuldade em pronunciar as palavras;

BALBUCIÊNCIA: *A balbúcie de quem está emocionado.* [F.: De *balbuciar*.]

balbucio (bal.bu.*ci*:o) *sm.* **1** Ação ou resultado de balbuciar; BALBUCIAÇÃO; BALBUCIAMENTO **2** *Fig.* Modo de falar de quem balbucia; fala hesitante; BALBUCIAÇÃO; BALBUCIAMENTO **3** *Ling. Psic.* Uma das etapas no processo de aquisição da língua materna, que vai dos três aos seis meses de idade, aproximadamente: *O balbucio é considerado o início da atividade de linguagem oral.* **4** *Fig.* Início, sinal: *um balbucio de primavera.* [F.: Regress. de *balbuciar*. Hom./Par.: *balbucio* (sm.), *balbucio* (fl. de *balbuciar*).]

balbúrdia (bal.*búr*.di:a) *sf.* **1** Barulho de muitas vozes juntas; ALGAZARRA; VOZERIO: "Os chefes tinham apeado dos cavalos, e os homens todos, em balbúrdia..." (Guimarães Rosa, *Grande sertão: veredas*) **2** Tumulto, confusão, pandemônio [F: De or. obsc. Hom./Par.: *balbúrdia* (sf.), *balburdia* (fl. de *balburdiar*).]

balburdiar (bal.bur.di.*ar*) *v.* **1** Causar balbúrdia (em); ALGAZARRAR; TRANSTORNAR; TUMULTUAR [*td.*: *Os penetras balburdiaram a festa.*] [*int.*: *No recreio, as crianças balburdiaram demais.* Ant.: *acalmar, pacificar.*] **2** Tornar confuso; CONFUNDIR; EMBARALHAR; MISTURAR [*td.*: *A pergunta balburdiou minha mente.* Ant.: *ordenar, organizar.*] [▶ **1** balburdiar] [F.: *balbúrdia* + *-ar*[2]. Hom./Par.: *balburdia(s)* (fl. de *balburdiar*), *balbúrdia(s)* (sf. [pl.]).]

balcânico (bal.*câ*.ni.co) *sm.* **1** Pessoa nascida nos Balcãs (ou Bálcãs) *a.* **2** Dos Balcãs (ou Bálcãs); típico dessa península do Sudeste da Europa ou de seu povo [F.: De *Balcãs* (ou *Bálcãs*).]

balcanização (bal.ca.ni.za.*ção*) *sf.* Ação ou resultado de balcanizar(-se), de fragmentar(-se) (uma região, estado, país) em unidades menores: *A Amazônia está ameaçada de balcanização.* [Pl.: *-ções.*] [F.: De *balcaniza(r)* + *-ção*.]

balcanizar (bal.ca.ni.*zar*) *v. td.* **1** Dividir (região, país) em vários territórios, ger. hostis entre si: "... os Estados Unidos querem 'balcanizar' a região para controlá-la melhor..." (*Folha Online*, 30.08.2002) **2** Fragmentar, fracionar, dividir [Ant.: *juntar, compor, unir.*] [▶ **1** balcanizar] [F.: Do top. *Bálcã(s)* + *-izar*, segundo o modelo vernáculo.]

balcão (bal.*cão*) *sm.* **1** Em lojas, bares etc., espécie de mesa ou bancada, ger. alta, estreita e alongada, que separa fregueses e funcionários, junto à qual é feito o atendimento (ger. de pé), e que é às vezes us. para guardar ou expor mercadorias em seu interior **2** Mesa alta em repartições, aeroportos etc. onde é feito o atendimento ao público: *balcão de informações; o balcão da companhia aérea.* **3** *Arq.* Prolongamento exterior de um andar (não térreo) de casa ou edifício, dotado de resguardo e com largura suficiente para dele ter-se uma visão mais ampla do exterior; SACADA; VARANDA **4** *Teat.* Parte de um teatro construída como uma espécie de balcão (3) acima das cadeiras que ficam ao nível do palco; esp. o setor entre a plateia e as galerias [Pl.: *-cões.*] [F.: Do it. *balcone.* Col.: *balconagem.*] ■ **~ nobre** Nos teatros, área de cadeiras no primeiro piso, logo acima da plateia, no mesmo nível dos camarotes **~ simples** Nos teatros, área de cadeiras no piso entre o do balcão nobre e o da galeria

balconista (bal.co.*nis*.ta) *s2g. Bras.* Funcionário que atende clientes de estabelecimento comercial ao balcão, podendo também ser responsável por controlar o estoque, conferir, arrumar e etiquetar mercadorias etc. [F.: *balcão* + *-ista*, seg. o mod. erudito.]

balda (*bal*.da) *sf.* **1** Defeito, falta habitual; FRACO: "...Tens a balda de escrever meditações..." (Camilo Castelo Branco, *Amor de salvação*) **2** *Lud.* Carta que se joga à mesa por não possuir valor para o jogo [F.: De *balde*.] ■ **Dar ~s** *Lus.* Desculpar-se **Dar na ~ (de alguém)** *Lus.* Descobrir ou atingir o ponto fraco (de alguém) **Levar pela ~** *Lus.* Influenciar (alguém) explorando seu ponto fraco

baldado (bal.*da*.do) *a.* Sem resultado; FRUSTRADO; INFRUTÍFERO; MALOGRADO: "Fez todo o possível para casar com ele, mas foram baldados os seus esforços..." (Aluísio Azevedo, *O mulato*) [Ant.: *bem-sucedido*] [F.: Part. de *baldar*.]

baldaquim (bal.da.*quim*) *sm.* Ver *baldaquino* [Pl.: *-quins.*]

baldaquino (bal.da.*qui*.no) *sm.* **1** Dossel com cortinas, sustentado por quatro colunas ou hastes, fixo ou portátil, que guarnece um trono, um leito, um altar, um andor etc.: "... vêm os guerreiros em triunfo, debaixo dos baldaquinos de ouro..." (Olavo Bilac, *Obra reunida*): "Até cortejos de noivos passaram, sob baldaquim..." (Guimarães Rosa, *Tutameia*) **2** *Arq.* Obra de arquitetura em forma de coroa sustentada por colunas [Pl.: *-quins.*] [F.: Do it. *baldacchino.* Tb. *baldaquim.*]

baldar (bal.*dar*) *v. td.* **1** Tornar baldo, baldado, inútil, ou ser ineficaz; MALOGRAR(-SE); ANULAR(-SE); FRUSTRAR(-SE) [*td.*: *A seca baldou os esforços dos lavradores.*] [*int.*: *Todo o trabalho baldou-se.*] **2** Lançar mão de (algo) sem obter o resultado esperado [*td.*: *Baldou súplicas, mas não foi perdoado.*] **3** *Lud.* No carteado, retirar ou pôr de lado (uma ou mais cartas); DESCARTAR-SE [*tr.* + *de*: *baldar-se de copas.*] **4** *Lus. Pop.* Não estar presente; ir-se embora [*int.*: *Como já era tarde, baldou-se.*] **5** *Lus. Pop.* Demonstrar desinteresse [*tr.* + *por*: *baldar-se pelo que os outros dizem.*] **6** *Lus. Pop.* Negar-se, opor-se a [*tr.* + *a*: *Como não recebeu incentivo, baldou-se a esforçar-se.*] [▶ **1** baldar] [F.: Do ár. *bâtal* 'inútil' + *-ar*[2]. Hom./Par.: *balda(s)* (fl.), *balda(s)* (sf. [pl.]); *balde(s)* (fl.), *balde(s)* (sm. [pl.]); *baldo* (fl.), *baldo* (a. sm.).]

balde (*bal*.de) *sm.* **1** Recipiente de madeira, metal ou plástico, mais largo na borda do que na base, provido de alça, us. para tirar, conter e carregar líquidos e outros materiais, como argamassa, areia etc. **2** Qualquer recipiente com esse formato, esp. quando relativamente grande (*balde de pipoca*) **3** *Fig. Joc.* Copo, xícara, taça etc. de tamanho maior que o habitual e/ou muito cheio; grande quantidade: *Tomei um balde de café e trabalhei a noite toda.* **4** Recipiente us. no comércio de tintas, com capacidade para 18 litros **5** *N.E.* Barragem de açude **6** *N.E.* Pipa (2) cujo perfil imita um balde [F.: De or. contrv. Hom./Par.: *balde* (sm.), *balde* (fl. de *baldar*).] ■ **Chutar o ~** Abandonar intempestivamente uma tarefa, atividade etc., rompendo com convenções, expectativas ou compromissos

baldeação (bal.de:a.*ção*) *sf.* **1** Ação ou resultado de baldear **2** Transferência de passageiros, cargas ou mercadorias de um veículo para outro (navio, trem, caminhão, ônibus etc.), ou de uma modalidade de transporte para outra **3** Ação ou resultado de molhar ou lavar usando balde **4** *Mar.* Lavagem que se faz a bordo dos navios, atirando baldes de água ao convés e esfregando-o com vassouras **5** Faixa de terreno que circunda as salinas, e de onde se retira terra para repará-las [Pl.: *-ções.*] [F.: *baldear* + *-ção*.]

baldear (bal.de.*ar*) *v.* **1** Transferir (algo, alguém ou a si próprio) de um navio, trem, ou de qualquer veículo para outro [*td.*: *Primeiro baldeou as malas.*] [*tda.*: *baldear passageiros de um vagão para outro.*] **2** *P. ext.* Mudar(-se) de um lugar para outro; DESLOCAR(-SE); TRANSFERIR(-SE) [*tda.*: *Baldeou toda família para um lugar seguro; Baldeavam-se de um cômodo para outro sem saber onde ficar.*] [*td.*: *Como o edifício corria risco de desabamento, baldearam seus moradores.*] **3** *P. ext.* Passar (líquidos) de um recipiente para outro; TRANSVASAR; TRASFEGAR [*td. tda.*: *baldear a bebida (do tonel para as garrafas).*] **4** Tirar com balde [*td.*: *Como o temporal inundou a garagem, precisaram baldear toda aquela água.*] **5** Jogar balde de água para lavar ou molhar [*td.*: *baldear a varanda.*] **6** Sacudir, agitar de um lado para outro; BALANÇAR [*td.*] **7** *Pop.* O mesmo que *vomitar* [*td.*] **8** *Mar.* Lavar (o navio) [*td.*] **9** *P. us.* Arremessar, atirar [*tdi.* + *a, para*: *Baldeou a chave do carro para o filho.*] [▶ **13** baldear] [F.: *bald(e)* + *-ear*[2].]

baldio (bal.*di*.o) *a.* **1** Diz-se de terreno que não foi cultivado ou aproveitado **2** *Fig.* Sem valor ou préstimo; inútil, vão: *Sem alegria, toda existência há de ser baldia.* *sm.* **3** *Lus.* Terreno por cultivar, deixado sem cultura; TERRÉU [F.: *baldo* + *-io*[2].]

baldo (*bal*.do) *a.* **1** Carente, desprovido de (algo) **2** Que não foi bem-sucedido; BALDADO; MALOGRADO **3** Inútil, ocioso **4** *Lud.* Que não tem cartas de algum naipe [F.: De *balde*.]

baldoso (bal.*do*.so) [ô] *a.* Que procede debalde, que se esforça inutilmente [Pl.: *ó.* Fem.: *ó*] [F.: De *balde* + *-oso*.]

baldrame (bal.*dra*.me) *sm. Cons.* **1** Designação genérica dos alicerces de alvenaria **2** Conjunto de vigas de concreto que correm sobre qualquer tipo de fundação **3** Peça de madeira que se apoia nos alicerces de alvenaria e que recebe o vigamento do assoalho [Tb. us. como *a.*: viga baldrame.] [F.: Origem controversa.]

baldroca (bal.*dro*.ca) *sf.* **1** *Pop.* Engano fraudulento; TRAPAÇA; LOGRO: "... ó Bento, como com o vento, disse Brito com uma troca e baldroca de VV e BB, que denunciava sua genealogia galega..." (Aluísio Azevedo, *O mulato*) **2** *BA* Na região do São Francisco, troca de serviços ou mercadorias sem uso de dinheiro; ESCAMBO [F: Voc. expressivo. Tb. *baldroga*.]

baldroga (bal.*dro*.ga) *sf.* Ver *baldroca*

balé (ba.*lé*) *sm.* **1** Ação ou arte de representar um enredo ou tema por meio da dança e da pantomima, associadas à música; BAILADO: *A história de Romeu e Julieta é perfeita para o balé.* **2** Arte e técnica da dança, do uso preciso, harmonioso e expressivo do corpo em movimentos e posições coreografados ou improvisados; BAILADO: *aula de balé; talento para o balé.* **3** Obra ou apresentação de balé (1 e 2), em que ger. se combinam a dança e a música com elementos de outras artes e técnicas (cenários teatrais, técnicas ou aparelhos circenses, iluminação, figurinos, efeitos visuais etc.): *Fomos ao teatro ver a estreia do novo balé.* **4** Companhia ou corpo de bailarinos que fazem apresentações de balé [Ger. designa grupo de dança clássica e/ou vinculado a alguma instituição maior. Para dança moderna ou grupos independentes, us. em geral *companhia de dança*.] **5** *Mús.* Obra composta esp. para balé (1); BAILADO **6** Número de dança, em certas obras de teatro, ópera, cinema **7** Qualquer dança, obra ou companhia de bailarinos, caracterizadas por certa técnica ou tema: *balé folclórico/tradicional.* **8** *Fig.* Série de movimentos que, por sua harmonia, beleza etc. lembram uma dança [F.: Do fr. *ballet*.] ■ **~ clássico** Aquele em que os bailarinos executam uma sequência de movimentos bem definidos, e em que todos os passos começam e terminam em posições precisas; dança clássica **~ moderno** Aquele que, a partir do fim do séc. XIX, abandona as regras clássicas e explora uma forma mais livre de expressão e de movimento; dança moderna

> 🕮 A dança como forma de expressão artística surgiu na corte francesa no séc. XIV, mas só veio a se firmar como espetáculo no reinado de Luís XIV, no séc. XVII. Começou a ser sistematizado, com especificação de passos e movimentos, no séc. XVII. A primeira bailarina a dançar nas pontas dos pés foi a famosa Maria Taglione, em 1832, época áurea do balé francês (La Sylphide, Giselle, Coppelia), da sapatilha de ponta, do saiote (tutu). No fim do séc. XIX deu-se a ascensão e o domínio do balé russo, esp. as criações do coreógrafo Petipa sobre músicas de Tchaikovski (O Quebra-Nozes, O lago dos cisnes, A bela adormecida). Grandes e revolucionários coreógrafos foram também Fokine, Diaghilev e Nijinski, este também um dos maiores bailarinos da história, ao lado de Ana Pavlova, Tamara Toumanova, Margot Fonteyn, Rudolf Nureiev e Mikhail Barishnikov. O balé moderno procurou libertar-se do rigor dos movimentos e passos clássicos, dando ênfase à expressão corporal, à composição visual e ao vigor acrobático, através dos trabalhos de Isadora Duncan, Alwin Nikolais, Martha Graham, Paul Taylor, Alwyn Ailey, Twyla Tharp, George Balanchine, Maurice Béjart e muitos outros. No Brasil, são conhecidos os nomes de Tatiana Leskova, Berta Rosanova, Marcia Haydée, Ana Botafogo, Débora Colker, o Grupo Corpo, entre outros.

baleado (ba.le:*a*.do) *a.* **1** Atingido por bala ('projétil'), de modo fatal ou não **2** *Bras. Fig. Pop.* Muito cansado, exausto **3** *Bras. Fig. Pop.* Diz-se do que está em más condições; DANIFICADO **4** *Esp.* Diz-se de esportista com lesão crônica ou que não está com bom condicionamento físico **5** *Turfe* Que não está saudável (diz-se de cavalo) [F.: Part. de *balear*.]

balear (ba.le.*ar*) *v. Bras.* Atingir com bala; ferir ou matar a bala [*td.*: *O policial baleou dois bandidos.*] [*tda.* + *em*: *Baleei-me no pé acidentalmente.*] [▶ **13** balear] [F.: *bala* + *-ear*[2]. Hom./Par.: *baleia(s)* (fl.), *baleia(s)* (sf. [pl.]).]

baleárico (ba.le.*á*.ri.co) *sm.* **1** Indivíduo nascido ou que vive nas ilhas Baleares (Mediterrâneo) *a.* **2** Das ilhas Baleares; típico dessas ilhas ou de seu povo [F.: Do lat. *Balearicus, a, um*.]

baleeira[1] (ba.le.*ei*.ra) *sf.* **1** Embarcação pequena, a remo ou a vela, com proa e popa finais iguais, us. no serviço dos navios, na pesca, em salvamentos etc.: "Já arriavam uma baleeira, estavam apressados." (Guimarães Rosa, *Estas estórias*) **2** *Mar.* Bote salva-vidas de construção idêntica, que os navios trazem no convés **3** *Ant.* Navio comprido, estreito e veloz, us. na pesca da baleia [F.: *baleia* + *-eira*.]

baleeira[2] (ba.le.*ei*.ra) *sf. PB* O mesmo que *atiradeira*

baleeiro (ba.le.*ei*.ro) *sm.* **1** Pescador de baleias **2** *Mar.* Navio us. para pescar, rebocar ou localizar baleias (um grande baleeiro japonês); BALEEIRA *a.* **3** Ref. à baleia [F.: De *balei(a)* + *-eiro*. Cf.: *baleeira*.]

baleia (ba.*lei*:a) *sf.* **1** *Zool.* Denominação comum a diversas spp. de grandes mamíferos cetáceos marinhos, esp. das fam. dos balenídeos e dos balenopterídeos; são os maiores animais do mundo, têm apenas os membros anteriores, adaptados como nadadeiras, e seu corpo se assemelha ao de um peixe **2** *P. ext. Pej.* Pessoa muito gorda [É ofensivo.] **3** *Bras. Pop.* Qualquer objeto muito grande **4** *Astron.* Extensa constelação equatorial situada, na maior parte, acima do Equador, cujas estrelas são alinhadas de modo que é possível distinguir, grosso modo, o perfil do monstro marinho das cartas celestes primitivas; CETUS [Nesta acp., com inicial maiúsc.] **5** *P. us. Vest.* O mesmo que *barbatana* (3) [Dim.: (*acp. 1*) *baleota* e *baleote*. Masculino (acp. 1): *caxarela, caxarelo* e *caxaréu*. Col. (acp. 1): *baleal*.] [F.: Do lat. *balaena*. Hom./Par.: *baleia* (sf.), *baleia* (fl. de *balear*). Na acp. 1, é epiceno.]

> 🕮 O aperfeiçoamento das técnicas de pesca de baleias (arpões mecânicos, navios-frigorífico etc.) e o consequente aumento dessa atividade econômica levaram à ameaça de extinção das baleias, e à medidas internacionais de proteção. A pesca como atividade econômica foi proibida por cinco anos na década de 1980. Apesar da redução na indústria baleeira mundial, os países que a exploram violaram a proibição, e continuaram a pescar baleias.

baleiro (ba.*lei*.ro) *sm.* **1** *Bras.* Vendedor ambulante de diversos tipos de balas, chocolates etc. **2** Recipiente onde se guardam balas: *A criança olhava os baleiros de vidro, que ficavam em cima do balcão.* [F.: *bala* + *-eiro*.]

balela (ba.*le*.la) *sf. Pop.* Afirmação, declaração ou notícia falsa; dito sem fundamento; BOATO; MENTIRA [F.: Posv. de *bala* + *-ela*.]

◎ **balen(o)-** *el. comp.* = do lat. *ballena* 'baleia' us. esp. em termos ligados à zoologia: *baleeiro*

baleote (ba.le.*o*.te) *sm. Zool.* **1** Filhote de baleia; BALEATO **2** Baleia (*Balaenoptera acutorostrata*) da fam. dos balenopterídeos, que atinge até 10m de comprimento, de cor cinza, cabeça quase triangular e com uma mancha branca na nadadeira peitoral; BALEIA-ANÃ; BALEIA-MIRIM; BALGADO [F.: *balei(a)* + *-ote*.]

balestilha (ba.les.*ti*.lha) *sf. Ant.* **1** *Mar.* Instrumento náutico para medir a altura dos astros: "... O aperfeiçoamento do astrolábio e da balestilha, instrumentos árabes usados para determinar a posição das estrelas..." (*Ciência Hoje, março 2000*) **2** *Vet.* Instrumento para sangrar animais; BESTILHA [F.: Do esp. *ballestilla*.]

baletômano (ba.le.*tô*.ma.no) *sm.* Pessoa que tem grande admiração pelo balé [F.: Do fr. *balletomane*.]

balha (*ba*.lha) *sf. Antq.* Festa onde há dança; BAILE [F.: De *balhar*.]

balido (ba.*li*.do) *sm.* **1** Grito próprio de ovelha ou cordeiro **2** *Fig.* Queixume dos paroquianos contra o pároco [F.: De *balar*.]

balinês (ba.li.*nês*) *sm.* **1** Pessoa natural ou habitante da ilha de Bali, na Indonésia **2** *Gloss.* Língua falada em Bali **3** Raça de gato oriunda dessa ilha, surgida da mutação do siamês *a.* **4** De Bali, típico dessa ilha da Indonésia ou de seu povo (bangalô em estilo balinês) [F.: De *Bali* + *-n* + *-ês*.]

balir (ba.*lir*) *v. int.* Soltar balidos (ovelha, carneiro); BALAR [▶ 59 balir] [F.: De *balar*. Hom./Par.: *bale(s)* (fl.), *bale(s)* (fl. de *balar*), *balé(s)* (sm. [pl.]).]

balística (ba.*lís*.ti.ca) *sf. Fís.* Estudo do movimento e da trajetória dos corpos lançados no espaço, esp. dos projéteis de arma de fogo [F.: Aport. do fr. *balistique*.]

balístico (ba.*lís*.ti.co) *a.* **1** Ref. à balística (laudo balístico) **2** *Fís.* Diz-se de corpo que se move de acordo com as leis da balística **3** *Fís.* Diz-se de instrumento que mede os efeitos de um impulso de energia **4** *Astnáut.* Diz-se de míssil propelido apenas durante os estágios iniciais do voo: "... Provavelmente falava de uma versão móvel dos mísseis balísticos..." (*O Globo*, 18.11.2004) [F.: De *balística*, com var. suf. *-ico*.]

baliza (ba.*li*.za) *sf.* **1** Qualquer objeto que serve para marcar um limite, esp. estaca ou outro objeto colocado ou fincado verticalmente no solo; MARCO **2** Haste, ger. pintada a duas cores (vermelho e branco), terminada inferiormente por ponteira, que é fincada no solo para assinalar um ponto do terreno, durante a execução de trabalhos topográficos e de agrimensura; JALÃO **3** Linha real ou imaginária que separa dois territórios contíguos; DIVISA; LIMITE **4** *Esp.* Em certos jogos, alvo que se deve alcançar com a bola **5** *Restr. Fut.* O gol, o conjunto das três traves que delimitam a meta, ou cada uma dessas traves (esp., no Brasil, as duas verticais) **6** *Esp.* Em certos jogos, linha de onde a bola deve ser arremessada **7** *Esp.* Meta, poste ou outro sinal que marca o termo da carreira em corrida de cavalos, em regata, atletismo etc. **8** Conjunto de estacas ou cones us. para delimitar o espaço onde o aprendiz de motorista deve exercitar manobras como a de estacionar, entre outras, durante o curso e na prova para habilitação **9** Sinal ou marco que, em determinado lugar, indica certas normas de trânsito **10** *Tec.* Dispositivo mecânico, visual, sonoro ou radielétrico us. para sinalizar ou para orientar tráfego, ger. indicando ou marcando locais em que há perigo, ou os limites de rodovia, via de navegação ou caminho aéreo **11** *Bras.* Na derrubada das matas, árvore nova deixada em pé, para assegurar-lhe a renovação **12** *Art. gr.* Nas máquinas de impressão, cada uma das peças que ajustam o papel à forma, e onde se encosta a folha para a margeação; ESQUADRO; GUIA **13** *BA* No garimpo, rocha que se destaca por seu tamanho **14** *Bras.* Pequeno morro de granito **15** *Cnav.* Cada uma das peças de madeira ou metal presas perpendicularmente à quilha, e que formam o arcabouço do navio **16** Em trabalhos técnicos ou artesanais, qualquer objeto, dispositivo ou sinal acrescentado apenas para servir de referência ou orientação na execução de alguma tarefa mais ou menos precisa **17** *Bras. Restr.* Rolete de estopa que os calafates deixam à mostra, para assinalar o trabalho em curso **18** *Bras. Restr.* Furo aberto no casco de canoa em construção, para orientar o trabalho de cavar o tronco com a espessura certa *sm.* **19** *Mil.* Soldado que vai à frente da tropa, manejando uma arma ou vara, indicando os movimentos que devem ser imitados *s2g.* **20** *Bras.* Pessoa que segue à frente da banda de música, em desfiles cívicos, esportivos ou estudantis, manejando um bastão com movimentos rítmicos e/ou fazendo acrobacias [F.: Posv. deriv. moçárabe do lat. *palus, -i*. Hom./Par.: *baliza* (sf. sm. s2g.), *baliza* (fl. de *balizar*).]

balizado (ba.li.*za*.do) *a.* **1** Marcado com balizas (percurso balizado): *percurso balizado*. **2** *Fig.* Que teve sustentação ou apoio de: *O trabalho foi balizado pelas normas constitucionais e legais vigentes. sm.* **3** Local cercado por balizas: *Os atletas devem entrar no balizado.* [F.: Part. de *balizar*.]

balizador (ba.li.za.*dor*) [ô] *sm.* **1** O que serve de baliza: *balizador cônico de plástico.* **2** Pessoa que coloca balizas **3** *Fig.* Aquilo que dá sustentação, apoio: "... como foi no Pacto de Moncloa, balizador da saída do franquismo para a democracia..." (*O Globo*, 14.09.2004) **4** *Mar.* Navio que tem como função fazer o balizamento, a sinalização, de canais, braços de mar etc. [F.: De *baliza(r)* + *-dor*.]

balizamento (ba.li.za.*men*.to) *sm.* **1** Ação ou resultado de balizar, de fixar limites com balizas [Ant.: *desbalizamento, desbalização*.] **2** *Mar.* Conjunto de boias luminosas e balizas destinadas a orientar a navegação (à entrada de canais, portos e rios, ou para alertar sobre uma área de perigo rodeada por águas navegáveis etc.) [F.: *balizar* + *-mento*. Sin. ger.: *balizagem*.]

balizar (ba.li.*zar*) *v. td.* **1** Marcar com balizas, estacas; ABALIZAR; DELIMITAR; DEMARCAR: *balizar um terreno.* **2** *Mnh.* Demarcar com balizas para alertar sobre perigo no mar ou rio, indicar uma direção de navegação etc; ABALIZAR **3** Determinar os limites de, restringir **4** Dar crédito ou apoio a: *A equipe balizava as palavras do treinador.* **5** Determinar a grandeza, o valor de; ORÇAR: *balizar gastos.* **6** Marcar (algo que se quer destacar); ABALIZAR; DISTINGUIR: *balizar o parágrafo com outra cor.* [▶ 1 balizar] [F.: *baliza* + *-ar*². Hom./Par.: *baliza(s)* (fl.), *baliza(s)* (sf. [pl.]).]

balnear (bal.ne.*ar*) *a2g.* **1** Ref. a ou próprio para banhos (época balnear, estâncias balneares); BALNEÁRIO *v. td.* **2** *Ant. P. us.* Dar banho em; tomar banho; BANHAR [▶ 13 balnear] [F.: Na acp. 1: do lat. *balnearis*; na acp. 2: do lat. *balneare*. Hom./Par.: *balneária* (fem. de *balneário* [a.]), *balnearia* (fl. de *balnear*); *balneares* (fl. de *balnear*), *balneares* (pl. de *balnear* [a2g.]).]

balneário (bal.ne.*á*.ri:o) *sm.* **1** Região ou área situada à beira-mar, em que há praia(s) que pode(m) ser frequentadas: *Copacabana é um balneário famoso no mundo inteiro.* **2** Local em que há fonte(s) de águas minerais ou medicinais, frequentado por pessoas em tratamento ou por lazer; estância ou estação de águas; BANHOS **3** Estabelecimento destinado a banhos, com piscinas, duchas, banheiras, saunas etc; BANHOS; TERMAS **4** *Lus.* Em estádio, clube, academia etc., local onde as pessoas trocam de roupa, guardam seus pertences e tomam banho; VESTIÁRIO [Mais us. no pl.] *a.* **5** Ref. a banho ou próprio para banho; BALNEAR [F.: Do lat. *balnearius, a, um*.]

balneável (bal.ne:*á*.vel) *a2g.* Diz-se da água que é própria para banhos [Pl.: *-veis*.] [F.: *balnear* + *-vel*.]

balneoterapia (bal.ne:o.te.ra.*pi*.a) *sf. Med.* Tratamento de doenças por meio de banhos [F.: De *balne(o)-* + *terapia*.]

baloeiro (ba.lo:*ei*.ro) *sm.* **1** Pessoa que faz balões **2** Pessoa que tem como esporte e divertimento o hábito soltar balões **3** *Fig. Pej. Pop.* Pessoa mentirosa [F.: De *balão* + *-eiro*.]

balofo (ba.*lo*.fo) [ô] *a.* **1** *Pop. Pej.* Que é gordo, adiposo; que tem consistência mole e formas arredondadas (criança balofa; braços balofos) [Ant.: *magro*.] [É ofensivo.] **2** Que tem volume proporcionalmente maior do que o peso; VOLUMOSO: *O embrulho balofo não coube dentro da mala do carro.* **3** Pouco denso; FOFO; LEVE **4** *Fig.* Que é só aparente; falto de conteúdo (demagogia balofa): "Corpo apodrecido de vaidade balofa, inchado de ignorância, envenenado pela inveja..." (Inglês de Sousa, *O missionário*) *sm.* **5** *Pop. Pej.* Pessoa balofa (1) [F.: De or. obsc.]

baloiçar (ba.loi.*çar*) *v. td. int.* O mesmo que *balouçar* [▶ 12 baloiçar] [Hom./Par.: *baloiço* (fl.), *baloiço* (sm.).]

balonê (ba.lo.*nê*) *a2g.* Saia em forma de balão; SAIA-BALÃO [F.: Do fr. *ballonné*.]

balonismo (ba.lo.*nis*.mo) *sm.* **1** *Esp.* Técnica e esporte de navegar em balão (1) **2** *Bras.* Prática de soltar balão (2) [F.: *balão* + *-ismo*, seg. o mod. erudito.]

balonista (ba.lo.*nis*.ta) *a2g.* **1** Do ou ref. ao balonismo (prática balonista) **2** *Esp.* Diz-se de quem pratica o balonismo ('esporte') **3** Diz-se de quem solta balão (2) *s2g.* **4** *Esp.* Indivíduo que pratica o balonismo ('esporte') **5** Indivíduo que solta balão (2); BALOEIRO; BALONEIRO [F.: *balão* + *-ista*, seg. o mod. erudito.]

balouçante (ba.lou.*çan*.te) *a2g. Antq.* Que balança, balouça ou baloiça (rede balouçante, seios balouçantes) [F.: *balouçar* + *-nte*. Tb. *baloiçante*.]

balouçar (ba.lou.*çar*) *v. td. int.* Ver *balançar* (1) [▶ 12 balouçar] [F.: Do lat. **ballocciare*.]

balouço (ba.*lou*.ço) *sm.* **1** Movimento oscilatório de um corpo ou objeto suspenso; BALANÇO **2** Brinquedo feito com corda, faixa ou tábua, suspenso pelas extremidades, sobre o qual se sentam as crianças para se balançar; BALANÇO **3** Ver *balancê* [Cf.: *baloiço*.] [F.: Da derivação regressiva de *balouçar*.]

balroa (bal.*ro*.a) [ô] *sf. Antq. Mar.* Instrumento ou aparelho us. para abordar uma embarcação inimiga e mantê-la acostada durante combate (diz-se de fateixa amarrada pelo cabo) [F.: Do esp. *barloa*. Ideia de: *balr-*.]

balsa (*bal*.sa) *sf.* **1** Embarcação us. para transportar cargas pesadas, veículos, e/ou pessoas, e/ou animais, ger. a pequenas distâncias **2** Embarcação composta de dois ou mais cilindros cheios de ar, com um estrado preso por cima, us. para transportar pessoas e cargas através da arrebentação; JANGADA **3** Plataforma flutuante, bastante rudimentar, que faz a travessia de veículos e pessoas em rios onde não há ponte **4** Árvore da fam. das bombacáceas (*Ochroma pyramidale*), nativa da Amazônia, de madeira muito leve e macia, que pode substituir a cortiça, us. para fazer balsas, jangadas, boias, brinquedos etc; PAU-DE-BALSA **5** A madeira dessa árvore; PAU-DE-BALSA **6** *Amaz.* Conjunto de troncos, toras ou tábuas, unidos uns aos outros em forma de grande jangada, despachado flutuando rio abaixo, para venda da madeira quando chegar ao destino **7** *Amaz.* Conjunto de peles de borracha, ligadas por fios de arame, que desce rio abaixo, quando a seca impede a remessa por barcos **8** *Enol.* Engaço das uvas que fermenta com o mosto na dorna **9** *Enol.* Dorna onde fermentam as uvas; BALSEIRO **10** *Enol.* Funil de madeira para transvasar o vinho; BALSÃO **11** *Enol.* Borra de vinho **12** *Enol.* Recipiente que contém essa borra **13** *Bras. S.* Manta de carne já salgada, para fazer charque **14** Barril grande, mais largo no fundo do que na boca, onde se guardam carnes curadas [F.: De or. contr.; posv. de uma base ibérica **balsa*, 'dorna'. Hom./Par.: *balsa* (sf.), *balça* (sf.), *balsa* (fl. de *balsar*).] ■ **~ salva-vidas** **1** *Mar.* Flutuador para salvamento na água, com um estrado suspenso **2** Bote inflável, levado em barcos, aviões etc. como equipamento de salvamento na água

balsâmico (bal.*sâ*.mi.co) *a.* **1** Ref. a bálsamo; da natureza do bálsamo (aroma balsâmico) **2** Que tem propriedades medicinais (erva balsâmica) **3** *Fig.* Diz-se de certo tipo de vinagre, feito do mosto de uva prensado, cozido e filtrado, e depois envelhecido em barris de diferentes madeiras **4** Diz-se da mistura cujo principal ingrediente é o vinagre balsâmico (molho balsâmico) **5** Que exala aroma; AROMÁTICO; PERFUMADO: *o ar balsâmico da primavera.* **6** *Fig.* Que restitui o ânimo, o vigor; que alivia, conforta (palavras balsâmicas) **7** Substância com propriedades medicinais: *O óleo desta planta constitui um excelente balsâmico.* [F.: De *bálsam(o)* + *-ico*².]

bálsamo (*bál*.sa.mo) *sm.* **1** Substância resinosa e aromática que exsuda de muitas plantas, naturalmente ou por meio de corte nelas feito, muito us. em perfumaria e farmácia **2** *P. ext.* Aroma, perfume **3** *Fig.* Na medicina caseira, infusão preparada com plantas narcóticas e óleo, us. em fricções de regiões doloridas do corpo; BÁLSAMO-TRANQUILO **4** Medicamento de aroma ou propriedades balsâmicos **5** *Fig.* O que proporciona sensação de bem-estar físico e espiritual; ALENTO; ALÍVIO; CONFORTO: "A religião é um grande bálsamo." (Eça de Queirós, *O crime do padre Amaro*) **6** *Bras. Angios.* Planta leguminosa (*Myrocarpus fastigiatus*, All.). Também chamada *capreúva, cabureira, óleo-cabureíba, óleo-de-macaco, óleo-pardo, cabriúva-do-campo* **7** *MG Angios.* Árvore leguminosa-papilionácea (*Myrospermum toluiferum*) *bálsamo-de-tolu* **8** O mesmo que *copaíba* [F.: Do gr. *bálsamon*, do lat. *balsamum, i*. Hom./Paq.: *bálsamo* (sm.), *balsamo* (fl. de *balsamar*).]

balseador (bal.se.a.*dor*) [ô] *a.* **1** Ref. ao que faz transporte com balsas *sm.* **2** O que faz transporte com balsas [F.: *balsear* + *-dor*.]

balsear (bal.se.*ar*) *v. td.* Transportar em balsa [▶13 balsear] [F.: *balsa* + *-ear*².]

balseiro (bal.*sei*.ro) *sm.* **1** Quem conduz balsa ou jangada **2** *Bras. AM* Ilha flutuante formada por plantas emaranhadas *a.* **3** Que vive em balsas [F.: De *balsa* + *-eiro*. Cf.: *balceiro* e *barceiro*.]

báltico (*bál*.ti.co) *a.* **1** Do ou ref. ao mar Báltico (Europa) **2** Do ou ref. ao báltico (3) *sm.* **3** *Gloss.* Grupo linguístico do tronco indo-europeu que compreende o lituano, o letão e o antigo prussiano [F.: Do top. *Báltico*.]

baluarte (ba.lu.*ar*.te) *sm.* **1** Obra de fortificação avançada, com face e flanco de defesa; BASTIÃO **2** *P. ext.* Fortaleza inabalável; lugar seguro **3** *Fig.* Aquilo que sustém ou serve de apoio, sustentáculo, proteção: "É o baluarte das nossas necessidades orgânicas contra as conspirações que as ameaçarem." (Rui Barbosa, *Colunas de fogo*) [F.: Do provç. ant. *baloart*, pelo fr. *boulever*.]

balúchi (ba.*lú*.chi) *s2g.* **1** Pessoa nascida ou que vive no Baluchistão (região da Ásia que abrange do leste do Irã ao Paquistão) **2** Idioma iraniano falado pelos balúchis (1), povo dessa região *a2g.* **3** Ref. a ou dessa região, ou desse povo, ou desse idioma [Do persa *baluchi*.] Tb balúqui (Baluquistão) e belúchi (Beluchistão)

baludo (ba.*lu*.do) *a. Bras. N.E. Pop.* Diz-se de quem é endinheirado; RICAÇO: "O dono do talismã enriquecera e parava fazendeiro e baludo lá em São Paulo..." (Mário de Andrade, *Macunaíma*) [Cf. *baluda*. F.: De *bala* + *-udo*.]

baluque (ba.*lu*.que) *s2g.* **1** Quem é natural do ou residente no Baluquistão (Ásia) *a2g.* **2** Ref. a ou de baluque (1) [F.: Red. do top. *Baluquistão*.]

balzaquiano (bal.za.qui:*a*.no) *a.* **1** Do ou ref. ao escritor francês Honoré de Balzac (1799-1850), ou próprio dele **2** De estilo semelhante ao de Balzac **3** Diz-se do indivíduo que admira ou conhece muito a obra e a vida desse escritor **4** *Bras. Fam.* Que tem trinta anos, ou está na casa dos trinta anos (diz-se ger. de mulher) [Alusão ao romance *A mulher de trinta anos*, de Balzac.] **5** Similar às personagens de Balzac *sm.* **6** Pessoa balzaquiana (4): *Era uma bela balzaquiana; O balzaquiano vestia-se como um adolescente.* **7** Grande admirador ou conhecedor da obra de Balzac [F.: Do antr. (Honoré de) *Balzac* + *-iano*.]

bamba¹ (*bam*.ba) *a2g. Bras. Pop.* **1** *Bras. Pop.* Que é perito em determinado assunto; BAMBAMBÃ: *Ela é bamba em informática.* **2** Que é valente e provocador; VALENTÃO *s2g.* **3** Pessoa bamba (1 e 2) [F.: Do quimb. *mbamba*. Hom./Par.: *bamba* (a2g. s2g.), *bambá* (sm.), *bamba* (*fl. de bambar*).]

bamba² (*bam*.ba) *sf. Bras.* O mesmo que *bambúrrio* [F.: De or. incerta.]

bambambã (bam.bam.*bã*) *Bras. Pop. s2g.* **1** Pessoa valente e decidida; BAMBA; VALENTÃO **2** *Fig.* Pessoa que é uma sumidade em determinada área do conhecimento, atividade ou assunto; BAMBA *a2g.* **3** Diz-se de quem é bambambã (1 e 2) [F.: Do quimb. *mbamba- mbamba*.]

bambear (bam.be.*ar*) *v.* **1** Fazer ficar ou ficar bambo, frouxo, instável, sem firmeza; AFROUXAR(-SE) [*int.*: *Quando viu o touro, suas pernas bambearam.*] [*td.*: *Bambeie o cordame para distribuir o peso.*] **2** *Fig.* Hesitar, vacilar [*int.*: *Bambeou no momento de decidir.*] [▶ 13 bambear] [F.: *bambo* + *-ear*². Hom./Par.: *bambeio* (fl.), *bambeio* (sm.).]

bambeio (bam.*bei*.o) *sm.* Ação ou resultado de bambear [Cf. 1ª pess. sing. do pres. ind. do v. *bambear*. F.: Derivação regressiva de *bambear*.]

bambeira (bam.*bei*.ra) *sf.* **1** Que é ou está bambo, bambeza: *Na hora de subir no palco, teve uma bambeira nas pernas.* **2** *Vet.* Doença equina que se caracteriza pela falta ou perda de coordenação motora do animal; ATAXIA ESPINHAL [F.: De *bambo* + *-eira*.]

bambeza (bam.*be*.za) [ê] *sf.* **1** Qualidade do que é bambo **2** Que está desanimado, abatido; LASSIDÃO; MOLEZA [De *bambo* + *-eza*. Ideia de: *bamb-*.]

bambino (bam.*bi*.no) *sm.* **1** Diz-se de menino ou bebê **2** *Art. Pl. Rel.* Representação do Menino Jesus. [Cf. 1ª pess. sing. pres. ind. do v. *bambinar*.] [F.: Do it. *bambino*.]

bambo (*bam*.bo) *a.* **1** Que está frouxo, lasso (corda bamba) **2** Que não está firme ou estável; que é passível de tombo ou queda (cadeira bamba, dente bambo) **3** Que está fraco e/ ou trêmulo (pernas bambas): "Já anda meio bambo das pernas e o pobre velho." (José Américo de Almeida, *A bagaceira*) **4** *Fig.* Que está indeciso, vacilante [F.: De uma raiz onom. *bamb*. Hom./Par.: *bamba* (fem.), *bamba* (sf. a2g.).]

bambocha (bam.*bo*.cha) *sm.* **1** Pessoa dada a bambochatas; FARRISTA; PÂNDEGO *sf.* **2** Ver *bambochata* [Cf. 2ª pess.

sing. imp. afirm. do v. bambochar.] [F.: Forma reduzida de bambochata.]

bambochata (bam.bo.cha.ta) sf. 1 Pint. Quadro que representa festas populares ou passagens burlescas 2 Fig. Pop. Festa em que há muitos excessos; COMEZAINA; ORGIA; PÂNDEGA; PATUSCADA: "Francisco Fidêncio contava à redação do Democrata, por miúdo as pândegas colossais do vigário, as aventuras noturnas, as bambochatas em canoa, as orgias nas praias..." (Inglês de Sousa, O missionário) 3 P. ext. O que extrapola o bom-senso; ESTROINICE; EXTRAVAGÂNCIA 4 Pop. Transação ilícita, escusa, duvidosa [F.: Do it. bambocciata.]

bambolê (bam.bo.lê) Bras. sm. Brinquedo que consiste em um aro de plástico, que se faz girar em torno da cintura, do pescoço, dos braços ou das pernas apenas com o movimento do corpo [F.: Regress. de bambolear.]

bamboleado (bam.bo.le.a.do) a. Que bamboleia; GINGADO: Pelo andar bamboleado era evidente que estava bêbado. [F.: Do part. de bambolear. Ideia de: bamb-.]

bamboleante (bam.bo.le:an.te) a2g. Que bamboleia, meneia ou ginga: "... via desaparecer o pobre velho, de dorso corcovado, com a gola da farda até à nuca e as pernas bamboleantes." (Eça de Queirós, O crime do padre Amaro) [F.: De bambolear + -nte. Ideia de: bamb-.]

bambolear (bam.bo.le.ar) v. 1 Gingar, saracotear(-se) [td.: bambolear os quadris, o corpo.] [int.: Quando caminhava, bamboleava(-se).] 2 Mover-se de forma trêmula, vacilante, instável; oscilar, tremular [int.: A velha carroça bamboleava.] [► 13 bambolear] [F.: Voc. de rad. onom. Hom./Par.: bamboleio (fl.), bamboleio (sm.).]

bamboleio (bam.bo.lei:o) sm. Ação ou resultado de bambolear(-se); BAMBOLEAMENTO [F.: Dev. de bambolear.]

bambolim (bam.bo.lim) sm. 1 Tira larga de tecido que se põe sobre cortinado de porta ou janela 2 Bras. C. O. Acabamento ou enfeite de trabalhos de costura [Pl.: -lins.] [F.: Do rad. de bambolear + -im. Ideia de: bamb-.]

bambolina (bam.bo.li.na) sf. Teat. 1 Parte do cenário que contorna o espaço cênico e une os bastidores na parte superior, freq. simulando teto, céu, folhagem etc. (diz-se de tecido ou papel); BAMBOLINETA 2 Diz-se de prolongamento da lona que esconde o lugar onde se juntam duas partes desta [F.: Do rad. de bambolear + -ina.]

bambu (bam.bu) sm. 1 Bot. Denominação comum a várias espécies da fam. das gramíneas, esp. as do gênero Bambusa, de caule muito alto e resistente, encontradas em grande parte das regiões tropical e subtropical, e us. em mobília, artesanato, cestaria, cercas, produção de celulose etc; os brotos ger. são comestíveis e têm uso medicinal; BAMBUEIRA [Col.: bambual, bamburral, bambuzal.] 2 O caule (colmo) dessas plantas, us. para diversos fins (como vara de pescar, aguilhada para bois etc.) 3 Bengala ou bastão feitos com o caule dessas plantas 4 Vara us. por acrobatas de circo para se equilibrarem na corda bamba [F.: De or. obsc.]

bambual (bam.bu:al) sm. Mata de bambus; BAMBURRAL; BAMBUZAL [Pl.: -ais.] [F.: bambu + -al.]

bamburrado (bam.bur.ra.do) a. Bras. AM BA MT 1 Ref. ao diamante valioso achado por bambúrrio, por sorte, ao acaso 2 Tornado rico de um momento para o outro [F.: Do part. de bamburrar. Ideia de: bamb- e bambur-.]

bamburral (bam.bur.ral) sm. 1 Bot. Ver bambual 2 Bras. Bot. Planta labiada (Hyptis umbrosa), cujas folhas têm uso medicinal 3 Lugar pantanoso onde cresce uma vegetação pobre e emaranhada, imprópria para pastagem; BAMBURRO; CARRASCAL; LODAÇAL [Nesta acp., a palavra é us. em vários estados brasileiros, com pequenas variações segundo cada região.] [Pl.: -rais. Cf. 2ª pess. pl. pres. ind. do v. bamburrar.] [F.: De bamburro + -al. Ideia de: bamb- e bambur-.]

bamburrar (bam.bur.rar) v. Bras. 1 Enriquecer, por encontrar, garimpando, grande quantidade de ouro ou pedras preciosas [ta.: Muita gente bamburrou no garimpo em Serra Pelada.] [int.: "... ao bamburrar, o garimpeiro se entrega a bebedeiras nos bares e botequins..." (Herberto Sales, "Índole do garimpo")] 2 Fig. Ter grandes lucros ou fazer fortuna, de modo súbito e inesperado [tr. + com: "A Brasil Telecom (...) bamburrou com a gauchinha Daiane, medalha de ouro no mundial de ginástica..." (Jaime Sautchuk, "O sucesso no esporte")] [int.: Ainda vou bamburrar na loto.] [int.] [► 1 bamburrar] [F.: bambúrrio/ bamburro + -ar². Hom./Par.: bamburro (fl. de bamburrar), bamburro (sm.).]

bambúrrio (bam.búr.ri:o) Pop. sm. 1 Felicidade inesperada; acerto casual 2 Modo pelo qual um acontecimento se dá; ACASO; SORTE 3 Lud. No jogo de bilhar e em outros, modo fortuito de ganhar sem emprego de estratégia; CHIRIPA: ganhar por bambúrrio. [F.: De or. incerta, posv. conexo com o rad. bamb-, de or. onom. Sin. ger.: bamba.]

bamburrista (bam.bur.ris.ta) AM BA a2g. 1 Ref. ao que faz bambúrrios 2 Diz-se de quem normalmente tem sorte s2g. 3 Quem faz bambúrrios 4 Indivíduo sortudo [F.: bambúrrio + -ista. Ideia de: bamb- e bambur-.]

bamburro (bam.bur.ro) sm. Mato emaranhado; CHARRAVASCAL [F.: derivação regressiva de bamburral.]

bambusa (bam.bu.sa) Bot. sf. Gênero de gramíneas tropicais que compreende os bambus [F.: Do lat. cien. Bambusa.]

bambuzal (bam.bu.zal) Bras. sm. O mesmo que bambual [Pl.: -zais.] [F.: bambu + -zal.]

banal (ba.nal) a2g. 1 Que é comum, trivial, corriqueiro (fato banal) 2 Ant. Dizia-se de certas coisas pertencentes a um senhor feudal, e de que os seus vassalos eram obrigados a servir-se, pagando um foro a título de retribuição [Pl.: -nais.] [F.: Do fr. banal.]

banalidade (ba.na.li.da.de) sf. 1 Qualidade de banal; TRIVIALIDADE 2 Coisa, fato ou dito banal, sem originalidade, significação ou importância 3 Ant. Uso obrigatório, por parte dos vassalos, de certas coisas que pertenciam ao senhor feudal, e pelo qual pagavam um foro a título de retribuição [F.: banal + -(i)dade.]

banalização (ba.na.li.za.ção) sf. Ação ou resultado de banalizar(-se), de tornar(-se) vulgar ou trivial: Os livros de autoajuda são muitas vezes uma banalização de profundos conceitos religiosos; É preciso evitar a banalização do uso de agrotóxicos. [Pl.: -ções.] [F.: banalizar + -ção.]

banalizado (ba.na.li.za.do) a. Tornado banal; TRIVIALIZADO; VULGARIZADO: O problema foi banalizado pela imprensa. [F.: Do part. de banalizar.]

banalizante (ba.na.li.zan.te) a2g. Que banaliza, torna comum, banal: A reportagem abordou o tema de maneira banalizante. [F.: banalizar + -nte.]

banalizar (ba.na.li.zar) v. Tornar(-se) banal, usual, muito comum; TRIVIALIZAR(-SE); VULGARIZAR(-SE) [td.: A televisão banalizou cenas de violência.] [int.: O uso de celulares banalizou-se.] [► 1 banalizar] [F.: banal + -izar.]

banana (ba.na.na) sf. 1 Bot. Fruto da bananeira, comestível, oblongo e mais ou menos encurvado, de polpa carnosa, doce e aromática, cujas unidades se juntam em pencas, e estas em um cacho; PACOBA; PACOVA; PACOVÁ 2 Bot. O mesmo que bananeira 3 Bras. Cartucho (de dinamite) 4 Bras. Pop. Gesto grosseiro e ofensivo que consiste em dobrar o braço com o punho fechado, apoiando ou não a outra mão na dobra do cotovelo; MANGUITO 5 Vulg. O pênis s2g. 6 Pop. Pej. Pessoa covarde 7 Pop. Pej. Pessoa incapaz de impor sua autoridade 8 Pop. Pej. Pessoa sem energia e/ou iniciativa [F.: De or. obsc. Nas acps. 6, 7 e 8 é ofensivo.]

📖 Uma característica do cultivo da banana é que uma bananeira produz apenas um cacho de bananas, devendo ser cortada depois que este é colhido. Mas a planta lança brotos que, plantados, serão novas bananeiras. O maior produtor mundial de bananas é a Índia, seguida do Brasil, Equador, China, Filipinas, Indonésia, Costa Rica, México e Tailândia.

bananada (ba.na.na.da) sf. 1 Bras. Cul. Doce de consistência firme feito com a polpa da banana 2 Grande quantidade de bananas [F.: banana + -ada¹.]

banana-d'água (ba.na.na-d'á.gua) sf. Ver banana-nanica [Pl.: bananas-d'água.]

banana-da-terra (ba.na.na-da-ter.ra) sf. 1 S. S. E. Agr. Variedade de banana grande, de casca espessa, polpa esbranquiçada, comestível após cozimento 2 Bot. Ver bananeira [Pl.: bananas-da-terra.]

banana-de-são-tomé (ba.na.na-de-são-to.mé) sf. 1 Agr. Variedade de banana muito doce, que se come ger. assada ou frita 2 Bot. Variedade de bananeira (Musa vittata), da fam. das musáceas, de folhas e frutos compridos, com estrias brancas [Pl.: bananas-de-são-tomé.]

banana-figo (ba.na.na-fi.go) sf. Agr. Variedade de banana grossa, de casca espessa e roxa, que se come frita ou cozida [Pl.: bananas-figos, bananas-figo.]

bananal (ba.na.nal) sm. Extensa plantação de bananeiras; BANANEIRAL; PACOBAL; PACOVAL [Pl.: -nais.] [F.: banana + -al¹.]

banana-maçã (ba.na.na-ma.çã) sf. Agr. Variedade de banana de casca fina e polpa esbranquiçada que mantém certo teor de tanino, mesmo quando madura, o que lhe dá um sabor adstringente [Pl.: bananas-maçãs, bananas-maçã.]

banana-nanica (ba.na.na-na.ni.ca) sf. 1 Agr. Ver banana-ouro 2 Agr. Ver banana-d'água 3 Bot. Bananeira baixa (Musa acuminata) de folhas alongadas e espatas pardo-avermelhadas [Pl.: bananas-nanicas.]

banana-ouro (ba.na.na-ou.ro) sf. Agr. Variedade de banana muito pequena, de casca fina e polpa amarela e doce, comestível em estado natural; BANANA-NANICA [Pl.: bananas-ouro.]

banana-passa (ba.na.na-pas.sa) sf. Passa de banana, produzida a partir de diversos tipos de banana [Pl.: bananas-passas.]

banana-prata (ba.na.na-pra.ta) sf. Agr. Variedade de banana de casca espessa, cujos frutos de tamanho médio têm polpa doce e macia, comestíveis em estado natural [Esp. apreciada no Sul e Sudeste do Brasil.] [Pl.: bananas-prata.]

banana-real (ba.na.na-re:al) sm. Bras. Cul. 1 Banana-split 2 BA Pastel com recheio de banana-da-terra, envolto em açúcar e canela [Pl.: bananas-reais.]

⊕ **banana-split** (Ing. /benêna-split/) sm. Cul. Gulodice que consiste em uma banana cortada ao comprido, em fatias, à qual se acrescentam bolas de sorvete, castanhas picadas, caldas, chantili etc; BANANA-REAL [Pl.: bananas- -split.] [F.: Do ing. banana-split.]

bananeira (ba.na.nei.ra) sf. Bot. Nome comum às ervas do gên. Musa, da fam. das musáceas, esp. as variedades da sp. Musa paradisiaca, cultivadas pelos frutos comestíveis; BANANA [Col.: bananal, bananeiral, pacobal, pacoval.] [F.: banana + -eira.] **~ que já deu cacho** Bras. Fam. Pessoa ou coisa que já passou de sua melhor condição e está em decadência **Plantar ~** Ficar (pessoa) com as pernas para o ar apoiando-se no chão com as mãos

bananeira-do-campo (ba.na.nei.ra-do-cam.po) sf. Bot. Árvore grande (Salvertia convallariaeodora) da fam. das vosquisiáceas, de folhas ovadas, flores brancas ou rosadas bastante perfumadas, frutos capsulares e cuja madeira é us. em carpintaria; MOLIANA [Nativa do PA, MG ao PR e C. O.] [Pl.: bananeiras-do-campo.]

bananeiral (ba.na.nei.ral) sm. O mesmo que bananal [Pl.: -rais.] [F.: bananeira + -al¹.]

bananeirinha-da-índia (ba.na.nei.ri.nha-da-in.di:a) sf. Bot. Erva (Canna indica) da fam. das canáceas, nativa do Caribe e das regiões tropicais das Américas, de flores vermelhas ou amarelas, muito cultivada como ornamental e tb. bastante us. na geração de híbridos [Pl.: bananeirinhas-da-índia.]

bananeiro (ba.na.nei.ro) sm. 1 Bras. Indivíduo que cultiva e/ou negocia com bananas 2 Bras. Vendedor ambulante de bananas 3 Mar. Navio próprio para o transporte de bananas a. 4 Ref. à banana (cais bananeiro) [F.: banana + -eiro.]

bananice (ba.na.ni.ce) sf. 1 Confusão, embaraço, atrapalhação: A bananice do texto era tamanha, que era impossível entender o que se lia. 2 Qualidade de quem é frouxo, palerma, molenga: O estado da sala depois da aula revelava a bananice do novo professor. [F.: De banana + -ice.]

bananicultor (ba.na.ni.cul.tor) [ô] sm. Bras. Indivíduo que se ocupa da bananicultura [F.: banana + -i- + -cultor.]

bananicultura (ba.na.ni.cul.tu.ra) sf. Bras. Agr. Cultivo de bananeiras para fins comerciais ou industriais [F.: banana + -i- + -cultura.]

bananinha (ba.na.ni.nha) sf. Bras. 1 Cul. Bolo pequeno de farinha de trigo na forma de banana 2 Bot. Erva acaule (Oxalis acetosella) da fam. das oxalidáceas, de flores brancas com veios róseos, folhas comestíveis, nativa da Europa, Ásia e América do Norte [F.: banana + -inha.]

bananosa (ba.na.no.sa) sf. Bras. Pop. Situação complicada, difícil de resolver: Pegou muito dinheiro emprestado e agora está na maior bananosa para pagar. [F.: banana + -osa.]

banca (ban.ca) sf. 1 Mesa improvisada, ger. um estrado sobre cavaletes, em que feirantes e camelôs expõem suas mercadorias 2 Mesa para escrever; CARTEIRA; SECRETÁRIA 3 Bancada (1) de carpinteiros e marceneiros; mesa de trabalho dotada de dispositivos que facilitam prender as peças, serrar, tornear etc. 4 MA Mesa de jantar 5 Grupo de profissionais encarregados de avaliar e julgar teses, projetos, candidatos em concursos etc.: Os candidatos foram avaliados por uma banca de arquitetos convidados. [Obs.: Tb. se diz banca examinadora.] 6 Grupos de profissionais de uma mesma área que trabalham juntos para determinado fim (banca de advogados, banca de contadores) 7 Lud. Em certos jogos de azar, fundo de apostas destinado a pagar aos ganhadores 8 Lud. Pessoa responsável pelo jogo, banqueiro 9 Lud. Certo jogo de cartas, no qual estas são distribuídas em vários montes, de acordo com o número de jogadores, ganhando o que ficar com o monte onde se encontra a carta de menor valor 10 Lud. Mesa de jogo 11 Escritório de advocacia 12 A profissão de advogado; ADVOCACIA 13 Fin. O conjunto das instituições bancárias de uma cidade, de um país etc. 14 Fin. O movimento financeiro dos bancos 15 Ponto de venda de jornais, revistas etc; banca de jornal, banca de revista [F.: Do it. banca. Hom./Par.: banca (sf.), bancá (sm.), banca (fl. de bancar).] **~ de jornal** Bras. Lugar, ger. estande especial em local público, no qual se vendem jornais, revistas etc. **~ de revista** O mesmo que banca de jornal [Tb. apenas banca.] **~ examinadora** Grupo de pessoas que organizam e conduzem um exame, p. ex. elaborando e avaliando provas, arguindo e selecionando candidatos, etc. **Abafar a ~** 1 Bras. Pop. Em jogo (de cartas, roleta etc.) ganhar todo o dinheiro do banqueiro 2 P. ext. Ter grande sucesso (em jogo, atividade, empreendimento etc.) 3 P. ext. Destacar-se, ser admirado (pelo aspecto, pela atuação, pelas qualidades etc.) **Botar/pôr ~** 1 Bras. Gír. Assumir atitude de superioridade por reais ou supostos poder, riqueza, qualidades etc. 2 Tentar impor-se botando banca (1) ou pressionando, ameaçando (2) etc. **Levar a ~ à glória** Abafar a banca (1) **Pôr ~** Gír. Ver Botar banca

bancada (ban.ca.da) sf. 1 Mesa, ger. estreita e alongada, equipada com ferramentas e dispositivos que facilitam o trabalho em oficinas, laboratórios, gráficas etc; BANCA 2 Fileira de bancos (1) 3 Conjunto de assentos dispostos em certa ordem 4 Banco longo em que se sentam muitas pessoas 5 Conjunto dos indivíduos que ocupam ou para quem são destinados certos bancos ou assentos: A bancada estava atenta, mas não se manifestou. 6 Bras. Pol. Num órgão legislativo (Congresso Nacional, assembleia estadual ou câmara de vereadores), o conjunto dos representantes de um partido ou grupo de partidos, de um Estado da Federação, ou de um grupo ou categoria social: A bancada feminina do Congresso Nacional. 7 P. ext. Em qualquer agremiação, conjunto de membros ou representantes que têm interesses comuns ou a mesma origem ou situação 8 Em cozinhas, balcão de alvenaria dotado de uma ou mais pias, torneiras, armários embutidos e tampo de material impermeável (mármore, aço inoxidável, fórmica etc.), onde se manipulam os alimentos e se lava a louça 9 Em banheiros, balcão similar à bancada (8), com lavatório 10 Bras. Espécie de grande prateleira presa à parede, em altura conveniente, para ser us. como mesa de refeições ou de trabalho 11 Grande banco de areia ou de corais 12 Mar. Conjunto de bancos fixos entre os dois bordos de embarcação pequena, onde se sentam os remadores 13 Lus. Arquibancada 14 Min. Local destinado ao desmonte de material [F.: banco + -ada.]

bancado (ban.ca.do) a. 1 Que se bancou; PAGO: Almoço bancado pelos anfitriões. 2 Apoiado financeiramente; FINAN-

CIADO: *Projeto social bancado por uma empresa estatal.* 3 *Lud.* Em que há banqueiro [F.: Part. de *bancar*.]

bancar (ban.*car*) *v.* 1 Cobrir as despesas de; custear, financiar [*td.*: *Sempre bancou os estudos do sobrinho.*] 2 *Pop.* Fazer o papel de, fazer-se de, fingir-se de [*tp.*: *Não queria bancar o esperto.*] [*td.*: *Nasceu no Brasil, mas bancava que era francesa.*] 3 *Bras.* Ser o banqueiro (em) (jogo de azar) [*int.* / *td.*: *Não tinha cacife para bancar (o jogo).*] [▶ 11 bancar] [F.: *banca* + *-ar*[2]. Hom./Par.: *banca(s)* (fl.), *banca(s)* (sf. [pl.]); *banco* (fl.), *banco* (sm.); *bancais* (fl.), *bancais* (pl. de *bancal*); *bancaria(s)* (fl.), *bancaria(s)* (sf. [pl.]), *bancária(s)* (fem. [pl.] de *bancário*).] ■ **~ o jogo** Em jogo de azar, garantir o pagamento das apostas feitas aos vencedores **~ uma aposta** Em aposta a dinheiro, ou que envolve um bem como pagamento, garantir o pagamento ao vencedor da aposta

bancário (ban.*cá*.ri:o) *a.* 1 Ref. a banco (instituição financeira) ou ao conjunto dos bancos (conta bancária, feriado bancário) *sm.* 2 Funcionário de banco (sindicato dos bancários) [Cf.: *banqueiro*.] [F.: *banco* + *-ário*. Hom./Par.: *bancária* (fem.), *bancaria* (fl. *bancar*).]

bancarrota (ban.car.*ro*.ta) [ô] *sf.* 1 Cessação de pagamentos por parte de um negociante, casa comercial ou do Estado, por falta de recursos; FALÊNCIA; QUEBRA: "Carlos não entendia de finanças; mas parecia-lhe que, desse modo, o país ia alegremente e lindamente para a bancarrota." (Eça de Queirós, *Os Maias*) 2 Estado de insolvência, de impossibilidade de pagar as dívidas, esp. quando oficialmente reconhecido ou declarado 3 *Restr.* Falência fraudulenta ou que resulta de fraude 4 *P. ext.* Perda dos bens, da prosperidade; DECADÊNCIA; DERROCADA; RUÍNA 5 *Fig.* Ruína, declínio [F.: Do it. *bancarotta*.] ■ **Declarar a ~** Suspender pagamentos, reconhecendo ou decretando oficialmente a falência financeira (própria, ou de outrem)

banco (*ban*.co) *sm.* 1 Assento comprido, para várias pessoas, com ou sem encosto 2 Assento individual, sem encosto, ger. pequeno; TAMBORETE 3 *Bras. Esp.* Conjunto dos reservas de um time, que esperam, sentados em um banco (1), ordem para participar do jogo 4 Elevação do fundo do mar ou de rio que às vezes chega à superfície, perigosa à navegação (banco de areia/coral/rocha); BAIXIO; ESCOLHO 5 *Econ.* Instituição financeira que, por meio de uma rede de agências, recebe pagamentos e depósitos em dinheiro, concede empréstimos, faz aplicações etc. 6 Camada ou leito de pedra em pedreira 7 Mesa de tampo espesso onde carpinteiros, marceneiros e outros artífices assentam e fixam as peças em que trabalham 8 *P. ext. da acp. 5.* Depósito ou conjunto de coisas armazenadas para uso ou distribuição futuros, certos serviços ou operações etc. (banco de dados, banco de imagens) 9 Local onde se armazenam componentes orgânicos de doadores para tratamento ou uso de outras pessoas (banco de sangue/leite/olhos/esperma etc.) 10 *Lus.* Ambulatório (setor do hospital onde se atendem doentes de pouca gravidade) [F.: do germ. *bank*; nas acp. 5, 8 e 9, do it. *banco*.] ■ **Alisar os ~s da academia** Frequentar (e eventualmente formar-se em) escola superior ou academia **~ de areia** Elevação arenosa no fundo de rio ou do mar **~ de assentar** *N.E.* Banco no centro de jangada de pesca **~ de bruma** *Mar.* Grupo de nuvens junto à superfície do mar **~ de governo** *N.E. Mar.* Banco à ré de jangada de pesca **~ de peixe** Cardume próximo à costa e à superfície da água **~ fotométrico** *Fot.* Em vários tipos de fotômetro, dispositivo que serve de base para a armação dos componentes **~ óptico** *Ópt.* Base, em forma de trilho, sobre a qual montam-se os componente ópticos de um sistema experimental **Estar no ~ dos réus** 1 *Jur.* Estar, como réu, em julgamento por juiz ou júri 2 *Fig.* Ser alvo de críticas e comentários **Não aquentar o ~** *S.* Ver *não esquentar o banco* **Não esquentar o ~** *S.* Não demorar muito tempo no mesmo lugar; não esquentar lugar **Sentar no ~** *Esp.* Ficar na reserva

banda[1] (*ban*.da) *sf.* 1 Parte lateral, ou disposta lateralmente; lado 2 *Restr.* Parte (esp. a lateral) ou metade de alguma coisa; esp. cada uma das duas partes de algo que se divide ou parece dividido longitudinalmente (uma banda de maçã) 3 Conjunto musical formado por instrumentistas, esp. o que executa marchas militares, marchinhas populares etc. (nesse caso, formado princ. por instrumentos de sopro e de percussão) ou músicas *pop* (formado princ. por instrumentos eletricamente amplificados e ger. acompanhando cantor ou cantora) 4 Grupo que se forma ou se põe à parte dentro de grupo maior; turma, facção 5 Qualquer conjunto de pessoas, animais ou coisas; bando 6 Inclinação da embarcação para um dos bordos, ger. causada pela distribuição irregular da carga transportada ou por uma guinada de direção; adernamento [F.: Posv. do provç. *banda*. Hom./Par.: *banda* (fl. *bandar* e sm.).] ■ **À ~** Deslocado, inclinado ou caído para o lado **~ cabaçal** *CE Folcl.* Banda com pífaros e tambores; o mesmo que *zabumba* ou *terno de zabumba* **~ de música** 1 Banda (3) formada por instrumentos de sopro e percussão, para acompanhar marchas e desfiles militares, ou que toca em solenidades, apresentações públicas etc. 2 *Bras. Hist.* Grupo de deputados udenistas, que faziam ruidosa e agitada oposição ao governo federal nos anos 1950 e início dos 1960 **~ marcial** Banda (3) composta por metais e tambores **Comer da ~ podre** *Pop.* (Ter de) passar por sofrimentos, dificuldades, situações desagradáveis, decepções **Dar uma ~** *SP Pop.* Dar um passeio; dar uma volta **Pôr de ~** Separar (algo que não se quer) ou deixar de lado; abandonar **Sair/saltar de ~** 1 *Bras. Pop.* Escapulir-se; esquivar-se ou ir embora furtivamente; sair de fininho 2 *P. ext.* Evitar certa situação ou não enfrentar algum perigo; cair fora 3 *Fig.* Evitar dificuldades, com esperteza

banda[2] (*ban*.da) *sf.* 1 Faixa de tecido que serve de acabamento a uma roupa; BARRA 2 Cinta dos oficiais do Exército 3 Faixa ou listra larga 4 *Her.* Faixa diagonal, da esquerda para a direita, da largura da terça parte do brasão 5 *Inf. Telc.* Faixa contínua de frequências us. para transmissão de dados via internet [Da gama de frequências utilizáveis em determinado canal depende, basicamente, a capacidade de enviar e receber dados, medida segundo uma taxa de bits por segundo – quando maior ou mais larga a banda, maior a taxa, ou, em termos práticos, mais 'rápida' a troca de dados. Us. ger. na loc. *banda larga*.] [F.: Do fr. *bande* (fr. ant. *bende*), 'faixa', 'lista'.] ■ **~ cambial** *Econ.* Faixa de oscilação de valores de câmbio da moeda de um país, ger. fixada pela autoridade monetária desse país **~ de absorção** *Fís.* Região de frequências ou comprimentos de onda em que se verifica elevado índice de absorção de uma radiação **~ de condução** *Fís.* Faixa de energia em material condutor ou (sobretudo) semicondutor, para a qual, ao aplicar-se um campo elétrico ao material, cria-se corrente elétrica (possibilitada pelo deslocamento dos portadores de carga, como elétrons e buracos) **~ de condutividade** *Fís.* Ver *Banda de condução* **~ de emissão** *Fís.* Num espectro de emissão, faixa num intervalo de frequências na qual se dá emissão de energia, e por isso apresenta-se brilhante **~ de energia** *Fís.* Conjunto de níveis de energia muito próximos ocupado por elétrons dos átomos de um material [Tb. apenas *banda*.] **~ de frequência** *Fís.* Faixa de frequências entre dois limites pré-fixados; faixa de frequências **~ de ressonância** *Fís.* Conjunto de frequências numa estreita faixa em volta de uma frequência de ressonâncias, em espectro de emissão ou de absorção **~ de rodagem** *Mec.* A área da superfície do pneu, em forma de faixa circular, que fica em contato com o solo quando a roda gira **~ desenhada** *Lus.* Ver *História em quadrinhos* [Provavelmente do fr. *bande dessinée*.] **~ de valência** *Fís.* Faixa dos estados de energia dos elétrons de valência de átomos isolados de um material **~ de vídeo** *Telv.* Faixa de frequência dos sinais de vídeo **~ do cidadão** *Telc.* Faixa de frequências reservada para uso de particulares, esp. radioamadores **~ fundamental** *Fís.* Faixa das transições do estado de menor energia vibratória de uma molécula para seu primeiro estado excitado **~ larga** *Int.* Termo que designa uma faixa para transmissão de dados para a internet com capacidade nominal acima de 128 kbs (128 mil *bytes* por segundo). [Ver *banda* (5).] **~ magnética** *Cin.* Faixa ao longo de filme (a película) na qual se registram magneticamente os sons (falas, músicas, ruídos de cena etc.) que devem acompanhar as imagens [Cf.: *Banda óptica*.] **~ óptica** *Cin.* Parte da película cinematográfica, na forma de uma faixa lateral, em que se registram os sons por meio de modulação luminosa fotográfica [Cf.: *Banda magnética*.] **~ passante** *Eletrôn.* Faixa de frequências com atenuação por filtro praticamente inexistente

banda[3] (*ban*.da) *sf. Bras. Pop.* 1 Movimento ligeiro de uma das pernas, dado ger. de modo inesperado ou como um golpe de luta por alguém que está de pé, deslocando o pé de apoio da pessoa que quer derrubar; RASTEIRA 2 *Fig.* Traição inesperada, que abala muito, e esp. a que alija alguém de sua posição ou situação [F.: Do quimb. *dibanda*, 'pernada', posv.] ■ **Dar uma ~** *Fig. Gír.* Enganar ou trair (alguém); passar a perna, dar uma rasteira

bandagem (ban.*da*.gem) *sf.* 1 Tira de gaze ou outro tecido us. em curativos, imobilizações etc; ATADURA 2 Tecido macio e de trama aberta, do qual é feita a bandagem (2) 3 Ação ou resultado de bandar[1], de pôr ou trabalhar com banda(s), faixa(s) ou tira(s) [F.: *banda(r)* + *-agem*.]

bandalha (ban.*da*.lha) *sf.* 1 Bandalheira; ação vil, desonesta ou depravada 2 Manobra ilegal no trânsito: *Fez uma bandalha, cruzando o canteiro central.* *a2g.* 3 *Pop.* Diz-se do taxista sem registro ou que cobra acima da tabela 4 Diz-se do veículo que circula em situação irregular [F.: Regress. de *bandalheira*.]

bandalheira (ban.da.*lhei*.ra) *sf. Bras. Pej.* 1 Ação de bandalho ou própria de bandalho, patife, tratante; BAIXEZA; BANDALHA; BANDALHICE 2 Transgressão de regulamentos ou leis; negócio ilícito; DESONESTIDADE; FALCATRUA 3 Depravação de costumes; libertinagem, depravação 4 *Ant.* Vestuário ridículo [F.: *bandalho* + *-eira*.]

bandalheiro (ban.da.*lhei*.ro) *a.* 1 Que faz bandalha, baixeza ou desvergonha 2 *Bras.* Diz-se de motorista que dirige mal, provocando bandalha no trânsito *sm.* 3 Indivíduo bandalheiro: *O bandalheiro de trânsito não respeita a sinalização.* [F.: *bandalha* + *-eiro*.]

bandalhice (ban.da.*lhi*.ce) *sf.* 1 Ação própria de bandalho; BAIXEZA; INDIGNIDADE; BANDALHEIRA 2 Vestuário ridículo [F.: *bandalho* + *-ice*.]

bandalho (ban.*da*.lho) *a.* 1 *Pej.* Que não tem dignidade ou compostura; CAFAJESTE; CANALHA; PATIFE; VELHACO 2 *Pej.* Que é devasso, imoral 3 *Pej.* Que anda malvestido ou com roupas em farrapos; ESFARRAPADO; ESMOLAMBADO; MALTRAPILHO 4 *Lus.* Diz-se do peixe em estado de putrefação; DELIDO *sm.* 5 Indivíduo sem brio ou dignidade: "Às vezes, Diadorim me olhasse com um desdém, fosse eu caso perdido de lei, descorrigido em bandalho." (Guimarães Rosa, *Grande sertão: veredas*) 6 *Ant. Pej.* Indivíduo janota 7 *Ant.* Trapo, farrapo [F.: *band(o)* + *-alho*. Hom./Par.: *bandalho* (a. sm.), *bandalho* (fl. de *bandalhar*).]

bandana (ban.*da*.na) *sf.* Lenço que cinge a cabeça passando pela testa, us. como enfeite

bandarilha (ban.da.*ri*.lha) *sf. Taur.* Farpa ou dardo que o toureiro espeta no cachaço dos touros, e cuja haste é enfeitada com uma bandeira ou com fitas de papel colorido [F.: Do espn. *banderilla*. Hom./Par.: *bandarilha* (sf.), *bandarilha* (fl. de *bandarilhar*).]

bandarilhar (ban.da.ri.*lhar*) *v. td.* 1 *Taur.* Cravar bandarilhas no alto do lombo de (touro) 2 Fazer críticas irônicas e maliciosas a; satirizar [▶ 1 bandarilhar]

bandarilheiro (ban.da.ri.*lhei*.ro) *sm. Taur.* Toureiro que crava bandarilhas nos touros; TOUREIRO [F.: *bandarilha* + *-eiro*.]

bandarra (ban.*dar*.ra) *s2g.* 1 Pessoa vadia e irresponsável; MALANDRO; MANDRIÃO; PREGUIÇOSO; VAGABUNDO 2 Pessoa que frequenta encontros festivos; FARRISTA *sf.* 3 Encontro festivo ou ruidoso; PÂNDEGA 4 *Pej.* Ver *meretriz* [F.: De *bando* + *-arra*. Ideia de: *band-* e *-rr(o/a)*.]

banda-voou (ban.da-vo.*ou*) *BA Pop. s2g2n.* Pessoa que topa tudo, cuca-fresca [F.: De or. obsc.]

bandeado (ban.de.*a*.do) *a.* Que se bandeou, que mudou de lado ou de opinião: *Calabar teria se bandeado para o lado inimigo.* [F.: Part. de *bandear*.]

bandear[1] (ban.de.*ar*) *v.* 1 Mudar de banda, de lado, de opinião, de partido [*ta.*: *O vereador ameaçou bandear(-se) para a oposição; A família bandeou(-se) para a periferia.*] [*int.*: *Quando se sentia ameaçado, bandeava(-se).*] 2 Agitar ou mover-se para uma e outra banda; balancear(-se), oscilar [*td.*: *bandear uma bandeira.*] [*int.*: *Sentiu-se tonto, bandeou e caiu.*] 3 Fazer pender, inclinar, cair para a banda, para o lado [*td.*: *O vendaval bandeou as árvores.*] [▶ 13 bandear] [F.: *banda*[1] + *-ear*[2].]

bandear[2] (ban.de.*ar*) *v. td.* Juntar(-se) em bando; ABANDAR(-SE); ABANDEAR(-SE): *Bandeou comparsas para luta.* [▶ 13 bandear] [F.: *bando* + *-ear*[2].]

bandeide (ban.*dei*.de) *sm.* Curativo adesivo pequeno, us. para proteger pequenos ferimentos [F.: Da marca registrada *Band-Aid*.]

bandeira (ban.*dei*.ra) *sf.* 1 Peça de pano, ger. retangular, com as cores e, às vezes, legendas e/ou símbolos representativos de uma nação, instituição, agremiação etc., ou com cores e/ou desenhos específicos para transmitir sinais, presa por um dos lados a uma haste, de modo que possa desenrolar-se e flutuar; ESTANDARTE; PAVILHÃO; PENDÃO: *a bandeira do Brasil; bandeira preta em sinal de luto.* 2 Pedaço de papel, plástico etc., ger. colorido e recortado em formato poligonal, preso em série por um dos lados a um fio, este depois é suspenso para enfeitar o local de uma festa: *bandeiras de festa junina.* 3 Emblema ou distintivo de uma União, disciplina militar, instituição etc. utilizada em trajes e objetos 4 *Fig.* Lema ou divisa que norteia um grupo, partido etc.: "Todos sabem que a bandeira do romanticismo cobriu muita mercadoria deteriorada..." (Machado de Assis, *Críticas teatrais*) 5 *Bras.* Marca de uma empresa (ger. de grande porte e com muitas filiais) responsável pela comercialização de produtos e/ou prestação de um serviço no mercado: *bandeira de um supermercado.* 6 *Bras.* Marca de uma distribuidora de combustível: *bandeira de um posto* 7 *Bras.* Marca de uma instituição financeira que é impressa em cartões e outros documentos, e é exibida nas redes credenciadas: *bandeira de um cartão de crédito.* 8 *Bras.* Peça do taxímetro que, acionada, inicia a contagem da quantia a ser paga pela corrida, e que pode fazê-lo funcionar mais rápida ou mais lentamente, mediante comando do taxista, de acordo com a legislação em vigor: *A bandeira 2 está autorizada a partir de amanhã.* 9 *Bras. Rel.* Pano ou quadro assentado sobre um caixilho de madeira, ou outro material, com imagens de santos e emblemas religiosos pintados que, ger. enfeitado com farpas e laços, é preso por uma haste em um dos lados para ser levado adiante das confrarias nas procissões 10 *Bras. Rel.* Cortejo que leva à frente um estandarte com a imagem de um santo, com cantos acompanhados de instrumentos, realizado em cidades do interior 11 *PB PE Rel.* Procissão noturna em honra de um santo 12 *Bras. Hist.* Expedição armada que, entre o fim do séc. XVI e o começo do séc. XVIII, partia da capitania de São Vicente (depois, de São Paulo) para desbravar os sertões: "Quando a bandeira entrou pelo teu seio, quando / Fernão Dias Pais Leme invadiu o sertão!" (Olavo Bilac, *O caçador de esmeraldas*) [Nesta acp., mais us. no pl. Cf.: *entrada*.] 13 *Bras. Gír.* Ação ou frase que denuncia algo que se queria esconder 14 *Cons.* Caixilho envidraçado, ger. fixo, que encima portas e janelas, e que serve para dar claridade aos aposentos 15 *N.E. Bot.* Inflorescência da cana-de-açúcar; FLECHA 16 *N.E. Agr.* Porção terminal do caule da cana-de-açúcar, us. como semente 17 *Bot.* Inflorescência do milho e outras gramíneas 18 Folha de metal ou de papel afixada em um candeeiro para atenuar a intensidade da luz 19 *Cin. Teat. Telv.* Peça afixada na borda de um refletor com duas ou quatro abas ajustáveis, feitas de metal e pintado de preto fosco, que ajudam no direcionamento e foco da luz 20 *Cin. Teat. Telv.* Peça móvel, ger. retangular e feita de material opaco, que é fixada em tripé ou no próprio refletor para bloquear a luz de maneira bem definida, us. para fechar, cortar, moldar ou dar efeitos de iluminação em cenários 21 *Art. gr.* Pedaço de cartolina que se cola às varetas das minervas para que a fôrma não manche o papel quando há grandes claros; PESTANA 22 *Art. gr.* Pedaço de papel que se cola ao original ou à prova, e onde se fazem acréscimos ao texto; PAPAGAIO 23 *Art. gr.* Lâmina colocada entre o resvaladouro da linotipo e os magazines, para impedir que o chumbo desvie da entrada do molde quando há matrizes salientes na boca **24** *Art. gr.* Composição irregular alinhada à esquerda ou à direita cujas linhas ger. não abrangem a largura da mancha **25** *Econ.* Figura de continuidade que se forma em um gráfico de barras para orientar o analista de investimento **26** *N.* Grupo de trabalhadores rurais contratados por um só dia **27** *PB* O mesmo que *mutirão* (1) **28** *BA* Montículo de cacau colhido (tb. o conjunto de canoas que transportam o cacau para o porto marítimo de embarque) **29** *Zool.* Conjunto de barbas de uma pena **30** *PE* Promessa não cumprida após obtenção do que se desejava **31** *Met.* Placa metálica colocada no alto de torres e telhados para indicar a direção do vento **32** *Lus.* Letreiro que informa o destino do veículo de transporte coletivo *sm.* **33** Sinaleiro de estrada de ferro *N;* BANDEIRISTA **34** *RJ Antq.* Sinaleiro em encruzilhadas de bondes **35** *Ict.* Certa esp. de bagre marinho (*Felichtys marinus*, tb. *bagre-bandeira*) **36** *Ict.* O mesmo que *acará-bandeira* (*Pterophyllum scalare*) *s2g.* **37** *Bras. Fut.* O mesmo que *bandeirinha* (5) [F.: Posv. do cast. *bandera*, deriv. do gót. *bandwo*. Dim. nas acps. 1 e 2: *bandeirola*. Hom./Par.: *bandeira* (sf. sm.), *bandeira* (fl. de *bandeirar*).]

📖 As bandeiras, na história do Brasil, eram expedições armadas que, ger. financiadas e organizadas por particulares, saíam para desbravar o interior em busca de pedras e metais preciosos e de indígenas a serem escravizados. Muitas dessas expedições não respeitavam os limites estabelecidos pelo Tratado de Tordesilhas, e foram responsáveis pela ampliação do território brasileiro a sul e a sudoeste

bandeirada (ban.dei.*ra*.da) *sf.* **1** *Bras.* Quantia mínima que se paga por uma corrida de táxi, e que já é devida quando o motorista liga o taxímetro **2** *Aut.* Em competições automobilísticas, sinal convencional dado com uma bandeira quadriculada quando os carros ultrapassam a linha de chegada [F.: *bandeira* + *-ada*[1].]

bandeirante (ban.dei.*ran*.te) *sm. Bras.* **1** *Hist.* Expedicionário que tomava parte em uma bandeira (12) *sf.* **2** Menina ou moça que pertence a um grupo de escotismo *a2g.* **3** Ref. ou pertencente ao Estado de São Paulo (empresa bandeirante) **4** *Hist.* Relativo às bandeiras (expedições) ou aos bandeirantes (1) **5** Relativo às bandeirantes (2) ou ao bandeirantismo *s2g.* **6** Pessoa que nasceu no Estado de São Paulo; PAULISTA **7** Pessoa empreendedora, desbravadora, pioneira em certa atividade ou empreendimento [F.: *bandeira* + *-nte*.]

bandeirantismo (ban.dei.ran.*tis*.mo) *sm. Bras.* **1** Movimento educativo extraescolar, inspirado no escotismo, cujo objetivo é desenvolver nas meninas e moças o espírito comunitário, a liberdade responsável, a disciplina e o comportamento baseado em valores éticos [Fundado por Baden Powell e sua irmã Agnes, em 1910, na Inglaterra.] **2** Ver *bandeirismo* [F.: *bandeirante* + *-ismo*. Cf.: *escotismo*.]

bandeirar (ban.dei.*rar*) *v.* **1** *Bras. Gír. Fut.* Atuar como bandeirinha (árbitro assistente) em [*td.: Ele bandeirou o Fla x Flu no domingo:* "... é obrigatório o árbitro comprovar o exercício de alguma atividade para apitar ou bandeirar jogos..." (*O Globo*, 16.09.2001)] [*int.: O bandeirinha bandeirou muito bem.*] **2** *Bras. Gír.* Dar bandeira (13), revelar inadvertidamente (algo encoberto ou insuspeitado) ou revelar-se, expor-se tal como é; CONFESSAR(-SE); DENUNCIAR(-SE); EXPOR(-SE) [*td.: O roqueiro bandeirou que vai à missa; Bandeirou sua veia poética.*] [*int.: Bebeu demais e bandeirou, cantando tango.*] **3** *Bras. Ant. Hist.* Ser bandeirante; participar de bandeira (12) [*int.*] **4** *Bras. Ant. Hist.* Prear índios e escravos negros fugidos [*int.*] [▶ 1 bandeirar] [F.: *bandeira* + *-ar*. Hom./Par.: *bandeira(s)* (fl. de *bandeirar*), *bandeira(s)* (sf. [pl.]).]

bandeireiro (ban.dei.*rei*.ro) *sm.* **1** Fabricante e/ou vendedor de bandeiras **2** Integrante de uma bandeira (12); BANDEIRANTE [F.: *bandeira* + *-eiro*.]

bandeiriano (ban.dei.ri:*a*.no) *a.* **1** Ref. a, ou próprio do escritor e poeta brasileiro Manuel Bandeira (1886-1968): *Seu lirismo era algo bandeiriano e impregnado de realidade quotidiana.* **2** Que admira ou conhece profundamente a sua obra *sm.* **3** Indivíduo bandeiriano [F.: Do antr. Manuel *Bandeira* + *-i-* + *-ano*.]

bandeirinha (ban.dei.*ri*.nha) *sf.* **1** Pequena bandeira *s2g.* **2** *Bras. Fut.* Árbitro assistente, que, da lateral do campo, acena com uma bandeira para sinalizar ao árbitro principal apontando infrações, principalmente impedimentos, e/ ou a saída da bola pela lateral ou pela linha de fundo; BANDEIRA; JUIZ DE LINHA **3** Cada um de uma série de pequenos pedaços de papel ou plástico, de formato característico e cores variadas, colados pelo topo a um barbante, us. para ornamentar festas: *As bandeirinhas de são João enfeitam o pátio.* **4** *Ent.* Designação comum a diversas espécies de borboletas da fam. dos licenídeos, esp. do gên. *Thecla* **5** *Ict.* Peixe teleósteo da fam. dos ciprinídeos (*Brachydanio rerio*); tb. *bandeira-paulista* **6** *Ornit.* Espécie de beija-flor (*Discosura longicauda*) verde brilhante, com uma cinta esbranquiçada no dorso **7** *Bras. Ornit.* Ave passeriforme tanagrídea (*Chlorophonia chlorocapilla*, Shaw.); tb. *bonito-do-campo* **8** *Pol.* Político que troca facilmente de partido; VIRA-CASACA [F.: *bandeira* + *-inha*.]

bandeirismo (ban.dei.*ris*.mo) *sm.* **1** Conjunto de acontecimentos relacionados com as bandeiras (12) e os seus integrantes; BANDEIRANTISMO **2** Ato ou maneira de proceder próprio de bandeirante [F.: *bandeira* + *-ismo*.]

bandeirola (ban.dei.*ro*.la) *sf.* **1** Pequena bandeira; BANDEIRINHA **2** Bandeira de seda com franjas na orla; FLÂMULA **3** *Restr. Com.* Bandeira curta (ger. com logotipo de uma firma, ou com anúncio de certo produto, de promoção comercial etc.) usada em quantidade para decorar o ponto de venda **4** Pequena bandeira us. como baliza ou jalão para marcar o local exato, num terreno, e orientar um traçado ou alinhamento **5** Bandeira das trombetas da cavalaria [F.: *bandeira* + *-ola*.]

bandeiroso (ban.dei.*ro*.so) [ô] *Bras. Pop. a.* **1** Que dá bandeira, que revela, por descuido, o que se deveria manter oculto **2** Que chama a atenção por não ser discreto [Fem. e pl.: [ó].] [F.: *bandeira* + *-oso*.]

bandeja (ban.*de*.ja) [ê] *sf.* **1** Peça plana, ger. retangular e de bordas baixas (ou sem bordas), us. para carregar objetos variados, e esp. para trazer e servir alimentos e bebidas em seus recipientes **2** *Basq.* Movimento em que o jogador se aproxima da cesta numa passada, lançando a bola de baixo para cima com uma das mãos **3** Espécie de gaveta, nas máquinas copiadoras, onde se armazena o papel a ser us. nas fotocópias **4** Recipiente us. em refeitórios (p. ex., de soldados, marinheiros etc.) para nele servir as porções individuais de comida, e que consiste em uma chapa de metal prensada com várias divisões para os diversos alimentos **5** *Mar. Merc.* Ver *bandeja de carga* [Tb. se diz *bandeja de carga*.] **6** Grande abano de palha para aventar o trigo e separar-lhe os resíduos **7** Pequeno recipiente usado em aquicultura para incubar os ovos das espécies aquáticas **8** *Cons.* Recipiente em que se dilui ou mistura a tinta para a pintura das paredes (esp. quando se usa o rolo para pintar) **9** *Mil.* Plataforma que transporta a munição dos canhões para a posição de carregamento [F.: or. contrv.] ■ **~ de carga** *Mar. Merc.* Estrado de tamanho padronizado, sobre o qual se põe a carga a ser manejada por empilhadeira **Dar de ~ 1** *Gír. Bras.* Entregar algo, ou revelar informação, sem ter sido solicitado ou instado a isso **2** *Fut.* Rolar a bola em boas condições para o arremate de um companheiro de time **Receber de ~ 1** *Gír.* Ganhar, receber ou ter acesso a algo (objeto, informação etc.) sem ter feito esforço, sem ter pedido ou dado algo em troca **2** *Bras. Fut.* Receber um passe em boas condições para o arremate

bandejão (ban.de.*jão*) *sm.* **1** Bandeja grande **2** *Bras. Pop.* Restaurante, ger. instalado em universidades e fábricas, em que as refeições são servidas, a preços populares, em bandejas com divisões para os alimentos [Pl.: *-jões*.] [F.: *bandeja* + *-ão*[1].]

bandidada (ban.di.*da*.da) *sf. Pej.* Grupo numeroso de bandidos; conjunto de bandidos: *A bandidada está solta nas ruas.* [F.: *bandido* + *-ada*.]

bandidagem (ban.di.*da*.gem) *sf.* **1** Os bandidos em geral; súcia de bandidos **2** A atividade dos bandidos; o modo de vida dos bandidos [Pl.: *-gens*.] [F.: *bandido* + *-agem*.]

bandido (ban.*di*.do) *sm.* **1** Pessoa que comete crimes; DELINQUENTE; FACÍNORA; MARGINAL **2** Pessoa de má índole, perversa, má; MAU-CARÁTER; PATIFE; PILANTRA **3** *Ornit.* Espécie de gaivota dos estercorariídeos (*Stercoratius parasiticus*), tb. *gaivota-rapineira a.* **4** *Fig.* Em que há transgressão, aviltamento, perversidade; que provoca desprazer, sofrimento (paixão bandida) **5** *Ant.* Diz-se da pessoa banida, desterrada [F.: do it. *bandito*, deriv. de *bandire* (exilar), e este do frâncico *bannjan.] ■ **Jogar/trabalhar de ~** *Gír.* Agir, intencionalmente ou não, de modo a prejudicar ou arruinar (alguém, tarefa, projeto etc.)

banditismo (ban.di.*tis*.mo) *sm.* **1** Modo de proceder de bandido **2** Tipo de vida de bandido **3** Conjunto dos crimes cometidos em certo lugar ou época; criminalidade [F.: Do it. *banditismo*.]

bando (*ban*.do) *sm.* **1** Qualquer agrupamento de pessoas ou animais **2** Grupo de pessoas vinculadas de algum modo, esp. por certos interesses comuns, ou que atuam em conjunto **3** *Restr.* Os integrantes de um partido ou facção **4** *Restr.* Grupo de ladrões ou criminosos que agem em conjunto **5** Grupo indisciplinado, ou que causa desordem, ou que é marginal às instituições sociais: *bando de revolucionários; bando de arruaceiros.* **6** Quantidade de pessoas (ou, p. ext., de coisas) que têm certa qualidade comum (ger. negativa), mesmo sem formar um grupo coeso: *São todos um bando de incompetentes!* **7** *Pej.* Ajuntamento desorganizado de pessoas, ao qual falta disciplina, competência etc.: *São um bando de profissionais esforçados, não uma verdadeira equipe.* **8** *Fig.* Grande quantidade: "... mas a razão o escoltava com um bando de raciocínios." (Aluísio Azevedo, *O mulato*) **9** Grupo formado por pequeno número de famílias, que tem identidade e modo de vida próprios e, ger., organização social relativamente pouco desenvolvida: *um território percorrido por bandos de caçadores-coletores.* **10** *Ant. Mil.* Nome que se dava na França a certa formação militar de infantaria, depois denominada legião e finalmente regimento [F.: Do lat. tard. *bandum*; Hom./Par.: *bandó*.]

bandó (ban.*dó*) *sf.* Cada uma das partes do cabelo que, dividido ao longo da cabeça até a nuca, arredonda-se com algum relevo dos lados da testa, em certo penteado feminino [F.: Do fr. *bandeau*. Hom./Par.: *bandó* (sf.), *bando* (sm.), *bandô* (sm.).]

bandô (ban.*dô*) *sm.* Faixa decorativa, ger. de madeira e revestida de tecido ou pintada, que arremata a parte superior de cortinas, para esconder os trilhos [F.: Do fr. *bandeau*. Hom./Par.: *bandô* (sm.), *bando* (sm.), *bandó* (sf.).]

bandola[1] (ban.*do*.la) *sf. Mús.* Instrumento tenor ou barítono da família dos bandolins [F.: Do it. *mandola*.]

bandola[2] (ban.*do*.la) *sf. Mús.* Instrumento tenor da família dos bandolins, com a mesma forma e afinação destes [F.: Do it. *mandola*.]

bandoleira (ban.do.*lei*.ra) *sf.* Correia us. a tiracolo para segurar algo (ger. arma): "...aparecendo macio dos escuros, com alpercatas sem barulho e o rifle em bandoleira..." (Guimarães Rosa, *Grande sertão: veredas*) [F.: Do espn. *bandolera*.]

bandoleiro (ban.do.*lei*.ro) *sm.* **1** Assaltante de estrada; SALTEADOR **2** Bandido **3** Cangaceiro **4** Indivíduo mentiroso ou trapaceiro **5** Cão que anda a esmo, seguindo as pessoas *a.* **6** Volúvel, inconstante (esp. no amor ou na amizade); FRÍVOLO; INSTÁVEL: "Se divertia da silva, bandoleiro com muitas, comboiava aquele mulherio quase todo." (Guimarães Rosa, *Noites do sertão*) **7** Que não permanece num lugar ou não tem paradeiro certo; ERRANTE; ERRÁTICO **8** Vadio, vagabundo **9** Jeitoso, fácil de entrar em acordo [Col. da acp. 1: *bando, corja, horda, malta, súcia*. F.: Do cast. *bandolero*.]

bandolim (ban.do.*lim*) *Mús. sm.* **1** Instrumento de quatro cordas duplas em uníssono e que se toca com ponteiro ou palheta **2** Por metonímia, músico que toca bandolim; BANDOLINISTA **3** Por metonímia, o som do bandolim: *De longe, ouvia-se um bandolim dos melhores.* [Pl.: *-lins*.] [Tb. *mandolim*. F.: Do it. *mandolino*.]

bandolinista (ban.do.li.*nis*.ta) *Mús. s2g.* **1** Pessoa que toca bandolim *a2g.* **2** Diz-se daquele que toca bandolim [F.: *bandolim* + *-ista*.]

bandônion (ban.*dô*.ni:on) *sm. Mús.* Tipo de acordeão quadrado com funcionamento e teclado semelhantes aos da concertina [Pl.: *-ons*.] [F.: Do cast. *bandoneón*.]

bandulho (ban.*du*.lho) *Pop. sm.* **1** Os intestinos **2** Barriga pronunciada; PANÇA; PANDULHO **3** *Ant. Tip.* Cunho de madeira tendo em ângulo a parte mais fina [Servia para apertar os cunhos que seguravam as letras quando se imprimia.] [F.: De or. contrv.]

bandurra (ban.*dur*.ra) *sf. Mús.* Espécie de bandolim curto com seis parelhas de cordas: "Getirana, bruxinha tarasca, / Arranhando fanhosa bandurra / Com tremenda embigada descasca/ A barriga do velho Caturra" (Bernardo Guimarães, "A orgia dos duendes" *in Poesias*) [F.: Do espn. *bandurria*.]

bangalafumenga (ban.ga.la.fu.*men*.ga) *sm. N.E. Pop.* Indivíduo sem importância; JOÃO-NINGUÉM [F.: Posv. do umbundo.]

bangalô (ban.ga.*lô*) *sm.* Pequena casa ou cabana mais ou menos isolada de outras, de um só andar e com varandas cobertas, us. esp. em veraneio ou para hospedagem [F.: do ing. *bungalow*, deriv. do hindustani *banglã*.]

bangu (ban.*gu*) *s2g.* **1** Quem torce pelo Bangu (clube social e esportivo), esp. por seu time de futebol; BANGUENSE: *Ela é bangu. a2g.* **2** Que torce pelo Bangu (torcida bangu) [F.: Do top. *Bangu*, bairro do subúrbio do Rio de Janeiro.] ■ **A ~ 1** *RJ* De qualquer maneira, sem cuidado ou capricho: *Capriche, não quero essa limpeza feita a bangu.* **2** Com uso de violência, força bruta: *Se não quiser vir, traga-o a bangu.*

banguê (ban.*guê*) *Bras. sm.* **1** Designação de certos tipos de padiola mais ou menos tosca, para diversos fins (p. ex., transporte de materiais de construção, de bagaço de cana, de cadáveres) **2** Engenho de açúcar simples e tosco, movido por energia animal; ENGENHO DE BANGUÊ **3** Canal de ladrilhos por onde escorre a espuma dessas tachas **4** Conjunto de fornalha e tachas, em engenho de açúcar **5** Propriedade rural constituída pelo banguê (2) e canaviais adjacentes **6** *Ant.* Couro de boi arrastado por mula para conduzir o bagaço da cana moída **7** *Bras.* Liteira simples, com teto de couro **8** *Bras.* Espécie de recipiente ou tabuleiro grande, de couro, us. para curtume [F.: de or. africana, mas de étimo indeterminado.]

bangue-bangue (ban.gue-*ban*.gue) *sm.* **1** Filme passado no antigo oeste norte-americano, na época da expansão dos E. U. A. para essa região, com muita ação de brigas e tiros; *faroeste* **2** Troca de tiros, tiroteio [Pl.: *bangue-bangues*.] [F.: do ing. *bang-bang*.]

banguela (ban.*gue*.la) *a2g.* **1** Que não tem dentes, ger. os da frente; BENGUELA; CANHANHA; DESDENTADO: "... conforme aquela vermelha boca banguela toda abriu e me mostrou." (Guimarães Rosa, *Grande sertão: veredas*) **2** Do ou ref. ao povo africano dos benguelas, ou banguelas, que tinha o hábito de arrancar os dentes da frente; típico desse povo *s2g.* **3** Indivíduo dos benguelas, povo banto da região de Benguela (África); BENGUELA **4** Quem não tem os dentes, ger. os da frente; BENGUELA; CANHANHA; DESDENTADO [F.: Do top. *Benguela*.] ■ **Na ~** *Bras. Pop.* Em ponto morto (o veículo, esp. quando avançando num declive)

banguezeiro (ban.gue.*zei*.ro) *sm.* Dono de banguê, de engenho primitivo de açúcar; BANGUEZISTA [F.: *bengue* + *-z-* + *-eiro*.]

banha (*ba*.nha) *sf.* **1** Gordura animal, esp. a do porco, us. para fins culinários, ou outros; ENXÚNDIA **2** *P. ext.* Gordura das pessoas, esp. a acumulada no tronco ou na barriga [Nesta acp., tb. us. no pl.] [F.: de or. controv.] ■ **Ficar na ~** Ficar muito pobre, na miséria **~ de cacau** Manteiga de cacau **Passar ~ em** *AL Pop.* Elogiar interessadamente, bajular

banhado (ba.*nha*.do) *a.* **1** Que se banhou, que tomou banho **2** Molhado, umedecido; embebido ou coberto (inteiramente ou parcialmente) de certo líquido: *salada banhada em azeite; pincel banhado de tinta; Chegou ofegante e banhado em suor.* **3** *P. ext. Fig.* Us. (com o mesmo sentido da acp. anterior) de forma hiperbólica e figurada: *Uma conquista banhada de sangue* [*isto é, muito violenta, na qual correu muito sangue*]: "Ficara longo tempo a rezar, banhada em lágrimas..." (Aluísio Azevedo, *O homem*.) **4** *P. ext. Fig.* Envolto por, ou recoberto de: *Viu a igrejinha, no alto da colina, banhada em luz.* **5** Que tem camada superficial de certo material ou substância, obtida por imersão ou outra técnica industrial: *parafusos banhados em zinco.* **6** *Fig.* Em que há forte presença ou grande influência de certas obras ou criações artísticas, intelectuais etc.: *na juventude, suas leituras eram banhadas em poesia romântica.* ***sm.*** **7** *Bras. S.* Pântano encoberto por vegetação; ALAGADIÇO; BREJO; CHARCO **8** *P. ext.* Pântano; área de terras baixas, alagadas de águas estagnadas; ALAGADIÇO; BREJO; CHARCO [Col.: *banhadal*. F.: part. de *banhar*.]

banhar (ba.*nhar*) *v.* **1** Dar banho em ou tomar banho; LAVAR(-SE) [***td.***: *Já banhou o bebê?; No verão banhava-se várias vezes ao dia.*] **2** Mergulhar, meter em (água ou outro líquido) [***tda.***: *A mãe banhou a mamadeira na panela com água fervente.*] **3** Lançar (água ou outro líquido) sobre, cobrir ou ficar coberto de (líquido); umedecer(-se), molhar(-se) [***td.***: *Com as mãos em concha banhava o rosto.*] [*tr. + de, em*: *Seu rosto banhou-se de suor.*] **4** *Fig.* Estender-se sobre [***td.***: *O sol banhava a plantação.*] **5** *Fig.* Encher-se, envolver-se [*tr. + em, de*: *Saía à noite para banhar-se em luar; Abriu as janelas e o quarto banhou-se de luz.*] **6** Correr por, cercar, passar em ou junto de (falando dos rios, lagos ou mares) [***td.***: *O oceano Atlântico banha toda a América.*] [▶ **1 banhar**] [F.: Do lat. *balneare*. Hom./Par.: *banha(s)* (fl.), *banha(s)* (sf. [pl.]); *banho* (fl.), *banho* (sm.).]

banheira (ba.*nhei*.ra) *sf.* **1** Espécie de grande recipiente de metal, louça, fibra etc., que se enche de água e no qual se pode sentar ou deitar o corpo e banhá-lo por imersão, para fins higiênicos ou terapêuticos **2** Qualquer aparelho, instalação ou objeto próprios para banhos de imersão: *Comprou para o bebê uma banheira plástica, dobrável e portátil.* **3** *Joc.* Automóvel muito grande, esp. antigo **4** *Bras. Pop. Fut.* Impedimento (posição irregular do jogador à frente da zaga adversária) [F.: de *banho* + *-eira*.] ■ **Na ~** *Fut.* Em posição de impedimento

banheiro (ba.*nhei*.ro) ***sm.*** **1** *Bras.* Aposento (em uma casa, residência etc.) ou qualquer instalação ou construção especial, destinados à higiene pessoal, com chuveiro, vaso sanitário e pia, e, às vezes, banheira e/ou bidê *Lus.*; CASA DE BANHO **2** *Bras.* Cômodo ou cabine com vaso sanitário e ger. pia; LAVABO; SANITÁRIO; TOALETE **3** *Bras.* Vaso sanitário; LATRINA; PRIVADA **4** *Lus.* Pessoa encarregada de preparar banhos, ou proprietário de instalações balneárias **5** *Lus.* Salva-vidas, ou o encarregado de dar assistência a banhistas [F.: de *banho* + *-eiro*.]

banhista[1] (ba.*nhis*.ta) ***s2g.*** **1** Pessoa que está em praia, piscina, rio ou parque aquático com trajes próprios para se banhar **2** Pessoa que se banha em estação de águas medicinais **3** Pessoa que dá banho em outra **4** Salva-vidas [F.: *banho*[1] + *-ista*.]

banhista[2] (ba.*nhis*.ta) ***s2g.*** *AL Gír.* Adulador interesseiro [F.: De or. contrv.]

banho (*ba*.nho) ***sm.*** **1** Ação ou resultado de molhar o corpo, ou parte dele, para fins de higiene, lazer ou terapêuticos: *banho de mar; banho de chuveiro; banho de imersão.* [Ver tb. *pedilúvio*.] **2** Água ou outro líquido preparados para o banho: *O banho de ervas está pronto.* **3** *P. ext.* Ato ou resultado de, inadvertidamente, molhar-se com grande quantidade de algum líquido, ou a quantidade de líquido que molha alguém ou algo: *Ao abrir a lata, levou um banho de refrigerante.* **4** Exposição do corpo a raios solares, luminosos etc.: *banho de sol; banho de de luz infravermelha.* **5** *P. ext.* Ação ou resultado de submeter um corpo ou objeto à ação de um líquido (ou de substâncias nele presentes), ger. por imersão, ou aspersão ou outro método **6** *Quím.* Líquido ou solução em que se mergulham peças para fins diversos, como, p. ex., para recobri-las de fina camada de certa substância: *metal envelhecido com banho de prata.* **7** *Bras. Gír.* Calote **8** *Bras. Fig.* Abundância de alguma coisa que se experimenta ou vivencia: *banho de civilização; banho de cultura*: "Viu de memória a sala, os homens, as mulheres, os leques impacientes, os bigodes despeitados, e estirou-se todo num banho de inveja e admiração." (Machado de Assis, *Quincas Borba*) **9** Demonstração, espontânea ou arrogante, de atributo ou qualidade que se tem em abundância: *O professor deu um banho de erudição na aula.* **10** *Fig.* Vitória com grande vantagem sobre o adversário: *A seleção brasileira jogou bem e deu um banho: 5x0.* [F.: Do it. *bagno*.] ■ **~ de assento** Lavagem das partes íntimas do corpo, ger. em bacia ou em louça sanitária apropriada; semicúpio **~ de cheiro** *AM. Etnog.* Banho de imersão em água com ervas, flores, essências perfumadas etc., com efeitos supostamente medicinais e místicos, como a atração da felicidade e a defesa contra azar, doença, mau-olhado etc. **~ de ervas** *Bras. Etnog.* Ver *banho de cheiro* **~ de espuma** Banho (1) em que se acrescentam à água produtos que produzem espuma e que são benéficos ou agradáveis à pele **~ de loja** *Bras. Fam.* Compra de muitos artigos destinados ao apuro da apresentação pessoal, como roupas, cosméticos etc. **~ de sangue** Matança, carnificina **~ eletrolítico** *Eng. Quím.* Solução na qual se realiza a eletrólise **~ finlandês** Sauna **~ salgado** *N.E.* Banho de mar **~ turco** Banho que consiste em exposição ao vapor de água bem quente, seguido de mergulho em água fria **Dar um ~** *Fig. Pop.* Demonstrar grande competência ou superioridade em uma atividade, um esporte, uma competição etc.: *Ela deu um banho na prova de matemática; Seu time levou um banho do meu.* **Ir tomar ~** Us. (ao interpelar alguém ou referir-se a ele) para expressar raiva, desprezo: *Irritou-se, e mandou todos irem tomar banho.* **Levar um ~ (de)** Ser amplamente superado em (competição, atividade etc.) (por outrem)

banho-maria (ba.nho-ma.*ri*.a) ***sm.*** Processo de aquecer, cozer, derreter ou evaporar uma substância mergulhando em água fervente o recipiente que a contém [Pl.: *banhos- -marias, banhos-maria*.] [F.: De or. contrv.] ■ **Em ~** *Fig.* Em suspenso, ou em processo lento de realização: *Vamos deixar este projeto em banho-maria até captarmos recursos.*

banhudo (ba.*nhu*.do) ***a.*** Que tem muita banha, muita gordura; GORDO [F.: *banha* + *-udo*.]

banido (ba.*ni*.do) ***a.*** **1** Expatriado por sentença judicial (banido do país); EXILADO; PROSCRITO; DESTERRADO **2** Excluído, posto para fora (árbitro banido da federação); EXPULSO **3** Eliminado, suprimido (expressão banida da língua) **4** *CE Pop.* Moído, cansado, alquebrado ***sm.*** **5** Indivíduo banido [F.: Part. de *banir*.]

banimento (ba.ni.*men*.to) ***sm.*** **1** Ação ou resultado de banir; EXCLUSÃO; DESTERRO **2** *Jur.* Pena que impede uma pessoa de residir em determinado país [F.: *banir* + *-mento*.]

banir (ba.*nir*) *v.* **1** Acabar com, proibir [***td.***: *Alguns estados baniram o cultivo comercial de transgênicos; Vários países baniram as importações de carne.*] **2** Afastar, expulsar, como castigo ou violentamente [***td.*** / ***tdr.*** *+ de*: *Decidiram banir o bombeiro (da corporação).*] [***tda.***: *A enchente baniu das encostas todos os moradores.*] **3** Expulsar da pátria; condenar a desterro; EXILAR; EXPATRIAR [***td.***: *O governo banirá os narcotraficantes.*] **4** Pôr distante, afugentar, espantar [***td.***: *Cantava para banir os maus pensamentos.*] [▶ **58 banir**] [F.: Do frâncico **bannjan*, pelo fr. *bannir*.]

banisterina (ba.nis.te.*ri*.na) *sf. Farm.* Alcaloide alucinógeno extraído da harmala e do caapi (*Peganum harmala* e *Banisteria caapi*) que age sobre o humor, a atividade sexual, o apetite, a sensibilidade à dor e a atividade motora, us. no tratamento da doença de Parkinson e como infusão pelos adeptos dos rituais do Santo-Daime; HARMINA [Fórm.: $C_{13}H_{12}N_2O$] [F.: *banistéria* + *-ina*.]

banivas (ba.*ni*.vas) ***smpl.*** *Etnol.* Grupo indígena que habita o Noroeste do Amazonas, a Venezuela e a Colômbia [F.: Do etn. *Baniwa*.]

banjo (*ban*.jo) *Mús.* ***sm.*** **1** Instrumento de cordas, de or. norte-americana, com braço comprido e corpo em forma de pandeiro fechado **2** O som desse instrumento **3** Por metonímia, músico que toca banjo; BANJOÍSTA [F.: Do ing. *bandore*.]

banjoísta (ban.jo:*is*.ta) *Mús.* ***s2g.*** **1** Pessoa que toca banjo ***a2g.*** **2** Diz-se daquele que toca banjo [F.: *banjo* + *-ista*.]

banjolim (ban.jo.*lim*) ***sm.*** *Mús.* Instrumento musical parecido com o banjo e com o bandolim [Pl.: *-lins*.] [F.: *banjo* + *bandolim*.]

⊕ **banner** (*Ing.* /*bâner*/) ***sm.*** **1** *Publ.* Peça de publicidade em forma de bandeira, impressa de um ou dos dois lados, própria para ser pendurada em múltiplos lugares (pavilhões, exposições, postos de venda etc.); BANDEIRA; BANDEIROLA; GALHARDETE **2** *Publ. Inf.* Pequeno anúncio em página da internet, com animação gráfica e *link* para a página do anunciante [F.: Do ing. *banner*.]

banqueiro (ban.*quei*.ro) ***sm.*** **1** Dono de banco ou de casa bancária **2** Pessoa que dirige um banco privado **3** *P. ext.* Capitalista, homem de negócios muito rico **4** Pessoa que tem banca para o jogo de roleta ou jogo do bicho **5** Pessoa que, no jogo, dá as cartas e recebe e paga as apostas **6** *Bras.* Aquele que, de noite, está encarregado da casa das caldeiras (nos engenhos de açúcar) **7** Banco ou banca do cortador de carnes, nos açougues [F.: de *banco* (ou o equivalente *banca*) + *-eiro*.]

banqueta (ban.*que*.ta) [ê] *sf.* **1** Banco pequeno, sem escosto e ger. estofado **2** *Bras. Min.* Pequena cata ou escavação aberta ao lado de uma grande **3** *Ecles.* Primeiro degrau acima do altar, onde se colocam os castiçais **4** *Fer.* Nas vias férreas, espaço entre o trilho e o lastro de pedra **5** *Mil.* Degrau das trincheiras ou fortificações, de onde os soldados atiram no inimigo **6** Banca pequena, ou mesinha [F.: de *banco* + *-eta*.] ■ **~ continental** *Oc.* O mesmo que *plataforma continental*

banquete (ban.*que*.te) [ê] ***sm.*** **1** Almoço ou jantar de gala para muitos convidados **2** Refeição farta e festiva; BRÓDIO; REPASTO [Aum.: *banquetaço*.] [F.: Do it. *banchetto*, pelo fr. *banquet*.] ■ **~ sagrado** *Litu.* O mesmo que *eucaristia*

banquetear (ban.que.te.*ar*) *v.* **1** Promover banquete para festejar (algo ou alguém) [***td.***: *Irá banquetear o casamento do filho.*] **2** Participar de banquete(s) [***int.***: *Banqueteava-se ao lado de soberanos.*] **3** Comer muito ou vorazmente [***int.***: *Banquetearam-se com as sobras da festa.*] [*tr. + em*: *A onça banqueteia-se no boi morto.*] **4** Fazer grandes gastos com comida, banquete [***int.***: *O imperador romano banqueteava-se.*] [▶ **13 banquetear**] [F.: *banquete* + *-ear*[2].]

banqueteiro (ban.que.*tei*.ro) ***sm.*** Profissional que prepara banquetes [F.: *banquete* + *-eiro*.]

bantã[1] (ban.*tã*) ***sm.*** Pequena ave galinácea doméstica cujos machos mostram muita combatividade [Pl.: *-tãs*.] [F.: Do ing. *bantam*, raça de galináceos desenvolvida pelos ingleses na ilha de Java, de *Bantam* cidade dessa ilha.]

bantã[2] (ban.*tã*) ***sm.*** *Gui. Têxt.* Tecido feito com fibras de sumaúma [Pl.: *-tãs*.] [F.: Posv. de or. africana.]

banto (*ban*.to) ***sm.*** **1** *Etnôn.* Pessoa pertencente a qualquer um de vários povos negros das regiões equatorial e meridional da África, aos quais pertenciam muitos escravos trazidos para o Brasil **2** *Gloss.* Grupo composto por várias línguas faladas nessa região ***a.*** **3** Do ou ref. ao banto (1 e 2) [F.: posv. do cafre *ba* (pref. de pl.) + *-ntu* (homem).]

bantustão (ban.tus.*tão*) ***sm.*** Cada um dos pseudoestados de base tribal criados pelo regime do *apartheid* da antiga União Sul-Africana (atual África do Sul) para manter os negros fora dos bairros e terras dos brancos, mas suficientemente perto delas para servirem de mão de obra barata [O termo foi cunhado pelos inimigos do regime do *apartheid* para ridicularizá-lo.] [Pl.: *-tões*.] [F.: *bantu* (grande grupo de povos africanos) + *-stão* (suf. de or. persa que designa território).]

banzé (ban.*zé*) ***sm.*** **1** *Pop. Dnç.* Dança de origem africana que esteve em voga em Portugal na segunda metade do séc. XIX **2** *Bras.* Festa popular com danças e música de viola **3** *P. ext.* Qualquer festa ruidosa **4** Gritaria, algazarra; confusão, tumulto [F.: De or. duv. Hom./Par.: *banzé* (sm.), *banze* (fl. *banzar*).]

banzeira (ban.*zei*.ra) *sf.* Falta de energia; INDOLÊNCIA; APATIA: "... avaliando a aproximação da guerra pela sonoridade mais clara dos tiros, que lufadas de aragem mais quente e a banzeira traziam." (Domício da Gama, "Maria sem tempo", *in Histórias curtas*) [F.: *banzo* + *-eira*. Cf.: *banzo*.]

banzeiro[1] (ban.*zei*.ro) ***a.*** **1** *Mar.* Diz-se do mar que se agita vagarosamente, formando pequenas ondas: "... e as ondas banzeiras gemendo na proa, acompanhavam o canto religioso, que se derramava pela imensidade dos mares." (José de Alencar, "O ermitão da Glória" *in Alfarrábios*) **2** Diz-se de jogo em que a sorte e o azar se sucedem alternadamente sem fazer grande diferença para os jogadores **3** *Bras.* Que revela banzo; MELANCÓLICO; NOSTÁLGICO; TRISTE: "É assim mesmo – respondeu-lhe o fascínora –, nos primeiros tempos a gente estranha; fica banzeira. Depois se acostuma." (Domingos Olímpio, *Luzia Homem*) **4** *N.* Um tanto bêbado **5** *N. P. ext.* Sem firmeza, cambaleante [F.: *banzo* + *-eiro*.]

banzeiro[2] (ban.*zei*.ro) ***sm.*** **1** *Amaz.* Série de ondas formadas pela pororoca ou pela passagem de uma embarcação a vapor e que quebram violentamente na praia ou nas margens do rio **2** *N.* Vento forte **3** *N.E.* Agitação, desordem, confusão [F.: Posv. de *banzé* + *-eiro*.]

banzo[1] (*ban*.zo) ***sm.*** **1** Estado de grande apatia nostálgica e inanição (às vezes antecedido de agitação e agressividade) que apresentavam muitos negros trazidos da África, decorrente do desterro e da escravização, e que não raro levava à morte ou à loucura **2** *P. ext.* Nostalgia, melancolia **3** *Ornit.* Ave africana (*Treron calva*), da fam. dos columbídeos ***a.*** **4** Que revela tristeza, desânimo, abatimento; MELANCÓLICO; TRISTONHO [Ant.: *alegre, exultante, radioso*.] **5** *Bras. N.* Que sente ou mostra espanto, surpresa **6** Que sente ou revela constrangimento, vergonha; ENCABULADO; ENSIMESMADO [F.: or. controv. Hom./Par.: *banzo* (sm.), *banzo* (fl. *banzar*).]

banzo[2] (*ban*.zo) ***sm.*** **1** Cada uma das peças laterais das escadas, fixas ou de mão, que serve de apoio ou encaixe para os degraus **2** Braço ou haste do andor, ou de um esquife etc. **3** Peça longa que fica nas laterais do bastidor de bordar **4** Em certas estruturas de construção, cada uma de um par de vigas ou barras paralelas em que se apoiam outras peças [F.: De or. incerta. Hom./Par.: *banzo* (sm.), *banzo* (fl. *banzar*).]

baobá (ba:o.*bá*) *Bot.* ***sm.*** Grande árvore da fam. das bombacáceas (*Adansonia digitata*), originária da África, que pode atingir 20m e cujo tronco, extremamente largo, armazena água [F.: Do lat. cient. gên. *Baobab*, pelo fr. *baobab*.]

baque (*ba*.que) ***sm.*** **1** Barulho de um corpo que cai ou bate em outro: *O jogador foi ao chão com um grande baque.* **2** Tombo, queda: *Quebrou a perna no baque.* **3** *Fig.* Emoção forte; ABALO; CHOQUE: *Sentiu um baque ao ser reprovado no exame.* **4** *Fig.* Desastre, revés: *A perda do cliente foi um grande baque para a empresa.* [F.: de or. onomatopaica.]

baqueado (ba.que.*a*.do) *Fig.* ***a.*** **1** Abatido, fraco, ger. devido a doença: *Está na cama baqueado, com dengue.* **2** Perturbado, abalado, deprimido: *Estava muito baqueado e não queria mais sair de casa.* **3** Em decadência: *Assumiu a empresa baqueada e reergueu-a.* [F.: Part. de *baquear*.]

baquear (ba.que.*ar*) *v.* **1** *Fig.* Fazer perder ou perder o ânimo, as forças, o vigor; ABATER(-SE); PROSTRAR(-SE) [***td.***: *O fim do noivado baqueou-o profundamente.*] [***int.***: *Não baqueou, apesar da doença.*] **2** Tombar com baque, fazendo estrondo; cair subitamente [***int.***: *A marquise baqueou.*] **3** *Fig.* Arruinar-se, decair [***int.***: *O mercado financeiro baqueou depois do escândalo.*] [▶ **13 baquear**] [F.: *baque* + *-ear*[2].]

baquelite (ba.que.*li*.te) *sf. Quím.* Designação comercial da resina obtida pela condensação de fenol com o formaldeído [É o mais antigo polímero de uso industrial, 1909, e se presta à fabricação de objetos moldados como cabos de panela, tomadas, plugues etc.] [F.: Do ing. *Bakelite*, marca registrada, adapt. do al. *Bakelit*, a partir do antr. Leo Hendrik Baekeland, químico belga (1863-1944).]

baqueta (ba.*que*.ta) [ê] *sf.* **1** Vareta de madeira us. para tocar bateria e outros instrumentos de percussão **2** Vareta de guarda-sol [F.: Do it. *bacchetta*.]

báquico (*bá*.qui.co) ***a.*** **1** Pertencente ou ref. a Baco, deus do vinho. [Cf. *dionisíaco*.] **2** *Fig.* Ref. ao vinho; exaltação do vinho; DIONISÍACO **3** Festa ou encontro em que há orgia;

DEPRAVADO; ORGÍACO **4** Diz-se de algo que estimula a embriaguez ou é inspirado nela **5** *Pint.* Quadros que representam cenas de pessoas bebendo **6** *Poét.* Versos em louvor do vinho ou de Baco; DITIRAMBO [F.: Do gr. *bakchikós*. Ideia de: *bac-*.]

bar[1] (bar) *sm.* **1** Balcão onde se servem bebidas e tira-gostos a pessoas de pé ou sentadas em bancos altos: *Enquanto esperavam vagar mesa para jantarem, ficaram bebendo junto ao bar do restaurante.* **2** Estabelecimento ou recinto com tal balcão: *Encontraram-se no bar da esquina; bar do clube.* **3** Estabelecimento simples ou popular, onde se servem, em balcão ou em mesas, bebidas diversas e lanches, refeições rápidas etc; BOTEQUIM **4** Em residências, armário onde se guardam bebidas alcoólicas, acompanhado de balcão e de bancos altos, ou não [F.: do ing. *bar*.]

bar[2] *sm. Ant. Metrol.* Na Índia, peso que varia entre 141 e 330 quilos, conforme a região [Pl.: *bares*.] [F.: Do ár. *bahar*, 'peso', 'especiaria'.]

bar[3] *sm. Fís.* Unidade de medida de pressão equivalente a 10^5 pascals (corresponde a aproximadamente 1 atmosfera). [Símb.: *b*] [Pl.: *bars*.] [F.: Voc. proposto por V. Bjerknes (físico e meteorologista norueguês), do gr. *báros*, 'peso', 'gravidade'. Ver *bar(o)-*.]

baraço (ba.*ra*.ço) *sm.* **1** Corda ou cordel de fios de linho, estopa etc. ou de vergas torcidas **2** Corda ou laço para enforcamento **3** Corda us. para açoitar condenados [F.: Do ár. *marasa*.] ■ **~ e cutelo 1** *Ant.* O poder que tinha o senhor feudal de decapitar, enforcar, decepar membros etc. **2** *Fig. P. ext.* Poder absoluto, prerrogativa de arbítrio

barafunda (ba.ra.*fun*.da) *sf.* **1** Quantidade de coisas ou pessoas em desordem; BAGUNÇA: *uma barafunda de dados; O ministro fez sua declaração em meio a uma barafunda de repórteres.* **2** Situação em que reina a desordem; pandemônio, confusão: "Foi uma barafunda, (...) uns fugiam abandonando os lugares, outros riam do espetáculo." (Graça Aranha, *Canaã*) **3** Bordado de agulha em pano de linho, com abertos ou crivos, imitando a renda [F.: De or. obsc.]

barafustar-se (ba.ra.fus.*tar*-se) *v. P. us.* **1** *Bras.* Dirigir-se a, ou entrar bruscamente e com afobação em; EMBARAFUSTAR(-SE); IRROMPER; PRECIPITAR-SE [*ta.* + *em*, *por*: "... quebrou a esquina e barafustou pela rua afora, deixando surpreso o Cosme..." (José de Alencar, *Guerra dos mascates*): "... o nervoso mascate barafustou pela casa adentro..." (José de Alencar, *Guerra dos mascates*)] **2** *Lus. Pop.* Reclamar com irritação (com); ABORRECER-SE; AGASTAR-SE; INDISPOR-SE; ZANGAR-SE [*tr.* + *com*: *O homem barafustou com a pobre mulher, dizendo: "Mãe relaxada, não dá educação ao filho."*] [*int.*: *O jogador barafustou quando foi substituído.*] **3** *Lus. Pop.* Responder de modo grosseiro, ríspido; RECALCITRAR; REPONTAR [*int.*: – *Não me irrite!* – *barafustou Bento.*] **4** Agitar-se desordenadamente; DEBATER-SE; ESPERNEAR [*int.*] [▶ 1 barafus**tar**] [F.: Do espn. *barahustar*, segundo José Pedro Machado.]

baralhada (ba.ra.*lha*.da) *sf.* Grande confusão, baralhação; BAGUNÇA; BARAFUNDA; DESORDEM: *Não dava para entender nada, o texto era uma baralhada só.* [F: *baralhar* + *-ada*[1].]

baralhar (ba.ra.lhar) *v.* **1** Misturar (as cartas de um jogo, esp. baralho) [*td.*] **2** *Fig.* Pôr em desordem, confundir, ou confundir-se, misturar-se [*td.*: *Tantas eram as perguntas, que baralharam a cabeça do menino; Às vezes baralhava os nomes dos bisnetos.*] [*int.*: *As informações baralham-se na minha cabeça.*] **3** *Fig.* Ficar confuso, perturbado; equivocar-se, confundir-se [*int.*: *Teve de responder depressa e baralhou-se todo.*] [▶ 1 bara**lhar**] [F.: Talvez do lat. *baraliare*. Hom./Par.: *baralha(s)* (fl.), *baralha(s)* (sf. [pl.]); *baralho* (fl.), *baralho* (sm.).]

baralho (ba.*ra*.lho) *sm.* **1** Coleção de cartas de jogar, em número e com valores necessários para servir a algum jogo **2** Conjunto de 52 cartas para jogar, divididas em quatro séries (naipes), cada destas tendo as cartas do um (o ás) ao dez, e do valete, da dama e do rei. (Por vezes são incluídas outras cartas especiais, ditas curingas.) **3** Conjunto de cartas us. em artes divinatórias (p. ex. no tarô) **4** *MA Pop. Ant.* Antiga brincadeira do Carnaval maranhense que consistia em grupos de negros esmolambados e sarapintados de tapioca que percorriam as ruas em grande algazarra [F.: Regress. de *baralhar*. Hom./Par.: *baralho* (sm.), *baralha* (sf.), *baralho*, *baralha* (fl. de *baralhar*).]

barão (ba.*rão*) *sm.* **1** Título de nobreza inferior ao de visconde e o menos graduado na hierarquia dos titulares **2** Homem que tem esse título **3** *Fig.* Homem poderoso no seu ramo de atividade; MAGNATA: *os barões do petróleo.* **4** Homem de muito poder por sua posição e/ou riqueza **5** *P. ext.* Indivíduo rico ou milionário **6** *Folc.* Figura fantástica do boi de mamão, que vem engolir as crianças presentes à apresentação do folguedo **7** *Bras. Pop.* Antiga cédula com valor de mil cruzeiros, com a efígie do barão do Rio Branco (estadista brasileiro); p. ext., esse valor **8** Senhor feudal **9** Homem de valor ou de respeito, que se destaca por seus atos ou seu temperamento; VARÃO [Pl.: *-rões*. Fem.: *baronesa*.] [F.: al. **baro*.]

barata (ba.*ra*.ta) *sf.* **1** *Ent.* Inseto ortóptero da fam. dos blatídeos, de corpo achatado, ovalado e escuro, que se alimentam de produtos variados e têm hábitos noturnos; há espécies domésticas e silvestres, e as primeiras podem infestar lixo e esgoto e se tornam pragas domésticas capazes de contaminar alimentos **2** *Pop. Pej.* Mulher velha **3** *Desus.* O mesmo que *baratinha* (antigo automóvel conversível) **4** *Gír.* Irmã de caridade **5** *Pop.* A vulva [F.: Do lat. *blatta, ae*, com suarabácti. Hom./Par.: *barata* (sf.), *barata* (fem. de *barato* [a. sm.]), *barata* (fl. de *baratar*).] ■ **~ tonta** *Fam.* Pessoa confusa, afobada, desnorteada, ou sem discernimento **Entregue às ~s** *Fam.* Sem receber atenção, cuidados, o tratamento necessário; abandonado, largado, negligenciado

barataria (ba.ra.ta.*ri*.a) *sf.* **1** Diz-se do ato de dar apenas para ter uma retribuição: *É barataria e não esmola.* **2** Transação especulativa **3** *Jur.* Ações fraudulentas que visam a obtenção de vantagens **4** *Jur. Mar.* Dano ou prejuízo causado voluntariamente pelo comandante de um navio e/ou pela tripulação aos proprietários ou seguradores da embarcação; RIBALDIA; RIBALDARIA [F.: Do it. *baratteria*. Ideia de: *barat-*.]

barata-voa (ba.ra.ta-*vo*.a) *sf2n. Bras.* **1** Brincadeira que consiste em tomar involuntariamente um objeto de alguém e passá-lo para outras pessoas até que o proprietário consiga recuperá-lo **2** *Bot.* O mesmo que *tipuana*

barateamento (ba.ra.te:a.*men*.to) *sm.* Ação ou resultado de baratear algo; abatimento do preço; BARATEIO [F.: *baratear* + *-mento*. Ideia de: *barat-*.]

baratear (ba.ra.te.*ar*) *v.* **1** Abaixar o preço de, ou diminuir de preço [*td.*: "Para atrair investidores, o governo barateou demais a energia destinada à indústria..." (*Correio Braziliense*, 13.05.2001)] [*int.*: *Os celulares baratearam no ano passado.*] **2** *Fig.* Rebaixar o valor ou as qualidades de (algo, alguém ou si mesmo); DEPRECIAR(-SE); MENOSPREZAR(-SE) [*td.*: *Agiu como ingrato, barateando o apoio recebido; Pediu perdão sem se baratear.*] **3** Dar, oferecer barato, com facilidade [*tdi.* + *a*, *para*: *baratear privilégios aos correligionários.*] **4** *P. us.* Regatear acerca do preço [*td.*] [▶ 13 bara**tear**] [F.: *barato* + *-ear*[2].]

barateio (ba.ra.*tei*.o) *sm.* O mesmo que *barateamento* [F.: Derivação regressiva de *baratear*. Ideia de: *barat-*. Cf.: 1ª pess. sing pres. ind. do v. *baratear*.]

barateiro (ba.ra.*tei*.ro) *a.* **1** Que vende barato ou por preços baixos (loja barateira) [Ant.: *careiro*.] *sm.* **2** O encarregado de cobrar os baratos (taxas ou comissões) nas casa de jogo **3** *RJ* Vendedor ambulante de artigos de armarinho [F.: *barat(o)* + *-eiro*.]

barateza (ba.ra.*te*.za) [ê] *sf.* **1** Condição do que é barato **2** Preço módico ou baixo: "... era um espelhinho de pataca (perdoai a barateza) comprado a um mascate italiano..." (Machado de Assis, *Dom Casmurro*) [F.: *barato* + *-eza*.]

baratinado (ba.ra.ti.*na*.do) *a. Bras. Pop.* **1** Diz-se da pessoa a quem falta serenidade e calma; que está com os sentidos perturbados: *A testemunha baratinada não conseguia contar o que havia presenciado;* DESORIENTADO; ATARANTADO **2** Diz-se da pessoa sob o efeito de drogas [F.: Part. de *baratinar*.]

baratinar (ba.ra.ti.*nar*) *v. Bras. Pop.* **1** Fazer perder ou perder a tranquilidade, o controle; DESORIENTAR(-SE); PERTURBAR(-SE) [*td.*: *O barulho da obra me baratina.*] [*int.*: *Baratinou-se na hora de responder.*] **2** Convencer com lábia, seduzir [*td.*] [▶ 1 barati**nar**]

baratinha (ba.ra.ti.*nha*) *sf. Zool.* **1** Barata doméstica de áreas urbanas (*Blatella germanica*), marrom, com duas faixas longitudinais castanho-escuras no pronoto, medindo cerca de 15mm, são encontradas normalmente em cozinhas, despensas, armários, pias etc; BARATA-GERMÂNICA; BARATA-FRANCESA; FRANCESINHA; PAULISTINHA **2** Nome comum a várias espécies de insetos homópteros, cercopídeos, abundantes no Brasil; tb. *cigarrinha-da-cana-de-açúcar* **3** Nome comum a várias espécies de crustáceos isópodes, sem carapaça *barata-da-praia* **4** Ver *tatuzinho* (*Armadillidium vulgare*) **5** *Bot.* Árvore pequena da fam. das leguminosas, subfam. cesalpinioídea (*Cassia fastuosa*), natural da Amazônia, de flores amarelas e fruto estreito e tomentoso; TATUZINHO **6** *Bras. Antq. Aut.* Pequeno carro conversível da década de 1920 **7** *Bras. Antq. Aut.* Designação dada aos antigos carros de corrida [F.: *barata* + *-inha*. Ideia de: *barat-*.]

baratinha-de-praia (ba.ra.ti.nha-de-*prai*.a) *sf. Zool.* O mesmo que *barata-da-praia* [Pl.: *baratinhas-de-praia*.]

barato (ba.*ra*.to) *a.* **1** Diz-se do que se vende ou se oferece por preço baixo, ou comparativamente baixo (artigos baratos) **2** Que cobra preço acessível, módico (dentista barato) **3** Que não obriga a custos elevados; que se faz ou realiza a preços módicos: *Esse passeio saiu barato.* **4** Que não apresenta qualidades notáveis; que é comum, banal: *Lia um romance policial barato.* **5** *P. ext. Pej.* De qualidade inferior **6** *Pej.* Que não tem classe, elegância, boa apresentação, postura: *Não deixe entrar esses pessoalzinho barato!* *sm.* **7** *Bras. Gír.* Sensação física ou psicológica provocada por efeito de droga: *Esse fumo dá o maior barato.* **8** *P. ext.* Aquilo ou aquele que desperta prazer, que satisfaz grandemente: *Esse filme é um barato; Minha garota é um barato.* **9** *Bras. Gír.* Acessório, detalhe, qualquer enfeite indefinido: *Uma blusa linda, com um barato no busto.* **10** *Bras. Gír.* O que está em voga, na moda: *O barato hoje em dia é cuidar da saúde.* **11** Nos jogos de carteado, comissão que os jogadores pagam por um espaço para jogar e às vezes pelos acessórios que os jogos exigem, refeições, bebidas etc.: *Além de comprar fichas e baralhos, tiveram de pagar o barato da casa.* *adv.* **12** Por preço módico, acessível: *Comprou barato esse apartamento!* **13** Sem custos altos, sejam materiais ou emocionais: *Esse revés saiu barato para ele.* [F.: Regr. de *baratar*.] ■ **Um ~** Aquilo ou aquele que desperta grande aprovação ou entusiasmo; algo ou alguém muito bom, muito divertido etc.: *Nossa viagem foi um barato.*

baraúna (ba.ra.*ú*.na) *sf. Bras. Bot.* **1** Árvore leguminosa (*Melanoxylon braunia*) de grande porte, cuja madeira duríssima é muito us. em construções; GARAÚNA; GRAÚNA; MARIA-PRETA; RABO-DE-MACACO **2** Árvore anacardiácea (*Schinopsis brasiliensis*), cuja madeira é us. para fazer dormentes; PAU-PRETO; PEROVAÚNA; QUEBRACHO **3** O mesmo que *canela-braúna* **4** Diz-se da madeira dessas árvores *sm.* **5** Bovino com pelagem bem escura *a.* **6** Que tem pelagem escura (diz-se de bovino) [F.: Do tupi *imbira' una* 'madeira preta'. Tb. *braúna*.]

barba (*bar*.ba) *sf.* **1** Pelos que crescem no rosto do homem **2** *Restr.* Pelos crescidos nas laterais do rosto e no queixo **3** Pelos do focinho ou do bico de alguns animais (barba do gato/bode) **4** Conjunto de filamentos (p. ex., em espigas), ramificações (de raízes) ou prolongamentos de certas partes de vegetais, mais ou menos ásperas e finas, e agrupadas ou em mechas (barba de milho) **5** *Zool.* Cada uma das hastes laterais da pena das aves **6** *Desus.* Queixo, esp. do rosto humano [F.: Do lat. *barba, -ae*.] ■ **~ a ~** Frente a frente, em confronto **~ de bode** Cavanhaque, barbicha, barba que cresce no queixo **Fazer ~, cabelo e bigode 1** *Bras. Esp.* Vencer ou ser campeão em três categorias diferentes do mesmo esporte, na mesma época **2** Ter sucesso em três (ou mais) disputas, atividades ou campos de atuação, simultaneamente ou em rápida sucessão **3** *P. ext.* Ter sucesso absoluto, fazer o que se quer, fazer a festa **Nas ~s de** Na presença ou à vista (uma ação) da pessoa que está sendo contrariada, desrespeitada ou desafiada por essa ação **Pôr a(s) ~(s) de molho** Aproveitando experiência alheia, tomar precaução quanto a perigo ou ameaça

barba-azul (bar.ba-a.*zul*) *sm.* **1** Homem que enviuvou diversas vezes **2** Homem que tem muitas mulheres ou que é dado a conquistas amorosas [Pl.: *barbas-azuis*.] [F.: Do antr. *Barba Azul*, personagem de Charles Perrault que assassinava suas esposas]

barbaça (bar.*ba*.ça) *sf.* Barba comprida e abundante [Tb. us. no pl.] [Aum. irregular de *barba*.] [F.: *barba* + *-aça*.]

barbaças (bar.*ba*.ças) *sfpl.* **1** Barbas compridas e abundantes *sm2n.* **2** *Fam.* O que tem muita barba **3** *Fig.* Velho severo **4** *Venat.* Variedade de cão muito apreciado na caça de coelhos e lebres [F.: *barba* + *-aça(s)*.]

barbada (bar.*ba*.da) *sf.* **1** *Bras. Gír.* Competição fácil de vencer: *O jogo foi uma barbada.* **2** *Bras. Gír. Turfe* Cavalo favorito de um páreo; CARNE-ASSADA **3** *Bras. Gír.* Negócio lucrativo ou ação proveitosa: *Esse celular modernissimo foi uma barbada.* **4** *Bras. Gír.* Tarefa fácil: *Compor para ele é barbada.* **5** *Bras. Gír.* Informação útil, valiosa; dica: *Deu a barbada e disse o nome do livro.* **6** Beiço inferior do cavalo **7** *Vet.* Ferida ou calo formados onde se prende a barbela [F.: Fem. substv. de *barbado*.]

barba-de-bode (bar.ba-de-*bo*.de) *sf. Bras.* **1** *Bot.* Denominação comum a várias plantas ciperáceas, compostas e gramíneas **2** *Bot.* Planta da família das rosáceas (*Spiraea ulmaria*); tb. *ulmária* **3** *Bot.* Planta rosácea (*Filipendula ulmaria*, L.), que é uma planta vivaz dos lugares úmidos; tb. *rainha-dos-prados* **4** *Bot.* Arbusto leguminoso-mimosáceo (*Calliandra tweediei*, Benth.); tb. *mandaravé* **5** *Bot.* Planta gramínea (*Elionorus candidus*, Hack.); tb. *capim-amargoso* **6** *CE Bot.* O mesmo que *capim-barba-de-bode* **7** *Bot.* Planta hortense dos jardins (*Tragopogon porrifolium*, L.); tb. *salsifi*. *sm.* **8** *Pop.* Indivíduo que tem barba longa e pontuda no queixo [Neste caso, sem hifens: *barba de bode*.] [Pl.: *barbas-de-bode*, *barbas de bode* (acp. *8*).]

barba de milho (bar.ba. de. *mi*.lho) *Bot. sf.* **1** Diz-se dos estigmas da espiga de milho, que podem variar entre as cores dourada, ruiva ou castanha, por parecerem com grossos fios de cabelo *a.* **2** *Fig.* Que se parece com a barba de milho (1): "... espigo, alemão-rana, com raro cabelim barba de milho e cara de barata-descascada..." (Guimarães Rosa, "O recado do morro" *in Urubùquaquá, no pinhém*) [Pl.: *barbas de milho*.]

barbadiano (bar.ba.di:*a*.no) *sm.* **1** Indivíduo natural ou habitante da ilha de Barbados (Antilhas) *a.* **2** Que se ref. a ou é dessa ilha [F.: Do top. *Barbados* + *-iano*.]

barbadinho (bar.ba.*di*.nho) *sm.* **1** *Ecl.* Frade da ordem franciscana, que usa barba comprida; CAPUCHINHO **2** *Bot.* Planta leguminosa (*Desmodium barbatum*) da subfamília das papilionáceas; AMOR-DO-CAMPO; AMORES-DO-CAMPO; CARRAPICHINHO; CARRAPICHO **3** *Bot.* O mesmo que *unha-de-gato* **4** *Zool.* Denominação comum a pequenos cascudos do gên. Ancistrus, dotados de filamentos carnosos próximo à boca que formam uma espécie de barba ou franja [F.: *barbado* + *-inho*. Ideia de: *barbi-*.]

barbado (bar.*ba*.do) *a.* **1** Que usa barba **2** Cuja barba está por fazer *sm.* **3** Homem de barba; BARBUDO **4** *Pop.* Homem adulto; MARMANJO: *Esse barbado tem de trabalhar.* **5** *Zool.* Ver *guariba* [F.: Do lat. *barbatus, a, um*.]

barbante (bar.*ban*.te) *sm.* Cordão fino para amarrar; CORDEL; GUITA [F.: Do top. *Brabante* (nome de um ducado na Bélgica, famoso pelo artesanato com cordões), por metátese.]

barbantinho (bar.ban.*ti*.nho) *sm.* Pequeno barbante ■ **~ cheiroso** Barbante impregnado de produto químico, e que ao ser queimado libera um odor bastante desagradável; peido-alemão

barbaresco (bar.ba.*res*.co) [ê] *a.* Característico de bárbaro; BARBARISCO [F.: Do it. *barbaresco*. Ideia de: *barbar(i/o)-*.]

barbaria (bar.ba.*ri*.a) *sf.* **1** Multidão de bárbaros **2** Condição em que vivem povos ditos não civilizados; BARBARIDADE;

RUDEZA; ATRASO 3 Ação própria de bárbaro; falta de civilidade; ATROCIDADE; BARBARIDADE; BARBARISMO; CRUELDADE; SELVAGERIA 4 Hábitos e costumes de bárbaros 5 Região dominada por bárbaros [F.: *bárbaro* + *-ia*[1].]

barbaridade (bar.ba.ri.*da*.de) *sf.* 1 Ação de bárbaro; BARBARIA; CRUELDADE; DESUMANIDADE: *Nas guerras cometem-se barbaridades.* 2 Condição em que vivem povos ditos não civilizados; BARBARIA 3 Ação ou dito absurdo, incoerente, contrário à razão; INÉPCIA; DISPARATE; CONTRASSENSO: *É uma barbaridade derrubar essas árvores; É melhor ficar calado do que dizer barbaridades.* *interj.* 4 *Bras. S.* Expressa surpresa, espanto [F.: *bárbaro* + *-(i)dade*.]

barbárie (bar.*bá*.ri:e) *sf.* 1 Ação cruel, atroz; ATROCIDADE; BARBARIDADE: *Os bandidos iniciaram uma onda de barbárie.* 2 Estado ou condição de bárbaro; barbarismo: "Enfim, é a Península, é a barbárie!" (Eça de Queirós, *A cidade e as serras*) [F.: Do lat. *barbarie*.]

barbarismo (bar.ba.*ris*.mo) *sm.* 1 Estado rude de povos bárbaros; BARBÁRIE 2 Ação cruel, atroz; BARBÁRIE 3 *Gram. Ling.* Uso de palavra ou expressão em desacordo com as normas gramaticais, ou com erro de pronúncia, grafia ou significação [F.: Do gr. *barbarismós*, pelo lat. *barbarismus*.]

barbarizar (bar.ba.ri.*zar*) *v.* 1 Tornar(-se) bárbaro, estúpido; EMBRUTECER(-SE) [*td.*: *O isolamento barbariza os homens.*] [*int.*: *Barbarizou-se entre os selvagens.*] 2 *Bras. Gír.* Ter destaque, fazer sucesso; ABAFAR [*int.*: *A banda barbarizou na Europa.*] 3 Promover a desordem, agir de forma ousada, insensata [*int.*: *O grupo de motoqueiros barbarizou no trânsito.*] 4 *Gram.* Dizer ou escrever barbarismos [*int.*] 5 *Gram.* Introduzir barbarismos em (uma língua) [*td.*] [► 1 barbarizar] [F.: Do gr. *barbarízein*.]

bárbaro (*bár*.ba.ro) *a.* 1 Sem civilização; RUDE; SELVAGEM [Ant.: *civilizado, culto*.] 2 Cruel, desumano [Ant.: *bondoso, humano*.] 3 *Bras. Gír.* Muitíssimo bom ou bonito; EXCELENTE; SENSACIONAL; FANTÁSTICO: *A vista lá de cima é bárbara.* 4 *Hist.* Entre gregos e romanos, dizia-se da pessoa de outro povo ou etnia, de língua e cultura estrangeiras 5 *Hist.* Ref. aos povos europeus que, vindos esp. do Norte, conquistaram progressivamente, a partir do séc. V, territórios do Império Romano, até a derrota final deste (as invasões bárbaras) *sm.* 6 Pessoa bárbara (1 e 2) 7 *Hist.* Indivíduo pertencente aos povos invasores do Império Romano, a partir do séc. V da era cristã [Col.: *barbaria*.] *interj.* 8 Exprime admiração, forte aprovação ou entusiasmo etc. [F.: do gr. *bárbaros*, pelo lat. *barbarus*. Hom./Par.: *bárbara* (sf.), *barbará* (sm.), *bárbaras* (sfpl.), *barbara*, *barbaras* (fl. de *barbar*).]

barbatana (bar.ba.*ta*.na) *sf.* 1 *Anat. Zool.* Órgão dos peixes e de outros animais aquáticos que lhes permite mover-se na água; NADADEIRA 2 *Zool.* Estrutura encontrada na maxila das baleias, que age como um filtro na absorção de alimento 3 *Vest.* Vareta flexível us. para armar certas roupas: *corpete com barbatanas.* 4 *Lus.* Pé de pato [F.: Or. contrv.]

barbatimão (bar.ba.ti.*mão*) *Bras. Bot. sm.* 1 Nome comum a algumas árvores da fam. das leguminosas, esp. dos gêneros *Stryphnodendron* e *Dimorphandra* 2 Árvore pequena da subfam. mimosoídea (*Stryphnodendron adstringens*), nativa dos campos e cerrados do Brasil, cuja madeira resiste à umidade e de cujos frutos se extrai tanino; BARBATIMÃO-VERDADEIRO 3 Árvore da subfam. cesalpinioídea (*Dimorphandra mollis*), nativa do Brasil, de flores amareladas e vagens carnosas, tb. ricas em tanino; BARBATIMÃO-FALSO; FAVEIRO 4 *AM* O mesmo que *baratinha* (5) 5 O mesmo que *caroba* 6 O mesmo que *canafístula* [Pl.: *-mões*.] [F.: *barba* + *timão*. Ideia de: *barbi-* e *tim(o)-*.]

barbeado (bar.be.*a*.do) *a.* Que aparou, raspou ou fez a barba: "... seu chapéu novo, de três bicos, elegantemente derreado um pouco para a esquerda, dava à sua cabeça distinta e ao seu rosto todo barbeado o ar pitoresco e nobre dos cortesãos do século XVII..." (Aluísio Azevedo, *O mulato*) [F.: Part. de *barbear*. Ideia de: *barbi-*.]

barbeador (bar.be:a.*dor*) [ô] *sm.* 1 Aparelho elétrico ou mecânico de barbear 2 Pessoa que depila os suínos após estes serem abatidos; BARBEIRO *a.* 3 Diz-se de barbeador (1 e 2) [F.: *barbeado* + *-or*.]

barbear (bar.be.*ar*) *v. td.* Fazer a barba de (alguém ou si mesmo): *A enfermeira barbeava os doentes; Ele se barbeia cuidadosamente.* [► 13 barbear] [F.: *barba* + *-ear*[2].]

barbearia (bar.be:a.*ri*.a) *sf.* 1 Loja onde o barbeiro (1) exerce seu ofício; BARBEIRO 2 Profissão de barbeiro 3 Local onde se fazia a barba nos conventos [F.: *barbear* + *-ia*[1].]

barbeiragem (bar.bei.*ra*.gem) *Bras. Pop. sf.* 1 Qualidade ou condição de barbeiro (4 e 5) 2 Manobra errada no trânsito; BARBEIRADA: *Foi multado por aquela barbeiragem.* 3 Erro cometido por profissional no exercício de seu trabalho, e que foi decorrente de descuido, inabilidade ou incompetência; BARBEIRADA: *Houve barbeiragem do médico.* 4 *P. ext.* Efeito provocado por esse ato [Pl.: *-gens*.] [F.: *barbeiro* + *-agem*.]

barbeiro (bar.*bei*.ro) *sm.* 1 Profissional que barbeia e corta cabelo 2 Estabelecimento onde o barbeiro exerce seu ofício; BARBEARIA 3 *Bras. Zool.* Designação comum a diversos insetos hemípteros hematófagos da fam. dos reduviídeos, que transmitem a doença de Chagas [Sin. nesta acp.: *bicho-barbeiro, bicho-de-frade, bicho-de-parede, chupança, chupão, gaudério, procotó, rondão, vunvum*.] 4 *Bras. Pop.* Mau motorista 5 *Bras. Pop.* Profissional incompetente 6 *Lud.* Espécie de jogo popular 7 *Fig.* Vento forte e frio, que quando bate esp. no rosto parece tão cortante quanto uma navalha 8 Pessoa que depila os suínos após o abate; BARBEADOR *a.* 9 *Bras. Pop.* Que é barbeiro (4 e 5) [F.: *barba* + *-eiro*.]

barbela (bar.*be*.la) *sf.* 1 Papada ou pele em forma de saco, pendente do pescoço de alguns ruminantes e de certas aves e lagartos; BARBILHÃO [Cf. *perigalho*.] 2 Bolsa na parte anterior do pescoço, formada por acúmulo de gordura; PAPADA 3 Barba, queixo ou mento das pessoas 4 Cadeia de ferro que guarnece por baixo a barbada do cavalo e que se prende nos ganchos do freio 5 Extremidade farpada da agulha de meia e de flechas 6 *Bras.* Farpa, fisga do anzol 7 *SP* O mesmo que *barbicacho* 8 *Antq. Mar.* Botão com que se prendem os gatos ou ganchos *a.* 9 Diz-se de uma variedade de trigo [F.: Do lat. **barbella*. Ideia de: *barbi-*.]

◎ **barb(i)-** *el. comp.* = 'barba'; 'pelos'; 'cerdas'; 'penas': *barbígero* (< lat.), *barbirruivo, barbirrostro, barbípede* [F.: Do lat. *barbi-*, do lat. *barba, ae*, 'barba'.]

barbicacho (bar.bi.*ca*.cho) *sm.* 1 *Bras.* Cordão cujas pontas são costuradas ao chapéu, e que passa sob o queixo, prendendo, assim, o chapéu à cabeça; BARBELA; QUEIXINHO: "Coçava-lhe no rosto a impressão do barbicacho." (Manuel de Oliveira Paiva, *D. Guidinha do Poço*) 2 Cabresto de corda 3 *Bras. Fig.* Condição de que depende um negócio para que seja feito; exigência que deve ser satisfeita 4 *Lus. Fig.* (Qualquer exigência ou imposição que causa) dificuldade, estorvo, embaraço [F.: de *barb(i)-* + *-ico-* + *-acho*.] ▪ **Pôr ~ em** *Fig.* Constranger, impor disciplina ou obediência a (alguém)

barbicha (bar.*bi*.cha) *sf.* 1 Barba pequena e rala 2 Barba curta terminada em ponta 3 A barba estreita e longa do bode [Dim. irreg. de *barba*.] [F.: Do fr. *barbiche*.]

⊕ **barbie** (*Ing.* /*bárbi*/) *Joc. sf.* 1 Mulher cuja aparência física se assemelha à de uma boneca com esse nome, produzida, inicialmente, nos Estados Unidos da América 2 *Gír.* Homossexual masculino que pratica fisiculturismo e dá preferência a roupas que lhe permitam exibir os músculos

barbígero (bar.*bí*.ge.ro) *a.* Que tem barba; tb. *barbífero* [F.: Do lat. *barbiger, um* ver *barb(i)-*, *-gero*.]

barbilhão (bar.bi.*lhão*) *Zool. sm.* 1 Filamento que sobressai aos cantos da boca de certos peixes; BARBILHO 2 Apêndice carnoso pendente por baixo do bico de algumas aves 3 Excrescência, na pele interior da boca dos bovídeos [Pl.: *-lhões*.] [F.: Do fr. *barbillon*. Ideia de: *barbi-*.]

barbilho (bar.*bi*.lho) *sm.* 1 Espécie de focinheira que se põe em alguns animais a fim de evitar que comam ou mamem 2 Cordão de anafaia ou outra seda que não pode ser aproveitado pelas fiandeiras 3 *Fig.* Empecilho; ESTORVO; OBSTÁCULO 4 *Zool.* O mesmo que *barbilhão* (1) [F.: *barba* + *-ilho*. Ideia de: *barbi-*.]

barbípede (bar.*bí*.pe.de) *a2g.* Cujos pés apresentam pelos [F.: *barb(i)-* + *-pede*.]

barbirrostro (bar.bir.*ros*.tro) [ô] *a.* Diz-se de ave que tem pelos (ou cerdas) no bico [F.: *barb(i)-* + *rostro*.]

barbirruivo (bar.bir.*rui*.vo) *a.* 1 Que tem penas ruivas (ave) 2 Que tem pelos ruivos (mamífero) [F.: *barb(i)-* + *ruivo*.]

barbitúrico (bar.bi.*tú*.ri.co) *sm.* 1 *Quím.* Qualquer derivado do ácido barbitúrico pela substituição de um hidrogênio por um radical alquila ou arila *sm.* 2 *Farm.* Medicamento sedativo ou anticonvulsivo à base de ácido barbitúrico *a.* 3 *Quím.* Diz-se do ácido obtido a partir de ureia e ácido malônico [F.: Do fr. *barbiturique*.]

barbosiano (bar.bo.si:*a*.no) *sm.* 1 Pessoa que admira, é especialista em e/ou conhece profundamente a obra de Rui Barbosa *a.* 2 Ref., pertencente a ou próprio do jurista brasileiro Rui Barbosa 3 Que tem admiração por esse jurista ou que conhece a fundo sua obra [F.: Do top. *Barbosa* + *-eano*.]

barbudo (bar.*bu*.do) *a.* 1 Diz-se de pessoa que tem a barba bem crescida e cobrindo parte do rosto 2 Diz-se de pessoa cuja barba não foi recentemente raspada, que tem os pelos da barba um tanto crescidos; BARBADO *sm.* 3 Qualquer uma dessas pessoas [F.: *barba* + *-udo*.]

barca (*bar*.ca) *sf.* 1 Embarcação larga e rasa para transporte de passageiros e carga em rios, baías etc. 2 Denominação genérica de várias embarcações marítimas e fluviais 3 *Folc.* O mesmo que *fandango* (auto que representa chegada de embarcação) [F.: do lat. tardio *barca*, de or. hispânica.] ▪ **~ de S Pedro** *Fig. Rel.* A Igreja católica

barcaça (bar.*ca*.ça) *sf.* 1 *Mar.* Barca grande 2 *Mar.* Grande embarcação us. para carga e descarga de navios que não atracam no cais 3 *N.E. Mar.* Embarcação de fundo chato, sem quilha, com os costados bastantes verticais, us. para transportar mercadorias 4 *BA* Tablado de madeira onde se secam ao sol as amêndoas do cacau [F.: *barca* + *-aça*.]

barcagem (bar.*ca*.gem) *sf.* 1 O frete da barca 2 Carregação ou carga de uma barca 3 *Jur.* Contrato pelo qual alguém fica obrigado a transportar por água quaisquer pessoas ou carga de outrem [Pl.: *-gens*.] [F.: *barca* + *-agem*. Ideia de: *barc-*.]

barcarola (bar.ca.*ro*.la) *sf.* 1 *Mús.* Canção dos barqueiros italianos, esp. dos gondoleiros de Veneza, cujo ritmo (ger. em compasso 6/8 ou 12/8) lembra o movimento cadenciado dos remos 2 *Mús.* Composição musical inspirada nesse tipo de canção 3 *Liter.* Composição poética medieval, cuja temática é relacionada a assuntos marítimos [F.: Do it. *barcarola*.]

barcelonês (bar.ce.lo.*nês*) *sm.* 1 Indivíduo nascido ou que vive em Barcelona (Espanha) *a.* 2 De Barcelona; típico dessa cidade ou de seu povo [Pl.: *-neses* [ê]. Fem.: *-nesa* [ê].] [F.: Do top. *Barcelon(a)* + *-ês*.]

barco (*bar*.co) *sm.* 1 Embarcação pequena, esp. sem cobertura 2 Embarcação de qualquer dimensão ou tipo: *barco a vela.* [F.: De *barca*.] ▪ **Ancorar o ~** *Fig.* Deter-se, fixar-se em algum lugar **Deixar o ~ correr** Não intervir nos acontecimentos, deixar os fatos seguirem naturalmente **Estar no mesmo ~** Estar sujeito à mesma situação, ou participar dos mesmos objetivos de outrem **Tocar o ~ para a frente** Continuar as atividades habituais (trabalho, tarefas, responsabilidades etc.), apesar dos problemas

bardana (bar.*da*.na) *sf. Bot.* Nome comum a duas plantas da fam. das compostas, a bardana-maior (*Lappa major*) e a bardana-menor (*Xanthium strumarium*), cujos frutos possuem pontas afiadas que aderem à roupa de quem lhes esbarra; ERVA-DOS-PEGAMASSOS; ERVA-DOS-TINHOSOS; PEGAMASSA; PEGAMASSO [F.: Do lat. cien. *bardana*.]

bardo (*bar*.do) *sm.* 1 *Poét.* Poeta 2 *Hist. Liter.* Entre os celtas, poeta heroico e lírico 3 *Lus.* Estaca para sustentar videira [F.: Do lat. *bardus, i*, pelo fr. *barde*.]

barganha (bar.*ga*.nha) *sf.* 1 Ação ou resultado de barganhar, de pedir abatimento no preço de algo; PECHINCHA 2 Troca, permuta, esp. de bens ou produtos de valor não muito alto: *Os fazendeiros fizeram uma barganha de animais.* 3 Aquilo que é oferecido ou vendido por preço muito baixo; negócio muito vantajoso para quem compra 4 *Pej.* Troca de favores, ger. na política: *Barganha de votos com partidos aliados.* 5 Negócio feito por meios escusos [F.: Dev. de *barganha*. Hom./Par.: *barganha* (sf.), *barganha* (fl. de *barganhar*). Tb. *berganha, breganha*.]

barganhar (bar.ga.*nhar*) *v.* 1 *Pop.* Negociar, trocar (favor, privilégio, mercadoria etc.) [*td.*: *O criador de gado barganhou seus animais; barganhar espaço eleitoral, votos; O político barganhou o apoio dos empresários.* Nesta acp., tb. em *Pol.* com sentido *Pej.*] 2 Pedir abatimento de (preço, valor); PECHINCHAR; REGATEAR [*td.*: *O cliente barganhou o preço do carro; barganhar as tarifas bancárias.*] [*int.*: *Tenho vergonha de barganhar.*] 3 Vender agindo com má-fé, fraudulentamente [*td. int.*] [► 1 barganhar] [F.: Do it. *bargagnare*. Tb. *berganhar*.]

◎ **bar(i)-** *el. comp.* = 'pesado'; 'difícil'; 'gravidade'; 'dificuldade': *baricentro, bariglossia* [F.: Do gr. *barýs, eîa, ý*, 'pesado', 'grave'.]

baricentro (ba.ri.*cen*.tro) *sm.* 1 *Fís.* Ponto, centro de gravidade 2 *Geom.* O mesmo que *centroide* [F.: *bar(i)-* + *-centro*.]

bariglossia (ba.ri.glos.*si*:a) *sf. Med.* Deficiência em que a expressão oral é lenta e profunda [F.: *bar(i)-* + *-glossia*.]

bário (*bá*.ri:o) *sm. Quím.* Elemento reativo branco-prateado de número atômico 56, pertencente ao grupo dos metais alcalinos terrosos; é us. em lâmpadas fluorescentes, velas de ignição, foguetes pirotécnicos etc. [Símb.: *Ba*.] [F.: Do ing. *baryum*. Hom./Par.: *bárion* (sm.).]

bárion (*bá*.ri:on) *sm. Fís. nu.* Denominação genérica atribuída a partículas elementares pesadas constituídas por três quarks [Pl.: *bárions, bariones*.] [F.: Do ing. *baryum*. Ideia de: *bar(o)-*. Cf.: *bário*.]

barisfera (ba.ris.*fe*.ra) *sf. Geof.* Parte do globo terrestre que, com a pirosfera, forma-lhe o núcleo central; NIFE [F.: Do fr. *barysphere*.]

barismo (ba.*ris*.mo) *sm.* A arte do barista

barista (ba.*ris*.ta) *s2g.* Pessoa que se especializou no preparo do café e de bebidas à base de café, e que conhece profundamente os processos que envolvem o plantio, a colheita, a torrefação e a comercialização dos melhores grãos [F.: Do it. *baristi*, 'funcionários que preparam e servem o café *espresso*'.]

barita (ba.*ri*.ta) *sf. Min.* 1 Mineral ortorrômbico que tem como componente principal o sulfato de bário ($BaSO_4$); BARITINA; ESPATO-PESADO 2 *Quím.* Óxido de bário [BaO] e hidróxido de bário [$Ba(OH)_2$] [F.: *bar(i)-* + *-ita*. Ideia de: *bari-* e *bar(o)-*.]

barítono (ba.*rí*.to.no) *sm. Mús.* 1 Voz masculina cujo timbre é mais grave que o do tenor e mais agudo que o do baixo 2 Cantor com esse tom de voz 3 Instrumento de sopro, de metal, com três pistões, similar ao saxofone, utilizado esp. em bandas militares 4 Músico que toca esse instrumento *a.* 5 Diz-se de certos instrumentos de sopro que produzem sons um tanto graves [F.: Do gr. *barytonos*, 'que tem voz grave', pelo lat. tardio *barytonus*.]

barlavento (bar.la.*ven*.to) *sm.* 1 *Mar.* Lado ou direção de onde sopra o vento ou em que o vento bate 2 Lado do navio que recebe o vento nas velas 3 *Eng.* Lado de uma edificação que recebe o vento [Ant.: *sota-vento*.] [F.: Do espn. *barlovento*.]

⊕ **barman** (*Ing.* /*bármen*/) *sm.* Profissional que prepara e serve bebidas num bar [Pl.: *barmen*.] [F.: Do ing. *barman*.]

⊕ **bar mitzvah** (*Heb.* /*bar mitsvá*/) *loc. subst. Rel.* 1 Rapaz judeu que, ao completar 13 anos, passa a ser considerado adulto e responsável por suas obrigações morais e religiosas 2 A cerimônia que reconhece um jovem como *bar mitzvah* [Pl.: *bnei mitzvah*.] [F.: Do heb. *bar mitzvah*, 'submetido à lei divina'. Cf.: *bat mitzvah*.]

barnabé (bar.na.*bé*) *s2g. Bras. Pop.* Funcionário público de categoria modesta [F.: Do antropônimo *Barnabé*, personagem do samba de Haroldo Barbosa e Antônio Almeida.]

◎ **-bar(o)-** *el. comp.* Ver *bar(o)-*

◎ **-baro** *el. comp.* Ver *bar(o)-*: *alóbaro, isóbaro* (< gr.) [F.: Do gr. *-barés, és*, do gr. *báros, eos-ous*, 'peso'; 'gravidade'.]

◎ **bar(o)-** *el. comp.* = 'peso'; 'gravidade'; 'pressão (atmosférica)': *barestesia, barognose, barógrafo, barômetro* (< fr.), *barotaxia, hiperbárico* [F.: Do gr. *báros, eos-ous*, 'peso'; 'gravidade'. Tb.: *-baro* (q. v.).]

barométrico (ba.ro.*mé*.tri.co) *a.* 1 Ref. a barômetro (câmara barométrica) 2 Medido ou calculado por meio de barômetro (altura barométrica, nivelamento barométrico) [F.: *barômetro* + *-ico*².]

barômetro (ba.*rô*.me.tro) *sm.* **1** *Fís.* Instrumento que mede a pressão atmosférica e, com base nessa medida, indica a altitude ou as prováveis mudanças meteorológicas **2** *Fig.* Aquilo que reflete um estado de coisas, as variações das circunstâncias ou de certo processo complexo etc.: *O melhor barômetro da opinião pública é, certamente, a pesquisa dessa opinião.* [F.: Do fr. *baromètre*.] ■ **~ aneroide** *Fís.* Aquele em que a pressão atmosférica é medida pela deformação de um diafragma que cobre a abertura de uma cápsula de metal **~ de Fortin** *Fís.* Barômetro de mercúrio no qual se pode ajustar o nível no reservatório, ou cuba **~ de mercúrio** *Fís.* Aquele em que a pressão atmosférica é medida pela altura de uma coluna de mercúrio num tubo de vidro fechado na extremidade superior e terminado num reservatório, ou cuba [que contém mercúrio] na extremidade inferior **~ de sifão** *Fís.* Espécie de barômetro de mercúrio no qual o tubo de vidro é em forma de U, com uma extremidade aberta e outra fechada. A medida da pressão é dada pela diferença entre os níveis de mercúrio nas duas partes do tubo **~ metálico** *Fís.* Ver *Barômetro aneroide*

baronato (ba.ro.*na*.to) *sm.* **1** Título ou dignidade de barão; BARONIA (3) **2** *His.* Território pertencente a um barão; BARONIA (1) **3** Comitiva ou séquito de um barão **4** Grupo de barões; BARONAGEM; BARONIA [F.: *barão* + *-ato*¹.]

baronesa (ba.ro.*ne*.sa) [ê] *sf.* **1** Mulher que tem o título de baronato **2** A mulher de um barão (2) **3** *Fig.* Mulher muito rica ou que detém grande poder em certo ramo de atividade (baronesa do café) **4** *Bras. Pop.* Cachaça **5** *Bras. Bot.* Nome comum a ervas das ninfeáceas, que crescem no fundo de águas rasas; tb. *dama do lago* [F.: *barão* (*baron-*) + *-esa*.]

baronete (ba.ro.*ne*.te) [ê] *sm.* Na Inglaterra, título, inerente a uma ordem de cavalaria, conferido pelo soberano e situado acima do de cavaleiro e abaixo do de barão na hierarquia da nobreza [F.: Do ing. *baronet*.]

baronia (ba.ro.*ni*:a) *sf.* *Hist.* **1** Domínio ou senhorio que conferia a seu possuidor o título de barão; BARONATO **2** Na época feudal, qualquer feudo grande que dependia da coroa **3** O mesmo que *baronato* (1) [F.: *barão* + *-ia*¹.]

barqueata (bar.que:*a*.ta) *sf.* Comitiva de barcos realizada para celebrar, reivindicar ou protestar contra alguma coisa: *Os ativistas ambientais fizeram uma barqueata para alertar sobre a poluição dos mares.* [F.: *barc-* + *-e-* + *-ata*.]

barqueiro (bar.*quei*.ro) *sm.* Pessoa que conduz um barco ou uma barca, transportando passageiros e/ou carga [F.: *barca* ou *barco* + *-eiro*.]

barquete (bar.*que*.te) [ê] *sf.* *Cul.* Forminha que lembra um barco, feita de massa salgada e usada como suporte para os mais variados recheios [F.: *barc-* + *-ete*.]

barra (*bar*.ra) *sf.* **1** Peça longa, estreita e sólida, us. para fixar, apoiar etc. **2** *Metal.* Bloco de metal fundido, em forma de barra (1) (barra de ouro) **3** Bloco compacto, ger. retangular, de algum material; porção sólida, em forma de tablete, de certos artigos de consumo (sabão em barra): *Comeu várias barras de chocolate.* **4** Peça reta, estreita, alongada e rígida de madeira, metal, gelo etc. **5** Numa roupa, tira de tecido ou outro material us. como enfeite ou acabamento; BARRADO; DEBRUM; FAIXA **6** *P. ext. Cons. Decor.* Qualquer acabamento que serve de enfeite ou arremata ou circunda algo (barras de azulejos); ARREMATE; BANDA **7** O mesmo que *bainha* (1) **8** *Vest.* A parte inferior de uma roupa (barra da saia); FÍMBRIA **9** *Esp.* Aparelho de ginástica constituído de uma peça cilíndrica horizontal, ger. de ferro, cujas pontas se fixam em dois suportes verticais **10** *Dnç.* Espécie de corrimão roliço de madeira, metal etc. preso horizontalmente ao longo de uma ou mais paredes de uma sala de dança ou ginástica para servir de apoio em certos exercícios [Tb. *barra fixa*.] **11** *P. ext. Dnç.* A série de exercícios feitos nessa barra: *A aula de hoje não teve barra.* **12** *Art. gr.* Traço em diagonal (/) us. convencionalmente para separar números ao escrever datas (dia, mês e ano), endereços (número de edifício e número de um apartamento), frações (numerador e denominador), para separar versos de um poema quando escritos na mesma linha etc. **13** *Geog.* Entrada de baía; EMBOCADURA **14** *Bras. Gír.* Qualquer coisa ou situação difícil, árdua; EMBARAÇO; ESTORVO; PROBLEMA: *Desistiu do concurso quando percebeu que a barra estava difícil.* **15** *Bras. Gír.* O mesmo que *barra-pesada* **16** *Mob.* Armação de cama sem cabeceira **17** *Jur.* Grade de madeira que separa os magistrados do público, nos tribunais [Mais us. no pl.] **18** *Geog.* Banco ou coroa de areia e outros sedimentos que os rios trazem e depositam no local em que desembocam **19** *Geog.* Depósito de aluvião, paralelo à costa, no local onde há equilíbrio entre a corrente marítima e a fluvial **20** *Her.* Listra que atravessa diagonalmente o escudo, do canto superior direito para o lado inferior esquerdo **21** *Mat.* Sinal colocado sobre os símbolos dos elementos de um conjunto para indicar uma operação de associação desses elementos **22** *Est.* Sinal colocado sobre o símbolo de uma variável para indicar uma estimativa da sua média aritmética **23** *Inf.* Faixa longa e estreita da interface gráfica de um programa, que pode conter menus e outras informações, além de servir para deslocar horizontal ou verticalmente, na tela, o conteúdo apresentado **24** *Inf.* Cada um dos elementos do código de barras **25** *PB* Nuvem carregada que, ao pôr do sol, aparece no horizonte **26** *SP* Parte inferior da copa da laranjeira, quase ao nível do solo **27** *Lud.* Jogo infantil, de pegar, em que cada jogador corre para desafiar determinado adversário, batendo três vezes na sua mão e fugindo depois em direção ao próprio campo, perseguido pelo adversário; depois de acolhido, um dos companheiros persegue o oponente que lhe estava no encalço *sm.* **28** *Fig.* Pessoa vigorosa, forte, poderosa **29** *Mús.* Sarrafo de madeira no interior de alguns instrumentos musicais, como piano, violino etc. **30** *Tip.* Parte da frente da caixa tipográfica [F.: Do lat. vulg. **barra* 'travessa, tranca de fechar porta'. Par. /Hom.: *barra, barras* (sf. e pl.), *barra, barras* (fl. de *barrar*).] ■ **Aguentar a ~** Suportar ou superar situações difíceis, penosas etc., mobilizando esforços, paciência e capacidade de resistência **~ de botões** *Inf.* Na interface gráfica de aplicativo, faixa com ícones que permite acesso mais rápido às ferramentas de trabalho do programa; barra de ferramentas **~ de compasso** *Mús.* Traço vertical que separa dois compassos na pauta musical **~ de direção** *Mec.* Em veículo automotivo, a barra (1) que transmite o movimento rotatório do volante à caixa de direção, para orientar as rodas na direção pretendida **~ de ferramentas** Ver *Barra de botões* **~ de menu** *Inf.* Em interface de aplicativo, faixa horizontal contendo palavras que representam grupos de possíveis opções de operação pelo usuário, e que ger. se desdobra, cada uma, numa lista dessas operações quando nela se clica com o *mouse* **~ de rolagem** *Inf.* Em interface de aplicativo, barra horizontal ou vertical com um botão que faz rolar o conteúdo da janela no sentido horizontal ou vertical **~ de tarefas** *Inf.* Em interface gráfica de aplicativo, faixa (ger. horizontal e no pé da janela) com botões e ícones que abrem, ao clicar do *mouse*, *links*, programas, arquivos etc. **~ dupla 1** *Art. gr.* Sinal representado por duas barras verticais paralelas (||), us. como elemento de separação entre textos **2** *Mús.* Barra de compasso dupla (duas paralelas), que indica o fim de um trecho musical **~ fixa 1** *Dnç.* Ver *barra* (10, 11) [Tb. apenas *barra*.] **2** *Esp.* Equipamento de ginástica masculina que consiste numa barra horizontal apoiada, a 2,5 m de altura, em duas hastes verticais, na qual o ginasta se pendura para dar início a série ininterrupta de exercícios (giros, acrobacias, paradas de mão etc.) **~ limpa** *Pop.* Situação, evento, pessoa etc. que não devem trazer problemas, dificuldades ou perigos **~ ônibus** *Eng. Elet.* Barra us. para transportar uma grande corrente elétrica ou para conectar vários circuitos de uma só vez **~ pesada** *Bras. Fig. Pop.* Coisa, situação ou pessoa difícil de ser enfrentada, que ameaça ou traz perigo, que oprime: *As crises familiares foram barra pesada (para os irmãos).* **~s assimétricas** *Esp.* Equipamento de ginástica feminina que consiste em duas barras cilíndricas, horizontais, paralelas e a diferentes alturas do solo, utilizando-se das quais a ginasta executa exercícios de giro, acrobacias, troca de barras etc. **~s paralelas** *Esp.* Equipamento de ginástica masculina que consiste em duas barras roliças de madeira, paralelas, suportadas em hastes verticais a 1,70 m de altura, nas quais o ginasta se apoia nas mãos e nos braços para executar, sem interrupção, giros, acrobacias, paradas de mão etc. [Tb. apenas *paralelas*.] **Forçar a ~ 1** Ir além dos limites do que é razoável ou sensato; exagerar **2** Fazer grande esforço, empenhar-se muito **Segurar a ~** *Bras. Pop.* Ver *Aguentar a barra* [Tb. apenas *sujar*.] **Sujar a ~ 1** *Bras. Pop.* Fazer (alguém) algo que prejudica, desprestigia a si mesmo ou outrem **2** Surgir ou ocorrer dificuldade, situação difícil **Uma ~** *Gír.* Situação, fato ou pessoa difícil, complicada, penosa

barraca (bar.*ra*.ca) *sf.* **1** Abrigo desmontável e portátil, feito de tecido ou plástico resistentes, us. em acampamentos; TENDA **2** Estrutura com bancada e cobertura, us. por feirantes etc. para exporem seus produtos **3** Guarda-sol us. na praia ou à beira de piscinas **4** Cabana ou outra construção provisória, para abrigar pessoas ou coisas **5** *Lus.* Briga, confusão, tumulto, escândalo [F.: De or. contrv.]

barracão (bar.ra.*cão*) *sm.* **1** Abrigo, ger. de madeira, us. como depósito, ou como habitação provisória **2** Ver *barraco* **3** *RJ* Galpão ou outro local onde são confeccionados os carros, fantasias e adereços para o desfile das escolas de samba [Pl.: *-cões*.] [F.: De *barraca* + *-ão*.]

barração (bar.ra.*ção*) *sf.* Ação ou resultado de barrar [Pl.: *-ções*.] [F.: *barrar* + *-ção*. Ideia de: *bar-*.]

barraco (bar.*ra*.co) *sm.* Habitação pobre e tosca, ou com instalações precárias, esp. a que é construída em favela; BARRACÃO [F.: De *barraca*.] ■ **Armar um (o maior) ~** *Bras. Gír.* Criar confusão, fazer tumulto

barracuda (bar.ra.*cu*.da) *sf.* *Bras. Zool.* Peixe da fam. dos esfineídeos (*Sphyraena barracuda*), amplamente distribuído pelos mares tropicais e subtropicais do mundo, com até 2 m de comprimento e muito voraz; sua carne pode causar intoxicação [F.: Do espn. *barracuda*.]

barrado¹ (bar.*ra*.do) *a.* **1** Guarnecido ou arrematado com barra(s), ou com listras etc. (cortina barrada) *sm.* **2** *Vest.* Barra: *saia com barrado de renda.* **3** *Her.* Campo coberto de barras de metal e cor [F.: *barra* + *-ado*¹.]

barrado² (bar.*ra*.do) *a.* **1** Coberto de barro ou outro material similar ao barro (parede barrada) **2** Que recebeu camada de alguma substância mole: *pão barrado de manteiga.* [F.: *barro* + *-ado*¹.]

barrado³ (bar.*ra*.do) *a.* **1** Impedido de entrar: *Os três rapazes barrados na festa tiveram de voltar e tentaram entrar à força na boate.* **2** Vetado, proibido [F.: Part. de *barrar*.]

barragem (bar.*ra*.gem) *sf.* **1** Construção feita no leito de um rio ou canal para acumular as águas e elevar ou controlar seu nível, ou para desviá-las; REPRESA **2** Tapume feito de troncos e ramos entrelaçados, colocado num rio para impedir a passagem dos peixes e fazê-los convergir para certo lugar **3** *Fig.* Impedimento, obstrução **4** *Mil.* Sistema tático que visa restringir o avanço do inimigo, seja pelo uso de armas seja pela colocação de obstáculos: *barragem de artilharia.* [Pl.: *-gens*.] [F.: Do fr. *barrage*.] ■ **~ de acumulação** *Cons.* Barragem cujo objetivo é represar água para abastecimento, irrigação ou produção de eletricidade **~ de artilharia** *Mil.* Bombardeio concentrado e contínuo de determinado território para conter ação do inimigo **~ de derivação** *Cons.* Obra de engenharia para desviar um curso de água **~ de regularização** *Cons.* Obra em curso de água, que se destina a impedir alterações significativas de seu nível que possam prejudicar a navegabilidade ou provocar inundações

barra-limpa (bar.ra-*lim*.pa) *a2g.* **1** *Bras. Gír.* Diz-se de pessoa honesta, em que se pode confiar e com quem se pode contar [Pl.: *barras-limpas*.] *s2g.* **2** Essa pessoa [Pl.: *barras-limpas*.]

barramento (bar.ra.*men*.to) *sm.* **1** Ação ou resultado de pôr barras **2** Conjunto de barras ou peças em forma de barra, colocadas paralelamente **3** *Elet.* Condutor ou circuito aos quais outros condutores ou circuitos podem ser conectados **4** *Inf.* Circuito elétrico (ger. em forma de barras metálicas) que faz a troca de dados entre partes ou dispositivos internos de um computador [F.: *barrar* + *-mento*.]

barranco (bar.*ran*.co) *sm.* **1** Margem alta e íngreme de rio ou estrada; BARRANCA; RIBANCEIRA **2** Grande buraco decorrente de erosão, enxurrada, garimpagem etc. **3** Vale ou encosta íngremes; abismo, despenhadeiro, precipício **4** *Fig.* Dificuldade, obstáculo **5** *Amaz.* Bloco de terreno com vegetação, que se desprende das margens de um rio e é levado pela corrente [F.: Posv. do lat. *barrancus*.]

barranquear (bar.ran.que.*ar*) *v. td. int. Vulg.* Sodomizar (um animal) [▶ 13 barranquear] [F.: *barranco* + *-ear*, segundo o modelo vernáculo.]

barranqueira (bar.ran.*quei*.ra) *sf.* **1** *Bras.* Ribanceira **2** Sucessão de barrancos, terreno desbarrancado [F.: *barranco* + *-eira*.]

barranquenho (bar.ran.*que*.nho) *sm.* **1** Indivíduo nascido ou que vive na região de Barrancos (Portugal) **2** *Gloss.* Dialeto português da região de Barrancos *a.* **3** De Barrancos; típico dessa região ou de seu povo **4** *Gloss.* Do ou ref. ao barranquenho (2) [F.: Do top. *Barrancos* + *-enho*.]

barra-pesada (bar.ra-pe.*sa*.da) *Bras. Gír.* *a2g2n.* **1** Diz-se daquilo com que é muito difícil de se lidar, que é desfavorável, opressivo, perigoso etc. (situação barra-pesada) **2** Diz-se de pessoa ou lugar perigoso, violento: *Evite andar pela zona barra-pesada da cidade.* *s2g.* **3** Pessoa violenta, ou envolvida em crimes, atividades ilícitas etc. **4** Ambiente em que impera a criminalidade, a violência: *a barra-pesada do mundo marginal.* [Pl.: *barras-pesadas*.] [F.: da loc. *barra pesada*.]

barraqueiro (bar.ra.*quei*.ro) *sm.* **1** Aquele que expõe e vende produtos em barraca (p. ex., em feiras, mercados, certos lugares públicos, praias etc.); FEIRANTE **2** Fabricante ou vendedor de barracas **3** *Pop.* Pessoa que faz escândalo, que provoca brigas ou tumulto; agitador, desordeiro [F.: *barraca* (ou *barraco*) + *-eiro*.]

barrar¹ (bar.*rar*) *v. td.* **1** *Bras.* Impedir a passagem ou a entrada de: *O segurança barrou os penetras.* **2** Impedir ou vetar a participação de (alguém); excluir de um grupo ou equipe: *O técnico barrou três jogadores.* **3** *Bras.* Proibir a execução ou mostra de: *A censura barrou as cenas de violência.* **4** Impedir, frustrar, embargar: *Os policiais barraram a fuga dos criminosos; barrar o uso de transgênicos.* **5** *Fig.* Fechar, obstruir (caminho); interromper ou retardar (progressão ou desenvolvimento de algo ou alguém); pôr ou ser obstáculo a **6** Pôr barras em algo, esp. em posição transversal e como reforço: *barrar um portão.* **7** Enfeitar (vestido, saia etc.) com barras, tiras ou ornatos similares **8** Fundir (metal) em barras [▶ 1 barrar] [F.: *barra* + *-ar*². Hom./Par.: *barra* (fl. de *barrar*), *barra* (sf.); *barras* (fl. de *barrar*), *barras* (pl. do sf.).]

barrar² (bar.*rar*) *v. td.* **1** Cobrir ou revestir com barro: *barrar paredes* **2** Encher de barro ou fechar com barro: *barrar frestas, buracos* **3** *Fig.* Aplicar substância pastosa como barro sobre (algo): *Barrou o pão com/de manteiga.* [F.: *barro* + *-ar*².]

barreado (bar.re.*a*.do) *a.* **1** Que se revestiu de barro; ENLAMEADO **2** Que tem paredes cobertas por barro (chalé barreado) **3** *PR Pop. Cul.* Prato típico composto por carne, entre outros ingredientes, cozida por horas em panela de barro [F.: Part. de *barrear*. Ideia de: *barr-*.]

barrear (bar.re.*ar*) *v.* **1** Revestir de barro; BARRAR; REBOCAR [*td.*: "... até para barrear casa, observam a lua. Não se deve barreá-la na lua crescente porque o barro rachará..." (Carlos Borges Schmidt, "A lua e o caipira")] **2** *Bras. Vulg.* Tapar, encher ou cobrir de barro; BARRAR [*td.*: *barrear um terreno para impermeabilizá-lo.*] **3** *Bras. Cul.* Vedar (tampa de panela de barro) com argamassa feita de farinha de mandioca crua, no preparo de barreado [*td.*: *barrear a panela.*] **4** Cobrir com substância pastosa, espalhando-a de modo mais ou menos uniforme [*tdr.* + *com, de*: *Nem barreou de manteiga o meu pão.*] **5** *Bras. Vulg.* Expelir naturalmente excrementos; DEFECAR; EVACUAR; OBRAR [*int.*] **6** *Bras. TO* Amanhecer [*int.*] [▶ 13 barrear] [F.: *barro* + *-ear*.]

barregã (bar.re.*gã*) *sf.* Mulher amancebada; AMÁSIA; CONCUBINA [F.: De or. contrv.]

barregão (bar.re.*gão*) *sm.* Homem que vive maritalmente com uma mulher sem ser casado; AMÁSIO; BARREGUEIRO [Pl.: *-gãos*. Fem.: *barregã*.] [F.: De or. contrv.]

barreira (bar.*rei*.ra) *sf.* **1** Obstáculo que impede a passagem ou o avanço: *barreira de proteção* **2** Bloqueio policial em rodovia, feito com carros atravessados **3** *Fig.* Empecilho: *O governo impôs barreiras à importação de vários produtos.* **4** *Fig.* Limite máximo, teto: *Os juros ultrapassaram a barreira de 20% ao mês.* **5** Terreno íngreme, sem vegetação, em margem de estrada: *Houve queda de barreira na Rio-Santos.* **6** Posto fiscal nos acessos a cidade ou povoação **7** *Esp.* Nas pistas de corrida, cada um dos obstáculos que os atletas têm de saltar: *corrida de 110 metros com barreiras.* **8** *Fut.* Grupo de jogadores que se colocam lado a lado, entre a bola e o gol, para tentar impedir a passagem da bola, na cobrança de falta pelo adversário [F.: *barr(a)* + *-eira.*] ■ **~ de gelo** Porção de um glaciar que se estende mar adentro, parte flutuante e parte encalhada no fundo, terminado em paredões de 20 a 60 m de altura, com extensões superiores a 50 km **~ do som** *Fís.* Nome atribuído à velocidade do som em certo fluido, e aos fenômenos que ocorrem quando ela é atingida por um corpo que se desloca nesse fluido, esp. o desencadeamento de ondas de choque (percebidas, na atmosfera, como um estrondo) **~ racial** *Soc.* Conjunto de fatores (política, cultura, leis, preconceitos etc.) que atuam sobre as relações sociais, e que se baseiam em supostas diferenças étnicas ou raciais, impedindo a mobilidade social de indivíduos ou grupos **~ sangue-cérebro** *Fisl.* Alteração nas paredes dos capilares cerebrais, impedindo que substâncias do sangue as atravessem e cheguem aos tecidos do cérebro **~ social** *Soc.* Todo obstáculo que impeça ou dificulte o acesso de determinados indivíduos ou grupos a posições na sociedade **~ térmica** *Astron.* Limite da velocidade de aeronave ou nave espacial na atmosfera, imposto pelo limite de sua resistência ao calor provocado pelo atrito com o ar

> 🕮 Quando um corpo que se desloca num fluido atinge a velocidade do som, desencadeiam-se fenômenos análogos aos do choque desse corpo com uma barreira de resistência, tais como perda de sustentação e reflexão das ondas de som, causando uma onda de choque e um estrondo (diz-se então que o corpo 'rompeu a barreira do som').

barreiro (bar.*rei*.ro) *Bras. sm.* **1** Lugar de onde se retira barro, esp. para fazer tijolos e telhas **2** Lamaçal, atoleiro **3** *Zool.* O mesmo que *joão-de-barro* **4** *Bras.* Local em que a superfície do solo é rica em sal, salitre e outros minerais, e onde o gado e animais selvagens vêm cavar e lamber a terra **5** Local em que se prepara o barro us. nas paredes de taipa [F.: *barro* + *-eiro.*]

barrela (bar.*re*.la) *sf.* Solução de produtos alcalinos em água quente, em que se ferveu soda ou cinzas de madeira, e que se usa para branquear roupas; LIXÍVIA [F.: De or. contrv.] ■ **Cair na ~** Ter a reputação comprometida; cair em desonra

barreleiro (bar.re.*lei*.ro) *sm.* **1** Cinza de que se extraiu a água fervida para barrela **2** Pano us. para coar os resíduos resultantes da barrela, e com o qual se cobre a roupa a ser alvejada **3** Cesto grande em que se faz a barrela *a.* **4** Que se refere a esse cesto [F.: *barrela* + *-eiro*. Ideia de: *barrel-*.]

barrento (bar.*ren*.to) *a.* **1** Cheio ou coberto de barro (estrada barrenta) **2** Que contém barro, ou está misturado ao barro (água barrenta) **3** Similar ao barro (substância barrenta); BARROSO **4** Da cor do barro [F.: *barro* + *-ento.*]

barretada (bar.re.*ta*.da) *sf.* **1** Ação de tirar o barrete ou o chapéu da cabeça para saudar alguém **2** *P. ext.* Cumprimento exagerado e subserviente; RAPAPÉ; SALAMALEQUE [F.: *barrete* + *-ada*[1].] ■ **Dar ~ com chapéu alheio** Granjear, ou tentar granjear gratidão ou prestígio graças a mérito ou trabalho de outrem

barrete (bar.*re*.te) [ê] *sm.* **1** Peça de vestuário que cobre a cabeça, feita de tecido macio e flexível; GORRO **2** Chapéu quadrangular sem abas, alargando um pouco para cima, com uma borla no centro da copa, que faz parte do traje eclesiástico, esp. dos cardeais **3** *Arq.* Abóbada formada pela interseção de duas abóbadas cilíndricas, formando ângulos salientes **4** *Anat. Zool.* Segunda parte do estômago dos ruminantes (boi, camelo etc.); COIFA **5** *Mil.* Fortificação composta de três ângulos salientes e dois reentrantes [F.: Do fr. *barrette.*] ■ **~ frígio** Barrete vermelho, de formato semelhante ao de figuras gregas antigas que representam os frígios, e que difundiu-se, a partir da Revolução Francesa como símbolo da liberdade republicana

barretina (bar.re.*ti*.na) *Antq. sf.* **1** Barrete alto e cilíndrico, feito de diversos materiais, tais como feltro, peles etc., us. outrora pelos militares **2** Tipo de chapéu us. antigamente por senhoras [F.: *barrete* + *-ina.*]

barrica (bar.*ri*.ca) *sf.* **1** Barril ou pipa (vasilha) pequenos, de madeira, para guardar ou transportar mercadorias, esp. líquidos **2** *Fig. Pop.* Pessoa atarracada e gorda [F.: Do fr. *barrique.*]

barricada (bar.ri.*ca*.da) *sf.* Barreira feita com barricas, pneus, pedras etc., para impedir a passagem ou acesso a uma rua, estrada, povoação ou a qualquer outro lugar: *uma barricada policial; barricada dos sem-terra.* [F.: Do fr. *barricade.*]

barrido (bar.*ri*.do) *sm.* Ver *barrito*

barriga (bar.*ri*.ga) *sf.* **1** *Anat.* Região frontal do corpo, entre o tórax e a bacia; ABDOME; VENTRE **2** *Anat. Zool.* Nos animais vertebrados, região do corpo que contém a maior parte das vísceras; ABDOME; VENTRE **3** *Pop.* A parte do corpo que recebe os alimentos ingeridos; estômago: *Não consigo me concentrar de barriga vazia.* **4** *Bras.* Ventre proeminente: *Mantém-se sem barriga fazendo ginástica.* **5** Dilatação do ventre, devido ao desenvolvimento do feto, na gravidez: *Está com uma barriga de oito meses.* **6** *Anat. Zool.* Parte correspondente ao abdome, oposta ao dorso, nos animais; ABDOME; ABDÔMEM **7** *Fig.* Parte saliente de uma superfície; PROEMINÊNCIA; RESSALTO: *O vazamento formou uma barriga no teto.* **8** *Bras.* Notícia falsa divulgada por jornal, revista etc. **9** *Tip.* Defeito que faz com que a composição fique mais alta no centro **10** *RS* Lã retirada da barriga do ovino [F.: Posv. do gaulês *barrica.*] ■ **~ da perna** Parte posterior e musculosa da perna, abaixo do joelho; panturrilha **~ de aluguel** Mulher, ou, mais especificamente, seu útero, que desenvolve a gravidez de um feto de óvulo fecundado fora dela (p. ex., por inseminação artificial) e nela implantado **Carregar uma ~** *MA* Estar de barriga, estar grávida **Chorar de ~ cheia** Reclamar, queixar-se de algo sem ter motivo real, ou estando numa situação comparativamente boa **Chorar na ~ da mãe** Constatar (alguém) que tudo lhe acontece conforme sua vontade **Comer ~** *Pop.* Cometer ou deixar passar erro por distração **De ~** Grávido, prenhe **Empurrar com a ~** *Bras.* Deixar continuar situação problemática sem resolvê-la, adiar providências **Encher ~ de corvo** *RS* Morrer (animal) **Estar com a ~ no espinhaço** Estar muito magro, ou com muita fome **Falar de ~ cheia** Ver *Chorar de barriga cheia* **Levar ~** *Bras. Gír. Jorn.* Publicar (jornal) notícia infundada **Pegar ~** Ficar grávida ou prenhe; engravidar **Tirar a ~ da miséria** Usufruir (finalmente) de algo depois de muito tempo sem fazê-lo

barrigada (bar.ri.*ga*.da) *sf.* **1** Golpe que se dá com a barriga **2** Golpe que se recebe na barriga **3** Queda (ger. desajeitada ou dolorosa) na água, com o corpo estendido horizontalmente e a barriga para baixo **4** Ingestão de grande quantidade de alimentos, até fartar **5** Quantidade de alimentos suficiente para satisfazer, para encher a barriga **6** Vísceras, órgãos retirados da barriga de animal abatido **7** Gravidez de fêmea animal, ou o conjunto dos filhotes dela nascidos **8** *P. ext. Pop.* Gravidez (humana) **9** *Lus. Fig.* Grande quantidade; fartura, abundância **10** *Bras. Gír.* Ato de defecar **11** *Jorn.* Divulgação de notícia falsa, ou outra matéria jornalística equivocada, imprópria, desastrada [F.: De *barriga* + *-ada*[1].]

barriga-d'água (bar.ri.ga-*d'á*.gua) *sf.* **1** *Pop.* Acúmulo de líquido na membrana do abdome; ASCITE **2** *Bot.* Árvore da fam. das tiliáceas (*Hydrogaster trinervis*), nativa do Brasil, cujo tronco armazena grande quantidade de água **3** *Ict.* Tubarão costeiro antropófago, da fam. dos carcarrinídeos (*Carcharhinus milberti*), encontrado no Atlântico tropical, Mediterrâneo e Leste da África, de até 2, 50m de comprimento; CAÇÃO-GALHUDO [Pl.: *barrigas-d'água.*]

barriga-verde (bar.ri.ga-*ver*.de) *Bras. Pop. s2g.* **1** O mesmo que *catarinense* (2) **2** Indivíduo aficcionado pela pesca; PIRANGUEIRO *a2g.* **3** O mesmo que *catarinense* (1) [Pl.: *barrigas-verdes.*] [NOTA: A formação da palavra remete ao distintivo us. pelos legionários catarinenses, uma faixa verde à cinta, na guerra da Cisplatina.]

barriguda (bar.ri.*gu*.da) *sf.* **1** Mulher que tem barriga grande; PANÇUDA **2** Mulher que está prenhe; GRÁVIDA **3** *RJ Pop.* Cerveja preta cuja garrafa é bojuda **4** *Bras. Bot.* Diz-se de árvore bombacácea (*Cavanillesia arborea*) que tem o tronco largo e suculento, flores vermelhas e cápsulas aladas roxas; ÁRVORE-DA-LÃ; CASTANHA-DO-CEARÁ; EMBARÉ **5** *Bot.* O mesmo que *paineira* **6** *Bot.* O mesmo que *jaracatiá* **7** *Bot.* Variedade de seringueira (*Hevea spruceana*, Muell.); tb. *seringueira-barriguda* [F.: Do fem. de *barrigudo*. Ideia de: *barrig-*.]

barrigudo (bar.ri.*gu*.do) *a.* **1** Que tem barriga grande; PANÇUDO **2** Que está prenhe **3** Que possui saliência semelhante a uma barriga (escultura barriguda, tronco barrigudo) *sm.* **4** Pessoa barriguda; PANÇUDO **5** *Bras. Zool.* Macaco amazônico da fam. dos cebídeos (*Lagothrix lagothricha*), de corpo robusto e barriga arredondada e volumosa [F.: *barriga* + *-udo.*]

barrigueira (bar.ri.*guei*.ra) *sf.* **1** Peça dos arreios que fica em volta da barriga da cavalgadura, fixando a sela; CILHA **2** *S* Couro que se retira da barriga dos animais **3** *S* Carne da barriga de uma rês [F.: *barriga* + *-eira.*]

barril (bar.*ril*) *sm.* **1** Recipiente de madeira, de formato cilíndrico ou aproximadamente cilíndrico e abaulado, us. para armazenar produtos, esp. líquidos ou alimentos; TONEL **2** Medida de volume de líquidos (us. p. ex. na indústria petrolífera), equivalente a aprox. 159 litros: *vazamento de milhares de barris de petróleo em refinaria.* **3** Recipiente, de formato ou uso semelhantes ao do barril (1), feito de outro material [Pl.: *-ris*. Dim.: *barrilete.*] [F.: De or. contrv.] ■ **~ de pólvora** *Fig.* Situação perigosa, passível de explodir com resultados desastrosos

barrilete (bar.ri.*le*.te) [ê] *sm.* **1** Pequeno barril **2** Ferro em forma de sete us. por marceneiros e entalhadores para prender a madeira a ser trabalhada a uma bancada **3** *Mús.* Pequena peça do clarinete, em forma de barril **4** *Bras. RS* Papagaio de papel de forma hexagonal, que lembra um barril; CAFIFA; PIPA **5** *Cons.* Canalização principal responsável pela distribuição de água para as várias colunas de um prédio **6** *Quím.* Recipiente cilíndrico que serve para armazenamento de líquidos **7** *Ópt.* Dispositivo cilíndrico que possui dois anéis metálicos onde se monta uma objetiva **8** *Enuc.* Num reator nuclear, dispositivo rotativo responsável pela troca de combustível usado por novo [F.: *barril* + *-ete*. Ideia de: *barrig-*.]

barrilha (bar.*ri*.lha) *sf.* **1** Cinza feita das hastes da barrilheira, us. nas barrelas por conter muita soda **2** *Quím.* Nome comercial dos carbonatos de sódio e de potássio [F.: Do esp. *barrilla.*]

barrito (bar.*ri*.to) *sm.* A voz de alguns animais, esp. do elefante; BARRIDO [F.: Do lat. *barritus, us.*]

barro (*bar*.ro) *sm.* **1** *Min.* O mesmo que *argila* **2** Lama **3** Terra (parte branda do solo) ou material terroso, por oposição a rocha; solo terroso sem vegetação: *A encosta do terreno é toda de barro.* **4** *Cons.* Mistura de argila e água us. no assentamento de tijolos **5** Objeto ou escultura feita de barro (1) **6** *Fig. Pop.* Coisa de pouco valor **7** *Bras. Vulg.* Excremento, matéria fecal [F.: De or. posv. pré-romana.] ■ **~ branco/forte** Caulim **De ~** *Fig.* Diz-se do que não tem valor, força, resistência etc., apesar das aparências; diz-se do que é imprópria ou falsamente valorizado **Ir ao ~** Cair

barroca (bar.*ro*.ca) [ó] *sf.* **1** Escavação natural causada por erosões, enxurradas ou chuvas torrenciais; BARRANCO **2** Monte rochoso ou de barro, irregular ou escarpado **3** Lugar de onde se extrai barro; BARREIRA; BARREIRO **4** *Bras.* Precipício, despenhadeiro **5** *Lus.* Passagem funda e irregular entre penedos ou escarpas [F.: *barro* + *-oca*. Hom./Par.: *barroca* [ó] (sf.), *barroca* [ô] (a.) fem. de *barroco* [ô] (a.).]

barroco (bar.*ro*.co) [ô] *sm.* **1** Estilo desenvolvido nas várias formas de arte entre o fim do séc. XVI e meados do séc. XVIII, que se opõe ao classicismo e se caracteriza pela liberdade de formas e profusão de ornamentos **2** Período em que se desenvolveu esse estilo **3** Artista pertencente a esse período **4** Arte, maneira ou estilo semelhante ao do período barroco; BARROQUISMO: *o barroco de alguns literatos brasileiros.* **5** Escritor cujo estilo assemelha-se ao barroco **6** Pérola de superfície irregular *a.* **7** Ref. ao barroco (1 e 2) ou típico desse estilo ou desse período (igreja barroca, música barroca) **8** *Pej.* Diz-se de pessoa marcada pelo caráter ou pelo comportamento extravagante; EXCÊNTRICO **9** *Pej.* Que tem excesso de ornamentos, que é rebuscado demais (escrita barroca) [Ant.: *despojado, sóbrio.*] **10** Diz-se de pérola de superfície irregular [F.: Do fr. *baroque*, it. *barocco*. Hom./Par.: (fem.) *barroca* [ô], *barroca* (sf.).] ■ **~ brasileiro** Adaptação do barroco europeu ao Brasil, no estilo de várias artes, em princípios do séc. XIX

> 🕮 No Brasil esse estilo teve significativa presença, principalmente nas artes plásticas, sendo notável na arquitetura colonial, assim como nas esculturas e na arte religiosa em geral. Ouro Preto (MG) e Alcântara (MA), entre muitos outros exemplos, são até hoje museus vivos da arte barroca brasileira. Entre os artistas barrocos mais conhecidos, citem-se o Aleijadinho e Manuel Ataíde.

barroqueira (bar.ro.*quei*.ra) *sf. Bras.* Barranco profundo no meio de um vale [F.: *barroca* + *-eira.*]

barroquismo (bar.ro.*quis*.mo) *sm.* **1** *Art. pl. Liter. Mús.* Qualidade de barroco **2** Maneira barroca de fazer ou proceder (diz-se da arte ou estilo) **3** *Pej.* Conduta barroca; EXTRAVAGÂNCIA [F.: *barroco* + *-ismo*. Ideia de: *barr-*.]

barroso (bar.*ro*.so) [ô] *a.* **1** Coberto ou cheio de barro; BARRENTO **2** Que é da natureza do barro; BARRENTO **3** Diz-se de quem tem espinhas no rosto **4** Que tem o pelo branco-amarelado (diz-se de bovino) **5** Diz-se de equino da cor de barro escuro [Pl.: *ó*. Fem.: *ó*.] [F.: *barro* + *-oso.*]

barrote (bar.*ro*.te) [ó] *sm. Cons.* Viga de madeira onde são pregadas as tábuas dos assoalhos ou dos tetos [Dim.: *barrotim*] [F.: *barra* + *-ote.*]

barrufar (bar.ru.*far*) *v. int. td. BA* Borrifar, soprar (em) com a boca cheia de água [▶ 1 barru**far**] [F.: Alteração de *borrifar.*]

barulhada (ba.ru.*lha*.da) *sf.* O mesmo que *barulheira* [F.: *barulho* + *-ada*[2].]

barulhar (ba.ru.*lhar*) *v.* **1** Fazer barulho, ruído, zuada [*int.*: *copos e talheres barulhando.* Ant.: *silenciar.*] **2** Pôr(-se) em barulho, em desordem; CONFUNDIR(-SE); MISTURAR(-SE) [*td.*: *As crianças barulharam minhas gavetas.*] [*int.*: *O arquivo barulhou-se todo.*] [Ant.: *ordenar(-se), organizar(-se).*] **3** *Bras. Gír.* Tentar namorar; CANTAR; PAQUERAR [*td.*: *O cara está barulhando minha garota.*] **4** *Bras. Gír.* Tentar conseguir, ou conseguir (algo) de (alguém), com esperteza e manha [*tdr.* + *a, para*: *Vou barulhar meu pai a me bancar esse curso.*] [▶ 1 barulhar] [F.: *barulho* + *-ar*[2]. Hom./Par.: *barulho* (fl. de *barulhar*), *barulho* (sm.).]

barulheira (ba.ru.*lhei*.ra) *sf.* Muito barulho; manifestação ruidosa e confusa; ruído intenso de vozes simultâneas; BARULHADA [Ant.: *quietude, silêncio.*] [F.: *barulho* + *-eira.*]

barulhento (ba.ru.*lhen*.to) *a.* **1** Que faz ou costuma fazer muito barulho (vizinhos barulhentos); RUIDOSO **2** Em que há muito barulho, tumulto; AGITADO; MOVIMENTADO: *Morava numa rua barulhenta, com intenso trânsito de carros e pedestres.* [F.: *barulho* + *-ento*. Ant. ger.: *silencioso.*]

barulho (ba.*ru*.lho) *sm.* **1** Som muito forte; ESTRÉPITO; ESTRONDO: *O barulho da obra está insuportável.* **2** Qualquer ruído; RUMOR: *Ouvi um barulho estranho na área de serviço.* **3** Agitação, alvoroço causado por um acontecimento ou por algo inesperado ou polêmico; ALGAZARRA; ESCARCÉU [Ant.: *silêncio, tranquilidade.*] **4** Revolta social; MOTIM; TUMULTO **5** Alarde, ostentação **6** Desordem, confusão, bagunça [F.: Dev. de *barulhar*. Hom./Par.: *barulho* (sm.), *barulho* (fl. de *barulhar*).] ■ **Comprar ~** Numa situação de conflito ou discórdia, assumir a iniciativa da briga **Do ~** *Gír.* Muito bom, notável

basal (ba.*sal*) *a2g.* Ref. à base [Pl.: *-sais.*] [F.: *base* + *-al.* Ideia de: *-base.*]

basáltico (ba.*sál*.ti.co) *a.* Ref. a ou composto de basalto (rocha basáltica) [F.: *basalto* + *-ico*[2]. Ideia de: *basalt(o)-.*]

basalto (ba.*sal*.to) *sm. Geol.* Rocha vulcânica, de cor escura ou negra, muito dura e resistente, us. esp. na pavimentação de ruas e estradas; PEDRA-FERRO [F.: Do fr. *basalte.*]

basbaque (bas.*ba*.que) *a2g.* **1** Diz-se de pessoa que fica espantada, pasma diante de tudo; PALERMA **2** Diz-se de quem faz ou diz tolices; TOLO *s2g.* **3** Indivíduo basbaque; PALERMA; TOLO *sm.* **4** Pescador que espreita o cardume, ao pé das armações, para lhe jogar a rede [F.: De or. contrv.]

basco (*bas*.co) *sm.* **1** Pessoa nascida ou que vive no País Basco (região entre a França e a Espanha, sem autonomia política) **2** *Gloss.* Língua falada no País Basco; VASCONÇO *a.* **3** Do País Basco; típico dessa região ou de seu povo **4** Ref. ao basco (2) [F.: Do espn. *vasco.* Tb. *vasco.*]

báscula (*bás*.cu.la) *sf.* **1** *Metrol.* Balança decimal **2** O mesmo que *básculo* **3** *Fot.* Dispositivo encontrado em câmeras fotográficas grandes, para correção da perspectiva [F.: Do fr. *bascule.* Hom./Par.: *báscula* (sf.), *bascular* (fl. de *bascular*).]

basculante (bas.cu.*lan*.te) *sm.* **1** Janela com batentes móveis, movidos por um básculo (2) *a2g.* **2** Que funciona com um movimento de básculo (2) (janela basculante) **3** Diz-se de veículo (caminhão, vagão etc.) cuja parte posterior da carroceria se move para cima e para baixo, permitindo-lhe descarregar com facilidade [F.: Do fr. *basculant.*]

bascular (bas.cu.*lar*) *v.* **1** Mover(-se) (corpo em forma de placa, chapa) de um lado para outro, na direção vertical ou horizontal, em torno de um eixo longitudinal, localizado no centro ou numa das extremidades [*td.*: *alavanca para bascular a janela; A janela é fácil de lavar porque bascula até 90º.*] [*int.*: *Meus óculos de grau têm lentes escuras que basculam; As janelas podem bascular até a posição horizontal.*] **2** Inclinar(-se) (compartimento de veículo), por meio de mecanismo apropriado (p. ex., para despejar a carga) [*td.*: *O caminhão basculou a carga em chamas no meio da rua; bascular contêineres, bascular lixo no aterro sanitário.*] [*int.*: *A cabine do caminhão bascula para a frente.*] **3** Elevar(-se) (ponte-báscula ou seus vãos), girando em torno de um eixo horizontal, por meio de mecanismo apropriado [*int.*: *Os dois vãos centrais da ponte basculam.*] **4** Mover(-se) para um e para outro lado, ou para cima e para baixo, em torno de um eixo [*tda. int.* + *para*: *bascular o laringoscópio cerca de 45º; O encosto dos bancos basculam (para frente e para trás).*] [*tda. int.* + *para*] **5** *Fig.* Tender, inclinar-se, para (opção, preferência, possibilidade) ou oscilar entre duas delas [*ta.* + *entre, para*: *Você costuma bascular para a brutalidade; A narrativa é contemporânea, mas bascula para o passado:* "No lugar de bascular entre passado e presente, o filme une os dois tempos..." (*Folha de S.Paulo,* 19.03.2002)] [▶ 1 bascular] [F.: do fr. *basculer.* Hom./Par.: *báscula(s)* (sf. e pl.), *básculo* (sm.), *bascula, basculas, basculo* (fl. de *bascular*).]

básculo (*bás*.cu.lo) *sm.* **1** *Arq.* Espécie de ponte levadiça; BÁSCULA **2** Peça achatada de ferro que gira sobre uma cavilha para abrir ou fechar alternadamente dois ferrolhos de uma porta ou janela [F.: Do fr. *bascule.* Hom./Par.: *básculo* (sm.), *basculo* (fl. de *bascular*).]

base (*ba*.se) *sf.* **1** O que serve de apoio ou sustentação para algo: *a base de uma lâmpada.* **2** *Biol.* Parte de um órgão (de planta ou de animal) mais próxima da sua origem ou do seu ponto de inserção: *base da língua.* **3** *Biol.* Origem ou ponto de inserção dos órgãos ou das partes externas de um corpo: *base da cabeça.* **4** Parte inferior de uma construção ou objeto, que serve de apoio: *a base de uma coluna; a base de um copo.* **5** *Art. pl.* Pedestal de uma estátua ou de outro ornato **6** *Arq.* Camada sólida de cimento, tijolos, pedras etc. sobre a qual se ergue uma construção, e que a sustenta; FUNDAÇÃO **7** Parte mais baixa ou funda: *a base de uma montanha.* **8** *P. us. Art. gr.* Parte interna do desenho do tipo; REBAIXO DO OLHO **9** *Art. gr.* Nas linotipos, peça de aço com ranhura onde se encaixa a matriz-gaveta para fundir fios, filetes e vinhetas; BLOCO DE GAVETA; BLOCO-MATRIZ **10** Elemento básico ou subjacente; INFRAESTRUTURA: *a base industrial da nação.* **11** *Fig.* Ideia ou fato inicial de que se parte para formar um raciocínio; PREMISSA **12** *Fig.* Conjunto de características essenciais que fundamentam e constituem algo: *O respeito mútuo é a base da boa convivência.* **13** Principal ingrediente de uma mistura: *Os ovos são a base do quindim.* **14** *Farm.* Substância que exerce a ação principal em uma preparação farmacêutica **15** Conjunto de conhecimentos gerais ou sobre determinado assunto, ou bom domínio desses conhecimentos: *O aluno não tem base para acompanhar a turma.* **16** Primeira camada com que se recobre uma superfície para torná-la apta a receber as demais **17** Substância us. para fazer a base (16) **18** Cosmético facial us. para disfarçar pequenas imperfeições da pele **19** Lugar que serve de suporte para certa operação ou atividade **20** *Esp.* Cada um dos quatro cantos da área interna de um campo de beisebol, ger. marcados com uma espécie de almofada quadrada no chão **21** *Bras. Fig. Pol.* Conjunto dos militantes de um partido político, ou de eleitores de um determinado político: *O partido decidiu consultar as bases.* [Nesta acp., mais us. no pl.] **22** *Mús.* Nota fundamental; TÔNICA **23** *Ling.* O mesmo que *radical* (8) **24** *Ling.* Na gramática gerativa, parte do componente sintático que define as estruturas fundamentais das orações de uma língua **25** *Fot.* Suporte de uma emulsão fotográfica (para filmes, ger. é feita de plástico ou acetato; para cópias, de papel) **26** *Geom.* Lado ou face inferior de um polígono ou poliedro **27** *Mat.* Número que exprime a relação entre as diferentes unidades sucessivas de um sistema de numeração: *10 é a base do sistema decimal.* **28** *Mat.* Em uma potência, número que representa o fator que é multiplicado por si mesmo **29** Linha reta us. como referência para medição ou cálculo **30** *Est.* Número de elementos, ger. resultados de tabulação de pesquisa quantitativa, us. para calcular as porcentagens de uma tabela. **31** *Quím.* Substância que, ao reagir com a água, libera como ânions somente íon hidroxila (OH^{1-}) **32** *Quím.* Substância capaz de receber próton (H^{1+}) **33** *Quím.* Substância que pode doar um ou mais pares de elétrons através de ligações covalentes dativas **34** *Eletrôn.* Em uma válvula eletrônica, parte onde se encontram os pinos e contatos que fazem a fixação mecânica e a conexão elétrica com os eletrodos **35** *Eletrôn.* Em um transistor bipolar, região entre o emissor e o coletor **36** *Eletrôn.* Eletrodo unido à base (34) [F.: Do lat. *basis-is,* do gr. *básis-eos.*] ∎∎ **~ aérea** *Mil.* Base de força aérea, concentrando aviões, equipamentos, pistas etc. **~ avançada** *Mil.* Base militar em posição avançada da frente de combate, com a missão de dar apoio às unidades em operação **~ conjugada** *Quím.* Composto obtido com a remoção de um próton de um ácido **~ da folha** *Bot.* Parte inferior da lâmina de uma folha, onde se insere o pecíolo **~ de dados** *Inf.* Ver *Banco de dados,* em *banco* (2). **~ de lançamento** *Mil.* Base com instalações de onde se lançam mísseis ou veículos espaciais (espaçonaves, satélites artificiais etc.) **~ de logaritmo** *Mat.* Número fixo, num sistema numérico de representação por logaritmos, que serve de base para representar qualquer número mediante sua elevação a um expoente (que é o logaritmo daquele número naquela base) [Ex.: num sistema de base 10, o logaritmo de 100 é 2 (pois $100 = 10^2$). Num sistema de base 2, o logaritmo de 8 é 3 (pois $8=2^3$).] **~ de operações** *Mil.* Área ou acampamento que serve de base para operações ofensivas e reabastecimento de uma força militar, e para onde retorna se necessário **~ espacial** **1** *Astnáut.* Ver *Base de lançamento* **2** Espaçonave em órbita que serve de base de apoio a outros veículos espaciais em missão; base orbital **~ forte** *Quím.* Base com muita tendência a se dissociar **~ fraca** *Quím.* Base com pouca tendência a se dissociar **~ monetária** *Econ.* A totalidade de dinheiro (papel-moeda) de um país em dado momento **~ naval** *Mar. G.* Base militar com um conjunto de instalações e serviços para apoio a forças navais de um país **~ nitrogenada** *Quím.* Qualquer das cinco substâncias orgânicas e nitrogenadas que compõem os nucleotídeos formadores das moléculas dos ácidos ribonucleico e desoxirribonucleico [As bases nitrogenadas são: adenina, citosina, guanina, timina e uracila.] **~ orbital** *Astnáut.* Ver *Base espacial* **~ ortogonal** *Álg.* Base de um espaço vetorial no qual os vetores são ortogonais entre si **~ ortonormal** *Cálc. vet.* Base ortogonal na qual os vetores são unitários **~ vetorial** *Cálc. Vet.* Conjunto de vetores linearmente independentes, que configura um espaço vetorial **Tremer nas ~s** *Bras.* Estar apavorado, com muito medo

baseado[1] (ba.se.*a*.do) *a.* **1** Que é ou está bem apoiado, fundamentado: *depoimento baseado em observação cuidadosa.* **2** Diz-se do que é regrado, sistemático [Ant.: *desorganizado, desregrado.*] **3** Seguro quanto à própria capacidade **4** Sagaz, perspicaz **5** Profundo conhecedor de um assunto; EXPERIENTE; PERITO **6** Que se estabeleceu em base, esp. militar: *capitão baseado no Campo dos Afonsos.* **7** *Bras. N.E.* Que é de boa qualidade, ou feito com habilidade ou esmero [F.: Part. de *basear.*]

baseado[2] (ba.se.*a*.do) *sm. Bras. Gír.* Cigarro de maconha [F.: De or. obsc.]

basear (ba.se.*ar*) *v.* **1** Estabelecer as bases de, ou apoiar(-se), fundar(-se) em [*tdr.* + *em*: *Baseava seus argumentos em artigos que lera.*] [*tr.* + *em*: *Não se baseie em suposições.*] **2** Ser a base de, fundamentar [*td.*: *A leitura baseia a boa escrita.*] [▶ 13 basear] [F.: *base* + *-ear*[2].]

⊕ **baseball** (*Ing.* /*bêisbol*/) *sm. Esp.* Ver *beisebol*

⊕ **bas-fond** (*Fr.* /*bafõ*/) *sm.* **1** A camada social formada por marginais; RALÉ **2** Zona de prostituição de uma cidade [Pl.: *bas-fonds.*]

⊕ **basic** (*Ing.* /*beizique*/) *sm. Inf.* Linguagem de programação de computadores simples e de alto nível, desenvolvida em 1964, pela universidade de Dartmouth, para facilitar o aprendizado de principiantes [F.: Do acrônimo em ing. *beginner's all-purpose symbolic instruction code.*]

básico (*bá*.si.co) *a.* **1** Que serve de base, fundamento (curso básico) **2** Que é essencial; BASILAR: *as necessidades básicas do ser humano.* **3** Simples, sem sofisticação: *O modelo básico custa bem barato; Comprei um vestido preto básico.* **4** *Quím.* Que tem as propriedades de uma base (composto básico) *sm.* **5** Aquilo que serve de base; o que é mais elementar, fundamental: *Procure aprender o básico sobre este sistema.* **6** Ver *ciclo básico* em *ciclo* **7** *Bras. Pop.* Gêneros de primeira necessidade, ou produtos e serviços de sustento e manutenção doméstica: *Andava tão duro, que mal dava para comprar e levar o básico para casa.* [F.: *base* + *-ico*[2].]

◎ **basidio-** *pref. Bot.* = O mesmo que *basídio*: *basidiogônio.* [F.: Do lat. cient. *basidium.* Cf.: *basi-*; *-basidio.*]

basídio (ba.*sí*.di:o) *sm. Micol.* Célula em forma de bastão em cuja extremidade se formam os esporos dos fungos basidiomicetos; BASIDE; BÁSIDE [F.: Do lat. cient. *basidium.* Ideia de: *basi-* e *basidi(o)-.*]

basidiomiceto (ba.si.di:o.mi.*ce*.to) *Micol. sm.* Espécime dos basidiomicetos, classe de fungos (*Basidiomycetes*) que reúne os cogumelos, as orelhas-de-pau, as ferrugens e outras formas, e que se caracteriza pela formação dos esporos em uma célula especializada chamada basídio

basifobia (ba.si.fo.*bi*:a) *sf. Psiq.* Medo mórbido de cair enquanto se caminha; BASIOFOBIA; BASOFOBIA [F.: *basi-* + *-fobia.*]

basifóbico (ba.si.*fó*.bi.co) *a.* **1** *Psiq.* Ref. à basifobia **2** Que padece de basifobia; BASIOFÓBICO; BASOFÓBICO *sm.* **3** Quem tem basifobia; BASÍFOBO; BASIÓFOBO; BASÓFOBO [F.: *basifobia* + *-ico*[2]. Ideia de: *basi-.*]

basífobo (ba.*sí*.fo.bo) *a. sm. Psiq.* O mesmo que *basifóbico* [F.: *basi-* + *-fobo.*]

basilar (ba.si.*lar*) *a.* **1** Que serve de base ou fundamento; que é essencial; BÁSICO; FUNDAMENTAL **2** Que se encontra na base ou nela tem origem **3** Diz-se daquilo que constitui uma base [F.: Do fr. *basilaire.*]

basileense (ba.si.le.*en*.se) *s2g.* **1** Indivíduo nascido ou que vive em Basileia (Suíça) *a2g.* **2** De Basileia; típico dessa cidade ou de seu povo [F.: Do top. *Basilé(ia)* (al. *Basel*) + *-ense.*]

basílica (ba.*sí*.li.ca) *sf.* **1** *Rel.* No catolicismo, igreja que, por sua importância, não está submetida ao poder eclesiástico local **2** *Hist.* Entre os antigos romanos, edifício em que os cidadãos tratavam de assuntos públicos, jurídicos ou de negócios **3** *Hist. Rel.* Designação das primeiras igrejas cristãs, que ocuparam ou adaptaram as basílicas (2) romanas [F.: Do lat. *basilica,* do gr. *basilikós.*]

basilisco (ba.si.*lis*.co) *sm.* **1** *Mit.* Lagarto gigante ou serpente lendária a que os antigos atribuíam o poder de matar com o olhar **2** *Zool.* Designação comum aos lagartos do gên. *Basiliscus,* da fam. dos iguanídeos, encontrado do México à Colômbia **3** *Mil.* Grande peça de artilharia, feita de bronze, us. antigamente [F.: Do lat. *basiliscus, i.*]

◎ **baso-** *pref.* = 'base' 'suporte', *basocelular, basófilo*

basocelular (ba.so.ce.lu.*lar*) *a2g.* **1** *Med.* Diz-se de certo tipo de tumor (ou lesão) maligno de pele (tb. chamado 'câncer de pele'), causado principalmente pela incidência cumulativa de radiação ultravioleta, na exposição aos raios solares de pele com pouco teor de melanina; é de evolução lenta e sem metástase, por isso curável por extirpação cirúrgica *sm.* **2** Tumor basocelular (1) [F.: *baso-* + *celular.*]

basófilo (ba.*só*.fi.lo) *sm.* **1** *Histl.* Leucócito que se tinge facilmente com corantes básicos *a.* **2** *Biol.* Que fixa facilmente os corantes básicos **3** *Biol.* Que precisa de meio básico para existir ou desenvolver-se (diz-se de organismo) [F.: *baso-* + *-filo.*]

basquete (bas.*que*.te) *sm. Esp.* Jogo entre duas equipes de cinco jogadores, numa quadra retangular em que há duas cestas (aros metálicos circulares) em extremidades opostas, e no qual cada equipe, para obter pontos, tenta fazer com que a bola entre na cesta defendida pelo adversário, ao mesmo tempo em que procura defender a própria cesta; BASQUETEBOL [F.: red. de *basquetebol,* do ing. *basketball,* de *basket* 'cesto' e *ball* 'bola'.]

> Inventado nos Estados Unidos, em 1891, o basquete é até hoje um dos esporte mais populares em todo o mundo, inclusive no Brasil. É esporte olímpico em ambas as modalidades, masculina e feminina. Foi introduzido no Brasil em 1896, e sua evolução desde então levou o a país a ser duas vezes campeão mundial masculino (1959 e 1963), uma vez campeão mundial feminino (1994), e, nas Olimpíadas, vice-campeão feminino (1996), terceiro colocado masculino (1948, 1960 e 1964) e feminino (2000).

basquetebol (bas.que.te.*bol*) *sm. Esp.* Ver *basquete* [F.: Do ing. *basketball.*]

basquetebolista (bas.que.te.bo.*lis*.ta) *s2g.* **1** *Bras. Esp.* Indivíduo que joga basquete **2** Quem gosta muito de ou é especialista em basquete [F.: *basquetebol* + *-ista.*]

basqueteira (bas.que.*tei*.ra) *sf. Bras.* Espécie de tênis próprio para jogar basquetebol; BASQUETE [F.: *basquete* + *-eira.*]

bassê (bas.*sê*) *sm.* **1** Raça de cães de corpo longo, pernas curtas e orelhas caídas **2** O cão dessa raça [F.: Do fr. *basset.* Sin. ger.: *baixote* (*Lus.*), *salsicha* (*Bras. Fam.*).]

basta (*bas*.ta) *sm.* **1** Parada, fim: *Acabamos dando um basta àquele abuso. interj.* **2** Ordem para interromper uma ação ou para que alguém se cale: *Basta! Nem uma palavra mais!* **3** Us. para exprimir insatisfação extrema, falta de paciência, de tolerância etc.: *Os manifestantes desfilaram aos gritos de "Basta! Chega de violência!"* [F.: De *bastar* (modo imperativo). Hom./Par.: *basta* (fl. de *bastar*).] ∎∎ **Dar o/um ~** Pôr fim (a algo), fazer (algo) cessar

bastante (bas.*tan*.te) *a2g.* **1** Que basta ou é suficiente: *Ele já me deu demonstrações bastantes de que gosta de você.* **2** *Jur.* Que satisfaz os requisitos pretendidos: *Nomeio e constituo meu bastante procurador o Dr. João de Campos. sm.* **3** O que basta ou é suficiente: *Os pais fazem tudo por ele, mas nunca é o bastante. pr. indef.* **4** Muito, numeroso: *Há bastantes mosquitos aqui. adv.* **5** Suficientemente, em quantidade, intensidade ou grau adequados, ou relativamente altos: *Suas explicações foram bastante claras; Conseguiu correr bastante rápido.* **6** Muito; em grau ou intensidade altos, ou em grande quantidade; mais do que o considerado normal, habitual, aceitável, necessário etc.: *Já estou bastante atarefado, não posso assumir novos compromissos.* [F.: *bastar* + *-nte.*]

bastantemente (bas.tan.te.*men*.te) *adv.* **1** Muito, demais, bastante, assaz **2** Suficientemente, assaz [F.: *bastante* + *-mente.*]

bastão (bas.*tão*) *sm.* **1** Vara longa e roliça de madeira, us. para apoio, defesa etc.: *bastão de beisebol.* **2** Forma mais ou menos cilíndrica dada a certos produtos, para facilitar seu uso, acondicionamento ou comercialização (cola em bastão; guaraná em bastão) [Pl.: *-tões*.] [F.: Do lat. *basto, -onis*.] ■ ~ **de Molière** *Teat.* Bastão us. para as batidas de Molière, que indicavam início de espetáculo teatral

bastar (bas.*tar*) *v.* **1** Ser o bastante, o suficiente; não ser preciso mais do que [*ti.* + *a*, *para*: *Bastavam à criança algumas figurinhas para que completasse o álbum; O que ele tem já lhe basta.*] [*int.*: *Para ele, um mês de férias não basta; Basta estar doente para merecer compaixão; Basta que ele o diga para eu acreditar.*] **2** Ser capaz de satisfazer as suas próprias necessidades; ser autossuficiente [*ti.* + *a*: *um país que se basta.*] [► 1 bastar] [F.: Do gr. *bastázo* pelo lat. vulg. **bastare*, do. Hom./Par.: *basta* (fl.), *basta* (sm. sf. interj.); *basto* (fl.), *basto* (a. sm.).] ■ **Basta de** Expressa inconformidade com (algo) e o desejo de que se acabe, ou o comando para que se interrompa: *Basta de injustiça!; Basta de brigar comigo!*

bastardia (bas.tar.*di*:a) *sf.* **1** Característica ou condição de quem é bastardo **2** Descendência bastarda de uma família; os descendentes de filho ou filha ilegítimos **3** Alteração ou perda das características primitivas; ABASTARDAMENTO; DEGENERAÇÃO [F.: *bastardo* + *-ia*.]

bastardo (bas.*tar*.do) *a.* **1** Diz-se de filho que nasceu de uma relação extraconjugal; ILEGÍTIMO; NATURAL [Ant.: *legítimo*.] **2** Que é híbrido ou mestiço, resultante do cruzamento ou união de espécimes pertencentes a diferentes espécies ou a diferentes variedades de uma mesma espécie **3** Que degenerou, que perdeu ou não apresenta as qualidades supostamente melhores ou mais puras da sua espécie ou de sua categoria (pimenteira bastarda) **4** Que sofreu alguma alteração em relação ao modelo original, ou ao tipo primitivo ou mais comum (viola bastarda) **5** *Mar.* Diz-se de um tipo de vela quadrangular, presa a verga muito comprida e mastro curto, ou de certas velas triangulares de pequenas embarcações *sm.* **6** Filho bastardo [F.: Do fr. ant. *bastard*, hoje *bâtard*.]

bastida (bas.*ti*.da) *sf.* **1** *Mil.* Trincheira de paus muito unidos e fincados na terra; PALIÇADA **2** Pavilhão de madeira us. como viveiro, túmulo etc; RIPADO **3** Conjunto de objetos bem unidos (bastida de navios); BASTIDÃO; ESPESSURA **4** *Antq. Mil.* Torre sobre rodas us. em investidas contra fortalezas e que, por ser coberta, protegia os sitiantes [F.: Do ant. *bastir* < germ. **bastjan*.]

bastidor (bas.ti.*dor*) [ô] *sm.* **1** Espécie de caixilho de madeira em que se prende o tecido a ser bordado, mantendo-o esticado **2** *Teat.* Armação de cenário, móvel, ger. de madeira e pano, que serve de decoração lateral do palco [F.: Do germânico *bastjan* 'tecer', pelo fr. ant. *bastir* (hoje *bâtir*) + *-dor*.]

bastidores (bas.ti.*do*.res) *smpl.* **1** *Teat.* O espaço que contorna o palco e que não é visível à plateia, no qual se dá a movimentação de atores e outras pessoas, fora de cena **2** *Fig.* As relações, tramas e intrigas que se desenvolvem dentro de uma organização, grupo etc., e que o público desconhece: *os bastidores de uma campanha política.*

bastilha (bas.*ti*.lha) *sf.* **1** *Mil.* Forte pequeno **2** *P. ext.* O mesmo que *fortaleza* (2) [Fortaleza construída em Paris pelo rei Carlos V, que serviu de prisão antes de ser tomada por insurgentes e destruída em 1789 durante a Revolução Francesa.] [F.: Do fr. *bastille*. Ideia de: *bast-*.]

basto (*bas*.to) *a.* **1** Denso e espesso (cabelos bastos) [Ant.: *escasso, ralo*.] **2** Cerrado, compacto (arvoredo basto) [Ant.: *escasso, ralo, rarefeito*.] **3** Numeroso: *O caráter de seus sonhos bastas vezes provocava-lhe tormento.* [Ant.: *pouco, raro*.] [F.: Dev. de *bastar*. Hom./Par.: *basto* (fl. de *bastar*); *basta* (fem.), *basta* (fl. *bastar* e interj.).]

bastonada (bas.to.*na*.da) *sf.* **1** Golpe ou pancada dada com bastão; PAULADA **2** Golpe ou série de golpes com bastão, aplicados como castigo ou tortura [F.: Do fr. *bastonnade*.]

bastonete (bas.to.*ne*.te) [ê] *sm.* **1** Bastão muito pequeno; VARINHA **2** *P. ext.* Qualquer corpo, objeto ou figura com formato de bastonete (1) **3** *Biol.* Neutrófilo ainda não completamente formado **4** *Biol.* Bacilo alongado, em forma de pequeno bastão, composto de filamentos **5** *Oft.* Cada uma das células visuais presentes na retina dos vertebrados, sensíveis à luminosidade fraca e ativas na visão noturna e na percepção de movimento [Não distinguem cores, ao contrário de outro tipo de célula retiniana, os cones.] [F.: *bastão* (*baston-*) + *-ete*.] ■ ~ **retiniano** *Oft.* O mesmo que *bastonete* (5)

◎ **-bata[1]** *el. comp.* = 'que se move'; 'que anda'; 'que vive em': *acrobata, anemobata, anemóbata, aerobata, aeróbata, nefelibata, nefelíbata, dendrobata, dendróbata* [F.: Do gr. *-batos, os, on* ou *-bátes, ou*, do v. gr. *baíno*, 'andar'; 'caminhar'; 'marchar'. O alfa breve do grego postula a f. proparoxítona no port., mas o uso tem consagrado – posv. graças a infl. do fr. – a f. paroxítona. Daí, no port., a ocorrência da dupla prosódia. F. conexa: *bato-[1]*.]

◎ **-bata[2]** *el. comp.* = 'profundo'; '(em) grande profundidade': *isóbata* (< gr.) [F.: Do gr. *-bathés, és*, 'profundo', do gr. *báthos, eos-ous*, 'fundura'; 'profundidade'. F. conexas: *bato-[2]* e *bat(i)-*.]

bata[1] (*ba*.ta) *sf.* **1** Blusa, ger. feminina, solta, leve e larga, abotoada na frente e us. por fora da calça ou saia: *As batas indianas voltaram à moda.* **2** Vestido longo e solto **3** Jaleco de médico, dentista, professor etc; veste leve e larga, ger. branca e us. por sobre a roupa comum [F.: De or. obsc. Hom./Par.: *bata* (sf.), *bata* (fl. *bater*).]

bata[2] (*ba*.ta) *sf.* **1** Porção de alimento; RAÇÃO **2** Remuneração extra por algo; GRATIFICAÇÃO; PROPINA [F.: Do hind. *bhata* ou *bhatha*. Hom./Par.: *bata* (sf.), *bata* (fl. de *bater*).]

bata[3] (*ba*.ta) *sf.* *P. us. Anat.* Mão (extremidade do braço humano) [F.: De or. indiana, posv. Hom./Par.: *bata* (sf.), *bata* (fl. de *bater*).]

batalha (ba.*ta*.lha) *sf.* **1** *Mil.* Confronto armado relativamente extenso, envolvendo combates entre vários ou numerosos componentes de forças militares inimigas (tropas, embarcações, aviões) **2** *P. ext.* Qualquer tipo de combate **3** *Fig.* Controvérsia ou confronto, esp. se violentos ou muito acirrados, entre duas ou mais forças, tendências ou ideias contrárias **4** *Fig.* Esforço prolongado ou constante para vencer dificuldades; LUTA: *a batalha contra o analfabetismo/ por melhores salários.* **5** *Lud.* Jogo de cartas com dois parceiros **6** *Bras. Bot.* Grande árvore da fam. das lauráceas (*Nectandra robusta*), originária do Brasil, cuja madeira amarelada e de qualidade inferior é us. em marcenaria; CANELA-BATALHA [F.: Do lat. medv. *batt(u) alia*. Hom./Par.: *batalha* (sf.), *batalha* (fl. de *batalhar*).] ■ ~ **campal** A travada em campo aberto ~ **de confete** Brincadeira, ger. no carnaval, que consiste em se atirar confete uns nos outros ~ **naval** *Mar.* Batalha travada entre esquadras inimigas [Cf. *batalha-naval* (jogo).] **Estar na** ~ *Pop. Fig. Bras.* Estar em atividade (esp. trabalho), realizando esforços ou tentando superar dificuldades **Fazer** ~ Combater; opor-se ativamente ou realizar ações contrárias a algo ou alguém

batalhação (ba.ta.lha.*ção*) *sf.* **1** Ação ou resultado de batalhar; LUTA; PELEJA **2** *Pop.* Esforço ou trabalho intensos e continuados, persistentes, sem desânimo ou resignação [Pl.: *-ções*.] [F.: *batalhar* + *-ção*.]

batalhador (ba.ta.lha.*dor*) [ô] *a.* **1** Que batalha, se esforça muito para atingir seus objetivos **2** *Fig.* Que trabalha muito **3** *Fig.* Que defende uma ideia, uma causa *sm.* **4** Pessoa batalhadora [F.: *batalhar* + *-dor*. Sin. ger.: *lutador*.]

batalhão (ba.ta.*lhão*) *sm.* **1** *Mil.* Grupo de soldados que forma unidade de infantaria ou cavalaria, ger. pertencente a um regimento **2** *Pop.* Grande número de pessoas: *Um batalhão de repórteres aguardava a chegada da atriz.* **3** *AL BA PE SE* Mutirão de pequenos agricultores [Pl.: *-lhões*.] [F.: Do fr. *bataillon*.] ■ **Como um** ~ *Fig.* Em grande número, em grande quantidade

batalhar (ba.ta.*lhar*) *v.* **1** Empenhar-se para conseguir (algo) [*td.*: *batalhar uma bolsa de estudos.*] [*tr.* + *para, por*: *Batalharam pela independência do país.*] **2** *Bras. Pop.* Lutar em defesa de [*tr.* + *por*: *O líder batalhava pelos mais fracos.*] **3** Oferecer resistência a, opor-se a; combater [*tr.* + *contra*: *batalhar contra a injustiça social.*] **4** *Bras. Pop.* Trabalhar [*int.*: *Batalha de manhã à noite; Saiu para batalhar.*] **5** *Fig.* Argumentar com, tentar convencer (alguém); tentar vencer, dominar (algo) [*tr.* + *com*: *Batalhou muito com o filho rebelde; Tentando manter-se alerta, batalhava com o sono.*] **6** Participar de batalha, de combate; GUERREAR [*int.*: *Meu avô batalhou na última guerra.*] [*tr.* + *com, contra*: *batalhar com / contra o exército inimigo.*] [► 1 batalhar] [F.: *batalha* + *-ar[2]*. Hom./Par.: *batalha(s)* (fl.), *batalha(s)* (sf. [pl.]).]

batata (ba.*ta*.ta) *sf.* **1** Tubérculo comestível, rico em amido, de uma planta solanácea nativa da América do Sul e largamente cultivada no mundo (ver *batata-inglesa*): *purê de batatas.* **2** *Bot.* O mesmo que *batata-inglesa* (planta solanácea) **3** *Pop.* Designação de qualquer tubérculo, esp. quando comestível (p. ex., o da batata-doce) **4** *Pop. Bot.* Denominação comum às plantas que têm esses tubérculos **5** *Pop.* Bíceps grande **6** *Pop.* Erro de pronúncia ou gramatical; BARBARISMO; SOLECISMO **7** *Bras. Zool.* Peixe teleósteo, da fam. dos branquiostegídeos (*Lopholatilus villarii*), de cor parda e cabeça muito grande [F.: Do espn. *batata*, termo posv. deriv. do taino.] ■ **Assar a** ~ Agir aos poucos, planejadamente, contra alguém, preparando uma situação insustentável, esp. para tirá-lo de uma posição, de um cargo etc. ~ **da perna** Panturrilha, barriga da perna ~ **quente** *Bras. Fam.* Situação problemática, de difícil solução **Estar assando a** ~ **(de alguém)** *Pop. Bras.* Tornar-se cada vez mais instável a situação (de alguém), esp. a permanência em um cargo ou posição, ger. por ação de opositores: *A crise vem de longa data: a batata do ministro está assando há meses.* **Ir plantar** ~**s** Afastar-se, deixar alguém em paz, sem importunar **Morder a** ~ *CE Pop.* Beber bebida alcoólica **Na** ~ **1** *Bras. Gír.* Com toda a certeza, sem falta **2** Com precisão, exatidão; pontualmente **Ser** ~ Ser certo que vai acontecer, sem falha ou dúvida a respeito

> 📖 Dentre os alimentos mais consumidos no mundo, a batata é o único tubérculo, sendo a base da dieta de populações de várias regiões (esp. Europa e América). Os dez maiores produtores são os seguintes países (em ordem decrescente de produção): China, Rússia, Índia, Polônia, EUA, Ucrânia, Alemanha, Belarus, Holanda, França. O cultivo da batata difundiu-se na Europa a partir da Irlanda, onde foi largamente adotada, por características de rendimento agrícola e pela praticidade em situações de guerras ou conflitos no séc. XVII (pois as batatas podiam ser facilmente enterradas e as plantações eram menos suscetíveis de serem destruídas).

batata-baroa (ba.ta.ta-ba.*ro*:a) [ô] *Bot.* *sf.* **1** Erva da fam. das umbelíferas (*Arracacia xanthorrhiza*), originária dos Andes, muito cultivada por seus tubérculos comestíveis **2** O tubérculo dessa planta, amarelo e adocicado [Pl.: *batatas-baroas*.] [Sin. ger.: *mandioca-baroa, mandioquinha*.]

batatada (ba.ta.*ta*.da) [á] *sf.* **1** Grande quantidade de batatas **2** *Cul.* Doce feito com batatas doces **3** *Ling. Ret.* Erro de pronúncia ou dicção **4** *Fig.* Amontoado ou sequência de tolices ou erros [F.: Do tupi *mbaeta'ta* + *-ada*.]

batata-doce (ba.ta.ta-*do*.ce) [ô] *sf.* **1** *Bot.* Erva da fam. das convolvuláceas (*Ipomoea batatas*), originária das Américas, de folhas comestíveis e medicinais, e raízes tuberosas ricas em açúcar e muito us. na alimentação **2** O tubérculo adocicado dessa planta [Pl.: *batatas-doces*.] [Sin. ger.: *batata-da-ilha, batata-da-terra, jatica, jetica*.]

batata-inglesa (ba.ta.ta-in.*gle*.sa) [ê] *sf.* **1** *Bot.* Erva da fam. das solanáceas (*Solanum tuberosum*), nativa da América do Sul, com muitas variedades cultivadas em todo o mundo pelos tubérculos comestíveis; BATATA **2** O tubérculo dessa planta; BATATA [Pl.: *batatas-inglesas*.] [Sin. ger. (*Bras.*): *batatinha, escorva, papa*.]

batatal (ba.ta.*tal*) [á] *sm.* **1** Terreno em que crescem batatas; BATATEIRAL **2** Plantação de batatas **3** *MG.* Tb. denominação do boitatá [Pl.: *-ais*.] [F.: Do tupi *mbaeta'ta* + *-al*.]

batata-roxa (ba.ta.ta-*ro*.xa) [ô, ch] *sf.* *Bot.* Variedade de batata-doce, de tubérculos roxos, muito us. em doces; BATATA-DE-ANGOLA; BATATA-SILVESTRE [Pl.: *batatas-roxas*.] [F.: Do tupi *mbaeta'ta* + lat. *russeus, a*.]

batatinha (ba.ta.*ti*.nha) [í] *sf.* **1** *Gram.* Diminutivo de batata; pequena batata **2** *Bot.* Variedade de batata-inglesa, tb. conhecida como batata-amarela, batata-brava, batata-do-campo (batatinha frita) **3** *Bot.* Planta medicinal, tb. chamada baririçó ou vareta **4** *Agr.* Espécie de galha ou tubérculo produzido por certos insetos nas raízes de algumas plantas [F.: Do tupi *mbaeta'ta* + *-inha*.]

batatudo (ba.ta.*tu*.do) [ú] *a.* **1** Em forma de batata; semelhante a batata **2** Muito grosso e grande como batata (nariz batatudo; panturrilha batatuda) **3** *Gír.* Diz-se de quem tem testículos grandes [F.: Do tupi *mbaeta'ta* + *-udo*.]

batavo (ba.*ta*.vo) *sm.* **1** Indivíduo nascido ou que vive na Batávia (antigo nome da Holanda) *a.* **2** Da Batávia; típico desse país ou de seu povo [F.: Do lat. *batavus, a, um*.]

bateada (ba.te:*a*.da) [á] *sf.* *Gar.* Porção de minério recolhido numa imersão de bateia; BATEIADA [F.: *batear* + *-ada*, séc. XVIII.]

batear (ba.te.*ar*) *v.* Lavar (agitando) na bateia [*td.*: "Cada braço tinha de batear, pelo menos, uma libra de grãos. Isto é: quase meio quilo de ouro!" (Paulo Setúbal, *O sonho das esmeraldas*)] [*int.*: "E a peonada a batear! E a riqueza a brotar inexaurível!" (*Idem*)] [*tda.* + *em*: *batear ouro no rio.*] [► 13 batear] [F.: *bateia* + *-ar[2]*. Hom./Par.: *bateia* (fl.), *bateia* (sf.); *bateias* (fl.), *bateias* (pl. do sf.).]

bate-boca (ba.te-*bo*.ca) [ô] *Bras. Pop.* *sm.* **1** Discussão exaltada e barulhenta: *A conversa acabou em bate-boca.* **2** Conversa informal e sem assunto específico; bate-papo [Pl.: *bate-bocas*.]

bate-bola (ba.te-*bo*.la) *sm.* **1** *Bras. Fut.* Partida informal de futebol, seja entre amadores, seja entre profissionais (como recreação ou parte de treinamento), com adaptação de algumas regras e sem rigor tático ou técnico; PELADA **2** *Bras. Espt.* Aquecimento feito por jogadores profissionais antes de um jogo (de futebol, vôlei, tênis etc.), chutando ou passando a bola um para o outro **3** *Bras.* Passatempo que consiste em jogadores (de futebol etc.) trocarem passes, com demonstração de habilidade (p. ex., sem deixar a bola cair) **4** *RJ* Pessoa que, no carnaval, sai fantasiada com macacão colorido, capa e máscara, batendo com força no chão uma bola presa a um cordão [Nesta acp., us. popularmente como substantivo de dois números (*os bate-bola*).] **5** *Bras. SP* Qualquer recurso para adiar uma providência ou resolução; situação que se mantém indefinida [Pl.: *bate-bolas*.]

bate-chapa (ba.te-*cha*.pa) *a.* **1** *Bras. Rest. Pol.* Termo us. no Congresso Nacional brasileiro para designar revelação explícita de voto por parte de cada parlamentar (votação bate-chapa) *s2g.* **2** Operário ou máquina que desempena, alisa ou molda chapas de ferro, com golpes de martelo **3** Indivíduo que conserta a lataria de um veículo, panelas, objetos de metal, etc. [Pl.: *bate-chapas*.] [F.: Do lat. *battere* + *cappa*.]

bate-coxas (ba.te-*co*.xas) [ô] *sm.* **1** *Bras. Gír.* Baile popular, arrasta-pé **2** *Vulg.* Ato sexual; coito [F.: Do lat. *battere* + *coxa, ae*.]

batecum (ba.te.*cum*) *sm.* Ver *baticum* [Pl.: *-cuns*.]

batedeira (ba.te.*dei*.ra) *sf.* **1** Aparelho manual ou, esp., eletrodoméstico, us. para mexer, bater e misturar homogeneamente ingredientes líquidos, semissólidos, ou em pó (ovos, manteiga, farinha, massas etc.) [Funciona com pás ou misturadores que giram em alta velocidade.] **2** Designação de aparelhos us. para agitar, mexer vigorosamente certas substâncias, como o leite, no preparo da manteiga, ou o melado, nos engenhos de açúcar **3** *Bras.* Tremor, esp. causado por febre **4** *Bras. Pop.* Malária **5** *Bras. Pop.* Epilepsia; ataque epiléptico [F.: *bate(r)* + *-deira*.]

batedor (ba.te.*dor*) [ô] *sm.* **1** Objeto us. para bater, socar (batedor de carne) **2** Policial ou militar, ger. em motocicleta, que abre caminho para a passagem de autoridades em automóveis, ou que acompanha ou segue o veículo oficial, para protegê-lo **3** Aquele que vai à frente de um grupo que viaja em território pouco conhecido ou hostil, para explorar o terreno, conhecer o caminho e suas dificuldades, detectar inimigos etc. **4** *Fig.* Precursor; aquele ou aquilo que antecede ou que prepara o advento de algo **5** *Espt.* No futebol e em outros jogos, o jogador que bate faltas **6** O mesmo que *batedeira* (utensílio para bater, amassar e misturar ingredientes) **7** *Bras.* Campo ou terreno em que o gado pasta habitualmente, ou por onde passa a caminho da aguada **8** *Bras.* Local para onde se leva o gado atacado por moscas, mutucas etc. **9** Instrumento para debulhar o milho **10** Nas caçadas, aquele que vai à frente para levantar a caça, isto é, fazer os animais a serem caçados saírem de seus abrigos [F.: *bate(r)* + *-dor*.]

bate-estaca (ba.te-es.*ta*.ca) **sm.** 1 Máquina que, por meio de batidas, enterra estacas no solo [Tb. *bate-estacas*.] 2 *Bras. Pop. Mús.* Música eletrônica executada por meio de batidas percussivas 3 *RJ Zool.* Pássaro fringilídeo; tb. *tizio* [Pl.: *bate-estacas*.]

bátega (*bá*.te.ga) **sf.** 1 Chuva repentina e muito forte; aguaceiro, pancada [Muito us. no pl.] 2 *Ant.* Vaso, ger. metálico semelhante a uma bacia ou gamela para serviço de mesa 3 O líquido contido nesse vaso 4 *Ant.* Bacia sonora de metal em que se tangia nas danças populares (à semelhança dos pratos [instrumentos de percussão]) [Mais us. no pl.] [F.: Posv. do ár. *batiya*.]

bateia (ba.*tei*.a) [é ou ê] **sf.** Vasilha de madeira us. para garimpar ouro e diamante [F.: Posv. do ár. *batiya*, pelo esp. *batea*.]

batel (ba.*tel*) **sm.** 1 Barco pequeno 2 *Lus.* Barco de pesca ou para transporte de pescado 3 *Lus. Ant.* Barco pequeno, us. no serviço das naus e galeões [Pl.: *-téis*.] [F.: Do fr. ant. *batel* (hoje *bateau*). Hom./Par.: *batéis* (pl.), *bateis* (fl. de *bater*).]

batelada (ba.te.*la*.da) **sf.** 1 Carga transportada por um batel de uma só vez 2 *P. ext.* Grande quantidade: *uma batelada de documentos.* [F.: *batel* + *-ada*.]

batelão (ba.te.*lão*) **sm.** 1 *Gram.* Aum. de batel 2 *Mar. G.* Grande embarcação de ferro ou madeira, para transporte de artilharia e carga pesada [Cf.: *alvarenga*.] 3 *Bras. AM Náut.* Canoa pequena e alta, impelida a remo ou rebocada, us. no comércio fluvial da Amazônia brasileira ou no transporte de gado na região centro-oeste [Pl.: *-lões*.] [F.: Do it. *batellone* + *-ão*.]

batente (ba.*ten*.te) **sm.** 1 Estrutura na qual portas e janelas se encaixam ao fechar, ou na qual são fixadas ao vão ou à abertura 2 Nas janelas e portas de duas folhas, a folha ou meia-porta que se fecha primeiro 3 Régua (ripa estreita) com que se guarnece a extremidade inferior de uma meia-porta ou de uma folha de janela, para se tapar a linha de junção com a outra folha ou meia-porta 4 *Bras. Pop.* Trabalho, emprego: *Pego no batente muito cedo.* 5 Lugar em que as ondas do mar batem e quebram 6 *Ant.* Aldrava **a2g.** 7 Que bate [F.: *bate(r)* + *-nte*.]

bate-papo (ba.te-*pa*.po) **sm.** 1 *Pop.* Conversa informal, descontraída, sem objetivo específico: *Ficamos no bate-papo até de manhã.* 2 *Pop. P. ext.* Conversação, diálogo: *Ainda não fechamos o negócio, foi só um bate-papo; A professora não admitia bate-papo durante a explicação.* [Pl.: *bate-papos*.] ■ **~ on-line** *Inf.* V. *chat* **~ virtual** *Inf.* V. *chat*

bate-paus (ba.te-*pa:us*) **sm.** 1 *GO.* Indivíduo armado, compelido a servir na polícia rural por deficiência da força pública 2 *AM* Informante da polícia; ALCAGUETE 3 *AM* Indivíduo que guia forças policiais na selva durante operações de combate a guerrilhas 4 *GO Folc.* Tipo de dança de pares em que os dançarinos batem paus ritmadamente [Cf.: *maculelê*.] [F.: Do lat. *battere* + *palus, i*.]

bate-pé (ba.te-*pé*) **sm.** 1 Ação ou resultado de bater o pé no chão para assustar ou enxotar alguém ou um animal 2 *Fig.* Ação ou resultado de insistir com veemência 3 *Bras. Folc.* Tipo de dança, ao som de violas, com cantadores, feita de sapateado rápido e cadencioso 4 *Bras.* Baile popular; FORRÓ 5 *Bras.* Festa familiar, ger. improvisada, com dança [Pl.: *bate-pés*.] [F.: Do lat. *battere* + *pes, pedis*. Cf.: *arrasta-pé*.]

bate-pronto (ba.te-*pron*.to) **sm.** *Fut.* Lance no qual o jogador chuta a bola que vem num passe pelo alto quase no mesmo momento em que ela toca o chão [Pl.: *bate-prontos*.]

bater (ba.*ter*) **v.** 1 Dar pancadas em (objeto ou pessoa) [**td.**: *Bater um prego.*] [**tr.** + *em*: *Nunca brigou, nunca bateu em ninguém.*] 2 Dar batida em (porta, janela) para chamar [**tr.** + *a*: *Quem bateu à porta?*] 3 Dar com (uma parte do corpo) involuntariamente ou não [**td.**: *Bateu o braço na janela.*] 4 Percutir, batucar [**td.**: *bater tambor.*] 5 Fechar (porta) ou desligar (telefone) abruptamente [**td.**: *Não bata a porta quando sair.*] [**tdr.** + *em*: *Bateu o telefone na minha cara.*] [**tr.** + *com*: *Irritado, bateu com o telefone.*] 6 Ir de encontro, colidir [**ta.**: *O caminhão bateu num poste.*] 7 Percorrer em expedição, passeio etc. [**td.**: *Bateu a gleba para avaliar a lavoura.*] 8 Ir com pressa [**ta.**: *Pegue um táxi e bata para o aeroporto.*] 9 *Bras.* Chegar depois de um percurso longo, difícil ou mal conhecido [**ta.**: *Foi bater num lugar sombrio.*] 10 Mexer ou misturar com força [**td.**: *Bata a massa durante cinco minutos.*] 11 Incidir, refletir-se [**ta.**: *O sol bate na varanda à tarde.*] 12 Tirar (foto) [**td.**] 13 Mover repetidamente (os dentes, o queixo), por frio, medo etc. [**td.**: *O coitado está batendo os dentes.*] 14 Pulsar, palpitar [**int.**: *O coração da anciã ainda bate forte.*] 15 Agitar (as asas) [**td.**: *As gaivotas bateram as asas em revoada.*] 16 Soar ou fazer soar [**int.**: *A sineta do almoço já bateu.*] [**td.**: *O sacristão foi bater o sino.*] 17 *Fig.* Alcançar ou superar (marca, cifra, valor) [**td.**: *bater um recorde.*] [**tr.** + *em*: *A inflação bateu nos 10%.*] 18 Derrotar, vencer [**td.**: *O Brasil bateu o Uruguai na decisão.*] 19 Lutar (por uma causa, uma ideia etc.) [**tr.** + *por*: *bater-se pelos direitos civis.*] 20 Estar na altura de [**ta.**: *A saia bate no joelho.*] 21 *Fig.* Estar conforme com; CONDIZER; CONFERIR [**tr.** + *com*: *Suas contas não batem com as minhas.*] [**int.**: *Os depoimentos estão batendo.*] 22 *Bras.* Comer com voracidade; DEVORAR [**td.**: *Em cinco minutos, bateu um prato de macarrão.*] 23 *Fut.* Realizar cobrança de (falta, tiro de meta etc.); COBRAR [**td.**: *bater pênaltis.*] 24 Datilografar [**td.**: *bater uma carta.*] 25 Repetir (leitura, estudo, assunto etc.) [**td.**: *Bateu a tabuada até decorá-la.*] 26 Tornar-se palpitante, pulsante; latejar [**int.**: *Seu coração começou a bater violentamente.*] 27 Usar de maneira frequente, repetida; tornar gasto, surrado [**td.**: *Você já bateu esse tênis demais, troque por outro.*] 28 Soar (o telefone); TOCAR [**int.**: *O telefone bateu logo de manhã.*] [**tdi.** + *para*: *O telefonte bateu duas vezes para minha mãe.*] 29 *Bras. Pop.* Furtar, roubar [**td.**: *O punguista bateu duas carteiras.*] 30 Aparecer na mente, na imaginação, de repente [**tdi.** + *em*: *Subitamente, uma nova ideia bateu em sua cabeça.*] 31 Ocorrer em determinada data ou período; CAIR [**ta.**: *Este ano, meu aniversário bate num sábado.*] 32 *Lud.* Ganhar um lance ou rodada em jogo de cartas [**int.**: *Na terceira rodada, o sortudo bateu mais uma vez.*] 33 *Art. gr.* Mesmo que *cotejar* [**td.**] 34 *Pop.* Estudar, ensaiar, memorizar, procurando ter domínio sobre um assunto [**td.**: *Bateu o discurso tantas vezes que ficou na ponta da língua.*] 35 *Bras.* Entretecer (uma rede) [**td.**] 36 Apertar, socar [**td.**: *Ele bateu bem os trecos dentro da saca.*] 37 Soar (as horas) [**int.**: *O relógio bateu à meia-noite; Já bateram seis horas, e nada de ele aparecer.*] 38 *Esp.* Desistir do combate (em lutas) [**int.**] 39 *Rel.* Em cultos afro-brasileiros, realizar cerimônias ao som dos atabaques [**td. int.**] [▶ 2 bater] [F.: do lat. **battere*. Hom./Par.: *bateis* (fl.), *batéis* (pl. de *batel*).] ■ **~ bem** *Bras.* Cair bem, ser adequado, ser bem aceito, bem recebido, bem assimilado (algo que se faz ou se diz, alimento ingerido) **Não ~ bem (da bola)** Ser amalucado, estranho, esquisito

bateria (ba.te.*ri:a*) **sf.** 1 *Elet.* Dispositivo que acumula energia química e, através de determinadas reações, a transforma em eletricidade, fornecendo corrente contínua: *A bateria do carro descarregou* 2 Qualquer dispositivo capaz de transformar radiação recebida (térmica, solar, nuclear) em eletricidade 3 Bateria (1) ou conjunto de baterias e componentes, que fornecem a corrente elétrica de um aparelho ou dispositivo 4 *Mús.* O conjunto dos instrumentos de percussão (de uma banda de música ou orquestra) 5 *Mús.* Conjunto articulado de bombo, pratos, tarol e caixas, tocado por um só músico 6 *Mús.* Numa escola de samba, ala de músicos que tocam instrumentos de percussão 7 Conjunto de utensílios de cozinha 8 Quantidade de coisas similares, dispostas em série ou próximas entre si, usadas em conjunto ou com o mesmo propósito 9 Conjunto de ações, afirmações, perguntas, experimentos etc., que se dão simultaneamente ou em rápida sucessão: *O ministro, no Congresso, teve de enfrentar uma bateria de perguntas; submeter-se a uma bateria de exames médicos.* 10 *Mil.* Conjunto de armas de artilharia (bateria antiaérea) 11 *Mil.* Fortificação em que há armas de artilharia instaladas e preparadas [F.: Do fr. *batterie*.] ■ **~ primária** *Elet.* Aquela que gera energia elétrica por meio de reações químicas irreversíveis, e não pode ser recarregada, como um acumulador **~ secundária** *Elet.* Aquela que transforma energia química em energia elétrica de maneira reversível, podendo, portanto, ser recarregada; acumulador **Carregar/ recarregar as ~s** Recompor (pessoa) as forças, recobrar o ânimo **Romper as ~s** Dar início a hostilidades, discussão, campanha, enfrentamento etc.

baterista (ba.te.*ris*.ta) **s2g.** 1 *Bras. Mús.* Músico que toca bateria 2 Pessoa que marca o ritmo da batucada nas escolas de samba; RITMISTA **a2g.** 3 Diz-se de quem é baterista (1 e 2): *Queria ser músico baterista.* [F.: *bateria* + *-ista*.]

◎ **bat(i)-** *el. comp.* = 'profundo'; (*p. ext.*) 'profundidade': *batimetria, batímetro* [F.: Do gr. *bathýs, eîa, ý*, 'profundo', do gr. *báthos, eos-ous*, 'profundidade'; 'fundura'. F. conexas: *bato-*² e *-bata*².]

baticum (ba.ti.*cum*) **sm.** 1 *Bras.* Som produzido por batidas sucessivas (de martelo, palmas, pancadas com pés, em instrumentos de percussão etc.): *o baticum dos tambores.* 2 *Bras.* Pulsação forte ou acelerada do coração ou de artérias 3 *Bras. N.E.* Discussão conflituosa, bate-boca 4 *Bras. N.* Som de objeto que cai na água [Pl.: *-cuns*.] [F.: De *bater*, com terminação de valor onomatopaico, ou variação de *bate-cu*. Sin. ger.: *batecum*.]

batida (ba.*ti*.da) **sf.** 1 Ação ou resultado de bater 2 *Fig.* Censura ou repreensão áspera 3 *Bras.* Colisão de veículo(s): *Cinco pessoas morreram após a batida de um trem com um ônibus.* 4 *Bras.* Sucessão de pancadas leves com a mão: *Chamou-o com uma batida no ombro.* 5 *Bras.* Pancada com martelo (ferramenta de trabalho, instrumento de juízes etc.); MARTELADA: *A arrematação consuma com a batida final do martelo do leiloeiro.* 6 Som ou ruído produzido por contato, percussão, ou pancada: *Ouviram-se três batidas na porta.* 7 *Bras. P. ext.* Som ou série de sons produzidos por certos relógios para indicar, pelo número de repetições, a hora do dia, ou que marcam a intervalos regulares a passagem do tempo (ger. a cada meia hora ou, por vezes, a intervalos de um quarto de hora): "O relógio passou a funcionar sem atrasos, e as batidas a soar em horas desencontradas." (Fernando Sabino, "Como dizia meu pai" *in A volta por cima*) 8 *Bras. P. ext. Pop.* Ritmo musical e andamento próprio de certo estilo, gênero etc.: *a batida da bossa-nova.* 9 Ritmo com que se realizam certos movimentos; andamento ou velocidade que se imprime a uma atividade ou tarefa: *(Andando) nessa batida, chegaremos antes do entardecer.* 10 Cada um de uma série de movimentos repetidos e ritmados; BATIMENTO 11 *Restr.* Cada ciclo de contração do coração, ao bombear o sangue; batimento, pulsação 12 *Bras. Cul.* Bebida feita de uma ou mais frutas socadas, amassadas ou misturadas no liquidificador com cachaça, e adoçada com açúcar ou leite condensado 13 *Bras. Cul.* Bebida feita de frutas ou legumes batidos no liquidificador com água, leite, iogurte etc; VITAMINA 14 *Bras. Cul.* O mesmo que *gemada* 15 *Bras.* Operação policial de busca e apreensão, realizada de surpresa 16 *Venat.* Ação de bater o mato para forçar a caça a se levantar e passar ao alcance dos tiros dos caçadores 17 *Venat.* A corrida da caça na batida (12); MONTARIA; MONTEADA 18 Exploração de um terreno para busca ou apreensão de algo ou alguém: "Ficando dentro do mato, como livrar-se da batida do Onofre e seus companheiros, cuja marcha convergente sentia-se no atrito das folhas que rumorejavam em todas as direções?" (José de Alencar, *O sertanejo*) 19 *N. N.E. P. ext.* Marcas de pés ou de patas que o ser humano ou animal deixa no lugar por onde passa; RASTRO; VESTÍGIO; PISTA: "Vinha na batida de José, que havia cometido um roubo considerável na praça." (Franklin Távora, *O cabeleira*) 20 Trilha estreita aberta no mato: "Seguido pela batida na orla da estrada, o animal ia passar rente com o capanga, oculto pela cepa de uma gameleira." (José de Alencar, *Til*) 21 *Lus. Mil.* Em uma guerra subversiva, operação para localizar e aniquilar os rebeldes em determinada região 22 *Bras. Psc.* Tipo de pesca no qual as iscas são batidas na água para simular uma queda de frutos 23 *Esp.* Golpe com as mãos ou instrumentos em uma luta 24 *Esp.* Pancada ou chute que impulsiona uma bola: *No tênis, o saque é determinado por uma batida na bola com a raquete.* 25 *Esp.* Movimento das pernas e/ou dos braços para a sustentação, o equilíbrio e a impulsão do nadador: "Que ele nade bem esses cinquenta ou sessenta metros; isto me parece importante; é preciso que conserve a mesma batida de sua braçada..." (Rubem Braga, "Homem no mar" *in A cidade e a roça*) 26 *Esp.* Manobra na qual o surfista faz a parte de baixo da prancha bater bem forte na crista da onda 27 *Lud.* Em jogos de baralho ou dominó, o descarte da última carta ou peça que determina o vencedor da partida 28 *RS* Briga de galos organizada para treiná-los ou aquilatar-lhes o valor 29 *Pop.* Busca ou procura minuciosa, sistemática [F.: *bat(er)* + *-ida*.] ■ **~s de Molière** *Teat.* Duas séries de batidas com um bastão no chão (três batidas curtas, depois três batidas longas) que, no teatro francês da época de Molière (séc. XVII), anunciavam o iminente início do espetáculo [Ainda se usam em peças de época.] **De ~** Às pressas, em correria

batido (ba.*ti*.do) **a.** 1 Que já foi muito usado (roupa batida) 2 *Bras. Pop.* Que é comum demais em função do uso repetido (exemplo batido); TRIVIAL; CORRIQUEIRO 3 Que sofreu uma batida, uma colisão ou abalroamento (diz-se de veículo) 4 Que foi pisado, comprimido, compactado: *estrada de terra batida.* 5 Derrubado, ferido ou morto numa luta 6 Vencido, derrotado numa disputa ou competição 7 Registrado ou anotado como marca de desempenho que supera todos os demais: *O atleta melhorou ainda mais o recorde batido na competição anterior.* 8 Agitado ou misturado a outros ingredientes com movimentos firmes e repetidos, ou em liquidificador, batedeira etc.: *claras de ovo batidas em neve; leite batido [com açúcar, ou sorvete, chocolate etc.].* 9 Que foi malhado (ferro batido) 10 Que foi cunhado (moeda batida) 11 Cujos traços ou formas são pouco marcados, ou de pouco volume 12 Diz-se de texto escrito com máquina de escrever (por oposição aos textos manuscritos ou aos impressos por outras técnicas); datilografado **sm.** 13 Ação ou resultado de bater; batida, batimento 14 *P. ext.* Som ou sons produzido por choque(s), por algo que bate 15 *MA* Tecido próprio para se fazer redes 16 *Lus.* Bebida preparada por agitação forte, esp. no liquidificador etc. 17 *Lus. Restr.* O mesmo que *milk-shake* (leite batido com sorvete) **adv.** 18 *Pop.* Apressadamente, rapidamente: *Ela pagou a conta e saiu batido.* [Us. ger. com o verbo *sair* e similares.] [F.: Part. de *bater*.]

batimento (ba.ti.*men*.to) **sm.** 1 Pulsação do coração ou de artéria; BATIDA 2 Ato ou efeito de bater; batida 3 Choque, pancada, embate; encontro ou contato violento 4 *P. ext.* Qualquer movimento de pulsação, ou série de batidas repetidas e ritmadas (como as do coração) 5 Qualquer movimento rápido e repetitivo 6 *Fís.* Fenômeno de aumento e diminuição recorrentes da amplitude de ondas sonoras ou eletromagnéticas, ou de correntes elétricas, resultantes da união de ondas ou correntes de diferentes frequências [F.: *bat(er)* + *-imento*.] ■ **~ cardíaco** *Fisl.* As batidas ou contrações do coração, percebidas pelo tato ou auscultadas; o ritmo ou frequência dessas batidas **~ de arrebentação** *Oc.* Intervalo relativamente longo na arrebentação das ondas devido à chegada de novos grupos de onda

batimetria (ba.ti.me.*tri*.a) **sf.** 1 *Ocean.* Técnica de medição de área oceânica, ou lacustre, fluvial, etc. submersa 2 O ato de fazer a medição para determinar o relevo da área submersa 3 A representação gráfica desse relevo [F.: *bat(i)-* + *-metria*[1].]

batimétrico (ba.ti.*mé*.tri.co) **a.** *Ocean.* Ref. à batimetria ou a batímetro [F.: *batimetria* + *-ico*[2].]

batímetro (ba.*tí*.me.tro) **sm.** Instrumento us. para medir a profundidade de oceanos, mares e lagos a partir das variações da gravidade [F.: *bat(i)-* + *-metro*.]

batina (ba.*ti*.na) **sf.** 1 Veste talar, ger. de cor preta ou cinza, us. por abades e padres 2 *P. ext. Pop.* A vida religiosa **sm.** 3 *Bras. Pop.* O mesmo que *padre* (1) [F.: Do lat. ecles. *abbatina*.]

batique (ba.*ti*.que) [í] *Artesn.* **sm.** 1 Processo de estampagem a mão de tecido, oriundo da Indonésia, que consiste em cobrir as zonas do tecido que não devem ser tingidas com moldes de cera 2 Tecido estampado por esse método 3 Imitação desse tecido [F.: Do fr. *batik*.]

batiscafo (ba.tis.*ca*.fo) **sm.** *Emec.* Espécie de barco submarino, para exploração científica de grandes profundidades oceânicas e lacustres [F.: Do gr. *bathýs* + *skáphos*.]

batismal (ba.tis.*mal*) ***a2g.*** Ref. a batismo [Pl.: *-mais.*] [F.: *batism(o)* + *-al.*]

batismo (ba.*tis*.mo) ***sm.*** **1** *Rel.* Cerimônia cristã em que a pessoa é purificada com água-benta e torna-se membro da Igreja **2** *Rel.* Iniciação e admissão em qualquer religião **3** Ação ou resultado de dar nome a uma pessoa ou coisa, seja informalmente ou, esp., por meio de alguma cerimônia religiosa (como, por exemplo, o batismo católico) ou outra solenidade **4** *Restr.* Cerimônia em que se benze e/ ou nomeia certo objeto especial; esp. cerimônia de lançamento de navio, avião etc. (ger. inclui o ato de quebrar nele uma garrafa, p. ex., de champanhe) **5** *Fig.* Qualquer experiência penosa, que funciona como teste ou prova; esp. estreia em uma atividade difícil ou perigosa **6** Acréscimo de água ou outra substância para diluir alguma bebida, esp. vinho (ou outra bebida alcoólica), leite etc., ger. com propósito de adulterá-las [F.: Do gr. *baptismós*, pelo lat. *baptismu.*] ∎ **~ de fogo** **1** A primeira batalha real de um soldado **2** Primeiro ferimento em combate **3** *P. ext.* Estreia de alguém em uma atividade, desafio profissional, empreitada arriscada etc. **~ de sangue** **1** Primeira vez em que alguém tem seu sangue derramado **2** Martírio por uma causa, um ideal **de ~** Us. para indicar o nome que alguém recebeu ao nascer, ou ao ser batizado: *nome de batismo; Chama-se João, de batismo, mas todos o conhecem por Pituca.*

batista (ba.*tis*.ta) ***a2g.*** **1** *Rel.* Ref. a membro de corrente ou denominação evangélica, ger. considerada parte do protestantismo, na qual o batismo, por imersão, só é ministrado a crentes adultos, e em que a organização eclesiástica segue o sistema congregacional de autonomia das igrejas locais **2** Que administra o batismo [Us. com inicial maiúsc. como antonomásia de João, dito são João Batista, o pregador religioso que batizou Jesus.] ***sm.*** **3** Pessoa que administra o batismo [Us. com inicial maiúsc. como antonomásia de são João, dito o Batista, por quem Cristo foi batizado.] ***s2g.*** **4** Pessoa da seita, denominação ou igreja dos batistas [F.: Do gr. *baptistés*, pelo lat. *baptista.*]

batistério (ba.tis.*té*.ri:o) ***sm.*** **1** Local da igreja onde se encontra a pia-batismal **2** Capela construída perto das catedrais para nela se administrar o batismo **3** *Bras. Pop.* Certidão de batismo [F.: Do gr. *baptistérion*, pelo lat. *baptisteriu.*]

batizado (ba.ti.*za*.do) ***sm.*** **1** *Rel.* Cerimônia em que é ministrado o batismo **2** Festa em que se comemora um batismo **3** Pessoa que recebeu o batismo ***a.*** **4** Que recebeu o batismo **5** *P. ext. Fig.* Que passou por alguma cerimônia de iniciação (pública ou não, religiosa ou não); que passou a pertencer a certo grupo ou categoria **6** *Bras. Pop.* Que foi adulterado por adição de água ou de outro líquido (diz-se de bebida, gasolina etc.) [F.: Part. de *batizar.*]

batizando (ba.ti.*zan*.do) [â] ***sm.*** Quem ou o que vai ser batizado [F.: *batizar* + *-ndo.*]

batizar (ba.ti.*zar*) ***v.*** **1** *Rel.* Fazer o batizado (1) de [***td.:*** *Já batizaram o bebê?*] **2** *Rel.* Servir de padrinho ou de madrinha de batismo a [***td.:*** *A tia vai batizar a primeira sobrinha.*] **3** Dar nome no batismo [***td.:*** *Depois que nascesse, decidiriam como batizá-lo.*] [***tdp.:*** *A mãe batizou-a (de) Teresa.*] **4** Abençoar solenemente (navio, avião, prédio etc.) [***td.***] **5** *Fig.* Dar nome ou apelido a (algo ou alguém) [***td.:*** *Faltava batizar sua criação.*] [***tdp.*** + *de*, com: *Batizaram o aeroporto de Tom Jobim; Batizei minha bicicleta com nome de gente.*] **6** *Bras. Pop.* Adulterar (bebida, combustível etc.), adicionando água ou outro líquido [***td.:*** *Batizaram o leite, que ficou aguado.*] **7** *Fig.* Lançar líquido sobre [***td.:*** *Uma garoa batizou os competidores.*] **8** Dar lance inicial em (leilão) [***td.***] [▶ 1 batizar] [F.: Do lat. *baptizare*, deriv. do gr. *baptizo* 'mergulhar, imergir'.]

⊕ ***bat mitzvah*** (*Heb. /bat mitsvá/*) *Rel.* ***loc. subst.*** **1** Iniciação religiosa da mulher judia, que ocorre aos 12 anos de idade **2** A jovem iniciada [Pl.: *bnot mitzvah.*] [F.: Do heb. *bat mitzvah*, 'submetida à lei divina'. Cf.: *bar mitzvah.*]

batmotrópico (bat.mo.*tró*.pi.co) ***a.*** *Fisl.* Que influencia ou modifica o grau de excitação de fibras musculares, esp. as dos músculos cardíacos [F.: Do gr. *bathmós, oû*, 'degrau', + *-trop(o)-* + *-ico*[2].]

◎ **bato-**[1] ***el. comp.*** = 'acessível': *batofobia*[1], *batófobo*[1]. [F.: Do gr. *batós, é, ón*, 'em que podemos ir'; 'acessível (esp. às bestas de carga)', do v. gr. *baíno*, 'andar'; 'caminhar'; 'marchar'. F. conexas: *-bata*[1].]

◎ **bato-**[2] ***el. comp.*** = 'profundidade'; 'profundeza': *batofobia*[2], *batófobo*[2]. [F.: Do gr. *báthos, eos-ous*. F. conexas: *bat(i)-* e *-bata*[2].]

batofobia[1] (ba.to.fo.*bi*:a) *Psiq.* ***sf.*** Medo patológico de passar perto de ou entre estruturas altas [F.: *bato-*[1] + *-fobia.*]

batofobia[2] (ba.to.fo.*bi*:a) ***sf.*** *Psiq.* Temor mórbido a lugares profundos, quer submarinos quer aéreos [F.: *bato-*[2] + *-fobia.*]

batofóbico[1] (ba.to.*fó*.bi.co) *Psiq.* ***a.*** **1** Ref. à batofobia[1] **2** Diz-se de indivíduo que sofre de batofobia[1]; BATÓFOBO ***sm.*** **3** Esse indivíduo; BATÓFOBO [F.: *batofobia*[1] + *-ico*[2].]

batofóbico[2] (ba.to.*fó*.bi.co) *Psiq.* ***a.*** **1** Ref. à batofobia[2] **2** Diz-se de indivíduo que sofre de batofobia[2]; BATÓFOBO ***sm.*** **3** Esse indivíduo; BATÓFOBO [F.: *batofobia*[2] + *-ico*[2].]

batófobo[1] (ba.*tó*.fo.bo) ***a. sm.*** *Psiq.* O mesmo que *batofóbico*[1] (2 e 3) [F.: *bato-*[1] + *-fobo.*]

batófobo[2] (ba.*tó*.fo.bo) ***a. sm.*** *Psiq.* O mesmo que *batofóbico*[2] (2 e 3) [F.: *bato-*[2] + *-fobo.*]

batom (ba.*tom*) ***sm.*** **1** Cosmético, ger. em forma de bastão, de que existem diversas tonalidades e se usa para hidratar e pintar os lábios **2** *RJ Pop. Pej.* Pênis de tamanho pequeno [Pl.: *-tons.*] [F.: Do fr. *bâton.*]

batoque (ba.*to*.que) ***sm.*** **1** Orifício largo na parte superior de pipas, tonéis etc., por onde se introduz o líquido **2** Rolha grossa com que se veda esse orifício [F.: De or. incerta, posv. do gascão *bartoc.*]

batota (ba.*to*.ta) [ó] ***sf.*** **1** Trapaça em jogo; manobra ou jogada cujo propósito é enganar **2** Jogo em que há fraude ou deslealdade **3** Certo jogo de azar **4** *P. ext.* Qualquer ação ou situação enganosa, traiçoeira; ardil, artimanha, trapaça **5** Casa de jogo **6** *Lus.* Mentira, esp. de quem se gaba ou quer sobressair [F.: De or. contrv.]

batotar (ba.to.*tar*) ***v.*** **1** Fazer batota (1) no jogo; TRAPACEAR [***int.:*** *Você pode jogar, mas se batotar será expulso.*] **2** Jogar batota (2) [***int.***] **3** *Fig.* Trapacear, fraudar [***tr.:*** *Não conseguiram batotar nas eleições.*] [▶ 1 batotar] [F.: *batota* + *-ar*[2]. Hom./Par.: *batota* (fl.), *batota* (sf.); *batotas* (fl.), batotas (pl. do sf.). Sin. ger.: *batotear.*]

batoteiro (ba.to.*tei*.ro) ***a.*** **1** Que trapaceia no jogo, que faz batota (1) **2** *Lus.* Mentiroso, enganador ***sm.*** **3** Indivíduo que trapaceia em jogo **4** *Lus.* Indivíduo que mente, ou que conta vantagem, alardeando qualidades que não tem [F.: *batot(a)* + *-eiro.*]

batráquio (ba.*trá*.qui:o) ***sm.*** *Zool.* Animal vertebrado que vive tanto em terra como na água, como o sapo, a rã e a perereca [Como grupo classificatório na taxonomia biológica, os batráquios constituem uma ordem dentro da classe dos anfíbios, e se caracterizam por ausência de pescoço e de cauda (daí o termo sinôn. *anuros*), e por patas posteriores mais desenvolvidas.] [F.: Do gr. *batrácheios* 'ref. à rã', pelo lat. *batrachium.*]

batucada (ba.tu.*ca*.da) ***sf.*** **1** Ação ou resultado de batucar; BATUQUE **2** Reunião informal ou festiva, popular, em que se toca o samba (ou outros gêneros musicais) em instrumentos de percussão, ger. acompanhando canto e dança; BATUQUE **3** A música cantada com batuque **4** Ritmo, ou padrão rítmico mais ou menos complexo, com que soam, combinados, os diversos instrumentos de percussão num batuque [F.: *batuc(ar)* + *-ada.*]

batucado (ba.tu.*ca*.do) [á] ***a.*** **1** Ref. ou pertencente a batuque **2** Em ritmo e som de batuque e de batucada (samba batucado; festejo batucado) [F.: Part. de *batucar.*]

batucar (ba.tu.*car*) ***v.*** **1** Bater ritmadamente; TAMBORILAR [***int.:*** *Começamos a batucar e o pessoal se animou.*] **2** *Bras.* Dar ritmo musical a, por meio de percussão [***td.:*** *Batucou um samba na mesa do bar.*] **3** Bater repetidas vezes e com força; MARTELAR [***int.:*** *O servente de obra não parava de batucar.*] **4** Dançar e cantar o batuque [***int.:*** *À noite, os escravos negros batucavam.*] **5** *Fig.* Tocar mal, martelar o piano [***int.***] [▶ 11 batucar] [F.: *batuque* + *-ar*[2]. Hom./Par.: *batucar*, *batocar* (em várias fl.).]

batuíra (ba.tu:*í*.ra) [í] ***a.*** **1** *Gír.* Diz-se de pessoa falsa, que não é confiável ***sf.*** **2** *Zool.* Denominação vulgar a várias spp. de maçaricos, esp. aqueles do gên. *Charadrius*, migratórios ou não, como a batuíra-de-bando e a batuíra-de-coleira **3** *Zool.* Ver *maçarico* [F.: Do tupi *mbatu'ira.*]

batuque (ba.*tu*.que) ***sm.*** **1** Ritmo criado por instrumentos de percussão, ou o som ritmado desses instrumentos **2** Ver *batucada*: "Batuque na cozinha sinhá não quer / Por causa do batuque eu quebrei meu pé" (João da Bahiana (João Machado Guedes), *Batuque na cozinha*) **3** Qualquer música ou dança, esp. de origem ou influência afro-brasileira, acompanhada por percussão **4** *Bras. N* Designação dada a cultos afro-brasileiros, ou a cerimônias rituais desses cultos, acompanhadas de instrumentos de percussão **5** *P. ext.* Ação de bater ou percutir, ger. de modo ritmado e produzindo som; o som assim produzido: *o batuque das ondas no costado do navio.* **6** *Bras. N.E. Psc.* Método de pesca, em que se dão pancadas na superfície da água ou na embarcação para fazer com que os peixes nadem ao encontro das redes ou saltem para dentro da embarcação [F.: Regress. de *batucar*. Hom./Par.: *batuque* (sm.), *batuque* (fl. de *batucar*).]

batuqueiro (ba.tu.*quei*.ro) [ê] ***a.*** **1** Que batuca, que toca instrumento de percussão **2** Diz-se de amante, frequentador e dançarino de batuques ou batucadas **3** *Fig.* Diz-se de quem ou do que é martelador, repetidor impertinente ***sm.*** **4** Quem frequenta e dança batuques ou batucadas **5** Indivíduo tocador de batuque **6** *Gír.* Ver *punguista* **7** *Bras. Zool.* pássaro da fam. dos emberizídeos (*Saltator atricollis*), encontrado no Brasil Central, Bolívia e Paraguai, de coloração cinzenta, faces e pescoço negros e bico alaranjado; BICO-DE-PIMENTA [F.: *batuque* + *-eiro.*]

batusquela (ba.tus.*que*.la) [é] ***a2g.*** *SP Gír.* Diz-se de quem não é bom da cabeça (sujeito batusquela) [F.: De or. incerta.]

batuta (ba.*tu*.ta) ***sf.*** **1** *Mús.* Espécie de bastão curto com que o regente da orquestra marca o compasso e o andamento da música e indica a entrada dos diversos instrumentos e dos cantores ***a2g.*** **2** *Bras. Pop.* Que é muito competente em certo campo; BAMBA: *um cara batuta em informática.* **3** *Pop.* Que tem boas qualidades pessoais; que é amigo confiável **4** *Pop.* Diz-se de pessoa corajosa, decidida, enérgica, ou que tem qualidades de líder **5** *Pop.* Muito bom; excelente ***s2g.*** **6** Pessoa batuta [F.: Do it. *battuta.*]

baú (ba.*ú*) ***sm.*** **1** Espécie de mala grande, retangular e rígida, us. para o transporte de bagagem **2** Caixa retangular grande, ger. de madeira e forrada, ou não, de couro, com tampa ger. abaulada, e us. para guardar objetos pessoais, roupa de cama etc., ou como peça de decoração **3** *Bras. Pop.* Pessoa muito rica [F.: Do fr. ant. *bahur*, hoje *bahut.*] ∎ **~de alças** *Bras. Pop.* Ataúde **~ de segredos** Pessoa em quem se confiam ou se podem confiar segredos; confidente **Do fundo do ~** *Fig. Pop.* Diz-se do que é antigo, ou do que há muito estava esquecido, guardado, deixado de lado **Não ser ~** *Fam.* Não ser alguém que guarda ou que se compromete a guardar segredos

⊕ ***baud*** (*Fr. /bôd/*) ***sm.*** **1** *Telc.* Unidade de transmissão telegráfica equivalente a um impulso por segundo **2** *Inf.* Unidade de medida da velocidade de transmissão de dados, indicando a frequência da comutação do sinal [Em tese, 1 *baud* pode equivaler a mais de 1 dígito binário por segundo.] [F.: F. red. de J. M. E. *Baudot.*]

⊕ ***bauhaus*** (*Al. /báurraus/*) *Arq.* ***a2g2n.*** **1** Ref. ou inerente a Bauhaus, escola de arquitetura e artes decorativas alemã (1919-1933) **2** Que é feito no estilo dessa escola, com a valorização de uma linguagem visual funcionalista, despojada de ornamentos, em relação direta com a estética industrial [Inicial maiúsc.] [F.: Do al. *Bauhaus.*]

baunilha (bau.*ni*.lha) ***sf.*** **1** *Bot.* Nome comum às plantas do gên. *Vanilla*, da fam. das orquidáceas, cultivadas pelos frutos compridos dos quais se extrai essência aromática, esp. *Vanilla planifolia*, nativa da América tropical, esp. das Antilhas (algumas espécies são nativas do Brasil), de flores verde-amareladas e vagens alongadas e curvas nas pontas **2** *Bot.* Fruto seco dessas plantas **3** Essência aromática extraída desse fruto, ou produzida artificialmente, us. na composição de perfumes e em culinária: *O perfume era doce, com notas de baunilha; Pôs no creme algumas gotas de baunilha.* [F.: Do esp. *vainilla.*]

bauru (bau.*ru*) ***sm.*** *Bras.* Sanduíche quente feito de pão francês, fatias de rosbife, queijo, alface e tomate [F.: De *Bauru*, apelido do bauruense criador da receita desse sanduíche.]

bauxita (bau.*xi*.ta) ***sf.*** *Pet.* Rocha argilosa que é o principal minério de alumínio [F.: Do fr. *bauxite.*]

bávaro (*bá*.va.ro) ***sm.*** **1** Pessoa nascida ou que vive na Baviera (Alemanha) **2** *Gloss.* Dialeto alto-alemão, falado no Sul da Alemanha ***a.*** **3** Da Baviera; típico desse estado ou de seu povo [F.: Do lat. *bavarus.*]

bazar (ba.*zar*) ***sm.*** **1** Loja em que se vendem artigos variados, esp. quinquilharias e brinquedos **2** Venda de artigos variados, em igrejas, clubes etc., ger. para fins beneficentes: *Vai haver um bazar de Natal na escola.* **3** *P. ext.* Pavilhão, tenda ou sala onde se dá essa venda: *Foram até o bazar da igreja.* **4** Venda a preços bastante reduzidos, realizada por grifes e lojas em geral: *A loja da galeria fará um bazar para incrementar as vendas.* **5** Mercado público, ordinariamente coberto, nos países orientais: *os bazares de Constantinopla, de Esmirna.* **6** *P. ext.* Loja onde se vendem objetos usados, mas de certo valor, como quadros, louça chinesa, cristais etc. **7** *Fig.* Centro de grande importância ao qual afluem mercadorias: *Liverpool e Bombaim são grandes bazares.* **8** *Lus.* Lugar público onde se vendem hortaliças, carnes, laticínios e produtos de uso doméstico; MERCADO [F.: Do persa *bazar.*]

bazófia (ba.*zó*.fi:a) ***sf.*** **1** Vaidade exagerada; PRESUNÇÃO **2** *P. ext.* Ação ou palavras, ger. afetadas ou chamativas, que manifestam vaidade ou presunção **3** Atitude de quem se faz de valente sem o ser; FANFARRICE **4** *Cul.* Tipo de ensopado que se faz com sobras de comida [F.: Do it. *bazzofia*. Hom./Par.: *bazófia* (sf.), *bazofia* (fl. *bazofiar*).]

bazofiar (ba.zo.fi.*ar*) ***v.*** Contar vantagem (sobre); jactar-se, vangloriar-se [***td.:*** *Bazofiava o seu poder de sedução.*] [***tr.*** + *de*: *bazofiar de conquistas amorosas; bazofiar de (ser) corajoso.*] [***int.:*** *Pare de bazofiar, ninguém acredita em você!*] [▶ 1 bazofiar] [F.: *bazófia* + *-ar*[2]. Hom./Par.: *bazofia(s)* (fl.), *bazófia(s)* (sf. [pl.] e fem. de *bazófio*); *bazofio* (fl.), *bazófio* (a. sm.).]

bazuca (ba.*zu*.ca) ***sf.*** Arma portátil em forma de tubo, ger. carregada sobre o ombro e operada por duas pessoas, us. para lançar pequenos mísseis (p. ex., contra blindados) [F.: Do ing. *bazooka.*]

⊠ **BB** ***sm.*** **1** *Mar.* Abrev. de bombordo **2** *Art. Gráf.* Diz-se de formato *standard* de papel para impressão (ver *formato BB*)

⊕ ***BBS*** (*Ing. /bibiéss/*) *Inf.* Serviço, anterior à implementação da internet, de troca de mensagens, dados e programas entre usuários de computadores conectados a um computador central por linha telefônica e *modem* [F.: sigla de *Bulletin Board System* ('Sistema de Quadro de Avisos').]

⊠ **B.C.G.** ***sf.*** *Med.* Vacina de bacilos vivos e atenuados, destinada a imunizar seres humanos contra a tuberculose [F.: Sigla de *Bacilo de Calmette e Guérin*, dos nomes Albert Calmette (1863-1933) e Camille Guérin (1872-1961), bacteriologistas franceses que criaram a vacina, em 1921.]

⊠ **BE**[1] *Bras. Mar.* Abrev. de boreste

⊠ **Be**[2] ***sm.*** *Quím.* Símb. do berílio

bê (bê) ***sm.*** Nome da letra B, b [Pl.: *bês ou bb.*]

bê-á-bá (bê-á-*bá*) ***sm.*** **1** Abecedário, alfabeto **2** *Fig.* Noções elementares de uma matéria: *De química, só sei o bê-á-bá* **3** As primeiras lições de leitura e escrita; exercício de soletração [Pl.: *bê-á-bás.*]

⊕ ***beach-soccer*** (*Ing. /bitchsóquer/*) ***sm.*** *Esp.* Modalidade de futebol praticado na praia ou em quadra artificial de areia, por equipes com cinco jogadores, com bola impermeabilizada e regras semelhantes às do denominado futebol-soçaite [F.: ing. *beach*, 'praia', ing. *soccer*, 'futebol'.]

⊕ ***beagle*** [í] (*Ing. /bí. gol/*) ***a.*** **1** Que é próprio de ou pertence à raça *beagle* **2** *Cinol.* cão de pequeno porte, de origem inglesa, pelo macio, pernas curtas e orelhas compridas, utilizado por vezes na caça a coelhos

bearnês (be:ar.*nês*) ***sm.*** **1** Indivíduo nascido ou que vive em Bearn (França) ***a.*** **2** De Bearn; típico dessa cidade ou de seu povo (dialeto bearnês) **3** *Cul.* Diz-se de um molho feito com vinho, vinagre, cebolinha e outros temperos, engrossado com manteiga e gemas de ovos [Pl.: *-neses* [ê]. Fem.: *-nesa* [ê].] [F.: Do top. *Bearn* + *-ês.*]

⊕ **beat** (*Ing. /bit/*) *a2g.* 1 Ref. a ou característico de *beatnik* 2 Ref. a *beat generation,* movimento de artistas e intelectuais norte-americanos, na década de 1950, de contestação ao modo de vida burguês e aos valores da sociedade de consumo (geração beat; comportamento beat) 3 *Liter.* Característica de um grupo de escritores norte-americanos, da década de 1950, de rejeição a valores literários tradicionais em obras de estrutura irregular, linguagem coloquial e acentuado tom psicológico *s2g.* 4 Indivíduo *beatnik sm.* 5 *Mús.* Andamento rítmico característico do *jazz* e do *rock* [Pl.: *beats (ing.).*]

beatério (be:a.*té*.rio) *sm.* 1 Conjunto ou reunião de beatos, beatas e carolas; BEATARIA 2 Práticas ou devoções de pessoas beatas; BEATARIA; BEATICE [Ant.: *ateísmo, agnosticismo.*] 3 Sistema ou partido que sustenta a posição religiosa ou a opinião de pessoas excessivamente devotas [F.: *beato + -ério* (prov. por infl. de monastério).]

beatice (be:a.*ti*.ce) *sf. Bras. Irôn.* Devoção religiosa exagerada ou falsa [F.: *beat(o) + -ice.*]

beatificação (be:a.ti.fi.ca.*ção*) *sf.* 1 Ação ou resultado de beatificar 2 *Ecles.* Processo eclesiástico (ou a cerimônia que o finaliza) ao fim do qual o papa declara que uma pessoa já falecida mereceu por suas virtudes entrar no rol dos bem-aventurados, recomendando-a, por isso, ao culto religioso e à invocação dos fiéis, mas sem impor obrigação [Cf. *canonização.*] [Pl.: *-ções.*] [F.: Do lat. *beatificatio-onis.*]

beatificado (be:a.ti.fi.*ca*.do) *a.* 1 *Ecles.* Que recebeu a beatificação 2 Que foi tornado feliz, bem-aventurado 3 Considerado ou louvado como bom, ou como santo [F.: Part. de *beatificar.*]

beatificar (be:a.ti.fi.*car*) *v.* 1 Declarar beato, digno de veneração (membro da Igreja já falecido) por meio de cerimônia de beatificação [*td.: O papa beatificou madre Teresa de Calcutá.*] 2 *Fig.* Considerar como santo, como próprio de santo ou como bom [*td.: O povo beatificou padre Cícero Romão.*] 3 *Fig.* Louvar excessivamente [*td.: Beatifica sua amada.*] 4 *Fig.* Tornar(-se) beato ou bem-aventurado, feliz [*td.: As coisas mais simples da vida o beatificam.*] [*int.: Beatificou-se com o perdão do pai.*] [▶ 11 beatifi**car**] [F.: Do lat. *beatificare.* Hom./Par.: *beatifica(s)* (fl.), *beatífica(s)* (fem. de *beatífico* [pl.]); *beatifico* (fl.), *beatífico* (a.).]

beatífico (be:a.*ti*.fi.co) *a.* 1 Que propicia bem-aventurança celeste 2 Que propicia felicidade, êxtase, ou diz-se do sentimento que deles resulta [F.: Do lat. *beatificus.*]

beatismo (be:a.*tis*.mo) *sm.* 1 Devoção exagerada, excessiva; BEATICE 2 Devoção fingida; hipocrisia religiosa [F.: *beato + -ismo.*]

beatitude (be:a.ti.*tu*.de) *sf.* 1 Estado de serenidade, de felicidade 2 *Rel.* Bem-aventurança, êxtase espiritual e religioso, ger. associado à presença divina na vida eterna 3 Serenidade resultante de atitude contemplativa, mística [F.: Do lat. *beatitudo, -inis.*] ■ **Vossa ~** Forma de tratamento dos patriarcas da Igreja Oriental, eventualmente tb. de papas [Com inicial maiúscula.]

beatlemania (bea.tle.ma.*ni*:a) [i] (*bitolmania*) *sf.* 1 *Mús.* Fanatismo e idolatria pelos Beatles, conjunto inglês de cantores, compositores e instrumentistas de música *pop* e *rock*, atuante nas décadas de 1960-70 2 Admiração excessiva, intensa e generalizada pela música e pela moda *beatle* [F.: Do ing. *beatle + -mania.*]

beatlemaníaco (bea.tle.ma.*ní*.a.co) (*bitolmaníaco*) *a.* 1 Ref. à beatlemania 2 Diz-se de pessoa que é seguidora da beatlemania *sm.* 3 Essa pessoa [F.: Do ing. *beatle + -maníaco.*]

⊕ **beatnik** (*Ing. /bitnic/*) *s2g.* 1 Membro da denominada *beat generation* [Tb. se diz apenas *beat.*] 2 *P. ext.* Indivíduo ger. de comportamento e trajes não convencionais e filosofia de vida contestadora à moral vigente e aos valores convencionais [Pl.: *beatniks(ingl.).*]

beato (be:*a*.to) *sm.* 1 Pessoa tida quase como santa pela Igreja Católica 2 *Bras. Irôn.* Pessoa tida como excessivamente religiosa; CAROLA 3 Quem desfruta de bem-aventurança; bem-aventurado *a.* 4 Diz-se de quem desfruta de bem-aventurança [F.: Do lat. *beatus.*]

◎ **-beba** *el. comp.* Ver *-pebo*

bêbado (*bê*.ba.do) *a.* Ver *bêbedo*

bebê (be.*bê*) *s2g.* 1 Criança recém-nascida ou com poucos meses de vida; NENÉM 2 *P. ext.* Qualquer filhote de animal: *A gata teve seus bebês no quintal.* 3 *Fig.* Forma carinhosa de tratamento [Posposto a outro subst., a que se liga por hífen, é um especificador invariável, com sentido de 'recém-nascido, filhote': golfinho-bebê, elefante-bebê. Vindo anteposto ao subst., o hífen é opcional: bebê-dinossauro ou bebê dinossauro.] [F.: Do fr. *bébé.* Hom./Par.: *bebê* (sm.), *bebe* (fl. de *beber*).] ■ **~ de proveta** *Obst.* Feto, depois o bebê, resultante da fecundação *in vitro* (em tubo de ensaio) do óvulo da mãe por espermatozoide do pai, com reintrodução, para a gestação, do óvulo fecundado no útero da mãe

bebê-conforto (be.bê-con.*for*.to) [ô] *sm.* Assento anatômico de plástico, com suporte e cintas, próprio para acomodar bebês em casa ou no carro [Pl.: *bebês-conforto.*]

bebedeira (be.be.*dei*.ra) *sf.* 1 Ação ou resultado de embriagar-se 2 Estado de quem está bêbado; PILEQUE; PORRE 3 Bebida alcoólica em quantidade tal que, ingerida, causa bebedeira (2): *Tomou uma bebedeira e só acordou no dia seguinte* [F.: *beber + -deira.*]

bebedice (be.be.*di*.ce) [i] *sf.* 1 Vício de beber 2 Estado cambaleante de bêbedo, de embriagado; BEBEDEIRA; EMBRIAGUEZ [F.: *bêbedo + -ice.*]

bêbedo (*bê*.be.do) *a.* 1 Que se intoxicou com bebida alcoólica 2 Que se embriaga costumeiramente 3 Estonteado, zonzo, trôpego (bêbedo de sono) 4 *Fig.* Diz-se de quem ou do que se encontra em estado semelhante à ebriedade, causado por emoção *sm.* 5 Aquele que se entrega ao vício da embriaguez 6 Pessoa alcoolizada; ÉBRIO [F.: Do lat. tardio *bibitus, a, um.* Sin. ger.: *bêbado, bebo.* Ant. ger.: *sóbrio.*]

bebedor (be.be.*dor*) [ô] *a.* 1 Que bebe 2 Que costuma se embriagar *sm.* 3 Indivíduo que bebe ou que costuma se embriagar 4 Aparelho que esguicha água filtrada e fresca para se beber; BEBEDOURO 5 *Gui.* Indivíduo não muçulmano e que, por isso, ingere bebida alcoólica, proibida no islamismo [F.: Do lat. *bibitor, -oris.*] ■ **~ social** Pessoa que toma bebidas alcoólicas não por hábito, mas somente (ou quase somente) em reuniões sociais

bebedouro (be.be.*dou*.ro) *sm.* 1 O mesmo que *bebedor* (4) 2 Recipiente que se enche de água para animais beberem 3 *N.N.E.* Qualquer acúmulo de água pluvial onde animais bebem [F.: *beber + -douro*².]

bebe em branco (be.be em *bran*.co) [â] *a2g2n.* 1 *Bras.* Diz-se de equino de focinho ou lábio(s) branco(s) *s2g2n.* 2 *Bras.* Esse equino

bebemoração (be.be.mo.ra.*ção*) *sf.* Comemoração com bebida, ger. alcoólica (bebemoração de aniversário) [Pl.: *-ções.*] [F.: *bebemorar + -ção.*]

bebemorar (be.be.mo.*rar*) *Bras. Pop. v.* Comemorar com bebidas alcoólicas [*tdr.: Bebemoramos o Ano-novo com os amigos.*] [*td.:* "Bebemorar uma vitória afogar as mágoas, encontrar amigos..." (*O Globo,* 06.03.2005)] [*int.: Sexta-feira é dia de bebemorar.*] [▶ 1 comemo**rar**] [F.: *beber + (come)morar,* por analogia.]

beber (be.*ber*) *v.* 1 Ingerir, tomar (líquido) [*td.: Bebam bastante água.*] [*int.: O animal ficou doente, não comia nem bebia.*] 2 Ingerir o líquido contido em [*td.: Bebeu um cálice de licor depois do jantar.*] 3 Ingerir bebida alcoólica, ger. em excesso; embriagar-se [*int.: Não fuma nem bebe; Parou de beber há um ano.*] 4 Fazer brinde, votos (por alguém), bebendo; BRINDAR [*tr. + a: O pai bebeu à saúde do filho.*] 5 Encher-se de (algum líquido), devido à natureza porosa, esponjosa; ABSORVER [*td.: A areia bebeu toda a água da chuva.*] 6 *Bras. Fig.* Consumir combustível (o veículo) [*int.: Por economia, vou comprar um carro que não beba muito.*] 7 *Fig.* Tirar proveito de (algo) [*td.: Certos estão os que bebem a vida.*] 8 *Fig.* Admitir ou receber no espírito; adquirir (conhecimentos, noções) [*td.: O aluno interessado bebe sempre as palavras do mestre; beber uma doutrina.*] 9 *Fig.* Suportar, sofrer (calúnias, dores, infelicidade, maustratos etc.) [*td.: Sócrates bebeu muitas calúnias; Bebeu a dor da morte do pai.*] 10 *Fig.* Dissipar, malbaratar (bens, fortuna etc.) com bebida alcoólica [*td.: Por causa do álcool, bebeu toda a riqueza.*] [▶ 2 be**ber**] [F.: Do lat. *bibere* 'ingerir substância líquida'. Hom./Par.: *bebera(s)* [ê] (fl.), *bebera(s)* [ê] (fl. de *beberar*); *beberam* [ê] (fl.), *beberam* [ê] (fl. de *beberar*); *beberes* [ê] (fl.), *beberes* [ê] (fl. de *beberar* e smpl.); *beberem* [ê] (fl.), *beberem* [ê] (fl. de *beberar*); *bebes* (fl.), *bebes* (sm. pl.); *bebera(s)* [ê] (fl.), *bêbera(s)* (sf. [pl.]); *bebêramos* (fl.), *beberamos* [ê] (fl. de *beberar*); *bebe(s)* (fl.), *bebê(s)* (s2g. [pl.]), *bebé(s)* (s2g. [pl.]).]

beberagem (be.be.*ra*.gem) *sf.* 1 Infusão caseira de ervas medicinais 2 Bebida de gosto desconhecido e ruim 3 *Vet.* Mistura de água com farelos diversos, que se dá a animais como tratamento (como purgante, calmante etc.) [Pl.: *-gens.*] [F.: Do lat. *biberaculum,* pelo fr. *breuvage.*]

beberete (be.be.*re*.te) [ê] *sm.* 1 Tipo de refeição ligeira em que predominam bebidas leves, principalmente licores e vinhos 2 *P. ext.* Tira-gosto 3 *Fig.* Gorgeta 4 *Port.* Coquetel [F.: *beber + -ete.*]

bebericação (be.be.ri.ca.*ção*) *sf.* Ação ou resultado de bebericar [Pl.: *-ções.*] [F.: *bebericar + -ção.* Tb. *beberricação.*]

bebericador (be.be.ri.ca.*dor*) [ô] *a.* 1 Diz-se de quem beberica *sm.* 2 Aquele que bebrica [F.: *bebericar + -dor.* Tb. *beberricador.*]

bebericagem (be.be.ri.*ca*.gem) *sf.* Ação ou resultado de bebericar; BEBERICAÇÃO; BEBERRICAÇÃO [Pl.: *-gens.*] [F.: *bebericar + -agem*². Tb. *beberricagem.*]

bebericar (be.be.ri.*car*) *v.* 1 Beber aos poucos, a pequenos goles [*td.: Bebericava um martíni enquanto a esperava; O gato bebericava seu leite.*] 2 Beber pouco, porém com frequência [*int.: Na volta do trabalho passava no bar para bebericar.*] [▶ 11 beberi**car**] [F.: *beber + -icar.* Tb. *beberricar.*]

beberico (be.be.*ri*.co) *sm.* Ato de bebericar, de beber em pequenos goles, ou de provar uma bebida [F.: Dev. de *bebericar.* Hom./Par.: *beberico* (fl. de *bebericar*). Tb. *beberrico.*]

beberrão (be.ber.*rão*) *a.* 1 Que bebe muito, despropositadamente; que tem muito arraigado o vício da bebida *sm.* 2 Indivíduo beberrão [Pl.: *-rões.* Fem.: *-rona.*] [F.: De *beber.* Sin. ger.: *alcoólatra, bêbado, ébrio.* Ant. ger.: *abstêmio, abstêmico, abstinente.*]

beberricação (be.ber.ri.ca.*ção*) *sf.* Ver *bebericação*

beberricador (be.ber.ri.ca.*dor*) [ô] *a. sm.* Ver *bebericador*

beberricagem (be.ber.ri.*ca*.gem) *sf.* Ver *bebericagem* [Pl.: *-gens.*]

beberricar (be.ber.ri.*car*) *v.* Ver *bebericar*

beberrico (be.ber.*ri*.co) *sm.* Ver *beberico*

bebes (*be*.bes) *smpl.* Bebidas em geral [Us. na loc. *comes e bebes.*] [F.: Substv. de '(o que se) bebe', tomado numa f. plural, ou substv. de bebes (fl. de *beber*), posv. Hom./Par.: *bebes* (smpl.), *bebes* (fl. de *beber*), *bebês* (pl. de *bebê*).]

bebida (be.*bi*.da) *sf.* 1 Todo líquido que se pode beber: *Guaraná é minha bebida preferida.* 2 Qualquer líquido alcoólico próprio para se beber: *É proibido vender bebidas a menores.* 3 O vício da bebida alcoólica: *A bebida foi a causa de sua ruína.* 4 *N.N.E.* Depósito natural de água pluvial onde animais bebem; o mesmo que *bebedouro* (3) 5 *Lus. Gír.* Murro, soco, bofetada 6 *Lus.* Bebida (1) feita de café, vinho e açúcar [F.: Fem. substv. de *bebido,* part. de *beber.*]

bebível (be.*bí*.vel) *a2g.* 1 Diz-se de líquido, ger. água, que se pode beber; POTÁVEL 2 Que tem sabor aceitável (vinho bebível) [Superl.: *bebibilíssimo.*] [F.: *beber (-e- > -i-) + -vel.* Ant. ger.: *imbebível.*]

bebum (be.*bum*) *a2g.* 1 *Bras. Pop.* Que costuma se embriagar *s2g.* 2 Indivíduo bebum [Pl.: *-buns.*] [F.: *beb(er) + -um.* Sin. ger.: *bêbado, beberrão, cachaceiro, ébrio.*]

beca (*be*.ca) [ê] *sf.* 1 Túnica longa us. por juízes, membros do Ministério Público, advogados ou formandos universitários no exercício de suas atividades ou em solenidades 2 *Fig.* A atividade ou função, ou a dignidade de quem usa beca (1) 3 *Bras. Pop.* Roupa masculina elegante 4 *BA* Atiradeira, bodoque [F.: De or. contrv.]

beça (*be*.ça) [é] *sf.* Us. na loc. *à beça* [F.: De or. obsc.] ■ **À ~** 1 *Bras. Fam.* Em grande quantidade: *Ganhei livros à beça em meu aniversário.* 2 Muito, com grande intensidade: *Esse filme é bom à beça.*

becape (be.*ca*.pe) *sm. Bras. Inf.* F. aport. de *backup* [F.: Do ing. *backup.*]

bechamel (be.cha.*mel*) [é] *a2g.* 1 *Cul.* Diz-se de molho cremoso, feito de leite, manteiga, farinha de trigo, fatias de presunto e gordura de vitela, temperado com legumes e com pimenta, sal e noz-moscada *sm.* 2 Esse molho [Pl.: *bechaméis.*] [F.: Do fr. *béchamel* 'molho branco', do antr. *Louis de Béchamel.*]

beco (*be*.co) [ê] *sm.* 1 Rua muito estreita e pequena, ger. sem saída 2 *CE* O mesmo que *esquina* [F.: Posv. do lat. *via + -eco.*] ■ **~ sem saída** 1 Situação embaraçosa, aperto, dificuldade 2 Dificuldade, problema, empecilho insuperável **Desinfetar/desocupar o ~** 1 *Pop.* Sair da frente, deixar livre o caminho 2 *Pop.* Morrer **Desocupar o ~** *Pop.* Ver *desinfetar o beco*

becquerel (bec.que.*rel*) [é] *sm. Fis. nu.* Unidade de medida de radioatividade correspondente a atividade de um material no qual se produz uma desintegração nuclear espontânea por segundo [símb.: *Bq.*] [Pl.: *becqueréis.*] [F.: Do antr. Antoine-Henri *Becquerel* (sXVIII, físico e químico francês).]

bedame (be.*da*.me) *sm.* 1 *Carp.* Formão estreito e comprido, de seção quadrada, para abrir encaixes de madeira 2 *Esc.* Formão usado por escultores em pedra, de lâmina grossa, us. principalmente na fase inicial do trabalho, para fazer os cortes e aparas mais difíceis [F.: Do fr. *bec-d'âne.*]

bedel (be.*del*) *sm.* 1 Empregado encarregado de tarefas administrativas em instruções de ensino, esp. faculdades 2 Funcionário responsável pela disciplina em escolas [Pl.: *-déis.*] [F.: Do frâncico *bidal,* pelo lat. med. *bedellus* e pelo fr. ant. *bedel,* hoje *bedeau.*]

bedelho (be.*de*.lho) [ê] *sm.* 1 Pequena tranca ou ferrolho de porta 2 Criançola 3 *Lud.* No jogo de cartas, trunfo pequeno [F.: De or. obsc. Hom./Par.: *bedelho* (sm.), *bedelho* (fl. de *bedelhar*).] ■ **Meter o ~ (em)** Intrometer-se sem ser chamado (em conversa alheia, discussão etc.)

beduíno (be.du:*í*.no) *sm.* 1 Árabe nômade do deserto *a.* 2 Pertencente ou relativo a beduíno (1) [F.: Posv. do ár. *badauin,* pelo it. *beduino.*]

bege (*be*.ge) [é] *sm.* 1 A cor amarelo-acastanhada da lã natural 2 Por metonímia, roupa dessa cor: *Vestiu-se de bege, para combinar com o terno do marido. a2g2n.* 3 Cuja cor é o bege (1) (sapatos bege) 4 Diz-se dessa cor: *Adoro a cor bege.* [F.: Do fr. *beige.*]

begônia (be.*gô*.ni:a) *Bot. sf.* 1 Designação comum às plantas do gên. *Begonia,* da fam. das begoniáceas, a maioria nativa das Américas, que, além de ornamentais, têm vários usos medicinais 2 A flor dessa planta [F.: Do antr. *Bégon,* pelo fr. *bégonia.*]

beguine (be.*gui*.ne) *sm. Mús.* Música em ritmo lento, própria para dança de salão [F.: Do ing. *beguine* 'dança popular das ilhas de Santa Lúcia e Martinica'.]

behaviorismo (be.ha.vi:o.*ris*.mo) [i] *sm. Psi.* Estudo do comportamento de homens e animais lastreado apenas na observação e análise das reações visíveis do organismo aos estímulos exteriores, com rejeição do método introspectivo e de fatos anímicos [F.: Do ing. *behaviourism* ou *behaviorism.*]

behaviorista (be.ha.vi:o.*ris*.ta) [i] *a2g.* 1 *Psi.* Ref. ou inerente ao behaviorismo 2 *Psi.* Diz-se de pessoa que é adepta, simpatizante ou especialista em behaviorismo *s2g.* 3 Essa pessoa [F.: Do rad. ing. *behaviour* ou *behavior* 'comportamento' + *-ista.*]

beiçada (bei.*ça*.da) [á] *sf.* 1 Beiço grosso e caído; BEIÇANA 2 Ação ou resultado de esticar os lábios para frente; estiramento dos lábios [F.: *beiço + -ada.*]

beiçana (bei.*ça*.na) [â] *sf.* 1 Beiço grande e proeminente *s2g.* 2 Quem -ou o que tem beiço grosso e pendente [F.: *beiço + -ana.*]

beicinho (bei.*ci*.nho) *sm.* Beiço pequeno [F.: *beiço + -inho.*] ■ **Fazer ~** 1 *Fam.* Avançar o lábio inferior como se fosse chorar 2 *Fig.* Demonstrar aborrecimento, amuo

beiço (*bei*.ço) *sm.* 1 Lábio, esp. quando gordo e saliente [Mais us. com sentido pej.] 2 A borda de algo, esp. quando revirada, com aspecto de um lábio [**Aum.:** *beiçola, beiçorra.*] [F.: Posv. do celta *baikkion.*] ■ **Dar/passar o ~** Dar calote, deixar de pagar dívida **De beiço** *Bras. Gír.* De graça **De ~ caído (por)** Apaixonado (por alguém) **Estar pelo ~** Estar apaixonado **Fazer ~** *Fam.* V. *Fazer beicinho*

(2) **Ficar de ~caído** Ficar admirado, espantado, perplexo **Lamber os ~s** *Fam.* Ficar ou mostrar-se satisfeito, contente, deliciado **Levar pelo ~** *Fig.* Induzir (alguém) a fazer o que se quer **Morder os ~s** *Fig.* Mostrar ressentimento, mais ou menos contido **No ~** *Bras. Gír.* V. *De beiço* **Passar o ~** V. *Dar o beiço* **Trazer (preso) pelo ~** Cativar, prender por amor; embeiçar

beiçola (bei.ço.la) *sf.* **1** Beiço grande, gordo e saliente *s2g.* **2** Pessoa com esse beiço; BEIÇUDO [F.: *beiço* + *-ola.*]

beiçudo (bei.*çu*.do) *a.* **1** Que tem beiços grossos *sm.* **2** Pessoa de beiços grossos; BEIÇOLA **3** *Bras. Pop.* O diabo [F.: *beiço* + *-udo.*]

⊕ **beiguel** [é] *(Hebr. /baguel) sm. Cul.* Tipo de pão de origem judaica, em forma de rosca, ger. polvilhado com sementes de gergelim ou papoula, próprio para sanduíches

beijação (bei.ja.*ção*) *sf.* Ação de beijar muito e constantemente (*beijação contínua*) [Pl.: *-ções.*] [F.: *beijar* + *-ção.*]

beijado (bei.*ja*.do) [á] *a.* **1** Que recebeu beijo(s) **2** Animado com beijos **3** Acariciado, tocado levemente; ROÇADO: *Rosto beijado pelo vento.* [F.: Part. de *beijar*. Sin. ger.: *osculado.*]

beijador (bei.*ja*.dor) [ô] *a.* **1** Diz-se de pessoa que beija; BEIJOCADOR **2** Que gosta de beijar insistentemente; BEIJOQUEIRO *sm.* **3** *Zool.* Peixe ornamental (*Helostoma temmincki*) da fam. dos helostomatídeos, de água-doce, originário da Malásia e Indonésia [F.: *beijar* + *-dor.*]

beija-flor (bei.ja-*flor*) *sm.* **1** *Ornit.* Designação comum às aves da fam. dos troquilídeos, de asas compridas e bico longo e fino, com o qual sugam o néctar das flores; COLIBRI **2** *Bras. Cap.* No jogo da capoeira, golpe em que o jogador lança o tronco sobre a cabeça, apoiando uma das mãos no chão, e ao mesmo tempo joga uma das pernas para frente, na direção do adversário [Pl.: *beija-flores.*]

beija-flor-tesoura (bei.ja-flor-te.*sou*.ra) *sm. Zool.* Ver *tesourão* (*Eupetomena macroura*) [Pl.: *beija-flores-tesouras, beija-flores-tesoura.*]

beija-imagem (bei.ja-i.*ma*.gem) [á] *sm.* Ação cerimoniosa e ritualística de beijar estátuas ou imagens sagradas [Pl.: *beija-imagens.*]

beija-mão (bei.ja-*mão*) *sm.* **1** Gesto cerimonial que consiste em beijar a mão de alguém (soberano, nobre de alta hierarquia etc.) em sinal de respeito **2** A cerimônia na qual se pratica o beija-mão (1): *Toda a corte participou do beija-mão no dia do aniversário do rei.* **3** Gesto de cortesia que consiste em beijar a mão de uma dama [Pl.: *beija-mãos.*]

beija-pé (bei.ja-*pé*) *sm.* **1** Ato em que se beija o pé de alguém em sinal de humildade e respeito **2** *Rel.* Cerimônia, ger. no Vaticano, na qual se beijam os pés do papa **3** *Rel.* Cerimônia na qual se beijam os pés de uma imagem de Jesus crucificado [Pl.: *beija-pés.*]

beijar (bei.*jar*) *v. td.* **1** Dar beijo(s) em ou trocar beijos; OSCULAR: *O casal beijou-se ao se despedir:* "E que me deixa louca/ Quando me beija a boca" (Chico Buarque, *O meu amor*) **2** *Fig.* Tocar levemente, e como que acariciando: "Como a árvore antiga que se vai curvando a pouco e pouco até beijar a terra." (Rebelo da Silva) **3** *Fig. Joc.* Ir de encontro a; chocar-se contra; bater em: *A moto perdeu a direção e beijou o muro.* [▶ 1 beijar] [F.: Do lat. *basiare.* Hom./Par.: *beijo* (fl.), *beijo* (sm.).]

beijo (*bei*.jo) *sm.* **1** Ação e resultado de tocar os lábios, com leve sucção, em pessoa, animal ou objeto, em sinal de estima, amor, carinho, respeito etc.: *beijo de despedida.* [Nos beijos apaixonados entre pessoas, ger. as bocas se tocam e se trocam carícias com os lábios.] **2** Pessoa que se destaca pela beleza ou pela doçura: *Ela é um beijo, doce e carinhosa.* **3** Fórmula carinhosa e íntima de encerramento de carta, bilhete etc. **4** *Fig.* Contato leve, ligeiro roçar de algo: *areias úmidas com o beijo das ondas.* **5** *Bras. Bot.* Hibisco [F.: Do lat. *basium, -ii.*] ■ **~de língua** Beijo na boca em que as línguas das duas pessoas se tocam e acariciam

beijoca (bei.*jo*.ca) *sf. Bras. Fam.* Beijo em que os lábios se abrem fazendo um estalido; beijo [F.: *beijo* + *-oca.*]

beijocar (bei.jo.*car*) *v. td. Pop.* Dar muitos beijos estalados em, ou trocar beijocas: *Irritou a criança de tanto beijocá-la; O casal que se beijocava chamou a atenção de todos.* [▶ 11 beijocar] [F.: *beijoca* + *-ar*[2]. Hom./Par.: *beijoca(s)* (fl.), *beijoca(s)* (sf. [pl.]).]

beijoqueiro (bei.jo.*quei*.ro) *a.* **1** Que gosta de dar muitos beijos ou beijocas *sm.* **2** Pessoa beijoqueira [F.: *beijoca* + *-eiro*. Sin. ger.: *beijador, beijocador.*]

beiju (bei.*ju*) *sm.* **1** *Cul.* Bolo feito com massa fina de mandioca ou tapioca assada; BIJU **2** *Bras. Cul.* Iguaria assada, feita de fubá, manteiga e açúcar **3** *MG Cul.* Espécie de biscoito muito fino, enrolado em forma de canudo **4** *MG Cul.* Farinha de milho torrada em flocos, que se come com leite, iogurte etc. [F.: Do tupi *meiu.*]

beira (*bei*.ra) *sf.* **1** A extremidade, a parte limítrofe de alguma coisa; BEIRADA; BORDA; MARGEM; ORLA: *a beira da cama.* **2** Lugar em que a água do mar, de rio etc. se encontra com a terra; MARGEM; BORDA: *beira do lago.* **3** Parte de uma área que a margeia, que fica na sua extremidade ou em sua adjacência: *restaurante de beira de estrada.* **4** A parte de um telhado que sai para fora da prumada do prédio; BEIRAL [F.: De or. incerta, posv. de *ribeira.*] ■ **À ~ de** **1** Na extremidade de, à margem de: *à beira da praia.* **2** *Fig.* A ponto de; prestes a: *Encontrou-o à beira da morte.* **À ~ do/de um abismo** *Fig.* Na iminência de um desastre, uma catástrofe

beirada (bei.*ra*.da) *sf.* **1** Beira, borda, margem **2** Parte que se retira da beira de algo: *Coube-lhe uma beirada do bolo.* **3** O mesmo que *beiral* **4** *N.* Região vizinha, adjacente; ARREDORES; VIZINHANÇA [F.: Do part. de *beirar, beirado.*]

beiradeado (bei.ra.de.*a*.do) *sm. Cons.* Prolongamento do telhado além da prumada das paredes; BEIRAL [F.: Part. de *beiradear.*]

beiradear (bei.ra.de.*ar*) *Bras. v.* Caminhar pela beira ou margem de; ABEIRAR; LADEAR; MARGEAR: *A fazenda beiradeia a ferrovia.* [**td.**: "Era subir sempre e sempre o córrego, beiradeando o capoeirão." (Mário Palmério, *Chapadão do bugre*)] [▶ 13 beiradear] [F.: *beirada* + *-ear*[2].]

beiradeiro (bei.ra.*dei*.ro) *a.* **1** *PE* Diz-se de pessoa que habita as margens de estrada de ferro **2** Diz-se de pessoa que é moradora de beira-rio; BEIRADEÃO *sm.* **3** Qualquer dessas pessoas [F.: *beirada* + *-eiro.*]

beirado (bei.*ra*.do) *a.* **1** Contornado, estendido à volta, rodeado *sm.* **2** *Cons.* Beiral [F.: Part. de *beirar.*]

beiral (bei.*ral*) *s2g.* Parte do telhado que se prolonga além da prumada das paredes; a beira do telhado; BEIRADO [Pl.: *-rais.*] [F.: *beira* + *-al*[1]. Hom./Par.: *beirais* (pl.), *beirais* (fl. de *beirar*).]

beira-mar (bei.ra-*mar*) *sf.* **1** Orla marítima; COSTA; LITORAL; PRAIA: *O hotel fica à beira-mar.* **2** A parte do litoral que fica na linha das ondas, e que é banhada por elas **3** Cantiga de amor ■ **À ~** Junto ao mar, na praia

beirar (bei.*rar*) *v.* **1** Ir à beira de ou pela margem de; abeirar-se de; COSTEAR; MARGEAR [**td.**: *Seguimos beirando o rio.*] **2** Situar-se à beira de; confinar com; LADEAR; MARGEAR [**td.**: *A escola beira o parque.*] [**tr.** + com: *Minha cama beira com a janela.*] **3** Ter limite com; aproximar-se muito de [**td.**: *Ela tem atitudes que beiram a loucura.*] **4** *Fig.* Ter cerca de; andar por; estar orçado ou estimado em [**td.**: *Os pais dele beiram os cinquenta anos; O déficit beira cem mil reais.*] [**tr.** + por: *A criança beirava pelos dez anos.*] [▶ 1 beirar] [F.: *beira* + *-ar*[2]. Hom./Par.: *beira(s)* (fl.), *beira(s)* (sf. [pl.]); *beirais* (fl.), *beirais* (pl. de *beiral*).]

beira-rio (bei.ra-*ri*:o) *sf.* Área adjacente à margem de um rio: "... À sombra dos castanheiros, das pândegas à beira-rio..." (Inglês de Souza, *O missionário*) [Pl.: *beira-rios.*] ■ **À ~** Junto ao rio: "A beira-estrada, / À beira-rio, / Conforme calha, / Sempre no mesmo / Leve descanso / De estar vivendo." (Fernando Pessoa, *Odes de Ricardo Reis*)

beirute (bei.*ru*.te) *sm.* **1** *Cul.* Sanduíche feito com pão árabe, contendo ger. queijo, presunto e tomate **2** *Geog.* Capital do Líbano [Inicial maiúsc.] [F.: Do top. *Beirute* (Líbano).]

beisebol (bei.se.*bol*) *sm. Esp.* Jogo disputado por duas equipes compostas de nove jogadores cada, e dividido em nove tempos. Cada tempo é composto de duas partes, um time ataca na primeira e se defende na segunda, e vice- -versa. A equipe que está atacando tem o direito de tentar rebater, com um bastão, as bolas arremessadas pelo adversário. Caso consigo rebatê-las, pode ir avançando nas três bases do campo (que tem formato de losango), até chegar na quarta base, que é a mesma de onde ele saiu ao rebater a bola. Quando um jogador chega na quarta base, seu time marca um ponto [A bola é feita de rolha, recoberta de couro, e o taco é de madeira, podendo ter até 7 cm de diâmetro e 1 m de comprimento.] [F.: Do ing. *baseball.*]

beisebolista (bei.se.bo.*lis*.ta) *Esp. a.* **1** Diz-se de quem pratica o jogo de beisebol *sm.* **2** Jogador de beisebol [F.: *beisebol* + *-ista.*]

bejense (be.*jen*.se) *s2g.* **1** Indivíduo nascido ou que vive em Beja (Portugal) *a2g.* **2** De Beja; típico dessa cidade ou de seu povo [F.: Do top. *Beja* + *-ense.*]

bel (bel) *sm. Fís. Metrol.* Unidade empregada para expressar de modo conveniente a variação ou magnitude relativa de fenômenos que envolvem movimentos periódicos (como sons, correntes elétricas, tremores de terra). (O bel é uma unidade adimensional, definida como o logaritmo decimal do quociente entre duas medidas físicas de mesma natureza (potências ou intensidades), sendo ger. uma delas fixa e tomada como referência.) [Com ele (e, mais esp., com sua décima parte, o decibel, que é a unidade mais largamente empregada) se pode expressar a intensidade de uma corrente elétrica ou de um som, ou a variação de uma voltagem, numa escala simples, na qual diferenças lineares, aritméticas, representam relações exponenciais – assim, por exemplo, uma intensidade 1000 vezes maior que outra tem 3 bels, e uma intensidade que é o dobro de outra tem aprox. 0,3 bels. Símb.: *b* ou *B.*] [Pl.: *bels.*] [F.: Do antrop. *Bell*, de Alexander Graham Bell, inventor do telefone.]

beladona (be.la.*do*.na) *sf. Bot.* Planta da fam. das solanáceas (*Atropa belladonna*), originária da Europa e da Ásia, de flores em forma de sino e frutos roxos, cultivada pelo alcaloide extremamente venenoso presente em toda a planta, a atropina, com uso medicinal [F.: Do it. *belladonna.*]

bela-emília (be.la-e.*mí*.li.a) *sf. Bot.* Arbusto (*Plumbago auriculata*) da família das plumbagináceas, de flores frequentemente azul-claras, nativo do sul da África e aclimatado no Brasil [Pl.: *belas-emílias.*]

belamente (be.la.*men*.te) *adv.* **1** De (um) modo belo, harmônico, esteticamente aprazível **2** *P. ext.* Muito: *Páginas belamente surradas pelo tempo.* **3** *P. ext.* Muito bem: *Disse que estaria belamente preparado para o próximo encontro com seu adversário.* [F.: Fem. de *belo* + *-mente.*]

belas-artes (be.las-*ar*.tes) *sfpl.* **1** As várias formas de manifestação artística (música, pintura, dança etc.) que buscavam, a partir do séc. XVIII, expressar um conceito de beleza e estética **2** *P. ext. Art. pl.* As artes plásticas, esp. a pintura, a escultura e a arquitetura

belas-letras (be.las-*le*.tras) *sfpl.* **1** As artes que têm expressão no uso da palavra falada ou escrita, como a oratória, a literatura, a poesia, a gramática, a dramaturgia etc., a partir de critérios estéticos ou humanísticos **2** Expressões artísticas literárias, em função de sua qualidade estética, de sua expressividade **3** A arte, os recursos, as técnicas de bem se expressar literariamente, de bem escrever

⊕ **bel canto** (*It. /bel canto/*) *loc. subst. Mús.* Expressão italiana que designa uma maneira peculiar de cantar, voltada para a beleza do som e o virtuosismo do intérprete

belchior (bel.chi.*or*) *sm.* **1** Comerciante de objetos velhos e usados **2** O estabelecimento onde tal comércio é praticado; BRECHÓ [F.: Do antr. *Belchior*, comerciante que estabeleceu no Rio de Janeiro o primeiro estabelecimento desse tipo.]

beldade (bel.*da*.de) *sf.* **1** Qualidade daquilo que é belo; BELEZA: *a beldade desta terra.* **2** Mulher muito bela [F.: Do lat. *bellitate*, pelo provç. *beltat.*]

beldroega (bel.dro:*e*.ga) *sf.* **1** *Bot.* Erva comestível (*Portulaca halimoides*) da família das portulacáceas; PORTULACA **2** Erva (*Pilea serpyllifolia*) da família das urticáceas [F.: Do moç. **berdolaca*. Tb. *berdoega.*]

beleguim (be.le.*guim*) *sm.* **1** *Ant.* Empregado inferior de justiça, que fazia as prisões juntamente com o alcaide **2** *Ant. Pej.* Agente de polícia, ger. tido como truculento, violento **3** *P. ext.* Guarda-costas [Pl.: *-guins*. Aum.: *beleguinaço, beleguinaz* e *beleguinazo.*] [F.: De or. obsc.]

beleléu (be.le.*léu*) *Bras. Pop.* Us. na loc. *Ir para o beleléu* [F.: De or. obsc.] ■ **Ir para o ~** **1** *Bras. Pop.* Morrer, falecer: *Teve um enfarte fulminante e foi para o beleléu.* **2** Fracassar, frustrar-se, estragar-se: *Nossos planos foram para o beleléu.* **3** Sumir, desaparecer: *Meu celular caiu no bueiro e foi para o beleléu*

belemita (be.le.*mi*.ta) *s2g.* **1** Indivíduo nascido ou que vive na cidade de Belém (Cisjordânia) *a2g.* **2** De Belém (Cisjordânia); típico dessa cidade ou de seu povo [F.: Do lat. *Bethleemites, ae.*]

belenense (be.le.*nen*.se) *s2g. a2g.* O mesmo que *belemita* [F.: Do top. *Belém* (Cisjordânia), sob a f. *belen-*, + *-ense.*]

beletrismo (be.le.*tris*.mo) *Liter. sm.* **1** Criação literária, nesta compreendidas oratória, retórica e poesia **2** *Pej.* Atividade literária de segunda ordem [F.: Do rad. port. *beletr-* (< *belles lettres*) + *-ismo.*]

beletrista (be.le.*tris*.ta) *a2g.* **1** *Liter.* Diz-se de pessoa que cultiva as belas-letras **2** *Liter.* Diz-se de pessoa que cria obras literárias *s2g.* **3** Qualquer dessas pessoas [F.: Do al. *Belletrist.*]

beleza (be.*le*.za) [ê] *sf.* **1** Qualidade do que é belo, do que é agradável aos sentidos; BONITEZA; LINDEZA; ENCANTO: *Admirava a beleza da paisagem; A beleza da música deixou o público extasiado.* [Ant.: *fealdade, feiura.*] **2** Conceito estético que se atribui a harmonia de proporções, perfeição de formas: *Definiu na obra seus ideais de beleza.* **3** Aquilo que é belo, ou que desperta admiração por sua qualidade, por agradar; BONITEZA; LINDEZA; ENCANTO: *A cerimônia foi uma beleza; O desempenho do ator na peça foi uma beleza* **4** O que desperta admiração (nas produções da inteligência): *a beleza de um poema.* **interj.** **5** *Gír.* Us. para expressar concordância ou anuência com o que é dito ou proposto pelo interlocutor ou para pedir a concordância ou anuência deste para algo que se disse: *Beleza, Ricardo. Pode seguir em frente com o projeto.* **6** *Gír.* Us. como cumprimento ou saudação [F.: Do lat. vulg. *bellitia*, pelo provç. *belleza* ou it. *bellezza.*] ■ **Cansar a ~ (de alguém)** *Fam.* Amolar, amofinar **Estar uma ~** Estar bem apresentado, bem realizado, bem-feito, mostrar-se admirável **Ser uma ~** Ser do agrado, dar prazer, ser agradável etc.

belezoca (be.le.*zo*.ca) *sf. Bras. Pop. Antq.* Pessoa ou coisa bonita, graciosa ou que desperta admiração; BELEZURA: *Casou-se com a belezoca da turma; Lançaram um novo modelo da moto, mas a belezoca custa uma fortuna.* [Tb. com valor vocativo: *Belezoca, qual é seu nome?*] [F.: *beleza* + *-oca.*] ■ **Uma ~** Muito bom, em ótimo estado, ou muito bonito: *A máquina ficou uma belezoca depois do conserto.*

belezura (be.le.*zu*.ra) *sf. Pop.* Coisa bonita de se ver [F.: *beleza* + *-ura.*]

belga (*bel*.ga) *s2g.* **1** Pessoa nascida ou que vive na Bélgica (Europa) **2** *Bras.* Tipo de candeeiro grande pendente do teto *a2g.* **3** Da Bélgica; típico desse país ou de seu povo [F.: Do lat. *belga.*]

belgradino (bel.gra.*di*.no) *sm.* **1** Indivíduo nascido ou que vive em Belgrado (capital da Sérvia e Montenegro, ou da antiga Iugoslávia) *a.* **2** De Belgrado; típico dessa cidade ou de seu povo [F.: Do top. *Belgrado* + *-ino.*]

◎ **beli-** *el. comp.* = 'guerra': *beligerante* (< lat.), *belonave* [F.: Do lat. *bellum, i.*]

beliche (be.*li*.che) *sm.* **1** Cama com dois ou mais leitos montados em estrutura, um(ns) sobreposto(s) ao(s) outro(s); CAMA-BELICHE **2** *Náut.* Compartimento, no camarote de um navio, onde se colocam as camas dos passageiros ou dos tripulantes **3** *P. ext.* Cama em camarote de navio, com fixação especial, ger. na parede **4** *P. ext. Náut.* Camarote em navio [F.: De or. obsc., posv. do malaio *biliq kechil*. Hom./Par.: *beliche* (sm.), *boliche* (sm.).]

belicismo (be.li.*cis*.mo) *sm.* Propensão a, prática ou política de resolver questões por meio de guerras; ANTIPACIFISMO; MARCIALISMO: *o belicismo de certos governantes.* [Ant.: *antibelicismo, pacifismo.*] [F.: *bélico* + *-ismo.*]

belicista (be.li.*cis*.ta) *a2g.* **1** Que é partidário do belicismo (política belicista) *s2g.* **2** Partidário do belicismo: *O acordo de paz frustrou os belicistas.* [F.: *bélico* + *-ista*. Ant. ger.: *antibelicista, antibélico.*]

bélico (*bé*.li.co) ***a.*** 1 Ref. à guerra ou próprio dela (material bélico; poderio bélico) 2 Que é propenso a guerrear (povo bélico); BELICOSO [F.: Do lat. *bellicus, a, um.*]

belicosamente (be.li.co.sa.*men*.te) ***adv.*** 1 De modo belicoso; sob o signo da guerra ou da agressividade 2 Com poder bélico ou de modo a fazer uso de armamentos [F.: Fem. de *belicoso* + *-mente.*]

belicosidade (be.li.co.si.*da*.de) ***sf.*** Caráter ou qualidade do que é belicoso [F.: *belicoso* + *-(i)dade.*]

belicoso (be.li.*co*.so) [ô] ***a.*** 1 Inclinado à guerra, que a faz por gênio e hábito (povo belicoso) 2 Que estimula a vontade de guerrear ou brigar; que excita à guerra 3 *P. ext.* Que é agressivo, bravo, revolto (temperamento belicoso) 4 Aparelhado ou pronto para a guerra: *a belicosa nau.* 5 Ref. à guerra ou ao belicismo; BÉLICO [Pl.: [ó]. Fem.: [ó]] [F.: Do lat. *bellicosus, a, um.*]

belida (be.*li*.da) ***sf.*** *Oft.* Mancha permanente na córnea [F.: De or. contrv.]

beligerância (be.li.ge.*rân*.ci:a) ***sf.*** Estado ou qualidade de beligerante [F.: Do fr. *belligérance.*]

beligerante (be.li.ge.*ran*.te) ***a2g.*** 1 Que está em guerra ou que promove guerra (exército beligerante; países beligerantes); BELICOSO 2 *Fig.* Que está em luta (partidos beligerantes) ***s2g.*** 3 Nação ou governo que está em guerra: *Os beligerantes ajustaram um armistício.* [F.: Do lat. *belligerans, -ntis,* pelo fr. *belligérant.*]

beliscada (be.lis.*ca*.da) ***sf.*** 1 Ação ou resultado de beliscar ***sm.*** 2 *PE Pop.* Caminhão que transporta passageiros em sua carroceria [F.: Fem. substv. de *beliscado.*]

beliscão (be.lis.*cão*) ***sm.*** Ação ou resultado de beliscar(-se), de comprimir a pele entre os dedos; BELISCO; BELISCADURA [Pl.: *-cões.*] [F.: *belisco* + *-ão*¹.]

beliscar (be.lis.*car*) ***v.*** 1 Comprimir com os dedos a pele de, para provocar dor [***td.***: *Pare de me beliscar!; Beliscou-se para ver se não estava sonhando.*] 2 Comprimir, prender a pele de, como se estivesse beliscando [***td.***: *O zíper beliscou minha barriga.*] 3 Tirar com as pontas dos dedos uma pequena porção de [***td.***: *Pegou um café é beliscou o pão.*] 4 Bicar, picar [***td.***: *Divertia-se com o louro, que lhe beliscava os dedos.*] 5 Provocar sensação incômoda de picada ou comichão [***td.***: *O tecido sintético da fantasia beliscava a criança; O capim beliscava sua pele sensível.*] 6 *Fig.* Comer pouco de ou aos bocadinhos; LAMBISCAR; PROVAR [***td.***: *Sem fome, apenas beliscou o jantar.*] [***int.***: *Beliscava entre as refeições.*] 7 Ferir levemente, sem que saia sangue [***td.***: *Gabava-se dizendo que os tapas nem o beliscaram.*] 8 *Fig.* Ofender, atingir de leve (a honra, o orgulho, o renome) [***td.***: *beliscar a honra alheia.*] 9 *Fig.* Excitar, incitar, estimular [***td.***: *beliscar a memória.*] 10 *Fig.* Conseguir, obter com esforço [***td.***: *beliscar uma vaga; beliscar uma boa quantia.*] 11 *Bras. Pop.* Morder a isca (o peixe) [***int.***: *Não percebeu que o peixe estava beliscando.*] [▶ 11 beliscar] [F.: De or. incerta; do lat. **vellicare* (< lat. *vellicare,* 'picar', 'mordiscar') ou de **peliscar* (< *pele*). Hom./Par.: *belisco* (fl.), *belisco* (sm.).]

belisco (be.*lis*.co) ***sm.*** 1 Aperitivo salgado para acompanhar uma bebida; TIRA-GOSTO 2 Ver *beliscão* [F.: Dev. de *beliscar.* Hom./Par.: *belisco* (sm.), *belisco* (fl. de *beliscar*).]

belizenho (be.li.*ze*.nho) ***sm.*** 1 Pessoa nascida ou que vive em Belize (América Central) ***a.*** 2 De Belize; típico desse país ou de seu povo [F.: Do top. *Belize* + *-enho.*]

⊕ ***belle époque*** (bel.le *é*.po.que) [ê] ***loc. subst.*** Fase de despreocupação e euforia vivida pelas classes dominantes da Europa entre as duas últimas décadas do século XIX e 1914, início da Primeira Guerra Mundial [Caracterizou-se por grande produção artística e literária.]

belo (*be*.lo) ***a.*** 1 Muito bonito, que tem proporções e traços que satisfazem a padrões estéticos de harmonia e beleza; LINDO: *um belo homem.* [Ant.: *feio.*] 2 Muito bom; EXCELENTE: *um belo exemplo.* 3 Que agrada por sua qualidade, seu desempenho: *um belo pintor; Foi um belo jogo de futebol.* 4 Agradável à vista ou ao ouvido: *um belo jardim; uma bela música.* 5 Ameno, aprazível: *Que bela tarde!* 6 Considerável pelo número, pela quantidade, dimensão ou intensidade: *Recebeu uma bela herança.* 7 *P. ext.* Considerável pela severidade: *Recebeu um belo castigo.* 8 Vantajoso, lucrativo: *um belo emprego.* 9 Indeterminado (tempo, dia, momento etc.): *Um belo dia ela partiu.* 10 *Irôn.* Lamentável, criticável, desagradável: *Que bela confusão você me arrumou!* ***sm.*** 11 Caráter, natureza do que tem beleza; qualidade que provoca admiração e prazer; BELEZA: *A arte é o cultivo do belo.* 12 Aquilo que é belo, que tem beleza, que agrada: *O belo nessa história é que no fim eles se reconciliaram.* [F.: Do lat. *bellus, a, um.*]

◎ **belo-** ***el. comp.*** Ver *beli-*

belonave (be.lo.*na*.ve) ***sf.*** *Bras. Mar. G.* Navio de guerra [F.: *belo-* + *-nave.*]

bel-prazer (bel-pra.*zer*) ***sm.*** Vontade própria, arbítrio, talante: "A garota mais bonita/ (...) Me fazia de escravo/ Do seu bel-prazer" (Lulu Santos, *Minha vida*) [Pl.: *bel-prazeres.*] ∷ **A (seu) ~** À vontade, como ou quanto quiser: *Mandava e desmandava a seu bel-prazer.*

beltrano (bel.*tra*.no) ***sm.*** Pessoa cujo nome se ignora ou não se deseja declarar [Us. na expressão *fulano, beltrano, sicrano.*] [F.: Do antr. cast. *Beltrano* (em port. *Beltrão*).]

belúchi (be.*lú*.chi) ***s2g.*** 1 Pessoa nascida no Beluchistão ***s2g.*** 2 *Gloss.* Língua indo-europeia falada no Paquistão, Afeganistão, Irã e em Omã ***a2g.*** 3 Do Beluchistão; típico desse país ou de seu povo 4 *Gloss.* Do ou ref. à belúchi (2) [F.: Do persa *baluchi.* Tb. *balúchi.*]

beluga (be.*lu*.ga) ***sf.*** 1 *Zool.* Nome pelo qual é designado o esturjão-branco (*Huso huso*), encontrado nos mares Negro e Cáspio, de cujas ovas se prepara o caviar 2 cetáceo (*Delphinapterus leucas*) da fam. dos monodontídeos, encontrado nas águas frias do oceano Ártico, de coloração inteiramente branca e aspecto que lembra o dos golfinhos e orcelas [F.: Do rus. *beluga* ou *belukha.*]

belveder (bel.ve.*der*) ***sm.*** Ver *belvedere*

belvedere (bel.ve.*de*.re) [dê] ***sm.*** Terraço em lugar alto para se admirar a vista; MIRANTE [F.: Do it. *belvedere.* Tb. *belveder.*]

belzebu (bel.ze.*bu*) ***sm.*** Um dos nomes de Satanás; DEMÔNIO; DIABO [F.: Do hebr. *ba' alzebul* 'senhor das moscas'. Tb. *berzabu, berzabum, berzebu, brazabum, barzabu, barzabum.*]

bem ***adv.*** 1 De modo bom e conveniente: *um homem bem vestido; empregar bem o tempo.* 2 Sem falhas, com acerto, em alto nível de qualidade: *Ela canta bem; Ele joga bem vôlei.* 3 Com saúde, bem-estar: *Não me sinto bem hoje.* 4 Com nitidez, distintamente: *Desta janela vê-se bem o Corcovado.* 5 Com comodidade; à vontade: *Você está bem aí?* 6 De forma correta, justa: *Penso que você agiu bem.* 7 Muito, bastante: *A prova foi bem difícil.* 8 Exatamente: *Eles chegaram bem na hora.* ***sm.*** 9 O que é bom, o que traz felicidade: *Só quero o seu bem.* 10 Pessoa querida: "Meu amor meu bem me leve de ultraleve" (Zeca Baleiro, *Meu amor meu bem me ame*) 11 O que pertence a uma pessoa e para ela tem valor material; POSSE: *Não possuía um único bem, que pudesse vender para pagar as dívidas.* [Mais us. no pl.] [Pl.: *bens.*] ***a2g2n.*** 12 Que pertence à alta sociedade (gente bem) [F.: Do lat. *bene* (adv.). Ant. nas acps.: 1 a 6 e 9: *mal.*] ∷ **~ assim** Também: *A medida agradou aos alunos, bem assim aos professores.* **~ como** Do mesmo modo que, assim como: *Ele gosta de falar, bem como de ouvir.* **~ comum** Aquilo que propicia satisfação coletiva, conquista social que beneficia todos **~ cultural** Manifestação (material ou virtual) de valor cultural, como obras de arte, realizações culturais, tradições, literatura etc. **~ de capital** *Econ.* Bem de produção (como, p. ex., as máquinas) que não é consumido no processo de produção (como acontece, p. ex., com as matérias-primas) **~ de consumo** *Econ.* Bem econômico destinado ao consumo individual (como, p. ex., produtos alimentícios, roupas etc.) **~ de consumo durável** *Econ.* O que pode se usar por tempo relativamente longo (automóvel, computador etc.) **~ de consumo não durável** *Econ.* O que é totalmente consumido no uso (alimentos etc.) **~ de produção** *Econ.* O que é us. para produzir outros bens (máquinas, matéria-prima etc.) **~ feito!** Interj. que pode ter conotação irônica, ao aplaudir algo de ruim acontecido a outrem [Cf.: *bem-feito.*] **~ natural** Elemento ou complexo da natureza com notável valor ou importância (econômica, cultural, turística, ecológica etc.) **~ público** *Econ.* Bem econômico de uso público, e por isso mantido com recursos públicos **~ que** 1 Até que é verdade que: *Bem que isso era previsível, mas ninguém percebeu.* 2 Com toda a razão: *Bem que você me avisou, eu deveria ter prestado atenção.* 3 Para satisfação (pessoal ou geral): *Bem que o chefe podia nos liberar agora!* **De ~** 1 Honesto, correto: *Pode confiar, é um homem de bem.* 2 Em boas relações: *Brigamos, mas agora estamos de bem.* **De ~ com** Em boas relações com, em harmonia com: *Já estou de bem com ela; Está de bem com a vida.* **Estar ~** Encontrar-se em boa situação, de saúde, econômica etc. **Falar ~ de** Elogiar **Ficar de ~** Fazer as pazes, reconciliar-se **Nem ~** Assim que, mal: *Nem bem chegou, já estava indo embora.* **Querer ~** a Sentir afeto por, amar **Se ~ que** Apesar de, embora: *Ele é precavido, se bem que às vezes se arrisque.*

◎ **bem-** ***pref.*** = bem, de maneira boa ou satisfatória ou vantajosa, muito, de maneira feliz ou sensata: *bem-acabado, bem-bom, bem-aventurança, bem-intencionado, bem-vindo* ou *benvindo, benquisto* [bem- sempre com hífen.]

bem-acabado (bem-a.ca.*ba*.do) ***a.*** Feito com apuro, com perfeição [Ant.: *mal-acabado.*] [Pl.: *bem-acabados.*]

bem-aceito (bem-a.*cei*.to) ***a.*** Que tem boa acolhida, boa recepção, é bem-visto [Ant.: *desaprovado, malquisto.*] [Pl.: *bem-aceitos.*]

bem-afigurado (bem-a.fi.gu.*ra*.do) ***a.*** Que tem boa aparência: "... um homem bem-afigurado que anda sempre com um cão preto..." (Júlio Dinis, *Uma família inglesa*) [Pl.: *bem-afigurados.*]

bem-ajambrado (bem-a.jam.*bra*.do) ***a.*** 1 Que está bem vestido ou que tem boa aparência; BEM-APRESENTADO: *um sujeito bem-ajambrado* 2 Que tem bom aspecto, por ter sido bem feito, ou por estar bem arrumado ou ser bem constituído (embrulho bem-ajambrado); BEM-APRESENTADO [Pl.: *bem-ajambrados.*] [Ant. ger.: *mal-ajambrado, mal-apresentado, mal-amanhado.*]

bem-amado (bem-a.*ma*.do) ***a.*** 1 Que é muito amado, querido; que é objeto de uma afeição ou devoção particular [Pl.: *bem-amados.*] ***sm.*** 2 Pessoa amada; o querido, o predileto [Pl.: *bem-amados.*] [Ant. ger.: *mal-amado.*]

bem-apanhado (bem-a.pa.*nha*.do) ***a.*** *Bras. Pop.* Que tem boa aparência, boa figura; BONITO [Ant.: *feio, mal-ajeitado, mal-apresentado.*] [Pl.: *bem-apanhados.*]

bem-apessoado (bem-a.pes.so:*a*.do) ***a.*** Que tem boa aparência; que é elegante ou tem um belo porte (homem bem-apessoado); BEM-PARECIDO [Ant.: *mal-apessoado.*] [Pl.: *bem-apessoados.*]

bem-apresentado (bem-a.pre.sen.*ta*.do) ***a.*** 1 Que tem boa apresentação ou aparência, bom porte; diz-se de quem causa boa impressão pela beleza, pelos cuidados e o asseio, pelos modos etc. 2 Que está vestido de forma elegante; BEM-POSTO [Pl.: *bem-apresentados.*]

bem-arranjado (bem-ar.ran.*ja*.do) ***a.*** Bem vestido, arrumado, composto harmoniosamente; ELEGANTE [Ant.: *desalinhado, deselegante, mal-arranjado.*] [Pl.: *bem-arranjados.*]

bem-aventurado (bem-a.ven.tu.*ra*.do) ***a.*** 1 Que é feliz, que tem uma boa sorte [Ant.: *mal-aventurado.*] 2 *Teol.* Que desfruta a felicidade celeste ***sm.*** 3 Aquele que é bem--aventurado (1 e 2) [Pl.: *bem-aventurados.*]

bem-aventurança (bem-a.ven.tu.*ran*.ça) ***sf.*** 1 Felicidade completa, perfeita 2 *Teol.* A felicidade eterna, que os bem-aventurados gozam no céu 3 *Teol.* Cada um dos oito preceitos que Jesus Cristo pregou aos seus discípulos e ao povo para poderem os homens alcançar a felicidade [Pl.: *bem-aventuranças.*]

bem-bom (bem-*bom*) ***sm.*** Vida folgada, fácil; comodidade [Pl.: *bem-bons.*] ∷ **Estar no ~** *Bras.* Desfrutar de situação de conforto, bem-estar, fartura etc.: *Aposentou-se e agora está no bem-bom.*

bem-casado (bem-ca.*sa*.do) ***sm.*** Bolinho feito de farinha de trigo, ovos e recheado de doce de leite [Pl.: *bem-casados.*]

bem-comportado (bem-com.por.*ta*.do) ***a.*** Que tem bom comportamento, boas maneiras; que sabe se portar; COMPORTADO [Ant.: *malcomportado.*] [Pl.: *bem-comportados.*]

bem-composto (bem-com-*pos*-to) ***a.*** Bem apresentado, elegante, bem-posto [Ant.: *desalinhado, deselegante, mal-ajambrado.*] [Pl.: *bem-compostos* [ó].]

bem-disposto (bem-dis.*pos*.to) [ô] ***a.*** Com boa disposição física ou entusiasmo, ânimo [Ant.: *maldisposto* (ô).] [Pl.: *bem-dispostos* (ó). Fem.: *bem-disposta* (ó)]

bem-dormido (bem-dor.*mi*.do) ***a.*** 1 Diz-se de quem teve um sono reparador 2 Em que se dormiu bem (madrugada bem--dormida) [Pl.: *bem-dormidos.*] [Ant. ger.: *maldormido.*]

bem-dotado (bem-do.*ta*.do) ***a.*** 1 Que tem dotes, qualidades [Ant.: *maldotado.*] 2 Diz-se de pessoa cujas qualidades ou habilidades estão acima do padrão: *bem-dotado para a pintura.* 3 *Vulg.* Diz-se de homem cujo pênis é grande [Pl.: *bem-dotados.*]

bem-educado (bem-e.du.ca.do) ***a.*** 1 Que tem boa educação, boas maneiras; que é gentil, cortês [Ant.: *mal-educado.*] 2 Que adquiriu conhecimento, saber; que é instruído [Pl.: *bem-educados.*]

bem-estar (bem-es.*tar*) ***sm.*** 1 Boa disposição física e mental: *A natação lhe proporciona muito bem-estar.* 2 A combinação de conforto, saúde, segurança e contentamento: *Programas sociais que visam ao bem-estar da população.* [Pl.: *bem-estares.*] [Ant. ger.: *mal-estar.*]

bem-falante (bem-fa.*lan*.te) ***a2g.*** 1 Diz-se de pessoa que fala com correção, com boa fluência ***s2g.*** 2 Essa pessoa [Pl.: *bem-falantes.*]

bem-fazer (bem-fa.*zer*) ***sm.*** 1 Ação ou disposição de fazer o bem; ALTRUÍSMO; BENEVOLÊNCIA; CARIDADE: *O bem-fazer floresce e todo o mal perece.* (*Prov.*): "Ora não é certo que até o bem-fazer deve ser moderado, dirigido?" (José Régio, "História de Rosa Brava", *in Histórias de mulheres*) [Ant.: *malevolência, malfazer.*] 2 Ação, arte ou técnica de fazer (algo) bem feito: *o bem-fazer científico; o bem-fazer artesanal dos vinhos da região.*: "... temos de lá, da outra margem do Atlântico, exemplos de competência e bem-fazer." (*Folha de S.Paulo,* 14.10.2000) [Ant.: *malfazer.*] [Pl.: *bem-fazeres.*] ***v.*** 3 Fazer bem a; AJUDAR; BENEFICIAR; FAVORECER [***td.***: *Seu exemplo bem-faz toda a comunidade.* Ant.: *malfazer, prejudicar.*] 4 Praticar o bem [***int.***: *Quem bem-fizer para si o fará, quem malfizer aqui pagará.* (*Prov.*) Ant.: *malfazer.*] [▶ 22 bem-fazer]

bem-feito (bem-*fei*.to) ***a.*** 1 Que foi feito com capricho, apuro (trabalho bem-feito) 2 Bem-proporcionado, harmonioso; cuja forma é atraente, elegante (corpo bem-feito) [Pl.: *bem-feitos.*] [Ant. ger.: *malfeito.* Cf.: *bem feito* no verbete *feito.*]

bem-humorado (bem-hu.mo.*ra*.do) ***a.*** Que costuma ter bom humor, ou que está de bom humor [Ant.: *mal-humorado.*] [Pl.: *bem-humorados.*]

bem-intencionado (bem-in.ten.ci:o.*na*.do) ***a.*** 1 Que tem boas intenções ***sm.*** 2 Aquele que tem boas intenções [Pl.: *bem-intencionados.*] [Ant. ger.: *mal-intencionado.*]

bem-mandado (bem-man.*da*.do) ***a.*** 1 Diz-se de pessoa obediente, submissa [Ant.: *insubmisso, malmandado, rebelde.*] ***sm.*** 2 Essa pessoa [Pl.: *bem-mandados.*] [Ant. ger.: *desobediente, inconformado, indócil.*]

bem-me-quer (bem-me-*quer*) *Bot.* ***sm.*** 1 Erva perene da fam. das compostas (*Aspilia foliacea*), nativa do Brasil, que dá flores amarelas 2 Essa flor 3 Ver *malmequer* [Pl.: *bem-me-queres.*] [Sin. ger.: *malmequer.*]

bem-nascido (bem-nas.*ci*.do) ***a.*** 1 Descendente de família ilustre ou rica 2 Que nasceu para o bem; que é beneficiado pela sorte [Pl.: *bem-nascidos.* Ant.: *malnascido.*] ***sm.*** 3 Aquele que é bem-nascido (1 e 2)

bemol (be.*mol*) *Mús.* ***sm.*** 1 Sinal posto antes de uma nota para indicar que devemos baixá-la meio-tom [símb.: (b).] ***a2g.*** 2 Diz-se da nota por ele afetada (mi bemol) [Pl.: *-móis.*] [F.: Do it. *bemolle.* Ver tb. *bequadro* e *sustenido.*]

bemolizado (be.mo.li.*za*.do) *Mús.* ***a.*** 1 Diz-se de som afetado pelo bemol, que o suaviza em meio-tom; ABEMOLADO 2 *Fig.* Diz-se de voz ou som tornado mais doce e suave 3 Cujo tom foi abaixado ***sm.*** 4 O som bemolizado [F.: Part. de *bemolizar.*]

bemolizar (be.mo.li.*zar*) ***v.*** 1 *Mús.* Abaixar um semitom (de uma nota) [***td.***] 2 *Mús.* Marcar (nota ou trecho musical) com bemol [***td.***] 3 *Mús. Acús.* Baixar a frequência de (nota musical), multiplicando-a por 24/25 [Ant.: *sustenir, sustenizar.*] 4 *Fig.* Abrandar, suavizar [***td.***] 5 *Fon.* Abaixar os elementos de alta frequência de um som vocal, pela redução do orifício bucal ou faríngeo [*td.*] [▶ 1 bemolizar] [F.: *bemol* +*izar*. Sin. ger.: *abemolar*. Ant. acp. 1 a 3: *sustenir, sustenizar*.]

bem-parecido (bem-pa.re.*ci*.do) *a.* De boa aparência; de bonitas formas; BEM-APESSOADO; ELEGANTE [Ant.: *mal -parecido*.] [Pl.: *bem-parecidos*.]

bem-posto (bem-*pos*.to) [ô] *a.* Elegante no porte e no vestir [Ant.: *malposto*.] [Pl.: *bem-postos (ó)*. Fem.: *bem-posta (ó)*.]

bem-procedido (bem-pro.ce.*di*.do) *a.* Que tem procedimento adequado; BEM-COMPORTADO [Ant.: *malcomportado, malprocedido*.] [Pl.: *bem-procedidos*.]

bem-querer (bem-que.*rer*) *sm.* 1 Pessoa que se ama; BEM- -AMADO 2 Sentimento de afeição; BENQUERENÇA; ESTIMA [Ant.: *malquerer*.] [Pl.: *bem-quereres*.] *v.* 3 Querer bem (a algo, a alguém ou reciprocamente); ESTIMAR; GOSTAR [*ti.* + *a*: *Ela bem-quer a todos; Bem-quiseram-se a vida toda*.] [▶ 27 **bem-querer**. Part.: *bem-querido* e *benquisto*.] [Ant. ger.: *malquerer*.]

bem-sucedido (bem-su.ce.*di*.do) *a.* 1 Que teve bom êxito, sucesso [Ant.: *malsucedido*.] 2 *P. ext.* Que enriqueceu pelo sucesso alcançado no trabalho [Pl.: *bem-sucedidos*.]

bem-te-vi (bem-te-*vi*) *sm.* 1 *Ornit.* Ave passeriforme da fam. dos tiranídeos (*Pitangus sulphuratus*), de cabeça preta, peito e abdome amarelos, muito conhecida por seu canto; ocorre do sul dos Estados Unidos à Argentina; BEM-TE-VI-DE-COROA; PITUÃ; TRISTE-VIDA 2 *Ornit.* Denominação comum a diversas espécies de aves da fam. dos tiranídeos, que se parecem com o bem-te-vi (1) 3 *Hist.* Partido político do Maranhão, formado no período da Regência 4 *Hist.* Membro desse partido [Pl.: *bem-te-vis*.]

bem-vindo (bem-*vin*.do) *a.* 1 Recebido com prazer; acolhido com satisfação: *Você é sempre bem-vindo em nossa casa*. 2 Que chegou a salvo, bem, em segurança [Pl.: *bem-vindos*.] *interj.* 3 Us. para dar as boas-vindas a quem está chegando; expressa satisfação pela chegada ou retorno de alguém

bem-visto (bem-*vis*.to) *a.* 1 De boa reputação; BEM-AFAMADO; BEM-CONCEITUADO: *É muito bem-visto na corporação a que pertence*. [Ant.: *malvisto*.] 2 Que é estimado, querido; benquisto 3 Que é bem-aceito; que é tido como bom: *Fumar não é um hábito bem-visto*. [Pl.: *bem-vistos*.]

◎ **ben-** *el. comp.* Ver *bem-*

bênção (*bên*.ção) *sf.* 1 Ação ou resultado de abençoar ou de benzer 2 Favor divino: *Curou-se graças às bênçãos recebidas*. 3 *Ecles.* Invocação da graça divina por sacerdote católico, ger. mediante gesto com a mão que desenha no ar o sinal da cruz 4 *Ecles.* Ato de consagração de algo ou alguém feito por padre ou bispo católico, ao aspergi-lo com água-benta 5 Fato benéfico e oportuno: *Foi uma bênção ela ser contratada*. [Pl.: *-çãos*.] [F.: Do lat. *benedictio, -onis*.] ▪▪ **Ser uma ~** Ser de grande valia ou valor, ser providencial **Tomar a ~ a cachorro** Estar em má situação, em dificuldades

⊕ ***benchmarking*** (bench.*mar*.king) (*Ing.* / *benchmarquin*/) *sm. Mkt.* Processo pelo qual uma empresa adota os melhores desempenhos de uma concorrente para melhorar o próprio desempenho

bendito (ben.*di*.to) *a.* 1 Que é abençoado ou a quem se abençoou (terra bendita) 2 Feliz, venturoso: *Bendito o dia em que nos conhecemos*. [Ant.: *maldito*.] 3 Bondoso, que pratica o bem: *A população do lugar revelou-se, naquela tragédia, bendita, solidária, participante*. *sm.* 4 *Litu.* Oração iniciada por essa palavra 5 *MG Ent.* O mesmo que *louva-a-deus* [F.: Do lat. *benedictus*.] ▪▪ **~ dos penitentes** *Folc.* Romaria na Sexta-Feira Santa (em Pilão Arcado), só para homens, que levam uma cruz do cemitério à igreja matriz

bendizer (ben.di.*zer*) *v. td.* 1 Dar glória a; declarar como bendito: *Bendizei o/ao Senhor*. 2 Dizer bem de: *bendizer um gesto heroico*. 3 Invocar ou conceder bênção a; ABENÇOAR: *O papa bendisse nossa cidade*. 4 Trazer felicidade, sorte, proteção a: *Os céus bendizem nosso povo*. 5 Agradecer por uma bênção ou uma dádiva recebida: *Sempre bendiz o dia em que a conheceu*. [▶ 20 **bendizer**. Part.: *bendito*.] [F.: Do lat. *benedicere*. Ant. ger.: *maldizer*.]

◎ **benedictus** (be.ne.*dic*.tus) *sm2n.* 1 *Rel.* Oração de ação de graças 2 *Litu.* Parte da missa iniciada com essa palavra [Inicial maiúsc. nas duas acp.]

beneditino (be.ne.di.*ti*.no) *a.* 1 Próprio da Ordem de São Bento ou de seus membros 2 *Fig.* Típico dos beneditinos; que é feito com extrema dedicação e apuro (paciência beneditina, trabalho beneditino) *sm.* 3 *Rel.* Religioso da Ordem de São Bento [F.: Do antr. *Benedito* + *-ino*.]

beneficência (be.ne.fi.*cên*.ci:a) *sf.* 1 Prática de fazer o bem, esp. a dedicação a obras de caridade (instituições de beneficência) 2 A disposição genérica de praticar o bem, de ajudar os outros: *Ela é conhecida por sua beneficência*. [F.: Do lat. *beneficentia*.]

beneficente (be.ne.fi.*cen*.te) *a2g.* 1 Que cultiva ou pratica beneficência, que se destina a fazer caridade, a ajudar os pobres, os doentes etc. (instituição beneficente) 2 Organizado para arrecadar dinheiro para obra de caridade (concerto beneficente) [F.: Do lat. *beneficente*.]

beneficiação (be.ne.fi.ci:a.*ção*) *sf.* 1 Ação ou resultado de beneficiar, de prover benefício, de trazer proveito; BENEFICIAMENTO 2 *Lus. Enol.* Adição de aguardente ao vinho [Pl.: *-ções*.] [F.: *beneficiar* + *-ção*.]

beneficiado (be.ne.fi.ci.*a*.do) *a.* 1 Que se beneficiou, que recebeu benefício, que usufruiu de vantagem, favor etc. 2 Que recebeu beneficiamento (2) (trigo beneficiado) 3 *Bras.* Diz-se de animal castrado ou ferrado *sm.* 4 Aquele ou aquilo que usufrui de benefício ou vantagem; beneficiário (3) 5 *Ecles.* Aquele que usufrui de benefício eclesiástico [F.: Part. de *beneficiar*.]

beneficiador (be.ne.fi.ci:a.*dor*) [ô] *a.* 1 Que beneficia; BENEFICENTE *sm.* 2 Indivíduo que faz benefícios 3 Aquele que faz o beneficiamento de produtos agrícolas 4 *Bras.* Aquele que castra ou ferra animais, esp. reses [F.: *beneficiar* + *-dor*.]

beneficiadora (be.ne.fi.ci:a.*do*.ra) [ô] *sf.* Empresa dotada de maquinaria capaz de descaroçar algodão, descascar cereais e outros produtos agrícolas [F.: *beneficiador* + *-a*.]

beneficiamento (be.ne.fi.ci:a.*men*.to) *sm.* 1 Ação ou resultado de beneficiar; BENEFICIAÇÃO 2 Processo de tratamento de matérias-primas agrícolas (limpeza, descascamento, polimento etc.) que visa torná-las próprias para o consumo (beneficiamento de grãos) 3 Melhoria, conserto, benfeitoria em propriedade, ger. imóvel [F.: *beneficiar* + *-mento*.]

beneficiar (be.ne.fi.ci.*ar*) *v.* 1 Conceder benefício, vantagem, facilidade ou favor a, ou deles usufruir; FAVORECER: *Este edital beneficia as empresas de grande porte*. [*td.*: *Este edital beneficia as grandes empresas*.] [*tr.* + *com, de*: *Beneficiou-se com a eleição do pai; O projeto se beneficiará de várias melhorias*.] 2 Dar melhores condições a, mediante reparos, obras etc. [*td.*: *A prefeitura beneficiará o velho casarão*.] 3 Tratar (produto agrícola) de forma a torná-lo adequado ao consumo [*td.*: *máquina para beneficiar grãos*.] 4 Cultivar, lavrar (a terra) [*td.*] 5 *Bras.* Castrar ou ferrar (animal, esp. uma rês) [*td.*] 6 *Ecles.* Conceder benefício eclesiástico a (alguém) [*td.*] 7 *Metal.* Purificar (metais) [*td.*] [▶ 1 **beneficiar**] [F.: *benefício* + *-ar*[2].]

beneficiário (be.ne.fi.ci:*á*.ri:o) *a.* 1 Que recebe benefício ou vantagem, que deles desfruta; FAVORECIDO; BENEFICIADO: *Os condôminos beneficiários aplaudiram a decisão*. 2 A quem se concedeu benefício de inventário (herdeiro beneficiário) *sm.* 3 Pessoa beneficiária (1 e 2) 4 Pessoa que recebe pensão, aposentadoria etc. garantidos pela Previdência Social: *Tornou-se beneficiário dos pais*. 5 *Jur.* Aquele que se beneficia de um ato específico, de um documento etc.: *o beneficiário de um cheque*. 6 *Jur.* Aquele que, tendo vivido a custa de alguém, tem direito a indenização, seguro etc. concedidos a este quando vitimado 7 *Depr.* Aquele que se aproveita de uma situação prejudicial a outrem para obter vantagem: *Os especuladores são os principais beneficiários da inflação*. [F.: Do lat. *beneficiarius*. Hom./Par.: *beneficiária* (sf.), *beneficiaria* (fl. de *beneficiar*).]

benefício (be.ne.*fí*.ci:o) *sm.* 1 O que se faz ou se concede (serviço, vantagem, ajuda etc.) em favor de alguém 2 Vantagem, proveito: *Não teve benefício com aquele ato desonesto*. [Ant.: *Nas acps. 1 e 2: malefício*.] 3 Melhoramento, benfeitoria, e seus resultados concretos: *Valorizamos a casa com vários benefícios*. 4 Serviço ou auxílio em dinheiro garantidos pela Previdência Social: *Tinha o benefício de uma aposentadoria*. 5 Situação favorável originária de uma circunstância, de um fato etc.: *O advogado pediu que o júri concedesse ao réu o benefício da dúvida*. 6 O mesmo que *beneficiamento* (2) 7 Espetáculo ou evento beneficente [F.: Do lat. *beneficium*.] ▪▪ **~ de desoneração** *Júr.* Por acordo de prorrogação de dívida ou renovação de contrato entre credor e devedor, a desobrigação do fiador, mesmo sem seu conhecimento **~ de divisão** *Júr.* Divisão da responsabilidade de fiadores em cotas-partes da dívida total **~ de excussão** *Júr.* Direito de um fiador de que sejam executados para pagamento de uma dívida, antes dos seus, os bens do devedor do qual foi fiador **~ de inventário** *Júr.* Direito de herdeiro (já inexistente na legislação brasileira, mas presente em algumas estrangeiras) de não ter responsabilidade sobre dívidas do espólio que ultrapassem o valor dos bens por ele herdados

benéfico (be.*né*.fi.co) *a.* 1 Que faz bem; BOM; SALUTAR; FAVORÁVEL: *O exercício físico é benéfico para a saúde*. 2 Que pratica o bem ou que tem essa intenção, que é bondoso, caridoso, solidário 3 Que resulta em algo bom, proveitoso, oportuno, propício: *a influência benéfica dos educadores*. [Superl.: *beneficentíssimo*.] [F.: Do lat. *beneficus*. Hom./Par.: *benéfico* (a.), *venéfico* (a.) Ant. ger.: *maléfico*.]

benemerência (be.ne.me.*rên*.ci:a) *sf.* 1 Virtude ou ato de benemérito (3) 2 Condição de benemerente, de merecedor de honra, aplauso, homenagem, recompensa etc. [F.: *benemerente* + *-ência*.]

benemerente (be.ne.me.*ren*.te) *a2g.* 1 O mesmo que *benemérito* (1) 2 Que é merecedor do bem, de coisas boas [F.: Do lat. *bene* 'bem' + *-merens, -entis* 'que merece'.]

benemérito (be.ne.*mé*.ri.to) *a.* 1 Que merece honras, homenagem, aplauso etc. por bons serviços prestados ou por suas qualidades e virtudes; BENEMERENTE 2 Que é ilustre *sm.* 3 Indivíduo benemérito (1, 2) [F.: Do lat. *benemeritus*.]

beneplácito (be.ne.*plá*.ci.to) *sm.* 1 Aprovação de um ato, de um pacto; concordância com eles, ou seu consentimento 2 Aprovação de algo por autoridade ou em instância superior [F.: Do lat. *beneplacitum*.]

benesse (be.*nes*.se) [é] *s2g.* 1 Benefício, privilégio, vantagem: *Queria um cargo público mais pelas benesses do que pela remuneração ou o prestígio*. [Mais. us. no pl.] 2 Lucro ou rendimento fácil 3 Emprego que rende muito e em que se trabalha pouco; SINECURA [F.: Posv. do lat. *bene* + *esse*.]

benevolência (be.ne.vo.*lên*.ci:a) *sf.* 1 Boa vontade ou compreensão para com alguém: *benevolência com os subordinados*. 2 Disposição para a complacência, a tolerância, a condescendência 3 Predisposição a estimar, ser benévolo, tratar os outros com bondade; manifestação dessa atitude [F.: Do lat. *benevolentia*. Ant.: *malevolência*.]

benevolente (be.ne.vo.*len*.te) *a2g.* Que tem ou manifesta benevolência; o mesmo que *benévolo* [Ant.: *malevolente*.] [F.: Do lat. *benevolens-entis*.]

benévolo (be.*né*.vo.lo) *a.* 1 Que tem predisposição para o bem e procura fazê-lo; BONDOSO 2 Que tem ou manifesta boas intenções e propósitos 3 Compreensivo, tolerante, complacente: *Era benévolo para com seus críticos*. 4 *P. ext.* Que traz resultados benéficos (medidas benévolas) [Superl.: *benevolentíssimo*.] [F.: Do lat. *benevolus, benivolus*. Sin. ger.: *benevolente, benigno*. Ant. ger.: *malévolo*.]

benfazejo (ben.fa.*ze*.jo) [ê] *a.* 1 Que faz o bem; CARIDOSO 2 Cuja ação ou influência traz bons resultados; BENÉFICO; FAVORÁVEL: *Uma chuva benfazeja salvou a plantação*. [F.: Do lat. *benefacere*. Ant. ger.: *malfazejo*.]

benfeitor (ben.fei.*tor*) [ô] *sm.* 1 Pessoa que pratica o bem [Ant.: *malfeitor*.] 2 Pessoa que faz benfeitorias *a.* 3 Diz-se de benfeitor 4 *Ant.* Benéfico, útil (virtudes benfeitoras) [F.: Do lat. *benefactor, -oris*.]

benfeitoria (ben.fei.to.*ri*:a) *sf.* 1 Obra que recupera e/ou valoriza uma propriedade 2 *Bras. Ant.* Serviço feito sem remuneração, como favor 3 *Bras. Ant.* O que resulta em vantagem, ganho, lucro etc. [F.: *benfeitor* + *-ia*[1], ou do lat. *benefactoria*.] ▪▪ **~ necessária** *Júr.* Aquela indispensável para a conservação e manutenção da integridade da coisa **~ útil** *Jur.* Aquela que, mesmo sendo dispensável, melhora as condições de uso da coisa, e com isso a valoriza **~ voluptuária** *Jur.* Aquela que, dispensável, apenas melhora o desfrute da coisa

bengala (ben.*ga*.la) *sf.* 1 Bastão, ger. de madeira e curvado em uma das pontas, us. como apoio do corpo ao caminhar 2 Certo tipo de pequeno fogo de artifício que queima de um bastão, como chuva de prata, estrelas, bastões de cor etc. 3 *Ant. Têxt.* Certo tecido (feito de seda e de lã) importado de Bengala [F.: Do top. *Bengala*.] ▪▪ **~ branca** Bengala us. por deficiente visual para identificar obstáculos e ajudá-lo a guiar-se, e tb. para identificá-lo como tal **~ de estoque** Bengala que nela tem embutido e oculto um estoque, ou uma espada **Estar de ~** Ser velho

bengalada (ben.ga.*la*.da) *sf.* Pancada com bengala [F.: *bengala* + *-ada*[1].]

bengaleiro (ben.ga.*lei*.ro) *sm.* 1 Quem faz ou vende bengalas 2 Nos teatros, a pessoa encarregada de guardar bengalas, guarda-chuvas, capas etc. 3 Local onde esses apetrechos ficam depositados durante o espetáculo [F.: *bengala* + *-eiro*.]

bengalês (ben.ga.*lês*) *a.* 1 Do ou referente ao bengalês (1) *sm.* 2 Pessoa nascida ou que vive na região de Bengala, situada entre a Índia e Bangladesh [F.: Do top. *Bengala* + *-ês*. Sin. ger.: *bengali*.]

bengali (ben.ga.*li*) *s2g.* 1 Pessoa nascida ou que vive no Estado de Bengala Ocidental (Índia); BENGALÊS 2 Pessoa nascida ou que vive em Bangladesh; BENGALÊS *sm.* 3 *Gloss.* Língua oficial de Bangladesh, e a mais falada em Bengala Ocidental *a2g.* 4 De Bengala Ocidental; típico desse estado ou de seu povo; BENGALÊS 5 De Bangladesh; típico desse país ou de seu povo; BENGALÊS 6 Da ou ref. à língua falada em Bengala e em Bangladesh: *o alfabeto bengali*. [F.: Do ár. *bengali*, do top. *Bengala*.]

bengasiano (ben.ga.si.*a*.no) *sm.* 1 Indivíduo nascido ou que vive em Bengasi (Líbia) *a.* 2 De Bengasi; típico dessa cidade ou de seu povo [F.: Do top. *Bengasi* + *-ano*[1].]

bengue (ben.*gue*) *sm.* 1 Ver *cânhamo* 2 Ver *maconha* [F.: Do neoárico *bhang* 'cânhamo'.]

benguela (ben.*gue*.la) *s2g.* 1 Indivíduo dos benguelas, povo banto da região de Benguela (Angola) 2 Ver *banguela* (4) *a2g.* 3 Do ou ref. aos benguelas; típico desse povo 4 Ver *banguela* (1) [F.: Do top. *Benguela*.]

benignidade (be.nig.ni.*da*.de) *sf.* Qualidade de quem é brando, generoso, afável, complacente, indulgente; BONDADE; HUMANIDADE: "... Estendeu-lhe a mão com benignidade..." (Machado de Assis, *Quincas Borba*) [Ant.: *crueldade, maldade*.] [F.: Do lat. *benignitas, -atis*.]

benigno (be.*nig*.no) *a.* 1 *Med.* Que não apresenta caráter perigoso, que não tende a agravar-se de modo a ser fatal (tumor benigno; doença benigna) 2 Que visa ao bem (crítica benigna); BEM-INTENCIONADO; BENÉVOLO 3 Que se compraz em fazer o bem; BENÉVOLO; BONDOSO 4 Complacente, indulgente: *o tom familiar e benigno de suas crônicas*. 5 *Fig.* Brando, suave (inverno benigno) [F.: Do lat. *benignus*. Ant. ger.: *maligno*.]

benin (be.*nin*) *s2g.* 1 Pessoa pertencente ao povo de antigo reino ao Sul da Nigéria (África) *a2g.* 2 De ou ref. ao reino de Benin ou aos benins [Pl.: *-nins*.] [F.: Do ior. *binnin*. Tb. *benim*.]

beninense (be.ni.*nen*.se) *s2g.* 1 Pessoa nascida ou que vive na República do Benin (África Ocidental), país chamado Daomé até 1980 *a2g.* 2 Da República do Benin; típico desse país ou de seu povo [F.: Do top. *Benin* + *-ense*.]

benjamim (ben.ja.*mim*) *sm.* 1 *Bras. Elet.* Plugue múltiplo, peça que permite a conexão de dois ou mais aparelhos elétricos numa só tomada 2 O filho caçula numa família 3 *P. ext.* Filho preferido, ger. o caçula 4 *P. ext.* Membro mais jovem de um grupo [Pl.: *-mins*.] [F.: Do antr. bíblico *Benjamim*.]

benjoeiro (ben.jo*:ei*.ro) *Bot. sm.* Designação comum a várias plantas do gên. *Styrax*, da fam. das estiracáceas, que produzem o benjoim, como, p. ex., *Styrax benzoin*, arbusto nativo da Ásia tropical e a principal fonte para a extração de resina; BEIJOEIRO; BENJOIM; ESTORAQUE [F.: *benjo(im)* + *-eiro*.]

benjoim (ben.jo.*im*) *sm.* **1** *Bot.* O mesmo que *benjoeiro* **2** *Farm.* Resina amarelada e aromática extraída do benjoeiro, cuja substância entra na composição de cosméticos e medicamentos; CALAMITA; ESTORAQUE **3** *Bras. Zool.* O mesmo que *mandaguari* [Pl.: *-ins.*] [F.: Do ár. *lubên gaui.* Sin. ger.: *beijoim.*]

benquerença (ben.que.*ren*.ça) *sf.* **1** O fato ou o sentimento de bem-querer; AFEIÇÃO; AFETO; ESTIMA: *a benquerença que ela desfruta em seu grupo.* [Ant.: *malquerença.*] **2** Sentimento ou manifestação de boa vontade, aceitação etc; benevolência [F.: *ben-* + *querença.*]

benquisto (ben.*quis*.to) *a.* **1** De quem todos gostam, que é objeto de benquerença; QUERIDO; ESTIMADO: *É simpático e benquisto no ambiente de trabalho.* **2** Bem considerado, bem-visto: *Todo ato de bondade para com o próximo é benquisto.* [F.: Part. de *benquerer.* Ant. ger.: *malquisto.*]

bens *smpl.* Pertences de uma pessoa que para ela têm valor material; POSSES: *Com a enchente, ela perdeu todos os seus bens.* [F.: Pl. de *bem.*] ■ **~ alodiais** *Jur.* Aqueles não aforados e os isentos de impostos **~ antifernais** *Jur.* Aqueles doados pelo marido à mulher quando do matrimônio **~ aquestos** *Jur.* Aqueles que foram adquiridos durante a vigência de um matrimônio **~ colacionáveis** *Jur.* Aqueles que um filho declara ter recebido em vida dos pais, para que sejam incluídos na herança a ser partilhada **~ comuns 1** *Jur.* Os que a todos pertencem e por todos são usufruídos: o mar, o ar, etc. **2** Os que, indivisíveis, pertencem a duas ou mais pessoas. Ver *condomínio* **3** Os que, no regime de comunhão de bens, pertencem a marido e mulher **~ de mão-morta** *Jur.* Aqueles que, por sua natureza, são inalienáveis (templos, hospitais etc.) [Tb. apenas *mão-morta.*] **~ de raiz** *Jur.* Ver *Bens imóveis* **~ divisos** *Jur.* Aqueles que foram objeto de divisão [Cf.: *Bens indivisos.*] **~ dominiais/dominicais** *Jur.* Aqueles que, como objeto de direito real ou pessoal, integram o patrimônio da União, dos estados ou dos municípios **~ dotais** *Jur.* Aqueles que pertencem à mulher antes do matrimônio, e que, mesmo se administrados pelo marido, volta à posse da mulher em caso de dissolução do matrimônio **~ fungíveis** *Jur.* Aqueles que podem ser substituídos por outros de mesma espécie, qualidade e quantidade [Cf.: *Bens infungíveis.*] **~ imóveis** *Jur.* Aqueles que não podem ser removidos para outro lugar sem que percam sua forma ou substância **~ incomunicáveis** *Jur.* Aqueles que, em função de cláusulas expressas, não podem se tornar bens comuns, seja em condomínio, em regime matrimonial etc. **~ indivisos** *Jur.* Aqueles que não foram objeto de divisão [Cf.: *Bens divisos.*] **~ infungíveis** *Jur.* Aqueles que não podem ser substituídos por outros de mesma espécie, qualidade e quantidade [Cf.: *Bens fungíveis.*] **~ livres** *Jur.* Aqueles dos quais o proprietário pode dispor, por estarem livres de quaisquer ônus ou encargos **~ móveis** *Jur.* Aqueles que podem ser removidos para outro lugar sem perda de sua forma ou substância **~ semoventes 1** *Jur.* Aqueles constituídos por animais de qualquer tipo **2** *Ant.* Os escravos **~ vacantes** *Jur.* Aqueles deixados por pessoa falecida e que não tem herdeiros **~ vagos** *Jur.* Aqueles que não têm dono ou reclamante **~ vinculados 1** *Jur.* Aqueles que, devido a lei ou a cláusula expressa, estão sujeitos a ônus ou encargos, sendo assim inalienáveis, impenhoráveis e incomunicáveis **2** Aqueles que estão juridicamente subordinados a outro bem ou outra coisa

bentinho (ben.*ti*.nho) *sm.* Pequeno objeto de devoção que se carrega pendurado ao pescoço, formado por dois quadrados de pano bento, com orações escritas, imagens ou uma relíquia; BREVE; ESCAPULÁRIO; PATUÁ [Em Portugal é mais us. no pl.] [F.: Dim. de *bento*[1].]

bento[1] (*ben*.to) *a.* **1** Que se benzeu; consagrado pela bênção eclesiástica (água-benta); BENZIDO *sm.* **2** *Rel.* Religioso da Ordem de São Bento, frade beneditino; BENEDITINO [F.: Do lat. *benedictus.*]

bento[2] (*ben*.to) *sm. Mob.* Móvel antigo oriental, espécie de contador, armário com pequenas gavetas [F.: De or. obsc.]

bento[3] (*ben*.to) *sm.* **1** Leito de um mar ou oceano **2** *Biol.* Conjunto dos seres vivos, de organismos animais ou vegetais presentes no fundo do oceano, de mares, lagos e rios [Tb. us. no pl.] [F.: Do gr. *bénthos.*]

bentônico (ben.*tô*.ni.co) *a.* **1** *Oc.* Relativo ou pertencente à região bêntica, que compreende todo o relevo submarino continental e abissal, incluídas as fossas oceânicas **2** Diz-se de animal ou vegetal que vive no fundo dos mares [F.: Do gr. *bénthos, eos.*]

bentos (*ben*.tos) *sm. Oc.* Conjunto de seres vivos, fauna e flora, que vivem no fundo dos mares e lagoas [Tb. us. no pl.] [F.: Do gr. *bénthos, eos, ous* 'profundidade do mar'.]

benzedeiro (ben.ze.*dei*.ro) *sm.* **1** Indivíduo que benze as pessoas fazendo-as acreditar que as livra de doenças ou de feitiços; BENZEDOR; CURANDEIRO **2** Bruxo, feiticeiro [F.: *benzer* + *-deiro.*]

benzedor (ben.ze.*dor*) [ô] *sm.* **1** O mesmo que *benzedeiro*; quem exerce a função de benzer, com o que supostamente defende indivíduos de feitiços e cura doenças e maus-olhados; CURANDEIRO; REZADOR: "Na cultura popular do Jequitinhonha, quem trata os doentes é o benzedor, a rezadeira..." (Frei Francisco van der Poel, *O processo da cura na cultura popular*) **2** Bruxo, feiticeiro; BENZEDEIRO [F.: *benzer* + *-dor.*]

benzedrina (ben.ze.*dri*.na.) *sf. Farm.* Substância estimulante do sistema nervoso, usada em medicamentos, no tratamento da doença de Parkinson etc; ANFETAMINA [F.: Do ing. *Benzedrine*, marca registrada.]

benzedura (ben.ze.*du*.ra) *sf.* Ação de benzer, por meio de orações [F.: *benzer* + *-dura.*]

benzênico (ben.*zê*.ni.co) *a. Quím.* Ref. ao ou próprio do benzeno, ou que o contém [F.: *benzeno* + *-ico*[2].]

benzeno (ben.*ze*.no) *sm. Quím.* Hidrocarboneto de fórmula C_6H_6, líquido, incolor, volátil, us. como solvente e na fabricação de corantes, detergentes etc. [F.: Do ing. *benzene.*]

benzer (ben.*zer*) *v.* **1** Dar a bênção a, invocar graça divina para (algo ou alguém), inclusive si mesmo [*td.*: *O padre benzeu os fiéis; Benzeu-se, contrito, antes de entrar no palco.*] **2** *Rel.* Consagrar, santificar para o culto divino (no catolicismo, ger. aspergindo água-benta) [*td.*: *O bispo benzeu o novo altar.*] **3** *Rel.* No catolicismo, aspergir água-benta em (algo ou alguém) para invocar a proteção divina [*td.*: *O padre benzeu as instalações da nova firma.*] **4** *Fig.* Experimentar alívio ou sentimento de compensação depois de uma dificuldade [*int.*: *Benzeu-se com a nomeação para dirigir a escola.*] **5** Espantar-se, pasmar-se, admirar-se [*tr.* + *de, com*: *Benzeu-se com o prêmio inesperado/dos horrores que assistira.*] **6** Fazer benzedura em (algo ou alguém) fazendo em sua direção o sinal da cruz no ar, com os dedos [*td.*: *A mãe mandou benzer o menino.*] [*tdr.* + *contra*: *Benzeu a neta contra as maldições.*] **7** Fazer benzedura para si mesmo fazendo o sinal da cruz, ao tocar com os dedos seguidamente na testa, no peito e em cada ombro; PERSIGNAR-SE [*td.*: *Benzeu-se antes de entrar na igreja.*] **8** Tentar livrar (si mesmo) de algo mau por meio de esconjuro [*tdr.* + *de*: *Precisava benzer-se daquela tentação.*] **9** *Cap.* Em jogos de capoeira, fazer saudação ao berimbau para evitar malefícios futuros e ter a proteção dos deuses [*int.*: *Os capoeiristas benzeram-se antes do combate.*] [▶ **2** benzer] [F.: do lat. *benedicere.*]

benzido (ben.*zi*.do) *a.* Que se benzeu; BENTO [F.: Part. de *benzer.*]

benzina (ben.*zi*.na) *Quím. sf.* **1** Líquido incolor, volátil, composto de carbono e hidrogênio, e que se obtém pela destilação do ácido benzoico **2** O mesmo óleo, mas impuro, vendido como solvente, para tirar manchas [F.: *benz(o)-* + *-ina.*]

benzinho (ben.*zi*.nho) *sm. Fam.* Tratamento dispensado a pessoas muito queridas; BENZOCA [F.: *bem* + *-zinho.*]

◎ **benz(o)-** *pref. Quím.* = substância relacionada ao benzeno: *benzocaína, benzodiazepina, benzoico.*

benzoca (ben.*zo*.ca) [ó] *s2g. Fam.* Ver *benzinho* [F.: *bem* + *-z-* + *-oca.*]

benzocaína (ben.zo.ca.*í*.na) *sm. Farm.* Nome comercial de aminobenzoato de etila, usado como anestésico local: "No caso da benzocaína, esta baixa solubilidade impedia seu uso por via infiltrativa." (*Jornal da Unicamp*, 7 a 13.10.2002, "Estudo prolonga efeitos de anestésicos") [F.: *benz(o)-* + *-caína.*]

benzodiazepina (ben.zo.di:a.ze.*pi*.na) *sf.* **1** *Farm.* Substância orgânica aromática da qual são derivados certos tranquilizantes **2** Qualquer desses derivados [F.: Do ing. *benzodiazepine.*]

benzoico (ben.*zo*:i.co) *a. Farm.* Diz-se de ácido obtido do benjoim, resina aromática extraída do tronco de árvores do gênero *Styrax* [F.: *benz(o)-* + *-ico.*]

benzol (ben.*zol*) *sm. Quím.* Hidrocarboneto usado como solvente industrial, obtido de uma mistura de benzeno, tolueno e exileno [F.: *benz(o)-* + *-ol.*]

benzopireno (ben.zo.pi.*re*.no) *sm. Quím.* Hidrocarboneto polinuclear encontrado no alcatrão, na fumaça de cigarros e nos restos de combustão incompleta, que tem efeito cancerígeno: "É no fundo que se fixam resíduos tóxicos como benzopireno e ascarel, despejados nos rios durante anos pelas indústrias." (*O Globo*, 12.04.2004, "As aberrações do rio Paraíba do Sul") [Têm efeito cancerígeno.] [F.: *benz(o)-* + *pireno.*]

beócio (be.*ó*.ci:o) *sm.* **1** Pessoa nascida ou que vivia na Beócia (Grécia antiga) **2** *Pej.* Pessoa ignorante ou simplória **3** *Gloss.* Dialeto falado na Beócia (Grécia antiga) *a.* **4** Da Beócia; típico dessa região ou de seu povo **5** *Pej.* Que se revela ignorante ou simplório **6** *Gloss.* Do ou ref. ao beócio (3) [F.: Do gr. *boiótios*, pelo lat. *boeotius.* Nas acps. 2 e 5 é ofensivo.]

bequadro (be.*qua*.dro) *sm. Mús.* Sinal gráfico que se coloca antes de um sustenido ou bemol a fim de repor a nota no seu tom natural [símb.: (b).] [F.: Do it. *bequadro.* Cf.: *bemol* e *sustenido.*]

beque (*be*.que) *s2g. Fut.* O mesmo que *zagueiro* [F.: Do ing. *back.*]

beque de avanço (be.que de a.*van*.ço) *sm. Fut.* Jogador que atuava imediatamente à frente do goleiro e que, pelo sistema praticado até a década de 1960, era predominantemente de defesa, mas sempre que necessário auxiliava os avantes em seus ataques; ZAGUEIRO [Pl.: *beques de avanço.*]

beque de espera (be.que de es.*pe*.ra) *sm. Fut.* Jogador que atuava imediatamente à frente do goleiro e que, pelo sistema praticado até a década de 1960, não tinha permissão para auxiliar o ataque; ZAGUEIRO: "... um galalau de pernas juntoras, que tinha a posição de beque de espera..." (Manoel de Barros, *Pelada de Barranco*) [Atualmente chamado *beque central.*] [Pl.: *beques de espera.*]

bequeira (be.*que*:i.ra) *sm. Pop. Fut.* O conjunto dos dois beques; ZAGA: "... jogando com apenas dois zagueiros – Lugano e Fabão – a bequeira tricolor batia cabeça." (*Diário de São Paulo on-line*, 21.01.2006) [F.: *beque* + *-eira.*]

béquer (*bé*.quer) *sm. Quím.* Recipiente cilíndrico de vidro com graduação milimétrica usado em operações de laboratório; BÉCHER: *Deve-se evitar o uso de bastão de vidro, contra as paredes e o fundo do béquer, para não quebrá-lo.* [Pl.: *-eres.*] [F.: Do al. *Becher* < lat. vulg. *becariu-* 'medida de capacidade'.]

béquico (*bé*.qui.co) *a.* **1** *Farm.* Diz-se de medicamento emoliente e adocicado, empregado contra a tosse *sm.* **2** Esse medicamento [F.: Do lat. tar. *bechicus, a, um*, do gr. *béx, béchikós* 'tosse'.]

bequilha (be.*qui*.lha) *sf. Avi.* Parte auxiliar do trem de aterrissagem de uma aeronave, que compõe um tripé de sustentação, à frente ou atrás da parte principal [F.: Do fr. *béquille.*]

berbere (ber.*be*.re) [é] *s2g.* **1** Indivíduo dos berberes, povos nômades que habitam o Norte da África (Argélia, Egito, Líbia, Marrocos, Tunísia) e o Saara, principalmente as regiões montanhosas *sm.* **2** *Gloss.* Grupo composto por várias línguas faladas nessa região *a2g.* **3** Dos ou ref. aos berberes **4** *Gloss.* Do ou ref. ao berbere (2) [F.: Do ár. *barbari*, com interferência do lat. *barbarus.* Sin. ger.: *berber.*]

berberesco (ber.be.*res*.co) [ê] *a.* Ref. aos bérberes, povo nômade que habita áreas montanhosas ou desérticas do norte da África [F.: *berbere* + *-esco.*]

berçar (ber.*çar*) *Bras. v.* **1** Ninar, acalentar [*td.*: "... ou aquela mãe chinesa berçando o filhinho morto depois do bombardeio de Xangai." (Vinicius de Moraes, "Três filmes europeus", *in Poesia completa e prosa*)] **2** *Gír.* O mesmo que *dormir* [*int.*: *Estou com sono, vou berçar.*] [▶ **12** berçar] [F.: *berço* + *-ar*[2]. Hom./Par.: *berça* (fl.), *berça* (sf.); *berças* (fl.), *berças* (pl. do sf.); *berço* (fl.), *berço* (sm.).]

berçário (ber.*çá*.ri:o) *sm.* **1** Em hospitais e maternidades, sala onde ficam os berços dos recém-nascidos **2** Instituição que se destina a cuidar do bebê durante o período do dia em que a mãe está trabalhando **3** Em *shoppings*, teatros etc., sala em que a mãe pode deixar seu bebê por algumas horas, sob os cuidados de pessoal especializado [F.: *berço* + *-ário.*]

⊕ **berceuse** (*Fr.* /*berceûse*/) *sm. Mús.* Composição vocal ou instrumental us. para embalar crianças (*berceuse* de Brahms); ACALANTO; ACALENTO

berço (*ber*.ço) [ê] *sm.* **1** Pequeno leito para recém-nascidos ou bebês, ao qual se pode dar um movimento de balanço **2** Cama gradeada para bebês e crianças pequenas **3** A mais tenra infância: *Foi criado pelos avós desde o berço.* **4** *Fig.* Lugar onde uma pessoa nasceu **5** *Fig.* Lugar onde algo teve origem: *Pernambuco é o berço do frevo.* **6** Fonte, nascente (de rio): *A serra da Estrela é o berço do Mondego.* **7** Peça de madeira, metal etc. à qual fica preso o mata-borrão; BUVAR **8** Almofada com tinta para carimbos **9** Base de certos aparelhos telefônicos **10** Dispositivo sobre o qual se põe a câmera fotogramétrica, para que as vibrações durante o voo não a afetem **11** *Arq.* Abóboda que forma um semicírculo perfeito **12** Nos cemitérios, gradeamento de ferro em volta de um coval **13** *Mar.* Aparelho sobre o qual corre o navio do estaleiro para a água **14** *Mar.* Armação sobre a qual se coloca a embarcação para içá-la para o seco **15** *Mar.* Abertura circular na fêmea do leme onde gira o macho **16** *Mar.* Local em um porto onde os navios atracam **17** *Mar.* Cada um dos suportes presos ao convés, estrado etc. para sustentar uma peça móvel ou embarcação **18** Espécie de cobertura ou túnel em forma de abóbada, feita de caniços, madeira ou estrutura metálica, guarnecida de folhagens, e que cobre uma aleia **19** *Tip.* Arrebitamento nas extremidades do paquê, causado pelo corte defeituoso das navalhas da máquina **20** *Antq.* Boca de fogo curta [F.: Posv. do lat. *bertium* ou *bercium*, pelo fr. ant. *bers.*] ■ **Nascer em ~ de ouro** *Fig.* Nascer em família rica **Ter ~ 1** Ter nascido com certa origem **2** *Fig.* Ter nascido em família importante, tradicional, de alto nível etc.

berdoega (ber.do:*e*.ga) *sf. CE Pop.* Cachaça [F.: Or. duv., posv. alt. de *beldroega.*]

berenguendém (be.ren.guen.*dém*) *sm. Bras.* O mesmo que *balangandã* [Pl.: *-déns.*] [F.: De or. onom.]

bergamasco (ber.ga.*mas*.co) *sm.* **1** Indivíduo nascido ou que vive em Bérgamo (Itália) *a.* **2** De Bérgamo; típico dessa cidade ou de seu povo [F.: Do top. *Bérgamo* + *-asco.*]

bergamota (ber.ga.*mo*.ta) *sf.* **1** *Agr.* Variedade de pera com muito sumo e aromática **2** *RS SC Bot.* O mesmo que *tangerina* **3** *Bot.* Designação comum a plantas de várias fam., esp. da fam. das labiadas **4** *Bot.* Árvore (*Citrus aurantium* subsp. *bergamia*) da fam. das rutáceas, de flores aromáticas e fruto em forma de pera, com casca fina, lisa e amarela; BERGAMOTEIRA **5** *Bot.* O fruto dessa árvore **6** Óleo essencial volátil extraído da casca desse fruto, muito us. em perfumaria [F.: Do turco *beg armudi*, pelo it. *bergamotto.* Sin. ger.: *vergamota.*]

bergamoteira (ber.ga.mo.*tei*.ra) *Bot. sf.* **1** O mesmo que *bergamota* (4) **2** *RS SC* O mesmo que *tangerineira* [F.: *bergamota* + *-eira.* Sin. ger.: *vergamoteira.*]

berganhar (ber.ga.*nhar*) *v. P. us.* O mesmo que *barganhar* [▶ **1** berganhar] [F.: Hom./Par.: *berganha(s)* (fl.), *berganha* (sf. [e pl.]).]

bergantim (ber.gan.*tim*) *Antq. Mar. sm.* **1** Antiga embarcação a remo ou à vela, neste caso com dois mastros, aparelhada como um brigue e tendo uma só coberta, e com oito a dez bancos para os remadores **2** O mesmo que *brigue* [Pl.: *-tins.*] [F.: Do it. *brigantino.*]

⊕ **bergère** (*Fr.* /*bergér*/) *sf.* Poltrona estofada larga e profunda, de encosto alto que se prolonga para os lados, de forma semelhante a duas orelhas

bergsoniano (berg.so.ni:*a*.no) *a.* **1** Ref. ao filósofo francês Henri Bergson (1859-1941) ou à sua doutrina **2** *Fil.* Diz-se de pessoa estudiosa ou seguidora dessa doutrina *sm.* **3** Essa pessoa [F.: Do antr. Henri *Bergson* + *-i-* + *-ano.*]

beribéri (be.ri.*bé*.ri) *sm. Pat.* Doença causada pela falta de vitamina B_1, que se manifesta por paralisia, aparecimento de edemas nos braços, pernas e tronco, e problemas cardíacos [F.: Do malaio *biri-biri*.]

berílio (be.*rí*.li:o) *sm. Quím.* Elemento natural de número atômico 4, cristalino, metálico, utilizado em ligas leves [Símb.: Be.] [F.: Do lat. cien. *Beryllium*. Hom./Par.: *berilo* (sm.).]

berilo (be.*ri*.lo) *sm. Min.* Mineral hexagonal, silicato de alumínio e berílio, cujas variedades coloridas podem constituir gemas preciosas (esmeralda, água-marinha etc.) [F.: Do gr. *béryllos*, pelo lat. *beryllu*.]

berimbau (be.rim.*bau*) *sm.* **1** *Bras. Mús.* Instrumento de percussão us. na capoeira, de or. africana, composto de um arco de madeira retesado por um fio de arame preso nas duas extremidades, e uma cabaça, com abertura em um dos lados, presa à extremidade inferior do arco por um pedaço de corda [Os tons do berimbau são modificados pela aproximação e afastamento da cabaça em relação ao corpo do músico, uma moeda ou rodela de metal, que é segurada contra o arame, uma pequena vareta para tocar o fio, e um pequeno caxixi.] **2** *Mús.* Pequeno instrumento de metal que produz sons musicais, em forma de lira, com uma lingueta de aço entre os dois ramos, presa na parte arredondada; BERIMBAU DE BOCA; BERIMBAU DE BEIÇO [Toca-se metendo-o entre os dentes e percutindo com o dedo indicador o extremo livre da lingueta, fazendo variar os tons de acordo com a configuração da cavidade bucal.] [F.: De or. duvidosa, posv. quimb. *mbirim'bau*. Sin. ger.: *marimbau*.]

berinjela (be.rin.*je*.la) *Bot. sf.* **1** *Bot.* Planta da fam. das solanáceas (*Solanum melogena*), nativa da Índia, cujo fruto, arroxeado e de forma alongada, é muito us. na alimentação humana **2** Esse fruto [F.: Do persa *bádndján*, pelo ár. *bádindjána* e esp. *berenjena*.]

berlinda (ber.*lin*.da) *sf.* **1** *Lud.* Brincadeira infantil em que um participante de cada vez se afasta e os outros fazem comentários sobre ele que lhe são transmitidos sem identificação do autor; substituí-o na berlinda aquele que fez o comentário de que mais gostou (ou, numa variante, aquele que foi identificado como o autor de certo comentário) **2** *Antq.* Carruagem de dois assentos e quatro rodas, mais estreita do que os coches, e com muitos ornatos **3** Santuário para imagens de santos **4** Nas minas, espécie de ascensor para carga [F.: Do top. *Berlin*, pelo fr. *berline* ou pelo it. *berlina*.] ■ **Estar/ficar na ~** **1** Ser (alguém) objeto de comentários, gozação etc. (esp., mas não só, no jogo da berlinda) **2** Estar em evidência, ser falado, estar na ordem do dia

berlinense (ber.li.*nen*.se) *s2g.* **1** Indivíduo nascido ou que vive em Berlim, capital da Alemanha *a2g.* **2** De Berlim; típico dessa cidade ou de seu povo [F.: *Berlim* + *-ense*. Sin. ger.: *berlinês*.]

berloque (ber.*lo*.que) *sm.* Pequeno enfeite de formas e materiais variados que se pendura em pulseira, corrente etc; PINGENTE; PENDURICALHO [F.: Do fr. ant. *berloque*, atual *breloque*.]

bermuda (ber.*mu*.da) *sf. Bras. Vest.* Calça curta que vai até ou quase até os joelhos [Tb. us. no pl.] [F.: Do ing. *Bermudas shorts*.]

bermudão (ber.mu.*dão*) *sm. Bras. Vest.* Bermuda longa e ger. folgada [Pl.: *-dões*.] [F.: *bermuda* + *-ão*¹.]

bermudense (ber.mu.*den*.se) *s2g.* **1** Indivíduo nascido ou que vive nas ilhas Bermudas (Oceano Atlântico a leste dos EUA.) *a2g.* **2** Das ilhas Bermudas; típico desse arquipélago ou de seu povo [F.: Do top. (ilhas) *Bermud(as)* + *-ense*.]

bernarda (ber.*nar*.da) *sf.* **1** *Hist.* Movimento revolucionário que teve lugar em 1862 em Braga (Portugal) [Com inicial maiúscula.] *sf.* **2** *P. ext. Pop.* Revolta popular, desordem pública; LEVANTE; MOTIM [F.: Red. do antr. *Maria Bernarda*, denominação dada à revolta em Braga. Hom./Par.: *bernarda* (sf.), *bernardo* (sm.).]

bernardista (ber.nar.*dis*.ta) *a2g.* **1** *Bras. Hist.* Diz-se de pessoa seguidora da política do presidente Artur Bernardes, que governou o país em estado de sítio de 1922 a 1926 *s2g.* **2** Essa pessoa [F.: Do antr. Artur *Bernardes* + *-ista*.]

bernardo-eremita (ber.nar.do-e.re.*mi*.ta) *sm. Zool.* Ver *eremita* (3) [Pl.: *bernardos-eremitas*.]

berne (*ber*.ne) *sm.* **1** *Ent.* Larva da mosca-do-berne (*Dermatobia hominis*), que penetra na pele dos animais mamíferos (esp. bovinos), inclusive do homem, e se desenvolve sob ela; TORCEL; URA **2** *Med.* Tumor subcutâneo que ocorre em animais e no homem, causado pela larva da mosca-do-berne [F.: Posv. corruptela de *verme*. Sin. ger.: *berno*.]

bernento (ber.nen.to) *Bras. a.* **1** *Pat.* Diz-se de animal atacado de bernes (rês bernenta) **2** Diz-se de local em que proliferam bernes (pasto bernento) [F.: *berne* + *-ento*.]

bernês (ber.*nês*) *sm.* **1** Indivíduo nascido ou que vive em Berna (Capital da Suíça) *a.* **2** De Berna; típico dessa cidade ou de seu povo [Pl.: *neses* [ê]. Fem.: *-nesa* [ê].] [F.: Do top. *Berna* + *-ês*.]

berquélio (ber.*qué*.li:o) *sm. Quím.* Elemento artificial de número atômico 97, radiativo, do qual só se obtiveram quantidades diminutas [Símb.: Bk.] [F.: F. aport. do top. *Berkeley* + *-io*.]

berra-boi (ber.ra-*boi*) *sm. Bras.* Pedaço de madeira atado a uma corda que se faz girar produzindo zunido, que serve como instrumento cerimonial ou brinquedo para alguns povos indígenas [Pl.: *berra-bois*.]

berrador (ber.ra.*dor*) [ô] *a.* **1** Que berra; BERRANTE *sm.* **2** Aquele ou aquilo que berra [F.: *berrar* + *-dor*.]

berrante (ber.*ran*.te) *a2g.* **1** Que berra; BERRADOR **2** Diz-se de cor muito viva (cor berrante; vermelho berrante) **3** Que tem cor ou cores muito vivas (camisa berrante; pintura berrante) **4** Que é por demais evidente (injustiça berrante); GRITANTE *sm.* **5** *Bras.* Buzina feita de chifre us. pelos boiadeiros para tanger o gado **6** *Bras. Gír.* Revólver [F.: *berrar* + *-nte*.]

berranteiro (ber.ran.*tei*.ro) *sm.* Tocador de berrante, instrumento de sopro feito com chifres de bovinos [F.: *berrante* + *-eiro*.]

berrar (ber.*rar*) *v.* **1** Dizer (algo) muito alto, com um berro, ou aos berros; GRITAR [*td.*: *Berrou o nome do marido no meio da multidão*.] **2** Falar muito alto; GRITAR [*int.*: *Não precisa berrar, estou ouvindo*.] [*tr.* + *com*: *A mulher berrava com a vizinha surda*.] **3** Chorar aos berros [*int.*: *A criança berrou a noite toda*.] **4** Soltar berros (animal) [*int.*] **5** *Fig.* Produzir ruído ou zunido contínuo; bramir, roncar [*int.*: *O trem expresso berrava na curva*.] **6** *P. ext.* Pedir ou exigir algo com muita energia, esp. aos berros [*tr.* + *por*: *Todos berravam por mais socorro*.] **7** *Fig.* Ter cor exageradamente forte, escandalosa [*int.*: *O vermelho de seu paletó berrava*.] **8** Discutir, altercar aos gritos, aos berros [*tr.* + *com*: *Os irmãos discutiam, berrando um com o outro*.] **9** *Bras. Ant. Pej.* Ter ascendência negra [*int.*] **10** Não ficar bem um ao lado do outro; não combinar [*int.*: *Cor-de-rosa e verde-alface berram*.] [▶ **1** berrar] [F.: prov. de orig. onomatopaica. Hom./Par.: *berro* (fl.), *berro* (sm.).]

berraria (ber.ra.*ri*.a) *sf.* **1** Sequência de berros; GRITARIA **2** Choro ruidoso; BERREIRO [F.: *berro* + *-aria*.]

berreiro (ber.*rei*.ro) *sm.* **1** Berros frequentes ou contínuos; GRITARIA **2** Choro alto e contínuo [F.: *berro* + *-eiro*. Sin. ger.: *berraria*.] ■ **Abrir no/o/um ~** *Bras. Pop.* Chorar muito **Cair no ~** *Bras. Pop.* V. *Abrir no berreiro*

berro (*ber*.ro) [é] *sm.* **1** A voz humana, quando é emitida em tom elevado e áspero; GRITO **2** Exclamação, em tom de voz elevado, de alegria, raiva, dor, surpresa, medo etc. **3** Descompostura curta e ríspida: *A criança sossegou depois do berro da mãe*. **4** A voz de alguns animais, como o boi, o bode etc. **5** *Bras. Gír.* Revólver; BERRANTE [F.: Posv. de or. onomatopaica. Hom./Par.: *berro* (sm.), *berro* (fl. de *berrar*).]

berruga (ber.*ru*.ga) *sf. Bras. Pop.* Ver *verruga*

berrugoso (ber.ru.*go*.so) [ô] *a. Bras. Pop.* Ver *verrugoso* [Pl.: *ó*. Fem.: *ó*.]

bertalha (ber.*ta*.lha) *sf. Bot.* Trepadeira da fam. das baseláceas (*Basella rubra*), de caule suculento e folhas carnosas, muito cultivada como hortaliça; BAIANA [F.: De or. contrv.]

besouro (be.*sou*.ro) *sm.* **1** *Bras. Ent.* Denominação comum aos insetos coleópteros, cujas asas são revestidas de uma espécie de cobertura córnea, e com as quais fazem um zumbido característico; CASCUDO **2** *PE* Estilhaço de rebarba de uma broca ou escopro etc. quando se os martela **3** *RS* Semente de mamona **4** *Bras. Pirot.* O mesmo que *busca-pé* [F.: De or. contrv. Sin. ger.: *besoiro*.]

besouro-do-esterco (be.sou.ro-do-es.*ter*.co) *sm. Zool.* Ver *escaravelho* [Pl.: *besouros-do-esterco*.]

besta (*bes*.ta) [é] *sf. Mil.* Arma antiga de arremesso, us. para disparar setas e pelouros, consistente de um arco de aço ou de madeira, cuja corda se retesa por meio de uma mola que pode ser solta ao se premir um gatilho, liberando o arremesso do projetil [Col.: *bestaria*.] [F.: Do lat. *ballista*. Hom./Par.: *besta* (sf., a2g., s2g.), *besta* (fl. de *bestar*), *besta* [ê].]

besta (ê) (*bes*.ta) [ê] *sf.* **1** *Zool.* Qualquer animal quadrúpede, esp. os domésticos de grande porte **2** Animal us. para transportar cargas ou puxar arados, carruagens etc. **3** *Zool.* O mesmo que *burro* **4** *N. N.E. Zool.* A fêmea do cavalo; ÉGUA **5** *Fig. Pej.* Pessoa ignorante, burra [É ofensivo.] **6** *Pej.* Pessoa mal-educada, grosseira, violenta, malvada etc. **7** *N. N.E. Tabu.* Prostituta *a2g.* **8** Que é bobo, tolo: *Deixe de ser besta e se imponha!* **9** *Pop.* Que se julga superior aos outros; ARROGANTE; PRETENSIOSO: *Ficou besta depois que virou uma celebridade*. **10** Banal, insignificante: *Arranjou um servicinho besta, mas pelo menos é um começo*. **11** Surpreso, pasmo: *Fiquei besta com a coragem dela*. *s2g.* **12** Pessoa besta (8 e 9) [Aum.: *bestalhão*, *bestarrão*. Dim.: *bestilha* e *bestiola*.] [F.: Do lat. *bestia*. Hom./Par.: *besta* (sf.), *besta* (fl. de *bestar*.). Col.: *bestiagem*, *bestiame*.] ■ **~ de carga** Animal us. no transporte de cargas, ou em serviços pesados **~ do Apocalipse** *Rel.* Animal fantástico e terrível, que seria o símbolo do Anticristo **Metido a ~** *Bras. Gír.* Pedante, presunçoso, arrogante

besta-fera (bes.ta-*fe*.ra) [ês] *s2g.* **1** Animal feroz **2** *Fig.* Pessoa má, cruel [Pl.: *bestas-feras*.]

bestagem (bes.*ta*.gem) *Bras. Pop. sf.* **1** Ação ou resultado de bestar **2** *N.E.* Tolice, bobagem **3** Ócio, vadiagem [Pl.: *-gens*.] [F.: *besta* (ê) + *-agem*².]

bestalhão (bes.ta.*lhão*) *a.* **1** *Pej.* Diz-se de pessoa ignorante, rústica, inculta ou a que falta inteligência *sm.* **2** Essa pessoa [Pl.: *-lhões*. Fem.: *-lhona*.] [F.: *besta* (ê) + *-alhão*. Sin. ger.: *atoleimado*, *parvo*, *paspalhão*, *pateta*. Ant. ger.: *esperto*, *inteligente*.]

bestamente (bes.ta.*men*.te) *adv.* **1** De modo besta, bobo, tolo **2** De maneira besta, orgulhosa, arrogante **3** Por razão ou motivo fútil, tolo; por algo sem valor, por nada: *Seu amigo foi bestamente assassinado*; *Morreu bestamente, numa briga de trânsito*. [F.: *besta* (ê) + *-mente*.]

bestança (bes.*tan*.ça) *sf.* Ação ou dito de besta; BESTEIRA; BOBAGEM: "... Todos os países que têm esse treco são do Terceiro-Mundo. Logo, o monopólio estatal do petróleo é bestança de subdesenvolvido." (Roberto Campos, *A operação mitocídio*) [F.: *besta* + *-ança*.]

bestar (bes.*tar*) *Bras. Pop. v. int.* **1** Estar à toa: *Não fique aí bestando, faça alguma coisa*. **2** Dizer ou fazer besteiras, tolices **3** Andar sem rumo definido, vaguear: *Resolveu sair para bestar um pouco*. [▶ **1** bestar] [F.: *besta* (ê) + *-ar*². Hom./Par.: *besta(s)* (fl.), *besta(s)* [é] (sf. [pl.]), *besta(s)* [ê] (sf. a2g. s2g. [pl.]).]

besteira (bes.*tei*.ra) *Bras. sf.* **1** Dito ou pensamento próprios de pessoa besta (5), por ser absurdo, ou por denotar ignorância, desinformação etc; ASNEIRA; TOLICE **2** Ato insensato, ou desastrado, ou estabanado, fora de propósito: *Fez muita besteira, e sua firma acabou falindo*. **3** Coisa insignificante: *Não se amole por essas besteiras*. **4** Tendência a se ressentir com facilidade; MELINDRE: *Seja cuidadoso ao criticá-lo, ele é cheio de besteiras*. **5** *MG* Grampo para prender o cabelo [F.: *besta* (ê) + *-eira*.]

besteirada (bes.*tei*.ra.da) *sf.* Grande besteira ou grande quantidade de besteiras [F.: *besteira* + *-ada*.]

besteiro (bes.*tei*.ro) *Ant. sm.* **1** Soldado munido de besta, arma portátil que arremessava setas curtas **2** Fabricante ou comerciante de bestas [F.: *besta* (é) + *-eiro*.]

besteirol (bes.tei.*rol*) *sm. Bras.* Tipo de espetáculo de humor leve e burlesco, em teatro, televisão etc., que se caracteriza pela abordagem absurda, ilógica e grotesca de situações do dia a dia, sociais, políticas etc. [Pl.: *-róis*.] [F.: *besteira* + *-ol*¹.]

bestial (bes.ti:*al*) *a2g.* **1** Ref. a, de ou próprio de besta (animal irracional) (instinto bestial, comportamento bestial) **2** *Fig.* Selvagem, desumano, cruel: *Foram de uma violência e de uma agressividade bestiais*. **3** *Fig.* Rude, grosseiro, sem consideração pelo próximo **4** *P. ext.* Que causa aversão, que repugna; REPUGNANTE **5** *P. ext.* Que é imoral, devasso **6** *Lus. Pop.* Excelente, fantástico (plano bestial) **7** *Lus. Pop.* Muito grande; ENORME [Pl.: *-ais*.] [F.: Do lat. *bestialis*.]

bestialidade (bes.ti:a.li.*da*.de) *sf.* **1** Qualidade ou caráter do que é bestial **2** Ato bestial **3** *Fig.* Comportamento animalesco; BRUTALIDADE; ESTUPIDEZ **4** *Psiq.* Atividade sexual com animais; BESTIALISMO; ZOOERASTIA; ZOOFILIA [F.: *bestial* + *-(i)dade*.]

bestialismo (bes.ti:a.*lis*.mo) *sm.* Prática de atos libidinosos com animais; BESTIALIDADE; ZOOERASTIA [F.: *bestial* + *-ismo*.]

bestialização (bes.ti:a.li.za.*ção*) *sf.* Ação ou resultado de bestializar(-se) [F.: *bestializar* + *-ção*.]

bestializado (bes.ti:a.li.*za*.do) *a.* **1** Que se bestializou, que se tornou semelhante a um animal, perdendo as características humanas *a.* **2** *Fig.* Que se tornou irracional; ANIMALIZADO; EMBRUTECIDO [F.: Part. de *bestializar*.]

bestializar (bes.ti:a.li.*zar*) *v.* Tornar(-se) como besta, embrutecido, estúpido; BESTIFICAR(-SE) [*td.*: *Trabalhos degradantes bestializam o homem*.] [*int.*: *Depois de passar tantos anos na prisão, bestializou-se*.] [▶ **1** bestializar] [F.: *bestial* + *-izar*.]

bestialmente (bes.ti.al.*men*.te) *adv.* **1** De modo bestial, selvagem **2** De modo desumano, cruel **3** De modo rude, grosseiro [F.: *bestial* + *-mente*.]

bestialogia (bes.ti:a.lo.*gi*.a) *sf.* Faculdade ou ação de proferir bestialógicos [F.: Do lat. *bestia, ae* + *-logia*.]

bestialógico (bes.ti:a.*ló*.gi.co) *a.* **1** *Bras. Pop.* Sem nexo, disparatado *sm.* **2** Escrito, discurso ou afirmação faltos de nexo, de lógica, cheios de absurdos e disparates; BESTEIRADA [F.: *bestialogia* + *-ico*².]

bestiário (bes.ti:*á*.ri:o) *sm.* **1** *Liter.* Livro medieval com descrições e histórias de animais, reais ou imaginários **2** *Hist.* Na Roma antiga, gladiador que lutava com feras na arena [F.: Do lat. *bestiarius*.]

bestice (bes.*ti*.ce) *sf.* **1** Ação ou dito tolo, que demonstra estupidez, falta de raciocínio ou de inteligência; BESTEIRA; BOBAGEM; ASNEIRA **2** *Bras.* Qualidade de quem é besta, arrogante, soberbo; ESNOBISMO; PRETENSÃO; IMODÉSTIA [F.: *besta* (ê) + *-ice*.]

bestificação (bes.ti.fi.ca.*ção*) *sf.* Ação ou resultado de bestificar(-se) [Pl.: *-ções*.] [F.: *bestificar* + *-ção*.]

bestificado (bes.ti.fi.*ca*.do) *a.* **1** Que se bestificou **2** Muito admirado, pasmo: *Os turistas ficaram bestificados com aquela paisagem*. [F.: Part. de *bestificar*.]

bestificante (bes.ti.fi.*can*.te) *a2g.* **1** Que bestifica **2** *Fig.* Que causa espanto, assombro; ASSOMBROSO; SURPREENDENTE [F.: *bestificar* + *-nte*.]

bestificar (bes.ti.fi.*car*) *v.* **1** *Fig.* Causar pasmo a, ou espantar(-se), pasmar(-se) [*td.*: *As cenas violentas bestificaram a sociedade*.] [*int.*: *Bestificou-se com a crueldade do sequestrador*.] **2** Tornar(-se) como besta, estúpido, imbecil; BESTIALIZAR(-SE) [*td.*: *A falta de informação bestifica o povo*.] [*int.*: *Alguns programas de tevê instruem, outros, bestificam*.] [▶ **11** bestificar] [F.: *besta* (ê) + *-ificar*.]

bestilha¹ (bes.*ti*.lha) *sf. Vet.* Lanceta de uso veterinário; BALESTILHA [F.: *besta* (é) + *-ilha*.]

bestilha² (bes.*ti*.lha) *sf.* Pequena besta, animal quadrúpede us. para transportar pessoas ou carga [F.: *besta* [ê] + *-ilha*.]

bestiola (bes.ti:*o*.la) *sf.* **1** Besta (ê) de pouca estimação **2** Besta pequena **3** *Fig.* Pessoa muito estúpida, ignorante [F.: Do lat. *bestia, ae* + *-ola*.]

⊕ **best-seller** (*Ing.* /bést-séler/) *sm.* **1** Livro que é grande sucesso de venda **2** *P. ext.* Qualquer produto que seja um sucesso de venda

bestunto (bes.*tun*.to) *Pop. sm.* **1** Memória, lembrança, pensamento **2** Inteligência curta [F.: De *besta* (ê).]

besuntado (be.sun.*ta*.do) *a.* Que se besuntou, que se untou esfregando: *Despejou o creme sobre a forma besuntada*. [F.: Part. de *besuntar*.]

besuntão (be.sun.*tão*) *sm.* **1** Pessoa que anda com roupas emporcalhadas, ou cheias de nódoas **2** Pessoa suja, pouco asseada [Pl.: *-tões*. Fem.: *-tona*.] [F.: *besuntar* + *-ão*¹.]

besuntar (be.sun.*tar*) *v. td.* **1** Cobrir(-se) com boa camada de substância gordurosa; LAMBUZAR(-SE) [+ *de, com: Besuntou o pão de / com manteiga; Para proteger-se do sol, besuntou-se de / com filtro solar.*] **2** *P. ext.* Sujar esp. com substância untuosa; tornar-se sujo; EMPORCALHAR(-SE) [+ *de, com: Atravessou o pântano e besuntou o carro de / com lama; Na aula de artes, besuntou-se de / com tinta.*] [▶ 1 besuntar] [F.: *bis-* + *-untar*.]

beta[1] (*be*.ta) [é] *sm.* **1** Segunda letra do alfabeto grego. Corresponde ao *b* latino (Β, β) **2** *Astron.* Numa constelação, segunda estrela em grandeza [Nesta acp., com inicial maiúsc.] **3** *Fís. nu.* Elétron ou pósitron emitido por um nêutron, em processo de desintegração do núcleo; tb. *partícula beta* [Us. como adj. em *partícula beta* e em referências a processos a esta referentes.] [F.: Do gr. *bêta*, pelo lat. *beta*. Hom./Par.: *beta* (sm.), *beta* (sf.), *beta* (fl. de *betar*).] ■ **Ver-se em ~s** *S.* Estar em dificuldades, em apuros

beta[2] (*be*.ta) [é] *sf. Bot.* Nome de várias ervas do gên. *Beta*, da fam. das quenopodiáceas (Europa, e do Mediterrâneo ao Irã). As variedades de *Beta vulgaris* são cultivadas pelas raízes (com reservas de açúcar, nas beterrabas) ou pelas folhas (como a acelga) [F.: Do celta *bett*, pelo lat. *Beta*.]

betabloqueador (be.ta.blo.que.a.*dor*) [ô] *a.* **1** *Bioq.* Diz-se de droga que atua sobre distúrbios do ritmo dos batimentos cardíacos, angina e hipertensão *sm.* **2** Essa droga [F.: *beta-* (gr. *beta* 'segunda letra') + *bloqueador*.]

betacam (be.ta.*cam*) *Telv. sf.* **1** Sistema de gravação de imagens para televisão e vídeo **2** Fita de vídeo us. por esse sistema [Tb. us. com adj. nas duas acp.] [F.: Do ing. *Betacam*, marca registrada]

betacismo (be.ta.*cis*.mo) *sm. Fon.* Troca do fonema *v* pelo *b* [F.: *beta* + *-c-* + *-ismo*.]

betalactamase (be.ta.lac.ta.*ma*.se) *sf. Bioq.* Enzima presente em certas bactérias, que destrói determinados antibióticos [F.: *beta-* + *-lact (i)-* + *-am-* + *-ase*.]

betaterapia (be.ta.te.ra.*pi*.a) *sf. Ter.* Tratamento que utiliza a radiação ionizante na prevenção da formação de queloides e de cicatrizes hipertróficas [F.: *beta-* + *terapia*.]

bétele (*bé*.te.le) *sm.* **1** *Bot.* Planta aromática da fam. das piperáceas (*Piper betle*), nativa da Ásia, cultivada pelas folhas, us. no preparo do bétele (2), e de cujas raízes se extraem óleos essenciais **2** Mistura de tabaco e noz-de-areca enrolada na folha dessa planta, usada para mastigar (com efeito ligeiramente embriagante) em algumas regiões do sudeste asiático [F.: Do malaiala *vetilla*. Tb. *bétel*.]

beterraba (be.ter.*ra*.ba) *Bot. sf.* **1** Planta da fam. das quenopodiáceas (*Beta vulgaris*), de raiz grossa e cor vermelho-vinho, us. na alimentação, e da qual se extrai açúcar [Col.: *beterrabal*.] **2** Essa raiz [F.: Do fr. *betterave*.]

beterrabal (be.ter.ra.*bal*) *sm.* Extensa plantação de beterrabas [Pl.: *-bais*.] [F.: *beterraba* + *-al[1]*.]

betoneira (be.to.*nei*.ra) *sf.* Máquina giratória com que se misturam os elementos que formam o betão ou concreto; MISTURADOR [F.: Do fr. *betonnière*.]

betting (*Ing. /bétin/*) *sm. Turfe* Aposta, nas corridas de cavalos, em que se deve acertar os vencedores dos três últimos páreos

bétula (*bé*.tu.la) *sf.* **1** *Bot.* Denominação comum às plantas do gên. *Betula*, da fam. das betuláceas, árvores e arbustos naturais do hemisfério norte, como, p. ex., *Betula alba*, cuja madeira é branca, de boa qualidade e us. como lenha, e de cuja seiva se produzem açúcar e bebida alcoólica; VIDOEIRO [Col.: *betuleto*.] **2** A madeira dessas árvores; VIDOEIRO [F.: Do lat. *bettula*.]

betuleto (be.tu.*le*.to) [ê] *sm.* Extensa plantação de bétulas [F.: *bétula* + *-eto*.]

betumado (be.tu.*ma*.do) *a.* **1** Coberto ou tapado com betume **2** Unido com betume **3** Diz-se de papel que contém camada de betume, us. para torná-lo impermeável [F.: Do lat. *bituminatus, a, um*.]

betumar (be.tu.*mar*) *v.* **1** Vedar, tapar com betume (juntas, fendas ou orifícios de assoalhos, tetos, janelas, embarcações, tonéis etc.) [*td.*: *betumar as fendas do teto/ as juntas dos azulejos*.] **2** Revestir, cobrir com betume [*td.*] **3** O mesmo que *calafetar* [*tdr.* + *com: Betumou a cerâmica com uma mistura de cimento e pó de pedra*.] [▶ 1 betumar] [F.: *betume* + *-ar[2]*. Hom./Par.: *betume* (fl.), *betume* (sm.); *betumes* (fl.), *betumes* (pl. do sm.).]

betume (be.*tu*.me) *sm.* **1** *Quím.* Mistura de substâncias provenientes da decomposição de matérias orgânicas, e consistindo esp. de hidrocarbonetos e produtos mais ou menos oxidados e azotados, que é us. como impermeabilizante e na pavimentação de ruas, rodovias etc; ASFALTO; PEZ MINERAL **2** Massa us. pelos vidraceiros para fixar os vidros nos caixilhos **3** Massa com que se tapam pequenos buracos na madeira **4** Substância preparada com pez, cal e outros ingredientes, us. para tapar junturas nas pedras, para vedar a água e em outras obras [F.: Do lat. *bitumen, -inis*. Hom./Par.: *betume* (sm.), *betume* (fl. de *betumar*). Sin. ger.: *batume, bitume*.] ■ **~ asfáltico** *Quím.* Tipo de betume ger. viscoso, solúvel em sulfeto de carbono **~ da Judeia** *Quím.* Tipo de betume us. em indústria de tintas e vernizes **~ de petróleo** *Quím.* Aquele obtido de destilação de petróleo **~ natural** *Quím.* Aquele obtido por processo natural a partir de rochas sedimentares

betuminoso (be.tu.mi.*no*.so) [ô] *a.* **1** Que contém betume **2** Que é da natureza do betume [F.: Do lat. *bituminosu*.]

bexiga (be.*xi*.ga) *sf.* **1** *Anat.* Bolsa localizada na parte frontal e inferior do abdome, que recebe dos rins a urina, via ureteres, e lhe serve de receptáculo até a excreção **2** Essa bolsa, retirada de um boi ou porco, seca e cheia de ar, e us. em brincadeiras de crianças, para dar socos etc. **3** *Pop.* Varíola [Tb. us. no pl.] **4** Marca na pele deixada por essa doença [Tb. us. no pl.] **5** *SP Pop.* Balão inflável de borracha colorida **6** *Pint.* Tubo de tinta a óleo **7** *Lus. Pop.* Troça, pilhéria [F.: Do lat. *vessica*.] ■ **~ natatória** *Anat. Zool.* Bolsa presente na maioria dos peixes ósseos e dipnoicos que possui função hidrostática ou respiratória respectivamente [Em algumas espécies, tem função na respiração, ou como órgão de sentido e de produção de sons. Sin.: *vesícula natatória*.] **~s negras/pretas** *Pop.* Pústulas escuras, na varíola hemorrágica **Da ~** *N.E. Pop.* Muito, à beça: *É um jogador ruim da bexiga.* **Estar com a ~** *N.E. Pop.* Estar irritado, com raiva **Pedir ~** *Bras. Gír.* Dar-se por vencido, desistir, render-se; pedir clemência

A estrutura da bexiga é muscular e membranosa, e suas paredes são formadas por 3 camadas, as duas externas de fibras longitudinais, a intermediária de fibras transversais; ela pode se expandir para receber até 500 mml de urina pelos ureteres, que vêm dos rins. A saída de urina se dá pela uretra, que no aparelho urogenital masculino também é o canal de saída do sêmen.

bexigoso (be.xi.*go*.so) [ô] *a.* **1** Marcado por bexigas: "Seria aquele tapuio de cara bexigosa e ar pacífico o mesmo salteador da baía do Sol e das águas do Amazonas..." (Inglês de Souza, *Contos Amazônicos*) **2** Diz-se de pessoa que tem ou teve bexigas (varíola) e delas apresenta sinais [Fem. e pl.: [ó].] *sm.* **3** Essa pessoa [Fem. e pl.: [ó].] [F.: *bexiga* + *-oso*. Sin. ger.: *bexiguento*.]

bexigueiro (be.xi.*guei*.ro) *a. Lus.* Que faz bexigas (5) [F.: *bexiga* + *-eiro*.]

bexiguento (be.xi.*guen*.to) *a.* **1** O mesmo que *bexigoso* (1 e 2); BEXIGOSO **2** *Lus. Pop.* Que tende a fazer bexigas (3); TROCISTA *sm.* **3** O mesmo que *bexigoso* (3) [F.: *bexiga* + *-ento*.]

bezerrada (be.zer.*ra*.da) *sf.* **1** Conjunto de bezerros **2** Grande quantidade de bezerros [F.: *bezerro* + *-ada*.]

bezerreiro (be.zer.*rei*.ro) *sm.* **1** *Lus.* Curral para bezerros **2** *CE* Aquele que cria ou trata de bezerros [F.: *bezerro* + *-eiro*.]

bezerro (be.*zer*.ro) [ê] *sm.* **1** A cria masculina da vaca, até um ano de idade; NOVILHO; VITELO **2** A pele do bezerro, curtida **3** *Amaz.* Filhote de peixe-boi [Col.: *bezerrada*.] [F.: Posv. do lat. *ibex -icis*, pelo lat. hisp. *ibicerra*.] ■ **~ de ouro** *Fig.* Riqueza, fortuna **Botar ~** *AL Pop.* Vomitar **Chorar como ~ desmamado** *Bras.* Chorar ruidosamente

bi-[1] *pref.* Ver *bis-*: *bicampeão*. [F.: Do pref. lat. *bi-*.]

bi-[2] *pref. Quím.* Ger. com as noções de 'duas vezes a proporção necessária para uma reação' e 'duas vezes mais que o precedente': *bicarbonato*; *bióxido* [F.: Do lat. *bi-*, de *bis-*, *bi-* 'duas vezes'.]

bi[1] *sm2n. Bras. Pop.* Bilhão, ou bilhões: *O país perdeu R$3 bi com produtos piratas.* [F.: Red. de *bilhão*.]

Bi[2] *sm. Quím.* Símbolo do bismuto

bi[3] *s2g2n. a2g2n. Bras. Pop.* F. red. de *bissexual*

bi[4] *a2g2n. s2g. 2n. Esp.* F. red. de *bicampeão*

bi[5] *sm.* F. red. de *bicampeonato*: *1962 foi o ano do bi do Brasil (na Copa do Mundo de futebol).*

biafrense (bi:a.*fren*.se) *a2g.* **1** De Biafra (região da África); típico dessa região ou de seu povo *s2g.* **2** Pessoa nascida ou que vive em Biafra [F.: Do top. *Biafra* + *-ense*.]

bianual (bi:a.nu:*al*) *a2g.* **1** Ref. a um biênio **2** Que dura dois anos (projeto bianual) **3** Que acontece a cada dois anos (exposição bianual) **4** *Bot.* Diz-se de planta que completa o ciclo vegetativo e reprodutivo em dois anos [Pl.: *-ais*.] [F.: *bi-[1]* + *anual*. Sin. ger.: *bienal*.]

biaribi (bi:a.ri.*bi*) *sm. Bras.* Método indígena de assar a caça ou o peixe em covas abertas no chão e cobertas de folhas verdes, terra e lenha a que se lança fogo [F.: Do tupi *mbiarimbi*.]

biarticulado (bi:ar.ti.cu.*la*.do) *a.* Que é articulado em dois pontos (ônibus biarticulado) [F.: *bi-[1]* + *articulado*.]

biarticular (bi.ar.ti.cu.*lar*) *a2g.* Com duas articulações (músculo biarticular) [F.: *bi-[1]* + *articular*.]

bias (*Ing. /báias/*) *sm.* **1** Característica, qualidade ou tendência dominante na personalidade de um indivíduo: *Trata-se de um político de bias extremamente conservador.* **2** Tendência que leva a preferir ou aprovar uma pessoa ou grupo em prejuízo de outro: *O ativista demonstra um forte bias em favor dos sem-terra.* **3** Predisposição de um acontecimento mais para um sentido do que para outro; PREFERÊNCIA; FAVORITISMO: *As previsões apontam um bias favorável aos trabalhistas.* **4** O mesmo que *preconceito* **5** *Eletrôn.* Ver *polarização* [F.: Do ing. *bias*.]

biaxial (bi:a.xi:*al*) (cs) *a2g.* **1** Que tem dois eixos (pedal biaxial) **2** Diz-se de cristal que tem dois eixos ópticos [Pl.: *-ais*.] [F.: *bi-[1]* + *axial*.]

biba (*bi*.ba) *Bras. Pej. Pop. sf.* Homossexual do sexo masculino; BAITOLA; BAITOLO

bibelô (bi.be.*lô*) *sm.* **1** Pequeno objeto de enfeite que se põe sobre os móveis **2** Objeto de pouco valor **3** *Fig.* Indivíduo de aspecto e comportamentos delicados: *Essa menina é um bibelô, linda e bem-comportada.* **4** *Irôn. Pej.* Indivíduo de bom aspecto, mas inexpressivo e inútil: *Não adianta pedir sua ajuda, ele é um bibelô.* [F.: Do fr. *bibelot*.]

bibicar (bi.bi.*car*) *P. us. v.* Bicar de leve e repetidamente: *As galinhas bibicavam as frutas caídas.* [▶ 11 bibicar] [F.: voc. expressivo deriv. de *bicar*.]

bibico (bi.*bi*.co) *sm.* **1** Tipo de gorro ou barrete usado por soldados, de duas pontas, à frente e atrás, e que se dobra ao comprido: "Sargento Josimar, na portaria, bibico escondendo a testa estreita, bateu continência." (Marques Rebelo, *O simples coronel Madureira*) *sm.* **2** Chapéu cuja aba tem dois bicos [F.: *bi-* + *bico*.]

bíblia (*bí*.bli:a) *sf.* **1** *Rel.* A Sagrada Escritura, compreendendo o Antigo e o Novo Testamento [Nesta acpç. com inicial maiúsc.] **2** *Rel.* O Antigo Testamento, a bíblia hebraica, com suas 3 seções: o *Pentateuco*, os *Profetas* e os *Escritos*. [Nesta acpç. com inicial maiúsc.] *sf.* **3** Livro que contém os textos da Bíblia: *Comprou uma bíblia com capa de couro.* **4** *Fig.* Livro que se considera fundamental, que serve de guia: *O manual é sua bíblia.* *s2g.* **5** *Bras. Pop.* Protestante, crente: *Ele é bíblia, e vai sempre às assembleias de sua igreja.* [F.: Do lat. ecles. *biblia* (do gr. *biblion, ou*), posv. pelo fr. *Bible*.]

A Bíblia, em suas várias versões, é o livro mais impresso, mais vendido e mais lido de todos os tempos. Foi o primeiro livro impresso (por Gutenberg, em 1450), e é praticamente incontável o número de edições e de exemplares já publicados em c. 300 línguas diferentes. O termo compreende duas versões distintas: o chamado 'Antigo Testamento', a Bíblia judaica, composta de três partes: o Pentateuco, os Profetas e os Escritos; e a Bíblia cristã, que acrescentou à Bíblia judaica o 'Novo Testamento', incluindo os quatro Evangelhos e os Atos do Apóstolos, as Epístolas e os Proféticos (Apocalipse).

bíblico (*bí*.bli.co) *a.* Ref. a, da ou próprio da Bíblia (texto bíblico) [F.: *bíblia* + *-ico[2]*.]

-bibli(o)- *el. comp.* Ver *bibli(o)-*

-biblio *el. comp.* Ver *bibli(o)-*

bibli(o)-, -bibli(o)-, -bíblio *el. comp.* = 'livro'; 'obra': *bibliófago, bibliofilia* (< fr.), *bibliofobia, biblioteca* (< fr.); *biobibliografia*; *tetrabíblio* [F.: Do gr. *biblion*, ou, 'papel de escrever'; 'carta'; 'lousa ou tábula de escrever'. Ver *biblioteco-*.]

bibliófago (bi.bli.*ó*.fa.go) *a.* **1** Diz-se de inseto, rato etc. que se alimenta de livros, jornais, revistas, documentos **2** *Fig.* Diz-se de indivíduo que lê muito, que adora ler *sm.* **3** Animal que come papel *sm.* **4** *Fig.* Indivíduo que lê avidamente [F.: *bibli(o)-* + *-fago*.]

bibliofilia (bi.bli:o.fi.*li*.a) *sf.* **1** Amor aos livros, sobretudo aos raros **2** Hábito ou arte de colecionar livros; BIBLIOMANIA [F.: Do fr. *bibliophilie*; ver *bibli(o)-* e *-filia[1]*. Ant. ger.: *bibliofobia*.]

bibliófilo (bi.bli.*ó*.fi.lo) *a.* **1** Que tem paixão por livros **2** Que coleciona livros raros ou de edições especiais *sm.* **3** Indivíduo bibliófilo [F.: Do fr. *bibliophile*; ver *bibli(o)-* e *-filo[1]*. Ant. ger.: *bibliófobo*.]

bibliofobia (bi.bli:o.fo.*bi*.a) *sf. Psiq.* Aversão patológica a livros [F.: *bibli(o)-* + *-fobia*. Ant.: *bibliofilia*.]

bibliofóbico (bi.bli:o.*fó*.bi.co) *Psiq. a.* **1** Ref. à *bibliofobia* **2** Diz-se de indivíduo que tem bibliofobia; BIBLIÓFOBO *sm.* **3** Esse indivíduo; BIBLIÓFOBO [F.: *bibliofobia* + *-ico[2]*.]

bibliófobo (bi.bli.*ó*.fo.bo) *a. sm. Psiq.* O mesmo que *bibliofóbico* (2 e 3) [F.: *bibli(o)-* + *-fobo*.]

bibliografia (bi.bli:o.gra.*fi*.a) *sf.* **1** Lista de livros e documentos sobre determinado assunto, conforme os critérios bibliográficos adotados **2** Lista das obras consultadas por um autor como base ou subsídio para seu texto, ou sugeridas como leitura complementar, que se encontra ger. no final de um livro, de um artigo etc. **3** Estudo e classificação de livros e documentos impressos de acordo com determinados critérios, que servem de eixo para seu agrupamento (por cronologia, por disciplina ou tema etc.) e consequente listagem [F.: Do fr. *bibliographie*; ver *bibli(o)-* e *-grafia*.] ■ **~ ativa** *Bibl.* Aquela que se refere às obras de determinado autor **~ descritiva/material** Aquela que se refere ao estudo físico de livros **~ passiva** *Bibl.* Aquela que se refere às obras sobre determinado autor

bibliográfico (bi.bli:o.*grá*.fi.co) *a.* Ref. a, de ou próprio de livros ou de bibliografia [F.: *bibliografia* + *-ico[2]*.]

bibliógrafo (bi.bli.*ó*.gra.fo) *sm.* **1** Especialista em bibliografia **2** Aquele que pesquisa organiza e monta bibiliografia (1 e 2) [F.: Do fr. *bibliographe*; ver *bibli(o)-* e *-grafo*.]

bibliologia (bi.bli:o.lo.*gi*.a) *sf. Bibl.* Ciência que estuda a história e a produção dos livros em seus vários aspectos e ramificações (técnica, conservação e restauração, classificação, organização de acervos etc.) [F.: *bibli(o)-* + *-logia*.]

bibliológico (bi.bli:o.*ló*.gi.co) *a.* Ref. a ou próprio da bibliologia [F.: *bibliologia* + *-ico[2]*.]

bibliomania (bi.bli:o.ma.*ni*.a) *sf.* Grande interesse e paixão pelos livros, que se manifesta como mania de comprar e acumular livros, esp. edições raras [F.: *bibli(o)-* + *-mania*. Sin.: *bibliofilia*. Ant.: *bibliofobia*.]

bibliomaníaco (bi.bli:o.ma.*ní*.a.co) *a.* **1** Ref. à bibliomania **2** Diz-se de indivíduo que tem bibliomania; BIBLIÔMANO *sm.* **3** Esse indivíduo; BIBLIÔMANO [F.: *biblioman(ia)* + *-íaco*, seg. o mod. gr.]

bibliômano (bi.bli.*ô*.ma.no) *a. sm.* O mesmo que *bibliomaníaco* (2 e 3) [F.: *bibli(o)-* + *-mano[1]*.]

bibliometria (bi.bli:o.me.*tri*.a) *sf. Bibl.* Estudo dos aspectos quantitativos da produção, disseminação e uso da informação registrada [F.: *bibli(o)-* + *-metria[1]*; ingl. *bibliometrics*.]

bibliopola (bi.bli:o.*po*.la) *s2g.* Aquele que vende livros; LIVREIRO [F.: Do lat. *bibliopola, ae*, pelo fr. *bibliopole*.]

biblioteca (bi.bli:o.*te*.ca) *sf.* **1** Coleção de livros, documentos e periódicos, pública (ger. aberta a consulta do público) ou particular **2** Edifício, sala ou conjunto de salas onde fica instalada e catalogada essa coleção, para consulta ou para empréstimo ao público **3** Aposento doméstico onde se guarda coleção de livros **4** Móvel ou estante para livros **5** *Inf.* Coleção de códigos de programas e rotinas agrupados ordenadamente, de modo a poderem ser acessados e usados pelo programador para desenvolver outros programas [F.: Do gr. *bibliothéke, es*, pelo lat. *bibliotheca, ae*, e pelo fr. *bibliothèque*.] ▪ **~ circulante 1** Aquela cujos livros são emprestados por período determinado **2** Biblioteca ambulante que circula entre as instituições de um grupo

📖 As bibliotecas datam da Antiguidade (c. 3000 a.C.), como coleções de papiros, tabletes gravados (chamados 'tábulas'), e manuscritos vários. Nos séculos XIX e XX, quando se desenvolveram sistemas modernos de conservação e classificação de livros e documentos, foram criadas grandes bibliotecas. No Brasil, a primeira biblioteca foi da do mosteiro de São Bento, Salvador, BA, em 1581. As mais importantes são a Biblioteca Nacional, no Rio de Janeiro, a Biblioteca Municipal de São Paulo, a da USP, a da Universidade de Brasília e a Biblioteca do Congresso.

bibliotecário (bi.bli:o.te.*cá*.ri:o) ***sm.*** **1** Aquele que é responsável por uma biblioteca e que a administra **2** Quem tem formação em escola ou faculdade de biblioteconomia, legalmente registrado como tal; ger. exerce suas funções em bibliotecas, centros de documentação, museus como consultor, etc. ***a.*** **3** Ref. à biblioteca [F.: Do lat. *bibliothecarius, ii*, pelo fr. *bibliothécaire*.]

◎ **biblioteco-** ***el. comp.*** = 'biblioteca': *bibliotecologia, biblioteconomia, bibliotecônomo* [F.: Do gr. *bibliothéke, es* + *-o-*. Ver *bibli(o)-* e *-teca*.]

bibliotecologia (bi.bli:o.te.co.lo.*gi*.a) ***sf.*** Estudo das bibliotecas, sua constituição, conservação e funcionamento; BIBLIOTECOSOFIA [F.: *biblioteco-* + *-logia*.]

biblioteconomia (bi.bli:o.te.co.no.*mi*.a) ***sf.*** Curso universitário e disciplina que trata da organização e administração de bibliotecas [F.: Do fr. *bibliothéconomie*.]

biblioteconomista (bi.bli:o.te.co.no.*mis*.ta) ***s2g.*** Pessoa especializada em biblioteconomia; BIBLIOTECÔNOMO [F.: *biblioteconomia* + *-ista*.]

bibliotecônomo (bi.bli:o.te.*cô*.no.mo) ***sm.*** O mesmo que *biblioteconomista* [F.: *biblioteco-* + *-nomo*.]

biboca (bi.*bo*.ca) ***sf.*** **1** *Bras.* Armazém ou botequim pequeno e modesto **2** Habitação humilde; BAIUCA; BODEGA **3** *N.E. SP* Choupana coberta de sapê **4** *ES* Casa afastada **5** Barranco criado por enxurradas **6** Grota (3) de difícil acesso; BURACO **7** *BA* Lugar desabitado, deserto [Col.: *bibocal, biboqueira*.] **8** *RS* Esconderijo difícil de se encontrar [F.: Do tupi *imi' moka*. Sin. ger.: *baboca, boboca*.]

bica (*bi*.ca) ***sf.*** **1** Calha, cano, tubo, ou qualquer orifício de onde sai água ou outros líquidos **2** *N.E. RJ* O mesmo que *torneira*, dispositivo que se abre e fecha para regular fluxo de água encanada **3** Chafariz, fonte (ger. de água potável) **4** *Bras. Fig.* Qualquer coisa da qual se obtêm vantagens, bons resultados etc. **5** *Gír.* Grande número de aprovações em exames, ger. desproporcional ao conhecimento demonstrado **6** *Lus.* Café-expresso; esse café servido em xícara [Tb. *bica italiana*.] **7** *Ict.* Peixe teleósteo perciforme da fam. dos esparídeos (*Pagellus erythrinus*), que ocorre na costa de Portugal e da Biscaia, e cujo nome é devido a ter a cabeça em forma de bica **8** *Lus.* Na Beira e no Minho, pão comprido e chato [F.: De *bico*. Hom./Par.: *bica* (sf.), *bica* (fl. de *bicar*).] ▪ **~ de manteiga** *Lus.* Espécie de biscoito **~ italiana** *Lus.* Café-expresso [Tb. apenas *bica*.] **Em ~s** *Fig.* Como (líquido) a jorrar de uma bica (em quantidade, aos borbotões) **Na ~ de** Prestes a, na iminência de (algo acontecer) **Suar em ~(s)** Transpirar muito

bicada (bi.*ca*.da) ***sf.*** **1** Golpe, mordida, picada com o bico: *O papagaio deu-me uma bicada.* **2** O que os pássaros levam no bico de uma vez **3** *P. ext.* Ação ou resultado de retirar pequena porção de um todo, como se fosse com uma bicada (1): *Sem que o vissem, o menino deu uma boa bicada no bolo.* **4** *Bras. P. ext. Pop.* Pequeno trago de bebida alcoólica (ger. cachaça); BICULA; RIPADA **5** Observação ou crítica velada mas mordaz a algo ou alguém **6** Greta ou cavidade em terreno **7** Extremidade longitudinal de uma serra **8** Ato de (o cavalo) estender o focinho para alongar o freio **9** Bica ou calha extensa **10** *Ant.* Entrada ou ponta de um mato [F.: Fem. substv. do part. *bicado*.]

bicama (bi.*ca*.ma) ***sf.*** *Bras.* Móvel composto de duas camas, ficando a mais baixa, quando não em uso, guardada sob a outra [F.: *bi-*[1] + *cama*.]

bicameral (bi.ca.me.*ral*) ***a2g.*** **1** Ref. ao bicameralismo (sistema bicameral); BICAMERALISTA **2** De ambas as câmaras: *Somente uma deliberação bicameral poderia reverter aquela decisão.* [Pl.: *-rais*.] [F.: *bi-*[1] + *cameral*.]

bicameralismo (bi.ca.me.ra.*lis*.mo) ***sm.*** Sistema político em que o Poder Legislativo se divide em duas câmaras [F.: *bicameral* + *-ismo*.]

bicampeão (bi.cam.pe:*ão*) ***a.*** **1** Que foi campeão duas vezes de um mesmo campeonato [F. red.: *bi*.] ***sm.*** **2** Aquele (esportista, clube, escola de samba etc.) que foi campeão duas vezes de um mesmo campeonato [F. red.: *bi*.] [Pl.: *-ões*. Fem.: *-ã*] [F.: *bi-*[1] + *campeão*.]

bicampeonato (bi.cam.pe:o.*na*.to) ***sm.*** Campeonato vencido pelo mesmo concorrente pela segunda vez, consecutiva ou não [F. red.: *bi*.] [F.: *bi-*[1] + *campeonato*.]

bicanca (bi.*can*.ca) ***sf.*** **1** Nariz grande; NARIGÃO **2** Bico grande; BICARRA **3** *Bras. Fut.* Chute violento desferido na bola com o bico da chuteira; BICO; BIQUEIRADA *MA*; BICUDO ***s2g.*** **4** Aquele que tem o nariz, ou o bico, grande ***a2g.*** **5** Que tem o nariz, ou o bico, grande [F.: De *bico*.]

bicão (bi.*cão*) ***sm.*** **1** Bico grande **2** *Bras. Gír.* Pessoa aproveitadora, que procura viver às custas dos outros; EXPLORADOR **3** *Gír. Bras.* Aquele que se intromete na vida alheia; que gosta de bisbilhotar; INTROMETIDO; METEDIÇO **4** *Gír. Bras.* Aquele que conquista mulheres visando viver a suas custas; INTERESSEIRO **5** *Gír. Bras.* Aquele que frequenta festas e eventos sem ser convidado; PENETRA **6** *Bras. Fut.* Chute muito forte dado na bola com a ponta do pé ou o bico da chuteira [F.: *bico* + *-ão*.]

bicar (bi.*car*) ***v.*** **1** Tocar, pegar ou picar com o bico; dar ou trocar bicadas [***td.***: *O canário bicava o poleiro; Os galos, medindo forças, começaram a se bicar; Os passarinhos bicavam-se.*] [***int.***: *Esse ganso bica muito forte.*] **2** Pegar, para comer e beber, usando o bico (ave) [***td.***: *As galinhas gostam de bicar minhocas.*] **3** *P. ext.* Beber aos poucos; BEBERICAR [***td.***: *Bicava calmamente uma dose de cachaça.*] **4** Comer ou beber pequena porção de [***td.***: *Como estava com pressa apenas bicou o suco/ o pão.*] **5** *Fig.* Criticar com malícia ou ironia; ofender de leve [***td.***: *A repreensão bicou seu orgulho.*] **6** *Pop.* Relacionar-se bem, entender-se [***td.***: *Não se bicam, estão sempre discutindo.*] **7** *Bras. Pop.* Tirar proveito de (alguém), agindo como bicão [***td.***: *Para subir na vida, bicou muitos amigos.*] **8** *Bras.* Ficar um tanto embriagado [***int.***: *Bebeu pouco vinho, mas logo (se) bicou.*] [▶ **11 bicar**] [F.: *bico* + *-ar*[2]. Hom./Par.: *bica(s)* (fl.), *bica(s)* (sf. [pl.]); *bicais* (fl.), *bicais* (pl. de *bical*); *bicaria(s)* (fl.), *bicaria(s)* (sf. [pl.]).]

bicarbonato (bi.car.bo.*na*.to) ***sm.*** *Quím.* Qualquer sal que deriva do ácido carbônico [F.: *bi-*[2] + *carbonato*. Hom./Par.: *bicarbonato* (sm.), *bicarbonado* (a.).]

bicéfalo (bi.*cé*.fa.lo) ***a.*** **1** Que tem duas cabeças; DICÉFALO **2** *Bot.* Diz-se de planta que tem dois tipos de inflorescência **3** *Pat.* Diz-se de tumor craniano que faz a cabeça parecer dupla **4** *Fig.* Diz-se de poder que tem duas lideranças ou chefias [F.: *bi-*[1] + *-céfalo*.]

bicentenário (bi.cen.te.*ná*.ri:o) ***a.*** **1** Que tem duzentos anos; que já conta pelo menos dois séculos (mas ainda não completou três): *O casarão bicentenário foi erguido em 1800.* ***sm.*** **2** Período de duzentos anos **3** O segundo centenário **4** Festejo em que se comemoram os duzentos anos de algo [F.: *bi-*[1] + *centenário*.]

bíceps (*bi*.ceps) ***sm2n.*** **1** *Anat.* Denominação comum a diferentes músculos, cada um dos quais com dois ligamentos na parte superior **2** *Fig. Pop.* Força muscular; MUQUE [F.: Do lat. *biceps*.]

bicha (*bi*.cha) ***sf.*** **1** *Bras.* Verme, parasito do intestino humano, o mesmo que *lombriga* **2** *Bras.* Ver *sanguessuga* **3** Qualquer verme ou réptil de corpo comprido **4** Fêmea de animal, esp. de grande porte **5** Brinquedo para crianças, formado de muitas aspas unidas que se estendem rapidamente, feito de arame ou de varas de pau e tendo na extremidade uma figura de cobra ou lagarto **6** *Pop.* Mulher de mau gênio **7** *N.E. Gír.* Cachaça **8** *RJ* Nos engenhos de açúcar, serpentina de alambique **9** *Gír.* Febre amarela **10** Busca-pé sem flecha, que ziguezagueia muito; DIABINHO-MALUCO **11** Escaler da alfândega us. na fiscalização para descobrir contrabando **12** *Pop.* Galão indicador de patente militar, na manga de farda ou uniforme **13** *Lus.* Fileira extensa de pessoas colocadas umas atrás das outras; FILA ***s2g.*** **14** *Bras. Vulg.* Homossexual masculino ***a2g.*** **15** *Bras. Vulg.* Que é homossexual [Col.: *bicharada, bicharia, bicheira*.] [F.: De *bicho*. Hom./Par.: *bicha* (sf. s2g. a2g.), *bicha* (fl. de *bichar*). Nas acps. 14 e 15 denota preconceito.] ▪ **~ de rabear** *Bras.* Fogo de artifício parecido com o busca-pé, mas sem estouro **Fazer ~s** *Bras.* Fazer travessuras, traquinar

bichado (bi.*cha*.do) ***a.*** **1** Que foi atacado por bicho (2) (lentilha bichada); BICHOSO **2** *Pop.* Diz-se de quem tem a saúde arruinada, tem problemas crônicos, está envelhecido e debilitado etc. **3** *Pop. Esp.* Diz-se de atleta que vive se machucando ou que tem problemas físicos permanentes **4** *Pop.* Diz-se do que apresenta defeito ou está estragado [F.: Part. de *bichar*.]

bichanada (bi.cha.*na*.da) ***sf.*** Conjunto de muitos gatos; GATARIA [F.: *bichano* + *-ada*.]

bichano (bi.*cha*.no) ***sm.*** Gato, esp. gato novo [Dim.: *bichanito*. Col.: *bichanada, gataria*.] [F.: *bicho* + *-ano*. Hom./Par.: *bichano* (sm.), *bichano* (fl. de *bichanar*).]

bichão (bi.*chão*) ***sm.*** **1** Bicho grande **2** *Bras. Pop.* Sujeito corpulento e forte **3** *Pop. Bras.* Valentão, bamba, bambambã **4** *Bras. Gír.* Indivíduo experiente ou muito competente em determinada área; COBRA; FERA [Pl.: *-ões*.] [F.: *bicho* + *-ão*.]

bichar[1] (bi.*char*) ***v. int.*** Dar ou encher-se de bicho (fruta, cereal, madeira etc.): *A goiaba bichou.* [▶ **1 bichar**] [F.: *bicho* + *-ar*[2]. Hom./Par.: *bicha(s)* (fl.), *bicha(s)* (sf. [pl.]); *bicharia(s)* (fl.), *bicharia(s)* (sf. [pl.]).]

bichar[2] (bi.*char*) ***v. td.*** *MS MT* Conseguir (lucro, vantagem, dinheiro); ABICHAR [▶ **1 bichar**] [F.: F. aferésica de *abichar*.]

bicharada (bi.cha.*ra*.da) ***sf.*** **1** Grande quantidade de bichos **2** *Bras. Vulg. Pej.* Grande número de bichas ('homossexual masculino') [Denota preconceito.] [F.: *bicho* ou *bicha* + *-arada*. Sin. ger.: *bicharia*.]

bicharedo (bi.cha.*re*.do) [ê] ***sm.*** **1** *Bras. S* Bicharada **2** Praga causada pela presença de grande quantidade de insetos ou vermes **3** Bicharoco que provoca pavor **4** Pessoa valente [F.: *bicha* (alt. de *bicho*) + *-r-* + *-edo*.]

bicharia (bi.cha.*ri*.a) ***sf.*** **1** Ver *bicharada* **2** *Joc.* Ajuntamento de muitas pessoas [F.: *bicho* ou *bicha* + *-aria*. Hom./Par.: *bicharia* (sf.), *bicharia* (fl. de *bichar*).]

bicheira (bi.*chei*.ra) ***sf.*** **1** Ferida em animal que fica cheia de vermes **2** *Bras. Ent.* Designação comum às larvas vermiformes, acéfalas e ápodes dos insetos dípteros, que depositam os ovos nas bicheiras (1), nas carnes em putrefação etc; MOROTÓ; TAPICURU; TAPURU; CORÓ; BICHO-DE-VAREJA **3** *Esp.* Lesão crônica ou tendência a ter contusões [F.: Fem. substv. de *bicheiro*.]

bicheirar (bi.chei.*rar*) ***v. td.*** Cravar o bicheiro em (o pescado) para tirá-lo da água, da toca etc.: *Quando se bicheira um polvo, não se mede força com ele; bicheirar o peixe para tirá-lo da água.* [▶ **1 bicheirar**] [F.: *bicheiro* + *-ar*[2]. Hom./Par.: *bicheira(s)* (sf. e pl.), *bicheira, bicheiras, bicheiro* (fl. de *bicheirar*), *bicheiro* (sm).]

bicheiro (bi.*chei*.ro) ***sm.*** **1** *Bras.* Indivíduo que banca o jogo do bicho **2** *Bras.* Vendedor ou anotador de bilhetes do jogo do bicho **3** Haste com anzol para pescar **4** *Ant.* Frasco de vidro em que se guardavam sanguessugas vivas para uso médico ***a.*** **5** Que se alimenta de bichos **6** Que se prende a minúcias;, METICULOSO; MINUCIOSO **7** *Pop.* Que é perito em algo **8** Que busca muito [F.: *bicho* + *-eiro*.]

bichice[1] (bi.*chi*.ce) ***sf.*** **1** Quantidade de bichos, de animais **3** Mimo exagerado; meiguice excessiva [Mais us. no pl.] [F.: *bicho* + *-ice*.]

bichice[2] (bi.*chi*.ce) ***sf.*** *Gír.* Condição de bicha, homossexual masculino efeminado; ato, dito ou comportamento típicos dela [F.: *bicha* + *-ice*.]

bichinha (bi.*chi*.nha) ***sf.*** **1** *Bras. Pej.* Homem afeminado; BICHA ***sf.*** **2** *Bras.* Mulher jovem; MOCINHA ***sf.*** **3** *Lus. Cul.* Pequeno bolo de farinha, açúcar e ovos **4** *Lus.* Peça de fogo de artifício, cujas faíscas formam uma espécie de pirâmide **5** *Hip.* Manobra feita por cavaleiro inexperiente, que consiste em atravessar o cavalo de um lado para o outro da rua (fazer bichinhas) [F.: *bicha* + *-inha*.]

bichinho (bi.*chi*.nho) ***sm.*** **1** Bicho pequeno **2** Tratamento carinhoso us. sobretudo com relação a crianças [F.: *bicho* + *-inho*.]

bicho (*bi*.cho) ***sm.*** **1** Qualquer animal **2** *Bras. Pop.* Designação comum a alguns tipos de insetos, como o cupim, a traça, que se alimentam de objetos de madeira, de papel, de tecidos etc., causando prejuízos **3** *Pej.* Pessoa muito feia [É ofensivo.] **4** *Pej.* Pessoa de difícil trato, grosseira **5** *Lud.* Jogo do bicho: *jogar no bicho.* **6** *Pop.* Piolho **7** Pessoa de muito saber, ou muito hábil, ou de grande valor **8** *Bras.* Pessoa corajosa **9** *Pop.* Câncer **10** *Fut.* Gratificação dada aos jogadores após uma vitória **11** Estudante novato; CALOURO **12** *Pop.* Forma de tratamento que equivale a 'meu chapa', 'meu amigo' [Us. apenas como vocativo.] **13** *Bras. Pop.* Ver *bicho-de-pé* **14** *Bras.* Diabo, Satanás **15** *Vulg.* Pênis [F.: Do lat. *bestia*, pelo lat. vulg. *bestius*. Hom./Par.: *bicho* (sm.), *bicho* (fl. de *bichar*). Col.: *bicharada, bicharedo, bicharia, bicheira, bicheza*.] ▪ **~ da consciência** *Fig.* Arrependimento, remorso **~ da cozinha** Ajudante de cozinheiro **Matar o ~** *Bras. Gír.* Tomar bebida alcoólica **Ser o ~** *Bras. Gír.* Ser bom, agradável, bonito, gostoso etc. **Ver que ~ dá 1** *Bras. Gír.* Aguardar o resultado do jogo do bicho **2** *P. ext.* Aguardar, na expectativa, o resultado ou consequência de uma ação, providência, ocorrência etc. **Virar ~** *Bras. Gír.* Ficar furioso, exaltar-se

bicho-cabeludo (bi.cho-ca.be.*lu*.do) ***sm.*** *Bras. Ent.* Ver *taturana* [Pl.: *bichos-cabeludos*.]

bicho-carpinteiro (bi.cho-car.pin.*tei*.ro) ***sm.*** *Zool.* Ver *escaravelho* [Pl.: *bichos-carpinteiros*.] ▪ **Estar com/ Ter ~** Não parar quieto, estar ou ser agitado, muito ativo, travesso

bicho-da-seda (bi.cho-da-*se*.da) [ê] *Zool.* ***sm.*** **1** Designação comum a diversas larvas de mariposas, cujos casulos são formados por fios de seda **2** Lagarta das mariposas asiáticas da sp. *Bombyx mori*, da fam. dos bombicídeos, cultivada para a obtenção e uso comercial da seda [Pl.: *bichos-da-seda*.]

bicho-de-goiaba (bi.cho-de-goi:*a*.ba) ***sm.*** **1** Designação comum às larvas de moscas que se desenvolvem na polpa da goiaba, entre outras frutas **2** *Bras. Fig. Pop.* Pessoa de pele muito branca; branquelo **3** Bobo, idiota, ingênuo [Pl.: *bichos-de-goiaba*. Sem hífen nas acps. 2 e 3.]

bicho-de-parede (bi.cho-de-pa.*re*.de) ***sm.*** *N.E. Zool.* Ver *barbeiro* [Pl.: *bichos-de-parede*.]

bicho-de-pé (bi.cho-de-*pé*) ***sm.*** *Bras. Zool.* Inseto sifonáptero (*Tunga penetrans*), da fam. dos tungídeos, que penetra sob a pele, ger. do pé, provocando ulceração; BATATA; BICHO; BICHÓ; BICHO-DE-CACHORRO; BICHO-DE-PORCO; BICHO-DO-PÉ [Pl.: *bichos-de-pé*.]

bicho de sete cabeças (bi.cho de se.te ca.*be*.ças) [ê] ***sm.*** *Bras.* Coisa muito complicada; algo de difícil entendimento ou solução: *Cuidar de bebê não é um bicho de sete cabeças.* [Pl.: *bichos de sete cabeças*.]

bicho do mato (bi.cho do *ma*.to) *Bras.* ***sm.*** **1** *Fig.* Pessoa arredia, antissocial **2** Animal feroz e carnívoro; FERA [Pl.: *bichos do mato*.]

bicho-grilo (bi.cho-*gri*.lo) ***sm.*** *Bras. Pop.* Pessoa alternativa, que se comporta fora dos padrões convencionais [Pl.: *bichos-grilos*.]

bichona (bi.*cho*.na) ***sf.*** *Bras. Pej.* Homem muito afeminado [É preconceituoso e ofensivo.] [F.: *bicha* + *-ona*.]

bicho-papão (bi.cho-pa.*pão*) ***sm.*** Criatura imaginária, criada pelos adultos para amedrontar crianças rebeldes ou teimosas; PAPÃO; BOITATÁ; CUCA; TUTU [Pl.: *bichos-papões*.]

bicho-pau (bi.cho-*pau*) *sm. Bras. Zool.* Designação comum aos insetos da fam. dos fasmídeos (ordem dos fasmidos) e dos proscopiídeos (ordem dos ortópteros), que habitam em árvores e arbustos, de cor e forma semelhantes a galhos secos [Pl.: *bichos-paus, bichos-pau.*] [Sin.: *bicho-de-pau, chico-magro, cipó-seco, gafanhoto-de-jurema, maria-seca, taquarinha.*]

bicho-preguiça (bi.cho-pre.*gui*.ça) *sm. Bras. Zool.* Ver *preguiça* [Pl.: *bichos-preguiça.*]

bicicleta (bi.ci.*cle*.ta) *sf.* **1** Veículo de duas rodas, impulsionado por pedais que se ligam à roda traseira por uma corrente **2** *Fut.* Lance em que o jogador, de costas para o local no qual pretende acertar a bola, ergue o corpo do chão e rapidamente movimenta as duas pernas no ar, chutando com um dos pés por cima do corpo [F.: Do fr. *bicyclette.*] ◼ **~ ergométrica** Aparelho no formato genérico de uma bicicleta, us. para exercícios e para avaliação, durante esforço, de funções circulatória, respiratória, metabólica etc.

bicicletaria (bi.ci.cle.ta.*ri*:a) *sf.* Lugar onde se fabricam ou consertam bicicletas, e onde é possível encontrar peças e acessórios para a bicicleta, roupas próprias, capacete e luvas para o ciclista [F.: *bicicleta* + *-aria.*]

bicicletário (bi.ci.cle.*tá*.ri:o) *sm. Bras.* Lugar destinado para estacionar e/ou guardar bicicletas [F.: *bicicleta* + *-ário.*]

bicicleteiro (bi.ci.cle.*tei*.ro) *sm. GO* Aquele que anda de bicicleta; tb. *bicicletista* [F.: *bicicleta* + *-eiro.*]

bicicross (bi.ci.*cross*) *sm2n. Esp.* Corrida de bicicletas em pista acidentada [F.: *bici* (*cleta*) + ing. (*moto*)*cross.*]

bico (*bi*.co) *sm.* **1** Extremidade saliente na boca das aves; ROSTRO: *bico da galinha.* **2** Por metonímia, qualquer ave doméstica: *Tenho mais de cem bicos em meu galinheiro.* **3** Extremidade ou prolongamento em ponta de um objeto qualquer: *bico do sapato; chapéu de três bicos.* **4** Protuberância, saliência em forma de bico (1) numa superfície ou no perímetro de uma superfície: *bico do seio; o bico a sudoeste do mapa de Minas Gerais.* **5** Extensão em ponta de um dispostivo ou receptáculo que permite a saída de algo de seu interior (*bico* da chaleira, do bule, de gás) **6** Focinho em ponta de certos cetáceos, como o golfinho **7** A boca humana, esp. como órgão da fala: *Bico calado aí!* **8** Configuração dos lábios juntos e projetados para frente, ger. como gesto de amuo, frustração, ofensa etc.: *Ao ser censurada, fez um bico e quase chorou.* **9** Beijo rápido com os lábios em bico (7); BICOTA **10** Dispositivo macio, ger. de borracha, us. na boca da mamadeira, para que o bebê possa sugar o leite **11** Renda que tem um lado terminado em ponta: *renda de bico.* **12** Pontapé ou chute dado com o bico do sapato ou da chuteira: *Deu um bico na bola e a isolou.* **13** *Ant.* Chanfradura feita na ponta de pena de ave para usá-la como pena de escrever **14** *Pop.* Trabalho extra ou eventual; BISCATE: *Trabalhava no banco, mas arranjou um bico durante a noite.* **15** Tubo de borracha com um pino ou uma válvula em uma das extremidades, que serve para encher de ar bola de couro, câmara de ar, pneumático etc. **16** *Bras. Gír.* Cachaça **17** Ligeira embriaguez **18** *Lus.* Em Portugal, pessoa não confiável, de moral comprometida ou suspeita **19** *Bras. Ant. Pop.* Mil-réis [Aum.: *bicanca.*] *interj.* **20** Expressa comando para que não se fale, para que se guarde silêncio, em geral ou sobre determinado assunto: *O chefe está chegando, bico aí! Nenhuma palavra sobre o que combinamos!* [F.: Do lat. *beccus.* Ver tb. *bicos.*] ◼ **Abrir o ~** **1** *Bras. Gír.* Falar; contar o que sabe **2** Delatar alguém, revelar segredo **3** Ficar (atleta, alguém que esteja fazendo esforço físico) ofegante, dar sinais de cansaço **Baixar o ~** *Bras.* Exagerar ao comer ou beber **~ de Bunsen** *Quím.* Bico de gás us. em laboratório químico para produzir uma chama cuja temperatura pode ser regulada mediante a regulagem da entrada de ar **~ de diamante** **1** *Arq.* Ornato típico do estilo românico, na forma de um diamante lapidado **2** Padrão ornamental de azulejo na forma de diamante lapidado, típico da península Ibérica, séculos XVI e XVII **~ de gás** Tubo de cuja extremidade sai o gás que vai sendo queimado para produzir chama [Cf.: *bico de proa.*] **~ de mocho** *Arq.* Aresta saliente da cornija, que impede que a água da chuva escorra pela parede **~ de proa** Ponto mais avançado da proa de uma embarcação **~ do peito** Mamilo (1) **Calar/fechar o ~** Calar, não revelar segredo **De ~** *Gír. Fut.* Com o bico da chuteira **Fazer ~** **1** Contrair a boca (ger. criança) quando na iminência de chorar **2** *P. ext.* Ficar agastado, ofendido **Molhar o ~** *Bras. Pop.* V. *embriagar* **Não ser para o ~ de (alguém)** *Bras. Fam.* Estar (algo) fora da possibilidade de alguém de tê-lo, usufruí-lo, realizá-lo etc. **Pegar no ~ da chaleira** *Bras. Fig.* Adular, bajular

bico-de-lacre (*bi*.co-de-*la*.cre) *sm. Bras. Zool.* Pequeno pássaro da fam. dos estrildídeos (*Estrilda astrild*), originário da África, de coloração parda e bico vermelho [Pl.: *bicos-de-lacre.*]

bico de papagaio (bi.co de pa.pa.*gai*.o) *sm.* **1** *Pop.* Saliência anormal na coluna vertebral, ger. causando dores e consequentes problemas posturais **2** Nariz curvo, em forma de gancho **3** *Bot.* Planta ornamental da fam. das cactáceas (*Rhipsalis salicornioides*), de flores avermelhadas, alaranjadas ou amarelas e baga branca [Nesta acp., *bico-de-papagaio.*] **4** *Bot.* Arbusto euforbiáceo; tb. *folha-de-sangue* [Nesta acp., *bico-de-papagaio.*] [Pl.: *bicos de papagaio, bicos-de-papagaio.*]

bico de pena (bi.co de *pe*.na) *sm.* **1** Técnica de desenhar que utiliza pena de bico fino e tinta nanquim **2** Obra de desenho com essa técnica [Pl.: *bicos de pena.*]

bico de viúva (bi.co de vi.*ú*.va) *sm. Bras.* Implantação natural do cabelo que avança em forma de bico pelo meio da testa [Pl.: *bicos de viúva.*]

bicolor (bi.co.*lor*) [ô] *a2g.* **1** De duas cores (bandeira bicolor) **2** *Art. gr.* Que imprime em duas cores ao mesmo tempo (diz-se de prensa) [F.: Do lat. *bicolor, oris.*]

bicombustível (bi.com.bus.*tí*.vel) *a2g.* Diz-se de motor ou de veículo que pode ser movido por dois combustíveis, como, p. ex., álcool e gasolina [Pl.: *-veis.*] [F.: *bi-*[1] + *combustível.*]

biconcavidade (bi.con.ca.vi.*da*.de) *sf.* Qualidade ou condição do que é bicôncavo [F.: *bicôncavo* + *-(i)dade.*]

bicôncavo (bi.*côn*.ca.vo) *a.* Diz-se do que tem duas faces côncavas opostas (lente bicôncava) [F.: *bi-*[1] + *côncavo.*]

biconvexidade (bi.con.ve.xi.*da*.de) [cs] *sf.* Qualidade ou condição do que é biconvexo [F.: *biconvexo* + *-(i) dade.*]

biconvexo (bi.con.*ve*.xo) [cs] *a.* Diz-se do que tem duas faces convexas opostas (lente biconvexa) [F.: *bi-*[1] + *convexo.*]

bicorada (bi.co.*ra*.da) *sf. Bras.* Ação ou resultado de bicar, de bater com o bico; BICADA [F.: Fem. substv. de *bicorado*, part. de *bicorar.*]

bicorar (bi.co.*rar*) *P. us. v.* **1** Picar com o bico; dar bicoradas ou bicadas (em); BICAR [*td.*: *Os pássaros bicoravam o milho tranquilamente.*] **2** *Gír. Telc.* **Rubrica:** *radioamadorismo* Falar ou pedir para falar em conversa de outros radioamadores *Telc;* MODULAR [*td. int.*: *Quero bicorar (o nome da pessoa).*] [▶ **1** bicorar] [F.: posv. voc. expressivo deriv. de *bicar.*]

bicorne (bi.*cor*.ne) *a2g.* **1** Que tem dois cornos **2** Que apresenta duas pontas *sm.* **3** Chapéu com dois bicos **4** *Geom. an.* Curva quadrática com a forma desse chapéu [F.: Do lat. *bicornis, e.*]

bicos (*bi*.cos) *smpl.* **1** *Bras.* Restos (de algo) **2** Quantia mínima, insignificante [F.: Pl. de *bico.*]

bicota (bi.*co*.ta) *sf.* **1** *Bras. Pop.* Beijo que produz um pequeno estalo; BEIJOCA **2** *Pop.* Beijo rápido na boca, mal se tocando os lábios; SELINHO [F.: *bico* + *-ota*. Tb. *bitoca.*]

bicromático (bi.cro.*má*.ti.co) *a.* Que apresenta duas cores [F.: *bi-*[1] + *cromático.*]

bicromia (bi.cro.*mi*.a) *sf.* **1** *Art. gr.* Processo de impressão a cores em que são us. dois clichês ou fotolitos, ou outros pares de matrizes, cada uma com uma cor diferente; DUOTONO; DUBLÊ **2** *Art. gr.* Estampa ou gravura que se obtém por esse processo [F.: Do fr. *bichromie.* Ver tb. *monocromia, policromia* e *tricromia.*]

bicudo (bi.*cu*.do) *a.* **1** Dotado de bico (ave bicuda) **2** Que tem bico grande **3** Que tem ou está com a boca contraída e estendida para frente, lembrando um bico (1) **4** Que tem a ponta aguçada (sapato bicudo) **5** *Pop.* Que é difícil, espinhoso, complicado, desfavorável: *Estamos vivendo tempos bicudos.* **6** *Pop.* Que está zangado, amuado **7** *MG Pop.* Bêbado, embriagado *sm.* **8** *Zool.* Peixe teleósteo, caraciforme, caracídeo, do gên. *Boulengerella*, que ocorre nas bacias do Amazonas e do Paraná; tem a boca pontuda e se alimenta de outros peixes **9** *Zool.* Ver *agulhão-bandeira* **10** *N.E. Zool.* Nome de vários peixes como o *Chaetodon ocellatus* (CE), o *Albula vulpes* (MA), o *Boulengerella cuvien* (tb. *pirapucu*) **11** *N.E. Zool.* Ver *barbeiro* (3) **12** *Bras. Zool.* Nome de várias aves, como a *Oryzobrus angolensis* (ver *curió*), a *Gallinago paraguaiae* (ver *narceja*), e, esp., pássaro canoro da fam. dos emberizídeos (*Oryzoborus maximiliani*), das Américas Central e do Sul, de bico muito grosso e plumagem negra uniforme; ANGULISTA; MAQUINÉ **13** *MA Fut.* Ver *bicanca* (3) **14** *MT* Designação dada aos portugueses no tempo da Independência [F.: *bico* + *-udo.*]

bicuíba (bi.cu:*í*.ba) *sf. Bras.* Nome comum de várias plantas do gên. *Bicuiba*, da família das miristicáceas, de cujo caule, quando perfurado, escorre a seiva chamada *sangue de bicuíba*, uma substância adstringente, empregada como hemostático [F.: Do tupi *imbiku'iwa.*]

bicúspide (bi.*cús*.pi.de) *a2g.* **1** Que termina em duas partes divergentes **2** Que apresenta duas pontas **3** *Bot.* Diz-se de folha, ou outra parte de uma planta, fendida no vértice e terminada em duas partes divergentes e direitas **4** *Desus. Anat.* Dizia-se da valva atrioventricular esquerda (mitral) do coração [F.: *bi-*[1] + *-cúspide.*]

⊠ **BID** Sigla do *Banco Interamericano de Desenvolvimento*

bidê (bi.*dê*) *sm.* **1** Aparelho sanitário dotado de um chuveirinho que esguicha água para cima, destinado à lavagem das partes íntimas **2** *Ant.* Bacia us. para a lavagem das partes íntimas, sentando-se o usuário sobre ela **3** *P. ext.* Estrutura (pé, tripé etc.) que sustenta o bidê (2) **4** *N. RS* Mesa de cabeceira; criado-mudo [F.: Do fr. *bidet.*]

bidestilação (bi.des.ti.la.*ção*) *sf.* Processo pelo qual se destila uma substância duas vezes [Pl.: *-ções.*] [F.: *bi-*[1] + *destilação.*]

bidimensional (bi.di.men.si:o.*nal*) *a2g.* Em duas dimensões (desenho *bidimensional*) [Pl.: *-nais.*] [F.: *bi-*[1] + *dimensional.*]

bidimensionalidade (bi.di.men.si:o.na.li.*da*.de) *sf.* Característica ou estado do que é bidimensional [F.: *bidimensional* + *-i-* + *-dade.*]

bidirecional (bi.di.re.ci:o.*nal*) *a2g.* **1** Ref. a duas direções **2** Que funciona em duas direções, frequentemente antagônicas (pedágio bidirecional) [Pl.: *-nais.*] [F.: *bi-*[1] + *direcional.*]

bidu (bi.*du*) *Bras. Pop. a2g.* **1** Diz-se de alguém que adivinha, ou acerta em algo **2** Astuto, vivo

bíduo (*bí*.du:o) *sm.* Período ou intervalo de dois dias [F.: Do lat. *biduum, i.*]

biela (bi:*e*.la) *sf. Mec.* Barra articulada em duas peças móveis de um mecanismo, destinada a transmitir movimento de uma para outra dessas peças [F.: Do fr. *bielle.*]

> 🕮 A biela é peça fundamental dos motores a explosão. Cada pistão de um cilindro está articulado a uma biela, que se articula na outra extremidade à árvore de manivelas, transformando assim o movimento vertical alternado dos pistões, cada um em sua fase nas explosões, no movimento giratório das manivelas, que será transferido às rodas motrizes.

bielorrusso (bi:e.lo-*rus*.so) *sm.* **1** Pessoa nascida ou que vive na República de Belarus (Europa central) **2** *Gloss.* Língua eslava falada em Belarus *a.* **3** Da antiga Bielorrússia ou Rússia Branca, atual República de Belarus; típico desse país ou de seu povo **4** Do ou ref. ao bielorrusso (2) [F.: Do top. russo *Byelorussiya.*]

bienal (bi:e.*nal*) *a2g.* **1** Ref. a um biênio; BIANUAL **2** Que dura dois anos (cargo bienal); BIANUAL **3** Que ocorre de dois em dois anos (exposição bienal); BIANUAL **4** *Bot.* Que completa o ciclo vegetativo e reprodutivo em dois anos (diz-se de planta); BIANUAL *sf.* **5** Determinado evento bienal (3): *Foram todos à Bienal do Livro.* [Nesta acp., ger. com inicial maiúsc.] [Pl.: *-nais.*] [F.: Do lat. *biennalis, e.*]

biênio (bi:*ê*.ni:o) *sm.* Período de dois anos seguidos: *Ele foi eleito para o biênio 2007-2008.* [F.: Do lat. *biennium, ii.*]

biestável (bi:es.*tá*.vel) *a2g. Eletrôn.* Diz-se de sistema que tem dois pontos estáveis de funcionamento ou de equilíbrio [Pl.: *-veis.*] [F.: *bi-*[1] + *estável.*]

bifacetado (bi.fa.ce.*ta*.do) *a.* **1** Que tem duas faces (agasalho bifacetado) **2** *Fig.* Que apresenta dois aspectos (processo bifacetado) [F.: *bi-*[1] + *facetado.*]

bifásico (bi.*fá*.si.co) *a.* Que tem duas fases; DIFÁSICO [F.: *bi-*[1] + *fásico.*]

bife (*bi*.fe) *sm.* **1** *Cul.* Alimento que consiste em fatia de carne, ger. bovina e ger. macia, temperada, grelhada ou frita; FILÉ **2** *Cul.* Qualquer fatia de carne preparada dessa maneira **3** *Cul.* Qualquer fatia de carne como a do bife (1), mas cozida de outra maneira **4** *Bras. Pop.* Pedaço de pele ou de carne que se corta acidentalmente do corpo (ao se barbear, ao cortar as unhas etc.): *A manicura me tirou um belo bife.* **5** *Bras. Pop.* Incisão feita em lugar errado por estudante de medicina, ao dissecar um cadáver **6** *Bras. Gír.* Tapa, bofetada **7** *Lus. RJ Antq. Pej.* Alcunha dada a estrangeiros de fala inglesa, esp. ingleses e norte-americanos **8** *RJ Pop.* Comissão recebida por motorista de ônibus ou outro veículo coletivo sobre a féria apurada no dia **9** *Bras. Gír. Teat.* Longo monólogo [F.: Do ing. *beef.*] ◼ **~ à Camões** *SP Cul.* Bife a cavalo com um só ovo estrelado **~ a cavalo** *Cul.* Bife servido com ovos estrelados **~ à milanesa** *Cul.* Bife passado, antes de fritar, em gema de ovo e farinha de rosca **~ a pé** *RS Cul.* Bife com ovos e batatas fritas **~ de chapa** *Cul.* Bife feito em chapa ou frigideira sem gordura ou com pouca gordura **~ de panela** *Cul.* Fatia de carne refogada cozida em panela **~ enrolado** *Cul.* Fatia fina de bife, enrolada com toucinho, cenoura etc., e ensopado; bife rolê; rolê **~ panado** *Cul.* V. *Bife à milanesa* **~ rolê** *Cul.* V. *Bife enrolado* **~ tártaro** Porção de carne moída crua que se come com gema de ovo e temperos variados; *steak tartar*

bífido (*bí*.fi.do) *a.* **1** *Anat. Poét.* Fendido em duas partes; bipartido **2** *Bot.* Dividido longitudinalmente em duas partes, ger. na parte superior ou até a metade (folhas bífidas) **3** *Gen.* Diz-se de espinha que apresenta uma fissura, ou do que é fendido em parte de seu comprimento [F.: Do lat. *bifidus.*]

bifloro (bi.*flo*.ro) *a. Bot.* Que tem duas flores ou grupos com duas flores cada um [F.: *bi-*[1] + *-floro.*]

bifocal (bi.fo.*cal*) *a2g.* **1** Que tem dois focos **2** Que tem duas distâncias focais diferentes, em função de diferentes curvaturas em diferentes setores de sua superfície (diz-se de lente e, p. ext., de óculos que têm tais lentes) *sm.* **3** Óculos bifocais [Pl.: *-cais.*] [F.: *bi-*[1] + *focal.*]

biforme (bi.*for*.me) *a2g.* **1** Que se apresenta em duas formas **2** *Bot.* Que tem flores de duas qualidades ou formas diferentes (diz-se de planta) **3** *Gram.* Que tem duas formas diferentes para representar masculino e feminino (adjetivo biforme) **4** *Min.* Que apresenta no conjunto das faces a combinação de duas formas **5** *Fig.* Que tem dois pareceres, duas opiniões ou duas diferentes e simultâneas maneiras de pensar [F.: Do lat. *biformis, e.*]

bifrontal (bi.fron.*tal*) *a2g.* O mesmo que *bifronte* [Pl.: *-tais.*] [F.: *bi-* + *fronte* + *-al*[1].]

bifrontalidade (bi.fron.ta.li.*da*.de) *sf.* **1** Qualidade ou característica do que tem duas frontes, rostos ou faces **2** *Fig.* Qualidade ou característica do que atua em duas frentes: *A bifrontalidade do sindicalismo brasileiro restringe seu campo de ação.* [F.: *bifrontal* + *-(i)dade.*]

bifronte (bi.*fron*.te) *a2g.* **1** *Poét.* Diz-se do que tem duas frontes, duas caras, duas faces: *Jano era bifronte.* **2** *Fig.* Que não é aquilo que aparenta ser, ou que não é verdadeiro no tratar, agir ou falar; falso, traiçoeiro [Ant.: *autêntico, franco.*] **3** *Fig.* Volúvel, instável [Ant.: *estável.*] **4** Diz-se de marco fixo (busto, escultura etc.) que tem duas faces, ou rostos, similares, voltados para lados opostos [F.: Do lat. *bifrons, ontis.*]

bifurcação (bi.fur.ca.*ção*) *sf.* **1** Ação ou resultado de bifurcar(-se) **2** Separação (na continuidade de algo) em dois braços ou caminhos, à maneira de forquilha: *a bifurcação* *de uma estrada/das veias.* 3 *Bot.* Ponto em que ocorre essa separação: *Ao chegar à bifurcação, parou para descansar.* [Pl.: *-ções.*] [F.: *bifurcar* + *-ção.* Sin. ger.: *bifurcamento.*]

bifurcado (bi.fur.*ca*.do) *a.* 1 Que se bifurca, que se divide, a partir de certo ponto, em dois ramos (caminho bifurcado, cabo bifurcado) 2 *Zool.* Diz-se de cauda de ave (como a da andorinha) que se bifurca, por ter as penas centrais mais curtas que as laterais 3 *Bras.* Montado, com uma perna de cada lado da cavalgadura [F.: Part. de *bifurcar.*]

bifurcamento (bi.fur.ca.*men*.to) *sm.* O mesmo *bifurcação* (1 e 2) [F.: *bifurcar* + *-mento.*]

bifurcar (bi.fur.*car*) *v.* 1 Dividir(-se) em dois braços, em dois caminhos, como uma forquilha [*td.: Fizeram uma obra para bifurcar o curso de água.*] [*int.: A estrada bifurca-se depois da ponte.*] 2 *Bras.* Montar (em cavalgadura) abrindo as pernas [*ta.:* "Bifurcou-se num cavalo de sela, e partiu." (Camilo Castelo Branco, *Um homem de brios*)] [▶ 11 bifurcar] [F.: Do lat. *bifurcus, a, um*, 'bifurcado', ou do lat. *bifurcum, i*, 'bifurcação' + *-ar*[2].]

biga (*bi*.ga) *sf. Ant.* Carro romano puxado por dois cavalos [F.: Do lat. *biga, ae.*]

bigamia (bi.ga.*mi*.a) *sf.* 1 Estado ou condição de bígamo 2 *Jur.* Ação criminosa de contrair segundo matrimônio sem estar legitimamente dissolvido o anterior [F.: *bígamo* + *-ia*[1]. Cf.: *monogamia, poligamia.*]

bígamo (*bí*.ga.mo) *a.* 1 Que é casado com dois cônjuges ao mesmo tempo *sm.* 2 Pessoa bígama 3 *Jur.* Réu de bigamia [F.: Do lat. *bigamus, i.* Cf.: *monógamo, polígamo.*]

⊕ **big bang** (*Ing.* /*bíg béng*/) *sm.* Termo que designa teoria segundo a qual o universo se expandiu (e continua a se expandir) de uma massa muito densa e muito quente de matéria

bigode (bi.*go*.de) *sm.* 1 Os pelos da barba que nascem acima do lábio superior 2 Esses pelos, quando se os deixa crescer, em diversos formatos, tamanhos e espessuras 3 *Pop.* Camada de espuma ou resíduo que, às vezes, fica acima do lábio superior de quem bebeu cerveja, leite, vitamina etc. 4 *Pop.* Reprimenda, censura, descompostura 5 *Pop.* Engodo, logro, enganação 6 *Lud.* Certo jogo de cartas, no qual o objetivo é se descartar primeiro, pela ordem dos naipes 7 *Mar.* Sulco de espuma aberto na água pela proa de um navio em movimento 8 *Art. gr.* Filete que separa parcialmente duas matérias impressas, ou parte de uma mesma matéria [F.: De or. contrv.] ■ **~ de sopa** Farto bigode que cobre os cantos da boca e os lábios **Dar um ~** 1 Matar caça que outrem não conseguiu matar por ter errado o tiro ou nem ter chegado a atirar 2 *Fig.* Lograr, pregar uma peça **Emendar os ~s** *N.E.* Atracar-se (em briga), engalfinhar-se **Encostar os ~** *Fig.* Equipararem-se duas pessoas em seus méritos, ou em determinado(s) mérito(s) **Trelar os ~s** *GO Pop.* Casar

bigodear (bi.go.de.*ar*) *v. td.* 1 Lograr, iludir: *O charlatão bigodeou muitas pessoas.* 2 Fazer pouco-caso de; troçar de; CAÇOAR; ESCARNECER; ZOMBAR: *Bigodeavam o vidente que anunciava o fim do mundo.* [▶ 13 bigodear] [F.: *bigode* + *-ear*[2], posv.]

bigodeira (bi.go.*dei*.ra) *sf.* 1 Bigode grande, farto 2 *Lus. Ant.* Bolsa que se usava presa às orelhas, e em que se metiam bigodes frisados ou as barbas para não se desconcertarem 3 *Lus.* Escova para limpar cavalos [F.: *bigode* + *-eira.*]

bigodudo (bi.go.*du*.do) *a.* 1 Que tem bigode grosso e/ou longo *sm.* 2 Indivíduo bigodudo [F.: *bigode* + *-udo.*]

bigorna (bi.*gor*.na) *sf.* 1 Peça de ferro com a massa central quadrangular e as extremidades em ponta cônica ou piramidal, sobre a qual se malham e amoldam metais; INCLUDE 2 *Anat.* Pequeno osso da caixa do tímpano, situado entre o martelo e o estribo 3 Chapéu com duas partes pontudas 4 Ferramenta para ajustar ferradura ao casco da cavalgadura ou para poli-la [Dim.: *bigorneta.*] [F.: Do lat. *bicornis, e*, 'que tem duas pontas', posv. pelo lat. *bicornia*, pl. neutro.] ■ **Entre a ~ e o martelo** Entre duas alternativas, ambas ruins, ou perigosas; sem saída numa situação difícil

bigorrilha (bi.gor.*ri*.lha) *s2g.* 1 *Pop. Pej.* Indivíduo vil, desprezível; BIGORRILHAS; BIGORRILHO 2 Indivíduo de pouca importância, de pouca conta, insignificante 3 Indivíduo mal trajado; BIGORRILHAS; BIGORRILHO 4 *RS* Indivíduo que se faz de valente, sem o ser [F.: Posv. voc. expressivo.]

bigorrilho (bi.gor.*ri*.lho) *sm.* Ver *bigorrilha* [F.: *bigorrilh(a)* + *-o.*]

bigotismo (bi.go.*tis*.mo) *sm.* 1 Falsa devoção; BEATICE; BEATISMO 2 *P. ext.* Hipocrisia, falsidade, fingimento [Ant.: *lealdade, sinceridade.*] [F.: Do fr. *bigotisme.*]

biguá (bi.*guá*) *sm.* 1 *Bras. Ornit.* Designação comum às aves pelicaniformes, aquáticas, da fam. dos falacrocoracídeos, cuja plumagem é ger. preta ou marrom, o bico, estreito e curvo, cauda e pescoço longos, e asas curtas; CORMORÃO; CORVO-MARINHO 2 Ave da fam. dos falacrocoracídeos (*Phalacrocorax brasilianus*), de cor negra, saco gular amarelo e tarsos negros; BIGUÁ-UNA; IMBIUÁ; MERGULHÃO; MIUÁ [F.: Do tupi *mbi'gwa.*]

biguatinga (bi.gua.*tin*.gua) *sf.* Ave aquática palmípede, da fam. dos anhingídeos (*Anhinga anhinga*) de pescoço fino e comprido e bico pontiagudo [F.: Do tupi *biguá* + *-tinga.*]

bijutaria (bi.ju.ta.*ri*.a) *sf.* Ver *bijuteria* [F.: Adaptç. do fr. *bijouterie*, ver *-aria.*]

bijuteria (bi.ju.te.*ri*.a) *Bras. sf.* 1 Objeto que se usa como enfeite no corpo ou na roupa (anel, brinco, pulseira, broche etc.), feito com metal sem valor, pedras semipreciosas, ou imitações em vidro, plástico etc. 2 Coleção desses objetos: *A bijuteria dessa designer é muito original.* 3 Loja ou departamento em que se vendem tais objetos 4 Ramo da ourivesaria que trabalha com bijuteria (1) [F.: Do fr. *bijouterie*, ver *-eria.*]

bila (*bi*.la) *sf. CE* Bola de gude [F.: De or. obsc.]

bilabiado (bi.la.bi.*a*.do) *a. Bot. Zool.* Que tem dois lábios (corola bilabiada) [F.: *bi-*[1] + *labiado.*]

bilabial (bi.la.bi.*al*) *a2g.* 1 *Fon.* Diz-se da consoante que se pronuncia a partir da oclusão da passagem do ar, com a junção e posterior afastamento dos lábios superior e inferior (p. ex.: *p, b* e *m*) [Pl.: *-ais.*] *sf.* 2 *Fon.* Consoante bilabial (1) [Pl.: *-ais.*] [F.: *bi-*[1] + *labial.*]

bilateral (bi.la.te.*ral*) *a2g.* 1 Que tem dois lados; que diz respeito a dois lados 2 *Jur.* Que obriga as duas partes envolvidas a cumprirem determinadas obrigações (contrato bilateral) 3 Ref. a parentesco ou parente por parte tanto de pai quanto de mãe 4 *Antr.* Ref. à descendência seja pela linha paterna ou materna; BILINEAR 5 *Anat. Biol. Fisl.* Ref. aos dois lados de um órgão, organismo, ou de uma região anatômica, ou ao que os afeta igualmente 6 Ref. à simetria na qual o eixo de simetria divide o objeto em duas metades idênticas e invertidas, como num espelho 7 *Fon.* Ref. à consoante para cuja pronúncia o ar escoa por ambos os lados da oclusão formada pela articulação bucal (como o *l*) [Pl.: *-rais.*] *sf.* 8 Essa consoante [Pl.: *-rais.*] [F.: *bi-*[1] + *lateral.*]

bilateralidade (bi.la.te.ra.li.*da*.de) *sf.* Qualidade ou condição de bilateral [F.: *bilateral* + *-(i)dade.*]

bilateralismo (bi.la.te.ra.*lis*.mo) *sm. Econ.* Tipo de acordo celebrado entre dois países, concedendo-se reciprocamente privilégios comerciais [F.: *bilateral* + *-ismo.*]

bilboquê (bil.bo.*quê*) *sm.* 1 *Lud.* Brinquedo que consiste de uma bola de madeira com um furo, atada por um cordão a um bastonete côncavo numa das extremidades e pontudo na outra 2 *Lud.* Jogo que se joga com esse brinquedo, cujo objetivo é jogar a bola para o alto e apará-la na extremidade côncava, ou encaixando a ponta da outra extremidade no furo 3 Pedaço de madeira forrado de pano, com que os douradores levantam os fragmentos cortados de folha de ouro [F.: Do fr. *bilboquet.*]

◎ **-bile** *el. comp.* Ver *bil(i)-*

bile (*bi*.le) *sf. sf2n.* 1 *Fisl.* Líquido amarelo-esverdeado produzido pelo fígado, de onde flui para o duodeno, auxiliando na digestão dos alimentos, esp. das gorduras 2 *Pop.* Mau humor, irritabilidade [F.: Do lat. *bilis, is.* Tb. *bílis.*]

bilha (*bi*.lha) *sf.* 1 Vasilha bojuda e com gargalo estreito, ger. de barro, destinada a conter água, leite, vinho etc; MORINGA 2 *Lus.* Recipiente em que se armazenam produtos voláteis 3 *Lus.* Bujão de gás 4 *Tec.* Bolinha de aço us. dentro dos rolamentos, para reduzir a resistência do atrito 5 Essa bolinha, utilizada como bola de gude [F.: Posv. do frâncico *bikkil*, pelo fr. *bille.*]

bilhão (bi.*lhão*) *num.* 1 Mil milhões: *Usuários da internet serão mais de um bilhão este ano.* [O substantivo que o segue é precedido de preposição: *Em 1960 havia três bilhões de habitantes no mundo.*] *sm.* 2 *Fig.* Grande quantidade: *Eu já disse um bilhão de vezes que não é para mexer nisso!* [Pl.: *-lhões.*] [F.: Do fr. *billion.* Sin. ger.: *bilião.*]

bilhar (bi.*lhar*) *sm.* 1 *Lud.* Jogo que se joga com três bolas (uma para cada jogador, e uma neutra) e um taco, numa mesa quadrangular com rebordos estofados e forrada de feltro verde, e no qual o objetivo é cada jogador fazer sua bola bater nas outras duas na mesma tacada, o que vale um ponto [Vence quem chegar a 20 pontos primeiro.] 2 A mesa onde se joga o bilhar (1) 3 Estabelecimento, salão ou sala em que se pratica esse jogo [F.: Do fr. *billard.* Cf.: *sinuca.*] ■ **~ chinês** Jogo que consiste numa tabuleiro com nichos pontuados, onde se devem encaixar bolinhas acionadas por um pequeno impulsor movido a mola; bagatela **~ francês** O bilhar jogado com três bolas, em que a bola acionada pelo taco deve bater nas outras duas **~ inglês** Sinuca (o jogo)

bilhetagem (bi.lhe.*ta*.gem) *sf. Inf.* Processo eletrônico para arrecadação de tarifas nos sistemas de transporte público e telefonia: *A bilhetagem eletrônica evita a venda paralela de passes de transporte; O novo programa permite a bilhetagem de chamadas locais.* [Pl.: *-gens.*] [F.: *bilhete* + *agem*[1].]

bilhetar (bi.lhe.*tar*) *v. int.* Emitir bilhete (ger. eletrônico) de acesso a serviços, bens etc. [▶ 1 bilhetar] [F.: *bilhete* + *-ar*[2].]

bilhete (bi.*lhe*.te) [ê] *sm.* 1 Mensagem de poucas linhas, contendo recados, recomendações etc. 2 Carta concisa e sem as fórmulas us. nas cartas comuns 3 Ingresso, comprado ou ganho, que permite a entrada em cinema, teatro etc; ENTRADA 4 Pequeno impresso que permite viajar em avião, ônibus, metrô, barca etc., e que representa o valor pago ao transportador; PASSAGEM 5 Cédula que tem impresso um número entre vários que serão sorteados, e que dá ao possuidor o direito de receber o prêmio no caso de sair no sorteio: *bilhete de loteria/de rifa.* 6 *Jur.* Título de obrigação de pagamento de determinado valor, ou pelo qual se confere a seu portador um direito [F.: Do fr. *billet.*] ■ **~ azul** Dispensa, demissão de emprego **~ branco** Bilhete de loteria, rifa etc., que não foi premiado **~ de banco** *Econ.* Título ao portador emitido por banco, com direito a resgate à vista e em dinheiro do valor nele inscrito **~ de identidade** *Lus.* Documento de identidade, carteira de identidade **~ de visita** *Lus.* Em Portugal, cartão de visita **~ de loteria** Folha impressa dividida em frações, que têm impresso e repetido o mesmo número, e que é adquirida inteira ou aos pedaços por apostadores. Sorteado um número, os portadores de cada fração que o tem impresso têm direito àquela fração do prêmio anunciado (e também impresso no bilhete)

bilheteiro (bi.lhe.*tei*.ro) *sm.* 1 Vendedor de ingressos nos cinemas, teatros etc. 2 Vendedor de bilhetes de loteria [F.: *bilhete* + *-eiro.*]

bilheteria (bi.lhe.te.*ri*.a) *sf. Bras.* Guichê, ou o recinto no qual ele se encontra, em que se vendem ingressos para cinema, teatro, *shows*, passagens para transportes públicos etc. [F.: *bilhete* + *-eria.*]

◎ **-bil(i)-** *el. comp.* Ver *bil(i)-*

◎ **bil(i)-** *el. comp.* = 'bile, bílis': *biliar, biliário, bilirrubina, biliverdina; urobilina; atrabile, atrabílis* (< lat.) [F.: Do lat. *bilis, is*, 'substância esverdeada secretada pelo fígado'; 'mau humor'; 'cólera'.]

biliar (bi.li.*ar*) *a2g.* 1 Ref. a bile 2 Que contém ou produz bile (vesícula biliar) 3 Que conduz bile (canais biliares) [F.: *bil(i)-* + *-ar*[1]. Sin. ger.: *biliário, bilioso.*]

biliardário (bi.li:ar.*dá*.ri:o) *a.* 1 Que é muitíssimo rico; que tem bilhões *sm.* 2 Aquele que tem grande fortuna; MULTIMILIONÁRIO [F.: Do fr. *biliard-* + *-ário.* Sin. ger.: *bilionário.*]

biliário (bi.li:*á*.ri:o) *a.* O mesmo que *biliar* [F.: *bil(i)-* + *-ário.*]

bilíngue (bi.*lín*.gue) *a2g.* 1 Diz-se de quem domina duas línguas, ou dois dialetos (criança bilíngue, secretária bilíngue) 2 Diz-se de escola, curso etc., em que as aulas são ministradas em duas línguas 3 Diz-se de dicionário no qual às palavras de uma língua (ger. organizadas em ordem alfabética) são dados os possíveis significados em uma outra língua: *Um dicionário espanhol-português é um dicionário bilíngue.* 4 Diz-se de texto, publicação, livro etc., nos quais a matéria é apresentada em duas línguas, ger. uma ao lado da outra 5 Que tem duas línguas oficiais: *O Canadá é um país bilíngue.* *s2g.* 6 Pessoa bilíngue (1) [F.: Do lat. *bilinguis -e.*]

bilinguismo (bi.lin.*guis*.mo) *sm.* 1 Domínio de duas línguas 2 Coexistência de duas línguas em um país, comunidade etc., e seu uso regular pela sociedade, ou por parte dela (cada parte usando sua língua) [F.: *bilíngue* + *-ismo.*]

bilionário (bi.li:o.*ná*.ri:o) *a.* 1 Cujo capital e/ou bens somam ou valem pelo menos um bilhão de reais (ou de qualquer outra moeda) 2 *Fig. Pop.* Que é extremamente rico (não necessariamente relacionado a um bilhão); MULTIMILIONÁRIO 3 Que envolve um capital de um ou mais bilhões (investimento bilionário) *sm.* 4 Indivíduo bilionário [F.: *bilhão* ou *bilião*, na f. *bilion* + *-ário.* Sin. ger.: *biliardário.*]

bilionésimo (bi.li:o.*né*.si.mo) *num.* 1 Ordinal que, em uma sequência, corresponde a um bilhão [Tem função adjetiva; o bilionésimo habitante da Índia] *a.* 2 Que é um bilhão de vezes menor do que a unidade ou um todo (diz-se de parte): *a bilionésima parte da distância.* [Us. tb. como subst.: *Um nanômetro é um bilionésimo de metro.*] [F.: *bilion-* + *-ésimo.*]

bilioso (bi.li.o.so) [ô] *a.* 1 Ref. a bile; BILIAR; BILIÁRIO 2 Que contém bile (vômito bilioso) 3 Peculiar a transtornos causados por excesso de bile 4 Que se assemelha à bile, pela cor, aspecto etc. 5 *Fig.* Mal-humorado; irritadiço, irascível (pessoa biliosa, temperamento bilioso) [Fem. e pl.: [ó].] [F.: Do lat. *biliosus.*]

◎ **-bílis** *el. comp.* Ver *bil(i)-*

bílis (*bí*.lis) *sf2n.* Ver *bile*

bilocação (bi.lo.ca.*ção*) *sf. Rel.* Fato de poder estar em dois lugares ao mesmo tempo, por poder sobrenatural [Pl.: *-ções.*] [F.: *bi-*[1] + *locação.*]

biloma (bi.*lo*.ma) [ô] *sm. Pat.* Acúmulo de bile na cavidade do peritônio [F.: *bil(i)-* + *-oma*[1].]

bilontra (bi.*lon*.tra) *a2g.* 1 Que é espertalhão e faz patifarias; PATIFE; VELHACO *a.* 2 Que é dado a conquistas amorosas 3 *Bras.* Diz-se de indivíduo frequentador de prostíbulos *s2g.* 4 Pessoa bilontra (1) *sm.* 5 Indivíduo bilontra (2, 3) 6 Indivíduo inexpressivo, de pouca importância; JOÃO-NINGUÉM [Col.: *bilontragem.*] [F.: De or. contrv. Hom./Par.: *bilontra* (a2g. sm.), *bilontra* (fl. de *bilontrar*).]

bilontragem (bi.lon.*tra*.gem) *sf.* 1 Súcia de bilontras 2 Procedimento próprio de bilontra [Pl.: *-gens.*] [F.: *bilontrar* + *-agem.*]

bilro (*bil*.ro) *sm.* 1 Instrumento de madeira ou metal, us. à guisa de fuso, com que as rendeiras fazem rendas de almofada 2 Essa renda 3 Homenzinho afetado, abonecado, janota; manequim 4 O bastonete do bilboquê 5 *Mús.* Baqueta flexível us. para percutir os tímpanos 6 *N.E.* Cacete, bengala grossa 7 *ES Zool.* Peixe marinho (*Equetus lanceolatus*), presente no litoral leste das Américas, do Caribe ao sul do Brasil; BACALHAU [F.: De or. contrv.]

biltre (*bil*.tre) *a2g.* 1 Que é dado a praticar vilezas; CANALHA; INFAME *s2g.* 2 Indivíduo vil, desprezível [Fem.: *biltra.* Aum.: *biltraço.*] [F.: Do fr. *bélitre.*]

bímano (*bí*.ma.no) *a.* 1 Que tem duas mãos *sm.* 2 Indivíduo bímano [F.: Do fr. *bimane.*]

bimba (*bim*.ba) *N.E. Pop. sf.* 1 A parte interna e superior das coxas 2 Pênis de criança 3 *Bras. P. ext.* Pênis pouco desenvolvido 4 O pênis [F.: De or. controv.]

bimbada (bim.*ba*.da) *sf. Vulg. Bras.* Relação sexual; COITO; CÓPULA [F.: *bimbar* + *-ada.*]

bimbalhada (bim.ba.*lha*.da) *sf.* 1 Toque simultâneo de vários sinos 2 O som desse toque [F.: *bimbalhar* + *-ada.*]

bimbalhar (bim.ba.*lhar*) *v.* 1 Fazer repicar ou repicar (sino); BADALAR; SOAR [*td.: O padre mandou bimbalhar os sinos ao meio-dia.*] [*int.: Os sinos da Candelária bimbalham festivamente.*] 2 *P. ext.* Fazer oscilar ou oscilar como um sino (ainda que sem som) [*td.: A criança bimbalhava o móbile.*] [*int.: Com a ventania, as roupas no varal bimbalhavam.*] [▶ 1 bimbalhar] *sm.* 3 Ação de bimbalhar: *O bimbalhar dos sinos encheu o ar.* [F.: De or. onom.]

bimbar (bim.*bar*) *v.* 1 *Bras. Vulg.* Fazer sexo (com) *Bras. Pop;* TRANSAR *Vulg;* TREPAR [*td. tr.* + *com*: *Ele queria bimbar (com) a Mariana.*] [*int.*: *Eles só pensam em bimbar.*] 2 *Antq. Pop.* Bater (as coxas) uma na outra [*td.*: *bimbar as coxas.*] [*tdr.* + *em*: *bimbar uma coxa na outra*] 3 *Lus.* Cortar (as bimbaduras) com ugalho ou rapão [*td.*] 4 *Ant.* Bater ou deixar cair (uma coisa) contra ou sobre (outra) [*td. tdr.* + *em*] [▶ 1 bimbar] [F.: posv. voc. onomatopaico, do elemento expressivo *bimbalh-*, segundo Morais; ou *bimba* 'parte interna e superior das coxas' + *-ar*², termo de gíria, segundo José Pedro Machado. Hom./Par.: *bimba(s)* (sf e pl), *bimba, bimbas, bimbo* (fl. de *bimbar*), *bimbo* (sm).]

bimembre (bi.*mem*.bre) *a2g.* 1 Que possui dois membros 2 *Gram.* Que tem duas partes (período bimembre) [F.: Do lat. *bimembris, e.*]

bimensal (bi.men.*sal*) *a2g.* 1 Que se realiza ou ocorre duas vezes ao mês (reuniões bimensais) 2 Publicado duas vezes ao mês (revista bimensal) [Pl.: *-sais.*] [F.: *bi-* + *mensal*. Sin. ger.: *quinzenal.*]

bimestral (bi.mes.*tral*) *a2g.* 1 Que se realiza ou ocorre de dois em dois meses 2 Que dura dois meses; BIMESTRE 3 Que se refere ao período de dois meses [Pl.: *-trais.*] [F.: *bimestre* + *-al*¹.]

bimestralidade (bi.mes.tra.li.*da*.de) *sf.* Qualidade ou característica do que é bimestral [F.: *bimestral* + *-idade.*]

bimestre (bi.*mes*.tre) *sm.* 1 Período de dois meses seguidos *a2g.* 2 Que dura dois meses; BIMESTRAL [F.: Do lat. *bimestris, e.*]

bimetálico (bi.me.*tá*.li.co) *a.* 1 Feito com dois tipos de metal (termômetro bimetálico) 2 *Econ.* Ref. a bimetalismo: *sistema monetário bimetálico.* [F.: *bi-* + *metálico*. Ideia de: *metal(i/o)-.*]

bimetalismo (bi.me.ta.*lis*.mo) *sm. Econ.* Sistema monetário em que o ouro e prata devem simultaneamente ter valor legal e ser cunhados em moeda [F.: *bi-* + *metal* + *-ismo*. Cf. *monometalismo*. Ideia de: *metal(i/o)-.*]

bimodal (bi.mo.*dal*) *a2g.* Que se processa de dois modos ou por meio de duas modalidades (comunicação bimodal; transporte bimodal): *sistema bimodal de ensino.* [Pl.: *-ais.*] [F.: *bi-* + *modal*. Ideia de: *mod-.*]

bimonetário (bi.mo.ne.*tá*.ri:o) *a. Econ.* Relativo ao bimonetarismo, com circulação simultânea de duas moedas legais: "A Sérvia adotará um sistema bimonetário no qual o marco alemão circulará como moeda legal ao lado do dinar." (*Correio da Cidadania*) [F.: *bi-* + *-monetário*. Ideia de: *moed-.*]

bimonetarismo (bi.mo.ne.ta.*ris*.mo) *sm. Econ.* Sistema econômico de um país em que circulam ao mesmo tempo duas moedas com valor legal [F.: *bi-* + *monetarismo*. Ideia de: *moed-.*]

bimonetarização (bi.mo.ne.ta.ri.za.*ção*) *sf. Econ.* Adoção do bimonetarismo: *Sob Menen, deu-se a bimonetarização da economia argentina.* [Pl.: *-ções.*] [F.: *bi-* + *monetár(io)* + *-iza(r)* + *-ção*. Ideia de: *moed-.*]

bimotor (bi.mo.*tor*) [ô] *a.* 1 Que tem dois motores (avião bimotor) *sm.* 2 Veículo, ger. avião, de dois motores: *Viu o bimotor aterrissar na pista.* [F.: *bi-*¹ + *motor.*]

bina (*bi*.na) *sm.* Dispositivo que se acopla ao telefone, ou já faz parte dele, e indica o número de quem está chamando; identificador de chamadas [Sigla de 'B identifica número de A'.]

binacional (bi.na.ci:o.*nal*) *a2g.* 1 Ref. ou pertencente a duas nações (hidrelétrica binacional) 2 Que se realiza entre duas nações (tratado binacional) 3 Que tem duas nacionalidades (diz-se de pessoa) *sf.* 4 Empresa binacional (1) [Pl.: *-nais.*] [F.: *bi-*¹ + *nacional.*]

binário (bi.*ná*.ri:o) *a.* 1 Que é composto por dois elementos ou unidades; que tem dois lados, duas faces, dois aspectos, dois modos de ser etc. 2 *Mat.* Que tem por base o número dois (diz-se do sistema de numeração) 3 *Quím.* Que é composto de dois elementos 4 *Fís.* Diz-se de sistema de classificação de espécimes animais ou vegetais que usa como parâmetros classificatórios dois temos em latim, um para o gênero, outro para a espécie *sm.* 5 *Fís.* Sistema de duas forças iguais, paralelas e contrárias que atuam nos extremos de um segmento de reta [F.: Do lat. *binarius.*]

binga (*bin*.ga) *sf.* 1 *Antq.* Espécie de isqueiro rústico feito de chifre: "Enrola o cigarro, amarra-lhe uma palhinha para que não desaperte, bate a binga e acende-o vagarosamente." (Amadeu Amaral, *O dialeto caipira*) 2 Caixinha de chifre em que se guardava o rapé; TABAQUEIRA 3 *BA Antq. Cons.* Chifre de boi que os pedreiros improvisavam como cano para a água usada em seus serviços 4 *CE Vulg.* Excremento, titica, merda (binga de galinha) *sm.* 5 *CE Tabu.* Pessoa desqualificada; merda: *Vá embora, seu binga.* [F.: Do quimb. *mbinga*, 'chifre'.]

bingo (*bin*.go) *sm.* 1 Jogo de azar em que se usa um cartão numerado, com cinco fileiras de cinco números cada uma, e no qual vence aquele que, no sorteio de números, consegue preencher uma carreira de cinco números ou completar todo o cartão 2 Estabelecimento onde se joga bingo (1) *interj.* 3 Brado que se dá, durante o jogo, para avisar que se conseguiu preencher uma carreira ou um cartão inteiro 4 *P. ext.* Brado que expressa a alegria por um acerto (numa previsão, numa avaliação, num cálculo etc.), ou pelo atingimento de um objetivo [F.: Do ing. *bingo.*]

bingueiro (bin.*guei*.ro) *sm.* 1 Dono de estabelecimento que explora o jogo do bingo 2 *Bot.* Jequitibá [F.: *bingo* + *-eiro*. Para a acp. 2, não é necessariamente esta a etimologia.]

binocular¹ (bi.no.cu.*lar*) *a.* 1 Ref. a ambos os olhos, ou que a eles se destina ou que os serve 2 *Ópt.* Diz-se da imagem ou da visão cujo foco tem profundidade de campo, na combinação das imagens diferentes captadas pelos dois olhos simultaneamente 3 *Ópt.* Que pode ser utilizado simultaneamente pelos dois olhos (aparelho óptico) (microscópio binocular) [F.: *bi-*¹ + *-n-* + *ocular*².]

binocular² (bi.no.cul.*lar*) *v.* Observar (algo ou alguém) por meio de binóculo [*int.*: *Comprou um binóculo novo e passou a manhã binoculando.*] [*td.*: *Voyeur convicto, binoculava a vizinha diariamente*] [F.: *binóculo* + *-ar*².]

binoculizar (bi.no.cu.li.*zar*) *v. td. int.* Ver *binocular*² [▶ 1 binoculizar] [F.: *binóculo* + *-izar.*]

binóculo (bi.*nó*.cu.lo) *sm. Ópt.* Instrumento portátil provido de duas lentes que se podem focalizar simultaneamente, com o qual se pode ver imagem nítida de objetos distantes [F.: Do lat. cient. *binoculus*. Hom./Par.: *binóculo* (sm.), *binoculo* (fl. de binocular).]

binômio (bi.*nô*.mi:o) *sm.* 1 *Álg.* Expressão algébrica composta de dois termos ligados pelos sinais + ou - 2 *Biol.* Nome científico de espécime vegetal ou animal, formado de dois termos latinos: um substantivo, que indica o gênero, e um adjetivo, que indica a espécie. (P. ex.: *Citrus reticulata* = a tangerineira.) *a.* 3 *Álg.* Diz-se da equação em que o primeiro elemento é um binômio constituído pela enésima potência da incógnita, mais um termo constante [F.: Do lat. cient. *binomium*, trad. do gr. *ekdy'oonomáton.*] ■ **~ de Newton** *Mat.* Desenvolvimento do cálculo da potência de um binômio $[(a + b)^n$, sendo n inteiro e positivo], desenvolvida pelo teorema de Newton

◎ **-bi(o)-** *el. comp.* Ver *bi(o)-*

◎ **-bio** *el. comp.* Ver *bi(o)-*

◎ **bi(o)-** *el. comp.* = 'vida'; 'ser vivo', 'organismo vivo'; 'matéria orgânica'; 'biologia'; 'relações, funções ou atividades biológicas'; 'agente biológico'; 'arma biológica': *bioacumulativo, bioarqueólogo, biobibliografia, biocenose, biociclo, bioclástico, bioclimático, biocombustível, biocompatível, biocomunidade, biocrata, biodança* (< espn.), *biodegradação, biodegradável, biodesintegrador, biografia, biógrafo, bioimpedância, bioindústria, bioinseticida, biológico, biomédico, biometria, bionauta, biossíntese, bioterrorismo; abiotrofia; aeróbio, anaeróbio, anfíbio* (< gr.), *hidróbio, macróbio* (< gr.) [F.: Do gr. *bíos, ou.* F. conexas: *-biose* e *-bionte.*]

bioacumulativo (bi:o.a.cu.mu.la.*ti*.vo) *a.* Ref. a, resultante de, ou que causa acumulação de substâncias tóxicas nos organismos vivos; que não é degradado por micro-organismos (efeito bioacumulativo; potencial bioacumulativo) [F.: *bi(o)-* + *acumulativo.*]

bioarqueologia (bi:o.ar.que.o.lo.*gi*.a) *sf.* 1 Estudo dos fósseis de ossos de animais encontrados em sítios arqueológicos 2 *Restr.* Estudo dos fósseis de esqueleto humano encontrados em sítios arqueológicos 3 *P. ext.* Estudo (ou técnica de pesquisa) de remanescentes biológicos encontrados em sítios arqueológicos [F.: Do ingl. *bioarchaeology* (1972), criado por John Grahame Douglas Clark (1907-1995), arqueólogo ingl; ver *bi(o)-* e *arqueologia.*]

bioarqueólogo (bi:o.ar.que.*ó*.lo.go) *sm.* Especialista em bioarqueologia [F.: *bi(o)-* + *arqueólogo.*]

biobibliografia (bi:o.bi.bli:o.gra.*fi*.a) *sf.* 1 Relato crítico e analítico sobre a vida e a obra de um escritor 2 Biografia de um indivíduo associada às suas obras [F.: *bi(o)-* + *bibliografia.*]

biobibliográfico (bi:o.bi.bli:o.*grá*.fi.co) *a.* Ref. a biobibliografia; que apresenta a biobibliografia de um dado escritor (dicionário biobibliográfico) [F.: *biobibliografia* + *-ico*².]

biocenose (bi:o.ce.*no*.se) *sf. Ecol.* Conjunto de populações de vegetais e animais existentes numa determinada área, convivendo num espaço comum e mantendo diversos graus de relacionamento entre si; COMUNIDADE [F.: Do gr. *koinós, é, ón*, pelo fr. *biocénose.*]

biociclo (bi:o.*ci*.clo) *sm.* 1 *Ecol.* Cada uma das subdivisões da biosfera: biociclo terrestre (*epinociclo*), biociclo da água-doce (*limnociclo*) e biociclo marinho (*talassociclo*) 2 *Biol.* Sequência de etapas por que passam os seres vivos, do nascimento à morte; CICLO VITAL [F.: *bi(o)-* + *-ciclo*. Ver tb. *epinociclo, limnociclo* e *talassociclo.*]

biociência (bi:o.ci.*ên*.ci:a) *sf.* Qualquer ciência que estuda os seres vivos, sua evolução, o ambiente em que vivem, o modo como se inter-relacionam etc. (p. ex., a biologia, a botânica, a ecologia, a zoologia) [F.: *bi(o)-* + *ciência.*]

bioclástico (bi:o.*clás*.ti.co) *a.* Que se forma com fragmentos de material orgânico (calcário bioclástico) [F.: *bi(o)-* + *-clast(o)-* + *-ico*².]

bioclimático (bi:o.cli.*má*.ti.co) *a. Biol. Ecol. Geog.* Que envolve os elementos físico-ambientais, em especial o clima, nos espaços ocupados pelos organismos vivos (projeto bioclimático; oscilações bioclimáticas); BIOCLIMATOLÓGICO [F.: *bi(o)-* + *climático.*]

bioclimatologia (bi:o.cli.ma.to.lo.*gi*.a) *sf. Biol. Ecol. Geog.* Estudo dos efeitos climáticos e das condições e fatores ambientais sobre os organismos [F.: *bi(o)-* + *-climat(o)-* + *-logia.*]

bioclimatológico (bi:o.cli.ma.to.*ló*.gi.co) *a. Biol. Ecol. Geog.* 1 Ref. a bioclimatologia 2 O mesmo que *bioclimático* [F.: *bioclimatologia* + *-ico*².]

bioco (bi.o.co) [ô] *sm. Antq.* 1 *Vest.* Mantilha que algumas mulheres usavam cobrindo a cabeça e parte do rosto como demonstração de uma vida austera, reservada: "Era nova; e entre o bioco triste de lustrina preta parecia de marfim o seu rosto oval." (Eça de Queirós, *A relíquia*) 2 *P. ext. Vest.* Manta, lenço ou véu que envolve a cabeça e parte do rosto: "... um lenço roxo, amarrado no queixo, caía-lhe num bioco lúgubre sobre a testa." (Eça de Queirós, *A relíquia*) 3 *Ant. Fig.* Ostentação de modéstia, de cerimônia, de discrição: "A sege das meninas chegou pouco depois da nossa. Saltaram com buliçosa graça; e, sem biocos de cerimônia ou pudor (pudor!... é o que faltava!), nos tomaram os braços." (Camilo Castelo Branco, *Coração, cabeça e estômago*) [Mais us. no pl.] 4 Reserva excessiva e afetada: "Não é que a prima Justina fosse de biocos; (...) mas, confessar que mentira é que me pareceu novidade." (Machado de Assis, *Dom Casmurro*) 5 *Fig.* Ameaças ou gestos ameaçadores fingidos: *Esses biocos de fúria não assustam ninguém.* [Pl.: *biocos* [ó].] [F.: De or. incerta.]

biocombustível (bi:o.com.bus.*ti*.vel) *sm.* Combustível produzido a partir de óleos e gorduras vegetais *in natura* ou residuais [Pl.: *-veis.*] [F.: *bi(o)-* + *combustível.*]

biocompatibilidade (bi:o.com.pa.ti.bi.li.*da*.de) *sf. Med.* Coexistência sem efeitos indesejáveis do material implantado com o ambiente fisiológico do implante: *biocompatibilidade de materiais dentários.* [F.: *bi(o)-* + *compatibilidade.*]

biocompatível (bi:o.com.pa.*tí*.vel) *a2g.* Que apresenta biocompatibilidade (material biocompatível) [Pl.: *-veis.*] [F.: *bi(o)-* + *compatível.*]

biocomunidade (bi:o.co.mu.ni.*da*.de) *sf. Ecol.* Comunidade que engloba todos os seres vivos e mesmo os elementos abióticos como os minerais sem estabelecer entre eles uma hierarquia de valores a não ser a de ameaça de extinção de algum de seus membros: *O planeta Terra constitui uma biocomunidade.* [F.: *bi(o)-* + *comunidade.*]

biocrata (bi:o.*cra*.ta) *a2g.* 1 Cujo poder advém dos conhecimentos biotecnológicos da procriação assistida de que é detentor: "Os pais... depositam todos os seus anseios e angústias na figura do 'procriador' biocrata." (Simone de A. Carrasqueira, *Procriação assistida: em busca de um paradigma*) *s2g.* 2 Tecnocrata do setor de saúde [F.: *bi(o)-* + *-crata.*]

biodança (bi:o.*dan*.ça) *sf.* Sistema desenvolvido pelo psicólogo e antropólogo chileno Rolando Toro (1924), que trabalha a evolução física, mental e emocional através da dança, da comunicação e do contato entre as pessoas [F.: Do espn. *biodanza.*]

biodegradabilidade (bi:o.de.gra.da.bi.li.*da*.de) *sf.* Propriedade ou condição do que é biodegradável (grau de biodegradabilidade) [F.: *biodegradável* + *-(i)idade*, seg. o mod. erudito.]

biodegradação (bi:o.de.gra.da.*ção*) *sf. Ecol. Quím.* Decomposição parcial ou completa de um composto orgânico, por micro-organismo [Pl.: *-ções.*] [F.: *bi(o)-* + *degradação.*]

biodegradar (bi:o.de.gra.*dar*) *v.* Decompor(-se) (material orgânico) naturalmente, pela ação de micro-organismos, sem causar dano ao meio ambiente [*int.*: *Há plásticos capazes de biodegradar-se quando finda sua vida útil.*] [*td.*: *bactérias que biodegradam madeiras.*] [▶ 1 biodegradar] [F.: *bi(o)-* + *degradar*. Hom./Par.: *biodegradáveis* (fl.), *biodegradáveis* (pl. de *biodegradável* [a2g.]).]

biodegradável (bi:o.de.gra.*dá*.vel) *a2g.* Que se decompõe pela ação de micro-organismos (diz-se de substância) [Pl.: *-veis.*] [F.: *biodegradar* + *-vel.*]

biodesintegrador (bi:o.de.sin.te.gra.*dor*) [ô] *a.* Que é capaz de desintegrar organismos vivos (cápsula biodesintegradora) [F.: *bi(o)-* + *desintegrador.*]

⊕ ***biodiesel*** (*Ing. /biodízel/*) *sm. Quím.* Combustível não poluente, proveniente de fontes renováveis, tais como óleos vegetais, ou gorduras animais, obtido através de processo químico [F.: Ver *bi(o)-* e *diesel.*]

biodigestão (bi:o.di.ges.*tão*) *sf.* Processo de degradação, transformação ou decomposição de matéria orgânica [Pl.: *-tões.*] [F.: *bi(o)-* + *digestão.*]

biodigestor (bi:o.di.ges.*tor*) [ô] *sm.* Meio ou aparelho através do qual se processa a biodigestão para obtenção de biogás [F.: *bi(o)-* + *digestor.*]

biodinâmico (bi:o.di.*nâ*.mi.co) *a.* 1 Ref. a biodinâmica 2 Diz-se de sistema de fertilização e acondicionamento do solo que utiliza apenas matéria orgânica (agricultura biodinâmica) [F.: *bi(o)-* + *dinâmico.*]

biodisponibilidade (bi:o.dis.po.ni.bi.li.*da*.de) *sf. Bioq.* Medida de quantidade de medicamento, contida em uma fórmula, que chega ao sistema circulatório e da velocidade em que ocorre esse processo (teste de biodisponibilidade) [F.: *bi(o)-* + *disponibilidade.*]

biodiversidade (bi:o.di.ver.si.*da*.de) *sf. Ecol.* A diversidade de comunidades vegetais e animais que se interrelacionam e convivem num espaço comum que pode ser um ecossistema ou um bioma [F.: *bi(o)-* + *diversidade.*]

> 🕮 O termo 'biodiversidade', que ganhou importância durante o Rio-92, encontro internacional sobre preservação ambiental realizado no Rio de Janeiro, refere-se, em sentido lato, à existência e preservação de múltiplas espécies em um ambiente natural como condição de equilíbrio ambiental, o que implica medidas de preservação de espécies raras e em extinção.

biodo (bi:o.do) [ô] *sm.* Lâmpada halógena, ger. de iodo, de baixo consumo de energia, feixe de luz mais definido e cor mais branca (lâmpada biodo) [F.: Posv. de *bi-* 'duas vezes' + *iodo.*]

bioeletricidade (bi:o.e.le.tri.ci.*da*.de) *sf. Biol.* Corrente elétrica que se produz nos organismos vivos ou se propaga por eles [F.: *bi(o)- + eletricidade.*]
bioelétrico (bi:o.e.*lé*.tri.co) *a. Biol.* Relativo à bioeletricidade, próprio dela (campo bioelétrico; mecanismo bioelétrico) [F.: *bi(o)- + elétrico.*]
bioeletrônica (bi:o.e.le.*trô*.ni.ca) *sf.* **1** *Biol.* Estudo sobre as reações de transferência de elétron em sistemas biológicos **2** *Med.* Aplicação de aparelhos eletrônicos aos organismos vivos para fins clínicos, diagnósticos, terapêuticos ou de teste [F.: *bi(o)- + eletrônica.*]
bioeletrônico (bi:o.e.le.*trô*.ni.co) *a.* **1** Que é próprio da bioeletrônica (paradigma bioeletrônico) **2** Que se processa por meio da bioeletrônica ou que se refere a ela (análise bioeletrônica) [F.: *bi(o)- + eletrônico.*]
bioenergética (bi:o.e.ner.*gé*.ti.ca) *sf.* **1** *Bioq.* Estudo voltado para a observação das transformações de energia nos seres vivos **2** *Psi.* Teoria criada por Alexander Lowen (1920) que considera a personalidade humana em função de seus processos energéticos corporais **3** *Psi.* Escola de terapia que procura resolver problemas emocionais, aliviar o estresse e reduzir ou desfazer a tensão muscular por meio de exercícios respiratórios, movimentos físicos e livre expressão das ideias [F.: *bi(o)- + energética.*]
bioenergético (bi:o.e.ner.*gé*.ti.co) *a.* **1** *Psi.* Ref. a bioenergética (sistema bioenergético; terapêutica bioenergética) **2** *Biol.* Ref. às transformações de energia dos seres vivos **3** Ref. a bioenergia [F.: *bi(o)- + energético.*]
bioenergia (bi:o.e.ner.*gi*.a) *sf.* **1** *Ecol.* Energia que se obtém da transformação química de matérias vivas **2** Energia vital [F.: *bi(o)- + energia.*]
bioengenharia (bi:o.en.ge.nha.*ri*.a) *sf.* **1** *Gen.* Conjunto de técnicas que visam realçar traços de seres vivos para desenvolver espécies mais úteis, e que se aplica, p. ex., na agricultura **2** Utilização da engenharia para o trabalho de adaptar equipamentos que sirvam aos organismos vivos (esp. o homem), criando, p. ex., sistemas de proteção para missões espaciais, submarinas etc. [F.: *bi(o)- + engenharia.*]
bioengenheiro (bi:o.en.ge.*nhei*.ro) *sm.* Engenheiro, biólogo, geneticista ou médico que aplica os princípios da engenharia a problemas de medicina e de biologia; especialista em bioengenharia [F.: *bi(o)- + engenheiro.*]
bioequivalente (bi:o.e.qui.va.*len*.te) *a2g. Bioq.* Que causa no organismo o mesmo efeito que causaria outra substância: *O medicamento genérico deve ser bioequivalente ao de referência.* [F.: *bi(o)- + equivalente.*]
bioestatística (bi:o.es.ta.*tís*.ti.ca) *sf.* Conjunto de métodos estatísticos aplicados a dados das ciências biológicas e médicas; ESTATÍSTICA VITAL [F.: *bi(o)- + estatística.*]
bioética (bi:o.*é*.ti.ca) *sf.* Campo de estudo referente às implicações éticas e filosóficas de certos procedimentos, tecnologias e tratamentos, em medicina e biologia, como transplantes de órgãos, engenharia genética e cuidados com doentes terminais [F.: *bi(o)- + ética.*]
bioeticista (bi:o.e.ti.*cis*.ta) *a2g.* **1** Diz-se de profissional especializado em bioética *s2g.* **2** Esse profissional [F.: *bioética + -ista.*]
bioético (bi:o.*é*.ti.co) *a.* **1** Ref. a bioética **2** De acordo com os preceitos da bioética [F.: *bi(o)- + ético.*]
biofábrica (bi:o.*fá*.bri.ca) *sf.* Unidade industrial e comercial de produtos geneticamente aperfeiçoados (ex.: mudas de plantas, defensivos contra pragas, micro-organismos etc.): *Vale de São Francisco ganha biofábrica que produzirá insetos contra pragas.* [F.: *bi(o)- + fábrica.*]
biófago (bi.*ó*.fa.go) *sm.* **1** *Ecol.* Organismo que se alimenta de outros seres vivos **2** *Bot.* Vegetal parasita **3** *Bot.* Planta carnívora ou insetívora *a.* **4** Que se alimenta de outros seres vivos **5** *Bot.* Que é parasita (diz-se de vegetal) **6** *Bot.* Que é carnívora ou insetívora (diz-se de planta) [F.: *bi(o)- + -fago.*]
biofarmacêutica (bi:o.far.ma.*cêu*.ti.ca) *sf.* Estudo sobre as substâncias orgânicas medicamentosas e seu desempenho no corpo [F.: *bi(o)- + farmacêutica*, fem. substv. de *farmacêutico.*]
biofato (bi:o.*fa*.to) *sm.* Todo elemento da natureza a que se atribui um valor cultural ou religioso [F.: *bi(o)- + fato*[1].]
biofertilizante (bi:o.fer.ti.li.*zan*.te) *sm.* Fertilizante produzido por biodigestores [F.: *bi(o)- + fertilizante.*]
biofilia (bi:o.fi.*li*.a) *sf.* Afetividade emocional inata dos seres humanos para com os fenômenos da vida; instinto de preservação [F.: *bi(o)- + -filia*[1].]
biófilo (bi.*ó*.fi.lo) *sm.* **1** Indivíduo que ama a vida *a.* **2** Diz-se desse indivíduo [F.: *bi(o)- + -filo*[1].]
biofiltragem (bi.o.fil.*tra*gem) *sf. Ecol.* Filtragem das impurezas do ar ou da água por meio de agentes biológicos [F.: *bio- + filtragem.*]
biofísica (bi:o.*fí*.si.ca) *sf. Med.* Ciência interdisciplinar que utiliza teorias e métodos da física no estudo dos fenômenos biológicos [F.: *bio- + física.*]
biofísico (bi:o.*fí*.si.co) *a.* **1** Ref. a biofísica **2** Que ocorre nos organismos vivos (diz-se de processo físico) *sm.* **3** Especialista em biofísica [F.: *bi(o)- + físico.*]
biogás (bi:o.*gás*) *sm. Biol. Quím.* Gás inflamável, mistura de metano e dióxido de carbono, produzido pela decomposição bacteriana de matérias orgânicas [F.: *bi(o)- + gás.*]
biogênese (bi:o.*gê*.ne.se) *sf. Biol.* Princípio que se fundamenta na ideia de que todo ser vivo provém de outro ser vivo [F.: *bi(o)- + -gênese.*]
biogenética (bi:o.ge.*né*.ti.ca) *sf. Biol. Gen.* Desenvolvimento e aplicação de métodos científicos que permitem a manipulação direta do material genético a fim de alterar os traços hereditários de uma célula, de um organismo ou de uma população, com o intuito de corrigir defeitos genéticos ou preveni-los [F.: *bi(o)- + genética.*]
biogenético (bi:o.ge.*né*.ti.co) *a.* **1** *Biol.* Da ou relativo à biogênese (lei biogenética) **2** *Biol. Gen.* Da ou relativo à biogenética [F.: *bi(o)- + genético.*]
biogeocenose (bi:o.ge:o.ce.*no*.se) *sf. Ecol.* O mesmo que *ecossistema* [F.: *bi(o)- + -ge(o)- + -cenose.*]
biogeografia (bi:o.ge:o.gra.*fi*.a) *sf. Geog.* Estudo da distribuição geográfica das espécies de seres vivos, levando-se em conta as condições climáticas e características geológicas de cada região [F.: *bi(o)- + geografia*. Ver tb. *fitogeografia* e *zoogeografia.*] ∎ **~ descritiva** *Ecol.* A que estuda a localização geográfica dos seres vivos **~ histórica** *Ecol.* A que estuda a história evolutiva dos seres vivos
biogeográfico (bi:o.ge:o.*grá*.fico) *a. Biol. Ecol.* Que trata da distribuição geográfica dos seres vivos (estudo biogeográfico) [F.: *bi(o)- + geográfico.*]
biogeoquímico (bi:o.ge:o.*quí*.mi.co) *Biol. Geog. Quím. a.* **1** Que trata da relação entre a geoquímica de uma dada região e sua flora e fauna, incluindo a circulação de elementos como o carbono, o nitrogênio entre o ambiente e as células dos seres vivos (ciclo biogeoquímico) **2** Diz-se de indivíduo que se especializou em biogeoquímica *sm.* **3** Esse indivíduo [F.: *bi(o)- + -ge(o)- + químico.*]
biografado (bi:o.gra.*fa*.do) *a.* **1** Cuja biografia foi feita; diz-se de indivíduo que foi objeto de biografia *sm.* **2** Aquele de quem se escreveu a biografia [F.: Part. de *biografar.*]
biografar (bi:o.gra.*far*) *v. td.* Fazer a biografia de; contar a vida de (alguém ou si mesmo): *biografar um filósofo; Costuma biografar-se em seus contos.* [▶ **1** biografar] [F.: *biografia + -ar*[2]. Hom./Par.: *biografo* (fl.), *biógrafo* (sm.).]
biografia (bi:o.gra.*fi*.a) *sf.* **1** História escrita sobre a vida de uma pessoa **2** Livro, filme, peça de teatro etc. que apresenta uma biografia (1) **3** *Liter.* Gênero literário em que é narrada a história de uma pessoa [F.: *bi(o)- + -grafia.*]
biográfico (bi:o.*grá*.fi.co) *a.* **1** Ref. a biografia: *um esboço biográfico.* **2** Que contém uma ou muitas biografias (dicionário biográfico) [F.: *biografia + -ico*[2].]
biografismo (bi:o.gra.*fis*.mo) *sm.* **1** *Liter.* Prática da biografia (novo biografismo) **2** Apelo excessivo para o uso de dados biográficos na análise da obra de arte: *Em sua análise, evite incorrer no pecado do biografismo.* [F.: *biograf(ia) + -ismo.*]
biógrafo (bi.*ó*.gra.fo) *sm.* Autor que escreveu uma ou muitas biografias; BIOGRAFISTA [F.: *bi(o)- + -grafo*, por dedução de *biografia*. Hom./Par.: *biógrafo* (sm.), *biografo* (fl. de *biografar*).]
bioimpedância (bi:o.im.pe.*dân*.ci.a) *sf.* Método de avaliação da constituição corpórea de uma pessoa por meio de um aparelho que, emitindo uma corrente elétrica, determinará o percentual de gordura de seu corpo de acordo com a maior ou menor dificuldade/facilidade (impedância/reatância) que tal corrente tiver para percorrê-lo [F.: *bi(o)- + impedância.*]
bioindústria (bi:o.in.*dús*.tri.a) *sf.* **1** Exploração industrial de técnicas de bioconversão **2** Indústria que usa esse tipo de exploração [F.: *bi(o)- + indústria.*]
bioinseticida (bi:o.in.se.ti.*ci*.da) *sm.* **1** Inseticida feito à base de ingredientes que não agridem o meio ambiente *a2g.* **2** Diz-se desse tipo de inseticida [F.: *bi(o)- + inseticida*. Cf. *biopesticida.*]
biolinguista (bi:o.lin.*guis*.ta) *s2g. Ling.* **1** Linguista que examina os aspectos neurofisiológicos e genéticos das línguas naturais **2** Linguista que estuda os suportes biológicos que viabilizam a aquisição gradual da linguagem [F.: *bi(o)- + linguista.*]
biologia (bi:o.lo.*gi*.a) *sf. Biol.* Ciência que estuda seres vivos (animais e vegetais), considerando o aspecto evolutivo da origem, seu desenvolvimento e sua fisiologia, sua organização e seu comportamento [F.: Do al. *Biologie*, pelo fr. *biologie*; ver *bi(o)-* e *-logia.*] ∎ **~ celular** *Biol.* Ramo da biologia que estuda a morfologia e a fisiologia das células **~ geral** *Biol.* Ramo da biologia que estuda os seres vivos em suas característica gerais, e não por especialização de área ou tipo **~ marinha** *Biol.* Ramo da biologia que estuda os seres vivos dos mares e oceanos **~ molecular** *Biol.* Ramo da biologia que, com apoio da química ou da bioquímica, estuda as estruturas biológicas em seu nível molecular, como as proteínas e os ácidos nucleicos **~ social** Ramo da biologia que aplica conhecimentos biológicos a questões de natureza social (como a poluição)
biológico (bi:o.*ló*.gi.co) *a.* **1** Da, ref. ou inerente à biologia **2** Que faz parte da biologia **3** Dos, ref. aos ou próprio dos seres vivos **4** Dos ou ref. aos fatores fisiológicos de um organismo (esp. o humano) (relógio biológico) **5** Cuja célula reprodutiva serviu à fecundação (diz-se de indivíduo [homem ou mulher]): *pai e mãe biológicos.* **6** Diz-se de filho não adotivo **7** Diz-se de arma que emprega bactérias ou vírus para matar ou disseminar doenças **8** Em que se utilizam tais armas **9** Produzido por seres vivos **10** *P. ext.* Que resulta de atividades metabólicas de micro-organismos (corrosão biológica) [F.: *biologia + -ico*[2].]
biologista (bi:o.lo.*gis*.ta) *s2g.* **1** O mesmo que *biólogo* **2** Adepto do biologismo *a2g.* **3** Ref. a biologismo [F.: De *biolog-*, como em *biologia* ou *biologismo*, + *-ista.*]
biólogo (bi.*ó*.lo.go) *sm.* **1** *Biol.* Indivíduo formado em biologia; BIOLOGISTA **2** Especialista em biologia; BIOLOGISTA [F.: *bi(o)- + -logo.*]
bioluminescência (bi:o.lu.mi.nes.*cên*.ci:a) *sf. Bioq.* Luminosidade produzida por alguns seres vivos (p. ex., os vaga-lumes); BIOFOTOGÊNESE [F.: *bi(o)- + luminescência.*]
bioma (bi.*o*.ma) [ô] *sm. Ecol.* Grande comunidade de plantas e animais que estão adaptados a uma certa região com clima, relevo e outras condições ambientais determinadas: *o bioma da floresta amazônica.* [F.: *bi(o)- + -oma*[2].]
biomagnético (bi:o.mag.*né*.ti.co) *a.* **1** Que tem biomagnetismo **2** Que, por meio de estímulos de pontos magnéticos do corpo, tem propriedades de cura [F.: *bi(o)- + magnético.*]
biomagnetismo (bi:o.mag.ne.*tis*.mo) *sm.* Sensibilidade de alguns organismos a campos magnéticos (naturais ou não) [F.: *bi(o)- + magnetismo.*]
biomassa (bi:o.*mas*.sa) *sf.* **1** *Ecol.* Quantidade total de matéria orgânica em um determinado conjunto de ecossistema: *O incêndio destruiu metade da biomassa da floresta.* **2** Matéria vegetal utilizada como fonte de energia [F.: *bi(o)- + massa.*]
biomaterial (bi:o.ma.te.ri.*al*) *sm. Med.* Material sintético, normalmente plástico, próprio para implantes ou reparos de partes danificadas ou doentes do corpo: *Universidade do Porto desenvolve novo biomaterial para combater osteoporose.* [Pl.: *-ais.*] [F.: *bi(o)- + material.*]
biombo (bi:*om*.bo) *sm.* **1** Divisória móvel feita ger. com folhas de madeira presas por dobradiças, que serve para dividir um aposento em duas áreas, ou para isolar um espaço, proteger da luz ou do vento etc. **2** *Fig.* Aquilo que serve para esconder algo, como uma atitude, um procedimento, um defeito, um erro etc.: *Sua aparente impassividade servia de biombo a suas emoções.* [F.: Do jap. *biobu.*]
biomecânica (bi:o.me.*câ*.ni.ca) *sf.* **1** *Med.* Estudo da ação das forças externas e internas sobre o corpo vivo, esp. sobre a coluna vertebral **2** *Biol.* Estudo da natureza mecânica dos processos biológicos como a ação do coração e o movimento muscular **3** *Teat.* Técnica teatral não realista, desenvolvida nos anos de 1920 pelo diretor soviético Vsévolod Meyerhold (1874-1940), que se baseia na mecânica corporal humana e que consiste na imitação, por parte dos atores, dos movimentos maquinais de bonecos combinados com exercícios ginásticos [F.: *bi(o)- + mecânica.*]
biomecânico (bi:o.me.*câ*.ni.co) *sm.* **1** Profissional especializado em biomecânica *a.* **2** Da ou ref. à biomecânica (teste biomecânico; equilíbrio biomecânico) [F.: *bi(o)- + mecânico.*]
biomedicina (bi:o.me.di.*ci*.na) *sf.* **1** *Med.* Aplicação de princípios das ciências da natureza, esp. da biologia e da fisiologia na clínica médica **2** *Astnáut. Med.* Ramo da medicina que pesquisa medicamentos próprios para a conservação da vida e das funções vitais, esp. no espaço e sobre os planetas, e que tb. avalia as condições ambientais requeridas por astronautas no interior das naves espaciais **3** *Biol.* Ramo da biologia que estuda as características morfológicas e fisiológicas da espécie humana [F.: *bi(o)- + medicina.*]
biomédico (bi:o.*mé*.di.co) *sm.* **1** Profissional especializado em biomedicina **2** O mesmo que *biólogo a.* **3** Da ou ref. à biomedicina (centro biomédico) **4** Que é da área biológica e da área médica [F.: *bi(o)- + médico.*]
biometria (bi:o.me.*tri*.a) *sf.* **1** *Inf.* Tecnologia ou conjunto de tecnologias que permitem verificar e autenticar automaticamente a identidade de uma pessoa baseando-se em características físicas e comportamentais que são únicas de cada indivíduo, como a impressão digital, a face, a íris, a geometria das mãos, a voz, a assinatura (biometria facial) [A biometria é us. com frequência para aumentar a segurança de redes de computadores, proteger transações financeiras, controlar o acesso a instalações de segurança etc.] **2** *Biol.* Estudo das medidas físicas dos seres vivos (biometria fetal) **3** *Biol. Est.* Ramo da biologia que estuda fenômenos biológicos por meio de análises estatísticas [Tb. se diz *biometria estatística.*] [F.: *bi(o)- + -metria*[1].] ∎ **~ estatística** Ramo da estatística que estuda quantitativamente os elementos biológicos de determinada população [Tb. apenas *biometria.*]
biométrico (bi:o.*mé*.tri.co) *a.* **1** Ref. a biometria: *estudo biométrico e histológico em ratos; a tecnologia biométrica de reconhecimento de voz.* **2** Que auxilia na identificação de um indivíduo (equipamentos biométricos) [F.: *biometria + -ico*[2].]
biomicroscopia (bi:o.mi.cros.co.*pi*.a) *sf. Oft.* Exame anatômico do olho por meio de microscópio binocular de fonte luminosa [F.: *bi(o)- + microscopia.*]
biomolécula (bi:o.mo.*lé*.cu.la) *sf. Biol. Bioq.* Qualquer molécula característica dos seres vivos [F.: *bi(o)- + molécula.*]
biomolecular (bi:o.mo.le.cu.*lar*) *a2g. Biol. Bioq.* Ref. a biomolécula [F.: *biomolécula + -ar*[1].]
biomórfico (bi:o.*mór*.fi.co) *a.* **1** Que parece, sugere ou é semelhante a formas orgânicas vivas **2** Com formato, aspecto ou características de um organismo vivo **3** Construído segundo os princípios do sistema biológico (robótica biomórfica) **4** *Pint.* Que se baseia na natureza ou é inspirado por ela (diz-se de formas, configurações etc.) [F.: *bi(o)- + mórfico.*]
bionauta (bi:o.*nau*.ta) *s2g.* Astronauta que, entre outras missões, terá a de criar sua biosfera e zelar por sua manutenção num planeta hostil onde habitará por meses: "(...) no final os bionautas, apesar de dedicar todos os seus esfor-

ços à mera sobrevivência (...), haviam perdido 20% do peso (...)" (Antônio L. M. C. da Costa, *Colonizando Marte*) [F.: *bi(o)- + -nauta*.]

biônica (bi:ô.ni.ca) *sf. Biol.* Ciência que aplica os conhecimentos da biologia na construção de máquinas e sistemas eletrônicos [F.: Do ing. *bionics*.]

O principal objetivo da biônica é criar mecanismos artificiais com características próprias dos seres vivos. De especial interesse é a emulação da percepção de estímulos e das respostas a eles que caracterizam o sistema nervoso e o cérebro. A percepção e o reconhecimento de uma informação pelo cérebro se dá pela sua comparação com situações semelhantes armazenadas anteriormente na memória; a biônica procura criar um processo análogo de reconhecimento de informação (ou estímulo) por meio de uma complexa rede de comparações e respostas-padrão armazenadas em computador. Outra área importante é a da prótese 'inteligente', em que membros ou órgãos artificiais são mecanismos que transferem estímulos sensoriais (periféricos) ou volitivos (gerados no cérebro) a uma rede de respostas-padrão que se expressam numa ação, gerada pelo estímulo e executada pelo mecanismo.

biônico (bi.ô.ni.co) *a.* **1** Ref. a biônica **2** Em que há partes eletrônicas exercendo o papel de órgãos do corpo (braço biônico) **3** *Bras. Joc.* Que assume um cargo eletivo sem ter sido eleito (diz-se de político) *sm.* **4** *Bras. Joc.* Político biônico [F.: De *biônica*, com mud. suf; ver *-ico²*.]

biônimo (bi.ô.ni.mo) *sm. Biol.* Na terminologia biológica, a denom. dada a cada espécie de ser vivo [F.: *bi(o)- + -ônimo*.]

◎ **-bionte** *el. comp.* = 'organismo, ser vivente (com dado modo de vida)': *aerobionte, anaerobionte, cenobionte, diplobionte, estenobionte, haplobionte, micobionte* [F.: Do lat. cient., a partir do gr. *bíon, biontos*, part. pres. do v. gr. (contrato) *bióo/biô*, 'viver'. F. conexas: *-biose* e *bi(o)-*.]

biopeptídio (bi:o.pep.*ti*.di:o) *sm. Quím.* Derivado do ácido glutâmico [F.: *bi(o)- + peptídio*.]

biopesticida (bi:o.pes.ti.*ci*.da) *sm.* **1** Pesticida que não agride o meio ambiente *a2g.* **2** Diz-se desse tipo de pesticida [F.: *bi(o)- + pesticida*. Cf. *bioinseticida*.]

biopolímero (bi:o.po.*lí*.me.ro) *sm. Biol.* Nos organismos vivos, qualquer macromolécula (como as proteínas, os ácidos nucleicos) formada pela união de substâncias simples [F.: Do ing. *biopolymer*; ver *bi(o)-* e *polímero*.]

bioprodução (bi:o.pro.du.*ção*) *sf.* Produção de seres vivos [Pl.: *-ções*.] [F.: *bi(o)- + produção*.]

bioprospecção (bi:o.pros.pec.*ção*) *sf.* Método de localização, avaliação e exploração sistemática e legal da diversidade de vida de um determinado local visando a busca de recursos genéticos e bioquímicos para fins comerciais [Pl.: *-ções*.] [F.: *bi(o)- + prospecção*.]

biopsia (bi.op.*si*.a) *sf.* Ver *biópsia*

biópsia (bi.*óp*.si:a) *sf. Med.* **1** Método que consiste em retirar de um corpo vivo um fragmento de tecido, para o examinar com o microscópio **2** Esse exame: *A biópsia revelou que o tumor é benigno.* [F.: Do fr. *biopsie*; ou *bi(o)- + -ópsia*. A f. *biopsia*, embora correta, é menos us.]

biopsicológico (bi:o.psi.co.*ló*.gi.co) *a. Biol. Psi.* Que se constitui de elementos biológicos e psicológicos (sistema biopsicológico; fato biopsicológico) [F.: *bi(o)- + psicológico*.]

biopsicossocial (bi:o.psi.cos.so.ci:*al*) *a2g. Biol. Psi. Soc.* Ref. a ou em que ocorrem aspectos biológicos, psicológicos e sociais (processo biopsicossocial) [Pl.: *-ais*.] [F.: *bi(o)- + -psic(o)- + social*.]

◎ **biopsiquiatria** (bi:o.psi.qui:a.*tri*.a) *sf. Psi.* Campo da psiquiatria que trata dos efeitos de fatores biológicos no comportamento [F.: *bi(o)- + psiquiatria*.]

bioquímica (bi:o.*quí*.mi.ca) *sf. Bioq.* Ciência que estuda as reações químicas em organismos vivos; QUÍMICA BIOLÓGICA; QUÍMICA FISIOLÓGICA [F.: *bi(o)- + química*, para trad. o fr. *biochimie* ou o ing. *biochemistry*.]

bioquímico (bi:o.*quí*.mi.co) *a.* **1** Ref. a bioquímica **2** Diz-se do especialista em bioquímica *sm.* **3** Esse especialista [F.: De *bioquímica*, com mud. de suf; ver *-ico²*.]

biorreator (bi:or.re:a.*tor*) [ô] *sm.* Tanque de fermentação para a produção de organismos vivos usados em processos industriais, como em manufaturas de drogas ou em reciclagem de resíduos [F.: *bi(o)- + reator*.]

biorrítmico (bi:or.*rít*.mi.co) *a.* **1** Ref. a biorritmo **2** Que acontece conforme um biorritmo [F.: *biorritmo + -ico²*.]

biorritmo (bi:or.*rit*.mo) *sm. Biol.* Ritmo em que processos biológicos ocorrem no corpo humano ou no organismo de uma espécie [F.: *bi(o)- + ritmo*.]

bioscópio (bi:os.*có*.pi:o) *sm.* **1** *Cin.* Antigo cinematógrafo inventado pelos irmãos alemães Max e Emil Skladanowsky; BIOFANTASCÓPIO **2** *Med.* Aparelho us. para averiguar a existência de vida através da secreção sudoral [F.: *bi(o)- + -scópio*.]

◎ **-biose** *el. comp.* = 'vida'; 'modo, meio ou condição de vida'; 'funções vitais'; 'relação ou associação entre organismos'; 'atividade metabólica': *abiose, aerobiose, alelobiose, anidrobiose, cenobiose, endobiose, hipobiose, ortobiose, parabiose, saprobiose, simbiose* (< gr.), *telobiose* [F.: Do gr. *-bíosis, eos*, conexo com o v. gr. *bióo*, 'viver'. F. conexas: *bi(o)-* e *-bionte*.]

biosfera (bi.os.*fe*.ra) *sf. Biol. Ecol.* **1** Conjunto dos ecossistemas da Terra; ECOSFERA **2** Conjunto das partes do planeta, incluindo regiões da litosfera, hidrosfera e atmosfera, onde existe ou pode existir vida [F.: *bi(o)- + -sfera*.]

Pode-se entender a biosfera como a soma interativa de todos os ecossistemas da Terra (sendo cada ecossistema um conjunto de comunidades de seres vivos vivendo em interação com seu ambiente físico). A espessura da camada da biosfera terrestre é de cerca de 17 km, pois pode existir um ecossistema até 10 km de profundidade (seres que habitam as profundidades submarinas), e até 7 km de altitude (altitude máxima em que a vida é possível). Na biosfera terrestre há dois tipo de organismos: os que produzem sozinhos suas substâncias orgânicas a partir de substâncias inorgânicas (plantas, algas etc.), e os que precisam consumir substâncias orgânicas para viver. E há também os micro-organismos que consomem substâncias orgânicas decompostas para reduzi-las a substâncias inorgânicas, realimentando o ciclo. É da interação entre as ações desses 3 grupos que se estabelece o equilíbrio dos ecossistemas, e da biosfera. Algumas ações humanas tendem a alterar esse equilíbrio, como queima de combustíveis e emissão de gases, destruição do solo e de vegetação, poluição etc.

biossegurança (bi:os.se.gu.*ran*.ça) *sf. Med.* Conjunto de estudos e procedimentos voltados para o controle e a prevenção de eventuais problemas decorrentes de pesquisas biológicas e/ou por suas aplicações [F.: *bi(o)- + segurança*.]

biossíntese (bi:os.*sín*.te.se) *sf.* **1** *Bioq.* Formação de compostos químicos por meio de um organismo vivo; BIOGÊNESE **2** Preparação em laboratório de moléculas por meio do uso de reagentes ou catalisadores derivados de substâncias naturais ou modeladas em uma série de reações que ocorrem num organismo vivo [F.: *bi(o)- + síntese*.]

biossintético (bi:os.sin.*té*.ti.co) *a. Bioq.* **1** Ref. a biossíntese **2** Obtido a partir da biossíntese (material biossintético; processo biossintético) [F.: *biossínt(ese) + -ético*, seg. o mod. gr.]

biossistema (bi:os.sis.*te*.ma) *sm.* O mesmo que *ecossistema* [F.: *bi(o)- + sistema*.]

biota (bi:*o*.ta) *sm. Biol. Ecol.* Conjunto de seres vivos que habitam uma determinada região [F.: Do gr. *biotés*, pelo fr. *biote*.]

biotecnia (bi:o.tec.*ni*.a) *sf.* **1** *Biol. Eng. ind.* Organização de métodos e meios que maximizem o aproveitamento dos organismos vivos pelo homem; BIOTÉCNICA **2** Aplicação dessas técnicas e meios à engenharia e ao *design* [F.: *bi(o)- + -tecnia*.]

biotécnico (bi:o.*téc*.ni.co) *a.* **1** Da ou relativo à biotecnia e à biotécnica (potencial biotécnico; modelo biotécnico) **2** Diz-se de indivíduo especializado em biotecnia ou em biotécnica *sm.* **3** Esse indivíduo [F.: *bi(o)- + técnico*.]

biotecnologia (bi:o.tec.no.lo.*gi*:a) *sf. Biol. Gen.* **1** Estudo e conjunto de técnicas destinadas a criar organismos geneticamente alterados, para melhoria da produção **2** *P. ext.* Tecnologia voltada para conhecimentos biológicos e seu emprego [F.: De *bio- + tecnologia*, p/infl. ing. *biotechnology*.]

biotecnológico (bi:o.tec.no.*ló*.gi.co) *a.* **1** Da ou ref. à biotecnologia (aproveitamento biotecnológico, potencial biotecnológico) **2** Que foi produzido por intermédio da biotecnologia (milho biotecnológico) [F.: *biotecnologia + -ico²*.]

biotério (bi:o.*té*.ri:o) *sm. Biol.* Viveiro de animais (cobaias, camundongos) utilizados em experiências científicas [F.: *bi(o)- + -tério¹*.]

biotermia (bi:o.ter.*mi*.a) *sf. Med.* **1** Aplicação de calor por meio técnico específico para diminuir ou eliminar inflamação em alguma parte do corpo **2** Utilização ou técnica de aplicação de calor (e, por vezes, frio) no tratamento de certos tumores, esp. os da próstata [F.: *bi(o)- + -termia*.]

biotérmico (bi:o.*tér*.mi.co) *a. Med.* Ref. a *biotermia* [F.: *biotermia + -ico²*.]

bioterrorismo (bi:o.ter.ro.*ris*.mo) *sm. Pol.* Emprego de armas biológicas na ação terrorista [F.: *bi(o)- + terrorismo*.]

biótico (bi.*ó*.ti.co) *a.* **1** *Biol. Ecol.* Ref. à vida ou ao conjunto de seres vivos de uma área: *os componentes bióticos de um ecossistema.* [Ant.: *abiótico*.] **2** Causado ou induzido pelos seres vivos [F.: Do gr. *biotikós, é, ón*, pelo fr. *biotique*.]

biotina (bi:o.*ti*.na) *sf. Biol.* Coenzima, existente no fígado, na gema de ovo e no levedo, que é indispensável à ação catalítica das carboxilases [F.: Do ing. *biotin*.]

biotípico (bi:o.*ti*.pi.co) *a. Biol.* Ref. a biótipo ou biotipo [F.: *biótipo* ou *biotipo + -ico²*.]

biotipo (bi.o.*ti*.po) *sm.* Ver *biótipo*

biótipo (bi.ó.ti.po) *sm.* **1** *Biol. Ecol.* Grupo de seres que têm o mesmo genótipo **2** *P. ext. Biol.* Esse genótipo comum a um biótipo (1) **3** *Restr. Biol.* Grupo de indivíduos de mesma origem e que apresentam fatores hereditários semelhantes **4** Tipo físico de um indivíduo [F.: Do ing. *biotype*, pelo fr. *biotype*; ver *bi(o)-* e *-tipo*. Tb. *biotipo*.]

biotipologia (bi:o.ti.po.lo.*gi*:a) *sf. Biol. Psi.* Estudo dos tipos humanos conforme correlações fisiológicas e psicológicas [F.: *bi(o)- + tipologia*.]

biotipológico (bi:o.ti.po.lo.*ló*.gi.co) *a. Biol. Psi.* Ref. à biotipologia [F.: *biotipologia + -ico²*.]

biotipologista (bi:o.ti.po.lo.*gis*.ta) *a2g. Biol. Psi.* **1** Diz-se de indivíduo que estuda os biótipos e que é especialista em biotipologia *s2g.* **2** Esse indivíduo [F.: *biotipologia + -ista*.]

bióxido (bi.*ó*.xi.do) [cs] *sm. Quím.* O mesmo que *dióxido* [F.: *bi- + óxido*.]

bip *sm.* Ver *bipe* [F.: Do ing. *beep*.]

bipar (bi.*par*) *v. td.* Entrar em contato com (alguém) por meio de bipe: *Peça-lhe que bipe o dentista.* [▶ **1** bipar] [F.: *bipe + -ar²*. Hom./Par.: *bipe(s)* (fl.), *bipe(s)* (sm. [pl.]).]

bipartição (bi.par.ti.*ção*) *sf.* **1** Ação ou resultado de bipartir(se), de dividir em duas partes **2** *Biol.* Divisão (p. ex., de uma molécula) em duas partes; cissiparidade **3** *Quím.* Partição de um soluto entre dois solventes que, mesmo em contato, não se misturam [Pl.: *-ções*.] [F.: *bipartir + -ção*.]

bipartidário (bi.par.ti.*dá*.ri:o) *a.* **1** *Pol.* Ref. a ou que envolve, apresenta bipartidarismo (sistema bipartidário); BIPARTIDARISTA **2** Que envolve, associa, ou que é constituído de dois partidos, duas facções etc. (acordo bipartidário, comissão bipartidária) [F.: *bi-¹ + partidário*.]

bipartidarismo (bi.par.ti.da.*ris*.mo) *sm.* **1** *Pol.* Presença de apenas dois partidos políticos (relevantes) em um país: *Nos EUA vigora o bipartidarismo.* **2** *Pol.* Sistema ou estrutura política que se baseia apenas em dois partidos políticos [F.: *bipartidário + -ismo*.]

bipartido (bi.par.*ti*.do) *a.* **1** Que foi ou se apresenta dividido em duas partes **2** Que se dividiu ao meio **3** Diz-se de órgão dividido em dois segmentos, quase a começar da base (folha bipartida) [F.: Part. de *bipartir*.]

bipartir (bi.par.*tir*) *v.* **1** Dividir(-se) ou partir(-se) ao meio ou em duas partes [*td.*: *bipartir o cabelo*.] [*int.*: *No passado a Igreja Católica bipartiu-se*.] **2** Separar(-se) em dois braços, em dois caminhos; BIFURCAR(-SE) [*td.*: *Os guardas bipartiram a pista*.] [*int.*: *A estrada bipartia-se no fim*.] [▶ **3** bipartir] [F.: Do lat. *bipartire*.]

bipartite (bi.par.*ti*.te) *a2g.* Que é formado por duas partes (comissão bipartite) [F.: Do fr. *bipartite*.]

bipe (*bi*.pe) *sm.* **1** Sinal sonoro curto e agudo emitido por certos aparelhos como aviso, alerta, indicação de funcionamento etc. **2** *P. ext.* Qualquer aparelho que emita bipes (1) **3** *Telc.* Aparelho eletrônico portátil, conectado a uma central de recados, que com bipes (1) alerta seu portador para a existência de recado(s) registrado(s) na central: *Qual é o número do seu bipe?* [F.: Do ing. *beep*. Sin. ger.: *bip*.]

bipedal (bi.pe.*dal*) *a2g.* **1** Ref. aos bípedes **2** Ref. a sustentação dos animais bípedes, sobre dois pés (posição bipedal) **3** Cuja largura, altura, comprimento ou espessura mede dois pés (6) [Pl.: *-dais*.] [F.: Do lat. *bipedalis*.]

bípede (*bí*.pe.de) *a2g.* **1** Que possui dois pés ou anda sobre dois pés (diz-se de animal); DÍPODE *sm.* **2** Animal bípede; DÍPODE **3** Par de pernas (dianteiro ou traseiro) de um cavalo **4** *Mús.* Notação na pauta musical da figura de uma nota com duas hastes (ger. uma superior e uma inferior) [F.: Do lat. *bipes -edis*.]

bipedismo (bi.pe.*dis*.mo) *sm.* Capacidade de locomoção como bípede, sobre os pés traseiros [F.: De *bípede + -ismo*.]

bipenado (bi.pe.*na*.do) *a.* **1** *Bot.* Que é penado e também traz folíolos penados (folha bipenada) **2** *Zool.* Que tem duas estruturas similares às de asas; tb. *biplume* **3** *P. ext.* De duas asas [F.: De *bi- + penado*.]

biplano (bi.*pla*.no) *a.* **1** Que tem duas asas ou superfícies de sustentação, uma superposta à outra (diz-se de avião) **2** Diz-se do que tem ou apresenta duas superfícies planas *sm.* **3** Avião biplano [F.: *bi- + plano*. Cf.: *monoplano*.]

bipolar (bi.po.*lar*) *a2g.* **1** Que tem dois polos opostos, ou duas extremidades diametralmente opostas (estrutura bipolar) **2** *Fig.* Dividido em duas partes principais, ger. conflitantes: *Durante a Guerra Fria o mundo era bipolar.* **3** Diz-se daquele ou daquilo que encerra em si elementos opostos ou contraditórios **4** *Gen.* Diz-se de núcleo de célula que, na cariocinese, apresenta dois fusos **5** *Elet.* Diz-se de dispositivo no qual se usa ou se precisa usar um bipolo (transistor bipolar) **6** Que diz respeito aos dois polos terrestres (ou a suas regiões) ou que ocorre em ambos **7** *Psiq.* Ref. a perturbação psíquica (ou a quem a tem) que se caracteriza por alternâncias de comportamento, da euforia à depressão [Essa perturbação é denominada *bipolaridade*, ou *psicose maníaco-depressiva*.] *s2g.* **8** *Psiq.* Quem sofre de bipolaridade: *Pelo comportamento, é fácil identificar um bipolar.* [F.: *bi- + polar*.]

bipolaridade (bi.po.la.ri.*da*.de) *sf.* **1** Qualidade ou estado de bipolar **2** Presença de dois polos num mesmo corpo **3** *Fig.* Condição ou estado em que há oposição entre dois sistemas, poderes, conceitos etc. **4** *Pol.* Termo que designava a divisão do mundo em dois blocos, cada um sob a influência de uma das duas grandes potências: os Estados Unidos da América e a União Soviética **5** *Psiq.* Termo que designa perturbação psíquica caracterizada pela alternância de estados de euforia e de depressão [F.: *bipolar + -idade*.]

bipolarismo (bi.po.la.*ris*.mo) *sm.* Ver *bipolaridade*

bipolarização (bi.po.la.ri.za.*ção*) *sf.* Ato ou efeito de tornar(-se) bipolar, de dividir(-se) em dois polos [F.: De *bipolarizar + ção*.]

bipolarizado (bi.po.la.ri.*za*.do) *a.* Que se bipolariza ou bipolarizou, que ficou com dois polos [F.: De *bipolarizar*.]

bipolarizar (bi.po.la.ri.*zar*) *v.* Concentrar(-se) ou dividir(-se) em dois polos, posições ou blocos opostos [*td.*: *Há outras opiniões a considerar; não podemos bipolarizar a questão*: "... empreenderam esforço para haver uma segunda rodada de votação, pretendendo bipolarizar a disputa..." (*Folha de S.Paulo*, 01.10.2000)] [*int.*: *Existem fortes chances dessa questão se bipolarizar*.] [▶ **1** bipolarizar] [F.: *bi- + polarizar*.]

bipolo (bi.*po*.lo) *sm. Elet. Eletrôn.* Dispositivo ou circuito elétrico com dois terminais [F.: *bi-¹ + polo*.]

biquadrada (bi.qua.*dra*.da) *sf. Álg.* F. red. de *equação biquadrada* [F.: Fem. substv. de *biquadrado*.]

biqueira (bi.*quei*.ra) *sf.* **1** Acabamento ou reforço na extremidade ou no bico de algo; PONTEIRA **2** *Arq.* Calha para escoar águas de chuva do telhado **3** Reforço na ponta de calçado 4 *P. ext.* A ponta, ou bico, de um calçado 5 *S.* Tubo no qual se adapta cigarro ou charuto, para fumá-los; PITEIRA 6 *S.* Espécie de embornal com que se cobre o focinho de animal (como o cavalo) para que não paste [F.: *bico* + *-eira.*]

biqueiro (bi.*quei*.ro) *a.* 1 *Bras. Pop.* Que come pouco 2 *BA RJ* Que bebe pouco, ou que bebe devagar, em pequenos goles *sm.* 3 *Pop.* O mesmo que *arrasta-pé* 4 Indivíduo biqueiro [F.: *bico* + *-eiro.*]

biquinho (bi.*qui*.nho) *sm.* 1 Dim. de *bico* 2 Trejeito de contrair a boca projetando os lábios para frente, que expressa amuo, ou dengo 3 *Zool.* Certo pássaro (*Estrilda astrild*) de porte pequeno, bico vermelho vivo; BICO-DE-CORAL [F.: *bico* + *-inho*[1].]

biquíni (bi.*quí*.ni) *sm.* 1 Maiô de duas peças, ger. muito pequenas 2 Calcinha de mulher de tamanho reduzido 3 *Ang. Moç.* Sunga masculina [F.: Do top. *Bikini.*]

Bird Sigla de Banco Internacional de Reconstrução e Desenvolvimento

biriba (bi.*ri*.ba) *sm.* 1 *Bras. Lud.* Certo jogo de cartas, parecido com a canastra, da qual deriva [Cf.: *canastra.*] *s2g.* 2 Pessoa nascida na serra gaúcha 3 *RS* Tropeiro de muares 4 *S. E. Antq.* Pessoa nascida ou que vivia em Minas Gerais, caipira 5 Pessoa nascida no estado de São Paulo *sf.* 6 Pedaço de pau us. como arma; CACETE; PORRETE *a2g.* 7 *S.* Diz-se de indivíduo simples, ger. do interior; CAIPIRA; MATUTO 8 Diz-se de quem é cheio de melindres, de quem desconfia de tudo; DESCONFIADO; MELINDROSO 9 Diz-se de biriba (2, 4 e 5) [F.: De or. obsc. Posv. do tupi.]

biribá (bi.ri.*bá*) *sm. Bot.* 1 Nome comum a várias árvores da fam. das anonáceas, que ocorrem no Brasil, cultivadas pelos frutos grandes, globosos e ger. escamosos, de polpa comestível e doce, como p. ex., *Duguetia lanceolata*, tb. conhecida como pindaíba e pinhão, de frutos avermelhados e saborosos; BIRIBAZEIRO 2 Fruto dessas árvores; madeira dessas árvores [F.: Do tupi *miri'ua*, de *mira* ('embira' = fibr) + *iua* ('fruta').]

birita (bi.*ri*.ta) *sm. Bras. Pop.* 1 Qualquer tipo de bebida alcoólica 2 Aguardente de cana; CACHAÇA [F.: De or. obsc.]

biriteiro (bi.ri.*tei*.ro) *a. Joc.* Que gosta de birita, destilado alcoólico; BEBERRÃO; PÉ DE CANA [F.: De *birita* + *-eiro.*]

birmanês (bir.ma.*nês*) *sm.* 1 Pessoa nascida ou que vive na antiga Birmânia, atual União de Mianmar ou Mianmá (Ásia) 2 *Gloss.* Língua tibeto-birmana falada na antiga Birmânia e no Sudeste do Estado de Assam (Índia) *a.* 3 Da antiga Birmânia; típico desse país ou de seu povo 4 Do ou ref. ao birmanês (2) [Pl.: *-neses*. Fem.: *-esa.*] [F.: Do top. *Birman* + *-ês*. Sin. ger.: *birmã, birmane, mianmarense.*]

birô (bi.*rô*) *sm.* 1 Agência, escritório: *birô de informática*. 2 Empresa que faz serviços de editoração eletrônica: *Fomos ao birô ver a arte-final do livro.* 3 Escrivaninha [F.: Do fr. *bureau.*]

biroca (bi.*ro*.ca) *sf. Bras. SP* 1 Cada um dos buracos, na terra, onde se têm de acertar as bolinhas de gude. [Var.: *birosca* (2).] 2 *P. ext.* O jogo assim praticado [F.: Obsc.]

birosca (bi.*ros*.ca) *sf.* 1 *RJ Pop.* Mercearia modesta instalada em favelas ou áreas pobres, onde também se vendem bebidas alcoólicas 2 *MG Lud.* O mesmo que *gude* [F.: De or. obsc.]

birosqueiro (bi.ros.*quei*.ro) *sm.* O que é dono da birosca (1) ou nela serve [F.: De *birosca* + *-eiro.*]

birra (*bir*.ra) *sf.* 1 Atitude irascível da criança quando é contrariada e/ou está de mau humor ou cansada; PIRRAÇA: *Quando está com sono, faz birra.* 2 Ação ou resultado de contrariar alguém ou de ser contra algo por algum capricho ou melindre: *Bons projetos podem ser postos à escanteio por birra política.* 3 Insistência em fazer algo, mesmo errado ou ilógico; TEIMOSIA 4 Antipatia, má vontade em relação a algo ou alguém: *Sempre teve birra do vizinho.* 5 Desentendimento entre duas pessoas; RIXA: *Mal se encontraram, reviveram a birra antiga.* 6 *Vet.* Vício que têm algumas cavalgaduras de cravarem os dentes com muita força em algo, esp. na manjedoura [F.: Do espn. *birria*. Hom./Par.: *birra* (sf.), *birra* (fl. de *birrar*).] ∎ **Fazer** ~ *Pop.* Teimar, desobedecendo, fazendo má-criação ou chorando, implicando etc.

birrefringência (bir.re.frin.*gên*.ci:a) *sf. Ópt.* Fenômeno em que de um único raio se criam dois raios refratados; BIRREFRAÇÃO [F.: Do ingl. *birefringence.*] ∎ ~ **circular** *Ópt.* Propriedade que têm moléculas ou átomos opticamente ativos de transmitirem com diferentes velocidades luz circularmente polarizada ~ **magnética** *Ópt.* A birrefringência que se verifica num meio sob ação de um campo magnético

birrefringente (bir.re.frin.*gen*.te) *a.* Ref. a birrefringência, que apresenta este fenômeno [F.: Do rad. de *refringência.*]

birreme (bir.*re*.me) *a2g.* 1 *Zool.* Diz-se de apêndice dos crustáceos terminados em dois braços, como remos *s2g.* 2 *Antq. Mar.* Embarcação de dois remos *s2g.* 3 Embarcação com uma linha de remos de cada lado, como as galés da Antiguidade [F.: Do lat. *biremis, e.*]

birrento (bir.*ren*.to) *a.* Que faz, tem ou expressa birra [F.: *birra* + *-ento.*]

biruta (bi.*ru*.ta) *sf.* 1 Aparelho formado por um cone de tecido com duas aberturas, a maior delas acoplada a um anel de metal e presa a um mastro, ficando a menor solta, para mostrar, ao inflar, a direção do vento *a2g.* 2 *Bras. Pop.* Que é um tanto amalucado, doido *s2g.* 3 *Bras. Pop.* Pessoa biruta (2) [F.: De or. obsc.]

birutar (bi.ru.*tar*) *v. Bras.* 1 *Esp.* Em voo livre, decolar primeiro (ger. piloto experiente), para avaliar a direção do vento, a área de pouso, as condições de voo, a região etc. [*td. tr. tdr.* + *para*: *birutar (para) alguém; Ele birutou mui-tas térmicas para mim.*] 2 *Gír.* Tornar(-se) biruta, doido, amalucado ou agir como tal; AMALUCAR; ENDOIDAR *Bras. Gír.*; PIRAR [*int.*: *Às vezes ele biruta e é internado; Meu tio birutou; vendeu a casa e foi viajar mundo afora.*] [▶ 1 birutar] [F.: *biruta* + *-ar*[2]. Hom./Par.: *biruta(s)* (sf e pl), *biruta, birutas* (fl. de *birutar*).]

birutice (bi.ru.*ti*.ce) *sf.* Ação, conduta ou ideia própria de biruta (3) [F.: *biruta* + *-ice.*]

bis *interj.* 1 Us. para (público, audiência) pedir a repetição ou um pequeno prolongamento de uma apresentação artística: *"Bis!", gritava a plateia.* *sm2n.* 2 Essa repetição ou prolongamento: *O público pediu bis, e o pianista atendeu.* 3 Repetição, ger. de um prato em refeição: *Comeu tudo e pediu bis.* *adv.* 4 Novamente, uma vez mais, com repetição [Ger. posposto a um número ou nome designa algo, como uma experiência, uma ação etc;.] *a2g.* 5 Repetido, em outra versão: *Santos Dumont aperfeiçoou o modelo e chamou-o de Quatorze bis.* [F.: Do lat. *bis.*]

◎ **bis-** *pref.* = 'duas vezes'; 'por ou em duas vezes'; 'em dois': *bisavó, bisavô, bissexto* (< lat.), *bisneto*; *bicampeão, bicampeonato, biforme* (< lat.), *bimotor, birreme* (< lat.) [F.: Do pref. lat. *bis-*, *bi-*, do adv. lat. *bis*, 'duas vezes'.]

bisa (*bi*.sa) *Fam. sf.* Forma carinhosa de tratar a bisavó [F.: F. red. de *bisavó.*]

bisado (bi.*sa*.do) *a.* 1 Que se bisou, se repetiu 2 Executado em resposta a bis [F.: De *bisar.*]

bisagra (bi.*sa*.gra) *Antq. sf.* O mesmo que *dobradiça*. [F.: Do espn. *bisagra*, de or. contv.]

bisão (bi.*são*) *sm. Zool.* Designação comum aos mamíferos artiodáctilos do gên. *Bison*, da fam. dos bovídeos, de grande porte, chifres curtos, corcunda no dorso e pelos longos na parte da frente do corpo [Pl.: *-sões.*] [F.: Do lat. *bison, ontis* (< gr. *bíson, onos*), donde o lat. cient. *Bison*. Outra f.: *bisonte.*]

bisar (bi.*sar*) *v.* 1 Repetir, dar bis de (apresentação artística de teatro, música etc.) [*td.*: *O elenco bisou a cena final.*] [*int.*: *Ainda que o público insistisse, os atores não bisaram.*] 2 *P. ext.* Tornar a fazer, dizer, usar etc; repetir [*td.*: *Mesmo repreendido, ele bisou o erro; Bisou a fantasia que usou no carnaval passado.*] 3 Pedir a repetição de (música, cena etc.) gritando bis [*td.*: *As plateias sempre bisam aquela velha canção.*] [▶ 1 bisar] [F.: *bis* + *-ar*[2]. Hom./Par.: *biseis* (fl.), *biséis* (pl. de *bisel*).]

bisavó (bi.sa.*vó*) *sf.* A mãe do avô ou da avó de uma pessoa em relação a essa pessoa [F.: *bis-* + *avó*. Ver tb. *trisavó* e *tetravó.*]

bisavô (bi.sa.*vô*) *sm.* 1 O pai do avô ou da avó de uma pessoa em relação a essa pessoa 2 Antepassado muito antigo; ancestral: *Alguns dinossauros são os bisavôs das aves de hoje.* [Nesta acp. é mais us. no pl.] [Pl.: *-vós e -vôs*. Fem.: *-vó.*] [F.: *bis-* + *avô*. Ver tb. *trisavô* e *tetravô.*]

bisbilhotar (bis.bi.lho.*tar*) *v.* 1 Investigar, remexer por curiosidade, esquadrinhar indiscretamente (esp. o que não lhe diz respeito) [*td.*: *Bisbilhotava os bolsos do marido.*] [*int.*: *Trancou a mala para que ninguém pudesse bisbilhotar.*] 2 Fazer fofoca, mexerico (de); comentar a vida alheia; enredar, intrigar [*td.*: *Bisbilhotava a vida de todos os colegas.*] [*int.*: *Nada faz, razão por que passa o dia bisbilhotando.*] 3 Sussurrar segredos; cochichar [*int.*: *Ficaram rindo e bisbilhotando durante a festa.*] [▶ 1 bisbilhotar] [F.: Do it. *bisbigliatore.*]

bisbilhoteiro (bis.bi.lho.*tei*.ro) *a.* 1 Que bisbilhota, que se intromete em assuntos alheios 2 Diz-se de quem promove intrigas, espalha boatos, divulga segredos e suposições (como se fossem fatos) etc. *sm.* 3 Pessoa bisbilhoteira [F.: Do it. *bisbigliatore*. Sin. ger. *intrometido, mexeriqueiro.*]

bisbilhotice (bis.bi.lho.*ti*.ce) *sf.* 1 Ação de bisbilhotar 2 Aquilo que é divulgado e comentado como se fato fosse, mesmo sendo segredo, suposição ou boato; MEXERICO 3 Qualidade ou atitude de bisbilhoteiro [F.: *bisbilhot-* (radical) + *-ice*. Sin. ger.: *bisbilhoteria.*]

bisca (*bis*.ca) *sf.* 1 *Lud.* Nome de diferentes jogos de cartas para duas ou quatro pessoas 2 A carta de número oito, quando trunfo, nesses jogos 3 *Pop.* Pessoa sem caráter [Tb. *boa bisca.*] 4 *Pop.* Alusão irônica, sarcástica, mordaz que se dirige a alguém; PICUINHA; ZOMBARIA 5 *Pop. Pej.* Prostituta 6 *Bras.* Tapa, ger. na cabeça [F.: Posv. do it. *bisca*. Hom./Par.: *bisca* (sf.), *bisca* (fl. de *biscar*).]

biscaia (bis.*ca*:i.a) *Bras. NE sf.* 1 Égua, fêmea do cavalo 2 *Fig. Pej.* Mulher dissoluta ou de hábitos grosseiros 3 *P. ext.* Prostituta [F.: Posv. de *bisca* e de *biscaio.*]

biscate (bis.*ca*.te) *sm.* 1 *Bras.* Trabalho ou tarefa eventual, ger. de simples execução, que rende dinheiro extra; BICO: *Fazia biscates nos fins de semana.* 2 *Bras.* A remuneração obtida com esse trabalho; BICO 3 *SP Antq. Gír.* Prostituta [F.: Posv. de or. expressiva.]

biscatear (bis.ca.te.*ar*) *v. int.* Fazer biscate (serviço não regular, ger. rápido), ocasionalmente para aumentar a renda, ou como meio de vida: *Nos fins de semana, biscateia; Desempregado, passou a biscatear.* [▶ 13 biscatear] [F.: *biscate* + *-ear*[2].]

biscateiro (bis.ca.*tei*.ro) *sm.* Pessoa que faz biscates, ou que vive de biscates [F.: *biscate* + *-eiro.*]

bisco (*bis*.co) *a.* Diz-se do touro que tem um chifre mais baixo do que o outro [Cf. *bisco*, do v. *biscar.*]; BAIXEL [Ver *bisco*, do v. *biscar.*] [F.: Do esp. *bizco*, vesgo.]

biscoiteira (bis.coi.*tei*.ra) *sf.* 1 Recipiente onde se guardam e se servem biscoitos 2 Mulher que faz biscoitos [F.: De *biscoito* + *-eira.*]

biscoiteiro (bis.coi.*tei*.ro) *sm.* Fabricante ou vendedor de biscoitos; BISCOUTEIRO [F.: *biscoito* + *-eiro.*]

biscoito (bis.*coi*.to) *sm.* 1 *Cul.* Alimento assado ao forno, ou frito em óleo, ger. em forma de pequenos quadrados, rodelas etc., que leva farinha, ovos, leite, sal ou açúcar e outros ingredientes 2 Golpe desferido com a mão; BOLACHA; TAPA 3 Massa de porcelana, não vidrada 4 Objeto, bibelô feito com essa massa (*biscuit*) 5 *Bras.* Designação de certo tipo de pneu que apresenta frisos e saliências para aumentar a aderência ao chão, esp. em piso molhado, evitando aquaplanagem [F.: Posv. do lat. *biscoctus*, pelo fr. ant. *bescuit*. Sin. ger.: *biscouto*. Hom./Par.: *biscoito* (sm.), *biscoito* (fl. de *biscoitar*).]

⊕ **biscuit** (bis.cu:*it*) (*Fr. / biscüí /*) *sm.* 1 Porcelana branca e fosca, recozida 2 Objeto feito dessa porcelana

bisel (bi.*sel*) *sm.* 1 Tipo de corte enviesado no encontro de duas superfícies ou na borda de um objeto de vidro, metal etc., eliminando a aresta ou quina por elas formada; CHANFRADURA 2 A borda assim cortada 3 *Grav.* Chanfro que se faz em bordas da placa de impressão, para que estas não cortem ou rasguem o papel no processo de impressão 4 *Grav.* Marca desse chanfro no papel 5 *Gem.* Em certas gemas, superfície que circunda a maior face plana 6 *Mús.* Abertura chanfrada na embocadura de uma flauta [Pl.: *-séis.*] [F.: Do fr. ant. *bisel*, hoje *biseau.*] ∎ **Em** ~ Em forma de corte oblíquo; chanfrado

bismarckiano (bis.mar.cki:*a*.no) *a.* Ref. a Otto von Bismarck, a suas ideias ou seu governo, na Alemanha da segunda metade do séc. XIX [F.: De *Bismarck* + *-iano.*]

bismuto (bis.*mu*.to) *Quím. sm.* Elemento químico de número atômico 83. [Símb.: Bi.] [F.: Do al. *Wismut*, através do fr. *bismuth.*]

bisnaga (bis.*na*.ga) *sf.* 1 Pão comprido e pontudo, em forma de cilindro 2 Tubo, ger. de plástico, us. como embalagem de substância cremosa: *bisnaga de tinta/de pasta de dente.* 3 *Bot.* Planta anual (*Ammi visnaga*) da fam. das umbelíferas, cultivada como medicinal, esp. contra a angina e a asma; ÂMI; ÂMIO; ÂMIO-VULGAR; BISNAGA-DAS-SEARAS; FUNCHO-ANUAL; FUNCHO-SILVESTRE 4 *Ant.* Tubo cheio de água aromática us. como brinquedo carnavalesco; SERINGA [F.: Do lat. *pastinaca*, pelo moçárabe *bisnaqa*, *bistinaqa.*]

bisnagada (bis.na.*ga*.da) *sf. Antq.* Ato ou efeito de bisnagar, lançar conteúdo de bisnaga (2) [F.: De *bisnagar* + *-ada.*]

bisnagar (bis.na.*gar*) *v. Ant.* Esguichar o conteúdo de bisnaga; BORRIFAR; MOLHAR [*td. int.*: *No carnaval, as pessoas brincavam entrudo, bisnagavam (umas às outras), jogavam-se confetes e serpentinas.*] [▶ 14 bisnagar] [F.: *bisnaga* + *-ar*[2].]

bisneto (bis.*ne*.to) *sm.* 1 O filho do neto ou da neta de uma pessoa em relação a essa pessoa 2 Parente que sucede alguém; descendente: *Que mundo vamos deixar para nossos bisnetos?* [Nesta acp. é mais us. no pl.] [F.: *bis-* + *-neto*. Ver tb. *tataraneto* e *tetraneto.*]

biso (*bi*.so) *Fam. sm.* Forma carinhosa de tratar o bisavô

bisonhice (bi.so.*nhi*.ce) *sf.* Qualidade ou comportamento de quem é bisonho; BISONHARIA [F.: De *bisonho* + *-ice.*]

bisonte (bi.*son*.te) *sm. Zool.* Ver *bisão*

bisotado (bi.so.*ta*.do) *a.* Que foi cortado obliquamente (espelho bisotado); BISELADO [F.: De *bisotar.*]

bispado (bis.*pa*.do) *sm.* 1 *Ecles.* Território sob a autoridade de um bispo; DIOCESE; EPISCOPADO: *O bispado do Pará foi criado em 1720.* 2 Cargo ou função de bispo; EPISCOPADO: *assumir o bispado* 3 Período durante o qual um bispo exerce seu cargo; EPISCOPADO 4 Conjunto de cristãos de um bispado (1) [F.: Do lat. *episcopatus.*]

bispar (bis.*par*) *v.* 1 *Pop.* Ver ao longe e sem clareza; AVISTAR; LOBRIGAR [*td.*: *Logo que o bispou, escondeu-se com medo.*] 2 Observar atentamente, às escondidas; ESPREITAR [*td.*: *Bispava o esconderijo do irmão.*] [*int.*: *Ele sempre se esconde para bispar.*] 3 *Bras. PE Lus. Pop.* Apossar-se de (coisa alheia); FURTAR; SURRIPIAR [*td.*: *Bispava os biscoitos da lata.*] 4 *Bras.* Apreender intelectualmente, compreender, perceber (algo que alguém diz, os seus pensamentos, as suas intenções) [*td.*: *Conhecia-o bem, e logo bispou suas intenções.*] 5 Deixar queimar ou queimar (uma comida) durante o cozimento; ESTURRAR; TOSTAR [*td.*: *Abaixe o fogo para não bispar o feijão.*] [*int.*: *O risoto esquecido no fogo bispou.*] 6 *Bras. N.E. Pop.* Burlar a vigilância de; ludibriar, enganar, lograr [*td.*: *A fã bispou os seguranças e entrou no camarim.*] 7 Exercer o cargo de bispo [*int.*: *Bispa há anos naquela diocese.*] [F.: *bispo* + *-ar*[2].]

bispo (*bis*.po) *sm.* 1 *Ecles.* No catolicismo, padre que tem plenos poderes do sacerdócio para conferir sacramentos, e que é líder espiritual de uma diocese 2 *Ecles.* Padre que dirige uma diocese e tem autoridade sobre as igrejas situadas nesse território 3 *Esp.* Peça do jogo de xadrez que faz movimentos diagonais no tabuleiro 4 Gosto de queimado na comida: *Este arroz cheira a bispo.* [F.: Do gr. *episkopos*, pelo lat. *episcopus.*] ∎ **Deixar entrar o** ~ Deixar que alimento ao fogo queime

bissector (bis.sec.*tor*) [ô] *sm.* Ver *bissetor*

bissecular (bis.se.cu.*lar*) *a2g.* Que conta ou abrange dois séculos; que existe ou ocorre há dois séculos [F.: *bi-*[1] + *secular.*]

bissemanal (bis.se.ma.*nal*) *a2g.* 1 Que se realiza ou ocorre duas vezes por semana (reuniões bissemanais) 2 Publicado duas vezes por semana (revista bissemanal) [Pl.: *-nais.*] [F.: *bi-*[1] + *semanal.*]

bissemia (bis.se.*mi*.a) *sf.* Existência de dois sentidos ou acepções diferentes para a mesma palavra [F.: *bi-* + *-semia.*]

bissêmico (bis.*sê*.mi.co) *Ling. a.* Que apresenta bissemia (diz-se de vocábulo); DISSÊMICO [F.: *bissemia* + *-ico*[2].]

bissetor (bis.se.*tor*) [ô] *a.* **1** *Geom.* Que passa pela reta de interseção de dois outros planos, dividindo o diedro formado por eles em dois diedros iguais (diz-se de plano) *sm.* **2** *Geom.* Plano bissetor [F.: Adaptç. do fr. *bissecteur*. Tb. *bissector*.]

bissetriz (bis.se.*triz*) *sf.* **1** *Geom.* Reta que divide um ângulo ao meio **2** *Geom.* Segmento de reta que, num polígono, liga um de seus vértices a um de seus lados, dividindo ao meio o ângulo formado pelos lados que formam o vértice [F.: Do fr. *bissectrice*.]

bissexto (bis.*sex*.to) [ês] *a.* **1** Diz-se do ano com 366 dias, o que ocorre de quatro em quatro anos **2** *Bras.* Que se dedica pouco à literatura, que produz pouco (diz-se esp. de poeta) **3** *Fig.* Que pratica pouco certa atividade (compositor bissexto) *sm.* **4** O vigésimo nono dia acrescentado ao mês de fevereiro de quatro em quatro anos **5** O ano bissexto **6** Pessoa bissexta (2 e 3) [F.: Do lat. *bi(s)sextus, a, um*.]

bissexuado (bis.se.xu.*a*.do) [cs] *a.* Que apresenta características dos dois sexos [F.: *bi-*[1] + *sexuado*.]

bissexual (bis.se.xu.*al*) *a2g.* **1** Ref. a ou próprio de ambos os sexos; que abrange ou reúne indivíduos dos dois sexos (traços bissexuais, escola bissexual) **2** Que tem os órgãos reprodutores masculinos e femininos; HERMAFRODITA **3** De, ref. a ou que envolve relações sexuais com, ou atração erótica por, homem(ns) e mulher(es) (namoro bissexual, desejos bissexuais) **4** De, ref. a ou próprio de quem tem relação ou atração bissexual (3) (comportamento bissexual, associação bissexual, militância bissexual) [Pl.: *-ais*.] *s2g.* **5** Indivíduo bissexual (3) **6** Pessoa que tem órgãos reprodutores masculinos e femininos; HERMAFRODITA [Pl.: *-ais*.] [F.: *bi-*[1] + *sexual*.]

bissexualidade (bis.se.xu:a.li.*da*.de) [cs] *sf.* **1** Qualidade ou condição de bissexual; BISSEXUALISMO **2** Atração sexual por homens e por mulheres; BISSEXUALISMO **3** *Biol.* Condição de hermafrodita; HERMAFRODITISMO **4** *Psic.* Segundo Freud, presença simultânea de sexualidades feminina e masculina comum em todo indivíduo [F.: *bissexual* + *-idade*.]

bissexualismo (bis.se.xu:a.*lis*.mo) [cs] *sm.* O mesmo que *bissexualidade* [F.: *bissexual* + *-ismo*.]

bisso (*bis*.so) *sm.* **1** Fibra finíssima de linho com que, na Antiguidade, se fabricavam ricos tecidos **2** *Zool.* Tufo de filamentos, secretados por uma glândula, de certos moluscos bivalves e que serve para fixá-los ao substrato; ABLACA; ABLÁQUA [F.: Do gr. *byssos*.]

bissulfito (bis.sul.*fi*.to) *Quím. sm.* Sal do ácido sulfuroso [F.: *bi-*[2] + *sulfito* ou do ing. *bisulfite*.]

bisteca (bis.*te*.ca) *Bras. sf.* **1** Pedaço de contra-filé bovino com osso **2** O bife preparado com essa carne [F.: Do ing. *beefsteak*.]

bistre (*bis*.tre) *sm.* **1** *Pint.* Mistura de fuligem e goma, utilizada em aguadas **2** *P. ext.* A parte mais escura das olheiras [F.: Do fr. *bistre*.]

bistrô (bis.*trô*) *sm.* Restaurante [F.: Do fr. *bistrot*.]

bisturi (bis.tu.*ri*) *sm.* *Cir.* Instrumento que tem a forma de uma pequena navalha, us. por médicos para a incisão ou corte em cirurgias [F.: Do fr. *bistouri*.] ■ **~ elétrico** Bisturi alimentado por uma fonte de energia, e que coagula o sangue à medida que corta os tecidos

⊕ **bit** (*Ing.* /*bit*/) *sm.* *Inf.* A menor unidade de informação na memória de um computador; insere-se num sistema binário de numeração, ou seja, comporta apenas dois valores possíveis, no caso 1 ou 0 [F.: Do ing. *bit*, acrônimo de *binary digit*. Cf. *byte*.] ■ **~ de paridade** *Inf.* Numa sequência de *bits*, aquele que é adicionado ao final e que deve forçar um número par de *bits* com valor 1, a fim de verificar a existência de erros na transmissão de dados

> 📖 O bit é como se fosse um tijolinho de montar bytes, estes, sim, unidades significativas que se juntam para montar significados. O byte comporta 8 bits, ou seja, ele tem 8 espaços em que entram os dígitos zero e um, assim: 00000000, 00000001, 00000010, 00000011, 00000100, 00000101 etc. São 256 combinações possíveis (que no sistema binário de numeração resultam em números de 0 a 255), o que significa que num sistema de bytes de 8 bits cada um estão disponíveis 256 signos de significado (letras, algarismos, sinais, símbolos etc.) que vão formar textos, fórmulas, instruções etc. Nas instruções ao processador de um computador podem ser us. como unidade de informação conjuntos de até 64 bits.

bitácula (bi.*tá*.cu.la) *sf.* **1** *Mar.* Caixa com cobertura vidro em que se guarda a bússola, colocada sobre uma coluna de madeira, ou metal, fixa no passadiço **2** *Pop.* Nariz **3** *Pop.* Par de óculos **4** *MG* Botequim [F.: Do lat. *habitaculum*, pelo espn. *bitácora*.] ■ **Levar nas ~** *Pop.* Levar bofetada(s)

bitelo (bi.*te*.lo) *sm.* **1** *Bras. N.E. C. O.* Pessoa, animal ou coisa de grande tamanho **2** *Bras. C. O.* Diamante pequeno; XIBIO [F.: Posv. do lat. *vitellus*.]

⊕ **bitmap** (*Ing.* /*bitmép*/) *sm.* *Inf.* Literalmente 'mapa de bits', em inglês, alude à composição gráfica de caracteres e figuras em função de sua estruturação em píxels, ou seja, ao realce dos píxels, numa grade de píxels, que reproduzem o caractere ou a figura

bitoca (bi.*to*.ca) *sf.* *Pop.* Beijo rápido no qual os lábios se tocam de leve, projetados para frente; SELINHO [F.: Var. de *bicota*.]

bitola (bi.*to*.la) *sf.* **1** Medida padrão para determinado uso ou tipo de objeto: *bitola de um cabo; bitola de um vergalhão de ferro.* **2** Objeto ou dispositivo us. como padrão para aferição da medida de peças, produtos, disposições etc. **3** *Fig.* Padrão de comportamento, pensamento ou atuação, individuais ou coletivos **4** Distância entre os dois trilhos de uma ferrovia **5** *Fig.* Padrão ou regra inflexível que delimita as ações ou as ideias: *Só sabe pensar pelas bitolas de sempre.* **6** Padrão ou nível social, intelectual, cultural etc. **7** *Cin.* Largura padronizada de uma película cinematográfica (8 mm, 16 mm, 35 mm ou [efêmera] 70 mm) [F.: De or. contrv.] ■ **~ estreita** **1** V. *Bitola métrica* **2** *P. ext.* Bitola igual ou menor à métrica **~ larga** Bitola ferroviária maior que a bitola métrica [No Brasil, 1,60 m.] **~ métrica** Bitola (ferroviária) de 1 m; bitola estreita **~ normal** Bitola ferroviária de 1,435 m [Tb. *bitola internacional*.]

bitolado (bi.to.*la*.do) *a.* **1** *Fig.* Que não tem mente aberta, que não aceita novas ideias, que é limitado por bitola (5), no pensamento ou na ação **2** Que teve o seu tamanho padronizado: *pedaços de ferro bitolados.* [F.: Part. de *bitolar*.]

bitolamento (bi.to.la.*men*.to) *sm.* **1** Ato ou efeito de bitolar **2** *Bras.* Estreiteza ou rigidez de visão ou compreensão [F.: De *bitola* + *-mento*.]

bitolar (bi.to.*lar*) *v.* **1** *Bras. Fig.* Tornar(-se) limitado, bitolado, falto de inteligência, de entendimento, de visão [*td.*: *Preconceitos bitolam as pessoas; O líder da seita bitolava seus fanáticos seguidores.*] [*int.*: *Certos grupos bitolam-se por ideais tolos.*] **2** Medir com bitola ('medida-padrão') [*td.*: *Os alfaiates bitolam as bainhas das calças.*] **3** Estabelecer a bitola ('medida-padrão') de [*td.*: *Os engenheiros precisam bitolar os vergalhões.*] **4** *Fig.* Fazer estimativa de; AVALIAR; ESTIMAR [*td.*: *Não conseguiu bitolar as consequências de seus atos.*] [▶ 1 bito**lar**] [F.: *bitola* + *-ar*[2]. Hom./Par.: *bitola(s)* (fl.), *bitola(s)* (sf. [pl.]).]

bitolinha (bi.to.*li*.nha) *sf.* **1** *Bras.* Bitola ferroviária estreita, de 76cm, us. por locomotivas a vapor e posteriormente substituída por bitolas mais largas **2** Nome dado às locomotivas a vapor que rodavam nessa bitola [F.: De *bitola* + *-inha*.]

bitransitivo (bi.tran.si.*ti*.vo) *a.* *Gram.* Diz-se do verbo que em determinados uso e significado requer dois complementos: o objeto direto e o objeto indireto [Como o verbo *entregar*, no sentido de 'passar (algo) às mãos de (alguém)': *Entregou o livro* (obj. dir.) *ao professor* (obj. ind.).] [F.: *bi-* + *transitivo*.]

bitributação (bi.tri.bu.ta.*ção*) *sf.* *Jur.* Imposição, por diferentes autoridades, do pagamento de tributos referentes ao mesmo fato gerador [Pl.: *-ções*.] [F.: *bitributar* + *-ção*.]

bitributar (bi.tri.bu.*tar*) *v. td.* **1** Estabelecer a bitributação sobre (algo) **2** Impor a (alguém) o pagamento de dois tributos referentes ao mesmo fato gerador [▶ 1 bitribu**tar**]

⊕ **bitter** (*Ing.* /*bíter*/) *sm.* Bebida alcoólica amarga, tomada como aperitivo ou digestivo; bíter

biturbo (bi.*tur*.bo) *Mec. a.* Diz-se de motor acionado por duas turbinas [F.: *bi-* + *turbo*.]

biunivocidade (bi:u.ni.vo.ci.*da*.de) *sf.* Qualidade do que é biunívoco [F.: *bi-*[1] + *univocidade*.]

biunívoco (bi:u.*ní*.vo.co) *a.* *Mat.* Diz-se de correspondência entre conjuntos em que para cada elemento de um conjunto corresponde apenas um elemento de outro, e vice-versa [F.: *bi-*[1] + *unívoco*. Cf.: *unívoco*.]

bivacar (bi.va.*car*) *v. int.* **1** *Mil.* Instalar-se ou pernoitar em bivaque: "Em meio à marcha rápida para o sul, bivacamos perto das coxilhas de Vileta. O acampamento fervilhava de homens e material de guerra." (Rubem Fonseca, "A Caminho de Assunção" *in O Cobrador*) **2** Acampar ao ar livre: *A trilha era íngreme e bivacamos numa clareira. Dormimos vendo estrelas.* [▶ 11 biva**car**] [F.: *bivaque* + *-ar*[2]. Hom./Par.: *bivaque(s)* (sm. e pl.), *bivaque, bivaques* (fl. de *bivacar*).]

bivalência (bi.va.*lên*.ci:a) *sf.* Qualidade ou condição de bivalente; dupla valência [F.: De *bi-* + *valência*.]

bivalente (bi.va.*len*.te) *a2g.* **1** *Lóg.* Que só admite dois valores de verdade: verdadeiro e falso (diz-se da lógica formal) **2** *Quím.* Que tem duas valências; DIVALENTE **3** *Fig.* Que propicia duas possibilidades de uso ou função *sm.* **4** *Gen.* Ver *tétrade* [F.: De *bi-* + *valente*.]

bivalve (bi.*val*.ve) *a2g.* **1** *Zool.* Diz-se do que (esp. concha) é formado de duas valvas **2** *Zool.* Diz-se do molusco cuja concha é bivalve (1) **3** Ref. aos bivalves *sm.* **4** *Zool.* Espécime dos bivalves [F.: Do lat. cient. *bivalvus*, pelo fr. *bivalve*.]

bivaque (bi.*va*.que) *sm.* **1** *Mil.* Acampamento de tropas ao ar livre, em barracas ou com abrigos naturais, esp. árvores **2** *Mil.* Tropa assim acampada **3** Qualquer acampamento ao ar livre [F.: Do al. (da Suíça) *Biwacht* 'patrulha noturna', pelo fr. *bivouac*. Hom./Par.: *bivaque* (sm.), *bivaque* (fl. de *bivacar*).]

bivitelino (bi.vi.te.*li*.no) *Emb. a.* **1** Ref. a fetos formados a partir de dois óvulos distintos, com placentas tb. distintas **2** Que se origina da gestação de fetos assim formados; DIZIGÓTICO; FRATERNO [Cf.: *univitelino*.] [F.: De *bi-* + *vitelino*.]

bivô (bi.*vô*) *sm.* *Inf.* Bisavô, na forma em que é, carinhosamente, chamado pelos bisnetos e pela família [F.: *bi-* + *avô*.]

bivó (bi.*vó*) *sf.* *Inf.* Bisavó, na forma em que é, carinhosamente, chamado pelos bisnetos e pela família [F.: *bi-* + *avó*.]

bivolt (bi.*volt*) [ô] *a2g.* *Elet.* Diz-se de aparelho que pode funcionar em qualquer de duas voltagens diferentes [Pl.: *-volts*.] [F.: *bi-* + *volt(agem)*.]

bizantinice (bi.zan.ti.*ni*.ce) *sf.* Ver *bizantinismo*

bizantinismo (bi.zan.ti.*nis*.mo) *sm.* **1** Tendência a discutir temas complexos e minúcias, deixando de lado as questões relevantes e os resultados práticos **2** Algo que é, simultaneamente, pretensioso e frívolo [Sin. ger.: *bizantinice*.] [F.: De *bizantino* + *-ismo*.]

bizantino (bi.zan.*ti*.no) *sm.* **1** Pessoa nascida em Bizâncio (antiga colônia grega, depois Constantinopla, atual Istambul) *a.* **2** De Bizâncio; típico dessa cidade ou de seu povo **3** Ref. ao Império Romano do Oriente (330-1453), sua civilização e sua cultura (período bizantino) **4** *Fig. Pej.* Que denota bizantinismo; sutil e fútil (discussões bizantinas) [F.: Do lat. *byzantinus*.]

bizarramente (bi.zar.ra.*men*.te) *adv.* **1** Com bizarria (2); ELEGANTEMENTE; GARBOSAMENTE **2** Com bizarria (5), bizarrice ou de modo bizarro (5) [F.: Fem. de *bizarro* + *-mente*.]

bizarria (bi.zar.*ri*.a) *sf.* **1** O mesmo que *bizarrice*. **2** Elegância no vestir ou de postura, galhardia, garbo **3** Bravura, valentia, brio **4** Estado (bom) de saúde, (boa) disposição **5** Condição ou característica do que é ou parece excêntrico, insólito, esquisito [F.: *bizarro* + *-ia*[1].]

bizarrice (bi.zar.*ri*.ce) *sf.* **1** Qualidade ou comportamento do que é bizarro (5); BIZARRIA; BIZARRISMO **2** Fanfarronice, bazófia [F.: De *bizarro* + *-ice*.]

bizarro (bi.*zar*.ro) *a.* **1** Que tem bizarria (2), elegante, garboso **2** De caráter nobre, generoso, magnânimo **3** Diz-se de palavras ou de ações que denotam esse caráter (gesto bizarro) **4** Que tem ou demonstra bizarria (3), brioso, valente **5** Que não está de acordo com a regra ou ao costume, incomum, esquisito, insólito, excêntrico **6** Cheio de bazófia ou arrogância **7** Que goza de bom estado de saúde, de boa disposição [F.: Do espn. *bizarro*, do it. *bizzarro*.]

bizu (bi.*zu*) *sm.* **1** Gabarito de prova revelado por fraude antes da mesma **2** Indicação, dica: *Vou-lhe dar um bizu: a prova vai ser adiada, mas ninguém sabe ainda.* **3** Coisa muito boa, ou de sucesso: *Seu discurso foi um bizu.* *a2g.* **4** Diz-se do que é um bizu (3): *Foi um jogo bizu, nem senti o tempo passar.* [F.: De or. obsc.]

blá-blá-blá (blá-blá.*blá*) *sm.* **1** *Bras. Pop.* Conversa sem importância ou sem conteúdo; ABOBRINHA **2** Sequência de explicações, afirmações, comentários etc. que pouco esclarece ou significa, ger. para iludir e desviar a atenção do ouvinte daquilo que ele realmente pretendia ouvir [Pl.: *blá-blá-blás*.] [F.: De or. onom.]

⊕ ***black tie*** (*Ing.* /*bléc tai*/) *sm.* O mesmo que *smoking* [F.: Do ing. *black tie*.]

blague (*bla*.gue) *sf.* Dito, relato ou comentário engraçado ou irônico; PILHÉRIA [F.: Do fr. *blague*.]

blandícia (blan.*dí*.ci:a) *sf.* **1** Palavra ou gesto meigo, gentil; afago, carinho **2** *P. ext.* Meiguice, doçura **3** *Fig. P. ext.* Palavra ou gesto elogioso, adulador dirigido a alguém visando à obtenção de vantagens, favores [Mais us. no pl. em todas as acps.] [F.: Do lat. *blanditia*. Tb. *blandície*.]

blandície (blan.*dí*.ci:e) *sf.* Ver *blandícia*

blandicioso (blan.di.ci:*o*.so) [ô] *a.* Que tem ou faz blandícia; MEIGO; CARINHOSO [Fem. e pl.: [ó].] [F.: De *blandícia* + *-oso*.]

blanqueta (blan.*que*.ta) *Art. Gr. sf.* Película de borracha ou plástico que reveste o cilindro impressor de uma máquina ofsete e transfere a imagem para a superfície a ser impressa [F.: Do ing. *blanket*.]

⊕ ***blanquette*** (*Fr.*: /*blanquét*/) *sf.* *Cul.* Prato da culinário francesa, guisado feito de carne clara (vitela, frango, peru) com molho branco à base de gema de ovo

⊕ ***blasé*** (*Fr.* /*blazê*/) *a.* **1** Que manifesta tédio ou indiferença em relação a tudo *sm.* **2** Aquele que se mostra entediado ou indiferente a tudo, de forma sincera ou afetada [Fem.: *-ée*.] [Pl.: *-és; -ées*.]

blasfemador (blas.fe.ma.*dor*) [ô] *a.* **1** Que blasfema *sm.* **2** Aquele que blasfema. [Sin. ger.: blasfemo.] [F.: Do lat. *blasphemator*.]

blasfemar (blas.fe.*mar*) *v.* **1** Desrespeitar, insultar com blasfêmias; dizer palavras indecorosas e ofensivas contra (algo ou alguém) [*td.*: *blasfemar o nome de Deus.*] [*tr.* + *de, contra*: *blasfemar dos / contra os santos; Os manifestantes blasfemavam das / contra as autoridades.*] **2** Emitir palavras ofensivas ao que é considerado sagrado ou digno de respeito; proferir blasfêmias [*int.*: *Muitos foram condenados pela Igreja porque blasfemavam; Chega de blasfemar!*] [▶ 1 blasfe**mar**] [F.: Do gr. *blasphemein*, pelo lat. *blasphemare*. Hom./Par.: *blasfemo* (fl.), *blasfemo* (a. sm.).]

blasfematório (blas.fe.ma.*tó*.ri:o) *a.* Que contém blasfêmias, ou é considerado blasfêmia (texto blasfematório, palavras blasfematórias); BLASFEMO [F.: *blasfemar* + *-tório*.]

blasfêmia (blas.*fê*.mi:a) *sf.* **1** Ultraje a algo considerado sagrado, a uma divindade ou religião **2** Palavras ofensivas e insultantes contra uma pessoa ou um objeto dignos de respeito **3** Proposição absurda; CONTRASSENSO [F.: Do gr. *blasphemía*, pelo lat. *blasphemia*.]

blasfemo (blas.*fe*.mo) [ê] *a.* **1** Que blasfema, que profere blasfêmias; BLASFEMADOR; ÍMPIO **2** Que contém blasfêmia, ou da natureza da blasfêmia (discurso blasfemo, palavras blasfemas); BLASFEMATÓRIO *sm.* **3** Pessoa que profere blasfêmias; BLASFEMADOR [F.: Do gr. *blásphemos*, pelo lat. *blasphemu*. Hom./Par.: *blasfemo* (a. sm.), *blasfemo* (fl. de *blasfemar*).]

blasonar (bla.so.*nar*) *v.* **1** *Fig.* Exibir, alardear, ostentar (virtudes, méritos, façanhas etc.) reais ou fictícios; jactar-se, vangloriar-se [*td.*: *O coronel blasonava feitos heroicos.*] [*int.*: *Convém não blasonar, todos o conhecem bem.*] [*tr.* + *de*: *Blasonava de ter porte de manequim; blasonar(-se) de rico, de valente.*] **2** *Her.* Organizar (elementos heráldicos) em brasão, ou ornamentar com brasão; BRASONAR [*td.*] [▶ 1 blaso**nar**] [F.: Do fr. *blasonner*. Hom./Par.: *blasonaria(s)* (fl.), *blasonaria(s)* (sf. [pl.]).]

⊕ ***blast*** (*Ing.* /*blest*/) *sm.* **1** Violento deslocamento de ar produzido por explosão, em que a uma onda de pressão atmosférica elevada se segue outra de pressão atmosférica diminuída **2** *Med.* Conjunto de traumatismos provocados por tal deslocamento de ar, que compreende lesão pulmonar e de outros órgãos torácicos e abdominais, rompimento dos tímpanos, hemorragia e outros efeitos menores sobre o sistema nervoso central

blastema (blas.*te*.ma) ***sm.*** *Biol.* Conjunto de células embrionárias em estágio indiferenciado, do qual vai se originar futuro órgão ou estrutura [F.: Do gr. *blástema, atos*, pelo fr. *blastème.*]

◎ **-blast(o)- *el. comp.*** Ver *blast(o)-*

◎ **-blasto *el. comp.*** Ver *blast(o)-*

◎ **blast(o)- *el. comp.*** = 'germe'; 'embrião'; 'célula ou tecido embrionário': *blastema* (< gr.), *blastocisto, blastoma, blastômero; cristaloblástico; osteoblasto* [F.: Do gr. *blastós, oû.*]

blasto (*blas*.to) *Bot.* ***sm.*** **1** Parte do embrião que se desenvolve por efeito da germinação **2** Plúmula e radícula do embrião [F.: Do gr. *blastós, ou.*]

blastocisto (blas.to.*cis*.to) ***sm.*** *Emb.* O mesmo que *blástula* [F.: *blast(o)-* + *-cisto.*]

blastoma (blas.*to*.ma) ***sm.*** *Pat.* Tumor formado por células embrionárias provenientes do blastema de um tecido ou órgão [F.: *blast(o)-* + *-oma*¹.]

blastômero (blas.*tô*.me.ro) ***sm.*** *Biol.* Célula não diferenciada resultante das divisões iniciais do zigoto [F.: *blast(o)-* + *-mero.*]

blástula (*blás*.tu.la) ***sf.*** *Emb.* Fase inicial do embrião, depois das primeiras divisões do ovo [F.: Do lat. *blastula.*]

blatário (bla.*tá*.ri:o) ***a.*** **1** *Zool.* Ref. ou pertencente aos blatários ***sm.*** **2** *Ent.* Espécime dos blatários, insetos ortópteros de corpo achatado e longas antenas. Entre suas mais de 3 mil espécies conhecidas está a das baratas [F.: Do lat. cient. *Blattaria.*]

blaterar (bla.te.*rar*) ***v.*** **1** Emitir voz (o camelo) [***int.:*** *Exaustos, os camelos já não blateravam.*] **2** Falar (alguém) muito, enfaticamente e em voz alta; TAGARELAR; VOZEIRAR [***td.:*** *Ansioso por convencer, blaterava seus argumentos.*] [***int.:*** *Excitada, ela blaterou toda a tarde.*] **3** Falar com irritação (contra alguma coisa ou alguém), reclamando, insultando, xingando etc; VOCIFERAR; DEBLATERAR [***td.:*** *Irritado, blaterava insultos e impropérios.*] [***int.:*** *Deixe-o blaterar, num instante ele se acalma.*] [▶ **1** blaterar] [F.: Do lat. *blaterare.*]

blau *Her.* ***a2g.*** **1** Que tem a cor azul, nos brasões **2** Diz-se dessa cor ***sm.*** **3** A cor azul, nos brasões [F.: Do frâncico *blao.*]

⊕ **blazer** (*Ing. /blêiser/*) ***sm.*** Paletó esportivo unissex

blecaute (ble.*cau*.te) ***sm.*** **1** Falta generalizada de luz em um bairro, cidade ou região; APAGÃO **2** *Hist. Mil.* Desligamento proposital de energia como defesa contra ataques aéreos em tempos de guerra **3** Turvação momentânea da visão com ou sem perda de consciência, ger. por efeito de mudança brusca de velocidade ou de ação da gravidade, como em acrobacias aéreas [F.: Do ing. *blackout.*]

blefador (ble.fa.*dor*) [ô] ***a.*** **1** Que blefa ***sm.*** **2** Aquele que blefa [F.: De *blefado* + *-dor.*]

blefar (ble.*far*) ***v.*** **1** *Lud.* Em jogo de cartas, beneficiar-se fazendo os oponentes acreditarem numa situação diversa da real [***int.:*** *Ele blefa muito no pôquer.*] **2** *P. ext.* Ludibriar, enganar [***td.:*** *O assaltante blefou a segurança do hotel e fugiu.*] [***int.:*** *Não tinha provas concretas, apenas blefava.*] [▶ **1** blefar] [F.: *blefe* + *-ar*². Hom./Par.: *blefe(s)* (fl.), *blefe(s)* (sm. [pl.]).]

blefarectomia (ble.fa.rec.to.*mi*:a) ***sf.*** *Med.* Excisão de parte da pálpebra que apresenta lesão [F.: *blefar(o)-* + *-ectomia.*]

blefarite (ble.fa.*ri*.te) ***sf.*** *Oft.* Inflamação dos bordos das pálpebras; PALPEBRITE; TARSITE; SAPIRANGA [F.: Do gr. *blépharon.*]

◎ **-blefar(o)- *el. comp.*** Ver *blefar(o)-*

◎ **blefar(o)- *el. comp.*** = 'pálpebra'; 'cílio'; 'flagelo': *blefarectomia, blefarite, blefaroptose, blefarotomia; paquiblefarose; abléfaro* (< gr.) [F.: Do gr. *blépharon, ou* (a breve).]

◎ **-bléfaro *el. comp.*** Ver *blefar(o)-*

blefaroespasmo (ble.fa.ro:es.*pas*.mo) *Med.* ***sm.*** Espasmo do músculo orbicular das pálpebras [F.: *blefar(o)-* + *espasmo.* Tb. *blefarospasmo.*]

blefaroptose (ble.fa.rop.*to*.se) *Med.* ***sf.*** Queda da pálpebra superior [F.: *blefar(o)-* + *-ptose.*]

blefarospasmo (ble.fa.ros.*pas*.mo) ***sm.*** Ver *blefaroespasmo*

blefarotomia (ble.fa.ro.to.*mi*:a) *Med.* ***sf.*** Incisão feita na pálpebra [F.: *blefar(o)-* + *-tomia.*]

blefe (*ble*.fe) [ê ou é] ***sm.*** Ação ou resultado de blefar, enganar: *Essas ameaças são puro blefe; o blefe de um jogador experiente.* [F.: Do ing. *bluff.*]

blendagem (blen.*da*.gem) ***sf.*** Mistura, com o fim de harmonizar um produto [F.: Posv. adapt. do ing. *blending.*]

◎ **-blenia *el. comp.*** = '(suspensão, retenção ou escassez de) fluxo ou secreção mucosa': *iscoblenia, oligoblenia* [F.: Do gr. *blénnos, eos-ous*, 'muco', 'humor viscoso', + *-ia*¹. F. conexa: *blen(o)-*.]

◎ **blen(o)- *el. comp.*** = 'muco', 'humor viscoso'; 'corrimento purulento': *blenorragia, blenorreia, blenúria, blenuria* [F.: Do gr. *blénnos, eos-ous.* F. conexa: *-blenia.*]

blenorragia (ble.nor.ra.*gi*.a) ***sf.*** *Med.* Infecção venérea purulenta que se localiza inicialmente na uretra, mas que pode se estender para as estruturas urinárias e genitais, no homem ou na mulher; GONORREIA [F.: *blen(o)-* + *-ragia.*]

blenorrágico (ble.nor.*rá*.gi.co) ***a.*** *Med.* Ref. a blenorragia [F.: *blenorragia* + *-ico*².]

blenorreia (ble.nor.*rei*:a) *Pat.* ***sf.*** **1** Corrimento mucoso, pela uretra ou vagina **2** *Antq.* O mesmo que *blenorragia* ou *gonorreia* [F.: *blen(o)-* + *-rreia.*]

blenúria (ble.*nú*.ri:a) ***sf.*** *Med.* Ocorrência de muco na urina [F.: *blen(o)-* + *-úria.* Tb. *blenuria.*]

◎ **-blepsia *el. comp.*** = 'anomalia, irregularidade, falta ou perda da visão'; 'lucidez (aparente)': *ablepsia, acianoblepsia, monoblepsia, hipnoblepsia.* [F.: Do gr. *blépsis, eos*, 'visão'; 'reflexão', + *-ia*¹.]

blindado (blin.*da*.do) ***a.*** **1** Revestido de aço ou chapa metálica resistente a projéteis (carro blindado, porta blindada) **2** Protegido contra a ação de campos elétricos, magnéticos etc. (cabo blindado) **3** *Fig.* Defendido, protegido da ação de fatores externos: *A economia está blindada contra a crise política, dizem economistas.* ***sm.*** **4** *Mil.* Veículo blindado us. em combates [F.: Part. de *blindar.*]

blindagem (blin.*da*.gem) ***sf.*** **1** Ação ou resultado de blindar **2** Revestimento de proteção (instalado em construções, veículos, embarcações, aeronaves etc.) contra projéteis ou outros artefatos de destruição **3** *Eletr.* Dispositivo de proteção contra a ação de campos elétricos, magnéticos etc. **4** *Fís. nu.* Material que absorve e diminui a intensidade da radiação, us. para proteger instrumentos e observadores contra os efeitos radioativos **5** *P. ext.* Qualquer revestimento de proteção que envolve um objeto ou lugar para impedir a passagem de líquidos ou de ruídos **6** *Fig.* Conjunto de medidas que visam a proteger algo ou alguém (político, executivo, instituição, economia etc.) de acusações, processos, atos etc. que possam prejudicá-los: "... os desvios não têm monta para [...] perfurar a blindagem da Fazenda e do Banco Central" (José Alexandre Scheinkman, "Investidores não se assustam com as CPIs" *in Revista Bovespa*, jul. / set. 2005) [Pl.: *-gens.*] [F.: *blindar* + *-agem*².] ■ **~ de calor** *Astnáut.* Revestimento – ou outro dispositivo – em nave espacial para protegê-la das altas temperaturas resultantes da fricção com a atmosfera em altas velocidades **~ elétrica** *Elet.* Blindagem em material condutor de eletricidade, para proteger os aparelhos elétricos de campos elétricos prejudiciais **~ magnética** *Elet.* Blindagem em aparelho elétrico, feita com material de grande permeabilidade magnética, e que se destina a protegê-lo de campos magnéticos prejudiciais

blindar (blin.*dar*) ***v.*** **1** Revestir com ou inserir camada de metal ou de aço à prova de bala ou de cargas explosivas em [***td.:*** *blindar um automóvel, um navio.*] **2** *Fig.* Preservar(-se) de; proteger(-se), defender(-se), resguardar(-se) [***tdr.*** + ***contra:*** *O governo blindou o ministro contra as denúncias; Queria blindar-se contra os problemas.*] [***td.:*** *blindar a economia para garantir o crescimento do país; A Aeronáutica vai blindar as fronteiras da Amazônia.*] **3** *Elet. Fís.* Proteger contra a ação de campos magnéticos, elétricos ou radiativos [***td.***] [▶ **1** blindar] [F.: Do al. *blenden*, pelo fr. *blinder.*]

⊕ **blini** (*Rus. /blini/*) ***sm.*** *Cul.* Panqueca de or. russa, feita com farinhas diversas, leite ou iogurte, ovos e fermento [F.: Do russo *blini.*]

blíster (*blís*.ter) ***sm.*** Invólucro de plástico semirrígido e transparente us. para embalar produtos pequenos como comprimidos, pilhas etc. [F.: Do ing. *blister.*]

⊕ **blitz** (*Al. /blits/*) ***sf.*** **1** Batida policial ou ação militar de surpresa: *A polícia fez uma blitz na saída do túnel.* **2** *Mil.* Ataque aéreo: *A blitz aconteceu nas bases rebeldes.* **3** Fiscalização realizada sem aviso-prévio: *O MEC fará blitz em cursos superiores a cada quatro anos.* **4** *Fut.* Série de ataques: *A partir daí começou a blitz em busca de gols.* **5** F. red. de *blitzkrieg* (al.), ataque intenso, ofensiva-relâmpago [Com inicial maiúsc., nesta acp.] [Pl.: *blitze.*] [F.: Red. do al. *Blitzkrieg*, 'guerra-relâmpago'.]

⊕ **blitzkrieg** (*Al. /blitscrig/*) ***sf.*** **1** *Hist. Mil.* Ofensiva militar rápida e violenta, da qual participam todas as armas do exército; GUERRA-RELÂMPAGO [Foi posta em prática pelos alemães na Segunda Guerra Mundial.] **2** *P. ext. Mil.* Qualquer operação de guerra rápida e violenta **3** *P. ext.* Qualquer campanha (publicitária, política etc.) realizada com rapidez e agressividade [F.: Do al. *blitz* + *krieg.* Sin. ger.: *blitz.* NOTA: Nas acps 1 e 2, com inicial maiúsc.]

blocar (blo.*car*) ***v.*** **1** *Edit.* Alinhar as margens e as linhas de (um texto), aumentando ou diminuindo o espaço entre as palavras e letras, se necessário; JUSTIFICAR [***td.***] **2** *Art. gr.* Encadernar folhas em forma de bloco [***int.:*** *Nesta gráfica não se costuma blocar.*] **3** *Inf.* Juntar (informações variadas) no mesmo bloco de armazenamento de dados [***td.***] [▶ **11** blocar] [F.: *bloco* + *-ar*². Hom./Par.: *bloco* (fl.), *bloco* (sm.).]

bloco (*blo*.co) ***sm.*** **1** Porção sólida e volumosa de algo: *bloco de gelo.* **2** Maço de folhas de papel destacáveis: *bloco de notas.* **3** Cada prédio de um conjunto de edifícios: *Moramos no bloco. C* **4** *Bras.* Grupo carnavalesco de rua: *Fantasiou-se para sair no bloco.* **5** *Bras.* Organização carnavalesca que congrega participantes de um bloco (4) **6** *Rád. Telv.* Cada uma das partes de um programa de TV ou de rádio **7** *Rád. Telv.* Grupo de anúncios ou mensagens de publicidade num mesmo intervalo comercial **8** Grupo, considerado homogêneo, de países, pessoas etc. (bloco ocidental) **9** *Cons.* Fundação de concreto muito alta em relação a sua base **10** *Est.* Grupo de unidades experimentais de mesma natureza, numa pesquisa estatística **11** *Cons.* Estrutura de dimensões homogêneas, sem predominância de uma sobre as outras **12** *Ling.* Certo nível de classificação linguística em função do nível de semelhança entre as línguas (análogo a família, grupo etc.) [F.: Do fr. *bloc*, do neerlandês *bloc.*] ■ **~ amortecedor** *Mec.* Em veículo automotivo, proteção de borracha que amortece as batidas do eixo da roda no chassi quando as molas não neutralizam totalmente o impacto **~ continental** *Geog.* A extensão das terras emersos de um continente, somada à de sua plataforma continental (plataforma de terras submersas ao longo da costa) **~ de cilindros** *Mec.* Em motor de combustão interna, peça fundida na qual estão as cavidades cilíndricas (os cilindros) nas quais ocorre a combustão e se movem os pistões; bloco do motor **~de construção** *Cons.* Bloco de concreto ou de barro cozido, oco, com perfurações, usado como elemento na construção de paredes **~ de decomposição** *Geog.* Bloco de rocha parcialmente decomposto pela esfoliação sucessiva de camadas externas, por ação erosiva **~ do motor** *Mec.* V. *Bloco de cilindros* **~ errático** *Geol.* Bloco de rocha de grandes dimensões, que foi transportado pelo gelo de um ponto longínquo **~ oscilante** *Geog.* Grande bloco de rocha em equilíbrio instável à beira de penhasco ou em vertente de montanha **~ suspenso** *Geog.* V. *Bloco oscilante* **~ testemunho** *Arqueol.* Área não escavada em sítio arqueológico, o que permite constatar a formação geológica original do sítio **~ vulcânico** *Geol.* Massa rochosa arremessada por um vulcão **Botar o ~ na rua** **1** *Bras. Pop.* Morrer **2** Providenciar o necessário para obter algo **3** Agir com sinceridade, clareza e objetividade **Em ~** Em conjunto, como um todo único, sem particularizar

⊕ **blog** (*Ing. /blóg/*) ***sm.*** *Int.* Página da internet que pode ser criada por qualquer pessoa, com conteúdo livre, ger. pessoal (histórias, ideias, imagens), e que depende de autorização do criador para que os visitantes possam adicionar comentários [F.: Abrev. do ing. *weblog.*]

blogar (blo.*gar*) ***v.*** **1** *Inf.* Criar ou manter um *blog*, usando-o como ferramenta profissional ou de relacionamentos, intercâmbios etc. [***int.:*** *Criei um blog dedico todas as minhas horas livres para blogar.*] **2** Pôr texto, ou outra contribuição, em *blog* [***td.***] [▶ **14** blogar] [F.: F.: *blog* + *-ar*².]

blogosfera (blo.gos.*fe*.ra) ***sf.*** *Inf.* Termo que designa coletivamente todos os blogs (*weblogs*) e a interconexão entre eles, como o espaço, ou universo, de sua existência de comunidade, de rede social [F.: *blog* + *esfera.* Tb. se diz *bloguespaço, bloguiverso.*]

blogueiro (blo.*guei*.ro) *Pop. Inf.* ***sm.*** **1** Aquele que escreve em *blogs* ***a.*** **2** Diz-se de quem é blogueiro (1) **3** De ou que diz respeito a *blog* ou a blogueiro (1) (mundo blogueiro, comunidade blogueira) [F.: *blog* + *-eiro.* Sin. ger.: *bloguista.*]

bloguespaço (blo.gues.*pa*.ço) ***sm.*** *Inf.* O mesmo que *blogosfera* [F.: *blog* + *espaço.*]

bloguista (blo.*guis*.ta) *Pop. Inf.* ***s2g. a2g.*** O mesmo que *blogueiro* [F.: *blog* + *-ista.*]

bloguiverso (blo.gui.*ver*.soi) ***sm.*** *Inf.* O mesmo que *blogosfera* [F.: *blog* + *(un)iverso.*]

bloqueado (blo.que:*a*.do) ***a.*** **1** Que foi fechado com bloqueio: *Linha férrea bloqueada.* ***a.*** **2** Em que não se pode passar, entrar ou sair, em virtude de algum obstáculo físico ou impedimento externo (estrada bloqueada); OBSTRUÍDO **3** Que não é possível movimentar ou deslocar (portão bloqueado); IMPEDIDO **4** Que tem seu funcionamento interrompido: *Escada rolante bloqueada.* **5** *Telc.* Que não transmite ou recebe sinais (telefone bloqueado) **6** *Mil.* Envolvido por bloqueio (tropa bloqueada); CERCADO; SITIADO **7** *Psic.* Que sofreu bloqueio ou repressão, esp. de natureza mental, e por isso não se expressa livremente: *A capacidade de raciocinar foi bloqueada.* **8** *Inf.* Que não se encontra disponível; que não permite entrada ou saída de dados, registros etc., ou que não os processa: *Acesso bloqueado a Intenet.* **9** *Fon.* Diz-se de som da fala que é realizado com compressão ou oclusão da glote e cujo espectro acústico se caracteriza pela liberação de uma quantidade considerável de energia em curto espaço de tempo [Cf. *oposição binária.*] [F.: Part. de *bloquear.*]

bloqueador (blo.que:a.*dor*) [ô] ***a.*** **1** Que bloqueia (alarme bloqueador) ***sm.*** **2** Aquilo que bloqueia: *bloqueador de chamadas telefônicas; bloqueador solar facial.* **3** Aquele que bloqueia: *A seleção de vôlei conta com bons bloqueadores.* **4** *Farm.* Droga que impede uma atividade orgânica [F.: *bloquear* + *-dor.*] ■ **~ solar** Produto que protege a pele da ação maléfica dos raios solares, mais eficaz que um *protetor solar*

bloqueante (blo.que:*an*.te) ***a2g.*** Que bloqueia, que impede a passagem ou a entrada de alguém ou algo; BLOQUEADOR [F.: *bloquear* + *-nte.*]

bloquear (blo.que.*ar*) ***v.*** **1** Impedir a passagem de ou através de [***td.:*** *Bloquear o tráfego; Bloquear uma fronteira.*] **2** Impedir ou proibir que se desenvolva, se realize ou se acesse [***td.:*** *Bloquear um projeto/uma linha telefônica.*] **3** Impedir o uso ou a movimentação de [***td.:*** *Bloquear bens/ cheques*] **4** *Mil.* Sitiar (um país, uma região) [***td.***] **5** *Esp.* Impedir com os braços (o arremesso da bola pelo adversário), esp. no vôlei [***td.:*** *O time não conseguiu bloquear os ataques de meio de rede.*] [***int.:*** *Aprimorou sua técnica de bloquear, hoje é uma verdadeira muralha.*] **6** *Esp.* Exercer bloqueio sobre (ataque ou atacante adversário) [***td.:*** *A zaga bloqueou os dois atacantes, mas deixou solto os volantes adversários.*] **7** *Psic.* Ter ou provocar bloqueio (psicológico), recalcamento (de lembrança, palavra etc.) [***td.:*** *Ele bloqueou as imagens da infância.*] [***int.:*** *Sempre que tentamos falar do assunto, ele bloqueia.*] **8** Produzir inibição; conter, refrear [***td.:*** *A insegurança bloqueava suas iniciativas.*] **9** *Telc.* Tornar um dispositivo não receptivo ou ativo em determinadas funções [***td.:*** *A firma bloqueou os telefones para chamadas internacionais.*] **10** *Telc.* Impedir um dispostivo de realizar impressão, por meio mecânico ou elétrico [*td.*] 11 *Mec.* Impedir mecanicamente que se movimente, ou estar impedido de movimentar-se dispositivo, peça etc; BRECAR; TRAVAR [*td.*: *A catraca bloqueou a engrenagem.*] [*int.*: *Exagerou na freada, e as rodas traseiras bloquearam.*] [▶ 13 bloquear] [F.: do fr. *bloquer*. Hom./Par.: *bloqueio* (fl.), *bloqueio* (sm.).]

bloqueio (blo.*quei*.o) ***sm.*** 1 Interrupção ou restrição do desenvolvimento, funcionamento ou continuidade de algo: *Depois do assalto, pedi o bloqueio dos cheques.* [+ *a, contra, de*: *bloqueio econômico a /contra /de um país.*] 2 Obstrução da passagem por meio de obstáculo: *Usaram pneus como bloqueio na pista.* 3 *Mil.* Cerco que impede a entrada e saída de pessoas, informações, mantimentos etc.: *Com o bloqueio da polícia ficamos ilhados.* 4 *Esp.* Tentativa de impedir com o(s) braço(s) o ataque adversário (esp. no vôlei) 5 *Psiq.* Interrupção repentina de pensamento ou ação causada por fatores emocionais inconscientes, ou por fatores externos 6 *Farm. Med.* Inibição, por ação de medicamento, de alguma função fisiológica ou dos efeitos fisiológicos de outro medicamento ou de droga 7 *Cir.* Inibição, por efeito de anestésico, da condução de estímulos em vias nervosas 8 *Eletrôn.* Numa válvula eletrônica a vácuo, interrupção da corrente da placa por meio de polarização negativa da grade 9 *Inf.* Recurso de computação que impede o acesso simultâneo de dois programas ao mesmo grupos de dados, ou a modificação não autorizada a dados compartilhados por mais de um programa 10 Ação ou resultado de impedir um dispositivo de funcionar ou de receber sinais em determinadas circunstâncias (bloqueio do telefone, bloqueio do teclado) [F.: De *bloquear*.] ■ ~ **articular** *Ort.* Bloqueio à livre movimentação de uma articulação do corpo devido a lesão ou a presença de um corpo estranho ~ **continental** *Hist.* Bloqueio econômico de uma área continental, particularmente o imposto pelas forças francesas sob Napoleão aos países europeus, para impedir sua comunicação com a Inglaterra ~ **emocional** 1 *Psi.* Inibição mental ou física devido a tensão emocional 2 Inibição de expressão afetiva por tensões emocionais **Furar um ~** Conseguir atingir ou fazer contacto com área isolada por bloqueio material ou virtual

⊕ ***blow-up*** (*Ing.* /*blouáp*/) ***sm.*** 1 *Fot.* Ampliação de uma fotografia ou de um detalhe seu 2 *Cin.* Conversão de filme cinematográfico para uma bitola maior [Pl.: *blow-ups*.] [F.: Do ing. *blowup*.]

⊕ ***blue chip*** (*Ing.* /*bluchip*/) ***loc. subst.*** *Econ.* Ação de fácil liquidez no mercado, ger. emitida por empresa de grande confiabilidade [Pl.: *blue chips*.] [F.: Do ing. *blue chip*.]

⊕ ***blue jeans*** (*Ing.* /*blu-djíns*/) ***loc. subst.*** O mesmo que *jeans*

⊕ ***blues*** (*Ing.* /*blus*/) *Mús.* ***sm2n.*** 1 Música do folclore negro norte-americano, originária do *spiritual*, em tom menor e ger. de caráter melancólico e andamento moderado 2 *P. ext.* Canção desse gênero 3 Foxtrote de andamento lento, típico dos anos 20; tb. *fox-blue* [F.: Do ing. *blues*.]

⊕ ***bluetooth*** (*Ing.* /*blutús*/) ***sm.*** Marca industrial de protocolo de comunicação (por frequência de rádio) sem fio e de baixo custo entre dispositivos (celulares, computadores, impressora, câmeras etc.), ger. não muito afastados um do outro (o afastamento possível depende da potência do sistema

⊕ ***blu-ray*** (*Ing.* /*blurrêi*/) ***sm.*** Formato de disco óptico para armazenamento de som e de imagem em alta definição, assim como de dados de alta densidade. Tem o mesmo tamanho dos CDs e DVDs, mas o uso de raio *laser* azul- -violeta, com comprimento de onda de 405 nanômetros (em vez dos 650 nanômetros do DVD), permite que armazene 25 gigabytes (50 em dupla camada), em vez dos 4, 7 ou 8 de um DVD, e com mais qualidade [Tb. *BD* (*Blu-ray Disc*).]

blusa (*blu*.sa) ***sf.*** 1 *Vest.* Peça de roupa feminina que cobre o tronco, ger. de tecido fino (algodão, seda etc.), com ou sem mangas, gola e botões 2 *Vest.* Suéter: *Está frio, é melhor levar uma blusa.* 3 *Vest.* Veste leve e larga us. por operários, artistas, colegiais etc. 4 Jaqueta de seda us. por jóqueis em corridas [F.: Do fr. *blouse*.]

blusão (blu.*são*) ***sm.*** 1 *Vest.* Camisa folgada, us. por fora de calça ou saia 2 Agasalho de pano, couro ou tecido sintético, com mangas compridas, que se fecha com botões ou zíper, us. como casaco; JAQUETA 3 Agasalho esportivo [Pl.: *-sões*.] [F.: *blusa* + *-ão*.]

bluseiro (blu.*sei*.ro) ***a. sm.*** Ver *blueseiro*

⊕ ***blush*** (*Ing.* /*blâsh*/) ***sm.*** Cosmético em pó ou creme, us. para dar cor mais viva às maçãs do rosto

⊠ **BNDES** Sigla de *Banco Nacional de Desenvolvimento Econômico e Social*

boa[1] (*bo*.a) [ô] ***a.*** 1 Fem. de *bom* 2 *Pop.* Diz-se de mulher que tem um corpo bem-feito e formas atraentes; BOAZUDA ***sf.*** 3 Mulher boa (2), de corpo bem-feito 4 *RJ Pop.* Cachaça, aguardente 5 *Bras. Gír.* Cerveja 6 *S. SP Lud.* No jogo de víspora, a partida final oferecida como a última esperança aos que estão com prejuízo no jogo 7 *Pop.* Coisa interessante ou agradável: *uma boa para contar.* 8 *Irôn. Pop.* Verdade ger. dita para repreender ou ofender alguém: *Na discussão, disse-lhe umas boas.* [Nesta acp., mais us. no pl.] ***interj.*** 9 Expressão us. para manifestar apoio ou entusiasmo 10 *Fam. Irôn.* Situação complicada, difícil, constrangedora ou perigosa: *Não aceitou a tarefa, e livrou-se de uma boa; Arriscou demais, e acabou metendo-se numa boa.* [F.: Do lat. *bona*. Aum. nas acps. 2 e 3: *boazuda*. Hom./Par.: *boa* (sf.), *boá* (sf.).] ■ **Numa ~** 1 Em situação agradável, confortável, prazerosa 2 Sem problema, sem resistência, de modo fácil: *Pode pedir a ele, ele a atenderá numa boa.*

boa[2] (*bo*.a) [ô] ***sf.*** 1 *Zool.* Gênero de serpentes não venenosas, da fam. dos boídeos, nativas da América tropical e caracterizadas por terem o corpo fusiforme e de grandes dimensões 2 *Zool.* Designação comum a qualquer espécime desse gênero [F.: Do lat. cient. *Boa*. Hom./Par.: *boa* (sf.), *boa* (fem. de *bom*); *boa* (sf.), *boá* (sf.).]

boá (*bo.á*) ***sf.*** Estola de pele ou de plumas que as mulheres usam em torno do pescoço [F.: Do fr. *boa*.]

boa de bico (bo.a de*bi*.co) ***sf.*** Fem. de *bom de bico* [Pl.: *boas de bico*.]

boa-fé (bo.a-*fé*) ***sf.*** 1 Lisura ou pureza de intenções; HONESTIDADE: *Penso que ele agiu com boa-fé.* 2 Credulidade, ingenuidade: *Foi vítima da própria boa-fé.* 3 *Jur.* Conduta leal, sem intenção de lesar terceiros ou descumprir o compromisso ou a obrigação assumida [Pl.: *boas-fés*.] ■ **À ~** Com honestidade e sinceridade

boa-noite (bo.a-*noi*.te) ***sm.*** 1 Cumprimento dirigido a alguém à noite: *Encerrou o programa com um boa-noite.* [Tb. us. no pl.: Deu-lhe boas-noites.] [Pl.: *boas-noites*.] ***sf.*** 2 *Bot.* Trepadeira da fam. das convolvuláceas (*Ipomea alba*), de flores brancas e frutos capsulares, que ocorre no Brasil; CIPÓ-CAFÉ; COIRANA; FLOR-DO-NORTE [Pl.: *boas-noites*.]

boa-noite cinderela (bo.a-noi.te-cin.de.*re*.la) ***sm2n.*** *Bras. Gír.* Golpe de vigarice em que a vítima é adormecida por meio de sonífero, de que se aproveita o golpista para roubá-la

boa-nova (bo.a-*no*.va) ***sf.*** 1 Boa notícia 2 *Rel.* Designa o salvamento do mundo por Jesus Cristo 3 *Bras. Pop.* Qualquer pequena borboleta branca que entra em casa, fato considerado como anunciador de boas notícias [Pl.: *boas-novas*.]

boa-pinta (bo.a-*pin*.ta) ***a2g.*** 1 Que é bonito e/ou elegante [Pl.: *boas-pintas*.] ***s2g.*** 2 Indivíduo boa-pinta [Pl.: *boas-pintas*.]

boa-praça (bo.a-*pra*.ça) ***a2g.*** 1 *Pop.* Que é simpático, afável, generoso, solidário [Pl.: *boas-praças*.] ***s2g.*** 2 Pessoa boa-praça [Pl.: *boas-praças*.]

boas (*bo*.as) [ô] ***sfpl.*** Us. na loc. adv. *às boas* [F.: Pl. de *boa*.] ■ **Às ~** De maneira amigável, cordata **Às ~ com** Em boas relações com; de bem com **Vir às ~** Após uma briga ou um conflito, tentar resolver a questão amistosamente

boas-festas (bo.as-*fes*.tas) ***sfpl.*** Cumprimento us. no período das festas de Natal e ano-novo

boas-vindas (bo.as-*vin*.das) ***sfpl.*** Saudação cordial com que se recebe alguém que acaba de chegar: *dar as boas-vindas aos visitantes/ aos alunos que voltam de férias/ ao bebê que nasceu.*

boa-tarde (bo.a-*tar*.de) ***sm.*** 1 Cumprimento dirigido a alguém à tarde: *Ela deu um boa-tarde tímido.* [Tb. us. no pl.: Deu-lhe as boas-tardes.] ***sf.*** 2 *Bot.* Nome comum a várias ervas, esp. as do gên. *Oenothera*, da fam. das onagráceas, algumas cultivadas como ornamentais [Pl.: *boas-tardes*.]

boataria (bo:a.ta.*ri*.a) ***sf.*** Onda de boatos; grande número de boatos: *Tudo não passa de especulação e boataria.* [F.: *boato* + *-aria*.]

boate (bo:*a*.te) ***sf.*** Casa noturna pouco iluminada, onde se pode dançar, assistir a *shows*, beber e comer [F.: Do fr. *boîte*.]

boateiro (bo:a.*tei*.ro) ***a.*** 1 Que espalha boatos ***sm.*** 2 Indivíduo boateiro [F.: *boato* + *-eiro*.]

boato (bo.*a*.to) ***sm.*** 1 História ou notícia que se divulga sobre alguém ou algo, sem que se confirme sua origem ou veracidade; RUMOR: "Surdo boato, dos que por aí irrompem e se alastram, sem que se saiba de onde partem..." (Euclides da Cunha, *Confrontos e contrastes*) [Cf.: *boato* (v. *boatar*).] 2 Notícia ou informação sem qualquer fundamento: *Não acredite nisso, é boato.* [F.: Do lat. *boatus*. Hom./Par.: *boato* (sm.), *boato* (fl. de *boatar*).]

boa-vida (bo.a-*vi*.da) *Bras. Pej.* ***s2g.*** 1 Pessoa pouco afeita ao trabalho, que procura viver agradavelmente e sem esforço: *Era um boa-vida, gostava de ficar à toa ou passar o dia dormindo.* 2 Pessoa que leva uma vida agradável, sem precisar se preocupar com nada [Pl.: *boas-vidas*.] ***a2g.*** 3 Diz-se de boa-vida: "Quem é esse doutor boa-vida que aí esteve?" (Lima Barreto, *O cemitério dos vivos*) [Pl.: *boas-vidas*.]

boazuda (bo.a.*zu*.da) ***a.*** (*f.*) 1 *Bras. Pop.* Cujo corpo é bem-feito e voluptuoso: "Ela é boazuda e é bela como uma fera." (Darcy Ribeiro, *Aquela*) ***sf.*** 2 *Bras. Pop.* Mulher boazuda [Aum. irreg. de *boa*.] [F.: *boa* + *z* + *-uda*.]

bobageira (bo.ba.*gei*.ra) ***sf.*** *Bras. Pop.* Bobagem, asneira: *A conversa toda não passava de bobageira:* "Do mais – as valentias e bobageiras do mano Calistrato, e também das palhaçadas do Dr. Jonjoca..." (Mário Palmério, *Chapadão do Bugre*) [F.: *bobage*(*m*) + *-eira*.]

bobagem (bo.*ba*.gem) ***sf.*** 1 Ação, dito ou pensamento de bobo 2 *P. ext.* Qualquer ação, dito ou pensamento bobo, disparatado, improcedente; ASNEIRA; ESTULTICE; TOLICE 3 Coisa ou fato sem importância: *Brigaram por uma bobagem; Vivia comprando bobagens.* 4 Ato inconsequente ou insensato: *Acabou pagando caro pela bobagem que fez.* 5 Comida pouco nutritiva: *Ela nunca faz uma boa refeição, só come bobagem.* 6 *Pop.* Presente ou lembrança modesta [Pl.: *-gens*.] [Col.: *bobajada, bobageira*. F.: *bobo* + *-agem*[2]. Sin. ger.: *besteira*.] ■ **De ~** 1 Sem pensar, sem intenção: *Falou isso só de bobagem.* 2 Sem importância, à toa, de nada

bobajada (bo.ba.*ja*.da) *Bras. Pop.* ***sf.*** 1 Ação inconveniente, impensada 2 Coisa sem importância; BOBAGEM [F.: *bobage*(*m*) + *-ada*.]

bobalhão (bo.ba.*lhão*) [ô] ***a.*** 1 *Pop.* Que é muito bobo; BESTALHÃO; BOBOCA ***sm.*** 2 Indivíduo bobalhão [Pl.: *-lhões*. Fem.: *-lhona*.] [F.: *bobo* + *-alhão*.]

bobamente (bo.ba.*men*.te) ***adv.*** 1 Com modos de um bobo; como um tolo 2 Em vão; DEBALDE [F.: Fem. de *bobo* + *-mente*.]

bobão (bo.*bão*) ***a.*** *Pop.* Muito bobo, muito palerma [Pl.: *-bões*.]

bobeada (bo.be.*a*.da) ***sf.*** *Bras. Pop.* Falta de atenção em um dado momento; COCHILO; DESCUIDO; DISTRAÇÃO; VACILADA; VACILO: *Numa bobeada da zaga o artilheiro fez mais um gol.* [F.: *bobear* + *-ada*[1].] ■ **Dar uma ~** 1 *Bras. Pop.* Falhar em algo, por distração, desatenção: *O goleiro deu uma bobeada e engoliu um frango.* 2 Deixar escapar oportunidade 3 Bancar o bobo, deixar-se enganar

bobear (bo.be.*ar*) ***v.*** 1 *Bras.* Deixar-se enganar, ludibriar [*int.*: *Bobeou e caiu no conto do vigário.*] 2 Comportar-se como bobo ('personagem grotesco'); dizer ou fazer bobagens, asneiras [*int.*: *Em vez de levar a aula a sério, ficava bobeando, o que desconcentrava a turma.*] 3 *Bras.* Perder uma oportunidade, uma grande chance ou um bom negócio [*int.*: *O time não pode bobear, é o último jogo da rodada.*] 4 *Bras. Pop.* Desviar a atenção de, descuidar-se de, ou ficar desatento [*tr.* + *com*: *No aeroporto, não se pode bobear com as malas; Dê a mão às crianças, não bobeie com elas!*] [*int.*: *Se você bobear, levam seu celular.*] 5 *Pop.* Fazer acreditar naquilo que é falso; ENGANAR [*td.*: *A jovem bobeia os pais com seu jeito angelical.*] 6 Andar à toa, sem rumo ou objetivo; VAGAR; VAGUEAR [*int.*: *O pedinte bobeava pelas ruas da cidade.*] [▶ 13 bobear] [F.: *bobo* [ô] + *-ear*[2].]

bobeira (bo.*bei*.ra) *Bras. Pop.* ***sf.*** 1 Condição ou qualidade de bobo: *Seus comentários tolos são a prova de sua bobeira.* ***sf.*** 2 Ação ou atitude tola, boba: *Cuidado no teste, não faça bobeira.* 3 Dito bobo, sem importância ou sem graça 4 Desatenção, alheamento: *De repente deu bobeira geral no time, e o adversário deslanchou no marcador.* [F.: *bobo* + *-eira*.] ■ **De ~** 1 *Bras. Gír.* À toa, sem ter o que fazer: *Ficou o domingo todo de bobeira.* 2 Por descuido, falta de atenção: *Levamos o gol de bobeira.* **Marcar ~** 1 *Bras. Gír.* Deixar-se enganar, por descuido 2 Por descuido, perder oportunidade

bóbi (*bó*.bi) ***sm.*** *Bras.* Pequeno rolo de papel ou plástico para encaracolar os cabelos; BOBE [F.: Do ingl. *boby*.]

bobice (bo.*bi*.ce) ***sf.*** 1 *Bras. Pop.* Qualidade de quem diz bobagens, de quem faz coisas tolas ou infantis 2 Gracejo, gestos e esgares de bobo, de palhaço ou de truão 3 Lapso, erro bobo ou infantil [F.: *bob*(*o*) + *-ice*.]

bobina (bo.*bi*.na) ***sf.*** 1 Cilindro de madeira, metal, papelão ou plástico, ger. com rebordos, para enrolar linha, cabo, fio, arame, papel, filme, fita magnética para gravação etc; CARRETEL 2 O conjunto composto pelo carretel e pelo material nele enrolado 3 *Elet.* Fio condutor de eletricidade enrolado num núcleo feito de material ferromagnético, que ao receber corrente num circuito elétrico funciona como indutor 4 *Art. gr.* Rolo de papel us. como alimentador de impressão em rotativas [F.: Do fr. *bobine*.] ■ **~ de campo** *Elet.* Aquela us. para produzir um campo magnético em equipamento elétrico **~ de convergência** *Eletrôn.* Num cinescópio a cores, bobina us. para fazer convergir os feixes de elétrons das três cores em um ponto da tela **~ de ignição** *Mec.* Num motor a explosão, bobina que transforma a corrente da bateria em corrente de alta-tensão para produzir, na vela de ignição, a centelha que vai provocar a explosão da mistura no cilindro **~ de indutância** *Elet.* Dispositivo que consiste num fio condutor enrolado em espiras em torno de uma estrutura, us. para criar indutância num circuito elétrico e produzir um fluxo magnético, ou para mover-se ao se dar variação do fluxo magnético

bobinado (bo.bi.*na*.do) ***a.*** 1 Que se bobinou ***sm.*** 2 *Elet.* Conjunto de condutores que num dispositivo ou aparelho elétrico formam o mesmo circuito; ENROLAMENTO [F.: Part. de *bobinar*.]

bobinar (bo.bi.*nar*) ***v. td.*** Pôr (papel, fio, fita etc.) em bobina; enrolar formando bobina [▶ 1 bobinar] [F.: *bobina* + *-ar*[2]. Hom./Par.: *bobina*(*s*) (fl.), *bobina*(*s*) (sf. [pl.]).]

bobo (*bo*.bo) [ô] ***a.*** 1 Tolo, ingênuo, idiota 2 Fútil, frívolo, superficial 3 *Bras.* Feliz, satisfeito: *Ficou toda boba com o elogio.* 4 *Bras.* À toa, sem importância (machucado bobo) ***sm.*** 5 Pessoa boba (1, 3) 6 *Antq.* Indivíduo que, na Idade Média, acompanhava príncipes e nobres, para diverti-los com chufas, disparates e esgares; BUFÃO; MANINELO; TRUÃO 7 *RJ Pop.* Relógio (porque trabalha de graça) 8 *Fut. Lud.* Brincadeira que consiste em um grupo de pessoas numa roda trocar passes com uma bola enquanto um jogador (o bobo) tenta interceptar um passe; se conseguir, o que deu o passe interceptado o substitui 9 *Fut. Lud.* O jogador que no bobo (7) tenta interceptar os passes 10 *MG Lud.* Certo jogo de cartas, no qual o jogador tenta formar pares com as cartas de sua mão [F.: Do lat. *balbus*, posv. com interferência do cast. *bobo*.] ■ **~ alegre** 1 *Pej.* Deficiente mental que diverte os outros com sua ingênua alegria 2 Pessoa que se faz ou se deixa ridicularizar 3 *RJ Gír.* Relógio despertador

bobó (bo.*bó*) ***sm.*** 1 *Bras. Cul.* Prato de or. africana feito de feijão-fradinho, banana e azeite de dendê, e servido com inhame ou aipim 2 *Amaz.* Bofe de gado, nos açougues 3 *MA* Vinagreira com quiabo 4 *BA* Começo de gravidez [F.: De or. africana, posv. do fongbê *bovô*.] ■ **~ de camarão** *Bras. Cul.* Camarão refogado com dendê e leite de coco, com adição de creme de aipim

boboca (bo.*bo*.ca) ***a2g.*** 1 Diz-se de quem se deixa, ingenuamente, convencer ou enganar ***a2g.*** 2 *Bras. Pop.* Que é muito bobo, carente de perspicácia, de entendimento; BOBALHÃO ***s2g.*** 3 Indivíduo boboca [F.: *bobo* + *-oca*.]

bobo da corte (bo.bo da*cor*.te) ***sm.*** Pessoa que tinha como profissão distrair a corte por meio de ditos e gestos engraçados, do canto e da dança etc. [Pl.: *bobos da corte*.]

boca (*bo*.ca) [ô] ***sf.*** **1** Cavidade do rosto, nos seres humanos, ou da cabeça, nos animais, por onde se ingerem os alimentos **2** Parte externa da cavidade bucal, formada pelos lábios: *beijo na boca*. **3** *Anat.* Primeiro órgão do sistema digestório, e um dos que compõem o sistema respiratório e o aparelho fonador **4** *P. ext. Pop.* Pessoas a serem alimentadas: *Tenho cinco bocas para sustentar.* **5** *P. ext.* Pessoa, quando se expressa com palavras: "Outras bocas foram transmitindo a ordem até que surgiu, correndo, a figura exótica de um marinheiro negro..." (Adolfo Caminha, *Bom-crioulo*) **6** Qualquer abertura se assemelha a uma boca (1) **7** Abertura, entrada: *a boca de um forno; a boca de um ralo; a boca da caçapa.* **8** Abertura de garrafa ou frasco; BOCAL **9** Abertura de saco ou sacola **10** Abertura na parte inferior de um balão por onde entra o ar quente proveniente de uma bucha ou maçarico **11** Abertura de caverna, gruta, cova ou vulcão: "A boca das cavernas, ressoando..." (Antero de Quental, *Saudades pagãs*): "... de bruços ou de supino sobre as pedras, desenlapando-se à boca das furnas..." (Euclides da Cunha, *Os sertões*) **12** Topo de um desfiladeiro: "... começou a caminhar em cima da cipoada que cobria a boca de um precipício, fundo como tudo neste mundo..." (Visconde de Taunay, *Inocência*) **13** *Fig.* Começo, princípio, início: "Afinal, à boca da noite, apareceu um escravo do padrinho..." (Machado de Assis, "O caso da vara" *in Páginas recolhidas*) **14** Cada uma das aberturas por onde sai o fogo no tampo do fogão: *fogão de seis bocas.* **15** Entrada ou saída de uma rua, travessa, beco, caminho etc.: "Homens e mulheres apinhavam-se, (...) às bocas das ruas..." (Alexandre Herculano, *Arras por foro de Espanha*) **16** *Hidrog.* Entrada de baía, golfo, canal ou estreito **17** *Hidrog.* Foz de rio: "Houve missionários afogados, porque uns se afogaram na boca do grande rio das Amazonas..." (Pe. Antônio Vieira, *Sermão da Sexagésima*) **18** Extremidade inferior das calças: *calça de boca estreita.* **19** Falha ou mossa no gume de um instrumento cortante: *Faca cheia de bocas.* **20** *Bras. Fig. Pop.* Oportunidade vantajosa: *Não posso perder essa boca.* **21** *Bras. Gír.* F. red. de *boca de fumo* **22** *Bras. Gír.* Local de malandragem **23** *Cnav.* A maior largura do casco de uma embarcação **24** *Cnav.* Largura tomada de qualquer seção transversal do casco de uma embarcação **25** *Mús.* Embocadura de certos instrumentos de sopro (corneta, trompete, saxofone etc.); BOCAL **26** *Arm.* Abertura do cano ou tubo de uma arma de fogo por onde sai o projétil **27** *Art. gr.* Abertura de guilhotina, cisalha, ou picotadora na qual se insere o papel a ser trabalhado **28** *Art. gr.* Abertura do cilindro das impressoras onde funcionam as pegadeiras **29** *Art. gr.* Nas rotativas, abertura por onde saem as folhas impressas **30** *Enc.* Vão situado entre a lombada e os cadernos costurados de um livro **31** *Teat.* Parte anterior do palco, situado próximo da plateia: *camarote de boca; pano de boca.* **32** *N.E. Fig. Pop.* Dívida não paga (ger. intencionalmente); CALOTE **33** *Lus. Fig. Pop.* Dito provocatório **34** *Lus. Fig. Pop.* Dito canalha, malandro, indecente [Aum.: *bocaça, bocarra, boqueirão.*] ***interj.*** **35** Expressão us. para mandar calar ou impor silêncio [F.: Do lat. *buccam.* Hom./Par.: *boca* [ô] (sf.), *boca* (interj.), *boca* (fl. de *bocar*). Ideia de boca: *boc(a)-, buco-, or(i/o)-.*] ■ **À ~ fechada** *Mús.* Entoando melodia sem pronunciar palavras, com os lábios cerrados e o som saindo pelo nariz **À ~ miúda** Ver *À boca pequena* **À ~ pequena** Em voz baixa, em segredo **Abrir a ~ 1** *Fig.* Falar, expressar-se em palavras: *Ficou sentado ali e não abriu a boca.* **2** Reclamar em voz alta: *Indignada, resolveu abrir a boca ali mesmo.* **3** Chorar em voz alta, berrar **4** *Fig.* Ficar espantado, admirado **5** Bocejar **Arrebentar a ~ do balão** *RJ Gír.* Ter grande desempenho ou sucesso **Bater ~** *Bras.* Altercar, discutir **Boa ~** *Pop.* Pessoa que come muito, que gosta de comer **~ a ~** Transmitido oralmente; de pessoa para pessoa: *propaganda boca a boca; As duas versões correram boca a boca.* [Ver tb. *boca a boca*.] **~ da noite 1** Início da noite; anoitecer **2** *BA* O planeta Vênus visível ao anoitecer [Com inicial maiúscula.] **~ da serra** *S.* Desfiladeiro que leva a planalto ao pé de serra **~ de cena** *Teat.* A parte mais à frente no palco, junto à orquestra, que cria uma moldura ao espaço do palco **~ de sertão** *SP* Cidade ou povoado no limiar do sertão **~ de fumo** *Bras.* Ver o verbete *boca de fumo* **~ de ouro 1** *Fig.* Quem é eloquente ao discursar, falar, argumentar etc. **2** *Bras. Pop.* Quem tem obturações ou revestimento de ouro nos dentes da frente **~ de siri** *Pop.* Ver o verbete *boca de siri* **~ de urna** *Bras.* Ref. a atividades (propaganda eleitoral, pesquisa etc.) feitas em dia de eleição nas imediações de seção eleitoral: *Nas pesquisas de boca de urna ele se saiu bem.* [Ver tb. o verbete *boca de urna*.] **~ do estômago** *Pop.* Região do tórax logo acima do estômago e abaixo do coração **~ livre** *Bras. Pop.* Evento ou lugar nos quais se pode comer e beber de graça **Botar a ~ no mundo 1** *Bras. Pop.* Denunciar, delatar **2** Reclamar, protestar **Botar a ~ no trombone 1** *Bras. Pop.* Denunciar, delatar **2** Reclamar, protestar **Cair na ~ do povo** *Fam.* Ser alvo de fofoca, de falatório **Com a ~ na botija** Em flagrante, ger. ao cometer ato ilícito ou condenável **Da ~ para fora** Fingidamente, sem sinceridade: *Só é solidário da boca para fora.* **De ~** Oralmente, sem comprovação por escrito **De ~ aberta 1** Muito espantado **2** *Constr. Nav.* Diz-se de embarcação que não tem convés (2) **De ~ cheia** *Fig.* Com orgulhosa convicção: *Elogiava o aluno de boca cheia.* **Duro de ~** *Bras.* Que não obedece (cavalgadura) ao freio, ao comando do cavaleiro **Falar pela ~ de um anjo** Fazer previsão de coisas boas **Fazer ~ de pito** *Bras.* Beber ou comer antes de fumar como forma de aumentar o prazer do fumo **Pôr a ~ no mundo** Ver *Botar a boca no mundo.* **Quebrado da ~ 1** *N.E.* Que obedece ao freio, ao cavaleiro (diz-se de cavalgadura) **2** *RS* Que reage à pressão do freio erguendo a cabeça, prejudicando a marcha (diz-se de cavalgadura) **Tapar a ~ de (alguém)** Obrigar (alguém) a calar suas críticas, acusações etc., apresentando evidências que as contrariam e desmentem **Ter a ~ suja** *Pop.* Usar muitos palavrões ao expressar-se, ou costumar dizer obscenidades

boca-aberta (bo.ca-a.*ber*.ta) ***s2g.*** **1** *Pop. Pej.* Pessoa que se surpreende e se deslumbra com tudo; BOBO; SIMPLÓRIO **2** Pessoa aparvalhada, sem expediente e que age com lentidão [Pl.: *bocas-abertas*.]

boca a boca (bo.ca a*bo*.ca) [ô] ***sm2n.*** **1** Técnica aplicada em caráter de urgência para restabelecer a respiração de quem sofre uma parada respiratória, em que se coloca a pessoa deitada de costas, inclina-se sua cabeça para trás, puxando o queixo para cima de forma que a língua não impeça a passagem de ar, e tapa-se-lhe o nariz, insuflando ar algumas vezes em sua boca: *Ressuscitou-o com um boca a boca.* **2** Diálogo sobre marcas, produtos, serviços etc. na comunicação interpessoal, que tende a influenciar as escolhas das pessoas ou despertar o seu interesse: *O boca a boca é a melhor forma de divulgar uma peça teatral.*

bocaça (bo.*ca*.ça) ***sf.*** Boca muito grande, muito rasgada; BOCARRA [F.: *boca* + *-aça*.]

bocada (bo.*ca*.da) ***sf.*** **1** Boca de saco em aparelhos us. para arrastar o pescado até a terra **2** *Bras.* Ato de abocanhar; MORDEDURA; MORDIDELA **3** *Bras. Pop.* Porção que se põe na boca de uma só vez **4** *Lus.* Embocadura de rua [F.: *boca* + *-ada*.]

boca da noite (bo.ca da*noi*.te) ***sf.*** O começo da noite [Pl.: *bocas da noite*.]

boca de fogo (bo.ca de*fo*.go) ***sf.*** **1** Qualquer peça de artilharia (canhão, obus, morteiro etc.) ***sm.*** **2** *Ict.* Peixe teleósteo da fam. dos ciclídeos (*Cichlasoma meeki*), de coloração olivácea e ventre avermelhado **3** *RJ Ict.* Espécie ornamental de acará (*Acaropsis nassa*) oriunda do rio Amazonas **4** *Bras. Pop.* Indivíduo dado a seduzir mulheres [Pl.: *bocas de fogo*.]

boca de forno (bo.ca de*for*.no) ***sf.*** *Bras, Infan. Lud.* Brincadeira infantil em que um dos participantes, chamado de "mestre", distribui tarefas que os demais devem cumprir sob pena de receber tapas na palma da mão [Pl.: *bocas de forno*.]

boca de fumo (bo.ca de*fu*.mo) ***sf.*** *Bras. Gír.* Ponto de venda de drogas ilícitas [Tb. se diz apenas *boca*.] [Pl.: *bocas de fumo*.]

boca de lobo (bo.ca de*lo*.bo) ***sf.*** **1** *Bras.* Abertura construída ger. em vias públicas, esp. junto às calçadas, por onde escoam as águas de chuva, de um riacho etc; BUEIRO **2** *Bras.* Grade de ferro que fecha parcialmente essa abertura **3** *Bot.* Planta escrofulariácea, ornamental (*Anthirrinum majus*, L.). Nesta acp. com hifens; *boca-de-lobo*; tb. *boca-de-leão* **4** *Mar.* Dispositivo que serve para amarrar um cabo pelo seio, ou pelo chicote, a um gato ou gancho **5** *Mar.* Corte de certas partes do aparelho de um navio para melhor adaptação dos mastros **6** *Mar.* O semi-círculo ou sinuosidade das caranguejeiras **7** *Bras.* Tipo de abertura existente em cofre, ger. us. em transporte de segurança, por onde se introduz o dinheiro (ou valores) para guardá-lo, ficando o segredo e as chaves não em posse dos funcionários da transportadora, mas somente do banco onde o cofre é aberto **8** *Bras.* Esse tipo de cofre: *Carro-forte equipado com cofre boca de lobo.* [Pl.: *bocas de lobo*.]

boca de praga (bo.ca de*pra*.ga) ***s2g.*** Pessoa azarenta, que supostamente faz maus presságios que acabam por se converter em realidade [Pl.: *bocas de praga*.]

boca de sino (bo.ca de*si*.no) ***sf.*** **1** Em forma de boca de sino, ou com boca larga, esp. calça comprida ***a.*** **2** Diz-se da calça com essa boca [Pl.: *bocas de sino*.]

boca de siri (bo.ca de si.*ri*) [ô] *Bras. Pop.* ***sf.*** **1** Atitude discreta em relação a algo de natureza sigilosa; DISCRIÇÃO; RESERVA; SILÊNCIO: *Pediu-me boca de siri sobre o assunto; Estava a par do desfalque mas fez boca de siri.* ***s2g.*** **2** Pessoa reservada, discreta: "... passou todos os anos de sua vereança sem dar uma palavra. Era o boca de siri da Câmara..." (José Cândido de Carvalho, *Em boca fechada bem-te-vi não faz ninho*) [Pl.: *bocas de siri*.] ***interj.*** **3** Us. para pedir sigilo sobre algo: *Não comente nada! Boca de siri!*

boca de urna (bo.ca de*ur*.na) *Bras. Pol.* ***sf.*** **1** Local, próximo às zonas eleitorais, em dia de eleição **2** Circunstância do dia da votação: "Muitos candidatos destas eleições estão dizendo que as pesquisas de intenção de voto e de boca de urna foram manipuladas." (*IstoÉ*, 08.10.1998) **3** Propaganda eleitoral feita no dia da eleição perto dos locais de votação: *Foi preso fazendo boca de urna.* [Pl.: *bocas de urna*.]

bocadinho (bo.ca.*di*.nho) ***sm.*** **1** Dim. de bocado; pedaço pequeno ou pequena quantidade (de algo): *Você me dá um bocadinho desse bolo?* **2** Breve espaço de tempo: *Por favor, espere um bocadinho.* [F.: *bocado* + *-inho*[1].]

bocado (bo.*ca*.do) ***sm.*** **1** Quantidade de alimento que se coloca na boca de uma vez só; NACO; PEDAÇO: *Pôs na boca um bocado de pão e saiu.* **2** Pequena quantidade ou parte de qualquer coisa: *Só havia um bocado de arroz no prato* **3** *P. ext.* Porção considerável de alguma coisa: *Ele tinha um bocado de dinheiro.* **4** Acepipe, iguaria: *Comer o bom bocado.* **5** Intervalo de tempo (curto ou longo): *Esperou um bocado pela chegada da irmã.* **6** Pedaço do freio que fica no interior da boca da cavalgadura; BOCAL [F.: *boca* + *-ado*[1].] ■ **Passar um mau ~** Passar por dificuldades, perigo etc. **Um ~** Muito (em quantidade); muito (em intensidade): *Comprou um bocado de livros; Ele joga um bocado (bem)!*

boca do lixo (bo.ca do*li*.xo) *SP* ***sf.*** Zona urbana frequentada por prostitutas, proxenetas, traficantes de drogas, viciados, marginais etc. [Pl.: *bocas do lixo*.]

bocaina (bo.*cai*.na) [ai] *Bras. Geog.* ***sf.*** **1** Depressão em uma cordilheira **2** Vale, canhada, passagem estreita entre dois morros ou colinas **3** *S* Entrada de rio ou canal **4** *AM* Braço de água que liga um lago a um rio pequeno **5** *Lus.* Criança choramingona **6** *MA* Baía grande e funda [F.: Posv. ligado ao esp. *bocanda*.]

bocaiuva (bo.cai.*u*.va) ***sf.*** *Bot.* **1** Nome comum a algumas spp. de palmeiras do gên. *Acrocomia*, nativas das regiões tropicais das Américas **2** O coco dessas palmeiras **3** Palmeira que pode chegar a 15 m de altura (*Acrocomia aculeata*), presente no Brasil (AM e PA até MS, SP e RJ); tb. *coco-de-catarro* [F.: Do tupi *mboka'iwa*. Sin. ger.: *bacaiaúba, bacaiuba*.]

bocal (bo.*cal*) ***sm.*** **1** Abertura de recipiente (vaso, garrafa etc.) **2** *Elet.* Peça onde se enrosca a lâmpada **3** Parte do telefone por onde se fala **4** Tubo curto, com rosca, que se adapta à extremidade de um duto ou ao orifício de um reservatório, para regular o jato de água **5** Peça onde se coloca a vela no castiçal **6** *Mús.* Embocadura de certos instrumentos de sopro (trompete, saxofone, tuba etc.) **7** *RS* Peça de metal ou couro que circunda o loro do estribo **8** Cabresto com que se aperta a boca do boi, para não comer o grão na eira; tb. *betilho* **9** Muro que circunda a entrada de um poço e forma parapeito **10** *RS* De boca (e não por escrito); ORAL; VERBAL [Pl.: *-cais*.] [F.: *boc(a)* + *al*. Hom./Par.: *bocais* (pl.), *bocais* (fl. de *bocar*), *bucal* (a2g.), *bucais* (pl. de *bucal*).]

boçal (bo.*çal*) ***a2g.*** **1** Que é rude, grosseiro **2** Falto de cultura; IGNORANTE; INCULTO **3** Próprio de pessoa boçal (comentário boçal) **4** Sem sentido e/ ou sem motivação (vida boçal; crime boçal) **5** *Ant.* Recém-chegado da África e ainda não falava português (dizia-se de escravo); CARAMUTANJE ***s2g.*** **6** Indivíduo boçal [Pl.: *-çais*.] [F.: De or. contrv. Hom./Par.: *boçais* (pl.), *boçais* (fl. de *boçar*); *buçal* (sm.).]

boçalidade (bo.ça.li.*da*.de) ***sf.*** **1** Ação ou dito próprio de boçal **2** Qualidade ou condição de boçal [F.: *boçal* + *-(i) dade*. Sin. ger.: *estupidez, grosseria*.]

boca-livre (bo.ca-*li*.vre) *Bras. Pop.* ***sf.*** **1** Festa com entrada livre, onde se come e bebe de graça **2** Situação da qual alguém se beneficia sem esforço ou mérito, ger. por meios fraudulentos; MAMATA [Pl.: *bocas-livres*.]

bocão (bo.*cão*) *Bras. Pop.* ***sm.*** **1** Boca de grande tamanho; BOCARRA **2** *Pej.* Indivíduo que tem a boca grande **3** Muita comida ou comida de graça **4** *RJ* Zona de prostituição [Pl.: *-cões*.] [F.: *boca* + *-ão*.]

bocar (bo.*car*) ***v. td.*** **1** Pegar ou segurar com a boca; ABOCANHAR **2** Colocar no interior da boca **3** *P. ext.* Comer, ingerir [▶ **11 bocar**] [F.: *boca* + *-ar*. Sin. ger.: *abocar*. Hom./Par.: *boca* [ó] (fl.), *bocas* [ó] (fl.), *boca* (interj.) e *boca(s)* [ô] (sf. [pl.]); *boco* (fl.), *boco* [ó] (sm.) e *boco* [ô] (sm.); *boco* (fl.), *bocó* (a. e sm.).]

boca-rica (bo.ca-*ri*.ca) *Bras. Pop.* ***s2g.*** **1** Lugar, situação ou trabalho em que se ganha bom dinheiro sem maior esforço: *Esse emprego é uma boca-rica.* **2** Casamento com pessoa que tem dinheiro **3** *SP* Lugar muito favorável para efetuar roubos ou praticar atos de vigarice [Pl.: *bocas-ricas*.]

bocarra (bo.*car*.ra) ***sf.*** **1** Boca muito grande ou toda aberta; BOCAÇA; BOCÃO; BOQUEIRÃO **2** *Bras. Zool.* O mesmo que *saicanga* (1) [F.: *boca* (ô) + *-arra*.]

bocejante (bo.ce.*jan*.te) ***a2g.*** **1** Que boceja por estar cansado ou sonolento **2** Que boceja ou provoca bocejo por tédio, enfado [F.: *bocejar* + *-nte*.]

bocejar (bo.ce.*jar*) ***v.*** **1** Abrir a boca, por um movimento espasmódico dos músculos da face, primeiro aspirando e depois expirando prolongadamente o ar, o que ger. é indício de sono ou tédio; OSCITAR [***int.:*** *A palestra estava tão enfadonha, que o público não parava de bocejar.*] **2** Dizer entre bocejos, mostrando sono ou aborrecimento [***td.:*** *Bocejou um sim enfadado.*] [▶ **1 bocejar**] [F.: *boca* [ô] + *-ejar*. Hom./Par.: *bocejo* (fl.), *bocejo* [ê] (sm.).]

bocejo (bo.*ce*.jo) [ê] ***sm.*** **1** *Fisl.* Gesto involuntário de abrir muito a boca e inspirar por ela, ger. devido a sonolência ou tédio **2** *Vet.* Doença causada pela presença de certos vermes na traqueia das aves; tb. *singamose* **3** *Fig. P. ext.* Respiro, hausto, aspiração profunda: *Era o derradeiro bocejo de um ideal frustrado.* [F.: Regress. de *bocejar*. Hom./Par.: *bocejo* (sm.), *bocejo* (fl. de *bocejar*).]

boceta (bo.*ce*.ta) [ê] ***sf.*** **1** *Bras. Tabu.* A vulva **2** Caixa pequena, ger. cilíndrica ou oval **3** Caixa de rapé **4** *Bras.* Certo tipo de aparelho de pesca [F.: Do lat. *buxis -idis*, através do fr. *boite*. Hom./Par.: *boceta* (sf.), *bocete* (sm.).] ■ **~ de Pandora** *Fig.* A caixa de Pandora, que encerra (segundo a mitologia grega) todos os males do mundo

bocha (*bo*.cha) ***sf.*** **1** Jogo que consiste em lançar de certa distância bolas de madeira (três por jogador), de modo que parem o mais próximo possível de uma bola menor, chamada *chico* **2** Cada uma das bolas maiores us. nesse jogo [F.: Do it. *boccia*, pelo esp. *bocha*.]

bochecha (bo.*che*.cha) [ê] ***sf.*** **1** *Anat.* Parede lateral da boca, entre o zigoma e a mandíbula **2** *Mar.* Parte curva e mais saliente do costado de embarcação, nos dois bordos da proa, da linha-d'água ao convés principal; AMURA **3** *CE*

Pop. Embuste, logro 4 *Bras. Joc. Pop.* Nádega [Ger. us. no pl.] [F.: De or. contrv. Hom./Par.: *bochecha* (sf.), *bochecha* (fl. de *bochechar*).] ■ **De ~** *CE Pop.* Sem pagar entrada ou passagem; de graça; de carona **Nas ~s de** *Pop.* Na presença de, nas barbas de

bochechar (bo.che.*char*) *v.* Agitar (líquido) na boca, movendo as bochechas [*td.*: *bochechar água misturada com própolis.*] [*int.*: *A criança já sabia bochechar.*] [▶ 1 bochechar] [F.: *bochecha* + *-ar*². Hom./Par.: *bochecha(s)* (fl.), *bochecha(s)* (sf. [pl.]); *bochecho* (fl.), *bochecho* (sm. [pl.]).]

bochecho (bo.*che*.cho) [ê] *sm.* 1 Ação ou resultado de bochechar 2 Porção de líquido que se bochecha, que se toma de uma vez na boca, distendendo as faces 3 Remédio para inflamações das mucosas da boca, quando se toma bochechando 4 Pequena porção de líquido [F.: Regress. de *bochechar*. Hom./Par.: *bochecho* (sm.), *bochecho* (fl. de *bochechar*).]

bochechudo (bo.che.*chu*.do) *a.* 1 Que tem bochechas grandes ou faces gordas *sm.* 2 Pessoa bochechuda [F.: *bochecha* + *-udo*.]

bochicho (bo.*chi*.cho) *Bras. Pop. sm.* 1 Grande animação e movimento; AGITO; TUMULTO; MUVUCA: *Preferimos nos hospedar fora do bochicho do centro da cidade.* 2 Aglomeração ruidosa e tumultuada de pessoas em lugares públicos (esp. como forma de lazer): *Quando chegamos, encontramos o maior bochicho na porta da boate. sm.* 3 Notícia infundada e de fonte desconhecida; BOATO; RUMOR: *O deputado disse que a informação era bochicho.* 4 *P. ext.* Falatório, disse me disse: *Sua atitude provocou bochicho.* [F.: Do espn. *bochinche*. Tb. *buchicho*.]

bochófilo (bo.*chó*.fi.lo) *sm.* 1 Aquele que é grande apreciador do jogo de bocha *a.* 2 Que reúne ou congrega amantes do jogo de bocha [F.: *bocha* + *-filo*.]

bochorno (bo.*chor*.no) [ô] *sm.* 1 Atmosfera abafadiça, sufocante: "... sob o espasmo enervante de um bochorno de 35 graus à sombra." (Euclides da Cunha, *Os sertões*) 2 Vento quente [F.: Do lat. *vulturnus*, pelo espn. *bochorno*.]

bochornoso (bo.chor.*no*.so) [ô] *a.* Relativo a bochorno; ABAFADO [Pl.: *ó*. Fem.: *ó*.] [F.: *bochorno* + *-oso*.]

bócio (*bó*.ci:o) *sm. Med.* Hipertrofia da glândula tireoide, que faz inchar o pescoço; ESTRUMA; TIREOMEGALIA *Bras. Pop;* PAPEIRA [F.: Do lat. tard. *bocius* ou *bocia*.]

⊕ **bock** (*Al.: /bók/*) *sf.* Certo tipo de cerveja de origem alemã (séc. XIV), forte, pesada e nutritiva; escura na origem devido ao malte de que é feita; apresenta uma gama variada de coloração, da mais clara à mais escura

bocó (bo.*có*) *a2g.* 1 Que é bobo, tolo, parvo *s2g.* 2 Aquele que é bobo, tolo, parvo [F.: De or. obsc. Sin. ger.: *pacóvio; pascácio*.]

bocudo (bo.*cu*.do) *a.* 1 *Bras. Pop.* Que tem boca grande ou esquisita 2 *Guiné-Bissau* Que fala demais, que é falador; BOQUIRROTO *sm.* 3 Aquele que tem boca grande ou esquisita [F.: *boc(a)-* + *-udo*.]

boda¹ (*bo*.da) [ó] *sf. Bras. Pej.* Mestiça, mulata [F.: Fem. de *bode*. Hom./Par.: *boda* /ó/ (sf.) e *boda* (fl. *bodar*); *bodas* (pl.)/ *bodas* /ô/ (pl. *boda* /ô/), *bodas* (fl. *bodar*).]

boda² (*bo*.da) [ô] *sf.* 1 Cerimônia de noivado ou casamento; bodas: *A boda e a batizado não vás sem ser convidado.* 2 *Ang. P. ext.* Festividade com dança e comida; banquete, festim (esp. em comemoração a casamento) [F.: Do lat. *vota*, pl. de *votum, i*. Hom./Par.: *boda* /ó/ (sf. e fl. *bodar*).]

bodar (bo.*dar*) *v. int.* 1 Estar, ficar ou sentir-se em estado ou situação de bode (3), após o consumo de droga 2 Estar em estado de bode (4), deprimido, tristonho [▶ 1 bodar] [F.: *bode* + *-ar*².]

bodaria (bo.da.*ri*:a) *sf.* Conjunto de bodes [F.: *bode* + *-aria*.]

bodas (*bo*.das) [ô] *sfpl.* 1 Aniversário de casamento 2 Festa com que se comemora o aniversário de casamento 3 Cerimônia de casamento; NÚPCIAS 4 *Fig.* Voto de mulher que se torna freira [F.: Do lat. *vota*, pl. de *votum -i*.] ■ **~ de brilhante** O 75º aniversário de casamento; sua comemoração **~ de coral** O 35º aniversário de casamento; sua comemoração **~ de cristal** O 15º aniversário de casamento; sua comemoração **~ de diamante** O 60º aniversário de casamento; sua comemoração **~ de esmeralda** O 40º aniversário de casamento; sua comemoração **~ de estanho** O 10º aniversário de casamento; sua comemoração **~ de madeira** O 5º aniversário de casamento; sua comemoração **~ de ouro** O 50º aniversário de casamento; sua comemoração **~ de pérola** O 30º aniversário de casamento; sua comemoração **~ de platina** O 65º aniversário de casamento; sua comemoração **~ de porcelana** O 20º aniversário de casamento; sua comemoração **~ de prata** O 25º aniversário de casamento; sua comemoração **~ de rubi** O 45º aniversário de casamento; sua comemoração

bode (*bo*.de) *sm.* 1 *Zool.* O macho da cabra 2 *Gír.* Confusão, briga, encrenca; BANZÉ; ROLO 3 *Bras. Gír.* Depressão ou sonolência após o efeito da maconha ou outras drogas 4 *Bras. Gír. P. ext.* Depressão, tristeza, abatimento 5 *N.E. Pop.* Período menstrual; MENSTRUAÇÃO 6 *Bras. Pop.* Figura do baralho, esp. o valete 7 *N.E. Pej.* Homem protestante, judeu ou ateu 8 *Bras. Pej.* Mestiço, mulato 9 Espécie de saco para provisões de viagem; essas provisões; ALFORJE; FARNEL 10 *Fig. Pej.* Homem feio 11 *Bras.* Indivíduo lascivo, libidinoso 12 *Pej. Pop.* Indivíduo malcheiroso 13 *Bras. Ant. Gír.* Mil-réis [Fem.: *cabra*. Aum.: *bodalhão*.] [F.: de or. incerta. Hom./Par.: *bode* (sm.), *bode* (fl. de *bodar*). Ideia de *bode*: *hirc(i)-* e *trag(i/o)-*.] ■ **~ expiatório** Pessoa à qual são imputadas culpas ou reveses alheios e/ou aplicados castigos ou represálias por essas culpas [Ref. a cerimônia judaica na Antiguidade, na qual se atribuíam a um bode os pecados da comunidade e o lançavam num precipício como expiação desses pecados.] **Amarrar o ~** 1 *Bras. Fam.* Ficar sisudo, de cara amarrada 2 Ficar mal-humorado **Amarrar um ~** *Bras. Gír.* Ficar deprimido, na fossa (tb. sob efeito de droga alucinógena) **De ~ amarrado** *Bras. Fam.* Sisudo, mal-humorado **Fazer ~** *Bras. Gír. Mar. G.* Fazer mistério; esconder o jogo quanto a um assunto **Ser do ~** *Bras. Gír. Mar. G.* Ter a mesma especialidade (que um colega)

bodeado (bo.de.*a*.do) *Bras. Gír. a.* 1 Desanimado, aborrecido 2 Sem energia e sonolento 3 Prostrado devido ao uso de tóxicos [F.: *bode* + *-ado*¹.]

bodega (bo.*de*.ga) [é] *sf.* 1 *Bras. Pop.* Coisa malfeita ou imprestável; DROGA; PORCARIA: *O serviço feito ficou uma bodega.* 2 *Bras.* Pequena mercearia de secos e molhados; BODEGA; BOLICHE 3 *Bras. Pop.* Taberna pouco asseada; TASCA 4 Sujeira, imundície 5 Comida grosseira e malfeita *interj.* 6 Expressa irritação, contrariedade [F.: Do gr. *apotheke*, pelo lat. *apotheca*.]

bodegueiro (bo.de.*guei*.ro) *sm.* 1 Dono ou empregado de bodega; TABERNEIRO 2 Frequentador de bodega 3 *P. ext.* Indivíduo relaxado, que não faz nada com capricho 4 *P. ext. Pej.* Indivíduo sem asseio; PORCALHÃO [F.: *bodega* + *-eiro*.]

bodejar (bo.de.*jar*) *v.* 1 Soltar a voz (o bode); BERRAR [*int.*] 2 *Bras. N.E.* Falar gaguejando; GAGUEJAR [*int.*: *Mal falava, pois bodejava demais.*] 3 *Bras. N.E. Fig.* Cortejar (alguém) com palavras despudoradas [*td.*: *O malandro bodejava-a com insistência.*] [▶ 1 bodejar Normalmente só se conjuga nas 3as. pess.] [F.: *bode* + *-ejar*. Hom./Par.: *bodejo* (fl.), *bodejo* [ê] (sm.).]

⊕ **bodisatva** (bo.di.*sat*.va) *sm. Fil. Rel.* Em certa corrente do budismo, indivíduo que, preparado para ser um buda, passa por processo de aprofundamento do sentimento de compaixão [F.: Do sânsc. *bodhisattva*.]

bodocar (bo.do.*car*) *v.* Atirar com bodoque (em); dar bodocadas (em) [*td.*: "Ah, Dona Aurora, melhor era jogar gude, dedar pião na linha, correr picula e bodocar passarinhos." (Aleílton Fonseca, "A voz de Herberto", *in O canto de alvorada*)] [*int.*: *A mãe não quer que ele bodoque.*] [▶ 11 bodocar] [F.: *bodoque* + *-ar*². Hom./Par.: *bodoque(s)* (sm. e pl.), *bodoque, bodoques* (fl. de *bodocar*).]

⊕ **bodoni** (*It. /bodoni/*) *sm. Art. gr.* Denominação do tipo ou de família de caracteres criado pelo italiano Gianbattista Bodoni (1740-1813), um dos primeiros exemplos do estilo romano moderno

bodoque (bo.*do*.que) *sm.* 1 Artefato feito de forquilha e elástico, us. para atirar pedrinhas; ATIRADEIRA; BADOQUE; BODOGUE; ESTILINGUE 2 *Ant.* Bola de barro endurecida que se atirava com a besta [é], ou com arco 3 *Ant.* Arco para atirar essas bolas de barro [F.: Do gr. *pontikón*, pelo ár. *bunduq*.]

bodoqueira (bo.de.*quei*.ra) *sf.* 1 Atiradora de bodoque 2 Ver *bodoque* [F.: *bodoque* + *-eira*.]

bodum (bo.*dum*) *sm.* 1 Transpiração malcheirosa do bode e das cabras [Na acepção original, do bode não castrado.] 2 *P. ext.* Transpiração malcheirosa de pessoas ou outros animais; CATINGA; FEDOR; INHACA: "... pensou sentir, [...] o bodum azedo que ela [a mulher] punha de si, ..." (Aluísio Azevedo, *O cortiço*) 3 Qualquer cheiro ruim, fétido, nauseante; CATINGA; FARTUM 4 *Zool.* Nome comum a certos aracnídeos opiliones, que exalam cheiro ruim; tb. *opilião* [F.: De *bode*, or. incerta. Tb. *budum*.]

⊕ **body** (*Ing. /bãdi/*) *sm. Vest.* Peça do vestuário feminino, inteiriça e justa, que une sutiã e calcinha; COLLANT

⊕ **bodyboard** (*Ing. /boribórd/*) *Esp. sm.* 1 Prancha pequena us. para praticar *bodyboarding* 2 Ver *bodyboarding*

⊕ **bodyboarder** (*Ing. /bóriborder/*) *s2g.* Praticante de *bodyboarding*

⊕ **bodyboarding** (*Ing. /boribórdin/*) *Esp. sm.* Esporte que consiste em surfar deitado de bruços em uma prancha específica; BODYBOARD

boemia (bo.e.*mi*.a) *sf.* Ver *boêmia*

boêmia (bo.*ê*.mi:a) *sf.* 1 Estilo de vida em que se fazem frequentes noitadas, em que se vive sem muito respeitar horário ou regras: *Largou a boêmia quando se casou.* 2 Vida de intelectuais, artistas e amadores das artes que se reúnem com frequência para conversar, beber e se divertir 3 Conjunto de boêmios: *A boêmia intelectual carioca.* 4 Vida de vadio; VADIAGEM; VAGABUNDAGEM [F.: Do top. lat. medv. *Bohemus*, pelo fr. *bohêmes* ou *bohème*. A f. mais us. no Brasil é *boemia*.]

boêmio (bo.*ê*.mi:o) *a.* 1 Que vive na boemia (1, 2): *Boêmio inveterado, pagava rodadas de cachaça e cerveja para todos.* 2 Que gosta de boemia (1, 2) 3 Próprio de quem gosta de boemia (espírito boêmio) 4 Frequentado por boêmios (1, 2): *Um dos mais famosos redutos boêmios da cidade.* 5 Da Boêmia (região da Rep. Tcheca); típico dessa região e de seu povo 6 Do ou ref. ao boêmio (7) *sm.* 7 Pessoa que gosta de ou que vive na boemia (1) 8 Pessoa nascida ou que vive na Boêmia 9 *Gloss.* Dialeto tcheco falado na Boêmia 10 O mesmo que *cigano* [F.: Do top. *Boêmia*, do lat. medv. *Bohemus*.]

bôer (*bô*.er) *s2g.* 1 Sul-africano descendente de colonizadores holandeses *a2g.* 2 Ref. ou pertencente a esses descendentes *sm.* 3 *Mar.* Certo tipo de embarcação holandesa de fundo chato [Pl.: *bôeres*.] [F.: Do hol. *boer*. Cf. *africânder*.]

bofe (*bo*.fe) *sm.* 1 *Bras. Pop.* Pessoa muito feia 2 *Bras. Pop.* Homem, na linguagem dos homossexuais masculinos 3 *Bras. Pop.* Prostituta fisicamente decadente 4 *Pop.* Pulmão [Mais us. no pl., nesta acp.] [F.: Do esp. *bofe*. Hom./Par.: *bofe* (sm.), *bofe* (fl. de *bofar*). Cf.: *bofes*. Nas acps. 1 a 3 é ofensivo.]

bofes (*bo*.fes) *smpl.* 1 *Pop.* Vísceras de animais; FRESSURA; MIÚDOS 2 *Fig. Pop.* Temperamento, gênio: *Mulher de maus bofes.* 3 *Ant.* Renda ou pano franzido e tufado, us. como ornamento em peças de vestuário, como punhos ou peitilho [F.: Pl. de *bofe*.] ■ **Abrir os ~** *Pop.* Começar a gritar **Custar os ~** *Pop.* Ser muito caro; custar os olhos da cara **De maus ~** De má índole; vingativo **Pôr os ~ pela boca** Ficar ofegante, muito cansado **Ter ~** *N.E. Pop.* Ser corajoso, valente

bofetada (bo.fe.*ta*.da) *sf.* 1 Tapa no rosto dado com a palma da mão aberta; BOLACHA; BOLACHADA 2 *Fig.* Insulto, desfeita; alusão ofensiva [F.: *bofete* + *-ada*¹.] ■ **~ com luvas de pelica** Agressão ou revide camuflados em ironia sutil **~ sem mão** Agressão ou insulto verbais

bofetão (bo.fe.*tão*) *sm.* 1 Bofetada muito forte; SOPAPO 2 *Bras. Antq. Pop.* Furto [Pl.: *-tões*.] [F.: *bofete* + *-ão*¹.]

bofete (bo.*fe*.te.) [ê ou é] *sm.* 1 *Pop.* Bofetada desferida sem muita força; TABEFE 2 *Bras.* Bolinho de pasta de mandioca feito em óleo de coco [F.: Talvez do fr. *buffe*.]

bofetear (bo.fe.te.*ar*) *v. td. P. us.* O mesmo que *esbofetear* [▶ 13 bofetear] [F.: *bofete* + *-ear*².]

bogari (bo.ga.*ri*) *Bot. sm.* 1 Arbusto da fam. das oleáceas, de folhas brancas muito perfumadas e bagas pretas, us. como ornamentação e em perfumaria 2 A flor desta planta [F.: Do sânsc. *mugdara*. Tb. *bugari*.]

bogó (bo.*gó*) *sm.* 1 *Bras. BA* Vaso us. para tirar água de cacimba 2 *Bras. BA MG* Copo de couro us. em certos jogos de dados [F.: Talvez de *bocó* (acp. *bolsa*).]

bogotano (bo.go.*ta*.no) *sm.* 1 Pessoa nascida em Bogotá (Colômbia) *a.* 2 De Bogotá; típico dessa cidade ou de seu povo (festa bogotana) [F.: Do top. *Bogotá* + *-ano*.]

boi *sm.* 1 *Zool.* Animal mamífero do gênero *Bos*, da família dos bovídeos, ruminantes, de chifres pares, ocos e pontiagudos, e dos quais há raças domesticadas (da espécie *Bos taurus*) e largamente utilizadas pelo homem para produção de carne, couro e para execução de trabalhos agrícolas 2 Touro castrado us. em serviço de transporte de carga ou para corte 3 *N.E. N.O. Folc.* Ver *bumba meu boi* 4 *N.E. Vulg.* Menstruação 5 *N.E. N.O. Folc.* Personagem principal do bumba meu boi 6 *Bras. Pej.* Pessoa ou coisa muito muito gorda, pesada; BALEIA [Cf. *bói*.] 7 *Fig.* Marido traído 8 *PE* Pessoa muito feia 9 *RN* Birosca à beira da estrada 10 *BA MG* Palafita às margens do rio São Francisco 11 *Bras. Mar.* Grande lancha aberta, de boca larga 12 Gancho us. por barqueiros do rio Tocantins 13 *SC* Pesca de arrasto por dois pescadores [F.: Do lat. *bovem*.] ■ **Amolar o ~** *Bras. Fam.* Aborrecer, importunar, enfadar alguém **Apadrinhar o ~** *N.E.* Fazer rezas que, segundo crença popular, protegem o boi **Apanhar como ~ ladrão** *Bras.* Levar uma grande surra **~ carreiro** 1 *Bras.* Cada um dos bois que puxam carro ou carroça 2 *GO* Indivíduo persistente **~ de ano** *Bras.* Boi novo e castrado **~ de bagaceira** *PE* Boi lento e preguiçoso **~ de botas** *PE Pej.* Pessoa que, por quase sempre andar descalço, anda mal quando calçado **~ de cambão** *Bras.* V. *Boi de guia*. **~ de canga** 1 *Bras.* Boi adestrado para puxar carro sob canga, com seu par 2 *P. ext. Fig.* Trabalhador oprimido, quase escravo **~ de carro** *Bras.* V. *Boi carreiro* (1) **~ de coice** Cada um dos bois de tração que vão na última junta **~ de corte** *Bras.* Boi (1) destinado ao matadouro **~ de força** *GO MG* Cada um dos bois que se atrelam à traseira de um carro carregado para descer uma rampa, segurando-o **~ de guia** Um dos bois de tração que vai na frente, na primeira junta; boi de ponta **~ de lote** *Bras.* Boi não castrado **~ de piranha** 1 *Bras.* Boi que os boiadeiros fazem atravessar um rio com piranhas para que, ao atraí-las, seja sacrificado enquanto o restante da boiada passa em segurança 2 *P. ext. Fig.* Pessoa submetida a risco ou perigo para testá-los ou desviá-los de outros, podendo com isso vir a ser sacrificado em troca da segurança dos demais **~ de quarta** *S.* Cada um daqueles que vão em junta entre os da ponta e os do coice **~ de sela** *PA BA MS MT* Bovino us. como montaria **~ de solta** *N.E.* Boi castrado, solto em campo aberto para engorda **~ de tronco** V. *Boi de coice* **~ em pé** Boi de corte ainda pastando nas invernadas **~ erado** *N.E.* Boi que foi castrado aos quatro anos de idade, e que já tem mais de nove anos **~ gordo** Boi de corte, com peso considerado adequado para o abate **~ marrequeiro** *Bras.* Boi adestrado por caçador (de marrecos, jaçanã, etc.) para se esconder da caça atrás dele **~ sujeito** *AL BA MG PE SE* Aquele que, uma vez no pasto, não sai de lá **Estar de ~** *N.E. Pop.* Estar menstruada **Pegar o ~** *BA MG Pop.* Conseguir vantagens, favores ou facilidades **Pegar o ~ pelos chifres** *Bras.* Dispor-se com energia a enfrentar problema, situação difícil etc.

◎ **boi-** *pref.* = cobra: *boitatá, boiuna* [F.: Do tupi *m, oia*.]

bói *sm.* Empregado, ger. rapaz jovem, contratado por escritório, empresa ou repartição para fazer tarefas simples, como entregas, coletas etc; BOY [F.: Do ing. *office boy*. Hom./Par.: *bói* (sm.), *boi* (sm.).]

◎ **-boia** *el. comp.* = 'cobra': *jiboia, jaquiranaboia* [F.: Do tupi *'mboya*.]

boia (*boi*.a) *sf.* 1 Objeto de material flutuante (ger. plástico inflado ou poroso) us. para evitar que pessoas ou coisas afundem na água 2 *Mar.* Flutuador us. para delimitar percurso ou sinalizar área perigosa para navegação 3 Cada uma das peças de material flutuante (cortiça, isopor etc.) que nas redes e linhas de pesca impedem que elas afundem 4 Peça flutuante que controla a entrada de água em caixas d'água e filtros, interrompendo o fluxo quando a caixa está cheia **5** *Pop.* Refeição, comida: *A boia está na mesa.* **6** Num exército em marcha, ração diária da tropa e dos animais **7** Grão de café chocho que flutua no lavadouro **8** Mercadoria encalhada, que não se conseguiu vender **9** *Lus. Pop.* Indivíduo inepto, despreparado, tolo **10** *Bras. Zool.* Certa borboleta (*Morpho hercules*) de cor marrom matizada **11** *Bot.* Árvore alta e de grosso tronco, de madeira utilizável em construções; PANAMÁ; PAU-DE- -CORTIÇA; XIXÁ [F.: Do fr. *bouée*. posv. deriv. do frâncico **boukan*. Hom./Par.: *boia* (fl. de *boiar*).] ■ **~ cega** *Náut.* Boia de balizamento sem iluminação **~ luminosa** *Náut.* Boia de balizamento com iluminação **~ salva-vidas** *Mnh.* Objeto capaz de flutuar (de cortiça, borracha inflável etc.) us. para manter à tona vítima de naufrágio, alguém que não saiba nadar etc. **~ sonora** *Náut.* Boia de balizamento que emite sinal sonoro como forma de localizá-la (em nevoeiro denso, p. ex.)

boiada (boi.*a*.da) *sf.* Rebanho de bois; BOIAMA [F.: *boi* + *-ada*.]

boiadeiro (boi.a.*dei*.ro) *sm.* **1** Guardador ou condutor de bois; BOIEIRO; VAQUEIRO **2** *Bras.* Dono ou capataz de fazenda de criação de gado vacum **3** Indivíduo que negocia gado para açougues; MARCHANTE **4** *Bras.* Indivíduo que compra gado bovino para revendê-lo **5** *Bras. Ornit.* O mesmo que *chupim* (1) **6** *Astron.* Constelação boreal **7** *Bras. Rel.* Entidade cultuada nos candomblés de caboclo, e em outros cultos [Com inicial maiúscula.] [F.: *boiada* + *-eiro*.]

boia-fria (boi.a-*fri*.a) *Bras. s2g.* **1** Trabalhador rural que presta serviços temporários na época do plantio ou colheita **2** *P. ext.* Trabalhador que leva de casa a refeição que será comida, fria, no trabalho, à maneira dos trabalhadores rurais assim denominados [Pl.: *boias-frias*.]

boiama (boi:*a*.ma) *Bras. sf.* Ver *boiada* [F.: *boi* + *-ama*.]

boiante (boi:*an*.te) *a2g.* **1** Que boia, flutua (pássaros boiantes) **2** *Taur.* Diz-se do touro que conserva sua braveza até o fim da tourada [F.: *boiar* + *-nte*.]

boião (boi.*ão*) *sm.* **1** Pote ou vaso bojudo de boca larga, para guardar doces, conservas etc. **2** *Bras.* Fogão us. pelos seringueiros para defumação do látex [Pl.: *-ões*.] [F.: Posv. do malaio *búyong*.]

boiar¹ (boi.*ar*) *v.* **1** Manter-se na superfície (de substância líquida); FLUTUAR [*int. ta.: Havia muitas algas boiando (no mar).*] **2** Fazer com que (algo) flutue; pôr a flutuar [*td.: Boiaram a madeira rio abaixo.*] **3** *P. ext.* Balançar, oscilar em movimentos repetidos [*int.: Os barcos boiavam nas ondas.*] **4** Manter-se (alguém) com o corpo estendido à tona d'água, para flutuar [*int.: Cansou de nadar, e resolveu boiar um pouco para descansar.*] **5** *Fig.* Demonstrar indecisão; hesitar [*int.: Boiou entre os dois convites e perdeu ambos.*] **6** *Bras. Gír.* Ficar sem entender [*int.: A maioria boia em matemática.*] **7** *Fig.* Manter-se (algo intangível ou muito leve) no ar, no ambiente durante algum tempo; FLUTUAR [*int.: Um aroma adocicado boiava na escuridão; A pluma boiou por alguns instantes, e foi levada pelo vento.*] **8** Sobrar (mercadoria que não foi vendida); encalhar [*int.*] [▶ 1 boiar] [F.: *boia (1)* + *-ar²*. Hom./Par.: *boia(s)* (fl.), *boia* (sf. [e pl.]; *boia(s)* (fl.), *boiá* (sm. [e pl.]).]

boiar² (boi.*ar*) *v. int. Pop.* Comer a boia (5); fazer uma refeição [▶ 1 boiar] [F.: *boia* 'refeição' + *-ar²*.]

boiardo (boi:*ar*.do) *sm.* Senhor feudal da aristocracia russa que, na hierarquia nobiliárquica, seguia aos príncipes reinantes, e cujos privilégios foram reduzidos por Ivã IV, o Terrível (1530-1584) [F.: Do russo *boyárin*.]

boi-bumbá (boi-bum.*bá*) *AM MA Folc. sm.* Ver *bumba meu boi* [Pl.: *bois-bumbá* e *bois-bumbás*.] [Tb. se diz apenas *boi*.]

boicininga (boi.ci.*nin*.ga) *Bras. Zool. sf.* O mesmo que *cascavel*; BOIÇUNUNGA [F.: Do tupi *mboysi'ninga*.]

boi-corneta (boi-cor.*ne*.ta) *Bras. S. sm.* **1** Boi de um único chifre ou que tem um deles atrofiado **2** *Pej.* Indivíduo que se intromete onde não deve [Pl.: *bois-cornetas*.]

boicotagem (boi.co.*ta*.gem) *sf.* Ver *boicote* [Pl.: *-gens*.] [F.: *boicote* + *-agem*.]

boicotar (boi.co.*tar*) *v. td.* **1** Recusar-se a participar de (ato, manifestação, torneio etc.), com o intuito de malográ-lo ou em protesto: *boicotar uma greve/ as eleições/ as Olimpíadas.* **2** Dificultar intencionalmente negócios ou objetivos de: *boicotar uma pessoa/ uma firma.* **3** Recusar-se a obedecer a: *boicotar as normas.* **4** Recusar-se a comprar ou consumir (produto de determinado tipo ou origem), ger. em represália: *boicotar produtos estrangeiros/ alimentos transgênicos.* **5** Impedir ou não colaborar para a divulgação de (algo) ou a promoção, exposição de (alguém): *boicotar uma matéria, uma informação; A imprensa boicotou o escritor indiano.* **6** Impedir que (algo) se realize: *Alguns veículos de comunicação boicotaram a divulgação do livro; A loja boicotou a venda de produtos dessa marca; Boicotaram a construção da ferrovia.* [▶ 1 boicotar] [F.: *boicote* + *-ar²*. Tb. boicotear. Hom./Par.: *boicote(s)* (fl.), *boicote(s)* (sm. [pl.]).]

boicote (boi.*co*.te) *sm.* **1** Ação ou resultado de boicotar; BOICOTAGEM **2** *Restr.* Recusa coletiva sistemática de estabelecimento de relações sociais, trabalhistas ou comerciais com (pessoa, país, firma, nação etc.), como represália a alguma ação, medida ou fato que desagrada ou constrange: *Boicote mulçumano aos países europeus em que charges de Maomé foram publicadas.* **3** *Restr.* Ação de embargar ou evitar sistematicamente a compra de certo gênero, produto etc. de determinada origem: *o boicote à carne bovina britânica.* **4** *Restr.* Represália ou ação que por meios próprios visa a rechaçar certa medida ou ação institucional: *boicote contra a decisão da diretoria.* **5** *Restr.* Não comparecimento proposital, coletivo ou individual, a evento ou atividade a que se tenha sido convidado, ou a manifestação política (em ambos os casos, ger. em virtude de divergências, discordâncias ou desafetos): *As meninas decidiram o boicote à festa da colega por pura maldade.* [F.: Do ing. *boycott*, 'ação de recusar-se a trabalhar, negociar ou cooperar', do antr. (Charles Cunningham) Boycott (1832-1897), irlandês dono de terras e propriedades contra o qual foram impostas sanções comerciais, por ter se recusado a baixar o preço dos aluguéis. Hom./Par.: *boicote* (sm.), *boicote* (fl. de *boicotar*).]

boieco (boi:*e*.co) *Bras. sm.* **1** Boi pequeno **2** *GO PA* Garrote castrado [F.: *boi* + *-eco*.]

⊕ **bóiler** (*Ing.* /*bóiler*/) *sm.* Caldeira elétrica para aquecimento de água [Usa-se tb, a forma aportuguesada *bóiler*.] [Pl.: *bóilers*.]

boina (*boi*.na) *sf. Vest.* Boné redondo e chato, sem pala e sem costura, ger. feito de lã; BOINA [F.: Do cast. *boina*.]

boi na vara (boi na *va*.ra) *sm. SC* Espécie de tourada grosseira em que um boi é amarrado a uma vara flexível, o que lhe permite fazer pequenas investidas contra seus perseguidores, que afinal o matam e retalham [Pl.: *bois na vara*.]

boiola (boi.*o*.la) *Bras. Pej. Pop. sm.* **1** *Tabu.* Homossexual do sexo masculino; BAITOLA; BAITOLO **2** *P. ext. Tabu.* Homem de caráter fraco, maricas [F.: De or. contrv. É termo ofensivo.]

boitatá (boi.ta.*tá*) *sm.* **1** *Bras. Folc.* Cobra lendária, de olhos de fogo, que protege as florestas de incêndios; COBRA-DE-FOGO **2** *Bras. Folc.* Mito indígena simbolizado por um touro que lança fogo pelo nariz **3** *Bras. Folc.* O mesmo que *bicho-papão* **4** O mesmo que *fogo-fátuo* [F.: Do tupi *m, aeta'ta*, 'coisa de fogo', posv. com interferência do tupi *'m, oia* 'cobra'. Sin. ger.: *baitatá, batatá, batatão, biatatá, bitatá*.]

boitel (boi.*tel*) *sm.* Espaço nas destilarias para a engorda dos bois de proprietários de fora

boium (boi.*um*) *sm. Bras.* Cheiro que se exala dos currais [Pl.: *-uns*.]

boiuna (boi.*u*.na) *sf.* **1** *Folc.* Enorme serpente lendária que afunda embarcações ou toma a forma de uma embarcação **2** *Zool.* Ver *sucuri* [F.: Do tupi.]

boizinho (boi.*zi*.nho) *sm. RS Folc.* **1** Pequeno boi **2** *Bras. Folc.* O mesmo que *bumba meu boi* [F.: *boi* + *-zinho*.]

bojo (*bo*.jo) [ô] *sm.* **1** Alargamento ou saliência em forma convexa ou arredondada: *Sutiã com aro e bojo:* "... o trovão ribombava no bojo das grossas nuvens desgarradas pelo céu..." (José de Alencar, *O guarani*) **2** Espaço interior de um recipiente: *O bojo de um frasco.* **3** *Fig.* Parte mais íntima e essencial; ÂMAGO; CERNE: *No bojo das críticas está o desejo de ser como ele.* **4** Barriga, ventre grande; PANÇA **5** *Fig.* Período principal; MEIO: *No bojo da crise.* **6** *Fig.* Competência, capacidade, aptidão: *Ela tem bojo para qualquer tarefa.* **7** *Mar.* Parte arredondada da carena entre o fundo e o costado vertical do navio **8** *Ant. Mar.* Parte mais abaulada do casco de um navio **9** *PB* Vaso sanitário [F.: Regress. de *bojar*. Hom./Par.: *bojo* (sm.), *bojo* (fl. de *bojar*).]

bojudo (bo.*ju*.do) *a.* **1** Que tem largura maior em sua parte central; que tem bojo arrendondado (garrafa bojuda) **2** *P. ext.* Que tem ventre volumoso: *Homem baixinho e bojudo.* **3** *Fig.* Que tem capacidade para exercer suas atividades, graças aos conhecimentos adquiridos com a prática; COMPETENTE [F.: *bojo* + *-udo*.]

bola (*bo*.la) *sf.* **1** Qualquer corpo esférico ou quase esférico, ou a que se dá ou que toma essa forma: *uma bola de borracha; uma bola de neve.* **2** Circunferência, círculo: *Desenhou várias bolas no chão; vestido de bolas (estampadas no tecido).* **3** Artefato esférico ou oval, ger. de borracha e oco, us. em vários esportes: *bola de pingue-pongue; bola de futebol.* **4** Artefato esférico sólido us. em diferentes jogos (boliche, bilhar, gude etc.) **5** *Bras. Esp.* Jogada com bola (3, 4): *Que boa bola!* **6** *Bras. Fut.* O jogo de futebol: *Saiu para jogar bola.* **7** Espécie de saco inflável de borracha que se enche de ar gás; bola de encher *SP*; BEXIGA **8** Bolha de água que se forma soprando por um tubo, cuja extremidade se molhou em água de sabão e a conserva: *bola de sabão.* **9** *Pop.* Pessoa cômica: *Seu irmão é uma bola contando piadas.* **10** *Pop.* Dito ou coisa engraçada: *Foi uma bola a resposta dela.* **11** *Pop.* Faculdades mentais; JUÍZO: *Ele não é muito bom da bola.* **12** *Pop.* Cabeça **13** *Pop.* Pessoa gorda: *Estou uma bola nesta foto.* [É termo ofensivo.] **14** *Bras. Gír.* Comprimido de calmante ou narcótico **15** *Bras.* Porção de carne envenenada us. para matar cães **16** *N.E. S.* Bala, rebuçado **17** *RS* O mesmo que *boliche* [Aum.: *bolaço*] [F.: Do lat. *bulla*. Hom./Par.: *bola* (sf.), *bola* (fl. de *bolar*). Ideia de *bola*: *esfer(i/o)-, -bol, -sfera*.] ■ **Abaixar a ~** *Pop.* Fazer diminuir as pretensões, o orgulho, a vaidade etc. de alguém pondo seus motivos em dúvida; atenuar expectativas positivas em relação a alguém, projeto etc. **Amaciar/amortecer a ~** *Fut.* Interromper a trajetória da bola de forma suave, preparando-a assim para a jogada seguinte **Bater ~** *Esp.* Fazer jogadas sem ser em jogo, ou em jogo informal **Bater uma ~** *Bras. Fut.* Jogar futebol, ger. não em competição oficial **Boa ~** **1** *Bras.* Piada engraçada, oportuna **2** *Esp.* Em jogo com bola, bola bem jogada, boa jogada **~ branca** Em forma de votação em que bolas representam votos de sim e de não para aprovação de uma proposta, a bola que representa voto favorável [Cf.: *Bola preta*.] **~ da vez** **1** No jogo da sinuca, a bola que, no estágio corrente do jogo, deve ser encaçapada **2** *P. ext. Fig.* Pessoa que é, numa série de eventos, o alvo atual de uma medida ou protagonista de uma situação, ger. negativa **3** *Fig.* Pessoa ou coisa que está em evidência **~ de cristal** **1** Esfera de vidro us. para, supostamente, nela se enxergar o futuro **2** *P. ext. Fig.* Suposta capacidade de antever o futuro, por dons de profecia ou por intuição **~ de encher** Espécie de saco inflável de borracha ou plástico finos e coloridos, que se enche de ar, gás etc., como brinquedo ou decoração; BALÃO; BEXIGA **~ de fogo primordial** *Cosm.* O primeiro estágio do universo, pela teoria do *big bang*, inicialmente quente e cheio de fortes radiações de energia, e que depois esfriou, expandindo-se **~ de gude** Esfera pequena de vidro us. no jogo de gude **~ na mão** *Fut* Toque acidental, não intencional, da mão de um jogador na bola, não constituindo infração [Pop. a *mão na bola*.] **~ preta** Em forma de votação em que bolas representam votos de sim e de não para aprovação de uma proposta, a bola que representa voto desfavorável [Cf.: *Bola branca*.] **~ quadrada** *Esp.* Em jogo com bola, bola mal jogada, mal lançada, que companheiro de time tem dificuldade em alcançar ou dominar **Bom da ~** *Bras.* Que tino, discernimento, lucidez **Bom de ~** *Bras. Esp.* Que é exímio jogador (de jogo com bola) **Certo da ~** *Bras.* Ver *Bom da bola* **Comer a ~** *Bras. Esp.* Jogar muito bem (um jogo com bola) [Cf.: *Comer bola*.] **Comer/levar ~** *Gír.* Aceitar suborno [Cf.: *Comer a bola*.] **Como ~ sem manicla** *RS* Sem rumo ou direção; a esmo, às tontas **Dar ~ a/para** **1** *Bras. Gír.* Dar confiança a (alguém), aceitar galanteio de (alguém): *Após alguns galanteios, resolveu dar-lhe bola.* **2** Dar atenção a (alguém): *Tentou chamar sua atenção, mas ele não lhe deu bola.* **3** Subornar **Dar uma ~** *SP Gír.* Fumar maconha **De/com a ~ cheia** Com muito prestígio, em momento favorável **encher a ~ de** Fazer elogios rasgados a, inflando-lhe o ego **Engolir a ~** **1** *Bras. Esp.* Ver *Comer a bola* **2** *P. ext. Fig.* Ter excelente desempenho em algo, destacar-se **Ensebar a ~** Dourar a pílula **Estar pela ~ sete** *Bras. Pop.* Estar na iminência de algo, ger, negativo **Levar ~** *Bras. Gír.* Ver *Comer bola* **Não dar ~ a/para (algo)** *Gír.* Não se importar com, não se abalar com, ficar indiferente a (algo) **Pisar na ~** *Bras.* Cometer uma rata, dar um fora; pôr algo a perder **Ruim da ~** *Bras. Fam.* Amalucado, desajuizado, (mentalmente) desequilibrado **Sofrer da ~** *Bras.* Ser ou estar amalucado, mentalmente desequilibrado **Ter ~ de cristal** *Fig.* Ser capaz de prever o futuro **Tocar a ~** *Esp. Fut.* Ficar trocando passes para ganhar tempo, ou aguardando surgir momento adequado para uma jogada mais ousada e decisiva **Trocar as ~s** Confundir uma coisa com outra **Virado da ~** *Bras. Fam.* Ver *Ruim da bola*

bola ao alto (bo.la. ao *al*.to) *Esp. sf.* Lançamento para o alto de uma bola a ser disputada por dois jogadores, em basquete e futebol, como sinal de reinício de partida [Pl.: *bolas ao alto*.]

bola ao cesto (bo.la ao *ces*.to) *Esp. sf.* O mesmo que *basquete* [Pl.: *bolas ao cesto*.]

bola ao chão (bo.la ao *chão*) *sf. Fut.* Bola colocada ao chão para ser disputada por dois jogadores após interrupção do jogo determinada pelo juiz, em razão de algum incidente [Pl.: *bolas ao chão*.]

bolação (bo.la.*ção*) *sf.* **1** *Bras. Pop.* Ação ou resultado de bolar (6), de criar inventivamente, de imaginar algo; CONCEPÇÃO; INVENÇÃO; MAQUINAÇÃO **2** Aquilo que foi bolado, inventivamente criado, imaginado, concebido: *Este dispositivo automático é uma grande bolação.* [F.: *bolar* + *-ção*.]

bolacha (bo.la.cha) *sf.* **1** *Cul.* Bicoito achatado, feito de farinha pouco levedada, em forma de disco ou retangular, salgado ou com açúcar **2** *Pop.* Tapa com a mão aberta; BOFETADA; BOLACHADA; TABEFE **3** *Bras.* Em bares e restaurantes, espécie de porta-copo de papelão que acompanha cada chope servido, para cálculo final da quantia de chopes servidos **4** *Bras. Joc.* Qualquer disco fonográfico **5** *Bras. Gír.* Lésbica **6** *RS* Reprimenda, repreensão **7** *BA Zool.* Certa espécie de ouriço-do-mar **8** *Pop. Mús.* O mesmo que *semibreve* **9** Ornato em móvel de estilo colonial, que consiste em discos de madeira superpostos [F.: *bolo* + *-acha*.]

bolachada (bo.la.*cha*.da) *Bras. Pop. sf.* **1** O mesmo que *bofetada* **2** Quantidade considerável de bolachas (1) [F.: *bolacha* + *-ada¹*.]

bolacha-da-praia (bo.la.cha-da-*prai*.a) *sf. Zool.* Denominação comum aos equinodermos equinoides irregulares, da ordem dos clipeasteroides, de corpo achatado em forma de disco, adaptado para cavar através de lama, lodo ou areia, e respiração por meio de pés ambulacrários modificados; CORRUPIO; OURIÇO-ESCUDO [Pl.: *bolachas-da-praia*.]

bolachão (bo.la.*chão*) *sm.* **1** *Pop.* Disco fonográfico de dez ou doze polegadas; LONG-PLAY **2** Bolacha grande [Aument. de *bolacha*.]

bolachudo (bo.la.*chu*.do) *a.* *Bras. Pop.* Que tem faces rechonchudas; BOCHECHUDO [F.: *bolacha* + *-udo*.]

bolaço (ba.*la*.ço) *sm.* **1** Bola grande **2** *Bras. Esp.* Jogada ou passe magistrais; BOLÃO **3** *RS* Arremesso das boleadeiras ou pancada de suas bolas [F.: *bola* + *-aço*.] ■ **Jogar um ~** *Bras. Esp. Fut.* Jogar muito bem (jogo com bola)

bolada¹ (bo.*la*.da) *sf.* **1** Arremesso de bola, em jogos de bola **2** Pancada com bola (1, 3, 4) **3** *S* Circunstância ou situação favorável a algo; ENSEJO; OCASIÃO; VEZ **4** *Ant. Arm.* Parte da peça desde o bocal até os munhões [F.: *bola* + *-ada¹*.]

bolada² (bo.*la*.da) *sf.* **1** Grande quantidade, montão, bolo de dinheiro em aposta: *Viu aquela bolada na mesa e resol-*

veu arriscar também uma aposta. 2 *P. ext.* Muito dinheiro, grande soma: *Sacou uma bolada de sua conta para viajar.* [F.: *bolo* (4, 5) + *-ada*[1].]

bola de neve (bo.la de *ne*.ve) *sf. Fig.* Fato, situação, condição etc. que progride e se avulta ao gerar consequências que por sua vez resultam em novas consequências, assim como uma bola de neve aumenta de volume ao rolar por uma encosta nevada: *A dívida com o banco virou uma bola de neve.* [Pl.: *bolas de neve.*]

bolado (bo.*la*.do) *a.* 1 *Gír.* Surpreso e chocado com algo, ou com o procedimento de alguém 2 *Gír.* Preocupado, chateado, grilado 3 *Gír.* Que está sob efeito de droga, de tóxicos; DOIDÃO [F.: Part. de *bolar*.]

bola-fora (bo.la-*fo*.ra) *Bras. sf.* 1 *Esp.* Bola que sai pelas laterais ou pelo fundo do campo, atirada intencionalmente ou não 2 *Pop.* Aquilo que parece destoar ou está errado: *A vizinha era a única bola-fora da festa, com uma saia curta demais.* [Pl.: *bolas-fora.*]

bolandeira (bo.lan.*dei*.ra) *sf.* 1 *Bras.* Roda grande do engenho de açúcar, que transmite movimento às mós 2 *N. N.E.* Máquina para descaroçar algodão 3 *N. N.E.* Roda que aciona dispositivo de ralar mandioca 4 *Tip.* Chapa de metal que constitui o funda da galé onde se encaixa a composição, e que pode ser puxada para que esta se deposite sobre o mármore 5 *CE* Peça da jangada onde se prende uma rede [F.: Posv. do cast. *volandera*.]

bolão[1] (bo.*lão*) *sf.* 1 Bola grande 2 Grande quantidade: *Joguei fora um bolão de revistas velhas.* 3 *Bras. Gír. Esp.* Ver *bolaço* (2) 4 *Bras. Fut.* Partida muito bem jogada 5 *RS* O mesmo que *boliche* [Pl.: *-lões*.] [F.: *bola* + *-ão*[1].] ■ **Bater/ jogar um ~** 1 *Bras. Gír.* V. *Jogar um bolaço* 2 *P. ext.* Ter excelente desempenho em algo, destacar-se

bolão[2] (bo.*lão*) [ô] *sm.* 1 Bolo grande 2 *Bras. Pop.* O mesmo que *bolo* (4), quantia que reúne as apostas individuais de várias pessoas num mesmo evento, a ser distribuído entre os ganhador [Pl.: *-lões*.] [F.: *bolo* + *-ão*[1].]

bola-preta (bo.la.-*pre*.ta) *sf. Bras. Pop.* Reprovação, impedimento, corte: *Candidato que levava bola-preta, não entrava para o clube.* [Pl.: *bolas-pretas*.]

bolar[1] (bo.*lar*) *Pop. v.* 1 Atingir (algo) com bola; dar bolada em [*td.*: *Bolou o menino que brincava.*] 2 *Fig.* Acertar no alvo, no lugar em que se assestou a mira [*ta.*: *Ergueu o fuzil e bolou na janela da frente.*] 3 *Fig.* Obter êxito em algo que se tenta (negócio, transação etc.); ACERTAR [*int.*: *Resolveu investir tudo naquele negócio, e bolou!*] 4 Dar formato de bola a [*td.*] 5 *Pop.* Criar, imaginar, idealizar [*td.*: *Estava bolando uma nova invenção.*] 6 *Bras. Pop.* Ter a compreensão de (algo); compreender, entender [*td.*: *Não bolou coisa nenhuma do que o turista estava dizendo.*] 7 *Lus. Esp.* Dar o saque (em alguns esportes que utilizam bola) [*int.*] 8 *Lus.* Mudar com frequência a maneira de pensar [*int.*] [▶ 1 bolar] [F.: *bola* + *-ar*[2]. Hom./ Par.: *bola(s)* (fl.), *bola* (sf. [e pl.]); bolas (interj.), *bola* /ô / (sf. [e pl.]); *bolo* (fl.), bolo /ô/ (sm.) e *bolo* (sm.); *bular* (vários tempos do v.).]

bolar[2] (bo.*lar*) *a2g.* Que se pode reduzir a ou a que pode dar formato de bola, ou de bolo [F.: *bola* ou *bolo* + *-ar*[1].]

bolar[3] (bo.*lar*) *v. Rel.* Em culto afro-brasileiro, incorporar, em transe, entidade sobrenatural, orixá etc. [*int.*: *Mal começava o culto, e já bolava.*] [*tr.* + *em, para*: *Entrou em transe e bolou no orixá.*] [▶ 1 bolar] [F.: Red. de *embolar*.]

bolas (bo.las) *interj.* Exprime contrariedade, desaprovação [F.: *bola* + *-s*. Hom./Par.: *bolas* (interj. e pl. de *bola*), *bolas* (fl. de *bolar*).] ■ **Ora ~** Locução interjetiva que expressa surpresa com tom de reprovação

bolboso (bol.*bo*.so) [ô] *a. Bot.* O mesmo que *bulboso* [F.: *bolbo* + *-oso*.]

bolchevique (bol.che.*vi*.que) *a2g.* 1 Ref. a bolchevismo ou aos bolcheviques: *a revolução bolchevique.* 2 *Hist. Pol.* Que é adepto do bolchevismo 3 *P. ext. Pol.* Que é adepto do marxismo 4 *P. ext. Pol.* Que é comunista 5 *Pej.* Que é de esquerda *s2g.* 6 *Hist. Pol.* Membro da ala majoritária do Partido Operário Socialdemocrata russo 7 *Hist. Pol.* Adepto do bolchevismo 8 *Pol.* Marxista 9 *Pol.* Comunista 10 *Pej.* Esquerdista [F.: Do russo *bol'chevik*, pelo ing. *bolshevik*. Sin. ger.: *bolchevista*. Cf.: *menchevique*.]

bolchevismo (bol.che.*vis*.mo) *sm.* 1 *Hist. Pol.* Doutrina da ala radical e majoritária do Partido Operário Social-democrata da Rússia, baseada nas teses defendidas por Lênin e Plekhanov em 1903 e favorável à tomada do poder à força pelo proletariado 2 *Hist. Pol.* Sistema sociopolítico baseado nessa doutrina e instaurado na União Soviética após a revolução de 1917, caracterizado pela supressão da propriedade privada e socialização dos meios de produção 3 *P. ext. Pol.* Doutrina dos adeptos do marxismo 4 *P. ext. Pol.* Comunismo [F.: Do russo *bol'chevizm*. Sin. ger.: *bolcheviquismo*. Cf.: *menchevismo*.]

bolchevista (bol.che.*vis*.ta) *a2g. s2g.* Ver *bolchevique* [F.: Do rad. russo *bol'chev* + *-ista*.]

bolchevização (bol.che.vi.za.*ção*) *sf.* Ato de bolchevizar(-se); SOVIETIZAR [Pl.: *-ções*.] [F.: *bolchevizar* + *-ção*.]

bolchevizar (bol.che.vi.*zar*) *Pol. v.* 1 Tornar(-se) bolchevista, comunista [*td.*: "Goulart bolchevizou a família brasileira. Mandou mais de 11 mil estudantes paulistas fazerem cursos comunistas na Rússia." (Adhemar de Barros, *O Cruzeiro*, 10.04.1964)] [*int.*: *Alguns amigos diziam que eu me bolchevizara.*] 2 *Pej.* Submeter(-se) à influência ou domínio dos bolchevistas [*td.*: *A URSS bolchevizou muitos países do Leste europeu.*] [*int.*: *A Alemanha Oriental bolchevizou-se sob domínio da URSS.*] [▶ 1 bolchevizar] [F.: *bolchevi(que)* + *-izar*.]

⊕ **bold** (*Ing.* /bowld/) *sm. Tip.* Tipo de impressão com caracteres mais encorpados para destacar palavras, títulos ou frases; NEGRITO: *O título do livro deverá ser em bold.*

boldo (*bol*.do) *Bot. sm.* 1 Árvore da fam. das monimiáceas (*Peumus boldus*), originária do Chile, cujas folhas têm propriedades digestivas e hepatoprotetoras; BOLDO-DO-CHILE 2 Erva da fam. das labiadas (*Plectranthus barbatus*), nativa da Índia e cultivada em todo Brasil por suas propriedades medicinais, similares às do boldo nativo do Chile; BOLDO-DO-BRASIL [F.: Do araucano *boldu*.]

boldrié (bol.dri.*é*) *sm.* 1 Correia a tiracolo, e a qual se prende a espada ou outra arma; TALABARTE; TALIM; TIRACOLO 2 Correia us. tiracolo para apoiar a haste de bandeira ou estandarte 3 Cinturão de couro [F.: Do fr. *baudrier*.]

boleadeiras (bo.le:a.*dei*.ras) *RS sfpl.* Aparelho composto de três bolas presas entre si por cordas de couro, hoje pouco us. pelo vaqueiro gaúcho para laçar reses ou como arma; BOLAS; PEDRAS; TRÊS-MARIAS [F.: Adaptç. do espn. *boleadoras*.]

boleado[1] (bo.le.*a*.do) *a.* 1 Que tem superfície arredondada (bordas boleadas); TORNEADO 2 Diz-se de animal que tem forma roliça 3 *RS* Que não é bem certo da bola; ADOIDADO; AMALUCADO [F.: Part. de *bolear*[1].]

boleado[2] (bo.le.*a*.do) *a.* Que é conduzido, dirigido da boleia (coche, carruagem etc.) [F.: Part. de *bolear*[2].]

boleador (bo.le:a.*dor*) [ô] *sm.* 1 Instrumento utilizado para dar formato esférico a materiais, alimentos, objetos etc. (boleador de queijos) 2 *Bras. RS* Aquele que maneja as boleadeiras [F.: *bolead(o)* + *-or*.]

bolear[1] (bo.le.*ar*) *v.* 1 Dar formato de bola a; ARREDONDAR [*td.*] 2 Tornar(-se) redondo, arredondado [*td.*] [*int.*] 3 Menear(-se), requebrar(-se) [*td.*: *bolear os quadris.*] [*int.*: *Quando começa a bolear ninguém a segura.*] 4 *RS* Arremessar boleadeiras para prender (animal) [*td.*: *Bolear um potro.*] 5 Dar aprimoramento a (frase, texto etc.); apurar, polir [*td.*: *Preocupou-se em bolear o primeiro parágrafo.*] 6 Conquistar, seduzir por meio de boas maneiras; cativar [*td.*: *Boleava as garotas mais bonitas.*] 7 *RS* Pegar, segurar de surpresa [*td.*: *Boleou a menina que passava.*] 8 *RS* Desmontar de animal pela anca [*int.*] 9 *Bras.* Cair (animal e seu cavaleiro) depois que o animal empina [*int.*: *Bolearam-se o alazão e o jóquei no meio da curva.*] [▶ 13 bolear] [F.: Do cast. *bolear*. Hom./Par.: *boleio* (fl.), *boleio* (sm.); *boleia* (fl.), *boleia* (sf.).]

bolear[2] (bo.le.*ar*) *v. td.* Conduzir (coche, carruagem etc.) da boleia [▶ 13 bolear] [F.: *boleia* + *-ar*[2].]

boleeiro (bo.le.*ei*.ro) *sm.* 1 Indivíduo que dirigia as boleias cavalgando a besta da sela 2 *P. ext.* Indivíduo que guia os cavalos de uma carruagem; COCHEIRO [F.: *boleia* + *-eiro*.]

boleia (bo.*lei*.a) *sf.* 1 Assento do cocheiro, em carruagem 2 A parte fronteira superior de uma carruagem 3 Cabine de caminhão, onde vai o motorista 4 Peça de madeira arredondada que se fixa na lança das carruagens, e da qual partem os tirantes dos animais dianteiros 5 *Lus.* Carona [F.: De or. contrv. Hom./Par.: *boleia* (sf.), *boleia* (fl. de *bolear*).]

boleio (bo.*lei*.o) *sm.* 1 Ação ou resultado de bolear; BOLEAMENTO 2 Dar forma arredondada a alguma coisa; TORNEAMENTO 3 *P. ext. Carp.* Ação ou resultado de alisar ou aplainar 4 *Ling.* Particularidade de estilo em que o autor adorna uma frase ou ideia com floreios linguísticos: "... mas 'corrigia' um boleio sintáxico, sem sequer uma consulta ao seu autor!" (Mário de Andrade, *O movimento modernista*) [F.: Regress. de *bolear*.]

boleira (bo.*lei*.ra) *sf.* 1 Aquela que faz ou vende bolos: *Além de fazer salgados, é uma exímia boleira.* 2 *Lus. Pej.* Homossexual do sexo feminino; LÉSBICA [F.: *bol(o)* + *-eira*.]

boleiro[1] (bo.*lei*.ro) *Bras. sm.* 1 Fabricante ou vendedor de bolas 2 *Bras. Esp.* Pessoa encarregada de pegar e devolver a bola que sai do campo ou da quadra; GANDULA 3 *Pej. Fut.* Jogador profissional 4 *Bras. Pop.* Indivíduo que aceita bola, suborno 5 *Lud.* Em jogo de roleta, indivíduo que faz a bola girar [F.: *bola* + *-eiro*.]

boleiro[2] (bo.*lei*.ro) *a.* 1 Ref. a *bolo* 2 Que dá bolo (3), que falta a compromisso *sm.* 3 Quem fabrica ou comercia bolos (1) [F.: *bolo* + *-eiro*.]

bolerão (bo.le.*rão*) *sm. Pop.* Forma carinhosa de se referir a um bolero consagrado, ou ao próprio ritmo romântico, de muito sucesso em meados do séc. XX: *O casal dançava coladinho o bolerão "Besa me mucho".* [Pl.: *-rões*.] [F.: *bolero* + *-ão*.]

bolerar (bo.le.*rar*) *v. Mús. Dnç.* Dançar bolero (com) [*int.*: "Carlinhos de Jesus vai sambar, valsar e 'bolerar', em plena Cinelândia, ..." (*JBOnline*, 24.11.2002)] [*tr.* + *com*: *Bolerei com todas as damas da festa.*] [▶ 1 bolerar] [F.: *bolero* + *-ar*[2]. Hom./Par.: *bolero* (sm), *bolero* (fl. de *bolerar*).]

bolero (bo.*le*.ro) [é] *sm.* 1 *Mús.* Música espanhola de ritmo vivo e compasso ternário, executada basicamente por guitarras e castanholas e que também pode ser cantada 2 *Dnç.* Dança que se realiza ao som dessa música 3 *Mús.* Música cubana para cantar e dançar, de ritmo suave e caráter romântico, adaptada do bolero espanhol 4 *Dnç.* A dança ao ritmo dessa música 5 *Vest.* Blusa curta, tipo jaqueta, com ou sem mangas, us. por cima de outra peça (vestido, blusa, camisa etc.) [F.: Do espn. *bolero*, de or. contrv.]

boleta (bo.*le*.ta) [ê] *sf.* 1 *Bot.* Fruto do carvalho e da azinheira; BOLOTA 2 Formulário utilizado para pagamento de valores em lojas ou na rede bancária (boleta do condomínio); BOLETO [F.: *bol(a)* + *-eta*.]

boletar (bo.le.*tar*) *v. td.* Ver *aboletar*

boletim (bo.le.*tim*) *sm.* 1 Breve texto noticioso, para circulação interna ou divulgação pública 2 Publicação periódica oficial de entidade pública ou privada: *Publicou seu artigo no boletim da empresa.* 3 *Bras.* Documento escolar que informa as notas e o comportamento de um aluno a seus pais ou responsáveis 4 Informe noticioso sobre certo assunto ou evento, emitido ou transmitido a intervalos de tempo regulares ou não (boletim das olimpíadas) 5 Informação médica oficial sobre o estado de saúde de um paciente 6 Resumo informativo sobre operação militar ou policial [Pl.: *-tins*.] [F.: Do it. *bollettino*.] ■ **~ de ocorrência** Em delegacia policial, registro e descrição de um fato criminal, de uma queixa, de um acidente etc. [Comumente designado B. O.] **~ individual** *Jur.* Em processo criminal, peça que contém dados e histórico do réu e os detalhes do ilícito em processo

boleto[1] (bo.*le*.to) [ê] *sm.* 1 *Com.* Impresso de banco, loja comercial, instituição etc. que serve de guia e de recibo uma vez autenticado o recebimento para pagamento de mensalidade ou dívida 2 *Econ.* Documento interno das Bolsas de Valores que registra informações sobre uma operação 3 *Turfe* Bilhete de aposta 4 *Ant. Mil.* Ordem escrita para que se dê alojamento a um ou mais militares [F.: Do lat. *bulla, ae*, pelo it. *bolletta* e/ou pelo espn. *boleta* (com mud. de gên.). Hom./Par.: *boleto* (sm.), *boleto* (fl. de *boletar*).]

boleto[2] (bo.*le*.to) [ê] *Bot. sm.* 1 Gênero (*Boletus*) de cogumelo basidiomiceto com várias espécies, que podem ser comestíveis ou venenosas; neste segundo caso, sua polpa adquire cor azul em contato com o ar 2 Espécime desse gênero [F.: Do lat. cient. *Boletus*, do gr. *bolétes, ou*, 'cogumelo'.]

boleto[3] (bo.*le*.to) [ê] *sm.* 1 *Fer.* Parte superior do trilho, sobre a qual se apoiam e giram as rodas das locomotivas e dos vagões 2 *Hip.* Articulação de forma arredondada da perna do cavalo, situada acima do pé e entre a caude e a quartela [F.: Do fr. *boulet*.]

bolha (*bo*.lha) [ô] *sf.* 1 Vesícula que se forma na superfície de pele por efeito de queimadura, atrito etc; EMPOLA 2 Glóbulo de ar, vapor ou gás que se forma em matérias líquidas ou pastosas em movimento, em ebulição ou em fermentação; BORBULHA 3 Pequena quantidade de ar contida em uma substância fundida: *Esta cerâmica tem muitas bolhas.* 4 Peça em forma de calota esférica com que se cobre orifício da tampa de balde, em lavatório 5 Defeito de fabricação em substâncias como vidro, papel etc., que consiste na ocorrência de pequenas bolsas de ar no meio da substância 6 *Avi. Mil.* Em aviões de combate, saliência na fuselagem, ger. de material transparente, onde se aloja operador de metralhadora ou canhão, que assim tem visão panorâmica da área de combate aéreo 7 *Econ.* Crescimento efêmero ou ilusão de crescimento da atividade econômica ou de negócios num certo setor, que pode induzir a erro de avaliação, até retornar à situação anterior (bolha da internet) 8 *Med.* Termo com que se designa dispositivo de isolamento de um doente com baixa imunidade, e que consiste em ambiente esterilizado estanque, dentro do qual o doente é confinado *a2g.* 9 *Bras. Pop.* Bobo, desinteressante: *Que sujeito bolha, não dá para conversar com ele...* *s2g.* 10 *Bras. Pop.* Pessoa bolha (5): *Não, não o convide, ele é um bolha.* [F.: Do lat. *bulla*. Hom./Par.: *bolha* (fl. de *bolhar*); *bolhas* (pl.), *bolhas* (fl. de *bolhar*).] Ideia de 'bolha': *bol-*; *-cist(i/o)* e *-cisto*.]

bolhante (bo.*lhan*.te) *a2g.* Que forma bolhas (líquido bolhante) [F.: *bolhar* + *-nte*.]

bolhar (bo.*lhar*) *P. us. v.* 1 Formar bolhas; BORBULHAR [*int.*: *O sapato novo fez meu pé bolhar; A pintura da parede bolhou*: "... embebia no lenço vermelho as bagas de suor que lhe bolhavam na testa." (Camilo Castelo Branco, "Gracejos que matam", *in Novelas do Minho*)] 2 *Lus.* Fazer jorrar ou jorrar aos borbotões; BORBOTAR; BORBULHAR; GORGOLAR [*int. ta.*: *A água bolhava (da/na nascente); O sangue bolhava (do ferimento); era preciso estancá-lo; A gasolina bolhou no tanque.*] [*td.*: *Bolharam toda a água nas cisternas.*] 3 Inchar ou adquirir forma bojuda; BOJAR [*int.*: *Com o temporal de ontem a madeira da caixa d'água bolhou.*] [▶ 1 bolhar] [F.: *bolha* + *-ar*[2].]

bolhoso (bo.*lho*.so) [ô] *a.* Cheio de bolhas (creme bolhoso) [Pl.: *ó*. Fem.: *ó*] [F.: *bolh(a)* + *-oso*.]

boliche (bo.*li*.che) *sm.* 1 *Bras. Lud.* Jogo que consiste em lançar uma pesada bola por uma pista de dimensões padronizadas, de modo a derrubar, em no máximo dois lançamentos, dez pinos de madeira com formato de garrafas, arrumados em triângulo na outra extremidade da pista; BOLA *RS*; BOLÃO 2 *Bras. Lud.* A bola us. nesse jogo 3 *Bras.* Estabelecimento onde se pratica esse jogo; BOLÃO 4 *RS* Bodega (2) [F.: Do esp. *boliche*.]

bolicheiro (bo.li.*chei*.ro) *sm.* 1 Indivíduo frequentador de boliches 2 *Bras. RS* Proprietário de casa de jogos de boliche 3 *Bras. RS* Dono de pequena casa comercial em que se vende de tudo [F.: *bolich(e)* + *-eiro*.]

bolicho (bo.*li*.cho) *sm. MS RS* Pequena loja comercial, urbana ou à beira de estradas, onde o viajante encontra de tudo: roupas, calçados, alimentação, bebidas etc; VENDA; BODEGA [F.: Posv. de *boliche*.]

bólide (*bó*.li.de) *sm. sf.* 1 *Astr.* Grande meteorito em forma de globo que, ao cruzar a atmosfera terrestre, torna-se muito brilhante e deixa atrás de si um rastro luminoso 2 *P. ext.* Qualquer corpo que se movimenta a grande velocidade [Há gramáticos que condenam o uso dessa palavra como masculino.] [F.: Do gr. *bolis, idos* pelo lat. *bolis, idis*.]

bólido (*bó*.li.do) *sm.* Ver *bólide*

bolina (bo.*li*.na) *sf.* **1** *Mar.* Chapa vertical fixada sob a quilha, para dar mais estabilidade e impedir o abatimento das embarcações a vela [Pranchas de *windsurf* e certos barcos de competição ger. têm bolina retrátil] **2** *Mar.* Cada um dos cabos que sustentam a vela e lhe dão a obliquidade necessária segundo a direção do vento **3** *Mar.* Situação de navegação à vela na qual o vento é oblíquo à rota **4** *NE* Prancha de madeira que se introduz entre os paus da jangada para melhor equilibrá-la **5** *Pop* Ação ou resultado de bolinar; BOLINAÇÃO *sm.* **6** *Bras. Pop.* Indivíduo que bolina; BOLINADOR [F.: Do ing. *bowline*, pelo fr. *bouline*.] ▪▪ **À ~** *Mar.* Com a proa na linha do vento (barco à vela)

bolinação (bo.li.na.*ção*) *Bras. Pop. sf.* **1** Ato de bolinar; BOLINA; BOLINAGEM **2** Prática de buscar contatos íntimos com outra pessoa em aglomerações, veículos, salas de espetáculos etc.: *A bolinação fazia com que se desejassem intensamente.* [Pl.: *ções*.] [F.: *bolinar* + *-ção*.]

bolinado (bo.li.*na*.do) *a. Bras. Vulg.* Que sofreu bolinação [F.: Part. de *bolinar*.]

bolinador (bo.li.na.*dor*) [ô] *sm. Bras. Pop.* Indivíduo que bolina, que procura contatos voluptuosos com outra pessoa [F.: *bolinad(o)* + *-or*.]

bolinagem (bo.li.*na*.gem) *sf. Bras. Pop.* Ver *bolinação* [Pl.: *-gens*.] [F.: *bolinar* + *-agem*.]

bolinar (bo.li.*nar*) *v.* **1** *Bras. Vulg.* Encostar-se em (alguém) com fins libidinosos [*td.*: *Os rapazes bolinavam as garotas; Os jovens se bolinavam num canto.*] [*int.*: *Andas por aí, bolinando a esmo!*] **2** *Mar.* Procurar levar a proa de embarcação para a linha do vento, para navegar à bolina [*int.*] **3** *P. ext.* Andar sem destino; vaguear [*int.*] **4** *P. ext.* Locomover-se de modo oscilante [*int.*] **5** *MG Pop.* Amolar, apoquentar, chatear [*td.*: *Não parava de bolinar o síndico com suas queixas.*] [▶ **1** bolinar] [F.: *bolina* + *-ar*²*.* Hom./Par.: *bolina(s)* (fl.), *bolina* (sf. [e pl.]).]

bolinete (bo.li.*ne*.te) [ê] *sm.* **1** *Mar.* Cilindro de madeira, colocado horizontalmente à proa, que, com o auxílio de barras e linguetas, faz a função de cabrestante para a manobra; MOLINETE **2** Caixote de madeira utilizado para lavagem de areias auríferas; BATEIA [F.: Posv. de *molinete(ê)*.]

bolinha (bo.*li*.nha) *sf.* **1** Bola pequena (bolinha de sabão; bolinha de gude) **2** *Bras. Pop.* Cápsula de medicamento utilizado como entorpecente ou estimulante: *Era viciado em bolinha. s2g.* **3** *Bras. Pop.* Apelido, por vezes carinhoso, outras jocoso, usado para designar pessoas de peso excessivo: *O bolinha não veio à aula hoje.* [F.: *bol(a)* + *-inha*.] ▪▪ **À ~ Mar.** Com a proa na linha do vento (barco à vela)

bolinho (bo.*li*.nho) *Cul. sm.* **1** Pequena porção de massa de farinha ou de batata, arroz etc., misturada ou recheada com outros ingredientes, modelada em formato arredondado, e ger. frita (bolinho de bacalhau) **2** Pequeno bolo [F.: *bolo* + *-inho*.]

bolívar (bo.*lí*.var) *sm.* Unidade monetária da Venezuela [Um *bolívar* se subdivide em cem unidades chamadas cêntimos] [F.: Do ant. Simón *Bolívar*, estadista venezuelano.]

bolivarianismo (bo.li.va.ri:a.*nis*.mo) *sm.* Doutrina que prega o pensamento bolivariano (de Simón Bolívar (1783-1830), militar e estadista venezuelano) de luta por igualdade e justiça social [F.: *bolivarian(o)* + *-ismo*.]

bolivariano (bo.li.va.ri.*a*.no) *a.* Diz-se do que se refere a Simón Bolívar (1783-1830), militar e estadista venezuelano que lutou pela independência de seu país, e de outras nações sul-americanas, do domínio espanhol [F.: Do ant. Simón *Bolívar* + *-iano*.]

boliviano (bo.li.vi:*a*.no) *sm.* **1** Pessoa nascida ou que vive na Bolívia **2** *RS* Cavalo boliviano (5) **3** *RS Ant.* Moeda boliviana, de prata, que circulava no Rio Grande do Sul [Cf.: *peso*.] *a.* **4** Da Bolívia; típico desse país ou de seu povo **5** *RS* Cujo proprietário se desconhece (diz-se de cavalo) [F.: Do top. *Bolívia* + *-ano*¹.]

bolo (*bo*.lo) [ô] *sm.* **1** *Cul.* Iguaria feita com farinha (de trigo, milho etc.), leite, ovos, manteiga, açúcar, fermento e, às vezes, outros ingredientes (nozes, chocolate, frutas etc.), e assada no forno **2** *Cul.* Iguaria feita à base de massa salgada recheada ou misturada com qualquer carne, moída ou desfiada, ou legumes, e condimentos, assada no forno **3** *Bras. Pop.* Falta a um compromisso ou encontro marcado: *Desculpe o bolo que te dei ontem.* **4** *Bras. Pop.* Aposta coletiva com cota fixa; BOLÃO **5** *Bras. Pop.* O dinheiro arrecadado nessa aposta; BOLÃO **6** *Turfe* Tipo de aposta múltipla num conjunto de resultados **7** *Bras. Pop.* Coisa ou amontoado de coisas (papel, pano, etc.) que se embola, a que se dá formato de bola: *Fez um bolo com o jornal e vedou o buraco na parede.* **8** *Bras. Pop.* Aglomeração confusa de pessoas **9** *Bras. Pop.* Confusão, rolo; BOLOLÔ: *Você já soube do bolo que houve lá?* **10** *Bras. Pop.* Pilha, monte: *um bolo de revistas.* **11** *Pop.* Pancada de palmatória [F.: Do lat. *bulla*. Hom./Par.: *bolo* (sm.), *bolo* (fl. de *bolar*).] ▪▪ **~ alimentar** *Fisl.* O alimento já mastigado e misturado à saliva, pronto para ser deglutido e digerido **~ de rolo** *Cul.* Rocambole feito com camadas muito finas de massa e de goiabada **~ fecal** *Fisl.* A matéria fecal no intestino grosso, antes de ser eliminada através do reto e do ânus **~ histérico** *Med.* Sentimento de angústia e opressão que acompanha certas perturbações psicológicas, como a histeria **Dar ~ em** *Bras.* Ter mais conhecimento ou competência, melhor desempenho que outro(s) **Dar (o) ~ (em)** *Bras.* Faltar a um encontro marcado (com alguém), um compromisso **Dar um ~ 1** *Bras.* Dar um desfalque **2** Resultar em, ou ocorrer confusão, tumulto, briga etc. **Levar ~** *Pop.* Esperar por quem marcou encontro, entrevista etc., e não compareceu

bolo de rolo (bo.lo de *ro*.lo) *sm. Bras. Cul.* Bolo em forma de rocambole, com camadas finas de massa recheadas de um doce, ger. goiabada [Pl.: *bolos de rolo*.]

bololô (bo.lo.*lô*) *sm. Bras. Gír.* Grande confusão, briga, desentendimento; ROLO: "Olhando meio desconfiado com jeito de quem vai armar bololô..." (Dudu Nobre, *Quase que o bicho pegou*) [F.: De *bolo*, com reduplicação da sílaba final.]

bolonhês (bo.lo.*nhês*) *a.* **1** Relativo à cidade de Bolonha, na Itália; típico dessa cidade e de seu povo *sm.* **2** O habitante ou natural dessa cidade **3** *Ling.* Dialeto falado na região da bolonha [Pl.: *-eses*. Fem.: *-esa*] [F.: Do top. *Bolonh(a)* + *-ês*.]

bolor (bo.*lor*) [ô] *sm.* **1** *Micol.* Nome comum a várias spp. de fungos que se desenvolvem, com a umidade, em matéria orgânica e a decompõem; MOFO **2** *P. ext.* Cheiro característico de coisa ou lugar úmidos e não arejados; BAFIO; MOFO **3** *Fig.* Sinal ou aparência de velhice ou obsolescência [F.: Do lat. *pallor, -oris*.]

bolorento (bo.lo.*ren*.to) *a.* **1** *Fig.* Cheio ou coberto de bolor **2** *Fig.* Com bafio **3** *Fig.* Velho, antiquado, ultrapassado [F.: *bolor* + *-ento*.]

bolota (bo.*lo*.ta) *sf.* **1** *Bot.* Fruto do carvalho; BOLETA; GLANDE **2** *P. ext.* Qualquer coisa em forma de pequena bola (bolota de papel) **3** Saliência na pele **4** Cada uma das pequenas porções de farinha não diluída ou formada quando não se mexe creme, mingau etc. adequadamente ao cozinhá-los; CAROÇO; PELOTA: **5** O mesmo que borla (1) **6** Qualquer ornamento pendente; PENDURICALHO **7** *Bot.* Flor da fava-de-bolota **8** Lama empastada na bainha de vestuário longo [F.: Do ár. *ballûta*.]

bolsa (*bol*.sa) [ô] *sf.* **1** Recipiente em forma de saco ou pequena maleta, feito de couro, lona ou plástico etc., ger. com alça para se levar na mão, pendente do ombro ou às costas, e us. para transportar documentos, dinheiro, celular etc.: "Com as moedas de prata e ouro, que a bolsa continha..." (Camilo Castelo Branco, *A queda dum anjo*) **2** O dinheiro aí contido, recursos financeiros; BOLSO: *Contava com a bolsa da mãe para seu sustento.* **3** Qualquer recipiente em forma de saco: *bolsa (para coleta) de sangue.* **4** *Anat.* Cavidade, membrana ou envoltório em forma de saco (bolsa escrotal/amniótica) **5** *Anat.* Saco escrotal **6** *Econ.* Instituição que funciona como local físico ou virtual para a realização de compra e venda de títulos e valores mobiliários em mercado livre e aberto [Tb. se diz *bolsa de valores*.] **7** Dobra na pele (esp. sob os olhos) resultante de flacidez **8** Subsídio concedido por entidade pública ou privada a estudante ou pesquisador para custear seus estudos [Tb. se diz *bolsa de estudo, de pesquisa*.] **9** *Bibl.* Bolso na capa de um livro para conter desenhos, mapas etc. **10** *Geol* Cavidade de rocha cheia de minerais **11** *Bot.* Cavidade em forma de saco **12** Rede que se coloca à saída da toca para apanhar lebres ou coelhos **13** *Pat.* Saco em que fica o pus de abscesso ou tumor [F.: Do lat. tardio *bursa, ae*. Hom./Par.: *bolsa* (fl. de *bolsar*), *bolça* (fl. de *bolçar*) e *bouça* (sm.). Ideia de 'bolsa', usar pref. *burs-* e *marsup(i)-*.] ▪▪ **~ de colostomia** *Med.* Recipiente que coleta fezes expelidas através de colostomia **~ de estudo** Subsídio concedido a estudantes ou pesquisadores, que lhes permite exercer suas atividades **~ de mercadorias** *Econ.* A instituição e o ambiente em que são negociadas mercadorias e *commodities* com preço já então estipulado, mas para pagamento futuro (v. *commodity*) **~ de valores** A instituição e o ambiente em que são negociados ações e títulos **~ tintória** *Zool.* Bolsa que em certos cefalópodes (como a lula) segrega um fluido tintório que pode ser ejetado como defesa ou manobra evasiva **Bater ~** *Bras. Gír.* V. *Rodar bolsa/bolsinha.* **Rodar ~/bolsinha** *Bras. Pop.* Praticar a prostituição

bolsada (bol.*sa*.da) *a.* **1** Ação ou efeito de bater com bolsa: *De tanto dizer gracinhas para as moças que passavam, acabou levando uma bolsada. sf.* **2** Acervo de minério, com várias formas, no lugar em que se produz [F.: *bols(a)* + *-ada*.]

bolsão (bol.*são*) *sm.* **1** Bolsa grande **2** Bolso grande **3** Região que se destaca por alguma particularidade que a distingue de seu entorno: *Criou-se num bolsão de pobreza cercado de casas de classe média.* **4** Região física ou virtual de fatores que formam um conjunto diferenciado do universo em que se encontra: *atolaram num bolsão de lama; Naquela sociedade estagnada, a universidade era um bolsão de excelência.* **5** *Mil.* Região na qual uma força militar está isolada, cercada por tropas inimigas [Pl.: *-sões*.] [F.: *bolsa* ou *bolso* + *-ão*¹.]

bolsar (bol.*sar*) *P. us. v.* **1** Formar papos, rugas (roupa mal ajustada ao corpo); ENRUGAR; ENTUFAR [*int. ta.*: *O paletó não lhe serve, está bolsando (nos ombros).* Ant.: *ajustar-se, assentar, moldar-se*.] **2** *Lus. Pop.* Expelir em golfadas; GOLFAR; REGURGITAR [*int.*: *É normal a criança bolsar.*] **3** *P. ext.* Proferir aos brados, demonstrando grande irritação [*td.*: *Irritou-se e saiu bolsando impropérios; Não quero ouvir as asneiras que essas pessoas bolsam.*] **4** *Mar.* Navegar com parte das velas colhidas, para não tomar grande vento [*td.*: *A embarcação bolsou a costa.*] **5** *Mar.* Inflar-se de vento, tornando-se bojudo (diz-se da vela); BOJAR; ENFUNAR-SE [*int.* Ant.: *desenfunar-se, desinflar-se, esvaziar-se*.] [▶ **1** bolsar] [F.: *bolsa* + *-ar*².]

bolsinha (bol.*si*.nha) *sf. Pop.* Pequena bolsa [F.: *bolsa* + *-inha*.] ▪▪ **Rodar ~** Oferecer-se como parceiro sexual em troca de dinheiro; viver da prostituição ou praticá-la

bolsinho (bol.*si*.nho) [ô] *sm.* **1** Pequeno bolso **2** Dinheiro reservado para pequenas despesas pessoais [F.: *bolso* + *-inho*.]

bolsista (bol.*sis*.ta) *a2g.* **1** *Bras.* Que recebeu ou recebe bolsa de estudos (aluno bolsista) **2** Ref. a bolsa de estudos (programa bolsista) *s2g.* **3** *Bras.* Indivíduo bolsista (bolsista de doutorado) **4** *Econ.* Ref. às operações financeiras feitas na Bolsa **5** *Econ.* Especulador na Bolsa [F.: *bolsa* + *-ista*.]

bolso (*bol*.so) [ô] *sm.* **1** Saco de tecido cosido por dentro ou por fora de qualquer parte do vestuário, aberto ou abotoável na boca, para portar pequenos objetos, ou como adereço **2** *Fig.* Economias ou recursos financeiros de uma pessoa: *A alta de preços mexeu com meu bolso.* **3** *Vest.* Dobra em roupa por excesso de tecido, ou por ter sido mal cortada, ou por desajuste ao corpo que quem a veste; PAPO **4** Em bolsa, sacola, mochila etc. compartimento análogo ao bolso (1) **5** *Bibl.* Envelope colado à contracapa ou à 3ª capa de um livro para conter CDs, mapas etc. **6** Em barco à vela, bojo de uma vela enfunada pelo vento **7** Cavidade ou recipiente em forma de saco, o mesmo que *bolsa* (3, 4) [Dim.: *bolsilho*] [F.: De *bolsa*. Hom./Par.: *bolso* (sm.), *bolso* (fl. de *bolsar*), *bolço* (fl. de *bolçar*). Ideia de *bolso*: *marsup(i)-*.] ▪▪ **De ~** **1** Pequeno; portátil, podendo ser guardado num bolso: *relógio de bolso.* **2** *P. ext.* De dimensões reduzidas: *teatro de bolso.* **Do ~ do colete** *Fam.* Que é feito ou que ocorre rapidamente, sem planejamento, como reação rápida a solicitação, situação etc.: *Surpreendido pela pergunta, sua resposta foi do bolso do colete.* **Pôr no ~** **1** Ludibriar, enganar (alguém): *Pôs o sócio no bolso e ficou com o lucro.* **2** Ser superior a: *Como organizador, ele põe todos no bolso.*

bom (bom) *a.* **1** Que tende a uma atitude propícia, favorável na relação com os outros seres; BONDOSO; GENEROSO; MAGNÂNIMO; BENÉVOLO: *O homem bom sempre ajuda os outros.* **2** Que encerra ou revela magnanimidade, solidariedade etc. (uma boa ação, um bom coração) **3** Que (coisa ou ser ou circunstância) corresponde, em quantidade ou em qualidade, às necessidades, à expectativa, ao que se tem como adequado e satisfatório para tarefa, função, funcionamento, atendimento etc.: *uma boa refeição; um bom jogo; uma boa redação; um bom rendimento; Teve um bom dia.* **4** Que revela eficiência, que cumpre seu dever: *O bom motorista cede a vez ao pedestre.* **5** Que tem validade, autenticidade: *Pelas leis vigentes, o contrato era bom.* **6** Que se curou; CURADO; SARADO: *O professor ficou bom da gripe.* **7** Que é competente numa dada atividade: *Ela é é boa no tênis/na gramática/em astronomia.* **8** Diz-se de dispostivo, produto, equipamento etc. que tem as qualidades esperadas ou necessárias; que funciona bem: *Um bom carro/terno/relógio.* **9** Que agrada pelo sabor, que é agradável ao paladar; SABOROSO; GOSTOSO: *O feijão estava muito bom.* **10** Que oferece muito proveito ou se mostra promissor: *Fez um bom negócio.* **11** De condições favoráveis; APRAZÍVEL; AGRADÁVEL: *Clima bom, praia boa.* **12** Que é apropriado, que faz bem: *É bom acordar cedo.* **13** Em grande quantidade ou de grandes dimensões: *Ganhou um bom dinheiro; Faz uma boa casa.* **14** Que demonstra afabilidade, civilidade: *O pai da moça era um bom sujeito.* **15** Us. como fórmula de cumprimento, de saudação em expressões como bom dia, boa noite, boas festas etc. [Pl.: *bons*. Fem.: *boa* Aum.: *bonzão* Dim.: *bonzinho* Superl.: *boníssimo, ótimo*.] *sm.* **16** Pessoa de valor em seu ofício ou profissão: *Quiseram contratar apenas os bons.* **17** Coisa agradável, prazerosa: *Bom mesmo é ler à noite, em silêncio.* **18** Aquilo ou aquele que se mostra superior aos demais ou à maioria: *Aquela bicicleta é que é a boa; Em matéria de informática, ele é que é o bom.* **19** Qualidade que se admira: *O bom desse cantor é que ficou mudo.* **20** Aquilo que parece perfeito ou que satisfaz totalmente: *Houve tudo de bom naquele encontro.* [Pl.: *bons*. Fem.: *boa*] *interj.* **21** Exprime aprovação, reconhecimento, julgamento favorável: *Muito bom! Sua intervenção foi perfeita!* **22** Us. quando se quer encerrar um assunto ou introduzir outro; BEM: *Bom, agora chega de conversa.* [F.: Do lat. *bonus*. Hom./Par.: *bom* (a.), *boa* (sf.); *boa* (f.), *boá* (sm.).] ▪▪ **~ de/em** *Bras.* Bem qualificado para, de bom desempenho em, apto, competente para: *Ele é bom de forno e fogão.* **Do ~ (e do melhor)** Do que é de excelente qualidade, classe ou categoria: *Lê muito, e só do bom e do melhor.*

bomba (*bom*.ba) *sf.* **1** Artefato explosivo, de pequena ou grande potência, que rebenta por meio de rastilhos ou de espoletas: "As bombas de dinamite (foram arrojadas noventa nesse dia) estouravam de momento em momento, mas com absoluto insucesso" (Euclides da Cunha, *Os sertões*) **2** *Mil.* Artefato explosivo lançado de bocas de fogo (canhões terrestres ou em navios), de aviões etc. **3** *Pirot.* Porção de pólvora envolvida em um cartucho de papel que estoura ao inflamar-se (bomba de S. João) **4** *Inf.* Tipo de vírus (2) que fica latente e que ataca somente quando as condições forem ideais **5** *Fig. Fut.* Chute violento, ger. para o gol **6** *Fig.* Acontecimento surpreendente e inquietante: "'Que bomba!' disse ele consigo, na ocasião em que Tito rasgou a sobrecarta" (Machado de Assis, "Linha reta e linha curva" *in Contos fluminenses*) **7** *Bras. Fig.* Reprovação em exames: "E todos os anos era aquela já esperada fatalidade: uma, duas bombas (principalmente em matemáticas) que eu tomava apenas o cuidado de apagar nos exames de segunda época" (Mário de Andrade, "Vestida de preto" *in Contos novos*) **8** *Bras. Fig. Pop.* Problema ou situação difícil: *Deixou a bomba para seu sucessor.* **9** *Bras. Fig.* Coisa malfeita, ruim, feia ou de má qualidade: *Meu vestido* *ficou uma bomba.* **10** *N. Fig.* Trabalho atamancado **11** *Bras. Fig. Pop.* Alusão muito ofensiva. **12** *Bras. Cul.* Doce de massa cozida recheado de creme ou chocolate; ECLER **13** *Bras. Gír.* Anabolizante para aumentar a massa muscular **14** Qualquer artefato para passar líquidos ou gases de um recipiente para outro (bomba d'água; bomba de gasolina; bomba de ar) **15** Aparelho para extrair leite do seio de mulher **16** Aparelho para aspirar e elevar líquidos **17** Aparelho para enchimento de pneus **18** *S.* Canudo de prata ou outro metal, us. para tomar chimarrão; BOMBILHA: "Terminada a refeição, preparou Jacintinha o chimarrão; enquanto Manuel chupava a bomba, trocaram-se entre as três pessoas da família algumas palavras..." (José de Alencar, *O gaúcho*) **19** Sifão com que se passa uma bebida, ger. alcoólica, de uma vasilha para outra **20** Reservatório que se adapta entre o fornilho e o tubo de um cachimbo para reunir o suco acre que mana do tabaco, ou para lavar e refrescar o fumo **21** *Mús.* Tubo para aumentar o comprimento de instrumentos de sopro de metal e, assim, baixar-lhes o diapasão **22** *Mús.* Em alguns instrumentos de metal, parte dos tubos que pode se alongar e encurtar com o mesmo fim **23** *Arq.* Vão ou espaço que em uma casa é ocupado pela escada principal, começando no primeiro piso e terminando ordinariamente no teto por uma claraboia **24** *AL Pop.* Qualquer soma de dinheiro **25** *PE PB* Bueiro de estrada de ferro **26** *Fer.* Para-choque de um vagão [F.: Do it. *bómba*, de raiz onomatopaica *bomb*, deriv. do lat. *bombus*, e este do gr. *bómbos*.] ■ **~ A/atômica** *Fís.* Artefato explosivo para uso bélico, baseado na grande força destruidora da energia libertada com a fissão (quebra) de átomos pesados (como os do urânio). Além de grande destruição, a explosão desencadeia radioatividade, que afeta extensa área durante muito tempo **~ alternativa** *Mec.* Aquela em que o êmbolo movimenta-se dentro do cilindro em movimentos alternados **~ calorimétrica** *Fís-quím.* Parte do calorímetro em que se medem valores calorimétricos dos gases de uma combustão **~ centrífuga** *Mec.* Aquela que impulsiona o fluido criando uma força centrífuga **~ de aceleração** *Mec.* Nos motores de veículo com carburador, dispositivo que realiza a mistura do combustível com o ar e injeta a mistura no cilindro para a explosão, acelerando o motor; bomba de ignição **~ de cobalto** *Med.* Nome de aparelho us. na terapia de tumores, que emite radiação eletromagnética a partir de uma fonte de cobalto-60 **~ de difusão** *Fís.* Bomba criadora de vácuo ao acionar uma corrente de moléculas (de mercúrio, de óleo etc.) que arrasta para fora do recipiente as moléculas de gás que ele contém **~ de fumaça** *Mil.* Artefato explosivo que libera fumaça ao explodir **~ de gás** *Mil* Artefato explosivo que libera gás (lacrimejante, paralisante, venenoso etc.) ao explodir **~ de gasolina** *Mec.* Em veículos a gasolina, dispositivo que impulsiona a gasolina do tanque para as câmaras de mistura e ignição **~ de óleo** *Mec.* Num motor, bomba que impele óleo lubrificante a todos os pontos que devem ser lubrificados durante o funcionamento do motor **~ de profundidade** *Mar. G.* Carga explosiva, que era us. contra submarinos ao ser atirada ao mar para explodir a certa profundidade **~ de São João** Pequeno artefato, no formato de um fósforo grande e grosso, us. como fogo de artifício, ao estourar alguns segundos depois de riscado **~ H/de hidrogênio** Artefato explosivo para uso bélico, baseado na grande força destruidora da energia libertada com a fusão dos átomos leves do hidrogênio **~ hidráulica** *Mec. Tec.* Aquela projetada e us. para movimentar água **~ incendiária** *Mil.* Aquela que ao explodir espalha material em chamas (fósforo branco, napalm etc.) **~ nuclear** Bomba cujo poder explosivo baseia-se na libertação de energia atômica, por fissão ou fusão nucleares **~ rotativa 1** *Tec. Mec.* Aquela que impele o fluido por meio de palhetas presas a um disco ou tambor que gira em torno de um eixo **2** A que opera imersa na massa fluida de onde aspira a corrente que impele **~ termonuclear** V. *Bomba H/de hidrogênio* **~ vulcânica** Pedaço de lava expelido em erupção vulcânica em movimento giratório, adquirindo com isso formato arredondado **Como uma ~** *Fig.* De repente, surpreendentemente **Levar ~** *Fam.* Ser reprovado (na escola, em exame)

bombacácea (bom.ba.*cá*.ce:a) *sf. Bot.* Espécime das bombacáceas [F.: Do lat. cient. fam. *bombacaceae.*]

bombacáceas (bom.ba.*cá*.ce:as) *sfpl. Bot.* Fam. de plantas dicotiledôneas tropicais, a que pertencem árvores de grande estatura, como o embondeiro ou baobá [Tb. se usa adjetivamente.] [F.: Do lat. cient. *bombacaceae.*]

bombachas (bom.*ba*.chas) *sfpl.* **1** *S. Vest.* Calças típicas do gaúcho do campo, muito largas, porém estreitas nos tornozelos, onde se abotoam **2** *RJ* Calças retas, que se afunilam nas boas das pernas **3** *Ant.* Calções largos amarrados por sob os joelhos [F.: Do cast. *bombacha.*]

bombachudo (bom.ba.*chu*.do) *a.* **1** *Bras. RS* Diz-se de quem tem força e valentia (gaúcho bombachudo) *sm.* **2** *Bras. RS* Aquele que é forte, valente, lutador: "Não encontrou bombachudo algum, nem sequer gente de fala grossa e modos de valentão..." (Barbosa Lessa, *História do chimarrão*) [F.: *bombach(a)* + *-udo.*]

bombada (bom.*ba*.da) *sf.* **1** Cada ciclo completo de ação de uma bomba (14) **2** A quantidade de fluido aspirada ou impulsionada em cada bombada (1) **3** *Bras. Fig. Pop.* Prejuízo, fracasso financeiro: *Tomou uma bombada logo no primeiro negócio que fez.* **4** Logro [F.: *bomba* + *-ada*¹.]

bombar (bom.*bar*) *Bras. Gír. v. int.* **1** Ser muito animado: *A festa ontem bombou; A noite de São Paulo bombou no feriado.* **2** Ser um sucesso: *O restaurante da esquina está bombando; A nova boate vai bombar.* [► 1 bombar] [F.: *bomb(a)* + *-ar.*]

bombarda (bom.*bar*.da) *sf.* **1** *Ant.* Máquina de guerra usada na Idade Média, e que servia para lançar grandes pedras contra forças inimigas **2** *Ant.* Boca de fogo que se começou a usar logo depois do descobrimento da pólvora, destinada a arremessar grandes balas de pedra. Era semelhante aos atuais morteiros **3** *Ant. Mar. G.* Barcaça de fundo chato, destinada a transportar obuses e morteiros para lançar bombas contra uma praça marítima ou um posto; CANHONEIRA **4** *Her.* Peças antigas de artilharia que figuram em um escudo **5** *Mús.* Instrumento de sopro semelhante ao oboé [F.: Do it. *bombarda.*]

bombardão (bom.bar.*dão*) *Bras. Mús. sm.* **1** Saxorne contrabaixo; TUBA **2** *Ant. Mús.* Baixo de bombarda (5) **3** *Arm.* Bombarda (1, 2) grande [Pl.: *-dões.*] [F.: Do it. *bombardone.*]

bombardeado (bom.bar.de.*a*.do) *a.* **1** Que sofreu bombardeio: *Descobertos 160 corpos em povoado afegão bombardeado.* **2** *Fig.* Atacado, agredido **3** *Bras. Pop.* Vencido pelo cansaço; EXAUSTO; EXAURIDO **4** *Bras. Pop.* Debilitado por doença; ADOENTADO [F.: Part. de *bombardear.*]

bombardeador (bom.bar.de:a.*dor*) [ô] *a.* **1** Que bombardeia (piloto bombardeador) *sm.* **2** Quem ou aquilo que bombardeia: *O bombardeador ficava no nariz do avião.* [F.: *bombardead(o)* + *-or.*]

bombardeamento (bom.bar.de:a.*men*.to) *sm.* Ação de bombardear, de lançar bombas (bombardeamento aéreo); BOMBARDEIO [F.: *bombardear* + *-mento.*]

bombardear (bom.bar.de.*ar*) *v. td.* **1** Lançar bomba ou projétil em: *Os aviões bombardearam a ponte; A artilharia bombardeou a cidade durante toda a noite.* **2** *Fig.* Atacar ou assediar (com palavras, perguntas): *Bombardeou o médico com seu falatório.* **3** *Fut.* Atacar intensamente (o time adversário) com chutes frequentes à meta: *No segundo tempo a seleção bombardeou os argentinos, mas não conseguiu marcar.* **4** *Fig.* Fazer fracassar; FRUSTRAR: *O governo bombardeou o acordo entre os estados.* **5** *Fig.* Desferir golpes em [*td.*: *Bombardeou o rapaz com meia dúzia de socos.*] **6** *Fig.* Fazer crítica áspera ou severa a [*td.*: *Os críticos bombardearam o filme.*] **7** Lançar objetos em [*td.*: *Bombardearam o ladrão com uma chuva de pedras.*] **8** *Fig.* Causar dano, transtorno, prejuízo a [*td.*: *O acontecimento imprevisto bombardeou seu projeto de viajar.*] **9** *Fís.* Expor (substância) a um feixe de partículas com o objetivo de produzir reações nucleares [*td.*] [► 13 bombardear] [F.: *bombarda* + *-ear*². Hom./Par.: *bombardeio* (fl.), *bombardeio* (sm.).]

bombardeio (bom.bar.*dei*.o) *sm.* **1** Ação ou resultado de bombardear; ataque com bombas: *O bombardeio de Bagdá.* **2** *Fig.* Assédio, ataque: *Um bombardeio de perguntas/ críticas.* **3** *Fig. Fut.* Sucessão de investidas: *o bombardeio da Seleção ao time adversário.* **4** *Fís. nu.* Ato de submeter (uma substância) à irradiação de um feixe de partícula ou fótons, para nela produzir reações nucleares [F.: Regress. de *bombardear*. Sin. ger.: *bombardeamento*. Hom./Par.: *bombardeio* (sm.), *bombardeio* (fl. de *bombardear*).] ■ **~ de precisão** *Mil.* Aquele que visa um alvo de pequenas dimensões **~ de saturação** Bombardeio intenso e concentrado apenas numa determinada área, que se quer destruir

bombardeira (bom.bar.*dei*.ra) *sf.* **1** *Bot.* Arbusto da fam. das asclepiadáceas (*Calotropis procera*), nativo das zonas áridas da África e da Ásia, cultivado pelas belas flores aromáticas e pelos frutos dos quais se extraem fibras sedosas us. em estofamentos e para tecer; CIÚME; FLOR-DE-SEDA **2** *Ant.* Em muralha defensiva de fortificação, abertura para o cano de canhão ou bombarda **3** *Ant. Mar.* Barca canhoneira, barco armado com bombarda; TRONEIRA [F.: *bombarda* + *-eira.*]

bombardeiro (bom.bar.*dei*.ro) *sm.* **1** *Avi. Mil.* Avião projetado para lançar bombas; AVIÃO DE BOMBARDEIO **2** *Ant. Mil.* Soldado que operava bombarda (1, 2) **3** *Ant. Mar.* Marinheiro que governava a bombarda (3) *a.* **4** Que bombardeia (avião bombardeiro) **5** *Arm.* Ref. a bombarda **6** *Arm.* Diz-se de pólvora grossa com que se carregavam as bombardas [F.: *bombarda* + *-eiro.*]

bombardino (bom.bar.*di*.no) *Mús. sm.* **1** Termo us., equivocadamente, para se referir tanto ao eufônio como ao barítono (instrumentos musicais) **2** Trombone de pistões **3** Instrumento de sopro metálico com quatro pistões, de tom menos grave que o do bombardão **4** Aquele que toca esses instrumentos [F.: Do it. *bombardino*, dim. do it. *bombarda.*]

bomba-relógio (bom.ba-re.*ló*.gi:o) *sf.* **1** Artefato dotado de mecanismo regulável em horas, minutos e segundos, para explodir em tempo predeterminado **2** *Fig.* Qualquer coisa de ação retardada, cujos efeitos são potencialmente perigosos: *O descaso com a educação no Brasil é uma verdadeira bomba-relógio.* [Pl.: *bombas-relógios, bombas-relógio.*]

bombástico (bom.*bás*.ti.co) *a.* **1** Que estronda como bomba; ALTISSONANTE; ESTRONDOSO **2** Que causa grande impressão ou comoção, por ser inusitado (segredo bombástico): "...uma notícia de grande e longo impacto [...] foi ofuscada por outra de efeito mais bombástico..." (*Folha Online*, 07.12.2003) **3** Empolado, pretensioso, extravagante (ref. ao estilo) [F.: Do ing. *bombastic.*]

bombeação (bom.be:a.*ção*) *sf. Bras.* Ação de bombear, de reprovar em exames [Pl.: *ções.*] [F.: *bombear* + *-ção.*]

bombeado (bom.be:*a*.do) *a.* **1** De forma arredondada como bomba; ABAULADO; ARQUEADO; BOLEADO **2** Reprovado em exames (candidato bombeado) [F.: Part. de *bombear.*]

bombeamento (bom.be:a.*men*.to) *sm.* Ato ou efeito de bombear [F.: *bombear* + *-mento.*]

bombear¹ (bom.be.*ar*) *v. td.* **1** Movimentar (líquido, ar) por meio de bomba (14): *bombear água da cisterna.* **2** Fazer circular por um sistema: *O coração bombeia o sangue e o faz circular pelo corpo.* **3** Arredondar a forma de; ABAULAR; BOLEAR **4** *Pop.* Dar bomba (7) a, reprovar em exame [► 13 bombear] [F.: *bomba (14)* + *-ear*².]

bombear² (bom.be.*ar*) *v. td.* **1** *Bras.* Vigiar, espionar (o território inimigo) **2** *PE* Acompanhar ou espreitar (alguém) de quem se desconfia ou a quem se quer falar ou pedir algo **3** *RS* Observar disfarçadamente com muita atenção [► 13 bombear] [F.: Do cast. *bombear.*]

bombeiro¹ (bom.*bei*.ro) *sm.* **1** Membro do Corpo de Bombeiros, que tem como missão combater incêndios, e prestar auxílio e fazer salvamentos em casos de acidentes, catástrofes etc. **2** Encanador [Tb. se diz *bombeiro hidráulico.*] **3** *Antq.* Fabricante de bombas **4** *Bras. Joc.* Criança que urina na cama enquanto dorme **5** *RJ Antq.* Vendedor ambulante [F.: *bomba* + *-eiro.*] ■ **~ hidráulico** Profissional que instala e/ou conserta encanamentos, instalações hidráulicas etc.

bombeiro² (bom.*bei*.ro) *sm.* **1** Aquele que bombeia, que espiona campo inimigo ou adversário **2** *PE* Aquele que espreita, vigia alguém de quem desconfia ou a quem quer pedir algo **3** *RS* Aquele que observa atentamente [F.: *bombear*² + *-eiro.*]

bombeiro³ (bom.*bei*.ro) *sm. Mús.* Tocador de bombo (1); BOMBO [F.: *bombo* + *-eiro.*]

bombilha (bom.*bi*.lha) *sf.* Canudo de metal ou madeira com que se toma o chimarrão, e em cuja extremidade inferior há uma espécie de ralo que funciona como coador do pó da erva; BOMBA [F.: Do espn. plat. *bombilla.*]

bombinha (bom.*bi*.nha) *sf.* **1** Pequena bomba **2** *Pirot.* Artefato pirotécnico feito com papel enrolado com pólvora em pó, tendo uma cabeça semelhante a de um palito de fósforo que é riscado e atirado longe, provocando pequena explosão: *Soltava bombinha para assustar as pessoas.* [É muito usado nas festas de São João.] [F.: *bomb(a)* + *-inha.*]

bombo (*bom*.bo) *sm.* **1** Grande tambor de som grave, com fuste de madeira e pele nas duas extremidades, tocado com macetas em bandas e orquestras e na marcação do ritmo nos sambas-enredos; BUMBO *CE*; BUMBA; ZABUMBA *RN*; ZAMBÊ **2** *Mús.* Tocador de bombo; BOMBEIRO **3** *Tip.* O mesmo que *tambor* (12) [F.: Do it. *bombo.*]

bom-bocado (bom-bo.*ca*.do) *Cul. sm.* Doce feito de açúcar, gemas, farinha de trigo, coco ou queijo ralado (em Portugal adicionam-se amêndoas moídas) [Pl.: *bons-bocados.*]

bombom (bom.*bom*) *sm. Cul.* Guloseima de chocolate, às vezes com recheio de frutas, licor etc. [Pl.: *-bons.*] [F.: Do fr. *bonbon.*]

bomboneira (bom.bo.*nei*.ra) *sf.* Pequena caixa própria para se guardarem bombons [F.: *bombom* + *-eira.*]

bombordo (bom.*bor*.do) *Mar. sm.* O lado esquerdo da embarcação, olhando da popa à proa [F.: Do neerl. *bakbord*, pelo fr. *bâbord*. Cf.: *boreste* e *estibordo.*]

bom-caráter (bom-ca.*rá*.ter) *s2g.* **1** Indivíduo de boa formação moral, de boa índole: *há sempre boas intenções nas atitudes de um bom-caráter.* *a2g.* **2** Que tem essas qualidades: "Leão é o cara e além de tudo é inteligente e bom-caráter..." (saopaulofc. com. br, *O termômetro da torcida tricolor*) [Ant.: *mau-caráter.*] [Pl.: *bons-caracteres.*]

bom-caratismo (bom-ca.ra.*tis*.mo) *sm.* Característica de quem tem bom-caráter [Pl.: *bons-caratismos.*] [F.: *bom-carát(er)* + *-ismo.*]

bom-dia (bom-*di*.a) *sm.* Cumprimento dirigido a alguém pela manhã: *Deu bom-dia a todos ao chegar.* [Tb. us. no pl.: Deu-lhe bons-dias.] [Pl.: *bons-dias.*]

bom-mocismo (bom-mo.*cis*.mo) *sm. Irôn.* Atributo, qualidade de quem é bom-moço: "Desde que o presidente do PT, José Dirceu, declarou que"é muito fácil posar de bom-moço", o partido abandonou o bom-mocismo..." (Tales Faria, *ISTOÉ on-line*, 14.12.2004) [Pl.: *bons-mocismos.*] [F.: *bom-moç(o)* + *-ismo.*]

bom-mocista (bom-mo.*cis*.ta) *a2g. Irôn.* Diz-se do que possui as características do bom-mocismo: "... os ongueiros que repetem, no rodapé do FMI, em Praga, a mesma arruaça bom-mocista que sitiou a OMC, em Seattle..." (Joelmir Beting, "Fundo perdido", *Estadão*, 23.09.2000) [F.: *bom-moç(o)* + *-ista.*]

bom-moço (bom-*mo*.ço) [ô] *sm. Irôn.* Indivíduo que se mostra como honesto e bem-comportado, sem o ser [Pl.: *bons-moços.*]

bom-senso (bom-*sen*.so) *sm.* Aptidão de distinguir o que é razoável e lógico, factível, adequado etc. entre diferentes alternativas. [Pl.: *bons-sensos.*]

bom-tom (bom-*tom*) *sm.* Comportamento elegante, educado, segundo as regras de etiqueta social; maneiras finas, trato distinto [Pl.: *bons-tons.*] ■ **De ~** De bom-gosto, elegante, ou de acordo com as convenções e regras da boa educação: "... era de bom-tom não ser menos generosa." (Machado de Assis, *Quincas Borba*)

bonachão (bo.na.*chão*) *a.* **1** Que é extremamente bondoso e espontâneo, puro **2** Próprio das pessoas com esse caráter: *Ele tem um ar bonachão.* *sm.* **3** Indivíduo bonachão [Pl.: *-chões*. Fem.: *-chona.*] [F.: *bonacho* + *-ão*¹. Sin. ger.: *bonacheirão, bonacheiro.*]

bonacheirão (bo.na.chei.*rão*) *a. sm.* O mesmo que *bonachão* [Pl.: *-rões*. Fem.: *-rona.*] [F.: *bonacheiro* + *-ão*¹.]

bonacheirice (bo.na.chei.*ri*.ce) *sf.* Qualidade ou caráter de bonacheiro ou bonacheirão [F.: *bonacheiro* + *-ice*.]

bonacheiro (bo.na.*chei*.ro) *a. sm.* O mesmo que *bonachão* [F.: *bonacho* + *-eiro*.]

bonança (bo.*nan*.ça) *sf.* **1** Tempo bom; boas condições meteorológicas para a navegação **2** *Fig.* Período tranquilo, venturoso, feliz *a2g.* **3** *Ant.* O mesmo que *bonançoso* [F.: Do gr. *malakía* 'brandura', pelo lat. *malacia* e pelo lat. vulg. *bonancia*, posv. pelo cast. *bonanza*. Hom./Par.: *bonança* (sf. a2g.), *bonança* (fl. de *bonançar*).]

bonançoso (bo.nan.*ço*.so) [ô] *a.* **1** Que está em bonança; calmo, sossegado, tranquilo (mar bonançoso, viagem bonançosa) **2** *Fig.* Que é favorável, benéfico; BENFAZEJO [Fem. e pl.: [ó].] [F.: *bonança* + *-oso*.]

bonapartismo (bo.na.par.*tis*.mo) *sm.* **1** Sistema político do imperador francês Napoleão Bonaparte (1769-1821) **2** Dedicação a tal sistema [F.: Do ant. *Bonapart(e)* + *-ismo*.]

bonapartista (bo.na.par.*tis*.ta) *a2g.* **1** Relativo a Napoleão Bonaparte ou ao bonapartismo (partido bonapartista) *s2g.* **2** Pessoa partidária de Napoleão Bonaparte (imperador francês, 1769-1821) [F.: Do ant. *Bonapart(e)* + *-ista*.]

⊕ **bonbonnière** (*Fr.* /bonboniér/) *sf.* **1** Recipiente onde se guardam bombons; BOMBONEIRA **2** Loja onde se comercializam bombons, balas etc.

bondade (bon.*da*.de) *sf.* **1** Qualidade do que ou de quem é bom, generoso, sensível ao sofrimento alheio e tendente a ajudar o próximo, ser solidário, benfeitor, magnânimo: *bondade de caráter; a bondade de um gesto.* **2** Ação generosa, solidária **3** Gentileza, delicadeza: *Teve a bondade de me ajudar.* **4** Benevolência, indulgência: *a sua bondade para com todos.* [Ant. nas acps. 1, 2, 3 e 4: *maldade*.] **5** *N. N.E. Pop.* Orgulho arrogante; EMPÁFIA; SOBERBA [F.: Do lat. *bonitatem*.]

bonde (*bon*.de) *Bras. sm.* **1** Veículo coletivo que se desloca sobre trilhos e é movido à eletricidade **2** *Gír.* Deslocamento de bandidos em grupo **3** *Gír.* Mau jogador de futebol **4** *Gír.* Mau negócio **5** *Gír.* Pessoa muito feia **6** *Gír.* Na gíria *funk*, grupo de funqueiros, turma [F.: Do ing. *bond* 'título a receber' 'cautela'. Segundo A. G. Cunha, a alteração semântica originou-se quando, em 1868, se associou a emissão de *bonds* (títulos) pela Fazenda do Império com a emissão de bilhetes de passagem nos carros de transporte coletivo (pela companhia *Botanical Garden*, que o explorava), e a imagem do veículo no bilhete com o próprio veículo.] ▪ **Comprar ~** *Bras. Gír.* Ser enganado em negócio; cair no conto do vigário **Pegar o ~ andando** *Bras. Pop.* Entrar em conversa sem saber o que se falou antes, chegar em algum evento depois de este ter começado **Tocar o ~** *Bras. Pop.* Seguir com o trabalho, programa, projeto, atividade etc. **Tomar o ~ errado** *Bras. Gír.* Enganar-se (por ter mal avaliado) ao entrar em negócio, atividade etc., e com isso ter mau resultado

bondinho (bon.*di*.nho) *sm.* **1** Bonde pequeno **2** *Bras.* O mesmo que *teleférico* [F.: *bonde* + *-inho*[1].]

bondoso (bon.*do*.so) [ô] *a.* **1** Que tem ou faz bondade (amiga bondosa) **2** Que indica bondade: *um senhor com ar bondoso.* [Ant. nas acps. 1 e 2: *maldoso, malvado*.] **3** *Bras. N.N.E. Pop.* Orgulhoso, altivo [Fem. e pl.: [ó].] [F.: Haplologia de *bondadoso*.]

boné (bo.*né*) *sm.* Chapéu de copa redonda, sem abas, com uma pala [F.: Do fr. *bonnet*.] ▪ **Apanhar ~** *Turfe* Chegar (cavalo, num páreo) num dos últimos lugares **Botar (o) ~ (em)** *N. N.E. Pop.* Ser infiel a, botar chifre em, cornear **Pedir o ~** *Bras. Pop.* Desistir de algo; afastar-se; demitir-se

boneca (bo.*ne*.ca) *sf.* **1** Figura tridimensional que representa uma mulher ou criança, us. como brinquedo infantil, objeto de decoração ou para outros fins **2** *Fig.* Mulher ou menina bonita ou bem arrumada **3** Chumaço de algodão envolto em tecido e amarrado, us. para espalhar substância líquida (óleo, verniz, tinta etc.) sobre uma superfície **4** *Bras.* Espiga de milho ainda nova, em formação **5** *Art. gr.* Projeto gráfico em forma brochura de uma publicação, us. para demonstrar como se apresentará quando impressa; BONECO **6** *Bras. Pej.* Homem efeminado **7** *Bras. Gír.* Travesti **8** *Cons.* Ressalto em parede de alvenaria, no qual se encaixam os marcos de portas e janelas **9** *Arm.* Espécie de bucha de madeira com que se veda cano de arma de fogo para evitar que nele penetre umidade **10** *Cons.* Reforço na parte inferior central de viga para aumentar-lhe a resistência à flexão sob peso **11** Peça junto à boleia de coches, carruagens etc., na qual se prendem rédeas e tirantes dos cavalos [F.: De or. contrv., posv. pré-romana. Nas acps. 6 e 7 é ofensivo.]

bonecar (bo.ne.*car*) *v.* **1** *Agr.* Começar a brotar espiga ou boneca; EMBONECAR; ESPIGAR [*int.*: "Milho-embandeirado, / bonecando em gestação." (Cora Coralina, *Poema do milho*): "O milho já estava bonecando, o feijão florando." (Rachel de Queiroz, *João Miguel*)] **2** *Bras. Art. pl.* Fazer bonecas ou bonecos (esp. artesanais) [*int.*: *As artesãs precisam de retalhos de pano para bonecar.*] **3** *Gír. Art. pl.* Desenhar bonecos de histórias em quadrinhos, charges etc. [*int.*: *cartunista exímio na arte de bonecar.*] [▶ 11 bonecar] [F.: *boneca* + *-ar*[2]. Hom./Par.: *boneca(s)* (fl.), *boneca(s)* (sf. [pl.]), *boneco* (fl.), *boneco* (sm.).]

boneco (bo.*ne*.co) *sm.* **1** Figura tridimensional que representa um homem ou menino, ou um animal, us. como brinquedo infantil, objeto de decoração ou para outros fins **2** *Fig.* Pessoa cujos movimentos lembram os de um boneco de engonço **3** *Fig. P. ext.* Pessoa que se deixa dominar ou influenciar por outrem; FANTOCHE; TÍTERE **4** Desenho, estampa ou gravura de figura humana, esp., ou animal **5** Figura desenhada por cartunista, quadrinista ou ilustrador, representando um personagem **6** *Art. gr.* O mesmo que *boneca* (3) **7** *Fig. Pej.* Homem que se esmera no vestir, que exagera nos cuidados com a aparência física **8** *Joc. Jorn.* Fotografia de pessoa de frente, em *close-up* ou com meio-corpo enquadrado, publicada em jornal, revista ou outro órgão jornalístico [F.: De or. contrv.] ▪ **~ de engonço** *Teat.* Boneco articulado, movido a cordel ou quando nele se dá corda

bonense (bo.*nen*.se) *s2g.* **1** Indivíduo nascido ou que vive em Bonn (Alemanha) *a2g.* **2** De Bonn; típico dessa cidade ou de seu povo [F.: Do top. *Bonn* + *-ense*.]

bongô (bon.*gô*) *sm. Mús.* Instrumento musical de percussão, de or. cubana, composto de dois pequenos tambores unidos lado a lado, afinados diferentemente e tocado com os dedos

bonificação (bo.ni.fi.ca.*ção*) *sf.* **1** Ação ou resultado de bonificar: *a diretoria aprovou a bonificação dos empregados.* **2** O mesmo que *bônus*, ou a concessão de bônus [Pl.: *-ções*.] [F.: *bonificar* + *-ção*.]

bonificado (bo.ni.fi.*ca*.do) *a.* Que recebeu bonificação, gratificação ou prêmio (funcionário bonificado) [F.: Part. de *bonificar*.]

bonificar (bo.ni.fi.*car*) *v. td.* **1** Dar bônus ou bonificação a; conceder prêmio, benefício ou vantagem a: *A empresa bonificou os funcionários mais antigos.* **2** *Ant.* Beneficiar, melhorar, tornar mais produtivas (terras, propriedades etc.) [▶ 11 bonificar] [F.: Do fr. *bonifier*, do lat. medv. *bonificare*.]

bonifrate (bo.ni.*fra*.te) *sm.* **1** Boneco manipulado por varetas, cordéis ou pela mão, us. para representar peças teatrais; FANTOCHE; MARIONETE; TÍTERE **2** *Fig. Pej.* Pessoa que aceita ficar servilmente sob as ordens de outra **3** *Fig. Pej.* Pessoa cujos atos ou vestimenta não têm a sobriedade própria de sua idade, estado ou posição social [F.: De or. contrv. Nas acps. 2 e 3 é ofensivo.]

bonina (bo.*ni*.na) *sf. Bot.* Planta da fam. das compostas, também conhecida como bonina-do-campo [No Pará e no Maranhão é conhecida como *boas-noites*, e no Rio de Janeiro como *maravilha*. Sua flor representa a mulher amada e o amor de quem a envia] [F.: Do cast. *bonina*.]

bonitaço (bo.ni.*ta*.ço) *a. S. S. E.* Muito bonito; bonitão (potro bonitaço) [F.: *bonito* + *-aço*.]

bonitão (bo.ni.*tão*) *a.* **1** Que é muito bonito; BONITAÇO *sm.* **2** Indivíduo muito bonito **3** *Irôn. Pop.* Indivíduo que se acha muito bonito, irresistível: *O bonitão tentou cantar a moça e se deu mal.* [Pl.: *-tões*. Fem.: *-tona*.] [F.: *bonito* + *-ão*[1].]

boniteza (bo.ni.*te*.za) *sf.* **1** Qualidade do que é bonito; BELEZA: "Sapo não pula por boniteza, mas porém por precisão." (Guimarães Rosa, *"A hora e a vez de Augusto Matraga" in Sagarana*) [Ant.: *fealdade, feiura*.] **2** Pessoa ou coisa bonita: *Tinha paixão pela prima, mas a boniteza nem lhe dava atenção.* [F.: *bonito* + *-eza*.]

bonitinho (bo.ni.*ti*.nho) *a.* **1** *Pop.* Que é um tanto bonito; que tem algum encanto ou atrativo: *O corretor mostrou-lhe um apartamento bonitinho com preço acessível.* ***adv.*** **2** *Pop.* De modo ordenado e adequado; exatamente: *Reclamou, mas fez bonitinho o que lhe mandaram.*

bonito (bo.*ni*.to) *a.* **1** Que é agradável ou aprazível ao sentido da visão por apresentar harmonia de elementos quanto à forma, ao aspecto, cores ou tonalidades, traços, feições etc., ou por sensibilizar, causar comoção (bonita paisagem) **2** *Restr.* Que é do gosto, do agrado de quem vê: *Achou bonito o quadro, até quis comprá-lo, mas sua mulher não concordou.* **3** Que é agradável ou aprazível ao sentido da audição ou que causa comoção a quem ouve (ou lê): *Certos pássaros têm canto bonito!; Seu discurso foi muito bonito.* **4** *Restr.* Que é do gosto, do agrado de quem ouve: *Ele disse que a música era bonita; eu não achei.* **5** Diz-se do dia, do tempo etc. bom, ensolarado: *Bonito dia!; Que tempo bonito!* **6** Diz-se da noite clara, com estrelas, enluarada: *Tão bonita noite!* **7** De qualidades morais, intelectuais, emocionais admiráveis ou de personalidade agradável, aprazível, carismática etc.: *É uma pessoa tão bonita que sua deficiência perde a gravidade.* **8** Digno de apreço, admiração, respeito etc. por resultar em ou encerrar algo bom; que revela altruísmo, correção, idoneidade, bondade, generosidade, educação, ou gentileza etc.: *Naquele dia, ele fez uma bonita ação/ ele teve um bonito gesto.* **9** Digno de apreço, admiração etc. por revelar ou encerrar união, afeto, respeito, dedicação etc.: *Eles têm uma bonita relação.* **10** Que se destaca pela quantidade ou pela qualidade (diz-se de conjunto, coleção etc. de coisas); numeroso e/ou valioso: *uma bonita coleção de livros; um bonito acervo de CDs de música clássica.* **11** Que revela ou se destaca pela competência, pelo talento, valor, sucesso etc. (bonito desempenho): *Ele fez uma carreira muito bonita na Marinha.* **12** Que é considerado correto ou de bom tom; que segue as convenções sociais: *É bonito chegar pontualmente aos compromissos sociais.* **13** *Gír. Esp.* Bem disputado, de alto nível, mas sem violência (jogo bonito; partida bonita) **14** *Irôn.* Que é lamentável, lastimável: *Que bonita situação você me arranjou!; Que bonito papel o seu, hein?* [Por antífrase.] *sm.* **15** Aquilo que é bonito, aprazível, considerável, admirável etc; *restr.* o que existe de bonito, de bom (em algo ou em alguém): *O bonito do encontro foi a alegria de todos os presentes; O bonito nele é a generosidade com que age.* *sm.* **16** *Zool.* Nome comum de vários peixes marinhos da fam. dos escombrídeos, parecidos com o atum, ainda que menores **17** *P. us.* O mesmo que *brinquedo* (1) ***adv.*** **18** *Pop.* De modo bonito; com graça, habilidade, estilo, propriedade, correção etc; bem: *Falou bonito!; Ele agiu bonito conosco.* **19** De modo belo ou talentosamente: *Eles cantam bonito.* **20** *Gír. Esp.* Por grande diferença de pontos: *Eles ganharam/perderam bonito.* **21** *Gír. Esp.* Com esportividade, com classe; sem demonstrar desistência ou sem qualquer tipo de atitude antiesportiva: *Eles perderam bonito, lutaram até o final, de cabeça erguida.* ***interj.*** **22** Exprime aprovação: *Bonito! Você estudou e passou!* **23** Expressa reprovação: *Bonito! Te peguei com a boca na botija!* [Us. ironicamente, para reforçar ou acentuar, por antífrase, aquilo de errado, sujo ou feio que não deveria ter sido feito (por alguém).] [F.: Prov. do espn. *bonito*, dim. de *bueno*. Ant. de 1 a 12: *feio*. Ideia de 'bonito': *cal(i)- (calidoscópio)*.] ▪ **Fazer ~** Sair-se bem, desempenhar-se bem

bonomia (bo.no.*mi*.a) *sf.* **1** Modo de ser ou agir que indica bondade de coração e simplicidade de maneiras **2** Extrema credulidade [F.: Do fr. *bonhomie*.]

bonsai (bon.*sai*) *sm.* **1** Miniatura de planta, cultivada em bandeja e moldada pelas mãos do artista que a alimenta e constrói **2** Arte oriental de miniaturizar plantas originada na China, por volta de 202 a.C., que teve maior desenvolvimento no Japão, onde foi reconhecida mundialmente como excelente forma de expressão artística [F.: Do jap. *bon* (vaso, bandeja) + jap. *sai* (árvore).]

bons-dias (bons-*di*.as) *smpl.* **1** *Bot.* Nome comum a certas spp. de trepadeiras da fam. das convolvuláceas, cujas flores se abrem de manhã e se fecham à noite **2** O mesmo que *bom-dia*

bônus (*bô*.nus) *sm2n.* **1** *Econ.* Benefício extraordinário pago pelo empregador; BONIFICAÇÃO **2** *Econ.* Benefício, além dos dividendos, distribuído por empresa aos acionistas por ocasião do balanço anual; BONIFICAÇÃO **3** *Com.* Vantagem concedida por empresa a seus clientes, a título de prêmio; BONIFICAÇÃO: *bônus de 50% na adesão.* **4** *P. ext.* Qualquer vantagem ou benefício concedidos ou recebidos além do combinado ou regulamentado ou esperado **5** *Econ.* Título da dívida pública ou de sociedade financeira, nominativo ou ao portador, no qual o emitente se compromete a pagar a seu detentor a quantia nele expressa na data declarada **6** Desconto no prêmio do seguro concedido pela seguradora ao segurado por não ter havido sinistro nem reclamação de seguro no período anterior do contrato [F.: Do lat. *bonus*, de *bonum -i*.]

⊕ **bon vivant** (*Fr.* /bonvivã/) *sm.* Pessoa bem-humorada que sabe aproveitar os prazeres da vida

bonzo (*bon*.zo) *Rel. sm.* **1** Sacerdote budista, esp. da China e do Japão; SAÍ **2** *P. ext.* Membro de ordem religiosa **3** *Bras. Pej.* Pessoa hipócrita, sonsa **4** *Bras. Fig.* Pessoa imperturbável, impassível **5** *P. ext.* Quem é preguiçoso, apático [F.: Do jap. *bózu*.]

⊕ **book** (*Ing.* /buk/) *sm.* Álbum onde são expostos desenhos, fotos, resumos de trabalhos de determinado profissional (manequim, modelo, desenhista, fotógrafo), para serem apresentados a pessoas ou empresas interessadas em contratá-lo; PORTFÓLIO [Pl.: *books*.]

⊕ **bookmaker** (*Ing.* /bukmeiker/) *sm.* *Turfe* Banqueiro de apostas clandestinas em corridas de cavalos [Pl.: *bookmakers*.]

⊕ **bookmark** (*Ing.* /bukmark/) *sm.* *Inf.* Seleção de sites frequentemente acessados por um internauta, e que permite pronta conexão após vizualização da lista previamente criada, p. ex., no *menu favoritos* ou similar do seu navegador [Funciona como um marcador de livro, que possibilita achar rapidamente a página desejada sem precisar folheá-lo.] [Pl.: *bookmarks*.]

booliano (boo.li:*a*.no) [bu] *a.* Do ou ref. ao matemático inglês George Boole (1815-1864), ou aos seus trabalhos em álgebra e lógica [F.: Do antr. George *Boole* + *-iano*.]

⊕ **boom** (*Ing.* /bum/) *sm.* **1** Crescimento acelerado de atividades econômicas **2** Súbito aumento na comercialização de uma mercadoria, no desenvolvimento de uma cidade, na aceitação de uma candidatura política etc. **3** Período durante o qual tal crescimento ou aceleração acontece [Pl.: *booms*.]

⊕ **boot** (*Ing.* /búut/) *Inf. sm.* Operação com que se inicia o funcionamento do computador; INICIAÇÃO; INICIALIZAÇÃO ▪ **Dar ~** *Inf.* Dar partida em computador; inicializar

boquear (bo.que.*ar*) *v.* **1** Falar mal de; BOQUEJAR; MALDIZER [*tr.* + *de*: *Era indiscreto e boqueava dos vizinhos.*] **2** Falar baixo, produzir sussurro; BOQUEJAR; MURMURAR; SUSSURRAR [*int.*: *Pediram silêncio, mas alguém ainda boqueava.*] **3** Abrir a boca no esforço para respirar (em caso de animal moribundo ou com dificuldade respiratória); ARQUEJAR [*int.*: *O animal boqueou e morreu; O peixe fora d'água boqueava.*] **4** *P. ext.* Estar na agonia da morte; AGONIZAR; ESTERTORAR [*int.*] [▶ 13 boquear] [F.: *boca* + *-ear*[2].]

boqueira (bo.*quei*.ra) *sf. Vet.* Afecção inflamatória nos cantos da boca de cavalgadura, causado pelo atrito do freio; BOQUEIRO; CANTO DE PASSARINHO; CANTO DE SABIÁ; SABIÁ [F.: *boca* + *-eira*.]

boqueirão (bo.quei.*rão*) *sm.* **1** Boca grande ou muito aberta; BOCARRA **2** Abertura ou boca de um rio ou canal **3** Qualquer abertura em forma similar à de uma boca **4** Escavação profunda e ampla; COVÃO **5** *BA* Terreno úmido próprio para o cultivo do cacau **6** *N.E.* Garganta de serra por onde passa um rio **7** Rua ou travessa que dá para um rio **8** *RS* Saída ampla para um campo, depois de desfiladeiro ou estrada apertada **9** *RS* Área descampada entre áreas de mata **10** Trecho de rio entre montanhas; BRECHÃO **11** *Fut.* Grande brecha na defesa **12** *Turfe* Durante uma corrida, distância, ao longo da pista, de um cavalo a outro; LUZ [F.: *boqueira* + *-ão*[1].]

boqueiro (bo.*quei*.ro) ***sm.*** Dono, gerente ou frequentador de boca de fumo: *A ação vinha sendo protelada para flagrar o boqueiro no local.* [F.: *boc(a)* (com alter. de c > qu) + *-eiro*.]

boquejar (bo.que.*jar*) ***v.*** **1** Falar mal (de alguém ou algo) às escondidas [*tr.* + *de, sobre, em*: "A vizinhança começou a boquejar sobre a música dos vizinhos." (Marques Rebelo, *Marafa*)] **2** Falar em voz baixa; MURMURAR; RESMUNGAR [***td.***: *boquejar segredos.*] [***int.***: *Depois do jogo foi embora a boquejar.*] **3** Contar, revelar; conversar sobre [***td.*** / ***tdi.*** + *a, para*: *Estava nervosa, e boquejou tudo que sabia (para o delegado).*] **4** Meter-se em discussão, altercação, briga; DISCUTIR; ARGUMENTAR [*tr.* + *com*: *Fora de si, boquejava com todo mundo; Boquejou com o candidato adversário.*] [***int.***: *Estava exausto de tanto boquejar.*] **5** Dar bocejos [***int.***] **6** *Lus.* Comer algo para estimular o apetite ou forrar o estômago [***int.***: *Gostava de boquejar antes de beber.*] **7** Pegar (algo) com a boca; abocanhar [***td.***: *O gato boquejou o pedaço de queijo; A cadela boquejou o filhote.*] [***int.***: *Os peixes subiam à superfície e começavam a boquejar.*] [▶ 1 boque**jar**] [F.: *boqu(i)-* + *-ejar*. Hom./Par.: *boquejo* (fl.), *boquejo* /ê/ (sm.); *boquejar, bosquejar* (em todas as fl.).]

boquejo (bo.*que*.jo) [ê] ***sm.*** **1** Ação ou efeito de boquejar; BOCEJO **2** Ato de falar baixo; MURMÚRIO; SUSSURRO: "Basta um boquejo, para chegar uma escolta, varejar fazendas..." (Lima Barreto, *A Nova Califórnia – O único assassinato de Cazuza*) [F.: Regress. de *boquejar*.]

boquerones (bo.que.*ro*.nes) [ô] ***smpl.*** Pequenos peixes da fam. das sardinhas, manjubas que são preparados curtidos em vinagre [Us. tb. no singular (*boquerone*), para designar a iguaria que se prepara com esses peixes. Ex.: O boquerone é um excelente petisco.]

◎ **boqu(i)-** ***el. comp.*** = 'boca': *boquiaberto, boquiabrir, boquirroto* [F.: *boca* (ô) + *-i-*.]

boquiaberto (bo.qui:a.*ber*.to) ***a.*** **1** De boca aberta **2** *Fig.* Muito admirado, perplexo; ESTUPEFATO [F.: *boqu(i)-* + *aberto*.]

boquiabrir (bo.qui.a.*brir*) *Bras.* ***v.*** Sentir ou causar grande admiração, espanto, pasmo; ADMIRAR(-SE) [***int.***: *As crianças boquiabriram-se com o espetáculo.*] [***td.***: *A cidade é linda, de boquiabrir qualquer turista.*] [▶ 3 boquia**brir**] [F.: *boqu(i)-* + *abrir*.]

boquilha (bo.*qui*.lha) ***sf.*** **1** Tubinho onde se encaixa cigarro, cigarrilha etc. para fumar; PITEIRA **2** Extremidade do cachimbo que se leva à boca **3** *Mús.* Peça onde se encaixa a palheta, em instrumentos de sopro **4** Encaixe para unir caixilhos de portas e janelas **5** *Tip.* O mesmo que *nariz* (5) [F.: Do cast. *boquilla*.]

boquinha (bo.*qui*.nha) ***sf.*** **1** Dim. de *boca* **2** Trejeito que se faz contraindo a boca, fazendo biquinho (2) **3** Beijo ligeiro e suave **4** *AM P. ext.* O som de um beijo **5** *AM* Laranja não descascada na qual se corta uma calota para chupar o sumo pela abertura; CHUPA **6** *Bras.* Refeição ligeira [F.: *boca* + *-inha*.] ∎ **Fazer uma ~** *Bras.* Fazer refeição ou lanche leve, beliscar

boquirroto (bo.quir.*ro*.to) [ô] ***a.*** **1** Que fala muito, que é incapaz de guardar informações confidenciais ***sm.*** **2** Indivíduo boquirroto [F.: *boqu(i)-* + *roto*. Sin. ger.: *indiscreto, boca-rota*.]

bórax (*bó*.rax) [cs] *Quím.* ***sm.*** Borato de sódio com dez moléculas de água, us. como antisséptico [Fórmula: $Na_2B_4O_7 \cdot 10H_2O$] [Pl.: *bóraces*.] [F.: Do persa *búráh, borak*, pelo ár. *búraq* e lat. medv. *borax*.]

borboleta (bor.bo.*le*.ta) [ê] ***sf.*** **1** Nome comum aos insetos alados lepidópteros diurnos, que têm quatro asas membranosas ger. coloridas e se desenvolvem a partir de uma lagarta **2** *Bras. Fig.* Pessoa leviana e inconstante **3** Mecanismo giratório que só permite a passagem de uma pessoa por vez, instalado à entrada e/ou saída de estádios, cinemas, estações, ônibus etc., para controlar e contar os espectadores ou usuários; CATRACA; ROLETA; TORNIQUETE **4** Conjunto de duas aletas articuladas em forma de dobradiça que, fixado no marco de uma janela de guilhotina, de acordo com a posição das aletas, permite a subida e descida de uma folha da janela ou lhe serve de apoio quando levantada **5** *Mec.* Certo tipo de porca ou de parafuso, munido de duas aletas na cabeça, o que permite apertá-los ou afrouxá-los apenas com os dedos, sem uso de ferramenta **6** Dispositivo semelhante para dar corda em instrumentos como brinquedos de corda, caixinhas de música etc. **7** No jogo do bicho, grupo das dezenas 13, 14, 15 e 16, correspondentes ao número 4 **8** *Bras.* Peça que se prende no focinho de vitelos para impedi-los de mamar, durante o desmame **9** *GO Pop.* A vulva **10** *Arm.* Dispositivo com que se regula a pontaria de arma de fogo **11** *Tip.* Pequena lingueta que, no linotipo, aciona o elevador de tipo para a posição de grifo **12** *Zool.* Nome comum a certos peixes teleósteos do gên. *Chaetodon*, ornamentais, de corpo achatado amarelo com cinco faixas escuras ***a.*** **13** *Esp.* Diz-se de certo tipo de nado, no qual o nadador se eleva da linha da água para dar vigorosas braçadas com os dois braços de uma vez só ***sm.*** **14** *Esp.* Esse tipo de nado: *Hoje ele vai nadar o borboleta.* [F.: Posv. de um lat. *belbellita*, calcado em *bellus*.]

borboletário (bor.bo.le.*tá*.ri:o) ***sm.*** Local próprio para criação ou exposição de borboletas [F.: *borbolet(a)* + *-ário*.]

borboleteamento (bor.bo.le.te:a.*men*.to) ***sm.*** **1** Ação ou efeito de borboletear; BORBOLETEIO **2** *Fig.* Maneira de fantasiar ou devanear sem fixar a atenção (borboleteamento de ideias) **3** *Oft.* Afecção em que os olhos se movimentam descontroladamente e não conseguem se fixar em nenhum ponto [F.: *borboletear* + *-mento*.]

borboleteante (bor.bo.le.te.*an*.te) ***a2g.*** **1** Que borboleteia; BORBOLETEADOR **2** *Fig.* Diz-se de quem anda de forma cambaleante, sem direção: "... saiu pela rua afora, trêfega e borboleteante, a contar de casa em casa o supremo acontecimento..." (Paulo Setúbal, *A marquesa de Santos, Um acontecimento alvoroçante*) [F.: *borboletea(r)* + *-nte*.]

borboletear (bor.bo.le.te.*ar*) ***v.*** **1** Esvoaçar (a borboleta, ou como a borboleta) [***int.*** / ***ta.***: *Antes de cair o passarinho borboleteou (sobre a estufa).*] **2** Andar à toa; PERAMBULAR; VAGUEAR: [***int.*** / ***ta.***: *Passa a tarde borboleteando (de loja em loja).*] **3** *Fig.* Ficar com pensamento solto, livre, esvoaçante; devanear sem fixar a atenção [***int.***: *Estava borboleteando, e não ouviu uma palavra do que ela lhe dizia.*] [▶ 13 borbolete**ar**] [F.: *borboleta* + *-ear*[2].]

borborejar (bor.bo.re.*jar*) ***v.*** Ver *burburejar*

borborigmo (bor.bo.*rig*.mo) ***sm.*** *Med.* Ruído surdo, rouco, causado pelo movimento dos gases nos intestinos; BORBORISMO [F.: Do gr. *borborygmós*.]

borborinhar (bor.bo.ri.*nhar*) ***v. int.*** O mesmo que *burburinhar* [▶ 1 borborin**har**] [F.: *borborinho* + *-ar*[2].]

borborinho (bor.bo.*ri*.nho) ***sm.*** Ver *burburinho*

borborismo (bor.bo.*ris*.mo) ***sm.*** *Pop. Med.* Ver *borborigmo*

borbotão (bor.bo.*tão*) ***sm.*** Jato impetuoso e intermitente de um líquido ou de um gás: *borbotão de vento*: "... do meio dos borbotões da cachoeira." (José de Alencar, *Ubirajara*) [Pl.: *-tões*.] [F.: *borbotar* + *-ão*[1].] ∎ **Aos/ Em borbotões** **1** Em golfadas; por meio de jato (líquido ou gasoso): *As labaredas saíam aos /em borbotões pela janela; O sangue saía aos /em borbotões.* **2** *Fig.* Em grande quantidade: *O pessoal entrava no estádio aos borbotões.*

borbotar (bor.bo.*tar*) ***v.*** **1** Expelir, lançar em borbotões [***td.***: *Sua boca borbotava sangue; Os vulcões borbotam chamas.*] **2** Sair em borbotões, jorrar com ímpeto [***ta.***: *O petróleo borbotava do solo; Jatos de água borbotavam dos canos.*] **3** *Fig.* Surgir em grande quantidade, profusamente [***ta.***: *As maldades continuavam a borbotar em seu coração.*] **4** *Fig.* Dizer de modo claro, afirmativo; lançar com ímpeto [***td.***: *Borbotava violentos palavrões.*] **5** Fazer botões (a planta) [***int.***] [▶ 1 borbo**tar**] [F.: Do cruzamento de *brotar* com *borbulhar*, posv.]

borbulha (bor.*bu*.lha) ***sf.*** **1** Bolha que faz um líquido quando ferve ou quando nele se desenvolve um gás **2** Bolha aquosa ou purulenta formada na epiderme **3** *Bot.* Excrescência natural que rebenta nos ramos das árvores e arbustos, e começa a se desenvolver para produzir folhas ou flores; BROTO; GEMA **4** *Bot.* Rebento novo na vinha **5** *Fig.* Mancha na honra **6** *Lus. Pop.* O mesmo que *espinha* (4), erupção na pele [Aum.: *borbulhaço*.] [F.: Regress. de *borbulhar*. Hom./ Par.: *borbulha* (sf.), *borbulha* (fl. de *borbulhar*).]

borbulhante (bor.bu.*lhan*.te) ***a2g.*** **1** Que borbulha ou que tem borbulhas (1): *a espuma borbulhante do champanhe.* **2** *Fig.* Que se manifesta com ou que transmite vibração, agitação, entusiasmo (alegria borbulhante); EFUSIANTE; RADIANTE ***sf.*** **3** *SE Pop.* O mesmo que *cachaça* [F.: *borbulhar* + *-nte*.]

borbulhar (bor.bu.*lhar*) ***v.*** **1** Produzir borbulhas; sair em borbulhas, em bolhas ou em gotas frequentes [***int.***: *Corra, que o leite já borbulha; Enquanto se exercitava na bicicleta, o suor borbulhava.*] [***ta.***: *Lágrimas borbulhavam dos olhos da menina.*] **2** *Fig.* Existir ou surgir em quantidade; FERVILHAR [***ta.***: *Mil pensamentos borbulham em sua cabeça.*] **3** Cobrir-se de borbulhas ou gêmulas; formar brotos (a planta) [***int.***: *A goiabeira já borbulhou.*] **4** Fazer germinar [***td.***: *O calor borbulhou prematuramente as laranjeiras.*] **5** *Lus.* Ficar cheio de espinhas [***int.***: *Quando comia chocolate, seu corpo borbulhava por inteiro.*] **6** *Fig.* Agitar(-se), fervilhar [***ta.***: *A droga tóxica parecia borbulhar em suas veias.*] **7** *Fig.* Sair em magotes e precipitadamente [***ta.***: *A torcida frustrada borbulhava pelas saídas do estádio.*] **8** *Fig.* Lançar (agressões verbais, pragas etc.) de maneira agressiva [***td.***] [▶ 1 borbul**har**] [F.: Do espn. *borbollar*. Hom./Par.: *borbulha(s)* (fl.), *borbulha(s)* (sf. [pl.]).]

borco (*bor*.co) [ô] ***sm.*** Posição de algo que está com o lado ou face principal voltados para baixo [F.: Regress. de *borcar*. Hom./Par.: *borco* (sm.), *borco* (fl. de *borcar*).] ∎ **De ~** Com a parte superior voltada para baixo, de barriga para baixo

borda (*bor*.da) ***sf.*** **1** Extremidade, limite de uma superfície; BEIRA; BEIRADA: *borda da mesa; borda da cadeira.* **2** Parte que rodeia e remata um objeto, uma região, uma fenda etc., delimitando-os: *a borda do prato; as bordas da ferida.* **3** Aquilo que guarnece em volta: *a borda da piscina; um poço de borda alta.* **4** Terreno adjacente a um objeto designado: *a borda de uma estrada; a borda de um precipício.* **5** Margem de rio, lago ou de qualquer massa de água **6** *Mar.* A parte mais alta do costado de um navio [F.: Do frâncico *bord*, posv. pelo fr. *bord*. Hom./Par.: *borda* (sf.), *borda* (fl. de *bordar*).]

bordadeira (bor.da.*dei*.ra) ***sf.*** Mulher cuja profissão é bordar [F.: *bordar* + *-deira*.]

bordado (bor.*da*.do) ***sm.*** **1** Ação ou resultado de bordar **2** Trabalho feito em tecido ou tela, ger. à mão, utilizando agulha e linhas ou fios coloridas para criar ornatos em relevo **3** Ornato assim feito: *Fez um lindo bordado na colcha.* **4** *Fig.* Aquilo que, em sua aparência, lembra um bordado (3) ***a.*** **5** Recoberto com bordado (3): *toalha de mesa bordada.* **6** Circundado ou guarnecido (por algo) na borda: *um lago bordado de areias brancas.* [F.: Part. de *bordar*.] ∎ **~ de Penélope** *Fig.* Trabalho que não acaba nunca [Baseado na lenda mitológica de Penélope, que, esperançosa da volta do marido, Ulisses, adiava sua resposta a pretendentes para depois que terminasse seu bordado, que desmanchava todas as noites para recomeçar no dia seguinte.]

bordador (bor.da.dor) [ô] ***a.*** **1** Diz-se daquele que borda (costureiro bordador) ***sm.*** **2** Aquele que borda [F.: *bordad(o)* + *-or*.]

bordadura (bor.da.*du*.ra) ***sf.*** **1** Ação de bordar **2** O que orna, decora ou arremata a superfície ou as linhas de um objeto; BORDADO **3** Orla vegetal que divide os canteiros em um jardim **4** *Arq.* Perfil ou moldura de um baixo-relevo ou de uma almofada de divisão **5** *Her.* Linha que contorna internamente as bordas de um escudo **6** *Mús.* Floreio em notas musicais **7** *Bras. Mar.* Borda-falsa das canoas [F.: *bordad(o)* + *-ura*.]

bordalês (bor.da.*lês*) ***sm.*** **1** Pessoa nascida em Bordéus (França) ***a.*** **2** De Bordéus, típico dessa cidade ou de seu povo [F.: Do fr. *bordelais*.]

bordalesa (bor.da.*le*.sa) [ê] *Enol.* ***sf.*** **1** Mulher natural de Bordéus **2** Barril de vinho us. em Bordéus **3** Garrafa de formato característico, com gargalo relativamente longo, que contém esses vinhos [F.: Fem. substv. de *bordalês*.]

bordão[1] (bor.*dão*) ***sm.*** **1** Pau grosso ou vara que serve de apoio; CAJADO **2** *Fig.* Arrimo, amparo: *O filho lhe servirá de bordão na velhice.* **3** Bastão com uma das pontas mais grossas que a outra; CACETE; PORRETE **4** Palavra ou frase que alguma pessoa repete frequentemente, na fala ou escrita, por hábito vicioso **5** *Bras. Rád. Telv.* Palavra, expressão ou frase que um apresentador ou personagem repete frequentemente para efeito humorístico e/ou caricatural [Pl.: *-dões*.] [F.: Do lat. *burdone*.]

bordão[2] (bor.*dão*) ***sm.*** **1** *Mús.* Em instrumento de cordas dedilhadas, corda que emite som grave **2** *Mús.* Especificamente, aquela que emite o som mais grave **3** *Mús.* O tom invariável e contínuo que serve de baixo para uma linha melódica, em instrumentos como sanfona, gaita de foles etc., **4** *Mús.* Registro de diapasão grave no órgão, ger. pela pedaleira **5** *Mús.* Em certo tipo de tambor, corda dupla que se estende em contato com a pele inferior do instrumento **6** Num conjunto de sinos, o de som mais grave **7** *Arm. Esp.* Corda de arco (arma ou equipamento esportivo) [Pl.: *-dões*.] [F.: Do fr. *bourdon*.]

bordão[3] (bor.*dão*) ***sm.*** *Bot.* Espécie de palmeira (*Raphia textilis*) de seiva doce da qual, fermentada, se obtém o *maluvo* [F.: Posv. de *bordo*.]

bordar[1] (bor.*dar*) ***v.*** **1** Fazer bordado (em); ornar com desenhos em relevo usando agulha (ou máquina apropriada) e fio de lã, seda, ouro etc. [***td.***: *Bordou os punhos da blusa.*] [***int.***: *Nunca aprendera a bordar.*] **2** Desenhar (algo) utilizando agulha apropriada [***tda.***: *Bordou uma estrela azul na mochila do filho.*] **3** *Fig.* Enfeitar, ornamentar a borda de; guarnecer [***td.***: *Muitas e copadas árvores bordam a estrada; Uma linda sanca bordava o teto da sala.*] **4** *Fig.* Construir na imaginação (ideia, história, conclusão etc.); tecer [***td.***: *O professor bordou algumas observações à margem da sua dissertação; Não era capaz de bordar toda essa trama.*] [▶ 1 bor**dar**] [F.: Do lat. **brosdare* pelo germ. **bruzdôn*. Hom./Par.: *bordo* (fl.), *bordo* (sm.); *borda*(s) (fl.), *borda*(s) (sf. [pl.]); *bordaria*(s) (fl.), *bordaria*(s) (sf. [pl.]); *borde*(s) (fl.), *borde*(s) (sm. [pl.]); *bordéis* (fl.), *bordéis* (pl. de *bordel*).]

bordar[2] (bor.*dar*) ***v. int.*** *Açor.* Receber hóspedes [▶ 1 bor**dar**] [F.: Do ingl. *board*.]

bordejamento (bor.de.ja.*men*.to) ***sm.*** Ação ou resultado de bordejar [F.: *bordejar* + *-mento*.]

bordejar (bor.de.*jar*) ***v.*** **1** *Mar.* Navegar à vela sem destino (com ventos de bombordo e de estibordo) [***int.*** / ***ta.***: *O barco bordejava (pela baía).*] **2** Andar de um lado para outro, sem rumo certo [***int.***] **3** Deslocar-se ou localizar-se em torno de; CONTORNAR [***td.***: *Seguiu pela trilha que bordeja a mata.*] **4** *Bras. Gír.* Andar em busca de casos amorosos [***int.***] **5** Andar tropegamente; cambalear, vacilar [***int.***: *A mulher bordejou ao descer a escada e caiu.*] **6** *Fig.* Fazer rodeios (em torno de um assunto) [***td.***: *Preferiu bordejar o assunto em vez de dar a notícia de uma vez.*] [***int.***: *Nunca era explícito, sempre bordejava.*] [▶ 1 borde**jar**] [F.: *borda* + *-ejar*. Hom./ Par.: *bordejo* (fl.), *bordejo* (sm.).]

bordejo (bor.*de*.jo) [ê] ***sm.*** **1** *Mar.* Ação ou resultado de bordejar, de navegar (um barco à vela) sem destino **2** *Mar.* Ação ou resultado de dirigir veleiro alternadamente para um e outro lado do rumo que deve seguir, quando o vento é contrário **3** *Bras. Pop.* Ação ou resultado de andar a esmo, passear: *Fomos dar um bordejo na praia.* **4** *Bras. Pop.* Ação ou resultado de sair em busca de aventuras amorosas [F.: Regress. de *bordejar*. Hom./Par.: *bordejo* (sm.), *bordejo* (fl. de *bordejar*).]

bordel (bor.*del*) ***sm.*** **1** Prostíbulo **2** *P. ext.* Qualquer lugar ou circunstância em que haja devassidão, obscenidade [Pl.: *-déis*.] [F.: Do fr. *bordel*. Hom./Par.: *bordéis* (pl.), *bordeis* (fl. de *bordar*).]

bordelengo (bor.de.*len*.go) ***a.*** **1** Relativo a bordel (vocabulário bordelengo) **2** Que frequenta bordéis; BORDELEIRO ***sm.*** **3** Indivíduo bordelengo [F.: *bordel* + *-engo*.]

bordelês (bor.de.*lês*) ***sm.*** **1** Indivíduo nascido ou que vive em Bordéus (França) [Pl.: *-leses* [ê]. Fem.: *-lesa* [ê].] ***a.*** **2** De Bordéus; típico dessa cidade ou de seu povo [Pl.: *-leses* [ê]. Fem.: *-lesa* [ê].] [F.: Do top. *Bordéus*.]

⊕ **borderline** (*Ing.* /borderláin/) ***sm.*** **1** *Psic.* Distúrbio psíquico na fronteira entre a neurose e a psicose; CASO-LIMITE ***a2g.*** **2** Que apresenta esse distúrbio (personalidade borderline)

borderô (bor.de.*rô*) *sm.* 1 *Cont.* Relação detalhada das operações financeiras e comerciais ref. a um evento ou um período: *o borderô do jogo/da bilheteria em abril.* 2 Rol completo dos títulos remetidos a um banco para cobrança, desconto ou caução [F.: Do fr. *bordereau.*]

bordo¹ (*bor*.do) [ó] *sm.* 1 Cada um dos dois lados iguais de uma embarcação, opostos em relação a um plano imaginário que a divide ao meio ao longo do comprimento dela 2 Cada uma das áreas espaciais em torno de cada um dos bordos (1) de uma embarcação 3 *N.E.* Numa jangada, cada um de dois paus roliços longitudinais, um de cada lado do eixo longitudinal, entre este e o pau mais externo 4 Limite de qualquer superfície; BEIRADA; MARGEM; ORLA 5 Ação e resultado de bordejar; o rumo tomado nessa ação 6 *Fig.* Disposição, intenção, propósito 7 *Her.* Linha que constitui o bordo (4) de um escudo 8 Linha ou superfície que constitui o limite comum de duas superfícies paralelas que formam um todo, um só objeto ou entidade: *bordo de uma folha de papel, de uma chapa de aço, de uma moeda.* [F.: Posv. do fr. *bord.*] ■ **A ~** *Mar.* Embarcado, dentro de embarcação **Aos ~s** Em zigue-zague **~ claro** *Astron.* Contorno de um corpo celeste em área iluminada pelo Sol **~ escuro** 1 *Astron.* Contorno de um corpo celeste em área não iluminada pelo Sol 2 *P. ext.* Dentro de qualquer veículo de transporte coletivo (ônibus, trem, avião etc.) **De alto ~** 1 *Mar.* Próprio para longas viagens em altomar (navio) 2 *Fig.* De alta qualidade **Virar de ~** 1 *Mar.* Manobrar barco à vela para que receba o vento pelo bordo contrário àquele em que o recebia 2 Mudar de lado, virar para o lado oposto

bordo² (*bor*.do) [ô] *sm.* 1 *Bot.* Nome comum a várias árvores aceráceas, do gên. *Acer* 2 *Bot.* Uma dessas espécies, árvore (*Acer saccharum*) que pode atingir 30 m de altura, cuja madeira tem uso em carpintaria e de cuja seiva doce se fabricam o açúcar e o xarope de bordo 3 A madeira do bordo [F.: De or. obsc.]

bordô (bor.*dô*) *sm.* 1 A cor vermelho-arroxeada do vinho tinto 2 *Enol.* Vinho da região de Bordéus (França) *a2g2n.* 3 Que é da cor bordô (vestidos bordô) 4 Diz-se dessa cor [F.: Do fr. *bordeaux.* Sin. nas acps. 1, 3 e 4: *grená, vinho.*]

bordoada (bor.do:*a*.da) *sf.* 1 Pancada com bordão, bastão, cacete, pau etc; CACETADA; PAULADA 2 *Fig. P. ext.* Abalo emocional, psicológico etc; aquilo que o provoca: *Depois da bordoada de perder o emprego, deu a volta por cima.* [F.: *bordão* + *-ada¹.*]

bordoeira (bor.do:*ei*.ra) *sf. Bras.* Muita bordoada, pancada; surra, sova [F.: *bordão* + *-eira.*]

borduna (bor.*du*.na) *sf.* 1 *Bras.* Arma de indígenas do Brasil que consiste em um pedaço de pau roliço e duro com que desferem golpes 2 *BA MT MS P. ext.* Qualquer cacete grosso e pesado; PORRETE [F.: De or. obsc.]

bordunada (bor.du.*na*.da) *sf.* Pancada dada com borduna: "Tinha, sim, tinha sido o pajé e com uma bordunada na cabeça do Baio que não era de ninguém botar defeito ou pedir penicilina..." (Antônio Callado, *Expedição Montaigne*) [F.: *borduna* + *-ada¹.*]

boré (bo.*ré*) *sm.* 1 *Bras. Etnog. Mús.* Espécie de trombeta indígena; TORÉ 2 *N.E. Mús.* Espécie de flauta de taquara 3 *N.E.* Mastro de jangada [F.: Do tupi *m(b)o're.* Hom./Par.: *buré* (sm.).]

boreal (bo.re:*al*) *a2g.* 1 Ref. ao, do, ou situado no hemisfério norte ou no extremo norte do globo terrestre (aurora boreal, polo boreal, regiões boreais); SETENTRIONAL [Ant.: *austral, meridional.*] 2 *Bot.* Que ocorre no hemisfério norte (vegetação boreal) [Pl.: *-ais.*] [F.: Do lat. *borealis.*]

bóreas (*bó*.re:as) *sfpl. Poét.* O vento norte; AQUILÃO; SETENTRIÃO [F.: Do lat. *boreas, ae.*]

boreste (bo.*res*.te) *sm. Mar.* O lado direito de uma embarcação ou de uma aeronave, olhando da popa para a proa ou da cauda para o nariz; ESTIBORDO [Termo adotado pela Marinha de Guerra, em 1884, em substituição a *estibordo*, para evitar confusão com *bombordo* nas ordens emitidas durante manobras.] [F.: *bor(do)* + *este.* Cf.: *bombordo.*]

borgonhês (bor.go.*nhês*) *sm.* 1 Indivíduo nascido ou que vive na região da Borgonha (França) 2 *Ant. Gloss.* Antigo dialeto falado no leste da França [Pl.: *-nheses* [ê]. Fem.: *-nhesa* [ê].] *a.* 3 De Borgonha; típico dessa região ou de seu povo [Pl.: *-nheses* [ê]. Fem.: *-nhesa* [ê].] [F.: Do top. *Borgonha* + *-ês.*]

borguinhão (bor.gui.*nhão*) *sm.* 1 Pessoa nascida na Borgonha (França) *a.* 2 Da Borgonha; típico dessa região da França ou de seu povo [Pl.: *-nhões.* Fem.: *-nhona.*] [F.: Do fr. *bourguignon.* Sin. ger.: *borgonhês.*]

boricado (bo.ri.*ca*.do) *a. Farm.* Que contém ácido bórico (água boricada) [F.: *bórico* + *-ada¹.*]

bórico (*bó*.ri.co) *a.* 1 *Quím.* Diz-se de ácido que contém boro, sólido e cristalino, de uso medicinal [F.: H_3BO_3] 2 Que contém ácido bórico (diz-se de produto, medicamento etc.) [F.: *boro* + *-ico².*]

borla (*bor*.la) *sf.* 1 Bola ou campânula de passamanaria, de onde pendem fios trançados ou franjas; BOLOTA 2 Tufo redondo feito de fios ou de pelos 3 Barrete de doutor, us. por advogados e certos juízes [Assim chamado por ser ornado com uma borla (1).] 4 *P. Ext.* O grau de doutor 5 *Bot.* Árvore esterculiácea (*Dombeya tiliacea*) de flores brancas ou róseas 6 Disco de madeira no topo de mastros, com abertura na qual passa a adriça de bandeira, flâmula etc. [F.: Do lat. vulg. *burrula.*]

bornal (bor.*nal*) *sm.* 1 Saco que se pendura a tiracolo para transportar provisões 2 Saco contendo ração, que se pendura no focinho de animal para que dele coma [Pl.: *-nais.*] [F.: De or. incerta. Sin. ger.: *embornal.*]

borne (*bor*.ne) *sm.* 1 *Elet.* Peça de um aparelho elétrico que se liga a um fio para estabelecer conexão com um circuito elétrico 2 *Elet. Eletrôn.* Ponto em que se faz uma conexão elétrica ou eletrônica [F.: Do fr. *borne.*]

bornear (bor.ne.*ar*) *v.* 1 Mover (peça de artilharia) no sentido horizontal, para ajustar a pontaria [*td.*: *bornear o bacamarte.*] 2 Mover em torno de si [*td.*: *A mocinha se divertia, borneando a criança.*] 3 *Eci.* Verificar nivelamento (de balizas em um terreno), a olho nu ou por meio de instrumento, para alinhá-las conforme o projeto [*td.*] [► 13 bornear] [F.: *borneio* + *-ar².* Hom./Par.: *borneio* (sm), *borneio* (fl. de *bornear*).]

boro (*bo*.ro) [ó] *sm. Quím.* Elemento químico semimetálico de número atômico 5, us. na fabricação de vidros resistentes, na construção de reatores nucleares, em banhos eletrolíticos etc. [Símb.: *B.*] [F.: Do fr. *borax*, deriv. do lat. *borax*, adaptado do ár. *bauráq.* Hom./Par.: *boró* (sm.), *borô* (sm.).]

borocoxô (bo.ro.co.*xô*) *a2g.* 1 *Pop.* Que está sem ânimo, sem energia; que está alquebrado, envelhecido 2 Que está amuado, aborrecido 3 *N.E.* Que é ou está capenga *s2g.* 4 Pessoa borocoxô [F.: De or. contrv.]

bororo (bo.*ro*.ro) [ô] *s2g.* 1 *Etnol.* Pessoa pertencente ao povo indígena bororo, que habita o leste do estado de Mato Grosso *sm.* 2 *Gloss.* Família linguística do macro-jê 3 Língua dos bororos, que pertence a essa família *a2g.* 4 Dos bororos; típico desse povo (arte bororo) 5 *Gloss.* Do ou ref. ao bororo (2) [F.: De or. indígena. Sin. ger.: *bororó.*]

borra (*bor*.ra) [ô] *sf.* 1 Substância sólida ou pastosa que assenta no fundo de um recipiente depois de ter estado em suspensão num líquido: *borra de café.* 2 Matéria sólida de cor roxa, que se separa do vinho e se deposita no recipiente que o contém 3 Parte do casulo do bicho-da-seda que não se fia, e de que se fazem cadarços ou tecidos mais grosseiros 4 A parte mais grossa de fios de lã, algodão, linho etc., us., para o fabrico de tecidos de pouca qualidade 5 *Fig.* A escória, a camada mais baixa de uma sociedade, povo etc; RALÉ 6 *Fig.* A pior parte de algo, a parte de pior qualidade 7 *Pop.* Coisa de pouco ou nenhum valor; BAGATELA; NINHARIA 8 *Tabu.* Desarranjo intestinal, diarreia; PIRIRI [F.: Do lat. *burra.* Hom./Par.: *borra* (sf.), *borra* (fl. de *borrar*).] ■ **De ~** *Tabu.* Péssimo, ordinário; de merda

borra-botas (bor.ra-*bo*.tas) *s2g2n.* 1 Engraxate inepto 2 *P. ext.* Profissional inepto, desajeitado, desqualificado 3 *Fig. P. ext.* Pessoa insignificante, sem importância; JOÃO-NINGUÉM: *um borra-botas que virou celebridade.* 4 *Fig.* Medroso, covarde: *Chamou-o de borra-botas porque ele não reagiu.* 5 Indivíduo sem caráter, desprezível, infame

borracha¹ (bor.*ra*.cha) *sf.* 1 Odre ou saco de couro em forma de pera, completamente vedado, próprio para conter líquidos: "Pendurados aos cantos, viam-se insignificantes acessórios: o bogó ou borracha, espécie de balde de couro para o transporte de água..." (Euclides da Cunha, *Os sertões*) 2 *Lus.* Recipiente us. para conter ou transportar pequena quantidade de vinho 3 Substância elástica, sintética ou feita do látex da seringueira ou de outras árvores, us. na fabricação de inúmeros produtos (pneus, brinquedos etc.) 4 Material resultante do beneficiamento dessa substância 5 Pedaço de borracha (4) us. para apagar traços a lápis 6 *Bras. Pop.* Designação comum a várias árvores da fam. das euforbiáceas, esp. às do gên. *Hevea*, cujo látex é a matéria-prima da borracha natural: "... era um novo exemplar de árvore de borracha que crescia no rio Pardo, em Mato Grosso..." (Lima Barreto, *Triste fim de Policarpo Quaresma*) 7 Recipiente oco, piriforme, feito de borracha, com um tubo ajustado na boca, e que serve de seringa 8 *Bras. Pop.* Bastão, ger. feito de borracha, us. por policiais para bater ou intimidar; CASSETETE 9 *RJ Pop.* Tubo de borracha, lona, plástico etc. próprio para conduzir substâncias líquidas ou gasosas; MANGUEIRA: "'do-o-na, a mãe falou se pode emprestar a mangueira pra nós aguar a horta?' Este batido durou um mês. Pedro até botou um trapo no muro pra não esfolar a borracha." (Adélia Prado, *Os componentes da banda*) 10 *Bras. Antq. Gír.* Automóvel, veículo 11 *Lus.* Bolha nos pés ou nas mãos 12 *Lus.* Caixa us. para guardar a solda dos ourives de filigrana 13 *Pej.* Mulher que bebe muito, que se emborracha, se embriaga 14 *Lus.* Bola [F.: De or. obsc., pelo espn. *borracha.*] ■ **~ sintética** *Quím.* Substância com propriedades semelhantes às da borracha natural, fabricada a partir de derivados de petróleo **Entrar na ~** *Bras. Pop.* Levar surra de cassetete **Passar (um)a ~ (em)** Perdoar, relevar

> 🕮 Por suas características físicas (elástica e impermeável) a borracha é um insumo básico de inúmeros produtos industriais. Obtida do látex vegetal (seiva de certas plantas, como a seringueira, o caucho etc.), inicialmente a economia da borracha foi totalmente extrativa, com destaque, nos séculos XVIII e XIX, para a borracha brasileira originária das seringueiras da Amazônia, depois contrabandeadas para a Ásia, onde foram plantadas metodicamente, com resultados excelentes. O declínio da borracha vegetal foi acelerado pela invenção da borracha sintética, primeiro a partir do carvão, depois do petróleo. Embora não tenha todas as qualidades da borracha natural, a borracha sintética domina a fabricação mundial, com destaque para os Estados Unidos e o Japão. O Brasil é o maior produtor da América Latina.

borracha² (bor.*ra*.cha) *sf.* Nome comum a plantas do gên. *Borago*, esp. erva europeia (*Borago officinalis*) de uso ornamental e medicinal [F.: Do ár. *buaraq*, pelo lat. cient. *Borago.*]

borrachada (bor.ra.*cha*.da) *Bras. sf.* 1 Pancada com cassetete de borracha 2 Clister aplicado com seringa de borracha [F.: *borracha* + *-ada¹.*]

borracharia (bor.ra.cha.*ri*.a) *sf. Bras.* Oficina em que se consertam e vendem pneus; BORRACHEIRO [F.: *borracha¹* + *-aria.*]

borracheiro (bor.ra.*chei*.ro) *sm.* 1 *Bras.* Pessoa que conserta ou vende pneus 2 Borracharia 3 *N* O mesmo que *seringueiro* (1) 4 *MG* Pessoa que extrai o látex da mangabeira [F.: *borracha* + *-eiro.*]

borracho (bor.*ra*.cho) *a.* 1 Que está embriagado; BÊBADO 2 Que bebe muito *sm.* 3 Indivíduo borracho 4 Filhote implume de pombo, que ainda não voa 5 *MA* Adolescente (do sexo feminino) muito atraente 6 *Lus.* Bolo de farinha e ovos, amassados com vinho branco 7 *Lus.* Borracha¹ (1), odre de pele de cabra, us. para transporte de líquidos [F.: Do espn. *borracho.*]

borrachudo (bor.ra.*chu*.do) *a.* 1 *Bras. Pop.* Com a consistência da borracha (pão borrachudo) 2 *Bras. Pop.* Diz-se de cheque que, por não ter fundos, volta para quem o depositou *sm.* 3 *Ent.* Designação comum a diversas espécies de insetos dípteros, da fam. dos simuliídeos, que reúne mosquitos de cor negra, cujas fêmeas se alimentam do sangue de vertebrados; PINHUM; PIUM; PROMOTOR [F.: *borracha* + *-udo.*]

borrado (bor.*ra*.do) *a.* 1 Que se borrou, que apresenta borrão 2 Sujo, manchado: *guardanapo borrado de batom.* 3 Riscado, rasurado (letras borradas) 4 Não nítido, desfocado (imagem borrada, fotografia borrada) 5 Mal pintado 6 *Fig. Pop.* Sujo de fezes [F.: Part. de *borrar.*]

borrador (bor.ra.*dor*) [ô] *a.* 1 Que borra *sm.* 2 Indivíduo que borra 3 *Cont.* Caderno ou livro de rascunho us. por comerciantes para registrar pagamentos e recebimentos, à medida que se vão fazendo; BORRÃO 4 Caderno ou papel em que se faz rascunho, para depois passar a limpo 5 *Pint.* Caderno em que são feitos esboços 6 *Fig. Pop. Pint.* Mau pintor; BORRA-TINTAS 7 *Fig. Pop.* Mau escritor [F.: *borrar* + *-dor.*]

borradura (bor.ra.*du*.ra) *sf.* 1 Ação ou resultado de borrar 2 Mancha ou borrão que suja o que está escrito, desenhado ou pintado: *Ficha inutilizada em consequência de borradura.* [F. *borrar* + *-dura.*]

borralheira (bor.ra.*lhei*.ra) *sf.* Lugar onde se junta o borralho (ou *borralha*), a cinza do fogão de lenha, do forno ou da lareira; BORRALHEIRO [F.: *borralho* + *-eira.*]

borralheiro (bor.ra.*lhei*.ro) *a.* 1 Que gosta de ou costuma ficar na cozinha, junto ao borralho: *a gata borralheira.* 2 Sujo de cinzas, de borralho 3 *Fig.* Que não gosta muito de sair de casa *sm.* 4 O mesmo que *borralheira* [F.: *borralho* + *-eiro.*]

borralho (bor.*ra*.lho) *sm.* 1 Conjunto de brasas quase apagadas e cobertas de cinzas 2 Amontoado de cinzas quentes; recanto aquecido e aconchegante; BORRALHA 3 Lareira 4 *Fig.* O lar *a.* 5 Diz-se do touro cinzento [F.: *borra* + *-alho.*]

borrão (bor.*rão*) *sm.* 1 Mancha de tinta num papel ou texto; BORRATADA; BORRATÃO 2 Rascunho de um texto, com emendas ou para se emendar antes de ser passado a limpo 3 *Cont.* Borrador (3) 4 Primeiras linhas ou esboço de um desenho 5 *Bras. Pop.* Pessoa medrosa 6 *Fig.* O que compromete o bom nome, a honra; DESDOURO; MÁCULA [Pl.: *-rões.*] [F.: *borra* + *-ão¹.*]

borrar (bor.*rar*) *v.* 1 *Pop.* Sujar(-se), manchar(-se) [*td.*: (*seguido ou não de indicação de modo*): *Borraram a toalha (com molho)*; *Borrou-se de tinta.*] [*int.*: *A pintura borrou.*] 2 Riscar (o que se escreveu) [*td.*: *Na prova, procure não borrar as respostas.*] 3 *Fig.* Pintar mal em, fazer pintura tosca em [*td.*: *Borrava telas e ainda se achava um artista.*] 4 *Pop. Fig.* Defecar [*int.*: *Perdeu o controle e borrou-se todo.*] 5 *Gír. Fig.* Ficar aterrorizado, em pânico [*int.*: (*seguido de indicação de causa*): *Borrou-se de susto.*] 6 Tornar indistinto, obscurecer [*td.*: *As lágrimas borravam sua visão.*] 7 Fazer borrão ou rascunho de (algo) para depois executá-lo em definitivo (em artes plásticas, literatura) etc. [*td.*: *Borrar um quadro/um conto/um poema.*] 8 *Lus.* Rabiscar, fazer grafitos em (muros etc.); pichar [*td.*] 9 *Pej.* Escrever textos banais, medíocres [*td.*: *Esse escritor borrou uns poeminhas e foi só.*] 10 *Pej.* Fazer pinturas, gravuras etc. de má qualidade [*td.*: *Não é um pintor, borra uns quadros de vez em quando.*] [► 1 borrar] [f.: *borra* + *-ar².* Hom./Par.: *borro* (fl.), *borro* (sm.); *borra(s)* (fl.), *borra* (sf. e s2g. [e pl.]).]

borrasca (bor.*ras*.ca) *sf.* 1 Vendaval repentino, que pode vir acompanhado de muita chuva ou nevasca e termina subitamente, como começou; BORRISCADA; PROCELA: *O navio partiu debaixo de borrasca.* 2 Tempestade sobre o mar 3 *Fig.* Situação repentina de crises, desgostos, inquietações etc. 4 *Fig.* Acesso de mau humor, ou raiva, acompanhado de movimentos e palavras desordenadas [F.: Do it. *burrasca.*]

borrascoso (bor.ras.co.so) [ô] *a.* 1 Que anuncia borrasca (ar borrascoso) 2 Em que existe borrasca: "Compara-se ao mar daquela manhã, nem borrascoso nem quieto, mas levemente empolado e crespo, ..." (Machado de Assis, *Iaiá Garcia*) [Tb. *Fig.*: *o vento borrascoso das emoções.*] [Pl.: *ó.* Fem.: *ó*] [F.: *borrasca* + *-oso.*]

borra-tintas (bor.ra-*tin*.tas) *s2g2n.* 1 *S Pej.* Mau pintor; BORRADOR; TROCA-TINTAS 2 *P. ext.* Profissional incompetente [É ofensivo.]

borrego (bor.*re*.go) [ê] ***sm.*** **1** O carneiro, até um ano de idade **2** *RS* O carneiro que deixa de ser um cordeirinho e ainda não está em idade de procriar; ANHO **3** *Pop.* Pessoa mansa, pacífica **4** *Lus.* Ação tida como grosseira, mas que pode ser oportuna e adequada à situação **5** *Lus.* Pequena porção de coalhada [Col.: *borregada, borregagem.*] [F.: *borro* + *-ego.* Hom./Par.: *borrego* (fl. de *borregar*), *burrego* /ê/ (a. sm.).]
borrifação (bor.ri.fa.*ção*) ***sf.*** Ação, processo ou resultado de borrifar: *As ações de saúde incluem borrifação de inseticidas na zona urbana e rural.* [Pl.: *-ções.*] [F.: *borrifar* + *-ção.*]
borrifada (bor.ri.*fa*.da) ***sf.*** Ação ou resultado de borrifar rapidamente: *uma borrifada de água-de-colônia.* [F.: *borrifar* + *-ada*².]
borrifado (bor.ri.*fa*.do) ***a.*** Que se borrifou; salpicado de borrifos: "Toda borrifada de sangue fresco, numa palpitação de carne viva." (José Américo de Almeida, *A bagaceira*) [F.: Part. de *borrifar.*]
borrifador (bor.ri.fa.*dor*) [ô] ***a.*** **1** Que borrifa ***sm.*** **2** Qualquer utensílio us. para borrifar [F.: *borrifar* + *-dor.*]
borrifar (bor.ri.*far*) ***v.*** **1** Salpicar, molhar (algo, alguém ou a si próprio) de pequeníssimas gotas de água ou de outro líquido; espalhar borrifos em [***td.:*** *borrifar a roupa que se vai engomar; Borrifou-se de água para aliviar o calor.*] **2** Molhar(-se) com gotas miúdas de orvalho; ORVALHAR; ROCIAR [***td.:*** *A madrugada borrifou as flores (de sereno).*] **3** Aspergir, espalhar (líquido) em forma de borrifos [***tda.:*** *Borrifou água nas plantas.*] **4** O mesmo que *chuviscar* [***int.***] **5** *Lus. Pop.* Não dar importância a [***tr.*** + *para: O escritor borrifava-se para o crítico.*] **6** *Lus. Pop.* Sujar-se com pingos ou salpicos de água suja, lama etc. [***td.:*** *O pedestre borrifou-se ao tentar pular a poça enlameada.*] [▶ **1 borrifar**] [F.: *borrifo* + *-ar*².]
borrifo (bor.*ri*.fo) ***sm.*** **1** Ação ou resultado de borrifar **2** Porção de gotas de água ou de outro líquido espalhadas no ar ou numa superfície, como no chuvisco e no orvalho **3** A água em forma de filetes que saem do crivo de um regador **4** *Fig.* Pequenas doses ou porções de algo: *Em sua alienação, tinha às vezes borrifos de lucidez.* [Us. no pl.] **5** Pequenas manchas ou pintas espalhadas sobre uma superfície, imitando gotas de orvalho: *borrifos de dourado na pintura.* [F.: Regress. de *borrifar.*]
⊕ **borscht** (*Rus.* /*bórcht*/) ***sm.*** *Cul.* Sopa de beterraba que pode ter tb. carne e outros legumes, servida quente ou fria, ger. com creme de leite, típica da Europa Oriental
borzeguim (bor.ze.*guim*) ***sm.*** **1** *Vest.* Botina fechada com cadarço **2** *Hist. Vest.* Calçado que cobria o pé e metade da perna **3** *Vest.* Calçado fino **4** *Hist.* Instrumento de tortura aplicado aos pés da vítima, na forma de talas entre as quais se enfiavam cunhas a marteladas [Pl.: *-guins.*] [F.: Do neerl. *broseken*, pelo fr. ant. *brosequin*, hoje *brodequin.*] ∎ **Entrar de ~** *Bras. Pop.* Agir agressivamente; entrar de sola
bosca (*bos*.ca) ***sf.*** *Lus. Psc.* Rede cônica us. na pesca do lavagante e da lagosta [F.: De or. incerta.]
bósnio (*bós*.ni:o) ***sm.*** **1** Pessoa nascida ou que vive na República da Bósnia-Herzegovina (Europa) ***a.*** **2** Da Bósnia-Herzegovina; típico desse país ou de seu povo [F.: Do top. *Bósnia.* Sin. ger.: *bosniano.*]
bóson (*bó*.son) ***sm.*** *Fís. nu.* Partícula elementar de *spin* inteiro, como, p. ex., os mésons e os glúons [Pl.: *-sons.*] [F.: Do antr. *Satyendranath Bose*, físico indiano, pelo ing. *boson.*] ∎ **~ de gauge** *Fís.* Partícula mediadora das interações entre partículas, nas teorias chamadas 'de *gauge*' **~ de Higgs** *Fís. nu.* Partícula elementar hipotética, escalar e maciça, predita para validar o modelo padrão de partícula
bosque (*bos*.que) ***sm.*** **1** Pequena floresta **2** Ecossistema não muito extenso, caracterizado por uma cobertura vegetal mais ou menos densa, onde predominam árvores e arbustos **3** *Fig.* Grande aglomeração de mastros de navios, varas, ou de outras coisas comparáveis a árvores [Dim.: *bosquete.*] [F.: Do catalão *bosc.*]
bosquejar¹ (bos.que.*jar*) ***v.*** **1** Pintar ou desenhar em traços não definidos; esboçar, delinear [***td.:*** *O desenhista bosquejou um perfil de mulher.*] [***int.:*** *O artista bosquejou para finalizar depois.*] **2** Descrever, traçar ou planejar (algo); projetar [***td.:*** *Bosquejar um negócio/um projeto.*] **3** Transmitir (ideia, plano etc.) de forma geral, sem detalhes; expor em linhas gerais [***td.:*** *O líder deverá bosquejar a estratégia do grupo; Como estava com pressa, apenas bosquejou o tema.*] [▶ **1 bosquejar**] [F.: *bosque* + *-ejar.* Hom./Par.: *bosquejar, boquejar* (em todas as fl.); *bosquejo* /ê/ (fl.), *boquejo* /ê/ (sm.).]
bosquejar² (bos.que.*jar*) ***v. int.*** *Lus.* Praticar a pesca usando bosca (tipo de rede) [▶ **1 bosquejar**] [F.: *bosca* + *-ejar.*]
bosquejo (bos.*que*.jo) [ê] ***sm.*** **1** Primeiros traços ou plano geral de uma obra artística, arquitetônica, literária etc; ESBOÇO **2** Descrição sumária: *um bosquejo histórico do Brasil.* [F.: Regress. de *bosquejar.* Hom./Par.: *bosquejo* (sm.), *bosquejo* (fl. de *bosquejar*).]
bosquímano (bos.*quí*.ma.no) ***a. sm.*** *Etnol. Gloss.* O mesmo que *boxímane* [F.: Do africâner *boschjesman.*]
bossa (*bos*.sa) ***sf.*** **1** *Anat. Zool.* Protuberância no dorso de certos animais, como o camelo e o dromedário; CORCOVA; GIBA **2** Protuberância anômala no peito ou nas costas de uma pessoa, causada por desvio da coluna vertebral ou do esterno **3** *Anat.* Saliência arredondada de osso, esp. do crânio (bossa frontal) **4** Inchaço, protuberância resultante de uma contusão **5** Qualquer saliência abaulada numa superfície; *p. ext.* forma ou figura que lembra saliência ou protuberância **6** *Arq.* Ornamento arquitetônico em forma de saliência abaulada **7** *Pop.* Capacidade, talento, aptidão para certa atividade, certa profissão etc; jeito, pendor, vocação: *Tem bossa para desenhista.* **8** *Bras. Gír.* Qualidade específica de algo ou alguém, que o torna distinto, agradável, bem-aceito: *Com essa bossa, ela vai ter sucesso como cantora.* **9** Qualquer traço especial, ou coisa ou qualidade original, que se acrescenta com perícia e talento a uma criação: *Inventou uma bossa diferente, um outro jeito de tocar violão.* **10** Enfeite ou acessório diferente, chamativo: *um carro importado, cheio de bossas.* **11** Modo de andar, dançar etc. com meneios ou movimentos que chamam atenção; ginga, pose **12** *Pop.* Música ou canção no estilo da *bossa-nova*: *Além de choros e sambas, há também algumas bossas no repertório.* **13** Na fabricação do vidro, forma esférica que se dá à matéria vitrificada [F.: Do fr. *bosse.*] ∎ **~ nova 1** *Mús.* Movimento e estilo de música popular iniciado no Brasil (RJ) em fins da década de 50, que introduziu variantes melódicas e harmônicas no samba, trazendo elementos do *jazz*, com uma batida mais suave e sem a marcação acentuada do baixo [Cf.: *bossa-nova.*] **2** Maneira diferente de fazer algo; qualquer novidade
bossa-nova (bos.sa-*no*.va) ***a2g2n.*** **1** *Mús.* Ref. a ou próprio do estilo musical e da música da bossa-nova (batida bossa-nova) **2** Que foi feito ou apresentado de uma nova e diferente maneira (teatro bossa-nova) [Cf. *bossa-nova*, no verbete *bossa.*]
bossa-novista (bos.sa-no.*vis*.ta) ***a2g.*** **1** Relativo à bossa-nova ou próprio desse movimento musical (influência bossa-novista) ***s2g.*** **2** Músico, cantor ou compositor ligado à bossa-nova: *um bossa-novista moderno.* [Pl.: *bossa-novistas.*]
bosselado (bos.se.*la*.do) ***a.*** *Pat.* Diz-se do contorno de uma lesão tumoral que se apresenta irregular, com bossas ou protuberâncias [F.: Posv. do fr. *bosselé.*]
bosta (*bos*.ta) ***sf.*** **1** Excremento de gado bovino ou de qualquer animal **2** *Vulg.* Fezes **3** *Fig. Pop. Tabu.* Coisa malfeita, que não presta; MERDA: *A capa do sofá ficou uma bosta.* ***s2g.*** **4** *Fig. Pej. Tabu.* Pessoa desprezível ***interj.*** **5** *Vulg.* Exprime irritação, desagrado [F.: Do lat. *bostare* 'estábulo'. Hom./Par.: *bosta* (sf. s2g.), *bosta* (fl. de bostar).]
bostear (bos.te.*ar*) ***v.*** **1** *Bras.* Sujar com bosta; defecar (em se tratando de animal); BOSTAR [***td.:*** *Os cavalos bostearam a rua.*] [***int.*** / ***ta.:*** *Na viagem, vimos manadas de vacas bosteando (na estrada).*] **2** *Bras. Vulg.* Agir mal ou como um bosta ('indivíduo desprezível, sem firmeza de caráter ou vontade própria') [***int.:*** *O destempero fez o jogador bostear nos jogos decisivos.*] **3** *Ant.* Na Índia, revestir de bosta seca de vaca o piso, as paredes das casas etc. **4** *Lus. Ant.* Revestir solo destinado (a calcadouro) com bosta seca de vaca amassada com os pés e água [***td.:*** *bostear a eira.*] [▶ **13 bostear**] [F.: *bosta* + *-ear*².]
bostela (bos.*te*.la) ***sf.*** **1** Pequena ferida com crosta; PÚSTULA **2** Essa crosta [F.: Do lat. vulg. *pustella*, de *pustula.*]
bostoniano (bos.to.ni:*a*.no) ***sm.*** **1** Pessoa nascida em Boston (EUA) ***a.*** **2** De Boston; típico dessa cidade ou de seu povo [F.: Do top. *Boston* + *-i-* + *-ano.*]
bota¹ (*bo*.ta) ***sf.*** **1** Calçado de couro, borracha ou plástico que cobre o pé e parte da perna, por vezes cobrindo tb. parte da coxa **2** *Bras. Pop. Pej.* Trabalho malfeito de pintor, gravador etc. **3** *S. Lud.* Brincadeira infantil em que uma bota desenhada no chão serve de pique **4** *S. Lud.* Essa bota que serve de pique **5** *Lus. Esp.* Chuteira **6** Mentirinha, mentira inofensiva [F.: Do fr. *botte.* Hom./Par.: *bota* (fl. de *botar*), *bota* /ô/ (a.), *botas* (pl.), *botas* (fl. de *botar*).] ∎ **Bater as ~s** Morrer **Descalçar a/aquela/esta/uma ~** *Bras.* Resolver uma dificuldade, ou livrar-se dela **Lamber/limpar as ~s de** *Fig.* Sujeitar-se humilhantemente a (alguém), bajular **Limpar as ~ de** V. *Lamber as botas de* **Meter as ~s em** Criticar impiedosamente, violentamente
bota² (*bo*.ta) ***sf.*** **1** *Ant.* Espécie de tonel, ou de odre, com capacidade de 3/4 de pipa, que servia de unidade de medida de líquidos, como água ou vinho **2** Odre de couro para líquidos; o mesmo que *borracha*¹ (1) **3** Recipiente ou vaso para vinho [F.: Do lat. tard. *buttis.*]
botafoguense (bo.ta.fo.*guen*.se) *Fut.* ***a2g.*** **1** Ref. ao bairro de Botafogo, na zonal Sul da cidade do Rio de Janeiro **2** Que nasceu ou reside nesse bairro ***a2g.*** **3** Ref. ao clube Botafogo de Futebol e Regatas (RJ) **4** Que é sócio, torcedor ou jogador desse clube; ALVINEGRO ***s2g.*** **5** Pessoa que nasceu ou reside no bairro de Botafogo ***s2g.*** **6** Sócio, torcedor ou jogador do Botafogo; ALVINEGRO [F.: Do topon. ou onom. *Botafogo* + *-ense.*]
bota-fora (bo.ta-*fo*.ra) ***sm.*** **1** Ação ou resultado de se despedir de alguém que vai viajar por longo período, com festa ou acompanhando-o no embarque **2** Essa festa de despedida, a despedida no ponto de embarque **3** Ato de lançar pela primeira vez um navio ao mar **4** *Cons.* Material que sobra das escavações em obras de terraplenagem, e que é depositado fora do local das obras [Pl.: *bota-foras.*]
botânica (bo.*tâ*.ni.ca) ***sf.*** *Bot.* Ciência que tem por objeto o estudo dos vegetais, a descrição de suas características (morfológicas, fisiológicas, distribuição geográfica etc.) e a sua classificação, e que se subdivide em ramos especializados [F.: Do gr. *botaniké*, pelo fr. *botanique.*] ∎ **~ agrícola** A ciência botânica aplicada à agricultura e suas atividades **~ aplicada** A divisão da botânica que trata de suas relações com o homem e de sua aplicabilidade e utilidade em suas necessidades e atividades **~ descritiva** Conjuntos das atividades da botânica que visam à observação direta dos vegetais e sua descrição (a morfologia, p. ex.) **~ especial** Conjunto dos estudos especializados e profundos de aspectos específicos dos vegetais **~ experimental** Conjunto dos ramos da botânica que se baseiam na experimentação como método de estudo e pesquisa (a fisiologia, a farmacêutica etc.) **~ geral** Conjunto de conhecimentos estudos botânicos sobre os grandes e mais gerais aspectos dessa ciência **~ pura** Área da botânica que enfoca apena o aspecto científico, sem ocupar-se das aplicações práticas **~ sistemática** Parte da botânica que enfoca a identificação e classificação dos vegetais segundo uma estrutura de referências, criando um *sistema*; taxonomia
botânico (bo.*tâ*.ni.co) ***a.*** **1** Ref. a botânica ou a plantas (jardim botânico): *o nome botânico do ipê.* ***sm.*** **2** Pessoa formada ou especialista em botânica; BOTANISTA [F.: Do gr. *botanikós, ê, ón.*]
botão (bo.*tão*) ***sm.*** **1** Peça, ger. circular, que pode ser de materiais diversos (osso, plástico, metal, madeira etc.) e revestida ou não de tecido, que se costura na vestimenta para fechá-la – passando essa peça por uma casa (botoeira), alça ou presilha – ou como elemento decorativo **2** Peça de comando em aparelhos e dispositivos, em forma cilíndrica, ger. ligada a uma mola ou dispositivo de travamento, que se aciona por pressão (botão do elevador) **3** Peça similar ao botão (2), que se aciona girando em seu eixo, para graduar variação de sintonia, de volume, de intensidade de sinal etc. (botão de volume) **4** *Inf.* Interruptor que, no *mouse*, aciona uma ação **5** *Inf.* Numa interface gráfica, área, ger. identificada com um ícone, que funciona como um comando virtual acionado através do *mouse* para provocar a execução de uma ação **6** *Lud.* Jogo que simula uma partida de futebol, praticado sobre uma superfície horizontal e plana no qual são utilizados como jogadores botões (1) de vestuário, ou outros esp. fabricados para esse fim **7** *Bot.* Protuberância em ramo, caule etc., da qual se origina novo ramo, folha, flor etc; GEMA **8** *Bot.* Broto de uma flor que ainda não desabrochou completamente (botão de rosa) **9** Qualquer ornamento (em arquitetura, marchetaria etc.) que tenha a forma de um botão de flor **10** *Fig. P. ext.* O que ainda não se desenvolveu completamente: *formosura ainda em botão.* **11** Brinco de orelha, redondo e sem pingente **12** Maçaneta ou puxador redondo ou esférico de portas, gavetas etc. **13** *Elet. Eletrôn.* Pequena peça, ger. cilíndrica, que se comprime para fazer um contato elétrico (botão da campainha) **14** *Esp.* Pequena peça esférica fixada na extremidade de um florete, para evitar ferimentos nas estocadas **15** *Ant.* Peça similar, mas maior, aplicada na ponta das lanças, em torneios e combates amistosos **16** *Arm.* Remate circular em punho de espada **17** *Derm.* Pequena protuberância arredonadada que se forma na pele; VERRUGA **18** Bico do seio **19** O mesmo que *button* **20** Em caligrafia, espessamento ovalado nas hastes de determinadas letras **21** *Mús.* Em intrumentos como o acordeão, sanfona, concertina etc., cada uma das peças cilíndricas que funcionam como teclas **22** *Mús.* Em instrumentos como trombone e trompete, superfície achatada no parte superior dos pistões sobre a qual se apoia a ponta dos dedos do executante para acioná-los **23** *Mar.* Série de voltas dadas com linha, passadeira ou fio de vela para unir ou prender dois cabos ou duas hastes **24** *MT Min.* Denominação comum de concreções de sílica com óxido de ferro indicadoras da presença de diamantes **25** *MG Vulg.* O mesmo que *ânus* [Pl.: *-tões.*] [F.: Do fr. ant. *boton*, atual *bouton.* Ver tb. *botões.*] ∎ **falar com seus botões** Falar consigo mesmo
botar (bo.*tar*) ***v.*** **1** Colocar, pôr [***tda.:*** *Botou a salada na geladeira.*] [***tdr.*** + *a: Botou seus discos à venda.*] **2** Vestir (roupa), calçar (calçado), pôr (enfeite) [***td.:*** *Botou o calção e saiu para passear.*] [***tda.:*** *Botou uma fita no cabelo.*] **3** Expelir (líquido) [***td.:*** *(seguido ou não de indicação de origem): Sentia-se mal e botava sangue (pela boca).*] **4** Tocar de leve [***td.*** / ***tda.:*** *Não bote a mão (no corrimão), a tinta está fresca; Botou a mão (no rosto do pai).*] **5** Atirar, lançar, expelir (coisa, gente, animal) [***tda.:*** *Lançou-se rua abaixo, desabaladamente.:* "... foi botar o inquilino para fora!" (Marques Rebelo, *O simples coronel Madureira*)] **6** Guardar, depositar [***tda.:*** *Botou todo o seu dinheiro no banco.*] **7** Preparar devidamente; PÔR [***td.:*** "Só faltou mesmo botar a mesa..." (Antonio Callado, *Bar Don Juan*)] **8** Fazer entrar em algum lugar ou juntar-se a outra coisa [***tda.:*** *Meu pai costumava botar vinho no refogado.*] **9** Estabelecer (negócio) [***td.:*** *Meu vizinho botou uma tendinha.*] **10** Deitar, estender [***tda.:*** *Botou a toalha na areia.*] **11** Fazer ficar ou deixar(-se) ficar (em certa situação ou estado de espírito) [***tdp.:*** *Esse menino bota qualquer um louco!*] [***tdr.*** + *em: A atitude do rapaz botou a colega em má situação; Botou-se numa cilada, ao aceitar o dinheiro.*] **12** Atribuir, declarar existência de (defeito, erro, pontos negativos, falhas) [***tdr.*** + *em*: "... bote a culpa em mim..." (João Ubaldo Ribeiro, *O conselheiro come*)] **13** Pôr (ovos) [***int.:*** *A galinha já botou hoje.*] [***td.:*** *A tartaruga bota seus ovos e os enterra.*] **14** Fazer passar (texto) para outra língua; TRADUZIR [***tdr.*** + *em, para: Botou o texto de Balzac em português.*] **15** Investir, aplicar (recursos, dinheiro) [***tda.:*** *Botou muito dinheiro na firma.*] **16** Colocar(-se) em determinado lugar [***tda.:*** *Botou o carro na vaga da frente; Botou-se na fila e esperou.*] **17** Enviar, postar [***tdr.*** + *em: Botou uma carta no correio*] **18** Fazer (alguém) ficar de determinada maneira [***tdp.:*** *Seu comportamento botava a irmã nervosa.*] **19** *Fig. Pop.* Pôr para funcionar; inaugurar, instalar [***td.:*** *Botou um bar na rua da praia.*] **20** Pôr (algo) pendente de, pendurar [***tdr.*** + *em: Botou a roupa na corda para secar.*] **21** Escrever, empregar, utilizar [***td.:*** *O redator esqueceu de botar o ponto e vírgula.*] [***tdr.*** + *em: Não*

botou o ponto-final na frase.] **22** Aplicar, investir [*tdr.* + *em*: *Botou mais de um milhão na empresa.*] **23** Depositar, guardar [*tdr.* + *em*: *Sempre botava algum dinheiro no banco.*] **24** *Tabu.* Ter relação sexual; meter [*tr.* + *em*: *Já botei nessa mulher.*] **25** Colocar, enfiar, introduzir [*tdr.* + *em*: *Com frio, botou a mão nos bolsos.*] **26** Pagar (quantia) por (algo) [*tdr.* + *em, por*: *Botou quinhentos mil numa casa de campo.*] **27** *Pop.* Fazer entrar em (empresa, escola etc.); empregar, matricular [*tdr.* + *em*: *Botou o filho no exército; Botou a filha na faculdade.*] **28** Fazer aderir, ou colar, pregar [*tdr.* + *em*: *Botou nova gola no paletó; Botou um aviso na porta.*] **29** Usar como enfeite [*td.*: *Botou um colar novo.*] [*tdr.* + *em*: *Botou uma flor na lapela.*] **30** Atrever-se, arriscar-se, envolver-se com ímpeto em algo [*tr.* + *em*: *Botou-se naquela aventura sem hesitar.*] **31** Atear (fogo) em algo (tb. Fig.) [*tdr.* + *em*: *Botou fogo no mato; Aquele gol botou fogo na partida.*] **32** Fazer ficar boto, sem gume, ou embotado [*td.*] **33** Azedar (o vinho) [*int.*: *Vamos acabar com essa garrafa ante que o vinho se bote.*] [▶ 1 botar] [F.: Do fr. ant. *boter*. Para as defs. 32 e 33: *boto*[2] + *-ar*[2]. Hom./Par.: *bota(s)* (fl.), *bota* (sf. [e pl.]; *bote(s)* (fl.), *bote* (sm. [e pl.]; *boto* (fl.), *boto* (sm.); *boto* (fl.), *boto* /ô/ (sm.).] ■■ **~ fora 1** Desperdiçar, gastar sem controle: *Botou fora o salário em bobagens.* **2** Jogar fora, jogar no lixo **3** Livrar-se de, esquecendo, superando: *botar fora as preocupações.* **~ para fora 1** Vomitar **2** *Fig.* Desabafar, confessar **~ para quebrar 1** Ser enérgico em atitude, inovação, medida, reação etc.: *O novo gerente está botando para quebrar com novas medidas de controle.* **2** Ser muito eficiente ou talentoso em algo **3** Agir ou reagir com violência, brigar **~-se a tudo** Arriscar tudo, investir bens e esforços num negócio, projeto etc.

botaréu (bo.ta.*réu*) *sm.* **1** *Cons.* Obra de alvenaria ou pilastra de reforço que sustenta o arcobotante, arcos ou paredes, típica da arquitetura gótica **2** *Lus. Cons.* Muro de contenção de encosta [F.: Do cat. *boterell*, pelo espn. *botarel*.]

bote[1] (*bo*.te) *sm.* **1** *Mar.* Pequena embarcação, ger. movida a remo, para a navegação em rios, portos etc., e para comunicação dos navios uns com os outros e com a terra **2** Barco pequeno, movido a remo, de madeira, fibra de vidro ou borracha inflável, us. para atividades de lazer **3** *PE* Pequena jangada transportada pelos pescadores em jangada maior, como meio alternativo de transporte, como embarcação de salvamento ou para usar. na pesca do peixe-agulha **4** *Lus. Pop.* Automóvel **5** *Lus. Joc. Pop.* Nádegas [F.: Do ing. ant. *boot*, hoje *boat*, pelo fr. ant. *bot*. Hom./Par.: *bote* (sm.), *bote* (fl. de *botar*).]

bote[2] (*bo*.te) *sm.* **1** Investida súbita de animal sobre a presa **2** Ataque de animal, ger. cobra, para morder: *A jiboia deu um bote que quase o pegou.* **3** Golpe de arma branca **4** *Fig.* Ataque súbito: *Um deles deu um bote na mulher para roubar-lhe o celular.* **5** *Bras. Pop. Fut.* Salto súbito do goleiro para agarrar a bola [F.: Dev. de *botar*. Hom./Par.: *bote* (sm.), *bote* (fl. de *botar*).] ■■ **Errar o ~** *Fig.* Não ter sucesso em tentativa (ger. mal-intencionada)

boteco (bo.*te*.co) *sm.* **1** *Bras. Pop.* O mesmo que *botequim*, às vezes com conotação pejorativa **2** *BA* Espécie de barraca leve de feira, armada entre as barracas maiores **3** *BA Pop.* O globo ocular [F.: Regress. de *botequim*.]

botelha (bo.te.lha) [ê] *sf.* **1** Garrafa, frasco para líquidos: "…/ que um caixeirinho imaginoso / vai compondo, enquanto separa / cada botelha, cada lata /…" (Carlos Drummond de Andrade, *"O inglês da mina", in Boitempo*) **2** Quantidade de líquido contido numa garrafa: *Tomou uma botelha de vinho.* [F.: Do fr. *bouteille*.]

botequim (bo.te.*quim*) *sm.* Estabelecimento onde se vendem bebidas, cigarros, balas, lanches e, às vezes, refeições simples; BAR; BOTECO [Pl.: *-quins*.] [F.: Do it. *botteghino*, dim. de *bothega*.]

botequineiro (bo.te.qui.*nei*.ro) *sm.* **1** Proprietário de botequim **2** Gerente ou vendedor em um botequim [F.: *botequim* + *-eiro*.]

botica (bo.*ti*.ca) *sf.* **1** *Ant.* Armazém de secos e molhados; loja que vendia diversos tipos de produtos *sf.* **2** *Antq.* Loja em que se preparam e vendem remédios e produtos farmacêuticos; FARMÁCIA [F.: Do lat. *apotheca*, posv. pelo fr. *boutique*.]

boticão (bo.ti.*cão*) *sm.* *Od.* Instrumento cirúrgico para extração dentária [Pl.: *-cões*.] [F.: Posv. de *botar*.]

boticário (bo.ti.*cá*.ri:o) *P. us. sm.* **1** O mesmo que *farmacêutico* **2** Dono ou gerente de botica [F.: Do lat. *apothecarius, ii*.]

botija (bo.*ti*.ja) *sf.* **1** Vasilhame bojudo e de boca estreita **2** Vasilha de arenito, de forma cilíndrica, boca estreita e uma pequena asa, para conter líquidos **3** *Pop.* Homem gordo **4** *Mar.* Revestimento dos estais **5** *N.* Tesouro enterrado **6** *Mús.* Instrumento musical na forma de um vaso oco que se atrita ou percute com uma peça de metal (p. ex., uma moeda) para que emita som ao vibrar [F.: Do lat. *butticula*, pelo espn. *botija*.]

botijão (bo.ti.*jão*) *sm.* **1** *Bras.* O mesmo que *bujão* (2), recipiente cilíndrico para armazenamento e transporte de gás ou produtos voláteis **2** *Mús.* O mesmo que *botija* (6) [Pl.: *-jões*.] [F.: *botija* + *-ão*[1].]

botim (bo.*tim*) *sm.* *Vest.* Bota de cano curto, ger. provida de elástico [Pl.: *-tins*.] [F.: *bota*[1] + *-im*. Hom./Par.: *butim* (sm.).]

botina (bo.*ti*.na) *sf.* **1** *Vest.* Botinha, bota de couro fino e cano curto, fechada com botões ou com cadarços, us. por muheres ou por crianças **2** *Vest.* Bota de cano curto, us. por homens [F.: Do fr. *bottine*.]

botinada (bo.ti.*na*.da) *sf.* **1** Pancada forte com o pé calçado de botina **2** *Pop. Fut.* Chute no jogador do time adversário [F.: *botina* + *ada*[2].]

botinudo (bo.ti.*nu*.do) *Pop. Fut.* *a.* **1** Diz-se de jogador de pouca técnica e que comete faltas violentas *sm.* **2** Esse jogador [F.: *botina* + *-udo*.]

boto[1] (*bo*.to) [ô] *sm.* **1** *Zool.* Nome de várias espécies de mamíferos cetáceos, marinhos ou fluviais **2** Cetáceo da fam. dos delfinídeos (*Sotalia fluviatilis*) encontrado tanto no mar, ao longo da costa brasileira, quanto nos rios da bacia amazônica, com até 2m de comprimento e coloração ger. cinzenta; BOTO-CINZA; TUCUXI **3** Ver *golfinho* **4** *Bras. Pop.* Coisa ou pessoa grande, volumosa [F.: De or. contrv.]

boto[2] (*bo*.to) [ô] *a.* **1** Cujo gume ou ponta ficaram rombudos, que perdeu o fio ou a pungência **2** Lento de raciocínio; embotado **3** Que ouve mal, um tanto surdo [F.: Posv. de formação expressiva. Hom./Par.: *boto* (fl. de *botar*); *boto* (sm.).]

boto[3] (*bo*.to) [ô] *sm.* No hinduísmo, sacerdote brâmane [F.: Posv. do sânscr. *bhatta* 'brâmane', pelo concani *bhat*.]

botocar (bo.to.*car*) *v. td.* Aplicar botox em [▶ 11 botocar] [F.: *botox* + *-ar*[2].]

boto-cinza (bo.to-*cin*.za) *sm.* *Zool.* Ver *boto* (*Sotalia fluviatilis*) [Pl.: *botos-cinza*.]

boto-cor-de-rosa (bo.to-cor-de-*ro*.sa) *sm.* *Bras. Zool.* Boto da fam. dos iniídeos (*Inia geoffrensis*), encontrado nos rios amazônicos, com até 3m de comprimento, coloração cinzenta ou rosada e focinho longo e fino [Pl.: *botos-cor-de-rosa*.]

botocudo (bo.to.*cu*.do) *sm.* **1** *Etnol.* Indígena de qualquer tribo que tivesse por tradição o uso de botoque no lábio inferior [Designação dada pelos portugueses.] **2** *Gloss.* Família linguística de línguas indígenas, do tronco macro-jê **3** *Pej.* Pessoa de hábitos e comportamento rudes, toscos **4** *Pej.* Habitante da roça; CAIPIRA *a.* **5** Do ou ref. ao botocudo (1, 2) **6** Incivilizado, inculto **7** Caipira [F.: *botoque* + *-udo*.]

botoeira (bo.to.*ei*.ra) *sf.* **1** *Vest.* Em peça do vestuário, pequena abertura, por onde se enfia o botão ao abotoá-la; CASA **2** *Vest.* Abertura como essa na lapela do paletó, na qual se prende uma flor, um emblema, uma condecoração etc. **3** Mulher que faz botões **4** Painel onde ficam os botões de comando de um elevador [F.: *botão* + *-eira*, com desnasalação.]

botões (bo.*tões*) *smpl.* Us. nas locs. **aos seus ~**, **com seus ~** etc. ■■ **Com seus ~** Consigo mesmo

botoneira (bo.to.*nei*.ra) *sf.* **1** Placa que cobre a caixa dos botões de comando de elevadores e de outras máquinas acionadas por botões **2** Essa caixa de comando **3** *Mec.* Máquina para pregar botões [F.: *botão* + *-eira*, seg. o mod. erudito. Hom./Par.: *botoneira* (sf.), *betoneira* (sf.).]

botonista (bo.to.*nis*.ta) *s2g.* Aquele ou aquela que pratica o jogo de botões, ou futebol de mesa [F.: *botão* + *-ista*, seg. o mod. erudito.]

botoque (bo.*to*.que) *sm.* **1** *Etnog.* Enfeite us. pelos botocudos e outros indígenas sul-americanos, feito de madeira, com forma arredondada, e introduzido no lábio inferior ou nos lóbulos das orelhas para alongá-los **2** O mesmo que *batoque* **3** *Bras.* Lasca de madeira ou de outro material rijo que se fragmentou de um corpo ou objeto **4** *Bras. P. ext.* A marca deixada por essa fragmentação no corpo ou objeto **5** *Pej.* Indivíduo baixo e gordo **6** Carretel no qual se rebobina filme cinematográfico [F.: De or. contrv. Sin. ger.: *batoque*. Hom./Par.: *botoque* (sm.), *botoque* (fl. de *botocar*).]

boto-tucuxi (bo.to-tu.cu.*xi*) *sm.* *Mastz.* Boto marinho (*Sotalia fluviatilis*), da fam. dos delfinídeos, ocorrente em águas da América do Sul e Central, apresenta bico alongado, nadadeira dorsal triangular proeminente e ventre rosa, e vive em bandos de até 25 indivíduos [Pl.: *botos-tucuxis* e *botos-tucuxi*.]

boto-vermelho (bo.to-ver.*me*.lho) *sm.* **1** Ver *iara*. **2** Ver *uiara* [Pl.: *botos-vermelhos*.]

botox (bo.*tox*) [cs] *sm.* *Estét.* Cosmético que, tendo como base um tipo de toxina botulínica purificada, se injeta sob a pele do rosto para provocar a liberação de acetilcolina (neurotransmissor para a contração muscular), do que resulta a suavização das linhas e rugas de expressão [F. Marca registrada americana *Botox*.]

botsuanês (bot.su:a.*nês*) *sm.* **1** Indivíduo nascido ou que vive em Botsuana (África) [Pl.: *-neses* [ê]. Fem.: *-nesa* [ê].] *a.* **2** De Botsuana; típico desse país ou de seu povo [Pl.: *-neses* [ê]. Fem.: *-nesa* [ê].] [F.: Do top. *Botsuana* + *-ês*.]

⊕ ***bottom*** (*Ing.* /*bótom*/) *sm.* **1** *Fís. nu.* Quinto sabor de quark (segundo as massas crescentes) com carga elétrica -1/3, spin 1/2, número bariônico 1/3 [Símb.: *b*.] **2** Espécie de botão, com dístico ou figura ref. a evento ou produto, e que se usa preso à roupa por alfinete

botulínico (bo.tu.*lí*.ni.ca) *a.* Ref. a, ou que provoca o botulismo (bacilo botulínico; toxina botulínica) [F.: *botul(ismo)* + *n* + *-ico*[2].]

botulinotoxina (bo.tu.li.no.to.*xi*.na) (*cs*) *sf.* *Bioq.* Toxina botulínica [F.: *botulín (ico)* + *-o-* + *toxina*.]

botulismo (bo.tu.*lis*.mo) *sm.* *Med.* Intoxicação alimentar grave provocada pelas toxinas dos bacilos *Clostridium botulinum e Clostridium parabotulinum*, que se formam em alimentos mal conservados ou em enlatados mal esterilizados; ALANTÍASE [F.: Do lat. *botulus, i*, pelo fr. *botulisme*.]

bouba (*bou*.ba) *Med.* *sf.* **1** Doença tropical infecciosa, com manifestações cutâneas, causada por bactérias chamadas *Treponema pertenue*; FRAMBOESIA **2** Escoriação, lesão superficial na pele **3** Pústula de origem venérea [F.: De *bubão*. Hom./Par.: *boba* (a. sf.), *boubas* (pl.), *bobas* (pl. de *boba*).]

boubento (bou.*ben*.to) *a.* **1** Que tem bouba *sm.* **2** Indivíduo doente de bouba [F.: *bouba* + *-ento*.]

⊕ ***boulevard*** (*Fr.* /*bulevár*/) *sm.* Ver *bulevar*

⊕ ***boungainvíllea*** *sf.* Ver *buganvília*

⊕ ***bourbon*** (*Ing.* /*búrben*/) *sm.* Tipo de uísque, muito apreciado nos Estados Unidos, resultante da destilação de uma mistura de milho, malte e cevada

⊕ ***boutade*** (*Fr.* /*butáde*/) *sf.* Frase espirituosa ou irônica, ger. sutil, original e imprevista

bovarismo (bo.va.*ris*.mo) *sm.* **1** Insatisfação romanesca com a realidade; incapacidade de assumir uma posição crítica em relação à ficção **2** *Psiq.* Atitude neurótica em que o indivíduo, desprovido de autocrítica, imagina-se diferente do que ele é, idealizando sua personalidade esp. no campo sentimental **3** *Liter.* Alienação intelectual que precede a construção de uma identidade cultural própria [Termo empregado com esse sentido na América Latina.] [F.: Do fr. *bovarysme*, de Madame *Bovary*, personagem do escritor francês Gustave Flaubert (1821-1880).]

bovarista (bo.va.*ris*.ta) *a2g.* **1** Ref. ao bovarismo **2** Que apresenta tendência para o bovarismo *s2g.* **3** Pessoa que apresenta essa tendência [F.: *bovarismo* + *-ista*.]

⊠ **Bovespa** Sigla de *Bolsa de Valores do Estado de São Paulo*

bovídeo (bo.*ví*.de:o) *sm.* **1** *Zool.* Espécime dos bovídeos, família de mamíferos ruminantes artiodáctilos providos de cascos e chifres, de grande abrangência (cerca de 50 gêneros, distribuídos em todo o planeta) e intensa exploração econômica, domesticados para prover leite, carne, farinha do ossos, couro, lã etc; são os bois e as vacas, carneiros e ovelhas, bodes e cabras *a.* **2** Dos ou ref. aos bovídeos [F.: Do lat. cient. *Bovidae*.]

bovídeos (bo.*ví*.de:os) *smpl.* *Zool.* Ver *bovídeo* (1)

bovino (bo.*vi*.no) *a.* **1** Do ou ref. ao boi (carne bovina, gado bovino, peste bovina) **2** *Fig.* Que é próprio da natureza do boi (lentidão bovina) *sm.* **3** *Zool.* Animal bovino; BOVÍDEO [F.: Do lat. *bovinus*.]

bovinocultor (bo.vi.no.cul.*tor*) [ô] *a.* **1** Que cria gado bovino *sm.* **2** Aquele que cria gado bovino [F.: *bovino* + *-cultor*.]

bovinocultura (bo.vi.no.cul.*tu*.ra) *sf.* Criação extensiva de gado bovino [F.: *bovino* + *-cultura*.]

⊕ ***box*** (*Ing.* /*bócs*/) *sm.* O mesmo que *boxe*

boxar (bo.*xar*) [cs] *v.* *Pug.* O mesmo que *boxear* [*td.*] [*int.*] [▶ 1 boxar] [F.: *boxe* + *-ar*[2].]

boxe (*bo*.xe) [cs] *sm.* **1** Em banheiros, compartimento em que se instala o chuveiro, separado do resto por cortina de plástico ou porta(s) de vidro ou plástico **2** Em garagens, mercados, enfermarias etc., compartimento separado de outros por divisória **3** Nas cavalariças e estábulos, compartimento ao qual é recolhido o animal; BAIA **4** *Pug.* Modalidade de luta esportiva a socos, num ringue, em que dois adversários usam luvas acolchoadas; PUGILISMO **5** O mesmo que *soco-inglês* **6** *Aut.* Nos circuitos de corrida, cada um dos espaços em que são montadas oficinas para atendimento dos carros **7** *Edit. Jorn. Publ.* Espaço, ger. delimitado por fios, com informações adicionais sobre o capítulo de um livro, matéria jornalística ou anúncio; QUADRO [F.: Do ing. *box*.]

> Embora essa modalidade de luta exista desde a Antiguidade, o boxe, como o esporte estruturado e regulamentado que hoje conhecemos é, praticado desde o século XVIII, quando surgiu na Inglaterra. Foi no fim desse século que se introduziu o uso das luvas e que o boxe passou a ser praticado em academias de esporte. A divisão em categorias, por peso, vem desde 1872. Há três grandes associações de boxe no mundo (a OMB, ou Organização Mundial de Boxe, o CMB, ou Conselho Mundial de Boxe, e a AMB, ou Associação Mundial de Boxe), cada qual com suas disputas e seus campeões (alguns tendo se sagrado em mais de uma associação). Entre os mais famosos campeões da categoria pesos pesados estão Rocky Marciano, Joe Louis, Mohamed Ali (antes chamado Cassius Clay) e Mike Tyson. O Brasil teve três campeões mundiais: Eder Jofre (peso-galo e peso-pena), Miguel de Oliveira (meio-médio ligeiro) e Acelino 'Popó' Freitas, super pena e peso leve.

boxeador (bo.xe:a.*dor*) [cs, ô] *sm.* *Pug.* Lutador de boxe (4); PUGILISTA; BOXADOR [F.: *boxear* + *-dor*.]

boxear (bo.xe.*ar*) [cs] *v.* **1** Praticar o boxe [*int.*: *Seu maior prazer é boxear.*] **2** Ser boxeador [*int.*: *Boxeava antes de ser chofer de táxi.*] **3** Enfrentarem-se a socos (duas ou mais pessoas) [*td.*: *Os rapazes boxearam-se depois da festa.*] [▶ 13 boxear] [F.: *boxe* + *-ear*[2]. Sin. ger.: *boxar*.]

bóxer (*bó*.xer) [cs] *s2g.* *Cinol.* Cão de origem alemã, de companhia, guardião e guia, tamanho médio, robusto, pelagem curta, macia e brilhante, focinho largo e escuro [F.: Do ingl. *boxer*.]

boxímane (bo.*xí*.ma.ne) [cs] *s2g.* **1** *Etnol.* Pessoa pertencente ao povo dos boxímanes, nativos do Sudoeste da África *sm.* **2** *Gloss.* Designação genérica das línguas faladas por esse povo *a2g.* **3** Do ou ref. a esse povo; típico desse povo **4** Do ou ref. ao boximane (2) [F.: Do africânder *boschjesman*. Sin. ger.: *bosquímano*, *boxímano*.]

⊕ ***boy*** (*Ing.* /*bói*/) *sm.* O mesmo que *bói* [F.: Do ing. *office boy*.]

bozó (bo.*zó*) *sm.* **1** Certo jogo de dados que se joga com um copo de couro, ficando os dados cobertos por ele enquanto se aposta **2** O copo de couro usado nesse jogo **3** Em jogo de apostas, quantia que, a cada rodada, o vencedor separa do que ganhou para no fim dividir entre todos os apostadores 4 *BA* Oferenda, despacho, feitiço 5 *Zool.* Peixe doradídeo de água-doce; CUIÚ-CUIÚ; IUI [F.: Do quimbundo *mbonzo.*]

⊠ **bps** *Inf.* Sigla de *bits por segundo*, unidade de velocidade de informação

⊠ **Br** *Quím.* Símb. de *bromo*

brabeira (bra.*bei*.ra) *sf. Bras. Pop.* Situação braba, difícil, complicada: *Este ano tem sido uma brabeira.* [F.: *brabo* + *-eira.*]

brabeza (bra.*be*.za) [ê] *sf.* 1 Raiva violenta: *A brabeza dela assustou a todos.* 2 Ferocidade, como instinto selvagem: *a brabeza de um tigre.* 3 Aquilo que é muito difícil: *O teste foi uma brabeza.* 4 Bravura, valentia **a2g2n.** 5 Selvagem, não domesticado (diz-se de animal): *manada de bois brabeza.* [F.: *brabo* + *-eza.* Tb. *braveza.*]

brabo (*bra*.bo) **a.** 1 O mesmo que *bravo*: corajoso; irritadiço; furioso, irado; agitado, tempestuoso, violento 2 Que é predisposto a brigar e a altercar; BRIGÃO; VALENTÃO 3 De temperamento rígido e severo, austero, autoritário: *Seguia minuciosamente as regras, pois o chefe era brabo.* 4 Instintivamente agressivo (cachorro brabo) 5 Malfeito ou mal executado; RUIM: *Eta, comidinha braba!* 6 Que acarreta cuidados, que encerra perigo ou implica dificuldades (doença braba, situação braba) 7 Grande, forte, intenso (chuva braba, cansaço brabo): *O mau cheiro aqui está brabo.* 8 De difícil execução ou resolução (tarefa braba, problema brabo): *Probleminha brabo este aqui!* 9 *Bras.* De reputação ou comportamento duvidosos, ou maus: *Está irreconhecível, depois que se meteu nessa companhia braba.* **sm.** 10 *Amaz.* Nos seringais, trabalhador novato [F.: De *bravo.*]

braboso (bra.*bo*.so) [ô] *P. us.* **a.** 1 Cheio de bravura; BRAVO; VALENTE 2 Enfurecido, furioso [Pl.: ó. Fem.: ó] [F.: *brabo* + *-oso.*]

braça (*bra*.ça) *sf.* 1 *Metrol.* Antiga medida de comprimento (2, 2m), equivalente a dez palmos 2 Medida de comprimento do sistema inglês (1.829 m), equivalente a duas jardas [F.: Do lat. *bracchia*, pl. de *bracchium.*] ■ **~ quadrada** Medida agrária equivalente à tarefa (7) (de AL, CE e SE), ou seja, 3.052 m^2

braçada (bra.*ça*.da) *sf.* 1 Movimento dos braços na natação 2 Porção ou conjunto que se pode abranger com os braços: *uma braçada de flores.* 3 Pancada ou golpe dados com o braço [F.: *braço* + *-ada*[1].] ■ **Às ~s** Em grande quantidade

braçadeira (bra.ça.*dei*.ra) *sf.* 1 Faixa que se usa no braço, sobre a manga, como distintivo ou peça de identificação: *O capitão do time usa uma braçadeira de cor forte.* 2 Pequena peça de metal ou plástico que une ou firma outra, por pressão: *braçadeira para prender o fio na parede.* 3 *Cons.* Peça metálica us. como reforço de encaixes 4 Correia de couro, faixa elástica ou bandagem para cingir o pulso, usada ger. por atletas que fazem grande esforço com as mãos; EMBRAÇADEIRA 5 *Mús.* Peça metálica em forma de anel duplo que prende a palheta à boquilha do clarinete 6 Correia ou argola atrás do escudo para nela enfiar o braço; BRACEIRA 7 Tira de tecido, argola ou gancho que segura o apanhado lateral de uma cortina para deixá-la aberta 8 Nos veículos de passageiros, alça de couro ou outro material us. como apoio para manter o equilíbrio ou para descansar o braço ou a mão 9 *Arm.* Virola de metal que prende o cano das armas de fogo à coronha 10 Argola de metal fixada à bainha das espadas que serve para pendurá-las aos quadris 11 *Mús.* Nos tambores e instrumentos similares, bainha de couro que cinge o arquilho sobre a membrana 12 *Arq.* Peça metálica que liga o tirante às pernas da tesoura da armação do telhado 13 *MG Bot.* Arbusto escandente (Dalbergia variabilis), da fam. das leguminosas, de casca pardacenta, madeira clara e sólida, própria para a marcenaria, nativo do Brasil [F.: *braço* + *-a-* + *-deira.*]

braçagem (bra.*ça*.gem) *sf.* 1 *Ant.* Trabalho braçal 2 *Bras.* A força do braço 3 *Bras. Fer.* Nas locomotivas, barra horizontal de ferro que une todas as manivelas 4 *Metal.* Remoção do metal fundido com a batedeira [Pl.: *-gens.*] [F.: *braço* + *-agem*[2].]

braçal (bra.*çal*) **a2g.** 1 Ref. ao(s) ou do(s) braço(s); BRAQUIAL 2 Feito com os braços (trabalho braçal) [Ant.: *mental, intelectual.*] 3 Que executa trabalhos braçais; que faz serviços pesados (trabalhador braçal) 4 Que é movido por dois homens, com a força dos braços (serra braçal) **sm.** 5 Trabalhador braçal: *O dono da fazenda concordou em indenizar os braçais.* 6 Indivíduo forte, robusto 7 *Ant.* Peça de armadura que defendia os braços 8 *Lus. Mar.* Braçadeira us. por marinheiros do serviço de bordo [Pl.: *-çais.*] [F.: *braço* + *-al*[1].]

bracarense (bra.ca.*ren*.se) **s2g.** 1 Indivíduo nascido ou que vive em Braga (Portugal) **a2g.** 2 De Braga; típico dessa cidade ou de seu povo [F.: Do lat. *bracarense.*]

braçaria (bra.ça.*ri*.a) *sf. Ant. Arm.* Arte de arremessar granadas, lanças, barras etc. com o braço [F.: *braço* + *-aria.*]

bracatinga (bra.ca.*tin*.ga) *Bot. sf.* 1 Pequena árvore (*Misosa escrabella*) da fam. das leguminosas, nativa do Brasil (PR e SC), de crescimento rápido, chega a formar matas densas e sua madeira é us. no fabrico do carvão; GUARACATINGA 2 *SC* Mata aberta, com pouca vegetação arbustiva e subarbustiva [F.: Do tupi *imbira* + *tinga.*]

bracear (bra.ce.*ar*) **v.** 1 *Mar.* Orientar (as vergas) a barlavento ou sota-vento, por meio de cabos chamados braços [**td.**: *O Comandante deu ordens para envergar o pano, bracear a verga e alar a escota da vela.*] 2 *Cap.* Dar pancadas com os braços (em adversário) [**td. int.**] 3 Nadar dando braçadas; BRACEJAR [**td. int.**: *O garoto já braceia tranquilamente (a piscina inteira); Braceou rio acima.*] 4 *Hip.* Erguer muito as patas dianteiras ao andar (diz-se de cavalgadura) [**int.**] 5 Agitar os braços com gestos amplos e bruscos; BRACEJAR; GESTICULAR [**int.**: *Vociferava transtornado, braceando, à porta da loja.*] 6 *Fig.* Trabalhar muito; esforçar-se para ganhar a vida; BRACEJAR; MOUREJAR; PELEJAR [**int.**: *Nosso velho pai braceou para nos criar.* Ant.: *vadiar, vagabundear.*] 7 Movimentar muito os braços ao caminhar; BRACEJAR [**int.**] [▶13 bracear.] [F.: *braço* + *-ear.*]

braceira (bra.*cei*.ra) *sf.* 1 *Cons.* Faixa de cal ou de argamassa com que se fixam as telhas para vedar os canais 2 Peça de couro ou metal ajustada à parte posterior do escudo para nela se enfiar o braço; BRAÇADEIRA [F.: *braço* (o > a)- + *-eira.*]

bracejante (bra.ce.*jan*.te) **a2g.** Que braceja; que movimenta os braços: "..., com colinazinhas calvas e de longe a longe um arbusto bracejante, me deixou sombriamente indiferente." (Eça de Queiroz, *O mandarim*) [F.: *bracejar* + *-nte.*]

bracejar (bra.ce.*jar*) **v.** 1 Agitar o(s) braço(s) [**int.**: *Bracejava, na esperança de que a vissem ali.*] 2 Mover (ramos, galhos etc.) para um lado e outro, como se fossem braços [**td.**: *As amendoeiras bracejam suas frondes no ar.*] [**int.**: "As árvores bracejaram recebendo as bátegas entre as ramas..." (Henriqueta Lisboa, *Tuas palavras, Amor*)] 3 Estender(-se), como braços [**int. /ta.**: *Na ressaca, a água do mar braceja (pelo povoado).*] 4 Agitar-se, mover-se como braços [**int.**: *Os ramos bracejavam, as folhas sussuravam ao vento.*] 5 *Hip.* Mover (o cavalo) os braços ou membros anteriores, ao andar; bracear [**int.**] 6 Deitar ramos ou braços, ramificar-se [**int.**: *Galhos bracejavam, espessando a copa; Depois da cachoeira o rio braceja, formando pequenos córregos.*] [▶ 1 bracejar] [F.: *braço* + *-ejar.*]

bracelete (bra.ce.*le*.te) [ê] **sm.** 1 Adorno em forma de aro, de material diverso, e que circunda o pulso, o antebraço ou o braço; PULSEIRA 2 *P. ext.* Algema 3 *Esp.* Munhequeira us. por arqueiro, como proteção contra o ricochete da corda após o lançamento da flecha [F.: Do fr. *bracelet.*]

brachola (bra.*cho*.la) *sf.* 1 *Cul.* Bife de carne bovina enrolado com uma mistura de linguiça, cebola, queijo parmesão, toucinho, alho e salsa, temperado com sal e pimenta e servido com molho de tomate 2 *Tabu.* O pênis [F.: Do it. *bracciola.*]

braço (*bra*.ço) **sm.** 1 *Anat.* Cada um dos dois membros superiores do ser humano ou de quadrúmano, que se estende do ombro à mão ou, em sentido mais restrito, do ombro ao cotovelo (sendo, nesse caso, a parte que vai do cotovelo ao punho chamada *antebraço*) 2 Cada membro anterior de um vertebrado quadrúpede 3 *Zool.* Cada tentáculo de um cefalópode ou de um celenterado 4 Parte, peça ou aparelho cuja forma ou função lembra a de um braço humano (braço mecânico; braço da cruz) 5 A parte do travessão de uma balança que fica entre o fulcro central e o ponto em que se aplica a suspensão do prato 6 *Fís. Mec.* Numa alavanca, o segmento entre o fulcro e a resistência, ou entre o fulcro e o ponto de aplicação da força 7 Apoio para o antebraço em cadeiras, poltronas etc. 8 *Mús.* Haste de certos instrumentos de corda, sobre a qual se pressionam as cordas: *braço do violão; braço do violino.* 9 *Geog.* Porção de mar ou de rio entre terras: *Num estuário em delta, o rio se divide em vários braços.* 10 *Geog.* Ramificação de serra, de cordilheira 11 *Bot.* Galho de árvore ou arbusto, ou uma de suas ramificações 12 *Mec.* Qualquer barra rígida que transmite esforço ou movimento num dispositivo, num virabrequim, num amortecedor, numa máquina etc. 13 Operário, agricultor, trabalhador braçal: *Atualmente faltam braços na agricultura.* 14 *Fig.* Pessoa com grande capacidade de trabalho, esp. quando prestas ajuda: *Peça auxílio a ela; é um braço!* 15 *Fig.* Jurisdição, área de poder (o braço da lei) 16 *Vest.* Cada parte de vestuário (como a manga) destinada a vestir um braço (1) 17 *Biol. Gen.* Cada uma de duas partes de um cromossomo, adjacentes ao centrômero 18 *Astron.* Cada ramificação de uma galáxia em espiral [F.: Do lat. *brac(c)hium.*] ■ **A ~(s)** Por meio de força física: *Foi tirado a braço do recinto.* **A ~s com** Envolvido com, em situação de enfrentamento com: *Violento, está sempre a braços com a polícia.* **Abrir os ~s** Receber bem, acolher com simpatia **~ a ~** Bem junto, corpo a corpo **~ armado** *Pol.* Facção de um movimento político que conduz luta armada **~ da alavanca** *Fís.* Numa alavanca, a distância entre o fulcro (ou eixo de rotação) e o ponto no qual se aplica a força; com relação à força aplicada, a perpendicular ao vetor dessa força que passa pelo fulcro (ou eixo de rotação) **~ da âncora** *Mnh.* Qualquer dos braços curvos que partem da extremidade inferior da haste da âncora **~ direito** Assessor direto, auxiliar dedicado **~ espiral** *Astron.* Em uma galáxia, extensão em forma de braço **Cruzar os ~s/ficar de ~s cruzados** Não participar, não ajudar, ficar indiferente ou inativo **Dar o ~ (a alguém)** 1 Oferecer o braço, dobrado, para que alguém nele enlace o seu 2 Enlaçar o braço no de outrem **Dar o ~ a torcer** *Bras. Fig.* Reconhecer o próprio erro; mudar de posição, ideia etc., deixando-se convencer **De ~ dado (com)** Com o braço enlaçado no de outrem [Refere-se a qualquer das duas pessoas, ou a ambas.] **De ~s abertos** Com hospitalidade, receptividade, simpatia **De ~s cruzados** *Fig.* Inativo, sem participar; sem ajudar, por apatia e indiferença ou para demonstrar oposição ou protesto **Descer/meter o ~ em** *Bras.* Espancar, bater em (alguém) **Empinar o ~** *RS* Costumar embriagar-se **Não dar o ~ a torcer** Não reconhecer o próprio erro; não mudar de posição, ideia etc; não se deixar convencer **Um ~** De grande ajuda; trabalhador dedicado

braço de ferro (bra.ço de *fer*.ro) **sm.** Pessoa enérgica que exerce sua autoridade rigorosamente [Pl.: *braços de ferro.*]

bráctea (*brác*.te:a) *sf. Bot.* Cada uma das pequenas folhas, distintas das folhas normais na forma, consistência e cor, que, situadas próximo das flores, as cobrem antes de elas se abrirem [Dim.: *bractéola.*] [F.: Do lat. *bractea, ae.*]

bradante (bra.*dan*.te) **a2g.** 1 Que brada **s2g.** 2 Aquele que brada [F.: *bradar* + *-nte.*]

bradar (bra.*dar*) **v.** 1 Dizer aos gritos, aos brados [**td.**: *O povo bradou o nome do presidente eleito.*] [**tdi.** + *a, para*: *O comandante bradava ordens aos soldados.*] 2 Expressar aos gritos [**td. /tdi.** + *a, para*: *Os grevistas bradavam sua insatisfação (à diretoria da fábrica).*] 3 Pedir, reclamar em voz alta, com muita instância, ansiosamente; protestar por (algo) [**td.**: *bradar socorro.*] [**tr.** + *por*: "... tão alto bradara pela justiça e pela liberdade?" (Cecília Meireles, *Rui*)] [**tdi.** + *a, para*: *Bradou ao suicida que ficasse calmo e não se jogasse.*] 4 Demonstrar revolta contra; insurgir-se [**tr.** + *contra*: *A sociedade brada contra a violência.*] 5 Soltar gritos, berros, brados [**int.**: *Bradava em vão, pois ninguém iria socorrê-lo.*] 6 Divulgar, apregoar em voz alta [**td.**: *bradar infâmias.*] 7 Produzir estrondo; BRAMIR; ESTRONDEAR [**int.**: *Bradam os mares com o furor da tempestade.*] 8 *GO* Repreender em voz alta, severamente [**tr.** + *com*: *Costumava ensinar sem nunca bradar com os alunos*] [▶ 1 bradar] [F.: Posv. do lat. *blaterare*, forma der. do lat. vulg. **balat(e)rare.* Hom./Par.: *brado* (fl.), *brado* (sm.).]

bradejar (bra.de.*jar*) **v. int.** Soltar vários brados, gritos, berros; bradar repetidas vezes: *Bradejou a tarde inteira* [▶ 1 bradejar] [F.: *brado* + *-ejar.*]

◎ **bradi-** **el. comp.** = 'lento'; 'lentidão'; (*p. ext.*) 'diminuição': *bradicardia, bradicinina, bradilogia* [F.: Do gr. *bradýs, eia, ý*, 'lento'.]

bradicardia (bra.di.car.*di*.a) *sf. Med.* Pulsação lenta do coração, a uma frequência inferior a sessenta batimentos por minuto; BRADIRRITMIA [Ant.: *taquicardia.*] [F.: *bradi-* + *-cardia.*]

bradicinina (bra.di.ci.*ni*.na) *sf. Bioq.* Peptídeo encontrado nas plaquetas sanguíneas, das quais é liberado pela ação da tripsina ou de certos venenos de serpentes [A bradicinina, assim como a histamina, causa vasodilatação e reduz a pressão arterial. Foi identificada pelo cientista brasileiro Maurício da Rocha e Silva e colaboradores, em 1948.] [F.: *bradi-* + *-cin(e)-* + *-ina*[2].]

bradilogia (bra.di.lo.*gi*.a) *sf.* 1 *Neur.* Lentidão na formulação e expressão da fala em virtude de deficiência ou afecção mental 2 *P. ext.* Linguagem vagarosa entre uma e outra palavra ou frase [F.: *bradi-* + *-logia.*]

bradipepsia (bra.di.pep.*si*.a) *sf. Med.* Digestão lenta, difícil [F.: *bradi-* + *pepsia.*]

bradipneia (bra.dip.*nei*.a) *sf. Med.* Respiração mais lenta que o normal [F.: *bradi-* + *-pneia.*]

brado (*bra*.do) **sm.** 1 Ação ou resultado de bradar 2 Fala em voz forte e enérgica, para que se ouça à distância, para que sirva de alerta, para que inspire respeito ou temor etc. 3 Reclamação, súplica, protesto etc. feito em voz alta; CLAMOR: *o brado do povo em prol de justiça.* [F.: Regress. de *bradar*. Hom./Par.: *brado* (sm.), *brado* (fl. de *bradar*).] ■ **Dar ~** Ficar famoso, ganhar prestígio ou notoriedade

braga (*bra*.ga) *sf.* 1 *Ant. Vest.* Calça larga e curta, espécie de calção, bufante ou não, us. antigamente [Mais us. no pl.] 2 Argola de ferro que cingia a parte inferior da perna do indivíduo condenado a trabalhos forçados, prendendo a uma corrente de ferro atada à cintura do mesmo ou à argola de outro condenado 3 *Mar.* Cabo us. a bordo para içar coisas pesadas, como caixas, pipas etc. 4 *Mar.* Cabo para sustar o recuo de um canhão 5 *Mil.* Nas antigas fortificações, muro que servia de tranqueira [F.: Do lat. *braca.*]

bragado (bra.*ga*.do) **a.** 1 Diz-se de animal que tem o pelo das pernas de cor diferente da do resto do corpo 2 *Bras.* Diz-se de animal que tem malhas ou manchas brancas na barriga [F.: Do lat. *bracatus, a, um.*]

bragantino[1] (bra.gan.*ti*.no) **sm.** 1 Pessoa nascida na cidade de Bragança (Portugal) 2 *Hist.* Integrante da dinastia portuguesa de Bragança **a.** 3 De Bragança; típico dessa(s) cidade(s) ou de seu povo 4 Relativo à ou próprio da dinastia de Bragança [F.: Do lat. *Bragantinus*, deriv. de *Bragantia*, *ae*, cidade e ducado de Portugal.]

bragantino[2] (bra.gan.*ti*.no) **sm.** 1 *Fut.* Torcedor do Bragantino Futebol Clube **a.** 2 *Fut.* Desse clube ou ref. a jogador, associado ou torcedor desse clube [F.: De *Bragantino* (Futebol Clube); cf. *bragantino*[1].]

bragueta (bra.*gue*.ta) [ê] *sf.* 1 *RS* Abertura frontal da calça, o mesmo que *braguilha* 2 *Arq.* Moldura convexa formada por dois arcos de tamanhos diferentes [F.: Do cast. *bragueta.*]

braguilha (bra.*gui*.lha) *sf.* Abertura na parte frontal de calças, cuecas etc. [F.: *braga* + *-ilha.* Tb. *barguilha, barriguilha.*]

braile (*brai*.le) **sm.** 1 Sistema de escrita e leitura tátil para deficientes visuais, consistindo em um conjunto de seis pontos em alto-relevo, que permitem 63 combinações diferentes para representar as letras do alfabeto, os acentos, a pontuação, os números, símbolos matemáticos e químicos e notas musicais; ANAGLIPTOGRAFIA: *alfabetização em braile.* **a2g2n.** 2 Ref. a ou próprio desse sistema (alfabeto braile, notações braile); ANAGLIPTOGRÁFICO [F.: Do antr. Louis *Braille* (1809-1852), deficiente visual que inventou o sistema.]

⊕ **brainstorming** (*Ing.* /*breinstorming*/) **sm.** Técnica de debate em grupo na qual que os participantes contribuem espontaneamente com ideias para solução de um problema ou elaboração de um trabalho criativo
brâmane (*brâ*.ma.ne) ***s2g.*** 1 *Rel.* Membro da casta sacerdotal da Índia ***a2g.*** 2 Dos ou ref. aos brâmanes [F.: Do sânsc. *brahmanas*. Sin. ger.: *brâmine*.]
bramânico (bra.*mâ*.ni.co) ***a.*** Ref. a brâmane ou ao bramanismo [F.: *brâmane* + *-ico*[2].]
bramanismo (bra.ma.*nis*.mo) ***sm.*** *Fil. Rel.* Religião e sistema social da Índia (séc. XII-VII a.C.) anteriores ao hiduísmo, em que predominava a casta sacerdotal dos brâmanes, e fundamentados nos escritos considerados sagrados dos livros chamados Vedas; BRAMAÍSMO [F.: *brâmane* + *-ismo*.]
bramar (bra.*mar*) ***v. int.*** 1 Soltar a voz (certos animais, esp. o veado, o tigre etc.): *Veados bramavam ao longe.* 2 Bradar, gritar (de dor, desespero, cólera, exaltação etc.): *O selvagem atacou bramando como um leão.* 3 Ficar zangado, irritado, furioso, e expressá-lo em alta voz; IRAR-SE; ZANGAR-SE 4 Reclamar contra algo em altos brados: "... a população que ontem não pode entrar na Basílica sentiu-se injustiçada e bramou contra a 'atitude elitista' dos homens do protocolo." (*O Público*, 09.10.1999) 5 *Fig.* Fazer grande estrondo; BRAMIR; ESTRONDEAR: *As ondas bramavam ao quebrar na areia.* 6 Estar no cio (diz-se de alguns animais) 7 Estar no cio (diz-se de veado e de outros animais) 8 *P. ext.* Ter (pessoa) desejo de manter relação sexual 9 Clamar aos brados, exigindo algo [***ti.*** + *por*: *Bramava por vingança.*] [▶ 1 bramar] [F.: Posv. do germânico *brammon*.]
bramido (bra.*mi*.do) ***sm.*** 1 Rugido, grito forte de feras 2 *P. ext.* Grito desesperado ou colérico: "Deus meu, Deus meu, por que me desamparaste? Por que te alongas do meu exílio e da palavras do meu bramido?" (Davi, *Livro dos salmos, capítulo 22* (*trad. João Ferreira de Almeida*)) 3 Barulho forte e impressionante: *o bramido do mar.* [F.: Part. substv. de *bramir*.]
bramir (bra.*mir*) ***v.*** 1 Soltar bramidos (feras); rugir [***int.:*** *Os leões bramiam.*] 2 *P. ext.* Bradar, clamar, reclamar, exigir etc., em alta voz; BRAMIR [***td.:*** *O ofendido bramia palavrões.*] [***int.:*** *Os pacientes bramiam de sofrimento.*] 3 Manifestar irritação, zanga, fúria etc., bradando em alta voz 4 Produzir estrondo; estrondear, ribombar [***int.:*** "*Bramindo o negro mar de longe brada, como se desse em vão nalgum rochedo*" (Camões, *Os Lusíadas*)] [▶ **58** bramir] [F.: Posv. do germânico *brammon*.]
brancacento (bran.ca.*cen*.to) ***a.*** De uma cor próxima ao branco (neblina brancacenta); BRANQUICENTO; ESBRANQUIÇADO [F.: *brancaço* + *-ento*.]
brancaleônico (bran.ca.le.*ô*.ni.co) ***a.*** 1 Relativo a Brancaleone, cavaleiro atrapalhado que lidera um pequeno e esfarrapado exército que perambula pela Europa em busca de um feudo [Personagem do filme italiano, de 1966, dirigido por Mario Monicelli, uma paródia de D. Quixote de Cervantes.] 2 *P. ext.* Diz-se de pessoa, grupo, projeto etc. desorganizado e sem objetivos (exército brancaleônico; espírito brancaleônico) [F.: Do antr. *Brancaleone* + *-ico*[2].]
branco (*bran*.co) ***sm.*** 1 A cor do leite, da neve etc. 2 Por metonímia, roupa dessa cor: *Saiu vestida de branco.* 3 Aquele que tem a pele clara ***a.*** 4 Que é da cor do leite, da neve etc. (flores brancas) 5 Diz-se dessa cor: *a cor branca do vestido da noiva.* 6 *Fig.* Sem cor (diz-se do rosto de alguém); PÁLIDO: *Ela ficou branca de susto.* 7 Diz-se do que tem cor mais clara do que os demais do mesmo tipo (farinha branca; vinho branco) 8 Que tem a pele clara (homem branco) [F.: Do germânico *blanck*.] ■ **Assinar em ~** Assinar um documento antes de estar preenchido, em confiança **~ do ovo** A clara **~ do olho** *Oft.* A esclerótica **~ fixo** *Quím.* Pigmento (sulfato de bário) **~ soldante** *Metal.* Ponto de aquecimento de uma barra de metal, próximo ao da fusão **Dar um ~ (em alguém)** *Pop.* Ficar (alguém) momentaneamente com lapso de memória, ou sem orientação, ou sem clareza de raciocínio **Em ~** 1 Não escrito, não preenchido (item ou campo de documento escrito): *Entregou a prova em branco.* 2 Sem realização, ação, atividade etc.: *Passou em branco os cinco anos em que esteve na firma.* 3 Sem ter estudado: *Foi para a prova em branco.* 4 Sem ter dormido: *Passou duas noites em branco.* 5 Sem ter comido, em jejum 6 Sem entender, desorientado: *Saiu da aula mais em branco do que entrara.* **Tirar de ~** *Tip.* Imprimir o primeiro lado de uma folha
branco-mestiço (bran.co-mes.*ti*.ço) ***sm.*** Homem de ascendência negra mas com pele, cabelos e olhos claros [Pl.: *brancos-mestiços*.] [F.: *branco* + *mestiço*.]
brancura (bran.*cu*.ra) ***sf.*** Qualidade do que é branco; ALVURA; BRANQUIDÃO: *a brancura da neve.* [F.: *branco* + *-ura*.]
brandade (bran.*da*.de) ***sf.*** *Cul.* Prato preparado com bacalhau desfiado e refogado com cebola e alho, intercalado com camadas de purê de batatas, coberto com queijo parmesão ralado e assado no forno [F.: Do fr. *brandade*. Tb. *brandada*.]
brandemburguês (bran.dem.bur.*guês*) ***sm.*** 1 Pessoa nascida em Brandemburgo (Alemanha) ***a.*** 2 De Brandemburgo; típico desse estado ou de seu povo [Fem.: *-esa*] [F.: Do top. *Brandenburg* + *-ês*.]
brandimento (bran.di.*men*.to) ***sm.*** Ação ou resultado de brandir [F.: *brandir* + *-mento*.]
brandir (bran.*dir*) ***v.*** 1 Empunhar e erguer (arma) antes de desferir o golpe ou atirar [***td.:*** *brandir um a espada/ uma lança/ um revólver.*] 2 Agitar (objeto) com vigor, em sinal de ameaça [***td.:*** *Indignado, brandia a bengala e bradava desaforos.*] 3 Mover-se alternadamente de um lado para outro; OSCILAR; VIBRAR [***int.:*** *O lustre da sala brandia com o vento.*] 4 Mover, balançar de um lado para o outro, menear; acenar com (qualquer objeto) [***td.:*** *Brandiu a capa para saudar a plateia:* "Obrigado! respondeu o prior, sem se voltar, brandindo para trás a bengala, com quem dizia adeus." (Alexandre Herculano, *Lendas e narrativas*)] [F.: Do fr. *brandir*. Defect. Não se conjuga na 1a. pess. sing. do pres. do ind. e no pres. do subj.]
brando (*bran*.do) ***a.*** 1 Que não é rígido, ou severo, ou peremptório; DÓCIL; FLEXÍVEL; SUAVE: *Disse-lhe, com voz branda, o que devia fazer; um olhar brando, cheio de ternura.* 2 Que não é enérgico ou vigoroso, que não tem firmeza: *Esse gerente é brando e hesitante demais, não vai conseguir disciplinar o pessoal.* 3 Pouco intenso (fogo brando, chuva branda) 4 Que cede facilmente ao tato ou à pressão, mantendo, no entanto, certa consistência; FLEXÍVEL; MACIO 5 Que é ameno, não rigoroso (tempo brando, punição branda) 6 Que é agradável ao ouvido (som brando) 7 Vagaroso, lento (passos brandos) ***sm.*** 8 *Mar.* Cabo pouco esticado, formando um bojo [F.: Do lat. *blandus*.]
brandura (bran.*du*.ra) ***sf.*** 1 Qualidade do que é brando (1); DOCILIDADE; FLEXIBILIDADE; MEIGUICE; SUAVIDADE: *brandura para com os idosos.* 2 Atitude, gesto, ação que revela brandura (1): *Não me venha com branduras, seja exigente.* 3 Ausência de vigor, energia, determinação; FROUXIDÃO 4 Pouca intensidade: *A brandura do vento prejudicou a regata.* 5 Qualidade do que é brando (4), macio, maleável, flexível; FLEXIBILIDADE; MACIEZ; MALEABILIDADE 6 Qualidade ou condição do que é ameno, não rigoroso: *a brandura do clima na serra.* 7 Qualidade de um som agradável ao ouvido 8 Característica ou comportamento do que é lento, vagaroso; LENTIDÃO; VAGAROSIDADE 9 *Lus.* Chuvisco, ou umidade matinal, orvalho [F.: *brando* + *-ura*.]
⊕ **brandy** (*Ing.* /*brándi*/) ***sm.*** Bebida alcoólica resultante da destilação do vinho ou do suco fermentado de frutas como pêssego, cereja, maçã etc.
branha (*bra*.nha) ***sf.*** 1 *Cver. Lus.* Pedaço grosso do milho mal moído 2 *Lus. Antq.* Ver *brenha* [F.: De or. obsc.]
branqueado (bran.que:*a*.do) ***a.*** 1 Que se tornou branco ou mais branco (parede branqueada) 2 *Quím.* Que se tornou branco pela eliminação de pigmentos (papel branqueado; açúcar branqueado) 3 *Fig.* Diz-se de dinheiro obtido por meio de fraude ou crime que se tornou lícito; LAVADO: *O banqueiro foi acusado de usar dinheiro branqueado.* 4 *Lus. Cul.* Ligeiramente passado ou cozido (vegetais branqueados) [F.: Part. de *branquear*.]
branqueador (bran.que:a.*dor*) [ô] ***a.*** 1 Que branqueia, que torna branco ou mais branco: *gel branqueador para dentes.* ***sm.*** 2 O que branqueia: *branqueador de pele/metais.* 3 Substância com que se branqueiam tecidos; ALVEJANTE 4 Pessoa que limpa carnes nos açougues; ESFOLADOR 5 Recipiente em que se dilui e deixa descansar a fécula da batata depois de passar pelo purificador [F.: *branquear* + *-dor*.] ■ **~ óptico** Alvejante óptico
branqueamento (bran.que:a.*men*.to) ***sm.*** 1 Ação, processo ou resultado de branquear(-se); BRANQUEADURA: *branqueamento dos dentes/ da pele.* 2 Ação de pintar ou cobrir algo com tinta branca 3 *Fig.* Purificação, purgação: *Pelo uso do cilício, procediam ao branqueamento de suas almas.* 4 Desbaste da madeira ou remoção de sua casca 5 Ação de tornar lícitos dinheiro, valores, bens etc. provenientes de operações ilícitas; LAVAGEM: *delito de branqueamento de capitais.* [F.: *branquear* + *-mento*.] ■ **~ de dinheiro** *Lus.* Lavagem de dinheiro
branquear (bran.que.*ar*) ***v.*** 1 Fazer ficar ou ficar branco ou mais branco [***td.:*** *pasta para branquear os dentes.*] [***int.:*** *Com a geada, os campos (se) branquearam.*] 2 Cobrir com cal ou outra substância branca [***td.:*** *Branqueou os casebres para disfarçar-lhes a sujeira.*] 3 Fazer ficar ou ficar (papel, tecido etc.) branco ou mais branco por eliminação de impurezas, ou por meios químicos; ALVEJAR 4 Criar cãs ou fazer surgirem cãs em; encanecer [***int.:*** *Ainda é jovem, mas já branqueou.*] [***td.:*** *Idade e preocupações branquearam seus cabelos.*] 5 *P. ext.* Limpar-se, purificar-se [***td.***] 6 Limpar depurando, assear [***td.***] 7 Tornar lícito (dinheiro, bens etc. obtidos de forma fraudulenta) [***td.***] 8 *RS* Caiar [***td.:*** *Branqueou as paredes da varanda.*] [▶ **13** branquear] [F.: *branco* + *-ear*[2]. Hom./Par.: *branqueais* (fl.), *branquiais* (pl. de *branquial*). Ver tb. *branquejar*.]
branquejante (bran.que.*jan*.te) ***a2g.*** Que branqueja ou branqueia; ALVEJANTE [F.: *branquejar* + *-nte*.]
branquejar (bran.que.*jar*) ***v. td.*** 1 Chamar a atenção ou salientar-se pela brancura; ALVEJAR: *A estepe, ao longe, branquejava infinitamente.* 2 Adquirir a cor branca, pouco a pouco; ALVEJAR: *O lençol deles branquejava na luz, como se voltasse a ficar novo.* [▶ 1 branquejar] [F.: *bran(co)* *-qu-* + *-ejar*. Ver tb. *branquear*.]
branquelo (bran.*que*.lo) *Pej. Pop.* ***a.*** 1 Diz-se de pessoa que tem a pele muito clara (menino branquelo); BRANCOIDE ***sm.*** 2 Pessoa de pele muito clara (bela branquela) [Mais us. no fem: *um sujeito branquela; aquele branquela semvergonha.*] [F.: *branco* + *-elo*.]
brânquia (*brân*.qui:a) ***sf.*** *Anat. Zool.* Órgão respiratório dos animais aquáticos; GUELRA [F.: Do gr. *brágchia*, pelo lat. *branchiae*.]
branquial (bran.qui:*al*) ***a2g.*** Da ou ref. a brânquia (respiração branquial) [Pl.: *-ais*.] [F.: *brânquia* + *-al*[1].]
branquicento (bran.qui.*cen*.to) ***a.*** Que é quase branco; BRANCACENTO: "..., aquele olho branquicento de Tárcio matou muita gente do coração, quando ele se aporrinhava aparecia também umas veias vermelhas..." (João Ubaldo Ribeiro, *Sargento Getúlio*) [F.: *branco* + *-iço* + *-ento*.]
branquidão (bran.qui.*dão*) ***sf.*** Característica do que é branco; BRANCURA: *um cenário de branquidão impressionante.* [Ant.: *pretidão*] [Pl.: *-dões*.] [F.: *branco* + *-i-* + *-dão*.]
branquinha (bran.*qui*.nha) ***sf.*** 1 *Bras. Pop.* Aguardente de cana, cachaça 2 *Zool.* Nome de várias espécies de peixes teleósteos (caracídeos e curimatídeos), fluviais 3 *Zool.* Pequeno peixe prateado caracídeo (*Charax gibbosus*) da Amazônia, Guiana e Paraguai 4 *SP* Geada [F.: *branca* + *-inha*.]
◎ **-branqui(o)-** ***el. comp.*** Ver *branqui(o)-*
◎ **branqui(o)-** ***el. comp.*** = 'brânquia', 'nadadeira', 'guelra'; 'que tem brânquia': *branquiocrânio, branquiostégio; abranquial; adelobrânquio, aporobrânquio* [F.: Do gr. *brankhíon, ou*.]
◎ **-brânquio** ***el. comp.*** Ver *branqui(o)-*
bráquete (*brá*.que.te) ***sm.*** *Od.* Peça (ger. de aço inoxidável, cerâmica, cristal ou plástico) do aparelho ortodôntico que é fixada em cada dente a fim de dar suporte ao fio ortodôntico que traciona os dentes para colocá-los na posição correta [F.: Do ing. *bracket*.]
◎ **braqui-** ***el. comp.*** = 'curto': *braquicéfalo* (< gr.), *braquigrafia, braquigrama, braquilogia* (< gr.), *braquiterapia* [F.: Do gr. *brakhýs, eia, ý*.]
◎ **-braquia** ***el. comp.*** = 'braço'; 'característica ou anomalia referente ao braço ou a membro similar': *abraquia, polibraquia.* [F.: Do gr. *brakhíon, onos*, 'braço', + *-ia*[1].]
braquialgia (bra.qui:al.*gi*.a) ***sf.*** *Neur.* Dor ao longo dos nervos do braço [F.: *braqui(o)-* + *-algia*.]
braquiária (bra.qui:*á*.ri:a) ***sf.*** *Bot.* Nome comum das planta do gên. *Brachiaria*, da fam. das gramíneas, a maioria de suas espécies é nativa da África, sendo muitas cultivadas como forrageiras [F.: Do lat. cient. *Brachiaria*.]
braquicefálico (bra.qui.ce.*fá*.li.co) ***a.*** O mesmo que *braquicéfalo* [F.: *braquicéfalo* + *-ico*[2].]
braquicéfalo (bra.qui.*cé*.fa.lo) ***a.*** 1 Que é oval, curto e achatado na parte de trás (diz-se de crânio) 2 Cujo crânio é braquicéfalo (1) (diz-se de pessoa) 3 Cujo focinho é curto e achatado (diz-se de cão) ***sm.*** 4 Indivíduo braquicéfalo (2) 5 Cão braquicéfalo (3) [F.: Do gr. *brachyképhalos* 'de cabeça curta, pequena', pelo fr. *brachycéphale*. Ant. ger.: *dolicocéfalo*. Sin. nas acps 1, 2 e 3: *braquicefálico*.]
braquigrafia (bra.qui.gra.*fi*.a) ***sf.*** 1 Processo de escrever por meio de abreviaturas 2 O mesmo que *braquigrama* 3 Área da paleografia que estuda a origem, tipos e evolução das abreviaturas [F.: *braqui-* + *-grafia*.]
braquigráfico (bra.qui.*grá*.fi.co) ***a.*** Ref. a braquigrafia (sistema braquigráfico) [F.: *braquigrafia* + *-ico*[2].]
braquigrama (bra.qui.*gra*.ma) ***sm.*** Escrita abreviada (p. ex., abreviatura, sigla, símbolo); BRAQUIGRAFIA [F.: *braqui-* + *-grama*.]
braquilogia (bra.qui.lo.*gi*.a) ***sf.*** *Gram.* Redução de frase, expressão ou palavra, mantendo seu significado original (p. ex., *auto*, por *automóvel*; *curta*, por *curta-metragem*) [F.: Do gr. *brakhylogía, as*; ver *braqu(i)-* e *-logia*.]
braquilógico (bra.qui.*ló*.gi.co) ***a.*** Ref. a braquilogia [F.: *braquilogia* + *-ico*[2].]
◎ **braqui(o)-** ***el. comp.*** = 'braço': *braquialgia, braquiossauro* (< lat. cient.), *braquiotomia; abráquio* [F.: Do gr. *brakhíon, onos*.]
◎ **-bráquio** ***el. comp.*** Ver *braqui(o)-*
braquiópode (bra.qui:*ó*.po.de) *Zool.* ***sm.*** 1 Espécime dos braquiópodes, filo de animais invertebrados marinhos, com forma de molusco e providos de concha bivalve ***a2g.*** 2 Dos ou ref. aos braquiópodes [F.: Adaptç. do lat. cient. *Brachyopoda*.]
braquiossauro (bra.qui:os.*sau*.ro) ***sm.*** *Pal.* Designação comum aos dinossauros do gênero *Brachiosaurus*, do Jurássico, vegetarianos, com longuíssimos pescoços, que mediam até 25 m, incluindo a cauda, e chegavam a pesar 50 t [F.: Do lat. cient. *Brachiosaurus*.]
braquiotomia (bra.qui:o.to.*mi*.a) ***sf.*** *Med.* Secionamento ou amputação do braço, esp. em um feto, por ocasião do parto [F.: *braqui(o)-* + *-tomia*.]
braquiotômico (bra.qui:o.*tô*.mi.co) ***a.*** *Med.* Ref. a braquiotomia [F.: *braquiotomia* + *-ico*[2].]
braquiterapêutico (bra.qui.te.ra.*pêu*.ti.co) ***a.*** *Rlog.* Ref. a braquiterapia [F.: *braqui-* + *terapêutico*.]
braquiterapia (bra.qui.te.ra.*pi*.a) ***sf.*** *Rlog.* Forma de tratamento do câncer na qual materiais radioativos são colocados junto ao tumor [Foi a primeira técnica a viabilizar o uso das radiações ionizantes no tratamento do câncer.] [F.: *braqui-* + *-terapia*.]
brasa (*bra*.sa) ***sf.*** 1 Carvão incandescente, sem chama 2 Estado de incandescência: *ferro em brasa* 3 *Fig.* Coisa, situação ou estado muito quentes: *O escritório hoje estava uma brasa; Não ande descalço na areia, ela está uma brasa.* 4 *Fig.* Estado de ardência, queimação, afogueamento: *Seu rosto estava em brasa, de vergonha; Tinha a garganta em brasa, prenunciando a gripe.* 5 *Fig.* Estado de excitação por paixão, ardor, entusiasmo, ira, etc.: *Apaixonou-se, e nessa brasa queima desde então; Quando se irrita, é uma brasa.* 6 *Bras. Gír.* Cachaça 7 *Fig.* Estado de ardência, queimação, afogueamento 8 *Fig.* Pessoa muito viva, insinuante 9 *Bot.* Trepadeira convolvulácea da foz do rio Amazonas (*Maripa scandens*) [F.: De or. incerta.] ■ **Bater a ~** *MG* Disparar (arma de fogo) **~ dormida** 1 Brasa aparentemente apagada, mas que reacende ao se assoprá-la 2 *P. ext.*

Fig. Paixão, entusiasmo etc. adormecidos mas passíveis de se reacenderem **Chegar/puxar ~ à sua sardinha** Descrever, interpretar ou tratar assunto de modo a favorecer interesse próprio, em detrimento do dos outros, e às vezes da racionalidade e da objetividade **Em ~** 1 Rubro de calor, incandescente (ferro em brasa) 2 *Fig.* Entusiasmado, excitado, irritado, irado 3 *Fig.* Muito quente; febril 4 *Fig.* Dolorido por cansaço, por esforço: *Depois de horas martelando, suas mãos estavam em brasa.* 5 Brilhante: *Mirou-o indignado, os olhos em brasa.* **Mandar ~** 1 *Bras. Gír.* Atuar com firmeza, dinamismo etc., na realização de algo 2 Criticar com veemência 3 *Pop.* Ter relações sexuais, transar **Pisar em ~(s)** Estar em situação delicada, difícil **Uma ~** 1 Em ansiosa expectativa: *Estava uma brasa, antes da estreia.* 2 Irritado, furioso 3 Expressão genérica para distintas qualidades ou condições positivas: ativo, competente, bom, expedito, ágil etc.

brasão (bra.*são*) *sm.* 1 *Her.* Conjunto de figuras e ornatos que compõem distintivo, insígnia, escudo de uma nação, família, soberano etc. 2 *Her.* Peça confeccionada com esses elementos; INSÍGNIA; DISTINTIVO 3 *Her.* Arte que trata da composição e interpretação das armas e distintivos da nobreza; HERÁLDICA 4 *Fig.* Lema, princípio 5 *Fig.* Honra, glória [Pl.: *-sões.*] [F.: Do fr. *blason.*]

braseira (bra.*sei*.ra) *sf.* O mesmo que *braseiro* [F.: *brasa + -eira.*]

braseiro (bra.*sei*.ro) *sm.* 1 Fogo que emana de brasas e/ou de lenhas incendiadas 2 *P. ext.* Incêndio, grande fogo, calor ardente; FOGARÉU 3 Fogão ou fogareiro em que se prepara a comida a fogo brando 4 Recipiente de barro ou metal em que se põem brasas para aquecer o ambiente; BRASEIRA 5 Aquecedor 6 *Bras. Pop.* Cachaça [F.: *brasa + -eiro.*]

brasido (bra.*si*.do) *sm.* 1 Grande quantidade de brasas; BRASEIRO: "Amaro, sentado ao pé dele, remexia devagar o brasido" (Eça de Queirós, *O crime do padre Amaro*) 2 Calor intenso do fogo [F.: *brasa + -ido.*]

brasiguaio (bra.si.*guai*.o) *sm.* 1 *Joc. Pej.* O brasileiro que mora no Paraguai ou que, morando em uma cidade brasileira da região da fronteira, trabalha no Paraguai 2 *Gloss.* O portunhol falado na região fronteiriça do Brasil e do Paraguai *a.* 3 Que reúne ou possui elementos e características brasileiros e paraguaios (dialeto brasiguaio) [F.: *brasi(leiro) + (para)guaio.*]

brasileirada (bra.si.lei.*ra*.da) *Pej. Pop. sf.* 1 Grupo numeroso de brasileiros 2 A totalidade dos brasileiros [F.: *brasileiro + -ada.*]

brasileiramente (bra.si.lei.ra.*men*.te) *adv.* De maneira brasileira; segundo o jeito, o modelo, os hábitos, costumes, gostos, a cultura etc. dos brasileiros [F.: Fem. de *brasileiro + -mente.*]

brasileirês (bra.si.lei.*rês*) *sm. Pop.* Forma de português escrito e falado empregado pelos brasileiros: *Festas solenes em brasileirês são feriados.* [F.: *brasileiro + -ês.*]

brasileirice (bra.si.lei.*ri*.ce) *sf.* 1 Comportamento, costumes, tendências, modos, aspecto físico etc. dos brasileiros 2 Maneira de falar própria dos brasileiros [F.: *brasileiro + -ice.*]

brasileirismo (bra.si.lei.*ris*.mo) *sm.* 1 *Ling.* Palavra, locução, expressão idiomática ou modismo típicos da língua portuguesa do Brasil 2 Identificação com o fato de ser brasileiro, amor ao Brasil e às coisas do Brasil, o mesmo que *brasilidade* [F.: *brasileiro + -ismo.*]

brasileiro (bra.si.*lei*.ro) *sm.* 1 Pessoa nascida ou que vive no Brasil 2 *Lus. Pop.* O português falado no Brasil *a.* 3 Que nasceu ou vive no Brasil, que é do Brasil; típico desse país ou de seu povo 4 Que é feito, criado ou adotado por brasileiros: *arte brasileira; futebol brasileiro.* 5 *Lus. Pej.* Português que enriqueceu no Brasil e voltou a Portugal [Col.: *brasileirada.*] [F.: *Brasil + -eiro.* Sin. nas acps 1 e 3: *brasiliano, brasiliense, brasilense, brasílico.*]

brasileirófilo (bra.si.lei.*ró*.fi.lo) *a.* 1 Que tem preferência, afinidade pelo Brasil, pelo seu povo, pela sua cultura *sm.* 2 Indivíduo brasilierófilo [F.: *brasileiro + -filo.* Sin. ger.: *brasilófilo.*]

brasilense (bra.si.*len*.se) *a2g. s2g.* O mesmo que *brasileiro* [F.: Do top. *Brasil + -ense.*]

brasiliana (bra.si.li:*a*.na) *sf.* Coleção de obras (livros, peças musicais etc.) sobre o Brasil [F.: *Brasil + -iana* (fem. de *-iano*).]

brasilianismo (bra.si.li:a.*nis*.mo) *sm.* 1 Estudo de assuntos brasileiros 2 O mesmo que *brasilidade* [F.: *brasiliana + -ismo.*]

brasilianista (bra.si.li:a.*nis*.ta) *a2g.* 1 Diz-se de indivíduo não brasileiro que estuda ou que é especialista em assuntos brasileiros *s2g.* 2 Indivíduo brasilianista (1) [F.: Do ing. *brazilianist.*]

brasiliano (bra.si.li:*a*.no) *a. sm.* Ver *brasileiro*

brasílico (bra.*sí*.li.co) *a.* 1 Dos ou próprio dos indígenas do Brasil 2 O mesmo que *brasileiro* (etnônimo brasílico) *sm.* 3 Pessoa brasileira [F.: *Brasil + -ico.*]

brasilidade (bra.si.li.*da*.de) *Bras. sf.* 1 Qualidade ou caráter do que ou de quem é brasileiro 2 Sentimento patriótico em relação ao Brasil [F.: *Brasil + -(i)dade.* Sin. ger.: *brasileirismo, brasilianismo, brasilismo.*]

brasiliense (bra.si.li:*en*.se) *a2g. s2g.* O mesmo que *brasileiro*

brasilizado (bra.si.li.*za*.do) *a.* Que se brasilizou; que se tornou semelhante a algo ou alguém brasileiro [F.: Part. de *brasilizar.*]

brasilizar (bra.si.li.*zar*) *v. td.* Dotar de características típicas do Brasil, dar aspecto brasileiro a [F.: *Brasil + -izar.*]

brasilófilo (bra.si.*ló*.fi.lo) *a. sm.* Ver *brasileirófilo*

brasilófobo (bra.si.*ló*.fo.bo) *a.* 1 Que tem aversão aos brasileiros *sm.* 2 Indivíduo brasilófobo [F.: *Brasil + -o- + -fobo.*]

brasonado (bra.so.*na*.do) *a.* 1 Que tem brasão 2 adornado com brasão (armas brasonadas) [F.: Part. de *brasonar.*]

brasonar (bra.so.*nar*) *v.* 1 *Her.* Descrever, desenhar ou confeccionar um brasão segundo as regras da arte heráldica [*td.: correto brasonar um escudo com cores ou metais sobrepostos dizendo-se 'vermelho, com cruz cosida de azul'.*] 2 *Her.* Prover(-se) de ou possuir brasão [*int. td. tr.* + *de*: *A família brasonou-se no Império; Pretendiam brasonar a congregação:* "O Conde de Gestas provinha de velha família francesa da Guiana, que brasonava de azul com uma torre de prata." (C. Schlichthorst, *O Rio de Janeiro como ele é (1824-1826)*).] 3 Atribuir honras não merecidas; lisonjear de modo servil; ADULAR; ALARDEAR; BAJULAR; CHALEIRAR [*td.*: "Isto não é rezar o Padre-Nosso, é brasonar os padres vossos. É ofender, é injuriar, é afrontar o Pai do céu, ..." (Padre Antônio Vieira, *Sermão II, Maria Rosa Mística*)] 4 Alardear com prepotência os próprios méritos e feitos ou contar vantagens; BASOFIAR; BRAVATEAR; FANFARRONEAR; GABAR-SE [*td. int. tr.* + *de*: *É um fanfarrão, vive brasonando (que conhece vários países); Brasonava-se de descender de José do Patrocínio.*] [▶ 1 brasonar] [F.: do fr. *blasonner.* Hom./Par.: *brasonaria(s)* (sf), *brasonaria, brasonarias* (fl. de *brasonar*). Sin. ger.: *blasonar.*]

🌐 **brasserie** (*Fr.* /brasserí/) *sf.* Bar ou restaurante onde originalmente só se servia cerveja

brasuca (bra.*su*.ca) *Pop. sm. a2g.* Ver *brasileiro* [F.: Do top. *bras(il) + -uca.*]

brau *a.* 1 *BA Gír.* Cafona, brega *sm.* 2 *Gír.* Pessoa cafona [F.: De or. obsc.]

braúna (bra.*ú*.na) *sf. Bot.* O mesmo que *baraúna* [F.: Do tupi *imbira' una.*]

bravamente (bra.va.*men*.te) *adv.* 1 De modo bravo, corajoso, valente; com coragem; CORAJOSAMENTE 2 De modo bravo, furioso, irado; com fúria, raiva; FURIOSAMENTE [F.: Fem. de *bravo*[1] + *-mente.*]

bravata (bra.*va*.ta) *sf.* 1 Dito ou ação, atitude etc. que expressam presunção (de quem o faz ou adota) de qualidades, poderes, feitos etc. muitas vezes fictícios ou exagerados; FANFARRONICE 2 Ameaça ou provocação arrogante 3 Demonstração desnecessária e às vezes perigosa de ousadia, afoiteza etc. [F.: Do it. *bravata.*]

bravatear (bra.va.te.*ar*) *v.* 1 Dizer bravatas; jactar-se de valente ou exibir valentia [*int.: Ele não é de nada, só sabe bravatear; Bravateava para impressionar a namorada.*] 2 Gabar-se de [*tp.: Bravateia de esperto*] [*td.: Bravateia feitos heroicos.*] 3 Dizer (algo) em tom de ameaça [*td.: Bravateia que vai ser rigoroso no exame.*] [*tdi.* + *a*: *Bravateou-lhes advertências.*] [▶ 13 bravatear] [F.: *bravata + -ear*[2].]

bravateiro (bra.va.*tei*.ro) *a.* 1 Que diz ou faz bravatas *sm.* 2 Indivíduo bravateiro [F.: *bravat-*, de *bravatear + -eiro.* Sin. ger.: *bravateador.*]

bravatismo (bra.va.*tis*.mo) *sm.* Tendência a dizer ou fazer bravatas: *O bravatismo do deputado na tribuna acabou desmoralizado.* [F.: *bravata + -ismo.*]

bravejar (bra.ve.*jar*) *v. int. td. tr.* Ver *esbravejar* [▶ 1 bravejar] [F.: *bravo + -ejar.*]

braveza (bra.*ve*.za) [ê] *sf.* 1 Qualidade, atitude ou ato de selvageria, ferocidade (de pessoa ou animal) 2 Qualidade, atitude ou ato de bravura, coragem, valentia 3 Ímpeto, força: *a braveza da correnteza.* 4 Natureza ou estado de selvagem, agreste, não cultivado [F.: *bravo + -eza.* Sin. ger.: *brabeza.*]

bravio (bra.*vi*:o) *a.* 1 Não domesticado (animal bravio); SELVAGEM 2 Rude, primitivo, não refinado ou civilizado (pessoa, povo, atitude, palavras etc.) 3 Agitado, revolto, bravo (mar bravio) 4 Não cultivado (terreno bravio); AGRESTE *sm.* 5 Terreno bravio (4) [F.: *bravo + -io*[2].]

bravo[1] (*bra*.vo) *a.* 1 Que é corajoso, valente: *brava gente brasileira.* 2 Que se irrita com facilidade; IRACUNDO; IRRITADIÇO 3 Furioso, irado: *Ficou bravo com os colegas.* 4 Muito agitado (mar bravo); BRAVIO; TEMPESTUOSO *sm.* 5 Indivíduo bravo (1): "A vida é combate, /que os fracos abate, /que os fortes, os bravos, /só pode exaltar" (Gonçalves Dias, *Canção do tamoio*) [F.: Do lat. *barbarus.*]

bravo[2] (*bra*.vo) *interj.* Expressa aplauso ou grande admiração [F.: Do it. *bravo.*]

bravura (bra.*vu*.ra) *sf.* 1 Qualidade de quem é bravo (1); CORAGEM; VALENTIA 2 Ação de pessoa brava, corajosa; FAÇANHA; PROEZA [F.: *bravo + -ura.*] ▪ **Com ~** *Mús.* Com todos os recursos técnicos (do intérprete) **De ~** *Mús.* Que exige (do intérprete) pleno domínio da técnica (diz-se de peça ou trecho musical)

breado (bre.*a*.do) *a.* 1 Revestido de breu (cabos breados); ALCATROADO 2 Da cor do breu 3 *N.E. Pop.* Sujo, emporcalhado, pegajoso: *breado de lama.* 4 *AL Pop.* Que se embriagou; BÊBADO [F.: Part. de *brear.*]

🌐 **break-even point** (*Ing.* / breikíven point/) *sm. Econ.* Ponto de equilíbrio entre gastos e receita em atividades comerciais e industriais [Pl.: *break-even points.*]

🌐 **break-point** (*Ing.* /brêik-point/) *sm.* Ponto em determinada ação ou processo em que pode ocorrer uma interrupção

brear (bre.*ar*) *v. td.* 1 Revestir de breu ou matéria a ele semelhante: *Brear um cabo.* 2 *MG N.E. Pop.* Tornar(-se) sujo ou engordurado: *Brear a roupa; Breou-se todo.* 3 *P. ext.* Tornar semelhante ao breu 4 *Fig.* Tornar escuro como o breu; enegrecer, escurecer 5 *N.E. C. O. Pop.* Lambuzar, sujar (com algo mole ou pegajoso): *Breou a camisa de gordura de porco; Breou-se de gordura.* 6 *Pop.* Sujar-se de fezes 7 *N. O. Pop.* Cobrir (alguém ou a si mesmo) com grande quantidade de: *Na praia, breou o corpo com areia; Breou-se de talco.* [▶ 13 brear] [F.: *breu + -ear*[2].]

breca (*bre*.ca) *sf.* 1 Cãibra 2 *Antq.* Ira, raiva 3 *Antq. Vet.* Doença que ataca as cabras e lhes faz cair o pelo 4 *Antq.* Imprecação dirigida a alguém para causar-lhe aborrecimento; esse aborrecimento [F.: De or. obsc.] ▪ **Com a ~** Loc. interjetiva que exprime espanto, positivo ou negativo **Da ~** Além do normal, exagerado: *Que temporal da breca!* **Ir-se com a ~** Desaparecer ou perder-se para sempre morrer, sumir **Levado da ~** Muito travesso **Levar a ~** Dar-se mal, morrer, sumir

brecada (bre.*ca*.da) *sf. Bras.* Ação ou resultado de brecar; FREADA [F.: *brecar + -ada*[1].]

brecar (bre.*car*) *v.* 1 *Bras.* Acionar o breque, o freio de (veículo), interrompendo ou reduzindo seu movimento; FREAR [*td.: O motorista brecou o veículo.*] [*int.: Quando viu o carro, o ciclista brecou.*] 2 Impedir que se manifeste (sentimento); REFREAR; REPRIMIR [*td.: Procurava brecar seus instintos agressivos.*] [▶ 11 brecar] [F.: *breque + -ar*[2].]

brecha (*bre*.cha) *sf.* 1 Abertura estreita; FENDA; RACHADURA 2 Lacuna, falha: *A nova lei tem algumas brechas.* 3 *Fig.* Oportunidade, ocasião: *Aproveitou a brecha e pediu um aumento.* 4 *Geog.* Depressão profunda e estreita entre rochedos ou montanhas 5 *Min.* Mármore formado de fragmentos angulosos e irregulares de diversas cores, reunidos por uma pasta calcárea de cor diferente 6 *Mil.* Abertura feita no muro de uma fortaleza, e pela qual se pode penetrar 7 Ferida larga e profunda feita com instrumento cortante 8 *Fig.* Dano, prejuízo [F.: Do alto-alemão *brecha*, pelo fr. *brèche.*] ▪ **Abrir uma ~** 1 *Fig.* Descobrir e/ou explorar um ponto vulnerável (de regulamento, resistência, convicção etc.) conseguir convencer, se impor etc. 2 *Esp. Mil.* Descobrir e/ou explorar ponto vulnerável na defesa do adversário, ou do inimigo, para conseguir vantagem e vencê-lo num lance ou no embate **~ calcária** *Geol.* Mármore formado por fragmentos de cores diversas, unidos por pasta calcária de cor diferente **~ de atrito** *Geol.* V. *Brecha de falha* **~ de declive** *Geol.* V. *brecha de talude* **~ de falha** *Geol.* Brecha ao longo de uma linha de fricção; brecha de atrito, brecha de fricção **~ de fricção** *Geol.* V. *Brecha de falha* **~ de talude** *Geol.* Fragmentos rochosos acumulados por gravidade no sopé de vertentes; brecha de declive **~ meteórica** *Geol.* Fragmentos de rocha que não foram deslocados do local em que desagregaram **Estar na ~** Lutar encarniçadamente; estar pronto para a luta

brechar (bre.*char*) *v.* 1 *Bras.* Abrir brecha em (tb. *Fig.*) [*td.: Os presos brecharam a parede para fugir; brechar uma discussão.*] 2 *N.E. Gír.* Espreitar, espiar [*td.: Brechou os aposentos à sua procura.*] 3 *Lus. Gír.* Pagar alguma coisa a outrem; pagar despesa feita por outra pessoa [*int.*] [▶ 1 brechar] [F.: *brecha + -ar*[2].]

brechó (bre.*chó*) *sm. Bras.* Loja de roupas e objetos usados [F.: Alter. de *belchior.*]

brechtiano (brechti:*a*.no) *a.* 1 Ref. a Bertold Brecht (1898-1956), dramaturgo e poeta alemão, ou à sua obra 2 Que admira, conhece profundamente ou continua a obra de Brecht 3 *Rest. Teat.* Relativo à técnica dramatúrgica desenvolvida na obra de Brecht, esp. a linguagem e a exposição dialética claras, o conteúdo revolucionário e o uso de canções que acompanham o tema da ação (teatro épico brechtiano) *sm.* 4 Indivíduo que admira, conhece profundamente ou continua a obra de Brecht [F.: Do antr. *Bertolt Brecht + -i- + -ano.*]

bredo (*bre*.do) [ê] *sm.* 1 *Bot.* Designação comum a várias plantas herbáceas, esp. às do gên. *Amaranthus*, da fam. das amarantáceas 2 *Bot.* Erva (*Amaranthus viridis*) de flores verde-claras e folhas comestíveis; BREDO-VERDADEIRO; CARARU; CARURU 3 *N. N.E.* Mato 4 *PB PE MG* Namoro [F.: Do gr. *blíton*, pelo lat. *blitum -i.*] ▪ **Cair/pôr-se no ~** 1 *N. N.E.* Fugir, desaparecer, sumir 2 Meter-se pelo mato adentro **Ganhar o ~** V. *Cair/pôr-se no bredo*

brega (*bre*.ga) *a2g.* 1 *Bras. Pop.* Que não é refinado nos modos ou na maneira de vestir (pessoa brega); CAFONA; CARETA 2 Que não é chique ou estiloso (roupa brega); CAFONA 3 Que apela para o gosto popular: *programas de TV bregas.* 4 Diz-se de música com exageros de romantismo e dramaticidade, ger. feita para as camadas populares 5 Diz-se de cantor desse gênero de música *s2g.* 6 Pessoa brega (1) *sm.* 7 A música brega como gênero musical [F.: De or. obsc. Pode ser ofensivo.]

breganha (bre.*ga*.nha) *sf.* Ver *barganha*

bregmático (breg.*má*.ti.co) *a. Anat.* Ref. a, ou próprio do bregma [F.: *bregma + -ático.*]

bregueço (bre.*gue*.ço) [ê] *Bras. Gír. sm.* 1 Objeto pessoal de pouco ou nenhum valor material 2 Objeto imprestável ou em péssimo estado de conservação 3 *AL* Pessoa ou coisa desclassificada, sem valor ou préstimo 4 *PE* Coisa, troço, trem: "O jogo durou umas cinco horas, provando que é mesmo coisa de rico: um bregueço pra quem não tem o que fazer" (*Jornal do Commercio*, 18.06.2000) 5 *CE* Situação complicada [Pl.: *bregueços* [é].]

breguete (bre.*gue*.te) *sm. Bras. Gír.* Qualquer objeto; COISA; TROÇO; *MG* TREM [F.: *brega + -ete.*]

breguice (bre.*gui*.ce) *sf.* 1 Qualidade de brega 2 Atitude de brega 3 Falta de bom gosto [F.: *brega + -ice.*]

brejal (bre.*jal*) *Bras. sm.* 1 Brejo grande 2 *Ornit.* Ave passeriforme (Sorophila albogularis), da fam. dos emberezídeos, própria do Nordeste do Brasil, onde vivem em brejos e áreas úmidas. Os machos apresentam a parte superior cinza, a garganta, as laterais da cabeça e o ventre brancos, um colar peitoral negro e o bico alaranjado, enquanto as fêmeas são pardacentas; COLEIRA-DO-BREJO [Pl.: *-jais.*] [F.: *brejo* + *-al.*]

brejeirice (bre.jei.*ri*.ce) *sf.* **1** *Bras.* Qualidade de brejeiro **2** Ação ou dito de brejeiro; BREJEIRADA: *As brejeirices dela conquistaram a plateia.* **3** Leve malícia, graciosa e divertida: *Foi um piscar de olho cheio de brejeirice.* [F.: *brejeiro* + *-ice.*]

brejeiro (bre.*jei*.ro) *a.* **1** Que é brincalhão, travesso, irreverente, gozador **2** Que é leve e divertidamente malicioso, graciosamente picante: *olhar brejeiro e provocante.* **3** Ref. a brejo, que tem brejo ou que habita um brejo (terreno brejeiro, população brejeira) **4** *N.E.* Ref. à região do Brejo, a quem a habita ou ao que lhe pertence ou lhe é característico **5** *Lus. Pej.* Ordinário, reles, grosseiro (diz-se de coisa) (material brejeiro) **6** *Lus. Pej.* Imoral, impudico, lascivo, malicioso **7** Que é leve e divertidamente malicioso, graciosamente picante *sm.* **8** *N.E.* Indivíduo nascido na região do Brejo ou que nela vive **9** Indivíduo brejeiro (3) **10** *N.* Pântano, brejo, terreno alagado ou alagadiço **11** *RJ Pop.* Paquera, namoro [F.: De *brejo* + *-eiro.*]

brejo (*bre*.jo) *sm.* **1** Terreno alagadiço, pantanoso; PÂNTANO; PAUL **2** Terreno inculto, agreste, onde crescem urzes **3** *P. ext.* Lugar frio, úmido e batido pelo vento **4** *N.E.* Terreno permanentemente irrigado por rios e fertilizado por seu transbordamento **5** *MA* Terreno baixo, com nascentes **6** *BA* Plantação de arroz [F.: De or. contrv.] ◼ **Ir para o ~** Fracassar; não se realizar (o que estava projetado ou programado)

brenha (*bre*.nha) *sf.* **1** Mata espessa, cerrada; MATAGAL: *as brenhas amazônicas.* **2** *Fig.* O que é denso e emaranhado: *brenha de cabelos.* **3** *Fig.* Coisa intrincada; confusão, complicação **4** Coisa ou situação indecifrável, misteriosa [F.: De or. contrv.]

brenhoso (bre.*nho*.so) [ô] *a.* **1** Cheio de brenhas; SELVÁTICO **2** Emaranhado, basto (cabelo brenhoso) **3** *Fig.* Confuso, complicado, intricado [Pl.: *ó*. Fem.: *ó*] [F.: *brenha* + *-oso.*]

breque (*bre*.que) *sm.* **1** *Bras.* Freio de veículo automóvel **2** *Bras. Mús.* Parada súbita que fazem os músicos em certo trecho de um samba de breque, para que o cantor entre com frases faladas, de caráter jocoso **3** Carruagem de quatro rodas, com um assento elevado na frente e dois bancos longitudinais atrás, fronteiros um ao outro **4** *Lus. Pop.* Emissão de gases intestinais **5** *Lus. Pop.* Pancada com a mão aberta ou fechada, murro, tabefe [F.: Do ing. *break*. Hom./Par.: *breque* (sm.), *breque* (fl. de *brecar*). Ver tb. *samba*.]

bretão (bre.*tão*) *sm.* **1** Pessoa nascida ou que vive na Bretanha (França) **2** *Hist.* Pessoa nascida ou que vivia na antiga Bretanha **3** *Gloss.* Língua céltica falada na Bretanha [Pl.: *-tões*. Fem.: *-tã*] *a.* **4** Da Bretanha (antiga ou atual); típico dessa província ou de seu povo **5** Da Grã-Bretanha; típico desse reino ou de seu povo **6** *Gloss.* Da ou ref. ao bretão (3), à língua falada na Bretanha **7** Diz-se de uma raça de cavalo de tração, originária da França [Pl.: *-tões*. Fem.: *-tã*.] [F.: Do lat. *Brito-onis*, pelo fr. *breton*.]

brete[1] (*bre*.te) [ê] *sm.* **1** Armadilha para pássaros feita com dois paus **2** *Fig.* Logro, engano **3** *RS* Num curral, corredor curto e estreito por onde se leva o gado para banho, pesagem, vacinação, tratamento, marcação ou abate **4** *RS* Pequeno curral onde se recolhe o gado lanígero para a tosquia [F.: Do cast. *brete*, deriv. do provç. *bret* e, este, do gótico *brid*.]

brete[2] (*bre*.te) *Pop. sm.* **1** *Lus. Pop.* Pão escuro e grosseiro servido aos soldados **2** *Bras. Gír.* Pão *s2g.* **3** *Lus. Gír.* Pessoa que reage e impede que lhe furtem a carteira [F.: Do ing. *bread* 'pão'.]

breu *sm.* **1** Substância escura, sólida e inflamável, que se obtém pela destilação do alcatrão da hulha ou de resinas de plantas, como as coníferas; tem várias aplicações industriais (isolantes, vernizes e revestimentos, adesivos etc.) **2** Betume artificial us. em calafetagem **3** *Fig.* Escuridão, trevas: *Isto aqui está um breu, acenda uma lanterna.* **4** *RJ* Espécie de bote que atraca aos navios mercantes para vender frutas **5** Tripulante desse barco [F.: Do gaulês *bracu*, pelo fr. *brai*.] ◼ **Escuro como ~** Muito escuro

breve (*bre*.ve) *a2g.* **1** De pouca duração; CURTO; RÁPIDO: *Teremos agora uma breve interrupção; Foi um discurso breve e incisivo.* [Ant.: *demorado*.] **2** Que transmite a sensação de ser de pouca duração: *O passatempo torna a espera breve.* **3** Resumido, conciso: *Escreveu um breve relatório da situação.* [Ant.: *longo*.] **4** De pouca extensão, de pequena dimensão: *Percorreu num átimo a breve distância entre eles.* **5** Superficial, ligeiro: *Deu-lhe breve atenção, mais por delicadeza do que por interesse.* **6** *Ling.* Em certas línguas, diz-se de vogal ou consoante de pronúncia idêntica à de similares, mas com metade do tempo de duração destas *adv.* **7** Em pouco tempo a partir de agora: *Breve voltarei à fazenda.* *sf.* **8** *Mús.* Figura que equivale a duas semibreves **9** *Mús.* A representação gráfica dessa figura (uma pequena elipse entre duas pequenas barras verticais tangentes a ela) **10** *Ling.* Vogal, consoante ou sílaba breve (6) *sm.* **11** O mesmo que *bentinho* **12** *Rel.* No catolicismo, escrito papal menos importante que uma bula [F.: Do lat. *brevis*.] ◼ **~ contra a luxúria** *Joc. Pej.* Pessoa muito feia **Em ~** Logo, dentro em pouco, sem muita demora **Ser ~** **1** Expressar-se em pouco tempo ou poucas palavras **2** Demorar-se pouco: *Foi breve em sua visita.*

brevê (bre.*vê*) *sm. Aer.* Diploma de aviador [F.: Do fr. *brevet*. Hom./Par.: *brevê* (sm.), *breve* (a2g.).]

brevemente (bre.ve.*men*.te) *adv.* **1** Em pouco tempo, em breve; daqui a pouco (tempo); LOGO: *Brevemente estaremos em São Paulo.* **2** Por pouco tempo, por curto tempo; RAPIDAMENTE: *Falamo-nos brevemente, pois ele precisava seguir viagem.* [F.: *breve* + *-mente*.]

brevetado (bre.ve.*ta*.do) *a.* Que se formou em escola de aviação; que recebeu brevê (piloto brevetado) [F.: Part. de *brevetar*.]

brevetar (bre.ve.*tar*) *v.* Diplomar(-se) em curso de aviação; dar ou obter brevê [*td.*: *A escola de aviação brevetou vinte pilotos.*] [*int.*: *Brevetou-se no ano passado.*] [▶ **1** brevetar] [F.: Do fr. *breveter*. Gal. para alguns.]

◎ **brevi-** *el. comp.* = 'breve'; 'curto': *brevicaule, brevifloro, brevilíneo* [F.: Do lat. *brevis, e*.]

breviário (bre.vi.*á*.ri:o) *sm.* **1** *Ecles.* Livro que contém as orações, salmos etc. que os sacerdotes católicos são obrigados a rezar todos os dias **2** *Ant. Tip.* Antiga denominação do tamanho do tipo em que ordinariamente se imprimiam esses livros **3** *Fig.* Livro que se lê habitualmente e por predileção **4** Resumo, condensação (de texto), sinopse [F.: Do lat. *breviarium, ii*.] ◼ **Rezar/ler pelo mesmo ~** Compartilhar com outrem ideias, conceitos, posições etc.

brevicaule (bre.vi.*cau*.le) *a2g. Bot.* Que tem o caule curto [F.: *brevi-* + *caule*.]

brevidade (bre.vi.*da*.de) *sf.* **1** Qualidade ou condição de breve, do que tem curta duração: *Era conhecido pela brevidade de seus discursos.* **2** Qualidade do que é resumido, conciso; CONCISÃO: *Seu relato foi perfeito: com brevidade e precisão cobriu todos os aspectos da questão.* **3** Pequena extensão: *a brevidade de uma distância percorrida.* **4** *BA SP MT Cul.* Bolo doce, feito de polvilho, ovos, açúcar etc. [F.: Do lat. *brevitas-atis*.]

brevifloro (bre.vi.*flo*.ro) *a. Bot.* Diz-se de planta, pedúnculo etc. que produz flor(es) pequena(s) [F.: *brevi-* + *-floro*.]

brevilíneo (bre.vi.*lí*.ne:o) *a.* **1** De linhas curtas, ou pouco alongadas **2** *Anat.* Que tem tronco e membros mais curtos que a média (diz-se de pessoa ou animal) *sm.* **3** Pessoa ou animal brevilíneo (2) [F.: *brevi-* + *-líneo*. Ant. ger.: *longilíneo*.]

brial (bri:*al*) *Ant. Vest. sm.* **1** Túnica que os cavaleiros vestiam sobre as armas ou sobre a roupa de baixo quando estavam desarmados: "As calças de muitas cores, as plumas das toucas dos senhores, os ricos briais e cotas, ..." (Alexandre Herculano, *O bobo*) **2** Vestido longo de tecido rico, preso na cintura [Pl.: *-ais*.] [F.: Do provç. *brialt*.]

bricabraque (bri.ca.*bra*.que) *sm.* **1** Conjunto de objetos antigos de arte e artesanato, móveis, bijuterias, roupas etc. **2** Loja onde são comprados e vendidos esses objetos; BRECHÓ [F.: Do fr. *bric-à-brac*.]

⊕ **bricolage** (*Fr. /bricoláge/*) *sf.* Ver *bricolagem*

bricolagem (bri.co.*la*.gem) *sf.* Conjunto de atividades (pequenos consertos domésticos, pintura, artesanato, decoração, jardinagem etc.) desenvolvidas para o próprio uso, dispensando a contratação de mão de obra especializada [Pl.: *-gens*.] [F.: Do fr. *bricolage*.]

brida (*bri*.da) *sf.* **1** Rédea (1) **2** *Fig.* O que sofreia, obsta alguma coisa; FREIO **3** *Pat.* Formação fibrosa que atravessa cicatrizes, úlceras etc. **4** *Ant.* Sistema de equitação em que o cavaleiro montava com os estribos compridos, no bico do pé e a perna estendida, e em uma sela apropriada [F.: Do fr. *bride*, de or. germânica aparentada com o ing. *bridle* 'rédea'.] ◼ **A toda (a) ~** Em disparada, a toda velocidade

bridão (bri.*dão*) *sm.* **1** Brida grande **2** Freio de cavalgadura que consta apenas do bocado, articulado no meio **3** *Turfe* Freio de cavalgadura leve, preso à brida (1), us. em corridas de cavalo **4** Jóquei que utiliza esse freio **5** *Ant.* Cavaleiro que montava pelo sistema da brida **6** *Fig.* Aquilo que sofreia, dificulta, impede algo [Pl.: *-dões*.] [F.: *brida* + *-ão*[1].]

⊕ **bridge** (*Ing. /bridj/*) *sm.* Certo jogo de cartas em que se usa um baralho completo, e em que cada uma das duas duplas participantes deverá fazer o número de vazas a que se propôs, determinando-se previamente regras quanto a naipe e trunfo [Do ing. *bridge*.]

⊕ **briefing** (*Ing. /brífin/*) *sm.* **1** Elenco de informações ou orientações estratégicas que guiam uma ação, uma campanha publicitária etc. **2** Apresentação ou levantamento dessas informações ou instruções [Do ing. *briefing*.]

brifar (bri.*far*) *v. td.* Apresentar *briefing* de (campanha, filmagem etc.) [▶ **1** brifar] [F.: Do v. inglês *to brief* + *-ar*[2].]

briga (*bri*.ga) *sf.* **1** Luta corporal: *Os seguranças apartaram a briga.* **2** Discussão, bate-boca: *Essas brigas são frequentes entre eles* **3** Quebra de boas relações **4** Desacordo, divergência: *Briga entre ministérios emperra a regulamentação do estatuto.* **5** Disputa, competição: *a briga pelo título na Copa Internacional.* **6** *Fig.* O que constitui um problema, uma dificuldade, uma fonte de ansiedade: *a sua eterna briga com a balança.* [F.: Do celta *briga*, pelo it. *briga* e pelo fr. *brigue*. Hom./Par.: *briga* (sf.), *briga* (fl. de *brigar*).] ◼ **~ de foice** *Bras.* Disputa renhida em que se usam quaisquer meios para se impor, mesmo ilegais ou desleais **Comprar ~** Meter-se em briga, ger. alheia, mesmo que sem proveito próprio **De ~** Que é propenso a brigar, de temperamento brigador: *Não o provoque, ele é de briga; galo de briga.*

brigada (bri.*ga*.da) *sf.* **1** *Mil.* Unidade militar, composta por batalhões ou regimentos (a nomenclatura e o número variam de exército para exército, ou de arma para arma), ger. comandada por general de brigada: *brigada de infantaria.* [Uma brigada pode incluir contingentes de mais de uma arma, como infantaria e artilharia, permanentemente ou para missões específicas.] **2** *Mil.* Reunião de duas ou três baterias de campanha **3** Reunião de certo número de indivíduos para executarem algum trabalho: *brigada de prevenção e combate a incêndio florestal.* [F.: Do it. *brigata*, pelo fr. *brigade*.]

brigadeirista (bri.ga.dei.*ris*.ta) *a2g.* **1** Que era partidário do brigadeiro Eduardo Gomes (1896-1981), candidato à presidência do Brasil em 1945 e 1950 *s2g.* **2** Indivíduo brigadeirista [F.: De *brigadeiro* Eduardo Gomes + *-ista*.]

brigadeiro (bri.ga.*dei*.ro) *a.* **1** Que comanda uma brigada (oficial brigadeiro) *sm.* **2** Na hierarquia militar, patente de oficial que comanda uma brigada; este oficial **3** *Mil. Aer.* F. red. de *brigadeiro do ar*, *major-brigadeiro* e *tenente-brigadeiro* **4** *Hist. Mil.* Antiga patente do exército brasileiro colonial e imperial, acima de coronel e abaixo de marechal de campo **5** *Bras. Cul.* Doce feito com leite condensado e chocolate em pó [F.: Do fr. *brigadier*.]

brigadeiro do ar (bri.ga.dei.ro do *ar*) *Bras. Aer. sm.* **1** Patente militar [Ver quadro *Hierarquia Militar Brasileira* no verbete *hierarquia*.] **2** Militar que tem essa patente [Pl.: *brigadeiros do ar*.]

brigadiano (bri.ga.di:*a*.no) *a.* **1** Diz-se de soldado de qualquer brigada **2** *RS Rest.* Diz-se de soldado da Brigada Militar do RS *sm.* **3** Soldado brigadiano [F.: *brigada* + *-i-* + *-ano*.]

brigadista (bri.ga.*dis*.ta) *s2g.* **1** Integrante de qualquer brigada *a2g.* **2** Referente ao soldado ou integrante de uma brigada [F.: *brigada* + *-ista*.]

brigado (bri.*ga*.do) *a.* De relações cortadas; AMUADO; ZANGADO: *Os amigos estão brigados.* [F.: Part. de *brigar*.]

brigador (bri.ga.*dor*) [ô] *a.* **1** Que briga muito; BRIGÃO **2** Que defende com firmeza seus interesses e opiniões (político brigador) **3** Que estuda ou trabalha muito, que luta por seus objetivos; BATALHADOR *sm.* **4** Aquele que briga **5** Indivíduo que defende com firmeza suas opiniões e interesses, ou que trabalha e se esforça muito para atingir seus objetivos **6** Galo de briga [F.: *brigar* + *-dor*.]

brigalhada (bri.ga.*lha*.da) *sf. Bras.* Briga que dura muito tempo, ou em que estão envolvidas várias pessoas; grande briga [F.: *briga* + *-alhada*.]

brigão (bri.*gão*) *a.* **1** Que se mete em brigas com frequência; que tende a brigar por qualquer coisa; BRIGUENTO *sm.* **2** Indivíduo brigão [Pl.: *-gões*. Fem.: *-gona*.] [F.: *briga* + *-ão*[1].]

brigar (bri.*gar*) *v.* **1** Lutar, combater corpo a corpo [*int.*: *Detestava violência física, não admitia que brigassem.*] [*tr.* + *com*: *Brigaram com uma gangue rival mas ninguém saiu ferido.*] **2** Travar discussão, pôr-se em desavença [*tr.* + *com*: *Brigou com o vizinho por uma bobagem.*] [*int.*: *Ele briga por qualquer motivo.*] **3** *Bras.* Romper relações [*tr.* + *com*: "Quis brigar comigo, que perigo..." (Ary Barroso, *Camisa amarela*)] [*int.*: *Deixaram de se falar, acho que brigaram.*] **4** *Bras. Fig.* Ficar em desarmonia ou não combinar (com); não condizer (com); DESTOAR [*tr.* + *com*: *O luxo das casas brigava com a simplicidade do povo.*] [*int.*: *Essas duas cores fortes brigam.*] **5** *Fig.* Estar em desacordo; discordar, divergir [*int.*: *Essas duas ideologias brigam entre si.*] [*tr.* + *com*: *Parou de brigar com seu próprio corpo e já se gosta do jeito que é.*] **6** Lutar, disputar com muito empenho; batalhar por conseguir; entrar em disputa por [*int.*: *O time perdeu, mas brigou até o fim.*] [*tr.* + *por*: *brigar por um cargo/ uma posição; Os discípulos brigavam pelo reconhecimento do mestre.*] **7** Fazer censura a [*ti.* + *por*: *Brigou com a mulher por ter chegado tarde.*] [▶ **14** brigar] [F.: Do lat vulg. **brigare*. Hom./Par.: *briga* (fl.), *briga* (sf.).]

brigue (*bri*.gue) *sm. Ant. Mar.* Veleiro com dois mastros e velas quadrangulares [F.: Do it. ant. *brigantino*, pelo ing. *brig*, f. red. do ing. *brigantine*. Hom./Par.: *brigue* (sm.), *brigue* (fl. de *brigar*).]

briguento (bri.*guen*.to) *a. sm.* O mesmo que *brigão* [F.: *briga* + *-ento*.]

brilhância (bri.*lhân*.ci:a) *sf.* **1** *Min.* Qualidade do brilho de uma gema obtido por técnicas de lapidação **2** *Ópt.* Quociente entre a intensidade do fluxo luminoso emitido por uma superfície em uma certa direção e a área dessa superfície projetada sobre um plano perpendicular àquela direção; LUMINÂNCIA [F.: *brilhar* + *-ância*.] ◼ **~ fotométrica** *Fotm.* O mesmo que *brilhância*

brilhante (bri.*lhan*.te) *a2g.* **1** Que brilha, que emite luz forte (estrela brilhante); LUMINOSO **2** Que brilha ao refletir luz, que reluz (ouro brilhante, olhos brilhantes); BRILHOSO; RELUZENTE **3** Cujo brilho se obtém pela utilização de certos produtos ou processos (papel brilhante); BRILHOSO **4** Diz-se da tonalidade muito viva de uma cor (azul brilhante); BRILHOSO **5** *Fig.* Que se destaca por seu grande talento, e/ou inteligência, e/ou perícia (aluna brilhante, jogador brilhante) **6** *Fig.* De grandes méritos; ILUSTRE; CÉLEBRE: *uma homenagem ao brilhante senador.* **7** *Fig.* Extremamente original (ideia brilhante) **8** *Fig.* Perfeito para uma dada situação; EXCELENTE; FORMIDÁVEL: *uma solução brilhante.* **9** *Fig.* Que deslumbra, que arrebata os sentidos; MARAVILHOSO; DESLUMBRANTE: *um concerto brilhante; um discurso brilhante.* **10** *Fig.* Luxuoso, pomposo **11** *Fig.* Próspero, promissor: "... pela sua posição independente, podiam aspirar a um futuro brilhante." (José de Alencar, *A viuvinha*) *sm.* **12** *Gem.* Tipo de lapidação criada esp. para o diamante, mas tb. us. para outras gemas **13** *P. ext.* Diamante com essa lapidação [F.: *brilhar* + *-nte*.]

brilhantina (bri.lhan.*ti*.na) *sf.* **1** Cosmético para fixar e dar brilho aos cabelos **2** Pó mineral para dar brilho e lustre **3** *Bot.* Erva europeia ornamental da fam. das crassuláceas (*Sedum rosea*), de flores brancas, amareladas ou purpúreas, e folhas comestíveis [F.: *brilhante* + *-ina*.]

brilhantismo (bri.lhan.*tis*.mo) *sm.* **1** Qualidade do que é brilhante **2** *Fig.* Virtuosismo, excelência em alguma atividade ou ação: *O pianista se apresentou com brilhantismo.* **3** *Fig.* Pompa, luxo, suntuosidade **4** *Fig.* Celebridade, fama: *Seu brilhantismo atravessou fronteiras.* [F.: *brilhante* + *-ismo*. Sin. ger.: *brilho*.]

brilhar (bri.*lhar*) *v. int.* **1** Irradiar ou refletir luz (tb. com cintilações); apresentar brilho; FULGURAR; LUZIR [*int.*: *As estrelas brilham no firmamento; Com o colírio seus olhos brilham ainda mais.*] **2** *Fig.* Ter atuação excelente; sobressair [*int.*: "Capaz de brilhar nas competições internacionais" (Josué Montello, *Sempre serás lembrada*)] **3** *Fig.* Fazer-se admirar; atrair, cativar a atenção [*int.*: *Brilha pelo seu talento e virtudes.*] **4** *Fig.* Ser visível, transparecer, revelar-se [*ta.*: *A paixão brilhava nos olhos daquela mulher.*] [▶ 1 brilhar] [F.: Do it. *brillare*, pelo esp. *brillar*. Hom./Par.: *brilho* (fl.), *brilho* (sm.).]

brilhareco (bri.lha.*re*.co) [ê] *sm.* *Pej.* Exibição, ostentação, alarde; êxito, sucesso: "..., escutando assessores que geralmente se preocupam com o brilhareco que resulte em algum lucro e nunca nos interesses da coletividade." (*Folha de SP*, 13.02.1977) [F.: *brilhar* + *-eco*.]

brilho (*bri*.lho) *sm.* **1** Luz que um corpo emite ou reflete; LUMINÂNCIA: *o brilho das estrelas/dos metais.* **2** Limpidez, grau elevado de transparência ou de reflexão da lua: *Observe o brilho e o aroma deste vinho; o brilho de uma gema.* **3** *Fig.* Grandiosidade, pompa: *o brilho de uma cerimônia de formatura.* **4** *Fig.* Vivacidade, viveza, luminosidade: *o brilho desse amarelo; o brilho de seu olhar.* **5** *Fig.* Esplendor, glória: *o brilho da civilização grega.* **6** *Fig.* Brilhantismo, excelência na capacidade ou na execução, talento: *o brilho de um recital; o brilho de um escritor.* **7** *Bras. Gír.* Cocaína em pó **8** *Ópt.* Na reflexão de luz por uma superfície, relação entre a luz refletida e a luz incidente **9** A percepção pelos sentidos da emissão de luz de uma fonte ou da reflexão da luz num corpo: *Ele se ofuscou com o brilho do sol/ do farol no retrovisor.* **10** *Astron.* A luminosidade emitida por um astro celeste **11** *Astron.* Essa luminosidade, aparente, como se apresenta ao observador; MAGNITUDE: *o brilho de um cometa, o brilho de uma estrela.* [Dim.: *brilhareco*.] [F.: Dev. de *brilhar*.] ■ **~ absoluto** *Astron.* A luminosidade de um corpo celeste **~ aparente** *Astron.* A iluminação que um corpo celeste produz num plano perpendicular a sua linha de visada, e no qual está o observador **~ especular** O que é semelhante ao brilho de um espelho **~ litoide** O brilho das pedras **~ metálico** Aquele típico de superfície metálica polida, devido às propriedades eletromagnéticas e condutância elétrica do metal

brilhoso (bri.*lho*.so) [ô] *a.* **1** *Bras.* Que brilha (pelo brilhoso); BRILHANTE **2** Em que se utilizou produtos ou processos especiais para dar lustre (chão brilhoso, papel brilhoso) **3** Que é muito vivo (vermelho brilhoso) [Pl.: *ó.* Fem.: *ó.*] [F.: *brilho* + *-oso*.]

brim *sm.* *Têxt.* Tecido resistente de algodão, linho etc. [Pl.: *brins*.] [F.: Do fr. *brin*.]

brinca (*brin*.ca) *sf.* Brincadeira [F.: Regress. de *brincadeira*.] ■ **à ~ 1** *Lud.* No jogo de bola de gude, modalidade de disputa na qual o vencedor não leva, no fim, as bolinhas do(s) perdedor(es), devolvendo-as [O contrário de *à vera* (RJ), ou *às ganha* (RS).] **2** *Fig. P. ext.* Sem ser para valer, de brincadeira, sem consequências

brincadeira (brin.ca.*dei*.ra) *sf.* **1** Ação ou resultado de brincar **2** Divertimento ou jogo de criança: "Em casa, brincava de missa, um tanto às escondidas, porque minha mãe dizia que missa não era cousa de brincadeira..." (Machado de Assis, *Dom Casmurro*) **3** Aquilo que distrai ou diverte; DIVERSÃO; ENTRETENIMENTO; PASSATEMPO **4** *Pop.* Ação ou dito engraçado, espirituoso; GRACEJO **5** Ação ou dito zombeteiro sobre alguém, ou situação armada para constranger alguém, ou mentira contada para surpreender e mesmo assustar alguém, tudo com forma de brincar, sem intenção real de ofender, iludir, atingir ou prejudicar; CHACOTA; GALHOFA; ZOMBARIA: "Mas, arrependida, ela o cobriu de beijos: – Não, ele não morreria no mar. Brincadeira, brincadeira..." (Adolfo Caminha, *Bom-crioulo*) **6** *Pop.* Qualquer coisa que se faz por ostentação, imprudência ou leviandade, e que pode causar aborrecimento, prejuízo etc.: "Custou-me toda essa brincadeira, inclusive o banquete que me foi oferecido, cerca de dez mil francos..." (Lima Barreto, *O homem que sabia javanês*) **7** *Bras. Pop.* Coisa de pouca importância: "O amor dos quinze anos é uma brincadeira; é a última manifestação do amor às bonecas..." (Camilo Castelo Branco, *Amor de perdição*) **8** *Bras. Pop.* Coisa fácil de fazer: *Vencer o jogo foi brincadeira.* **9** Reunião de pessoas para fins comemorativos e/ou recreativos; FESTA: "... tinha de ir a uma brincadeira na rua da Carioca..." (Machado de Assis, "O diplomático" in *Várias histórias*) **10** *Pop.* Festa, ger. improvisada e informal, em que há dança; BAILARICO **11** *Bras.* Folia carnavalesca: "Ela desatinou, viu chegar quarta-feira / Acabar brincadeira, bandeiras se desmanchando / E ela inda está sambando." (Chico Buarque, *Ela desatinou*) **12** *Bras. Pop.* Relação sexual; CÓPULA; *Gír.* TRANSA [F.: *brincar* + *-deira*.] ■ **Não ser ~ 1** *Fam.* Ser difícil, penoso, trabalhoso: *Essa tarefa não é brincadeira.* **2** Ser grave, sério, perigoso etc.: *Essa recaída da gripe não foi brincadeira.* **Não ser de ~ 1** Ser (alguém) inflexível, exigente: *Vamos estudar, que nosso professor não é de brincadeira.* **2** Ser irritadiço, temível: *Cuidado com esse cão, ele não é de brincadeira.*

brincadeirinha (brin.ca.dei.*ri*.nha) *sf.* **1** Diminutivo de *brincadeira* **2** *Pop.* Qualquer coisa (ger. desagradável, chocante, preocupante etc.) que se diz a alguém por brincadeira, sem intenção séria de informar, pedir, ordenar, ofender etc.: *Disse à amiga que o chefe estava furioso com ela, mas era só brincadeirinha.* **3** Qualquer coisa (ger. constrangedora, desagradável, aborrecedora etc.) que se faz (a alguém) como brincadeira, pegadinha, troça etc., ger. sem intenção de fazer mal: *Viviam acionando o alarma do elevador, numa brincadeirinha de mau gosto.* [F.: *brincadeira* + *-inha*.]

brincalhão (brin.ca.*lhão*) *a.* **1** Que gosta de brincar ou está sempre brincando; que é alegre: *O gato siamês normalmente é ativo e brincalhão; Não era comum ele amanhecer de humor brincalhão.* **2** Que costuma fazer gracejos; GALHOFEIRO; GOZADOR; ZOMBETEIRO [Pl.: *-lhões*. Fem.: *-lhona*.] *sm.* **3** Aquele que é brincalhão (1 e 2) [F.: *brincar* + *-alhão*.]

brincante (brin.*can*.te) *s2g.* **1** *Bras.* Pessoa (ou especificamente artista popular) que participa de festa folclórica ou popular, como o carnaval, o bumba meu boi etc.: *Há anos é brincante de maracatu.* **2** Pessoa que brinca *a2g.* **3** Que brinca: *um ser brincante.* [F.: *brincar* + *-nte*.]

brincar (brin.*car*) *v.* **1** Entreter-se com um objeto ou uma atividade qualquer [*int.*: *As crianças brincam o dia todo.*] [*tr.* + *com*: *Ela brinca com as bonecas da irmã.*] **2** Distrair-se com jogos de criança, representando ou simulando alguma coisa ou ação [*tr.* + *de*: *Brincar de polícia e ladrão.*] **3** Agitar ou manipular por entretenimento [*tr.* + *com*: *Enquanto esperava, brincava com o chaveiro, distraído.*] **4** Não levar em consideração; ZOMBAR [*tr.* + *com*: *Não brinque com coisas sérias!*] **5** Gracejar [*tr.* + *com*: *Evita brincar com o colega, pois sabe que ele fica sem graça.*] [*int.*: *Não me leve a sério, eu estava brincando.*: "Por que acreditariam em mim, brincou." (*Folha de S.Paulo*, 22.01.1999)" ()] **6** Agitar-se com movimentos graciosos [*int.*: *Os galhos das árvores brincavam ao vento.*] **7** Tomar parte em (folguedos carnavalescos) [*td.*: *brincar o carnaval.*] [*int.*: *Vestida de colombina, ela brincou a noite inteira.*] **8** Aproveitar, desfrutar [*td.*: *Brinquei minha infância no interior de Minas.*] **9** *Bras.* Ter relação libidinosa com [*tr.* + *com*: *Gostava de brincar com sua garota no sofá.*] **10** *Fig.* Oscilar, tremer [*int.*: *Uma gota de chuva brincava na ponta da folha.*] **11** *Fig.* Exibir-se, mostrar-se [*int.*: *Um sorriso contido brinca nos lábios da Monalisa.*] **12** Tratar, levar de maneira imprudente, leviana [*ti.* + *com*: *Quem brinca com a vida acaba se dando mal.*] **13** Manipular (algo) sem o devido cuidado [*tr.* + *com*: *Não brinque com fogo, pode ser perigoso.*] [▶ **11** brincar] [F.: *brinco* + *-ar*[2].] ■ **Brincando (brincando)** Com a maior facilidade, sem esforço **~ com fogo** *Pop.* Ser imprudente, tratando com displicência ou desaviso coisas sérias e/ou perigosas **~ de esconder** Brincar de *esconde-esconde* **~ de pegar** Brincar de *pique* **Não ~ em serviço** *Fig.* Não facilitar, ficando sempre atento às providências e ações necessárias numa situação, tarefa, projeto etc.

brinco (*brin*.co) *sm.* **1** Enfeite que se usa no lobo das orelhas **2** *P. ext.* Qualquer enfeite ou adorno **3** *Fig. P. ext.* Coisa ou pessoa bonita, bem apresentada, elegante, fina etc.: *Fui visitar o novo apartamento dele, que brinco!; Caprichou na indumentária, estava um brinco.* **4** *P. us.* Ação ou resultado de brincar; BRINCADEIRA **5** *P. us.* Aquilo (objeto, coisa) com que se brinca; BRINQUEDO **6** *P. us.* Troça, engodo, ação de pregar uma peça sem intenção maldosa, por diversão; BRINCADEIRA **7** *S.* Marca na orelha de rês de gado (bovino, ovino ou suíno) na forma de um corte, ficando pendente a parte cortada [F.: Do lat. *vinculum*, pelas formas *vinclu*, *vincru*, *vrinco*.] ■ **Um ~** Limpo, cuidado, arrumado, com excelente aspecto etc.: *A casa está um brinco.*

brinco-de-princesa (brin.co-de-prin.*ce*.sa) *sm.* **1** *Bot.* Nome comum a plantas do gên. *Fuchsia*, da fam. das onagráceas, muito cultivadas por suas belas flores, com cálice vermelho e pétalas roxas; FÚCSIA **2** Uma dessas plantas (F. integrifollia), nativa do Brasil, arbusto que pode chegar a 10m de altura, e que dá flores nas cores fúcsia e roxa **3** A flor dessas plantas [Pl.: *brincos-de-princesa*.] [Sin. ger.: fúcsia, lágrima, mimo.]

brindar (brin.*dar*) *v.* **1** Beber à saúde de (alguém) ou ao sucesso de (algo ou alguém); erguer um brinde ou trocar brindes [*td.*: *brindar a aniversariante.*] [*tr.* + *a*: *brindar aos noivos.*] [*int.*: *Ergueram os copos e brindaram-se.*] **2** Oferecer presente ou dádiva a (alguém ou si mesmo) [*td.*: *No final do ano a firma costuma brindar seus funcionários.*] [*tdr.* + *com*: *No Natal brindou-se com uma jaqueta de couro*: "A mídia brindou o leitor com análises para todos os gostos..." (*Folha de S.Paulo*, 07.04.2005)] **3** Dar, conceder ou atribuir (algo) como favor [*tdr.* + *com*: *Mesmo a peça estando com os problemas, a crítica brindou-a com elogios.*] **4** *Irôn.* Dar castigo a; punir [*tdr.* + *com*: *Brindou os irresponsáveis com uma advertência.*] [▶ **1** brindar] [F.: *brinde* + *-ar*[2]. Hom./Par.: *brinde* (fl.), *brinde* (sm.).]

brinde (*brin*.de) *sm.* **1** Ação de erguer copos e saudar algo ou alguém antes de beber: *um brinde ao vencedor!* **2** Essa saudação, as palavras que a compõem, a homenagem que expressam: *Em seu brinde, elogiou o humanismo do aniversariante.* **3** *Com.* Presente (ao comprador) condicionado à compra de certo(s) produto(s) ou certa quantidade de produtos **4** *Com. Publ.* Presente de uma empresa ou instituição a seus clientes, aos participantes de algum evento etc. [F.: Do fr. *brinde*, posv. abr. da loc. al. *ich bringe dir' s*, 'ofereço-te'. Hom./Par.: *brinde* (sm.), *brinde* (fl. de *brindar*).]

brinquedista (brin.que.*dis*.ta) *s2g.* Educador treinado para desenvolver atividades lúdicas em salas de aula, brinquedotecas, centros comunitários, associações de bairro etc. ou para usar as brincadeiras como meio de interação social de pessoas com necessidades especiais (deficientes físicos, crianças internadas em hospitais etc.) [F.: *brinquedo* + *-ista*.]

brinquedo (brin.*que*.do) [ê] *sm.* **1** Objeto fabricado ou improvisado com que as crianças brincam: *Os brinquedos de que ele mais gosta são as caixas dos brinquedos que compramos...* **2** Brincadeira ou jogo infantil (brinquedo de esconder) **3** *Fig.* Pessoa que não se impõe, que se deixa abusar: *Ela não se presta a ser brinquedo nas mãos de ninguém.* **4** *Fig.* Situação, ação, tarefa etc. fácil de levar ou de fazer: *Correr oito quilômetros é brinquedo para ele; Prepara-se que o que vem por aí não é brinquedo.* **5** Folguedo, divertimento, folia [F.: *brinco* + *-edo*.] ■ **De ~** Que imita a forma de objeto, utensílio, instrumento etc., mas só serve para brincar): *arma de brinquedo, automóvel de brinquedo.*

brinquedoteca (brin.que.do.*te*.ca) *sf.* Coleção de jogos e brinquedos organizada num espaço preparado para estimular a criança a brincar; LUDOTECA [F.: *brinquedo* + *-teca*.]

brio (*bri*:o) *sm.* **1** Sentimento da própria dignidade e valor; AMOR-PRÓPRIO; PUNDONOR: *A acusação mexeu com os seus brios.* **2** A qualidade de quem é corajoso, tem consciência e se orgulha disso: *encher a alma de brios para novos desafios.* **3** Empenho, energia, perseverança, entusiasmo na realização de algo, no cumprimento de tarefa etc. **4** Vaidade, orgulho **5** Generosidade, magnanimidade **6** Diz-se da elegância e energia de um cavalo [F.: Do céltico *brigos*.] ■ **Com ~** *Mús.* Com vigor, vivacidade (notação para o intérprete) **Meter em ~s** Evocar o orgulho, o amor-próprio de alguém, para fazê-lo tomar atitude

◎ **brio-** *el. comp.* = musgo: *briófito* [F.: Do gr. *brýon*.]

brioche (bri:o.che) *sm.* *Cul.* Pãozinho fofo feito de massa fermentada, ovos, manteiga e sal [F.: Do fr. *brioche*.]

briófita (bri:*ó*.fi.ta) *sf.* *Bot.* Espécime das briófitas, divisão do reino vegetal que reúne pequenas plantas clorofiladas, sem vasos condutores, com alternância de gerações, reproduzindo-se por esporos e células sexuais; as briófitas desenvolvem-se esp. em locais úmidos e protegidos da luz direta do sol (ex.: os musgos) [F.: Do lat. cient. divisão *Bryophyta*.]

briófito (bri:*ó*.fi.to) *sm.* *Bot.* O mesmo que *briófita* [F.: *brio-* + *-fito*.]

briologia (bri.o.lo.*gi*.a) *sf.* *Bot.* Ramo da botânica que estuda as briófitas [F.: *brio-* + *-logia*.]

briônia (bri:*ô*.ni:a) *Bot.* *sf.* **1** Nome comum das trepadeiras do gên. *Bryonia*, da fam. das cucurbitáceas, cultivadas como ornamentais ou pelos tubérculos com propriedades medicinais; são encontradas das Canárias à Ásia e da Escandinávia ao Norte da África **2** Grande trepadeira europeia (*Bryonia dioica*) com flores verde-amareladas e bagas vermelhas [F.: Do lat. cient. *Bryonia*.]

briópsida (bri.*óp*.si.da) *sf.* *Bot.* Espécime das briópsidas, que compõem a classe dos musgos, subdivisão das briófitas [F.: Do lat. cient. *Bryopsida*.]

briosamente (bri:o.sa.*men*.te) *adv.* **1** De modo brioso, digno; com brio, dignidade; DIGNAMENTE **2** Com brio, orgulho; ORGULHOSAMENTE [DIF.: Fem. de *brioso* + *-mente*.]

brioso (bri:*o*.so) [ô] *a.* **1** Cheio de brio (1); PUNDONOROSO: *os instintos briosos de seu caráter.* **2** Corajoso, valente **3** Vaidoso, orgulhoso **4** Generoso, magnânimo **5** Enérgico, entusiasta, empenhado **6** Que cumpre com determinação seus compromissos e suas obrigações **7** Garboso; fogoso (diz-se de cavalo) [Pl.: *ó.* Fem.: *ó.*] [F.: *brio* + *-oso*.]

briozoário (bri:o.zo:*á*.ri:o) *a.* **1** Ref. aos briozoários *smpl.* **2** *Zool.* Espécime dos briozoários, filo de animais marinhos, coloniais e sésseis, de simetria bilateral; cada indivíduo mede ger. 0, 5mm, e se aloja em capas protetoras com uma abertura para extensão dos tentáculos ciliados [F.: Do lat. cient. *Bryozoa*.]

brique[1] (*bri*.que) *sm.* **1** A cor avermelhada do tijolo *a2g2n.* **2** Que é da cor brique (poltronas brique) **3** Diz-se dessa cor: *A cor brique está na moda.* [F.: Do fr. *brique*.]

brique[2] (*bri*.que) *sm.* **1** A cor avermelhada do tijolo *a2g2n.* **2** Que é dessa cor (tapetes brique) **3** Diz-se dessa cor: *A cor brique está na moda.* [F.: Do fr. *brique*.]

briquetagem (bri.que.*ta*.gem) *sf.* **1** Ação ou resultado de briquetar *sf.* **2** Aproveitamento e compactação de resíduos vegetais (biomassa), restos de madeira e rejeitos agrícolas (palha de milho, bagaço de cana, casca de uva e sementes de girassol) em formato cilíndrico [Pl.: *-gens*.] [F.: *briquetar* + *-agem*[2].]

briquetar (bri.que.*tar*) *v. int.* Fazer briquetes [▶ **1** briquetar] [F.: *briquete* + *-ar*[2].]

briquete (bri.*que*.te) [ê] *sm.* Pequeno bloco de forma pré-definida, resultante da compactação do pó de carvão e um aglutinante, us. como combustível. [Considerado como lenha ecológica.] [F.: Do fr. *briquette*.]

briquitar (bri.qui.*tar*) *Bras.* *v. int.* **1** *Bras.* Trabalhar duro; pegar no pesado; MOUREJAR; RALAR **2** *SP MG* Distrair-se, entreter-se **3** Mostrar-se pensativo; MATUTAR; CISMAR **4** Envolver-se em briga; BRIGAR; DISPUTAR [▶ **1** briquitar] [F.: orig. duv. Hom./Par.: *briquetar* (vários tempos do v.).]

brisa (*bri*.sa) *sf.* **1** Vento de pouca intensidade, com velocidade menor que 54 km/h (30 nós), que pode soprar do mar para a terra (brisa marinha ou marítima), ou da terra para o mar (brisa terrestre) **2** O mesmo que *aragem* **3** *Bras. Pop.* Coisa nenhuma; NADA [Nesta acp., tb. us. no pl.] **4** *N.E.* Falta de dinheiro; PINDAÍBA [F.: Do fr. *brise*.] ▪ **~ da pororoca** *Bras.* Aquela que é criada pela pororoca **~ marinha/marítima** *Geog.* A que sopra do mar para a terra **~ terrestre/terral** *Geog.* A que sopra da terra para o mar **Uma ~** *Bras.* De jeito algum, uma ova **Viver de ~** Não ter o necessário para a própria manutenção

⊕ ***brise-soleil*** (*Fr. / briz-soléi/*) *sm. Arq.* Conjunto de placas verticais ou horizontais, de material fosco, fixas ou móveis, colocadas sobre a fachada de um edifício para evitar os efeitos da incidência direta dos raios solares; QUEBRA-LUZ; QUEBRA-SOL

brita (*bri*.ta) *sf. Cons.* Pedra fragmentada, de diversos tamanhos classificados conforme o diâmetro máximo, us. na construção civil e na pavimentação de estradas [F.: Regress. de *britar*. Hom./Par.: *brita* (sf.), *brita* (fl. de *britar*).] ▪ **~ corrida** *Cons.* A que não foi classificada na peneira

britadeira (bri.ta.*dei*.ra) *sf.* **1** Máquina us. para quebrar pedra, asfalto etc., esp. o pavimento de ruas e calçadas para reparo ou modificação **2** Máquina us. para britar pedras, para produzir pedra britada, ou brita; BRITADOR [F.: *britar* + *-deira*.]

britado (bri.*ta*.do) *a.* Transformado em fragmentos (pedra britada); QUEBRADO; PARTIDO [F.: Part. de *britar*.]

britador (bri.ta.dor) [ô] *sm.* **1** O mesmo que *britadeira* **2** Pessoa que brita *a.* **3** Que brita [F.: *britar* + *-dor*.] ▪ **~ de mandíbulas** *Tec.* Equipamento de fragmentação no qual uma peça (mandíbula) móvel em torno de um eixo esmaga o material a ser fragmentado contra uma bigorna fixa **~ de rolos** Equipamento de fragmentação no qual o material é fragmentado entre dois rolos de eixos paralelos que giram em sentido contrário **~ giratório** *Tec.* Equipamento de fragmentação no qual um pilão cônico gira excentricamente dentro de uma cuba também cônica, esmagando o material a ser fragmentado

britagem (bri.*ta*.gem) *sf.* Ação ou resultado de britar; BRITAMENTO [Pl.: *-gens*.] [F.: *britar* + *-agem*².]

britânico (bri.*tâ*.ni.co) *sm.* **1** Pessoa nascida ou que vive na Grã-Bretanha (ilha ocupada pela Inglaterra, Escócia e País de Gales) ou no Reino Unido da Grã-Bretanha e Irlanda do Norte [Tb. apenas *Reino Unido*.] *a.* **2** Da Grã- -Bretanha ou do Reino Unido; típico dessa ilha e desse reino, ou de seu povo **3** Diz-se de comportamento, ou temperamento, que se assemelham àqueles considerados típicos dos britânicos (1): *Tinha uma fleugma britânica.* [F.: Do lat. *britannicus -i*. NOTA: Freq. usa-se, erroneamente, *inglês* em lugar de *britânico*.]

britanidade (bri.ta.ni.*da*.de) *sf.* Qualidade, característica ou condição do que é britânico [F.: *britân(ico)* + *-(i)dade*.]

britanizar (bri.ta.ni.*zar*) *v.* **1** Dar ou adquirir caráter ou feição britânica [*td.*: *Joseph Conrad britanizou seu nome polonês*: "... e o filho julgou de bom gosto britanizar a firma com o nome do seu problemático e fidalgo avô (Lord Jones)." (Lima Barreto, *Clara dos Anjos*)] **2** Submeter(-se) ao domínio ou à influência do Reino Unido [*td.*: *Os europeus do continente temem que o Reino Unido britanize a União Europeia.*] [*int.*: *A Índia nunca se britanizou de fato.*] **3** Adotar ou adaptar-se aos modos e costumes britânicos [*td.*: *Ghandi também quis britanizar a esposa, mandando-a estudar em Londres.*] [▶ 1 britanizar] [F.: *britânico* + *-izar*.]

britar (bri.*tar*) *v. td.* **1** Reduzir a fragmentos; triturar, despedaçar, picar: *britar amêndoas.* **2** Quebrar (pedras) em fragmentos para fazer cascalho: "... trabalho de marreta na mão britando rocha para vender à beira da BR-116." (*IstoÉ*, 10.01.1999) **3** Destroçar, destruir, esmagar: *A artilharia britou a muralha do inimigo.* **4** Causar contusão, ferimento; FERIR; MACHUCAR: *Britou a perna do adversário com um pontapé.* **5** *Fig.* Faltar a; infringir, anular, desrespeitar: *Foi expulso da empresa por britar princípios morais.* **6** *Antq. Econ.* Diminuir peso de (moeda) conservando-lhe o valor nominal [▶ 1 britar] [F.: Posv. do anglo-saxão *brittian*, 'reduzir a fragmentos'.]

brizolismo (bri.zo.*lis*.mo) *sm.* **1** Pensamento ou ação política de Leonel de Moura Brizola (1922-2004), político gaúcho, ex-governador do Rio Grande do Sul e do Rio de Janeiro, fundador do PDT **2** Adesão ou simpatia pelo brizolismo [F.: Do antr. Leonel de Moura *Brizola* + *-ismo*.]

brizolista (bri.zo.*lis*.ta) *a2g.* **1** Relativo ao, ou próprio do brizolismo **2** Que é partidário do brizolismo *s2g.* **3** Indivíduo brizolista [F.: Do antr. Leonel de Moura *Brizola* + *-ista*.]

broa (*bro*.a) [ô] *sf.* **1** *Cul.* Pão arredondado, feito ger. de fubá de milho, polvilho etc. **2** *N.E.* Bolo ou biscoito de amido de mandioca e outros ingredientes **3** *Lus.* Presente natalino, gratificação de Natal [Usa-se no pl.] *s2g.* **4** *Pej. Pop.* Pessoa rechonchuda, preguiçosa, boboca [F.: De or. incerta, posv. pré-romana.]

⊕ ***broadcast*** (*Ing. /bródquést/*) *Rád. Telv. sm.* **1** Emissão e transmissão regular por meio de rádio ou televisão de programas noticiosos, recreativos, educativos, mensagens publicitárias, oficiais etc. **2** *P. ext.* Cada um desses programas

broca¹ (*bro*.ca) *sf.* **1** Prego de pequeno tamanho **2** Instrumento com ponta metálica que, por meio de rotações, abre orifícios circulares; pua **3** Instrumento destinado a fazer furos de sondagem no solo **4** Eixo da fechadura no qual a chave penetra **5** *Cir.* Instrumento que, com movimentos rotativos, perfura superfícies ósseas **6** Instrumento pontiagudo e giratório us. por dentistas para desbastar cavidades dentárias, perfurar o esmalte dos dentes etc. **7** *Petr.* Instrumento cortante que, na exploração de petróleo, se destina a perfurar e desintegrar rochas **8** Veículo a motor, dotado de instrumento que se assemelha a uma enxada rotativa, para esboroar a terra em certas formas de agricultura **9** Buraco, orifício, cavidade **10** Cárie dentária **11** Cavidade na alma dos canhões, resultante da corrosão produzida pelos gases da pólvora **12** Moléstia que aparece nos chifres das rês **13** *Bras. Vet.* Moléstia que aparece no casco de equinos e asininos, provocando buracos **14** *Bras.* Terreno coberto de mata rasteira, entre grandes árvores **15** *Bras.* O corte dessa mata quando se prepara o terreno para o cultivo **16** *Bras.* O que se diz com a intenção de enganar, ludibriar **17** *Bras.* Instrumento que se destina a peneirar grãos de café, livrando-os de impurezas **18** *Bras. Ent.* Nome comum aos insetos (e suas larvas) que corroem madeira, folhas de plantas, papel etc; broma **19** *Pop.* Sensação de fome, de estômago vazio **20** *Bras. Pop.* Comida, refeição **21** *N.E. Tabu.* O ânus **22** *Lus.* Pião [F.: Do cat. *broca*. Hom./Par.: *broca* (sf.), *broca* (fl. de *brocar*) e *broca* /ô/ (fem. de *broco* /ô/ [a.]); *brocas* (pl.), *brocas* (fl. de *brocar*), *brocas* /ô/ (pl. de *broca* /ô/).]

broca² (*bro*.ca) *sf. Ant. Arm.* Saliência pontuda no meio da face anterior de um escudo, que tinha como finalidade desviar as setas que a atingissem [F.: Do fr. *boucle*.]

brocado (bro.*ca*.do) *sm.* **1** *Têxt.* Tecido de seda com relevos bordados a ouro ou prata **2** *P. ext.* Qualquer tecido semelhante ao brocado (1) *a.* **3** Diz-se de tecido que tem esses relevos [F.: Do catalão *brocat*, pelo it. *broccato*. Hom./Par.: *brocado* (sm.), *brocado* (part. de *brocar*), *brocardo* (sm.).]

brocal (bro.*cal*) *sm.* Cola colorida, algumas com purpurina, us. em trabalhos manuais, artigos para festas, maquiagem etc. [Pl.: *-cais*.]

brocante (bro.*can*.te) *a2g.* Que broca, que é capaz de brocar, perfurar, corroer [F.: De *brocar*.]

brocar (bro.*car*) *v.* **1** Perfurar com broca¹ (2) [*td.*: *brocar uma parede.*] **2** Fazer furo ou buraco em [*td.*: *Larvas brocaram o tronco de uma velha árvore.*] **3** *Bras. Agr.* Cortar (mato) ou derrubar (árvores) limpando terreno para cultivo [*td.*: *Vamos brocar este mato e estas árvores para preparar o terreno.*] [*int.*: *Antes de plantar, terão de brocar.*] **4** *Bras. Agr.* Cortar com foice (o mato miúdo) [*td.*] **5** *Bras. Agr.* Joeirar (o café) com a broca (17) [*td.*] [*int.*] **6** *N.* Abrir caminho no mato [*int.*] **7** *Bras. Vet.* Apresentar (casco ou chifre de animal) a doença da broca [*int.*: *Os cascos desta rês brocaram.*] **8** *Bras. Pop.* Criar (dente) broca ou cárie; cariar [*int.*] **9** *Bras. Pop.* Dizer mentira; fazer cair em logro [*int.*] **10** *Bras. Ant.* Em linguagem de delinquentes, abrir à força; arrombar, abrocar [▶ 11 brocar] [F.: *broca* + *-ar*. Hom./Par.: *broca(s)* (fl.), *brocas* (f. pl. de *broco* a., sf. pl.); *broco* (fl.), *broco* (a.); *broqueis* fl.), *broquéis* (pl. broquel).]

brocardo (bro.*car*.do) *sm.* **1** *Jur.* Máxima jurídica que resume uma regra aceita por todos; aforismo jurídico **2** *P. ext.* Qualquer aforismo, ditado ou provérbio [F.: Do lat. *brocardum -i*, alt. do antr. *Burchardus*.]

brocha (*bro*.cha) *sf.* **1** Prego curto de cabeça achatada; TACHA **2** Pincel grande de cerdas grossas, us. em caiação e em pinturas rústicas **3** Instrumento parecido com esse pincel, que serve para espanar, limpar **4** *Antq.* Fecho para pasta de documentos, para livros encadernados ou diários pessoais etc; BROCHE **5** *P. ext.* Qualquer fecho similar a esse; BROCHE **6** Pequena tacha us. por sapateiros para pregar salto ou sola de calçado **7** *Antq.* Correia de tamanco, sandália, etc., que a segura no pé **8** *P. ext.* Em carro de boi, corda que se atravessa dos fueiros para fixar a carga **9** *P. ext.* Correia que abraça o pescoço do boi por baixo da canga, e se prende nos canzis **10** *Ant. P. ext.* Correia que prendia partes da armadura ao corpo de quem a usava **11** *P. ext. Agr.* Cinta ou tira para fixar mudas us. em alporque **12** Em tornos mecânicos ou outras máquinas-ferramentas, dispositivo cilíndrico rotativo no qual se prende a peça a ser usinada **13** Pequena cunha ou chaveta nas extremidades dos eixos de carros, que serve para segurar as rodas **14** *Lus. Pop.* Dinheiro *a.* **15** *Vulg.* Diz-se de homem que não consegue ter ereção; IMPOTENTE *a2g.* **16** *P. ext.* Diz-se de pessoa inativa, debilitada, prostrada, por desânimo ou por doença *sm.* **17** *Vulg.* Homem brocha (15) [F.: Do lat. pop. *brocca*, pelo fr. *broche*. Cf.: *broxa*.]

brochante (bro.*chan*.te) *a2g.* **1** Que desestimula a excitação sexual, que faz brochar (11) **2** *Fig. P. ext.* Que desestimula, que desanima, que faz perder o entusiasmo, a disposição *s2g.* **3** O que é brochante (1, 2) **4** Auxiliar de pintor, aprendiz de pintor [F.: *brochar* + *-nte*.]

brochar (bro.*char*) *v.* **1** Pregar com brocha(s) (1) ou tacha(s) [*td.*: *brochar a sola do sapato.*] **2** Pregar brocha ou prego em [*td.*: *Brochou o assento para fixá-lo bem.*] **3** *Edit. Enc.* Dar acabamento de brochura em (livro, folhas impressas etc.) [*td.*: *Resolveu brochar os originais antes de enviá-los ao editor.*] **4** Pintar com brocha (2) [*td.*: *O pintor brochou a parede.*] **5** Limpar (algo) com brocha (3) [*td.*] **6** *Ant.* Atar (calçado) com brocha [*td.*] **7** *RS* Colocar a brocha (correia de couro) no pescoço do animal [*td.*] **8** *Ant.* Prender (peça de) armadura ao corpo com brocha [*td.*] **9** Enchavetar (eixo de carro) [*td.*] **10** *AM RJ* Bater em (alguém) com violência [*td.*] **11** *Bras. Vulg.* Não conseguir, o homem, ter ereção (em determinado momento ou para sempre) [*int.*] **12** *Bras.* Deixar-se dominar pelo desânimo; abater-se [*int.*] **13** Prender ou fechar com brocha (fecho) [*td.*] **14** Pôr brocha (fecho) em, prover de brocha [*td.*: *Mandou brochar seu diário, e mantinha-o trancado.*] [▶ 1 brochar] [F.: *brocha* + *-ar*². Hom./Par.: *brocha(s)* (fl.), *brocha* (sf. a., s2g. [e pl.]); *broche(s)* (fl.), *broche* (sm. [e pl.]).]

broche (*bro*.che) *sm.* **1** Joia ou bijuteria com alfinete, us. ger. ao peito, para prender ou enfeitar uma peça de roupa **2** Fecho de engate para pastas, maletas, livros encadernados etc. **3** *P. ext.* Qualquer fecho similar **4** Espécie de colchete e ornato para fechar liga, cinto etc. **5** *Ant.* Correia ou peça que servia para prender peças de armadura **6** *Jorn.* Imagem (foto, desenho etc.) aplicada sobre outra maior que ela como destaque de um detalhe desta, ou como informação suplementar [F.: Do fr. *broche*.]

brochete (bro.*che*.te) [ê] *sf.* **1** *Cul.* Iguaria que consiste em espetinhos com pedaços de carne, ou frango ou peixe, alternados com pedaços de cebola, pimentão etc. e assados na grelha **2** Cada espeto us. no preparo dessa iguaria [F.: Do fr. *brochette*.]

brochura (bro.*chu*.ra) *sf.* **1** *Enc.* Arte e processo de encadernação que utiliza capa flexível, colada e/ou costurada ao miolo do livro pela lombada: *Para essa linha de livros o editor adotou a brochura.* **2** Ação e resultado de encadernar por esse processo: *A brochura desse livro não ficou boa.* **3** Livro encadernado por esse processo: *Vou mandar encadernar esta brochura.* **4** A capa us. em brochura (1) **5** Folheto brochado **6** Publicação de poucas folhas **7** *Vulg.* Condição ou estado de quem é ou está brocha (16), impotente **8** *P. ext.* Condição ou estado de quem está brocha, desanimado, apático [F.: Do fr. *brochure*.]

brócolis (*bró*.co.lis) *smpl. Bot.* Erva da fam. das crucíferas (*Brassica oleracea*), cultivada como verdura, muito apreciada, e da qual se comem as inflorescências, as folhas e os ramos [F.: Do it. *broccoli*. Tb. *brócolos*.]

brócolos (*bró*.co.los) *smpl.* Ver *brócolis*

brodagem (bro.*da*.gem) *Gír. sf.* Camaradagem, fraternidade entre músicos de bandas populares [F.: Do ing. *brother*.]

bródio (*bró*.di:o) *sm.* **1** Refeição farta, festim, banquete animado **2** *P. ext.* Divertimento alegre, farra, pândega **3** *AM* Podridão da madeira das árvores,; CARCOMA **4** *Ant.* Caldo que se costumava distribuir aos pobres na porta de conventos [F.: Posv. do it. *brôdo*.]

brodo (*bro*.do) *Cul. sm.* Caldo ger. de carne, às vezes de tomate e outras hortaliças [F.: Do ing. *broth*, posv. através do it. *brodo*.]

bromalina (bro.ma.*li*.na) *Quím. sf.* Grupo de enzimas bastante digestivo e benéfico ao metabolismo das gorduras [F.: De *bromo* + *-(a)lina*. Tb. *bromelina*.]

bromar (bro.*mar*) *v.* **1** Roer, como faz a broma (inseto); BROCAR; CARCOMER [*td.*: *Não sei que inseto bromou toda a madeira.*] **2** Carcomer, corroer como que por ação da broma [*td.*: *A ferrugem bromou as velhas máquinas; As traças bromaram os livros.*] **3** Estragar-se (a calda do açúcar), de modo que não cristaliza e se transforma em açúcar broma e melaço [*int.*: *O açúcar bromou.*] **4** Mudar para pior, para um estado ou condição inferior; DEGENERAR; INVOLUIR [*int.*: "Ia ser um rapaz culto mas bromou." (Luís da Câmara Cascudo, Folclore da alimentação)] **5** Perder o valor; DESVALORIZAR-SE; INUTILIZAR-SE [*int.*] **6** *Quím.* Combinar ou impregnar com bromo [*td.*: *bromar poliestireno.*] [▶ 1 bromar] [F.: acp. 1 a 6: *broma* + *-ar*²; acp. 7: *bromo* + *-ar*².]

bromato (bro.*ma*.to) *Quím. sm.* Todo sal do ácido brômico [F.: De *brom(o)* + *-ato*.]

bromatologia (bro.ma.to.lo.*gi*.a) *sf.* **1** Ciência que estuda os alimentos **2** Estudo e análise dos alimentos: *laboratório de bromatologia.* [F.: *bromato-* + *-logia*.]

bromatológico (bro.ma.to.*ló*.gi.co) *Quím. a.* Ref. a bromatologia [F.: De *bromato* + *-logia*.]

bromelário (bro.me.*lá*.ri:o) *sm.* Viveiro ou local apropriado ao cultivo de bromélias, inclusive para exposição [F.: *bromél(ia)* + *-ário*.]

bromélia (bro.*mé*.li:a) *sf.* **1** *Angios.* Nome comum a plantas do gên. *Bromelia*, da fam. das bromeliáceas, ger. cultivadas como ornamentais, embora algumas tenham fruto comestível **2** Qualquer espécie ou espécime desse gênero [F.: Do lat. cient. *Bromelia*, do antr. Olaf *Bromel*, botânico sueco.]

bromeliácea (bro.me.li:*á*.ce:a) *Bot. sf.* Espécime da família das bromeliáceas; BROMÉLIA [F.: Do lat. *bromeliaceae*, ref. a Olaf Bromel.]

bromeliáceas (bro.me.li:*á*.ce:as) *Bot. sfpl.* Família de plantas epífitas, terrestres, de folhas rígidas e serreadas [F.: Do lat. *bromeliaceae*, ref. a Olaf Bromel.]

bromelina (bro.me.*li*.na) *Quím. sf.* Ver *bromalina*

brometo (bro.*me*.to) [ê] *sm.* **1** *Quím.* Qualquer sal do ácido bromídrico **2** *Restr.* Cada uma de um grupo de substâncias us. ger. como agrotóxico [F.: *bromo-* + *-eto*.]

brômico (*brô*.mi.co) *Quím. a.* Ref. a *bromo* (1) [F.: De *bromo* + *-ico*.]

bromídrico (bro.*mí*.dri.co) *Quím. a.* **1** Diz-se de ácido com que se produzem barbituratos e hormônios sintéticos *sm.* **2** Esse ácido, tb. denominado brometo de hidrogênio [F.: De *bromo* + *-ídrico*.]

bromismo (bro.*mis*.mo) *Quím. sm.* Intoxicação com excesso de bromo (2) [F.: De *bromo* + *-ismo*.]

◎ **brom(o)-** *Pref.* = compostos do metaloide bromo: *bromalina, bromato, bromatologia, brometo.* [F.: Do lat. *bromus*.]

bromo (*bro*.mo) *Bot. sm.* **1** Toda planta do gênero *bromus*, gramínea forrageira de clima temperado **2** *Quím.* Elemento químico halogênio, de número atômico 35. [Símb.: Br.] [F.: Do gr. *brómos*.]

bronca (*bron*.ca) *Gír. sf.* **1** *Pop.* Repreensão, reprimenda: *Levou uma bronca por ter chegado tarde.* **2** Reclamação, protesto: *Essas regras são para ser seguidas na boa, sem bronca.* **3** Birra, implicância, irritação, zanga: *Está com bronca dos vizinhos.* **4** Briga, altercação: *A polícia teve de intervir na bronca entre as torcidas.* **5** Situação difícil, problemática ou confusa: *As instruções controversas criaram a maior bronca no escritório.* [F.: Fem. substv. de *bronco*.] ■■ **Meter ~** Agir com energia e decisão, mandar brasa

◎ **bronco-** *el. comp.* = 'brônquio(s)': *broncocele, broncodilatação, broncografia, broncopneumonia, bronquial, bronquiocele; egobroncofonia; traqueobronquite* [F.: Do gr. *brónkhos, ou*, 'traqueia'; 'garganta', conexo com o gr. *brónkhion, ou*, 'brônquio'.]

◎ **-bronco-** *el. comp.* Ver *bronco-*

◎ **bronco-, bronqu(i)-** *el. comp.* 'traqueia': *broncodilatação, broncoscopia, brônquico, bronquite*

bronco (*bron*.co) *a.* **1** Diz-se de quem tem modos rudes, grosseiros **2** Diz-se de quem é ignorante, pouco informado **3** Diz-se de quem é pouco inteligente; BURRO **4** Diz-se daquilo que é tosco, agreste, não trabalhado: *um piso de pedra bronca.* **5** *Mús.* Diz-se de som (de voz, instrumento musical, orquestra etc.) áspero, desafinado, sem harmonia *sm.* **6** Indivíduo bronco (1, 2, 3) [F.: Do lat. vulg. *bruncus*, pelo it. *bronco*.]

broncocele (bron.co.*ce*.le) *sf. Pneumo.* Dilatação de um brônquio; BRONQUIOCELE [F.: Do gr. *bronkhokéle, es*.]

broncodilatação (bron.co.di.la.ta.*ção*) *Med. sf.* Aumento da espessura dos brônquios [Pl.: *-ções*.] [F.: *bronco-* + *dilatação*.]

broncodilatador (bron.co.di.la.ta.*dor*) [ô] *Fisl. a.* **1** Que provoca dilatação dos brônquios *sm.* **2** Substância broncodilatora [F.: *bronco-* + *dilatador*.]

broncografia (bron.co.gra.*fi*.a) *Rlog. sf.* Radiografia dos brônquios, após administração de substância de contraste [F.: *bronco-* + *-grafia*.]

broncopneumonia (bron.co.pneu.mo.*ni*:a) *Pat. sf.* Inflamação pulmonar que começa, em geral, nos bronquíolos terminais e pode advir de muitos outros estados patológicos [F.: *bronco-* + *pneumonia*.]

broncopulmonar (bron.co.pul.mo.*nar*) *Anat. a2g.* Ref. a brônquios e pulmões ao mesmo tempo [F.: *bronco-* + *pulmonar*.]

broncoscópico (bron.cos.*có*.pi.co) *Med. a.* Ref. a broncoscopia e a broncoscópio [F.: *broncoscopia* + *-ico*[2].]

broncoscopista (bron.cos.co.*pis*.ta) *s2g.* Especialista em broncoscopia [F.: *broncoscopia* + *-ista*.]

broncovascular (bron.co.vas.cu.*lar*) *Anat. a2g.* Ref. aos brônquios e aos vasos ao mesmo tempo [F.: *bronco-* + *vascular*.]

bronha (*bro*.nha) *Tabu. sf.* Masturbação masculina; PUNHETA: *Tocar uma bronha.* [F.: Obsc.]

bronheiro (bro.*nhei*.ro) *Tabu a.* **1** Afeito ou adequado a bronha **2** *Fig.* Que é (auto-)enganador, que (se) contenta com sucedâneos *sm.* **3** Aquele que é afeito a bronha ou aquilo que a propicia; PUNHETEIRO *sm.* **4** Aquele que é (auto-)enganador, que (se) contenta com sucedâneos [F.: De *bronha* + *-eiro*.]

bronqueado (bron.que:*a*.do) *Bras. Gír. a.* Que bronqueia ou bronqueou; ENFEZADO; ZANGADO [F.: De *bronquear*.]

bronquear (bron.que.*ar*) *v.* **1** *Bras. Gír.* Repreender com severidade; dar bronca [*tr.* + *com*: *Bronqueia com todos por causa do barulho.*] [*int.*: *Bronqueava sempre que ouvia a algazarra das crianças.*] **2** Manifestar insatisfação; RECLAMAR [*tr.* + *com*: *Bronqueou com o carteiro porque ele se atrasou.*] [*int.*: *Quando o time joga mal, os torcedores bronqueiam.*] [▶ **13 bronquear**] [F.: *bronca* + *-ear*[2]. Hom./Par.: *bronqueais* (fl.), *bronquiais* (pl. de *bronquial*).]

bronquectasia (bron.quec.ta.*si*:a) *Pat. sf.* Dilatação crônica dos brônquios, com tosse e secreção [F.: *bronqu(i)-* + *-ectasia*.]

◎ **-bronqu(i)-** *el. comp.* Ver *bronco-*

◎ **bronqu(i)-** *el. comp.* Ver *bronco-*

bronquial (bron.qui.*al*) *Anat. a2g.* O mesmo que *brônquico*. [Pl.: *-ais*.] [F.: *bronqu(i)-* + *-al*[1].]

bronquice (bron.*qui*.ce) *sf.* **1** Qualidade de quem é bronco, ignorante, estúpido **2** Ação, dito ou conduta de quem é bronco [F.: *bronco* + *-ice*.]

brônquico (*brôn*.qui:co) *Anat. a.* Ref. a brônquio; BRONQUIAL [F.: *brônquio* + *-ico*[2].]

◎ **bronquio-** *el. comp.* Ver *bronco-*

brônquio (*brôn*.qui:o) *sm. Anat.* Cada um dos dois canais nos quais se subdivide a traqueia, e que comunicam esta com os pulmões, nos quais introduzem o ar na inspiração e dos quais o retiram na expiração, dividindo-se e subdividindo-se em muitos ramos e pequenos canais [F.: Do gr. *brógchia*, pelo lat. *bronchium*.]

bronquiocele (bron.qui:o.*ce*.le) *sf. Pneumo.* O mesmo que *broncocele* [F.: *brônquio* + *-cele*.]

bronquiolar (bron.qui:o.*lar*) *Anat. a2g.* Ref. a *bronquíolo* [F.: *bronquíolo* + *-ar*[1].]

bronquiolite (bron.qui:o.*li*.te) *Pat. sf.* Inflamação dos bronquíolos [F.: *bronquíolo* + *-ite*[1].]

bronquíolo (bron.*quí*:o.lo) *sm. Anat.* Cada uma das ramificações de menor calibre dos brônquios, que se comunicam com os alvéolos pulmonares para levar-lhes o ar oxigenado e deles retirar o dióxido de carbono [F.: Do lat. cient. *bronchiolum*.]

bronquite (bron.*qui*.te) *sf. Pneumo.* Inflamação da mucosa dos brônquios [F.: *bronqu(i)-* + *-ite*.]

bronquítico (bron.*quí*.ti.co) *a.* **1** Ref. a bronquite **2** Que sofre de bronquite *sm.* **3** Pessoa bronquítica [F.: *bronquite* + *-ico*.]

◎ **bronto-** (*bron*.to-) *Pref.* = trovão, espanto, assombro: *brontídeo, brontossauro, brontotério.*

brontossauro (bron.tos.*sau*.ro) *sm.* **1** *Pal.* Gên. de dinossauros do jurássico americano, saurópodes, com mais de 20 m de comprimento, da cabeça à cauda, e que pesavam cerca de 30 t [Hoje são incluídos no gên. *Apatosaurus*.] **2** Qualquer espécie ou espécime desse gên [F.: Do gr. *bronté* 'trovão' + *sauro*, pelo lat. cient. *brontosaurus*, e pelo fr. *brontosaure*. Sin. ger.: *brontossáurio*.]

bronze (*bron*.ze) *sm.* **1** *Quím.* Liga metálica composta principalmente de cobre e estanho, de cor avermelhada e dourada **2** Medalha de bronze (1), ger. a que se ganha pela conquista da terceira colocação em competições: *Ganhou bronze na maratona.* **3** *Esp.* Por metonímia, a terceira colocação numa competição **4** Escultura em bronze; por metonímia, escultura; obra de arte feita de bronze **5** *Bras. Pop.* Bronzeado (3), a cor amorenada da pele de quem se bronzeou **6** Sino de bronze, ger. em campanário; o maior sino num conjunto desses sinos **7** *Antq. Num.* Moeda de bronze (antiga moeda portuguesa, pataco, patacão) **8** *Lus. Gír.* Mulher bonita **9** *Pop.* Dinheiro; qualquer quantia **10** *Ant.* Canhão, peça de artilharia **11** *Mec.* Peça de bronze us. como mancal, sobre a qual trabalha a manga dos eixos **12** *Bras. Mús.* Violão **a2g2n.** **13** Que tem a cor do bronze ou a ela se assemelha: *Vestiu uma camisa bronze.* [F.: Do it. *bronzo*, pelo fr. *bronze*.] ■■ **~ de alumínio** *Quím.* Liga de alumínio e cobre **~ de manganês** *Metal.* Mancal feito de bronze de ferro e manganês **De ~** **1** *Fig.* Sólido, firme: *caráter de bronze.* **2** Duro, inflexível: *coração de bronze.*

bronzeado (bron.ze.*a*.do) *a.* **1** Que tem a cor do bronze (1) **2** Que adquiriu a cor do bronze (1) pela exposição ao sol: *Ficou com o corpo bronzeado.* **3** Guarnecido de bronze: *Gravou os dizeres numa placa de ferro bronzeada.* *sm.* **4** A cor da pele que se adquire pela exposição ao sol; BRONZE: *Ela tem um bronzeado bonito.* **5** Cor parecida com a do bronze [F.: Part. de *bronzear*.]

bronzeador (bron.ze:a.*dor*) [ô] *a.* **1** Que bronzeia **2** Que faz a pele ficar bronzeada (loção bronzeadora) *sm.* **3** Produto próprio para bronzear a pele: *Passou bronzeador antes de ir à praia.* **4** Especialista em bronzeamento de objetos, armas etc. [F.: *bronzear* + *-dor*.]

bronzeamento (bron.ze:a.*men*.to) *sm.* **1** Ato ou efeito de bronzear(-se), sob o sol **2** *Art. Pl.* Técnica de imitação do bronze ao se pintarem com sua cor objetos de madeira, gesso; BRONZAGEM **3** *Metal.* Técnica de revestimento com camada ou película de bronze **4** *Bot.* Cor adquirida por folhas verdes, em determinadas situações patológicas [F.: De *bronzear* + *-mento*.]

bronzear (bron.ze.*ar*) *v.* **1** Fazer ficar ou ficar com a pele morena, trigueira, bronzeada, por meios naturais ou artificiais [*td.*: "E na pele quero ter/ O mesmo sol que te bronzeia..." (Paulo Massadas e Michael Sullivan, *Um dia de domingo*)] [*int.*: *O filtro solar evita que a pele bronzeie demais; bronzear-se ao sol.*] **2** Fazer adquirir ou adquirir tons ou coloração de bronze [*td.*: *A água do mar bronzeou a aliança.*] [*int.*: *A velha lamparina bronzeou-se com o passar do tempo.*] **3** Revestir ou guarnecer de bronze [*td.*: *bronzear o escudo.*] [*int.*: *Em toda a região não havia quem bronzeasse melhor.*] [▶ **13 bronzear**] [F.: *bronze* + *-ear*[2].]

brônzeo (*brôn*.ze:o) *a.* **1** Ref. ao bronze **2** Feito de bronze (estátua brônzea) **3** Que é da natureza do bronze (dureza brônzea) **4** Revestido, guarnecido ou patinado de bronze **5** Que tem a cor do bronze (tonalidade brônzea); BRONZEADO **6** *Fig.* Firme nas convicções ou na vontade; TENAZ: *Tem uma personalidade brônzea.* **7** *Fig.* Que é ou se mostra impassível, insensível ao sofrimento de alguém (brônzea indiferença) [F.: *bronze* + *-eo*.]

bronzina (bron.*zi*.na) *Aut. sf.* Espécie de bucha, originalmente de bronze, colocada no eixo das manivelas [F.: De *bronze* + *-ina*.]

broquear (bro.que.*ar*) *v. td. int.* O mesmo que *brocar* [▶ **13 broquear**] [F.: *broca*[1] + *-ear*[2].]

broquel (bro.*quel*) *sm.* **1** *Antq.* Pequeno escudo redondo, de madeira e ferro, ou de aço **2** *P. ext.* Qualquer tipo de escudo **3** *Fig.* Defesa, proteção [F.: Do fr. ant. *bocler*.]

brotação (bro.ta.*ção*) *Bot. sf.* **1** Ato ou efeito de brotar [Var.: *brotamento*.] **2** Broto ou conjunto dos brotos de uma planta ou plantação [F.: De *brotar* + *-ção*.]

brotado (bro.*ta*.do) *a.* Que se apresenta coberto de brotos, que deitou brotos [F.: Part. de *brotar*.]

brotamento (bro.ta.*men*.to) *sm.* **1** Ação ou resultado de brotar; BROTAÇÃO **2** *Biol.* O mesmo que *gemação* (4), forma de reprodução assexuada **3** *Bot.* O mesmo que *broto* (1), vegetal em início de desenvolvimento [F.: *brotar* + *-mento*.]

brotar (bro.*tar*) *v.* **1** Lançar (planta) rebentos, flores etc. [*td.*: *Essa planta brota uma flor exótica.*] **2** Exalar de si; EXPELIR; SEGREGAR [*td.*: *O pau-rosa brota um óleo perfumado.*] **3** *Bot.* Surgir (vegetal ou parte dele) em forma de rebento, flor, broto etc; GERMINAR; REBENTAR [*int.*: *Os cajueiros brotaram.*] [*tda.*: *Flores brotaram do solo ressequido.*] **4** Surgir, aparecer [*int.*: *Bons jogadores de futebol brotam no Brasil como capim:* "... as histórias brotam simplesmente na vida..." (Cecília Meireles, *Crônicas de educação 4*)] **5** Emanar, fluir, jorrar [*ta.*: *A água brotava do cano.*] [*int.*: *Tirou o torniquete e o sangue brotou.*] **6** *Fig.* Ter origem em, derivar de [*tr.* + *de*: *Do encontro brotaram ideias brilhantes.*] **7** *Fig.* Aparecer, como que brotando (3) [*ta.*: *Na reconstrução, novas casas brotavam das ruínas.*] [*int.*: *Novos edifícios brotam a cada dia.*] **8** Sair, emanar [*td.*: *Daquela cabeça brotaram grandes poemas.*] **9** *Biol.* Surgir (de), formar-se (em) por brotamento (2), gemação (4); gemar [*int. ta.*] **10** *N.E.* Exibir jactância, valentia; bravatear [*int.*: *Gosta muito de brotar, mas não resolve nada.*] [▶ **1 brotar**] [F.: Do gótico *bruton* (posv.), pelo provç. *brotar*. Hom./Par.: *broto* (fl.), *broto* /ô/ (sm.); Ideia de 'brotar': usar antepos. *blast (o)-*; pospos. *-blasta, -blasto*.]

brotinho (bro.*ti*.nho) *sm.* **1** Pequeno broto **2** *Bras. Pop.* Jovem, esp. do sexo feminino, no início da adolescência; BROTO [Tb. us. como especificador invariável da palavra 'pizza', com o sentido 'do menor tamanho': *Pedimos duas pizzas brotinho.*] [F.: *broto* + *-inho*.]

broto (*bro*.to) [ô] *sm.* **1** Vegetal em início de crescimento: *broto de feijão.* **2** *Biol.* Em organismos simples, formação protuberante que dá origem a broto (1); GEMA **3** *Pop.* Pessoa muito jovem; BROTINHO (1) **4** *P. ext.* Quem, por estar fisicamente bem conservado, parece ser jovem, mesmo não sendo: *Meu avô é um broto, não parece ter a idade que tem.* [F.: Dev. de *brotar*.]

brotoeja (bro.to:*e*.ja) [ê] *sf.* **1** *Derm. Pat.* Erupção cutânea, comum em crianças, que causa muito prurido **2** *Bras. Pop. Joc.* Menina na puberdade ou quase na puberdade; BROTINHO **3** *Lus. Fig. Pop.* O pendor dos jovens por novas experiências e vivências [F.: *broto* + *-eja* (fem. de *-ejo*).]

⊕ **brownie** (*Ing.* /*bráuni*/) *sm. Cul.* Bolo fino (1) de chocolate, e por vezes recheado com nozes, que ger. se serve cortado em retângulos, com creme batido ou sorvete de creme [Do ing. *brown*.]

⊕ **browser** (*Ing.* /*bráuser*/) *sm. Inf.* O mesmo que *navegador* [F.: Do ing. *browse*.]

broxa (*bro*.xa) *sf.* **1** Forma não preferencial de *brocha*, pincel *sm.* **2** *Bras. Vulg.* Forma não preferencial de *brocha*, aquele que não consegue ter ereção; IMPOTENTE *a.* **3** *Bras. Vulg.* Forma não preferencial de *brocha*, que não consegue ter ereção [F.: Do lat. pop. *bruscia*, pelo fr. *brosse*. Cf. *brocha*.]

broxada (bro.*xa*.da) *Tabu. sf.* **1** Situação na qual o macho perde a capacidade ereção (eventual ou definitivamente) **2** *P. ext.* Perda de entusiasmo, de vitalidade, de ânimo [Melhor: *brochada*.]

broxante (bro.*xan*.te) *a2g.* Forma não preferencial de *brochante*

broxar (bro.*xar*) *v.* **1** Pintar usando broxa [*td.*: *broxar uma parede.*] **2** *Bras. Tabu.* Ficar (homem) sexualmente impotente, ocasional ou definitivamente [*int.*] **3** *Bras. Vulg. Fig.* Perder o ânimo, o entusiasmo [*int.*] [▶ **1 broxar**] [F.: *broxa* + *-ar*[2]. Cf.: *brochar*.]

broxura (bro.*xu*.ra) *Tabu. sf.* Ver *brochura*

bruaca (bru.*a*.ca) *sf.* **1** *Pop. Pej.* Mulher muito feia e/ou rabugenta, de maus bofes **2** *Pej.* Mulher (ger. velha) mexeriqueira, ordinária **3** *MG* Mala de couro cru para transporte de objetos, víveres etc. em cavalgaduras; BURACA **4** Bolsa de couro cru (ger. us. a tiracolo) **5** *Pop. Pej.* Prostituta envelhecida e em decadência [F.: Do espn. *burjaca*. Nas acps. 1, 2 e 5 é ofensivo.] ■■ **Bater ~** **1** *GO* Estar em situação financeira difícil **2** *GO* Estar desprovido de carga **3** Sair em viagem sem rumo

bruaqueiro (bru:a.*quei*.ro) *Bras. a.* **1** Diz-se de besta (burro, mula) que carrega bruacas *sm.* **2** Animal que carrega bruacas *sm.* **3** O que lida com bestas de carga e com bruacas **4** *P. ext.* Roceiro; CAPA-BODE; CAPIAU; CAIPIRA [F.: De *bruaca* + *-eiro*.]

brucelose (bru.ce.*lo*.se) *Vet. sf.* **1** Doença infecciosa transmitida por bactérias do gên. *Brucella*, que dá em bovinos, caprinos e suínos, provocando febre, suores, dores e anemia, e que é transmissível ao homem, inclusive por cães **2** Essa infecção nas fêmeas desses animais, e que pode levar a aborto [F.: Do fr. *brucellose*.]

bruços (*bru*.ços) *smpl.* Us. apenas na loc. *De bruços* [F.: De or. incerta.] ■■ **De ~** Deitado com a parte anterior do corpo (rosto, peito, barriga etc.) voltada para baixo

brucutu (bru.cu.*tu*) *Bras. Pej. sm.* **1** Homem grosseiro e abrutalhado; PRIMATA (2); PAQUIDERME (2) **2** Viatura blindada de repressão policial [F.: Obsc., posv. onomatopaica.]

bruma (*bru*.ma) *sf.* **1** Termo genérico para diferentes formas de nevoeiro (como a névoa, a cerração etc.) **2** Névoa, esp. no mar: *Uma bruma começara a se formar.* **3** Névoa causada pela poluição, poeira etc. **4** *Fig.* Falta de clareza; tudo que diminui a transparência e dificulta a visibilidade, a percepção ou a compreensão: *as brumas do esquecimento.* **5** *Fig.* Incerteza, obscuridade: *as brumas do futuro.* **6** *BA* Situação ou estado de irritação, de pouca ou nenhuma sociabilidade [F.: Do lat. *bruma*.]

brumal (bru.*mal*) *a2g.* **1** Ref. a bruma; BRUMOSO; NEVOENTO **2** *Fig.* Sombrio, tristonho. [Pl.: *brumais*.] [F.: Do lat. *brumalis*.]

brumário (bru.*má*.ri:o) *sm. Cron.* Segundo mês do calendário republicano francês, a começar em 22 ou 23 de outubro e a terminar em 20 ou 21 de novembro, conforme o ano [F.: Do fr. *brumaire*.]

brumoso (bru.*mo*.so) [ô] *a.* **1** Em que há bruma, ou em que elas ocorrem com frequência; NEVOENTO: *uma manhã brumosa e fria; clima brumoso; Julho é um mês brumoso.* **2** *Fig.* Vago, impreciso (definição brumosa) **3** *Fig.* Que lembra a bruma por seu aspcto enevoado, de pouco brilho: *uma imagem brumosa refletida na água escura; um olhar brumoso, baço, embotado.* [Pl.: *ó*. Fem.: *ó*.] [F.: Do lat. *brumosus*.]

⊕ **brunch** (*Ing. /brantch/*) ***sm.*** Refeição de desjejum e almoço ao mesmo tempo

bruneano (bru.ne:*a*.no) ***sm.*** **1** Indivíduo nascido ou que vive no Brunei, sultanato do Sudeste Asiático, localizado na costa noroeste da ilha do Bornéu (Ásia) ***a.*** **2** Do Brunei; típico desse país ou de seu povo [F.: Do top. *Brunei* + *-ano*[1].]

brunido (bru.*ni*.do) ***a.*** **1** Que foi polido ou lustrado (metal brunido) **2** Lustroso por ter sido engomado (diz-se de roupa ou tecido) **3** Cuja superfície foi alisada (pedra de cantaria) **4** *Fig. P. ext.* Aprimorado, apurado, bem-acabado (linguagem brunida) **5** *Fig.* Que demonstra ou manifesta pedantismo, afetação; PEDANTE ***sm.*** **6** Ação ou resultado de brunir; condição do que foi brunido; BRUNIDURA: *Termine o brunido desse mármore; O brunido dessa peça não está bom.* [F.: Part. de *brunir*.]

brunidor (bru.ni.*dor*) [ô] ***a.*** **1** Que brune (ferramenta, material), que tem como tarefa (pessoa) brunir e lustrar (metais, pedra de cantaria etc.): *ferramenta brunidora; operário brunidor.* [Aplica-se a diversos tipos de ferramenta de variadas aplicações (encadernação, gravura, odontologia, ourivesaria etc.).] **2** Que serve para polir unhas (lixa, lima) ***sm.*** **3** Instrumento us. para brunir [F.: De *brunir* + *-dor*.] ▪ **~ de ágata** *Enc.* Instrumento us. em encadernação de livros, para alisar os cortes antes de aplicar douração

brunidura (bru.ni.*du*.ra) ***sf.*** **1** Ação ou resultado de brunir **2** O estado do que foi brunido; o polimento ou brilho obtido com o brunidor [F.: *brunir* + *-dura*.]

brunir (bru.*nir*) ***v. td.*** **1** Tornar brilhante, lustroso; dar polimento; LUSTRAR; POLIR: "... aparou e bruniu as unhas..." (Aluísio de Azevedo, *O cortiço*) **2** *Fig.* Aprimorar, aperfeiçoar (o estilo, a linguagem etc.): *Gosta de brunir as frases.* **3** Alisar e dar brilho a (roupas engomadas) por meio do ferro **4** Alisar (pedra de cantaria) para eliminar irregularidades deixadas pelo uso de ferramentas [▶ **58 brunir** Não se conjuga na 1a. pess. do pres. do ind. nem no pres. do subj.] [F.: Do fr. *brunir*. Hom./Par.: *bruno* (fl.), *bruno* (a.).]

bruscamente (brus.ca.*men*.te) ***adv.*** **1** De modo brusco, inesperado, repentino; INESPERADAMENTE: *O carro parou bruscamente.* [No ex. dado, há tb. a ideia de movimento brusco, imprevisto e rápido.] **2** De modo brusco, rude, grosseiro; RUDEMENTE: *Falou bruscamente com o primo.* [F.: Fem. de *brusco* + *-mente*.]

brusco (*brus*.co) ***a.*** **1** Súbito e inesperado (gesto brusco, resfriamento brusco) **2** Rude, grosseiro nas maneiras, na fala, nas ações: *um homem brusco com os estranhos.* **3** Ríspido, áspero (palavras bruscas) **4** Pouco ameno, desagradável, inclemente (falando do tempo) [F.: Posv. de or. pré-romana.]

brusquidão (brus.qui.*dão*) ***sf.*** Característica do que é brusco, repentino. [Var.: brusquidez.] [Pl.: *-ões*.] [F.: De *brusco* + *-(i)dão*.]

brutal (bru.*tal*) ***a2g.*** **1** Próprio de quem ou do que é bruto, grosseiro (homem brutal, comportamento brutal) **2** Bárbaro, cruel, desumano, bestial (assassinato brutal) **3** Agressivo, violento, impetuoso: *Seu discurso foi um ataque brutal ao governo; A ventania brutal derrubou árvores e destelhou casas.* **4** Que causa impacto por sua violência, dramaticidade etc; terrível, chocante (acidente brutal) **5** *Pop.* Muito grande, descomunal: *uma diferença brutal.* [Pl.: *-tais*.] [F.: Do lat. *brutalis -e*.]

brutalidade (bru.ta.li.*da*.de) ***sf.*** **1** Qualidade, atributo ou condição do que é brutal, cruel, chocante: *O filme trata da brutalidade da guerra.* **2** Qualidade, atributo ou condição do que é impetuoso, agressivo, violento, rigotoso demais: *Protestaram contra a brutalidade das novas regras de comportamento.* **3** Qualidade, atributo ou condição de quem ou do que é bruto, despreparado, rude, ignorante **4** Ação brutal, violenta: *Aquele atentado foi uma brutalidade.* **5** Grosseria, indelicadeza, rudeza: *Só se dirige aos empregados com brutalidade.* **6** Condição ou característica do que se apresenta na natureza em seu estado bruto: *Comparava a sofisticação do diamante lapidado com a brutalidade do minério do qual se originou.* [F.: *brutal* + *-(i)dade*.]

brutalismo (bru.ta.*lis*.mo) ***sm.*** *Arq.* Tendência arquitetônica que emprega largamente o concreto aparente, volumes puros e maciços, e deixa visível a função de estruturas e serviços [F.: De *brutal* + *-ismo*.]

brutalista (bru.ta.*lis*.ta) *Arq.* ***a2g.*** **1** Ref. ao brutalismo **2** Com características do brutalismo **3** Diz-se de arquiteto adepto do brutalismo ***s2g.*** **4** Arquiteto adepto do brutalismo [F.: De *brutal* + *-ista*.]

brutalização (bru.ta.li.za.*ção*) ***sf.*** Ato ou efeito de brutalizar(-se) [Pl.: *-ões*.] [F.: De *brutalizar* + *-ção*.]

brutalizado (bru.ta.li.*za*.do) ***a.*** Que foi submetido a brutalização [F.: De *brutalizar*.]

brutalizar (bru.ta.li.*zar*) ***v.*** **1** Tornar(-se) bruto, estúpido; embrutecer(-se) [***td.***: "A educação para a violência, que brutaliza o soldado..." (Eduardo Galeano, "Os valores sem preço" *in Cadernos do Terceiro-Mundo*)] [***int.***: *Depois de tanto sofrimento, brutalizou-se.*] **2** Tratar com brutalidade; MALTRATAR; SEVICIAR [***td.***: *Brutalizaram os detentos.*] **3** Cometer estupro contra; ESTUPRAR; VIOLAR [***td.***: *Milicianos invadiram as aldeias e brutalizaram as mulheres.*] [▶ **1 brutalizar**] [F.: *brutal* + *-izar*.]

brutamontes (bru.ta.*mon*.tes) ***s2g2n.*** **1** Pessoa corpulenta, muito forte, abrutalhada **2** Pessoa rude, de modos grosseiros; BRUTAMONTE [F.: De *bruto*, posv. + *montes*, no sentido de grande quantidade ou dimensão.]

bruteza (bru.*te*.za) [ê] ***sf.*** Ver *brutalidade*

bruto (*bru*.to) ***a.*** **1** Que está no seu estado natural ou primitivo, inalterado; não manipulado, não trabalhado, não lapidado etc. (diamante bruto) **2** Que é malformado ou mal-acabado, tosco (feições brutas, artigo bruto) **3** Sem refinamento, grosseiro (acabamento bruto) **4** Que não tem bons modos, sem educação; RUDE **5** Imenso, fora do comum, desmedido, impressionante: "... uma bruta saudade atrapalha." (Antonio Callado, *Reflexos do baile*) **6** Calculado sem desconto (renda bruta; salário bruto; peso bruto); INTEGRAL **7** Violento, imoderado, arbitrário (força bruta) **8** Ríspido, sem meias-palavras: *Sua resposta bruta calou o interlocutor.* **9** Cruel, bárbaro, insensível: *Era um bandido bruto, impiedoso.* **10** Desagradável, repugnante: *os odores brutos do pântano* ***sm.*** **11** Indivíduo bruto: "Os brutos também amam" (George Stevens, *Título em português do filme 'Shane'*) [F.: Do lat. *brutus*.] ▪ **Em ~ 1** Não trabalhado, beneficiado, lapidado etc.: *diamante em bruto.* **2** Não aprimorado, desenvolvido: *talento em bruto.*

bruxa (*bru*.xa) ***sf.*** **1** *Oct.* Mulher que, supostamente, tem poderes mágicos, faz bruxarias e sortilégios e outras artes sobrenaturais; FEITICEIRA **2** *P. ext. Pop.* Mulher muito feia, desagradável no aspecto e/ou no comportamento **3** *P. ext. Pop.* Mulher cruel, artimanhosa, traiçoeira etc; MEGERA **4** *P. ext. Pop.* Mulher da qual não se gosta **5** Boneca de pano, de trapos **6** Pavio de lamparina **7** *Bras. Ent.* Designação comum a mariposas de várias fam., muito grandes e de coloração escura **8** *Lus. Zool.* Nome comum de certos peixes marinhos (gên. *Scyliorhinus*) da região do Douro, Portugal [F.: De or. contrv.] ▪ **A(s) ~(s) está(estão) solta(s)** Referência a época ou situação em que se sucedem tragédias, acidentes, infortúnios etc.

bruxaria (bru.xa.*ri*.a) *Oct.* ***sf.*** **1** Acontecimento extraordinário, às vezes maléfico, atribuído a poderes especiais de certas pessoas (bruxas ou bruxos) ou a forças sobrenaturais; BRUXEDO; FEITIÇARIA: *Granizo em fevereiro? Isso é bruxaria; Sofreu três acidentes este mês. Só pode ser bruxaria.* **2** A ação e o resultado da prática de supostos poderes sobrenaturais (malefícios, adivinhação, invocações etc.) por bruxo ou bruxa; **3** Ritual us. por bruxo ou bruxa nessa ação: *Deu início à bruxaria invocando raios e trovões.* **4** Objeto ou conjunto de objetos us. em bruxarias (3): *Pé de coelho, poção mágica, búzios e conchas, tudo isso é bruxaria.* **5** *Fig.* Suposta ação mágica sobre fatos ou sentimentos; ENCANTAMENTO; MAGIA [F.: *bruxa* + *-aria*.]

bruxedo (bru.*xe*.do) [ê] ***sm.*** Ver *bruxaria*

bruxelense (bru.xe.*len*.se) ***s2g.*** **1** Pessoa nascida ou que vive em Bruxelas, capital da Bélgica (Europa) ***a2g.*** **2** De Bruxelas; típico dessa cidade ou de seu povo [F.: Do top. *Bruxelas* + *-ense*.]

bruxismo (bru.*xis*.mo) [cs] ***sm.*** Rilhar espasmódico e inconsciente dos dentes, esp. em situações de tensão ou durante o sono; BRIQUISMO [F.: Do ing. *bruxism*.]

bruxo (*bru*.xo) *Oct.* ***sm.*** **1** Homem que pratica a bruxaria; FEITICEIRO **2** *P. ext.* Mago, mágico **3** *Fig.* Homem muito habilidoso naquilo que faz: *É um bruxo na arte de pintar.* **4** Boneco de pano us. em ritual de bruxaria [F.: Masc. de *bruxa*.] ▪ **~ do Cosme Velho** Epíteto atribuído a Machado de Assis, grande escritor brasileiro, que morou na rua (e bairro) assim chamados, no Rio de Janeiro **~ do inferno** O diabo

bruxuleante (bru.xu.le:*an*.te) ***a2g.*** **1** Que bruxuleia, que tremula (diz-se de luz e chama): *a luz bruxuleante do candeeiro.* **2** Que brilha fraca ou intermitentemente: *A lanterna, com as pilhas fracas, emitia uma luz bruxuleante.* **3** *Fig.* Fraco, oscilante: *Mesmo que bruxuleante, há esperança.* [F.: *bruxulear* + *-nte*.]

bruxulear (bru.xu.le.*ar*) ***v.*** **1** Tremular, oscilar (a luz da lamparina ou outra quando está próxima de se apagar) [***int.***: "Somente aquela luz vermelha que bruxuleava e mudava de lugar..." (Jorge Amado, *Jubiabá*)] **2** Brilhar fraca ou intermitentemente [***int.***] **3** Estar prestes a se apagar [***int.***: *Pela manhã, a última vela já bruxuleava.*] **4** *Fig.* Manifestar-se fracamente antes de acabar [***int.***: *Aquele forte sentimento hoje apenas bruxuleava.*] **5** Fazer tremeluzir fracamente [***td.***: *As lanternas bruxuleavam uma luz amarelada.*] **6** *Lud.* No carteado, revelar aos poucos (uma ou mais cartas), deslizando-a(s) lentamente [***td.***] [***int.***] [▶ **13 bruxulear**] [F.: Do espn. *brujulear.* Hom./par.: *bruxuleio* (fl.), *bruxuleio* (sm.).]

bruxuleio (bru.xu.*lei*.o) ***sm.*** Ação ou resultado de bruxulear [F.: Regress. de *bruxulear*. Hom./Par.: *bruxuleio* (sm.), *bruxuleio* (fl. de *bruxulear*).]

⊠ **BTN** Sigla de *Bônus do Tesouro Nacional* (título da dívida pública brasileira, criado em maio de 1989 e extinto em janeiro de 1991)

bubalino (bu.ba.*li*.no) ***a.*** Ref. ao búbalo [F.: De *búbalo* + *-ino*.]

bubalinocultor (bu.ba.li.no.cul.*tor*) [ô] ***a.*** **1** Que se dedica à bubalinocultura **2** Ref. a bubalinocultura ***sm.*** **3** Aquele que se dedica à bubalinocultura [F.: De *bubalino* + *-cultura*.]

bubalinocultura (bu.ba.li.no.cul.*tu*.ra) ***sf.*** Ver *bubalocultura*

bubalocultura (bu.ba.lo.cul.*tu*.ra) ***sf.*** Criação de búbalos [F.: De *búbalo* + *-cultura*. Tb. *bubalinocultura*.]

bubão (bu.*bão*) ***sm.*** **1** *Pat.* Inflamação e ingurgitamento de gânglio linfático inguinal ou dos gânglios da virilha, axilas, pescoço etc., ger. devido a infecção ou doença infecciosa **2** Tipo de tumor supurado na pele; PÚSTULA [Pl.: *-bões*.] [F.: Do gr. *bubon*, pelo fr. *bubon*.]

bubônica (bu.*bô*.ni.ca) ***sf.*** *Med.* Ver *peste bubônica* em peste [F.: Do fr. *bubonique*.]

bubônico (bu.*bô*.ni.co) *Pat.* ***a.*** **1** Ref. a bubão **2** Que se caracteriza pelo surgimento de bubões [F.: Do fr. *bubonique*.]

bubu (bu.*bu*) ***sm.*** *Vest.* Túnica longa e larga us. em alguns países africanos, tanto por mulheres como por homens [F.: Do malinquê, dialeto africano.]

bubuia (bu.bu:*i*:a) *Amaz.* ***sf.*** **1** Ato ou efeito de bubuiar, boiação **2** Borbulha **3** Coisa leve e flutuante **4** Locução: *De bubuia:* flutuando ao sabor da correnteza [F.: Do tupi *mbe'mbuya*.] ▪ **De ~s** *Amaz.* Flutuando ao sabor da corrente

bucal (bu.*cal*) ***a2g.*** Da ou ref. à boca (higiene bucal, região bucal); ORAL [Pl.: *-cais*.] [F.: Do lat. *buccalis*. Hom./Par.: *bucal* (a2g.), *bocal* (sm.).]

buçalete (bu.ça.*le*.te) [ê] *S.* ***sm.*** **1** Buçal pequeno **2** Cabresto feito com capricho [F.: De *buçal* + *-ete*.]

bucaneiro (bu.ca.*nei*.ro) ***sm.*** **1** Aventureiro dos mares que atacava navios para pilhar mercadorias de valor; PIRATA **2** Caçador de bois selvagens **3** Espingarda us. na caça aos bois selvagens [F.: Do fr. *boucanier*.]

bucarestino (bu.ca.res.*ti*.no) ***sm.*** **1** Indivíduo nascido ou que vive em Bucareste, capital da Romênia (Europa) ***a.*** **2** De Bucareste; típico dessa cidade ou de seu povo [F.: Do top. *Bucareste* + *-ino*. Sin. ger.: *bucarestense*.]

bucha (*bu*.cha) ***sf.*** **1** *Bras.* Esponja de material fibroso extraído da bucha (19), us. no banho para limpar e massagear, ou para limpar utensílios de cozinha etc. **2** *Bras.* Pedaço de papel ou pano, us. para comprimir a carga no cano das armas de fogo (bucha de canhão) **3** *Arm.* Em cartuchos ou balas de arma de fogo, peça de feltro ou outro tecido macio embebida em óleo que serve para limpar restos de pólvora do interior dos canos **4** *Bras.* Peça que se embute na parede para nela se introduzir com segurança parafusos para fixar algo à parede ou como ponto de apoio para se pendurar algo **5** Objeto us. para tapar orifícios, buracos, fendas etc., inclusive orifícios para vasão de líquidos em tanques, pias etc. **6** *Bras.* Material embebido em combustível que se prende aos balões juninos para que, quando aceso, o ar quente faça subir o balão **7** Disco de borracha, plástico etc. us para vedação da passagem de água em torneiras, válvulas, registros etc. **8** *Elet.* Peça alongada de material isolante com orifícios pelos quais passam fios condutores de eletricidade, e que serve para conduzir esses fios através de paredes de edificação, de caixas de transformadores etc., e como proteção contra desgaste, curto-circuito etc. **9** *Mec.* Peça cilíndrica e oca com que se reveste orifício pelo qual passa eixo rotativo, e que serve como mancal, reduzindo o atrito **10** *Mec.* Tubo oco rosqueado no exterior e no interior que se introduz em outro, rosqueado no interior, para reduzir seu calibre **11** *Mar.* Peça us. para vedar orifícios por onde passam eixos (como os que, através do casco, acionam hélices) **12** Peça roliça de madeira com a qual os sapateiros brunem solas de calçado **13** *Lus.* Pedaço de pão ou bocado de comida que se põe na boca de uma só vez **14** *Lus.* Qualquer comida; refeição **15** *Lus. Gír. Teat.* Dito ou frase improvisados pelo ator, que não constam no texto da peça; CACO **16** *Lus.* Contratempo, situação desagradável **17** *Lus. Pop.* Pessoa muito gorda, ou de aspecto e comportamento desagradáveis **18** *Bot.* Planta trepadeira (*Luffa aegyptiaca*) cucurbitácea, de região tropical, de uso medicinal e frutos comestíveis **19** O fruto dessa planta, fibroso quando seco, do qual se fazem buchas (1) **20** *Bras. Gír. Jorn.* Matéria, texto para redação de notícia ou reportagem **21** *GO* Coisa, matéria ou substância embolotada [F.: Do lat. pop. *bosca*, posv. pelo fr. antigo *bousche*.] ▪ **Em cima da ~** *Bras. Fam.* V. *Na bucha* **Na ~** No mesmo instante, sem qualquer demora

buchada[1] (bu.*cha*.da) ***sf.*** **1** O bucho e as vísceras de animais **2** *N. N.E. Cul.* Prato preparado com as entranhas de cabrito, carneiro, ovelha ou bode **3** *RN* Comida que empanturra, mas que não tem valor nutritivo; BUCHA **4** *N. N.E. Fig.* Grande quantidade de comida, comida de fartar **5** *BA Pop.* Grupo de buchos (3), de mulheres feias [F.: *bucho* + *-ada*[1].]

buchada[2] (bu.*cha*.da) ***sf.*** **1** Bucha grande **2** *Fam.* Situação ou coisa difícil, incômoda, desagradável; MAÇADA **3** Dano, prejuízo [F.: *bucha* (17) + *-ada*[1].]

buchicho (bu.*chi*.cho) ***sm.*** Ver *bochicho*

bucho (*bu*.cho) ***sm.*** **1** *Anat.* O estômago dos animais mamíferos e dos peixes **2** *Bras. Pop.* O estômago do homem; BARRIGA: *Comeu tanto que ficou de bucho cheio.* **3** *Pej. Pop.* Mulher muito feia [É ofensivo.] **4** Parte da armação de pesca de atum e sardinha, para onde entra o peixe depois de cair na rede **5** Certas partes de peixe (ovas, guelras) que pescadores e habitantes de praia comem depois de refogar **6** *AM RS Pej.* Prostituta velha e ordinária **7** *Bras. Antq. Pop.* No braço ou na perna, a parte mais volumosa, correspondente ao bíceps, ou à panturrilha **8** *Bot.* Arbusto das bignoneáceas (*Zeyheria montana*), do Brasil, cuja casca tem uso medicinal contra a sífilis; MANDIOQUINHA-BRAVA [F.: De or. contrv. Cf.: *buxo*.] ▪ **De ~** *Pop.* Em estado de gravidez

bucho-furado (*bu*.cho-fu.*ra*.do) ***sm.*** *Bras. Pop.* Pessoa incapaz de guardar um segredo; BUCHO DE PIABA [Pl.: *buchos-furados*.]

buchudo (bu.*chu*.do) *Bras. Pop.* ***a.*** **1** Que tem o bucho, ou ventre, grande; PANÇUDO **2** Que está prenhe (diz-se de mulher ou de qualquer fêmea) [F.: De *bucho* + *-udo*.]

bucinador (bu.ci.na.*dor*) [ô] *Anat. a.* 1 Ref. ao músculo bucinador *sm.* 2 Músculo situado em ambas as faces, entre as maxilas, e que atua na mastigação e no ato de soprar [F.: Do lat. *bucinator*.]
buckminsterfulereno (buck.mins.ter.fu.le.*re*.no) *sm. Quím.* Fulereno esférico, forma extremamente estável de carbono puro, constituído por pentágonos e hexágonos interligados, existente na fuligem e no espaço interestelar. [Fórm.: C60.] [F.: De *Buckminster* (Fuller)+ *fulereno*.]
buclê (bu.*clê*) *a2g.* 1 Cujos fios grossos formam alças muito rasas, que parecem encaracoladas (diz-se de tecido ou tapete) *sm.* 2 Tecido ou tapete assim confeccionado [F.: Do fr. *bouclé*.]
◎ **buco-** (bu.co-) *Antep.* = boca: *bucofaringe, buconasal*
buço (*bu*.ço) *sm.* 1 Pelos ralos que nascem acima do lábio superior dos homens, quando começam a ter barba, e de algumas mulheres; PENUGEM; LANUGEM 2 Pelos no focinho de certos animais 3 Cão muito novo 4 *Lus.* Orifício no fundo de lugar onde se fez uma poça, por onde escoa a água [F.: Do lat. *bucceum*, deriv. do lat. *bucca-ae*.]
bucodentário (bu.co.den.*tá*.ri:o) *a. Anat.* Ref. à boca e aos dentes [F.: De *buco-*+ *dentário*.]
bucólica (bu.*có*.li.ca) *sf. Poét.* Poesia pastoril; ÉCLOGA [F.: Fem. substv. de *bucólico*.]
bucólico (bu.*có*.li.co) *a.* 1 Ref. à vida e costumes dos pastores; PASTORIL: *Seus quadros retratam paisagens bucólicas.* 2 Ref. à vida no campo, sua paisagem, seus costumes; CAMPESTRE 3 Que faz parte ou está próximo da natureza ou da vida natural 4 Que se identifica com os valores da vida no campo; que gosta da vida campestre: *uma alma bucólica.* 5 Que exalta a vida campestre e as belezas do campo (poesia bucólica); PASTORIL 6 Singelo, ingênuo, puro *sm.* 7 Indivíduo bucólico [F.: Do gr. *boukolikós*, pelo lat. *bucolicus*.]
bucolismo (bu.co.*lis*.mo) *sm.* 1 Qualidade, condição do que é bucólico 2 Estilo poético e literário ligado a temas pastoris 3 Caráter pastoril de certas obras artísticas [F.: *bucólico* + *-ismo*.]
bucomaxilofacial (bu.co.ma.xi.lo.fa.ci:*al*) [cs] *a2g. Anat.* Ref. a boca, maxila e face [Pl.: *-ais*.] [F.: De *buco-* + *maxilo-* + *facial*.]
buda (*bu*.da) *sm.* 1 *Fil. Rel.* No budismo, nome dado a todo aquele que atinge a iluminação, o mais alto grau de elevação espiritual 2 *Fil. Rel.* Título de Siddharta Gautama (séc. VI-V a.C.), o fundador do budismo [Nesta acp., com inicial maiúsc.] 3 Imagem (ger. uma pequena estatueta) que representa o fundador do budismo [F.: Do sânsc. *buddha*.]
budapestense (bu.da.pes.*ten*.se) *s2g.* 1 Indivíduo nascido ou que vive em Budapeste, capital da Hungria (Europa) *a2g.* 2 De Budapeste; típico dessa cidade ou de seu povo [F.: Do top. *Budapeste* + *-ense*. Sin. ger.: *budapestino*.]
⊕ ***budget*** (*Ing. /bâdjet/*) *sm. Econ.* Ver *orçamento*
búdico (*bú*.di.co) *a.* 1 Ref. a Buda ou ao budismo 2 *P. ext.* Plácido, tranquilo [F.: De *buda* + *-ico*.]
budismo (bu.*dis*.mo) *sm. Fil. Rel.* Sistema ético, filosófico e religioso criado pelo príncipe hindu Siddharta Gautama (563-483 a.C.), ou Buda, e que consiste no ensinamento de como superar o sofrimento e atingir o nirvana, estado total de paz e plenitude, por meio da disciplina mental e de uma forma correta de vida [F.: *buda* + *-ismo*.] ■ **~ hinaiana** *Fil. Rel.* Ramo ortodoxo do budismo, também chamado *pequeno veículo* [Tb. apenas *hinaiana*.] **~ maaiana** *Fil. Rel.* Ramo do budismo, também chamado *grande veículo* [Tb. apenas *maaiana*.] **~ zen** *Fil.* V. *zen*
budista (bu.*dis*.ta) *a2g.* 1 Ref. ou pertencente ao budismo 2 Que é adepto do budismo *s2g.* 3 Pessoa budista [F.: *buda* + *-ista*.]
budum (bu.*dum*) *sm.* Ver *bodum*
bueiro (bu:*ei*.ro) *sm.* 1 Cano ou buraco para escoamento de águas 2 Abertura, natural ou construída, e/ou tubo nela embutido, para escoar água corrente, esgoto, águas pluviais etc. através de muros ou outros obstáculos ao curso das águas 3 Abertura no meio-fio ou na sarjeta de uma rua, de uma estrada, ou sua caixa de ferro ou a tampa de ferro gradeada que a guarnece, por onde escoa a água da chuva para o esgoto de águas pluviais, 4 Abertura (ou a tampa de ferro que a guarnece) em calçada de rua, que dá acesso a galeria de dutos subterrâneos 5 Tubulação ou galeria de esgoto 6 Canal que serve de respiradouro a uma fornalha 7 *Ant. Mar.* Canal em caverna de embarcações antigas, para dar passagem às águas que se acumulam no fundo 8 *N.* Chaminé de engenho ou de usina [F.: De or. contrv.]
buena-dicha (bu:e.na-*di*.cha) *sf.* Sorte ou destino a que alguém está ligado; SINA [Pl.: *buenas-dichas*.] [F.: Do espn. *buena dicha*, 'boa sorte'.]
buenairense (bu:e.nai.*ren*.se) *s2g.* 1 Indivíduo nascido ou que vive em Buenos Aires, capital da Argentina (América do Sul) *a2g.* 2 De Buenos Aires; típico dessa cidade ou de seu povo [F.: Do top. *Buenos Aires* + *-ense*. Tb. *portenho*.]
bufa (*bu*.fa) *sf.* 1 *Pop.* Ventosidade anal sem ruído 2 *Fig.* Fanfarronice, bazófia [F.: Dev. de *bufar*.]
bufada (bu.*fa*.da) *sf.* Ato ou efeito de bufar; BUFO [F.: De *bufar*.]
búfalo (*bú*.fa.lo) *sm.* 1 *Zool.* Denominação comum a diversas espécies de mamíferos ruminantes (*Bubalus bubalis*, *Syncerus caffer*), semelhantes ao boi, de chifres bem curvos 2 O couro curtido do búfalo (1) (casaco de búfalo) 3 O chifre desse animal, do qual são feitos vários objetos (pulseira de búfalo) [F.: Do gr. *boúbalos*, pelo lat. *bufalus*.]
bufante (bu.*fan*.te) *a2g.* 1 *Vest.* Diz-se de roupa, ou parte dela, franzida e folgada, com aspecto inflado, como se estivesse cheia de ar (manga bufante) 2 Que bufa [F.: Do fr. *bouffante* ou *bufar* + *-nte*.]
bufão (bu.*fão*) *sm.* 1 Ver *bufo*² (3, 4) 2 Pessoa que costuma contar vantagem, se vangloriar; FANFARRÃO 3 O mesmo que *bufarinheiro* [Pl.: *-fões*. Fem.: *-fona*.] [F.: Do it. *buffone*.]
bufar (bu.*far*) *v.* 1 Expelir (ar, vapor etc.) pela boca com força [*int.*: *Os excursionistas bufavam durante a caminhada:* "Lubino bufou, galopou sete léguas..." (Chico Buarque, *Fazenda-modelo*)] [*td.*: *O dragão bufou fogo pelas ventas.*] 2 Lançar (fumaça); exalar (vapores) [*int.* /*td.*: *A caldeira bufou (uma nuvem de vapor).*] 3 *Fig.* Expressar (emoção, ira etc.) por meio de sons ou palavras emitidas num sopro ou como num sopro [*td.*: *O animal bufou antes de avançar; Bufava sua indignação diante do chefe.*] [*int.*: *O diretor saiu bufando de raiva.*] 4 *Fig.* Mostrar indignação, enfurecer-se; protestar com veemência, reclamar [*int.*: "O consumidor que pague e não bufe." (*Correio Braziliense*, 09.07.2000)] 5 Produzir (certos animais) barulho que se assemelha a um bufo [*int.*] 6 *Fig.* Bazofiar, bravatear, jactar-se; ostentar, alardear [*ti.* + *de*: *bufar de valente.*] [*int.*: *Vive bufando, mas não passa de um medroso.*] [*td.*: *bufar valentias.*] 7 *Bras.* Soltar bufa, ventosidade [*int.*] 8 *Lus. Pop.* Deixar escapar (segredo) [*td.*] 9 *Lus. Pop.* Brotar, germinar (ref. a ervas silvestres) [*int.*] [▶ 1 bufar] [F.: Da onom. *buf* + *-ar*². Hom./Par.: *bufa(s)* (fl.), *bufa(s)* (sf. [pl.]); *bufo* (fl.), *bufo* (a. sm.); *bufar*, *bofar* (vários tempos do v.).]
bufarinhas (bu.fa.*ri*.nhas) *sfpl.* 1 Objetos de pouco valor, comerciados por vendedores ambulantes; BUGIGANGAS; QUINQUILHARIAS 2 *Fig.* Coisa insignificante; NINHARIA [F.: De or. contrv.]
bufarinheiro (bu.fa.ri.*nhei*.ro) *sm.* Vendedor ambulante de objetos de pouco valor ou de pouca utilidade; BUFÃO; MASCATE [F.: *bufarinha* + *-eiro*.]
bufê (bu.*fê*) *sm.* 1 *Cul.* O conjunto das comidas e bebidas servidas em festas, casamentos, coquetéis etc.: *O bufê estava excelente.* 2 Em certos restaurantes, serviço em que as comidas são dispostas em uma longa mesa para que os próprios clientes se sirvam do que lhes apetecer: *O guia selecionou opções de restaurantes que oferecem comida em bufê.* [Ant.: *à la carte*.] 3 O conjunto dos pratos oferecidos nesse tipo de serviço: *O bufê da churrascaria é bem farto.* 4 Mesa onde a comida fica exposta 5 Móvel de sala de jantar onde guarda-louça e sobre cujo tampo podem ser colocadas as travessas com comida, em um almoço ou jantar; APARADOR; BUFETE 6 *Bras.* Empresa especializada em comidas sob encomenda para jantares, recepções, festas, coquetéis etc.: *Contrataram o melhor bufê da cidade.* 7 Bar ou restaurante de estação ferroviária, aeroporto, teatro etc; BUFETE [F.: Do fr. *buffet*.] ■ **~ frio** Serviço de iguaria frias, em festas, coquetéis etc.
⊕ ***buffer*** (*Ing. /bâfer/*) *sm.* 1 *Inf.* Área reservada na memória de um computador para armazenamento temporário de dados que aguardam seu processamento 2 *Elet. Eletrôn.* Circuito (cuja entrada é de alta impedância e a saída é de baixa impedância) que se interpõe entre dois outros com filtro ou isolador na transferência de impedância entre eles
bufo¹ (*bu*.fo) *sm.* 1 Ação ou resultado de bufar 2 O som que se produz bufando [F.: Dev. de *bufar*.]
bufo² (*bu*.fo) *a.* 1 Diz-se do que (texto, música, peça, situação etc.) enecerra elementos cômicos, de farsa etc. (ópera bufa); BURLESCO 2 Que representa algum papel cômico (cantor bufo) *sm.* 3 *Teat.* Personagem de comédia ou farsa cujo papel é fazer o público rir com seus gestos, mímicas e caretas; BOBO; BUFÃO 4 Pessoa que busca divertir os outros com gracejos ridículos [F.: Do it. *buffo*.]
bufo³ (*bu*.fo) *sm.* 1 *Zool.* Nome de algumas espécies de ave noturna estrigídea, semelhantes às corujas, esp. a *Strix bubo*; CORUJÃO 2 *Fig.* Avarento, usurário 3 *Fig.* Homem que vive afastado de meio social; MISANTROPO 4 *Lus.* Agente da polícia secreta 5 *Lus.* Denunciante, delator, dedo-duro [F.: Do lat. *bubo*, pelo lat. vulg. *bufo*.]
bufo⁴ (*bu*.fo) *sm.* 1 *Zool.* Gênero, e nome de várias espécies de anfíbios anuros desse gênero (são os sapos) 2 *Zool.* Espécime desse gênero; SAPO [F.: Do lat. cient. (gênero) *Bufo*.]
bufonada (bu.fo.*na*.da) *sf.* Ver *bufonaria*
bufonaria (bu.fo.na.*ri*:a) *sf.* 1 Dito, ação ou comportamento de bufo ou bufão 2 *P. ext.* Palhaçada, zombaria [F.: De *bufão* + *-aria*.]
buftalmia (buf.tal.*mi*:a) *sf. Pat.* Aumento do volume do globo ocular, na primeira fase do glaucoma infantil [F.: Do fr. *buphthalmie*.]
bufunfa (bu.*fun*.fa) *sf. Bras. Gír.* Dinheiro [F.: Pal. expres.]
⊕ ***bug*** (*Ing. /bâg/*) *sm. Inf.* Erro na lógica de um programa de computador, que o impede de funcionar corretamente [F.: Do ing. *bug*.]
bugalho (bu.*ga*.lho) *sm.* 1 *Bot.* Galha, protuberância tubercular que se forma na casca de carvalhos 2 *Pop.* O globo ocular 3 *Lus.* Bola de gude; qualquer pequeno objeto esférico us. como bola de gude 4 *Bot.* Qualquer cecídio 5 Qualquer coisa semelhante a uma galha, a um cecídio 6 *Bot.* Espécie de cardo (*Cachrys laevigata*) da Europa 7 Fibra que reveste a semente desse cardo, inflamável quando seca, e utilizável como isca [F.: Posv. do céltico *bullaca*.] ■ **alhos e ~s** Ver no verbete *alhos*
buganvília (bu.gan.*ví*.li:a) *sf.* 1 *Bot.* Nome comum às plantas do gên. *Bougainvillea*, da fam. das nictagináceas, que compreende várias espécies de trepadeiras, us. como ornamentais por suas brácteas de diversas cores; BOUGAINVÍLLEA 2 Qualquer das espécies desse gên [F.: Lat. cient. *Bougainvillaea*, do antr. Louis Antoine de *Bougainville*. Tb. *bougainvíllea, bunganvílea, bunganvília*.]
⊕ ***buggy*** (*Ing. /bâgui/*) *sm.* Ver *bugre* (5), espécie de veículo
bugiar (bu.gi.*ar*) *v.* 1 Fazer trejeitos de bugio; fazer bugiarias, macaquices 2 *Ant. Pop. Tec.* Trabalhar com o bugio (antigo bate-estacas mais conhecido como macaco) [▶ 1 bugiar] [F.: *bugio* + *-ar*².]
bugiaria (bu.gi:a.*ri*:a) *sf.* 1 Gesto ou trejeito como os de um bugio; MACAQUICE 2 Objeto de pouco ou nenhum valor; QUINQUILHARIA [F.: De *bugio* + *-aria*.]
bugiganga (bu.gi.*gan*.ga) *sf.* 1 Objeto de pouco ou nenhum valor ou sem utilidade; BAGATELA; QUINQUILHARIA 2 *P. ext.* Qualquer coisa sem importância, sem relevância; NINHARIA 3 Certa rede de pescar; rede de cerco 4 *Antq.* Na Espanha, pequena companhia ambulante de comediantes; tb. *mojiganga*, [F.: Posv. do espn. *bojiganga*, ou *mojiganga*.]
bugio (bu.*gi*.o) *sm.* 1 *Zool.* Nome comum que se dá no Brasil a todas as espécies de primatas 2 *Zool.* Especificamente, comum a espécies de macacos cebídeos, do gên. *Alouatta*, esp. o *A. caraya*, da América do Sul central; BUGIO-PRETO; CARAJÁ; GUARIBA-PRETO 3 Aquele que imita, arremeda gestos e ações de outrem 4 Indivíduo feio que faz graças, é engraçado 5 Espécie de bate-estacas; MACACO 6 *SP* Mecanismo primitivo us. na fabricação do açúcar 7 Pantógrafo 8 *Bot.* Nome comum a vários arbustos das combretáceas, como o *papo-de-peru* e o *rabo-de-bugio* 9 *Zool.* Ver *quimera*, gên. de peixes [F.: Do top. *Bugia* (Argélia).]
bugre (*bu*.gre) *s2g.* 1 *Pej. Etnol.* Designação depreciativa que os europeus deram aos indígenas do Brasil, por considerá-los sodomitas [Segundo algumas fontes, o termo foi us. pela primeira vez no Brasil em 1555, por oficiais da marinha francesa, para designar os tamoios] 2 *Pej.* Denominação depreciativa dada a indivíduo de origem indígena, preconceituosamente tido como selvagem, rude, incivilizado e herético 3 *Fig. Pej.* Pessoa incivilizada, inculta 4 *Fig.* Pessoa arredia *sm.* 5 Veículo aberto, com pneus largos, motor traseiro, muito us. em terrenos arenosos e acidentados; BUGGY *a2g.* 6 *Etnol.* Do ou ref. a bugre (1) [Col.: *bugrada, bugraria*.] [Fem.: *bugra*.] [F.: Do lat. *Bulgarus*, 'herético', pelo fr. *bougre*. Nas acps. 2 e 3 é ofensivo.]
bugue (*bu*.gue) *sm. Bras. Aut.* Automóvel pequeno, sem capota, próprio para passeios, esp. em praias [F.: Do ing. *buggy*.]
bugueiro (bu.*guei*.ro) [ê] *sm.* 1 Motorista ou condutor do automóvel bugue 2 Pessoa admiradora e possuidora de bugue [F.: Do Bras. *bugue*.]
bujão (bu.*jão*) *sm.* 1 Peça de formato e material variados (bucha, taboque, cunha etc.), us. para fechar recipientes ou vedar orifícios 2 Especificamente, tampa de tanque de gasolina, do radiador, do cárter, em automóveis 3 *Bras.* Recipiente, ger. cilíndrico e bojudo, us. para armazenar gás de cozinha ou outros produtos voláteis (bujão de gás); BOTIJÃO 4 Por metonímia, o conteúdo de um bujão (e a medida de volume do fluido nele contido): *Essa cozinha consome três bujões de gás por mês.* [Pl.: *-jões*.] [F.: Do fr. *bouchon*.]
bula (*bu*.la) *sf.* 1 *Farm.* Impresso que acompanha um medicamento, com informações sobre sua composição, contraindicações, uso etc. 2 Antigo selo com que se selavam documentos ou cartas escritos por papas e outros soberanos, que tinha pendente uma bola (de onde o nome) de ouro, prata ou chumbo 3 Qualquer documento, decreto, ofício, com esse selo 4 Documento solene expedido pela Igreja Católica em nome do papa (bula papal) 5 Privilégio ou indulgência concedidos em bula papal, registrados em cópias que podem ser adquiridas 6 *Hist.* Bolinha de metal que, em Roma, os filhos de patrícios levavam pendurada ao pescoço [F.: Do lat. *bulla*.] ■ **~ branca** *Ecles.* Bula de papa eleito mas não consagrado, e sem mencionar o seu nome **~ da cruzada** 1 *Ant. Ecles.* Bula papal que concedia indulgências a quem ajudasse a combater os infiéis, fosse indo à guerra, fosse com ajuda material, fosse no resgate do cristianismo nos territórios conquistados 2 Concessão de indulgência a quem dá apoio material à fundação de seminários, recuperação de edifícios eclesiásticos, etc. **~ de chumbo** *Ecles.* O selo papal
bulbar (bul.*bar*) *a2g.* 1 Ref ou pertencente a bulbo (razão bulbar; anomalias bulbares); BULBÁCEO; BOLBÁCEO 2 Que tem forma de bulbo (tumor bulbar); BULBOSO; BOLBOSO [F.: *bulbo, bolbo* + *-ar*¹.]
bulbilho (bul.*bi*.lho) *sm.* 1 *Bot.* Gomo carnoso que ger. nasce na axila da folha e gera uma planta (bulbilho do alho; bulbilho da cebola); BOLBILHO 2 Pequeno bulbo imaturo que nasce na base de um bulbo adulto [Aum.: *bulbilhão*. Dim.: *bulbilhinho*.] [F.: Do lat. cient. *bulbillu*, dim. do lat. *bulbus, i.* Tb. *bolbilho*.]
bulbo (*bul*.bo) *sm.* 1 *Bot.* Gema (2) subterrânea envolta em escamas carnudas, que armazena substâncias alimentícias para garantir a sobrevivência da planta (p. ex.: a cebola), e que, separada da planta em que se criou, pode dar origem a outra 2 *Bot.* Dilatação na base do talo de algumas algas; BOLBO 3 *Anat.* Qualquer estrutura anatômica arredondada (bulbo capilar, bulbo dentário) 4 *Elet.* O envoltório de vidro de uma lâmpada 5 *Astron.* Parte central de uma galáxia espiral 6 *Quím.* Parte dilatada de um

tubo de vidro **7** Qualquer estrutura com formato similar ao de um bulbo [Dim.: *bulbilho, búlbulo*.] [F.: Do gr. *bolbós*, pelo lat. *bulbus-i*.] ▪ **~ dentário** *Od.* Dilatação do folículo dentário em sua base **~ piloso** Bulbo na raiz de pelo, ou cabelo, do qual cresce um de seus fios **~ raquiano** *Anat.* Parte do encéfalo, onde se localizam vários e importantes centros neurovegetativos, que controlam, p. ex., a sensibilidade e a motricidade da face, da língua, da laringe, das vísceras torácicas e abdominais [Tb. apenas *bulbo*.] **~ raquidiano** *Anat.* V. *Bulbo raquiano*

bulboso (bul.*bo*.so) [ô] ***a.*** **1** Ref. a bulbo **2** Que tem bulbo **3** Que produz bulbo; BULBÍFERO **4** Que tem forma de bulbo; que, ao inchar, adquiriu forma de bulbo [Fem. e pl.: [ó].] [F.: Do lat. *bulbosus*. Sin. ger.: *bolboso, bulbar*.]

búlbulo (*búl*bu.lo) ***sm.*** Bulbo pequeno [F.: Do lat. *bulbulus, i*.]

bulcão (bul.*cão*) ***sm.*** **1** Aglomeração de nuvens densas e compactas **2** Nevoeiro espesso que antecede uma tempestade **3** Redemoinho de vapores, fluidos ou partículas sólidas em turbilhão **4** *Fig.* Trevas, escuridão **5** *Fig.* Sensações deprimentes; TRISTEZA, AFLIÇÃO [Pl.: *-cões*.] [F.: Do esp. *bolcán*, var. divg. de *vulcão*.]

buldogue (bul.*do*.gue) ***sm.*** **1** *Cinol.* Raça inglesa de cães, de cabeça grande e arredondada, corpo musculoso, queixo proeminente e patas curtas **2** Cão dessa raça [F.: Do ing. *bulldog*.]

bule (*bu*.le) ***sm.*** Recipiente bojudo ou em forma levemente cônica, de materiais diversos (louça, metal, cerâmica etc.) com asa, tampa e bico, no qual se preparam e/ou se levam à mesa, para servir, bebidas como café, chá, chocolate etc. [F.: Posv. do malaio *búli*.]

bulevar (bu.le.*var*) ***sm.*** **1** Rua larga, ou avenida, ger. arborizada **2** *Teat.* O mesmo que *Teatro de bulevar* (ver no verbete *teatro*) **3** *Teat.* Peça para teatro de bulevar [F.: Do fr. *boulevard*.]

bulgariana (bul.ga.ri:*a*.na) ***sf.*** *Bras.* Tecido simples e barato, ger. de padronagem xadrez, us. para confecção de camisas e saias (roupa de bulgariana) [F.: Do lat. *bulga res, um* ou *bulga ri, ó rum-* + *-ana*.]

búlgaro (*búl*.ga.ro) ***sm.*** **1** Pessoa nascida ou que vive na Bulgária (Europa) **2** *Gloss.* Língua indo-europeia falada na Bulgária ***a.*** **3** Da Bulgária; típico desse país ou de seu povo **4** Do ou ref. ao búlgaro (2) [F.: Do lat. medv. *bulgarus*.]

bulha (*bu*.lha) ***sf.*** **1** Barulho confuso de sons, vozes ou gritos **2** Movimentação desordenada e intensa; TUMULTO **3** Briga, altercação, desordem, desavença [F.: Do espn. *bulla*.] ▪ **~ cardíaca** *Med.* O batimento cardíaco auscultado **Meter à(s) ~(s)** Criar divergências, discórdia, tumulto

bulhento (bu.*lhen*.to) ***a.*** **1** Que ou o que faz bulhas; ARRUACEIRO **2** Ruidoso, barulhento; BULHÃO ***sm.*** **3** Aquele que faz bulhas; BULHÃO; DESORDEIRO [F.: Do esp. *bulla-* + *-ento*.]

bulhufas (bu.*lhu*.fas) ***pr. indef.*** *Bras. Pop.* Coisa alguma, absolutamente nada, patavina; BULUFAS; NADA: *Não sabe bulhufas de matemática.* [F.: De or. onom.]

◎ **-bulia** ***el. comp.*** = 'vontade': *abulia, disbulia, hipobulia,: abulia, disbulia*. [F.: Do gr. *boulé, ês*, 'vontade'; 'reflexão', + *-ia*¹.]

bulício (bu.*lí*.ci:o) ***sm.*** **1** Agitação, ou sensação de agitação, causada por muita gente que se movimenta ou demonstra excitação **2** Rumor causado por essa excitação ou essa movimentação; BURBURINHO; RUMOR **3** Ruído contínuo e suave de algo que se move; MURMÚRIO: *o bulício das folhas das árvores agitadas pelo vento.* **4** Falta de tranquilidade; DESASSOSSEGO; AGITAÇÃO: "Ele, que antes não podia viver senão em sociedade e no bulício do mundo, procurava a solidão." (José de Alencar, *A viuvinha*) **5** Conturbação; motim [F.: Do lat. *bullitio*.]

buliçoso (bu.li.*ço*.so) [ô] ***a.*** **1** Que bole muito, que se movimenta muito (olhos buliçosos; animal buliçoso); AGITADO **2** Presto nos movimentos ou reações; esperto; vivo (jovem buliçoso) **3** Que não para, não sossega; IRREQUIETO **4** Intrépido, audaz (ânimo buliçoso; gênio buliçoso) **5** Em que há grande movimento ou afluência de pessoas: *o buliçoso centro da cidade*. [Fem. e pl.: [ó].] [F.: *bulício* + *-oso*.]

bulidor (bu.li.*dor*) [ô] ***a.*** **1** Que instiga, inquieta, provoca rebuliço **2** Que zomba, caçoa, ridiculariza alguém ou algo ***sm.*** **3** Aquele que instiga, inquieta, provoca rebuliço **4** Aquele que zomba, caçoa, ridiculariza alguém ou algo [F.: Do lat. *bullio, is, íre*; séc. XIV, *bulir-* + *-dor*.]

bulimia (bu.li.*mi*.a) ***sf.*** *Psiq.* Distúrbio psíquico que se expressa em desejo incontrolável de ingerir uma quantidade excessiva de alimentos, culminando com vômitos provocados pelo próprio indivíduo, para que não ganhe peso [F.: Do gr. *boulimía*, pelo fr. *boulimie*. Cf.: *anorexia*.]

bulímico (bu.*lí*.mi.co) ***a.*** **1** *Med.* Ref. ou inerente a bulimia **2** *Med.* Que apresenta ou sofre de bulimia; APLÉSTICO ***sm.*** **3** Aquele que sofre de bulimia [F.: Do gr. *boulimía, as-* + *-ico*.]

bulir (bu.*lir*) ***v.*** **1** Mover(-se) ou agitar(-se) brandamente, suavemente [***td.:*** *Uma brisa bulia os galhos da árvore.*] [***int.:*** "Não bulia uma folha; o silêncio, nas sombras do arvoredo, metia respeito..." (João Simões Lopes Neto, "Trezentas onças" *in Contos gauchescos*)] **2** Pôr as mãos levemente em; pegar, mexer em (ger. por curiosidade) [***tr.*** *+ em: Não vá bulir na tomada!; Quem bulir em casa de marimbondo sairá picado:* "Estava constantemente metido nos quartos das criadas, remexendo as gavetas; bulia nas saias sujas..." (Eça de Queirós, *O crime do padre Amaro*)] **3** Menear, remexer o corpo, os quadris; REBOLAR [***int.:*** "O samba da minha terra deixa a gente mole, / quando se canta todo mundo bole..." (Dorival Caymmi, *O samba da minha terra*)] [***td.:*** *Entrou na roda, se bulindo toda.*] **4** Mencionar, referir-se a, tocar em, abordar [***tr.*** *+ com, em: É melhor não bulir com esse/nesse assunto.*] **5** Fazer caçoada, zombaria de (alguém); BRINCAR; CAÇOAR; ZOMBAR [***tr.*** *+ com: A criançada vive bulindo com a vizinha antipática.*] **6** Provocar sentimento, emoção etc. em; COMOVER; EMOCIONAR; IMPRESSIONAR; MEXER; TOCAR [***tr.*** *+ com: Essas cenas trágicas bolem com a gente:* "... e veio bulir com o coração da gente..." (Guimarães Rosa, *Sagarana*)] **7** Despertar apreensão, inquietação, desconfiança em; APOQUENTAR; PERTURBAR; TRANSTORNAR [***tr.*** *+ com: O estranho comportamento dela buliu com o rapaz:* "... a soltar gritos que bolem com a vaidade dos tigres..." (Júlio Diniz, *Uma família inglesa*)] **8** Mexer, tocar em [***tr.*** *+ com: O mecânico nem buliu com o carro enguiçado.*] **9** *N.E. Pop.* Tirar a virgindade de; DEFLORAR; DESVIRGINAR [***tr.*** *+ com: Com ele não tinha conversa, buliu com a filha, tinha de casar.*] [▶ **51 bulir**] [F.: do lat. *bullire*. Hom./Par.: *bula(s)* (fl.), *bula* (sf. [e pl]).]

⊕ ***bullying*** (*Ing.* /*búlin*/) ***sm.*** *Pedag. Psi.* Termo que compreende toda forma de agressão, intencional e repetida, sem motivo aparente, em que se faz uso do poder ou força para intimidar ou perseguir alguém, que pode ficar traumatizado, com baixa autoestima ou problemas de relacionamento [*A prática de bullying é comum em ambiente escolar, entre alunos, e caracteriza-se por atitudes discriminatórias, uso de apelidos pejorativos, agressões físicas, etc.*]

bum (*bum*) ***interj.*** **1** Expressão onomatopaica de estampido, explosão, ruído de queda ou de pancada etc.: *De repente ouviu-se uma explosão, bum!* **2** Reprodução onomatopaica do som do tambor etc. [F.: Do ingl. *boom*.]

bumba¹ (*bum*.ba) ***interj.*** **1** Imitação do estrondo de pancada, queda etc. **2** Designa movimento forte e instantâneo com que se faz qualquer coisa; ZÁS [F.: De or. onom. Hom./Par.: *bumba* (interj.), *bumba* (fl. de *bumbar*).]

bumba² (*bum*.ba) ***sf.*** **1** O mesmo que *zabumba* (1) **2** *PE* O mesmo que *bumba meu boi*

bumba meu boi (bum.ba meu *boi*) ***sm2n.*** **1** *Bras. Folc.* Dança cômico-dramática sobre a morte e ressurreição de um boi, popular em quase todo o Brasil, esp. no Norte e Nordeste [Sin. nesta acp.: *boi-bumbá; boi-calemba; boi-calumba; boi de mamão; boi de melão; boi-melão; boi de reis; boi-pintadinho; boi-surubim; boizinho; bumba; bumba-boi; cavalo-marinho; rei de boi; reis de boi*.] **2** *PA* Panelão us. para cozinhar para uma grande quantidade de pessoas

bumbar (bum.*bar*) ***v.*** **1** *Ang.* O mesmo que *trabalhar* [***int.:*** "Os meus filhos estão a morrer de fome / estão a me olhar / (...) Eu próprio estou com fome / (...) Vou ajudar então como? / Vou bumbar então como? / Vou dormir então como?" (Dog Murras, *Bué angolano*)] **2** *Bras. Gír.* Fazer enorme sucesso *Bras. Gír*; BOMBAR [***int.***] **3** Espancar, surrar, sovar [***td.:*** *O grandão bumbou o baixinho.*] [▶ **1 bumbar**] [F.: acp. 1: posv. de or. quimbunda; acp. 2 e 3: posv. de or. onomatopaica.]

bumbo (*bum*.bo) *Mús.* ***sm.*** **1** Tambor grande de som grave, com membranas nas duas extremidades, que ficam em posição vertical, e que se tocam com macetas dos dois lados (quando pendurado à frente do corpo) ou com um pedal (quando fixo, como em orquestra); BOMBO; ZABUMBA **2** Tocador de bumbo [F.: Var. de *bombo*. Hom./Par.: *bumbo* (sm.), *bumbo* (fl. de *bumbar*).]

bumbum (bum.*bum*) ***sm.*** *Bras. Fam.* O par de nádegas; TRASEIRO; BUNDA [Pl.: *-buns*.]

bumerangue (bu.me.*ran*.gue) ***sm.*** **1** Arma de indígenas australianos, na forma de peça curva de madeira que, arremessada, retorna ao ponto de origem **2** Brinquedo similar a essa arma ***a.*** **3** Diz-se de cheque propositadamente preenchido errado para não ser aceito pelo banco [F.: De um dialeto indígena australiano, pelo ing. *boomerang*.]

bunda¹ (*bun*.da) *Vulg.* ***sf.*** **1** A parte traseira do corpo, entre as costas e as pernas; região glútea, o par de nádegas **2** Conjunto das nádegas e do ânus **3** *Tabu.* O ânus; CU: *Arriscou, e tomou na bunda.* ***a.*** **4** *Pej.* Ordinário, reles, sem qualquer valor [F.: Do quimb. *mbunda*.] ▪ **~ de tanajura** *Bras. Tabu.* Bunda grande, protuberante **~ de tico-tico** *S. Pop.* Bunda empinada **Nascer com a ~ para a Lua** *Pop.* Ser sortudo, ter sorte na vida

bunda² (*bun*.da) ***s2g.*** **1** O mesmo que *bundo* (3), qualquer língua de povo negro-africano ***a2g.*** **2** O mesmo que bundo (6); ref. a bundo (1), indivíduo de povo banto de Angola, ou a bundo (4), língua de povo negro africano [F.: Do quimb. *mbundu*, pelo banto *bunda*.]

bundada (bun.*da*.da) ***sf.*** **1** *Bras. Joc.* Pancada com as nádegas; batida com a bunda **2** *Bras.* O mesmo que *promombó* [F.: Do quimb. *'mbunda-* + *-dada*.]

bunda-mole (bun.da-*mo*.le) *Bras. Pop. Vulg.* ***s2g.*** **1** Pessoa medrosa, covarde **2** Pessoa pouca dinâmica, apática, moleirona [Pl.: *bundas-moles*.] [Sin. ger.: *bundão*.] [É ofensivo.]

bundão (bun.*dão*) *Bras. Pop.* ***sm.*** **1** Aum. de *bunda*; BUNDONA **2** O mesmo que *bunda-mole* **3** *BA GO* Jagunço, bandoleiro [Pl.: *-dões*. Fem.: *-dona*] ***a.*** **4** Diz-se de quem não tem fibra, energia, ânimo; que é desagradável, maçante [É ofensivo.] [Pl.: *-dões*. Fem.: *-dona*] [F.: *bunda* + *-ão*¹.]

bunda-suja (bun.da-*su*.ja) ***s2g.*** **1** *Pej.* Pessoa reles, ordinária, desprezível; ignorante **2** *Pej.* Indivíduo sem importância; pobre, joão-ninguém [Pl.: *bundas-sujas*.] [F.: Do quimb. *'mbunda-* + lat. *-succidus, a, um*.]

bundo (*bun*.do) ***sm.*** **1** *Etnol.* Indivíduo dos bundos, povo banto de Angola; AMBUNDO; QUIMBUNDO **2** O negro de Angola **3** *Gloss.* Língua banta dos bundos; QUIMBUNDO **4** *P. ext. Gloss.* Qualquer língua dos povos negros africanos; BUNDA ***a.*** **5** *Antq. Pej.* Diz-se do falar incorreto (no uso de palavra, na sintaxe, na pronúncia etc.) **6** Do ou ref. ao bundo (1 a 4); AMBUNDO; BUNDA; QUIMBUNDO [F.: Do quimb. *mbundu*.]

bundudo (bun.*du*.do) ***a.*** *Bras. Joc.* Diz-se de quem ou o que tem bunda grande, volumosa e/ou proeminente [F.: Do quimb. *'mbunda-* + *-udo*.]

bunganvílea (bun.gan.*ví*.le:a) ***sf.*** Ver *buganvília*

bunganvília (bun.gan.*ví*.li:a) ***sf.*** *Bot.* Ver *buganvília*

⊕ ***bunker*** (*Ing.* /*bânkr*/) ***sm.*** **1** *Mil.* Abrigo ou trincheira fortificados, espécie de casamata **2** *Fig.* Lugar que funciona como centro de certas atividades, como reduto e abrigo de seus ativistas

buquê (bu.*quê*) ***sm.*** **1** Arranjo de flores; RAMALHETE **2** *P. ext.* Reunião de coisas formando um conjunto: *Aquela mesa é um buquê de celebridades.* **3** *Enol.* Aroma característico dos bons vinhos **4** Em móveis de estilo, ornamento em forma de um ramalhete esculpido, preso por uma fita **5** Em exibição de fogos de artifício, conjunto de fogos simultâneos que se combinam para formar um desenho [F.: Do fr. *bouquet*.]

buquinense (bu.qui.*nen*.se) ***s2g.*** **1** Indivíduo nascido ou que vive em Buquim (SE) ***a2g.*** **2** De Buquim; típico dessa cidade ou de seu povo [F.: Do top. *Buquim* + *-ense*.]

buquinista (bu.qui.*nis*.ta) ***a2g.*** **1** Diz-se de que ou quem coleciona ou negocia livros usados ***s2g.*** **2** Indivíduo que vende livros usados; ALFARRABISTA; SEBISTA [F.: Do fr. *bouquiniste*; deriv. do fr. *bouquin-* + *-ista*.]

buraco (bu.*ra*.co) ***sm.*** **1** Depressão numa superfície, cavidade, natural ou escavada: *As obras do metrô deixaram vários buracos nas ruas.* **2** Qualquer concavidade na terra, natural ou escavada, em que se abriga um animal: *buraco de minhoca; buraco do tatu.* **3** Abertura natural ou artificial que atravessa um corpo sólido ou uma superfície; ORIFÍCIO: *buraco da agulha; Observava a rua por um buraco na parede.* **4** *Restr.* Pequena abertura de forma arredondada; FURO: *buraco de bala* **5** *Restr.* Ruptura ou rasgo (num tecido, papel, etc.): *Abriu dois buracos no papelão para fazer uma máscara; Possuía apenas um par de meias, uma delas com um buraco no dedão.* **6** *Anat.* Nome comum a vários orifícios ou canais anatômicos (buraco parietal): *buraco do nariz* **7** *Pop.* O ânus **8** *Lud.* O mesmo que *caçapa* **9** *Fig. Pop.* Ferimento profundo ou extenso: *A queda abriu-lhe um buraco na testa.* **10** *Bras. Pop.* Cova, sepultura: *Disse, brincando, que não esperassem por sua morte, pois tão cedo não iria para o buraco.* **11** *Bras. Pej. Pop.* Lugar de habitação muito pobre, ger. pequeno e malvisto **12** *Bras. Joc. Pop.* Residência, moradia: *Eles adoram o buraco deles lá em Guaratiba, não se mudam de lá por nada.* **13** *Fig.* Local isolado, de difícil acesso: *Ninguém sabe onde fica o buraco em que ele mora.* **14** *Fig.* Espaço, real (físico) ou imaginário (abstrato, emocional ou psicológico), não ocupado por coisa alguma; VAZIO: *No meio do desfile acabou ficando um buraco enorme entre as alas; buraco no estômago; Sua partida deixou um grande buraco em nossas vidas.* **15** *Fig. Restr.* Sentimento de perda, de falta; VAZIO: *Que buraco enorme você deixou em mim!* **16** *Fig.* Lacuna de elementos, de conteúdo, etc. que representa ger. uma falha, uma falta: *Havia um buraco no seu trabalho.* **17** *Fig.* Espaço de tempo entre dois fatos, acontecimentos etc. **18** *Fig.* Crise ou situação muito problemática, de grande dificuldade, ger. de ordem financeira: *Ele está num buraco de dar pena!* **19** *Fig.* Estado moral ou emocional muito ruim: *Há dias que ele não se alimenta, tamanho o buraco em que está.* **20** *Lud.* Jogo de cartas em que se usam dois ou mais baralhos, conforme o número de jogadores (que pode variar de dois a oito), no qual se formam sequências (canastras) de igual naipe ou da mesma figura ou do mesmo número **21** *Fís.* Num semicondutor, região onde falta um elétron, para onde se desloca elétron de outra região, com isso gerando nova vacância de elétron, e um aparente movimento de carga positiva na direção da região de onde vem este elétron **22** *Teat.* Em gíria de teatro, quebra no ritmo de desenvolvimento da peça, criando uma lacuna no desenrolar do texto ou da ação **23** *Cin. Teat. Telv.* Momento (no texto ou na ação de peça, filme, telenovela etc.) que não é parte relevante do desenvolvimento do enredo [F.: De or. contrv.] ▪ **~ biológico** *Eng. nu.* Em área de reator nuclear ativo, cavidade na qual se colocam plantas ou animais para pesquisar os efeitos da radiação sobre eles; saída biológica **~ branco** *Cosm.* Região a que se atribui intensa gravidade, onde não atuam as leis conhecidas da física e o tempo parece estar parado, e da qual emergem matéria e energia **~ cinza** *Astron.* Região a que se atribui intensa gravidade, onde não atuam as leis conhecidas da física e o tempo parece estar parado, e fora da qual a matéria pode emergir por um momento, antes de implodir **~ de ozônio** *Astron.* Descontinuidade, por destruição ou rarefação, da camada de ozônio que envolve a Terra por efeito de poluição ambiental **~ escuro** *Astron.* Horizonte do espaço-tempo além do qual um astro desaparece para sempre das vistas de um observador externo **~ negro** **1** *Astron. Fís.* Região no cosmo em que atua intensa força de gravitação, atraindo para ela tudo, inclusive a luz e radiações eletromagnéticas **2** Estado da matéria que sofre colapso gravitacional, no qual nem a luz pode escapar **3** *Fig.* Lugar, situação ou circunstância em que tudo desaparece (inclusive recursos orçamentários de custeio, financiamento etc.) **~ negro estelar** *Astron.* Envelhecimento de uma estrela por esgotamento de sua atividade nuclear ~ **óptico** *Anat.* Qualquer das duas aberturas (uma em cada lado) no osso esfenoide por onde passa o nervo óptico do mesmo lado **Sair do** ~ Melhorar de vida depois de ter passado dificuldades **Tapar (um)** ~ 1 *Fig.* Remediar uma situação difícil, ou preencher uma lacuna com os elementos disponíveis, mesmo que não os mais adequados 2 Pagar dívida

buraqueira (bu.ra.*quei*.ra) *sf.* 1 Grande quantidade de buracos: *a buraqueira que incomoda os motoristas nas estradas.* 2 Terreno irregular, cheio de buracos e depressões: *Meteu-se naquela buraqueira e quebrou o eixo do carro.* 3 Lugar deserto e afastado de tudo; BURACO 4 *Bras. Pop.* Má situação financeira; PINDAÍBA 5 *Ornit.* Coruja de hábitos diurnos (*Athene cunicularia*), presente no Brasil; tb. *coruja-buraqueira* 6 *Ornit.* Ave tinamídea (*Taoniscus nanus*, Temm.); tb. *buraqueira* e *codorna-buraqueira* [F.: *buraco* + *-eira*.]

burburejar (bur.bu.re.*jar*) *v. int.* Fazer ruído como que de água em borbulhas: *O arroio burburejava.* [▶ 1 burburejar] [F.: Or. onom. Tb. *borborejar*.]

burburinhar (bur.bu.ri.*nhar*) *v. int.* Fazer burburinho [▶ 1 burburinhar] [F.: *burburinho* + *-ar*². Hom./Par.: *burburinho* (sm.), *burburinho* (fl. de *burburinhar*). Tb. *borborinhar*.]

burburinho (bur.bu.*ri*.nho) *sm.* 1 Ruído contínuo provocado por inúmeras vozes indistintas; BULÍCIO 2 Movimentação, agitação, certa vibração de pessoas que denota excitação; AGITAÇÃO; BULÍCIO: *o burburinho da cidade.* 3 Ruído suave da água corrente, do farfalhar de folhas etc; MURMÚRIO [F.: De or. onom. Hom./Par.: *burburinho* (sm.), *burburinho* (fl. de *burburinhar*). Tb. *borborinho*.]

burca (*bur*.ca) *sf.* Tipo de vestimenta, us. em público por mulheres muçulmanas de alguns países árabes, que cobre todo o corpo e toda a cabeça e que permite a visão através de uma tela na altura dos olhos [F.: Do ár. *burq*.]

⊕ **bureau** (*Fr.* /birrô/) *sm.* 1 Repartição; departamento (bureau de investigação) 2 Agência, escritório de serviços (bureau de editoração; bureau de moda) 3 Tb. denomina móvel de escritório, tipo de escrivaninha com gavetas [Pl.: *bureaux*. F. portuguesada: birô.] [F.: Do fr. *bureau*; deriv. do fr. ant. *burel*.]

burel (bu.*rel*) *sm.* 1 Tecido grosseiro de lã 2 *P. ext. Vest.* Hábito us. por religiosos, feito com esse tecido 3 *P. ext. Vest.* Roupa de luto, feita com esse tecido 4 *Fig.* Luto, pesar [Pl.: *-réis*.] [F.: Do lat. pop. *bura*, pelo fr. antigo *burel*, hoje *bure*.]

bureta (bu.*re*.ta) [ê] *Quím. sf.* Tubo graduado em mililitros ou centímetros cúbicos, e dotado de uma torneira, us. em laboratórios de química para medir o volume de soluções ou gases [F.: Do fr. *burette*.]

burgalês (bur.ga.*lês*) *sm.* 1 Indivíduo nascido ou que vive em Burgos (Espanha) 2 *Num.* Antiga moeda, que fora cunhada em Burgos [Pl.: *-leses* [ê]. Fem.: (*da acp. 1*) *-lesa* [ê].] *a.* 3 De Burgos; típico dessa cidade ou de seu povo [Pl.: *-leses* [ê]. Fem.: *-lesa* [ê].] [F.: Posv. do lat. medv. **burgalensis*.]

burgo (*bur*.go) *sm.* 1 Na Idade Média, fortaleza, ou castelo, ou casa nobre, ou mosteiro etc., cercado de muralha para melhor se defenderem de ataques inimigos e que serviam de abrigo às populações vizinhas quando atacadas 2 *P. ext.* Vila, povoação ou aldeia que se formava nas cercanias e ao abrigo desse lugar fortificado 3 Pequena cidade, ou povoação menor que cidade 4 Arrabalde de cidade, vila, aldeia etc. 5 Cidade da Inglaterra que pode eleger representante(s) para o Parlamento [F.: Do germânico *burgs*, pelo lat. *burgus -i*. Hom./Par.: *burgo* (sm.), *burgó* (sm.).] ▪ ~ **podre** 1 Na Inglaterra, burgo (5) em que se podia comprar votos para candidato ao Parlamento 2 *Fig.* Área ou segmento eleitoral corruptível, onde se pode comprar votos, exercer influência por pressão ou por comércio de favores etc.

burgomestre (bur.go.*mes*.tre) *sm.* Cargo municipal em cidades da Alemanha, Bélgica, Suíça etc., que equivale ao cargo de prefeito no Brasil [F.: Do al. *burgmeister*, pelo fr. *bourgmestre*.]

burguês (bur.*guês*) *sm.* 1 Na Idade Média, indivíduo nascido ou que vivia em burgo (1), ou em cidade que se desenvolveu a partir deste, que se caracterizava por seus hábitos e atividades citadinos e, ger., por viver de trabalho não braçal 2 Membro da burguesia ou da classe média, indivíduo de situação econômica e social privilegiada, cuja atividade econômica não é braçal 3 *Pej.* Indivíduo muito apegado aos bens materiais e que tem valores e hábitos conservadores, pouco afeito a novas ideias ou a inovação de costumes, critérios artísticos, visões sociais etc. [Pl.: *-gueses* [ê]. Fem.: *-guesa* [ê]] *a.* 4 Ref. a burguês ou à burguesia 5 De ou próprio de burgués ou da burguesia 6 Ref. ou pertencente a burgo [Pl.: *-gueses* [ê]. Fem.: *-guesa* [ê].] [F.: Do lat. *burgensis*, este, por sua vez, do lat. *burgus*.]

burguesia (bur.gue.*si*.a) *sf.* 1 *Soc.* Classe social ligada às atividades urbanas, formada por profissionais liberais e proprietários de negócios de comércio, indústria e finanças; classe média [Surgiu ao final da Idade Média e tornou-se classe poderosa, política e economicamente] 2 Condição de burguês (1, 2) 3 *Hist. Soc.* Na Europa, a classe social formada por burgueses (1), cuja influência econômica e política cresceu à medida que os burgos medievais se desenvolveram em cidades, e chegou a ser a classe dominante a partir da Revolução Francesa e veio a constituir a atual burguesia (1) 4 *Pej.* Caráter e característica de burguês (3) [F.: *burguês* + *-ia*¹.]

buril (bu.*ril*) *sm.* 1 *Grav.* Instrumento us. para gravar em metal ou madeira, com lâmina dura de aço temperado 2 *Grav.* Instrumento similar, us. para gravar em pedra 3 *Grav.* Gravura (em metal) talhada com buril 4 *Grav.* Arte e técnica de gravar com buril (1, 2) 5 *Fig.* O estilo enérgico que caracteriza um escritor ou um escrito (o buril da sátira) 6 *Astron.* Certa constelação austral [Com inicial maiúscula.] [Pl.: *-ris*.] [F.: Do cat. *buri*.] ▪ ~ **lentiforme** *Grav.* Onglete ~ **raiado** *Grav.* Buril terminado em várias pontas, usado para produzir talhos paralelos na gravura em madeira de topo (q. v.)

burilado (bu.ri.*la*.do) *a.* 1 Que se burilou 2 *Fig.* Diz-se de trabalho elaborado, feito com capricho 3 *Fig.* Afiado, atilado (texto burilado; mente burilada) 4 Gravado ou lavrado com buril; ABURILADO 5 *Fig.* Fixado no espírito (burilado na memória); INCUTIDO [F.: De or. contrv., deriv. do it. ant. *burino-* + *-ado*; séc. XVI, *borilado*.]

burilamento (bu.ri.la.*men*.to) *sm.* Aperfeiçoamento da elaboração de algo (burilamento do relatório) [F.: De or. contrv., deriv. do it. ant. *burino-* + *-mento*.]

burilar (bu.ri.*lar*) *v.* 1 Gravar, lavrar com buril [*td.*: *burilar gravuras/ uma chapa.*] 2 *Fig.* Aprimorar, aperfeiçoar, retocar (o estilo, a linguagem etc.) [*td.*: *burilar o texto.*] 3 Fazer ficar gravado, fixar (no espírito, na mente); INCUTIR; INFUNDIR [*tdr.* + *em*: *burilar na consciência a noção do bem.*] [▶ 1 burilar] [F.: *buril* + *-ar*².]

buriti (bu.ri.*ti*) *Bras. Bot. sm.* 1 Palmeira (*Mauritia vinifera*) de cujas folhas se extraem fibras, e de cujo fruto se obtém óleo rico em caroteno; BURITIZEIRO; COQUEIRO--BURITI; MURITI; PALMEIRA-DOS-BREJOS; CARANDÁ-GUAÇU 2 Esse fruto [Col.: *buritizal*, *muritinzal*, *muritizal*.] 3 A fibra dessa palmeira [F.: Do tupi *mbiriti* ou *miriti*.]

buritizal (bu.ri.ti.*zal*) *sm.* 1 Mata de buritizeiros ou de buritis 2 Aglomerado de buritizeiros em determinada área; plantação de buritis; MURITIZAL [Pl.: *-zais*.] [F.: Do tupi *mbïrï'tï-* + *-z-* + *-al*; séc. XIX, *buritisaes*.]

buritizeiro (bu.ri.ti.*zei*.ro) *sm. Bras. Bot.* Ver *buriti* (1) [F.: *buriti* + *-zeiro*.]

burla (*bur*.la) *sf.* 1 Ação ou resultado de burlar 2 Engano proposital para obter algo indevidamente 3 Transgressão a disposições estabelecidas: *burla a uma lei.* 4 Fraude visando a extorsão de valores ou lucros de outrem: *Cometeu uma burla nas contas da empresa.* 5 *Lus. Antq.* Escárnio, zombaria 6 Peça que se prega em alguém, pegadinha, brincadeirinha [F.: De or. obsc. Sin. ger.: *burlaria*. Hom./Par.: *burla* (sf.), *burla* (fl. de *burlar*).]

burlador (bur.la.*dor*) [ô] *a.* 1 Que burla; BURLOSO; TRAPACEIRO *sm.* 2 Aquele que burla ou comete fraude (burlador de impostos); BURLÃO; BURLANTE [F.: De or. contrv., lat. *burra-* + *-dor*.]

burlão (bur.*lão*) *a.* 1 Que pratica burla *sm.* 2 Aquele que burla; indivíduo burlão (1) [Pl.: *-lões*. Fem.: *-lona*.] [F.: *burla* + *-ão*¹. Sin. ger.: *burlador*, *burlante*, *burlista*.]

burlar (bur.*lar*) *v.* 1 Praticar fraude, burla contra; lesar, fraudar [*td.*: *burlar o fisco/ os cofres públicos.*] 2 Enganar de modo ardiloso; ludibriar [*td.*: *burlar um sistema/ a legislação/ um sensor/ o segurança.*] 3 Iludir (alguém) por brincadeira [*tr.* + *de*: *É um piadista, está burlando de você.*] 4 Zombar de [*tr.* + *de*: *A roleta parecia burlar dos apostadores*] [▶ 1 burlar] [F.: *burla* + *-ar*². Hom./Par.: *burla(s)* (fl.), *burla* (sf. [pl.]); *burlaria(s)* (fl.), *burlaria(s)* (sf. [pl.]).]

burlesco (bur.*les*.co) [ê] *a.* 1 Ref. a comédia; CÔMICO 2 Que faz rir; CÔMICO 3 Que faz rir por acentuar, exagerando, aspectos grotescos, extravagantes, grosseiros da realidade 4 *Liter. Teat.* Que provoca o riso pelo contraste da baixeza do estilo com a dignidade dos personagens (ópera burlesca) 5 *Teat.* Diz-se de cabaré ou show de variedades que apresentam espetáculo burlesco (3, 4) *sm.* 6 O que provoca riso: *Para me distrair, prefiro o burlesco ao drama.* 7 O estilo, o modo burlesco (3, 4): *O burlesco tem predominado nas obras recentes dos humoristas.* 8 *Teat.* Gênero teatral surgido nos EUA, que se aproxima do cabaré e do teatro de revista, e que inclui piadas picantes, números de dança, de circo e de *strip-tease* [F.: Do it. *burlesco*.]

burleta (bur.*le*.ta) [ê] *sf.* 1 *Teat.* Comédia musical ligeira, de origem italiana 2 Breve peça cômica e jocosa, podendo ou não ser musicada; FARSA [F.: Do it. *burletta*.]

burocracia (bu.ro.cra.*ci*.a) *sf.* 1 Estrutura formada pelos órgãos públicos e seus funcionários que administram a coisa pública segundo uma rígida hierarquia e divisão de tarefas 2 O conjunto dos funcionários dessa estrutura 3 Observância formalista ao extremo de regulamentos e trâmites administrativos; os trâmites assim conduzidos 4 Excesso de papelada e de exigências que tornam morosos os serviços prestados pelos órgãos públicos e privados: *É uma burocracia sem-fim tirar esses documentos.* [F.: Do fr. *bureaucratie*.]

burocrata (bu.ro.*cra*.ta) *s2g.* 1 Funcionário que integra a burocracia (1, 2) 2 *Pej.* Funcionário administrativo muito compenetrado e vaidoso da importância de seu cargo, e que abusa de sua posição no contato com o público 3 *Pej.* Funcionário que se acomoda na rotina rígida da burocracia e a segue rigorosamente 4 *Pej.* Pessoa que age com acomodação em seu ofício: *um burocrata das letras.* [F.: Do fr. *bureaucrate*.]

burocratês (bu.ro.cra.*tês*) *sm.* 1 *Bras. Joc.* Linguajar cheio de jargões e tecnicismos, ger. ininteligível, us. pelos burocratas 2 *Joc.* Estilo e forma de falar e de escrever próprio dos burocratas [F.: Do fr. *bureaucrate-* + *-ês*.]

burocraticamente (bu.ro.cra.ti.ca.*men*.te) *adv.* 1 De modo que costumam ter ou usar os burocratas; segundo a burocracia 2 *Fig.* Com distanciamento e frieza (sem empolgação): *Tratou o ex-namorado burocraticamente; Passou a trabalhar burocraticamente, depois da nomeação de seu concorrente.* [F.: Fem. de *burocrático* + *-mente*.]

burocrático (bu.ro.*crá*.ti.co) *a.* 1 Da ou ref. a burocracia 2 Próprio de burocrata 3 *Fig.* Que se limita a seguir automaticamente as regras e procedimentos comuns na execução ou prática de algo, sem entusiasmo e sem iniciativas criativas: *Foi um time burocrático durante o jogo inteiro.* [F.: *burocrata* + *-ico*².]

burocratismo (bu.ro.cra.*tis*.mo) *sm.* 1 Ação e atuação abusiva da burocracia; exagero de burocracia 2 Sistema excessivamente burocrático; BUROCRACISMO [F.: Do fr. *bureaucrate-* + *-ismo*.]

burocratização (bu.ro.cra.ti.za.*ção*) *sf.* 1 Ação ou resultado de burocratizar(-se) 2 Acomodação (de alguém, sistema, instituição etc.) a procedimento burocrático [Pl.: *-ções*.] [F.: *burocratizar* + *-ção*.]

burocratizado (bu.ro.cra.ti.*za*.do) *a.* 1 Que se burocratizou; em que predomina a burocracia (administração burocratizada; departamento burocratizado) 2 *Pej.* Limitado pela burocracia 3 *Pej.* Diz-se de que ou quem adota hábitos e comportamento de burocrata [F.: Do fr. *bureaucrate-* + *-(z)ado*.]

burocratizante (bu.ro.cra.ti.*zan*.te) *a2g.* Que burocratiza ou que tende à burocratização [F.: *burocratizar* + *-nte*.]

burocratizar (bu.ro.cra.ti.*zar*) *v.* 1 Imprimir método ou caráter burocrático a [*td.*: *burocratizar um serviço.*] 2 Adquirir comportamento ou mentalidade de burocrata [*int.*: *Após tantos anos no mesmo serviço, burocratizou-se.*] 3 *Pej.* Tornar lenta e complicada a execução de (algo) pelo excesso de exigências formais [*td.*: *O excesso de documentos requeridos burocratizou a negociação.*] [▶ 1 burocratizar] [F.: *burocrata* + *-izar*.]

burquinense (bur.qui.*nen*.se) *a2g.* 1 Ref. ou inerente a Burquina, África; típico desse país ou de seus habitantes 2 Diz-se do natural ou habitante de Burquina *sm.* 3 Natural ou habitante de Burquina; BURQUINABÊ [F.: Do top. *Burquina-* + *-ense*.]

burra (*bur*.ra) *sf.* 1 A fêmea do burro; JUMENTA; ASNA 2 Arca ou cofre para guardar objetos de valor e dinheiro 3 Cavalete em que os serradores sustêm a madeira que estão serrando; BURRO 4 Pequena escada us. em adegas, lojas etc. 5 Engenho para tirar água dos poços 6 *Mar.* Cabo de mezena 7 Porção de terreno que, devido a chuvas fortes, se desprende de uma ribanceira 8 *BA* Grande bloco de rocha, nas lavras de diamante 9 *Lus.* Cesto us. na colheita de uvas 10 *Lus. Pop.* O estômago, a pança [F.: Fem. de *burro*.] ▪ **Encher a** ~ *Pop.* Ganhar muito dinheiro, fazer fortuna **Lavar a** ~ Alcançar grande êxito, ter muito êxito, obter grande vitória etc; lavar a égua

burrada (bur.*ra*.da) *sf.* 1 Agrupamento de burros; BURRAMA; BURRICADA; JERICADA 2 Ação ou decisão equivocada, estúpida; ASNEIRA; BESTEIRA; BURRICE; TOLICE: *Fez uma burrada ao demitir-se do emprego.* [F.: *burro* + *-ada*¹. Hom./Par.: *burrada* (sf.), *borrada* (a. sf.).]

burrama (bur.*ra*.ma) *sf.* Ver *burrada* (1) [F.: *burro* + *-ama*.]

burrame (bur.*ra*.me) *sm.* 1 *Bras.* O mesmo que *burrada*, conjunto ou grupo de burros; BURRICADA 2 *Bras. Fig.* Asneira, burrice; BURRADA [F.: Do lat. *burrus, a, um-* + *-ame*.]

burrego (bur.*re*.go) [ê] *sm.* 1 Ver *burrinho* (1); BURRICO 2 Burro fraco, sem serventia 3 Indivíduo pouco inteligente; BURRO [Pode ter conotação amistosa, carinhosa.] *a.* 4 Que é pouco inteligente; BURRO [F.: *burro* + *-ego*. Hom./Par.: *borrego* (sm.), *burrega* (fem. de *burrego*), *borrega* (sf.).]

burrice (bur.*ri*.ce) *sf.* 1 Qualidade ou condição de indivíduo burro (3), ou de dito, ação etc. a que falta inteligência, discernimento, bom-senso 2 Ação ou decisão equivocada ou desastrada, típica de pessoa burra, parva, ingênua, despreparada etc; ASNEIRA; BESTEIRA; BURRADA; TOLICE 3 Ação ou resultado de emburrar, de ficar ressentido e amuado; AMUO [F.: *burro* + *-ice*.]

burrico (bur.*ri*.co) *sm.* 1 Ver *burrinho* (1); BURREGO 2 *Bras.* Qualquer burro, ou jumento; ASNO; JERICO 3 *Amaz. Zool.* Certo inseto parecido a formiga; POTÓ [F.: Do lat. *burricus*.]

burrinho (bur.*ri*.nho) *sm.* 1 Burro pequeno; BURREGO; BURRICO 2 Espécie de bomba para aspirar líquidos 3 Bomba do freio hidráulico dos carros 4 *Mec.* Pequeno motor que aciona bomba de incêndio, em navios 5 *Bras. Ent.* Nome comum a diversas espécies de insetos coleópteros fitófagos, besouros do gên. *Epicauta*, da fam. dos meloídeos; VAQUINHA [F.: *burro* + *-inho*¹.]

burriqueiro (bur.ri.*quei*.ro) *a.* 1 Que aluga ou negocia burros 2 Diz-se do guia de burros *sm.* 3 Indivíduo que aluga ou conduz burros 4 Indivíduo que faz burradas, que diz asneiras; ASNEIRO [F.: Do lat. *burrus, a, um-* + *-queiro*.]

⊕ **burrito** (bur.ri.to) (*Esp.* /burrito/) *sm. Cul.* Prato típico mexicano, tipo de tortilha recheada de feijão-preto cozido e condimentado, cebola, alho, pimenta e molho de tomate [F.: Do esp. *burrito*.]

burro (*bur*.ro) *sm.* 1 *Zool.* Mamífero equídeo (*Equus asinus*), menor que o cavalo, orelhas muito grandes, us. como animal de tração e carga; JUMENTO 2 *Zool.* Mamífero híbrido, estéril resultante do cruzamento de jumento com égua, ou de cavalo com jumenta; BESTA; MULO 3 *Pej. Pop.* Pessoa pouco inteligente [É ofensivo.] 4 Em carro de tração animal, pontalete que sustenta na horizontal o cabeçalho 5 Espécie de cavalete no qual se apoia madeira que se quer serrar; BURRA **6** *Lud.* Certo jogo de cartas cujo objetivo é livrar-se o jogador de todas as cartas, perdendo o que fica no fim com carta, do qual se diz que 'ficou com o burro'; MICO **7** O perdedor desse jogo **8** Tradução literal de um clássico, palavra por palavra, us. como referência de estudo para estudantes de línguas antigas **9** Ramo de videira com que se enterra para criar raízes e dele brotar nova vide **10** *SP* Espécie de prensa para mandioca **11** *Bras.* Aparelho com que se torce fumo em corda **12** *Lus.* Nome comum a vários tipos de banquinhos rústicos **13** Ferramenta com a qual corticeiro apara arestas de placas de cortiça **14** Engenho para tirar água de poço *a.* **15** *Pej. Pop.* Que é pouco inteligente; ESTÚPIDO; BRONCO (2) [Dim.: *burrego, burrico, burrinho.*] [F.: Do lat. *burrus.*] ▪▪ **~ de carga** *Fig.* Pessoa que realiza trabalhos e tarefas, ger. pesados, que caberiam a outrem **Dar com os ~s n'água** **1** Perder o autocontrole **2** Fazer uma bobagem, falhar, fracassar **Pra ~** Muito, em grande quantidade ou com grande intensidade: *Comprou livros pra burro; Correu pra burro e ganhou a prova.*

burro sem rabo (bur.ro sem *ra*.bo) *MG RJ Pop. sm.* **1** Carreta de duas rodas que se puxa por dois tirantes dianteiros, us. para transportar coisas diversas **2** Indivíduo que puxa essa carreta [Pl.: *burros sem rabo.*]

bursa (*bur*.sa) *sf.* **1** Tipo de bolsa, ger. us. para guardar substâncias líquidas **2** *Litu.* Pequena bolsa que guarda o corporal ou que encobre o cálice durante a missa e a comunhão, na liturgia da Igreja Católica **3** *Anat.* Bolsa ou cavidade que contém líquido seroso, e que faz reduzir o atrito em articulações [F.: Do lat. tard. *bursa*; deriv. do gr. *búrsa.*]

bursátil (bur.*sá*.til) *a2g. Econ.* Ref. ou inerente às operações da Bolsa de Valores (mercado/especulação bursátil) [Pl.: *-teis.*] [F.: Do lat. *bursa-* + *-átil.*]

bursite (bur.*si*.te) *sf.* **1** *Reum.* Inflamação de bolsa, ou bursa (3) de uma articulação, que impede sua perfeita lubrificação **2** Especificamente, inflamação da bolsa, ou bursa subdeltoide: *Está com bursite no ombro direito.* [F.: *bursa* + *-ite.*]

burundinês (bu.run.di.*nês*) *sm.* **1** Pessoa nascida ou que vive na República de Burundi (África central) [Pl.: *-neses* [ê]. Fem.: *-nesa* [ê].] *a.* **2** Da República de Burundi; típico desse país ou de seu povo [Pl.: *-neses* [ê]. Fem.: *-nesa* [ê].] [F.: Do top. (República de) *Burundi* + *-ês*. Tb. *burundiense, burundiano.*]

busão (bu.*são*) *sm. Gír.* Ônibus, grande veículo coletivo [Pl.: *-sões.*] [F.: Aum. de *bus* (ônibus).]

busca (*bus*.ca) *sf.* **1** Ação ou resultado de buscar **2** Esforço para encontrar ou descobrir algo [+ *de, por*: *A busca do / pelo tesouro foi infrutífera.*] **3** Pesquisa ou investigação minuciosa (em arquivos, documentos etc.) para se resgatar dados ou informação sobre algo **4** Conjunto de medidas ou procedimentos que visam a localização e o resgate de vítimas de acidentes aéreos, marítimos etc. [+ *por*: *As buscas pelas vítimas foram suspensas.*] **5** Empenho para atingir um objetivo: *busca pela fama; busca para conseguir um emprego.* **6** *Inf.* Pesquisa (ger. na internet) em arquivos, *sites*, acervos digitais etc., para obter determinada informação **7** *Venat.* Pessoa ou animal que busca e levanta a caça ***Interj.*** **8** *RS* Comando para que o busca (7) persiga a caça [F.: Dev. de *buscar.*] ▪▪ **Dar ~** Revistar um local à procura de algo ou alguém **Em ~ de** **1** À procura de: *Isolou-se na montanha, em busca de tranquilidade.* **2** No esforço para, como tentativa para: *Saiu para a campanha, em busca de conseguir mais votos.*

buscado (bus.*ca*.do) *a.* **1** Que se busca com insistência ou intensidade, por vezes com obsessão; ALMEJADO **2** Feito com capricho; ESMERADO; REQUINTADO **3** Não espontâneo, rebuscado [F.: De or. contrv. séc. XVI, *busquar-* + *-do.*]

buscador (bus.ca.*dor*) [ô] *a.* **1** Que ou quem busca *sm.* **2** Aquele que procura avidamente **3** *Inf.* Programa ou aplicativo que, informado de um determinado parâmetro, busca e localiza num determinado universo de documentos, *sites* etc. a menção àquele parâmetro e devolve a informação [F.: De or. contrv. séc. XVI, *busquar-* + *-dor.*]

busca-pé (bus.ca-*pé*) *sm. Pirot.* Fogo de artifício constituído por um tubo cheio de pólvora, preso a uma flecha (ger. de bambu), e que, quando aceso, serpenteia no chão soltando fagulhas coloridas e acabando num estouro; BESOURO; DIABINHO-MALUCO; CU DE BREU; MOSQUITO [Pl.: *busca-pés.*]

buscar (bus.*car*) *v.* **1** Ir em busca de, esforçar-se por descobrir ou encontrar; PROCURAR [***td.***: *Buscar a saída/ uma explicação.*] [***tr.*** + *por*: *Buscou pelo irmão durante toda a semana.*] **2** Tratar de conhecer; investigar, pesquisar [***td.***: *Buscar as causas de um fenômeno.*] **3** Ir (a algum lugar) e trazer (de lá) (algo ou alguém) [***tda.***: "... fora *buscar* na sala o álbum de retratos..." (Marques Rebelo, *Contos reunidos*)] **4** Esforçar-se por, empenhar-se em [***td.***: *Buscava esquecer os momentos difíceis.*] **5** Recorrer a [***td.***: *Ela sempre busca o apoio da família.*] **6** Encaminhar-se para, dirigir-se a [***td.***: "No trem vazio, *buscou* o seu canto ao pé da janela." (Josué Montello, *Um rosto de menina*)] **7** *Inf.* Tentar localizar (informação) por computador, usando como referência palavra(s)-chave [***td.***: *Buscou 'baleia' e encontrou dezenas de referências.*] **8** Ir em direção a, tentando alcançar [***td.***: *Os falcões buscam as grandes altitudes.*] **9** Procurar encontrar na própria mente; idear, imaginar [***td.***: *Buscava um modo mais fácil de expressar aquele pensamento.*] **10** Pegar, apanhar (algo ou alguém) para levar ou trazer [***td.***: *O menino veio buscar a bola perdida.*] [***tdi.*** + *para*: *O bibliotecário foi buscar um livro para ela.*] **11** Apresentar-se para buscar (3, 10), para conduzir, levar (algo ou alguém) a algum lugar [***td.***: *Meu primo vem me buscar para me levar ao aeroporto.*] **12** Procurar obter, com empenho [***td.***: *Buscou um financiamento para o projeto, e conseguiu.*] **13** Procurar um pelo outro [***td.***: *Buscavam-se no meio do turbilhão que era o desfile.*] **14** *Lus. Pop.* Furtar, roubar [***td.***: *Sentiu que aquela mão buscava seu dinheiro.*] [▶ **11** buscar] [F.: orig. obsc. Hom./Par.: *busca(s)* (fl.), *busca(s)* (sf. [e pl.]).]

⊕ **busdoor** (*Ing.* /*bâzdór*/) *sm. Publ.* Peça de publicidade (cartaz, pôster etc.), ger. um adesivo de vinil impresso em policromia, que se aplica na parte traseira de um ônibus, com a informação publicitária voltada para fora

busílis (bu.*sí*.lis) *sm2n.* Ponto central, o cerne, o *xis* de um problema ou questão; CERNE: *Este é o busílis da questão.* [F.: Posv. do it. *busillis*, originado em erro de percepção auditiva da expressão lat. *in diebus illis* 'naqueles dias', ouvida como *Indiae busillis.*]

bússola (*bús*.so.la) *sf.* **1** Instrumento de orientação constituído por uma caixa que contém uma agulha, naturalmente ou artificialmente magnetizada, a qual gira sobre um mostrador graduado e aponta sempre para o norte magnético da Terra; o mesmo que *agulha magnética* **2** Essa agulha **3** *Astron.* Certa constelação austral, constituída por estrelas de fraca intensidade [Nesta acp., com inicial maiús.] **4** *Fig.* O que serve de guia, de orientação: *A honestidade é a nossa bússola.* [F.: Do it. *bussola*. Hom./ Par.: *bússola* (sf.), *bussola* (fl. de *bussolar*).] ▪▪ **~ de declinação** Aquela que tem o eixo vertical, permitindo que se obtenha a declinação magnética **~ de inclinação** A que tem o eixo horizontal permitindo que se obtenha a inclinação magnética

bustiê (bus.*ti*:ê) *sm. Vest.* Peça do vestuário feminino que serve para cobrir apenas o busto; espécie de corpete curto e sem alças [F.: Do fr. *bustier.*]

busto (*bus*.to) *sm.* **1** A parte superior do corpo humano, da cintura para cima; TORSO **2** O conjunto de seios da mulher **3** *Art. pl.* Representação em desenho, pintura ou escultura de parte da figura humana, que abrange cabeça, pescoço e peito **4** *Art. pl.* Peça de escultura que representa um busto (3), ger. sobre pequeno pedestal [F.: Do lat. *bustum*, pelo it. *busto.*]

bustrofédon (bus.tro.*fé*.don) *sm.* **1** *Pal.* Escrita primitiva, que se apresenta da direita para a esquerda ou vice-versa, com as linhas traçadas alternativamente sem interrupção, à semelhança dos sulcos feitos pelo arado ao lavrar a terra **2** Anagrama perfeito obtido pela inversão da ordem das letras de uma palavra. P. ex. *amor* é bustrofédon de *roma*. [F.: Do gr. *boûs-* + *-strophé* + *-don*; séc. XIX, *bustropheda.*]

bustrofedônico (bus.tro.fe.*dô*.ni.co) *a. Pal.* Ref. ou inerente a bustrofédon (texto bustrofedônico; caligrafia bustrofedônica) [F.: Do gr. *boustrophédón-* + *-ico.*]

◎ **but-** *el. comp. Quím.* = 'quatro átomos de carbono': *butano* [F.: Do rad. de *butil*, este do ingl. *butyl*, 'alquila'.]

butadieno (bu.ta.di:*e*.no) *sm. Quím.* Hidrocarboneto us. como intermediário químico, do qual, por polimerização, resulta a borracha sintética [Fórm.: C_4H_6.] [F.: Do rad. de *butil/butilo-* + *-ano* + *-dieno.*]

butanês (bu.ta.*nês*) *sm.* **1** Pessoa nascida ou que vive no Butão (sul da Ásia) **2** *Gloss.* Dialeto tibetano falado no Butão [Pl.: *-neses* [ê]. Fem.: (*da acp. 1*) *-nesa* [ê]] *a.* **3** Do Butão; típico desse país ou de seu povo **4** Do ou ref. ao butanês (2) [Pl.: *-neses* [ê]. Fem.: *-nesa* [ê].] [F.: Do top. *Butão* (sob a f. *butan-*) + *-ês.*]

butano (bu.*ta*.no) *sm. Quím.* Hidrocarboneto saturado, componente do gás liquefeito de petróleo, cuja molécula é formada por quatro átomos de carbono e dez de hidrogênio, us. como combustível [Fórm.: C_4H_{10}] [F.: *but-* + *-ano²*.]

butanol (bu.ta.*nol*) *sm. Quím.* Cada um dos dois álcoois butílicos derivados de butano normal us. na preparação de ésteres, solvente de resinas, plastificantes, fluidos hidráulicos [Fórm.: $C_4H_{10}O$] [Pl.: *-nóis.*] [F.: Do rad. de *butil, butilo-* + *-ano* + *-ol.*]

butanona (bu.ta.*no*.na) *sf. Quím.* Cetona líquida de metilo e etilo us. como solvente industrial; METIL-ETIL-CETONA [Fórm.: C_4H_8O] [F.: Do rad. de *butil, butilo-* + *-ano* + *-ona.*]

butelo (bu.*te*.lo) *a. N.* Diz-se de pessoa, animal ou coisa enorme, avantajado (butelo de casa); BITELO; GALALAU [F.: De or. incerta, provavelmente por aprox. lat. *vitellus.*]

búteo (*bú*.te:o) *sm.* **1** *Fig.* Indivíduo indolente, preguiçoso **2** *Fig.* Pessoa de má índole; MALVADO **3** Tipo de canudo que faz passar o vento aos foles das minas **4** Tubo cilíndrico pelo qual corre água na fábrica de papel [F.: De or. contrv., lat *buteo, butes.*]

butiá (bu.ti:*á*) *sm.* **1** *Bot.* Fruto comestível, de amêndoa gelatinosa, do butiazeiro **2** Licor feito de butiá: "Comprou duas garrafas de licor de *butiá* catarinense..." (Mário de Andrade, *Macunaíma*) [F.: Do tupi *imb uti'a.*]

butiazeiro (bu.ti:a.*zei*.ro) *sm. Bras. Bot.* Espécie de uma palmeira brasileira, que produz o butiá, de folhas que se prestam a trabalhos trançados [F.: Do tupi *imbuti-* + *-z* + *-eiro.*]

butim (bu.*tim*) *sm.* **1** Acervo de bens de inimigo vencido, saqueados pelo vencedor; PILHAGEM; SAQUE **2** Produto de qualquer roubo **3** Produto de uma caçada **4** *Pop.* Lucro [Pl.: *-tins.*] [F.: Do al. *bute*, pelo fr. *butin*. Hom./Par.: *butim* (sm.), *botim* (sm.).]

butique (bu.*ti*.que) *sf.* **1** Pequena loja em que se vendem peças de vestuário, artigos finos, bijuterias etc., ger. de boa qualidade, muitas vezes de marca própria **2** *P. ext.* Pequena loja que vende produtos de determinado tipo, ger. de boa qualidade [F.: Do fr. *boutique.*]

butírico (bu.*tí*.ri.co) *a.* **1** *Quím.* Ref. a compostos (ésteres) derivados do ácido butírico; próprio deste ácido **2** Ref. a manteiga [F.: Do gr. *boútyron*, pelo fr. *butyrique.*]

◎ **butir(o)-** *el. comp.* = 'manteiga': *butírico* [F.: Do gr. *boútyron, ou.*]

⊕ **button** (*Ing.* /*bâtn*/) *sm.* **1** Espécie de broche, ger. redondo, de metal, plástico etc., com *slogan* ou nome ou desenho, símbolo, mensagem promocional ou política etc; BOTÃO **2** Botão de colarinho; abotoadura de punho **3** *Gír. Pug.* A ponta do queixo

butuca (bu.*tu*.ca) *sf.* **1** *BA Gír.* Olho; o mesmo que *mutuca* (7) **2** *SP* Espora de uma só ponta; o mesmo que *mutuca* (8). [F.: De or. obsc. Hom./Par.: *butuca* (sf.), *butuca* (fl. de *butucar*). Tb. *botuca.*] ▪▪ **De ~** *Pop.* À espreita; alerta, de sobreaviso

buxo (*bu*.xo) *sm.* **1** *Bot.* Nome comum de plantas do gên. *Buxus*, da fam. das buxáceas, muito cultivadas em cercados e em topiaria, e pela madeira de qualidade **2** *Bot.* Cera espécie desse gên., arbusto ou pequena árvore (*Buxus sempervirens*), dotada de flores brancas, e cultivada pela madeira nobre ou como ornamentais; BUXEIRA; BUXEIRO **3** A madeira dessas árvores ou arbustos [F.: Do gr. *pýxos*, pelo lat. *buxus -i*. Hom./Par.: *buxo* (sm.), *bucho* (sm.), *buchó* (sm.).]

buzina (bu.*zi*.na) *sf.* **1** Aparelho sonoro us. em veículos automotivos para produzir um som forte de alerta ou para chamar a atenção **2** O som assim produzido **3** Qualquer dispositivo que emita um som parecido com o da buzina (1) **4** Chifre, concha ou instrumento de metal, que produz som forte quando soprado **5** Nome genérico para trombetas de vários tipos, de chifre ou de metal, que produzem um som forte e característico **6** Trombeta de caça, ger. de chifre retorcido; TROMPA **7** Espécie de megafone em forma de corneta, us. a bordo de embarcação **8** Espécie de corneta ou trompa que emite um único tipo de som quando se comprime uma pera cheia de ar fixa na extremidade correspondente ao bocal **9** *Mar.* Abertura em costado de navio, por onde passa a amarra **10** *Mar.* Abertura em alhetas e amuras para passagem de cabos, amarras etc. **11** *RS* Buraco no centro da roda de carro, no qual passa o eixo **12** *N.* Algazarra, gritaria, zoada **13** *Pop. Astron.* A constelação da Ursa Menor [Com inicial maiúscula] *a2g.* **14** *RS* Irritado, raivoso, zangado **15** Que é metido a valente, e que se gaba disso *s2g.* **16** Pessoa buzina (14, 15) [F.: Do lat. *bucina.*] ▪▪ **Ficar ~** Ficar com raiva, furioso

buzinaço (bu.zi.*na*.ço) *sm.* **1** Barulho de várias buzinas soando ao mesmo tempo: *carreata com bandeiras e buzinaço.* **2** Manifestação (de impaciência, comemoração, protesto etc.) feita com o soar simultâneo de muitas buzinas: *Os motoristas fizeram um buzinaço contra a guerra* [F.: *buzina* + *-aço.*]

buzinada (bu.zi.*na*.da) *sf.* **1** Ação de buzinar **2** Toque de buzina, som emitido pela buzina [F.: *buzina* + *-ada¹.*]

buzinador (bu.zi.na.*dor*) [ô] *a.* **1** Que buzina *sm.* **2** Aquele que buzina ou produz som de buzina [F.: Do lat. *bucina, ae-*; séc. XIV, *boziña-* + *-dor.*]

buzinar (bu.zi.*nar*) *v.* **1** Acionar, tocar a buzina (de) [***int.***: *O motorista atravessou o cruzamento sem buzinar.*] [***td.***: *Pare de buzinar esse carro!*] **2** *Bras. Fig.* Atordir os ouvidos de (alguém) com a repetição importuna de (algo) [***td.*** */* ***tda.***: *Pare de buzinar recomendações (aos/ em meus ouvidos)!*] [***ta.***: *Pare de buzinar aos/ nos meus ouvidos!*] [***tdi.***: *O assessor buzinava suas sugestões ao político.*] **3** Falar (algo) gritando [***td.*** */* ***tdi.*** + *a*: *O técnico, nervoso, buzinava instruções (aos jogadores).*] **4** *Bras. Fig.* Apregoar, alardear [***td.***: *Vive buzinando as qualidades do irmão.*] **5** Soprar fortemente, imitando sons de buzina [***td.***: *Buzinou a gaita nova o dia inteiro.*] [***int.***: *O velho índio buzinava para conjurar as forças da natureza.*] **6** *Bras. Fig.* Demonstrar irritação, ira; encolerizar-se, irritar-se [***int.***: *Viu a janela quebrada e saiu buzinando.* Nesta acp., é mais us. no gerúndio e precedido de verbo em modo finito] **7** *Bras. Fig.* Denunciar (alguém) [***td.***: *Ao ser interrogado, buzinou seus comparsas.*] [▶ **1** buzinar] [F.: *buzina* + *-ar²*. Tb. *abuzinar*. Hom./Par.: *buzina(s)* (sf. [pl.]), *buzina(s)* (fl. de *buzinar*).]

búzio (*bú*.zi:o) *sm.* **1** *Bras. Malac.* Nome comum de diversos moluscos gastrópodes, providos de conchas grandes, us. como buzina; BUZINA; CANAILHA **2** *Bras. Malac.* Uma dessas espécies, molusco gastrópode (*Cassis tuberosa*) da fam. dos cassidídeos, de forma piramidal, encontrado no Brasil; ATAPU; ITAPU; VATAPU **3** A concha de qualquer desses gastrópodes (algumas delas us. em práticas de adivinhação) **4** Buzina feita dessa concha **5** *Mús.* Concha us. como instrumento de sopro **6** Certo tipo de trombeta ou corneta **7** Mergulhador que apanha búzios, pérolas, corais etc. ou faz qualquer outro trabalho subaquático [F.: Do lat. *bucinum*. Hom./Par.: *búzio* (sm.), *buzio* (fl. de *buziar*).]

buzo (*bu*.zo) *sm.* **1** *Bras. Lud.* Jogo popular que utiliza rodelas de casca de laranja, grãos de milho etc. **2** *N.E. Zool.* Ver *búzio* (2) **3** *RS* Violão (1) [F.: De or. africana.]

⊕ **buzzmarketing** (*Ing.* /*bazmarktin*/) *sm. Publ.* Modalidade de *marketing* baseada na divulgação boca a boca das

qualidades de um produto ou serviço, ger. por formadores de opinião, clientes e usuários satisfeitos
⌧ **BVRJ** *Econ.* Sigla da Bolsa de Valores do Rio de Janeiro
⊕ **bye-bye** (*Ing.* /bái-bái/) **interj. 1** Expressão, saudação de despedida; ADEUS [Tb us. como até logo.] ***sm.* 2** Adeus: *Deu um bye-bye ao sair.* [Pl.: bye-byes.] [F.: Do ing. *bye-bye*, deriv. de *goodbye*.]
⊕ **bye-pass** (*Ing.* /bái-pess/) ***sm.* 1** *Elet.* Comunicação entre dois pontos de um circuito elétrico por meio de um condutor (circuito by-pass) **2** *Cir.* Operação cirúrgica que consiste na criação de uma passagem natural ou artificial do sangue para contornar um obstáculo em seu curso normal, a fim de permitir o trânsito de uma matéria pelo interior ou para fora do corpo **3** Variante de estrada; passagem secundária, atalho

byroniano (by.ro.ni:*a*.no) [bai] ***a.* 1** *Liter.* Ref. ou inerente ao poeta ing. George Gordon Byron (1788-1824) (obra byroniana; versos byronianos) **2** *Liter.* Diz-se de que é típico ou próprio de Byron (estilo byroniano); BYRÔNICO ***sm.* 3** *Liter.* Aquele que é admirador, estudioso e profundo conhecedor de Byron; BYRONISTA [F.: Do antr. *Byron* + *-iano*.]
⊕ **byte** (*Ing.* /báit/) ***sm.* Inf.** Conjunto de bits, ger. oito, que forma uma unidade básica de informação em um computador [Símb.: *B*.] [F.: Do ing. *b(inar)y te(rm)*. Ver achega enciclopédica no verbete *bit*]

b-zero (b.ze.ro) *sm2n. Fís.* Méson de paridade negativa e carga elétrica igual a zero, beleza + 1, constituído de um quark d e de um antiquark b [símb.: B⁰] [F.: De *b-* + lat. *-zephprum*.]

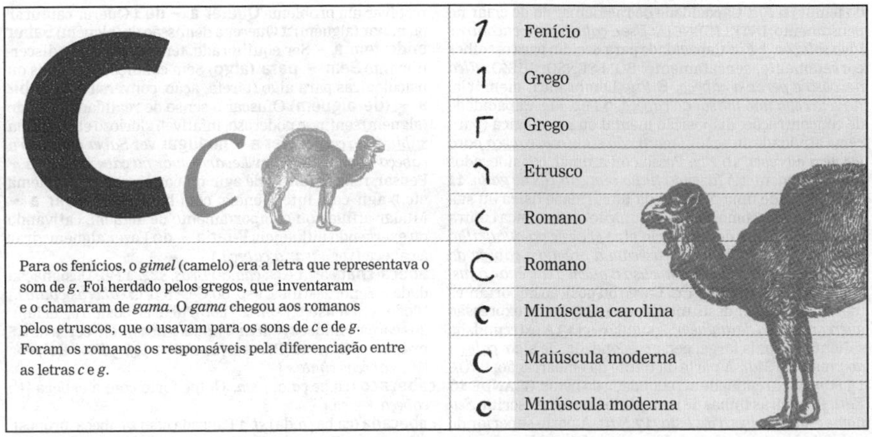
Fenício
Grego
Grego
Etrusco
Romano
Romano
Minúscula carolina
Maiúscula moderna
Minúscula moderna

Para os fenícios, o *gimel* (camelo) era a letra que representava o som de *g*. Foi herdado pelos gregos, que inventaram e o chamaram de *gama*. O *gama* chegou aos romanos pelos etruscos, que o usavam para os sons de *c* e de *g*. Foram os romanos os responsáveis pela diferenciação entre as letras *c* e *g*.

c[1] [cê] ***sm.*** **1** A terceira letra do alfabeto [Antes de *e* e *i*, representa som sibilante (*cera, cinto*); nos outros casos, som gutural (*casa, couro, curiosidade*). Tb. representa som sibilante quando grafado com cedilha, antes das vogais a, o, u, mas nunca iniciando a palavra (*caça, baço, açúcar*). Seguido de *h*, soa como *x* (*chama, cacho*).] **2** A forma dessa letra, ou figura que a representa **3** O som ou fonema representado por essa letra: *Fala bem português, mas pronuncia o c ao modo espanhol.* ***num.*** **4** Terceiro em uma série (fila C) ***a2g2n.*** **5** De posição, qualidade, prestígio bem inferior, numa hierarquia ou avaliação (classe C; leite tipo C) [F.: Da 3ª letra do alfabeto latino.]

⊠ **C**[2] **1** O número cem (100) em algarismos romanos **2** *Mús.* Representação do dó na notação musical por cifras **3** *Fís.* Abrev. de Celsius, nome de certa escala de temperatura (a mais comumente us. no dia a dia) [*hoje fez 30 ºC (trinta graus Celsius)*. Indica que a temperatura mencionada foi medida segundo essa escala.] **4** *Quím.* Símb. do carbono **5** *Elet. Fís.* Símb. de *coulomb* **6** *Mat.* Símb. do conjunto dos *números complexos* **7** Abrev. de *copirraite* [Ger. representado dentro de um círculo.]

⊠ **Ca**[1] *Quím.* Símb. de *cálcio*

◎ **ca-** ***el. comp.*** Ver *caa-*

⊠ **Ca**[2] *Edit.* Abrev. de caixa-alta

cá[1] ***adv.*** **1** Aqui, neste lugar, ou para este lugar (ou que se acha o locutor, aquele que fala): *Venha cá; Cá estou!* **2** Neste ou nesse lugar preciso, mais ou menos próximo de quem fala (e ger. indicado por um gesto): *Cá está o livro que tanto procuras.* **3** No grupo social de que o locutor faz parte, ou no recinto em que ele se encontra, ou no bairro, região, estado, ou país em que ele habita; entre nós, neste lugar, nesta terra: *Cá não estamos acostumados com esses modismos.* **4** Este tempo; a época atual (de quem fala); AGORA: *De lá para cá muita coisa mudou.* **5** Us. (com significado próximo ao das acps. anteriores) com referência a um ponto ou momento que acaba de ser alcançado ou abordado em uma narrativa, um discurso, um texto ou explicação **6** *P. ext.* Nesse ou quanto a esse assunto; nessa ou quanto a essa questão (que acaba de ser mencionada, ou que está sendo tratada) **7** Nesse momento ou fase (de um processo, do desenrolar dos acontecimentos) **8** Us. em combinação com a 1ª pessoa (sing. ou pl.) para reforçar a ideia de que aquilo que é dito é opinião pessoal de quem fala, ou lhe diz respeito de modo direto, especial ou íntimo; para mim (nós); quanto a mim (nós); no que me (nos) concerne: *Cá estamos a te esperar; Penso cá* [ou: *cá para mim*] *que cometes grande tolice.* [F.: Do port. arcaico *acá*, posv. do lat. *eccum hac.*] ■ **~ está** Aqui está; eis aqui (Us. para mostrar, em lugar próximo, algo que outrem procurava.) **De ~** Ver *Ser de cá* **De ~ para lá** **1** Indo e vindo; em direções alternadas; em movimento de vaivém **2** *Fig.* Sem parar ou ficar muito tempo em lugar fixo; sem direção certa ou segura [Em todas as acps., pode ser reforçada pelo emprego da loc. equivalente, *de lá para cá*: *Ficamos de cá para lá e de lá para cá, sem saber exatamente o que fazer.*] **3** *Fig.* Us. para indicar movimentação intensa e agitada de pessoas ou coisas **Para ~** **1** Até aqui; no caminho percorrido de um lugar inicial e até este ponto em que se está **2** Até o momento atual; no período decorrido desde certo tempo e até o dia ou a hora presentes **Ser de ~** Ser pessoa próxima (geograficamente, socialmente etc.); pertencer (ou ser assim considerado) ao grupo daquele que fala: *Um agradável encontro de velhos amigos, todos são de cá.*

cá[2] ***sm.*** **1** Nome da letra *k* **2** O mesmo que *capa*[2] [F.: Da latinização do k, K (capa) grego.]

cã *sf.* Ver *cãs*

◎ **caa-** ***el. comp.*** = 'planta', 'mato', 'folha', 'erva': *caacambuí, caapeba, caatinga; macaá, piracaá.* [F.: Do tupi. *ka'a.*]

◎ **-caá** *el. comp.* Ver *caa-*

caaba (ca.*a*.ba) *Rel. sf.* **1** Construção em forma de cubo, na cidade de Meca (Arábia Saudita), que abriga uma pedra negra considerada sagrada e constitui o lugar central de peregrinação muçulmana **2** A pedra negra que se encontra nesse templo, a qual, segundo a tradição, remonta à época de Adão e foi preservada pelo profeta Maomé após a destruição dos ídolos pré-islâmicos [F.: Do ár. *ka'abah*, afim do ár. *muka'ab*, 'cubo'.]

caapora (ca.a.*po*.ra) [ó] *Bras. s2g.* **1** Ver *caipora* **2** *Amaz.* Pessoa que mora no mato; CAIPIRA; MATUTO; ROCEIRO [F.: Do tupi *kaa'pora.*]

caatinga (ca.a.*tin*.ga) *Bras. sf.* **1** *Bot.* Vegetação típica do sertão semiárido nordestino, composta esp. de pequenas árvores e arbustos espinhosos que perdem as folhas na estação seca, além de cactáceas, bromeliáceas e pequenas ervas **2** Região coberta por essa vegetação, desde o Nordeste do país até parte do N. de MG **3** *Amaz.* Formação vegetal rarefeita com árvores e/ou arbustos de pequeno porte **4** *Bot.* Pequena árvore ou arbusto da fam. das bignoniáceas (*Tecoma catinga*), nativo do Brasil, de flores amarelas em cachos vistosos [F.: Do tupi *kaa'tinga.* Tb. *catinga.*] ■ **~ brejada** *PB* A região menos seca e mais fértil da caatinga, portanto cultivável **~ do igapó** *Amaz.* Terreno inundado, com pouca vegetação **~ do rio Negro** *Bras.* Vegetação típica de algumas áreas da floresta amazônica (esp. a bacia do rio Negro), com pequenas árvores de folhas perenes, ger. em terreno arenoso muito úmido

caatingal (ca.a.tin.*gal*) *sm. Geog.* Considerável extensão de caatinga; CATINGAL [Pl.: *-gais.*] [F.: *caatinga* + *-al.*]

caba (*ca*.ba) *Amaz. Zool. sf.* Denominação comum aos insetos himenópteros, do grupo das vespas sociais e dos marimbondos [F.: do tupi *'kawa.*]

cabaça (ca.*ba*.ça) *sf.* **1** *Bot.* Fruto do cabaceiro, de casca dura e impermeável, us. como recipiente quando seco e sem polpa; ABÓBORA-D'ÁGUA; PORONGO **2** *Bot.* Ver *cabaceiro* **3** Recipiente feito desse fruto; CUIA; CUITÉ; CUMBUCA **4** *Mús.* Instrumento de percussão feito com esse fruto **5** *Mús.* Esse fruto, no interior qual se introduzem, ou à volta do qual se prendem, contas (lágrimas de nossa senhora), de modo que, ao ser agitado, produz som como o do chocalho **6** *N. E.* Espécie de vaso com tampa, em que os pescadores guardam alimentos nas jangadas [F.: De or. desconhecida, prov. pré-romana. Sin. nas acp. 1, 2 e 3: *cabaço.*]

cabaceira (ca.ba.*cei*.ra) *sf.* **1** *Bot.* Ver *cabaça* (2) **2** *Bot.* Ver *cabaceiro* (3) **3** *Lus.* Rede de pesca fluvial, us. na pesca do salmão [F.: *cabaça* + *-eira.*]

cabaceiro (ca.ba.*cei*.ro) *Bot. sm.* **1** Nome comum a várias plantas da fam. das cucurbitáceas, cujos frutos são us. como recipientes **2** Planta dessa fam. (*Lagenaria siceraria*), prov. nativa da África e muito cultivada pelo fruto, a cabaça, de polpa amarga e comestível, e de cuja casca se fazem diferentes objetos; a sp. tem muitas variedades cultivadas com diferentes formatos de frutos; ABÓBORA-D'ÁGUA; CABAÇA; CABACEIRA; CABACEIRO-AMARGOSO; CUIEIRA; PORONGO; PORONGUEIRO **3** Cuieira **4** Cabacinha (2) [F.: *cabaça* + *-eiro.*]

cabacinha (ca.ba.*ci*.nha) *sf.* **1** Pequena cabaça **2** *Bot.* Árvore da fam. das compostas (*Stifftia parviflora*), nativa do Brasil, de madeira branca, us. na confecção de caixotes e de papel e com frutos semelhantes a pequenas cabaças; CABACEIRO [F.: *cabaça* + *-inha.*]

cabaço (ca.*ba*.ço) *sm.* **1** O mesmo que *cabaça* (1, 2 e 3) **2** *Tabu.* Ver *hímen* **3** *Tabu.* Virgindade **4** *Tabu.* Pessoa (mulher ou homem) virgem; CABAÇUDO [F.: forma masc. de *cabaça.*] ■ **Perder o ~** *Tabu.* Perder (ger. a mulher) a virgindade **Tirar o ~ de** *Tabu.* Tirar a virgindade de; descabaçar (ger. mulher)

cabaçuda (ca.ba.*çu*.da) *sf. Bras. Tabu.* Mulher que tem cabaço (2); VIRGEM [F.: *cabaço* + *-uda.*]

cabagem (ca.ba.*gem*) *sf.* Conjunto formado por fios e cabos elétricos e eletrônicos de máquina ou veículo [Pl.: *-gens.*] [F.: *cabo* + *-agem.*]

cabal (ca.*bal*) ***a2g.*** **1** Completo, perfeito, pleno: "e não aceito essas notícias sem prova cabal e visual." (Machado de Assis, *Esaú e Jacó*) [Ant.: *parcial, restrito.*] **2** Definitivo, decisivo, categórico; que não dá lugar a dúvidas, evasivas ou imprecisão: *Quero uma resposta rápida e cabal.* [Pl.: *-bais.*] [F.: *cabo* + *-al*[1].]

cabala *sf.* **1** *Fil. Rel.* Tratado ou conjunto de ensinamentos filosófico-religiosos que, para os judeus, constituem a"tradição recebida", relacionada com os estudos e a prática da parte mística da Torá **2** *Fil. Rel.* Conteúdo desse tratado, que inclui uma tentativa de interpretação do Antigo Testamento com base em simbolismos, numerologia, análise de palavras pelo valor numérico e forma das letras hebraicas, e pela troca e inversão destas **3** *P. ext.* Procedimento de caráter mágico, esotérico **4** *Fig.* Maquinação secreta de pessoas unidas para um certo objetivo; COMPLÔ; CONLUIO; CONSPIRAÇÃO: *cabala com/entre a oposição; cabala contra o governo/ para derrubar o governo.* **5** O conjunto dessas pessoas [F.: do lat. medieval *cabbala*, do hebr. *qabbalah*. Hom./Par.: *cabala* (sf.), *cabala* (fl. *cabalar*).]

📖 Na tradição judaica original, o caráter da cabala é basicamente o de uma filosofia de forte influência gnóstica, uma interpretação do universo da Criação e seus mistérios, com base em significados ocultos e interpretações místicas. Seus três livros básicos são o Sefer Ietzirá ('Livro da Criação' – s. III ou IV), o Bahir ('Claro', 'Brilhante' – publicado no séc. XII) e o Zohar ('Esplendor' – publicado no séc. XIII). Os desenvolvimentos mágicos-esotéricos, paralelos ou posteriores à vertente filosófico-interpretativa, nem sempre se pertencem ao judaísmo estrito.

cabalar (ca.ba.*lar*) *v.* **1** Fazer cabala (4), conspiração; CONSPIRAR; TRAMAR [***tr.*** + *contra*: *Os opositores cabalavam contra o candidato.*] [***int.***: *Todos sabiam que ele vivia a cabalar.*] **2** Conquistar (eleitores ou votos) mediante pedidos ou promessas [***td.***] [▶ **1 cabalar**] [F.: Do fr. *cabaler*. Hom./Par.: *cabala* e *cabalas* (fl.), *cabala(s)* (sf. [pl.]).]

cabaleta (ca.ba.*le*.ta) [ê] *Mús. sf.* **1** Breve ária operística de ritmo simples **2** No séc. XIX, em um dueto operístico, parte final de uma ária, de andamento animado [F.: Do it. *caballetta.*]

cabalista (ca.ba.*lis*.ta) ***s2g.*** **1** Pessoa versada na cabala (1 e 2) **2** Pessoa que faz ou participa de cabala (3 e 4) ***a2g.*** **3** Que é versado na cabala (1 e 2) **4** Que faz cabala (3 e 4) **5** Ref. a cabala (1 e 2); CABALÍSTICO [F.: *cabala* + *-ista.*]

cabalístico (ca.ba.*lís*.ti.co) ***a.*** **1** Ref. a cabala ou a cabalista (subst.): *interpretação cabalística de fatos e sinais.* **2** *P. ext.* Que tem caráter místico ou esotérico, semelhante ao da cabala **3** *Fig.* Obscuro, misterioso [F.: *cabalista* + *-ico*[2].]

cabalmente (ca.bal.*men*.te) ***adv.*** De modo cabal, pleno, definitivo ou satisfatório [F.: *cabal* + *-mente.*]

cabana (ca.*ba*.na) *sf.* Pequena casa rústica, ger. campestre ou em local ermo, afastado, e feita de madeira, folhagens e materiais encontrados no local, us. como moradia ou como abrigo temporário; CHOÇA; CHOUPANA [F.: do lat. tard. *capanna.*]

cabanha (ca.ba.nha) *sf. RS* Fazenda de criação e manutenção de gado reprodutor ovino e caprino, compreendendo pasto para cada espécie e instalações que garantem a higiene e o descanso dos animais [F.: Do espn. *cabaña.*]

cabano[1] (ca.*ba*.no) ***a.*** **1** Diz-se do bovino que tem os chifres inclinados para baixo ou em posição horizontal (boi cabano) **2** *RS* Diz-se de equino que tem uma orelha caída (cavalo cabano) **3** *P. ext.* Diz-se de equino que tem as orelhas caídas **4** *Bras. RS* Diz-se de cavalo de sela vagaroso, lerdo, porém resistente **5** *P. ext.* Diz-se de chapéu de palha que tem abas largas e caídas ***sm.*** **6** Esse chapéu [F.: De or. obsc.]

cabano[2] (ca.*ba*.no) ***sm.*** Designação dada aos membros de grupos ou facções políticas de Pernambuco, Alagoas e Pará, em atividade ao fim do Primeiro Reinado e durante a Regência, e ligados a movimentos de revolta contra o governo central (ver *cabanada* e *cabanagem*) [F.: De or. incerta; posv. de *cabana*, em referência aos índios, escravos e mestiços (os cabanos) que viviam em condições miseráveis amontoados em cabanas à beira de rios e igarapés, e que participaram da cabanada (PE e AL) e da cabanagem (PA).]

cabano[3] (ca.*ba*.no) ***sm.*** Cesto alto e de boca larga, ger. com tampa; CABANEIRO [F.: De or. incerta.]

cabaré (ca.ba.*ré*) ***sm.*** Casa de diversões, ger. noturna, em que se pode beber, comer, dançar e assistir a espetáculos musicais e outras atrações [F.: do fr. *cabaret.*]

cabaz (ca.*baz*) ***sm.*** **1** *Lus.* Cesto fundo de vime, junco etc., com alças **2** *Lus.* Recipiente de lata, para comida; espécie de marmita **3** Bebida preparada com vinho, café quente, açúcar e canela [F.: do provç. *cabas.*]

cabeado (ca.be:*a*.do) ***a.*** **1** *Eletrôn.* Diz-se de aparelho(s) eletrônico(s) provido(s) de cabo(s) para conexão ou interconexão **2** *Eletrôn.* Ref. a aparelhos eletrônicos interconectados por cabos **3** Diz-se do cavalo que moveu a cauda quando golpeado [F.: *cab(o)* + *e-ado.*]

cabeamento (ca.be.a.*men*.to) ***sm.*** Ação ou efeito de cabear (2)

cabear (ca.be.*ar*) **1** Mover a cauda (o cavalo) quando picado para andar; RABEAR [**int.**] **2** Instalar cabos em [**Ad.**: *A companhia telefonica cabeou o prédio.* [▶ **13 cabear**] [F.: *cab(o)*[1] + *-ear*[2].]

cabeça (ca.*be*.ça) [ê] ***sf.*** **1** *Anat.* Parte superior do corpo humano e superior ou anterior do corpo de outros animais vertebrados, e que contém o cérebro e os órgãos da visão, audição, olfato e paladar [Aum.: *cabeção, cabeçorra.*] **2** *Anat. Zool.* Parte onde ger. ficam os olhos e a boca no corpo dos invertebrados **3** *Pop.* Crânio **4** *Pop.* Cabelos, couro cabeludo: *Lava a cabeça todos os dias.* **5** *Anat.* Nome dado às extremidades arredondadas, ou mais largas, de algumas partes do organismo, tais como as de certos ossos (cabeça do fêmur) **6** *Fig.* Capacidade de raciocinar ou de criar no pensamento; INTELIGÊNCIA: *Use a cabeça para encontrar uma solução.* **7** *Fig.* Capacidade para decidir, para escolher corretamente, sensatamente; BOM-SENSO; JUÍZO: *Fica nervoso e perde a cabeça.* **8** *Fig.* Lembrança, memória: *Aquela cena não lhe sai da cabeça.* **9** *Pop. Fig.* Capacidade de concentração; disposição mental ou psicológica (para certa atividade ou ação): *Agora não estou com cabeça para ler nem escrever.* **10** *Fig.* Pessoa ou animal, considerados numericamente: *A fazenda tinha cem cabeças de gado.* **11** *Fig.* A vida de uma pessoa, sua integridade física ou sua liberdade, esp. como objeto de punição ou vingança contra ela, como vítima de sacrifício etc.: *O chefe da quadrilha quer a cabeça do traidor; Puseram a prêmio a cabeça do assassino, oferecendo recompensa a quem o entregar à justiça, vivo ou morto.* **12** *P. ext.* Cargo ou posição importantes (dos quais se quer destituir alguém) [Us. esp. na expressão *querer a cabeça de (alguém)*, e similares.] **13** A extremidade saliente ou mais larga, ger. arredondada, de algo: *cabeça do prego.* **14** *Mar.* A parte da frente da embarcação; PROA **15** *Pop.* A extremidade arredondada do pênis; GLANDE **16** *Edit.* Primeiras linhas de uma página ou folha escrita: *Seu nome está na cabeça da lista.* **17** *Edit.* A parte superior de publicação ou encadernação, ou as informações aí contidas; CABEÇALHO; CABEÇO **18** *Tec.* Num gravador, dispositivo que transforma sinais elétricos em magnéticos e vice-versa **19** *Quím.* Primeira porção de uma destilação (isto é, a que primeiro se liquefaz): *cachaça da cabeça.* **20** *Pop.* Pessoa que se destaca por sua cultura ou inteligência: *Rui Barbosa foi uma grande cabeça.* **21** *Mil.* Parte da tropa que marcha à frente *s2g.* **22** Pessoa que comanda ou lidera, que tem posição de destaque, de responsabilidade etc. num grupo ou hierarquia; CHEFE; LÍDER: *A polícia prendeu o cabeça do bando; Nem sempre o marido é o cabeça do casal; A filha do fundador é atualmente a cabeça da empresa.* *a2g2n.* **23** *Pop.* Que revela inteligência e/ou cultura (papo cabeça) [Por vezes us. com ironia.] [F.: Do lat. vulg. *capitia.*] ■ **Abrir a ~** Estar aberto a novas ideias, não se prendendo a velhos conceitos, hábitos etc. **~ a ~** *Turfe* Na mesma linha; emparelhadamente: *Cruzaram a linha de chegada cabeça a cabeça.* **~ com ~** *Turfe* Ver *Cabeça a cabeça* **~ de apagamento** *Eletrôn.* Em gravador magnético, cabeça que apaga o sinal magnético gravado em fita **~ de bater sola** *CE Joc. Pop.* Cabeça de formato pouco arredondado, ou cabeça-chata (1) **~ de distrito** Centro populacional que é sede de um distrito **~ de gravação** *Eletrôn.* Em gravador magnético, cabeça que grava o sinal na fita **~ de página** *Edit.* Texto (título, nome de autor, nome de capítulo etc.) no alto da página **~ de ponte** *Quím.* Átomo comum a várias pontes (de átomos) [Cf.: *cabeça de ponte.*] **~ de proa** *Bras. Folc.* Carranca (na proa de embarcação) **~ de reprodução** *Eletrôn.* Em gravador magnético, cabeça que reproduz o sinal da fita **~ fria** Calma, tranquilidade (esp. em situa- ções difíceis) **~ magnética** **1** *Eletrôn.* Em gravador magnético, cabeça que apaga, reproduz ou grava sinal da fita ou na fita **2** *Inf.* Num computador, dispositivo que lê, escreve ou apaga informações (p. ex., no disco rígido) **Baixar a ~** *Fig.* Submeter-se, portar-se com humildade (em certa situação) **Bater ~** *Bras. Pop.* Dar cabeçada; agir insensatamente **Botar na ~** Tomar decisão e não arredar dela; convencer-se de algo **Cair de/meter a ~ (em)** *Gír.* Envolver-se totalmente (com/em algo), com muita energia e dedicação **Com a ~ no ar** Distraído, desatento **Cortar a ~ de** **1** Executar, matar, decapitando **2** *Fig.* Exonerar, demitir **Dar na ~ (de alguém)** **1** Ocorrer (ideia, plano, mania): *Deu-me na cabeça antecipar as férias.* **2** *Bras.* Em jogo de sorteios (esp. o do bicho) sair em primeiro numa série sorteada **3** Ser o primeiro colocado em competição ou pleito **De ~** **1** (Ref. a contas ou operações aritméticas) Sem fazer as contas por escrito e sem recorrer a dispositivos de cálculo: *Ele faz qualquer conta de cabeça.* **2** *Fam.* De memória, sem consultar material escrito: *Montou de cabeça a lista dos livros.* **3** *Fut.* Em que a bola foi acionada apenas com a cabeça; com a cabeça impulsionando a bola: *gol de cabeça; recuar de cabeça para o goleiro* **De ~ baixa** **1** Submisso, ou de maneira submissa **2** Envergonhado, ou de maneira envergonhada, tímida **De ~ erguida** Com orgulho, com altivez **De ~ inchada** *Bras. Gír. Esp.* Triste e acabrunhado com a derrota de seu time [Cf. *cabeça-inchada.*] **Duro de ~** Teimoso, obstinado [Cf.: *cabeça-dura.*] **Enterrar a ~ do boi** *N. E.* Prolongar os festejos do Natal até o primeiro domingo seguinte **Entrar de ~** *Bras. Pop.* Iniciar (tarefa, atividade) e empenhar-se nela com energia e dedicação **Erguer/levantar a ~** Portar-se com altivez; recuperar-se de revés, não se deixar abater **Esquentar a ~** *Fam.* Preocupar-se **Fazer a ~** *Bras. Rel.* Em rito afro-brasileiro, estar em processo de iniciação para receber orixá **Fazer a ~ de** *Bras. Fam.* Exercer grande influência intelectual ou moral sobre (alguém); convencer (alguém) a adotar certas ideias ou comportamento: *Seus argumentos não fizeram a minha cabeça.* **Levantar a ~** Recuperar-se financeiramente, ou moralmente **Levar/tomar na ~** Dar-se mal (em negócio, atividade etc.) **Meter a ~** *Bras. Gír.* Seguir em frente corajosamente, sem hesitação ou dispersão, em empreendimento, tarefa etc. **Meter de ~** *N. E.* Corcovear **Meter na ~** Convencer-se de (algo), cismar, encasquetar **Meter na ~ de** Convencer (alguém), inculcar ideia, objetivo etc. em (alguém) **Perder a ~** Perder o controle sobre os próprios atos ou sobre o que se diz; alterar-se, esp. devido à raiva ou outro sentimento violento; enfurecer-se **Quebrar a ~** Pensar, raciocinar, refletir muito tentando resolver um problema **Querer a ~ de** **1** Querer capturar ou matar (alguém) **2** Querer a demissão de (alguém) **Saber onde tem a ~** Ser equilibrado, ter maturidade e discernimento **Sem ~ para (algo)** Sem condições mentais ou psicológicas para algo (tarefa, ação, conversa etc.) **Subir à ~ (de alguém)** Ofuscar o senso de realidade fazendo (alguém) sentir-se poderoso, infalível, glorioso etc.: *A fama subiu-lhe à cabeça.* **Ter a ~ no lugar** Ver *Saber onde tem a cabeça* **Tomar na ~** Ver *Levar/tomar na cabeça* **Usar a ~** Pensar, refletir (antes de agir, ou para resolver problema etc.); agir com inteligência, com habilidade **Virar a ~** Mudar atitude ou comportamento de alguém, cativando ou exercendo influência **Virar a ~ de** Fazer alguém virar a cabeça (ver *Virar a cabeça.*)

cabeça-chata (ca.be.ça-*cha*.ta) *Bras.* *s2g.* **1** *Pej.* Designação dada aos nordestinos, esp. do Ceará [Pl.: *cabeças-chatas.*] [Pode ser ofensivo.] *sm.* **2** *Zool.* Tubarão costeiro, da fam. dos carcarriníneos (*Carcharhinus leucas*) com cerca de 3,5 m de comprimento [Pl.: *cabeças-chatas.*] *sf.* **3** *Zool.* Boipeba [Pl.: *cabeças-chatas.*]

cabeçaço (ca.be.*ça*.ço) *sm.* Golpe forte com a cabeça [F.: *cabeça + -aço.*]

cabeçada (ca.be.*ça*.da) *sf.* **1** Pancada com a cabeça, proposital ou não **2** *Esp.* Ação de rebater ou arremessar a bola com a cabeça **3** *Fig.* Erro cometido por ignorância, leviandade ou teimosia: *Pedir demissão foi uma cabeçada.* **4** Descida brusca da proa da embarcação, por causa das ondas **5** Conjunto de correias que cingem cabeça, testa e focinho do cavalo e seguram-lhe o freio **6** Movimento forte, brusco ou repetido com a cabeça; esp. o do cavalo ao qual o freio não está bem ajustado [F.: *cabeça + -ada.*] ■ **Dar ~** *Bras. Pop.* Pegar dinheiro por empréstimo sem pretender pagar **Dar ~s** *Mar.* Bater (embarcação) seguidamente com a proa na superfície da água, devido a balanço longitudinal **Dar uma ~** **1** *Fig.* Fazer um mau negócio ou fracassar num projeto devido a erro em avaliação ou decisão **2** Agir de modo tolo, impensado **3** Agir de modo leviano ou indigno; cometer ato moralmente reprovável **Levar uma ~** Ter prejuízo ou ser prejudicado; fazer mau negócio, ser enganado, ou não receber dinheiro que se emprestara

cabeça-d'água (ca.be.ça-*d'á*.gua) *sf.* Grande enxurrada, às vezes violenta, causada pelo aumento súbito no volume de água em leitos de rios, uádis etc. devido a chuvas intensas nas cabeceiras, muitas vezes arrastando o que encontram no caminho, inundando regiões e provocando aludes, deslizamento de encostas e desabamentos. Tb. *tromba-d'água* [Pl.: *cabeças-d'água.*]

cabeça de área (ca.be.ça de*á*.re:a) *Fut.* *sf.* **1** Posição de um jogador de defesa à frente dos zagueiros de área *s2g.* **2** Jogador de defesa que atua à frente dos zagueiros, esp. na marcação dos jogadores adversários [Pl.: *cabeças de área.*]

cabeça de bagre (ca.be.ça de*ba*.gre) *Bras. Pej.* *s2g.* **1** *Esp.* Jogador (ger. de futebol) muito ruim **2** Pessoa tola, imbecil [Pl.: *cabeças de bagre.*]

cabeça de chapa (ca.be.ça de*cha*.pa) *s2g.* Principal candidato em uma chapa ou legenda que concorre numa eleição, ger. por ser a que mais votos atrai: "...o PFL vetou Ângela para cabeça de chapa da coligação." (*Folha de S.Paulo*, 23.05.1994) [Pl.: *cabeças de chapa.*]

cabeça de chave (ca.be.ça de*cha*.ve) *Esp.* *s2g.* Jogador ou time escolhido antes do sorteio dos outros concorrentes de uma chave (grupo), por ser considerado um dos favoritos para ganhar o campeonato [Pl.: *cabeças de chave.*]

cabeça de cuia (ca.be.ça de*cui*.a) *sm.* *PI Etnog.* Ser fantástico com cabeça em forma de cuia que afoga pessoas no rio Parnaíba, e que de sete em sete anos devora uma jovem chamada Maria [Pl.: *cabeças de cuia.*]

cabeça-de-fogo (ca.be.ça-de-*fo*.go) [ô] *Bras. Ornit.* *sm.* **1** Ver *tico-tico-rei* **2** Ver *canário-da-terra* **3** Beija-flor de cabeça vermelha (*Chrysolampis mosquitus*), abundante na América do Sul; tb. *beija-flor-vermelho* [Pl.: *cabeças-de-fogo.*]

cabeça de galo (ca.be.ça de*ga*.lo) *sm.* *N.E. Cul.* Pirão bastante condimentado em que se diluem ovos, que cozinham e se integram à papa [Pl.: *cabeças de galo.*]

cabeça de negro (ca.be.ça de*ne*.gro) *Bras.* *sf.* **1** *Pop.* Pequena bomba, típica do período das festas juninas, que explode com forte estrondo **2** *Bot.* Pequena árvore anonácea (*Anona coriacea*) cujas sementes são us. contra diarreia, reumatismo etc. [Nesta acp., *cabeça-de-negro*, com hifens.] [Pl.: *cabeças de negro, cabeças-de-negro* (acp. 2).]

cabeça de ponte (ca.be.ça de*pon*.te) *Mil.* *sf.* Fortificação temporária estabelecida em terreno inimigo, no lado oposto ao de um obstáculo (rio, desfiladeiro etc.), e us. como ponto de partida e apoio para avanço das tropas [Pl.: *cabeças de ponte.*]

cabeça de porco (ca.be.ça de*por*.co) [ô] *Bras. RJ Pej. Pop.* *sf.* Cortiço (3) [Pl.: *cabeças de porco.*]

cabeça de praia (ca.be.ça de*prai*:a) *sf.* *Mil.* Área em litoral inimigo, conquistada em ofensiva anfíbia e preparada para posterior desembarque de tropas [Pl.: *cabeças de praia.*] [Cf.: *cabeça de ponte.*]

cabeça de prego (ca.be.ça de*pre*.go) *Bras.* *sf.* **1** Furúnculo pequeno **2** Nome comum às larvas e pupas aquáticas de mosquitos [Nesta acp., *cabeça-de-prego.*] **3** *Bras.* Espécie de cochonilha (*Chrysomphalus ficus*) que ataca esp. árvores frutíferas [Nesta acp., *cabeça-de-prego.*] **4** *Pop.* Acne, espinha, cravo **5** *Pop. Desus.* Girino [Nesta acp., *cabeça-de-prego*, com hifens.] [Pl.: *cabeças de prego, cabeças-de-prego* (acps. 2, 3 e 5).]

cabeça de rede (ca.be.ça de*re*.de) [ê] *Rád. Telv.* *sf.* Principal emissora de uma rede de rádio ou televisão [Pl.: *cabeças de rede.*]

cabeça-de-sapo (ca.be.ça-de-*sa*.po) *sf.* *Zool.* Jararacuçu [Pl.: *cabeças-de-sapo.*]

cabeça de vento (ca.be.ça de*ven*.to) *s2g.* **1** Pessoa distraída, avoada **2** Pessoa irresponsável, leviana ou insensata [Pl.: *cabeças de vento.*]

cabeça-dura (ca.be.ça-*du*.ra) *s2g.* **1** Pessoa muito teimosa, que não se deixa convencer facilmente, que não cede a argumentos ou conselhos; CABEÇUDO; CASMURRO; TURRÃO **2** Pessoa pouco inteligente, que não aprende ou não compreende com facilidade; BURRO; TAPADO [Pl.: *cabeças-duras.* Por vezes, us. adjetivamente (sem flexão): *Ninguém nos convenceu: somos muito cabeça-dura.*]

cabeça-feita (ca.be.ça-*fei*.ta) *Bras. Pop.* *a2g.* **1** Diz-se de indivíduo de personalidade forte, de opinião formada, que não se deixa influenciar facilmente por outrem *s2g.* **2** Indivíduo de personalidade forte, de opinião formada, que não se deixa influenciar facilmente por outrem [Pl.: *cabeças-feitas.*]

cabeça-inchada (ca.be.ça-in.*cha*.da) *Pop.* *sf.* **1** *N.E. MG* Sofrimento causado por amor não correspondido; DOR DE COTOVELO **2** Despeito de quem foi vencido (em jogo, disputa etc.) **3** Contrariedades ou aflições numa relação de amor **4** Ciúme, zelo (esp. de quem ama) [Pl.: *cabeças-inchadas.*] [F.: da loc. *de cabeça inchada.*]

cabeçalho (ca.be.*ça*.lho) *sm.* **1** Informações, ger. fixas e padronizadas, no início e/ou ao alto da página de livro, carta, documento, apontamentos escolares etc. [Ger. traz indicações relativas a local e data, assunto, destinatário, autor, título, instituição etc.] **2** *Edit. Art. gr.* Título que encabeça uma publicação periódica, e que ger. inclui ano e número da edição, data de publicação, periodicidade etc.; CABEÇO **3** Informações no topo das colunas de tabela, fichas e formulários; CABEÇO **4** Nas carroças e carros de tração animal, a peça dianteira, ligada às cangas, e pela qual se imprime movimento ao veículo [F.: *cabeça + -alho.*]

cabeção (ca.be.*ção*) *sm.* **1** Cabeça grande; CABEÇORRA **2** Gola larga, ger. branca, de vestidos, casacos, capas etc. **3** Gola da vestimenta de eclesiásticos, à qual se prende o colarinho **4** *Bras.* Parte superior da camisa do traje típico das baianas **5** Cabresto com duas rédeas e um arco de ferro, para guiar o cavalo sem lhe machucar a boca **6** *Edit.* Ornamento no alto de página de rosto ou de página inicial; CABECEL [Pl.: *-ções.*] [F.: *cabeça + -ão*[1].]

cabeceada (ca.be.ce.*a*.da) *sf.* Ver *cabeçada* [F.: *cabecear + -ada*[1].]

cabeceado (ca.be.ce.*a*.do) *a.* **1** Impulsionado com a cabeça **2** *Enc.* Debrum ou pequena tira ornamentada colada na cabeça e no pé da lombada do livro; CABEÇADA [F.: Part. de *cabecear.*]

cabeceador (ca.be.ce:a.*dor*) [ô] *a.* **1** Que cabeceia *sm.* **2** Quem cabeceia [F.: Part. de *cabecear + -or.*]

cabeceamento (ca.be.ce.a.*men*.to) *sm.* **1** Ato de cabecear; CABECEIO **2** *Lus. Esp.* Ver *cabeçada.* [F.: *cabecear + -mento.*]

cabecear (ca.be.ce.*ar*) *v.* **1** *Fut.* Impulsionar (a bola) com a cabeça [*td.* / *tda.*: *Cabeceou a bola (para o gol).*] **2** Mover a cabeça em qualquer direção [*int.*] **3** Fazer com a cabeça gesto ou sinal, esp. de assentimento (movendo-a para cima e para baixo) [*int.*: *cabecear em sinal de concordância; Ao ver a senhora, cabeceou para cumprimentá-la.*] **4** Deixar pender a cabeça involuntariamente (por estar com sono ou adormecer rapidamente, não estando a cabeça apoiada), ger. reerguendo-a [*int.*: "Eu também quando oiço as eloquências com que ele às vezes vem, dão-me umas sonolências que chego a cabecear." (Antônio Feliciano de Castilho)] **5** Dar golpe com a cabeça (em), intencionalmente ou não [*td.*: *Desatento, cabeceou a porta de vidro.*] [*int.*: *Na luta, só não valia cabecear.*] **6** Desviar-se para [*ta.*: *A boiada cabeceou para a aguada.*] **7** *Mar.* Desviar (o navio) a proa da direção da corrente [*int.*] **8** *Cons.* Desviar (uma parede) da linha vertical para o exterior [*td*] **9** *Art. gr.* Fazer a cabeceira ou cabeçada de (livro) [*td.*: *O encadernador cabeceava os livros com esmero.*] [▶ 13 cabecear] [F.: *cabeça + -ear*[2]. Hom./Par.: *cabeceio* (fl.), *cabeceio* (sm.).]

cabeceio (ca.be.*cei*.o) *sm.* Ação ou efeito de cabecear; CABECEAMENTO [F.: Regress. de *cabecear.*]

cabeceira (ca.be.*cei*.ra) *sf.* **1** Parte da cama para onde se deita a cabeça **2** Cada lado mais estreito de uma mesa retangular **3** *Bras. Geo.* Lugar onde nasce um rio; NASCENTE [Mais us. no pl.] **4** Almofada ou travesseiro para repousar a cabeça **5** Frente, dianteira, vanguarda **6** Pedra vertical sobre sepultura, na qual constam dados sobre o morto *sm.* **7** O vaqueiro que vai à frente da boiada, logo atrás do guia **8** *Ant.* Chefe, líder, comandante [F.: *cabeça + -eira.*] ■ **Despontar ~** **1** *C.O.S.* Contornar nascente de rio, em busca de terreno seco **2** *GO* Contornar mata quando é difícil atravessá-la

cabecilha (ca.be.*ci*.lha) *sm.* Líder de grupo ou bando [F.: Do espn. *cabecilla.*]

cabeço (ca.*be*.ço) [ê] *sm.* **1** Cume arredondado de um monte **2** Monte pouco elevado e arredondado; COLINA **3** *Edit.* Cabeçalho (2 e 3) **4** Linha ou conjunto de linhas escritas ao alto de documentos como papel de carta, nota fiscal etc. para identificar o emitente **5** *Mar.* Coluna pequena de ferro à beira de um cais ou junto à borda, em que se amarra uma embarcação **6** Banco de areia arredondado [Aum.: *cabeçorro.*] [F.: do lat. *capitium.*]

cabeçorra (ca.be.*çor*.ra) [ô] *sf.* 1 Cabeça grande; CABEÇÃO 2 *MG SP Folc.* Máscara em forma de cabeça humana, ger. de grandes dimensões, us. pelos participantes de certas festas [F.: *cabeça* + *-orra*.]

cabeçote (ca.be.*ço*.te) [ó] *sm.* 1 *Eletrôn.* Peça magnética do gravador ou do videocassete que, à passagem da fita, reproduz, apaga ou nela grava material sonoro ou audiovisual 2 *Autom.* Parte superior e destacável do motor de explosão, que cobre os cilindros e abriga as câmaras de combustão e compressão 3 *Marcen.* Dispositivo de ferro no qual se prende peça a ser trabalhada ou torneada etc. 4 Parte saliente da cangalha, que impede a carga de cair 5 *Bras.* Girino [F.: *cabeça* + *-ote*.]

cabeçuda (ca.be.*çu*.da) *Bras. Zool. sf.* 1 Ver *saúva*; tb. *formiga-cabeçuda* 2 *Herp.* Tartaruga de água-doce (*Podocnemis dumeriliana*), da Amazônia, de coloração parda e cabeça grande [F.: Fem. substv. do adj. *cabeçudo*.]

cabeçudo (ca.be.*çu*.do) *a.* 1 Diz-se de pessoa que tem a cabeça grande 2 Diz-se daquilo que tem a parte superior ou a extremidade dilatadas ou arredondadas 3 *Fig.* Teimoso, perseverante *sm.* 4 Indivíduo cabeçudo, que tem cabeça grande 5 *Fig.* Indivíduo teimoso; o mesmo que *cabeça-dura* [F.: *cabeça* + *-udo*.]

cabedal (ca.be.*dal*) *sm.* 1 Conjunto de bens e riquezas materiais; HAVERES [Tb. us. no pl.] 2 *P. ext.* Dinheiro, capital 3 *Fig.* Os bens intelectuais e morais adquiridos pelo estudo, educação e experiência; PATRIMÔNIO: (*cabedal tecnológico*): "Computou os dinheiros despendidos, avaliou os rombos feitos no cabedal..." (Machado de Assis, *Quincas Borba*) 4 Aquilo que é objeto de comércio 5 Poder, força, ou tudo aquilo que confere capacidade para alcançar um objetivo 6 *Lus.* Couro manufaturado (bolsa de cabedal) [Pl.: *-dais*.] [F.: do lat. *capitale(m)*.] ■ **Fazer ~ de** Dar importância a, considerar de valor

cabelama (ca.be.*la*.ma) *sf.* 1 Longa e farta cabeleira 2 *S.* Pelos longos, duros e grossos 3 *RS* Pelos ou cabelos de um animal; PELAME [F.: *cabelo* + *-ama*.]

cabeleira (ca.be.*lei*.ra) *sf.* 1 O conjunto dos cabelos da cabeça quando compridos e abundantes; COMA 2 Cabelos postiços que imitam cabeleira (1); APLIQUE; PERUCA 3 Aquilo que se assemelha a cabeleira (1) 4 *Astrôn.* Coma (4) 5 *Bot.* O conjunto de raízes finas e numerosas de certas plantas que não têm uma raiz principal; BARBA 6 *Pop.* Bebedeira, embriaguez *sm.* 7 Indivíduo que usa os cabelos compridos ou peruca 8 *Fig.* Pessoa antiquada 9 *N. E.* Pessoa agressiva, violenta, má, perversa 10 *N.E.* Bandido, criminoso [F.: *cabelo* + *-eira*.]

cabeleireiro (ca.be.lei.*rei*.ro) *sm.* 1 Aquele que, por profissão, corta, penteia e trata cabelos de outrem [Mais us. para quem cuida de cabeleiras femininas.] 2 *P. ext.* Estabelecimento onde trabalham cabeleireiros (1) e que tb. oferece outros serviços para cuidados com a beleza; SALÃO; SALÃO DE BELEZA [F.: *cabeleira* + *-eiro*.]

cabelo (ca.*be*.lo) [ê] *sm.* 1 Conjunto do pelos que crescem (ger. de modo contínuo) na parte mais alta e na parte posterior da cabeça humana 2 Cada um dos pelos do corpo humano (cabelos do braço) 3 Pelo ou conjunto de pelos, esp. quando compridos, do corpo de certos animais 4 Qualquer pelo, fio, fibra, filamento ou outro objeto semelhante 5 Mola de aço muito fina e espiralada que regula o mecanismo dos relógios pequenos 6 *Fig.* Quantidade ou distância mínimas; fio de cabelo [F.: Do lat. *capillum*.] ■ **Assentar o ~** *N. E. Gír.* Morrer **Assentar o ~ de** *N.E. Gír.* Matar **~ agastado** *Fam.* Ver *carapinha*. **~ bom** *Bras. Pop.* Cabelo liso **~ cocô de rola** *BA* Cabelo crespo e encaracolado **~ de cupim** *N. E. Pop.* Ver *carapinha*. **~ de espeta-caju** *N.E. Pop.* Cabelo grosso e eriçado **~ de fuá** *Bras. N.E. Pop.* Cabelo pixaim, muito rebelde **~ lambido** *Bras. Pop.* Cabelo muito liso **~ ruim** *Bras. Pop. Pej.* Ver *carapinha* **De arrepiar o(s) ~(s)** Espantoso, de causar arrepios (de horror, espanto etc.) **De ~ em pé** 1 *PE Pop.* Desconfiado 2 Muito assustado; aterrorizado **De ~ na(s) venta(s)** 1 Enérgico, ativo, dinâmico 2 Corajoso, valente 3 Irritadiço, brigão **Em ~** Sem chapéu, com a cabeça descoberta **Não fazer bom ~** Não combinar, não ser adequado, não ser do agrado **Pelos ~s** 1 De má vontade, contrariadamente 2 À custa de esforço, sacrifício etc. 3 *Fig* À força, de maneira que não possa escapar: *Agarrou a tarefa pelos cabelos, era sua última oportunidade.* 4 Em estado de irritação, ira, impaciência, aborrecimento etc.: *Ele ficou pelos cabelos quando soube que fora enganado.* **Ter ~ na palma da mão** *MG N.E. Pop.* Te o costume de masturbar-se **Ter ~ na(s) venta(s)** *Bras.* Ver *De cabelo na(s) venta(s)* **Ter ~(s) no céu da boca** *Bras. Pop.* Ver *Ter cabelo(s) no coração* (3) **Ter ~(s) no coração** 1 *Bras. Pop.* Ter grande coragem 2 Ter energia, disposição para enfrentar perigos 3 Ser insensível, cruel

cabelo de anjo (ca.be.lo de*an*.jo) *S. E. sm.* 1 Macarrão em forma de fios muito finos; ALETRIA 2 *Bot.* Planta das cactáceas (*Rhipsalis capiliformis*) [Nesta acp., com hifens: *cabelo-de-anjo*.] [Pl.: *cabelos de anjo, cabelos-de-anjo*.]

cabeluda (ca.be.*lu*.da) *Bras. Bot. sf.* 1 Arbusto da fam. das mirtáceas (*Eugenia tomentosa*), nativo do Brasil, de flores alvas, folhas e sementes adstringentes, e frutos, ramos e folhas cobertos de tomento 2 O fruto desse arbusto, amarelo e com a polpa comestível [F.: *cabelo* + *-uda*.]

cabeludo (ca.be.*lu*.do) *a.* 1 Diz-se de pessoa que tem cabelo (1) comprido ou cheio 2 Que tem muitos pelos (pernas cabeludas) 3 *Bras. Fig.* Difícil de resolver, embaraçoso (problema cabeludo); COMPLICADO; INTRINCADO 4 *Fig.* Que tem detalhes muito maliciosos ou picantes; grosseiro, obsceno (piada cabeluda) 5 Que é ou parece exagerado, inverossímil (mentira cabeluda) *sm.* 6 Pessoa que tem cabelo cheio ou comprido [F.: *cabelo* + *-udo*.]

caber (ca.*ber*) *v.* 1 Poder estar (por ter quantidade ou tamanho que o permite) ou ser contido em [*ta.*: "Em sua cama caberiam bem dez pessoas" (Guimarães Rosa, *Estas estórias*)] 2 Poder entrar por ou atravessar (abertura, passagem etc.) (por ter tamanho que o permite) [*ta.*: *O armário não cabe pela janela.*] 3 Ser adequado, compatível, oportuno [*ti.* + *a*: *Palavras tão grosseiras não cabem a pessoas ilustres.*] [*int.*: "Cabe perguntar se tudo isso / é de má-fé ou por equívoco." (João Cabral de Melo Neto, *Auto do frade*)] 4 Poder ser feito ou realizado ou mostrado (em um certo tempo) [*ta.* + *em*: *Essas cenas caberão em uma hora de espetáculo.*] 5 Ser da competência de [*ti.* + *a*: *Coube ao médico dar a boa notícia.*] 6 Ser de direito ou obrigação em partilha, atribuição, ou como herança [*ti.* + *a*: *Coube a mim lavar os pratos*; "...recebeu o que lhe coube e mais a mulher na herança." (Aluísio Azevedo, *O mulato*)] [▶ 19 caber] [F.: Do lat. *capere*.]

⊕ ***cabernet*** (*Fr.* /cabernê/) *sm.* 1 Tipo de uva cultivada esp. no sudoeste da França *a.* 2 Diz-se do vinho produzido com essa uva

cabide (ca.*bi*.de) *sm.* 1 Haste arqueada de madeira, plástico, arame etc., na qual se pendura paletó, camisa, vestido etc. com um gancho ao centro para prender em um varal do guarda-roupa 2 Móvel com hastes ou ganchos em que se penduram roupas e chapéus; CABIDEIRO; OMBREIRA (N. E.) 3 Suporte com hastes que se pregá à parede ou atrás de porta, us. para esse mesmo fim 4 *S.* Cavalo muito magro, de ossos salientes [F.: prov. do rad. ár. *qabada*, na forma *qibad*.] ■ **~ ambulante** *RS. Pop.* Indivíduo muito magro e alto **~ de empregos** 1 *Bras. Pop.* Quem acumula empregos ou cargos, esp. quem recebe suas remunerações sem exercer as funções 2 Empresa, repartição pública etc. que oferece muitos, fáceis e bem remunerados empregos

cabideiro (ca.bi.*dei*.ro) *sm.* Ver *cabide* (2 e 3) [F.: *cabide* + *-eiro*.]

cabidela (ca.bi.*de*.la) *sf.* 1 Miúdos de ave; extremidades do corpo (pés, cabeça, pescoço, asas) e, esp., órgãos internos (fígado etc.) tirados da ave abatida 2 Prato preparado com essas partes refogadas no sangue da própria ave 3 *N.E. Lus. Cul.* Galinha cozida em molho feito do sangue da própria ave dissolvido em vinagre: "Será que ela tá na cozinha guisando a galinha à cabidela?" (Chico Buarque, *Morena de Angola*) 4 Esse molho [F.: De or. controversa.] ■ **~ branca** *Cul.* Cabidela (o guisado) sem o sangue

cabido (ca.*bi*.do) *sm.* 1 Corporação ou conjunto de cônegos de uma catedral 2 *P. ext.* Qualquer corporação, associação ou assembleia [F.: Do lat. *capitulu(m)*.]

cabilda (ca.*bil*.da) *sf.* 1 Tribo nômade, ou agregado de famílias aldeadas, esp. de certos povos do N. da África, ou de ciganos etc. 2 *P. ext.* Bando, súcia [F.: Do ár. *qabila*.]

cabimento (ca.bi.*men*.to) *sm.* 1 Aceitação, esp. quando baseada em boa razão ou com fundamento justificado: *O juiz decidirá do cabimento do habeas-corpus.* 2 Razão de ser, fundamento, justificação; ADMISSIBILIDADE; PLAUSIBILIDADE: *Não tem cabimento sua pretensão.* 3 Ocasião propícia; OPORTUNIDADE: *esperar cabimento para a reforma.* 4 Condição ou qualidade daquilo que é adequado, conveniente, oportuno: *As circunstâncias reforçaram o cabimento da proposta.* [Ant. ger.: *descabimento*. F.: de *caber*.] ■ **Sem ~** Absurdo, inaceitável: *Vamos rever essas medidas, são todas sem cabimento.*

cabina (ca.*bi*.na) *sf.* 1 Compartimento de avião, caminhão, camionete etc. onde fica o piloto ou o motorista 2 Abrigo us. por vigias ou policiais; GUARITA 3 Cada um dos pequenos compartimentos onde se experimentam roupas nas lojas 4 Pequeno compartimento com telefone público 5 Cada um dos compartimentos destinados a passageiros em um trem ou navio 6 Compartimento dos passageiros ou da carga em um elevador 7 Guarita onde fica o vigia ou sinaleiro nas ferrovias 8 Boxe com isolamento acústico em lojas de discos, discotecas etc. [*Cabina*, f. aportuguesada, é preferível, mas menos us. no Brasil.] [F.: do ing. *cabin*, pelo fr. *cabine*. Tb. *cabine*.] ■ **~ de comando** Compartimento ou recinto de onde se acionam os principais equipamentos de controle dos navios, aviões, naves espaciais e outros veículos **~ de projeção** *Cin.* Nos cinemas, pequena sala onde é operado o equipamento que projeta as imagens na tela **~ de som** Em estúdios de gravação, de rádio etc., ou em boates, danceterias etc., espaço ger. fechado onde os equipamentos sonoros, de gravação ou reprodução, são operados

cabinda (ca.*bin*.da) *s2g.* 1 Pessoa que pertence aos cabindas ou cambindas, grupo banto que vive na região de Cabinda, em Angola 2 *P. ext.* Negro da Costa Norte de Angola, trazido para o Brasil como escravo *sm.* 3 *Gloss.* Língua falada pelos cabindas 4 O primeiro nome do *maracatu* *a2g.* 5 Ref. aos cabindas ou cambindas [F.: Do top. *Cabinda*.]

cabine (ca.*bi*.ne) *sf.* Ver *cabina*

cabineiro (ca.bi.*nei*.ro) *Bras. sm.* 1 Ver *ascensorista* 2 Vigia ou fiscal de vagões-leitos 3 Vigia ou sinaleiro de ferrovia [F.: *cabina* + *-eiro*.]

cabisbaixo (ca.bis.*bai*.xo) *a.* 1 De cabeça baixa (com o pescoço dobrado para frente e o rosto voltado para baixo): "...como eu estivesse cabisbaixo, ela abaixou também a cabeça,..." (Machado de Assis, *Dom Casmurro*) 2 *Fig.* Desanimado, deprimido 3 *Fig.* Humilhado, envergonhado [F.: Talvez de *cabeça* + *baixo*.]

cabista (ca.*bis*.ta) *s2g.* 1 Pessoa nascida ou que vive em Arraial do Cabo (RJ) *a2g.* 2 De Arraial do Cabo; típico dessa cidade ou de seu povo [F.: Do top. Arraial do *Cabo* + *-ista*.]

cabiúna (ca.bi.*ú*.na) *sf.* 1 *Bot.* Árvore da fam. das leguminosas, subfam. papilionóidea (*Machaerium incorruptibile*), nativa do Brasil, de madeira nobre us. em móveis, obras hidráulicas, construção naval etc.; JACARANDÁ-CABIÚNA; JACARANDÁ-PRETO *s2g.* 2 *Bras. Hist.* Negro trazido clandestinamente da África como escravo, após a extinção do tráfico 3 Negro ou mulato de pele escura, esp. do litoral *a2g.* 4 *Bras.* Que tem a cor negra como a da cabiúna; PRETO [F.: Do tupi *kaui'una*. Tb. *caviúna*.]

cabível (ca.*bí*.vel) *a2g.* 1 Que tem ou pode ter cabimento; que é adequado ou se justifica, em função das circunstâncias: *Tomei as providências cabíveis.* 2 *P. us.* Que cabe ou pode caber (em determinado espaço, período de tempo, ou no interior de algo etc.) [F.: *caber* + *-ível*.]

cabo[1] (*ca*.bo) *sm.* 1 *Mil.* Patente militar imediatamente abaixo do sargento [Ver quadro da *Hierarquia Militar Brasileira* no verbete *hierarquia*.] 2 *Mil.* Militar que tem essa patente 3 *Geog.* Porção litorânea de continente, que se estende ou se projeta na direção do mar, em forma de ponta; PROMONTÓRIO 4 Parte final ou elemento terminal de algo; porção extrema; fim, término 5 Chefe ou comandante, cabeça (de um grupo, empreendimento etc.) 6 *PE* Aquele que tem a seu encargo uma propriedade canavieira [F.: Do lat. *caput*.] ■ **A/ao ~ de** No fim de, ao final de; depois de transcorrido (certo tempo, percurso ou processo) ou depois de realizada (certa ação), de completada (certa contagem, quantidade etc.): *Ao cabo de dez minutos já terminara a prova.* **~ eleitoral** Em eleição, pessoa que trabalha para conseguir votos para determinado candidato **Ao ~ de contas** Afinal, no final das contas, no frigir dos ovos **Dar ~ de** 1 Matar, eliminar 2 Extinguir, acabar com: *As crianças deram cabo de todo o sorvete.* 3 Concluir (ação, tarefa, trabalho etc.); levar a cabo 4 Destruir, estragar **Dar ~ do canastro de** *Pop.* Matar, assassinar **De ~ a ~** Ver *De cabo a rabo* **De ~ a rabo** Do princípio até o fim; de cabo a cabo **Dobrar o ~ (da Boa Esperança)** Atingir e ultrapassar certa idade, convencionada como marco para o bom exercício de competência, maturidade etc. **Levar a ~** Levar até o fim, concluir, terminar

cabo[2] (*ca*.bo) *sm.* 1 Extremidade de objeto ou de utensílio, ou parte especial destes, ger. longa e que serve para segurá-los, empunhá-los ou manejá-los: *cabo da vassoura/do garfo.* 2 *Elet.* Feixe de fios metálicos us. para conduzir eletricidade, impulsos telefônicos, sinais de televisão etc.: *TV a cabo; cabos de alta-tensão.* 3 Corda grossa de fibras vegetais, sintéticas ou de fios metálicos, capaz de suportar grandes tensões e pesos: *Cabos de aço sustentam o teleférico.* 4 *Náut.* Qualquer corda us. a bordo, exceto a do sino 5 Rabo, cauda 6 *Bras. Pop.* Parte final do tubo digestivo; INTESTINO 7 *Bras. Pop. Restr.* O ânus [F.: do lat. *capulu(m)*.] ■ **~ aéreo** Cabo (3) suspenso livremente entre dois pontos de apoio, de vários tipos para vários fins **~ coaxial** 1 *Elet. Eletrôn.* Cabo elétrico, em que um dos fios condutores é envolvido por um cilindro oco que também é um condutor, e dele isolado 2 Cabo elétrico em que um fio condutor é envolvido por malha metálica (e dela isolado) que constitui outro condutor **~ de laborar** *Mar.* Cabo (4) que passa em poleame com roldana, us. para içar, mover etc. [Cf.: *cabo fixo*.] **~ fixo** *Mar.* Qualquer cabo (4) us. para firmar mastros e outras estruturas da embarcação [Cf.: *cabo de laborar*.] **~ óptico** *Telc.* Cabo de transmissão de sinais de informação formado por feixe(s) de fibras ópticas **~ solteiro** *Mar.* Cabo (4) sem aplicação determinada, disponível e à mão para emprego onde necessário **~ submarino** Cabo elétrico ou óptico ao longo do fundo do oceano, como meio de transmissão de sinais entre continentes **Dar ~ a machado** *Pop.* Arriscar-se sem necessidade e sem qualquer proveito

cabochão (ca.bo.*chão*) *sm.* 1 Tipo de lapidação lisa (sem facetas), em que a parte superior da gema é arredondada e a inferior é plana, levemente abobadada ou convexa 2 Pedra preciosa assim lapidada 3 *P. ext.* Qualquer objeto ou figura de formato cônico ou ovalado, esp. para adorno decoração, ou semelhante a cabucho ou a cabuchão (1 e 2) [Pl.: *-chões*.] [F.: de *cabucho*, com infl. do fr. *cabochon*. Tb. *cabuchão*.]

caboclada (ca.bo.*cla*.da) *Bras. sf.* 1 Grupo de caboclos [Por vezes us. ou considerado como pej.] 2 Atitude própria de caboclo 3 *Restr.* Atitude arredia, desconfiada 4 *Pej.* Ato ou comportamento traiçoeiro; deslealdade [F.: *caboclo* + *-ada*[1].]

caboclinho (ca.bo.*cli*.nho) *Bras. Zool. sm.* Pássaro (*Sporophila bouvreuil*) que vive em pântanos e campos com arbustos, em grande parte do Brasil, Argentina e Paraguai, e que tem plumagem variada conforme a subespécie [F.: *caboclo* + *-inho*.]

caboclo (ca.*bo*.clo) [ô] *sm.* 1 Mulato de pele acobreada e cabelos lisos; CABURÉ 2 Mestiço de branco com índio; CARIBOCA 3 Pessoa do campo, de modos simples e rústicos; CAIPIRA 4 *Pej.* Pessoa desconfiada 5 Designação dada a descendentes de índios, por vezes miscigenados, e que vivem relativamente isolados, de modo rústico, nem sempre com identidade étnica 6 Cada um dos dançadores de certos folguedos populares, como o maracatu rural 7 *Rel.* Nome genérico dos espíritos de ancestrais indígenas brasileiros, nas religiões ou seitas afro-brasileiras *a.* 8 De ou próprio de caboclo (vida cabocla) 9 Da cor de caboclo;

ACOBREADO [F.: Do tupi.] ■ ~ **velho** F. de tratamento interlocutória: *Bom dia, caboclo velho!*
caboclo-d'água (ca.bo.clo-d'*á*.gua) *sm. BA Folc.* Ser imaginário, fantasmagórico, que à noite afunda canoas e assombra barranqueiros no rio São Francisco [Pl.: *caboclos-d'água.*]
cabo de esquadra (cabo de es.*qua*.dra) *Bras. Mil. sm.* **1** Responsável por uma esquadra, secção de tropa de infantaria **2** Militar que ocupa essa posição [Pl.: *cabos de esquadra.*]
cabo de guerra (ca.bo de*guer*.ra) *Bras. sm.* **1** Competição em que cada ponta de uma corda é puxada por um grupo, vencendo o que arrastar o outro **2** *Fig.* Disputa acirrada, confronto de forças (sem enfrentamento direto), ger. entre dois grupos, facções etc. que têm intenções e ações opostas, que procuram prevalecer em influência ou poder: *A imprensa noticiou o cabo de guerra velado entre o presidente e o vice-presidente.* [Pl.: *cabos de guerra.*]
cabodifusão (ca.bo.di.fu.*são*) *sf.* Sistema de transmissão de sinais de alta frequência por cabos, esp. os que são us. pela televisão [Pl.: *-sões.*] [F.: *cabo* + *difusão.*]
cabograma (ca.bo.*gra*.ma) *sm. Desus.* Telegrama enviado por cabo submarino; CABO [F.: Do fr. *câblogramme*, do ing. *cablegram.*]
caboje (ca.*bo*.je) [ó] *sm.* **1** *Agr.* Parte extrema da haste da cana-de-açúcar, que costuma ser podada para acelerar a germinação dos brotos **2** *Zool.* Ver *bozó* (*Franciscodoras marmoratus*) [F.: De or. africana duvidosa.]
cabortagem (ca.bor.ta.*gem*) *sf.* Ação ou efeito de cabortear [Pl.: *-gens.*]
caborteiro (ca.bor.*tei*.ro) *S. a.* **1** Que trapaceia, engana, mente **2** Diz-se de cavalo arisco, que desafia seu domador *sm.* **3** Aquele que trapaceia, engana, mente **4** Cavalo arisco, que desafia seu domador [F.: Do espn. platino *cabortero.*]
cabotagem (ca.bo.*ta*.gem) *Náut. sf.* **1** Navegação mercante que se faz na costa ou em águas marinhas limitadas **2** *Restr.* Navegação mercante, costeira, entre portos do mesmo país [Pl.: *-gens.*] [F.: Do fr. *cabotage.*] ■ **Grande** ~ *Mar. Merc.* Navegação mercante entre portos de um mesmo país **Pequena** ~ *Mar. Merc.* Navegação mercante realizada numa faixa marítima até 15 milhas da costa, e entre pontos distantes entre si no máximo 250 milhas
cabotar (ca.bo.*tar*) *v. int.* Fazer navegação de cabotagem; costear [▶ **1** cabot**ar**] [F.: De or. obsc. Hom./Par.: *caboto* (fl.), *caboto* /ô/ (sm.) e *Caboto* /ô/ (antr.).]
cabotinagem (ca.bo.ti.*na*.gem) *sf.* Ver *cabotinismo* [Pl.: *-gens.*] [F.: Do fr. *cabotinage.*]
cabotinice (ca.bo.ti.*ni*.ce) *sf.* Ver *cabotinismo* [F.: *cabotino* + *-ice.*]
cabotinismo (ca.bo.ti.*nis*.mo) *sm.* **1** *Fig.* Comportamento afetado ou vaidoso de quem anuncia ou chama atenção sobre suas qualidades (reais ou não); tendência a esse tipo de comportamento [Tb. se diz *cabotinagem* e *cabotinice.*] **2** Vida ou costumes de cabotino (ator mambembe) [F.: *cabotino* + *-ismo.*]
cabotino (ca.bo.*ti*.no) *sm.* **1** Pessoa presunçosa, afetada: "...nem pelo preito aos 'medalhões', nem pela lisonja aos cabotinos..." (Cecília Meireles, "Livros para crianças" *in Obra em prosa*) **2** Comediante ambulante, mambembe, ou ator reles *a.* **3** Que é presunçoso, afetado e procura chamar a atenção, gabando-se de qualidades que pode ter ou não [F.: do fr. *cabotin.*]
cabo-verdianismo (ca.bo-ver.di:a.*nis*.mo) *sm.* Palavra, locução ou modismo da língua crioula falada em Cabo Verde, África [Pl.: *cabos-verdianismos.*] [F.: *cabo-verdiano* + *-ismo.*]
cabo-verdiano (ca.bo-ver.di:*a*.no) *sm.* **1** Pessoa nascida ou que vive em Cabo Verde (África) [Pl.: *cabo-verdianos.*] *a.* **2** De Cabo Verde; típico desse país ou de seu povo [Pl.: *cabo-verdianos.*] [F.: Do top. *Cabo Verd(e)* + *-iano.*]
cabra (*ca*.bra) *sf.* **1** *Zool.* Fêmea do bode (*Capra hircus*), mamífero ruminante, espécie domesticada para obtenção de leite e carne **2** *Zool.* Denominação comum a diversas espécies do gên. *Capra* **3** *Pop.* Mulher devassa **4** *Fig.* Mulher geniosa **5** Ver *cábrea sm.* **6** *Bras. Pop.* Capanga, jagunço: *Sete cabras guardam a fazenda.* **7** *N.E. Pop.* Indivíduo, sujeito, cara: *José é um cabra bacana!* **8** Cangaceiro: *os cabras de Lampião.* [F.: Do lat. *capra.*] ■ **Amarrar a** ~ *PE Pop.* Embebedar-se ~ **da peste** **1** *N. E. Pop.* Pessoa valente, decidida, enérgica **2** Pessoa temida por sua valentia associada a crueldade ~ **da rede rasgada** **1** *N. E. Pop.* Pessoa atrevida, desbocada **2** Pessoa atirada, valente
cabra-cega (ca.bra-*ce*.ga) *sf.* **1** Brincadeira de crianças em que uma delas, de olhos vendados, tenta pegar uma das outras, que a substituirá [Pl.: *cabras-cegas.*] *s2g.* **2** Aquele (ou aquela) participante da brincadeira que fica vendado(a) e tenta pegar algum dos outros [Pl.: *cabras-cegas.*]
cabralino (ca.bra.*li*.no) *a.* **1** Ref. ao navegador Pedro Álvares Cabral (1460-1520), o descobridor do Brasil (viagens cabralinas) **2** Ref. a Bernardo da Costa Cabral (1803-1889), político português de estilo autoritário **3** *Fig.* Que é autoritário, prepotente [F.: Do antr. *Cabral* + *-ino.*]
cabra-macho (ca.bra-*ma*.cho) *Bras. Pop. sm.* Homem corajoso, enérgico; cabra da peste; VALENTÃO [Pl.: *cabras-machos.*]
cabramo (ca.*bra*.mo) *sm.* Peia com que se prende um dos cornos ao pé dos bois, das cabras ou de outros quadrúpedes, ou com que se prendem estes a algum poste, estaca etc., para que não fujam [F.: Do lat. **capulamine*, dim. de *caput, itis*, 'cabeça'.]
cabrão (ca.*brão*) *sm.* **1** *Zool.* Bode (1) **2** *Pop. Vulg.* O mesmo que *corno* (como qualificação de marido); CHIFRUDO [É ofensivo.] **3** Criança chorona [Pl.: *-brões.*] [F.: *cabra* + *-ão.*]
cábrea (*cá*.bre:a) *sf.* Guindaste para grandes pesos, us. em portos e construções, composto de duas ou três vigas convergentes e articuladas na parte superior, onde há uma roldana que apoia o cabo ao qual se prende a carga; CABRA [F.: Do lat. *caprea.*] ■ ~ **flutuante** Espécie de guindaste instalado em barco, jangada ou outro dispositivo flutuante, us. para embarcar e desembarcar cargas, para construções etc.
cabreiro (ca.*brei*.ro) *sm.* **1** Pastor que guarda cabras **2** Pessoa ativa, laboriosa *a.* **3** *Bras. PB Pop.* Manhoso, sonso, dissimulado; MATREIRO; VELHACO **4** Diz-se de uma espécie de queijo feito de leite de cabra, de sabor picante, produzido na região do Ribatejo em Portugal *a.* **5** *Bras. Pop.* Desconfiado, prevenido [F.: Do lat. *caprarius, a, um.*]
cabrestante (ca.bres.*tan*.te) *sm. Mar.* Máquina para levantar âncoras e grandes pesos, e que consiste em um eixo vertical à cuja volta gira um tambor [Cf.: *guincho.* F.: de or. contrv.]
cabresteado (ca.bres.te:*a*.do) *a.* **1** *S.* Conduzido pelo cabresto (diz-se de cavalo) **2** *P. ext.* Que se deixa conduzir ou dominar por outrem (marido cabresteado) [F.: *cabrest(o)* + *e* + *-ado.*]
cabrestear (ca.bres.te.*ar*) *v. int.* **1** *S.* Andar calmamente (o cavalo) pelo cabresto, sem precisar de qualquer estímulo **2** *P. ext.* Aceitar passivamente (o animal) ser conduzido pelo laço **3** *Fig.* Deixar-se facilmente dominar ou influenciar por outrem [▶ **13** cabrest**ear**] [F.: *cabrest(o)* + *-ear.*]
cabresteiro (ca.bres.*tei*.ro) *sm.* **1** Fabricante ou vendedor de cabrestos *a.* **2** Ref. a cabresto **3** Que se deixa conduzir docilmente por cabresto (diz-se de animal, esp. o cavalo) **4** *Fig.* Que demonstra obediência ou submissão [F.: *cabresto* + *-eiro.*]
cabrestilho (ca.bres.*ti*.lho) *sm.* **1** Cabresto de pequeno tamanho **2** Correia de couro ou de metal que prende a espora ao pé **3** Parte do arreio que prende o animal à cavalariça ou a qualquer lugar em que se deseje prendê-lo [F.: *cabresto* + *-ilho.*]
cabresto (ca.*bres*.to) [ê] *sm.* **1** Arreio de couro ou de outros materiais, composto de cabeçada sem embocadura us. para conduzir a cavalgadura como montaria ou para prendê-la a algo **2** *Fig.* Qualquer coisa que controla, subjuga, reprime, ger. de maneira arbitrária: *Não aceita o cabresto ideológico do partido.* **3** Boi manso que serve de guia a rebanho bravio **4** *Pop.* Freio do prepúcio **5** *Mar.* Cabo que segura fortemente o gurupés, pela parte inferior, à roda de proa **6** *N. E.* Cada uma das cordas que prendem os bancos à jangada **7** Reforço da ponta do caniço de pesca, feito com linha ou arame [F.: Do lat. *capistru(m).*] ■ **Andar de** ~ *S.* Ser controlado, dominado por alguém (esp. homem pela mulher) **Sentar no** ~ **1** *RS* Fazer (cavalo) movimento brusco, tentando livrar-se do cabresto **2** *Fig.* Resistir (alguém) a algo com determinação **Trazer no/pelo** ~ *Bras. Fig.* Dominar (alguém) impondo-lhe autoridade, sujeitando-o a vontade alheia
cabril (ca.*bril*) *sm.* Curral para cabras; APRISCO; REDIL [F.: Do lat. *caprile(m).*]
cabrim (ca.*brim*) *sm.* Pele curtida de cabra ou cabrito [Pl.: *-brins.*] [F.: *cabra* + *-im.*]
cabrinha (ca.*bri*.nha) *sf.* **1** Pequena cabra **2** *Fig.* Criança que brinca muito e vive dando pulos **3** *BA* Certo tipo de manga **4** *Zool.* Denominação comum a diversas spp. de peixes teleósteos marinhos, da fam. dos triglídeos, gên. *Prionotus*, encontrados no Atlântico, de corpo alongado e cabeça achatada, com nadadeira que lhes permitem caminhar em fundos arenosos **5** *Zool.* Peixe costeiro (*Prionotus punctatus*) de dorso marrom-acinzentado e cinza-azulado com manchas escuras e ventre mais claro, com cerca de 50 cm de comprimento, muito comum no litoral brasileiro; VOADOR **6** *Zool.* Peixe teleósteo da fam. dos triglídeos (*Peristedion truncatum*), de corpo rosado com manchas pardas, muito encontrado nas águas profundas do Ceará e da Venezuela **7** *BA* Baleia jovem, ainda não desenvolvida [F.: *cabra* + *-inha.*]
cabriola (ca.bri:*o*.la) [ó] *sf.* **1** Cambalhota (1) **2** Qualquer salto realizado com agilidade ou vigor, e ger. com alegria ou por brincadeira etc. **3** *Fig.* Mudança repentina e radical de opinião ou de comportamento, ou em uma situação; GUINADA: *Houve uma cabriola imprevista na política financeira.* **4** *Dnç.* Salto em que o bailarino, no ar, bate os pés ou calcanhares um contra o outro **5** Salto de cabra [F.: Do fr. *cabriole*, deriv. do it. *capriola.*]
cabriolagem (ca.bri:o.*la*.gem) *sf.* Ação ou efeito de cabriolar, de dar cabriolas [Pl.: *-gens.*] [F.: *cabriola* + *-agem.*]
cabriolante (ca.bri:o.*lan*.te) *a2g.* Que cabriola; que dá pulos, saltos (criançada cabriolante) [F.: *cabriolar* + *-nte.*]
cabriolar (ca.bri:o.*lar*) *v. int.* **1** Fazer ou dar cabriolas; saltar, pular com grande agilidade: *O menino cabriolava no quintal.* **2** *Fig.* Dar voltas ou fazer curvas; SERPEAR; VOLTEAR: *O rio cabriola entre as montanhas.* [▶ **1** cabriol**ar**] [F.: *cabriola* + *-ar*[2].]
cabriolé (ca.bri:o.*lé*) *sm.* **1** *Antq.* Carruagem pequena, com duas rodas altas e capota retrátil, puxada por um só cavalo **2** *Aut.* Automóvel conversível [F.: Do fr. *cabriolet.*]
cabriolete (ca.bri:o.*le*.te) *sm.* Veículo de duas rodas puxado por um só cavalo, us. em competições para exibir o desempenho do animal [F.: Do fr. *cabriolet.* Cf.: *cabriolé.*]
cabrita (ca.*bri*.ta) *sf.* **1** Cabra jovem **2** *Pop. Bras.* Moça, menina, mulher bem jovem, esp. se mulata **3** *Carp.* Cabo (parte própria para empunhar) de serra manual **4** *Ant.* Catapulta [F.: Fem. de *cabrito.*]
cabritar (ca.bri.*tar*) *v. int.* Andar saltando como os cabritos; CABRITEAR [▶ **1** cabrit**ar**] [F.: *cabrito* + *-ar*[2].]
cabrito (ca.*bri*.to) *sm.* **1** Bode jovem **2** *Cul.* Prato ou iguaria preparados com a carne desse animal **3** *Bras. Pop.* Indivíduo bem moreno; MULATO **4** Rapaz novo, ou menino **5** *Fig. Pop.* Menino levado, agitado, irrequieto [F.: Do baixo lat. *capritu(m).*]
cabrito-montês (ca.bri.to-mon.*tês*) *sm. Zool.* Mamífero ruminante da fam. dos cervídeos (*Rupicapra rupicapra*) com pelagem mais curta e castanha no verão e mais longa e negra no inverno, possui uma mancha branca na garganta e chifres curtos retilíneos, pouco ramificados e com pontas curvas. Habita as encostas e montanhas da Europa e Ásia. O comprimento total do corpo varia entre 90 e 130 cm; CAMURÇA [Pl.: *cabritos-monteses.*]
cabriúva (ca.bri:*ú*.va) *sf. Bot.* Árvore das leguminosas, papilionácea, que pode atingir 30 m de altura (*Myrocarpus frondosus*), da qual se usa a madeira, o bálsamo em perfumaria, folhas e frutos em produtos medicinais. Tb. *cabreúva* [F.: Do tupi = 'árvore do caburé'.]
cabrocar (ca.bro.*car*) *v. td.* **1** *Bras.* Cortar ou cortar rente (o mato) **2** *BA* Cortar pequenas árvores, deixando o terreno apropriado à plantação do cacau, mas mantendo as árvores maiores [▶ **11** cabro**car**] [F.: De or. obsc.]
cabrocha (ca.*bro*.cha) [ó] *sf.* **1** *Bras.* Mulher, esp. mulata, que sabe sambar, ou que desfila numa escola de samba: "Uma cabrocha bonita, cantando e sambando, quem não admira?" (Portello Júnior e Wilson Falcão, *Samba rasgado*) *s2g.* **2** *Bras.* Mulato, ou, p. ext., qualquer mestiço, esp. quando jovem **3** *AM* Mestiço de mulato com índio [F.: *cabra* + *-ocha.*]
cabuchão (ca.bu.*chão*) *sm.* Ver *cabochão*
cabula (ca.*bu*.la) *sf.* **1** *Rel.* Seita afro-brasileira precursora da umbanda que, criada em fins do séc. XIX, na Bahia, incorpora elementos malês, bantos e espíritas, e se encontra em processo de extinção **2** *Mús. Rel.* Ritmo que acompanha os ritos em candomblés banto [F.: De or. contrv.]
cábula (*cá*.bu.la) *sf.* **1** Falta às aulas, quando não há impedimento para assistir a elas; GAZETA **2** Falta ao trabalho ou ato de deixar de cumprir algum dever, sob algum pretexto ou sem motivo de força maior **3** *Bras.* Falta de sorte; AZAR; URUCUBACA **4** Pretexto ou artimanha para não cumprir obrigação *s2g.* **5** Pessoa esperta e malandra **6** Aluno que falta às aulas com frequência (por não querer estudar), que não se aplica nos estudos **7** Pessoa que é dada a faltar ao trabalho **8** Pessoa sem sorte; azarado [F.: De or. obscura.]
cabulador (ca.bu.la.*dor*) [ô] *a.* **1** Que cabula as aulas *sm.* **2** Aquele que cabula as aulas [Sin. ger.: *gazeteiro.*]
cabular (ca.bu.*lar*) *v. int.* **1** Faltar às aulas sem justificativa, ou recorrendo a artimanhas; GAZETEAR **2** Usar de cábula, logro ou ardil, esp. para não cumprir dever ou obrigação [▶ **1** cabul**ar**] [F.: *cábula* + *-ar*[2], posv. Hom./Par.: *cabula(s)* (fl.), *cábula(s)* (sm. sf. [pl.]).]
cabuloso (ca.bu.*lo*.so) [ô] *Bras. Pop. a.* **1** Diz-se do que ou de quem traz azar; AZARENTO **2** Que importuna, aborrece, apoquenta; MAÇANTE **3** Que se mostra antipático, desagradável **4** Que se revela complicado, confuso, obscuro: *narrativa cabulosa* **5** Que causa medo, horror, terror; macabro: *um sujeito cabuloso* [Pl.: [ó]. Fem.: [ó].] [F.: *cábula* + *-oso.*]
cabúqui (ca.*bú*.qui) *sm. Teat.* Gênero teatral popular do Japão, no qual todos os atores são do sexo masculino muito bem maquiados, e caracterizado por seus textos longos intercalados por dança, recitativos e música, esp. de flautas e tambores [Do jap. *kabuki.*]
caburé (ca.bu.*ré*) *Bras. sm.* **1** Mestiço de negro e índio; CAFUZO **2** Mestiço de cabelos lisos e pele acobreada; CABOCLO; TAPUIO **3** Caipira, matuto; sertanejo; CABOCLO **4** Vaso pequeno e bojudo, com base estreita, feito de barro polido **5** Vaso us. em feitiçaria **6** Pessoa feia, de aspecto doentio ou melancólico **7** Indivíduo baixo e gordo, atarracado **8** Indivíduo de hábitos noturnos, que só sai à noite [Cf. acp. 11.] **9** Tipo de cesto com alça **10** *Cul.* Bolo feito de trigo e mandioca **11** *Zool.* Denominação comum a diversas espécies de corujas pequenas do gên. *Glaucidium* [F.: Do tupi *kawu're.* Var.: *caboré.*]
caca (*ca*.ca) *Fam. sf.* **1** Fezes, excremento [Us. quando se fala com crianças pequenas, ou ironicamente.] **2** Qualquer coisa malfeita, estragada, imprestável; porcaria [F.: Voc. express., de linguagem infantil.]
caça (*ca*.ça) *sf.* **1** Ação ou resultado de caçar; CAÇADA [+ *a, de*: *É proibida a caça aos /dos jacarés no Pantanal.*] **2** Animal caçado (perseguido e/ou abatido): *Comer carne de caça.* **3** Conjunto de animais (de uma ou várias espécies) que se costuma caçar ou que podem ser caçados: *Não há mais caça naquela região.* **4** *P. ext.* Perseguição a alguém, para prender ou matar; CAÇADA: *A caça ao fugitivo durou a noite toda.* **5** Ação de procurar (caça de aventuras); BUSCA *sm.* **6** *Avi. Mil.* Avião de combate us. para perseguir aviões inimigos e escoltar aeronaves maiores [Diz-se tb. *avião de caça.*] [F.: Dev. de *caçar*. Hom./Par.: *cassa.*] ■ ~ **ao tesouro** **1** Disputa entre várias pessoas, grupos etc., em busca de algo valioso que pertencerá a quem primeiro o descubra ou alcance **2** Jogo que consiste em várias pessoas ou grupos procurarem descobrir a localização de uma prenda, interpretando ou decifrando várias indicações ou 'pistas' especialmente preparadas por aqueles que organizam o jogo ~ **às bruxas** **1** Procura e perseguição a bruxas, a quem supostamente se aliasse a poderes

malignos contra a fé cristã; esp. a que era promovida por autoridades eclesiásticas (p. ex., no âmbito da Inquisição) **2** *Fig.* Ação de procurar culpados (ou pessoas a quem é atribuída, de modo mais ou menos arbitrário, a culpa) por acontecimentos ruins, para puni-los, esp. quando feita com intolerância, maniqueísmo, e envolvendo perseguição a pessoas do próprio grupo **~ submarina** Pesca esportiva, na qual, mergulhando, o caçador fisga o peixe com arpão **Levantar a ~ 1** Assustar o animal que está sendo caçado, obrigando-o a expor-se ao caçador **2** *Fig.* Suscitar oportunidade de empreendimento, negócio etc., que será aproveitada por outrem

caça-bombardeiro (ca.ça-bom.bar.*dei*.ro) *sm. Aer.* Avião de bombardeio que, dotado de grande mobilidade, transporta pequenas bombas [Pl.: *caças-bombardeiros.*]

cacaborrada (ca.ca.bor.*ra*.da) *Pop. sf.* **1** Coisa malfeita **2** Despropósito, parvoíce [F.: *caca* + *borrada.* Tb. *cancaborrada.*]

caçada (ca.*ça*.da) *sf.* **1** Ação ou resultado de caçar; CAÇA **2** Expedição de caçadores: *Os amigos voltaram satisfeitos da longa caçada.* **3** *Fig.* Ato ou processo de procurar com grande empenho; perseguição, ger. extensa, enérgica, mobilizando várias pessoas, ou com desvantagem para quem é perseguido [F.: *caçar* + *-ada.* Hom./Par.: *cassada* (fem. *cassado*).]

caçador (ca.ça.*dor*) [ô] *a.* **1** Que pratica caça (perseguição de animais) ou costuma caçar, para alimentação ou defesa, como esporte, ou por instinto: *uma estátua de Diana caçadora; um cão farejador e caçador.* **2** *Fig.* Que persegue, que busca de modo enérgico ou insistente: *um empresário caçador de novos talentos.* **3** *Mil.* Diz-se de soldado que pertence à infantaria ou à cavalaria ligeira *sm.* **4** Aquele que pratica caça, que é caçador (1) **5** *Mil.* Soldado que pertence à infantaria ou à cavalaria ligeira: *batalhão de caçadores.* **6** Dispositivo de pesca composto por boia, anzol e poita [F.: *caça(r)* + *-dor.*]

caçador-coletor (ca.ça.dor-co.le.*tor*) [ô] *Antr. a.* **1** Que vive da caça, pesca e coleta (recolhimento de recursos naturais) [Us. esp. em relação a povos ou grupos (antigos ou atuais) que não praticam extensamente a agricultura e criação de animais.] [Pl.: *caçadores-coletores.*] *sm.* **2** Essa pessoa, esp. a que pertence a povo caçador-coletor (1) [Pl.: *caçadores-coletores.*]

caça-dotes (ca.ça-*do*.tes) *s2g2n.* Pessoa que busca enriquecer casando-se com alguém rico, ou que se envolve amorosamente tendo esse propósito

cacaio (ca.*cai*.o) *sm. BA MG* Saco ou alforje que se carrega às costas e se prende aos braços [F.: Do quimb., posv.]

caçamba (ca.*çam*.ba) *sf.* **1** *Bras.* Balde us. para tirar água de poços, sendo erguido por meio de uma corda à qual está atado **2** Qualquer recipiente (para carga, areia, cimento etc.) us. como carroceria de caminhões, ou em betoneira, escavadeira etc. **3** Estribo em forma de chinelo fechado; SAPATA **4** Carroça us. na remoção de terra **5** *Cons.* Balde em que é levada argamassa para os pedreiros [F.: Do quimb. *kisambu.* Ver tb. *alcatruz.*] ■ **Arear a ~ 1** *MG SP MT Pop.* Não trabalhar, vagabundear **2** Agradar alguém para obter vantagem; bajular

caça-minas (ca.ça-*mi*.nas) *sm2n.* **1** *Mar.* Navio próprio para localizar e destruir minas submarinas **2** Dispositivo posto na frente de carro de combate para encontrar e destruir minas terrestres

caça-níqueis (ca.ça-*ní*.queis) *Bras. sm2n.* **1** Máquina de jogo na qual se introduz uma moeda para se tentar ganhar prêmios tb. em moedas [Ger. funciona acionando-se algum dispositivo aleatório para se tentar obter uma das combinações previamente estipuladas.] [Tb. se diz *máquina caça-níqueis.*] **2** *Pej.* Aquilo que é feito ou produzido com o único intuito de ganhar dinheiro de modo fácil e rápido, ger. sem preocupação ou cuidados com qualidade *a2g2n.* **3** *Pej.* Diz-se de empreendimento, obra, produção artística ou de entretenimento etc. realizados apenas para ganhar dinheiro, esp. quando considerados de pouco valor ou sem função social

caçanje (ca.*çan*.je) *a2g.* **1** *Gloss.* Do ou ref. ao dialeto do português falado em Angola *sm.* **2** *Gloss.* Esse dialeto **3** *Pej.* Português errado, na escrita ou na fala [F.: Do top. *Caçanje.*]

cação (ca.*ção*) *sm.* **1** *Zool.* Tubarão, esp. de tamanho médio ou pequeno, e pescado para consumo **2** *Bras. Pop.* Meretriz [Pl.: *-ções.*] [F.: *caç(ar)* + *-ão.*]

cação-frango (ca.ção-*fran*.go) *Zool. sm.* **1** Cação da fam. dos carcarrinídeos (*Scoliodom terrae-novae*), de dorso marrom-acinzentado, ventre esbranquiçado, encontrado nas águas tropicais do oceano Atlântico *sm.* **2** Cação dos ciliorrinídeos (*Scyliorhinus haeckelii*), do Atlântico, encontrado no Rio de Janeiro; tb. *cação-pinto* [Pl.: *cações-frangos* e *cações-frango.*]

cação-martelo (ca.ção-mar.*te*.lo) *sm. Bras. Ict.* Peixe plagióstomo (*Sphyrna zygaena*, L.), pardo, de cabeça muito larga. Tb. *peixe-martelo* [Pl.: *cações-martelos* e *cações-martelo.*]

caçapa (ca.*ça*.pa) *sf.* Cada um dos seis buracos da mesa de sinuca com as respectivas cestas [F.: De *caçapo.*]

caça-palavra (ca.ça-pa.*la*.vra) *sm. Lud.* Jogo formado por uma matriz de letras (em linhas horizontais e verticais), na qual algumas sequências de letras, horizontal ou verticalmente, formam palavras, que o jogador deve buscar, identificar e marcar (ger. circulando) [Pl.: *caça-palavras.*] [F.: *caçar* (na 3ª pess. sing. pres. ind.) + *palavra.*]

caçapo (ca.*ça*.po) *sm.* **1** Filhote de coelho; LÁPARO **2** *Fig.* Homem baixo e gordo [F.: De *caça.*]

caçar (ca.*çar*) *v.* **1** Perseguir (animais silvestres) para prendê-los ou matá-los [*td.*: "...caçou bicho grande, porco-do-mato." (Guimarães Rosa, *Estas estórias*)] **2** Fazer caçada(s) ou andar à caça [*int.*: *Foi à África para caçar.*] **3** *Bras.* Perseguir ou procurar para prender [*td.*: *Os policiais caçavam os traficantes.*] **4** *Bras.* Tentar encontrar, buscar, ou conseguir com esforço, astúcia [*td.*: *caçar um emprego, uma vaga*: "Onde o pai vai caçar dinheiro?" (Marques Rebelo, *Contos reunidos*)] **5** *Fig.* Apanhar [*td.*: "...postou-se à porta da igreja caçando as esmolas dos fiéis." (R. da Silva)] **6** *Mnh.* Alar (a escota da vela) para aproveitar melhor o vento [*td.*] **7** *Mar.* Desviar(-se) (embarcação) do rumo pela força da correnteza ou do vento; GARRAR [*int.*] [▶ **12** caçar] [F.: Do lat. vulg. **captiare.* Hom./Par.: *caçar, cassar* (em todas as fl.); *caça(s)* (fl.), *caça(s)* (sf. sm. [pl.]), *cassa(s)* (sf. [pl.]); *caço* (fl.), *caço* (sm.), *casso* (a.).]

cacareco (ca.ca.*re*.co) *sm. Bras.* Objeto velho ou muito usado, ger. sem utilidade ou de pouco valor [Mais us. no pl.] [F.: De *caco*; ver *-eco.*]

cacarejante (ca.ca.re.*jan*.te) *a2g.* Que cacareja; CACAREJADOR [F.: *cacarejar* + *-nte.*]

cacarejar (ca.ca.re.*jar*) *v. int.* **1** Cantar, emitir som pela boca (diz-se da galinha e de outras aves de canto parecido) **2** Emitir som ou sons parecidos com o da voz da galinha **3** *Fig. Pej.* Falar muito coisas sem importância; TAGARELAR: *As vizinhas cacarejavam o dia todo.* [Pode ser ofensivo.] [▶ **1** cacarejar] [F.: De or. onom. Hom./Par.: *cacarejo* (fl.), *cacarejo* (sm.).]

cacarejo (ca.ca.*re*.jo) [ê] *sm.* **1** A voz da galinha; som ou série de sons breves e entrecortados, e um tanto estridentes **2** *P. ext.* Qualquer som semelhante a esse (pela repetição, estridência etc.) **3** *Fig.* Tagarelice [F.: Dev. de *cacarejar.* Hom./Par.: *cacarejo* (sm.), *cacarejo* (fl. *cacarejar*).]

cacaréu (ca.ca.*réu*) *sm.* Ver *cacareco* [F.: *caco* + *-aréu.*]

caçarola (ca.ça.*ro*.la) *sf. Cul.* Panela, ger. metálica, de bordas altas, com cabo e tampa [F.: Do fr. *casserole.*]

caçarolada (ca.ça.ro.*la*.da) *sf. Bras.* O conteúdo de uma caçarola (caçarolada de frango) [F.: *caçarola* + *-ada.*]

caça-torpedeiro (ca.ça-tor.pe.*dei*.ro) *sm. Mar. G.* Navio de guerra destinado a perseguir e destruir torpedos; CONTRATORPEDEIRO [Pl.: *caça-torpedeiros.*] [F.: *caçar* (na 3ª pess. sing. pres. ind.) + *torpedeiro.*]

cacatua (ca.ca.*tu*.a) *sf. Zool.* Denominação comum a diversas spp. de aves da fam. dos cacatuídeos, ger. brancas, com um penacho arrepiado na cabeça [F.: Do malaio *kakatuwa.*]

cacau (ca.*cau*) *sm.* **1** *Bot.* Fruto do cacaueiro, com polpa adocicada e numerosas sementes, das quais se extrai óleo (manteiga de cacau) e que, trituradas formam uma pasta **2** O pó que se produz após torrar essa pasta e que é us. na fabricação do chocolate **3** *Bot.* Cacaueiro **4** *Pop.* Dinheiro [F.: Do espn. *cacao*, do náuatle *kakáwa.*]

> Matéria-prima do chocolate, o cacau é também matéria-prima das indústrias alimentícia e farmacêutica. Já era us. pelos astecas quando da conquista espanhola, e foi difundido na Europa a partir do séc. XVI. Foi produto importante da economia brasileira no séc. XIX (principalmente na Bahia), no chamado 'ciclo do cacau'. Seus maiores produtores mundiais são Costa do Marfim, Gana, Indonésia, Nigéria, Brasil, Camarões, Equador e Malásia.

cacaual (ca.cau.*al*) *sm.* Plantação de cacaueiros [Pl.: *-ais.*] [F.: *cacau* + *-al*[1].]

cacaueiro (ca.cau.*ei*.ro) *sm.* **1** *Bot.* Nome comum às espécies do gên. *Theobroma*, da fam. das esterculiáceas, esp. *Theobroma cacao*, originária da América tropical e cultivada pelos frutos (ver *cacau*), de cujas sementes se fabrica o chocolate; CACAU *a.* **2** Relativo a cacau (indústria cacaueira) [F.: *cacau* + *-eiro.*]

cacauicultor (ca.cau.i.cul.*tor*) [ô] *a.* **1** Do ou ref. ao cultivo do cacau (região cacauicultora) **2** Diz-se de pessoa que cultiva cacau *sm.* **3** Essa pessoa [F.: *cacau* + *-i-* + *-cultor.* Ver tb. *cacaulista.*]

cacauicultura (ca.cau.i.cul.*tu*.ra) *sf.* Cultivo de cacau, plantação de cacau [F.: *cacau* + *-i-* + *-cultura.*]

cacaulista (ca.cau.*lis*.ta) *s2g.* Indivíduo que planta ou comercializa cacau [F.: *cacau* + *-l-* + *-ista.*]

cacauzeiro (ca.cau.*zei*.ro) *sm. Bot.* Ver *cacaueiro.* [F.: *cacau* + *-zeiro.*]

caceta (ca.*ce*.ta) [ê] *sf.* **1** *Bras. Tabu* Cacete, pênis *interj.* **2** Ver *cacete* [F.: De *cacete.*]

cacetada (ca.ce.*ta*.da) *sf.* **1** Pancada com cacete; BORDOADA **2** *P. ext.* Pancada forte com as mãos, os pés ou qualquer outra coisa: *Deu uma cacetada com a bengala.* **3** *Fut.* Chute violento **4** *Vulg.* Grande quantidade: *Comeu uma cacetada de pães.* **5** Aquilo que é maçante, que apoquenta; APOQUENTAÇÃO *interj.* **6** *Bras. Gír.* Exprime espanto, contrariedade etc. [Uso eufemístico de *cacete* (ger. considerado tabuísmo).] [F.: *cacete* + *-ada*[1].] ■ **E ~** *Gír.* Expressa a ideia de que se está acrescentando a uma quantidade mencionada outra quantidade adicional, indefinida (ger. de ordem inferior): *Custou uns mil reais e cacetada...*

cacetar (ca.ce.*tar*) *v. td.* **1** Bater com cacete; cacetear **2** Bater com força em (alguém); ESPANCAR [▶ **1** cacetar] [F.: *cacete* + *-ar*[2]. Hom./Par.: *caceta(s)* (fl.), *caceta* /ê/ (sf. e pl.); *cacete(s)* (fl.), *cacete* /ê/ (a2g. s2g. e pl.).]

cacete (ca.*ce*.te) [ê] *sm.* **1** Pedaço de pau com uma das extremidades mais grossa do que a outra; MAÇA; PORRETE **2** *Pop.* Pancada, soco; agressão física: *Foi reagir e levou uns cacetes.* **3** *Tabu.* O pênis *s2g.* **4** Pessoa maçante *a2g.* **5** Enfadonho, chato (sujeito cacete) *interj.* **6** *Bras. Tabu* Exprime espanto ou contrariedade [F.: Posv. dim. de *caço* 'vasilha com cabo'. Hom./Par.: *cassete.*] ■ **Baixar/descer o ~ (em) 1** *Pop.* Espancar com cacete, cassetete etc. **2** Agredir fisicamente, surrar, espancar **3** *Fig.* Criticar duramente; agredir verbalmente **Do ~** *Bras. Pop.* Ótimo, excelente [No uso da expr., a palavra ou afirmação repudiada aparece como suj. do verbo *ser.* Tb. us. interjetivamente.] **É o ~ (a quatro)** *Tabu.* E muitos outros; e muito mais. (Us. para dar ideia de que há muito mais do que aquilo que se disse ou foi enumerado.): *Não para de estudar para as provas: matemática, história, geografia e o cacete.* **Meter o ~ (em)** *Bras. Pop.* Ver. *baixar/descer o cacete* **Pra ~** *Bras. Pop.* Muito, em alto grau, em grande quantidade ou intensidade **Ser o ~** *Bras. Tabu* Expr. us. para repudiar, negar enfaticamente ou discordar daquilo que foi antes afirmado por outrem ou pelo próprio falante: *Ela o chamou de gordo, e ele respondeu, gritando, que gordo era o cacete.*

caceteação (ca.ce.te:a.*ção*) *sf.* **1** Ação ou resultado de cacetear(-se), importunar-se; aborrecimento, chateação **2** *Bras.* Coisa enfadonha, maçante, que causa tédio ou irritação; AMOLAÇÃO: *A festinha foi uma caceteação.* [Pl.: *-ções.*] [F.: *cacetear* + *-ção.*]

caceteado (ca.ce.te:*a*.do) *a.* Aborrecido, chateado, maçado [F.: Part. de *cacetear.*]

cacetear (ca.ce.te.*ar*) *v.* **1** Fazer ficar ou ficar aborrecido, chateado; IMPORTUNAR(-SE); MAÇAR(-SE) [*td.*: *O lon- go discurso caceteou os convidados.*] [*int.*: *Caceteia-se quando fica à toa.*] **2** Dar cacetadas em [*td.*] [▶ **13** cacetear] [F.: *cacete* + *-ear*[2].]

caceteiro (ca.ce.*tei*.ro) *sm.* **1** Indivíduo que usa cacete para bater, espancar **2** *Fig.* Aquele que gosta de brigar; VALENTÃO; DESORDEIRO **3** *Bras.* Aquele que importuna, aborrece, chateia **4** *Lus.* Designa os legitimistas que, nos anos 1829 a 1834, enfrentavam os constituintes, nas ruas, empunhando cacetes pintados com as cores de seu partido [F.: *cacete* + *-eiro.*]

cachaça (ca.*cha*.ça) *sf.* **1** *Bras.* Aguardente feita do mel ou borra da cana-de-açúcar, ou do caldo da cana, fermentados e destilados [Levantaram- se centenas de sinônimos para esta acepção do Norte ao Sul do país.] **2** Dose dessa bebida: "Bebida rapidamente a terceira cachaça Eustáquio hesitou..." (Antônio Callado, *Bar Don Juan*) **3** *P. ext.* Qualquer bebida alcoólica, esp. a destilada **4** *Fig.* Aquilo que desperta entusiasmo, paixão; coisa (atividade, assunto etc.) ou pessoa a que(m) se dá atenção quase exclusiva, quase como um vício: *Nunca tira férias; o trabalho é a sua cachaça. s2g.* **5** Pessoa que bebe muito [F.: De or. contrv.] ■ **~ da cabeça** *Bras.* A primeira a se condensar no alambique **~ do coração** *Bras.* A que se condensa no alambique depois da cachaça da cabeça [Ger. é a comercializada.] **~ do rabo** A que se produz no fim de um processo de destilação, e que não é adequada ao consumo devido aos resíduos tóxicos que contém

cachação (ca.cha.*ção*) *sm.* **1** Pancada com a mão aberta no cachaço; PESCOÇÃO **2** *P. ext.* Golpe ou pancada semelhante; palmada, cascudo, tapa [Pl.: *-ções.*] [F.: *cachaço* + *-ão*[3].]

cachaçaria (ca.cha.ça.*ri*.a) *Bras. Pop. sf.* **1** Lugar em que se fabrica cachaça **2** Estabelecimento comercial especializado em vender cachaça [F.: *cachaça* + *-aria.*]

cachaceiro (ca.cha.*cei*.ro) *Bras. a.* **1** Que bebe (cachaça, ou outra bebida alcoólica) de modo habitual e imoderado ou excessivo *sm.* **2** Quem bebe (cachaça, ou outra bebida alcoólica) habitualmente e em grande quantidade [F.: *cachaça* + *-eiro.* Sin. ger.: *biriteiro.*]

cachaço (ca.*cha*.ço) *sm.* **1** A parte posterior do pescoço; CANGOTE; CERVIZ; NUCA **2** O mesmo que *cachação* **3** A cernelha dos bovinos e outros animais **4** Carne que se tira da parte posterior do pescoço dos bovinos **5** Pescoço grosso ou largo **6** *Fig.* Arrogância, presunção, soberba [F.: *cacho* 'parte de trás' do 'pescoço' + *-aço.*]

cachalote (ca.cha.*lo*.te) *sm. Zool.* Baleia da fam. dos fiseterídeos (*Physeter catodon*) encontrada nos mares de todo o mundo, que atinge até 20 m de comprimento e da qual se extraem o espermacete e o âmbar [F.: de uma forma ant. *cacholote*, de *cachola* + *-ote.*]

cachão (ca.*chão*) *sm.* **1** Jato que sai com ímpeto; BORBOTÃO **2** *MG* Cachoeira alta, de queda vertical e com grande volume de água; TOMBO **3** Agitação de um líquido, ou porção que borbulha ou está em efervescência [Pl.: *-chões.*] [F.: Do lat. *coctione(m).* Hom./Par.: *caixão.*]

cacharel (ca.cha.*rel*) *sf.* Blusa justa de tecido elástico, com gola rulê e manga comprida

cachar-se (ca.*char*-se) *v.* **1** Esconder(-se), ocultar(-se) [*td.*] **2** Agir de modo dissimulado ou traiçoeiro; LUDIBRIAR [*int.*] **3** *Lus.* No Minho, prepara a terra para o cultivo [*td.*] [▶ **1** cachar-se] [F.: Do fr. *cacher.*]

⊕ **cache** ((*Ing.* /*cách*/) *sm. Inf.* Dispositivo de memória em computador, que guarda temporariamente dados que são acessados com frequência, agilizando seu processamento [F.: Do ing. *cache memory* 'dispositivo de memória'. Hom./Par.: *cachê.*] ■ **~ de disco** *Inf.* Setor da memória RAM que contém cópia (temporária) de dados armazenados em disco **~ de memória** *Inf.* Setor de memória com cópia (temporária e de rápido acesso) de dados da memória RAM **~ externo** *Inf.* Cache de memória fora do processador, com frequência de operação menor que a do processador; cache L2, ou de nível 2 **~ interno** *Inf.* Cache de memória dentro do processador, com frequência de operação igual à do processador; cache L1, ou de nível 1

cachê (ca.*chê*) *sm.* **1** Remuneração de qualquer integrante de elenco ou equipe de teatro, cinema e televisão: *O cachê da protagonista da novela das oito é bem alto.* **2** Pagamento por participação avulsa ou especial em alguma atividade (filme, programa de televisão etc.): *A cantora não quis cobrar cachê para se apresentar no comício.* [F.: Do fr. *cachet.*]

cacheado (ca.che.*a*.do) *a.* Cheio de cachos, que forma cachos (cabelo cacheado) [F.: Part. de *cachear.*]

cachear (ca.che.*ar*) *v.* **1** *Bras.* Fazer ou deixar fazer cachos, caracóis (no cabelo) [*td.*: *Foi ao salão cachear o cabelo.*] **2** Crescer (o cabelo) formando cachos, anéis; encher-se de cachos [*int.*: *Com o tempo, seus cabelos cachearam.* Nesta acp. é ger. unipessoal.] **3** Ficar (vegetal) cheio ou coberto de cachos (1) [*int.*: *A videira cacheava todos os anos.*] [▶ 13 cachear] [F.: *cacho* + *-ear*[2].]

cachecol (ca.che.*col*) *sm.* Peça de tecido, longa e estreita, ger. feita de lã ou outro tecido mole, us. para agasalhar o pescoço [Cf. *echarpe* e *cachenê.*] [Pl.: *-cóis.*] [F.: Do fr. *cachecol.*]

cachenê (ca.che.*nê*) *sm.* Faixa comprida de tecido us. como agasalho em volta do pescoço e cobrindo até o nariz [Cf. *cachecol.*] [F.: Aport. do fr. *cache-nez.*]

⊕ ***cache-nez*** (*Fr. /cachenê/*) *sm. Vest.* Ver *cachenê*

cachepô (ca.che.*pô*) *sm.* Vaso de metal, porcelana etc. us. para ocultar, de modo decorativo, vasos de plantas ou outros recipientes menos bem-acabados [F.: Aport. do fr. *cache-pot.*]

⊕ ***cache-sexe*** (*Fr. /cachesécs/*) *sm. Vest.* Ver *tapa-sexo*

cachimbada (ca.chim.*ba*.da) *sf.* **1** Ação ou resultado de aspirar a fumaça do cachimbo **2** A fumaça aspirada de cada vez **3** Quantidade de fumo que se põe no cachimbo [F.: *cachimbo* + *-ada*[1].]

cachimbar (ca.chim.*bar*) *v.* **1** Fumar cachimbo [*int.*: *Meu avô cachimbava no sofá.*] **2** *Fig.* Soltar fumaça ou vapor [*int.*: *A velha locomotiva cachimba e range sobre os trilhos.*] **3** *Fig.* Fazer pouco caso de [*td.* / *tr.* + *de*: *Não cachimbe os/dos conselhos de seu pai.*] **4** *Bras. Fig.* Meditar, pensar (em alusão à atitude pensativa que tem quem está fumando cachimbo) [*int.* / *ta.*: *Passou a tarde cachimbando (no que havia feito).*] [▶ 1 cachimbar] [F.: *cachimbo* + *-ar*[2]. Hom./Par.: *cachimbo* (fl.), *cachimbo* (sm.).]

cachimbo (ca.*chim*.bo) *sm.* **1** Utensílio us. para fumar, com uma cavidade onde fica o fumo (denominada fornilho), um tubo, e uma boquilha pela qual se aspira a fumaça **2** *Bras. Bot.* Nome comum a diversas plantas da fam. das gesneriáceas, cujas flores parecem pequenos cachimbos, nativas do Brasil e muito cultivadas como ornamentais **3** Ferragem munida de um tubo em que entra o espigão dos lemes das portas; fêmea (peça com orifício) de ferragem chamada macha-fêmea **4** Abertura do castiçal onde se encaixa a vela **5** *Bras.* Aparelho destinado a impedir que os bezerros mamem **6** *Bras. N. E.* Bebida feita com cachaça e mel; CACHIMBADA; MELADINHA **7** *Bras.* Jazida de manganês **8** *Bras.* Grande porção primástica de terra, separada de uma barranca vertical por dois fundos laterais **9** *Bras. PA* Guarda civil (à paisana) incorporado a uma diligência policial **10** *Cnav.* Peça metálica em forma de olhal fixada no mastro, ou em amurada, costado, braçola de escotilha etc., onde se insere um mangual **11** *Cnav.* Tubo em forma de cachimbo para renovar o ar das partes cobertas da embarcação [F.: Posv. do quimbundo *ki'xima* 'poço' ou do pref. dim. *ka* + *humbu* 'nome de um instrumento para fumar'; Hom./Par.: *cachimbo* (fl. *cachimbar*); *cachimbó* (s. m.).] ■ **~da paz** *Fig.* Qualquer cerimônia ou gesto que simbolize acordo, fim de hostilidade, pacificação etc. [Em alusão a cerimônia de alguns povos indígenas da América do Norte, que consiste em fumar um cachimbo especial como celebração de acordo ou de paz.] **Fumar o ~ da paz** *Fig.* Entrar em acordo, encerrar ou evitar desavença, conflito etc., esp. com alguma demonstração solene ou simbólica em conjunto com antigo desafeto, adversário, concorrente etc. **Ser ~ apagado** *1 Bras. Pop.* Não ter mais utilidade ou serventia **2** *PE* Ser político derrotado ou sem representatividade

cachimônia (ca.chi.*mô*.ni:a) *sf.* **1** A cabeça (como lugar do pensamento, da memória etc.): *Isso não me sai da cachimônia.* **2** Capacidade de pensar, memorizar, compreender; inteligência, sagacidade, esperteza, boa memória **3** Calma, paciência: *Irritou-se e perdeu a cachimônia.* [F.: De or. duv.]

cacho (*ca*.cho) *sm.* **1** Conjunto de flores ou de frutos dispostos num eixo comum; RACEMO: *cacho de uvas.* **2** *Bot.* Racemo (inflorescência) **3** Conjunto de objetos dispostos dessa forma **4** Anel de cabelo **5** *Bras. Pop.* Caso amoroso, namoro; CASO **6** *Bras. Pop.* Amante, caso: *Meu amigo é cacho dela.* [F.: Posv. do lat. vulg. *cacculus.*] ■ **Bêbedo como um ~** Muito embriagado **Dar o ~** *Pop.* Morrer

cachoar (ca.cho.*ar*) *v. int.* **1** Formar cachão ou cachoeira; agitar-se em turbilhão; borbotar, acachoar **2** Apresentar-se de maneira agitada, tumultuada; formar-se ou surgir em profusão: *Imagens cachoavam em sua imaginação* [▶ 16 cachoar] [F.: *cachão* (rad. cacho) + *-ar*[2], com desnasalação.]

cachoeira (ca.cho:*ei*.ra) *sf.* **1** Corrente ou torrente de água que, ao cair em um desnível do terreno, forma cachão (borbulhas); queda-d'água volumosa; CATARATA; SALTO **2** *P. ext.* Qualquer queda-d'água **3** *MA* Parte do rio onde as águas, devido à diferença de nível, correm mais rápido; CORREDEIRA [F.: *cachão* (f. rad. *cacho* -) + *-eira.*]

cachoeiro (ca.cho.*ei*.ro) *sm. ES* Ver *cachoeira* [F.: De *cachoeira.*]

cachola (ca.*cho*.la) *sf. Pop.* Cabeça (nos sentidos de 'parte do corpo', de 'mente' ou 'sede das ideias, pensamentos, vontades', ou de 'inteligência, capacidade de entendimento'): *Meteu na cachola que vai ficar rico.* [F.: *cacho*[2] (= *cachaço*) + *-ola.*]

cacholeta (ca.cho.*le*.ta) [ê] *sf.* **1** Pancada, ger. leve, com o dorso da mão, ou das duas mãos, na cabeça de alguém; CASCUDO **2** *Fig.* Reclamação, repreensão **3** *Fig.* Ironia, zombaria, ofensa [F.: *cachola* + *-eta.*]

cachopa (ca.*cho*.pa) [ó] *sf. Lus.* Cacho de flores na extremidade de um ramo [F.: De *cacho*, posv.]

cachopo (ca.cho.po) [ô] *sm. Lus.* Menino ou rapaz do Norte de Portugal [F.: De or. contrv.]

cachorra (ca.*chor*.ra) [ô] *sf.* **1** *Bras.* Cadela nova **2** *P. ext.* Qualquer cadela **3** *Pej. Vulg.* Mulher libertina, atrevida, devassa, imoral [F.: Fem. de *cachorro.*] [Termo ofensivo.] ■ **~ aferente** *Arq.* Em elementos em balanço (beiral, sacada etc.), peça apoiada numa cimalha da alvenaria, para ampliar o balanço **Com a ~** *1 Bras. Gír.* De mau humor; furioso, possesso **2** Abatido, desanimado **Com a ~ cheia** *Bras. Pop.* Bêbado, embriagado **Comer uma ~ inssosa** Ter sérios problemas ou dificuldades

cachorrada (ca.chor.*ra*.da) *sf.* **1** Grupo de cachorros **2** *Pej.* Gente reles, desprezível **3** *Bras. Fig.* Ação indigna, vil, desonesta; indecência, safadeza; CACHORRICE: *Fez uma cachorrada com o colega.* [F.: *cachorro* + *-ada*[1].]

cachorreiro (ca.chor.*rei*.ro) *Bras. Cinol. sm.* **1** Aquele que cria ou treina cães de caça **2** Condutor dos cães que, nas caçadas, farejam as trilhas; MATILHEIRO [F.: *cachorro* + *-eiro.*]

cachorrice (ca.chor.*ri*.ce) *sf. Bras.* Ação vil; o mesmo que *cachorrada* (3); CACHORRADA (3) [F.: *cachorro* + *-ice.*]

cachorrinho (ca.chor.*ri*.nho) *sm.* **1** Cachorro pequeno **2** Nado que lembra o de um cachorro, ger. praticado por crianças *a.* **3** Diz-se de nado que lembra o de um cachorro, ger. praticado por crianças. [Corpo na vertical, cabeça fora da água e movimentos muito curtos e rápidos com os braços.] *adv.* **4** À maneira do cachorro nadar: *Ele sabe nadar cachorrinho.* [F.: *cachorro* + *-inho.*]

cachorro (ca.*chor*.ro) [ô] *sm.* **1** Cão novo ou pequeno **2** *Bras.* Qualquer cão **3** Cria de leão, lobo e de outros animais semelhantes ao cão **4** *Fig.* Pessoa inescrupulosa, sem dignidade **5** *Fig.* Menino travesso, levado **6** *Arq.* Peça saliente de madeira ou de pedra para sustentar o peso de uma cimalha ou de uma sacada; MODILHÃO **7** *Cnav.* Cada uma das grossas peças de madeira ou escoras, que sustentam o navio na calha do estaleiro **8** *Mec.* Peça da atafona que dá movimento de vaivém à calha para fazer cair o trigo entre as mós **9** *Bras.* No jogo do bicho, o quinto grupo, que corresponde ao número do cachorro (cinco) e abrange as dezenas 17, 18, 19 e 20 **10** *Bras.* Haste da espora que sustenta a roseta **11** *Bras.* Balsa descoberta, em geral de buriti, em que se transportam cargas no rio Parnaíba [Fem.: *cadela* e (*Pop.*) *cachorra.*] [F.: Posv. do lat. vulg. *cattulus*, por *catulus.*] ■ **~ espritado** *N. E. Pop.* Cão hidrófobo, raivoso **Matar ~ a grito** *Bras. Gír.* Estar em situação muito difícil **Mentiroso que só ~ de preá** *Bras. Pop.* Muito mentiroso **Pra ~** *Bras. Gír.* Muito; pra burro **Soltar os ~s (em cima de alguém)** Ser agressivo; insultar (alguém)

cachorro-d'água (ca.chor.ro-d'*á*.gua) *sm. Bras. Zool.* Ver *lontra* (*Lutra longicaudis*) [Pl.: *cachorros-d'água.*]

cachorro-do-mato (ca.chor.ro-do-*ma*.to) *Bras. Zool. sm.* **1** Designa diversas espécies de mamíferos sul-americanos da família dos canídeos **2** Mamífero canídeo (*Cerdocyon thous*) de cor pardo-cinzenta, com focinho e garganta negros, que se alimenta de pequenos animais, frutos, insetos etc. [Pl.: *cachorros-do-mato.*]

cachorro-quente (ca.chor.ro-*quen*.te) *sm.* Sanduíche de salsicha quente, ger. num pão careca, com ou sem molho, mostarda etc. [Pl.: *cachorros-quentes.*]

cacicado (ca.ci.*ca*.do) *sm. Antr.* Tipo de sociedade que, quanto ao nível de integração sociopolítica, situa-se entre a tribo e o Estado [F.: *cacique* + *-ado.* Cf.: *bando* (2, 3) e *tribo.*]

cacifado (ca.ci.*fa*.do) *a. Pop.* Que é bancado, sustentado, apoiado [F.: *cacife* + *-ado.*]

cacifar (ca.ci.*far*) *v. int. td.* **1** Guardar em cacifo, cofre, caixa **2** *Bras. P. ext.* Em certos jogos, recolher o cacife (dinheiro pago por todos os jogadores) [▶ 1 cacifar] [F.: *cacif(o)* + *-ar*[2]. Hom. Par.: *cacifo* (fl.), *cacifo* (sm.); *cacife* (fl.), *cacife* (sm. e pl.).]

cacife (ca.*ci*.fe) *sm.* **1** Quantia mínima convencionada como fundo inicial de aposta de um jogador em certos jogos **2** *Fig.* Recurso (dinheiro, capacitação, influência, poder etc.) que faculta a realização de algo: *Tem cacife para se eleger governador.* [F.: Do ár. *qafiz.*]

cacifo (ca.*ci*.fo) *sm.* **1** Antiga medida de secos **2** Pequeno cofre **3** Pequeno compartimento em vários tipos de construção; CUBÍCULO **4** *Med.* Depressão anormal da pele causada por retração do tecido **5** *Pat.* Depressão que se forma na pele pela pressão dos dedos **6** Pequeno armário aberto em parede **7** Em certos jogos, buraco por onde a bola penetra [F.: Do ár. *cafiz.*]

cacildiano (ca.cil.di.*a*.no) *a.* Ref. a atriz brasileira Cacilda Becker

cacimba (ca.*cim*.ba) *sf.* **1** Poço cavado no solo para extração de água de lençol subterrâneo **2** *N. E.* Cova em local baixo e úmido ou leito de rio seco, em que se acumula água provinda do solo **3** *Afr.* Escavação onde se acumula água da chuva, filtrada pelos terrenos adjacentes, e us. para abastecimento das populações circunvizinhas **4** *S.* Fonte de água potável **5** *Afr.* Denso nevoeiro que ocorre ao cair da tarde em certos pontos da costa africana; CACIMBO [F.: Do quimb. *kixima.* Duvidoso para a acp. 5.]

cacique (ca.*ci*.que) *Bras. sm.* **1** Chefe temporal de tribos indígenas; MORUBIXABA **2** *Fig.* Chefe ou indivíduo muito importante em partido político, grupo etc. **3** *Fig. Pej.* Aquele que comanda, que se impõe, que dá ordens num grupo, instituição etc.; MANDACHUVA [F.: Do espn. *cacique.*]

cacique-pajé (ca.ci.que-pa.*jé*) *sm. Bras.* Chefe espiritual em tribos indígenas brasileiras [Pl.: *caciques-pajés.*]

cacique-rezador (ca.ci.que-re.za.*dor*) [ô] *sm.* Líder religioso indígena [Pl.: *caciques-rezadores.*]

caciquia (ca.ci.*qui*.a) *sf. Pej.* Grupo de chefes políticos, de mandachuvas [F.: *cacique* + *-ia.*]

caciquismo (ca.ci.*quis*.mo) *sm.* **1** Ato ou procedimento próprio de cacique **2** *P. ext.* Procedimento semelhante ao de um cacique; procedimento de chefão, de mandachuva; ARBITRARIEDADE **3** Regime, partido político etc. em que predominam os caciques, os mandachuvas [F.: *cacique* + *-ismo.*]

caciquista (ca.ci.*quis*.ta) *a.* **1** *Pol.* Ref. a caciquismo **2** *Pol.* Que age como cacique (3) ou é adepto do caciquismo: "... afastar a ideia de que o partido é caciquista, decide tudo pela cúpula..." (*O Globo*, 11.03.2006) *s2g.* **3** *Pol.* Indivíduo que age como cacique (3) ou é adepto do caciquismo [F.: *cacique* + *-ista.*]

◎ **cac(o)-**[1] *el. comp.* = 'mau', 'ruim'; 'irregular', 'disforme'; 'desagradável': *cacoépia, cacoepia* (< gr.), *cacofonia, cacogeusia, cacografia* [F.: Do gr. *kakós, é, ón.*]

◎ **cac(o)-**[2] *el. comp.* = 'excremento'; 'fezes': *cacofagia, cacófago* [F.: Do gr. *kákke, es.*]

caco (*ca*.co) *sm.* **1** Fragmento ou pedaço de louça, cerâmica, vidro etc. **2** Objeto que se estragou, que se tornou inútil **3** *Fig. Pej.* Pessoa envelhecida, enfraquecida ou doente: *Sofreu muito, hoje está um caco!* [Pode ser ofensivo.] **4** *Gír. Teat.* Palavra ou frase improvisada, ger. de efeito cômico, que o ator introduz em sua fala **5** *Bras.* Tabaco torrado e moído em um pedaço de telha **6** *Bras. Pop.* Resto de dente cariado ou quebrado **7** Pedaço de telha, ladrilho, mármore etc. empr. em revestimento **8** Pavimento feito com vários desses pedaços **9** *Fam. Fig.* Juízo, bom-senso, discernimento, cabeça **10** *RS* Lombilho ou serigote, espécie de arreio de cavalgadura **11** *Lus. Pop. Vulg.* Humor do nariz seco e solidificado; MELECA [F.: De or. contrv.] ■ **~ de gente** Pessoa pequena; criança **Cuspir fora do ~** *Bras. Tabu* Ver *Mijar fora do caco* no verb. *caco* **Mijar fora do ~** *1 Bras. Tabu* Não cumprir obrigação ou dever; desviar-se de linha de conduta convencionada **2** Cometer adultério

caçoada (ca.ço:*a*.da) *sf.* **1** Ato e/ou dito que ri ou escarnece de algo ou alguém; ESCÁRNIO; TROÇA; ZOMBARIA **2** Dito espirituoso; PILHÉRIA [F.: *caçoar* + *-ada*[1].]

caçoar (ca.ço.*ar*) *v.* **1** Fazer caçoada, zombaria ou troça (de); provocar riso em relação a (algo ou alguém), com palavras e/ou ações; DEBOCHAR; ESCARNECER; TROÇAR; ZOMBAR [*tr.* + *com, de*: *Caçoavam com ele porque era preguiçoso demais; caçoar do sotaque de alguém.*] [*int.*: *O rapaz brejeiro vivia a caçoar.*] [*td.*: *caçoar os calouros.*] **2** *Bras. Pop.* Dar pouca importância a, fazer pouco caso de [*tr.* + *de*: *Não caçoe do que o vidente lhe disse.*] [▶ 16 caçoar] [F.: De or. contrv.]

cacoete (ca.co:*e*.te) [ê] *sm.* **1** Tique ou trejeito involuntário de alguma parte do corpo: *Tinha o cacoete de piscar o olho esquerdo.* **2** Hábito típico (de pessoa ou grupo); MANIA **3** Hábito ou costume desagradável, vício: *Ele tem o cacoete de roer as unhas.* **4** Comportamento, modo de agir ou de reagir que se repete automaticamente por hábito, por força de seguidas repetições anteriores: *Tem o cacoete de ligar a televisão assim que chega em casa.* **5** *Pop.* Indício de uma vocação: *De cantor ele não tem sequer o cacoete.* [F.: Do gr. *kakoéthes*, pelo lat. tardio *cacoethes.*]

cacofagia (ca.co.fa.*gi*.a) *sf.* **1** Ingestão de excrementos **2** *Psiq.* Estado patológico em que o doente ingere matérias fecais [F.: *cac(o)-*[2] + *-fagia.*]

cacofágico (ca.co.*fá*.gi.co) *a.* Ref. a cacofagia [F.: *cacofagia* + *-ico*[2].]

cacófago (ca.*có*.fa.go) *a.* **1** *Psiq.* Diz-se de indivíduo que tem cacofagia *sm.* **2** Esse indivíduo [F.: *cac(o)-*[2] + *-fago.*]

cacófato (ca.*có*.fa.to) *sm. Gram.* Formação sonora ridícula ou sugestão de palavra inconveniente resultante do encontro de sílabas de palavras contíguas (boca dela, fé demais etc.); CACOFONIA [F.: Do lat. *cacophaton, i.*]

cacofonia (ca.co.fo.*ni*.a) *sf.* **1** *Gram.* Modo de falar ou de combinar sons, ger. da fala, com efeito desagradável **2** Cacófato **3** *P. ext.* Conjunto de sons desagradáveis: "... berrava-se em meio a uma cacofonia infernal de descargas, chiados, apitos, assovios..." (João Ubaldo Ribeiro, *O conselheiro come*) [F.: Do gr. *kakophonía, as.*]

cacofônico (ca.co.*fô*.ni.co) *a.* Ref. a cacofonia (som cacofônico) [F.: *cacofonia* + *-ico*[2].]

cacogênico (ca.co.*gê*.ni.co) *a. Gen.* Que representa perigo genético para o patrimônio das gerações futuras [F.: *cac(o)-*[1] + *-gênico.*]

cacogeusia (ca.co.geu.*si*.a) *sf. Neur. Psiq.* Gosto desagradável que pode ser experimentado por epilépticos, ou devido à ingestão de certos medicamentos, ou ainda em algumas psicoses, representando fenômeno ilusório neste último caso [F.: *cac(o)-*[1] + *-geusia.*]

cacografia (ca.co.gra.*fi*.a) *sf.* **1** *Gram.* Erro de ortografia; CACOGRAFISMO **2** *Pedag.* Compilação de frases com erros de ortografia, utilizada no aprendizado das regras ortográficas [F.: *cac(o)-*[1] + *-grafia.*]

caçoísta (ca.ço.*ís*.ta) ***a2g.*** **1** Que faz caçoadas (cronista/ gesto caçoísta); CAÇOADOR ***s2g.*** **2** Aquele que faz caçoadas; CAÇOADOR [F.: *caçoar* + *-ista*.]

caçonete (ca.ço.*ne*.te) *Zool.* ***sm.*** **1** Cação pequeno **2** *Bras. BH* Tubarão carcarrinídeo de no máximo 2 m de comprimento [F.: De *cação* (*caçon*) + *-ete*.]

cactáceas (cac.*tá*.ce:as) ***sfpl.*** *Bot.* Família de plantas destituídas de folhas, de flores grandes e ornamentais, com pétalas e frutos bacáceos, comestíveis, e caule engrossado pela presença de amplas reservas de água. Há cerca de 1500 espécies no continente americano [F.: Pl. de *cactácea*.]

cacto (*cac*.to) ***sm.*** **1** *Bot.* Nome comum às plantas da fam. das cactáceas, esp. do gên. *Cactus*, de caule suculento, cheias de espinhos e ger. sem folhas, típicas de regiões desérticas **2** Nome impropriamente atribuído a plantas de outras famílias, como crassuláceas, euforbiáceas, agaváceas e outras [F.: Do gr. *káktos*, pelo lat. *cactus*.]

caçuá (ca.çu:*á*) ***sm.*** **1** *Bras.* Cesto feito de cipó, vime ou bambu, com alças e tampa, que se prende às cangalhas para o transporte de pequenas cargas **2** Rede de pesca, de malhas largas; CAÇOEIRA [F.: Do tupi.]

cacuia (ca.*cui*.a) ***sf.*** Cemitério, em referência ao *cemitério da Cacuia*, localizado na ilha do Governador, na cidade do Rio de Janeiro [Us. na loc. *ir para a Cacuia*, com sentido pop. de *morrer*.] ■ **Ir para a Cacuia** Ver *morrer* (1)

caçula (ca.*çu*.la) *Bras.* ***a2g.*** **1** Diz-se do filho mais jovem ***s2g.*** **2** Esse filho [F.: Do quimb. *ka'zuli*.]

caculo (ca.*cu*.lo) ***sm.*** **1** O mesmo que *cogulo* **2** *Pop.* Inchação, intumescência, tumefação **3** De gêmeos, o que nasceu primeiro [F.: Var. de *cogulo*. De or. obsc. para a acp. 3.]

cacunda (ca.*cun*.da) ***sf.*** **1** *Bras.* Costas, dorso **2** O mesmo que *corcunda* (3) ***s2g.*** **3** Pessoa corcunda **4** Aquele que dá abrigo; PROTETOR [F.: Do quimb. *kakunda*.]

⊠ **CAD** *Inf.* Técnica que desenvolve programas e equipamentos, us. para a realização computadorizada de projetos de arquitetura ou de engenharia [F.: Do ing. *Computer-Aided Design*.]

cada (*ca*.da) ***pr. indef.*** **1** Designa individualmente parte de um todo, qualquer que ela seja, com isso referindo-se à totalidade dessas partes no todo: *Planejou cada dia de suas férias*. [Significa que planejou o dia de suas férias, qualquer que seja esse dia, ou seja, que planejou todos os dias de suas férias] **2** Realça a individualidade de uma parte num todo tratado como tal: *Gosto de meus alunos, de cada um deles*. **3** Indica a repetição regular de algo: *As Olimpíadas se realizam a cada quatro anos*. **4** Us. como intensificador: *Você tem cada ideia!* [F.: Do gr. *katá*, pelo lat. vulg. *cata*.] ■ **~ qual/um 1** Toda pessoa ou coisa de certo grupo (ou seja, todas elas): *Cada qual/um sabe de si*. **2** Toda pessoa ou coisa de certo grupo, tomada em separado: *Vamos sentar, cada qual/um em seu lugar*. **~ uma** Expressão genérica de coisas (feitas, ditas ou acontecidas) que causam certo espanto ou admiração, e não citadas explicitamente: *Nesta classe acontece cada uma...; Ele faz cada uma...; É um grande piadista, e conta cada uma...*

cadafalso (ca.da.*fal*.so) ***sm.*** **1** Tablado sobre o qual se executam publicamente condenados à morte; PATÍBULO **2** *Fig. P. ext.* Pena de morte, sua execução: *Foi condenado ao cadafalso*. **3** Instrumento para execução, por estrangulamento, de condenados à morte; FORCA **4** *P. us.* Andaime **5** Qualquer estrado alto para apresentações públicas; PALANQUE [F.: Do lat. vulg. *catafalicum*, pelo cat. *cadafal*.]

cadarço (ca.*dar*.ço) ***sm.*** **1** Cordão ou fita estreita de anafaia, ou de seda não aproveitada **2** Tira de tecido ou outro material que se usa para tecer; NASTRO **3** *Bras.* Cordão ou fita para amarrar sapatos, apertar botas ou botinas etc.; ATACADOR **4** Qualquer fita ou cordão us. para atar **5** *Art. gr.* Cada uma das fitas ou tiras que, nas máquinas de impressão, conduzem a folha de papel do cilindro impressor para a devida posição na pilha que vai se formando na mesa [F.: Prov. do gr. *katharteon*, pelo lat. *cathartеum*, pelo espn. *cadarzo*.]

cadastrado (ca.das.*tra*.do) ***a.*** **1** Que se cadastrou; incluído em cadastro **2** *Lus.* Que é fichado na polícia [F.: Part. de *cadastrar*.]

cadastrador (ca.das.tra.*dor*) [ô] ***a.*** **1** Que faz ou organiza cadastro ***sm.*** **2** Quem faz ou organiza cadastro [F.: *cadastrar* + *-dor*.]

cadastral (ca.das.*tral*) ***a2g.*** Ref. a cadastro [Pl.: *-trais*.] [F.: *cadastro* + *-al*[1]. Hom./Par.: *cadastrais* (pl.)/ *cadastrais* (fl. de *cadastrar*).]

cadastramento (ca.das.tra.*men*.to) ***sm.*** Ação ou resultado de cadastrar, de incluir e/ou organizar dados em cadastro; organização em cadastro; CADASTRAGEM [F.: *cadastrar* + *-mento*.]

cadastrar (ca.das.*trar*) ***v. td.*** Fazer o cadastro ou o registro de (dados, informações), ou incluir dados e informações de (algo ou alguém, inclusive os próprios) em cadastro: *O funcionário cadastrou os clientes do banco; Ela foi à prefeitura se cadastrar*. [▶ 1 cadastrar] [F.: *cadastro* + *-ar*[2]. Hom./ Par.: *cadastro* (fl.), *cadastro* (sm.).]

cadastro (ca.*das*.tro) ***sm.*** **1** Registro ou documento público com anotação e descrição dos bens imóveis em um território **2** Documento em que estabelecimentos comerciais registram dados financeiros de clientes **3** Conjunto de registros de dados sobre pessoas consideradas como universo para determinado fim (venda de produtos, participação em entidades etc.); o suporte físico desses registros (fichas, arquivos físicos ou eletrônicos, a sala ou o departamento em que se encontra etc. **4** Conjunto de métodos e operações para criar e manter atuais esses registros **5** *Jur.* Registro policial ou judicial contendo informação sobre contraventores, criminosos etc. **6** Censo demográfico [F.: Do fr. *cadastre*. Hom./Par.: *cadastro* (v. *cadastrar*).]

cadáver (ca.*dá*.ver) ***sm.*** **1** Corpo morto, esp. de ser humano; DEFUNTO **2** *Fig.* Indivíduo muito magro e pálido: "O convalescente regressa triste, como um cadáver arrependido." (Cecília Meireles, "O convalescente" *in Poesias completas*) **3** *Bras. Pop.* Pessoa a quem se deve dinheiro; CREDOR [Pl.: *-veres*.] [F.: Do lat. *cadáver*.] ■ **Enterrar o ~** *Pop.* Pagar dívida

cadavérico (ca.da.*vé*.ri.co) ***a.*** **1** Ref. a, de ou próprio de cadáver (rigidez cadavérica) **2** Que tem aspecto de cadáver, por sua palidez, ou magreza etc. (rosto cadavérico) **3** Que se faz em cadáver (autópsia cadavérica) [F.: *cadáver* + *-ico*.]

⊕ **caddie** (*Ing.* /*quédi*/) ***sm.*** *Esp.* Ver *caddy* [F.: Do ing. *caddy* ou *caddie*.]

⊕ **caddy** (*Ing.* /*quédi*/) ***sm.*** *Esp.* Em campo de golfe, aquele que carrega as bolas e os tacos do jogador; CADDIE

cadê (ca.*dê*) ***adv.*** *Bras. Pop.* F. red. de *que é de*: *Cadê sua irmã?* [Tb. *quedê*.]

cadeado (ca.de:*a*.do) ***sm.*** **1** Fechadura portátil que apresenta uma argola aberta, em forma de U, que se passa em argolas ou orifícios nas partes móveis daquilo que se quer trancar e a seguir se encaixa no dispositivo que a fixa, e que só permite a abertura por meio de chave, segredo etc. **2** *P. ext.* Corrente us. para prender ou fechar algo **3** Variedade de brinco de orelha **4** *Fig.* Algo que atua como meio impeditivo ou como estorvo, obstáculo de ação ou atuação de algo ou alguém, ger. por imposição externa [F.: Do lat. *catenatus*.]

cadeia (ca.*dei*.a) ***sf.*** **1** Corrente de elos metálicos ligados entrelaçadamente uns aos outros, formando com isso um dispositivo linear resistente e flexível que serve para prender, transmitir ou resistir a força etc.; CORRENTE [Dim. irr.: *catênula*.] **2** Tal dispositivo, us. para prender ou imobilizar alguém (prisioneiro, cativo etc.); GRILHÃO **3** Estabelecimento, casa, compartimento etc. onde ficam detidos suspeitos, acusados ou condenados por algum crime; casa de detenção; PRISÃO; XADREZ **4** *Fig.* Aquilo que impede ou limita ação, atividade, liberdade de agir ou falar etc. **5** *Fig.* Sujeição, servidão, supressão da liberdade; CATIVEIRO; OPRESSÃO **6** Sequência de pessoas, objetos, fatos etc.: *uma cadeia de acontecimentos*. **7** Conjunto de estabelecimentos, lojas etc. pertencentes a uma mesma empresa ou que atuam no mesmo ramo: *cadeia de supermercados; cadeia de cinemas*. **8** *Rad. Telv.* Rede de emissoras de rádio ou televisão que transmitem o mesmo programa **9** *Geog.* Sequência ininterrupta de montanhas **10** *Arq.* Espécie de pilastra que serve de arrimo a muros, paredes etc. **11** *Quím.* Ligação de átomos entre si (p. ex., os átomos de carbono nos compostos orgânicos) **12** *Dnç.* Disposição de pares que se entrelaçam e deslocam ao mesmo tempo **13** *Fís.* Sucessão de fenômenos semelhantes, como acontece nas reações nucleares **14** *Álg.* Linha que une dois vértices em um conjunto cujos elementos são ligados por arcos [F.: Do lat. *catena*.] ■ **~ alimentar** *Ecol.* Esquema no qual os elementos de um ecossistema, dos mais simples aos mais complexos, são apresentados segundo a estrutura dos ciclos de alimentação, cada elemento se alimentando de ou servindo de alimentação para outro **~ colateral** *Fís. nu.* Ver *Série colateral* no verbete *série*. **~ de montanhas** *Geog. Geol.* Série de montanhas ligadas entre si, com a mesma origem e a mesma estrutura geológica, formando um sistema (cordilheira, serra etc.) **~ nacional** *Rád. Telv.* Rede de todas as emissoras de um país **~ polinucleotídica** *Gen.* Polímero formado por três nucleotídeos ligados entre si **~ polipeptídica** *Gen.* Polímero formado por aminoácidos interligados **~ respiratória** *Cit.* Conjunto de proteínas em célula, que na respiração celular agem sobre carboidratos para produzir energia **~ trófica** *Ecol.* Ver *Cadeia alimentar* **Em ~** Sequenciado, como causa e efeito (com efeitos se transformando em causas de novos efeitos): *reação em cadeia*.

cadeira (ca.*dei*.ra) ***sf.*** **1** Móvel que serve de assento para uma só pessoa, com encosto e quatro pernas, às vezes com braços **2** Assento individual ocupado por uma pessoa eminente; TRONO; SÓLIO **3** Lugar ocupado por um dos membros de uma corporação política, literária ou científica: "Lástima que Teixeira de Freitas não tivesse uma cadeira de legislador." (Machado de Assis, *Balas de estalo*) **4** Cargo ou função de professor titular de uma disciplina de nível universitário: *concurso para a cadeira de latim*. **5** *P. ext.* Disciplina ou matéria de um curso **6** Assento de plateia (em cinemas, teatros, auditórios, ginásios etc.) dividido com braços para acomodar uma só pessoa **7** *P. ext.* Bilhete de ingresso para ocupar esse tipo de assento, ger. com o número do lugar preestabelecido **8** *Cap.* Posição (pés paralelos e pernas parcialmente flexionadas) que permite ao capoeirista, a partir dela, tanto esquivar-se de golpe como contra-atacar **9** Anca, quadril [Mais us. no pl. Ver *cadeiras*.] [F.: Do gr. *kathédra*, pelo lat. *cathedra*.] ■ **~ austríaca** Estilo de cadeira (séc. XIX) de forma curvas, em matéria vergável, com assento e encosto de palhinha **~ cativa** Cadeira (em teatro, estádio etc.) reservada a alguém por período determinado, ou perpetuamente [Cf.: *Ter cadeira cativa*.] **~ curul** Na Roma antiga, cadeira de marfim dos altos magistrados; p. ext., cadeira de autoridade ou dignitário [Tb. apenas *curul*.] **~ de arruar** Liteira antigamente us. como meio de transporte; cadeirinha **~ de balanço** Cadeira apoiada no chão em base(s) curva(s), o que permite que balance para frente e para trás com o impulso do corpo ou das pernas de quem está sentado; cadeira de embalo **~ de braços** A que tem apoios laterais para os braços **~ de campanha** *Bras. Ant.* Assento baixo, de couro **~ de embalo** Ver *Cadeira de balanço* **~ de rodas** Cadeira sobre rodas, movida elétrica ou manualmente, us. por pessoas com dificuldade de locomoção **~ de São Pedro 1** *Ecles.* O trono do papa; cadeira pontifícia **2** *Fig.* Por metonímia, a autoridade pontifícia, o papado **~ elétrica 1** Cadeira que serve de instrumento de execução de condenados à morte em alguns estados dos EUA, os quais, nela sentados e conectados a fontes de alta-tensão, recebem descarga mortal **2** Em alguns estados dos EUA, pena de morte por eletrocussão **~ episcopal** Nas igrejas e nas sés episcopais, o trono do bispo, ou de outra autoridade eclesiástica **~ gestatória** Liteira ou andor que transporta o papa em certas ocasiões **~ pontifícia** Ver *Cadeira de São Pedro* (1) **~ preguiçosa** *Bras.* Cadeira confortável, ger. com extensão para repousar as pernas; espreguiçadeira **De ~ 1** Em lugar ou posição privilegiados (para observar algo): *Assistiu de cadeira ao desenvolvimento da crise*. **2** Com conhecimento, com autoridade: *Nesse assunto, ele fala de cadeira*. **Ter ~ cativa** *Fig.* Estar sempre presente, ser assíduo [Cf.: *Cadeira cativa*.]

cadeirada (ca.dei.*ra*.da) ***sf.*** Golpe desferido com cadeira: *Levou uma cadeirada do agressor*. [F.: *cadeira* + *-ada*.]

cadeirante (ca.dei.*ran*.te) ***s2g.*** **1** Pessoa que, por deficiência física, ou por estar provisoriamente impossibilitada de andar, locomove-se em cadeira de rodas ***a2g.*** **2** Diz-se de quem é cadeirante (1) (atleta cadeirante) [F.: **cadeirar* (< *cadeira* + *-ar*[2]) + *-nte*.]

cadeiras (ca.*dei*.ras) ***sfpl.*** Ancas, quadris: *Ao andar, balançava as cadeiras*. [F.: Pl. de *cadeira*.]

cadeireiro (ca.dei.*rei*.ro) ***sm.*** **1** Indivíduo que vende ou fabrica cadeiras **2** *Bras.* Aquele que carrega cadeirinha, liteira [F.: *cadeira* + *-eiro*.]

cadeirinha (ca.dei.*ri*.nha) ***sf.*** **1** Diminutivo de cadeira; cadeira pequena **2** *Ant.* Cadeira coberta, presa a longas varas, conduzida por homens ou animais e ger. us. no transporte de pessoa ilustre ou poderosa; LITEIRA **3** Armação de madeira com encosto que se põe sobre a sela da cavalgadura **4** Apoio formado pelos braços cruzados de duas pessoa, uma defronte da outra, para carregar uma terceira **5** Conjunto de faixas resistentes que o montanhista passa pelas coxas e cintura ***sm.*** **6** Carregador de cadeirinha (2) [F.: *cadeira* + *-inha*.]

cadeirudo (ca.dei.*ru*.do) ***a.*** **1** Ref. a pessoa ou animal que tem ancas ou quadris largos ***sm.*** **2** Quem tem ancas ou quadris largos [F.: *cadeira* + *-udo*.]

cadela (ca.*de*.la) ***sf.*** **1** A fêmea do cão **2** *Bras. P. ext. Pej. Pop.* Mulher vulgar, de má índole, sem compostura **3** *Bras. Pej.* Prostituta [F.: Do lat. *catella*.]

cadência (ca.*dên*.ci:a) ***sf.*** **1** Sucessão regular de sons e de movimentos; RITMO **2** *P. ext.* Compasso, ritmo **3** Ritmo com que se sucedem pausas e ênfases **4** *Liter.* Ritmo das palavras na fala, num discurso, na poesia, na oratória etc., de acordo com a acentuação tônica de cada sílaba **5** Repetição de alguma coisa em ritmo regular: *a cadência das remadas*. **6** Ritmo ou velocidade com que algo se realiza, se processa: *A cadência daquele trabalho era de enlouquecer*. **7** *Mús.* Num concerto para solista e orquestra, trecho executado apenas pelo solista, sem acompanhamento orquestral, ger. antes do fim de um movimento **8** *Mús.* Encadeamento de notas e/ou acordes que estrutura uma composição musical e lhe define o tom **9** *Mús.* O mesmo que *pulsação* **10** *Fig.* Pendor, tendência, vocação: *O rapaz tem cadência para o futebol*. [F.: Do lat. **cadentia* (pl. neutro de *cadens*, part. de *cadere*), pelo it. *cadenza*. Hom./Par.: *cadência* (sf.), *cadencia* (fl. de *cadenciar*); *cadências* (pl.), *cadencias* (fl. de *cadenciar*).]

cadenciado (ca.den.ci:*a*.do) ***a.*** **1** Que tem cadência, ritmo; compassado (frevo cadenciado; passos cadenciados) **2** *Mús.* O mesmo que *ritmado* [F.: Part. de *cadenciar*.]

cadenciamento (ca.den.ci:a.*men*.to) ***sm.*** Ação e resultado de cadenciar [*cadenciar* + *-mento*.]

cadenciar (ca.den.ci.*ar*) ***v. td.*** **1** Dar cadência ou regularidade, ritmo, de pausas, de entoação, de movimentos a; RITMAR: *No desfile, os soldados cadenciam os passos; As sílabas tônicas cadenciavam os versos tornando-os melodiosos*. **2** *Mús.* Executar, tocar lentamente, pausadamente (trecho musical) [▶ 1 cadenciar] [F.: *cadência* + *-ar*[2]. Hom./ Par.: *cadencia(s)* (fl.), *cadência(s)* (sf. [pl.]).]

cadente (ca.*den*.te) ***a2g.*** **1** Que cai, que está a cair ou na iminência de cair (chuva cadente) **2** Que tem movimento de queda ou de queda aparente (estrela cadente) **3** Que tem ritmo, cadência; ritmado (samba cadente) [F.: Do lat. *cadens, entis*. Hom./Par.: *cadente* (a2g.), *candente* (a2g.).]

caderina (ca.de.*ri*.na) ***sf.*** *Biol.* Molécula de adesão que estabelece ligação entre as células

caderneta (ca.der.*ne*.ta) [ê] ***sf.*** **1** Pequeno livro ou caderno para anotar endereços, números de telefones, recados etc. **2** Pequeno caderno em que se registra a frequência, as notas e o comportamento do aluno em um estabelecimento de ensino **3** *Mil.* Caderno em que se registra o desempenho de um militar durante sua carreira **4** Pequeno caderno ou livro em que se registra a movimentação de uma conta em bancos, financeiras etc. **5** *Econ.* Registro de débitos e créditos **6** *Lus. Edit.* O mesmo que *fascículo*. (*1*) [F.: *caderno* + *-eta* (ê).] ■ **~ de poupança 1** *Bras. Econ.* Depósito em conta bancária ao qual são acrescidos (ger. mensalmente) juros e correção monetária **2** O certificado ou caderneta em que se registra essa conta

caderneteiro (ca.der.ne.*tei*.ro) *sm.* Indivíduo que poupa em caderneta de poupança [F.: *caderneta* + *-eiro.*]

caderno (ca.*der*.no) *sm.* **1** Conjunto de folhas brancas ou pautadas, unidas (ger. por meio de grampos ou espiral) em formato de livro, para anotações, exercícios escolares etc. **2** *Art. gr.* Um dos conjuntos de folhas impressas e dobradas, com 8, 16, 32 ou 64 páginas) que, alceados e justapostos, formam a totalidade de um livro **3** Conjunto de folhas sobrepostas que, num jornal, constituem uma seção ou divisão: *caderno de classificados.* **4** Publicação periódica e seriada sobre um determinado assunto: *cadernos de saúde pública; cadernos de cinema.* [Nesta acp., mais us. no pl.] **5** *Pap.* Unidade de venda no comércio de papel formada por cinco, 6 ou 12 folhas, segundo a qualidade do papel. [É a quinta parte da mão ou a centésima da resma.] **6** *Art. gr.* Folha de papel, depois de impressa e dobrada, que se destina à encadernação: um livro com dez cadernos de 32 páginas [F.: Do lat. *quaternus.*] ■ **~ certo** *Art. gr.* Caderno componente de uma publicação, obtido na impressão frente e verso de certo número de páginas (16, 32 etc.) em toda uma folha de papel, para ser dobrado e alceado com os demais, costurados e/ou colados para posterior corte (e encapamento) **~ de encargos** Relação e descrição minuciosa das condições e serviços previstos em contrato (administrativo, de construção, de prestação de serviço etc.) **~ de espiral** Caderno cujas folhas são presas em um dos lados mediante uma espiral de metal ou plástico que passa sequencialmente por furos ao longo desse lado

cadete (ca.*de*.te) [ê] *sm.* **1** *Mil.* Estudante que cursa a escola militar superior do Exército, da Marinha ou da Aeronáutica **2** *Mil.* Aspirante a oficial que concluiu esse curso **3** Filho não primogênito de família nobre **4** *P. ext.* Segundo filho **5** *Mús.* Atabaque de pequeno tamanho us. no jongo **6** *RS* Familiar ou amigo de estancieiro, que o ajuda a realizar rodeios **7** *RJ Pop. Fut.* Torcedor do São Cristóvão, clube de futebol do Rio de Janeiro *a.* **8** Ref. ao São Cristóvão ou a quem é dele torcedor [F.: Do fr. *cadet.*]

cadinho (ca.*di*.nho) *sm.* **1** *Quím.* Vaso utilizado para fundir minérios ou em reações químicas a temperatura muito elevada; CRISOL **2** A parte do alto-forno onde se opera a fusão, nela ficando o metal fundido depois de separado da escória **3** *Fig.* Lugar onde coisas ou pessoas se misturam, amalgamam: *A região era um cadinho de raças.* [F.: do lat. *catinus.*]

cadivéu (ca.di.*véu*) *s2g.* **1** Pessoa pertencente a um dos povos indígenas da família linguística guaicuru que habita a região oeste do Mato Grosso do Sul, próximo à fronteira do Paraguai *a2g.* **2** Do ou ref. aos cadivéus [F.: Do etnôn. *kadiwéu.*]

cádmio (*cád*.mi:o) *sm. Quím.* Elemento químico de número atômico 48, metálico, azul-acinzentado, us. em reatores nucleares, extintores de incêndio, fusíveis etc. [Símb.: *Cd.*] [F.: *cadmia* + *-io.*]

cadmo (*cad*.mo) *a. Hist.* De Cadmo; de Tebas. Tb. *cadmeu* [F.: Do lat. *cadmeus.*]

caducagem (ca.du.*ca*.gem) *sf.* Condição de pessoa que caduca [Pl.: *-gens.*] [F.: *caduco* + *-agem.*]

caducante (ca.du.*can*.te) *a2g.* **1** Que caduca, que envelhece e perde a lucidez **2** *Fig.* Decadente, declinante [F.: *caduco* + *-ante.*]

caducar (ca.du.*car*) *v. int.* **1** Ficar caduco, envelhecer **2** *Bras. Pej.* Perder a lucidez, o tino, esp. por velhice; dizer ou praticar caduquices: *Morreu muito idoso, mas jamais caducou.* **3** Ficar ultrapassado ou fora de uso; deixar de existir ou acontecer: *Alguns costumes já caducaram; Não há um consenso, essa polêmica ainda não caducou.* **4** *Fig.* Decair, diminuir-se, anular-se: *Com a guerra, o poder do soberano caducava.* **5** *Jur.* Tornar-se nulo porque o prazo de validade terminou ou não se cumpriram as condições estabelecidas (diz-se de contrato, direito, processo, tratado, patente etc.); PRESCREVER: *O contrato caducou por tempo decorrido.* [▶ 11 caducar] [F.: *caduco* + *-ar²*. Hom./Par.: *caduco* (fl.), *caduco* (a.); *caduca* (fl.), *caduca* (fem. de *caduco*).]

caduceu (ca.du.*ceu*) *sm.* **1** Bastão com duas serpentes enroscadas e duas asas na parte superior, insígnia do deus romano Mercúrio, que era o mensageiro dos deuses **2** Emblema, insígnia representando esse bastão **3** Essa insígnia, adotada no séc. XVI como símbolo da medicina [F.: Do gr. *kary'keion*, pelo lat. *caduceum.*]

caducidade (ca.du.ci.*da*.de) *sf.* **1** Estado ou condição de caduco; DECREPITUDE **2** Idade avançada; VELHICE **3** Perda da lucidez, da memória, decorrente da senilidade **4** Estado de decadência **5** *Jur.* Estado do que caducou, do que perdeu a validade [F.: *caduco* + *-i-* + *-dade.*]

caducifólio (ca.du.ci.*fó*.li:o) *a. Bot.* Cujas folhas caem em certa época do ano (diz-se de planta ou vegetação); DECÍDUO [Opõe-se a *perenifólio.*] [F.: *caduco* + *-i-* + *-fólio.*]

caduco (ca.*du*.co) *a.* **1** Que cai ou está na iminência de cair; CAIDIÇO **2** Que tem perdidas as forças, a solidez ou a firmeza; DECRÉPITO **3** *Bras. Pej.* Que perdeu a lucidez por velhice ou doença mental; SENIL **4** *Biol.* Diz-se de vegetal que perde as folhas em determinadas estações ou condições; DECÍDUO **5** *Bot.* Diz-se de parte do vegetal decíduo que por si se separa dele em certas condições, desarticulando-se pela base ou pelo pecíolo, e cai, como folhas de árvore, frutos, algumas flores etc.: *folhas caducas.* **6** *Jur.* Que perdeu a validade, que se anulou por falta de cumprimento das condições necessárias: *contrato caduco.* **7** Passageiro, transitório *sm.* **8** *Bras. Pej.* Indivíduo caduco (3) [F.: Do lat. *caducus.* Hom./Par.: *caduco* (fl. de *caducar*); *caduca* (fem.), *caduca* (fl. de *caducar*).]

caduquice (ca.du.*qui*.ce) *sf.* **1** Estado ou qualidade de caduco; CADUCIDADE **2** *Bras.* Estado ou ação de pessoa caduca, que perdeu a razão por efeito de extrema velhice [F.: *caduco* + *-ice.*]

caetés (ca.e.*tés*) *smpl. Bras.* Grupo indígena quase extinto que, no passado, habitou a região do litoral nordestino compreendida entre a foz do rio São Francisco e a foz do rio Parnaíba (BA) [F.: Pl. de *caeté.*]

⊠ **CAF** *Com. Jur.* Ver *C.I.F.* [Cf.: *cláusula c.a.f.*]

cafajestada (ca.fa.jes.*ta*.da) *Bras. sf.* **1** Grupo de cafajestes **2** A classe dos cafajestes **3** Comportamento de cafajeste; CAFAJESTAGEM [F.: *cafajeste* + *-ada¹.*]

cafajestagem (ca.fa.jes.*ta*.gem) *Bras. sf.* Ação ou comportamento de cafajeste; CAFAJESTADA [Pl.: *-gens.*] [F.: *cafajeste* + *-agem².*]

cafajeste (ca.fa.*jes*.te) *Bras. s2g.* **1** Pessoa de baixa condição **2** Pessoa desprezível, sem valor **3** Pessoa de maus modos, vulgar **4** Pessoa de má índole, valentona, sem caráter, vil; BILTRE; CANALHA **5** *Lus.* Quem não é estudante *a2g.* **6** Que se comporta como cafajeste **7** Típico de cafajeste: *atitude cafajeste* **8** *Lus.* Diz-se de quem não é estudante [F.: De or. contrv.]

cafajestice (ca.fa.jes.*ti*.ce) *sf. Bras.* Ato ou dito próprio de cafajeste; CAFAJESTADA

cafajestismo (ca.fa.jes.*tis*.mo) *sm. Bras. Pop.* Ver *cafajestagem* [F.: *cafajeste* + *-ismo.*]

cafarnauense (ca.far.nau.*en*.se) *s2g.* **1** Indivíduo nascido ou que vive em Cafarnaum (BA) *a2g.* **2** De Cafarnaum; típico dessa cidade ou de seu povo [F.: Do top. *Cafarnaum* + *-ense.*]

cafarnaum (ca.far.na.*um*) [na-úm] *sm.* **1** Lugar onde ocorrem tumultos e desordens **2** Lugar onde se guardam coisas velhas **3** Falta de ordem; MIXÓRDIA **4** *Bras.* Lugar longínquo; CAFUNDÓ [Pl.: *-uns.*] [F.: Do top. *Cafarnaum*, cidade tumultuosa da Galileia antiga.]

café (ca.*fé*) *sm.* **1** *Bot.* Fruto do cafeeiro [O termo refere-se tanto a um fruto individual quanto à totalidade de frutos de uma plantação, de uma safra: *a colheita do café.*] **2** *Bot.* Cafeeiro: *uma plantação de café.* **3** Porção de sementes secas e torradas desse fruto [De modo geral, há três pontos de torra, ou tipos de torrefação, que determinam o sabor, a acidez e o aroma do café (5): o claro, o médio, e o escuro; nesse processo, a coloração dos grãos varia do marrom-claro ao marrom-escuro, e o sabor da bebida varia do suave ao amargo.] **4** Produto resultante do beneficiamento, torrefação, resfriamento, descanso e moagem dos grãos de café (2): "O barista diz também que ela [a água] não deve ser jogada em cima do café no coador. É melhor misturar o pó na água e depois coá-lo" (*Globo Rural*, 08.2002) **5** A bebida que se faz desse fruto, depois de seco, torrado e moído **6** Porção dessa bebida na xícara ou no copo, em dose para consumo individual: *A máquina permite fazer até dois cafés expressos por vez.* **7** Momento de uma refeição em que se toma essa bebida, ger. depois da sobremesa ou em lugar dela: "Os almoços no Ramalhete eram sempre delicados e longos; depois, ao café, ficavam ainda conversando..." (Eça de Queirós, *Os Maias*) **8** *P. ext.* Refeição ligeira em que se toma essa bebida **9** Estabelecimento onde se vendem café, outras bebidas, pequenas refeições, doces etc.; BAR; BOTEQUIM; CAFETERIA **10** A cor do café torrado: *O café é minha cor predileta para cortinas;* "Vestia um gibão de velado preto com alamares de seda cor de café no peito..." (José de Alencar, *O Guarani*) **11** *Bras.* Infusão de certas plantas que pela cor lembra o café **12** *Bras. Pop.* Gratificação que se dá pela prestação de um serviço; GORJETA [Nesta acp., mais us. no dim.] *a2g2n.* **13** Que é da cor café (10): *Comprou uma calça café.* **14** Diz-se dessa cor: *Sapato de cor café.* [F.: Do it. *caffè*, do turco *qahvé*, e este do ár. *qahwa.*] ■ **~ comprido** *S.* Café (bebida) fraco, ralo **~ da manhã** Desjejum; tb. *café da manhã* **~ expresso (ou espresso)** Café em dose individual da bebida, ger. feito em máquina elétrica, na qual água quente passa sob pressão de vapor pelo pó de café (para este fim usa-se uma mistura especial de tipos de café) moído num grau médio de moagem (em algumas máquinas moído na hora) e compactado, e depois por um filtro resistente à pressão [O termo italiano *espresso* alude à pressão do vapor no preparo desse café. A adaptação para 'expresso', em português, descarta essa conotação.] **~ pequeno** **1** *Bras.* Cafezinho **2** *Fig.* Coisa (tarefa, pessoa, acontecimento) fácil, ou sem importância; tb. *café-pequeno* [Tb. apenas *pingado.*] **~ pingado** Café (bebida) a que se acrescenta um pouco de leite **~ preto** Café (bebida) sem acréscimo de leite ou de creme **~ solúvel** Produto em pó feito com extrato de café, que se dissolve em água para produzir diretamente bebida sucedânea do café, no aroma e no sabor **Cyber ~** Estabelecimento que, além de funcionar como bar ou lanchonete, oferece a seus clientes o uso de computadores com acesso à internet, mediante o pagamento de uma taxa

> 🕮 Difundido e muito consumido em todo o mundo como bebida estimulante e aromática, o café foi durante muito tempo o principal produto de exportação do Brasil, que ainda é o maior exportador e produtor mundial. O chamado 'ciclo do café' caracterizou importante segmento da economia brasileira até inícios do século XX.

café com leite (ca.fé com*lei*.te) *a2g2n.* **1** *Bras. Hist.* Diz-se da política que, nas primeiras três décadas do séc. XX, alternavam no poder federal representantes de São Paulo (grande produtor de café) e de Minas Gerais (grande produtor de café e de laticínios) **2** *Bras. Pop.* Diz-se da cor que se assemelha ao bege da mistura do café com leite (vestido café com leite) *sm2n.* **3** *P. ext.* Essa cor

café-concerto (ca.fé-con.*cer*.to) [ê] *sm.* Casa de diversões onde as pessoas podem beber e comer enquanto assistem a números de canto, dança, música etc. [Pl.: *cafés-concerto* e *cafés-concertos.*]

café da manhã (ca.fé da ma.*nhã*) *sm. Bras. Cver.* Refeição que se toma ao despertar; DESJEJUM [Pl.: *cafés da manhã.*]

cafeeiro (ca.fe.*ei*.ro) *sm.* **1** *Bot.* Árvore ou arbusto da fam. das rubiáceas (*Coffea arabica*), nativo da Arábia e da África, cultivado pelos pequenos frutos vermelhos dos quais se faz o café (2); CAFÉ [cafeeiral, cafezal] *a.* **2** Referente a café, ou a sua produção e comércio (indústria cafeeira) [F.: *café* + *-eiro.*]

◎ **cafe(i)-** *el. comp.* = 'café': *cafeicultor, cafeicultura, cafeína* [F.: *café* + *-i-.*]

cafeicultor (ca.fe:i.cul.*tor*) [ô] *Bras. sm.* Plantador de café; CAFEZISTA [F.: *cafe(i)-* + *-cultor.*]

cafeicultura (ca.fe:i.cul.*tu*.ra) *sf. Bras.* Cultura, lavoura de café; atividade econômica de cultivo do café [F.: *cafe(i)-* + *-cultura.*]

cafeína (ca.fe.*í*.na) *sf. Quím.* Alcaloide ($C_8H_{10}N_4O_2$), estimulante e diurético, presente no café, no mate, no guaraná, no chá, na cola e em outros vegetais [F.: Do fr. *cafeine.*]

cafeinado (ca.fe:i.*na*.do) *a.* Diz-se de bebida, produto etc. a que se adicionou cafeína [F.: Part. de *cafeinar.*]

cafeinar (ca.fe:i.*nar*) *v. td.* Adicionar cafeína a [▶ 1 cafeinar]

cafelo (ca.*fe*.lo) [ê] *sm. Cons.* Primeira camada de argamassa no emboço de paredes, tetos etc. [F.: De or. obsc. Hom./Par.: *cafelo* [ê] (sm.), *cafelo* (fl. de *cafelar*).]

café-pequeno (ca.fé-pe.*que*.no) *sm.* **1** Coisa ou importância insignificante **2** Algo fácil de se fazer, que não implica em maiores esforços **3** Problema de fácil solução [Pl.: *cafés-pequenos.*]

caferana (ca.fe.*ra*.na) *Bot. sf.* **1** Árvore de pequeno porte da família das simarubáceas, nativa do Brasil, de raízes amargas, flores pequenas e drupas vermelhas **2** Árvore da família das gencianáceas, nativa das Guianas e do Brasil, com raízes e lenho que produzem taquinina, us. como medicamento, e que apresentam flores amarelas e cápsulas oblongas [F.: *café* + *-rana.*]

🌐 ***café-society*** (*Ing.* /*cafê soçáiti*/) *sm.* A alta sociedade. Tb. *café-soçaite*

cafetã (ca.fe.*tã*) *Vest. sm.* **1** Espécie de túnica talar usada esp. por árabes e turcos **2** Túnica ou outra vestimenta longa semelhante ao cafetã [F.: Do fr. *cafetan* ou *caftan*, do turco *qaftan.*]

cafetão (ca.fe.*tão*) *sm. Bras. Pop.* Indivíduo que vive de explorar prostitutas, como seu agente ou como dono de prostíbulo; PROXENETA; RUFIÃO; GIGOLÔ [Pl.: *-tões.* Fem.: *cafetina, caftina*] [F.: cafetão é var. epentética de cáften, do lunfardo *cáften.* Tb. *cáften.*]

cafeteira (ca.fe.*tei*.ra) *sf.* **1** Vasilha em que se serve ou se faz café, podendo ser de louça, metal etc. **2** Vaso que se usa para nele aquecer água ou para preparar, conter ou servir bebidas quentes **3** Aparelho ou máquina (ger. elétrica) para fazer café, em que, ao se ferver a água, esta passa por compartimento que contém pó de café [F.: Adapt. do fr. *cafetière.*]

cafeteria (ca.fe.te.*ri*.a) *sf.* Lugar, estabelecimento em que se vendem, preparam e servem café, outras bebidas e refeições ligeiras [F.: Do fr. *caféterie.*]

cafetina (ca.fe.*ti*.na) *sf. Bras. Pop.* Mulher que explora o meretrício, como agente de prostitutas ou como proprietária de prostíbulo [F.: Fem. de *cáften*, ou *cafetão.* Tb. *caftina.*]

cafetinagem (ca.fe.ti.*na*.gem) *sf.* Exploração da prostituição por cáftens (ou cafetões) e caftinas (ou cafetinas); LENOCÍNIO [Pl.: *-gens.*] [F.: *cafetina* + *-agem².* Tb. *caftinagem.*]

cafetinar (ca.fe.ti.*nar*) *v. Vulg.* Exercer o lenocínio; tb. *caftinar* e *caftinizar* [▶ 1 cafetinar]

cafezal (ca.fe.*zal*) *sm.* **1** Aglomerado de cafeeiros mais ou menos próximos um do outro em uma certa área **2** Plantação de café [Pl.: *-zais.*] [F.: *café* + *-zal.*]

cafezeiro (ca.fe.*zei*.ro) *sm.* **1** *Bot.* O mesmo que *cafeeiro* (*Coffea arabica*) [Col.: *cafeeiral, cafezal.*] **2** *Agr.* Aquele que cultiva café ou é dono de plantação de café; CAFEICULTOR **3** *Lus.* Dono de botequim ou de café; CAFETEIRO *a.* **4** Referente a café, ou à sua produção e o seu comércio (transporte cafezeiro; indústria cafezeira); CAFEEIRO [F.: *café* + *-zeiro.*]

cafezinho (ca.fe.*zi*.nho) *Bras. Pop. sm.* **1** Café servido em xícara pequena; café-pequeno **2** Gorjeta, gratificação **3** *Bras. MT Zool.* Ver *jaçanã* (1) **4** *Bot.* Nome comum de várias espécies de plantas, como a *Maytenus alaternoides*, a *Mouriria chamissonana* etc. [F.: *café* + *-zinho.*]

cafifa (ca.*fi*.fa) *sf.* **1** Amolação, aborrecimento **2** Falta de sorte; AZAR **3** Cisma, obstinação, implicância *s2g.* **4** Em jogos de azar, pessoa a que se atribui má sorte *s2g.* **5** *Lud.* Ver *papagaio* (4) [F.: Posv. do quimb. *cafife*, 'moléstia que incomoda'.]

cáfila (*cá*.fi.la) *sf.* **1** Grupo de camelos, coletivo de camelo **2** Longa fila de camelos que transportam mercadorias, ger. numa caravana **3** *P. ext.* Grupo ou grande número de coisas ou de pessoas **4** *Pej.* Grupo de pessoas de má índole; BANCO; CORJA; SÚCIA [F.: Do ár. *qâfila.*]

cafofo (ca.*fo*.fo) [ô] *sm.* **1** *Bras. Pop.* O lugar em que se mora (ger. modesto, simples, mas aconchegante); lar, casa, morada **2** *Pop.* Esconderijo **3** Buraco de alicerce para alguma construção (casa, muro etc.) **4** Lugar em que se guardavam os escravos que seriam vendidos **5** *Bras. Gír.* Nos presídios, penitenciárias etc., buraco na parede ou no chão em que se escondem drogas, armas etc. **6** Terreno pantanoso e malcheiroso, devido às emanações de matéria orgânica em putrefação [F.: Posv. do quimbundo *kifofo.*]

cafona (ca.*fo*.na) ***a2g.*** **1** Que tem ou revela mau gosto, por preferir padrões convencionais ou ultrapassados (pessoa cafona); próprio de quem tem mau gosto (roupa cafona); BREGA **2** *Fig.* Que não revela sofisticação; que manifesta gosto ou atitude vulgares, espalhafatosos ***s2g.*** **3** Pessoa cafona [F.: Do it. *cafone*, posv. Pode ser ofensivo.]

cafonagem (ca.fo.*na*.gem) *sf.* Ver *cafonice* [Pl.: *-gens.*] [F.: *cafona + -agem.*]

cafonália (ca.fo.*ná*.li:a) *sf. Bras. Pop.* Grupo ou bando de cafonas

cafonice (ca.fo.*ni*.ce) *Bras. Pop. sf.* **1** Qualidade, caráter, condição de cafona: *A cafonice dela/da roupa dela chega ao ridículo.* **2** Ato, gesto, atitude cafona: *Essa mesura dele é uma cafonice.* **3** Aquilo que é cafona: *Aquele festa de casamento foi uma cafonice só.* [F.: *cafona + -ice.*]

cafre (*ca*.fre) ***s2g.*** **1** Indivíduo de algumas populações bantas da África, esp. as de uma antiga região chamada Cafraria **2** *Antq. Pej.* Termo com que islamitas chamavam gentios negros e pagãos de certas regiões da África **3** *P. ext. Pej.* Indivíduo rude, ignorante ***sm.*** **4** *Gloss.* Língua falada pelos cafres (1) ***a2g.*** **5** Pertencente ou ref. aos cafres (1) ou ao cafre (2) [F.: Do ár. *kafr* 'infiel', 'que não é muçulmano'.]

cafta (*caf*.ta) *sf. Cul.* Iguaria de origem árabe, constituída de carne moída condimentada, amassada com farinha de trigo, da qual se fazem bolinhos que, colocados em espetos, são assados em fogo ou forno [F.: Do ár. *kufta.*]

cáften (*cáf*.ten) *sm. Bras.* Ver *cafetão*

caftina (caf.*ti*.na) *sf.* Ver *cafetina*

cafua (ca.*fu*.a) *sf.* **1** Antro, esconderijo **2** Habitação pobre; CHOÇA **3** Lugar escondido, isolado (ger. escuro) **4** *Bras. Restr.* Aposento escuro no qual, antigamente, na escola, colocavam-se alunos de castigo [Tb. *cafundó.*] **5** Caverna, cova, furna **6** Estabelecimento escuro, sujo e bagunçado **7** *Bras.* Lugar em que se pratica jogo clandestino [F.: De or. obsc., posv. banta.]

cafuçu (ca.fu.*çu*) *sm.* **1** *N. E. Pop.* O diabo **2** *N. E.* Indivíduo desqualificado **3** *N. E.* Indivíduo preguiçoso, que nada faz **4** *RN* Indivíduo malvestido, de mau aspecto, ger. com defeito físico **5** *GO* Indivíduo bronco, rude, que costuma trabalhar isolado e em condições difíceis [F.: De or. contrv.]

cafundó (ca.fun.*dó*) *sm.* **1** Lugar distante, de difícil acesso: *Mora lá no cafundó.* [Tb. us. no pl. (lá nos cafundós) Tb.: *cafundó do judas, caixa-pregos, cu de judas, cu do mundo.*] **2** Baixada estreita entre escarpas ou lombadas elevadas e íngremes **3** Local mal iluminado em um prédio, construção, habitação etc. **4** O mesmo que *cafua (4)* [F.: Posv. de or. africana.] ▪ **Nos ~s** Em lugar muito distante

cafundó do judas (ca.fun.dó do*ju*.das) *sm. Bras. Pop.* Lugar de difícil acesso; CAFUNDÓ: *Morava no cafundó do judas.* [Pl.: *cafundós do judas.*]

cafundoense (ca.fun.do.*en*.se) ***s2g.*** **1** Pessoa nascida ou que vive em Cafundó (SP) ***a2g.*** **2** De Cafundó, típico dessa cidade ou de seu povo [F.: *cafundó + -ense.*]

cafuné (ca.fu.*né*) *sm.* **1** *Bras.* Ato de coçar de leve com a ponta dos dedos, por algum tempo, o couro cabeludo de alguém como expressão de carinho, ou para niná-lo **2** Estalido de unhas junto ao couro cabeludo de alguém **3** *PE* Garoto, guri **4** *PE* Peteleco no lóbulo da orelha **5** Pequeno dendezeiro, entre dendezeiros maiores [F.: De or. incerta; posv. do quimbundo *kafu'nu.*] ▪ **Fazer ~** Coçar ligeiramente com os dedos, durante algum tempo, o couro cabeludo de alguém, como forma de carícia

cafungada (ca.fun.*ga*.da) *sf. Gír.* Ação ou resultado de cafungar: *Antes de responder, deu uma cafungada no rapé.* [F.: *cafungar + -ada*[1].]

cafungar (ca.fun.*gar*) *v.* **1** Cheirar fungando para sentir o olfato de [***td.:*** *cafungar a comida.*] **2** *Fig.* Examinar, investigar, fuçar [***int.:*** *Reuniu todos os documentos e passou a noite enteira cafungando.*] [***td***: *Cafungou os documentos para encontrar a prova de que precisava.*] **3** Aspirar pelo nariz, fazendo entrar pelas narinas; CHEIRAR [***td.:*** *Cafungava o rapé com gosto.*] [▶ **14 cafungar**] [F.: De or. obsc. Hom./Par.: *cafungo* (1ª p.s.), *cafungo* (sm).]

cafuringa (ca.fu.*rin*.ga) *sm.* **1** *BA Pop.* Coisa pequena, sem importância ***s2g.*** **2** *BA Pop.* Pessoa intrigante, mexeriqueira *sf.* **3** *Bras. Pop.* Cabelo duro; CARAPINHA **4** *N. E.* Automóvel velho, danificado, imprestável; CALHAMBEQUE [F.: De or. contrv., provavelmente africana.]

cafuzo (ca.*fu*.zo) *Bras. sm.* **1** Mestiço de índio com negro **2** *Ang. Moç.* Mestiço de pele muito escura, de cabelos lisos e espessos **3** Planta da família das ciperáceas (*Cyperus lancirformis*), us. como forragem ***a.*** **4** Que é mestiço de índio com negro; CABURÉ [F.: De or. contrv.]

⊠ **CAG** *Eletrôn.* Abrev. de *Controle Automático de Ganho*

cagaço (ca.*ga*.ço) *Bras. Tabu. sm.* **1** Medo extremo; sentimento de pavor, terror **2** Covardia [F.: *cagar + -aço.*]

cagada (ca.*ga*.da) *Tabu. sf.* **1** Ação ou resultado de cagar, de defecar **2** Quantidade de fezes expelidas ao se defecar **3** *Fig.* Sujeira, coisa malfeita, porcaria, lambança **4** *Fig.* Golpe de sorte; fato ou circunstância favorável ocorridos por acaso [F.: *cagar + -ada*[1].] ▪ **Dar uma ~** **1** Cagar **2** Conseguir algo exclusivamente com a ajuda da sorte **Fazer (uma) ~** **1** *Tabu.* Cometer erro crasso, que compromete todo um empreendimento, trabalho, uma tarefa, missão etc. **2** Desempenhar-se pessimamente de algo, fazer trabalho de má qualidade **3** Cometer rata, criando situação difícil, constrangedora etc.

cagado (ca.*ga*.do) *Bras. Tabu.* ***a.*** **1** Que se cagou, que está sujo de fezes **2** *P. ext.* Que é ou está imundo, emporcalhado **3** Diz-se de quem tem muita sorte; SORTUDO [F.: Part. de *cagar.*]

cágado (*cá*.ga.do) *sm.* **1** *Zool.* Nome de várias espécies de répteis quelônios de água-doce (esp. a *Testudo lutaria*), família dos quelídeos, de carapaça chata **2** Nome de várias espécies de quelônios anfíbios da família dos emidídeos **3** *Zool.* Nome tb. atribuído, impropriamente, ao *jabuti* (*Geochelone carbonaria*) **4** *Fig.* Indivíduo lento, pachorrento, ou preguiçoso **5** Calha de madeira us. na fabricação de telhas **6** *Mar.* Espécie de bucha, ou chapuz, em que se fixam os cabos do leme **7** *Lus. Vet.* Certa doença de gado bovino [F.: De or. contrv.]

cagador (ca.ga.*dor*) [ô] *Pop.* ***a.*** **1** Que caga, defecador ***sm.*** **2** Aquele que caga, defeca **3** *Pop.* Aparelho sanitário **4** *Tabu.* O ânus [F.: *cagar + -dor.*]

caga-fogo (ca.ga-*fo*.go) [ô] *Bras. Pop. sm.* **1** *Zool.* Ver *tataíra.* (*Oxytrigona tataira*) **2** *Zool.* Ver *vaga-lume* **3** Arma de fogo [Pl.: *caga-fogos (ó).*] [F.: *cagar + fogo.*]

cagaiteira (ca.gai.*tei*.ra) *sf. Bot.* Árvore da família das mirtáceas (*Eugenia dysenterica*), nativa do Brasil, de folhas forrageiras, flores brancas e frutos comestíveis, dos quais se fazem sucos, geleias e, por fermentação, álcool e vinagre [F.: De *cagar.*]

caganeira (ca.ga.*nei*.ra) *Vulg. sf.* **1** Evacuação descontrolada de fezes, ger. muito pastosas ou líquidas; DIARREIA **2** *Fig.* Muito medo; CAGAÇO [F.: *cagão* sob. a f. rad. *cagan- + -eira.*]

cagão (ca.*gão*) *Vulg.* ***a.*** **1** Que caga muito **2** *Fig.* Que não tem coragem; MEDROSO **3** *Fig.* Que é fraco, frouxo **4** *Fig.* Que dá muita sorte ***sm.*** **5** Aquele que caga muito **6** *Fig.* Aquele que não tem coragem; MEDROSO: *O cagão tem medo da sogra.* **7** *Fig.* Quem é fraco, frouxo **8** *Fig.* Quem dá muita sorte: *O cagão acertou sozinho a loteria.* [Pl.: *-gões.* Fem.: *-gona*] [F.: *cagar + -ão.*]

cagar (ca.*gar*) *Tabu. v.* **1** Expelir fezes pelo ânus; DEFECAR; EVACUAR [***int.***] **2** Tornar(-se) imundo (com fezes ou não); SUJAR(-SE) [***td.:*** *Cagou-se com graxa*: "...a tal da mala de pau quebrou cagando o chão com uma gosma de gesso." (Antonio Callado, *Reflexos do baile*)] **3** *Fig.* Exprimir, lançar (ordens, regras, opiniões etc.) com arrogância [***td.***] **4** *Fig.* Ter medo, ficar apavorado, acovardar-se; BORRAR-SE [***int.:*** *O suspeito cagou-se todo ao ser interrogado.*] **5** *Bras. Fig.* Não dar importância a [***tr.*** *+ para*: *Ele (se) caga para críticas infundadas.*] **6** *Bras. Fig.* Fazer mal, sem capricho (trabalho, tarefa etc.) [***td.:*** *Ele cagou todo o desenho.*] **7** Pôr a perder, fazer malograr, estragar, arruinar [***td.:*** *Depois de quase pronto, as últimas pinceladas cagaram o quadro todo.*] [***tr.*** *+ com*: *O acordo estava quase costurado, mas o discurso dele cagou com tudo.*] **8** Sair-se mal, fracassar, malograr [***int.:*** *Não estudou para a prova e não deu outra: cagou-se.*] **9** *Fig.* Dar muita sorte [***int.***] [▶ **14 cagar**] [F.: Do lat. *cacare*, de formação expressiva.] ▪ **~ e andar** Não ligar a mínima (para algo), não dar a menor importância (a algo) **~ para** Não dar a menor importância a

cagarra (ca.*gar*.ra) *sf.* **1** *Zool.* Denominação comum à diversas spp. da fam. dos procelariídeos, gên. *Calonectris* **2** *Zool.* Ave marinha da fam. dos procelariídeos (*Calonectris diomedea*), cujas colônias habitam as ilhas portuguesas do Atlântico, possuem um corpo fusiforme e asas longas, plumagem escura (cinzenta ou acastanhada) no dorso e branca no ventre. São aves migratórias de longa distância, passam a maior parte da vida sobrevoando oceanos de águas temperadas, o seu único contato com a terra é na época de reprodução, quando se reúnem em ilhas ou regiões costeiras para nidificar em áreas rochosas; PARDELA

caga-sebo (ca.ga-*se*.bo) [ê] ***sm.*** **1** *Bras. Zool.* Denominação comum e imprecisa à diversas spp. de pequeninos pássaros que normalmente as pessoas não diferenciam; CAGA-SEBINHO; CAGA-SEBITO; SEBINHO; SEBITE; SEBITO **2** *Zool.* Ave cerebídea (*Coereba flaveola*); tb. *cambacica* **3** *PE Pop.* O mesmo que *sebo* ('livraria') **4** *MG P. ext.* Indivíduo pequeno, fraco **5** *Pej. P. us.* Indivíduo medroso, cagão [Pl.: *caga-sebos.*] [F.: *cagar + sebo.*]

caguetar (ca.gue.*tar*) *v.* Ver *alcaguetar* [▶ **1 caguetar**] [F.: *caguet(e) + -ar*[2]. Hom./Par.: *caguete(s)* (fl.), *caguete* /ê/ (s2g. sm. e pl.).]

caguincho (ca.*guin*.cho) *Bras. Pop.* ***a.*** **1** Que é medroso, covarde ***s2g.*** **2** Indivíduo medroso, covarde; CAGUINCHA; CAGUINCHAS; POLTRÃO **3** O dois de paus do baralho [F.: Var. de *caguincha.*]

caiação (cai.a.*ção*) *sf.* **1** Ação ou resultado de caiar, de revestir com cal; revestimento de cal **2** *Fig.* Maquiagem pesada, exagerada; CAIADURA; CAIO [Pl.: *-ções.*] [F.: *caiar + -ção.*]

caiado (ca:i:*a*.do) ***a.*** **1** Que se caiou, se pintou com cal **2** *P. ext.* Alvejado (com cosmético, polvilho, açúcar) **3** *Fig.* Dissimulado, disfarçado (sepulcro caiado) [F.: De *caiar.*]

caiador (ca:i:a.*dor*) ***a.*** **1** Que caia, que faz caiação ***sm.*** **2** Aquele que caia, que faz caiação [F.: De *caiar + -dor.*]

caiambola (ca:i:am.*bo*.la) *Gír. Antq. sm.* Escravo fugido [F.: De or. obsc.]

caiana[1] (cai.*a*.na) *sm. Zool.* Grande morcego (*Pleocotus andira*) presente esp. nos estados de Espírito Santo e Minas Gerais [F.: Posv. de or. indígena.]

caiana[2] (cai.*a*.na) ***a2g.*** **1** Diz-se de cana-de-açúcar originária de Caiena, na Guiana Francesa, de que se fazem bom açúcar e boa cachaça *sf.* **2** Essa cana; o mesmo que cana-caiana [F.: Do top. *Caiena.* Tb. *caiena.*]

caiapó (ca:i:a.*pó*) *Bras. Etnol.* ***a2g.*** **1** Dos ou ref. aos caiapós ***s2g.*** **2** *Etnol.* Indígena pertencente a um dos grupos caiapós, de MT e PA ***sm.*** **3** *Gloss.* Grupo de línguas jê, faladas pelos caiapós **4** *Bot.* Ver *taiuiá* **5** *Zool.* Ver *saúva* [F.: Do tupi *kaia'pó.*]

caiaque (cai.*a*.que) *sm.* **1** Canoa us. por esquimós, feita de pele de foca sobre estrutura de ossos de baleia, acionada por remo com uma pá em cada extremidade **2** *Esp.* Espécie de canoa semelhante ao caiaque (1), us. para esporte e lazer [F.: Do esquimó *qayaq*, pelo ing. *kayak.*]

caiaquismo (ca:i:a.*quis*.mo) *Esp. sm.* Modalidade esportiva praticada com bote semelhante ao caiaque [F.: De *caiaque + -ismo.*]

caiar (cai.*ar*) *v. td.* **1** Revestir, pintar (parede, muro, estaca de cerca, tronco de árvore etc.) de cal diluída em água ou (*P. ext*) de qualquer pó branco diluído, como alvaiade, gesso etc. **2** Revestir de cal misturada com tinta (de certa cor): *Caiou o muro (de ocre).* **3** *Fig.* Dar cor branca a; ALVEJAR; BRANQUEAR: *A neve caiou as árvores do bosque.* **4** *Fig.* Aplicar cosméticos de coloração branca à pele de (o rosto) para branqueá-lo **5** *Fig.* Disfarçar, mascarar: *Tentou caiar sua preocupação.* [▶ **1 caiar**] [F.: Talvez do lat. **canare* 'fazer ficar branco'. Hom./Par.: *caio* (fl.), *caio* (sm.).]

caiaué (cai.au.*é*) *Bras. Bot. sm.* Palmeira comum às margens do Amazonas e cujos frutos dão um óleo parecido com o dendê; DENDEZEIRO-DO-PARÁ; COQUEIRO-CAIAUÉ [F.: Do tupi *Kaiau'e.*]

cãibra (*cãi*.bra) *sf. Pat.* Contração muscular súbita, involuntária e dolorosa *Pop.*; BRECA [F.: De or. contrv.; posv. do fr. *crampe*, de or. gótica. Tb. *câimbra.*] ▪ **~ de dedo** *Med.* Contração muscular espasmódica em dedo ou dedos **~ de escrivão** *Med.* Contração muscular espasmódica da mão, dos dedos e às vezes do antebraço, ger. provocada pela ação frequente e continuada de escrever

caibro (*cai*.bro) *sm.* **1** *Cons.* Cada uma das peças de madeira longas e de seção retangular, que se dispõem paralelamente umas às outras, e nas quais podem se apoiar ripas mais finas, para constituírem estruturas de sustentação de telhados, assoalhos etc. **2** Cada uma das peças de carro de boi, entre as quais fica o meão [F.: Do lat. *capreus.*]

caiçara (cai.*ça*.ra) *Bras. sf.* **1** *Bras.* Estacada de pau a pique para proteção de aldeia indígenas; PALIÇADA **2** Cerca tosca feita de galhos, ramos ou varas **3** *Restr.* Cercado tosco que se faz ao redor da plantação ou do roçado para protegê-los do gado **4** Mata na qual só restam os troncos das árvores mortas **5** Lugar em que o caçador se esconde; ESCONDERIJO **6** Palhoça, na beira da praia, onde se guardam pequenas embarcações, redes e outros apetrechos dos pescadores **7** À margem de um rio ou igarapé, cercado de madeira para embarque do gado **8** Armadilha para peixes feita de ramos de árvores postos dentro da água ***s2g.*** **9** *RJ SP* Habitante do litoral fluminense e paulista que vive esp. da pesca **10** *RJ SP* Indivíduo simplório, ger. muito bronco; CAIPIRA; MATUTO **11** *Bras. Pop.* Indivíduo ordinário, sem serventia; MALANDRO; VAGABUNDO **12** Viveiro de tartarugas **13** Indivíduo nascido ou que vive em Cananeia (SP) ***a2g.*** **14** De Cananeia; típico dessa cidade ou de seu povo [F.: Do tupi *kaai' sa.*]

caiçuma (ca:i:*çu*.ma) *Bras. sf.* **1** Bebida indígena fermentada, feita de milho ou frutos da Amazônia **2** *PA Cul.* Molho de tucupi espessado com fécula de mandioca [F.: Posv. do tupi.]

caída (ca:*í*:da) *sf.* **1** Ato ou efeito de cair, queda **2** *Fig.* Declínio, decadência **3** *Fig.* Enfraquecimento, redução **4** *Bras.* Vertente, declive **5** *Med.* Ver *prolapso* [Cf.: caida.] [F.: De *cair.*]

caieira (cai.*ei*.ra) *sf.* **1** Forno us. para fazer cal, com o calcinamento de pedras calcárias, de conchas etc. **2** Fábrica de cal **3** *Bras.* Forno de olaria para cozer tijolos, feito com os próprios tijolos a serem cozidos; fogueira para cozer tijolos **4** *Bras.* Fogueira, esp. a feita para alguma festa popular **5** *Bras.* O mesmo que *sambaqui* **6** Forno rústico, ger. armado perto do local em que se corta madeira, no qual se queima essa madeira para fazer carvão **7** Lugar no qual se guarda ou se armazena carvão [F.: *cal + -eira*, com vocalização.]

caiena (cai.*e*.na) *sf.* Ver *caiana*[2]

caienense (cai.e.*nen*.se) ***s2g.*** **1** Indivíduo nascido ou que vive em Caiena (capital da Guiana Francesa) ***a2g.*** **2** De Caiena; típico dessa cidade ou de seu povo [F.: Do top. *Caiena + -ense.*]

caifás (ca:i.*fás*) *Bras. Restr. sm.* Paulista de classe alta que homiziava escravos foragidos [Pl.: *caifases.*] [F.: Do antropônimo *Caifás.*]

câimbra (*câim*.bra) *sf.* Ver *cãibra*

caimento (ca:i.*men*.to) *sm.* **1** Ação ou resultado de cair; QUEDA **2** Inclinação, declive: *caimento do telhado.* **3** *Bras.* O modo como o tecido ou uma peça de tecido pende para baixo em virtude do próprio peso e de sua consistência e flexibilidade: *O caimento dessa seda está fantástico.* **4** *Bras. P. ext.* O modo como a roupa se ajusta ao corpo: *Essa calça tem bom caimento.* **5** *Fig.* Estado de abatimento físico ou moral; ABATIMENTO; DESÂNIMO **6** *Bras. Fig.* Interesse afetivo ou atração por alguém; QUEDA [Nesta acp., m. us. no pl.] **7** *Mar.* Inclinação dos mastros de uma embarcação em relação à vertical **8** *Mar.* Desvio de rumo ou andamento lateral da embarcação devido a ventos e correntes **9** *Mar.*

Diferença entre as medidas de imersão da popa e da proa de uma embarcação, quando a popa está mais imersa do que a proa [F.: *cair* + *-mento*.]

◎ **-caína** *el. comp.* = 'que tem propriedades anestésicas, como as da cocaína': *benzocaína, bupivacaína, lidocaína, novocaína, procaína, tetracaína, xilocaína* [F.: Do ingl. *-caine*, do ingl. *cocaine*, 'cocaína'.]

cainçada (ca:in.*ça*.da) *sf.* **1** Ver *canzoada* **2** *Fig.* Latição, efeito de muitos cães latindo [F.: De *cainça* + *-ada*.]

cainho (ca:*i*.nho) *a.* **1** Ref. ou próprio do cão **2** Ver *avaro sm.* **3** Ver *avaro* (2) [F.: Do lat. *caninus*.]

caiová (ca:i:o.*vá*) *Bras. Etnol. a2g.* **1** Dos ou ref. a caiovás *s2g.* **2** Indígena pertencente ao subgrupo dos caiovás *sm.* **3** *Gloss.* Dialeto guarani falado pelos caiovás [Tb. *caiuá*. F.: Posv. do guarani *kaio'vá*.]

caipira (ca:*pi*.ra) *a2g.* **1** Próprio da roça, do interior ou de caipira (6) (linguajar caipira; jeito caipira) **2** Que vive na roça, no interior, e tem modos simples (por vezes rudes) e pouca instrução; CAPIAU [Nesta acp., us. às vezes com noção pej.] **3** *Pop. Joc. Pej.* Diz-se de indivíduo pouco sociável, sem traquejo no convívio social **4** *Fig.* Ref. a ou próprio de festa junina (traje caipira) **5** *Avic. Vet.* Diz-se do frango criado segundo normas específicas que asseguram o bem-estar da ave durante sua criação e a qualidade de sua carne, livre de qualquer tipo de substância prejudicial à saúde (resíduos antibióticos, dioxinas etc.) *s2g.* **6** Indivíduo que vive na roça, ger. de modos simples e rústicos e pouca instrução; CAPIAU; JECA [Nesta acp., us. às vezes com noção pej.] **7** *Bras.* Pessoa nascida ou que vive em regiões rurais, esp. no interior dos estados de São Paulo, e que ger. vive de pequena agricultura, em terras que não lhe pertencem **8** *P. ext. Pop.* Indivíduo muito simples e rústico, nas maneiras e no vestir; JECA; MATUTO; SAQUAREMA **9** *Pop. Joc. Pej.* Indivíduo pouco sociável, sem traquejo no convívio social [F.: De or. contrv., posv. do tupi. Dependendo do contexto, pode denotar preconceito.]

caipirada (ca:i.pi.*ra*.da) *sf.* **1** Grupo de caipiras, ou a totalidade deles **2** Ação, comportamento, atitude, costume ou dito próprios de caipira, de pessoa matuta; CAIPIRICE **3** *Fig.* Comportamento ou modos estranhos, fora de contexto, canhestros etc. [F.: *caipira* + *-ada*[1].]

caipirice (ca:i.pi.*ri*.ce) *sf. Bras.* Ação, comportamento, dito ou modos de caipira; CAIPIRADA [F.: *caipira* + *-ice*.]

caipirinha (ca:i.pi.*ri*.nha) *sf.* **1** Bebida, originalmente brasileira, preparada com cachaça, pedaços de limão ou limão macerado, açúcar e gelo **2** Caipirinha (1) em que o limão é substituído por outra fruta (ou suco desta) **3** *RJ Pop.* Pequeno bar ou botequim onde se servem bebidas, salgadinhos e refeições ligeiras no balcão [F.: *caipira* + *-inha*.]

caipirismo (cai.pi.*ris*.mo) *Bras. sm.* Ver *caipirada, caipirice*

caipiríssima (ca:i.pi.*rís*.si.ma) *sf.* **1** Caipirinha em que o rum substitui a cachaça **2** *P. ext.* Caipirinha em que qualquer outra bebida destilada (uísque etc.) substitui a cachaça [F.: De *caipir(inha)* + *-íssima*, fem. do suf. *-íssimo*.]

caipiródromo (cai.pi.*ró*.dro.mo) *Bras. SP sm.* Local onde se apresentam espetáculos de música e linguajar caipira, como há em Ibitinga (SP) [F.: De *caipira(a)* + *-ódromo*.]

caipirosca (ca:i.pi.*ros*.ca) *sf.* Bebida variante da caipirinha em que se substitui a cachaça pela vodca, mantendo-se os outros ingredientes; CAIPIRÍSSIMA: "– O Dr. Carvalho falou o que era melhor, se era caipirinha ou caipirosca?" (João Ubaldo Ribeiro, "Num boteco do Leblon", *in Sempre aos domingos*) [F.: *caipira* + *-osca* (provavelmente red. de *-ovska*, que evoca sufixo da língua russa, alusão à vodca).]

caipora (ca:i.*po*.ra) [ó] *s2g.* **1** *Folc.* Ser da mitologia tupi que vive nas matas e diz-se ser causador de má sorte, de desgraça etc. Tem várias representações, de acordo com diferentes crenças populares: uma mulher com um pé só, um menino índio que fuma cachimbo, um homem montado num porco selvagem etc.; é protetor da caça **2** *Fig.* Pessoa que é azarada ou traz azar para os outros **3** *Fig.* Pessoa infeliz *a2g.* **4** *Fig.* Que tem azar ou é infeliz, ou que traz ou causa azar ou infelicidade para os outros; AZARADO *sf.* **5** Má sorte, azar; CAIPORISMO; CAIPORICE [F.: Do tupi *kaa' pora*, de *kaa*, 'mata', + *pora*, '(o) que habita'.]

caiporismo (ca:i.po.*ris*.mo) *Bras. sm.* **1** Estado ou condição de caipora, de pessoa sem sorte ou infeliz; AZAR; INHACA **2** Falta de sorte constante ou que se manifesta com frequência, seja nas coisas que acontecem ou naquilo que se intenta fazer; CAIPORICE; URUCUBACA [F.: *caipora* + *-ismo*.]

caíque (ca.*í*.que) *sm.* **1** *Bras.* Pequeno barco para curtas distâncias, us. em passeio, pesca, desembarque etc. **2** Pequena embarcação, a remo ou à vela, de fundo chato e proa alta, us. em navegação de cabotagem ou em transportes ligeiros **3** *Lus.* Embarcação à vela, de dois mastros, us. em navegação costeira ou, para pesca, tb. em alto-mar [F.: Do turco *qaiq*, pelo it. *caicco* e pelo fr. *caique*.]

cair (ca.*ir*) *v.* **1** Ir ao chão de sua própria altura, por ação do próprio peso; estatelar-se, por ter perdido o equilíbrio; TOMBAR [*ta.*: *Escorregou e caiu na calçada.*] [*int.*: *Cuidado para não cair.*] **2** Ir de lugar mais alto para lugar mais baixo por ação da gravidade; DESPENCAR; PRECIPITAR-SE [*int.*: *A bucha apagou e o balão caiu.*] [*tr.* + *de*: *Aquela perda caiu de uma altura de 50 m.*] [*ta.*: *O trapezista errou o salto e caiu na rede de proteção*] **3** Ir ou estender-se de lugar mais alto a lugar mais baixo, devido ao próprio peso; ARRIAR; BAIXAR; DESCER [*int.*: *No fim do primeiro ato, caem as cortinas*] **4** Acontecer, ocorrer, coincidir com [*ta.*: *A Páscoa cai este ano em abril.*] **5** Pender, descair; inclinar-se, curvar-se [*ta.*: *Os longos cabelos caíam-lhe sobre os ombros.*] [*int.*: "O nariz aquilino e bem formado caindo com graça." (Rebelo da Silva)] **6** Soltar-se do lugar onde estava preso, ligado, ou do ponto de inserção, da raiz etc. [*int.*: *No outono as folhas caem; O umbigo daquele recém-nascido ainda não caiu.*] **7** Baixar sobre a terra, de modo suave ou violento [*int.*: *A chuva caía mansamente.*] [*ta.*: *Caiu um temporal sobre a cidade.*] **8** Sobrepor-se uma circunstância (temporal, emocional etc.) a outra [*int.*: *No inverno a noite cai mais cedo.*] [*ta.*: *Com a notícia, um grande abatimento caiu sobre todos.*] **9** Ter ou não cabimento, ser ou não adequado ao contexto, àquilo a que está ligado ou ao que acompanha; COMBINAR; CONDIZER [*tr.* + *com*: *Este vinho cai muito bem com peixe.*] [*int.*: *A metáfora que ele usou foi inoportuna, caiu mal.*] **10** Ser (ou não) aceito pelo organismo, descer (bem ou mal) [*int.*: *Este vinho caiu muito bem/mal.*] **11** Ter (roupa, tecido etc.) certo caimento [*int.*: *A toga não caiu bem; O tecido armava, caía mal.*] **12** Perder a validade; tornar-se nulo [*int.*: *Por decisão da Justiça, a lei caiu.*] **13** Sofrer redução em quantidade, intensidade, valor etc. [*int.*: *A previsão é que a temperatura cairá; A cotação do dólar deve cair no próximo mês; O dólar caiu de quase R$4 para menos de R$2; O vento estava forte, mas agora caiu.*] **14** Perder a função ou o cargo; ser destituído [*int.*: *O ministro e seus assessores caíram.*] **15** Ser vencido ante ataque, ser dominado (por antagonista), ficar submetido (a inimigo) etc.; SUCUMBIR [*ta.*: *As fortificações caíram nas mãos do inimigo.*] [*int.*: *Após semanas de assédio, a fortaleza caiu.*] **16** Morrer [*int.*: *Muitos caíram em defesa da liberdade.*] **17** Ficar enamorado, sentir paixão, ficar caidinho; APAIXONAR-SE; ENAMORAR-SE [*tr.* + *por*: *Ele caiu pela nova colega.*] **18** Ser sorteado (ponto, matéria) em prova ou exame, ou ser o tema destes [*int.*: *Que vai cair na prova de história?*] **19** Tocar por sorte, direito ou obrigação; competir a [*ti.* + *a, para*: *Caiu-lhe ser o primeiro a votar.*] **20** Sofrer interrupção, deixar de funcionar ou funcionar mal, por falha técnica ou de comunicação, falta de fornecimento de energia etc. [*int.*: *A conexão com a internet caiu.*] **21** Descer de nível, de patamar, de qualidade etc. [*int.*: *O serviço deste hotel caiu muito.*] **22** Tornar-se, ficar [*tp.*: "Você caiu doente com a minha chegada?" (Aluísio Azevedo, *O cortiço*)] **23** Inclinar-se para; ir em direção a [*ta.*: *A bola sempre caía para o centro do ataque; As vistas de todos caem sobre mim.*] **24** Ser logrado, enganado [*int.*: "Anuí ao seu desejo, fui leviano, caí!" (Antônio Feliciano de Castilho)] [*tr.* + *em*: *Caiu no conto do vigário.*] **25** Lançar-se, mergulhar, atirar-se (tb. *Fig.*), dedicar-se com intensidade (a algo, atividade etc.) [*ta.*: *Caiu na piscina de roupa e tudo; Chorosa, caiu nos braços do marido*: "Pois caiu na cama e não tirou nem o sapato." (Ary Barroso, *Camisa amarela*)] [*tr.* + *em*: *Caiu no samba até de madrugada.*] **26** Sumir, desaparecer [*ta.*: *Caiu no mundo, e nunca mais o vi.*] **27** Chegar, ir parar [*ta.*: *Como essas fotos caíram nas mãos dela?*] **28** Dar-se, ocorrer (em certo lugar); INCIDIR; RECAIR [*ta.*: *Em qual sílaba cairá o acento?*] **29** Ser dominado, deixar-se levar ou surpreender, entrar em certo estado, incorrer em (inclusive algo que se deveria evitar) [*tr.* + *em*: *cair em pecado; cair no sono; Nessa eu não caio*: "Caiu na simplicidade de citar os refratários." (Rebelo da Silva)] **30** Atacar inesperadamente e/ou de modo violento (tb. *Fig.*) [*tr.* + *sobre*: *A oposição caiu sobre o governo; Ao anoitecer caíram sobre os inimigos.*] **31** Apoderar-se de, envolver [*tr.* + *sobre*: *Um sentimento de revolta caiu sobre o povo.*] **32** *Fut.* Deslocar-se ger. do centro para um dos lados, ou de um lado para outro do campo [*ta.*: *O meia caiu pela esquerda para fugir da marcação.*] **33** Perder a força ou intensidade, fraquejar [*int.*: *A voz da cantora caiu no trecho mais difícil.*] **34** Estar em lugar elevado de onde se avista outro abaixo [*ta.*: *A varanda cai para/ sobre a piscina.*] **35** Chegar de modo imprevisto [*ta.*: *Uma visita caiu em casa logo cedo.*] **36** Ficar fora de moda [*int.*: *Com o inverno as estampas caíram.*] **37** Entregar-se a práticas ou atividades que, para determinados padrões éticos ou sociais, representam degradação moral ou comportamental [*tr.* + *em*: *cair na prostituição; Assim que nomeados, caíram em desenfreada corrupção.*] **38** Deixar de constar (em lista, programação etc.) [*int.*: *Essas matérias caíram, não estão mais no currículo.*] [▶ 43 **cair**] *sm.* **39** Ação, resultado ou circunstância de cair: *ao cair da noite; Admirava o cair das folhas de outono.* [F.: Do lat. *cadere*. Hom./Par.: *cais* (fl.), *caís* (fl.), *cais* (sm2n.); *caio* (fl.), *caio* (sm.); *caireis* (fl.), *cairéis* (pl. de *cairel*).] ▪▪ **caindo de** *Bras. Pop.* Demonstrando estar cheio de: *Estava caindo de arrependimento, por isso o perdoamos.* **~ bem** Ser adequado, agradar: *Sua proposta caiu bem.* **~ de maduro** *Bras. Pop.* Cair sozinho, sem intervenção de fatores externos **~ de podre** *Bras. Pop.* Fracassar, ter fim por decadência ou deterioração da própria condição ou da situação **~ de quatro** **1** Ir ao chão, apoiado nos joelhos e nas mãos **2** *Fig.* Espantar-se, surpreender-se. **3** Encantar-se com aspectos positivos de alguém: *Diante de tanta beleza, caiu de quatro.* **~ do céu** Ver no verbete *céu* **~ doente** Adoecer **~ duro** **1** *Bras. Pop.* Cair morto, subitamente **2** Ficar prostrado, por cansaço **3** Ter uma grande surpresa: *Ao ouvir a notícia, caiu duro.* **~ em si** **1** Voltar à realidade (depois de ter-se distraído ou iludido): *Ia atravessando, distraído, mas com a buzina caiu em si e voltou à calçada.* **2** Reconhecer seu erro: *Ao ver o mal que fizera, caiu em si e pediu perdão.* **~ fora** Sair, fugir, livrando-se de uma situação: *Ao ver a coisa preta, caímos fora.* **~ mal** Ser inadequado, inoportuno; desagradar: *Aquela observação maliciosa caiu muito mal.* **~ para trás** *Bras. Pop.* Ter, e demonstrar, grande surpresa **~ redondamente** **1** *Lus.* Cair estatelando-se **2** *Bras. Fig.* Ser enganado, ludibriado **O ~ das flores/folhas** *Poét.* O outono **O ~ do pano** O final, término; os últimos momentos

cairota (cai.*ro*.ta) *s2g.* **1** Pessoa nascida na cidade do Cairo (Egito) *a2g.* **2** Do Cairo; típico dessa cidade ou de seu povo [F.: De *Cair(o)* + *-ota*.]

cais (ca.*is*) *sm2n.* **1** Num porto, lugar no qual o navio atraca para embarque e desembarque de passageiros e mercadorias **2** *Lus. P. ext.* Plataforma ao longo da via das estações de trem e do metrô para embarque e desembarque de passageiros **3** Parte de margem de rio ou canal com reforço de alvenaria, para regular ou direcionar o curso das águas [F.: Do gaulês *caio*, pelo fr. *quai*. Hom./Par.: *cais* (sm2n.), *cais* (fl. *cair*).] ▪▪ **~ acostável** Cais no qual as embarcações podem acostar **~ de saneamento** Espécie de muro de proteção ou de arrimo de um aterro, em terreno pantanoso ou periodicamente inundado

caititu (cai.ti.*tu*) *sm.* **1** *Zool.* Mamífero florestal herbívoro da fam. dos taiaçuídeos (*Tayassu tajacu*) que vive em bandos e é diurno, possui pelos ásperos, pernas longas e patas com dedos pares e cascos curtos; CATETO; PORCO-DO-MATO **2** *Pop.* Aquele que tem como função promover a difusão de música popular, tentando incluí-la na programação de estações de rádio, fazendo-a ser executada em bailes, festivais, *shows* etc. [F.: Do tupi *taite' tu*.]

caitituar (cai.ti.tu.*ar*) *v. td. int. Bras. Pop.* Fazer campanha promocional, esp. de música popular, agindo como caititu (2), que distribui discos, realiza promoções, cativa (ou suborna) programadores [▶ 1 **caitituar**] [F.: *caititu* + *-ar*[2].]

caiuá (ca.iu.*á*) *s2g.* **1** Indivíduo pertencente aos caiuás, um dos povos indígenas do MS *a2g.* **2** Que diz respeito aos caiuás, sua cultura, idioma etc. [F.: Do guarani *kaiwá*.]

caixa (*cai*.xa) *sf.* **1** Objeto oco em forma de receptáculo, de formato e material vários, com ou sem tampa, que serve para guardar ou transportar objetos ou coisas [Dim.: *caixeta, caixote* (*sm.*). Aum.: *caixão* (*sm.*).] **2** Por metonímia, a quantidade de coisas que esse objeto contém: *Adora bombons, e comeu uma caixa inteira.* **3** Qualquer coisa com forma parecida à de uma caixa (1), ou oca como uma caixa (caixa craniana, caixa torácica) **4** Receptáculo fechado, em máquina, que contém dispositivos da mesma (caixa de marchas) **5** Lugar ou seção em banco, loja etc. onde se fazem pagamentos e recebimentos **6** *Econ.* A quantidade de dinheiro disponível, ger. em empresa comercial: *estar com a caixa alta.* **7** *Cont.* Relação de créditos, débitos, pagamentos, saldos etc., de empresa, loja, instituição etc. **8** Instituição que capta fundos para administrá-los e aplicá-los de acordo com certos fins (Caixa Econômica) **9** *Tip.* Espécie de tabuleiro dividido em compartimentos onde se guardam, diferenciadamente, os diversos tipos e caracteres usados em composição manual de textos **10** *Jorn.* Texto entre barras ou fios, ger. na primeira página, que remete a matéria publicada no interior do jornal **11** *Mús.* Instrumento de percussão pequeno e parecido com um tambor *sm.* **12** Livro onde se anotam receitas e despesas de uma empresa *s2g.* **13** Funcionário que trabalha em caixa (5) [F.: Posv. do catalão *caixa*, do lat. *capsa*.] ▪▪ **~ acústica** Caixa (em sistema de som) que contém alto-falantes [Cf.: *caixa-baixa*.] **~ alta** *Tip.* Parte superior da caixa dos tipos tipográficos, na qual se guardam os tipos das letras maiúsculas [Cf.: *tarol*.] **~ automático** Ver *Caixa eletrônico* **~ baixa** *Tip.* Parte inferior da caixa dos tipos tipográficos, na qual se guardam os tipos das letras minúsculas **~ chata** Tarol **~ clara** Tipo de tambor (instrumento musical de percussão) de sonoridade vibrante, cujo registro varia de acordo com o tamanho do instrumento; caixa de guerra **~ craniana** *Anat.* A caixa óssea que contém o encéfalo; crânio **~ das almas** Pequeno cofre para esmolas, em igreja **~ de ar** *Cons.* Espaço vazio deixado entre o solo e o assoalho, para ventilação **~ de câmbio** *Mec.* Ver *Caixa de marchas* **~ de cena** *Teat.* Conjunto formado pelo palco, pelos bastidores e pelos camarins de um teatro; caixa do teatro **~ de coleta** Caixa em lugar público onde se deposita correspondência a ser recolhida pelo correio **~ de descarga** Em aparelho sanitário, depósito da água da descarga, para lavagem da louça após uso **~ de diálogo** *Inf.* Em interface gráfica, janela interativa com solicitação de informações e respostas do usuário **~ de escada** *Arq.* O vão ou espaço entre paredes no qual se constrói a escada em uma edificação **~ de grão** *Art. gr.* Espécie de caixa de madeira na qual se faz depositar resina em pó ou areia sobre chapa metálica, para se obterem efeitos de meio-tom **~ de guerra** Ver *Caixa-clara* **~ de marchas** *Mec.* Em veículo automotivo, sistema de engrenagens no qual, por comando mecânico ou automático, altera-se a relação de diâmetros entre as engrenagens conectadas, variando com isso a razão de transmissão de rotações do motor para as rodas, e consequentemente a velocidade (marcha) do veículo **~ de matrizes** *Tip.* Caixilho onde se alinham as matrizes da monotipo **~ de mudanças** *Mec.* Ver *Caixa de marchas* **~ de música** Caixinha contendo um cilindro com pequenas pontas e ligado a uma mola, que ao girar, libertado com a abertura da caixa, tange palhetas, criando uma melodia **~ de Pandora** **1** Na mitologia grega, caixa entregue por Zeus a Pandora, e que continha todos os males do mundo, libertados quando a caixa foi aberta por um mortal **2** *Fig.* Situação, circunstância, processo etc. delicados, nos quais um gesto mal feito ou atitude impensada pode desencadear grandes malefícios **~ de**

ressonância 1 *Arq.* Espaço vazio projetado para melhorar a acústica de uma sala de concertos, ou de espetáculos 2 *Mús.* O corpo de madeira de um instrumento de corda, oco, que vibra na frequência das cordas para produzir o som do instrumento 3 *Anat. Fon.* Toda cavidade do aparelho fonador (pulmonar, bucal, nasal, faringe, laringe etc.) em que a vibração das cordas vocais é ampliada e ganha timbres específicos **~ de rufo** Tambor médio, maior do que a caixa-clara **~ de som** Ver *Caixa acústica.* **~ dois** *Cont.* Fluxo financeiro não contabilizado, como forma de omitir a origem dos recursos ou visando à sonegação fiscal **~ do palco** *Teat.* Os bastidores do teatro **~ do teatro** *Teat.* Ver *Caixa de cena* **~ do tímpano** *Anat.* Câmara entre a membrana de cada tímpano e a parede externa do labirinto do lado correspondente **~ econômica** 1 *Econ.* Estabelecimento bancário governamental, concebido para captar pequenas poupanças e financiar imóveis com garantia da hipoteca 2 *Gír. Turfe* Cavalo vencedor, que ao chegar frequentemente nos primeiros lugares garante ao proprietário muitos prêmios em dinheiro **~ eletrônico** 1 Máquina (na entrada de banco ou em lugar público, como aeroporto, supermercado etc.) na qual o cliente de um banco pode realizar operações bancárias, retirar dinheiro etc. 2 O local em que funciona essa máquina **~ grande** Ver *bombo* (instrumento de percussão) **~ pequena** *Bras. Cont.* Fundo em dinheiro para custeio de pequenas despesas correntes (de escritório, firma etc.) **~ postal** 1 Caixa em agência de correio, com porta fechada a chave, onde se deposita correspondência destinada a pessoa ou firma que a aluga 2 *Inf.* Seção de um servidor de internet em que se recebem as mensagens eletrônicas (*e-mails*) de determinado cliente desse servidor, e de onde ele pode baixá-las para seu computador **~ registradora** Equipamento comercial (atualmente a maioria é eletrônica) que registra a operação, emite nota com valores unitários e totais, serve de cofre para o dinheiro recebido, calcula troco etc. *máquina registradora* **~ surda** Ver *Tambor surdo* no verbete *tambor* **~ torácica** 1 *Anat.* Estrutura formada por costelas, vértebras e o esterno, formando uma cavidade na qual se encontram os órgãos do tórax 2 Essa estrutura, incluindo os músculos, que a fazem dilatar e retrair, para a respiração, emissão de sons etc. 3 Bazofiar **De ~ alta/baixa** *Bras. Gír.* Com muitos/poucos recursos, esp. em dinheiro **Em ~** Disponível (diz-se de recurso monetário): *dinheiro em caixa.* **Fazer ~** Realizar operações comerciais (venda, crédito etc.), financeiras, fiscais etc. destinadas a fazer entrar dinheiro em caixa (de firma, de órgão público etc.)

caixa-alta (cai.xa-*al*.ta) *sf.* 1 *Tip.* A letra maiúscula [Por estarem os caracteres maiúsculos, na caixa (9) de composição, na parte alta do tabuleiro.] *s2g.* 2 *Bras. Gír.* Pessoa muito rica: *Essa festa é coisa para caixas-altas. a2g.* 3 *Bras. Gír.* Que é muito rico (empresário caixa-alta) [F.: *caixa* + o fem. de *alto*[1]. Pl. geral: *caixas-altas.*]

caixa-baixa (cai.xa-*bai*.xa) *sf. Tip.* A letra minúscula [Por estarem os caracteres minúsculos, na caixa (9) de composição, na parte baixa do tabuleiro.] [Pl.: *caixas-baixas.*]

caixa-branca (*cai*-xa-*bran*.ca) *Inf. sf.* Estrutura de informação elaborada para testar e analisar projetos [Pl.: *caixas-brancas.*]

caixa-d'água (cai.xa-d'*á*.gua) *sf.* 1 Reservatório em forma de caixa que serve para armazenar água (em casa, prédio, bairro etc.) [Pl.: *caixas-d'água.*] *s2g.* 2 *Bras. Pop. Joc.* Indivíduo que bebe muito (bebida alcoólica); ÉBRIO; BÊBADO [Pl.: *caixas-d'água.*]

caixa de catarro (*cai*.xa de ca.*tar*.ro) *Bras. Pop. Joc. sf.* 1 Nariz; PAU DE CATARRO 2 Tórax ou pulmões [Pl.: *caixas de catarro.*]

caixa de fósforos (*cai*.xa de*fós*.fo.ro) *sf.* 1 Recipiente que contém palitos de fósforo 2 *Fig.* Casa ou recinto pequeno demais 3 *Fig. Antq.* Carro pequeno demais 4 *Bras. SP* Favela [Pl.: *caixas de fósforo.*]

caixa-forte (*cai*.xa-*for*.te) *sf.* Recinto reforçado contra roubo e fogo, onde se guardam dinheiro, joias etc.; COFRE-FORTE; CASA-FORTE [Pl.: *caixas-fortes.*]

caixão (cai.*xão*) *sm.* 1 Caixa, ger. de madeira, em que se colocam os defuntos para serem sepultados; ATAÚDE; ESQUIFE 2 Caixa grande 3 *Bras.* Caixa de madeira para embalagem e transporte de produtos ou coisas diversas; CAIXOTE 4 Caixa portátil de madeira em que se coloca a argamassa com a qual o pedreiro trabalha 5 *Bras.* A parte fixa das portas e janelas, aquela que guarnece o vão; MARCO 6 *Our.* Mesa própria para o trabalho de ourives 7 *Cons.* Grande compartimento de paredes resistentes e sem fundo, que, mergulhada na água, serve de campânula, cheia de ar, para realizar trabalhos no leito de rio, mar etc. 8 *Fot.* Designação de antigo tipo de câmeras fotográficas, no formato de um paralelepípedo, lente de foco fixo e pouca ou nenhuma regulagem de exposição 9 *N. N.E.* O fundo do leito de um rio, açude etc. 10 *N.E.* A figura no ferro de marcar o gado, que também consta, com pequenas alterações, dos ferros dos criadores associados ao dono da figura original 11 *Bot.* O mesmo que *jequitibá-rosa* [Pl.: *-xões.*] [F.: *caixa* + *-ão*[1].] ▪▪ **~ de defunto** Ataúde, esquife, féretro [Tb. apenas *caixão.* Cf.: *caixão-de-defunto.*] **Estar no ~** Estar no fundo do rio

caixão-de-defunto (cai.*xão*-de-de.*fun*.to) *Bras. Zool. sm. Antq.* Borboleta papilionídea comum em todo Brasil, com asas em que se alternam o preto e o amarelo, daí a denominação [Pl.: *caixões-de-defunto.*]

caixa-prego (*cai*.xa-*pre*.go) *Fam. sf.* Lugar muito afastado, real ou simbolicamente: *Foi parar lá em caixa-prego;* CAFUNDÓ [Var.: *caixa-pregos.*]

caixa-preta (*cai*.xa-*pre*.ta) *Aer. sf.* 1 Aparelho em que se gravam os dados sobre o funcionamento de uma aeronave e a troca de palavras tanto da tripulação entre si como entre esta e as equipes de terra 2 *Tec.* Qualquer dispositivo eletrônico imune a interferências e pronto para operar autonomamente 3 *Fig.* Função, iniciativa ou sistema autônomo e oculto, de que se podem esperar revelações ou surpresas: *O cargo dela é uma caixa-preta.* [Pl.: *caixas-pretas.*]

caixeiro (cai.*xei*.ro) *sm.* 1 Aquele que, em estabelecimento comercial, trabalha atendendo o público; BALCONISTA 2 Aquele que entrega mercadorias em domicílio; ENTREGADOR 3 Fabricante de caixas 4 *PA PE AL Pop.* Pequena toalha us. para asseio depois do ato sexual 5 *CE Pop.* Secreção nasal ressequida; MELECA 6 *Lus. Mús.* Indivíduo que toca caixa ou bombo [F.: *caixa* + *-eiro.* Hom./Par.: *caxeiro* (sm.), *cacheiro* (a. sm.).]

caixeiro-viajante (cai.*xei*.ro-vi:a.*jan*.te) *sm.* Representante comercial que, em nome de empresa ou por conta própria, viaja com o fim de divulgar produtos ou apresentar suas amostras; VIAJANTE; COMETA [Pl.: *caixeiros-viajantes.*]

caixeta (cai.*xe*.ta) [ê] *sf.* 1 Caixa pequena 2 Forma de papel, pregueada, onde se acondicionam e servem doces secos 3 *Bras. Bot.* Árvore pequena da fam. das bignoniáceas (*Tabebuia cassinoides*), comum em áreas alagadas do litoral, de madeira branca, leve, macia, porosa e durável, com inúmeros usos; CAXETA; CORTICEIRA; PAU-CAIXETA; PAU-DE-TAMANCO; PAU-DE-VIOLA; PAU-PARAÍBA [Tb. conhecida como tabebuia; tabebuia-do-brejo; tamancão; tamanqueira.] [F.: *caixa* + *-eta.* Hom./Par.: *cacheta* (fl. de *cachetar*). Tb. *caxeta.*]

caixilho (cai.*xi*.lho) *sm.* 1 Esquadria onde se encaixam os vidros de janelas, portas etc. 2 Armação que estica, fixa e protege um pedaço de papel, uma pintura etc.; MOLDURA [F.: *caixa* + *-ilho.*]

caixinha (cai.*xi*.nha) *sf.* 1 Diminutivo de *caixa*; caixa pequena 2 Coleta de dinheiro para determinado objetivo: *caixinha de Natal.* 3 O valor conseguido nessa coleta 4 Coleta de gorjetas em estabelecimento comercial: *deixar o troco para a caixinha.* 5 Valor em dinheiro dado ilegalmente para agilização de serviço ou favorecimento em decisão: *Se não contribuir para a caixinha você não vai conseguir essa autorização.* 6 *Fig. Pop.* Bolso ou a carteira [F.: *caixa* + *-inha.*] ▪▪ **Guardar na ~** *Pop.* Guardar em segredo

caixotaria (cai.xo.ta.*ri*:a) *sf.* 1 Amontoado ou conjunto de caixotes 2 Lugar onde se fazem ou vendem caixotes 3 Feitura de caixotes [F.: De *caixot(e)* + *-aria.*]

caixote (cai.*xo*.te) [ó] *sm.* 1 Diminutivo de *caixa* (com mudança de gênero); caixa pequena *sm.* 2 Caixa, ger. de madeira, ger. rústica, para embalar coisas, transportar mercadorias etc. 3 *Pop.* Onda que quebra inesperadamente, ger. surpreendendo banhistas e/ou surfistas [F.: *caixa* + *-ote*[1].] ▪▪ **Levar ~** Ser derrubado e jogado por onda do mar em arrebentação

cajá (ca.*já*) *Bot. sm.* 1 Fruto da cajazeira, de polpa acridoce comestível, tb. us. em sucos e doces 2 Cajazeira [F.: Do tupi *aka'ya*, com aférese.]

cajadada (ca.ja.*da*.da) *sf.* Golpe ou pancada dados com cajado [F.: *cajado* + *-ada*[1].] ▪▪ **De uma só ~** De uma só vez (realizar mais de uma tarefa ou resolver mais de uma problema etc.) [Muito us. na loc. *matar dois coelhos de uma só cajadada.*]

cajado (ca.*ja*.do) *sm.* 1 Vara, ger. com a ponta superior em arqueada, us. por pastores para tanger o rebanho 2 *P. ext.* Vara us. como apoio para o corpo; BORDÃO: *Ele agora só caminha com o auxílio de um cajado.* 3 *Fig.* Qualquer coisa que sirva de apoio, sustentação, inclusive espiritual; ARRIMO; ESTEIO [F.: Do lat. tardio *caja*, pelo lat. vulg. hisp. **cajatus*, abr. da loc. lat. *baculus cajatus*, 'bastão'.]

cajá-manga (ca.*já*-*man*.ga) *Bot. sm.* 1 Árvore da fam. das anacardiáceas (*Spondias dulcis* [Forst] ou *Spondias cytherea* [Nonn.]), nativa da Ilha da Sociedade (oceano Pacífico), introduzida no Brasil e disseminada principalmente pelo Nordeste, de folhas penadas, pequenas flores esbranquiçadas e drupa elipsoide, de casca amarelo-ouro 2 A drupa dessa árvore, de polpa acridoce quando madura [Pl.: *cajás-mangas* e *cajás-manga.*] [F.: *cajá* + *manga*[2]. Sin. ger.: *cajarana.*]

cajarana (ca.ja.*ra*.na) *sf. Bot.* O mesmo que *cajá-manga* [F.: Do tupi *aka'ia*, 'cajá' + *rana*, 'semelhante'.]

cajazeira (ca.ja.*zei*.ra) *sf. Bot.* Grande árvore (*Spondias mombin*), da fam. das anacardiáceas, que pode atingir 25 m de altura, nativa dos trópicos, de drupa com polpa resinosa, comestível, o cajá; as raízes, folhas, flores, frutos e sementes dessa árvore têm uso medicinal; CAJAZEIRO; CAJÁ [F.: *cajá* + *-zeira.*]

cajazeiro (ca.ja.*zei*.ro) *sm. Bot.* O mesmo que *cajazeira* [F.: *cajá* + *-zeiro.*]

caju[1] (ca.*ju*) *sm.* 1 *Bot.* A parte carnosa e comestível do fruto do cajueiro, rica em vitamina C, com a qual tb. se fazem sucos e doces [O verdadeiro fruto do cajueiro é a castanha, sendo a parte carnosa apenas a sua sustentação.] 2 *Bot.* Nome comum a frutos de arbustos e árvores do gên. *Anacardium* e a frutos, semelhantes ao caju (1), de outros gêneros 3 *Bot.* O mesmo que *cajueiro* (*Anacardium occidentale*). 4 *Bras.* Ano de existência, de vida, de idade: *Não parece, mas ele já tem mais de sessenta cajus.* 5 *Bras. Pop.* Indivíduo tolo, ingênuo [F.: Do tupi *aka' iu.*] ▪▪ **De ~ em ~** *Bras.* A cada ano, de ano em ano

caju[2] (ca.*ju*) *sm.* *RJ* Forte vento que vem de noroeste, e que quando sopra na baía de Guanabara ger. anuncia mudança de tempo [F.: Do top. (ponta do) *Caju* (de onde vem o vento).]

cajuada (ca.ju:*a*.da) *sf.* 1 Refresco ou doce feito com caju 2 *Fig.* Coisa ou situação confusa, agitada, tumultuada; BALBÚRDIA; TUMULTO [F.: *caju* + *-ada*[1].]

cajual (ca.ju:*al*) *sm.* Aglomerado de cajueiros mais ou menos próximos em uma certa área; plantação de cajueiros; CAJUEIRAL [Pl.: *-ais.*] [F.: *caju* + *-al*[1].]

caju-banana (ca.*ju*-ba.*na*.na) *Bras. Bot. sm.* Variedade de caju (ver), a de formato mais alongado [Pl.: *cajus-banana.*]

cajucultor (ca.ju.cul.*tor*) *Agr. a.* 1 Que cultiva cajus *sm.* 2 Aquele que planta e cultiva cajus [F.: De *caju* + *cultor.*]

cajueiral (ca.ju:ei.*ral*) *sm.* O mesmo que *cajual* [Pl.: *-rais.*] [F.: *cajueiro* + *-al*[1].]

cajueiro (ca.ju:*ei*.ro) *Bot. sm.* 1 Árvore (*Anacardium occidentale*), da fam. das anacardiáceas, com pseudofrutos formados por pedúnculo carnoso, o caju, na ponta do qual se encontra preso o verdadeiro fruto, a castanha-de-caju; CAJU 2 Designação comum a plantas com frutos semelhantes ao caju, esp. às da fam. das anacardiáceas; CAJU 3 *CE Pop.* Quem é muito apegado a dinheiro; AVARENTO; AVARO; MUQUIRANA; SOVINA 4 *MA Folc.* Na dança chamada *lelê*, ou *dança do lelê*, última parte, na qual os dançantes saúdam os presentes, em despedida [F.: De *caju* + *-eiro.*]

cajueiro-anão (ca.ju:*ei*.ro-a.*não*) *Bot. sm.* Tipo de cajueiro enxertado e de porte mínimo [Pl.: *cajueiros-anões.*]

cajuí (ca.ju:*í*) *Bras. Bot. sm.* Pequena árvore anacardiácea do Brasil, semelhante ao cajueiro; CAJU-DO-CAMPO [F.: De *caju* + *-i.*]

cajuína (ca.ju:*í*.na) *Bras. sf.* Bebida feita com suco de caju [F.: De *caju* + *-ina*[1].]

caju-manteiga (ca.*ju*-man.*tei*.ga) *Bras. Bot. sm.* Variedade de *caju*, a mais tenra [Pl.: *cajus-manteiga.*]

cajurana (ca.ju.*ra*.na) *Bras. Bot. sf.* Pequena árvore simarubácea da Amazônia; PITOMBEIRA [F.: De *caju* + *-rana.*]

cajuru (ca.ju.*ru*) *Bras. sm.* 1 Limite da mata 2 *Bras. SP Etnog.* Parte final da dança na festa de São Gonçalo violeiro [F.: Do tupi *ka'a* + *ju'ru.*]

cajuzinho (ca.ju.*zi*.nho) *Bras. Cul. sm.* Doce de chocolate e amendoim, em forma de pequenino caju, comum nas festas de criança [F.: De *caju* + *-zinho.*]

cal[1] *sf.* 1 *Quím.* Substância branca (óxido ou hidróxido de cálcio) produzida a partir de rochas calcárias, us. em construção civil, cerâmica etc.: *A cal é um dos ingredientes usados na fabricação de gesso.* 2 *P. ext.* Produto que resulta da hidratação da cal virgem [Pl.: *cales* e *cais.*] [F.: Do lat. *cale*, acus. do lat. vulg. *cals* (< lat. *calx, calcis*, 'pedra calcária').] ▪▪ **~ aérea** Ver *Cal extinta* **~ apagada** Ver *Cal extinta* **~ extinta** Resultado do tratamento de cal virgem com água (hidróxido de cálcio); cal aérea, cal apagada **~ gorda** A que tem alto teor de óxido de cálcio, e que reage rapidamente com a água, produzindo massa homogênea e ligante [Cf.: *Cal magra.*] **~ hidráulica** Resultado da mistura de cal com sílica, alumínio e óxido de ferro **~ magra** A que tem alto teor de matéria impura, e que reage lentamente com a água, produzindo massa pouco ligante [Cf.: *Cal gorda.*] **~ misturada** Ver *Cal terçada* **~ sodada** Mistura de hidróxido de cálcio com hidróxido de sódio, us. esp. para absorver gases ácidos **~ terçada** Mistura de cal, areia e água, formando argamassa; cal misturada; cal traçada **~ traçada** Ver *Cal terçada* **~ virgem** A que não se misturou à água; cal viva **~ viva** Ver *Cal virgem*

⊠ **cal**[2] *Fís.* Símb. de *caloria*

cala[1] (*ca*.la) *sf.* 1 Fato de estar calado, mudo; CALADA; CALUDA 2 *Fig.* Ausência de som; silêncio; CALADA [F.: Dev. de *calar*[1].]

cala[2] (*ca*.la) *sf.* 1 Pequena enseada ou pequeno porto, ger. entre penhascos ou rochedos 2 Passagem de difícil navegação em virtude de baixios, transitável só por pequenas embarcações [F.: De or. contrv.; posv. pré-romana.]

cala[3] (*ca*.la) *sf.* 1 Pequeno corte ou abertura feitos em frutos (esp. melão e melancia) ou queijos para que se verifique se estão adequados para o consumo; CALADO 2 O pedaço retirado ao fruto ou ao queijo para prova; CALADO [F.: De or. incerta; posv. do v. *calar*[3].]

cala[4] (*ca*.la) *sf.* Corda de esparto us. para suspender ou arrastar as redes de pesca presas na embarcação (calão) [F.: De or. incerta; posv. dev. de *calar*[2] (náut.).]

cala[5] (*ca*.la) *Bot. sf.* 1 Planta aquática do gên. monoespecífico *Calla* (sp. *Calla palustris*), da fam. das aráceas, nativa de regiões pantanosas, de clima temperado do hemisfério norte 2 Denom. comum às plantas da fam. das aráceas cujas inflorescências se assemelham à da *Calla palustris* [F.: Do lat. cient. *Calla.*]

cala[6] (*ca*.la) *s2g. Pop.* Indivíduo astuto, velhaco, astucioso [F.: De or. incerta.]

calaariano (ca.la.a.ri:*a*.no) *sm.* 1 Indivíduo nascido ou que vive no deserto de Calaári (África do Sul) *a.* 2 Do deserto de Calaári; típico desse deserto ou de seu povo [F.: Do top. (deserto de) *Calaári* + *-ano*[1].]

calabar (ca.la.*bar*) *Gloss. sm.* Língua falada no delta do rio Níger, nigero-congolesa; EFIQUE

cala-boca (*ca*.la-*bo*.ca) *Bras. Pop. sm.* 1 *MG* Cacete curto e grosso 2 Dinheiro para suborno [Pl.: *cala-bocas.*]

calabouço (ca.la.*bou*.ço) *sm.* 1 Prisão subterrânea; MASMORRA; CÁRCERE 2 *Pej.* Qualquer prisão; CADEIA 3 *P. ext.*

Fig. Lugar sombrio, úmido e escuro [Esp. em subsolo de castelo, forte etc., onde pode servir de prisão.] [F.: Posv. do lat. vulg. **calafodium*, pelo espn. *calabozo*.]

calabrês (ca.la.*brês*) *Gent. sm.* **1** Pessoa nascida na Calábria, no S. da Itália **2** *Gloss.* Dialeto da Calábria *a.* **3** Da Calábria; típico dessa região ou de seu povo. [Pl.: calabreses.] [F.: De *Calábria* + *-ês*.]

calábrico (ca.*lá*.bri.co) *a.* Da Calábria (Itália), típico dessa região ou de seu povo; CALABRÊS [F.: Do top. *Calábria* + *-ico*.]

calaceiro (ca.la.*cei*.ro) *Restr. sm.* Indivíduo vadio; PREGUIÇOSO; MANDRIÃO [F.: De or. obsc.]

calada (ca.*la*.da) *sf.* **1** Silêncio profundo [Ant.: *assuada, barulho*. Us. na expr. *na calada da noite*: *fugiu na calada da noite*.] **2** Ação ou resultado de calar(-se) **3** *BA* Calmaria antes de tempestade; ACALMIA [Ant.: *agitação, fúria*.] [F.: Fem. substv. de *calado*.] ∎ **Às ~** Ver *Pelas caladas* (1) **Pelas ~** **1** Às escondidas; às caladas **2** Silenciosamente, sem fazer barulho

caladão (ca.la.*dão*) *a.* **1** Que fala pouco, que é calado demais; ENSIMESMADO; FECHADO; INTROVERTIDO [Ant.: *tagarela, conversador*] *sm.* **2** Aquele que fala pouco, que é demasiadamente calado [Pl.: *caladões*. Fem.: *caladona*.] [F.: De *calado* + *-ão*.]

calado[1] (ca.*la*.do) *a.* **1** Que está em silêncio **2** Que fala pouco ou ger. não fala muito: *É um rapaz calado, prefere ouvir.* **3** *Fig.* Não manifesto; que não se expressa; silencioso (amor calado) [F.: Part. de *calar*[1].]

calado[2] (ca.*la*.do) *a.* **1** Descido, abaixado **2** *Fig.* Que se penetrou ou repassou **3** Em posição de ataque (diz-se de baioneta) *sm.* **4** *Mar.* Medida vertical da parte do casco de uma embarcação que fica mergulhada na água **5** Profundidade de água necessária para que certa embarcação flutue sem encalhar: *O calado deste rio não é suficiente para o nosso barco.* [F.: Part. de *calar*[2].]

calado[3] (ca.*la*.do) *sm.* O mesmo que *cala*[3] [F.: Substv. do part. de *calar*[3].]

calafate (ca.la.*fa*.te) *sm.* **1** Pessoa que calafeta (ger. como profissional), tapa fendas ou buracos (esp. de embarcação) **2** *RJ* Vento forte de leste que sopra no litoral **3** *Zool.* Pequeno pássaro da fam. dos estrildídeos (*Padda oryzivora*), originário da Indonésia **4** *Bot.* Planta (*Berberis ruscifolia*) das berberidáceas, do sul do Brasil, Argentina e Uruguai; calafate-da-patagônia [F.: Prov. dev. de *calafetar*.]

calafetação (ca.la.fe.ta.*ção*) *sf.* Ação ou resultado de calafetar; CALAFETAGEM [Pl.: *-ções*.] [F.: *calafetar* + *-ção*.]

calafetado (ca.la.fe.*ta*.do) *a.* Vedado com calafetação (piso calafetado) [F.: Part. de *calafetar*.]

calafetador (ca.la.fe.ta.*dor*) *a.* **1** Que calafeta, capaz de calafetar *sm.* **2** Profissional que calafeta, que faz calafetagem [F.: De *calafetar* + *dor*.]

calafetagem (ca.la.fe.*ta*.gem) *sf.* **1** Ato ou efeito de calafetar, vedar com material adequado; CALAFETAÇÃO; CALAFETAMENTO **2** *P. ext.* Meio ou matéria com que se calafeta [Pl.: *-gens*.] [F.: De *calafetar* + *-agem*[2].]

calafetamento (ca.la.fe.ta.*men*.to) *sm.* Ver *calafetagem*

calafetar (ca.la.fe.*tar*) *v. td.* **1** Tapar ou vedar (com massa, estopa, feltro, pano, papel etc.) buracos ou fendas de (soalho, telhado, janela etc.): *O marceneiro calafetou o piso.* **2** *Mar.* Tapar ou vedar com estopa impregnada de alcatrão junturas, buracos ou fendas de (uma embarcação) **3** *P. ext.* Vedar ou tapar fendas ou buracos quaisquer [▶ **1 calafetar**] [F.: Posv. do lat. vulg. *calefare*, pelo ár. *qálfat* e pelo it. *calafatare*. Hom./Par.: *calafeto* (fl.), *calafeto* [ê] (sm.).]

calafrio (ca.la.*frio*) *sm.* **1** Contração muscular superficial e involuntária e arrepio na pele, causados por frio, febre, medo etc.: *Gripado, sentia calafrios.* **2** Tremores e bater de dentes, associados a sensação de frio, antes de ou durante estados febris [F.: De or. contrv.]

calagem (ca.*la*.gem) *sf.* **1** Ato ou efeito de calar (3), baixar, abaixar; NIVELAÇÃO **2** *Agr.* Ato ou efeito de adubar o solo com cal **3** *Astr.* Operação de adequar instrumento à observação de um astro [F.: De *calar* + *-agem* e de *cal* + *-agem* (2).]

calamar (ca.la.*mar*) *sm.* Ver *lula*.

calamidade (ca.la.mi.*da*.de) *sf.* **1** Ocorrência de, ou acontecimento que gera destruição, perdas e mortes (como guerras, furacões, vulcões, tsunamis etc.); CATÁSTROFE **2** Grande infelicidade ou desgraça; INFORTÚNIO **3** *Fam. Fig.* Fato, coisa ou pessoa desastrada, desacertada, infeliz: *Estava num dia ruim, tudo o que fez foi uma calamidade; Esse jogador é uma verdadeira calamidade.* [F.: Do lat. *calamitas, atis*.]

calamidades (ca.la.mi.*da*.des) *Moç. sfpl.* Doações (de alimento, roupa, utensílios) por parte da comunidade internacional. [Cf. calamidade.]

calamina (ca.la.*mi*.na) *Min. sf.* **1** Silicato de zinco hidratado; HEMIMORFITA **2** Carbonato de zinco natural [F.: Do lat. *calamina*.]

calamitoso (ca.la.mi.*to*.so) [ô] *a.* **1** Que traz ou que tem o efeito de uma calamidade: *Essa guerra tem sido calamitosa.* **2** *P. ext.* Muito negativo, que leva a consequências indesejáveis: *Aquela decisão foi calamitosa para a empresa.* [Fem. e pl.: [ó].] [F.: Do lat. *calamitosus*.]

cálamo (*cá*.la.mo) *sm.* **1** *Bot.* Caule herbáceo, de gramínea e outros vegetais **2** Segmento de caniço cortado em ponta, outrora instrumento de escrita **3** *P. ext.* Pena **4** *Fig.* Estilo de escrever **5** *Fig. Poét.* Flauta **6** *Bot.* Desig. comum das ervas acoráceas, aquáticas; ÁCORO [F.: Do gr. *kálamos*, pelo lat. *calamu*.]

calandra[1] (ca.*lan*.dra) *sf.* **1** *Emec.* Máquina de lustrar, alisar ou enrugar papel ou tecidos **2** *Emec.* Máquina para acetinar papel, ao fazer passar este, em tira contínua, por entre cilindros que o pressionam, fechando-lhe os poros **3** *Metal.* Máquina de desempenar ou curvar chapas de metal **4** *Emec.* Prensa em que se produzem matrizes us. em estereotipia [F.: Posv. do gr. *kúlindros*, 'cilindro', pelo fr. *calandre*.]

calandra[2] (ca.*lan*.dra) *Zool. sf.* **1** Ave passeriforme, espécie de cotovia (*Melanocorypha calandra*) do sul da Europa, e tb. da Ásia e da África; CALHANDRA; LAVERCA **2** Ave passeriforme, da família dos mimídeos (*Mimus saturninus*), da América do Sul, inclusive Brasil, de belo canto, às vezes imitando os de outras aves; SABIÁ-DO-CAMPO; SABIÁ-DO-SERTÃO **3** Ave da família dos alaudídeos (*Alauda arvensis*), o mesmo que *cotovia* [F.: Do gr. *kálandra*, pelo lat. *calandra*.]

calandrado (ca.lan.*dra*.do) *Art. Gr. a.* Que se calandrou, que foi passado pela calandra (papel calandrado); LUSTRADO; ACETINADO [F.: *calandrar* + *-ado*[1]; part. de *calandrar*.]

calandragem (ca.lan.*dra*.gem) *Art. Gr. sf.* Ato ou efeito de calandrar, alisar com a calandra [F.: De *calandrar* + *-agem*.]

calandrar (ca.lan.*drar*) *v. td.* **1** *Metal.* Dar formato cilíndrico ou ondulado a (chapa de metal) por meio da calandra (3) **2** *Emec.* Alisar ou enrugar (papel, tecido) na calandra (1) **3** Acetinar (papel) fazendo passar pela calandra (2) **4** Produzir (matriz de estereotipia) na calandra (4) [▶ **1 calandrar**] [F.: *calandra* + *-ar*[2]. Hom./Par.: *calandra* (fl.), *calandra* (sf.).]

calango (ca.*lan*.go) *sm.* **1** *Zool.* Nome comum a diversas espécies de lagartos pequenos da fam. dos teiídeos **2** *Zool.* Especificamente, um desses lagartos (*Ameiva ameiva*), da América do Sul, tb. chamado *bico-doce, calango-verde, teiubinha* **3** *N. E. Zool.* Nome de um peixe actinopterígio (*Synodus intermedius*) do litoral leste brasileiro, cujo focinho se parece com o de um lagarto; PEIXE-LAGARTO **4** *MG RJ* Dança popular praticada aos pares, semelhante ao coco nordestino **5** *N. E.* Desafio entre compositores que fazem versos de improviso alternadamente **6** *PA Pop.* Soldado de polícia **7** *SP Pop.* Bezerro pequeno **8** *Bras. Pop.* Bíceps, muque **9** *PA* Membro de grupo de rebeldes que atuou no Pará no século XIX **10** *CE* Membro de quadrilha de salteadores que atuou no Ceará, no século XIX [F.: Do quimb. *kalanga*.] ∎ **Fazer ~** Fazer muque, exibir o bíceps contraído como demonstração de força

calão[1] (ca.*lão*) *sm.* **1** Linguagem considerada vulgar, gíria grosseira: *Neste ambiente não se deve usar calão.* **2** *Lus. Pej.* Modo de falar, linguajar característico de certo grupo de pessoas **3** *Gloss.* Língua dos ciganos, na Espanha; CALÓ [Pl.: *-lões*.] [F.: Do cigano *caló*, 'preto'.] ∎ **Baixo ~** Vocabulário vulgar, ou obsceno; palavra ou expressão desse vocabulário

calão[2] (ca.*lão*) *sm.* **1** Embarcação comprida, movida por oito a dez pares de remos, us. no Algarve para a pesca do atum **2** *Bras.* Rede de pesca de malha larga, com boias presas em três lados e pesos no quarto lado **3** *Bras.* A pesca que usa esse tipo de rede **4** *Bras.* Cabo na extremidade de rede de arrastar **5** *Bras.* Pau, vara roliça onde se pendura carga (como peixes) e que se leva aos ombros para transportá-la [Pl.: *-lões*.] [F.: *cala*[4] + *-ão*[3].]

calão[3] (ca.*lão*) *sm.* Telha grande com que se reveste o fundo de regos, valas, canais etc., para impedir que a água penetre na terra e seja nela absorvida [Pl.: *-lões*.] [F.: *cale* + *-ão*[3].]

calão[4] (ca.*lão*) *Lus. a.* **1** *Pop.* Diz-se de quem é preguiçoso, indolente **2** *Pop.* Diz-se de quem tenta aproveitar-se de situações favoráveis para tirar vantagens; CALACEIRO; MADRAÇO; MANDRIÃO *sm.* **3** Indivíduo calão (2 e 3) **4** Cavalo que aparenta ser forte, mas de pouca disposição, de pouco vigor [Pl.: *-lões*.] [F.: De or. obsc.; talvez a mesma de *calão*[1]. Sin. (1, 2 e 3): *calaceiro, madraço, mandrião*.]

calão[5] (ca.*lão*) *sm.* **1** Na Índia, vaso para líquidos, espécie de bilha bojuda com capacidade de mais de 30 litros **2** Medida indiana de capacidade para líquidos, equivalente a cerca de oito litros [Pl.: *-lões*.] [F.: Do tamul-malaiala *kalam*.]

calapalos (ca.la.*pa*.los) *Etnol. smpl.* Grupo indígena de Mato Grosso (S. do parque Xingu) [F.: Do etnôm. *Kalapalo*.]

calar[1] (ca.*lar*) *v.* **1** Impor silêncio a ou ficar em silêncio; fazer parar ou parar de falar; SILENCIAR [*td.*: *O ator calou os críticos com sua atuação.*] [*int.*: *Não tendo o que dizer, calou(-se)*: "Fiz-lhe sinal que se calasse..." (Machado de Assis, *Conto de escola*)] **2** Não responder, não comunicar ou se comunicar; EMUDECER; SILENCIAR [*int.*: *A razões tão disparatadas, preferi o silêncio, e calei-me.*] **3** *Fig.* Fazer parar ou parar de emitir ruído ou som [*int.*: *A viola calara naquela noite funesta; O vento calou-se.*] [*td.*: *O anoitecer calou o vilarejo.*] **4** Não deixar transparecer, ocultar, reprimir (sentimento); ABAFAR [*td.*: *A moça controlou-se e conseguiu calar sua irritação.*] **5** Não contar o que sabe; ocultar ou não divulgar (algo); SILENCIAR [*int.*: *Apesar da pressão do interrogatório, calou(-se).*] [*td.*: "O segredo que os lábios da donzela, havia meses, calavam com tanto resguardo." (Rebelo da Silva)] **6** Cessar de manifestar-se, de fazer-se sentir [*int.*: *Com a tua chegada, minha tristeza calou-se.*] **7** Impedir (algo ou alguém) de reagir, de se manifestar [*td.*: *Ele quis reagir, mas eu o calei com um gesto.*] [▶ **1 calar**] [F.: Prov. do gr. *chalao*, pelo lat. vulg. *callare*. Hom./Par.: *cale* (fl.), *cale* (s2g.), *cáli* (sm.); *cales* (fl.), *cális* (pl. de *cáli*), *cálix* (sm.); *calo* (fl.), *calo* (sm.); *calamos* (fl.), *cálamos* (pl. de *cálamo*).]

calar[2] (ca.*lar*) *v.* **1** *Antq.* Mover para baixo, fazer descer; ARRIAR; BAIXAR [*td.*: *calar uma âncora*.] **2** Encaixar (baioneta) no fuzil para investir contra o inimigo [*td.*] **3** *Fig.* Alcançar ou atingir o íntimo; fazer-se sentir; PENETRAR; REPERCUTIR [*tr.* + *em*: *O pedido aflito calara em seu coração.*] [*int.*: *O apelo calou fundo, e todos se mobilizaram.*] **4** *Mar.* Arriar (vela de embarcação) [*td.*] **5** *Mar.* Pôr (o leme) em lugar próprio para atividade [*td.*] **6** *Mar.* Chegar (embarcação) a profundidade de água na qual seu calado[2] (4) lhe permite flutuar livremente [▶ **1 calar**] [F.: Do gr. *chalao*, pelo lat. *calare* (no láss. *chalare*), 'fazer baixar'; 'abrir', 'fazer penetrar'.]

calar[3] (ca.*lar*) *v. td.* Abrir entalhe em (fruta, queijo etc.) para atestar a sua qualidade [▶ **1 calar**] [F.: *cala*[3] + *-ar*[2].]

calasia (ca.la.*si*.a) *sf.* **1** *Oft.* Processo (9) que separa a córnea da esclerótica **2** *Med.* Deficiência ou inibição da contração de músculo ou de esfíncter **3** *Pat.* Condição na qual a calasia (2) da cárdia, que regula o fluxo de alimento do esôfago para o estômago e impede que retorne deste, provoca (ger. em crianças lactentes) refluxo e regurgitação após a ingestão [F.: Do gr. *khálasis, eos*, 'relaxamento', + *-ia*[1].]

calça (*cal*.ça) *sf.* **1** Roupa de homens e mulheres que cobre a cintura, os quadris e as pernas (estas, parcial ou totalmente) **2** Ver *calcinha* [Nas duas acps., mais us. no pl.] **3** *Zool.* Penas das canelas, pés e dedos de ave **4** Amarra, atilho us. para marcar galináceos; marcas que se põem em galináceos, ou outros animais, para identificá-los **5** Mancha clara no pelo das patas de animal quadrúpede [F.: Do lat. vulg. *calcea*. Hom./Par.: *calça* (sf.), *calça* (de *calçar* [v.]).] ∎ **~ comprida** Calça que chega até os tornozelos ou os ultrapassa **~ curta** Calça que cobre as pernas parcialmente, ou até os joelhos ou até o meio das coxas **~ meia-coronha** *N. E. Pop.* Ver *Calça pesca-siri* [Tb. apenas *meia-coronha*.] **~ pega-frango** *MG. Pop.* Ver *Calça pesca-siri* [Tb. apenas *pega-frango*.] **~ pega-marreco** *N. N. E. Pop.* Ver *Calça pesca-siri* [Tb. apenas *pega-marreco*.] **~ pesca-siri** *Bras. Pop.* Calça comprida que não chega até os tornozelos [Tb. apenas *pesca-siri*.] **Usar ~s** *Pop. Fam.* Ser masculo, machão

calçada (cal.*ça*.da) *sf.* **1** Parte lateral de uma rua e ao longo dela, ger. junto aos prédios de ambos os lados, pavimentada, ger. mais alta que a parte central da rua por onde transitam os veículos, e reservada aos pedestres; PASSEIO **2** *Bras.* Trecho pavimentado junto às paredes externas de um edifício **3** Rua ou caminho pavimentados com pedras, paralelepípedos etc. **4** *Lus.* Em Portugal, o mesmo que *ladeira* (*1*) **5** *Lus.* Us. no pl., paredes de pedras soltas em escarpas, para protegê-las do arrasto de terra pelas enxurradas [F.: De or. contrv. Hom./Par.: *calçada* (fem. de *calçado*, adj.).]

calçadão (cal.ça.*dão*) *sm.* **1** *Bras.* Calçada ou passeio largos e extensos, ger. em zona turística ou de beleza paisagística, onde se podem fazer caminhadas de lazer ou esportivas: *correr no calçadão.* **2** Calçada pavimentada que cobre a rua inteira, ger. para uso exclusivo de pedestres [Pl.: *-dões*.] [F.: *calçada* + *-ão*[1].]

calçadeira (cal.ça.*dei*.ra) *sf.* **1** Objeto em meia-cana que, introduzido entre o calcanhar e a parte interna traseira de um calçado (sapato ou bota), ajuda a calçá-lo **2** *Bras. Pop.* Golpe com o pé na perna ou no pé de alguém, para derrubá-lo; CALÇO; RAPA; RASTEIRA [F.: *calçado* + *-eira*.]

calçadista (cal.ça.*dis*.ta) *a2g.* **1** Ref. a indústria de calçados ou que os fabrica *s2g.* **2** O que é fabricante de calçados [F.: De *calçado* + *-ista*.]

calçado (cal.*ça*.do) *a.* **1** Diz-se de quem tem pé(s) vestido(s) ou coberto(s) com calçado (5), tal como sapato, bota, sandália, tênis etc. [+ *com, de, em*: pessoa calçada com /de /em botas.] **2** Diz-se desse pé **3** Coberto, revestido (rua, calçada, terreno etc.) com concreto, pedras, paralelepípedos etc.; PAVIMENTADO [+ *com, de*: pavimento calçado com /de ladrilhos.] **4** Escorado por um objeto que serve de calço: *muro calçado com grossos troncos.* **5** Diz-se de cavalgadura, bovino etc. que tem malha nas patas *sm.* **6** Peça de vestuário que serve para vestir ou proteger os pés, como sapatos, chinelos, botas, tênis etc. [Muito us. no pl.] [F.: Part. de *calçar*.] ∎ **Estar no ~ velho** Estar velho, sem forças

calçamento (cal.ça.*men*.to) *sm.* **1** Ação ou resultado de calçar; PAVIMENTAÇÃO: *Aquelas ruas precisam de calçamento e iluminação.* **2** Qualquer coisa que calça, cobre, reveste **3** Material, revestimento (como concreto, paralelepípedos, asfalto, pedras etc.) que cobre uma rua, uma calçada ou outra superfície pavimentada; PAVIMENTAÇÃO: *recuperação do calçamento da estrada.* **4** Escoramento de algo com um objeto: *calçamento da porta/de um poste etc.* [F.: *calçar* + *-mento*.]

calcâneo (cal.*câ*.ne o) *sm.* **1** *Anat.* Osso do pé; é o maior dos ossos do tarso, e forma o calcanhar *a.* **2** Ref. a calcanhar, ou ao calcâneo (1) [F.: Do lat. *calcaneu(m)*.]

calcanhar (cal.ca.*nhar*) *sm.* **1** *Anat.* A parte posterior do pé, de forma arredondada **2** *Vest.* Parte da meia ou do calçado que cobre o calcanhar (1) **3** *Fig.* Que tem a forma semelhante ao do calcanhar humano, ger. num canto de algo: *A estrada faz uma curva abrupta, e é bem ali, no calcanhar, que fica o hotel.* **4** *Fig.* Que se situa em posição inferior, muito abaixo do centro: *A vila fica no calcanhar da região* [F.: Prov. do lat. *calcaneare*.] ∎ **~ do mundo** *Lus.* Cafundó, lugar muito distante **Bater os ~es** *Lus. Pop.* Morrer **Dar aos/nos ~es** *Pop.* Fugir **Não chegar aos ~es de** Ser muito inferior a **Nos ~es de** Quase alcançando (pessoa que está sendo perseguida)

calcanhar de aquiles (cal.ca.nhar de a.*qui*.les) *sm. Fig.* O ponto frágil, vulnerável de algo ou alguém: *O calcanhar de aquiles daquele jogador é seu preparo físico.* [Ref. ao herói da mitologia grega, Aquiles, que, submergido num líquido mágico ficou invulnerável, com exceção do calcanhar, por onde foi segurado para a imersão.] [Pl.: *calcanhares de aquiles.*]

calcanhar de judas (cal.ca.*nhar*de*ju*.das) *Pop. sm.* Ver *caixa-prego*

calcanho (cal.*ca*.nho) *Bras. Pop. sm.* Calcanhar: Seguiram no calcanho, ou seja, a pé [F.: De *calcâneo* e *calcanhar.*]

calcante (cal.*can*.te) *Bras. Pop. a2g.* **1** Que calca, capaz de calcar *s2g.* **2** Pé **3** Calçado [F.: De *calcar.*] ■ **No ~** *Bras. Gír.* A pé

calção (cal.*ção*) *sm.* **1** Tipo de calça-curta, ajustada na cintura por cadarço ou elástico, que ger. só vai até o meio da coxa; é us. como roupa de banho, ou como parte de uniforme esportivo, ou informalmente como calça-curta; SHORT **2** Roupa de banho para homens que cobre a parte do corpo abaixo da cintura, sem cobrir as coxas ou cobrindo parte delas, ger. de material elástico, e ajustada ao corpo [Tb. *calção de banho.*] **3** *Zool.* Porção emplumada das pernas de algumas aves **4** *Ant.* Calça-curta bufante, que ia da cintura às virilhas, ou até o meio das coxas, ou até o joelho, que era parte do vestuário masculino antigo [Pl.: *-ções.*] [F.: *calça* + *-ão*¹.] ■ **~ de banho** Calção (2); peça do vestuário masculino para banho de mar, piscina etc., espécie de calça muito curta, ger. justa e elástica [o *short* é mais comprido e solto, ger. de tecido não elástico], que cobre da cintura ao alto ou ao meio das coxas

calcar¹ (cal.*car*) *sm.* **1** *Bot.* Apêndice que se encontra na corola ou no cálice de certas flores, formado por uma pétala ou sépala; ESPORA **2** *Zool.* Nos artrópodes, processo móvel semelhante a um espinho **3** *Zool.* Na tíbia de certos insetos, o esporão (3) mais forte [F.: Do lat. *calcar, aris,* 'esporão'.]

calcar² (cal.*car*) *v.* **1** Fazer pressão com o(s) pé(s) em, pisar, tornando compacto [*td.: Calcou bem o terreno.*] **2** Apertar fortemente; COMPRIMIR [*td.: Calcou, com raiva, o botão da campainha.*] [*tda.: Calque a massa sobre a bancada.*] **3** Desprezar, infringir, transgredir [*td.: calcar a lei, a justiça.*] **4** Copiar (um desenho ou uma figura) comprimindo contra o papel ou uma superfície para que os traços ou as cores se reproduzam por aderência; DECALCAR [*td. / tda.: calcar o desenho (no caderno).*] **5** *Fig.* Orientar, conduzir (algo) segundo um exemplo, um modelo [*tdr.* + *em, sobre: Calcara a vida nos passos do pai.*] **6** Exercer controle sobre; não manifestar; CONTER; REPRIMIR [*td.: Tentou calcar sua revolta.*] **7** *Fig.* Causar constrangimento, humilhação ou aflição a [*td.: A arrogância do irmão calcou-lhe o espírito.*] [▶ **11 calcar**] [F.: Do v.lat. *calcare,* 'pisar'; 'comprimir pisando'. Hom./Par.: *calco* (fl.), *calço* (sm.); *calca* (fl.), *calça* (sf.); *calcas* (fl.), *calças* (pl. do sf.); *calcar, calçar* (em todas as fl.).]

calçar (cal.*çar*) *v.* **1** Revestir pé(s) ou perna(s) de (calçado, calças etc.) ou mão(s) de (luva[s]) [*td.: O menino calçara os patins; Calçou as bermudas e foi surfar; Pediu-lhe que calçasse as luvas antes de entrar no quarto do doente.* Ant.: *descalçar.*] **2** Pôr calçado no(s) pé(s) de alguém, inclusive si mesmo [*td.: Vestiu e calçou o filho para sair; Ela já se calça sozinha.*] **3** Usar (certo número de calçado) [*tp.: A moça calça 35.*] **4** Ajustar-se ao pé [*int.: Esses tênis não calçavam bem.*] **5** Dar ou fornecer calçado a [*td.: Escolheu um órfão para calçar e vestir; A única sapataria que havia calçava toda a cidadezinha.*] **6** Adquirir (em certo fornecedor) calçado(s) para (si mesmo) [*td.: Calçava-se numa sapataria do Sul.*] **7** Firmar com algum tipo de calço, apoio, suporte etc. [*td.: Calçou o pé da mesa com cortiça.*] **8** *Fut.* Derrubar (alguém) com uma rasteira [*td.: Calçou o zagueiro e foi expulso do jogo.*] **9** Revestir (rua, calçada, pátio etc.) com pedras etc.; PAVIMENTAR [*td.: A prefeitura mandou calçar toda a avenida.*] **10** Constituir o calçamento de [*td.: O piso de granito calçava a entrada.*] [▶ **12 calçar**] [F.: Do lat. *calceare.* Hom./Par.: *calço* (fl.), *calço* (sm.); *calça(s)* (fl.), *calça(s)* (sm. [pl.]); *calçar, calcar* (em todas as fl.).]

calcarenito (cal.ca.re.*ni*.to) *Min. sm.* Arenito constituído de grãos de areia de carbonato calcítico [F.: *calc(i)-* + *arenito.*]

calcário¹ (cal.*cá*.ri:o) *a.* **1** Ref. a carbonato de cálcio, ou que o contém (solo calcário) **2** Ref. a, ou da natureza da cal **3** *Geol.* Que apresenta carbonato de cálcio e magnésio em sua constituição (diz-se de rocha) *sm.* **4** *Geol.* Rocha que contém carbonato de cálcio, us. em construções, na fabricação de cal, cimento etc. [F.: Do lat. *calcarius, a, um,* do lat. *calx, calcis,* ver *calc(i)-.*] ■ **~ litográfico** *Art. gr.* Calcário de granulação fina, adequado para ser preparado como superfície impressora

calcário² (cal.*cá*.ri:o) *Zool. sm.* **1** Espécime dos calcários, classe de poríferos marinhos, com espículas de carbonato de cálcio, de um, três ou quatro raios. São as esponjas calcárias das águas costeiras *a.* **2** Ref. ou pertencente aos calcários [F.: Adapt. do lat. cient. *Calcarea.*]

calcedônia (cal.ce.*dô*.ni:a) *Min. sf.* Variedade critocristalina de quartzo translúcido [F.: Do gr. *karkhedónios,* pelo lat. *carchedonius, a, um.*]

calceiro (cal.*cei*.ro) *sm.* **1** Armação para guardar calças, ger. dentro de armário **2** Aquele que faz ou fabrica calças [F.: *calça* + *-eiro.*]

calcemia (cal.ce.*mi*:a) *sf. Med.* Presença de cálcio no sangue [F.: *calc(i)-* + *-emia.*]

calceta (cal.*ce*.ta) [ê] *Antq. sf.* **1** Argola de ferro presa ao tornozelo de um prisioneiro e ligada por corrente à sua cintura ou à argola de outro prisioneiro **2** *P. ext.* Pena de trabalhos forçados *s2g.* **3** Pessoa condenada à calceta (2), a trabalhos forçados [F.: Do espn. *calceta.* Hom./Par.: *calceta* (v. *calcetar*).]

calcetar (cal.ce.*tar*) *v. td.* Calçar com pedras, colocando-as lado a lado: *Calcetar um caminho, uma alameda.* [▶ **1 calcetar**] [F.: *calcet(a)* + *-ar*². Hom./Par.: *calceta(s)* (fl.), *calceta* /ê / (sf. e pl.).]

calceteiro (cal.ce.*tei*.ro) *sm.* Indivíduo especializado em calçar ruas com pedras ou paralelepípedos, ou calçadas com pedras portuguesas; o trabalhador que faz esse trabalho [F.: *calcetar* + *-eiro.*]

◎ **calc(i)-** *el. comp.* = 'cal'; 'cálcio': *calcemia, calcita, calcificar* [F.: Do lat. *calx, calcis,* 'cal'; 'pedra calcária ou de cal'.]

cálcico (*cál*.ci.co) *a.* Ref. a ou que contém cálcio; CALCÁRIO [F.: *calc(i)-* + *-ico*².]

calcícola (cal.*cí*.co.la) *a2g. Bot.* Diz-se de planta que vive em solo calcário [F.: *calc(i)-* + *-cola*¹.]

calcífero (cal.*cí*.fe.ro) *a.* Que contém ou forma cálcio ou carbonato de cálcio [F.: *calc(i)-* + *-ífero.*]

calcificação (cal.ci.fi.ca.*ção*) *sf.* **1** Ação, processo ou efeito de calcificar(-se) **2** *Med.* Concentração de cálcio durante a formação dos ossos **3** *Med.* Concentração de cálcio durante a regeneração ou recuperação de osso fraturado **4** *Pat.* Infiltração de sais de cálcio em tecidos e órgãos que normalmente não os apresentam: *calcificação arterial.* **5** Estrutura calcificada: *Descobriu uma calcificação na coluna.* **6** *Agr.* Aplicação de cálcio ao solo para diminuir a acidez [Pl.: *-ções.*] [F.: *calcificar* + *-ção.*]

calcificado (cal.ci.fi.*ca*.do) *a.* Que sofreu calcificação [F.: Part. de *calcificar.*]

calcificar (cal.ci.fi.*car*) *v.* **1** *Med.* Causar ou sofrer calcificação, normal ou patológica [*td.: Levou muito tempo para calcificar a perna quebrada.*] [*int.: Com a doença, seu joelho calcificou(-se).*] **2** Fazer adquirir ou adquirir consistência e cor da cal [*td.: calcificar o gesso.*] [*int.: A massa do pedreiro calcificou(-se).*] [▶ **11 calcificar**] [F.: *calc(i)-* + *-ficar.*]

calcífilo (cal.*cí*.fi.lo) *Bot. a.* Que vive em solos ricos em cálcio (diz-se de vegetal); CALCÍCOLA [F.: *calc(i)-* + *-filo*¹.]

calcífugo (cal.*cí*.fu.go) *Bot. a.* Que não medra ou não se desenvolve em solos ricos em cálcio (diz-se de vegetal) [F.: *calc(i)-* + *-fugo*¹.]

calcinação (cal.ci.na.*ção*) *Quím. sf.* **1** Ação, processo ou efeito de calcinar(-se) **2** Aquecimento ou queima de um composto para lhe suscitar a decomposição sem oxidação [Pl.: *-ções.*] [F.: *calcinar* + *-ção.*]

calcinado (cal.ci.*na*.do) *a.* **1** *Quím.* Que sofreu calcinação **2** *Fig.* Torrado, transformado em cinzas [F.: Part. de *calcinar.*]

calcinador (cal.ci.na.*dor*) [ô] *a.* **1** Que calcina; capaz de calcinar; CALCINANTE *sm.* **2** *Quím.* Aquilo que calcina: aparelho us. em processo de calcinação (calcinador rotativo) [F.: *calcinar* + *-dor.*]

calcinante (cal.ci.*nan*.te) *a2g.* Que calcina, capaz de calcinar, abrasar; ABRASADOR; CALCINADOR; CAUSTICANTE [F.: *calcinar* + *-nte.*]

calcinar (cal.ci.*nar*) *v.* **1** *Quím.* Aquecer muito (carbonato de cálcio) para se obter a cal [*td.*] **2** *P. ext. Quím.* Submeter (um sólido) à ação de temperaturas extremamente elevadas, de modo a promover transformações fisioquímicas, tais como a produção de óxidos, eliminação de substâncias voláteis etc. [*td.*] **3** *P. ext.* Aquecer(-se) muito, queimar; ABRASAR(-SE) [*td.: O sol forte calcinava o terreno.*] [*int.: A carne calcinou na churrasqueira.*] **4** *P. ext.* Queimar até reduzir a carvão ou a cinzas [*td.: O incêndio calcinou o prédio.*] **5** *Fig.* Fazer ficar exaltado, inflamado [*td.: A suspeita de traição calcinava-o.*] [▶ **1 calcinar**] [F.: Do lat. medv. *calcinare,* 'reduzir a cal' (< lat. *calx, calcis*), posv. pelo fr. *calciner.* Hom./Par.: *calcináveis* (fl.), *calcináveis* (pl. de *calcinável* [a2g.]).]

calcinável (cal.ci.*ná*.vel) *a2g.* Que pode ser calcinado [Pl.: *-veis.*] [F.: *calcinar* + *-vel.* Hom./Par.: *calcináveis* (pl.), *calcináveis* (fl. de *calcinar* [v.]).]

calcinha (cal.*ci*.nha) *sf.* **1** Dim. de *calça;* calça pequena **2** Roupa íntima feminina, calça muito curta que cobre a parte inferior do tronco, da cintura ou abaixo da cintura à virilha ou ao alto das coxas [Muito us. no pl.] [F.: *calça* + *-inha.* Cf. *biquíni.*]

calcinose (cal.ci.*no*.se) *Pat. sf.* Formação anormal de depósitos de sais de cálcio no organismo [F.: Do lat. cient. *calcinosis,* f. irreg. a partir do lat. *calx, calcis* (ver *calc(i)-*) + *-osis* (ver *-ose*¹), por infl. do voc. cient. internacional *calcine.*]

cálcio (*cál*.ci:o) *sm. Quím.* Elemento químico maleável, bivalente, número atômico 20, importante na nutrição humana, tb. us. na metalurgia, na agricultura etc. [Símb.: *Ca.*] [F.: Do lat. cient. *calcium,* do lat. *calx, calcis;* ver *calc(i)-.*]

> 📖 O cálcio é o quinto elemento mais abundante na crosta da Terra (mais de 3,5%). Rico em cálcio é o minério de calcita (carbonato de cálcio, $CaCO_3$), presente no mármore e na formação de estalactites e estalagmites. Sua presença no corpo (2%) é importante para os tecidos ósseo e dentário, por isso sua deficiência causa o raquitismo e a ocorrência de cáries. Uma dieta rica em cálcio, principalmente na infância, é, pois, importante fator do crescimento e fortalecimento desses tecidos.

calcioterapia (cal.ci:o.te.ra.*pi*.a) *Med. sf.* Tratamento com administração de sais de cálcio em doses relativamente altas [F.: *cálcio* + *-terapia.*]

calcipenia (cal.ci.pe.*ni*:a) *Pat. sf.* Insuficiência de cálcio no sangue [F.: *calc(i)-* + *-penia.*]

calcipênico (cal.ci.*pê*.ni.co) *Pat. a.* Ref. a calcipenia [F.: *calcipenia* + *-ico*².]

calcita (cal.*ci*.ta) *Min. sf.* Carbonato de cálcio, componente mais importante dos mármores e calcários; ESPATO-CALCÁRIO [F.: Do al. *Kalzit;* ver *calc(i)-* e *-ita*².]

calcitonina (cal.ci.to.*ni*.na) *Fisl. sf.* Hormônio secretado pela tireoide e cuja ação inibe a calcemia [F.: *calc(i)-* + *tôn(ico)* + *-ina*².]

◎ **calco-** *el. comp.* = 'cobre'; 'bronze'; '(*p. ext.*) metal': *calcogênio, calcografia* [F.: Do gr. *khalkós, oû,* 'cobre'; 'bronze'.]

calço (cal.*ço*) *sm.* **1** Aquilo (pedra, cunha, objeto qualquer etc.) que se põe debaixo de ou junto a algo (móvel, veículo, estaca, máquina etc.) para nivelá-lo, escorá-lo, elevá-lo etc.: *Pôs um calço sob o pé do armário; Convém pôr um calço na roda do carro antes de levantá-lo com o macaco.* **2** *Lus.* Muro de arrimo, para escorar terreno em encosta e evitar que deslize **3** *Pop.* Golpe que se dá colocando a perna ou o pé à frente do pé ou da perna de alguém que caminha ou corre, para detê-lo ou fazê-lo cair: *O juiz viu o calço no atacante e apitou.* **4** *Bras. P. ext.* Golpe rápido que consiste em deslizar o pé junto ao solo para atingir o(s) pé(s) de outrem, e fazê-lo cair; BANDA; RASTEIRA **5** *Tip.* Reforço de cartão ou cartolina us. para nivelar clichê ou tipo na forma **6** *Lus.* Bolo ou massa malcozidos [F.: Dev. de *calçar.* Hom./Par.: *calço* (v. *calçar*).]

calcogênio (cal.co.*gê*.ni:o) *Quím. sm.* Designação que abrange os elementos químicos enxofre, oxigênio, polônio e telúrio, por produzirem cobre [F.: *calco-* + *-gênio.*]

calcografia (cal.co.gra.*fi*.a) *Grav. sf.* **1** Técnica de gravação em cobre ou noutro metal **2** A gravura assim obtida [F.: *calco-* + *-grafia.*]

calçola (cal.*ço*.la) [ó] *sf. N. E.* Calcinha [Tb. us. no pl.] [F.: *calça* + *-ola.*]

calçolas (cal.*ço*.las) *sfpl.* Ver *calçola*

calcolítico (cal.co.*lí*.ti.co) *Arqueol. a.* **1** Ref. a bronze e pedra ao mesmo tempo *sm.* **2** Período de transição entre o Neolítico e a Idade do Bronze [F.: Do gr. *Khalkos,* cobre + *lithos,* pedra, + *-ico.*]

calculado (cal.cu.*la*.do) *a.* **1** Que se calcula ou calculou; obtido por meio de cálculo **2** Computado, contado (despesas calculadas) **3** Suposto, presumido: O desfecho já estava calculado [F.: De *calcular.*]

calculador (cal.cu.la.*dor*) *a.* **1** Que calcula, capaz de fazer cálculos **2** Aquele que calcula, que gosta de calcular; CALCULISTA [F.: De *calcular* + *-dor.*]

calculadora (cal.cu.la.*do*.ra) [ô] *sf.* Máquina (dispositivo mecânico ou eletrônico), ou programa de computador, que faz cálculos matemáticos automaticamente, a partir dos dados fornecidos, e exibe os resultados; MÁQUINA DE CALCULAR [F.: Fem. de *calculador.*]

calcular (cal.cu.*lar*) *v.* **1** Realizar cálculos matemáticos [*int.: Rapidamente aprendeu a calcular.*] **2** Determinar por meio de cálculo(s) matemático(s); COMPUTAR [*td.:* "...acabaram de calcular meu imposto de renda..." (João Ubaldo Ribeiro, *O conselheiro come*)] **3** Fazer estimativa de, baseado em indícios, experiência, intuição etc. [*td.: Antes da tacada, o golfista calculou a inclinação do terreno; Sabia calcular os gastos de uma viagem.*] [*tdr.* + *em: Calculou em dez mil os presentes ao comício.*] **4** Fazer ideia de; conceber, imaginar; supor, presumir [*td.: Você não calcula o que se passa numa prisão:* "Não foi e eu bem calculo por quê!" (José de Alencar, *A viuvinha*)] **5** Ter (algo) como certo; confiar, contar [*tr.* + *com: Calculo com o apoio de todos.*] **6** Articular pensamentos ou ações para atingir um objetivo [*int.: Era velhaco e calculava como ninguém.*] [▶ **1 calcular**] [F.: Do lat. *calculare.* Hom./Par.: *calculo* (fl.), *cálculo* (sm.); *calculáveis* (fl.), *calculáveis* (a2g. pl.).]

calculável (cal.cu.*lá*.vel) *a2g.* Que se pode calcular (risco calculável) [Ant.: *incalculável*] [Pl.: *-veis.*] [F.: *calcular* + *-ável.*]

calculista (cal.cu.*lis*.ta) *a2g.* **1** Diz-se de pessoa que faz cálculos: *engenheiro calculista (aquele especializado em métodos precisos e complexos de cálculo)* **2** Diz-se de pessoa que busca racionalmente antecipar os resultados de suas ações ou de acontecimentos: *Calculista e prudente, arrisca-se pouco.* **3** Diz-se de pessoa interesseira, que age calculadamente, premeditadamente com segundas intenções, em busca de benefício próprio *s2g.* **4** Qualquer uma dessas pessoas [F.: *cálculo* + *-ista.*]

cálculo (*cál*.cu.lo) *sm.* **1** Operação matemática; CONTA **2** Ato ou processo de se obter quantidades numéricas (ou representações simbólicas de grandezas numéricas) como resultado de uma série de operações matemáticas que recebem notação especial, ger. estipuladas como método para resolução de investigações matemáticas ou de suas aplicações a problemas concretos específicos **3** *Mat.* Área da matemática que estuda essas operações e métodos, esp. a que abrange as operações de diferenciação e integração: *Amanhã tenho prova de cálculo.* **4** Ver *cálculo diferencial e integral* **5** *Fig.* Avaliação do desenvolvimento ou dos resultados de algo, seja por meio de dados quantitativos, ou por conjecturas, impressões etc.: *Pelos meus cálculos, estamos quase terminando.* **6** *Med.* Concreção; massa sólida, formada por agregação de sais minerais em torno de material orgânico no rim, na vesícula etc.; PEDRA [F.: Do lat. *calculus, i,* 'pedrinha'; 'bolinha branca ou vermelha us. para votar'; 'pedra na bexiga'; 'peão'.] ■ **~ biliar** *Pat.*

Cálculo (6) que se forma na vesícula ou em ducto biliar, ger. formado de colesterol ~ **das variações** *Mat.* Área da análise matemática que estuda as funções de integrais, para determinar os valores das variáveis dependentes que determinem um valor máximo ou mínimo da integral; cálculo variacional ~ **de diferenças finitas** *Mat.* Aplicação das técnicas de cálculo integral e diferencial a quantidades não contínuas e discretas ~ **de probabilidade** *Est. Mat.* Estudo das possíveis relações e leis que atuam nos eventos aleatórios ~ **de probabilidades** *Est. Mat.* Ver *Cálculo de probabilidade.* ~ **diferencial e integral** *Mat.* Parte da análise matemática que estuda as funções com base em derivadas e diferenciais, e suas operações e métodos de obtenção; cálculo infinitesimal [Tb. apenas *cálculo.*] ~ **dos predicados** *Lóg.* O mesmo que *cálculo funcional* ~ **funcional** *Lóg.* Parte da lógica que estuda as funções proposicionais; cálculo dos predicados ~ **infinitesimal** *Mat.* Ver *Cálculo diferencial e integral.* ~ **intestinal** *Pat.* Cálculo (6) formado no intestino ~ **matricial** *Álg.* Setor da álgebra moderna que estuda as matrizes (suas operações, transformações etc.) ~ **motorial** *Cálc. vet.* Parte do cálculo vetorial que estuda os motores (tipos de vetor) ~ **numérico** 1 *Inf.* Cálculo de fórmulas e expressões matemáticas em computadores digitais 2 Estudo de algoritmos e de erros numéricos, para aplicação em cálculos realizados em computadores ~ **proposicional** *Lóg.* Cálculo lógico das relações entre proposições (declarações a que se atribui condição de verdadeiras ou falsas); cálculo sentencial ~ **renal** *Pat.* Cálculo (6) que se forma no rim ~ **sentencial** *Lóg.* O mesmo que *cálculo proposicional* ~ **tensorial** *Mat.* Parte da matemática que estuda as relações funcionais que permanecem constantes nas transformações de sistemas de coordenadas ~ **variacional** *Mat.* O mesmo que *cálculo das variações.* ~ **vetorial** *Mat.* Parte da matemática que estuda os vetores, suas propriedades, as operações com eles realizadas e suas transformações

calculose (cal.cu.*lo*.se) *Pat. sf.* Formação de cálculos (ou "pedras") nos rins; LITÍASE [F.: De *cálculo* + *-ose.*]

calcutaense (cal.cu.ta.*en*.se) *s2g.* 1 Indivíduo nascido ou que vive em Calcutá (Índia) *a2g.* 2 De Calcutá; típico dessa cidade ou de seu povo [F.: Do top. *Calcutá* + *-ense.*]

calda (*cal*.da) *sf.* 1 *Bras.* Líquido grosso e doce feito da mistura de água e açúcar (com outros ingredientes ou não) levado ao fogo (*calda* de caramelo/de chocolate): *pêssegos em calda.* 2 Líquido espesso, feito do suco de frutas ou de outras partes vegetais fervido com açúcar 3 Líquido que sobra da destilação de álcool ou cachaça, ou do processo de obtenção do açúcar 4 Ponto ou estado de fusão de um metal, esp. do ferro a ser trabalhado [F.: Fem. de *caldo.*] ▪▪ ~ **bordalesa** *Quím.* Solução de sulfato de cobre e cal, us. como fungicida ~ **borgonhesa** *Quím.* Solução de sulfato de cobre e carbonato de sódio, us. como fungicida ~ **de cimento** 1 *Cons.* Mistura de água com cimento e outras substâncias, us. como aglomerante 2 Mistura de água e cimento que escorre das formas no processo de produção de concreto por vibração

caldas (*cal*.das) *sfpl.* 1 Fontes de águas termais 2 Resíduo de álcool ou aguardente destilados. [Cf. *calda.*]

caldeamento (cal.de.a.*men*.to) *sm.* 1 Ação ou resultado de caldear; fusão, mistura, mescla 2 *Fig.* Cruzamento de raças e etnias; formação de população mestiça; MISCIGENAÇÃO [F.: *caldear* + *-mento.*]

caldear (cal.de.*ar*) *v.* 1 Pôr em brasa(s) (material como metal, vidro etc.), tornando maleável para ser trabalhado; FUNDIR; INCANDESCER [*td.*] 2 Ligar ou soldar (metais em brasa) [*td.: Esses ourives caldeiam os mais puros metais.*] [*tdr.* + *com: O artesão caldeou a prata com o ouro.*] 3 Misturar com água ou outro líquido (substâncias sólidas) para formar calda ou massa [*td.: caldear a cal.*] 4 *Fig.* Miscigenar(-se), misturar(-se), mestiçar(-se) [*td.: O criador caldeará algumas raças de cães.*] [*tdr.* + *com: No Brasil, índios caldearam-se com negros.*] 5 *Fig.* Misturar, mesclar, integrar (elementos diversos), formando nova unidade híbrida, de características próprias [*td.: caldear diversas culturas.*] [*tdr.* + *com, em: caldear sentimento com razão; Caldearam as ideias em uma proposta consistente.*] 6 *Tec.* Mergulhar (ferro incandescente, ou objeto de ferro nesse estado) em água, para solidificá-lo; temperar, dar têmpera [▶ 13 caldear] [F.: *calda* + *-ear*[2].]

caldeira (cal.*dei*.ra) *sf.* 1 Recipiente grande de metal para aquecer água, gerar vapor, cozinhar alimentos, e para outros usos: *A caldeira da máquina.* 2 *Tec.* Nas máquinas a vapor, compartimento ou recipiente em que a água é aquecida para gerar o vapor que realiza o trabalho 3 Pequena enseada abrigada dos ventos 4 Concavidade em terreno, na qual se acumula água, ou depressão em fundo de lago, açude etc. 5 *Geol.* Grande cratera de borda circular em vulcão ativo ou extinto, resultante de colapso da rocha ou do terreno 6 Compartimento ou reservatório, nas salinas 7 Cova aberta junto aos pés das árvores para receber adubo e reunir a água das chuvas ou de rega 8 *Mar.* Equipamento de troca de calor nos navios de guerra, no qual a água destilada evapora em virtude dos gases quentes da combustão de óleo, impulsionando as turbinas 9 Pequena doca para abrigar embarcações pequenas em estaleiro [F.: Do lat. *caldaria, ae.*]

caldeirada (cal.dei.*ra*.da) *sf.* 1 A quantidade de líquido que uma caldeira pode conter 2 *P. ext.* A quantidade de líquido que se coloca em um recipiente 3 *Cul.* Guisado à base de diversos tipos de peixes e frutos do mar, ger. preparado em panela grande, com vegetais como tomates, cebolas, batatas etc. [F.: *caldeira* + *-ada*[1].]

caldeirão (cal.dei.*rão*) *sm.* 1 Caldeira grande ou grande panela de bordas altas, ger. cilíndrica ou mais ou menos esférica, que serve esp. para cozinhar 2 Designação dada a diversas cavidades ou depressões, naturais ou artificiais, em terreno, leito de rio etc. 3 *Fig.* Conjunto rico e heterogêneo de elementos, que podem ou não formar nova síntese; profusão; lugar ou situação em que vários elementos se misturam ou se confundem em intensa agitação: *As metrópoles modernas são caldeirões de culturas; caldeirão de ideias, de estilos; caldeirão de forças sociais.* 4 *Bras.* Escavação que as águas de um rio fazem nas rochas, podendo-se ali encontrar ouro e pedras preciosas 5 Cova que se abre nas terras alagadiças para enxugar os caminhos alagados 6 *Bras. S.* Escavação na estrada ou nos campos, feita pelas águas pluviais ou pela passagem de animais 7 *BA GO* Tanque natural, nos lajedos, onde se acumula a água da chuva 8 *AM* Redemoinho nos rios 9 *Ant. Mús.* Fermata (2) 10 Sinal de pontuação em forma de um C com barra vertical, que assinalava, nos textos medievais e nos primeiros impressos, um novo texto, como, p. ex., um novo capítulo [Pl.: *-rões.*] [F.: *caldeira* + *-ão.*]

caldeireiro (cal.dei.*rei*.ro) *sm.* 1 Quem faz ou conserta caldeiras ou outros artefatos de metal 2 Quem opera caldeira, ger. em indústria 3 *Pop.* Pessoa que avisa a chegada de chuva [Alusão a ditado popular que diz: "caldeireiro na terra, chuva na serra".] [F.: *caldeira* + *-eiro.*]

caldeireta (cal.dei.*re*.ta) *sf.* Caneca para cerveja com o dobro da capacidade do copo mais comum [F.: De *caldeira* + *-eta.*]

caldeirinha (cal.dei.*ri*.nha) *sf.* 1 Caldeira pequena (em várias acps.) 2 Pequeno pote para água-benta [Nesse sentido, mais us. na expr. *entre a cruz e a caldeirinha.*] 3 *Bras. Antq.* Copo para viagem, cantil [F.: *caldeira* + *-inha.*]

caldeirista (cal.dei.*ris*.ta) *a2g.* 1 Ver *caldeireiro s2g.* 2 Ver *caldeireiro*

caldeu (cal.*deu*) *sm.* 1 Pessoa nascida ou que viveu na Caldeia 2 *Glos.* Língua semítica falada pelos caldeus *a.* 3 Da Caldeia (país asiático na Antiguidade); típico desse país ou de seu povo [Fem.: *caldeia.*] [F.: Do lat. *chaldaeu(m).*]

caldo (*cal*.do) *sm.* 1 Líquido que se obtém acrescentando água ao cozer vários tipos de alimento: *caldo de carne; caldo de galinha.* 2 Líquido que sai de planta, fruta etc., quando é espremida ou triturada; SUCO; SUMO: *Moer a cana para tirar o caldo.* 3 Ação ou resultado de mergulhar (ger. por brincadeira) a cabeça de alguém que está dentro da água (em piscina, no mar etc.) [F.: Do lat. *caldu(m),* de *calidum,* 'quente'.] ▪▪ ~ **de cultura** 1 *Biol.* Nutriente us. em uma cultura (de micro-organismos, células, tecidos etc.) para suscitar seu crescimento 2 Mistura de elementos culturais que compõem meio propício para a formação de fatos, tendências, visões de um indivíduo, grupo ou sociedade ~ **verde** *Cul.* Caldo (ou sopa engrossada com batata) feito de folhas de couves picadas e temperado com sal e azeite **Dar (um)** ~ **em** Aplicar caldo (3) em (alguém que está dentro da água [em piscina, no mar etc.]), fazer mergulhar (ger. por brincadeira) sua cabeça **Entornar o** ~ 1 Fazer piorar uma situação, ou deteriorá-la totalmente 2 *Bras. Pop.* Piorar muito ou sair do controle uma situação que já era difícil: *Se antes já estava ruim, agora mesmo é que entornou o caldo!*

caldo de cana (cal.do de *ca*.na) *sm.* Bar onde se serve caldo de cana. [Cf. caldo.] [Pl.: *caldos de cana.*]

calé (ca.*lé*) *Cver. Interj.* Exprime desagrado, descrença, desapontamento

caleça (ca.*le*.ça) *Bras. sf.* Carro hipomóvel de uma parelha, com dois assentos e quatro rodas. [Var.: *caleche.*] [F.: Do fr. *calèche.*]

caleche (ca.*le*.che) [é] *s2g. Antq.* Tipo de carruagem de dois assentos e quatro rodas, descoberta na parte dianteira, e puxada por dois cavalos: "Ao sair da mesa achamos à porta da casa a caleche posta, o cocheiro na almofada, e o criado à portinhola." (Almeida Garrett, *Viagens na minha terra*) [F.: Do fr. *calèche.*]

caledônio (ca.le.*dô*.ni:o) *sm.* 1 Pessoa nascida na Caledônia, atual Escócia *a.* 2 Da Caledônia; típico desse país ou de seu povo; CALEDONIANO [F.: Do lat. *caledonius, a, um.*]

calefação (ca.le.fa.*ção*) *sf.* 1 Sistema de aquecimento do interior de casas, aposentos ou outros ambientes fechados, por meio de aparelhos especiais, de canos por onde corre água quente etc. 2 *Fís.* Fenômeno que acontece quando um líquido entra em contato com uma superfície muito quente e forma uma camada de vapor entre os dois [Pl.: *-ções.*] [F.: Do lat. *calefactione(m).*] ▪▪ ~ **central** Calefação (1) em que o calor é gerado em equipamento central e distribuído por meio de dutos, canos etc.; o mesmo que *aquecimento central*

caleidoscópio (ca.lei.dos.*có*.pi o) *sm.* 1 Tubo fechado no interior do qual há espelhos dispostos em ângulo, que produzem, com a incidência da luz, múltiplas imagens simétricas cujo arranjo varia à medida que o tubo é girado, e que podem ser vistas através de um orifício numa das extremidades. (As imagens podem ser de pequenos pedaços de material colorido, colocadas ao fundo do tubo, ou de objetos exteriores, captadas por outro orifício.) 2 *Fig.* Aquilo que apresenta padrões ou arranjos que variam rapidamente; sucessão de sentimentos, sensações, atos em constante mutação [F.: Do fr. *kaleidoscope.* Tb. *calidoscópio.*]

calejado (ca.le.*ja*.do) *a.* 1 Que tem calos; CALOSO 2 *Fig.* Que é experiente: *Preferiu um advogado calejado a um novato.* 3 *Fig.* Tornado insensível pela experiência ou pelo sofrimento; EMPEDERNIDO [F.: Part. de *calejar.*]

calejar (ca.le.*jar*) *v.* 1 Causar calo(s) em ou formar calo(s) [*td.: Calejou as mãos carregando peso.*] [*int.: Os pés do atleta calejaram(-se) na corrida.*] 2 *Fig.* Tornar(-se) indiferente, insensível; ENDURECER(-SE); EMPEDERNIR(-SE) [*td.: A vida sofrida o calejou.*] [*int.: Diante de tanta miséria sua alma calejou(-se).*] 3 *Fig.* Tornar(-se) experiente, matreiro [*tr.* + *em: O médico-residente calejou-se em socorrer acidentados.*] 4 *Fig.* Tornar(-se) resistente [*td.: Calejou o corpo para a escalada; calejar o espírito para as provações.*] [▶ 1 calejar] [F.: *calo* + *-ejar.* Hom./Par.: *caleja(s)* (fl.), *caleja(s)* (sf. [pl.]); *calejo* [ê] (fl.), *calejo* [ê] (sm.).]

calendário (ca.len.*dá*.rio) *sm.* 1 Tabela impressa que registra os dias do ano, divididos em semanas e meses; FOLHINHA 2 Conjunto de datas previstas para determinados compromissos, eventos etc.; CRONOGRAMA: *o calendário dos jogos da seleção brasileira.* 3 Organização ou sistema oficial para a contagem do tempo, baseada principalmente na astronomia, que o divide em ciclos que se repetem (dias, meses, anos) [F.: do lat. *calendariu(m).*] ▪▪ ~ **civil** *Cron.* Calendário (3) segundo o qual determinado povo ou nação conta a passagem do tempo e organiza temporalmente a vida social, dividindo o ano em dias e meses conforme determinadas regras ~ **eclesiástico** *Cron.* O que tem como referência as festas móveis (isto é, com data variável) das igrejas cristãs ~ **egípcio** *Cron.* O que era us. no antigo Egito, tendo o ano 365 dias divididos em 12 meses de 30 dias, mais cinco dias complementares (ditos epagômenos) ~ **grego** *Cron.* O que era us. na Grécia antiga, formado de 12 meses de 29 e 30 dias, alternados, portanto 11 dias mais curto que o ano solar. (Essa diferença era compensada com a intercalação, a cada oito anos, de três anos de 13 meses cada um, os chamados *anos embolísmicos,* com 383 dias.) ~ **gregoriano** *Cron.* Calendário solar, introduzido pelo papa Gregório XIII em 1582 com base no calendário juliano, no qual conta-se como ano bissexto (com um dia a mais) todo ano múltiplo de quatro, com exceção daqueles que completam séculos (terminados em 00) e não são múltiplos de 400 ~ **israelita/judaico** *Cron.* Calendário lunar no qual um ano tem 12 meses de 29 ou 30 dias, que principiam sempre na lua nova, e cuja contagem tem como referência a narração bíblica da criação do mundo, resultando em cerca de 3.760 anos a mais que os do calendário gregoriano. [A diferença com o calendário solar é compensada com a introdução de sete anos embolísmicos de 13 meses a cada 19 anos.] ~ **juliano** *Cron.* Reforma do calendário romano, feita por Júlio César em 45 a.C., com um ano de 12 meses com 29 ou 31 dias, e um ano bissexto de 366 dias a cada quatro anos ~ **lunar** *Cron.* Calendário que tem como base os ciclos da revolução lunar ~ **lunissolar** *Cron.* Aquele em que a divisão da contagem do tempo se baseia, simulta- neamente, nas revoluções da Lua em torno da Terra (ciclo mensal) e da Terra em torno do Sol (ciclos diário e anual) ~ **muçulmano** *Cron.* Calendário lunar em que o ano tem 12 meses de 29 e 30 dias, que principiam sempre na lua nova, totalizando 354 ou 355 dias. Tem uma defasagem de 10 a 11 dias em relação ao ano gregoriano ~ **perpétuo** *Cron.* Calendário proposto (mas não adotado), montado de forma a que as datas do ano coincidem a cada ano com os mesmos dias da semana ~ **republicano** *Cron.* Calendário instituído na França de 1793 a 1806, quando voltou a vigorar o gregoriano, e no qual o ano tinha 12 meses de 30 dias cada um, mais cinco dias dedicados às festas republicanas. Tinha início no equinócio do outono do hemisfério norte, a partir de 22 de setembro de 1792, e seus meses tinham os seguintes nomes: *vendemiário, brumário, frimário, nivoso, pluvioso, ventoso, germinal, floreal, prairial, messidor, termidor* e *frutidor.* ~ **romano** *Cron.* O que era us. na antiga Roma antes do calendário juliano, sem regras fixas, com 10 meses que variavam entre 20 e 55 dias, em função dos trabalhos agrícolas e das ideias políticas e religiosas prevalentes ~ **solar** *Cron.* O que tem com referência a duração de uma revolução completa da Terra em torno do Sol

📖 Foram muitos os sistemas de calendário adotados por diferentes grupos e civilizações ao longo da história. A percepção dos três ciclos astronômicos básicos na Terra (o ciclo diário da rotação da Terra, o ciclo da revolução da Lua em torno da Terra e o ciclo da translação da Terra em torno do Sol) deu origem a diferentes formas de dividir o tempo e de nomear essas divisões. O ciclo diário não comporta muita diferenciação, a não ser quanto ao ponto considerado como seu início, que para o moderno calendário solar (o gregoriano é o calendário internacional) é a meia-noite que antecede o nascer do sol, e para os calendários lunares (p. ex., o judaico e o muçulmano) é o pôr do sol do dia anterior. Os ciclos semanais são os mesmos, com uma semana de sete dias. Os ciclos mensais e anuais diferem bastante entre os calendários solares (no caso o gregoriano) e os lunares. Para o primeiro, como a translação completa da Terra dura c. 365,25 dias, os anos têm 365 dias, e a cada 4 anos há um dia suplementar (em fevereiro). Divide-se em 12 meses com 28,30 e 31 dias. O calendário (lunar) muçulmano tem 354 dias divididos em 12 meses com 29 ou 30 dias. Para ajustar ao ciclo lunar, a cada trinta anos acrescentam-se 11 dias. O ano judaico (lunissolar, pois, de base lunar, busca sincronizar-se periodicamente com o ciclo solar) tem 353, ou 354 ou

355 dias, divididos em 12 meses de 29 ou 30 dias. Para ajustá-lo ao calendário solar, em 7 anos em cada ciclo de 19 anos (no 3º, 6º, 8º, 11º, 14º, 17º e 19º) é acrescentado um 13º mês de 29 dias.

calendas (ca.*len*.das) ***sfpl.*** O primeiro dia de cada mês, no antigo calendário romano [F.: Do lat. *calendas.*] ■ ~ **gregas** *Irôn.* Dia que não virá jamais; dia de São Nunca **Para as** ~ *Irôn.* Ver *para as calendas gregas* **Para as** ~ **gregas** *Irôn.* Num futuro que nunca chegará

calêndula (ca.*lên*.du.la) ***sf.*** **1** *Bot.* Erva da fam. das compostas (*Calendula officinalis*) cujas folhas são us. para fins terapêuticos e na indústria cosmética **2** *Bot.* A flor dessa planta us. em cosméticos e como aromatizante [F.: Do lat. cient. gên. *Calendula.*]

calepino (ca.le.*pi*.no) ***sm.*** **1** *P. us.* Vocabulário, léxico **2** Caderno de anotações ou consultas; AGENDA [F.: Do it. *calepino.*]

calete (ca.*le*.te) [ê] ***sm.*** **1** *P. us.* Gênero, qualidade, categoria **2** *N. E.* Compleição, constituição física, ger. grande e robusta. [Pl.: [ê].] [F.: De or. contrv.]

calha (*ca*.lha) ***sf.*** **1** Cano, ger. em aberto em forma de sulco (meia-cana), para recolher e escoar a água da chuva (p. ex., a que escorre de um telhado) **2** Qualquer canal ou cano inclinado que conduz líquidos, grãos etc. que por ele vão deslizando; CANALETA **3** *Teat.* Abertura estreita no palco us. para levar os cenários para o porão [F.: Do lat. **canalia*, de *canalis*. Hom./Par.: *calha(s)* (sf. [pl.]), *calha(s)* (fl. *calhar*).]

calhamaço (ca.lha.*ma*.ço) ***sm.*** **1** *Pop.* Caderno ou livro volumoso, com muitas folhas, ou algo similar: *Aquele manual era um verdadeiro calhamaço.* **2** *Pej.* Livro grande de leitura cansativa **3** *Pej.* Pessoa, esp. mulher, grande e feia [F.: *cânhamo* + *-aço*, por dissimilação.]

calhambeque (ca.lham.*be*.que) [é] ***sm.*** **1** Embarcação velha, desgastada, que não oferece real segurança **2** *Fig.* Automóvel velho ou em mau estado de conservação; LATA-VELHA **3** Objeto velho, danificado ou destruído, sem uso; TRASTE [F.: De or. expres., posv.]

calhandra (ca.*lhan*.dra) ***sf.*** *Zool.* Pássaro canoro da fam. dos alaudídeos (*Melanocorypha calandra*) assemelhado à cotovia, porém maior [F.: Do lat. vulg. **calandra*, do gr. *kálandros.*]

calhar (ca.*lhar*) ***v.*** **1** Acontecer em certo tempo, por acaso; coincidir [***int.***: *Calhou que ele estava chegando naquele momento; Calhou (de) passarmos no mesmo concurso.*] **2** Dar-se em ocasião oportuna; convir (Ger. us. com o verbo *vir*.) [***int.***: *Estava sem dinheiro, e o prêmio veio a calhar.*] **3** Ser apropriado, conveniente [***tr.*** + *para*: *Um apartamento maior calharia para a família.*] **4** Adaptar-se, ajustar-se [***tr.*** + *a, com*: *Essa roupa não calha ao/com seu estilo.*] **5** Entrar em calha, caber ou penetrar em cavidade, encaixar-se [***ta.***: *Os pinos não calham nesses orifícios.*] [▶ 1 calhar] [F.: *calha* + *-ar²*. Hom./Par.: *calhe(s)* (fl.), *calhe(s)* (sf. [pl.]); *calha(s)* (fl.), *calha(s)* (sf. [pl.]).] ■ **Se** ~ **1** *Lus.* Talvez **2** Provavelmente **3** Oxalá **Vir (bem) a** ~ Ocorrer bem a tempo, oportunamente

calhau (ca.*lhau*) ***sm.*** **1** *Bras.* Pedra dura e solta de diferentes tamanhos; SEIXO **2** *Gír. Jorn.* Em jargão de jornal, texto não importante que serve para preencher espaço vazio e completar uma coluna ou página **3** *Tip.* Branco us. para completar uma página **4** *Jorn.* Anúncio de cortesia em periódico [F.: De or. contrv.]

calheta (ca.*lhe*.ta) [ê] ***sf.*** Enseada estreita; ANGRA [F.: Do espn. *caleta.*]

calhorda (ca.*lhor*.da) ***s2g.*** **1** Pessoa que não merece consideração, desprezível, esp. por seu caráter ou comportamento ***a2g.*** **2** Diz-se dessa pessoa, ou característico dela (colegas calhordas; comportamento/atitude calhorda); ORDINÁRIO [F.: Pal. expressiva.]

calhordice (ca.lhor.*di*.ce) ***sf.*** Ação ou comportamento próprio de calhorda; PULHICE [F.: De *calhorda* + *-ice.*]

◎**cal(i)-** (*ca*.l(i) ***Pref.*** = belo, bonito: *calidoscópio, caligrafia, calipígia*

cáli (*cá*.li) ***sm.*** **1** *P. us. Bot.* Erva (*Salsola kali*), da fam. das quenopodiáceas, comum no sul da Europa, cujas cinzas são ricas em potassa; BARRILHA **2** A potassa extraída dessa planta [F.: Do ár. vulg. *qali*. Hom./Par.: *cális* (pl.), *caliz* (sm.); *cáli(s)* (sm. [pl.]), *cale(s)* (fl. de *calar*), *cale(s)* (sm. [pl.].), *cálix* (sm.).]

caliandra (ca.li.*an*.dra) *Bot.* ***sf.*** **1** Gênero de plantas da família das leguminosas, nativas da Índia, Madagascar e regiões tropicais das Américas, cultivadas como ornamentais **2** A flor dessas plantas [F.: Do lat. *Calliandra.*]

calibração (ca.li.bra.*ção*) ***sf.*** **1** Ato ou efeito de calibrar; CALIBRAGEM **2** *Fís.* Estabelecimento de correspondência entre os valores de uma grandeza física e as leituras de um instrumento em que esta grandeza é medida. [Pl.: *-ões.*] [F.: De *calibrar* + *-ção.*]

calibrado (ca.li.*bra*.do) ***a.*** **1** Que se calibrou, que recebeu o calibre conveniente **2** Cujo calibre foi verificado **3** *Bras.* A que se deu a conveniente pressão de ar (diz-se de câmara de ar, pneu etc.) **4** *Bras. Fig.* Que ingeriu uma pequena quantidade de bebida alcoólica, sem ficar embriagado [F.: De *calibrar.*]

calibrador (ca.li.bra.*dor*) [ô] ***sm.*** **1** Pessoa que faz calibragem **2** Nome de diversos instrumentos ou aparelhos us. para calibrar, para medir com precisão diâmetros, espessuras etc.; CALIBRE **3** Nome dado a diversos aparelhos mecânicos, elétricos ou eletrônicos us. para realizar medições e, com base nelas, testar ou ajustar a precisão do funcionamento de outros aparelhos e dispositivos, (p. ex., de instrumentos de medição) **4** Aparelho que mede a pressão do ar (ou algum gás) no interior dos pneus etc., ou que ajusta essa pressão segundo uma medida predefinida, acrescentando ou retirando ar (ou outro gás) ***a.*** **5** Que calibra [F.: *calibrar* + *-dor.*]

calibragem (ca.li.*bra*.gem) ***sf.*** **1** Ação ou resultado de calibrar, de medir e dosar a pressão de ar de pneu, câmara etc. **2** Ajuste de instrumentos de medição, ou do funcionamento de aparelhos e dispositivos: *calibragem da balança.* **3** Determinação do calibre (diâmetro, espessura, ou [fig.] qualidade) de algo [F.: *calibrar* + *-agem.*]

calibrar (ca.li.*brar*) ***v. td.*** **1** *Bras.* Dar a pressão de ar apropriada a: *calibrar pneus.* **2** Dar o calibre conveniente a ou medir o calibre de: *O fabricante não calibrou bem os tubos.* **3** Verificar o calibre de (armas ou projéteis) **4** Ajustar, regular (medida, especificação) de acordo com um padrão: *O técnico vai calibrar as cores do escâner.* [▶ 1 calibrar] [F.: *calibre* + *-ar²*. Hom./Par.: *calibre(s)* (fl.), *calibre(s)* (sm. [pl.]).]

calibre (ca.*li*.bre) ***sm.*** **1** Medida do diâmetro interno de um cilindro, tubo ou cano (esp. o de uma arma de fogo): *fortificação guarnecida com artilharia de grosso calibre; sonda gástrica de fino calibre, pistola calibre 22.* [Quando a palavra é us. para indicar a medida do diâmetro do cano de armas, ger. tem emprego atributivo, sem a prep. *de*.] **2** Diâmetro externo de certos objetos cilíndricos ou tubulares, esp. de projétil: *agulha cirúrgica de fino calibre.* **3** Calibrador (2) **4** Molde de metal, madeira etc. para gesso ou estuque **5** *Fig.* Tamanho ou capacidade de algo: *calibre de uma ferramenta, de um recipiente.* **6** *Fig.* Qualidade (ger. boa), importância de algo ou alguém; VALOR: *Eram profissionais do mesmo calibre.* **7** *Tip.* Em uma fonte, medida entre a base e o ponto mais alto dos caracteres médios [F.: Do fr. *calibre.*]

calibroso (ca.li.*bro*.so) [ô] *Med.* ***a.*** Que se apresenta com o calibre dilatado (diz-se conduto, esp. vaso sanguíneo). [Fem. e pl.: [ó].] [F.: De *calibre* + *-oso.*]

caliça (ca.*li*.ça) ***sf.*** **1** Restos da destruição de obra de alvenaria, formado de fragmentos ou pó de tijolos, argamassa, pedras, cal etc. **2** Camada de cal ou argamassa us. para revestimento **3** *Pop. Desus.* Dinheiro em moedas de pequeno valor [F.: *cal* + *-iça.*]

cálice¹ (*cá*.li.ce) ***sm.*** **1** Tipo de taça não muito grande, ger. com pé ou haste longa e base redonda, e ger. us. para tomar bebida alcoólica **2** A quantidade de bebida contida nesse recipiente: *beber um cálice de vinho.* **3** *Restr. Rel.* O recipiente us. para a consagração do vinho, na missa: "...e o sangue jorraria no cálice antes de escorrer pelas mangas do padre..." (Antonio Callado, *Bar Don Juan*) **4** *Anat. Zool.* Designação de certos órgãos ou estruturas animais de forma côncava **5** *Fig.* Dor ou sofrimento que se experimenta diretamente: *Teve de beber do cálice amargo do desprezo alheio.* [F.: Do lat. *calice(m)*.] ■ ~ **renal** *Anat. Fisl.* Cavidade no rim, que recebe a urina secretada nas papilas para depois expeli-la **Pelo ~ e a hóstia** Fórmula pronunciada em juramento, invocando símbolos sagrados da fé cristã

cálice² (*cá*.li.ce) ***sm.*** *Bot.* Verticilo externo da flor, formado pelas sépalas [F.: Do gr. *kályx, ukos.*] ■ ~ **acrescente** *Bot.* Cálice que não para de se desenvolver após a fecundação da flor ~ **aderente** *Bot. Antq.* Cálice que adere ao ovário da flor ~ **livre** *Bot. Antq.* Cálice que não adere ao ovário da flor ~ **marcescente** *Bot.* Cálice que permanece (já no fruto), tb. murcho, depois que murcham a corola e o estame ~ **persistente** *Bot.* Cálice que permanece (já no fruto), sem murchar, depois que murcham a corola e o estame

calicida (ca.li.*ci*.da) ***a2g.*** **1** Que elimina calos ***sm.*** **2** Substância que elimina calos [F.: De *calo* + *-cida.*]

caliciforme (ca.li.ci.*for*.me) ***a2g.*** Que tem a forma de cálice [F.: De *calic(i)-* + *-forme.*]

calidez (ca.li.*dez*) [ê] ***sf.*** Qualidade ou estado de cálido [F.: De *cálido* + *-ez.*]

cálido (*cá*.li.do) ***a.*** **1** De temperatura alta; QUENTE: *O dia cálido pedia roupas leves.* [Ant.: *frio.*] **2** *Fig.* Muito intenso; marcado por entusiasmo, êxtase, paixão, ardor; ARDENTE: "...a seu mistério de alma, íntimo e cálido!" (Cecília Meireles, *Solombra*) **3** Que tem, traz ou é marcado por calor humano, por sensação de conforto, ternura, proteção etc.: *Encontrou consolo na cálida presença dos amigos.* [F.: Do lat. *calidu(m)*.]

calidoscópio (ca.li.dos.*có*.pi:o) ***sm.*** Ver *caleidoscópio*

caliemia (ca.li:e.*mi*:a) ***sf.*** *Med.* Teor de potássio no sangue; POTASSEMIA [F.: Do lat. *kalium* + *-emia.*]

caliêmico (ca.li:*ê*.mi.co) ***a.*** Ref. a caliemia [F.: De *caliemia* + *-ico.*]

califa (ca.*li*.fa) ***sm.*** Chefe político e religioso muçulmano; título de um líder soberano de comunidade islâmica, na qualidade de sucessor do profeta Maomé [F.: Do ár. *halifa.*]

califado (ca.li.*fa*.do) ***sm.*** **1** Título de califa **2** Área sobre a qual um califa tem autoridade: *A notícia correu por todo o califado.* **3** O governo de um califa ou a sua duração: *O califado de Abu al-Abbas iniciou a dinastia dos Abássidas.* [F.: *califa* + *-ado²*.]

californiano (ca.li.for.ni:*a*.no) ***sm.*** **1** Indivíduo nascido ou que vive na Califórnia (Estados Unidos) ***a.*** **2** Da Califórnia; típico desse estado ou de seu povo [F.: Do top. *Califórnia* + *-ano¹*.]

califórnio (ca.li.*fór*.ni:o) ***sm.*** *Quím.* Elemento químico artificial e radioativo, de número atômico 98 [Simb.: Cf] [F.: Do lat. *californium.*]

caliginoso (ca.li.gi.*no*.so) [ô] ***a.*** **1** Muito escuro e denso; TENEBROSO **2** Em que há obscurecimento da visão **3** *Fig.* Em que há falta de discernimento ou perturbação do raciocínio. [Fem. e pl.: [ó].] [F.: Do lat. *caliginosus.*]

caligrafado (ca.li.gra.*fa*.do) ***a.*** Que se caligrafou, que foi escrito ou desenhado de forma elegante e harmônica [F.: De *caligrafar.*]

caligrafar (ca.li.gra.*far*) ***v. td. int.*** Escrever à mão, segundo determinadas normas e padrões [▶ 1 caligrafar] [F.: De *caligraf(ia)* + *-ar.* Hom./Par.: *caligrafa(s)* (fl.), *calígrafa* (f. *calígrafo* e pl.); *caligrafo* (fl.), *calígrafo* (sm.).]

caligrafia (ca.li.gra.*fi*.a) ***sf.*** **1** Arte, prática ou técnica de escrever à mão, segundo normas e convenções de legibilidade (tamanho, forma, proporção e disposição dos sinais gráficos), ou segundo padrões estéticos de elegância, harmonia etc.: *a caligrafia chinesa tradicional; caderno de caligrafia.* ***sf.*** **2** Desenho da escrita de quem escreve à mão; forma própria das letras nos manuscritos de alguém: *Dizem que a caligrafia revela a personalidade das pessoas.* **3** Texto redigido conforme essas normas; escrita bem feita, elegante: *documento de caligrafia inteligível.* [F.: Do gr. *kalligraphía*; ver *cal(i)-* e *-grafia.*] ■ ~ **libraria** *Pal.* Caligrafia apurada, em manuscritos

caligráfico (ca.li.*grá*.fi.co) ***a.*** Ref. a caligrafia [F.: Do gr. *kalligraphikós.*]

caligrafista (ca.li.gra.*fis*.ta) ***s2g.*** Ver *calígrafo*

calígrafo (ca.*lí*.gra.fo) ***sm.*** **1** Pessoa exímia na caligrafia, que a pratica como forma artística ou que sabe escrever à mão com grande elegância e apuro: *Contratou um calígrafo para endereçar os convites.* **2** *Desus.* Pessoa (ger. copista ou amanuense) que pratica a caligrafia, transcrevendo artisticamente textos originais ou copiando-os segundo certas convenções, ou passando a limpo rascunhos etc. [F.: Do gr. *kalligráphos.*]

caligrama (ca.li.*gra*.ma) *Poét.* ***sm.*** Texto (ger. poema) cujas linhas ou caracteres gráficos se dispõem em forma de desenho ref. a seu conteúdo [F.: Do fr. *calligramme.*]

caliopenia (ca.li:o.pe.*ni*:a) *Pat.* ***sf.*** Diminuição do teor de potássio no sangue [F.: Do lat. *kalium* + *-penia.*]

calipígio (ca.li.*pí*.gi:o) ***a.*** Que tem nádegas bonitas: "Brasil... de ornato calipígio de mulata..." (Paulo Mendes Campos, "Impressão do Brasil" *in Trinca de copas*) [F.: Do gr. *kallípygos.*]

calipso (ca.*lip*.so) ***sm.*** Gênero de música popular originário do Caribe, de andamento sincopado e com letra ger. improvisada [F.: Do ing. *calypso.*]

caliptra (ca.*lip*.tra) *Bot.* ***sf.*** **1** Coifa **2** Capuz que cobre e protege a região de abertura das cápsulas de certos musgos; COIFA **3** Cálice soldado em uma única peça, formando um capuz, presente em algumas plantas, como, p. ex., nos eucaliptos [F.: Do gr. *kalyptra.*]

calista (ca.*lis*.ta) ***s2g.*** Profissional que trata da saúde e da beleza dos pés, esp. das calosidades (reduzindo-as, tornando-as menos incômodas etc.); PEDICURO [F.: *calo* + *-ista.*]

calistênico (ca.lis.*tê*.ni.co) ***a.*** Ref. a calistenia [F.: De *calisteni(a)* + *-ico.*]

⊕ ***call girl*** (*Ing.* /*cólguel*/) ***sf.*** Prostituta que marca os encontros por telefone [Pl.: *call girls.*]

calma (*cal*.ma) ***sf.*** **1** Estado ou condição caracterizados pela ausência, cessação ou diminuição de movimentos, agitações, modificações, atividades intensas etc.; SERENIDADE; TRANQUILIDADE: "...aproveitando a calma da noite." (Ana Maria Machado, *A audácia dessa mulher*) **2** Estado mental ou psicológico de pouca tensão, de relaxamento; ausência de nervosismo: *Depois do susto, recobraram a calma.* **3** Tranquilidade de espírito; autocontrole, domínio dos próprios atos ou reações: *Com muita calma afastou-se do cão que rosnava.* **4** Calor forte, sem vento; imobilidade do ar e das águas; CALMARIA **5** O momento mais quente do dia [F.: Do it. *calma.*]

calmante (cal.*man*.te) ***a2g.*** **1** Que reduz a agitação ou inquietação, a tensão, a atividade etc.; que acalma, tranquiliza (chá calmante) ***sm.*** **2** Produto ou medicamento sedativo, que age sobre os nervos e produz ou facilita a calma (2): *Tomou um calmante e foi dormir.* [F.: De *calmar* + *-nte*. Sin. ger.: *tranquilizante*. Ant. ger.: *estimulante, excitante.*]

calmaria (cal.ma.*ri*.a) ***sf.*** **1** Falta prolongada de ventos e consequente escassez de ondas no mar: "...os três navios... haviam feito uma viagem sofrida, com calmarias que a alongaram..." (Alberto da Costa e Silva, *A manilha e o libambo*) **2** Grande calor combinado com ausência de vento **3** *Fig.* Calma (1), tranquilidade: "Após uma fase de calmaria, as exportações de escravos retomaram impulso..." (Alberto da Costa e Silva, *A manilha e o libambo*) [Ant.: *agitação, movimentação.*] **4** *P. ext.* Bonança (1 e 2); condições favoráveis ou período feliz que antecede ou sucede tempestade, conturbações etc. [F.: De *calma* + *-aria.*]

calmo (*cal*.mo) ***a.*** **1** Em estado de calma (1, 2 e 3) ou caracterizado por ela; que é ou está sereno, tranquilo, controlado, pouco tenso ou pouco agitado (rua calma, indivíduo calmo): *O mercado financeiro manteve-se calmo nos últimos dias; Permanecia calmo nos momentos difíceis.* [Ant.: *agitado, alvoroçado, movimentado, nervoso, tenso.*] **2** Em que há calmaria (mar calmo): *as regiões calmas nos trópicos.* [Ant.: *agitado, revolto, tempestuoso.*] **3** Quente; caracterizado por calor atmosférico, esp. sem ventos (ar calmo; estação calma); CALMOSO [Ant.: *fresco.*] [F.: De *calma.*]

calmoso (cal.*mo*.so) [ô] ***a.*** Em que há calma ou calmaria; quente; abafado. [Fem. e pl.: [ó].] [F.: De *calma* + *-oso.*]

calo (*ca*.lo) *sm.* **1** Local em que a pele fica endurecida e mais espessa ou proeminente, por efeito de atrito ou compressão constantes (que causam proliferação de células com ceratina); CALOSIDADE **2** *Med.* Ver *calo ósseo* **3** *Fig.* Falta de sensibilidade, de compaixão etc., causada esp. por sofrimento prolongado: *indivíduo frio, que tem calo no coração; A solidão criou-lhe calos na alma.* **4** *Fig.* Assunto ou aspecto em relação ao qual alguém é particularmente sensível ou irritável: *Aquela crítica pisou forte no seu calo.* **5** *Bot.* Tecido duro resultante da cicatrização de uma lesão **6** *Zool.* Saliência arredondada no corpo de inseto [F.: Do lat. *callu(m).*] ■ **~ ósseo** *Pat.* Tecido ósseo, duro, elaborado por ossos em pontos de fratura como solda das partes resultantes da fratura **Pisar no(s) ~(s) de (alguém)** *Pop.* Provocar a irritação de (alguém), atingindo com palavras ou ações um ponto em que é vulnerável e sensível

caló (ca.*ló*) *sm.* **1** Termo com o qual os ciganos se denominam na Espanha **2** *Gloss.* Língua falada por ciganos espanhóis *a.* **3** *Gloss.* Da ou ref. a essa língua [F.: Da língua cigana na Espanha *caló*, 'preto', 'cigano'.]

calô (ca.*lô*) *sm. Bras. Gír.* O linguajar informal e vulgar de delinquentes, meretrizes, marginais etc.; calão [F.: Prov. do caló, *caló*, pelo espn. *caló*, 'calão'.]

calomania (ca.lo.ma.*ni*:a) *sf.* Condição em que a pessoa superestima a própria beleza [F.: De *calo-+ -mania.*]

calomaníaco (ca.lo.ma.*ní*:a.co) *a.* **1** Ref. a calomania **2** Que se julga belo; CALÔMANO *sm.* **3** Aquele que tem calomania; CALÔMANO [F.: De *calomania + -ico.*]

calombo (ca.*lom*.bo) *sm.* **1** *Bras.* Inchação, às vezes dura, que se forma na pele: *A pancada criou-lhe um calombo na testa.* **2** *Pop.* Ver *lobinho*[1]. **3** Qualquer saliência arredondada, como parte amassada de uma superfície, ou elevação de terreno etc. **4** *Bras.* Raça de gado cuja rês tem uma bossa na parte de trás do pescoço ou nas costas [F.: Posv. do quimb. *ka' lumba.*]

calomelano (ca.lo.me.*la*.no) *Quím. sm.* Protocloreto de mercúrio, us. como purgativo. [Mais us. no pl.] [F.: De *calo- + -melano.*]

calor (ca.*lor*) [ô] *sm.* **1** Temperatura elevada do ar, da atmosfera ambiente; CALMA: *dia de calor.* **2** *Fisl.* Aceleração da circulação do sangue ou outra alteração fisiológica que faz aumentar a temperatura de um corpo ou provoca sensação desse aumento: *calor da febre; calores da menopausa.* **3** Propriedade transitória dos corpos que se encontram quentes ou aquecidos, e que se manifesta de modo perceptível e mensurável pela temperatura **4** *Fís. Quím.* Forma de energia que se pode transferir de um corpo (ou sistema de corpos) mais quente para outro (por contato ou por irradiação), ou que pode ser gerada por compressão, e que produz nas substâncias a que é acrescentada fenômenos como elevação de temperatura, fusão, evaporação, dilatação etc. [Fisicamente definida como a energia associada ao movimento aleatório dos constituintes básicos da matéria (moléculas, átomos ou partículas subatômicas).] **5** Sensação de aquecimento (seja de conforto ou desconforto, objetiva ou subjetiva) provocada por aquilo que é capaz de manter ou elevar a temperatura do corpo, ou de estimular a circulação; QUENTURA: *Nas noites frias, buscava o calor das cobertas; o calor de um trago de conhaque.* **6** *Fig.* Animação, entusiasmo: *O calor dos fãs contagiou o cantor.* **7** *Fig.* Afeto, cordialidade, cortesia **8** *MG* Cio **9** *S.* Coragem **10** *Fig.* Intensidade de sentimento (calor da paixão) [F.: Do lat. *calor.*] ■ **~ atômico** *Fís.* A capacidade calorífica de um átomo-grama de um elemento **~ de fusão** *Fís. Quím.* Grau de calor necessário para liquefazer uma substância sólida [Tb. *calor latente de fusão.*] **~ de sublimação** *Fís. Quím.* Grau de calor necessário para vaporizar uma substância sólida, sem liquefazê-la antes [Tb. *calor latente de sublimação.*] **~ de vaporização** *Fís. Quím.* Grau de calor necessário para vaporizar uma substância líquida [Tb. *calor latente de vaporização.*] **~ específico** **1** *Fís. Quím.* Relação entre o grau de calor que se fornece a unidade de massa e a variação de temperatura que esta sofre em consequência **2** Quociente da quantidade de calor fornecida à unidade de massa de uma substância pela variação de temperatura resultante desse aquecimento, e que é uma propriedade característica da substância **~ humano** **1** Sentimento natural de afetividade e simpatia (de alguém) para com o próximo, com propensão ao exercício da solidariedade **2** Tendência ou capacidade de sentir, expressar e provocar afeição, solidariedade, compreensão etc. no âmbito das relações sociais ou pessoais, o que dá a estas uma qualidade especial, ou cria um ambiente de conforto e segurança **~ latente** *Fís. Quím.* Quantidade de calor que uma substância pura absorve em sua mudança de estado (para um estado menos condensado) e que se supunha não causar alteração da temperatura (donde a designação) **~ radiante** *Fís.* Radiação eletromagnética cujo comprimento de onda é maior que o do infravermelho e menor que o das ondas de rádio; radiação infravermelha **~ sensível** *Fís.* Calor que provoca o aumento de temperatura de um sistema físico, quando lhe é fornecido **Dar um ~ (em)** *Esp.* Dominar (o adversário), exercendo pressão

> 🕮 O fenômeno físico chamado 'calor' é uma situação em que há energia gerada pela vibração das partículas de matéria. Ao se entrechocarem essas partículas, essa energia é transmitida a outras partículas de menor vibração, ou seja, de menor energia. Há perda de energia na primeira e ganho na segunda, até haver equilíbrio entre elas. Isso quer dizer que o calor se transmite da matéria de maior energia para a de menor, sem outra transformação (mecânica, química etc.). A temperatura é a percepção dessa energia e sua medida.

calorão (ca.lo.*rão*) *Bras. sm.* Calor forte, intenso. [Pl.: *-ões.*] [F.: De *calor + -ão.*]

calorento (ca.lo.*ren*.to) *a.* **1** Que sente muito calor; que sente desconforto acentuado por causa do calor, ou que tende a sentir calor mesmo quando a temperatura não está especialmente alta (sujeito calorento) [Ant.: *friorento.*] **2** Em que faz muito calor (diz-se tb. de ambiente que tende a ficar excessivamente quente) (dia calorento, quarto calorento); ABAFADO; QUENTE, [Ant.: *arejado, fresco.*] **3** Que provoca sensação de quentura (roupa calorenta) [F.: *calor + -ento.*]

◎ **calor(i)-** *el. comp.* = 'calor': *calorimetria*

caloria (ca.lo.*ri*.a) *sf.* **1** *Fís.* Quantidade de calor necessária para elevar de um grau centígrado (1 °C) a temperatura de um grama (1 g) de água sob pressão de uma atmosfera (1 atm), e originalmente definida como unidade de medida de calor [Equivale a 4,1855 joules e está em desuso. Abrev.: *cal*] **2** *Fís.* Quantidade de calor necessária para elevar de um grau centígrado a temperatura de um quilograma de água; quilocaloria [Está em desuso, como unidade para cálculos físicos. Abrev.: *Cal*] **3** Essa quantidade, us. como medida do valor energético dos alimentos (sua capacidade de gerar calor ou energia corporal quando oxidada pelo organismo) [Abrev.: *Cal*] **4** Quantidade de alimentos que fornece determinado valor energético mencionado (medido em calorias [acp. 2]): *Está fazendo dieta e não pode ingerir mais de 3000 calorias por dia.* [F.: *calor + -ia.*] ■ **~ internacional** *Fís.* Unidade de medida de energia equivalente a 4,1868 joules **~ média** *Fís.* Quantidade de calor equivalente a 4,1897 joules, que é a centésima parte do calor necessário para elevar de 0° a 100° 1 g de água sob pressão de 1atm **~ termoquímica** *Fís.* Unidade de energia equivalente a 4,1840 joules

calórico (ca.*ló*.ri.co) *a.* **1** Ref. a calor ou a caloria: *valor calórico dos alimentos.* **2** Que tem grande valor energético para o organismo, que fornece ao corpo muitas calorias (2 e 3): *Chocolate é muito calórico.* [F.: *calor + -ico*[2].]

calorífero (ca.lo.*rí*.fe.ro) *a.* **1** Que tem ou gera calor [Ant.: *calorífugo.*] *sm.* **2** Aparelho ou dispositivo us. para aquecer casas, veículos e outros recintos etc.; CALORÍFICO [F.: *calor + -i- + -fero.* Sin. ger.: *aquecedor.*]

calorífico (ca.lo.*rí*.fi.co) *a.* **1** Que fornece energia por meio do calor produzido; calorífero **2** Ref. a calor ou a transmissão de energia sob essa forma (força calorífica) **3** Que efetua ou tem capacidade de efetuar essa troca (substância calorífica.) *sm.* **4** O mesmo que *calorífero* (aparelho que aquece) [F.: Do lat. *calorificu(m).*]

calorimetria (ca.lo.ri.me.*tri*.a) *sf. Fís.* Parte da física que trata da medição de calor recebido ou fornecido por corpos e sistemas que se modificam fisicamente (p. ex., durante mudança de estado) ou quimicamente (p. ex. em uma reação química) [F.: *calor + -i- + -metria.*]

calorimétrico (ca.lo.ri.*mé*.tri.co) *a.* Ref. a calorimetria ou a calorímetro [F.: *calorimetria* (ou *calorímetro*) *+ -ico*[2].]

calorímetro (ca.lo.*rí*.me.tro) *Fís. sm.* Designação de vários aparelhos ou dispositivos com que se medem quantidades de calor recebidas ou geradas, ou us. na determinação do calor específico de corpos ou substâncias [F.: De *calor(i)-+ -metro.*]

caloroso (ca.lo.*ro*.so) [ô] *a.* **1** Em que há animação, entusiasmo; que tem ou demonstra grande disposição, energia (aplauso caloroso); VEEMENTE **2** Que demonstra ou desperta simpatia, afeto, (recepção calorosa); AFETUOSO; CORDIAL; SIMPÁTICO **3** Que tem calor ou provoca sensação de calor; CALMOSO; QUENTE [F.: *calor + -oso.*]

calosidade (ca.lo.si.*da*.de) *sf.* **1** Característica do que é caloso, do que tem calo(s) ou asperezas **2** O mesmo que *calo* (1) **3** Qualquer formação dura, ger. saliente, em uma superfície (calosidade óssea) [F.: *caloso + -(i)dade.*]

caloso (ca.*lo*.so) [ô] *a.* **1** Que tem calos; CALEJADO **2** *Fig.* Que se tornou áspero ou insensível com o tempo. [Fem. e pl.: [ó].] [F.: Do lat. *callosus.*]

calota (ca.*lo*.ta) [ó] *sf.* **1** *Geom.* Parte de uma superfície esférica limitada por um plano (que pode ser imaginário) secante a essa superfície; CALOTA ESFÉRICA **2** Designação de superfícies, objetos, peças etc. que têm forma recurvada ou abaulada, côncava-convexa, semelhante a calota (1) (calota polar) **3** *Aut.* Peça que protege e adorna a parte externa central das rodas dos automóveis **4** *Arq.* Cobertura ou parte superior de forma esférica ou abaulada [F.: Do fr. *callote.*] ■ **~ craniana** *Anat.* A parte superior do crânio, em forma de calota **~ esférica** *Geom.* Ver *calota* (1) [Tb. apenas *calota.*] **~ polar** **1** *Astron.* Região mais ou menos circular, coberta de gelo, em torno do polo de um planeta, como se observa na Terra e em Marte **2** *Geog.* A camada de gelo que cobre essa região: *Ecologistas alertam para o derretimento das calotas polares ártica e antártica.*

calote (ca.*lo*.te) *sm.* **1** Dívida não paga, esp. aquela contraída por alguém que já tinha previamente intenção de não pagar: *O calote da firma falida é de mais de 1 milhão.* **2** O ato ou fato de não pagar uma dívida, de não entregar aquilo pelo qual se recebeu pagamento: *dar/passar um calote nos credores; A prefeitura anunciou um calote de 200 milhões aos fornecedores; Levei um calote do meu primo.* **3** *P. ext.* Logro, engano, golpe, trapaça [F.: Posv. do fr. *cullote.*]

caloteado (ca.lo.te:*a*.do) *a.* Que levou calote [F.: De *calotear.*]

calotear (ca.lo.te.*ar*) *v.* Não pagar dívida a (alguém), ou contrair dívida, obrigação etc. sem intenção ou possibilidade de pagá-la ou cumpri-la; dar calote (em) [*td.: O ditador do país caloteou os credores externos.*] [*int.: Sua má reputação vem do hábito de calotear.*] [▶ 13 calotear] [F.: *calote + -ear*[2].]

caloteiro (ca.lo.*tei*.ro) *a.* **1** Diz-se de quem não paga conta(s) ou dívida(s), esp. de quem aplica calote(s) de maneira habitual, sistemática **2** *P. ext.* Diz-se de pessoa que vive recorrendo a logros, golpes diversos, fraudes *sm.* **3** Indivíduo caloteiro (1 e 2) [F.: *calote + -eiro.* Sin. ger.: *trapaceiro.*]

calotismo (ca.lo.*tis*.mo) *sm.* **1** Hábito de calotear **2** Procedimento de caloteiro [F.: De *calote + -ismo.*]

calotonia (ca.lo.to.*ni*:a) *sf.* Técnica de relaxamento por meio de toques precisos e sutis nos dedos, planta e base dos pés e alguns outros pontos do corpo [F.: De *calo-+ -tonia.*]

calouro (ca.*lou*.ro) *sm.* **1** Estudante novato, esp. de curso universitário **2** Indivíduo inexperiente, que faz algo pela primeira vez, ou que acaba de ser admitido em um grupo ou instituição **3** *Bras. Rád. Telv.* Artista principiante (ger. cantor) que se apresenta em programa de auditório (programa de calouros) **4** *Fig.* Pessoa tímida [F.: Do gr. *kalógeros.*] ■ **~ enfeitado** *Antq.* Estudante do segundo ano de curso superior

caluda (ca.*lu*.da) *sf.* **1** Silêncio, esp. ausência de vozes, ou o ato de não falar, de não se manifestar *interj.* **2** Expressão us. para pedir silêncio; PSIU; SILÊNCIO: *Caluda! Tem gente ouvindo.* [F.: *calar + -uda.*] ■ **Na ~** *Bras. Pop.* Em silêncio, sem falar, sem se manifestar: *Ouviu tudo e ficou na caluda.*

calundu (ca.lun.*du*) *sm.* **1** Mau humor ou irritação que se manifestam no comportamento; AMUO [No folclore, considerado por vezes como condição doentia, de causas sobrenaturais ou espirituais.] **2** *Ant.* Religião ou seita afro-brasileira, esp. candomblé ou macumba, ou terreiro em que se realizam os cultos **3** *Ant.* Canto e dança ao som de batuque, de caráter festivo ou ritual, para celebrar ou consultar entidades sobrenaturais [F.: Do quimb. *kalu'ndu.*] ■ **De ~** Mal-humorado, zangado, com má disposição

calunga (ca.*lun*.ga) *sm.* **1** *PE Etnog.* Boneco conduzido em cortejo de maracatu **2** *Bras.* Qualquer coisa pequena **3** *Bras. Rel.* Entidade espiritual cultuada pelos bantos, manifestada como força da natureza **4** *Bras. Rel.* Cada uma de certas divindades secundárias da umbanda **5** *Bras. Rel.* Imagem dessa divindade **6** *Bras. P. ext.* Ilustração em matéria de jornal **7** *Zool.* Camundongo **8** *Bras.* Auxiliar de veículo de transporte de carga **9** *Bot.* Nome comum a várias árvores e arbustos da fam. das simarubáceas *s2g.* **10** Pequena figura humana ou de animal, feita de pano, madeira etc. **11** *Bras. Joc.* Indivíduo de pequena estatura **12** *Bras.* Pessoa da raça negra [F.: Do quimbundo *ka' lunga.*] ■ **~ de caminhão** Calunga (8), ajudante de caminhão (aquele que acompanha o motorista, para auxiliá-lo)

calúnia (ca.*lú*.ni:a) *sf.* **1** Acusação falsa, para difamar; DIFAMAÇÃO; INJÚRIA **2** *Jur.* Atribuição falsa de autoria ou responsabilidade por certo ilícito penal feita a alguém **3** *Bras. Pop.* Mentira, invenção [F.: Do lat. *calumnia.* Hom./Par.: *calunia* (fl. *caluniar*).]

caluniado (ca.lu.ni:*a*.do) *a.* **1** Diz-se de pessoa que foi alvo de calúnia **2** Diz-se de pessoa vítima de mentiras, acusações falsas *sm.* **3** Qualquer uma dessas pessoas [F.: Do lat. *calumniatu(m).*]

caluniador (ca.lu.ni:a.*dor*) [ô] *a.* **1** Diz-se de pessoa que faz ou profere calúnia(s) *sm.* **2** Essa pessoa [F.: Do lat. *calumniator.*]

caluniar (ca.lu.ni.*ar*) *v.* **1** Difamar (alguém) com falsas acusações, maledicência etc.; proferir calúnias [*td.: Invejoso e vingativo, caluniava o ex-amigo.*] [*int.: Era dado a caluniar.*] **2** *Jur.* Fazer uma falsa acusação contra; imputar falsamente crime a [*td.*] [▶ 1 caluniar] [F.: Do lat. *calumniare.* Hom./Par.: *calunia(s)* (fl.), *calúnia(s)* (sf. [pl.]); *caluniáveis* (fl.), *caluniáveis* (pl. de *caluniável*).]

caluniosamente (ca.lu.ni.o.sa.*men*.te) *adv.* De modo calunioso, com uso de calúnia(s) [F.: Fem. de *calunioso + -mente.*]

calunioso (ca.lu.ni:*o*.so) [ô] *a.* **1** Que contém ou representa calúnia, ou que é us. para caluniar (palavras caluniosas) **2** Que profere ou dissemina calúnia(s), mentira(s) (desafetos caluniosos) [Pl.: [ó]. Fem.: [ó].] [F.: Do lat. *calumniosu(m).*]

calva (*cal*.va) *sf.* **1** Parte da pele da cabeça (o couro cabeludo) que fica descoberta ao perder naturalmente os cabelos que aí cresciam; CARECA **2** Parte da pele do animal que perdeu o pelo **3** *Lus.* Terreno elevado e sem [F.: Do lat. *calva.*]

calvados (cal.*va*.dos) *smpl.* Aguardente de sidra produzida na Normandia (França) [F.: Do top. *Calvados.*]

calvário (cal.*vá*.ri:o) *sm.* **1** Elevação de terreno com uma cruz, esp. a que lembra, representa ou simboliza a crucificação de Jesus [Nome (ger. com maiúsc.) do monte em que Jesus foi crucificado.] **2** Pequeno pedestal que sustenta um crucifixo **3** *Fig.* Sofrimento prolongado **4** *Fig. Pop.* Trabalho, tarefa difícil de realizar ou que exige muito esforço: *O elevador quebrou e chegar ao escritório foi um calvário.* [F.: Do lat. *Calvariu(m)*, designação do monte próximo a Jerusalém, em que os romanos realizavam as crucificações.]

calvície (cal.*ví*.ci:e) *sf.* 1 Ausência parcial ou total de cabelos no alto da cabeça; condição de calvo; ALOPECIA; CARECA 2 *P. ext. Fig.* Condição ou característica do que não tem ou está sem pelos, fios, vegetação etc. [F.: Do lat. *calvitie(m)*; ver tb. *calvo* e *-ície*.]

calvinismo (cal.vi.*nis*.mo) *sm.* 1 Sistema de ideias de João Calvino (1509-1564), um dos grandes teólogos da Reforma protestante 2 O conjunto de igrejas, seitas e congregações protestantes cuja doutrina está baseada nos princípios teológicos formulados por João Calvino [F.: Do fr. *calvinisme*, de *Calvinus*, latinização do antr. (*Jean*) *Cauvin* ou *Chauvin*.]

📖 A origem dessa denominação protestante está na chamada "Segunda Reforma" de João Calvino, que criou no protestantismo do séc. XVI uma terceira corrente, ao lado do anglicanismo e do luteranismo. Seu princípio é o da soberania absoluta de Deus sobre qualquer papel ou realização humanas. Tudo advém de Deus, e portanto tudo deve estar a Seu serviço. As igrejas calvinistas são hoje ger. chamadas presbiterianas, e, na Europa, reformadas.

calvinista (cal.vi.*nis*.ta) *a2g.* 1 Ref. a calvinismo 2 Que segue essa doutrina (igreja calvinista; protestantes calvinistas) *s2g.* 3 Seguidor do calvinismo ou membro de igreja calvinista (2) [F.: Do antr. *Calvino* (ver *calvinismo*) + *-ista*.]

cal viva (cal*vi*.va) *sf.* Cal que não passou por transformação sob ação da água; tb. *cal virgem*

calvo (*cal*.vo) *a.* 1 Que não tem, ou tem poucos, cabelos na cabeça; que tem calva (1) relativamente grande ou que tem os cabelos da cabeça cortados muito curtos ou raspados; CARECA 2 Que tem poucos cabelos (ou nenhum), ou que os tem raspados, muito curtos: *cabeça calva; Feriu-se na parte calva do couro cabeludo.* 3 *Fig.* Que tem pouca ou nenhuma vegetação, esp. por ter ou ser de solo árido (monte calvo) 4 *Fig.* Diz-se de mentira mal contada, cuja falsidade é evidente ou mal disfarçada *sm.* 5 Pessoa careca [F.: Do lat. *calvu(m)*.]

cama (*ca*.ma) *sf.* 1 Móvel em que se pode deitar o corpo para descansar ou dormir, ger. tendo para isso um colchão ou outro apoio macio; LEITO 2 Lugar (ger. no chão) conveniente ou esp. preparado para alguém ou algum animal deitar-se: *Com calor, preparou uma cama no terraço.* 3 *Fig.* Ato ou momento de copular; relação sexual [Us. em expr. como *ir para a cama com (alguém), levar (alguém) para a cama; Conversaram a noite toda, mas na hora da cama ficaram tensos.* etc.] 4 Cobertura ou forro macio para acomodar objetos delicados ou quebradiços 5 Depressão na casca de certas frutas, como melão e melancia, pelo contato com a terra 6 *Bras.* Lugar em que o animal se deita no capim e ger. deixa a marca de seu corpo 7 *Bras.* Leito de rio, lago etc. 8 Inclinação, encurvamento, depressão, deformação, esp. por efeito do peso ou da pressão de um corpo 9 *Tip.* Almofada que nas impressoras fica em contato com o cilindro [F.: Do lat. tardio *cama*.] ■ **Bater a ~ nas costas** *Bras. Pop.* Cair no sono, adormecer **Cair da ~** 1 *Bras. Irôn. Joc. Pop.* Acordar e levantar-se muito cedo 2 *Fig.* Desiludir-se, ou deparar-se com situação desfavorável e inesperada; dar-se mal **Cair na ~** *Pop.* Deitar-se para dormir, em estado de grande cansaço ou sonolência e adormecer quase imediatamente **~ de solteiro** Cama (1) com largura para uma pessoa (ger. em torno de 60-70 cm) **~ elástica** Rede ou tecido resistentes, bem esticados e presos a molas de uma armação firme, formando uma superfície que impulsiona de volta para cima o corpo que nela cai; us. em acrobacias e outros exercícios **~ feita** *Fig.* Us. para dar ideia de situação muito favorável ou confortável (obtida por esforço próprio ou alheio), que permite que alguém desfrute daquilo que desejava **De ~** Doente ou enfraquecido, sem poder, por isso, levantar da cama, ou tendo de permanecer em repouso; acamado **De ~ e mesa** *Bras. Pop.* Us. em referência a algo ou alguém íntimo, doméstico, familiar: *amigo de cama e mesa.* **Fazer a ~** Arrumar a cama (ajeitar lençóis, travesseiros etc.) antes ou depois de alguém ter-se nela deitado **Fazer a ~ de** *Irôn.* Armar situação difícil para (alguém) **Fazer a ~ para** *Fig.* Armar situação proveitosa para (alguém) **Ir para a ~** Preparar-se para dormir ou deitar-se para dormir **Ir para a ~ com** Ter relações sexuais com

camada (ca.*ma*.da) *sf.* 1 Extensão, em espessura vária, de substância ou material depositados de modo mais ou menos contínuo e homogêneo sobre uma superfície: *Cobriu o bolo com uma camada de creme; Uma camada de poeira cobria a mesa.* 2 Cada porção coberta por e/ou sobreposta a outra(s), formando um todo: *camadas de rochas; doce em camadas.* 3 Conjunto de pessoas que têm o mesmo grau de prestígio, de poder econômico etc.; nível ou classe social: *as camadas populares.* 4 *Geol.* O mesmo que *estrato.* [F.: *cama*[1] + *-ada*[1].] ■ **~ de elétrons** *Fís.* Conjunto dos elétrons de um átomo que têm o mesmo número quântico principal; camada eletrônica **~ de Heaviside** *Geof.* Faixa da ionosfera entre 100 e 200 quilômetros de altitude, que desvia ondas longas de rádio, descoberta pelo físico inglês Oliver Heaviside **~ de inversão** Camada da atmosfera na qual ocorre a inversão térmica **~ de Kennelly-Heaviside** *Geof.* Ver *Camada de Heaviside* **~ de ocupação** *Arqueol.* Camada do solo, em sítio arqueo- lógico, onde se encontram sinais de atividade humana **~ de ozônio** *Geof.* Camada da atmosfera entre 12 e 150 quilômetros de altitude, onde o nível de concentração de ozônio é elevado [A camada de ozônio, entre outros efeitos, funciona como filtro de radiações solares (ultravioleta, raios X etc.), diminuindo a incidência delas na superfície da Terra.] **~ de reversão** *Astron.* Ver *Camada inversora* **~ eletrônica** *Fís.* Ver *Camada de elétrons* **~ granulosa** *Biol.* Conjunto das camadas de células que circundam uma célula precursora de ovo; estrato granuloso **~ humífera** Matéria orgânica (folhas, resíduos vegetais ou animais etc.) ainda não decomposta, que cobre o solo **~ inversora** *Astron.* Camada da atmosfera solar, entre a fotosfera e a cronosfera, que se acreditava fazer inversão do espectro de emissão (das camadas internas do Sol) em espectro de absorção; camada de reversão **~ pré-sal** *Geol.* Camada de reservatórios de petróleo em águas profundas (no litoral do ES e de SC), sob uma lâmina de água oceânica de 1.500 a 3.000 metros, com soterramento entre 3.000 e 4.000 metros [Tb. apenas *pré-sal*.]

cama de gato (ca.ma *de*ga.to) *sf.* 1 *Lud.* Brincadeira infantil em que, com certos movimentos das mãos, uma pessoa dá formas diversas a um pedaço de barbante quando o retira dos dedos de outra 2 *Lud.* Brincadeira infantil que consiste em empurrar alguém que tropeça e cai por cima de outrem agachado atrás dele 3 *Fut.* Jogada ilícita em que um jogador agacha-se sob outro, que está pulando, provocando-lhe uma queda [Pl.: *camas de gato*.]

cama de vento (ca.ma de*ven*.to) *sf. Bras.* Cama portátil, dobrável e ger. feita de lona [Pl.: *camas de vento*.]

camafeu (ca.ma.*feu*) *sm.* 1 Pedra semipreciosa em duas camadas de diferentes cores ou tonalidades, tendo na superior (ger. mais clara) uma figura em relevo 2 Objeto de adorno talhado em pedra fina, que lembra camafeu (1), ou qualquer figura de pequeno tamanho, em relevo (como efígie de sinetes etc.) 3 *Pop.* Mulher de feições finas: "Graciosíssima. O perfil é assim meio romano: camafeu em cornalina..." (Guimarães Rosa, *Sagarana*) 4 *Joc.* Pessoa muito feia [F.: Do fr. *camaïeu*.]

camaiurá (ca.mai.u.*rá*) *Bras. Etnol. s2g.* 1 Pessoa pertencente a um povo indígena que habita o Parque Indígena do Xingu (MT) 2 *Gloss.* Língua da família linguística tupi-guarani, falada por esse povo *a2g.* 3 Ref. a esse grupo indígena

camáldula (ca.*mál*.du.la) *sf.* Rosário de contas grossas. [Var.: *camáldulas, camândulas*.] [F.: Do top. *Camaldoli*.]

camaleão (ca.ma.le:*ão*) *sm.* 1 *Zool.* Denominação comum a diversas spp. de lagartos arborícolas da fam. dos camaleontídeos, cuja pele tem a capacidade característica de mudar rapidamente de coloração 2 *Fig.* Indivíduo que muda rápida ou frequentemente de opinião e/ou atitude, como adaptação às variações das circunstâncias, ou para atender a seus interesses pessoais [Pl.: *-ões*.] [F.: Do lat. *chamaeleon*.]

camaleônico (ca.ma.le:*ô*.ni.co) *a.* 1 Ref. a ou próprio de camaleão 2 Que muda com facilidade ou frequência de aspecto ou caráter [F.: De *camaleão* + *-ico*.]

camalhão (ca.ma.*lhão*) *sm.* 1 Porção de terra de lavoura ou horta, entre dois regos, preparada para sementeira 2 *N.E.* Elevação deixada, nas estradas de terra, entre os sulcos feitos pelas rodas de veículos ou patas de animais; camaleão. [Pl.: *-ões*.] [F.: De *cama-* + *-alho* + *-ão*.]

camalote (ca.ma.*lo*.te) *S. CO. sm.* Massa compacta de plantas aquáticas que forma ilhas flutuantes e desce os rios, ao sabor da correnteza; PERIANTÃ [F.: Do espn. *camalote*.]

camapu (ca.ma.*pu*) *Amaz. sm.* 1 *Bot.* Nome comum a diversas plantas (gên. *Physalis*) ornamentais, das quais algumas espécies dão frutos comestíveis 2 *PA.* Borbulhas produzidas pela respiração do pirarucu [F.: Do tupi *kama'pu*. Na acp. 1, tb. *fisális*.]

camará (ca.ma.*rá*) *Bras. Bot. sm.* 1 Nome comum a algumas plantas da fam. das verbenáceas, como, p. ex., *Lantana camara*, arbusto nativo do Brasil, de flores pequenas, amarelas, laranja ou vermelhas, reunidas em cachos (umbelas), e muito cultivado como ornamental; CAMBARÁ 2 Cambará (1) [F.: Do tupi *kamba' ra*. Hom./Par.: *câmara* (sf.).]

câmara (*câ*.ma.ra) *sf.* 1 Aposento de uma casa, esp. o quarto 2 Qualquer recinto fechado 3 Assembleia que tem função legislativa [Inicial maiúsc. Nesta acp., emprega-se quase exclusivamente a forma *câmara*, inclusive no registro coloquial.] 4 Local onde essa assembleia se realiza [Inicial maiúsc. Nesta acp., emprega-se quase exclusivamente a forma *câmara*, inclusive no registro coloquial.] 5 *Jur.* Cada uma das divisões de um tribunal (Câmara Cível) [Inicial maiúsc.] 6 *P. ext.* Qualquer assembleia deliberativa (câmara comercial) 7 Qualquer compartimento fechado (em estruturas e objetos naturais ou artificiais): *câmara de gás.* 8 *Anat.* Nome de várias cavidades e espaços fechados do corpo (câmara vítrea) 9 *Bot.* Cavidade ou espaço entre as células vegetais 10 *Arm.* Compartimento para bala no tambor de um revólver 11 Compartimento fechado, em caverna 12 *Mar. G.* Conjunto de alojamentos para oficial superior (almirante, comandante do navio) 13 *Cin. Fot. Telv.* Aparelho de fotografar, filmar ou registrar imagens [Nesta acp., ambas as formas (*câmara, câmera*) são empregadas no registro escrito, predominando a forma *câmera* no registro coloquial.] 14 Câmara de ar *s2g.* 15 *Cin. Fot. Telv.* Técnico que opera câmara (13) [Nesta acp., costuma-se empregar a forma *câmera*.] [F.: Do lat. *camara*, 'teto abaulado'. Tb. *câmera*.] ■ **~ alta** *Pol.* O senado, nos parlamentos compostos por duas câmaras de representantes; a assembleia composta por representantes das unidades territoriais **~ anterior do olho** *Oft.* Espaço entre a córnea e o cristalino, que contém humor aquoso **~ baixa** *Pol.* A Câmara dos Deputados, nos parlamentos compostos por duas câmaras de representantes; a assembleia, mais numerosa, formada por representantes dos cidadãos **~ clara** *Ópt.* Instrumento óptico que projeta num anteparo (p. ex., uma tela) a imagem captada na ocular, o que permite desenhar o objeto; tb. *câmara lúcida* **~ de ar** *Cons.* Em edificação, espaço que serve de isolamento entre dois ambientes **~ de Baker** *Astron.* Equipamento para fotografia astronômica com um campo extenso e quase sem coma e aberração esférica **~ de comércio** *Com.* Órgão de comerciantes que representam os interesse do comércio (e da indústria) de uma certa região perante o governo **~ de compensação** *Econ.* Órgão que cuida da compensação dos cheques em determinada região **~ de escape** *Astnáut.* Compartimento estanque com duas portas, que serve de passagem, em veículo espacial, entre o vácuo e o ambiente de ar pressurizado do interior **~ de pontoação** *Bot.* Espaço compreendido entre a membrana de pontoação e a parte da parede que constitui a aréola **~ de sangue** *Antq. Med.* Diarreia com perda de sangue **~ de traço** *Fís. nu.* Dispositivo que faz ficar visível a trajetória de uma partícula ionizante **~ digital** *Fot. Telv.* Tipo de câmara fotográfica, de filmagem ou de televisão que transforma a imagem em informação de formato digital, que é gravada em cartão de memória **~ escura** 1 Dispositivo óptico conhecido desde a Antiguidade, que consiste num compartimento ou recinto fechado, sem luz, dotado de pequeno orifício frontal pela qual a luz exterior penetra, projetando na superfície interna oposta a imagem invertida dos objetos exteriores [Os equipamentos fotográficos modernos são desenvolvimentos desse tipo de dispositivo.] 2 O compartimento de câmara fotográfica onde passa o filme, vedado à luz a não ser por um orifício pelo qual entra o feixe de luz que vai impressionar o filme [Tb. apenas *câmara*, ou *câmera*.] 3 *Fot.* Recinto vedado à luz exterior (iluminado fracamente por lâmpada vermelha ou verde) onde se revelam filmes e se fazem cópias fotográficas **~ fotográfica** *Fot.* Ver *Máquina fotográfica* [Tb. se diz apenas *câmera*, ou *câmara*.] **~ frigorífica** Compartimento no qual a temperatura é mantida muito baixa, para permitir a conservação de gêneros perecíveis nela armazenados [Cf.: *Em câmara lenta*.] **~ hiperbárica** *Ter.* Compartimento no qual se pode elevar a pressão do oxigênio acima da normal, para tratar infecções causadas por germes anaeróbios (que só vivem na ausência do oxigênio) **~ lenta** *Cin.* Recurso de filmagem (o de filmar em velocidade acima daquela em que se exibirá o filme) que torna as cenas aparentemente mais lentas na exibição; p. ext.: efeito semelhante, obtido com equipamento de vídeo **~ lúcida** *Ópt.* Instrumento constituído por prismas de reflexão total ou espelhos convenientes, mediante o qual um indivíduo pode observar simultaneamente um objeto e a imagem deste projetada sobre uma folha de papel, para desenhá-la; câmara clara **~ municipal** Órgão legislativo de um município, composto de vereadores **~ rápida** *Cin.* Recurso de filmagem (o de filmar em velocidade abaixo daquela em que se exibirá o filme) que torna as cenas aparentemente mais rápidas na exibição; p. ext.: efeito semelhante, obtido com equipamento de vídeo **~ posterior do olho** *Oft.* Espaço entre a íris, o cristalino e o corpo ciliar, que contém humor aquoso **~ sindical** Corporação de corretores de valores mobiliários, que administra bolsa de valores **~ vítrea** *Oft.* Espaço entre o cristalino e a retina, que contém o corpo vítreo **De ~** 1 *Mús.* Para ou de poucos instrumentos, esp. cordas (diz-se de música ou de orquestra) 2 Diz-se de orquestra com pequeno número de instrumentos (em comparação às orquestras sinfônicas), todos, ou quase todos, instrumentos de cordas **Em ~ lenta** *Fig.* Vagarosamente, lentamente

câmara-ardente (câ.ma.ra-ar.*den*.te) *sf.* Recinto onde se fazem velórios, antes do funeral; CAPELA-ARDENTE; CAPELA MORTUÁRIA [Pl.: *câmaras-ardentes*.]

camarada (ca.ma.*ra*.da) *s2g.* 1 Pessoa que compartilha com outra qualquer forma de atividade ou uma habitação; COLEGA: *Meus camaradas de trabalho/ de quarto/ de aventuras.* 2 Pessoa ligada a outra por amizade: *Esse aí é o meu grande camarada!* 3 Um indivíduo qualquer: *O camarada não quis conversa.* 4 Companheiro de armas, de regimento etc. 5 Indivíduo que tem a mesma ocupação ou profissão de outro, que pertence ao mesmo grupo etc.: *Esses são meus camaradas da Ordem dos Advogados.* 6 Companheiro de militância política de esquerda, esp. comunista: *Camaradas! Chegou a hora da revolução!* 7 Trabalhador temporário em propriedade rural 8 Pessoa que vive maritalmente com outra; amante *a2g.* 9 Que resulta (atitude, gesto etc.) de um sentimento de companheirismo, de amizade 10 Que revela favorecimento; que é propício, vantajoso: *Vendeu o carro por um precinho camarada.* 11 Bom, estimulante, agradável: *Um solzinho camarada levou todo mundo à praia.* *sm.* 12 *Bras. Gír.* Aguardente, cachaça [F.: Do fr. *camarade*.] ■ **~s do corpo** *CE Pop.* O úcte

camaradagem (ca.ma.ra.*da*.gem) *sf.* 1 Convivência, proximidade, sentimento entre camaradas; relação de companheirismo, familiaridade e informalidade, típica da que se desenvolve entre camaradas: *Criou-se, entre todos no grupo, uma forte camaradagem.* 2 *P. ext.* Intimidade, relação amistosa ou afetuosa [+ *com*: *Vive na maior camaradagem com os primos*.] 3 Ato ou comportamento de camarada; atitude de companheirismo, solidariedade etc.; favor, favorecimento: *Foi muita camaradagem dela emprestar o vestido.* **4** *Bras.* Grupo de camaradas, de amigos, de colegas de trabalho ou de tropa etc.: *Mudou de trabalho e largou a antiga camaradagem.* [Pl.: *-gens.*] [F.: *camarada* + *-agem.*]

câmara de ar (câ.ma.ra de*ar*) *sf.* **1** Tubo de borracha circular, dotado de válvula e colocado no interior de pneus de veículos, que se pode encher de ar comprimido na pressão adequada; CÂMARA **2** Compartimento interno de objetos e estruturas ocas (p. ex., bolas de couro), feito de material elástico (borracha etc.), e que se pode encher de ar ou outro gás comprimido através de válvula, para dar forma, volume e rijeza adequadas ao objeto [Pl.: *câmaras de ar.*]

camaradeiro (ca.ma.ra.*dei*.ro) *Bras. sm.* **1** Que gosta de acamaradar-se, de estabelecer relações de amizade; COMUNICATIVO; SOCIÁVEL **2** *P. ext.* Que gosta de prestar favores; PRESTATIVO [F.: De *camarada* + *-eiro.*]

camaradesco (ca.ma.ra.*des*.co) [ê] *a.* Ref. a ou próprio de camarada, de amigo [F.: De *camarada* + *-esco.*]

camarão (ca.ma.*rão*) *sm.* **1** *Zool.* Denominação comum a diversas spp. de crustáceos marinhos ou de água-doce, de carne comestível, da ordem dos decápodes **2** Prato preparado com esse crustáceo (camarão à baiana) **3** *Bot.* Arbusto da fam. das acantáceas (*Justicia brandegeana*), nativo do México, com flores pequenas e brancas ger. escondidas em espigas róseas, vermelhas, salmão ou amarelas, muito cultivado em todo o mundo **4** Suporte, ger. em forma de gancho, preso ao teto e us. para pendurar lustres, vasos etc. **5** *SP Antq. Pop.* Bonde fechado, ger. de cor vermelha **6** Pessoa muito sanguínea, que fica corada com facilidade, a quem o sangue sobe à cabeça **7** *Bras. Pop.* Pessoa de pele clara muito queimada de sol **8** Antigo vaso de uso doméstico [Pl.: *-rões.*] [F.: Do lat. vulg. *cammarone.* Ideia de 'camarão', usar pref. *gamar (o)-.*] ■ **Um ~** Com a pele vermelha, por ter tomado muito sol

camarão-da-malásia (ca.ma.rão-da-ma.*lá*.si.a) *sm. Zool.* Camarão de água-doce da fam. dos palemonídeos (*Macrobrachium rosenbergii*) muito apreciado na gastronomia [Pl.: *camarões-da-malásia.*]

camarão-de-água-doce (ca.ma.rão-de-á.gua-*do*.ce) *sm.* Ver *pitu* [Pl.: *camarões-de-água-doce.*]

camarariamente (ca.ma.ra.ri.a.*men*.te) *adv.* Em conselho camarário, em sessão privada [F.: Fem. de *camarário* + *-mente.*]

camarário (ca.ma.*rá*.ri:o) *a.* **1** Ref. a câmara (esp. legislativa, municipal), a qualquer reunião ou assembleia fechada, ou a suas funções (processo camarário, orçamento camarário) **2** *Jur.* Ref. a negociações, acordos, decisões etc. realizados a portas fechadas, de modo reservado ou privado, esp. sem atenção total a formalidades legais ou institucionais, ou por pessoas designadas exclusivamente para esse fim **3** *Lus.* Municipal, ou ref. a jurisdição da administração municipal ou de um distrito [F.: *câmara* + *-ário.*]

camareira (ca.ma.*rei*.ra) *sf.* **1** Empregada que, em hotéis, navios etc., atende hóspedes e passageiros em seus quartos ou cabines **2** *Ant.* Mulher que servia rainhas, princesas etc. nos aposentos particulares destas; camarista **3** *Bras. Teat. Telv.* Profissional encarregada dos figurinos de espetáculos teatrais, *shows*, filmagens etc. [F.: Fem. de *camareiro.*]

camareiro (ca.ma.*rei*.ro) *sm.* **1** Empregado que arruma quartos, camarotes em hotéis, navios etc. **2** *Teat. Telv.* Indivíduo que cuida da roupa e dos acessórios dos atores **3** Empregado serve diretamente ao patrão em assuntos particulares, como cuidados pessoais, atividades domésticas etc. **4** Indivíduo (ger. da nobreza) que atende diretamente a nobres, reis e príncipes em seus aposentos e cuida destes; camarista [F.: Do lat. *camerariu(m).*]

camarilha (ca.ma.*ri*.lha) *sf.* Grupo de pessoas que cercam um chefe de Estado e com ele convivem, procurando influir em suas decisões de governo: "É provável também que Gondar tenha... favorecido a formação e o fortalecimento de uma camarilha de cortesãos, da qual acabaria por se tornar refém." (Alberto da Costa e Silva, *A manilha e o libambo*) [F.: Do espn. *camarilla.*]

camarim (ca.ma.*rim*) *sm.* **1** *Cin. Teat. Telv.* Recinto em que atores e outros artistas (músicos, dançarinos etc.) se preparam para a sua apresentação, descansam etc. **2** *Rel.* Nicho, no altar, ou outro espaço ou suporte em que se expõem imagem de santo, ou a hóstia consagrada e o vinho **3** Recinto ou aposento, ger. reservado, de pequenas dimensões **4** *Mar.* Compartimento a bordo us. para guardar equipamentos especiais [Pl.: *-rins.*] [F.: Posv. do espn. *camarín.*] ■ **~ de governo** *Mar.* Compartimento de navio onde está instalado o equipamento de navegação e onde trabalham os encarregados da navegação

camarinha (ca.ma.*ri*.nha) *sf.* **1** *N.E. Ant.* Quarto de dormir, no centro da casa (sem janelas) ou separado dos demais (p. ex., junto ao telhado); ALCOVA **2** *N.E. Ant.* Quarto, câmara, aposento **3** Aposento reservado, de uso pessoal; gabinete **4** *Fig.* Gotinha, gotícula; esp. cada uma das gotas mínimas de um líquido, que se formam ou se espalham numa superfície (camarinhas de suor) [Mais us. no pl.] **5** *N. E.* Espaço vazio em canavial após a retirada da cana **6** *PE* Esconderijo de assaltantes no mato **7** *Bras. Rel.* Aposento em que são retiradas as futuras iaôs durante o processo de iniciação religiosa no candomblé; RONCÓ **8** Pequena prateleira em canto de sala ou quarto [F.: *câmara* + *-inha.*]

camarista (ca.ma.*ris*.ta) *s2g.* **1** Membro da câmara municipal; VEREADOR **2** Camareiro, oficial da casa real que serve o rei nos seus aposentos e o acompanha por toda parte *sf.* **3** Camareira de mulher da nobreza ou da realeza; esp. a principal acompanhante ou criada pessoal da rainha ou princesa, que possui certo grau de nobreza e desfruta de prestígio social na corte; dama de companhia [F.: *câmar(a)* + *-ista.*]

camaroeiro (ca.ma.ro.*ei*.ro) *sm.* **1** Rede de pescar camarões **2** Embarcação us. na pesca de camarões **3** Pescador ou vendedor de camarões **4** Sinal em forma de rede de camarões que se iça a um mastro no observatório, para indicar a proximidade de temporais ou a sua continuação [F.: *camarão* (com desnasalação) + *-eiro.*]

camaronense (ca.ma.ro.*nen*.se) *s2g.* **1** O mesmo que *camaronês* *a2g.* **2** O mesmo que *camaronês* [F.: *camarão* > *camaron* + *-ense.*]

camaronês (ca.ma.ro.*nês*) *sm.* **1** Pessoa nascida ou que vive na República dos Camarões *a.* **2** Da República dos Camarões (África); típico desse país ou de seu povo [Pl.: *-neses.* Fem.: *-nesa.*] [F.: Do top. *Camarões* (f. rad. *camaron-*) + *-ês.* Sin. ger.: *camaronense.*]

camarote (ca.ma.*ro*.te) *sm.* **1** Compartimento fechado em salas ou outros locais de espetáculos, com abertura voltada para o palco (ger. próximo a este e com instalações confortáveis), destinado a pequeno grupo de espectadores **2** Compartimento com camas, ou quarto de dormir, em navios, destinado a passageiros ou à tripulação; CABINE **3** Grupo de pessoas que ocupam um camarote (1 e 2) [F.: *câmara* + *-ote.*] ■ **De ~** *Pop.* Próximo àquilo que ocorre, a um fato ou situação, ou testemunhando diretamente, em posição privilegiada e confortável, mas sem se envolver: "Eu assisti de camarote o teu fracasso, palhaço..." (Benedito Lacerda, Herivelto Martins, *Palhaço*)

camaroteiro (ca.ma.ro.*tei*.ro) *sm.* **1** Camareiro que faz os serviços de quarto (arrumação, atendimento etc.) em camarotes de navios ou de trens com leitos **2** *Teat.* Pessoa que vende bilhetes de entrada para camarotes [F.: *camarote* + *-eiro.*]

camartelo (ca.mar.*te*.lo) [é] *sm.* **1** Tipo de martelo us. para desbastar pedras, assentar tijolos etc. (é agudo ou em gume, de um lado, e achatado, redondo ou quadrado, no outro) **2** *Fig.* Qualquer instrumento ou ferramenta que serve para demolir **3** *Fig.* Ação (ou decisão) de demolir, de destruir ou desfazer intencionalmente (esp. velhas construções); aquele ou aquilo que a realiza: *Na reurbanização do bairro, o camartelo não poupou os casarões históricos.* [F.: De *martelo.*]

camba (*cam*.ba) *sf.* **1** Peça curva, em forma de arco, da roda de um veículo (como carroça etc.), e que constitui, com outras semelhantes, a circunferência externa desta; esp. uma daquelas às quais se prendem os raios [Ver tb. *cambota* e *pina.*] **2** Peça curva em que se fixa o dente do arado **3** Cada uma das peças laterais externas do freio dos cavalos em que se prendem as rédeas **4** *Vest.* Pedaço de tecido, ger. triangular ou em forma de seção de círculo, costurado a uma parte de peça de roupa (p. ex., nas pernas de calças) para aumentá-la, dar-lhe maior abertura ou circunferência **5** *Arq.* Cada uma das peças curvas que compõem um cimbre ou uma cambota (moldes de abóbada ou de arco arquitetônico) [F.: De or. contrv. Hom./Par.: *camba(s)* (sf. [pl.]), *camba(s)* (fl. *cambar*).]

cambada (cam.*ba*.da) *sf.* **1** Porção de objetos, esp. quando enfiados e amarrados ou pendurados **2** *Restr.* Molho de chaves **3** Grande porção ou quantidade de coisas (ger. misturadas, desordenadas); CAMBULHA; CAMBULHADA **4** Quantidade de pessoas, esp. associadas, agrupadas, ou com características comuns **5** *Pej.* Bando, grupo de pessoas desclassificadas, ordinárias, más; CORJA; MALTA; SÚCIA [F.: *camba* + *-ada*[1].]

cambado (cam.*ba*.do) *a.* **1** Torto de um lado, assimétrico; que se desvia, se inclina ou se encurva para um lado **2** Que tem pernas tortas; cambaio **3** Cambaio (4) **4** Que foi infectado pelo bicho-de-pé; CAMBAIO [F.: De or. contrv.]

cambagem (cam.*ba*.gem) *sf. Emec.* Indicativo, em graus, da inclinação das rodas de um veículo em relação a um plano horizontal, para posterior ajuste [Pl.: *-gens.*] [F.: *cambar* + *-agem.*] ■ **~ positiva** *Emec.* Considerando o par de rodas dianteiro ou o par de rodas traseiro de um veículo, inclinação convergente da parte de baixo das rodas (a parte próxima do solo), fazendo com que as partes de baixo das duas rodas estejam mais próximas uma da outra que as partes de cima **~ negativa** *Emec.* O inverso da cambagem positiva, ou seja, inclinação tal das rodas dianteiras ou das rodas traseiras de modo que as partes de cima dessas rodas estejam mais próximas uma da outra do que as partes de baixo

cambaio (cam.*bai*.o) *a.* **1** Que tem pernas tortas; CAMBADO; CAMBETA: *A madeira empenou e a mesa ficou um pouco cambada.* **2** Diz-se de pessoa que tem o andar trôpego, sem equilíbrio, ou as pernas fracas; CAMBETA **3** Diz-se de quem é coxo ou manco; CAMBETA **4** Diz-se de calçado velho e gasto de modo desigual, torto na sola, esp. no tacão ou calcanhar; CAMBADO **5** Cambado (4) (atacado por bicho-do-pé) *sm.* **6** Quem ou o que tem pernas tortas; CAMBETA **7** Pessoa manca ou coxa; CAMBETA **8** Pessoa de pernas fracas e andar trôpego; CAMBETA [F.: De *cambar.*]

cambalacheiro (cam.ba.la.*chei*.ro) *a.* **1** *Pop.* Diz-se de pessoa que faz cambalacho(s) *sm.* **2** Essa pessoa [F.: *cambalacho* + *-eiro.*]

cambalacho (cam.ba.*la*.cho) *Pop. sm.* **1** Transação astuciosa ou desonesta, às vezes ilegal, para a obtenção de algum ganho **2** Combinação entre pessoas para explorar ou enganar outra(s); CONLUIO; TRAMOIA [F.: Do port. antigo **cambal* + *-acho.*]

cambaleante (cam.ba.le:*an*.te) *a2g.* **1** Que cambaleia, que não tem firmeza, equilíbrio **2** *Fig.* Instável, oscilante [F.: *cambalear* + *-nte.*]

cambalear (cam.ba.le.*ar*) *v. int.* **1** Balançar, oscilar por falta de firmeza nas pernas: *A menina cambaleava de cansaço.* **2** Andar sem equilíbrio, sem firmeza; CAMBAR: "...bebia, vivia cambaleando..." (Marques Rebelo, *Contos reunidos*) **3** *Fig.* Demonstrar fragilidade, fraqueza, instabilidade, desequilíbrio: *Apesar dos investimentos, a economia cambaleia.* [▶ 13 cambal**ear**] [F.: De *cambar*[1] + *-l-* + *-ear*[2]. Hom./Par.: *cambaleio* (fl.), *cambaleio* (sm.).]

cambaleio (cam.ba.*lei*:o) *sm.* **1** Ação ou resultado de cambalear **2** Passo incerto e inseguro, deslocamento instável [F.: Dev. de *cambalear.* Hom./Par.: *cambaleio* (fl. *cambalear*).]

cambalhota (cam.ba.*lho*.ta) [ó] *sf.* **1** Movimento em que se gira o corpo sobre a própria cabeça, apoiando ou não as mãos no chão ou em qualquer superfície sólida; CAMBOTA; CABRIOLA **2** Acrobacia no ar **3** Giro ou rodopio sobre si mesmo (na direção vertical, de baixo para cima ou vice-versa) sem apoio; REVIRAVOLTA **4** Queda desastrada com as pernas para o ar; TRAMBOLHÃO **5** *Fig.* Mudança repentina (numa situação etc.) [F.: Posv. dev. de *cambalear.*] ■ **Dar ~s** *Fig.* Fazer ou dizer coisas opostas, contraditórias (seja de modo hábil, ou desajeitadamente) para conseguir algo muito difícil sem perder o controle da situação, o equilíbrio, a coerência: *Teve de dar cambalhotas para explicar suas declarações.* **Dar uma ~** *Fig.* Sofrer mudança acentuada e brusca; ter ou passar por uma reviravolta

cambalhotar (cam.ba.lho.*tar*) *v. int.* Dar cambalhotas [▶ 1 cambalhot**ar**] [F.: *cambalhot(a)* + *-ar*[2]. Hom./Par.: *cambalhota(s)* (fl.), *cambalhota* (sf. e pl.).]

cambão[1] (cam.*bão*) *sm.* **1** Aparelho com que se unem duas juntas de bois à mesma carroça ou a um instrumento agrário **2** Peça de madeira a que se prendem os animais que fazem mover a nora **3** Pau comprido com um gancho ou uma lata amarrados à ponta, us. para apanhar frutas em árvores muito altas **4** Pau, que se pendura ao pescoço do animal, para que não se afaste muito nem penetre em roças ou cerrados **5** Junta de bois **6** Cabo rígido, com uma laçada na ponta, para apreender animais soltos nas ruas, evitando a aproximação do animal de quem os maneja **7** Mecanismo com cabo de aço ou puxadores de ferro com gancho na extremidade para reboque de carros enguiçados ou atolados, muito us. em jipes e utilitários **8** *Lus.* Conluio entre vários negociantes ou compradores, para não disputarem entre si, nos lances dos leilões, dividindo posteriormente os lucros da revenda [Pl.: *-bões.*] [F.: Posv. de *camba*, como aum.]

cambão[2] (cam.*bão*) *a. Lus.* Que anda com dificuldade, sem firmeza; CAMBAIO; TRÔPEGO; COXO [Pl.: *-bões.* Fem.: *-bona.*] [F.: *cambo* + *-ão*[1].]

cambapé (cam.ba.*pé*) *sm.* **1** *Pop.* Ação de passar a perna, por trás, nas de outra pessoa, para fazê-la cair; PERNADA; RASTEIRA: "Ia a dar-lhe o fatal cambapé..." (Visconde de Taunay, *Ao entardecer*) **2** *Fig.* Armação de tramoia ou ato traiçoeiro no sentido de ludibriar alguém: *Nem percebeu que estava sendo vítima de um terrível cambapé.* [F.: *camba(r)* + *pé.*]

cambar (cam.*bar*) *v.* **1** Andar sem equilíbrio, sem firmeza nas pernas; CAMBALEAR [*int.: Doente, a ave cambava entre as folhagens.*] **2** Entortar as pernas ao andar [*int.*] **3** Tornar(-se) cambaio; entortar(-se), inclinar(-se) para um dos lados [*td.: Cambava o tronco fazendo exercícios.*] [*int.: Com o peso, as rodas cambaram.*] [*ta.: A jaqueira cambou para o telhado.*] **4** Inclinar, tombar, pender [*td.: Cambou o pescoço para fora da janela.*] [*int.: O poste cambou aos poucos, até cair por terra.*] [▶ 1 camb**ar**] [F.: Or. contrv., posv. de uma raiz céltica **kamb*, 'curvo'. Hom./Par.: *camba(s)* (fl.), *camba(s)* (sf. sm. s2g. a2g. [pl.]), *cambás* (s2g. sm. [pl.]), *cambaz* (sm.); *cambais* (fl.), *cambais* (pl. de *cambal*); *cambai(s)* (fl.), *cambaí(s)* (sm. [pl.]); *cambo* (fl.), *cambo* (a. sm.); *cambará(s)* (fl.), *cambará(s)* (sm. [pl.]).]

cambará (cam.ba.*rá*) *Bot. sm.* **1** *Bras.* Árvore pequena da fam. das compostas (*Moquinia polymorpha*), nativa do Brasil, cuja madeira é resistente à água; CAMARÁ **2** O mesmo que *camará* (nome de algumas plantas verbenáceas) **3** O mesmo que *candeia* (árvore ou arbusto) [F.: Do tupi *kamba' ra.*]

cambau (cam.*bau*) *Bras. sm.* **1** Triângulo de madeira que se coloca no pescoço de cabras e bodes para impedi-los de atravessar cercas **2** *P. ext. Pop.* O mesmo que *pau de arara*, o aparelho de tortura [F.: Posv. de *cambão.*]

cambaxilra (cam.ba.*xil*.ra) *sf.* Ver *cambaxirra*

cambaxirra (cam.ba.*xir*.ra) *sf.* **1** *Bras. Zool.* Pássaro da fam. dos trogloditídeos (*Troglodytes musculus*) de cor parda, com faixas negras nas asas e na cauda; CORRUÍRA; GARRIÇA **2** *Bras. Zool.* Pequena borboleta (fam. ninfalídeos) de asas marrons estriadas **3** *Fig.* Mulher pequena e agitada, buliçosa [Alusão aos pequenos saltos constantes que dá a cambaxirra (pássaro).] [F.: De or. incerta. Tb. *cambaxilra.*]

camberrano (cam.ber.*ra*.no) *sm.* **1** Indivíduo nascido ou que vive em Camberra (Austrália) *a.* **2** De Camberra; típico dessa cidade ou de seu povo [F.: Do top. *Camberra* + *-ano*[1].]

cambeta (cam.*be*.ta) [ê] *a2g. s2g.* Ver *cambaio* (que ou quem tem pernas tortas, fracas ou defeituosas) [F.: *cambar* + *-eta.*]

cambetear (cam.be.te.*ar*) *v. int.* Andar com as pernas tortas ou de maneira anormal; mancar, coxear [▶ 13 cambetear] [F.: *cambeta* + *-ear*[2].]

cambial (cam.bi:*al*) *a2g.* 1 Ref. a câmbio (política cambial) 2 Ref. a títulos de crédito, esp. a letras de câmbio, ou à cobrança dos valores que representam (ação [jurídica] cambial) [Pl.: *-ais.*] *s2g.* 3 *Econ.* Letra de câmbio, ou qualquer documento (título de crédito) que vale como promessa ou ordem de pagamento em dinheiro [F.: *câmbio* + *-al*[1].]

cambiante (cam.bi:*an*.te) *a2g.* 1 Que passa por mudanças, variações; que cambia: *Quadro de cores cambiantes; situação cambiante; opiniões cambiantes.* 2 Que passa de uma cor a outra; que apresenta variação ou gradação de cores; FURTA-COR; IRISADO 3 De cor indistinta, indefinida *sm.* 4 Cor indistinta, indefinida 5 Nuança de uma cor 6 Aparência ou aspecto momentâneos, passageiros, daquilo que se modifica; estado ou estágio transitório, em uma sucessão gradual, ou em uma série de alterações ou transformações: *cambiantes que vão do amor ao ódio.* [F.: Do lat. *cambiante(m).*]

cambiar (cam.bi.*ar*) *v.* 1 Executar operações de câmbio; trocar dinheiro em moeda de um país por soma equivalente (segundo determinada relação quantitativa) em moeda de outro país [*td.*: *Cambiou seus reais para viajar.*] [*tdr.* + *em, por*: *Cambiou reais por dólar.*] [*int.*: *Não é permitido ao cambista clandestino cambiar.*] 2 Dar alguma coisa a alguém e receber dele outra coisa igual, equivalente ou diferente; trocar mutuamente; PERMUTAR [*td.*: *Os sócios cambiaram fotos.*] [*tdr.* + *em, por*: *Cambiamos livros por discos.* Tb. us. fig. em relação a gestos, ações etc.: *viram-se de longe a cambiar sorrisos e acenos.*] 3 Pôr uma coisa no lugar de (outra); trocar, substituir [*td.*: *cambiar peças defeituosas.*] 4 Deixar ou abandonar situação, intenção, opinião etc., preferindo outra, ou substituindo por outra; MUDAR; TROCAR [*tr.* + *de*: *As alunas cambiaram de turma.*] 5 Provocar ou passar por mudanças em; MUDAR; TRANSFORMAR(-SE) [*td.*: *O longo convívio cambiara seus gostos.*] [*tdr.* + *em*: *Cambiávamos amizade em amor.*] [*int.*: *As condições cambiaram.*] 6 Mudar de cor, de aspecto etc. sem prejuízo ou perda de sua característica principal [*td.*: *A chuva cambiou a água do mar.*] [*int.*: *A folhagem cambiava, passando de verde a marrom.*] 7 *P. us.* Mudar a marcha do automóvel, acionando o câmbio (mecanismo) [*ta.*: *Freou, cambiou para terceira (marcha) e fez a curva.*] [F.: Do lat. *cambiare.* Hom./Par.: *cambiaria(s)* (fl.), *cambiária(s)* (a. fem. *cambiário* [pl.]).]

cambiário (cam.bi.*á*.ri:o) *a.* Diz-se do que se refere aos títulos cambiais ou à sua ordenação jurídica (protesto cambiário) [F.: *câmbi(o)* + *-ário.*]

cambinda (cam.*bin*.da) *sf.* 1 *Bras.* Grupo de negros que percorriam as ruas louvando santos católicos e que posteriormente evoluiu para o que hoje conhecemos como maracatu *sf.* 2 *Bras. Dnç.* Espécie de dança (*maracatu*) em que os dançarinos se movem acocorados, imitando sapos; tb. conhecida como *cambindas* e *piauí.* [F.: De *cabinda*, com nasalação.]

câmbio[1] (*câm*.bi:o) *sm.* 1 *Econ.* Troca da moeda de um país pela de outro 2 Relação estabelecida entre moedas de diferentes países, para operação financeira; TAXA DE CÂMBIO 3 *Mec.* Peça do automóvel que permite ao motorista mudar as marchas; alavanca de câmbio 4 Mecanismo que, acionado manual ou automaticamente, muda as marchas de um automóvel, modificando a relação entre as rotações do motor e a força transmitida às rodas; caixa de câmbio 5 Ação ou resultado de cambiar; PERMUTA; TROCA 6 Mudança, alteração, transformação 7 Substituição (p. ex., em equipe, durante uma partida) 8 *Esp.* Jogo que é uma adaptação simplificada do voleibol 9 Ato de encerrar, com algum sinal convencionado, mensagem falada em aparelho de intercomunicação e passar a esperar e escutar a mensagem do interlocutor *interj.* 10 Us. como sinal convencional para câmbio (9), isto é, para indicar, durante comunicação oral por equipamento de rádio ou outro, que a mensagem chegou ao fim e que se está à escuta da fala do interlocutor [F.: Dev. de *cambiar.* Hom./Par.: *cambio* (v. *cambiar*).] ▪ **~ automático** *Mec.* Sistema ou equipamento que dispensa a mudança manual de marchas e o acionamento da embreagem, nos automóveis, esp. os de passeio e de competição **~ flutuante** *Econ.* Atividade de compra e venda de moeda estrangeira sem taxa pré-fixada por governo, prevalecendo as estabelecidas pelo mercado (leis de oferta e procura); a taxa de câmbio prevalente nesse sistema **~ livre** 1 *Econ.* Ver *Câmbio flutuante* 2 Possibilidade de realizar operações comerciais ou financeiras em qualquer moeda **~ manual** *Econ.* Forma de câmbio em que a troca de moedas é feita em dinheiro, em espécie; operação de câmbio por essa forma **~ marítimo** *Jur.* Contrato financeiro realizado com a garantia de um navio, sua carga, seus contratos de frete etc. **~ negro** *Econ.* Câmbio ilegal, realizado fora do controle e das taxas oficiais; o mercado que realiza essas operações; a taxa de câmbio prevalente nesse mercado; câmbio paralelo **~ oficial** *Econ.* Câmbio legal, realizado sob o controle das instituições oficiais e pelas taxas oficiais; o mercado que realiza essas operações; a taxa oficial de câmbio **~ paralelo** *Econ.* Ver *Câmbio negro* **Fazer ~** Realizar operação de câmbio; trocar dinheiro de moedas diferentes

câmbio[2] (*câm*.bi:o) *sm. Bot.* Camada de células meristemáticas presentes nos caules e raízes de gimnospermas e dicotiledôneas que produzem as células do tecido vascular e do tecido cortical [F.: Do lat. cient. *cambium* (este, do v.lat. *cambiare*, étimo de *cambiar* e *câmbio*). Hom./Par.: ver *câmbio*[1].]

cambismo (cam.*bis*.mo) *sm.* 1 As operações de câmbio financeiro 2 Influência do câmbio nas relações comerciais [F.: *câmb(io)* + *-ismo.*]

cambista (cam.*bis*.ta) *a2g.* 1 De ou ref. a pessoa ou firma que negocia em câmbio, comprando e vendendo moedas estrangeiras *s2g.* 2 Essa pessoa 3 *Bras.* Indivíduo que compra ingressos para espetáculos, competições esportivas etc. para vendê-los mais caro, fora da bilheteria, quando rareiam ou acabam; vendedor desses ingressos (comprados ou desviados da bilheteria por outrem) [F.: *câmbio*[1] + *-ista.*]

cambiteiro (cam.bi.*tei*.ro) *sm. N. E.* Indivíduo que transporta pequenas cargas (lenha, capim, cana-de-açúcar) em cambitos ('forquilhas'), no lombo de animais: "Todo cambiteiro tem um reio, todo carreiro tem um facão..." (Jacinto Silva e Antônio Clemente, *Amor de capinheiro*) [F.: *cambit(o)* + *-eiro.*]

cambito (cam.*bi*.to) *sm.* 1 Pernil de porco 2 *Joc.* Perna fina; GAMBITO: "...com simples pressão de pernas nas abas da sela papuda, faz o corcel preto revirar nos cambitos..." (Guimarães Rosa, *Sagarana.*) 3 Forquilha dupla de madeira, em forma de *V*, que se prende de cada lado do lombo das bestas de carga 4 Pedaço de madeira us. para torcer, apertar e fixar correias, cordas, p. ex. para prender cargas ao lombo de animais 5 Aparelho us. para recolher o tabaco ou o fumo de corda 6 Haste de madeira ou suporte semelhante, para pendurar objetos; esp.: cabide 7 *N. E. Ent.* Libélula [F.: De or. contrv.] ▪ **Esticar o(s) ~(s)** Morrer

camboatá (cam.bo:a.*tá*) *sm.* 1 *Bras. Zool.* Peixe teleósteo de água-doce da fam. dos loricariídeos (*Hypostomus commersonii*) encontrados em diversos rios do Brasil (da BA ao RS); têm coloração cinzenta com pontos negros e atingem o tamanho de 60 cm em sua fase adulta; CASCUDO 2 *Bras. Bot.* Planta meliácea (*Trichilia excelsa*) 3 *Bras. Bot.* Planta simarubácea (*Picramnia camboita*) [F.: Do tupi *kambua'tá, kamboa'tã.*]

camboatã (cam.bo:a.*tã*) *sm.* 1 *Bot.* Nome de várias árvores das famílias das sapindáceas e das meliáceas: "...eu entrava no mato e lá passava o dia inteiro, só para ver uma mudinha de cambuí a medrar da terra de dentro de um buraco no tronco de um camboatã..." (Guimarães Rosa, "São Marcos", *in Sagarana*) 2 *PR Bot.* Certa árvore da família das meliáceas (*Gaurea guidonia*); CARRAPETA; CARRAPETA-VERDADEIRA 3 *PR Bot.* Árvore das leguminosas (*Machaerium leucopterum*); JACARANDÁ-DE-ESPINHO [F.: Do tupi *kamboa'tã.*]

cambodjano (cam.bod.*ja*.no) *sm. a.* Ver *cambojano*

cambojano (cam.bo.*ja*.no) *sm.* 1 Pessoa nascida ou que vive no Camboja 2 *Gloss.* Língua falada no Camboja *a.* 3 Do Camboja (Sudeste da Ásia); típico desse país ou de seu povo 4 *Gloss.* Ref. ao cambojano (2) [F.: Do top. *Camboja* + *-ano*[1].]

cambona[1] (cam.*bo*.na) *sf.* 1 *S.* Panela, originariamente de cobre, us. para preparar mate, chá, café etc.: *O café-tropeiro feito na cambona fica mais gostoso.* 2 *MG* Chaleira rústica 3 *Bras. Rel.* Auxiliar do pai ou da mãe de santo ou de pessoas mediúnicas em transe nos rituais de umbanda ou de outros cultos de origem africana [Masc.: *cambono.*] 4 *Náut.* Mudança rápida e simultânea na direção das velas, ou do rumo da embarcação 5 *Lus.* Tapa, bofetada 6 *RJ Ant.* Carro de bois [F.: Do quimb. *kamona* (moça, rapariga).]

cambona[2] (cam.*bo*.na) [ô] *sf. Lus. Pop.* Tapa no rosto; BOFETADA [F.: De or. obsc.]

cambona[3] (cam.*bo*.na) [ô] *sf. RJ* Carro de bois [F.: *cambo-* + *-ona.*]

cambona[4] (cam.*bo*.na) [ô] *s2g. sm. Bras. Rel.* Nos cultos bantos, ajudante do pai ou mãe de santo; tb. *cambono*

cambota (cam.*bo*.ta) *sf.* 1 O mesmo que *camba* (parte de roda de veículo) 2 Molde ou suporte de madeira, em forma de arco de círculo, para a construção de arcos e abóbodas 3 *Carp. Cons.* Designação de certas peças, ger. de madeira, que têm forma arqueada, us. em trabalhos de carpintaria, construção etc. *a2g. s2g.* 4 *S. N. E.* O mesmo que *cambaio* ([pessoa] que manca, [pessoa] que tem pernas tortas) [F.: *camba* + *-ota.*]

cambraia (cam.*brai*.a) *sf.* 1 Tecido muito fino de algodão ou linho, que pode ser translúcido, lustroso ou acetinado, us. em lenços, roupa de cama, roupa íntima etc. 2 *Bras. Pop.* Cachaça (1) *a2g2n.* 3 Diz-se esp. de cavalo, boi ou carneiro cujo pelo é todo branco [F.: Do top. *Cambrai* (França).] ▪ **~ de lã** Tecido com entrelaçamento mais firme, ger. com fios de cores diferentes

cambriano (cam.bri:*a*.no) *Geol. a.* 1 Do ou ref. ao primeiro período da era Paleozoica, quando se desenvolveram os animais invertebrados *sm.* 2 Esse período [Inicial maiúsc. nesta acp.] [F.: Do vocabulário científico; top. *Câmbria* (do lat. medv. *Cambria*, o País de Gales) + *-ano.*]

cambucá (cam.bu.*cá*) *Bras. Bot. sm.* 1 Árvore frondosa da fam. das mirtáceas (*Plinia edulis*), originária do Brasil, de flores brancas e fruto amarelo comestível 2 Esse fruto [F.: Do tupi *kambu' ka.*]

cambuci (cam.bu.*ci*) *Bras. Bot. sm.* 1 Pequena árvore da fam. das mirtáceas (*Campomanesia phaea*), nativa do Sudeste do Brasil, de flores brancas e frutos comestíveis, utilizados principalmente para suco 2 O fruto dessa árvore [F.: Do tupi *kamu'si*, 'vaso, pote'.]

cambucu (cam.bu.*cu*) *sm. Bras. Zool.* Nome de vários peixes dos pimelodídeos, como o surubim (*Pseudoplatystoma coruscans*) e o surubim-rajado, ou bagre-rajado (*Pseudoplatystoma fasciatus*) [F.: Posv. do tupi *piraakamu'ku* < *pi'ra*, 'peixe' + *a'kana*, 'cabeça' + *pu'ku*, 'comprido'.]

cambuí (cam.bu.*í*) *Bot. sm.* 1 Fruto esférico e amarelo do cambuizeiro 2 Cambuizeiro [F.: Do tupi *kã'mbui.*]

cambuizeiro (cam.bu:i.*zei*.ro) *sm. Bras. Bot.* Arbusto ou árvore pequena da fam. das mirtáceas (*Myrcia multiflora*), nativa do Brasil, de madeira dura e resistente, porém retorcida, e frutos comestíveis; CAMBUÍ [F.: *cambuí* + *-zeiro.*]

cambulha (cam.*bu*.lha) *sf.* 1 *S. MG* Molho de chaves ou uma porção de coisas juntas 2 *Pej.* Grupo de pessoas desonestas, maus governantes, insensíveis aos problemas das pessoas que vivem em situação miserável; CAMBADA: "Antes disso, a cambulha teria de responder onde estão as verbas destinadas aos programas contra a fome..." (Wilson Morais, *A nave da palavra, o luxo da caatinga*) [F.: Apócope de *cambulhada.*]

cambulhada (cam.bu.*lha*.da) *sf.* 1 Quantidade de coisas diversas; CAMBADA 2 Cambada (1) 3 *Fig.* Mistura desordenada; desordem, confusão [F.: *cambulha* + *-ada*[1].] ▪ **De ~** Desordenadamente, tudo (ou todos) misturados **De ~ com** Misturado ou junto com (outros), de modo desorganizado ou sem critério, indistintamente, indevidamente

cambulhar (cam.bu.*lhar*) *v. int. Bras.* Cair, tombar de maneira desordenada [▶ 1 cambulhar] [F.: *cambulh(a)* + *-ar*[2].]

cambulho (cam.*bu*.lho) *sm.* 1 Pequena rodela de barro, com um orifício no meio, us. por pescadores para fundearem as redes 2 *Lus. Fig.* Pessoa disforme e malvestida; ESTAFERMO [F.: Posv. do espn. *cambujo.*]

cambuquira (cam.bu.*qui*.ra) *sf.* 1 *S.* Broto da aboboreira 2 *Cul.* Brotos de aboboreira que se comem guisados com outras ervas ou como acompanhamento de assados [F.: Do tupi *kãbu'kira* (grelo de erva).]

camburão (cam.bu.*rão*) *sm.* 1 *Bras.* Carro da polícia, ger. caminhonete com compartimento traseiro reforçado e sem janelas, para transportar presos *RJ SP*; TINTUREIRO 2 Vaso ou barril para recolher e transportar líquidos, dejetos etc. [Pl.: *-rões.*] [F.: De or. obsc.]

⊕ **camcorder** (*Ing.* /*kãmcorder*/) *sf. Telv.* Câmara filmadora portátil de vídeo com sistema de reprodução de sons e imagens [F.: Abrev. do ing. *cam(era)* + *(re)corder.*]

camé (ca.*mé*) *s2g.* 1 *Bras.* Indígena pertencente a grupos caingangues que habita reservas indígenas na Região Sul do país e em São Paulo *a2g.* 2 Ref. ou pertencente a esses grupos

camelar (ca.me.*lar*) *v. int.* Trabalhar duramente; MOUREJAR [▶ 1 camelar] [F. *camel(o)* + *-ar.*]

cameleiro (ca.me.*lei*.ro) *a.* 1 Que conduz camelo(s) ou cuida de camelo(s), esp. em transporte (como nos desertos) *a.* 2 *P. ext.* Que cria camelo(s) e dele(s) depende para transporte etc.: "...ao sedentarizar os árabes e outros grupos cameleiros." (Alberto da Costa e Silva, *A manilha e o libambo*) *sm.* 3 Aquele que conduz camelo(s), esp. de transporte, como em caravanas [F.: *camelo* + *-eiro*; ver *camel(i)-*.]

◎ **camel(i)-** *el. comp.* = 'camelo': *camelada, cameleiro, camelídeo* (< lat. cient.) [F.: Do lat. *camelus, i*, do gr. *kámelos, ou.*]

camélia (ca.*mé*.li:a) *Bot. sf.* 1 Nome comum às plantas do gên. *Camellia*, da fam. das teáceas, originárias da Ásia, de flores perfumadas, brancas, róseas ou vermelhas, e muito cultivadas como ornamentais 2 A flor dessa planta [F.: Do lat. cient. gên. *Camellia.*]

camelídeo (ca.me.*lí*.de:o) *Zool. sm.* 1 Espécime dos camelídeos, fam. de mamíferos com pescoço comprido e fino, cabeça pequena, pés com dois dedos e estômago com três câmaras; que compreende os camelos, encontrados na Europa, Ásia e África, e a lhama, a alpaca, a vicunha e o guanaco da América do Sul *a.* 2 Ref. ou pertencente aos camelídeos [F.: Adapt. do lat. cient. *Camelidae*; ver *camel(i)-*.]

camelo (ca.*me*.lo) [ê] *sm.* 1 *Zool.* Mamífero da fam. dos camelídeos (*Camelus bactrianus*) com duas corcovas, originário da Ásia [Adaptado a regiões desérticas é us. como meio de transporte e animal de carga.] 2 *RJ Pop.* Bicicleta 3 *S. Pej. Hist.* Nome dado, durante a Guerra dos Farrapos (1835-1845), pelos rebeldes federalistas aos que lutavam no exército do governo imperial da regência ou eram seus seguidores 4 *Arm.* Antiga arma de fogo de grosso calibre 5 *Fig. Pej.* Indivíduo estúpido ou ignorante [F.: Do lat. *camellu(m).* Hom./Par.: *camelô.*]

camelô (ca.me.*lô*) *s2g.* Pessoa que comercia produtos na rua, às vezes sem permissão legal, e que caracteristicamente os anuncia em voz alta [F.: Do fr. *camelot.* Hom./Par.: *camelo.*]

camelódromo (ca.me.*ló*.dro.mo) *sm. Bras. Pop.* Área ou lugar (por vezes fixos ou legalizados) de concentração de camelôs em atividade [F.: *camelô* + *-dromo.*]

camelotagem (ca.me.lo.*ta*.gem) *sf.* Atividade de comercialização de artigos das mais variadas espécies e origens por vendedores do mercado informal (camelôs); CAMELAGEM [Pl.: *-gens.*] [F.: Do fr. *camelot* + *-agem*[2].]

⊕ **camembert** (*Fr.* /*kamãber*/) *sm.* 1 Queijo de leite de vaca fabricado na região da Normandia (França), com cerca de 10 cm de diâmetro e 3 cm de altura. Tem massa macia e cremosa de cor amarelo-clara, revestido de uma crosta muito fina de mofo branco e sabor forte e típico 2 Qualquer queijo de outra procedência, com as mesmas características do *camembert* [F.: Do top. *Camembert* (França).]

câmera (câ.me.ra) *sf.* Ver *câmara* [Usa-se esp. nas acp. de *Cin. Fot.* e *Telv.*] [F.: Do lat., por infl. do ing. *camera.*]

câmera-grua (câ.me.ra-*gru*.a) *sf. Cin. Telv.* Câmera de filmagem, montada em uma espécie de guindaste (grua), us. em gravação de cenas em estúdios amplos ou mesmo em filmagens em ambientes externos, movimentando-se em todos os planos e facilitando as tomadas [Pl.: *câmeras-gruas* e *câmeras-grua.*] [F.: Formado por justaposição de *câmera* + *grua.*]

cameral (ca.me.*ral*) *a2g.* Ref. ou pertencente a câmara ou câmera (decisão cameral; dispositivo cameral) [Pl.: *-rais.*] [F.: *câmer(a)* + *-al.*]

cameralismo (ca.me.ra.*lis*.mo) *sm. Econ.* Conjunto de práticas econômicas no âmbito do *mercantilismo*, esp. na Áustria e na Alemanha no século XVIII [F.: *cameral* + *-ismo.*]

⊕ **cameraman** (*Ing. /kêmeramen/*) *sm. Cin. Telv.* Operador de câmeras de filmagem em cinema ou televisão [Pl.: *cameramen.*]

camerata (ca.me.*ra*.ta) *Mús. sf.* **1** Grupo musical seleto e de poucos integrantes que se especializa em executar composições de gênero específico, ou a chamada música de câmara (camerata de violões; camerata de flautas) **2** O concerto desses grupos musicais (camerata barroca) [F.: *câmer(a)* + *-ata.*]

camerista (ca.me.*ris*.ta) *a2g.* **1** *Mús.* Diz-se daquele que se especializou em executar músicas de câmara (músico camerista) *s2g.* **2** *Mús.* Aquele que executa músicas de câmara (camerista clássico) [F.: *câmer(a)* + *-ista.*]

camerístico (ca.me.*rís*.ti.co) *a. Mús.* Ref. a música de câmara (concerto camerístico) [F.: *camerist(a)* + *-ico.*]

camerlengo (ca.mer.*len*.go) *sm.* Cardeal que substitui o papa, quando este morre, até a posse do seguinte [F.: Do it. ant. *camarlengo.*]

camérula (ca.*mé*.ru.la) *sf. Bot.* Pequena cavidade dentro de um vegetal [F.: Do lat. *camerula.*]

camicase (ca.mi.*ca*.se) *sm.* **1** Piloto voluntário da força aérea japonesa que, na Segunda Guerra Mundial, era treinado para desferir ataques suicidas a armadas de nações inimigas **2** Pequeno avião pilotado e carregado de explosivos direcionado a chocar-se contra alvos predeterminados, esp. da marinha inimiga *s2g.* **3** *Fig.* Indivíduo que age impensadamente, sem medir as consequências de seus atos: *Era um camicase em suas políticas de venda.* **4** Indivíduo suicida: *A camicase aproximou-se e detonou os explosivos.* *a2g.* **5** Ref. ou pertencente a camicase (estilo camicase; motorista camicase) [F.: Do jap. *kami* (deus) + *kaze* (vento).]

camilianista (ca.mi.li:a.*nis*.ta) *a2g. s2g.* O mesmo que *camiliano*[1] [F.: Do antr. *Camilo* + *-iano.*]

camiliano[1] (ca.mi.li.*a*.no) *a.* **1** Do, ou ref. ao escritor português Camilo Castelo Branco (1825-1890), ou próprio dele **2** De estilo semelhante ao de Camilo (escritor camiliano) **3** Diz-se do indivíduo que admira ou conhece muito a obra e a vida deste escritor *sm.* **4** Esse indivíduo [F.: Do antr. *Camilo* (*Castelo Branco*) + *-iano.* Sin. ger.: *camilianista, camilista.*]

camiliano[2] (ca.mi.li.*a*.no) *sm.* Membro da *Ordem dos Ministros dos Enfermos*, fundada em Roma por são Camilo de Léllis (1550-1614), em 1582 [F.: Do antr. *Camilo* (*de Léllis*) + *-iano.*]

camilista (ca.mi.*lis*.ta) *a2g. s2g.* O mesmo que *camiliano*[1] [F.: Do antr. *Camilo* + *-ista.*]

caminhada (ca.mi.*nha*.da) *sf.* **1** Ação ou resultado de caminhar **2** Jornada que se faz a pé: *Fez uma boa caminhada pelo bosque.* **3** Trecho longo de caminho já percorrido, ou ainda por percorrer: *A caminhada de sua rua à praça era longa.* **4** *Bras.* Passeata **5** *Fig.* Tudo aquilo por que se teve ou se terá de passar para alcançar determinada situação; processo, percurso, trajetória, ger. de aproximação gradual a um objetivo ou ideal, de desenvolvimento pessoal ou coletivo etc.: *caminhada espiritual; Foi uma sofrida caminhada, até a independência.* [F.: *caminho* + *-ada*[1].]

caminhante (ca.mi.*nhan*.te) *a2g.* **1** Que ou quem caminha **2** Diz-se de quem percorre um caminho *s2g.* **3** Pessoa que caminha, que percorre um caminho; PASSANTE; TRANSEUNTE [F.: *caminhar* + *-nte.* Sin. ger.: *caminheiro.*]

caminhão (ca.mi.*nhão*) *sm.* **1** Veículo automóvel com carroceria na parte traseira, para transporte de cargas volumosas ou pesadas **2** A quantidade de carga nele transportada: *Pôs na obra 30 caminhões de areia.* **3** *Pop.* Quantidade muito grande: *Herdou do avô um caminhão de dinheiro.* [Pl.: *-nhões.*] [F.: Do fr. *camion.*]

caminhão-baú (ca.mi.nhão-ba.*ú*) *sm. Bras.* Caminhão com carroceria fechada para transporte de mercadorias [Pl.: *caminhões-baús, caminhões-baú.*]

caminhão-cegonha (ca.mi.nhão-ce.*go*.nha) *sm. Bras.* Caminhão com carroceria extensa de um ou mais andares, com rampa de acesso, us. esp. para transporte de automóveis das montadoras às suas concessionárias [Pl.: *caminhões-cegonhas* e *caminhões-cegonha.*]

caminhão-grua (ca.mi.nhão-*gru*.a) *sm.* Caminhão com guindaste montado em sua carroceria us. em incêndios, construções, para içamento de pessoas ou materiais a pontos de difícil acesso [Pl.: *caminhões-gruas* e *caminhões-grua.*]

caminhão-pipa (ca.mi.nhão-*pi*.pa) *sm.* Caminhão com reservatório para cerca de 30.000 litros montado em sua carroceria, para transporte de água em regiões carentes; CARRO-PIPA [Pl.: *caminhões-pipas* e *caminhões-pipa.*]

caminhão-tanque (ca.mi.nhão-*tan*.que) *sm.* Caminhão equipado com reservatório vedado, para transporte de produtos inflamáveis ou corrosivos; CARRO-TANQUE [Pl.: *caminhões-tanques* e *caminhões-tanque.*]

caminhar (ca.mi.*nhar*) *v.* **1** Ir ou seguir a pé; fazer uma caminhada; percorrer andando [*td.*: *caminhar um longo percurso; Caminhava quilômetros por dia.*] [*ta.*: *Caminhar um longo percurso; Gosto muito de caminhar pela praia.*] [*int.*: *A criança caminhou enquanto teve forças.*] **2** *P. ext.* Ir de um lugar para outro, andando; deslocar-se a pé até determinado lugar [*ta.*: *Todos os dias ele caminha do trabalho até a faculdade.*] **3** *Fig.* Ir e vir sem encontrar impedimento à sua ação ou influência; ESPALHAR-SE; GRASSAR [*int.*: *Tendências novas caminham frequentemente pelo mundo da moda.*] **4** *Fig.* Fazer progresso; aproximar-se de um resultado, de um objetivo; AVANÇAR; PROGREDIR [*ta.*: "...O país poderá caminhar para a plenitude de suas realizações..." (Cecília Meireles, *Crônicas de educação 2*)] [*int.*: *Os trabalhos estavam caminhando, como tínhamos previsto.*] **5** *Fig.* Ganhar ou seguir determinada orientação; apresentar propensão, tendência; parecer destinado; TENDER [*ta.* + *a, para*: *o governo caminha para a esquerda; A empresa caminha para a bancarrota.*] **6** *Fig.* Passar por uma série de fases; DESENVOLVER-SE; EVOLUIR [*ta.* + *para*: *A missão caminha para o fracasso.*] [*int.*: *Os negócios caminham mal.*] **7** Percorrer (mar, rio etc.) em determinada direção, ou em direções diversas; NAVEGAR [*int.*: *A esquadra caminhava com rapidez no Mediterrâneo.*] [▶ 1 caminh**ar**] [F.: *caminho* + *-ar*[2]. Hom./Par.: *caminho* (fl.), *caminho* (sm.). Ideia de 'caminhar': *ambul(i)-, -âmbulo.*]

caminheiro (ca.mi.*nhei*.ro) *a. sm.* **1** Ver *caminhante* **2** (Indivíduo) que caminha ou aguenta caminhar longas distâncias; andarilho *sm.* **3** *Zool.* Denominação comum aos pássaros da fam. dos motacilídeos, gên. *Anthus* de áreas campestres da América do Sul, que possuem pernas longas e plumagem pardacenta [F.: *caminho* + *-eiro.*]

caminho (ca.*mi*.nho) *sm.* **1** Faixa de terreno por onde passam ou podem caminhar pessoas ou animais ao irem de um lugar para outro **2** *Restr.* Faixa de terreno especialmente destinada ou construída para o trânsito de pessoas e/ou veículos; VIA **3** Espaço que se percorre andando (pensado quantitativamente); distância: *Tinha ainda muito caminho a andar.* **4** Série de pontos ou lugares por onde um corpo vai passando, ao se deslocar: *Esse ônibus segue outro caminho dentro do bairro.* **5** Rumo, destino, direção (tb. *Fig.*): *Os gêmeos seguiram na vida caminhos diferentes.* **6** Percurso que se pode ou deve seguir para chegar a determinado lugar **7** *Fig.* Meio de atingir um objetivo [+ *para*: *o caminho para a fama.*] **8** Tendência seguida por uma série de acontecimentos: *A economia do país está no caminho certo.* [F.: Do lat. vulg. *camminus*, de or. céltica.] ■ **A ~ 1** Em processo de ir a algum lugar, ou de chegar de algum lugar **2** Em processo de acontecer, de se realizar; tornando-se cada vez mais provável como resultado de ações ou tendências atuais: *Crise financeira: recessão a caminho.* **Abrir ~ 1** Avançar (fisicamente) em certa direção, afastando obstáculos que se apresentem no percurso **2** *Fig.* Progredir, avançar (em tarefa, carreira etc.) afastando ou vencendo oposições, dificuldades, perigos etc. **Arrepiar ~ 1** Retroceder, voltar na direção de lugar ou situação de onde se vinha **2** Fugir, desaparecer **3** Arrepender-se e voltar atrás (de intenção, promessa, dito etc.) **~ da Cruz** *Rel.* Via-sacra **~ da roça 1** *Bras.* Caminho que leva da cidade até a casa de alguém na roça, na área rural **2** *Bras.* Trilha estreita, com largura que só permite a passagem de uma pessoa **3** Marcha de pessoas em fila, em trilha assim estreita **4** *P. ext.* Fila indiana **5** *Folc.* Uma das formações da quadrilha (dança popular), com os dançarinos em fila única, cada um com as mãos na cintura do que está a sua frente **~ das pedras** *Joc.* O meio mais rápido e eficiente de se atingir um objetivo **~ de cabras** Trilha íngreme, ou acidentada, ou irregular **~ de ferro** *Lus.* Ferrovia, estrada de ferro **~ de São Tiago** *Astron. Pop.* A Via Láctea **~ de serviço** Via de acesso provisória a obra em construção, canteiro de obras etc. **~ óptico** *Ópt.* Produto da distância percorrida por um raio luminoso num meio pelo índice de refração desse meio **~ vicinal** *Jur.* Via de acesso particular que se tornou pública **Cortar ~ 1** Usar caminho mais curto, ger. lateral, para chegar ao lugar aonde se vai **2** *Fig.* Usar métodos mais fáceis e eficientes que os regulares ou habituais para atingir um objetivo **De ~ 1** Logo depois, em seguida **2** De passagem **Ir pelo mesmo ~ (de) 1** Ter comportamento semelhante (ao de alguém): *Sua vida profissional tornou-se um caos, e sua vida afetiva vai pelo mesmo caminho; Nunca foi de trabalhar muito, e o filho vai pelo mesmo caminho.* [Ger. com conotação pejorativa.] **2** Quando us. em relação a coisas, situações, processos (e não a pessoas), indica prognóstico de futuro, de consequências **Meio ~ andado** Referência a situação em que parte dos problemas já se resolveu ou parte das tarefas já se realizou **Pôr-se a ~** Começar atividade, projeto, empreendimento etc.

caminhoneiro (ca.mi.nho.*nei*.ro) *sm.* Motorista profissional que dirige caminhão [F.: *caminhão* (f. rad. *caminhon-*) + *-eiro.*]

caminhonete (ca.mi.nho.*ne*.te) [é] *sf.* Automóvel para transporte de carga, ger. tendo na parte traseira uma caçamba; pequeno caminhão. Tb. *camionete, picape*; PERUA [F.: Do fr. *camionnette*. Tb. *camionete.*]

camioneta (ca.mi.o.*ne*.ta) *sf.* Veículo de passageiros com área que permite (na parte traseira) transporte de carga. Tb. *perua*. Em ing. *station wagon* [F.: Do fr. *camionnette.*]

camionete (ca.mi.o.*ne*.te) [é] *sf.* Ver *caminhonete, picape*

camisa (ca.*mi*.sa) *sf.* **1** Peça do vestuário masculino e feminino, com mangas, que cobre o corpo do pescoço até o alto das coxas, ger. fechada com botões, us. diretamente sobre a pele ou sobre certas peças de roupa (como camiseta etc.) **2** Peça de vestuário feminino, sem mangas e decotada, us. ger. sob outra peça de roupa **3** Em certos aparelhos de iluminação (lampiões etc.), peça em forma de bulbo, bolsa ou invólucro, que fica incandescente e emite luz: *a camisa do candeeiro.* **4** Peça, tecido etc. que serve para envolver, proteger algo **5** *Mec.* Invólucro de metal que protege peças ou partes de certas máquinas e motores **6** Palha que envolve a espiga de milho **7** Membrana que envolve o embrião do trigo **8** *Cons.* Argamassa que reveste e dá proteção externa a uma parte do edifício **9** *Carp.* Cada tábua do forro do teto **10** *RS* Câmara de ar de bola de futebol **11** *Fig.* A roupa que se veste, considerada como o bem material mais básico, como a única posse de quem não tem qualquer propriedade ou que tudo perdeu: [*Jogou a roleta até a camisa do corpo* (*até perder todo o dinheiro*).] Ger. us. na expressão *a camisa do corpo.*] [F.: Do lat. *camisia.*] ■ **~ da chaminé 1** *Arq.* Revestimento refratário de chaminé **2** Em edificação, parede que separa chaminés de andares diversos **~ de dormir** *Bras.* Camisola de dormir **~ de goma** *Bras.* Camisa engomada e passada a ferro **~ de onze varas 1** *Hist.* A veste dos condenados e supliciados nos autos de fé da Inquisição **2** *Fig.* Situação difícil, embaraço em que alguém está metido e dos quais é difícil sair **~ de pagão** *Bras.* Peça de roupa para recém-nascidos, com ou sem mangas, de tecido macio, que cobre dos ombros à cintura **~ doze** *Fut.* A torcida de um time, cujo apoio ou estímulo podem ajudá-lo a vencer, como se fosse um jogador suplementar aos 11 em campo **~ esporte** Camisa masculina que pode ser de formatos e tecidos variados, usada em ocasiões informais, sem gravata e, ger., sem paletó ou outra peça por cima, com a parte inferior enfiada nas calças ou por fora delas [Cf.: *Camisa social.*] **~ polo** Camisa esporte de malha, de manga curta, com gola, aberta na frente até a altura do peito **~ social** Camisa masculina, abotoada na frente, abotoável até o pescoço, ger. de manga comprida e us. com a fralda por dentro da calça, e com gravata [Cf.: *Camisa esporte.*] **Com a ~ do corpo** *Fig.* Sem nada possuir, além da roupa que se veste; sem nenhum dinheiro ou posse; na miséria [Cf.: *Em mangas de camisa.*] **Em ~** Sem outra roupa, além da camisa **Perder a ~ (do corpo)** *Fig.* Perder tudo que possuía; ficar pobre, na miséria [Cf. *descamisado.*] **Sem a ~ (do corpo)** Sem posses, sem dinheiro, na miséria **Suar a ~** *Fig.* Esforçar-se muito **Vestir a ~ (de)** *Fig.* Identificar-se com grupo, ideia, causa etc., e agir de acordo com isso

camisa de força (ca.mi.sa de*for*.ça) [ô] *sf.* **1** Camisa de tecido forte e mangas fechadas, em cujas extremidades há tiras que se amarram ao corpo de pessoas (p. ex., doentes mentais) em estado de violenta agitação, para imobilizá-los **2** *Fig.* Qualquer coisa que limita ou impede uma ação (camisa de força psicológica) [Pl.: *camisas de força.*]

camisa de meia (ca.mi.sa de*mei*.a) *sf.* **1** *Vest.* Camisa de malha us. informalmente ou como uniforme; CAMISETA: "Punha-se de calças e camisa de meia, nos dias quentes, ou com paletó velho, nos frios..." (Lima Barreto, *Clara dos Anjos*) **2** *Bras. Ict.* Certo peixe teleósteo, perciforme, da fam. dos pomacentrídeos (*Abudefduf saxatilis*). Tb. *sargento* **3** *Ornit.* Ver *araçari* [Pl.: *camisas de meia.*]

camisa de vênus (ca.mi.sa de*vê*.nus) *sf.* Ver *camisinha* [Pl.: *camisas de vênus.*]

camisão (ca.mi.*são*) *sm.* **1** *Vest.* Camisa grande **2** *Vest.* Camisa comprida de malha ou tecido fino us. pelas mulheres para dormir **3** *PB* Caipira, matuto **4** *Vest.* Espécie de alva semelhante à dos padres **5** *Açor.* Homem que faz os serviços mais grosseiros [Pl.: *-sões.*] [F.: *camis(a)* + *-ão.*]

camisaria (ca.mi.sa.*ri*.a) *sf.* Estabelecimento em que se fabricam e/ou vendem camisas [F.: *camisa* + *-aria.*]

camiseira (ca.mi.*sei*.ra) *sf.* **1** Costureira ou vendedora de camisas: "...mudar de ocupação duas vezes, atuando como camiseira e depois dando aulas avulsas..." (Júlio Ludemir, *Perdidos no caminho*) **2** *Mob.* Móvel para guardar camisas ou roupa branca; CAMISEIRO: "Ligou o pequeno abajur sobre a camiseira, abriu o móvel e pôs-se a revistar-lhe as gavetas..." (Mário Donato, *A presença de Anita*) [F.: *camis(a)* + *-eira.*]

camiseiro (ca.mi.*sei*.ro) *a.* **1** Ref. a camisa *sm.* **2** Pessoa que fabrica e/ou vende camisas **3** Armário ou cômoda para guardar camisas; CAMISEIRA [F.: *camisa* + *-eiro.*]

camiseta (ca.mi.*se*.ta) [ê] *sf.* **1** Tipo de camisa sem gola, com ou sem mangas, ger. de malha, que se pode usar por baixo da camisa ou sozinha **2** *Ant.* Camisa feminina, de tecido fino, transparente, us. sobre outra camisa [F.: *camisa* + *-eta.*]

camisinha (ca.mi.*si*.nha) *sf.* Invólucro impermeável de látex, fino e maleável, que se coloca no pênis para reter o esperma durante o ato sexual (uso contraceptivo) ou para evitar contato dos fluidos corporais (contágio de doenças sexualmente transmissíveis); CAMISA DE VÊNUS; PRESERVATIVO [F.: *camisa* (alusão a *camisa-vênus*) + *-inha.*]

camisola (ca.mi.*so*.la) *sf.* **1** Roupa para dormir, ger. de uso feminino, semelhante a um vestido, folgada e de comprimento variável; CAMISA DE DORMIR **2** *Bras.* Tipo de vestido longo e folgado [F.: *camisa* + *-ola.*]

camisolão (ca.mi.so.*lão*) *Vest. sm.* **1** Camisola comprida, semelhante a uma túnica, us. esp. por mulheres para dormir **2** Veste longa us. por pacientes em determinados exames ou quando internados em hospital, médicos em cirurgia etc.; CAMISÃO: "Bate-se ao ombro de um daqueles bandidos de camisolão azul e grita-se..." (Raul Pompeia, *Correspondências íntimas II*) **3** *Lus.* Veste grossa e larga usada por operários [Pl.: *-lões.*] [F.: *camisol(a)* + *-ão.*]

camita (ca.*mi*.ta) ***s2g.*** **1** Indivíduo de algum dentre vários povos do N. da África (orig. mencionados na Bíblia como descendentes de Cam, um dos filhos do patriarca Noé) **2** Indivíduo de povo que fala alguma das línguas camito-semíticas da África, como as dos grupos berbere, cuxítico e egípcio ***a2g.*** **3** Dos ou ref. aos camitas; CAMÍTICO [F.: *Cam* (personagem bíblico) + *-ita¹.*]

camito-semita (ca.mi.to-se.*mi*.ta) ***sm.*** **1** *Gloss.* Família linguística composta pelas línguas faladas do norte da África ao sudoeste da Ásia [Pl.: *camito-semitas.*] ***a2g.*** **2** Dos ou ref. aos camitas e aos semitas **3** Do ou ref. ao camito-semita (1) ou a qualquer língua desse grupo [Pl.: *camito-semitas.*]

camoeca (ca.mo.*e*.ca) ***sf.*** **1** *Pop.* Bebedeira, embriaguez, pileque; CAMUECA; CAMUNHECA: *Saiu da festa numa tremenda camoeca.* **2** Estado de entorpecimento e grande sonolência **3** Doença leve e passageira: *A camoeca não enfraquecia sua disposição.* [F.: Posv. do quimb. *kamueca.*]

camomila (ca.mo.*mi*.la) ***sf.*** **1** *Bot.* Planta aromática da fam. das compostas (*Matricaria chamomilla*), originária da Europa, cujas folhas são utilizadas em chás, com propriedades calmantes e digestivas; MACELA; MATRICÁRIA **2** Ver *macela* (2) [F.: Do lat. tard. *camomilla.*]

camoniano ***a.*** **1** De ou próprio do poeta português Luís de Camões ***sm.*** **2** Admirador ou estudioso da obra desse poeta [F.: Do antr. *Camões* (f. rad. *camon-*) + *-iano.*]

camorim (ca.mo.*rim*) ***sm.*** *Bras. Ict.* Peixe da família dos centropomídeos, de significativo valor comercial; CAMURI; CAMURIM; ROBALO [Pl.: *-rins.*] [F.: Do tupi *kamu'ri.*]

camorra (ca.*mor*.ra) [ô] ***sf.*** **1** Organização que usa de métodos ilegais para obter lucro e poder, à maneira da Camorra, antiga associação criminosa de Nápoles [Ver tb. *máfia.*] **2** *P. ext.* Qualquer grupo organizado de malfeitores **3** *S.* Contenda, rixa [F.: Do it. *camorra.*]

camorrista (ca.mor.*ris*.ta) ***a2g.*** **1** Diz-se daquele que faz parte da Camorra ou do que se relaciona com ela: "Mostra as diferenças entre o norte e o sul da Itália e a mentalidade camorrista..." (*Informativo semanal da pró-reitoria de extensão da UFRGS*, 24.06.2004) ***s2g.*** **2** Indivíduo que pertence à Camorra: "...o camorrista teve dois filhos com ela..." (*Estadão*, 13.02.1993) **3** *Fig.* Sujeito prepotente, provocador [F.: *Camorr(a)* + *-ista.*]

camote (ca.*mo*.te) ***sm.*** **1** *Agr.* Espécie de batata-doce (camote frito) **2** *RS Pop.* Atração de uma pessoa por outra; NAMORO: "...mas de todos ela tomou-se de camote com um tal de André..." (João Simões Lopes Neto, *Contos gauchescos*) **3** *RS Pop.* O namorado: "...a Tudinha mostrava mesmo que o seu camote preferido era aquele, que primeiro desfeiteou e cortou o negro, por causa dela..." (João Simões Lopes Neto, *Contos gauchescos*) [F.: Do náuatle *camotli*, 'batata-doce', pelo hispano-americano *camota*, 'batata', com sentido conotativo de 'encantamento', 'enamoramento'.]

campa¹ (*cam*.pa) ***sf.*** **1** Pedra ou lousa que cobre a sepultura **2** *P. ext.* Sepultura, cova em que se enterra um morto [F.: De or. obscura.]

campa² (*cam*.pa) ***sf.*** Campainha, pequeno sino, sineta [F.: do lat. *campana.*]

campainha (cam.pa.*i*.nha) ***sf.*** **1** Dispositivo (elétrico ou mecânico) instalado em portões ou portas, que, ao ser acionado por quem está fora e quer entrar, emite som alto para avisar quem está do lado de dentro **2** Dispositivo ligado a despertadores, telefones etc., que emite som agudo quando acionado (mecânica ou eletricamente), ou quando programado, us. para acordar ou chamar a atenção de alguém **3** Sineta manual **4** *Pop. Anat.* Úvula **5** *Fig.* Pessoa que conta tudo que ouve **6** *Bot.* Nome comum a diversas plantas da fam. das campanuláceas, freq. cultivadas como ornamentais [F.: *campa²* (= campana, 'sino, campainha') + *-inha.*]

campal (cam.*pal*) ***a2g.*** **1** Que se realiza em campo aberto, ao ar livre, sem cobertura ou obstáculos (batalha campal, missa campal) **2** De ou próprio do campo [Pl.: *-pais.*] ***sm.*** **3** *MT* Trecho de campo aberto em área onde há mata [Pl.: *-pais.*] [F.: *campo* + *-al¹.*]

campana¹ (cam.*pa*.na) ***sf.*** **1** Sino, campainha **2** *Restr. Mús.* Cada um dos sinos us. como instrumentos de percussão, em orquestras **3** Objeto em forma de sino (campana de som, de embreagem) **4** *Arq.* Arremate de coluna em forma de sino invertido [F.: Do lat. *campana.*]

campana² (cam.*pa*.na) ***sf.*** **1** Ação de seguir, vigiar ou espionar alguém de longe, em segredo **2** Tocaia, emboscada (para prender, atacar etc.)

campanado (cam.pa.*na*.do) ***a.*** **1** Em forma de sino **2** *Fig.* Diz-se daquele que se posta furtivamente em local estratégico, com o intuito de atacar ou prender alguém; ACAMPANADO: *O policial campanado aguardava o momento de prendê-lo em flagrante.* [F.: *campan(a)* + *-ado.*]

campanar (cam.pa.*nar*) ***v. td.*** *RJ Gír.* Ver *acampanar.* [▶ 1 campanar]

campanário (cam.pa.*ná*.ri:o) ***sm.*** **1** Abertura na torre de igrejas onde fica(m) o(s) sino(s): "...crucificado como um sino em seu campanário, continuará com voz de bronze a chamar Juliana..." (Antônio Callado, *Reflexos do baile*) **2** Essa torre **3** Povoado em que fica a igreja com essa torre [F.: Do lat. medv. *campanarius.*] ■ **De ~** *Fig. Pej.* Que só interessa ou se refere a um local restrito, a um pequeno grupo; que não tem amplitude, abertura, valor universal; paroquial, provinciano: "...inteira e devotadamente se dedicara à política de campanário..." (Marques Rebelo, "Acudiram três cavaleiros" *in Contos reunidos*)

campaneiro (cam.pa.*nei*.ro) ***a.*** **1** Diz-se daquele que toca o sino nas igrejas (sacristão campaneiro) ***sm.*** **2** Tangedor de campana; SINEIRO: *O campaneiro madrugava para acordar a cidade.* [F.: *campan(a)* + *-eiro.*]

campanha (cam.*pa*.nha) ***sf.*** **1** Conjunto de esforços, de ações diversas, continuadas ou coordenadas, para atingir um objetivo (campanha publicitária, campanha eleitoral) [+ *a* (*em*) *favor de, contra, para, por, pró*: *campanha em favor de novas escolas; campanha contra o fumo.*] **2** *Mil.* Conjunto de operações militares que visam certo objetivo, numa mesma área geográfica **3** Campo vasto e plano; PLANÍCIE **4** *RS* Região de coxilhas, de vegetação rasteira, em que predomina a pecuária **5** *RS Geog.* Região do extremo sul do país formada pela campanha (4) **6** *Bras.* O (bom ou mau) desempenho de um indivíduo ou de uma equipe numa disputa ou competição, esp. esportiva; o conjunto de partidas disputadas num torneio [F.: Do lat. tardio *campania.*]

◎ **campan(i)-** ***el. comp.*** = 'sino': *campaniforme; campanólogo* [F.: Do lat. tard. *campana*, 'balança romana'; 'sino'.]

campaniforme (cam.pa.ni.*for*.me) ***a2g.*** Que tem forma de sino ou campânula [F.: *campan(i)-* + *-forme.*]

campanudo (cam.pa.*nu*.do) ***a.*** **1** Em forma de campânula ou sino **2** *Fig.* Bombástico, afetado, empolado, altissonante, cheio de pompa: *escritor de estilo campanudo.* [Ger. tem uso pej.] [F.: *campana* + *-udo.*]

campânula (cam.*pâ*.nu.la) ***sf.*** **1** Objeto ou figura em forma de sino **2** Cobertura rígida, em forma de sino, calota etc., para proteger objetos ou alimentos da ação de insetos, da poeira etc. **3** *Bot.* Nome comum às plantas do gên. *Campanula*, da fam. das campanuláceas, de ampla distribuição geográfica, cujas flores têm forma de sino **4** *Bot.* A flor dessas plantas, ou qualquer flor em forma de sino ou campainha, em plantas de outros gêneros **5** *Ind.* Designação de peças diversas, ou de extremidades alargadas, em forma cônica: *a campânula de um lustre de teto; A campânula do fagote fica acima da cabeça do instrumentista.* [F.: Do lat. *campanula*, 'sininho'; na acp. bot., lat. cient. *Campanula.*]

campanulácea (cam.pa.nu.*lá*.ce:a) ***sf.*** *Bot.* Planta com folhas em forma de sino ou campainha, da família das campanuláceas [Usa-se tb. adjetivamente (planta campanulácea).] [F.: *campanul(i)-* + *-ácea.*]

campanuláceas (cam.pa.nu.*lá*.ce:as) ***sfpl.*** *Bot.* Família de vegetais dicotiledôneos composta de plantas herbáceas ou arbustos de folhas simples, sem estípulas, corola gamopétala e em forma de sino ou campainha [Toma-se tb. adjetivamente (plantas campanuláceas).] [F.: *campanul(i)-* + *-áceas.*]

◎ **campanul(i)-** ***el. comp.*** = 'pequeno sino': *campanulado, campanulifloro* [F.: Do lat. *campanula, ae*, do dim. do lat. tard. *campana, ae.*]

campeação (cam.pe:a.*ção*) ***sf.*** Ação ou resultado de campear, de percorrer os campos (esp. em montaria) ou de sair à procura de gado; CAMPEIO [Pl.: *-ções.*] [F.: *campear* + *-ção.*]

campeado (cam.pe.*a*.do) ***a.*** **1** Que está acampado, de prontidão (batalhão campeado) **2** Apoiado, defendido: "Talvez a mais profunda variação seja a 'inflação eterna', um conceito campeado por Guth, Linde e muitos outros cosmologistas..." (Tom Yulsman, *Give Peas a Chance*) **3** Montado a cavalo no campo [F.: Part. de *campear.*]

campeador (cam.pe:a.*dor*) [ô] ***a.*** **1** Diz-se de pessoa que campeia **2** Diz-se do cavalo (e, p. ext. e modernamente, de veículo, como motocicleta) com que o vaqueiro campeia, percorre os campos com o gado: "...em muitas propriedades modernas o cavalo campeador cedeu lugar à moto campeadora..." (Antônio Teixeira Neto, *Pequena história da agropecuária goiana*) **3** Aquele que campeia, que percorre campo(s), cavalgando ou em procura de animais **4** Aquele que tem ação ou feitos de campeão em contendas ou batalhas, que pratica façanhas, que mostra valor na defesa de uma causa **5** O cavalo do vaqueiro, com que este campeia: "...com um leve aceno da mão esquerda suspendia pelas rédeas o bravo campeador que, de salto em salto, transpôs aquelas torrentes de fogo..." (José de Alencar, *O sertanejo*) [F.: *campear* + *-dor.*]

campeão (cam.pe:*ão*) ***sm.*** **1** Pessoa ou equipe que vence um campeonato ou torneio [*time campeão.* Tb. us. como adj., nesta acp.] **2** *Ant.* Cavaleiro que se batia em campo fechado, em honra de alguém ou defesa de uma causa **3** *P. ext.* Defensor, paladino: *campeão de causas sociais.* **4** *Fig.* Pessoa que sobressai por fazer algo (mencionado) em maior quantidade ou intensidade [*É o campeão das piadinhas infames.* Por vezes, us. irônica ou jocosamente.] **5** Us. com relação a coisas (produtos, obras, realizações) que se destacam por suas qualidades (ger., de modo positivo), que têm aceitação especialmente boa, que estão em primeiro lugar comparativamente a outras: *Seu CD foi o campeão de vendas em 2005; O cinema voltou a exibir alguns antigos campeões de bilheteria [filmes de sucesso].* **6** *N. E.* Cavalo campeador [Pl.: *-ões.* Fem.: *-ã.* Superl.: *campeoníssimo.*] ***a.*** **7** Que vence os demais, que se mostra superior por seu valor, qualidade, desempenho; que tem as características de um campeão (1, 5) [F.: Do fr. *champion*, do it. *campione.*]

campear (cam.pe.*ar*) ***v.*** **1** Procurar (animais, esp. gado), percorrendo campo (a pé ou a cavalo) [***td.:*** *O peão campeava bezerros fujões.*] [***int.:*** "...laçava e campeava feito um todo vaqueiro..." (Guimarães Rosa, *Grande sertão: veredas*)] **2** *Fig.* Esforçar-se por encontrar (algo); BUSCAR; PROCURAR [***td.:*** *Campeou o livro na biblioteca.*] **3** Montar, cavalgar [***td.:*** *Campeou um puro-sangue.*] **4** *Bras.* Bater os campos, correr pelos campos [***int.***] **5** Estar ou morar no campo [***int.***] **6** Montar acampamento ou estabelecer-se em acampamento; ACAMPAR [***int.:*** *O grupo de ciganos resolveu campear.*] **7** *Fig.* Exercer poder, ter efeitos extensos ou profundos; dominar, imperar [***int.:*** *No carnaval, a alegria campeia.*] **8** Sobressair, sobrepujar [***tr.*** + *sobre*: *Nosso regimento campeia sobre todos os demais.*] **9** Participar de batalha(s); defender ou lutar por uma causa [***int.***] **10** Estar em lugar elevado; estar sobranceiro a [***int.*** / ***ta.:*** *No outeiro, a igreja campeia (sobre o vilarejo).*] **11** *P. us.* Ostentar, ufanar-se de [***td.:*** *campear honrarias.*] [▶ 13 campear] [F.: *campo* + *-ear².*]

campeche (cam.*pe*.che) ***sm.*** *Bot.* Árvore da fam. das leguminosas, subfam. cesalpinoídeas (*Haematoxylon campechianum*), originária da América Central, de madeira vermelho-escura, e de cujo caule e raízes se extrai matéria corante que contém hematoxilina; PAU-CAMPECHE [F.: Do top. *Campeche* (México).]

campeio (cam.*pei*.o) ***sm.*** *Bras.* Ato de campear; CAMPEAÇÃO [F.: F. regress. de *campear.*]

campeiraço (cam.pei.*ra*.ço) ***a.*** **1** *RS* Diz-se de campeiro de muita habilidade e experiência ***sm.*** **2** *RS* Homem do campo habilidoso, experimentado e profundo conhecedor do seu ofício [F.: *campeir(o)* + *-aço.*]

campeirada (cam.pei.*ra*.da) *RS* ***sf.*** **1** Grupo de campeiros: "A campeirada olhava, parada, vendo a desgraça vir..." (João Simões Lopes Neto, *Contos gauchescos*) **2** Serviço de campo, esp. com gado; CAVALGADA **3** Excursão à procura de gado: *Tropeiros antigos ainda participam da campeirada.* [F.: *campeir(o)* + *-ada.*]

campeiro (cam.*pei*.ro) ***a.*** **1** Do ou próprio do campo (lida campeira); CAMPESTRE **2** Diz-se de pessoa que vive ou trabalha no campo, esp. de quem cuida do gado nos campos e anda por estes, a cavalo ***sm.*** **3** Essa pessoa **4** *Zool.* Veado-campeiro [F.: *campo* + *-eiro.*]

campeonato (cam.pe:o.*na*.to) ***sm.*** Competição cujo vencedor recebe o título de campeão, ger. organizada na forma de um confronto ou de uma série de confrontos diretos entre indivíduos ou equipes, ou de provas de desempenho em alguma atividade (esportiva, de luta, ou outra) [F.: *campeão* (f. rad. *campeon-*) + *-ato¹.*]

campesinato (cam.pe.si.*na*.to) ***sm.*** **1** Classe ou grupo social formados por camponeses, por pequenos proprietários de terras e trabalhadores rurais **2** *P. us.* A condição de camponês, o modo de trabalho do camponês ou da classe dos camponeses [F.: *campesino* + *-ato¹.*]

campesino (cam.pe.*si*.no) ***a.*** **1** Ver *campestre* ***sm.*** **2** Camponês, trabalhador rural [F.: Posv. do espn. *campesino.*]

campestre (cam.*pes*.tre) ***a2g.*** **1** Do ou próprio do campo; CAMPESINO; CAMPONÊS **2** Ref. a vida e a costumes do campo (paisagem campestre); BUCÓLICO **3** *Bot.* Diz-se de planta que ocorre em amplas áreas não cultivadas e sem árvores **4** Situado ou instalado no campo, ou em área suburbana, e próprio para a realização de atividades em extensas áreas ao ar livre (clube campestre, sede campestre) ***sm.*** **5** Trecho alto de campo, de área pequena, cercado de floresta **6** *Amaz. RS* Clareira **7** *SC* Campo arenoso [F.: Do lat. *campestre(m).*]

campimetria (cam.pi.me.*tri*.a) ***sf.*** *Med.* Exame realizado com campímetro que estuda e analisa a percepção visual central e periférica [F.: *camp(o)* (visual) + *-i-* + *-metria* (medida).]

campina (cam.*pi*.na) ***sf.*** **1** Campo extenso sem árvores e ger. coberto de vegetação rasteira **2** Planície **3** *Bot. Geog.* Ver *Campo limpo* [F.: *campo* + *-ina¹.*]

⊕ **camping** (*Ing.* /câmpin/) ***sm.*** **1** Atividade que consiste em viajar e acampar ao ar livre, ger. em grupos; ACAMPAMENTO *P. us.*; CAMPISMO **2** Lugar destinado a essa atividade, esp. um terreno para barracas de acampamento e, ger., instalações básicas de banheiros e cozinha

campismo (cam.*pis*.mo) ***sm.*** Prática de viver temporariamente em tendas, barracas, trailers, no campo ou em locais próprios para esta atividade; CAMPING [F.: *camp(o)* + *-ismo.*]

campista (cam.*pis*.ta) ***a2g.*** **1** Diz-se de pessoa que campeia, esp. montada a cavalo, cuidando de gado ***s2g.*** **2** Essa pessoa [F.: *campo* + *-ista.*]

campo (*cam*.po) ***sm.*** **1** Terreno vasto e plano (ou não muito irregular), com poucas árvores e coberto de vegetação rasteira **2** Grande terreno mais ou menos plano, us. para plantar ou como pasto de animais **3** *Restr.* Grande terreno plantado; PLANTAÇÃO. **4** Região não litorânea e distante das grandes cidades, onde ger. se praticam a agricultura e a pecuária, ou onde há paisagens naturais procuradas para turismo e lazer: *passar as férias no campo* **5** *Fig.* Área de conhecimento ou de atividade; conjunto inter-relacionado de práticas, técnicas, informações, expe- riências etc. que são próprias de determinada ocupação ou profissão, ou que configuram certo aspecto da vida social; ÂMBITO; DOMÍNIO: *inovações no campo da medicina; A agitação no campo político não afetou a economia.* **6** *Fig.* Assunto, matéria, tema **7** *Esp.* Terreno demarcado para a prática de certos esportes: *campo de golfe.* **8** *Esp.* Em jogos como futebol, basquete etc., cada uma das metades do campo ou da quadra, onde fica a meta (gol, cesta etc.) defendida por uma das equipes e visada pelo adversário: *No segundo tempo, recuamos para o nosso campo (de defesa) e garan-*

timos a vitória. [Cf. *meio-campo.*] **9** Grupo que se opõe a outro(s), que entra em disputa com outro(s); facção, partido **10** Espaço destinado a receber determinado tipo de informações num formulário, questionário, base de dados etc. **11** Espaço, terreno que é ou pode ser ocupado; área em que algo pode se espalhar, se disseminar [Tb. fig.] **12** Espaço que é ou pode ser abrangido pelo olhar ou esp. por lente ou aparelho óptico **13** *Cin. Fot. Telv.* Espaço enquadrado por uma câmera, ou aquele dentro de cujos limites os objetos aparecem em foco [Cf. *profundidade de campo.*] **14** *Fig.* (Aquilo que oferece) possibilidade ou oportunidade de desenvolvimento, expansão ou continuação de alguma atividade: *Não há campo para novos investimentos.* **15** *Fig.* Oportunidade, ensejo; razão de ser, justificativa: *O caso é grave, não há campo para hesitação.* **16** O local em que se encontra naturalmente o objeto de estudo, e no qual este pode ser observado de modo direto, supostamente sem maior interferência ou modificação causada pelo observador ou cientista; o local em que se realiza uma pesquisa de campo ou um trabalho de campo [Cf. a loc. *de campo.*] **17** *Fís.* Região em que se observa certo tipo de efeito (p. ex., ref. a alguma força, como o magnetismo, a eletricidade, atração gravitacional), descrito quantitativamente segundo as coordenadas espaciais [F.: Do lat. *campu(m).*] ∎∎ **Abrir ~ a/para** Tornar possível; permitir que (algo) aconteça; dar oportunidade ou condição propícia [Por vezes tb. se diz *alugar o meio-campo.*] **Abrir ~ fora** Ir embora; partir para longe; fugir **Alugar meio ~** *Fut.* Ocupar durante algum tempo, com quase todos os jogadores, o campo do adversário, ficando o próprio campo praticamente vazio **~ carrasquento** *Bras.* Tipo de campo em que abundam vegetais espinhosos **~ cerrado** *Bras.* Ver *cerrado* (5) **~ coberto** **1** *Amaz.* Tipo de vegetação de transição entre o campo e a mata **2** *MA* Grande extensão de pantanal **~ conservativo** *Fís.* Campo (17) no qual o trabalho realizado não depende da trajetória de um corpo, quando este se move **~ coulombiano** *Elet.* Campo eletrostático criado por uma carga elétrica pontual, parada ou em movimento retilíneo e uniforme **~ de aviação** *Antq.* Aeroporto **~ de baixada** *MA* Campo entremeado de lagoas **~ de batalha** *Mil.* A área geográfica ou o terreno físico no qual se trava uma batalha **~ de concentração** Lugar no qual se mantêm como prisioneiras pessoas (ger. civis) que um governo, ou grupos no poder, consideram ser nocivos à sociedade, ou prejudiciais a seus objetivos ideológicos e políticos **~ de força** *Fís.* Aquele cuja grandeza física é uma força **~ de lei** *Bras.* Pastagem de boa qualidade **~ de onda** *Fís.* O campo de ação de uma onda eletromagnética **~ de potencial** Aquele cuja grandeza física é um potencial **~ de pouso** Aeroporto simples e de pequenas dimensões **~ de radiação** *Fís.* Campo eletromagnético produzido por uma carga elétrica ou partícula carregada acelerada **~ de serra** Campo ao pé de uma serra, ou ao longo dos cumes de uma serra **~ de teso** *MA* Campo que não é coberto por inundação **~ de tiro** **1** *Mil.* Lugar de exercícios de artilharia **2** Área visada e atingida pelo fogo concentrado de diversas armas de uma unidade militar **~ de vista** *Ópt.* Área que fica no alcance de visão de um instrumento óptico **~ dissipativo** *Fís.* Aquele no qual pode ocorrer dissipação de energia **~ do barracão** *Amaz.* Clareira na floresta, onde fica a administração de um seringal, a morada de seu dono ou encarregado etc. **~ elétrico** *Fís.* Campo criado pela distribuição de carga(s) elétrica(s), qualquer que seja o estado de sua movimentação **~ eletromagnético** *Fís.* Campo (17) em que se verifica uma interação de forças elétrica e magnética **~ eletrostático** *Fís.* Campo (17) criado pela distribuição de cargas elétricas que estão em repouso **~ encoxilhado** *RS* Extensão de terra entremeada de coxilhas **~ escalar** *Fís.* Aquele em que em cada ponto atua uma grandeza escalar, como temperatura, pressão etc. **~ escuro** *Ópt.* Técnica de iluminação de objeto examinado em microscópio, com incidência de feixes luminosos laterais e muito inclinados, para mostrar ao observador uma imagem brilhante do objeto, sobre fundo escuro **~ estacionário** *Fís.* Aquele que se define com uma grandeza física que não varia com o tempo **~ geomagnético** *Geof.* Região do espaço onde o magnetismo terrestre tem efeitos observáveis; campo magnético terrestre **~ gravífico** *Fís.* Ver *Campo gravitacional* **~ gravitacional** *Fís.* Aquele em que atua força gravitacional; campo gravífico **~ irrotacional** *Fís.* Campo vetorial em que o rotacional é nulo em todos os pontos **~ ligado** *Fís.* Parte do campo eletromagnético de uma carga elétrica acelerada que é estacionário, não contribuindo para a movimentação de energia **~ limpo** *Bras. Bot.* Tipo de campo formado por vegetação herbácea, com poucos arbustos e nenhuma árvore encontrado no planalto Central do Brasil; campina **~ livre** **1** *Fís.* Aquele para o qual não há interação **2** Ausência de obstáculos ou impedimentos para o progresso ou disseminação de algo, para a ação de alguém **~ magnético** *Fís.* Aquele que resulta do movimento de cargas elétricas (corrente elétrica), detectável por uma carga também em movimento **~ magnético terrestre** *Geof.* Ver *Campo geomagnético* **~ magnetostático** *Fís.* Campo magnético que não varia com o tempo **~ minado** **1** *Mil.* Área onde se instalaram minas explosivas, com a finalidade de destruir quem ou tudo que tente atravessá-la **2** *Fig.* Aquilo que envolve grandes e numerosos perigos ocultos **~ operatório** *Cir.* A área do corpo na qual se realiza uma operação cirúrgica **~ potreiro** Campo coberto de grama **~s elísios** *Mit.* A morada dos heróis, após sua morte **~s gerais** *Bras.* Grande extensão de campinas entre planaltos, característica de certa região do Brasil **~ solenoidal** *Fís.* Campo vetorial no qual a divergência é nula em todos os pontos **~ variável** *Fís.* Campo no qual a grandeza física que o define é variável em função do tempo **~ vetorial** **1** *Álg.* Campo cuja grandeza física é representada por vetor **2** Aquele em que em cada ponto atua uma grandeza vetorial **~ visual** *Oft.* Porção do espaço abrangida pela visão dos olhos, estando estes imóveis **De ~** Ref. a, baseado em ou que visa observação direta e coleta de informações (incluindo medições, entrevistas etc.) no local em que se situa o objeto do estudo: *pesquisa de campo; trabalho de campo.* **Queimar ~** *SP a RS* Mentir **Sair em ~** Pôr-se em ação para determinado fim

campolina (cam.po.*li*.na) *Bras. s2g.* **1** Raça de origem nacional, criada inicialmente em Minas Gerais por Cassiano Campolina, que tem como característica a produção de cavalos marchadores de andamento suave, marcha picada, us. esp. como montaria de passeio: *O campolina tem boa aceitação no mercado de criadores.* *a2g.* **2** Diz-se de cavalo dessa raça (potro campolina) [F.: Do antr. (Cassiano) *Campolina.*]

camponês (cam.po.*nês*) *sm.* **1** Pessoa que mora e/ou trabalha no campo; CAMPÔNIO **2** Indivíduo pertencente a classe ou grupo social formados por trabalhadores rurais de baixa renda, pequenos proprietários rurais etc. *a.* **3** Do ou próprio do campo; CAMPESTRE **4** Próprio de camponês (1 e 2) ou ref. aos camponeses como classe social (hábitos camponeses, revoltas camponesas) [Pl.: *-neses.* Fem.: *-nesa.*] [F.: *campo* (f. rad. *campon-*) + *-ês.*]

campônio (cam.*pô*.ni:o) *sm.* **1** Camponês (1) **2** *Pej.* Pessoa rústica, simples, sem refinamento [F.: Do lat. *campaniu(m).*]

campo-santo (cam.po-*san*.to) *sm.* Cemitério [Pl.: *campos-santos.*]

⊕ **campus** (*Lat. /câmpus/*) *sm.* Área na qual se encontram os prédios, terrenos e instalações de uma universidade (ou de parte dela, de alguns de seus setores); o conjunto desses prédios, terrenos etc. [Pl.: *campi.*]

camucim (ca.mu.*cim*) *Bras. sm.* **1** Pote de barro preto us. pelos índios em algumas solenidades: "O camucim da constância continha um formigueiro de saúvas, que o pajé havia fechado ali na última lua..." (José de Alencar, *Ubirajara, o combate nupcial*) **2** Urna mortuária onde os índios colocavam o corpo de seus entes queridos: "Teu irmão corre a defender a terra de seus filhos, e a taba onde dorme o camucim de seu pai..." (José de Alencar, *Iracema*) [Pl.: *-cins.*] [F.: Do tupi *kamu'si.*]

camuflado (ca.mu.*fla*.do) *a.* **1** Dissimulado por meio de camuflagem em batalhas ou confrontos (soldado camuflado) **2** *Fig.* Disfarçado, escondido sob falsas aparências: *Havia um sentimento de vitória camuflado em seu olhar.* *sm.* **3** Uniforme, ou roupa de combate camuflados (1) [F.: Part. de *camuflar.*]

camuflagem (ca.mu.*fla*.gem) *sf.* **1** Ação ou resultado de camuflar **2** Aquilo que se usa para camuflar, ou que esconde, encobre, disfarça **3** *Biol.* (Presença ou aquisição de) características que tornam um organismo (vegetal ou, esp., animal) pouco distinguível do meio em que vive habitualmente [Pl.: *-gens.*] [F.: Do fr. *camouflage.*]

camuflar (ca.mu.*flar*) *v.* **1** *Mil.* Ocultar ou dissimular (tropas, armas, instalações militares etc.) para que não sejam percebidas pelo inimigo, ger. com emprego de tintas e roupas de cores adequadas ou usando galhos e folhagem, terra, alguma cobertura natural etc. [*td.: camuflar veículos de guerra.*] [*td. / tda.: Os soldados camuflaram-se (na neve).*] **2** *P. ext. Fig.* Tornar difícil de se perceber ou distinguir; disfarçar, esconder, dissimular (objeto, ação, intenção, sentimento etc.) sob falsa aparência [*td.: O contrabandista camuflou a mercadoria; Sorria para camuflar sua tristeza.*] **3** Confundir-se, misturar-se com o meio para se esconder, para evitar ser visto ou capturado, mudando de cor ou de aparência ou procurando proximidade com certos elementos da vegetação, do solo etc. [*tda.: A preguiça camufla-se nas folhas entre as copas das árvores.*] [▶ **1** camuflar] [F.: Do fr. *camoufler.*]

camundongo (ca.mun.*don*.go) *sm. Zool.* Roedor (*Mus musculus*) da família dos ratos e ratazanas (murídeos), de pequeno tamanho, cauda e orelha relativamente longas, pelo cinzento, e ger. encontrado em habitações humanas; CALUNGA; CALUNGO; CATITA; CATITO [F.: Do umbundo *okamundongo*, 'rato'.]

camunhengue (ca.mu.*nhen*.gue) *Bras. a2g.* **1** Que tem lepra *s2g.* **2** Indivíduo leproso [F.: Posv. do congolês *kamu'nyenge.*]

camurça (ca.*mur*.ça) *sf.* **1** *Zool.* Mamífero da fam. dos bovídeos (*Rupicapra rupicapra*) de hábitos montícolas e de ocorrência asiática **2** Pele curtida desse animal, us. na confecção de calçados, luvas etc. **3** Qualquer pele animal curtida, ou tecido manufaturado (p. ex., de lã ou de fibras sintéticas), de aspecto semelhante ao da camurça (2), com um lado macio ao toque *a2g.* **4** Que tem cor marrom escura **5** Diz-se dessa cor [F.: Do lat. tardio *camox, -ocis.*]

⊠ **CAN** Sigla de *Correio Aéreo Nacional* (unidade da Força Aérea Brasileira que leva correspondência oficial a todas as regiões do país)

cana[1] (*ca*.na) *sf.* **1** *Bot.* Caule ou colmo de várias plantas, como a cana-de-açúcar, o bambu etc. **2** *Bot.* O mesmo que *cana-de-açúcar* **3** *Bras. Gír.* Cachaça [F.: Do lat. *canna, ae*, do gr. *kánna, es*, 'junco', 'cana'. Ideia de 'cana': *can(i)-*[2] (*caniforme*).] ∎∎ **~ do braço** *N. N. E.* Qualquer dos ossos (rádio ou ulna) que formam o antebraço **~ do leme** *Mar.* Haste de madeira ou de ferro que se encaixa na cabeça do leme, us. para dirigir o leme, esp. (e quase que somente) em pequenas embarcações

cana[2] (*ca*.na) *sf. Bot.* Denom. comum às plantas do gên. *Canna*, da fam. das canáceas, com cerca de dez espécies, nativas de regiões tropicais e subtropicais, raras, porém, no Brasil em ocorrência espontânea [F.: Do lat. cient. *Canna.*]

cana[3] (*ca*.na) *Bras. Gír. sf.* **1** Cadeia, prisão **2** Situação ruim e problemática, difícil de superar *s2g.* **3** Policial, tira [F.: De or. incerta.] ∎∎ **Em ~** *Bras. Gír.* Detido (pela polícia), preso, encarcerado

canaânico (ca.na.*â*.ni.co) *a.* Ref. a Canaã [F.: Do top. *Canaã*, sob a forma *Canaan* + *-ico.*]

canabinoide (ca.na.bi.*noi*.de) *sm.* **1** *Med.* Substância derivada da cânabis, ou endógena, de propriedades estimulantes, analgésicas e de relaxamento muscular e mental: "...certos compostos podem prolongar a ação da anandamina, um canabinoide natural de ação semelhante ao THC, princípio ativo da maconha..." (*Nature Medicine*, janeiro de 2003) *a2g.* **2** *Med.* Diz-se do que é derivado ou produtor dos princípios ativos encontrados na cânabis (proteína canabinoide) [F.: *cânabi(s)* + *-n-* + *-oide.* Ideia de: *canab(i/o)-.*]

cânabis (*câ*.na.bis) *sf2n. Bot.* Planta da família das canabáceas (*Cannabis sativa*), originária da Ásia Central, que possui folhas serrilhadas e verdes, pode atingir até 2,5 m de altura e é popularmente conhecida como cânhamo ou maconha; CÂNABE [F.: Do lat. cient. *Cannabis.* Ideia de: *canab(i/o)-.*]

canabismo (ca.na.*bis*.mo) *sm.* Intoxicação por fumo ou ingestão de folhas da cânabis ou por haxixe [F.: *cânab(e)* + *-ismo.* Ideia de: *canab(i/o)-.*]

cana-caiana (ca.na-cai.*a*.na) *sf. Bot.* Variedade de cana-de-açúcar originária de Caiena na Guiana Francesa [Pl.: *canas-caianas.*]

canácea (ca.*ná*.ce:a) *sf. Bot.* Espécime das canáceas, fam. de plantas da ordem das zingiberales, com um único gênero (*Canna*) [F.: Adapt. do lat. cient. *Cannaceae.*]

canáceo (ca.*ná*.ce:o) *a. Bot.* Ref. ou pertencente às canáceas [F.: De *canácea*, com var. suf.; ver *-áceo.*]

cana-da-índia (ca.na-da-*ín*.di:a) *sf. Bot.* Espécie de cana tb. conhecida como *bananeirinha-da-índia* (*Canna indica*) [Pl.: *canas-da-índia.*]

cana-de-açúcar (ca.na-de-a.*çú*.car) *sf. Bot.* Erva da fam. das gramíneas (*Saccharum officinarum*), nativa da Ásia, us. na fabricação de açúcar, álcool e aguardente; CANA [Pl.: *canas-de-açúcar.*]

cana-de-macaco (ca.na-de-ma.*ca*.co) *sf. Bot.* Denom. comum a diversas plantas zingiberáceas (gên. *Costus*), como a *C. spicatus*, tb. conhecida como cana-do-brejo, cana-do-mato, cana-roxa, jacuanga, paco-caatinga, periná e ubacaiá, e *C. spiralis*, tb. vulgarmente chamada caatinga, cana-branca, cana-do-brejo, cana-do-mato, jacuana, jacuanga, jacueconga, paco-catinga, pacova, periná, ubacaiá [Pl.: *canas-de-macaco.*]

canadense (ca.na.*den*.se) *s2g.* **1** Pessoa nascida ou que vive no Canadá *a2g.* **2** Do Canadá (América do Norte); típico desse país ou de seu povo [F.: Do top. *Canad(á)* + *-ense.*]

cana-do-brejo (ca.na-do-*bre*.jo) *sf. Bot.* O mesmo que *cardamomo* (1 e 4) [Pl.: *canas-do-brejo.*]

cana-doce (ca.na-do.ce) *sf. Bot.* Nome dado tb. à *cana-de-açúcar* [Pl.: *canas-doces.*]

canafístula (ca.na.*fís*.tu.la) *Bot. sf.* **1** Nome comum a algumas árvores e arbustos da fam. das leguminosas, subfam. cesalpinioídea, esp. dos gên. *Cassia* e *Senna*, com flores amarelas em cachos vistosos **2** Árvore (*Cassia fistula*) originária da Ásia e muito cultivada, com flores em cachos longos e pêndulos; CÁSSIA-IMPERIAL; CHUVA-DE-OURO **3** Aleluia [F.: Do lat. *canna* + *fistula.*]

canal (ca.*nal*) *sm.* **1** Sulco ou vala, natural ou artificial, por onde corre ou circula água **2** Via navegável, de grande extensão, construída para servir de passagem entre mares, rios etc. **3** *Geog.* Espaço de mar estreito e alongado entre duas costas: *Canal da Mancha* **4** *Geol.* Veio natural por onde circulam no seio da terra ou por onde se escapam as águas e os gases **5** *Anat.* Ver *ducto* **6** *Anat.* Vaso; cavidade estreita e mais ou menos alongada destinada a dar passagem aos líquidos e gases, ou a alojar certos órgãos: *Canal da uretra* **7** *Telv.* Faixa de frequência para transmissão de imagens e sons de televisão **8** *Fig.* Via, trâmite; percurso predeterminado das informações e mensagens dentro de uma organização; as pessoas, os cargos e departamentos etc., responsáveis pelo recebimento e encaminhamento dessas mensagens e pelo cumprimento de instruções ou providências relativas a estas: *Submetemos o assunto aos canais competentes.* **9** *Fig.* Intermediário; meio pelo qual se consegue alguma coisa: *Este é um bom canal para se obter um cargo público.* **10** *Od.* Canal (3) que atravessa cada ramo de uma raiz dentária. [Tb. *canal pulpar.*] **11** *Arq.* Telha-canal **12** *Arq.* Ornato ou moldura em forma de canal **13** *Eletrôn.* Caminho pelo qual passam informações (dados, música etc.) na forma de sinais elétricos (canal de entrada/de saída) **14** Cada um dos meios separados (e seus respectivos equipamentos, suportes etc.) us. para o tratamento dos sinais físicos (sons, impulsos elétricos etc.) na captação, registro e reprodução de sons e imagens; tb.: os sinais assim captados, armazenados ou transmitidos separadamente: *gravação em 32 canais; mixar canais.* **15** *Comun.* Qualquer fenômeno (físico, biológico, sensorial), propriedade ou objeto us. como meio de transmissão e recepção de mensagens, como suporte dos sinais portadores de informação [Pl.: *-nais.* Dim.: *canaleta, canalete, canalículo.*] [F.: Do lat. *canalis, e.*] ▪▪ **Canais semicirculares** *Anat.* Num ouvido, cada um dos canais do labirinto ósseo [São três: lateral, anterior e posterior.] ~ **cístico** *Antq. Anat.* Antiga denominação de *ducto cístico* [P. ex., sinais de bandeirolas, ou semáforo.] ~ **colédoco** *Antq. Anat.* Antiga denominação de *ducto colédoco.* ~ **de comunicações** *Bras. Mar. G.* Método de comunicações por um meio físico ~ **de derivação** *Geog.* Canal que regula o nível das água dos rios e de outros canais quando de enchente, ou que as transporta para outros fins (até uma fábrica, p. ex. ou como vazante de um açude) ~ **de entrada** *Inf. Input.* ~ **deferente** *Anat. Antq.* Antiga denominação de *ducto deferente.* [Tb. apenas *canal.*] ~ **de FM** *Rád.* Faixa de frequências com 200kHz de largura, com frequência central entre 88 e 108MHz ~ **de frequência** *Telc.* A faixa de frequência atribuída e reservada às transmissões de uma radioemissora ~ **de irrigação** *Agr.* Aquele que distribui água através dos campos para irrigá-los ~ **de rádio** *Rád.* Faixa de frequências cuja largura permite que seja. us. em radiocomunicação ~ **de saída** *Inf. Output.* ~ **de televisão** *Telc.* Faixa de frequência de 6 MHz de largura, o que permite seu uso na transmissão de sinais de televisão ~ **de vídeo** *Telv.* Qualquer entrada ou saída do sinal de vídeo em equipamento de televisão ~ **ejaculador** *Antq. Anat.* Antiga denominação de *ducto ejaculatório* ~ **excretor** *Antq. Anat.* Antiga denominação de *ducto excretor.* ~ **fisiológico** *Comun.* Ver *Canal natural* ~ **hepático** *Antq. Anat.* Antiga denominação do *ducto hepático,* cada um de dois canais, um direito e um esquerdo, que se unem no *ducto hepático comum* ~ **hepático comum** *Antq. Anat.* Antiga denominação do *ducto hepático comum* ~ **natural** *Comun.* Todo meio de passagem de informação na qual o homem é o receptor através de um de seus sentidos; canal fisiológico [Cf.: *Canal técnico.*] ~ **pulpar** *Od.* Canal que atravessa cada raiz de um dente até seu ápice, onde se estreita [Tb. apenas *canal.*] ~ **técnico** *Comun.* Todo meio de passagem de informação na qual um mecanismo é o receptor [Cf.: *Canal natural.*] ~ **vertebral** *Anat.* Canal formado pela superposição, em linha, das aberturas no interior das vértebras e dos discos e ligamentos que formam a coluna vertebral, e no qual passa a medula espinhal e suas meninges **Misturar os canais** *Gír.* Confundir uma coisa com outra; trocar as bolas

canaleta (ca.na.*le*.ta) [ê] *sf.* Cano ou sulco estreito; calha para recolher e conduzir água e outros líquidos, grãos etc.; CALHA [F.: *canal* + *-eta.*]

canalha (ca.*na*.lha) *a2g.* **1** Diz-se de pessoa que tem mau caráter ou comete ações vis, desprezíveis, indignas (indivíduo canalha) **2** Próprio desse tipo de pessoa (atitude canalha) *s2g.* **3** *Pej.* Pessoa infame, reles, moral ou socialmente desprezível *sf.* **4** Conjunto de pessoas socialmente desqualificadas, indignas ou moralmente desprezíveis: "Via nos olhos do homem um desprezo superior pela canalha que não reagia." (Marques Rebelo, *Marafa*) [F.: Do it. *canaglia.*]

canalhada (ca.na.*lha*.da) *sf.* **1** Ação de canalha; CANALHICE: "Seja quem for que esteja metido nesta canalhada é mesmo para queimar..." (*online.expresso.pt*, 29.11.2002) **2** Grupo de canalhas: "E desde já enxoto a canalhada que trouxe gente do inferno como ele!..." (Visconde de Taunay, *Inocência*) [F.: *canalh(a)* + *-ada.* Ideia de: *ca(n)-.*]

canalhice (ca.na.*lhi*.ce) *sf.* **1** Ação ou dito próprios de canalha; CANALHADA **2** Modos ou características de canalha (3): *Sua habitual canalhice lhe trouxe novas inimizades.* [F.: *canalha* + *-ice.*]

canalículo (ca.na.*lí*.cu.lo) *sm.* Canal de pequeno porte (canalículo lacrimal) [F.: Do lat. *canaliculus, i.* Ideia de: *can(i)-.*]

canalização (ca.na.liza.*ção*) *sf.* **1** Ação ou resultado de canalizar **2** Conjunto de canais ou canos (em uma casa, rua, em um bairro, instalação industrial etc.), esp. quando instalados formando uma rede ou um sistema de distribuição ou coleta de água, esgoto, eletricidade etc. [Pl.: *-ções.*] [F.: *canalizar* + *-ção.*]

canalizado (ca.na.li.*za*.do) *a.* **1** Que se canalizou; em que se abriu canal, ou que corre em canais, canos etc. (rio canalizado) **2** Que recebeu redes de água e esgoto (bairro canalizado) **3** *Fig.* Direcionado, encaminhado: *Tinha o interesse canalizado para a música.* [F.: Part. de *canalizar.*]

canalizador (ca.na.li.za.*dor*) [ô] *a.* **1** Que faz fluir ou confluir em certa direção; tb. fig.: que mobiliza, orienta ou direciona (ações, esforços, recursos etc.) para certo objetivo **2** Diz-se de pessoa que trabalha em canalizações ou as instala em construções *sm.* **3** Essa pessoa **4** Aquilo que canaliza ou serve para canalizar (4) [F.: *canalizar* + *-dor.*]

canalizar (ca.na.li.*zar*) *v.* **1** Dispor ou instalar canais, tubos, canos, valas, sulcos etc. para conduzir (líquido, gás); conduzir (fluido) por meio de canais ou canos [*td.*: *Para evitar enchentes, será preciso canalizar as águas das chuvas e o córrego que atravessa a cidade.*] **2** Abrir canais ou valas em (terreno) [*td.*: *canalizar as terras da fazenda para melhorar a irrigação.*] **3** Construir redes de água e esgoto em [*td.*: *O secretário de obras mandou canalizar vários bairros da cidade.*] **4** *Fig.* Mobilizar e encaminhar (trabalho, recursos etc.); fazer convergir para um mesmo objetivo ou propósito; DIRECIONAR [*tdr.* + *contra, para*: *O governo canalizou recursos para a saúde.*] [▶ 1 canalizar] [F.: *canal* + *-izar.*]

canamaris (ca.na.ma.*ris*) *smpl. Etnol.* Grupo indígena que habita as margens dos rios Juruá, Jutaí e Purus (AM) [Usa-se tb. adjetivamente.] [F.: Do etn. bras. *kanamari.*]

cananeu (ca.na.*neu*) *sm.* **1** *Etnol.* O natural ou habitante da antiga Canaã (Palestina); CANAANITA **2** *Gloss.* Grupo de línguas semíticas de que fazem parte o fenício e o hebraico **3** *Gloss.* Língua falada na terra de Canaã antes da conquista israelita *a.* **4** Ref. a povo, a língua ou a região da antiga Canaã; CANAANITA [A forma feminina 'cananeia' é aplicada apenas em relação às aceps. 1 e 4.] [F.: Do lat. *chananaeus, a, um.*]

cananga (ca.*nan*.ga) *Bot. sf.* **1** Nome comum às plantas do gên. *Cananga*, da fam. das anonáceas, nativas de regiões tropicais da Ásia à Austrália, cultivadas como ornamental, e também pelo óleo aromático que é extraído de suas folhas; ILANGA **2** Planta (*Myristica macrophylla*) da família das miristicáceas, com propriedades antirreumáticas e originária da Amazônia; CANANGO; UCUUBA; UCUUBEIRA **3** Árvore da fam. das miristicáceas (*Virola sebifera*) da América do Sul; tb. *ucuuba-vermelha.* [F.: Posv. do malaio *kananga.*]

canapé (ca.na.*pé*) *sm.* **1** Espécie de sofá de madeira, com encosto e braços, com lugar para uma, duas ou três pessoas **2** *Cul.* Aperitivo feito com uma pequena fatia de pão sobre a qual se colocam pastas condimentadas, frios etc. [F.: Do fr. *canapé.*]

canarana (ca.na.*ra*.na) *sf. Bot.* Planta gramínea (*Hymenachne amplexicaulis*), palustre, originária da Guiana e da Amazônia, us. para fabricação de papel [F.: *cana* + *-rana.* Ideia de: *can(i)-.*]

canarês (ca.na.*rês*) *a. sm.* O mesmo que *canarino* [Pl.: *-reses* [ê]. Fem.: *-resa* [ê].] [F.: Do top. *Canár(ias)* + *-ês.*]

canaricultura (ca.na.ri.cul.*tu*.ra) *sf.* Criação de canários [F.: *canári(o)* + *-cultura.* Ideia de: *cult-.*]

canarinho (ca.na.*ri*.nho) *sm.* **1** *Bras. Ornit.* Espécie de canário de cor predominantemente amarela ou amarelo-esverdeada; CANÁRIO-DA-TERRA **2** *SP Ict.* Peixe actinopterígio, pomadasídeo (*Conodon nobilis*); tb. *roncador* (8) *a2g.* **3** *Bras. Pop.* Diz-se da seleção brasileira de futebol por ter consagrado a camisa de cor amarelo-canário como peça principal do seu uniforme oficial (seleção canarinho) **4** *Bras. Pop.* Ref. a seleção brasileira de futebol ou que a ela pertence (artilheiro canarinho) [F.: *canár(io)* + *-inho.*]

canarino (ca.na.*ri*.no) *sm.* **1** Pessoa nascida ou que vive nas ilhas Canárias; CANÁRIO *a.* **2** Das ilhas Canárias (costa oeste da África); típico desse arquipélago ou de seu povo; CANÁRIO [F.: Do top. *Canárias* + *-ino¹.*]

canário (ca.*ná*.ri:o) *sm.* **1** *Zool.* Denominação comum a diversas spp. de pássaros, ger. amareladas, das fam. dos emberizídeos e fringilídeos [Originalmente silvestres (ilhas Canárias, ilha da Madeira, Açores), diversas raças e variedades foram desenvolvidas por cruzamentos, na Europa; muitas são apreciadas como pássaros canoros.] **2** *Fig.* Pessoa que canta muito bem, ou que fala com boa voz, que discursa bem **3** Nativo ou habitante das ilhas Canárias; CANARINO *a.* **4** Das ou ref. as ilhas Canárias; CANARINO [F.: Do top. *Canárias.*] ▪▪ ~ **cabeça-de-fogo** *MG SP Zool.* Ver *canário-da-terra.* ~ **de uma muda só** *Bras. Pop.* Quem costuma andar sempre com a mesma roupa; canário sem muda ~ **sem muda** *Pop.* Ver *Canário de uma muda só* **Cantar/falar como um** ~ *Fig.* Cantar/falar de modo agradável, com musicalidade ou eloquência

canário-da-terra (ca.ná.ri:o-da-*ter*.ra) *sm. Bras. Ornit.* Espécie de canário (*Sicalis flaveola*), da fam. dos emberizídeos, de cor predominantemente amarela ou amarelo-esverdeada; CABEÇA-DE-FOGO; CANARINHO; CANÁRIO-DA-HORTA; CANÁRIO-DO-CEARÁ; CHAPIM [Pl.: *canários-da-terra.* Essa denominação foi dada para distinguir a ave brasileira da trazida de Portugal, o chamado canário-do-reino.]

canarista (ca.na.*ris*.ta) *s2g.* **1** Criador de canários *a2g.* **2** Diz-se daquele que cria canários [F.: *canár(io)* + *-ista.*]

canastra¹ (ca.*nas*.tra) *sf.* **1** Cesta larga, com ou sem tampa, feita com hastes ou ripas de madeira flexível **2** *Bras.* Caixa ou maleta de couro para guardar roupas íntimas, roupa de cama, objetos pessoais etc. **3** *Bras. Fig. Pop.* A parte do tronco correspondente às costas, esp. a que suporta cargas e objetos pesados *s2g.* **4** *Pop. Cin. Teat. Telv.* Canastrão [F.: Fem. de *canastro*, 'cesta'.]

canastra² (ca.*nas*.tra) *Bras. Lud. sf.* **1** Jogo de cartas de origem argentina, jogado por duas duplas **2** Sequência de sete cartas do mesmo naipe (ou de sete cartas de mesmo valor), em jogos como canastra (1), biriba e buraco [F.: Do espn. *canasta.*] ▪▪ **Bater a** ~ *Bras. Gír.* Morrer ~ **real** O jogo da canastra jogado sem curingas

canastrão (ca.nas.*trão*) *sm.* **1** *Bras. Pop. Cin. Teat. Telv.* Ator sem talento; CANASTRA **2** Canastra grande [Pl.: *-trões.* Fem.: (acp. 1) *-trona.*] [F.: *canastra* + *-ão.*]

canastrice (ca.nas.*tri*.ce) *sf.* **1** *Bras. Gír.* Má interpretação de ator ou atriz em peças de teatro, cinema ou televisão: *A canastrice do protagonista inviabilizava o sucesso da peça.* **2** *P. ext.* Qualquer atitude ruim, incompetente ou desagradável: "Arendt ironiza a performance bisonha do advogado de defesa e a canastrice do promotor..." (*Época*, 17.01.2000) [F.: *canastrão* + *-ice.* Ideia de: *canastr-.*]

canavial (ca.na.vi:*al*) *sm.* **1** Plantação de cana-de-açúcar **2** Grande quantidade de canas próximas umas das outras [Pl.: *-ais.*] [F.: *cânave*, 'cânhamo' + *-i-* + *-al¹.*]

canavieiro (ca.na.vi:*ei*.ro) *Bras. a.* **1** Ref. a, da ou próprio da cana-de-açúcar, seu cultivo e aproveitamento (indústria canavieira) *sm.* **2** Plantador de cana-de-açúcar [F.: *canavi(al)* + *-eiro.*]

cancã¹ (can.*cã*) *sm.* Dança agitada, ger. apenas de mulheres, originária dos espetáculos dos cabarés franceses, a partir de 1830, e caracterizada pelos movimentos das pernas, pondo-as à mostra [F.: Do fr. *cancan.*]

cancã² (can.*cã*) *sm.* **1** *Zool.* Gralha (*Cyanocorax cyanopogon*) que ocorre apenas no Nordeste e Centro-oeste do Brasil, cuja voz parece repetir o seu nome; GRALHA-CANCÃ **2** *Bras. Zool.* Designação de várias aves brasileiras (ger. da família das gralhas ou da família dos gaviões) de coloração predominantemente preta [F.: De or. onom.]

cancaborrada (can.ca.bor.*ra*.da) *sf.* O mesmo que *cacaborrada* [F.: Var. de *cacaborrada.*]

canção (can.*ção*) *sf.* **1** Música cantada, ou composta para ser cantada; qualquer trecho de canto (música vocal): *Passava o dia a cantarolar canções sem palavras, que ia improvisando.* **2** *Mús.* Peça ou composição, popular ou erudita, ger. breve, que combina música e palavras (com ou sem acompanhamento de instrumentos musicais) **3** Composição para instrumento musical, sem voz, e que tem características musicais (melódicas, rítmicas) de canção (1 e 2) **4** Poema que, por suas características (ritmo etc.), pode ser facilmente musicado; a melodia com que se canta ou recita um poema **5** *Restr. Liter.* Poesia lírica, interpretada esp. por trovadores (canção de amigo) **6** Cantiga; versos ou estrofes, ger. simples e ritmadas, que se cantam [Pl.: *-ções.*] [F.: Do lat. *cantione(m).*] ▪▪ ~ **de gesta** Poema épico (c. séc. XI) que cantava os feitos heroicos de cavaleiros da corte de Carlos Magno ~ **polifônica** *Mús.* Composição para canto a várias vozes, de temática profana

cancela (can.*ce*.la) *sf.* **1** Portão gradeado, ger. de madeira, à entrada de propriedades rurais; PORTEIRA **2** Barreira móvel (ger. uma ou duas barras colocadas transversalmente a uma estrada etc., na altura dos veículos, e que podem ser erguidas e baixadas) instalada em passagens de nível, postos de pedágio, acessos a estacionamentos etc. [F.: De *cancelo*, 'porta gradeada'.]

cancelado (can.ce.*la*.do) *a.* **1** Diz-se do que foi anulado, eliminado ou suspenso (contrato cancelado) **2** Que apresenta padrão semelhante a grade, rede ou cancela **3** Provido de porteira ou cancela **4** Que se riscou, inutilizou com rabiscos, traços etc. **5** Que se deu por encerrado **6** *Bot.* Diz-se de folha com nervuras em forma de rede [F.: Part. de *cancelar.* Sin. ger.: *acancelado.* Ideia de: *cancel-.*]

cancelamento (can.ce.la.*men*.to) *sm.* Ação ou resultado de cancelar [F.: *cancelar* + *-mento.*]

cancelar (can.ce.*lar*) *v. td.* **1** Riscar, marcar ou excluir (o que está escrito ou registrado) para que fique sem efeito, não seja levado em conta; ELIMINAR: *Cancelou os desenhos malfeitos.* **2** Considerar nulo, sem valor ou sem efeito (um documento oficial, uma declaração, obrigação etc.): *Cancelou o cheque com o valor errado.* **3** Extinguir, tornar ou considerar inexistente (aquilo que depende de acordo, obrigação, decisão formal): *cancelar dívidas.* **4** Suprimir, cortar, suspender (o que se vinha dando ou fornecendo): *cancelar privilégios.* **5** Determinar que não se realize (o que se planejou ou estava combinado): *O ministro cancelou a visita.* **6** Terminar ou considerar terminado, finalizado, concluído **7** *Mat.* Eliminar, retirar de uma sentença matemática (termos cuja soma é zero, ou fatores iguais no denominador e numerador de frações [e que por isso não alteram o resultado final ou a relação expressa na sentença]) [▶ 1 cancelar] [F.: Do lat. *cancellare.* Hom./Par.: *cancelo* (fl.), *cancelo* [ê] (sm.).]

cancelável (can.ce.*lá*.vel) *a2g.* Que pode ser cancelado a qualquer momento (reunião cancelável) [Ant.: *incancelável.*] [Pl.: *-veis.*] [F.: *cancela(r)* + *-vel.* Ideia de: *cancel-.*]

câncer (*cân*.cer) *sm.* **1** *Astrol.* Signo (do Zodíaco) das pessoas nascidas entre 21 de junho e 22 de julho [Com inicial maiúsc.] **2** *Astr.* A quarta constelação do zodíaco, localizada entre Gêmeos e Leão [Com inicial maiúsc.] **3** *Med. Pat.* Doença causada pela multiplicação incontrolável de um grupo de células, ger. em forma de tumor maligno, e que se pode espalhar pelo organismo [F.: Do lat. *cancer, cancri*, 'caranguejo'; 'a constelação de Câncer'; 'cancro'; 'tumor'.]

> 🕮 O termo se aplica a qualquer tumor maligno, isto é, que tende a se espalhar pelo organismo, podendo inclusive levar à morte. Basicamente, consiste no crescimento desordenado das células do tumor, espalhando-se para células sadias, às vezes em outros órgãos do corpo (metástase). Durante muito tempo as causas do câncer eram desconhecidas, mas, embora ainda não se tenha uma relação completa e inequívoca de causas e efeitos, muitos agentes cancerígenos já foram identificados, o que aumentou as perspectivas de prevenção e de tratamento e as probabilidades de cura. Os vários tipos de câncer, e sua incidência em diferentes órgãos, têm diferentes níveis de gravidade e de possibilidade de tratamento. Em geral, quanto mais cedo se detecte, maiores as possibilidades de conter seu crescimento ou mesmo de cura total. Por isso os exames preventivos têm grande importância, assim como a profilaxia natural de evitar os agentes cancerígenos já identificados (como o fumo, certo tipo de alimentação, exposição a determinadas condições ambientais etc.). O tratamento ger. consiste em quimioterapia, radioterapia ou cirurgia, ou de uma combinação entre eles.

◎ **cancer(i)-** *el. comp.* = 'signo de Câncer'; 'câncer, tumor maligno': *canceriano; cancericida, cancerígeno; cancerogênese, cancerogênico, cancerologia, cancerologista* [F.: Do lat. *cancer, cancro*, 'caranguejo'; 'a constelação de Câncer'; 'câncer, tumor'; 'pinça'.]

canceriano (can.ce.ri.*a*.no) *Astrol.* **sm. 1** Aquele que nasceu sob o signo de Câncer **a. 2** Ref. ao signo de Câncer, ou as qualidades e influências a ele atribuídas, segundo a astrologia **3** Que nasceu sob esse signo [F.: *cancer(i)-* + *-ano*¹.]

cancericida (can.ce.ri.*ci*.da) **a2g.** *Med.* Diz-se de substância, medicamento ou agente que pode destruir células malignas e eliminar o câncer (droga cancericida) [F.: *cancer(i)-* + *-cida*.]

cancerígeno (can.ce.*rí*.ge.no) **a.** *Med. Pat.* Que pode produzir ou gerar câncer [F.: *cancer(i)-* + *-geno*.]

cancerização (can.ce.ri.za.*ção*) **sf.** *Med.* Ação, resultado ou processo de cancerizar(-se), de produzir câncer em um tecido [Pl.: *-ções*.] [F.: *cancerizar* + *-ção*.]

cancerizar (can.ce.ri.*zar*) **v. td. int.** Transformar(-se) em câncer [▶ 1 cancerizar] [F.: *câncer* + *-izar*.]

◎ **cancero-** *el. comp.* Ver *cancer(i)-*.

cancerogênese (can.ce.ro.gê.ne.se) **sf.** *Med. Pat.* Transformação de uma célula normal em cancerosa: *A inalação constante de determinadas substâncias pode provocar a cancerogênese.* [F.: *cancero-* + *-gênese*.]

cancerogênico (can.ce.ro.*gê*.ni.co) **a.** *Med. Pat.* Que provoca o desenvolvimento de um câncer; CANCERÍGENO [F.: *cancero-* + *-gênico*.]

cancerologia (can.ce.ro.lo.*gi*.a) **sf.** Parte da medicina que estuda o câncer e seu tratamento; ONCOLOGIA [F.: *cancero-* + *-logia*.]

cancerológico (can.ce.ro.*ló*.gi.co) **a.** Ref. a cancerologia; ONCOLÓGICO [F.: *cancerologia* + *-ico*².]

cancerologista (can.ce.ro.lo.*gis*.ta) *Med.* **s2g. 1** Médico que se especializou em cancerologia; ONCOLOGISTA **a2g. 2** Diz-se desse médico; ONCOLOGISTA [F.: *cancerologia* + *-ista*.]

canceroso (can.ce.*ro*.so) [ô] **a. 1** Em que há câncer, ou típico ou característico dele (tumor canceroso) **2** Diz-se de indivíduo que sofre de câncer [Pl.: [ó]. Fem.: [ó] **sm. 3** Esse indivíduo [Pl.: [ó]. Fem.: [ó].] [F.: Do lat. *cancerosus, a, um*.]

cancha (*can*.cha) *Bras.* **sf. 1** Terreno próprio para corrida de cavalos; RAIA **2** Campo preparado especialmente para a prática de certos esportes, como futebol, tênis, basquete, pela etc. **3** *PR RS* Lugar onde é batida a erva-mate antes de ser levada ao moinho **4** Nas olarias, lugar onde são depositados os tijolos antes da queima **5** Pouso ou parada (de pessoas ou animais) **6** *Pop.* Grande expe-riência; conhecimento prático de determinada atividade, adquirido com o tempo; TARIMBA: *Pode confiar nele, tem muita cancha.* **7** *N. E.* Postura rígida ou sem naturalidade; pose **8** *Fig.* Situação favorável; comodidade [F.: Do espn. *cancha*.] ▪ **Abrir ~** *S.* Abrir passagem, saindo do caminho ou retirando obstáculos **~ de charqueada** *RS* Lugar por onde se arrasta um boi que vai ser morto e esfolado **~ reta** Pista rudimentar para corridas improvisadas de cavalos sem categoria

cancheiro (can.*chei*.ro) **sm. 1** *Bras. S.* Cavalo habituado a correr em canchas, esp. de areia **sm. 2** *Bras. Pop. Fut.* Jogador experiente; CANCHUDO **3** *Bras. S.* Indivíduo que trabalha em canchas, preparando-as para atividades esportivas **4** *P. ext. Pop.* Pessoa com muita experiência; CANCHUDO **a. 5** *Bras. S.* Diz-se de cavalo hábil em canchas (cavalo cancheiro) **6** *Bras. Pop. Fut.* Diz-se de jogador muito experiente (centroavante cancheiro); CANCHUDO **7** *P. ext. Pop.* Diz-se de quem é muito experiente; CANCHUDO [F.: *canch(a)* + *-eiro*.]

cancioneiro (can.ci:o.*nei*.ro) **sm. 1** Coleção ou compilação de canções (músicas ou poemas) **2** Coleção de poesias ou canções populares, tradicionais ou que fazem parte de repertório conhecido de muitos: *A cantora apresentou algumas pérolas do cancioneiro francês.* **3** *Liter.* Coleção de antigos poemas líricos das literaturas portuguesa, espanhola e galega [Ver tb. *romanceiro*.] [F.: *canção* (f. rad. *cancion-*) + *-eiro*.]

cançoneta (can.ço.*ne*.ta) [ê] **sf.** *Mús.* Canção curta, ger. alegre ou de tema leve e jocoso [F.: Posv. do it. *canzonetta*.]

cançonetista (can.ço.ne.*tis*.ta) *Mús.* **s2g. 1** Compositor ou cantor de cançoneta **a2g. 2** Ref. a ou próprio de cançoneta [F.: *cançone(ta)* + *-ista*.]

cancro (*can*.cro) **sm. 1** *Med.* Ferida localizada que surge no primeiro estágio de algumas doenças, esp. as venéreas **2** Doença infecciosa que ataca plantas **3** *Fig.* Fonte de deterioração progressiva; mal difícil de conter ou extirpar, que se agrava e destrói ou corrompe: *A negligência com a educação é um cancro na sociedade.* **4** *Lus. Med.* Câncer, tumor canceroso **5** *Carp.* Ferramenta com que os carpinteiros seguram no banco a madeira em que trabalham **6** *Cons.* Peça de metal que une pedras de cantaria ou madeira [F.: Do lat. *cancru(m)*.] ▪ **~ duro** *Pat.* Protuberância indolor, típica do estágio inicial da sífilis **~ mole** *Pat.* Doença sexualmente transmissível cujo agente é o bacilo *Hemophilus ducreyi*, que se apresenta inicialmente como uma úlcera local, podendo evoluir em adenite infecciosa e abscesso ganglionar

cancroide (can.*croi*.de) **sm. 1** *Med.* Tumor com grau de malignidade menor do que o de outros tipos de câncer **2** *Pat.* Ver *cancro mole* **a2g. 3** *Med.* Semelhante ao câncer [F.: *cancr(i/o)-* + *-oide*.]

candango (can.*dan*.go) **sm. 1** *Bras. Hist.* Operário que trabalhou na construção de Brasília (DF) **2** Qualquer dos primeiros habitantes de Brasília (DF) **3** Nome pelo qual os africanos chamavam os portugueses **4** *P. us.* Indivíduo desprezível **5** Pessoa de mau gosto **a. 6** Ref. a Brasília (DF) ou aos brasilienses [F.: Posv. do quimb. *kangundu*.]

cande (*can*.de) **sm.** Tipo de açúcar de paladar bastante suave obtido pela cristalização da sacarose; AÇÚCAR-CANDE; AÇÚCAR-CÂNDI; AÇÚCAR DE FARMÁCIA; ALFÉNICO; CÂNDI [F.: Do ár. *qandi* (açúcar).]

candeeiro (can.de.*ei*.ro) **sm. 1** Aparelho de iluminação portátil a gás ou óleo inflamável; LAMPIÃO **2** *Lus. P. ext.* Lampião de rua ou poste de iluminação pública **3** *Lus. P. ext.* Lustre, abajur ou luminária domésticos **4** *Bras. Ant.* Chapéu de três bicos; TRICÓRNIO **5** *S. ES MG* Pessoa que anda à frente do carro de bois, guiando-o **6** *RS* Tipo de dança semelhante ao fandango **7** *RS* Cantiga de roda [F.: *cande (ia)* + *-eiro*.]

candeia (can.*dei*.a) **sf. 1** Pequeno aparelho de iluminação que se pendura à parede e funciona com a queima de um pavio embebido em óleo; CANDELA (1) **2** *Ant.* Vela de cera **3** *Bot.* Nome comum a algumas plantas da fam. das compostas, como, p. ex., *Lychnophora rosmarinifolia*, arbusto nativo do Brasil, de madeira branca, dura e resinosa, casca tanífera e folhas e flores aromáticas e com uso medicinal, e *Vanillosmopsis erythropappa*, árvore nativa do cerrado do Brasil, de madeira branca us. na construção naval; CAMBARÁ [F.: Do lat. *candela*.] ▪ **De ~ às avessas (com)** *Lus. Pop.* Irritado, zangado (com alguém) **Festa das ~s** *Rel.* Festa católica em comemoração da purificação de Maria, celebrada em 2 de fevereiro, ger. com os participantes trazendo círios e velas acesos; candelária [Com maiúsculas iniciais.]

candela (can.*de*.la) **sf. 1** Ver *candeia* (1) **2** *Ópt.* Unidade de medida de intensidade luminosa aproximadamente igual à de uma vela comum [Definida cientificamente como a intensidade luminosa (perceptível ao olho humano) equivalente à de uma radiação monocromática de 540 x 10^{12} Hz emitida com intensidade de radiação de 1/683 watt por eferorradiano.] [Símb.: *cd*] [F.: Do lat. *candela*.]

candelabro (can.de.*la*.bro) **sm. 1** Grande castiçal com vários braços e um ponto de luz em cada um deles **2** Luminária que pende do teto, com braços e várias lâmpadas; LUSTRE **3** Luminária apoiada no chão, com hastes às quais se prendem lâmpadas **4** *Fig.* Objeto ou figura cuja forma lembra candelabro (1 a 3), esp. por ter prolongamentos como braços, ger. recurvados ou em ângulo [F.: Do lat. *candelabru(m)*.]

candente (can.*den*.te) **a2g. 1** Incandescente, quente como brasa; ABRASADO **2** *Fig.* Muito intenso; entusiasmado, ardoroso, apaixonado (pronunciamento candente) [F.: Do lat. *candente(m)*. Hom./Par.: *cadente*.]

cândida (*cân*.di.da) **sf.** *Micol.* Nome comum aos fungos ascomicetos do gên. *Candida*, como, p. ex., *Candida albicans*, que causa infecções (candidíase) no homem e em outros animais; MONÍLIA [F.: Do lat. cient. *Candida*.]

candidamente (can.di.da.*men*.te) **adv.** De modo cândido, com pureza, candura, inocência [F.: Fem. de *cândido* + *-mente*.]

candidatar (can.di.da.*tar*) **v. 1** Propor a candidato (alguém), apresentar como candidato (1) [**td.** / **tdr.** + **a**: *A família quer que ele abandone a política, mas o partido insiste em candidatá-lo; Decidiu candidatar-se a vereadora.*] **2** Apresentar como candidato (2, 3) ou concorrente; submeter a processo de seleção para obter algo ou para ter direito a algo [**td.** + **a**] [**tdr.** + **a**: *Candidatou seu projeto de pesquisa a (receber) financiamento da empresa; Candidatar-se a uma bolsa estudantil.*] **3** Tornar provável ou bem possível a vitória ou o sucesso de algo ou alguém em disputa, concorrência etc. [**tdr.**: *O bom currículo candidata-o fortemente ao cargo.*] [▶ 1 candidatar] [F.: *candidato* + *-ar*². Hom./Par.: *candidato* (fl.), *candidato* (sm.); *candidata* (fl.), *candidata* (fem. de *candidato*).]

candidato (can.di.*da*.to) **sm. 1** Pessoa que pretende eleger-se ou ser escolhida em eleição, nomeação etc.: *candidato à presidência; candidata à deputada* **2** Pessoa que disputa vaga em concursos para empregos, escola etc.: *mais de três mil candidatos inscritos para o exame vestibular.* **3** Pessoa, grupo, instituição etc. que se submete oficialmente a algum processo de seleção, licitação, concorrência etc.: *O Brasil é um dos candidatos a sediar a Copa do Mundo de futebol.* **4** *P. ext. Pop.* Aquele ou aquilo que tem condições ou grandes probabilidades de ser escolhido, de vencer disputa ou obter algo entre vários outros de um grupo, de uma lista: *O setor têxtil é um dos candidatos a ganhar subsídios do governo; A atleta é uma das candidatas a (ganhar) medalha.* [Não raro, us. de modo irôn. ou joc.: *Detestei o filme; é o meu candidato ao (prêmio de) pior do ano.*] [F.: Do lat. *candidatu(m)*, cujo significado original é 'em trajes brancos' (ver *candid-*), pois os aspirantes a cargos eletivos na antiga Roma vestiam togas dessa cor.]

candidatura (can.di.da.*tu*.ra) **sf. 1** Qualidade ou condição de quem é candidato; pretensão ou aspiração de quem quer ser escolhido para algum cargo: *Hesitou em declarar/apresentar/oficializar sua candidatura.* [+ **a**: *O escândalo ameaçava sua candidatura ao Senado.* O complemento pode indicar o cargo ou a instituição: *candidatura a senador.*] **2** *P. ext.* Campanha de candidato(s): *Fez exigências para participar da candidatura do partido.* **3** Ato de apresentar-se ou ser apresentado como candidato, ou registro desse ato: *Encerra-se hoje o prazo para as candidaturas.* [F.: De *candidato* + *-ura*; fr. *candidature*.]

candidez (can.di.*dez*) [ê] **sf.** Ver *candura* [F.: *cândid(o)* + *-ez*.]

candidíase (can.di.*dí*.a.se) **sf.** *Med.* Infecção causada por fungos do gên. *Candida*; MONILÍASE [F.: *cândid(a)* + *-íase*.]

cândido (*cân*.di.do) **a. 1** Que é muito branco; ALVO; IMACULADO **a. 2** *Fig.* Que não tem culpa, malícia, nem pensamentos ou sentimentos maus; INOCENTE; PURO [F.: Do lat. *candidu(m)*.]

candil (can.*dil*) **sm. 1** Pequena lâmpada ou lanterna; CANDEIA; CANDELA **2** Fosforescência nas águas **3** *Antq.* Medida de capacidade da Índia, para produtos secos, que valia aproximadamente meia tonelada **4** *Antq.* Moeda asiática **5** *Antq.* Medida luso-indiana de capacidade equ. a 160 litros **a2g. 6** Diz-se de uma variedade de trigo muito apreciada, de grãos claros, que produzem uma farinha muito alva; CANDIAL [Pl.: *-dis*.] [F.: Do ár. *kandil*.]

candimba (can.*dim*.ba) **sm.** *MG Pop.* Apuro, confusão, desordem, dificuldade *Bras. S.*; TIPITI: *Meteu-se num candimba e não sabia como sair.* [F.: Do quimb. *dimba*. Hom./Par.: *candimba* (sm.), *candimbá* (sm.).]

candiota (can.di.*o*.ta) **s2g. 1** Indivíduo nascido ou que vive em Cândia ou Iraklion, na ilha de Creta (Grécia) **2** *P. ext.* Cretense **a2g. 3** De Cândia; típico dessa ilha ou de seu povo **4** *P. ext.* Cretense [F.: Do top. *Cândi(a)* + *-ota*.]

candiru (can.di.*ru*) *Bras. Ict.* **sm. 1** Denominação comum dos peixes tricomicterídeos e ceptosídeos de água-doce, que tem aproximadamente 40 mm de comprimento e 4 mm de diâmetro, temido por ter o hábito de penetrar em orifícios naturais de animais e da espécie humana, podendo sugar-lhes o sangue e levá-los à morte **2** Peixe (*Vandellia cirrhosa*) tricomicterídeos, com cerca de 8 cm de comprimento, rosado, com cabeça deprimida, barbelas nos cantos da boca, dentes cônicos e espinhos no opérculo, e é encontrado na Amazônia, no Rio de Janeiro e no Orinoco; CANDIRU-DE-CAVALO **3** Peixe (*Pseudostegophilus scarificator*) tricomicterídeos, amarelo com pintas prateadas, encontrado nos rios Pardo, Mogi Guaçu, Grande e Paraná; CANDIRU-PINTADO; CHUPA-CHUPA; MATADOURADO; PEIXE-SANGUESSUGA; PEIXE-VAMPIRO [F.: Do tupi *kandi'ru*.]

candombe (can.*dom*.be) *Bras.* **sm. 1** *Dnç. Mús.* Ritual de origem africana bastante difundido no Uruguai e em comunidades da Serra do Cipó (MG), com batuque, canto e dança antigamente encenados pelos escravos nas fazendas **2** *Mús.* Atabaque us. nesses rituais, tb. chamados de santana, santaninha, chama e tambu **3** *MG Folc.* Grupo folclórico tradicional da dança dos escravos africanos, que homenageia Nossa Senhora do Rosário **4** *P. us.* Ver *candomblé* (2) **5** Rede de pescar camarões [F.: Do quimb. *kiandombe*.]

candomblé (can.dom.*blé*) **sm. 1** *Rel.* Religião afro-brasileira que cultua orixás por meio de cantos, danças e oferendas, incluindo rituais de possessão **2** Local onde se realizam os cultos dessa religião **3** Ritual ou cerimônia dessa religião, esp. com cantos e danças [F.: De or. contrv.] ▪ **~ de caboclo** *Rel.* Forma de candomblé que mescla influências indígenas, espiritismo, magia negra africana e europeia, elementos e personagens folclóricos etc.

candonga (can.*don*.ga) **sf. 1** Elogio interesseiro; BAJULAÇÃO; LISONJA **2** Comentário malicioso, mexerico, intriga **3** Ato enganoso, de má-fé; golpe, fraude; ARDIL; TRAPAÇA **4** *Bras.* Pessoa querida; BENZINHO; AMOR **5** Expressão de carinho; meiguice, ternura [F.: De or. contrv.]

candongueiro (can.don.*guei*.ro) **sm. 1** *Ang. Bras. Moç.* Aquele que pratica o contrabando de mercadorias; CONTRABANDISTA; MUAMBEIRO: "Uma vez em andamento o candongueiro não parava mais..." (Sebastião Coelho, *Angola, peixes e pescadores*) **2** *Fig. Pej.* Indivíduo enganador, impostor, mentiroso **3** *Fig. Pej.* Pessoa que faz intrigas; FOFOQUEIRO; MEXERIQUEIRO **4** *Fig. Pej.* Pessoa esquiva, exigente, impaciente **5** *Bras. Mús.* Pequeno atabaque us. em danças populares, esp. no jongo: "O senhor Leôncio e mais um pretinho sorridente batiam o "tambu"e o 'candongueiro' 'animadamente.'" (Alceu Maynard Araújo, *Jongo: origem e função social*) **6** *Pop.* Motorista que faz corrida ou transporte irregulares, cobrando acima do preço normal **a. 7** *Ang. Bras. Moç.* Que faz candonga, contrabando (turista candongueiro); CONTRABANDISTA; MUAMBEIRO **8** *Fig. Pej.* Que engana, finge, mente **9** *Fig. Pej.* Diz-se de quem é dado a fazer intrigas; FOFOQUEIRO; MEXERIQUEIRO **10** *Fig. Pej.* Diz-se de alguém que é esquivo, exigente, impaciente **11** *RS* Diz-de de animal que se debate, movimentando a cabeça para escapar de freio, buçal ou tosa; INQUIETO [F.: *candonga* + *-eiro*.]

candor (can.*dor*) [ô] **sm.** Ver *candura* [F.: Do lat. *candor*.]

candura (can.*du*.ra) **sf.** Qualidade do que ou de quem é cândido, puro, inocente; ausência de maus sentimentos ou más intenções; CANDIDEZ; CANDOR [Ant.: *cinismo, hipocrisia, malícia*.] [F.: *când(ido)* + *-ura*.]

caneca (ca.*ne*.ca) **sf.** Vasilha cilíndrica, com asa, para beber líquidos [F.: *cana* + *-eca*.]

canecaço (ca.ne.*ca*.ço) **sm.** Expressão popular de protesto em que os manifestantes batem canecas [F.: *caneca* + *-aço*. Cf. *buzinaço* e *panelaço*.]

caneco (ca.*ne*.co) **sm. 1** Caneca comprida **2** *Pop.* Troféu concedido ao vencedor de uma competição; TAÇA **3** *Pop. Joc.* Conjunto das duas nádegas [F.: De *caneca*.] ▪ **Pintar o(s) ~(s)** *Bras. Fam.* Fazer travessuras; pintar o sete (Ver no verbete *sete*)

canéfora (ca.*né*.fo.ra) **sf.** *Arq.* Escultura humana representando uma mulher com uma cesta na cabeça, muito usada na Grécia antiga como cariátide [F.: Do gr. *kanephóros, on.*]

canela[1] (ca.*ne*.la) *sf.* **1** *Bot.* Árvore da fam. das lauráceas (*Cinnamomum zeylanicum*), nativa da Índia e do Sri Lanka, cultivada pela casca esp. us. como condimento; CANELA-DA-ÍNDIA; CANELEIRA; CANELEIRA-DA-ÍNDIA **2** A casca dessa árvore; CANELA-DA-ÍNDIA **3** *Cul.* Condimento aromático, em pó ou em fragmentos, obtido pela trituração dessa casca; CANELA-DA-ÍNDIA **4** *Bot.* Denominação comum a várias árvores da fam. das lauráceas, de madeira ger. resistente e pesada **5** *Bot.* Nome comum às árvores do gên. *Canella*, da fam. das caneláceas, originárias da Flórida e do Caribe, com boa madeira e cuja casca é us. como condimento **6** A madeira dessas árvores **7** Canudo no qual se enrola o fio de tecer *a2g2n.* **8** Que tem a cor da canela (3) (sofá canela) *sm.* **9** A cor marrom avermelhada da canela (3) [F.: Do fr. ant. *canele* (atual *cannelle*). Ideia de 'canela', usar pref. *cinam-*.]

canela[2] (ca.*ne*.la) *sf.* Parte dianteira da perna, do joelho ao pé [F.: *cana* + *-ela*.] ■ **Azeitar as ~s** *Bras. Pop.* Escapulir correndo, fugir **~ de maçarico** *Bras.* Pernas finas e longas **Dar à(s) canela(s)** Escapar, fugir **Ensebar as ~s** *Bras. Pop.* Ver *Pôr sebo nas canelas* **Espichar/esticar as ~(s)** *Bras. Pop.* Morrer **Pôr sebo na(s) ~(s)** *Pop.* Correr, ger. fugindo **Ter ~ de cachorro** Estar fisicamente apto a andar muito

canela-batalha (ca.ne.la-ba.*ta*.lha) *sf. Bot.* Batalha (árvore de madeira amarelada) [Pl.: *canelas-batalhas* e *canelas-batalha.*]

canela-braúna (ca.ne.la-bra.*ú*.na) *sf. Bot.* Árvore da fam. das lauráceas (*Ocotea spectabilis*), natural do Brasil, de flores amarelas e aromáticas, cuja madeira é us. na construção civil; AIUIÚ; BARAÚNA; BRAÚNA; CANELA-MESCLA; CANELA-PRETA; LOURO-PRETO [Pl.: *canelas-braúnas* e *canelas-braúna.*]

canelada (ca.ne.*la*.da) *sf.* **1** Pancada na canela da perna: *dar/levar uma canelada* **2** *Fig. Pop.* Ação traiçoeira, desleal [F.: *canela[2]* + *-ada[1]*. Par. /Hom.: *canelada* (sf.), *canelada* (adj. fem.).]

canela-da-índia (ca.ne.la-da-*ín*.di:a) *sf. Bot.* Canela[1] (1, 2 e 3) [Pl.: *canelas-da-índia.*]

canela-de-ema (ca.ne.la-de-*e*.ma) *sf. Bras. Bot.* Nome dado a diversas plantas velosiáceas dos gêneros *Vellosia* e *Barbacenia*, de grandes flores ornamentais e caules compridos, que lembram as pernas das emas, originárias da região central do Brasil; CANELEIRA-DE-EMA [Pl.: *canelas-de-ema.*]

canelado[1] (ca.ne.*la*.do) *a.* Diz-se de algo em que se fez canelura(s), ranhura(s), estria(s) etc. (malha canelada; superfície canelada) [F.: Part. de *canelar.*]

canelado[2] (ca.ne.*la*.do) *sm.* Quantidade de caneluras [F.: *canela[2]* + *-ado[1]*.]

canelar (ca.ne.*lar*) *v.* **1** Ver *acanalar* [*td.*] **2** *Têxt.* Enrolar na canela (7) o fio da tecelagem [*int.*] [▶ **1** canelar] [F.: *canela* + *-ar[2]*. Hom./Par.: *canela(s)* (fl.), *canela* (sf. e pl.); *canelo* (fl.), *canelo* /ê/ (sm.).]

canelas (ca.*ne*.las) *smpl. Etnol.* Grupo indígena que habita áreas de reserva no Maranhão e é subdividido apaniecra-canela, rancocamecra-canela e quencatejê-canela [F.: Do fr. *cannelle.*]

caneleira[1] (ca.ne.*lei*.ra) *sf. Bot.* Canela[1] (1) [F.: *canela[1]* + *-eira.*]

caneleira[2] (ca.ne.*lei*.ra) *sf.* **1** *Esp.* Peça alcochoada us., ger. sob a meia, por esportistas para proteger a canela[2] de pontapés, pancadas etc. **2** *Esp.* Tornozeleira cheia de areia ou outro material pesado, us. em execícios para fortalecer os músculos das pernas e dos glúteos **3** *Ant. Mil.* Nas antigas armaduras, peça para proteger a perna, entre o joelho e o pé [F.: *canela[2]* + *-eira.*]

caneleira-da-índia (ca.ne.lei.ra-da-*ín*.di:a) *sf. Bot.* Canela[1] (1) [Pl.: *caneleiras-da-índia.*]

canelone (ca.ne.*lo*.ne) *sm. Cul.* Massa cozida, enrolada em cilindro(s) com recheios variados (carne, peixe, legumes etc.) e assada com um molho [F.: Do it. *cannellone*, aumentativo de *cannello* (cana).]

canelura (ca.ne.*lu*.ra) *sf.* **1** *Arq.* Sulco pouco fundo, de efeito decorativo, feito de alto a baixo, ger. em pilastras e colunas; ESTRIA; RANHURA **2** *Bot.* Estria ao longo do caule de uma planta **3** Qualquer peça, estrutura, acessório etc., em forma de sulco ou canaleta [F.: *canel(a)[2]* + *-ura.*]

caneta (ca.*ne*.ta) [ê] *sf.* **1** Instrumento para escrever ou desenhar à mão, que tem um tubo de plástico ou de metal que se segura entre os dedos e que contém tinta, e uma ponta ou pena que, ao deslizar sobre a superfície do papel etc., vai aplicando a tinta [Originalmente, designava haste ou tubo delgado a cuja ponta se encaixava um lápis ou uma pena de escrever.] **2** Pequeno cabo us. pelo cirurgião para segurar o cautério **3** *Pop.* Petrecho com que os ladrões retiram a chave da fechadura **4** *Fig. Pop.* Perna muito fina; CAMBITO **5** *Fut.* Drible que consiste em fazer a bola passar entre as pernas do adversário [F.: *can(a)* + *-eta*. Hom./Par.: *caneta(s)* [ê] (sf. [pl.]), *caneta(s)* [é] (fl. *canetar*).] ■ **~ automática** *N. E.* Ver *caneta-tinteiro* **~ esferográfica** *Bras.* Caneta composta de um tubo oco que contém carga de tinta e, na extremidade inferior, uma pequena esfera que recebe a tinta do tubo e a transfere para o papel; pode ser descartável ou permitir a recarga da tinta **~ hidrográfica** Caneta ger. descartável que contém tinta e tem na extremidade inferior uma ponta de feltro, que se embebe da tinta e a transmite à superfície na qual se escreve ou desenha **~ óptica** **1** *Inf.* Dispositivo de entrada de dados em computador, que interage com a tela do monitor para desenhar ou selecionar ícones e comandos na tela **2** Espécie de leitor de código de barras na forma de uma caneta

canetada (ca.ne.*ta*.da) *sf.* Ação ou resultado de canetar (3); ação oficial de natureza burocrática, administrativa: *Com uma só canetada, demitiu muitos funcionários.* [F.: *canet(a)* (ou *canetar*) + *-ada[1]*.]

canetar (ca.ne.*tar*) *v. td.* **1** *BA Gír.* Denunciar, dedurar **2** *Bras. Gír.* Multar **3** Estabelecer, oficializar, validar por meio de assinatura: *O presidente canetou a reforma.* **4** Marcar, destacar (ger. com caneta) [▶ **1** canetar] [F.: *caneta* + *-ar[2]*. Hom./Par.: *caneta(s)* (fl.), *caneta(s)* [ê] (sf. [pl.]).]

caneta-tinteiro (ca.ne.ta-tin.*tei*.ro) *sf.* Caneta em cujo interior há um pequeno reservatório de tinta líquida, que pode ser reabastecido; ESTILÓGRAFO [Pl.: *canetas-tinteiros*, e *canetas-tinteiro.*]

cânfora (*cân*.fo.ra) *sf.* **1** *Quím.* Substância incolor, viscosa e com cheiro acentuado, extraída da canforeira ou produzida sinteticamente, us. em medicina (como linimento, analgésico suave de uso externo, repelente de insetos etc.) e na indústria (como conservante, na fabricação de celulose etc.) **2** *Bot.* Canforeira [F.: Do lat. medv. *camphora.*]

canforado (can.fo.*ra*.do) *a.* Que contém cânfora, ou foi misturado ou coberto com cânfora (álcool canforado) [F.: Part. de *canforar.*]

canforeira (can.fo.*rei*.ra) *sf. Bot.* Árvore da fam. das lauráceas (*Cinnamomum camphora*), originária da China e do Japão, de madeira resistente, da qual é extraída a cânfora; CÂNFORA [F.: *cânfor(a)* + *-eira.*]

canfórico (can.*fó*.ri.co) *a. Quím.* Que contém cânfora ou se refere a ela (ácido canfórico) [F.: *cânfora* + *-ico*. Ideia de: *canf-* e *canfor-*.]

canga[1] (*can*.ga) *sf.* **1** Armação de madeira que junta dois bois pelo pescoço e os liga a carro ou arado; JUGO **2** Pau comprido que, colocado nos ombros de carregadores, serve para transportar objetos, fardos **3** Antigo instrumento chinês de tortura que consiste em quadrado de madeira com orifício central para prender o supliciado pelo pescoço **4** *Fig.* Opressão, jugo, domínio de alguém sobre outrem; condição de quem é dominado por outrem: "...podemos inferir é que seria grande a quantidade de pessoas sob canga..." (Alberto da Costa e Silva, *A manilha e o libambo*) [F.: De or. contrv. Hom./Par.: *canga* (sf.), *cangá* (sm.).]

canga[2] (*can*.ga) *sf. MG Geol.* Acúmulo bem consolidado de minerais diversos, ricos em ferro (p. ex., hematita, itabirito, limonita), na superfície do solo [F.: F. red. de *tapanhoacanga*, do tupi *tapuïuna'kanga*, 'cabeça de escravo negro' (em alusão à forma das rochas).]

canga[3] (*can*.ga) *sf.* Peça de tecido leve, em formato retangular, que pode ser amarrada ao corpo de diversas formas (p. ex., para servir como saída de praia) ou ser us. em praia, piscina etc. para forrar o chão ou a areia em que a pessoa se deita [F.: Posv. de *tanga.*]

cangaceiro (can.ga.*cei*.ro) *sm.* **1** *Bras.* Bandido do sertão nordestino; designação dada esp. aos membros de grupos armados que percorriam o sertão do Nordeste brasileiro, acampando e fazendo incursões a cidades e fazendas, e que que atuaram mais intensamente no início do séc. XX, até 1938; JAGUNÇO *a.* **2** Relativo aos cangaceiros ou ao cangaço (modo de vida): *vida cangaceira; movimento cangaceiro.* [F.: *cangaç(o)* + *-eiro.*]

cangaço (can.*ga*.ço) *sm.* **1** A atividade ou o modo de vida dos cangaceiros: *Maria Bonita foi a primeira mulher a entrar para o cangaço.* [*a acompanhar os cangaceiros, adotar seu modo de vida*] **2** *P. ext.* O conjunto dos cangaceiros e suas atividades, considerados como fenômeno histórico-social: *pesquisa sobre a história do cangaço.* **3** Conjunto de móveis e utensílios pobres e velhos **4** O conjunto das armas de cangaceiro(s) ou de bandido(s) **5** Bagaço de uvas depois da pisa para fazer vinho **6** Conjunto de pedúnculo e espata secos, caídos de uma palmeira [F.: *cang(a)* + *-aço.*]

cangalha (can.*ga*.lha) *sf.* **1** *Bras.* Armação que se coloca em lombo de animais com recipientes laterais para alojar cargas **2** Triângulo de madeira que se põe no pescoço dos porcos para impedir que fucem canteiros e plantações **3** *Cin. Telv.* Acessório que se coloca sobre o ombro do fotógrafo ou cinegrafista, para que ali se apoie a câmera **4** Carro puxado por um único animal **5** *Ant. Mil.* Armação de madeira para alojar canhões e munições conduzidos nas costas de animais **6** *N. E. Pop.* Perna arqueada para dentro [F.: *canga* + *-alha.*]

cangalhas (can.*ga*.lhas) *sfpl. Pop. Joc.* Óculos [F.: Pl. de *cangalha.*] ■ **De ~** *Pop.* Virado com a parte superior para baixo; de pernas para o ar, de cabeça para baixo, de ponta-cabeça (*SP*)

cangalheiro (can.ga.*lhei*.ro) *sm.* **1** Indivíduo que conduz bestas com cangalhas; ALMOCREVE; RECOVEIRO **2** Dono ou funcionário de funerária que aluga ou dispõe os aprestos para um enterro; AGENTE FUNERÁRIO; ARMADOR: "... Imagine que, por um motivo ou outro, você tenha que ir a um enterro e, de repente, no meio da cerimônia, informam que chegou o cangalheiro..." (Mario Prata, *Cangalheiro*) **3** *Bot.* Árvore cunoniácea (*Belangera tomentosa*), de madeira macia e avermelhada, muito utilizada em marcenaria; AÇOITA-CAVALO; AÇOUTA-CAVALO; CANGALHEIRA; GUARAPERÊ; GUARAPORÊ; SALGUEIRO-DO-MATO *a.* **4** Ref. a cangalha ou habituado a ela (animal cangalheiro) **5** *Bras.* Diz-se de cavalo que serve exclusivamente para carregar carga [F.: *cangalh(a)* + *-eiro*. Ideia de: *cangac-*.]

cangambá (can.gam.*bá*) *sm. Zool.* Mamífero carnívoro da fam. dos mustelídeos (gên. *Conepatus*; tb. classificado como mefitídeo, gên. *Mephitis*) que lança um líquido malcheiroso pelas glândulas anais quando atacado; JARITATACA [Por vezes confundido com o gambá.] [F.: De or. contrv.]

cangapé (can.ga.*pé*) *sm.* **1** *Bras.* Pontapé que alguém dá inesperadamente na barriga da perna de outrem, como na capoeira; CAMBAPÉ: "...Também solta cangapé, bofete e rabo de arraia, e se alguém fica de pé..." (Herculano Duarte Ramos de Alencar, *Cabra-macho*) **2** *AL MA* Pontapé dado ao mergulhar; **3** *Bras. CE* Ato de atirar-se no rio ou no mar de maneira atabalhoada: *Passeando nas praias e dando cangapé no rio.* [F.: De or. posv. de *camba(r)* (com contaminação de canga) + *pé.*]

cangarra (can.*gar*.ra) *sf. Moç.* Gaiola feita de ramos para o transporte de animais [F.: Do macua *mukankarra.*]

cangote (can.*go*.te) *sm.* Parte traseira do pescoço; CERVIZ; COGOTE; NUCA [F.: De *cogote*, por infl. de *canga.*] ■ **Estar de ~ duro/grosso** *S.* Estar (animal) gordo **Montar no ~ de (alguém)** *Fig.* Sujeitar (alguém) a domínio ou a vontades, caprichos, humilhando-o

canguçu (can.gu.*çu*) *sm.* **1** *Bras. Zool.* Ver *onça-pintada* (*Panthera onca*): "...Era um canguçu atraído, quem sabe, pela fome ou pela iluminação da mata..." (*Página do Gaúcho, Cap. IV, A canguçu*) **2** *Bras. Zool.* Ver *cavala* (*Scomberomerus regalis*) **3** *Bras. SP Pop.* Ver *caipira* [F.: Do tupi *acanga* + *uçu* (cabeça grande). Ideia de: *-canga* e *-açu.*]

canguinha (can.*gui*.nha) *sf.* **1** Pequena canga *s2g.* **2** *Pop.* Indivíduo de físico pouco desenvolvido; CANGUINHAS; FRANZINO: "...Como não cresceu muito e se tornou um canguinha radical na vida adulta, mantém um guarda-roupa modesto..." (Rubens Nóbrega, *O casamento de Obi*, *Correio da Paraíba*, Ed. on line, 24.12.2004) **3** *Irôn.* Aquele que é fraco, desanimado, sem energia: *Não reage a nenhum desaforo, é um canguinha na vida.* **4** *Irôn.* Pessoa sovina, avarenta: *Deixe de ser canguinha e pague uma cerveja.* [Ant.: *perdulário.*] [F.: *canga* + *-inha*. Hom./Par.: *canguinha* (sf. e s2g.), *canguinha* (fl. de *canguinhar*). Ideia de: *cangac-*.]

cangulo (can.*gu*.lo) *sm.* **1** *Zool.* Peixe de água salgada da fam. dos balistídeos (gên. *Balistes*), com cerca de 0,5 m de comprimento e que tem os dentes superiores muito salientes **2** *Fig.* Pessoa dentuça [F.: Posv. de or. africana (quimbundo).]

canguru (can.gu.*ru*) *sm. Zool.* Denominação comum a diversas spp. de mamíferos marsupiais da fam. dos macropodídeos, encontrados na Austrália, na Nova Guiné e em ilhas próximas, caracterizados por membros posteriores muito desenvolvidos, cabeça pequena, cauda longa (us. para dar apoio e equilíbrio) e que se locomovem aos saltos, sem emprego dos membros anteriores [F.: Do ing. (obsol.) *kangooroo* (hoje *kangaroo*), de um termo nativo australiano.]

canha[1] (*ca*.nha) *sf. Pop.* A mão esquerda; CANHOTA; SINISTRA [F.: Fem. substv. de *canho.*] ■ **À(s) canha(s)** **1** Com a mão esquerda **2** Do lado esquerdo, ou começando pela esquerda; da esquerda para a direita **3** *Fig.* De modo inverso ao que é comum, habitual; às avessas **4** De modo desajeitado, canhestro

canha[2] (*ca*.nha) *sf. Bras. S. Pop.* O mesmo que *cachaça* (aguardente de cana): "Só me afasto da picanha e dum golinho de canha se estiver ruim da cachola." (Barbosa Lessa, *Churrasco*) [F.: Posv. do espn. *caña* (cana).]

canhada (ca.*nha*.da) *Bras. S sf.* **1** Terreno baixo, depressão entre coxilhas ou colinas; BAIXADA: *Ele passava entre a enorme canhada existente entre as serras Marumbi e Farinha Seca.* **2** Sulco rasgado pelas chuvaradas em ladeiras muito inclinadas [Aum.: *canhadão.*] [F.: Do espn. *cañada.*]

cânhamo (*câ*.nha.mo) *sm.* **1** *Bot.* Arbusto da fam. das moráceas (*Cannabis sativa*), procedente da Ásia, cujo caule fornece fibra têxtil e de cujas folhas e flores se obtêm a maconha e o haxixe; MACONHA: *colcha de cânhamo.* **2** *P. ext. Bot.* Nome comum a várias plantas das quais se extraem fibras têxteis **3** *Têxt.* Fio ou tecido obtido de cânhamo (1 ou 2) **4** *P. us.* Maconha (droga obtida da planta) [F.: Do espn. *cañamo.*]

cânhamo-de-manilha (câ.nha.mo-de-ma.*ni*.lha) *sm. Bot.* Planta da fam. das musáceas (*Musa textilis*), natural das Filipinas, muito cultivada para extração de fibra usada em cordoaria e em tecelagem; ABACÁ; ALVACÁ; BANANEIRA-DE-CORDA [Pl.: *cânhamos-de-manilha.*]

canhanha (ca.*nha*.nha) *s2g.* **1** Indivíduo desprovido de dentes; BANGUELA *a2g.* **2** Diz-se daquele que não tem dentes (vovó canhanha); BANGUELA [F.: De or. posv. tupi. Hom./Par.: *canhanha* (s2g., a2g. e sf.), *canhanho* (sm.).]

canhão (ca.*nhão*) *sm.* **1** *Mil.* Peça de artilharia; arma de fogo de cano longo e largo diâmetro, ger. sobre rodas ou outra armação móvel, us. para lançamento de projéteis pesados ou explosivos, esp. os antiaéreos, que atingem alvos distantes **2** *Anat. Zool.* A parte mais grossa da pena de aves **3** Extremidade (ger. de forma cilíndrica) em que fica a abertura de algumas peças do vestuário, como luva, manga, bota etc. **4** *Pej.* Pessoa, ger. mulher, muito feia; BRUXA [Denota preconceito.] **5** *Geog.* Passagem profunda, estreita e sinuosa entre montanhas, escavada por curso de água; CANYON **6** *Teat. Telv.* Refletor (aparelho de iluminação) grande e com luz forte, de base móvel, e que emite feixe de luz ajustável por lentes, aberturas, filtros de cor etc. **7** *Esp.* Pancada muito forte que se dá na bola (chute, cortada, saque etc.) e que imprime a esta grande velocidade **8** Peça cilíndrica, oca, na entrada de certos tipos de fechadura [Pl.: *-nhões.*] [F.: Do espn. *cañón.*] ■ **~ de luz** Ver *canhão* (6) **~ eletrônico** *Eletrôn.* Em uma válvula eletrônica (como um cinescópio, ou tubo de imagem de televisão) conjunto de eletrodos que formam um feixe de elétrons, controlam sua intensidade, focalizam-no num ponto e acionam sua varredura para formar a imagem **~ iônico** *Eletrôn.* Dispositivo que forma um feixe de íons, controla sua intensidade e o focaliza

canhenho (ca.*nhe*.nho) *sm.* **1** Livro de lembranças ou de notas; CADERNETA: "...Tirou do bolso um canhenho no qual pareceu tomar nota do título do espetáculo anunciado..." (Marcel Proust, *À sombra das raparigas em flor,* Trad. de José Ames) **2** *Fig.* A memória **3** *Lus.* Aquele que é canhoto *a.* **4** *Lus.* Diz-se de quem é canhoto [F.: De or. posv. de *canho* (canhoto). Sin. ger.: *canhanho.*]

canhestro (ca.*nhes*.tro) [ê] *a.* **1** Sem jeito; que não tem habilidade, desenvoltura, elegância (gestos/movimentos canhestros); CANHOTO; DESAJEITADO [Ant.: *destro, jeitoso.*] **2** Feito com imperfeição; tosco, defeituoso; MALFEITO: "O convite incluía, feito pelas crianças da escola, um canhestro e tocante mapa..." (Antonio Callado, *Reflexos do baile*) **3** Acanhado, tímido; pouco à vontade (esp. na companhia ou presença de pessoas): "...que o pai toda a vida fora assim, retraído, retraidão, canhestro..." (Guimarães Rosa, *Noites do sertão*) [F.: *canho* (= *canhoto*) + *-estro* (terminação de *destro*, próxima, por sua vez, da term. de *sinistro*).]

canho¹ (*ca*.nho) *sm. Pop.* Lucro ilícito por ação falsa, enganosa ou fraudulenta [F.: Posv. de *canhengue.*]

canho² (*ca*.nho) *a.* Que é canhoto, esquerdo [F.: De or. contrv., posv. regress. de *canhoto*. Hom./Par.: *canha* (fem.), *canha* (sf.).]

canho³ (*ca*.nho) *sm. Moç. Bot.* Fruto do canhoeiro, de que se faz certa bebida alcoólica [F.: Do banto *nkanyu.*]

canhonaço (ca.nho.*na*.ço) *sm.* **1** Tiro de canhão **2** Série ou conjunto de tiros de canhão; ofensiva de artilharia **3** *Fig. Fut.* Chute extremamente forte **4** O estrondo de um tiro de canhão **5** *P. ext.* Estrondo, barulho muito forte ou, fig., grande alarde **6** *Fig.* Ofensiva ou manobra que mobiliza grandes recursos e poder para vencer uma disputa, ou que usa ameaças, brutalidade etc. [F.: *canhão* (f. rad. *canhon-*) + *-aço.*]

canhonada (ca.nho.*na*.da) *sf.* **1** Tiroteio, tiros repetidos de canhão; CANHONEIO **2** *Fig.* Ataque traiçoeiro e demolidor contra algo ou alguém: *Aquela canhonada de seus próprios colegas de turma foi tão inesperada quanto decepcionante.* **3** *Fig.* Rumor constante e intenso [F.: *canhão* + *-ada*. Ideia de: *can(i)-*.]

canhonear (ca.nho.ne.*ar*) *v. td.* **1** Atacar atirando com canhão; BOMBARDEAR: *Os soldados canhonearam o inimigo.* **2** *Fig.* Criticar, censurar, reprovar; opor-se a (algo ou alguém) de modo agressivo: *Canhonearam o ator estreante.* [▶ 13 canhon**ear**] *sm.* **3** O mesmo que *canhoneio* [F.: Do castelhano *cañonear*. Hom./Par.: *canhoneio* (fl. [do verbo]), *canhoneio* (sm.).]

canhoneio (ca.nho.*nei*.o) *sm.* Tiros de canhão simultâneos ou sucessivos; BOMBARDEIO; CANHONADA [F.: Dev. de *canhonear*. Hom./Par.: *canhoneio* (sm.), *canhoneio* (fl. de *canhonear*).]

canhoneira (ca.nho.*nei*.ra) *sf.* **1** Pequeno navio munido de canhões para defesa de rios ou litorais **2** Vão ou abertura nas muralhas antigas (sécs. XV e XVI) para possibilitar os tiros de canhões e outras armas [F.: *canhão* (f. rad. *canhon-*) + *-eira*; espn. *cañonera.*]

canhota (ca.*nho*.ta) *Pop. sf.* **1** A mão esquerda; SINISTRA **2** O pé esquerdo, ou a perna esquerda [F.: Fem. de *canhoto.*] ■ **À ~** Ver *À(s) canha(s)* **De ~** **1** Com a perna esquerda ou o pé esquerdo: *Avançou com a bola e chutou/passou de canhota.* **2** Com a mão esquerda: *Encerrou a música um solo de canhota na bateria.*

canhoteiro (ca.nho.*tei*.ro) *Bras. sm.* **1** Indivíduo que tem maior habilidade com mão ou pé esquerdos; CANHOTO: "... No grande baile do futebol/ Só um artista/ Um canhoteiro / Acende a tarde inventa o sol..." (Fagner e Zeca Baleiro, *Canhoteiro*) *a.* **2** Diz-se de quem é canhoto (violonista canhoteiro) [F.: *canhoto* + *-eiro.*]

canhoto (ca.*nho*.to) [ô] *a.* **1** Que é mais hábil com a mão esquerda e/ou a perna esquerda (tenista canhoto); CANHOTEIRO; SINISTRO [Ant.: *destro*] **2** Canhestro (1), desajeitado [Ant.: *destro, hábil.*] **3** *Joc.* De esquerda; que tem ideias ou tendências socialistas, ou comunistas [Fem.: *-nhota* [ó] ou [ô].] *sm.* **4** Indivíduo canhoto (acp. 1) [Fem. nesta acp.: *-nhota* [ó] ou [ô].] **5** *Bras.* A parte do cheque, recibo, cupom etc. que não se destaca de um talão (ou que é destacada do restante do documento avulso) e permanece, como comprovante, com a pessoa ou a firma que os emite **6** *Bras. Pop.* O diabo [F.: *canh(o)* ('esquerdo') + *-oto.*]

◎ **can(i)-¹** *el. comp.* = 'cão': *caniculto*r*, canicultura, canifobo* [F.: Do lat. *canis, is.* F. conexa: *canz-* (q.v.).]

◎ **can(i)-²** *el. comp.* = 'cana'; 'canela': *caniforme; canipreto* [F.: Do lat. *canna, ae.*]

canibal (ca.ni.*bal*) *s2g.* **1** Pessoa que come carne humana; ANTROPÓFAGO **2** *Fig.* Pessoa muito cruel: "...uma horda canibal e sanguinária, capaz de todas as atrocidades..." (Alberto da Costa e Silva, *A manilha e o libambo*) **3** Animal que devora outro(s) da mesma espécie *a2g.* **4** Diz-se dessa pessoa ou animal **5** Ref. a canibalismo; CANIBALESCO [Pl.: *-bais.*] [F.: Do espn. *caníbal*, de *caribe*, pal. indígena das Antilhas.]

canibalesco (ca.ni.ba.*les*.co) [ê] *a.* **1** Ref. a ou próprio de canibal; ref. a ou caracterizado por ingestão de carne humana (ou de animais da mesma espécie) (festim canibalesco); CANIBAL **2** *Fig.* Cruel e sanguinário (instintos canibalescos) [F.: *canibal* + *-esco.*]

canibalismo (ca.ni.ba.*lis*.mo) *sm.* **1** Ato ou condição de canibal; ingestão de carne humana como prática alimentar ou ritual; ANTROPOFAGIA **2** *Fig.* Comportamento brutal, sanguinário; FEROCIDADE **3** Ato ou comportamento de animal que devora outro(s) da mesma espécie [F.: *canibal* + *-ismo.*] ■ **~ funerário** *Antrop.* Antropofagia como prática ritual com os mortos de um grupo

canibalístico (ca.ni.ba.*lís*.ti.co) *a.* Ref. a canibalismo (comportamento canibalístico) [F.: *canibal* + *-ist(a)-* + *-ico*. Ideia de: *canibal-*.]

canibalização (ca.ni.ba.li.za.*ção*) *sf.* Ação ou resultado de canibalizar [Pl.: *-ções.*] [F.: *canibaliza(r)* + *-ção.*]

canibalizar (ca.ni.ba.li.*zar*) *v. td.* **1** Tirar peça(s) de (equipamento, máquina etc. fora de uso) para usar em outro, repondo peças originais avariadas, ger. com adaptações: *O mecânico canibalizou o motor do carro.* **2** *Fig.* Reutilizar algo, fazendo adaptações; usar partes de (algo já existente) em nova obra ou criação; REAPROVEITAR: *O compositor canibalizou uma famosa ópera.* [▶ 1 canibaliz**ar**] [F.: *canibal* + *-izar*; ing. *cannibalize.*]

caniçada (ca.ni.*ça*.da) *sf.* Grade ou cerca (para proteção, sustentação de plantas etc.) feita com canas ou caniços [F.: *caniç(o)* + *-ada¹.*]

⊕ **caniche** (*Fr.* /kanich/) *sm.* **1** Raça de cães leais e sociáveis de origem francesa, tb. conhecidos no Brasil como Poodle Toy, nascido da miniaturização do poodle padrão, podendo pesar até 7 kg e atingir uma altura em torno de 25 cm; de pelo cacheado e encordoado, tem variedade de cores como preta, branca, cinza e marrom **2** *P. ext.* Cachorro dessa raça

canície (ca.*ní*.ci:e) *sf.* **1** Aparecimento das cãs, dos cabelos brancos (devido a envelhecimento, alguma anomalia etc.) **2** Estado dos cabelos naturalmente embranquecidos, ou de quem os apresenta (esp. devido à idade) **3** *Fig.* Época da vida em que os cabelos estão totalmente brancos; velhice [F.: Do lat. *canitia.*]

caniço (ca.*ni*.ço) *sm.* **1** Cana fina e comprida, us. para pescar (tendo para isso uma linha à qual se prende um anzol); vara de pescar **2** *Bot.* Cana fina **3** *Bras.* Armação feita de canas trançadas us. para fechar a traseira do carro de bois e imobilizar os objetos nele transportados **4** *Fig.* Pessoa muito magra **5** *Pop.* Perna fina; CAMBITO [F.: *cana* + *-iço.*]

canícula (ca.*ní*.cu.la) *sf.* **1** (Época de) calor muito forte da atmosfera, em determinada região **2** *Astron.* Período do ano em que a estrela Sírius está em conjunção com o Sol [Vai de fins de julho a fins de agosto, coincidindo com o auge do verão, no hemisfério Norte.] **3** *Astron.* A estrela Sírius [Inicial maiúscula.] [F.: Do lat. *canicula*, 'cadelinha', us. como designação da estrela Sírius.]

canicular (ca.ni.cu.*lar*) *a2g.* **1** Referente a ou próprio de canícula; muito quente, calorento: *uma tarde canicular; Ficou em casa para não enfrentar o sol canicular; Em pleno inverno, tivemos um calor canicular.* **2** *Fig.* Muito caloroso, intenso; apaixonado, ardente (versos caniculares) [F.: Do lat. *canicularis, e.*]

canicultor (ca.ni.cul.*tor*) [ô] *a.* **1** Diz-se de quem cria cães ou que trabalha com criação de cães **2** Ref. a canicultura *sm.* **3** Aquele que cria cães [F.: *can(i)-¹* + *-cultor.*]

canicultura (ca.ni.cul.*tu*.ra) *sf.* Criação de cães [F.: *can(i)-¹* + *-cultura.*]

canídeo (ca.*ní*.de:o) *Zool. a.* **1** Ref. aos canídeos *sm.* **2** *Zool.* Espécime dos canídeos, fam. de mamífero digitígrado, carnívoro, que, além do cão, inclui tb. o lobo, o chacal e a raposa: *O lobo-guará é o maior canídeo da América do Sul.* [F.: *can(i)-* + *-ídeo.*]

caniforme (ca.ni.*for*.me) *a2g.* Que tem forma de cana [F.: *can(i)-²* + *-forme.*]

canil (ca.*nil*) *sm.* **1** Lugar onde são mantidos ou abrigados cães (domésticos, de caça etc.) **2** Estabelecimento em que se criam cães para comercialização [Pl.: *-nis.*] [F.: *can(i)-¹* + *-il¹.*]

caninana (ca.ni.*na*.na) *sf.* **1** *Bras. Zool.* Serpente preta e amarela da fam. dos colubrídeos (*Spilotes pullatus*), não venenosa, com mais de 2 m de comprimento, encontrada na América do Sul e América Central **2** *Zool.* Ver *papa-ovo* (serpente *Drymarchon corais*) **3** *Fig.* Pessoa má, traiçoeira **4** *Bot.* Cainca (arbusto rubiáceo, ou sua raiz) **5** *Bot.* Trepadeira lenhosa, nativa do Brasil, cultivada como ornamental (*Securidaca lanceolata*, fam. das poligaláceas) [F.: Do tupi *kani' nana.*]

canindé (ca.nin.*dé*) *Bras. sm.* **1** *Zool.* Arara-canindé **2** *CE* Faca comprida, us. por sertanejos [F.: Do tupi *kani' nde.*]

caninha (ca.*ni*.nha) *sf.* **1** *Bras. Pop.* Cachaça **2** Cana pequena, caniço [F.: *can(a)* + *-inha.*]

canino (ca.*ni*.no) *a.* **1** Ref. a ou próprio de cão (fidelidade canina) **2** Apropriado para cães (alimento canino) **3** *Od.* Diz-se de cada um dos quatro dentes pontudos, situados entre os incisivos e os pré-molares, próprios para lacerar alimentos *sm.* **4** *Od.* Cada um desses dentes [F.: Do lat. *caninu(m).*]

cânis (*câ*.nis) *Zool. sm2n.* **1** Gênero precursor dos canídeos **2** Espécie representativa desse gênero: *canis lupus* (lobo), *canis familiaris* (cão doméstico) **3** Animal desse gênero [F.: Do lat. *canis.*]

canitar (ca.ni.*tar*) *sm. Bras. Etnog.* Enfeite us. na cabeça por indígenas, feito de penas [F.: Do tupi.]

canivetada (ca.ni.ve.*ta*.da) *sf.* **1** Ação ou resultado de canivetar **2** Golpe desferido com canivete; CANIVETAÇO: *Levou uma canivetada ao tentar separar a briga do casal.* **3** Corte causado por golpe com canivete **4** *Fig.* Ato contrário ao que é costumeiramente aceito ou legalmente permitido: "...Uma enfermeira, com consentimento da alta administração do hospício, certamente uma canivetada na constituição, organizou na capela uma festa..." (Lima Barreto, *O cemitério dos vivos*) [F.: *canivet(e)* + *-ada*. Ideia de: *canivet-*.]

canivete (ca.ni.*ve*.te) [é] *sm.* **1** Instrumento cortante com uma ou mais lâminas e ger. outros acessórios retráteis, que se encaixam num cabo **2** *Pop.* Bisturi, instrumento cirúrgico, para cortar **3** *Pop.* Perna, esp. quando magra **4** *Zool.* Nome de algumas espécies de peixes brasileiros (p. ex., gên. *Apareiodon, Characidium* etc.) **5** *Bras.* Cavalo magro e pequeno [F.: Do fr. ant. *canivet.*] ■ **Aos ~s** *Pop.* Muito; em grande quantidade ou intensidade: *Chovia aos canivetes.* **Dar aos ~s** Fugir **Nem que chova(m) ~(s)** Apesar de qualquer dificuldade; independentemente das circunstâncias; aconteça o que acontecer, haja o que houver

canja (*can*.ja) *sf.* **1** *Cul.* Sopa de galinha com arroz, cenoura e ger. salsa ou coentro **2** *Bras. Pop. Fig.* Aquilo que é fácil de fazer ou resolver, que não exige esforço: *Não estudamos muito, mas a prova foi uma canja.* **3** *Bras. Pop. Mús.* Apresentação musical não programada ou improvisada, esp. de *jazz* ou música popular (p. ex., por um artista convidado, ou que, presente na plateia, é chamado a vir ao palco) [F.: Posv. do malaiala *kanji*, 'arroz com água'.] ■ **Dar (uma) ~** *Bras. Pop.* Apresentar (cantor, instrumentista etc.) número extra (esp. em apresentação de outro artista), ou apresentar-se de graça **Ser ~** *Fam.* Ser muito fácil; ser pinto: *Foi canja resolver isso.*

canjarana (can.ja.*ra*.na) *sf.* **1** *Bras. Bot.* Designação de plantas da fam. das meliáceas, gêneros *Cabralea* e *Guarea*, esp. a espécie *Cabralea cangerana*, que inclui arbustos e árvores pequenas ou de grande porte, nativos do Brasil, de madeira nobre, e de que se aproveitam também as folhas (uso medicinal), os frutos (para bebidas), a casca tanífera, e a serragem (para tinturas); PAU-SANTO **2** A madeira dessa árvore, aromática, de coloração avermelhada ou amarelada, resistente à água, fácil de trabalhar, us. em marcenaria, construção civil e naval; PAU-SANTO [F.: Do tupi *akaya' rana*. Tb. *canjerana.*]

canjebrina (can.je.*bri*.na) *sf. Bras. Pop.* Aguardente com cana-de-açúcar; CACHAÇA; PINGA: "...A morte, em Londres e Paris/ Levou-o à forca e à guilhotina/ Porém em Roma, Ovalle quis/ Tomar a sua canjebrina..." (Vinicius de Moraes, *A última viagem de Jayme Ovalle*) [F.: De or. obsc.]

canjerana (can.je.*ra*.na) *Bot. sf.* Ver *canjarana* [F.: Do tupi.]

canjerê (can.je.*rê*) *sm.* **1** *Bras.* Cerimônia ou reunião para a prática de feitiçaria **2** Feitiço, bruxaria **3** *MG* Designação dos cultos e danças das religiões afro-brasileiras, ou, por vezes, de danças não religiosas dos negros [F.: De or. africana.]

canjica (can.*ji*.ca) *Bras. sf.* **1** *Cul.* Mingau de milho-verde ralado, cozido com leite de vaca ou coco e açúcar, e servido com canela *RJ*; CANJIQUINHA *MG SP MT GO*; CURAU **2** *S MG* Munguzá **3** Rapé de tabaco da ilha de São Sebastião SP **4** *Cons.* Revestimento de fachadas feito com pequenas pedras de vários tamanhos **5** Mistura de areia grossa de rio com pedras pequenas, típica de cascalho diamantífero **6** *Pop.* Cachaça **7** *Pop. P. ext.* Bebedeira **8** Cisticerco (larva circular de verme parasita) [F.: Posv. de *canja.*] ■ **Com as ~s de fora** Rindo ou sorrindo e mostrando os dentes **Pôr fogo na ~** **1** Animar(-se), agitar(-se) **2** *Fig.* Agir ou fazer algo com energia, vigor, entusiasmo, grande competência etc. **3** Apressar **Ser fogo na ~** **1** Ser (pessoa, coisa) especialmente complicada, difícil de se lidar **2** Ser (alguém) muito bom naquilo que faz, ou difícil de superar **Socar ~** Andar a cavalo, em trote, sem amortecer bem o impacto do corpo na sela **Tocar fogo na ~** Ver *Pôr fogo na canjica*

canjiquinha (can.ji.*qui*.nha) *sf.* **1** *Bras.* Milho cujos grãos são picados ou quebrados no pilão, us. para alimentação de aves e em certos preparados culinários **2** *RJ Cul.* Canjica (papa de milho-verde) **3** *Bras.* Pequeno inchaço **4** Cisticerco; larva, esbranquiçada e circular, de vermes parasitas (como a tênia) [F.: *canjica* + *-inha.*]

canjirão (can.ji.*rão*) *sm.* **1** Jarro com asa, de boca larga, us. para vinho ou cerveja **2** *Fig.* Indivíduo ou objeto muito volumoso e mal-arranjado [Pl.: *-rões.*] [F.: De or. obscura.] ■ **Aguentar o ~** *Bras.* Resistir, não ceder, não desistir; aguentar firme

cano (*ca*.no) *sm.* **1** Cilindro comprido e oco, de metal, madeira, plástico etc. (cano de descarga); TUBO **2** Esse cilindro ger. escondido sob parede, forro ou piso e us. para condução de líquidos, gases etc. **3** Tubo por onde escoa a fumaça da fornalha, da lareira ou do fogão à lenha **4** *Arm.* Tubo das armas de fogo, por onde sai a bala, o projetil **5** Em calçado ou luva, a parte que tem forma de tubo **6** Parte oca da pena de escrever **7** *Bras. Gír.* Calote, prejuízo: *Deu o cano nos credores.* **8** *Bras. Gír.* Situação ou coisa difícil, complicada, problemática [F.: De *cana¹.*] ■ **~ real** **1** *Arq.* O cano principal, de diâmetro maior, para onde convergem ou do qual saem canos menores **2** *Antq.* Cano de esgoto **Dar (um/o) ~** *Pop.* Faltar a encontro, a compromisso **Entrar pelo ~** *Gír.* Dar-se mal, fracassar

canoa (ca.*no*:a) [ô] *sf.* 1 Embarcação pequena, feita ger. de uma só peça, como um tronco de árvore escavado a fogo ou com ferramentas, movida a remo (ou, por vezes, a vela), sem leme 2 Objeto alongado e côncavo, semelhante a canoa (1) 3 Tina, banheira comprida 4 *Cul.* Pequena frigideira de barro em forma de canoa (1), us. em geral para assar peixe 5 *Bras. BA* Na mineração de ouro, condutos abertos e inclinados 6 *Bras. RJ* Pão francês untado de manteiga, do qual se retira o miolo e põe-se para grelhar 7 *Bras. RJ Dnç. Folc.* Dança de ritmo variado das cirandas 8 Peça de madeira us. na encadernação de livros para moldar a curvatura do papelão da lombada 9 *Bras. Pop.* Diligência policial; BATIDA; CANASTRA 10 *Desus.* Pente para enfeitar o cabelo de senhoras [F.: Do espn. *canoa*.] ■ **~ de embono** Barcaça pequena, com duas velas triangulares, com vigas leves (embonos) como reforço **~ furada** *Fig.* Negócio, tentativa, empreendimento, atividade etc. que parece destinado a fracassar **Não embarcar em ~ furada** *Pop.* Não entrar em negócio ou empreendimento perigoso, arriscado

canoagem (ca.no:*a*.gem) *sf.* 1 *Bras. Esp.* Prática esportiva de descer trechos encachoeirados de rios, em canoa ou caiaque 2 Navegação em canoa [Pl.: *-gens*.] [F.: *canoa* + *-agem²*.]

canoê (ca.no.*ê*) *s2g.* 1 *Etnol.* Indígena do grupo dos canoês que habita áreas de reserva ao sul de Rondônia *sm.* 2 *Ling.* Língua falada por esse grupo *a2g.* 3 Pertencente ou relativo aos canoês ou ao canoê (2) [F.: Etnôn. bras. *Kanoe*. Hom./Par.: *canoê* (s2g., sm. e a2g.), *canoé* (sm.).]

canoeiro (ca.no:*ei*.ro) *sm.* 1 Quem dirige canoa 2 Aquele que faz canoas *a.* 3 Ref. a construção de canoas (indústria canoeira) [F.: *cano(a)* + *-eiro*.]

canoísmo (ca.no.*ís*.mo) *Esp. sm.* 1 Prática esportiva radical que consiste em navegar por rios caudalosos e repleto de quedas-d'água, em canoas, botes ou caiaques, com roteiros previamente definidos 2 Navegação em canoa como forma de lazer ou como esporte de competição, no mar ou em lagoas; CANOAGEM [F.: *cano(a)* + *-ismo*. Ideia de: *cano(a)-*.]

canoísta (ca.no.*ís*.ta) *s2g. Esp.* Quem pratica a canoagem (1) [F.: *cano(a)* + *-ista*.]

canola (ca.*no*.la) *Agr. sf.* 1 Semente oleaginosa geneticamente modificada da semente de colza por cientistas canadenses, e que produz um óleo comestível de alta qualidade, pois possui baixo teor de gordura saturada e alto teor de gordura monoinsaturada e ômega 3, que atuam absorvendo gordura e melhorando a taxa de colesterol no organismo 2 Variedade obtida do nabo (*Brassica rapa*), que cresce mais rapidamente que a colza, para a produção do mesmo óleo [F.: Montagem em sigla da expressão inglesa"**Can**adian **o**il **l**ow in erucic **a**cid"que significa "óleo canadense pobre em ácido erúcico".]

cânon (*câ*.non) *sm.* 1 Conjunto de regras ou princípios fundamentais: *os cânones da arquitetura.* 2 Padrão, norma, modelo; forma (de agir, de fazer algo) que deve ser seguida: *comportamento fora dos cânones.* 3 Lista, relação: *Seu nome figura no cânon dos santos.* 4 *Rel.* Conjunto das leis da Igreja Católica 5 *Litu.* A parte central da missa 6 *Mús.* Composição cuja tema é iniciado por uma voz, e, em seguida, imitado por outra(s) em compassos diferentes 7 Conjunto de textos considerados sagrados, autênticos ou especialmente importantes dentro de uma tradição religiosa ou outra 8 *Restr. Rel.* O conjunto dos livros que formam a Bíblia, considerados revelação divina, segundo determinada seita, igreja ou denominação dentro do cristianismo ou do judaísmo (cânon católico, protestante, judaico; cânon bíblico) 9 Conjunto de obras consideradas clássicas, aceitas como modelares, em determinada arte, atividade, ou em um período, país etc. (cânon modernista, cânon europeu) [Pl.: *-nones*.] [F.: Do lat. *canone(m)*. Tb. *cânone*.]

cânone (*câ*.no.ne) *sm.* Ver *cânon*

canonical (ca.no.ni.*cal*) *a2g.* Ref. a cônego ou a canonicato [Pl.: *-cais*.] [F.: *canônic(o)* + *-al¹*.]

canonicamente (ca.no.ni.ca.*men*.te) *adv.* Segundo os cânones ou os preceitos da Igreja [F.: Fem. de *canônico* + *-mente*.]

canonicato (ca.no.ni.*ca*.to) *sm.* Dignidade de cônego; CONEZIA [F.: *canônic(o)* (lat. *cannonicus*, ver *cônego*) + *-ato¹*.]

canônico (ca.*nô*.ni.co) *a.* 1 Ref. a cânon 2 Que obedece ou está de acordo com os cânones, com modelos ou padrões aceitos, com aquilo que é convencionado ou estabelecido por autoridade ou tradição 3 Que segue ou está de acordo com os cânones da Igreja (rito canônico) 4 *Gram.* Conforme às normas mais habituais ou aceitas da gramática (diz-se de construção como frase ou período) 5 Ref. a, ou que segue a divisão do dia em diferentes partes (tb. chamadas horas), cada qual com suas orações próprias [Cf. *Horas canônicas*.] *sm.* 6 *Ant. Rel.* Cônego (padre) 7 *Rel.* Coleção das orações a serem recitadas nas diferentes horas do dia [F.: Do lat. *canonicu(m)*.]

canonisa (ca.no.*ni*.sa) *sf. Rel.* Religiosa com dignidade correspondente à de cônego [F.: Posv. *cânon* + *-isa*. Hom./Par.: *canoniza* (fl. *canonizar*).]

canonista (ca.no.*nis*.ta) *s2g.* 1 Pessoa versada em direito canônico ou conhecedora dos cânones: "...Bom canonista, bom latinista, pio e caridoso, continuou o vigário..." (Machado de Assis, *Dom Casmurro*) *a2g.* 2 Diz-se de quem é conhecedor dos cânones ou do que é relativo a ele (bispo canonista, doutrina canonista) [F.: *cânon(e)* + *-ista*. Ideia de: *canon-*.]

canonização (ca.no.ni.za.*ção*) *sf.* 1 Ação ou resultado de canonizar 2 Ato solene pelo qual o papa da Igreja Católica declara oficialmente que alguém se tornou santo, e portanto está inscrito no registro de santos 3 *Rel.* Cerimônia em que se realiza esse ato 4 *Fig.* Consagração de algo ou de alguém; louvor ou aceitação daquele ou daquilo considerado como exemplo ou modelo, ou como especialmente digno de honra e respeito; GLORIFICAÇÃO: *A imprensa encarregou-se da canonização do poeta.* [Pl.: *-ções*.] [F.: *canonizar* + *-ção*. Cf.: *beatificação*.]

canonizador (ca.no.ni.za.*dor*) [ô] *sm.* 1 O que canoniza; GLORIFICADOR 2 *Fig.* Pessoa que gosta de adular, bajular outrem *a.* 3 Diz-se do que canoniza (discurso canonizador); GLORIFICADOR 4 *Fig.* Diz-se de quem é bajulador [F.: *canonizad(o)* + *-or*. Ideia de: *canon-*.]

canonizar (ca.no.ni.*zar*) *v. td.* 1 *Rel.* Reconhecer como santo, inscrevendo no cânone dos santos, segundo as formalidades necessárias: *A Igreja canonizou frei Galvão.* [Cf.: *beatificar*.] 2 *Fig.* Louvar, fazer muitos elogios a; reverenciar; EXALTAR: *A torcida canonizou o técnico da equipe campeã.* 3 *Fig.* Abonar, consagrar; tornar aceito como válido, correto, autêntico: *O romance canonizou algumas expressões.* [▶ 1 canonizar] [F.: Do lat. ecles. *canonizare*. Hom./Par.: *canoniza(s)* (fl.), *canonisa(s)* (sf. [pl.]).]

canonizável (ca.no.ni.*zá*.vel) *a2g.* Que pode ser canonizado [Pl.: *-veis*.] [F.: *canoniza(r)* + *-vel*. Hom./Par.: *canonizáveis* (pl.), *canonizáveis* (fl. *canonizar*).]

canopla (ca.*no*.pla) *sf.* Pequena semiesfera metálica, peça de acamento em instalação hidráulica [De or. obsc.]

canopo (ca.*no*.po) [ô] *sm.* 1 *Mit.* Divindade egípcia representada por um grande vaso com tampa em forma de uma cabeça alegórica representando Osíris 2 *Hist.* Vaso funerário, de pedra, onde os antigos egípcios colocavam os órgãos vitais retirados de um corpo que seria mumificado 3 *Astrol.* Estrela de primeira grandeza da antiga constelação de Argos ou Navio, modernamente classificada na constelação Quilha (Carina). Na bandeira do Brasil, representa o estado de Goiás [F.: Do lat. *canopus, i*.]

canoro (ca.*no*.ro) *a.* 1 Que canta, que tem voz melodiosa (pássaro canoro) 2 *P. ext.* Que produz som musical, harmonioso, agradável 3 *P. ext.* De ou ref. a cantor(a), a arte de bem cantar (dotes canoros, encanto canoro) [F.: Do lat. *canoru(m)*.]

cansaço (can.*sa*.ço) *sm.* 1 Estado físico ou mental de quem se cansou, de quem está falto de energia, de disposição ou de concentração, por ter feito grande esforço ou devido a doença; CANSEIRA; FADIGA 2 *Fig.* Aborrecimento; tédio [F.: *cans(ar)* + *-aço*.]

cansado (can.*sa*.do) *a.* 1 Que se cansou; que está sem a capacidade, energia ou disposição (físicas ou mentais) de antes, devido a esforço realizado; FATIGADO: *Caminharam o dia inteiro e chegaram cansados; Meus braços estão cansados de (tanto) carregar caixotes.* 2 *P. ext.* Que se entediou; que perdeu o interesse por algo; ABORRECIDO: *Chega dessa rotina! Já estou cansado.* [+ *de*: *Está cansado desse lugar.* Por vezes us. de modo irôn., para dar ideia de que algo não é novidade: *Estão cansados de saber que não é permitido jogar bola na sala* [ou seja, sabem há muito tempo, ou sabem muito bem].] 3 *Pop. P. ext.* Irritado ou contrariado pela repetição de algo [+ *de*: *Já estou cansado de pedir a você mais atenção no trabalho.*] 4 *Fig.* Que se apresenta deficiente ou com a capacidade diminuída, por desgaste progressivo; desgastado, gasto, velho (motor cansado) 5 Diz-se de solo que perdeu a fertilidade ao longo do tempo ou por excesso de exploração 6 Que perdeu a precisão visual para enxergar com nitidez objetos próximos (vista cansada) [Cf. *presbiópico*.] [F.: Part. de *cansar*.]

cansanção (can.san.*ção*) *sf. Bras. Bot.* Nome dado a várias plantas com pelos pungentes e que causam irritação à pele humana, como, p. ex., *Jatropha vitifolia*, da fam. das euforbiáceas, *Loasa parviflora*, da fam. das loasáceas e *Urera baccifera*, da fam. das urticáceas, todas nativas do Brasil [Pl.: *-ções*.] [F.: De or. obsc.]

cansanção-de-leite (can.san.ção-de-*lei*.te) *sm. Bras. Bot.* Arbusto euforbiáceo (*Jatropha urens*), com grandes folhas palmadas, flores brancas e frutos capsulares revestidos de pelos que provocam uma sensação de queimadura na pele de quem encosta neles; ARRE-DIABO; CANSANÇÃO; PINHA-QUEIMADEIRA; URTIGA-CANSANÇÃO; URTIGA-DE-LEITE; URTIGA-DE-MAMÃO [Pl.: *cansanções-de-leite*.]

cansar (can.*sar*) *v.* 1 Esgotar ou consumir (uma atividade, um trabalho etc.) as forças ou energias de alguém; causar cansaço (a); FATIGAR [*td.*: *Trabalhar em pé cansa as pernas*: "Por vezes me cansa estar sempre cumprindo obrigações..." (Ana Maria Machado, *Texturas*)] [*int.*: *Estudar um dia inteiro também cansa.*] 2 Ficar ou sentir-se cansado [*int.*: *O velho cavalo cansava(-se) facilmente.*] [*tr.* + *de*: *O náufrago cansou(-se) de tanto nadar.*] 3 Causar aborrecimento, enfado (a); ser ou tornar-se maçante, entediante, desinteressante ou irritante (para alguém); ABORRECER(-SE); ENFASTIAR(-SE) [*td.*: *As reprises na televisão cansam o telespectador.*] [*int.*: *Ouvir reclamação todo dia cansa.*] 4 Irritar-se ou contrariar-se com algo repetitivo, monótono, desinteressante; ficar aborrecido, enfadado, enfastiado [*tr.* + *de*: *O menino não (se) cansava de ouvir sempre o mesmo cd.*] 5 Empenhar-se, despender grande esforço para fazer algo ou para conseguir algo [*tr.* + *em, por*: *Cansa-se na alfabetização de todos.*] 6 Deixar de haver; faltar, carecer, escassear [*ti.* + *para*: *Não lhe cansava gente interessada na casa.*] [▶ 1 cansar. Us. tb. como v. auxiliar, seguido da prep. *de* + v. principal no infin., indicando 'repetição ou duração exaustiva da ação' (p. ex.: *Depois que se aposentou, cansou de viajar pelo Brasil*) ou 'cessação da ação' (p. ex.: *Não (se) cansava de me olhar*).] [F.: Do lat. *campsare*. Hom./Par.: *canso* (fl.), *canso* (a. sm.).]

cansativamente (can.sa.ti.va.*men*.te) *adv.* De modo cansativo; EXAUSTIVAMENTE; FATIGANTEMENTE: *O treinador repetia, cansativamente, a mesma tática utilizada em outras partidas.* [F.: *cansativo* + *-mente*.]

cansativo (can.sa.*ti*.vo) *a.* 1 Que cansa; que exige esforço ou faz alguém perder as forças, a energia, a disposição física ou mental; EXTENUANTE; FATIGANTE [Ant.: *repousante*.] 2 Que entedia, aborrece ou irrita (por ser repetitivo, demorado, desinteressante); ABORRECIDO; MAÇANTE [Ant.: *estimulante, excitante*.] [F.: *cansa(r)* + *-tivo*.]

canseira (can.*sei*.ra) *sf.* 1 Esforço que cansa; (aquilo que exige) trabalho árduo, difícil; TRABALHEIRA [Ant.: *descanso*.] 2 Cansaço, falta de força, de energia [F.: *cans(ar)* + *-eira*.]

⊕ **cantabile** *Mús. sm.* 1 Notação musical para melodia que se destaca ou que se deve destacar num trecho musical 2 Esse trecho, ger. suave e melodioso [F.: Do it. *cantabile*.]

cantábile (can.*tá*.bi.le) *Mús. a2g.* 1 *Mús.* Diz-se de linha melódica e suave, que se destaca num treho musical *sm.* 2 Ver *cantabile*

cantábrico (can.*tá*.bri.co) *sm.* 1 Pessoa nascida ou que vive na Cantábria (Espanha) *a.* 2 Da Cantábria; típico dessa região do norte da Espanha ou de seu povo; CANTÁBRIO; CÂNTABRO [F.: Do lat. *cantabricus, a, um*.]

cantada (can.*ta*.da) *sf.* 1 *Bras. Pop.* Conversa envolvente, atraente, para convencer ou seduzir alguém 2 *P. us.* Ação ou resultado de cantar; CANTO; CANTORIA [F.: *cant(ar)* + *-ada¹*. Hom./Par.: *cantada* adj. (fem. de *cantado*).] ■ **Dar/passar uma ~ (em)** Tentar conquistar ou seduzir (alguém) com conversa hábil, cheia de lábia

cantadeira (can.ta.*dei*.ra) *sf.* 1 Mulher que canta muito; CANTORA: "...cumprindo seu ofício de cantadeira que, igual a ela, outra não houve e nem haverá..." (Hermínio Bello de Carvalho, *Faxineira das Canções, Elizeth Cardoso*) 2 Cada uma das duas peças que, nos carros de boi, se encaixam no eixo e ficam em contato com o chumaço; CANTADOURA 3 *Lus. Pop.* Mulher que canta fados 4 *Lus. Pop. Arm.* Metralhadora 5 *Lus. Pop. Ornit.* Ver *rangedeira* (3) 6 Moça chinesa de voz fina, que cantava em ambientes públicos ou casas particulares, atividade, em certa medida, associada à prostituição *a.* 7 Diz-se de pessoa ou animal que canta muito (cigarra cantadeira) 8 *Fig.* Que produz som agradável, harmonioso (viola cantadeira) [F.: Fem. de *cantadeiro*. Ideia de: *can(t)-*.]

cantado (can.*ta*.do) *a.* 1 Expresso ou celebrado por canto: *Quando uma Entidade Espiritual (Caboclo, Pai-velho etc.) ensina um ponto cantado, dizemos que o mesmo é de raiz.* 2 Falado ou representado ao feitio de um canto (jogo cantado, voto cantado) 3 Diz-se de trecho musical que é executado com a voz [F.: Part. de *cantar*. Ideia de: *can(t)-*.]

cantador (can.ta.*dor*) [ô] *a.* 1 Que canta; CANTOR *sm.* 2 Aquele que canta 3 *N. E.* Cantor ou poeta popular que improvisa versos ao som de viola ou rabeca [Ver tb. *repentista*.] [F.: *canta(r)* + *-dor*.] ■ **~ de ciência** *Bras. Pop. Lit.* Cantador (poeta que improvisa seus versos, com acompanhamento musical) cujo tema é a ciência **~ de folheto** *N. E.* Distribuidor de folhetos que canta versos para apregoá-los

cantante (can.*tan*.te) *a2g.* 1 Que canta, que produz música com a voz 2 *Fig.* Que tem produz som musical, harmonioso, agradável 3 Próprio para ser cantado 4 *Mús.* Diz-se de som, nota ou melodia que se destaca, na execução de uma música *s2g.* 5 *Bras. Gír.* Marginal, delinquente; indivíduo malandro, trapaceiro 6 *Bras. P. ext. Gír.* Qualquer pessoa *sm.* 7 *Gír.* O galo 8 *Bras. Gír.* Relógio despertador [F.: *canta(r)* + *-nte*.]

cantão (can.*tão*) *sm.* 1 Divisão territorial adotada em alguns países: *os cantões suíços* 2 Região, parte do território de um país (esp. a que é subdivisão administrativa): *Percorreu diversos cantões, antes de chegar à capital.* 3 *Lus.* Parte de uma via férrea, fluvial ou de rodagem sob a supervisão de um funcionário [Pl.: *-tões*.] [F.: Do fr. *canton*.]

cantar (can.*tar*) *v.* 1 Produzir com a voz os sons (e as palavras) que formam melodia(s) ou música; expressar ou realizar por meio do canto [*td.*: *cantar um samba.*] [*tdi.* + *a, para*: *Cantou para ela uma canção de amor.*] [*int.*: "Mas não era seu destino cantar." (Cecília Meireles, *Rui: Pequena história de uma grande vida*)] 2 Produzir sons harmoniosos, melodiosos, agradáveis ou cadenciados; emitir som ou sons que lembram notas musicais [*int.*: *As cigarras cantavam nas árvores.*] 3 *Restr.* Emitir (a ave) seu som, sua voz, musical ou não [*int.*: "Minha terra tem macieiras da Califórnia / onde cantam gaturamos de Veneza." (Murilo Mendes, "Canção do Exílio", *in Poemas*)] 4 Pronunciar, anunciar falando em voz alta, de forma clara e pausada; APREGOAR [*td.*: *Os ambulantes cantavam seus produtos na feira; O animador da festa cantou os nomes dos sorteados.*] 5 Exaltar, louvar em poesia [*td.*: *O poeta cantou as belezas da cidade.*] 6 *Bras. Pop.* Tentar conquistar, seduzir, ou obter favor de (alguém), por meio de conversa agradável, de palavras convincentes etc., com ou sem intenção maliciosa, ardilosa [*td.*: *Metido a galã, cantou a vizinha; Cantava o irmão para emprestar o carro.*] 7 *Restr.* (Tentar) convencer (alguém) a ter relações sexuais, ou (tentar) ganhar simpatia de (alguém) e iniciar envolvimento erótico 8 Anunciar, avisar, comunicar antecipadamente; fazer previsão ou palpite (que, ger., se mostra depois acertado) em voz alta ou por escrito [**td.**: *O especialista cantou o resultado do exame.*] [**tdi.** + *a*, para: *Cantou ao amigo que ele seria promovido.*] [▶ 1 cantar] **sm.** 9 Ação ou resultado de cantar: *Ouvia o cantar do rouxinol.* 10 *Lit.* Composição poética em homenagem a alguém; cântico 11 Composição poética musicada; cantiga [F.: do lat. *cantare.* Hom./Par.: *canto* (fl.), *canto* (sm.); *cantáveis* (fl.), *cantáveis* (pl. *cantável*); *canta(s)* (fl.), *cantã(s)* (sf. [e pl.]); *cantara*(s) (fl.), *cântara(s)* (sf. [e pl.]).] ▪ **O ~ do galo** *Fig.* O alvorecer, ou os primeiros sinais de que o céu começa ou começará a clarear

cantaria (can.ta.*ri*.a) *Cons.* **sf.** 1 Pedra trabalhada, esp. para ser us. em construções e à qual é dada forma geométrica adequada 2 Obra feita com pedras de grande tamanho [F.: *canto*[2] + *-aria.* Hom./Par.: *cantaria* (sf.), *cantaria* (fl. *cantar*).]

cantárida (can.*tá*.ri.da) **sf.** 1 *Zool.* Besouro da fam. dos meloídeos (*Lytta vesicatoria*) da Europa, us., esp. na Antiguidade, para fins medicinais (obtenção de preparados de cantaridina, us. na pele ou como diuréticos e afrodisíacos) 2 O mesmo que *burrinho* (besouro). [F.: Do gr. *kantharís -ídos.*]

cantaridina (can.ta.ri.*di*.na) **sf.** 1 *Quím.* Substância ($C_{10}H_{12}O_4$) encontrada nas cantáridas (*Cantharis vesicatoria*) que provoca formação de vesículas na pele 2 *Farm.* Pó medicinal ativo de ação diurética e afrodisíaca, obtido dos élitros da cantárida e que pode ser tóxico se usado em alta dosagem [F.: *cantárid(a)* + *-ina.* Ideia de: *cantarid-.*]

cantaridismo (can.ta.ri.*dis*.mo) **sm.** *Med.* Envenenamento, intoxicação pelo uso excessivo de substâncias das cantáridas [F.: *cantárid(a)* + *-ismo.* Ideia de: *cantarid-.*]

cântaro (*cân*.ta.ro) **sm.** 1 Vaso grande, de bojo largo e arredondado, com gargalo, com uma ou duas asas, us. para armazenar líquidos 2 O mesmo que *almude* (medida de capacidade para líquidos) [F.: Do lat. *cantharu(m).*] ▪ **A ~s** Com muita intensidade e em grande quantidade (ref. a chuva), torrencialmente

cantarolante (can.ta.ro.*lan*.te) **a2g.** Que cantarola ou costuma cantarolar [F.: *cantarola(r)* + *-nte.*]

cantarolar (can.ta.ro.*lar*) **v.** 1 Cantar baixo, de modo informal e improvisado, ou acompanhando algum trabalho ou atividade; TRAUTEAR [**td.**: *Cantarolei um acalanto.*] [**int.**: *Adora samba, e vive a cantarolar.*] 2 *Fig.* Emitir (sons harmoniosos) [**td.**: *Ouvimos pássaros cantarolando suaves melodias.*] [**int.**: *Cantarolava durante o trabalho.*] 3 *Pop.* Cantar mal, desafinadamente e sem ritmo [**td. int.**] [▶ 1 cantarolar] [F.: *canto* + *-ola* (suj. de diminutivo) + *-ar*[2]. Hom./Par.: *cantarola(s)* (fl.), *cantarola* (sf. [pl.]).]

cantata (can.*ta*.ta) **sf.** 1 *Mús.* Composição para voz(es), orquestra e coro, de inspiração religiosa ou não 2 *Liter.* Composição poética de or. italiana que tem partes cantadas 3 *Bras. Pop.* Cantada (tentativa de convencer ou seduzir com palavras) 4 *Lus. Pop.* Manha para enganar; ASTÚCIA [F.: Do it. *cantata.*]

cantável (can.*tá*.vel) **a2g.** Que se pode cantar [Pl.: *-veis.*] [F.: Do lat. *cantabile(m).* Hom./Par.: *cantáveis* (pl.), *cantáveis* (fl. *cantar*).]

canteiro (can.*tei*.ro) **sm.** 1 Pedaço de terreno próprio para cultivo de plantas, esp. flores ou hortaliças: *canteiro de rosas.* 2 *Cons.* Ver *canteiro de obras* [Tb. se diz *canteiro de obras.*] [F.: *canto*[1] + *-eiro.*] ▪ **~ de obras** Espaço próximo a uma construção, no qual se realizam serviços auxiliares e onde ficam alojamentos, oficinas, depósitos de materiais, máquinas e ferramentas etc. [Tb. apenas *canteiro.*]

cântico (*cân*.ti.co) **sm.** 1 *Litu. Mús.* Hino ou poema de louvor à divindade, ou de caráter religioso, devocional 2 *P. ext.* Qualquer hino, poema ou canção em louvor de alguém ou algo: "Tudo o que eu quero é um acorde perfeito maior / Com todo mundo podendo brilhar num cântico" (Caetano Veloso, *Muito romântico*) [F.: Do lat. *canticu(m).*]

cantiga (can.*ti*.ga) **sf.** 1 Poesia composta para ser cantada, ou adequada ao canto, ger. tendo versos curtos agrupados em estrofes iguais ou coplas; poema composto e cantado por trovador; CANÇÃO 2 Cada uma das estrofes desse tipo de poesia 3 Qualquer composição de caráter popular, ou folclórico, em versos cantados; os versos ou quadras desse tipo de composição 4 *Fig.* Conversa (pretensamente) sedutora; discurso afetado, ou narrativa pouco verossímil, que se profere com o intuito de enganar ou obter vantagem: *Toda aquela cantiga foi para tirar dinheiro do pai.* 5 *P. ext.* Mentira, lorota; fala enganosa [F.: Posv. do céltico *cantica.*] ▪ **~ de amigo** *Poét.* Gênero poético medieval em que a amada chora a ausência do amigo ou se regozija por um próximo encontro **~ de amor** *Poét.* Gênero poético medieval no qual homem amoroso (ger. sem ser correspondido) se declara à amada **~ de escárnio e maldizer** *Poét.* Gênero poético medieval de expressão irônica e satírica **~ de licença** *Rel.* Nos candomblés de caboclo, congoleses e angolanos, canto do Orixá, que pede licença para dançar

cantil (can.*til*) **sm.** Pequeno recipiente de metal ou outro material, coberto de lona (para proteção e isolamento térmico) e us. para levar água em jornada [Pl.: *-tis.*] [F.: De or. obscura.]

cantilena (can.ti.*le*.na) [ê] **sf.** 1 Cantiga delicada e breve 2 Toada monótona 3 *Fam. Fig.* Conversa ou narrativa monótona, repetitiva, longa e desinteressante; LADAINHA: *Vem sempre com a mesma cantilena sobre doença.* 4 Lamentação ou queixa insistente, repetitiva; lamúria, ladainha [F.: Do lat. *cantilena.*]

cantiléver (can.ti.*lé*.ver) **sm.** *Eci. Arq.* Viga projetada em balanço, com apenas um ponto de apoio, utilizada para sustentar plataformas que necessitam de um vão inferior para livre locomoção de pessoas, carros, barcos, como marquises, varandas, pontes etc. [Pl.: *-veres.*] [F.: Do ing. *cantilever.*]

cantimplora (can.tim.*plo*.ra) **sf.** 1 Vasilha, bilha metálica para resfriar a água; CANTIL 2 Funil terminado em tubo longo e cheio de orifícios para vazar vinho ou outro líquido em tonéis, sem agitar o que está na vasilha 3 Tubo comunicante com pequenos orifícios para o esguicho da água; IRRIGADOR; REGADOR 4 Almotolia de canudo comprido e estreito por onde verte o azeite ou o óleo, gota a gota 5 Orifício que se faz na base de muros que suportam barreiras de terra, para facilitar o escoamento das águas pluviais; BUEIRO 6 *Bras. Pop.* Chapéu de copa alta; CARTOLA 7 *BA* Sorveteira manual caseira de folha de flandres [F.: Do espn. *cantimplora.* Sin. ger.: *cantiplora, catimplora.* Ideia de: *can(t)-* e *chor-.*]

cantina (can.*ti*.na) **sf.** 1 Lanchonete instalada em escolas, quartéis etc. 2 Restaurante rústico, ger. de cozinha italiana 3 *P. ext.* Local em que se vendem ou preparam comidas e bebidas simples 4 *Mar. G.* Loja de artigos de uso pessoal para marinheiros 5 *RS* Loja de vinhos [F.: Do it. *cantina.*]

canto[1] (*can*.to) **sm.** 1 Lugar onde se encontram dois lados ou paredes, ou duas linhas, bordas ou superfícies convergentes; ÂNGULO; QUINA: *canto da página; canto da boca.* 2 A área próxima ao ponto em que se encontram linhas, lados, paredes etc.: *Pôs a mesinha no canto do quarto.* 3 Recanto, local afastado: *Nunca foi para aqueles cantos.* **sm.** 4 *Fig.* Atitude reservada, discreta, ou lugar de reclusão, anonimato etc.: *Não gosta de sair de seu canto.* 5 Lugar indeterminado, não conhecido, ou difícil de encontrar: *Deve estar em algum canto.* 6 *Anat.* Comissura: *canto da boca* 7 *Cons.* Peça que serve de arremate em ângulo 8 *Esp.* Ângulo formado pelas linhas lateral e de fundo em campo (de futebol, handebol etc.) 9 *Esp.* Ângulo do ringue de boxe, onde o lutador fica entre os assaltos 10 Ver *cantoneira* (3) [F.: Do lat. *canthu(m).* Hom./Par.: *canto* (v. *cantar*). Ideia de 'canto', *angul (i/o)-.*] ▪ **Por todo ~** Por toda parte; em todos os lugares ou em muitos lugares; em grande número ou quantidade, e largamente difundido

canto[2] (*can*.to) **sm.** 1 Ação ou resultado de cantar; CANTADA; CANTORIA 2 *Mús.* Som musical emitido pela voz humana ou de outros animais 3 *Mús.* Música cantada 4 *Mús.* A arte ou técnica de usar a voz para cantar: *aula de canto.* 5 *Poét.* Divisão de poema longo: *poema em dez cantos.* 6 *Fig.* Som agradável: *O canto da brisa nas palmas dos coqueiros.* [F.: Do lat. *cantu(m).* Hom./Par.: ver em *canto*[1].] ▪ **~ coral** 1 *Mús.* Gênero de música para coro, e todas as atividades ligadas a sua criação e execução 2 Música cantada em coro **~ de estante** *Mús.* Música cantada em várias vozes **~ de farinhada** *Folc.* Na região do rio São Francisco, canto entoado para amenizar o trabalho em casas de farinha **~ de sereia** *Fig.* Aquilo que seduz ou atrai, ger. para uma cilada **~ do cisne** *Fig.* Última obra ou realização de um artista, de um virtuose etc. **~ eclesiástico** *Mús.* Ver *cantochão.* **~ firme** *Mús.* Linha melódica básica, sobre a qual se compõem contrapontos ou harmonias **~ gregoriano** *Mús.* Ver *cantochão* **~ orfeônico** *Mús.* Canto coral **~ real** *Poét.* Antiga forma de balada, com cinco estrofes de 11 versos **Trazer de ~ chorado** Perseguir alguém, esp. com pedidos, reclamações, lamúrias etc.

cantochão (can.to.*chão*) **sm.** 1 *Litu. Mús.* Canto litúrgico católico, entoado por homens, a uma só voz, sem ritmo fixo e com melodia calcada na recitação das orações e outros textos; canto gregoriano 2 *P. ext.* Canto litúrgico de qualquer rito cristão 3 *Fig. Pej.* Qualquer canto, fala ou som monótonos, repetitivos: "Escutei-os quando saltavam à uma o cantochão do aboio, obsessivo..." (Guimarães Rosa, *Ave, palavra*) [Pl.: *-chãos.*] [F.: *canto*[2] + *chão* ('plano').]

cantonal (can.to.*nal*) **a2g.** Ref. ou pertencente a cantão (festa cantonal) [Pl.: *-nais.*] [F.: *Cantão* + *-al.* Ideia de: *canto-.*]

cantoneira (can.to.*nei*.ra) **sf.** 1 Peça de metal em forma de L para sustentar prateleira 2 Móvel ou prateleira triangular que se encaixa em canto de parede 3 Peça triangular para reforçar os cantos de pastas, capas de livros etc.; CANTO 4 Triângulo de papel, papelão etc., us. para prender fotografia em álbum 5 Peça, ger. triangular e metálica, para reforçar cantos, juntas, quinas, encaixes etc. [F.: *canto*[1] + *-n-* + *-eira*; it. *cantoniera.*]

cantonense (can.to.*nen*.se) **s2g.** 1 *Etnol.* Pessoa nascida ou que vive em Cantão (China) **sm.** 2 *Gloss.* Dialeto falado em Cantão **a2g.** 3 De Cantão; típico dessa cidade, de seu povo ou do dialeto que falam (cozinha cantonense) [F.: *Cantão* + *-ense.* Sin. ger.: *cantonês.* Ideia de: *canto-.*]

cantonês (can.to.*nês*) **sm.** 1 *Gloss.* Dialeto chinês falado na cidade de Cantão na China e tb. muito falado em Hong Kong no Japão; YUÉ 2 *Etnol.* Ver *cantonense* (1) **a.** 3 Ver *cantonense* (3) [Pl.: *-neses.* Fem.: *-nesa.*] [F.: *Cantão* + *-ês.* Ideia de: *canto-.*]

cantonizar (can.to.ni.*zar*) **v. td.** Dividir em cantões [▶ 1 cantonizar] [F.: *Cantão* + *-izar.*]

cantor (can.*tor*) [ô] **a.** 1 Que canta; que entoa cantos ou canções; CANTADOR **sm.** 2 Quem canta, ger. como profissional 3 Poeta que louva um herói ou feitos heroicos [F.: Do lat. *cantor.* Fem.: *cantatriz, cantora.*] ▪ **~ de banheiro / de chuveiro** 1 *Joc.* Quem canta desafinadamente, ou canta mal 2 Aquele que pratica o canto (arte de cantar) de modo amadorístico e sem se apresentar em público

cantoria (can.to.*ri*.a) **sf.** 1 Ação ou resultado de cantar; CANTADA; CANTO 2 Conjunto de vozes que cantam juntas 3 *N.E.* Desafio de cantadores (3) [F.: *cantor* + *-ia.*]

canudo (ca.*nu*.do) **sm.** 1 Cilindro em que se guardam e transportam papéis enrolados 2 Invólucro de papel com essa forma; CARTUCHO **sm.** 3 Tubo pequeno, estreito e comprido (ger. de plástico) us. para diversas finalidades, como, p. ex., para sorver bebidas 4 Qualquer objeto ou figura em forma de tubo, de pequeno cano ou cana 5 *Pop.* Diploma, esp. o universitário 6 Chapéu com copa alta 7 Cacho de cabelo comprido 8 *Fig. Pop.* Decepção, ou aquilo que decepciona; contratempo, contrariedade; prejuízo [F.: Do moçárabe *gannut.*]

cânula (*câ*.nu.la) **sf.** 1 Tubo que se introduz em orifício ou cavidade do corpo para efetuar lavagens, drenagens etc. 2 Peça ou estrutura em forma de pequeno tubo, em certos instrumentos ou equipamentos [F.: Do lat. *cannula.*]

canutilho (ca.nu.*ti*.lho) **sm.** 1 Canudinho de vidro colorido, us. como enfeite ger. em roupas femininas e em fantasias 2 Fio espiralado de ouro ou prata us. em bordado 3 Pequeno canudo, ou objeto semelhante [F.: Do espn. *canutillo.*]

⊕ **canyon** (*Ing.* /*kênion*/) **sm.** *Geol.* Vale extenso e profundo, ger. com um rio em sua parte baixa; CANHÃO; CÂNION

⊕ **canyoning** (*Ing.* /*kênionin*/) **sm.** *Esp.* Prática desportiva radical em *canyon*, que consiste em seguir o curso de água ultrapassando cascatas, escarpas, lagoas, em caminhada, escalada e rapel, com percurso previamente definido, acompanhado por guias experientes e conhecedores da região

canzil (can.*zil*) **sm.** 1 Cada um dos dois paus presos aos tirantes ou por baixo da canga, entre os quais se mete o pescoço do boi ou do cavalo; CANGALHO; CANIL; CANZO 2 *Bras.* Marca feita em orelha de rês; CANZO 3 *Bot.* Planta leguminosa originária da caatinga da Bahia, com potencial forrageiro (*Albizia blanchetii*) 4 *Bras. Ent.* Ver *libélula* [Pl.: *-is.*] [F.: De or. posv. de *canga.*]

canzoada (can.zo.*a*.da) **sf.** 1 Bando de cães 2 Barulheira, algazarra de cães a latir, uivar etc. 3 *Fig.* Bando, súcia de velhacos, de pessoas más, traiçoeiras [F.: De *cão* [ver *can(i)-*[1]] + *-z-* + *-oada.*]

canzuá (can.zu.*á*) **sm.** *Bras. Rel.* Terreiro onde se realizam as cerimônias religiosas no candomblé angola e congo; CANXUÁ; CANZOÁ; GANZUÁ [F.: Do quimbundo *kanzua.*]

cão[1] **sm.** 1 *Zool.* Mamífero carnívoro da fam. dos canídeos (*Canis familiaris*), encontrado em todo o mundo como animal doméstico, ger. de estimação, e que, conforme a raça ou, por vezes, independentemente dela, tem vários comportamentos e usos (companhia, guarda, caça etc.); CACHORRO [Há tb. animais desse gênero, não raro domesticados ou domesticáveis, pertencentes a espécies ferais (retornadas ao estado selvagem).] 2 Designação dada a várias espécies de canídeos (algumas selvagens, outras domesticáveis) semelhantes ao cão doméstico (cão selvagem) 3 *Bras. Pop.* O diabo 4 *Fig.* Indivíduo perverso 5 Peça de arma de fogo que provoca a percussão sobre a cápsula, nas armas mais modernas 6 Peça de madeira por onde o grão entra no moinho 7 Armação de ferro que impede que a lenha caia da lareira [Pl.: *cães.* Fem.: *cadela.* Aum.: *canaz, canzarrão.* Dim.: *canicho, cãozinho, cãozito.*] [F.: Do lat. *cane(m).*] ▪ **~ de fila** O que, por sua agressividade, é us. como cão de guarda **~ Maior** *Astron.* Constelação austral; sua estrela mais brilhante é Sírio **~ Menor** *Astron.* Constelação boreal; sua estrela mais brilhante é Prócion **~ polícia** *Lus.* Ver *Pastor-alemão* **~ policial** Ver *Pastor-alemão* **~ selvagem** Designação dada a várias espécies de canídeos, semelhantes ao cão (1) e encontradas em estado feral ou selvagem

cão[2] *Ant.* **sm.** 1 Mercado aberto ao público no Oriente Médio 2 Espécie de estalagem pública para abrigar caravanas nas regiões desérticas do Oriente Médio [Pl.: *cães.*] [F.: Do persa *khan* 'estalagem'.]

cão[3] *Ant.* **a.** 1 Que tem cãs; ENCANECIDO **sm.** 2 Cabelo branco; CÃ [Pl.: *cães.*] [F.: Do lat. *canus, a, um.*]

cão[4] **sm.** *Ant.* Príncipe, duque ou chefe oriental [Pl.: *cães.*] [F.: Do turco tártaro *han*, de prov. or. chin.]

◎ **-ção suf. nom.** Ocorre em nomes de ação originalmente latinos ou formados no vernáculo – à feição do padrão instaurado no português, na passagem do lat. vulgar (com a integração da consoante do suf. lat. para part. pass. e supinos) – ou em outra língua moderna. Além da noção de 'ato ou ação ou resultado ou efeito de (dado verbo)', os voc. com esse suf. podem apresentar várias outras acepções ligadas ao rad. verbal de origem. Registram-se, porém, algumas ideias comuns; entre elas: **a)** 'processo ou fenômeno': *exsolução, extração, fermentação, ferrificação*; **b)** 'aquilo que resulta da ação (referida pelo rad. verbal)': *abreviação, ampliação, anotação, excreção*; **c)** 'aquilo que contribui para a ação (referida pelo verbo) ou que serve como instrumento ou meio para (que seja feita)': *abonação, abstração, afirmação, alegação, explicação, incitação*; **d)** 'anomalia, distúrbio, debilidade ou certa dificuldade ou impossibilidade física': *abalienação, abarticulação, aberração, abevacuação, abirritação, afecção, aglutinação*; **e)** 'sentimento ou estado moral': *aflição, afobação, ambição, atormentação, atrapalhação, confusão, exultação, indignação, perturbação*; **f)** 'sensação ou estado físico, condição ou situação': *afrontação, agoniação, amigação, mordicação*; **g)** 'conjunto ou agrupamento de pessoas ou coisas': *agregação, agremiação, amarração (Mar.), arborização, argumentação, associação, exemplificação, exportação*; **h)** 'conjunto daqueles que praticam dada ação ou são responsáveis pela sua prática': *acusação, administração, direção* (nestes dois últimos exemplos, tb. há a possibilidade de 'lugar em que se realiza a ação'); **i)** 'local ou lugar de': *arranchação, arrebentação* [F.: Do lat. *-tio, -tionis*, integração da consoante do suf. *-tus*, formador de part. pass. e de supino, com *-io, -ionis* (ver *-ão³*), suf. lat. para formar nomes a partir de rad. verbais. F. conexas: *-são* e *-ição*.]

caol (ca.*ol*) *sm.* **1** Polidor pastoso utilizado para limpeza de metais dourados **2** *Pop. Mar.* Coquetel de aspecto e cor semelhantes ao polidor [Pl.: *caóis*.] [F.: A marca registrada é Kaol®.]

caolho (ca:*o*.lho) [ô] *Bras. sm.* **1** Pessoa cega de um olho; ZAROLHO **2** Pessoa com estrabismo; ESTRÁBICO; VESGO *a.* **3** Que é cego de um olho; ZAROLHO **4** Que tem estrabismo; ESTRÁBICO; VESGO [F.: Posv. do quimb. *ka*, 'pequeno' + *olho*.]

caos (*ca*:os) *sm2n.* **1** Ausência total de ordem, de regularidade **2** *Fil. Rel.* Estado de confusão total no universo, de indistinção da matéria que o constitui, anterior ao aparecimento das formas e à criação da natureza tal como conhecida [Ant.: *cosmo*.] **3** *Fig.* Mistura desordenada de coisas; estado de completa desorganização; CONFUSÃO; DESORDEM **4** *Fig.* Confusão mental: *Sua cabeça ficou um caos depois que perdeu o emprego*: "...colei meus cacos internos, dei uma certa ordem ao caos interior." (Ana Maria Machado, *Texturas*) **5** *Fís.* Sistema extremamente instável, que varia enormemente no tempo a cada pequena variação nas condições de seu início [F.: Do lat. *chaos*.] ■ **~ primordial** *Cosm.* O estado irregular e instável dos elementos do universo antes da formação do cosmo

caótico (ca.*ó*.ti.co) *a.* **1** Ref. a caos **2** Em estado ou situação de caos (1, 3, 4); totalmente confuso e desordenado (trânsito caótico) [F.: Do fr. *chaotique*.]

cão-tinhoso (cão-ti.*nho*.so) [ô] *sm. Pop.* O diabo [Pl.: *cães-tinhosos* [ó].]

caotizar (ca.o.ti.*zar*) *v. td. Bras.* Tornar caótico, sem ordem, sem sentido [▶ 1 caotizar] [F.: *caót(ico)* + *-izar*.]

capa¹ (*ca*.pa) *sf.* **1** Peça de roupa que se veste por cima das outras como proteção contra o frio ou a chuva **2** Cobertura de livros, revistas, cadernos etc., presa às demais folhas de modo que estas, ficando no seu interior, possam ser abertas e manuseadas **3** *Restr. Pop.* Ver *Primeira capa* no verb *capa¹* **4** Peça de pano ou material similar, para cobrir e proteger **5** Qualquer tipo de revestimento ou camada protetora (capa de betume) **6** *Fig.* Falsa aparência: *bandido revestido com uma capa de santidade.* **7** Peça do traje do toureiro, semelhante a capa (1), de cor viva, com que ele provoca os touros **8** *Elet.* Envoltório de proteção para isolamento de fios, cabos etc. **9** *Geol.* Rocha sobreposta a outra **10** *Zool.* Plumagem das costas da galinha **11** *BA* Cobertura externa do charuto **12** *RS* Parte da sela que fica entre o cavalo e as pernas do cavaleiro [F.: Do lat. tardio *cappa(m)*. Hom./Par.: *capa* (fl. *capar*).] ■ **à ~ 1** Diz-se que um navio em alto-mar está/anda à capa quando, devido a vento contrário ou violento, leva poucas velas desfraldadas, e não as apresenta senão muito obliquamente ao vento, conseguindo assim andar com pequena velocidade **2** *Fig.* Diz-se de alguém que está à espreita, esperando ocasião favorável aos seus desígnios **~ almofadada** *Enc.* A que tem inserida camada macia entre o papelão e o revestimento **~ colada** *Enc.* A que, na encadernação, se prende à lombada (de um livro, p. ex.) exclusivamente por meio de cola **~ de asperges** *Litu.* Capa us. por sacerdote em cerimônia litúrgica, esp. aspersão de água-benta **~ de filé** (Carne da) parte central superior de um boi de corte, posterior ao acém, sobre o contrafilé ou costela **~ dura 1** *Enc.* Tipo de encadernação em que o livro tem a capa feita de papelão duro revestido com papel (cartonado) ou outro material, como couro, plástico, tecido etc. (encadernado) **2** Esse tipo de capa **3** Livro que teve esse tipo de encadernação, cartonado ou encadernado [Cf.: *Primeira capa, Segunda capa, Terceira capa*.] **~ e espada** Gênero (literário, cinematográfico etc.) que aborda aventuras e lutas de espadachim **~s encouradas** *N. E. Fig.* Fingimento, hipocrisia **~ flexível** *Enc.* Tipo de capa e de encadernação similar aos da capa dura, mas com cartão flexível **Na ~** *MG* À beira da morte; nas últimas **Primeira ~** *Edit.* A parte da frente, externa, da capa, na qual consta o título, o nome do autor, da editora, às vezes informações sobre o conteúdo [Cf.: *Primeira capa, Quarta capa, Segunda capa*.] **Quarta ~** *Edit.* A parte posterior, externa, da capa de livro, revista etc. [Cf.: *Primeira capa, Quarta capa, Segunda capa*.] **Segunda ~** *Edit.* O verso da primeira capa **Terceira ~** *Edit.* O verso da quarta capa

capa² (*ca*.pa) *sm.* A décima letra do alfabeto grego, correspondente ao *k* latino (K, k) [F.: Do gr. *káppa*. Hom./Par.: ver em *capa¹*.]

capação (ca.pa.*ção*) *sf.* **1** Ação ou resultado de capar animais; CAPA; CASTRAÇÃO **2** *P. ext.* Época em que se executa essa tarefa **3** Poda dos rebentos de uma planta; PODADURA [Pl.: *-ções*.] [F.: *capar* + *-ção*.]

capacete (ca.pa.*ce*.te) [ê] *sm.* **1** Peça de material resistente para proteger a cabeça **2** Cobertura côncava do alambique **3** Peça rotatória em que ficam as velas do moinho de vento **4** *Elet.* Terminal externo de válvula eletrônica [F.: Do espn. *capacete*.]

capacho (ca.*pa*.cho) *sm.* **1** Tapete, ger. áspero e resistente, colocado à entrada de uma casa, aposento etc., para nele se limpar a sola dos sapatos **2** *Fig. Pej.* Pessoa servil e bajuladora [F.: Posv. do lat. vulg. *capaceum*.]

capacidade (ca.pa.ci.*da*.de) *sf.* **1** Volume ou quantidade (de coisas, de pessoas, de uma substância etc.) que pode caber em algo: *capacidade para doze litros; capacidade para quinze pessoas.* **2** Qualidade de capaz; COMPETÊNCIA [+ *de, para*: *Tem capacidade de/para assumir a direção.*] **3** Quanto (alguém ou algo) é capaz de fazer ou produzir: *capacidade de trabalho.* **4** Habilidade, aptidão física ou mental: *capacidade para identificar sotaques.* **5** Poder de produção; RENDIMENTO: *A indústria está trabalhando com quase 100% de sua capacidade.* **6** *Fig.* Pessoa que tem muito talento ou saber: *Ela é uma capacidade.* **7** *Elet.* Quantidade de carga elétrica ou de energia que uma bateria pode fornecer [A carga é medida em ampere-hora e a energia em watt-hora.] **8** *Jur.* Reconhecimento legal do poder que uma pessoa tem de adquirir direitos e exercer atos da vida civil [F.: Do lat. *capacitate(m)*.] ■ **~ calorífica** *Fís.* Resultado da divisão da quantidade de calor fornecida a um sistema pela medida de elevação de temperatura resultante do calor fornecido **~ de armazenamento** *Inf.* Medida da quantidade de informação que cabe num dispositivo de memória; capacidade de memória **~ de canal** *Telc.* Quantidade de sinais por unidade de tempo suportável por um canal de transmissão **~ de memória** *Inf.* Ver *Capacidade de armazenamento.* **~ elétrica** *Elet.* Capacidade de substância ou sistema de armazenar energia elétrica na forma de um campo estático **~ instalada** *Econ.* O nível de produção máximo que pode atingir um equipamento, uma indústria etc. **~ ociosa** *Econ.* Diferença entre o nível máximo possível de produção (capacidade instalada) e a produção efetivamente realizada **~ vital** *Fisl.* Volume máximo de ar (em cm³) que os pulmões, após expiração completa, podem inspirar **Ter a ~ de** *Bras. Pop. Irôn.* Ter a ousadia de, atrever-se a

capacímetro (ca.pa.*cí*.me.tro) *sm. Eletrôn.* Instrumento para medir capacitância [F.: *capacidade-* + *-metro*.]

capacitação (ca.pa.ci.ta.*ção*) *sf.* Ação, processo ou resultado de capacitar(-se) [Pl.: *-ções*.] [F.: *capacitar* + *-ção*.]

capacitado (ca.pa.ci.*ta*.do) *a.* Aquele que é capaz ou que se capacitou (profissional capacitado); APTO; HABILITADO [+ *a, para*: *O jovem era capacitado a/para fazer o trabalho.* Ant.: *incapacitado*.] [F.: Part. de *capacitar*. Ideia de: *cap-*.]

capacitador (ca.pa.ci.ta.*dor*) [ô] *sm.* **1** Aquele ou aquilo que capacita: *Pessoa treinada para se tornar um capacitador.* *a.* **2** Diz-se do que ou de quem capacita (agente capacitador) [F.: *capacitar* + *-dor*. Sin. ger.: *habilitador*. Ideia de: *cap-*.]

capacitância (ca.pa.ci.*tân*.ci:a) *Elet. sf.* **1** Capacidade de certos dispositivos (capacitores) para armazenar carga elétrica, em função da existência de uma voltagem entre superfícies opostas; capacidade elétrica [Símb.: *c* ou *C*.] **2** Razão entre a energia contida em um dos dois condutores do capacitor e a diferença de potencial entre eles [F.: Do ing. *capacitance*.]

capacitar (ca.pa.ci.*tar*) *v.* **1** Tornar(-se) hábil ou capaz; HABILITAR(-SE) [*td.*: *Os exercícios capacitam os atletas.*] [*tdr.* + *para*: "...Mais hospitais se aparelharam e se capacitaram para realizar os transplantes..." (*Folha de S.Paulo*, 19.01.1999)] **2** Levar a ter, ou adquirir, certeza; CONVENCER(-SE); PERSUADIR(-SE) [*tdr.* + *de*: *O professor capacitava os alunos do valor da leitura.*] [*tr.* + *de*: *Capacitou-se da necessidade de levantar cedo.*] [▶ 1 capacitar] [F.: *capacidade* (sob a f. lat. *capacit-*) + *-ar²*. Ant. ger.: *incapacitar*.]

capacitário (ca.pa.ci.*tá*.ri:o) *a.* Que é restrito aos cidadãos que possuem capacidade intelectual (diz-se ger. de sufrágio): *O sistema capacitário segrega os analfabetos.* [F.: *capacitar* + *-ário*. Ideia de: *cap-*.]

capacitor (ca.pa.ci.*tor*) [ô] *sm. Elet.* Conjunto de condutores elétricos isolados entre si, que acumulam carga elétrica no campo eletrostático que se forma entre eles; CONDENSADOR [F.: Do ing. *capacitor*.]

capado (ca.*pa*.do) *a.* **1** Que se capou; CASTRADO *sm.* **2** Animal castrado, ger. de criação doméstica, e esp. de algum tipo de gado **3** *Bras. Restr.* Porco castrado para engorda **4** *Restr.* Ovino (bode, carneiro) castrado [F.: Part. de *capar*.]

capadócio (ca.pa.*dó*.ci:o) *a.* **1** Ref. a Capadócia (Turquia) ou que é natural ou habitante dessa região **2** *Pej.* Que age como canalha, fingindo ser importante; que trapaceia, que engana com espertezas ou imposturas **3** *Bras. Pej.* Pouco inteligente; ignorante [É ofensivo.] *sm.* **4** *Bras. Pej.* Pessoa nascida ou que vive na Capadócia (Turquia) **5** Aquele que tenta enganar outros com trapaças, espertezas, imposturas; espertalhão **6** *Bras. Pej.* Indivíduo pouco inteligente, ou ignorante [F.: Do lat. *cappadociu(m)*.]

capa e espada (ca.pa e es.*pa*.da) *sm.* **1** *Liter.* Diz-se, originalmente, de comédias e peças ligeiras da dramaturgia ibérica seiscentista e setecentista, com enredos baseados em amores idealizados que resultavam em duelos entre os senhores da nobreza **2** *Cin. Liter. Telv.* Qualquer peça, filme, novela de televisão ou romance que possua tais características e que normalmente remete àquele período histórico: *Zorro é um dos personagens mais conhecidos do gênero capa e espada.*

capanga (ca.*pan*.ga) *Bras. sf.* **1** Pequena bolsa de uso pessoal, com ou sem alça, que se leva na mão ou presa à cintura **2** Bolsa pequena us. a tiracolo em viagens, ou por comerciantes, esp. de pedras preciosas *sm.* **3** Pessoa que acompanha outra ou fica a seu serviço para protegê-la como guarda-costas, ou realizando certas tarefas de confiança (negócios, recados, intimidação de adversários etc.) [F.: De or. africana.] ■ **~ de Oxóssi** *Rel.* O fetiche de Oxóssi

capangada (ca.pan.*ga*.da) *sf. Bras.* Grupo de capangas, de valentões a serviço de quem lhes paga: "O fazendeiro mandou chamar o Filipe com sua gente, e aumentou a capangada para receber a visita do Bugre." (José de Alencar, *Til*) [F.: *capanga* + *-ada*.]

capangueiro (ca.pan.*guei*.ro) *sm.* Indivíduo que compra diamantes nos garimpos: "...um homem que parecia capangueiro, ou, antes, mosquitador, isto é, comprador de diamante miúdo, denominado mosquito..." (Lindolfo Rocha, *Maria Dusá*) [designação dada em referência ao uso constante da capanga (pequena bolsa) por esses negociantes.] [F.: *capanga* + *-eiro*.]

capão¹ (ca.*pão*) *sm.* **1** Frango capado e superalimentado para engorda rápida **2** Animal castrado (cavalo, boi, porco etc.) **3** *Fig. Pej.* Homem medroso, covarde [Pl.: *-pões*.] [F.: Do lat. *cappone(m)*.]

capão² (ca.*pão*) *sm.* **1** *Bras. Bot.* Trecho pequeno de mata arbórea em meio a um campo **2** Pequeno bosque [Pl.: *-pões*.] [F.: Do tupi *ka'a pu'ã*, 'mato redondo'.]

capar (ca.*par*) *v. td.* **1** *Pop.* Tirar ou inutilizar os órgãos reprodutores de (animal); CASTRAR: *O veterinário capou os bois.* **2** Cortar os rebentos ou as flores supérfluas de (planta): *O jardineiro capa os brotos das roseiras.* **3** *Fig.* Suprimir parte(s) de (obra, texto etc.) de modo destrutivo, danoso, prejudicial: *Os persas profanaram e caparam os monumentos da Grécia.* [▶ 1 capar] [F.: Do lat. vulg. **cappare*. Hom./Par.: *capa(s)* (fl.), *capa(s)* (sf. [pl.]); *capara(s)* (fl.), *capara(s)* (sf. [pl.]); *caparão* (fl.), *caparão* (sm.); *capo* (fl.), *capô* (sm.).]

capataz (ca.pa.*taz*) *sm.* **1** Chefe de grupo de trabalhadores **2** Administrador de fazenda **3** *Mar. G.* Encarregado de capatazia **4** *P. ext.* Pessoa que atua como subchefe **5** Entre pescadores, aquele (ger. o que cuida da rede) que recebe a maior porção de peixes, por ocasião da partilha [F.: Do espn. *capataz*.]

capatazia (ca.pa.ta.*zi*.a) *sf.* **1** Função de capataz **2** Grupo chefiado por capataz **3** Grupo de estivadores **4** *Bras.* Taxa alfandegária sobre o movimento de mercadorias no porto **5** *Mar. G.* Escritório da capitania dos portos que fiscaliza embarcações mercantes de pequeno porte e de pesca [F.: *capataz* + *-ia*.]

capaz (ca.*paz*) *a2g.* **1** Que tem as qualidades (físicas, mentais ou outras) necessárias ou adequadas para determinado fim, tarefa, atividade etc. **2** Que tem determinada capacidade; que tem dimensões ou espaço interno suficientes (para conter, abrigar etc.): *estádio capaz de conter cem mil pessoas.* **3** Que faz bem seu trabalho, ou tem as habilidades, conhecimentos ou outras características necessárias para tanto; que tem competência (profissional capaz); COMPETENTE **4** Cujos traços, atributos, características ou condições podem provocar ou suscitar (certo ato, comportamento, reação etc.); que tem possibilidade de: *tão triste, que é capaz de chorar; Ela não é capaz de cometer tal perfídia.* **5** *Restr.* Que tem habilidade, aptidão: *O menino já é capaz de entender inglês, embora não fale.* **6** *Restr.* Que tem as qualidades e especificações técnicas para determinado uso; ADEQUADO; CONVENIENTE: *corda capaz de aguentar um alpinista pesado.* **7** *Jur.* Apto perante a lei; que tem condições legais ou atende às exigências formais para algo [Superl.: *capacíssimo*.] [F.: Do lat. *capace(m)*.] ■ **Ser ~ (de)** *Bras. Angol. Moç.* Ser possível, provável: *– Vai chover? – É capaz; Hoje é capaz de chover.* **Ser ~ de 1** *Bras.* Ser apto para, ter potencial para: *Ele é capaz de levantar 100 kg com só braço.* **2** *Pop.* Ter a petulância de, ou a má ideia de (fazer algo errado, maldoso, prejudicial etc.): *Como é que você foi capaz de fazer uma coisa dessas?* **3** Ter bom-senso, ou boa índole, ou aptidões, habilidades etc. para: *Na hora do aperto, ela sempre é capaz de dar uma boa ideia.* **4** Dispor-se a; poder e querer (fazer algo difícil, enfrentar um desafio, ou fazer um favor, uma gentileza a quem solicita) [Mais us. em frases interrogativas, não raro para formular uma questão ou tarefa difícil, ou (lusitanismo) para pedir ou requisitar educadamente.]

capcioso (cap.ci:*o*.so) [ô] *a.* **1** Que usa de astúcia para enganar, confundir, enredar; CAVILOSO **2** Que procura levar ao erro; que tem ou é feito com intenção prévia maliciosa, para fazer com que se notem defeitos em algo, ou que se levantem objeções etc. (pergunta capciosa; reportagem capciosa); ARDILOSO; ASTUCIOSO **3** Que envolve, encanta; INSINUANTE [Pl.: [ó]. Fem.: [ó].] [F.: Do lat. *captiosu(m)*.]

capeado (ca.pe:*a*.do) *a.* **1** Envolvido com capa; ENCAPADO: *O dono do sítio possuía um livro, capeado de couro, que se chamava o Senclér das Ilhas.* **2** Revestido com capa asfáltica **3** *Fig.* Que está escondido, oculto, disfarçado: "A tirania capeada com o nome de resgate." (Antônio Vieira, *Sermões*) [F.: Part. de *capear*.]

capeamento (ca.pe:a.*men*.to) *sm.* **1** Ação ou resultado de capear **2** *Cons.* Revestimento asfáltico, us. para cobrir rua, estrada etc. **3** *Cons.* Revestimento de argamassa, us. para proteção e/ou acabamento de paredes muros, lajes etc. **4** *Cons.* Revestimento, ger. feito de pasta de cimento, que regulariza os topos de um corpo de prova para distribuir uniformemente as tensões de compressão axiais **5** *Cons.* Parte superior de muro ou bueiro capeado **6** *Od.* Proteção da polpa do dente com material especial [F.: *capear* + *-mento*.]

capear (ca.pe.*ar*) *v.* **1** Colocar capa em (livros, cadernos etc.); ENCADERNAR; ENCAPAR [*td.*: *Conseguimos capear vários livros da biblioteca.*] **2** Colocar ou aplicar revestimento em (móvel, parede etc.); cobrir com camada ou material protetor; REVESTIR [*td.*: *O pedreiro capeou a parede.*] **3** *Fig.* Tornar encoberto, oculto; ENCOBRIR; OCULTAR [*td.*: *O* *sorriso capeou-lhe o nervosismo:* "A sala geral do estudo (...) era um microcosmo de atividade subterrânea. Estudo era pretexto e aparência, as encadernações capeavam mais a esperteza do que os próprios volumes." (Raul Pompeia, *O Ateneu*)] **4** Causar engano, ilusão a; ENGANAR; LOGRAR [*td.*: *Aquele olhar maroto capeou a moça por muito tempo.*] **5** Agitar bandeira, capa etc. para fazer sinal [*int.*: *Por causa da tempestade, as bandeiras capeavam na praia.*] **6** *Bras. Pop.* Apossar-se (dinheiro) nota por nota; FURTAR [*td.*: *Capearam todo o dinheiro da conta bancária.*] **7** *Taur.* Provocar o touro agitando a capa [*td.*: *Capeava o animal com grande coragem.*] **8** *Mar.* Proteger a embarcação do mau tempo; navegar à capa [*td.*: *Por causa da tempestade, o comandante capeou o navio.*] [*int.*: *O capitão decidiu que era necessário capear.*] [▶ 13 capear] [F.: *capa* + *-ear*[2]. Hom./Par.: *capeia(s)* (fl.), *capeia(s)* (sf. [pl.]).]

capeba (ca.*pe*.ba) *sf.* **1** *Angios.* Arbusto (*Piper umbellatum*), da fam. das piperáceas, com 1 a 3 m de altura, de ramos estriados, folhas ovaladas, flores pequenas e distribuídas em espigas; as folhas e raízes são empregadas na medicina popular **2** *Angios.* Arbusto (*Piper marginatum*), da fam. das piperáceas, com até 5 m de altura, largamente utilizados na medicina popular; CAAPEBA; CAPEBA-CHEIROSA; MALVAÍSCO; NHANDI; PIMENTA-DO-MATO **3** *Bras. Pop.* Pessoa ligada a outra por amizade; CAMARADA; COMPANHEIRO [F.: Do tupi *kaa'pewa*.]

capela (ca.*pe*.la) *sf.* **1** Igrejinha com apenas um altar; tb. igreja que não é sede de paróquia; ERMIDA **2** Divisão dentro de uma igreja, com altar próprio **3** Espaço destinado ao culto religioso, em edifício público ou privado, como hospital, escola, aeroporto, nos palácios e residências de nobres etc. **4** Conjunto de cantores ou músicos que executam obras litúrgicas, ou outras, em uma igreja, em capela particular ou, p. ext., em alguma instituição **5** Sala onde se vela defunto (ger. em capela [3], ou em residência particular) **6** Coroa de flores; GRINALDA **7** *Quím.* Compartimento em laboratórios de química us. para realizar reações com desprendimento de vapores tóxicos **8** *Arq.* Forro abobadado de galeria de aqueduto, forno etc. **9** *Bras. Folc.* Bando de foliões de festa junina **10** *Bras.* Pequeno povoado; LUGAREJO **11** Loja em que se vendem artigos miúdos variados; esp.: armarinho [F.: Do lat. *cappella*.] ■ **A ~** *Mús.* Diz-se de execução de obra musical por vozes sem acompanhamento instrumental [Da loc. italiana *a capella*.] **~ dos olhos** Pálpebra (esp. a superior) [Us. na região do rio São Francisco.]

capela-mor (ca.pe.la-*mor*) *sf.* A capela principal de uma igreja [Pl.: *capelas-mores*.]

capelania (ca.pe.la.*ni*.a) *sf.* Cargo ou função de capelão [F.: *capelão* (f. rad. *capelan-*) + *-ia*[1].]

capelão (ca.pe.*lão*) *sm.* **1** Padre ou sacerdote cristão que reza missa ou celebra culto em capela **2** Padre, sacerdote cristão ou guia religioso que presta assistência espiritual em quartel, hospital, escola etc. **3** *Bras. Pop.* Macaco velho que guia os outros do bando **4** *SP* Quem puxa reza, que começa as frases das orações, sendo seguido pelos demais [Pl.: *-lães*.] [F.: Do provç. *capelan*.]

capelete (ca.pe.*le*.te) *sm.* Pequeno quadrado de massa, recheado (com carne, franco, ricota, espinafre etc.) e fechado em forma de um triângulo com duas pontas unidas como um anel: "A culinária da Serra combina o galeto à polenta, a sopa de capelete aos pepinos, cebolas e pimentões em conserva..." (*Folha de S.Paulo*, 13.01.1994) [F.: Do it. *cappelletti*.]

capeline (ca.pe.*li*.ne) *Vest. sf.* **1** Chapéu com abas largas e copa pequena, us. por mulheres e crianças; CAPELINA *a.* **2** Diz-se desse tipo de chapéu: "Sandra usava um chapéu capeline de palha natural e, em cor canela, tailleur, luvas e sapatos Chanel..." (*Folha de S.Paulo*, 08.08.1994) [F.: Do fr. *capeline*.]

capelo (ca.*pe*.lo) [ê] *sm.* **1** Chapéu de cardeal **2** Dignidade de cardeal **3** Murça, capa pequena que doutores põem sobre os ombros em certas solenidades e funções acadêmicas **4** Espécie de capuz em hábito de religiosos e de freiras **5** Espécie de touca que antigamente usavam as viúvas [F.: Do it. *cappello*.]

capenga (ca.*pen*.ga) *a2g.* **1** *Bras.* Que manca, puxa de uma perna; COXO **2** *P. ext.* Que está torto, bambo, sem apoio firma (mesa capenga) **3** *Fig.* Defeituoso, incompleto *s2g.* **4** *Bras.* Pessoa que puxa de uma perna; COXO [F.: De or. contrv.]

capengar (ca.pen.*gar*) *v.* **1** Caminhar desequilibradamente; pisar errada ou defeituosamente com (um dos pés ou patas); ser capenga, manco; COXEAR; MANCAR [*int.*: *Passou a capengar depois do acidente.*] [*tr.* + *de*: *A égua era forte mas capengava de uma das patas.*] **2** *P. ext.* Pender, inclinar-se para o lado; ser ou estar assimétrico [*int.*] **3** *Fig.* Não funcionar, falhar, não servir convenientemente [*int.*: *A aparelhagem de som capengou na inauguração do bar.*] [▶ 14 capengar] [F.: *capenga* + *-ar*[2]. Hom./Par.: *capenga(s)* (fl.), *capenga(s)* (a2g. s2g. [pl.]).]

⊠ **Capes** Sigla de *Coordenação de Aperfeiçoamento de Pessoal de Nível Superior*

capeta (ca.*pe*.ta) [ê] *sm.* **1** *Bras.* O diabo *s2g.* **2** *Bras.* Pessoa travessa, irrequieta, esp. criança *a2g.* **3** Que age irresponsavelmente, que dá trabalho ou faz travessuras [F.: *capa*[1] + *-eta*.] ■ **Ser o ~** **1** *Pop. Bras.* Us. para expressar admiração aprovadora em relação a algo ou alguém **2** *Pop. Bras.* Us. para expressar forte reprovação a algo ou alguém mau, pernicioso etc.

capetiano (ca.pe.ti:*a*.no) *a.* *Hist.* Ref. ou pertencente a dinastia dos Capetos, na França [F.: Do antr. Hugo *Capeto* + *-iano*.]

capetice (ca.pe.*ti*.ce) *sf.* Ação ou procedimento de quem é travesso; CAPETAGEM; DIABRURA; TRAVESSURA [F.: *capeta* + *-ice*.]

capiau (ca.pi:*au*) *a. sm.* **1** *Bras.* Ver *caipira* (que ou quem vive na roça e tem modos simples) [Fem.: *-pioa*.] *sm.* **2** *PI Cul.* Picadinho de aipim com carne-seca [F.: De or. contrv.]

capilar (ca.pi.*lar*) *a2g.* **1** Referente ao, ou do cabelo (massagem capilar) **2** Que é fino como o fio de cabelo **3** *Anat.* Diz-se de vaso sanguíneo muito fino, muito estreito, esp. o que liga a circulação arterial à venosa **4** Ref. a tubos muito estreitos, a fenômenos característicos que neles ocorrem, ou à capilaridade (propriedade física) **5** Ref. aos vasos capilares **6** Que se assemelha ao sistema de vasos capilares (que permite ao sangue alcançar todos os recessos do organismo) ou ao modo de circulação e distribuição do sangue através deles: *armazenamento adequado dos remédios e distribuição capilar a todos os municípios.* *sm.* **7** *Anat.* Esse vaso **8** *Fís.* Tubo de vidro estreito e comprido [F.: Do lat. *capillaris, e*.]

capilária (ca.pi.*lá*.ri:a) *sf.* *Bot.* Nome de várias plantas da fam. das pteridáceas, esp. do gên. *Adiantum*, tb. conhecidas como avencas [F.: *capil(i)-* + *-ária*.]

capilaridade (ca.pi.la.ri.*da*.de) *sf.* **1** Qualidade do que é capilar, do que é delgado como cabelo **2** *Fís.* Causação de movimento em fluidos, em decorrência da propriedade que têm de subir ou descer ao longo de tubos muito finos, ou em meio poroso, por efeito da combinação das interações de suas moléculas entre si e com as do material com que estão em contato [Ocorre devido ao fato de a atração entre as moléculas do fluido e as do material do tubo ou do meio poroso ser maior do que a atração entre as moléculas no interior do líquido. Manifesta-se, por exemplo, na circulação do sangue e da seiva nos seres vivos, que pode se dar em sentido contrário ao da gravidade.] [F.: *capilar* + *-idade*; fr. *capillarité*.]

capilarizado (ca.pi.la.ri.*za*.do) *a.* Que se encontra espalhado como fios de cabelo; DISTRIBUÍDO; DIVERSIFICADO: *A Justiça do Trabalho é um ramo do Judiciário mais capilarizado.* [F.: Part. de *capilarizar*.]

capilé (ca.pi.*lé*) *sm.* **1** Xarope ou calda preparados com as folhas da capilária (avenca) **2** Refresco (bebida) feito de água misturada com esse xarope ou calda **3** *N. E.* Bebida de frutas com água e açúcar; refresco **4** *Bras.* Ficha que um parceiro dá a outro, no jogo [F.: Do fr. (*sirop de*) *capillaire*, 'xarope da capilária'.]

◎ **capil(i)-** *el. comp.* = 'cabelo': *capilar* (< lat.), *capiliforme* [F.: Do lat. *capillus, i*.]

capim (ca.*pim*) *sm.* **1** *Bras. Bot.* Nome dado a várias plantas das fam. das gramíneas e das ciperáceas, ger. rasteiras e que servem de pasto **2** *PE Pop.* Dinheiro **3** *RN* Dinheiro pago a trabalhador por um serviço [Pl.: *-pins*.] [F.: Do tupi *ka' pii*.] ■ **Comer ~ pela raiz** *Pop.* Morrer

capim-açu (ca.pim-a.*çu*) *sm.* *Bras. Bot.* Erva (*Andropogon minarum*), de folhas lineares e de porte maior que a maioria dos capins, da família das gramíneas, que pode atingir até 1 m e cujas sementes possuem propriedades diuréticas; CAPIM-CANUTÃO; CAPIM-DOIDO [Pl.: *capins-açus*.]

capim-angola (ca.pim-an.*go*.la) *sm.* *Bot.* Planta da família das gramíneas (*Panicum numidianum*), de folhas lineares e frutos arroxeados, que é nativa da África, vegeta espontaneamente na Amazônia e apresenta crescimento rápido e grande facilidade para enraizar; CAPIM-DE-CAVALO; CAPIM-DE-LASTRO; CAPIM-DE-PLANTA; CAPIM-DO-PARÁ; CAPIM-FINO; ERVA-DO-PARÁ [Pl.: *capins-angolas* e *capins-angola*.]

capim-arroz (ca.pim-ar.*roz*) *Bot. sm.* **1** Erva da família das gramíneas (*Echinochloa cruspavonis*), de folhas uniformes e estriadas, que é prejudicial à agricultura; BARBUDINHO; CAPIM-JAÚ; CAPITUVA; GERVÃO **2** Erva gramínea (*Luziola peruviana*); tb. *arroz-do-brejo*. [Pl.: *capins-arrozes* e *capins-arroz*.]

capim-azul (ca.pim-a.*zul*) *sm.* *Bras. Bot.* Planta ciperácea (*Lagenocarpus velutinus*), encontrada no cerrado brasileiro (MG), de folhas azuladas e caule alto, coberto de pelos [Pl.: *capins-azuis*.]

capim-barba-de-bode (ca.pim-bar.ba-de-*bo*.de) [ô] *sm.* *Bras. Bot.* Denominação comum a diversas plantas da família das ciperáceas (como o *Cyperus compressus*) e da família das gramíneas (como o *Sporobolus argutos*), que se desenvolvem em terrenos turfosos ou estéreis [Pl.: *capins-barbas-de-bode* e *capins-barba-de-bode*.]

capim-chatinho (ca.pim-cha.*ti*.nho) *sm.* *Bras. Bot.* Erva (*Andropogon condensatus*) da fam. das gramíneas, de folhas longas, e raízes diuréticas, natural das Américas Central e do Sul e cultivada como forrageira [Pl.: *capins-chatinhos*.]

capim-cheiroso (ca.pim-chei.*ro*.so) *Bot. sm.* **1** *Bras.* Planta ciperácea (*Kyllinga odorata*) de aroma semelhante ao da erva-cidreira, que serve para perfumar a roupa lavada e que também fornece uma essência oleo- sa muito aromática; CAPIM-CIDREIRA; CAPIM-DE-CHEIRO; CAPIM-SANTO **2** *RJ MG* Planta gramínea (*Andropogon glaziovii*) nativa do Brasil; CAPIM-AMARGOSO **3** Ver *capim-limão* [Pl.: *capins-cheirosos*.]

capim-cidreira (ca.pim-ci.*drei*.ra) *Bot. sm.* **1** Capim-limão **2** Erva-cidreira **3** Capim-de-cheiro [Pl.: *capins-cidreiras* e *capins-cidreira*.]

capim-colonião (ca.pim-co.lo.ni:*ão*) *sm.* *Bras. Bot.* Erva (*Panicum maximum*) da fam. das gramíneas, de folhas lanceoladas verde-claras ou azuladas, natural da África, e muito cultivada como forrageira [Sin.: *capim-da-colônia, capim-de-angola, capim-de-cavalo, capim-de-corte, capim-de-feixe, capim-de-mula, capim-de-planta, capim-de-touceira, capim-de-soca, capim-do-seco, capim-guedes, capim-guiné, capim-meladinho, capim-mururu, colonhão, colonião, erva-da-guiné, grama-da-guiné, guiné-legítimo, milhã-do-sertão, milhã-gigante, milhão-verde, milhã-verde, murumbu, mururu, navalha, painço-grande, palha-de-guiné*.] [Pl.: *capins-coloniões* e *capins-colonião*.]

capim-de-corte (ca.pim-de-*cor*.te) *sm.* *Bras. Bot.* Ver *capim-colonião* [Pl.: *capins-de-corte*.]

capim-elefante (ca.pim-e.le.*fan*.te) *sm.* *Bras. Bot.* Planta da família das gramíneas (*Pennisetum purpureum*), nativa da África, que atinge grandes dimensões e é muito usada no Brasil como forragem e na produção de papel; CAPIM-NAPIER; ERVA-ELEFANTE [Pl.: *capins-elefantes* e *capins-elefante*.]

capim-gordura (ca.pim-gor.*du*.ra) *sm.* *Bras. Bot.* Erva (*Melinis minutiflora*) viscosa e de odor agradável, da família das gramíneas, provavelmente nativa da África, muito difundida e cultivada no Brasil por ser excelente pastagem e tb. por suas propriedades insetífugas, diuréticas e antidisentéricas; CAATINGUEIRO; CAPIM-GORDO; CAPIM-MELADO [Pl.: *capins-gorduras* e *capins-gordura*.]

capim-jaraguá (ca.pim-ja.ra.*guá*) *sm.* *Bras. Bot.* Erva (*Hyparrhenia rufa*) de origem africana, da fam. das gramíneas, que atinge grande porte (até 2m), e é muito empregada no Brasil como fonte de alimentação do gado bovino; CAPIM-JARAGUÁ; CAPIM-PROVISÓRIO; CAPIM-VERMELHO; PROVISÓRIO [Pl.: *capins-jaraguás* e *capins-jaraguá*.]

capim-limão (ca.pim-li.*mão*) *Bras. Bot. sm.* Erva da fam. das gramíneas (*Andropogon schoenanthus*), nativa da Índia, de folhas lineares, com óleo essencial de uso medicinal, de aroma igual ao do limão e us. em chá caseiro; CAPIM-CIDREIRA; CITRONELA; ERVA-CIDREIRA [Pl.: *capins-limões* e *capins-limão*.]

capim-membeca (ca.pim-mem.*be*.ca) *Angios. sm.* **1** Designação comum a três plantas (*Andropogon virginicus*, *A. selloanus* e *A. leucostachyus*), da fam. das gramíneas, com inflorescências paniculadas e cariopses fusiformes; BARBA-DE-BODE; BARBA-DE-VELHO **2** Erva (*Paspalum repens*), da fam. das poáceas, que cresce em ambientes úmidos e alagados (margens de lagos, reservatórios, canais de irrigação e drenagem etc.) [Pl.: *capins-membecas* e *capins-membeca*.]

capim-mimoso (ca.pim-mi.*mo*.so) *sm.* *Bras. Bot.* Nome comum a várias ervas de pequeno porte, de diversos gêneros, da família das gramíneas, de folhas finas e inflorescência delicada, muito empregadas como forragem; mimoso [Pl.: *capins-mimosos*.]

capim-navalha (ca.pim-na.*va*.lha) *sm.* **1** *Bot.* Planta (*Hypolytrum pungens*) nativa da Guiana e do Brasil, da fam. das ciperáceas, que possui folhas afiadas que podem produzir cortes; NAVALHA; NAVALHEIRA; NAVALHEIRA-DURA **2** Planta gramínea (*Echinochloa polystachya*, Hitch.); tb. *capim-de-angola* [Pl.: *capins-navalhas* e *capins-navalha*.]

capim-santo (ca.pim-*san*.to) *sm.* *Bras. Bot.* Ver *capim-cheiroso* (1) [Pl.: *capins-santos*.]

capina (ca.*pi*.na) *sf.* **1** *Bras.* Ação ou resultado de capinar; CAPINAÇÃO **2** *Fig. Pop.* Admoestação ou censura áspera; REPREENSÃO [F.: Dev. de *capinar*. Hom./Par.: *capina* (fl. *capinar*).]

capinação (ca.pi.na.*ção*) *sf.* *Bras.* Ação ou resultado de capinar; CAPINA; CARPA; MONDADURA [Pl.: *-ções*.] [F.: *capinar* + *-ção*.]

capinadeira (ca.pi.na.*dei*.ra) *sf.* Máquina de capinar; CARPIDEIRA [F.: *capinar* + *-deira*.]

capinado (ca.pi.*na*.do) *a.* *Bras.* Limpo de capim [F.: Part. de *capinar*.]

capinador (ca.pi.na.*dor*) [ô] *Bras. sm.* **1** Pessoa que capina um terreno ou uma plantação *a.* **2** Diz-se de quem capina [F.: *capinar* + *-dor*. Sin. ger.: *carpidor, mondadeiro, mondador, sachador*.]

capinagem (ca.pi.*na*.gem) *sf.* *Bras.* Ação ou resultado de capinar; CAPINA; CAPINAÇÃO: "...obras de manutenção, como pintura de faixas, capinagem dos acostamentos e tapa-buracos em 32 quilômetros..." (*Jornal do Brasil*, 21.05.2004) [Pl.: *-gens*.] [F.: *capinar* + *-agem*.]

capinar (ca.pi.*nar*) *v.* **1** Retirar capim, mato, ervas daninhas de um terreno ou plantação, ger. trabalhando com enxada ou outro instrumento [*td.*: *Capinaram o milharal; Limpou o terreno e capinou o mato ao redor de cada muda.* Note-se que o obj. dir. tanto pode ser a(s) planta(s) assim retirada(s), quanto o terreno em que se trabalha.] **2** *Bras. Pop.* Ir embora; deixar um lugar; cair fora ou fugir; PARTIR; SAIR [*int.*: *A festa está chata, vamos capinar.*] **3** *MG RN Pop.* Falar mal de (alguém); prejudicar com intrigas, calúnias etc.; MALDIZER; MALHAR [*td.*: *Fica sempre fazendo intrigas, capinando colegas e vizinhos.*] [▶ 1 capinar] [F.: *capim* + *-ar*[2]. Hom./Par.: *capina(s)* (fl.), *capina(s)* (sf. [pl.]).]

capinzal (ca.pin.*zal*) *sm.* *Bras.* Terreno coberto de capim, que aí cresce naturalmente ou é plantado para o corte [Pl.: *-zais*.] [F.: *capim* + *-zal*.]

capioa (ca.pi:*o*.a) [ô] *sf.* *BA MG SP* Mulher que habita e trabalha no campo; CAIPIRA; ROCEIRA [F.: Do fem. de *capiau*.]

capiongo (ca.pi:*on*.go) *a.* **1** *Bras.* Aquele que se encontra triste, melancólico, macambúzio; DEPRIMIDO; PIONGO

[Ant.: *alegre.*] 2 Diz-se de quem tem um olho defeituoso [F.: De or. obsc. Hom./Par.: *capiongo* (a.), *capiango* (sm. e fl. de *capiangar*) e *capicongo* (sm.). Cf.: *capiango.*]
capista (ca.*pis*.ta) ***s2g.*** Profissional que desenha, concebe, elabora ou faz as ilustrações de capas de livros, revistas etc. [F.: *capa*[1] + *-ista.*]
capitação (ca.pi.ta.*ção*) ***sf.*** 1 Imposto que se paga 'por cabeça', isto é, que se cobra igualmente por pessoa 2 Quantidade fixa de algo, concedida ou atribuída a cada pessoa individualmente (p. ex., em racionamentos) [Pl.: *-ções.*] [F.: Do lat. *capitatione(m).* Hom./Par.: *captação.*]
capital (ca.pi.*tal*) ***a2g.*** 1 Diz-se do que é principal, fundamental [+ *a, em, para*: *Atividades capitais ao /em /para nosso desenvolvimento econômico.*] 2 *P. us.* Ref. a cabeça 3 Que acarreta morte (pena capital) ***sf.*** 4 Cidade onde fica a sede da administração de um país, estado etc. 5 *Fig.* Lugar que é o ponto de convergência (de uma atividade, religião etc.): *Meca é a capital do islamismo.* 6 Letra maiúscula; VERSAL ***sm.*** 7 *Econ.* Conjunto dos bens disponíveis, riqueza; RIQUEZA [Tb. fig.: *A saúde é o nosso maior capital.*] 8 *Econ.* O total desses bens aplicáveis à produção e à geração de renda 9 *Econ.* Patrimônio de uma empresa, que se constitui de, ou pode ser convertido em, dinheiro [Pl.: *-tais.*] [F.: Do lat. *capitale(m).*] ■ **Abrir o ~** *Econ.* Transformar uma empresa em empresa de capital aberto, colocando suas ações no mercado **~ aberto** *Econ.* Diz-se do capital de empresas cujas ações (ger. em grande número) são negociadas em bolsa de valores **~ circulante** *Econ.* Ver *Capital de giro* (2) **~ constante** *Econ.* Na análise econômica marxista, a parte do capital que se transfere à mercadoria (custos de produção, matéria-prima, amortização da máquina etc.), não gerando mais-valia **~ de giro** *Econ.* Parte do capital de uma empresa us. no financiamento dos custos de produção, na movimentação do negócio etc. **~ de risco** *Econ.* Capital investido diretamente em empreendimento sem garantia de retorno, ou seja, com possibilidade de perda **~ de trabalho** *Econ.* Ver *Capital de giro* **~ fechado** *Econ.* O que não é representado por ações negociáveis em bolsas de valores, e que pertence a poucos acionistas **~ fixo** *Econ.* A parte do capital representada por bens fixos (imóveis, máquinas, instalações etc.) **~ humano/intelectual** *Econ.* Bem econômico representado por capacidades humanas a serviço da produção e por suas contribuições em tecnologia, procedimentos, experiência etc. **~ integralizado** *Econ.* Capital subscrito por acionistas e quitado em determinado prazo **~ social** 1 *Econ.* Recursos aplicados numa empresa por seus sócios ou acionistas 2 O acervo de informações (culturais, econômicas, políticas etc., sobre gente, empresas, condições de contexto etc.) que podem orientar e balizar decisões e medidas no desenvolvimento de empresa, instituição etc. **~ variável** *Econ.* Na economia política marxista, a parte dos custos de produção relativa ao custeio da força de trabalho, que dá origem à mais-valia, formadora do lucro **~ volátil** *Econ.* Capital aplicado em negócios de oportunidade, podendo ser retirado a qualquer momento, se houver risco de perda ou se a rentabilidade não for satisfatória
capitalismo (ca.pi.ta.*lis*.mo) ***sm.*** 1 *Econ.* Sistema econômico e social baseado na propriedade privada dos meios de produção, na subordinação do trabalho (adquirido em troca de salários) ao capital (que é investido para gerar lucro), e na livre concorrência entre agentes (empresas, indivíduos) no mercado 2 Conjunto mais ou menos integrado de países (e seus mercados, suas instituições, legislações, firmas etc.) em que vigora o sistema capitalista [F.: *capital* (sm.) + *-ismo.*]
capitalista (ca.pi.ta.*lis*.ta) ***a2g.*** 1 *Econ.* Do ou ref. ao capital, esp. sua preponderância econômica; do ou ref. ao capitalismo (produção capitalista, sistema capitalista) 2 Caracterizado pela presença e importância do capitalismo como sistema econômico (países capitalistas) 3 Diz-se de pessoa que vive da renda de um capital, cuja principal condição ou atividade econômica é o investimento lucrativo de capital (burguesia capitalista): *Pertence ao ramo capitalista da família, mas não convive com os tios milionários.* 4 Diz-se da pessoa que é a responsável pela parte financeira da organização de uma empresa (sócio capitalista) ***s2g.*** 5 *Econ.* Qualquer dessas pessoas 6 *P. ext.* Pessoa muito rica; MILIONÁRIO [F.: *capital* (sm.) + *-ista.*]
capitalização (ca.pi.ta.li.za.*ção*) ***sf.*** 1 Ação ou resultado de capitalizar 2 *Econ.* Aplicação financeira em que o investidor paga mensalidades que lhe dão direito a concorrer a prêmios e, ao fim de um prazo determinado, recebe o dinheiro aplicado de volta com juros 3 Acumulação de bens financeiros (capitalização de juros) [tb. fig.: capitalização de graças.] 4 *Fig.* Acúmulo e uso de algo (material ou imaterial) como capital, como bem econômico, ou para algum proveito, lucro etc.: *gestão e capitalização de conhecimento.* [Pl.: *-ções.*] [F.: *capitalizar* + *-ção.*]
capitalizado (ca.pi.ta.li.*za*.do) ***a.*** Diz-se do que foi acumulado (dinheiro capitalizado) [Ant.: *descapitalizado.*] [F.: Part. de *capitalizar*. Ideia de: *capit-*.]
capitalizador (ca.pi.ta.li.za.*dor*) [ô] ***sm.*** 1 Pessoa que investe capital em algo: *Ele era o idealizador do projeto, o sócio, o capitalizador.* ***a.*** 2 Diz-se do que reúne, ajunta, agrega capital para a realização de um projeto (agente capitalizador) [F.: *capitalizar* + *-dor*. Ideia de: *capit-*.]
capitalizar (ca.pi.ta.li.*zar*) ***v.*** 1 *Econ.* Acumular (rendas, juros etc.) como capital (7, 8, 9) [***td.***: *capitalizar rendimentos; capitalizar poupanças.*] [***int.***: *Os comerciantes, neste mês, capitalizaram muito.*] 2 *Econ.* Converter em capital (8, 9) [***td.***: *capitalizar ações de uma estatal.*] 3 *Fig.* Tirar proveito de; fazer com que (algo) tenha consequências benéficas, vantajosas para si [***td.***: *Os governistas capitalizaram o sucesso do pacote econômico.*] [▶ 1 capitalizar] [F.: De *capital* (sm.) + *-izar.*]
capitanear (ca.pi.ta.ne.*ar*) ***v.*** 1 Comandar como capitão [***int. / td.***: *Era um padre quem capitaneava (a guerrilha).*] 2 *P. ext. Fig.* Dirigir, governar, liderar; dar ordens ou tomar decisões relativas a um grupo, organização etc. [***int. / td.***: *Capitaneava (a empresa) com mão de ferro.*] [▶ 13 capitanear] [F.: *capitão* + *-ear*[2], segundo o mod. erudito.]
capitania (ca.pi.ta.*ni*.a) ***sf.*** 1 Título ou cargo de capitão 2 Ação ou resultado de chefiar; COMANDO 3 *Hist.* Ver *Capitania hereditária* [F.: *capitão* (f. rad. *capitan-*) + *-ia*[1]. Hom./Par.: *capitânia.*] ■ **~ do(s) porto(s)** *Mar.* Órgão oficial (repartição do Ministério da Marinha) responsável pelo controle dos portos e de atividades a eles relacionadas, inspeção e segurança das condições de navegação e do tráfego marinho e fluvial **~ hereditária** Cada uma das unidades administrativas do Brasil colonial (1532), nas primeiras décadas da presença portuguesa (entre 1532-1549), comandada por um capitão-mor [As terras de cada capitania hereditária eram doadas a indivíduos da nobreza ou próximos ao rei, e tais donatários adquiriam o direito (transmissível por herança) de explorá-las e ficavam responsáveis pela sua defesa, ocupação e colonização.]
capitânia (ca.pi.*tâ*.ni:a) ***sm. sf.*** *Mar. G.* O navio ou nau em que viaja o comandante de uma esquadra, ou que traz a sua bandeira [Tb. us. como adjetivo: *nau capitânia.*] [F.: *capitão* (f. rad. *capitan-*) + *-ia*[2]. Hom./Par.: *capitânia, capitania* (sf.). Tb. *capitânea.*]
capitão (ca.pi.*tão*) ***sm.*** 1 *Mil.* Patente militar [Ver quadro *Hierarquia Militar Brasileira* no v. *hierarquia.*] 2 *Mil.* Militar que tem essa patente 3 *Mar.* Comandante de navio mercante 4 *P. ext.* Pessoa que tem poder de mando, autoridade; comandante, chefe de um grupo (militar ou não, formalmente organizado ou não) 5 *Esp.* Jogador que representa o time perante o árbitro, e que, por vezes, pode ter papel de liderança 6 *N. E. Folc.* Personagem autoritário do bumba meu boi 7 *Pop.* Designação dada à parte ou objeto principal, ou de maiores dimensões 8 *Bras. Pop.* Boia de rede de pescar 9 *Bras.* Parte do meio da laranja cortada na vertical 10 *Bras.* Porção de alimento que se amassa com farinha e leva à boca com a mão 11 Deslocamento de uma pedra grande, por meio de empurrão, fazendo-a rolar ou mover-se sobre sua menor dimensão 12 *MG Fam.* Urinol grande; penico 13 *Bras. S.* Larva de besouro; forreca, pão-de-galinha 14 *Bot.* Merendiba (árvore combretácea) 15 *Bras. Zool.* Besouro, escaravelho 16 *Zool.* Capitão-do-mato (borboleta) 17 *Zool.* Pássaro icterídeo (*Amblyramphus holosericeus*), paludícola, de corpo negro e cabeça e peito vermelhos, encontrado no Sul e Centro-Oeste do Brasil [Pl.: *-tães.* Fem.: *-tã* (forma geral e única us. para a acp. 5) e *-toa* (p. us.) (para as demais acps.). Entre os militares, a f. usual é a masculina, mesmo ref. às mulheres.] [F.: Do lat. tardio *capitanus.*] ■ **~ da/de areia** 1 Menino ou rapaz, ger. marginalizado ou delinquente, que vive nas ruas, esp. em bairros portuários, e na praia, sozinho ou em grupo; p. ext.: menino de rua, ou pivete 2 *Irôn.* Pessoa que frequenta a praia, cujas atividades, interações sociais ou modo de vida giram em torno da praia: "Vive às voltas com suas aplicações financeiras e mesmo na praia, aos domingos (...) onde se reúne com os amigos (...) a conversa gira em torno de dois assuntos: mulheres e dinheiro. Eu, poeta bissexto (...) como posso entender esse jovem capitão da areia do Leblon?" (Manoel Carlos, "Feia", *Veja Rio*, 08.12.2004) **~ de bandeira** *Bras. Mar.* Comandante de navio capitânia de uma força naval, quando não acumula a função de comandante de toda a força **~ de indústria** *Desus.* Empresário do setor industrial, esp. o que tem pioneirismo ou lidera grandes empreendimentos
capitão-aviador (ca.pi.tão-a.vi:a.*dor*) [ô] ***sm.*** 1 *Aer.* Na Força Aérea Brasileira, posto imediatamente superior ao de primeiro-tenente aviador 2 Oficial da Aeronáutica brasileira que ocupa tal posto [Tb. apenas *capitão.*] [Pl.: *capitães-aviadores.*]
capitão de corveta (ca.pi.tão de cor.*ve*.ta) ***sm.*** 1 *Bras. Mar. G.* Na Marinha de guerra brasileira, posto imediatamente inferior ao de capitão de fragata 2 Oficial da Marinha do Brasil que ocupa tal posto [Tb. apenas *corveta.*] [Pl.: *capitães de corveta.*]
capitão de fragata (ca.pi.tão de fra.*ga*.ta) ***sm.*** 1 *Mar. G.* Na Marinha de guerra brasileira, posto imediatamente inferior ao de capitão de mar e guerra 2 Oficial da Marinha do Brasil que ocupa tal posto [Tb. apenas *fragata.*] [Pl.: *capitães de fragata.*]
capitão de mar e guerra (ca.pi.tão de mar e*guer*-ra) ***sm.*** 1 *Mar. G.* Na Marinha de guerra brasileira, posto imediatamente inferior ao de contra-almirante 2 Oficial da Marinha do Brasil que ocupa tal posto [Tb. apenas *mar e guerra.*] [Pl.: *capitães de mar e guerra.*]
capitão-do-mato (ca.pi.tão-do-*ma*.to) ***sm.*** 1 *Bras. Ant.* Indivíduo que, sozinho ou em grupo, percorria matas e terras do interior para capturar escravos fugidos, a serviço dos senhores ou em troca de pagamento [Nesta acp., sem hifens: *capitão do mato.*] 2 *Zool.* Borboleta grande da fam. dos ninfalídeos, subfam. dos morfíneos (*Morpho achilles*), abundante nas matas do Sudeste do Brasil; as asas possuem uma cor azul intensa, com bordas negras em sua face dorsal que chamam muita atenção em voo 3 *Bot.* Trepadeira cucurbitácea (*Cayaponia cabocla*), de frutos amarelados e sementes resinosas 4 *Bras. Zool.* Boipeva 5 *Ornit.* Surucuá-de-barriga-amarela 6 *Bras. Ornit.* João-do-mato [Pl.: *capitães-do-mato, capitães do mato* (acp. 1).]
capitão-mor (ca.pi.tão-*mor*) *Hist.* ***sm.*** 1 Autoridade que comandava a milícia de uma cidade ou vila 2 *Hist.* Indivíduo que governava uma capitania hereditária [Pl.: *capitães-mores.*]
capitão-tenente (ca.pi.tão-te.*nen*.te) ***sm.*** 1 *Mar. G.* Na Marinha de guerra brasileira, posto imediatamente inferior ao de capitão de corveta 2 Oficial da Marinha do Brasil que ocupa tal posto [Pl.: *capitães-tenentes.*]
capitari (ca.pi.ta.*ri*) *Amaz.* ***sm.*** 1 *Zool.* Macho da tartaruga 2 *Bot.* Árvore da fam. das bignoniáceas (*Tabebuia barbata*), originária da Amazônia, que fornece óleo medicinal e madeira para marcenaria [F.: Do tupi *kapita' ri.*]
capitato (ca.pi.*ta*.to) *Bot.* ***a.*** 1 Que possui o formato de uma cabeça 2 Que termina em forma de cabeça [F.: Do lat. *capitatu.*]
capitel (ca.pi.*tel*) ***sm.*** 1 *Arq.* Parte superior de uma coluna 2 *P. ext. Arq.* Parte superior, ger. ornamentada, de pilastra, pilar e outros elementos verticais, como balaústre etc. 3 Cobertura de alambique; CAPACETE 4 A cúpula ou cobertura protetora frontal dos foguetes [Pl.: *-téis.*] [F.: Do lat. *capitellum.*]
capitólio (ca.pi.*tó*.li:o) ***sm.*** 1 Uma das sete colinas de Roma, também chamada de monte Capitolino [Nesta acp., us. com inicial maiúsc.] 2 Templo dedicado ao deus Júpiter, edificado sobre essa colina [Nesta acp., us. com inicial maiúsc.] 3 *P. ext.* Qualquer construção suntuosa e imponente 4 *Fig.* Apogeu, auge, fastígio, triunfo, glória, elevação: *atingiu o capitólio.* [F.: Do lat. *Capitolium, ii.*]
capitonê (ca.pi.to.*nê*) ***a2g.*** Diz-se do estofamento ou móvel estofado em que a parte acolchoada do tecido é dividida em losangos ou quadrados marcados por botões ou pespontos (sofá capitonê) [F.: Do fr. *capitonné*. Cf. *matelacê*. Tb. *capitonado.*]
capitoso (ca.pi.*to*.so) [ô] ***a.*** 1 Que embriaga, que sobe à cabeça (diz-se ger. de vinho) 2 Que provoca sentimento (exagerado, deturpado) de ser importante, poderoso; que desperta presunção e faz perder o bom-senso: *Lisonjas capitosas afetaram-lhe o juízo e a decisão.* 3 *Fig.* Que desperta paixão, que altera prazerosamente os sentidos, o comportamento; INEBRIANTE: "Seu corpo se oferecia, desenhava-se mais capitoso a cada sutil movimento..." (Guimarães Rosa, *Noites do Sertão*) 4 *Fig.* Que é persistente, obstinado, cabeça-dura; TEIMOSO; TURRÃO 5 *P. ext.* Presunçoso [Pl.: [ó]. Fem.: [ó].] [F.: Do it. *capitoso*, do lat. *caput.*]
capitulação (ca.pi.tu.la.*ção*) ***sf.*** 1 Ação ou resultado de capitular[1] 2 Acordo pelo qual um chefe militar entrega ao inimigo o território que defende ou aceita as condições e exigências apresentadas pelo inimigo para interromper a luta; RENDIÇÃO 3 *Fig.* Submissão, sujeição 4 *Fig.* Ação ou atitude de quem cede, ou aceita algo, contra a vontade, por falta de alternativas; condescendência forçada pelas circunstâncias; CONCESSÃO; TRANSIGÊNCIA 5 *Fig.* Sacrifício, renúncia, desistência (ante aquilo que é considerado mais forte, mais poderoso etc.) [Pl.: *-ções.*] [F.: *capitular*[1] + *-ção.*]
capitulado (ca.pi.tu.*la*.do) ***a.*** 1 Diz-se daquele que capitulou, que se rendeu ou reconheceu a derrota (adversário capitulado); RENDIDO 2 Ajustado mediante certas condições (entrega capitulada); CONVENCIONADO 3 Aquilo que foi organizado por capítulos 4 *Jur.* Diz-se do crime descrito e classificado pela lei penal; QUALIFICADO [F.: Part. de *capitular*. Ideia de *capit-*.]
capitular[1] (ca.pi.tu.*lar*) ***v.*** 1 Transigir, ceder a argumentos, pedidos etc. [***int.***: *Diante da lógica das alegações, ele capitulou.*] 2 Entregar-se, render-se [***int.***: *Cercado, o batalhão capitulou.*] 3 Acordar (estabelecer por acordo), ajustar mediante certas condições [***td.***: *capitular um armistício; Capitularam a libertação dos reféns.*] 4 Dividir em capítulos ou seções [***td.***: *A escritora capitulava o texto dos seus livros.*] 5 Enumerar, listar, fazer figurar em um elenco [***td.***: *Decidiram capitular todos os colegas de turma.*] 6 Caracterizar metodicamente [***td.***: *O infectologista capitulou a doença.*] 7 Qualificar, classificar [***tdp.***: *Capitularam sua atitude de desleal.*] 8 *Jur.* Apresentar (acusações) em capítulos contra alguém [***td.***] [▶ 1 capitular] ***sm.*** 9 Capitulação, desistência, submissão [Tb. fig.] [F.: Do lat. *capitulare.* Hom./Par.: *capitulo* (fl.), *capítulo* (sm.); *capitula(s)* (fl.), *capítula(s)* (sf. [pl.]).]
capitular[2] (ca.pi.tu.*lar*) ***a2g.*** 1 *Rel.* Ref. a capítulo (reunião de cônegos) ou a cabido 2 Maiúsculo, capital (diz-se de letra) (letra capitular) 3 Que tem forma de cabeça, ou que é comparável a esta quanto à posição, função etc. ***sf.*** 4 Letra capitular (2); VERSAL [F.: Do lat. tardio *capitularis.*]
capítulo (ca.*pí*.tu.lo) ***sm.*** 1 Divisão de livro, lei, tratado etc.; cada uma das partes de um texto, consideradas como unidade (narrativa, temática etc.) 2 *Fig.* Aquilo (conjunto de acontecimentos, período de tempo) que é semelhante a capítulo (1), por formar uma unidade específica, distinguível, dentro de um processo ou contexto, de uma obra ou realização maior: *Com a morte do patriarca, encerrou-se um capítulo da saga familiar; Com a assinatura do acordo, inicia-se um novo capítulo nas relações interamericanas.* 3 *P. ext.* Conjunto de cenas, episódios etc., que fazem parte de uma narrativa maior e que são regularmente publicados (na imprensa) ou transmitidos (por televisão ou rádio), separados de outros mas formando com estes uma sequ-

ência (capítulo de folhetim, de radionovela, de telenovela) **4** *Rel.* Assembleia de autoridades da Igreja Católica para tratar de determinado assunto **5** *Rel.* O local em que se reúne essa assembleia **6** *Rel.* O conjunto dos cônegos de uma igreja **7** *Zool.* Projeção cefálica do carrapato **8** *Zool.* Parte dilatada da antena dos insetos **9** *Fig.* Aquilo (conjunto de acontecimentos, período de tempo) que é semelhante a capítulo (1), por formar uma unidade específica, distinguível, dentro de um processo ou contexto, de uma obra ou realização maior [F.: Do lat. *capitulu(m)*. Hom./Par.: *capitulo* (fl. *capitular*).]

capivara (ca.pi.*va*.ra) *sf.* **1** *Zool.* Mamífero da fam. dos hidroquerídeos (*Hydrochoeris hydrochoeris*), encontrado na América do Sul, que vive em áreas alagadas ou próximo a rios e lagos, nas matas e no cerrado, e que é o maior roedor do mundo [Masc., nesta acp.: *capincho* ou *carpincho* (que pode ser us. em sentido restrito de 'capivara macho', ou tb. como sinôn.).] **2** *Bot.* Trepadeira da fam. das aristoloquiáceas (*Aristolochia birostris*), nativa do Nordeste do Brasil, de odor desagradável e cujas raízes são us. contra o veneno da cascavel [F.: Do tupi *kapii' guara*, 'comedor de capim'.]

capô (ca.*pô*) *sm.* **1** Cobertura protetora do motor de um veículo automóvel, que pode ser deslocada ou aberta **2** *P. ext.* Tampa ou cobertura móvel do motor de um equipamento [F.: Do fr. *capot*.]

capoeira[1] (ca.po:*ei*.ra) *sf.* **1** Gaiola grande us. para criar capões[1] e outras aves domésticas **2** Conjunto dessas aves **3** Cesto para transporte dessas aves **4** *Mil.* Grande cesta cilíndrica de vime, ger. sem fundo, que, cheia de terra, pedras, galhos etc., era us. para construir parapeitos e trincheiras, proteger fortificações etc. **5** *Mil.* Escavação em fundo de poço seco, com parapeito, e coberta por pranchas de madeira e terra [F.: *capão*[1] (rad. *capo* -) + *-eira*, com desnasalação.]

capoeira[2] (ca.po.*ei*.ra) *sf.* **1** *Agr.* Terreno com mato, cuja vegetação anterior foi roçada ou queimada para o cultivo da terra ou para outro fim **2** *Bot.* Vegetação que nasce após a derrubada ou queima da mata nativa, formada por espécimes jovens e resistentes ao sol intenso [F.: Do tupi *ko' puera*.] ■ **~ brejada** *PB* A área de uma capoeira (terreno roçado e queimado) com maior umidade **~ grossa** *Bras.* Capoeira (terreno roçado e queimado) onde crescem grandes árvores **~ rala** *N. E.* Aquela roçada frequentemente, onde só crescem ervas, arbustos etc.

capoeira[3] (ca.po.*ei*.ra) *sm.* **1** *Bras. Hist.* Negro que se ocultava nas matas e assaltava viajantes *sf.* **2** Espécie de arte marcial que escravos bantos trouxeram para o Brasil, depois também praticada como esporte; CAPOEIRAGEM **3** Bando agressivo de desordeiros e valentões **4** Modo de vida de desordeiros, de bandos de rua; CAPOEIRAGEM *s2g.* **5** *Ant.* Lutador de rua que, no Rio de Janeiro, Bahia e Recife, no séc. XIX, armava-se de faca ou navalha para enfrentar os adversários **6** Indivíduo que pratica a capoeira; CAPOEIRISTA [F.: De or. contrv. Col.: *capoeirada*.] ■ **~ regional** *Cap.* Tipo de capoeira (2) a que se acrescentaram novos golpes, ritmos etc., e uma sistematização do treinamento

capoeiragem (ca.po:ei.*ra*.gem) *Bras. sf.* **1** Capoeira[3] (2); técnica de luta dos capoeiristas **2** Modo de vida de capoeira[3] (5), de capoeirista ou, p. ext., de malandro [Pl.: *-gens*.] [F.: *capoeira*[3] + *-agem*[2].]

capoeiral (ca.po:ei.*ral*) *sf.* Área de capoeira[2] (1) [Pl.: *-rais*.] [F.: *capoeira*[2] + *-al*[1].]

capoeirão (ca.po:ei.*rão*) *sm.* **1** *Bras. Agr.* Capoeira muito densa e alta que ocupa grande extensão de terreno; CAPOEIRAÇU; CAPOEIRUÇU **2** *Bras.* Homem que, pela idade avançada, é calmo, manso **3** *Ornit.* Pássaro turdídeo (*Turdus leucomelas*, Vieill.); tb. *sabiá-barranco*. *a.* **4** *Bras.* Diz-se de homem que já é manso, pacato, em função da idade [F.: *capoeira* + *-ão*.]

capoeirar (ca.po.ei.*rar*) *Bras. v. int. Cap.* Praticar o jogo da capoeira [▶ 1 capoeirar] [F.: *capoeira* + *-ar*. Hom./Par.: *capoeira(s)* (fl.), *capoeira* (sf., sm., s2g. e pl.); *capoeiro* (fl.), *capoeiro* (a. e sm.).]

capoeirista (ca.po:ei.*ris*.ta) *s2g.* Pessoa que joga capoeira[2]; CAPOEIRA [F.: *capoeira*[2] + *-ista*.]

caporal (ca.po.*ral*) *a2g.* **1** Diz-se de certa variedade de fumo, de qualidade inferior *sm.* **2** Essa variedade de fumo **3** *Ant. Mil.* Antigo posto militar (ou indivíduo que o ocupava), superior a cabo e inferior a sargento, equivalente a furriel ou a cabo de esquadra [Pl.: *-rais*.] [F.: Do fr. *caporal*.]

caporroto (ca.por.*ro*.to) *sm. Ang.* Espécie de aguardente de cereais [F.: Do quimbundo.]

capota (ca.*po*.ta) *sf.* **1** Cobertura de automóvel conversível, caminhonete, carruagem etc., que protege seus ocupantes ou a carga [Por vezes tb. se aplica à cobertura fixa, ger. metálica ou de fibra, à qual se prende a parte superior do para-brisas.] **2** *Ant. Vest.* Peça de vestuário, esp. feminino, para cobrir a cabeça e os ombros; Capuz, toucado **3** Touca (ger. para crianças) **4** *Ant. Vest.* Certo tipo de chapéu feminino de abas largas [F.: Do fr. *capote*. Hom./Par.: *capota(s)* (sf. [pl.]), *capota(s)* (fl. *capotar*).]

capotagem (ca.po.*ta*.gem) *sf. Bras.* Ação ou resultado de capotar [Pl.: *-gens*.] [F.: *capotar* + *-agem*.]

capotão (ca.po.*tão*) *sm. Vest.* Ver *sobretudo* [Pl.: *-tões*.] [F.: *capote* + *-ão*. Ideia de *cap-*.]

capotar (ca.po.*tar*) *v. int.* **1** Tombar (o veículo), ou cair virado sobre a capota, com as rodas para cima, tendo girado sobre si: *O automóvel saiu da curva, e capotou três vezes.* **2** Cair, tombar ou virar de borco; EMBORCAR **3** *Bras. Gír.* (Deitar e) adormecer profundamente: *Capotou depois de beber meia garrafa de uísque.* [▶ 1 capotar] [F.: Do fr. *capoter*. Hom./Par.: *capota(s)* (fl.), *capota(s)* (sf. [pl.]); *capote(s)* (fl.), *capote(s)* (sm. [pl.]).]

capote[1] (ca.*po*.te) [ó] *sm.* **1** Capa comprida e larga, ger. com capuz; casacão **2** Agasalho de mangas compridas que cobre todo o tronco **3** *Fig.* Fingimento, dissimulação, disfarce **4** *N. E. Arq.* Proteção para a cumeeira de telhados de palha **5** *PE* Gordura que reveste posta de carne [F.: Do fr. *capote*.]

capote[2] (ca.*po*.te) [ó] *sm.* **1** Pequena capa ou envoltório **2** A capa us. pelo toureiro; capinha **3** *Bras.* A folha que serve de envoltório ao fumo do charuto, sob a capa exterior **4** *Bras. Bot.* Árvore da fam. das esterculiáceas (*Sterculia speciosa*), originária do Brasil, de madeira mole, cinzenta e clara, e cujas flores cheiram a carne podre **5** *Bras. Bot.* Designação dada a outras árvores do mesmo gênero do capote (2), como o xixá **6** *Bras. Zool.* Galinha-d'angola [F.: de *capa* + *-ote*.]

capote[3] (ca.*po*.te) [ó] *sm.* Vitória por grande diferença de pontos, ou série de vitórias sucessivas (p. ex., em jogo de aposta) [F.: Do fr. *capot*, na expr. *faire capot* 'vencer seguidamente, nas cartas'.] ■ **Dar (um) ~** Vencer de capote, vencer com grande diferença em relação ao(s) adversário(s) **De ~** Com grande diferença de pontos, ou com mais do dobro de pontos (que o adversário) **Não tirar o ~** Em jogo, não obter nem metade dos pontos do adversário, ou perder por larga margem **Levar ~** Sofrer derrota, com resultado ou desempenho muito pior que o do adversário

capoteiro (ca.po.*tei*.ro) *sm. Bras.* Pessoa que faz, vende ou conserta capotas, estofamentos e revestimentos internos de automóveis [F.: *capota* + *-eiro*.]

capoxo (ca.*po*.xo) [ô] *s2g.* **1** Pessoa pertencente a um povo indígena extinto que habitava a região da cabaceira do rio Suaçuí Grande (MG) *a2g.* **2** Do ou ref. ao capoxo [F.: Do etnôn. **kaposó*.]

⊕ **cappuccino** (*It.* /caputchíno/) *sm.* Bebida quente preparada com café e leite, aos quais se acrescentam canela, chocolate ou chantili

◎ **capr(i)-** *el. comp.* = 'bode', 'cabrão'; 'cabra': *capribarbudo*, *caprifigo* (< lat.), *caprípede* [F.: Do lat. *caper, capri*.]

caprichado (ca.pri.*cha*.do) *a.* **1** Que foi executado com aplicação, apuro, esmero (trabalho caprichado) **2** *Pop.* Diz-se de grande quantidade de algo: *Pôs uma porção caprichada de arroz no prato.* [F.: Part. de *caprichar*. Ideia de: *capit-*.]

caprichar (ca.pri.*char*) *v.* **1** Ter capricho em (certa obra, tarefa, atividade); fazer algo com esmero, com cuidado, com dedicação etc. [*tr.* + *em*: *Ele caprichou no desenho.*] [*int.*: *Capriche, e você fará boa prova.*] **2** Dar especial atenção ou importância a (algo que se usa, que se faz), para agradar ou obter certo efeito [*tr.* + *em*: *caprichar no vestuário* (= 'vestir boas roupas'); *Ao escrever o artigo, caprichou nos elogios.*] **3** *P. us.* Fazer questão de algo; fazer ou insistir em (algo) por capricho [*tr.* + *em*: *Caprichou em contrariar a todos.*] **4** Colocar grande porção de [*tr.* + *em*: *Serviu-se de pouco sorvete mas caprichou na cobertura.*] [▶ 1 caprichar] [F.: *capricho* + *-ar*[2]. Hom./Par.: *capricho* (fl.), *capricho* (sm.).]

capricho (ca.*pri*.cho) *sm.* **1** Cuidado, esmero, atenção ao fazer algo; esforço em fazer bem [+ *em*: *capricho na limpeza.* Ant.: *descuido, relaxamento*.] **2** Vontade súbita, sem motivo aparente, na qual se insiste: *caprichos de menina mimada.* **3** Alteração repentina de comportamento **4** Instabilidade, inconstância; mudança repentina ou imprevisível (de orientação, de rumo etc.): *os caprichos do destino.* [Ant.: *constância, regularidade*.] **5** Sentimento de brio **6** *Mús.* Composição leve, de esquema livre [F.: Do it. *capriccio*.] ■ **A/no ~** *Pop.* Com requinte, capricho, esmero

caprichosamente (ca.pri.cho.sa.*men*.te) *adv.* **1** De modo caprichoso, com capricho **2** Por capricho: *Agiu caprichosamente, depois se arrependeu.* [F.: Fem. de *caprichoso* + *-mente*.]

caprichoso (ca.pri.*cho*.so) [ô] *a.* **1** Que age ou trabalha com capricho, com cuidado, esmero (aluno caprichoso) **2** Feito com capricho (1) (trabalho caprichoso) **3** Que tem ou é movido por capricho(s) (2 e 3) **4** Que muda ou varia segundo as circunstâncias; inconstante, volúvel **5** Que é fora do comum, que não tem regularidade ou não parece seguir regras ou padrões; que varia livremente; EXTRAVAGANTE **6** *Fig.* Que parece ter ou resultar de vontade ou motivação própria: *Ventava forte e a bola, arremessada, tomou uma trajetória caprichosa.* [Pl.: [ó]. Fem.: [ó].] [F.: *capricho* + *-oso*.]

capricorniano (ca.pri.cor.ni:*a*.no) *sm.* **1** Pessoa que nasceu sob o signo de Capricórnio; CAPRICÓRNIO *a.* **2** Ref. ao signo de Capricórnio ou às qualidades ou influências a ele atribuídas, segundo a astrologia: *uma atitude muito capricorniana* *a.* **3** Diz-se de capricorniano (1) [F.: *capricórnio* + *-ano*[1].]

Capricórnio (ca.pri.*cór*.ni:o) *sm.* **1** *Astrol.* Signo (do Zodíaco) das pessoas nascidas entre 22 de dezembro e 19 de janeiro [Inicial maiúscula.] **2** Capricorniano (pessoa que nasce sob esse signo) **3** *Astron.* Constelação zodiacal meridional, entre as constelações de Sagitário e de Aquário [Inicial maiúscula.] [F.: Do lat. *Capricornus, i*.]

caprídeo (ca.*prí*.de:o) *a.* Diz-se do que é relativo ou semelhante ao bode ou à cabra [F.: *capr(i)-* + *-ídeo*[1]. Cf.: *caprino*.]

caprimulgídeo (ca.pri.mul.*gí*.de:o) *Ornit. sm.* **1** Espécime dos caprimulgídeos, fam. de aves caprimulgiformes, com olhos grandes, bico com cerdas e plumagem com matizes de cinza, preto, castanho e ruivo que permitem sua camuflagem no ambiente. Conhecidas popularmente como bacuraus e curiangos, são encontradas nas regiões tropicais e temperadas *a.* **2** Ref. aos caprimulgídeos [F.: Do lat. cient. *Caprimulgidae*.]

caprino (ca.*pri*.no) *a.* **1** De, próprio de, ou semelhante a cabra ou bode (raça caprina, barbicha caprina, voz caprina); CABRUM; CAPRUM **2** *Zool.* Ref., semelhante ou próprio aos animais pertencentes à subfamília *Caprinae*, que inclui bodes e cabras, carneiros e ovelhas *sm.* **3** *Zool.* Cabra, bode ou, p. ext., qualquer animal da subfamília dos caprinos (*Caprinae*), que inclui tb. carneiros e ovelhas [F.: lat. *caprinus*; como termo zool., lat. cien. *Caprinae*.]

caprinocultor (ca.pri.no.cul.*tor*) [ô] *sm.* **1** Pessoa que cria bodes e cabras, ger. com fins comerciais *a.* **2** Em que há criação de bodes e cabras (país caprinocultor) [F.: *caprino* + *-cultor*. Ideia de: *capr(i)-*.]

caprinocultura (ca.pri.no.cul.*tu*.ra) *sf.* **1** Criação de bodes e cabras que visa à obtenção de produtos como o leite e a carne desses animais **2** A técnica de criar cabras para a obtenção desse produtos [F.: *caprino* + *-cultura*. Ideia de: *capr(i)-*.]

caprolactama (ca.pro.lac.*ta*.ma) *sf. Quím.* Substância ($C_6H_{11}NO$), cristalina, us. na obtenção das poliamidas para a produção de náilon, embalagens, pneus, peças eletrônicas etc.: "A Fibra-Du Pont, que faz fio de náilon, informa que reduziu a produção por causa da falta de caprolactama, derivado de petróleo usado na produção do fio." (*Folha de S.Paulo*, 29.10.1994) [Adapt. do ingl. *caprolactam* < ingl. *caproic* + *lactam* (< *lactone* + *amide*).]

capsaicina (cap.sa:i.*ci*.na) *sf. Quím.* Alcaloide ($C_{18}H_{27}NO_3$), cristalino, de gosto pungente, presente nos frutos das plantas do gên. *Capsicum*, que reúne pimentas como a malagueta e o dedo-de-moça, us. como analgésico tópico: "Segundo os cientistas, o ingrediente ativo na pimenta (capsaicina) pode controlar a dor após aplicações repetidas" (*Folha de S.Paulo*, 28.08.1994) [F.: Adapt. do lat. cient. *Capsicum* + *-ina*[2].]

cápsula (*cáp*.su.la) *sf.* **1** Qualquer invólucro fechado **2** Recipiente muito diminuto, ger. de forma cilíndrica, feito de película de goma ou outro material sólido e solúvel, no interior do qual é acondicionada a dose de medicamento ou outro produto a ser ingerido **3** *P. ext.* Dose ou porção de produto medicinal ou nutricional, acondicionada em cápsula (2); DRÁGEA: *ingerir duas cápsulas após as refeições.* **4** *Astron.* Compartimento vedado, lançado com um foguete, em que se alojam astronautas e instrumentos de controle **5** *Quím.* Vaso refratário aberto, us. na evaporação de líquidos **6** *Bot.* Tipo de fruto simples, seco, formado por dois ou mais carpelos, e que, após madurar, se abre deixando cair as sementes **7** *Anat.* Membrana que envolve uma estrutura anatômica **8** Qualquer recipiente ou compartimento inteiramente vedado, que pode ser removido, transportado e acoplado a certos equipamentos **9** Ver *Cápsula fonográfica*. **10** Nos cartuchos de armas de fogo, invólucro metálico da carga explosiva que recebe diretamente o impacto que a deflagra [F.: Do lat. *capsula*. Ideia de 'cápsula', usar pref. *angi(o)-* e suf. *-ângio*.] ■ **~ espacial** *Astnáut.* Compartimento pressurizado que transporta seres humanos e animais em voos espaciais **~ fonográfica** Em fonógrafos (toca-discos etc.), dispositivo (acoplado ao braço do aparelho) que contém a agulha e transforma as vibrações desta, ao percorrer o sulco do disco, em sinais elétricos, transmitindo-os para que sejam então transformados em sinais sonoros

capsular[1] (cap.su.*lar*) *v.* Ver *encapsular* [▶ 1 capsular] [F.: *cápsula* + *-ar*. Hom./Par.: *capsula* (3ªp. s.), *capsulas* (2ªp. s.), *cápsula* (sf. [pl.]).]

capsular[2] (cap.su.*lar*) *a2g.* Ref. a cápsula [F.: *cápsula* + *-ar*[1].]

captação (cap.ta.*ção*) *sf.* **1** Ação ou resultado de captar **2** *Econ.* Venda por instituição financeira de títulos, para obter recursos no mercado [Pl.: *-ções*.] [F.: Do lat. *captatione(m)*. Hom./Par.: *capitação*.] ■ **~ de água** (Método de) obtenção de água para uso particular ou público, seja por acumulação e represamento, ou por coleta ou desvio, a partir de fontes naturais ou de algum corpo hídrico **~ de recursos** Obtenção de dinheiro, de recursos financeiros (para a realização de um projeto ou empreendimento) provenientes de outros setores de atividade, como por meio de patrocínio, apoio, subvenção, publicidade, isenção fiscal etc.

captado (cap.*ta*.do) *a.* **1** Que se captou, que foi integralizado: *O governo pretende ampliar a oferta de empréstimos imobiliários com o dinheiro captado na poupança.* **2** Entendido, compreendido: *As mensagens captadas pelos alunos permitiu-lhes fazer boas provas.* [F.: Part. de *captar*. Hom./Par.: *captado* (a.), *capitado* (a.).]

captador (cap.ta.*dor*) [ô] *a.* **1** Que capta *sm.* **2** Aquele ou aquilo que capta **3** Aparelho dotado de sensores, capaz de captar vibrações, esp. de instrumentos musicais acústicos, e transformá-las em sinais elétricos para serem amplificados ou gravados [F.: *captar* + *-dor*; lat. *captator*.]

captar (cap.*tar*) *v. td.* **1** Conseguir, obter (algo) para si; receber e aproveitar para seu próprio uso ou benefício (algo que estava disponível ou que é oferecido, transmitido): *captar recursos para produzir um longa-metragem; A ONG está captando fundos públicos e privados para dar continuidade a obras sociais.* **2** *Restr.* Recolher e conduzir (água) para determinado local: *Criamos um sistema que capta as águas das chuvas.* **3** Ser (um órgão sensório, ou um aparelho) capaz de indicar a presença ou ocorrência de (certos efeitos ou fenômenos físicos), ao ser modificado por estes: *O ouvido humano não capta sons que outros animais são capazes de ouvir; O sismógrafo captou um pequeno tremor de terra.* **4** Receber e processar convenientemente (sinais transmitidos e portadores de informação, como ondas de rádio ou televisão): *Este rádio não capta ondas curtas* **5** Receber e processar convenientemente (sinais transmitidos e portadores de informação, como ondas de rádio ou televisão): *Com um bom microfone, o repórter conseguiu captar as palavras murmuradas pelo juiz.* **6** Assimilar ou compreender aquilo que é percebido pelos sentidos; *p. ext.*: apreender mentalmente, entender, compreender, tomar consciência de (algo) intelectualmente: *Demorou a captar a ironia daquela cena.* **7** *Restr.* Perceber, apreender (sentido ou significado ocultos): *Nem todos captaram a mensagem nas entrelinhas do discurso.* **8** Ser ou tornar-se, intencionalmente ou não, objeto de (atitudes ou sentimentos alheios); atrair, granjear; provocar, suscitar; conquistar: *Captou a simpatia de todos com seus modos gentis; captar o interesse de novos investidores.* [▶ 1 captar] [F.: Do lat. *captare*.]

captável (cap.*tá*.vel) *a2g.* Que pode ser captado [Ant.: *incaptável*.] [Pl.: *-veis*.] [F.: Do lat. *captabilis, e*.]

captor (cap.*tor*) [ô] *a.* **1** Diz-se de pessoa que captura, que prende ou mantém preso; CAPTURADOR *sm.* **2** Essa pessoa; CAPTURADOR [F.: Do lat. *captor*.]

captura (cap.*tu*.ra) *sf.* **1** Ação ou resultado de capturar **2** *Jur.* Prisão de acusado ou condenado, ou de indivíduo considerado perigoso **3** *Fís. nu.* Processo de aquisição de partícula adicional por átomo, íon, molécula ou núcleo **4** *Mar. Merc.* Apreensão de navio ou mercadoria, esp. de contrabando **5** Obtenção e armazenamento, em forma digital, de dados ou sinais (p. ex., de sons ou imagens) provenientes de equipamentos externos a um computador (captura de vídeo, captura de áudio): *captura de tela (isto é, da imagem na tela de um monitor)*. [F.: Do lat. *captura*. Hom./Par.: *captura* (v. *capturar*).] ∎ **~ de dados** *Inf.* Gravação automática dos dados que são introduzidos num sistema de informática **~ fluvial** *Geog.* Desvio natural de águas fluviais de um rio para o leito de outro

capturado (cap.tu.*ra*.do) *a.* Que se capturou [F.: Part. de *captura*.]

capturador (cap.tu.ra.*dor*) [ô] *sm.* Ver *captor* [F.: *capturar* + *-dor*.]

capturar (cap.tu.*rar*) *v. td.* **1** Prender, aprisionar, deter (alguém, esp. quem foge ou se esconde) após busca, perseguição ou confronto, ou por meio de alguma ação planejada: *capturar bandidos.* **2** Tomar ou retomar (por meio de força ou de ação legal) posse de algo que estava com outrem; apreender, tomar, arrestar: *A polícia capturou as mercadorias contrabandeadas.* **3** Prender (animal silvestre ou fugitivo) usando armadilha **4** Obter e armazenar em computador, sob forma digital e para uso posterior (dados provenientes de outros meios ou equipamentos) [▶ 1 capturar] [F.: *captura* + *-ar*[2]. Hom./Par.: *captura(s)* (fl.), *captura(s)* (sf. [pl.]).]

capucha (ca.*pu*.cha) *sf.* **1** *Rel.* Ordem penitente da regra de São Francisco **2** *P. ext. Rel.* Convento dessa ordem **3** Capa que cobre a cabeça e os ombros, ger. us. por mulheres do campo em algumas regiões portuguesas: "Com as capuchas que lhes cobriam as cabeças..." (Ferreira de Castro, *Terra Fria*) [F.: Do espn. *capucha*.] ∎ **À ~** Sem pompa; modestamente: "Fez-se o casamento à capucha e os noivos seguiram para Teresópolis" (Coelho Neto, Obra Seleta, I, p. 269)

capuchar (ca.pu.*char*) *v. td.* **1** Pôr capuz ou capucha em; cobrir (algo ou alguém) com capuz; ENCAPUZAR **2** *Fig.* Dissimular, esconder (algo de alguém) [▶ 1 capuchar] [F.: *capucha* + *-ar*. Hom./Par.: *capucha(s)* (fl.), *capucha* (sf. e [pl.]); *capucho* (fl.), *capucho* (sm.).]

capuchinha (ca.pu.*chi*.nha) *sf.* **1** *Rel.* Freira de uma ordem de regra franciscana **2** *Bot.* Nome comum a algumas plantas do gên. *Tropaeolum*, da fam. das tropeoláceas, como, p. ex., *Tropaeolum majus*, trepadeira nativa do Peru, de folhas comestíveis, flores campanuladas amarelas ou vermelhas, frutos us. como laxante e muito cultivada como ornamental; CAPUCHINHO [F.: *capucha* + *-inha*.]

capuchinho (ca.pu.*chi*.nho) *a.* **1** *Rel.* Diz-se de religioso que pertence a uma ordem franciscana de vida austera, criada no séc. XVI, e cujo hábito tem capuz pontudo característico; BARBADINHO *sm.* **2** *Rel.* Esse religioso; BARBADINHO **3** Pequeno capuz **4** *Bot.* Capuchinha [F.: Do it. *cappuccino*.]

capucho (ca.*pu*.cho) *sm.* **1** Frade franciscano: "A primeira daquelas barbas era de um amigo de Pedro, um capucho, um italiano, frei..." (Machado de Assis, *Esaú e Jacó*) **2** *Vest.* Cobertura para a cabeça, ger. presa a uma capa ou casaco; CAPUZ **3** *Bras. Bot.* Capulho: "Acercaram-se da mísera algumas mulheres e a Seridó, que pedia um caneco d'água, um capucho de algodão queimado, e a esfregava, com força, sobre o peito..." (Domingos Olímpio, *Luzia Homem*) **4** *Bras.* Espuma do leite que sai do úbere da vaca: "Uma crioula adiantava-se agora do meio das vacas, e apresentava à senhora uma cuia de leite espumoso. Eu quero é capucho, Luísa!" (Manoel de Oliveira Paiva, *Dona Guidinha do Poço*) **5** *Lus.* Pequena meda de centeio *a.* **6** Diz-se de frade franciscano: "...mandando logo recado ao seu capelão e confessor, um frade capucho, para vir benzê-lo..." (José de Alencar, *O garatuja*) **7** *P. ext.* Rigoroso, austero no cumprimento das práticas religiosas **8** *P. ext.* Que vive retirado do trato social; MISANTROPO [F.: Do it. *cappuccio*, de *cappa* < lat. *cappa, ae*. Hom./Par.: *capucho* (sm. a.), *capucho* (fl. de *capuchar*).]

capucino (ca.pu.*ci*.no) *sm.* F. aport. de *cappuccino*

capuco (ca.*pu*.co) *sm. Bras.* Sabugo de milho; BATUERA [F.: De or. contrv; posv. do quimb. *kipupu*.]

capulho (ca.*pu*.lho) *Bot. sm.* **1** Cápsula em que se forma o algodão; CAPUCHO **2** Envoltório da flor, quando ainda fechada **3** Flor em botão, ainda fechada [F.: Do espn. *capullo*.]

caput (*Lat.* /*cáput*/) *sm.* **1** Que encima algo; CABEÇA; CAPÍTULO; PARÁGRAFO **2** *Jur.* Termo que designa o enunciado de um artigo de lei, com incisos e/ou parágrafos: *O caput do artigo 121 do Código Penal brasileiro é "Matar alguém".*

caputo (ca.*pu*.to) *sm. Ang.* Pessoa nascida ou que vive em Portugal; PORTUGUÊS [F.: Do quimb. *ka-* (dim.) + *putu*, 'português', 'Portugal'.]

capuz (ca.*puz*) *sm.* **1** *Vest.* Cobertura para a cabeça, ger. presa a capa ou casaco **2** Capô de motor [Dim. irreg. (acp. 1): *capuchinho*.] [F.: Do espn. *capuz*.]

caqueirada (ca.quei.*ra*.da) *sf.* **1** Porção de caqueiros ou cacos **2** Amontoado de coisas velhas, sem serventia ou valor: "...caqueiradas de pratos, e xícaras, e garrafas..." (Euclides da Cunha, *Os sertões*) **3** *Lus. Ant.* Arremesso de cacos e louça velha que se praticava durante o carnaval **4** *P. ext. Gír.* Pancada violenta **5** *Bras. P. ext. Gír.* Tapa no rosto dado com a mão aberta; BOFETADA [F.: *caqueiro* + *-ada*.] ∎ **É ~** *Bras. Gír.* Designa uma quantidade incerta, além de outra conhecida: *Ela tirou de férias vinte dias e caqueirada.*

caquento (ca.*quen*.to) *Gír. a.* **1** Cheio de caca ou meleca **2** *Fig.* Que é uma porcaria [F.: *caca* + *ento*, seg. o mod. analógico.]

caquético (ca.*qué*.ti.co) *a.* **1** Que sofre de caquexia **2** *Fig. Pej.* Que está muito usado, desgastado, ou em mau estado; sem-préstimo **3** *Fig. Pej.* Senil; que tem a saúde física e/ou a lucidez muito comprometidas, por causa da idade **4** *Pej.* Ultrapassado, obsoleto, antiquado, decadente *sm.* **5** Pessoa que sofre de caquexia **6** *Pej.* Pessoa muito velha [F.: *caquexia* + *-ico*[1]; gr. *kakhektikós*.]

caquexia (ca.que.*xi*.a) [ch] *sf.* **1** *Med.* Enfraquecimento extremo, causado por desnutrição ou velhice **2** *Fig.* Estado ou condição do que perdeu utilidade, validade ou importância (por desgaste ou envelhecimento, por estar ultrapassado etc.) [F.: Do gr. *kakheksía*.]

caqui (ca.*qui*) *Bot. sm.* **1** Fruto do caquizeiro, vermelho e de polpa macia e doce **2** Caquizeiro [F.: Do jap. *kaki*. Hom./Par.: *caqui* (sm.), *cáqui* (sm. a2g.).]

cáqui (*cá*.qui) *sm.* **1** A cor do barro, da terra, da poeira: *Gostava de cores discretas como o cáqui e o bege.* **2** Tecido ou roupa dessa cor, esp. os us. em fardas militares: *Os oficiais vestiam cáqui.* *a2g2n.* **3** Cuja cor é o cáqui (1): *os uniformes cáqui dos alunos do Colégio Militar.* **4** Diz-se dessa cor: *quepe de cor cáqui.* [F.: Do ing. *khaki*. Hom./Par.: *cáqui* (sm. a2g2n.), *caqui* (sm.).]

caquinar (ca.qui.*nar*) *v. td. int.* Ver *casquinar* [▶ 1 caquinar] [F.: Do lat. *cachinnare*.]

caquizeiro (ca.qui.*zei*.ro) *sm. Bot.* Árvore da fam. das ebenáceas (*Diospyros kaki*), nativa do Japão, cultivada pelos frutos (os caquis); CAQUI [F.: *caqui* + *-z-* + *-eiro*.]

cara (*ca*.ra) *sf.* **1** Parte frontal da cabeça, onde se localizam os olhos, o nariz e a boca; ROSTO **2** O conjunto dos traços do rosto (a forma e disposição dos olhos, do nariz, da boca etc.), esp. quando considerados como próprios de um indivíduo; feições; FISIONOMIA; SEMBLANTE **3** Aparência, estado momentâneo da cara (2) ou alteração de alguns de seus elementos, que reflete a condição em que está a pessoa, ou indica seus sentimentos, pensamentos, sua disposição etc. (cara triste, cara séria, cara cansada); EXPRESSÃO; FISIONOMIA; SEMBLANTE **4** *P. ext.* Aparência, aspecto de algo (esp. se considerados como reveladores de outras qualidades): *Ela gostou da cara do doce.* **5** Face da moeda, um de seus lados (oposta à coroa) **6** *Fig.* Personalidade, valor pessoal; capacidade ou disposição de responder por seus atos, de enfrentar determinada situação difícil; coragem, dignidade **7** *Fig.* Atrevimento, descaramento, desfaçatez, cara de pau; falta de vergonha ou de embaraço em situação constrangedora: *Não tive cara para pedir-lhe esse favor.* *s2g.* **8** *Bras. Gír.* Indivíduo qualquer, pessoa (homem ou mulher) de quem não se diz ou não se sabe o nome [Pode ser us. não só para marcar indeterminação, mas tb. com conotação afetiva (positiva ou negativa): *um cara aí, que você não conhece*; "Ah, que esse cara tem me consumido / A mim e a tudo que eu quis" (Caetano Veloso, *Esse cara*).] **9** Us. como vocativo, para se dirigir diretamente a alguém [Pode expressar proximidade, intimidade, ou, ao contrário, dar caráter de confronto ou tensão à interpelação: *Vamos, cara, estamos atrasados*; *Escuta aqui, cara, você está me irritando!* O uso enfático se aproxima da interj.: *Você perdeu o show; foi ótimo, cara.*] ***Interj.*** **10** Expressa espanto, admiração, ou contrariedade, ou aprovação; us. tb. como reforço enfático daquilo que se diz: *Cara! O show foi ótimo!* [Nesta acp., talvez com infl. de *caramba*.] [F.: Do lat. tardio *cara*. Hom./Par.: *cara* (sf. e s2g.), *cara* (fem. de *caro* [a.]), *cará* (sm.).] ∎ **Amarrar/fechar a ~** Ficar de *cara amarrada* **~ a ~** Frente a frente **~ amarrada** Fisionomia carrancuda, que expressa mau humor, contrariedade **~ de bolacha doce** *CE Pop.* Rosto redondo **~ de enterro** Expressão (fisionômica) triste **~ de fuinha** *Fam.* Rosto pequeno com expressão irada, irritada **~ de lua cheia** Rosto muito redondo **~ de pacamão de enxurrada** *PE Pop.* Rosto muito feio **~ de pau** *Bras. Pop.* Diz-se de pessoa que não demonstra vergonha ao se comportar de maneira ousada ou embaraçosa **~ de poucos amigos** Expressão facial de animosidade **~ de quem comeu e não gostou** Expressão facial de irritação, contrariedade **~ de réu** Expressão facial de aborrecimento, sisudez **Com a ~ e com a coragem** *Bras. Pop.* Sem dispor (ao entrar alguém em negócio, atividade etc.) de recursos, mas confiando em si mesmo **Com a ~ no chão** Em situação penosa, ou vexatória, como a de quem prometeu e não pôde cumprir **Com ~ de poucos amigos** *Bras. Pop.* Aborrecido, zangado **Com ~ de tacho** *Bras. Pop.* Decepcionado **Dar as ~s** Comparecer (alguém); vir, aparecer (em certo lugar, ocasião evento) **Dar de ~ com** Encontrar de repente, deparar com **De ~** Logo no início, antes de mais nada **De ~ amarrada** *Bras. Fam.* Aborrecido, zangado **De ~ cheia** *Bras. Pop.* Embriagado **De ~ limpa** *Bras. Pop.* Sóbrio [Cf.: *De cara cheia*.] **Desmanchar a ~** *Bras.* Desfazer expressão facial de sisudez **Encher a ~** *Bras. Pop.* Embriagar-se **Enfiar a ~ no mundo** Fugir **Estar na ~** *Bras. Fam.* Ser evidente, óbvio **Fechar a ~** Ver *Amarrar/fechar a cara* **Ir com a ~ de** Simpatizar com **Livrar a ~ (de)** *Bras. Pop.* Escapar (ou tirar alguém) de situação difícil **Meter a ~** *Bras.* Apresentar-se em algum lugar ou evento com disposição, sem hesitar, sem pedir licença **Meter a ~ em** *Bras. Pop.* Dedicar-se com afinco a atividade, empreendimento etc.: *Ela meteu a cara no estudo e conseguiu passar.* **Não ir com a ~ de** Antipatizar com (alguém) **Não ter ~ para** *Lus.* Não estar a altura de um desafio; não ter coragem para assumir responsabilidade, responder a críticas etc. **Passar (alguém) na ~** **1** *Bras. Gír. Tabu.* Ter contato sexual com **2** Enganar, passar (alguém) para trás **Quebrar a ~** **1** *Bras. Fam.* Sair-se mal, fracassar **2** Dar vexame **Ser a ~ de** Ser muito parecido com: *Ela é a cara da mãe.*

cará (ca.*rá*) *Bras. Bot. sm.* **1** Nome comum a várias trepadeiras da fam. das dioscoreáceas (gên. *Dioscorea*), muitas nativas do Brasil, cultivadas pelos tubérculos comestíveis, esp. a *Dioscorea batatas*, nativa da Ásia e tb. chamada de inhame-da-china **2** O tubérculo dessas plantas [F.: Do tupi *ka'ra*. Hom./Par.: *cara* (subst. e adj.).]

carabina (ca.ra.*bi*.na) *sf.* Espingarda de cano curto e estriado internamente, us. em caça e, ant., por soldados etc.; CLAVINA [F.: Do fr. *carabine*.]

carabineiro (ca.ra.bi.*nei*.ro) *sm.* **1** Soldado armado de carabina **2** Pessoa que fabrica ou comercia carabinas [F.: *carabin(a)* + *-eiro*.]

caraca[1] (ca.*ra*.ca) *Bras. Pop. sf.* **1** Mucosidade nasal ressequida **2** Sujeira endurecida: "...aquele boi, que tinha caraca grossa nas aspas, que não engordava mais..." (João Simões Lopes Neto, "O boi velho" *in Contos gauchescos*) **3** Casca de ferida na pele **4** *Bras. Zool.* Ver *craca* [F.: De or. contrv., posv. f. epentética de *craca*.]

caraca[2] (ca.*ra*.ca) *interj.* Expressa admiração, surpresa ou irritação [F.: Var. de *caraco* < espn. *carago*, 'caralho'.]

caraça (ca.*ra*.ça) *sf.* **1** Cara grande **2** *P. ext.* Os traços ou a expressão do rosto: "- Qual o quê!... – respondeu o soldado, carregando a caraça, muito despeitado – Aquilo é uma fera, braba como cascavel..." (Domingos Olímpio, *Luzia homem*) **3** Objeto de diferentes formatos que cobre o rosto, us. como disfarce, enfeite etc.; MÁSCARA: "...onde a realidade sempre vive, ora embaraçada e tropeçando nas pesadas roupagens da História, ora mais livre e saltando sob a caraça vistosa da Farsa" (Eça de Queirós, *A relíquia*) *sm.* **4** Boi ou cavalo que tem uma malha branca no focinho, ou a fronte de cor diferente do resto da cabeça [F.: *cara* + *-aça*. Hom./Par.: *caraça* (sf., sm.), *carraça* (sf.).]

caracará (ca.ra.ca.*rá*) *sm. Bras. Zool.* Ver *carcará* [F.: Do tupi *karaka'ra*.]

caracaxá (ca.ra.ca.*xá*) *Bras. sf.* **1** Chocalho para crianças pequenas **2** *RS Mús.* O mesmo que *reco-reco* [F.: De or. *africana*. Var.: *cracaxá*.]

caracol (ca.ra.*col*) *sm.* **1** *Zool.* Denominação comum a diversos moluscos gastrópodes terrestres; CATASSOL **2** Porção de cabelo enrolado em espiral; cacho, anel **3** Forma ou figura espiralada; objeto que tem essa forma **4** Caminho que dá voltas, que forma espiral ou faz curvas em "S" **5** *Anat.* Ver *cóclea* **6** *Bot.* Trepadeira da fam. das leguminosas, subfam. papilionóidea (*Vigna caracalla*), originária do Brasil, Paraguai e Argentina, ornamental e de flores aromáticas; CARACOLEIRO **7** Flor dessa planta [Pl.: *-cóis*.] [F.: De or. incerta.] ∎ **~ de Pascal** *Geom.* Lugar geométrico descrito num plano por um ponto de uma reta que gira em torno de um ponto fixo, mantendo uma distância constante à interseção dessa reta com uma circunferência que passa pelo ponto fixo [Tb. apenas *caracol*.] **~ nodal** *Geom.* Caracol de Pascal no qual o ponto gerador é interno à circunferência **Não valer um ~/dois caracóis** Valer muito pouco ou quase nada

caracolar (ca.ra.co.*lar*) *v.* **1** Mover-se em círculos ou em espirais [*int.*: *A pipa caracolava no céu.*] **2** Ter ou fazer curvas sucessivas, formando caracóis, anéis ou desenho ou figura de espiral: *A estrada caracoleia encosta acima:* "Os cabelos soltos e fortemente ondulados se despenham caracolando pelos ombros em espessos e luzidios rolos..." (Bernardo Guimarães, *A escrava Isaura*) **3** Fazer mover ou mover-se (o cavalo) em galope curto, levantando e curvando as patas dianteiras e baixando a garupa; CORCOVEAR; CURVETEAR [*td.*: *O jóquei caracolava seu cavalo.*] [*int.*: *O puro-sangue caracolava energicamente.*] [▶ 1 caracolar] [F.: *caracol* + *-ar*[2]. Tb. *caracolear*.]

caracolear (ca.ra.co.le.*ar*) *v.* Ver *caracolar* [▶ 13 caracolear]

caracoleiro (ca.ra.co.*lei*.ro) *sm.* **1** *Bot.* Caracol (trepadeira) **2** *Zool.* Espécie de gavião; ave acipitrídea das Américas (inclusive o Brasil), *Chondrohierax uncinatus*, de cerca de 40 cm de comprimento, coloração parda e acinzentada, e que se alimenta de caramujos, dos quais engole a concha, e de aranhas, insetos etc. [Tb. us. como adj.: *gavião caracoleiro.*] [F.: *caracol* + *-eiro.*]

caractere (ca.rac.*te*.re) *sm.* **1** Qualquer número, letra, símbolo ou sinal convencional us. na escrita; a forma gráfica de um desses elementos escritos **2** *Inf.* Dígito numérico, letra do alfabeto, código de controle ou símbolo especial us. em computação [F.: Do gr. *charaktḗr, -éros.* Sin. ger.: *caráter.*] **■ ~ alfanumérico** *Inf.* Ver *Caráter alfanumérico*

caracteres (ca.rac.*te*.res) *smpl.* **1** Ver *caráter* (6, 7 e 8) **2** Ver *caractere* [F.: Pl. de *caráter* (ou *carácter*) e de *caractere.*]

característica (ca.rac.te.*rís*.ti.ca) *sf.* **1** Algo que caracteriza, que é característico; qualidade, condição ou traço marcante, que chama atenção ou que distingue, que permite identificar ou classificar alguma coisa ou alguém; PARTICULARIDADE **2** Cada uma das medidas e especificações técnicas (componentes, modo de operação, funcões etc.) de um produto industrial ou de algo projetado **3** *Mat.* A parte inteira de um logaritmo **4** *Eel. Eet. Mat.* Ver *Curva característica* [F.: fem. substv. de *característico.*] **■ ~ de transferência** *Eel. Eet.* O mesmo que *Curva característica de transferência*

caracteristicamente (ca.rac.te.ris.ti.ca.*men*.te) *adv.* De modo característico; DISTINTAMENTE [F.: Fem. de *característico* + *-mente.*]

característico (ca.rac.te.*rís*.ti.co) *a.* **1** Diz-se do que caracteriza, daquilo (qualidade, condição, atributo, elemento constituinte, sinal etc.) que, por ser próprio de algo ou alguém, permite distingui-lo de outros (traço característico, comportamento característico); CARACTERIZANTE; DISTINTIVO **2** Diz-se de ator que representa ou costuma representar tipos ou papéis típicos, isto é, personagens semelhantes, que seguem certo modelo ou padrão *sm.* **3** Aquilo que caracteriza ou distingue alguém ou algo; CARACTERÍSTICA; PARTICULARIDADE [F.: Do gr. *kharakteristikós.*]

caracterização (ca.rac.te.ri.za.*ção*) *sf.* **1** Ação ou resultado de caracterizar(-se) **2** *Cin. Teat. Telv.* Técnica ou processo que consiste em dar a ator o aspecto exterior do personagem que deve representar, por meio de maquiagem e indumentária apropriadas (e, p. ext., de postura corporal, impostação de voz, pronúncia ao falar etc.) [Pl.: *-ções.*] [F.: *caracterizar* + *-ção.*]

caracterizado (ca.rac.te.ri.*za*.do) *a.* **1** Que tem ou apresenta algo característico, ou que recebeu algo (sinal, marca, atributo) que caracteriza, distingue: *romance caracterizado por inovações de linguagem.* **2** Que é descrito, definido ou distinguido de outros por certas qualidades; QUALIFICADO: *um personagem caracterizado como neurótico.* **3** Diz-se de ator submetido a caracterização (2) [F.: Part. de *caracterizar.*]

caracterizador (ca.rac.te.ri.za.*dor*) [ô] *a.* **1** Diz-se de alguém ou algo (marca, sinal etc.) que caracteriza, que é ou pode ser us. para caracterizar; CARACTERIZANTE **2** *Restr.* Característico *sm.* **3** Aquilo que serve para caracterizar **4** Pessoa que faz caracterização de atores [F.: *caracterizar* + *-dor.*]

caracterizante (ca.rac.te.ri.*zan*.te) *a2g.* Que caracteriza; CARACTERÍSTICO; CARACTERIZADOR [F.: *caracterizar* + *-nte.*]

caracterizar (ca.rac.te.ri.*zar*) *v. td.* **1** Definir ou descrever o caráter, as características de (alguém ou algo), para distingui(-lo) de outros [*td.*: *caracterizar uma doença, um ácido; Antes da viagem o guia caracterizou bem a região.*] **2** Ter (algo) como traço marcante, distintivo; ser identificável ou reconhecível por (qualidade etc.) [*tr.* + *por*: *O Rio de Janeiro se caracteriza por suas belezas naturais.*] **3** Ser próprio, distintivo ou característico de (algo ou alguém); ser uma qualidade intrínseca ou um atributo peculiar a [*td.*: "...aquele fanatismo que caracteriza os rubro-negros..." (Marques Rebelo, *Contos Reunidos*)] **4** Preparar(-se) (o ator), com maquiagem, roupas e assessórios para atuar (em teatro, cinema, televisão) [*td.*: *O maquiador levou horas caracterizando a atriz; Os palhaços, antes da função, caracterizam-se com cuidado.*] [▶ 1 caracterizar] [F.: Do fr. *caractériser.*]

caracterizável (ca.rac.te.ri.*zá*.vel) *a2g.* Que se pode caracterizar [Pl.: *-veis.*] [F.: *caracterizar* + *-vel.* Hom./Par.: *caracterizáveis* (adj. pl.), *caracterizáveis* (fl. *caracterizar*).]

caracterologia (ca.rac.te.ro.lo.*gi*.a) *Psic. sf.* Estudo dos tipos de caracteres humanos [F.: Do gr. *charakter* + *-o-* + *-logia.* Var.: *caraterologia.*]

caracu (ca.ra.*cu*) *a.* **1** Diz-se de raça bovina de pelo curto e ruivo **2** Diz-se de boi dessa raça *sm.* **3** *Bras.* Essa raça ou esse boi **4** *S.* Tutano contido nos ossos de animais **5** *S.* O osso com esse tutano **6** *S Pop.* Grande coragem [F.: Posv. do tupi.]

cara de pau (ca.ra de *pau*) *a2g.* **1** *Bras. Pop.* Diz-se de pessoa que é desavergonhada e cínica, que comete sem embaraço ou vergonha atos reprováveis (imorais, desonestos etc.) **2** Característico dessa pessoa; que revela cinismo, descaramento [Pl.: *caras de pau.*] *s2g.* **3** *Bras. Pop.* Essa pessoa; CARADURA [Pl.: *caras de pau.*] *sf.* **4** Falta de vergonha; CARADURISMO; DESCARAMENTO; DESFAÇATEZ: *a cara de pau do penetra.* [Pl.: *caras de pau.*] [Sin. ger.: *caradura.*]

caradura (ca.ra.*du*.ra) *a2g. s2g. sf.* Ver *cara de pau* [F.: *cara* + *dura.*]

caradurismo (ca.ra.du.*ris*.mo) *sm. Bras.* (Comportamento que revela) falta de vergonha, de pudor ou de embaraço, esp. em fazer coisas reprováveis, desonestas etc.; descaramento, desfaçatez; CINISMO [F.: *caradura* + *-ismo.*]

caraguatá (ca.ra.gua.*tá*) *Bras. Angios. sm.* Designação comum às plantas de vários gên. da fam. das bromeliáceas; epífitas e terrestres, muitas são cultivadas como ornamentais; CAROATÁ; CARUATÁ; COROÁ; CRAGUATÁ; CROÁ; GRAVATÁ [Col.: *caraguatal, caraguatazal.*] [F.: De or. obsc.]

caraíba[1] (ca.ra.*í*.ba) *sm.* **1** *Bras.* Homem branco ou europeu, na denominação dos índios brasileiros **2** Feiticeiro, xamã, entre os antigos tupis [F.: Do tupi *kara' iwa.*]

caraíba[2] (ca.ra.*í*.ba) *s2g.* **1** Designação dada a indígenas de povos nativos e mestiçados da região do Caribe e do litoral caribenho da América do Sul e da América Central **2** Indivíduo de povo caribe ou falante de língua caribe *sm.* **3** *Gloss.* Caribe (família linguística) *a2g.* **4** Ref. ou pertencente aos caraíbas (1 e 2) e suas línguas **5** *Gloss.* Ref. à família linguística caribe

carajá (ca.ra.*já*) *s2g.* **1** *Etnôn.* Pessoa pertencente a um povo indígena que habita o Centro-Oeste do Brasil *a2g.* **2** Dos ou ref. aos carajás **3** *Gloss.* Da ou ref. à língua desse povo ou à família linguística à qual pertence sua língua, e que também inclui a língua dos javaés e xambioás *sm.* **4** *Gloss.* Língua falada pelos carajás [F.: Posv. do tupi *kara' yá.*]

caralho (ca.*ra*.lho) *Tabu. sm.* **1** O pênis *interj.* **2** Us. para exprimir espanto, admiração **3** Us. para demonstrar raiva [F.: Posv. do lat. *caraculu.*] **■ Pra ~** *Bras. Chulo* Em grande quantidade ou intensidade

caramanchão (ca.ra.man.*chão*) *sm.* Construção simples, ger. aberta e feita de ripas ou estacas de madeira e coberta ou cercada de vegetação, comum em parques e jardins para descanso, abrigo, recreação etc. [Pl.: *-chões.*] [F.: Do espn. ant. *caramanchón* (hoje *camaranchón*).]

caramanhola (ca.ra.ma.*nho*.la) *sf.* Pequena garrafa que se encaixa em um suporte preso no quadro de bicicletas [F.: De or. obsc.]

caramba (ca.*ram*.ba) *interj.* Expressa admiração, surpresa ou irritação [F.: Do espn. *caramba.*]

carambeiense (ca.ram.be:i.*en*.se) *s2g.* **1** Indivíduo nascido ou que vive em Carambeí (PR) *a2g.* **2** De Carambeí; típico dessa cidade ou de seu povo [F.: Do top. *Carambeí* + *-ense.*]

carambola (ca.ram.*bo*.la) *sf.* **1** *Bot.* Fruto da caramboleira, amarelo e de sabor ácido, ovoide e cuja seção transversal tem a forma de uma estrela **2** *Bot.* Caramboleira **3** A bola de bilhar vermelha **4** Jogada no bilhar em que uma bola atinge duas outras com uma só tacada **5** *Fig.* Trapaça, tramoia *Interj.* **6** *Bras. Pop. Joc.* Us. como equivalente (ger. irônico ou bem-humorado) de *caramba* [Tb. us. no pl.] [F.: Do marata *karambal.* Hom./Par.: *carambola* (fl. *carambolar*).] **■ Por ~** *Pop.* De modo indireto; como consequência ulterior; por tabela

carambolar (ca.ram.bo.*lar*) *v. int.* **1** *Lud.* No jogo de bilhar, atingir duas bolas com uma só tacada **2** *Fig.* Enganar, iludir com intrigas ou trapaças [▶ 1 carambolar] [F.: *carambola* + *-ar*[2]. Hom./Par.: *carambola(s)* (fl.), *carambola(s)* (sf. [pl.]).]

caramboleira (ca.ram.bo.*lei*.ra) *sf. Bras. Bot.* Árvore da fam. das oxalidáceas (*Averrhoa carambola*), nativa da Ásia, cultivada pelos frutos comestíveis (as carambolas); CARAMBOLA [F.: *carambola* + *-eira.*]

caramboleiro (ca.ram.bo.*lei*.ro) *sm.* **1** *Bot.* O mesmo que *caramboleira* (*Averrhoa carambola*) **2** *Fig.* Indivíduo mentiroso, trapaceiro, tratante *a.* **3** Diz-se de indivíduo mentiroso, trapaceiro, tratante [F.: *carambola* + *-eiro.*]

caramelado (ca.ra.me.*la*.do) *a.* **1** Que se converteu em caramelo (calda, açúcar queimado); CARAMELIZADO **2** Que tem ou adquiriu aspecto, consistência ou sabor de caramelo (calda, açúcar queimado); CARAMELIZADO **3** Coberto ou impregnado ou untado de caramelo ou calda de caramelo (bolo caramelado); CARAMELIZADO **4** *Cul.* Diz-se de doce, fruta etc. coberto com calda de açúcar quente, que se torna vítrea ao esfriar (banana caramelada) *sm.* **5** Esse doce [F.: Part. de *caramelar.*]

caramelar (ca.ra.me.*lar*) *Cul. v.* **1** Converter(-se) (o açúcar) em caramelo, por aquecimento [*td.*: *Para fazer o pudim é preciso caramelar o açúcar.*] [*int.*: *O açúcar logo caramelou.*] **2** Cobrir, misturar ou preparar (fruta, guloseima, bolo, receita etc.) com caramelo; untar (recipiente) com caramelo [*td.*] **3** Tomar aspecto um tanto semelhante ao caramelo (na cor, na consistência, no sabor), por aquecimento do açúcar presente [*int.*: *O leite, fervendo em fogo muito baixo, caramelou.*] [▶ 1 caramelar] [F.: *caramelo* + *-ar*[2]. Sin. ger.: *caramelizar.* Hom./Par.: *caramelo* (fl.), *caramelo* (sm.).]

caramelizado (ca.ra.me.li.*za*.do) *a.* Que se caramelizou; CARAMELADO [F.: Part. de *caramelizar.*]

caramelizar (ca.ra.me.li.*zar*) *v. td.* O mesmo que *caramelar* [▶ 1 caramelizar] [F.: *caramelo* + *-izar.*]

caramelo (ca.ra.*me*.lo) *sm.* **1** *Cul.* Açúcar derretido e ligeiramente queimado, que, ainda quente, forma uma calda (líquido espesso) um tanto amarga, de coloração entre dourada e marrom, e que, ao esfriar, endurece, tornando-se translúcido e quebradiço, sendo us. como cobertura de doces, frutas e pudins [Cf. *calda de caramelo.*] **2** Bala feita com essa calda **3** Geada, neve, floco(s) de neve **4** *Lus. P. ext.* Água gelada e solidificada; gelo; esp.: cincelo **5** A cor marrom do açúcar queimado *a2g2n.* **6** Que tem essa cor (sapatos caramelo) **7** Diz-se dessa cor [F.: Posv. do lat. *calamellu(m)*, de *calamus*, 'cana'. Hom./Par.: *caramelo* (fl. caramelar).]

cara-metade (ca.ra-me.*ta*.de) *sf.* Pessoa com quem se tem relação amorosa e com quem se compartilha o dia a dia; aquele ou aquela que é o outro membro de um casal (de namorados, cônjuges etc.) [Tb. us. de modo joc. ou irôn.] [Pl.: *caras-metades.*]

caraminguá (ca.ra.min.*guá*) *sm. Bras. Pop.* Dinheiro, ou certa quantia (indefinida) em dinheiro [Mais us. no pl.] [F.: Posv. do guarani *karãme'ngwã.*]

caraminguás (ca.ra.min.*guás*) *Bras. Pop. smpl.* **1** Coisas velhas ou de pouco valor que se carregam em viagem; CACARECOS **2** Trastes usados; móveis e utensílios domésticos, simples, toscos, imprestáveis **3** Badulaques, pequenos objetos pessoais que alguém guarda consigo **4** Dinheiro miúdo; TROCADOS [F.: Pl. de *caraminguá.*]

caraminhola (ca.ra.mi.*nho*.la) [ó] *sf.* **1** Penteado em que se prendem os cabelos com fita, no alto da cabeça **2** Cabelos despenteados e embaraçados, desgrenhados **3** *Fig.* A cabeça, considerada como lugar em que se dão os pensamentos e vontades **4** Golpe, ardil, manobra para enganar **5** História inventada ou irreal, criada para impressionar; invencionice, mentira [Mais us. no pl.] **6** Ideia insensata, pouco razoável; tolice: "Aquele cabeludo. É um maluco! Cheio de caraminholas na cabeça!" (Marques Rebelo, *O simples coronel Madureira*) [Mais us. no pl.] **7** Sonho ou fantasia difícil de realizar; ilusão [Mais us. no pl.] **8** *Esp.* Espécie de cantil ou garrafinha cilíndrica, que se adapta a suporte fixo ou a um bolso especial (p. ex., em mochila), para ingerir água ou bebida isotônica ao andar de bicicleta [F.: De or. contrv.]

caraminholas (ca.ra.mi.*nho*.las) *sfpl.* Ver caraminhola (acps. 5, 6 e 7) [F.: De or. contrv.]

caramujo (ca.ra.*mu*.jo) *sm.* **1** *Zool.* Denominação comum a diversos moluscos gastrópodes, aquáticos (de água salgada ou doce) ou terrestres, ger. com concha sólida, mais resistente e pesada que a dos caracóis **2** *Ant. Mar.* Obra de talha em forma espiralada ou de "S", que enfeitava a roda de proa de veleiros **3** *Bras. Pop.* Pessoa introvertida, reclusa ou pouco sociável **4** Designação de doença caracterizada por concreções cutâneas associadas ao contato com caramujos **5** *Bot.* Variedade de couve [F.: De or. contrv.]

caramuru (ca.ra.mu.*ru*) *Bras. sm.* **1** *Ict.* Peixe (*Gymnothorax funebris*), da fam. dos murenídeos, encontrado em águas tropicais do Pacífico oriental e Atlântico ocidental; de coloração verde-escura, possui cerca de 2,5 m de comprimento e pode pesar até 29 kg; suas mordidas são particularmente perigosas por causa de seu tamanho e agressividade; MOREIA-VERDE; MIRORÓ; MOREIA; TORORÓ **2** *Ict.* Peixe (*Gymnothorax moringa*), da fam. dos murenídeos, encontrado no Atlântico tropical; de corpo amarelado com manchas castanho-escuras, pode atingir até 1,2 m de comprimento e pesar 2,5 kg; é agressiva e as dentadas são perigosas; AIMORÉ; MIRORÓ; MOREIA; MORONGO; MUSSULINA; TORORÓ **3** *Ict.* Peixe (*Gymnothorax ocellatus*), da fam. dos murenídeos, encontrado no Atlântico ocidental tropical; de coloração amarelada com pequenas manchas brancas, possui manchas escuras regulares e espaçadas na barbatana dorsal, pode atingir cerca de 0,61 m; MIRORÓ; MOREIA; MOREIA-PINTADA; MOREIA-AMARELA; MUTUCA; MUTUTUCA **4** *Ict.* Peixe (*Ophichthus gomesii*), da fam. dos ofictídeos, encontrada no Atlântico ocidental tropical, de corpo marrom-escuro com ventre esbranquiçado, pode atingir até 0,90 m de comprimento; COBRA-DO-MAR; MIRORÓ; MOREIA; MORONGO; MUÇUM-DO-MAR; MURIONGO **5** *Bot.* Árvore (*Erisma calcaratum*), da fam. das voquisiáceas, nativa das Guianas e da Amaz., possui flores azuis em grandes panículas e frutos em forma de cachimbo; das sementes se extrai óleo de uso industrial, e os ramos são utilizados na medicina popular; CACHIMBO-DE-JABUTI; ERVA-DE-JABUTI; JABUTI; JABUTI-DA-VÁRZEA; VERGA-DE-JABUTI **6** *Bot.* Arbusto (*Anemopaegma mirandum*), da fam. das bignoniáceas, nativo do Brasil, muito conhecido na medicina popular por suas propriedades afrodisíacas; CATUABA; CATUABA-VERDADEIRA; CATUÍBA; PAU-DE-RESPOSTA; TATUABA **7** *Hist.* Apelido que os indígenas deram ao português Diogo Álvares, sobrevivente de um naufrágio próximo ao litoral da BA que ocorreu por volta de 1510; foi um dos primeiros habitantes brancos do Brasil [Entre as versões sobre a origem dessa alcunha, há a que por ter sido encontrado nu, faminto e coberto de algas, os nativos inicialmente o ridicularizaram chamando-o de Caramuru em alusão à cor e à agressividade do peixe que se esconde nos recifes dessa região.] *s2g.* **8** *Antq.* O mesmo que *europeu.* **9** *Hist. Pol.* Membro do partido político que, sob a chefia de José Bonifácio (1763-1838), pleiteava a restauração de D. Pedro I; RESTAURADOR: "A abdicação foi um alívio. Verdade é que a Regência o achou dentro de pouco tempo entre os seus adversários; e há quem afirme que ele [Nicolau] se filiou ao partido caramuru ou restaurador, posto não ficasse prova do ato." (Machado de Assis, "Verba testamentária", *in Papéis avulsos*) **10** *Hist. Pol.* Durante a Regência (1831-1840), membro do grupo contrário à declaração da maioridade de D. Pedro II **11** *RS Pej. Hist.* Apelido dado pelos farrapos (insurretos republicanos) aos legalistas (membros do partido conservador); CAMELO; CARIMBOTO: "O barão Caxias, que era o maioral dos caramurus, mordia-se com estas gauchadas" (João Simões Lopes Neto, "Duelo dos Farrapos" *in Contos gauchescos*) [F.: Do tupi *karamu'ru.*]

carancho (ca.*ran*.cho) *sm. Bras. Zool.* Ver *carcará* [F.: De or. contrv.]

caranga (ca.*ran*.ga) *sf. Bras. Pop.* Automóvel; CARANGO: "Minha caranga é máquina quente" (Roberto Carlos, "Eu sou terrível".) [F.: Fem. de *carango*. Hom./Par.: *caranga* (sf.), *caranga* (fl. de *carangar*).]

carango (ca.*ran*.go) *sm.* **1** *Bras. Pop.* Carro, automóvel **2** *Zool.* Ver *chato* (inseto parasita) **3** Coceira causada por parasitos **4** *Gír. Mil.* Soldado de infantaria **5** *N* Policial [F.: De or. contrv.]

caranguejada (ca.ran.gue.*ja*.da) *Bras. Cul. sf.* **1** Prato preparado com caranguejos **2** Porção de caranguejos cozidos [F.: *caranguejo* + *-ada*[2].]

caranguejar (ca.ran.gue.*jar*) *v. int.* **1** *Pop.* Andar lentamente para trás, recuar; caranguejolar **2** *fig.* Demorar a tomar uma decisão; HESITAR [▶ 1 caranquejar] [F.: *caranguej(o)* + *-ar*[2]. Hom./Par.: *caranguejα(s)* (fl.), *caranguejα /ê /* (s. f.); *caranguejo* (fl.), *caranguejo /ê/* (sm.).]

caranguejeira (ca.ran.gue.*jei*.ra) *sf. Bras. Zool.* Denominação comum a diversas sp. de aranhas grandes da subordem dos ortógnatos, caracterizadas por terem pernas dianteiras com pinças verticais (quelíceras) [As caranguejeiras são solitárias e errantes, não tecem teias, e caçam pequenos vertebrados; são inofensivas aos humanos e animais domésticos: seus pelos produzem forte irritação na pele; algumas espécies têm picada dolorosa mas pouco grave. Tb. se diz *aranha-caranguejeira*.] [F.: *caranguejo* + *-eira*.]

caranguejo (ca.ran.*gue*.jo) [ê] *sm.* **1** *Zool.* Denominação comum a diversas sp. de crustáceos decápodes, de carapaça larga, com pernas anteriores terminadas em fortes pinças (quelópodes) assimétricas e as demais sem nadadeiras, encontrados em ambientes aquáticos (de água-doce ou salgada) ou terrestres, e que são comestíveis **2** *P. us. Astrol.* Câncer [Inicial maiúscula.] **3** *Bras. Lud.* Certa dança de roda infantil, e a música que a acompanha **4** *MG Pop.* Pessoa lerda, vagarosa **5** *S.* Dança ou baile popular rural; fandango [F.: Do espn. *cangrejo*. Ideia de 'caranguejo': el. *carcini-/carcino-*.]

caranguejo-ermitão (ca.ran.gue.jo-er.mi.*tão*) *sm. Zool.* Ver *eremita* [Pl.: *caranguejos-ermitões* (*-ãos, -ães*) e *caranguejos-ermitão*.]

caranguejola (ca.ran.gue.*jo*.la) *sf.* **1** Armação de madeira pouco firme **2** *P. ext.* Conjunto de coisas empilhadas sem segurança **3** *Fig.* Aquilo (estrutura física, instituição, organização social etc.) que não tem ou não oferece estabilidade, segurança **4** *Bras. Pop.* Ver *calhambeque* **5** Jangada, ou qualquer armação em forma de grade, própria para levar objetos sobre a água **6** *Zool.* Crustáceo decápode grande (*Cancer pagurus*), semelhante ao caranguejo, us. na alimentação [F.: *caranguejo* + *-ola*.]

caranha (ca.*ra*.nha) *Bras. sf.* **1** *Ict.* Peixe (*Lutjanus cyanopterus*), da fam. dos lutjanídeos, encontrado no Atlântico ocidental tropical; de até 1,6 m de comprimento, possui focinho prolongado, boca com lábios grossos, dentes caninos desenvolvidos, corpo acinzentado com tons avermelhados e ger. com barras verticais escuras no dorso; CARANHA-DO-FUNDO; CARANHO; VERMELHO-CARANHO **2** *Ict.* Peixe (*Lutjanus griseus*), da fam. dos lutjanídeos, encontrado no Atlântico ocidental tropical; com cerca de 0,89 m de comprimento, corpo alongado com o dorso mais convexo que o ventre, e coloração acinzentada com manchas avermelhadas no centro de cada escama que formam um padrão de estrias longitudinais escuras nas laterais do corpo; ACARÁ-AIA; CARAINHA; CARANHA-DE-VIVEIRO; CARANHA-DO-MANGUE; CARANHO; CARANHOTA **3** *Ict.* Peixe (*Lutjanus apodus*) da fam. dos lutjanídeos, encontrado no Atlântico tropical; tem corpo acinzentado com tons vermelho-amarelados, nadadeiras amarelas e uma estria azulada abaixo do olho e chega até 0,67 m de comprimento *BA*; BAÚNA; CARAPITINGA; MULATA; PARGO-MULATO **4** *Ict.* Peixe (*Piaractus brachypomus*), da fam. dos caracídeos, encontrado na bacias Amazônica e Araguaia-Tocantins; de até 0, 88 m de comprimento, corpo romboidal, alto e comprimido lateralmente, cabeça pequena, e dentes molariformes; nos indivíduos adultos, a coloração é cinza-arroxeada com ventre avermelhado, nos jovens, é cinza-clara com ventre alaranjado; PIRAPITINGA **5** *Ict.* Peixe (*Piaractus mesopotamicus*), da fam. dos caracídeos, originário da bacia do Prata; de até 0,40 m de comprimento, corpo romboidal, alto e comprimido lateralmente, cabeça pequena, dentes molariformes, e coloração cinza-escura com ventre amarelo-dourado; PACU; PACU-CARANHA **6** *Pop.* Certo tipo de goma ou resina com propriedades medicinais [F.: Do tupi *akara'ãya*.]

carantonha (ca.ran.*to*.nha) *sf.* **1** Cara grande e feia; CARÃO **2** Rosto (ou figura de rosto) que expressa irritação, raiva, má disposição etc.; CARRANCA **3** Careta (deformação da expressão facial) **4** Máscara grotesca, exagerada, ou que representa um rosto disforme [F.: Posv. de *cara*.]

carão[1] (ca.*rão*) *sm.* **1** Ver *carantonha* **2** Tez do rosto **3** *Fig.* Reprimenda, repreensão [Pl.: *-rões*.] [F.: *cara* + *-ão*[1].]

carão[2] (ca.*rão*) *sm. Bras. Zool.* Ave da fam. dos aramídeos (*Aramus guarauna*), pernalta, de grande porte, que vive em áreas alagadas, nas regiões tropicais e subtropicais das Américas: "E, oculto, o carão: *cá-rão! cá-rão!* que costuma cantar a noite inteira..." (Guimarães Rosa, *Estas estórias*) [Pl.: *-rões*.] [F.: Posv. pal. onom.]

caraoquê (ca.ra:o.*quê*) *sm.* **1** Entretenimento em que qualquer pessoa pode cantar ao microfone acompanhada por músicos ou por fundos musicais gravados, ger. lendo a letra das canções em uma tela **2** Local em que essa atividade é realizada **3** Aparelho sonoro ou audiovisual (ou modo de funcionamento de certos aparelhos) us. para esse tipo de entretenimento [F.: Do jap. *karaoke*.]

cara-ou-coroa (ca.ra-ou-co.*ro*.a) *sm2n.* **1** *Lud.* Jogo, ger. entre duas pessoas, no qual um dos jogadores escolhe a"cara"ou a "coroa" de uma moeda que, em seguida, é arremessada rapidamente para o alto, a face que fica para cima após cair determinando o vencedor da partida **2** *P. ext.* Simulação desse jogo com finalidade de determinar qual, entre duas pessoas, será a primeira a iniciar um trabalho, uma partida etc.

carapaça (ca.ra.*pa*.ça) *sf.* **1** *Anat. Zool.* Revestimento duro e resistente que protege o corpo de alguns animais, como as tartarugas, tatus e caranguejos [Pode ter composição óssea (quando ocorre em animais vertebrados, como o tatu e a tartaruga), quitinosa (em artrópodes, como caranguejos) ou calcária (em certos artrópodes, moluscos e protozoários).] **2** Qualquer estrutura protetora ou cobertura composta por substância rígida, resistente: *células vegetais com carapaça de celulose*. **3** *Fig.* Qualquer artifício us. para se proteger; aquilo que esconde ou preserva algo frágil: *Aquele sorriso era só uma carapaça para esconder a decepção.* [F.: Do fr. *carapace*.]

cara-pálida (ca.ra-*pá*.li.da) *s2g.* **1** O homem branco **2** *Irôn.* Pessoa, indivíduo, ger. de um outro grupo, um grupo alheio ao do interlocutor: "Declarou-se traído (por quem, mesmo?), indignado (tão ou mais que todos os brasileiros) e concluiu que 'nós devemos pedir desculpas' (nós quem, cara-pálida?)" (*O Estado de S.Paulo*, 13.08.2005) [Us. ger. jocosa ou ironicamente, para assinalar diferença de posição entre o interlocutor e o destinatário no discurso.] [Pl.: *caras-pálidas*.]

carapanã[1] (ca.ra.pa.*nã*) *Bras. AM Zool. sm.* O mesmo que *mosquito* [F.: Do tupi.]

carapanã[2] (ca.ra.pa.*nã*) *Bras. s2g.* **1** Pessoa pertencente aos carapanãs, povo indígena da família linguística tucano, que habita regiões do alto rio Negro (AM) *sm.* **2** *Gloss.* A língua falada por esse povo *a2g.* **3** Do ou ref. ao povo dos carapanãs; da ou ref. à língua desse povo

carapau (ca.ra.*pau*) *sm.* **1** *Bras. Ict.* Peixe (*Caranx crysos*), da fam. dos carangídeos, encontrado no Atlântico; de até 70 cm de comprimento, possui corpo alongado e comprimido lateralmente, perfil superior da cabeça arredondado, dorso acinzentado com tons azul-esverdeados, ventre prateado ou dourado, mancha negra na parte superior do opérculo; CAVACO; GUARICEMA; SOLTEIRA; XARELETE; XARÉU-DOURADO; XARÉU-PEQUENO **2** *Bras. Ict.* Peixe (*Caranx latus*), da fam. dos carangídeos, encontrado no Atlântico dos EUA até o RJ e na costa tropical da África; pode atingir 1 m de comprimento, possui olhos grandes, corpo alongado de coloração prateada com tonalidades douradas no dorso e nadadeira caudal amarelada; ARAXIMBORA; GUARACIMBORA; GUARICEMA; XARELETE; XARÉU-OLHUDO; XERELETE **3** *Bras. Ict.* Peixe (*Chloroscombrus chrysurus*), da fam. dos carangídeos, encontrado no Atlântico; de até 65 cm de comprimento, possui corpo ovalado e comprimido lateralmente, cabeça e boca pequenas, dorso azul-metálico, ventre prateado, nadadeira caudal e anal amarelas, mancha negra na parte superior do pedúnculo e no opérculo; FOLHA-DE-MANGUE; JUVÁ; PALOMETA; PILOMBETA; VENTO-LESTE **4** Peixe (*Decapterus macarellus*), da fam. dos carangídeos, encontrado em todos os oceanos; com até 46 cm de comprimento, possui corpo fusiforme, ventre prateado, dorso cinza-esverdeado com reflexos dourados e nadadeira caudal amarelada; CAVALINHA; CAVALINHA-DOS-REIS; CHICHARRO; CHICHARRO-BRANCO; CHICHARRO-CALABAR; CHICHARRO-CAVALA **5** *Bras. Cver. Ict.* Peixe (*Decapterus punctatus*), da fam. dos carangídeos, encontrado no Atlântico; com até 30 cm de comprimento, possui corpo fusiforme, ventre prateado e dorso azul-esverdeado com uma faixa amarela longitudinal; CHICHARRO; CHICHARRO-BRANCO; CHICHARRO-PINTADO; CHICHARRO-DE-OLHO-GRANDE **6** *Bras. Lus. Cver. Ict.* Peixe (*Trachurus trachurus*), da fam. dos carangídeos, encontrado em todos os oceanos e nos mares tropicais; com até 70 cm de comprimento, possui corpo fusiforme, com a linha lateral toda guarnecida de escamas mais altas do que largas, nadadeira caudal bifurcada, ventre prateado e dorso verde-azulado com tons dourados; CARAPAU-BRANCO; CHICHARRO **7** *Lus. Açor. Ict.* Peixe (*Pagellus bogaraveo*), da fam. dos esparídeos, encontrado no Atlântico oriental; com até 70 cm de comprimento, possui olhos grandes, corpo alongado, dorso acinzentado com tons avermelhados, ventre prateado e barbatanas avermelhadas *Lus.*; BESUGO *Lus. Açor.*; GORAZ **8** *Fig. Pop.* Indivíduo muito magro [F.: De or. obsc.]

carapeba (ca.ra.*pe*.ba) *Bras. sf.* **1** *Ict.* Peixe (*Diapterus auratus*), da fam. dos gerreídeos, encontrado nas regiões costeiras do Atlântico ocidental; com até 34 cm de comprimento, possui corpo alongado, prateado, dorso cinza-escuro com reflexos azulados e nadadeiras anal e pélvicas amareladas; CARAPEBA-BRANCA; CARAPEVA; PEIXE-PRATA **2** *Ict.* Peixe (*Diapterus rhombeus*), da fam. dos gerreídeos, encontrado nas regiões costeiras do Atlântico ocidental tropical; pode atingir até 40 cm de comprimento, possui corpo alongado, com o dorso mais convexo que o ventre, e coloração prateada com reflexos amarelados; ACARAPEBA; ACARAPEVA; CARAPEBA-BRANCA; CARAPEVA; PEIXE-PRATA **3** *Ict.* Peixe (*Eugerres brasilianus*), da fam. dos gerreídeos, encontrado do Atlântico central ocidental até o S. E. brasileiro; com até 50 cm de comprimento, possui corpo alongado, prateado, com estrias longitudinais escuras, e dorso cinza-escuro com reflexos esverdeados; ACARAPITINGA; ACARATINGA; CARAPEBA-LISTRADA; CARATINGA **4** *Ict.* O mesmo que *carapicu* (1, 2 e 5) [*Eucinostomus argenteus, E. gula, E. melanopterus*] **5** *N. E. Pej. Mús.* Grupo instrumental nordestino de percussão e sopro, ger. composto por dois pífaros, uma caixa e um bombo *GO*; BANDA DE COURO; BANDA DE PÍFANO; CABAÇAL *AL*; ESQUENTA-MULHER; TERNO DE ZABUMBA; ZABUMBA [F.: Var. de *acarapeba*.]

carapeta (ca.ra.*pe*.ta) [ê] *sf.* Ver *carrapeta* [F.: De or. contrv.] ■ **Como (uma) ~** Dando voltas, girando, como pião: *bailar como carapeta*

carapeteiro (ca.ra.pe.*tei*.ro) *a.* **1** Diz-se de indivíduo que diz carapetões ou carapetas; MENTIROSO *sm.* **2** Indivíduo carapeteiro **3** *Her.* Árvore imaginária representada em brasão de armas, semelhante a um candelabro judaico, e que poderia ser, para alguns estudiosos, a pereira-brava [F.: *carapeta* + *-eiro*.]

carapicu (ca.ra.*pi*.cu) *Bras. sm.* **1** *Ict.* Peixe (*Eucinostomus argenteus*), da fam. dos gerreídeos, encontrado nas áreas costeiras do Pacífico oriental e no Atlântico ocidental; com até 20 cm de comprimento, possui corpo alongado, prateado, e dorso cinza-escuro; CARAPEBA; CARAPICU-PENA; ESCRIVÃO **2** *Ict.* Peixe (*Eucinostomus gula*), da fam. dos gerreídeos, encontrado nas águas rasas do Atlântico ocidental; com até 23 cm de comprimento, possui corpo alongado, prateado, e dorso esverdeado; ACARAPICU; CARAPEBA; CARAPICUM; CARAPICU-BRANCO; CARAPICUPEBA; ESCRIVÃO **3** *Ict.* Peixe (*Eucinostomus havana*), da fam. dos gerreídeos, encontrado no Atlântico ocidental; pode atingir até 18 cm de comprimento **4** *Ict.* Peixe (*Eucinostomus harengulus*), da fam. dos gerreídeos, encontrado no Atlântico ocidental e central; com até 13 cm de comprimento, possui corpo alongado e prateado; CARAPICU-AÇU; CARAPICU-VERDADEIRO **5** *Ict.* Peixe (*Eucinostomus melanopterus*), da fam. dos gerreídeos, encontrado na região costeira do Atlântico tropical; de até 30 cm de comprimento, possui corpo prateado, dorso cinza-escuro, nadadeiras amareladas, e apresenta uma mancha negra no topo da dorsal *Lus.*; BEICINHO-PRATA; CARAPEBA; CARAPICU-BRANCO **6** *Bot.* Arbusto (*Urena sinuata*), da fam. das malváceas, com pequenas flores róseas e frutos capsulares espinescentes, aderentes à roupa e ao pelo; CARRAPICHO [F.: Do tupi **akarapu'ku* < *aka'ra*, 'acará', + *pu'ku*, 'comprido'.]

carapinha (ca.ra.*pi*.nha) *sf.* **1** Cabelo muito anelado, crespo, de pessoas negras; PIXAIM [Tb. us. como adjetivo: *cabelo carapinha*.] **2** O arranjo ou penteado que se dá a esse tipo de cabelo, deixando-o formar uma cobertura mais ou menos espessa em torno do alto da cabeça: *cabeleira crespa, em carapinha*. **3** Algo que se assemelhe a esse cabelo (p. ex., na consistência, por ter elementos que lembram fios eriçados etc.): *reboco tipo carapinha*. **4** *Bras. Zool.* Aratu (espécie de caranguejo) **5** Tecido lanoso, de fios eriçados [Tb. us. como adjetivo: *tapete em tecido carapinha*.] **6** Em gorros, barretes, abrigos, agasalhos etc., orla reforçada ou adornada com tecido diferente, ger. mais eriçado ou lanoso **7** *Bot.* Andiroba (gên. *Carapa*) **8** Carapeta (parte seca da flor da esteva, us. como pião) [F.: De or. contrv.]

carapinhado (ca.ra.pi.*nha*.do) *a.* Diz-se de cabelo muito crespo característico de pessoas negras [F.: *carapinha* + *-ado*[2].]

carapinhé (ca.ra.pi.*nhé*) *sm.* **1** *Ornit.* Ave da fam. dos falconídeos (*Milvago chimachima*), encontrada no Brasil e da América Central à Argentina e Uruguai; com cerca de 40 cm de comprimento, dorso marrom, cabeça, pescoço e parte inferior branca; em sobrevoo, emite freq. a vocalização que soa como "pinhé"; CARACARÁ-BRANCO; GAVIÃO-CARRAPATEIRO; PAPA-BICHEIRA; PINHÉ; XIMANGO-BRANCO **2** *SP Lud.* Brincadeira infantil que consiste em beliscar as costas de uma das mãos, puxando-a enquanto os braços sobem e descem (como se imitassem os movimentos do gavião carapinhé a arrebatar a vítima no bico), ao mesmo tempo a pessoa diz: "cara... cara... carapinhééé!" [F.: De or. onom.]

cara-pintada (ca.ra-pin.*ta*.da) *s2g.* Pessoa que pinta o rosto como forma simbólica de protesto (ger. dando ao gesto conotação guerreira) e assim participa de passeatas e outras demonstrações civis [Pl.: *caras-pintadas*.]

carapuça (ca.ra.*pu*.ça) *sf.* **1** Gorro ou barrete em forma de cone **2** Qualquer objeto semelhante a esse gorro ou barrete **3** Ferramenta us. pelos calafates para colocar as cavilhas de madeira e evitar que elas rachem **4** *Fig.* Alusão crítica ou pérfida, normalmente indireta **5** *Bras. Gír. Teat.* Papel escrito para um ator em especial **6** *Mar.* Metal ou lona com que se forram os chicotes dos ovéns para evitar que se molhem com a chuva **7** *Lus. Pop.* Mentira, trapaça [F.: Do espn. *carapuça*, atual *caperuza*.] ■ **Enfiar/vestir a ~** Assumir crítica ou comentário que não lhe foram claramente dirigidos, ou que foram dirigidos a outrem **Qual ~!** Qual nada! **Talhar ~(s)** Fazer crítica(s) indireta(s), sem explicitar o alvo **Vestir a ~** Ver *Enfiar/vestir a carapuça*

caraquenho (ca.ra.*que*.nho) *sm.* **1** Indivíduo nascido ou que vive em Caracas (Venezuela) *a.* **2** De Caracas, típico dessa cidade ou de seu povo [F.: Do espn. *caraqueño*.]

caraté (ca.ra.*té*) *sm. Med.* Doença infecciosa crônica, endêmica, causada pelo espiroqueta *Treponema carateum*, caracterizada por lesões cutâneas acrômicas, discrômicas e hipercrômicas que ger. afetam as mãos, os pés e o couro cabeludo; AZUL; MAL DA PINTA; MAL DO PINTO; PINTA [F.: Do espn. *carate*, posv. Hom./Par.: *caratê* (sm.), *caratê* (sm.).]

caratê (ca.ra.*tê*) *sm.* Arte marcial oriental, utilizada como método de ataque e defesa pessoal, em que são us. os pés e as mãos [Fundamenta-se no controle da vontade.] [F.: Do jap. *karate.* Cf.: *caraté.*]

carateca (ca.ra.*te*.ca) [é] *s2g. Bras. Esp.* Pessoa que luta caratê [F.: Do jap. *karateka.*]

caráter (ca.*rá*.ter) *sm.* **1** Qualidade inerente a uma pessoa, cidade ou região, que as distingue de outra pessoa, cidade ou região: "Polida demais para o caráter asiático, inculta demais para o caráter europeu." (Euclides da Cunha, *Contrastes e confrontos*) **2** Conjunto dos traços particulares, modo de ser de um indivíduo ou de um grupo; ÍNDOLE; NATUREZA; TEMPERAMENTO: *As grandes linhas do caráter são reconhecidas desde a infância.* **3** Conjunto dos traços psicológicos (positivos ou negativos) de um indivíduo, que lhe determinam a conduta e a concepção moral: *Pessoa de caráter duvidoso.* **4** Firmeza moral, que determina a coerência do indivíduo ao agir, ao proceder: *Aquele é um juiz de caráter.* **5** Especialidade, especificidade; CUNHO; MARCA: *Uma obra de caráter didático.* **6** Cada um dos elementos constituintes ou dos atributos de algo ou alguém, pelos quais se pode identificá-lo, classificá-lo, distingui-lo de outros: "A expressão de uma vida está menos nos seus caracteres estáticos que no ritmo..." (Cecília Meireles, *Obra em prosa*) [Mais us. no pl.: *caracteres.*] **7** *Art. gr.* Forma gráfica de cada um dos símbolos usados na escrita **8** *Art. gr.* O mesmo que *tipo*[1] (9) **9** *Biol.* Aspecto morfológico ou fisiológico utilizado para distinguir indivíduos de uma mesma espécie ou de espécies entre si **10** *Enol.* Qualidade do vinho considerado original (diferente dos demais da mesma região) [Pl.: *caracteres.*] [F.: Do gr. *kharaktér, eros*, pelo lat. *character, eris.*] ■ **A ~ 1** À fantasia: *baile a caráter* **2** De acordo com a época e o lugar, com a moda: *As candidatas a miss de cada estado apresentaram-se a caráter, com suas roupas típicas.* **3** Da maneira, formal, convencionada: *Para a recepção, vestiu-se a caráter.* **~ adquirido** *Biol.* Caráter formado pelas condições do ambiente, e não por fatores hereditários, não sendo, portanto, geneticamente transmissível **~ alfanumérico** *Inf.* Dígito representado por algarismo, ou letra, ou sinal de um sistema de codificação **~ geomagnético** *Geof.* Medida das variações no campo geomagnético da Terra em função de sua rotação, ou das atividades solares **~ hereditário** *Biol.* Caráter formado por fatores hereditários, sendo, portanto, geneticamente transmissível **~ transferível** *Art. gr.* Caráter (letra, símbolo gráfico etc.) impresso em folha transparente e transferível, por decalque, a qualquer superfície lisa **De ~** De sólida formação moral: *uma pessoa de caráter.* **Sem ~** Sem firmeza moral ou de princípios; desonesto

caratinga (ca.ra.*tin*.ga) *Bras. sm.* **1** *Bot.* Trepadeira da fam. das dioscoreáceas (*Dioscorea glandulosa*), nativa do Brasil, com folhas em que o verde-escuro se mistura com o vermelho-vivo e tubérculos lisos e comestíveis; CARÁ-DE-FOLHA-COLORIDA; CARÁ-DE-PELE-BRANCA; CARÁ-LISO; CARÁ-SEM-BARBA; INHAME-CARÁ **2** *Bot.* O tubérculo dessa planta; CARÁ-DE-FOLHA-COLORIDA; CARÁ-DE-PELE-BRANCA; CARÁ-LISO; CARÁ-SEM-BARBA; INHAME-CARÁ **3** *Zool.* Peixe da fam. dos gerreídeos (*Eugerres brasilianus*) encontrado em quase todo o litoral brasileiro, com coloração prateada-esverdeada e estrias escuras e cerca de 40 cm de comprimento; ACARATINGA; CARAPEBA-LISTRADA **4** *Zool.* Sagui nativo do Sudeste do Brasil (*Callithrix jacchus geoffroyi*), que apresenta a parte anterior da cabeça branca e um tufo de pelos negros antes de cada orelha [F.: Do tupi.]

caraúno (ca.ra.*ú*.no) *Bras. P. us. a.* **1** Diz-se de boi muito preto *sm.* **2** Boi muito preto [F.: De or. incerta.]

caravana (ca.ra.*va*.na) *sf.* **1** Grupo de viajantes que se reúnem para atravessar o deserto com mais segurança **2** Grupo de veículos que viajam juntos, formando uma fila na estrada **3** Grupo de pessoas que viajam ou saem juntas para algum lugar **4** *Ant. Hist.* Campanha marítima que os cavaleiros de Malta fizeram contra turcos e corsários da Barbária [F.: Do persa *karwan*, pelo fr. *caravane* ou pelo it. *caravenna.*]

caravançará (ca.ra.van.ça.*rá*) *sm.* **1** No Oriente Médio, abrigo que acolhia gratuitamente as caravanas que atravessavam o deserto [Nesta acp., tb. *caravançarai* e *caravancerá.*] **2** *Fig.* Mistura, baralhamento, confusão: *Aquele apartamento é um caravançará de móveis.* [F.: Do persa *karwansarai*, pelo fr. *caravansérail.*]

caravançarai (ca.ra.van.ça.*rai*) *sm.* Ver *caravançará* (1)

caravancerá (ca.ra.van.ce.*rá*) *sm.* Ver *caravançará* (1)

caravaneiro (ca.ra.va.*nei*.ro) *a.* **1** Ref. a caravana *sm.* **2** Aquele que conduz ou chefia uma caravana [F.: *caravana* + *-eiro.*]

caravanismo (ca.ra.va.*nis*.mo) *sm.* Costume, atividade ou ação de viajar em caravanas [F.: *caravana* + *-ismo.*]

caravela (ca.ra.*ve*.la) *sf.* **1** Embarcação de pequeno calado[2] (4), de velas latinas, muito utilizada nos séc. XV e XVI pelos portugueses e espanhóis nas viagens de descobrimento **2** Antiga moeda de 12 vinténs **3** *Fig.* Qualquer moeda pequena de prata, que se dava de gorjeta **4** *Fig.* Gorjeta, gratificação **5** *Zool.* Denom. comum aos cnidários hidrozoários do gên. *Physalia*, animal marinho que vive em colônias, formadas por um indivíduo medusoide, em águas quentes, que funciona como um flutuador **6** *Zool.* O mesmo que *água-viva.* **7** *Fig.* Mulher extremamente magra [F.: *cávaro* ('embarcação moura') + *-ela.*]

caraveleiro (ca.ra.ve.*lei*.ro) *sm.* Tripulante de caravela [F.: *caravela* + *-eiro.*]

carbamato (car.ba.*ma*.to) *sm.* **1** *Quím.* Sal ou éster do ácido carbâmico **2** *P. ext.* Agrotóxico composto por ésteres do ácido carbâmico, caracterizado pela alta toxicidade [F.: *carbâm(ico)* + *-ato*[2].]

carbâmico (car.*bâ*.mi.co) *a. Quím.* Diz-se de ácido (CH_3NO_2) não encontrado no estado livre, mas apenas sob a forma de sais ou ésteres [F.: *carb(o)-* + *am(ido)* + *-ico*[2].]

carbeno (car.*be*.no) [ê] *sm. Quím.* Grupo de compostos formado por um carbono divalente que possui um par de elétrons não compartilhado; de estrutura eletricamente neutra, são instáveis, muito reativos e de existência curta [O carbeno mais simples é o metileno (CH2).] [F.: *carb(o)-* + *-eno*[2].]

carbeto (car.*be*.to) [ê] *Quím. sm.* O mesmo que *carbureto.* [F.: *carb(o)-* + *-eto*[2].]

◎ **carb(o)-** *el. comp.* = 'carvão'; 'carbono'; 'composto de carbono': *carboquímica, carboquímico; carbonífero, carbonizar, carbonúria, carbonuria; bicarbonado, descarbonizar* [F.: Do lat. *carbo, onis.*]

carbocátion (car.bo.*cá*.ti.on) *sm. Quím.* Designação us. para qualquer espécie catiônica do carbono [F.: *carb(o)-* + *cátion.*]

carboidrato (car.bo:i.*dra*.to) *sm. Quím.* Qualquer composto orgânico que tenha em sua fórmula carbono, hidrogênio e oxigênio (açúcares, amido etc.), presente em inúmeros alimentos; HIDRATO DE CARBONO; HIDROCARBONATO [F.: *carb(o)-* + *hidrato.*]

carbólico (car.*bó*.li.co) *Quím. a.* **1** Diz-se de ácido (C_6H_6O), comumente conhecido como fenol *sm.* **2** Esse ácido [F.: *carb(o)-* + *-ol-* + *-ico*[2].]

carbolismo (car.bo.*lis*.mo) *sm. Med.* Envenenamento por fenol [F.: *(ácido) carból(ico)* + *-ismo.*]

carbonáceo (car.bo.*ná*.ce:o) *a.* **1** Que é da natureza do carvão; CARBONOSO **2** Que contém porcentagem elevada de matérias carbonosas [F.: *carbono* + *-áceo.*]

carbonado (car.bo.*na*.do) *a.* **1** Que contém carbono (hidrogênio carbonado) *sm.* **2** *Min.* Diamante negro, duro, não esfoliável, us. na indústria em trabalhos de entalhe e polimento, e no fio de brocas e outras ferramentas de corte [F.: *carbono* + *-ado*[1].]

carbonário (car.bo.*ná*.ri:o) *sm.* **1** Membro da Carbonária **2** *P. ext.* Membro de qualquer sociedade política secreta: "Sua bagagem guerreira de estudante, cubano, exilado, operado, carbonário e espião lhe dava uma aura de '007 cubano'..." (*O Globo*, 14.06.2005) *a.* **3** Da, próprio da ou relativo à Carbonária, ou pertencente ou relativo aos seus membros [F.: Do it. *carbonaro.*]

carbonatar (car.bo.na.*tar*) *Quím. v. td. int.* **1** Converter(-se) em carbonato **2** Misturar com carbonato [▶ **1 carbonatar**] [F.: *carbonato* + *-ar*. Hom./Par.: *carbonato* (fl.), *carbonato* (sm.).]

carbonato (car.bo.*na*.to) *sm. Quím.* Qualquer sal ou éster do ácido carbônico, ou ânion derivado dele [F.: Do fr. *carbonate.*]

carboneto (car.bo.*ne*.to) [ê] *sm. Quím.* O mesmo que *carbureto.* [F.: *carbon(i)-* + *-eto*[2].]

◎ **-carbon(i)-** *el. comp.* Ver *carb(o)-*

◎ **carbon(i)-** *el. comp.* Ver *carb(o)-*

carbônico (car.*bô*.ni.co) *a.* **1** *Quím.* Ref. a carbono **2** *Quím.* Diz-se do gás (CO_2) produzido pela respiração dos seres vivos e pela queima de produtos orgânicos **3** *Quím.* Diz-se do ácido (H_2CO_3) obtido pela dissolução do CO_2 em água **4** *Geol.* O mesmo que *carbonífero* (2) *sm.* **5** *Geol.* O mesmo que *carbonífero* (3) [Nesta acp., com inicial maiúsc.] [F.: Do fr. *carbonique.*]

carbonífero (car.bo.*ní*.fe.ro) *a.* **1** Que contém carvão ou o produz (mina carbonífera) **2** *Geol.* Diz-se do período geológico entre 360 e 290 milhões de anos antes da era atual; CARBÔNICO *sm.* **3** *Geol.* Esse período [Nesta acp., com inicial maiúsc.] [F.: *carbon(i)-* + *-fero.*]

carbonila (car.bo.*ni*.la) *sf. Quím.* Grupo funcional, encontrado em aldeídos e cetonas, constituído por um átomo de oxigênio unido por ligação dupla a um átomo de carbono, este ger. se une a outra molécula por duas ligações simples [Fórm.: =C=O.] [F.: *carbon(i)-* + *-ila*[2].]

carbonização (car.bo.ni.za.*ção*) *sf.* **1** Ação ou resultado de carbonizar **2** Ação ou processo de reduzir a carvão **3** *Pal.* Espécie de fossilização em que tecidos orgânicos se tornam películas de carbono dentro de uma rocha [Pl.: *-ções.*] [F.: *carbonizar* + *-ção.*]

carbonizar (car.bo.ni.*zar*) *v.* **1** Transformar(-se) em carvão [*td.: As chamas carbonizaram a árvore.*] [*int.: Aos poucos, toda a mobília carbonizou-se.*] **2** Queimar totalmente, consumir [*td.: O acidente carbonizou o carro.*] **3** Queimar (tecidos orgânicos) por meio de um metal em brasa ou de substâncias cáusticas [*td.*] [▶ **1 carbonizar**] [F.: Do fr. *carboniser.*]

carbono (car.*bo*.no) *sm.* **1** *Quím.* Elemento químico de número atômico 6, capaz de formar grandes cadeias de átomos, o que possibilita a formação de inúmeros compostos [Símb.: *C*] [Nesta acp. não é us. no pl.] **2** O mesmo que *papel-carbono* [F.: Do lat. *carbo, onis*, 'carvão'. Cf.: *diamante, grafite, química orgânica.*] ■ **~ 14** *Quím.* Isótopo radioativo do carbono, resultante da incidência de raios cósmicos na atmosfera terrestre. [Por seu estado de desintegração em matéria fóssil, pode-se determinar a idade desta.] [Símb.: 14C] **~ 13** *Quím.* Isótopo estável do carbono, compatível com as técnicas de espectroscopia de ressonância magnética nuclear [Símb.: 13C]

> 🕮 O carbono está presente em todos os seres vivos, esp. nas combinações com o hidrogênio, que caracterizam as substâncias orgânicas. O processo começa no dióxido de carbono (CO2), que as plantas verdes captam da atmosfera para, em reação com água (e seus átomos de hidrogênio), clorofila e luz solar, transformar em compostos mais complexos de carbono (orgânicos), liberando oxigênio, que por sua vez vai ser captado por bactérias e animais, que liberam dióxido de carbono na respiração, reiniciando o ciclo. É esse ciclo do carbono que propicia, portanto, o próprio ciclo da vida e do equilíbrio ambiental. Nos minerais, o carbono é o principal componente do carvão e do diamante.

carbonoso (car.bo.*no*.so) [ô] *a.* Que é da natureza do carvão; CARBONÁCEO [Pl.: [ó]. Fem.: [ó]] [F.: *carbono* + *-oso.*]

carboquímica (car.bo.*quí*.mi.ca) *sf. Quím.* Na indústria química, ramo que produz derivados do carvão [F.: *carb(o)-* + *química.*]

carboquímico (car.bo.*quí*.mi.co) *a.* **1** Ref. à carboquímica **2** Diz-se de profissional especializado em carboquímica **3** Que é obtido pela destilação do carvão *sm.* **4** Profissional especializado em carboquímica [F.: *carb(o)-* + *químico.*]

◎ **carbox(i)-** [cs] *pref. Quím.* = Incidência do grupo orgânico (-COOH) em compostos resultantes da união do radical carbonila com o radical hidroxila: *carboxilato; carboxílase* [Ver tb.: *-carbox(i)-.*]

carboxila (car.bo.*xi*.la) [cs] *sf. Quím.* Grupo funcional (-COOH) presente em ácidos carboxílicos, derivado da união do radical carbonila com o radical hidroxila [F.: *carbox(i)-* + *-ila*[2].]

carboxílico (car.bo.*xí*.li.co) [cs] *a. Quím.* Diz-se de ácido ou éster que contém o radical carboxila [F.: *carboxila* + *-ico*[2].]

carboximetilcelulose (car.bo.xi.me.til.ce.lu.*lo*.se) [cs] *sf. Quím.* Polieletrólito deriv. da celulose, com enorme gama de aplicações, us. pelas indústrias alimentícias, farmacêuticas, de cosméticos e higiene pessoal, petrolífera etc. [Sigla: CMC.] [F.: *carbox(i)-* + *-metil-* + *celulose.*]

carbúnculo (car.*bún*.cu.lo) *sm.* **1** *Med.* Infecção extensa e profunda da pele que provoca lesões purulentas; ANTRAZ [É causada, ger., por bactérias estafilocócicas.] **2** *Vet.* Doença infecciosa comum em ovinos, bovinos, caprinos e equinos; ANTRAZ [Causada pelo *Bacillus anthracis.*] **3** Antigo nome da granada almandina com lapidação cabuchão [F.: Do lat. *carbunculus, i.*]

carburação (car.bu.ra.*ção*) *sf.* **1** Ação ou resultado de carburar **2** *Mec.* Mistura de ar e combustível que ocorre no interior de um carburador para provocar a combustão em motores de explosão; CARBURIZAÇÃO **3** Processo por meio do qual se enriquece um gás adicionando-lhe compostos voláteis do carbono; CARBONAÇÃO [Pl.: *-ções.*] [F.: Do fr. *carburation.*]

carburador (car.bu.ra.*dor*) [ô] *sm.* **1** Aquilo que carbura ou queima **2** *Mec.* Dispositivo no qual ocorre a mistura de ar com combustível, responsável pelo funcionamento de um motor de explosão; CARBONADOR [Nos automóveis mais modernos, o carburador foi substituído pela injeção eletrônica.] [F.: Adapt. do fr. *carburateur.*]

carburante (car.bu.*ran*.te) *a2g.* **1** Que é utilizado para carburar *sm.* **2** *Quím.* Combustível us. em motores de explosão [F.: *carburar* + *-nte*. Sin. ger.: *carbonante.*]

carburar (car.bu.*rar*) *v. td. Quím.* Misturar (vapores de combustível) com o carbono, ger. para uso em motor de explosão; CARBONAR [▶ **1 carburar**] [F.: Do fr. *carburer.*]

carbureto (car.bu.*re*.to) [ê] *sm. Quím.* Designação dos compostos binários de carbono e outro elemento; CARBETO; CARBONETO [F.: De *carbur-*, do fr. *carbure*, + *-eto*[2].]

carcaça (car.*ca*.ça) *sf.* **1** Esqueleto de qualquer animal; OSSADA **2** *Fig.* Estrutura inacabada ou abandonada: *carcaça de navio.* **3** *Pop.* O corpo humano **4** Nos açougues e abatedouros, cadáver de animal, sem o couro, a cabeça, os pés e as vísceras **5** *Pej.* Corpo velho e alquebrado **6** *N. E. Fig. Joc.* Pessoa muito magra **7** *Pej.* Mulher magra e velha **8** *Pop.* Carroceria de automóvel, sem vidros, assentos, motor e pneus (por vezes também o chassi) [Us. muitas vezes em referência a carro roubado e depenado, ou seja, cujas partes são retiradas e vendidas.] **9** *Lus.* Pequeno pão de forma arredondada **10** Parte externa de máquina (motor, gerador de eletricidade etc.) **11** *Ant.* Certo tipo de projétil incendiário que incluía três granadas e matérias inflamáveis **12** Armação de chapéu feminino [F.: Do fr. *carcasse.*]

carcamano (car.ca.*ma*.no) *sm.* **1** *Bras. Pej.* Indivíduo nascido na Itália; LATACHO; MACARRONE **2** *MA Pej.* Aquele que tem origem árabe **3** *CE* Vendedor ambulante de tecidos e produtos de armarinho [F.: De or. incerta; posv. do espn. *carcamán*. Nas acps. 1 e 2 denota preconceito.]

carcará (car.ca.*rá*) *sm.* **1** *Zool.* Ave da fam. dos falconídeos (*Caracara plancus*), encontrada em todo o Brasil; CARANCHO; GAVIÃO-DE-QUEIMADA **2** *Fig.* Indivíduo ruim, cruel [F.: Do tupi *karaka'ra*. Tb. *caracará.*]

carceragem (car.ce.*ra*.gem) *sf.* **1** Ação ou resultado de encarcerar; PRISÃO **2** Gastos com o sustento dos presos **3** Setor onde são mantidos os presos nas delegacias: *Os assaltantes estão na carceragem da 12ª DP.* **4** *Ant.* Imposto que os presos deviam pagar ao carcereiro [Pl.: *-gens.*] [F.: *cárcere* + *-agem*[2].]

carcerário (car.ce.*rá*.ri:o) *a.* Ref. a cárcere (população carcerária) [F.: Do lat. *carcerarius, a, um*, por via erudita.]

cárcere (*cár*.ce.re) *sm.* **1** Prisão subterrânea; CALABOUÇO **2** Local em que os presos cumprem pena; CADEIA; CANA;

GRADES; PRISÃO; XADREZ; XILINDRÓ **3** Cela ou qualquer aposento que sirva de prisão: *O sequestrado ficou em cárcere privado.* **4** *Fig.* Diz-se de algo que é motivo de problema; DIFICULDADE; OBSTÁCULO **5** *Tip.* Peça que firmava a árvore da prensa nos prelos antigos; BUÍTRA **6** *Ant.* Nos circos da Roma antiga, lugar reservado aos cavalos que participariam do espetáculo [F.: Do lat. *carcer, eris.*] ■ ~ **privado** Local de prisão arbitrária e ilegal (de alguém), por decisão e ação particulares

carcereiro (car.ce.*rei*.ro) *sm.* **1** Aquele que é responsável pela guarda de presidiários no cárcere **2** Indivíduo responsável pela guarda de sequestrado em cárcere privado [F.: Do lat. *carcerarius, a, um*, por via pop.]

carchear (car.che.*ar*) *v. td.* **1** *RS* Roubar pertence de (adversário derrotado ou morto); DESPOJAR: *Após a batalha, os vencedores carchearam as casas dos adversários.* **2** Aproveitar o movimento das ações militares para apossar-se de (animais, objetos): *Durante a guerra, muitas pessoas carchearam cabeças de gado de minha fazenda.* [▶ 13 carchear] [F.: Posv. do espn. platino *carchear*. Hom./Par.: *carcheio* (fl.), *carcheio* (sm.).]

carcheio (car.*chei*.o) *sm. RS* Ação ou resultado de carchear: "...o gaúcho estava sem liga, que já tinha perdido tudo, o dinheiro, o cavalo, as botas, um rebenque com argolão de prata; e agora, o outro, o Osoro, para completar o carcheio, ainda tinha topado a última parada, que era a china..." (João Simões de Lopes Neto, "Jogo de osso", *in Contos gauchescos*) [F.: Dev. de *carchear.* Hom./Par.: *carcheio* (fl. de *carchear*).]

◎ **carcini-** *el. comp.* Ver *carcin(o)-*

carcinicultura (car.ci.ni.cul.*tu*.ra) *sf.* Criação de crustáceos com técnica específica [F.: *carcini-* + *-cultura.*]

◎ **carcin(o)-** *el. comp.* = 'caranguejo'; 'crustáceo'; 'câncer', 'tumor cancerígeno': *carcinogênese, carcinologia, carcinoma* (< lat. < gr.); *carcinicultura* [F.: Do gr. *karkínos, ou.*]

carcinogênese (car.ci.no.*gê*.ne.se) *sf. Pat.* Formação de câncer [F.: *carcin(o)-* + *-gênese.*]

carcinógeno (car.ci.*nó*.ge.no) *sm. Med.* Agente que provoca ou estimula o desenvolvimento de carcinoma no organismo [F.: *carcin(o)-* + *-geno.*]

carcinologia (car.ci.no.lo.*gi*.a) *sf.* **1** *Zool.* Ramo da zoologia que estuda os crustáceos **2** *Antq. P. us. Med.* O mesmo que *oncologia* [F.: *carcin(o)-* + *-logia.*]

carcinoma (car.ci.*no*.ma) [ô] *sm. Pat.* Tumor maligno que pode se expandir, invadir outros tecidos e causar metásteses; EPITELIOMA [F.: Do lat. *carcinoma, atis*, do gr. *karkínoma, atos.*]

carcinomatoso (car.ci.no.ma.*to*.so) [ô] *a.* **1** Ref. a, ou próprio, ou da natureza do carcinoma (aspecto carcinomatoso); CANCEROSO **2** Que apresenta carcinoma (tecido carcinomatoso) [Pl.: [ó]. Fem.: [ó].] [F.: *carcinoma*, sob a f. *carcinomat-*, + *-oso*, seg. o mod. gr.]

carcinose (car.ci.*no*.se) *sf. Pat.* Disseminação de câncer pelo corpo; CARCINOMATOSE [F.: *carcin(o)-* + *-ose*¹.]

carcoma (car.*co*.ma) [ô] *sf.* **1** Nome genérico dado a insetos ou larvas que perfuram a madeira, livros etc.; CARUNCHO **2** O pó produzido por esses insetos **3** *Fig.* Qualquer coisa que ataque e destrua lentamente **4** Podridão da madeira das árvores; BRÓDIO **5** Denom. comum a várias doenças causadas por fungos e bactérias que atacam os rizomas e as raízes de certos vegetais [F.: De or. pré-romana, posv.]

carcomer (car.co.*mer*) *v. td.* **1** Reduzir (a madeira) a pó; ROER: *Cupins carcomeram o móvel.* **2** Corroer: *A ferrugem carcomeu a tubulação.* **3** *Fig.* Arruinar, destruir aos poucos: *O vício está carcomendo sua saúde.* **4** *Fig.* Abater, enfraquecer: *Aquelas derrotas carcomeram seu otimismo.* [▶ 2 carcomer] [F.: De or. incerta. Hom./Par.: *carcoma* (fl.), *carcoma* (sf.); *carcomas* (fl.), *carcomas* (pl. do sf.).]

carcomido (car.co.*mi*.do) *a.* **1** Que foi corroído por carcoma **2** Que apodreceu ou se deteriorou (tb. *Fig.*): *Uma administração carcomida, cheia de escândalos.* **3** *Fig.* Que está abatido, consumido **4** Que está fraco, debilitado, muito magro [F.: Part. de *carcomer.*]

carda (*car*.da) *sf.* **1** Ação ou resultado de cardar; CARDAÇÃO; CARDADURA; CARDAGEM **2** *Tec.* Instrumento de cardar lã, algodão, linho etc., composto de uma lâmina ou tábua com bicos de ferro **3** *Tec.* Ferramenta ou máquina us. para desembaraçar fibras têxteis **4** Prego pequeno para calçados **5** *Ant.* Instrumento de tortura us. para dilacerar carne **6** Imundície que se agarra à lã de animais; CARDINA **7** *P. ext.* Sujeira na pele das pessoas [F.: Dev. de *cardar*, posv. Hom./Par.: *carda* (sf.), *carda* (fl. de *cardar* e *cardir*); *cardas* (pl.), *cardas* (fl. de *cardar* e *cardir*).]

cardã (car.*dã*) *Mec. sm.* **1** Sistema de tração que utiliza eixos com pontas móveis que possibilitam a transmissão da potência do motor à roda traseira *a.* **2** Diz-se de eixo que utiliza esse sistema [F.: Do fr. *cardan* < antr. Girolamo *Cardano* (1501-1576).]

cardado (car.*da*.do) *Têxt. a.* **1** Submetido à cardação (algodão cardado) **2** Diz-se de fio produzido com fibras descontínuas ou cortadas [F.: Part. de *cardar.*]

cardagem (car.*da*.gem) *sf.* **1** Ação ou resultado de cardar; CARDA; CARDAÇÃO; CARDADURA **2** Arte ou oficina de cardador [Pl.: *-gens.*] [F.: *cardar* + *-agem*¹.]

cardal (car.*dal*) *sm.* **1** Terreno cheio de cardos: "E em cancha direita ou fazendo voltas largas, não se respeitava sanga, banhado, tacuru, panela de caranguejo, nem buraco de tuco-tuco; ia-se acamando as macegas, pisoteando cardais..." (João Simões Lopes Neto, "Correr eguada", *in Contos gauchescos*) **2** *Lus.* O mesmo que *cemitério* [Pl.: *-dais.*] [F.: *cardo* + *-al*¹. Hom./Par.: *cardais* (pl.), *cardais* (fl. de *cardar*).]

cardamomo (car.da.*mo*.mo) *sm.* **1** *Bot.* Planta da fam. das zingiberáceas (*Elettaria cardamomum*), originária da Ásia, cujas sementes são us. como medicamento e condimento; CANA-DO-BREJO **2** A semente dessa erva **3** *P. ext.* A semente de várias outras espécies da fam. das zingiberáceas **4** Erva cespitosa da fam. das zingiberáceas (*Amomum cardamom*), nativa da Ásia, cujos frutos globosos possuem sementes com propriedades medicinais; CANA-DO-BREJO [F.: Do gr. *kardámomon, ou*, pelo lat. *cardamomum, i.*]

cardan (car.*dan*) *sm. Mec.* Ver *cardã* [F.: Do fr. *cardan.*]

cardão (car.*dão*) *sm.* **1** Azul violáceo da cor da flor do cardo **2** Cavalo dessa cor [Pl.: *-dões*. Fem.: *cardã.*] *a.* **3** Que é da cor cardão; CÁRDEO **4** Diz-se dessa cor; CÁRDEO [Pl.: *-dões.* Fem.: *cardã.*] [F.: *card(o)* + *-ão*².]

cardápio (car.*dá*.pi:o) *sm.* **1** Nos restaurantes, a relação dos pratos e bebidas com seus respectivos preços e, por vezes, seus ingredientes; CARTA *Lus.*; EMENTA *Lus.*; LISTA *Gal.*; MENU **2** *P. ext.* Relação das iguarias servidas numa recepção ou reunião **3** Os diferentes pratos servidos numa refeição *Gal.*; MENU: *Qual vai ser o cardápio de hoje?* **4** A refeição em si [F.: Neologismo cunhado pelo filólogo brasileiro Antônio de Castro Lopes (1827-1901) a partir do lat. *charta, ae*, 'papel', 'carta', e do lat. *daps, is*, 'banquete servido aos deuses'; 'comida', com o intuito de evitar o uso do galicismo *menu*. NOTA: Na acp. 1, quando é referente apenas aos vinhos, chama-se carta (5) ou carta de vinhos.]

cardar (car.*dar*) *v. td.* **1** Desembaraçar, destrinçar ou pentear (lã, algodão, linho, pelo etc.) usando uma carda **2** *Fig.* Extorquir dinheiro de (alguém) astuciosamente; explorar **3** *Fig.* Advertir, censurar, repreender com veemência ou rispidez [▶ 1 cardar] [F.: De or. contrv; de *cardo* + *-ar*², posv. Hom./Par.: *cardo* (fl.), *cardo* (sm.); *carda* (fl.), *carda* (sf.); *cardas* (fl.), *cardas* (pl. do sf.).]

cardeal (car.de.*al*) *a2g.* **1** Principal, fundamental, cardinal: "...A razão cardeal de toda a superioridade humana é sem dúvida a vontade..." (José de Alencar, *A pata da gazela*) **2** *Mat.* Ver *cardinal* (3) **3** *Fon.* Ver *cardinal* (5) [Pl.: *-ais.*] *sm.* **4** *Rel.* Prelado do Sacro Colégio que participa com voto do conclave para a eleição do Papa **5** *Mat.* Número cardinal **6** *Zool.* Denom. comum a diversas sp. de pássaros da fam. dos emberizídeos dos gên. *Paroaria* e *Gubernatrix* **7** *Bot.* Denom. comum a várias plantas ornamentais de flores vermelhas; SANGUE-DE-ADÃO; CARDEALINA **8** *Fig.* Cada um dos fundadores ou dirigentes influentes de clubes de futebol, de partidos políticos: *Participaram do encontro os cardeais do PSD.* [F.: Do lat. *cardinalis, e.* Hom./Par.: *cardeais* (pl.), *cardeais* (fl. de *cardear*); *cardeal* (a2g. sm.), *cardial* (a2g.).]

◎ **card(i)-** *el. comp.* Ver *cardi(o)-*

◎ **-cardia** *el. comp.* = 'anomalia ou distúrbio do/ no coração': *acefalocardia, atelocardia, baticardia, embriocardia, taquicardia.* [F.: Do gr. *kardía, as*, 'coração (órgão ou sede dos sentimentos ou da inteligência)'; 'estômago'. F. conexa: *cardi(o)-.*]

cárdia (*cár*.di:a) *sf. Anat.* Orifício que faz a comunicação entre o esôfago e o estômago [F.: Do gr. *kardía, as*, 'coração'; '(*p. ext.*) estômago'.]

cardíaco (car.*dí*.a.co) *a.* **1** *Anat.* Ref. ao, ou próprio do coração (doença cardíaca) **2** O mesmo que *cardial* **3** Que sofre de doença ou distúrbio no coração; CARDIOPATA: *Meu vizinho é cardíaco. sm.* **4** Aquele que sofre de doença ou distúrbio no coração; CARDIOPATA [F.: Do fr. *cardiaque*, do lat. *cardiacus, a, um*, e este do gr. *kardiakós, é, ón.*]

cardial (car.di.*al*) *a2g. Anat.* Ref. a, ou próprio da cárdia; CÁRDICO; CARDÍACO [Pl.: *-ais.*] [F.: *cárdia* + *-al*¹. Hom./ Par.: *cardial* (a2g.), *cardeal* (sm. a2g.).]

cardiazol (car.di:a.*zol*) *sm. Farm.* Agente capaz de induzir convulsões [Pl.: *-zóis.*] [F.: *cardi(o)-* + *azol.*]

cárdico (*cár*.di.co) *a. Anat.* Ref. ou pertencente à cárdia; CARDIAL; CARDÍACO [F.: *cárdia* + *-ico*².]

cardiectomia (car.di:ec.to.*mi*.a) *Cir. sf.* **1** Cirurgia para a retirada do coração (cardiectomia do doador/lateral) **2** Procedimento cirúrgico para a retirada da cárdia [F.: *cardi(o)-* + *-ectomia.*]

cardigã (car.di.*gã*) *sm. Vest.* Casaco ou suéter tricotado, de mangas compridas, sem gola, com decote redondo ou em V, com abertura frontal, e que pode ou não ser abotoado [F.: Do ingl. *cardigan*, de, do título de (*Conde de*) *Cardigan.*]

cardinal (car.di.*nal*) *a2g.* **1** Ver *cardeal* (1) **2** *Gram.* Diz-se do numeral que designa quantidade absoluta (p. ex. 5, 16, 90) [Cf: *ordinal.*] **3** *Mat.* Diz-se de número que expressa a quantidade de elementos de um conjunto [Cf. *ordinal.*] **4** Ref. a gonzos **5** *Fon.* Diz-se de vogal pertencente a um conjunto de sons de referência que configuram um modelo a partir do qual se pode determinar a qualidade de articulação de uma vogal; CARDEAL [Pl.: *-nais.*] *sm.* **6** *Gram.* Ver *numeral cardinal*, em *numeral.* **7** *Mat.* Ver *número cardinal*, em *número.* [Pl.: *-nais.*] [F.: Do lat. *cardinalis, e*, por via erudita.]

cardinalado (car.di.na.*la*.do) *sm.* Ver *cardinalato*

cardinalato (car.di.na.*la*.to) *sm.* Título ou dignidade de cardeal [F.: Do lat. medv. *cardinalatus, us*, por via erudita. Tb. *cardinalado.*]

cardinalesco (car.di.na.*les*.co) *a.* O mesmo que *cardinalício* [F.: *cardinal* + *-esco.*]

cardinalício (car.di.na.*lí*.ci:o) *a.* Ref. a cardeal (4) (púrpura cardinalícia); CARDINALESCO [F.: *cardeal*, sob a f. lat. *cardinal-*, + *-ício*, seg. o mod. erudito.]

cardinalidade (car.di.na.li.*da*.de) *sf.* **1** Qualidade do que é cardinal **2** *Mat.* Número de elementos diferentes em um determinado conjunto **3** *Inf.* Na modelagem de dados de um programa, número que expressa o grau de associação (número de relacionamentos) entre duas ou mais entidades (de conjuntos diferentes ou não) [F.: *cardinal* + *-idade.*]

◎ **-cardi(o)-** *el. comp.* Ver *cardi(o)-*

◎ **cardi(o)-** *el. comp.* = 'coração (órgão ou sede dos sentimentos)'; 'em forma de ou que recobre o coração'; 'membrana do/no coração': *cardiectasia, cardiocele, cardiodinia, cardiografia, cardiomegalia, cardiopétalo; cardite; acardiotrofia, angiocardiografia; endocárdio, epicárdio, miocárdio* [F.: Do gr. *kardio-* ou *-kárdios, os, on* (como no gr. *perikárdios*), do gr. *kardías, as*, 'coração (órgão, sede das paixões, sede da inteligência)'; 'estômago'; 'o interior de algo'. F. conexa: *-cardia.*]

◎ **-cárdio** *el. comp.* Ver *cardi(o)-*

cardiogênico (car.di:o.*gê*.ni.co) *a. Med.* Originado no coração (choque cardiogênico; edema pulmonar cardiogênico) [F.: *cardi(o)-* + *-gênico.*]

cardiografia (car.di:o.gra.*fi*.a) *sf.* Registro gráfico do estado ou das funções do coração [F.: Do fr. *cardiographie*; ver *cardi(o)-* e *-grafia.*]

cardiográfico (car.di:o.*grá*.fi.co) *a. Med.* Ref. a cardiografia ou a cardiógrafo [F.: *cardiógrafo* + *-ico*².]

cardiógrafo (car.di.*ó*.gra.fo) *sm. Card.* Instrumento us. para registrar graficamente o estado ou as funções do coração [F.: *cardi(o)-* + *-grafo.*]

cardiograma (car.di:o.*gra*.ma) *sm. Med.* Gráfico dos movimentos do coração obtido por meio do cardiógrafo [F.: Do fr. *cardiogramme*; ver *cardi(o)-* e *-grama.*]

cardiologia (car.di:o.lo.*gi*.a) *sf. Med.* Especialidade médica que estuda e trata o coração e as doenças a ele relacionadas [F.: Do fr. *cardiologie*; ver *cardi(o)-* e *-logia.*]

cardiológico (car.di:o.*ló*.gi.co) *a. Med.* Ref. a cardiologia [F.: *cardiologia* + *-ico*².]

cardiologista (car.di:o.lo.*gis*.ta) *Med. s2g.* **1** Médico que se especializou em cardiologia; CARDIÓLOGO *a2g.* **2** Diz-se desse especialista [F.: *cardiologia* + *-ista.*]

cardiomegalia (car.di:o.me.ga.*li*.a) *sf. Pat.* Desenvolvimento ou crescimento excessivo do coração; hipertrofia cardíaca; MACROCARDIA; MEGALOCARDIA [F.: *cardi(o)-* + *-megalia.*]

cardiomiopatia (car.di:o.mi:o.pa.*ti*.a) *sf. Med.* Denom. us. para qualquer doença do miocárdio [F.: *cardi(o)-* + *-mi(o)-* + *-patia.*]

cardiomioplastia (car.di:o.mi:o.plas.*ti*.a) *sf. Cir.* Operação para tratamento de cardiomiopatias, em que se retira o músculo grande dorsal das costas do paciente para envolver o coração em sincronia com a dinâmica contrátil deste [F.: *cardi(o)-* + *mioplastia.*]

cardiopata (car.di:o.*pa*.ta) *a2g.* **1** Diz-se de indivíduo que sofre de alguma cardiopatia; CARDÍACO *s2g.* **2** Esse indivíduo; CARDÍACO [F.: *cardi(o)-* + *-pata*. Tb. *cardiópata.*]

cardiópata (car.di.*ó*.pa.ta) *s2g.* Ver *cardiopata*

cardiopatia (car.di:o.pa.*ti*.a) *sf. Med.* Qualquer doença ou afecção do coração [F.: Do fr. *cardiopathie*; ver *cardi(o)-* e *-patia.*]

cardiopático (car.di:o.*pá*.ti.co) *a. Med.* Ref. a cardiopatia [F.: *cardiopatia* + *-ico*².]

cardiopulmonar (car.di.o.pul.mo.*nar*) *a2g. Med.* Ref. ao coração e aos pulmões (problemas cardiopulmonares) [F.: *cardi(o)-* + *pulmonar.*]

cardiorrenal (car.di:or.re.*nal*) *a2g. Med.* Ref. ao coração e aos rins; NEFROCARDÍACO [Pl.: *-nais.*] [F.: *cardi(o)-* + *renal.*]

cardiorrespiratório (car.di:or.res.pi.ra.*tó*.ri:o) *a. Med.* Ref. ao coração e ao aparelho respiratório, simultaneamente [F.: *cardi(o)-* + *respiratório.*]

cardiotocografia (car.di:o.to.co.gra.*fi*.a) *sf. Obst.* Exame para avaliação do bem-estar fetal, baseado no comportamento de sua frequência cardíaca e no registro gráfico das contrações uterinas [F.: *cardi(o)-* + *tocografia.*]

cardiotomia (car.di:o.to.*mi*.a) *Cir. sf.* **1** Incisão no coração **2** Incisão na cárdia [F.: *cardi(o)-* + *-tomia.*]

cardiotóxico (car.di:o.*tó*.xi.co) [cs] *a. Med.* Que produz efeitos tóxicos na função cardíaca [F.: *cardi(o)-* + *tóxico.*]

cardiovascular (car.di:o.vas.cu.*lar*) *a2g. Anat. Med.* Ref. ao coração e aos vasos sanguíneos [F.: *cardi(o)-* + *vascular.*]

cardo (*car*.do) *Bot. sm.* Nome dado a algumas espécies de plantas da fam. das compostas (esp. dos gên. *Carduus* e *Cirsium*), de folhas espinhentas ou ásperas [F.: Do lat. *carduus, i.* Hom./Par.: *cardo* (sm.), *cardo* (fl. *cardar* ou *cardir*).]

cardol (car.*dol*) *sm. Quím.* Substância encontrada no óleo cáustico e combustível extraído do mesocarpo da castanha de caju [Pl.: *-dóis.*]

cardume (car.*du*.me) *sm.* **1** Bando de peixes **2** *Fig.* Bando compacto ou multidão de pessoas; AGLOMERAÇÃO: *Havia um cardume de gente chata naquela festa.* **3** *Fig.* Grande quantidade de coisas reunidas; AGLOMERADO; CÚMULO; MONTÃO: *Tinha cardumes de papéis sobre a mesa de trabalho.* [F.: *cardo* + *-ume*, posv.]

careca (ca.*re*.ca) *sf.* **1** Parte do couro cabeludo onde não crescem cabelos; CALVA **2** Estado de quem não tem ou perdeu os cabelos; CALVÍCIE: *Experimentou várias loções, mas não evitou a careca. a2g.* **3** Que tem o couro cabeludo total ou parcialmente desprovido de cabelos; CALVO **4** Diz-se de pneu cujos frisos se desgastaram **5** Sem ou quase sem grama (diz-se de gramado) **6** *Bot.* Diz-se de variedade de pêssego sem penugem *s2g.* **7** Pessoa careca (3); CALVO *sm.*

8 *Gír.* Queijo 9 *Bras. Pop.* O diabo 10 *Pop.* Marido traído [F.: De or. contrv.] ■ **Estar ~ de** Estar farto de, acostumado com: *Estou careca de escalar essa montanha.*

carecer (ca.re.*cer*) *v.* 1 Necessitar, ter carência de; sentir falta de (algo necessário ou desejável); PRECISAR [*tr.* + *de*: *carecer de ajuda; O menino carecia de mais atenção.* Nesta acp., seguido de verbo no infin., *carecer* flutua de regência td. / tr. + de: *Carecerei (de) pesquisar a respeito.*] 2 Não ter [*tr.* + *de*: *Ele carece de bom-senso.*] 3 *Pop.* Ser necessário, preciso [*int.*: *Carece que todos cheguem na hora; Não carece você me esperar.*] [▶ 33 carecer.] [F.: Do v.lat. vulg. *carescere.*]

carecido (ca.re.*ci*.do) *a. P. us.* Falto, necessitado [F.: Part. de *carecer.*]

carecimento (ca.re.ci.*men*.to) *sm.* Ação ou resultado de carecer; CARÊNCIA; PRIVAÇÃO [F.: *carecer* + *-imento.*]

careio (ca.*rei*.o) *Ant. sm.* 1 Ação de carear; ACAREAÇÃO 2 Meio com que se acareia [F.: Dev. de *careio*. Hom./Par.: *careio* (sm.), *careio* (fl. de *carear*).]

careiro (ca.*rei*.ro) *a.* 1 Que vende caro, a preço elevado (loja careira) 2 Que cobra caro por serviço (dentista careiro) [F.: *caro* + *-eiro*. Ant. ger.: *barateiro.*]

carena (ca.*re*.na) *sf.* 1 *Cnav.* Parte do casco que fica imersa quando a embarcação está com carga máxima; OBRAS VIVAS; QUERENA 2 *Zool.* Crista em forma de quilha que se observa em alguns ossos de animais 3 *Bot.* Conjunto formado pela junção das pétalas inferiores das flores papilionáceas; CARINA; QUILHA 4 *Bot.* Linha ou nervura vegetal, disposta longitudinalmente, semelhante a uma quilha de navio [F.: Do lat. *carina, ae*, pelo cat. *carena* ou pelo espn. *carena.*]

carenado[1] (ca.re.*na*.do) *a.* 1 Que se carenou 2 *Mar.* Diz-se de carena (1) que passou por reparo ou limpeza 3 *Mar.* Diz-se de embarcação que tombou por ação de vento lateral 4 Diz-se de automóvel, moto, lancha etc. equipado com carenagem (5) [F.: Part. de *carenar.*]

carenado[2] (ca.re.*na*.do) *a.* 1 *Bot.* Que tem carena (3 ou 4) 2 *Zool.* Diz-se de osso cuja crista se assemelha a uma quilha 3 *Zool.* Diz-se de animal que possui carena, que apresenta crista em forma de quilha [F.: *carena* + *-ado*[1].]

carenagem (ca.re.*na*.gem) *sf.* 1 Ação ou resultado de carenar 2 *Mar.* Ação ou resultado de limpar e reparar a carena do navio 3 *Mar.* Preservação da forma original do casco de um navio 4 *Tec.* Ação ou processo de dar a forma de carena a veículos como motocicletas, aeronaves, lanchas etc., para reduzir a resistência do ar, ou da água, e o atrito resultante; CARENAÇÃO; CARENAMENTO 5 *Tec.* A forma que resulta ou o resultado dessa ação ou desse processo; CARENAÇÃO; CARENAMENTO 6 *Tec.* Estrutura aerodinâmica ou hidrodinâmica externa, de veículos terrestres ou aquáticos, respectivamente: "O aerofólio grande, às vezes até duplo (com um avanço da asa sobre a carenagem que cobre o motor), proporciona uma maior aderência atrás" (*Folha de S.Paulo*, 14.04.1994) [Pl.: *-gens.*] [F.: *carena* + *-agem*[2].]

carenar (ca.re.*nar*) *v. td. Tec.* Dotar (avião, lancha, automóvel, moto etc.) de carenagem (5 e 6) [▶ 1 caren**ar**] [F.: *carena* + *-ar*[2].]

carência (ca.*rên*.ci:a) *sf.* 1 Falta de algo que se quer ou de que se precisa; CARECIMENTO; NECESSIDADE; PRECISÃO; PRIVAÇÃO [+ *de, em*: *carência de/em vitaminas.*] 2 *Econ.* Período entre a concessão de empréstimo e o início de sua amortização 3 Período estipulado por qualquer tipo de plano (de saúde, p. ex.), para que o segurado comece a usufruir suas vantagens 4 *Jur.* Prazo de lei cuja vigência se dá após sua sanção, para que as disposições ali contidas tenham tempo de entrar em execução [F.: Do lat. tard. *carentia, ae.*]

carencial (ca.ren.ci.*al*) *a2g.* 1 Ref. a carência 2 Devido a ou resultante de dada carência [Pl.: *-ais.*] [F.: *carência* + *-al*[1].]

carente (ca.*ren*.te) *a2g.* 1 Que pouco ou nada possui (população carente); CARECENTE 2 A que falta algo; que tem carência, necessidade; NECESSITADO: *pessoas carentes de amor. s2g.* 3 Aquele ou aquela que nada ou pouco possui: *ajuda aos carentes.* [F.: Do lat. *carens, entis*, part. pres. do v.lat. *carere*, 'estar privado de'.]

carepa (ca.*re*.pa) [é] *sf.* 1 O mesmo que *caspa* 2 Pó que se forma na casca das frutas secas 3 Lanugem de certos frutos 4 A superfície de madeira quando mal aplainada 5 Lasquinhas que saltam do ferro em brasa batido na bigorna 6 Fuligem que se acumula no interior dos cilindros dos motores de explosão 7 *Lus. Pop.* O mesmo que *escabiose* [F.: De or. obsc.] ■ **Levado da ~** *SP Pop.* Ver *Levado da breca*

carestia (ca.res.*ti*.a) *sf.* 1 Escassez de gêneros alimentícios ou de produto específico [Ant.: *abastança.*] 2 *Fig.* Situação de preço(s) alto(s), ou de elevação de preço(s): *Este ano atravessamos um período de carestia.* 3 *Fig.* Qualidade do que é caro, do que tem preço mais elevado que o valor real [F.: Do it. *carestia* (de or. contrv.) ou do lat. medv. *caristia* (de or. incerta).]

careta (ca.*re*.ta) [ê] *sf.* 1 Deformação voluntária ou não dos músculos da face; CARAMUNHA; ESGAR; GAIFONA; GRIMAÇA; MOMICE; VISAGEM: *Com os dedos, puxou os cantos dos lábios fazendo uma careta ridícula.* 2 Máscara, caraça, carranca 3 *Bras. Amaz.* Conjunto de pedaços de cerâmica indígena encontrados na margem esquerda do rio Amazonas 4 *SP Pop. Bot.* O mesmo que *castanha-de-caju s2g.* 5 *Bras. Gír. Pej.* Pessoa conservadora, muito apegada a valores tradicionais *Bras. Gír.*; QUADRADO: *Deixe de ser careta, a saia nem é tão curta assim!* 6 *Bras. Gír. Pej.* Pessoa que não faz uso de entorpecentes (na designação dos usuários habituais ou eventuais) 7 *Bras. Gír.* O mesmo que *heterossexual* [No meio GLS.] 8 *Bras.* Cada um dos personagens dos reisados ou bumbas-meu-boi 9 *BA Pop.* Aquele ou aquela que usa máscara durante o carnaval 10 *Bras. N. N. E. MG* Animal bovino ou equídeo, cujo focinho é de cor diferente da do resto do corpo *a2g.* 11 *Bras. Gír. Pej.* Conservador; muito apegado a valores tradicionais 12 *Bras. N. N. E. MG* Que tem o focinho de cor diferente da do resto do corpo [F.: *cara* + *-eta.*]

caretear (ca.re.te.*ar*) *v.* 1 Fazer caretas, momices [*int.*: *O homem não parava de caretear.*] [*ti.* + *para*: *O palhaço careteava para seu filho.*] 2 Exprimir por meio de caretas [*td.*: *A menina careteou uma expresão de espanto.*] [▶ 13 car**etear**] [F.: *careta* + *-ear*[2].]

careteiro (ca.re.*tei*.ro) *a.* 1 Que faz ou é dado a fazer caretas *sm.* 2 Aquele que faz ou é dado a fazer caretas [F.: *careta* + *-eiro.*]

caretice (ca.re.*ti*.ce) *Bras. Gír. sf.* 1 Qualidade ou condição de careta: *A caretice dos mais velhos é normal.* 2 Ação ou dito de pessoa careta: *Seu discurso foi uma caretice.* [F.: *careta* + *-ice.*]

careza (ca.*re*.za) [ê] *sf. P. us.* O mesmo que *carestia* [F.: *caro* + *-eza.*]

carga (*car*.ga) *sf.* 1 Ação ou resultado de carregar; CARREGAMENTO: *Concluíram tanto a carga quanto a descarga do navio. sf.* 2 Aquilo que pode ser transportado; CARREGAMENTO: *Separou a carga no depósito.* 3 Quantidade ou volume de alguma coisa: *Temos uma grande carga de trabalho.* 4 *Fig.* O que representa grande responsabilidade ou grande fardo 5 Munição para arma de fogo 6 Ataque, investida 7 *Fig.* Coisa que oprime, que incomoda [F.: Regress. de *carregar*, do lat. *carricare.*] ■ **Arriar a ~** *Bras. Fig.* Ficar muito cansado **~ cerrada** 1 Descarga de muitas armas de fogo ao mesmo tempo 2 Ataque concentrado, intenso **~ de ossos** *Fig.* Indivíduo magérrimo **~ dirigida** *Expl.* Carga explosiva projetada de forma a orientar a explosão numa certa direção; carga oca **~ do elétron** *Fís.* Carga elétrica correspondente à de um elétron (portanto, negativa), equivalente a $1{,}602178 \times 10^{-19}$ coulombs **~ (elétrica) elementar** *Fís.* Carga elétrica correspondente à do elétron (Ver *Carga do elétron*) se negativa, à do próton, se positiva **~ elétrica** *Fís.* Grandeza que mede a quantidade de eletricidade num sistema (macroscópio, molecular, atômico ou subatômico) [É *negativa* se tem o mesmo sinal de carga de um elétron, e *positiva* se tem sinal contrário à carga de um elétron. Tb. apenas *carga.*] **~ especial** *Mar. Merc.* A que, por ser constituída de produtos venenosos, inflamáveis etc., exige cuidado especial no seu transporte e manipulação **~ fiscal** *Econ.* A soma dos impostos em uma economia, em relação ao produto interno bruto **~ horária** Número que horas que por lei ou por contrato alguém (professor, funcionário etc.) deve trabalhar **~ negativa** *Fís.* Ver achega em *Carga elétrica* **~ oca** *Expl.* Ver *Carga dirigida* **~ positiva** *Fís.* Ver achega em *Carga elétrica* **~ tributária** *Econ.* Os impostos que incidem sobre mercadorias, rendimentos etc. **Com ~ total** *Fig.* Com toda a energia, todo o entusiasmo etc. **Deitar ~ ao mar** *Bras. Pop. Mar.* Vomitar **Fazer ~ contra/sobre** 1 *Fig.* Pressionar (alguém), física ou psicologicamente 2 Criticar, censurar (algo ou alguém): *Resolveu fazer carga contra a proposta do colega.* **Fazer ~ em** Ver *Fazer carga contra* **Voltar à ~** Tentar novamente, insistir

carga-d'água (car.ga-d'*á*.gua) *sf.* Pancada de chuva, ger. muito forte; BÁTEGA [Pl.: *cargas-d'água.*]

cargo (*car*.go) *sm.* 1 Função, dentro de uma empresa ou instituição; EMPREGO; POSTO: *O cargo de gerente está vago.* 2 Obrigação ou responsabilidade assumida por pessoa, grupo ou instituição: *A distribuição de alimentos está a cargo da prefeitura.* 3 Incumbência ou compromisso; ENCARGO [F.: De or. contrv; poss. do port. ant. *carrego* ou de *carga.*]

cargueiro (car.*guei*.ro) *a.* 1 Que transporta carga (trem cargueiro) 2 *RS* Que não sabe montar a cavalo ou monta mal *sm.* 3 Navio cargueiro (1) 4 Aquele que se emprega em guiar besta de carga; ALMOCREVE 5 Animal de carga [F.: *carga* + *-eiro.*]

cariado (ca.ri.*a*.do) *a.* 1 Que tem cárie (dente cariado); CARIOSO 2 *Fig.* Que se corrompeu ou perdeu suas qualidades morais: *A Previdência social está cariada há um bom tempo.* 3 *Min.* Que apresenta cavidades irregulares [F.: Part. de *cariar.*]

cariar (ca.ri.*ar*) *v.* 1 Causar cárie em [*td.*: *O açúcar pode cariar os dentes.*] 2 Produzir cárie; CORROMPER-SE [*int.*: *Tão moço e seus dentes já cariaram.*] [F.: *cári(e)* + *-ar*[2]. Hom./Par.: *carie* (fl.), *cárie* (sf.); *caries* (fl.), *cáries* (pl. do sf.). Cf.: *carear.*]

cariátide (ca.ri.*á*.ti.de) *sf. Arq.* Tipo de coluna com figura feminina esculpida, originária da Grécia antiga, cuja função é a de sustentar um entablamento (arquitrave, friso e cornija) [F.: Do lat. *Caryatis, idis*, 'epíteto de Diana'.]

caribe (ca.*ri*.be) *s2g.* 1 *Etnol.* Indivíduo pertencente a um dos grupos indígenas conhecidos como caribes; CARAÍBA 2 *Ant.* Indivíduo que fazia parte de grupo indígena considerado antropófago *sm.* 3 *Gloss.* Grupo linguístico desses povos *a2g.* 4 Ref. ao caribe (1, 2, 3) ou aos caribes [F.: Do espn. *caribe.*]

caribenho (ca.ri.*be*.nho) *sm.* 1 Aquele que nasceu ou que vive no Caribe *a.* 2 Do Caribe; típico dessa região ou de seu povo [F.: Do top. *Caribe* + *-enho.*]

cariboca (ca.ri.*bo*.ca) *s2g.* Mestiço de branco com índio; CABOCLO [F.: Do tupi *kari' woka*. Tb. *curiboca.*]

caricato (ca.ri.*ca*.to) *a.* 1 Que parece, lembra ou é típico de caricatura; CARICATURESCO: *Tem um sorriso caricato.* 2 Que desperta zombaria por ser ridículo ou grotesco; BURLESCO 3 *Cin. Teat. Telv.* Diz-se de ator que interpreta personagens caricatos (2) *sm.* 4 *Cin. Teat. Telv.* Esse ator [F.: Do it. *caricato.*]

caricatura (ca.ri.ca.*tu*.ra) *sf.* 1 Desenho que representa uma pessoa ou um acontecimento com traços deformados, muitas vezes exagerados, revelando com isso aspectos característicos, grotescos ou ridículos do que é retratado 2 *Fig.* Pessoa de aparência e/ou modos grotescos ou ridículos 3 Exemplo malsucedido do que (algo ou alguém) pretende ou deveria ser: *Ele é uma caricatura de escultor.* 4 *Teat.* Representação de pessoas e fatos grotescos ou ridículos [F.: Do it. *caricatura*, posv. pelo fr. *caricature.*]

caricaturado (ca.ri.ca.tu.*ra*.do) *a.* 1 Que se representou em caricatura *sm.* 2 Aquele ou aquilo (acontecimento, fato etc.) que foi representado em caricatura; CARICATURIZADO [F.: Part. de *caricaturar.*]

caricatural (ca.ri.ca.tu.*ral*) *a2g.* Ref. a caricatura ou que se presta a ela; CARICATURESCO [Pl.: *-rais.*] [F.: *caricatura* + *-al*[1].]

caricaturalmente (ca.ri.ca.tu.ral.*men*.te) *adv.* 1 De modo caricatural 2 De forma caricata ou grotesca [F.: *caricatural* + *-mente.*]

caricaturar (ca.ri.ca.tu.*rar*) *v. td.* Representar em caricatura ou por meio de caricatura(s); CARICATURIZAR: *O desenhista caricaturou ele próprio.* [▶ 1 caricatur**ar**] [F.: *caricatura* + *-ar*[2]. Hom./Par.: *caricatura* (fl.), *caricatura* (sf.); *caricaturas* (fl.), *caricaturas* (pl. do sf.); *caricaturáveis* (fl.), *caricaturáveis* (pl. de *caricaturável* [a2g.]).]

caricaturável (ca.ri.ca.tu.*rá*.vel) *a2g.* Que se pode caricaturar ou se presta a ser caricaturado [Pl.: *-veis.*] [F.: *caricaturar* + *-vel*. Hom./Par.: *caricaturáveis* (pl.), *caricaturáveis* (fl. de *caricaturar* [v.]).]

caricaturesco (ca.ri.ca.tu.*res*.co) [ê] *a.* 1 Ref. a caricatura; CARICATURAL 2 O mesmo que *caricato* (1) [F.: *caricatura* + *-esco.*]

caricaturista (ca.ri.ca.tu.*ris*.ta) *a2g.* 1 Ref. a caricatura (talento caricaturista) *s2g.* 2 Pessoa que faz caricaturas [F.: Do fr. *caricaturiste*, posv. pelo it. *caricaturista.*]

caricaturização (ca.ri.ca.tu.ri.za.*ção*) *sf.* Ação ou resultado de caricaturizar [Pl.: *-ções.*] [F.: *caricaturizar* + *-ção.*]

caricaturizado (ca.ri.ca.tu.ri.*za*.do) *a.* 1 Que se caricaturizou, que se representou em caricatura 2 Aquele ou aquilo (acontecimento, fato etc.) que foi representado em caricatura [F.: Part. de *caricaturizar.*]

caricaturizar (ca.ri.ca.tu.ri.*zar*) *v. td.* O mesmo que *caricaturar.* [▶ 1 caricaturiz**ar**] [F.: *caricatura* + *-izar.*]

carícia (ca.*rí*.ci:a) *sf.* Gesto de afeto, em que se toca suavemente o objeto do afeto; AFAGO; CARINHO: *Fazia carícias no seu gato.* [F.: Do lat. medv. *caritia, ae*, posv. pelo it. *carezza.*]

caricioso (ca.ri.ci.*o*.so) [ô] *a.* 1 Que faz carícias; ACARICIADOR; CARINHOSO [Ant.: *descarinhoso, ríspido, seco.*] 2 Que transmite sensação agradável e suave (melodia caricioso) [Ant.: *desagradável.*] [Pl.: [ó]. Fem.: [ó].] [F.: *carícia* + *-oso.*]

⊠ **Caricom** Sigla de *Mercado Comum e Comunidade do Caribe*

caridade (ca.ri.*da*.de) *sf.* 1 Ação ou resultado de fazer o bem a quem necessita: *Fez uma caridade ao doar os alimentos.* 2 Sentimento e atitude de apoio aos necessitados: *Demonstrava caridade em seu trabalho social.* 3 Ajuda ou doação em favor de pessoas necessitadas; ESMOLA 4 *Rel.* No cristianismo, a terceira das virtudes que nos levam a amar a Deus e ao próximo 5 *Bras. N. Cul.* Bolo cujos ingredientes são farinha de trigo, manteiga, açúcar e ovos [F.: Do lat. *caritas, atis.*] ■ **Fazer ~** 1 Praticar ato de caridade; ser caridoso 2 *Chulo Irôn.* Entregar-se ao ato sexual, sem ser por amor ou afeto, e sem ser por dinheiro ou interesse

caridoso (ca.ri.*do*.so) [ô] *a.* Que tem ou que manifesta caridade (natureza caridosa) [+ *com, para, (para) com*: *caridoso (para) com o próximo.*] [Pl.: [ó]. Fem.: [ó].] [F.: *caridade* + *-oso*, com haplologia.]

cárie (*cá*.ri:e) *sf.* 1 *Od.* Destruição do esmalte e da dentina dos dentes pela ação de bactérias 2 *Pat.* Destruição progressiva de um osso 3 *Bot.* Doença de plantas, esp. cereais e alguns tipos de árvores, causada por fungos, de ação corrosiva e gradual semelhante a de cárie dental e óssea 4 *Fig.* Destruição gradual de algo [F.: Do lat. *caries, ei*, 'carcoma de madeira'; 'cárie'; 'podridão'.] ■ **~ dentária** *Od.* Ver *cárie* (1)

carijó (ca.ri.*jó*) *Bras. s2g.* 1 *Etnol.* Indivíduo pertencente ao grupo indígena extinto dos carijós, que habitava principalmente o sul do Brasil 2 Ver *caboclo* (5) 3 *Zool.* Espécie de galináceo pedrês *a2g.* 4 *Etnol.* Ref. ou pertencente ao grupo indígena dos carijós 5 *Zool.* Diz-se de galináceo que tem as penas pintadas de preto e branco (galinha carijó) *sm.* 6 *Bot.* Tipo de cipó 7 *Bot.* Ver *araribá-rosa* 8 *Bot.* Planta cucurbitácea, de raiz medicinal (*Cayaponia espelina*, Cogn.); tb. *espelina* 9 *Ent.* Nome de duas borboletas (*H. februa* e *H. amphinome*) da América do Sul; tb. *estaladeira* [F.: Do tupi *cari-yó.*]

caril (ca.*ril*) *sm.* 1 Condimento originário da Índia, composto de diversas especiarias, utilizado na preparação de molhos e diversos pratos e tb. como corante; CURRY 2 Esse molho 3 Prato feito com esse condimento [Pl.: *-ris.*] [F.: Do concani, posv.]

carimã (ca.ri.*mã*) *sm.* **1** Farinha de mandioca seca muito fina **2** *PA Cul.* Mingau sem leite, preparado com essa farinha finíssima, água e açúcar, ger. dado às crianças bem pequenas **3** *Cul.* Bolo feito com essa farinha fina **4** *Cul.* Bolo que se deixa secar ao sol, feito com a massa azeda da mandioca mole **5** Praga que ataca as plantações de algodão *a2g.* **6** Diz-se de gado bovino cuja pelagem tem coloração branca e ferruginosa [F.: Do tupi *kari'mã*, 'farinha de mandioca'.]

carimbada (ca.rim.*ba*.da) *sf.* **1** Ação ou resultado de carimbar; CARIMBAÇÃO; CARIMBAGEM **2** *Pop.* Frase feita, lugar-comum, chavão: *Veio com carimbadas do tipo: "Você vem sempre aqui?"* [F.: *carimbar* + *-ada*¹.]

carimbado (ca.rim.*ba*.do) *a.* **1** Que se carimbou: *trave carimbada pelo chute do atacante. a.* **2** Que foi marcado com carimbo (receita carimbada) [F.: Part. de *carimbar*.]

carimbador (ca.rim.ba.*dor*) [ô] *a.* **1** Diz-se de pessoa que carimba *sm.* **2** Essa pessoa [F.: *carimbar* + *-dor*.]

carimbagem (ca.rim.*ba*.gem) *sf.* Ação ou resultado de carimbar (carimbagem a fogo); CARIMBAÇÃO; CARIMBADA [F.: *carimbar* + *-agem*.]

carimbar (ca.rim.*bar*) *v.* **1** Marcar ou ter marcado com carimbo [*td.: Carimbei meu passaporte.*] **2** *Esp.* Acertar com a bola [*td.: O chute carimbou a trave.*] **3** *Fig.* Assinalar, classificando [*tdp.: O crítico carimbou o escritor de pasquineiro.*] **4** *Bras.* Marcar (o peixe) nas barbatanas ou no rabo para identificar o jangadeiro que o pescou [*td.*] [▶ 1 carimbar] [F.: *carimbo* + *-ar*². Hom./Par.: *carimbo* (fl.), *carimbo* (sm.).]

carimbo (ca.*rim*.bo) *sm.* **1** Instrumento de metal ou madeira, com uma base de borracha contendo letras ou figuras em relevo, que são molhadas com tinta para marcar documentos ou papéis; SELO; SINETE **2** As marcas feitas por esse instrumento **3** *Bras. N.* Marca feita a fogo numa rês, para identificar seu proprietário [F.: Do quimbundo *ka' rimbu*.]

carimboto (ca.rim.*bo*.to) [ô] *RS sm. Pej.* Alcunha que os farrapos atribuíam aos legalistas, tb. chamados *absolutistas, camelos, reformadores, restauradores* [F.: De or. obsc.]

carinho (ca.*ri*.nho) *sm.* **1** Sentimento de apreço por algo ou alguém: *Tem muito carinho pelo neto.* **2** Manifestação física de afeto; AFAGO; CARÍCIA: *Fez um carinho no gato.* **3** Qualquer manifestação ou expressão de afeto (palavra, ação, presente etc.) **4** Cuidado, desvelo: *Fez suas tarefas com muito carinho.* [F.: Do espn. *cariño*.]

carinhoso (ca.ri.*nho*.so) [ô] *a.* **1** Em que há demonstração de carinho, que revela carinho (abraço carinhoso) **2** Que trata os outros com carinho (pai carinhoso) [Pl.: [ó]. Fem.: [ó].] [F.: *carinho* + *-oso*.]

caríntio (ca.*rín*.ti:o) *sm.* **1** Pessoa nascida ou que viveu na Caríntia, província do antigo império da Áustria-Hungria *a.* **2** Da Caríntia; típico dessa província ou do seu povo [F.: Do top. *Caríntia* + *-io*³.]

◎ **-cari(o)-** *el. comp.* Ver *cari(o)-*

◎ **cari(o)-** *el. comp.* = 'noz'; 'núcleo (celular)'; 'mebrana nuclear'; 'fruto': *cariocinese, cariopse, carioteca, cariotina* (< al.), *cariótipo; eucarioto, megacarioblasto; pericário* [F.: Do gr. *káryon, ou*, 'noz'; 'amêndoa'; 'caroço'; 'núcleo'.]

◎ **-cário** *el. comp.* Ver *cari(o)-*

carioca (ca.ri.*o*.ca) *s2g.* **1** Aquele ou aquela que nasceu ou que vive na cidade do Rio de Janeiro *a2g.* **2** Da cidade do Rio de Janeiro; típico dessa cidade ou de seu povo **3** *Bras. Zool.* Diz-se de uma raça de porcos domésticos **4** *MG* Que tem a pele cheia de pintas **5** *Lus.* Diz-se de indivíduo de raça negra *sm.* **6** Café ao qual se adiciona um pouco de água para que fique menos forte **7** *Bras. CO* Ver *chafariz* (1) [F.: Do tupi *kari' oka*.] ■ **~ de limão** Chá feito com água fervente sobre aparas de limão, em chicrinha de café

cariocada (ca.ri.o.*ca*.da) *sf.* **1** Grupo de cariocas **2** *Pej.* Atitude ou dito próprio de carioca; CARIOQUICE; CARIOQUISMO **3** O mesmo que *cariocagem* [F.: *carioca* + *-ada*¹.]

cariocinese (ca.ri:o.ci.*ne*.se) *sf. Cit.* O mesmo que *mitose* [F.: *cari(o)-* + *-cinese*.]

cariogênico (ca.ri.o.*gê*.ni.co) *a. Od.* Que provoca cárie dentária (substância cariogênica) [F.: *cári(e)* + *-o-* + *-gênico*.]

cariopse (ca.ri.*o*.pse) *sf. Bot.* Fruto seco, vulgarmente conhecido como grão (milho, arroz, trigo etc.), que não se abre quando maduro e cuja única semente é fundida ao pericarpo [F.: *cari(o)-* + *-opse*.]

carioquês (ca.ri.o.*quês*) *sm.* Maneira de falar própria dos cariocas: "As balas perdidas já entraram para o dicionário de carioquês." (*O Globo*, 07.08.2005) [F.: *carioca* (*-c-* > *-qu-*) + *-ês*.]

carioquice (ca.ri.o.*qui*.ce) *sf.* **1** *Pej.* O mesmo que *cariocada* (2) **2** O mesmo que *cariocagem* **3** Caráter ou qualidade peculiar do que ou de quem é carioca [F.: *carioca* (*-c-* > *-qu-*) + *-ice*.]

carioso (ca.ri.*o*.so) [ô] *a.* **1** *Od.* Relativo a ou próprio da natureza da cárie: *localização de um processo carioso.* **2** Que tem cárie; CARIADO [Pl.: [ó]. Fem.: [ó].] [F.: Do lat. *cariosus, a, um*.]

carioteca (ca.ri.o.*te*.ca) *sf. Biol.* Membrana dupla que cobre o núcleo das células eucarióticas; membrana nuclear [F.: *cari(o)-* + *-teca*.]

cariotina (ca.ri:o.*ti*.na) *sf. Cit.* O mesmo que *cromatina* [F.: Do al. *Karyotin*; ver *cari(o)-* e *-ina*².]

cariótipo (ca.ri.*ó*.ti.po) *Gen. sm.* **1** Conjunto de cromossomos cujas características são próprias de uma espécie ou de seus gametas **2** Apresentação de fotomicrografias dos cromossomos de um indivíduo, organizadas de modo a permitir o diagnóstico de anomalias genéticas [F.: *cari(o)-* + *-tipo*.]

cariris (ca.ri.*ris*) *smpl. Etnol.* Povo indígena que habita a serra do Araripe (Ceará) [F.: De orig. contr.]

carisma (ca.*ris*.ma) *sm.* **1** Qualidade pessoal ou capacidade de despertar admiração, respeito, entusiasmo etc. e, com isso, de liderar, ter influência etc.: *Com seu carisma, mobilizou multidões para a causa.* **2** *Rel.* Dom divino concedido a uma pessoa ou a um grupo de pessoas, para o bem da comunidade religiosa **3** *P. ext.* Qualidade ou faculdade de fascinar, o poder de exercer forte atração **4** *Ant.* O mesmo que *epilepsia* [F.: Do gr. *khárisma, atos*, pelo lat. *charisma, atis*, 'dom divino'.]

carismático (ca.ris.*má*.ti.co) *a.* **1** Ref. a carisma **2** Que tem carisma (ator carismático) **3** *Ant. Pop.* O mesmo que *epiléptico* [F.: *carisma* + *-ático*.]

caritativo (ca.ri.ta.*ti*.vo) *a.* Que tem ou demonstra caridade; CARIDOSO [F.: De *caridade*, sob a f. lat. *caritat-*, + *-ivo*.]

caritó (ca.ri.*tó*) *N. E. sm.* **1** Casa pequena e/ou humilde; CASEBRE; CASINHOLA **2** Cavidade ou vão em parede das casas sertanejas, em que se colocam miudezas **3** Gaiola us. para a engorda de caranguejos **4** Aposento em que se guardam cacarecos, velharias **5** *N. E. P. ext.* Aposento imaginário em que ficariam as mulheres que passaram da idade de casar [F.: Posv. de or. indígena.] ■ **Ficar no ~** *N. E.* Envelhecer solteirona

cariz (ca.*riz*) *sm.* **1** Expressão da face; FEIÇÃO; FISIONOMIA; SEMBLANTE **2** Maneira pela qual alguém se apresenta visual- mente; APARÊNCIA; ASPECTO; VISUAL **3** *Pop.* O mesmo que *carantonha* **4** Conjunto de traços ou características distintivas; CUNHO; TENDÊNCIA: *manifestação de cariz ideológico.* **5** *Pop.* Aspecto do céu, da atmosfera; CELAGEM **6** *Bot.* O mesmo que *alcaravia* [F.: De or. contrv.]

carlinga (car.*lin*.ga) *sf.* **1** *Aeron.* Compartimento na fuselagem de avião (esp. aviões pequenos) dotado dos controles e instrumentos, e onde ficam piloto e copiloto; CABINA **2** *Ant. Cnav.* Peça de madeira grossa e comprida ligada à sobrequilha do navio, e sobre a qual os mastros são assentados **3** *Cnav.* Gola metálica fixada no convés ou numa cobertura e que serve de apoio para o pé do mastro **4** *Bras. N. E.* Nas jangadas, tábua com furos à qual se prende o mastro, que pode ser mudado de um furo para o outro quando necessário [F.: Do fr. *carlingue*. Tb.: *carninga*.]

carlota (car.*lo*.ta) *sf. Agr.* Tipo de manga miúda e bem doce; CARLOTINHA [Tb. us. adjetivamente: *manga carlota*.] [F.: De or. obsc.]

carma (*car*.ma) *sm.* **1** *Fil. Rel.* No hinduísmo e no budismo, lei segundo a qual o homem está sujeito à causalidade moral, e portanto todas as ações, sejam elas boas ou más, geram reações correspondentes que retornam àquele que as praticou nesta vida ou em encarnações futuras e determinam o seu aperfeiçoamento ou sua regressão **2** Em diversas seitas e religiões espiritualistas ou espíritas ocidentais, princípio da causalidade moral [F.: Do sânscrito *karma-n*, 'ação'; 'efeito'.]

carme (*car*.me) *sm.* **1** Verso, esp. lírico; CANTO; POEMA **2** *Mús.* Na polifonia acompanhada dos séc. XIV e XV, a linha melódica mais aguda que continha o poema da composição [F.: Do lat. *carmen, inis*.]

carmelita (car.me.*li*.ta) *s2g.* **1** Pessoa que pertence à ordem religiosa de Nossa Senhora do Carmo ou do Monte Carmelo *a2g.* **2** Ref. a essa ordem **3** Da cor marrom-claro do hábito das carmelitas [F.: Do lat. *carmelites, ae*. Sin. ger.: *carmelitano*.]

carmelitano (car.me.li.*ta*.no) *sm. a.* O mesmo que *carmelita*. [F.: *carmelita* + *-ano*¹.]

carmesim (car.me.*sim*) *sm.* **1** A cor avermelhada do carmim *a2g.* **2** Diz-se do que tem a cor carmim; CARMINADO; CARMÍNEO **3** Diz-se dessa cor [Pl.: *-sins*.] [F.: Do ar. hispânico *qarmazi*.]

cármico (*cár*.mi.co) *a.* De ou relativo a carma (processo cármico)

carmim (car.*mim*) *sm.* **1** Substância corante de cor vermelha, extraída, a princípio, da cochonilha-do-carmim **2** A cor desse corante; CARMESIM **3** *Ent.* Inseto homóptero (*Dactylopius coccus*), dos dactilopiídeos, tb. chamado *cochonilha-do-carmim* **4** Espécie de pulgão (*Eriosoma lanigerum*) [Pl.: *-mins*.] *a2g2n.* **5** Ref. a ou da cor do carmim (lençóis carmim); CARMINADO; CARMÍNEO; CARMESIM; MAGENTA [F.: Do fr. *carmin*, posv. do lat. medieval *carminium*. Sin. ger.: *magenta*.]

carminado (car.mi.*na*.do) *a.* Da cor do carmim; ACARMINADO; AVERMELHADO; RUBORIZADO [F.: Part. de *carminar*.]

carminar (car.mi.*nar*) *v. td. int.* Pôr carmim (em); tb. *acarminar*. [▶ 1 carminar] [F.: *carmim*, c/ nasal *n* + *-ar*².]

carminativo (car.mi.na.*ti*.vo) *sm.* **1** Substância ou medicamento que combate a formação de gases no intestino ou que facilita a sua expulsão; ANTIFLATULENTO; ANTIFISÉTICO *a.* **2** Relativo a essa substância (remédio carminativo) [F.: Do fr. *carminatif*, emprestado do lat. medv. *carminativus*.]

carmona (car.*mo*.na) *sf.* O mesmo que *cremona* [F.: De or. incerta.]

carnação (car.na.*ção*) *sf.* **1** A cor da carne ou, p. ext., da pele humana **2** *Art. Pl.* O corpo humano representado nu e em sua cor natural **3** *Her.* Todas as partes do corpo humano que são representadas no brasão em esmalte natural [Pl.: *-ções*.] [F.: Do lat. tard. *carnatio, onis*.]

carnadura (car.na.*du*.ra) *sf.* **1** O aspecto externo do corpo humano **2** Constituição física **3** A parte carnuda do corpo; MUSCULATURA [F.: *carne* + *-dura*.]

carnagem (car.*na*.gem) *sf.* **1** Ato ou efeito de carnar **2** Matança de animais pelo homem para sua alimentação **3** Provisão de carne de animais **4** *Fig.* Matança de pessoas; CARNIFICINA; CHACINA; MORTICÍNIO [F.: Do fr. *carnage*.]

carnaíba (car.na.*í*.ba) *sf. Bot.* Ver *carnaúba*

carnaibense (car.na:i.*ben*.se) *s2g. a2g.* O mesmo que *carnaibano* [F.: Do top. *Carnaíba* + *-ense*.]

carnal (car.*nal*) *a2g.* **1** Ref. a carne **2** Que é do corpo, em oposição ao que é do espírito [Ant.: *espiritual*.] **3** Que é próprio do instinto sexual (desejo carnal) **4** Diz-se de parente próximo; consanguíneo (irmãos carnais) **5** Ref. ao ou próprio do parentesco sanguíneo [Pl.: *-nais*.] *sm.* **6** Tempo em que a Igreja permite que se coma carne, esp. o período da Páscoa em oposição à Quaresma [Pl.: *-nais*.] *sf.* **7** *Vit.* Tipo de uva-branca da região do Douro (Portugal) [Pl.: *-nais*.] [F.: Do lat. *carnalis, e*.]

carnalidade (car.na.li.*da*.de) *sf.* Qualidade ou condição do que ou de quem é carnal; SENSUALIDADE [Ant.: *espiritualidade*.] [F.: Do lat. *carnalitas, atis*.]

carnalizado (car.na.li.*za*.do) *a.* Que se tornou carnal [F.: Part. de *carnalizar*.]

carnalizar (car.na.li.*zar*) *v.* **1** Tornar(-se) carnal [*td.*] [*int.*] **2** Dar ou tomar aspecto de carne, do que é carnal [*td.*] [*int.*] [▶ 1 carnalizar] [F.: *carnal* + *-izar*.]

carnalmente (car.nal.*men*.te) *adv.* De modo carnal; segundo os sentidos ou às tendências ou necessidades do corpo; no que se refere às coisas da carne, da matéria, do corpo físico (em opos. ao espírito); SENSUALMENTE [F.: *carnal* + *-mente*.]

carnatal (car.na.*tal*) *sm. Bras. Pop.* Termo que designa festejos de carnaval fora de época em Natal, capital do Rio Grande do Norte [Pl.: *-tais*.] [F.: De *carnaval* e *Natal* (cap. do RN), em junção de caráter promocional.]

carnaúba (car.na.*ú*.ba) *sf.* **1** *Bras. Bot.* Espécie de palmeira (*Copernicia prunifera*), originária do N.E. do Brasil, de folhas palmadas e frutos ovais de polpa comestível; CARANDÁ; CARANDAÚBA; CARNAÍBA; CARNAUBEIRA; COQUEIRO-CARANDAÍ; PAU-DO-BEBEDOURO **2** A cera extraí- da da folha dessa palmeira [F.: Do tupi *karana' iwa*.]

carnaubal (car.na:u.*bal*) *sm. Bot.* Aglomerado de carnaúbas; CARANDAZAL; CARNAIBAL [Pl.: *-bais*.] [F.: *carnaúba* + *-al*¹.]

carnaubeira (car.na:u.*bei*.ra) *sf. Bras. N. E. Bot.* Carnaúba (1) [F.: *carnaúba* + *-eira*.]

carnaval (car.na.*val*) *sm.* **1** Período de três dias anteriores à quarta-feira de cinzas, dedicado a festas e folias *Ant.*; ENTRUDO **2** Conjunto de festejos que ocorrem nesses três dias **3** *Fig.* Alegria coletiva, festejo em virtude de algum acontecimento especial: *Foi um carnaval quando ganhou o carro.* **4** *Bras. Fig. Pop.* Confusão, bagunça: *O trânsito dessa cidade é um carnaval.* **5** *Hist.* Festa profana originada na Antiguidade, e recuperada pelo cristianismo, que ia do dia de Reis até a quarta-feira de cinzas, antes do início da Quaresma [F.: Do fr. *carnaval*, do it. *carnevale*.] ■ **Fazer um ~ 1** *Bras. Pop.* Comemorar ruidosa e alegremente: *Ganharam o campeonato e fizeram um carnaval.* **2** Causar rebuliço, confusão, desordem **3** *Pop. Fut.* Dominar o jogo, o adversário

carnavalescamente (car.na.va.les.ca.*men*.te) *adv.* De modo carnavalesco [F.: Fem. de *carnavalesco* + *-mente*.]

carnavalesco (car.na.va.*les*.co) [ê] *a.* **1** Do, ref. ao ou próprio do carnaval (bloco carnavalesco) **2** Que participa dos festejos no carnaval **3** *Fig.* Que é ridículo, grotesco **4** Que passou por processo de carnavalização; CARNAVALIZADO *sm.* **5** *Bras.* Profissional que cria o enredo, planeja e organiza os desfiles das escolas de samba ou dos blocos carnavalescos **6** *Bras.* Aquele que gosta de brincar carnaval e/ ou que tem prazer em assistir aos desfiles, bailes etc. [F.: Do it. *carnavalesco*, pelo fr. *carnavalesque*.]

carnavalizar (car.na.va.li.*zar*) *v.* **1** Dar feição ou caráter carnavalesco a [*td.: Os blocos nas ruas carnavalizaram a cidade.*] [*int.: A reunião carnavalizou-se.*] **2** *Soc. Com.* Dar ou adquirir características de carnavalização [*td.: O comportamento dos jovens carnavalizou o protesto.*] [*int.: Se vieram para carnavalizar, podem retirar-se!*] **3** *Fig.* Tornar(-se) animado, agitado, festivo [*td.: A música animada carnavalizou a festa de aniversário.*] [*int.: No Brasil, os eventos carnavalizam-se facilmente.*] **4** Dar ou adquirir elementos típicos do carnaval [*td.: A nova decoração carnavalizou o salão do clube.*] [*int.: O salão carnavalizou-se.*] [▶ 1 carnavalizar] [F.: *carnaval* + *-izar*.]

carne (*car*.ne) *sf.* **1** Tecido muscular dos seres humanos e dos animais **2** A parte vermelha dos músculos **3** A porção comestível de mamíferos, aves, peixes ou qualquer outra espécie animal **4** *Fig.* A parte comestível dos frutos ou mesocarpo; POLPA **5** A parte material dos seres humanos, em oposição ao espírito **6** Instinto sexual, amor físico; SENSUALISMO; CONCUPISCÊNCIA: "...ainda mais lhe assanhava o desejo da carne, fazendo da esposa infiel um fruto proibido..." (Aluísio Azevedo, *O cortiço*) **7** Parentesco próximo, consanguinidade: *Somos da mesma carne. sm.* **8** *RJ Pop.* Ricaço ignorante e mal-educado [F.: Do lat. *caro, carnis*.] ■ **~ de cordão** *Lus.* A que fica entre as nádegas e as coxas do boi **~ de fumeiro** Carne-seca defumada **~ de (minha/sua etc.)** ~ Parente próximo (meu, seu etc.): *Claro que me preocupo com ele, afinal é carne de minha carne.* **~ verde** Carne fresca, não salgada, própria para ser preparada e cozinhada, assada etc. **Em ~ e osso** Em pessoa, presente (alguém) fisicamente **Em ~ viva** Esfolada (ferida), sem a pele **Pecado da ~** Luxúria, lascívia

Ser ~ de pescoço *Bras. Pop.* Ser alguém irredutível, difícil de tratar ou de negociar **Ser de ~ e osso** Ser suscetível às fraquezas e tentações humanas **Sofrer na própria ~** Passar por experiência própria por (provação, sofrimento etc.)

carnê (car.*nê*) *sm.* **1** Bloco com talões que correspondem às prestações a serem pagas (ger. mensalmente) por algum produto adquirido: *Meu carnê está quitado.* **2** Pequeno bloco ou caderno de apontamentos; CANHENHO [F.: Do fr. *carnet.*]

carnear (car.ne.*ar*) *RS v.* **1** Matar e esquartejar (rês) [*td.*] **2** Abater o gado e preparar as carnes para fazer o charque; CHARQUEAR [*int.*] [► 13 carnear] [F.: Do espn. plat. *carnear* ou de *carne* + *-ear*[2].]

carne de pescoço (car.ne de pes.*co*.ço) [ô] *s2g. Bras. Pop.* Aquele que não se dobra, que não se deixa derrotar ou convencer com facilidade [Pl.: *carnes de pescoço.*]

carne de sertão (car.ne de ser.*tão*) *sf. Cul.* O mesmo que *charque*; CARNE-SECA; JABÁ [Pl.: *carnes de sertão.*]

carne de soja (car.ne de *so*.ja) *sf. Cul.* Alimento rico em proteína, derivado da soja, us. para substituir a proteína animal [Pl.: *carnes de soja.*]

carne de sol (car.ne de *sol*) *sf. Bras. N. N. E.* Carne bovina fresca que se conserva em sal [Pl.: *carnes de sol.*]

carne-de-vaca (car.ne-de-*va*.ca) *sf. Bot.* Árvore grande da fam. das proteáceas (*Roupala brasiliensis*), originária do Brasil, de madeira avermelhada, us. para fazer móveis; CARVALHO-BRASILEIRO; FAIA [Pl.: *carnes-de-vaca.*]

carnegão (car.ne.*gão*) *sm.* Parte central dos furúnculos, na qual o pus fica acumulado [Pl.: *-gões.*] [F.: Var. de *carnicão*, este de *carne* + *-icão.*]

carneira (car.*nei*.ra) *sf.* **1** Pele curtida de carneiro **2** Faixa de couro que guarnece a parte interna de chapéus masculinos **3** *S.* A fêmea do carneiro **4** *Filat.* Fita de papel gomado própria para prender os selos ao álbum de filatelia [F.: *carneir(o)* + *-a.*]

carneirada (car.nei.*ra*.da) *sf.* **1** Rebanho de carneiros **2** *Fig. Pej.* Grupo de pessoas sem vontade própria, que a tudo obedece **3** Pequenas ondas espumosas que se formam por causa do vento, e que se parecem com carneiros num rebanho **4** *Bras. Pat.* O mesmo que *malária* **5** *Bras.* Epidemia de malária **6** *PE Pat.* Enfermidade endêmica das margens do rio São Francisco **7** *Pat.* Qualquer febre endêmica das regiões tropicais da África [F.: *carneiro*[1] + *-ada*[1].]

carneirinho (car.ne:i.*ri*.nho) *sm. Zool.* Ver *gorgulho*

carneiro[1] (car.*nei*.ro) *sm.* **1** *Zool.* Denom. comum aos mamíferos da fam. dos bovídeos, do gên *Ovis*, com sete espécies selvagens e uma domesticada (*Ovis aries*) no mundo inteiro, que fornece lã e carne [Col.: *carneirada, rebanho, redil.*] **2** Macho da espécie domesticada (*O. aries*) [Fem., nesta acp.: *carneira, marrã, ovelha.*] **3** A carne desse animal, ou iguaria feita com esta carne **4** *Fig.* Aquele que se deixa levar pelos outros, que não tem vontade própria **5** *Astr.* A primeira constelação do zodíaco, o mesmo que *Áries* **6** *Astrol.* O primeiro signo do zodíaco, o mesmo que *Áries* **7** *Bras. Pop. Lud.* No jogo do bicho, o sétimo grupo, que corresponde ao número do carneiro (sete) e abrange as dezenas 25, 26, 27 e 28 **8** O mesmo que *carneirada* (3) **9** Após uma enchente, o terreno que volta a ficar descoberto, com o baixar das águas **10** Aríete, antiga arma de guerra **11** *Pop.* O mesmo que *mioma* (1) [F.: Do lat. vulg. **carnariu*, 'carneiro; o animal que serve de alimento; a sua carne', posv. substv. do adj. lat. *carnarius, a, um*, 'referente a carne'.] **■ ~ hidráulico** *Mec.* Certa máquina de elevar água

carneiro[2] (car.*nei*.ro) *sm.* **1** Gaveta ou urna us. como sepultura **2** O mesmo que *sepultura* (2) **3** O mesmo que *cemitério* (1) [F.: Do lat. *carnarium, ii.*]

cárneo (*cár*.ne.o) *a.* **1** De ou relativo a carne (produtos cárneos) **2** Formado de carne (matéria cárnea) **3** Bem-dotado de carne (lábios cárneos); CARNOSO; CARNUDO **4** Da cor da carne [F.: Do lat. *carneus, a, um.*]

carne-seca (car.ne-*se*.ca) [ê] *sf. Bras.* O mesmo que *charque* [Pl.: *carnes-secas.*] [F.: *carne* + o fem. de *seco.*] **■ Estar por cima da ~** **1** *Bras. Pop.* Ter total controle, domínio de uma situação **2** Estar financeira e socialmente muito bem

◎ **-carn(i)-** *el. comp.* Ver *carn(i)-*

◎ **carn(i)-** *el. comp.* = 'carne': *carnificina* (< lat.), *carniforme, carnitina* (< al.), *carnívoro* (< lat.); *carnossauro*; *escarnificar* [F.: Do lat. *caro, carnis.*]

carniça (car.*ni*.ça) *sf.* **1** Animal abatido para a alimentação humana **2** Cadáver de animal em decomposição **3** *Fig.* Carnificina, matança **4** *Fig.* Pessoa que está sendo alvo de zombarias **5** Gado carneado para o consumo **6** *RS* Lugar em que se carneiam animais **7** Provisão de carnes **8** *Lud.* Em jogo praticado por crianças, pião sobre o qual se atiram outros piões [F.: Do lat. **carnitia*, 'restos de animal'.] **■ Pular ~** Participar em brincadeira infantil que consiste em pular por cima de um dos jogadores, que está encurvado ou de pé, usando as mãos para se apoiar em suas costas ou em seus ombros

carnicão (car.ni.*cão*) *sm.* Ver *carnegão* [Pl.: *-cões.*]

carniçaria (car.ni.ça.ri.a) *sf.* **1** Preparo de carnes para venda **2** Local para retalhamento e venda de carne; AÇOUGUE **3** Grande matança; CARNIFICINA; CHACINA; MASSACRE; MORTICÍNIO [F.: *carniça* + *-aria.*]

carniceiro (car.ni.*cei*.ro) *a.* **1** Que come carne; CARNÍVORO; CREÓFAGO **2** Que é sanguinário, que sente prazer em ver ou de participar de derrame de sangue **3** Diz-se de dente de mamífero carnívoro us. para cortar a carne em pedaços *sm.* **4** Indivíduo sanguinário **5** Aquele que mata e esfola reses no matadouro; AÇOUGUEIRO; MAGAREFE **6** *Fig. Pej.* Cirurgião que opera mal ou com negligência **7** *Fut.* Jogador que comete faltas violentas **8** *Bras. SP Ent.* Tipo de vespa encontrada na região da Ribeira [F.: *carniça* + *-eiro.*]

carnificina (car.ni.fi.*ci*.na) *sf.* **1** Assassinato de muitas pessoas; CHACINA; EXTERMÍNIO; MATANÇA **2** *Fut.* Jogo repleto de faltas violentas [F.: Do lat. *carnificina, ae.*]

carniforme (car.ni.*for*.me) *a2g.* Que tem aparência, aspecto de carne [F.: *carn(i)-* + *-forme.*]

carnitina (car.ni.*ti*.na) *sf. Bioq.* Aminoácido naturalmente encontrado nos vertebrados, essencial para o metabolismo de gorduras, us. em medicamentos emagrecedores [F.: Do al. *Karnitin.*]

carnívoro[1] (car.*ní*.vo.ro) *a.* **1** Que se alimenta principalmente de carne **2** *Bot.* Diz-se de vegetal que come pequenos animais, esp. insetos; INSETÍVORO [F.: Do lat. *carnivorus, a, um.*]

carnívoro[2] (car.*ní*.vo.ro) *sm.* **1** *Zool.* Espécime dos carnívoros, ordem de mamíferos placentários, encontrados em quase todo o mundo, com o último pré-molar superior e o primeiro inferior transformados para cortar o alimento (no caso dos selvagens ou não domesticados, a carne da presa/caça), e caninos fortes, cônicos e pontiagudos [São, entre outros, os cães, gatos, leões, ursos etc.] *a.* **2** *Zool.* Ref. ou pertencente aos carnívoros [F.: Adapt. do lat. cient. *Carnivora*, f. pl. do lat. *carnivorus, a, um.*]

◎ **carno-** *el. comp.* Ver *carn(i)-*

carnosidade (car.no.si.*da*.de) *sf.* **1** Qualidade, característica ou estado do que é carnoso **2** *Pop.* Protuberância ou excrescência carnosa **3** *Pop.* Tumor papilomatoso [F.: Do lat. *carnositas, atis.*]

carnoso (car.*no*.so) [ô] *a.* **1** Repleto ou composto de carne; CARNUDO **2** Que se parece com carne **3** *Bot.* Com polpa consistente (diz-se de fruto); POLPOSO; POLPUDO **4** *Bot.* Órgão ou parte de uma planta que tem consistência semelhante à da carne animal [Pl.: [ó]. Fem.: [ó].] [F.: Do lat. *carnosus, a, um.*]

carnossauro (car.nos.*sau*.ro) *sm. Pal.* Nome genérico dos dinossauros saurisquianos, como o alossauro ou o tiranossauro, carnívoros bípedes de grande porte, cabeça volumosa, dentes muito afiados e pescoço curto, que viveram nos períodos triássico superior e jurássico [F.: *carno-* + *-sauro.*]

carnudo (car.*nu*.do) *a.* **1** Com muita carne (bochecha carnuda); CARNOSO **2** Ver *musculoso* **3** *Bras.* Diz-se de animal que não é gordo nem magro [F.: *carne* + *-udo.*]

caro (*ca*.ro) *a.* **1** Que tem preço elevado [Ant.: *barato.*] **2** Diz-se de profissional que cobra preços altos ou de estabelecimento onde os preços são elevados (médico caro, clínica cara) **3** Que exige grandes despesas; DISPENDIOSO **4** *Fig.* Que custa grande esforço ou descontentamento: *A disputa pela gerência saiu-lhe cara.* **5** Querido, estimado (caro amigo) *adv.* **6** Por custo elevado ou acima do normal: *Vendeu caro a derrota.* [Ant.: *barato.*] **7** Que implica sacrifícios, desgosto, tristeza etc.: *A arrogância acabou lhe saindo caro.* [F.: Do lat. *carus.*]

caroá (ca.ro.*á*) *N. E. sm.* **1** *Bot.* Planta da fam. das bromeliáceas (*Neoglaziovia variegata*), nativa do N. E. do Brasil, de cujas fibras se fazem cordas, tapetes, barbantes etc.; COROATÁ; CROATÁ; GRAVÁ; GRAVATÁ **2** *Bot.* Fibra longa e resistente retirada das folhas dessa planta **3** *Têxt.* Tecido fabricado com a fibra dessa planta **4** *BA Pop. Min. Gar.* Variedade fibrosa de sillimanita; FEIXINHO; FIBROLITA [F.: De or. contrv. Tb. *croá.*]

caroável (ca.ro.*á*.vel) *a2g.* **1** Carinhoso, afetuoso, amável ou gentil: "Quando a Indesejada das gentes chegar (não sei se dura ou caroável), Talvez eu tenha medo. Talvez sorria, ou diga: – Alô, iniludível" (Manuel Bandeira, *Consoada*) **2** *Ant.* Amigo **3** Que produz, cria, gera; PRODUTOR: *Terra caroável de frutos, de legumes.* **4** *Bras.* Inclinado ou predisposto a; suscetível de [Ant.: *descaroável.*] [Pl.: *-veis.*] [F.: * *caroar* (< *caro*) + *-vel.*]

caroba (ca.*ro*.ba) *Bras. Bot. sf.* **1** Nome comum a diversas árvores da fam. das bignoniáceas (gên. *Jacaranda*), nativas do Brasil, de valor medicinal, e cuja madeira se aproveita na marcenaria; BARBATIMÃO; CAROBEIRA; JACARANDÁ-PRETO **2** Pequena árvore (*Jacaranda cuspidifolia*) da fam. das bignoniáceas, nativa da Argentina, do Paraguai e do Brasil **3** Arbusto ou árvore (*Casearia sylvestris*), da fam. das flacourtiáceas, presente em quase todo o Brasil e nas Guianas, de madeira dura e pesada, e casca e folhas usadas medicinalmente [F.: Do tupi *kaa' rowa.*]

carochinha (ca.ro.*chi*.nha) *sf.* **1** Bruxa, feiticeira, velha **2** Carocha pequena [F.: *carocha* + *-inha.*]

caroço (ca.*ro*.ço) [ô] *sm.* **1** Núcleo de certos frutos (as drupas), formado por uma camada muito dura que envolve a semente, como a da manga e da ameixa: "É só ficar quieto e não dar bandeira. Você chupou a manga até o fim e só deixou o caroço para mim e melhor que isso só carnaval" (Raul Seixas e Paulo Coelho, *Caroço de manga*) **2** Semente de vários frutos, com a casca endurecida, como a da uva e da melancia **3** *Pop.* Erupção ou protuberância na pele **4** *Pop.* Pequena porção de farinha que não se dissolve em mingaus, cremes etc. **5** *Pej.* Dinheiro, fortuna **6** *Metal.* Cilindro de argila que se introduz na fôrma para a fundição de uma boca de fogo, quando não se quer que ela saia maciça, mas com a alma formada **7** *Metal.* Tubo de ferro ou de cobre coberto com tamiça e argila, empregado para produzir o resfriamento na fabricação de bronze e aço **8** Glândula linfática inflamada ou ingurgitada **9** *Fig.* Pessoa que incomoda, chateia, perturba **10** *Bras.* Inibição, engasgo (durante um discurso) **11** *Bras. Gír.* Gorjeta de pequeno valor **12** *Bras. Gír.* Cliente que dá gorjetas de pouco valor ou que não as dá [T. us. por garçons e garçonetes e, tb., por outros profissionais do comércio.] **13** *Bras. Gír.* Corrida de táxi pequena, ligeira e, portanto, de pouco valor [Us. por taxistas, esp. por cooperativados.] [Pl.: [ó]. Fem.: [ó].] [F.: Do lat. vulg. *carudium*, do gr. *karýdion, ou*, dim. de *káryon, ou*, 'avelã, noz'.]

caroçudo (ca.ro.*çu*.do) *a.* Cheio de caroços (melancia caroçuda); CAROÇADO; ENCAROÇADO [F.: *caroço* + *-udo.*]

carófita (ca.*ró*.fi.ta) *sf. Bot.* Espécime das carófitas, divisão do reino vegetal que inclui algas macroscópicas principalmente de água-doce ou salobra [F.: Do lat. cien. divisão *Charophyta.*]

carola (ca.*ro*.la) *s2g.* **1** Pessoa que é muito devota e vai à igreja com frequência; BEATO; MISSEIRO; PAPA-HÓSTIA *a2g.* **2** Que é muito devoto e vai à igreja com frequência **3** *Lus.* Que é fanático, apaixonado por uma ideia, sistema ou religião **4** *Lus. Esp.* Diz-se de torcedor fanático *sm.* **5** Indivíduo com coroa (6) *sf.* **6** *Antq.* O mesmo que *cabeça* (1) [F.: Do lat. *corolla, ae*, 'pequena coroa', do lat. *corona, ae.*]

carolice (ca.ro.*li*.ce) *sf.* **1** Qualidade ou característica de carola; CAROLISMO **2** Ação, dito ou modos de carola; CAROLISMO [F.: *carola* + *-ice.*]

carolíngio (ca.ro.*lín*.gi:o) *a.* **1** *Hist.* Da ou próprio da dinastia de Carlos Magno (742-814), imperador do Ocidente **2** *Hist.* Relativo ao período correspondente aos séculos IX e X na história da Europa ocidental cristã **3** Ref. ao movimento artístico desse período *sm.* **4** Aquele que pertenceu à dinastia de Carlos Magno [F.: Do it. *carolingio*, posv.]

carolismo (ca.ro.*lis*.mo) *sm.* **1** O mesmo que *carolice* **2** Tendência a exagerar ou exagero nas demonstrações de devoção religiosa [F.: *carola* + *-ismo.*]

carolo (ca.*ro*.lo) [ô] *sm.* **1** Pancada na cabeça com o nó dos dedos, com uma vara etc.; CASCUDO **2** Espiga de milho debulhada; SABUGO **3** Farinha de milho mal moído **4** Fécula cheia de grânulos us. para fazer goma ordinária [F.: De *carola.*]

carona (ca.*ro*.na) *sf.* **1** Transporte gratuito de passageiros em qualquer veículo **2** *Bras. S.* Peça dos arreios, que se coloca por baixo do lombilho **3** *Bras. N. E.* Calote; trapaça **4** *Bras. N.* Manta de couro que se põe por baixo da sela *s2g.* **5** Pessoa que viaja de carona (1); CARONEIRO **6** *Bras.* O mesmo que *penetra.* **7** O mesmo que *caloteiro.* (3) *sm.* **8** *Bras. Rád. Telv.* Comercial em que se apresenta um produto utilizando o mesmo argumento dedicado a outro produto [F.: Do espn. *carona.*] **■ Dar ~ (a)** **1** *Bras.* Transportar (alguém) em veículo sem cobrar por isso **2** *Gír. Mil.* Preterir (alguém) na promoção **De ~** *Bras.* Sem pagar (transporte, serviço), aproveitando estar sendo feito de qualquer maneira **Levar ~** *Bras.* Ser vítima de calote **Passar ~** *Bras.* Dar um calote, não pagar **Tomar ~** *Mil.* Ser preterido na promoção

caroneiro (ca.ro.*nei*.ro) *sm.* Aquele que viaja pegando carona, sem pagar passagem; CARONISTA [F.: *carona* + *-eiro.*]

carotenemia (ca.ro.te.ne.*mi*.a) *sf. Med.* Teor de caroteno presente no sangue [F.: *caroten(o)* + *-emia.*]

caroteno (ca.ro.*te*.no) *Quím. sm.* Substância ($C_{40}H_{56}$) amarela, laranja ou vermelha encontrada na gema do ovo, em alguns vegetais, na cenoura, na manteiga etc., e da qual deriva a vitamina A [F.: De *carot-*, do fr. *carotte*, + *-eno*[2].]

carotenoide (ca.ro.te.*noi*.de) *sm. Bioq.* Classe de moléculas lipossolúveis e pigmentares, amarelas, laranjas e vermelhas, presentes nos vegetais e fundamentais para a síntese da vitamina A em seres humanos e animais [F.: *caroteno* + *-oide.*]

carotenose (ca.ro.te.*no*.se) *sf. Med.* Amarelecimento da pele causado pelo excesso de caroteno no sangue [F.: *caroteno* + *-ose.*]

carótida (ca.*ró*.ti.da) *Anat. sf.* Cada uma das duas grandes artérias simétricas que levam o sangue ao pescoço e à cabeça [F.: Do gr. *karotídes, on*, 'carótidas', pelo fr. sing. *carotide* e tb. *carótide.*]

> 📖 A importância das artérias carótidas (uma de cada lado do pescoço) está em serem as que levam o sangue arterial (oxigenado) ao cérebro. Oclusões das carótidas por aterosclerose (causada por ateromas, ou placas de gordura) podem levar a deficiência circulatória no cérebro, provocando um AVC (acidente vascular cerebral). Exames preventivos, como a ultrassonografia, podem detectar tais oclusões e suscitar o tratamento adequado.

carótide (ca.*ró*.ti.de) *sf.* Ver *carótida*

carotídeo (ca.ro.*tí*.de:o) *a. Anat.* Pertencente ou ref. à artéria carótida (sínus carotídeo) [F.: *carótida* + *-eo.*]

carotidiano (ca.ro.ti.di.*a*.no) *a.* Ref. à artéria carótida (pulso carotidiano) [F.: *carótid(a)* + *-i-* + *-ano.*]

carpa (*car*.pa) *sf. Zool.* Peixe ornamental de água-doce, da fam. dos ciprinídeos (*Cyprinus carpio*), originário da Eurásia e África, ger. criado em tanques ou lagos [F.: Do b. -lat. *carpa, ae.*]

carpaccio (*It.* /carpátcho/) *Cul. sm.* Finíssimas fatias ger. de carne de boi ou de peixe cruas, temperadas com limão, azeite e molhos diversos [F.: Do antr. (*Vittore*) *Carpaccio* (c. 1450-1525), pintor italiano.]

carpal (car.*pal*) *a2g.* **1** *Anat.* Ref. a ou próprio de carpo **2** *Bot.* O mesmo que *cárpico* [Pl.: *-ais.*] [F.: *carpo* + *-al.*]

carpelo (car.*pe*.lo) [é] *Bot. sm.* **1** Cada uma das folhas modificadas que formam o gineceu **2** Cada uma das brácteas que envolvem a espiga de milho; CAMISA [F.: Do fr. *carpelle*.]

cárpeo (*cár*.pe:o) *a. Bot.* O mesmo que *cárpico* [F.: *carpo* + *-eo*.]

carpeta (car.*pe*.ta) [ê] *sf.* **1** *S.* Pano, ger. verde, com o qual se forra a mesa de jogo **2** *S. P. ext.* Mesa us. para jogos de azar **3** *S. P. ext.* Jogo de azar **4** *P. us.* Casa destinada aos jogos de azar [F.: Posv. do platino *carpeta*.]

carpetar (car.pe.*tar*) *v. td.* Revestir ou forrar com carpete; ACARPETAR [▶ **1** carpet**ar**]

carpete (car.*pe*.te) [é] *sm.* **1** *Bras.* Tapete, colado no chão, em toda a extensão do piso de um ou mais cômodos *sf.* **2** *Lus.* Tapete comum, de grandes dimensões [F.: Do ingl. *carpet*, pelo fr. *carpette*. Hom./Par.: *carpete* (sm.), *carpete* (fl. de *carpetar*).]

carpição (car.pi.*ção*) *sf. S.* Ação ou resultado de capinar; CAPINA; CAPINAÇÃO [F.: *carpir* + *-ção*.]

cárpico *a. Bot.* Ref. a ou próprio de carpo; CARPAL; CÁRPEO [F.: *carpo* + *-ico*.]

carpideira (car.pi.*dei*.ra) *sf.* **1** Mulher a quem se paga para chorar os mortos; CHORADEIRA; PRANTEADEIRA **2** Mulher que vive se lamentando ou chorando; CHORAMINGAS **3** *Bras. Agr.* O mesmo que *capinadeira* [F.: *carpir* + *-deira*.]

carpidor (car.pi.*dor*) [ô] *a.* **1** Diz-se de pessoa que carpe, lamenta, pranteia **2** *S.* Diz-se de pessoa que capina; CAPINADOR *sm.* **3** Qualquer dessas pessoas [F.: *carpir* + *-dor*.]

carpina (car.*pi*.na) *sm. Bras.* Ver *carapina*

carpintaria (car.pin.ta.*ri*.a) *sf.* **1** Ofício do carpinteiro **2** Trabalho feito por esse profissional **3** Oficina de carpinteiro **4** *Teat.* O plano que dá a estrutura dramática de uma peça teatral **5** O plano, a organização das partes de uma obra artística [F.: *carpint(eiro)* + *-aria*.]

carpinteiro (car.pin.*tei*.ro) *sm.* **1** Profissional que faz obras, objetos etc. com madeira; CARAPINA; CARPINA [Ver tb. *marceneiro*.] **2** *Teat.* Indivíduo encarregado de montar os cenários das peças de teatro **3** *Mar.* O encarregado da construção e reparos de toda a estrutura de madeira dos navios **4** *Ant.* Aquele que contruía carros e carruagens **5** *Bras.* Vento forte que sopra no litoral do extremo Sul do país, vindo do alto-mar **6** *Bot.* O mesmo que *milefólio*. **7** *Zool.* O mesmo que *caruncho*. (1) **8** *Zool.* O mesmo que *pica-pau-rei* [F.: Do lat. *carpentarius, ii*, 'carpinteiro'; 'construtor de carros'.]

carpinteiro da praia (car.pin.tei.ro da *prai*.a) *sm.* Vento sudeste que sopra na região litorânea do RS [Pl.: *carpinteiros da praia*.]

carpir (car.*pir*) *v.* **1** Dar expressão a, lamentando-se [*td.*: *carpir a dor.*] **2** Chorar, lamentar(-se), lastimar(-se) [*int.*: *Diante do caixão, a viúva carpia(-se) silenciosamente.*] [*td.*: *carpir a perda do tio.*] **3** *Fig.* Murmurar, sussurrar ou soar como se estivesse se lamentando [*int.*: *Em meio à seca, um filete de água carpia.*] **4** Arrancar (mato, ervas daninhas) ou limpar (terreno) de mato; CAPINAR [*td.*] **5** *Ant.* Arrancar (os pelos da barba, os cabelos) em sinal de dor, de sentimento [*td.*] **6** Emitir (uma ave) som semelhante a um lamento [*int.*] [▶ **58** carp**ir**] [F.: Do v.lat. vulg. *carpire*. Hom./Par.: *carpa* (fl.), *carpa* (sf.); *carpas* (fl.), *carpas* (pl. do sf.).]

◎ **-carp(o)-** *el. comp.* Ver *carp(o)-*

◎ **-carpo** *el. comp.* Ver *carp(o)-*

◎ **carp(o)-** *el. comp.* = (*Bot.*) 'carpo, fruto'; 'semente'; 'que tem fruto(s) (com dada característica)'; '(aparelho) esporífero'; (*Anat.*) 'carpo, punho': *carpófago, carpologia, carpoptose, carpoteca; acárpico; acantocarpo, apocarpo, cianocarpo, conocarpo; ascocarpo, basidiocarpo; metacarpo* [F.: Do gr. *karpós, oû*.]

carpo (*car*.po) *sm.* **1** *Anat.* Conjunto de oito ossos que compõem a articulação da mão com o antebraço **2** *Bot.* Fruto (1) **3** *Anat.* Nos animais vertebrados, parte do membro anterior, composta de duas fileiras de ossos curtos, que se localizam entre o antebraço e o metacarpo **4** *Anat. Zool.* Ponto de articulação transversal das asas dos insetos [F.: Do gr. *karpós, oû*, 'fruto'; 'grão'; 'semente'.]

carpoptose (car.pop.*to*.se) *sf.* **1** *Bot.* Queda dos frutos antes do amadurecimento **2** *Neur.* Paralisia dos músculos extensores das mãos e dos dedos, causada por lesão nervosa ou intoxicação por chumbo, em que as mãos pendem inertes [F.: *carp(o)-* + *-ptose*.]

carpoteca (car.po.*te*.ca) *sf. Bot.* Coleção de frutos conservados, ger. para fins de pesquisa [F.: *carp(o)-* + *-teca*.]

carqueja (car.*que*.ja) [ê] *sf.* **1** *Bot.* Nome comum a várias plantas do gên. *Baccharis*, da fam. das compostas, com uso medicinal; AMARGOSA **2** *Bot.* O mesmo que *erva-santa* (1) **3** *Bot.* O mesmo que *vassoura* (3) **4** *Zool.* Denom. comum a diversas sp. de aves, da fam. dos ralídeos, do gên. *Fulica*, com dedos que se parecem com os caules das plantas do gên. *Baccharis*. [F.: De or. contrv.]

carqueja-amargosa (car.que.ja-a.mar.*go*.sa) *sf. Bot.* Arbusto melífero da fam. das compostas (*Baccharis genistelloides*), nativo do Brasil, com propriedades medicinais; VASSOURA [Pl.: *carquejas-amargosas*.]

carquilha (car.*qui*.lha) *sf.* Dobra ou enrugamento na pele; RUGA: *Não era velha, mas tinha muitas carquilhas no rosto.* [F.: De or. obscura.]

carrada (car.*ra*.da) *sf.* **1** Carga que um carro transporta de uma vez **2** *Fig.* Grande quantidade: *Ele tem carradas de razões para agir assim.* [Dim.: *carrachola, carrachucha*.] [F.: *carro* + *-ada*[1].] ▪ **Às ~s** Em grande quantidade **Ter ~ de razão** Ter toda a razão, nas opiniões ou nos procedimentos

carranca (car.*ran*.ca) *sf.* **1** Cara fechada, emburrada, demonstrando mau humor **2** *Bras. N. E. Mar.* Figura ornamental que se punha na proa de embarcações à vela; CARA DE PAU **3** Careta, caraça **4** Cara ou cabeça de pedra ou de metal, ger. disforme, que adornam as bicas de chafariz ou tanque, as argolas e aldravas de portas etc. **5** Máscara, caraça **6** Vulto de algo grande e pavoroso **7** *Fig.* O mau aspecto do tempo carregado, antes do temporal: *O dia está de carrancas.* **8** Coleira ouriçada de picos que se coloca no pescoço dos cães para sua defesa **9** *Bras. BA Folc.* Caraça (2) entalhada em madeira e colorida rusticamente colocadas nas proas das embarcações do rio São Francisco para afastar os maus espíritos; CABEÇA DE PROA *s2g.* **10** Pessoa rabujenta, ranzinza [F.: De or. contrv.]

carrança (car.*ran*.ça) *a2g.* **1** Que está preso ao passado, ao que é antiquado, a costumes e tradições (por vezes já ultrapassados); CARRANCISTA *s2g.* **2** Aquele ou aquela que é apegado demais ao passado; CARRANCISTA [F.: De or. obscura.]

carrancismo (car.ran.*cis*.mo) *sm.* **1** Qualidade, característica ou modo de proceder de carrança: "Que carrancismo, quanto atraso!" (Visconde de Taunay, *O encilhamento*) **2** *Amaz.* Situação de possível ameaça à integridade física ou à vida das pessoas nos garimpos [F.: *carrança* + *-ismo*.]

carrancista (car.ran.*cis*.ta) *a2g.* **1** O mesmo que *carrança* (1) **2** Ref. a *carrancismo s2g.* **3** O mesmo que *carrança* (2) [F.: *carrança* + *-ista*.]

carrancudo (car.ran.*cu*.do) *a.* Que está com carranca, ou que a tem; de semblante ameaçador ou sombrio; EMBURRADO; MAL-HUMORADO; SISUDO; TROMBUDO [F.: *carranca* + *-udo*.]

carrapateira (car.ra.pa.*tei*.ra) *sf. Bot.* O mesmo que *mamona* (1) [F.: *carrapato* + *-eira*.]

carrapateiro (car.ra.pa.*tei*.ro) *sm.* **1** *Bot.* Arbusto (*Ricinus communis*) da fam. das euforbiáceas, mesmo que *carrapateira* e *mamoneiro* **2** *Zool.* Ave falconiforme, da família dos falconídeos (*Milvago chimachima*), das Américas Central e do Sul, de dorso marrom-escuro, cabeça, peito e barriga branco-amarelados e cauda branca com listras marrom-escuras; se alimenta, entre outros itens, de carrapatos e bernes retirados do gado; GAVIÃO-CARRAPATEIRO; GAVIÃO-PINHÉ; PINHÉ; XIMANGO [F.: *carrapato* + *-eiro*.]

carrapaticida (car.ra.pa.ti.*ci*.da) *a2g.* **1** Que mata carrapatos *sm.* **2** Produto carrapaticida [F.: *carrapato* + *-i-* + *-cida*.]

carrapato (car.ra.*pa*.to) *sm.* **1** *Zool.* Denom. comum dos artrópodes aracnídeos, acarinos, da fam. dos ixodídeos e argasídeos, com mais de 800 espécies de ectoparasitas que aderem à pele de vertebrados terrestres e sugam-lhes o sangue **2** *Bras. Joc.* Indivíduo importuno que segue outro por toda parte **3** *Bot.* Ver *mamona* (1 e 3) [F.: De or. contrv.]

carrapato-pólvora (car.ra.pa.to-*pól*.vo.ra) *sm. Ent.* Nome comum dado às formas jovens do carrapato-estrela (*Amblyomma cajennense*), cuja picada causa intensa coceira e que, sobretudo nos períodos de seca, se espalha por pastagens à espera de um hospedeiro; MICUIM; CARRAPATINHO; CARRAPATO-FOGO; MICUIM-CASTANHO; MICUIM-ESCURO [Pl.: *carrapatos-pólvora* e *carrapatos-pólvoras*.]

carrapeta (car.ra.*pe*.ta) [ê] *sf.* **1** Pequeno pião que se gira com os dedos **2** *Bras.* Peça que controla o fluxo de água da torneira e consiste em um disco de couro ou borracha traspassado por haste de metal ou plástico **3** Enfeite de forma arredondada (semelhante a pião ou pinhão) us. para arremate de certos móveis; MAÇANETA **4** Pequena mentira, sem muita importância, que não resulta em consequências significativas; MENTIROLA; PETA **5** *Pop.* Muco endurecido que adere às fossas nasais; MELECA **6** Ovário da esteva (*Cistus ladanifer*), depois de caídas as pétalas, usado em brincadeiras fazendo-o girar como um pião **7** *MG RJ Bot.* Nome comum a certas árvores da fam. das meliáceas (gên. *Guarea* e *Trichilia*) **8** *Bot.* Árvore dessa fam. (*Guarea guidoni*), nativa das Guianas e do Brasil, com uso medicinal e madeira nobre; CARRAPETA-VERDADEIRA; CARRAPATEIRO; CEDRÃO; JATAÚBA; PAU-BALA; NOGUEIRA-DO-MATO **9** *Pop.* Menina muito pequena para a idade que tem **10** *Pop.* Menina pequena e graciosa [F.: De or. contrv. Tb. *carapeta*.]

carrapetear (car.ra.pe.te.*ar*) *Pop. v. int.* **1** Sacudir os quadris; rebolar **2** Agitar-se, espernear [▶ **13** carrapet**ear**] [F.: *carrapet(a)* + *-ear*[2].]

carrapicho (car.ra.*pi*.cho) *sm.* **1** *Bras. Bot.* Denom. de várias plantas de diferentes famílias, cujos frutos articulados, pequeninos e cobertos de espinhos ou pelos, aderem ao pelo dos animais, à roupa etc., algumas tb. são chamadas de amor-de-vaqueiro e pega-pega **2** *Bot.* O fruto de cada uma dessas plantas **3** Atado do cabelo no alto da cabeça, preso por grampos, elásticos etc.; COQUE **4** *Pop.* Cabelo típico da raça negra; CARAPINHA; PIXAIM **5** *P. ext. Pop.* Qualquer cabelo muito rebelde **6** *Bras. Pop.* O mesmo que *velcro* [F.: De *carrapito*, com troca de sufixo.]

carrarense (car.ra.*ren*.se) *s2g.* **1** Indivíduo nascido ou que vive em Carrara (Itália) *a2g.* **2** De Carrara; típico dessa cidade ou de seu povo [F.: Do top. *Carrara* + *-ense*.]

carrascal (car.ras.*cal*) *N. E. Bot. sm.* Carrasco[2] (1) [Pl.: *-cais*.] [F.: *carrasco*[2] + *-al*[1].]

carrasco[1] (car.*ras*.co) *sm.* **1** Aquele que executa a pena de morte; ALGOZ; VERDUGO **2** *Fig.* Indivíduo cruel e desumano: "(...) o pai desnaturado, carrasco da família antes de sê-lo da sociedade e de si próprio." (Franklin Távora, *O cabeleira*) **3** *Pop.* Aquele que é dado a disciplinar, a impor regras e condutas, e a punir a indisciplina de forma enérgica, tirânica e rude [F.: Do antr. (*Belchior Nunes*) *Carrasco*, algoz que teria vivido em Lisboa por volta do séc. XV.]

carrasco[2] (car.*ras*.co) *sm.* **1** *N. E. Bot.* Formação vegetal típica do semi-árido, relacionada com a caatinga, densa e composta de arbustos de ramos muito entrelaçados; CARRASCAL; CARRASQUEIRO *sm.* **2** Caminho pedregoso ou arenoso **3** *Bot.* Carrasqueiro [F.: De or. contrv; posv. de uma raiz pré-romana *karr-*.]

carraspana (car.ras.*pa*.na) *Pop. sf.* **1** Bebedeira, pileque, porre **2** Bronca, repreensão, reprimenda **3** *Lus. Pop.* Gripe muito forte: *Saiu sem se agasalhar e pegou uma carraspana.* [F.: De or. obsc.]

carrasqueiro (car.ras.*quei*.ro) *Bot. sm.* **1** Carrasco[2] (1) **2** Arbusto ou árvore pequena da fam. das fagáceas (*Quercus coccifera*), comum em todo o Mediterrâneo, esp. nas regiões mais quentes e secas; CARRASCO [F.: *carrasco*[2] + *-eiro*.]

carré (car.*ré*) *sf.* **1** Conjunto das costelas de animais de corte, como porco, boi etc. **2** *Cul.* Prato feito com essa carne, ger. partida em bifes com osso (carré suína) [F.: do fr. *carré* (quadrado); f. par. *carrê*.]

carreado (car.re.*a*.do) *a.* **1** Conduzido ou transportado em carro **2** Levado de arrasto, carregado: "Certo nervosismo... ia-se apoderando dos grupos carreados na mesma torrente." (Alberto Rangel, *Fura-mundo*) **3** Acarretado, ocasionado **4** *Fig.* Canalizado, direcionado [F.: part. de *carrear*.]

carreador (car.re.a.*dor*) [ô] *a.* **1** Diz-se de caminho para carros através dos campos *sm.* **2** Picada aberta no meio de plantação, esp. em cafezais **3** Trilha, vereda **4** Atalho [F.: rad. do part. *carreado* + *or*.]

carrear (car.re.*ar*) *v.* **1** Transportar em carro [*td.*: *carrear mercadorias.*] **2** Arrastar, carregar [*td.* / *tda.*: *O vento carreou areia (para as casas).*] **3** Acarretar, ocasionar [*tdi.* + *a*: *O temporal carreou transtornos à cidade.*] **4** Dirigir carro [*int.*] [▶ **13** carr**ear**] [F.: *carro* + *-ear*[2].]

carreata (car.re.*a*.ta) *Bras. sf.* Desfile de carros para comemoração, protesto, propaganda, campanha política etc. [F.: *carro* + *-ata*, por analogia com *passeata*.]

carregação (car.re.ga.*ção*) *sf.* **1** Ação ou resultado de carregar; CARGA; CARREGAMENTO: *A carregação do navio há de ser feita pelos próprios marinheiros.* **2** Muita quantidade de algo; CARGA: *Uma carregação de cacau foi vendida em poucos dias.* **3** *Bras.* Doença, afecção **4** *Bras. Pop.* Aparecimento simultâneo de mais de uma doença venérea; CAMAÇADA; CARREGAMENTO; CARREGO **5** *Jur.* Ato do inventariante relacionar no inventário a totalidade dos bens do acervo hereditário [Pl.: *-ções*.] [F.: *carrega(r)* + *-ção*.] ▪ **~ do peito** *Bras. Pop.* Bronquite **~ dos dentes** *Bras. Pop.* Infecção na gengiva; gengivite **~ dos olhos** *Bras. Pop.* Conjuntivite **De ~** Malfeito, ou feito sem capricho, sem qualidade, de qualquer maneira; mal-acabado

carregadeira (car.re.ga.*dei*.ra) *sf.* **1** *Mar.* Cabo fino us. para carregar ou colher as velas **2** *Zool.* Designação comum da formiga-saúva, mesmo que *quenquém* [F.: rad. do part. *carregado* + *-eira*.]

carregado (car.re.*ga*.do) *a.* **1** Que recebeu carga ou que a possui: *navio carregado de minério* **2** Com nuvens escuras, anunciando tempestade (diz-se do céu, do tempo) **3** Tenso, sombrio, carrancudo: "Trazia o cenho carregado, mal cumprimentou a vizinha..." (Machado de Assis, *Quincas Borba*) **4** Em que se pressente perigo, aborrecimento, mal-estar (ambiente carregado); PESADO; TENSO **5** Cheio, repleto: *mangueira carregada; roseira carregada; livro carregado de erros.* **6** Que tem carga de pólvora ou de projétil [+ com: *revólver carregado com balas de festim.*] **7** Escuro, forte (diz-se de cor) **8** *Bras.* Que faz mal à saúde; REIMOSO **9** Oprimido, onerado: *carregado de dívidas, de culpas.* **10** *Bras. PE Pop.* Muito alcoolizado **11** *Bras. Pop.* Que tem moléstia venérea [F.: Part. de *carregar*.]

carregador (car.re.ga.*dor*) *sm.* **1** Pessoa que transporta carga, bagagem ou que faz frete; BAGAGEIRO; PORTADOR *PB*; CHAPEADO **2** Dispositivo para carregar (14) baterias: *carregador do celular.* **3** *Arm.* Pente de balas de armas automáticas **4** Soldado que põe a munição em peças de artilharia [F.: *carrega(r)* + *-dor*.] ▪ **~ de piano** **1** *Fig.* Pessoa trabalhadora, que recebe bem tarefas pesadas ou difíceis **2** *Esp.* Jogador que se dedica com afinco a suas funções, sem estrelismo

carregamento (car.re.ga.*men*.to) *sm.* **1** Ação ou resultado de carregar; CARREGAÇÃO **2** Conjunto ou quantidade de coisas que formam uma carga: *carregamento de café.* **3** *Elet.* Componentes de um circuito elétrico que recebem energia de outros pontos do circuito **4** Ação de abastecer um artefato ou engenho de guerra com munição **5** *Inf.* Ação de transferir arquivo de um CD, disquete ou de outro dispositivo de armazenamento para a memória de um computador e iniciar sua execução **6** Ver *carregação* (4) [F.: *carrega(r)* + *-mento*.]

carregar (car.re.*gar*) *v.* **1** Pôr carga em [*td.*: *carregar um navio.*] **2** Transportar, levar [*td.*: *Este avião carrega 300 passageiros.*] **3** Exagerar, aumentar [*td.*: *carregar (n)as tarifas; Carregou (n)a versão para eximir-se de culpa.*] **4** Levar ou trazer consigo [*tda.*: *Carregava no peito o orgulho de um campeão.*] **5** Levar arrastando, destruindo [*tr.* + *com*: *O temporal carregou com a lavoura de tomate*] **6** Ultrapassar a medida de; EXAGERAR [*tr.* + *em*: *carregar no tempero; carregar na repreensão.*] **7** *Fig.* Garantir o funcionamento, o bom desempenho de [*td.*: *Carregava a empresa sozinho*]

8 Tornar(-se) sombrio ou severo [*td.*: "...carregou ferozmente o semblante..." (Marques Rebelo, *Contos reunidos*)] [*int.*: *Ao ler a carta, seu rosto carregou-se.*] **9** Pôr munição em [*td.*: *carregar um revólver.*] **10** *Fig.* Encher-se de nuvens densas e escuras [*int.*: *O céu carregou-se de repente.*] **11** *Fig.* Saturar, impregnar [*td.*: *O cheiro que vinha do curtume carregava o ar.*] **12** Atacar com violência [*tr.* + *sobre*: *A cavalaria carregou (sobre) o inimigo.*] **13** Encher-se, ficar carregado. [*int.*: *A jabuticabeira carregou mais cedo este ano*] [*tr.* + *de*: *As parreiras já carregaram de uvas.*] **14** *Elet.* Acumular potencial elétrico em [*td.*: *carregar a bateria do celular.*] [*int.*: *Tire a fotografia, pois o flash já carregou.*] **15** *Fot.* Pôr filme em (câmera) [*td.*] **16** Fazer pressão, pesar [*tr.* + *sobre*: *A laje estava carregando excessivamente sobre a parede.*] **17** *Inf.* Abrir (um programa), preparando-o para o uso **18** Acusar, inculpar **19** Caminhar, marchar (para certa direção) [*ta.*: *A tropa carregou pelo mato até o esconderijo do chefão.*] **20** *Lus.* Pressionar com o dedo, a mão ou o pé [*td.*: *Carregue o botão do elevador para subir.*] [▶ 14 carregar] [F.: Do lat. vulg. *carricare.*]

carregável (car.re.*gá*.vel) ***a2g.*** Que se pode carregar [Pl.: *-veis.*] [F.: *carregar* + *-vel*. Hom./Par.: *carregáveis* (pl.), *carregáveis* (fl. de *carregar* [v.]).]

carrego (car.*re*.go) [ê] ***sm.*** **1** Fardo que se carrega diretamente sobre o corpo, com a cabeça, os ombros etc. **2** *P. ext.* Encargo, obrigação: "O prazo que ali assim íamos ter de tolerar, no carrego da guerra" (Guimarães Rosa, *Grande sertão: veredas*) **3** *Fig. Pop.* Peso na consciência; REMORSO; ENCARGO **4** *Mil.* Carga de arma de fogo **5** Irrupção simultânea de várias doenças sexualmente transmissíveis; CARREGAÇÃO **6** *N. E.* O acento agudo **7** *CE* Característica de certos alimentos de difícil digestão, que costumam pesar no estômago **8** *PE* A pisada do cavalo **9** *Rel.* Obrigação religiosa que fica de herança para outra pessoa **10** *P. ext. Rel.* Na umbanda ou candomblé, qualquer obrigação religiosa [F.: Reg. de *carregar*; Hom./par.: *carrego* (é) (flex. de *carregar*).]

carreira (car.*rei*.ra) ***sf.*** **1** Corrida desordenada; CORRERIA **2** Profissão, ou sequência de etapas de uma profissão, de uma atividade (carreira de advogado) **3** Caminho estreito, ou rastro no caminho; ATALHO; CARREIRO **4** Conjunto de coisas em sequência (carreira de árvores); FILEIRA; FILA **5** *Bras.* Risca que divide os cabelos **6** O tempo que dura a vida, sua duração **7** Caminho ou direção de um meio de transporte (avião de carreira); LINHA **8** *Turfe* Cada páreo que se realiza numa programação das corridas de cavalo **9** *RS Turfe* Corrida em cancha reta **10** *Turfe* Em corridas de cavalo, caminho entre barreiras **11** Quantidade de droga tóxica em pó (esp. cocaína) colocada em forma de fileira para ser aspirada pelo consumidor **12** *Bras.* Correnteza, fluxo fluvial **13** *Lus.* Itinerário de transporte coletivo **14** *Mar.* Lugar em que se coloca uma embarcação durante seu período de construção, ou para a realização de reparos, consertos **15** *Mar.* Rampa pela qual desliza uma embarcação quando, após construída, vai ser lançada ao mar [F.: Do lat. vulg. *carraria.*] ■ **Arrepiar ~ 1** Desistir, voltando atrás (em algo); arrepiar caminho **2** *Bras.* Abandonar (alguém) sua carreira profissional **Às ~** Às pressas **~ de São Tiago** *Pop. Astron.* A Via Láctea **~ de tiro** *Lus.* Estande de tiro **Bater ~** *Gír.* Dispor cocaína em fila para aspirá-la por um canudinho **Fazer ~ 1** Dedicar-se com sucesso a uma profissão, nela destacando-se **2** Ser bem aceito ou adotado por muita gente: *Essa nova dança fez carreira.* **3** Ficar (peça, filme etc.) por muito tempo em cartaz **Fechar a ~** *Bras.* Acelerar o animal que se está montando

carreirismo (car.rei.*ris*.mo) ***sm.*** Modo de agir ou caráter de pessoa que ambiciona ascensão profissional, esp. daquela que, para progredir rapidamente na carreira, recorre até a processos inescrupulosos [F.: *carreira* + *-ismo.*]

carreirista (car.rei.*ris*.ta) ***a2g.*** **1** Ref. a carreirismo (oportunismo carreirista) **2** Que pratica o carreirismo (político carreirista) ***s2g.*** **3** Indivíduo carreirista **4** *RS* Pessoa que vai frequentemente a corridas de cavalos ou que gosta delas [F.: De *carreira* + *-ista* ou do cast. *carrerista.*]

carreiro (car.*rei*.ro) ***sm.*** **1** Aquele que conduz o carro de boi; gueiro **2** Caminho estreito feito no terreno pela contínua passagem de carros **3** Caminho entre as fileiras de plantas nos cafezais, milharais etc.; CARREIRA **4** *Bras.* Lugar ou caminho da passagem habitual dos animais de caça **5** *Bras. S.* Cocheiro, boleeiro **6** Caminho de formigas em direção ao formigueiro, do qual não se desviam senão por força **7** Esse bando de formigas em fila **8** *Fig.* Caminho, via, meio **a.** **9** Referente a carro [F.: *carro* + *-eiro.*] ■ **~ de São Tiago** *Astron.* A Via Láctea

carreta (car.*re*.ta) [ê] ***sf.*** **1** *Bras.* Grande caminhão reboque com carroceria extensa e ger. separada da cabine; JAMANTA **2** Carro pequeno de duas rodas; CARROÇA **3** Carro ger. empurrado a mão, para conduzir caixão mortuário nos cemitérios **4** *Ant.* Carretel de linha **5** Nome dado vulgarmente a qualquer viatura de artilharia e tb. ao reparo [F.: *carro* + *-eta*. Col.: *carretama* (*RS*). Hom./Par.: *carreta* (fl. de *carretar*); *carretas* [ê] (pl.), *carretas* (fl. de *carretar*).]

carretão (car.re.*tão*) ***sm.*** **1** *Ant.* Condutor de carro ou carroça; CARRETEIRO; CARROCEIRO **2** Veículo que transporta vagões de uma via férrea a outra, percorrendo uma via paralela **3** Carro de duas rodas, extremamente resistente, us. para transporte de toras de madeira: "E os bois de cá espiam os bois do carretão" (Guimarães Rosa, "Conversa de bois", *in Sagarana*) **4** Máquina rudimentar us. no beneficiamento do café **5** *MG Zool.* Pássaro da fam. dos traupídeos (*Compsothraupis loricata*), que ocorre no N. E. e no Brasil central, de cor negro-azulada; o macho possui uma mancha vermelha no meio da garganta [Pl.: *-tões.*] [F.: *carreta* + *-ão*[1].]

carreteira (car.re.*tei*.ra) ***sf.*** **1** *RS* Estrada ampla, em que é possível o trânsito de carroças **2** *Antq. Aut.* Carro de corrida [F.: Do espn. *carretera*. Tb. *carretera.*]

carreteiro (car.re.*tei*.ro) ***sm.*** **1** Condutor de carreta *Ant.*; CARRETÃO **2** *Bras.* Proprietário de caminhão que transporta carga por aluguel **3** Aquele que carrega uma carga; CARREGADOR ***a.*** **4** *RS* Que serve para carga e descarga de navio (diz-se de barco) **5** *RS* Diz-se de cavalo que tenta não se deixar enlaçar sacudindo vigorosamente o pescoço [F.: *carreta* + *-eiro.*]

carretel (car.re.*tel*) ***sm.*** **1** Pequeno cilindro oco, ger. com ressalto nas bordas, us. para enrolar fios de linha, barbante etc.; CARRETE; CARRINHO; CARRO DE LINHA **2** *Cin.* Cilindro oco e estreito, com amplas bordas reviradas, us. para enrolar filmes cinematográficos; ROLO **3** Molinete de pesca **4** *Náut.* Cilindro em que se enrola o fio, corda ou cabo **5** Rolos de madeira que se põem por baixo de corpos pesados para os fazer mover rodando sobre eles **6** *Tip.* Polia que aciona os fusos do distribuidor da linotipo **7** *Tip.* Cilindro metálico onde se enrola a bobina do papel da monotipo [Pl.: *-téis.*] [F.: Do espn. *carretel*. Hom./Par.: *carretéis* (pl.), *carreteis* (fl. de *carretar*).]

carretera (car.re.*te*.ra) [ê] ***sf.*** Caminho entre matos; rodovia, estrada carroçável; tb. *carreteira*

carretilha (car.re.*ti*.lha) ***sf.*** **1** Pequena roldana **2** Pequeno instrumento composto de um cabo preso a uma roda com dentes pontiagudos, us. para cortar ou pontilhar massas alimentícias e para marcar tecidos em trabalhos de costura **3** *Bras. Pop. Lit.* Nos desafios, redondilha maior ou menor: "Nesta minha carretilha / você hoje se esbandalha..." (Cego Aderaldo, *Cantorias*) **4** Broca introduzida em uma roda us. por ferreiros, que se faz girar com a corda de um arco movido à mão **5** Depressão circular que forma uma espécie de cinta em meio dos casulos finos e ovais da seda **6** *Bras. AL Pop.* Estrela cadente **7** *Bras. RS* Pequena carreta us. para transporte de pessoas [F.: Do espn. *carretilla.*]

carreto (car.*re*.to) [ê] ***sm.*** **1** Transporte de carga por aluguel; CARRETAGEM; FRETE **2** Valor desse serviço; CARRETAGEM **3** *Tip.* Pequeno cilindro de ferro onde se enfia a chave, e que tem cavidades que endentam nos enviesados; ROSETA [F.: Dev. de *carretar.*]

carril (car.*ril*) ***sm.*** **1** Sulco deixado no solo pelas rodas dos carros; CARREIRO; RODEIRA **2** *Lus.* O mesmo que *trilho* (1) **3** *Lus.* Via estreita; ATALHO; VEREDA [Pl.: *-ris.*] [F.: Do lat. vulg. **carrile.*]

carrilhão (car.ri.*lhão*) ***sm.*** **1** *Mús.* Conjunto de sinos afinados em tons diversos com que se executam peças musicais **2** *Mús.* Instrumento de percussão com tubos de metal no lugar dos sinos **3** Relógio de parede que marca horas com música **4** Mecanismo que aciona a música nesse relógio **5** *Mús.* Instrumento de percussão com lâminas de metal que se percutem com duas baquetas **6** *Fís.* Pequeno instrumento composto de três timbres e duas esferas metálicas ou pêndulas, que repica quando carregado de eletricidade [Pl.: *-lhões.*] [F.: Do fr. *carrillon.*]

carrinho (car.*ri*.nho) ***sm.*** **1** Carro (1) de brinquedo **2** Carro para transportar crianças de colo ou pequenas **3** Carro para transportar compras nos mercados ou no trajeto para casa **4** Carro para transportar bagagens nos aeroportos, rodoviárias etc. **5** O mesmo que *carrinho de mão* **6** *Bras. Fut.* Lance em que o jogador tenta tirar a bola do adversário, arremessando os pés na direção dele e deslizando quase deitado **7** Ver *carretel* (1) **8** *Cin. Telv.* Veículo ou plataforma us. para mover câmeras de cinema ou de televisão; DOLLY **9** Carro pequeno [F.: *carro* + *-inho*[1].] ■ **~ de mão** Pequeno carro para transporte de areia, pedra etc., feito de uma caçamba que se apoia quando imóvel sobre uma roda dianteira e dois apoios traseiros, sendo levantada destes e conduzida por meio de dois braços que se projetam para trás

carriola (car.ri.*o*.la) ***sf.*** **1** Carro pequeno ***sf.*** **2** Carro de duas rodas, pequeno e tosco [F.: Do it. *carriola.*]

carro (*car*.ro) ***sm.*** **1** *Aut.* Veículo sobre rodas que serve para transportar pessoas ou carga **2** Ver *automóvel* **3** Vagão de transporte ferroviário de passageiros *Lus.*; CARRUAGEM **4** Veículos sem rodas, movido por tração mecânica: *carro do elevador; carro do teleférico.* **5** Porção de carga que se pode transportar em um carro (1): *Trouxe um carro de milho da fazenda.* **6** Peça móvel em que se encaixa o papel na máquina de escrever **7** *N. E. Pop.* Carretel onde fios são enrolados **8** *Tip.* Parte do prelo manual que se move sob a platina na hora da impressão **9** *Tip.* Conjunto móvel composto pelo cofre e pela mesa de tintagem em prensas planocilíndricas [Aum.: *carrejão*. Dim.: *carrete.*] [F.: Do lat. *carrus*. Ideia de: *carr-*. Col.: *carraria, carriagem, carruagem, comboio, composição.*] ■ **~ alegórico** Grande carro, muito enfeitado com figuras e alegorias sobre certo assunto, que se apresenta em desfiles temáticos, esp. das escolas de samba, no carnaval **~ blindado** *Mil.* Veículo militar, autotransportado, com blindagem de aço **~ de assalto** Tanque de guerra **~ de boi** Carro simples, de madeira, tracionado por uma ou mais juntas de boi **~ de passeio** Veículo automotivo para transporte de poucos passageiros (ger. de 2 a 5, ou pouco mais); automóvel [Tb. apenas *carro.*] **~ de praça** Táxi **~ esporte** Automóvel de duas portas, ger. de formato aerodinâmico e com motor potente, o que lhe permite atingir grande velocidade **Puxar o ~** *Bras. Pop.* Ir embora: *Vou puxar o carro que já é tarde.* **Saltar do ~ em movimento** *Bras. Tabu.* Durante relação sexual, retirar o pênis da vulva antes do orgasmo

carro-anfíbio (car.ro-an.*fí*.bi.o) ***sm.*** *Mil.* Veículo para desembarque de tropas de ataque, que tanto pode mover-se sobre a água, como um barco, quanto sobre a terra, como um carro de assalto [Pl.: *carros-anfíbios.*]

carro-asa (car.ro-*a*.sa) ***sm.*** *Autom.* Carro de Fórmula 1 de extraordinária velocidade, criado por Colin Chapman e banido da categoria por questões de segurança [Pl.: *carros-asas* e *carros-asa.*]

carro-bomba (car.ro-*bom*.ba) *Bras.* ***sm.*** Carro munido de artefato explosivo, us. em atentados terroristas *Lus.*; CARRO ARMADILHADO [Pl.: *carros-bomba* e *carros-bombas.*]

carroça (car.*ro*.ça) ***sf.*** **1** Carro (1) ger. tosco e puxado por bestas, para transporte de carga; CARRETA **2** *Bras. Pej.* Veículo velho, ou de baixo desempenho, ou de má qualidade; CALHAMBEQUE [Dim.: *carrocim.*] **3** Carroçada **4** *Fig.* Diz-se de alguém que é lerdo, vagaroso **5** *RJ Gír.* Indivíduo que paga suas dívidas com atraso **6** *Antq.* Coche adornado e rico [F.: Do it. *carrozza.*]

carroçada (car.ro.*ça*.da) ***sf.*** Carga que é possível transportar em uma carroça, de uma só vez; CARROÇA [F.: *carroça* + *-ada*[1].]

carroção (car.ro.*ção*) ***sm.*** **1** Grande carroça coberta para transporte de pessoas **2** O seis duplo no jogo de dominó; CARRÃO **3** *Bras.* Jogada de bilhar que consiste em mover duas bolas, encostadas uma na outra, tocando apenas uma delas com o taco; CARRÃO **4** *Bras.* Entre estudantes e professores, problema ou expressão matemática que se compõe de muitos termos [Pl.: *-ções.*] [F.: *carroça* + *-ão*[1].]

carroçaria (car.ro.ça.*ri*.a) ***sf.*** Ver *carroceria*

carroçável (car.ro.*çá*.vel) ***a2g.*** Próprio para o tráfego de carros, carroças e outros veículos (estrada carroçável) [Pl.: *-veis.*] [F.: **carroçar* (< *carroça*) + *-vel.*]

carroceiro (car.ro.*cei*.ro) ***sm.*** **1** Quem conduz carroça **2** Aquele que faz fretes com carroça **3** *Fig. Pej.* Indivíduo grosseiro, ríspido, mal-educado [F.: *carroça* + *-eiro.*]

carroceria (car.ro.ce.*ri*.a) ***sf.*** **1** Nos carros de passeio e utilitários, estrutura montada sobre o chassi, composta de placas ger. metálicas moldadas, em cujo interior ficam motorista e passageiros, e cuja forma varia de acordo com a moda ou o fim a que se destina o veículo **2** A parte traseira dos utilitários com boleia e dos caminhões, ger. aberta, destinada à carga [F.: Do fr. *carrosserie*. A forma *carroceria* é mais us. no Brasil. Tb. *carroçaria.*]

carro-chefe (car.ro-*che*.fe) ***sm.*** **1** Artista, obra ou produto mais apreciado ou mais vendido: *As rosas são o carro-chefe da loja.* **2** O elemento mais importante, que ocupa ou merece lugar de destaque ou de liderança: *O combate à violência foi o carro-chefe da campanha.* **3** Em um desfile, o principal carro alegórico [Pl.: *carros-chefes* e *carros-chefe.*]

carrocinha (car.ro.*ci*.nha) ***sf.*** **1** *Bras.* Carrinho com duas rodas e dois pés, no qual se preparam e vendem cachorro-quente, pipoca, milho-cozido etc. **2** *Bras. Pop.* Veículo que recolhe cães abandonados **3** Tipo de carroça de duas rodas utilizada em serviços de terraplanagem, e puxada por animal; CAÇAMBA **4** *MG* Carro de polícia que serve para transportar pessoas que foram detidas **5** Carroça pequena [F.: *carroça* + *-inha.*] ■ **~ de cachorro** *Bras. Pop.* Veículo que retira das ruas cães abandonados ou sem identificação

carro-conceito (car.ro-con.*cei*.to) ***sm.*** *Autom.* Carro experimental construído para testar novas tecnologias [Pl.: *carros-conceito.*] [F.: do ingl. *concept car.*]

carro de boi (car.ro de *boi*) ***sm.*** Carroça de madeira guiada por carreiro e puxada por uma ou mais parelhas de bois, us. ger. para transporte de carga nas fazendas ou áreas rurais atrasadas [Pl.: *carros de boi.*]

carro de combate (car.ro de com.*ba*.te) *Mil.* ***sm.*** O mesmo que *tanque*[2] (1) [Pl.: *carros de combate.*]

carro-forte (car.ro-*for*.te) ***sm.*** Veículo blindado próprio para transportar grandes quantias de dinheiro ou outros valores [Pl.: *carros-fortes.*]

carro-guincho (car.ro-*guin*.cho) ***sm.*** Veículo dotado de guindaste próprio para rebocar carros avariados, em pane etc.; GUINCHO; REBOQUE; CARRO-REBOQUE [Pl.: *carros-guinchos; carros-guincho.*]

carro-madrinha (car-ro-ma.*dri*.nha) ***sm.*** *Autom.* Em provas de corrida, carro de segurança que se posiciona à frente de todos os carros competidores durante a volta de apresentação, e que, durante a prova, entra na pista para diminuir a velocidade dos participantes quando há um acidente, problemas na pista etc. [Pl.: *carros-madrinhas; carros-madrinha.*]

carro-pipa (car.ro-*pi*.pa) ***sm.*** Caminhão com tanque para transportar água; CAMINHÃO-PIPA [Pl.: *carros-pipas* e *carros-pipa.*]

carro-reboque (car.ro-re.*bo*.que) ***sm.*** Veículo para rebocar carros avariados, mesmo que *carro-guincho*; REBOQUE; GUINCHO [Pl.: *carros-reboques.*]

carrossel (car.ros.*sel*) ***sm.*** Brinquedo típico de feiras e parques de diversão, que consiste num eixo vertical em torno do qual gira uma estrutura circular onde se fixam assentos em forma de cavalinhos, aviões, pequenos veículos etc. *RJ*; MAXAMBOMBA *Bras. N. E.*; TRIVOLI [Pl.: *-séis.*] [F.: Do it. *carosello*, pelo fr. *carrousel.*]

carro-tanque (car-ro-*tan*.que) *sm.* Caminhão dotado de reservatório para transporte de líquidos; CAMINHÃO-CISTERNA; CAMINHÃO-TANQUE [Pl.: *carros-tanques.*]

carruagem[1] (car.ru.*a*.gem) *sf.* **1** Carro de quatro rodas, com suspensão de molas, puxado por cavalos, para transporte de pessoas **2** O mesmo que *diligência*[2] **3** *Lus.* Vagão para passageiros [Pl.: *-gens.*] [F.: Posv. do espn. *carruaje* ou do catalão *carruatge*. Hom./Par.: *carruagem* (sf.), *carruajem*, (de *carruajar* [v.]).] ▪ **~ de cama** *Lus.* Vagão-leito **Pelo andar da ~** Do jeito que as coisas estão se desenvolvendo: Pelo andar da carruagem, *tão cedo esta obra não estará pronta.*

carruagem[2] (car.ru.*a*.gem) *sf. Bras.* Grande número de carros [Pl.: *-gens.*] [F.: *carro* + *-agem*[2], posv.]

cársico (*cár*.si.co) *a.* O mesmo que *cárstico*. [F.: Do it. *Carso* + *-ico*[2].]

cárstico (*cárs*.ti.co) *a.* **1** Diz-se de relevo, sistema ou formação geológica caracterizados pela corrosão das rochas (dissolução química) (ambiente cárstico) [As cavernas, as dolinas, ressurgências, sumidouros, rios subterrâneos, vales secos, vales cegos etc. são característicos desse tipo de relevo, sistema ou formação.] **2** Relativo a ou próprio de calcário (relevo cárstico) **3** Diz-se de solo rico em calcário (terreno cárstico) [F.: *carste* (< al. *Karst*, região entre o Norte da Itália, o Sudoeste da Eslovênia e o Noroeste da Croácia) + *-ico*[2]. Sin. ger.: *cársico.*]

carta (*car*.ta) *sf.* **1** Correspondência escrita que se envia a uma ou mais pessoas; MISSIVA; EPÍSTOLA **2** Cada uma das peças do baralho **3** Documento oficial que concede um título ou cargo; DIPLOMA **4** Ver *mapa* **5** Em restaurantes, impresso de que consta a lista de vinhos (tb. *carta de vinhos*) **6** *SP* Carteira de habilitação de motorista **7** Documento (autorização etc.) passado por alguma autoridade **8** *Jur.* Título probatório ou aquisitivo de determinados direitos **9** Cartão a que se prendem pequenos objetos **10** *Lus.* Carteira us. no bolso [F.: Do lat. *charta*. Hom./Par.: *carta* (fl. cartar).] ▪ **~ aberta** Carta cujo conteúdo é acessível a todos (através da imprensa ou de outros meios) **~ branca** *Fig.* Autorização dada a alguém para que aja como lhe parecer melhor **~ celeste** *Astron.* Representação plana de uma região da esfera celeste **~ constitucional** A Constituição **~ de abono** *1 Jur.* Documento que garante, até determinado limite, a solvabilidade de alguém **2** Atestado de idoneidade **~ de alforria** *Hist.* Documento que concedia liberdade a escravo **~ de aviso** *Com.* Comunicação a comerciante, ou empresa, de que foi emitida contra ele ordem de pagamento em favor de terceiro **~ de consciência** *Jur.* Instruções secretas (somente ao testamenteiro) em testamento **~ de corso** Autorização dada por Estado (em guerra) para que navios mercantes se armem e ataquem navios inimigos; licençá de corso **~ de crédito** *Econ.* Documento emitido por banqueiro ou comerciante a seu correspondente autorizando-o a pôr determinada quantia à disposição de terceiro, dentro de determinado prazo **~ de fiança** *Econ.* Documento pelo qual alguém se compromete a ser solidário com obrigação de terceiro **~ de guia** *Jur.* Documento pelo qual um juiz encaminha réu à prisão, para cumprir sua sentença **~ de marca** Ver *Carta de corso* **~ de marear** *Ant. Náut.* Mapa para navegação marítima, que mostra os acidentes da costa. e onde se marca a posição do navio **~ de navegação** *Náut.* Mapa específico para a navegação marítima **~ de prego** *Mar.* Carta de instruções ao comandante de um navio, que ele só deve abrir em alto-mar **~ de reconhecimento** *Cart.* Mapa feito diretamente a partir do reconhecimento do terreno, sem precisão **~ de remessa** Relação de títulos, duplicatas etc. enviados por comerciante aos bancos para desconto ou cobrança; borderô **~ de saúde** *Mar.* Documento que atesta o estado de saúde do porto do qual um navio partiu **~ de vinhos** Em restaurante, bar etc., lista dos vinhos disponíveis para consumo dos clientes **~ do abc** Livro que ensina as primeiras noções da leitura; cartilha **~ fora do baralho** Pessoa que perdeu sua serventia ou sua influência, com quem já não se conta **~ geográfica** *Cart.* Representação plana da terra e dos acidentes geográficos, mediante convenções; mapa [Tb. apenas *carta.*] **~ hidrográfica** Mapa de mares ou oceanos, com indicação de profundidades, relevo submarino e da costa, acidentes, posição de faróis etc., para fins de navegação **~ isófota** *Astron.* Carta de uma região celeste, com o traçado dos pontos de igual luminância **~ Magna** A Constituição [Tb. apenas *Carta.*] **~ náutica** *Bras. Náut.* Ver *carta de navegação* **~ orobatimétrica** *Oc.* Mapa do relevo submarino **~ patente** *1 Econ.* Documento do poder público que concede direito de funcionamento de banco, instituição financeira, companhia de seguro etc. **2** *Mil.* Documento que define, para oficial de forças armadas, seu posto na hierarquia e o quadro no qual serve [Tb. apenas *patente.*] **~ precatória** Carta de um juiz a outro, de outra jurisdição, pedindo deste ações processuais necessárias ao primeiro em processo sob sua responsabilidade [Tb. apenas *precatória.*] **~ régia** Carta passada por um monarca diretamente a uma autoridade **~ reversal** Concessão feita por carta, em troca de outra **~ rogatória** **1** *Ecles.* Pedido para a sagração de um eclesiástico de uma diocese, feito por seus paroquianos [Tb. apenas *rogatória.*] **2** *Jur.* Carta endereçada, ger. por vida diplomática, de um país a outro, na qual se pede cumprimento de certa ação **~s dimissórias** *Ecles.* Carta pela qual um prelado autoriza outro a conferir ordens sacras a um diocesano do primeiro [Tb. apenas *dimissórias.*] **~ testamentária** Carta com as últimas vontades em testamento, cerrado ou particular; cédula testamentária **~ testemunhável** *Jur.* A que objetiva elevar a tribunal competente recursos denegados por juiz inferior **~ topográfica** Planta topográfica **Dar as ~s** **1** Em jogos de baralho, distribuí-las aos jogadores **2** *Fig.* Ter influência ou prestígio **Deitar ~s** Predizer o futuro por meio de combinação de cartas de jogar **Jogar com as ~s marcadas** Agir sabendo de antemão o resultado da ação **Jogar com as ~s na mesa** Agir com lealdade e franqueza **Magna-Carta** **1** *Hist.* Carta constitucional concedida em por João I (rei inglês. 1167-1216) aos ingleses, em 1215 **2** *P. ext.* A Constituição de um país **Mostrar as ~s** Ver *Pôr as cartas na mesa* (2) **Não pôr mais na ~** Não dizer mais do que já foi dito **Pôr as ~s na mesa** **1** *Fig.* Esclarecer tudo, nada omitir **2** Revelar abertamente a situação ou as intenções, agir às claras

carta-bomba (car.ta-*bom*.ba) *sf.* Artefato explosivo camuflado em envelope de correspondência e que explode ao ser aberto: "Dois dias depois de uma carta-bomba ter explodido parcialmente nas mãos do presidente da Comissão Europeia, a polícia interceptou ontem duas novas cartas-bomba enviadas a instituições..." (*O Globo*, 30.12.2003) [Pl.: *cartas-bombas; cartas-bomba.*]

carta-branca (car.ta-*bran*.ca) *sf.* **1** Autorização dada a alguém para que aja com total liberdade em determinada situação; PLENOS PODERES **2** Carta de baralho sem figura [Pl.: *cartas-brancas.*]

cartáceo (car.*tá*.ce.o) *a. Bot.* Diz-se de órgão vegetal, esp. folhas, cuja consistência é semelhante à do papel; PAPIRÁCEO [F.: *carta* + *-áceo.*]

carta-circular (car.ta-cir.cu.*lar*) *a.* Carta ou documento reproduzido em cópias para remessa a um grande número de pessoas; CIRCULAR: "...quando circulou o primeiro documento da categoria anunciando a paralisação: uma carta-circular dirigida a cerca de 20 mil caminhoneiros do país." (*Folha de S.Paulo*, 30.07.1999) [Pl.: *cartas-circular, cartas-circulares.*]

carta-convite (car.ta-con.*vi*.te) *sf.* Modalidade de licitação na qual o governo seleciona as agências ou empresas previamente, por meio de carta, sem precisar publicar edital público: "O empresário também será chamado para concorrer à licitação da terceira balsa, que será feita por carta-convite." (*O Globo*, 04.12.2005) [Pl.: *cartas-convite.*]

cartada (car.*ta*.da) *sf.* **1** Jogada numa partida de cartas **2** *Fig.* Ação decisiva ou arrojada [F.: *carta* + *-ada*[1].] ▪ **Jogar a última ~** Fazer a última tentativa possível de se conseguir algo

cartaginense (car.ta.gi.*nen*.se) *s2g.* **1** Ver *cartaginês* (1) *a2g.* **2** De Cartago; típico dessa cidade ou de seu povo [F.: Do lat. *carthaginensis, e.]

cartaginês (car.ta.gi.*nês*) *sm.* **1** Aquele ou aquela que nasceu ou que viveu em Cartago, antiga cidade situada na região próxima ao centro da atual Túnis (Tunísia, no Norte da África) **2** *Gloss.* Língua fenícia que se falava em Cartago *a.* **3** Ref. ou pertencente a Cartago, aos cartaginenses ou ao cartaginês (2) [Pl.: *-neses* (ê). Fem.: *-nesa* (ê).] [F.: Do lat. **carthaginensis*, por *carthaginiensis*, do top. *Carthago*. Tb. *cartaginense*. Sin. ger.: *elisseu, pênico, púnico.*]

cartão (car.*tão*) *sm.* **1** Papel espesso de consistência entre a cartolina e o papelão, de forma retangular, usado para os mais diversos propósitos, geralmente de comunicação ou informação **2** Pedaço de plástico retangular, muitas vezes provido de fita magnética, necessário para identificar seu portador como detentor de conta bancária ou como habilitado a entrar nas dependências de um clube, uma empresa, uma associação etc. **3** O mesmo que *cartão de crédito* **4** Desenho executado sobre papel forte ou sobre cartão (1), para servir de modelo a diversas obras tais como pintura, tapeçaria, mosaico etc. **5** Bilhete, ingresso, senha **6** O mesmo que *cartão de visita* **7** *Inf.* O mesmo que *cartão perfurado* **8** *Fut.* Pequeno retângulo colorido que o juiz mostra ao jogador que cometeu uma falta, seja para adverti-lo (cartão amarelo) ou expulsá-lo do jogo (cartão vermelho) [Pl.: *-tões.*] [F.: Do fr. *carton*, do it. *cartone.*] ▪ **~ de crédito** Documento de plástico com tarja magnética identificadora, emitido por instituição financeira que permite a seu portador a aquisição de mercadorias ou serviços, que posteriormente ele pagará à instituição emissora [Tb. apenas *cartão.*] **~ de débito** Documento de plástico com tarja magnética identificadora, emitido por instituição financeira, com o qual o titular debita automaticamente de sua conta bancária o valor de sua despesa **~ de ponto** Cartão que registra as horas de entrada e saída de um funcionário no local de trabalho **~ de visita** Pequeno retângulo de cartão com o nome de portador, ou de empresa, ger. com seu ramo de atividade, endereço, telefone, *e-mail* e outras informações [Tb. apenas *cartão.*] **~ dúplex** Cartão fabricado com duas (ou mais) camadas de pasta, unidas sem auxílio de cola e que apresenta, de ordinário, faces de cores ou texturas diferentes; cartolina dúplex **~ magnético** Cartão com tarja magnética na qual se gravam informações, dados etc. recuperáveis em dispositivo leitor **~ ondulado** Ver *Papelão ondulado* no verbete *papelão* **~ perfurado** *Antq. Inf.* Cartão retangular, us. em computadores até a década de 1970, que contém informações digitais representadas por perfurações em determinadas disposições; cartão Hollerith; *hollerith* **~ telefônico** Cartão magnético cuja leitura libera crédito (no total do valor pago pelo cartão) para ligações telefônicas, em telefone público ou celular **Marcar ~** Encostar numa mulher por trás, roçando suas nádegas

cartão-postal (car.tão-pos.*tal*) *sm.* **1** Cartão para correspondência aberta, com ilustração numa das faces *P. us.*; BILHETE-POSTAL [Tb. se diz apenas *postal.*] **2** Ponto turístico ou símbolo visual representativo de um lugar: *Copacabana é um belo* cartão-postal *do Brasil.* **3** Paisagem ou qualquer coisa muito bonita, digna de figurar num cartão-postal (1): *Essa ilha é um* cartão-postal. [Pl.: *cartões-postais.*]

cartão-resposta (car.tão-res.*pos*.ta) *sm.* **1** Cartão com porte postal pago, enviado pelas empresas em malas-diretas ou inserido em anúncios, para facilitar ao destinatário o retorno de informações, um pedido de compra, requisição de serviços etc.; CARTA-RESPOSTA **2** Cartão no qual candidatos a concurso, vestibular etc. marcam as respostas em sistema de múltipla escolha, que serão depois comparadas com o gabarito [Pl.: *cartões-respostas, cartões-resposta.*]

cartapácio (car.ta.*pá*.ci:o) *sm.* **1** Livro grande, antigo e em mau estado; ALFARRÁBIO; CALHAMAÇO **2** Carta (1) muito extensa **3** Coleção de documentos avulsos encadernados **4** *Pej.* Livro de tamanho avantajado e de conteúdo fútil; LIVRÓRIO [F.: De *carta*, com el. final de or. incerta.]

cartas (*car*.tas) *sfpl.* **1** Baralho **2** Qualquer jogo em que se usa baralho: *Gastou uma fortuna nas* cartas. [F.: Pl. de *carta.*]

carta-testamento *sf.* **1** *Jur.* Carta que contém as disposições de última vontade, feita por meio de testamento particular ou cerrado; CARTA TESTAMENTÁRIA **2** *Hist.* Nome pelo qual ficou conhecida a carta deixada por Getúlio Vargas antes de suicidar-se [Pl.: *cartas-testamento.*]

cartaz (car.*taz*) *sm.* **1** *Publ.* Anúncio ou aviso de tamanho grande que se afixa em locais públicos **2** *Cin. Teat.* Exibição de peça, filme etc.: *O filme entrou em* cartaz. **3** *Bras. Fig.* Prestígio, influência, crédito: *O artista perdeu o* cartaz *com a imprensa.* **4** *Fig. Pop.* Importância, valor: *Não dê* cartaz *a esse chato.* [Dim.: *cartazete.*] [F.: De or. contrv; posv. de *carta* + *-az*, ou do gr. *khártes, ou*, pelo ár.] ▪ **Em ~** Em exibição (filme, peça teatral etc.) **Fazer ~ (de)** **1** *Bras. Pop.* Criar fama, ganhar prestígio: *Com minha atuação na competição,* fiz cartaz *de grande atleta.* **2** Enaltecer, falar bem de, propagandear: Fez *o* cartaz *de seu talento musical.* **Ter ~** *Bras. Pop.* Ter prestígio, fama **Ter ~ com** Ter prestígio com, estar nas boas graças de: Tem *o maior* cartaz com *o diretor.*

cartazista (car.ta.*zis*.ta) *s2g. Publ.* Profissional que projeta ou desenha cartazes [F.: *cartaz* + *-ista.*]

carteado (car.te.*a*.do) *a.* **1** Que se joga com cartas de baralho *sm.* **2** Jogo com cartas de baralho; CARTAS [F.: Part. de *cartear.*]

cartear (car.te.*ar*) *v.* **1** Jogar cartas [*td.*: cartear *o voltarete.*] [*int.*: *Eles gostavam de* cartear.] **2** Distribuir as cartas num jogo [*int.*: *Afinal, chegou sua vez de* cartear.] **3** *Fig.* Transmitir informação imprecisa ou mentirosa [*td.*: cartear *uma falsa promoção.*] [*int.*: *Nunca dizia a verdade, só* carteava.] **4** *P. us.* Manter correspondência (com outrem) [*td.*: Cartearam*-se por uma década.*] [▶ **13 cartear**] [F.: *carta* + *-ear*[2].]

carteio (car.*tei*.o) *sm.* Ação ou resultado de cartear(-se); CARTEAMENTO: *Passavam as noites em um intenso* carteio *de pôquer.* [F.: Dev. de *cartear.*]

carteira (car.*tei*.ra) *sf.* **1** Pequena bolsa dobrável, de couro ou de outros materiais resistentes, com divisões internas para guardar documentos, cartões, cédulas e moedas, e que se leva no bolso ou na bolsa **2** Pequena bolsa (1) feminina, ger. sem alça **3** Mesa para estudar, escrever ou desenhar; ESCRIVANINHA; SECRETÁRIA **4** Cadeira escolar com um só braço em forma de mesa **5** Documento oficial, em forma de caderneta ou cartão, que atesta identidade, autorização ou licença etc. (carteira profissional, carteira de identidade) **6** Pequeno caderno de anotações; CADERNETA; CANHENHO **7** *Econ.* Conjunto de títulos de um investidor; PORTFÓLIO **8** *Bras.* Embalagem de papel ou cartolina com vinte cigarros; MAÇO **9** Porta-cartas **10** *Econ.* Nome de vários setores de estabelecimentos financeiros (carteira de ações) **11** *Lus.* Qualquer embalagem [F.: *carta* + *-eira.*] ▪ **Bater ~** **1** Surrupiar, furtar a carteira do bolso de alguém **2** *Fig. Esp.* Tirar a bola de um adversário, surpreendendo-o **~ de identidade** Documento oficial (ger. plastificado) de identificação de uma pessoa, no qual constam seu nome, filiação, número de registro, fotografia, impressão digital etc. **~ de motorista** Documento pessoal emitido por órgão oficial de trânsito, que habilita o portador a dirigir tipo(s) de veículo especificado(s) no documento, durante certo período de tempo; carteira de habilitação **~ de trabalho/profissional** Documento no qual se registram os dados relativos à atividade profissional do portador, aos cargos e funções que preencheu, salários, férias, contribuições à previdência etc.

carteiraço (car.tei.*ra*.ço) *sm. Pop.* Ação ou prática de exibir carteira funcional de autoridade com a intenção de intimidar ou obter regalias; CARTEIRADA: "O carteiraço é uma das mais deprimentes heranças do passado de subserviência..." (*Diário de S. Paulo*, 24.01.2006) [F.: *carteira* + *-aço.*]

carteirada (car.tei.*ra*.da) *Bras. Pop. sf.* **1** Exibição de documento profissional ou de identidade, com o propósito de obter vantagem de alguma espécie: *O político deu uma* carteirada *para fugir do flagrante.* **2** Tentativa de obter vantagem pessoal através da alegação de que se é uma pessoa importante ou que se possui vínculos com pessoas importantes: *Apesar da* carteirada *e do escândalo, ele não conseguiu entrar na festa.* [F.: *carteira* + *-ada*[1].]

carteirinha (car.tei.*ri*.nha) *sf.* **1** Dim. de *carteira* **2** Documento em forma de cartão, que atesta a identidade ou a condição de alguém, ou o seu direito a ter acesso ou a frequentar certo local, estabelecimento ou instituição (carteirinha de estudante) [F.: *carteira* + *-inha*.] ■ **de ~** *Bras.* Totalmente identificado com algo (partido, clube, atividade etc.), a que se é fiel, ou dedicado etc.: *Ela é sambista de carteirinha.*

carteiro (car.*tei*.ro) *sm.* **1** Empregado dos correios que entrega cartas e demais correspondências **2** Aquele que fabrica cartas de baralho **3** *Lus. Pop.* Aquele que rouba carteiras de dinheiro; CARTEIRISTA [F.: *carta* + *-eiro*.]

cartel[1] (car.*tel*) *sm.* **1** *Mil.* Acordo entre chefes militares em guerra sobre medidas de interesse recíproco, esp. troca de prisioneiros **2** Carta que se envia para desafiar alguém **3** Dístico que se põe em armações feitas para festas e solenidades; ANÚNCIO; AVISO; CARTAZ; LEGENDA **4** Listagem de títulos, premiações etc. de uma pessoa, uma instituição ou uma obra: *É um atleta que tem um volumoso cartel de medalhas.* [Pl.: *-téis*.] [F.: Do it. *cartello*, pelo fr. *cartel*.] ■ **Não dar ~ a** Não poupar (adversário, inimigo etc.)

cartel[2] (car.*tel*) *sm. Econ.* Acordo comercial entre empresas independentes que atuam na mesma área, para limitar a concorrência e elevar os preços; COALIZÃO [Cf. *truste*.] [Pl.: *-téis*.] [F.: Do al. *Kartell* (1789), us. pelo deputado liberal Eugen Richter (1838-1906), para referir-se a um grupo de industriais que se associaram desta forma; o al. advém do fr. *cartel*, e este do it. *cartello*.]

cartela (car.*te*.la) *sf.* **1** Pequeno mostruário de tecidos, fitas etc. **2** Embalagem que contém pequenas unidades de um produto (cartela de comprimidos) **3** Cartão em que se marcam apostas de loteria **4** Cartão em que se anotam os pontos de jogos como bingo, víspora etc. **5** *Arq.* Superfície lisa no meio de um friso ou pedestal, destinada à gravação de alguma ornamentação ou à inscrição de algo **6** *Ecles.* O mesmo que *sacra* (1) [F.: Do it. *cartella*, pelo fr. *cartelle*.]

cartelista (car.te.*lis*.ta) *a2g.* **1** Que é partidário da cartelização ou do cartelismo **2** Diz-se de pessoa ou empresa que participa de cartel: *As empresas cartelistas dominam o mercado de distribuição de derivados. s2g.* **3** Pessoa ou empresa que participa de cartel (cartelistas do álcool) [F.: *cartel*[2] + *-ista*.]

cartelização (car.te.li.za.*ção*) *sf.* **1** Ação ou resultado de cartelizar *sf.* **2** Formação de cartel: "...Pratica cartelização de clientes ao unir num mesmo contrato vários grandes (bancos e conglomerados, em geral), esmagando a própria tarifa (...) para varrer a concorrência." (*O Globo*, 27.05.2005) [Pl.: *-ções*.] [F.: *cartelizar* + *-ção*.]

cartelizado (car.te.li.*za*.do) *a.* Que se cartelizou; organizado em cartel[2]: *O mercado cartelizado não deixa margem para novos concorrentes.* [F.: Part. de *cartelizar*.]

cartelizar (car.te.li.*zar*) *v.* **1** Submeter a interesses ou regras de cartel comercial [*td.*: *Cartelizaram os preços dos derivados de petróleo.*] **2** Formar, constituir um cartel[2] (empresas, industrias etc.) [*int.*: *A intenção daqueles supermercados é cartelizar.*] [▶ **1** cartelizar] [F.: *cartel*[2] + *-izar*.]

cárter (*cár*.ter) *sm.* **1** *Emec.* Envoltório metálico, que protege os motores dos automóveis e (situado na parte inferior destes) armazena óleo lubrificante **2** Qualquer invólucro metálico que proteja mecanismos, motores, ou suas peças [F.: Do antr. *J. H. Carter* (-1903), engenheiro inglês que inventou o dispositivo.]

cartesianismo (car.te.si:a.*nis*.mo) *Fil. sm.* Doutrina de René Descartes (1596-1650), filósofo, físico e matemático francês, e de seus seguidores, considerada a precursora da filosofia moderna, que se carareacteriza pelo racionalismo, pela razão dubitativa, pelo ato de pensar, o *cogito*, e pela dualidade metafísica [F.: Do fr. *cartésianisme*, de *Cartesius*, nome latinizado de Descartes.]

cartesiano (car.te.si.*a*.no) *a.* **1** Ref. a Descartes ou ao cartesianismo **2** Partidário do cartesianismo **3** *Pej.* Que confia exclusivamente na razão **4** Que vê a realidade como fatos e fenômenos isolados e independentes, e não como um sistema integrado **5** Que demonstra os métodos racionais e metódicos da doutrina de Descartes: *uma explanação cartesiana. sm.* **6** Aquele que segue os conceitos de Descartes: *um historiador cartesiano.* [F.: Do fr. *cartésien*, de *Cartesius*, nome latinizado de Descartes.]

cartilagem (car.ti.*la*.gem) *sf.* **1** *Anat.* Tecido conjuntivo, consistente e flexível, branco ou cinzento, que reveste a superfície das articulações e forma as orelhas [A maior parte do esqueleto provisório do embrião é formada por esse tecido, que serve ainda de modelo para o desenvolvimento da maioria dos ossos e é um componente importante no processo de crescimento.] **2** Qualquer parte que se compõe desse tipo de tecido [Pl.: *-gens*.] [F.: Do lat. *cartilago, inis*, pelo fr. *cartilage*.] ■ **~ ciliar** *Anat. Oft.* Denominação desus. de *tarso palpebral*, tecido conjuntivo na borda da pálpebra **~ costal** *Anat.* Cartilagem entre o esterno e as costelas **~ elástica** *Histl.* Cartilagem formada principalmente de tecido elástico **~ epifisária** *Anat. Histl.* Cartilagem de osso longo, em período de crescimento, entre e a epífise e a diáfise **~ fibrosa** *Histl.* Aquela formada principalmente de tecido fibroso **~ hialina** *Histl.* Tipo de cartilagem formado principalmente de tecido translúcido **~ palpebral** *Anat.* Denominação desus. de *tarso palpebral*, tecido conjuntivo na borda da pálpebra **~ tireoide** *Anat.* Cartilagem da laringe, a maior delas, formada de duas lâminas em ângulo

cartilaginoso (car.ti.la.gi.*no*.so) [ô] *a.* **1** Ref. a ou formado de cartilagem; CARTILAGÍNEO **2** *Bot.* Diz-se de órgão ou parte vegetais que apresentam consistência similar à da cartilagem animal [Pl.: [ó]. Fem.: *ó*] [F.: Do lat. *cartilaginosus, a, um*.]

cartilha (car.*ti*.lha) *sf.* **1** Livro próprio para ensinar a ler **2** Compêndio de noções elementares sobre qualquer assunto: *A empresa fez uma cartilha sobre a aplicação de vacinas.* **3** *Fig.* Regra ou padrão de procedimento ou comportamento: *Sempre seguiu a cartilha da mãe.* [F.: Do espn. *cartilla*.] ■ **Ler/rezar pela mesma ~/pela ~ de alguém** Compartilhar com alguém ideias, opiniões, posições etc.

◎**cart(o)-** *el. comp.* = 'carta'; 'mapa': *cartografia* (< fr.), *cartógrafo* (< fr.), *cartomancia, cartomania* [F.: Do gr. *khártes, ou*, 'folha de papiro', pelo lat. *charta, ae*, 'folha de papiro preparada para receber a escrita'; 'papel'.]

cartografar (car.to.gra.*far*) *v.* **1** Fazer levantamento e traçado de (superfície ou pequena área dela em) carta geográfica, topográfica ou geológica [*td.*: "A expedição, ao redor desse gigante, cartografou os acidentes geográficos, analisou as plantas nativas e as peculiaridades da região." (*IstoÉ Dinheiro*, 14.06.2006)] [*int.*: *A arte de cartografar é anterior à de escrever.*] **2** Fazer mapa de [*td.*: *cartografar os meridianos da acupuntura.*] **3** *Fig.* Fazer levantamento e registro sistemático de (dados para pesquisa ou resultantes dela); ARROLAR; INVENTARIAR; LEVANTAR [*td.*: *cartografar as relações sociais; cartografar o ensino no país; cartografar o DNA felino.*] [▶ **1** cartografar] [F.: *cart(o)-* + *grafar*. Hom./Par.: *cartografa* (fl.), *cartógrafa* (sf.); *cartografas* (fl.), *cartógrafas* (pl. do sf.); *cartografo* (fl.), *cartógrafo* (sm). Sin. ger.: *mapear*.]

cartografia (car.to.gra.*fi*.a) *sf.* **1** Ciência e técnica de elaborar cartas geográficas (mapas) **2** Estudo sobre mapas ou sua descrição [F.: Do fr. *chartographie* (atual *cartographie*); ver *cart(o)-* e *-grafia*.]

cartográfico (car.to.*grá*.fi.co) *a.* Rel. a ou próprio da cartografia (representação cartográfica) [F.: *cartografia* + *-ico*[2].]

cartógrafo (car.*tó*.gra.fo) *sm.* **1** Aquele que é versado em cartografia: *Trouxe o infante D. Henrique para Sagres o que havia de mais preparado no mundo para a navegação de longo curso: engenheiros navais, cartógrafos, navegadores. sm.* **2** Profissional que trabalha na elaboração de cartas geográficas [F.: Do fr. *cartographe*; ver *cart(o)-* e *-grafo*.]

cartola (car.*to*.la) *sf.* **1** Chapéu masculino, de copa cilíndrica, dura e alta, aba estreita, ger. preto e brilhante, us. como complemento de traje a rigor, ger. em solenidades *Bras.*; CATIMPLORA *Bras.*; JACA **2** Chapéu rígido, grande e ridículo **3** *Mar.* O mesmo que *quartola* **4** *Bras. N. E. Cul.* Sobremesa feita de banana frita em fatias coberta de queijo assado, açúcar e canela *sm.* **5** *Bras. Pop. Pej.* Dirigente de clube ou entidade esportiva, esp. de futebol **6** *Gír.* Pessoa de posição social elevada que despreza a cultura e os hábitos populares; GRÃ-FINO [F.: Posv. alter. de *quartola*.]

cartolagem (car.to.*la*.gem) *sf.* **1** *Pop. Pej.* Grupo de cartolas, dirigentes de clubes de futebol que usam o cargo para obter vantagens **2** *Pop. Pej.* Procedimento ou atitude desse tipo de gente: *A cartolagem está acabando com o futebol.* [F.: *cartola* + *agem*.]

cartolina (car.to.*li*.na) *sf.* Papel-cartão delgado cuja espessura está entre a do papel grosso e a do papelão [F.: Do it. *cartolina*.] ■ **~ dúplex** Ver *Cartão dúplex*

cartomancia (car.to.man.*ci*.a) *sf.* Adivinhação do passado, presente e futuro pela interpretação das cartas de baralho [F.: Do fr. *cartomancie*; ver *cart(o)-* e *-mancia*.]

cartomante (car.to.*man*.te) *s2g.* Pessoa que pratica ou estuda a cartomancia *Bras.*; SORTISTA [F.: *cart(o)-* + *-mante*.]

cartonado (car.to.*na*.do) *a.* Encadernado com capa de cartão duro, sobre a qual uma capa solta de papel mais fino traz a identificação da obra (diz-se de livro) [F.: Part. de *cartonar*.]

cartonagem (car.to.*na*.gem) *sf.* **1** Fabricação de produtos de cartão ou papelão **2** Produtos feitos com cartão **3** Fábrica ou oficina onde são feitos tais produtos **4** Processo de encadernação do livro cartonado **5** O livro cartonado [Pl.: *-gens*.] [F.: Do fr. *cartonnage*.]

cartonar (car.to.*nar*) *Enc. v. td.* **1** Fazer encadernação (de livro) com capa de cartão **2** Fazer forro de cartão ou papelão [▶ **1** cartonar] [F.: Do fr. *cartonner*. Hom./par.: *cartonar, acartonar* (todos os tempos do v.).]

cartonifício (car.to.ni.*fí*.ci.o) *sm.* Indústria de cartão ou papelão, ou de artefatos produzidos com esse material [F.: *cartão*, sob a f. *carton-*, + *-ifício*.]

⊕ **cartoon** (*Ing.* /*cartún*/) *sm.* Ver *cartum*

cartorário (car.to.*rá*.ri:o) *sm.* **1** Livro de registro de cartas, escrituras, certidões e outros documentos públicos **2** Escrevente de cartório *a.* **3** Ref. a cartório; CARTORIAL [F.: Do lat. tardio *chartularius, ii*.]

cartorial (car.to.ri:*al*) *a.* **1** Ref. a cartório; CARTORÁRIO **2** *Pej.* Diz-se de ato ou atitude que visa beneficiar ou atender interesses de determinado grupo [Pl.: *-ais*.] [F.: *cartóri(o)* + *-al*.]

cartorialismo (car.to.ri:a.*lis*.mo) *sm.* Curso de ação destinado a beneficiar determinados grupos [F.: *cartorial* + *-ismo*.]

cartorialista (car.to.ri:a.*lis*.ta) *a2g.* **1** Ref. a ou que é adepto do cartorialismo *s2g.* **2** Adepto do cartorialismo [F.: *cartorial* + *-ista*.]

cartorializar (car.to.ri.a.li.*zar*) *v. td.* Prover (lugar, área de atividade nos quais é necessário redigir e registrar documentos etc.) com sistema de cartório [▶ **1** cartorializar] [F.: *cartório* + *-al-* + *-izar*.]

cartório (car.*tó*.ri:o) *sm.* **1** *Jur.* Repartição de um tabelião ou escrivão, onde se registram, autenticam, emitem e arquivam certidões, escrituras e outros documentos **2** Lugar onde são registrados e guardados documentos de importância; ARQUIVO [F.: *carta* + *-ório*.] ■ **Casar no ~** Casar-se em cerimônia civil

cartuchame (car.tu.*cha*.me) *sm. Arm.* Estoque de cartuchos para arma de fogo [F.: *cartucho* + *-ame*.]

cartucheira (car.tu.*chei*.ra) *sf. Arm.* Artefato de lona ou couro us. para guardar cartuchos de arma de fogo e que se leva à cintura ou a tiracolo; CANANA; PATRONA [F.: *cartucho* + *-eira*.]

cartucho (car.*tu*.cho) *sm.* **1** ou cartão **2** Pequena embalagem comprida, cônica ou cilíndrica: *cartucho de amendoim.* **3** Dispositivo que contém a fita magnética e se introduz no gravador, videocassete etc. **4** *Anat.* Corneto **5** *Arm.* Invólucro de papel ou metal que contém a carga de uma arma de fogo **6** *Arm.* Estojo cilíndrico metálico (ger. de latão), que contém a carga de proteção e a estopilha, e no qual se encaixa, na parte superior, o projétil de uma arma de fogo **7** *Inf.* Dispositivo que contém a carga de tinta de impressoras a jato de tinta **8** *Palg.* Moldura que na escrita hieroglífica egípcia continha o nome de um soberano [F.: Do lat. medv. *cartotius*, pelo it. *cartòccio*, pelo fr. *cartouche*. Hom./Par.: *cartucho* (sm.), *cartuxo*.] ■ **Último ~** Os últimos recursos disponíveis para obter um resultado: *Queimou seu último cartucho: apelou para a solidariedade familiar.*

cartum (car.*tum*) *sm.* **1** Desenho humorístico ou satírico, composto ger. de um ou mais quadros, com ou sem legenda, em que se retratam comportamentos ou características humanas ou sociais de modo engraçado, ou de maneira a ressaltar o aspecto cômico do assunto abordado [Os cartuns ger. são publicados em jornais e revistas e se utilizam, por vezes, de elementos caricaturais. Cf.: *charge*.] **2** História em quadrinhos **3** *Cin. Telv.* Desenho animado [Pl.: *-tuns*.] [F.: Do ingl. *cartoon*, do it. *cartone*.]

cartunesco (car.tu.*nes*.co) *a.* **1** Ref. a ou próprio de cartum **2** Que se assemelha a cartum [F.: *cartum* + *-esco*, seg. o mod. erudito.]

cartunismo (car.tu.*nis*.mo) *sm.* Atividade ou arte dos cartunistas [F.: *cartum* + *-ismo*, seg. o mod. erudito.]

cartunista (car.tu.*nis*.ta) *a2g.* **1** Que cria e desenha cartuns *s2g.* **2** Pessoa que cria e desenha cartuns [F.: *cartum* + *-ista*, seg. o mod. erudito.]

cartusiano (car.tu.si.*a*.no) *a. sm. Rel.* O mesmo que *cartuxo* (1 e 2) [F.: Adapt. do fr. *cartusien*.]

cartuxa (car.*tu*.xa) *sf.* **1** Ordem religiosa austera, fundada por são Bruno no séc. XI **2** Convento da ordem dos cartuxos [F.: Do lat. medv. *carthusia, ae*.]

cartuxo (car.*tu*.xo) *a.* **1** *Rel.* Ref. ou pertencente a cartuxa (1) *sm.* **2** *Rel.* Frade da ordem cartuxa [F.: Do lat. medv. *carthusium*. Sin. ger.: *cartusiano*. Hom./Par.: *cartuxo* (a. sm.), *cartucho* (sm.).]

carumbé (ca.rum.*bé*) *s2g.* **1** Espécie de gamela em que os garimpeiros lavam o cascalho **2** *Bras. Amaz. Zool.* O macho do jabuti [F.: Do tupi *karu'mbe*.]

carunchado (ca.run.*cha*.do) *a.* **1** Repleto de carunchos; CARUNCHOSO **2** Roído, estragado por carunchos; CARUNCHOSO [F.: Part. de *carunchar*.]

carunchar (ca.run.*char*) *v. int.* Encher-se de caruncho; desfazer-se em caruncho: *Esta madeira carunchou em pouco tempo.* [▶ **1** carunchar] [F.: *caruncho* + *-ar*[2]. Hom./Par.: *caruncho* (fl.), *caruncho* (sm.).]

carunchento (ca.run.*chen*.to) *a.* O mesmo que *carunchoso*. [F.: *caruncho* + *-ento*.]

caruncho (ca.*run*.cho) *sm.* **1** *Zool.* Denom. comum a insetos e larvas que perfuram madeira, livros e cereais; BRUCO; CARCOMA; CARNEIRINHO; CARPINTEIRO; GORGULHO; PUNILHA **2** O pó de madeira, cereal ou livro perfurado por esses insetos; CARCOMA **3** *Fig.* O que mina e destrói aos poucos: *A corrupção é o caruncho daquela empresa.* **4** *Fig.* Coisa velha, ger. em péssimo estado, ou sem utilidade, ou de baixo valor; VELHARIA; ANTIQUALHA **5** *Zool.* Nome de uma raça de suínos [F.: De or. contrv. Cf.: *broca*.]

carunchoso (ca.run.*cho*.so) [ô] *a.* **1** Repleto de carunchos **2** Roído, estragado pelo caruncho **3** *Fig.* Muito velho, arruinado, deteriorado **4** *Fig.* Antiquado, ultrapassado [Pl.: [ó]. Fem.: *ó*] [F.: *caruncho* + *-oso*. Sin. ger.: *carunchento*.]

carúncula (ca.*rún*.cu.la) *sf.* **1** *Anat.* Pequena saliência ou excrescência carnosa, ger. avermelhada **2** *Bot.* Excrescência existente em algumas sementes **3** *Zool.* Crista de certas aves [F.: Do lat. *caruncula, ae*.] ■ **~ lacrimal** *Oft.* A que existe no canto interno de cada olho **~ mirtiforme** *Anat.* Carnosidade em torno da vagina, que se forma após a ruptura do hímen

caruru (ca.ru.*ru*) *sm.* **1** *Bot.* Denom. comum a algumas plantas do gên. *Amaranthus*, da fam. das amarantáceas, de folhas comestíveis e muito nutritivas **2** *Cul.* Prato feito com essa planta, ou com quiabos, e camarões secos, peixe, azeite de dendê, pimenta, amendoim etc. **3** *Bot.* O mesmo que *bredo* (2) [F.: De or. incerta, posv. africana.]

caruru-azedo (ca.ru.ru-a.*ze*.do) *sm. Bot.* Arbusto da fam. das malváceas (*Hibiscus sabdariffa*), de prov. origem africana, de folhas comestíveis, com sabor azedo, flores róseas, purpúreas ou amarelas cujos cálices carnosos são us. na confecção de geleias, doces, xaropes e bebidas; AZEDINHA; QUIABO-AZEDO; QUIABO-DE-ANGOLA; QUIABO-RÓSEO; QUIABO-ROXO; ROSÉLIA; VINAGREIRA [Pl.: *carurus-azedos*.]

cárus (*cá*.rus) *sm2n. Med.* Último grau do estado comatoso; coma profundo [F.: Do gr. *káros, ou.*]
carvalhal (car.va.*lhal*) *sm.* 1 Mata de carvalhos [Pl.: *-lhais.*] *a.* 2 Diz-se de uma variedade de pêra 3 Diz-se de uma casta de uva preta do Minho 4 Diz-se de uma variedade de figueira do Algarve [Pl.: *-lhais.*] [F.: *carvalh(o) + -al.*]
carvalho (car.*va*.lho) *sm.* 1 *Bot.* Denom. comum a diversas árvores e arbustos do gên. *Quercus*, da fam. das fagáceas, cultivadas como ornamentais e cuja madeira, muito dura, é us. em construções 2 *Bot.* A madeira de tais árvores [F.: De or. contrv., posv. pré-romana.]
carvalho-do-brasil (car.va.lho-do-bra-*sil*) *sm. Bot.* Carne-de-vaca [Pl.: *carvalhos-do-brasil.*]
carvão (car.*vão*) *sm.* 1 Substância combustível, sólida e negra, resultante da combustão parcial de matéria orgânica, de origem vegetal ou animal 2 Carvão (1) acumulado em jazidas durante séculos, muito us. na indústria; CARVÃO DE PEDRA; CARVÃO MINERAL; HULHA 3 Pedaço de madeira carbonizada; brasa extinta; TIÇÃO 4 *Art. pl.* Lápis para desenho feito de matéria em que predomina o carbono 5 Desenho feito com esse lápis 6 *Bras. Bot.* Nome comum a vários fungos (esp. os dos gêneros *Ustilado, Tilletia* e *Urocystis*) que parasitam certas plantas, como o trigo e o milho, e que têm o aspecto de uma poeira negra 7 *Bras. Bot.* Doença causada por algum desses fungos 8 *Bras. Gír.* Jornal, periódico [Pl.: *-vões.*] [F.: Do lat. *carbo, onis.*] ▪ **~ animal** Carvão obtido da queima de matéria animal, esp. ossos **~ ativado** Aquele que é tratado quimicamente para ter grande poder de adsorção, us. em filtros, máscaras contra gases etc. **~ mineral** Material resultante da queima de substâncias orgânicas e acumulado em jazidas **~ vegetal** Carvão obtido da queima de madeiras

📖 Apesar de a produção de energia no mundo ter como insumo principal o petróleo, o carvão ainda é uma fonte alternativa de grande importância, principalmente o carvão mineral (tb. um hidrocarboneto fóssil), que representa cerca de 20% do consumo de energia. Os maiores produtores de carvão são China, E.U.A., Índia, Austrália, Rússia, África do Sul, Alemanha, Polônia e Indonésia. No Brasil, o principal estado produtor é Santa Catarina.

carvão de pedra (car.vão de *pe*.dra) *sm.* Carvão (2) [Pl.: *carvões de pedra.*]
carvoaria (car.vo.a.*ri*.a) *sf.* 1 Lugar onde se fabrica carvão 2 Lugar onde se estoca ou vende carvão [F.: *carvão + -aria*, com desnasalação.]
carvoeiro (car.vo.*ei*.ro) *a.* 1 De, ou ref. a carvão (indústria carvoeira) *sm.* 2 Aquele que fabrica ou vende carvão: *Negro é o carvoeiro, branco é o seu dinheiro. (prov.)* 3 Lugar onde se armazena carvão; CARVOARIA 4 *Bras. RJ SP Bot.* Pequena árvore da fam. das rubiáceas (*Faramea campanularis*) com flores em cimeira e frutos globosos, da qual se extraem madeira, lenha e carvão 5 *Bras. MG SP Bot.* Arbusto ornamental (*Miconia trianaei*), da fam. das melastomatáceas, com madeira us. para carvão [F.: Do lat. *carbonarius, ii*, 'aquele que produz ou vende carvão'.]
cãs *sfpl.* 1 Cabelos brancos: *Todo aquele aborrecimento lhe deu cãs prematuras.* 2 *Fig.* Velhice: *O neto não respeitava suas cãs.* [F.: Do lat. *canas.*]
casa (*ca*.sa) *sf.* 1 Construção, ger. com um ou poucos andares, com forma e tamanho diversos, destinada a habitação; MORADIA; RESIDÊNCIA; VIVENDA [Aum.: *casão, casarão, casaréu.* Dim.: *casinha, casita, casucha, casebre, casinhola, casinholo, casinhota, casinhoto.*] 2 Local onde se vive; LAR 3 O conjunto das pessoas que habitam uma casa (1): "Calisto passou o restante da noite com os amigos da casa (...)" (Camilo Castelo Branco, *Queda de um anjo*) 4 Os negócios e assuntos domésticos: *A mãe é quem cuida da casa.* 5 *Lus.* Cada um dos cômodos de uma residência (casa de banho) 6 Família ou linhagem nobre (Casa d'Orléans) [Nesta acp., ger. com inicial maiúsc.] 7 *Fig.* Os bens, o patrimônio dessa família ou linhagem 8 *Fig.* O conjunto dos objetos, eletrodomésticos e mobiliário que compõem uma residência 9 Estabelecimento comercial; LOJA 10 Fenda no vestuário pela qual passa o botão 11 Nome de determinadas repartições públicas: *Casa da Moeda.* 12 Cada uma das divisões de uma tabela, mapa, gráfico, tabuleiro de jogo, formulário, tabuada etc. 13 Fração de uma década na idade: *Ele está na casa dos vinte.* 14 Posição de cada algarismo num número: *Casa das dezenas/das centenas.* 15 Local destinado a espetáculos ou reuniões festivas: *Casa de festas/de espetáculos; O show lotou a casa.* 16 *Ecles.* Mosteiro, convento 17 *Mús.* Numa composição, certo indicativo de repetição de seções [F.: Do lat. *casa, ae.* Hom./Par.: *casa* (sf.), *casa* (fl. do v. *casar*); *casas* (pl. do sf.), *casas* (fl. do v. *casar*). Col.: *casaria, casario.*] ▪ **~ bancária** Estabelecimento que realiza operações de crédito ou de câmbio **~ brejada** *CE* Casa de chão úmido **~ civil** Setor de um governo que trata das questões administrativas e políticas da área civil (não militar) **~ comercial** Estabelecimento onde se compram e se vendem mercadorias **~ da mãe-joana** *Pop.* Lugar sem regras, sem normas de conduta, onde impera a desorganização; casa da sogra **~ da Moeda** Estabelecimento público no qual se cunham as moedas e se imprimem as cédulas de dinheiro de um país **~ de aviamento** *S.* Puxado lateral em casa de pescador, para vários serviços **~ de bagaço** *N. E.* Em engenho de açúcar, depósito de bagaço de cana-de-açúcar **~ de banho** *Lus.* Banheiro **~ de Câmara e Cadeia** *Ant.* Sede da administração e da justiça municipais [No Brasil, o termo foi us. até o advento da República.] **~ de câmbio** Estabelecimento que compra, vende e troca moedas diversas **~ de campo** Casa fora da cidade, para lazer, descanso etc. **~ decimal** *Mat.* Na notação decimal de um número, posição (de um algarismo) à direita da vírgula **~ de cômodos** Casa em que se alugam quartos, que servem de habitação individual ou familiar; cortiço **~ de correção** Estabelecimento para reclusão e correção de menores delinquentes **~ de despejo** Cômodo no qual se guardam móveis e objetos velhos, sem uso **~ de detenção** 1 Estabelecimento oficial onde ficam detidos acusados de crime que aguardam julgamento 2 *P. ext.* Prisão **~ de farinha** *Bras.* Lugar destinado ao preparo de farinha de mandioca **~ de máquinas** Espaço em que ficam instalados o motor e implementos que acionam um elevador **~ de marimbondo** *Fig.* Lugar ou situação que encerra risco de complicações, conflitos, graves problemas etc. **~ de orates** Casa sem organização, sem ordem, confusa, onde ninguém se entende **~ de passe** *Lus.* Ver *prostíbulo* **~ de pasto** Restaurante popular **~ de penhor/de prego** Estabelecimento que empresta dinheiro tendo como garantia joias ou outro(s) objeto(s) de valor deixados pelo tomador **~ de purgar** *Bras.* O lugar do engenho de açúcar onde o caldo da cana é purgado **~ de recurso** *N.E.* Ver *Casa de tolerância.* **~ de saúde** Clínica, hospital particular **~ de tavolagem** Casa na qual se praticam jogos de azar **~ de tolerância** Aquela na qual se alugam quartos para encontros amorosos **~ do cacete** *Tabu.* Ver *Casa do caralho.* **~ do caralho** *Tabu.* Lugar distante **~ do leme** *Mar.* Recinto onde fica o timão, e onde se governa a embarcação **~ dos contos** *Ant.* A casa de administração do erário **~ dos entas** *Bras. Pop.* O período da vida em que uma pessoa tem entre quarenta e cem anos de idade [Alusão à passagem da idade de vinte e trinta anos (terminados em 'inta/e') para os anos em que as dezenas terminam em 'enta' (quarenta, cinquenta etc.).] **~ dos milagres** Dependência em templo, igreja etc. em que se expõem ex-votos **~ funerária** *Bras.* Empresa cuja atividade consiste em realizar funerais [Tb. apenas *funerária.*] **~ matriz** Ver *matriz* (18) **~ militar** Setor de um governo que trata das questões da área militar **~ noturna** *Bras.* Boate, cabaré **~ popular** *Bras.* Casa construída para famílias de baixo poder aquisitivo **~ geminadas/casadas** Casas de paredes-meias, construídas com as mesmas divisões internas, porém simetricamente invertidas **Arrumar a ~** *Fig.* Reorganizar para melhor desempenho (empresa, time etc.) **Estar em ~** Sentir-se à vontade, como se na própria casa **Fazer ~** *Fig.* Juntar bens; amealhar **Ó/ô de ~** *Bras.* Maneira de chamar, de fora de uma casa, alguém que esteja em seu interior **Santa ~** Instituição que provê tratamento e/ou internação hospitalar de enfermos pobres **Ser de ~** Ser íntimo de uma família ou de uma instituição, não ser de cerimônia **Ser uma ~ cheia** Ser animado, caloroso, alegre
casablanquense (ca.sa.blan.*quen*.se) *s2g.* 1 Aquele ou aquela que nasceu ou que vive em Casablanca (Marrocos) *a2g.* 2 De Casablanca; típico dessa cidade ou de seu povo [F.: Do top. *Casablanca + -ense.*]
casaca (ca.*sa*.ca) *sf.* 1 Veste masculina para ocasiões solenes, ger. preta, curta na frente e com uma aba partida ao meio atrás 2 *Fam.* Reprimenda, descompostura, bronca *sm.* 3 *Pop.* Pessoa rica ou importante 4 *Bras.* Instrumento semelhante ao ganzá, us. pelas bandas de congo 5 *Bras.* Caipira, matuto 6 *Bras.* Fiscal de uma turma de operários [F.: do fr. *casaque*, de or. incerta.] ▪ **Cortar na ~ de** Falar mal de **Virar/voltar (a) ~** Mudar de partido, de lado, de clube etc.
casacão (ca.sa.*cão*) *Vest. sm.* 1 Casaco grande 2 Casaco longo e quente, que se veste sobre outro casaco, paletó etc.; CAPOTE; MANTÔ; SOBRETUDO [Pl.: *-cões.*] [F.: *casaco + -ão*[1].]
casaco (ca.*sa*.co) *sm.* Peça do vestuário que cobre o tronco, aberta na frente e com mangas compridas, própria para usar sobre outras roupas [F.: do it. *casacchetta*, dim. de *casacca.*]
casa da mãe-joana (*ca*.sa da mãe jo.*a*.na) *sf. Pop.* Lugar onde há confusão e desordem, onde cada um faz o que quer [Pl.: *casas da mãe-joana.*] [Ver tb. *cu da mãe-joana.*]
casa de orates (*ca*.sa de o.*ra*.tes) *sf.* Hospício, manicômio: "...Itaguaí tinha finalmente uma casa de orates..." (Machado de Assis, *O alienista*) [Pl.: *casas de orates.*]
casadinho (ca.sa.*di*.nho) *Cul. sm.* 1 Tipo de biscoito recheado com doce ou geleia 2 Salgadinho recheado [F.: *casad(o) + -inho.*]
casado (ca.*sa*.do) *a.* 1 Unido pelo casamento [+ *a, com.* Ant.: *celibatário*] 2 Unido, aderido, ligado [+ *a, com.*] 3 Que está em harmonia; COMBINADO; HARMONIZADO [+ *a, com.*] [Ant., nessas aceps.: *descasado.*] *sm.* 4 Aquele que se casou: *jogo de solteiros contra casados.* [Ant.: *celibatário*] [F.: part. de *casar.*] ▪ **Venda ~a** Venda condicionada à aquisição de determinado bem ou serviço quando da aquisição de outro
casadoiro (ca.sa.*doi*.ro) *a.* Ver *casadouro*
casadouro (ca.sa.*dou*.ro) *a.* 1 Que está na idade de casar; NÚBIL 2 Que deseja muito casar [F.: *casar + -douro.* Tb. *casadoiro.*]
casa-forte (ca.sa-*for*.te) *sf.* Nas instituições bancárias, lugar onde ficam instalados os cofres [Pl.: *casas-fortes.*]
casa-grande (ca.sa-*gran*.de) *sf. Bras.* Casa do proprietário numa fazenda ou engenho, esp. na época colonial e imperial [Pl.: *casas-grandes.*]
casal (ca.*sal*) *sm.* 1 Par formado por macho e fêmea, ou por homem e mulher, esp. se mantêm relação amorosa ou estão sempre juntos 2 *P. ext.* Par formado por duas pessoas que mantêm relação amorosa 3 Par, parelha 4 Propriedade rural, pequena e rústica; GRANJA 5 Lugarejo de poucas casas; pequena aldeia [F.: do lat. med. *casale.* Hom./Par.: *casais* (pl.), *casais* (fl. de casar).]
casamata (ca.sa.*ma*.ta) *sf.* 1 *Mil.* Abrigo subterrâneo à prova de bombardeios, dentro de um forte, para alojar tropas e estocar munição 2 *Mil.* Fortificação baixa, ger. com formato abobadado, para defender uma bateria (11) 3 Prisão subterrânea [F.: do it. *casamatta.* Hom./Par.: *casamata* (sf.), *casamata* (fl. de *casamatar*).]
casamenteiro (ca.sa.men.*tei*.ro) *a.* 1 Que arranja ou promove casamentos 2 Ref. a casamento; CONJUGAL; MATRIMONIAL *sm.* 3 Aquele que arranja ou promove casamentos [F.: *casamento + -eiro.*]
casamento (ca.sa.*men*.to) *sm.* 1 União conjugal entre homem e mulher; MATRIMÔNIO [+ *de... com, entre.*] 2 A relação e a vida familiar decorrente dessa união 3 Cerimônia civil ou religiosa que efetiva essa união; BODA; NÚPCIAS [+ *de... com, entre*] 4 *Fig.* Associação, união: *casamento perfeito entre letra e música.* [+ *de... com, entre.*] 5 Qualquer união semelhante à de marido e mulher [F.: *casar + -mento.* Ideia de 'casamento': *-gamo* (bígamo), e *-gamia* (bigamia).] ▪ **~ avuncular** *Ant.* Casamento de tio materno com a sobrinha **~ bilateral** Casamento entre primos cruzados bilaterais **~ branco** Aquele em que não houve relação sexual **~ civil** Casamento realizado por autoridade civil, ger. um juiz [Por oposição a *casamento religioso.*] **~ de polaco** *PR Folc.* Matrimônio entre colonos poloneses, ou seus descendentes, ger. com a duração de 3 dias, ou mais **~ matrilateral** *Antr.* Casamento com filha/filho de irmã/irmão da mãe, i. e., com prima/o cruzada/o matrilateral [Ver *Primo cruzado.*] **~ nuncupativo** Casamento celebrado oralmente, perante seis testemunhas e sem outra formalidade, por haver motivo bastante para tal procedimento **~ patrilateral** *Antr.* Casamento com filha/o de irmã/irmão do pai, i. e., com prima/o cruzada/o patrilateral [Ver *Primo cruzado patrilateral.*] **~ putativo** Casamento contraído de boa-fé pelos cônjuges ou por um deles, mas nulo ou anulável, sendo no entanto válido até sentença anulatória **~ religioso** Casamento realizado por autoridade religiosa, que em certos países tem validade jurídica [Por oposição a *casamento civil.*]
casanova (ca.sa.*no*.va) *sm.* Indivíduo conquistador, mulherengo [F.: Do antr. *(Giovanni Giacomo) Casanova (de Seingalt)*, aventureiro italiano.]
casar (ca.*sar*) *v.* 1 Unir(-se) em matrimônio [*td.: Aquele padre já casou muita gente.*] [*tr. + com: Ela vai (se) casar com Bruno; Nós nos casamos em março.*] [*int.: Ele ainda não casou; Casei-me há dois meses.*] 2 Promover o matrimônio de [*td.: Já desistiu de casar a filha.*] [*tdr. + com:* "... pensou em casá-lo com a cunhada..." (Machado de Assis, *Esaú e Jacó*)] 3 Pôr(-se) ou estar de acordo ou em harmonia (com); COMBINAR(-SE) [*td.: Quer casar pontos de vista opostos.*] [*tr. + com: Nem sempre a prática casa(-se) com a teoria; A sua atitude não casa com seu caráter.*] [*int.: Estes móveis não casam.*] 4 Aliar(-se), juntar(-se) [*tdr. + a, com: casar o bom ao/com o barato.*] [*tr. + a, com: Não deixe o desespero casar-se com a descrença.*] 5 Reunir por grupos, par ou afinidade [*td.: casar os pés de sapato, as cartas do baralho.*] 6 Colocar (o dinheiro ou aquilo que se vai apostar) junto dos demais valores apostados [*td.: Faltava meu pai casar o dinheiro.*] [*int.: A banca perguntou quem não havia casado.*] 7 *Art. gr.* Juntar (diferentes composições) na mesma forma para imprimi-las ao mesmo tempo [*td.*] [▶ 1 casar] [F.: *casa + -ar*[2]. Hom./Par.: *casa(s)* (fl.), *casa(s)* (sf. [pl.]); *caso* (fl.), *caso* (sm.). Ideia de 'casar': *nub-* (*nubente, núbil*).]
casarão (ca.sa.*rão*) *sm.* 1 Casa grande e luxuosa; MANSÃO; PALACETE 2 Casa grande, de estilo colonial, ger. assobradada [Pl.: *-rões.*] [F.: *casa + -arão.*]
casaria (ca.sa.*ri*.a) *sf.* O mesmo que *casario* [F.: *casa + -aria.* Hom./Par.: *casaria* (sf.), *casaria* (fl. de *casar*).]
casario (ca.sa.*ri*.o) *sm.* Série ou conjunto de casas; CASARIA [F.: *casa + -r- + -io.*]
casável (ca.*sá*.vel) *a2g.* Que pode contrair casamento; CASADOURO; NÚBIL [Pl.: *-veis.*] [F.: *casar + -vel.*]
casbá (cas.*bá*) *sf.* 1 Palácio do soberano, nas antigas cidades árabes 2 Parte antiga das cidades árabes, esp. as do norte da África [F.: Do ár. *al-qasba.*]
casca (*cas*.ca) *sf.* 1 *Bot.* Camada externa, rija ou mole, espessa ou fina, que reveste troncos, caules, frutos, sementes e raízes [Dim.: *casquilha.*] 2 Camada externa que envolve ou recobre certas coisas: *casca de ferida; casca de pão; casca de ovo.* 3 Revestimento ou cobertura rígida do corpo de certos animais 4 *Restr.* Revestimento do corpo dos crustáceos: *casca de camarão.* 5 *Fig.* Aparência, exterioridade 6 *Fig.* Casa, lar, abrigo 7 *Fam.* Zanga, mau humor causado por zombaria, deboche 8 *Lud.* No voltarete, jogo que se faz com as 13 cartas que ficam na mesa e quando todos passam a primeira vez: *casca de nove; casca de 13.* *s2g.* 9 *Bras.* Aquele ou aquela que com avareza, com mesquinharia; AVARENTO; MESQUINHO *a2g.* 10 *Bras.* Que é avarento, mesquinho [F.: De or. contrv; posv. dev. de *cascar.* Hom./Par.: *casca* (sf.), *casca* (fl. de *cascar*); *cascas* (pl.), *cascas* (fl. de *cascar*). Col. das acps. 1, 2, 3 e 4: *cascabulho.*] ▪ **~ de concreto** *Arq.* Cobertura fina de concreto armado, ger. em forma de abóbada **~ de noz** Embarcação frágil **Dar à ~** *Lus. Gír.* Morrer **Largar a ~** *Fam.* Morrer

Passado na ~ do alho/angico *N.* Esperto, ladino **Pisar em ~ de banana** Pôr-se em situação difícil, arriscada ou perigosa **Sair da ~ do ovo** Amadurecer (pessoa), tornar-se adulto, independente

cascabulho (cas.ca.*bu*.lho) *sm.* **1** Casca de várias sementes, esp. da glande e da castanha **2** Monte de cascas de frutas e/ou legumes **3** *Bras. N. E.* Maçaroca de milho **4** *Antiq.* Estudante de exames preparatórios [F.: do cast. *cascabullo*. Hom./Par.: *cascabulho* (sm.), *cascabulho* (fl. de *cascabulhar*).]

casca-grossa (*cas*.ca-*gros*.sa) *s2g. Bras.* Pessoa grosseira, rude, mal-educada: "...casca-grossa, foi logo dando as notícias..." (Guimarães Rosa, *Sagarana*) [Pl.: *cascas-grossas*.]

cascalhada (cas.ca.*lha*.da) *sf.* **1** Gargalhada **2** *Bras.* Zumbido do vento: "...cascalhada de vento..." (Xavier Marques, *Arpoador*) **3** *BA* Vento forte que sopra do leste [F.: Fem. substv. de *cascalhado* (part. de *cascalhar*).]

cascalheira (cas.ca.*lhei*.ra) *sf.* **1** Terreno onde há muito cascalho **2** Terreno de aluvião **3** Ruído produzido pelo movimento de cascalhos ou de objetos miúdos: *fazer cascalheira com as moedas.* **4** Respiração ruidosa [F.: *cascalh(o)* + *-eira*.]

cascalho (cas.*ca*.lho) *sm.* **1** Conjunto de lascas de pedra ou brita us. como material de construção, ger. misturado com areia grossa e fragmentos de tijolos **2** *Bras.* Camada de areia grossa e seixos onde se encontram diamantes ou ouro **3** *Bras.* Mistura de areia grossa, seixos, pedrinhas, fragmentos de conchas etc. que se encontram em alguns locais das praias ou do fundo do mar, ou em aluviões **4** Escória de ferro **5** *Fam.* Conjunto de moedas de pequeno valor; dinheiro miúdo [F.: De or. contrv; posv. de *casca* + *-alho*. Hom./Par.: *cascalho* (sm.), *cascalho* (fl. de *cascalhar*).]

cascão (cas.*cão*) *sm.* **1** Casca muito espessa **2** Camada externa endurecida de qualquer matéria pastosa; CROSTA **3** Camada de sujeira na pele **4** Calosidade, calo **5** Camada de areia, misturada com metal, que adere à superfície de uma peça fundida **6** Crosta endurecida de argila seca ao sol **7** Crosta de ferida que cicatriza ou está em supuração; BOSTELA; PÚSTULA **8** Laje mais ou menos retangular cortada grosseiramente antes de ser lavrada [Pl.: *-cões*.] [F.: *casca* + *-ão*.]

cascar (cas.*car*) *v.* **1** Fazer sair a casca de; descascar [*td.*: *Cascou os tomates para fazer o molho.*] **2** *Pop.* Espancar, bater [*tdi.* + *em*: *Cascou um bofetão no atrevido.*] [*ti.* + *em*: *Cascaram-lhe com excessiva violência.*] **3** *Fig.* Dirigir palavras ásperas, duras a [*ti.* + *a*: *Cascou rudes palavras ao filho.*] [▶ **11 cascar**] [F.: do lat. vulg. **quassicare* (de *quassare*). Hom./Par.: *cascaria(s)* (fl.), *cascaria* (sf. [e pl.]); *casco* (fl.), *casco* (sm.); *cascara(s)* (fl.), *cáscara* (sf. [e pl.]).]

cáscara-sagrada (*cás*.ca.ra-sa.*gra*.da) *sf. Bot.* Planta (*Rhamnus purshiana*) da fam. das ramnáceas, de cuja casca se preparam medicamentos laxantes [Pl.: *cáscaras-sagradas*.]

cascaria (cas.ca.*ri*.a) *sf.* **1** Conjunto de cascos para líquidos **2** Os cascos dos pés dos animais **3** *MG Pop.* Pessoa sem préstimo [F.: *casc(o)* + *-aria*. Hom./Par.: *cascaria(s)* (sf. [pl.]), *cascaria(s)* (fl. de *cascar*).]

cascata (cas.*ca*.ta) *sf.* **1** Cachoeira de pequeno volume que escorre entre rochedos **2** Construção com pedras e conchas formando catadupas, em que a água escorre à maneira de uma cachoeira natural **3** Conjunto de peças de iluminação cuja disposição lembra uma cascata **4** *Bras. Pop.* Conversa-fiada; LOROTA; MENTIRA **5** Sucessão inevitável de fatos desencadeada por um fato inicial: *A majoração do preço dos combustíveis causa aumentos em cascata.* **6** *Pej. Pop.* Mulher encarquilhada e presunçosa **7** *Bras. Gír.* Jactância, fanfarronice **8** *Bras. Jorn.* Matéria sem fundamento, ger. longa e enfadonha [F.: Do it. *cascata*.] ▪ **Efeito ~** Resultado de um processo ou cadeia de eventos em cascata: *A inflação cria um efeito cascata no custo de vida.* **Em ~** Processo no qual o resultado ou fato gerado por um evento vem se juntar ao(s) fato(s) gerador(es), resultando em novos fatos e consequências, e assim por diante: *Esse imposto gerou um aumento em cascata nos custos de produção.*

cascatear (cas.ca.te.*ar*) *v.* **1** Formar cascata: *No alto da montanha as águas cascateavam.* **2** *Fig.* Mover-se como cascata: *As pedras cascateavam pelo declive.* **3** *Bras. Pop.* Dizer ou escrever cascata; fantasiar (assunto, fato etc.); mentir: *Esse jornal só vive cascateando.* [▶ **13 cascatear**] [F.: *cascat(a)* + *-ear*².]

cascateiro (cas.ca.*tei*.ro) *Bras. Pop. a.* **1** Que costuma mentir ou contar vantagens; MENTIROSO *sm.* **2** Aquele que é dado a mentir ou contar vantagens [F.: *cascata* + *-eiro*.]

cascavel (cas.ca.*vel*) *s2g.* **1** *Zool.* Nome comum às cobras do gên. *Crotalus*, da fam. dos viperídeos, como a espécie *Crotalus durissus*, que ocorre do México até a Argentina e tem um guizo na ponta da cauda; BOICININGA; BOIÇUNUNGA; BOIQUIRA; MARACÁ; MARACABOIA *sf.* **2** *Fig.* Pessoa (esp. mulher) maledicente ou de mau gênio **3** *Bras.* Porteira fechada por varas paralelas **4** *Pop.* Aguardente de cana; CACHAÇA *sm.* **5** Guizo **6** *Fig.* Pouco juízo; cabeça oca **7** Coisa insignificante; NINHARIA [Pl.: *-véis*.] [F.: Do provençal *cascavel*.]

cascavilhar (cas.ca.vi.*lhar*) *v.* **1** *N. E.* Remexer, à procura de alguma coisa [*td.*] **2** Bisbilhotar; coscuvilhar [*td.*: *Vive cascavilhando a vida dos outros.*] [*int.*: *Só vivia cascavilhando.*] **3** Investigar minuciosamente; ESQUADRINHAR; ESMIUÇAR [*int.*: *Pensou, cascavilhou, mas não encontrou a expressão correta.*] [▶ **1 cascavilhar**] [F.: De or. contrv. Hom./Par.: *coscouvilhar* (todos os tempos do v.).]

casco (*cas*.co) *sm.* **1** *Zool.* Envoltório córneo, unha de animais como o boi, o cavalo, a anta, o elefante etc. **2** *Bras.* Garrafa vazia de refrigerante, cerveja etc. **3** *Cnav.* Estrutura externa de embarcação, desde a quilha até a borda **4** Conjunto dos ossos do crânio **5** *Pop.* Couro cabeludo **6** *Fig.* Inteligência, juízo **7** *Zool.* Revestimento ósseo do corpo das tartarugas, cágados e jabutis **8** Armadura, ger. da cabeça, em forma de calota **9** *N.* Canoa de madeira inteiriça **10** Recipiente feito de tábuas, próprio para armazenar líquidos; PIPA; TONEL [F.: De or. contrv. Hom./Par.: *casco* (sm.), *casco* (fl. de *cascar*).] ▪ **Bom de ~** *Gír.* Em boa forma (física), com boa saúde **Crescer nos ~s** *Bras.* Perder a paciência, irritar-se **Dar nos ~s** *Bras. Gír.* Fugir, dar o fora **Estar nos ~s** Estar em boa forma, com boa disposição **Ficar no ~ da situação** *CE* Perder (fazendeiro) todo o gado numa seca **Na ponta dos ~** *Gír.* Em boa forma física

casco de burro (*cas*.co de*bur*.ro) *sm. BA* No garimpo, buraco de onde se retira cascalho diamantífero [Pl.: *cascos de burro*.]

cascuda (cas.*cu*.da) *Bras. Zool. sf.* **1** Espécie de formiga (*Cryptocerus pusillus*) **2** Barata (*Leucophaea maderae*) que pode atingir cerca de 45 mm de comprimento; baratacascuda **3** Certo peixe da Bahia **4** Espécie de sardinha (*Sardinella macrophtalma*) [F.: Fem. substv. de *cascudo*¹.]

cascudo¹ (cas.*cu*.do) *a.* **1** Que tem casca ou pele grossa e dura: *laranja cascuda* **2** *Fig. Pop.* Que já viveu ou sofreu bastante (diz-se de pessoa); CALEJADO; EXPERIENTE: *Antônio é cascudo, não se ilude mais.* *sm.* **3** *Zool.* Denom. comum a diversos peixes teleósteos, da fam. dos loricariídeos que têm o corpo revestido de placas ósseas, cabeça chata e corpo delgado, e vivem nos rios; ACARI **4** *Zool.* Besouro preto da fam. dos curculionídeos (*Sternechus subsignatus*) de asas anteriores espessas **5** *Bot.* Nome comum a duas espécies do gên. *Cenostigma*, da fam. das leguminosas, subfam. cesalpinioídea (*C. gardnerianum* e *C. macrophyllum*), árvores ou arbustos de flores amarelas que ocorrem em terrenos secos do Brasil **6** *Bot.* Árvore da fam. das voquisiáceas (*Qualea dichotoma*), nativa do Brasil, frondosa e com flores branco-amareladas [F.: *casca* + *-udo*.]

cascudo² (cas.*cu*.do) *sm.* **1** Pancada na cabeça com o nó dos dedos; CASTANHA; COCOROTE; COQUE **2** Qualquer pancada proposital; BORDOADA; PANCADA [F.: *casco*, 'cabeça', + *-udo*.]

⊠ **case** *Inf.* Sigla do ing. *Computer-Aided Software Engeneering*, sistema de computação us. em engenharia de *software*

casear (ca.se.*ar*) *v. td.* Abrir casas para botões em (peça de roupa): *A costureira caseou o colete.* [▶ **13 casear**] [F.: *casa* + *-ear*².]

casebre (ca.*se*.bre) *sm.* Casa pequena e miserável; CASINHOLA; CHOUPANA; TUGÚRIO [F.: De or. contrv; posv. do provençal. *casebre*.]

◎ **case(i)-** *el. comp.* = 'queijo': *caseína, caseiforme* [F.: Do lat. *caseus, i*.]

caseína (ca.se.*í*.na) *sf. Bioq.* Proteína rica em fósforo que se encontra no leite e é o principal constituinte do queijo [F.: Do fr. *caseine* ou de *case(i)-* + *-ina*².]

caseira (ca.*sei*.ra) *sf.* **1** Mulher que administra sítio ou chácara **2** Esposa do caseiro **3** *Bras.* Concubina: "... Maria Caiçara, caseira do Belota..." (Domingos Olímpio, *Luzia-homem*) **4** *Bras. N* Mulher encarregada do serviço doméstico **5** *Bras. N* Prisão de ventre **6** *CE* Hemorroidas [F.: *cas(a)* + *-eira*.]

caseiro (ca.*sei*.ro) *a.* **1** Ref. a ou próprio de casa (rotina caseira; lixo caseiro); DOMÉSTICO **2** Feito em casa (comida caseira; soro caseiro) **3** Para ser us. em casa: "O rodaque de chita, veste caseira e leve..." (Machado de Assis, *Dom Casmurro*) **4** Que gosta muito de ficar em casa [Ant.: *rueiro*] *sm.* **5** Empregado encarregado de tomar conta de casa, esp. de campo ou de veraneio [F.: *casa* + *-eiro*.]

casela (ca.*se*.la) *sf.* **1** *Enc.* Em lombada de livro, espaço entre dois nervos; ENTRENERVO *sf.* **2** Cada um dos quadrados no jogo da amarelinha [F.: *cas(a)* + *-ela*.]

caseoso (ca.se.*o*.so) [ô] *a.* **1** Que tem a natureza do queijo; QUEIJOSO **2** *Pat.* Diz-se de lesão ou necrose com aspecto de queijo esburacado **3** *Vet.* Diz-se de certa doença dos pequenos ruminantes [Pl.: [ó]. Fem.: [ó].] [F.: *case(i)-* + *-oso*.]

caserna (ca.*ser*.na) [é] *sf.* **1** Alojamento dos soldados num quartel ou forte **2** *P. ext.* Lugar onde se alojam tropas; QUARTEL **3** Vida militar: "(...) a resistência ao uso da camisinha e até a Aids na caserna estão na agenda dos debates." (*FolhaSP*, 06.11.1999) [F.: Do fr. *caserne*.]

⊕ **cash** (*Ing.* /*kéch*/) *sm2n.* **1** Dinheiro vivo: *pagar com cash.* *adv.* **2** Em dinheiro vivo: *Quer receber tudo cash.*

⊕ **cashmere** (*Ingl.* /*quéchmir*/) *sm.* Ver *caxemira* [Cf.: *casimira*.]

casimira (ca.si.*mi*.ra) *sf.* Tecido fino de lã, ger. com ligamento sarja, us. na confecção de ternos, saias, *tailleurs* etc. [F.: Do fr. *casimir*. Cf.: *cashmere*.]

casinha (ca.*si*.nha) *sf.* **1** Casa pequena **2** *Pop.* Compartimento, ger. fora da casa, com vaso sanitário ou escavação no solo para dejeções; LATRINA; PRIVADA **3** *Ant.* Casa de almotacé **4** *Ant.* Cárcere da Inquisição **5** *Pop.* Posto fiscal de alfândega, junto às barreiras de cidades ou no cais [F.: *casa* + *-inha*.]

casinhola (ca.si.*nho*.la) [ó] *sf. Pej.* Casa pequena, ger. muito humilde [F.: *casinha* + *-ola*.]

casmófito (cas.*mó*.fi.to) *sm. Bot.* Vegetal que cresce nas fendas das rochas [F.: *casm(o)-* (do gr. *chásma*, 'fenda') + *-fito*.]

casmurrice (cas.mur.*ri*.ce) *sf.* Qualidade, dito ou comportamento de casmurro [F.: *casmurro* + *-ice*.]

casmurro (cas.*mur*.ro) *a.* **1** Que é muito teimoso; CABEÇUDO; TURRÃO [Ant.: *dócil, flexível*.] **2** Que é retraído, triste; MACAMBÚZIO; SORUMBÁTICO [Ant.: *comunicativo, extrovertido*.] *sm.* **3** Indivíduo muito teimoso, extremamente obstinado **4** Indivíduo retraído, fechado em si mesmo, triste [F.: De or. incerta, posv. pré-romana.]

caso (*ca*.so) *sm.* **1** Fato, ocorrência, acontecimento **2** Situação, circunstância: *Esse caso não foi previsto.* **3** Motivo, ensejo, oportunidade [+ *de, para*: *Isso é caso de / para reflexão.*] **4** História, narrativa, anedota: *Ele gosta de contar casos.* **5** *Bras. Pop.* Aventura amorosa; CACHO **6** *Bras. Pop.* Cada um dos parceiros nessa relação; AMANTE; CACHO: *Ela foi caso daquele escritor.* **7** *Gram. Ling.* Flexão indicadora da função sintática da palavra na frase, nas línguas de declinação: *O caso nominativo marca a função do sujeito.* **8** Hipótese, eventualidade: "...que em caso nenhum derramará mais sangue sobre a terra..." (Franklin Távora, *O cabeleira*) *conj.* **9** Na hipótese de; SE: "O famoso e protelado cais, caso se construísse..." (Júlio Ribeiro, *A carne*) [F.: Do lat. *casus*. Hom./Par.: *caso* (sm.), *caso* (fl. de *casar*).] ▪ **~ abessivo** *E. Ling* Caso (5) que exprime a noção de 'perto de', 'fora' [Tb. apenas *abessivo*. Ver *caso locativo*.] **~ ablativo** *E. Ling.* Caso (5 e 6) que expressa as noções de origem, instrumento, afastamento, matéria [Tb. apenas *ablativo*. Ver *caso direcional*.] **~ absolutivo** *E. Ling.* Caso (5) que, nas línguas ergativas, indica o sujeito dos verbos intransitivos e o objeto dos verbos transitivos [Tb. apenas *absolutivo*. Cf.: *caso ergativo* e *caso nominativo*.] **~ abstrato** *E. Ling.* Ver *caso* (7) **~ acusativo** *E. Ling.* Caso (5 e 6) que exprime, tipicamente, a função de objeto direto [Tb. apenas *acusativo*.] **~ adessivo** *E. Ling.* Caso (5) que exprime a noção de proximidade [Tb. apenas *adessivo*. Ver *caso locativo*.] **Caso alativo** *E. Ling.* Caso (5) que exprime a noção de direção voltada para o exterior [Tb. apenas *alativo*. Ver *caso direcional*.] **~ comitativo** *E. Ling.* Caso (5) que exprime a noção de companhia [Tb. apenas *comitativo*.] **~ dativo** *E. Ling.* Caso (5 e 6) que, tipicamente, exprime a função de objeto indireto; caso indireto [Tb. apenas *dativo*.] **~ de consciência** Dúvida sobre o modo de proceder mais acorde com a moral religiosa **Caso direcional** *E. Ling.* Caso (5 e 6) que exprime a noção de 'lugar', pressupondo movimento [Subdivide-se em *caso ablativo, caso alativo, caso ilativo* e *caso translativo*. Tb. apenas *direcional*. Cf.: *caso locativo*.] **Caso direto** *E. Ling.* Caso reto [Tb. apenas *direto*.] **Caso elativo** *E. Ling.* Caso (5) que exprime a noção de 'fora de determinado lugar' [Tb. apenas *elativo*. Ver *caso locativo*.] **~ ergativo** *E. Ling.* Caso (5) que, nas línguas ergativas, assinala o sujeito dos verbos transitivos [Tb. apenas *ergativo*. Cf.: *caso absolutivo*.] **~ essivo** *E. Ling.* Caso (5) que exprime a noção de 'estar em determinado lugar' [Tb. apenas *essivo*. Ver *caso locativo*.] **~ genitivo** *E. Ling.* Caso (5 e 6) que, tipicamente, expressa a noção de posse ou origem [Tb. apenas *genitivo*.] **~ ilativo** *E. Ling.* Caso (5) que exprime a noção de 'movimento para dentro' [Tb. apenas *ilativo*. Ver *caso direcional*.] **~ indireto** *E. Ling.* Caso dativo **~ inessivo** *E. Ling.* Caso (5) que exprime 'posição interna em relação a um lugar' [Tb. apenas *inessivo*. Ver *caso locativo*.] **~ instrumental** *E. Ling.* Caso (5) que exprime a noção de 'meio' ou 'instrumento de execução de um processo' [Tb. apenas *instrumental*.] **~ locativo** *E. Ling.* Caso (5 e 6) que exprime a noção de 'lugar' sem conter, no entanto, a ideia de movimento, e que se subdivide em *caso abessivo, caso adessivo, caso elativo, caso essivo* e *caso inessivo* [Tb. apenas *locativo*. Cf.: *caso direcional*.] **~ morfológico** *E. Ling.* Caso (5) **~ nominativo** **1** *E. Ling.* Caso (5 e 6) que expressa o sujeito e o predicativo nas línguas que não são ergativas [Cf., nesta acp., *caso absolutivo*.] **2** Ver *caso reto*. [Tb. apenas *nominativo*.] **~ oblíquo** *E. Ling.* Caso (5) que expressa funções que não a de sujeito, objeto direto ou ergativo [São considerados oblíquos os casos *ablativo, dativo, genitivo, instrumental* e *locativo*. Cf.: *caso reto*.] **~ partitivo** *E. Ling.* Caso (5) que exprime a noção de 'parte de' em relação a uma quantidade considerada como um todo [[Tb. apenas *partitivo*.] **~ reto** *E. Ling.* Caso (5) que exprime as funções de sujeito, objeto direto e ergativo; caso direto, caso nominativo [Cf.: *caso oblíquo*.] **~ translativo** *E. Ling.* Caso (5) que exprime a noção de 'passagem de um lugar para outro' [Tb. apenas *translativo*. Cf.: *caso direcional*.] **~ vocativo** *E. Ling.* Caso (5 e 6) que expressa a interpelação [Tb. apenas *vocativo*.] **~ sério** **1** Situação ou problema grave: *Esta greve é um caso sério.* **2** Pessoa complicada, difícil: *Cuidado como fala, ele é um caso sério.* **3** Coisa ou pessoa merecedores de admiração: *Essa peça é um caso sério.* **Botar o ~ em si** *Bras.* Imaginar-se em certa situação **Criar ~** Fazer intriga, provocar problemas **Dar-se o ~** Acontecer **De ~ pensado** Intencionalmente, premeditadamente **Em todo (o) ~** Mesmo assim, não obstante, por via das dúvidas **Fazer ~ de** Dar importância, levar em consideração **Fazer pouco ~ de** Desprezar, não dar valor a **(Não) estar no ~ de** (Não) estar em condições de; (não) estar na mesma situação de **Tabaquear o ~** Fazer pilhéria sobre um fato **Vir ao ~** Vir à propósito, ter a ver (com algo)

casório (ca.*só*.ri:o) *sm. Pop.* União matrimonial; CASAMENTO [F.: *casar* + *-ório*.]

caspa (*cas*.pa) *sf.* Conjunto de películas ou escamas que se formam na superfície da pele, esp. no couro cabeludo, decorrentes de descamação excessiva; CAREPA [F.: de or. desconhecida.]

caspento (cas.*pen*.to) *a.* **1** Cheio de caspa; CASPOSO *sm.* **2** Aquele que tem caspas [F.: *caspa* + *-ento.*]

cáspite (*cás*.pi.te) ***Interj.*** Expressa admiração, ger. com alguma ironia [F.: Do it. *caspita*, posv.]

casqueiro (cas.*quei*.ro) *sm.* **1** Lugar onde se descasca a madeira antes de serrá-la **2** Aquele que descasca a madeira **3** Tanque em que se tingem redes de pesca **4** *BA* Vento forte, do sul **5** *SC SP* O mesmo que *sambaqui* [F.: *casca* + *-eiro.*]

casquento (cas.*quen*.to) *a.* Que tem casca grossa ou farta; CASCUDO [F.: *casca* + *-udo.*]

casquete (cas.*que*.te) *sm.* **1** Tipo de boné sem aba, ger. de tecido, e que costuma fazer parte de uniforme **2** Boné **3** Chapéu velho **4** *Ant.* Capacete us. por soldados para proteção da cabeça [F.: Do espn. *casquete.*]

casquilho (cas.*qui*.lho) *a.* **1** Que anda vestido no rigor da moda ou muito enfeitado; JANOTA *sm.* **2** Indivíduo janota [Col.: *casquilhada.*] **3** Remate cilíndrico oco e de metal, nos varais dos carros de tração animal e em outras peças de madeira **4** *Lus.* Rosca de lâmpada elétrica [F.: *casca* + *-ilho.* Hom./Par.: *casquilho* (a. sm.), *casquilho* (fl. de *casquilhar*).]

casquinada (cas.qui.*na*.da) *sf.* **1** Risada ou gargalhada irônica; CACHINADA **2** Gargalhada [F.: *casquinar* + *-ada*[1].]

casquinar (cas.qui.*nar*) *v.* **1** Soltar pequenas risadas sucessivas; GARGALHAR [***int.:*** *Casquinava a ponto de perder o fôlego, assistindo à comédia.*] **2** Dar (risadas, gargalhadas) com escárnio, em tom de troça ou como zombaria [***td.:*** *Casquinou uma risada de deboche.*] [***int.:*** *Para nos provocar, começou a casquinar.*] [▶ 1 casquinar] *sm.* **3** Ação ou resultado de casquinar; som de risos ou gargalhadas: "Do fundo da sala, vinha a alegria dos jogadores de bagatela; mas aquele casquinar não diminuía..." (Lima Barreto, "Porque não se matava", *in A Nova Califórnia*) [F.: Alter. de *caquinar.*]

casquinha (cas.*qui*.nha) *sf.* **1** Casca pequena ou muito fina **2** *Bras. Cul.* Cone ou cestinha de massa crocante para servir sorvete **3** *Cul.* Iguaria feita com carne de siri ou caranguejo e servida na respectiva carapaça ou em concha de marisco **4** Folha delgada de material mais nobre que reveste material mais barato: *móvel de/talheres de casquinha.* **5** *Bras. Pop.* Pequena vantagem ou participação em alguma coisa ***s2g.*** **6** *Bras.* Avarento, sovina **7** *Bras.* Professor de escassos conhecimentos [F.: *casca* + *-inha.*] **■ Tirar (uma) ~** *Bras.* Aproveitar-se de algo, obter parte ou vantagem de algo

cassa (*cas*.sa) *sf.* Tecido muito leve e transparente, de algodão ou linho [F.: Do malaio *kasa.* Hom./Par.: *cassa* (sf.), *cassa* (fl. de *cassar*); *cassa* (sf.), *caça* (sf.), *caça* (fl. de *caçar*).]

cassação (cas.sa.*ção*) *sf.* Ação ou resultado de cassar [Pl.: *-ções.*] [F.: *cassar* + *-ção.*]

cassaco (cas.*sa*.co) *sm.* **1** *Bras.* Trabalhador ou peão de estradas de ferro ou de engenho de açúcar **2** *Bras. N. E. Zool.* O mesmo que *gambá* **3** *Bras.* Servente de padaria [F.: Do banto, posv.]

cassado (cas.*sa*.do) *a.* **1** Anulado **2** Que sofreu cassação de seus direitos políticos *sm.* **3** Indivíduo cassado (2) [F.: Do lat. *cassatus, a, um.* Hom./Par.: *cassado* (a. sm.), *caçado* (a.); *cassada* (fem.), *caçada* (sf.).]

cassandra (cas.*san*.dra) *sf.* Pessoa que prediz desgraças: "...hilare cassandra sapiencial..." (Guimarães Rosa, *Ave, palavra!*) [F.: Do antr. Cassandra, personagem mitológico.]

cassar (cas.*sar*) *v. td.* **1** Revogar, anular (mandato, licença, direitos políticos etc.) (de): *O juiz determinou que cassassem sua carteira de habilitação; Cassaram deputados envolvidos com narcotráfico.* **2** Impedir a continuidade ou a realização de; PROIBIR: *O presidente da assembleia cassou sua palavra; cassar a campanha de um candidato.* **3** Impedir a circulação de (jornal, livro etc.) apreendendo todos os exemplares postos à venda ou em estoque: *O governo durante a ditadura cassou vários jornais.* [▶ 1 cassar] [F.: Do v.lat. *cassare.* Hom./Par.: *cassáveis* (fl.), *cassáveis* (pl. de *cassável* [a2g.]); *cassa* (fl.), *caça* (sf.); *cassas* (fl.), *caças* (pl. do sf.); *casso* (fl.), *caço* (fl. de *caçar* e sm.), *casso* (a.); *cassar*, *caçar* (em todas as fl.).]

cassata (cas.*sa*.ta) *sf. Cul.* Tipo de sorvete em camadas, com recheio de pão de ló e frutas cristalizadas [F.: Do it. *cassata.*]

cassável (cas.*sá*.vel) ***a2g.*** Que pode ser cassado [F.: *cassar* + *-vel.* Hom./Par.: *cassáveis* (pl. de *cassável* [a2g.]), *cassáveis* (fl. de *cassar*), *caçáveis* (fl. de *caçar*).]

cassete (cas.*se*.te) [é] *sm.* **1** Estojo com fita magnética para gravação ou reprodução de som ou filme em aparelho apropriado [Tb. se usa como a2g2n.: fitas *cassete.*] **2** Aparelho que grava e/ou reproduz som nessa fita; GRAVADOR; TOCA-FITAS [F.: do fr. *cassette.* Hom./Par.: *cassete* (sm.), *cacete* (sm., s2g. e adj2g.); *cassete* (sm.), *cacete* (fl. de *cacetar*).]

cassetete (cas.se.*te*.te) [é] *sm.* Bastão de madeira ou borracha, com alça numa das pontas, us. por policiais, [F.: Do fr. *casse-tête.*]

cássia (*cás*.si:a) *sf. Bot.* Gênero de plantas da fam. das leguminosas, muitas delas ornamentais e medicinais [F.: Do lat. cient. *Cassia.*]

cássia-imperial (cás.sia-im.pe.*ri*.al) *sf. Bot.* Canafístula (2) [Pl.: *cássias-imperiais.*]

cassino (cas.*si*.no) *sm.* **1** Casa de diversões com salão de jogos de azar, salão de dança e espaço para espetáculos de variedades **2** Certo jogo de cartas para quatro parceiros [F.: Do fr. *casino.*]

cassiopeia (cas.si:o.*pei*.a) *sf. Astr.* Constelação próxima do polo norte celeste com cerca de 30 estrelas visíveis a olho nu, que pode ser reconhecida com facilidade porque suas cinco estrelas mais brilhantes formam um inconfundível 'w'; TAMAQUARÉ [Com inicial maiús.] [F.: Do gr. *Kassioópeia, Kassiépeia*, pelo lat *Cassiopea.*]

⊕ ***cassis*** (*Fr.* /*cassís*/) *sm.* Xarope feito com o fruto da groselheira-preta (*Ribes nigrum*)

cassiterita (cas.si.te.*ri*.ta) *sf. Min.* Mineral duríssimo, de cor acastanhada ou negra, constituído basicamente de óxido de estanho, que se cristaliza no sistema tetragonal [F.: Do fr. *cassitérite.*]

⊕ ***cassoulet*** (*Fr.* /*caçulé*/) *sm. Cul.* Prato preparado com feijão-branco cozido com carne de ganso, pato, porco ou carneiro

⊕ ***cast*** (*Ing.* /*kast*/) *sm. Cin. Rád. Teat. Telv.* Ver *elenco*

casta (*cas*.ta) *sf.* **1** Grupo endógamo, rigidamente situado numa hierarquia social, ger. determinado pela etnia, religião ou ocupação comum a todos os membros: *Gandhi lutou contra o sistema de castas na Índia.* **2** *P. ext.* Qualquer grupo social fechado, voluntária ou involuntariamente, numa sociedade estratificada: *casta dos privilegiados/ dos despossuídos.* **3** Estirpe, linhagem, origem **4** *Biol.* Grupo de indivíduos da mesma espécie animal ou vegetal, distintos dos demais por apresentarem caracteres secundários hereditários: *castas de uvas.* **5** Qualidade, espécie, tipo [F.: do lat. *castus.*]

castanha (cas.*ta*.nha) *sf.* **1** Fruto da castanheira **2** Polpa desse fruto, que se consome assada ou cozida, ou em doces e bolos **3** Fruto do cajueiro **4** Polpa desse fruto, que se consome assada e ger. salgada **5** *Zool.* Ver *pata-terra* **6** *Zool.* O mesmo que *cascudo*[2] **7** *Zool.* Excrescência córnea na porção interna do antebraço e do metatarso de certos quadrúpedes, como o cavalo **8** *Bras.* Peça de articulação da barra de direção de automóveis **9** Excremento de cavalo, de burro ou de muares **10** *Bras.* Peça que agrupa as folhas das molas nos vagões de estrada de ferro **11** *Bras.* Isolador, de vidro ou de porcelana, us. nas antenas aéreas de rádios [Col.: *castanhal, castanhedo.*] [F.: do lat. *castanea.*] **■ Quebrar a ~ de** *N. E. S.* Vencer alguém, com isso arruinando-lhe a fama **Tirar as ~s do fogo** *Pop.* Fazer algo perigoso ou arriscado (ger. para outrem)

castanhada (cas.ta.*nha*.da) *sf.* **1** Porção de castanhas **2** *Lus.* Doce de castanha [F.: *castanh(a)* + *-ada*[2].]

castanha-de-caju (cas.ta.nha-de-ca.*ju*) *sf. Bot.* Fruto do caju; tb. *castanha* (3) [Pl.: *castanhas-de-caju.*]

castanha-do-pará (cas.ta.nha-do-pa.*rá*) *Bras. Bot. sf.* **1** O mesmo que *castanheira-do-pará* (*Bertholletia excelsa*) **2** Fruto dessa árvore [Pl.: *castanhas-do-pará.*]

castanhal (cas.ta.*nhal*) *sm.* Mata de castanheiros [Pl.: *-nhais.*] [F.: *castanh(a)* + *-al.*]

castanheira-do-pará (cas.ta.nhei.ra-do-pa.*rá*) *sf. Bot.* Árvore da família das lecitidáceas (*Bertholletia excelsa*), natural da Amazônia, cujos frutos esféricos, grandes e lenhosos têm de 12 a 24 sementes comestíveis, com grande valor nutritivo, conhecidas como castanha-do-pará, consumidas cruas ou assadas, em confeitos e doces, e das quais se extrai óleo alimentar [Pl.: *castanheiras-do-pará.*]

castanheiro (cas.ta.*nhei*.ro) *sm.* **1** *Bot.* Árvore de grande porte da fam. das fagáceas (*Castanea vesca*), de or. europeia, que pode atingir 30 metros de altura, com madeira muito utilizada na marcenaria, e cujo fruto, a castanha, se come torrado, cozido ou moído; CASTANHEIRA **2** Designação. genérica de diferentes espécies da fam. das fagáceas [F.: *castanha* + *-eiro.*]

castanheta (cas.ta.*nhe*.ta) [ê] *sf.* **1** Estalo produzido pelo dedo médio ao chocar-se com a base do polegar, depois de roçar na ponta deste **2** *PE Ict.* Certo peixe marinho, teleósteo, da fam. dos pomacentrídeos (*Stegastes fuscus*), muito apreciado pelos aquaristas ***smpl.*** **3** O mesmo que *castanholas* [F.: *castanha* + *-eta.*]

castanho (cas.*ta*.nho) *sm.* **1** A cor amarronzada da casca da castanha **2** Equino ou bovídeo que tem essa cor **3** *Bot.* Castanheira *a.* **4** Que tem a cor da casca da castanha (cabelos castanhos) **5** Diz-se dessa cor: *olhos de cor castanha.* [Do lat. tardio *castaneu.*]

castanhola (cas.ta.*nho*.la) [ó] *sf.* **1** *Mús.* Instrumento de percussão us. esp. na dança flamenca, composto de duas peças de madeira, unidas por um barbante, que se prendem ao polegar e percutem com os outros dedos **2** Estalo produzido pelas pontas dos dedos polegar e médio; CASTANHETA **3** *Bras. CE Bot.* Amendoeira-da-praia [F.: Do espn. *castañola.*]

castanholar (cas.ta.nho.*lar*) *v. int.* **1** *Mús.* Tocar castanholas: *Aprendi a castanholar com uma amiga espanhola:* "A crioula cantava, dançava, dentro da roda, sapatean- do, com um passinho miúdo, acompanhando o ritmo da música, (...) e castanholando com os dedos." (Olavo Bilac e Manuel Bonfim, *Através do Brasil*) **2** *Fig.* Fazer soar como castanholas: *O frio era tanto que meus dedos castanholavam.* [▶ 1 castanholar] [F.: *castanhola* + *-ar*[2]. Hom./Par.: *castanhola(s)* (sf e pl), *castanhola, castanholas* (fl. de *castanholar*).]

castão (cas.*tão*) *sm.* Remate da extremidade superior de bengalas [Pl.: *-tões.*] [F.: Do fr. ant. *chaston.*]

casteado (cas.te.*a*.do) *a.* *Bras.* Diz-se do gado cruzado [F.: Part. de *castear.*]

castear (cas.te.*ar*) *v. int.* *Bras.* Reproduzir-se, procriar (o animal) [▶ 13 castear] [F.: *casta* + *-ear.*]

castelã (cas.te.*lã*) *sf.* **1** Mulher ou filha de castelão **2** Dona de castelo **3** *Vit.* Casta de uva preta muito cultivada em Portugal; CASTELÃO [F.: Do lat. *castellana*, fem. do lat. *castellanus, a, um*, 'ref. a castelo ou praça forte'.]

castelão (cas.te.*lão*) *sm.* **1** Proprietário de castelo **2** *Antq.* Senhor feudal que morava em castelo e administrava a justiça em certa área **3** Administrador de castelo, em nome do rei ou do senhor; ALCAIDE **4** Castelhano (1) **5** *Vit.* O mesmo que *castelã* (3) [Pl.: *-lães, -lãos, -lões.* Fem.: *castelã, casteloa* (*irreg.*), *castelona* (*irreg.*).] *a.* **6** Ref. a castelo **7** Castelhano (6) [Pl.: *-lães, -lãos, -lões.* Fem.: *castelã, casteloa* (*irreg.*), *castelona* (*irreg.*).] [F.: Do lat. *castellanus, a, um*, 'ref. a castelo ou a praça forte'.]

castelhanismo (cas.te.lha.*nis*.mo) *sm.* **1** Ato, dito ou costume próprio dos castelhanos **2** *Ling.* Palavra ou expressão do espanhol us. em outra língua; ESPANHOLISMO [F.: *castelhan(o)* + *-ismo.*]

castelhano (cas.te.*lha*.no) *sm.* **1** Aquele que nasceu ou que vive em Castela (Espanha) **2** *Bras. S.* Aquele que nasceu ou que vive na Argentina e no Uruguai **3** *Gloss.* Dialeto falado em Castela, que se estendeu pela Espanha e deu origem ao espanhol moderno **4** *Gloss.* Espanhol (2), esp. cada uma de suas variedades faladas atualmente na América Latina **5** *S.* Indivíduo argentino, ou uruguaio, ou que vive na Argentina ou no Uruguai *a.* **6** De Castela; típico dessa região ou província espanhola ou de seu povo **7** Do ou ref. ao castelhano (3, 4) [F.: Do lat. *castellanus, a, um*, 'ref. a castelo ou praça forte', pelo esp. *castellano.*]

castelo (cas.*te*.lo) *sm.* **1** Residência real ou senhorial, fortificada com altas muralhas e torres, ou protegida por fosso, pontes levadiças etc.; ALCÁCER [Dim.: *castelejo, castelório.*] **2** *P. ext. Arq.* Construção, ger. de pedra, com esse estilo **3** Fortaleza em forma de castelo (1); CIDADELA; FORTIFICAÇÃO; PRAÇA-FORTE: "Não era boa coisa deixar que os portugueses levantassem um castelo nas praias de Comenda, mas pior ainda era tê-lo em solo de rivais ou inimigos." (Alberto da Costa e Silva, *A manilha e o libambo*) **4** *Cnav.* Parte da embarcação que se eleva acima do convés (castelo de proa, de popa) **5** Monte de coisas sobrepostas, ou aquilo que se acumula verticalmente (castelo de cartas, castelo de areia, de nuvens) **6** *Fís. nu.* Dispositivo, ger. feito de chumbo, que protege da radiação um detector **7** *Emec.* Parte da válvula cuja retirada permite acesso a seu interior **8** *AL PE* Moradia de rapazes solteiros, ger. us. para encontros amorosos **9** *BA* Bordel, prostíbulo [F.: Do lat. *castellum, i.*] **■ Bater ~** *MG* Fazer serenata **~ central** *Mar.* Ver *Castelo do meio* **~ de cartas** **1** Empilhamento de cartas de baralho em forma de estrutura, de edificação **2** *Fig.* Coisa sem solidez, frágil, sempre a ponto de ruir ou desaparecer **~ de popa** *Mar.* Castelo de embarcação situado na popa **~ de proa** *Mar.* Castelo de embarcação situado na proa **~(s) de vento** *Fig.* Projeto irrealizável, fantasioso; castelo(s) no ar [Mais us. no pl.] **~ do meio** *Mar.* Em alguns navios, castelo a meia-nau, entre os de popa e de proa **~(s) no ar** Ver *Castelo de vento* [Mais us. no pl.] **Em ~** *Cul.* Em neve (ref. a clara de ovo batida)

casteloa (cas.te.*lo*.a) *sf.* Fem. irreg. de *castelão*

castelona (cas.te.*lo*.na) *sf.* Fem. de *castelão*

castiçal (cas.ti.*çal*) *sm.* **1** Suporte para vela(s), us. como objeto funcional ou decorativo, que tem uma base para apoio e, na parte de cima, um ou mais bocais [Mais restritivamente, usa-se *castiçal* com referência ao suporte para uma só vela, por oposição a *candelabro*, para várias.] **2** *Bras. Bot.* O mesmo que *paxiúba* [Pl.: *-çais.*] [F.: de or. incerta. Hom./Par.: *castiçal* (sm.), *castinçal* (sm.).]

castiço (cas.*ti*.ço) *a.* **1** De boa casta ou de boa raça **2** *Restr. Fig.* Puro, sem mistura, sem elementos descaracterizadores **3** *P. ext.* De boa qualidade **4** *Fig. Ling.* Que é correto segundo as normas próprias a uma língua; genuíno, sem barbarismos ou influência estrangeira (português castiço, expressão castiça); VERNÁCULO: "Mais do que o domínio castiço do idioma, buscam-se oportunidades." (*Veja*, 09.09.1998) **5** Diz-se de quem emprega o idioma de modo exemplar, com rigor e correção, sem expressões ou construções tomadas a outros idiomas, ou de quem procura falar ou escrever desse modo (autor castiço) **6** Próprio para reproduzir a raça (diz-se de animal, esp. cavalo) [F.: do cast. *castizo.* Hom./Par.: *castiço(s)* (a.), *castinço* (sm.).]

castidade (cas.ti.*da*.de) *sf.* **1** Qualidade daquele ou daquilo que é casto; PUREZA **2** Abstinência completa dos prazeres sexuais: *voto de castidade.* [F.: do lat. *castitas -atis.*]

castigado (cas.ti.*ga*.do) *a.* **1** Que sofreu castigo; PUNIDO **2** *Fig.* Que ficou em mau estado ou se deteriorou por excesso de uso, por falta de cuidados; MALTRATADO: *O gramado está castigado.* **3** *Fig.* Que sofreu maus-tratos; molestado, maltratado; SOFRIDO: *Teve uma infância castigada.* **4** *Fig.* Que resulta de grande esmero, de muitas correções e emendas; bem cuidado, apurado (estilo castigado, linguagem castigada) [F.: part. de *castigar.*]

castigar (cas.ti.*gar*) *v.* **1** Infligir castigo ou punição a (alguém ou si mesmo); PUNIR [***td.:*** *castigar o infrator; Vive castigando-se por atos do passado.*] **2** *Fig.* Re- preender, admoestar, advertir [***td.:*** *Castigara-o com reclamações e ameaças.*] **3** *Fig.* Corrigir, emendar [***td.:*** *Foi o próprio orgulho que o castigou.*] **4** Usar contínua ou demasiadamente (roupa, instrumento etc.), causando desgaste [***td.:*** *Castiga suas roupas preferidas.*] **5** Forçar demasiadamente, submeter a grande esforço (certa parte do corpo) [*td.*: *Castigava os dedos estudando guitarra o dia inteiro.*] 6 Causar sofrimento ou prejuízo, devastação a: "...as chuvas que castigaram Petrópolis..." (*O Globo*, 16.02.2003) [*td.*: *A seca castigou os sertanejos.*] 7 *Fig. P. ext.* Submeter a algum tipo de dor ou dano (físico ou moral), revés, derrota, humilhação [*td.*: *A longa caminhada castigou nossos pés; Castigaram o adversário com uma goleada.*] 8 *Fig.* Elaborar, submetendo a muitas modificações; aperfeiçoar, apurar [Us. esp. em relação a expressão verbal, escrita ou falada.] [*td.*: *Castiguei o texto até ficar perfeito.*] 9 *Fig.* Contrariar, transgredir (normas, padrões) de [*td.*] 10 *Pop.* Executar (música ou ritmo musical), ger. muito bem, com ânimo ou boa musicalidade [*td.*: *Tocou dois chorinhos e depois castigou um samba.*] 11 *Bras. Pop.* Fazer algo muito bem ou ter ótimo desempenho; ser muito bom, talentoso, exímio em certa atividade etc. [*int.*: *Preparou-se bem, castigou nos exames e conseguiu boa classificação.; Não toca bem violão, mas no cavaquinho ele castiga.*] 12 *Bras. Pop.* Ter relações sexuais com [*td.*] [▶ 14 castigar] [F.: Do lat. *castigare*. Hom./Par.: *castigo* (fl.), *castigo* (sm.).]

castigo (cas.*ti*.go) *sm.* 1 Ação que se decide tomar contra alguém considerado culpado de um ato mau ou danoso, e que consiste em impor algum tipo de sofrimento (físico ou moral), ou diminuir seu bem-estar, ou restringir sua liberdade, ou exigir algum tipo de pagamento ou compensação, um pedido formal de perdão etc.; punição (castigos corporais); PENA: "...receberá o castigo que merece sua inqualificável rebeldia." (Bernardo Guimarães, *A escrava Isaura*) [Ant.: *prêmio; recompensa*] 2 Aquilo (ação alheia, fato casual, modificação das circunstâncias) que acontece a alguém e lhe é prejudicial, considerado como resultado de algum erro anterior cometido pela pessoa, e equivalente a um castigo (1): *A equipe não se esforçou em campo, e a derrota com um gol sofrido no último minuto foi um castigo merecido.* 3 Repreensão, reprimenda, escarmento 4 *Fig.* Aquilo que causa sofrimento, mortificação; tormento: *A ausência da amada era-lhe um castigo constante.* 5 *Fig.* Aquilo que importuna muito, ou qualquer coisa que se faz ou à qual alguém se submete por obrigação e sem prazer: *Essa espera por notícias é um castigo; Usar terno no verão é um castigo.* 6 *Fig.* Revés, fracasso ou derrota imerecidos, humilhantes 7 Má sorte; acaso prejudicial 8 *Bras. Pop.* Surra [F.: f. reg. de *castigar*. Hom./Par.: *castigo* (sm.), *castigo* (fl. de *castigar*).]

castinceira (cas.tin.*cei*.ra) *sf. Bot.* Castanheiro silvestre, cujo fruto não é comestível; CASTANHEIRA; CASTANHEIRO; CASTINCEIRO

⊕ **casting** (*Ingl.* /*cástin*/) *sm. Cin. Teat. Telv.* Seleção de *cast* ou elenco para atuar em filme, espetáculo etc.

casto (*cas*.to) *a.* 1 Que se priva de todos os prazeres sexuais [Ant.: *devasso; libertino.*] 2 Que não pratica relações sexuais ilícitas ou promíscuas 3 Puro, cândido, inocente (amores castos) 4 Que guarda recato (roupas castas); RECATADO; PUDICO 5 Que se mantém afastado do que é impuro (mãos castas; lábios castos) 6 Sem mistura; ESTREME; PURO [F.: Do lat. *castus*.]

castor (cas.*tor*) [ô] *sm.* 1 *Zool.* Denominação comum aos grandes roedores, da fam. dos castorídeos, do gên. *Castor*, semiaquáticos, do qual há uma espécie americana (*Castor canadensis*) e uma eurasiana (*C. fiber*), e que se distingue pela cauda achatada e coberta de escamas, bela pelagem castanho-escura e patas anteriores palmadas 2 Pelo desse animal (chapéu de castor) 3 Chapéu de pelo fino e preto [F.: do lat. *castor-oris* (> lat. científico *Castor*), deriv. do gr. *kastor*.]

castorina (cas.to.*ri*.na) *sf. Têxt.* Tecido de lã leve e sedoso [F.: Do fr. *castorine*.]

castração (cas.tra.*ção*) *sf.* 1 Ação ou resultado de castrar; CAPAÇÃO 2 *Fig.* Comportamento que reprime a personalidade de outrem [Pl.: *-ções*.] [F.: Do lat. *castratio, onis*.]

castrado (cas.*tra*.do) *a.* 1 Que sofreu castração *sm.* 2 Aquele que sofreu castração [F.: Do lat. *castratus, a, um.* Sin. ger.: *capado*.]

castrador (cas.tra.*dor*) [ô] *a.* 1 Que castra, capa animais; CAPADOR 2 *Fig.* Que reprime ou impede alguém (ou certo sentimento, pensamento etc.) de se expressar e desenvolver livremente: "Filho único de uma família castradora..." (*Veja Rio*, 22.10.03) 3 *Fig.* Que impede ou dificulta a ação eficiente de algo ou alguém *sm.* 4 Pessoa que castra animais 5 *Fig.* Aquele ou aquilo que inibe, reprime, censura [F.: *castrar* + *-dor*.]

castrar (cas.*trar*) *v. td.* 1 Retirar, inutilizar ou destruir os órgãos reprodutores de (pessoa ou animal, esp. macho da espécie); CAPAR 2 *Bot.* Eliminar os estames (órgãos reprodutores masculinos) das flores hermafroditas de (uma planta que se quer submeter a cruzamento artificial) 3 *Fig.* Impedir a atuação, eficácia, independência, ou o desenvolvimento, de: *Um chefe centralizador acaba castrando a equipe.* 4 *Fig.* Restringir ou invalidar, ger. de modo opressivo, a iniciativa, as qualidades pessoais, a disposição de (alguém), ou suas ações, impulsos etc.: *A opressão do pai castrou-lhe a personalidade.* 5 *Fig.* Colher o mel de (colmeias), tirando parte dos favos; CRESTAR: *O apicultor mandou castrar as colmeias.* [▶ 1 castrar] [F.: Do lat. *castrare*. Hom./Par.: *castro* (fl.), *castro* (sm.).]

castrense (cas.*tren*.se) *a2g.* 1 De ou ref. à classe militar (disciplina castrense, regime castrense) 2 De ou ref. a acampamento militar 3 Ref. a castro (castelo ou povoação fortificada) 4 *Hist. Ling.* Ref. a ou próprio dos soldados romanos da antiguidade, e esp. o latim por eles falado [F.: do lat. *castrensis -e*.]

castrismo (cas.*tris*.mo) *sm. Pol.* Ação ou pensamento político de Fidel Castro Ruiz (1926), chefe do governo de Cuba desde 1959 e que implantou o socialismo naquele país; FIDELISTA [Do antr. (*Fidel*) *Castro* (*Ruiz*) + *-ismo*.]

castrista (cas.*tris*.ta) *a2g.* 1 Ref. ao ou que é partidário do castrismo *s2g.* 2 Partidário do castrismo [F.: *castr(ismo)* + *-ista*. Sin. ger.: *fidelista*.]

castro (*cas*.tro) *sm.* 1 Castelo de origem pré-romana ou romana 2 Antigo castelo ou povoação fortificados [F.: Do lat. *castrum, i.* Hom./Par.: *castro* (sm.), *castro* (fl. de *castrar*).]

castroalvista (cas.tro.al.*vis*.ta) *a2g.* 1 De ou próprio do poeta romântico brasileiro Castro Alves (1847-1871) *s2g.* 2 Admirador ou estudioso da obra desse poeta [F.: Do antr. *Castro Alves* + *-ista*.]

casual (ca.su.*al*) *a2g.* 1 Que depende do acaso; que acontece ou aconteceu sem planejamento; EVENTUAL; FORTUITO; OCASIONAL: 2 Não frequente; OCASIONAL: *Suas visitas eram casuais.* 3 *Angl.* Prático e informal, ou simples e confortável, mas bem-arrumado: "(...) modelito casual, algo na linha *jeans* e camiseta (...)" (*CBraziliense*, 27.11.2004) 4 *Gram.* Ref. a ou próprio de caso [Pl.: *-ais*.] [F.: do lat. *casuallis*. Cf.: *causal*. Hom./Par.: *casual* (a2g.), *causal* (a2g.).] ▪▪ **~ chique** Diz-se do estilo ou modo de vestir casual (3) em que também há elementos sofisticados (grife, acabamento etc.) [Us. como loc. adjetiva e substantiva.]

casualidade (ca.su.a.li.*da*.de) *sf.* 1 Qualidade de casual 2 Aquilo que é casual, que acontece por acaso; ACASO [F.: *casual* + *-(i)dade*. Sin. ger.: *contingência, eventualidade*. Hom./Par: *casualidade* (sf.), *causalidade* (sf.).]

casualismo (ca.su:a.*lis*.mo) *sm. Fil.* Doutrina segundo a qual todos os fenômenos ocorrem por acaso [F.: *casual* + *-ismo*.]

casualmente (ca.su.al.*men*.te) *adv.* De maneira casual; por acaso: *Encontraram-se casualmente naquela manhã e combinaram jantar no mesmo dia.* [F.: *casual* + *-mente*.]

casuar (ca.su.*ar*) *sm. Zool.* Denominação comum às grandes aves não voadoras, da fam. dos casuariídeos, gên. *Casuarius*, com distribuição restrita a Austrália e Nova Guiné, que possuem uma grande crista óssea na fronte, patas com três dedos e cabeça e pescoço sem penas e azuis ou púrpura [F.: Do malaio *kasoveri*, pelo fr. *casoar*.]

casuarina (ca.su.a.*ri*.na) *sf. Bot.* Designação comum às árvores e arbustos ornamentais do gênero *Casuarina*, nativas do Sudeste asiático à Austrália, bem adaptadas esp. ao Sul do Brasil, e que se caracterizam por crescimento rápido, ramos cilíndricos e numerosos e folhas pequeninas [F.: do lat. cient.]

casuísmo (ca.su.*ís*.mo) *sm.* 1 Argumentação ou raciocínio especiosos, nos quais se recorre a princípios ou doutrinas para embasar ou justificar uma opinião ou decisão que na verdade é motivada por interesse ou conveniência *sm.* 2 *Pej.* Deturpação de princípios morais, jurídicos etc. para que sirvam a um interesse específico: "não seria casuísmo mudar as regras." (*FolhaSP*, 27.12.1999) 3 *Jur.* Submissão estrita à lei e à jurisprudência dos tribunais 4 *P. ext.* Aceitação sem questionamento de ideias, doutrinas e princípios 5 O mesmo que *casuística* (prática ou tradição de interpretar casos concretos segundo leis e princípios gerais estabelecidos) [F.: do fr. *casuisme*.]

casuísta (ca.su.*ís*.ta) *a2g.* 1 Ref. ao casuísmo ou à casuística 2 Que deturpa princípios morais ou jurídicos em função de um determinado interesse (medidas casuístas) 3 Aquele que pratica o casuísmo ou a casuística *s2g.* 4 Teólogo que se dedica a resolver os casos de consciência [F.: Do fr. *casuiste*.]

casuística (ca.su.*ís*.ti.ca) *sf.* 1 *Teol.* Parte da teologia moral que trata dos casos de consciência 2 Registro de casos observados 3 Maneira de discutir e analisar casos por meio de sutilezas e artifícios [F.: Do fr. *casuistique*.]

casuístico (ca.su.*ís*.ti.co) *a.* 1 Ref. a casuísmo ou a casuística 2 Casuísta (2): "...respostas casuísticas, movidas por lobbies setoriais..." (*Folha de S.Paulo*, 23.1.1999) [F.: *casuíst(a)* + *-ico*².]

casula (ca.*su*.la) *sf.* Vestimenta que o sacerdote usa sobre a alva e a estola ao rezar a missa [F.: do lat. *casula*. Hom./Par.: *casula* (sf.), *casulo* (sm.), *caçula* (s2.).]

casulo (ca.*su*.lo) *sm.* 1 *Ent.* Envoltório que as larvas do bicho-da-seda e de outros insetos holometabólicos constroem, dentro do qual sofrem a metamorfose; CRISÁLIDA 2 Invólucro filamentoso de certas sementes, como a do algodão 3 *Fig.* Lugar que protege, ou onde algo ou alguém fica isolado, recluso; ABRIGO [F.: do lat. *casula*. Hom./Par.: *casulo* (sm.), *casula* (sf.).]

⊕ **casus belli** (*Lat.* /*cásus bêli*/) *sm. Jur.* Qualquer incidente capaz de provocar uma declaração de guerra

cata (*ca*.ta) *sf.* 1 Ação ou resultado de catar; atividade ou esforço de encontrar, colher ou obter; BUSCA: "(...) porque o diabo anda à cata." (Monteiro Lobato, *Urupês*) 2 *Bras.* Separação dos grãos enegrecidos, mirrados ou chochos do café 3 Escavação para mineração [F.: f. reg. de *catar*. Hom./Par.: *cata(s)* (sf. [pl.]), *cata(s)* (fl. de *catar*).] ▪▪ **À ~ de** Em busca de

⊚ **cata-** *Pref.* = de cima para baixo, através de, de acordo com: *catadupa, cataclismo, catálise, catapulta* [F.: Do gr. *katá*.]

catábase (ca.*tá*.ba.se) *sf. Med.* Período de declínio de uma doença [F.: Do gr. *katábasis*.]

catabásico (ca.ta.*bá*.si.co) *a.* O mesmo que *catabático* [F.: *catábas(e)* + *-ico*².]

catabático (ca.ta.*bá*.ti.co) *a.* Ref. a catábase [F.: *catába(se)* + *-ático*.]

catabólico (ca.ta.*bó*.li.co) *a.* Ref. a catabolismo [Por oposição a *anabólico*.] [F.: *catabolismo* + *-ico*².]

catabolismo (ca.ta.bo.*lis*.mo) *sm. Fisl.* Parte do metabolismo que compreende a decomposição de nutrientes complexos, permitindo a liberação de energia [Por oposição a *anabolismo*.] [F.: do gr. *katabole* 'lançar abaixo'.]

catação (ca.ta.*ção*) *sf.* Ação ou resultado de catar; CATA [Pl.: *-ções*.] [F.: *catar* + *-ção*.]

catacego (ca.ta.*ce*.go) [é] *a.* 1 *Pop.* Que enxerga mal (por ter visão defeituosa) 2 *P. ext. Fig.* Que anda ou se orienta pelo tato, às apalpadelas 3 Que não é esperto [F.: *cata* (v. *catar*) + *cego*.]

cataclisma (ca.ta.*clis*.ma) *sm.* Ver *cataclismo*

cataclísmico (ca.ta.*clís*.mi.co) *a.* Ref. a cataclismo [F.: *cataclism(o)* + *-ico*².]

cataclismo (ca.ta.*clis*.mo) *sm.* 1 *Geol.* Alteração geológica muito brusca e de grande extensão: *Terremotos são cataclismos comuns no Japão.* 2 *Fig.* Grande desastre ou tragédia; CALAMIDADE 3 Inundação, enchente de grandes proporções 4 *Fig.* Convulsão social 5 *Fig.* Mudança radical na vida de alguém ou de um grupo [F.: Do gr. *kataklysmós*, do v. gr. *kataklyzein* 'inundar'. Tb. *cataclisma*.]

catacrese (ca.ta.*cre*.se) *sf. Ling.* Uso de metáfora já incorporada à língua para suprir a falta de um termo específico [P. ex.: *os pés da cama*; *embarcar no avião*. Ver tb. *metáfora*.] [F. Do gr. *katákhresis*.]

catacumba (ca.ta.*cum*.ba) *sf.* 1 Local em que se enterra o defunto; COVA; SEPULCRO *sf.* 2 Galeria ou outra construção subterrânea, ger. com recessos ou nichos que servem de sepultura para muitos defuntos; CRIPTA [No pl., designa cemitério formado por esse tipo de galerias subterrâneas, interligadas.] 3 *Hist.* Conjunto de galerias subterrâneas em que os primeiros cristãos se reuniam secretamente [Mais us. no pl.] 4 *P. ext.* A parte subterrânea e de difícil acesso, em uma construção 5 *Fig.* Lugar recôndito, escondido, ou onde se guardam coisas secretas ou do passado antigo [F.: Do lat. tardio *catacumba*.]

catadióptrico (ca.ta.di.*óp*.tri.co) *a.* 1 *Ópt.* Ref. à reflexão e refração da luz, ou aos fenômenos que envolvem a associação de ambas *a.* 2 *Ópt.* Diz-se de dispositivos capazes de refletir e refratar a luz 3 *Restr.* Diz-se de cada um dos sinalizadores que, dispostos ao longo das estradas ou na traseira de veículos, refletem e refratam a luz quando iluminados diretamente por um foco (como dos faróis) *sm.* 4 Esse sinalizador; OLHO DE GATO [F.: *cata-* + *dióptrico*.]

catador (ca.ta.*dor*) [ô] *a.* 1 Que cata *sm.* 2 Aquele que cata (catador de papel) 3 *Bras.* Máquina própria para beneficiar café, separando os vários tipos [F.: *catar* + *-dor*.]

catadupa (ca.ta.*du*.pa) *sf.* 1 Queda de água corrente de grande altura e com intensidade; CATARATA; QUEDA-D'ÁGUA 2 *P. ext.* Jorro, jato; líquido que é lançado ou derramado com força ou em quantidade (tb. fig.): *catadupa de lágrimas.* 3 *Fig.* Grande quantidade, esp. de coisas que chegam ou acontecem ao mesmo tempo, ou em rápida sucessão: *catadupa de reclamações.* [F.: Do gr. *katádoupa*.] ▪▪ **Em ~(s)** Em grande quantidade; abundante, abundantemente; aos montões

catadura (ca.ta.*du*.ra) *sf.* 1 Aparência, aspecto: *homem de má catadura.* 2 Expressão ou feições do rosto; semblante 3 *Fig.* Disposição de espírito (manifestada nas ações e atitudes) [F.: *catar*¹ + *-dura*.]

catafalco (ca.ta.*fal*.co) *sm.* Estrado, plataforma ou outro apoio sobre o qual se coloca um caixão, durante velório ou outra homenagem fúnebre; ESSA [F.: Do it. *catafalco*. Hom./Par.: *cadafalso*.]

catafasia (ca.ta.fa.*si*.a) *sf. Med.* Perturbação da fala em que o paciente repete as respostas muitas vezes [F.: *cata-* + *-fasia*.]

cataforese (ca.ta.fo.*re*.se) *sf.* 1 *Quím.* Migração de partículas coloidais em direção ao cátodo 2 *Med.* Introdução de medicamento através da pele por meio de corrente elétrica contínua [F.: Do lat. cient. *cataphoresis*.]

catagmático (ca.tag.*má*.ti.co) *a. Ort.* Que auxilia a consolidação de fraturas [F.: Do gr. *katagmatikós*.]

cataguás (ca.ta.*guás*) *smpl. Bras. Etnol.* Indígenas que habitavam a região do rio das Velhas (MG)

catalão (ca.ta.*lão*) *sm.* 1 Pessoa nascida ou que vive na Catalunha (Espanha) 2 *Gloss.* Língua falada na Catalunha *a.* 3 Da Catalunha (Espanha); típico dessa região ou de seu povo 4 *Gloss.* Do ou ref. ao catalão (2) [Pl.: *-lães*. Fem.: *-lã*.] [F.: Do espn. *catalán*.]

catalepsia (ca.ta.lep.*si*.a) *sf. Med.* Perda temporária da sensibilidade e do movimento, associada a certos tipos de demência, ou à hipnose, e caracterizada por intensa rigidez dos músculos, de modo que a pessoa permanece na posição em que é colocada [F.: Do gr. *katálepsis*.]

cataléptico (ca.ta.*lép*.ti.co) *a.* 1 Ref. a catalepsia 2 Diz-se de pessoa que sofre de catalepsia *sm.* 3 Essa pessoa [F.: Do gr. *kataleptikós*.]

catalisação (ca.ta.li.sa.*ção*) *sf.* Ação ou resultado de catalisar [Pl.: *-ções*.] [F.: *catalisar* + *-ção*.]

catalisado (ca.ta.li.*sa*.do) *a.* Em que se produziu catálise [F.: Part. de *catalisar*.]

catalisador (ca.ta.li.sa.*dor*) [ô] *a.* 1 *Quím.* Diz-se de substância que provoca catálise 2 *Fig.* Diz-se de alguém ou algo que, com a simples presença, mesmo sem ação direta, estimula mudanças ou acelera um processo *sm.* 3 *Aut.* Abafador no cano de escape de veículos, que reduz a emissão de gases poluentes 4 *Quím.* Substância que provoca catálise, que altera a velocidade de uma reação 5 *Fig.* Pessoa ou algo que estimula mudanças ou acelera um processo [F.: *catalisar* + *-dor.*]

catalisar (ca.ta.li.*sar*) *v. td.* 1 *Fís-quím.* Provocar catálise em 2 *Fig.* Agir como catalisador, fazendo com que certos elementos se combinem, de modo a provocar um processo de mudança: "...os partidos políticos não conseguem catalisar a energia do povo." (*FolhaSP*, 02.11.1999) [▶ 1 catalisar] [F.: *catálise* + *-ar*[2]. Hom./Par.: *catalise* (fl.), *catálise* (sf.).]

catálise (ca.*tá*.li.se) *sf.* 1 *Quím.* Alteração, ger. aumento, da velocidade de uma reação química provocada pela presença de determinada substância que não se altera no processo 2 *Fig.* Interação, combinação ou reação entre elementos, pessoas etc., estimulada ou facilitada por algum agente ou fator que não participa diretamente do resultado final ou do sistema em que se dá o processo [F.: Do gr. *katálysis. Hom./Par.: catalise* (fl. *catalisar*).]

catalítico (ca.ta.*lí*.ti.co) *a.* Ref. a catálise [F.: Do gr. *katalytikós.*]

catalogação (ca.ta.lo.ga.*ção*) *sf.* Ação ou resultado de catalogar [Pl.: *-ções.*] [F.: *catalogar* + *-ção.*] ■ **~ na fonte** *Edit.* Preparação de ficha catalográfica de um documento bibliográfico para impressão no próprio documento

catalogado (ca.ta.lo.*ga*.do) *a.* 1 Organizado ou listado em catálogo 2 *Pop.* Classificado, reputado, rotulado [+ *como: atleta catalogado como mau perdedor.*] [F.: Part. de *catalogar.*]

catalogar (ca.ta.lo.*gar*) *v.* 1 Registrar e organizar em catálogo dados relativos a (elementos de um grupo, conjunto ou coleção) [*td.: catalogar documentos e livros; catalogar as peças de um museu.*] 2 Classificar sistematicamente [*td.: Os cientistas buscam catalogar todos os seres vivos da Terra.*] 3 *Pop.* Qualificar, tachar [*tdp.: Catalogaram o político de populista.*] [▶ 14 catalogar] [F.: *catálogo* + *-ar*[2]. Hom./Par.: *catalogo* (fl.), *catálogo* (sm.).]

catálogo (ca.*tá*.lo.go) *sm.* 1 Lista ordenada de nomes, produtos etc. (catálogo telefônico) 2 Relação de livros, revistas e documentos de uma biblioteca [F.: Do gr. *katálogos.* Hom./Par.: *catalogo* (fl. *catalogar*).] ■ **~ sistemático** *Doc.* Catálogo em ordem alfabética e numérica, de acordo com classificação decimal

catalografia (ca.ta.lo.gra.*fi*.a) *sf. Biblt.* Em bibliografia, conjunto das regras de catalogação [F.: *catálo(go)* + *-grafia.*]

catalográfico (ca.ta.lo.*grá*.fi.co) *a.* Ref. a catalografia (ficha catalográfica) [F.: *catalograf(ia)* + *-ico*[2].]

catalonha (ca.ta.*lo*.nha) *sf. Bot.* Hortaliça folhosa (*Chocorium intybus*) de sabor levemente amargo, us. em saladas [Tb. *catalônia.*]

catalônia (ca.ta.*lô*.ni:a) *sf.* Ver *catalonha*

catamarã (ca.ta.ma.*rã*) *sm.* 1 *Mar.* Pequeno barco, típico do Ceilão (Sri Lanka), com vela quadrada presa a dois mastros em V *sm.* 2 *Mar.* Barco de recreio ou para transporte, a vela ou motor, com dois cascos separados e paralelos, sobre os quais fica uma plataforma 3 Flutuador, como o de hidroavião, que se assemelha à base dessa embarcação [F.: Do tâmil *kattumaram.*]

catamenial (ca.ta.me.ni:*al*) *a.* Ref. a catamênio [Pl.: *-ais.*] [F.: *catamêni(o)* + *-al.*]

catamênio (ca.ta.*mê*.ni:o) *sm. P. us. Fisl.* O mesmo que *menstruação* [F.: Do lat. medv. *catamenia*, do gr. *kataménia.*]

catamnésia (ca.tam.*né*.si.a) *sf.* Acompanhamento da evolução de um paciente após ter recebido alta [F.: *cata-* + *mnésia.*]

catana (ca.*ta*.na) *sf.* 1 Espada curva e curta, de or. japonesa 2 Faca comprida e larga 3 *Bot.* Espata de palmeira 4 O mesmo que *sapopema* (raiz que parece uma divisão achatada na base do tronco) *a2g.* 5 *PA* Diz-se de rês que só tem um chifre inteiro [F.: Do jap. *katana.*] ■ **Meter a ~ (em)** Difamar, falar mal de alguém

catanduva (ca.tan.*du*.va) *sf.* 1 *Bot.* Árvore (*Piptadenia moniliformis*) que produz flores amarelas e madeira de boa qualidade 2 Terreno de argila, pouco fértil 3 Mato rasteiro e cheio de espinhos, típico desse terreno [F.: Do tupi *kaatang' tiwa.*]

catão (ca.*tão*) *sm.* Pessoa muito rígida, severa, ou que dá mostras de austeridade, contenção [Pl.: *-tões.*] [F.: Do antr. *Catão*, censor e reformador moral romano (séc. III-II a.C.).]

cata-ovo (ca.ta-*o*.vo) [ô] *sm. Vest.* Diz-se do chapéu de pano, de abas caídas, geralmente usado por piloto de planador [Pl.: *cata-ovos* [ó].]

catapimba (ca.ta.*pim*.ba) *Interj.* Expressa o desfecho de uma ação; PIMBA [F.: De or. onom.]

cata-piolho (ca.ta-pi.*o*.lho) *sm. Bras. Pop.* Dedo polegar da mão; MATA-PIOLHO [Pl.: *cata-piolhos.*]

cataplana (ca.ta.*pla*.na) *sf. Lus.* Espécie de panela de pressão constituída de duas partes ligadas por dobradiça e fechadas com pino [F.: De or. obsc.]

cataplasma (ca.ta.*plas*.ma) *s2g.* 1 *Med.* Preparado medicinal, ger. pastoso, que se aplica diretamente, ou entre panos, folhas etc. sobre alguma área do corpo, com diversos fins: *cataplasma para clarear manchas de sol.* 2 *Fig.* Pessoa débil, fraca 3 Pessoa molenga, de movimentos lentos 4 Peça dos arreios à qual são presas as argolas por que passam as guias das cavalgaduras [F.: Do gr. *katáplasma.*]

catapora (ca.ta.*po*.ra) *sf. Bras. Pop. Med.* Doença aguda, ger. benigna, contagiosa, causada por vírus, comum principalmente em crianças, e caracterizada pelo aparecimento de manchas vermelhas na pele (que depois se tornam bolhas pruriginosas), acompanhado de febre; VARICELA [F.: Do tupi *tata' pora.*]

catapulta (ca.ta.*pul*.ta) *sf.* 1 *Mil.* Antiga arma de guerra us. para lançar pedras ou tochas incendiadas contra um alvo 2 *Bras. Aer. Cnav.* Dispositivo muito us. a bordo de porta-aviões para ajudar no lançamento de aviões, impulsionando-os para que atinjam velocidade de decolagem em pista curta [F.: Do lat. *catapulta.*]

catapultado (ca.ta.pul.*ta*.do) *a.* 1 Arremessado por meio de catapulta 2 *Fig.* Elevado, promovido: *ator catapultado ao estrelato.* [F.: Part. de *catapultar.*]

catapultar (ca.ta.pul.*tar*) *v.* 1 Arremessar com catapulta [*td.*] 2 *P. ext.* Lançar longe, com força [*td.*] 3 *Fig.* Elevar, fazer subir com rapidez (socialmente, profissionalmente etc.) [*tdr.* + *para*: "...[filme] que catapultou para o estrelato um dos mais grossos jogadores de futebol de todos os tempos..." (*Folha de S.Paulo*, 10.09.1999)] 4 *Fig.* Impulsionar; fazer com que algo aumente ou cresça rapidamente; fazer avançar ou progredir com rapidez [*td.: A propaganda catapultou as vendas do produto; O apoio de figuras renomadas catapultará o projeto na cena política.*] [▶ 1 catapultar] [F.: *catapulta* + *-ar*[2]. Hom./Par.: *catapulta(s)* (fl.), *catapulta(s)* (sf. [pl.]).]

catar[1] (ca.*tar*) *v. td.* 1 Procurar, buscar: *Catou os óculos por toda a casa.* 2 Recolher um por um entre outras coisas: *catar lenha para a fogueira.* 3 Catar (1) e matar (piolhos, pulgas, carrapatos) 4 Procurar e retirar de (uma quantidade de grãos ou sementes, p. ex., de arroz, feijão etc.) as impurezas e unidades defeituosas; limpar, selecionar 5 Observar com atenção 6 Manter (certa atitude) ou dedicar (sentimento) em relação a algo ou alguém: *catar reverência aos mais velhos.* 7 *Bras. Pop.* Tomar (meio de transporte); PEGAR 8 *Bras. Gír.* Espancar, surrar [▶ 1 catar] [F.: Do lat. *captare.* Hom./Par.: *cato* (fl.), *cato* (sm.).]

catar[2] (ca.*tar*) *sm.* 1 Cáfila de camelos *sm.* 2 Récua de mulas [F.: Do persa-árabe *qatar.*]

catarata (ca.ta.*ra*.ta) *sf.* 1 Queda-d'água, esp. a que tem grande volume e/ou grande altura; CACHOEIRA; SALTO 2 *Med.* Região opaca no cristalino (a lente do olho), ou em sua membrana envoltória, que prejudica a visão [F.: Do lat. *cataracta.*]

catariano (ca.ta.ri:*a*.no) *sm.* 1 Pessoa nascida ou que vive em Catar ou Qatar (Ásia) *a.* 2 De Catar ou Qatar; típico desse país ou de seu povo [F.: Do top. *Catar* (*Qatar*) + *-ano.*]

catarina (ca.ta.*ri*.na) *sf.* 1 Roda pequena na engrenagem dos relógios 2 *Mar.* Roldana us. nos paus de carga 3 *Vit.* Casta de uva-branca portuguesa

catarinense (ca.ta.ri.*nen*.se) *s2g.* 1 Pessoa nascida ou que vive em Santa Catarina *a2g.* 2 De Santa Catarina; típico desse estado ou de seu povo [F.: Do top. (Santa) *Catarina* + *-ense.*]

cátaro (*cá*.ta.ro) *Rel. sm.* 1 Membro de uma seita, condenada pela Igreja, que professava o dualismo maniqueísta *a.* 2 Ref. a essa seita ou que dela era membro [F.: Do lat. *catharus.* Sin. ger.: *albigense.*]

catarral (ca.tar.*ral*) *a.* 1 Ref. a catarro *sf.* 2 *Pop.* Bronquite: "...os perigos da catarral..." (Samuel Maia, *Sexo forte*) [Pl.: *-ais.*] [F.: *catarr(o)* + *-al.*]

catarreira (ca.tar.*rei*.ra) *sf. Pop.* (Condição de quem apresenta corrimento ou eliminação de) grande quantidade de muco ou catarro [F.: *catarro* + *-eira.*]

catarrento (ca.tar.*ren*.to) *a.* 1 Diz-se de quem está com muito catarro, devido a gripe, alergia etc. 2 Sujo de catarro (nariz catarrento) 3 Diz-se de quem está frequentemente gripado e encatarrado 4 *Joc.* Diz-se de criança, esp. a que é muito nova e não é ou não está muito limpa ou asseada: "E o Marcelinho (...) deixou de ser catarrento e de chutar e morder as pessoas." (João Ubaldo Ribeiro, "Do Diário de Mamãe", em *O conselheiro come*) *sm.* 5 *Bras. Joc. Pop.* Criança [F.: *catarro* + *-ento.*]

catarrino (ca.tar.*ri*.no) *a.* 1 *Zool.* Ref. aos catarrinos *sm.* 2 *Zool.* Espécime dos catarrinos, infraordem de primatas do Velho Mundo, incluindo os monos e o homem, com narinas abertas e voltadas para frente [F.: *cata-* + *-rino; lat. científico Catarrhina.*]

catarro (ca.*tar*.ro) *sm.* 1 *Fisl.* Substância produzida pelas mucosas, quando inflamadas; MUCO 2 A secreção, ger. viscosa, da mucosa do nariz e das vias respiratórias 3 *Med.* Defluxo, resfriado, esp. quando vem acompanhado de tosse 4 *N. N. E. Pop.* A polpa ainda macia do coco-verde [F.: Do gr. *katárrhoos* '(fluxo ou secreção) que corre para baixo'.]

catarse (ca.*tar*.se) *sf.* 1 *Psi.* Sentimento de alívio ao se trazer à consciência sentimentos, traumas etc. que estavam reprimidos 2 Liberação desses sentimentos através de encenação etc. 3 *Rel. Fil.* Na Antiguidade grega, libertação ou purgação do que é estranho à essência ou à natureza de um ser 4 *Med.* Evacuação dos intestinos [F.: Do gr. *kátharsis.*]

catártico (ca.*tár*.ti.co) *a.* 1 Da ou ref. à catarse 2 Que produz catarse (acps. 1 a 3); que propicia liberação ou expressão de tensões emocionais, de sentimentos e pensamentos reprimidos etc. 3 Diz-se de medicamento que acelera e aumenta a evacuação intestinal *sm.* 4 Esse medicamento [F.: Do gr. *kathartikós.*]

catassol (ca.tas.*sol*) *sm.* 1 Furta-cor: "...cambia de catassol..." (Guimarães Rosa, *Ave, palavra!*) 2 Antigo tecido de lã fino e lustroso 3 *BA Zool.* Caracol [Pl.: *sóis.*] [F.: *catar* + *sol.*]

catástrofe (ca.*tás*.tro.fe) *sf.* 1 Acontecimento muito grave, que afeta seriamente a vida das pessoas 2 Acontecimento, ger. de causas naturais e de grandes proporções, que provoca mortes e destruição; CALAMIDADE; DESASTRE; DESGRAÇA 3 Acidente de grandes proporções (catástrofe aérea) 4 *Teat.* Desfecho funesto da ação, nas tragédias gregas, desencadeado por algum acontecimento grave 5 *Geol.* O mesmo que *cataclisma* [F.: Do gr. *katastrophé.*]

catastrófico (ca.tas.*tró*.fi.co) *a.* 1 Ref. a catástrofe, ou que é (como) catástrofe 2 De consequências ruins, cuja extensão é impossível de prever: "...e causa milhares de transtornos a cada hora, alguns deles catastróficos para as vidas de pessoas e organizações." (João Ubaldo Ribeiro, *O conselheiro come*) 3 Que traz males insolúveis, irremediáveis [F.: *catástrofe* + *-ico*[2].]

catastrofismo (ca.tas.tro.*fis*.mo) *sm.* 1 *Bras.* Tendência pessimista de prever a iminência de acontecimentos graves, catastróficos 2 *Geol.* Antiga teoria que atribuía as diferentes formas de relevo à ação de catástrofes ou cataclimos [F.: *catástrof(e)* + *-ismo.*]

catastrofista (ca.tas.tro.*fis*.ta) *a2g.* 1 *Bras.* Ref. a ou que demonstra catastrofismo (1) 2 Ref. à teoria do catastrofismo *s2g.* 3 *Bras.* Indivíduo catastrofista (1) 4 Adepto da teoria do catastrofismo [F.: *catástrof(e)* + *-ista.*]

catatau (ca.ta.*tau*) *sm.* 1 *Pop.* Algo grande, volumoso, esp. livro: *Esse livro é um catatau.* 2 Grande quantidade: *Recebeu um catatau de cartas.* 3 *N.* Pessoa muito baixa 4 Espada velha e cega 5 Punição física; PANCADA 6 *Bras. Pop.* Pênis [F.: Posv. de or. expressiva.]

catatonia (ca.ta.to.*ni*.a) *sf. Psiq.* Tipo de esquizofrenia, em que se alternam períodos de intensa excitação com outros de passividade, esp. a que é caracterizada por distúrbios psicomotores acentuados, como estupor, rigidez, mutismo, posturas corporais incomuns, agitação intensa ou despropositada etc. [F.: *cata-* + *-tonia.*]

catatônico (ca.ta.*tô*.ni.co) *a.* 1 Ref. a catatonia 2 Diz-se de pessoa que sofre de catatonia *sm.* 3 Essa pessoa [F.: *catatonia* + *-ico*[2].]

catatonismo (ca.ta.to.*nis*.mo) *sm. Psiq.* O mesmo que *catatonia* [F.: *catatoni(a)* + *-ismo.*]

cataúba (ca.ta.*ú*.ba) *sf.* 1 *Bot.* Árvore da fam. das eritroxiláceas (*Erythroxylum pulchrum*), nativa do Brasil, tb. chamada *arco-de-pipa, sobraji* 2 Casta de uva rosada do Leste dos EUA [F.: De or. incerta.]

cata-vento (ca.ta-*ven*.to) *sm.* 1 Aparelho ou objeto que indica direção e velocidade do vento, ger. por meio de aletas e ponteiros, que se movimentam conforme a direção e força com que são empurrados por este 2 Mecanismo us. para retirar água de poço, acionado pela força do vento, ger. por meio de asas ou palhetas oblíquas, dispostas radialmente em relação a um eixo, de modo a imprimir movimento ao mecanismo ao serem impulsionadas 3 Brinquedo que consiste numa haste à qual se prende uma pequena roda de papel ou outro material leve dobrado em forma de palhetas ou velas de moinho, que gira quando soprada ou posta ao vento 4 *Fig.* Pessoa muito volúvel ou inconstante, que muda facilmente de afeições ou opiniões 5 Ventilador, ou tubo ou aparelho para ventilação 6 *Ant. Mar.* Lugar atrás do mastro grande, onde se posicionava o oficial responsável pelas manobras [Pl.: *cata-ventos.*]

⊕ ***catch*** (*Ing. /quétch/*) *sm. Esp.* Luta em que qualquer tipo de golpe é permitido [F.: F. red. de *catch-as-catch-can.*]

⊕ ***catchup*** (*Ing. /quétchap/*) *sm.* Ver *ketchup*

catecismo (ca.te.*cis*.mo) *sm.* 1 *Rel.* Ensino da doutrina religiosa, esp. a cristã 2 Reunião para ensino e transmissão da doutrina 3 Conjunto de ensinamentos da doutrina, ou livro que contém esses ensinamentos 4 *P. ext.* Conjunto de noções básicas sobre qualquer ciência, arte etc.: "...essas leis que ele cria para o seu poema não tomam a forma de um catecismo para uso privado..." (João Cabral de Melo Neto, *Poesia e composição*) 5 Doutrina aprendida, ensinada ou recitada de modo dogmático, sem crítica [F.: Do lat. *catechismu(m).* Var.: *catequismo.*]

catecolamina (ca.te.co.la.*mi*.na) *sf. Bioq.* Grupo de hormônios sintetizados pelo sistema nervoso e pelas glândulas suprarrenais e que inclui a adrenalina, a dopamina e a noradrenalina [F.: Do ing. *catecholamine.*]

catecúmeno (ca.te.*cú*.me.no) *sm.* 1 Pessoa que se prepara para ser batizada 2 *Fig.* Pessoa recém-admitida em algum círculo ou instituição; NEÓFITO [F.: Do lat. *catechumenu(m).*]

cátedra (*cá*.te.dra) *sf.* 1 Cadeira (3) em instituição de ensino superior, ocupada pelo principal professor de uma disciplina ou matéria 2 Cargo do titular dessa cadeira, o mais alto na carreira de professor universitário 3 Disciplina ou matéria sob responsabilidade de um ou mais mestres numa instituição de ensino superior 4 Assento de uma autoridade religiosa (como bispo, cardeal etc.) [F.: Do gr. *kathédra.*] ■ **De ~** 1 Com conhecimento e autoridade de quem conhece muito bem determinado assunto: *Sobre esse assunto, ela pode falar de cátedra.* [Ger. us. ironicamente, a respeito de quem se presume maior conhecedor ou autoridade em determinado assunto ou quer impor sua opinião.] 2 Próprio de professores universitários; que tem marcadas características intelectuais dos meios e atividades universitários [Ger. tem uso pej.: *radicalismo de cátedra.*] **Ditar ~** Falar sobre algo com autoridade, com conhecimento e proficiência

catedral (ca.te.*dral*) *sf.* 1 *Rel.* No catolicismo, igreja principal de uma diocese ou arquidiocese, onde fica a cátedra episcopal; MATRIZ; SÉ [Tb. us. como adj.] 2 *Rel.* Entre cristãos não católicos, templo de grandes dimensões, considerado o principal de determinada região 3 *Fig.* Coisa ou pessoa que impressiona pela grandiosidade, pela magnificência [Pl.: *-drais.*] **a2g.** 4 Ref. a cátedra, esp. à cátedra episcopal [Pl.: *-drais.*] [F.: Do fr. *cathédrale.*]

catedralesco (ca.te.dra.*les*.co) **a.** 1 Ref. a catedral 2 *Fig.* Próprio de catedral ou de suas proporções; MONUMENTAL [F.: *catedral* + *-esco.*]

catedrático (ca.te.*drá*.ti.co) **a.** 1 Ref. a cátedra (acps. 1 a 3): *o corpo catedrático de uma universidade.* 2 *Fig.* Que tem gravidade, seriedade (fala catedrática) **sm.** 3 Professor que ocupa posto de titular de cátedra (1) 4 *Bras. Pop.* Pessoa que entende muito de determinado assunto: *Ele é catedrático em samba.* 5 *Rel.* Taxa anual paga ao bispo por igrejas e confrarias leigas como prova de submissão [F.: *cátedra* + *-t-* + *-ico²*.]

categoria (ca.te.go.*ri*.a) **sf.** 1 Classe de pessoas ou objetos que têm a mesma natureza; conjunto de seres que têm em comum certa qualidade ou atributo; ESPÉCIE; TIPO: *O filho está na categoria dos bem-dotados.* 2 Qualquer divisão em um sistema de classificação 3 Grau negativo ou positivo de excelência; QUALIDADE: *tecido de péssima categoria.* 4 *Restr.* Alta qualidade: *hotel de categoria.* 5 Posição em hierarquia (social, profissional, administrativa etc.): *Subiu de categoria no banco.* 6 *Esp.* Cada grupo em que se dividem os atletas de determinado esporte ou modalidade esportiva, segundo a idade, o peso, o tipo de prova etc.: *jogador de futebol da categoria júnior.* 7 *Ling.* Classe em que se situam os elementos de um sistema linguístico (categoria gramatical, categoria semântica) 8 *Pop.* Habilidade, elegância: *Discursou com categoria; uma jogada de categoria.* 9 *Fil.* Conceito geral e fundamental, que abrange noções e ideias correlatas e orienta o pensamento, o juízo ou a ação [F.: Do gr. *kategoría.*] ■ **~ gramatical** 1 *Ling. Gram.* Cada um dos aspectos que podem assumir as partes do discurso, como caso, gênero, modo, número, pessoa, tempo, voz etc. 2 Classe de palavras, definida segundo algum critério gramatical; conjunto de palavras de uma língua, similares quanto à função sintática ou semântica (p. ex.: substantivo, adjetivo, verbo, advérbio, preposição, pronome etc.)

categorial (ca.te.go.ri.*al*) **a.** Ref. a categoria [Pl.: *-ais.*] [F.: *categori(a)* + *-al.*]

categoricamente (ca.te.go.ri.ca.*men*.te) **adv.** De modo categórico, claro, definido, indiscutível [F.: Fem. de *categórico* + *-mente.*]

categórico (ca.te.*gó*.ri.co) **a.** 1 Ref. a categoria 2 Que não deixa dúvida, ou em que não há dúvida; TAXATIVO: *O chefe foi categórico em suas instruções.* [Ant.: *equívoco, evasivo.*] [F.: Do gr. *kategorikós.*]

categorização (ca.te.go.ri.za.*ção*) **sf.** Ação ou resultado de categorizar [Pl.: *-ções.*] [F.: *categorizar* + *-ção.*]

categorizado (ca.te.go.ri.*za*.do) **a.** 1 Organizado por categorias (catálogo categorizado) 2 Diz-se daquele ou daquilo cujas qualidades são conhecidas e aprovadas; que tem categoria (4), idoneidade: *Só contrata funcionário categorizado.* [F.: Part. de *categorizar.*]

categorizar (ca.te.go.ri.*zar*) **v.** 1 Ordenar ou separar por categorias ou classes, ou pôr em determinada categoria; CLASSIFICAR [**td.**: *categorizar documentos, e-mails; O investigador categorizou cada um dos homicídios de acordo com o sexo e a idade da vítima.*] 2 Pôr em categoria elevada ou elevar-se de categoria [**td.**: *A presença de escritores renomados categorizou o evento literário.*] [**int.**: *O ateliê bem localizado categorizou-se em pouco tempo.*] 3 Elaborar ou aplicar um conjunto limitado de nomes ou conceitos para descrever um conjunto muito variado e potencialmente ilimitado de objetos, experiências etc. [**td.**: *categorizar as emoções, as sensações.*] [▶ 1 categorizar] [F.: *categoria* + *-izar.*]

categute (ca.te.*gu*.te) **sm.** *Med.* Fio de tripa de animal (ger. carneiro), us. para suturas de ferimento ou em cirurgias [F.: Do ing. *catgut.*]

⊕ **catena** (*Lat. /catena/*) Termo com que a União Astronômica Internacional designa uma cadeia de crateras num planeta ou na Lua

catenária (ca.te.*ná*.ri.a) **sf.** 1 *Geom.* Curva plana que descreve a forma tomada por um fio perfeitamente flexível, inextensível e de espessura mínima, quando pendurado por suas extremidades e unicamente sob a ação da gravidade [Matematicamente, é a curva da função cosseno hiperbólico.] 2 Figura, objeto ou construção que tem forma semelhante à da catenária (1) [F.: Do lat. *catenaria*, derivado de *catena* 'cadeia, corrente de elos' (pois esta era originalmente referida (séc. XVII) como equivalente experimental ao fio flexível e inextensível).]

catenga (ca.*ten*.ga) **sf.** *Bras. N. E. Zool.* O mesmo que *lagartixa* (1) [F.: Do quimb., posv.]

catepsina (ca.te.*psi*.na) **sf.** *Bioq.* Enzima existente no tecido de animais [F.: Do ing. *cathepsin.*]

catequese (ca.te.*que*.se) **sf.** 1 Explicação, ger. oral, de matéria religiosa; ação ou processo de instruir sobre a doutrina de uma religião; CATEQUIZAÇÃO 2 *P. ext.* Doutrinação em qualquer assunto; esforço por difundir ou incutir ideias; CATEQUIZAÇÃO [F.: Do gr. *katéchesis.*]

catequética (ca.te.*qué*.ti.ca) **sf.** *Rel.* Parte da teologia pastoral dedicada à pedagogia da instrução religiosa [F.: Fem. substv. de *catequético.*]

catequético (ca.te.*qué*.ti.co) **a.** 1 Ref. a catequese 2 *Pedag.* Diz-se do processo pedagógico em que o ensino se ministra por preleção [F.: *catequese* + *-ico²*.]

catequismo (ca.te.*quis*.mo) **sm.** Ver *catecismo*

catequista (ca.te.*quis*.ta) **a2g.** 1 Ref. a catecismo 2 Diz-se de pessoa que ensina o catecismo, que catequiza ou doutrina; CATEQUIZADOR **s2g.** 3 Essa pessoa; CATEQUIZADOR [F.: Do lat. ecl. *catechista.*]

catequização (ca.te.qui.za.*ção*) **sf.** Ação ou resultado de catequizar; CATEQUESE [Pl.: *-ções.*] [F.: *catequizar* + *-ção.*]

catequizado (ca.te.qui.*za*.do) **a.** 1 Diz-se de pessoa instruída ou convertida por meio de catequese religiosa ou, p. ext., de pessoa que adotou certas ideias, práticas ou interesses por efeito de algum tipo de catequização, doutrinação, convencimento etc. **sm.** 2 Essa pessoa [F.: Part. de *catequizar.*]

catequizador (ca.te.qui.za.*dor*) [ô] **a.** 1 Que catequiza, que se dedica à catequização (de tipo religioso ou não) **sm.** 2 Aquele que se dedica à catequese religiosa, ou que catequiza, doutrina, convence, instrui [F.: *catequizar* + *-dor.*]

catequizando (ca.te.qui.*zan*.do) **sm.** Aquele que está em processo de catequização [F.: *catequizar* + *-ndo.*]

catequizante (ca.te.qui.*zan*.te) **a2g.** Que catequiza ou serve para catequizar [F.: *catequizar* + *-nte.*]

catequizar (ca.te.qui.*zar*) **v. td.** 1 Expor ou explicar a (alguém) ideias ou doutrinas religiosas; dar instrução religiosa a [**td.**: *Os jesuítas catequizavam os índios.*] 2 *P. ext. Fig.* Transmitir a (alguém) ideias ou conhecimentos, iniciando-o em um campo de atividades, ou aproximando-o de determinados interesses e práticas [**tdr.** + *para*: *Catequizar a população para as causas sociais ecológicas.*] 3 Converter para, ou convencer de (qualquer doutrina, princípio, ponto de vista etc.); ALICIAR [**td.** / **tdr.** + *a, para*: *Catequizou-o (para suas ideias políticas).*] [▶ 1 catequizar] [F.: Do lat. *catechizare* < gr. *katekhízein.*]

cateretê (ca.te.re.*tê*) **sm.** 1 *S. GO* Dança cantada e sapateada, acompanhada de palmas, executada em fileiras opostas; CATIRA 2 *SP MG* Nome de certas danças ou bailes populares rurais; xiba [F.: Posv. de or. africana.]

⊕ **catering** (*Ing. /quétrin/*) (*Ing. /kêiterin/*) **sm.** Serviço de fornecimento de comida preparada e utensílios correlatos (louça, talheres etc.) para banquetes, festas, companhias aéreas etc.

caterva (ca.*ter*.va) **sf.** 1 Grande quantidade de pessoas, animais ou coisas 2 Grupo de pessoas de má índole ou de mau comportamento; CORJA; MALTA [F.: Do lat. *caterva.*]

cateter (ca.te.*ter*) [é] **sm.** *Med.* Tubo de diâmetro milimétrico que se introduz no organismo para examinar uma região, colocar ou extrair líquidos, implantar dispositivos etc. [Embora a pronúncia erudita seja a oxítona (com pl. paroxítono: *cateteres*), no Brasil é mais us. a forma *cateter* (pl. *catéteres*).] [F.: Do gr. *kathetér.*]

cateterismo (ca.te.te.*ris*.mo) **sm.** *Med.* Ação de introduzir um cateter no organismo; exame ou intervenção em que se emprega cateter [F.: cateter + -ismo.]

cateterização (ca.te.te.ri.za.*ção*) **sf.** Ação ou resultado de cateterizar [Pl.: *-ções.*] [F.: *cateterizar* + *-ção.*]

cateterizar (ca.te.te.ri.*zar*) *Med.* **v.** 1 Colocar o cateter em (alguém); introduzir cateter em (parte do organismo, como vaso sanguíneo, canal, conduto etc.) [**td.**: *cateterizar a artéria/ a uretra.*] 2 Recolher urina por meio de cateter introduzido na uretra de (alguém) [**td.**: *O paciente apresentava retenção urinária e foi necessário cateterizá-lo.*] [**int.**: *Se a retenção persistir, será necessário cateterizar.*] [▶ 1 cateterizar] [F.: *cateter* + *-izar.*]

cateto¹ (ca.*te*.to) [ê] **sm.** *Geom.* Cada um dos lados que formam ângulo reto no triângulo retângulo [Em Portugal, pronuncia-se com /é/. Etimologicamente, a pronúncia considerada correta seria *cáteto*, raramente empregada.] [F.: Do gr. *káthetos.*]

cateto² (ca.*te*.to) [ê] **sm.** O mesmo que *caititu*, inclusive como alimento [F.: Posv. de *caititu.*]

catexe (ca.*te*.xe) [cs] **sf.** *Psic.* O mesmo que *catexia* [F.: Do gr. *kátheksis, eós.*]

catexia (ca.te.*xi*.a) [cs] **sf.** *Psic.* Concentração de energia mental ou emocional sobre uma ideia, imagem ou pessoa [F.: *catex(e)* + *-ia.*]

catéxico (ca.*té*.xi.co) [cs] **a.** Ref. a catexia ou catexe [F.: *catex(e)* + *-ico²*.]

catiauás (ca.ti.au.*ás*) **smpl.** *Bras. Etnol.* Grupo indígena das margens do rio Purus (AM)

catiça (ca.*ti*.ça) **sf.** 1 *Pop.* Suposta influência sobrenatural sobre fato ou sucessão de fatos, circunstâncias, processos e seus resultados, sentimentos e sensações etc., que poderia ser invocada por alguem; ENCANTAMENTO; FEITIÇO; MANDINGA **interj.** 2 Exclamação que pretende invocar a sorte, o sucesso etc., e afastar o azar, o malogro [F.: De or. obsc.]

catiguá (ca.ti.*guá*) *Bras. Bot.* **sf.** 1 Nome comum de várias árvores e arbustos do gên. *Trichilia*, da fam. das meliáceas 2 Árvore ou arbusto (*Trichilia catigua*), ocorrente em grande parte do Brasil, de madeira vermelha e muito resistente, e de cuja casca se extrai tintura e tanino [F.: Posv. de or. indígena.]

catiguense (ca.ti.*guen*.se) **s2g.** 1 Indivíduo nascido ou que vive em Catiguá (SP) **a2g.** 2 De Catiguá; típico dessa cidade ou de seu povo [F.: Do top. *Catiguá* + *-ense.*]

catilinária (ca.ti.li.*ná*.ri:a) **sf.** 1 Acusação ou denúncia feita de forma violenta e convincente, ou com retórica bem elaborada [+ *contra*: *uma catilinária contra os corruptos.*] 2 *Irôn.* Acusação ou crítica esmerada na retórica, porém repetitiva, sem originalidade, equivocada ou enganosa no conteúdo 3 *P. ext.* Palavras agressivas, de censura ou imprecação [F.: Do lat. *(oratio) catilinaria*, 'discurso sobre/contra Catilina', em alusão aos discursos em que Marco Túlio Cícero denunciou o político Lúcio Sérgio Catilina por conspiração.]

catimba (ca.*tim*.ba) *Bras. Gír.* **sf.** 1 Malícia, manha 2 *Esp.* Recurso malicioso us. por jogadores para retardar o jogo, atrapalhar o adversário etc. [Cf. *cera.*] [F.: De or. incerta. Hom./Par.: catimba (sf.), catimba (fl. catimbar).]

catimbar (ca.tim.*bar*) *Bras. Gír.* **v.** 1 Agir com malícia [**int.**] 2 *Esp.* Fazer catimba; retardar o andamento de (jogo, partida) de forma maliciosa, ou atrapalhar, irritar o adversário [**td.**: *Depois do gol de empate, passaram a catimbar o jogo.*] [**int.**: "Nunca é fácil enfrentar os argentinos. Eles (...) sabem catimbar como ninguém." (*Folha de S.Paulo*, 02.09.1999)] [▶ 1 catimbar] [F.: *catimba* + *-ar²*. Hom./Par.: *catimba* (fl.), *catimba* (sf.).]

catimbau (ca.tim.*bau*) *Bras.* **sm.** 1 *Rel.* Culto que combina elementos de feitiçaria, do candomblé e do baixo-espiritismo 2 Cachimbo us. nesse culto 3 Feitiçaria, bruxaria 4 *Bras. N. E.* Pessoa da roça, caipira [F.: Posv. de or. africana. Hom./Par.: *catimbó* (sm.), *catimbo* e *catimbou* (fl. *catimbar*). Tb. *catimbó.*]

catimbeiro (ca.tim.*bei*.ro) **a.** *Bras. Gír.* Aquele que faz catimba [F.: *catimb(a)* + *-eiro.*]

catimbó (ca.tim.*bó*) **sm.** Ver *catimbau*

catimbozeiro (ca.tim.bo.*zei*.ro) **sm.** *Bras.* Indivíduo dado à prática do catimbó [F.: *catimbó* + *-zeiro.*]

catimplora (ca.tim.*plo*.ra) **sf.** 1 Vasilha de metal us. para resfriar a água 2 Sifão (1) 3 Irrigador de jardim 4 Almotolia de bico fino e longo, us. para azeite 5 *N. E.* Chaminé de usina 6 *Bras. Pop.* Chapéu de copa alta; CARTOLA 7 *BA* Sorveteira manual em folha de flandres [F.: Do espn. *cantimplora*. Var.: *cantimplora.*]

catinga¹ (ca.*tin*.ga) **sf.** 1 *Bras.* Mau cheiro que exala um corpo suado ou sujo; INHACA 2 *P. ext.* Qualquer cheiro desagradável, nauseante [F.: De or. contrv. Cf.: *caatinga.*]

catinga² (ca.*tin*.ga) **sf.** *Bras. Angios.* Ver *caatinga*

catinga³ (ca.*tin*.ga) *Pej.* **a2g.** 1 Que é muito apegado ao dinheiro; AVARENTO; SOVINA **sf.** 2 Apego exagerado ao dinheiro, aos bens materiais; SOVINICE [F.: De or. incerta.]

catingar¹ (ca.tin.*gar*) **v. int.** *Bras.* Cheirar mal; FEDER: *Com tantos peixes mortos, a lagoa catingava.* [▶ 14 catingar] [F.: *catinga* + *-ar²*. Hom./Par.: *catinga(s)* (fl.), *catinga(s)* (sf. a2g. [pl.]); *catinga(s)* (fl.), *catingá(s)* (sm. [pl.]).]

catingar² (ca.tin.*gar*) **v. int.** *Bras.* Comportar-se de modo mesquinho; revelar-se miserável, avarento: *Vivia a entesourar, razão por que catingava.* [▶ 14 catingar] [F.: *catinga* + *-ar²*. Hom./Par.: *catinga(s)* (fl.), *catinga(s)* (sf. a2g. [pl.]); *catinga(s)* (fl.), *catingá(s)* (sm. [pl.]).]

catingoso (ca.tin.*go*.so) **sm.** *Bras.* O mesmo que *catinguento* [Pl.: [ó]. Fem.: [ó].] [F.: *catíng(a)* + *-oso.*]

catingueira (ca.tin.*guei*.ra) *Bras.* **sf.** 1 *Bot.* Planta (*Caesalpinia gardneriana*) da fam. das leguminosas 2 *Bot.* Árvore (*Linharia tinctoria*) da fam. das laureáceas, tb. conhecida por *catinga-branca* 3 *Pop.* Fedor, fedentina [F.: *catinga* + *-eira.*]

catingueiro (ca.tin.*guei*.ro) *Bras.* **a.** 1 Da caatinga, ou que vive ou habita na caatinga **sm.** 2 Pessoa que vive na caatinga 3 *Zool.* Veado-catingueiro 4 *Bras. Zool.* O mesmo que *cigana* (ave) [F.: *ca(a)tinga* + *-eiro.*]

catinguento (ca.tin.*guen*.to) **a.** *Bras.* Que tem catinga, mau cheiro; CATINGOSO; FEDORENTO [Tb. us. como subst.] [F.: *catinga* + *-ento.*]

cátion (*cá*.ti.on) **sm.** *Fís. Quím.* Íon de carga elétrica positiva [Pl.: *-iones, -ions.*] [F.: Do ing. *cation* < gr. *kation*, part. pres. de *katienai*, 'descer'.] ■ **~ radical** *Quím.* Toda substância efêmera e instável, de grande reatividade, com carga positiva e um elétron desemparelhado

catiônico (ca.ti.*ô*.ni.co) *Quím.* **a.** 1 Ref. a cátion 2 Caracterizado pela presença e ação química de um cátion [F.: *cátion* + *-ico²*.]

cationte (ca.ti.*on*.te) **sm.** *Fís.* Ver *cátion* [F.: F. calcada na latinização do termo gr., segundo o padrão *ion, iontos* (gr.) > *ion, iontis* (lat.).]

catira (ca.*ti*.ra) **s2g.** *Bras. S. GO MG* O mesmo que *cateretê* [F.: De *cateretê*, posv.]

catita (ca.*ti*.ta) **a2g.** 1 Que se veste bem ou que tem modos graciosos, boa aparência; ELEGANTE 2 Que é bonito, atraente (penteado catita): "Em luto, estribilhiz de truz, a graúna, corvozinho catita." (Guimarães Rosa, *Ave, palavra*) **s2g.** 3 Pessoa elegante **sf.** 4 *Mar.* Mastro situado próximo à popa, em certos veleiros pequenos, e ao qual se prende uma vela latina quadrangular 5 *Mar.* A vela que se prende à catita (4) 6 *N Pop.* Prisão, cadeia 7 *Zool.* Camundongo 8 *Zool.* Nome dado a certas espécies de pequenos marsupiais arborícolas, com grandes orelhas e cauda longa [F.: De or. contrv.]

cativação (ca.ti.va.*ção*) **sf.** Ação ou resultado de cativar [Pl.: *-ções.*] [F.: *cativar* + *-ção*; lat. *captivatione(m).*]

cativado (ca.ti.*va*.do) **a.** Que se deixou cativar ou seduzir [F.: Do lat. *captivatu(m).*]

cativante (ca.ti.*van*.te) **a2g.** Que cativa, atrai, seduz (sorriso cativante); ATRAENTE; ENCANTADOR [Ant.: *antipático, desagradável, repulsivo.*] [F.: *cativar* + *-nte*; lat. *captivante(m).*]

cativar (ca.ti.*var*) **v.** 1 Tornar cativo, prisioneiro; CAPTURAR; ESCRAVIZAR [**td.**: *Os caçadores cativaram vários animais.*] 2 *Fig.* Ligar ou ficar ligado, de modo forte ou permanente, a algo ou alguém, por vínculo pessoal, intelectual ou afetivo [**tdr.** + *a*: *Cativava a estética à ética; Cativou-se à inteligência do professor.*] 3 *Fig.* Obter a estima, a amizade, ou o amor de [**td.**: *Cativou a criança antes de adotá-la.*] 4 *Fig.* Seduzir, conquistar [**td.**: *Cativou a garota com sua atitude sedutora.*] 5 *Fig.* Apreender, reter [**td.**: *Seu rosto cativava o esplendor da manhã.*] 6 *Fig.* Ficar enamorado [**int.**: *Cativou-se da filha* *do vizinho*] [▶ 1 cativar] [F.: do lat. tard. *captivare*. Hom./Par.: *cativo* (fl.), *cativo* (a. e sm.); *cativa(s)* (fl.), *cativa(s)* (sf. [pl.] e fem. de *cativo(s)* [a. sm. e pl.]).]

cativeiro (ca.ti.*vei*.ro) ***sm.*** **1** Lugar em que se mantém alguém como prisioneiro (esp. pessoa capturada ou sequestrada) **2** Gaiola ou jaula para animal: *animais criados em cativeiro*. **3** Estado ou condição de cativo, de prisioneiro **4** Escravidão, servidão **5** *Fig.* Domínio, opressão [F.: *cativo* + *-eiro*.]

cativo (ca.*ti*.vo) ***a.*** **1** Diz-se de quem está preso, encarcerado ou sem liberdade, ou de quem é mantido como escravo **2** Capturado e mantido prisioneiro pelo inimigo; prisioneiro de guerra **3** Diz-se daquilo a que alguém tem acesso garantido; que é de uso exclusivo de algo ou alguém: *Ganhou uma cadeira cativa no estádio do clube; produtos com mercado cativo no exterior.* **4** *Fig.* Diz-se de alguém ou algo que foi dominado, conquistado, seduzido; ligado (espiritualmente, afetivamente) de modo forte ou permanente a algo ou alguém (alma cativa) **5** *Jur.* Diz-se de bem sobre o qual pesa algum encargo, que não pode ser livremente negociado ou transferido **6** *Ant. Fig.* Triste, infeliz, aflitivo ***sm.*** **7** Prisioneiro, preso **8** Escravo de alguém ou de algo [F.: Do lat. *captivu(m)*. Hom./Par.: *cativo* (a. sm.), *cativo* (fl. *cativar*); *cativa(s)* (fem. [pl.]), *cativa(s)* (fl. *cativar*).]

catleia (ca.*tlé*.ia) ***sf.*** *Bot.* Gênero de plantas da fam. das orquidáceas, que compreende mais de 40 espécies dos trópicos americanos [F.: Do lat. cient. *Cattleya*.]

catódico (ca.*tó*.di.co) ***a.*** Ref. a catodo (corrosão catódica) [F.: *catodo* + *-ico²*.]

catodo (ca.*to*.do) [ô] *Elet.* ***sm.*** **1** Condutor metálico de carga elétrica negativa [Forma consagrada pelo uso; *cátodo*, é p. us. no Brasil.] **2** O terminal negativo de uma pilha ou bateria **3** Numa válvula eletrônica, o eletrodo que emite elétrons [F.: Do gr. *káthodos*.] ▪▪ **~ fotossensível** *Eletrôn.* Cátodo que emite elétrons quando exposto a radiação eletromagnética, esp. luz

⊕ **catogan** (*Fr. /catogã/*) ***sm.*** Modo de pentear a cauda do cavalo para formar uma trança, ou de cortar a crina para deixar os pelos do meio mais curtos

catolicamente (ca.to.li.ca.*men*.te) ***adv.*** Segundo os preceitos da religião católica [F.: Fem. de *católico* + *-mente*.]

catolicidade (ca.to.li.ci.*da*.de) ***sf.*** **1** Qualidade ou condição de católico (4 e 6), de quem segue o catolicismo ou do que é próprio dessa religião **2** O conjunto dos indivíduos, povos e países católicos; a Igreja Católica, seus adeptos, doutrinas, tradições e instituições **3** Qualidade ou condição de católico (1), daquilo que é universal ou de toda a humanidade **4** Qualidade ou condição do que segue as normas aceitas, do que é correto, adequado [F.: *católico* + *-(i)dade*.]

catolicismo (ca.to.li.*cis*.mo) *Rel.* ***sm.*** **1** Conjunto de dogmas, preceitos, crenças e instituições adotados por parte dos cristãos que pertencem à Igreja Católica e reconhecem a autoridade do papa **2** A religião dos que adotam esse conjunto de dogmas, preceitos e crenças **3** *Restr.* Ver *Catolicismo romano* **4** A Igreja católica **5** A totalidade dos católicos (4); CATOLICIDADE **6** A universalidade da Igreja católica [F.: *católico* + *-ismo*.] ▪▪ **~ romano** A crença, a doutrina e as instituições próprias à Igreja Católica de Roma, formada por uma hierarquia de padres e bispos, além de ordens monásticas, tendo o papa como chefe espiritual, e que se caracteriza pelo celibato do clero e por dogmas como o da transubstanciação e da infalibilidade papal, sendo a vida religiosa centrada na liturgia da missa e no culto à Virgem Maria e aos santos

catolicizar (ca.to.li.ci.*zar*) ***v. td.*** Passar a ser católico; CATOLIZAR [▶ 1 catolicizar] [F.: *católico* + *-izar*.]

católico (ca.*tó*.li.co) ***a.*** **1** Que é universal, que congrega ou pretende congregar toda a humanidade **2** Que é da totalidade dos cristãos **3** *Hist. Rel.* Diz-se de ou ref. à antiga Igreja que, sem divisões, congregava os cristãos, ou qualquer Igreja que tem ou reivindica ter com ela continuidade histórica, esp. a Igreja Católica Romana **4** Diz-se de pessoa pertencente a uma dessas igrejas, que segue o catolicismo (1 e 2) **5** Diz-se de país ou povo cuja maioria segue o catolicismo, e nos quais uma Igreja católica (esp. a Igreja Católica Romana) é a instituição religiosa de maior presença ou influência **6** Ref. ao, do ou próprio do catolicismo ou dos católicos (9) (moral católica; costumes católicos) **7** *Fig.* Correto, adequado; que segue a moral, as normas ou os costumes aceitos: *A costura não ficou muito católica.* **8** Que tem bom aspecto, que está conforme o desejado ou o esperado; *esp.*: que tem boa saúde ou boa disposição ***sm.*** **9** *Rel.* Pessoa católica (4), que professa o catolicismo e segue seus preceitos e dogmas [F.: Do gr. *katholikós* 'universal'.] ▪▪ **~ romano** Católico de acordo com os ritos da Igreja Católica Romana (ver *Catolicismo romano*) **Não estar/ser muito ~** Não estar/ser compatível com um padrão normal; estar/ser diferente do desejado, recomendado ou esperado, como, p. ex: não estar bem de saúde; estar meio embriagado; não estar/ser muito adequado às circunstâncias etc.

catonismo (ca.to.*nis*.mo) ***sm.*** **1** Qualidade de catão; AUSTERIDADE; SEVERIDADE **2** *Fig.* Austeridade afetada [F.: Do antr. *Catão* + *-n-* + *-ismo*.]

catopé (ca.to.*pé*) ***sm.*** *MG Folc.* Nome regional da congada em Minas Gerais [F.: De or. banta, posv.]

catoptromancia (ca.top.tro.man.*ci*.a) ***sf.*** Adivinhação do futuro por meio de espelhos [F.: *catoptro-* (do gr. *kátoptron*, 'espelho') + *-mancia*.]

catoptromante (ca.top.tro.*man*.te) ***s2g.*** Pessoa que se dedica à catoptromancia [F.: *catoptro-* (do gr. *kátoptron*, 'espelho'), + *-mante*.]

catorze ***num. sm.*** Ver *quatorze*.

catota (ca.*to*.ta) ***sf.*** **1** *Bras. Bot.* Planta da fam. das solanáceas (*Solanum catota*) **2** *Bras. N. E.* Muco nasal ressequido; MELECA [F.: De or. incerta.]

catraca (ca.*tra*.ca) ***sf.*** **1** *Bras.* Mecanismo que permite que, numa movimentação circular de roda, engrenagem etc., uma força em sentido inverso não consiga movê-las no sentido contrário. [Ger. por meio de uma garra que engata numa reentrância dentada.] **2** Mecanismo de controle de acesso de pessoas em ônibus, metrô, estádios etc., baseado no sistema da catraca (1) ou outro similar, que impede passagem de mais de uma pessoa de cada vez e pode ser travado para bloquear a passagem (p. ex., na ausência de algum tipo de acionamento manual ou eletrônico); BORBOLETA; ROLETA **3** *Cnav.* Dispositivo que faz girar lentamente o eixo propulsor de uma embarcação de grande porte sem usar a máquina de propulsão **4** *Bras.* Dispositivo que aciona o arco de pua mesmo quando em local que não permita que se dê uma volta completa ao braço do instrumento [F.: Posv. de or. onom.]

catrafilar (ca.tra.fi.*lar*) ***v. td.*** **1** Apoderar-se de propriedade alheia; roubar **2** *Lus.* Fazer prisioneiro; CAPTURAR; PRENDER **3** *Lus.* Perceber ou descobrir alguma coisa; DETECTAR [▶ 1 catrafilar] [F.: De or. obsc.]

catraia (ca.*trai*.a) ***sf.*** **1** *Mar.* Pequeno barco, ger. com duas proas, bem resistente e que pode ser conduzido por uma só pessoa, us. para transporte e outros serviços em portos, baías etc.: "Descia também uma catraia, e o remador, apalermado, hesitou." (Guimarães Rosa, *Estas estórias*) **2** *Fig.* Construção pequena e pobre **3** *Bras.* Prostituta reles [F.: De or. obsc.]

catraieiro (ca.trai.*ei*.ro) ***sm.*** Pessoa que conduz ou é tripulante de uma catraia [F.: *catraia* + *-eiro*.]

catrapus (ca.tra.*pus*) ***sm.*** **1** O galopar do cavalo ***interj.*** **2** Imitativa do galopar do cavalo [F.: De or. expressiva, posv. baseada em *quatro* e *pés*.]

catre (*ca*.tre) ***sm.*** **1** Cama alternativa ou sobressalente, ger. dobrável, portátil, ou us. em viagem **2** Cama rústica e desconfortável **3** *S* Espécie de jangada **4** *Bras. Zool.* Chupim (pássaro) [F.: Do malaiala *kattil*.]

catrumano (ca.tru.*ma*.no) ***sm.*** *MG* Caipira, matuto: "... catrumanos daquelas brenhas..." (Guimarães Rosa, *Grande sertão: veredas*) [F.: Posv. de *quadrúmano*.]

catuaba (ca.tu.*a*.ba) *Bras.* ***sf.*** **1** *Bot.* bignoniáceos do gên. *Anemopaegma* (esp. as spp. *A. mirandum* e *A. glaucum*) de flores e frutos amarelos, com propriedades medicinais **2** Bebida ou preparação que se faz com a casca dessas plantas, tidas como afrodisíacas [F.: Posv. de or. tupi.]

catucada (ca.tu.*ca*.da) ***sf.*** *Bras. Pop.* Ver *cutucada*

catucão (ca.tu.*cão*) ***sm.*** *Bras. Pop.* Ver *cutucão*. [Pl.: *-cões*.]

catucar (ca.tu.*car*) ***v. td.*** *Bras. Pop.* Ver *cutucar* [▶ 11 catucar]

catueira (ca.tu.*ei*.ra) ***sf.*** *Bras.* Pedaço de madeira com vários anzóis para pesca de peixe grande: "...catueira de oito anzóis..." (Guimarães Rosa, *Sagarana*) [F.: De or. obsc.]

catulé (ca.tu.*lé*) ***sm.*** **1** *Bot.* Palmeira (*Attalea oleifera*) de cujas sementes se extrai óleo doce **2** *Bot.* Anajá-mirim (palmeira) **3** *Bot.* O fruto dessas palmeiras **4** *N. E. Fig.* Indivíduo baixo **5** *Bras. Folc.* Dança (ou personagem dessa dança) nos pastoris ou cabocolinhos [F.: Do tupi *katu're*. Var.: *catolé*.] ▪▪ **Quebrar ~** Não disparar quando acionada (arma de fogo)

caturra (ca.*tur*.ra) ***sf.*** **1** *Zool.* Ave de cor verde-azulada (*Pionopsitta pileata*) que se assemelha ao periquito **2** *Bot.* Mamona ***a2g.*** **3** Diz-se de pessoa teimosa, que gosta de discutir, discordar **4** Diz-se de pessoa retrógrada, aferrada a ideias e hábitos ultrapassados ***s2g.*** **5** Qualquer dessas pessoas [F.: or. obsc.]

caturrice ***sf.*** Qualidade, ação ou dito de quem é caturra; CATURRISMO; TEIMOSIA [F.: *caturra* + *-ice*.]

caturrismo (ca.tur.*ris*.mo) ***sm.*** Ver *caturrice* [F.: *caturra* + *-ismo*.]

caturrita (ca.tur.*ri*.ta) ***sf.*** *Zool.* Periquito (*Myiopsitta monachus*) da fam. dos psitacídeos, que habita as áreas campestres do RS e MS no Brasil, além de Bolívia, Paraguai, Uruguai e Argentina, com plumagem verde, cabeça e pescoço acinzentados, bico amarelo, cauda longa, com ca. de 30 cm de comprimento; PERIQUITO-DO-PANTANAL [F.: Dim. de *caturra*, posv. Hom./Par.: *caturrita(s)* (sf. [pl.]), *caturrita(s)* (fl. de *caturritar*).]

caturritar (ca.tur.ri.*tar*) ***v. int.*** *S* Falar em excesso; tagarelar [▶ 1 caturritar] [F.: *caturrit(a)* + *-ar²*. Hom./Par.: *caturrita(s)* (fl.), *caturrita* (sf. e pl).]

caubói (cau.*bói*) ***sm.*** **1** Vaqueiro (esp. do Oeste da América do Norte) **2** Pistoleiro com trajes e modo de vida similar ao do vaqueiro, esp. o que é personagem de filme, romance etc. ambientado no Oeste norte-americano na época da expansão dos Estados Unidos (séc. XIX): *filme de caubói*. **3** Peão de rodeios [F.: Do ing. *cowboy*.]

caução (cau.*ção*) ***sf.*** **1** O que serve (ger. depósito em dinheiro, cheque etc.) de garantia de que se vai honrar dívida ou compromisso: *Deixou um cheque como caução no hospital.* **2** *Econ. Jur.* Compromisso assumido por uma pessoa de se responsabilizar pela obrigação subscrita por outra pessoa, no caso de esta falhar; CAUTELA **3** Atenção, cuidado para evitar dano ou prejuízo; CAUTELA; PRECAUÇÃO **4** Ação de garantir ou assegurar, de dar certeza ou confiança [Pl.: *-ções*.] [F.: Do lat. *cautione(m)*. Hom./Par.: *caução* (sf.), *calção* (sm.).] ▪▪ **~ fidejussória** *Jur.* Garantia pessoal que alguém dá a (credor de) dívida de terceiro [Tb. apenas *fidejussória*.] **~ legal/necessária** *Jur.* Aquela que é imposta por lei **~ promissória** *Jur.* Garantia baseada apenas em promessa do devedor **~ real** *Jur.* Caução baseada em bens reais dados como garantia, como hipoteca, penhor, depósito em dinheiro ou em títulos etc.

caucasiano (cau.ca.si.*a*.no) ***sm.*** **1** Pessoa nascida ou que vive no Cáucaso, cadeia de montanhas da Europa oriental **2** *Antr.* Caucasoide ***a.*** **3** Do ou ref. ao caucasiano (1 e 2) **4** *Gloss.* Diz-se de qualquer das línguas faladas na região do Cáucaso [F.: Do top. *Cáucaso* + *-i-* + *-ano*.]

caucásico (cau.*cá*.si.co) ***a. sm.*** O mesmo que *caucasiano* [F.: Do top. *Cáucaso* + *-ico²*.]

caucasoide (cau.ca.*soi*.de) *Antr.* ***s2g.*** **1** Pessoa pertencente à divisão étnica da espécie humana que inclui grupos de povos nativos da Europa, norte da África e sudeste da Ásia, ou seus descendentes, e cuja cor da pele varia de clara a morena ***a2g.*** **2** Do ou ref. ao caucasoide [F.: Do top. *Cáucaso* + *-oide*.]

caucho (*cau*.cho) ***sm.*** **1** *Bot.* Árvore (*Castilloa ulei*) com madeira própria para pasta de papel, e cujo látex é us. para fabricar borracha **2** *Bot.* Seringueira (árvore da qual se extrai a borracha) **3** Borracha [Cf. *cautchu*.] [F.: Do espn. *caucho*, de um idioma indígena do Peru *kautchuk*.]

caucionado (cau.ci.o.*na*.do) ***a.*** **1** Garantido por caução **2** *Jur.* Diz-se de bem que se deu como caução **3** *Fig.* Protegido, defendido, resguardado [F.: Part. de *caucionar*.]

caucionar (cau.ci.o.*nar*) ***v.*** **1** Dar caução ou garantia a; AFIANÇAR; GARANTIR [***td.***: *caucionar um imóvel, uma dívida*.] **2** *Fig.* Garantir, assegurar [***td.***: "Sem um ideal que caucione a vida social, o homem se torna um ente que viaja na escuridão." (José Castello, *A ética e o espelho da cultura*)] **3** Resguardar, defender [***tdr.*** + *de*: *O abrigo subterrâneo caucionou muitas pessoas do furacão.*] [▶ 1 caucionar] [F.: *caução* + *-ar²*, seg. o mod. erudito. Hom./Par.: *caucionaria* (fl.), *caucionária* (fem. de *caucionário*).]

⊕ **caucus** (*Ing. /kòkass/*) *Pol.* ***sm.*** **1** Nos EUA, reunião de líderes de um partido político, esp. para escolher candidatos **2** Eleições primárias nos EUA

cauda (*cau*.da) ***sf.*** **1** *Anat. Zool.* Prolongamento móvel da parte traseira do corpo de certos animais; RABO: *cauda de lagarto/ de peixe/ de cavalo; Sapos não têm cauda.* **2** *Zool.* O conjunto das penas da parte posterior (uropígio) do corpo das aves (cauda de pavão); RABO **3** *Zool.* Parte posterior longa e fina do abdome de vários invertebrados **4** Aquilo que, por sua forma ou localização, se assemelha à cauda dos animais; parte posterior e alongada de certas coisas **5** Parte prolongada de um item do vestuário, que se arrasta pelo chão: *a cauda do véu da noiva*. **6** *Astr.* Parte da matéria de um cometa que se estende (por efeito de partículas solares) em direção oposta à do Sol, e que aparece como um rastro de luz que dá ao astro sua forma alongada característica **7** *Aer.* A parte traseira do corpo das aeronaves, com partes horizontais e verticais para dar estabilidade, e partes móveis controláveis, para direcionamento **8** A parte traseira da cabine de passageiros de um avião, que forma a parte interna da cauda (7) **9** *Fig.* Marcas ou sinais que algo ou alguém deixa atrás de si; rastro, pista **10** *Fig.* Os efeitos que acompanham a ação de algo ou alguém ou a ocorrência de certo fato **11** Retaguarda, parte posterior de um grupo de pessoas ou coisas **12** O(s) último(s) lugar(es); posição(ões) inferior(es) numa classificação, hierarquia **13** *Mús.* Pequeno traço ou traços no extremo direito da haste da colcheia, semicolcheia, fusa e semifusa [F.: Do lat. *cauda*. Hom./Par.: *cauda* (sf.), *calda* (sf.).] ▪▪ **Ir na ~ de** Seguir atrás (de algo ou alguém) e bem de perto

caudado (cau.*da*.do) ***a.*** **1** Que tem cauda **2** *Bot.* Diz-se de parte de vegetal que tem prolongamento semelhante a uma cauda **3** *Zool.* Ref. aos caudados **4** *Zool.* Espécime dos caudados, ordem de anfíbios a qual se incluem o tritão e a salamandra [F.: Do lat. medv. *caudatus, a um*, posv.]

caudal (cau.*dal*) ***sm.*** **1** Torrente de água: *Afogaram-se naquele caudal.* **2** *Fig.* Grande volume ou quantidade; aquilo que ocorre ou flui em grande abundância (caudal de palavras) **3** Quantidade média de água que passa por um rio ou outro curso de água, medida ou calculada em determinado período ou unidade de tempo; débito fluvial, descarga fluvial [Pl.: *-dais*.] ***a2g.*** **4** Ver *caudaloso* [Pl.: *-dais*.] [F. Do lat. *capitale(m)*.]

caudaloso (cau.da.*lo*.so) [ô] ***a.*** **1** Em que há grande fluxo de água (diz-se esp. de rio, torrente etc.): *O rio Amazonas é o mais caudaloso do mundo.* **2** *P. ext.* Que se apresenta ou flui em grande volume ou quantidade (diz-se de material líquido ou semilíquido): *Lava caudalosa descia a encosta do vulcão.* **3** *Fig.* Abundante, copioso (oratória caudalosa) [Pl.: [ó]. Fem.: [ó].] [F.: *caudal* + *-oso*. Sin. ger.: *caudal*.]

caudatário (cau.da.*tá*.ri.o) ***sm.*** **1** Em cerimônias solenes, pessoa que vai atrás, carregando a cauda do manto de uma autoridade (p. ex., rei, papa) **2** Partidário, simpatizante (de grupo, pessoa, ideia etc.) **3** Quem não tem opinião ou estilo próprios **4** Aquele ou aquilo a que falta originalidade **5** Aquele ou aquilo que é (quase) inteiramente dependente, que não tem autonomia, que é como mero prolongamento da ação ou da vontade de outrem ***a.*** **6** Servil, subserviente; que não tem ou não mostra ter autonomia (em suas ideias, ações etc.): *Adotar um comportamento caudatário em relação às oligarquias.* **7** Falto de características ou estilo próprios; que não tem originalidade; que segue ou imita um modelo [F.: Do lat. *caudatarius*.]

◎ **-caude** ***el. comp.*** Ver *caudi-*

caudelaria (cau.de.la.*ri*.a) *sf.* 1 Sítio ou fazenda de procriação, seleção e aperfeiçoamento de animais, esp. cavalos; coudelaria (caudelaria de puro-sangues); HARAS 2 Cargo de caudel, administrador de caudelaria [F.: Do lat. *capitellum, i.* Sin. ger.: *coudelaria.*]

◎ **caudi-** *el. comp.* = 'cauda': *caudímano; albicaude* [F.: Do lat. *cauda, ae.*]

caudilhesco (cau.di.*lhes*.co) [ê] *a.* 1 Ref. ou concernente a caudilho 2 Semelhante a ou próprio de caudilho, ou seus métodos, seu poder (perfil caudilhesco; liderança caudilhesca) [Superl.: *caudilhesquíssimo/a.*] [F.: *caudilho + -esco.*]

caudilhismo (cau.di.*lhis*.mo) *sm.* 1 Governo de caudilho(s), ou o sistema político baseado no poder de caudilhos 2 Caráter ou condição do que é caudilhesco; influência dos caudilhos, seus métodos etc. 3 Ação, atitude ou modo de agir e de exercer o poder típicos de caudilho [F.: *caudilho + -ismo.*]

caudilho (cau.*di*.lho) *sm.* 1 Chefe militar, esp. aquele vinculado a forças políticas locais ou regionais, com fraca subordinação a um poder central, e que arregimenta pessoalmente homens a ele ligados por laços de fidelidade 2 Chefe político cujo poder institucional está fortemente associado a, ou se confunde parcialmente com, seu carisma ou sua ascendência pessoal sobre os subordinados 3 *P. ext.* Líder centralizador e autoritário; DITADOR 4 *P. ext.* Pessoa de grande poder e influência em local ou região do interior do país, e que tem liderança ou ascendência (econômica, social, política e/ou militar) mais ou menos diretas sobre a população; MANDACHUVA [F.: Do espn. *caudillo.* Em todas as acps., é us. esp. em contexto latino-americano.]

caudímano (cau.*dí*.ma.no) *a. Zool.* De cauda preênsil [F.: *caudi- + -mano*[2].]

cauim (cau.*im*) *sm. Bras.* Bebida indígena, alcoólica, feita com mandioca ou milho (ou, antigamente, outros vegetais) mastigados ou cozidos e fermentados [Pl.: *-ins.*] [F.: Do tupi *ka' wi.*]

cauira (cau.*i*.ra) *s2g.* 1 *Bras.* Sovinice 2 *Bras. Gír.* Indivíduo avarento *a2g.* 3 *Bras. Gír.* Diz-se de quem é avarento, apegado ao dinheiro; SOVINA [Ant.: *gastador, perdulário.*] [F.: De or. prov. do quimb. *kamuelu.* Sin. ger.: *cauila.*]

cauixana (cau.i.*xa*.na) [ch] *s2g.* 1 *Etnol.* Indivíduo dos cauixanas, povo indígena aruaque, hoje extinto, que habitava a Amazônia *a2g.* 2 Ref. ou pertencente aos cauixanas [F.: *cauishana.*]

◎ **-caule** *el. comp.* Ver *caul(i)-*

caule (*cau*.le) *sm. Bot.* Parte aérea das plantas, que forma seu principal eixo e dá origem a e sustenta os brotos e ramos, ligando-se inferiormente à raiz [Dim.: *caulículo.*] [F.: Do lat. *caule(m).*]

◎ **caul(i)-** *el. comp.* = 'caule'; 'de certo tipo de caule, ou caule com dada característica': *caulifloria, caulítico, cauloide, caulino*[1]*; albicaule, amplexicaule, brevicaule, flexicaule* [F.: Do lat. *caulis, is,* do gr. *kaulós, oû.*]

caulifloria (cau.li.flo.*ri*.a) *sf. Bot.* Geração e fixação de flores sobre troncos ou ramos grossos de certas árvores tropicais, como, p. ex., o abricó-de-macaco e o cacaueiro [F.: *caul(i)- + -flor(i)- + -ia*[1].]

caulim (cau.*lim*) *sm.* Argila pura e branca us. na indústria de cerâmica e porcelana: *tijolos de caulim.* [Pl. de caulim: *-lins.*] [F.: Do top. *Kao Ling* (China), posv. pelo fr. *kaolin.*]

caulinar (cau.li.*nar*) *a2g. Bot.* Ref. a ou próprio de caule; CAULINO [F.: *caulino + -ar*[1].]

caulinita (cau.li.*ni*.ta) *sf.* 1 *Min.* Designa vestígios de caules fósseis em terrenos calcários 2 Mineral monoclínico, silicato de alumínio hidratado, branco ou quase branco, importante componente da argila; CAULIM [F.: *caulim, caulino + -ita*[1].]

caulino[1] (cau.*li*.no) *a. Bot.* Ref. a ou próprio do caule; CAULINAR [F.: *caul(i)- + -ino*[1].]

caulino[2] (cau.*li*.no) *sm. Min.* Ver *caulim*

caúna (ca.*ú*.na) *sf.* 1 *Bot.* Designação de várias espécies de plantas aquifoliáceas do gênero *Ilex*, us. como erva para infusão e tb. cultivada como ornamental 2 *Bot.* Arbusto (*Ilex grandis*) ornamental, de folhas mucronadas, flores violeta 3 *Bot.* Árvore (*I. pseudo-buxus*) cujas folhas são usadas para substituir a erva-mate 4 *Bot.* Árvore pequena (*I. ovalifolia*), nativa do Brasil; tb. *congonha.* 5 *Bras. S. Pop.* Cachaça de baixa qualidade *sm.* 6 *MG Bot.* Árvore (*Symplocos uniflora*) da fam. das simplocáceas, nativa do Brasil, de pequeno porte, com casca cinza, flores brancas e folhas luzidias, us. em lugar das de erva-mate [F.: Do tupi *ka'a + 'una.* Ideia de: *ca-, caa-* e *-una.*]

cauri (cau.*ri*) *sm.* 1 *Zool.* Molusco gastrópode da fam. dos cipreídeos (*Cypraea moneta*) de concha branca e transparente, encontrado nas regiões tropicais dos oceanos Índico e Pacífico; CAURIL; CAURIM 2 *Bras. Gír.* Logro, burla, calote [F.: Do hind. *kauri.*]

causa (*cau*.sa) *sf.* 1 Aquele ou aquilo que faz com que algo seja ou exista: *A ausência é a causa da saudade.* 2 Aquele ou aquilo que faz com que algo aconteça: *Uma simples picada de inseto foi a causa da inflamação.* 3 Razão de ser; EXPLICAÇÃO; MOTIVO 4 Conjunto de ideias, ideais ou crenças pelo qual se age, ger. em grupo: *A defesa da natureza é causa comum a todos os ecologistas.* 5 *Jur.* Questão levada aos órgãos de Justiça com a finalidade de se fazer respeitar a lei: *Contratou um advogado para assumir sua causa.* 6 *Jur.* O processo em si mesmo (causa cível) 7 *Jur.* O motivo que leva alguém a intentar uma ação na justiça (causa ilícita) [F.: Do lat. *causa(m).* Hom./Par.: *causa* (v. *causar*). Ideia de 'causa', usar pref. *etio-.*] ■ **~ eficiente** *Fil.* Na filosofia aristotélica, fator que, com sua ação efetiva, produz determinado resultado (p. ex.: o escultor é a causa eficiente da escultura) **~ final** *Fil.* Na filosofia aristotélica, o fim ou objetivo com que algo é feito, aquilo que, orientando uma ação, gera o efeito desta (p. ex.: a ideia de uma escultura na mente do escultor é a sua causa final) **~ formal** *Fil.* Na filosofia aristotélica, a categoria genérica de algo que, particularizado, torna-se objeto real (p. ex.: a ideia genérica de 'escultura' é a causa formal de uma determinada escultura) **~ material** *Fil.* Na filosofia aristotélica, a matéria informe que se transforma em objeto real (p. ex.: o mármore é a causa material de uma escultura [em mármore]) **Em ~** Que está sendo tratado, observado, focalizado; em pauta, em discussão **Justa ~** *Jur.* Em relação contratual ou regulamentar, motivo, alegação ou ação amparadas em lei ou no próprio contrato ou regulamento: *Demitiu-o por justa causa.* **Por ~ de** Em razão de, por motivo de **Por ~ (de) que** *Pop.* Devido ao fato de que; porque; porquanto

causação (cau.sa.*ção*) *sf.* 1 Ação ou resultado de causar; CAUSA [+ *de, entre: causação de males; causação entre países.*] 2 Processo causativo, conjunto de causas [Pl.: *-ções.*] [F.: Do lat. *causatio, ónis.* Ideia de: *caus-.*]

causacional (cau.sa.ci.o.*nal*) [á] *a2g.* 1 Ref. ou concernente a causa (fator causacional; razão causacional); CAUSAL 2 *Gram.* Que exprime causa (diz-se de oração e de conjunção) [Pl.: *-nais.*] [F.: causa + *-onal.* Ideia de: *caus-.*]

⊕ ***causa debendi*** (*Lat.* /causadebêndi/) *loc. subst.* 1 Expressão latina que significa literalmente 'causa da dívida' 2 *Jur.* Origem, motivo de ser, fundamento de uma dívida ou obrigação contratual [F.: Do lat. *causa, ae* + debendi, genit. de *debeo, es, bùi, bitum.*]

causador (cau.sa.*dor*) [ô] *a.* 1 Que causa, provoca; que tem ou produz efeitos, que faz ou pode fazer com que algo aconteça: *Este foi o fato causador da briga.* *sm.* 2 Aquele ou aquilo que causa, responsável (direta ou indiretamente) por algo, ou que é a origem de um fato, ação, processo etc.: *O Aedes aegypti é o causador da dengue.* [F.: *causar + -dor.* Sin. ger.: *gerador, ocasionador, provocador.*]

causal (cau.*sal*) *a2g.* 1 Ref. a causa ou causação (relação causal): *A desnutrição é um fator causal de doenças.* 2 Que é a causa de algo: *combater o fator causal do distúrbio.* 3 *Gram.* Diz-se de conjunção ou oração subordinativa que expressa causa [Pl.: *-sais.*] *sm.* 4 Motivo em que algo se baseia; razão de ser, motivo, fator determinante [Pl.: *-sais.*] [F.: *causa + -al*[1]*;* lat. *causale(m).*]

causalgia (cau.sal.*gi*.a) *sf. Med.* Dor pungente nas mãos ou nos pés, ger. por queimação ou distúrbio psíquico, com alterações tróficas da pele, devido a lesão de nervo periférico ou uma ferida; CAUSIALGIA [F.: Do gr. *kaûsis, eos + -algia.*]

causalidade (cau.sa.li.*da*.de) *sf.* 1 Relação entre causa e efeito (entre fatos ou fenômenos, entre ações e seus efeitos etc.): *a causalidade entre o tabagismo e o câncer do pulmão.* 2 Qualidade ou condição do que é causal, do que envolve causação: *Verificar a causalidade do processo físico observado.* [F.: Do lat. *causalitate(m).*]

⊕ ***causa mortis*** (*Lat.* /causamórtis/) *loc. subst.* 1 Expressão latina que significa literalmente 'causa da morte' 2 *Med.* Causa determinante da morte de ser humano ou de animal *loc. a.* 3 *Jur.* Ref. a imposto ou taxação pago sobre o valor líquido de uma herança ou legado 4 Ref. às últimas vontades de seu autor ou cujos efeitos só se verificam com a morte deste [P. opos. a *inter vivos.*] [F.: Do lat. *causa, ae + mortis,* genit. de *mors, tis.*]

⊕ ***causa petendi*** (*Lat.* /causapetendi/) *loc. subst.* 1 Expressão latina que significa literalmente 'o fundamento do pedido' 2 *Jur.* Ato ou fato que motiva uma ação judicial; fundamento jurídico do processo [F.: Do lat. *causa, ae + petendi,* genit. de *peto, is, ivi, ítum.*]

causar (cau.*sar*) *v.* Ser causa de; ser motivo de; MOTIVAR; ORIGINAR; PROVOCAR [*td.: O nevoeiro causou o acidente.*] [*tdi.* + *a, para: Sua precipitação causou prejuízo à empresa.*] [▶ 1 causar] [F.: *causa + -ar*[2]. Hom./Par.: *causa* (fl.), *causa* (sf.); *causais* (fl.), *causais* (pl. de *causal*).]

causativo (cau.sa.*ti*.vo) *a.* 1 Ref. ou inerente a causa (processo causativo de penalidades; ação causativa de benefícios); CAUSAL 2 Diz-se de que ou quem é ou foi causador ou causa de algo [Superl.: *causatibilíssimo/a.*] *sm.* 3 *Ling.* Elemento gramatical que exprime uma relação causal; ELEMENTO CAUSATIVO; FACTITIVO [F.: Do lat. *causativus, a, um.* Ideia de: *caus-.*]

⊕ ***causa traditionis*** (*Lat.* /causatradiciônis/) *loc. subst.* 1 Expressão latina que significa literalmente 'causa de transmissão' 2 *Jur.* Fundamento ou razão da transmissão de bens, haveres, obrigações etc. entre as partes [F.: Do lat. *causa, ae + traditionis,* genit. de *traditio, ónis.*]

⊕ ***causa turpis*** (*Lat.* /causaturpis/) *loc. subst.* 1 Expressão latina que significa literalmente 'causa torpe' 2 *Jur.* Causa ilícita ou imoral, us. em ato desonesto ou criminoso pela parte devedora [F.: Do lat. *causa, ae + turpis,* nom. fem. sing. de *turpis, e.*]

⊕ ***causeur*** (*côzér*) *sm.* 1 Pessoa que desenvolve conversa interessante, atraente *a.* 2 Diz-se de conversador brilhante [Pl.: *causeurs.* Fem.: *causeuse.*] [F.: Do fr. *causeur,* der. do lat. *causări.* Ideia de: *caus-.*]

causídico (cau.*sí*.di.co) *sm.* Defensor de causas; aquele que fala e/ou age a favor de certas ideias e princípios, ou de certas pessoas e seus interesses; ADVOGADO; PATRONO [F.: Do lat. *causidicu(m).*]

causo (*cau*.so) *Bras. Pop. sm.* 1 Conto, história, caso; o ocorrido, acontecido (causo de mistério) 2 Narração curta, ger. falada: *Ele é exímio contador de causos.* 3 Assunto sério, grave; PROBLEMA: *Aquele filho era um verdadeiro causo para os pais.* 4 A causa ou o motivo: *Não pensei que fosse causo para desespero.* [F.: De dial. brasileiro, prov. cruzamento de caso e causa.]

causticamente (caus.ti.ca.*men*.te) *adv.* De modo cáustico, mordaz, sarcástico [F.: Fem. de *cáustico + -mente.*]

causticante (caus.ti.*can*.te) *a2g.* 1 *Fig.* Que queima ou destrói com o calor; que é demasiado intenso (sol causticante; calor causticante); ABRASADOR 2 Que é us. como cáustico (agente corrosivo) ou que tem ação cáustica 3 *Fig.* Que é mordaz, agressivo (linguagem causticante) 4 *Fig.* Que incomoda ou desagrada muito; que aborrece ou entedia [F.: *causticar + -nte.*]

causticar (ca.us.ti.*car*) *v.* 1 Aplicar substância cáustica a; cauterizar (com agente químico) [*td.: Causticar um ferimento.*] 2 Transmitir forte calor a; aquecer intensamente; CALCINAR [*td.: O sol causticava os telhados.*] [*int.: A praia estava boa, mas o sol causticava.*] 3 *Fig.* Apoquentar, importunar [*td.: Os atores causticaram o público com péssimas interpretações.*] 4 *Fig.* Fazer críticas mordazes ou sarcásticas a [*td.: Nunca deixava de causticar os políticos brasileiros.*] 5 *Fig.* Zangar, repreender [*td.: Causticou o filho com palavras duras.*] [*td.*] [▶ 11 causticar] [F.: *cáustico + -ar*[2]. Hom./Par.: *caustica(s)* (fl.), *cáustica(s)* (sf. [pl.]); *caustico* (fl.), *cáustico* (a. sm.).]

causticidade (caus.ti.ci.*da*.de) *sf.* Característica do que é cáustico, corrosivo, destrutivo, mordaz (tb. fig.) [F.: *cáustico + -(i)dade.*]

cáustico (*cáus*.ti.co) *a.* 1 Que destrói os tecidos orgânicos com ação química (ácido cáustico); CORROSIVO 2 *P. ext.* Que provoca queimadura ou irritação forte na pele 3 *Fig.* Diz-se de observação, crítica, comentário etc. que incomoda, desagrada, causa desconforto; destrutivo, corrosivo, ácido 4 Diz-se de pessoa (ou de suas atitudes, disposição, temperamento etc.) mordaz, sarcástica, ferina (humor cáustico): "...inteligente, não sem instrução, e, ao que parece, astuto e cáustico." (Machado de Assis, *O espelho*) *sm.* 5 Substância ou agente que queima ou corrói quimicamente, que destrói ou danifica [F.: Do lat. *causticu(m).* Hom./Par.: *caustico* (v. *causticar*).]

cautchu (caut.*chu*) *sm.* Goma resultante da coagulação do látex, extraído da seringueira (*Hevea brasiliensis*) e de outras plantas, us. na produção de matéria-prima para indústrias de borracha [F.: De idioma indígena do Peru, *káuxuk,* pelo fr. *caoutchouc.* Cf.: *caucho.*]

cautela (cau.*te*.la) *sf.* 1 Cuidado que se toma para evitar um mal; PRECAUÇÃO [+ *com, contra, em: É preciso cautela com/contra esses novos medicamentos; Teve muita cautela em seus investimentos.*] 2 O mesmo que *acautelamento* 3 *Jur.* Documento que serve de recibo provisório (cautela de títulos, cautela de penhor) 4 *Lus. Lud.* Unidade de bilhete de loteria; DÉCIMO; GASPARINHO [No Brasil é p. us.] [F.: Do lat. *cautela.* Hom./Par.: *cautela* (v. *cautelar*).] ■ **À/por ~** Por precaução; para evitar algum mal ou algum perigo

cautelar[1] (cau.te.*lar*) *a2g.* 1 Que acautela; que avisa ou previne, guarda ou protege, toma antecipadamente providências ou medidas necessárias 2 *Jur.* Próprio ao acautelamento; que serve para prevenir, resguardar, tomar os devidos cuidados (medidas cautelares); ACAUTELATÓRIO [F.: *cautel(a) + -ar*[1].]

cautelar[2] (cau.te.*lar*) *v.* O mesmo que *acautelar* [▶ 1 cautelar] [F.: *cautela + -ar*[2]. Hom./Par.: *cautela(s)* (fl.), *cautela(s)* (sf. [pl.]).]

cauteloso (cau.te.*lo*.so) [ô] *a.* 1 Que age com cautela; que procura ser moderado ou ponderado e evitar dificuldades, riscos, perigos; PRECAVIDO; PRUDENTE 2 Que resulta de ou é feito com cautela ou prudência (ação cautelosa) [Pl.: [ó]. Fem.: [ó].] [F.: *cautela + -oso.*]

cautério (cau.*té*.ri.o) *sm.* 1 *Med.* Meio químico (substância cáustica) ou físico (bisturi elétrico) de queimar tecidos orgânicos, inclusive para facilitar a cicatrização 2 *P. us.* Cicatriz, esp. de queimadura ou de substância cáustica 3 *Fig.* Admoestação severa; censura ou castigo enérgicos; qualquer ação que visa a corrigir ou disciplinar 4 *Fig.* Aquilo que cura ferimento, que interrompe o progresso de um mal [F.: Do gr. *kautérion.*]

cauterização (cau.te.ri.za.*ção*) *sf.* 1 Ação ou resultado de cauterizar 2 *Med.* Ação de queimar tecido anormal ou ferido com cautério; ambustão 3 *Fig.* Destruição, extinção (ref. a documentos, arquivos etc.) 4 *Fig.* Perda de sensibilidade; NEUTRALIZAÇÃO 5 *Fig.* Repreensão veemente, enérgica 6 *Fig.* Aflição ou sofrimento imposto a alguém; TORTURA 7 *Quím.* Ver *combustão* (1) [Pl.: *-ções.*] [F.: Do lat. *cauterizar + -ção.* Ideia de: *cauter-.*]

cauterizante (cau.te.ri.*zan*.te) *a2g.* 1 Diz-se do que cauteriza (efeito cauterizante) 2 *Med.* Que aplica cautério, que extirpa [Superl.: *cauterizantérrimo/a.*] [F.: Do lat. *cauterizare + -ante.* Ideia de: *cauter-.*]

cauterizar (cau.te.ri.*zar*) *v. td.* 1 Aplicar cautério em (ferimento, lesão, cicatriz); queimar por meio de cautério, para curar, promover cicatrização, ou com algum fim medicinal 2 *Fig.* Afligir, torturar (física ou moralmente): "Eugênio debatia-se em acessos febris entre as garras do ciúme que... o cauterizava com o fogo de sua letal peçonha." (Bernardo Guimarães, *O seminarista*) 3 *Fig.* Destruir, extinguir; tornar sem efeito; reduzir a nada 4 *Fig.* Corrigir, emendar, empregando meios drásticos ou enérgicos [▶ 1 cauterizar] [F.: Do lat. *cauterizare.*]

cauto (*cau*.to) *a.* Diz-se de quem é cauteloso, que age com cuidado, cautela, prudência; ACAUTELADO; PRECAVIDO [Ant.: *incauto.*] [F.: Do lat. *cautu(m).*]

cava (ca.va) *sf.* **1** Corte de vestido, camisa, maiô etc. em volta do topo do braço (no qual se encaixam, ou não, mangas), ou na virilha **2** Qualquer trabalho de escavação em terra, p. ex., abertura de vala ou fosso, de passagem ou reservatório, de preparação do solo para agricultura etc.; *p. ext.* o local assim aberto ou cavado; CAVAÇÃO **3** Ação ou resultado de cavar, de obter ou tentar obter algo com esforço, ou por vários meios (lícitos ou ilícitos); BURACO; VALA **4** Andar abaixo do nível da rua; PORÃO **5** *Desus.* Cave, adega no subsolo **6** *Anat.* Ver *Veia cava* [F.: Do lat. *cava(m).*]

cavação (ca.va.*ção*) *sf.* **1** Ação ou resultado de cavar, escavar; CAVA; ESCAVAÇÃO: *a cavação de um túnel.* **2** Ação ou resultado de revolver a terra (em agricultura) **3** *Bras. Pop.* Negócio, emprego, vantagem etc. obtidos por proteção ou meio ilícito: *Esse contrato foi uma cavação.* **4** *Bras. Pop.* Esforço para conseguir melhores condições de vida **5** *Vest.* Ação ou resultado de fazer cava ou decote em peça de roupa [Pl.: *-ções.*] [F.: *cavar* + *-ção.*]

cavacar (ca.va.*car*) *v.* **1** Retirar cavacos da madeira ao submetê-la a processo de desbaste [*td.*] **2** Fazer buracos em (terra, madeira etc.); escavar [*td.*] **3** Executar trabalho em que é preciso cavar, escavar [*int.*: *Cavacou a noite toda e não encontrou o tesouro.*] [▶ **11** cavacar] [F.: *cavaco* + *-ar*[2]. Hom./Par.: *cavaco* (fl.), *cavaco* (sm.); *cavaca(s)* (fl.), *cavaca* (sf. e pl.).]

cavaco (ca.*va*.co) *sm.* **1** Lasca, fragmento de madeira: *um cavaco de lenha.* **2** *Pop. Mús.* Cavaquinho **3** *Fig. Pop.* Conversa, bate-papo **4** *Fig.* Demonstração de aborrecimento por quem é ridicularizado ou provocado **5** Zanga, mau humor ou ressentimento passageiros **6** *RS* Cada pedaço que sobra da carne charqueada [Nesta acp., mais us. no pl.] [F.: *cava* + *-aco*[1].] ■ **Catar ~** *Bras. Gír.* Correr curvado para a frente, desequilibradamente, com as mãos quase roçando o chão, na tentativa de não cair, após ter perdido o equilíbrio ao andar ou correr **Dar (o) ~** Irritar-se, enervar-se, aborrecer-se, contrariar-se: "O compadre (...) começou a dar o cavaco com o desmentido que lhe dava a vizinha (...)" (Manuel Antônio de Almeida, *Memórias de um Sargento de Milícias*) **Dar o ~ por** Gostar muito de; apreciar muito; ter inclinação para ou atração por (algo, alguém): "(...) moças!... moças!... Confesso que dou o cavaco por elas, mas as moças me têm posto velho." (Joaquim Manuel de Macedo, *A Moreninha*)

cavadeira (ca.va.*dei*.ra) *sf.* **1** *Bras. Agr.* Peça de ferro, com gume, presa à extremidade de um cabo de madeira, formando um instrumento que serve para cavar ou semear a terra **2** Tipo de enxada us. em pesca fluvial **3** *Ornit.* Denominação de diversas aves da fam. dos galbulídeos, como o cuitelão **4** *Bras. Ornit.* Espécie de beija-flor (*Galba refoviridis rufoviridis*, Cab.); tb. *bico-de-agulha* [F.: *cavar* + *-deira.* Ideia de: *cav-.*]

cavado (ca.*va*.do) *a.* **1** Que se cavou, que resulta de escavação, de retirada de material em terra ou pedra (poço cavado, gruta cavada); ESCAVADO **2** Que se revolveu com ferramenta ou máquina (terreno cavado) **3** Côncavo **4** *Vest.* Diz-se de peça de roupa cuja cava é grande (camisetas cavadas, biquíni cavado) **5** *Vest.* Que forma curva pronunciada; aprofundado no colo ou nas costas: *Usava um vestido com decote bem cavado.* **6** *Fig.* Que está ou parece estar mais fundo ou como que afundado, ensombrecido por rugas, ou como resultado de abatimento, cansaço, falta de vitalidade; fundo, abatido (rosto cavado; olhos cavados); ENCOVADO **7** *Fig.* Conseguido ou conquistado com grande esforço ou sacrifício; obtido graças a persistência: *eleição cavada voto a voto.* **8** *Fig.* Obtido por meios tortuosos ou ilícitos **9** Diz-se de mar encrespado, com ondas muito próximas umas das outras *sm.* **10** Local em que se cavou **11** Cova, buraco **12** *Vest.* Ver *cava* (1): *O cavado do vestido estava pequeno.* [F.: Do lat. *cavatu(m).* Ideia de 'cavado', usar pref. *cav-.*]

cavador (ca.va.*dor*) [ô] *a.* **1** Diz-se de pessoa, ferramenta ou máquina que cava ou escava **2** *Pop.* Diz-se de pessoa ativa, esforçada e perseverante: *É um jovem muito cavador, conseguirá uma bolsa de estudos e um bom estágio profissional.* **3** *Pop. Bras.* Diz-se de quem usa de qualquer meio, até ilícito, para fazer negócios ou obter vantagens, cargo, favores etc. *sm.* **4** Pessoa, ferramenta ou máquina us. para cavar (cavador de poços): *Usa o cavador para plantar laranjeiras.* **5** Pessoa esforçada e perseverante **6** Pessoa que não tem escrúpulos na hora de obter emprego, vantagens etc.; FURÃO: "...põe-se fora fulano, que é medalhão; beltrano, que é cavador profissional (desculpem-nos a linguagem, mas, era essa mesma)..." (Cecília Meireles, "Educação -- palavra imensa" *in Diário de Notícias*, 07.12.1930) [F.: *cavar* + *-dor*; lat. *cavator.*]

cavala (ca.*va*.la) *sf.* **1** *Zool.* Denom. comum aos peixes, marinhos, do gên. *Scomberomorus*, da fam. dos escombrídeos, encontrados no Atlântico e muito apreciados pela carne **2** Designação de peixes carangídeos, gên. *Caranx*, semelhantes à cavala (1), esp. no formato e disposição das nadadeiras do dorso, do peito e da cauda **3** *RJ Pop. Folc.* Pequeno osso da cabeça do peixe que os pescadores retiram por lembrar a imagem da Virgem Maria **4** *N. E. Pop. Med.* Cancro venéreo; cavalo [F.: *cavalo* + *-a* (desin. de fem.); o nome do peixe tem provavelmente infl. do espn. *caballa*, lat. tardio *cavalla* (fem. de *caballus*).]

cavalacanga (ca.va.la.*can*.ga) *sf. MA Folc.* O mesmo que *mula sem cabeça*

cavalama (ca.va.*la*.ma) *sf.* Agrupamento de cavalos; TROPA [F.: Do lat. *cabállus, i*; séc. XV *quaualo* + *-ama.* Ideia de: *caval-.*]

cavalão (ca.va.*lão*) *sm.* **1** *Gram.* Aum. de cavalo **2** *Zool.* Cavalo grande, de porte avantajado **3** *Fig.* Indivíduo muito alto, de estatura muito desenvolvida **4** *Fig. Pop.* Indivíduo de modos abrutalhados, rude, curto de inteligência e grosseirão; CAVALO; ESTÚPIDO **5** *Zool.* Peixe teleósteo da fam. dos escombrídeos (*Acanthocybium solandri*); tb. *cavala-aipim* [Pl.: *-lões.* Fem.: *-lona.*] [F.: *cavalo* + *-ão.* Ideia de: *caval-.*]

cavalar (ca.va.*lar*) *a2g.* **1** Ref. a ou próprio de cavalo **2** Que é da mesma raça do cavalo (espécime cavalar) **3** *Fig. Pop.* Enorme, colossal; muito forte, intenso etc. (fome cavalar) [F.: *cavalo* + *-ar*[1].]

cavalaria (ca.va.la.*ri*.a) *sf.* **1** *Mil.* Tropa formada por soldados a cavalo ou, modernamente, unidade do Exército que usa para deslocamento veículos motorizados, ou helicópteros, em missões que requerem mobilidade e rapidez: *A cavalaria abriu o desfile militar.* **2** Grande quantidade de cavalos: "Tangemos, esbarrando dois dias no Vespê – lá se tinha boa cavalaria descansada..." (Guimarães Rosa, *Grande sertão: veredas*) **3** Conjunto de muitas pessoas a cavalo **4** *Hist.* Instituição medieval de nobres cavaleiros **5** Façanha de tais cavaleiros e, p. ext., qualquer feito ou ação nobre, valorosa (novelas de cavalaria) **6** A arte de cavalgar; EQUITAÇÃO *sm.* **7** *Pop.* Soldado de cavalaria (1) [F.: *cavalo* + *-aria.*] ■ **~ andante 1** O ofício ou a atividade dos cavaleiros andantes **2** O conjunto dos cavaleiros andantes **À ~** Ao jeito dos soldados de cavalaria **Meter-se em altas ~s 1** Meter-se em aventuras perigosas ou arriscadas **2** Meter-se em tarefa ou empreendimento acima de suas forças ou capacidade

cavalariano (ca.va.la.ri.*a*.no) *sm.* **1** *Bras.* Integrante da cavalaria (1); soldado que monta a cavalo ou treinado para combater a cavalo; CAVALEIRO **2** *N. E.* Comerciante de cavalos [F.: *cavalaria* + *-ano*[1].]

cavalariça (ca.va.la.*ri*.ça) *sf.* Lugar que abriga cavalos, e onde estes dormem, são cuidados, alimentados, arreados etc.; COCHEIRA; ESTREBARIA [F.: *cavalar* + *-iça*; esp. *caballeriza.*]

cavalariço (ca.va.la.*ri*.ço) *sm.* Aquele que cuida de animais na cavalariça; ESTRIBEIRO [F.: *cavalaria* + *-iço.*]

cavaleiresco (ca.va.lei.*res*.co) *a. Exérc. Liter.* Ref. ou inerente a cavalaria (ofensiva cavaleiresca; romance cavaleiresco) [F.: *cavalaria* + *-esco.* Ideia de: *caval-.*]

cavaleiro (ca.va.*lei*.ro) *sm.* **1** Aquele que monta a cavalo: *Muitos cavaleiros participaram da caçada.* [Fem. nesta acp.: *amazona.*] **2** Indivíduo que sabe montar: *é um excelente cavaleiro.* **3** Integrante da cavalaria (1); CAVALARIANO: *cavaleiro do Exército.* **4** Membro da cavalaria (4), ou de uma ordem honorífica: *cavaleiro da Ordem do Cruzeiro do Sul.* **5** Possuidor de título de nobreza inferior ao de barão [Em todas as acp. anteriores, tb. us. como adj.] **6** Obra de fortificação **7** *Fís.* Peso de tamanho muito pequeno, representado por fio de platina, com que se pode estimar massas da ordem do décimo de miligramas **8** *Bras.* Vaga imensa **9** *AM MA* Onda grande formada na pororoca *a.* **10** Ref. a cavalaria ou a cavaleiro (acps. 1 a 5): "No início, quase sempre entre as tribos cavaleiras da Ásia Central." (Alberto da Costa e Silva, *A manilha e o libambo*) [F.: Do lat. tardio *caballarius.* Hom./Par.: *cavalheiro.*] ■ **A ~ 1** Em lugar sobranceiro, elevado **2** *Fig.* Com domínio da situação, em posição ou atitude de segurança, autoconfiança; p. ext.: sem constrangimentos ou inibição; à vontade **A ~ de** Em posição elevada ou sobranceira em relação a **Às cavaleiras** *Lus.* Montado, esp. nas costas de alguém; a cavalo (bras.) **~ andante 1** Na Idade Média, cavaleiro que saía em busca de aventuras, para lutar por causas justas, defender oprimidos, salvar donzelas ameaçadas ou aprisionadas etc. **2** *P. ext. Fig.* Quem luta por ideais românticos, utópicos, inacessíveis **~ da triste figura** Referência a D. Quixote (ver *quixotesco*), personagem de romance de Miguel de Cervantes

cavaleiroso (ca.va.lei.*ro*.so) [ô] *a.* Ref. ou inerente a cavaleiro; ALTIVO; VALOROSO [Pl.: [ó]. Fem.: [ó].] [F.: *cavaleiro* + *-oso.* Cf.: *cavalheiroso.* Ideia de: *caval-.*]

cavalete (ca.va.*le*.te) [ê] *sm.* **1** Armação móvel us. como suporte para telas, pranchas de desenho etc. **2** Qualquer suporte para apoiar diversos tipos de objetos, tabuleiro etc., ger. composto de uma barra ou trave horizontal apoiada, nas extremidades, em pés com forma de A ou de V invertido: *As bancadas da feira são sustentadas por cavaletes.* **3** *Mús.* Peça que sustenta, mantendo elevadas, as cordas de instrumentos musicais como o violino, a viola, o violoncelo e o contrabaixo **4** Espécie de mesa ou banqueta us. em diversos ofícios artesanais para elevar ou manter em altura conveniente aquilo com que se está trabalhando **5** Designação de certas peças de apoio, ger. de posição transversal, em estruturas ou mecanismos diversos **6** Peça de apoio para as mãos ou braços, us. de modo a evitar que toquem ou danifiquem o objeto trabalhado (p. ex., no preparo de gravuras, para preservar a camada protetora) **7** *Ant.* Instrumento de tortura que punha o indivíduo sentado sobre uma espécie de aresta, com um peso em cada pé **8** *Bras.* Peça de madeira que sustenta o eixo da roda da máquina de ralar mandioca **9** *N N. E.* Toro de madeira us. para atravessar um rio **10** *Agr.* Planta que leva enxerto **11** *Arm. Mil.* Aparelho que serve de apoio a atiradores em instrução de tiro **12** *Tip.* Tampo inclinado de madeira ou metal em que o tipógrafo manuseia a caixa de tipos **13** *Bras. N. E.* Trave em que se penduram selas e arreios [F.: Do it. *cavalletto.*] ■ **~ de telhado** *Arq.* Cumeeira

cavalgação (ca.val.ga.*ção*) *sf.* **1** Ação ou resultado de cavalgar; CAVALGAMENTO **2** *AM Fig.* Período de desejo sexual intenso nos animais, o chamado cio [Pl.: *-ções.*] [F.: cavalgar + *-ção.* Ideia de: *caval-.*]

cavalgada (ca.val.*ga*.da) *sf.* **1** Ação ou resultado de cavalgar; CAVALGAMENTO **2** Grupo de pessoas a cavalo, cavalgando juntas **3** Marcha ou passeio desse grupo **4** *Restr. Ant.* Incursão ou ofensiva de guerreiros a cavalo **5** Grande quantidade de cavalgaduras [F.: *cavalgar* + *-ada*[1].]

cavalgadura (ca.val.ga.*du*.ra) *sf.* **1** Animal de montaria; cavalo, mulo, jumento, ou fêmea de um desses animais, que se pode montar para usar como meio de transporte **2** *Fig. Pej.* Pessoa grosseira, sem educação; CAVALO (2) **3** *Fig. Pej.* Pessoa pouco inteligente; BURRO; ESTÚPIDO [F.: *cavalgar* + *-dura.* Nas acps. 2 e 3 é ofensivo.]

cavalgamento (ca.val.ga.*men*.to) *sm.* **1** O mesmo que cavalgada (1) **2** *Ort.* Acavalamento (deslocamento e superposição de fragmentos ósseos fraturados) **3** *Poét.* Ver *enjambement* **4** Superposição total ou parcial de coisas, elementos etc., deslocados da posição correta ou original [F.: *cavalgar* + *-mento.*]

cavalgar (ca.val.*gar*) *v.* **1** Sentar-se sobre o dorso de (cavalo) e viajar dessa forma, controlando a marcha do animal; montar (em); andar a cavalo [*td.*: *cavalgar um alazão.*] [*tr.* + *em*: *cavalgar em um alazão.*] [*int.*: *Passa as tardes cavalgando.*] **2** Sentar sobre algo com as pernas abertas; montar ou deslocar-se sobre (algo, alguém), como em um cavalo [*td.*: *um grupo de batedores, cavalgando suas motocicletas.*: "As crianças nuas, com as perninhas tortas pelo costume de cavalgar as ilhargas maternas..." (Aluísio de Azevedo, *O mulato*)] [*tr.* + *em*: *O palhaço cavalgava na vassoura para alegrar a criançada.*] **3** *Fig.* Deslocar-se (ger. com energia ou destreza) sobre algo que se movimenta de modo bravio [*td.*: *Cavalgar ondas numa prancha de surfe.*] [*tr.* + *em*: *O veleiro cavalgava nas ondas.*] **4** Passar ou saltar por cima de (algo), montado em cavalo, ou carregado ou impulsionado de outra maneira; galgar [*td.*: *cavalgar o açude.*] [*ta.*: *O barco cavalgou por cima do banco de areia com o impulso da corrente.*] **5** Colocar (algo) em posição superior, ger. apoiado em algum suporte; apoiar os (óculos) à frente dos olhos [*td.*: "Cavalgou os óculos no nariz, estendeu o papel a uma réstia de sol, olhou para André com certa ufania e leu..." (Antônio Feliciano de Castilho, *Mil e um mistérios*)] [▶ **14** cavalgar] [F.: Do lat. vulg. *caballicare.*]

cavalhada (ca.va.*lha*.da) *sf.* **1** *Bras.* Grande quantidade de cavalos **2** Gado cavalar **3** *Folcl.* Festa popular em que se representam disputas entre cavaleiros: *São famosas as cavalhadas de Goiás;* "...uma cavalhada feita de tropel e exímios ginetes vestidos de couro..." (Ana Maria Machado, *A audácia dessa mulher*) [Nesta acp., mais us. no pl.] **4** *Hist.* Na Idade Média, torneio entre cavalheiros, para pôr à prova e exercitar suas habilidades como guerreiros, e que serviam como ocasião de galantarias [Nesta acp., mais us. no pl.] **5** *Ant.* Grupo de cavaleiros a cavalgar; cavalgata **6** Façanha de cavalheiro ou de herói (esp. guerreiro); *fig.*: qualquer proeza ou ação arriscada [F.: *cavalo* + *-alha* + *-ada*[1].]

cavalheiresco (ca.va.lhei.*res*.co) [ê] *a.* **1** Próprio de cavalheiro, de homem educado, gentil; que tem ou revela distinção, nobreza (gesto cavalheiresco) **2** Ref. a ou próprio de homens da nobreza (honra cavalheiresca) **3** Dos ou ref. aos cavalheiros nobres, suas aventuras e ações, ou as narrativas a seu respeito (novela cavalheiresca) [F.: *cavalheiro* + *-esco.*]

cavalheirismo (ca.va.lhei.*ris*.mo) *sm.* Qualidade ou atitude de cavalheiro; CIVILIDADE; CORTESIA; DISTINÇÃO; GENTILEZA; NOBREZA: *Seu cavalheirismo agrada às mulheres.* [F.: *cavalheiro* + *-ismo.*]

cavalheiro (ca.va.*lhei*.ro) *sm.* **1** Homem educado e de modos finos, ou de boa posição social, que tem ações honradas ou demonstra sentimentos elevados **2** *P. ext.* Pessoa do sexo masculino: *Para cavalheiros a entrada custa R$ 10,00.* **3** O par de uma mulher na dança **4** Tratamento (palavra ou expressão para se dirigir a alguém) de respeito ou cortesia, us. em relação a homem; SENHOR: *O cavalheiro está satisfeito?* **5** *Ant.* Homem da nobreza [Tem, como correspondente feminino, *dama* (nas acps. 1 a 3) ou *senhora* (acp. 4).] *a.* **6** Que demonstra gentileza, cortesia, civilidade, nobreza social ou de caráter (gesto cavalheiro) [F.: Do espn. *caballero*, do lat. *caballarius.* Hom./Par.: *cavaleiro.*] ■ **~ de indústria** Pessoa que engana os outros usando de astúcia; vigarista

cavalice (ca.va.*li*.ce) *sf.* **1** *Bras. Pop.* Grosseria, atos ou comportamento rude, estúpido; BRUTALIDADE; CAVALADA: *Foi uma cavalice você ter xingado seu pai.* **2** *Bras. Pop.* Gulodice excessiva; VORACIDADE [F.: *cavalo* + *-ice.* Ideia de: *caval-.*]

cavalinha (ca.va.*li*.nha) *sf.* **1** *Gram.* Dim. de cavala **2** *Ict.* Espécie de peixe marinho (*Thyrsitops lepidopoides*), da fam. dos gempilídeos, prateado, com aproximadamente 40cm de comprimento, corpo em forma de fuso e focinho pontudo, encontrado no Pacífico oriental e no Sul do Atlântico ocidental; CARAPAU; LANCETA; MUZUNDU **3** *Bras. Ict.* Ver *chicharro* **4** *RJ Ict.* Peixe teleósteo (*Scomber colias*), da fam. dos escombrídeos, encontrado no Mediterrâneo e em regiões tropicais e temperadas do Atlântico e do Pacífico, que mede aproximadamente 35 cm, tem dorso azul-esverdeado com listras verticais escuras e é dotado de bexiga natatória; CAVALA-SARDINHEIRA; MUZUNDU; PERIQUITO; SERRA-DE-ESCAMA **5** *Bot.* Denominação de espécies de plantas ornamentais da fam. das equissetáceas; CAVALINHO; COLA-DE-CAVALO; LIXA-VEGETAL **6** *Bot.* Planta (*Equisetum bogotense*) da Amazônia e das Guianas, de rizomas pretos e caule rugoso **7** *Bot.* Planta (*E. giganteum*), nativa do Brasil (AM a MG), que pode atingir até 13 m **8** *Bot.* Planta equissetácea (*Equisetum martii*, Milde). Tb. *cana-de-jacaré* [F.: *cavalo* + *-inha*. Ideia de: *caval-*.]

cavalinho (ca.va.*li*.nho) ***sm.*** **1** *Gram.* Dim. de cavalo **2** *Lud.* Jogo de azar em que são girados cavalinhos de metal e que se parece com roleta **3** *Bras.* Designa o couro curtido de cavalo **4** *Astron.* Constelação boreal pequena que se localiza nas proximidades do equador celeste [Us. com inicial maiúsc.] **5** *Lus. Pop. Num.* Libra de ouro que circulava no início do século XX e que apresentava a figura de um cavalo; CAVALO **6** Motor auxiliar de tamanho reduzido **7** *Tec.* Peça de apoio que se adapta ao volume cilíndrico que será torneado **8** *Bot.* Ver *cavalinha* (5) **9** *Lus. Aer.* Ver *cavalo de pau* (4) [F.: *cavalo* + *-inho*. Ideia de: *caval-*.] ■ **~ de aviação** *Avi.* O fato de um avião derrapar na pista girando sobre si mesmo, ou capotando **Tirar o ~ da chuva** *Bras.* Ver *Tirar o cavalo da chuva* no verbete *cavalo*.

cavalo (ca.*va*.lo) ***sm.*** **1** *Zool.* Grande mamífero herbívoro da fam. dos equídeos (*Equus caballus*), de cascos resistentes, domesticado pelo homem desde a pré-história, us. como animal para montaria e tração, originalmente encontrado apenas na Ásia e Europa mas introduzido e disseminado no resto do mundo [Nesta acp., fem.: *égua*.] **2** *Fig. Pej.* Pessoa grosseira e ignorante; CAVALGADURA **3** *Fig. Pej.* Pessoa violenta **4** Cada uma de duas peças do jogo de xadrez, movimentada em L no tabuleiro (duas casas em direção lateral e uma casa em direção longitudinal, ou vice-versa), e a única que pode 'saltar' sobre outras peças (deslocar-se mesmo quando uma ou mais casa adjacente não estão desocupadas) **5** *Agr.* Planta resistente em que se faz um enxerto de melhor qualidade **6** *Esp.* Aparelho us. em ginástica artística; espécie de cavalete cuja parte superior, a meia altura, serve como apoio para as mãos, devendo o ginasta saltar sobre o aparelho com movimentos acrobáticos no ar, ou, usando alças presas à parte superior, realizar movimentos de impulsão das pernas e outros exercícios estáticos ou dinâmicos: *salto sobre o <u>cavalo</u> [nome de prova ou modalidade de ginástica artística.]* **7** Banca us. no fabrico de tonéis, barris etc. **8** Tenaz us. no fogão **9** *PE SE Agr.* Certa variedade de feijão [Tb. us. como adj.] **10** *Geol.* Parte de rocha que penetra num filão **11** *Tip.* Corpo estranho que se prende sob a forma e desalinha as letras **12** *Pop. Med.* Cancro venéreo **13** *Rel.* Pessoa que recebe o santo, em rituais afro-brasileiros como o candomblé, esp. de caboclo, a umbanda etc. [F.: Do lat. *caballus*.] ■ **Abrir o ~** *Bras.* Exigir que outrem retire o que disse **A ~ 1** Montado sobre cavalo **2** *P. ext.* Montado sobre qualquer coisa **3** *Art. gr.* Diz-se de grampeamento (de revista, caderno etc.) em que o(s) grampo(s) é aplicado sobre a linha de dobra; grampo canoa **Andar no ~ dos frades** *Joc. Irôn.* Andar a pé **Cair do ~** *Fig.* Ter grande surpresa, ger. associada a decepção **~ da sela** Em parelha de cavalos que puxam carruagem, o que vai à esquerda do cocheiro **~ de batalha 1** *Antq.* Montaria adestrada para ser us. em batalha **2** *Fig.* Aquilo que traz dificuldade ou impedimento, que é objeto de discordância ou disputa, e a que se dá grande ou exagerada importância **3** *Fig.* Área ou assunto preferidos de alguém, ou nos quais tem bom desempenho **4** *Fig.* Meio ou argumento com que alguém conta para vencer uma disputa; *p. ext.* aquilo que é objeto de ênfase ou insistência **5** *Fig. P. ext.* Ver *carro-chefe* **~ de campo** *N.* Cavalo adestrado para campear o gado **~ de corrida** Cavalo adestrado para o turfe **~ de meia jornada** *Bras.* Cavalo com aparência de velho **~ de pobre** *Bras.* Burro ou jumento **~ de sela** *Bras.* Aquele que só é us. como montaria, esp. por ter qualidades (agilidade, boa andadura, obediência etc.) mais adequadas para esse trabalho do que para carga e tração **~ de Troia 1** *Fig.* Meio ardiloso e traiçoeiro, us. por alguém para se infiltrar em terreno de adversário, competidor, inimigo etc., com a ajuda inadvertida destes; *p. ext.* aquilo ou aquele que se infiltra entre o inimigo para provocar, de dentro, a derrota deste **2** *Inf.* Tipo de vírus de computador, transmitido em arquivo ou programa, que destrói informações armazenadas no disco rígido **Convidar o ~ nas puas** *RS* Espicaçar o cavalo com espora(s) **Passar de ~ a burro** Piorar de nível, de situação etc. **Tirar o ~/cavalinho da chuva** Desistir de um intento

> 🕮 Como montaria em batalhas e expedições, como meio de transporte e força de carga, como partícipe em vários esportes, o cavalo tem sido parte da história da humanidade. A criação de cavalos é importante atividade econômica, bem como a de cavalos de linhagem adequada à prática de esportes (saltos, corridas, provas de adestramento etc.). Entre os países criadores de cavalos destacam-se China, Brasil, México, E.U.A., Argentina, Colômbia, Mongólia, Federação Russa, Etiópia.

cavalo-de-batalha (ca.va.lo-de-ba.*ta*.lha) ***sm.*** *Amaz. BA ES Bot.* Árvore (*Nectandra robusta*) de pequeno porte, da fam. das lauráceas, que possui flores unissexuais, folhas lanceoladas e bagas amarelas; BATALHA; CANELA-BATALHA; CANELA-GRANDE [Pl.: *cavalos-de-batalha*.] [Cf. *cavalo de batalha*. Ideia de: *caval-* e *batalh-*.]

cavalo de campo (ca.va.lo de *cam*.po) ***sm.*** *Bras.* Tipo de cavalo esp. adestrado para campear o gado, us. por vaqueiros [Pl.: *cavalos de campo*.] [Ideia de: *caval-* e *camp-*.]

cavalo de pau (ca.va.lo de *pau*) ***sm.*** **1** *Bras.* Brinquedo que busca imitar um cavalo de montaria, feito com um pedaço de pau ao qual se fixa a representação da cabeça do animal **2** Trave ger. de madeira, com ou sem alças, para exercícios físicos, esp. certa modalidade de ginástica; CAVALO **3** *Fig.* Manobra com automóvel (ou outro veículo sobre rodas, como motocicleta, bicicleta etc.), que consiste numa freada brusca e giro ou guinada do volante, fazendo o veículo derrapar e dar meia-volta até parar em posição invertida **4** *Bras. Aer.* Acidente no qual o avião perde o controle na aterrissagem e gira violentamente, às vezes capotando **5** *Bras.* Armadilha para aves de pequeno tamanho **6** *Pop. Pej.* Mulher magra e desajeitada [Pl.: *cavalos de pau*.]

◎ **cavalo de troia** (ca.va.lo de *troi*.a) ***sm.*** Inimigo dissimulado, que se infiltra em uma família, instituição etc. [Pl.: *cavalos-de troia*.]

cavalo do cão (ca.va.lo do *cão*) *Bras. Pop.* ***sm.*** **1** Pessoa audaciosa, ousada **2** Criança irrequieta, travessa [Pl.: *cavalos do cão*.]

cavalo-força (ca.va.lo-*for*.ça) [ô] ***sm.*** *Fís.* O mesmo que *cavalo-vapor* [Pl.: *cavalos-força*.]

cavalo-marinho (ca.va.lo-ma.*ri*.nho) ***sm.*** **1** *Zool.* Denom. comum a diversos pequenos peixes marinhos, do gên. *Hippocampus*, da fam. dos singnatídeos, cuja cabeça tem formato e posição (ereta, ao nadar) que lembra a de um cavalo; HIPOCAMPO [São os machos que incubam os ovos em uma bolsa abdominal.] **2** *PE Folc.* Ver *bumba meu boi* **3** *Folc.* Personagem do bumba meu boi, com figura de cavalo [Pl.: *cavalos-marinhos*.]

cavalo-vapor (ca.va.lo-va.*por*) ***sm.*** *Fís.* Unidade de potência de motores, equivalente a 735,5 watts [Tb. apenas *cavalo*. Símb.: *cv*.] [Pl.: *cavalos-vapor*.]

cavanhaque (ca.va.*nha*.que) ***sm.*** Barba curta, em ponta, sob o queixo [F.: Do antr. *Cavaignac*, general francês.]

cavaquear (ca.va.que.*ar*) ***v.*** **1** *Fam.* Conversar de modo relaxado e informal; conversar sobre assuntos sem muita importância; PAPEAR [***int.:*** *Para relaxar, gostava de <u>cavaquear</u>.*] [***tr.*** + *com*: *<u>cavaquear</u> <u>com</u> a vizinha no portão.*] **2** *Bras. SP.* Zangar-se, irritar-se (com alguma brincadeira, provocação ou indelicadeza) [***tr.*** + *com*: *<u>Cavaqueou</u> com a troça e já queria brigar.*] [▶ 13 cavaquear] [F.: *cavaco* + *-ear*².]

cavaqueira (ca.va.*quei*.ra) ***sf.*** *Bras. Pop.* Conversa espontânea, informal, sem assunto fixo; bate-papo [F.: *cavaco* + *-eira*.]

cavaquinha¹ (ca.va.*qui*.nha) ***sf.*** **1** *Gram.* Dim. de *cavaca* **2** *Carc.* Denom. comum a diversos crustáceos da fam. dos cilarídeos, esp. aqueles dos gên. *Scyllarus* e *Scyllarides*, de aspecto semelhante ao das lagostas e carne muito apreciada; LAGOSTA-DA-PEDRA [F.: *cavaca* + *-inha*.]

cavaquinha² (ca.va.*qui*.nha) ***sf.*** *Bras. Cul.* Tipo de biscoito doce, arredondado, ger. feito de farinha de milho

cavaquinho (ca.va.*qui*.nho) *Mús.* ***sm.*** **1** Pequeno instrumento musical semelhante à viola, com quatro cordas dedilháveis, us. esp. no samba e no choro **2** Pessoa que toca cavaquinho num conjunto ou formação musical [F.: *cavaco* + *-inho*.]

cavaquista (ca.va.*quis*.ta) ***s2g.*** **1** *Mús.* Ver *cavaquinista* **2** Pessoa que se zanga ou se irrita facilmente ***a2g.*** **3** Diz-se de quem se irrita facilmente, esp. quando provocado, zombado etc. [F.: *cavaco* + *-ista*.]

cavar (ca.*var*) ***v.*** **1** Furar, ou desprender e retirar porções de (terra), abrindo buraco(s), cavidade(s), tb. para fins agrícolas com instrumentos apropriados [***td.:*** *Ela <u>cavou</u> o quintal para enterrar o animal.*] [***int.:*** *<u>Cavou</u> fundo e enterrou os ossos.*] **2** Desprender, deslocar e/ou retirar porções do material que forma algo, abrindo buraco ou fenda em; escavar [***td.:*** *<u>cavar</u> a árvore, a parede.*] **3** Construir, fazer, realizar, por meio de escavação (determinada obra, como túnel, passagem etc.) [***td.:*** *<u>cavar</u> um poço, uma mina; <u>cavar</u> sepulturas; <u>cavar</u> uma cripta.*] **4** Procurar, cavando (1), e tirar (algo) de dentro da terra, do solo; extrair (algo, esp. minério) através de buraco, abertura ou escavação no solo, em rochas etc. [***td.*** **/*****tdr.*** + *de*: *<u>cavar</u> ouro (<u>das</u> minas).*] **5** *Vest.* Abrir ou aumentar decote ou cava em (blusa, camisa, maiô etc.) [***td.***] **6** *Fig.* Preparar, contribuir para a ocorrência de ou ajudar a produzir (determinada situação, ger. má ou negativa) [***td.:*** *Ele está <u>cavando</u> a sua própria desgraça; Juntos <u>cavaram</u> a demissão do colega.*] **7** *Fig.* Conseguir (algo) à custa de muito esforço, ou de forma indevida ou ilícita [***td.:*** "...para <u>cavar</u> cargos no governo paulistano." (*Folha de S.Paulo*, 27.08.1999)" ()] [***tdi.*** + *para*: *<u>Cavou</u> um emprego <u>para</u> o sobrinho.*] **8** *Bras. Pop.* Batalhar, trabalhar, pela subsistência ou para alcançar qualquer objetivo [***int.:*** *Ela <u>cavou</u> muito para ter uma carreira internacional.*] **9** *Fig.* Pensar detidamente; indagar a fundo e com trabalho [***tr.*** + *em*: *<u>Cavava</u> <u>nas</u> suas anotações para entender o enigma.*] **10** Provocar o aparecimento de sulcos, rugas, cavidades; tornar magro e abatido; encovar [***td.:*** *As muitas preocupações <u>cavaram</u> lhe as faces.*] **11** *Lus.* Fugir, esquivar-se [***int.:*** *Quando viu o tiroteio, <u>cavou</u>.*] [▶ 1 cavar] [F.: Do lat. *cavare*. Hom./Par.: *cavo* (fl.), *cavo* (sm.); *cava(s)* (fl.), *cava(s)* (sf. [pl.]); *cave(s)* (fl.), *cave(s)* (sf. [pl.])]

cavatina (ca.va.*ti*.na) *Mús.* ***sf.*** **1** Em óperas, cantatas ou oratórios, ária breve e simples, sem repetição **2** Peça instrumental semelhante a essa ária [F.: Do it. *cavatina*.]

cave (*ca*.ve) ***sf.*** *Gal.* Adega (1) [F.: Do fr. *cave*. Hom./Par.: *cave* (sf.), *cave* (fl. de *cavar*).]

caveira (ca.*vei*.ra) ***sf.*** **1** *Pop.* A parte do esqueleto composta pelo crânio e os ossos da face **2** *Pop. P. ext.* Conjunto de ossos de um ser humano ou animal; ESQUELETO **3** *Fig.* Cara magra e pálida, doentia **4** *Fig. Gír.* Indivíduo qualquer **5** *Bras. Gír. Mar. G.* Guarda, sentinela **6** *Bras. Gír.* Azar, desgraça [F.: Do lat. *calvaria*.] ■ **Encher a ~** *Bras. Pop.* Embriagar-se; encher a cara **Fazer a ~ de** *Pop.* Fazer, por meio de intriga, ou de comentários negativos etc., com que alguém seja malvisto por outrem

caveira de burro (ca.vei.ra de *bur*.ro) ***sf.*** *Bras. Pop.* Má sorte, azar, esp. em negócios [Pl.: *caveiras de burro*.]

caveirão (ca.vei.*rão*) ***sm.*** *RJ Gír.* Carro blindado da polícia militar [Pl.: *-rões*.] [F.: De or. incerta; posv. porque a frente do carro lembra uma caveira.]

caverna (ca.*ver*.na) ***sf.*** **1** Cavidade grande e funda no interior do solo, esp. em rocha ou terreno rochoso; FURNA; GRUTA **2** *P. ext.* Qualquer cavidade muito profunda; ANTRO; COVA **3** *Fig.* A parte mais interna ou íntima, recôndita, pouco acessível **4** *Fig.* Lugar obscuro e fechado **5** *Med.* Cavidade patológica no pulmão **6** *Cnav.* Cada uma das peças curvas que dão forma ao casco da embarcação [F.: Do lat. *caverna*. Ideia de 'caverna', usar pref. *espele* (*o*)- e *troglo-*.]

cavername (ca.ver.*na*.me) ***sm.*** **1** *Pop.* Conjunto de ossos de um vertebrado; ESQUELETO; OSSADA **2** *Cnav.* Arcabouço do casco de uma embarcação; o conjunto das cavernas [F.: *caverna* + *-ame*.]

cavernícola (ca.ver.*ní*.co.la) ***a2g.*** **1** Que habita em caverna **2** Próprio de caverna ***s2g.*** **3** Habitante de caverna [F.: Do fr. *cavernicole*.]

cavernoso (ca.ver.*no*.so) [ô] ***a.*** **1** De som rouco e profundo; que ressoa ou parece ressoar como se dentro de uma caverna (voz <u>cavernosa</u>) **2** Ref. ou semelhante a caverna; que é escavado, oco, profundo, ou que tem reentrância(s) como caverna(s) **3** Que tem muitas cavernas (monte <u>cavernoso</u>) **4** Diz-se de mar com cavidades muito fundas entre as ondas **5** *Bras. Fig. Pop.* Que tem aparência doentia, repulsiva, melancólica: "...o Pascoal oscilava entre o torpor e a ansiedade, branco, ossudo e <u>cavernoso</u>..." (Josué Montello, *Um rosto de menina*) **6** *Bras. Fig. Pop.* Diz-se de quem tem mau aspecto, aparência ou expressão de mau humor, de falta de franqueza ou cordialidade [Pl.: [ó]. Fem.: [ó].] [F.: Do lat. *cavernosu(m)*.]

caviar (ca.*vi*.ar) *Cul.* ***sm.*** **1** Conserva de ovas de esturjão, ou, p. ext., de alguns outros peixes **2** Prato preparado com essas ovas [F.: Do fr. *caviar* < turco *havyar*.]

cavidade (ca.vi.*da*.de) ***sf.*** **1** Buraco de qualquer tipo ou tamanho; espaço vazio em algo, ou em algum lugar, resultante da perda ou retirada da substância que aí havia; COVA; ESCAVAÇÃO **2** Espaço vazio em um corpo sólido; OCO **3** *Anat.* Espaço vazio e mais ou menos côncavo, ger. com abertura, no interior de um organismo ou de seus órgãos, ou o espaço interior no qual se situam um ou mais órgãos (<u>cavidade</u> bucal; <u>cavidade</u> pélvica) [F.: Do lat. *cavitate(m)*.] ■ **~ amniótica** *Emb.* Pequena cavidade que surge no interior do embrioblasto; vesícula amniótica **~ blastocística** *Emb.* Blastocele **~ bucal** *Fon.* Espaço do aparelho fonador entre os dentes e os lábios, a raiz da língua e a laringe, e o véu palatino **~ cotiloide** *Anat.* Absconso (3) **~ nasal** *Anat.* Cada uma das duas cavidades que vão das narinas à faringe [Na antiga nomenclatura anatômica, *fossa nasal*.] **~ pélvica** *Anat.* O espaço do corpo delimitado pelas paredes da pelve **~ pericárdica** *Anat.* Espaço no interior do pericárdio **~ peritonial** *Anat.* Espaço existente entre o peritônio parietal (que reveste a parte interna das paredes da pelve) e o visceral (que reveste externamente as vísceras) **~ pulpar** *Od.* Espaço interior e central de um dente

cavilação (ca.vi.la.*ção*) ***sf.*** **1** Trama, situação ou história preparadas com astúcia, para enganar alguém; ARDIL **2** Argumento astucioso e enganador; palavras capciosas; sofisma **3** Ironia zombeteira; TROÇA; ZOMBARIA **4** *N. E.* Falsa cortesia, amabilidade fingida [Pl.: *-ções*.] [F.: Do lat. *cavillatione(m)*.]

cavilar (ca.vi.*lar*) ***v.*** **1** Lançar mão de sofismas, subterfúgios etc. [***int.:*** *Esse espertalhão gosta muito de <u>cavilar</u>.*] **2** Dar falso sentido ao que diz, deturpando as palavras de modo malicioso [***td.***] **3** Zombar utilizando sofismas [***tr.*** + *de*: *Gosta de <u>cavilar</u> <u>dos</u> princípios democráticos.*] [▶ 1 cavilar] [F.: Do lat. *cavillare*.]

cavilha (ca.*vi*.lha) ***sf.*** Espécie de pino de madeira ou metal que se enfia ou se crava num suporte, base etc., para tapar orifícios, unir peças, ligar algo eletronicamente, distender cordas de instrumento musical etc. [Ger. apresenta uma extremidade larga ou arredondada, ou apropriada para encaixe e fixação (p. ex., com), ou adequada ao manuseio etc.] [F.: Do lat. vulg. *cabicola*.]

cavilheira (ca.vi.*lhei*.ra) ***sf.*** Tipo de chapa de aço, com orifícios dentados, em que se afixam cavilhas [F.: *cavilh(a)* + *-eira*.]

cavilosidade (ca.vi.lo.si.*da*.de) ***sf.*** Qualidade de caviloso [F.: *cavilos(o)* + *-(i)dade*.]

caviloso (ca.vi.*lo*.so) ***a.*** **1** Que usa de cavilação (pessoa <u>cavilosa</u>); CAPCIOSO **2** Em que há cavilação (argumento <u>caviloso</u>) **3** *N. E.* Que finge ser amável ou cortês; falso, fingido [Pl.: [ó]. Fem.: [ó].] [F.: Do lat. *cavillosu(m)*.]

cavinas (ca.*vi*.nas) ***smpl.*** *Bras. Etnol.* Povo indígena, de língua aruaque, que habita na Amazônia brasileira e na Bolívia [F.: De or. incerta.]

cavitação (ca.vi.ta.*ção*) ***sf.*** **1** *Fís.* Formação de vácuo parcial num líquido em movimento **2** *Mar.* Formação de uma cavidade ou bolsa de ar na água, em torno de uma hélice que gira velozmente, causando queda de rendimento da propulsão e vibrações na embarcação [Pl.: *-ções*.] [F.: Do ing. *cavitation*.]

cavitário (ca.vi.*tá*.rio) *Anat. a.* **1** Ref. a ou que tem cavidade **2** *Anat.* Diz-se de órgãos que estão numa cavidade [F.: Do fr. *cavitaire.*]

caviúna (ca.vi.*ú*.na) *sf.* Ver *cabiúna* [F.: Do tupi *kawi' una.*]

cavo (*ca*.vo) *a.* **1** Que tem cavidade; CAVADO; CÔNCAVO; FUNDO **2** De som cavernoso; ROUCO **3** Não cheio; OCO; VAZIO [F.: Do lat. *cavu(m).* Hom./Par.: *cavo* (fl. *cavar*).]

cavoucar (ca.vou.*car*) *v.* **1** Abrir cavoucos em (terra); fazer trabalho de cavouqueiro [*td.*: "Vieram depois os porcos, os tatus, e outros bichos, cavoucaram a cova, espatifaram o cadáver..." (Bernardo Guimarães, *A dança dos ossos*)] [*int.*: *Logo cedo já estava cavoucando.*] **2** Assentar em cavoucos [*td.*] **3** Mexer (ger. sem parar) em, com o dedo ou usando um objeto pontudo; cutucar [*td.*: *cavoucar os cantos das unhas; cavoucar a fechadura da porta.*] **4** *Fig.* Procurar ou investigar com insistência; pesquisar [*td.*: *Cavoucou os jornais à cata daquela notícia.*] **5** *Fig.* Esforçar-se, trabalhar muito (esp. para sustentar-se), passando dificuldades, procurando e/ou aproveitando oportunidades [*int.*: *Cavoucou muito, até conseguir um emprego.*] [▸ 11 cavoucar] [F.: *cavouco* + *-ar*[2]. Hom./Par.: *cavouco* (fl.), *cavouco* (sm.); *cavoucar, cavucar* (em todas as fl.). Tb. *cavucar.*]

cavouco (ca.*vou*.co) *sm.* **1** Buraco cavado na terra; VALA; FOSSO **2** Escavação ou abertura para colocação de alicerces **3** Cova para poço ou cisterna **4** Buraco na rocha que se enche de pólvora para explodi-la **5** *N. E.* Espécie de calha por onde escorre a água que vem dos cubos das rodas hidráulicas nos engenhos de cana-de-açúcar; CABOCÓ **6** *Lus.* O vão em que gira a roda do moinho [F.: Posv. de *cavo.* Hom./Par.: *cavouco* (fl. *cavoucar*).]

cavouqueiro (ca.vou.*quei*.ro) *sm.* **1** Aquele que abre cavoucos **2** Indivíduo que trabalha em mina ou pedreira **3** *Fig. Pej.* Mau trabalhador **4** *Fig. Pej.* Pessoa mentirosa *a.* **5** *Pej.* Diz-se de indivíduo que não trabalha bem, que é ineficiente, incompetente **6** *Pej.* Diz-se de indivíduo mentiroso, enganador [F.: *cavouco* + *-eiro.*]

cavucar (ca.vu.*car*) *v.* Ver *cavoucar*

⊕ ***cavum*** (*Lat. / cávum/*) *sm. Anat.* Cavidade, esp. a rinofaringe

caxambu (ca.xam.*bu*) *sm.* **1** *Folc. Mús.* Tambor volumoso, de som grave, semelhante à zabumba, que se usava em acompanhamentos de danças folclóricas e populares de origem africana *sm.* **2** *Bras. Folc.* Dança afro-brasileira acompanhada desse tambor **3** *Dnç. Mús.* Jongo **4** *GO* Morro no feitio de tambor **5** *Pop. Lud.* Resultado de embaralhamento malfeito das cartas, ou cada carta que fica virada (com a face de frente para outra) ao se embaralharem todas [F.: Posv. de or. africana.]

caxangá (ca.xan.*gá*) *sm. Zool.* Espécie siri (*Callinectes sapidus*); tb. siripuã [F.: Posv. de or. tupi.]

caxango (ca.*xan*.go) *sm. BA* Boi de corte [F.: De or. obsc.]

caxaréu (ca.xa.*réu*) *sm. Bras. Zool.* O macho adulto da baleia [F.: De or. contrv.]

caxemira (ca.xe.*mi*.ra) *Têxt. sf.* **1** Lã fina e macia, obtida do pelo de certa cabra da Caxemira (Índia/Paquistão) **2** Fio dessa lã, empregado em casacos, suéteres, gorros etc. **3** Tecido feito com esse fio ou com outro, natural ou sintético, que o imita *sm.* **4** *Gloss.* Língua indo-europeia falada na região de Caxemira; CAXEMÍRI *a2g.* **5** *Gloss.* Do ou ref. ao caxemira (4) [F.: Do top. *Caxemira* (Kashmir), posv. pelo ing. *cashmere*, tb. do top. *Cashmere*, região da Ásia, no noroeste do subcontinente indiano. Cf.: *casimira.*]

caxemiriano (ca.xe.mi.ri.*a*.no) *sm.* **1** Indivíduo nascido ou que vive em Caxemira (região que abrange partes da Índia, da China e do Paquistão) *a.* **2** De Caxemira; típico dessa região ou de seu povo [F.: Do top. *Caxemira* + *-ano*[1].]

caxerenguengue (ca.xe.ren.*guen*.gue) *Bras. sm.* **1** Faca velha, com lâmina partida ou sem cabo **2** Pessoa raquítica [F.: De or. africana, posv.]

caxeta (ca.*xe*.ta) [ê] *sf. Bras. Bot.* Ver *caixeta*

caxexo (ca.*xe*.xo) [ê] *a. Bras.* Raquítico, mirrado, pequeno [F.: De or. obsc.]

caxiagem (ca.xi.*a*.gem) *sf. Fig.* Ação ou comportamento de quem é caxias [F.: *caxia(s)* + *-agem.*]

caxias (ca.*xi*.as) *a2g2n.* **1** *Bras. Pop.* Que é cônscio de seus deveres e respeita escrupulosamente as regras; que cumpre com grande seriedade ou rigor suas obrigações **2** *Bras. Pop.* Que exige dos outros, esp. de subordinados, o máximo de empenho, disciplina e eficiência *s2g2n.* **3** *Bras. Pop.* Pessoa caxias [F.: Do antr. *Caxias* (duque de), militar brasileiro.]

caxiísmo (ca.xi.*ís*.mo) *sm. Bras.* O mesmo que *caxiagem.* [F.: *caxi(as)* + *-ismo.*]

caxingar (ca.xin.*gar*) *v. int. Bras.* O mesmo que *coxear* [▸ 14 caxingar] [F.: Var. de *coxingar*, por *coxear*. Hom./Par.: *caxinga(s)* (fl.), *caxinga(s)* (sf. [pl.]).]

caxinguelê (ca.xin.gue.*lê*) *sm. Bras. Mastz.* Esquilo (*Sciurus aestuans*) encontrado em grande parte da Amazônia e nas matas do litoral brasileiro, com cerca de 20 cm de comprimento, cauda longa e pelagem marrom-olivácea; SERELEPE [F.: Posv. do quimbundo.]

caxinitis (ca.xi.ni.*tis*) *smpl. Bras. Etnol.* Povo indígena aruaque, subgrupo dos parecis, nativo do norte da Amazônia [F.: Do tupi *kaxi'nitis.*]

caxiri (ca.xi.*ri*) *Bras. sm.* **1** Bebida feita com beiju diluído em água **2** Licor fermentado, extraído da mandioca **3** *Pop.* Cachaça, aguardente [F.: Do tupi, posv.]

caxixi (ca.xi.*xi*) *sm. Bras. Mús.* Instrumento de percussão que consiste numa pequena cesta de vime fechada, contendo sementes secas [F.: De or. contrv.]

caxumba (ca.*xum*.ba) *sf. Bras. Pop. Pat.* Ver *parotidite epidêmica* [F.: Posv. de or. africana.]

cazaque (ca.*za*.que) *s2g.* **1** Pessoa nascida ou que vive na República do Cazaquistão (Ásia) *sm.* **2** *Gloss.* Língua falada no Cazaquistão *a2g.* **3** Da República do Cazaquistão; típico desse país ou de seu povo **4** Do ou ref. ao cazaque (2) [F.: Do top. *Kasakhi.*]

⊠ **CBB** Sigla de *Confederação Brasileira de Basquete*

⊠ **CBD** Sigla da antiga *Confederação Brasileira de Desportos*, substituída pela *CBF* em 1980 [Ver tb. *CBF.*]

⊠ **CBF** *sf. Fut.* Sigla de *Confederação Brasileira de Futebol* [Ver tb. *CBD.*]

⊠ **CBV** Sigla de *Confederação Brasileira de Voleibol*

⊠ **cd**[1] *Ópt.* Símb. de *candela*

⊠ **CD**[2] *sm.* Disco de cerca de 12cm de diâmetro, que tem em uma ou ambas as faces superfície metalizada com camada de prata, e no qual músicas, sons, imagens e outros tipos de informação (p. ex., em arquivos de computador) são gravados digitalmente, para serem lidos por um feixe de *laser*; CEDÊ [Tb. se diz *disco a laser.*] [F.: Sigla do ing. *compact disc* (disco compacto). Cf.: *CD player; CD-R; CD-ROM; CD single.*]

⊠ **CDB** *Econ.* Sigla de *Certificado de Depósito Bancário* (depósito a prazo fixo que rende juros e correção monetária)

⊠ **CDC** Sigla de *Código de Defesa do Consumidor*

⊠ **CDD** *Doc.* Abrev. de *Classificação Decimal de Dewey*, sistema de catalogação criado pelo bibliotecário americano Melvil Dewey (1851-1931)

◎ **cdf** *Pop.* Us. (em função de adjetivo ou substantivo) como eufemismo de *cu de ferro.*

⊠ **CD-I** Sigla do ing. *Interactive Compact Disc*, tipo de CD de áudio e vídeo us. em equipamento específico conectado a aparelho de TV e que possibilita interação por meio de controle remoto

⊕ ***CD player*** (*Ing. /sidí plêier/*) *loc. subst.* Aparelho para tocar CDs em que há músicas ou sons gravados

⊠ **CD-R** Sigla do ing. *Recordable Compact Disc* (disco compacto gravável); CD em que as informações podem ser gravadas pelo usuário em computador pessoal ou outros equipamentos (p. ex., como cópia de outros CDs, para armazenamento de dados etc.)

⊕ ***CD-ROM*** (*Ing. /cidi-rôm/*) *sm. Inf.* Tipo de CD us. em computadores, que contém informações (texto, imagens e sons; programas), armazenadas mediante processo industrial e que não podem ser alteradas. [Tb. se diz apenas *CD.*] [F.: Acrônimo do ing. *compact disc read-only memory* (disco compacto de memória apenas para leitura). Cf.: *CD-R.*]

⊠ **CD-RW** Sigla do ing. *Rewritable Compact Disc* (disco compacto regravável); CD regravável

⊕ ***CD single*** (*Ing. /sidí-síngal/*) *loc. subst.* CD que tem de uma a quatro músicas. [Tb. se diz apenas *single.*]

⊠ **CDU** *Doc.* Abrev. de *Classificação Decimal Universal*, sistema internacional de catalogação de livros e documentos

⊠ **Ce** *Quím.* Símb. do *cério* [Hom./Par.: *cê* (sm.), *cê* (abr. pop. de *você*), *se* (pron. e conj.), *Se* (símb. *selênio*); *CE* (sigla do estado do *Ceará*).]

⊠ **CE** *sf.* Sigla do estado do *Ceará* [Hom./Par.: *Ce* (símb. de *cério*), *cê* (sm.), *cê* (abr. pop. de *você*), *se* (pron. e conj.), *Se* (símb. de *selênio*).]

cê[1] (cê) *sm.* Nome da letra *c* [Hom./Par.: *cê* (sm.), *Ce* (símb. de *cério*), *se* (pron. e conj.), *Se* (símb. *selênio*).] ∎∎ **~ cedilhado** Cê-cedilha

cê[2] *pr. pess. Bras. Pop.* Ver *você*

cear (ce.*ar*) *v.* **1** Fazer a última refeição do dia, esp. após o jantar e antes do sono noturno [*int.*: *Hoje vamos cear, comi pouco o dia todo.*] **2** Comer ou beber (certo prato ou alimento) na ceia [*td.*: *Resolveram cear uma sopa.*] [▸ 13 cear] [F.: Do lat. *coenare.* Hom./Par.: *ceia(s)* (fl.), *ceia(s)* (sf. [pl.]); *ceio* (fl.), *seio* (sm.).]

cearense (ce.a.*ren*.se) *s2g.* **1** Pessoa nascida ou que vive no Ceará (estado brasileiro) **2** *Amaz.* Pessoa nordestina *a2g.* **3** Do Ceará; típico desse estado ou de seu povo [F.: Do top. *Ceará(á)* + *-ense.*]

ceata (ce.*a*.ta) *sf.* Ceia farta [F.: *ceia* + *-ata.*]

cebola (ce.*bo*.la) [ô] *sf.* **1** *Bot.* Erva liliácea (*Allium cepa*) cujo bulbo grande, subgloboso, de odor forte e sabor picante, é amplamente us. como condimento **2** O bulbo dessa planta **3** *P. ext.* Qualquer bulbo **4** *Pop.* Ver *cebolão* (acps. 1 e 2) **5** *Fam.* Pessoa fraca, cansada ou indolente **6** *Hip.* Cavalo sem vigor, que não é sensível à espora. [Dim. irreg.: *ceboleta.*] [F.: Do lat. *caepulla.*]

cebolada (ce.bo.*la*.da) *sf.* **1** Quantidade de cebolas **2** *Cul.* Molho preparado com cebolas fritas ou guisadas **3** *Cul.* Prato com esse molho [F.: *cebola* + *-ada*[1].]

cebolão (ce.bo.*lão*) *sm.* **1** Modelo antigo de relógio de bolso, grande e redondo; cebola; PATACÃO **2** Relógio grande e de má qualidade; cebola **3** Cebola grande **4** Nos automóveis, dispositivo ligado a termostato, que aciona a ventoinha do sistema de ventilação do radiador [Pl.: *-lões.*] [F.: *cebola* + *-ão.*]

cebolinha (ce.bo.*li*.nha) *sf.* **1** *Bot.* Erva liliácea (*Allium fistolosum*), de flores alvas e folhas cilíndricas, verde-escuras, us. como condimento; CEBOLA-DE-CHEIRO; CEBOLINHA-DE-TODO-O-ANO [Tb. conhecida como *cebolinha verde.*] [Tb. conhecida como *cebolinha verde.*] **2** Erva liliácea (*Allium schoenoprasum*), us. como condimento e para fins medicinais; CEBOLINHA-GALEGA; CEBOLINHA-MIÚDA [Tb. conhecida como *cebolinha-francesa.*] **3** *Restr.* Folha(s) dessas plantas, preparada e us. como tempero **4** Cebola pequena, us. em conservas **5** *Bras. Pop.* Circuito elétrico ligado a um sensor de temperatura do óleo lubrificante ou da água que resfria o motor de um veículo, e que faz acender uma luz de alerta no painel [F.: *cebola* + *-inha.*]

cebuano (ce.bu.*a*.no) *sm. Gloss.* Língua falada nas Filipinas [F.: Do espn. *cebuano.*]

ceca (*ce*.ca) *sf.* Local distante, incerto ou indefinido. Us. apenas nas locuções: *por ceca e meca, de ceca em meca* [F.: Do ár. hispânico *sekka.*] ∎∎ **De/por ~ em meca** **1** Por várias terras, lugares etc.: *Andou de ceca em meca, observando tudo.* **2** Em busca de algo, em vários lugares, aqui e ali **Por ~ e meca e olivais de Santarém** *Lus.* Ver *De/ por ceca em meca*

cecal (ce.*cal*) *a2g. Anat.* Ref. ao ceco [Pl.: *-cais.*] [F.: *ceco* + *-al*[1].]

cecê (ce.*cê*) *sm. Bras.* Fedor de suor [F.: De *c. c.*, red. de 'cheiro de corpo'.]

cecear (ce.ce.*ar*) *v.* Pronunciar com a ponta da língua entre os dentes o som de /s/ e de /z/ (correspondente a letras como *s, z, c* [antes de e ou de i] e *x* [quando =ss]) [*td.*: *cecear o z.*] [*int.*: *cecear como os espanhóis.*] [▸ 13 cecear] [F.: Do espn. *cecear.* Hom./Par.: *ceceio* (fl.), *ceceio* (sm.); *cecear, ciciar* (em várias fl.).]

cê-cedilha (cê-ce.*di*.lha) *sm.* Letra *c* com sinal gráfico de cedilha (ç) [Us. antes das letras *a, o* ou *u* (nunca em início de palavra) para representar som de /ss/.] [Pl.: *cês-cedilha, cês-cedilhas.*]

ceceio (ce.*cei*.o) *sm.* Ação ou resultado de cecear [F.: Dev. de *cecear.* Hom./Par.: *ceceio* (sm.), *ceceio* (fl. de *cecear*).]

cecídio (ce.*cí*.di.o) *sm. Bot.* Alteração do tecido vegetal causada pela ação de outra planta ou de outros organismos (insetos, fungos etc.), que se manifesta sob formas variadas, semelhantes a esferas ou tubérculos; BUGALHO; GALHA [F.: Do gr. *kekídion.*]

ceco (*ce*.co) [ê] *sm. Anat.* A primeira parte do intestino grosso dos mamíferos, tb. presente em outros animais (aves e alguns répteis); CÉCUM [F.: Do lat. *caecus.* Hom./ Par.: *ceco* /ê/ (sm.), *seco* /ê/ (fl. de *secar*), *seco* /ê/ (a. sm.). Ideia de 'ceco': *tifl(o)-* (*tiflectomia*).]

cecostomia (ce.cos.to.*mi*.a) *sf. Cir.* Procedimento cirúrgico em que se cria uma abertura ou orifício artificial de comunicação entre o ceco e o meio exterior [F.: *ceco* + *-stomia.*]

cécum (*cé*.*cum*) *sm. Anat.* Ver *ceco*

cedê (ce.*dê*) *sm.* Ver *CD*

cedebê (ce.de.*bê*) *sm. Econ.* Ver *CDB*

cê-dê-efe (cê-dê-e.fe) [é] *a2g. s2g. Bras. Pop.* O mesmo que *cu de ferro* [F.: Dos nomes das iniciais de *cu de ferro*, a partir do uso do eufemismo *cdf.*]

cedência (ce.*dên*.ci.a) *sf.* Ação ou resultado de ceder; CESSÃO [F.: Do lat. *cedentia.*]

cedente (ce.*den*.te) *a2g.* **1** Que cede ou faz cessão *s2g.* **2** Pessoa cedente [F.: Do lat. *cedens -entis*, part. de *cedere.* Hom./Par.: *cedente* (a2g. e s2g) *sedente* (a2g.).]

ceder (ce.*der*) *v.* **1** Desistir de (algo) em favor de (alguém); deixar de ter, ocupar ou beneficiar-se de (algo) para que (outrem) possa fazê-lo [*tdi.* + *a, para*: *ceder o lugar aos idosos.*] **2** *Restr. Jur.* Transferir legal ou formalmente (a alguém) a propriedade ou o direito sobre (algo) **3** Dar preferência ou precedência a (alguém), deixando espontaneamente (e de modo informal) que aproveite (oportunidade, direito) [*tdi.* + *a, para*: *Cedeu seu lugar na fila para a moça com o filho no colo.*] **4** Pôr (algo) à disposição de (outrem) desde que (alguém) faça uso de (algo); EMPRESTAR [*td.* + *a, para*: *Cedi ao amigo o guarda-chuva.*] **5** Não se opor, ou deixar de se opor, a (algo); render-se, sucumbir a; não resistir [*tr.* + *a*: *Sem alternativa, ele cederá às exigências da família*: "...e não ceder à tentação de interromper o trabalho..." (João Ubaldo Ribeiro, *Diário do farol*)] [*int.*: *Mantenha-se firme, não ceda.*] **6** Não manter, ou não insistir em determinada opinião, vontade, decisão, por força das circunstâncias ou espontaneamente; transigir, condescender; renunciar ou desistir de algo [*ti.* + *a*: *ceder a súplicas.*] [*int.*: *Diante de tantos protestos, cedeu e renunciou ao cargo.*] [*tr.* + *de*: *Não cedia de seus objetivos/ de suas resoluções.*] **7** Perder força ou intensidade (algo que se quer combater, eliminar, anular); diminuir, abrandar ou cessar [*int.*: *Esperava que, após o medicamento, a febre cedesse.*] **8** Sofrer abalo, deslocamento ou afundamento (por não resistir a esforço, peso etc.) [*int.*: *Quando a carreta passou, a ponte cedeu.*] **9** Tornar-se mais largo ou mais frouxo [*int.*: *Com o uso, o sapato cedeu.*] **10** *Fig.* Perder (parcial ou completamente) certo atributo ou condição, que passa a caracterizar outra coisa ou pessoa; ser substituído ou superado por algo ou alguém [*td. tdi.* + *a*: *O treinador afirmou que os veteranos cederão a posição de titular (aos jovens talentos); O não conformismo cedeu lugar (ao consumismo).*] [▸ 2 ceder] [F.: Do lat. *cedere.*]

cediço (ce.*di*.ço) *a.* **1** *Fig.* Que é bem conhecido por muitos, ou por todos (história cediça) **2** *Fig.* Que não é ou não traz novidade, que não desperta interesse especial, por ser comum, ordinário; CORRIQUEIRO; ROTINEIRO **3** *P. ext.* Que causa tédio; monótono, maçante **4** *Fig.* Que deixou de ser usado ou aceito; ANTIQUADO; ULTRAPASSADO **5** Estagnado, parado (água cediça) **6** *P. ext.* Que não está fresco; cujo gosto ou composição se alterou; que está apodrecendo [F.: Posv. do espanhol *cedizo.*]

cedido (ce.*di*.do) *a.* **1** Que foi objeto de cessão **2** Doado, ofertado **3** Posto provisoriamente à disposição; EMPRESTADO [F.: Part de ceder.]

cedilha (ce.*di*.lha) *sf.* **1** Sinal gráfico us. (no português moderno) sob a letra *c* (antes de *a*, *o* ou *u*, e nunca em início de palavra) quando esta letra representa som de [ss] [Tb. ocorreu no espanhol e português antigos, assim como no francês antigo e moderno, em uso não inteiramente equivalente.] **2** Sinal similar, us. em alfabetos de outras línguas [F.: Do espanhol *cedilla*. Hom./Par.: *cedilha(s)* (sf. [pl.]), *cedilha(s)* (fl. de *cedilhar*).]

cedilhado (ce.di.*lha*.do) *a. Gram.* Que tem ou leva cedilha [F.: Part. de *cedilhar*.]

cedilhar (ce.di.*lhar*) *v. td.* Pôr cedilha em (um c) [▶ 1 cedilhar] [F.: *cedilha* + *-ar*[2]. Hom./Par.: *cedilha(s)* (fl.), *cedilha(s)* (sf. [pl.]).]

cedinho (ce.*di*.nho) *adv.* Muito cedo: *De manhã cedinho.* [F.: *ced(o)* + *-inho*[1].]

cedo (*ce*.do) [ê] *adv.* **1** Nas primeiras horas do dia, próximo ao alvorecer: *Saio cedo para o trabalho* **2** No, ou próximo ao, início de um período, ou, p. ext., pouco tempo após o início de um evento, atividade etc.: *Era cedo da noite e ainda havia movimento nas ruas; Chegamos cedo à festa, mas a animação já era grande; Fiquem mais um pouco, ainda é cedo!* **3** *P. ext.* No, ou próximo ao, início de um processo, de uma série de ações ou acontecimentos: *O sucesso aconteceu cedo, em sua carreira.* **4** Antes da hora ou do momento previstos, combinados, habituais ou desejados; prematuramente: *Sempre chega cedo aos encontros; As chuvas vieram (mais) cedo, este ano.* [Tb. se usa a expr. *mais cedo*, por vezes como forma de distinguir de *cedo* na acp. 2: *Chegamos à festa mais cedo, pois estávamos sem convites.*] **5** Antes que se passe muito tempo; em breve; LOGO: *Cedo chegará o verão* [F.: Do lat. *cito*. Ant. ger.: *tarde*. Hom./Par.: *cedo* (adv.), *cedo* /é/ (fl. de *ceder*), *sedo* (fl. de *sedar*.).] ■ **Com ~ 1** Antes da hora, prematuramente: *Abandonou com cedo seu projeto.* **2** Na hora devida, em tempo: *Chagaram com cedo para a prova.* **3** Logo, brevemente

cedrela (ce.*dre*.la) *sf. Bot.* Gênero de grandes árvores da América tropical, da fam. das meliáceas, que inclui vários cedros do Brasil, de madeira us. em marcenaria fina [F.: Do lat. cient. *Cedrela*.]

cedrinho (ce.*dri*.nho) *sm. Bot.* Árvore (*Cedrela fissilis*) da fam. das meliáceas [F.: *cedr(o)* + *-inho*[1].]

cedro (*ce*.dro) [é] *sm.* **1** *Bot.* Designação comum a diversas árvores pináceas, meliáceas e lauráceas, de grande porte, cuja madeira é própria para marcenaria, escultura etc. **2** A madeira dessas árvores [F.: Do lat. *cedrus -i*, deriv. do gr. *kédros*. Col.: *cedral*. Ideia de 'cedro': *cedr-* (cedrol).]

cedro-do-líbano (ce.dro-do-*lí*.ba.no) *sm. Bot.* Grande árvore (*Cedrus libani*) da fam. das pináceas [Pl.: *cedros-do-líbano*.]

cedrorana (ce.dro.*ra*.na) *sm. AM Bot.* Árvore (*Cedrelinga catenaeformis*) de grande porte, da fam. das leguminosas, tb. conhecida como iacaiacá [F.: *cedro* + *-rana*.]

cédula (*cé*.du.la) *sf.* **1** Pequena folha de papel, ger. retangular, us. como dinheiro; NOTA: *cédula de dez reais.* [Em cada país (ou grupo de países que formam um mercado comum), as cédulas são impressas e controladas pelo governo, e cada uma representa certo valor, expresso em número de unidades monetárias.] **2** Em eleições (quando não há uso de máquinas para votação eletrônica), papel impresso com o nome e/ou número dos candidatos, ou com espaço para escrevê-los, e que se deve depositar em urna, como forma de votar. [Tb. se diz *cédula eleitoral*.] **3** Documento escrito, ger. de caráter oficial: *cédula de identidade.* **4** Confissão de dívida, escrita mas sem formalidades legais **5** Qualquer papel escrito; anotação, apontamento, bilhete [F.: Do lat. *schedula*, pelo fr. *cédule*. Hom./Par.: *cédula* (sf.), *sédula* (fem. de *sédulo*).] ■ **~ de crédito** *Econ.* Documento de crédito, na forma de promessa de pagamento, emitida por devedor em favor de credor **~ de identidade** Ver *Carteira de identidade* **~ eleitoral** Ver *cédula* (2) **~ hipotecária** *Jur.* Título de crédito nominativo e endossável, emitido por banco em favor do tomador, e garantido por hipoteca [Cf.: *Letra hipotecária*.] **~ pignoratícia** *Econ.* Título de garantia para mercadorias armazenadas; *warrant* **~ testamentária** *Jur.* Documento que contém alterações a um testamento, ou disposições que o invalidam

cedular (ce.du.*lar*) *a2g.* Ref. a cédula [F.: *cédul(a)* + *-ar*[1].]

cefaleia (ce.fa.*lei*.a) *sf. Med.* Sensação dolorosa na cabeça, de causa orgânica (muscular, vascular, neurológica) ou psicológica, emocional etc.; dor de cabeça; CEFALALGIA [F.: Do lat. *cephalaea* (<gr. *kephalaía*); ver *cefal(o)-*.]

cefaleico (ce.fa.*lei*.co) *a.* Ref. a cefaleia [F.: *cefaléi(a)* + *-ico*[2].]

cefalematoma (ce.fa.le.ma.*to*.ma) *sm. Med.* Hematoma sob o periósteo do crânio [F.: *cefal(o)* + *(h)emat(o)-* + *-oma*.]

◎ **-cefalia** *el. comp.* = 'cabeça'; 'anomalia ou tipo de conformação da cabeça ou do crânio'; 'distúrbio, disfunção ou condição mórbida na cabeça'; 'qualidade ou estado de indivíduo que apresenta tal anomalia, conformação, disfunção etc.': *acrocefalia, braquicefalia, estenocefalia, hidrocefalia, janicefalia, megalocefalia, nanocefalia* [F.: Do gr. *kephalé, es*, 'cabeça', + *-ia*[1] (q. v.). Ver tb. *cefal(o)-* e *encefal(o)-*.]

cefálico (ce.*fá*.li.co) *a.* **1** Ref. a cabeça (cirurgia *cefálica*) **2** *Anat.* Ref. ao crânio; cranial [F.: Do lat. *cephalicus* (< gr. *kephalikós*), posv. pelo francês *céphalique*.]

cefalização (ce.fa.li.za.*ção*) *sf. Biol.* Forma de concentração gradativa, no processo de evolução, de órgãos e componentes do sistema nervoso na extremidade anterior do corpo dos animais, resultando na formação da cabeça [Pl.: *-ções*.] [F.: *cefal(o)* + *-iza(r)* + *-ção*.]

◎ **-cefal(o)-** *el. comp.* Ver *cefal(o)-*.

◎ **cefal(o)-** *el. comp.* = 'cabeça'; 'crânio'; 'de cabeça (com a característica determinada pela palavra base ou pelo rad. nom.); 'com 'x' cabeças'; (*Fig.*) 'governo'; (Bot.) 'capítulo floral (em certo número ou de certa qualidade)': *cefalídio, cefalometria, cefalorraquidiano; paquicefalossauro; acrocéfalo, anomocéfalo, autocéfalo, cinocéfalo, estenocéfalo; anisocéfalo, bicéfalo* [F.: Do gr. *kephalé, es*. F. conexa: *-cefalia*. Ver *acefal(o)-* e *encefal(o)-*.]

◎ **-céfalo** *el. comp.* Ver *cefal(o)-*.

cefalomenia (ce.fa.lo.me.*ni*.a) *sf. Med.* Menstruação vicária da cabeça, como a que ocorre, p. ex., pelo nariz durante período menstrual [F.: *cefal(o)* + *-men(o)-* + *-ia*[1].]

cefalometria (ce.fa.lo.me.*tri*.a) *sf. Anat.* Medição da cabeça de indivíduos vivos [F.: *cefal(o)* + *-metria*.]

cefalopélvico (ce.fa.lo.*pél*.vi.co) *a. Anat.* Ref. à conformidade entre a cabeça do feto e a pelve da mãe [F.: *cefal(o)* + *pelv(e)* + *-ico*[2].]

cefalópode (ce.fa.*ló*.po.de) *a2g.* **1** *Malac.* Ref. aos cefalópodes (ver acp. 2) *sm.* **2** Espécime dos cefalópodes, classe de moluscos marinhos, que inclui os polvos e lulas, entre outros, com concha interna, externa ou ausente, e cabeça grande, com olhos bem desenvolvidos, e à qual estão ligados diretamente oito ou dez braços ou tentáculos [F.: Do lat. cient. *Cephalopoda*; ver *cefal(o)-* e *-poda, -pode, -podo*.]

cefaloridina (ce.fa.lo.ri.*di*.na) *sm. Farm.* Antibiótico derivado da cefalosporina [F.: Do ing. *cephaloridine*.]

cefalorraquidiano (ce.fa.lor.ra.qui.di.*a*.no) *a. Anat.* Ref. ao encéfalo e à raque ou coluna vertebral [F.: *cefal(o)* + *raquidiano*.]

cefalorraquídio (ce.fa.lor.ra.*quí*.di.o) *a. Anat.* O mesmo que *cefalorraquidiano* [F.: *cefal(o)-* + *raquid-*, rad. de *radiquiano*, + *-io*.]

cefalosporina (ce.fa.los.po.*ri*.na) *sf. Farm.* Denominação genérica dos antibióticos semelhantes à penicilina provenientes da cultura de fungos do gên. *Cephalosporium* e de ampla ação antibacteriana [F.: Do lat. cient. *Cephalosporium* + *-ina*.]

cefalossauro (ce.fa.los.*sau*.ro) *sm. Pal.* Espécie de dinossauro marinho da era mesozoica, de cabeça com couraça óssea [F.: *cefal(o)-* + *-sauro*.]

cefalotina (ce.fa.lo.*ti*.na) *sf. Farm.* Antibiótico semelhante à cefalosporina e com as mesmas aplicações terapêuticas [F.: Do ing. *cephalothin*.]

cefalotomia (ce.fa.lo.to.*mi*.a) *Med. sf.* **1** Incisão ou dissecação da cabeça **2** O mesmo que *craniotomia* [F.: Do fr. *céphalotomie* ou do ingl. *cephalotomy*; ver *cefal(o)-* e *-tomia*.]

cefalotórax (ce.fa.lo.*tó*.rax) [cs] *sm2n. Anat. Zool.* Entre os aracnídeos e crustáceos, a parte do corpo composta da união dos segmentos corporais da cabeça e do tórax [F.: *cefal(o)-* + *-tórax*.]

cefeida (ce.*fei*.da) *sf. Astron.* Estrela variável pulsante de curto período; variável cefeida [F.: Do lat. *Cepheis, idos*.]

cegar (ce.*gar*) *v.* **1** Fazer perder ou perder, definitivamente, a visão, lesionando o(s) olho(s), ou o nervo óptico etc. [*td.: Um estilhaço o cegou.*] [*int.: Cegou(-se) ainda na infância.*] **2** Impedir (alguém) momentaneamente de ver, bloqueando parcialmente a incidência de luz (p. ex., nevoeiro), ou irritando os olhos (fumaça, poeira, substância química) ou com excesso de luz sobre os olhos; ofuscar [*td.: Aquele clarão me cegou por um instante.*] [*int.: O sol a pino cega.*] **3** *Fig.* Fascinar, deslumbrar [*td.*] **4** *Fig.* Fazer perder ou perder a razão, o bom-senso, a capacidade de julgar; tornar apaixonado, obcecado, fanático [*td.*: "...um amor arrebatado que o cegara." (Miguel Torga, *Senhor Ventura*)] [*int.: Cegara(-se) de raiva.*] **5** Impedir de conhecer; iludir(-se), enganar(-se) [*td.: A aparência angelical o cegou.*] [*int.: Cegara-se com a promessa de riqueza fácil.*] **6** *Fig.* Fazer perder ou perder o fio ou gume [*td.: O uso ininterrupto cegou a navalha.*] [*int.: Estas facas cegaram.*] **7** Causar obstrução a; entupir, entulhar [*td.: A água não escoava porque cegaram o bueiro.*] **8** Desbotar(-se), desvanecer(-se), apagar(-se), extinguir(-se) (tb. *Fig.*) [*td.: O tempo cegou as letras da inscrição.*] [*int.: Com o tempo a paixão cegou-se.*] [▶ 14 cegar] [F.: Do lat. *caecare*. Hom./Par.: *cego* (fl.), *cego* (a. sm.); *cega* (fl.), *cega* (sf. e fem. de *cego*), *sega* (sf.); *cegue(s)* (fl.), *segue(s)* (fl. de *seguir*); *cegar, segar* (em todas as fl.).]

cega-rega (ce.ga-*re*.ga) *sf.* **1** *Ent.* Cigarra **2** *Fig.* Pessoa que fala muito e tem voz desagradável **3** *Mús.* Instrumento popular que imita o som da cigarra [Pl.: *cega-regas*.] [F.: or. contrv., posv. voc. onom.]

cegas (*ce*.gas) *sfpl.* Us. na loc. *às cegas* ■ **Às ~ 1** Sem enxergar; no escuro **2** *Fig.* Sem orientação; sem informações, referências ou auxílio que permita agir de modo pensado ou controlado: *Agiu às cegas naquela emergência, e o resultado foi desastroso; Sem bússola, andaram às cegas na mata.* **3** *Fig.* Sem ponderar ou refletir; sem senso crítico: *Seguiu às cegas as instruções, sem perceber que as condições haviam mudado.*

cego (*ce*.go) [é] *a.* **1** Privado da visão; organicamente incapaz de ver **2** *Restr. Med.* Diz-se de pessoa que não tem mais de 10% da visão normal em cada olho, mesmo usando lentes corretivas para deficiências de refração **3** *Fig.* Sem fio ou gume (faca *cega*); BOTO; EMBOTADO; ROMBO; ROMBUDO [Ant.: *afiado*.] **4** *Fig.* Difícil ou impossível de desatar (nó *cego*) **5** *Fig.* Que interfere no bom-senso, impede a reflexão (amor *cego*) **6** *Fig.* Sem discernimento, sem capacidade de refletir, em razão de emoção intensa [+ *de, por*: *Cego de/pelo ciúme.*] **7** *Fig.* Em que não há questionamento ou dúvida; incondicional, absoluto (submissão *cega*) **8** *Fig.* Indiferente, insensível; que não consegue ou não se dispõe a perceber, a dar atenção ou consideração a algo [+ *a, para*: *Cego às/para as injustiças.*] *sm.* **9** Pessoa privada da visão, ou que a tem muitíssimo reduzida ou deficiente [F.: Do lat. *caecus*. Hom./Par.: *cego* (a. sm.), *cego* (fl. de *cegar*), *sego* (fl. de *segar*); *cega* (fem.), *sega* (fl. de *segar*), *sega* /ê/ (sf.). Ideia de 'cego': *tifl(o)-* (*tiflografia*). Col.: *cegada*.]

cegonha (ce.*go*.nha) *sf.* **1** *Zool.* Designação comum às aves da fam. dos ciconiídeos, especialmente aquelas do gênero *Ciconia*, como a *C. ciconia*, ave migratória, de bico e pernas vermelhos e plumagem branca com as asas negras [Segundo lenda popular, essas aves, que constroem seus ninhos nas chaminés das habitações humanas, trazem ao mundo os bebês.] **2** *Bras.* Caminhão-cegonha; CEGONHEIRO **3** *Fig.* Carro que entra ilegalmente no país, por via aérea **4** *Bras.* Mecanismo que tem uma peça comprida, semelhante ao pescoço de uma cegonha (ave), us. para tirar água de poço; BURRA **5** Nome de certos mecanismos, dotados de peça comprida ou recurvada, us. para içar: *cegonha do ferro* [*termo de marinha: peça para içar âncora e outros pesos*] [F.: Do lat. *ciconia*. Ideia de 'cegonha': *ciconi-* (*ciconiiforme*).]

cegonheiro (ce.go.*nhei*.ro) *Bras. sm.* **1** Caminhão longo para transportar automóveis **2** Motorista que dirige esse caminhão [F.: *cegonha* + *-eiro*.]

cegueira (ce.*guei*.ra) *sf.* **1** *Oft.* Condição de quem é cego; incapacidade orgânica de ver, de enxergar, com um olho ou ambos os olhos; privação do sentido da visão; TIFLOSE **2** *P. ext.* Estado de quem não consegue ver; incapacidade momentânea de enxergar ou de usar os olhos para ver **3** *Fig.* Falta de percepção ou de apreensão da realidade, do significado das coisas ou acontecimentos; obcecação **4** *Fig.* Falta ou perda de bom-senso, de lucidez, ou da capacidade de raciocinar, esp. devido a sentimento ou emoção intensos; obcecação: *Na sua cegueira não reconhece a culpa da filha.* **5** *Fig.* Paixão ou afeto intenso **6** *Fig.* Fanatismo, apego (a algo ou alguém) que beira a insanidade [F.: *cego* + *-eira*.] ■ **~ diurna** *Oft.* Deficiência visual à luz intensa; hemeralopia **~ noturna** *Oft.* Deficiência visual à noite ou em ambiente escuro; nictalopia **~ verbal** *Neur.* Incapacidade patológica de interpretar a palavra escrita; alexia

⊠ **CEI** Sigla de *Comunidade dos Estados Independentes*

ceia (*cei*.a) *sf.* **1** A última refeição do dia, entre o jantar e o sono noturno, ou em lugar do jantar **2** *Rel.* Ato central do culto cristão em que se celebra a eucaristia; Ceia do Senhor **3** *Rel.* A última refeição de Cristo com os apóstolos, por ocasião da qual instituiu a eucaristia; Santa-Ceia, Última Ceia **4** Representação ceia (3) [Inicial maiúsc. nas acps. 2, 3 e 4.] [F.: Do lat. *cena*. Hom./Par.: *ceia* (sf.), *ceia* (fl. de *cear*).] ■ **~ do Senhor** *Rel.* Ver *Santa-Ceia*. **Santa ~ 1** *Rel.* Ceia de Jesus com seus apóstolos, na qual se instituiu a eucaristia; Ceia do Senhor; Última Ceia **2** *Rel.* A ingestão simbólica do pão e do vinho como forma de comunhão com Cristo; o rito da eucaristia **3** Quadro que representa a Santa-Ceia (como o famoso *A Última Ceia*, de Leonardo da Vinci)

ceifa (*cei*.fa) *sf.* **1** Ação ou resultado de ceifar; SEGA **2** Época de ceifar **3** Colheita de cereais **4** Aquilo que foi ceifado **5** *Fig.* Grande destruição ou mortandade [F.: Do ár. *sáifa*. Hom./Par.: *ceifa* (sf.), *ceifa* (fl. de *ceifar*).]

ceifa-colhedeira (cei.fa-co.lhe.*dei*.ra) *sf. Agr.* Máquina agrícola com a dupla função de ceifar e colher, esp. cereais [Pl.: *ceifa-colhedeiras*.]

ceifadeira (cei.fa.*dei*.ra) *sf.* Máquina para colher cereais; CEIFEIRA; SEGADEIRA [F.: *ceifar* + *-deira*.]

ceifado (cei.*fa*.do) *a.* **1** Cortado, colhido com foice ou outro instrumento **2** *Fig.* De que se tirou a vida **3** *Fig.* Que foi eliminado, destruído [F.: Part. de *ceifar*.]

ceifar (cei.*far*) *v.* **1** Cortar, colher (esp. cereais) com foice ou outro instrumento; SEGAR [*td.: ceifar o trigo.*] [*int.: Não paravam de ceifar.*] **2** *Fig.* Tirar (a vida de alguém), matar, extinguir [*td.: No século XIV a peste negra ceifou um terço da população da Europa; Uma epidemia de febre aftosa pode ceifar a vida de muitos rebanhos.*] **3** *Fig.* Cortar, diminuir (esp. de modo drástico, abrupto) [*td.*: "Nos primeiros dois meses do novo milênio, empresas virtuais... *ceifaram* o quadro de funcionários." (*IstoÉ*, 05.03.2001)] **4** Obter como prêmio; colher [*td.: ceifar os louros da vitória.*] **5** *Fig.* Pôr fim a; destruir [*td.: Não deixe que ceifem seus sonhos.*] **6** Pôr (o cavalo), ao andar, as mãos para fora, fazendo um meio círculo [*int.*] [▶ 1 ceifar] [F.: *ceifa* + *-ar*[2]. Hom./Par.: *ceifa(s)* (fl.), *ceifa(s)* (sf. [pl.]).]

ceifeira (cei.*fei*.ra) *sf.* **1** Ver *ceifadeira* **2** Mulher que trabalha na ceifa; SEGADORA [F.: *ceifa* + *-eira*.]

ceifeiro (cei.*fei*.ro) *a.* **1** Que serve para a ceifa (instrumento *ceifeiro*) *sm.* **2** Homem que trabalha na ceifa; SEGADOR [F.: *ceifa* + *-eiro*.]

ceilonense (cei.lo.*nen*.se) *a2g. s2g.* Ver *cingalês* [F.: Do top. *Ceilão* + *-ense*.]

ceitil (cei.*til*) *sm.* **1** *Ant.* Antiga moeda portuguesa (séc. XIV-XV), que valia um sexto de real **2** *P. ext.* Quantia insignificante **3** *Fig.* O que tem pouco valor ou pouca importância; NINHARIA [Pl.: *-tis*.] [F.: Do ár. *sebti*, 'relativo a Ceuta' (primitivamente Ceita), moeda cunhada com o objetivo de comemorar a conquista de Ceuta pelos portugueses.]

cela (*ce*.la) [é] *sf.* **1** Quarto pequeno e modesto de convento ou mosteiro **2** Compartimento onde se encerram prisioneiros **3** Pequeno aposento; CUBÍCULO **4** *Apic.* Cada uma das cavidades do favo; ALVÉOLO **5** *Arq.* Estrutura central de um templo clássico [F.: Do lat. *cella*. Hom. Par.: *cela* (sf.), *sela* (fl. de *selar* e sf.).]

celacanto (ce.la.*can*.to) ***sm.*** *Zool.* Designação comum a duas spp. de peixes (*Latimeria chalumnae* e *L. menadoensis*), da fam. dos celacantídeos, encontrados no Sul da África e na Indonésia respectivamente, de cor cinza-azulada, com até 1,80 m de comprimento, nadadeiras robustas e cabeça achatada [São considerados fósseis vivos, por pertencerem a um grupo de peixes extintos há cerca de 65 milhões de anos.] [F.: Do lat. científico *Coelacanthus*.]
celagem (ce.*la*.gem) ***sf.*** A cor do céu ao nascer e pôr do sol; CARIZ [F.: Do espn. *celaje*. Hom./Par.: celagem (sf.), *selagem* (sf.).]
celastrácea (ce.las.*trá*.ce.a) ***sf.*** *Bot.* Espécime das celastráceas, fam. da ordem das celastrales formada por árvores, arbustos e cipós, apresentam folhas em espiral ou opostas, flores ger. pequenas e bissexuais, frutos em bagas, drupas cápsulas ou sâmaras. Encontradas esp. em climas tropicais, são ricamente representadas no Brasil, cultivadas como ornamentais e/ou para fins medicinais [F.: Do lat. cient. *Celastraceae*.]
◎ **-cele¹** ***el. comp.*** = 'hérnia'; 'saliência herniária'; 'tumor'; 'dilatação ou deformidade cística'; 'distensão'; 'tumefação'; 'inchação'; 'protrusão'; 'ingurgitamento cístico'; 'prolapso': *amniocele, broncocele* (< gr.), *bronquiocele, bubonocele, cardiocele, cistocele, colpocele, dacriocele, dacriocistocele, elitrocele, encefalocele, enterocele* (< lat. < gr.), *enterocistocele, epiplocele, escrotocele, espermatocele, esplenocele, fagocele, faringocele, fisocele, galactocele, glossocele, gonicele, gonatocele, gonocele, hedrocele, hepatocele, hidatidocele, hidrocele* (< lat. < gr.), *histerocele, isquiocele, laparocele, meningocele, merocele, metrocele, nefrocele, onfalocele, orquiocele, osqueocele, osteocele, ovariocele, parencefalocele, perineocele, pleurocele, pneumocele, porocele, proctocele, retocele, sarcocele, sarconfalocele, traqueocele, varicocele* [F.: Do gr. *-kéle, és*, do gr. *kéle, es*, 'tumor'; 'hérnia'.]
◎ **-cele²** ***el. comp.*** = 'cavidade': *blastocele, gastrocele, hematocele, miocele²* [F.: Do gr. *koîlos, e, on*, 'oco', 'cavo'. Outra f.: *cel(o)-*.]
celebração (ce.le.bra.*ção*) ***sf.*** **1** Ação ou resultado de celebrar **2** Homenagem a algo ou alguém digno, importante; comemoração, festejo (esp. de ocasião alegre) **3** Enaltecimento público de qualidades; louvação **4** (Realização de) cerimônia religiosa de culto ou louvor **5** Formalização de acordo ou contrato; registro e aprovação (com assinaturas etc.) dos termos de um acordo entre partes, que passa a ter validade [Pl.: *-ções*.] [F.: Do lat. *celebratio-onis*.]
celebrado (ce.le.*bra*.do) ***a.*** **1** Comemorado festivamente **2** Muito conhecido e apreciado (ator celebrado) **3** Realizado com solenidade **4** Formalizado (acordo ou contrato) [F.: Part. de *celebrar*; lat. *celebratus, a, um*.]
celebrante (ce.le.*bran*.te) ***a2g.*** **1** Que celebra; CELEBRADOR **2** Diz-se de sacerdote que celebra missa ou outro culto religioso ***s2g.*** **3** Pessoa que celebra; CELEBRADOR **4** Sacerdote ou sacerdotisa que celebra missa ou algum culto religioso [F.: Do lat. *celebrans, antis*.]
celebrar (ce.le.*brar*) ***v.*** **1** Comemorar (algo, p. ex. um acontecimento ou uma data) com festa, cerimônia, solenidade etc., de caráter informal ou, ger., formal ou oficial [***td.:*** *celebrar os 18 anos da filha*.] **2** Reagir a (algo, como fato ou notícia) com sentimento ou manifestação de alegria, satisfação, exaltação, ou com remoques, comentários, ironias etc.; FESTEJAR [***td.:*** *O povo celebrou nas ruas a libertação da cidade:* "O olhar irônico e vitorioso com que o ministro celebrou a sua derrota." (Rebelo da Silva)] **3** Louvar, exaltar, enaltecer [***td.:*** *Camões celebra os feitos de Vasco da Gama*.] **4** Realizar (algo, ger. envolvendo algum tipo de promessa, compromisso, aliança) com as devidas formalidades ou com solenidade [***td.:*** *celebrar um casamento; O presidente celebra hoje o acordo comercial*.] **5** Rezar ou dizer (missa) [***td. / int.:*** *O padre celebrou (uma missa) de manhã*.] [▶ **1** celebrar] [F.: Do lat. *celebrare*. Hom./Par.: *celebre(s)* (fl.), *célebre(s)* (a2g.), *celebre* (fl. de *celebrar*).]
celebrativo (ce.le.bra.*ti*.vo) ***a.*** **1** Que celebra ou é próprio para celebrar **2** Em que se celebra [F.: *celebrar* + *-ivo*.]
celebratório (ce.le.bra.*tó*.rio) ***a.*** O mesmo que *celebrativo* [F.: *celebrar* + *-ório*.]
célebre (*cé*.le.bre) ***a2g.*** **1** Conhecido ou comentado por muitos; que tem grande fama (caso célebre; artista célebre); AFAMADO; FAMIGERADO; FAMOSO **2** Distinto por suas qualidades louváveis; ILUSTRE **3** *Fam.* Extravagante, singular. [Ant. nas acps. 1 e 2: *desconhecido, obscuro*.] [Superl.: *celebérrimo, celebríssimo*.] [F.: Do lat. *celeber* (ou *celebris*). Hom./Par.: *célebre* (a2g.), *celebre* (fl. de *celebrar*).]
celebridade (ce.le.bri.*da*.de) ***sf.*** **1** Qualidade ou condição de célebre, daquilo ou daquele que é conhecido, falado ou comentado por muitos; FAMA **2** Notoriedade, reputação, renome; condição daquele ou daquilo que se distingue por ter raras qualidades (ger. louváveis) **3** Pessoa célebre, famosa, ilustre **4** Solenidade ou cerimônia com que se celebra, louva, comemora algo ou alguém **5** Grau de solenidade em cerimônia pública [F.: Do lat. *celebritas, átis*.]
celebrização (ce.le.bri.za.*ção*) ***sf.*** Ação ou resultado de celebrizar(-se) [Pl.: *-ções*.] [F.: De *celebrizar* + *-ção*.]
celebrizar (ce.le.bri.*zar*) ***v.*** **1** Tornar(-se) célebre ou ilustre; NOTABILIZAR(-SE) [***td.:*** *Aquele invento o celebrizou*.] [***int.:*** *Eles celebrizaram-se já com seu primeiro filme; O físico Albert Einstein celebrizou-se pela teoria da relatividade*.] **2** Celebrar, comemorar; fazer cerimônia para marcar ou lembrar [***td.:*** *celebrizar bodas/noivado*.] [▶ **1** celebrizar] [F.: *célebre* + *-izar*.]
celeiro (ce.*lei*.ro) ***sm.*** **1** Depósito de provisões; TULHA; GRANEL **2** Casa onde se armazenam cereais; TULHA; GRANEL: *Na fazenda há um grande celeiro*. **3** *P. ext.* País ou região que produz cereais em grande quantidade **4** *Fig.* Fonte permanente de algo; lugar em que se criam, se formam ou se produzem de modo recorrente, sistemático, certos tipos de pessoa, de realizações etc.: *celeiro de craques/de corruptos/de talentos; A universidade é um celeiro de projetos*. **5** Lugar que abriga grande quantidade de algo, que propicia o desenvolvimento ou proliferação de algo: *roupas sujas são celeiros de bactérias*. [F.: Do lat. *cellarium*. Hom./Par.: *celeiro* (sm.), *seleiro* (a. sm.).]
celenterados (ce.len.te.*ra*.dos) ***smpl.*** *Zool.* Ramo de enterozoários, radiados, composto de indivíduos aquáticos, na grande maioria marinhos, fixos ou flutuantes, como os corais, as anêmonas-do-mar etc.; CELENTÉRIOS; CNIDÁRIOS
celerado (ce.le.*ra*.do) ***a.*** **1** Que cometeu ou é capaz de cometer crimes graves, violentos; CRIMINOSO; FACÍNORA **2** Que tem ou é caracterizado por intenção de causar grande mal ou sofrimento (ação celerada); CRUEL; MAU; PERVERSO **3** Que causa horror ou revolta moral, como os grandes crimes ***sm.*** **4** Indivíduo que comete crimes, que age intencionalmente de modo criminoso **5** *P. ext.* Indivíduo mau, violento, imoral [F.: Do lat. *sceleratus, a, um*.]
célere (*cé*.le.re) ***a2g.*** Rápido, ligeiro, veloz: *É célere nas respostas*. [Ant.: *vagaroso, lento, moroso*.] [Superl.: *celérrimo, celeríssimo*.] [F.: Do lat. *celer -eris*.]
celeridade (ce.le.ri.*da*.de) ***sf.*** Qualidade ou característica do que é célere; RAPIDEZ; LIGEIREZA; VELOCIDADE [F.: Do lat. *celeritas, atis*.]
celesta (ce.*les*.ta) ***sf.*** *Mús.* Instrumento musical semelhante a um pequeno piano vertical, porém com lâminas metálicas em vez de cordas [F.: Do it. *celesta*. Hom./Par.: *celesta* (sf.), *celeste* (a2g.).]
celeste (ce.*les*.te) [é] ***a2g.*** **1** Ref. ao céu (abóbada celeste) ***a2g.*** **2** Que se avista ou está no céu (corpo celeste) **3** *Teol.* Que é do céu (espírito celeste) [Ant.: *infernal*.] **4** *Teol.* Da ou concernente à divindade (cólera celeste); DIVINO **5** *Fig.* Que é magnífico ou sublime (canção celeste) **6** Diz-se da cor azul que lembra a do céu claro sem nuvens [F.: Do lat. *caelestis*. Sin. ger.: *celestial*.]
celestial (ce.les.ti.*al*) ***a2g.*** Ver *celeste* [Pl.: *-ais*.] [F.: *celeste* + *-ial*.]
celetista (ce.le.*tis*.ta) ***a2g.*** **1** *Bras.* Que tem vínculo empregatício de acordo com a Consolidação das Leis Trabalhistas (CLT) (diz-se de funcionário) ***s2g.*** **2** Funcionário celetista [F.: Da sigla *CLT* + *-ista*.]
celeuma (ce.*leu*.ma) ***sf.*** **1** *Fig.* Debate intenso, acirrado: *A proposta provocou celeuma*. **2** Algazarra ou barulho de vozes; grande agitação barulhenta **3** Canto ou vozearia de pessoas que trabalham juntas em alguma atividade, como barqueiros, remadores, marinheiros a puxar cordas etc. [F.: Do lat. *celeuma* (< gr. *kéleuma*).]
celhas (*ce*.lhas) [ê] ***sfpl.*** **1** Cílios, pestanas **2** Sobrancelhas **3** *Bot.* Pelos ou sedas que se criam no fio marginal das folhas de certas plantas [Tb. us. no sing.] [F.: Do lat. *cilia*, pl. de *cilium*. Hom./Par.: *celhas* (sfpl.), *selhas* (pl. de *selha*).]
celíaco (ce.*lí*.a.co) ***a.*** **1** *Anat.* Ref. ao, ou próprio do abdome, ou nele situado (artéria celíaca) **2** *Bot.* Que é oco (diz-se de órgão ou parte vegetal) [F.: Do lat. *coeliacus, a, um*, 'ref. ao estômago', do gr. *koiliakós, é, ón*, 'que tem um fluxo no ventre'.]
celibatário (ce.li.ba.*tá*.ri.o) ***a.*** **1** Que não se casou; SOLTEIRO **2** Em que não houve casamento (vida celibatária) **3** *P. ext.* Caracterizado por solidão, isolamento, ausência de relação ou interação com outras pessoas **4** *Fig.* Sem proveito; que não produz frutos, não traz consequências; ESTÉRIL; INÚTIL ***sm.*** **5** Pessoa que não se casou; SOLTEIRO [F.: Posv. do fr. *célibataire*.]
celibato (ce.li.*ba*.to) ***sm.*** **1** Condição do adulto que não se casou *bras.*; SOLTEIRISMO ***a.*** **2** Solteiro, celibatário ***a.*** **3** Ref. ao celibato (1); próprio de quem é solteiro, não tem relações conjugais, ou, p. ext., de quem vive em isolamento, reclusão (vida celibata) **4** Caracterizado por ausência de erotismo, de contato ou intercurso sexual (paixão, amizade celibata) **5** *Fig.* Inocente, sem malícia ou má-fé (intenções celibatas) [F.: Do lat. *caelibatus*.]
celidônia (ce.li.*dô*.ni.a) ***sf.*** *Bot.* Planta (*Chelidonium majus*) da fam. das papaveráceas, tb. conhecida como erva-andorinha e erva-das-verrugas; QUELIDÔNIA [F.: Do lat. *chelidonia*, do gr. *chelidónion*.]
◎ **celi(o)-** ***el. comp.*** = 'abdome'; 'cavidade abdominal': *celíaco* (< lat. < gr.), *celiotomia*. [F.: Do gr. *koilía, as*, 'cavidade do ventre'; 'estômago'; 'intestinos' etc., e do gr. *koîlos, e, on*, 'oco'; 'vazio'; 'cavo'. F. conexa: *-célio*.]
◎ **-célio** ***el. comp.*** Registra-se em voc. de zoologia (que são adaptações em português da terminologia científica, ou seja, do lat. cient.), em geral com as ideias de 'animal com tubo digestivo ou intestino (com dada característica)', 'animal platelminto': *acélio, aloecélio, dendrocélio, rabdocélio, rincocélio*. [F.: Adapt. do lat. cient. *-coela*, pl. de *-coelum*; ver *-io³*.]
celiotomia (ce.li.o.to.*mi*.a) ***sf.*** *Cir.* Abertura cirúrgica da cavidade abdominal; LAPAROTOMIA [F.: *celi(o)-* + *-tomia*.]
celista (ce.*lis*.ta) ***s2g.*** Ver *violoncelista* [F.: F. red. de *violoncelista*.]
◎ **-cel(o)-** ***el. comp.*** Ver *cel(o)-*
◎ **-celo** ***el. comp.*** Ver *cel(o)-*
◎ **cel(o)-** ***el. comp.*** = 'cavidade'; 'veia cava'; 'ventrículo'; 'vértebra côncava': *celenterado* (< lat. cient.), *celoma* (< gr.); *celia*; *anficelo, opistocelo, procelo, talamocelo* [F.: Do gr. *koîlos, e, on*, 'oco'; 'cavo'. Outra f.: *-cele²*.]
celo (*ce*.lo) ***sm.*** *Mús.* Ver *violoncelo* [F.: red. de *violoncelo*.]
celofane (ce.lo.*fa*.ne) ***sm.*** Denominação comercial de folhas delgadas, transparentes e impermeáveis, obtidas da viscose, e usadas para acondicionar mercadorias, em trabalhos manuais e decorativos, entre outros fins [Tb. se diz *papel-celofane*.] [F.: Do fr. *cellophane*.]
celoidina (ce.loi.*di*.na) ***sf.*** *Quím.* Solução da piroxilina em éter; colódio muito concentrado [F.: Do ing. *celloidin*.]
celoma (ce.*lo*.ma) ***sm.*** **1** *Emb.* Cavidade do corpo que se origina do mesoderma do embrião **2** *Med.* Úlcera da córnea transparente [F.: Do gr. *koíloma, atos*.] ▪▪ **~ extraembrionário** *Emb.* Aquele que se origina do mesoderma extraembrionário, envolvendo as vesículas amniótica e vitelínica e separando-as do trofoblasto **~ intraembrionário** *Emb.* Aquele que se origina do mesoderma intraembrionário constituindo, ulteriormente, as cavidades pleurais, pericárdica e peritonial
celomado (ce.lo.*ma*.do) *Zool.* ***a.*** **1** Provido de celoma (1) **2** Ref. aos celomados ***sm.*** **3** Espécime dos celomados, classificação taxonômica antiga utilizada para todos os metazoários que apresentassem celoma em alguma fase da vida [F.: *celom(a)* + *-ado²*.]
celoniquia (ce.lo.ni.*qui*.a) ***sf.*** *Pat.* Concavidade patológica das unhas, em seres humanos e em animais [F.: *cel(o)-* + *onic(o)-* + *ia¹*.]
célsius (*cél*.sius) ***a2g2n.*** *Fís. Metrol.* Indicação da temperatura ambiente, equivalente a um grau na escala centesimal, de acordo com a classificação do físico e astrônomo sueco Anders Celsius (1701-1744) [Por deliberação da Conferência Geral de Pesos e Medidas (1948), centígrado foi substituído por célsius.] [F.: Do top. (Anders) *Celsius*. Cf.: *centígrado*.]
celso (*cel*.so) ***a.*** **1** Muito alto, de grande altura; ELEVADO **2** *Fig.* Que é sublime, admirável; de qualidades distintas, superiores; EXCELSO **3** Que mostra superioridade; arrogante, presunçoso, altivo [F.: Do lat. *celsus, a, um*.]
celta (*cel*.ta) ***s2g.*** **1** Indivíduo dos celtas, povo indo-germânico que, saído da Europa central, expandiu-se pelo oeste e sudoeste do continente, até a Grã-Bretanha e Irlanda, e pela Ásia Menor ***sm.*** **2** *Gloss.* Ramo de línguas indo-europeias faladas pelos celtas, muitas das quais já extintas – as remanescentes são faladas na Bretanha, Escócia, País de Gales, Irlanda ocidental e na ilha de Man; CÉLTICO ***a2g.*** **3** Dos ou ref. aos celtas (1); CÉLTICO **4** Do ou ref. ao celta (2); CÉLTICO [F.: Do lat. *Celta*, sing. de *Celtae* (< gr. *kéltai*).]
celtibero (cel.ti.*be*.ro) [é] ***sm.*** **1** Pessoa pertencente a um povo que viveu na Celtibéria (antiga Espanha), resultante da fusão de celtas com iberos ***sm.*** **2** *Gloss.* Língua que era falada por esse povo ***a.*** **3** Do ou ref. aos celtiberos ou à Celtibéria **4** Do ou ref. ao celtibero (2) [F.: Do lat. *celtiberus, a, um*.]
céltico (*cél*.ti.co) ***a.*** **1** Dos ou ref. aos celtas ***sm.*** **2** *Gloss.* Celta (2) [F.: Do lat. *celticus, a, um*.]
célula (*cé*.lu.la) ***sf.*** **1** *Biol.* Estrutura microscópica que constitui os seres vivos, composta basicamente de membrana, citoplasma e de um núcleo onde se encontra o material genético **2** *Mús.* Motivo melódico ou rítmico que pode aparecer isolado ou integrado a uma contextura temática **3** *Aer.* Conjunto formado pelas asas e a fuselagem de uma aeronave **4** Cubículo onde fica(m) o(s) preso(s); CELA **5** *Inf.* Numa planilha eletrônica, o espaço compreendido pela interseção de linhas e colunas, que pode conter alguma informação **6** *Fig.* Grupo de pessoas que formam uma unidade no interior de uma organização ou movimento: *Eu pertencia a uma célula do partido*. [F.: Do lat. *cellula, ae*, 'quarto pequeno', dim. do lat. *cella, ae*, 'quarto'; 'cela'. Ideia de 'célula': *cit(o)-* (*citologia*), *-cito* (*adipócito*).] ▪▪ **~ adiposa** *Histl.* Célula que sintetiza e armazena gordura **~ adventícia** *Histl.* Célula que origina tecido conjuntivo, ainda indiferenciada **~ bipolar** *Oft.* Neurônio da retina que transmite estímulos visuais **~ diploide** *Biol.* A que tem dois conjuntos homólogos de cromossomos no mesmo núcleo **~ eletroquímica** *Quím.* Dispositivo para criar ou medir reações eletroquímicas, ger. composto por dois recipientes separados por membrana semipermeável, ou por placa de vidro poroso **~ envoltória** *Histl.* Célula que envolve a extremidade de um neurônio (axônio) com a espiral de lâminas que constituem sua membrana **~ ependimária** *Histl.* Cada uma das células que revestem as cavidades do encéfalo e da medula, e que estão em contato com o líquido cefalorraquiano dessas cavidades **~ escamosa** *Histl.* A que forma tecido epitelial escamoso ou dele deriva **~ eucariótica** *Histl.* Aquela que tem núcleo bem definido por membrana **~ fotelétrica** **1** *Eletrôn.* Dispositivo que, estimulado pela luz, produz corrente elétrica **2** Diodo a vácuo que, iluminado, emite elétrons em seu catodo, que são encaminhados ao anodo, criando uma corrente elétrica **~ fotemissiva** *Eletrôn.* Ver *Célula fotelétrica* (2) **~ fotocondutiva** *Eletrôn.* Dispositivo fotossensível no qual a condutividade elétrica aumenta com a incidência de luz que recebe, incrementando assim a corrente elétrica **~ fotomultiplicadora** *Eletrôn.* Tipo de célula fotelétrica na qual a incidência de luz faz um catodo emitir elétrons que são multiplicados por vários eletrodos **~ fotovoltaica** *Eletrôn.* Dispositivo que produz força eletromotriz a partir de reação fotelétrica **~ germinativa** *Histl.* Célula reprodutiva já madura; gameta **~ germinativa primordial** *Histl.* Aquela da qual se origina uma célula germinativa, ou gameta **~ gigante** **1** *Cit.* Qualquer célula grande,

seja normal ou patológica **2** *Imun.* A que, em virtude de processos diversos, atinge grande tamanho, como, p. ex., aquelas que resultam de inflamação reativa à presença de corpos estranhos **~ haploide** *Histl.* A que só tem um conjunto de cromossomos **~ mesenquimatosa** *Histl.* A que compõe tecido conjuntivo em estado embrionário **~ mesenquimatosa indiferenciada** *Histl.* A que compõe tecido conjuntivo adulto e que é capaz de dar origem a qualquer outra célula conjuntiva; célula adventícia **~ nervosa** *Histl.* Cada célula que forma tecido nervoso, capaz de transmitir e de receber impulsos nervosos; neurônio **~ pironinófila** *Histl.* Imunoblasto; linfoblasto **~ procariótica** *Histl.* Aquela na qual o material genético fica no citoplasma, e não num núcleo delimitado **~ solar** *Eletrôn.* Dispositivo que transforma raios luminosos em eletricidade

📖 A célula é a menor unidade orgânica de todo ser vivo, vegetal ou animal (num homem adulto são mais de cem trilhões). Sua forma varia de acordo com o órgão de que faz parte e com as funções que exerce. Alguns organismos são compostos de uma só célula (p. ex., as bactérias, os protozoários). Sua estrutura básica apresenta uma membrana externa que envolve o organismo, chamada protoplasma, por sua vez composto de citoplasma (basicamente água e proteína) e núcleo. O núcleo regula as funções metabólicas da célula e contém os fatores hereditários (cromossomos e genes). As células se multiplicam dividindo-se, em diferentes processos (é a divisão do núcleo que ger. rege o processo de multiplicação das células), e as novas células carregam o material genético das células originais.

célula-filha (cé.lu.la-*fi*.lha) *sf. Biol.* Célula de apenas uma matriz, resultante da mitose de uma célula-mãe [Pl.: *células-filhas e células-filha.*]

célula-flama (cé.lu.la-*fla*.ma) [â] *sf. Anat. Zool.* Célula tubiforme da parte terminal do sistema excretor de certos animais invertebrados [Pl.: *células-flamas e células-flama.*]

célula-mãe (cé.lu.la-*mãe*) *sf. Biol.* Célula que dá origem a outras, semelhantes a ela (células-filhas) ou de tipo diferente [Pl.: *células-mães e células-mãe.*]

célula-ovo (cé.lu.la-*o*.vo) *sf. Biol.* Célula (1) originada da fertilização de um óvulo por um espermatozoide; ZIGOTO [Pl.: *células-ovos* [ó], *células-ovo.*]

celular[1] (ce.lu.*lar*) *a2g.* **1** *Biol.* Ref. a célula ou próprio dela (estrutura celular) **2** *Biol.* Composto por células (organismo celular) **3** Em que os presos ficam em celas individuais (diz-se de sistema penitenciário) [F.: *célula* + *-ar*[1]; ver *celul(i)-*.]

celular[2] (ce.lu.*lar*) *sm.* F. red. de *telefone celular* (ver *telefone*)

celúlase (ce.*lú*.la.se) *sf. Quím.* Enzima produzida por bactérias e fungos que decompõe por hidrólise a celulose, transformando-a em celobiose [F.: Do ing. *cellulase.* Tb. *celulase.*]

célula-tronco (cé.lu.la-*tron*.co) *sf. Biol.* Célula (1), presente tipicamente em embriões, que ainda não se diferenciou para uma função específica e que é capaz de fazê-lo e de multiplicar-se, podendo assim vir a constituir-se na base de tecidos especializados de órgãos, reconstituindo-os ou substituindo-os [Pl.: *células-troncos, células-tronco.*]

◎ **celul(i)-** *el. comp.* = 'célula': *celúlase, celulase* (< ing.), *celulífero, celuliforme, celulite* (< fr.), *celuloide* (< fr.), *celulose* (< fr.) [F.: Do lat. *cellula, ae,* 'quarto pequeno', dim. do lat. *cella, ae,* 'quarto'; 'cela'.]

celulífero (ce.lu.*lí*.fe.ro) *Biol. a.* **1** Que tem células; CELULAR **2** Ref. a célula; CELULAR [F.: *celul(i)-* + *-fero.*]

celuliforme (ce.lu.li.*for*.me) *a2g. Biol.* Cuja forma se assemelha à de uma célula; em forma de célula [F.: *celul(i)-* + *-forme.*]

celulite (ce.lu.*li*.te) *sf. Med.* Inflamação do tecido celular subcutâneo, em função do acúmulo de gordura, que causa rugosidades na superfície da pele [F.: Do fr. *cellulite*; ver *celul(i)-* e *-ite*[1].]

celulítico (ce.lu.*lí*.ti.co) *a. Med.* Ref. a celulite; CELULITÁRIO [F.: *celulite* + *-ico*[2].]

celuloide (ce.lu.*loi*.de) *sm.* **1** *Quím.* Matéria plástica derivada da nitrocelulose, us. para fins industriais, como, p. ex., na fabricação de filmes fotográficos **2** *P. ext. Fig.* Filme cinematográfico (o suporte das imagens projetadas em cinema); *p. ext.*: obra ou produção cinematográfica; *p. ext.*: a arte ou indústria do cinema: *O diretor conseguiu transpor para celuloide a dramaticidade do romance original:* "Há exatamente três décadas, [Fernando] Spencer estreava no celuloide com *A busca*, filme experimental de ficção em 16 mm e preto e branco, com apenas sete minutos de duração." (Marcos Toledo, "Um cinema entre o sagrado e o profano", em Jornal do Commercio (Recife) 24.02.1999) [F.: Do ing. *celluloid.*]

celulose (ce.lu.*lo*.se) *sf.* **1** *Bioq.* Hidrato de carbono que constitui a base dos tecidos vegetais, esp. das paredes das células e das fibras usadas na fabricação de papel [fórm.: $(C_6H_{10}O_5)_n$] **2** *P. ext. Fig.* Papel, esp. como suporte da escrita; conjunto de documentos ou registros em papel: "...o advogado que cuida dos meus papéis, dos meus documentos, da minha vida em celulose." (Elisa Palatnik, *A miniatura*) [F.: Do fr. *cellulose*, de *cellule*, 'célula'; ver *celul(i)-*.]

celulósico (ce.lu.*ló*.si.co) *a.* O mesmo que *celulótico* [F.: *celulose* + *-ico*[2], ou do fr. *cellulosique.*]

celulótico (ce.lu.*ló*.ti.co) *a.* Ref. a celulose; CELULÓSICO [F.: *celul(ose)* + *-ótico*, seg. o mod. gr; ver *celul(i)-*.]

celurossauro (ce.lu.ros.*sau*.ro) *sm. Pal.* Dinossauro de pequeno porte, ágil e predador, que viveu na América do Norte na era mesozoica [F.: Do lat. cient. *Coelurosauria.*]

cem *num.* **1** Quantidade correspondente a dez dezenas **2** *Fig.* Muitos, inúmeros; (que é em) quantidade excessiva: *Contou essa piada cem vezes.* **3** Diz-se do centésimo elemento de uma série, ou daquele marcado ou identificado pelo número 100 (página cem) *sm.* **4** Número que representa uma quantidade correspondente a dez dezenas (arábico: 100; romano: C) [F.: Forma apocopada de *cento*, decorrente de próclise. Hom./Par.: *cem* (num.), *sem* (prep.). Ideia de 'cem': *cent(i)-* (*centímetro*).] ▪ **~ por cento** Ver em *cento*

cementação (ce.men.ta.*ção*) *sf.* **1** Ação ou resultado de cementar(-se) **2** *Metal.* Processo pelo qual as propriedades físicas de um metal se alteram por combinação química com outro material, sob temperatura inferior à da fusão: *A cementação do ferro com carvão vegetal gera o aço.* [Pl.: *-ções.*] [F.: *cementar* + *-ção*. Ant. ger.: *descementação*. Hom./Par.: *cementação* (sf.), *cimentação* (sf.).]

cementado (ce.men.*ta*.do) *a.* **1** Que se cementou **2** Diz-se de metal submetido à cementação (2) [F.: Part. de *cementar*. Hom./Par.: *cementado* (a.), *cimentado* (a. sm.), *sementado* (a.).]

cementar (ce.men.*tar*) *v. td.* **1** *Met.* Levar metal a formar liga aquecendo-lhe os componentes a temperatura mais baixa que a da fusão **2** *Biol.* Manter a união de células, estruturas orgânicas **3** *Od.* Tratar (de dente) com cemento [▶ 1 cementar] [F.: *cement(o)* + *-ar*[2]. Hom./Par.: *sementar* (todos os tempos do v.); *cemento* (fl.), *cemento* (sm.); *cemente(s)* (fl.), *semente* (sf.) e pl. Ant. ger.: *descementar.*]

cementita (ce.men.*ti*.ta) *sf. Metal.* Carboneto de ferro (Fe_3C) presente em aços e no ferro fundido sob a forma de plaquetas [F.: *cement(o)* + *-ita.*]

⊠ **Cemig** Sigla de *Companhia Energética de Minas Gerais*

cemiterial (ce.mi.te.ri.*al*) *a2g.* Ref. a cemitério; CEMITÉRICO [Pl.: *-ais.*] [F.: *cemitério* + *-al*[1].]

cemitérico (ce.mi.*té*.ri.co) *a.* Ver *cemiterial* [F.: *cemitério* + *-ico*[2].]

cemitério (ce.mi.*té*.ri.o) *sm.* **1** Lugar onde se enterram mortos; NECRÓPOLE; CAMPO-SANTO **2** *Fig.* Local silencioso e deserto: *A cidadezinha, à noite, era um cemitério.* **3** Local em que se acumulam ou se depositam objetos velhos, descartados [F.: Do gr. *koimeterion*, pelo lat. *coemeterium.*] ▪ **~ radioativo** *Fís. nu.* Depósito de lixo radioativo

cena (*ce*.na) *sf.* **1** *Cin. Liter. Teat. Telv.* Cada um dos lances ou unidades de ação que constituem um filme, narrativa, peça ou novela de tevê: *Só ligaram para a cena do beijo.* **2** *Fig.* Acontecimento (ger. de certo interesse) presenciado por alguém: *Foi uma cena engraçada.* **3** *Teat.* O palco ou qualquer espaço em que atores, bailarinos, cantores, assim como o cenário, ficam visíveis ao público, numa representação teatral, operística, de dança etc.: *Estavam dez atores em cena.* **4** *Cin. Teat. Telv.* O mesmo que *cenário* (material cênico) **5** Local em que se desenrola uma ação teatral ou se dá um fato significativo: *cena do crime.* **6** *P. ext. Teat.* A arte dramática, o espetáculo, teatro **7** *Psic.* Acontecimento presenciado realmente ou fantasiado por alguém, esp. na primeira infância, e que constitui experiência ou representação que tem efeitos fortes e duradouros na vida psíquica **8** Fingimento, simulação; situação em que alguém adota comportamento afetado, exagerado, falso, ou inconveniente, escandaloso etc. **9** Aquilo que se apresenta a alguém como um cenário diante do espectador; paisagem, panorama **10** Conjunto de fatos, circunstâncias e elementos relacionados a certa atividade ou ação; situação, contexto, cenário; campo de interesse ou atividade: *Nas últimas semanas, a cena política ficou ainda mais conturbada.* **11** *Art. pl.* Representação de pessoa(s) ou personagem(ns) em ação em determinado local ou paisagem [F.: Do lat. *scena.*] ▪ **~ cômica** *Teat.* A comédia **~ francesa** Cada uma das cenas em que se divide uma peça, marcada pela entrada, no início, e saída, no fim, dos personagens, com ou sem mudança de cenário **~ lírica** *Teat.* A ópera **~ muda 1** *Teat.* Cena sem diálogos, expressa em gestos ou pantomima **2** *Cin.* O cinema mudo (esp. se considerado como arte afim do teatro) **~ trágica** *Teat.* A tragédia **Em ~ 1** *Teat.* Em representação (peça, espetáculo etc.) **2** No palco, ou diante do público, atuando (diz-se de ator, cantor, dançarino etc.) **Fazer ~ / fazer ~s 1** Falar ou agir de modo enfático, exagerado ou afetado, esp. ao expressar raiva, revolta, tristeza etc.; p. ext.: chamar atenção das pessoas à sua volta, comportando-se de modo escandaloso ou ridículo **2** *Fut.* Fingir (um jogador) que sofreu falta, agressão, ou que se contundiu, p. ex., para interromper o jogo ou para que o adversário seja penalizado: *Fez a maior cena (de ciúmes), ao ser dispensado pela namorada.* **Ir à ~** *Teat.* Ser encenada (peça ou espetáculo teatral, de ópera, dança etc.) **Pisar a ~ 1** *Teat.* Atuar como ator, representar (cena, peça) **2** *Fig.* Destacar-se mais do que outrem, ger. graças a bom desempenho em certa atividade **Sair de ~ 1** Sair do palco (ao apresentar-se diante do público) **2** Deixar (espetáculo teatral, operístico ou de dança) de ser apresentado ou exibido ao público; sair de cartaz **3** Deixar de aparecer, de se manifestar, de ser notado pelas pessoas; deixar de existir, extinguir-se

cenáculo (ce.*ná*.cu.lo) *sm.* **1** *Antq.* Dependência onde se servia a ceia **2** *Rel.* Local ou representação da Santa-Ceia **3** *Fig.* Reunião de pessoas com ideais ou objetivos comuns [F.: Do lat. *coenaculum, i.* Hom./Par.: *cenáculo* (sm.), *senáculo* (sm.).]

cenário (ce.*ná*.ri.o) *sm.* **1** *Cin. Teat. Telv.* Conjunto dos materiais e recursos cênicos que servem para criar o ambiente da ação dramática numa peça, ópera, filme ou telenovela **2** *P. ext.* Local onde se desenrola a ação dramática ou um acontecimento qualquer; PANORAMA **3** *Fig.* Conjunto dos fatos e circunstâncias de uma atividade, num dado período (O cenário econômico, o cenário político); CONJUNTURA [F.: Do lat. tard. *scaenarium, ii*; ver *cen(o)-*[3].]

cenarista (ce.na.*ris*.ta) *Cin. Teat. Telv. s2g.* **1** O mesmo que *cenógrafo* **2** *Antq. Cin.* O mesmo que *roteirista* [F.: *cenário* + *-ista.*]

cenatória (ce.na.*tó*.ri.a) *sf.* Traje simples ou de gala us. pelos antigos romanos, esp. à mesa [F.: Fem. substv. de *cenatório*, do lat. *cenatorius*, 'ref. a ceia'.]

cendal (cen.*dal*) *sm.* **1** Tecido transparente e fino **2** Véu para o rosto ou para todo o corpo [Pl.: *-dais.*] [F.: Do provç. *cendal.*]

cendroso (cen.*dro*.so) [ô] *a.* **1** Que possui muita cinza em sua constituição (carvão cendroso) **2** Acendrado, acinzentado [Pl.: [ó]. Fem.: [ó].] [F.: Do cat. *cendra*, 'cinza', + *-oso.*]

cenestesia (ce.nes.te.*si*.a) *sf. Psi.* Denom. comum às impressões sensoriais internas do organismo, que independem da indicação dos sentidos; sensibilidade interna, orgânica [F.: Do fr. *cénesthésie*; ver *cen(o)-*[2] e *-estesia*. Hom./Par.: *cenestesia* (sf.), *cinestesia* (sf.), *sinestesia* (sf.).]

cenestético (ce.nes.*té*.ti.co) *a. Psi.* Ref. a cenestesia [F.: *cenest(esia)* + *-ético*, seg. o mod. gr.]

cenho (*ce*.nho) *sm.* **1** Expressão facial de grande seriedade, de mau humor, animosidade etc.; carranca **2** Rosto, os traços faciais; semblante, fisionomia: *Ao ler a notícia, franziu o cenho.* [F.: Do lat. *cinus*, pelo espn. *ceño*. Hom./Par.: *cenhos* (pl.), *senhos* (adj. pl. [ant.]).]

cênico (*cê*.ni.co) *a.* **1** Ref. a cena **2** Ref. a ou próprio de uma representação teatral [F.: Do lat. *scenicus, a, u*, do gr. *skenikós, é, ón.*]

◎ **-ceno[1]** *el. comp.* Ver *cen(o)-*[2]: *abioceno*

◎ **cen(o)-[1]** *el. comp.* = 'vazio': *cenofilia, cenófilo, cenofobia, cenófobo, cenofobo, cenologia*[1], *cenotáfio* (< lat. < gr.) [F.: Do gr. *kenós, é, ón.*]

◎ **-ceno[2]** *el. comp.* = 'novo'; 'recente'; '(*p. ext.*) época geológica': *eoceno, holoceno, mioceno, paleoceno, plioceno* [F.: Do gr. *kainós, é, ón*, 'novo'; 'recente'. Tb.: *cen(o)-*[4].]

◎ **cen(o)-[2]** *el. comp.* = 'comum'; '(*p. ext.*) comunidade': *cenestesia* (< fr.), *cenóbio* (< lat. < gr.), *cenobita* (< fr. < gr.), *cenologia*[2] [F.: Do gr. *koinós, é, ón*, 'comum a muitas pessoas'; 'comum'; 'usual'; 'da mesma origem', 'da mesma natureza'. Tb.: *-ceno*[1] (qv.).]

◎ **cen(o)-[3]** *el. comp.* = 'cena': *cenário* (< lat.), *cênico* (< gr.), *cenografia* (< fr. < gr.), *cenógrafo* (< gr.), *cenotécnica* [F.: Do gr. *skené, ês*, 'barraca'; 'tenda'; 'atores de um conjunto teatral'; 'conjunto teatral'; 'cena'; 'cenário'.]

cenóbio (ce.*nó*.bi.o) *sm.* **1** Morada de monges, de cenobitas; CONVENTO **2** *Bot.* Entre algas ou bactérias, grupo de células com origem comum e forma constante, determinada para cada espécie **3** *Bot.* Fruto múltiplo que, ao amadurecer, se divide em várias peças [F.: Do gr. *koinóbios, os, on*, 'que vive em comunidade', pelo lat. *coenobium, ii*, 'morada de cenobitas'; ver *cen(o)-*[2].]

cenobiótico (ce.no.bi.*ó*.ti.co) *a.* De ou ref. a cenóbio [F.: *cenóbio* + *-ótico.*]

cenobita (ce.no.*bi*.ta) *a2g.* **1** Diz-se de monge que vive em comunidade **2** *P. ext.* Que vive em reclusão, em comunidade com interesses e objetivos comuns *s2g.* **3** Monge que vive em comunidade **4** *P. ext.* Aquele que vive recluso, em comunidade [F.: Do lat. *cenobita, ae*, pelo fr. *cénobite.*]

cenofilia (ce.no.fi.*li*.a) *sf. Psiq.* Atração por grandes espaços abertos e/ou desabitados [Ant.: *cenofobia.*] [F.: *cen(o)-*[1] + *-filia*[1].]

cenofílico (ce.no.*fí*.li.co) *Psiq. a.* **1** Ref. a cenofilia **2** Diz-se de indivíduo que tem cenofilia; CENÓFILO *sm.* **3** Esse indivíduo; CENÓFILO [F.: *cenofilia* + *-ico*[2].]

cenófilo (ce.*nó*.fi.lo) *a. sm. Psiq.* O mesmo que *cenofílico* (2 e 3) [F.: *cen(o)-*[1] + *-filo*[1]. Ant. ger.: *cenófobo.*]

cenofobia (ce.no.fo.*bi*.a) *sf. Psiq.* Medo doentio de grandes espaços abertos ou de locais públicos; AGORAFOBIA [Ant.: *cenofilia.*] [F.: *cen(o)-*[1] + *-fobia.*]

cenofóbico (ce.no.*fó*.bi.co) *Psiq. a.* **1** Ref. a cenofobia **2** Diz-se de indivíduo que sofre de cenofobia; CENÓFOBO *sm.* **3** Esse indivíduo; CENÓFOBO [F.: *cenofobia* + *-ico*[2]. Ant. ger.: *cenofílico.*]

cenófobo (ce.*nó*.fo.bo) *a. sm. Psiq.* O mesmo que *cenofóbico* (2 e 3) [F.: *cen(o)-*[1] + *-fobo*. Ant. ger.: *cenófilo.*]

cenografado (ce.no.gra.*fa*.do) *a.* De que se fez a cenografia [F.: Part. de *cenografar.*]

cenografar (ce.no.gra.*far*) *v. td.* Fazer a cenografia, a execução dos cenários de: *Agora só falta cenografar o espetáculo.* [▶ 1 cenografar] [F.: *cenograf(ia)* + *-ar*[2].]

cenografia (ce.no.gra.*fi*:a) *sf.* **1** *Cin. Teat. Telv.* Arte e técnica de criar cenários e dirigir sua execução **2** Arte de representar edifícios, recantos, paisagens conforme as leis da perspectiva **3** Arte de pintar as decorações cênicas **4** *P. ext.* O conjunto de tudo o que foi representado [F.: Do fr. *scénographie*, do gr. *skenographía, as.* Hom./Par.: *cenografia* (sf.), *cinografia* (sf.), *senografia* (sf.).]

cenograficamente (ce.no.gra.fi.ca.*men*.te) *adv.* De maneira cenográfica; em termos de cenografia: *Só alterou a peça cenograficamente.* [F.: Do fem. de *cenográfico* + *-mente.*]

cenográfico (ce.no.*grá*.fi.co) ***a.*** Ref. a cenografia [F.: Do lat. *skenographikós, é, on.* Hom./Par.: *cenográfico* (a.), *cinográfico* (a.), *senográfico* (a.).]

cenógrafo (ce.*nó*.gra.fo) ***sm.*** Profissional que cria cenários; CENARISTA; CENOGRAFISTA [F.: Do gr. *skenográphos, os, on*; ver *cen(o)-*³ e *-grafo*.]

cenoira (ce.*noi*.ra) ***sf.*** Ver *cenoura*

cenologia¹ (ce.no.lo.*gi*.a) ***sf.*** *Fís.* Estudo do vácuo [F.: *cen(o)-*¹ + *-logia*. Hom./Par.: *cenologia* (sf.), *cinologia* (sf.), *sinologia* (sf.).]

cenologia² (ce.no.lo.*gi*.a) ***sf.*** *Antq.* Conferência entre médicos, junta médica [F.: Do gr. *koinología, as*, 'conversação'; 'consultação'; ver *cen(o)-*² e *-logia*.]

◎ **-cenose¹** ***el. comp.*** = 'esvaziamento'; 'extração': *litocenose* [F.: Do gr. *kénosis, eos*, 'esvaziamento'.]

◎ **-cenose²** ***el. comp.*** = 'comunidade'; 'conjunto'; 'interação': *biocenose, biogeocenose* [F.: Do gr. *koinós, é, ón*, 'comum'; 'da mesma natureza', + *-ose*¹.]

cenotáfio (ce.no.*tá*.fi.o) ***sm.*** Sepulcro vazio ou monumento fúnebre em homenagem a uma pessoa cujo corpo não foi encontrado ou localizado [F.: Do fr. *cénotaphe*, do lat. *cenothaphium, ii*, este do gr. *kénothaphion, ou.*]

cenotécnica (ce.no.*téc*.ni.ca) ***sf.*** *Cin. Teat. Telv.* Técnica de criação, montagem e utilização de cenários [F.: *cen(o)-*³ + *técnica*.]

cenotécnico (ce.no.*téc*.ni.co) ***a.*** **1** Ref. a cenotécnica ***sm.*** **2** *Cin. Teat. Telv.* Profissional que monta e trabalha com os cenários criados por um cenógrafo [F.: *cen(o)-*³ + *técnico*.]

cenoura (ce.*nou*.ra) *Hort.* ***sf.*** **1** Planta da família das umbelíferas (*Daucus carota*), de raiz alongada, aromática e comestível, de cor alaranjada ou alvacenta [A cenoura cultivada como hortaliça constitui uma subespécie domesticada (*D. carota* subsp. sativus), originada de uma subespécie silvestre, não comestível.] **2** A raiz dessa planta, rica em açúcares e carotenoides [F.: Do ár. *isfanária*. Tb. *cenoira*.]

cenozoico (ce.no.*zoi*.co) ***a.*** **1** *Geol.* Diz-se do período geológico tb. denominado era terciária, em cujo fim já havia grupos humanos ***sm.*** **2** *Geol.* O período cenozoico [Nesta acp., com inicial maiúsc.] [F.: *cen(o)-*⁴ + *-zoico*.]

censitário (cen.si.*tá*.ri.o) ***a.*** **1** Ref. a censo; esp.: baseado em censo (3); CENSUAL [Cf.: *Voto censitário*.] **2** Que paga censo; CENSATÁRIO ***sm.*** **3** Aquele que paga censo; CENSATÁRIO [F.: Do part. pass. lat. *censitus* + *-ário*.]

censo (*cen*.so) ***sm.*** **1** Conjunto de dados a respeito da população de um lugar (p. ex., número de habitantes, atividades econômicas, composição familiar etc.); censo demográfico: *o censo de 2000 [isto é, aquele relativo às informações obtidas nesse ano.]* **2** Coleta e organização dessas informações; censo demográfico; RECENSEAMENTO: *Milhares de jovens trabalharam no censo.* **3** *Antq. Jur.* Rendimento tributável por motivos eleitorais, ou para o exercício de algum tipo de direito [F.: Do lat. *census*. Hom./Par.: *senso*.] ■ **~ demográfico** Ver *censo* (1 e 2)

censor (cen.*sor*) ***sm.*** **1** Funcionário (de governo, instituição etc.) incumbido de examinar trabalhos de cunho artístico, informativo ou cultural, esp. dos meios de comunicação de massa, com o fim de censurá-los, restringi-los, proibi-los ou liberá-los segundo critérios morais, políticos ou religiosos **2** *P. ext.* Qualquer crítico arbitrário do comportamento de outrem **3** *Antq. Hist.* Na Roma antiga, magistrado que fazia o censo populacional, arrecadava os impostos e respondia pelos bons costumes [F.: Do lat. *censor*. Hom./Par.: *sensor*.]

censório (cen.*só*.ri.o) ***a.*** **1** Relativo às funções de censor (poder censório) **2** Relativo à censura (leis censórias; ofícios censórios) [F.: Do lat. *censorius, a, um*. Hom./Par.: *sensório* (a.).]

censual (cen.su.*al*) ***a2g.*** Ref. a censo; CENSITÁRIO [Pl.: *-ais*.] [F.: Do lat. *censualis*. Hom./Par.: *sensual*.]

censura (cen.*su*.ra) ***sf.*** **1** Ato ou efeito de censurar, criticar, repreender [Ant.: *elogio, louvor, apologia*.] **2** Exame ou avaliação com intenção de conhecer méritos e defeitos de algo ou alguém, segundo certos princípios ou doutrina **3** Exame oficial de obras informativas, literárias, teatrais, cinematográficas, de artes plásticas ou de cultura de massa com o fim de lhes fazer restrições, proibi-las ou liberá-las, segundo critérios morais, políticos, religiosos **4** Restrição, proibição ou modificação impostas a obra submetida a tal exame **5** Poder de censurar; autoridade, instituição, comissão ou grupo responsável pelo exame e avaliação, proibição, liberação ou restrição de livros, filmes, músicas etc. **6** Medida disciplinar, que visa corrigir ou coibir atos faltosos por parte de alguém; esp.: advertência ou reprovação severa, ger. de caráter formal, oficial, p. ex. como forma branda de penalização de membro de um grupo com regulamento próprio **7** *Psic.* Processo psíquico que controla ou impede a ocorrência ou manifestação consciente de certas ideias, representações, desejos etc. **8** *Antq.* Na Roma antiga, dignidade ou função de censor [F.: Do lat. *censura*.]

censurado (cen.su.*ra*.do) ***a.*** **1** Que recebeu censura, crítica, repreensão, por algum tipo de falha, erro, defeito etc. **2** Que foi objeto de avaliação negativa, julgado desfavoravelmente, por alguma autoridade **3** Que foi proibido ou compulsoriamente modificado por decisão de um órgão de censura; DESAPROVADO **4** *Rel.* Que recebeu excomunhão ou outras penas eclesiásticas [F.: Part. de *censurar*.]

censurante (cen.su.*ran*.te) ***a2g.*** **1** Que censura, capaz de censurar, de criticar ***s2g.*** **2** Aquele que censura, que é capaz ou encarregado de censurar [F.: *censura(r)* + *-nte*.]

censurar (cen.su.*rar*) ***v.*** **1** Desaprovar ou criticar algo considerado ruim, defeituoso; avaliar algo ou alguém negativamente, chamando atenção para defeitos, falhas etc.; considerar algo ou alguém de modo crítico ou desaprovador [***td.***: *censurar um texto (pelos erros gramaticais); O crítico literário censurou os deslizes de uma obra renomada.*] [***tdp.***: *Censurou-a de irresponsável.*] **2** Repreender vigorosamente; estigmatizar (o procedimento de outrem) [***td.***: *Censuraram-no na frente de todos (por sua irresponsabilidade).*] [***tdi.*** + *a*: *Censurou o procedimento desonesto ao sócio.*] **3** Exercer censura sobre, proibindo ou limitando a atuação, divulgação, exibição ou execução de [***td.***: *censurar a imprensa.*] [***tdi.*** + *a, para*: *censurar um filme para menores de 16 anos.*] **4** Repreender vigorosamente; estigmatizar (o procedimento de outrem) [***td.***: *Censuraram a peça em tantas cenas, que o texto ficou incompreensível.*] [▶ **1 censurar**] [F.: *censura* + *-ar*². Hom./Par.: *censura(s)* (fl.), *censura(s)*(sf. [pl.]).]

censurável (cen.su.*rá*.vel) ***a2g.*** Que se pode ou deve censurar; DEPLORÁVEL: *Teve uma atitude censurável.* [Ant.: *elogiável, louvável*.] [Pl.: *-veis*.] [F.: *censur(ar)* + *-ável*. Hom./Par.: *censuráveis* (pl.), *censuráveis* (fl. *censurar*).]

centáurea (cen.*táu*.re.a) ***sf.*** *Bot.* Denominação comum às plantas do gên. *Centaurea*, da fam. das compostas, que ocorrem na Europa, Ásia, África, Austrália e América do Norte, muitas são cultivadas como ornamentais e tb. chamadas de escovinha ou sultana [F.: do lat. cien. (gên.) *Centaurea*.]

centáurea-azul (cen.táu.re.a-a.*zul*) ***sf.*** *Bot.* Escovinha (2) [Pl.: *centáureas-azuis*.]

centauro (cen.*tau*.ro) ***sm.*** **1** *Mit.* Criatura fantástica da mitologia grega, metade homem, metade cavalo (comumente representados com corpo e pernas de cavalo, e torso, braços e cabeça de homem) **2** *Fig.* Cavaleiro hábil, dedicado, de valor; p. ext. homem que está quase constantemente montado a cavalo **3** *Fig.* Ser humano considerado como composto de uma parte elevada e outra bestial, ou como inseparável e dependente de algum equipamento mecânico (esp. para transporte, como automóvel ou motocicleta) que lhe transforma a natureza ou o comportamento: *O homem urbano, sempre se deslocando em seu automóvel, é como um centauro moderno.* **4** *Astr.* Constelação do hemisfério austral, perto do Cruzeiro do Sul [F.: Do gr. *kentauros*.]

centavo (cen.*ta*.vo) ***sm.*** **1** Centésima parte do real (moeda do Brasil) **2** Moeda divisionária correspondente à centésima parte da unidade monetária de alguns países **3** *P. us.* Centésimo, parte cem vezes menor que determinada unidade ou conjunto [F.: *cent(o)* + *-avo*.]

centeio (cen.*tei*.o) ***sm.*** **1** *Bot.* Cereal da família das gramíneas, muito us. para fazer pães e bebidas fermentadas ou destiladas ***a.*** **2** *P. us.* Da planta do centeio, ou feito com (a farinha de) centeio (palha centeia, pão centeio) [F.: Do lat. *centenum*.]

centelha (cen.*te*.lha) [ê] ***sf.*** **1** Partícula de matéria incandescente, desprendida de algum material em combustão ou do choque ou atrito de certos materiais, como ferro e pederneira, que aparece como um ponto luminoso em deslocamento; FAGULHA; FAÍSCA **2** *P. ext.* Brilho momentâneo, ou aquilo que brilha momentaneamente **3** *Fig.* Manifestação repentina e intensa de uma emoção, de um pensamento, de uma intuição, com ou sem consequências notáveis: *Passou-lhe pela cabeça uma centelha de sabedoria.* **4** Descarga elétrica luminosa, muito breve, que ocorre entre condutores separados por um gás. [É antecedida da ionização de seu percurso, e ger. seguida de som, como os raios na atmosfera.] **5** Fogo ou descarga elétrica que, provocados de modo controlado em certos dispositivos, desencadeiam algum processo químico ou físico, como disparo de projétil em arma de fogo, explosão de combustível no interior de motores etc. **6** *Fig.* Aquilo que provoca ou desencadeia, de modo brusco, algum processo ou transformação, ger. de grande intensidade ou violência [F.: Do espn. *centella*.]

centelhador (cen.te.lha.*dor*) [ô] *Elet.* ***sm.*** **1** Dispositivo formado por dois eletrodos para permitir a passagem entre eles de cargas em forma de centelhas **2** Aparelho para descarregar baterias ou acumuladores [F.: *centelhar* + *-dor*.]

centelhamento (cen.te.lha.*men*.to) ***sm.*** **1** Ação ou resultado de centelhar **2** *Telv.* Variação no sinal de vídeo que afeta a imagem [F.: *centelhar* + *-mento*.]

centelhar (cen.te.*lhar*) ***v. int.*** **1** Expelir ou lançar centelhas: *A fogueira centelhava.* **2** Luzir muito rapidamente; CINTILAR; FAISCAR: *Seus olhos apaixonados centelhavam.* **3** Surgir na imaginação ou no espírito (inspiração, ideia); LAMPEJAR [▶ **1 centelhar**] [F.: *centelh(a)* + *-ar*².]

centena (cen.*te*.na) ***sf.*** **1** Conjunto de cem elementos, unidades, pessoas ou grupos menores: *centenas de passageiros.* **2** *P. ext.* Quantidade equivalente a cem, exata ou aproximadamente: *Coletou uma centena de narrativas populares; Centenas de passageiros deixaram de embarcar.* **3** No sistema decimal de numeração e contagem, conjunto de dez dezenas – isto é, a terceira ordem de unidades em uma classe, abrangendo dez unidades da segunda ordem: centena (= dez dezenas de unidades simples), centena de milhar (dez dezenas de milhar), centena de milhão etc. **4** *Bras.* Nas loterias, número formado por três algarismos: *centena da sorte.* [F.: Do lat. *centeni*.] ■ **Às ~s 1** (Que se pode contar ou agrupar) em grupos de cem; p. ext.: em quantidade que contém várias centenas de unidades ou indivíduos: *Os pássaros chegavam, às centenas, para pernoitar no vale.* **2** *Fig.* Em grande quantidade

centenário (cen.te.*ná*.ri.o) ***a.*** **1** Ref. a cem; que contém cem unidades cem vezes determinada quantidade; CENTUPLICADO; CÊNTUPLO **2** Que conta cem anos ou mais de existência (casa centenária); SECULAR **3** *P. ext.* Que tem aproximadamente cem anos; que conta várias décadas (árvore centenária; tradições centenárias) ***sm.*** **4** Período de cem anos; CENTÚRIA; SÉCULO **5** Centésimo aniversário: *Comemoraram o centenário da cidade.* **6** Indivíduo com cem anos de idade ou mais [F.: Do lat. *centenarius*.]

◎ **-centese** ***el. comp.*** = 'punção': *abdominocentese, amniocentese, raquiocentese* [F.: Do gr. *kéntesis, eos*, 'ação de agulhoar'.]

centesimal (cen.te.si.*mal*) ***a2g.*** **1** Ref. a divisão em cem partes iguais **2** Ref. a fração de denominador cem; esp.: que se baseia em multiplicações e divisões (de unidades de medida) por 100 **3** Ref. a centésimo; que se conta em centésimos (ou, fig., pequeníssimas partes) de determinada medida (diferença centesimal) **4** *Fís.* Ver *centígrado* [Pl.: *-mais*.] [F.: Do lat. *centésimo* + *-al*¹.]

centésimo (cen.*té*.si.mo) ***num.*** **1** Ordinal que, em uma sequência, corresponde ao número cem ***a.*** **2** Diz-se de parte cem vezes menor do que a unidade ou um todo: *Venderam o centésimo lote da fazenda.* [Us. tb. como subst.: *venceu por centésimos de segundo.*] **3** *Fig.* Diz-se da última ocorrência, numa série considerada muito longa (ger. bem menor que 100): *É a centésima vez que telefono para ela.* ***sm.*** **4** Unidade divisionária de moeda; divisão com valor cem vezes menor que o da unidade [F.: Do lat. *centesimus, a, um*.]

◎ **cent(i)-** ***el. comp.*** = cem: *centenário, centopeia.*

◎ **centi-** ***el. comp.*** = centésima parte: *centímetro.*

centiare (cen.ti.*a*.re) ***sm.*** Unidade de medida agrária ref. à centésima parte de um are e que equivale a um metro quadrado (1 m²) [Símb.: ca.] [F.: Do fr. *centiare*.]

centifólio (cen.ti.*fó*.li:o) ***a.*** Que tem cem-folhas [F.: Do lat. *centifolius*.]

centígrado (cen.*tí*.gra.do) ***a.*** **1** Que se divide em cem graus **2** Pertencente a escala que tem cem graus (grau centígrado) **3** *Antq.* Pertencente à escala Celsius de temperatura [Ver acp. 4.] ***sm.*** **4** *Restr. Desus. Fís.* Grau de uma escala centígrada (1); esp.: unidade de temperatura na escala Célsius, correspondente a um centésimo da diferença de temperaturas que se registra, ao nível do mar, entre o ponto de congelamento e o ponto de ebulição da água (aos quais são convencionadamente atribuídas, respectivamente, as medidas 0 e 100); célsius, grau célsius [Por deliberação da Conferência Geral de Pesos e Medidas (1948), *centígrado* foi substituído por *célsius*.] [F.: *centi-* + *-grado*.]

centigrama (cen.ti.*gra*.ma) ***sm.*** Unidade de massa equivalente à centésima parte do grama [Símb.: cg.] [F.: *cent(i)* + *-grama*.]

centilitro (cen.ti.*li*.tro) ***sm.*** Unidade de volume correspondente à centésima parte do litro [Símb.: cl.] [F.: *cent(i)* + *-litro*.]

centímano (cen.*tí*.ma.no) ***a.*** Que tem cem mãos, ou cem partes análogas a mãos [F.: Do lat. *centimanus*.]

centimetragem (cen.ti.me.*tra*.gem) ***sf.*** **1** Medição ou medida em centímetros **2** *Publ.* Espaço tomado por um anúncio publicitário em jornal, revista etc. medido em centímetros (altura) por colunas (largura) [F.: *centímetr(o)* + *-agem*².]

centimétrico (cen.ti.*mé*.tri.co) ***a.*** Ref. a centímetro [F.: *centímetr(o)* + *-ico*².]

centímetro (cen.*tí*.me.tro) ***sm.*** Unidade de medida de comprimento, equivalente à centésima parte do metro [Símb.: cm.] [F.: *cent(i)* + *-metro*.]

cêntimo (*cên*.ti.mo) ***sm.*** Centésima parte das unidades monetárias adotadas em diversos países (Bolívia, França, Paraguai, Costa Rica, Holanda e outros); CENTÉSIMO [F.: Do fr. *centime*.]

cento (*cen*.to) ***num.*** **1** Cem [NOTA: Emprega-se *cento* em vez de *cem* na formação dos numerais cardinais entre cem e duzentos (cento e três) ou para indicar proporções e medidas em forma de percentagens (vinte por cento).] ***sm.*** **2** Conjunto de cem unidades; CENTENA: *Levou-lhe um cento de maçãs.* [F.: Do lat. *centum*. Hom./Par.: *sento* (fl. *sentar*).] ■ **Cem por ~ 1** *Pop.* Todos os casos conhecidos ou observados; a inteireza do conjunto (de elementos, fenômenos etc.), sem exceções **2** Completamente, integralmente: *Ela está cem por cento segura do que afirma.* **3** *Fig.* Perfeito, ótimo: *– Como vai? Tudo bem com você? – Cem por cento!* **Por ~** Em cem; em cada cento ou centena. (Indica uma proporção, sendo o número informado contado dentro de um conjunto de 100, ou comparado a este.). Ver *porcentagem* [Símb.: *%*.]

centopeia (cen.to.*pei*.a) [éi] ***sf.*** *Zool.* Denominação comum aos artrópodes da classe dos quilópodes, encontrados em todo o mundo, de corpo segmentado, com até 26cm de comprimento e quinze ou mais pares de pernas e com um par de grandes garras de veneno, capaz de picada dolorosa; LACRAIA; ESCOLOPENDRA [F.: Do lat. *centumpeda*.]

centrado (cen.*tra*.do) ***a.*** **1** Situado, colocado ou reunido no centro ou num ponto central; CENTRALIZADO **2** *Bras. Fig.* Diz-se de pessoa sensata, equilibrada **3** *Fut.* Diz-se da bola lançada ou cruzada para a área adversária [F.: Part. de *centrar*.]

central (cen.*tral*) ***a2g.*** **1** Ref. ao centro ou que constitui o centro (de uma figura geométrica, de uma superfície, de uma região do espaço etc.) **2** Ref. a, situado em ou que constitui a parte interior mais ou menos equidistantes dos limites ou extremos de determinado território, continente, país etc. (Europa central; o Planalto Central brasileiro) **3**

Que tem posição ou situação intermediária entre limites ou extremos 4 *Fig.* De grande importância; que se destaca e deve necessariamente ser levado em conta (O aspecto central); PRINCIPAL; FUNDAMENTAL 5 Cuja atividade ou funcionamento tem influência sobre outras partes acessórias, subordinadas, dependentes (mecanismo central, refrigeração/calefação central) 6 *Restr.* Ref. a ou formado pelo conjunto do cérebro e da medula espinhal 7 Que controla, dirige ou comanda grupos ou elementos específicos, locais, ou subdivisões de uma organização maior (comitê central) *sf.* 8 Órgão ou setor dotado de equipes e equipamentos destinados a garantir certos serviços, esp. os relativos a distribuição (p. ex., de energia, água, mensagens etc.) (central telefônica; central de comunicação; central de polícia) 9 Sede de empresa [Pl.: *-trais.*] [F.: Do lat. *centralis.*]

centralidade (cen.tra.li.*da*.de) *sf.* 1 Característica ou condição do que é central, do que ocupa o centro 2 *Fig.* Grande importância de algo (comparativamente a outras coisas), esp. daquilo que não pode deixar de ser levado em conta [F.: *central* + *-(i)dade.*]

centralismo (cen.tra.*lis*.mo) *sm. Adm. Pol.* Sistema político ou administrativo em que o poder e a tomada de decisões se concentram numa pessoa ou grupo restrito [F.: *central* + *-ismo*. Ant.: *descentralismo.*] ■■ ~ **democrático** *Pol.* Sistema, ger. usado em regimes comunistas, no qual sucessivas assembleias discutem as propostas e medidas que serão adotadas nos órgãos políticos e administrativos

centralista (cen.tra.*lis*.ta) *a2g.* 1 Que é adepto do centralismo ou que se identifica com este sistema *s2g.* 2 Adepto do centralismo ou integrante de partido ou organização dessa tendência [F.: *central* + *-ista.*]

centralização (cen.tra.li.za.*ção*) *sf.* 1 Ação ou resultado de centralizar 2 *Adm. Pol.* Concentração de poder e decisões numa pessoa ou num grupo restrito: *A tendência à centralização levou-o a tiranizar seus funcionários.* 3 Concentração em um mesmo local [Pl.: *-ções.*] [F.: *centralizar* + *-ção*. Ant.: *descentralização.*]

centralizador (cen.tra.li.za.*dor*) [ô] *a.* 1 Que centraliza, tendente a centralizar (governo centralizador; administração centralizadora): *Era um stalinista, centralizador e despótico.* 2 *Adm.* Que tem a função ou o encargo de centralizar, de gerir ou comandar de modo coordenado (órgãos, secretarias, instituições etc.) *sm.* 3 Aquele ou aquilo que centraliza [F.: *centralizar* + *-dor.*]

centralizar (cen.tra.li.*zar*) *v.* 1 Situar(-se) no centro de algo [*td.* / *tda.*: *Centralizou a pintura (na tela); O contador de histórias centralizou-se (na roda).*] 2 Reunir(-se) num só lugar, em um mesmo centro; CENTRAR(-SE); CONCENTRAR(-SE) [*td.*: *centralizar serviços públicos, recursos, poderes etc.*] [*tda.*: *As tropas se centralizaram no quartel-general.*] 3 Fazer convergir para si; ATRAIR [*td.*: *O ator centralizou os olhares da plateia.*] 4 *Art. gr.* Tornar (texto ou imagem) alinhado em relação ao centro da mancha gráfica [*td.*] [▶ 1 centralizar] [F.: *central* + *-izar.*]

centrar (cen.*trar*) *v.* 1 Colocar no centro (de); CENTRALIZAR [*td.* / *tda.*: *Convém centrar este quadro (na parede).*] 2 *Fut.* Lançar (a bola) para a área adversária; CRUZAR [*int.* / *td.*: *Ele não sabe centrar (a bola).*] [*tr.* / *tdr.* + *para*: *Centrou (a bola) para o atacante.*] 3 Fazer coincidir uma série de centros para formar eixo [*td.*] 4 Direcionar(-se) para um mesmo ponto; reunir(-se) em torno de um ponto central [*tr.* + *em*: *As discussões centraram-se no referendo.*] [*tdr.* + *em*: *O enfermeiro centrava sua atenção no paciente; Para a pesquisa, centrei-me na consulta de jornais da época.*] [▶ 1 centrar] [F.: *centro* + *-ar²*. Hom./Par.: *centro* (fl.), *centro* (sm.).]

◎ **centr(i)-** *el. comp.* = '(o) centro', 'o ponto central', 'o lugar principal de ou para algo': *centrífugo* (< fr.), *centríolo*, *centrípeto* (< fr.), *centrismo*, *centrista; centroavante*, *centrocampista*, *centrolécito*, *centromédio*, *centrômero*, *centrosfera; antropocêntrico*, *etnocentrismo*, *pentacêntrico*, *policêntrico; cromocentro*, *epicentro*, *hemocentro*, *hipocentro*, *notocentro*, *pericentro* [F.: Do lat. *centrum, i*, 'centro', do gr. *kêntron, ou*, 'aquilo que pica, estimula, excita'; 'aguilhão', 'ponta de lança', 'centro do círculo'. Ver *acentro-*.]

centrífuga (cen.*trí*.fu.ga) *sf.* 1 Eletrodoméstico com que se extrai o sumo de frutas e hortaliças 2 *Fís.* Máquina que, mediante rotação centrífuga de alta velocidade, separa substâncias de densidades distintas [F.: Fem. substv. de *centrífugo.*]

centrifugação (cen.tri.fu.ga.*ção*) *sf.* 1 Ação ou resultado de centrifugar 2 *Fís.* Separação de substâncias de densidades diferentes pela força centrífuga [Pl.: *-ções.*] [F.: *centrifugar* + *-ção.*]

centrifugado (cen.tri.fu.*ga*.do) *a.* Que foi submetido à centrifugação [F.: Part. de *centrifugar.*]

centrifugadora (cen.tri.fu.ga.*do*.ra) [ô] *sf.* 1 O mesmo que *centrífuga* 2 *Art. gr.* Torniquete (7) [F.: De *centrifugar* + *-dora*, ou fem. substv. de *centrifugador.*]

centrifugar (cen.tri.fu.*gar*) *v. td.* 1 Aplicar força centrífuga a, ou fazer passar por centrífuga, centrifugadora 2 Desviar(-se) do centro [▶ 14 centrifugar] [F.: *centrífugo* + *-ar²*. Hom./Par.: *centrifuga*(s) (fl.), *centrífuga* (sf., f. *centrífugo* e pl.); *centrifugo* (fl.), *centrífugo* (a.).]

centrífugo (cen.*trí*.fu.go) *a.* 1 Que se distancia do eixo de rotação (força centrífuga) [Ant.: *centrípeto*] 2 Que (se) move em direção contrária ao eixo de rotação 3 Cujo funcionamento resulta de força centrífuga [F.: Do fr. *centrifuge.*]

centríolo (cen.*trí*.o.lo) *sm. Cit.* Organela cilíndrica presente no citoplasma, constituída de proteínas e relacionada à divisão celular [F.: *centr(i)-* + *-olo.*]

centrípeto (cen.*trí*.pe.to) *a.* 1 Que se dirige para o eixo de rotação (força centrípeta) [Ant.: *centrífugo*] 2 *Bot.* Diz-se de inflorescência cujas flores se abrem sucessivamente da base do eixo em direção ao ápice [F.: Do fr. *centripète.*]

centrismo (cen.*tris*.mo) *sm. Pol.* Postura política de centro, nem de esquerda nem de direita [F.: *centro* + *-ismo.*]

centrista (cen.*tris*.ta) *Pol. a2g.* 1 Que é adepto do centrismo ou que se identifica com este sistema, de linha moderada entre a esquerda e a direita *s2g.* 2 Adepto do centrismo ou integrante de partido ou organização dessa tendência [F.: *centrismo* + *-ista*, seg. o mod. gr.]

◎ **-centr(o)-** *el. comp.* Ver *centr(i)-*

◎ **-centro** *el. comp.* Ver *centr(i)-*

centro (*cen*.tro) *sm.* 1 Ponto que se situa no meio de uma superfície, de uma área ou de um espaço, tendo exata ou aproximadamente a mesma distância das extremidades ou limites: *O monumento aparece exatamente no centro da fotografia; O jogador estava caído no centro do gramado; Colocou o sofá no centro da sala.* [Cf. *centro* (acp. 12), *centro de gravidade* e *centro geométrico.*] 2 Lugar para o qual muitas pessoas convergem, para onde costumam se dirigir e onde se dá grande parte de determinadas atividades, e que não é necessariamente um centro (1) geográfico: *O novo bar era o centro dos encontros.* 3 Localidade, região etc. de grande importância em relação às áreas vizinhas, onde se concentram atividades econômicas, administrativas e/ou políticas etc. (ger. especificadas pelo adj.): *A região sudeste é há anos o centro do país; Salvador é o centro da cultura afro-brasileira; São Paulo é o centro financeiro do Brasil e Brasília, o centro político.* 4 O centro (3) da cidade, a parte da cidade onde há grande concentração de atividades comerciais e financeiras: *Meu escritório fica no centro (da cidade); ônibus que vai do centro para a zona norte; obras de restauração do centro histórico da cidade.* 5 Local, ger. provido de instalações e equipamentos adequados, em que pessoas se reúnem para realizar certas atividades ou funções específicas (centro esportivo; centro cirúrgico; centro comercial) 6 Associação de pessoas em vista de determinado objetivo ou em torno de uma causa comum (centro acadêmico; centro religioso) 7 Local de congregação de pessoas, para atividades de caráter espiritual (centro espírita; centro budista) 8 *Fig.* Pessoa ou coisa que, por motivos diversos, atrai o interesse de outrem: *A nova funcionária passou a ser o centro das atenções na empresa; A apresentação da banda no show era o centro das conversas entre os jovens.* 9 Pessoa ou coisa à qual muitas outras estão referidas ou ligadas, esp. numa relação de subordinação, dependência, ou da qual recebem algum tipo de influência 10 *Fig.* Posição política moderada, de tendência conciliadora, esp. entre as tendências da esquerda e da direita, ou entre conservadores e radicais, entre governo e oposição etc.: *Sempre votava nos partidos de centro.* 11 *P. ext. Fig.* Grupo de políticos que partilham dessa posição moderada: *O governo vai negociar o apoio do centro para garantir a reeleição.* 12 *Geom.* Ponto em torno do qual um círculo ou uma esfera (situado a uma mesma distância de todos os pontos da circunferência do círculo ou da superfície da esfera) 13 *P. ext.* Ver *Centro de simetria* 14 *Esp.* Ação de lançar a bola, da parte lateral do campo na direção da parte central, esp. na grande área e pelo alto 15 O eixo de um corpo, a parte interior ou principal (por oposição às partes exteriores, periféricas, acessórias) 16 *Fig.* Parte ou elemento mais fundo ou profundo, mais recôndito, menos acessível; âmago, cerne, essência: *o centro da personalidade; O amor pela música estava no centro do seu ser.* 17 *Fig.* Parte ou aspecto principal, mais importante, mais difícil etc. 18 *Teat.* O espaço principal da cena 19 *Geom.* Ponto comum a retas que se interceptam, ou reta comum a planos que se interceptam 20 *Anat.* Agrupamento de neurônios que têm certa função específica 21 *N. E.* Lugar afastado da povoação principal 22 *Amaz.* A parte interior de um seringal [F.: Do lat. *centrum, i.* Hom./Par.: *centro* (fl. de *centrar*).] ■■ ~ **acadêmico** Instituição — e o local no qual funciona — que reúne estudantes em torno de atividades políticas, culturais, esportivas e de interesse acadêmico; diretório acadêmico ~ **alto** *Teat.* No palco, a parte central e posterior ~ **auditivo** *Anat.* Área do córtex temporal onde ocorrem os processos da audição ~ **baixo** *Teat.* No palco, a parte central e anterior ~ **celular** *Cit.* Região do citoplasma ao redor do centríolo; centrossomo ~ **de ação** *Met.* Área de pressões barométricas alta e baixa ~ **de curvatura** 1 *Geom. an.* Centro do círculo osculador a uma curva 2 *Ópt.* Em espelho ou lente esféricos, o centro da esfera a que pertence a superfície do espelho ou da lente ~ **de empuxo** *Fís.* Quando um corpo flutua em um fluido, ponto que seria o do centro de gravidade da massa desse fluido que foi deslocada pelo corpo, e que é o ponto de aplicação do empuxo do fluido sobre o corpo ~ **de gravidade** *Fís.* O ponto de aplicação, num corpo, da resultante de todos os vetores que a força de gravidade faz atuar sobre ele; baricentro ~ **de homotetia** *Geom.* Ver *centro de semelhança* ~ **de impacto** *Fís.* Num corpo rígido, com um eixo fixo em torno do qual pode girar, ponto sobre o qual a aplicação de uma força instantânea não produz reações nesse eixo ~ **de inércia** *Fís.* Ver *centro de massa* ~ **de inversão** *Geom.* Ponto fixo que serve de referência a dois pontos inversos; polo ~ **de massa** *Fís.* Num corpo rígido, ou num sistema de corpos rígidos, ponto que se comporta como se toda a massa do corpo ou do sistema estivesse concentrada nele, e como se e toda a força externa atuante sobre eles estivesse aplicada nele, com as mesmas consequências; centro de inércia ~ **de mesa** Peça (de cristal, cerâmica, prata etc.) que serve como ornato no centro de uma mesa ~ **de oscilação** *Fís.* O ponto de um pêndulo (físico) que se comporta como se toda a massa do pêndulo nele se concentrasse, oscilando o pêndulo simples resultante com o mesmo período do pêndulo físico inicial ~ **de percussão** *Fís.* Centro de impacto em um pêndulo físico [Coincide com o centro de oscilação.] ~ **de pressão** *Fís.* Em superfície imersa num fluido, ponto sobre o qual se aplica a resultante das forças provenientes da pressão sobre a superfície ~ **de processamento de dados** *Inf.* Departamento (e seu pessoal e suas instalações) que planeja e provê serviços de processamento de dados à instituição, organização etc. [Sigla: *CPD.*] ~ **de semelhança** *Geom.* Numa disposição de duas figuras homotéticas, ponto fixo onde se cruzam todas as retas que unem os pontos correspondentes dessas figuras; centro de homotetia ~ **de simetria** *Geom.* Ponto em relação ao qual qualquer ponto de uma figura tem um ponto simétrico em outra, que lhe é simétrica; ponto de simetria ~ **de terapia intensiva** Antiga denominação de *Unidade de terapia intensiva* [Sigla: *CTI.*] ~ **externo de semelhança** *Geom.* Denominação do centro de semelhança, quando a razão de semelhança é positiva ~ **galáctico** *Astron.* Região da galáxia com grande densidade de matéria (estrelas, gases, nuvens e poeira cósmica) ~ **geométrico** *Geom. an.* Em sistema de coordenadas, ponto do qual cada coordenada é a média das coordenadas correspondentes de uma figura no mesmo sistema; centroide ~ **histórico** *Urb.* Núcleo de origem de uma cidade, caracterizado por edificações históricas, remanescentes da época; núcleo histórico ~ **instantâneo** *Fís.* Ponto em torno do qual gira, num dado momento, um corpo rígido plano, quando se move (movimentos de translação e rotação) em seu próprio plano ~ **interno de semelhança** *Geom.* Denominação do centro de semelhança, quando a razão de semelhança é negativa ~ **óptico** 1 *Ópt.* Ponto sobre o eixo óptico de uma lente, pelo qual os raios luminosos podem passar sem sofrer desvio angular 2 *Ópt.* Num espaço gráfico (um cartaz, uma página) o ponto que parece ser o centro de equilíbrio do material gráfico nele disposto ~ **radical** 1 *Geom.* Ponto de cruzamento dos eixos radicais de três círculos coplanares, dois a dois 2 *Geom.* Ponto de cruzamento dos eixos radicais de quatro esferas, duas a duas

◎ **centro-** *el. comp.* Ver *centr(i)-*

centro-africano (cen.tro-a.fri.*ca*.no) *sm.* 1 Pessoa nascida ou que vive na República Centro-Africana (África) [Pl.: *centro-africanos.*] *a.* 2 Da República Centro-Africana; típico desse país ou de seu povo 3 Ref. à região central da África (população centro-africana) [Pl.: *centro-africanos.*]

centro-americano (cen.tro-a.me.ri.*ca*.no) *sm.* 1 Pessoa nascida ou que vive na América Central [Pl.: *centro-americanos.*] *a.* 2 Da América Central; característico dessa região do continente americano ou de seu povo [Pl.: *centro-americanos.*]

centroavante (cen.tro:a.*van*.te) *s2g. Bras. Fut.* Denominação antiga do jogador cuja função era atacar pelo meio; PONTA DE LANÇA [F.: *centro-* + *avante.*]

centrocampista (cen.tro.cam.*pis*.ta) *s2g. Fut.* Jogador que atua no meio-campo, ger. com função defensiva [F.: *centro-* + *campo* + *-ista.*]

centro-direita (cen.tro-di.*rei*.ta) *sf. Pol.* Conjunto de partidos e movimentos políticos e sociais que, não sendo marcadamente favoráveis a um governo autoritário ou a transformações radicais da sociedade, defendem políticas econômicas e sociais conservadoras, favoráveis a interesses oligárquicos, ou contrárias às defendidas pela 'esquerda' [Pl.: *centro-esquerdas.*] ■■ **De** ~ Próprio dos partidos e organizações que compõem a centro-esquerda; caracterizado por ideias ou políticas que têm elementos ou tendências autoritárias, conservadoras ou antiliberais, mas que não se opõem radicalmente ao regime democrático e à existência de instituições da sociedade civil

centro-esquerda (cen.tro-es.*quer*.da) *Pol. sf.* Conjunto de partidos e movimentos políticos e sociais que, não sendo marcadamente socialistas, defendem certas ideias ou políticas próximas à da 'esquerda' (p. ex., liberdades democráticas, transformações que visem maior igualdade social, papel regulador do Estado na economia etc.) [Pl.: *centro-esquerdas.*] ■■ **De** ~ Que, sendo considerado política e ideologicamente 'de centro' (nem revolucionário, nem fortemente conservador), tem tendências para ou afinidades com a esquerda: *governo de centro-esquerda.*

centro-europeu (cen.tro-eu.ro.*peu*) *sm.* 1 Pessoa nascida ou que vive na Europa Central [Pl.: *centro-europeus.* Fem.: *centro-europeia.*] *a.* 2 Da Europa Central; típico dessa região ou de seu povo [Pl.: *centro-europeus.* Fem.: *centro-europeia.*]

centroide (cen.*troi*.de) *sm.* 1 *Fís.* O centro de massa de um corpo 2 *Geom.* Numa figura geométrica plana ou tridimensional, ponto que coincide com o centro de massa de um corpo perfeitamente correspondente à figura (isto é, um corpo formado por uma finíssima camada homogênea de material, a recobrir por igual a referida figura) [Matematicamente, as coordenadas do centroide são as médias das coordenadas correspondentes de todos os pontos da figura.] [F.: *centr(i)-* + *-oide.*]

centrolécito (cen.tro.*lé*.ci.to) *a. Biol.* Que tem a gema no centro do núcleo (diz-se de ovo) [F.: *centro-* + *-lécito.*]

centro-leste (cen.tro-*les*.te) *a2g.* 1 Que se situa no centro de uma área a leste [Pl.: *centro-lestes.*] *sm.* 2 Região ou conjunto de regiões que se estendem do centro ao leste de um estado, país, continente etc. [Pl.: *centro-lestes.*]

centromédio (cen.tro.*mé*.di:o) *sm. Fut.* O mesmo que *centrocampista* [F.: *centro-* + *médio.*]

centrômero (cen.*trô*.me.ro) *sm. Cit. Gen.* Porção estreitada do cromossomo que mantém ligadas as duas cromátides durante a mitose [F.: *centr(o)-* + *-mero*¹.]

centro-norte (cen.tro-*nor*.te) *a2g.* **1** Que se situa no centro de uma área ao norte [Pl.: *centro-nortes.*] *sm.* **2** Região ou conjunto de regiões que se estendem do centro ao norte de um estado, país, continente etc. [Pl.: *centro-nortes.*]

centro-oeste¹ (cen.tro-o.*es*.te) *a2g.* **1** Diz-se de região ou divisão que abrange as partes centrais e ocidentais de um território, estado, país etc. **2** *Bras. Restr. Geog.* Diz-se da região brasileira formada pelos estados de Goiás, Mato Grosso e Mato Grosso do Sul, e pelo Distrito Federal [Iniciais maiúsculas.] **3** Que tem localização central numa região que está a oeste: *uma estrada que atravessa a zona centro-oeste de Pernambuco.* [Pl.: *centro-oestes.*] *sm.* **4** Região que se estende do centro, ou da parte central, ao oeste de um território, de uma unidade administrativa (como estado etc.): *Possui muitas terras no centro-oeste de Mato Grosso.* **5** A parte central de uma área ou região que está a oeste [Pl.: *centro-oestes.*]

centro-oriental (cen.tro-o.ri.en.*tal*) *a2g.* Da, ref. ou pertencente à região que abrange as áreas centrais e orientais de um território, país, continente etc. [Pl.: *centro-orientais.*]

centrosfera (cen.tros.*fe*.ra) *sf.* **1** *Geof.* Núcleo da Terra; NIFE; BARISFERA **2** *Cit.* Estrutura celular, formada por centro celular e fibras, presente em certos processos de divisão celular [F.: *centro-* + *-sfera.*]

centro-sul (cen.tro-*sul*) *a2g.* **1** Que se situa no centro de uma área ao sul [Pl.: *centro-suis.*] *s2g.* **2** Região ou conjunto de regiões que se estendem do centro ao sul de um estado, país, continente etc. [Pl.: *centro-suis.*]

centuplicado (cen.tu.pli.*ca*.do) *a.* **1** Multiplicado por cem; repetido cem vezes; CÊNTUPLO **2** *Fig.* Muito aumentado [F.: Do lat. *centuplicatus, a, um.*]

centuplicar (cen.tu.pli.*car*) *v.* **1** Tornar(-se) cem vezes maior; multiplicar(-se) por cem [*td.: Centuplicará o dinheiro investindo em gado.*] [*int.: A exportação de produtos agrícolas centuplicou(-se).*] **2** *Fig.* Aumentar ou intensificar grandemente, avolumar(-se), exacerbar(-se) [*td.: Centuplicou suas leituras.; centuplicar esforços.*] [*int.: Suas preocupações centuplicaram(-se).*] [▶ 11 centuplicar] [F.: Do lat. *centuplicare.*]

cêntuplo (*cên*.tu.plo) *num.* **1** Que equivale a cem vezes um número, quantidade ou tamanho: *O exército imperial revidou com cêntupla força o ataque sofrido.* *sm.* **2** Número, quantidade ou tamanho cem vezes maior que o conhecido: *Setecentos é o cêntuplo de sete.* [F.: Do lat. *centuplus.*]

centúria (cen.*tú*.ri.a) *sf.* **1** *Mil.* Na Roma antiga, unidade de cem soldados (equivalente a companhia, no Exército brasileiro), sob o comando de um centurião **2** *Hist.* Divisão política do povo romano, com cem cidadãos **3** Século, período de cem anos **4** Conjunto de cem objetos, unidades, elementos etc.; centena **5** Narrativa ou registro cronológico cujas subdivisões correspondem a períodos de cem anos [F.: Do lat. *centuria.*]

centurião (cen.tu.ri.*ão*) *sm. Mil.* Na Roma antiga, o comandante de uma centúria (equivalente a capitão, no Exército brasileiro) [Pl.: *-ões.*] [F.: Do lat. *centurionis.*]

⊠ **CEP** (cep) [é] Sigla de *Código de Endereçamento Postal*, sistema numérico de classificação de ruas e logradouros de cidades e municípios, implementado pela Empresa Brasileira de Correios e Telégrafo (ECT); *p. ext.* (pop.): o número que identifica determinado município, distrito, logradouro, rua ou trecho de rua segundo esse sistema: *Não esqueça de escrever no envelope o (número do) CEP.*

cepa (*ce*.pa) [ê] *sf.* **1** *Bot.* Caule da videira **2** *P. ext.* A própria videira: *vinhos de finas cepas.* **3** Parte do tronco, ger. dentro da terra, e as raízes a que está ligada diretamente, que permanecem no solo após o corte de uma árvore ou arbusto; CEPO **4** *Biol.* Conjunto de seres vivos da mesma espécie, esp. microrganismos **5** *Fig.* Tronco ou linhagem familiar **6** *Fig.* Estirpe; categoria ou classe de pessoas de valor; CEPO [F.: Fem. de *cepo.*] ■ **De boa ~** *Fig.* Que tem qualidades ou características (inatas e de criação ou formação) compatíveis com os melhores espécimes, ou os exemplos ou integrantes típicos de certa linhagem, família ou outro grupo ou categoria de pessoas; autêntico, legítimo (tb. us. em relação a coisas): *sertanejo de boa cepa; sambista de boa cepa.*

⊠ **Cepal** Sigla de *Comissão Econômica para a América Latina e o Caribe*, uma das cinco comissões regionais da ONU

cepeizado (ce.pe.i.*za*.do) *a. Bras. Pol.* Diz-se do que ou de quem está sob ação de CPI, sigla de Comissão Parlamentar de Inquérito [F.: de *CPI-* + *-zado.*]

cepilhar (ce.pi.*lhar*) *v.* Ver *acepilhar* [▶ 1 cepilhar] [F.: *cepilho* + *-ar*².] Hom./Par.: *cepilho* (fl.), *cepilho* (sm.).]

cepilho (ce.*pi*.lho) *sm.* **1** *Marc.* Plaina pequena para alisar madeira em trabalhos de marcenaria **2** *Equit.* Parte dianteira e mais alta da sela **3** Lima fina de armeiro, para desbastar metal **4** *Fig.* Processo de aprimoramento, aperfeiçoamento, refinamento [F.: Do espn. *cepillo.*]

cepo (*ce*.po) [ê] *sm.* **1** Pedaço ou tronco de árvore cortado transversalmente **2** *Agr.* Parte e raízes que continuam no solo depois do corte da árvore; TOUCEIRA **3** *Fig.* Ver *cepa* (parte do tronco da árvore, sob a terra e, fig., estirpe) **4** *Mús.* Nos pianos, cravos e assemelhados, prancha em que as cravelhas estão embutidas **5** *Mús.* Em outros instrumentos de cordas, parte inferior do braço unida à caixa de ressonância **6** Tronco de madeira em que os açougueiros cortam a carne **7** Tronco em que o condenado punha a cabeça para ser decapitado **8** Tronco ou tora de madeira a que se prendiam os pés de prisioneiros **9** *Fig.* (Situação de quem sofre) castigo, punição ou tormento **10** Caixa ou coluna oca, nas igrejas, para nela se depositarem esmolas **11** *Fig. Pop.* Indivíduo pouco ativo (indolente, ou de corpo pesado), ou pouco inteligente **12** Pedaço de madeira ao qual se amarra um animal (p. ex., um cavalo, pelas rédeas), para que não se afaste [F.: Do lat. *cippus.*]

cepticismo (cep.ti.*cis*.mo) *sm.* Ver *ceticismo*

céptico (*cép*.ti.co) *a. sm.* Ver *cético*

◎ **-cera** *el. comp.* Ver *cerat(o)-*

cera (*ce*.ra) [ê] *sf.* **1** *Ent.* Substância amarelada, facilmente moldável e fundível, com que as abelhas fabricam os favos; CERA DE ABELHA **2** *P. ext. Quím.* Nome de diversos materiais semelhantes, de origem vegetal, animal ou mineral, us. para dar brilho a pisos, móveis, calçados **3** *P. ext.* Vela feita desse material **4** Substância que se forma nos ouvidos; CERUME **5** *Bras. Pop.* Ação de demorar-se desnecessariamente na execução de um trabalho: *Mas que cera toda é essa? perguntou o chefe da seção.* **6** *Bras. Gír. Fut.* Ação de demorar-se a bater cobrança de falta, tiro de meta, lateral, escanteio etc. ou de fingir séria lesão após falta sofrida (ou simulada), com a intenção de reter a bola o maior tempo possível: *O árbitro já havia dito ao goleiro para deixar de cera; ele continuou com o antijogo e acabou levando o cartão, merecidamente.* **7** *Bras. Pop.* Namoro **8** *Fig.* Pessoa de caráter dócil ou brando **9** *Pop.* Indivíduo de índole frouxa ou débil **10** *Anat. Zool.* Membrana mole que cobre a base da parte superior do bico de certas aves, como gaviões, papagaios e pombas; CEROMA **11** *Lus.* Tecido de esparto, em forma de lente biconvexa, com abertura circular em uma das partes, usado nos lagares de azeite [F.: Do lat. *cera, ae*, do gr. *kerós, oû*, 'cera'; 'objeto feito de cera'. Hom./Par.: *cera* (fl. de *cerar*); *ceras* (pl.), *ceras* (fl. de *cerar*).] ■ **~ amarela** Cera de abelha que não foi curada, ainda contendo partículas de mel **~ do ouvido** *Bras.* Cerume **~ em rama** Cera de abelha em estado bruto, como tirada do favo **~ perdida** *Metal.* Método de fundição de peça de metal em molde de barro refratário revestido de cera, derretendo esta quando o molde é cozido **~ virgem** Cera de abelha curada ao sol **Fazer ~ 1** *Bras.* Propositalmente, trabalhar devagar, ou fingir que trabalha **2** *Esp.* Em jogo de bola, retê-la o durante o maior tempo possível até que a partida termine

céráceo (ce.*rá*.ce.o) *a.* Que tem a aparência ou a consistência da cera [F.: *cera* + *-áceo.*]

cerâmica (cer.*râ*.mi.ca) *sf.* **1** Arte e técnica de fabricar objetos de argila cozida, como vasos, pratos e outros utensílios ou objetos decorativos **2** Esses próprios objetos, separados ou em conjunto: *Tem, em casa, cerâmica dos incas.* **3** *P. ext.* A argila cozida e endurecida; a matéria-prima convenientemente trabalhada dos objetos feitos com essa técnica (potes de cerâmica) **4** Estabelecimento onde se fabricam utensílios e objetos com essa técnica; OLARIA [F.: Do gr. *keramike.*]

cerâmico (ce.*râ*.mi.co) *a.* **1** Ref. a cerâmica, sua arte, sua técnica: *técnicas cerâmicas pré-históricas* **2** Feito de cerâmica, de argila cozida (pote cerâmico) [F.: Do gr. *keramikos.*]

ceramista (ce.ra.*mis*.ta) *a2g.* **1** Diz-se de quem trabalha em olaria ou produz objetos de cerâmica *s2g.* **2** Oleiro, ou pessoa que se dedica à arte e técnica da cerâmica [F.: *cerâm(ica)* + *-ista.*]

ceratina (ce.ra.*ti*.na) *sf. Bioq.* Proteína insolúvel e fibrosa presente na epiderme, cabelo, unhas, chifres etc. [Constitui a principal estrutura molecular das unhas e dos cabelos humanos e dos chifres dos animais.] [F.: Do fr. *kératine*; ver *cerat(o)-* e *-ina*². Queratina é f. menos pref. (em virtude do elemento gr.), embora mais usada.]

ceratinase (ce.ra.ti.*na*.se) *sf. Bioq.* Proteína insolúvel e fibrosa que desempenha importante papel na proteção, sustentação e estruturação dos tecidos do organismo [F.: *ceratina* + *-ase*. Queratinase, embora mais us., é f. menos pref.]

ceratinização (ce.ra.ti.ni.za.*ção*) *sf.* **1** Ação ou efeito de ceratinizar **2** *Histl.* Processo orgânico de deposição de ceratina nas células de tecidos ceratinosos, como o das unhas e dos cabelos, o que lhes dá a textura habitual [Pl.: *-ções.*] [F.: *ceratinizar* + *-ção*. Tb.: *queratinização* (f. menos pref.).]

ceratinizado (ce.ra.ti.ni.*za*.do) *a.* Que sofre ceratinização [F.: Part. de *ceratinizar*. Tb.: *queratinizado* (f. menos pref.).]

ceratinizar (ce.ra.ti.ni.*zar*) *v.* **1** Cobrir ou envolver com ceratina [*td.*] **2** Sofrer ceratinização (2) [*int.*] **3** Converter-se em ceratina [*int.*] [▶ 1 ceratinizar] [F.: *ceratina* + *-izar*. Tb. *queratinizar* (f. menos pref.).]

ceratite (ce.ra.*ti*.te) *sf. Oft.* Inflamação da córnea [F.: *cerat(o)-* + *-ite*¹. Tb.: *queratite* (f. menos pref.).]

◎ **cerat(o)-** *el. comp.* = 'corno', 'chifre'; 'pinça'; 'tentáculo'; 'córnea': *ceratina* (< fr.), *ceratite, ceratocone, ceratoplastia, ceratose, ceratotomia; quelícera* [F.: Do gr. *kéras, kératos*, 'corno'; 'chifre'. Tb.: *querat(o)-* (qv.).]

ceratocone (ce.ra.to.*co*.ne) *sm. Oft.* Córnea cônica, por deformação [F.: *cerat(o)-* + *cone*. Tb.: *queratocone* (f. menos pref.).]

ceratoplastia (ce.ra.to.plas.*ti*.a) *sf. Cir. Oft.* Cirurgia plástica da córnea, esp. enxerto ou transplante [F.: *cerat(o)-* + *-plastia*. Tb.: *queratoplastia* (f. menos pref.).]

ceratose (ce.ra.*to*.se) *sf. Derm.* Crescimento anormal de tecido córneo da pele [Caracteriza-se pelo aparecimento de pequenos tumores ou de escamas duras.] [F.: *cerat(o)-* + *-ose*¹. Tb.: *queratose* (f. menos pref.).]

ceratotomia (ce.ra.to.to.*mi*.a) *sf. Cir. Oft.* Incisão na córnea [F.: *cerat(o)-* + *-tomia*. Tb.: *queratotomia* (f. menos pref.).] ■ **~ radial** *Cir. Oft.* Intervenção cirúrgica em que são feitas várias incisões cornianas, objetivando a correção de miopia

ceraunomancia (ce.rau.no.man.*ci*.a) *sf.* Adivinhação do futuro por meio da observação dos relâmpagos [F.: Do gr. *keraunós*, 'raio' + *-mancia.*]

cérbero (*cér*.be.ro) [ê] *sm.* **1** *Mit.* Cão de três cabeças que, segundo a mitologia grega, guardava a porta do Inferno [Com inicial maiúsc.] **2** *Fig.* Guarda ou porteiro intratável, brutal [F.: Do lat. *Cerberus*, do gr. *Kérberos.*]

cerca¹ (*cer*.ca) [ê] *sf.* **1** Barreira mais ou menos extensa, feita de madeira, bambu, pedra, arame e outros materiais, que marca o limite de um terreno, ou que o contorna parcial ou completamente, e que ger. tb. tem a função de impedir ou dificultar a passagem de pessoas ou animais para dentro ou para fora: *cerca do curral; cerca da horta; cerca da quadra de tênis.* **2** O terreno assim delimitado; cercado **3** Série ou conjunto de elementos enfileirados, com função de delimitar ou barrar, semelhantemente à cerca (1) [F.: Dev. de *cercar*, posv.] ■ **~ de espinho** Cerca feita de plantas, esp. de plantas espinhosas **~ de pau a pique** Cerca (1) feita de paus ou esteios resistentes, firmemente fincados no chão e bem próximos entre si **~ eletrônica** Dispositivo que permite, por meios eletrônicos (radar, satélite, ondas de rádio, laser etc.) detectar, rastrear ou controlar o movimento de objetos ou pessoas **~ viva** Cerca (1) feita com plantas, p. ex. em jardins e quintais; sebe viva **Pular a ~** *Fig.* Ter relações sexuais com outra pessoa que não o próprio cônjuge, ou namorado(a) etc.; cometer adultério, ser infiel

cerca² (*cer*.ca) [ê] *adv.* **1** *P. us.* Perto, junto, próximo: *Cerca dali corria um rio.* **2** Quase, pouco mais ou menos, aproximadamente: *Cerca de meia hora após o acidente já haviam recolhido todas as vítimas.* [+ *de*] [F.: Do lat. *circa.*]

cercada (cer.*ca*.da) *sf. Bras.* Espécie de armadilha de pesca, tb. denominada *curral de peixe* [F.: Fem. substv. de *cercado.*]

cercado (cer.*ca*.do) *a.* **1** Que se cercou, que foi contornado por cerca (terreno cercado) **2** Diz-se daquilo ou daquele a que um cerco foi imposto: *Os combatentes, cercados, renderam-se.* **3** Que está entre várias outras coisas ou pessoas à sua volta, ou nas suas imediações [+ *de, por*: *mesa de trabalho cercada de/por estantes e livros.*] **4** Que é objeto ou centro de (ações ou sentimentos de pessoas próximas) [+ *de*: *cresceu cercado de cuidados e atenções.*] **5** Que tem constantemente ou frequentemente perto de si (determinadas pessoas em algum tipo de atividade, relação ou interação) [+ *de*: *um líder cercado de seguidores.*] *sm.* **6** Móvel ger. quadrado, com grades ou tela nos lados e desmontável, dentro do qual se mantêm as crianças pequenas em segurança **7** Terreno delimitado por cerca ou muro, p. ex. para pasto de animais, para lavoura etc. **8** Espaço fechado por cerca, fora da casa, em que ficam animais domésticos [F.: Part. de *cercar.*]

cercadura (cer.ca.*du*.ra) *sf.* **1** O que cerca ou guarnece **2** Ornamento ou moldura no lugar do contorno de um objeto, de peça de vestuário, material tipográfico etc. **3** Bordadura (orla vegetal em jardins) [F.: *cercad(o)* + *-ura.*]

cerca-lourenço (cer.ca-lou.*ren*.ço) *sm.* **1** *Bras.* Hábito ou expediente de se aproximar de uma pessoa com uma série de rodeios, de alusões ou insinuações, para se beneficiar de algo ou encaixar um pedido **2** *P. ext.* Qualquer circunlóquio, evasiva ou subterfúgio; enrolação, embromação **3** Palavreado sem objetividade; fala ou texto complicado, longo e de pouco significado; enrolação, embromação: *Todo o cerca-lourenço daquele longo parágrafo pode ser resumido em duas linhas.* **4** *Bras.* Caminho mais curto, ou que contorna ou evita obstáculo; atalho, desvio, vereda **5** *Bras.* Pique (brincadeira) [Pl.: *cerca-lourenços.*] ■ **Cheio de ~** Ver *cheio de nove-horas* **Fazer ~** *Bras. N. E.* Evitar dificuldades, e scapar, evadir-se, recorrendo a subterfúgios

cercamento (cer.ca.*men*.to) *sm.* **1** Ato ou efeito de cercar, rodear; CERCO **2** Aquilo que cerca ou rodeia; CERCA [F.: *cerca(r)* + *-mento.*]

cercania (cer.ca.*ni*.a) *sf.* **1** Lugar perto de outro, mencionado; ARREDOR; IMEDIAÇÃO; VIZINHANÇA **2** Área ou região em torno de um lugar considerado central, ou principal (ger. com concentração populacional) [Mais us. no pl.] [F.: Do espn. *cercanía.*]

cercar (cer.*car*) *v.* **1** Pôr cerca sebe, muro etc. em volta de (área ou terreno) [*td.: Cercou todo o lote.*] **2** *P. ext.* Pôr ou dispor algo extenso, ou várias coisas ou pessoas, em torno de (um lugar, um objeto), para proteger, adornar, delimitar etc. [*tdr.* + *de, com*: *Cercou a mansão de/com seguranças; cercar o lago com pedrinhas.*] **3** Estar em volta de (algo); estender-se ao longo do perímetro ou limite exterior de (uma área, terreno, superfície etc.) [*td.: Muralhas cercavam a antiga cidade.*] **4** Agrupar-se, formando círculo em volta de (algo ou alguém); circundar, rodear [*td.: Os meninos cercaram o tio recém-chegado.*] **5** Impedir ou tentar impedir com obstáculos, ou com a própria presença, a passagem, saída ou fuga de (alguém ou algo) **6** *Mil.* Impor ou fazer cerco ou sítio a [*td.: Os romanos cercaram Numância por muitos anos.*] **7** Ter ou buscar a companhia de; reunir, recorrer a ou contar com (coisas, pessoas), para ter ajuda, apoio, defesa, proteção [*tr.* + *de*: *Ele só se cerca de mestres; cercar-se de aliados; Antes do debate, procurou cercar-se de argumentos convincentes.*] **8** *Fig.* Perseguir ou incomodar de forma insistente; assediar [**td.**: *Cerca-o para obter um emprego.*] **9** *Fig.* Dirigir a (alguém) ações ou sentimentos frequentes, insistentes, repetidos; afetar, exercer influência sobre (alguém) de modo constante, ou de vários modos; rodear, cumular, cobrir [**td.**: "...os preconceitos que cercavam o escravo..." (Alberto da Costa e Silva, *A manilha e o libambo*)] [**tdr.** + *de*: *Cerca a noiva de atenção.*] **10** *Lud.* No jogo do bicho, apostar em (um mesmo número, ou bicho que o representa) fazendo valer para todos os prêmios [**td.**] [▶ **11** cercar] [F.: Do lat. *circare*. Hom./Par.: *cerca(s)* (fl.), *cerca(s)* [ê] (sf.); *cerco* (fl.), *cerco* [ê] (sm.); *cercaria(s)* (fl.), *cercária(s)* (sf. [pl.]).]

cercária (cer.*cá*.ri.a) *sf. Zool.* Forma larvar dos vermes trematódeos, de forma oval ligeiramente achatada, com longo apêndice [F.: Do lat. cient. *cercaria*. Hom./Par.: *cercária* (sf.), *cercaria* (fl. de cercar).]

cerca-viva (cer.ca-*vi*.va) *sf.* Cerca feita com plantas; sebe viva [Pl.: *cercas-vivas*.]

cerce (*cer*.ce) *adv.* **1** Pela base, pela raiz; RENTE: *Cortou cerce o urtigão.* ["A democracia social de 1934 durou pouco (...), cerce cortada pelo golpe de 10 de novembro de 1937." (G. de Almeida Moura, *O Fascismo Italiano e o Estado Novo Brasileiro*) Tb. fig., para significar 'no início do desenvolvimento' ou 'extirpando quase inteiramente'.] *a2g.* **2** Que atinge a base ou a raiz, ou um ponto de junção ou articulação (corte cerce; golpe cerce) **3** *Lus. Náut.* Diz-se da proa, quando talhada a pique [F.: Do lat. *circine*.]

cerceado (cer.ce.*a*.do) *a.* **1** Que se cerceou, se cortou pela raiz **2** Suprimido, ou muito diminuído: *A verba das escolas foi cerceada.* **3** Limitado, restrito (liberdade cerceada) [F.: Part. de *cercear*.]

cerceador (cer.ce.a.*dor*) [ô] *a.* **1** Que cerceia, ou é capaz de cercear, podar, limitar, depreciar (tb. fig.); REPRESSOR *sm.* **2** Aquele ou aquilo que cerceia ou que é capaz de cercear, de cortar, limitar etc. (tb. fig.); REPRESSOR [F.: *cercea(r)* + *-dor*.]

cerceamento (cer.ce.a.*men*.to) *sm.* Ação ou efeito de cercear (tb. fig.); CERCEADURA; CERCEIO: *cerceamento da liberdade de imprensa.* [F.: *cercea(r)* + *-mento*.]

cercear (cer.ce.*ar*) *v.* **1** Impor limites a; impedir que algo se dê ou se processe completamente; dificultar o desenvolvimento, a difusão, a circulação de (algo); LIMITAR; RESTRINGIR [**td.**: *cercear os atos de outrem; Cerceia as carreiras dos discípulos.*] [**tdi.** + *a*: *Não se deve cercear ao indivíduo o direito de expressão.*] **2** Tornar menor, suprimir ou anular (quase) inteiramente [**td.**: *cercear a liberdade.*] **3** Cortar cerce, rente, pela base, pela raiz [**td.**: *cercear espigas.*] **4** *Fig.* Acabar com; desfazer, extinguir, anular [**td.**: "A foice da morte, passando por ali, cerceara a derradeira esperança do império de Teodorico." (Alexandre Herculano)] **5** Aparar em roda ou cortar ao redor de [**td.**: *cercear os ramos.*] [▶ **13** cercear] [F.: Do lat. *circinare*. Hom./Par.: *cerceio* (fl.), *cerceio* (sm.).]

cerco (*cer*.co) [ê] *sm.* **1** Ação ou resultado de cercar; CERCAMENTO **2** *Mil.* Operação de envolver em círculo, com tropas, o inimigo, bloqueando suas possíveis saídas e impossibilitando sua retirada; ASSÉDIO; SÍTIO: *o cerco de Troia.* **3** Aquilo que cerca, que envolve, circunda; CINTO; CINTURÃO **4** Lugar cercado; **5** Lugar cercado onde se prendem animais domésticos **6** Cordão, fileira de caçadores em círculo para acuar a caça **7** *Fig.* Sucessão de acontecimentos, eventos, ações etc. que se repetem com insistência em relação a algo ou alguém: *O cerco de aborrecimentos ainda parecia longe de terminar.* **8** Constância e insistência na abordagem de alguém por outrem: *Não conseguir se livrar do cerco da imprensa.* **9** Bloqueio parcial (por meio de entulho) à passagem das águas de um rio, para que passem por determinado lugar **10** Armadilha para pesca, feita de estacas cravadas de margem a margem em rios e riachos **11** Armação de redes de pesca dispostas em círculo, que vai se estreitando para concentrar os peixes antes de colhê-los [F.: Dev. de *cercar*.]

cercopitecídeo (cer.co.pi.te.*cí*.de.o) *Mastz. sm.* **1** Espécime dos cercopitecídeos, grande fam. de primatas da Áfria e da Ásia que apresenta o macaco-rhesus, o mandril e os babuínos, entre outros *a.* **2** Ref. aos cercopitecídeos [F.: Do lat. cient. *Cercopithecidae*.]

cercosporiose (cer.cos.po.ri.*o*.se) *sf. Bot.* Doença vegetal causada por fungos do gên. *Cercospora* e que produz manchas escuras nas folhas [F.: Do lat. cient. *Cercospora*, + *-i-* + *-ose*[2].]

cerda (*cer*.da) [ê] *sf.* **1** *Zool.* Pelo áspero e duro de certos mamíferos como os suínos, junto às cavidades do corpo **2** *P. ext.* Pelo de fibra sintética, us. em escovas: *São preferidas as cerdas médias e macias.* **3** *Bot.* Ver *seta*[2] **4** *Zool.* Parte ou estrutura semelhante a pelo longo e resistente, no corpo de certos invertebrados, ou junto ao bico de certas espécies de aves [Não é rara a pronúncia com /é/.] [F.: Posv. do espn. *cerda*.]

cerdear (cer.de.*ar*) *v. RS* O mesmo que *tosquiar* (lã, cabelos etc.) [**td.**: *Não gosto de cerdear ovelhas.*] [**int.**: *Aqui todos sabem cerdear.*] [▶ **13** cerdear] [F.: *cerda* + *-ear*[2].]

cerdo (*cer*.do) [ê] *sm. Zool.* Ver *porco* [F.: De *cerda*.]

cerdoso (cer.*do*.so) [ô] *a.* Que tem cerdas (cabeleira cerdosa) [Pl.: [ó]. Fem.: [ó].] [F.: *cerd(a)* + *-oso*.]

cereal (ce.re.*al*) *a2g.* **1** Ref. às sementes alimentícias **2** Ref. ao pão e seu fabrico *sm.* **3** Designação comum a diversos grãos farináceos e alimentícios, como o trigo, o centeio, a aveia **4** *P. ext.* Qualquer de várias plantas (p. ex., gramíneas) que fornecem esse tipo de grãos para a alimentação **5** *P. ext.* Alimento preparado industrialmente com grãos de cereal, esp. aquele em que os grãos são transformados em flocos [Pl.: *-ais*.] [F.: Do lat. *cerealis*.]

cerealífero (ce.re.a.*lí*.fe.ro) *a.* Ref. a ou que produz cereais [F.: *cereal* + *-ífero*.]

cerealista (ce.re.a.*lis*.ta) *a2g.* **1** Ref. à produção e/ou ao comércio de cereais *s2g.* **2** Produtor e/ou comerciante de cereais [F.: *cereal* + *-ista*.]

cerebelar (ce.re.be.*lar*) *a2g. Anat.* Do ou ref. ao cerebelo (massa cerebelar) [F.: *cerebelo* + *-ar*[2].]

cerebelite (ce.re.be.*li*.te) *sf. Med.* Inflamação do cerebelo [F.: *cerebel(o)* + *-ite*.]

cerebelo (ce.re.*be*.lo) [ê] *sm. Anat.* Parte posterior do cérebro do homem e de outros vertebrados, à frente e acima da medula, tendo por função primordial a coordenação dos movimentos [F.: Do lat. *cerebellum*.]

cerebração (ce.re.bra.*ção*) *sf.* Atividade cerebral ou intelectual [Pl.: *-ções*.] [F.: *cerebrar* + *-ção*.]

cerebral (ce.re.*bral*) *a2g.* **1** Ref. a, próprio do cérebro ou que nele ocorre (anatomia cerebral, derrame cerebral); CEREBRINO **2** Que diz respeito ao intelecto; MENTAL **3** Ref. a criação artística mais racional do que emotiva [Pl.: *-brais*.] [F.: *cérebr(o)* + *-al*[1].]

cerebralidade (ce.re.bra.li.*da*.de) *sf.* **1** Qualidade do que pertence ao cérebro **2** As faculdades ou capacidades cerebrais [F.: *cerebr al* + *-(i)dade*.]

cerebralismo (ce.re.bra.*lis*.mo) *sm.* Predominância ou excessiva valorização dos aspectos ou meios intelectuais e racionais; INTELECTUALISMO [F.: *cerebral* + *-ismo*.]

cerebralizar (ce.re.bra.li.*zar*) *v.* **1** Fazer uso dos meios mais racionais, intelectuais; INTELECTUALIZAR [**int.**] **2** Conjecturar a respeito; PONDERAR; AVALIAR [**td.**: *Cerebralizou os elementos disponíveis, mas nada concluiu.*] **3** *Fon.* Articular um som apenas cerebralmente (de forma retroflexa) [▶ **1** cerebralizar] [F.: *cerebral* + *-izar*.]

cerebriforme (ce.re.bri.*for*.me) *a2g.* Que tem forma e aparência de cérebro [F.: Do lat. *cerebrum, i,* + *-forme*.]

cerebrino (ce.re.*bri*.no) *a.* **1** *P. us.* Cerebral (1) **2** Que procede somente da imaginação (interpretação cerebrina); FANTASIOSO [F.: *cérebr(o)* + *-ino*.]

cérebro (*cé*.re.bro) *sm.* **1** *Anat.* Órgão mais importante do sistema nervoso central dos vertebrados, situado no interior do crânio e ligado à medula espinhal, sendo responsável pela inteligência, coordenação dos estímulos (internos e externos), dos sentidos e dos movimentos; ENCÉFALO **2** Centro neural do corpo dos invertebrados, com localização e funções correspondentes às do cérebro dos vertebrados **3** O cérebro (1), considerado como órgão da consciência, dos pensamentos racionais, das ideias concatenadas, por oposição aos sentimentos, às vontades: *Não reaja assim, use o cérebro!* **4** *Fig.* Inteligência, aptidão intelectual, capacidade de pensar, compreender, elaborar ideias: *Um cérebro poderoso; Tem um cérebro de minhoca.* [*i. e., tem pouca inteligência*] **5** Indivíduo ou grupo que é o principal planejador, coordenador ou criador de uma organização, de um projeto ou empreendimento; mentor intelectual: *O cérebro da equipe.* **6** *Fig.* Pessoa que se dedica à elaboração de ideias, conhecimentos, planos, a atividades intelectuais ou científicas (por oposição a atividades de administração, a profissões liberais, a trabalhos físicos ou braçais): *Contratar recém-formados e cientistas, evitando a evasão de cérebros para os países mais desenvolvidos.* **7** *Fig.* Sede de chefia, coordenação e controle: *Seu departamento é o cérebro da operação.* [F.: Do lat. *cerebrum*.] ■ **~ eletrônico** *Inf.* Computador

> 📖 Principal órgão do sistema nervoso animal, protegido pela caixa óssea do crânio, o cérebro recebe os estímulos sensoriais de todo o corpo e centraliza a resposta a eles, assim como a atividade de todos os órgãos. É o centro do pensamento, da memória (registro de informações) e das emoções. É formado basicamente por neurônios (cujas extremidades, as sinapses, transmitem os impulsos elétricos que conduzem as informações) e por células que sustentam, protegem e alimentam os neurônios. O grau de evolução do cérebro de uma espécie animal determina sua inteligência e a variedade de comportamentos adaptativos, sendo o dos primatas, especialmente o do homem, o mais desenvolvido e complexo.

cerebrospinal (ce.re.bros.pi.*nal*) *a2g. Anat.* Ref. ao cérebro e à medula espinhal, ou a ambos em conjunto com os nervos que chegam aos músculos estriados [Pl.: *-nais*.] [F.: *cérebr(o)-* + *(e)spinal*.]

cerebrotonia (ce.re.bro.to.*ni*.a) *sf. Psi.* Componente psíquico que atua na personalidade, suscitando o predomínio da atividade mental sobre a física, e tendo possíveis consequências comportamentais, como introversão, retraimento, timidez [F.: *cérebro* + *-tonia*.]

cerebrovascular (ce.re.bro.vas.*cu*.lar) [û] *a. Anat.* Ref. ou pertencente ao cérebro e aos vasos sanguíneos que o irrigam (distúrbio cerebrovascular; cirurgia cerebrovascular) [F.: Do lat. *cerebrum, i-* + *-vasculum, i* + *-ar*.]

cerefolho (ce.re.*fo*.lho) [ô] *sm.* Planta hortense semelhante à salsa, e que serve para tempero (*Anthriscus cerefolium*), da família das umbelíferas. Tb. *cerefólio*

cerefólio (ce.re.*fó*.li.o) *sm. Bot.* Erva aromática e comestível (*Anthriscus cerefolium*), semelhante à salsa, us. como tempero, e de cujas sementes se extrai um óleo essencial; CEREFOLHO [F.: Do lat. *caerefolium, ii.* Tb. *cerefolho*.]

cereja (ce.*re*.ja) [ê] *sf.* **1** Fruto da cerejeira, pequeno, vermelho quando maduro, comestível, e tb. us. em conserva **2** Designação dada a frutos semelhantes à cereja (1) **3** *Bras.* Grão de café maduro e ainda com casca *sm.* **4** A cor vermelha da cereja *a2g2n.* **5** Que tem essa cor (vestidos cereja) [F.: Do lat. *ceresia*.]

cereja-das-antilhas (ce.re.ja-das-an.*ti*.lhas) [í] *sf.* **1** *Bot.* Arbusto tropical (*Malpighia emarginata*), também conhecido como cereja-de-barbados e acerola **2** O fruto desse arbusto [Pl.: *cerejas-das-antilhas*.] [F.: Do lat. vulg. *ceresia-*, lat. cl. *cerasum, i-*, secXV *çireja-* + *-das* + top. *-Antilhas*.]

cereja-de-barbados (ce.re.ja-de-bar.*ba*.dos) [á] *sf.* **1** *Bot.* Arbusto tropical, o mesmo que cereja-das-antilhas, cereja-do-pará ou acerola **2** O fruto dessa árvore [F.: Do lat. vulg. *ceresia-*, lat. cl. *cerasum, i-*, séc. XV *çireja-* + *-das* + top. *-Barbados*.]

cereja-do-pará (ce.re.ja-do-pa.*rá*) [á] *sm.* **1** Arbusto tropical, o mesmo que *cereja-das-antilhas, cereja-de-barbados* e *acerola* **2** O fruto dessa árvore [F.: Do lat. vulg. *ceresia-*, lat. cl. *cerasum, i-*, séc. XV *çireja-* + *-das* + top. *-Pará*.]

cerejeira (ce.re.*jei*.ra) *sf.* **1** *Bot.* Árvore de origem asiática, da família das rosáceas (*Prunus avium*), que dá a cereja e cuja madeira ainda é empregada em marcenaria **2** Designação de outras espécies do mesmo gênero da cerejeira (1) e de frutos e/ou madeira similares; esp.: ginjeira **3** Designação de outras árvores de boa madeira, como a gameleira-branca e a amburana **4** A madeira de qualquer uma dessas árvores: *estantes de cerejeira.* [F.: Do lat. *cereja* + *-eira*.]

céreo[1] (*cé*.re.o) [é] *a.* **1** *Poét.* De cera; da cor da cera; semelhante à cera, característico de cera (semblante céreo; palidez cérea); CEROSO; CERÁCEO: "...plagiando com as pálpebras o voo anzolado, céreo, das borboletas..." (F. Carpinejar, *Décima elegia*) [F.: Do lat. *cereus, a, um*.] *sm.* **2** *Bot.* Designação comum às plantas do gênero *Cereus*, de cactos da América tropical, eretos e muito ramificados, que inclui a rainha-da-noite e os mandacarus [F.: Do lat. *cereus, ii.* Hom./Par.: *cério; sério*.]

céreo[2] (cé.re.o) *sm. Bot.* Nome comum das plantas do gên *Cereus*, da fam. das cactáceas, com espécies como o mandacaru, cultivadas como ornamentais e encontradas no Leste da América do Sul e no Caribe [F.: Do lat. *cereus, i*. Hom./Par.: ver *céreo*[1].]

◎ **cer(i)-** *el. comp.* = cera, gordura: *ceroma, cerume, ceruminoso.*

cerifa (ce.*ri*.fa) *sf. Art. gr.* Ver *serifa* [F.: Do ingl. *serif*.]

cerífero (ce.*rí*.fe.ro) *a.* Que produz cera; CERÍGENO; CERÍFICO [F.: *cer(i)* + *-fero*.]

ceriguela (ce.ri.*gue*.la) [é] *sf.* **1** *Bot.* Pequena árvore frutífera (*Spondias purpurea*) de frutos vermelhos ou amarelados, comestíveis, *ciriguela, seriguela* **2** O fruto dessa árvore [F.: De or. contrv.]

cerimônia (ce.ri.*mô*.ni:a) *sf.* **1** Reunião mais ou menos formal (com ou sem regras ou procedimentos estritos), pública ou privada, distinguida das atividades corriqueiras ou cotidianas, em que se confere significado maior a um acontecimento humano, religioso, político ou social (cerimônia nupcial; cerimônia fúnebre): *Para comemorar a data, a família realizou uma pequena cerimônia íntima; cerimônia de coroamento; cerimônia de posse.* **2** Conjunto de normas e procedimentos adotados para o encontro formal entre as pessoas, seja individualmente, seja institucionalmente, no exercício de funções sociais, políticas, religiosas etc.; modo de agir e de falar segundo convenções bem definidas; ETIQUETA; PROTOCOLO **3** Comportamento tímido ou reservado; embaraço por falta de traquejo social **4** *N. E.* A sobra de comida que se deixa no prato para não ser tomado por guloso ou mal-educado [F.: Do lat. *caerimonia, ae*.] ■ **Fazer ~** Por formalismo ou timidez, comportar-se socialmente de forma contida, acanhada, sem espontaneidade; *esp.*: recusar, por timidez ou educação, algo que se deseja e que é oferecido por outrem: *Não faça cerimônia, aceite mais um pedaço de bolo.* **Sem ~** Com desembaraço, à vontade [Cf. *sem-cerimônia*.]

cerimonial (ce.ri.mo.ni.*al*) *a2g.* **1** Ref. a cerimônia; RITUAL **2** Marcado por caráter ou comportamento cerimonioso, muito cortês, ou excessivamente formal [Pl.: *-ais*.] *sm.* **3** Conjunto de normas e formalidades a serem observadas em certos atos religiosos ou políticos; os atos, gestos e dizeres que seguem uma forma ou ordem preestabelecida; RITO; RITUAL **4** Setor público responsável pela formulação dessas normas e seu cumprimento nas solenidades oficiais: *O cerimonial do ministério afastou o repórter.* **5** Equipe que cuida do bom andamento de uma cerimônia ou solenidade [Pl.: *-ais*.] [F.: Do lat. *caerimonialis*.]

cerimonialismo (ce.ri.mo.ni.a.*lis*.mo) [i] *sm.* Meticulosidade na observância e cumprimento de normas e regras cerimoniais; formalismo, ritualismo (cerimonialismo do ministro; cerimonialismo religioso) [F.: *Cerimonial* + *-ismo*.]

cerimonialista (ce.ri.mo.ni.a.*lis*.ta.) *a2g.* **1** Postulante ou defensor das normas rituais consagradas *s2g.* **2** Pessoa responsável pela organização e o bom andamento do cerimonial de uma instituição ou um evento; FORMALISTA; RITUALISTA [F.: *cerimonial* + *ista*.]

cerimonioso (ce.ri.mo.ni.*o*.so) [ô] *a.* **1** Ref. a cerimônia **2** Que tem cerimônia(s) ou caráter solene **3** Demasiadamente formal e polido; que não age com espontaneidade; que faz cerimônia **4** Que tem ou segue regras formais de etiqueta **5** Que trata os outros, ou se comporta, de modo muito educado, cortês, gentil [Ant.: *inconveniente, grosseiro*.] [Pl.: [ó]. Fem.: [ó].] [F.: Do lat. *caerimoniosus*.]

cério (*cé.ri.o.*) *Quim. sm.* Elemento natural de número atômico 58, símbolo *Ce*, metálico, do grupo dos lantanídeos, usado em pedras de isqueiro e mangas de incandescência [Ver *sério*.]
cerne (*cer.ne*) *sm.* **1** Parte mais interior e dura do tronco das árvores, entre a medula e a casca; ÂMAGO; DURAME [É composta de células mortas e não tem função de armazenamento nem de transporte de água ou nutrientes.] **2** *Fig.* O que há de mais profundo ou fundamental; a parte ou aspecto central, principal; ÂMAGO: *o cerne da questão.* **3** Resina presente na madeira **4** *Bras.* Parte da madeira queimada que fica intacta **5** Madeira resistente à água, que não se decompõe facilmente **6** *Fig.* Indivíduo duro, resistente, bravo **7** Indivíduo idoso e forte ou saudável [F.: De or. obsc.] ■ **Estar no ~** Estar em pleno vigor físico e/ou mental
cerneira (cer.*nei*.ra.) *Bot. sf.* **1** Parte lenhosa de troncos e ramos de árvores, despojada das camadas periféricas, a casca e o alburno **2** Parte da madeira extraída do cerne [Ant.: *costaneira*. F.: *cerne + eira*.]
cernelha (cer.*ne*.lha.) [ê] *sf.* **1** *Zoo.* Parte do corpo de alguns animais no ponto onde se unem as espáduas, formando uma cruz: "O cavalo estava vistoso; assim alto, oito palmos da cernelha ao casco." (Guimarães Rosa, *No Urubuquaquá, no Pinhém*) **2** Parte do arreio que fica próxima ao pescoço da cavalgadura **3** Monte de molhos de enteio, trigo ou milho nas terras ceifadas [F.: Or. controv.]
cernoso (cer.*no*.so.) *a.* **1** *RS* Que tem cerne espesso **2** *Fig.* Homem forte, resistente, de boa saúde [Fem. e pl.: [ó]. F.: *cerne + oso*.]
◎ **-cero** *el. comp.* = 'corno', 'chifre'; 'antena'; 'tentáculo': *ácero* (< gr.), *braquícero, dícero, eritrócero, eurícero, helócero, lepidócero, macrócero, melanócero, micrócero, tetrácero* (< gr.), *zigócero* [F.: Do gr. *-keros, os, on*, 'que tem chifre(s) ou corno(s)', < gr. *kéras, kératos*, 'chifre'; 'corno'. F. conexa: *cerat(o)-*.]
cerol (ce.*rol*) *sm.* **1** *Bras.* Mistura de vidro moído com cola de madeira que se passa na linha das pipas, para cortar no ar as linhas de outras pipas **2** Mistura de sebo, cera e piche us. pelos sapateiros para encerar as linhas com que costuram **3** *Bras. Pop.* Açúcar pouco refinado, de qualidade ruim **4** Designação popular dada a algumas substâncias resinosas ou secreções, como o cerume do ouvido, o própole etc. [Pl.: *-róis*.] [F.: *cer(a) + -ol*.] ■ **Passar o ~** *Gír.* Matar, assassinar
ceroma (ce.*ro*.ma) *sf.* **1** *Pat.* Tumor que se forma em alguns tecidos pela degeneração da gordura **2** *Anat. Zool.* O mesmo que *cera* (membrana mole do bico das aves) [F.: Do lat. *ceroma*.]
ceroplastia (ce.ro.plas.*ti*.a.) *sf. Art.* Arte de modelar figuras em cera, o mesmo que *ceroplástica* [Ver tb. *ceroplástica*.] [F.: *cere(o) + plastia*.]
ceroplástica (ce.ro.*plás*.ti.ca.) *sf. Art. Pl.* Arte de modelar figuras em cera, o mesmo que *ceroplastia* [F.: *cer(o) + plástica*.]
ceroso (ce.*ro*.so) [ô] *a.* **1** Ref. a cera ou feito deste material; CÉREO **2** Da cor da cera: *A pele cerosa lhe dava um ar doentio.* [Pl.: [ó]. Fem.: [ó].] [F.: Do lat. *cerosus*. Hom./Par.: *seroso*.]
ceroto (ce.*ro*.to.) [ô] *sm.* **1** *Farm.* Unguento ou pomada em cuja composição entram cera e um óleo; *cerato* **2** *Bras. Ne. Pop.* Sujeira da pele causada por falta de higiene [F.: Do lat. *cerotum, i*.]
ceroula (ce.*rou*.la) *sf.* **1** *Bras. Vest.* Peça da roupa de baixo masculina, ger. de linho, algodão ou flanela, que cobre o ventre e se abre em duas pernas até os tornozelos. (De rara utilização no Brasil de hoje.) [Pal. mais us. no pl.] **2** *P. ext.* Cueca [F.: Posv. do ár. *sarawil* 'calças, calções'.]
cerqueiro (cer.*quei*.ro.) *a.* **1** Que cerca, que abrange **2** Diz-se de pessoa que cultiva uma cerca viva **3** Nas provas turfísticas, diz-se do cavalo que procura correr sempre junto a uma das cercas da raia *sm.* **4** Cavalo cerqueiro **5** Cultivador de cerca viva [F.: *cerca + eiro*.]
cerquilha (cer.*qui*.lha) *sf. Inf.* Em certas linguagens de programação, sinal us. para marcar comentário no *script*, ou linguagem-fonte; tem o formato do jogo da velha, ou tralha (#) [F.: *cerca + -ilha*.]
cerração (cer.ra.*ção*) *sf.* **1** Neblina espessa (que dificulta a visão ou orientação espacial), tanto na terra como no mar; NEVOEIRO; BRUMA **2** *P. ext.* Ausência de luz, obscuridade; escuridão **3** Dificuldade de falar, por algum problema respiratório ou devido à rouquidão **4** Ação ou efeito de cerrar, fechar; cerramento (cerração das pálpebras) [Pl.: *-ções*.] [F.: *cerra(r) + -ção*. Hom./Par.: *serração*.]
cerrado (cer.*ra*.do) *a.* **1** Que se cerrou (olhos cerrados, invólucro cerrado); FECHADO; VEDADO **2** Unido, comprimido: *Os manifestantes gritavam de punhos cerrados.* **3** Espesso, denso; composto por muitos elementos próximos entre si (barba cerrada) **4** Coberto ou encoberto por algo que esconde, protege, veda **5** Carregado, obscurecido por nuvens, névoa (ou, tb., fumaça etc.) **6** Sigiloso, secreto, tornado inacessível (testamento cerrado) *sm.* **7** Vegetação característica do Planalto Central brasileiro, com árvores esparsas, ger. pequenas, retorcidas, de cascas grossas e raízes profundas, e cobertura herbácea quase contínua **8** *P. ext.* Região ou terreno em que ocorre essa flora, e que passa, caracteristicamente, por longos períodos sem chuva; CERRADÃO **9** Terreno fechado por cerca ou muro [F.: Part. de *cerrar*. Hom./Par.: *serrado*.] ■ **~ fechado** *Bras.* Cerrado (8) em que a vegetação é densa **~ ralo** Cerrado (8) com vegetação pouco densa, o que possibilita a passagem de gente e de animais
cerra-fila (cer.ra-*fi*-la.) *sm.* **1** O último componente de uma série finita *sm.* **2** *Mil.* Soldado que, num deslocamento em formação, se coloca na retaguarda da tropa para fiscalizar a execução das ordens referentes à marcha **3** Qualquer indivíduo postado na última fileira de uma coluna **4** *Mar.* Navio que vai na retaguarda dos outros [F.: De *cerrar + fila*.]
cerramento (cer.ra.*men*.to.) *sm.* **1** Ação ou resultado de cerrar: *O cerramento das portas do teatro ocorrerá assim que começar o espetáculo.* **2** Ação ou resultado de apertar, comprimir (cerramento dos lábios) **3** Encerramento, conclusão: *Lida a ata final, procedeu-se ao cerramento da reunião.* **4** *Vet.* Intervenção cirúrgica destinada a impedir que a fenda existente no casco das cavalgaduras se abra e se feche quando em movimento [Hom./Par. *serramento*; F.: *cerrar + mento*.]
cerrar (cer.*rar*) *v.* **1** Fechar [*int.*: *Ante tanta luz, cerraram-se os olhos.*; *cerrar o caixão*] **2** Unir(-se) fortemente; APERTAR(-SE) [*td.*: *cerrar os punhos/ fileiras*.] [*tda.*: *Cerrou-o nos braços*.] [*int.*: *Seus punhos cerraram-se na raiva contida*.] **3** Juntar(-se) as partes de algo que antes estavam separadas ou afastadas [*td.*: *cerrar os olhos; cerrar fileiras*.] [*int.*: *Seus lábios cerraram-se*.] **4** Cobrir-se de nuvens; ENEVOAR-SE [*int.*: *O céu cerrou-se de repente*.] **5** Cobrir, encobrir, bloquear [*td.*: *Cerrou a passagem arrastando uma estante*.] **6** Pôr termo a, ou chegar ao termo; dar(-se) por terminado, concluir(-se), finalizar(-se) [*td.*: *Cerrou o relatório e endereçou-o ao chefe*.] [*int.*: *A sessão cerrou-se mais cedo*.] **7** Acumular-se, adensar-se [*int.*: *O nevoeiro cerrou, é melhor não sair de carro agora*.] **8** Tornar(-se) enevoado, com pouco ou nenhum sol [*int.*: *De repente, o tempo cerrou*.] [*int.*: *O tempo cerrou-se*.] **9** Cicatrizar-se [*int.*: *O ferimento cerrou-se*.] **10** Travar combate, lutar [*tr.* + *com*: *Cerrou com a tropa inimiga; As gangues rivais cerraram-se violentamente (uma cerrou com a outra)*.] **11** *Hip.* Alcançar (cavalgadura) a época em que os dentes adquirem completo desenvolvimento [*int.*] **12** *Mar.* Mover (o leme) para um dos bordos [*td.*] [▶ **1** cerrar] [F.: Do lat. tardio *serare*. Cf.: *serrar* (todos os tempos do v.); *cerra(s)* (fl.), *serra(s)* (sf. [e pl.]; *cerraria(s)* (fl.), *serraria(s)* (sf. [e pl.]; *cerro* (fl.), *cerro* /ê/ (sm.); *serro* /ê/ (sm.).]
cerro (*cer*.ro) [ê] *sm.* **1** Pequeno monte ou colina; MORRO; OUTEIRO **2** Pequeno morro escarpado, pedregoso **3** *Fig. Pop.* Dorso, costas, lombo de um animal [F.: Do lat. *cirrus*. Hom./Par.: *cerro* (sm.), *cerro* (fl. *cerrar*); *serro*.]
certa (*cer*.ta) *sf.* Ver *na certa* ■ **À/na/pela ~** Sem dúvida, com certeza [Us. tb. em relação a um fato suposto, uma hipótese, a algo que se crê ou imagina ser (ou vir a ser) verdade: *Se ela não deixou recado, na certa telefonará novamente, mais tarde.* (Cf. *certamente* [2].).]
certame (cer.*ta*.me) *sm.* **1** Luta, contenda, briga (envolvendo agressão física) **2** Disputa, controvérsia, divergência, litígio (por meio de palavras etc.) **3** Competição esportiva, torneio, campeonato **4** Evento em que diferentes participantes ou grupos destes apresentam determinados produtos, criações artísticas etc., visando ou não a premiação; CONCURSO [Pl.: *de certâmen: -mens*.] [F.: Do lat. *certamen*. Tb. *certâmen*.]
certâmen (cer.*tâ*.men) *sm.* Ver *certame*
certeiro (cer.*tei*.ro) *a.* **1** Que acerta o alvo ou objetivo com precisão: *Com um tiro certeiro, estourou a única lâmpada da praça.* **2** Correto, acertado; preciso e eficiente em sua ação e resultados, sem falha(s) (intervenção certeira) **3** Penetrante, sagaz [F.: *cert(o) + -eiro*.]
certeza (cer.*te*.za) [ê] *sf.* **1** Qualidade do que é certo; CORREÇÃO: *A certeza de sua observação era indiscutível.* **2** Segurança interior, verdadeira ou enganosa, de que algo (ideia, fato ou equivalente) está certo; CONVICÇÃO: "Volto ao jardim/na certeza que devo chorar..." (Cartola, *As rosas não falam*) **3** Conhecimento pleno, comprovado: *Só acusou quando teve certeza do ocorrido.* **4** Coisa certa, que certamente é (ou foi, ou será) real, verdadeira; aquilo de que não se tem dúvida, seja por crença, convicção, conhecimento comprovado etc.: *Na vida, a morte é a única certeza.* [F.: *cert(o) + -eza*.] ■ **Com ~** **1** Sem dúvida, certamente: *Não se preocupe, ela virá, com certeza.* **2** Us. tb. para falar de coisa possível ou provável, mas não certa (mas da qual aquele que fala tem relativa convicção): *Não sei por que está atrasado, com certeza pegou engarrafamento.* **3** *Pop.* Us. para exprimir concordância enfática: – *Você gostou dessa música?* – *Com certeza!* **De ~** *Lus.* Com certeza
certidão (cer.ti.*dão*) *sf.* Documento de comprovação firmado por autoridade competente e de fé pública; ATESTADO: *certidão de batismo; certidão de nascimento; certidão de casamento.* [Pl.: *-dões*.] [F.: Do lat. *certitudo*.]
certificação (cer.ti.fi.ca.*ção*) *sf.* **1** Ato ou efeito de certificar, afirmar a veracidade de um fato **2** Ato ou efeito de certificar-se, de obter comprovação de que algo é verdade **3** *Jur.* Ato de emitir certidão **4** Cientificação, comunicação [Pl.: *-ções*.] [F.: *certificar + -ção*; lat. *certificatio*.]
certificado (cer.ti.fi.*ca*.do) *a.* **1** Que foi confirmado como verdadeiro ou autêntico (cópias certificadas) **2** *Desus.* Devidamente informado ou que recebeu comunicação oficial a respeito de algo *sm.* **3** Documento comprobatório (de certo fato, de certa ação, condição etc.): *certificado de reservista.* **4** Documento que assegura, por determinado prazo, as qualidades de um bem de consumo e a responsabilidade financeira de quem o vende: *certificado de garantia.* [F.: Part. de *certificar*.] ■ **~ de origem** *Com.* Documento que atesta a origem de mercadoria (ger. em comércio internacional) **~ de reservista** Atestado de cumprimento de serviço militar
certificador (cer.ti.fi.ca.*dor*) [ô] *a.* **1** Que certifica, que dá certeza da veracidade de algo **2** Que tem capacidade ou função de certificar *sm.* **3** Aquele ou aquilo que certifica algo, que tem função de certificar ou capacidade para fazê-lo [F.: *certifica(r) + -dor*.]
certificante (cer.ti.fi.*can*.te) *a2g.* **1** Ver *certificador s2g.* **2** Ver *certificador* [F.: *certifica(r) + -nte*.]
certificar (cer.ti.fi.*car*) *v.* **1** Confirmar como certo, verdadeiro; ATESTAR [*td.*: *O escrivão certificou a autenticidade do documento*.] [*tdi.* + *a*, *para*: *O farmacêutico certificou-lhe que o remédio estava correto*.] **2** Certificar (1) de modo formal ou oficial, com documento apropriado; passar certidão de [*td.*: *certificar um nascimento*.] **3** Tornar (alguém) ciente de [*tdr.* + *de*: *Certificaram-na do acidente*.] **4** Fazer adquirir ou adquirir convicção ou garantia de; dar certeza em relação a (algo que era duvidoso) [*tr.* + *de*: "O escudeiro esfregou os olhos para certificar-se do que via..." (José de Alencar, *O guarani*)] [*tdi.* + *a*, *para*: *Certificou ao cliente a procedência da mercadoria*.] [▶ **11** certificar] [F.: Do lat. *certificare*.]
certificativo (cer.ti.fi.ca.*ti*.vo) *a.* **1** Que certifica ou que se usa para certificar (documento certificativo) **2** Ref. a certificação: *declaração com fins certificativos.* [F.: *certifica(r) + -tivo*.]
certo (*cer*.to) *a.* **1** Que é verdadeiro, que é correto, sem nenhum erro: *Sua avaliação está certa.* [Ant.: *errado*.] **2** Moralmente adequado; JUSTO: *Sua atitude não foi certa.* **3** Preciso, exato, certeiro (hora certa; tiro certo) **4** Conforme o combinado: *No dia certo, finalmente se encontraram.* **5** Inevitável, infalível: *Cuide da vida, porque a morte é certa.* **6** Convencido, seguro: *Estamos certos de sua inocência.* **7** Que atende aos fins a que se destina, ou aos hábitos e costumes; ADEQUADO; APROPRIADO; CONVENIENTE: *a pessoa certa para o posto; Esta é a maneira certa de usar garfo e faca.* **8** *Bras. Hip.* Diz-se de cavalo bem adestrado, dócil *pr. indef.* **9** Um, algum: "Certo poema imaginou..." (João Cabral de Melo Neto, *A educação pela pedra*) *adv.* **10** De maneira correta; certamente, corretamente: *Escreveu certo por linhas tortas.* *sm.* **11** Aquilo que se verifica com verdade: *Preferiu o certo: uma andorinha na mão.* [F.: Do lat. *certus*.] ■ **Ao ~** Com precisão, com exatidão, com certeza: *Não soube dizer ao certo o resultado do exame.* **Dar ~** Realizar-se conforme o esperado, ter êxito: *Não se preocupe, tudo vai dar certo.* **Por ~** Com certeza. sem dúvida
cerúleo (ce.*rú*.le.o) *a.* **1** Ref. ou semelhante à cor azulada do céu (azul cerúleo); AZUL; CÉRULO **2** Que tem ou reflete a cor azul do céu, ou que tem o azul esverdeado do mar (ondas cerúleas) **3** Ref. ao céu, esp. o céu atmosférico; celeste (abóbada cerúlea; ventos cerúleos); CÉRULO [F.: Do lat. *caeruleus*.]
ceruloplasmina (ce.ru.lo.plas.*mi*.na.) *sf. Fisl.* Glicoproteína produzida pelo fígado, responsável pelo transporte de mais de 90% do cobre plasmático, utilizada no diagnóstico diferencial das doenças hepáticas [F.: *cérulo* (cobre) + *plasmina*.]
cerume (ce.*ru*.me) *sm. Anat.* Substância amarelada e de aspecto ceroso que se forma no canal auditivo externo; CERA; CERA DO OUVIDO [F.: Do lat. *cerumen*. Tb. *cerúmen*.]
cerúmen (ce.*rú*.men) *sm.* Ver *cerume*
ceruminoso (ce.ru.mi.*no*.so) [ô] *a.* Ref. ao cerume ou da sua natureza [Pl.: [ó]. Fem.: [ó].] [F.: Do rad. lat. *cerumin- + -oso*.]
cerva (*cer*.va.) *sf.* **1** Fêmea do cervo; CORÇA [F.: Fem de *cervo*.] **2** *Bras. Pop.* Cerveja [F.: Red. de *cerveja*.] [Hom./Par. *serva* (s.f.).]
cervantesco (cer.van.*tes*.co) *a.* Ref. ao escritor espanhol Miguel de Cervantes Saavedra (1547-1616), autor do *Dom Quixote de La Mancha*, e característico de sua obra ou de seu estilo; CERVANTINO [F.: *Cervant(es) + -esco*.]
cerveja (cer.*ve*.ja) *sf.* **1** Bebida de baixo teor alcoólico, obtida com a fermentação de cereais, esp. a cevada e o lúpulo; CERVEJOTA; BIA; BIRRA **2** Garrafa ou lata contendo cerveja (1): *Sobraram três cervejas na geladeira.* **3** A quantidade de cerveja contida em uma garrafa, caneco ou lata: *Bebemos duas cervejas.* [F.: Do lat. *cervesia*.]
cervejada (cer.ve.*ja*.da.) *sf.* **1** *Pop.* Reunião em que se bebe muita cerveja; CERVEJOTA **2** Grande quantidade de cerveja; CERVEJAMA [F.: *cerveja + ada*.]
cervejama (cer.ve.*ja*.ma.) *sf. Bras. Pop.* Grande quantidade de cerveja [F.: *cerveja + ama*.]
cervejaria (cer.ve.ja.*ri*.a) *sf.* **1** Fábrica de cerveja **2** Casa comercial especializada em vender e servir vários tipos de cerveja, de garrafa ou chope [F.: Do lat. *cerveja + -aria*.]
cervejeiro (cer.ve.*jei*.ro) *a.* **1** Ref. a cerveja, sua indústria e comércio (produção cervejeira) *sm.* **2** Bebedor e apreciador de cerveja **3** Aquele que fabrica ou vende cerveja [F.: *cervej(a) + -eiro*.]
cervejota (cer.ve.*jo*.ta.) *sf.* **1** *Bras. Pop.* Cerveja **2** Reunião onde se bebe cerveja; CERVEJADA [F.: *cerveja + ota*.]
◎ **cerv(i)-** *Pref.* = cervo: *cervicórneo, cervídeo*
cervical (cer.vi.*cal*) *a2g.* **1** Ref. a cerviz, nuca, pescoço (coluna cervical) **2** Ref. a ou situado no colo de um órgão ou estrutura (cárie cervical) [Pl.: *-cais*.] *sf.* **3** *Anat.* A porção cervical (1) da coluna vertebral [Tb. se diz *coluna cervical*.] [Pl.: *-cais*.] [F.: Do lat. *cervical, alis*.]
cérvice (*cér*.vi.ce.) *sf. Anat.* Porção estreitada de um órgão (cérvice do útero); COLO [F.: Do lat. *cervix, icis*.]

◎ **cervic(i)-** ***el. comp.*** = 'pescoço'; 'porção estreita de um órgão': *cervicite; cervicodorsal, cervicoplegia* [F.: Do lat. *cervix, icis*, 'cachaço'; 'nuca'; 'pescoço'; 'gargalo'; 'colo', etc.]
cervicite (cer.vi.*ci*.te.) ***sf.*** *Anat. Med.* Inflamação do colo do útero [F.: *cérvice + ite.*]
◎ **cervico-** ***el. comp.*** Ver *cervic(i)-*
cervicodorsal (cer.vi.co.dor.*sal*) ***sf.*** *Anat.* Região compreendida entre as últimas vértebras cervicais e as primeiras dorsais [F.: *cérvico + dorsal.*]
cervicoplegia (cer.vi.co.ple.*gi*.a) ***sf.*** *Med.* Paralisia da coluna cervical [F.: *cérvico + plegia.*]
cervicotorácico (cer.vi.co.to.*rá*.ci.co) ***a.*** **1** *Med.* Relativo ao pescoço e ao tórax ***sm.*** **2** Segmento da coluna vertebral compreendido entre a primeira vértebra cervical e a última vértebra torácica [F.: *cérvico + torácico.*]
cervídeo (cer.*ví*.de.o) ***a.*** **1** *Mastz.* Ref. aos cervídeos ***sm.*** **2** Espécime dos cervídeos, fam. dos mamíferos artiodáctilos ruminantes, de pernas longas e chifres ger. ramificados (nos machos), a que pertencem os veados, a rena e o alce [F.: Do lat. cient. *Cervidae.*]
cervídeos (cer.*ví*.de.os) ***smpl.*** Família de mamíferos artiodáctilos ruminantes de pernas longas e chifres ramificados, a que pertencem os cervos, veados, renas e alces [F.: Do lat. cient. *Cervidae.*]
cerviz (cer.*viz*) ***sf.*** **1** Parte posterior do pescoço; NUCA; CACHAÇO **2** *P. ext.* Pescoço **3** *P. ext.* Cabeça **4** *Fig.* Altivez, amor-próprio [Ger. us. em expressões como *cerviz dura, dobrar a cerviz.*] **5** A parte mais alta, como copa de árvore, topo de monte [F.: Do lat. *cervix.*] ■ **~ dura** **1** *Fig.* Firmeza de caráter **2** Estoicismo **3** Resistência a imposições **4** Teimosia **Curvar/dobrar a ~** *Fig.* Aceitar as ordens, imposições ou a autoridade de outrem; submeter-se à servidão ou escravidão **Sacudir a ~** *Fig.* Rebelar-se; não aceitar ordens ou dominação
cervo (*cer*.vo) [ê] ***sm.*** **1** *Mastz.* Denominação comum a diversos mamíferos ruminantes, da fam dos cervídeos, gên. *Cervus*, encontrados no hemisfério norte **2** Ver *cervo-do-pantanal.* **3** *Zool.* Ver *veado* **4** *Joc.* Homem cuja esposa ou namorada tem relações sexuais com outras pessoas; CORNO [F.: Do lat. cient. *Cervus.*]
cervo-do-pantanal (cer.vo-do-pan.*ta*.nal) [ê] ***sm.*** *Mastz.* Veado de grande porte (*Blastocerus dichotomus*), encontrado em áreas pantanosas da América do Sul
cerzideira (cer.zi.*dei*.ra) ***sf.*** **1** Mulher que tem por especialidade fazer cerziduras **2** Agulha de cerzir [F.: *cerzir + -deira.*]
cerzido (cer.*zi*.do) ***a.*** **1** Tecido em que se fez cerzidura ***sm.*** **2** Conserto em pano com pontos muito pequenos [F.: Part. de *cerzir.*]
cerzidor (cer.zi.*dor*) [ô] ***a.*** **1** Que cerze, que sabe cerzir ***sm.*** **2** Aquele que cerze, que sabe cerzir **3** *Fig.* Aquele que combina ou reúne narrativas ou escritos variados, de outras pessoas ou de várias fontes [F.: *cerzi(r) + -dor.*]
cerzidura (cer.zi.*du*.ra) ***sf.*** **1** Ação ou resultado de cerzir; CERZIMENTO; CERZIDO: *A cerzidura está perfeita.* **2** O que foi cerzido **3** *Fig.* Reunião de elementos díspares, justapostos ou intercalados, ger. sem formar unidade muito coesa ou homogênea [F.: *cerzir + -dura.*]
cerzimento (cer.zi.*men*.to) ***sm.*** Ato ou efeito de cerzir; CERZIDURA: *O cerzimento, de tão bom, passava despercebido.* [F.: *cerzi(r) + -mento.*]
cerzir (cer.*zir*) ***v.*** **1** Coser com linha fina e pontos pequenos, de modo a não se notar a costura [***td.***: *Cerziu as meias do marido.*] [***int.***: *Quando não está na cozinha, está cerzindo.*] **2** *Fig.* Reunir, juntar e interligar coisas diversas (ger. informações, comentários, narrativas, escritos, documentos etc.) para formar um todo coeso, ou incorporá-las, entremeadas como complemento ou emenda a algo preexistente [***tdr.*** + *a*: *Cerziu ao texto notas e mapas.*] [***td.***: *A coleção cerzia os melhores poemas do século.*] **3** Compor, tecer; reunir elementos para produzir algo que é um conjunto interligado [***td.***: *Com os depoimentos e dados obtidos, cerziu uma interessante reportagem.*] [▶ 49 cerzir] [F.: Do lat. *sarcire.*]
cesárea (ce.*sá*.re.a) ***sf.*** *Inf. Med.* O mesmo que *cesariana* (operação para retirada do feto pelo abdome) [F.: Forma red. de *cesariana*, calcada no adj. (fem. e substantivado) *cesárea* (ver *cesáreo*).]
cesáreo (ce.*sá*.re.o) ***a.*** **1** *Hist.* Pertencente ou relativo ao general e imperador romano Júlio César (102-44 a.C.) **2** *Med.* Diz-se do parto ocorrido mediante cirurgia, ou da operação para retirada do feto pelo abdome (parto cesáreo, operação cesárea) [F.: De *césar* (do antrop. César) + *-eo.*]
cesariada (ce.sa.*ria*.da) ***a.*** *Fam.* Diz-se da mãe que deu à luz mediante parto cesáreo [F.: de *cesar* (do antrop. César) + *-iada.*]
cesariana (ce.sa.ri.*a*.na) ***sf.*** *Med.* Parto realizado por meio de cirurgia que consiste em abrir incisão nas paredes abdominal e uterina, para extrair o feto do útero [Tb.: *operação cesariana, parto cesariano, parto cesáreo, tomotocia.*] [F.: Posv. do lat. *caesar*, ref. a 'incisão', pelo fr. *césarienne.* Tb. *cesárea.*]
cesarismo (ce.sa.*ris*.mo.) ***sm.*** **1** *Hist.* Governo dos césares romanos **2** *Pol.* Sistema de governo em que só uma pessoa controla o poder; DESPOTISMO; AUTOCRATISMO; PERSONALISMO: "Admiro muito a religião católica; mas sei bem que ela é uma criação social, baseada na nossa necessidade fundamental de Deus e impregnada do cesarismo romano" (Lima Barreto, *Marginália*) [F.: de *cesar* (do antrop. César) + *-ismo.*]
césio (*cé*.si:o) ***sm.*** *Quím.* Elemento químico da família dos metais alcalinos, de número atômico 55, cujos compostos são empregados no fabrico de pilhas alcalinas, vidros especiais, relógios atômicos etc. [Símb.: *Cs.* O césio 137 é um isótopo radioativo us. em equipamento de radiografia e radioterapia.] [F.: Do lat. cient. *caesium.*]
céspede (*cés*.pe.de.) ***sm.*** **1** Terreno coberto de grama **2** *Bot.* Tapete natural de musgos e gramíneas que cobre um terreno [F.: Do lat. *caespes, is.*]
cespitoso (ces.pi.*to*.so) [ô] ***a.*** **1** *Bot.* Diz-se de vegetal cuja raiz emite vários caules **2** Diz-se da planta que se desenvolve formando tufos ou touceiras [Fem.: [ó]. Pl.: [ó].][Do lat. *caespes + -osa.*]
cessação (ces.sa.*ção*) ***sf.*** Ato ou efeito de cessar; CESSAMENTO; PARADA; INTERRUPÇÃO [Pl.: *-ções.*] [F.: Do lat. *cessatio.* Hom./Par.: *sessação.*]
cessamento (ces.sa.*men*.to.) ***sf.*** **1** Ação ou resultado de cessar; CESSAÇÃO **2** *Jur.* Paralisação de uma atividade ou de um estado jurídico [F.: *cessar + -mento.*]
cessante (ces.*san*.te.) ***a2g.*** **1** Que cessa **2** *Jur.* Que se deixou de receber, interrompido: *Lucros cessantes.* [F.: Do lat. *cessans, antis.*]
cessão (ces.*são*) ***sf.*** **1** Ato ou efeito de ceder algo em favor de outrem; CEDIMENTO; CEDÊNCIA: *cessão da palavra; cessão de direitos.* **2** Documento, contrato ou declaração formal com que se efetiva um ato de cessão (1) **3** Renúncia, desistência **4** Empréstimo: *cessão de livros.* [Pl.: *-sões.*] [F.: Do lat. *cessio.* Hom./Par.: *cessão* (sf.), *sessão* (sf.), *seção* (sf.).] ■ **~ de armas** *Mil.* Trégua, armistício, cessar-fogo
cessar (ces.*sar*) ***v.*** **1** Não continuar (certa ação ou processo), seja terminando-os (ou chegando ao fim), seja interrompendo-os (ou sendo interrompidos) abruptamente; PARAR [***td.***: *Em cinco minutos, cessaram todo o trabalho e esperaram novas instruções; Cessou imediatamente o choro quando viu o pai.*] [***tr.*** + *com*: *Acalmou-se e cessou com os gritos e ameaças.*] [***int.***: *A dor é forte no início, mas depois cessa.*] [Nesta acp., tb. é us. como v. aux. + de seguido de infin., indicando término de processo ou atividade expressos no v. principal: *Cessou de acariciá-lo.* Tb. é us. dessa forma com verbos impessoais, esp. os relativos a fenômenos do clima: *Cessou de haver objeções ao projeto; Breve, cessará de chover.*] **2** Não voltar a ter (certa atitude) ou desistir de (um intento) [***tr.*** + *com*: *A diretoria da firma cessou com as demissões.*] [▶ 1 cessar.] [F.: Do lat. *cessare.* Hom./Par.: *cessar, sessar* (em todas as fl.); *cesseis* (fl.), *sésseis* (pl. de *séssil*); *cessem* (fl.), *cecém* (sf.); *cesso* (fl.), *sesso* [ê] (sm.).]
cessar-fogo (ces.sar *-fo*.go) ***sm2n.*** *Mil.* Suspensão temporária ou definitiva das hostilidades, entre inimigos que guerreiam; acordo que propicia essa cessação ou suspensão; TRÉGUA; ARMISTÍCIO
cessionário (ces.si.o.*ná*.ri.o) ***a.*** **1** *Jur.* Pessoa que se beneficia ou é adquirente de determinda cessão ***sf.*** **2** *Jur.* Empresa que se beneficia ou é adquirente de determinada cessão [F.: *cessão* sob a forma *cession + ário.*]
cesta (*ces*.ta) [ê] ***sf.*** **1** Recipiente de vime, palha ou outro material trançado, para colocação ou transporte de objetos; CESTO **2** *P. ext.* Recipiente de diversos outros materiais (metal, plástico, madeira) para finalidades domésticas: *cesta de lixo; cesta de roupas; cesta de costura.* **3** A quantidade das coisas postas numa cesta: *Enviou-me uma cesta de jabuticabas.* **4** *Basq.* Rede de malha sem fundo presa a um aro de ferro fixado à tabela e por onde se tem de fazer a bola passar **5** *Basq.* Acerto no arremesso à cesta (4) no jogo de basquetebol, que pode valer 2 ou 3 pontos, dependendo de se o arremesso foi de dentro ou de fora da chamada 'linha dos 3 pontos' [F.: Do gr. *kistē*, pelo lat. *cista.* Hom./Par.: *cesta* (sf.), *sesta* (sf.), *sexta* (sf.); *cestas* (pl.), *sestas* (pl.), *sextas* (pl.).] ■ **~ básica** *Econ.* Conjunto de produtos considerados (por instituição que controla índices da economia) de necessidade básica para o consumo mensal de uma família de quatro pessoas, e que serve para medir o índice de variação de preços nessa faixa **~ de consumo** *Econ.* Conjunto de produtos considerados típicos do consumo regular de certa classe de consumidores
cestada (ces.*ta*.da) ***sf.*** Conteúdo de uma cesta ou de um cesto [F.: *cesta + ada.*]
cestaria (ces.ta.*ri*.a) ***sf.*** **1** Técnica de fabricação de cestas ou cestos **2** Grande quantidade de tais objetos **3** Local onde são fabricados ou vendidos cestos e cestas [F.: *cesto + -aria.*]
cesteiro (ces.*tei*.ro) ***a.*** **1** Ref. a cesto e a cestaria (artesanato cesteiro) ***sm.*** **2** Aquele que faz ou vende cestos [F.: *cest(o) + -eiro.* Hom./Par.: *sesteiro.*]
cestinha (ces.*ti*.nha) ***sf.*** **1** Dim. de *cesta*; pequena cesta **2** *Mús.* Ver *caxixi* ***s2g.*** **3** *Basq.* Jogador(a) de basquetebol que faz maior número de cestas em partida ou campeonato [F.: *cest(a) + -inha.*]
cesto (*ces*.to) [ê] ***sm.*** Ver *cesta* (1 a 4) [F.: De *cesta.*] ■ **~ de gávea** *Ant. Mar.* Em antigos veleiros, plataforma instalada no calcês do mastro, por onde passam enxárcias do mastaréu [Tb. apenas *gávea.*] **Um ~ e um samburá** *N. E. Pop.* Grande quantidade de pessoas ou de coisas
cestodíase (ces.to.*dí*.a.se) ***sf.*** Afecção causada por infestação de cestodos no organismo
cestódio (ces.*tó*.di.o) ***sm.*** *Zool.* Ver *solitária* [F.: *cest(o)- + -ode + -io.*]
cestoide (ces.*toi*.de) *Zool.* ***a2g.*** **1** Ref. a cesto (2); que tem forma de fita ou cinto **2** Ref. aos cestoides ***sm.*** **3** *Zool.* Espécime dos cestoides, classe de vermes platelmintos de corpo segmentado, em forma de fita, que não possuem aparelho digestivo e são parasitas de outros animais (ex.: as tênias) [Todas as spp. são parasitas intestinais de vertebrados.] [F.: Do lat. cient. *Cestoidea.*]
cesura (ce.*su*.ra.) ***sf.*** **1** Abertura em uma superfície; corte, incisão: "Os morcegos que esvoaçavam espantados pelo teto do alpendre lembraram-lhe um excelente expediente; agarrou o primeiro que lhe passou ao alcance do braço, e abrindo-lhe uma cesura com a faca, soltou-o." (José de Alencar, *O guarani*) **2** Cicatriz proveniente de tal incisão **3** *Poét.* A primeira parte do verso hexâmetro **4** *Poét.* Sílaba final de uma palavra e que inicia um pé **5** *Poét.* Interrupção ou corte no ritmo de um verso [F.: Do lat. *caesura, ae.*]
cesurar (ce.su.*rar*) ***v. td.*** **1** Fazer cesura ou corte em; cortar **2** *Med.* Efetuar cesura em: *O cirurgião cesurou um tumor.* **3** *Liter.* Fazer cesura em (verso) [▶ 1 cesurar] [F.: *cesura + -ar*².* Hom./Par.: *cesura(s)* (fl.), *cesura* (sf. e pl.).]
cetáceo (ce.*tá*.ce.o) *Mastz.* ***a.*** **1** Ref. aos cetáceos ***sm.*** **2** *Zool.* Espécime dos cetáceos, ordem de mamíferos aquáticos, em geral marinhos e de grande porte (baleias, cachalotes, golfinhos, botos), com nadadeira caudal horizontal e orifícios respiratórios no alto da cabeça [F.: *cet(o)- + -áceo*; lat. cient. *Cetacea.*]
cetáceos (ce.*tá*.ce.os) ***smpl.*** *Zool.* Ordem de mamíferos aquáticos, em geral marinhos e de grande porte (baleias, cachalotes, golfinhos, botos), com nadadeira caudal horizontal e orifícios respiratórios no alto da cabeça [F.: *cet(o) + -áceos.*]
ceticismo (ce.ti.*cis*.mo) ***sm.*** **1** *Fil.* Atitude de dúvida sistemática, ou tendência a duvidar; não aceitação de pretensas certezas ou verdades absolutas **2** *P. ext.* Incredulidade, descrença, falta de confiança ou de convicção: *Mostrou ceticismo em relação a tudo.* **3** *Fil.* Doutrina filosófica segundo a qual é impossível a consciência adquirir certeza sobre a verdade em geral ou sobre algum conhecimento específico **4** Método ou procedimento filosófico dos adeptos do ceticismo (3), esp. a suspensão do julgamento (como no ceticismo da Antiguidade grega) e a crítica ao conhecimento metafísico, dogmático ou religioso (como no ceticismo moderno) [F.: *cé(p)tic(o) + -ismo.* Tb. *cepticismo.*]
cético (*cé*.ti.co) ***a.*** **1** Que mostra ceticismo (1 e 2) ou é adepto do ceticismo (3) ***sm.*** **2** *Fil.* Adepto de qualquer das correntes do ceticismo **3** Aquele que mostra ceticismo (1 e 2) em relação a algo ou alguém [F.: Do gr. *skeptikos*, pelo fr. *sceptique.* Hom./Par.: *séptico.* Tb. *céptico.*]
cetim (ce.*tim*) ***sm.*** **1** Tecido de seda fina, muito macio, lustroso em um dos lados, por ter poucos entrelaçamentos **2** *P. ext.* Tecido semelhante, de material variado, às vezes sintético, como o raiom e o jérsei **3** *Fig.* O que é ou se mostra liso, lustroso, acetinado: *sua pele é um cetim.* [Pl.: *-tins.*] [F.: Do ár. *zaytun*, posv. pelo fr. *satin.*]
cetinoso (ce.ti.*no*.so) [ô] ***a.*** Fino e macio como o cetim; ACETINADO; CETÍNEO [Ant.: *rugoso, áspero.*] [Pl.: [ó]. Fem.: [ó].] [F.: *cetim + -oso.*]
◎ **cet(o)-¹** ***el. comp.*** = 'cetáceo': *cetáceo* (< lat. cient.), *cetina, cetopsídeo* (< lat. cient.); *odontoceto* (< lat. cient.), *misticeto* (< lat. cient.) [F.: Do gr. *kêtos, eos-ous*, 'baleia'; 'cetáceo'.]
◎ **cet(o)-²** ***el. comp.*** *Quím.* = 'função cetona': *cetoacidose, cetogênico, cetógeno, cetose* [F.: De *ceto(na).*]
cetogênico (ce.to.*gê*.ni.co) ***a.*** *Quím.* Que produz substâncias cetônicas ou induz à sua produção; CETÓGENO [F.: *cet(o)-² + -gênico.*]
cetógeno (ce.*tó*.ge.no) ***a.*** *Quím.* O mesmo que *cetogênico* [F.: *cet(o)-² + -geno.*]
cetona (ce.*to*.na) ***sf.*** *Quím.* Qualquer dos compostos orgânicos (como a acetona) que têm como grupamento característico uma carbonila ligada a dois átomos de carbono [F.: De *acetona*, por aférese.]
cetonúria (ce.to.*nú*.ri.a) ***sf.*** *Pat.* Presença de corpos cetônicos na urina; ACETONÚRIA [F.: *cetona + úria.* Tb. *cetonuria.*]
cetose (ce.*to*.se) [ó] ***sf.*** **1** *Patol.* Acidose causada pelo aumento de corpos cetônicos **2** *Quím.* Designação genérica dos monossacarídeos que contêm um grupamento funcional cetônico por molécula [F.: *ceto + ose.*]
cetrimida (ce.tri.*mi*.da) ***sm.*** *Med.* Produto derivado do amônio, usado principalmente como detergente e antisséptico de largo espectro
cetro (*ce*.tro) ***sm.*** **1** Bastão us. como símbolo da autoridade real, ger. empunhado pelo monarca na mão direita **2** *Fig.* O poder da realeza, sua soberania ou autoridade; a condição de monarca ou soberano **3** *Fig. P. ext.* Qualquer poder ou ascendência, esp. o que se exerce de modo autoritário, tirânico **4** *Fig.* Sinal ou símbolo de primazia, de preponderância, de autoridade: *Trazia o cetro de maior político de seu tempo.* [F.: Do lat. *sceptrum.*] ■ **Empunhar o ~** Reinar, comandar, dirigir
céu ***sm.*** **1** Espaço ilimitado para muito além do nosso mundo, no qual se situam os astros, e que aparece como uma grande abóbada por sobre a superfície da Terra: *A Lua estava alta no céu; Caiu do céu um meteorito.* **2** O espaço (ger. dentro da atmosfera) que está acima de nós e à nossa volta, mas fora de alcance, limitado visualmente pelo horizonte e sem limite definido de altura: *O balão subiu para o céu; aves voando no céu.* **3** *P. ext.* A atmosfera, ou a parte dela situada sobre determinada região da superfície da Terra: *O céu está carregado, parece que vai chover; A aurora boreal se forma no céu das altas latitudes setentrionais.* **4** *Rel.* Lugar de bem-aventurança para onde vão as almas dos justos, segundo várias crenças e tradições religiosas: *Felizes daqueles que merecem o reino dos céus!* [Nesta acp., tb. us. no pl.] **5** Lugar ou circunstância em que se é ou pode ser feliz; PARAÍSO **6** *Rel.* Em certas correntes ou tradições cristãs, a comunidade celestial de

anjos, santos e justos que compõe a corte de Deus: *Quando se ora, o céu diz amém!* **7** A providência divina; DEUS: *O céu há de me ajudar!* [Nesta acp., tb. us. no pl.: Pediu ajuda aos céus.] **8** *Lud.* No jogo da amarelinha, o ponto de chegada, definido por uma linha em arco [F.: Do lat. *caelum*. Hom./Par.: *céu(s)* (sm. [pl.]), *seu(s)* (pr. possess. [pl.]).] ■ **A ~ aberto** **1** Ao ar livre **2** Diz-se de trabalhos de mineração, extração etc. realizados na superfície, e não em galerias, túneis subterrâneos etc. **3** *Cir.* Diz-se de cirurgia na qual o campo operatório fica à vista **Cair do ~** Ser (algo, acontecimento etc.) inesperado e muito oportuno, bem-vindo: *Este emprego caiu do céu.* **Cair do ~ por descuido** *Irôn. Pop.* Não ser tão virtuoso quanto parece **Cair dos ~s** Ficar surpreso, cair das nuvens **~ da boca** *Anat.* A parte superior da cavidade da boca; palato, abóbada palatina **~ de brigadeiro** *Bras.* Céu claro, sem nuvens **~ de rosas** Tempo sereno, sem vento ou ameaça de chuva **Cobrir o ~ com (uma) joeira** *Lus.* Ver *Tapar o sol com peneira* no verbete *sol* **Ir para o ~** *Fig.* Morrer **No sétimo ~** Muito feliz **Um ~ aberto** Grande fortuna, boa sorte, ventura

céus *interj.* **1** Expressa dor, desalento, impaciência etc.: *Oh!, céus, o que farei da minha vida!* **2** Us. para expressar surpresa para expressar algum sentimento vivo, ou para dar ênfase, de modo sério ou jocoso, com aprovação ou reprovação etc.: *Céus, você por aqui?; Oh céus, que maravilha!; Céus! que roupa horrorosa...* [F.: Pl. de *céu*. Hom./Par.: *céus* (interj.) *seus* (pr. possess. pl.).]

ceutense (ceu.*ten*.se) *s2g.* **1** Indivíduo nascido ou que vive em Ceuta (cidade do Norte da África, modernamente pertencente à Espanha) *a2g.* **2** De Ceuta; típico dessa cidade ou de seu povo [F.: Do top. *Ceuta* + *-ense*.]

ceva (*ce*.va) *sf.* **1** Ação ou resultado de cevar; ENGORDA **2** Ingestão de nutrientes; NUTRIÇÃO **3** A ração us. para cevar animais **4** *Bras. P. ext. Fig.* Lugar onde se armazena o alimento para os animais; COCHO **5** *Bras. P. ext. Fig.* Local onde se prendem os animais (ger. suínos) que se destinam à engorda; CEVADEIRA **6** *CE* Ação de ralar a mandioca **7** Isca para atrair animais, esp. peixes e aves; CHAMARIZ **8** *P. ext.* Local onde se coloca a isca **9** *RS* Trave de proteção que se põe nas laterais de uma carroça, a fim de que a carga não deslize ou não se perca [F.: Do lat. *ceua*, de *cibare*. Hom./Par.: *ceva* (sf.) *ceva* (fl. de *cevar*); *ceva* (sf.), *seva* (sf.), *seva* (fem. de *sevo*), *seva* (fl. *sevar*).]

cevada (ce.*va*.da) *sf.* **1** *Bot.* Designação comum às plantas do gênero *Hordeum*, da fam. das gramíneas **2** *Bot.* Planta (*Hordeum vulgare*) com flores em forma de espigas densas, de grãos amarelados e ovais **3** O grão alimentício e forrageiro dessa planta, tb. us. no fabrico de cerveja e outras bebidas [F.: fem. substantivado de *cevado*, part. de *cevar*.]

cevadeiro (ce.va.*dei*.ro) *sm.* **1** Lugar onde se cevam porcos **2** Local onde se preparam as iscas para pescar **3** Pessoa que ceva animais, para caça ou uso **4** *N. E.* Indivíduo que rala ou mói a mandioca na casa de farinha **5** *Ant.* Pessoa que trabalha na cevadaria real [F.: *cevado* + *eiro*.]

cevado (ce.*va*.do) *a.* **1** Que se cevou **2** Diz-se do animal que passou pelo regime da ceva (peru cevado) **3** Diz-se de animal habituado à ceva **4** *P. ext.* Bem nutrido, alimentado (diz-se de pessoa ou animal) **5** Que teve a fome saciada; SATISFEITO **6** *Fig.* Cujo desejo foi saciado **7** *Fig.* Cheio, repleto: *Seus argumentos eram cevados de hipocrisia.* **8** Preparado, organizado, realizado: *armadilhas cevadas com cautela pelo inimigo.* *sm.* **9** O porco castrado e engordado na ceva [F.: Part. de *cevar*.]

cevadura (ce.va.*du*.ra) *sm.* **1** Restos de comida em que se cevaram aves de rapina **2** Barro com que se cobre o açúcar de caixa para o purificar **3** *Bras. S.* Na preparação do mate, a quantidade de erva suficiente para um determinado número de cuias [F.: *ceva* + *dura*.]

cevar (ce.*var*) *v.* **1** Tornar gordo, alimentando; ENGORDAR [*td.*: *Há meses cevam um leitão.*] **2** Nutrir, alimentar [*td.*: *O leite da rês ceva o menino.*] **3** *Fig.* Saciar(-se), satisfazer(-se) [*td.*] [*tr.* + *em*: *Cevava-se naquelas delícias.*] **4** *Fig.* Tornar(-se) rico; ENRIQUECER(-SE) [*td.*: *Tal política contribui para cevar os especuladores.*] [*int.*: *Cevou-se da pior maneira: trabalhando com política.*] **5** *Fig.* Alimentar, fomentar, estimular [*td.*: *As guerras cevaram a fabricação de armamentos.*] **6** *Fig.* Atrair, iludindo com engodos, fantasias, artimanhas [*td.*: *Seu jeito inocente cevava qualquer um.*] **7** Pôr (mandioca) de molho na água por alguns dias, até se tornar massa puba (v. no verbete *massa*) [*td.*] **8** *RS* Pôr (mate em pó) em cuia já com água e bombilha, formando uma pasta que, por sua vez, se dilui com água fervente [*td.*] **9** Pôr isca em [*td.*] [▶ **1** cevar] [F.: Do v.lat. *cibare*, 'alimentar'; 'nutrir'; 'manter'.]

ceveiro (ce.*vei*.ro) *sm.* Lugar onde se põe ceva para a caça ou para a pesca; CEVADOURO [F.: *ceva* + *eiro*.]

ceviana (ce.vi.*a*.na) *Geom. sf.* **1** Reta que corta o vértice de um triângulo e um ponto no lado oposto àquele **2** Segmento de reta que une o vértice de um triângulo a um ponto no lado oposto [F.: Fem. substantivado do adj. **ceviano*, der. do antr. Giovanni *Ceva* (1647-1734), matemático italiano.]

ceviche (ce.*vi*.che) *sm. Cul.* Prato originalmente da cozinha peruana, feito com pedaços de peixe marinados em limão, vinagre e especiarias; CEBICHE

⊠ **Cf** (Cf.) *sm. Quím.* Na tabela periódica, símbolo do Califórnio, elemento de número 98, transuraniano

⊠ **CFC** *Quím.* Sigla de clorofluorcarboneto

⊠ **CFE** *sm.* Sigla de Conselho Federal de Educação

⊠ **CFM** *sm.* Sigla de Conselho Federal de Medicina

⊠ **CFQ** *sm.* Sigla de Conselho Federal de Química

⊠ **CGC** *Jur.* Sigla de *cadastro geral de contribuinte* (designação dada a número identificador de pessoa jurídica junto à Receita Federal) [Ver tb. *CNPJ*]

⊠ **C.G.S.** *Fís.* Sigla do sistema de unidades que tem como base o centímetro, o grama e o segundo [Tb. se grafa *CGS*, ou com minúsculas: *c.g.s.*, *cgs*.]

⊠ **CGT** *sf.* Sigla de Central Geral dos Trabalhadores

chá *sm.* **1** *Bot.* Árvore ou arbusto originário da China e da Índia, de cujas folhas (verdes ou torradas) se prepara uma infusão aromática muito apreciada como bebida; CHÁ-DA-ÍNDIA **2** Folhas dessa planta, preparadas para infusão: secas, cortadas, aromatizadas etc.: *uma lata de chá.* **3** A infusão preparada com folhas dessa planta: *beber uma xícara de chá.* **4** *P. ext.* Infusão preparada com folhas, raízes, flores secas, frutos secos ou cascas de outras plantas: *chá de boldo; chá de maçã com canela.* **5** Conjunto ou porção de folhas, flores, pedaços de casca etc. de planta(s), preparados para infusão: *uma caixa de chá de jasmim em sachês.* **6** *P. ext. Fig.* Refeição leve entre o almoço e o jantar, em que a bebida ordinariamente é o chá: *Chamou as amigas para o chá das cinco.* **7** *P. ext.* Reunião social realizada à tarde, esp. no fim da tarde, em que se servem comidas e bebidas e que pode ter música e dança, jogos (p. ex., de cartas) etc. **8** Bebida alucinógena, ger. preparada por infusão: *Andou tomando uns chás por aí e ninguém mais o reconhecia.* **9** *Fig.* Infusão (resultado de infundir, incutir, inspirar); dose (fig.) de algo, que alguém recebe como se fosse um preparado medicinal; aquilo que infunde em alguém ou lhe transmite certo sentimento etc.: *As palavras do amigo foram um chá de ânimo; A experiência anterior nos deu um chá de coragem para enfrentar a situação.* **10** *Pop. Fig.* Longo tempo durante o qual algo (ger. desagradável) é imposto a alguém; situação caracterizada por algo excessivo (ger. inoportuno, tedioso etc.) [Us. em expressões do tipo *tomar* (*um*) *chá de*, ou *ser um chá de*, etc., figurando como complemento da expressão aquilo que é excessivo ou que caracteriza a situação referida: *O avião atrasou e tomamos um chá de aeroporto; Ao sair da estrada de terra chega-se logo à rodovia, e aí é um chá de asfalto.*] [F.: Do chin. *ch'á*. Hom./Par.: *Xá* (sm.).] ■ **~ de cogumelo** Bebida alucinógena preparada por infusão de certas espécies de cogumelos **~ dançante** Reunião vespertina informal, com dança, na qual são servidos chá, coquetéis, salgadinhos e/ou doces etc. **~ das cinco** Pequena refeição ao fim da tarde, com chá, biscoitos, sanduíches, doces etc. **~ paulista** *Bras.* Chá-dançante **~ preto** **1** Folhas de chá, ligeiramente fermentadas e torradas **2** Bebida preparada com a infusão dessas folhas **~ verde** **1** Folhas de chá não torradas **2** Bebida preparada com a infusão dessas folhas **Dar o ~** *MA* Mostrar-se vaidosamente, exibir-se **Não ter tomado ~ em pequeno** Ser mal-educado **Tomar ~ (com)** *Bras.* Fazer pilhéria, gracejar, zombar, escarnecer (de alguém); p. ext.: tratar com menosprezo, desdém; fazer pouco de (alguém) **Tomar ~ de cadeira** **1** Não ser (moça, em festa) convidada para dançar **2** *P. ext.* Esperar, ger. sentado, por algo ou alguém durante muito tempo **Tomar ~ de sumiço** Deixar (alguém) de comparecer em lugar que frequentava habitualmente

> 📖 Uma das mais antigas bebidas (citado na China no séc. IV a.C.), o chá é trazido para o Ocidente (Inglaterra) no séc. XVIII. A bebida é uma infusão aromática das folhas secas da planta de mesmo nome. Há mais de 3.000 tipos de chá (entre variedades da planta, modos de tratar e processar as folhas etc.). Os maiores produtores de chá são China, Índia, Sri Lanka, Indonésia e Turquia.

chã *sf.* **1** Área ou extensão plana do solo; *esp.*: planície **2** *N. E.* Chapada, planalto **3** Corte da carne da coxa bovina [Cf.: *chã de dentro* e *chã de fora*.] [F.: De *chão*.]

chabu (cha.*bu*.) *sm.* **1** *Bras. Pop.* Falha em fogos de artifício, que faz com que não detonem **2** Malogro em qualquer ação: *Não foi o que se esperava: deu chabu.* [F.: orig. onomatop.] ■ **Dar ~** *BA SE* Não dar certo, não sair como esperado

chaça (*cha*.ça) *sf.* **1** No jogo da pela, lugar onde a bola para ou dá o segundo pulo **2** Sinal que marca tal lugar **3** *Fig.* Abalo moral, comoção: "Só de olhar para ele, um via que ele podia espiar em frente o resto, sem chaça, costeando a vida, firme em suas pernas." (Guimarães Rosa, *Noites do sertão*) **4** Briga, altercação, contenda **5** Reputação, conceito que se faz de alguém [F.: Do fr. *chasse*.] ■ **Fazer ~** Empinar-se (o equídeo)

chacal (cha.*cal*) *sm.* **1** *Zool.* Denominação comum a algumas spp. de mamíferos carnívoros da fam. dos canídeos, como o *Canis mesomelas* e o *C. aureus*, de porte intermediário entre as raposas e os lobos, encontrados ger. em áreas de vegetação aberta na África, Ásia e parte da Europa **2** *Fig. Pej.* Pessoa estúpida, tola **3** *Fig. Pej.* Pessoa desprovida de dinheiro **4** *Mil.* Artefato us. para produzir interferências nas radiocomunicações inimigas [Pl.: *-cais*.] [F.: Do persa *sagal*.]

cara (*chá*.ca.ra) *sf.* **1** *Bras.* Pequena propriedade rural situada próxima à área urbana, destinada ao recreio ou à produção em pequena escala de hortifrutigranjeiros; SÍTIO **2** Propriedade urbana de grande extensão, cercada de área verde **3** *Irôn.* Presídio [Dim.: *chacarola* (*irreg.*)] [F.: Do cast. *chacara*, der. do quíchua *cakra*. Hom./Par.: *xácara* (sf.).]

chacareiro (cha.ca.*rei*.ro) *sm.* **1** Proprietário ou administrador de chácara **2** *P. ext.* Aquele que cuida de horta, jardim ou pomar, da área verde de uma casa **3** *RS Joc.* Pequeno criador de gado [F.: *chácar(a)* + *eiro*.]

cháchachá (chá-chá-chá) *sm. Mús.* Dança de salão, de origem cubana [F.: Or. prov. onomatop.]

chacina (cha.*ci*.na) *sf.* **1** Ação ou resultado de chacinar **2** Assassínio de várias pessoas em uma mesma ação; MATANÇA; MORTANDADE; MORTICÍNIO **3** Abate e esquartejamento de porco ou gado **4** Carne suína ou de gado vacum cortada em postas, salgada e curada [F.: Prov. do lat. vulg. *siccina*. Hom./Par.: *chacina(s)* (sf. [pl.]), *chacina(s)* (fl. *chacinar*).]

chacinado (cha.ci.*na*.do) *a.* **1** Que sofreu chacina (abate) **2** Diz-se da carne cortada em postas, esp. para ser salgada, defumada ou curada; *p. ext.* diz-se das postas salgadas, curadas ou defumadas **3** Morto em chacina (assassinato de muitos), ou que foi vítima de chacina **4** Magro, seco, ressequido, que lembra a carne cortada em postas finas [F.: Part. de *chacinar*.]

chacinador (cha.ci.na.*dor*) [ô] *a.* **1** Que chacina *sm.* **2** Aquele que chacina [F.: *chacina* + *-dor*.]

chacinar (cha.ci.*nar*) *v. td.* **1** *Fig.* Assassinar várias pessoas numa mesma ação; MASSACRAR: *Criminosos chacinaram todos os membros de uma família.* **2** Esquartejar (gado) para alimentação **3** Limpar e preparar (carne) em postas para servir de alimento **4** Salgar, curar ou defumar (a carne cortada em postas) [▶ **1** chacinar] [F.: *chacina* + *-ar²*. Hom./Par.: *chacina(s)* (fl.), *chacina(s)* (sf. [pl.]).]

chacoalhada (cha.co.a.*lha*.da.) *sf.* **1** *Pop.* Violenta oscilação; movimento brusco e breve de sacudir, balançar: *O avião deu uma chacoalhada.* **2** Ação de chacoalhar rapidamente [F.: *chacoalhar* + *-ada¹*.]

chacoalhamento (cha.co.a.lha.*men*.to.) *sm.* **1** *Pop.* Ação ou resultado de chacoalhar, sacudidela, agitação; CHACOALHAÇÃO **2** Repreensão, insulto, descompostura **3** Importunação, aborrecimento [F.: *chacoalhar* + *mento*.]

chacoalhante (cha.co.a.*lhan*.te.) *a2g.* **1** *Pop.* Que chacoalha; que sacode, que faz balançar com energia ou repetidamente **2** Que se movimenta, balança ou sacode ruidosamente **3** *Fig.* Que produz agitação, instabilidade, comoção **4** *Fig.* Que aborrece, enervante [F.: *chacoalhar* + *nte*.]

chacoalhar (cha.co.a.*lhar*) *v.* **1** Sacudir (algo), fazendo com que produza barulho; CHOCALHAR [*td.*: *Chacoalhou os dados antes de jogá-los.*] **2** Fazer balançar ou balançar-se repetida ou energicamente, esp. de modo que várias partes, objetos etc. se movimentem em várias direções, desencontradamente (ger. com barulho); movimentar(-se) agitadamente; BALANÇAR(-SE); SACUDIR(-SE) [*td.*: *A turbulência chacoalhou o avião.*] [*int.*: *O carro não parava de chacoalhar; Não conseguia parar quieto e chacoalhava-se de apreensão.*] **3** Agitar (líquido num recipiente ou o próprio recipiente); CHOCALHAR [*td.*: *Chacoalhou o champanhe até que a rolha pulou, com um estouro:* "Eles nunca me viram chacoalhando um copo de bebida com gelo, caída no sofá." (*Época*, 19.11.2001)] **4** *Fig.* Agitar, infundir ânimo a (alguém); incitar ou estimular a agir, a movimentar-se [*td.*: *As músicas dançantes chacoalharam o público do show.*] **5** *Fig.* Provocar abalo, comoção; modificar inteiramente a situação de (algo); tirar a estabilidade, ameaçar destruir [*td.*: *uma nova teoria que chacoalhou antigas verdades aceitas.*] **6** *Fam. Pop.* Aborrecer, incomodar [*td.*: *Chacoalhou a secretária até conseguir a informação.*] **7** Repreender asperamente, falar com (alguém) de modo agressivo, ou com insultos [*td.*] [▶ **1** chacoalhar] [F.: Alteração de *chocalhar*.]

chacoalho (cha.co.a.lho.) *sm.* **1** *Pop.* Agitação, solavanco, trepidação **2** Aborrecimento [F.: Regr. de *chacoalhar*.]

chacona (cha.*co*.na.) *sf. Mús.* Dança popular de origem mexicana com andamento animado e compasso ternário [F.: Or. controv.]

chacoso (cha.*co*.so) [ô] *a. Ant.* Que tem achaques, que está frequentemente doente; ACHACOSO [Pl.: [ó]. Fem.: [ó].] [F.: F. aferética de *achacoso*.]

chacota (cha.co.ta) [ó] *sf.* **1** *Joc.* Dito burlesco e zombeteiro sobre alguém ou sobre algo; ZOMBARIA; TROÇA **2** *Joc. Mús.* Trova ou canção popular de versos satíricos, burlescos **3** *Lus. Dnç.* Antiga dança, alegre e agitada, acompanhada de canto [F.: Do cast. *chacota*.]

chacotear (cha.co.te.*ar*) *v.* **1** Fazer troça ou gracejo (de); fazer chacotas, zombarias; ridicularizar pessoas; ESCARNECER; ZOMBAR [*td.*: *Chacoteia o irmão.*] [*tr.* + *de*: *Chacoteia de tudo e de todos.*] [*int.*: *Seu maior prazer é chacotear.*] **2** *Ant.* Fazer chacotas ou trovas burlescas e zombeteiras; cantar chacota [*int.*] [▶ **13** chacotear] [F.: *chacota* + *-ear²*.]

chacra¹ (*cha*.cra.) *sf.* **1** Campo lavrado e semeado **2** O mesmo que *chácara* (1) [F.: Do quíchua ant. *chacra* (atual *chajra*).]

chacra² (*cha*.cra) *sm. Rel.* Para budistas, hinduístas, iogues e esotéricos, cada um dos centros de energia espiritual (vital) do corpo humano [Acredita-se que os chacras (de número variável conforme a filosofia ou doutrina) possam ser ativados ou trabalhados, a partir da meditação, da recitação de mantras, do uso de cores, de cristais, de essências etc.] [F.: Do sânscr. *chakra*, 'roda'; 'círculo'.]

chacrete (cha.*cre*.te.) *sf. Bras.* Cada uma ds bailarinas que atuavam no programa do animador de televisão Abelardo Barbosa, dito Chacrinha (1918-1988): "E nos espelhos ela se despe, /Dança nos olhos uma chacrete /E o pessoal na pior: Repete!" (Ivan Lins, *Dinorah*.) [F.: Do antrop. *Chacrinha* + *ete*.]

chacrinha (cha.*cri*.nha) *sf.* **1** Pequena chácara *sf.* **2** *Bras. Pop.* Grupo de pessoas que conversam animada e descontraidamente; PANELINHA **3** *Bras. P. ext. Pop.* Conversa informal, sem importância e sem assunto específico **4** Palavreado que aparenta seriedade ou intenção de agir, mas sem consequências ou resultado; conversa-fiada **5** *Bras.* Agitação desordenada e barulhenta, esp. em situação ou lugar que exige formalidade, respeito etc.: *Vamos parar com essa chacrinha e prestar atenção à explicação da matéria!* **6** *Pop.* Conversa ou comentário maliciosos; fofoca: *fazer chacrinha com a vida dos outros.* **7** Pessoa que se deixa ludibriar no jogo a dinheiro **8** Furto de carteira [F.: *chacr(a)* + *-inha.*]

chacrona (cha.*cro*.na.) *sf. Bot.* Arbusto ou árvore de pequenas dimensões (*Psychotria viridis*) da família das rubiáceas, natural da Amazônia, cujas folhas são usadas na composição da bebida alucinógena *ayahuasca*, ou daime [F.: Or. obsc.]

chacundum (cha.cun.*dum*) *sm. Mús.* Forma onomatopaica que representa o toque nas cordas do violão em ritmo de samba-rock: "A batida de violão que lembra o samba-rock também ganhou seu nome gozado, chacundum, por causa do som que representa." (Daniel Setti, *Massa sonora*) [F.: Por onom.]

chá-da-índia (chá-da-*ín*.di.a) *sm. Bot.* Chá (arbusto de cujas folhas se prepara essa bebida) [Pl.: *chás-da-índia.*]

chá da meia-noite (chá da mei.a-*noi*.te.) *sm.* **1** *Bras. Gír.* Chá venenoso que se acreditava servir, tarde da noite, nos hospitais públicos aos doentes considerados incuráveis **2** *GO Gír.* Assassinato perpetrado tarde da noite **3** *N. E. Pop.* Surra de açoite aplicada em ladrões de galinha [Pl.: *chás da meia-noite.*]

chá de bar (chá de *bar*) *sm.* Reunião festiva organizada pelos amigos do noivo, em data próxima a seu casamento, com a finalidade de presenteá-lo com objetos e utensílios que irão compor seu bar caseiro (abridor de garrafas, balde de gelo, copos de diversos tipos, bebidas etc.) e que, a critério dos organizadores, pode ser realizado junto com o chá de panela da noiva [Pl.: *chás de bar.*]

chá de bico (chá de *bi*.co) *sm.* **1** *Bras. Pop.* Injeção de água, com ou sem medicamentos, no reto; CLISTER **2** *Bras. Pop.* Pontapé no traseiro [Pl.: *chás de bico.*]

chá de burro (chá de *bur*.ro) *sm.* **1** *N. E. Pop. Cul.* Iguaria feita com milho-cozido, açúcar mascavo, leite, polvilho e canela **2** *Cul.* Mingau preparado com leite, milho branco, açúcar e leite de coco; MUNGUZÁ **3** *Bras. Pej.* Comida mal preparada; GOROROBA; MASSAMORDA **4** *BA. Pop.* Pancada dada com a ponta dos dedos; PETELECO [Pl.: *chás de burro.*]

chã de dentro (chã de *den*.tro) *sf.* Peça de carne bovina cortada da parte posterior da coxa; CHÃ; COXÃO MOLE [Pl.: *chãs de dentro.*]

chá de espera (chá de es.*pe*.ra.) *sm. Bras.* Constrangimento a que alguém é submetido ao ter de aguardar por tempo excessivo para recebido por uma pessoa que se julga importante; CHÁ DE CADEIRA: *O prefeito tomou um chá de espera na antessala do governador.* [Pl.: *chás de espera.*]

chã de fora (chã de *fo*.ra.) *sf.* Carne da parte posterior da coxa do boi; COXÃO DURO [Pl.: *chãs de fora.*]

chá de porta (chá de *por*.ta) *sm. Pop.* Espera exaustiva e de pé defronte a um local previamente combinado, que pode ser a porta de um cinema, teatro, museu etc. [Pl.: *chás de porta.*]

chadiano (cha.di.*a*.no.) *a.* **1** Pertencente ou relativo à República do Chade (África Central) *sm.* **2** Natural da República do Chade [Sin. ger.: *chadiense.* Forma paral.: *tchadiano.* F.: Do topôn. *Chade* + *-iano.*]

chador (cha.dor) [ô] *sm. Vest.* Ver *xador*

chafariz (cha.fa.*riz*) *sm.* **1** Fonte de água com várias bicas, que funciona como bebedouro ou para fornecimento público de água **2** *Restr.* Obra de arquitetura ou paisagismo, associada a chafariz (1) ou que emprega ornamentalmente jorros de água integrados a elementos arquitetônicos ou outros (iluminação etc.) **3** *P. ext.* Jorro ou esguicho de água, ou de outro líquido **4** *Joc.* Pessoa que chora com frequência e copiosamente [Pl.: *-zes.*] [F.: Do ár. *sahrij.*]

chafurda (cha.*fur*.da) *sf.* **1** Chiqueiro, pocilga ou lamaçal onde porcos se atolam; CHAFURDICE **2** Casa muito suja, lugar imundo **3** Imundície, sujeira, o mesmo que *chafurdo* [F.: Regr. de *chafurdar.*]

chafurdado (cha.fur.*da*.do) *a.* **1** Que se chafurdou **2** Envolto em lama **3** Desonrado, cuja reputação foi enodoada **4** Corrompido, pervertido [F.: Part. de *chafurdar.*]

chafurdar (cha.fur.*dar*) *v.* **1** Atolar(-se) ou revolver(-se) em (lama, lodo, imundície etc.) [*int.*: *Os porcos gostam de comer, fuçar e chafurdar.*] [*tda.*: *Chafurdar o pé no lodaçal.*] **2** *Fig.* Envolver-se em (vícios e torpezas); CORROMPER-SE; PERVERTER-SE [*tr. + em*: *Chafurdava(-se) em torpezas da pior espécie.*] **3** Manchar, difamar, macular [*td.*: *A sonegação de impostos chafurdou a reputação da empresa.*] [▶ **1** chafurdar] [F.: Or. contrv. Hom./Par.: *chafurda(s)* (fl.), *chafurda(s)* (sf. [pl.]).]

chafurdice (cha.fur.*di*.ce) *sf.* **1** Ação ou resultado de chafurdar(-se) **2** *Fig.* Clima de sordidez, corrupção, falsidade, mentiras; CHAFURDA [F.: De *chafurdar* + *-ice.*]

chafurdo (cha.*fur*.do) *a.* **1** Que chafurdou(-se), chafurdado **2** Diz-se da pessoa cuja reputação foi maculada, enodoada *sm.* **3** Acúmulo de água ou lama no solo; local em que se chafurda **4** Ação de chafurdar, de se revolver em sujeira (tb. fig.) **5** Lama em que porcos chafurdam; sujeira, imundície (tb. fig.); CHAFURDA **6** Ação de imergir ou mergulhar em água, esp. a de mergulhar vaso ou recipiente para colher água em tanque, reservatório etc. [Us. principalmente na loc. *fonte de chafurdo.*] **7** *Bras.* Confusão, desorganização **8** Fofoca, intriga, maledicência; palavras que denigrem [F.: Regr. de *chafurdar.*]

chaga (*cha*.ga) *sf.* **1** Ferida aberta; local em que há ruptura ou destruição dolorosa da pele, ger. com infecção, ou saída de sangue e pus **2** Cicatriz de uma ferida **3** *Fig.* Aquilo que é motivo de aflição ou que resulta de acontecimentos infelizes, de ações maléficas; grandes danos ou prejuízos (materiais ou morais); desgraça, infortúnio: *as chagas da guerra; Até hoje o Brasil sofre as chagas da escravidão.* **4** *Fig.* Tudo o que produz traumas, sofrimentos, prejuízos: *A perda do amigo foi para ele uma chaga que até hoje não se fechou; A má distribuição de renda é uma chaga social.* **5** *Lus. Pop.* Pessoa maçante *sm.* **6** *Lus. Joc.* Empregador, patrão [F.: Do lat. *plagare.* Hom./Par.: *chaga(s)* (sf. [pl.]), *chaga(s)* (fl. *chagar*).]

chagado (cha.*ga*.do) *a.* **1** Que apresenta chagas **2** *Fig.* Atormentando, aflito; perturbado por graves sofrimentos, desgostos ou contrariedades **3** *Fig.* Maculado, corrompido [F.: *chag(a)* + *-ado.*]

chagador (cha.ga.*dor*) *a.* **1** Que causa chagas *sm.* **2** Causador de chagas [F.: Rad. do part. *chagado* + *-or.*]

chagar (cha.*gar*) *v.* **1** Acarretar chaga ou tornar-se chaga [*td.*: *Por imperícia, chagou a pele da paciente.*] [*int.*: *Uma das pernas chagou-se.*] **2** Provocar aflição, martírio em [*td.*: *Aquela ausência chagava-lhe a alma.*] **3** *Lus. Pop.* Apoquentar, estorvar [*td.*: *Chagava todo o mundo com as observações ofensivas.*] [▶ **14** chagar] [F.: Do lat. *plagare.* Hom./Par.: *chaga(s)* (fl.), *chaga* (sf.) e pl., *chagas* (sf. pl.).]

chagásico (cha.*gá*.si.co) *a.* **1** *Med.* Ref. à doença de Chagas **2** *Med.* Que sofre da doença de Chagas (pacientes chagásicos) *sm.* **3** *Med.* Aquele que sofre da doença de Chagas [F.: Do antr. Carlos Ribeiro J. *Chagas* (1879-1934), cientista brasileiro + *-ico*[2].]

chagoma (cha.*go*.ma) *sm. Med.* Tumefação cutânea causada pela picada do inseto barbeiro, transmissor da doença de Chagas [F.: Do rad. do antrop. *Chagas* + *-oma.*]

chagrém (cha.*grem*) [ê] *sm.* Couro granuloso de equinos, caprinos ou asininos preparado especialmente para trabalhos de encadernação [F.: Do fr. *chagrin.*]

⊕ **chaise-longue** (*chézlong*) *sf.* Poltrona de braços, dotada de inclinação regulável, apropriada para a pessoa sentar-se de corpo estendido; ESPREGUIÇADEIRA; PREGUIÇOSA [Pl.: *chaises-longues.* F.: Do fr. *chaise longue* (cadeira longa).]

chalaça (cha.*la*.ça) *sf.* **1** Dito gracioso e picante; PIADA; PILHÉRIA: "(...) saboreou muito a chalaça dos seus ricos senhores (...)." (Eça de Queirós, *Os Maias*) **2** *P. ext.* Caçoada, deboche, troça, zombaria **3** Dito de mau gosto, grosseiro [F.: Prov. de *charlar.* Hom./Par.: *chalaça(s)* (sf. [pl.]), *chalaça(s)* (fl. *chalaçar*).]

chalacear (cha.la.ce.*ar*) *v.* Fazer ou dizer chalaças, rindo ou fazendo rir de (alguém); troçar, escarnecer de outrem; CHALAÇAR [*td.*: *Chalaceava todos os vizinhos.*] [*tr. + com*: *Chalaceava com o professor.*] [*int.*: *O hábito de chalacear trouxe-lhe problemas.*] [▶ **13** chalacear] [F.: *chalaç(a)* + *-ear*[2].]

chalaceiro (cha.la.*cei*.ro) *sm.* Aquele que chalaceia, que diz chalaças; CHALACEADOR; CHALACISTA; GOZADOR; TROCISTA [F.: *chalaç(a)* + *-eiro.*]

chalana (cha.*la*.na) *sf.* **1** *Bras.* Pequena embarcação de fundo chato, usada principalmente em rios para o transporte de mercadorias e poucos passageiros **2** *Mar.* Embarcação de fundo chato, quadrangular, usada para pintura e limpeza da linha-d'água dos navios: "...a velha chalana, sempre suja, que vem no comum para se retocar a pintura de fora do destróier." (Guimarães Rosa, *Estas estórias*) [F.: Do espn. *chalana.*]

chalé (cha.*lé*) *Arq. sm.* **1** Habitação típica dos Alpes suíços, em madeira, ger. com elementos estruturais aparentes, e que tem por característica o telhado de duas águas e beirais avançados **2** Qualquer habitação nesse estilo **3** *Bras.* Casa de construção simples, ger. destinada a veraneio **4** *Bras.* Em hotéis e pousadas, pequena construção com acomodações para hóspedes, separada do edifício principal [F.: Do fr. *chalet.*]

chaleira (cha.*lei*.ra) *sf.* **1** Utensílio de cozinha, recipiente (metálico, de ágata, vidro etc.) com tampa e bico, us. para aquecer água diretamente ao fogo *a2g.* **2** *Bras. Fig.* Que bajula; ADULADOR; BAJULADOR *s2g.* **3** *Bras. Fig.* Aquele que bajula; ADULADOR; BAJULADOR [F.: *chá* + *-l-* + *-eira.* Hom./Par.: *chaleira(s)* (sf. a2g. s2g. [pl.]), *chaleira(s)* (fl. *chaleirar*).]

chaleirar (cha.lei.*rar*) *v. td. Bras. Fig. Pop.* Lisonjear ou agradar (alguém) de modo servil e interesseiro; BAJULAR: *O funcionário ficava chaleirando os diretores para conseguir vantagens.* [▶ **1** chaleirar] [F.: *chaleira* + *-ar*[2]. Hom./Par.: *chaleira(s)* (fl.), *chaleira(s)* (sf. [pl.]).]

chalis (cha.*lis*) *sm2n.* Espécie de tecido feito com fios de acetato e viscose [F.: De or. obsc.]

chalra (*chal*.ra) *sf.* **1** Vozerio confuso de várias pessoas falando ao memo tempo **2** Chilreada de muitos pássaros [F.: Regr. de *chalrar.*]

chalrador (chal.*ra*.dor) *a.* **1** Que chalreia, que gosta de palrar **2** Muito falador, boquirroto: "Bom velho, muito estimado, mas chalrador como trinta." (João Simões Lopes Neto, *Contos gauchescos*) *sm.* **3** Indivíduo que fala muito, que gosta muito de palrar [Pl.: *-ores.* F.: Rad. do part. *chalrado* + *-or.*]

chalrar (chal.*rar*) *v. int. td.* Ver *chalrear* [▶ **1** chalrar] [F.: De *charlar* com metátese.]

chalrear (chal.re.*ar*) *v.* **1** Falar muito e à toa, ou em conversa sem assunto sério ou específico; PALRAR; TAGARELAR [*int.*: *Os rapazes e as moças chalreiam na praça.*] **2** Emitir voz ou som mal articulados, ou que lembram uma fala confusa (diz-se ger. de aves como papagaio, arara etc.); *p. ext.* e *pej.*: falar coisas sem sentido; PALRAR [*int.*: *chalrear como um papagaio.*] **3** Soltar gorjeios, chilreios (o pássaro); CHILREAR; GORJEAR [*td.*: *Um canário a chalrear sons alegres.*] [*int.*: *Os pardais chalreavam em revoada.*] **4** Falar, conversar ou cantar de maneira espontânea, viva, animada, produzindo uma algazarra de vozes; PALRAR [*td.*: *Os cantores chalreavam belos trechos da música.*] [*int.*: *As crianças chalrearam durante o recreio.*] [▶ **13** chalrear] [F.: de *chalrar*, com o suf. *-ear*[2]. Hom./Par.: *chalreio* (fl.), *chalreio* (sm.). Sin. ger.: *chalrar.*]

chalupa (cha.*lu*.pa) *sf.* **1** *Náut.* Antiga embarcação a vela de dois mastros, us. em navegação de cabotagem **2** *Náut.* Prancha colocada na proa das antigas baleeiras, de onde o arpoador jogava o arpão **3** *Bras. Pop. Lud.* No voltarete, cada uma das três cartas de maior valor **4** *Bras. Pop. Vest.* Galocha, ou par de galochas **5** *Lus. Pop. Vest.* Botina grosseira [Nesta acp., mais us. no pl.] *a2g.* **6** *Lus. Pop.* Adoidado, amalucado [F.: Do fr. *chaloupe.*]

chama (*cha*.ma) *sf.* **1** *Fís. Quím.* Gás (ou mistura de gases) em incandescência, como resultado de combustão, e que é a parte material e visível do fogo (acompanhada de luz e calor) [Tem cor e temperatura variáveis segundo o combustível e as condições da combustão, e forma também variável, mas caracteristicamente afilada na extremidade.] **2** Chama (1) que se eleva de um corpo ou material em combustão, com partículas sólidas em suspensão, ou a que se forma em um jato de gás combustível (como em fogões, maçaricos etc.) **3** *P. ext.* Fogo intenso, ou de grandes proporções; incêndio: *Logo, todo o prédio estava consumido pelas chamas.* [Nesta acp., mais us. no pl.] **4** Claridade emitida pela chama **5** *Fig.* Paixão intensa, ardente, que consome ou se consome: "Quero a vida sempre assim/ Com você perto de mim/ Até o apagar da velha chama." (Tom Jobim, *Corcovado*) **6** *Fig.* Entusiasmo, ardor, estado de intensa mobilização afetiva; ideia, aspiração, objetivo que dá motivação ou inspiração; força moral que leva a agir com firmeza, convicção, paixão: *Vivia tomado pela chama do saber.* [F.: Do lat. *flama.* Ideia de chama, us. antepos. *flam(i)-*, *flog-*, *pir(i/o)-*. Hom./Par.: *chama(s)* (sf. [pl.]), *chama(s)* (fl. *chamar*).] ∎∎ **Em ~** **1** Em combustão, formando chama ou chamas (2) **2** *Fig.* (De modo) inflamado ou ardoroso; em estado de, ou que revela, entusiasmo, paixão, ardor (físico, emocional, intelectual etc.); dominado por intenso sentimento ou por desejo (esp. sexual): *Fitava-a fixamente, com os olhos em chama.* **Em chamas** Em combustão; sendo consumido pelo fogo

chamada (cha.*ma*.da) *sf.* **1** Ação ou resultado de chamar **2** Ação de chamar a atenção, de advertir severamente, reprovar, censurar; REPREENSÃO: *Deu uma chamada no aluno.* **3** Ação ou resultado de proferir em ordem alfabética os nomes constantes de uma lista para verificar a presença **4** Relação ou lista preparada para esse mister: *A professora esqueceu a chamada na secretaria.* **5** Ligação telefônica; TELEFONEMA **6** Ação de chamar, convidar ou convocar alguém para comparecer a determinado lugar; CHAMADO; CONVITE; CONVOCAÇÃO; INTIMAÇÃO **7** Sinal, ruído, som convencionado com que se chama ou convoca alguém para algum lugar, atividade etc.: *Os alunos esperavam ansiosos a chamada para o recreio.* **8** *Mil.* Toque de cornetas, clarins etc. com que se convoca os soldados para desempenho de uma função ou para alguma atividade: *Todos ouviram a chamada para o rancho.* **9** *Jorn.* Notícia resumida, ou conjunto de notícias resumidas, impressas na capa ou no sumário de uma edição de jornal ou revista **10** *Jorn. Rád. Telv.* Notícia resumida, ou conjunto de notícias resumidas com que o jornalista ou locutor inicia o jornal falado ou televisado **11** *Publ.* Título, expressão e/ou imagem atraente de um anúncio que visa despertar a atenção de um consumidor em potencial para um produto que se quer vender **12** *Rád. Telv.* Anúncio de um programa que será transmitido, ou de alguma atração desse programa **13** *Ornit.* Grito de ave, característico de cada espécie **14** *Pop.* Gole, porção de bebida alcoólica que se bebe de uma só vez; TALAGADA; TRAGADA **15** *Tip.* Ver *Chamada de nota* [F.: *cham(ar)* + *-ada.*] ∎∎ **~ de nota** *Tip.* Sinal (ger. um número) em texto impresso que indica a presença de uma nota (no pé de página ou no final do capítulo ou da publicação) a respeito do texto sinalizado [Tb. apenas *chamada.*] **Dar uma ~** *Bras. Pop.* Embriagar-se **Segunda ~** Prova ou exame que se concedeu realizar para aluno que não pôde prestá-los em sua data normal

chamadeira (cha.ma.*dei*.ra) *sf.* **1** O que é usado para chamar a atenção; CHAMARIZ **2** Bagalhão de linho que, quando maduro, começa a abrir **3** *Lus.* Cantadeira, taramela do moinho [F.: Rad. do part. *chamado* + *-eira.*]

chamado (cha.*ma*.do) *a.* **1** Que tem determinado nome ou designação; que é nomeado ou qualificado por (determinada palavra) **2** Que recebeu chamamento, convite ou convocação; CONVIDADO; CONVOCADO **3** *GO Pop.* Que se encontra embriagado; ÉBRIO; BÊBEDO *sm.* **4** Ação ou resultado de chamar; CHAMAMENTO; CHAMADA **5** Convite, convocação **6** Pedido de socorro ou de ajuda: *Não poderia deixar de atender ao chamado de sua tia.* **7** Aquele que cujo nome é pronunciado ou mencionado, que recebeu chamado (4 ou 5): *O técnico anunciou o nome dos chamados para a jogo.* [F.: Part. de *chamar.*]

chamador (cha.ma.*dor*) *a.* **1** Que chama: *Passarinho chamador, com seu canto atrai outros pássaros.* *sm.* **2** Aquele que chama **3** *RS* Animal ou vaqueiro que segue à frente da tropa, orientando-a **4** *RS* Pequena peça de madeira ou chifre usada para ferir as cordas de instrumento musical **5** *MA* Tambor médio usado para marcar o ritmo no samba de roda [Pl.: *-ores*. F.: Do lat. *clamator, oris*.]

chamalote (cha.ma.*lo*.te) *Têxt.* ***sm.*** **1** Fazenda de pelo ou lã, às vezes misturada com seda: "vestido de chamalote..." (Luís de Camões, *Redondilhas*) **2** Tecido cuja textura é semelhante à do tafetá e cuja trama apresenta ondulações do lado direito **3** Tecido rústico de origem oriental, composto de pelos de camelo ou de cavalo [F.: Do fr. *chamelot*.]

chamamento (cha.ma.*men*.to) ***sm.*** **1** Ação ou resultado de chamar; CHAMADO; CHAMADA **2** Convite ou convocação feita a alguém **3** *Jur.* Convocação judicial para assistir ou participar de certo ato jurídico [F.: *chamar* + *-mento*.]

chamar (cha.*mar*) ***v.*** **1** Pronunciar o nome de (alguém), para que venha ou se apresente [***td.***: *A atendente chamou o paciente da vez.*] [***tr.*** + *por*: *O menino chamou pela mãe.*] **2** Fazer ou tentar fazer vir (usando a voz, gesto, sinal sonoro ou qualquer outro meio para atrair a atenção) [***td.***: *chamar um taxi/ um médico/ a polícia.*] **3** Enviar ou divulgar instrução ou pedido a, para que se apresente; CONVOCAR [***td.***: *O juiz chamou a primeira testemunha; O estado chamará os professores concursados.*] [***tdi.*** + *a, para*: *O sino chama os fiéis à/para a missa.*] **4** Obter, angariar, atrair [***td.***: *Com gestos, tentava chamar a atenção do amigo.*] **5** Escolher, convidar (para cargo ou emprego); DESIGNAR; NOMEAR [***tdp.***: *O presidente chamou um antigo adversário para ministro.* Nesta acepção, o verbo vem normalmente seguido da prep. *para*.] **6** Fazer com que (algo, alguém) se manifeste, aconteça; ATRAIR [***td.***: *Desgraça chama desgraça.*] **7** Invocar para auxílio, proteção [***tr.*** + *por*: *Chamou por Deus e por Nossa Senhora.*] **8** Soar (o telefone ou aparelho similar) em sinal de chamada [***int.***: *O telefone não parava de chamar.*] **9** Acionar mecanismo (em geral para fazer vir algo) ou circuito elétrico através de um comando ou botão [***td.***: *chamar o elevador.*] **10** Fazer despertar do sono; ACORDAR [***td.***: *Pediu que o chamassem às seis horas em ponto.*] **11** Dar ou atribuir nome, apelido etc. a [***tdp.***: *Os pais a chamaram Ana em homenagem a avó.*] **12** Conferir qualidade, título, atributo; QUALIFICAR; TACHAR [***tdp.***: *Chamaram-no de traidor*: "Capitu chamava-me às vezes bonito..." (Machado de Assis, *Dom Casmurro*) É muito comum o emprego da prep. *de* antes do título ou qualidade.] **13** Ter por nome [***tp.***: *Ela se chama Clarisse.*] **14** Incitar (alguém) a (fazer algo) [***tdr.*** + *a*: *Chamou os funcionários à responsabilidade*] **15** Reclamar, exigir [***td.***: *É um crime hediondo, que chama todo o rigor da lei.*] [***td.***] **16** Tomar (algo) como (sua) responsabilidade, arcar com; ASSUMIR [***tdi.*** + *a, para*: *Chamou a si a responsabilidade* (*pelos enganos*).] **17** *S.* Andar à frente da tropa (de animais) para guiar a marcha [***int.***] **18** *Inf.* Acionar uma rotina ou abrir um arquivo [***td.***] [▶ **1 chamar**] [F.: Do lat. vulg. *clamare*.]

chamarisco (cha.ma.*ris*.co) ***sm.*** **1** Coisa que chama, que atrai; CHAMARIZ **2** Apelo publicitário **3** Isca, engodo **4** Pássaro que se põe em gaiola junto ao alçapão a fim de atrair outros para a armadilha **5** Simulacro de pato que o caçador põe a flutuar em locais frequentados por esses animais, para atraí-los e assim facilitar seu abate [F.: *chamar* + *-isco*.]

chamariz (cha.ma.*riz*) ***sm.*** **1** Pessoa ou objeto us. para atrair a atenção de outrem **2** *Publ.* Apelo publicitário com fins comerciais ou políticos **3** *Venat.* Pássaro preso pelo pé, us. para atrair outro para armadilha **4** *Venat.* Pato com o qual se busca atrair outros para abate [Pl.: *-rizes*.] [F.: Der. de *chamar*.]

chá-mate (chá-*ma*.te) ***sm.*** O mesmo que *mate*[1] (3) (bebida preparada pela infusão de folhas de mate) [Pl.: *chás-mates* e *chás-mate*.]

chamativo (cha.ma.*ti*.vo) ***a.*** **1** Que chama a atenção por exagero ou vivacidade (estampa chamativa; campanha chamativa) [Ant.: *discreto*] **2** Ref. a chamamento (lista chamativa) [F.: Do part. pass. *chamado* + *-ivo*.]

⊕ **chambray** (*Ing.* /xambrei/) ***sm.*** Espécie de *jeans* leve, de média gramatura; CAMBRAIA

chamegar (cha.me.*gar*) ***v.*** **1** *Bras. Pop. Fig.* Dançar (esp. forró) agarradinho, de corpos e rostos unidos, com sensualidade [***int.***: *Eles chamegaram até os músicos pararem de tocar*: "Para começar a semana chamegando (...) com muito Luiz Gonzaga, Jackson do Pandeiro, Marinês e Sua Gente, Magníficos e Mastruz com Leite." (*Correio Braziliense*, 05.07.1999)] [***tr.*** + *com*: *Ela chamegou com ele durante todo o forró.*] [***td.***: *Só dá ele no salão, chamegando a mulherada.*] **2** *N. E. Pop.* Namorar fazendo carícias íntimas e sensuais ou fazer amor de modo prazeroso, espontâneo [***tr.*** + *com*: *Com essa vida louca, ficar em casa chamegando com meu marido é raro.*] [***int.***: *Trouxe-me um chá e logo logo estávamos chamegando sob as cobertas.*] **3** *Bras. P. ext.* Fazer o mesmo, mas sem compromisso [***tr.*** + *com*: *Não estão namorando, ele só chamega com ela.*] [***int.***: "Se tá ficando, se tá namorando, se tá conhecendo, se tá chamegando ou o quê, só o tempo dirá." (*O Globo, Segundo Caderno*, 16.03.2004)] **4** *N. E. Fam.* Cobrir (ente querido) de atenções, carinhos, com admiração e desvelo [***td.***: *Esta foto é de meu irmão chamegando o filho recém-nascido; Os avós chamegam muito os netinhos.*] **5** *N. E. Fam. Ant.* Mover-se, contrair-se brevemente e repetidamente; BULIR [***int.***: *Meu olho esquerdo está chamegando; Após os quatro meses os bebês já chamegam na barriga da mãe.*] [▶ **14 chamegar**] [F.: *chamego* + *-ar*[2]. Hom./Par.: *chamego* (sm), *chamego* (fl. de *chamegar*).]

chamego (cha.*me*.go) [ê] ***sm.*** **1** Estado de excitação que antecede o ato libidinoso **2** Contato corporal sensual e carinhoso, carícia ou troca de carícias sexuais; sarro, bolinação: "Me faz um dengo, me faz um chamego/ Me tira o sossego, me faz cafuné/ Me faz um dengo, me faz um chamego/ Me faz bem homem que eu te faço bem mulher" (Martinho da Vila, *Me faz um dengo*) **3** Atração sexual **4** Namoro, flerte **5** Apego ou afeição por alguém, sem conotação sexual; (relação de) afeto, ternura: "...chamego, um nhenhém dengoso..." (João Guimarães Rosa, *Noites do sertão*) **6** Apego, afeição por alguma coisa: *Tinha o maior chamego por sua coleção de discos.* **7** *N. E.* Fascínio, encanto, ou aquilo que os provoca [F.: De or. obsc. Para Antenor Nascentes, de *chamar*, para AGC, de *chama*.]

chameguento (cha.me.*guen*.to) ***a.*** **1** *Bras. Pop.* Ref. a chamego **2** Que gosta de chamego, assanhado **3** Que é muito zeloso de suas coisas [F.: *chamego* + *ento*.]

chamejante (cha.me.*jan*.te) ***a2g.*** **1** Que chameja; que tem ou lança chamas; que arde intensamente **2** Muito quente ou ardente; que resulta de combustão ou fogo intensos (labaredas chamejantes) **3** *Fig.* Que cintila, brilha, resplandece (olhar chamejante) **4** Diz-se de brasão, escudo ou outra ilustração (esp. em heráldica) em que há figura de chama(s) [F.: *chamejar* + *-nte*.]

chamejar (cha.me.*jar*) ***v.*** **1** Lançar chamas; queimar com chamas; ARDER [***int.***: *As fogueiras chamejam.*] **2** Brilhar, fulgurar, projetar cintilações (tb. *Fig.*) [***int.***: *O sol chameja no céu de meio-dia.*] **3** *Fig.* Lançar (sentimentos, palavras etc.) com veemência, como se fossem chamas; DARDEJAR [***td.***: *Seus olhos chamejam ira.*] **4** Deixar-se dominar por fortes sentimentos; arder, abrasar-se [***int.***: *Estava tão irritado que chamejava.*] [▶ **1 chamejar**] [F.: *chama*[1] + *-ejar*. Hom./Par.: *chamejo* (fl.), *chamejo* [ê] (sm.).]

chamejo (cha.*me*.jo) ***sm.*** **1** Ação ou resultado de chamejar, de lançar chamas, fagulhas; CHAMEJAMENTO **2** Brilho, cintilação **3** *P. ext.* Sentimento de paixão ardente [Hom./ Par. *chamejo* (ê) flex. de *chamejar*. F.: Regr. de *chamejar*.]

chaminé (cha.mi.*né*) ***sf.*** **1** *Cons.* Tubo, ou obra de pedra ou alvenaria, ou qualquer outra passagem em uma construção, destinados a dar vazão para o exterior da fumaça e dos resíduos de combustão das fornalhas, fogões e lareiras **2** *Cons.* Qualquer passagem ou tubulação utilizada para escoamento de fumaça **3** Fornilho do cachimbo **4** Abertura em galeria subterrânea ou túnel, mina etc. para renovação do ar **5** Área de ventilação em prédios **6** Lar ou lareira, local na base da chaminé (1) de uma casa, onde se acende o fogo da cozinha e do aquecimento; tb.: a parede ou passagem que conduz a fumaça até o interior da chaminé (1) **7** *Fig. Pop.* Pessoa que fuma muito **8** *Pop.* Tipo de chapéu de copa alta; CARTOLA **9** Orifício no alto do velame de um paraquedas **10** *Esp.* No montanhismo, cada uma das fendas existentes entre as rochas e por onde é possível fazer escaladas [F.: Do fr. *cheminée*.] ▪ **~ vulcânica** *Geol.* Passagem que comunica o interior da Terra à superfície, por onde passa o magma nas erupções vulcânicas

chamorro (cha.*mor*.ro) [ô] ***a.*** **1** Diz-se de cabelo tosquiado **2** Diz-se de pessoa que tem o cabelo raspado ou curto ***sm.*** **3** *Lus. Pej.* Designação que os espanhóis davam aos portugueses na época de D. João I (1385-1433) **4** *Hist.* Designação dos partidários da carta constitucional outorgada por D. Pedro IV (1798-1834) em 1826 [F.: Do espn. *chamorro*.]

champanha (cham.*pa*.nha) *Enol.* ***sm. s2g.*** **1** Vinho espumante, ger. branco ou, por vezes, rosado, produzido na região de Champagne, na França **2** Vinho desse tipo, de qualquer outra procedência [F.: Do top. fr. *Champagne*. Tb. *champanhe*.]

champanhe (cham.*pa*.nhe) ***s2g.*** Ver *champanha*

⊕ **champignon** (*champinhon*) ***sm.*** Designação genérica de fungos comestíveis, que crescem habitualmente em locais úmidos; COGUMELO [Forma aport. *champinhom* ou *champinhão*. F.: Do fr. *champignon*.]

chamurro (cha.*mur*.ro) ***sm.*** **1** *N. E.* Novilho incorretamente castrado, que quando adulto passa a ter comportamento de boi e touro: "Pai, fale a seu Majó pra se beneficiá o Muniz. Aquilo não presta senão mais pra chamurro..." (Manuel de Oliveira Paiva, *D. Guidinha do Poço*) **2** Indivíduo ignorante, estúpido, desprezível **3** Pessoa forte, atarracada [F.: Orig. duv.]

chamusca (cha.*mus*.ca) ***sf.*** Ver *chamusco*

chamuscadela (cha.mus.ca.*de*.la) [é] ***sf.*** *Bras.* Ação ou efeito de chamuscar(-se) ligeiramente; chamusca leve ou superficial [F.: *chamusca(r)* + *-dela*.]

chamuscado (cha.mus.*ca*.do) ***a.*** **1** Ligeiramente queimado, ou queimado superficialmente; CRESTADO **2** Enegrecido por ação do fogo **3** *Fig.* Manchado, abalado, comprometido em sua credibilidade ou reputação **4** *Fig.* Ferido, prejudicado: *Também saiu chamuscado com a derrota de seus aliados.* [F.: Part. de *chamuscar*.]

chamuscante (cha.mus.*can*.te) ***a2g.*** Que chamusca, que queima levemente, ou que compromete o bom nome etc. [F.: *chamuscar* + *-nte*.]

chamuscar (cha.mus.*car*) ***v.*** **1** Queimar(-se) levemente [***td.***: *A chama chamuscou seu cabelo.*] [***int.***: *Chamuscou-se ao chegar perto do fogo.*] **2** *Fig.* Comprometer, manchar [***td.***: *O episódio chamuscou a sua reputação.*] **3** Causar ou sofrer abalo ou revés, algum tipo de dano ou prejuízo (material ou moral) [***td.***: *A crise, embora passageira, chamuscou vários projetos sociais.*] [***int.***: *Chamuscou-se com a própria situação que ajudara a criar.*] **4** *Bras. S* Afastar-se de um lugar discretamente, sem que ninguém perceba; ESGUEIRAR-SE [***int.***: *Quando começou o tumulto, aproveitou para chamuscar-se.*] **5** Tornar(-se) escuro pelo contato com o fogo [***td.***: *Chamuscou o vidro para através dele olhar diretamente o Sol.*] [***int.***: *Houve um princípio de incêndio e as paredes chamuscaram-se, mas sem consequências mais graves.*] **6** *Bras. N. E. Pop.* Realizar (um trabalho) com desleixo, às pressas [***td.***] [▶ **11 chamuscar**] [F.: *chamusca* + *-ar*[2]. Hom./ Par.: *chamusco* (fl.), *chamusco* (a. sm.); *chamusca(s)* (fl.), *chamusca(s)* (sf. [pl.]).]

chamusco (cha.*mus*.co) ***sf. sm.*** **1** Ação ou resultado de chamuscar **2** Cheiro de algo que se queimou **3** Aquilo (esp. carne) que é queimado ou crestado **4** *RS* Escaramuça, encontro de grupos em combate, esp. com troca de tiros **5** Contenda, luta, briga entre indivíduos, com ou sem tiros; *P. ext.* agressão, violência, ação maléfica **6** Repreensão, crítica áspera, admoestação; altercação verbal **7** *Bras. Geog.* Planalto, elevação [F.: Dev. de *chamuscar*. Hom./Par.: *chamusco* (fl. *chamuscar*). Tb. *chamusca*.]

chanca (*chan*.ca) *Pop.* ***sf.*** **1** Pé grande e ger. feio **2** Perna de homem, alta e fina **3** *Vest.* Calçado grande e tosco **4** *Lus. Vest.* Tamanco, ou calçado com sola de madeira **5** *Bras. Fut.* Chuteira (ou a sola da chuteira, com as travas) [F.: Do lat. tard. *zanca*.]

chance (*chan*.ce) ***sf.*** **1** Ocasião ou circunstância favorável à realização de alguma coisa que se deseja; POSSIBILIDADE: *Estudou muito, agora tem mais chance de passar no concurso.* **2** Probabilidade ou possibilidade de ocorrer algo independente da ação humana; PROBABILIDADE: *Há chances bem prováveis de ocorrerem fortes temporais neste verão.* [F.: Do fr. *chance*.]

chancela (chan.*ce*.la) [é] ***sf.*** **1** Ação ou resultado de chancelar **2** Carimbo com a assinatura ou rubrica de alguém (esp. uma autoridade), para firmar documentos oficiais ou privados **3** Assinatura ou rubrica de funcionário ou autoridade, para marcar documentos oficiais; figura impressa (com carimbo etc.) dessa assinatura ou rubrica: *Reconheceu no documento a chancela do primeiro-ministro.* **4** Selo pendente que se põe em certos documentos oficiais **5** Selo, marca ou declaração assinada que atesta e garante a autenticidade de um documento ou afirmação, a qualidade de um produto etc. **6** Aprovação, consentimento, referendo: *Viajou com a chancela de seus pais.* **7** *Publ.* Identificação do patrocinador de um evento ou produto cultural **8** *Publ.* Patrocínio cultural **9** *MKt.* Identificação do anunciante em filme ou propaganda publicitária [F.: Regress. de *chancelar*. Hom./Par.: *chancela(s)* (sf. [pl.], *chancela(s)* (fl. *chancelar*).]

chancelar (chan.ce.*lar*) ***v. td.*** **1** Pôr chancela (selo, carimbo, rubrica) em; SELAR: *chancelar um documento.* **2** *P. ext. Fig.* Dar aprovação ou aceitação a; confirmar, ratificar; APROVAR; SANCIONAR: *O presidente chancelou a proposta do ministro.* **3** Conferir legitimidade a (algo), ou garantir, atestar, confirmar a autenticidade ou boa qualidade de (algo): *O tempo chancelou as práticas inovadoras do educador.* [▶ **1 chancelar**] [F.: Do lat. *cancellare*. Hom./Par.: *chancela(s)* (fl.), *chancela(s)* (sf. [pl.]); *chancelaria(s)* (fl.), *chancelaria(s)* (sf. [pl.]).]

chancelaria (chan.ce.la.*ri*.a) *Adm. Pol.* ***sf.*** **1** Repartição pública onde se aplica o selo do Estado em documentos **2** Repartição encarregada dos serviços diplomáticos no exterior **3** Em alguns países, o Ministério das Relações Exteriores **4** Título ou cargo de chanceler [F.: Do fr. *chancelleirie*. Hom./Par.: *chancelaria* (fl. de *chancelar*).]

chanceler (chan.ce.*ler*) [lér] ***s2g.*** **1** *Adm. Pol.* Ministro das Relações Exteriores **2** *Adm. Pol.* Chefe do governo nos países de regime parlamentarista **3** Funcionário encarregado da chancela de documentos oficiais **4** *Antq.* Magistrado encarregado da guarda do selo real, ou com atribuições relativas à justiça e aos conselheiros do monarca [Pl.: *-leres*.] [F.: Do fr. *chancelier*.]

chanchada (chan.*cha*.da) *Bras.* ***sf.*** **1** *Cin. Teat.* Filme ou peça teatral de apelo popularesco, entremeado de músicas e cenas de humor ingênuo e burlesco **2** *Pej. Cin. Teat. Telv.* Filme, programa televisivo ou peça teatral de qualidade duvidosa ou ruim **3** *Pej.* Aquilo que é caricato, pouco convincente, que não se deve levar a sério: *O debate entre os políticos virou uma chanchada.* [F.: Do espn. plat. *chanchada*.]

chanchadesco (chan.cha.*des*.co) ***a.*** *Bras.* Espetáculo (filme, televisão, teatro) popularesco, de humor grosseiro e produção barata [F.: *chanchada* + *-esco*.]

chancliche (chan.*cli*.che) ***sm.*** *Bras.* Queijo de origem árabe, assemelhado à ricota, temperado com zátar e outras especiarias e ger. servido com cebola e tomates

chanel (cha.*nel*) ***a.*** **1** Nome que identifica um estilo de vestuário feminino voltado para o conforto e a simplicidade, criado pouco depois da Primeira Guerra Mundial pela modista francesa Gabrielle "Coco" Chanel (1883-1971) (estilo chanel) ***sm.*** **2** Vestido que tem esse estilo ou marca: *Usava um chanel preto com pregas.* [F.: Do antrop. *Chanel*.]

chanfalho (chan.*fa*.lho) ***sm.*** **1** Faca ou espada velha e sem corte **2** Instrumento cortante, us. como arma **3** *Pej. Mús.* Instrumento musical desafinado **4** Artefato de má qualidade ou muito deteriorado **5** *Lus. Tabu.* O pênis [F.: Prov. do espn. *chafallo*.]

chanfana (chan.*fa*.na) ***sf.*** **1** *Pop.* Guisado de miúdos; SARAPATEL; SARRABULHO **2** *Pej.* Comida malfeita ou de aspecto ruim **3** Aguardente de má qualidade [F.: Do espn. *chanfaina*.]

chanfradeira (chan.fra.*dei*.ra) ***sf.*** **1** Instrumento usado por encadernadores para raspar e adelgaçar o couro; CHIFRA

2 Máquina para fazer chanfraduras em tecido [F.: Rad. do part. *chanfrado* + *eira*.]

chanfrado (chan.*fra*.do) *a.* 1 Que apresenta chanfraduras; BISOTADO; BISELADO 2 Cortado obliquamente, na borda 3 Que tem bordo ou borda com estrias, entalhes, ranhuras 4 *Lus. Pop.* Amalucado, adoidado [F.: Part. de *chanfrar*.]

chanfrador (chan.fra.*dor*) [ô] *sm.* 1 *Carp.* Profissional encarregado de chanfrar 2 Instrumento ou aparelho para chanfrar, recortar, desbastar, fazer chanfraduras 3 *Carp.* Espécie de plaina própria para chanfrar madeira 4 *Tip.* Aparelho us. em tipografia para chanfrar fios e orlas 5 *Lus. Pop.* Pessoa inconveniente, importuna *a.* 6 *Carp.* Diz-se de profissional que chanfra 7 *Carp.* Diz-se de plaina us. para chanfrar madeira 8 *Tip.* Diz-se de aparelho us. para chanfrar fios e orlas 9 *Lus. Pop.* Que é importuno, inconveniente [F.: *chanfra* + *-dor*.]

chanfradura (chan.fra.*du*.ra) *sf.* 1 Ação ou resultado de chanfrar 2 Corte em forma de meia-lua ou semicírculo 3 Corte oblíquo, na borda de um objeto; borda assim cortada, ou que não tem quina ou saliência 4 Recorte ou perfil curvilíneo, na costa marítima ou nas margens de um rio 5 Borda ou junção sem ângulo ou quina pronunciados, em algum órgão ou parte do corpo 6 Abertura através das montanhas 7 Marca de incisão, cicatriz de corte, na pele [F.: *chanfrad(o)* + *-ura*. Sin. ger.: *chanfro*.]

chanfrar (chan.*frar*) *v. td.* 1 Cortar em ângulo ou obliquamente; recortar em forma de meia-lua; fazer chanfradura em: chanfrar *a madeira.* 2 Cortar com plaina ou garlopa as arestas de 3 *Fig. Pop.* Falar mal de ou criticar (alguém) pelas costas 4 *Fig. Pop.* Apossar-se de (bens ou riquezas alheios) 5 *Tabu.* Ter relações sexuais com [▶ 1 chanfrar] [F.: Posv. do fr. *chanfrer*. Hom./Par.: *chanfra(s)* (fl.), *chanfra(s)* (sf. [pl.]); *chanfro* (fl.), *chanfro* (sm.).]

chanfro (*chan*.fro) *sm.* 1 Ver *chanfradura* 2 *Carp.* Qualquer superfície plana, de vidro, madeira ou pedra, talhada em bisel 3 *Tip.* Corte diagonal na extremidade de fios e vinhetas para formar ângulos 4 *Arm.* Cavidade existente no punho de uma baioneta, na qual se coloca peça do cano da espingarda [F.: Regress. de *chanfrar*. Hom./Par.: *chanfro* (fl. de *chanfrar*).]

changa (*chan*.ga) *sf.* 1 *Bras.* Transporte de carga leve, carreto 2 Pagamento recebido por esse serviço 3 *RS* Gorgeta 4 *PR* Dinheiro [Hom./Par. *changa* (Fl. de *changar*). F.: Orig. desc.] ■ **Boa ~** *Bras. RS* Bom negócio

changar (chan.*gar*) *v. S.* Encarregar-se de changas [▶ 1 changar] [F.: *changa* + *-ar*². Hom./Par.: *changa* (fl.), *changa* (sf.). Tb. *changuear*.]

changos (*chan*.gos) *smpl. Etnol.* Grupo indígena que habitava, em épocas remotas, a costa setentrional do Chile

changuear (chan.gue.*ar*) *v.* Ver *changar* [▶ 13 changuear]

chantado (chan.*ta*.do) *sf.* Área plantada com estacas ou ramos, para reprodução; CHANTOEIRA; TANCHOEIRA [F.: Part. substantv. de *chantar*.]

chantageador (chan.ta.*gea*.dor) *a.* 1 Que pretende impor subrepticiamente alguma chantagem: *Essas propostas têm sempre uma intenção chantageadora.* *sm.* 2 Aquele que chantageia; CHANTAGISTA [F.: Rad. de *chantageado* + *or*.]

chantagear (chan.ta.ge.*ar*) *v.* 1 Extorquir dinheiro de (alguém) sob ameaça de revelação pública de atos escandalosos, reais ou inventados; fazer chantagem [*td.: Usou as fotos para chantagear o empresário.*] [*int.: Foi preso em flagrante chantageando.*] 2 *P. ext. Pop.* Prometer agrados, favores, ou ameaçar com represálias para convencer ou forçar alguém a agir de determinado modo; tb.: fazer chantagem emocional [*td.: Está sempre fazendo cenas de ciúme e chantageando a namorada.*] [*int.: Quando não consegue o que quer por bem, começa a chantagear.*] [▶ 13 chantagear] [F.: *chantagem* + *-ar*².]

chantageável (chan.ta.*geá*.vel) *a2g.* Pessoa que pode ser chantageada [F.: *chantagear* + *-ável*.]

chantagem (chan.*ta*.gem) *sf.* 1 Ação ou resultado de chantagear 2 Pressão que se faz sobre alguém para extorquir dinheiro ou vantagens, sob ameaça de revelar fatos desabonadores, falsos ou verdadeiros 3 *Jur.* Ação criminosa que se utiliza desse meio de extorsão 4 *P. ext. Pop.* Recurso a ameaças de represálias, ou ao oferecimento de agrados, como forma de convencimento ou pressão para obter favores; esp. chantagem emocional [Pl.: *-gens*.] [F.: Do fr. *chantage*.] ■ **~ emocional** Forma de pressão que consiste em uma pessoa criar uma situação de insegurança emocional para outrem (p. ex., despertando sentimentos de culpa, de dependência etc.) e levá-lo a se submeter à vontade da pessoa interessada

chantagismo (chan.ta.*gis*.mo) *sm.* Prática de *chantagem* [F.: *chantagear* + *ismo*.]

chantagista (chan.ta.*gis*.ta) *a2g.* 1 Que faz chantagem ou usa de chantagem 2 *P. ext. Pop.* Diz-se de quem procura convencer ou forçar os outros a agir de determinado modo, recorrendo a ameaças ou represálias e/ou prometendo agrados e compensações; diz-se de quem faz chantagem emocional *s2g.* 3 Aquele que usa de chantagem 4 *P. ext. Pop.* Pessoa chantagista (2) [F.: *chantag(em)* + *-ista*.]

chantili (chan.ti.*li*) *sm. Cul.* Creme de leite fresco batido com açúcar, us. em sobremesas e bolos [Tb. us. apositivamente, na loc. *creme chantili*.] [F.: Do fr. (crème) *chantilly* 'id'; do top. *Chantilly*.]

chantre (*chan*.tre) *sm.* 1 *Ecles.* Eclesiástico que dirige o coro das igrejas e capelas 2 *Ant.* Cantor de música litúrgica; religioso responsável por entoar salmos, responsórios, diante do coro [F.: Do fr. *chantre*.]

chantung (chan.*tung*) *sm.* Ver *xantungue*

chanucá (cha.*nu*.cá) *sf.* Festa judaica, também chamada de Festa das Luzes, com oito dias de duração, que comemora a vitória dos macabeus sobre o domínio sírio-helênico em 165 a.C.; CHANUCA [Inic. maiúscula. F.: Do hebr. *hanukkah*.]

chanura (cha.*nu*.ra) *sf.* Grande porção de terreno plano; PLANÍCIE [F.: Do lat. med. *planura, ae*.]

chão *a.* 1 Desprovido de saliência ou de reentrância; PLANO; LISO: "...terra mui chã...". (Pero Vaz de Caminha, *Carta a El-rei D. Manuel*) 2 Raso, rasteiro 3 Simples, direto (linguagem chã) 4 Tranquilo, sereno (mar chão) 5 Sem importância (discurso chão); COMUM; VULGAR; TRIVIAL 6 *Pej.* Baixo, vulgar, maldoso (comentário chão) [Pl.: *chãos*. Fem.: *chã*.] *sm.* 7 Superfície da Terra; SOLO 8 Terreno suficientemente plano e homogêneo para permitir o trânsito de homens e animais 9 *Fig.* Lugar onde se nasceu ou onde se vive: *Esse é o meu chão.* 10 Pavimento térreo da casa; SOALHO: "...A porta do barraco era sem trinco, / mas a lua furando nosso zinco/ salpicava de estrelas o nosso chão..." (Orestes Barbosa, *Chão de estrelas*) 11 Revestimento do pavimento de uma casa, de um aposento ou outra construção; piso 12 *P. ext.* Qualquer superfície firme e sólida (p. ex., em uma edificação, em um veículo etc.) onde se pode pisar, andar e apoiar o corpo ou objetos; a superfície horizontal mais baixa em determinado recinto ou espaço limitado; piso 13 *Fig. Pop.* Caminho já percorrido ou que ainda falta percorrer; progresso ou esforço feito ou ainda por fazer: *Ainda temos muito chão pela frente; não chegaremos antes do anoitecer; O sucesso só veio ao fim de muito chão.* 14 Pequena propriedade, esp. para moradia e/ou cultivo 15 *Fig.* Experiência pessoal ou profissional; conhecimento ou capacidade adquiridos com o tempo e a prática; traquejo: *Ela é competente, mas ainda não tem chão para ocupar o cargo.* 16 *Fig.* Apoio, base, aquilo que dá condição de estabilidade ou firmeza, ou segurança física, moral, espiritual: *O afastamento dos amigos deixou-o abaladíssimo, sem chão.* [Pl.: *chãos*.] [F.: Do lat. *planus*.] ■ **Cair no ~ de** *S.* Cair na simpatia de (alguém) **Comer ~** *Bras.* Viajar por terra, percorrer caminhos: *Esse carro já comeu muito chão (i. e., já viajou muito, ou para lugares distantes).* **De ~** Imediatamente, sem demora **Deitar ao/no ~** Derrubar, fazer cair (tb. fig.) **Faltar o ~ (a alguém/sob os pés de alguém)** 1 Us. para se referir ao fato de alguém perder o equilíbrio ao andar, devido a algum desnível acentuado, buraco, degrau, inclinação do solo etc. 2 *Fig.* Us. para dizer que alguém sofre forte emoção ou abalo emocional, ou fica inseguro etc. **Fazer ~** 1 *Bras. Pop.* Ir embora, partir 2 Fugir **Ganhar ~** 1 Sair do lugar ao qual se estava restrito ou confinado; ir embora, partir; andar ou viajar por muitos lugares, ou livremente 2 Ocupar espaço, difundir-se, espalhar-se 3 Consolidar-se; adquirir base, estabilidade **Levantar do ~** *Fig.* Não se abater com derrota, fracasso ou revés sofrido; voltar a lutar, a agir ou a se esforçar **Riscar ~** Ver *Fazer chão*

chapa (*cha*.pa) *sf.* 1 Placa ou lâmina de metal ou de outro material resistente e rígido 2 Estado a que fica reduzido um corpo maleável depois de batido a martelo 3 Qualquer peça de pouca espessura, com pelo menos uma das faces plana 4 Parte de fogão ou dispositivo de cozinha que consiste em uma chapa (1) metálica que é aquecida por baixo (com fogo) ou internamente (com eletricidade), sobre a qual se cozem ou fritam os alimentos: *fritar um bife na chapa* 5 *Tip.* Peça metálica com caracteres em relevo para impressão 6 Pequena chapa com números e/ou letras impressos para identificar veículo; PLACA 7 Relação de candidatos a cargos eletivos: *Montaram uma chapa para concorrer à eleição da nova diretoria.* 8 Ver *Chapa fotográfica*. 9 *Bras. Pop.* Radiografia (imagem radiográfica do interior do corpo humano): *Fez/bateu uma chapa do pulmão para saber se estava com pneumonia.* 10 *Od.* Prótese dentária frontal 11 *Art. pl.* Placa de metal ou de outro material que é us. como matriz de uma gravura *s2g.* 12 *Pop.* Amigo, camarada *sm.* 13 *Bras. Pop.* Palavra us. como interlocutório pessoal, esp. entre homens: *Por favor, meu chapa, onde fica a rodoviária?* [F.: Prov. de uma base *klapa*, de or. incerta. Hom./Par.: *chapa* (fl. de *chapar*).] ■ **~ de impressão** *Art. gr.* Chapa metálica na qual se gravam texto e imagens para impressão em ofsete **~ de trilho** Reforço em torno das rodas de vagões ferroviários, que fica em contato direto com os trilhos **~ eleitoral** 1 Lista de candidatos a eleição de um partido ou legenda [Nesta acp., tb. se usa apenas *chapa*.] 2 Cédula com essa lista impressa, que o eleitor deposita na urna ao votar **~ fotográfica** 1 *Fot.* Placa, ger. de vidro, recoberta de emulsão fotográfica 2 Em filme fotográfico, a parte que corresponde a uma fotografia **~ fria** *Bras.* Placa falsa de automóvel, cujos dados não correspondem aos do registro do veículo em que está afixada **De ~** Em cheio: *Através da janela, o sol batia de chapa no espelho, iluminando o quarto.*

chapação (cha.pa.*ção*) *sf.* 1 Ato ou efeito de chapar 2 *Gír.* Comemoração, por vezes descontrolada, em que se consome muita bebida alcoólica e outras drogas: *A festa de formatura foi a maior chapação.* 3 *Gír.* Estado de desânimo ou prostração: *Por causa da chuva, passou o feriado numa chapação total.* [Pl.: *-ções*.] [F.: *chapar* + *-ção*.]

chapada (cha.*pa*.da) *sf.* 1 *Geog.* Terreno plano de grande extensão no topo de uma montanha; PLANALTO 2 *Geog.* Extensão considerável de terreno em superfície regular e horizontal; PLANÍCIE 3 Porção de líquido que se verte ou se atira de uma vez 4 *Pop.* Pancada, golpe 5 *Bot.* Árvore da fam. das leguminosas (*Sweetia dasycarpa*), nativa do Brasil, com ocorrência no cerrado, de caule tortuoso, casca suberosa e fendida, folhas compostas, flores aromáticas e vagens lanceoladas 6 *Tip.* Clichê de superfície plana próprio para imprimir área uniforme 7 *Náut.* Remendo na vela das embarcações ou na chapa da caldeira [F.: Fem. substv. de *chapado*.]

chapadão (cha.pa.*dão*) *Geog. sm.* 1 Chapada extensa 2 Sucessão de chapadas [Pl.: *-dões*.] [F.: *chapad(a)* + *-ão*.] ■ **Alto ~** *Bras.* Planalto elevado

chapadeiro (cha.pa.*de*.i.ro) *sm.* 1 Terreno acidentado, cheio de degraus, característica da chapada 2 Caipira que habita as chapadas 3 *MG* Vaqueiro 4 *MG* Certa raça bovina [F.: *chapada* + *eiro*.]

chapado (cha.*pa*.do) *a.* 1 Guarnecido com chapa; CHAPEADO 2 Estatelado, estirado no chão 3 Completo, rematado: *É uma besta chapada.* 4 *Tip.* Diz-se de área totalmente impressa em uma só cor 5 *Gír.* Prostrado, ou com o comportamento e a sensibilidade muito alterados, pela excessiva ingestão de drogas ou de álcool; muito embriagado ou drogado 6 *Bras. Pop.* Admirado, surpreso, estupefato: *Duas horas depois, continuava chapado com a notícia recebida.* 7 *Fig.* Diz-se do que não tem nuances, variações, riqueza de aspectos, ou do que é completa ou excessivamente uniforme, homogêneo, ou não tem detalhes (cores chapadas; narrativa chapada) [F.: Part. de *chapar*.]

chapante (cha.*pan*.te) *a2g. Gír.* Que provoca alucinação, delírio, euforia, fortes sensações: "...uma balada com introduções de violões e a voz chapante de John Lennon." (Rodrigo Lorenzini, *Álbuns Clássicos – Rubber Soul – The Beatles, plicplac. com. br*) [F.: *chapar* + *-nte*.]

chapar (cha.*par*) *v.* 1 Pôr chapa em; revestir de chapa(s); CHAPEAR [*td.: Chapou as portas da igreja.*] [*tdr.* + *com, de: Chapou de ouro o baú.*] 2 Dar forma de chapa a [*td.: chapar um metal.*] 3 Cair, estatelando-se [*ta.: Chapou-se no piso escorregadio.*] 4 *Pop.* Ficar prostrado devido a excessivo cansaço, ou uso de álcool ou drogas [*int.: Caiu na cama e chapou.*] 5 *Fig. Pop.* Dizer de modo claro e de uma só vez, sem evasivas [*td.: Chapou toda a verdade sobre o caso.*] 6 *Fig. Pop.* Causar admiração, espanto, impressionar muito, marcar fortemente; deixar (alguém) sem reação; abalar profundamente [*td.: aquela cena chapou todo mundo; O livro me chapou, não parei de ler até chegar ao fim da história.*] 7 *Fig. Pop.* Aplicar ou lançar com violência; fazer com que algo atinja em cheio [*tdr.* + *em: Chapou um tapa no desconhecido.*] 8 Cunhar (moeda) ou marcar (papel etc.) [*td.: Chapou o bloco com suas iniciais.*] [▶ 1 chapar] [F.: *chapa* + *-ar*². Hom./Par.: *chapo* (fl.), *chapo* (a.); *chapa(s)* (fl.), *chapa(s)* (sf. s2g. [pl.]); *chape(s)* (fl.), *chape(s)* (sm. [pl.]); *chaparia(s)* (fl.), *chaparia(s)* (sf. [pl.]).]

chaparral (cha.par.*ral*) *sm.* 1 Extensa área de chaparreiros 2 Vegetação característica de parte dos Estados Unidos e do México, constituída por arbustos e cactos [F.: *chaparro* + *-al*.]

chaparreiro (cha.par.*rei*.ro) *sm.* 1 Pequena árvore de tronco tortuoso próprio apenas para lenha; MACHEIRA; MACHOCO 2 *Port.* Nome de duas diferentes árvores da família das cupulíferas, de cujos troncos se extrai a cortiça 3 *Lus.* Sobreiro novo [F.: *chaparro* + *-eiro*.]

chaparro (cha.*par*.ro) *sm.* O m.q. chaparrento

chapeadeira (cha.pe.a.*dei*.ra) *sf.* Máquina utilizada para chapear (chapeadeira de borda) [F.: *chapear* + *-deira*.]

chapeado (cha.pe.*a*.do) *a.* 1 Revestido ou guarnecido de chapas, metálicas ou não 2 Reduzido a chapas ou lâminas, laminado 3 *Her.* Diz-se do penacho fixado a um cálice *sm.* 4 Revestimento feito com chapas: "...cumprindo as ordens sanhudas da Titi, bateu-me nas costas com o portão chapeado de ferro." (Eça de Queiroz, *A relíquia*) 5 *S* Cabeçada de animal guarnecida de prata [F.: Part. de *chapear*.]

chapeamento (cha.pe.a.*men*.to) *sm.* 1 Ação ou resultado de chapear, de prover de chapas 2 Conjunto de chapas metálicas para revestimento ou arremate [F.: *chapear* + *mento*.]

chapear (cha.pe.*ar*) *v. td.* 1 Cobrir ou revestir de chapas 2 Cobrir com argamassa, cimento ou barro (ger. arremessando com força pequenas porções do material sobre a superfície a ser revestida), de maneira que o revestimento ao secar fique áspero e desigual: *chapear uma parede.* [▶ 13 chapear] [F.: *chapa* + *-ear*².]

chape-chape (cha.pe-*cha*.pe) *sm.* 1 Ruído de passos em terreno lamacento; CHAPE 2 Som de corpo solidamente ao bater repentinamente em um líquido 3 *RS* Terreno duro e seco [Pl.: *chape-chapes*. F.: Or. onomatop.]

chapeirão (cha.*pei*.rão) *sm.* 1 Chapéu de grandes abas, chapelão 2 *Bras.* Recife coralino à flor da água, em forma de cogumelo 3 Espécie de capuz que desce até os ombros [Pl.: *-ões*. F.: Do fr. *chaperon*.]

chapelada (cha.pe.*la*.da) *sf.* 1 Gesto de cumprimentar tirando o chapéu: "...com uma só chapelada para a direita e para a esquerda saudou todas as cabeças descobertas e curvas." (Machado de Assis, *Quincas Borba*) 2 Porção de algo que pode ser contido num chapéu, chapeirada 3 *Port.* Fraude eleitoral que consiste na colocação de votos a mais na urna para favorecer determinado candidato [F.: *chapéu* sob a forma *chape* + *ada*.]

chapelão (cha.pe.*lão*) *sm.* Chapéu grande, ger. com abas, chapeirão [F.: *chapéu* sob a forma *chape(l)* + *ão*.]

chapelaria (cha.pe.la.*ri*.a) *sf.* 1 Lugar onde se fabricam ou vendem chapéus 2 Nos teatros, lugar onde se podem guardar agasalhos, guarda-chuvas, chapéus etc. 3 A arte do chapeleiro [F.: *chapéu* (na forma do rad. *chapel-* + *-aria*.]

chapeleiro (cha.pe.*lei*.ro) ***sm.*** Profissional que fabrica ou comercializa chapéus [F.: chapéu (na forma do rad. *chapel-* + *-eiro*, talvez sob infl. do fr. *chapelier*, *chapelière*.]

chapeleta (cha.pe.*le*.ta) [ê] ***sf.*** **1** *Vest.* Chapéu pequeno; CHAPELETE **2** *Pej. Vest.* Chapéu de mau gosto, ridículo **3** Válvula em forma de chapéu, us. em bombas de água **4** Desvio da pedra ou de outro projétil lançado obliquamente à superfície da água ou do solo; RICOCHETE **5** O conjunto dos círculos concêntricos que a queda de um corpo forma na superfície da água parada **6** Rodela avermelhada nas faces **7** *Pop.* Pancada na cabeça com os dedos fechados; CASCUDO; CROQUE **8** *Tabu.* A cabeça do pênis, quando muito desenvolvida [F.: *chapéu* (na forma do rad. *chapel-*) + *-eta*.]

chapéu (cha.*péu*) ***sm.*** **1** *Vest.* Cobertura para a cabeça, de couro, feltro, palha ou outro material, dotada de copa e aba **2** *Pop.* Guarda-chuva **3** *P. ext.* Qualquer arremate que se coloca na parte superior de algo, com objetivo de proteção **4** *Mús.* Pequena peça esferoidal que tapa a parte superior da flauta **5** *Min.* Camada delgada de um mineral que cobre a jazida de outro **6** *Pop.* Cogumelo em forma de guarda-sol **7** *Enol.* Impureza que se junta na parte superior do mosto durante a fermentação **8** *Mar.* Parte superior do cabrestante **9** *Mar.* Percentagem do frete paga ao capitão do navio após a entrega da mercadoria **10** *Bras. Fut.* Lance em que o jogador faz a bola passar acima da cabeça do adversário e a recupera às suas costas **11** Acento circunflexo; CHAPEUZINHO [Pl.: *-péus*. Dim.: *chapeleta*, *chapelete*.] [F.: Do fr. ant. *chapel*.] ■ **~ armado** Chapéu cuja aba levantada envolve a copa em diversos formatos, com ou sem plumas [Ex.: o de dois bicos de Napoleão Bonaparte, um chapéu de três bicos, ou tricórnio, etc.] **~ de apara castigo** *CE Pop.* Chapéu cujas abas são largas e caídas **~ de massa** *N. E.* Chapéu de feltro **~ de palha** **1** *Bras.* Chapéu feito com palha rígida trançada, tendo copa cilíndrica baixa e aba reta e dura; chapéu de palhinha; palheta **2** Chapéu rústico de palha mole, ger. de palha de coqueiro **De ~ na mão** *Fig.* Na expectativa de ajuda (diz-se de alguém em penúria) **De (se) tirar o ~** **1** Que merece respeito, provoca admiração ou é objeto de intensa apreciação **2** *P. ext.* Diz-se do que causa espanto ou surpresa **Passar o ~** Pedir contribuição em dinheiro a várias pessoas (p. ex., público de algum tipo de apresentação) e recolher (em chapéu, ou de outro modo) as quantias doadas

chapéu-chile (cha.*péu-chi*.le) ***sm.*** Chapéu masculino feito com fibras finas da erva bombonaça, nativa em diversos países da América do Sul; CHILE [Pl.: *chapéus-chile*, *chapéus-chiles*. Tb. *chapéu de chile*.]

chapéu de chile ***sm.*** Ver *chapéu-chile*

chapéu de chuva (cha.péu de *chu*.va) ***sm.*** Ver *guarda-chuva* [Pl.: *chapéus de chuva*.]

chapéu de coco (cha.*péu* de *co*.co) ***sm.*** Chapéu masculino de feltro rígido, com copa bem redonda e aba estreita ligeiramente voltada para cima nos lados; CHAPÉU-COCO [Pl.: *chapéus de coco* ou *chapéus de cocos*.]

chapéu-de-couro (cha.péu-de-*cou*.ro) ***sm.*** **1** *Bot.* Erva da fam. das alimatáceas (*Echinodorus macrophyllum*), nativa do Brasil, de uso medicinal **2** *Zool.* Sabiá silvícola da Mata Atlântica; SABIÁ-DA-MATA **3** Recruta nordestino [Nesta acp., chapéu de couro.] **4** *N. E. Cul.* Tipo de beiju **5** *Cul.* Doce de mamão com rapadura e coco-ralado [Nesta acp., *chapéu de couro*.] [Pl.: *chapéus-de-couro*, *chapéus de couro*.]

chapéu-de-frade (cha.*péu-de-fra*.de) ***sm.*** **1** *Bot.* Arbusto nativo do Brasil (*Zeyheria montana*) de cápsula bivalve revestida de pelos picantes, a cuja casca atribuem-se propriedades antissifilíticas; BOLSA-DE-PASTOR; BUCHO; MANDIOQUINHA-BRAVA **2** Diamante triangular de pouco valor [Nesta acp., chapéu de frade.] [Pl.: *chapéus-de-frade*, *chapéus de frade*.]

chapéu de sol (cha.péu de *sol*) ***sm.*** **1** Ver *guarda-sol* **2** Ver *guarda-chuva* **3** *Bot.* Árvore da fam. das boragináceas (*Cordia tetrandra*), nativa do Brasil e das Guianas, com muitos ramos, folhas ovadas e flores pequenas e esverdeadas [Nesta acp., *chapéu-de-sol*.] **4** *Bot.* Ver *amendoeira-da-praia* (*Terminalia catappa*) [Nesta acp., *chapéu-de-sol*.] [Pl.: *chapéus de sol*, *chapéus-de-sol*.]

chapim (cha.*pim*) ***sm.*** **1** Calçado feminino de sola grossa e alta **2** Sapato fino e elegante **3** Patim de gelo **4** *Ant.* Coturno usado em representações teatrais **5** Chapa de metal colocada, nas estradas de ferro, entre os trilhos e os dormentes **6** *Arq.* Base de um elemento arquitetônico **7** *Ornit.* Pequeno pássaro (*Parus caeruleus*) também conhecido como *mejengra* **8** *Bras. Ornit.* Variedade de canário-da-terra (*Sicalis flaveola*) [Pl.: *chapins*. F.: Do espn. *chapin*.]

chapinha (cha.*pi*.nha) ***sf.*** **1** Diminutivo de chapa **2** Pequena peça de metal usada para vedar garrafas **3** *MG Ornit.* O mesmo que *canário-da-terra* (*Sicalis flaveola*); CHAPIM ***s2g.*** **4** *Gír.* Amigo íntimo, camarada: *Ela é minha chapinha*. [Hom./Par. Fl. de *chapinhar*. F.: *chapa* + *inha*.]

chapinhar (cha.pi.*nhar*) ***v.*** **1** Agitar (lama, água) com os pés, as mãos ou as patas, com ruído característico [***td.:*** *Crianças chapinhavam a lama/as poças*.] [***int.:*** *Os pássaros ficavam na beira do charco, chapinhando*.] **2** Bater ou cair de chapa em, com ruído (diz-se ger. daquilo que se choca contra líquido, ou de líquido que se choca contra superfície) [***td.:*** *Os remos chapinhavam a água*.] [***ta.:*** *A chuva chapinhava na vidraça*.] **3** Banhar (algo) com a(s) mão(s) ou com um pano ensopado em líquido [***td.:*** *Chapinhou o rosto com água fria*.] **4** Cair ou afundar na lama; chafurdar(-se) (tb. *Fig.*) [***int.:*** *Ao atravessar o pântano os exploradores chapinharam*.] [***ta.:*** *chapinhar em corrupção*.] [▶ **1** chapinhar] [F.: *chap(e)* (de or. onom.) + *-inhar*. Hom./Par.: *chapinha(s)* (fl.), *chapinha(s)* (sf. [pl.]).]

chapiscado (cha.pis.*ca*.do) ***a.*** *Cons.* Que se chapiscou; coberto ou revestido com chapisco [F.: Part. de *chapiscar*.]

chapiscar (cha.pis.*car*) ***v.*** ***td.*** Aplicar chapisco em: *O pedreiro chapiscou a parede*. [▶ **11** chapiscar] [F.: *chapisco* + *-ar*[2]. Hom./Par.: *chapisco* (fl.), *chapisco* (sm.).]

chapisco (cha.*pis*.co) *Cons.* ***sm.*** **1** Ação ou resultado de chapiscar **2** Argamassa de cimento e areia que serve de base ao emboço **3** Revestimento de muros e paredes feito com essa argamassa, e que forma uma base irregular e tosca **4** Trabalho feito com esse material ou por esse processo [F.: regress. de *chapiscar*. Hom./Par.: *chapisco* (fl. de *chapiscar*).]

chapoletar (cha.po.le.*tar*) ***v.*** *Gír.* Dar (pancada, chapoleta) em [***tdi.*** + *em*: *Chapoletou um soco no intruso*.] [▶ **1** chapoletar] [F.: obsc.]

chapuletada (cha.pu.le.*ta*.da) ***sf.*** *Pop.* Qualquer golpe físico, ger. aplicado com a mão aberta; CHAPOLETADA [F.: Or. desc.]

chaquenho (cha.*que*.nho) ***a.*** Relativo ao Chaco ou próprio dessa região que abrange pequena parte do oeste do Brasil, norte da Argentina, oeste do Paraguai e sul da Bolívia: "Creio que o mais importante que eu pude fazer nos oito anos, é ter gerado no povo chaquenho uma confiança em si mesmo que se havia perdido..." (Ángel Rozas, governador da província do Chaco – Argentina, entrevista ao *merconsulta.com*) [F.: Do top. *Chaco* (*-c-* > *-qu-*) + *-enho*.]

charada (cha.*ra*.da) ***sf.*** **1** Espécie de jogo ou passatempo verbal, em que se propõe um enigma que consiste em indicações ou definições vagas de palavras que são, por sua vez partes ou sílabas da palavra ou frase que se deve adivinhar **2** *P. ext.* Aquilo que é difícil de entender, situação intrincada; problema, mistério **3** Expressão ou linguagem obscura ou de difícil entendimento [F.: Do fr. *charade*. Hom./Par.: *xarada* (sf.).] ■ **Matar a ~** *Fig.* Resolver o problema; elucidar um mistério

charadista (cha.ra.*dis*.ta) ***a2g.*** **1** Ref. a charada (linguagem charadista) **2** Que elabora ou resolve charadas ***s2g.*** **3** Pessoa que se dedica a elaborar ou a resolver charadas [F.: *charad(a)* + *-ista*.]

charanga (cha.*ran*.ga) ***sf.*** **1** Banda musical formada por instrumentos de sopro: "...permanecia figle numa charanga, em Munique..." (Eça de Queirós, *A relíquia*) **2** *Pej.* Orquestra desafinada e/ou ruidosa: "Vai, vai, vai começar a brincadeira/ Tem charanga tocando a noite inteira/ Vem, vem, vem ver um circo de verdade/ Tem, tem, tem picadeiro de qualidade..." (Sidney Miller, *O circo*) **3** Conjunto musical improvisado que compõe a torcida nas partidas de futebol ou outros jogos **4** *P. ext. Pej.* Conjunto de animais que não puxam o carro de forma coordenada **5** *Bras. Pop.* Carro velho; CARANGUEJOLA **6** *AC Náut.* Pequena embarcação fluvial **7** *AC Náut.* Navegação de curta distância **8** Qualquer coisa ou objeto; troço, treco [F.: Do espn. *charanga*.]

charão (cha.*rão*) ***sm.*** **1** Verniz negro ou vermelho à base de laca, originário da China ou do Japão: "...uma espineta de charão..." (Eça de Queirós, *A cidade e as serras*) **2** *P. ext.* Qualquer móvel ou objeto revestido com esse verniz **3** *Bot.* Planta da fam. das anacardiáceas (*Rhus succedanea*), originária da Ásia [Pl.: *-rões*.] [F.: Do chin. *ci-liau*.]

charco (*char*.co) ***sm.*** **1** Água parada, lamacenta ou com detritos orgânicos, e de pouca profundidade; LAMAÇAL **2** Terreno alagadiço, pouco profundo, com águas estagnadas; PÂNTANO; BREJO; CHARNECA **3** Atoleiro, lodaçal [F.: Or. desconhecida, talvez pré-romana; cp. esp. *charco* 'id'. Ideia de 'charco': *limn(o)-* (*limnologia*); *palud(i)-* (*paludícola*, *paludoso*).]

charcutaria (char.cu.ta.*ri*.a) ***sf.*** **1** Arte e processo de preparar produtos feitos à base de miúdos de porco, como salames, linguiças, patês etc.; SALSICHARIA **2** Estabelecimento onde são vendidos esses produtos [F.: Do fr. *charcuterie*.]

charcuteiro (char.cu.*tei*.ro) ***sm.*** **1** Indivíduo que prepara produtos de charcutaria; SALSICHEIRO **2** Comerciante de produtos de charcutaria [F.: Do fr. *charcutier*.]

charge (*char*.ge) ***sf.*** Desenho caricatural com ou sem legenda, publicado em jornal, revista ou afim, que se refere diretamente a um fato atual ou a uma personalidade pública (ger. ligada à política) e os satiriza ou critica ironicamente [Cf. *cartum*.] [F.: Do fr. *charge* 'ação vigorosa contra alguém, carga, ataque', de *charger* 'carregar' e este, do lat. vulg. **carricare*, de *carrus* 'carro, carroça'.]

chargista (char.*gis*.ta) ***s2g.*** Pessoa que faz charges [F.: *charge* + *-ista*.]

charia (cha.*ri*.a) ***sf.*** *Rel.* Ver *xariá* (lei tradicional islâmica)

charivari (cha.ri.va.*ri*) ***sm.*** **1** Gritaria, vozearia, algazarra **2** Desordem, tumulto, confusão **3** Música desafinada ou conjunto de sons musicais carentes de harmonia [F.: Do fr. *charivari* 'id' este, de or. contrv., talvez palavra expressiva.]

charla (*char*.la) ***sf.*** Conversa despreocupada ou de pouca importância; conversa à toa [F.: Dev. de *charlar*. Hom./Par.: *charla(s)* (sf. [pl.]), *charla(s)* (fl. de *charlar*).]

charlador (chal.ra.*dor*) [ô] ***a.*** **1** Que charla, que gosta de charlar ***sm.*** **2** Aquele que charla ou costuma charlar [F.: *charla(r)* + *-dor*.]

charlar (char.*lar*) ***v.*** ***int.*** Falar ou conversar à toa, por diversão, ou sem assunto específico, sem muita seriedade; PALRAR; TAGARELAR [▶ **1** charlar] [F.: Do espn. *charlar* e do ital. *ciarlare*.]

charlata (char.*la*.ta) ***s2g.*** *Gír.* Charlatão: *Ele se diz médico mas acho que não passa de um charlata*. [F.: Regr. de *charlatão*.]

charlatanear (char.la.ta.ne.*ar*) ***v.*** Comportar-se como charlatão, usar os meios deste [***td.:*** *Queria charlatanear todo o mundo*.] [***int.:*** *Vivia só de charlatanear*.] [▶ **13** charlatanear] [F.: *charlatão no rad. charlatan-* + *-ear*[2].]

charlatanesco (char.la.ta.*nes*.co) [ê] ***a.*** Próprio de charlatão ou relativo a ele (caráter charlatanesco) [F.: *charlatão*, sob a f. radical *charlatan* + *-esco*.]

charlatanice (char.la.ta.*ni*.ce) ***sf.*** Charlatanismo: "...alguns gramáticos menores vivem recomendando este "recurso". É charlatanice! Preposições não se substituem..." (Claudio Moreno, *Língua Portuguesa*) [F.: *charlatão*, sob a f. radical *charlatan-* + *-ice*.]

charlatanismo (char.la.ta.*nis*.mo) ***sm.*** **1** Qualidade ou comportamento de charlatão; CHALATANICE; IMPOSTURA **2** *Restr. Jur.* Prática de anunciar ou vender enganosamente produtos ou serviços não comprovadamente eficazes para curar doenças e outros males [F.: *charlatão*, sob a f. radical *charlatan-* + *-ismo*.]

charlatão (char.la.*tão*) ***sm.*** **1** Pessoa que explora a boa-fé de alguém para com isso obter ganho ou vantagens (dinheiro, prestígio), ger. fingindo ou aparentando ter qualidades ou habilidades que na verdade não possui; IMPOSTOR; EMBUSTEIRO; TRAPACEIRO **2** *Restr.* Aquele que pratica a medicina ou técnicas curativas usando seus conhecimentos práticos, mas sem ter habilitação ou autorização oficial **3** Aquele que anuncia e emprega produtos de composição secreta, supostamente capazes de curar diversos males e doenças; curandeiro **4** Pessoa que anuncia e vende drogas e mezinhas, atribuindo-lhes propriedades curativas que não possuem **5** *Pej.* Médico incompetente ou inescrupuloso, esp. o que conquista clientela, prestígio ou fortuna por meios eticamente reprováveis ***a.*** **6** Que é ou age como charlatão (acps. 1 a 5); que explora a boa-fé de alguém, esp. fazendo-se passar por profissional ou competente em determinada atividade (médico charlatão, cientista charlatão) [Pl.: *-tães* e *-tões*. Fem.: *-tã* e *-tona*.] [F.: Do it. *ciarlatano* 'vendedor loquaz de medicamentos e indulgências'.]

⊕ ***charleston*** (*Ing. /tchárlston/*) ***sm.*** Dança muito rápida, surgida nos Estados Unidos na década de 1920 [F.: Do ing. *Charleston*, cidade do Sul dos Estados Unidos onde se originou a dança.]

⊕ ***charlotte*** (*charlotte*) ***sf.*** *Cul.* Torta feita com frutas cristalizadas embebidas em creme e arrumadas em forma forrada de biscoitos [F.: Do fr. *charlotte*.]

charme (*char*.*me*) ***sm.*** **1** Poder ou capacidade pessoal de agradar e encantar por meio da personalidade (modos, atitudes) e/ou da beleza: *o charme da atriz*. **2** Qualidade própria, distintiva e especialmente agradável ou atraente: *o charme da Cidade Maravilhosa*. **3** *Fig. Pop. Irôn.* Atitude ou comportamento afetados de quem quer parecer elegante ou superior **4** *Fís. nu. Quark* com carga elétrica 2/3, *spin* 1/1, número quântico (charme [3]) + 1 e cujo número bariônico é 1/3 **5** *Fís. nu.* Número quântico que caracteriza partículas que têm pelo menos um charme (2) [F.: Do ing. *charm* 'id' e este, do fr. *charme* 'id' e este, do lat. *carmen*, *inis* 'palavras mágicas, encantamento'.] ■ **Cheio de ~** Charmoso, atraente; com muitas qualidades encantadoras, agradáveis **Fazer ~** *Bras. Fam.* Afetar indiferença, fazer-se de difícil ou desinteressado, embora interessado

charmônio (char.*mô*.ni.o) ***sm.*** *Fís.* Estado ligado de um par quark-antiquark charmoso

charmoso (char.*mo*.so) [ô] ***a.*** **1** Que tem charme pessoal, que encanta ou atrai pela beleza, pelos modos, elegância etc. (moça charmosa) **2** Que tem encantos, qualidades agradáveis, que tem estilo e bom gosto (restaurante charmoso) [Pl.: [ó]. Fem.: [ó].] [F.: *charme* + *-oso*.]

charneca (char.*ne*.ca) ***sf.*** **1** Tipo de vegetação xerófila de Portugal, em que predominam arbustos e plantas herbáceas, similar ao maqui mediterrâneo e ao chaparral norte-americano **2** *P. ext.* Área, região ou terreno onde cresce esse tipo de vegetação **3** Terreno arenoso, inculto e árido, com vegetação rasteira em que ger. se criam carneiros **4** *Bras.* Pântano **5** *Fig. Ret.* (Trecho ou obra de) estilo árido e monótono: *este livro tem muitas charnecas*. **6** *Bot.* Planta da família das solanáceas (*Capsicum annuum*); tb. *cornicabra* (planta solanácea) [F.: talvez do lat. **cerrica*, derivado do lat. *cerrus* 'espécie de carvalho', pelo moçárabe; lembra Corominas ter sido frequente a evolução do *-rr-* latino para *-rn-* no moçárabe, assim como o *ce-* ou *ci-* > *che-* ou *chi-* (cf. *chicória*) e *-ica* > *-eca*.]

charneira (char.*nei*.ra) ***sf.*** **1** Eixo comum de duas peças de madeira ou metal, uma das quais pelo menos é móvel; DOBRADIÇA **2** Pequena tira de papel usada por filatelistas para prender selos aos álbuns **3** *Anat. Zool.* Ligamento das valvas de moluscos bivalves **4** Ponta dobrada das cilhas onde se prende a fivela **5** *Geol.* Lugar dos pontos de uma curvatura máxima de uma região dobrada [F.: Do fr. *charnière*.]

charola (cha.*ro*.la) ***sf.*** **1** Andor para imagens religiosas levadas em procissão **2** Corredor que rodeia a abside, nas igrejas de arquitetura romana ou gótica **3** Nicho, oratório [F.: talvez o ant. fr. *charole*, var. de *carole*.] ■ **Levar em ~** **1** Carregar (alguém) nos ombros, em triunfo ou como manifestação de apoio **2** *P. ext.* Aclamar, aplaudir, aprovar entusiasticamente

charolês (cha.ro.*lês*) ***sm.*** Bovino de raça criada originalmente na França, conhecido pela qualidade de sua carne [F.: Do fr. *charolais*.]

charque (*char.*que) *Bras. sm.* **1** Carne de gado bovino salgada e aberta em mantas; CARNE-SECA; JABÁ; CARNE DO CEARÁ **2** *P. ext.* Prato ou iguaria preparados com essa carne [F.: Do espn. platense *charque* 'id' e este, do quíchua *charki* 'carne salgada ao sol para guardar em conserva'.]

charqueada (char.que.*a*.da) *Bras. sf.* **1** Estabelecimento onde se carneia o gado para a fabricação de charque; SALADEIRO **2** *P. us.* Ação de charquear, de cortar a carne para produzir charque: "E hão de achá-lo, amanhã, bestas agrestes,/ Sobre a esteira sarcófaga das pestes/ A mostrar, já nos últimos momentos,/ Como quem se submete a uma charqueada,/ Ao clarão tropical da luz danada,/ O espólio dos seus dedos peçonhentos." (Augusto dos Anjos, "Monólogo de uma sombra" in *Eu*) **3** *Fig.* Degolação, carnificina, ação violenta e sanguinária: "A degolação era, por isto, infinitamente mais prática, dizia-se nuamente. Aquilo não era uma campanha, era uma charqueada. Não era a ação severa das leis, era a vingança." (Euclides da Cunha, *Os sertões*) [F.: *charque* (*ar*) + *-ada*¹.] **■ Fazer ~** Ganhar em jogo todo o dinheiro do adversário

charqueador (char.que.a.*dor*) [ô] *Bras. RS sm.* **1** Proprietário de charqueada; SALADEIRISTA **2** Aquele que prepara o charque **3** Fabricante de charque [F.: *charquea(r)* + *-dor*.]

charquear (char.que.*ar*) *Bras. v.* Cortar em mantas, salgar e secar (a carne) para a produção de charque [*td.*: *charquear a carne.*] [*int.*: *Eles conhecem a estação propícia para charquear.*] [▶ 13 charquear] [F.: *charqu(e)* + *-ear*.]

charrascal (char.ras.*cal*) *sm.* Terreno agreste com vegetação mais ou menos densa; CHARRASQUEIRO [F.: Or. obsc.]

charrete (char.*re*.te) [é] *sf.* Veículo rústico, puxado por cavalo, com duas rodas grandes e assento para duas ou três pessoas [F.: Adaptação do fr. *charrette* 'id', dim. de *char* 'veículo de tração animal', do lat. *carrus* 'carroça'.]

charreteiro (char.re.*tei*.ro) *sm.* Condutor de charrete [F.: *charrete* + *eiro*.]

charro (*char*.ro) *a.* Diz-se do que é desprovido de qualquer finura, refinamento; BRONCO; GROSSEIRO; RUDE; TOSCO [F.: Posv. do basco *txar*, pelo espn. *charro*.]

charrua (char.*ru*.a) *sf.* **1** Espécie de arado grande, puxado manualmente, por animal ou, modernamente, por máquina, ger. com jogo dianteiro e, originalmente, uma só aiveca **2** *Fig.* A vida, o trabalho do campo **3** *P. ext.* Designação dada a aparelhos semelhantes à charrua (1), de tração mecânica, us. para trabalhos no solo ou, p. ex., em capeamentos e calçamentos **4** *Ant. Mar.* Grande navio de guerra com três mastros, fundo chato e grande porão, us. para transporte de tropas, víveres, munição etc. **5** *Joc.* Navio ou automóvel grande e lento [F.: Do fr. *charrue* 'id', do lat. *carruca* 'espécie de arado munido de rodas'.]

charruada (char.*rua*.da) *sf.* Porção de terra lavrada com arado do tipo charrua [F.: *charrua* + *ada*.]

⊕ **charter** (*Ing.* /*chárter*/) *sm.* **1** Avião fretado, ger. para turismo **2** Passeio ou excursão em que o avião é fretado pelo grupo de viajantes (ou por um intermediário) [Tb. us. como aposit.: voos *charter,* excursão *charter*.]

charutar (cha.ru.*tar*) *v.* Fumar charuto [▶ 1 charutar] [F.: *charut(o)* + *-ar*². Tb. *charutear*.]

charutaria (cha.ru.ta.*ri*.a) *sf.* **1** Técnica de confecção de charutos **2** Fábrica de charutos **3** *Bras.* Tabacaria [F.: *charut (o)* + *-aria*.]

charutear (cha.ru.te.*ar*) *v.* Ver *charutar* [▶ 13 charutear]

charuteira (cha.ru.*tei*.ra) *sf.* Estojo ou caixinha para guardar charuto(s) [F.: *charut (o)* + *-eira*.]

charuteiro (cha.ru.*tei*.ro) *sm.* **1** Fabricante de charutos **2** *Restr.* Operário que enrola a folha de tabaco para fazer o charuto **3** Dono de charutaria **4** Espécie de tabaco *a.* **5** Ref. a charutos ou à fabricação deles [F.: *charut (o)* + *-eiro*.]

charuto (cha.*ru*.to) *sm.* **1** Pequeno rolo alongado de folhas secas de tabaco, envolto por uma folha inteiriça, preparado para se fumar **2** *Cul.* Bolo, biscoito ou qualquer alimento com formato semelhante ao charuto **3** *Fig.* Qualquer objeto ou figura de formato alongado e, ger., bojudo **4** *Bras.* Bebida feita com vinho e mel de abelha **5** *Bras. Pej.* Pessoa negra **6** *Bras. Zool.* Peixe da fam. dos caracídeos (*Leporellus cartledgai*) da bacia do rio São Francisco, com duas estrias longitudinais escuras, nadadeira dorsal com mancha arredondada e anal com duas faixas oblíquas, pretas **7** *Bras.* Nome dado, em regiões diversas do Brasil, a várias espécies de peixes, p. ex. certas variedades de sardinha (*Sardinella brasiliensis*) e outros peixes pequenos, como o canivete (gên. *Apareiodon*) **8** *Bras. BA Zool.* Tainha pequena **9** Pequeno barco de recreio governado por um só remo terminado em pá de ambos os lados **10** Na indústria pesqueira, designação dada à carcaça do peixe, depois de extraídas as partes de maior valor econômico (p. ex., barbatanas), ou ao corpo, depois de extraídas a cabeça e a cauda **11** *Bras. AL* Servente de circo; mata-cachorro [F.: do ing. *cheroot* 'id' e este, do tamul-malaiala *churuttu* 'id'.]

chasco (*chas*.co) *sm.* **1** Zombaria, caçoada: "Eram chascos e risadas estrepitosas..." (José de Alencar, *Til*) [F.: Do cast. *chasco*.] **2** Pássaro (*Saxicola rubetra*), de plumagem parda, que ocorre na Europa, Ásia e África; CARTAXO [F.: Or. onomat.] **3** Ato de puxar repentinamente as rédeas para parar o cavalo; SOFRENÃO; SOFRENAÇO [F.: Or. obsc.]

chasma (*chas*.ma) *sm. Astron.* Nome adotado pela União Astronômica Mundial para designar uma grande depressão na superfície da Lua ou de um planeta

chasqueada (chas.que.*a*.da) *sf.* Troças, zombaria, série de chascos [F.: *chasque* + *-ada*.]

chasquear (chas.que.*ar*) *v.* Dizer ou fazer chasco, troça, zombaria [*td.*: *Sempre chasqueava o companheiro de trabalho.*] [*tr.* + *de*: *Chasqueava da ignorância do porteiro.*] [*int.*: *Gostava muito de chasquear.*] [▶ 13 chasquear] [F.: *chasc(o)* + *-ear*².]

chassi (chas.*si*) *sm.* **1** Armação de aço que serve de base para a carroceria de um veículo **2** *Cin. Fot.* Caixa ou caixilho bem vedados, onde se colocam filmes em certas máquinas fotográficas e nas câmeras cinematográficas **3** Espécie de quadro em que se afixam fotografias, desenhos, bilhetes etc. **4** Armação metálica que serve de base para a fixação de componentes de um circuito eletrônico: *chassi de um rádio.* **5** Estrutura metálica rígida que serve de base e na qual são armados os componentes de uma máquina **6** *P. ext.* Base, suporte ou armação para dar sustentação [F.: Do fr. *châssis* 'armação', de *châsse* 'montagem' e este, do lat. *capsa* 'caixa'.]

⊕ **chat** (*Ing.* /*chét*/) *Inf. sm.* **1** Forma de comunicação através de uma rede de computadores (esp. a Internet), na qual se trocam, em tempo real, mensagens escritas, que vão aparecendo na tela de todos os participantes; BATE-PAPO **2** *P. ext.* O espaço virtual destinado por um provedor ou uma rede para esse tipo de comunicação [Ing., 'conversa informal'.]

chata (*cha*.ta) *sf.* **1** Embarcação de pequeno calado, com fundo chato, de formato quadrangular e costado baixo, com ou sem propulsão própria, us. para serviços de dragagem ou transporte de carga em rios ou portos; ALVARENGA **2** *Bras.* Embarcação de estrutura forte de duas proas, fundo chato e pequeno calado, ger. com uma roda propulsora, us. para travessia de veículos de uma margem à outra de rios ou baías, esp. na época da estiagem; BALSA **3** *Bras. Zool.* Certa cobra não venenosa; tb. *boipeba* ou *boipeva* **4** Mulher importuna, que aborrece ou irrita [F.: Fem. substantivado de *chato*.]

chateação (cha.te.a.*ção*) *Fam. sf.* **1** Ação ou efeito de chatear **2** Aquilo que chateia; aborrecimento, amolação [Pl.: *-ções*.] [F.: *chatea (r)* + *-ção*. Sin. ger.: *chatice, chatura*.]

chateado (cha.te.*a*.do) *Fam. a.* **1** Que se chateou; ABORRECIDO; CONTRARIADO **2** *P. ext.* Triste, infeliz, desanimado [F.: Part. de *chatear*.]

chatear (cha.te.*ar*) *Fam. v.* **1** Causar ou ter aborrecimento; ABORRECER(-SE); APOQUENTAR(-SE) [*td.*: *Vive a chatear os colegas*] [*int.*: *Chateou-se quando viu as suas notas.*] **2** Causar ou ter tédio; ENTEDIAR(-SE); ENFADAR(-SE) [*td.*: *Chateava os ouvintes com detalhes desnecessários.*] [*int.*: *Chateou-se com aquela cantilena.*] [▶ 13 chatear] [F.: *chat(o)* + *-ear*.]

⊕ **chateaubriand** (*chatobriã*) *Fr. sm. Cul.* Bife de filé ou alcatra, cortado em fatias altas, especial para ser preparado em grelha, chapa ou frigideira [Forma aport. *chatobriã*. F.: Do fr. *chateaubriand*.]

chateza (cha.*te*.za) *sm.* **1** Qualidade do que é plano, chato **2** Particularidade ou atributo do que ou de quem é chato, maçante, aborrecido; CHATICE; CHATURA [F.: *chato* + *-eza*.]

chatice (cha.*ti*.ce) *Fam. sf.* **1** Qualidade do que é chato, incômodo, aborrecido, entediante **2** Chateação; aquilo que aborrece ou causa tédio [F.: *chato* + *-ice*.]

chato (*cha*.to) *a.* **1** Que tem a superfície plana; que tem pouca profundidade ou pouca elevação (prato chato; pé chato) **2** Sem relevo, sem reentrâncias e/ou saliências, sem acidentes (terreno chato) **3** *Fam.* Sem atrativos, desinteressante, monótono; que chateia ou entedia (conversa chata; orador chato); MAÇANTE; ENTEDIANTE **4** *Fam.* Que causa aborrecimento, irritação ou constrangimento: *Foi muito chata aquela briga no fim da reunião.* *sm.* **5** *Fam.* Pessoa chata (3), importuna **6** *Fam.* Aquilo que é chato (3 e 4): *O chato é ter de esperar tanto para falar com o diretor.* **7** *Pop. Zool.* Inseto parasita (*Pthirus pubis*), da família dos ftiriídeos, que se instala na região pubiana e que provoca coceira intensa [F.: Do lat. vulg. *plattus, a, um 'plano' e este, do adj. gr. *platús, eîa, ú* 'plano, amplo'. Hom./Par.: *chatô* (sm.).] **■ ~ de galochas** *Pop.* Pessoa muito maçante, importuna

chatô (cha.*tô*) *sm. Bras. Pop.* Casa ou apartamento, ger. de rapaz solteiro [Do francês: *chateau* (castelo). Hom./Par.: *chato* (a. sm.).]

chatonildo (cha.to.*nil*.do) *sm. Gír.* Chato, pessoa aborrecida e desagradável [F.: Var. jocosa de *chato*.]

chatura (cha.*tu*.ra) *sf.* **1** *Pop.* Ação ou resultado de chatear, aborrecer; CHATICE **2** Coisa que chateia, que amola: *O filme foi aquela chatura.* [F.: *chato* + *-ura*.]

chauá (cha.u.*á*) *sm. Zoo.* Papagaio (*Amazona rhodocorytha*) típico da região Noroeste, que difere das outras espécies por ter cabeça vermelha; CAMATANGA; CHAUÃ; CHUÃ [F.: Orig. desc.]

chauvinismo (chau.vi.*nis*.mo) [chô] *sm.* **1** Sentimento de patriotismo estreito e extremado, com desprezo ou rejeição de tudo que é estrangeiro; xenofobia **2** *P. ext.* Identificação ou adesão (a um grupo, uma doutrina etc.) entusiastas, agressivas e intolerantes **3** Sentimento ou atitude de superioridade em relação a pessoas de outro sexo **4** Atitude ou procedimento próprios de quem tem tais sentimentos [F.: Do fr. *chauvinisme* 'id', do adj. *chauvin* 'que tem patriotismo extremado'; do antrop. *Nicolas Chauvin*, soldado francês do 1º Império, tornado personagem teatral (1831) ridicularizada por seu patriotismo e sua devoção a Napoleão. Tb. *chovinismo*.]

chauvinista (chau.vi.*nis*.ta) [chô] *a2g.* **1** Ref. a ou próprio de chauvinismo: *ideias chauvinistas.* **2** Que tem e manifesta chauvinismo: *um povo chauvinista.* **3** Que defende ideias, posições extremadas *s2g.* **4** Pessoa chauvinista (2 e 3) [F.: *chauvin* (*ismo*) + *-ista*. Tb. *chovinista*.]

chavão (cha.*vão*) *sm.* **1** Chave grande **2** Fôrma ou molde us. para enfeitar bolos e massas **3** Molde de marcar, que se usa quente ou em brasa **4** Expressão ou frase sem originalidade, muito repetida e bem conhecida por muitas pessoas; CLICHÊ; LUGAR-COMUM: *Terminou a história com o velho chavão: 'e viveram felizes para sempre'.* **5** *Fig.* Fórmula ou ideia estereotipada, pouco criativa, imitativa: *Não disse nada de novo, apenas repetiu chavões.* **6** *Fam.* Autor ou obra de renome, considerado modelo, autoridade ou referência em seu campo: *este homem é um chavão em ciências matemáticas* **7** Modelo ou padrão usual **8** Aquilo que é trivial, ordinário, repetitivo [Pl.: *-ões*.] [F.: *chav(e)* + *-ão*.]

chavascada (cha.vas.*ca*.da) *sf. Pop.* Golpe desferido com força, com as mãos; PANCADA; BORDOADA [F.: *chavasca* + *ada*.]

chavascal (cha.vas.*cal*) *sm.* **1** Lugar muito sujo, chiqueiro **2** Terra improdutiva **3** Mata de espinheiros e outras plantas silvestres: "...rojão seguro, tirador das feras do matagal, de grotões e covocas, de brongos e movongos, dos enormes ninhos, hostis, no chavascal..." (Guimarães Rosa, *Ave, palavra!*) [F.: Or. controv.]

chavascar (cha.vas.*car*) *v. td. int.* Ver *achavascar.* [▶ 11 chavascar] [F.: *chavasc(o)* + *-ar*². Hom./Par.: *chavasco* (fl.), *chavasco* (sm.); *chavasca(s)* (fl.), *chavasca* (sf. e pl.).]

chave (*cha*.ve) *sf.* **1** Utensílio de metal que aciona a lingueta de fechaduras e permite abrir e fechar portas, gavetas, cadeados etc. **2** *Mec.* Qualquer ferramenta, que pode ter diversas formas e tamanhos, que serve para apertar e desapertar, regular, fixar, prender e soltar parafusos, porcas, partes de equipamentos, máquinas, motores etc.: *chave de parafusos; chave de boca; chave inglesa; chave de roda.* **3** *Mús.* Peça móvel de instrumento de sopro que, acionada pelo instrumentista, abre ou fecha orifícios mudando com isso a altura da nota emitida: *as chaves de uma clarineta/ de um oboé.* **4** *Mús.* Ferramenta para afinar instrumentos de corda (harpa, piano), ao girar as cravelhas em que se fixam as cordas dando-lhes mais ou menos tensão **5** *Elet. Eletrôn. Mec.* Peça, dispositivo, pequena alavanca etc. que, isoladamente ou entre outras num painel, aciona ou interrompe um circuito que, por sua vez, aciona ação elétrica, eletrônica, mecânica etc.: *a chave da ignição; Já substituí o fusível, ligue a chave da luz, por favor.* **6** Peça usada para dar corda em carrilhões ou relógios de parede **7** Símbolo ou insígnia de posse, de livre acesso a algo: *O prefeito entregou-lhe a chave da cidade.* **8** Nos problemas de palavras cruzadas, charadas etc., palavra ou expressão que sinaliza a decifração de certa palavra que consta no problema **9** Ideia, pensamento ou conceito que conduz à compreensão de algo, à solução de um problema etc.: *Aquela carta foi a chave para eu descobrir o ardil.* **10** *Esp.* Golpe usado em luta corporal para imobilizar o adversário cingindo-o com braço(s) ou perna(s) **11** *Esp.* Esquema tático ou modo de organizar a defesa ou o ataque nos esportes de equipe, como futebol, voleibol etc. **12** *Esp.* Em campeonatos ou torneios, cada grupo de equipes que devem competir entre si para determinar quais equipes do grupo se classificam para a fase seguinte **13** *Inf.* Senha que permite acesso a um sistema, programa, dados, *site* etc. **14** *P. ext. Fig.* Aquilo que permite o acesso a algo, condição, lugar etc.: *Probidade e honestidade são a chave para o respeito e a credibilidade.* **15** Sinal gráfico que indica a convergência de vários itens num grupo para um só atributo ou classificação etc., ou para abranger diferentes objetos ou termos numa só designação [Cf. parêntesis e colchete.] **16** *Fer.* Em ferrovia, mecanismo que desloca os trilhos para permitir desvios no rumo de um composição **17** *Turfe* Agrupamento, para efeito de apostas em duplas, de cavalos inscritos num mesmo páreo **18** *Bras.* Cavilha de ferro que atravessa a parte superior do fuso do lagar, prendendo-lhe a pedra ou o peso, pelo veio **19** *Mil.* Lugar estrategicamente importante para dominar um território e cuja posse faculta melhor defesa ou ataque **20** Transmissão comercial de um negócio: *Recebeu bela quantia pela chave da loja.* **21** *Liter.* Abertura ou fechamento de texto literário, esp. de um soneto **22** *Arq.* Elemento central na parte superior de uma abóbada ou construção e que lhe serve de suporte **23** Elemento ou conjunto de elementos que serve para decifrar um código, uma criptografia etc. **24** *Esp.* No xadrez, lance inicial de um problema enxadrístico, ao qual a sequência de lances conduz ao resultado que é a solução do problema **25** A largura do pé **26** Espaço entre o polegar e o indicador da mão; a palma da mão **27** *Des. Mús.* O mesmo que *clave* [F.: Do lat. *clavis*.] **■ A sete ~s** Bem trancado **~ Allen** *Mec.* Ferramenta em forma de um prisma hexagonal (ger. dobrado em 90º) que se pode encaixar em cavidade sextavada na cabeça de um parafuso Allen (tipo de parafuso com essa cavidade na cabeça) **~ bifásica** *Elet.* Interruptor elétrico com duas entradas e duas saídas **~ bipolar** *Elet.* Interruptor elétrico para dois circuitos independentes, ou para os dois lados de um mesmo circuito **~ de abóbada** *Arq.* A pedra ou bloco que, na parte central e mais elevada de um arco ou de uma abóbada, arremata sua estrutura, consolidando-a **~ de boca** *Mec.* Ferramenta para apertar ou desapertar parafusos ou porcas de cabeça quadrada ou hexagonal; tem na extremidade (ou em ambas as extremidades) mandíbulas que podem abraçar, lateralmente, a porca ou a cabeça do parafuso **~ de braço** Em lutas corporais, movimento ou golpe que consiste em torcer para trás e imobilizar o braço do adversário **~ de cano**

Mec. Ferramenta para apertar ou desapertar canos, tubos, luvas e outras peças redondas, por meio das mandíbulas que tem em uma das extremidades **~ de corrente** *Mec.* Ferramenta para apertar e desapertar tubos e porcas de tamanho grande, por meio de uma corrente de rolos de comprimento ajustável **~ de estria** *Mec.* Ferramenta para apertar e desapertar parafusos e porcas, por meio de um anel em uma extremidade que agarra a porca ou a cabeça do parafuso em toda a sua periferia **~ de fenda** *Mec.* Ferramenta para apertar e desapertar parafusos, cuja extremidade chanfrada se introduz em fenda na cabeça do parafuso, para fazê-lo girar **~ de grifa** *Mec.* Ferramenta para apertar e desapertar parafusos tubos, luvas, canos e outras peças redondas, por meio de mandíbulas cuja distância entre elas é ajustável (de acordo com o diâmetro da peça) por rosca sem fim que corre paralelamente à direção do cabo [Tb. apenas *grifa*.] **~ de onda** *Eletrôn.* Interruptor giratório com vários terminais, us. em circuitos diversos com vários componentes **~ de ouro** **1** *Liter. Poét.* Trecho final, especialmente belo ou que faz bom efeito, numa redação ou narrativa escrita, numa obra literária ou poesia **2** Conclusão feliz (de um acontecimento), remate bem-sucedido **~ de parafuso** *Mec.* Ver *Chave de fenda* **~ de porca** *Mec.* Ferramenta para apertar e desapertar porcas (ger. as que fixam as rodas de automóveis), por meio de uma cabeça oca com as paredes internas sextavadas, que envolve a porca, também sextavada, ajustando-se perfeitamente a seus lados **~ de roda** *Mec.* Ferramenta para apertar e desapertar as porcas que fixam as rodas de um veículo automotivo, em forma de cruz, com uma chave de porca em cada uma das quatro pontas das barras, para apertar e desapertar as porcas das rodas dos automóveis **~ eletrônica** *Eletrôn.* Circuito mais de uma entrada, capaz de selecionar o sinal de uma das entradas e encaminhá-lo à sua única saída **~ falsa** A que abre uma fechadura diferente daquela à qual originalmente se adapta **~ inglesa** *Mec.* Chave de boca com a distância entre as mandíbulas regulável por meio de uma rosca em espiral **~ mestra** Chave especial, que abre qualquer das portas de um edifício, de um andar, de uma firma etc. **~ monofásica** *Elet.* Interruptor elétrico com uma entrada e uma saída **~ Philips** Ferramenta para apertar e desapertar parafusos em cuja ponta há filetes em forma de cruz, que se adaptam a reentrâncias em forma de cruz de parafusos Philips **Fechar com ~ de ouro** Encerrar algo com êxito, de maneira bem-sucedida: *Fechou o recital com chave de ouro tocando a Apassionata.* **Meter na ~** Prender, aprisionar, encarcerar; passar na chave, passar a chave em **Passar a ~ em** Ver *Meter na chave* **Passar na ~** Ver *Meter na chave*

chaveamento (cha.ve.a.*men*.to) *sm.* Ação ou resultado de chavear [F.: *chavea(r)* + *-mento*.]

chavear (cha.ve.*ar*) *Bras. v. td.* Usar chave para acionar e trancar a fechadura de; fechar ou trancar à chave: *chavear uma gaveta.* [▶ **13** chavear] [F.: *chav(e)* + *-ear²*.]

chavecar (cha.ve.*car*) *v.* Ver *xavecar*

chaveco (cha.*ve*.co) [é] *sm. Bras. Gír.* Ver *xaveco*

chave de cadeia (cha.ve de ca.*dei*.a) *a2g.* **1** Diz-se de quem ou do que pode trazer problemas, aborrecimento, encrenca: *A menina era chave de cadeia, filha do prefeito e sobrinha de delegado; Arrumou um amigo chave de cadeia que em pouco tempo levou-o à ruína; Esse negócio é chave de cadeia, melhor se afastar enquanto há tempo.* [Pl.: *chaves de cadeia*.] *s2g.* **2** Pessoa que pode trazer problemas, criar encrenca ou deixar alguém em má situação [Pl.: *chaves de cadeia*.]

chaveiro (cha.*vei*.ro) *sm.* **1** *Bras.* Objeto em que se prendem chaves ou molhos de chaves **2** *Bras.* Profissional que faz ou copia chaves, ou conserta e instala fechaduras **3** Aquele responsável pela guarda das chaves de certos aposentos ou instalações (despensa, cárcere etc.); CLAVICULÁRIO **4** Rodeiro (eixo de máquina ou veículo) [F.: *chav(e)* + *-eiro*.]

chavelha (cha.ve.lha) [ê] *sf.* **1** *Agr.* Peça do arado à qual são atados os animais que o puxam **2** No carro de boi, cunha que prende o cabeçalho à canga [F.: Do lat. *clavícula, ae*.]

chavelho (cha.*ve*.lho) [ê] *Anat. Zool. sm.* **1** Chifre (apêndice ósseo, ou proeminência alongada, na cabeça de certos animais) **2** Antena de inseto [F.: *chave* + *-elho*.]

chávena (*chá*.ve.na) *sf.* Espécie de xícara ou taça com alça, de louça ou metal, em que se serve chá, café, chocolate ou outras bebidas [F.: Do chinês *tcha-van* 'id'.]

chaveta (cha.*ve*.ta) [ê] *sf.* **1** Peça que fixa uma roda na extremidade do eixo **2** Peça para fixar ou segurar cavilha **3** Haste de ferro que une as duas partes de uma dobradiça **4** *Bras. SP* Peça de madeira que prende a canga à tiradeira [F.: *chav(e)* + *-eta*. Hom./Par.: *chaveta(s)* (sf. [pl.]), *chaveta(s)* (fl. de *chavetar*).]

chavetar (cha.ve.*tar*) *v. td.* Prender (algo) com chaveta; chavetear [▶ **1** chavetar] [F.: *chavet(a)* + *-ar²*. Hom./Par.: *chaveta(s)* (fl.), *chaveta* /ê / (sf. e pl.).]

chaviense (cha.vi.*en*.se) *s2g.* **1** Indivíduo nascido ou que vive em Chaves (PA) *a2g.* **2** De Chaves; típico dessa cidade ou de seu povo [F.: Do top. *Chave(s)* + *-ense*.]

chê *interj. RS Pop.* Termo usado para chamar alguém

checada (che.*ca*.da) *sf.* **1** Ação ou resultado de checar; CHECAGEM: *Dei uma checada nos documentos, está tudo OK.* *sf.* **2** Verificação de funcionamento: *Agora dê uma checada nesse motor.* [F.: Fem. do part. subst. de *checar*.]

checado (che.*ca*.do) *a.* Conferido, verificado [F.: Part. de *checar*.]

checagem (che.*ca*.gem) *Bras. sf.* Ação ou resultado de checar [F.: *chec(ar)* + *-agem*.]

checape (che.*ca*.pe.) *sm.* Exame médico minucioso realizado com finalidade preventiva [Do inglês: *check-up*.]

checar (che.*car*) *Bras. v.* **1** Examinar, conferir, observar, para verificar a exatidão, a presença, a realização, o bom estado ou funcionamento de [*td.*: *Checou os aparelhos*.] **2** Estabelecer comparação; CONFRONTAR [*tdr.* + *com*: *O gerente checou os preços dos produtos com os da tabela*.] [▶ **11** checar] [F.: Do ingl. *check* + *-ar²*. Hom./Par.: *cheque(s)* (fl.), *cheque(s)* (sm. [pl.]), *xeque(s)* (sm. [pl.]).]

chechênio (che.*chê*.ni.o) *sm.* **1** Indivíduo dos chechênios, povo do Cáucaso **2** O mesmo que *checheno a.* **3** Ref. aos chechênios (1) ou próprio desse povo [F.: Do top. *Chechênia*.]

checheno (che.*che*.no) [tchetc. hêno] *sm.* **1** Indivíduo nascido ou que vive na República da Chechênia, parte da Federação Russa *a.* **2** Da Chechênia; típico dessa república ou de seu povo [F.: Do top. *Chechênia* + *-eno¹*. Tb. *chechênio*.]

🌐 ***check-in*** (*Ing. /tchéc-in/*) *sm.* **1** Apresentação do bilhete de viagem no balcão da companhia de aviação, para a devida conferência e expedição do cartão de embarque, bem como para despachar a bagagem **2** Registro de um hóspede em um hotel, ao iniciar seu período de hospedagem

🌐 ***checklist*** (*Ing. /tchéc-list/*) *s2g.* Numa atividade ou trabalho, lista completa das coisas a fazer, e que é conferida ao final das tarefas ou à medida que vão sendo completadas

🌐 ***checkout*** (*Ing. /tchécaut/*) *sm.* Registro de saída de um hóspede de um hotel

🌐 ***check-up*** (*Ing. /tchéc-ap/*) *sm.* **1** *Med.* Conjunto de exames clínicos para investigação do estado de saúde de uma pessoa **2** *Fig.* Avaliação minuciosa de uma situação ou do estado de um aparelho, sistema, dispositivo etc.: *A contabilidade da empresa precisa de um check-up urgentemente; check-up de um automóvel.* [F. aport.: *checape*.]

checo (che.co) [é] *a. sm.* Ver *tcheco*. [Hom./Par.: *checo* (a. sm.), *checo* (fl. de *checar*); *checa(s)* (fem. [pl.]), *checa(s)* (fl. de *checar*).]

checoslovaco (che.cos.lo.*va*.co) *a. sm.* Ver *tchecoslovaco*

cheda (*che*.da) [ê] *sf.* Prancha lateral do leito do carro de bois: "Soronho volve depressa a cara e vai encostar-se à cheda do lado direito." (Guimarães Rosa, *Sagarana*) [F.: Do celta *cleta*, pelo fr. *claie*.]

🌐 ***cheeseburger*** (*Ing. /chisbúrguer/*) *sm. Cul.* Hambúrguer (sanduíche) a que se acrescenta uma fatia de queijo

chefa (che.fa) *sf.* Feminino de chefe

chefão (che.*fão*) *sm.* **1** Pessoa poderosa, importante, influente; MANDÃO; MANDACHUVA **2** Indivíduo que lidera qualquer empreendimento escuso ou criminoso: *Todos foram presos, menos o chefão.* [F.: *chefe* + *-ão¹*.]

chefatura (che.fa.*tu*.ra) *sf.* **1** Local onde um chefe exerce sua função (chefatura de polícia) **2** Cargo de chefe; CHEFIA [F.: Dev. de *chefe*, por influência de (*magistr*)*atura*.]

chefe (che.fe) *s2g.* **1** Aquele que exerce a autoridade principal, que tem poder de decisão **2** Pessoa que ocupa alta posição nos organismos oficiais, civis ou militares: *chefe de Estado* **3** Aquele que dirige; que chefia **4** Pessoa que comanda um grupo: *chefe da delegação.* **5** Líder de um grupo social, cultural, religioso etc.: *chefe do clã.* **6** Capitão, caudilho **7** Empregado que está encarregado de dirigir um serviço: *chefe de uma estação de metrô.* **8** *Pop.* Us. informalmente como tratamento pessoal: *Em que posso ajudá-lo, chefe?* **9** *Her.* Peça honrosa ou parte superior que ocupa o terço mais alto do escudo [F.: Do fr. *chef* 'id' e este, do lat. *caput, itis* 'cabeça'.]

chefete (che.*fe*.te) *sm. Pej.* Chefe sem prestígio ou de autoridade limitada [F.: *chefe* + *-ete*.]

chefia (che.*fi*.a) *sf.* **1** Função, cargo ou condição de chefe: *respeitar as atribuições e deveres da chefia.* **2** Ação de chefiar; governo, direção, comando **3** Pessoa ou grupo que, ocupando ou não cargo oficial de chefe, tem posição ou poder de mando, de decisão: *Não se submeteu à nova chefia da organização.* **4** Repartição, setor etc. onde trabalham o chefe e seus auxiliares; CHEFATURA **5** *Bras. Gír.* Chefe, patrão, superior hierárquico **6** Us. informalmente como tratamento pessoal: *Então, chefia, vai levar a mercadoria?* [F.: *chef(e)* + *-ia¹*. Hom./Par.: *chefia(s)* (sf. [pl.]), *chefia(s)* (fl. de *chefiar*).]

chefiado (che.fi.*a*.do) *a.* **1** Que esteve ou está sob chefia: *O pelotão foi chefiado por um tenente.* *sm.* **2** Aquele que está sob a chefia de alguém: *Esse é um dos chefiados do major.* [F.: Part. de *chefiar*.]

chefiar (che.fi.*ar*) *v.* Dirigir, comandar ou liderar como chefe; exercer a chefia (de) [*td.*: *Ele chefiou a empresa da família por vinte anos*.] [*int.*: *Não quer chefiar, nem obedecer.*] [▶ **1** chefiar] [F.: *chef(e)* + *-iar*. Hom./Par.: *chefia(s)* (fl.), *chefia(s)* (sf. [pl.]).]

chega (*che*.ga) [ê] *s2g.* **1** *Fam.* Reprimenda, repreensão *interj.* **2** Não precisa mais; não é possível mais. [Indica que se atingiu um limite de quantidade ou intensidade.]: *Chega! Estou exausto!* *prep.* **3** *Bras. Pop.* Indica que aquilo que se diz é um exemplo extremo da intensidade, força etc. de algo, ou com que algo ocorre [Equivale a *até*, *mesmo*, ou a construção com o verbo chegar no sentido de 'ir a ponto de': *com a tonteira, ele chegou a cair sentado sobre as outras pessoas* [isto é, foi ao ponto de cair...].] [F.: Da fl. (3ª pess. sing.) do v. *chegar*. Hom./Par.: *chega(s)* (s2g. [pl.]), *chega(s)* (fl. de *chegar*); *chega* (interj., prep.), *chega* (fl. de *chegar*).] ∎ **Até dizer ~** Ver esta loc. no verbete *dizer* **Dizer ~** Ver esta loc. no verbete *dizer*

chegada (che.*ga*.da) *sf.* **1** Ação ou resultado de chegar [Ant.: *partida, saída*.] **2** Aproximação, avizinhamento **3** Termo, fim (no espaço) de um trajeto de ida ou de volta (linha de chegada) [Ant.: *partida, saída*.] **4** Momento em que se atinge o fim de uma viagem de ida ou de volta: *Nossa chegada está prevista para as 10 horas.* [Ant.: *partida, saída*.] **5** *Fig.* Início de um período de tempo: *a chegada do ano-novo.* **6** Aparecimento, surgimento (abrupto ou gradual) de algo, ou suas primeiras manifestações; momento em que algo (fenômeno, processo etc.) se inicia: *Aguardamos ansiosos a chegada do verão.* **7** *Fig.* Nascimento: *A chegada de um bebê alegra os pais.* **8** Visita rápida; presença por pouco tempo em determinado lugar, evento ou atividade: *Vou dar uma chegada na cafeteria.* **9** *Fam.* Repreensão, reprimenda, chega [F.: *cheg(ar)* + *-ada¹*.] ∎ **Dar uma ~** Comparecer (em lugar, evento etc.) demorando-se pouco

chegadinha (che.ga.*di*.nha) *sf.* **1** *Bot.* Planta medicinal (*Aeolanthus suavis*) da família das labiadas, também conhecida por manjericão-miúdo: "Quassava a chegadinha, para borrifar na roupa da cama, ou para fumigar." (Guimarães Rosa, *Noites do sertão*) **2** *Bras. Fam.* Visita rápida: *Deu apenas uma chegadinha na casa da avó.* **3** *Port.* Bofetada [F.: *chegada* + *-inha*.]

chegado (che.*ga*.do) *a.* **1** Que chegou ou acabou de chegar *a.* **2** Muito ligado afetivamente e por convivência; ÍNTIMO: *amigos chegados.* **3** *P. ext.* Que tem relação pessoal, privada ou de confiança com alguém, esp. com ocupante(s) de determinado(s) cargo(s): *Recebeu feliz a visita do sobrinho mais chegado.* **4** Situado a pequena distância; PRÓXIMO; CONTÍGUO; VIZINHO: *Na vila as casas são muito chegadas umas às outras.* **5** *P. ext.* Que tem relação pessoal, privada ou de confiança com alguém, esp. com ocupante(s) de determinado(s) cargo(s): *A notícia foi confirmada por fontes chegadas (ao jornal); Conheceu gente dos círculos chegados ao governo.* **6** Propenso, inclinado; que tem hábito de, predileção por ou tendência para certo tipo de comportamento ou atividade: *Ele é chegado a uma fofoca; Desde pequena foi sempre mais chegada às artes e à literatura.* [F.: Part. de *chegar*.]

chegança (che.*gan*.ça) *sf.* **1** *Bras.* Auto popular natalino em que há danças e encenações marítimas, em que se rememora a vitória sobre os mouros e a sua conversão **2** *Bras. N. E. Folc.* Representação cantada e dançada da chegada de marujos a um porto seguro; fandango **3** *Bras.* Visita a casas, feita por festeiros, por ocasião das festas de Natal e Reis [Nesta acp., mais us. no pl.] **4** Dança portuguesa do séc. XVIII, de caráter lascivo **5** *Ant.* Ação ou resultado de chegar; CHEGADA [F.: *cheg(ar)* + *-ança*.]

chega pra lá (che.ga-prá-*lá*) *sm.* **1** *Gír.* Encontrão, empurrão **2** Ato de chamar alguém à ordem, de admoestá-lo **3** Ato de se mostrar contrário às pretensões de alguém: (*Deu um chega pra lá nas pretensões do jovem*). **4** *Fut.* Ato de deslocar um adversário com o ombro ou o corpo

chegar (che.*gar*) *v.* **1** Completar ação de ir ou vir de algum lugar [*ta.*: *Chegaremos à casa logo; Papai chegou do trabalho cansado.*] [*int.*: *Chegamos cedo.*] **2** Vir [*ta.*: *Chegou da Paraíba sonhando com uma vida melhor*] [*int.*: *Os dias passam e ela não chega.*] **3** Acontecer, ter início; vir (no tempo) [*int.*: *Chegou o dia da formatura; Finalmente as férias chegaram.*] **4** Atingir, alcançar (um ponto determinado no espaço ou no tempo) [*ta.*: *Depois de muito esforço, os alpinistas chegaram ao topo da montanha; Chegamos ao século XXI.*] [*int.*: *Custou, mas cheguei.*] **5** Alcançar (qualidade, situação) após desenvolvimento [*tr.* + *a*: *A astronáutica chegou a grandes conquistas.*] **6** *Bras.* Ser suficiente; BASTAR [*int.*: *Só arrepender-se não chega; você tem de corrigir o erro;* "As batatas apenas chegam para alimentar uma das tribos..." (Machado de Assis, *Quincas Borba*)] [*tr.* + *para*: *Essa quantia não chega-me!*] **7** Atingir, alcançar, igualando (medida, montante, valor, qualidade etc.) [*tr.* + *a*: *Sua dívida chega a dez milhões; Não chega aos pés do concorrente.*] **8** Pôr(-se) perto; APROXIMAR(-SE) [*tda.*: *Chegue a cadeira para cá.*] [*tdi.* + *a*: *Chegaram-se ao mestre para tirar dúvidas.*] **9** Deixar-se ir a ponto de (fazer algo) [*tr.* + *a*: *O juiz chegou a oferecer-lhe imunidade se colaborasse.*] **10** *Bras.* Ir embora [*int.*: *Está tarde e eu vou chegando.*] **11** Conseguir [*tr.* + *a*: "Se assim não chegar a contentar-vos, ao menos nunca chegue a aborrecer-vos." (Camões, *Os Lusíadas*)] **12** *Fig.* Acontecer ou começar a acontecer, ocorrer, ter lugar [*int.*: *Uma desgraça nunca chega só.*] **13** Levar (uma égua) para padreação [*td.*] **14** *N. E.* Propor como preço para compra [*td.*: *Cheguei 20 mil pelo carro, e não fui além disso.*] **15** Aproximar (algo ou si mesmo) de, acercar(-se) de [*tdi.* + *a*: *Chegou-se ao rapaz com boas intenções; Chegou sua cadeira à mesa para participar da conversa.*] [*tda.*: *Chague-se aqui.*] **16** Ter espaço suficiente [*tr.* + *para*: *Um só carro não chega para todos nós.*] **17** Mudar de posição, movendo [*td.*: *Chegou a mesa para a frente; Chegou-se mais para frente.*] **18** Ser formulado ou pensado [*int.*: *A saída para esse problema chegará na hora certa.*] **19** *Lus. Pop.* Bater, surrar [*tdi.* + *a*: *Chegou um chicote às costas do escravo.*] **20** *Lus. Mar.* Aproximar-se, encostar [*ti.* + *a*] [*int.*] [▶ **14** chegar.] [F.: Posv. do lat. *plicare*. Hom./Par.: *chega(s)* (fl.), *chega* (s2g.).]

cheia (*chei*.a) *sf.* **1** Subida das águas de um rio ou lago, que se avolumam devido às chuvas **2** Enchente, inundação causada pela cheia (1) excessiva de rio ou lago e o transbordamento das águas **3** Período em que as águas do mar estão mais altas; a maré-cheia; PREAMAR **4** *Fig.* Invasão, chegada ou acumulação de grandes quantidades de algo

5 *Fig.* Porção, grande quantidade; multidão [F.: Fem. substantivado do adj. *cheio.*]
cheio (*chei.*o) ***a.*** 1 Em que não há lugar para mais nada; cujo espaço interno está completamente (ou quase) ocupado por algum material, ou por objetos, pessoas etc.; que contém a quantidade máxima possível ou desejável: *garrafa cheia de água; um pote cheio de doces.* [Ant.: *vazio*] 2 Em que há ou ocorre grande ou excessiva quantidade; repleto, lotado: *A casa estava cheia de baratas; O mundo está cheio de injustiças; Uma redação cheia de erros.* 3 *Restr.* Com todos (ou quase todos) os lugares ocupados; completo: *O teatro estava cheio.* [Ant.: *vazio.*] 4 Muito atarefado, ocupado; que tem poucos momentos vagos ou ociosos: *O dia foi cheio.* 5 Que é volumoso e tem formas arredondadas; gordo, redondo (rosto cheio) [Ant.: *fino.*] 6 Que não é oco; maciço 7 Diz-se da Lua quando a face voltada para a Terra aparece inteiramente (ou quase) iluminada pelo Sol, adquirindo aspecto circular 8 Diz-se da maré quando o nível das águas atinge seu ponto mais alto [Ant.: *vazante.*] 9 *Fig.* Fortemente afetado por; que sofre ou sente intensamente (sensação, sentimento): *cheio de amor, de saudade; cheio de fome, de sono.* 10 Que apresenta marcadamente certa condição (física ou moral): *cheio de saúde.* 11 *Pop.* Sem paciência ou sem boa disposição para algo; irritado ou aborrecido com algo ou alguém; enfarado, enfastiado, com asco: *Ele estava cheio de tudo.* [Ant.: *entusiasmado.*] 12 Contínuo, traçado ou pintado sem interrupções ou intervalos vazios (diz-se de traço ou linha) 13 Diz-se de som ou voz que tem intensidade e nitidez adequadas, que ressoa sem interferências ou deformações, sem estridência etc. 14 *Pop.* Bêbedo, embriagado [Superl.: *cheiíssimo.*] ***sm.*** 15 Parte, trecho ou porção preenchidos ou ocupados com material, sem vazios ou interrupções [F.: Do lat. *plenus, a, um.* Ideia de 'cheio': *pleni- (plenilúnio).*] ■ **~ de si** Orgulhoso, convencido do próprio valor ou importância; presunçoso **Em ~** 1 Frontalmente; de chapa: *O sol batia em cheio no espelho.* 2 Com precisão: *Arriscou uma resposta e acertou em cheio.* 3 Totalmente; sem restrições ou exceções: *A peça agradou em cheio.*
cheirada (chei.*ra*.da) ***sf.*** Ação ou resultado de cheirar rapidamente: *Deu uma cheirada na flor e concluiu que era um tipo de jasmim.* [F.: Fem. subst. de *cheirado.*]
cheirar (chei.*rar*) ***v.*** 1 Sentir cheiro(s); usar o sentido do olfato para perceber cheiro(s) ou o cheiro de (algo) [***td.:*** *Cheirar a comida abriu-lhe o apetite; Cheirava a flor, mas não lhe sentia o perfume.*] [***int.:*** *Estava gripado e não conseguia cheirar.*] 2 (Inspirar ar pelo nariz, repetidas vezes, e) aplicar o olfato para tentar sentir ou reconhecer o cheiro de algo (ou a presença daquilo que tem certo cheiro) em determinado lugar [***td.:*** *Cheirou os frutos do cesto para encontrar algum que estivesse estragado.*] [***int.:*** *O cão cheirou por todo o quintal, até encontrar o osso enterrado.*] 3 Aspirar pelo nariz (produto ou substância); ter hábito de ingerir (certa droga ou substância aspirável) [***td.:*** *Vovô gostava de cheirar rapé; cheirar cocaína, éter.*] 4 *Restr.* Consumir habitualmente cocaína [***int.:*** *Há três meses parou de cheirar e de beber.*] 5 Exalar cheiro (de) [***tr.*** *+ a*: "...toda a casa cheirava a cera e a incenso..." (Eça de Queirós, *O crime do padre Amaro*)] [***int.:*** *Certas flores não cheiram.*] 6 *Fig.* Tentar descobrir, bisbilhotando [***td.:*** *Lá vem ela cheirar as novidades.*] 7 *Fig.* Ter aparência de ou semelhança com [***tr.*** *+ a*: *A atenção que João dá a Maria cheira a amor.*] 8 *Bras. Fig.* Dar sinais, indícios de ser algo bom ou ruim [***int.*** Us. ger. com advérbios como *bem, mal, péssimo* etc.: *Esse negócio não está (me) cheirando bem!*] [▶ 1 cheirar] [F.: Do lat. vulg. *flagrare.* Hom./Par.: *cheira(s)* (fl.), *xera(s)* (s2g. [pl.]); *cheiro* (fl.), *xero* (sm.), *cheiro* (sm.).] ■ **~ bem** Ter odor agradável **~ mal** 1 Ter odor desagradável 2 *Fig.* Parecer suspeito, inspirar desconfiança; não cheirar bem **Não ~ bem** Parecer suspeito, ter aspecto que não inspira confiança; dar impressão de não ser algo bom **Não ~ nem feder** Ver *Não feder nem cheirar*
cheiro (*chei*.ro) ***sm.*** 1 Propriedade de certos corpos ou substâncias de liberarem no ar partículas que, atingindo órgãos receptores especiais, impressionam o sentido do olfato 2 Impressão particular produzida no olfato pelas partículas liberadas no ar por um ou mais corpos ou substâncias; ODOR: *cheiro de almíscar; cheiro de enxofre; O cheiro forte do ácido deixou-o tonto.* 3 As partículas ou substâncias que se desprendem de um corpo e que podem ser percebidas pelo olfato: *O cheiro do café espalhou-se pela casa.* 4 *Restr.* Cheiro (2) agradável, aroma, fragrância [Ant.: *fedor, fedentina.*] 5 Produto feito de substâncias aromáticas; PERFUME 6 Cheiro (2) desagradável; fedor, fetidez, pestilência 7 Olfato, faro; capacidade de sentir e reconhecer o cheiro (1 e 2) das coisas: *Achou pelo cheiro o que procurava.* 8 *Fig.* Aquilo é percebido intuitivamente, ou que denota, demonstra ou indica a ocorrência de algo; impressão, indício: *Havia um cheiro de mentira naquela conversa.* 9 *Fig.* Aparência, semelhança: *Sua fala tem cheiro de verdade.* 10 *N. E.* Ato de cheirar que envolve carinho e/ou sensualidade; CHEIRADA: *Aproximou-se dela e deu-lhe um cheiro no pescoço.* 11 *Cul.* Erva aromática para tempero, como a salsa, a hortelã etc. [Mais us. no pl.] [F.: Dev. de *cheirar.* Hom./Par.: *cheiro* (sm.), *xero* (sm.), *cheiro* (fl. de *cheirar*). Ideia de 'cheiro': *odor(i)- (odorífero).*] ■ **~ de santidade** 1 Segundo certa tradição religiosa popular, o odor exalado pelo cadáver de um santo 2 (Percepção das manifestações exteriores do) estado de alta espiritualidade, piedade etc. de alguém extremamente devoto ou virtuoso
cheiroso (chei.*ro*.so) [ô] ***a.*** 1 Que tem cheiro agradável; AROMÁTICO; PERFUMADO [Ant.: *fedorento, fétido.*] 2 *Irôn. Joc.* Que tem cheiro desagradável (gases cheirosos; barbantinho cheiroso) [Pl.: [ó]. Fem.: [ó].] [F.: *cheiro + -oso.*]
cheiro-verde (chei.ro-*ver*.de) [ê] ***sm. Cul.*** Ramo de ervas aromáticas (ger. salsa e cebolinha, ou coentro etc.) us. como tempero [Pl.: *cheiros-verdes.*]
chelense (che.*len*.se) ***a.*** Relativo à mais antiga cultura do período paleolítico; ABBEVILLIANO [F.: De *Chelles* (sítio arqueológico da França) + *-ense.*]
⊕ ***chemisier*** (*Fr.* /*chemisiê*/) ***sm.*** Roupa feminina de corte assemelhado ao da camisa social masculina
chenil (che.*nil*) ***sf.*** Tecido feito com fio aveludado de lã, algodão, seda ou raiom, de fibras protuberantes (colcha de chenil) [F. Do fr. *chenille* 'lagarta de borboleta'. Tb. *chenile.*]
chenile Ver *chenil*
cheque (*che*.que) ***sm.*** Documento fornecido por um banco a quem nele tem conta, que equivale a dinheiro, uma vez preenchido com determinada quantia e assinado pelo titular da conta [F.: Do ing. *check* 'id'. Hom./Par.: *cheque(s)* (sm. [pl.]), *cheque(s)* (fl. de *checar*); *cheque* (sm.), *xeque* (sm.), *xeique* (sm.).] ■ **~ administrativo** *Econ.* Cheque emitido por banco, pagável por esse mesmo banco; cheque bancário **~ ao portador** *Econ.* Cheque não preenchido com nome de pessoa ou firma, sendo pagável a qualquer pessoa que o apresente ao banco **~ avulso** *Econ.* O que é fornecido isoladamente – e não em talão de cheques – pelo banco a correntista **~ bancário** *Econ.* Ver *Cheque administrativo* **~ borrachudo** *Bras. Gír.* Aquele que volta ao emitente, recusado por não ter fundos **~ bumerangue** *RJ Gír.* O que é propositalmente preenchido com erro, para que volte à mão do emitente (ger. para assim camuflar insuficiência de fundos) **~ cruzado** *Econ.* Cheque sobre o qual se riscam duas linhas diagonais paralelas, que só pode ser recebido por um banco, ou depositado em conta em um banco **~ de viagem** *Econ.* Cheque emitido por instituição financeira com valor pré-fixado (ger. em dólar norte-americano), pagável em qualquer país (ou em agências bancárias do próprio banco, dentro do mesmo país); ger. o emitente assina uma vez ao adquiri-lo, e uma segunda vez ao resgatá-lo ou repassá-lo **~ especial** *Bras.* Aquele que, por contrato entre o depositante e o banco, tem cobertura máxima de saque permitida, mesmo que a conta não tenha os fundos para cobri-lo **~ nominal/nominativo** *Econ.* Cheque preenchido com o nome da pessoa ou firma a que se destina, e que só a elas pode ser pago **~ pré-datado** O que é emitido para pagamento em data futura **~ visado** *Econ.* Aquele que recebeu visto do banco sacado, como indicação de que o valor correspondente já foi debitado da conta e se acha disponível para o saque do beneficiário **~ voador** *RJ Gír.* O que é emitido quando da iminência do fechamento do banco em fim de semana ou véspera de feriado, dando tempo ao emitente de providenciar os fundos para cobri-lo
cheque-ouro (che.que-*ou*.ro) ***sm. Bras.*** Quantia em dinheiro que os correntistas do Banco do Brasil ficam autorizados a sacar além de suas reservas, e pela qual pagarão juros até restituir [Pl.: *cheques-ouros, cheques-ouro.*]
cheque-pré (che.que-*pré*) ***sm. Bras.*** Cheque bancário de ampla aceitação no mercado, com cobrança estabelecida para data posterior à da aceitação [F.: Red. de cheque pré-datado.] [Pl.: *cheques-pré.*]
cheque-verde (cheque-verde) ***sm. Antq.*** Forma de retirada de dinheiro a descoberto autorizada aos correntistas do Banco do Estado do Rio de Janeiro (Banerj) até seu fechamento [Pl.: *cheques-verdes.*]
cherne (*cher*.ne) ***sm. Zool.*** Peixe marinho da fam. dos serranídeos (*Epinephelus niveatus*), encontrado nas águas tropicais do Atlântico e do Pacífico, de corpo largo e alto, com até dois metros de comprimento e coloração marrom-avermelhada. Se alimenta de peixes, moluscos e crustáceos e tem grande valor comercial [F.: Do moçárabe *chírnia* e este, do lat. tardio *acernia* 'id'. Sobre a alteração *c >ch,* cf. *charneca* e *chicória.*]
⊠ **Chesf** [é] ***sm.*** Sigla da Companhia Hidroelétrica do São Francisco, empresa de economia mista que tem como principal acionista o Governo Federal
chester (*ches*.ter) ***sm. Zool.*** Ave galinácea geneticamente modificada, cujo peito e coxas são excepcionalmente desenvolvidos, aproveitados para obtenção de peças grandes e inteiriças de carne branca, à semelhança das bovinas, suínas etc. [Pl.: *-teres* ou *-ters.*]
⊕ ***chez*** (*Fr.* /*xê*/) ***prep.*** Em casa de, no estabelecimento de: *João foi jantar chez Maria.*
chi (chi) ***interj.*** Termo que exprime admiração, espanto, inquietação, surpresa; XI: *Chi! Acho que perdemos o último ônibus.*
chiadeira (chi.a.*dei*.ra) ***sf.*** 1 Som ou ruído agudo e prolongado, esp. aquele que é desagradável; CHIADO 2 Gritaria exasperante de vozes agudas e desafinadas 3 *Fig.* Pedido ou queixa repetida e impertinente 4 *Fig. P. ext.* Reclamação ou protesto veemente, esp. de muitas pessoas [F.: *chiar + -deira.*]
chiado (chi.*a*.do) ***sm.*** O mesmo que *chio* (ação de chiar; som agudo ou sibilante, voz aguda de animais; conjunto de sons desagradáveis) [F.: De *chiada.*]
chiante (chi.*an*.te) ***a2g.*** 1 Que emite chiado(s) 2 *Fon.* Diz-se de consoante fricativa cujo ponto de articulação é pré-palatal, como ocorre no linguajar carioca [F.: *chiar + -nte.* Par. /Hom.: *chiante* (a2g.), *chianti* (sm. it.).]
chiar (chi.*ar*) ***v.*** 1 Produzir chio (som ou voz agudos) [***int.:*** *No verão as cigarras chiam.*] 2 Ranger [***int.:*** *As rodas da carroça chiavam.*] 3 Produzir som agudo ao ferver, assar ou frigir [***int.:*** *A carne chiava na grelha.*] 4 *Fam. Fig.* Manifestar irritação, insatisfação [***tr.*** *+ com*: *Todos, no time, chiaram com o goleiro.*] [***int.:*** *O pai chiou porque o filho faltou à aula.*] 5 *Bras. Fam.* Reclamar, protestar [***tr.*** *+ contra, de*: *A festa estava animada, mas os vizinhos chiaram do barulho; O sindicato chiou contra a declaração do ministro.*] [***int.:*** *Com a alta dos preços, os consumidores chiaram.*] [▶ 1 chiar] [F.: F. onom; talvez de *chio + -ar*[2]. Hom./Par.: *chio* (fl.), *chio* (sm.).]
chibanca (chi.*ban*.ca) ***sm.*** Instrumento agrícola com uma lâmina estreita de um lado e uma ponta de outro us. para arrancar tocos [F.: De or. obsc. Hom./Par.: *chibança* (sf.).]
chibança (chi.*ban*.ça) ***sf.*** Comportamento e maneiras de chibante; ALTIVEZ; ORGULHO [Ant.: *humildade, modéstia.*] [F.: *chibar + -ança.* Hom./Par.: *chibanca* (sm.).]
chibante (chi.*ban*.te) ***a2g.*** 1 Orgulhoso, soberbo [Ant.: *humilde, modesto.*] 2 Alinhado, bem vestido [Ant.: *deselegante, malvestido.*] 3 Diz-se de indivíduo brigão, valentão, fanfarrão ***s2g.*** 4 Esse indivíduo [F.: *chibar + -nte.*]
chibantear (chi.ban.te.*ar*) ***v. td. int.*** Ver *achibantar* [▶ 13 chibantear] [F.: *chibant(e) + -ar*[2].]
chibar (chi.*bar*) ***v.*** Ver *achibantar*
chibarro (chi.*bar*.ro) ***sm.*** 1 Cabrito castrado 2 *Bras.* Mestiço, mulato 3 *RS* Pessoa que exala mau cheiro 4 *RS* Ver *chibo* [F.: *chibo + -arro.*]
chibata (chi.*ba*.ta) ***sf.*** 1 Vara fina e comprida, ger. de marmelo, ou de junco, cipó etc., para golpear e dirigir cavalgaduras, ou para castigos corporais; JUNCO; VERGASTA 2 *Bras. P. ext.* Tira de couro, us. para bater; CHICOTE; LÁTEGO; VERGASTA 3 *Fig.* Castigo corporal, esp. com chibatadas 4 *Fig.* Situação de quem é oprimido ou de quem sofre tratamento ou castigos violentos: "O sonho de liberdade que Zumbi implantou na Serra da Barriga era também o sonho de inúmeros abolicionistas, que desfilavam em meio à aristocracia o desejo de ver o fim da chibata. Hoje os negros brasileiros esperam derrubar uma versão moderna da chibata. A versão da invisibilidade." (Oscar Henrique Cardoso, "Zumbi, comandante guerreiro da democracia", no *site* palmares.gov.br, acesso em novembro, 2007) 5 *Bras. RJ Cap.* Golpe em que o capoeirista, com uma das mãos apoiada no chão e após ter aplicado uma rasteira com uma perna, procura atingir o oponente com o pé, erguendo a outra perna com movimento em sentido contrário 6 *Bras. N. E. Tabu.* Pênis [F.: *chibo* 'cabrito de um ano'. Hom./Par.: *chibata* (sf.), *chibatã* (sm.); *chibata(s)* (sf. [pl.]), *chibata(s)* (fl. de *chibatar*).]
chibatada (chi.ba.*ta*.da) ***sf.*** 1 Golpe aplicado com a chibata 2 *P. ext.* Chicotada [F.: *chibata + -ada*[1].]
chibatado (chi.ba.*ta*.do) ***a.*** Que foi submetido ao castigo da chibata; AÇOITADO; CHICOTEADO: "Ficaria por tempo preso, como teria de ser chibatado." (Manuel Antônio de Almeida, *Memórias de um sargento de milícias*) [F.: Part. de *chibatar.*]
chibatar (chi.ba.*tar*) ***v. td.*** 1 Bater com chibata em 2 Chicotear, golpear com chicote; VERGASTAR [▶ 1 chibatar] [F.: *chibata + -ar*[2]. Tb. *chibatear.*]
chibatear (chi.ba.te.*ar*) ***v.*** Ver *chibatar* [▶ 13 chibatear]
chibato (chi.*ba*.to) ***sm.*** Cabrito com mais de seis meses e menos de um ano; CHIBO [F.: Do espn. *chivato.* Hom./Par.: *chibato* (fl. de *chibatar*).]
chibé (chi.*bé*) ***sm. Bras. AM PA MA*** O mesmo que *jacuba* [F.: talvez do tupi.]
chibo (chi.bo) ***sm.*** 1 Bode, cabrito não castrado; CHIBARRO 2 Bode novo [F.: Do espn. *chivo.*]
chicana (chi.*ca*.na) ***sf.*** 1 *Jur.* Ação ou resultado de impedir ou dificultar o andamento de um processo, com argumento ou questão irrelevante, ligada a aspectos técnicos ou a sutilezas e detalhes das leis 2 Uso abusivo, distorcido, das formalidades, tecnicidades e sutilezas próprias ao funcionamento da justiça ou, p. ext., de outras instituições e atividades 3 *P. ext.* Argumentação ou contestação ou outra ação judicial feita com má-fé; qualquer astúcia ou trapaça em litígios judiciais: *Um advogado que abusa das chicanas.* 4 *P. ext.* Ação capciosa, manobra de má-fé; ARDIL; FRAUDE; TRAMOIA; TRAPAÇA: *chicana política.* 5 *Aut.* Passagem estreita em zigue-zague no traçado da pista, para forçar os pilotos a reduzirem a velocidade dos veículos [F.: do fr. *chicane* 'id', derivado regressivo de *chicaner* 'perseguir na justiça'. Sin. nas acps. 1 e 2: *chicanice.* Hom./Par.: *chicana* (sf.), *chicana* (fl. de *chicanar*).]
chicanar (chi.ca.*nar*) ***v.*** Fazer chicana, usar de processo ou métodos desonestos em questão ou processo judicial [▶ 1 chicanar] [F.: *chican(a) + -ar*[2]. Tb. *chicanear.*]
⊕ ***chicane*** (chi.ca.ne) (*Fr.* /*chican*/) ***sf. Aut.*** Ver *chicana* (5)
chicanear (chi.ca.ne.*ar*) ***v.*** Ver *chicanar* [▶ 13 chicanear]
chicaneiro (chi.ca.*nei*.ro) ***a.*** 1 Que faz chicanas, que se aproveita de detalhes ou aspectos técnicos da lei ou de um regulamento para criar situação vantajosa ou se livrar de adversidades (advogado chicaneiro) 2 Diz-se do que é ou resulta de chicana(s), de ardis, maquinações, trapaças (manobra chicaneira) 3 Que se atém ou dá atenção exagerada, mesquinha ou distorcida aos detalhes e tecnicalidades de uma situação, em prejuízo da boa, rápida e justa resolução das questões mais importantes: *Acusou a Justiça de lenta e chicaneira.* 4 Que usa argumentos palavrosos, ou bem construídos mas sem boas intenções (discurso

chicaneiro) *sm.* 5 Pessoa chicaneira [F.: *chican(a)* + *-eiro*. Tb. *chicanista*.]

chicanista (chi.ca.*nis*.ta) *s2g.* Ver *chicaneiro*

chicha (*chi*.cha) *sf.* 1 *Pop.* Bebida fermentada feita de milho, outros cereais ou tubérculos 2 Carne comestível 3 Apontamento, nota em livro 4 Apostila 5 Anotação clandestina para exames; COLA [F.: Do espn. *chicha* 'espécie de cerveja de milho'.]

chícharo (*chí*.cha.ro) *sm. Bot.* Planta (*Cicer arietinum*) da família das leguminosas, de flores vermelhas, azuladas ou brancas, em cujas vagens se encontram as sementes chamadas grão-de-bico [F.: Do lat. *cicer, eris* 'grão-de-bico'.]

chichisbéu (chi.chis.*béu*) *sm.* Homem exageradamente galanteador, que corteja mulheres com assiduidade [F.: Do it. *cicisbeo*.]

chicle (*chi*.cle) *sm.* 1 Goma extraída do tronco do sapotizeiro, us. na fabricação de goma de mascar 2 Goma de mascar; CHICLETE [F.: Do ing. *chicle* 'id', este, do espn. mexicano *chicle* 'id' empréstimo do náuatle *tzíctli* 'id'. A var. *chiclé* parece ser uma f. red. de *chiclete*.]

chiclete (chi.*cle*.te) *sm.* Chicle (2) [F.: Da marca registrada norte-americana *Chiclets* < *chicle* (espn. americano); ver *chicle*.]

chico (*chi*.co) *sm.* 1 Bola menor do jogo de bochas, bolim 2 *Bras. Vulg.* Menstruação [F.: Do espn. *chico* 'pequeno'.]

chicória (chi.*có*.ri.a) *sf.* 1 *Bot.* Designação dada a ervas da fam. das compostas, do gên. *Cichorium*, esp. a *Chicorium endivia* (tb. conhecida como endívia) e *Chicorium intybus* (tb. conhecida como almeirão), de folhas crespas, estreitas, de um verde vivo na parte de cima e claro na base, e cujo sabor é algo amargo 2 *Bras. SP Gar.* Qualquer granate rubro e transparente [F.: Do lat. *cichoria* (pl. de *cichorium, ii*) 'id', este, do gr. *kichóreia* (pl. de *kichóreion*) 'id'; a palatalização da consoante inicial *c->ch-*, comum a todas as línguas ibéricas, se deve certamente à infl. do moçárabe, cf. o ár. magrebino *xikûrya* ou *xiqûrya* 'id'. Cf. *charneca* e *cherne*.]

chicotada (chi.co.*ta*.da) *sf.* 1 Golpe ou pancada com chicote; VERGASTADA; LATEGADA 2 *Fig.* Golpe duro, revés; acontecimento ou ação alheia que causa sofrimento moral, que deixa marcas ou lembranças ruins, como, p. ex., derrota humilhante, crítica negativa 3 *Fut.* Chute muito forte, esp. o que é dado à meia altura, estando o jogador de lado para a direção em que vai a bola [F.: *chicote* + *-ada*[1].]

chicote (chi.*co*.te) *sm.* 1 Correia de couro ou cordel entrançado, com cabo numa das extremidades, us. para golpear animais ou pessoas; AÇOITE; VERGASTA; LÁTEGO 2 *Pop.* Chicotada, ou movimento que lembra que o chicote faz no ar, curvando-se e retesando-se bruscamente, ao se desferir um golpe com ele 3 Movimento sinuoso, rápido e com sacolejo feito por um trem 4 *Eletrôn.* Feixe de fios unidos em um só cabo 5 *Cin.* Deslocamento da câmara cinematográfica numa panorâmica rápida que deixa uma sequência de imagens desfocadas 6 Nos parques de diversão, brinquedo que faz movimentos bruscos, esp. aquele que, girando a alta velocidade, faz com que bancos ou barquinhas penduradas por correntes se elevem até a horizontal 7 *Mar.* Extremidades de cabo, corrente e amarra 8 *Ant.* Trança de cabelo apertada por uma fita que se enrola nela quase até a ponta 9 *Bras.* Fios de estopa amarrados, us. para lavar automóveis [F.: Talvez do fr. *chicot* 'toco'. Hom./Par.: *chicote(s)* (sm. [pl.]), *chicote(s)* (fl. de *chicotar*).]

chicoteamento (chi.co.te.a.*men*.to) *sm.* Ação ou resultado de chicotear [F.: *chicotear* + *-mento*.]

chicoteante (chi.co.te.*an*.te) *a2g.* 1 Que desfere chicotadas 2 Que faz movimentos sinuosos e rápidos como o de um chicote sendo usado [F.: *chicotear* + *-nte*.]

chicotear (chi.co.te.*ar*) *v. td.* 1 Bater com chicote em; CHICOTAR; AÇOITAR; VERGASTAR 2 *P. ext.* Bater ou castigar com açoite ou instrumento semelhante [▶ 13 chicotear] [F.: *chicot(e)* + *-ear*.]

chicote-queimado (chi.co.te-quei.*ma*.do) *Bras. sm.* 1 Brincadeira infantil em que um objeto é escondido por um dos participantes para que os demais o encontrem, baseados em indicações dadas por este (avisa que "está quente" quando se aproximam do local do objeto, que "está frio", quando se afastam, e grita "chicote-queimado" quando o objeto é encontrado); CHICOTINHO-QUEIMADO 2 Brincadeira que consiste em um dos participantes correr atrás dos demais, tentando atingi-los com um pano enrolado como chicote [Pl.: *chicotes-queimados*.]

chicotinho-queimado (chi.co.ti.nho-quei.*ma*.do) *sm. Bras.* Ver *chicote-queimado* [Pl.: *chicotinhos-queimados*.]

chicriabás (chi.cri.a.*bás*) *smpl. Etnol.* Comunidade indígena que habitava a fronteira da Bahia com Goiás; SHACRIABÁS, XACRIABÁS, XICRIABÁS

⊕ **chiffon** (*Fr. /xifõn/*) *sm.* 1 Gaze de seda, náilon ou raiom 2 Fita, laço ou outro ornamento de vestido feminino

chifrada (chi.*fra*.da) *sf.* 1 *Bras.* Golpe com chifre(s); CORNADA; MARRADA 2 *Fig. Pop.* Traição conjugal, adultério, ação de ter relações sexuais com outra pessoa que não o(a) parceiro(a) [F.: *chifr(ar)* + *-ada*.]

chifrado (chi.*fra*.do) *a.* 1 Que foi vítima de chifrada, ferido por chifre(s) de animal (toureiro chifrado) 2 *Bras. Fig. Pej.* Diz-se daquele cujo cônjuge ou parceiro(a) teve relações sexuais com outra pessoa [F.: Part. de *chifrar*.]

chifrar (chi.*frar*) *v. td.* 1 Atingir ou ferir com chifre 2 *Pop.* Ser infiel a (cônjuge, namorado etc.); ter relações sexuais com outra pessoa que não (o/a parceiro/parceira de relação amorosa estável) [▶ 1 chifrar] [F.: *chifr(e)* + *-ar*[2]. Sin. ger.: *cornear*.]

chifre (*chi*.fre) *sm.* 1 *Anat. Zool.* Cada um dos apêndices ósseos da cabeça de alguns animais (bois, cabras, veados etc.); ASPA; BINGA; CHAVELHO; GALHO; GUAMPA; GUAMPO 2 *Anat. Zool.* Apêndice análogo aos chifres dos mamíferos que se observa em outros animais 3 Matéria córnea que constitui os chifres (1) dos animais: *escultura de chifre* 4 Parte pontiaguda de alguns objetos, como a bigorna 5 Qualquer ponta recurvada que se assemelhe a um chifre (1) 6 *Joc.* Alusão jocosa a um chifre (1) imaginário que nasceria na cabeça de quem foi traído amorosamente por cônjuge ou companheiro(a) [F.: Do espn. *chifle* 'corno; tubo ou vasilha feita dessa peça animal', der. de *chiflar*, do lat. *sifilare*, var. de *silbilare* 'sibilar, silvar'. Hom./Par.: *chifre* (sm.), *chifre* (fl. de *chifrar*). Sin. ger.: *corno, chavelho*.] ■ **Botar/pôr ~ chifre em** *Bras. Pop.* Trair (cônjuge, ou pessoa com quem se tem relacionamento sexual ou amoroso estável) tendo relação sexual com outra pessoa; cornear **Botar/pôr nos ~s da Lua** *Fig.* Elogiar muito, enaltecer, pôr nas alturas **Ser do ~ furado** *Pop.* Ser ousado, atrevido, ger. com astúcia

chifrudo (chi.*fru*.do) *a.* 1 Que tem chifre(s) 2 *Bras. Pop. Pej.* Diz-se de quem foi (ou é frequentemente) traído pelo cônjuge, namorado etc. *sm.* 3 *Bras. Pop. Pej.* Cônjuge traído 4 *Pop.* O diabo [F.: *chifre* + *-udo*. Sin. ger.: *cornudo*. Nas acps. 2 e 3 é ofensivo.]

⊕ **chihuahua** (*Esp. /xiuáua/*) *Cinol. sm.* Ver *chiuaua*.] [F.: Do top. *Chiuahua*, cidade e estado do México.]

chilena (chi.*le*.na) *sf.* 1 *Bras. Fut.* Toque de bola com o calcanhar 2 *Bras. CO. S.* Dança do fandango, em que são usadas esporas para salientar a batida dos pés 3 Espora grande; ver *chilenas* [F.: Posv. de *chilenas* (sfpl.).]

chilenas (chi.*le*.nas) *sfpl. Bras. S. GO* Esporas grandes [F.: do espn. plat. *chilenas*, ou fem. substv. de *chileno*.]

chileno (chi.*le*.no) *sm.* 1 Indivíduo nascido ou que vive no Chile 2 *Bras. S.* Certa raça de vacum *a.* 3 Do Chile (América do Sul); típico desse país ou de seu povo [Hom./Par.: *chileno* (a. sm.), *xileno* (sm.).]

chili (*chi*.li) *sm.* 1 Pimenta mexicana muito picante 2 Molho espesso feito com essa pimenta e carne [tb. se escreve *chile*.]

chilique (chi.*li*.que) *Pop. sm.* 1 Ataque nervoso; acesso de nervosismo ou de histeria *pop.*; FANIQUITO 2 Perda temporária da consciência; DESFALECIMENTO; DESMAIO; SÍNCOPE

chilrar (chil.*rar*) *v.* Ver *chilrear* [▶ 1 chilrar]

chilre (*chil*.re) *a2g.* Ver *chilro*[2] [Hom./Par.: *chilre* (fl. de *chilrar*).]

chilrear (chil.re.*ar*) *v.* 1 Soltar a voz; emitir som característico; cantar (os pássaros); CHALRAR; GORJEAR [*int.*: *Os sabiás chilreavam ao amanhecer.*] 2 Fazer soar (canto, melodia) chilreando (1) [*td.*: *O canário chilreava seu alegre canto.*] 3 *Fig.* Falar ou cantar descontraída e animadamente [*int.*: *Na hora do recreio, a garotada chilreava.*] [▶ 13 chilrear. No sentido estrito da acp. 1, só us. na 3a. pess. do sing. e do pl.] [F.: *chilro* + *-ear*, posv. de or. onomatopeica. Tb. *chilrar*. Hom./Par. de *chilrar*: *chilro* (fl.)/ *chilro* (a. sm.); *chilre* (fl.), *chilre* (a.). Hom./Par. de *chilrear*: *chilreio* (fl.), *chilreio* (sm.).]

chilreio (chil.*rei*.o) *sm.* Ato de chilrear; o som, ger. um tanto agudo, nítido e musical, da voz de vários pássaros, emitido em sucessão de notas ou trinados etc.; CHILRO [F.: Dev. de *chilrear*. Hom./Par.: *chilreio* (sm.), *chilreio* (fl. de *chilrear*).]

chilro (*chil*.ro) *sm.* Chilreio [F.: Dev. de *chilrar*.]

chim (chim) *a2g. s2g.* Ver *chinês* (1)

chimango (chi.*man*.go) *sm.* Ver *ximango*

chimarrão (chi.mar.*rão*) *sm.* 1 Mate preparado por infusão em uma cuia, bem amargo e sem açúcar, e dela bebido por um canudo especial, a bombilha 2 *RS P. ext.* Qualquer bebida servida quente e sem açúcar 3 *Bras. RS.* Rês que foge e se torna selvagem 4 Animal doméstico (esp. cão) que vive solto, em estado bravio, e apresenta comportamento predador [Pl.: *-rões*. Em todas as acps., tb. us. como adj.] *a.* 5 Diz-se do mate, ou outra bebida, quente e sem açúcar 6 Diz-se de rês que se tornou selvagem 7 Diz-se de animal de espécie doméstica, que vive em estado selvagem: *foi caçado pela cachorrada chimarrona.* [F.: Do espn. plat. *cimarrón*, de or. controversa.]

chimarrear (chi.mar.re.*ar*) *v. int. RS* Tomar chimarrão; chimarronear [▶ 13 chimarrear] [F.: *chimarr(ão)* + *-ear*.]

chimpanzé (chim.pan.*zé*) *sm. Zool.* Nome comum aos grandes macacos antropoides da fam. dos pongídeos (gên. *Pan*), encontrados nas florestas equatoriais da África, de corpo peludo e braços longos, como a espécie *Pan troglodytes*, e que têm porte menor e hábitos mais arborícolas do que os gorilas [F.: De um termo dialetal congolês *chimpenzi* ou *kimpenzi*, pelo fr. *quimpezé*, *chimpanzé*. Tb. *chipanzé*.]

china[1] (*chi*.na) *s2g.* 1 Pessoa nascida ou que vive na China; CHINÊS *sf.* 2 Certa raça bovina *sm.* 3 O mesmo que *papel da China* [F.: Do top. *China*.]

china[2] (*chi*.na) *Bras. sf.* 1 Mulher indígena, descendente de índios, ou com traços físicos indígenas 2 Mulher mestiça de branco e índio, acaboclada, ou de cor morena carregada; CABOCLA 3 *RS* Mulher que vive no campo 4 *AM RS* Concubina, companheira conjugal 5 *S.* Meretriz, prostituta 6 *Bras.* Mulher nova, moça; menina, garota [F.: Posv. do quíchua *tchina*, pelo espn. plat. *china*.]

chincha (*chin*.cha) *Bras. Pesc. sf.* 1 Rede de arrastão de pequeno tamanho 2 Embarcação em que os pescadores usam essa rede

chinchar (chin.*char*) *v. Tabu.* Acariciar, roçar, esfregar ou apertar parte do corpo no corpo de outra pessoa, com intenção sensual ou sexual; bolinar, tirar um sarro [*td.*: *Chinchava uma garota no escurinho.*] [*tr. + com*: *Chinchava com uma garota atrás da cortina.*] [*int.*: *Não pensava em nada, só queria chinchar.*] [▶ 1 chinchar] [F.: *chincha* + *-ar*[2]. Hom./Par.: *chincho* (fl.), *chincho* (sm.); *chincha(s)* (fl.), *chincha(s)* (sf. [pl.]).]

chinchila (chin.*chi*.la) *sf.* 1 *Zool.* Nome comum a roedores de pequeno porte da fam. dos chinchilídeos (gên. *Chinchilla*), de pelo espesso e macio, ger. cinzento 2 Pele desse animal 3 Certa raça de coelhos 4 *Fig.* Homem de má aparência [F.: lat. cient. *Chinchilla*, este do espn. sul-americano *chinchilla*, este de or. obsc., talvez do quíchua ou do aimara.]

chinchorros (chin.*chor*.ro) [ô] *sm.* 1 *Pesc.* Espécie de chincha 2 *Fig.* Animal ou veículo que se desloca vagarosamente 3 *P. ext.* Pessoa lenta, vagarosa, preguiçosa [F.: Do espn. *chincorro*.]

chinela (chi.*ne*.la) *sf.* 1 Chinelo (1) 2 Designação de qualquer calçado que não cobre o calcanhar, esp. o que é próprio de certos trajes regionais [F.: do it. *pianella* (este, do lat. *planus* 'plano'), com infl. de *cianella*, termo genovês dialetal.]

chinelada (chi.ne.*la*.da) *sf.* 1 Pancada com chinelo 2 *Fig.* Castigo, repreensão, crítica severa 3 *Fig.* Derrota desmoralizadora (em alguma disputa, em partida esportiva etc.) 4 Quantidade de chinelos [F.: *chinela* ou *chinelo* + *-ada*[1].]

chinelo (chi.*ne*.lo) *sm.* 1 Calçado para uso doméstico, ger. macio e sem salto, e que deixa livre o calcanhar; CHINELA 2 Sapato velho e gasto, esp. o que não cobre o calcanhar e é us. como calçado doméstico [F.: De *chinela*.] ■ **Amanhecer de ~s trocados** *Bras. Fam.* Começar o dia irritado, de mau humor **Botar/meter/pôr no ~** Ser melhor que, suplantar (outrem, outra coisa)

chinês (chi.*nês*) *sm.* 1 Pessoa nascida ou que vive na China (Ásia); CHINA; CHINO; CHIM 2 *Gloss.* Conjunto de línguas (por vezes consideradas dialetos) faladas na China e em outras regiões do Sudeste asiático [Nesta acp., cf. *mandarim* (3).] *a.* 3 Da China; típico desse país ou de seu povo; CHINO; CHIM 4 *Gloss.* Do ou ref. ao chinês (2) [Pl.: *-neses*. Fem.: *-nesa*] [F.: Do top. *China* + *-ês*.]

chinfra (*chin*.fra) *sf. Bras. Gír.* 1 Certo estado psicológico em que se vê algo como muito agradável ou divertido, do que resulta sensação de prazer; BARATO; CURTIÇÃO; ONDA 2 Atitude de empáfia que se reflete em gestos autoconfiantes e afetados, meio caricaturais, não necessariamente antipáticos e muitas vezes jocosos; POSE: *Era um sujeito cheio de chinfra.* ■ **Cantar ~ de** *Bras. Pop.* Exibir os próprios dotes de, exibir-se como: *Fica cantando chinfra de grande craque, mas é um perna de pau.* **Ser uma ~** *Bras. Pop.* Ser muito bom, espetacular **Tirar uma ~ de** *Bras. Pop.* Ver *Cantar chinfra de*

chinfrim (chin.*frim*) *a2g.* 1 De má qualidade ou de mau gosto; ORDINÁRIO: *tecido chinfrim.* 2 Sem importância, insignificante, reles (diz-se de pessoa) *sm.* 3 *Pop.* Algazarra, balbúrdia 4 *Bras.* Baile popular; ARRASTA-PÉ 5 *Pop.* Tumulto, confusão; ROLO 6 Reunião informal e animada [Pl.: *-frins*.] [F.: De or. obsc.]

ching-ling (ching-*ling*) *a.* 1 *Gír.* Ref. jocosa que qualifica certos produtos, dispositivos, *gadgets* etc. importados do Oriente e vendidos muito barato, mas de qualidade inferior e não confiáveis *sm.* 2 Qualquer desses produtos

chinó (chi.*nó*) *sm.* Cabeleira postiça; PERUCA [Hom./Par.: *chinó* (sm.), *chino* (a. sm.).]

chinoca (chi.*no*.ca) *RS Pop. sf.* 1 China (índia ou cabocla) ainda menina ou moça; CABOCLINHA 2 China (prostituta) ainda jovem [F.: *china* + *-oca*. Sin. ger.: *chininha*.]

⊕ **chintz** (*Ing. /xints/*) *sm.* Tecido de algodão lustroso com estampas vivas e coloridas, us. em decoração de interiores

chio (*chi*.o) *sm.* 1 Ação ou resultado de chiar; CHIADA; CHIADO 2 Som agudo e contínuo, esp. de atrito, como o produzido por engrenagens, rodas de carros etc.; CHIADO 3 Voz aguda de certos animais (pássaros, cigarras etc.); CHIADO; GUINCHO 4 Conjunto de vozes ou ruídos agudos e desagradáveis; CHIADO 5 *Bras.* Pequeno canudo cheio de pólvora que serve de rastilho em artefatos pirotécnicos [F.: Dev. de *chiar*. Hom./Par.: *chio* (sm.), *chio* (fl. *chiar*).]

⊕ **chip** (*Ing. /tchip/*) *sm. Eletrôn. Inf.* Ver *Circuito integrado.*

chipa (*chi*.pa) *sf.* 1 *RS Cul.* Pequena rosca de polvilho salpicada com queijo ralado e assada ao forno 2 *RS. Ant. Cul.* Bolo de milho e leite em que o milho é socado, fervido e passado na peneira 3 Designação popular da resina *incenso de caiena*

chipanzé (chi.pan.*zé*) *sm.* Ver *chimpanzé*

⊕ **chippendale** (*Ing. /txipandeile/*) *a2g.* 1 Peça de mobiliário da segunda metade do séc. XVIII, originária da Inglaterra, de estilo rococó simplificado e caracterizada pela riqueza de suas linhas caprichosas *a.* 2 Diz-se do estilo de tal móvel

chique (*chi*.que) *a2g.* 1 Diz-se de pessoa que se veste e se comporta com elegância espontânea, refinada e discreta [Ant.: (*pop.*) *cafona*.] 2 Próprio de pessoa com essas qualidades, ou caracterizado pela presença de pessoas elegantes (atitude chique; festa chique) 3 Que é de bom gosto; bonito e requintado (roupa chique; enfeite chique) [Ant.: (*pop.*) *cafona*.] *s2g.* 4 Pessoa, ger. da classe alta, que frequenta círculos sociais restritos ou eventos supostamente requintados, noticiados pela imprensa: *uma festa cheia de chiques e celebridades.* [F.: Do fr. *chic.*]

chiquê (chi.*quê*) *sm. Bras. Pop. Irôn. Joc.* (Demonstração afetada ou fingida de) refinamento, elegância; ostentação de superioridade ou luxo; esp.: atitude antipática de quem evita ou parece evitar outras pessoas, ou recusa aquilo que oferecem [F.: Do fr. *chiqué* 'ostentação, presunção', do adj. *chic* (ver *chique*).]

chiqueirar (chi.quei.*rar*) *Bras. v. td.* **1** *RS* Prender (os porcos) no chiqueiro **2** *N N. E.* Impedir (o bezerro) de mamar, separando-o da vaca [▶ 1 chiqueir**ar**] [F.: *chiqueir(o)* + *-ar*[2]. Hom./Par.: *chiqueiro* (1ª p. s.), *chiqueiro* (sm.).]

chiqueirinho (chi.que.i.*ri*.nho) *sm.* **1** Pequeno chiqueiro **2** Pequeno cercado, us. em casas de família e creches, para abrigar crianças muito pequenas; CERCADO; CERCADINHO [F.: *chiqueiro* + *-inho.*]

chiqueiro (chi.*quei*.ro) *sm.* **1** Curral de porcos, ou lugar com lama e detritos, onde porcos podem fossar e chafurdar; POCILGA **2** *Fig. Pop.* Casa ou lugar imundo, sem higiene: *A casa ficou um chiqueiro após a festa.* **3** Pequeno curral de bezerros mansos, ovelhas, cabras etc. **4** *Bras.* Um dos compartimentos de um curral, us. em piscicultura, de onde não pode mais sair o peixe que lá entrou **5** *Bras.* Vedação provisória feita num riacho para deter os peixes, na pesca de tinguijada **6** *Bras. MG* Ensecadeira no garimpo diamantino [F.: Posv. de *chico*[2] ('porco') + *-eiro.*]

chiqueza (chi.*que*.za) *sf. Pop.* Qualidade ou condição de quem é chique [F.: *chique* + *-eza.*]

chiripa (chi.*ri*.pa) *Bras. S. Pop. sf.* **1** Sorte no jogo; BAMBÚRRIO **2** Sorte no jogo de bilhar **3** *Pop.* Circunstância favorável [F.: Do espn. *chiripa.* Hom./Par.: *chiripá* (sm.).]

chiripá (chi.ri.*pá*) *sm.* Veste masculina outrora us. no campo por gaúchos, argentinos, uruguaios e paraguaios, e que consistia em uma faixa de tecido vermelho que passava entre as pernas e era presa à cintura por um cinto de couro [F.: Do espn. plat. *chiripá.* Hom./Par.: *chiripa* (sm.).]

chiru (chi.*ru*) *a. sm.* **1** *Bras. Sul* Que ou quem é caboclo ou índio **2** Diz-se de pessoa que é morena, acaboclada *sm.* **3** Indivíduo caboclo ou índio **4** Pessoa morena, acaboclada **5** *Zool.* Antílope tibetano (*Pantholops hodgsoni*), castanho, de face e membros negros e chifres compridos e verticais [Fem.: *chirua.*] [F.: Do tupi.]

chispa (*chis*.pa) *sf.* **1** Partícula incandescente que se desprende de material sólido em combustão ou de um corpo que se choca ou atrita com outro, e que ger. é percebida pela visão como uma mancha ou um ponto luminoso em movimento rápido; FAÍSCA; CENTELHA **2** Brilho rápido; LAMPEJO; CINTILAÇÃO **3** *Fig.* Expressão ou manifestação intensa e breve (do intelecto, do espírito, dos sentimentos): *chispa de ódio.* **4** *Fig.* Talento, gênio, aquilo que confere brilho, que faz algo ou alguém se destacar [F.: Or. onom. Hom./Par.: *chispa(s)* (sf. [pl.]), *chispa(s)* (fl. de *chispar*).] ■ **Soltar ~s** **1** Expressar ou deixar transparecer a intensidade de certo sentimento: *Seus olhos soltavam chispas de ódio.* **2** Mostrar-se muito irritado, nervoso ou excitado

chispada (chis.*pa*.da) *Bras. sf.* Ação ou resultado de chispar, de correr rapidamente ou de sair correndo; DISPARADA [F.: *chisp(ar)* + *-ada*[1].]

chispado (chis.*pa*.do) *sm. Bras.* Ação ou resultado de chispar, dar uma corrida rápida; DISPARADA [F.: Fem. substv. de *chispado*, part. de *chispar.*]

chispar (chis.*par*) *v.* **1** Emitir chispas, faíscas ou lampejos; *p. ext.*: brilhar, emitir luz, cintilações ou reflexos (tb. *fig.*) [*int.*: *As rodas do trem chisparam nos trilhos; Sorria, mas o deboche e a ironia chispavam em suas palavras:* "Enquanto isso, por toda a cidade vetusta,... coruscavam em tremendas espirais milhões de buscapés,... assobiavam foguetes de lágrimas, chispavam de todas as janelas e sacadas, para a rua, jorros de pistolas detonantes como metralhadoras..." (Herman Lima, *Roteiro da Bahia*)] [*td.*: *A fogueira chispou fagulhas; as rodas do trem a chispar faíscas.*] **2** *Fig.* Brilhar por efeito de (emoção intensa) (diz-se esp. dos olhos); expressar de modo agudo ou dar sinais de (pensamento, sentimento etc.) [*td*: *Fitou-a com olhos que chispavam revolta e indignação.*] [*int.*: *Seu olhar chispava de fúria.*] **3** *Fig.* Estar ou ficar encolerizado, irritado [*int.*: *Traído, o homem chispava ensandecido; Traído, o homem chispava de ódio.*] **4** *Bras.* Sair, ir embora ou fugir correndo, em disparada [*int.*: *O larápio chispou sem que ninguém percebesse.*] [*ta.* + *de*: *Chispa daqui!*] **5** Seguir ou deslocar-se rapidamente; correr, apressar-se [*int.*: *Estamos atrasados, vamos chispar; A motocicleta passou chispando e sumiu na curva.*] [▶ 1 chisp**ar**] [F.: *chispa* + *-ar*[2].]

chispe (*chis*.pe) *sm.* **1** Pé de porco, ger. us. na alimentação; PEZUNHO **2** *Lus. Irôn. Joc.* Pé **3** Sapato feminino, de bico fino [Hom./Par.: *chispe(s)* (sm. [pl.]), *chispe(s)* (fl. *chispar*).]

chiste (*chis*.te) *sm.* **1** Dito humorístico e sagaz; GRACEJO; FACÉCIA **2** Humor, graça, esp. o que se manifesta por palavras espirituosas [F.: Do espn. *chiste* 'id'.]

chistoso (chis.*to*.so) [ô] *a.* **1** Que expressa chiste ou encerra chiste(s); que tem graça, humor e sagacidade; ENGRAÇADO; ESPIRITUOSO; JOCOSO **2** *P. ext.* Brincalhão; zombeteiro; burlesco [Pl.: [ó]. Fem.: [ó].] [F.: *chiste* + *-oso.* Hom./Par.: *chistoso* (a.), *xistoso* (a.); *chistosa* (fem.), *xistosa* (fem. de *xistoso*), *xistosa* (sf.).]

chita (*chi*.ta) *sf.* **1** Tecido de qualidade inferior, feito de algodão e gr. estampado em cores **2** *Bras. Bot.* Nome comum a diversas plantas do gên. *Oncidium* da fam. das orquidáceas, com flores em geral amarelas e cujo colorido lembra o tecido *a2g.* **3** *Bras.* Cujo pelo tem pequenas manchas (diz-se de boi ou cavalo); CHITADO [F.: Do neoárico *chhit*, este do sânsc. *chitra* 'matizado'.]

chitão[1] (chi.*tão*) *sm.* Chita com estampado grande [Pl.: *-tões.*] [F.: *chita*[1] + *-ão*[1].]

chitão[2] (chi.*tão*) *Interj. Antq.* Expressão us. para solicitar a alguém que se cale; SILÊNCIO; CALUDA [F.: Do fr. *chut donc!.*]

chiuaua (chi.u.*a*.ua) *a2g. s2g.* Ver *chihuahua*

choca (*cho*.ca.) *sf.* **1** Chocalho grande **2** Boi ou vaca que, na condução de gado bravo, vai à frente da manada com um chocalho preso ao corpo **3** Estudante que se dedica excessivamente aos estudos [F.: Do lat. tard. *clocca.*]

choça (*cho*.ça) *sf.* **1** Cabana, casa pequena e simples, feita de ramos de árvores ou de colmo: "Eu, Marília, não fui nenhum Vaqueiro,/ Fui honrado Pastor da tua aldeia; / Vestia finas lãs, e tinha sempre/ A minha choça do preciso cheia" (Tomaz Antonio Gonzaga, *Marília de Dirceu*) **2** *P. ext.* Habitação humilde, rústica **3** *Pop.* Prisão, cadeia [F.: De or. contrv.]

chocadeira (cho.ca.*dei*.ra) *sf.* Aparelho, ger. elétrico, para chocar ovos, mantendo-os aquecidos em um compartimento, onde tb. ficam abrigados os filhotes nascidos, nos primeiros dias de vida; INCUBADEIRA; INCUBADORA [F.: fem. substantivado de *chocadeiro.*]

chocado (cho.*ca*.do) *a.* Que se chocou (ver *chocar*[1]); que sofreu abalo moral ou psicológico; ESPANTADO; SURPRESO; OFENDIDO; ESCANDALIZADO: *Ficou chocado com a morte do amigo.* [F.: Part. de *chocar.*]

chocalhado (cho.ca.*lha*.do) *a.* **1** Que foi agitado ou sacudido, como um chocalho **2** Que tem chocalho (som chocalhado) [F.: Part. de *chocalhar.*]

chocalhante (cho.ca.*lhan*.te) *a2g.* Que chocalha; CHACOALHANTE [F.: *chocalhar* + *-nte.*]

chocalhar (cho.ca.*lhar*) *v.* **1** Agitar ou mover e fazer soar (chocalho, ou objeto ou instrumento semelhante, como guizo, sino etc.) [*td.*: *O músico chocalhava a cabaça.*] **2** Agitar, sacudir (objeto) fazendo com que partes soltas ou objetos no seu interior se choquem, produzindo som que lembra o de chocalho; CHACOALHAR [*td.*: *Chocalhava os trocados no bolso.*] **3** Agitar (objetos interligados ou próximos entre si) fazendo-os entrechocar-se repetida ou continuamente, ger. com som que lembra o de chocalho; CHACOALHAR [*td.*: *Chocalhar os colares.*] **4** Produzir som seco, abafado, ou repetido e monótono, de choque entre objetos; soar como chocalho; agitar-se, entrechocar-se contínua e repetidamente (ger. com som que lembra o de chocalho); CHACOALHAR [*int.*: *Os guizos chocalhavam; Sacudiu a caixa e ouviu os cacos de porcelana chocalhando dentro dela; Enquanto ela corria, as chaves e moedas chocalhavam na bolsa.*] **5** *Fig.* Agitar (recipiente que contenha um líquido); vascolejar; CHACOALHAR [*td.*: *Chocalhou a batida de limão*] [*int.*: *Na carroceria do caminhão, os garrafões de leite chocalhavam.*] **6** Falar em voz alta, em meio a risos, risadas [*int.*: *Num canto da sala, os alunos ouviam o professor e chocalhavam.*] **7** *Fig.* Tornar público (segredo); revelar, mexericar [*td.*] [▶ 1 chocalh**ar**] [F.: *chocalho* + *-ar*[2].]

chocalheiro (cho.ca.*lhei*.ro) *a.* **1** Que chocalha **2** Que tem chocalho(s) **3** *Fig.* Diz-se de pessoa que é mexeriqueira, intrigante, fofoqueira **4** Diz-se de pessoa que fala demais e se mostra indiscreta *sm.* **5** Aquilo que chocalha ou tem chocalho **6** Pessoa intrigante, mexeriqueira ou que fala demais [F.: *chocalho* + *-eiro.*]

chocalho (cho.ca.lho) *sm.* **1** Sineta, campainha ou objeto similar, com badalo, que se põe ao pescoço de animais, para que, com o movimento destes, se produza um som **2** Instrumento musical (ger. um objeto oco em que se põem pedrinhas, grãos etc.) que produz uma rápida sucessão de sons secos ou estalos **3** Objeto que produz ruído ao ser movido ou agitado, ger. semelhante a chocalho (2), destinado aos bebês, para que se distraiam com os sons e movimentos **4** *Fig.* Pessoa fofoqueira, intrigante, muito faladora **5** *Bot.* Xiquexique (1) ou plantas semelhantes, como o feijão-de-guizos **6** *Zool.* Extremidade da cauda da cascavel, em que anéis de couro endurecido produzem som bem característico [F.: *choca*[1] + *-alho.* Hom./ Par.: *chocalho* (sm.), *chocalho* (fl. *chocalhar*).]

chocante (cho.*can*.te) *a2g.* **1** Que choca (ver *chocar*[1]), que causa choque emocional ou moral; que fere, ofende **2** *P. ext.* Que causa admiração, espanto, surpresa **3** *Gír.* Muito bom, bonito, interessante etc. [F.: *chocar*[1] + *-nte.*]

chocar[1] (cho.*car*) *v.* **1** Ir de encontro; mover-se até chegar aonde está algo (objeto, corpo) e tocá-lo com força, atingi-lo com alguma energia ou violência, ger. produzindo ruído, ou algum estrago ou abalo físico, ou dor etc. [*tr.* + *com, em*: *O trem descarrilou e chocou no muro; O menino chocou-se com a árvore; Dois aviões chocaram-se durante a exibição.*] **2** Provocar ou ter choque, abalo moral; causar ou sentir grande surpresa, ou impressão forte e inesperada, ger. de desconforto ou desagrado [*td.*] [*tr.* + *com*] **3** *Restr.* Causar ou sentir forte insatisfação, esp. reprovação, repulsa, aversão ou desconforto moral; ESCANDALIZAR(-SE); MELINDRAR(-SE); OFENDER(-SE) [*td.*: *algumas cenas chocaram a plateia.*] [*tr.* + *com*: *A plateia chocou-se com algumas cenas da peça.* A regência tr. é menos empregada do que a loc. ficar chocado com.] **4** *Restr.* Comover(-se) profunda e intensamente; causar ou sentir dor, tristeza misturados ou não a algum tipo de revolta [*td.*: *A notícia do desastre chocou a todos.*] [*tr.* + *com*: *O país chocou-se com as imagens do acidente.* A regência tr. é pouco frequente, sendo mais comum, neste sentido, o uso da expr. ficar chocado com.] **5** *Fig.* Entrar em conflito, em contradição; ser incompatível [*tr.* + *com*: *A proposta de lei choca-se com os princípios da democracia.*] [▶ 11 chocar] [F.: *choqu(e)* + *-ar*[2]. Hom./Par.: *choco* (fl.), *choco* (sm. e a.); *choca(s)* (fl.), *choca(s)* (sf. [pl.] e fem. [pl.] de *choco*); *choque(s)* (fl.), *choque(s)* (sm. [pl.]).]

chocar[2] (cho.*car*) *v.* **1** Cobrir (ovos) aquecendo-os com o corpo, para desenvolver-lhes o germe, até que o filhote de ave esteja pronto para nascer [*td.*: *A galinha está chocando os ovos.*] [*int.*: *As galinhas estão chocando.*] **2** *P. ext.* Manter (ovo) aquecido artificialmente, para garantir o desenvolvimento do embrião até o nascimento (diz-se esp. de incubadora) [*td.*] **3** *Fig.* Conceber e preparar longamente ou em segredo (plano, projeto etc.); maquinar ou preparar secretamente [*td.*: *Ficou chocando a ideia de abrir um negócio.*] **4** *Bras. Fig.* Esperar longamente, ger. sem sair do lugar ou sem fazer mais nada [*int.*: *Fiquei chocando na fila.*] **5** Estragar-se, deteriorar-se, fermentar, esp. devido ao calor (diz-se de alimentos prontos para consumo) [*int.*: *A geladeira quebrou e as comidas e bebidas ficaram chocando, no calor.*] **6** *Restr.* Perder o gás, a efervescência (diz-se de bebida, esp. cerveja) [*int.*: *A cerveja chocou.*] **7** *Pop.* Chegar (o ovo) ao final do desenvolvimento do embrião, quando se quebra para o nascimento do filhote de ave [*int.*] **8** *Bras. N. E. Pop.* Provocar ou sentir medo; fazer fugir ou fugir (de perigo ou ameaça); ACOVARDAR(-SE); AMEDRONTAR(-SE); INTIMIDAR(-SE) [*td.*: *Suas ameaças não chocaram ninguém.*] [*int.*: *O menino, assustado, chocou.*] **9** Olhar para (algo ou alguém) como se o possuísse, ou com grande satisfação, prazer, cobiça [*td.*: *Parou diante da vitrine, chocando a blusa e a calça.*] [▶ 11 chocar] [F.: *choc(o)* + *-ar*[2]. Par. / Hom.: ver *chocar*[1].]

chocarreiro (cho.car.*rei*.ro) *a.* **1** Que faz gracejo(s) e zombaria(s), ger. com sarcasmo, insolência, atrevimento ou desrespeito; que diz chocarrices **2** Próprio para ridicularizar ou fazer rir: *alcunhas chocarreiras* *sm.* **3** Indivíduo chocarreiro, que diz chocarrices; CHALACEIRO; TROCISTA [F.: Posv. do espn. *chocarrero* 'id', ou de *chocarrear* + *-eiro.*]

chocarrice (cho.car.*ri*.ce) *sf.* Comentário jocoso, zombeteiro, ger. desrespeitoso; CHALAÇA [F.: De *chocarr(eiro)* + *-ice.*]

chochar (cho.*char*) *v. int.* **1** *Bras.* Ficar chocho, seco, sem suco **2** *Fig.* Não dar frutos; não dar em nada; malograr: *A aspiração chochara.* [▶ 1 choch**ar**] [F.: *choch(o)* + *-ar*[2]. Hom./Par.: *chocho(s)* (fl), *chocho* /ô/ (a.); *chocho* (fl.), *xoxo* /ô/ (sm.) e *xoxô* (sm.).]

chocho (*cho*.cho) [ô] *a.* **1** Sem suco, miolo ou grão; sem recheio, sem substância (fruta chocha); SECO; MURCHO; ENGELHADO **2** Não fecundado (diz-se de ovo); CHOCO; GORO **3** *Fig.* Sem graça, desinteressante; insípido, insulso: *festa chocha.* **4** *Fig.* Oco, fútil, sem conteúdo relevante (discurso chocho) **5** *Fig.* Tolo, simplório **6** Raquítico, enfraquecido: *a doença o deixou muito chocho.* **7** Que sofreu desilusão; DESAPONTADO: *Ficou chocho ao saber que não conseguira o emprego.* *sm.* **8** *Pop.* Beijo de criança: *que chocho gostoso na bochecha!* [F.: Talvez de *choco*[2]. Hom./Par.: *chocho* (fl. de *chochar*); *chocha(s)* (fem. [pl.]), *chocha(s)* (fl. de *chochar*); *xoxo* (ô) (sm.), *xoxô* (sm.).]

choco[1] (*cho*.co) [ô] *sm.* **1** Ação ou resultado de chocar ovos; INCUBAÇÃO **2** Período de incubação do(s) ovo(s); tempo que leva para chocá-los **3** Estado da ave (quase sempre fêmea) que fica chocando os ovos (caracterizado por certas alterações fisiológicas e de comportamento) **4** *Bras. Inf.* Ato de namorar [F.: Dev. de *chocar*[2]. Hom./ Par.: *choco* (sm.), *choco* (ó) (fl. *chocar*).] ■ **Estar de/no ~** Estar acamado, adoentado **Ficar de/no ~** O mesmo que *Estar de choco*

choco[2] (*cho*.co) [ô] *a.* **1** Diz-se de ovo em que se está desenvolvendo o embrião (e que por isso já não é próprio para servir de alimento); GORO **2** Que está chocando (diz-se de ave) (pata choca) **3** Diz-se de ovo que gorou, cujo embrião não se desenvolveu completamente **4** *P. ext.* Podre, estragado **5** Sem tempero, insosso (salada choca) **6** Diz-se da bebida que perdeu a gaseificação (cerveja choca) **7** Estagnado, parado (água choca) [Pl.: [ó]. Fem.: [ó].] [F.: or. obsc., talvez de um lat. hispânico **clocca*, suposta onom. da voz da galinha que choca. Hom./Par.: ver *choco*[1].]

chocolataria (cho.co.la.ta.*ri*.a) *sf.* **1** Fábrica de chocolate (1) **2** Loja em que se vendem ou servem confeitos de chocolate, ou bebidas com chocolate [F.: *chocolate* + *-aria.*]

chocolate (cho.co.*la*.te) *sm.* **1** Produto alimentar, em pó ou pasta solidificada, ger. de cor castanha escura, feito de sementes de cacau torradas e da manteiga de cacau, a que se acrescentam açúcar e substâncias aromáticas **2** Barra, tablete, bombom ou outra iguaria feita de chocolate (1), ger. misturado a leite, e com outros acompanhamentos ou recheios (como castanhas, flocos crocantes, licor, frutas cristalizadas etc.) **3** Bebida preparada com chocolate (1) misturado a água ou, ger., leite; porção dessa bebida **4** A cor marrom-escura do chocolate (1) ***a2g2n.*** **5** Da cor do chocolate **6** Diz-se dessa cor [F.: De or. contrv; talvez do náuatle *xocolatl* (não documentado em fontes pré-hispânicas) lit., 'água amarga' (us. como designação da bebida feita com o cacau), ou talvez com influxo do maia *chocolhaa*, 'bebida quente', ou ainda de uma corruptela hispânica *chocauatl*, a partir de termo composto náuatle *pocho-cacahua-atl*, 'bebida feita com sementes de sumaúma e de cacau'.] ■ **~ branco** Doce de coloração muito clara, feito com manteiga de cacau, açúcar e leite. [Não contém sementes de cacau torradas, não sendo, portanto, em sentido estritamente técnico, um chocolate.]

chocolateira (cho.co.la.*tei*.ra) *sf.* **1** Vasilha em que se prepara e serve o chocolate (bebida) **2** *P. ext.* Vaso, bule ou chaleira em que se aquece a água ou leite, ou se prepara o café ou outras bebidas quentes **3** Aparelho, ger. elétrico, com compartimentos para aquecer água e leite e preparar, misturar e servir bebidas quentes, como chocolate e café [Cf. *cafeteira*.] **4** Caixa ou recipiente para guardar e servir confeitos de chocolate, bombons etc. **5** Mulher que fabrica chocolate (1) e confeitos de chocolate **6** *Bras. Gír.* Rosto, cara **7** *Bras. Gír.* Cabeça humana

chocolateiro (cho.co.la.*tei*.ro) *sm.* **1** Pessoa que fabrica ou vende chocolate **2** Pessoa que cultiva ou vende cacau [F.: *chocolate* + *-eiro*.]

chocólatra (cho.*có*.la.tra) *a2g.* **1** *Fam. Joc.* Que sente necessidade frequente de comer chocolate; que é viciado em chocolate *s2g.* **2** *Fam. Joc.* Pessoa chocólatra [F.: *choco(late)* + *-latra*, analogamente a *alcoólatra*.]

chofer (cho.*fer*) [é] *s2g.* Condutor de veículo automóvel (esp. aquele que o faz regularmente, ou profissionalmente); MOTORISTA: *chofer de táxi; chofer de caminhão.* [F.: Adaptação do fr. *chauffeur*.]

choferar (cho.fe.*rar*) *Bras. v.* **1** Trabalhar como chofer [*int.*] **2** Guiar, como chofer, um veículo motorizado; DIRIGIR [*td.*: *Choferar um ônibus.*] [*int.*: *Não sabia choferar.*] [▶ **1** choferar] [F.: *chofer* + *-ar*[2].]

chofrar (cho.*frar*) *v.* **1** Bater ou dar de chofre em; ir repentinamente de encontro a [*td.*: *A bicicleta chofrou o rapaz.*] [*ta.*: *O caminhão chofrou contra o muro.*] **2** Arremessar algo de chofre, de maneira inesperada [*tdi.* + *a*] **3** *Fig.* Replicar de pronto a [*td.*] **4** Atirar, disparar de chofre [*td.*: *Puxou a arma e chofrou o concorrente.*] [*int.*: *Aprendeu a chofrar.*] **5** *Bras.* Dirigir caçoada imprevista, gozação a [*td.*] **6** Entrechocar-se [*int.*: *Os carros chofraram por causa da pista escorregadia.*] [*td.*: *Os carros chofraram-se.*] [▶ **1** chofrar] [F.: *chofr(e)* + *-ar*[2]. Hom./Par.: *chofre(s)* (fl.), *chofre* (sm. e pl.).]

chofre (*cho*.fre) [ô] *sm.* **1** Choque repentino **2** Pancada com o taco na bola de bilhar **3** Tiro contra ave que se levanta [F.: Voc. onom. Hom./Par.: *chofre* (sm.), *chofre* (fl. de *chofrar*).] ▪ **De ~ 1** De repente, subitamente: *O carro estancou de chofre, rangendo os freios.* **2** De chapa, em cheio: *O luar bateu de chofre na vidraça, fazendo-a brilhar.*

choldra (*chol*.dra) [ô] *Pop. sf.* **1** Coisa imprestável, sem valor **2** *Pej.* Grupo de pessoas desprezíveis; RALÉ; ESCÓRIA; SÚCIA **3** Desordem causada por arruaceiros, criminosos ou pessoas desprezíveis [F.: or. contrv.] ▪ **Ir de ~** Estar ou seguir em má companhia, ou em grande desordem

chontaquiros (chon.ta.*qui*.ros) *smpl.* Grupo indígena que habita região da Amazônia

chopada (cho.*pa*.da) *Bras. sf.* Reunião de amigos, ou festa, em que se bebe chope [F.: *chope* + *-ada*[1].]

choparia (cho.pa.*ri*.a) *sf.* Ver *choperia*

chope (*cho*.pe) [ô] *sm.* **1** Cerveja fresca armazenada em barril sob pressão **2** Caneca ou copo de chope: – *Garçom, mais dois chopes!* [F.: Do al. (alsaciano) *Schoppe* 'copo de cerveja', pelo fr. *chope*.]

choperia (cho.pe.*ri*.a) *Bras. sf.* Bar ou restaurante especializado em servir chope [F.: *chope* + *-eria*. Tb. *choparia*.]

chopiniano (cho.pi.ni.*a*.no) *Mús. a.* **1** Ref. a Frédéric François Chopin (1810-1849), compositor francês **2** Que tem o estilo ou o espírito desse compositor (melodia *chopiniana*) **3** Diz-se de pessoa que conhece ou admira a obra de Chopin *sm.* **4** Essa pessoa [F.: Do antrp. *Chopin* + *-iano*.]

⊕ ***chop suey*** (*Chn.* /xop suei/) *sm. Cul.* Prato da cozinha chinesa, feito com legumes cortados em pedaços, ger. com tiras de carne de frango, porco ou peixe, servido com arroz e molho de soja

choque (*cho*.que) *sm.* **1** Encontro e contato forte, violento, e com algum tipo de impacto ou abalo, entre dois ou mais corpos, estando um ou mais deles em movimento; COLISÃO **2** Choque (1), ger. acidental, entre pessoas; ENCONTRÃO; ESBARRÃO **3** Ação violenta ou agressiva, mútua e direta, entre pessoas ou grupos que se defrontam, esp. forças militares **4** *P. ext.* Confronto, mútua oposição ou ação contrária, discordância entre pessoas, ideias, posições; CONFLITO; OPOSIÇÃO **5** *P. ext.* Discussão impetuosa, briga, desentendimento **6** (Aquilo que causa) comoção, abalo emocional, alteração forte e súbita do estado de ânimo de alguém; *esp.* intenso sentimento de tristeza, pesar, medo etc.: *Teve um choque ao receber a notícia do sequestro.* **7** Efeito fisiológico provocado pela passagem de uma corrente elétrica pelo corpo ou por uma parte do corpo [Tb. *choque elétrico*.] **8** (Aquilo que causa) modificação súbita do curso normal dos acontecimentos, alteração do comportamento usual, ou ameaça à continuidade de uma situação, de valores, tradições etc.: *A desvalorização do dólar provocou um choque nas finanças das empresas.* **9** Medida ou conjunto de decisões, ger. governamentais, de caráter súbito, que visam provocar alterações drásticas num estado de coisas: *Boatos de que haverá um choque econômico.* **10** *P. ext.* Aumento ou desenvolvimento drástico de algo, ou ação que visa propiciar esse aumento, para modificar determinada situação: *Necessitamos de um choque de eficiência e credibilidade.* **11** *Fís.* Influência mútua entre partículas, ger. com troca de energia, quando há proximidade suficiente para propiciar a interação entre elas; COLISÃO **12** *Med.* Síndrome caracterizada por insuficiente irrigação sanguínea de órgãos vitais com causas diversas, como hemorragia, trauma, infecção, distúrbios cardiovasculares etc. **13** *Gír.* Aquilo ou aquele que é bom, bonito; pessoa de boa índole, legal; amigo [F.: Do fr. *choc*. Hom./ Par.: *choque* (sm.), *choque* (flex. de *chocar*).] ▪ **~ elástico** *Fís.* Choque em que a energia cinética do sistema é conservada [Ant.: *choque inelástico*.] **~ inelástico** *Fís.* Choque em que a energia cinética do sistema não é conservada [Ant.: *choque elástico*.]

◎ **chor-** *el. comp.* = queixar-se, lamentar-se: *chorar.* [F.: Do lat. *ploro, as, avi, atum, are*.]

chorada (cho.*ra*.da) *a.* Choro breve, contido: *Deu uma chorada no final do velório e foi só.* [F.: De *choro* + *-ada*.]

choradeira (cho.ra.*dei*.ra) *sf.* **1** *Fam.* Ação de chorar muito; choro intenso e sentido **2** Choro demorado, ruidoso ou impertinente **3** *Fam.* Choro de várias pessoas ou ocasião em que isso se dá: *O fim do filme foi a maior choradeira no cinema.* **4** *Fam.* Queixa, lamúria, lamentação **5** *Fam.* Pedido queixoso e insistente **6** *P. us.* Carpideira (1) **7** Mulher que chora muito ou, p. ext., que se lamenta ou se queixa em demasia, que faz pedidos insistentes etc. [F.: *chorar* + *-deira*.]

chorado (cho.*ra*.do) *a.* **1** Que se chorou; que foi motivo de choro; que foi muito lamentado (mortes *choradas*; vítimas *choradas*); PRANTEADO **2** Cantado ou tocado em tom triste, plangente, ou de modo mais melodioso, ou com andamento mais lento (acordes *chorados*, lundu *chorado*) **3** *P. ext.* Que se assemelha ao choro ou tem influência desse gênero musical; tocado ou executado com sonoridade, estilo ou instrumentos próprios do choro ou do chorinho (samba *chorado*, baião *chorado*) **4** *Bras. Lud.* Em jogos de cartas, diz-se de carta que é muito esperada: *Conseguiu um ás de copas chorado.* **5** *Fig.* Que acontece à custa de muito esforço; que é dado após muita hesitação ou indecisão, ou obtido após muita insistência; muito difícil de conseguir (indulgência *chorada*; gol *chorado*; desconto *chorado*) *sm.* **6** *Bras. Mús.* Baião (1) **7** *Bras. MA Folc.* Início do lelê[3], quando músicos e cantadores se apresentam e em que os brincantes ou dançarinos escolhem seus pares [F.: Part. de *chorar*.]

choramingação (cho.ra.min.ga.*ção*) *sf.* **1** Ação de choramingar **2** *P. ext.* Lamúria, lamentação **3** *P. ext.* Pedido queixoso e insistente [Pl.: *-ções*.] [F.: *choramingar* + *-ção*.]

choramingante (cho.ra.min.*gan*.te) *a2g.* **1** Que choraminga **2** *P. ext.* Que se queixa insistente e fastidiosamente [F.: *choramingar* + *-nte*.]

choramingar (cho.ra.min.*gar*) *v.* **1** Chorar baixinho [*int.*: *Triste, choramingava pela casa.*] **2** Chorar por motivos fúteis ou sem causa aparente [*int.*: *A criança não parava de choramingar.*] **3** *Fig.* Dizer ou pedir em voz chorosa [*td.*: *Passou o dia choramingando as mágoas.*] [*tdi.* + *a*, *para*: *Choramingou ao guarda que retirasse a multa.*] **4** Reclamar, queixar-se, lamentar-se, em voz chorosa, ou com lamúrias insistentes; tb.: fingir chorar ou lamentar para obter algo [*int.*] [▶ **14** choramingar] [F.: De *choramigar*, com nasalização. Hom./Par.: *choramingo* (fl.), *choramingo* (sm.); *choramingas* (fl.), *choramingas* (s2g2n.).]

choramingas (cho.ra.*min*.gas) *s2g2n.* Pessoa que choraminga, que chora com frequência e por motivos fúteis; CHORÃO [Hom./Par.: *choramingas* (s2g2n.), *choramingas* (fl. *choramingar*).]

choramingo (cho.ra.*min*.go) *sm.* **1** Ação ou resultado de choramingar **2** Choro em voz baixa **3** Lamúria, queixa, reclamação ou pedido em voz chorosa [F.: Dev. de *choramingar*. Hom./Par.: *choramingo* (fl. *choramingar*).]

choraminguento (cho.ra.min.*guen*.to) *a.* Que choraminga muito, ou frequentemente (criança *choraminguenta*); CHORAMINGAS [F.: *choraming(ar)* + *-ento*.]

chorão (cho.*rão*) *a.* **1** Que chora muito; que tem o hábito de chorar por qualquer motivo **2** Choroso; cujos sons parecem gemidos ou lamentos; LAMENTOSO; PLANGENTE: *Os acordes chorões de uma viola.* **3** Diz-se de plantas cujos ramos são pêndulos, caem ou descaem na direção do solo (samambaia *chorona*) [Pl.: *-rões*. Fem.: *-rona*.] *sm.* **4** Pessoa que chora muito ou por qualquer motivo; CHORAMINGAS **5** *Bras. Bot.* Árvore ornamental da família das causarináceas sem folhas e com râmulos verdes cuja madeira é muito usada para queimar em lareiras **6** *Bot.* Salgueiro (2) **7** *Bras. Zool.* Papagaio-da-serra **8** *Zool.* Qualquer espécie de bagre capaz de emitir sons próximos a um choro **9** *Zool.* Anujá **10** *Zool.* Pequeno pássaro emberizídeo das matas e brejos da América do Sul, de bico avermelhado e canto choroso, com dorso mais escuro e partes inferiores mais claras [Pl.: *-rões*. Fem.: *-rona* (*na acp. 4*).]

chorar (cho.*rar*) *v.* **1** Deixar correr lágrimas, devido a dor física, tristeza ou alguma emoção forte, ger. com alteração da respiração (soluços) e da expressão facial, ou com gemidos, palavras, gritos etc. [*int.*: *O menino não parava de chorar; Choraram de tristeza.*] [*int.*: *Já chorou tantas lágrimas amargas por este filho ingrato!*] **2** Derramar lágrimas devido a alguma alteração fisiológica que afeta o(s) olho(s) (contração da face, inflamação, irritação por agente externo) [*int.*: *Chorava de tanto rir e gargalhar; A fumaça nos fez tossir e chorar.*] [*td.*: *Seus olhos, irritados, choraram lágrimas abundantes.*] **3** Emitir (bebê, criança muito nova) gritos ou sons fortes, com ou sem lágrimas, ger. acompanhados de movimentos de braços e pernas, como manifestação (natural ou já voluntária) de desconforto corporal (dor, fome, sede, sono) ou insatisfação [*int.*: *O neném teve cólicas e chorou a noite inteira.*] **4** Sentir e manifestar profundo pesar devido a (acontecimento infeliz, perda ou ausência de pessoa querida, dor ou sofrimento de outrem) [*tr.* + *por*: *Choro por esse menino infeliz.*] **5** *Fig.* Emitir (sons tristes, plangentes) [*int.*: "...*chora* o tamborim, chora o morro inteiro..." (Herivelto Martins, *Praça Onze*)] [*td.*: *Os bandolins choram uma triste melodia.*] **6** Sentir e expressar insatisfação, revolta, arrependimento, infelicidade em relação a algo; AFLIGIR-SE; ATORMENTAR-SE; DEPLORAR; LAMENTAR(-SE) [*td.*: *chorar a traição sofrida; Melhor corrigir os erros do que chorá-los.*] [*int.*] **7** *P. ext.* Expressar-se com queixas, lamúrias, reclamações repetidas a respeito de (algo que incomoda, algum motivo de desgosto, etc.); LAMENTAR(-SE); LAMURIAR(-SE) [*int.*: *Em vez de chorar, você precisa trabalhar duro; Ninguém aguenta mais vê-la chorar-se dia após dia.*] [*int.*: *Não adianta chorar o que passou.*] **8** Deixar cair ou sair de si, gota a gota, (um líquido); EXSUDAR; GOTEJAR [*td.*: *O ferimento, mal cicatrizado, chorava uma secreção avermelhada.*] [*int.*: *No prédio vazio, as paredes choravam devido às infiltrações.*] **9** *Pop.* Discutir ou negociar a fim de baixar o preço de; PECHINCHAR; REGATEAR [*td.*: *Não compra nada sem chorar.*] [*int.*: *Sempre choro o que tenho de comprar; Chorou o preço das roupas e conseguiu um bom desconto.*] **10** *Bras. Pop.* Servir (bebida) além da dose habitual [*int.*] **11** *Bras. Pop.* No carteado, descobrir lentamente o canto superior de (uma carta), para ver o seu valor [*td.*] **12** Em certos jogos, como basquete e futebol, mover-se (a bola) durante algum tempo em quiques, ou como que a esmo, antes de a jogada completar-se: *A bola chorou e caiu (na cesta); A bola quicou, rolou devagar, chorou até finalmente entrar no gol.* [▶ **1** chorar] [F.: Do lat. *plorare*.] ▪ **De ~** Deplorável, abaixo da crítica: *A atuação do time foi de chorar.*

chorejo (cho.*re*.jo) [ê] *sm.* Choro discreto e intermitente [F.: De *choro* + *-ejo*.]

chorinho (cho.*ri*.nho) *sm.* **1** *Bras. Mús.* Choro (6), gênero de música brasileira *sm.* **2** *Bras. Mús.* Choro (6) de melodia alegre e bem acentuada na execução, com andamento vivo **3** *Bras. Pop.* Quantidade de bebida que se serve além da dose habitual; CHORO **4** Cachaça (aguardente) **5** Choro (1) ligeiro, discreto ou silencioso: *Chegou a esboçar um chorinho, mas logo se controlou.* [F.: *choro* + *-inho*[1].]

choro (*cho*.ro) [ô] *sm.* **1** Ação ou resultado de chorar; PRANTO [Ant.: *riso*.] **2** Som de pessoa ou animal que chora; soluço(s), respiração audível ou gemido de quem chora: *O choro dos cães não a deixava dormir.* **3** Queixa, lamúria, lamento; CHORADEIRA **4** *Bras. Fig.* Voz (uivo, canto ou grito) de determinados animais **5** *Bras. Fig.* Som tristonho de determinados instrumentos, esp. os de corda **6** *Bras. Mús.* Conjunto instrumental composto de flauta, violão, cavaquinho, pandeiro, bandolim e outros instrumentos, que toca em serenatas, bailes, festas populares, ou em rodas de amigos **7** *Bras. Mús.* Música tocada por esse conjunto, de caráter sentimental, melodioso, e com elementos rítmicos variados (como de valsa, polca, maxixe) **8** *Bras. Mús.* Composição instrumental erudita inspirada nesse gênero musical **9** *Gui.* Cerimônia, com comida, bebida e danças, em que se homenageia um morto **10** *Bras. Pop.* Baile popular, arrasta-pé **11** *Bras. Pop.* Bebida servida, como cortesia, além da dose paga [F.: Dev. de *chorar*. Hom./ Par.: *choro* (ô) (sm.), *choro* (ó) (fl. *chorar*).] ▪ **~ das abelhas** *Apic.* Quando morre a abelha-rainha de uma colmeia, tipo característico de ruído produzido pelas abelhas ao se aproximar o apicultor

chorona (cho.*ro*.na) *sf.* **1** Mulher que chora muito ou por qualquer motivo **2** *Bras. RS.* Espora com roseta grande que retine quando movimentada [Nesta acp., mais us. no pl.] [Como adj. fem. (p. ex., em *samambaia chorona*), ver *chorão*.] [F.: De *chorão* + *-ona*[1] (desin. de aumentativos femininos).]

chororô (cho.ro.*rô*) *sm. Bras. Pop.* Choro, choradeira: "Não adianta começar com aquele *chororô* de novo. O árbitro Rodrigo Cintra até errou ao marcar o primeiro pênalti contra o Botafogo." (Marcelo Senna, *Extra Online* 09.09.2007)

choroso (cho.*ro*.so) [ô] *a.* **1** Que chora ou está chorando **2** Que tem ou deixa cair lágrimas, que mostra sinais de choro (olhos *chorosos*) **3** Que revela ou traz expressão ou sinal de tristeza, lamento, dor: *semblante choroso* [Ant.: *risonho*.] **4** Que sente desgosto; CONTRISTADO; MAGOADO **5** Em que há muito choro ou cenas de pessoas que choram (diz-se de narrativa etc.); que comove a ponto de provocar choro, ou que faz apelo a emoções que levam ao choro; PIEGAS; SENTIMENTAL: *novela chorosa* **6** *Fig.* (Que produz som) semelhante a gemido(s) [Pl.: [ó]. Fem.: [ó].]

chorrilhar (chor.ri.*lhar*) *v. td.* Dizer, falar (algo) em chorrilho: *Chorrilhou um monte de asneiras e deu-se por satisfeito.* [▶ **1** chorrilhar] [F.: *chorrilho* + *-ar*[2].]

chorrilho (chor.*ri*.lho) *sm.* **1** Grande quantidade de coisas ou de pessoas que se sucedem ou se acumulam, ger. de modo rápido e ininterrupto; SÉRIE; ENFIADA: *chorrilho de besteiras; Assustou-se com o chorrilho de crianças.* [Tem frequentemente conotação pej.] **2** Conjunto ou agrupamento de muitas pessoas ou coisas semelhantes: *Desapareceu no chorrilho de estudantes.* [F.: Do espn. *chorrillo*.]

chorume (cho.*ru*.me) *sm.* **1** Gordura que sai da carne de um animal em forma de suor ou gotas; BANHA **2** *Fig.* Fartura, riqueza **3** *Agr.* Líquido que, ao escorrer da estrumeira, é acrescentado ao estrume seco para tornar mais rico o adubo **4** Líquido proveniente da decomposição da matéria orgânica que se encontra no lixo [F.: *chor* (f. arc. de *flor*) + *-ume*.]

chorumela (cho.ru.*me*.la) *Bras. Pop. sf.* **1** Coisa sem préstimo ou valor; NINHARIA **2** Objeto cujo nome não importa ou não se sabe; COISA; TROÇO **3** Discurso ou arrazoado monótono, enfadonho; CANTILENA; LENGALENGA [F.: or. obsc.]

choupal (chou.*pal*) *sm. Bot.* Aglomerado de choupos em determinada área [F.: *choupo* + *-al*.]

choupana (chou.*pa*.na) *sf.* **1** Casa muito simples e rústica, ou cabana, ger. de madeira ou de ramos de árvores; CABANA; CASEBRE **2** *P. ext.* Qualquer habitação humilde, precária; CHOÇA [F.: posv. de *choupo*, com a term. *-ana*, analogamente a *cabana*.]

choupo (*chou*.po) *sm. Bot.* Nome comum às árvores do gên. *Populus*, da fam. das salicáceas, cultivadas como ornamentais e de boa madeira, como a espécie *Populus alba*, tb. conhecida como choupo-branco [Col.: *choupal*.] [F.: lat. vulg. **ploppu* < lat. *populus* (donde a designação científica do gên.).]

chouriço (chou.*ri*.ço) *sm.* **1** Embutido (alimento) feito de tripa de porco ou outro animal, com recheio de carne, sangue e temperos, defumado ou ressecado ao fumo **2** Saco em formato de rolo, cheio de areia ou serragem, para impedir que o vento e a chuva passem pelas fendas inferiores das portas e janelas; CHOURIÇA **3** *Bras. RS* Parte acolchoada dos arreios que passa sob a cauda do cavalo e se prende à sela **4** Rolo de cabelo para avolumar o penteado **5** *Cul.* Comida preparada com sangue de porco, açúcar e especiarias **6** *Pej.* Pessoa gorda **7** *Bras. Tabu.* Pênis [Col.: *chouriçada*.] [F.: or. obsc; espn. *chorizo*.]

choutador (chou.ta.*dor*) [ô] *a.* **1** Diz-se de cavalo que anda a chouto, a trote *sm.* **2** Esse animal [Sin. ger.: *choutão*.]

choutar (chou.*tar*) *v. int.* Andar (a cavalgadura) a chouto, a passos curtos [▶ 1 choutar] [F.: Do lat. *saltare*. Tb. *choutear*.]

choutear (chou.te.*ar*) *v.* Ver *choutar* [▶ 13 choutear]

chouto (*chou*.to) *sm.* Trote curto de cavalo, ger. incômodo para quem o monta [F.: Dev. de *choutar*. Hom./Par.: *chouto* (sm.), *chouto* (fl. *choutar*).] ■ **Sair de ~** Sair apressadamente, debandar, fugir

chove-não-molha (cho.ve.-não.-*mo*.-lha) *sm2n.* **1** *Bras. Fam.* Situação ou atitude de quem está em dúvida, hesitante, de quem não faz aquilo que ameaça ou promete fazer, ou volta atrás de decisão tomada, ou protela uma resolução definitiva; INDECISÃO; INDEFINIÇÃO *pop.*; ENROLAÇÃO *pop.*; LENGALENGA: *O tempo passa, e ele continua nesse chove-não-molha*: "Sempre no chove-não-molha / Dizendo que vai mas não vai/ Só quer conversa-fiada/ E da minha vida não sai" (Elton Medeiros, *Chove e não molha*) **2** Situação que não evolui ou progride, que permanece sem se resolver ou sem se definir ■ **Cheio de ~** Cheio de frescura, cheio de histórias

chover (cho.*ver*) *v.* **1** Cair chuva [*int.: Ontem choveu o dia todo.*] **2** *Fig.* Cair do alto em abundância, como chuva [*int.: chove o maná; Choveram pedras sobre os policiais cercados pelos manifestantes.*] **3** *Fig.* Fazer cair como chuva [*td.: A árvore choveu frutos em quantidade.*] [*tda.: Os convidados choveram arroz sobre os noivos.*] **4** *Fig.* Vir, sobrevir, acontecer em abundância [*int.: Choviam desgraças.*] [*ta.: Bênçãos divinas choviam sobre a casa.*] [▶ 2 chover. V. impess., conjugado somente na 3a. pess. sing. Em sentido figurado, porém, pode-se conjugar em todas as pess.] [F.: do lat. vulg. *plovere*.] ■ **~ no molhado** Repetir ou mencionar o que já foi dito ou que já se sabe; propor ou tentar solução para problema já resolvido

chovinismo (cho.vi.*nis*.mo) *sm.* Ver *chauvinismo*

chovinista (*cho*.vi.nis.ta) *a2g. s2g.* Ver *chauvinista*

⊕ **chroma-key** (*Ing.* /*cromaqui*/) *sf. Telv.* Processo eletrônico de montagem que permite colocar uma imagem sobre outra captada por diferente câmara, o que pode ter como resultado a colocação de um primeiro plano sobre um plano geral [Tb. se diz apenas *chroma*.]

chuá (chu.*á*) *sm. Ling.* Vogal que se produz com pequena elevação da parte central da língua; XUÁ [F.: Do al. *Schwa*.]

chuca-chuca (chu-ca-*chu*.ca) *sm. Bras; Fam.* Pequeno tufo de cabelos no alto da cabeça dos bebês, em forma de caracol [Pl.: *chuca-chucas*.]

chuçada (chu.*ça*.da) *sf.* **1** Golpe com chuço ou similar **2** *Fig.* Incitamento, estímulo [F.: Fem. substv. de *chuçado*, part. de *chuçar*.]

chuçar (chu.*çar*) *v.* **1** Atacar ou ferir com chuço ou instrumento similar [*td.*] [*int.*] **2** Impelir, fazer andar com chuço [*td.*] **3** *Fig.* Estimular energicamente; INCITAR; AGUILHOAR [*td.*] [▶ 12 chuçar] [F.: *chuç(o)* + *-ar*[2]. Hom./Par.: *chuço* (fl.), *chuço* (sm.); *chuça(s)* (fl.), *chuça* (sf. e pl.).]

chucha (*chu*.cha) *sf.* **1** Ação ou resultado de chuchar **2** O seio que amamenta **3** O leite desse seio **4** Pequeno chumaço de tecido embebido em leite, ou água açucarada, dado aos bebês como substituto do seio materno **5** *Fam.* Ver *chupeta* [F.: Dev. de *chuchar*. Hom./Par.: *chucha* (fl. de *chuchar*).] ■ **À ~ calada** **1** Em segredo; às ocultas: "...as noites de inverno,... velava-as a cismar nos desabrigados. Depois mandava-os socorrer com grosas de escudos. E dava-os à chucha calada." (João de Araújo Correia, *Sem método*, p. 83) **2** Sem reclamar, sem queixar-se, sem gritar: *Levou uns bofetões à chucha calada.* **À ~ caladinha** À chucha calada

chuchado (chu.*cha*.do) *a.* Que é franzino, mirrado, magro [Ant.: *cheio, gordo*.] [F.: Part; de *chuchar*.]

chuchar (chu.*char*) *Pop. v.* **1** Mamar (leite) [*td.: chuchar o leite da mamadeira.*] [*tr.* + *em: chuchar no seio da mãe; chuchar no dedo.*] **2** Fazer movimentos de sucção em; SUGAR; CHUPAR [*td.*] **3** Levar, apanhar, receber (algo desagradável) [*td.: Chuchou uma bofetada.*] [*tdr.* + *em: chuchar um murro no nariz.*] **4** Caçoar, zombar de (alguém ou algo) [*td.*] [▶ 1 chuchar] [F.: provl. onom. Hom./Par.: *chucho* (fl.), *chucho* (sm.), *xuxo* (sm.); *chucha(s)* (fl.), *chucha(s)* (sf. [pl.]).]

chuchu (chu.*chu*) *sm.* **1** *Bras. Bot.* Trepadeira cucurbitácea (*Sechium edule*), de fruto verde e comestível **2** O fruto dessa planta; CAXIXE **3** *Bras. RJ Pop. Desus.* Pessoa que nasceu ou que vive em Petrópolis (RJ) [Nesta acp., é alcunha por vezes depreciativa.] **4** *Pop.* Pessoa muito bonita, graciosa **5** *Pop.* Pessoa muito querida, ou que é a favorita, a mais mimada: *O caçula é o seu chuchu.* [F.: Do fr. antilhano *chou-chou*.] ■ **Pra ~** **1** *Bras. Gír.* Com grande intensidade: *Ontem choveu pra chuchu.* **2** Em grande quantidade, pra burro: *Veio gente pra chuchu à festa da escola.*

chuchurrear (chu.chur.re.*ar*) *v.* **1** Beber aos goles, devagar; BEBERICAR [*td.*] **2** Fazer pequeno ruído com os lábios (ao beber, beijar etc.) [*td.*] [*int.*] **3** *P. ext.* Emitir som característico (ave, pássaro) [*int.*] [▶ 13 chuchurrear] [F.: de *chuchar*.]

chuchuzeiro (chu.chu.*zei*.ro) *sm. Bot.* Ver *chuchu* (planta) [F.: *chuchu* + *-z-* + *-eiro*.]

chuço (*chu*.ço) *sm.* **1** Pau armado com um aguilhão ou com uma ponta de ferro comprida e aguçada, us. como lança; CHUCHO **2** *Mil.* Miliciano do séc. XIX que usava essa arma **3** Bordão ou porrete ao qual se prende uma ponta metálica **4** *Lus. Gír.* Tamanco ou calçado grosseiro [Nesta acp., mais us. no pl.] **5** *Lus.* Certo peixe da costa portuguesa **6** *Lus.* Guarda-chuva **7** *Lus.* Aquele que não descende de judeus *a.* **8** *Lus.* Que não descende de judeus [F.: or. obsc. Hom./Par.: *chuço* (sm. a.), *chuço* (fl. *chuçar*).]

chucro (*chu*.cro) *a.* Ver *xucro*

chucrute (chu.*cru*.te) *sm. Cul.* Repolho em conserva, picado e levemente fermentado em salmoura, us. como acompanhamento de vários pratos da culinária alemã [F.: do al. *Sauerkraut* 'repolho azedo' > termo dialetal alsaciano *sûrkrût* > fr. *choucroute* (este, com infl. de *chou* 'couve, repolho').]

chucunas (chu.*cu*.nas) *smpl.* Grupo indígena da bacia do rio Orinoco, na Venezuela

chué (chu.*é*) *a2g.* **1** Ruim, de má qualidade, ordinário, reles (livro chué); PÍFIO **2** Mal-arranjado, desleixado, desalinhado (diz-se de roupa etc.) **3** De aparência não muito bela ou não graciosa; FEIOSO **4** Pouco competente ou pouco caprichoso (em trabalho ou tarefa) (marceneiro chué) **5** Sem vigor físico, acanhado, doentio **6** De compleição franzina, magra **7** Reduzido, escasso [F.: posv. do ár. hispânico e marroquino *suy(yat)* 'pouco' ou 'coisa pouca'. Hom./Par.: *chué* (a2g.), *xué* (sm.).]

chufa (*chu*.fa) *sf.* **1** Caçoada, troça **2** Expressão mordaz, zombeteira [F.: Dev. de *chufar*. Hom./Par.: *chufa* (fl. de *chufar*).]

chula (*chu*.la) *sf.* **1** *Mús. Folc.* Dança e música popular de origem portuguesa, ger. lenta e acompanhada de rabeca, viola ou guitarra e percussão **2** Gênero de música que acompanha a capoeira **3** *N. E. Mús. Folc.* Canção e dança de ritmo bem marcado, de origem ou influência africana, ligada ao lundu, típica de serestas e festas ao ar livre **4** *RS Folc.* Dança masculina, ger. vigorosa e rápida, com sapateado e ao modo de desafio, com cada parceiro devendo repetir a dança do anterior e acrescentar novos passos **5** Mulher grosseira, ordinária, de comportamento reprovável [F.: fem. substv. de *chulo*. Hom./Par.: *chula* (sf.), *chula* (a. f.).]

chulé (chu.*lé*) *Pop. sm.* **1** Mau cheiro causado pelo suor e pela sujeira dos pés **2** A sujeira que se forma ger. entre os dedos dos pés, provocada pelo suor, e que exala mau cheiro *a2g.* **3** *Pop.* De qualidade inferior ou de pouco valor; BARATO; ORDINÁRIO; RELES [F.: or. contrv; talvez palavra cigana.]

chuleado (chu.le.*a*.do) *sm.* Ação ou resultado de chulear; CHULEIO [F.: Substv. do part. de *chulear*.]

chulear (chu.le.*ar*) *v. td.* **1** Costurar, pontear a orla de (tecido) para que não se desfie [*td.: Chuleou a bainha da saia.*] [*int.: Ensinou a filha a chulear.*] **2** Em jogo de cartas, descobrir lentamente as cartas em leque na não para saber quais são; CHORAR **3** *P. ext. Pop.* Aguardar em expectativa que algo desejado aconteça; torcer [▶ 13 chulear] [F.: Posv. do lat. *subligare*. Hom./Par.: *chuleio* (flex.), *chuleio* (sm.).]

chuleio (chu.*lei*.o) *sm.* **1** Ação ou resultado de chulear **2** Ponto com que se chuleia [F.: Dev. de *chulear*. Sin. ger.: *chuleado*. Hom./Par.: *chuleio* (sm.), *chuleio* (fl. *chulear*).]

chuleta (chu.*le*.ta) [ê] *sf.* **1** Carne da costela de certos animais; COSTELETA **2** *Cul.* Iguaria constituída de costeletas cozidas, assadas ou grelhadas [F.: Do espn. *chuleta*.]

chulice (chu.*li*.ce) *sf.* Ato ou dito chulo, grosseiro, vulgar; GROSSERIA [F.: *chulo* + *-ice*.]

chulismo (chu.*lis*.mo) *sm.* Palavra ou expressão chula, grosseira, reles [F.: *chulo* + *-ismo*.]

chulo (*chu*.lo) *a.* **1** Grosseiro; sem educação, delicadeza, refinamento; rude (mulher chula); VULGAR **2** Indecoroso, obsceno; de baixo calão (vocabulário chulo) **3** *Ant.* Diz-se de homem que se amancebou **4** Que toca ou dança a chula; tb. *chuleiro sm.* **5** *Lus. Pej.* Homem que explora meretrizes; GIGOLÔ; CAFETÃO [F.: Do cast. *chulo*.]

chumaço (chu.*ma*.ço) *sm.* **1** Enchimento de pasta de algodão, de espuma ou de outro material macio, que se coloca entre o forro e o tecido de uma roupa, para dar-lhe determinado formato ou feitio **2** Qualquer coisa que forma volume ou serve para acolchoar; material macio e flexível para enchimento; ESTOFO **3** Porção de algodão, ou de tecido, gaze etc., us. em curativos, compressas, emplastros, tampões, ou na higiene pessoal **4** Porção ou quantidade de algo, formando massa volumosa e arredondada: *cauda terminada com pelos em chumaço; O vento arrastava chumaços de nuvens.* **5** Saco que se enche com material macio (penas, paina, algodão); p. ext.: pequena almofada ou travesseirinho **6** Parte da pele que fica volumosa; tumefação, inchaço, tumor **7** *Bras.* Peça de madeira sobre a qual gira o eixo do carro de boi [Dim.: *chumacete*.] [F.: do lat. *plumacium* 'leito forrado de penas' (< lat. *pluma* 'pluma). Hom./ Par.: *chumaço* (sm.), *chumaço* (fl. *chumaçar*).]

chumbada (chum.*ba*.da) *sf.* **1** Tiro com projétil ou projéteis de chumbo (esp. na forma de grãos, em armas de caça) **2** A carga ou porção de chumbo (ger. em grãos) us. em um tiro **3** Ferida decorrente desse tiro **4** Pedaço ou conjunto de pedaços de chumbo que se põem nas redes e linhas de pescar, para que afundem **5** *Mar.* Peça de metal, ger. de chumbo, presa à extremidade dos cabos de sondagem com o objetivo de fazê-los chegar ao fundo **6** *Tip.* Porção de chumbo fundido que escorre para fora do molde nas máquinas compositoras **7** *Lus. Fam. Fig.* Situação enfadonha, maçante **8** Porção de chumbo, ou de outro material pesado, que se põe na extremidade do fio de prumo [F.: *chumbo* + *-ada*[1].]

chumbado (chum.*ba*.do) *a.* **1** Soldado ou fixado com chumbo, ou com algum outro metal, ou com ferragem **2** Fixado ou sustentado por meio de haste metálica ou outra ferragem que é presa no interior de parede ou outra obra de alvenaria: *prateleira chumbada à parede.* **3** Tapado ou obturado com chumbo ou com outro metal (diz-se de dente) **4** Ferido por tiro de chumbo **5** Armado, carregado ou guarnecido de chumbo (rede chumbada) **6** *P. us.* Da cor do chumbo **7** *Fig.* Fortemente preso ou ligado a algo ou alguém **8** *Pop.* Reprovado em exame ou concurso **9** *Bras. Pop.* Embriagado, bêbado: "Não estava nada bom o meu pedaço, na verdade, estava bem mamado/ Bem chumbado, atravessado." (Ary Barroso, *Camisa amarela*) **10** *Bras. Fam.* Inebriado de amor **11** *Bras. Fam.* Prostrado devido a doença **12** *P. ext.* Prostrado de cansaço, sem energia **13** *Bras.* Cujo pelo é branco, amarronzado ou avermelhado com manchas pretas (diz-se de boi) [F.: part. de *chumbar*.]

chumbar (chum.*bar*) *v.* **1** Soldar, prender com chumbro ou outro metal [*td.: Mandou chumbar a grade da janela.*] **2** *Pop.* Ferir ou matar com projétil de chumbo ou com tiro de arma de fogo [*td.: A polícia chumbou o marginal.*] **3** Munir com pesos de chumbo [*td.: Chumbaram a rede de pesca.*] **4** Fechar hermeticamente, com chumbo ou outro material, com blindagem ou proteção etc.; *tb.*: fechar (envelopes, caixas, recipientes) com selo de chumbo ou material similar; selar, lacrar [*td.: Chumbou o recipiente do material radioativo; Chumbou o estojo das relíquias; Chumbaram o caixote de bebidas.*] **5** *Fig. Pop.* Causar ou sentir torpor, prostração; causar ou ter dificuldade de movimentos, esp. por fraqueza, cansaço ou doença [*td.: A gripe chumbou-o por três dias; A caminhada nos chumbou completamente.*] [*int.: No segundo tempo, o meio-campo chumbou e foi substituído; Pegou uma gripe e chumbou.*] **6** *Bras. Restr.* Embriagar(-se) [*td.: Três doses foram suficientes para chumbá-lo; Chumbou-se com a cachaça.*] **7** *Fig.* Prender, fixar com força; imobilizar, impedir ou dificultar os movimentos [*tda.: O horror chumbou-lhe os pés no chão.*] **8** *Fig.* Reprovar em exame [*td.: O professor chumbou o aluno na última prova.*] **9** *Lus.* Enganar, iludir [*td.*] **10** *Fig.* Tornar sólido, firme, ou inabalável [*td.: Chumbaram seus laços de cumplicidade.*] **11** Dar cor de chumbo a [*td.: Chumbou parte da cabeleira.*] [*int.: Chumbou apenas nas partes laterais da cabeça.*] **12** Conquistar, seduzir, ou ser conquistado, seduzido; apaixonar(-se), enamorar(-se) [*td.: Vestiu-se como um príncipe para chumbar as garotas; O garoto chumbou-se pela professora.*] **13** *Lus. Fig.* Falhar, fracassar, malograr [*int.: O cavalo chumbou na reta de chegada.*] **14** *Art. gr.* Escorrer (chumbo líquido) para fora do molde [*int.*] **15** *Bras. Ant.* Fazer obturação dentária com liga à base de chumbo [*td.*] **16** *Bras. Cons.* Fixar (estátua, escultura, marco etc.) em alvenaria com matéria aglutinante e, ger., haste metálica ou outra ferragem [*td.: Chumbou a lápide à cabeceira do túmulo.*] [▶ 1 chumbar] [F.: *chumbo* + *-ar*[2]. Hom./Par.: *chumbo* (fl.), *chumbo* (sm.).]

chumbeado (chum.be.a.do) *a. B. S.* Que se embebedou, se embriagou; BÊBEDO; CHUMBADO

chumbeira (chum.*bei*.ra) *sf.* **1** Rede de pesca que se abre em círculo e possui pesos de chumbo **2** Cada um dos pesos de chumbo dessa rede **3** Estojo em que o caçador leva o chumbo **4** Espingarda de caça **5** *Pop.* Ingestão excessiva de bebida alcoólica; BEBEDEIRA [F.: *chumbo* + *-eira*.]

chumbinho (chum.*bi*.nho) *Bras. sm.* **1** Pequeno projétil de chumbo, por ex. para arma de caça ou, ger., para arma de ar comprimido **2** *MA Pej.* Indivíduo português; GALEGO **3** *RJ* Artefato pirotécnico que estala quando arremessado contra uma superfície dura; ESTALO **4** *Bot.* Ensacadinha **5** *Pop.* Substância us. como veneno contra ratos, sob forma de pequenas bolas escuras, semelhantes ao chumbinho (1) de caça [Trata-se ger. de pesticida agrícola, esp. de uma substância da classe dos carbamatos, adaptado (não raro, ilegalmente) ao uso como raticida.] [F.: *chumbo* + *-inho*.]

chumbo (*chum*.bo) *sm.* **1** *Quím.* Elemento metálico de número atômico 82, cinzento, dúctil e maleável, usado em várias ligas metálicas [Sím.: *Pb*.] **2** Porção desse metal, em forma de grão ou grânulo, us. como projétil para caça **3** *Bras. Fig. Pop.* Tiro de arma de fogo **4** Cor cinzenta carregada, semelhante à do chumbo (1) **5** Pedaço de chumbo (1) que se põe nas redes e linhas de pescar para fazê-las afundar; CHUMBEIRA **6** Série de pequenas chapas desse metal, presas à bainha de certas roupas para dar-lhes bom caimento 7 *Fig.* O que pesa muito 8 *Fam.* Ponderação, juízo 9 *Art. gr.* Cada uma das divisórias de chumbo (1) colocadas no tinteiro das prensas para dividir ou limitar o seu âmbito ***a2g2n.*** 10 Da cor do chumbo 11 Diz-se dessa cor [F.: lat. *plumbum, i.* Hom./Par.: *chumbo* (sm. a2g2n.), *chumbo* (fl. *chumbar*).] ■ **Comer ~** Ver *Tomar chumbo* **Cuspir ~** 1 *Gír.* Atirar com arma de fogo 2 Disparar projéteis (diz-se de arma de fogo) 3 *Fig.* Manifestar-se de modo agressivo, violento, com críticas fortes, insultos, manifestações de raiva ou revolta etc. **Levar ~** 1 *Pop.* Ser ferido por tiro 2 *Fig.* Dar-se mal (em algo) **Tomar ~** *Pop.* Ser alvo de tiros; ser baleado

chumbrega (chum.*bre*.ga) ***a2g.*** 1 Que tem muito má qualidade (paletó chumbrega); ORDINÁRIO; RELES 2 Diz-se de pessoa ou coisa absolutamente desprovida de bom gosto (sujeitinho chumbrega; filme chumbrega)

chupa-cabra (chu.pa-*ca*.bra) ***sm.*** 1 Animal imaginário que mata sistematicamente animais em áreas rurais de Porto Rico, Flórida, Nicarágua, Chile, México e Brasil [O nome se deve à descoberta de várias cabras mortas em Porto Rico com marcas de dentadas no pescoço e o sangue drenado.] 2 *Bras. Gír.* Equipamento inserido nos caixas-eletrônicos que copia a tarja magnética dos cartões e o código de acesso dos clientes para depois serem usados indevidamente [Pl.: *chupa-cabras.*]

chupada (chu.*pa*.da) ***sf.*** 1 Ação ou resultado de chupar; CHUPADELA 2 *Pop.* Repreensão, reprimenda 3 Chupão (beijo forte ou marca deixada por ele) 4 *Tabu.* Ato de praticar sexo oral; felação ou cunilíngua [F.: *chup(ar)* + *-ada*[1].]

chupado (chu.*pa*.do) ***a.*** 1 Que foi sugado, sorvido ou lambido: *picolé chupado até o fim.* 2 *Fam.* Que é ou está muito magro (rosto chupado); SECO [Ant.: *gordo, inchado.*] 3 Copiado, plagiado: *A ideia do livro foi chupada de uma história real.* 4 *Pop.* Embriagado, bêbedo [Ant.: *sóbrio.*] [F.: Part. de *chupar.*]

chupador (chu.pa.*dor*) [ô] ***a.*** 1 Diz-se do que chupa, sorve 2 Diz-se de aspirador a vácuo us. pela marinha mercante para descarregar granéis finos 3 *Bras. Tabu.* Diz-se de indivíduo que pratica sexo oral com frequência ***sm.*** 4 Esse indivíduo 5 Aquilo que serve para chupar 6 Aspirador para grãos 7 *CE* Redemoinho fluvial [Sin. ger.: *sugador.*]

chupança (chu.*pan*.ça) *Bras.* ***sf.*** 1 Ação ou resultado de chupar 2 *Fig.* Mamata, negociata 3 *SP MG Zool.* Ver *barbeiro* [F.: Rad. *chup-* (de *chupar*) + *-ança.*]

chupão (chu.*pão*) ***a.*** 1 Que chupa, ou costuma chupar 2 Que produz efeito de sucção, ou semelhante ao de sucção 3 *Tabu.* Que costuma praticar sexo oral [Pl.: *-pões.* Fem.: *-pona.*] ***sm.*** 4 Aquele ou aquilo que chupa 5 Ação de chupar, sugar, esp. com força 6 *Bras. Gír.* Beijo forte, sensual ou de contato sexual, que se dá com a boca aberta e com ação de sugar; esse tipo de beijo, dado ger. na pele do pescoço ou da nuca, e que deixa marca 7 Marca na pele, deixada por algum tipo de sucção ou por beijo forte 8 *Zool.* Inseto hematófago, transmissor da doença de Chagas; BARBEIRO 9 *Zool.* Inseto hemíptero, da fam. dos coreídeos, que ataca as cápsulas das plantas e provoca clorose 10 Papel mata-borrão 11 Chaminé da lareira 12 Tragada forte no cigarro: "...uma pausa, um chupão no cigarro, outro avanço..." (Hélio Pólvora, *No mar da Bahia*) 13 *Bras. Folcl.* Criatura fantástica, que vive nos rios e lagoas, protetor dos peixes, e que chupa os equipamentos de pesca e os barcos para o fundo: "...Era o caboclo-d'água. O chupão das profundas do rio..." (Mário Palmério, *Vila dos Confins*) 14 *Fig.* Plágio [Pl.: *-pões.* Fem.: (*na acp. 4*) *-pona.*] [F.: *chupar* + *-ão*[3], com associações e desenvolvimentos semânticos convergentes com as acps. (esp. adjetivas) próprias do el. *-ão*[1].]

chupa-ovo (chu.pa-*o*.vo) [ô] ***sm.*** *Zool.* Ver *papa-ovo* (*Drymarchon corais*) [Pl.: *chupa-ovos.*]

chupar (chu.*par*) ***v. td.*** 1 Aspirar com a boca; SUGAR; SORVER: *O bebê chupava o leite com avidez.* 2 Sorver o suco de: *chupar uma laranja.* 3 Manter na boca para dissolver (bala, confeito, pastilha etc.), salivando: *Distraía-se chupando balas.* 4 Pôr na boca e fazer com esta movimento de sucção sobre: *chupar o dedo/um picolé.* 5 *Tabu.* Praticar felação 6 Absorver (líquido): *Usou papel absorvente para chupar o café derramado.* 7 *Fig.* Aproveitar-se de, trazendo a si: *Ele sempre está chupando o trabalho dos outros.* 8 *Fig.* Copiar (informação, texto etc.) ger. sem mencionar a fonte: *Chupou os dados da internet.* 9 Tirar pouco a pouco (bens, recursos, dinheiro etc.) de alguém: *Aos poucos chupou toda herança, ludibriando os outros herdeiros.* [▶ 1 chupar] [F.: De or. posv. onomatopeica.]

chupa-sangue (chu.pa-*san*.gue) ***sm.*** 1 Vampiro ou, p. ext., qualquer animal real ou ser imaginário que se alimentam sugando o sangue de pessoas ou animais vivos 2 *Fig.* Aquele que se aproveita espertalhonamente do trabalho de outrem 3 Pessoa que, numa equipe, se esforça pouco, beneficiando-se do trabalho ou sacrifício dos demais [Pl.: *chupa-sangues.* O termo por vezes tb. é us. apositivamente.]

chupeta (chu.*pe*.ta) [ê] ***sf.*** 1 Objeto com ponta arredondada de borracha que se dá a bebês para chupar 2 Bico de mamadeira; peça de borracha, semelhante a mamilo e furada na ponta, que se adapta à abertura da mamadeira para dar bebida a crianças de modo semelhante ao leite do peito 3 Sifão ou tubo com que se tira o vinho da pipa para provar 4 Tubo com que se extrai líquido de um recipiente, por sucção 5 *Bras. Gír.* Ligação provisória da bateria de um automóvel para a de um outro, a fim de fornecer a esta a carga necessária para acionar o motor de arranque [F.: *chup(ar)* + *-eta.*] ■ **De ~** 1 Excelente; da melhor qualidade 2 Gostoso, delicioso, apetitoso

chupetada (chu.pe.*ta*.da) ***sf.*** 1 Ação ou resultado de bater com a chupeta 2 *Mec.* Ação de passar a corrente de uma bateria carregada para uma descarregada, a fim de fazer com que esta funcione e dê a partida em um motor 3 *Tabu.* Em uma relação sexual, fazer com a boca movimentos de sucção na genitália do parceiro [F.: *chupeta* + *-ada.*]

chupim (chu.*pim*) ***sm.*** 1 *Zool.* Pássaro da fam. dos emberizídeos (*Molothrus bonariensis*), de plumagem azulada, quase negra, conhecido por botar os ovos no ninho de outras aves, como o tico-tico; GAUDÉRIO; VIRA-BOSTA 2 Designação dada a outros pássaros, esp. o melro ou graúna (*Gnorimopsar chopi*) e o tentilhão (gên. *Fringilla*) 3 *Fig.* Marido sustentado pela mulher (esp. quando esta trabalha) 4 Homem casado com mulher rica ou endinheirada [Pl.: *-pins.*] [F.: Do tupi *xo-pi.*]

chupitar (chu.pi.*tar*) ***v. td.*** 1 Chupar ou beber bem devagar, repetidas vezes: *Chupitava o suco enquanto me esperava.* 2 *Gír.* Alcançar ou obter (recompensa, vantagem, melhoria): *O vendedor chupitou uma boa comissão.* [▶ 1 chupitar] [F.: *chup(ar)* + *-itar.* Hom./Par.: *chupita(s)* (fl.), *chupita(s)* (sf. [pl.]).]

churrascada (chur.ras.*ca*.da) ***sf.*** *Bras.* Refeição, ger. feita em grupo, em que se serve churrasco ou vários tipos de churrasco; p. ext.: festa ou reunião em torno dessa refeição: *Deu uma churrascada para os amigos.* [F.: *churrasco* + *-ada*[1].]

churrascaria (chur.ras.ca.*ri*.a) ***sf.*** Restaurante especializado em servir churrasco [F.: *churrasco* + *-aria.*]

churrasco (chur.*ras*.co) ***sm.*** 1 Carne assada ao calor de brasas, em grelha ou espeto: *Comemos churrasco, feijão e farofa* 2 Refeição em que este é o prato principal: *Depois do churrasco, fomos passear.* 3 Reunião, ger. informal ou festiva e ao ar livre, em que se serve churrasco (1); CHURRASCADA: *Convidou-nos para um churrasco no seu sítio.* [F.: Do cast. *churrasco.*] ■ **~ corrido** Serviço de churrasco a preço fixo, no qual vários tipos de carne vão sendo servidos alternada e seguidamente ao cliente, à sua vontade; rodízio

churrasquear (chur.ras.que.*ar*) ***v.*** 1 *RS* Fazer churrasco [***td.***] [***int.***] 2 Comer churrasco [***int.***] 3 *P. ext.* Comer qualquer refeição [***int.***] [▶ 13 churrasquear] [F.: Do espn. plat. *churrasquear.*]

churrasqueira (chur.ras.*quei*.ra) ***sf.*** 1 Pequena construção ou estrutura própria para fazer churrascos, ger. tendo uma base protegida para abrigar as brasas e suporte para espetos ou grelha 2 Aparelho elétrico para assar carnes em espeto ou grelha [F.: *churrasco* + *-eira.*]

churrasqueiro (chur.ras.*quei*.ro) ***sm.*** Aquele que faz churrasco [F.: *churrasco* + *-eiro.*]

churrasquinho (chur.ras.*qui*.nho) ***sm.*** 1 Tipo popular de churrasco, feito com pedaços pequenos de carne espetados em palitos; ESPETINHO 2 Sanduíche de carne grelhada ou frita na chapa e cortada em pedaços pequenos, ou em bife [F.: *churrasco* + *-inho*[1].]

churriado (chur.ri.*a*.do) ***a.*** *Bras. S.* Diz-se de gado bovino de cor avermelhada com listras brancas

churro (*chur*.ro) ***sm.*** 1 *Cul.* Massa de farinha de trigo, ger. de forma cilíndrica e estriada, que se come frita e coberta de açúcar e canela (no Brasil, é comumente recheada com doce cremoso) 2 Sujidade da pele [F.: Do cast. *churro.*]

chusma (*chus*.ma) ***sf.*** 1 Grande quantidade (de coisas ou pessoas): "...já estava com boa chusma de pessoal..." (Guimarães Rosa, *No Urubuquaquá, no Pinhém*) 2 *Restr.* Grupo, multidão ou conjunto de pessoas das classes baixas; POPULACHO; TURBA 3 *Ant. Mar.* Tripulação de uma embarcação; EQUIPAGEM [F.: Do lat. *celeusma*, talvez por uma forma it. *ciurma* ou dialetal genovesa *ciusma.*]

chuspa (*chus*.pa) ***sf.*** *RS* Pequena bolsa feita de pele do papo da ema, ou outro material, e destinada a guardar dinheiro, fumo, papel de cigarro etc.: "...um carretão de brinquedos, enfiadas de ovos, uma chuspa cheia de pelotas..." (João Simões Lopes Neto, "Pena do velho", *in Contos gauchescos*)

chutador (chu.ta.*dor*) [ô] ***a.*** 1 *Pop.* Diz-se de pessoa que arrisca palpites 2 Diz-se de jogador de futebol que tem chute forte e boa pontaria ***sm.*** 3 Essa pessoa palpiteira: "...Para que não achem que sou um chutador, aí vai a fonte: Biblioteca do Congresso Americano..." (*O Globo*, 04.08.1997) 4 Esse jogador: *Adhemar foi consagrado o grande chutador do campeonato.* [F.: *chutar* + *-dor.*]

chutar (chu.*tar*) ***v.*** 1 Dar chute(s) ou pontapé(s) (em) [***td.:*** *Irritado, chutou a porta.*] [***int.:*** *No sexto mês de gravidez, a mãe sentiu o neném chutar dentro da barriga.*] 2 *Esp.* No futebol, impelir (a bola) com chute, esp. na direção do gol; no basquete, arremessar (a bola) na direção da cesta [***td.:*** *Mesmo caído, chutou a bola.*] [***tdi.*** + *para*: *Chutou a bola para o atacante.*] [***int.*** / ***ta.:*** *O atacante driblou o zagueiro e chutou (para o gol).*] 3 *Fig.* Passar, transferir (atividade, providência, decisão etc.) para outrem; livrar-se de (responsabilidade, estorvo etc.) desse modo [***tdi.*** + *a*, *para*: *Chutou o problema para o futuro gerente.*] 4 *Pop. P. ext.* Livrar-se, descartar, desfazer-se de (algo) ou de alguém) [***td.:*** *Chutou as tralhas e comprou tudo novo; Chutava quem tentasse atrapalhar seus planos.*] 5 *Bras. Pop.* Responder ou afirmar algo, quando pouco ou nada se sabe a respeito; arriscar respostas (em); tentar adivinhar [***td.:*** *Chutou várias questões da prova; Chutou a prova toda.*] [***int.:*** *Deixou lacunas em branco, não quis chutar.*] 6 *Bras. Pop.* Dizer (algo) sem ter certeza; *p. ext.*: inventar, às vezes exagerando [***td.:*** *Para não passar por ignorante, chutou a primeira coisa que lhe veio à cabeça.*] [***int.:*** *Nada disso aconteceu, ela está chutando.*] 7 *Bras. Pop.* Desprezar, dispensar, romper relacionamento amoroso com [***td.:*** *Chutou o namorado.*] [▶ 1 chutar] [F.: *chute* + *-ar*[2]. Hom./Par.: *chute(s)* (fl.), *chute(s)* (sm. [pl.]).] ■ **~ alto** Exagerar em avaliação, esp. de seus próprios méritos e conquistas **~ para o alto** Livrar-se de algo (esp. problemas, responsabilidades, estorvos) ou desistir de tentar cuidar de situação, tarefa, sem se importar ou se envolver com as consequências; abandonar ou fugir de uma situação, uma condição

chute (*chu*.te) ***sm.*** 1 Movimento de estender a perna com força, impulsionando-a para frente, depois de haver dobrado o joelho; golpe dado dessa maneira com um dos pés; PONTAPÉ: *O menino deu um chute na canela do sujeito e correu; A coreógrafa incluiu chutes e cabeçadas no balé inspirado no futebol.* 2 Toque que se dá com o pé (ponta, lado ou peito do pé ou calcanhar), com força (gradativa) ou efeito, em algo (esp. uma bola) para impeli-lo em certa direção, ger. com objetivo específico: *chute a gol; Inquieto, deu um chute numa lata e acertou a janela do vizinho.* 3 *Pop.* Aquilo que se diz, escreve ou faz na tentativa de acertar uma resposta sobre algo de que pouco ou nada se sabe: – *Quanto custou?* – *Vou dar um chute: cem reais; Na prova, vou tentar o chute, marcando todas as respostas na letra C.* [Tal resposta pode ser fruto de palpite, adivinhação ou de suposição lógica.] 4 *Basq.* Lançamento da bola à cesta; ARREMESSO 5 *Bras. Pop.* Mentira, trapaça, logro 6 *Bras. Pop.* Ato de dispensar, rejeitar ou recusar alguém (ou alguma proposta ou tentativa de aproximação); FORA: *Levou um chute da namorada.* [F.: Do ing. *shoot.*] ■ **~ de letra** *Fut.* O que se dá cruzando o pé que chuta a bola por trás do pé de apoio **Dar um ~** 1 *Pop.* Tentar acertar a resposta correta ou fazer a coisa certa, pela intuição ou contando com a sorte 2 Desfazer-se de algo ou livrar-se de alguém 3 Enganar alguém com trapaça ou mentira **No ~** Na adivinhação; na tentativa de acertar por sorte ou intuição, e não por conhecimento: *Não estudou a matéria, mas acertou no chute muitas questões.*

chuteira (chu.*tei*.ra) ***sf.*** Tipo de calçado us. para jogar futebol, esp. aquele que tem travas na sola; CHANCA [F.: *chute* + *-eira.*] ■ **Pendurar as ~s** 1 *Bras. Pop. Esp. Fut.* Encerrar carreira de jogador (esp. jogador profissional de futebol) 2 *Fig. P. ext.* Encerrar qualquer carreira ou atividade

⊕ **chutney** (*Ing.: /tchátni/*) ***sm.*** *Cul.* Condimento de origem indiana, acridoce e mais ou menos picante, feito de fruta, açúcar, vinagre e especiarias

chutometria (chu.to.me.*tri*.a) ***sf.*** *Gír.* A arte de arriscar palpites: "...Mas além de contar com a sorte na resolução da crise asiática e com o fracasso da chutometria nacional..." (*Jornal da Tarde*, 31.12.1997) [F.: De *chute* + *-o-* + *-metria.*]

chutômetro (chu.*tô*.me.tro) ***sm.*** 1 *Bras. Pop.* Informação pouco confiável, na base do palpite: "...Assim, aos estudos técnicos adiciona-se uma dose de chutômetro ou palpitômetro atuarial..." (*O Globo*, 30.12.1997) 2 *Esp.* Aparelho para medir a potência e velocidade de um chute [F.: De *chut(e)* + *-o* + *-metro.*]

chuva (*chu*.va) ***sf.*** 1 *Met.* Queda de água das nuvens, na forma de gotas: *O serviço de meteorologia prevê chuva nos próximos dias; chuvas de verão* [Em termos mais técnicos, é o fenômeno, ligado à presença de certos tipos de nuvens, da precipitação do vapor de água da atmosfera, condensado ao se resfriar.] 2 A água que cai das nuvens na forma de gotas: *Caiu muita chuva durante a tarde toda; Cuidado para não apanhar chuva.* 3 Estação chuvosa; período ou cada um dos períodos do ano em que ocorrem mais chuvas [Ger. us. no pl.] 4 *Fig.* Aquilo que cai lembrando chuva, na forma de gotas, ou de partículas, fragmentos etc.; grande quantidade de coisas que caem, ou que são atiradas: *chuva de confete e serpentina, no baile de carnaval; Os noivos saíram da igreja sob uma chuva de arroz;* "...Diz que lá, bala é como chuva..." (Simões Lopes Neto, *Contos gauchescos e Lendas do sul*) [Na abonação desta acp., embora a palavra *chuva* esteja empregada na acp. 2, a frase deixa clara a analogia em que se baseia o uso fig.] 5 *P. ext.* Grande quantidade de coisas que aparecem ou se manifestam simultaneamente, ou em certo período de tempo: *Ganhou da filha uma chuva de beijos; chuva de meteoros.* [*ver essa loc.*] 6 Aparecimento de riscos na tela da televisão, devido a interferência ou recepção defeituosa do sinal; CHUVISCO 7 *Pop. Fig.* Estado de embriaguez; BEBEDEIRA [F.: Do lat. *pluvia.*] ■ **Andar na ~** *Bras. Pop.* Estar embriagado **~ ácida** *Met.* Precipitação de elementos ácidos presentes na atmosfera, ger. provenientes de gases poluentes, como o dióxido de enxofre e o óxido de nitrogênio, e que se depositam em ou reagem com a água da atmosfera (formadora de chuva, neve etc.) ou com partículas sólidas **~ artificial** Chuva provocada pela projeção, em nuvens carregadas, de substâncias que suscitam a solidificação do vapor-d'água **~ ciclonal** *Met.* Chuva que ocorre em áreas de baixa pressão (ciclones) **~ de convecção** *Met.* Aquela que tem origem no movimento ascendente (diurno) das massas de ar carregadas de vapor-d'água de evaporação, comum na região equatorial e nas montanhas **~ de estrelas** *Astron.* Ver *Chuva de meteoros.* **~ de granizo** *Pop.* Queda de pedaços de gelo, ger. em forma de glóbulos, resultante do congelamento das gotas de chuva ao passar por camada muito fria da atmosfera [Tb. se usa apenas *granizo.*] **~ de meteoros** *Astron.* Aparição simultânea de um conjunto de meteoros, que parecem ter a mesma região de origem no céu; chuva de estrelas [Cf.: *chuva de ouro.*] **~ de ouro**

Expl. Ver *Chuva pirotécnica* **~ de pedra** *Met.* Granizo **~ de prata** *Expl.* Ver *Chuva pirotécnica* **~ de relevo** *Met.* Chuva que se origina nas baixas temperaturas de regiões elevadas, ocorrendo em planaltos e encostas de montanhas **~ no roçado** *Bras. Pop.* Negócio rentável, vantajoso **~ pirotécnica** *Expl.* Efeito de fogo de artifício na forma de chuva luminosa e contínua, prateada ou dourada; chuva de ouro; chuva de prata; chuva veneziana **~ veneziana** *Expl.* Ver *Chuva pirotécnica* **Estar a pedir ~ 1** *Pop.* Ficar muito pobre, na miséria **2** Ser merecedor de castigo (corporal) **Estar na ~** Ver *Andar na chuva* **Ficar a pedir ~** Ver *Estar a pedir chuva*

chuvada (chu.*va*.da) *sf.* Ver *chuvarada*

chuva-de-ouro (chu.va-de-*ou*.ro) *Bot. sf.* **1** Orquídea epífita (*Oncidium flexuosum*) de flores amarelas, nativa do Brasil e cultivada como ornamental **2** Canafístula (2) [Pl.: *chuvas-de-ouro*.]

chuvado (chu.*va*.do) *a.* Diz-se de produto agrícola que sofreu os efeitos da chuva ou foi mal lavado (café chuvado): *café chuvado.* [F.: *chuva* + *-ado*.]

chuvarada (chu.va.*ra*.da) *sf.* **1** Chuva forte, ger. de curta duração; CHUVADA; TORÓ **2** *Fig.* Grande quantidade, ou quantidade excessiva, esp. quando aparece de modo repentino, impetuoso (chuvarada de dinheiro; chuvarada de impropérios) [F.: *chuva* + *-arada*. Tb. *chuvada*.]

chuveirada (chu.vei.*ra*.da) *sf.* **1** Banho de chuveiro, ger. rápido: *Tomou uma chuveirada e saiu.* **2** Ação de molhar ou lavar algo com água de chuveiro (ger. em jorro forte) **3** Forte borrifo ou esguicho de água, ger. em gotas grossas, que atinge algo ou alguém, como p. ex. o que é lançado por onda que quebra, por queda-d'água etc. **4** Queda ou incidência de algo em grande quantidade, semelhante a pingos ou borrifos: *polvilhe farinha de trigo em chuveirada*: "Raios cósmicos são núcleos atômicos que penetram a atmosfera terrestre e, a dezenas de quilômetros acima do solo, chocam-se com átomos que formam o ar. Essa trombada causa um tipo de reação em cadeia cujo resultado é uma "chuveirada", que viaja rumo ao chão quase à velocidade da luz." (Cássio Vieira Leite, *Folha de S.Paulo*, 19.11.2005) [F.: *chuveiro* + *-ada*[1].]

chuveirinho (chu.vei.*ri*.nho) *Bras. sm.* **1** *Fut.* Lançamento alto sobre a área do time adversário: "...parece que o treinador elegeu o chuveirinho como opção tática..." (*Folha de S.Paulo*, 23.05.2002) **2** Pequeno chuveiro para uso manual [F.: *chuveiro* + *-inho*.]

chuveiro (chu.*vei*.ro) *sm.* **1** Objeto de plástico ou metal com vários furos que, colocado na saída de um cano, espalha a água em pingos ou jatos finos sobre quem toma banho **2** Peça furada, similar ao chuveiro (1), colocada no bocal de regadores ou na saída de água de outros objetos, para espalhar água em muitos pingos ou filetes simultâneos **3** Banho de chuveiro; CHUVEIRADA **4** Parte do banheiro, ger. fechada e com piso mais baixo que o do banheiro, destinada ao banho de chuveiro: *De pois do banho, limpou o chuveiro.* **5** Chuva forte e passageira **6** Líquido que cai ou corre ou goteja em grande quantidade; chuva **7** *Fig.* Grande quantidade de coisas que caem (ou chegam, aparecem etc.) ao mesmo tempo **8** *AM.* Chuva de inverno demorada e abundante **9** Fogo de artifício que emite clarões que lembram pingos de chuva **10** Anel com muitos brilhantes engastados em círculo **11** *Fut.* Chuveirinho (passe pelo alto) ou série de passes desse tipo [F.: *chuva* + *-eiro*.] ■ **~ automático** *Cons.* Dispositivo que, ao atingir o ambiente certa temperatura, asperge água; usa-se para combater automaticamente focos iniciais de incêndio; *sprinkler* **Ir para o ~ (mais cedo)** *Fut. Esp.* Deixar a partida antes do fim, substituído ou, ger., expulso **Mandar para o ~** *Fut.* Expulsar de campo (jogador)

chuviscado (chu.vis.*ca*.do) *a.* **1** Em que chuviscou, sobre o que caiu chuvisco (terra chuviscasda) **2** Diz-se de imagem de filme ou televisão que apresenta chuvisco (interferência na forma de pequenos pontos), prejudicando a nitidez: *filme antigo e chuviscado.* [F.: Part. de *chuviscar*.]

chuviscar (chu.vis.*car*) *v. int.* Chover pouco e miúdo; BORRIÇAR; BORRIFAR; PENEIRAR: *Nem abri o guarda-chuva pois apenas chuviscava.* [▶ **11** chuviscar. V. impess., conjugado somente na 3a. pess. sing.] [F.: *chuvisco* + *-ar*[2]. Hom./Par.: *chuvisco* (fl.), *chuvisco* (sm.).]

chuvisco (chu.*vis*.co) *sm.* **1** Chuva fraca, pouco densa, com pingos miúdos, e ger. de pouca duração **2** *Bras. Cul.* Doce em forma de gota de chuva, feito à base de gemas de ovos e açúcar **3** *Fig. Telv.* Interferência na imagem da televisão, na forma de pequenos traços, à maneira de uma chuva fina **4** *Fig.* Coisa passageira: "O bom da vida é só de chuvisco..." (Guimarães Rosa, *Noites do sertão*) **5** *Bras. N. E.* Chuveiro (objeto com furos, para espalhar água do banho) [F.: *chuva* + *-isco*[1].]

chuvisqueiro (chu.vis.*quei*.ro) *sm. S. C. O.* Chuva fina e passageira; CHUVISCO: "...Por entre as minhas lágrimas, como um sol cortando o chuvisqueiro, passou-me na lembrança..." (João Simões Lopes Neto, "Treze onças", *in Contos gauchescos*) [F.: *chuvisco* (*c* > *qu*) + *-eiro*.]

chuvoso (chu.*vo*.so) [ô] *a.* **1** Diz-se de período de tempo em que ocorre chuva ou em que há condições atmosféricas causadoras de chuvas (nuvens de chuva etc.) (dia chuvoso, semana chuvosa); PLUVIOSO: *Tarde chuvosa de janeiro.* **2** Caracterizado pela ocorrência de chuvas frequentes ou abundantes: *A estação chuvosa do ano; Moro numa região chuvosa.* [Pl.: [ó]. Fem.: [ó].] [F.: *chuva* + *-oso*.]

⊠ **Ci** *Fís.* Símbolo de Curie, unidade de medida de radioatividade

◎ **cia-** *el. comp.* Ver *ci(o)-*

⊕ **ciabatta** (*It.* /xiabáta/) *sf. Cul.* Tipo de pão italiano feito de farinha de trigo e azeite, com casca fina e crocante, miolo branco e macio e sabor ligeiramente acidificado

cianamida (ci.a.na.*mi*.da) *Quím. sf.* **1** Sólido incolor, cristalino, facilmente solúvel em água, fabricado a partir do seu sal sódico. Tem efeito extremamente irritante sobre a pele e as mucosas [Fórm.: CH_2N_2.] **2** Substância conhecida como *cianamida de cálcio*, empregada como desfolhante, herbicida, pesticida, fertilizante, na produção do ferro etc. [Fórm.: $CaCN_2$.] [F.: *cian(o)-* + *amida*.]

cianato (ci.a.*na*.to) *sm. Quím.* Sal ou éster do ácido ciânico facilmente hidrolisável [F.: *cian(o)-* + *-ato*[2].]

cianeto (ci.a.*ne*.to) [ê] *sm. Quím.* Sal ou éster de ácido cianídrico, extremamente venenoso; CIANURETO [F.: *cian(o)-* + *-eto*[2].] ■ **~ de potássio** *Quím.* Combinação que constitui fortíssimo veneno

◎ **ciani-** *el. comp.* Ver *cian(o)-*

cianídrico (ci.a.*ní*.dri.co) *a. Quím.* Diz-se de ácido (HCN) que na temperatura ambiente apresenta a forma de líquido incolor, causando a morte sob a forma gasosa; PRÚSSICO [Us. como meio de execução nas penas de morte e nas câmaras de gás de campos de concentração.] [F.: *cian(o)-* + *-idr(o)-* + *-ico*[2].]

cianina (ci.a.*ni*.na) *sf. Quím.* Pigmento azul-esverdeado us. na indústria fotográfica e na fabricação de *CD's* e *DVD's* [F.: *cian(o)-* + *-ina*[2].]

cianípede (ci.a.*ní*.pe.de) *a2g. Zool.* De pés azuis [F.: *ciani-* + *-pede*.]

cianirrostro (ci.a.nir.*ros*.tro) [ô] *a. Zool.* Que tem bico azul [F.: *ciani-* + *-rostro*.]

◎ **-cian(o)-** *el. comp.* Ver *cian(o)-*

◎ **-ciano** *el. comp.* Ver *cian(o)-*

◎ **cian(o)-** *el. comp.* = 'azul', 'ciano'; '(Quím.) grupo monovalente NC': *cianamida, cianato, cianeto, cianobactéria* (< lat. cient.), *cianocarpo, cianocéfalo, cianose* (< gr.); *cianípede, cianirrostro*; *acianoblepsia, acianopsia, antocianina, xantocianopsia*; *antociano* [F.: Do gr. *kýanos, ou*, 'substância azul-escura us. para tingir escudos e armas metálicas'; 'mineral us. para tingir'; 'erva escovinha', ou do a. gr. *kyanós, é, ón*, 'azul-escuro'.]

ciano (ci.*a*.no) *sm.* **1** Cor azul esverdeada, us. como uma das três cores primárias em fotografia e impressão a cores **2** *Bot.* Escovinha (2); *p. ext.*: designação de outras plantas do gên. *Centaurea*, tb. chamado *Cyanus* **a2g. 3** Que tem a cor ou coloração azul esverdeada do ciano (1) (tinta ciano, carro ciano) **4** Diz-se dessa cor (cor ciano) [F.: Do gr. *kýanos, ou*, 'substância azul-escura us. para tingir escudos e armas metálicas'; 'mineral us. para tingir'; 'erva escovinha'; lat. cient. *Cyanus*.]

cianocobalamina (ci.a.no.co.ba.la.*mi*.na) *sf. Quím.* Forma sintética de vitamina B12 que atua esp. no metabolismo do crescimento, combate a anemia, distúrbios sanguíneos etc. [F.: *cian(o)-* + *cobalamina*.]

cianofícea (ci.a.no.*fí*.ce.a) *sf. Bot.* Espécime das cianofíceas, classe de algas microscópicas, encontradas em vários ambientes esp. na água-doce, onde formam o limo [F.: Adaptç. do lat. cient. *Cyanophyceae*.]

cianogênio (ci.a.no.*gê*.ni.o) *sm. Quím.* Gás incolor de odor forte, altamente tóxico, solúvel em água, etanol e éter, muito us. na preparação de fertilizantes [F.: *cian(o)-* + *-gênio*.]

cianosar (ci.a.no.*sar*) *v. int. Med.* Apresentar cianose [▶ **1** cianosar] [F.: *cianose* + *-ar*[2].]

cianose (ci.a.*no*.se) *sf. Med.* Cor azulada que a pele adquire devido à deficiência na oxigenação do sangue; CIANOPATIA; DOENÇA AZUL [F.: Do gr. *kyánosis, eos*.] ■ **~ congênita** *Card.* Cianose resultante de malformação congênita do coração, em que o sangue venoso se mistura ao arterial; doença azul

cianótico (ci.a.*nó*.ti.co) *Med. a.* **1** Ref. a cianose **2** Diz-se de indivíduo que tem cianose *sm.* **3** Esse indivíduo [F.: *cian(ose)* + *-ótico*, seg. o mod. gr.]

cianureto (ci.a.nu.*re*.to) [ê] *sm. Quím.* O mesmo que *cianeto* [F.: Do ing. *cyanuret*.]

⊕ **ciao** (*It.* /tcháu/) *interj.* **1** Até logo, até a vista **2** Expressão de saudação; OLÁ [Ver tb. *tchau*.]

ciascopia (ci.as.co.*pi*.a) *sf. Oft.* Exame que determina a refração ocular a partir da observação das sombras no campo pupilar [F.: *cia-* + *-scopia*. Tb.: *esciascopia*.]

◎ **ciati-** *Pref.* = ossos do quadril: *ciática, ciático*.

ciática (ci.*á*.ti.ca) *sf. Med.* Nevralgia do nervo ciático, localizada sobretudo nos quadris, na área lombar, nas nádegas e na perna [F.: Fem. substantivado de *ciático*, a partir da loc. *dor ciática*.]

ciático (ci.*á*.ti.co) *a.* **1** *Anat.* Ref. aos, dos ou pertencente aos quadris **2** Diz-se de cada um dos dois grandes nervos dos membros inferiores (os maiores nervos do corpo), que descem da parte inferior das costas até a altura de cada tornozelo, passando pelos glúteos, a parte posterior da coxa e a perna, controlando os músculos, as articulações e boa parte da pele nessas áreas [F.: Do fr. sciatique < lat. tardio *sciaticus*, alter. de *ischiadicus* 'relativo aos ísquios, aos quadris'.]

◎ **ciat(o)-** *el. comp.* = copo, taça, vaso de beber, medida: *ciateácea, ciateáceo, ciato*.

ciberespacial (ci.be.res.pa.ci.*al*) *a2g.* Ref. a ou próprio do ciberespaço: "...A tecnologia ciberespacial permite que as modificações sejam feitas em poucos segundos..." (*Jornal do Brasil*, 21.01.1995) [Pl.: *-ais*.] [F.: Do ing. *cyberspacial*.]

ciberespaço (ci.ber.es.*pa*.ço) *sm. Inf.* Rede de computadores, esp. a internet, cujo conteúdo informacional é concebido como um ambiente ou espaço ou mundo virtual, composto de dados e programas que o usuário pode acessar ou com os quais pode interagir, como quem se desloca (p. ex., 'visitando' *sites* e sendo transferido de um para outro por meio de *links*) [F.: *ciber* (abr. de *cibernética*) + *espaço*; por infl. do ing. *cyberspace*.]

ciberladrão (ci.ber.la.*drão*) *sm. Inf.* Ladrão que opera na internet por meio de mensagens eletrônicas com endereços falsos: "Cuidado com e-mails que oferecem prêmios. Podem ser truques de um ciberladrão..." (*Empresas e Negócios, dez. 04*) [Pl.: *-drões*.] [F.: *ciber-* + *ladrão*.]

cibermercado (ci.ber.mer.*ca*.do) *sm. Inf.* Lugar do comércio virtual, ger. relacionado às negociações feitas pela internet: *A internet não deve reduzir-se a um cibermercado ávido por produtos comerciais.* [F.: *ciber-* + mercado.]

cibermundo *sm. Inf.* Mundo do espaço virtual ou do ciberespaço; a Internet (ou outras redes) e seus usuários; o conjunto dos usuários da internet (ou outras redes), considerado como parte da sociedade, cultura ou economia: "...que o cibermundo não nos ouça, mas exceto o material publicado e registrado na Biblioteca Nacional, tudo aquilo que se lança na rede é passível de ser compartilhado..." (*O Globo*, 29.07.2002) [F.: De *ciber-* + *mundo*.]

cibernauta (ci.ber.*nau*.ta) *sm. Inf.* Usuário da internet que consulta frequentemente as informações disponíveis na rede: "...para contar a história de um cibernauta que descobre que o mundo ao seu redor pode não ser real..." (*O Globo*, 07.05.1999) [F.: *ciber-* + *-nauta*.]

cibernética (ci.ber.*né*.ti.ca) *sf.* Estudo dos sistemas de comunicação e controle nas máquinas e nos seres vivos; estudo dos processos pelos quais sistemas complexos (naturais ou artificiais) se organizam, se regulam e aprendem pela troca e circulação de informação [F.: Do ing. *cybernetics* (termo cunhado em meados do séc. XX), calcado diretamente no gr. *tekhné kybernetiké* 'arte/técnica de pilotar, de governar embarcação'.]

📖 O fundamento dessa ciência é, a exemplo do cérebro animal, realimentar um sistema de tomada de decisão (o que fazer), para acionar uma consequente ação (fazer), com os dados de determinada situação, inclusive aqueles resultantes da ação do próprio sistema, num círculo que se realimenta constantemente. Essa retroalimentação de informação para propiciar uma ação adequada (em inglês, feedback) é a base dos robôs e dos sistemas ditos 'inteligentes' formulados na cibernética, os chamados 'servossistemas', ou 'servomecanismos'.

cibernético (ci.ber.*né*.ti.co) *a.* **1** Ref. à cibernética **2** Ref. ao estudo ou concepção de conjuntos complexos e autorregulados que integram elementos biológicos, mecânicos, eletrônicos e de processamento de dados **3** *P. ext.* Ref. ao uso e funcionamento de computadores em processos e sistemas de comunicação, ou em atividades humanas [F.: do gr. *kybernetikós* 'ref. ao piloto, ao timoneiro, ao governante', mas us. em correlação semântica com o termo moderno *cibernética*.]

ciberpornografia (ci.ber.por.no.gra.*fi*.a) *sf. Inf.* Pornografia divulgada pela internet: "Grupos tentam combater ciberpornografia." (*Folha de S.Paulo*, 16.06.2004) [F.: *ciber-* + *pornografia*.]

ciberpropaganda (ci.ber.pro.pa.*gan*.da) *sf. Inf. Pub.* Propaganda veiculada pela internet (estratégias de ciberpropaganda) [F.: *ciber-* + *propaganda*.]

ciborgue (ci.*bor*.gue) *sm. Liter.* Ser humano que teve partes do seu corpo substituídas por componentes eletrônicos (associados ou não a dispositivos mecânicos) capazes de cumprir a função de órgãos, membros etc. [F.: Do ing. *cyborg* 'cybernetic organism' (organismo cibernético). Cf.: *biônico*.]

cibório (ci.*bó*.ri.o) *sm.* **1** *Litu.* Na igreja católica, vaso em que se guardam as hóstias: "...e fez crescer no jalde de um cibório..." (Guimarães Rosa, *Magma*) **2** *Arq.* Nas basílicas e igrejas antigas de certas épocas e estilos arquitetônicos, espécie de pavilhão com quatro colunas e cúpula ou cobertura, para abrigar imagens ou objetos sagrados [F.: Do gr. *kybórion*.]

⊠ **CIC** Sigla de *Cartão de Identificação do Contribuinte* (do imposto de renda), documento que traz o nome da pessoa e o seu número de CPF

cica[1] (*ci*.ca) *sf. Bras.* Gosto amargo e adstringente das frutas verdes ou ricas em tanino (p. ex., banana, caju), assim como de folhas, cascas etc. de certas plantas; TRAVO; TRAVOR [F.: Do tupi *si'ka*. Hom./Par.: *cica* (sf.), *sica* (sf.).]

cica[2] (*ci*.ca) *sf. Bot.* Nome comum às árvores do gên. *Cycas*, da fam. das cicadáceas, semelhantes a palmeiras, ger. cultivadas como decorativas ou pelas sementes comestíveis [F.: Do lat. cient. *Cycas*.]

cica[3] (*ci*.ca) *sm. Ornit.* Ave psitaciforme (*Triciaria malachitacea*) da fam. dos psitacídeos que vive nas serras úmidas das áreas serranas do Brasil, da BA ao RS, de bico branco, plumagem verde, sendo que o macho possui o abdome azul-purpúreo; SABIACICA [F.: Prov. red. de *sabiacica*.]

cicadácea (ci.ca.*dá*.ce.a) *sf. Bot.* Espécime das cicadáceas [F.: Do lat. cient. *Cycad-* + *-ácea*.]

cicadáceas (ci.ca.*dá*.ce.as) *sfpl. Bot.* Família de gimnospermas bastante parecidas com palmeiras. Algumas espécies são muito admiradas por sua beleza [F.: Ver *cicadácea*.]

circadiano (cir.ca.di.*a*.no) *a. Biol.* Diz-se do ritmo que desempenha suas funções em ciclos de 24 horas, regulando todos os ritmos do corpo, desde a digestão ao processo de eliminação, do crescimento ao renovar das células, assim como a subida ou descida da temperatura corporal. [Os ritmos circadianos são ger. controlados pelos relógios biológicos.] [F.: Do lat. *circa diem* 'por volta de um dia'.]

cicatricial (ci.ca.tri.ci.*al*) *a2g.* Ref. a ou próprio de cicatriz (evolução cicatricial; processo cicatricial). [Pl.: *-ais.*] [F.: Do lat. *cicatrice* + *-ial.*]

cicatriz (ci.ca.*triz*) *sf.* **1** Marca deixada (na pele ou em outra parte ou órgão) por uma ferida, depois de curada, e que consiste em porção de tecido fibroso que recompõe a parte que sofreu lesão **2** *Fig.* Efeito duradouro de algum dano moral ou emocional; lembrança de um fato ou experiência pessoal (esp. de sofrimento), e a correspondente modificação de algum aspecto da personalidade ou do comportamento: *O fim do namoro deixou-lhe profundas cicatrizes.* **3** *Fig.* Efeito duradouro de algum dano sofrido, de uma calamidade, destruição etc.: *A guerra deixa cicatrizes em populações inteiras.* **4** *Bot.* Sinal que deixam no caule ou nos ramos as folhas e frutos que caem ou são arrancados [F.: Do lat. *cicatrix.*] ■ **~ estelar** *Astron.* Aquela produzida na crosta terrestre pela queda de um grande meteorito

cicatrização (ci.ca.tri.za.*ção*) *sf.* **1** Ação ou resultado de cicatrizar(-se) **2** Formação de cicatriz em tecido lesionado **3** *Fig.* Processo pelo qual crise, sofrimento, dano ou abalo são superados, ou seus efeitos são corrigidos, minimizados [F.: *cicatriz* + *ação.*]

cicatrizado (ci.ca.tri.*za*.do) *a.* **1** Que se cicatrizou, que passou por cicatrização (diz-se de ferida etc. ou da parte ou local em que havia lesão) **2** *P. ext.* Marcado por cicatriz(es) **3** *Fig.* Curado de sofrimento ou dor moral **4** *Fig.* Diz-se de problema etc. que foi superado, que já não causa dor ou sofrimento, já não tem efeitos danosos (traumas cicatrizados) [F.: Part. de *cicatrizar.*]

cicatrizador (ci.ca.tri.za.*dor*) [ô] *a.* **1** Que promove a cicatrização (tb. fig.); que tem efeito cicatrizante (agente cicatrizador) *sm.* **2** Aquilo que promove ou estimula a cicatrização (tb. fig.) [F.: *cicatrizar* + *-dor.*]

cicatrizante (ci.ca.tri.*zan*.te) *a2g.* **1** Que favorece a cicatrização *sm.* **2** Substância ou medicamento que tem esse efeito [F.: *cicatrizar* + *-nte.*]

cicatrizar (ci.ca.tri.*zar*) *v.* **1** *Med.* Promover a cicatrização (de) [*int.* / *td.*: *Este óleo desinfeta e cicatriza (feridas).*] **2** Fechar-se (ferida, chaga, lesão) formando cicatriz [*int.*: *A ferida no meu braço cicatrizou(-se).*] **3** *Fig.* Dissipar(-se), desvanecer(-se) (um sofrimento moral) [*int.*: *Sua mágoa cicatrizou(-se).*] **4** Encher de cicatrizes; causar feridas ou lesões que deixam cicatrizes; deixar marcas [*td.*: *A varíola cicatrizou-lhe o rosto.*] [▶ 1 cicatrizar] [F.: *cicatriz* + *-ar* 2. Hom./Par.: *cicatrizáveis* (fl.), *cicatrizáveis* (pl. de *cicatrizável*); *cicatrizes* (fl.), *cicatrizes* (pl. de *cicatriz*).]

cícero (*cí*.ce.ro) *sm. Art. gr.* Unidade de medida tipográfica equivalente a 12 pontos Didot (4, 51 mm) [F.: Do antr. *Cícero* < antr. lat. *Cicerus* (orador romano), e com infl. do fr. *cicéro*, em alusão a uma edição de cartas desse autor, publicada no séc. XV, e que serviu de base ao sistema de medidas tipográficas.]

cicerone (ci.ce.*ro*.ne) *s2g.* **1** Pessoa que guia e acompanha turistas ou visitantes, mostrando pontos de interesse, fornecendo informações e explicações etc. **2** *P. ext.* Pessoa que acompanha outra para introduzi-la em determinado círculo social [F.: Do it. *cicerone.*]

ciceronear (ci.ce.ro.ni.*ar*) *v. td.* Acompanhar e guiar (alguém), desempenhando as funções de cicerone, apresentando a lugares, pessoas etc.; ciceronizar: *Ciceroneava o grupo de turistas* [▶ 13 ciceronear] [F.: *ciceron(e)* + *-ear*[2].]

ciciado (ci.ci.*a*.do) *a.* **1** Pouco audível; diz-se de voz, som etc. emitido em intensidade ou volume muito baixos, como rumor ou murmúrio: *Um ruído ciciado vem das folhagens; Sua voz era um sussurro ciciado.* *sm.* **2** Som sibilante: *Percebe-se um ligeiro ciciado em sua dicção.* [F.: *cici(ar)* + *-ado.*]

ciciante (ci.ci.*an*.te) *a2g.* Que cicia; que produz rumores leves ou sibilação branda; que sussurra ou murmura; RUMOREJANTE; MURMURANTE; SIBILANTE: "...na cama próxima, uma das mãos sobre a face, compassando a respiração ciciante..." (Raul Pompeia, *O ateneu*) [F.: *cicia(r)* + *-nte.*]

ciciar (ci.ci.*ar*) *v.* **1** Produzir leve rumor; sibilar brandamente [*int.*: *O trigal ciciava à brisa da manhã.*] **2** Falar em tom muito baixo; MURMURAR; SUSSURRAR [*int.* / *td.*: *Ficavam no canto, ciciando (segredos).*] [▶ 1 ciciar] [F.: Posv. onom. Hom./Par.: *ciciar*, *cecear* (em várias fl.).]

cicindela (ci.cin.*de*.la) *sf. Zool.* Denominação comum aos besouros da fam. dos cicindelídeos, do gên. *Cicindela*, que possuem odor desagradável [F.: Do lat. cient. gên. *Cicindela.*]

cicio (ci.*ci*.o) *sm.* **1** Ação ou resultado de ciciar **2** Som brando e contínuo, rumor sibilante (como o de ramos movidos pelo vento) **3** Sussurro, murmúrio **4** Característica ou defeito de pronúncia, que consiste na troca de /z/ por /s/ [F.: Regr. de *ciciar.*]

ciclagem (ci.*cla*.gem) *sf. Elet.* Frequência (de ciclos) de uma corrente alternada [Pl.: *-gens.*] [F.: *ciclo*[1] + *-agem*[2].]

ciclamato (ci.cla.*ma*.to) *sm.* Denominação comum de cicloexilsulfamato de sódio ($C_6H_{11}NHSO_2$), substância artificial derivada do petróleo, com poder adoçante trinta vezes maior que o da sacarose [F.: Do ing. *cyclamate.*] ■ **~ de sódio** *Quím.* Substância us. como adoçante sintético [Fórm.: $C_6H_{12}NNaO_3S$.]

ciclame (ci.*cla*.me) *sm.* **1** *Bot.* Nome comum às plantas do gên. *Cyclamen*, da fam. das primuláceas, cultivadas como ornamentais por suas flores vistosas, brancas, róseas ou purpúreas **2** Cor arroxeada típica dessa planta *a2g.* **3** Que tem essa cor **4** Diz-se dessa cor [Pl.: *-mens ou -menes (p. us.) para a forma ciclâmen.*] [F.: Do lat. *cyclamen.* Tb. *ciclâmen, cíclame.*]

cíclame (*cí*.cla.me) *sm.* Ver *ciclame*

ciclâmen (ci.*clâ*.men) *sm.* Ver *ciclame* [Pl.: *-mens ou (p. us.) -menes.*]

ciclicidade (ci.cli.ci.*da*.de) *sf.* **1** Qualidade ou característica do que é cíclico, do que obedece a ciclos; PERIODICIDADE: *A ciclicidade da indústria de transformação brasileira.* **2** Alternância de períodos ou ciclos [F.: *cíclico* + *-(i)dade.*]

cíclico (*cí*.cli.co) *a.* **1** De ou ref. a ciclo **2** Que se repete ou que ocorre periodicamente; que se realiza em intervalos regulares: *As marés são um fenômeno cíclico.* **3** *Astron.* Ref. a um ciclo astronômico **4** *Bot.* De peças florais dispostas em verticilo(s) (diz-se de flor) **5** *Fís.* Diz-se de processo físico que apresenta regularidade; PERIÓDICO **6** *Liter.* Diz-se da poesia ou do poeta que floresceu na época clássica grega **7** *Med.* Diz-se de doença (física ou mental) cuja evolução se dá em intervalos regulares de tempo **8** *Mús.* Diz-se de composição em que um mesmo trecho melódico reaparece em vários movimentos [F.: Do lat. *cyclicus, a, um*, do gr. *kyklikós, é, ón*, 'circular'.]

ciclídeo (ci.*clí*.de.o) *Zool. sm.* **1** Espécime dos ciclídeos, fam. de peixes teleósteos, que habitam os rios da América e da África tropicais *a.* **2** Ref. ou pertencente aos ciclídeos [F.: Adaptç. do lat. cient. *Cichlidae.*]

ciclismo (ci.*clis*.mo) *sm.* **1** Prática de andar de bicicleta **2** *Esp.* Esporte em que se disputam corridas de bicicletas [F.: Do fr. *cyclisme.*]

> 🕮 Muito popular na Europa, o esporte começou em 1842 com o próprio inventor da bicicleta, o escocês Kirpatrick MacMillan, que disputou uma corrida com uma carruagem puxada a cavalos, e venceu. Hoje disputam-se provas de ciclismo em estradas (voltas nacionais de França, Espanha, Portugal, as 1.000 Milhas das Nações, uma das três provas do triatlo etc.) ou em pistas especiais chamadas velódromos (provas de scratch, velocidade tandem, perseguição individual e por equipes). O ciclismo é esporte olímpico.

ciclista (ci.*clis*.ta) *s2g.* Praticante do ciclismo [F.: Do fr. *cycliste.*]

ciclístico (ci.*clís*.ti.co) *a. Esp.* Ref. ao ciclismo ou aos ciclistas [F.: *ciclista* + *-ico*[2].]

◎ **-cicl(o)-** *el. comp.* Ver *cicl(o)-*

◎ **-ciclo** *el. comp.* Ver *cicl(o)-*

◎ **cicl(o)-** *el. comp.* = 'círculo'; 'roda'; 'esfera'; 'estrutura circular'; 'objeto ou instrumento arredondado'; '(*Quím.*) anel, em estrutura molecular'; '(*Bot.*) verticilo'; 'veículo de rodas'; 'veículo que tem 'x' rodas': *cíclico* (< gr.), *ciclismo, ciclodiatermia, ciclofaixa, ciclometria, ciclômetro, ciclomotor; isocíclico, monocíclico; autociclo, biciclo, epiciclo* (< gr.), *hemiciclo* (< gr.), *hexaciclo* (< gr.), *quadriciclo, triciclo* [F.: Do gr. *kýklos, ou*, 'círculo'; 'roda'; 'esfera', 'bola', etc.]

ciclo[1] (*ci*.clo) *sm.* **1** Série de fenômenos ou fatos que se sucedem periodicamente numa determinada ordem; essa ordem: *ciclo das estações.* **2** *Astr.* Duração do tempo em que transcorre um ciclo astronômico: *O ciclo de translação da Terra é de cerca de 365 dias.* **3** Cadeia de acontecimentos históricos marcados por certas características, práticas etc.: *o ciclo da borracha no Brasil.* **4** *Bras.* Cada uma das divisões do ensino (ciclo primário, secundário) **5** *Bioq.* Conjunto de transformações ocorridas em um sistema e que o levam à posição inicial **6** *Eletrôn.* Período na corrente alternada **7** *Enuc.* Sequência das operações de elaboração, utilização no reator e processamento após a irradiação de um combustível nuclear **8** *Fís.* Parte de um fenômeno periódico que se realiza ao longo de um período completo **9** *Liter.* Conjunto de poemas, em geral épicos, que têm como tema principal um herói ou um fato etc.: *ciclo do Rei Artur.* **10** *Biol.* Processo biológico recorrente **11** *Agric.* Fluxo de circulação de elementos minerais entre o solo e a vegetação **12** *Quím.* Cadeia de átomos fechada, que ocorre ger. com os compostos de carbono **13** *Radt.* Unidade de frequência equivalente ao período por segundo **14** *Soc.* Período, reversível ou irreversível, do desenvolvimento social [F.: Do gr. *kýklos, ou*, pelo lat. *cyclus, i*; ver *cicl(o)-*.] ■ **~ anovulatório** *Fisl.* Ciclo menstrual no qual, por anomalia, não há liberação de óvulo **~ básico** Em instituições de ensino superior com várias áreas de habilitação, o ciclo comum a essas áreas, cobrindo os conhecimentos fundamentais necessários a todos eles, e preparatório às fases de especialização **~ biogeoquímico** *Ecol.* O ciclo contínuo de um certo elemento químico, ao se incorporar como elemento de um ser vivo, para depois ser liberado para o meio ambiente, reiniciando o ciclo **~ biológico** Biociclo **~ cardíaco** *Card.* O ciclo da função cardíaca, composto de sístole, diástole e os intervalos entre elas **~ celular** *Cit.* O ciclo de modificações no núcleo e no citoplasma de uma célula em seu processo de divisão celular, e que se repete nas novas células **~ circadiano** Ciclo diário (de 24 horas) de fenômenos (esp. biológicos) que se repetem **~ de Calvin** *Bioq.* Ciclo de reações bioquímicas da fotossíntese, com fixação de gás carbônico e formação de carboidratos simples **~ de Krebs** *Bioq.* Ciclo de reações bioquímicas, fundamental para o metabolismo de organismos aeróbios, no qual o produto da última reação é o reagente da primeira, realimentando o ciclo **~ do carbono** *Ecol.* Ciclo no qual o dióxido de carbono processado em fotossíntese é fixado em moléculas orgânicas, voltando à atmosfera com a sua decomposição ou através da respiração **~ do mundo** *Fil. Met. Rel.* Ideia, com várias vertentes, de que o tempo e a vida são cíclicos, renovando sempre o mesmo percurso (ciclos da natureza, reencarnação da alma, repetição da história do universo etc.) **~ dos caldeus** *Astron.* Período ao fim do qual se repetem os eclipses do Sol e da Lua, e que tem a duração de 18 anos, 11 dias e oito horas; ciclo dos saros **~ dos saros** *Astron.* Ver *Ciclo dos caldeus.* **~ econômico** *Econ.* Fase de expansão ou de contração da atividade econômica de um país, região, grupo de países etc., que cede lugar a outra fase, alternadamente **~ haplobiôntico** *Biol.* Aquele em que a diplófase se reduz ao zigoto, estando todas as divisões celulares na haplófase **~ haplodiplobiôntico** *Biol.* Tipo de alternância de fases durante o qual a uma haplófase sucede uma diplófase **~ lunar** *Astron.* Período no fim do qual a lua nova volta a ocorrer na mesma data, e corresponde a cerca de 19 anos **~ menstrual** **1** *Fisl.* No período fértil da mulher, e das fêmeas de mamíferos em geral, ciclo em que se processam modificações normais no endométrio, paralelas à função ovariana **2** Especificamente na mulher, ciclo de cerca de 28 dias, a partir do primeiro dia de fluxo menstrual, que envolve mudanças hormonais e fisiológicas que levam à ovulação, e possibilitam eventualmente a fecundação e a fixação do embrião no útero **~ metônico** *Cron.* Período de 19 anos e 11 dias (235 meses lunares), proposto por Meton, no qual as fases da Lua se repetiriam sempre na mesma ordem e no mesmo dia **~ ovariano** *Fisl.* Ciclo, estimulado pela ação de hormônios, no qual, em cada ovário, acontece a ruptura de folículo, a eliminação do óvulo, a formação do corpo amarelo e sua regressão **~ reprodutivo** *Biol.* Aquele que, em paralelo ao ciclo ovariano, prepara o sistema reprodutor feminino para ser fecundado e para a gravidez; tem início na puberdade e termina com a menopausa **~ solar** **1** *Cron.* Ciclo de 28 anos, após o qual todas as datas do ano voltam a recair nos mesmos dias de semana em que recaíam no primeiro ano do ciclo **2** *Astron.* O ciclo da atividade solar **~ vital** *Biol.* Ciclo de etapas mais ou menos regulares em que se desenvolve a vida de um ser vivo

ciclo[2] (*ci*.clo) *sm.* Qualquer veículo leve, como, p. ex., a bicicleta, a motocicleta etc. [F.: Do ing. *cycle.*]

ciclodiatermia (ci.clo.di.a.ter.*mi*.a) *sf. Med.* Técnica para tratamento do glaucoma que utiliza o laser [F.: *cicl(o)-* + *diatermia.*]

ciclofaixa (ci.clo.*fai*.xa) *sf.* Faixa demarcada de via urbana que se destina exclusivamente aos ciclistas: *A ciclofaixa foi concebida para dar maior segurança aos ciclistas.* [F.: *cicl(o)-* + *faixa.*]

ciclofosfamida (ci.clo.fos.fa.*mi*.da) *sf. Med.* Medicamento que inibe o crescimento das células tumorais, us. no tratamento de alguns tipos de câncer e tb. como imunodepressor em transplantes de órgãos [F.: *cicl(o)-* + *fosfamida.*]

cicloide (ci.*cloi*.de) *a.* **1** Cuja forma se assemelha à de um círculo (antena cicloide) **2** *Psiq.* Que apresenta ciclotimia (personalidade cicloide) *sf.* **3** *Geom.* Curva traçada por um ponto do bordo de uma circunferência rolando sobre uma linha: *desenho de uma cicloide.* **4** *Anat. Zool.* Escama que tem margem lisa e linhas concêntricas de crescimento *s2g.* **5** *Psiq.* Aquele que apresenta ciclotimia [F.: Do gr. *kykloeidés, és, és*; ver *cicl(o)-* e *-oide.*]

ciclometria (ci.clo.me.*tri*.a) *sf.* Técnica de medir círculos ou ciclos [F.: *cicl(o)-* + *-metria*[1].]

ciclômetro (ci.*clô*.me.tro) *sm.* Instrumento para medir círculos ou ciclos [F.: *cicl(o)-* + *-metro*[1].]

ciclomotor (ci.clo.mo.*tor*) [ô] *sm.* Bicicleta movida a motor [F.: *ciclo*[2] + *motor.*]

ciclonal (ci.clo.*nal*) *a2g.* Ref. a ciclone(s); CICLÔNICO [Pl.: *-nais.*] [F.: *ciclone* + *-al*[1].]

ciclone (ci.*clo*.ne) *sm.* **1** *Met.* Massa atmosférica em movimento de rotação, acompanhada de fortes ventanias, precipitações e queda de pressão atmosférica **2** *Met.* Tempestade que se desloca em círculos com enorme velocidade; TORNADO **3** *Met.* Região da atmosfera onde a pressão é baixa relativamente à das regiões vizinhas **4** *Agr.* Nos sistemas de captação ou aspiração, peça que decanta grãos, farelo ou pó **5** Aparelho que separa por centrifugação as partículas carregadas por um fluido, fazendo com que este gire em movimento de redemoinho **6** *Fig.* Fato ou acontecimento que pode transtornar a vida de uma pessoa ou de um grupo, ou que tem efeitos destrutivos [F.: Do ing. *cyclone.*]

> 🕮 O movimento circular dos ventos nos ciclones é em sentido inverso ao dos ponteiros do relógio, tendo no centro uma zona de baixa pressão. Os ciclones tropicais podem chegar a 800 km de diâmetro, e se movem em curvas a partir da zona equatorial, no hemisfério norte na direção norte e em sentido horário, no hemisfério sul na direção sul e em sentido anti-horário. São mais abundantes os que avançam no mar da China e no golfo de Bengala, os que vão do Caribe para o golfo do México e para a costa leste de E.U.A. e Canadá, e os que sobem ao longo da costa oeste dos E.U.A., no Pacífico. Os ciclones extratropicais podem chegar a 10km de altura e c. 1.000 km de diâmetro.

ciclônico (ci.*clô*.ni.co) ***a.*** Ref. a ciclone; CICLONAL [F.: *ciclone* + *-ico*[2].]

ciclope (ci.*clo*.pe) ***sm.*** **1** *Mit.* Indivíduo de uma raça de gigantes, com um só olho na testa **2** *Zool.* Denom. comum aos minúsculos crustáceos copépodes, de água-doce, pertencentes ao gên. *Cyclops* [F.: Do lat. *cyclops*, donde o lat. cient. *Cyclops*.]

ciclopentano (ci.clo.pen.*ta*.no) ***sm.*** *Quím.* Hidrocarboneto líquido e inflamável (C_5H_{10}), encontrado no petróleo e considerado uma alternativa ecológica para o clorofluorcarboneto (CFC) us. em refrigeradores [F.: *cicl(o)-* + *pentano*.]

ciclópico (ci.*cló*.pi.co) ***a.*** **1** *Mit.* De ou próprio de ciclope **2** Semelhante ao ciclope: "...desenrolando as voltas de píton ciclópico..." (Guimarães Rosa, *Magma*) **3** *Arqueol.* Diz-se dos monumentos antigos formados por imensos blocos irregulares de pedra **4** *Fig.* Gigantesco, colossal **5** *Fig.* Excepcional, extraordinário [F.: *ciclope* + *-ico*[2].]

cicloplegia (ci.clo.ple.*gi*.a) ***sf.*** *Oft.* Paralisia do músculo ciliar, que pode, em certos casos, resultar da dilatação da pupila [F.: *cicl(o)-* + *-plegia*.]

cicloplégico (ci.clo.*plé*.gi.co) *Oft.* ***a.*** **1** Ref. à ou próprio da cicloplegia ***a.*** **2** Diz-se de medicamento que permite a identificação correta do grau de miopia ou astigmatismo: *colírio cicloplégico.* ***sm.*** **3** Esse medicamento [F.: *cicloplegia* + *-ico*[2], ou do ing. *cycloplegic*.]

ciclopropano (ci.clo.pro.*pa*.no) ***sm.*** *Quím.* Hidrocarboneto (C_3H_6) que se apresenta sob a forma de gás incolor, constituindo um potente anestésico quando inalado [F.: *cicl(o)-* + *propano*.]

ciclorama (ci.clo.*ra*.ma) ***sm.*** *Teat.* Fundo curvo de cor clara sob o qual são projetadas tonalidades de luz que possibilitam a criação de efeitos de céu ou de infinito [Tb. pode ser us. para projeção de imagens que complementem a ação dramática, para cenários virtuais ou efeitos especiais.] [F.: *cicl(o)-* + *-orama*.]

ciclose (ci.*clo*.se) ***sf.*** *Biol.* Corrente citoplasmática orientada num determinado sentido que permite o movimento de substâncias através das células [F.: Do lat. cient. *cyclosis*, do gr. *kýklosis, eos*, 'ação de envolver, de mover(-se) ao redor'.]

ciclosporina (ci.clos.po.*ri*.na) ***sf.*** *Farm. Med.* Medicamento imunodepressor destinado a evitar a rejeição, por parte do organismo receptor, de órgão transplantado [F.: Do ing. *cyclosporine*.]

ciclostomado (ci.clos.to.*ma*.do) *Zool.* ***sm.*** **1** Espécime dos ciclostomados, grupo de animais marinhos (ágnatos), de corpo longo, boca sugadora e pele sem escamas, como as lampreias; vive como ectoparasita de peixes ósseos ***a.*** **2** Ref. ou pertencente aos ciclostomados [F.: Adaptç. do lat. cient. *Cyclostomata*. Sin. ger.: *ciclóstomo, monorrino*.]

ciclóstomo (ci.*clós*.to.mo) ***sm.*** ***a.*** *Zool.* O mesmo que *ciclostomado* [F.: Adaptç. do lat. cient. *Cyclostomi*.]

ciclotimia (ci.clo.ti.*mi*.a) ***sf.*** *Psiq.* Instabilidade persistente do humor em que o indivíduo alterna períodos de depressão com outros de excitação [F.: *cicl(o)-* + *-timia*[1].]

ciclotímico (ci.clo.*tí*.mi.co) *Psiq.* ***a.*** **1** Ref. a ciclotimia **2** Diz-se de indivíduo que apresenta ciclotimia; CICLÓIDE ***sm.*** **3** Esse indivíduo; CICLÓIDE [F.: *ciclotimia* + *-ico*[2].]

cíclotron (*cí*.clo.tron) ***sm.*** *Enuc.* Acelerador circular de partículas que funciona por meio de eletroímãs em forma de D [F.: Do fr. *cyclotron*. Tb. *ciclotron*, mas a melhor f. é *cíclotron*. Pl. de *cíclotron*: *ciclotrones*.]

ciclovia (ci.clo.*vi*:a) ***sf.*** **1** Pista para circulação exclusiva de bicicletas **2** *Esp.* Pista para a prática do ciclismo [F.: *ciclo*[2] + *via*.]

cicloviário (ci.clo.vi.*á*.ri.o) ***a.*** Ref. a ciclovia: *sistema cicloviário municipal*. [F.: *ciclovia* + *-ário*.]

cicônia (ci.*cô*.ni.a) ***sf.*** **1** Gênero a partir do qual se forma o nome de uma família de aves de plumas brancas, pernas finas e longas e bico comprido **2** Qualquer espécie desse gênero, como p. ex. a cegonha (*Ciconia ciconia*) [F.: Do lat. *ciconia* 'cegonha'.]

ciconiídeo (ci.co.ni.*í*.de.o) *Zool.* ***a.*** **1** Ref. aos ciconiídeos ***sm.*** **2** Espécime dos ciconiídeos, fam. de grandes aves pernaltas, de bico e pescoço longos, como a cegonha e o jaburu [F.: Do lat. cient. *Ciconiidae*.]

cicuta (ci.*cu*.ta) ***sf.*** **1** *Bot.* Nome comum às plantas dos gêneros *Cicuta* e *Conium*, da fam. das umbelíferas, nativas do hemisfério norte, altamente venenosas **2** Veneno que se extrai da cicuta-da-europa (*Conium maculatum*), presente em toda a planta, esp. nas sementes [F.: Do lat. *cicuta*.]

◎ **-cida** ***el. comp.*** = 'que mata, elimina ou destrói'; 'aquele que mata'; 'substância, produto, agente etc. que mata, elimina ou combate (algo)'; 'contrário ou adverso a (dado regime, instituição, direito etc.)': *acaricida, amebicida, bactericida, bernicida, calicida, carrapaticida, espermicida, formicida, fungicida, germicida, herbicida, homicida* (< lat.), *inseticida, larvicida, liberticida, parasiticida, pesticida, raticida, regicida* (< lat.), *republicida, suicida* (< lat.), *tauricida, vermicida, virucida* [F.: Do lat. *-cida, ae*, do v.lat. *caedere*, 'cortar'; '(fazer) cair'; 'deitar'; 'imolar'. F. conexa: *-cídio*.]

cidadania (ci.da.da.*ni*.a) ***sf.*** **1** Condição de cidadão, com seus direitos e obrigações (cidadania brasileira) **2** O conjunto dos cidadãos: *campanha da cidadania contra a miséria e a fome.* **3** Conjunto dos direitos civis, políticos e sociais dos cidadãos, ou dos mecanismos para o estabelecimento e garantia desses direitos: *aprimoramento da cidadania.* **4** *P. ext.* Exercício consciente da condição de cidadão; atuação na sociedade, em defesa da ampliação e fortalecimento da cidadania (3): *Como solução para os problemas sociais, defendeu, além do desenvolvimento econômico, um choque de cidadania.* [F.: *cidadã* + *nia*.]

cidadão (ci.da.*dão*) ***sm.*** **1** Pessoa no gozo de seus direitos políticos e civis; indivíduo que é membro de um Estado e tem perante este a mesma condição que a maioria do povo: dever de obediência às leis e ao governo e direito a proteção **2** *Pop. Irôn. Joc.* Indivíduo, pessoa **3** Habitante de uma cidade; esp., na Idade Média, aquele era livre de laços ou obrigações em relação a algum senhor [Pl.: *-dãos*. Fem.: *-dã, -doa*.] [F.: *cidade* + *-ão*[2].] ■ **~ do mundo/do universo** Quem dá mais importância a seus deveres para com o mundo, ou a humanidade, do que aos que tem para com seu país

cidade (ci.*da*.de) ***sf.*** **1** Área densamente povoada, onde se concentram residências, vias de transporte e os locais em que se dão várias atividades econômicas e sociais da população, e que se distingue das áreas rurais à sua volta **2** *Restr.* Cidade (1) de área e população comparativamente grandes, que abriga intensa e extensa atividade comercial, industrial, cultural, administrativa etc. **3** O conjunto dos habitantes da cidade: "A cidade está toda entre a Arcada e São Bento..." (Eça de Queirós, *Os Maias*) **4** *Bras.* Sede de município **5** Bairro que concentra as atividades comerciais e os serviços de uma cidade; CENTRO **6** *Fig.* O ambiente ou modo de vida nas grandes cidades, por oposição ao campo, ao modo de vida agrícola; esp.: a grande concentração e variedade de atividades e oportunidades de trabalho, ou as condições de vida, menos dependentes dos ciclos naturais ou agrícolas e mais ditadas por convenções sociais, interesses econômicos etc.: *A cidade não lhe fez bem, por isso voltou para a fazenda; Nas últimas décadas, milhões de migrantes saíram do campo para a cidade.* **7** Parte ou área determinada de uma cidade, com características (geográficas, arquitetônicas, econômicas etc.) definidas (cidade baixa; cidade nova) **8** O governo ou a administração de uma cidade [F.: Do lat. *civitas, civitatis*.] ■ **~ aberta** Cidade sem instalações militares ou sem importância estratégica, e por isso poupada em situações de guerra **~ alta** A parte de uma cidade que fica em terreno mais elevado **~ baixa** A parte de uma cidade que fica em terreno mais baixo **~ das sete colinas** Termo que se refere a Roma, sendo as colinas: Aventino, Capitólio, Célio, Esquilino, Janículo, Píncio e Vaticano **~ dos pés juntos** *Bras. Pop.* Cemitério **~ histórica** Cidade que preserva edificações, estrutura urbana e características arquitetônicas de certo período histórico **~ lacustre** Aglomeração de habitações junto às margens de lago ou sobre palafitas, esp. em épocas pré-históricas **~ maravilhosa** Epíteto da cidade do Rio de Janeiro **~ santa** Cidade onde há local ou locais especialmente sagrados para os fiéis de determinada religião (templos, monumentos etc.) e que é um centro de culto ou peregrinação, ou origem de tradições e narrativas **~ universitária** Complexo de prédios e instalações para estudantes universitários, ger. no *campus*, compreendendo residências, centros de lazer e esporte, restaurantes, serviços etc. **Ir para a ~ dos pés juntos** *Bras. Pop.* Ver *morrer* (1)

🕮 A origem das cidades remonta à pré-história, mas só a partir do fim da Idade Média elas se tornaram a base da expansão da economia e da sociedade. A partir do século XIX as cidades cresceram enormemente nas estatísticas populacionais. Como exemplo, no Brasil, a população urbana, de representação minoritária na estatística geral até o séc. XIX, passou a concentrar no fim do séc. XX c. 80% da população total. Entre as maiores cidades do mundo (em torno de 10 milhões de habitantes), numa ordem que pode variar em função de critérios de abrangência urbana, estão Tóquio, Cidade do México, Seul, Nova Iorque, São Paulo, Bombay, Delhi, Xangai, Los Angeles. No Brasil, além de São Paulo, as maiores cidades são Rio de Janeiro, Salvador, Brasília, Fortaleza, Belo Horizonte, Manaus, Curitiba.

cidade-dormitório (ci.da.de-dor.mi.*tó*.ri.o) ***sf.*** Cidade, ou aglomeração em subúrbio, que concentra poucas atividades econômicas, sendo em grande parte lugar de residência de pessoas que trabalham ou exercem suas atividades em outra(s) cidade(s) mais importante(s) [Pl.: *cidades-dormitório, cidades-dormitórios*.]

cidade-estado (ci.da.de-es.*ta*.do) ***sf.*** **1** Estado independente formado por uma cidade e áreas vizinhas: *O Vaticano é uma cidade-estado.* **2** *Hist.* Na Grécia antiga, sociedade politicamente organizada e geograficamente delimitada, cujo núcleo era uma cidade na qual a autoridade era exercida pelos cidadãos livres que escolhiam a sua forma de governo [Pl.: *cidades-estados e cidades-estado*.]

cidadela (ci.da.*de*.la) ***sf.*** **1** Fortaleza que protege uma cidade **2** *P. ext.* Lugar mais ou menos seguro, em que alguém pode se abrigar e se proteger ou defender de ataques inimigos **3** *Fig.* Lugar dominado por, ou em que se concentram, os defensores de uma ideia ou partidários de uma corrente política: *Genebra foi a cidadela do calvinismo.* **4** *Fig.* Condição ameaçada, visada por ações e palavras alheias, e que é defendida por alguém **5** *Bras. Pop. Fut.* No futebol, o arco do gol, defendido por uma equipe [F.: Do it. *citadella*.]

cidade-satélite (ci.da.de-sa.*té*.li.te) ***sf.*** Cidade localizada na periferia de outra maior, ou de metrópole, da qual depende economicamente [Pl.: *cidades-satélite, cidades-satélites*.]

◎ **-cídio** ***el. comp.*** = 'morte'; 'assassínio'; 'imolação'; 'eliminação'; 'destruição': *embriocídio, feticídio, fordicídio* (< lat.), *formicídio, gaticídio, genocídio, homicídio* (< lat.), *infanticídio* (< lat.), *inseticídio, liberticídio, matricídio* (< lat.), *regicídio* (< lat.), *republicídio, suicídio* (< lat.), *taurocídio, uxoricídio* [F.: Do lat. *-cidium, ii*, 'ação de matar'; 'assassinato', do v.lat. *caedere*, 'cortar'; '(fazer) cair'; 'pôr abaixo'; 'imolar'. F. conexa: *-cida*.]

cidra (ci.*dra*) ***sf.*** **1** *Bot.* Fruto da cidreira, cuja casca amarela, muito grossa e ger. rugosa é us. para fabricar doces **2** Cidreira [F.: Do lat. *citrus*. Hom./Par.: *sidra* (sf.).]

cidrão (ci.*drão*) ***sm.*** **1** Variedade de cidra de casca grossa **2** *Bot.* Arbusto da fam. das verbenáceas (*Lippia citriodora*), nativo da América do Sul, cujas folhas e flores aromáticas têm propriedades digestivas, são us. como condimento e delas se extrai essência us. para perfumaria; ERVA-CIDREIRA; VERBENA **3** *Cul.* Doce feito com a casca da cidra [Pl.: *-drões*.] [F.: *cidra* + *ão*.]

cidreira (ci.*drei*.ra) *Bot.* ***sf.*** **1** *Bras.* Arbusto ou árvore pequena da fam. das rutáceas (*Citrus medica*), nativa da Índia, cultivada pelos frutos e cujas folhas, frutos e sementes têm uso medicinal; CIDRA **2** Designação dada à erva-cidreira **3** Planta monsmiácea (*Citriosma apiossyce*, M.) de propriedades medicinais; tb. *erva-cidreira-do-mato* [F.: *cidra* + *-eira*.]

ciência (ci.*ên*.ci.a) ***sf.*** **1** Atividade humana baseada em conceitos e princípios desenvolvidos racionalmente e na utilização de um método definido, por meio do qual se produzem, se testam e se comprovam conhecimentos considerados objetivos e de validade geral: *as novas descobertas da ciência.* **2** Conjunto desses conhecimentos voltado para determinado ramo de atividade, ou para determinada categoria de fenômenos: *a ciência médica.* **3** Conjunto dos conhecimentos e práticas de conhecimento, esp. a respeito do mundo natural, em determinada época, sociedade etc.: *a ciência da Grécia antiga; a ciência medieval; os avanços da ciência moderna.* **4** Informação precisa ou ideia consciente a respeito de algo: *tomamos ciência do fato.* **5** Conjunto mais ou menos amplo e coerente dessas informações e ideias, formado por reflexão e estudo, ou por observação e experiência **6** *Restr.* Instrução ou erudição pessoal; saber, sabedoria **7** *Restr.* Conjunto bem desenvolvido de conhecimentos práticos e técnicas de ação, dos quais depende a habilidade e capacidade de bem realizar algo; aplicação de conhecimentos científicos a determinada arte ou atividade: *a ciência do artesão; a ciência de bem escrever; um trabalho que não exige muita ciência; ciência culinária.* **8** *Fig.* Talento, mestria; domínio e bom uso de saber (inato ou adquirido) e habilidade: "[Para fazer corda de viola com a tripa] tem que rapá [raspar] a carne que tem por dentro. Por cima é uma pele muita fina... vira do avesso e vai rapano com muita ciência, quase não é passado unha, só com a força do dedo." (Manoel Severino de Moraes, "Depoimento a etnomusicólogos") [F.: Do lat. *scientia*.] ■ **~ aplicada** Área de pesquisa e conhecimento científicos que visa a aplicação em atividades práticas **~ básica** Aquela que trata dos fundamentos teóricos e conceituais de sua área, independentemente de sua aplicação prática **~ cristã** Seita fundada por Mary Baker-Eddy, em 1866, nos E. U. A., que mistura fé religiosa com suposta base científica, buscando uma terapêutica através da mente e da compreensão dos princípios do cristianismo **~ da computação** *Inf.* A que estuda o conceito, os princípios e a aplicação de computadores, empregando a matemática, a lógica, a engenharia a teoria da informação **~ infusa** Conhecimento espontâneo, supostamente de origem sobrenatural **~ pura** O conceito e a atividade científicos puramente teóricos, sem preocupação com a aplicação prática **~s abstratas** As que se concentram em campos abstratos, como a matemática, a lógica etc. **~s biológicas** As que são basicamente voltadas para o estudo da biologia, ou desta derivadas, como a biologia, a biofísica etc. **~s contábeis** Ciências aplicadas voltadas para a contabilidade, como contabilidade e administração **~s da saúde** Aquelas que estudam as condições da saúde humana e animal, e os meios de atingi-la e preservá-la: a medicina, a odontologia, a veterinária etc. **~s econômicas** A economia, como ciência **~s empíricas** As que envolvem a observação dos fenômenos naturais e as hipóteses que eles suscitam **~ exatas** As ciências baseadas em teorias que têm expressão matemática e formulação precisa (p. ex.: física, química, astronomia etc.) **~ experimentais** Aquelas cujos princípios e métodos se baseiam em experiências, e não somente em observação e análise **~s físicas** As que estudam o mundo físico, como a física, a química, a meteorologia, a geologia etc. **~s humanas** As que estudam o homem como ser social e cultural: antropologia, história, psicologia, linguística, sociologia etc. **~s jurídicas** As ciências que estudam as leis, sua formulação e aplicação como princípios de organização e regulação social, como as várias especialidades do direito, o direito internacional (público e privado), o direito criminal etc. **~s linguísticas** Aquelas que estudam o fenômeno da linguagem em seus vários aspectos e as línguas humanas como sistemas de comunicação: linguística, neurolinguística, psicolinguística, sociolinguística etc. **~s matemáticas** As que usam a matemática em seus objetivos ou métodos, como a própria matemática, a estatística, a física teórica etc. **~ morais** Conjunto dos estudos e disciplinas que tratam dos aspectos éticos e morais dos costumes e comportamento humanos **~s**

naturais As que estudam a natureza e seus fenômenos: física, química, astronomia, biologia, botânica, zoologia etc. **~s normativas** Aquelas que procuram estudar e estabelecer normas de comportamento **~ ocultas** As que estudam as artes da adivinhação e fenômenos de natureza extrassensorial, como a parapsicologia, a astrologia, a quiromancia etc. **~s políticas** O estudo histórico, sociológico, antropológico das ações e processos individuais e sociais ref. ao exercício do poder nas sociedades: as instituições, os processos de transformação, a organização e o funcionamento do Estado etc. **~ sociais** As que estudam os grupos humanos em seus vários aspectos: a sociologia, antropologia, história, linguística, pedagogia, psicologia social etc.

ciências (ci.*ên*.ci.as) *sfpl.* Disciplinas que tratam do estudo da natureza ou do cálculo matemático etc. (p. ex.: biologia, física, matemática etc.)

ciente (ci.*en*.te) *a2g.* **1** Que tem conhecimento (de algo); SABEDOR: *cidadãos cientes dos seus direitos e deveres.* **2** Que tem ou domina conhecimentos de certo assunto ou matéria; que é sábio, douto, versado **3** Assinatura ou outra marca que se põe em documento para indicar que a pessoa tomou conhecimento das informações aí contidas [F.: Do lat. *sciens, scientis.*]

cientificar (ci.en.ti.fi.*car*) *v. tdr.* Fazer ficar ou ficar ciente de, informado sobre (algo); INFORMAR(-SE); INTEIRAR(-SE) [+ *de*: *Cientifiquei os pais da mudança de horário; Cientifiquei-me do regulamento na internet.*] [▶ **11 cientificar**] [F.: *ciente* + *-ficar*. Hom./Par.: *cientifica(s)* (fl.), *científica(s)* (fem. [pl.] de *científico*); *cientifico* (fl.), *científico* (a.).]

cientificidade (ci.en.ti.fi.ci.*da*.de) *sf.* **1** Qualidade ou condição do que é científico: *A cientificidade inquestionável da física.* **2** Compatibilidade com alguma teoria ou prática científica: *Duvidou da cientificidade daqueles argumentos.* [F.: *científico* + *-i-* + *-dade*.]

cientificismo (ci.en.ti.fi.*cis*.mo) *sm.* **1** *Fil.* Doutrina de matriz positivista que só reconhece como verdadeiro o que pode ser observado e comprovado cientificamente **2** Atitude que considera a ciência e os métodos científicos, como capazes de resolver todos os problemas da humanidade **3** (Defesa da) aplicação de métodos e conhecimentos científicos a outros campos da vida humana (artes, filosofia, humanidades, religião etc.) **4** Valorização da ciência; *esp.*: tendência a considerar a ciência superior a outras atividades e formas de conhecimento **5** Termo científico; palavra criada ou empregada, com sentido específico, em algum ramo das ciências [F.: *científico* + *-ismo*. Sin. ger.: *cientismo*.]

científico (ci.en.*tí*.fi.co) *a.* **1** Ref. a, da ou próprio da ciência, das ciências em geral, ou de determinada ciência (revista científica) **2** Que tem o rigor da ciência (análise científica) **3** Formulado ou produzido por cientista(s) em suas atividades de conhecimento (experimento científico; leis científicas) **4** Que se baseia em, ou utiliza, métodos e conhecimentos de uma ou mais ciências (diagnóstico científico) *sm.* **5** *Bras. Desus.* Curso equivalente ao de nível médio, em que se dá ênfase às disciplinas científicas [F.: Do lat. *scientificus*.]

cientismo (ci.en.*tis*.mo) *sm.* Ver *cientificismo* [F.: *ciência* (< lat. *scientia*) + *-ismo*; ingl. *scientism*.]

cientista (ci.en.*tis*.ta) *s2g.* **1** Pessoa que se especializou em ou se dedica a alguma ciência, esp. alguma ciência natural ou ciência exata; esp.: pessoa que realiza pesquisas científicas **2** Adepto do cientificismo *a2g.* **3** O mesmo que *cientificista* [F.: Do ing. *scientist*.]

cientologia (ci.en.to.lo.*gi*.a) *sf.* Corrente de pensamento filosófico-religioso surgida nos Estados Unidos, na década de 1950, sob a liderança do autor de ficção científica L. Ron Hubbard (1911-1986), baseada na sua obra *Dianética* e cujo dogma central é a crença de que o homem é um ser espiritual imortal [F.: Do ing. *scientology*.]

⊠ **c.i.f.** *Com. Jur.* Sigla do ing. *cost, insurance, freight* 'custo, seguro, frete' [Ver tb. *cláusula c.i.f.*]

cifístoma (ci.*fís*.to.ma) *sm. Zool.* Etapa do ciclo dos cifozoários em que a larva se transforma em pequeno pólipo com a forma de trombeta, apresentando disco basal, boca e tentáculos [F.: Do lat. *scyphistoma*.]

◎ **cif(o)-**[1] *el. comp.* = 'curvado'; 'curvatura'; 'gibosidade, corcunda': *cifoscoliose, cifose* (< gr.) [F.: Do gr. *kyphós, é, ón*, 'dobrado ou curvado para frente'.]

◎ **cif(o)-**[2] *el. comp.* = '(pequena) taça': *cifístoma* (< ingl.), *cifozoário* (< lat. cient.) [F.: Do gr. *skýphos, ou*, 'copo de beber', e de seu dim. *skyphíon, ou*, 'pequena taça'.]

cifoscoliose (ci.fos.co.li.*o*.se) *sf. Med.* Deformação da coluna vertebral em que há uma cifose associada a escoliose [F.: *cif(o)-* + *escoliose*.]

cifose (ci.*fo*.se) *sf. Med.* Desvio da coluna vertebral em que o corpo fica arqueado para a frente [F.: *cif(o)-*[1] + *-ose*[1]. Cf.: *lordose* e *escoliose*.]

cifótico (ci.*fó*.ti.co) *Med. a.* **1** Ref. a cifose **2** Diz-se de indivíduo que apresenta cifose *sm.* **3** Essa indivíduo [F.: *cif(ose)* + *-ótico*, seg. o mod. gr.]

cifozoário (ci.fo.zo.*á*.ri.o) *Zool. sm.* **1** Espécime dos cifozoários, classe de cnidários marinhos a que pertence a água-viva *a.* **2** Ref. ou pertencente aos cifozoários [F.: Do lat. cient. *Scyphozoa* + *-ário*.]

cifra (*ci*.fra) *sf.* **1** Algarismo ou conjunto de algarismos que se usam para representar um número ou registrar determinada quantidade **2** Quantidade ou quantia total, resultante de acúmulo, ou da soma de várias parcelas; número que se obtém após várias operações, esp. de adição e subtração; MONTANTE; TOTAL: *A epidemia já atingiu a cifra de 1 milhão de pessoas infectadas; Os gastos previstos perfazem a cifra de R$15.000,00.* [Tb. se usa, por vezes, para quantidades relativas (proporções, percentagens), mas sempre se referindo a um número, ao resultado de uma soma ou cálculo (não às coisas ou pessoas que o número representa): *o crescimento econômico não ultrapassou a cifra dos 5%.*] **3** *Restr.* (Número que representa) quantia em dinheiro; IMPORTÂNCIA **4** Conjunto de sinais gráficos (algarismos, letras, ou outros) combinados de modo a registrar informações ou mensagens, segundo certas regras ou código (ger. secretos) **5** *P. ext.* Qualquer escrita enigmática **6** Código, conjunto de regras ou chave que permite entender ou interpretar cifras (acps. 4, 5) ou mensagens enigmáticas **7** Linguagem ou mensagem cujo sentido não é evidente ou direto, que faz uso de imagens, figuras: *O oráculo expressava-se em cifras; Profetas que falam por cifras.* **8** *Mús.* Cada um dos caracteres que representam um acorde **9** Monograma [F.: Do lat. *cifra*.]

cifrado (ci.*fra*.do) *a.* Diz-se de mensagem, informação etc. escritas em forma de cifra (acps. 4, 5) [F.: Part. de *cifrar*.]

cifrão (ci.*frão*) *sm.* Sinal formado por um S cortado por um ou dois traços verticais ($), us. junto à abreviação dos nomes das unidades monetárias de muitos países, na indicação de cifra ou importâncias em dinheiro [Pl.: *-frões*.] [F.: *cifra* + *-ão*[2].]

cifrar (ci.*frar*) *v.* **1** Escrever em código, em cifra [*td.*: *cifrar uma mensagem.* Ant.: *decifrar*.] **2** Registrar ou transformar (dados, medições etc.) em cifras, em números [*td.*: *Cifrou os dados compilados.*] **3** Limitar-se a; resumir(-se), reduzir(-se) [*tr.* + *a*, *em*: *Cifrou-se a respondê-la:* "...um romantismo liberal afim ao espírito e à linguagem de Victor Hugo, cujo ideário se cifrava no culto do Progresso e da Liberdade." (Alfredo Bosi, *A leitura de "Os Sertões", hoje*)] **4** *Mús.* Indicar os acordes em; marcar com caracteres numéricos (as notas predominantes do acompanhamento) [*td.*: *cifrar uma música.*] [▶ **1 cifrar**] [F.: *cifra* + *-ar*[2]. Hom./Par.: *cifra(s)* (fl.), *cifra(s)* (sf. [pl.]).]

cigana *sf.* **1** Mulher pertencente ao povo cigano **2** Mulher vestida ou fantasiada com trajes e adereços típicos de cigana (1) **3** *Bras. Zool.* Ave da fam. dos opistocomídeos (*Opisthocomus hoazin*), com cerca de 60 cm de comprimento, crista rígida e cauda longa e escura, que vive nas matas inundadas da Amazônia **4** *Bot.* Certo arbusto da família das leguminosas (*Calliandra macrocephala*) originário do Brasil [F.: Fem. substv. de *cigano*.]

cigana-do-mato (ci.ga.na-do-*ma*.to) *sf. Bot.* Nome vulgar de um tipo de trepadeira (*Fridericia speciosa*) que dá flores avermelhadas, encontrada em Minas Gerais, São Paulo e Bahia: "...Tudo aqui manda pecar e peca – desde a cigana-do-mato e a mucuna, cipós libidinosos, de flores poliandras..." (João Guimarães Rosa, *São Marcos*) [Pl.: *ciganas-do-mato*.]

ciganear (ci.ga.ne.*ar*) *v. int.* **1** Levar existência de cigano **2** Andar sem destino, vagueando **3** *Pej.* Proceder com astúcia, esperteza, como trapaceiro [▶ **13 ciganear**] [F.: *cigan(o)* + *-ear*[2].]

ciganice (ci.ga.*ni*.ce) *sf. Pej.* Ver *ciganagem* (1) [F.: *cigano* + *-ice*.]

cigano (ci.*ga*.no) *sm.* **1** Indivíduo dos ciganos, povo nômade, prov. originário da Índia, presente em vários países, com cultura, ética e comportamento próprios, e conhecido esp. por se dedicar à música, prática de artesanato, quiromancia, comércio de cavalos etc. **2** *Fig.* Indivíduo boêmio, de vida incerta [Por vezes, com uso pej.] **3** *Pej.* Negociante esperto, vivo **4** *P. ext.* Vendedor ambulante **5** *Gloss.* Conjunto de dialetos pertencentes à família indo-europeia e falados por ciganos de diferentes países *a.* **6** Ref. aos ou próprio dos ciganos (dança cigana) **7** *Fig.* Que lembra ou é próprio do modo de vida dos ciganos (1), esp. quanto ao nomadismo e à importância da música e dança (vida cigana) **8** *Gloss.* Ref. ou pertencente ao cigano (5) **9** *Pej.* Diz-se de indivíduo esperto, enganador, esp. nos negócios **10** *Pej.* Diz-se de quem faz barganha, que é apegado ao dinheiro; sovina **11** *Fig.* Boêmio, que não tem vida ou hábitos bem estabelecidos [Us. por vezes com sentido pej.] [F.: do gr. biz. *athígganos*, pelo fr. *cigain*.]

cigarra (ci.*gar*.ra) *sf.* **1** *Zool.* Denominação comum a diversas spp. de insetos homópteros, da fam. dos cicadídeos, cujo macho tem órgãos que emitem som estridente, us. para atrair a fêmea para o acasalamento, na estação quente do ano; CEGA-REGA **2** *Bras. Restr. Zool.* Cigarra (*Quesada gigas*) da fam. dos cicadídeos, com cerca de 65 mm de comprimento, esverdeada e com cinco estrias negras sobre o tórax, ou a espécie *Quesada fasciculata*, menor (35 mm) e coloração amarelada e linhas pretas no dorso; cigarra-do-cafeeiro **3** *Bras. Zool.* Denominação comum a diversas espécies de insetos homópteros pertencentes às famílias dos membracídeos, cercopídeos e fulgorídeos **4** *Bras.* No linguajar de pescadores, o crustáceo parasito que vive preso à língua de determinadas espécies de peixes ou em cavidades na pele ou nas brânquias **5** *Bras. Fig.* Campainha elétrica em que a vibração é produzida por uma palheta contra uma tampa de madeira ou de metal, cujo som estridente assemelha-se ao zumbido da cigarra: *uma cigarra anuncia o início da peça.* *s2g.* **6** *Bras. Fig.* Indivíduo imprevidente, que não economiza **7** *Bras. RJ Joc.* Marido que aproveita sua liberdade quando a mulher está de férias ou veraneando **8** Brinquedo, feito de tubo ou caule oco, que produz som estridente [F.: de orig. contrv. Hom./Par.: *cigarra(s)* (sf. [pl.]), *cigarra(s)* (fl. *cigarrar*).]

cigarrar (ci.gar.*rar*) *v.* Fumar, esp. cigarro; cigarrear [▶ **1 cigarrar**] [F.: *cigarr(o)* + *-ar*[2]. Hom./Par.: *cigarro* (fl.), *cigarro* (sm.); *cigarra(s)* (fl.), *cigarras, cigarra* (sf. e pl.).]

cigarreira (ci.gar.*rei*.ra) *sf.* **1** Pequeno estojo, caixa ou bolsa para guardar cigarros **2** Mulher que trabalha na fabricação de cigarros [F.: *cigarro* + *-eira*.]

cigarrete *a2g.* **1** Diz-se de calça comprida feminina bem ajustada às pernas *sf.* **2** Essa calça [F.: Do fr. *cigarette* 'cigarro fino, cigarrilha'.]

cigarrilha (ci.gar.*ri*.lha) *sf.* **1** Cigarro enrolado em folha de tabaco **2** Charuto pequeno e mais fino, ger. de fumo de qualidade inferior **3** Pequeno tubo no interior do qual se põe substância medicinal para ser aspirada [F.: *cigarro* + *-ilha*.]

cigarro (ci.*gar*.ro) *sm.* **1** Pequeno cilindro ou rolo, feito de tabaco picado e enrolado em papel fino ou em palha de milho, para se fumar: *cigarro com filtro; cigarro de palha.* **2** *P. ext.* Folhas de outras plantas, picadas e enroladas em papel ou palha, para fumar **3** Guloseima de formato e tamanho semelhantes aos do cigarro (1) (cigarro / cigarrinho de chocolate) [F.: Do espn. *cigarro*. Hom./Par.: *cigarro* (sm.), *cigarro* (fl. *cigarrar*).] ⁞⁞ **~ crioulo** *Bras. S.* Ver *Cigarro de palha* **~ de palha** Cigarro (1) envolvido em palha de milho, ger. preparado manualmente **~ palheiro** *Bras. S.* Ver *Cigarro de palha*

cilada (ci.*la*.da) *sf.* **1** Ato de se ocultar para esperar o inimigo e atacá-lo; EMBOSCADA **2** *Fig.* Plano ardiloso para enganar alguém; ARMADILHA; EMBUSTE; LOGRO **3** *Fig.* Traição, deslealdade [F.: Do lat. medv. *celata*, prov. pelo esp. *celada*.]

cilha (*ci*.lha) *sf.* Correia de couro ou tecido que passa por baixo do ventre das cavalgaduras para apertar a sela [F.: Do lat. *cingula*. Hom./Par.: *silha* (sf.).]

cilhadouro (ci.lha.*dou*.ro) *sm.* Parte do tórax do animal por onde passa a cilha [F.: *cilha* + *-douro*.]

cilhão (ci.*lhão*) *sm.* **1** Cilha grande, cilha-mestra **2** Peça dos arreios do cavalo que se compõe da cataplasma e da cilha *sm.* **3** Cavalo que tem a curvatura dorsal muito acentuada *a.* **4** Diz-se desse tipo de cavalo [Pl.: *-ões*.] [F.: *cilha* + *-ão*[1]. Hom./Par.: *cilhão* (sm. a.), *silhão* (sm.).]

cilhar (ci.*lhar*) *v. td.* **1** Apertar com cilha, arreio **2** *P. ext.* Cingir apertando [▶ **1 cilhar**] [F.: *cilh(a)* + *-ar*[2]. Hom./Par.: *cilha(s)* (fl.), *cilha* (sf. e pl.) e *silha* (sf. e pl.).]

ciliado[1] (ci.li.*a*.do) *a. Biol. Bot.* Que tem cílios [F.: *cili(o)-* + *-ado*[1].]

ciliado[2] (ci.li.*a*.do) *sm. a.* O mesmo que *cilióforo* [F.: Adaptç. do lat. cient. *Ciliata*.]

ciliar (ci.li.*ar*) *a2g.* **1** Ref., pertencente ou semelhante a cílio(s) (movimento ciliar) **2** *Bot.* Situado às margens de rio, lago ou lagoa **3** *Oft.* Da ou ref. ao tecido que, no olho, forma os músculos que acomodam e sustentam o cristalino e produzem humor aquoso (corpo ciliar, músculo ciliar) [F.: *cílio* [ver tb. *cili(o)-*] + *-ar*[1].]

cilício (ci.*lí*.ci.o) *sm.* **1** Túnica, cinto ou cordão de lã áspera, às vezes com farpas de madeira e pontas lacerantes, us. sobre a pele como penitência **2** Cinto, cordão ou corrente com pontas ou farpas, ger. de metal, para cingir parte do corpo, e que se usa apertada contra a pele, provocando dor constante, como forma de penitência ou como disciplina moral e corporal **3** *Fig.* Sofrimento ou sacrifício voluntários, martírio com resignação e paciência **4** *Fig. P. ext.* Tormento, aflição [F.: Do lat. *cilicium, ii*. Hom./Par.: *cilício* (sm.), *silício* (sm.).]

ciliforme (ci.li.*for*.me) *a2g.* Que tem forma de cílio (penugem ciliforme) [F.: *cili(o)-* + *-forme*.]

cilindrada (ci.lin.*dra*.da) *sf.* **1** *Mec.* Nos motores de explosão, volume máximo ocupado pela mistura de gás e combustível no interior de cada cilindro, durante um ciclo completo **2** Capacidade de cada um dos cilindros de um motor de explosão, multiplicada pelo número deles: *motor de popa com cilindrada de 400 cm³.* [Essa medida é expressa em polegadas cúbicas, centímetros cúbicos ou litros e está ligada à potência do motor.] **3** *Pop.* Unidade de volume, ger. centímetro cúbico, no cálculo e especificação da capacidade máxima dos cilindros de um motor de explosão: *motocicleta de 250 cilindradas.* [Abrev. usual, nesta acp.: *c.c.* (centímetros cúbicos).] [F.: *cilindro* (> *cilindrar*) + *-ada*[1].]

cilindragem (ci.lin.*dra*.gem) *sf.* **1** Ação ou resultado de cilindrar; CILINDRAMENTO **2** Pressão regular e prolongada de cilindro(s) sobre corpos moldáveis, para obter sua compactação e estabilização: *a cilindragem de uma estrada.* [Pl.: *-gens*.] [F.: *cilindrar* + *-agem*.]

cilindrar (ci.lin.*drar*) *v. td.* **1** Dar formato de cilindro a (alguma coisa) **2** Passar cilindro (em obras públicas, com máquina dotada de rolo compressor) sobre matéria moldável, para dar-lhe determinada forma: *cilindrar o caminho de areia/a nova estrada; cilindrar massa para confeitos.* **3** Na indústria de papel, o mesmo que *calandrar.* **4** *Lus. Pop.* Passar por cima; esmagar: *O caminhão cilindrou a família toda.* **5** *Lus. Pop.* Impor derrota acachapante ao adversário: *O time do Porto cilindrou o Benfica.* [▶ **1 cilindrar**] [F.: *cilindr(o)* + *-ar*[2]. Hom./Par.: *cilindra(s)* (pl.), *silindra* (sf.) e pl; *cilindro* (fl.), *cilindro* (sm.).]

cilíndrico (ci.*lín*.dri.co) *a.* **1** *Geom.* De ou ref. a cilindro (sólido geométrico), ou que tem a forma ou as propriedades do cilindro (superfície cilíndrica) *a.* **2** *P. ext.* Que tem aparência ou forma aproximada de cilindro (caneca cilíndrica) [F.: *cilindro* + *-ico*[2].]

cilindro (ci.*lin*.dro) *sm.* **1** *Geom.* Superfície gerada por uma reta que se desloca paralelamente a uma reta fixa e é interceptada por uma curva fechada plana [O uso de *cilindro* nesta acp. é ger. considerado impróprio, sendo preferido o termo *superfície cilíndrica*.] *sm.* **2** *Geom.* Sólido (figura tridimensional) limitado por essa superfície (ver acp. 1), e por dois planos paralelos entre si que a interceptam *sm.* **3** *Restr.* Ver *cilindro circular reto* **4** Qualquer corpo ou objeto alongado e roliço, na forma de um cilindro (3), como tubo, canudo, rolo **5** Em artefatos e mecanismos, qualquer peça, componente ou espaço que tem a forma cilíndrica **6** O corpo de uma bomba de aspirar e expelir fluido, e em cujo interior trabalha o êmbolo cujo movimento é responsável pela entrada ou saída do referido fluido **7** *Mec.* Nos motores a explosão, cada um dos corpos dentro dos quais se move o pistão **8** Nome de muitas peças cilíndricas, ger. capazes de movimento rotatório, que se empregam em várias máquinas (cilindro de laminador; cilindros de uma calandra) **9** Cada um dos tambores por onde passa o papel em certas máquinas de impressão (ditas impressoras plano-cilíndricas) [F.: Do lat. *cylindrus, i.* Hom./Par.: *cilindro* (fl. de *cilindar*).] ■ **~ central** *Bot.* Parte central do caule e da raiz das plantas superiores, formada por tecido vascular e por onde circulam materiais orgânicos [Cf.: *estelo*.] **~ circular** *Geom.* Cilindro cujas bases (as figuras formadas pela interseção do interior da superfície cilíndrica com os planos que a interceptam) são círculos **~ circular reto** Cilindro circular que é tb. um cilindro reto (suas bases são círculos em planos perpendiculares ao eixo e este passa pelos centros dos círculos) **~ de revolução** *Geom.* Ver *cilindro circular reto* **~ oblíquo** *Geom.* Cilindro que tem o eixo oblíquo em relação à base **~ renal** *Pat.* Corpo de origem proteica, formado em tubo urinífero, do qual adquire a forma tubular **~ reto** *Geom.* Cilindro que tem o eixo perpendicular em relação ao plano da base **~ truncado** *Geom.* Parte de cilindro entre dois planos não paralelos que o secionam completamente, passando por todas as suas geratrizes. Tb. *tronco de cilindro*. **~ urinário** *Med.* Ver *cilindro renal* **~ vascular** *Bot.* Ver *Cilindro central*

cilindroide (ci.lin.*droi*.de) *a.* **1** Que tem a forma de cilindro; CILÍNDRICO: *A medula espinhal é uma massa cilindroide de tecido nervoso situada no canal vertebral. sm.* **2** *Geom.* Sólido que tem a forma semelhante à de um cilindro: *volume de um cilindroide*. [F.: Do fr. *cylindroïde*, der. do lat. tard. *cylindroides* < gr. *kylindroeides*.]

cilindrúria (ci.lin.*drú*.ri.a) *sf. Med.* Ocorrência de cilindros renais na urina [F.: *cilindr(i)-* + *-úria*. F. par.: *cilindruria*.]

◎ **cili(o)-** *el. comp.* = 'cílio': *ciliar, ciliforme, cilióforo* (< lat. cient.); *cnidocílio, supercílio* (< lat.) [F.: Do lat. *cilium, ii*, 'cílio'; 'pestana'.]

◎ **-cílio** *el. comp.* Ver *cili(o)-*

cílio (*cí*.li.o) *sm.* **1** Cada um dos pelos da borda das pálpebras; CELHA; PESTANA [Mais us. no plural.] **2** *Biol.* Cada uma das formações ou organelas móveis, semelhantes a pelos, que servem de meio de locomoção e de captura de alimentos (provocando deslocamento do fluido que envolve a célula), em organismos unicelulares ou outros mais complexos **3** *Bot.* Cada um dos pelos das bordas das folhas e de órgãos vegetais [Dim.: *cilíolo*.] [F.: Do lat. *ciliu(m)*. Ideia de 'cílio', usar pref. *cili (o)-* e *tric (o)-* e suf. *-trico* e *-tríquio*.]

cilióforo (ci.li.*ó*.fo.ro) *sm.* **1** Espécime dos cilióforos, filo de organismos protistas dotados de cílios para a locomoção e auxílio na alimentação; CILIADO *a.* **2** Ref. ou pertencente aos cilióforos; CILIADO [F.: Adaptç. do lat. cient. *Ciliophora*.]

cima (*ci*.ma) *sf.* A parte mais elevada, superior de algo; TOPO; CIMO; CUME [NOTA: Mais us. em locuções.] [F.: Do gr. *kyma*, pelo lat. *cyma*.] ■ **Ainda por ~** Além de; como se não bastasse: *Ela é inteligente, e ainda por cima muito bonita.* **Dar em ~** de *Bras. Pop.* Paquerar, cortejar **De ~ 1** Da parte mais elevada, do alto **2** Do céu, de Deus: *Sua inspiração é sublime, só pode vir de cima.* **3** Da mais alta hierarquia; dos superiores: *Esta ordem veio de cima.* **Em ~ 1** Em parte mais elevada (de algo), no alto: *A sala fica embaixo, os quartos, em cima.* **2** Sob controle, garantido: *E a tarefa da qual o incumbi, está em cima?* **Em ~ de 1** Na parte superior de, sobre: *A mala está em cima do armário.* **2** Em sequência a, em adição a: *Veio com sugestões em cima de sugestões.* **3** *Fig.* Com base em: Fez o relatório em cima dos fatos apurados **Em ~ do muro** *Bras. Fig. Pop.* Sem se definir; sem tomar partido, ger. por pusilanimidade: *Todos deram seu voto, menos ele, que ficou, como sempre, em cima do muro.* **Para/pra ~ 1** Para o alto: *Olhe para cima.* **2** *Fig.* Alegre, otimista: *uma pessoa para cima, fácil de lidar.* **Para ~ de** Em direção a, ger. com atrevimento ou violência: *Partiu para cima dele aos socos.* **Para ~ e para baixo** Por toda parte: *Anda com aquele rádio para cima e para baixo.* **Por ~ 1** Sobre algo ou a superfície de algo: *Se deixar a bicicleta no lado de fora, ponha uma proteção por cima.* **2** *Fig.* Com poder, com prestígio: *Agora que ela está por cima, ficou menos comunicativa.* [Tb. *Por cima da carne-seca*.] **Por ~ de 1** Em posição superior (a): *O avião voava por cima das nuvens.* **2** Por sobre a superfície de: *Deslizava, patinando, por cima do gelo.*

cimalha (ci.*ma*.lha) *Arq. sf.* **1** Saliência na parte mais alta da parede, em que se assentam os beirais **2** A parte superior da cornija **3** Arquitrave ou moldura no alto de capitel ou capitéis [F.: Do lat. *cymacula*.]

címbalo (*cím*.ba.lo) *sm.* **1** *Mus.* Instrumento de percussão formado de dois discos de metal que se percutem um contra o outro; (SMPL.) PRATOS **2** Designação de certos instrumentos antigos de cordas percutidas: "...como o bronze que ressoa ou como o címbalo que retine" (Novo Testamento – 1 Coríntios 13) **3** *Ant. Mús.* Espécie de saltério, ger. grande, de cordas percutidas (com baquetas) ou tocadas com palheta, e que deu origem ao clavicórdio e ao cravo **4** *P. us. Mús.* O mesmo que *cravo²* (instrumento de cordas pinçadas e teclado) [Nesta acp., com infl. de *clavicímbalo*.] [F.: Do gr. *kúmbalon*, pelo lat. *cymballu(m)*.]

cimeira (ci.*mei*.ra) *sf.* **1** Cume, topo, a parte superior **2** *Lus.* Ver *Reunião de cúpula*: *acordo assinado durante a Cimeira de Lisboa*. [F.: *cima¹* + *-eira*.]

cimeiro (ci.*mei*.ro) *a.* **1** Diz-se do que fica no cimo, no topo (abrigo cimeiro) **2** *Fig.* De grande importância, de alto nível; esp.: que reúne os mais altos dirigentes ou governantes: *encontro cimeiro dos países das Américas*. [F.: *cima-* + *-eiro*.]

cimentação (ci.men.ta.*ção*) *sf.* **1** Ação ou resultado de cimentar(-se) **2** *Geol.* Processo de fechamento dos poros e fissuras de rocha ou minério, que resulta na sua consolidação [Pl.: *-ções*.] [F.: *cimentar* + *-ção*. Hom./Par.: *cimentação* (sf.), *cementação* (sf.).]

cimentado (ci.men.*ta*.do) *a.* **1** *Cons.* Ligado, revestido ou pavimentado com cimento (base cimentada, piso cimentado) **2** *Fig.* Consolidado, firmado; que tem base sólida; BASEADO; FUNDADO: *um acordo cimentado em concessões mútuas. sm.* **3** *Cons.* Revestimento de cimento sobre base de concreto, ger. em pisos ou calçamentos: *O acabamento de paredes mais econômico é o cimentado liso.* [F.: Part. de *cimentar*.]

cimentar (ci.men.*tar*) *v.* **1** Unir, tapar ou pavimentar com cimento [*td.*: *cimentar as lajotas/o buraco/a estrada.*] **2** *Fig.* Firmar(-se), consolidar(-se) [*td.*: *Anos de convivência cimentaram nossa amizade.*] [*int.*: *A paz cimentou-se finalmente.*] **3** *Od.* Fixar com cimento odontológico ou massa apropriada [*td.*: *cimentar uma prótese/uma coroa.*] [▶ 1 cimentar] [F.: *cimento* + *-ar²*.]

cimenteira (ci.men.*tei*.ra) *sf.* Indústria de cimento: *As cimenteiras geram resíduos industriais perigosos.* [F.: *cimento* + *-eira*.]

cimenteiro (ci.men.*tei*.ro) *a.* **1** Ref. a cimento: *produção cimenteira*. **2** Que produz cimento: *grupo cimenteiro*. [F.: *cimento* + *-eiro*.]

cimento (ci.*men*.to) *sm.* **1** Material de propriedades aglomerantes, us. em construções e trabalhos de alvenaria, que misturado à água forma uma pasta de consistência plástica e endurece muito à medida que seca **2** Cimento (1) composto de substâncias calcáreas e argilosas (sílica, alumina, óxido de ferro, cal, magnésia) calcinadas e pulverizadas, us. em mistura com água como argamassa e como ingrediente do concreto; cimento Portland **3** A mistura pastosa de cimento e água (com ou sem outros componentes), us. como argamassa em construções **4** Piso revestido de cimento; CIMENTADO **5** *Geol.* Material que une os grãos de uma rocha sedimentar consolidada **6** *Od.* Massa de propriedades aglutinantes e consistência plástica, us. por dentistas para obturar dentes **7** *Fig.* Aquilo que une, aglutina, dá consistência, firmeza ou solidez [F.: Do lat. *caementu(m)*. Hom./Par.: *cemento*.] ■ **~ aluminoso** Cimento especial com elevado teor de alumina **~ armado** Concreto (cimento misturado com pedras, areia e água) reforçado com armação de ferro; concreto armado **~ asfáltico** Asfalto us. como ligante em pavimentos betuminosos **~ branco** Cimento com baixo teor de óxido de ferro **~ de escória** Cimento especial que se mistura com escória de altos-fornos siderúrgicos **~ hidráulico** Aquele que fica sólido ao contato com a água **~ Portland** Ver *cimento* (2) [Tb. apenas *cimento*.] **~ romano** Aquele obtido da calcinação, a 1.000 graus, de rochas naturas

cimitarra (ci.mi.*tar*.ra) *sf.* Tipo de sabre, de origem oriental, que tem lâmina larga e curva [F.: Do it. ant. *scimitarra*.]

cimo (*ci*.mo) *sm.* **1** A parte superior, mais alta de algo (esp. daquilo cuja principal medida é a altura); CUME; TOPO **2** *Restr.* Cume, topo (de monte, montanha, serra ou outra elevação) [F.: *cima-* + *-o*. Ideia de 'cimo', usar pref. *apic (i/o)-*, *cim (o)-*, *crist-* e *sum-*.]

cinabre (ci.*na*.bre) *sm.* Ver *cinábrio*

cinábrio (ci.*ná*.bri.o) *sf. Miner.* Sulfeto de mercúrio, mineral trigonal vermelho profundo, que é a principal fonte de obtenção de mercúrio [F.: Do lat. cient. *cinnabrium*. Tb. *cinabre* do lat. *cinnabaris, aris* (< gr. *kinnábaris, eos*).]

cinamomo (ci.na.*mo*.mo) [ô] *Bot. sm.* **1** Gênero (*Cinnamomum*) da fam. das lauráceas, que inclui árvores e arbustos nativos da Ásia e Oceania, dos quais (esp. as cascas) se extraem substâncias aromatizantes e medicinais, como a canela e a cânfora **2** Qualquer espécie ou espécime desse gênero **3** Mélia [F.: Do lat. cien. gên. *Cinnamomum*.]

cinase (ci.*na*.se) *sf. Bioq.* Qualquer enzima, ou seja, substância catalítica, responsável pela fosforilação [F.: Do al. *Kinasen*. F. não pref.: *cinase*.]

cincada (cin.*ca*.da) *sf.* **1** Ação ou resultado de cincar **2** *Bras. Fig.* Erro, engano, deslize **3** Ação ou dito inoportuno, inadequado; gafe [F.: *cincar* + *-ada¹*. Sin. ger.: *cinca*.]

cincar (cin.*car*) *v. int.* **1** Em certos jogos (esp. de bola), dar cinca, perder pontos, ou fazer jogada errada, desastrada; chincar: *O jogador cincou e perdeu todo o dinheiro.* **2** Cometer erro, engano, gafe: *Cincou feio e foi reprovado.* [▶ 11 cincar] [F.: *cinc(o)* + *-ar²*. Hom./Par.: *cinca(s)* (fl.), *cinca(s)* (sf. [pl.]).]

cincerro (cin.*cer*.ro) [ê] *sm. MG S.* Sineta pendurada no pescoço da besta que serve de guia, e cujo som associado ao animal conduz a tropa: "...o sino, o chilreio das andorinhas na torre da igreja, o rechino dos carros de boi, o cincerro de tropas raras..." (Monteiro Lobato, *Cidades mortas*) [F.: Do espn. platino *cencerro*.]

cincha (*cin*.cha) *sf. S.* Peça dos arreios, ger. faixa de tecido ou correia larga, que passa por baixo da barriga da cavalgadura com a qual se firma a sela ou a carga; CHINCHA: "...mal sarou da ferida, o potro foi pegado: corcoveou, berrou; quebraram-lhe a boca a tirões, dividiram-lhe a barriga com a cincha..." (João Simões Lopes Neto, Batendo orelha, *in Contos gauchescos*) [F.: Do espn. platino *cincha*. Hom./Par.: *cincha* (sf.), *cincha* (fl. de *cinchar*).]

cinchar¹ (cin.*char*) *v. td.* Pôr (o queijo) no cincho, no molde em que se lhe aperta a massa [▶ 1 cinchar] [F.: *cinch(o)* + *-ar²*. Hom./Par.: *cincho* (fl.), *cincho* (sm.); *cincha(s)* (fl.), *cincha* (sf. e pl.).]

cinchar² (cin.*char*) *v. td.* **1** *S.* Manter (um animal) preso ao laço imobilizado na cincha **2** Deixar a cincha mais apertada **3** Puxar pela cincha [▶ 1 cinchar] [F.: *cinch(a)* + *-ar²*. Hom./Par.: *cincho* (fl.), *cincho* (sm.); *cincha(s)* (fl.), *cincha* (sf. e pl.).]

cinchona (cin.*cho*.na) *sf. Bot.* Designação comum às plantas do gênero *Cinchona*, da família das rubiáceas, de que faz parte a quina, principal fonte de extração do quinino [F.: Do lat. cient. *Chinchona*.]

cinco (*cin*.co) *num.* **1** Quantidade correspondente a quatro unidades mais uma **2** Aquele que é o quinto elemento, numa série ou sucessão, ou que está identificado com o número 5 *sm.* **3** *Mat.* Algarismo ou outro símbolo que representa essa quantidade (arábico: 5; romano: V) **4** Carta de baralho com esse número **5** A nota cinco, em avaliação, prova, concurso [F.: Do lat. *quinque*.]

cinderela (cin.de.*re*.la) *sf.* **1** Moça forçada a fazer os serviços domésticos; GATA-BORRALHEIRA **2** Moça modesta que se torna rica pelo casamento: "...tratou a morena alta, de corpo sensual e cabelos longos, como uma cinderela, proporcionando-lhe viagens constantes ... e presenteando-a com joias fantásticas..." (*O Globo*, 05.03.1998) [F.: Do ficciônimo ing. *Cinderela* (adaptado do fr. *Cendrillon*), da personagem do conto de fadas de Charles Perrault (1628-1703).]

cindido (cin.*di*.do) *a.* **1** Separado, dividido [+ *de, em, entre*: *Razão cindida da emoção; partido cindido em facções opostas; personalidade cindida entre o bem e o mal.*] **2** Cortado, sulcado [+ *por*: *Local cindido por viadutos.*] [F.: *cindir* + *-ido*.]

cindir (cin.*dir*) *v.* **1** Quebrar(-se) ou romper(-se) fisicamente; soltar(-se), dividir(-se), separar(-se) (parte ou partes de um corpo ou objeto); DIVIDIR(-SE); SEPARAR(-SE) [*td.*: *O raio cindiu a rocha.*] [*int.*: *Com um só golpe do machado, o tronco cindiu-se.*] **2** *Fig.* Causar ou sofrer divisão, separação em grupos contrários, de diferentes opiniões [*td.*: "Deu início à Reforma, que cindiu a Igreja, no decorrer do século XVI." (Machado de Assis, *Helena*)] [*int.*: *O Congresso cindiu-se nas questões políticas.*] **3** *Fig.* Causar discórdia, afastamento, desentendimento entre (pessoas que tinham boas relações); romper, desfazer (ligação entre pessoas); DESAVIR; INDISPOR [*td.*: *A disputa pelo mesmo cargo cindiu os dois colegas; Intrigas cindiram a antiga amizade.*] **4** Passar, atravessando; CORTAR; CRUZAR [*td.*: *Um cometa cindiu o céu.*] **5** Abrir traço fundo em; SULCAR [*td.*: *Rugas cindiam suas faces cansadas.*] **6** Anular, tornar inválido, romper (acordo); RESCINDIR [*td.*] [F.: Do lat. *scindere*.]

◎ **cin(e)-** *el. comp.* = 'movimento'; 'imagem em movimento': *cineangiocoronariografia, cinecromático, cinecromatismo, cinerradiografia, cinestesia*. [F.: F. red. do el. *cinemat(o)-*, do gr. *kínema, atos*, 'movimento'. F. conexas: *cinemat(o)-* e *cinet(o)-*.]

cine (*ci*.ne) *sm.* F. red. de *cinema* [Acompanha o nome da sala de exibição de filmes cinematográficos (cine Aurora; cine Leblon; cine Iguatemi).]

cineangiocardiografia (ci.ne.an.gi.o.car.di.o.gra.*fi*.a) *Med. sf.* **1** Exame radiológico no qual se filma a dispersão, pelas cavidades cardíacas e pelos grandes vasos, de substância de contraste injetada na artéria femural ou umeral **2** A imagem registrada durante esse exame [F.: *cin(e)-* + *-angi(o)-* + *cardiografia*.]

cineangiocardiográfico (ci.ne.an.gi.o.car.di.o.*grá*.fi.co) *a. Med.* Ref. à cineangiocardiografia [F.: *cineangiocardiografia* + *-ico²*.]

cineangiocoronariografia (ci.ne.an.gi.o.co.ro.na.ri.o.gra.*fi*.a) *Med. sf.* **1** Exame radiológico no qual se filma a dispersão, por vasos coronários, de substância de contraste injetada na artéria femural ou umeral **2** A imagem registrada durante esse exame [F.: *cin(e)-* + *-angi(o)-* + *coronariografia*.]

cineangiocoronariográfico (ci.ne.an.gi.o.co.ro.na.ri.o.*grá*.fi.co) *a. Med.* Ref. à cineangiocoronariografia [F.: *cineangiocoronariografia* + *-ico²*.]

cineasta (ci.ne.*as*.ta) *Cin. s2g.* **1** Profissional que se dedica à arte e à técnica cinematográficas **2** Diretor de cinema; realizador de filmes cinematográficos [F.: Do fr. *cinéaste*.]

cineclube (ci.ne.*clu*.be) *sm. Cin.* Associação ou entidade para a difusão, o estudo e a apreciação de filmes e da arte do cinema [F.: Do fr. *ciné-club* (1920); ver *cine* e *clube*.]

cinecromático (ci.ne.cro.*má*.ti.co) *Art. Pl. a.* **1** Diz-se de mecanismo que muda a aparência de uma obra de arte, proporcionado-lhe variações de luz e movimento **2** Diz-se de obra de arte que apresenta esse mecanismo [F.: *cin(e)-* + *cromático*.]

cinecromatismo (ci.ne.cro.ma.*tis*.mo) *sm. Art. Pl.* Escola ou técnica daqueles que utilizam pequenos mecanismos para proporcionar variação de luz e movimento às obras de arte [F.: *cin(e)-* + *cromatismo*.]

cinedocumentário (ci.ne.do.cu.men.*tá*.ri.o) *sm.* Documentário feito esp. para o cinema [F.: *cine* + *documentário*.]

cinefilia (ci.ne.fi.*li*.a) *sf.* Paixão e/ou dedicação ao cinema [F.: *cine* + *-filia*¹.]

cinéfilo (ci.*né*.fi.lo) *a.* **1** Diz-se de indivíduo que ama cinema e é grande conhecedor da sétima arte *sm.* **2** Esse indivíduo [F.: Adaptç. do fr. *cinéphile* (1912); ver *cine* e *-filo*¹.]

cinegética (ci.ne.*gé*.ti.ca) *sf.* Arte de caçar, esp. utilizando cães [F.: Do lat. *cynegetica, on*, do gr. *kynegetiké*, 'arte da caça', do adj. gr. *kynegetikós, é, ón*, 'ref. a caça'.]

cinegrafia (ci.ne.gra.*fi*.a) *sf. Cin.* O mesmo que *cinematografia*. [F.: *cin(e)-* + *-grafia*.]

cinegrafista (ci.ne.gra.*fis*.ta) *s2g.* **1** *Cin. Telv.* Operador de câmera em cinema e em televisão **2** *Cin.* Cineasta [F.: *cinegrafia* + *-ista*.]

cinejornal (ci.ne.jor.*nal*) *sm. Cin. Jorn.* Noticiário produzido para ser exibido no cinema [Pl.: *-nais*.] [F.: *cine* + *jornal*.]

cinejornalismo (ci.ne.jor.na.*lis*.mo) *sm. Cin. Jorn.* Tipo de jornalismo cujo veículo de divulgação é o cinema [F.: *cine* + *jornalismo*.]

cinema (ci.*ne*.ma) *sm.* **1** *Cin.* Arte e técnica de fazer filmes cinematográficos; cinematografia **2** Sala de projeção e exibição de filmes cinematográficos **3** *Fig.* O conjunto daqueles que trabalham na indústria cinematográfica **4** *Fig.* Ação ou resultado de simular um sentimento ou sensação para impressionar outrem; fita, fingimento [F.: Do fr. *cinéma* (f. red. de *cynématographe*), ou f. red. de *cinematógrafo*. Hom./Par.: *cinema* (sm.), *sinema* (sm.).] ■■ **~ falado** *Cin.* Cinematografia com gravação e reprodução de som juntamente as imagens; cinema sonoro **~ mudo** *Cin.* Cinematografia com gravação e reprodução de imagens, mas não de som **~ sonoro** *Cin.* Ver *Cinema falado*. **Fazer ~** *Bras. Fam.* Exagerar um sentimento ou situação, para impressionar outrem ou chamar a atenção

cinemania (ci.ne.ma.*ni*.a) *sf.* **1** Adoração por cinema; a prática daqueles que amam cinema (seja a arte, a técnica ou os filmes em si) **2** Obsessão por cinema [F.: *cine* + *-mania*.]

cinemaníaco (ci.ne.ma.*ní*.a.co) *a.* **1** Diz-se de indivíduo que adora ou tem obsessão por cinema *sm.* **2** Esse indivíduo: *Aquele DVD era o sonho de qualquer cinemaníaco.* [F.: *cine* + *maníaco*.]

cinemascope (ci.ne.mas.*co*.pe) [ô] *sm. Cin.* Processo de filmagem baseado em lentes especiais que na projeção produz imagens de grandes dimensões, além de transmitir sensação de relevo [Nesse processo, a imagem é inicialmente deformada, por anamorfose, para depois ser reconstituída.] [F.: Do ing. *CinemaScope* ou *Cinemascope* (marca registrada).]

cinemateca (ci.ne.ma.*te*.ca) *sf.* **1** *Cin.* Coleção de filmes; FILMOTECA **2** Lugar onde se conservam filmes cinematográficos, esp. os de valor cultural, artístico, científico, histórico **3** Instituição que reúne, programa e exibe tais filmes [F.: *cinema* + *-teca*.]

cinemático (ci.ne.*má*.ti.co) *a.* **1** *Fís.* Ref. ou inerente ao movimento mecânico, aos corpos em movimento **2** Ref. à cinemática [F.: *cinemat(o)-* + *-ico*².]

◎ **cinemat(o)-** *el. comp.* = 'movimento'; 'imagem em movimento': *cinemática, cinemático, cinematografia* (< fr.), *cinematógrafo* (< fr.). [F.: Do gr. *kínema, atos*, 'movimento'; 'movimento de dança ou de pantomima'; 'agitação'; 'flexão gramatical' etc. do v. gr. *kinéo*, 'pôr em movimento'; 'mover'; 'mudar de lugar', etc. Outra f.: *cin(e)-*. F. conexas: *cinet(o)-, cinesio-, -cinese* e *-cinesia*.]

cinematografia (ci.ne.ma.to.gra.*fi*.a) *Cin. sf.* **1** Conjunto de técnicas, métodos e processos de registro e projeção de imagens animadas ou em movimento **2** O conjunto da obra de um cineasta, de um país, de uma época: *cinematografia de Glauber Rocha; cinematografia expressionista alemã* **3** A indústria cinematográfica [F.: Do fr. *cinématographie* ou de *cinematógrafo* + *-ia*¹. Sin. ger.: *cinegrafia*.]

cinematográfico (ci.ne.ma.to.*grá*.fi.co) *Cin. a.* **1** Ref. ou inerente à cinematografia (circuito *cinematográfico*; indústria *cinematográfica*) **2** Próprio do cinema **3** Que por suas características especiais merece ser filmado (rosto *cinematográfico*) **4** Que lembra o que se vê no cinema (beijo *cinematográfico*) [F.: *cinematografia* + *-ico*².]

cinematografista (ci.ne.ma.to.gra.*fis*.ta) *s2g.* Aquele que se dedica a ou trabalha em atividades técnicas e/ou artísticas ligadas ao cinema: *cinematografista amador.* [F.: *cinematografia* + *-ista*.]

cinematógrafo (ci.ne.ma.*tó*.gra.fo) *sm.* **1** *Cin.* Aparelho que projeta imagens em movimento numa tela por meio de uma sequência de fotografias **2** *Antq.* Cinema [F.: Do fr. *cinématographe*; ver *cinemat(o)-* e *-grafo*. Hom./Par.: *cinematógrafo* (sm.), *cinematografo* (fl. de *cinematografar* [v.]).]

cinerama (ci.ne.*ra*.ma) *sm. Cin.* Tipo de projeção cinematográfica, sobre tela côncava, que cria no espectador, por circundá-lo como se as imagens tivessem três dimensões, a impressão de estar dentro da cena graças à maior abrangência do campo visual [F.: Do ing. *cinerama*, de *cine(ma)* + *(pano)rama*.]

cinerária (ci.ne.*rá*.ri.a) *sf. Bot.* Designação comum de várias plantas ornamentais do gênero *Cineraria*, da família das compostas, nativas das regiões tropicais. Suas folhas são cordiformes e as flores se apresentam em cachos com raios brancos, vermelhos e azuis [F.: Do lat. científico *cineraria*, pela cor cinza das suas folhas. Hom./Par: *cinerária* (sf.), *cineraria* (fl. de *cinerar*), *cinerária* (fem. do adj. *cinerário*).]

cinerário (ci.ne.*rá*.ri.o) *a.* **1** Ref. a cinza ou composto de cinza ou cinzas (restos *cinerários*) **2** Que contém as cinzas, os restos mortais de alguém (urna *cinerária*) **3** *P. ext.* Ref. aos mortos (jazigo *cinerário*); FÚNEBRE; MORTUÁRIO *sm.* **4** Sepultura, jazigo **5** Esquife, caixão mortuário [F.: Do lat. *cinerariu(m)*.]

cinéreo (ci.*né*.re.o) *a.* Cinzento (da cor da cinza) (crepúsculo *cinéreo*) [F.: Do lat. *cinereu(m)*.]

cinerradiografia (ci.ner.ra.di.o.gra.*fi*.a) *sf. Med.* Sequência de radiografias de órgão em movimento (como, p. ex., a língua, coração, pulmão), vistas em tela fluoroscópica [F.: *cin(e)-* + *radiografia*.]

cinescopia (ci.nes.co.*pi*.a) *sf. Eletrôn.* Método e técnica de produção de imagens num cinescópio [F.: *cin(e)-* + *-scopia*.]

cinescópio (ci.nes.*có*.pi.o) *sm. Eletron.* Tubo em que se forma a imagem nos receptores de televisão; TUBO DE IMAGEM [F.: *cin(e)-* + *-scópio*.]

◎ **-cinese** *el. comp.* = 'movimento'; 'divisão celular ou de elemento celular'; 'fase de divisão celular': *blastocinese; acinese, cariocinese, citocinese; diacinese*. [F.: Do gr. *kínesis, eos*, 'ação de mover(-se)'; 'movimento de dança'; 'revolução' etc. do v. gr. *kinéo*, 'pôr em movimento'; 'mover' etc. F. conexas: *cines(i)-, cinemat(o)-, cin(e)-* e *cinet(o)-*.]

◎ **cines(i)-** *el. comp.* = 'movimento'; 'em movimento': *cinesalgia, cinesialgia; cinesiologia, cinesioterapia* [F.: Do gr. *kínesis, eos*, 'ação de mover(-se)'; 'movimento de dança'; 'revolução', etc., do v. gr. *kinéo*, 'pôr em movimento'; 'mover', etc. F. conexas: *-cinese, -cinesia, cinemat(o)-, cin(e)-* e *cinet(o)-*.]

cinese (ci.*ne*.se) *sf. Biol.* Aceleração ou retardo do movimento de um organismo vivo em resposta a um estímulo externo [F.: Do gr. *kínesis, eos*, 'ação de mover(-se)'; 'movimento'.]

◎ **-cinesia** *el. comp.* = 'movimento'; 'movimentação'; 'função ou atividade motora'; 'irregularidade ou distúrbio de tal função ou atividade': *bradicinesia* (< gr.), *discinesia, eucinesia, hipercinesia, hipocinesia, iridocinesia, paracinesia, telecinesia*. [F.: Do gr. *-kinesía, as*, do gr. *kínesis, eos*, 'ação de mover(-se)'; 'movimento de dança'; 'revolução', etc., do v. gr. *kinéo*, 'pôr em movimento'; 'mover', etc. F. conexas: *-cinese, cines(i)-, cinemat(o)-, cin(e)-* e *cinet(o)-*.]

cinesia (ci.ne.*si*.a) *sf.* **1** Capacidade de se mover; MOVIMENTO: *cinesia de um veículo.* **2** *Fisl.* Capacidade de realizar movimentos físicos: *distúrbios da cinesia funcional.* **3** Terapêutica pelo movimento [F.: *cinese* + *-ia*¹.] ■■ **~ paradoxal** *Med.* Movimentos rápidos e inesperados que apresentam certos pacientes habitualmente inertes ou rígidos

◎ **cinesio-** *el. comp.* Ver *cines(i)-*.

cinesiologia (ci.ne.si.o.lo.*gi*.a) *sf. Anat.* Estudo dos movimentos humanos, com ênfase nas estruturas anatômicas correspondentes [F.: *cinesio-* + *-logia*.]

cinesiológico (ci.ne.si.o.*ló*.gi.co) *a.* **1** Referente a cinesiologia **2** Diz-se de fenômeno analisado pela cinesiologia [F.: *cinesiologia* + *-ico*².]

cinesiologista (ci.ne.si.o.lo.*gis*.ta) *s2g.* Especialista em cinesiologia [F.: *cinesiologia* + *-ista*.]

cinesioterapia (ci.ne.si.o.te.ra.*pi*.a) *sf.* Tratamento curativo ou de reabilitação, por meio de massagem, ginástica, reeducação funcional etc. baseado em movimentos ativos e passivos do corpo [F.: *cinesio-* + *-terapia*.]

cinesioterápico (ci.ne.si.o.te.*rá*.pi.co) *a.* Ref. a cinesioterapia [F.: *cinesioterapia* + *-ico*².]

cinesismo (ci.ne.*sis*.mo) *sm.* Conjunto formado por várias tribos ou aldeias de uma região [F.: Posv. do it. *cinesismo*.]

cinestesia (ci.nes.te.*si*.a) *sf. Fsl.* Sensação dos movimentos musculares do corpo [F.: *cin(e)-* + *-estesia*. Hom./Par.: *cinestesia* (sf.), *cenestesia* (sf.), *sinestesia* (sf.).]

cineteatro (ci.ne.te.*a*.tro) *sm.* Casa de espetáculos que serve tanto para apresentação de peças de teatro quanto para exibição de filmes cinematográficos [F.: *cine* + *teatro*.]

cinética (ci.*né*.ti.ca) *sf.* **1** *Fís.* Estudo da ação das forças sobre o estado de movimento dos corpos, ou das mudanças de sistemas físicos e químicos **2** (Taxa de) mudança em determinado sistema físico ou químico: *observar o efeito da temperatura sobre a cinética da reação.* **3** Processo ou mecanismo pelo qual se dá determinada modificação física ou química [F.: Fem. substv. de *cinético*.] ■■ **~ química** Parte da físico-química que estuda a velocidade e o mecanismo das reações químicas, e os fatores que atuam sobre elas

cinético (ci.*né*.ti.co) *a. Fís.* Ref. ou inerente a movimento [Ant.: *estático*.] [F.: Do gr. *kinetikós, é, ón*, 'que se move'.]

◎ **-cinet(o)-** *el. comp.* Ver *cinet(o)-*

◎ **-cineto** *el. comp.* Ver *cinet(o)-*

◎ **cinet(o)-** *el. comp.* = 'movimento'; 'que (se) move': *cinético* (< gr.), *cinetoplasto, cinetoscópio, cinetose; autocinético; acineto* (< gr.), *oocineto* [F.: Do gr. *kinetós, é, ón*, 'que se move'; 'móvel', do v. gr. *kinéo*, 'pôr em movimento'; 'mover', etc. F. conexas: *cinemat(o)-, cin(e)-, cines(i)-, cinesio-, -cinese* e *-cinesia*.]

cinetoscópio (ci.ne.tos.*có*.pi.o) *sm. Cin.* Aparelho, inventado em 1894 por Thomas Alva Edison (1847-1931), que inspirou a criação do cinematógrafo [F.: *cinet(o)-* + *-scópio*.]

cinetose (ci.ne.*to*.se) *sf. Med.* Qualquer distúrbio originado por fator exterior ao corpo humano, causado por movimento não habitual em veículos como avião, navio, automóvel etc. [F.: *cinet(o)-* + *-ose*¹.]

cingalês (cin.ga.*lês*) *a.* **1** Ref. ou pertencente à ilha do Ceilão, ou à atual República do Sri Lanka, cujo território é constituído por essa ilha **2** Típico do Ceilão, ou da República do Sri Lanka, e de seu povo (idioma *cingalês*) [Pl.: *-leses* [ê]. Fem.: *-lesa* [ê].] *sm.* **3** Indivíduo natural do Ceilão ou da República do Sri Lanka, ou que aí vive [Pl.: *-leses* [ê]. Fem.: *-lesas* [ê].] [F.: Do sânscr. *singhalas*, pelo ing. *cingalese*.]

cingapurense (cin.ga.pu.*ren*.se) *s2g.* **1** Pessoa nascida na República de Cingapura (Sudeste Asiático) *a2g.* **2** De Cingapura; típico desse país ou de seu povo [F.: Do top. *Cingapura* + *-ense*.]

cingapuriano (cin.ga.pu.ri.*a*.no) *a.* **1** Ref. ou pertencente a Cingapura (ilha e, atualmente, república no S. E. da Ásia) (governo *cingapuriano*) **2** Típico de Cingapura e de seu povo (cultura *cingapuriana*) *sm.* **3** Indivíduo natural de ou que vive em Cingapura [F.: Top. *Cingapura-* + *-iano*.]

cingel (cin.*gel*) *sm.* Junta de bois [Pl.: *-géis*.] [F.: Do lat. *cingillum*, dim. de *cingulum* 'cintura, cinto'.]

cingido (cin.*gi*.do) *a.* **1** Circundado, rodeado [+ *de, por*: *Castelo cingido de/ por muralhas.*] **2** Envolvido fortemente; ABRAÇADO [+ *a*: *O pequenino cingido ao peito.*] **3** Provido de (ornamento ou coroa) [+ *de, por*: *Atleta cingido de/por uma coroa de louros.*] **4** Preso à cintura [+ *a*: *Saia cingida ao corpo.*] **5** Reduzido a certos limites; RESTRITO [+ *a*: *Economia cingida ao investimento público.*] **6** Forçado, compelido **7** *Fig.* Contido, reprimido **8** *Fig.* Colado, próximo **9** *Taur.* Muito próximo do touro [F.: *cing(ir)* + *-ido*.]

cingir (cin.*gir*) *v.* **1** Envolver, cercando; estar ao redor de; RODEAR; CERCAR [*td.*: *Dois cinturões de muralhas cingiam o castelo; Uma cadeia de montanhas cinge a cidade.*] **2** Envolver (algo) com, fazer com que (algo) fique cercado, envolto, ger. com firmeza [*tdr.* + *com*: *Cingiu a mala com uma correia resistente.*] **3** Envolver(-se), apertando; ABRAÇAR(-SE); APERTAR(-SE) [*td.*: *Cingiu o menino contra o peito; Cingiu-se nos braços do marido.*] **4** Envolver(-se), enfeitando; COROAR(-SE); ORNAR(-SE) [*td.*: *Um diadema cingia a cabeça da princesa.*] [*tdr.* + *com, de*: *Cingiu o dedo com uma aliança de brilhantes.*] **5** Prender à cintura [*td.*: *Cingiu a espada.*] [*tda.*: *Cingiu a espada à cintura.*] **6** Restringir a certos parâmetros ou limites; RESTRINGIR(-SE); LIMITAR(-SE) [*tdr.* + *a*: *Cingiram a conversa a temas políticos; Procurou cingir-se às determinações da diretoria.*] [▶ 46 cingir] [F.: Do lat. *cingere*.]

cíngulo (*cín*.gu.lo) *sm.* **1** *Litu.* Cinto ou cordão longo com que o sacerdote aperta a alva na cintura: "...Por baixo da casula estão em ordem de vestimenta: a alva – espécie de túnica branca cingida por um *cíngulo*..." (*O Globo*, 02.10.1997) **2** *Anat.* Feixe de fibras associativas, na face interna dos hemisférios cerebrais, que circundam o corpo caloso **3** *Anat.* Crista situada na face lingual da coroa dos dentes incisivos e caninos superiores **4** *Anat. Zool.* Ver *clitelo* **5** *Bot.* Faixa composta de duas pleuras que, nas diatomáceas, percorre a célula em sentido longitudinal [F.: Do lat. *cingulum, i*, 'cinto', 'cintura'.]

cínico (*cí*.ni.co) *sm.* **1** Indivíduo que por convicção, por interesse ou como provocação desafia as convenções sociais, a moralidade, as normas de conduta **2** *P. ext.* Pessoa desavergonhada, impudente; que não tem princípios ou pratica atos imorais **3** Indivíduo que desdenha dos escrúpulos alheios, que se mostra atrevido ou descarado ao seguir seus impulsos ou interesses **4** *Fil.* Partidário ou seguidor da doutrina ou corrente do cinismo (1) *a.* **5** Que revela cinismo (2); próprio de um cínico (acps. 1 a 3) (sorriso *cínico*) **6** Que não tem ou não age com pudor, decência; que pratica atos imorais **7** Que despreza ou desafia as convenções morais e sociais; que afronta ou choca os escrúpulos alheios [F.: Do gr. *kynikós*. Hom./Par.: *sínico* (a. sm.).]

cinismo (ci.*nis*.mo) *sm.* **1** *Fil.* Doutrina filosófica grega que pregrava as vantagens de uma vida simples e natural, valorizava a busca da virtude no autocontrole e autonomia individuais, desprezando convenções sociais **2** Atitude ou ação de quem é cínico; falta de vergonha, impudência; ATREVIMENTO; DESCARAMENTO; DESPUDOR; IMORALIDADE; OBSCENIDADE [F.: Do gr. *kynismós* lit. 'ref. ou semelhante a cão'.]

◎ **cin(o)-** *el. comp.* = 'cão': *cinocéfalo* (< lat. < gr.), *cinodonte* (< lat. < gr.), *cinofilia, cinófilo, cinografia, cinologia; cinosuro* [F.: Do gr. *kýon, kynós*, 'cão'; 'cadela'.]

cinocéfalo (ci.no.*cé*.fa.lo) *a.* **1** Que tem cabeça de cão *sm.* **2** *Zool.* Denom. comum aos mamíferos africanos da fam. dos cinocefalídeos, gên. *Cynocephalus*, conhecidos como lêmures-voadores [F.: Do lat. *cynocephalus, i*, do gr. *kynokephalos, ou*, 'bugio ou macaco africano, com cabeça semelhante à do cão'; '(no Egito) animal sagrado com cabeça de cão'; lat. cient. *Cynocephalus*; ver *cin(o)-* e *-céfalo*.]

cinofilia (ci.no.fi.*li*.a) *sf.* **1** Amor aos cães **2** Estudo e dedicação à criação e desenvolvimento das raças caninas: "...Sociável, gentil, inteligente, e sem qualquer traço de agressividade, como rezam os manuais de *cinofilia*..." (*O Globo*, 21.06.1998) [F.: *cin(o)-* + *-filia*¹.]

cinófilo (ci.*nó*.fi.lo) *a.* **1** Ref. ou pertencente à, ou próprio da cinofilia **2** Que é amigo dos cães *sm.* **3** Indivíduo cinófilo [F.: *cin(o)-* + *-filo*¹.]

cinografia (ci.no.gra.*fi*.a) *sf.* Tratado sobre raças de cães [F.: *cin(o)-* + *-grafia*. Hom./Par.: *cinografia* (sf.), *cenografia* (sf.), *cinegrafia* (sf.), *senografia* (sf.).]

cinográfico (ci.no.*grá*.fi.co) *a.* Ref. ou inerente à cinografia [F.: *cinografia* + *-ico*²*.* Hom./Par.: *cinográfico* (a.), *cenográfico* (a.), *cinegráfico* (a.), *senográfico* (a.).]

cinologia (ci.no.lo.*gi*.a) *sf.* Ciência que estuda os cães [F.: *cin(o)-* + *-logia*. Hom./Par.: *cinologia* (sf.), *cenologia* (sf.), *sinologia* (sf.).]

cinológico (ci.no.*ló*.gi.co) *a.* Ref. ou inerente à cinologia [F.: *cinologia* + *-ico*²*.* Hom./Par.: *cinológico* (a.), *cenológico* (a.), *sinológico* (a.).]

cinomose (ci.no.*mo*.se) *sf. Vet.* Virose que acomete cães jovens e outros animais carnívoros, causando paralisia dos seus membros posteriores, além de afetar seus órgãos respiratórios [F.: De or. incerta; parece haver o el. *cin(o)-* e suf. *-ose*¹, na formação da palavra.]

◎ **cinos-** *el. comp.* Ver *cin(o)-*

⊕ ***cinquecento*** *(It. /tchinquetc. hênto/) sm. Art. Hist. Lit.* O século XVI na Itália, esp. em relação à produção artística, da história e da literatura dessa época; QUINHENTISMO: *O cinquecento foi o perído de plena maturidade do Renascimento na Europa.*

cinquenta (cin.*quen*.ta) *num.* **1** Quantidade correspondente a 49 + 1 ou a 40 + 10 **2** *Mat.* Número correspondente a essa quantidade (arábico: 50; romano: L) **3** Quinquagésimo *sm.* **4** Representação, em algarismos, desse número **5** O que ocupa o quinquagésimo lugar ou posição numa série [F.: Do lat. *quinquaginta*.]

cinquentão (cin.quen.*tão*) *sm.* **1** *Pop.* Pessoa que tem entre cinquenta e 59 anos *a.* **2** *Pop.* Diz-se de quem ou do que tem essa idade; QUINQUAGENÁRIO *sm.* **3** *Bras. Pop.* Cédula de 50 reais ou essa quantia [F.: *cinquenta* + *-ão*.]

cinquentenário (cin.quen.te.*ná*.ri.o) *sm.* **1** Aniversário de cinquenta anos; quinquagésimo aniversário de alguém ou de algum fato importante: *cinquentenário de publicação do livro; cinquentenário de morte do artista.* **2** Comemoração pelos cinquenta anos **3** O mesmo que *quinquagenário* (indivíduo com cinquenta anos de idade) *pop.;* CINQUENTÃO *a.* **4** Que tem exatamente, ou pouco mais ou menos de cinquenta anos (instituição cinquentenária) *pop.;* CINQUENTÃO [F.: *cinquentena* + *-ário*, segundo o padrão de *centena* > *centenário*.]

cinquentona (cin.quen.*to*.na) *sf.* **1** Mulher em torno dos cinquenta anos: "A cinquentona que reinventou o *jeans*... E, para ela, (a vida) começou mesmo aos cinquenta." (*Folha de S.Paulo*, 18.08.2004) *a.* **2** Que tem cinquenta anos: *empresa cinquentona*.: "China: A revolução cinquentona." (*Época*, 27.09.1999) [F.: *cinquenta* + *-ona*¹*.*]

cinta (*cin*.ta) *sf.* **1** Peça íntima feminina, com elásticos, us. para cingir e moldar o corpo, nos quadris, ventre e cintura **2** Faixa elástica us. para sustentar o abdome durante a recuperação de cirurgias **3** Tira de couro ou de tecido us. em volta da cintura **4** Cós (tira reforçada, na cintura) **5** Cintura, a parte do corpo em que ger. se aperta a cinta ou cinto: "Das cintas para cima vêm despidos" (Camões, *Lusíadas*) **6** Tira de papel us. para cingir jornais, livros, revistas etc. para remessa pelo correio e na qual se escreve o nome do destinatário **7** Tira de papel que envolve livros novos com informações acerca da obra ou do autor **8** Tira de aço para prender ou reforçar fardos ou malas **9** Designação de várias peças ou estruturas que se cingem, se prendem ou se apertam à volta de algo, para reforçá-lo **10** *Arq.* Peça de coluna ou pedestal; FILETE **11** Linha circular, ou série de elementos dispostos em círculo **12** *Mar.* Reforço externo, de madeira ou metal, do costado dos navios; *esp.:* nos navios de casco de ferro, fileira de chapas grossas colocadas da proa à popa no exterior do costado, à altura do convés principal, para fortalecer o costado e o casco; CINTADO [F.: Do lat. *cincta*. Hom./Par.: *cinta* (fl. de *cintar*); *sinta* (fl. de *sentir*); *cintas* (pl.), *cintas* (fl. de *cintar*), *sintas* (fl. de *sentir*).] ▪ **~ antimagnética** *Bras. Mar. G.* Dispositivo que anula ou diminui os efeitos magnéticos causados por uma embarcação, para evitar que esta seja atingida por armas eletromagnéticas **~ couraçada** *Cnav.* Conjunto de placas de couraça que blindam um navio de guerra de proa a popa, na altura da linha de flutuação

cinta-calça (cin.ta-*cal*.ça) *sf.* Peça do vestuário íntimo feminino que consiste numa calça elástica capaz de comprimir e modelar o corpo da mulher, esp. a região do abdôme e dos quadris

cintado (cin.*ta*.do) *a.* **1** Que se cintou; APERTADO [Ant.: *folgado, solto*.] **2** Preso com cinta (4): *Recebeu alguns impressos cintados.* **3** Ajustado à cintura; cinturado (roupa cintada) [F.: Part. de *cintar*.]

cinta-larga (cin.tas-*lar*.gas) *smpl. Etnol.* Povo indígena que habita a região limítrofe entre MT e RO que inclui o Parque do Aripuanã, entre outras áreas indígenas

cinta-liga (cin.ta-*li*.ga) *sf.* Peça do vestuário íntimo feminino composta de uma cinta dotada de quatro tiras elásticas com prendedores para meias nas extremidades [Pl.: *cintas-ligas e cintas-liga*.]

cintar (cin.*tar*) *v. td.* **1** Pôr cinta ou cinteiro em: *cintar o abdome; A enfermeira cintou a paciente.* **2** Cingir (jornal, livro etc.) com cinta (tira de papel) **3** Cingir com cinto ou faixa: *Cintou o roupão de banho.* **4** *Vest.* Dar cava da cintura a: *O alfaiate cintou o terninho.* **5** Cercar: "...muralha imensa com ameias e torres, cintando a cidade." (Coelho Neto, *Turbilhão*) **6** Cercar com arcos de ferro ou outro material para segurança ou consistência [▶ 1 cintar] [F.: *cinta* + *-ar*². Hom./Par.: *cinto* (fl.), *cinto* (sm.), *sinto* (fl. de *sentir*); *cinta(s)* (fl.), *cinta(s)* (sf. [pl.]); *cintar* (nas várias pess. do pres. do ind.), *sentir* (nas várias pess. do pres. do subj.); *cinteis* (fl.), *cintéis* (pl. de *cintel*).]

cinteiro (cin.*tei*.ro) *sm.* **1** Pessoa que fabrica ou vende cintos ou cintas **2** Faixa que protege o umbigo dos recém-nascidos **3** Fita que cerca a copa do chapéu junto à aba **4** Espécie de cabide para pendurar cintos: *cinteiro de madeira.* [F.: *cinto* ou *cinta* + *-eiro*.]

cintilação (cin.ti.la.*ção*) *sf.* **1** Ação ou efeito de cintilar **2** Grande claridade; presença de luz intensa; CLARÃO: *a cintilação do sol dos trópicos.* **3** Brilho forte e intenso, esp. de um foco de luz ou ponto que emite luz própria ou refletida) **4** Brilho intermitente, que parece tremer, que varia ou parece variar de intensidade [Em relação à luz das estrelas, é fenômeno causado pelas rápidas variações da refração sofrida ondas luminosas que incidem nas camadas superiores da atmosfera. Esse efeito não é igualmente observado com a luz dos planetas do sistema solar, devido ao fato de serem estes fontes extensas de luz (por estarem mais próximos), e não fontes pontuais.] **5** *Fig.* Manifestação de grande inteligência ou talento **6** Emissão de centelhas ou fagulhas **7** Emissão de luz ou outra radiação, resultante de decaimento radioativo **8** Emissão de luz que se dá quando alguma radiação ou partícula ionizante incide sobre um detector ou meio sensível [Pl.: *-ções*.] [F.: Do lat. *scintilatione(m)*.]

cintilador (cin.ti.la.*dor*) [ô] *a.* **1** *Fís.* Diz-se de material que cintila quando irradiado (cristal cintilador) *sm.* **2** Esse material (cintilador gasoso) **3** *Astron.* Instrumento para estudo de fotografias astronômicas que, através da cintilação de duas lâmpadas sobre duas fotografias da mesma região, feitas em ocasiões diversas, é capaz de detectar alterações nos corpos celestes [F.: *cintila(r)* + *-dor*.]

cintilância (cin.ti.*lân*.ci.a) *sf.* Brilho resplandecente: *Olhos marcados por cintilância*.: "...Recordo hoje a memória deles em uma prosa modesta que contrasta com a cintilância poética de meus predecessores..." (Pe. Fernando Bastos de Ávila, *"Discurso de posse na ABL"*) [F.: De *cintil(ar)* + *-ância*.]

cintilante (cin.ti.*lan*.te) *a2g.* **1** Que cintila; que tem ou reflete luz de modo intermitente, com variação de intensidade (estrela cintilante) **2** Que tem grande brilho, que lança luz intensa; FULGURANTE **3** Que emite brilho faiscante, lampejos, reflexos de luz (tecido cintilante) **4** *Fig.* Que se destaca ou fascina pela capacidade do intelecto, pela expressividade, pelo talento etc.; FULGURANTE **5** *Fig.* Que chama atenção pela beleza ou outra qualidade especial, ou que parece irradiar corporalmente certo sentimento ou qualidade interior: *A festa de estreia contou com a presença cintilante do ator principal do filme.* [F.: Do lat. *scintilante(m)*.]

cintilar (cin.ti.*lar*) *v. int.* **1** Brilhar com variações rápidas da intensidade da luz; TREMELUZIR: *As estrelas cintilam.* **2** Variar de intensidade, como que tremendo ou piscando, ou aparecer rápida e intensamente (a luz emitida ou refletida por algum corpo ou objeto) **3** Brilhar muito, emitir ou refletir luz intensa; resplandecer: *O brilhante cintilava no dedo.* **4** Manifestar o fenômeno da cintilação; brilhar com uma espécie de cintilação rápida: *O detector cintilou, indicando radioatividade.* **5** Emitir lampejo(s), centelha(s), fagulha(s) **6** *Fig.* Ser ou estar radioso, radiante: *Seus olhos e todo o rosto cintilavam de contentamento.* [▶ 1 cintilar] [F.: Do lat. *scintillare*.]

cintilocoronariografia (cin.ti.lo.co.ro.na.ri.o.gra.*fi*.a) *sf. Rlog.* Exame radiológico do coração com a injeção de um radiofármaco que permite acompanhar seu percurso graças à emissão de que se apresentam numa tela sob a forma de pontos brilhantes [F.: *cintil(ação)* + *-o-* + *-coronário* + *-grafia*.]

cintilografia (cin.ti.lo.gra.*fi*.a) *sf. Rlog.* Exame radiológico no qual são injetadas ou ingeridas pequenas quantidades de radiofármacos que têm o seu percurso acompanhado nas imagens dos órgãos estudados; CINTIGRAFIA [F.: *cintil(ação)* + *-o-* + *-grafia*.]

cintilográfico (cin.ti.lo.*grá*.fi.co) *a.* Referente à cintilografia (exame cintilográfico); CINTIGRÁFICO [F.: *cintilografia* + *-ico*.]

cinto (*cin*.to) *sm.* **1** Tira ou faixa de couro ou tecido que cinge a cintura e se prende com laço, fivela, fecho etc. **2** Cós, cintura **3** O que circunda um espaço, limitando-o ou não; CINTURÃO; CERCA: *Plantou um cinto de árvores para delimitar o terreno.* **4** *N. E.* Bolsa comprida e fina de tecido mole que os viajantes prendem à cintura para levar dinheiro **5** O mesmo que *cinto de segurança* **6** Qualquer coisa que circunde algo, cingindo-o: *Passou um cinto de metal em torno da mala.* [F.: Do lat. *cinctus*. Hom./Par.: *cinto* (v. *cintar*) e *sinto* (v. *sentir*).] ▪ **Apertar o ~** *Fig.* Limitar despesas, por falta de recursos ou para poupá-los **~ de castidade** **1** Na Idade Média, dispositivo de ferro que cingia o ventre das mulheres, cobrindo a vagina e fechado a cadeado, para impedir que tivessem relações sexuais na ausência do marido **2** *Fig. P. ext.* Tudo que dificulta ou impede contato sexual **~ de segurança** Correia instalada no assento de veículos (automóvel, avião etc.) para ser afivelada pelo passageiro, com isso impedindo que seja projetado (e possivelmente ferido) em caso de acidente ou parada brusca [Tb. apenas *cinto*.]

cintura (cin.*tu*.ra) *sf.* **1** Região do corpo humano abaixo das costelas e acima dos quadris, que forma o contorno do tronco na parte mediana e mais estreita deste **2** *Vest.* Parte do vestuário que rodeia essa região do corpo e cuja circunferência ger. é ajustada às medidas dela: *calça de cintura baixa.* **3** *Vest.* Cós, cinto **4** *P. ext.* A parte mais estreita, ger. mediana, de um objeto aproximadamente cilíndrico: *cintura de um vaso.* **5** Segmento médio do contorno de algo **6** *Anat.* Estrutura óssea de sustentação e articulação dos membros ao tronco (cintura escapular; cintura pélvica) **7** *Esp.* Golpe aplicado no nível da cintura, em algumas lutas **8** Contorno, ou aquilo que contorna ou se estende em volta de uma área, de um local **9** *Mil.* Conjunto de fortes e baterias em torno de uma cidade [F.: Do lat. *cinctura*. Ideia de 'cintura', usar pref. *zoster-*.] ▪ **~ de pilão** Cintura muito fina ou estreita, esp. no corpo da mulher, que faz ressaltarem as curvas e formas do busto e dos quadris: "Quando eu abarco essa cintura de pilão/ Fico frio, arrepiado, quase morto de paixão" (Luís Gonzaga e Zé Dantas, *Cintura fina*) **~ de retrós** O mesmo que *cintura de pilão* **~ de tanajura** O mesmo que *cintura de pilão* **~ de vespa** O mesmo que *cintura de pilão* **~ escapular** *Anat.* Cada um dos dois conjuntos de dois ossos (a clavícula e a escápula) que se articulam entre si e com o esterno e a coluna vertebral, e sustentam os dois membros superiores **~ pélvica** *Anat.* Conjunto de três ossos (os dois ilíacos e o sacro) que constitui a bacia e sustenta os membros inferiores

cinturado (cin.tu.*ra*.do) *a.* **1** Que tem cintura (copo de chopp cinturado) **2** *Vest.* Ajustado na cintura (corpete cinturado); CINTADO **3** *Esp.* Diz-se de golpe aplicado no nível da cintura (balão cinturado) [F.: *cintura* + *-ado*.]

cinturão (cin.tu.*rão*) *sm.* **1** Cinto largo, ger. de couro, us. na cintura ou para pendurar armas e outros utensílios **2** Qualquer cinto ou faixa largos **3** *Esp.* Cinto que é dado como troféu ao campeão de uma categoria do boxe: *cinturão dos peso-pesados.* **4** Faixa de terreno, ger. circular, ao redor de uma área, de uma cidade etc. (cinturão verde) **5** *Geogr.* Região ou faixa do globo terrestre que se distingue por características geológicas, biológicas, climáticas etc. [Pl.: *-rões*.] [F.: Do lat. *cintura* + *-ão*.] ▪ **~ de radiação de Van Allen** *Geof.* Região do espaço em volta da Terra, nas camadas superiores da atmosfera, em que há intensa radiação ionizante, devido à presença de partículas carregadas e de alta energia que aí se concentram por ação do campo magnético do planeta [Tb. se diz apenas *cinturão de radiação* ou *cinturão de Van Allen*.] **~ verde** Área de vegetação e de cultivo agrícola na periferia de uma grande cidade

cinturar (cin.tu.*rar*) *v. td.* **1** Colocar cinto ou cinta em (algo, alguém ou si mesmo) **2** Enlaçar pela cintura: *O rapaz cinturou a garota e saíram caminhando.* **3** Produzir depressão parecida com cintura de corpo humano: *A costureira cinturou o macacão.* **4** *Esp.* Aplicar no adversário uma cintura, golpe que envolve o meio da barriga [▶ 1 cinturar] [F.: *cintur(a)* + *-ar*². Sin. ger.: *acinturar*.]

cinza (*cin*.za) *sf.* **1** Pó ou resíduo da combustão (queima) completa de certos materiais, como madeira, folhas etc.; BORRALHA; FAVILA: *cinza do cigarro; cinza da fogueira.* **2** Ver *Cinza vulcânica* **3** *Fig.* Resquício, vestígio ou memória do que passou, se consumiu, desapareceu; aquilo que perdeu inteiramente a antiga intensidade ou o ardor: "Magoado e só,/ – Só! – meu coração ardeu:/ Ardeu em gritos dementes/ Na sua paixão sombria.../E dessas horas ardentes/ Ficou esta cinza fria." (Manuel Bandeira, "Epígrafe" em *A Cinza das Horas*) [Tb. us. no pl.] **4** *Fig.* (Aquilo que evoca ou simboliza) pesar, humilhação, arrependimento [Tb. us. no pl.] *sm.* **5** A cor, intermediária entre o branco e o preto, da cinza (1) de certas substâncias; CINZENTO: *O cinza é uma cor séria, sóbria.* **6** Por metonímia, roupa dessa cor: *Achava que vestir cinza dava um ar de velhice.* *a2g2n.* **7** Cuja cor é o cinza (3) (terno cinza, calças cinza); CINZENTO **8** Diz-se dessa cor: *cabelos de cor cinza.* **9** *Fig.* Que evoca lembrança, saudade, tristeza, desolação: *cinza do amor passado; cinza do anoitecer.* [F.: Do lat. vulg. **cinisia*.] ▪ **Botar/deitar ~ nos olhos (de alguém)** Enganar, lograr, iludir (alguém) **~ vulcânica** Matéria constituída por finas partículas minerais de rocha e magma, expelida de um vulcão [Diferentemente da cinza da combustão de materiais orgânicos, a cinza vulcânica é dura, abrasiva e insolúvel em água, e se solidifica quando chega ao solo.] **Reduzir a ~** Queimar, consumir, destruir (o fogo, ou com fogo); *fig.:* destruir, aniquilar, anular. (Ver *renascer/ressurgir das cinzas* [verbete *cinzas* sfpl.].) **Renascer/ressurgir da ~** *Fig.* Reviver, reparecer, voltar a manifestar-se (ver *renascer/ressurgir das cinzas* [verbete *cinzas* sfpl.])

cinza-chumbo (cin.za-*chum*.bo) *sm2n.* **1** Tonalidade escura de cinza que lembra a cor do chumbo *a2g2n.* **2** Que é dessa cor (camisas cinza-chumbo) **3** Diz-se dessa cor: *As nuvens cinza-chumbo pairavam ameaçadoramente sobre nossas cabeças.*

cinza-grafite (cin.za-gra.*fi*.te) *sm2n.* **1** A tonalidade de cinza quase preto que lembra a cor da grafita *a2g2n.* **2** Que é dessa cor (calças cinza-grafite) **3** Diz-se dessa cor: *Os automóveis cinza-grafite são os mais vendidos.*

cinzas (*cin*.zas) *sfpl.* **1** O mesmo que *cinza* (resíduo de combustão completa ou quase) **2** Resíduos de defunto, após a cremação: *Espalhou no mar as cinzas do pai.* **3** O mesmo que *Restos mortais* **4** Restos de destruição, esp. pelo fogo; ruínas: *a casa virou cinzas.* **5** Partículas minerais resultantes de erupção vulcânica **6** *Fig.* Lembranças do que não mais existe; a memória ou presença espiritual de coisas ou pessoas do passado **7** Penitência, mortificação; sentimento de contrição ou piedade religiosa, postura de humilhação (Quarta-feira de Cinzas) **8** *Fig.* (Cerimônia católica na qual o sacerdote, no primeiro dia da Quaresma, faz na fronte dos fiéis uma cruz com) as cinzas (1) dos panos do altar e das palmas bentas do ano anterior, incineradas [F.: Ver *cinza*.] ■ **Reduzir a ~s** 1 Queimar, consumir, destruir (o fogo, ou com fogo) até o fim 2 Destruir, acabar com, anular inteiramente; reduzir a pó **Renascer/ressurgir das ~s** Reviver, reaparecer, voltar a manifestar-se, recobrar a antiga força (ou outra condição), depois de aparentemente morto, extinto, derrotado ou acabado

cinzeiro (cin.*zei*.ro) *sm.* 1 Grande quantidade de cinzas 2 Receptáculo de fogões de lenha, fornalhas, caldeiras etc. onde cai a cinza 3 Recipiente onde se põem cinzas e pontas usadas de cigarros ou charutos 4 *Bras.* Trabalhador que retira a cinza das caldeiras das usinas de açúcar 5 Chuva fina, névoa, ou nebulosidade que diminui a visibilidade 6 *Bot.* Designação de duas árvores voquisiáceas, *Vochysia tucanorum* e *Qualea multiflora*, típicas do cerrado, que apresentam flores amarelas numerosas e em cacho, e dão madeira usada para tábuas, caixotes e canoas, ambas tb. denominadas pau-de-tucano; PAU-DE-TUCANO 7 *Bot.* Designação dada a várias árvores, como o cambará-preto, a cuiarana, e o congonheiro [F.: *cinza* + *-eiro*.]

cinzel (cin.*zel*) *sm.* 1 Instrumento de aço, com ponta de metal afiado, us. por escultores e gravadores para esculpir, talhar, sulcar materiais como madeira, ferro, pedra etc. 2 *P. ext.* Aquele que maneja o cinzel, que lavra ou esculpe com cinzel; cinzelador, escultor, gravador [Pl.: *-zéis*.] [F.: do ant. fr. *cisel*.]

cinzelado (cin.ze.*la*.do) *a.* 1 Que se cinzelou 2 Esculpido ou gravado com cinzel: "As quadrigas cinzeladas em honra da vitória equestre." (Latino Coelho, *Oração da Coroa*) 3 *P. ext.* Que se assemelha a uma cinzeladura, pela delicadeza e finura de seu desenho 4 *Fig.* Trabalhado com cuidado, com grande esmero em todas as suas partes: *um estilo cinzelado*. *sm.* 5 O mesmo que *cinzeladura* 6 *Fig.* Trabalho esmerado, meticuloso: *A sua música tinha um cinzelado extremamente harmonioso.* [F.: Part. de *cinzelar*.]

cinzelar (cin.ze.*lar*) *v. td.* 1 Lavrar (fazer sulcos, entalhes em) ou esculpir com cinzel: *cinzelar a madeira, o mármore etc.* 2 *P. ext.* Fazer com esmero, precisão e nitidez: *cinzelar uma joia.* 3 *Fig.* Trabalhar ou elaborar (algo) com grande exatidão, com extrema delicadeza de pormenores, ou submetendo a muitas modificações até chegar próximo à perfeição; APRIMORAR; APURAR: *Demorou meses a cinzelar os poemas.* [▶ 1 cinzelar] [F.: *cinzel* + *-ar*[2].]

cinzento (cin.*zen*.to) *a.* 1 Que tem a cor da cinza (pó, resíduo de combustão), caracterizada pela presença mais ou menos iguais de todas as cores do espectro, porém menos luminosa do que o branco; que tem coloração neutra, entre preto e branco (terno cinzento, casa cinzenta) 2 Diz-se dessa cor; CINZA: *Aprovou a cor cinzenta do uniforme.* 3 Que se apresenta com céu encoberto, cheio de nuvens; *p. ext.* e *fig.*: pouco luminoso e/ou pouco colorido, e que, por isso, dá sensação de tristeza, desânimo etc. (dia cinzento; paisagem cinzenta) 4 *Fig.* Diz-se do que é apagado, não tem brilho, vivacidade; monótono (escrita cinzenta); ESCURO; NEBULOSO *sm.* 5 A cor cinzenta (ver acp. 1) [F.: *cinza* + *-ento*.]

◎ **ci(o)-** *el. comp.* = 'sombra': *ciofilia, ciófilo, ciófito; ciascopia* [F.: Do gr. *skiá, âs.* Tb.: *esci(o)-, escia-*: *esciofilia, esciascopia*.]

cio (*ci*:o) *sm.* 1 *Biol.* Período de fertilidade das fêmeas da maioria das espécies de mamíferos, recorrente a intervalos regulares e caracterizado pela propensão ao acasalamento (excitabilidade e alterações que despertam a excitação dos machos); o desejo sexual intenso dos animais nesse período; ESTRO: *cão no cio; cio da gata.* 2 *P. ext.* Desejo ou apetite sexual intenso, no ser humano; LUXÚRIA [F.: Do gr. *zêlos*. Hom./Par.: *cio* (sm.), *sio* (fl. de *siar*).]

ciofilia (ci.o.fi.*li*.a) *sf. Bot.* Necessidade de sombra que tem uma planta ou uma comunidade vegetal para se desenvolver [F.: *ci(o)-* + *-filia*[1]. Tb.: *esciofilia*.]

ciofílico (ci.o.*fi*.li.co) *Bot. a.* 1 Ref. a ciofilia 2 O mesmo que *ciófilo* [F.: *ciofilia* + *-ico*[2]. Tb.: *esciofílico*.]

ciófilo (ci.*ó*.fi.lo) *a. Bot.* Diz-se de vegetal ou comunidade vegetal que tem ciofilia; UMBRÓFILO [F.: *ci(o)-* + *-filo*[1]. Tb.: *esciófilo*.]

ciófito (ci.*ó*.fi.to) *sm. Bot.* Vegetal que precisa de sombra para se desenvolver melhor [F.: *ci(o)-* + *-fito*.]

cioso (ci.*o*.so) [ô] *a.* 1 Que cuida ou dá atenção àquilo por que tem apreço ou a que dá importância; zeloso, cuidadoso, atencioso: *cioso dos deveres; cioso da reputação.* [Ant.: *descuidado, negligente*.] 2 Diz-se de quem sente ciúmes de pessoa com quem tem determinada relação de afeto, amor, amizade; ciumento, zeloso (marido cioso; amiga ciosa) 3 Que sente inveja, despeito, cobiça por bens ou atributos de outrem 4 Próprio de quem é cioso; causado por ou que revela atenção, ciúmes, inveja: *desprezo cioso e mútuo entre rivais.* [Pl.: [ó]. Fem.: [ó].] [F.: *cio* + *-oso*.]

ciperáceas (ci.pe.*rá*.ce.as) *sfpl. Bot.* Família de plantas que se apresentam sob a forma de arbustos ou trepadeiras, cultivadas para ornamentação ou para a produção de papel ou de fibras, como o junco e o papiro [F.: Do lat. cient. *Cyperaceae*.]

cipó (ci.*pó*) *sm.* 1 *Bras. Bot.* Designação comum a plantas trepadeiras cujos ramos se trançam nas árvores como se fossem cordas 2 *Bras. Gír.* Chicote, chibata 3 *Pop.* Cachaça (aguardente de cana) [F.: do tupi *isi'po*.]

cipoada (ci.po.*a*.da) *sf.* 1 Pancada com cipó: "...Não se envergonham os filhos das cipoadas e varadas paternas..." (Rui Barbosa, *Coletânea literária*) 2 Mata de cipós; CIPOAL 3 *Bras. Fig.* Crítica rigorosa: "...Não que os sermões não sejam importantes, mas de quando em vez, a cipoada precisa ser mais forte para ter mais impacto..." (*Diário do Nordeste*, 21.02.2005) [F.: *cipó* + *-ada*.]

cipoal (ci.po:*al*) *sm.* 1 *Bras.* Mata difícil de penetrar, cheia de cipós enredados 2 *Bras. Fig.* Situação difícil, intrincada; COMPLICAÇÃO 3 *Bras. Fig.* Enredamento operacional e administrativo; acúmulo de regras ou leis que dificultam ações e providências (cipoal burocrático, cipoal jurídico) [Pl.: *-ais*.] [F.: *cipó* + *-al*[1]. Sin. ger.: *cipoada*.]

cipoama (ci.po:*a*.ma) *sf.* Mata cheia de cipós; CIPOAL [F.: *cipó* + *-ama*.]

cipó-cruz (ci.pó-*cruz*) *sm. Bot.* Trepadeira lenhosa (*Clematis dioica*)que tem raízes purgativas e ramos em forma de cruz, encontrada em todo o Brasil [Pl.: *cipós-cruzes* e *cipós-cruz*.]

cipó-de-cobra (ci.pó-de-*co*.bra) *Bot. sm.* 1 Trepadeira (*Aristolochia barbata*) da fam. das aristoloquiáceas, de tonalidades esbranquiçadas, flores solitárias e frutos capsulares, encontrada nas Guianas e no Brasil 2 *Bras.* Trepadeira (*Aristolochia distícha*), de folhas membranosas e frutos capsulares, encontrada na Amazônia 3 Trepadeira (*Cissampelos glaberrima*) da fam. das menispermáceas, de flores amareladas e frutos drupáceos, encontrada em várias regiões do Brasil 4 Planta menispermácea (*Cissampelos parreira*, L.); tb. *parreira-brava, parreira-do-mato.* 5 Trepadeira cucurbitácea (*Fevillea trilobata*. L.), de valor medicinal; tb. *fava-de-santo-inácio-falsa* [Pl.: *cipós-de-cobra*.]

cipó-quebrador (ci.pó-que.bra.*dor*) [ô] *sm. Bot.* Trepadeira nativa da Amazônia cujas sementes têm propriedades diuréticas, febrífugas e anti-sifilíticas [Pl.: *cipós-quebradores*.]

cipó-violeta (ci.pó-vi.o.*le*.ta) *sm. Bot.* Arbusto trepador da fam. das leguminosas, subfam. papilionoídeas (*Dalbergia variabilis*), nativo do Brasil, de madeira branca, própria para marcenaria, e flores amarelas ou esbranquiçadas; JACARANDÁ [Pl.: *cipós-violetas e cipós-violeta*.]

cipozal (ci.po.*zal*) *sm.* Mata cheia de cipós; CIPOAL; CIPOAMA [Pl.: *-zais*.] [F.: *cipó* + *-zal*.]

cipreste (ci.*pres*.te) *sm.* 1 *Bot.* Designação comum a vários tipos de árvores altas, da família das cupressáceas, de galhos curtos e folhas verde-escuras, cultivadas como ornamentais e fonte de madeira 2 A madeira dessas árvores 3 *Fig.* Ramo(s) de cipreste, us. ou figurados como símbolo de morte, luto, tristeza *smpl.* 4 *Fig.* Tristeza, dor, luto, morte [F.: Do lat. imp. *cypressus*.]

ciprinicultor (ci.pri.ni.cul.*tor*) [ô] *sm.* 1 Aquele que se dedica à criação de carpas *a.* 2 Diz-se de quem se dedica à ciprinicultura [F.: *ciprin(i)-* + *-cultor*.]

ciprinicultura (ci.pri.ni.cul.*tu*.ra) *sf.* Criação de carpas [F.: *ciprin(i)-* + *-cultura*.]

cipriota (ci.pri.*o*.ta) [ó] *a2g.* 1 Ref. ou pertencente a Chipre, ilha do Mediterrâneo próxima à Grécia (governo cipriota, cidade cipriota); CIPRÍACO; CÍPRICO 2 Típico de Chipre e de seu povo (costume cipriota, linguajar cipriota) *s2g.* 3 Indivíduo natural de ou que vive em Chipre [F.: Do it. *cipriota*.]

ciranda (ci.*ran*.da) *sf.* 1 Dança de roda infantil ou adulta, ger. acompanhada de trovas cantadas, originária de Portugal; CIRANDINHA 2 *Fig.* Agitação, movimentação frenética e constante: *Vive na ciranda de seus afazeres.* 3 Peneira grossa (para joeirar, para separar material de construção) 4 *Econ.* Aplicação de dinheiro a curto prazo (ciranda financeira) 5 *Fig.* Passagem do tempo em ciclos; sucessão (de horas, dias, anos) 6 *Bras. N. E. Folc.* Dança do bumba meu boi; CIRANDINHA [F.: De or. contrv.]

cirandar (ci.ran.*dar*) *v.* 1 Dançar (e cantar) ciranda(s) [*int.*: *Hoje vou cirandar a noite inteira.*] 2 Fazer passar (cereais) pela ciranda; ACIRANDAR; JOEIRAR; PENEIRAR [*td.*: *cirandar o trigo.*] 3 *Fig.* Ir de um lado para o outro, dando voltas, ou a esmo, sem direção ou destino [*int.*: "Uma varejeira cirandou inquieta..." (Samuel Maia, *Sexo forte*)] 4 *Fig.* Agitar-se, movimentar-se, ocupar-se intensamente [*int.*] 5 *Fig.* Passar em sucessão ou formando ciclos; transcorrer (unidades de tempo) [*int.*] [▶ 1 cirandar] [F.: *ciranda* + *-ar*[2]. Hom./Par.: *ciranda(s)* (fl.), *ciranda(s)* (sf. [pl.]).]

cirandeiro (ci.ran.*dei*.ro) *sm.* 1 Cantor das rodas de ciranda: "...Ó, cirandeiro, cirandeiro/ Que faz ciranda o tempo inteiro..." (Gilberto Gil e Moacir Santos, *Ciranda*) *a.* 2 Que canta nas rodas de ciranda (mestre cirandeiro) 3 Ref. a ciranda [F.: *ciranda* + *-eiro*.]

cirandinha (ci.ran.*di*.nha) *sf.* 1 Ver *ciranda* (acps. 1 e 5) 2 Pequena ciranda ou peneira [F.: *ciranda* + *-inha*.]

circadiano (cir.ca.di.*a*.no) *a.* 1 Referente ao período de um dia ou de aproximadamente 24 horas (ritmo circadiano) 2 Que diz respeito à regularidade rítmica no funcionamento diário do organismo [F.: *circa-* (<circum>) + *dia* + *-ano*.]

circamaré (cir.ca.ma.*ré*) *a2g.* Relativo ao período de 12, 4 horas, correspondente à mudança das marés [F.: *circa-* + *maré*.]

circassiano (cir.cas.si.*a*.no) *sm.* 1 Pessoa nascida na Circássia, região da Europa ao norte do Cáucaso *a.* 2 Da Circássia, típico dessa região ou de seu povo [F.: *Circássia* + *-ano*.]

circense (cir.*cen*.se) *a2g.* 1 Ref. a ou próprio de circo (espetáculo circense; carreira circense) 2 Ref. às apresentações de habilidade e agilidade, típicas de espetáculos de circo, como malabarismo, acrobacia, equilibrismo, contorcionismo (artes circenses) 3 Que lembra os espetáculos circenses, pelo recurso ao que é extraordinário, espetaculoso, pelo caráter chamativo ou apelativo: "Descontado o aspecto circense empregado em releituras de clássicos do jazz, [o guitarrista Stanley]Jordan provou sua versatilidade criando temas inspirados" (Luiz Chagas, *Isto é* (28.01.2004) 4 Que tem o caráter popularesco dos espetáculos circenses ou de outros espetáculos de variedades 5 *Pej.* Que chama atenção pelo aspecto grotesco, pela teatralidade excêntrica [F.: Do lat. *circense(m)*.]

circinado (cir.ci.*na*.do) *a.* 1 *Bot.* Diz-se de órgão vegetal enrolado em espiral sobre si, do ápice à base 2 *Derm.* Diz-se de lesão cutânea que se expande circularmente, quase sem danificar a região central [F.: Do lat. *circinatu*.]

circo (*cir*.co) *sm.* 1 Grande tenda de lona em que se assiste a espetáculos de acrobacia, mágica, palhaços e animais amestrados 2 Conjunto dos animais e artistas que se apresentam nesses espetáculos: *Todo o circo revoltou-se com a demissão do palhaço.* 3 A arte circense: *escola de circo.* 4 O espetáculo ou gênero de espetáculo apresentado no circo (1) 5 *Hist.* Grande anfiteatro para jogos e espetáculos públicos, na antiga Roma 6 *Fig.* Diversão; a parte prazerosa ou lúdica da vida das pessoas: *dar ao povo pão e circo.* [*sustento material e diversão*.] [Nesta acp., não raro com conotação pejorativa, de atividade alienada, sem valor educativo ou cultural.] 7 *Fig.* Atividade de entretenimento que se assemelha à do circo (3); *esp.*: conjunto de pessoas e equipamentos ligados a determinada atividade de entretenimento, ger. de grande apelo popular e com atmosfera exótica, ou de aventura e ação, e que se desloca de lugar em lugar, apresentando espetáculos: *jornalistas que acompanham o circo das corridas automobilísticas.* 8 Ambiente alegre e ruidoso, de pessoas que se divertem agitadamente 9 Cena que chama atenção ou que choca pelo aspecto grotesco, excêntrico ou exótico 10 Linha ou figura circular; disposição de coisas ou pessoas em círculo; CÍRCULO 11 *RS* Formação em círculo de pessoas a pé ou montadas, us. para manter animais reunidos no campo [F.: Do lat. *circu(m)*.] ■ **~ de cavalinhos** Companhia ambulante de artistas (palhaços, domadores, trapezistas, malabaristas etc.) e todo o seu equipamento, que vão de cidade em cidade apresentando seus números, ger. em picadeiros sob grande tenda de lona que tb. abriga o público [Tb. apenas *circo*.] **~ de erosão** *Geol.* Ver *Anfiteatro de erosão* no verbete *anfiteatro* **~ glacial/glaciário** *Geol.* Depressão em terreno onde se acumula neve **~ lunar** *Astron.* Depressão circular na superfície da Lua, com centenas de quilômetros de diâmetro, de bordos elevados em torno de um interior plano **Deixar/ver o ~ pegar fogo** Assistir passivamente, ou com certa satisfação, a uma situação conturbada ou de conflito **Ser de ~** *Bras. Pop.* Ser habilidoso, esperto, apto a se sair bem em situações difíceis: *Se ele não fosse de circo, teria se machucado muito ao cair da bicicleta.*

circuito (cir.*cui*.to) *sm.* 1 *Elet. Eletrôn.* Conjunto de condutores interligados pelos quais circula uma corrente elétrica 2 Série de aparelhos ou dispositivos interligados com uma função determinada: *circuito interno de televisão.* 3 Linha que marca os limites de uma área; PERÍMETRO 4 Volta em torno de uma área: *Corre diariamente, fazendo o circuito do parque.* 5 Caminho, trajeto, roteiro ou percurso que retorna ao ponto de partida 6 *P. ext.* Qualquer movimento circular; GIRO; VOLTA 7 Caminho ou percurso que contorna, que não avança diretamente, que se desvia da direção reta (tb. *Fig.*) 8 Rota ou roteiro de passeio turístico ou de atividades de lazer: *Fez recentemente o circuito da Chapada Diamantina.* 9 *Fig.* Ambiente em que se vive ou trabalha; campo de atividade ou de interesse: *Ficou famoso no circuito da moda.* 10 *Cin.* Conjunto de cinemas que exibem o mesmo filme ou pertencem a uma mesma companhia 11 Série de espetáculos ou apresentações sucessivas, em lugares diferentes; TOUR (GAL.); TURNÊ 12 *Esp.* Caminho ou trajeto, geralmente sinuoso, em que se realizam corridas de automóvel, de motocicleta etc. 13 Ciclo; sucessão (de fenômenos, de elementos) que se repete periodicamente [F.: Do lat. *circuitu(m)*.] ■ **~ aberto** *Elet.* Circuito elétrico em que não há corrente por ter sido interrompido em algum ponto **~ acrobático** Modalidade de ginástica que imita os exercícios de uma apresentação circense, e na qual os alunos se exercitam em camas elásticas, trapézios, barras, cordas etc. **~ analógico** *Elet.* Circuito elétrico no qual os valores dos sinais que circulam podem variar linearmente [Cf.: *Circuito digital*.] **~ ativo** *Elet.* Circuito elétrico com elementos ativos (válvulas, transistores ou circuitos integrados) **~ de palavras** Expressão, argumentação etc. que se desvia de certo assunto ou evita referência direta a algo; rodeio (de palavras), circunlóquio **~ de tráfego** *Avi.* Caminho ou série fixa de manobras a serem executadas pelas aeronaves que pousam, decolam e taxiam e um aeródromo **~ digital** *Elet. Eletrôn.* Circuito no qual os valores dos sinais que circulam só podem assumir um conjunto finito de valores [Cf.: *Circuito analógico*.] **~ Eccles-Jordan** *Eletrôn.* Ver *Circuito flip-flop* **~ elétrico** *Elet.* Circuito formado de componentes de natureza elétrica **~ eletrônico** *Eletrôn.* Circuito formado de componentes de natureza eletrônica **~ fechado** 1 *Elet. Eletrôn.* Circuito em que há uma corrente elétrica, por não ter ponto de interrupção 2 *Telv.* Sistema de transmissão de sinais de televisão no qual os sinais são transmitidos diretamente por cabo a determinados monitores **~ filtro** *Eletrôn.* O que produz um sinal de saída diferente do de entrada ao bloquear certas frequências e deixar passar outras [Tb. apenas *filtro*.] **~ flip-flop** *Eletrôn.* Circuito digital no qual o sinal de saída pode oscilar entre dois valores, oscilação que pode ser ou não controlada [Tb. apenas *flip-flop*.] **~ impresso** *Eletrôn.* Aquele em que as conexões e os componentes não são ligados por fios, mas por materiais condutores impressos em placa isolante ~ **integrado** *Eletrôn.* Conjunto complexo de componentes eletrônicos miniaturizados e suas respectivas interconexões, montado em pequena pastilha de material semicondutor (ger. silício); *microchip; chip.* ~ **isolador** *Eletrôn.* Circuito com entrada de alta e saída de baixa impedância, interposto entre outros dois para regular a transmissão de impedâncias entre estes ~ **lógico** *Eletrôn.* Circuito capaz de realizar, com os sinais eletrônicos que nele passam, operações correspondentes às operações básicas da lógica (como "não", "ou" e "e") ~ **lógico binário** *Eletrôn.* Circuito lógico que atua em dois níveis de tensão distintos ~ **magnético** *Elet. Eletrôn.* Caminho fechado no qual podem circular linhas de força de um campo magnético ~ **passivo** *Eng. elet.* Circuito elétrico composto apenas de elementos passivos (resistores, capacitores, indutores e transformadores) ~ **planar** *Eng. elet.* Circuito representável num plano, sem cruzamento de bipolos ~ **push-pull** *Eletrôn.* Circuito que usa dois transistores **Sair de/do** ~ Abandonar uma carreira, uma atividade, um projeto etc.

circulação (cir.cu.la.*ção*) *sf.* **1** Ação ou resultado de circular **2** Movimento de algo que percorre um caminho circular: *a circulação dos planetas no espaço.* **3** *Fisl.* Movimento do sangue desde o coração até as diferentes partes do corpo e destas ao coração, e desde o coração aos pulmões e dos pulmões ao coração: "Procurava aneurismas ou outras irregularidades de circulação" (Camilo, *Livro de consolação*) **4** Trânsito, movimentação contínua, fluxo de veículos ou pessoas em locais públicos **5** Movimentação ou distribuição de mercadoria, dinheiro etc.: *O escândalo fez dobrar a circulação da revista.* **6** *Fig.* Conhecimento público, aceitação e transmissão de escritos, livros, ideias e notícias: *a circulação de novas descobertas na área médica estimula o debate entre os especialistas.* **7** *Biol.* Movimento contínuo de fluido no interior de um organismo vivo, para levar a suas partes o alimento e substâncias essenciais à sua vida e para a remoção das substâncias que excreta **8** *Edit.* Quantidade de exemplares de publicações em geral distribuídos numa edição de livro, revista, jornal etc.: *revista com circulação mensal de 50.000 exemplares.* **9** *Cálc. vet.* Num campo vetorial, integral de tangente ao longo de uma curva nesse campo **10** *Econ.* Conjunto de fatores que atuam sobre capitais circulantes e os transformam em novos capitais, circulantes ou fixos [Pl.: *-ções.*] [F.: Do lat. *circulatio, onis.*] ∎ ~ **aberta** *Fisl.* Na circulação sanguínea, aquela em que o vaso sanguíneo, aberto em sua extremidade, leva o sangue a lacunas entre os tecidos ~ **colateral** *Fisl.* Rede de ramificações de vasos sanguíneos na mesma direção da rede principal, e que pode substituí-la parcial ou totalmente em caso de obstrução ~ **fechada** *Fisl.* Aquela em que o sangue não sai do sistema circulatório, ou seja, que se realiza no interior do coração e dos vasos sanguíneos ~ **linfática** *Fisl.* Circulação da linfa através dos vasos linfáticos e linfonodos ~ **pulmonar** *Fisl.* Circulação sanguínea entre o coração e o pulmão, na qual o sangue vai do ventrículo direito para os pulmões pela artéria pulmonar, liberando no pulmão CO_2 (que se eliminará na expiração) e absorvendo oxigênio, e volta, oxigenado, pela veia pulmonar até o átrio esquerdo (ou aurícula esquerda) ~ **sanguínea** *Fisl.* Movimento regular e constante do sangue através do coração e dos vasos sanguíneos, levando oxigênio e nutrientes às células do corpo e delas removendo CO_2 e excreções [Tb. apenas *circulação.*] ~ **sistêmica** *Fisl.* Circulação sanguínea que parte do ventrículo esquerdo do coração e leva o sangue, pelas artérias e vasos capilares, para todo o corpo, retornando pelos capilares e pelas veias para o átrio direito, ou aurícula direita; circulação sistêmica **Grande** ~ *Fisl.* Ver *Circulação sistêmica* **Pequena** ~ *Fisl.* Ver *Circulação pulmonar* **Sair de** ~ *Pop.* Deixar de aparecer, de se apresentar em público, de frequentar reuniões sociais etc.

📖 A circulação sanguínea, esp. nos vertebrados, faz circular no organismo oxigênio e dióxido de carbono, substâncias nutrientes e defensivas, resíduos a serem eliminados e hormônios. O sistema circulatório dos vertebrados, ou seja, a rede de dutos que transporta o sangue para todos os tecidos, é formado basicamente pelo coração – a bomba que aciona o sangue –, pelas artérias, que conduzem o sangue rico em oxigênio, as veias, que levam o sangue com dióxido de carbono a ser eliminado na respiração, e os capilares, vasos muito finos que chegam a todos os tecidos e que unem o sistema (artéria a veias) fechando o ciclo da circulação.

circulado (cir.cu.*la*.do) *a.* **1** Que circulou, que passou de mão em mão (ofício circulado) **2** Rodeado por círculo: *O prédio da prefeitura, circulado por um frondoso jardim, contrastava com o tosco das construções vizinhas.* [F.: De *círcul(o)* + *-ado.*]

circulador (cir.cu.la.*dor*) [ô] *a.* **1** Que faz com que coisas ou substâncias circulem *sm.* **2** Aparelho que faz circular ar, água ou outro fluido **3** *Restr.* Ver *Circulador de ar.* [F.: *circular* + *-dor.*] ∎ ~ **de ar** Aparelho eletrodoméstico similar a ventilador, mas que movimenta o ar de modo mais abrangente, simultaneamente em várias direções, dentro de um recinto

circulante (cir.cu.*lan*.te) *a2g.* **1** Que circula, que se desloca em trajetória circular ou que retorna ao ponto inicial **2** Que se encontra em circulação, em deslocamento mais ou menos contínuo **3** Que é transferido sucessivamente, que passa de mão em mão, de pessoa a pessoa **4** Diz-se de biblioteca ou de outra coleção cujos elementos podem ser levados por empréstimo, sendo a seguir devolvidos para futuros empréstimos a outras pessoas (acervo circulante) **5** Próprio para circulação ou fluxo (de veículos, de mensagens etc.) [F.: *circular²* + *-nte.*]

circular¹ (cir.cu.*lar*) *a2g.* **1** Que tem a forma exata ou aproximada de círculo ou de circunferência de círculo (pista circular; área circular); REDONDO **2** *Geom.* Ref. ou pertencente ao círculo, ou que apresenta propriedades geométricas derivadas das propriedades do círculo (setor circular; segmento circular; cilindro circular) **3** Que termina seu percurso, trajeto ou deslocamento no ponto em que começou (linha circular; ônibus circular) **4** *Fig.* Que se conclui do modo como começou; que se desenvolve passo a passo até chegar ao ponto de partida, à situação ou afirmação iniciais ou semelhantes às iniciais (história circular; raciocínio circular) **5** Que percorre, descreve ou apresenta curvas que lembram círculos ou arcos de circunferência, ou cuja forma lembra cilindro, cone, esfera etc.; arredondado (concha circular) **6** Que gira ou faz movimento de rotação (serra circular) **7** Que circunda algo ou que dá volta(s): *um caminho circular até o topo da colina.* **8** Que é enviado a vários destinatários (memorando circular) *sf.* **9** Carta ou comunicação escrita, ger. de caráter formal ou oficial, que é dirigida simultaneamente a várias pessoas e trata de assunto de interesse comum: *A diretoria da escola mandou uma circular aos pais dos alunos.* [F.: Do lat. *circulare(m)*; ver *círculo* e *-ar¹.*]

circular² (cir.cu.*lar*) *v.* **1** Estar ou mover-se ao redor de, ou fazer (algo) ficar rodeado por, ger. fazendo ou formando círculo, traçando linha circular etc.; CIRCUNDAR [*td.: No quadro-negro, uma linha de giz circula cada adjetivo; Os maratonistas circulavam o estádio; Sublinhe ou circule os verbos da 2ª conjugação.*] [*tdr.* + *com*: *Circulou o baú com uma corrente.*] **2** Mover-se ou deslocar-se em volta de um eixo ou de um ponto; dar voltas, girar, rodar [*int.*] **3** Deslocar-se ou mover-se em caminho ou trajetória circulares, voltando ao ponto de partida [*int.: Os patinadores circulam velozmente.*] [*ta.: O sangue circula pelas veias.*] **4** Fluir ou correr livremente, sem obstáculos; deslocar-se (porção de um fluido, ou de algo que lembra um fluido) e dar lugar (a outras porções do mesmo fluido); esp.: renovar-se (o ar) [*int.: O calor é maior quando o ar não circula.*] **5** Deslocar-se em diferentes direções; transitar, passar [*int.: À noite os carros circulam em alta velocidade.*] [*ta.: Os gatos circulam pelos telhados.*] **6** Ser transmitido ou transferido sucessivamente de pessoa para pessoa; passar de mão em mão, ou de boca em boca; ser difundido, divulgado; ser de conhecimento ou uso geral (diz-se de notícia, boato, informação, ou mensagem, documento etc.) [*int.: A notícia circulou rapidamente.*] [*ta.: O gabarito da prova circulara entre os alunos.*] **7** Ser transferido entre pessoas, us. como meio de troca; ter valor no comércio; ter curso (moeda, dinheiro etc.) [*int.: moedas de 20 centavos já não circulam; Os vales-transporte também circulam no transporte alternativo ou clandestino.*] **8** *Fig. Pop.* Conviver com determinados grupos ou frequentar determinadas atividades [*ta.: Mesmo sem um tostão, circula nas festas dos milionários.*] **9** Ser publicado, distribuído ou vendido para muitas pessoas; ser difundido, divulgado em determinado meio [*int.: Este periódico circulou durante muitos anos.*] [*ta.: A campanha de vacinação c ircula na mídia.*] [▶ 1 circular] [F.: Do lat. *circulare.* Hom./Par.: *circulo* (fl.), *círculo* (sm.).]

circularidade (cir.cu.la.ri.*da*.de) *sf.* **1** Qualidade ou característica do que é circular **2** Caráter ou condição do que é cíclico, do que retorna de modo repetido e regular (descularidade ou não) ao ponto ou situação iniciais: *circularidade de uma narrativa; circularidade de um processo.* [F.: *circular¹* + *-idade.*]

circulatório (cir.cu.la.*tó*.ri.o) *a.* **1** Ref. a circulação ou a movimento ou trajetória circulares **2** *Med. Fisl.* Ref. à circulação sanguínea ou próprio dela (distúrbio circulatório) **3** *Biol.* Ref. à circulação (movimento de fluido interno para distribuição de oxigênio e nutrientes), em animais e vegetais [F.: Do lat. *circulatoriu(m).*]

círculo (*cír*.cu.lo) *sm.* **1** *Geom.* Superfície plana limitada por uma linha curva cujos pontos são equidistantes de um ponto fixo, o centro **2** Linha, movimento ou trajetória circular (que volta ao ponto de partida) (andar em círculos); CIRCUNFERÊNCIA **3** Figura semelhante a círculo (1) **4** Aquilo que apresenta forma circular vazada; ANEL; ARCO; RODA **5** Agrupamento de pessoas ou objetos posicionados ao redor de um centro **6** *P. ext.* Grupo de pessoas reunidas ou relacionadas pelo convívio social ou por interesses diversos **7** *P. ext.* Associação, clube, grêmio, sociedade (círculo estudantil, círculo operário, círculo cultural) **8** *P. ext.* Área, extensão de ação, de vigência, de influência: *Teve de estudar assuntos fora do seu círculo de interesse.* **9** Conjunto de pessoas (não necessariamente agrupadas ou associadas) ligadas a determinada atividade ou que ocupam determinada posição ou função social: *Frequentou durante anos os círculos do poder; A polêmica se disseminou pelos círculos acadêmicos.* **10** *Fig.* Ambiente, meio; conjunto de pessoas com quem alguém se relaciona (e instituições, atividades e lugares que frequenta), em determinado aspecto de sua vida pessoal, profissional etc. (círculo familiar) **11** *Geog.* Qualquer linha imaginária que contorna o planeta (círculo polar) **12** *Astr.* Denominação que se dá a cada uma das linhas imaginárias que cortam a esfera celeste, através das quais se estabelece o movimento e a posição dos astros [Mais us. no pl.] [F.: Do lat. *circulus i.* Hom./Par.: *circulo* (fl. de *circular*).] ∎ **Andar em ~s** *Fig.* Não conseguir progredir efetivamente (p. ex., devido à desorientação), apesar do esforço e das ações concretas, retornando sempre ao ponto de partida ou à situação inicial ~ **central** *Fut.* Círculo demarcado no campo, que tem como centro o ponto médio da linha divisória, e dentro do qual não podem ficar jogadores do time adversário do que está dando saída de jogo naquele ponto ~ **circunscrito** **1** *Geom.* Num triângulo, círculo cuja circunferência passa pelos três vértices **2** *Geom.* Num polígono regular, círculo cuja circunferência passa pelos seus vértices **3** *Geom.* Numa elipse, círculo cuja circunferência tangencia seus vértices ~ **de curvatura** *Geom. an.* Ver *Círculo osculador* ~ **de fogo** *Fig. Geog.* Nas Américas, a faixa ao longo da costa do Pacífico, na qual abundam vulcões ~ **de inclinação** *Geof.* Ver *Círculo de inclinação magnética.* ~ **de inclinação magnética** *Geof.* Instrumento que mede a inclinação magnética, por meio de uma agulha imantada montada num eixo ~ **de latitude** **1** *Astron.* Na esfera celeste, círculo máximo que passa pelo polos desta, perpendicular à eclíptica **2** *Astron.* Na esfera terrestre, círculo máximo, que passa por seus polos, perpendicular ao equador; meridiano ~ **de longitude** **1** *Astron.* Na esfera celeste, círculo menor, paralelo à eclíptica **2** Na esfera terrestre, círculo menor, paralelo ao equador; paralelo ~ **de posição** **1** *Náut.* Na observação de um astro no céu, lugar geométrico das possíveis posições em que o observador vê o astro observado na mesma altura em relação ao horizonte **2** *Mar. G.* Lugar geométrico posições que pode ocupar, em dado momento, navio(s) inimigo(s) que saiu de um ponto conhecido com velocidade conhecida mas com rumo ignorado ~ **de Viena** *Fil.* Nome dado a grupo de filósofos fundado por Moritz Schlik em 1924, que formularam o *positivismo lógico* ~ **diurno** *Astron.* A trajetória diurna de um corpo celeste na esfera celeste ~ **dos nove pontos** *Geom.* Num triângulo, círculo cuja circunferência contém os pontos médios dos três lados, os pés das três alturas e os três pontos médios dos segmentos que unem cada vértice à interseção das alturas ~ **excêntrico** **1** *Astron.* No sistema geocêntrico de Ptolomeu, círculo cujo centro (um pouco afastado do centro da Terra) era descrito por um móvel fictício em movimento uniforme **2** *Geom.* Cada um de dois círculos, estando um contido o outro, cujos centros não coincidem ~ **exscrito** *Geom.* Círculo que tangencia um dos lados de um triângulo e os prolongamentos dos outros dois ~ **galáctico** *Astron.* Círculo que resulta da interseção do plano de uma galáxia com a esfera celeste ~ **horário** *Astron.* Círculo máximo da esfera celeste, passando pelos dois polos e perpendicular ao equador ~ **inscrito** **1** *Geom.* Num triângulo, círculo tangente a seus três lados **2** Num polígono regular, círculo tangente a todos os seus lados **3** Numa elipse, o menor dos círculos que concêntricos dela e a ela tangentes [Na esfera terrestre, são o equador, os meridianos e a eclíptica.] ~ **máximo** **1** Qualquer círculo na superfície de uma esfera que tenha o mesmo diâmetro que ela; resultante da interseção da superfície de uma esfera com um plano que passa por seu centro **2** *Geog. Astron.* Cada um dos círculos máximos imaginários na superfície terrestre, como o equador e os meridianos, ou da esfera celeste (como a eclíptica) [Correspondem aos meridianos.] ~ **menor** **1** *Geom.* Cada círculo que resulta da interseção da superfície de uma esfera com um plano que não passa por seu centro **2** *Geog.* Cada um dos círculos imaginários na superfície terrestre, paralelos ao equador, que não passam pelo centro da esfera terrestre; paralelo ~ **osculador** *Geom.* Aquele que, além de tangenciar uma curva em determinado ponto, também intercepta essa curva em outros dois pontos, tendo em seu ponto de tangência à curva a mesma derivada segunda desta; círculo de curvatura, circunferência osculatriz ~ **polar** *Geog.* Cada um dos dois círculos menores (2) que formam os limites das zonas glaciais nos dois hemisférios, denominados, o do norte, Círculo Polar Ártico (66° 33' 38" de latitude Norte), o do sul, Círculo Polar Antártico (66° 33' 38" de latitude Sul) ~ **vicioso** **1** Processo no qual uma situação (ação, ideia etc.) conduz a consequências ou conclusões que acabam por levar à situação inicial, reiniciando-se o processo [Ger. com conotação negativa de ineficácia, estagnação etc.] **2** *Lóg.* Falha da sequência lógica na demonstração da verdade de uma proposição, por depender da verdade de uma segunda proposição que, por sua vez, só pode ser demonstrada pela verdade da primeira proposição ~ **virtuoso** O mesmo que *círculo vicioso*, mas com conotação positiva de que as consequências realimentam beneficamente o processo, tornando-o melhor, mais eficiente, satisfatório etc., [É expressão de cunho recente, criada como extensão simétrica de *círculo vicioso* (esta há muito registrada na língua), e não reconhecida por alguns.] **Em ~s** *Fig.* Sem progresso real; retornando sempre ao ponto ou situação inicial: *Estava confuso, raciocinava em círculos.*

◎ **circu(m)-** *pref.* = em volta de, em torno de: *circumplanetário, circunferência.* [Antes de *h* ou vogal ou *m, n, b* e *p*, usa-se *circum-* seguido de hífen.]

circum-navegação (cir.cum-na.ve.ga.*ção*) *sf.* **1** Ato de circum-navegar; viajar em volta da Terra por mar ou pelo ar **2** Trajeto circular em volta de um continente, ilha etc.: *circum-navegação da Antártida.* [Pl.: *-ções.*] [F.: *circum-navega(r)* + *-ção.*]

circum-navegado (cir.cu.na.ve.*ga*.do) *a.* Ao redor de que se navegou (diz-se do globo terrestre ou de ilha ou continente) [F.: Part. de *circum-navegar*.]

circum-navegar (cir.cum-na.ve.*gar*) *v. td.* **1** Dar a volta em torno de (a Terra, uma ilha etc.), navegando: *Adoraria circum-navegar a Terra num veleiro.* **2** *Fig.* Dar a volta em torno de, em aeronave ou nave espacial: *circum-navegar a Lua.* [▶ 14 circum-navegar] [F.: *circu(m)-* + *navegar*; do lat. tard. *circumnavigare*.]

circumplanetário (cir.cum.pla.ne.*tá*.ri.o) *a. Astron.* Diz-se do que está disposto ou acontece em volta de um planeta: "A questão principal debatida nas teorias sobre a origem dos anéis é se eles representam uma "falha" da porção mais externa de um disco circumplanetário em se agrupar formando satélites..." (Observatório Nacional, *Anéis planetários.*) [F.: *circu(m)-* + *planetário*.]

circumpolar (cir.cum.po.*lar*) *a2g.* **1** Que está, existe ou acontece em volta ou perto do polo terrestre (conferência/ corrente circumpolar) **2** *Astron.* Relativo aos astros que se localizam nas proximidades do polo, sempre abaixo ou acima do horizonte, e que para um observador da Terra nunca nascem ou nunca se põem (estrela circumpolar) [F.: De *circu(m)-* + *polar*.]

◎ **circun-** *el. comp.* Ver *circum-*

circuncidado (cir.cun.ci.*da*.do) *a.* **1** Que passou por circuncisão; cujo prepúcio foi removido (pênis circuncidado; homem circuncidado) **2** *Fig.* Que foi privado de algo, ou que foi objeto de repressão, contenção *sm.* **3** Pessoa circuncidada **4** *Ant. Pej.* Indivíduo judeu ou muçulmano, segundo designação dada pelos cristãos [F.: Part. de *circuncidar.* Tb. *circunciso*, do lat. *circumcisu(m)*.]

circuncidador (cir.cun.ci.da.*dor*) [ô] *sm.* Aquele que realiza a circuncisão; CIRCUNCISADOR [F.: De *circuncida(r)* + *-dor*.]

circuncidar (cir.cun.ci.*dar*) *v.* **1** Fazer circuncisão em [*td.*: *O urologista circuncidou o paciente.*] **2** Submeter(-se) ao ritual de circuncisão [*td.*: *circuncidar o filho.*] [*int.*: *Como parte da conversão religiosa, teve de circuncidar-se.*] **3** *Fig.* Cortar, suprimir, reprimir, conter (p. ex., com fins de purificação) [*td.*] [▶ 1 circuncidar] [F.: Do lat. *circumcidere*.]

circuncisão (cir.cun.ci.*são*) *sf.* **1** *Med.* Retirada total do prepúcio, pele que cobre a cabeça do pênis, por motivos religiosos ou higiênicos; POSTECTOMIA; POSTETOMIA **2** *Rel.* Ritual religioso ou tradicional de certos povos (esp. entre judeus e muçulmanos) em que se realiza essa retirada **3** *Rel.* Comemoração da circuncisão de Jesus Cristo, a qual se celebra no primeiro dia de janeiro **4** *Etnol.* Ver *Circuncisão feminina* **5** *Fig.* Corte, repressão ou supressão de alguma coisa [Pl.: *-sões*.] [F.: do fr. *circuncision*, deriv. do lat. ecles. *circumcisio, onis*.] ∎ **~ feminina** (Ritual de) retirada do clitóris e dos pequenos-lábios da vulva, que se pratica entre certos povos [Tb. se diz apenas *circuncisão*. Tecnicamente, o termo correto é *clitoridotomia*.]

circuncisfláutico (cir.cun.cis.*fláu*.ti.co) *Joc. a.* **1** Que (só) aparenta ter valor, mérito, qualidade; AFETADO; PEDANTE; PRETENSIOSO **2** Que não se conhece bem, que encerra mistério; ENIGMÁTICO; MISTERIOSO **3** Triste, sombrio; CIRCUNSPETO; MACAMBÚZIO; SORUMBÁTICO [F.: Palavra expressiva, cuja forma e cujo som pretendem evocar o significado atribuído.]

circunciso (cir.cun.*ci*.so) *a.* Ver *circuncidado* [F.: Do lat. *cicuncisus, a, um*, part. pas. de *cicundidere* 'circuncidar'.]

circundação (cir.cun.da.*ção*) *sf.* Ação ou resultado de circundar; CERCAMENTO: *Os muçulmanos devem fazer a circundação da Caaba.* [Pl.: *-ções*.] [F.: *circunda(r)* + *-ção*.]

circundado (cir.cun.*da*.do) *a.* Que se circundou; RODEADO; CERCADO: *O condomínio é circundado por um alto muro.* [F.: *circund(ar)* + *-ado*.]

circundante (cir.cun.*dan*.te) *a2g.* Que circunda, cerca: "...As fachadas, as arcarias circundantes, a nobreza e harmonia do estilo..." (Samuel Maia, *Dona sem dono*) [F.: *circundar* + *-nte*.]

circundar (cir.cun.*dar*) *v.* **1** Estar ou ficar ao redor de (diz-se de coisas ou pessoas em sucessão, ou de algo extenso); CERCAR; CIRCULAR; RODEAR [*td.*: *Árvores frondosas circundam o lago; uma estrada que circunda a montanha; Os discípulos circundaram o mestre para ouvi-lo.*] **2** *P. ext.* Estar próximo a (alguém), ger. de modo constante ou frequente, para fazer companhia, dar apoio, proteção etc. [*td.*: *Havia muitos guarda-costas a circundar o presidente.*] **3** Dar a volta em torno de; CIRCULAR [*td.*: *O navegador circundou o Polo Sul.*] **4** Cercar-se de (tb. *Fig.*); ter perto de si; procurar a proximidade de ou o convívio com (certas pessoas ou coisas) [*tr.* + *de*: *O empresário circundava-se de advogados; A contadora de histórias circundou-se de crianças:* "Circunda-se de lutos e de tristezas..." (Cesário Verde, *Responso*)] [▶ 1 circundar] [F.: Do lat. *circumdare*.]

circundução (cir.cun.du.*ção*) *sf.* **1** Ação ou resultado de circundar **2** Movimento de rotação em torno de um eixo ou de um ponto central **3** *Anat.* Combinação sucessiva de movimentos articulares (flexão, abdução, extensão e adução) de um segmento (circundução do ombro/dos braços) [Pl.: *-ções*.] [F.: Do lat. *circumductione*.]

circunferência (cir.cun.fe.*rên*.ci.a) *sf.* **1** *Geom.* Linha curva fechada, formada por todos os pontos que se encontram a determinada distância de um ponto central **2** Contorno mais ou menos circular, ou a medida desse contorno: *A circunferência da Terra mede 39.450 km.* **3** Volta; movimento ou trajetória aproximadamente circular **4** Conjunto das partes ou elementos mais afastados do centro, do interior **5** Perímetro, periferia ou imediações de determinada área ou localidade: "...de toda a circunferência, cudiam pessoas..." (Guimarães Rosa, *Primeiras estórias*) [F.: Do lat. *circumferentia*.] ∎ **~ osculatriz** *Geom. an.* Ver *Círculo osculador*

circunflexão (cir.cun.fle.*xão*) [cs] *sf.* Ação ou efeito de dobrar, de tornar curvo como um arco (a circunflexão da chapa de aço) [Pl.: *-xões*.] [F.: Do lat. *circumflexione*.]

circunflexo (cir.cun.*fle*.xo) [cs] *a.* **1** *Gram.* Diz-se acento (sinal gráfico) na forma de linha dobrada (^), indicativo de vogal fechada (a, e, o) em palavras proparoxítonas, ou de vogal fechada (e, o) em certas palavras oxítonas **2** Que se dobrou ou arqueou, ou que tem a forma curva ou recurvada (artéria circunflexa; superfície circunflexa); ARQUEADO; DOBRADO; FLETIDO **3** Diz-se de sinal ou acento similar, us. segundo regras ortográficas ou para indicar outros fenômenos de pronúncia, na escrita de certas línguas (p. ex., francês, latim, grego) *sm.* **4** *Gram.* Acento circunflexo **5** *P. ext.* Forma ou figura semelhante ao acento circunflexo (1) [F.: Do fr. *circonflexe*, deriv. do lat. *circumflexus* 'recurvado, dobrado em curva'.]

circunfluente (cir.cun.flu.*en*.te) *a2g.* **1** Que circunflui **2** Que corre ou flui em volta de: "...O salitroso humor circunfluente/A possui, a rodeia, a lambe a aperta..." (Ovídio (tradução de Bocage), *Cosmogonia*) [F.: Do lat. *circumfluente*.]

circunfluído (cir.cun.flu.*í*.do) *a.* Que fluiu ou correu em volta de um centro: *Tampo de mármore circunfluído por um filete de bronze.* [F.: *circunflu(ir)* + *-ido*.]

circunfluir (cir.cun.flu.*ir*) *v.* **1** Deslocar-se em torno de um centro; circular [*td.*] **2** Derramar-se, entornar, transbordar [*td.*: *As chuvas circunfluíram a lagoa.*] [*int.*: *A enchente fez o lago circunfluir.*] **3** Dirigir-se para um mesmo ponto; confluir, convergir [*int.*: *Esses rios circunfluem lá adiante.*] [▶ 56 circunfluir] [F.: Do lat. *circumfluere*.]

circunjacente (cir.cun.ja.*cen*.te) *a2g.* Que está em torno (vegetação/tecido circunjacente); CIRCUNVIZINHO [+ *a*: *áreas circunjacentes ao município.* Ant.: *afastado*.] [F.: Do lat. *circumjacente*.]

circunlocução (cir.cun.lo.cu.*ção*) *sf.* Ver *circunlóquio* [Pl.: *-ções*.] [F.: Do lat. *circumlocutione(m)*.]

circunloquial (cir.cun.lo.qui.*al*) *a2g.* Que emprega cicunlóquios: *O texto foi rejeitado por ser excessivamente circunloquial.* [Pl.: *-ais*.] [F.: *circunlóquio* + *-al*.]

circunlóquio (cir.cun.*ló*.qui.o) *sm.* **1** Uso de muitas ou excessivas palavras para exprimir algo de modo indireto, ou por alusões ou referências vagas; fala ou escrita em que se rodeia um assunto, sem ir diretamente ao ponto; CIRCUNLOCUÇÃO **2** *P. ext.* Palavras ou frases que se diz de modo evasivo, ou como subterfúgio **3** *Ling.* Conjunto de palavras, ou expressão, que se usa para fazer referência a algo de modo alusivo ou figurado, sem usar termo específico; PERÍFRASE [F.: Do lat. *circumloquium*.]

circunlunar (cir.cun.lu.*nar*) *a2g.* **1** Que gira em torno da Lua (trajetória circunlunar) **2** Que envolve a Lua (espaço circunlunar) [F.: *circun-* + *lunar*.]

circunscrever (cir.cuns.cre.*ver*) *v.* **1** Estabelecer, fixar, constituir ou marcar os limites espaciais de; DELIMITAR; DEMARCAR [*td.*: *Uma cerca circunscrevia suas terras.*] **2** *Fig.* Não deixar passar, ou não ultrapassar, determinados limites; determinar os limites de (algo), ou restringir (algo) a (um limite); permanecer aquém de certos limites; LIMITAR(-SE); RESTRINGIR(-SE) [*td.*: *circunscrever as funções dos empregados.*] [*tdr.* + *a*: *circunscrever as aulas às matérias do currículo.*] [*tr.* + *a*: *A crise ambiental não se circunscreve a uma parte do planeta.*] **3** *Fig.* Conter em si; abarcar; ABRANGER [*td.*: *Nossas regras circunscrevem punições aos infratores.*] **4** Traçar uma linha em volta de [*td.*: *circunscrever a alternativa correta.*] **5** *Geom.* Traçar ou descrever (um polígono) com lados tangentes a uma circunferência, ou (um círculo) em volta de uma figura, tocando todos os seus vértices [*tdr.* + *a*: *circunscrever um polígono a um círculo.*] [▶ 2 circunscrever. Part.: *circunscrito*.] [F.: Do lat. *circumscribere*; ver *circun-* e *escrever*.]

circunscrição (cir.cuns.cri.*ção*) *sf.* **1** Ação ou resultado de circunscrever(-se) **2** Área de limites bem definidos sobre a qual se exerce determinada autoridade (jurídica, eclesiástica, eleitoral etc.); cada uma das divisões administrativas de uma região (circunscrição policial) [Pl.: *-ções*.] [F.: Do lat. *circumscriptione(m)*.]

circunscricional (cir.cuns.cri.ci.o.*nal*) *a2g.* Relativo a, ou próprio de circunscrição (delegacia circunscricional) [Pl.: *-nais*.] [F.: Do lat. *circumscriptione* + *-al*.]

circunscrito (cir.cuns.*cri*.to) *a.* **1** Limitado por uma linha contínua e fechada **2** Que tem seus limites demarcados (terreno circunscrito). **3** *Fig.* Que não se difunde ou se espalha além de certos limites; cuja presença, ação ou influência não ultrapassa certo âmbito; RESTRITO; LIMITADO: *O governo tem autoridade circunscrita à lei.* [+ *a*: *problema circunscrito à esfera federal.*] **4** *Geom.* Diz-se do círculo cuja circunferência passa por todos os vértices de um polígono, ou do ângulo cujos lados são tangentes a uma circunferência [F.: Do lat. *circumscriptu(m)*, part. pas. de *circumscribere* 'circunscrever'.]

circunsolar (cir.cun.so.*lar*) *a2g.* **1** Que gira em torno do Sol (planetas circunsolares) **2** Que envolve o Sol (região circunsolar) [F.: *circun-* + *solar*.]

circunspeção (cir.cuns.pe.*ção*) *sf.* Ver *circunspecção*

circunspecção (cir.cuns.pec.*ção*) *sf.* **1** Qualidade ou atitude próprias de pessoa circunspecta; RESERVA; SERIEDADE **2** Exame atento, detido, minucioso de um assunto; ATENÇÃO **3** Prudência, ponderação, critério [Pl.: *-ções*.] [F.: Do lat. *circumspectione(m)*. Tb. *circunspeção*.]

circunspecto (cir.cuns.*pec*.to) *a.* **1** Reservado e distante, expressando poucas emoções (gesto circunspecto); SÉRIO: "...que tinha deixado transparecer um contentamento circunspecto pela condição de doutor..." (João Ubaldo Ribeiro, *Diário do farol*) **2** Que encara um assunto atenta e cuidadosamente **3** Que é prudente, criterioso [Ant.: *imprudente*.] **4** Que decorre de ou revela circunspecção; próprio de quem é circunspecto (2 e 3) (análise circunspecta) [F.: Do lat. *circumspectu(m)*, part. de *circumspicere* 'olhar em volta, estar atento'. Tb. *circunspeto*.]

circunspeto (cir.cuns.*pe*.to) *a.* Ver *circunspecto*

circunstância (cir.cuns.*tân*.ci.a) *sf.* **1** Situação, condição ou estado de alguém ou algo em um dado momento; conjunto de fatos, elementos, qualidades que têm ou podem ter efeito sobre a ação ou o pensamento de alguém: "...elogia com a eloquência possível nas circunstâncias." (João Ubaldo Ribeiro, *O conselheiro come*) [Nesta acp., muito us. no pl.] **2** Característica, particularidade de uma situação ou fato: *Conte-me em que circunstâncias isso aconteceu.* **3** Causa, razão: *Sua ausência dependeu de uma circunstância grave.* **4** SItuação ou caso possíveis, hipótese: *Diante de tal circunstância, é melhor repensar nossa estratégia.* **5** Situação ou condição de solenidade, formalidade: *A cerimônia de entrega dos diplomas transcorreu com pompa e circunstância.* **6** *Jur.* Condição em que ocorre fato ou que subjaz em direito, e cuja influência neles pode fazer modificar-lhes a essência ou substância [F.: Do lat. *circumstantia*, pelo fr. *circonstance*.] ∎ **~ excludente** *Jur.* Aquela que exclui o caráter criminal ou injurídico de um fato [P. ex., a legítima defesa.] **~ isentiva** *Jur.* A que isenta de culpa ou de imputação de culpa **De ~ 1** *Bras.* Eventual, circunstancial, que só tem a ver com o momento presente **2** De cerimônia, pomposo, formal

circunstanciado (cir.cuns.tan.ci.*a*.do) *a.* Em que são apresentadas todas as circunstâncias (parecer circunstanciado); DETALHADO; PORMENORIZADO [F.: *circunstanci(ar)* + *-ado*.]

circunstancial (cir.cuns.tan.ci.*al*) *a2g.* **1** Ref. a ou que constitui circunstância **2** Que resulta ou depende de circunstância **3** *Gram.* Que indica circunstância de tempo, lugar etc. (diz-se de complemento ou adjunto) **4** Que tem relação direta, pertinente ou relevante com algo, sem ser essencial ou intrínseco; que se aplica ao caso em questão por motivos fortuitos ou condições eventuais; INCIDENTAL: *Acrescentou à tese algumas considerações circunstanciais.* **5** *Jur.* Que se baseia em indícios e inferências (diz-se ger. de prova apresentada em julgamento) [Pl.: *-ais*.] [F.: *circunstância* + *-al*.]

circunstancialidade (cir.cuns.tan.ci.a.li.*da*.de) *sf.* Qualidade do que é circunstancial [F.: *circunstancial* + *-(i)dade*.]

circunstanciar (cir.cuns.tan.ci.*ar*) *v. td.* **1** Expor, relatar as circunstâncias de (acontecimento, situação): *A testemunha circunstanciou toda a traição.* **2** Apresentar (provas, indícios, sinais) de: *O promotor circunstanciou a acusação com minúcias irrecusáveis.* [▶ 1 circunstanciar] [F.: *circunstânci(a)* + *-ar*². Hom.: /Par.: *circunstancia(s)* (fl.), *circunstância* (sf e pl.).]

circunstante (cir.cuns.*tan*.te) *a2g.* **1** Que presencia um evento ou acontecimento (como espectador ou participante) *a2g.* **2** Que se encontra ao redor, em torno de um acontecimento, nas imediações de um fato ou ação (objetos circunstantes). *s2g.* **3** Pessoa circunstante [F.: Do lat. *circunstante(m)*, part. pres. de *circunstare* 'estar ao redor'.]

circunstelar (cir.cuns.te.*lar*) *a2g.* Relativo a, ou próprio do que envolve as estrelas (matéria circunstelar) [F.: *circun-* + *estelar*.]

circunterrestre (cir.cun.ter.*res*.tre) *a2g.* **1** Que gira em torno da Terra (satélite circunterrestre) **2** Que envolve a Terra (atmosfera circunterrestre) [F.: *circun-* + *terrestre*.]

circunvagar (cir.cun.va.*gar*) *v.* **1** Fazer deslocar-se em várias direções; fazer percorrer ou vagar o espaço em volta de si [*tda.*: "...circunvagou os olhos em torno de si." (Aluísio Azevedo, *O cortiço*)] **2** Andar ou deslocar-se em torno de [*td.*: *O barco irá circunvagar a ilha.*] **3** Andar sem destino; DIVAGAR; VAGUEAR [*int.* / *ta.*: *Circunvagou durante dias (pelo deserto).*] [▶ 14 circunvagar] [F.: Do lat. **circumvagare*. Hom./Par.: *circunvago* (fl.), *circúnvago* (a.).]

circunvago (cir.cun.*va*.go) *a.* Que vagueia em torno; que rodeia (eco circunvago; olhos circunvagos) [F.: Do lat. *circumvagu*.]

circunvalar (cir.cun.va.*lar*) *v. td.* **1** Cercar com vala, fosso etc.: *Circunvalou o quintal/o galinheiro/a fortaleza* **2** *Fig.* Cercar(-se) para proteger, para defender: *Circunvalou-se para impedir abordagens* [▶ 1 circunvalar] [F.: Do lat. *circumvallare*.]

circunvizinhança (cir.cun.vi.zi.*nhan*.ça) *sf.* **1** Área ou região imediatamente próxima a um local, e que se estende em todas (ou quase todas) as direções em volta deste; CIRCUNJACÊNCIA **2** Local sem delimitação precisa, na proximidade de uma cidade, povoação etc.; ARREDORES; CERCANIAS; CIRCUNJACÊNCIA **3** População vizinha a determinado centro populacional; VIZINHANÇA [F.: *circun-* + *vizinhança*.]

circunvizinho (cir.cun.vi.*zi*.nho) *a.* Situado nos arredores de uma cidade ou de um lugar (cidades circunvizinhas);

ADJACENTE [+ *a, de*: *terrenos circunvizinhos à/da abadia*] [F.: *circun-* + *vizinho*.]

circunvolução (cir.cun.vo.lu.*ção*) *sf.* **1** Movimento circular, giro em torno de um centro ou eixo: *Os acrobatas faziam circunvoluções espantosas.* **2** Curva ou contorno acentuados; desenho ou trajetória recurvados; dobra, arqueamento, saliência curva; sinuosidade: *As circunvoluções de uma estrada.* **3** *Anat.* Cada uma das dobras características de certos órgãos, esp. o intestino e o córtex cerebral **4** *Arq.* Cada volta da coluna torcida ou voluta jônica [Pl.: *-ções*.] [F.: Do fr. *circunvolution*, do lat. *circumvolutum* 'enrolado, enroscado'; na acp. ref. às dobras do cérebro, do lat. cient. *circumvolutio*.]

cirílico (ci.*rí*.li.co) *a.* **1** Diz-se do alfabeto eslavo estabelecido por S. Cirilo no séc. IX, usado nos escritos laicos e religiosos dos eslavos orientais até o início do séc. XVIII, e que deu origem ao alfabeto russo *sm.* **2** Esse alfabeto: *Texto escrito em cirílico.* [F.: Do antr. (são) *Cirilo* + *-ico*.]

círio (*cí*.ri.o) *sm.* **1** Grande vela de cera, us. esp. em igrejas **2** Procissão em que se carrega essa vela [F.: Do lat. *cereu(m)*. Hom./Par.: *sírio* (a. sm.).]

círio-de-nossa-senhora (cí.ri.o-de-nos.sa-se.*nho*.ra) *Bot. sm.* **1** Planta da família das liliáceas (*Yucca gigantea*) com flores brancas dispostas em panículas, nativa do México e cultivada como ornamental **2** Ver *lírio-do-vale* (*Convallaria majales*) [Pl.: *círios-de-nossa-senhora*.]

ciriringa (ci.ri.*rin*.ga) *AM sf.* **1** Ar expirado do fundo da água e que surge na superfície formando bolhas **2** Água que treme devido à passagem dos peixes [F.: Do *tupi*.]

◎ **cirr(i)-** *el. comp.* = 'caracol'; 'filamento em forma de caracol': *cirrípede.*

◎ **cirr(o)-** *el. comp.* = 'de cor amarelada': *cirrose, cirroftalmia, cirrótico* [F.: Do gr. *kirrhós, á, ón*, 'amarelado'.]

cirro (*cir*.ro) *sm.* **1** *Met.* Nuvem branca constituída por minúsculos cristais de gelo, situada a grandes altitudes, entre 6.000 a 12.000 m, que parece formada de longos filamentos entrecruzados [Em algumas regiões do Brasil tb. é chamada de rabo de galo.] **2** *Bot.* Apêndice filiforme simples ou resinoso, por meio do qual certas plantas ligam-se aos corpos vizinhos; ABRAÇO; ELO; GAVINHA **3** *Zool.* Apêndice flexível e filiforme presente esp. em animais invertebrados **4** *Zool.* Espécie de penugem encontrada em alguns apêndices de insetos **5** *Zool.* Órgão copulador de certos moluscos e vermes trematódeos **6** *Zool.* Nos protozoários, tufos de cílios mais duros com função locomotora **7** *Zool.* Nome dado a certas penas situadas em volta da abertura das fossas nasais das aves, aos tentáculos labiais de determinadas espécies de peixes, formados pela pele que envolve a mandíbula, e aos apêndices de alguns articulados, anelídeos e zoófitos [F.: Do lat. *cirrus*. Ideia de 'cirro', 'filamento', usar antepos. *cirr (i)-*.]

cirro-cúmulo (cir.ro-*cú*.mu.lo) *sm. Met.* Conjunto de nuvens formadas por grupos de flocos brancos enfileirados; CÚMULO-CIRRO [Pl.: *cirros-cúmulos, cirros-cúmulo*.]

cirro-estrato (cir.ro-es.*tra*.to) *sm. Met.* Nuvem de grande altitude, esbranquiçada e ger. com aspecto fibroso, formada por cristais de gelo; ESTRATO-CIRRO [Pl.: *cirros-estratos e cirros-estrato*.]

cirrose (cir.*ro*.se) *sf.* **1** *Pat.* Alteração patológica progressiva de extensas porções do fígado, na qual as células, lesionadas, apresentam formação de tecido fibroso e nódulos de regeneração, e causada por certos males crônicos progressivos (hepatite, alcoolismo) [Tb.: *cirrose hepática*.] **2** *Med.* Inflamação crônica do tecido intersticial de certos órgãos [F.: *cirr(o)-* + *-ose; lat. cient. cirrhosis*.] ■ **~ hepática** *Pat. Med.* Ver *cirrose* (1)

cirrótico (cir.*ró*.ti.co) *a.* **1** Ref. à cirrose ou próprio dela **2** Que sofre de cirrose *sm.* **3** Indivíduo que sofre de cirrose [F.: *cirr(ose)* + *-ótico*.]

cirurgia (ci.rur.*gi*.a) *Med. sf.* **1** Ramo da medicina que intervém diretamente no corpo, cortando-o para diagnosticar, reparar ou remover a região afetada **2** Ação de cortar e manipular tecidos orgânicos do corpo vivo, como método de diagnóstico ou tratamento; operação ou intervenção cirúrgica; OPERAÇÃO [F.: Do gr. *cheirourgia* 'operação manual'.] ■ **~ estética** *Cir.* A que visa a uma melhora da aparência física do operando **~ plástica** *Cir.* Cirurgia que visa a recompor a aparência (cirurgia estética) ou a estrutura externa e funcional (cirurgia reparadora) de uma parte do corpo [Tb. apenas *plástica*.] **~ reconstrutora** *Cir.* Ver *Cirurgia reparadora* **~ reparadora** *Cir.* A que visa a reparar a estrutura e funcionalidade de uma parte externa do corpo humano deformada por lesão congênita ou devido a enfermidade, traumatismo etc.; cirurgia reconstrutora

cirurgião (ci.rur.gi.*ão*) *sm.* Médico especializado na realização de cirurgias [Pl.: *-ões, -ães*. Fem.: *-ã*.] [F.: Do lat. *chirurgianu(m)*.] ■ **~ plástico** *Cir.* O que se especializou em cirurgia plástica

cirurgião-dentista (ci.rur.gi.ão-den.*tis*.ta) *sm. Od.* Dentista que realiza cirurgias [Pl.: *cirurgiões-dentistas, cirurgiães-dentistas*. Fem.: *cirurgiã-dentista*.]

cirúrgico (ci.*rúr*.gi.co) *a.* **1** Ref. a ou próprio de cirurgia ou nela utilizado (procedimento cirúrgico, equipamento cirúrgico) **2** *Fig.* Que lembra uma cirurgia, esp. no aspecto da técnica, habilidade e conhecimentos necessários (habilidade cirúrgica, precisão cirúrgica) **3** Ref. a ou que envolve ação ou intervenção (p. ex., de tipo militar) de alta complexidade porém dirigidas à área ou objetos bem circunscritos (bombardeio cirúrgico) [F.: *cirurgia* + *-ico*[2]; lat. *chirurgicu(m)*.]

◎ **cis-** *pref.* = aquém, do lado de cá: *cisalpino, cisplatino, cisatlântico.*

cisalhamento (ci.sa.lha.*men*.to) *sm.* **1** Ação ou resultado de cisalhar **2** *Mec.* Deformação ou fratura sofrida por um corpo quando submetido à ação de forças cortantes que atuam em direções paralelas e em sentidos opostos sobre pontos adjacentes do corpo **3** *Geol.* Ruptura e deformações texturais e estruturais das rochas provocadas por esforços paralelos em sentidos opostos [F.: *cisalhar* + *-mento*.]

cisalhar (ci.sa.*lhar*) *v. td.* **1** Causar a deformação ou a fratura de (um corpo), por meio de forças paralelas e de sentido oposto aplicadas em pontos diferentes e adjacentes do mesmo **2** Cortar ou aparar as bordas de (papel, cartão etc.) com lâmina que passa rente à aresta na qual se apoia o material a ser cortado ou aparado [▶ **1** cisalhar] [F.: Do lat. *caedere* 'cortar', pleo lat. *cisalia* + *-ar*[2].]

cisalpino (ci.sal.*pi*.no) *a.* Que fica aquém dos Alpes (cadeia de montanhas da Europa), ao sul deles [Ant.: *transalpino*.] [F.: do lat. *cisalpinu(m)* (sendo Roma a referência, donde 'aquém' equivaler ao lado sul); ver *cis-* e *alpino*.]

cisandino (ci.san.*di*.no) *a.* Que fica aquém dos Andes, do lado ocidental dessa cordilheira da América do Sul [Ant.: *transandino*.] [F.: *cis-* + *andino*.]

cisão (ci.*são*) *sf.* **1** Ação ou resultado de cindir(-se); CORTE; DIVISÃO **2** Separação (em um grupo) causada por divergências de opinião; CISMA: *cisão das igrejas*; "A verdade é que houve uma cisão na Literatura Brasileira que continua até hoje." (João Cabral de Melo Neto, *A diversidade cultural no diálogo Norte-Sul*) [Ant.: *integração, união*.] **3** *P. ext.* Divergência, desacordo; DISSENSÃO [Pl.: *-sões*.] [F.: Do lat. *scissione(m)* 'fenda'.] ■ **~ nuclear** *Fís. nu.* Reação, natural ou provocada, em nível atômico da matéria, na qual o núcleo (ger. pesado) se divide em dois, emitindo nêutrons e liberando energia; fissão nuclear

cisatlântico (ci.sa.*tlân*.ti.co) *a.* Que fica aquém do oceano Atlântico, no lado mais próximo (em relação a quem fala) [Ant.: *transatlântico*.] [F.: *cis-* + *atlântico*.]

cisbordo (cis.*bor*.do) *Ant. Mar. sm.* Abertura no costado do navio para passagem de pessoas, carga ou veículos; RESBORDO [F.: *cis-* + *bordo*.]

ciscadeira (cis.ca.*dei*.ra) *a.* Diz-se de galinha que cisca: *Galinha ciscadeira acha cobra* (*ditado popular*). [F.: *cisca(r)* + *-deira*.]

ciscado (cis.*ca*.do) *sm.* Ação ou resultado de ciscar, de revolver o solo (o ciscado da galinha) [F.: Part. de *ciscar*.]

ciscador (cis.ca.*dor*) [ô] *a.* **1** Que cisca (animal ciscador) **2** *Bras. Pop. Fut.* Diz-se de jogador que dá dribles curtos sem sucesso (atacante ciscador) *sm.* **3** Espécie de ancinho para juntar detritos vegetais e de outros tipos [F.: *cisca(r)* + *-dor*.]

ciscalho (cis.*ca*.lho) *sm.* **1** Porção de cisco **2** Carvão feito de restos de mato: "...arruma-lhe às costas um saco cheio de ciscalho e pedras..." (Euclides da Cunha, "Os caucheiros" *in À margem da história*) [F.: *cisco* + *-alho*.]

ciscar (cis.*car*) *v.* **1** *Bras.* Revolver (aves) com o bico o cisco ou o solo, em busca de alimento [*int.*: *As galinhas ciscam no quintal.*] **2** *Bras.* Retirar do cisco, da terra [*td.*: *Os pintos estão ciscando minhocas.*] **3** Limpar (a terra, terreno etc.), removendo cisco, gravetos, folhas etc. [*td.*: *Depois da ventania ciscou o quintal.*] [*tdr.* + *de*: *Ciscou de cardos o jardim.*] **4** Reunir ou juntar com o ciscador [*td.*: *Toda manhã o caseiro ciscava as folhas caídas.*] **5** *Pop. Fut.* Em espaço pequeno, fazer dribles curtos e sem resultado [*int.*: *Ciscou, ciscou, mas perdeu a bola.*] **6** *Pop.* Sair rápida e sorrateiramente [*int.*: *Os pivetes ciscaram(-se) antes que a polícia chegasse.*] **7** *Bras.* Açular, instigar (cães) [*td*.] **8** *Bras. N. N. E.* Contorcer-se no chão, ferido ou agonizante [*int.*: *Alvejada, a presa ciscou freneticamente antes de morrer.*] **9** *Bras. S Pop.* Atracar-se, entrar em briga, em luta corporal [*int.*] [▶ **11** ciscar] [F.: *cisco* + *-ar*[2]. Hom./Par.: *cisca(s)* (fl.), *cisca(s)* (sf. [pl.]); *cisco* (fl.), *cisco* (sm.).]

cisco (*cis*.co) *sm.* **1** *Bras.* Partícula de poeira, esp. a que entra no olho **2** Apara ou fragmento diminuto **3** Lixo, ou conjunto de impurezas, ger. em pequenos fragmentos e partículas, que se acumula ou que é retirado do solo, de um trecho de terreno **4** Pequeno ponto ou acúmulo de sujeira: "Miguilim soprava um cisco da roupa de Rosa." (Guimarães Rosa, *Manuelzão e Miguilim*) **5** Pó de carvão **6** Material que a enxurrada transporta: "E descia mais porcariada, mal visível, de ciscos e gravetos; desciam toros flutuantes..." (Guimarães Rosa, *Sagarana*) [F.: De or. contrv.] ■ **Como ~** Em grande quantidade

cisjordaniano (cis.jor.da.ni.*a*.no) *a.* Que se situa aquém da Jordânia: "Também será decidida a revisão do muro que o país constrói no território cisjordaniano..." (*O Estado de São Paulo*, 18.02.2005) [F.: *cis-* + do top. *Jordânia*.]

cisma (*cis*.ma) *sm.* **1** Divergência, diferença de pensamento ou de opinião, ou a separação de um grupo causada por essa diferença; DISSIDÊNCIA; DISSENSÃO **2** Formação de uma organização ou um grupo religiosos por separação em relação a uma igreja ou comunidade original *sf.* **3** Ideia que não sai da mente; MANIA: *Ela tem cisma de limpeza.* **4** *Bras.* Implicância gratuita com alguém; ANTIPATIA; HOSTILIDADE: *Por que essa cisma com meu irmão?* **5** *Bras.* Insistência em fazer algo; TEIMOSIA: *A nova cisma dele é que ele é cantor.* **6** Capricho, vontade obstinada ou repentina, ger. injustificada **7** Inquietação a respeito de algo; dúvida, suspeita, preocupação **8** Comportamento ou atitude de quem tem alguma cisma (desconfiança, implicância, capricho, inquietação): *Aquela cisma dele já estava irritando os amigos.* **9** Pensamento ou estado de quem divaga, de quem tem devaneios, fantasias ou ilusões [F.: Do gr. *schísma*, lat. tardio *schisma*.] ■ **Tirar a ~** Acabar com a dúvida em relação a algo, por meio de algum tipo de observação direta, de exame, comprovação etc.: *Será que o queijo estragou? Só mesmo experimentando para tirar a cisma.* **Tirar a ~ de** Ao vencer alguém em briga, acabar com sua fama de valentão

cismado (cis.*ma*.do) *a.* **1** *Bras.* Que desconfia de alguma coisa, ger. negativa; SUSPEITOSO: *Ele ficou cismado com o resultado do concurso*: "Mulher, eu ando cismado/ Que me enganei com você/ Se algum dia, não ficar mais ao seu lado/ Não precisa perguntar por quê." (Francisco Alves, *Ando cismado*) [Ant.: *confiante*.] **2** Que tem alguma dúvida ou inquietação persistente **3** Que tem ideia obsessiva, mania **4** Que tem capricho ou vontade repentina, injustificada **5** Que tem antipatia ou hostilidade em relação a alguém [F.: Part. de *cismar*.]

cismador (cis.ma.*dor*) [ô] *a.* **1** Que se inclina a pensar, a meditar: "...aqueles que assim o viam admiravam-lhe o ar cismador e o recolhimento que o sequestravam da vida vulgar..." (Camilo Castelo Branco, *Amor de perdição*) *sm.* **2** Aquele que cisma, que pensa, que medita: "...Luiz Alves não era como Estevão, um adorável cismador, não se nutria de imaginações e devaneios..." (Machado de Assis, *A mão e a luva*) [F.: *cisma(r)* + *-dor*.]

cismar (cis.*mar*) *v.* **1** *Bras.* Ter certa ideia ou opinião e não abandoná-la; meter na cabeça; convencer-se de [*td.*: "... cismou que os ouvia falar; primeira parte da alucinação." (Machado de Assis, *Esaú e Jacó*)] **2** Insistir em fazer (algo); TEIMAR [*tr.* + *de, em*: *A criança cismava de/ em estudar ouvindo música.*] **3** Pensar insistente ou preocupadamente (em); meditar (em); ter devaneios, criar ou conceber planos, fantasias [*int.*: *Ficou a tarde inteira cismando.*] [*tr.* + *em*: "Vamos, Fr. Vasco, em que cismas?" (Alexandre Herculno)] [*td.*: *Passa o tempo cismando mil planos.*] **4** *Bras.* Demonstrar antipatia; ANTIPATIZAR; IMPLICAR [*tr.* + *com*: *A menina cismou com a nova vizinha.*] **5** *Bras.* Desconfiar, suspeitar [*tr.* + *com*: *Cismamos com o vendedor e fomos embora.*] **6** Mostrar-se birrento, implicante; TEIMAR [*int.*: *Um dia ela cismou e nunca mais saiu de casa.*] [▶ **1** cismar] [F.: *cisma* + *-ar*[2]. Hom./Par.: *cismais* (fl.), *sismais* (pl. de *sismal*); *cismo* (fl.), *sismo* (sm.).]

cismarento (cis.ma.*ren*.to) *a. Bras.* Que cisma, que pensa em alguma coisa; MEDITATIVO; PENSATIVO: "Raras vezes era aquele Lula de outrora, de olhar cismarento, o homem de tanta ternura para com sua mulher..." (José Lins do Rego, *Fogo morto*) [F.: *cismar* + *-ento*.]

cismático (cis.*má*.ti.co) *a.* **1** Que cisma, que pensa em alguma coisa: "...era o cismático Ezequiel do colégio, sempre a sonhar viagens maravilhosas..." (Lima Barreto, "Um músico extraordinário", *in Os melhores contos de Lima Barreto*) *a.* **2** Que se afastou de uma religião por divergência doutrinária (clero cismático) *sm.* **3** Aquele que se afastou de uma religião: *Encarnava a figura do cismático orgulhoso.* [F.: Do gr. *schismatikós* pelo lat. *schismaticu*.]

cismativo (cis.ma.*ti*.vo) *a.* **1** Rel. a cisma **2** Que aderiu ao cisma (bispo cismativo); CISMÁTICO **3** Apreensivo, pensativo; CISMADOR [F.: *Cisma* + *-t-* + *-ivo*.]

cismento (cis.*men*.to) *a.* Que cisma; CISMADOR [F.: *cismar* + *-mento*.]

cismontano (cis.mon.*ta*.no) *a.* **1** Que se situa aquém dos montes (nordeste cismontano) **2** Ref. ao que faz oposição ao poder temporal e à extensão do poder espiritual do papa *sm.* **3** Aquele que nasce aquém dos montes (um cismontano típico) **4** Aquele se opõe ao poder temporal e espiritual do papa [F.: Do lat. *cismontanus*.]

cisne (*cis*.ne) *sm.* **1** *Zool.* Denominação comum a várias spp. de aves aquáticas da fam. dos anatídeos, de pescoço longo e plumagem ger. branca **2** *Fig.* Poeta ou orador de talento [F.: Do ant. fr. *cisne* (hoje *cygne*).]

císneo (*cís*.ne.o) *a.* Que é semelhante ao cisne

cisplatino (cis.pla.*ti*.no) *a.* Que fica aquém do rio da Prata (em relação ao Brasil), do lado uruguaio [Ant.: *transplatino*.] [F.: *cis-* + *platino*.]

cissiparidade (cis.si.pa.ri.*da*.de) *sf. Biol.* Forma de reprodução assexuada em que um organismo unicelular (p. ex., uma bactéria) se divide em dois organismos unicelulares semelhantes [F.: *cissi-* (do lat. *scissus* 'separado') + *-paro* + *-idade*.]

cissura (cis.*su*.ra) *sf.* **1** Longa abertura estreita em uma superfície sólida; FISSURA **2** Fenda aberta por instrumento de corte; CESURA; INCISÃO **3** *Fig.* Rompimento de relações de amizade ou diplomáticas **4** *Med.* Fenda, fissura [F.: Do lat. *scissura, ae*.] ■ **~ de Sylvius** *Anat.* Cada uma das cissuras no cérebro entre os lobos temporal e frontal, e que se prolongam entre os lobos temporal e parietal

◎ **-ciste** *el. comp.* Ver *cist(i)-*

cistectomia (cis.tec.to.*mi*.a) *Cir. sf.* **1** Ação ou processo de extirpar um cisto **2** Retirada parcial ou total da bexiga [F.: *cist(i)-* + *-ectomia*.]

cisteína (cis.te.*í*.na) *sf. Bioq.* Aminoácido natural, sem carga elétrica, que entra na composição das proteínas [Caracteriza-se por possuir um grupamento sulfidrila na cadeia lateral.] [F.: *cist(i)-* + *-eína*.]

cisterciense (cis.ter.ci.*en*.se) *a.* **1** *Rel.* Diz-se de membro da ordem de Cister, fundada na Borgonha do séc. XI, e que se expandiu por grande parte da Europa no séc. seguinte **2** *Arq. Hist.* Ref. ao estilo de arte e de arquitetura desenvolvido pelos monges dessa ordem em catedrais e igrejas *sm.* **3** *Rel.* Membro da ordem de Cister **4** *Arq. Hist.* Estilo arquitetônico e artístico desenvolvido pelos monges dessa ordem [F.: Do antr. *C ister* + *-cience*.]

cisterna (cis.*ter*.na) *sf.* **1** Reservatório de água potável, localizado ger. sob a terra; CACIMBA; POÇO **2** Nos edifícios, reservatório subterrâneo onde se acumula a água fornecida pelo abastecimento público, e de onde ela é bombeada para a caixa-d'água **3** Reservatório us. para recolher água de chuva **4** *Anat.* Espaço no organismo que serve de reservatório para certos fluidos (p. ex., cada uma das cavidades em que se acumula o líquido cefalorraquidiano) [F.: Do lat. *cisterna*.]

◎ **cist(i)-** *el. comp.* = 'bexiga', 'vesícula'; 'bolsa'; 'receptáculo inflado'; 'cisto'; 'tecido fibroso': *cistectomia, cisticerco* (< lat. cient.), *cístico, cistite; cistocele, cistografia, cistoscopia, cistoscópio, cistostomia; colecistite, colecistopatia, uretrocistografia; acefalocisto, acantocisto, fibrocisto, hidrocisto; coleciste, dacriociste* [F.: Do gr. *kýstis, eos* ou *ídos*. F. conexa: *-cistia*.]

◎ **-cistia** *el. comp.* = 'bexiga'; 'irregularidade ou anomalia na bexiga': *acistia, exocistia* [F.: Do gr. *kýstis, eos* ou *ídos*, 'bexiga'; 'vesícula', + *-ia*[1]. F. conexa: *cist(i)-*.]

cisticerco (cis.ti.*cer*.co) *sm. Zool.* Denom. comum às formas larvares dos platelmintos cestoides que ocorrem nos vertebrados *pop.*; CANJICA *pop.*; CANJIQUINHA *pop.*; PIPOCA [Quando hospedados em bois ou porcos, podem transmitir solitária àqueles que consomem a carne desses animais mal cozida ou crua.] [F.: Do lat. cient. *Cysticercus*.]

cisticercoide (cis.ti.cer.*coi*.de) *sf. Zool.* Denominação comum às formas larvares dos platelmintos cestoides, de vesícula rudimentar, praticamente sem cavidade e sem apêndice [F.: *cisticerco* + *-oide*.]

cisticercose (cis.ti.cer.*co*.se) *sf. Pat.* Infecção por cisticercos [F.: *cisticerco* + *-ose*[1].]

cístico (*cís*.ti.co) *a.* **1** Ref. à ou da vesícula biliar **2** Ref. a ou que contém cisto [F.: *cist(i)-* + *-ico*[2].]

cistite (cis.*ti*.te) *sf. Med.* Inflamação da bexiga [A forma mais comum é a que se deve a infecção por bactérias.] [F.: *cist(i)-* + *-ite*[1].]

◎ **-cisto** *el. comp.* Ver *cist(i)-*

◎ **cist(o)-** *el. comp.* Ver *cist(i)-*

◎ **cisto-** *el. comp.* Ver *cist(i)-*

cisto (*cis*.to) *sm. Med.* Cavidade fechada onde se acumula líquido, podendo ocorrer em qualquer parte do corpo, apesar de ser mais comum em glândulas e órgãos que secretam líquido [F.: lat. cient. *cystis*; do gr. *kystis* 'bolsa, bexiga'.] ■ **~ de retenção** *Pat.* Cisto formado por acúmulo de secreção dentro de glândula exócrina ou de cavidade epitelial **~ dermoide** *Pat.* Cisto congênito, com uma parede fibrosa, que contém folículos pilosos e glândulas sudoríparas e sebáceas **~ sebáceo** *Pat.* Cisto subcutâneo produzido por dilatação de glândula sebácea, com retenção de sebo

cistocele (cis.to.*ce*.le) *sf. Pat.* Hérnia da bexiga [F.: *cisto-* + *-cele*[1].]

cistografia (cis.to.gra.*fi*.a) *sf. Urol.* Radiografia da bexiga [F.: *cisto-* + *-grafia*.]

cistoscopia (cis.tos.co.*pi*.a) *sf. Urol.* Exame realizado no interior da bexiga por meio do cistoscópio [F.: *cisto-* + *-scopia*.]

cistoscópio (cis.tos.*có*.pi.o) *sm. Med.* Instrumento us. no exame endoscópico da bexiga [F.: *cisto-* + *-scópio*.]

cistostomia (cis.tos.to.*mi*.a) *sf. Cir.* No passado, abertura feita na bexiga para tratar casos de retenção urinária [F.: *cisto-* + *-stomia*.]

citação (ci.ta.*ção*) *sf.* **1** Ação ou resultado de citar **2** Frase ou passagem de obra escrita, reproduzida por escrito ou oralmente por alguém (ger. com indicação do autor original), como complementação, exemplo, ilustração, reforço ou abonação daquilo que quer dizer; CITA: *Usou uma citação de Eça de Queiroz na redação.* **3** *P. ext.* Uso ou reprodução, em uma obra (musical, plástica, teatral ou cinematográfica, arquitetônica etc.), de elementos reconhecíveis (como trecho, cena, diálogo) de obra ou autor ger. famosos ou respeitados, e que não tem intenção de plágio **4** *Jur.* Intimação para comparecimento diante de um juiz [Sem a citação, a sentença é considerada nula.] [Pl.: *-ções*.] [F.: Do lat. *citatione(m)*.] ■ **~ circunduta** *Jur.* Citação nula ou sem efeito, devido a ato ou fato previsto em lei

citacionismo (ci.ta.ci.o.*nis*.mo) *sm.* **1** Hábito ou mania de fazer citações **2** Uso exagerado de citações [F.: *citação* (segundo o padrão erudito em *citacion-*) + *-ismo*.]

citadino (ci.ta.*di*.no) *a.* **1** Ref. a ou próprio das cidades em geral ou de determinada cidade (hábitos citadinos): *A transferência da corte portuguesa para o Rio de Janeiro, no início do séc. XIX, mudou completamente o perfil citadino*; "Só nas regiões mineradoras [brasileiras do séc. XVIII] se implantou uma verdadeira rede urbana, independente da produção agrícola, contando com uma ponderável camada intermediária de modos de vida citadinos." (Mauro Gaglietti, "A cidade na América Latina: pedagogia para o poder") **2** Que é da cidade, se dá na cidade ou provém dela **3** Diz-se de pessoa que mora em uma cidade [Em todas as acps., a palavra é por vezes us. de modo mais restrito do que o adj. *urbano*, com exclusão dos espaços suburbanos, periféricos ou semirrurais, e referido preferencialmente aos núcleos ou centros de concentração de população, com suas ruas, edificações e atividades.] *sm.* **4** Essa pessoa [F.: Do it. *cittadino*, de *citta* 'cidade' < lat. *civitas*.]

citado (ci.*ta*.do) *a.* **1** Que foi mencionado ou transcrito **2** *Jur.* Diz-se de quem recebeu citação para comparecer em juízo *sm.* **3** Aquele que foi citado judicialmente: *Os citados compareceram ao tribunal em um mês.* [F.: Do lat. *citatus, a, um*.]

citar (ci.*tar*) *v. td.* **1** Mencionar o nome de; REFERIR: *Leu o trecho e citou o autor; Fez questão de citar (os nomes de) todos os seus colaboradores.* **2** Mencionar (texto ou autor de texto) e, esp., reproduzir (trecho de outra obra), oralmente ou por escrito, como autoridade ou exemplo, ou em apoio do que se afirma **3** Apresentar (algo) incidentalmente, ou de modo breve, ilustrativo, alusivo, estabelecendo conexão com o assunto; MENCIONAR: *seria possível citar vários outros exemplos; Enunciou a regra mas esqueceu de citar as exceções.* **4** *Jur.* Intimar para comparecer em juízo ou cumprir ordem judicial: *O juiz mandou citar as testemunhas.* **5** *Lus. Taur.* Incitar, instigar, provocar (o touro) à lide [▶ 1 citar] [F.: Do lat. *citare*. Hom./Par.: *citar* (v.), *sitar* (sm.); *cita(s)* (fl.), *cita(s)* (sf. a2g. s2g. [pl.]); *cito* (fl.), *sito* (a. sm.).]

cítara (*cí*.ta.ra) *Mús. sf.* **1** Instrumento dedilhado ou tocado com palheta, sem braço, em que as cordas atravessam toda a caixa de ressonância, e do qual há muitas variedades em diversos locais e épocas **2** *Restr.* Na Antiguidade, espécie de lira aprimorada e de maior tamanho, com caixa de ressonância quadrangular **3** *Restr.* Na Europa moderna, instrumento similar ao saltério, trapezoidal [F.: Do lat. *cithara*. Hom./Par.: *citara* (fl. *citar*).]

citarista (ci.ta.*ris*.ta) *Mús. s2g.* **1** Músico que toca cítara *a2g.* **2** Que diz respeito ao músico que toca cítara [F.: Do lat. *citharista* ou *citharisthes, ae*; do gr. *kitharistés, ou*.]

citas (*ci*.tas) *smpl.* Povos que habitavam a Cítia, região da Antiguidade que abrangia parte do Sudoeste da Europa e do Sudoeste da Ásia

citável (ci.*tá*.vel) *a2g.* Que pode ser citado, digno de citação: *Vivia à procura de frases citáveis.* [Pl.: *-veis*.] [F.: *citar* + *-ável*.]

citerior (ci.te.ri.*or*) [ô] *a2g.* Que se encontra colocado ou situado do lado de cá [F.: Do lat. *citeriore*.]

◎ **-cit(o)-** *el. comp.* Ver *cit(o)-*

◎ **-cito** *el. comp.* Ver *cit(o)-*

◎ **cit(o)-** *el. comp.* = 'cavidade'; 'espaço oco'; 'célula'; 'tipo de célula'; 'celular'; 'citoplasma': *citobiologia, citogeneticista, citólise, citologia, citomegalovírus, citômetro, citoplasma* (< fr.), *citoscopia; cenocítico, colpocitologia, endocitose; acantócito, adipócito, apócito, biócito, blastócito, condrócito, eritrócito* [F.: Do gr. *kýtos, eos-ous*, 'cavidade'; 'célula'.]

citobiologia (ci.to.bi.o.lo.*gi*.a) *sf. Biol.* O mesmo que *biologia celular*. [F.: *cit(o)-* + *biologia*.]

citogeneticista (ci.to.ge.ne.ti.*cis*.ta) *Gen. s2g.* **1** Especialista em citogenética *a2g.* **2** Diz-se desse especialista **3** Que diz respeito ao especialista em citogenética [F.: *cit(o)-* + *geneticista*.]

citólise (ci.*tó*.lise) *sf. Biol.* Desagregação ou destruição celular [F.: *cit(o)-* + *-lise*.]

citologia (ci.to.lo.*gi*.a) *sf. Biol.* Ramo da biologia que estuda a estrutura e a função das células [F.: *cit(o)-* + *-logia*.]

citológico (ci.to.*ló*.gi.co) *Biol. a.* **1** Ref. a citologia **2** Relativo à estrutura celular (exame citológico) [F.: *citologia* + *-ico*[2].]

citologista (ci.to.lo.*gis*.ta) *Biol. s2g.* **1** Especialista em citologia *a2g.* **2** Diz-se desse especialista **3** Que diz respeito ao especialista em citologia [F.: *citologia* + *-ista*.]

citomegalovirose (ci.to.me.ga.lo.vi.*ro*.se) *sf. Med.* por citomegalovírus [F.: *cit(o)-* + *-megal(o)-* + *virose*.]

citomegalovírus (ci.to.me.ga.lo.*ví*.rus) *sm2n. Biol. Med.* Vírus do grupo do herpes-vírus, que podem infectar homens, macacos e roedores, e que, no caso do homem, produz a inclusão de doença citomegálica [Esse tipo de vírus tem sido encontrado em aidéticos e pessoas com tumores benignos e malignos.] [F.: *cit(o)-* + *-megal(o)-* + *vírus*.]

citômetro (ci.*tô*.me.tro) *sm.* Instrumento que se destina à contagem e medição de células [F.: *cit(o)-* + *-metro*[1].]

citopático (ci.to.*pá*.ti.co) *Biol. a.* **1** Ref. ou inerente às mudanças celulares patológicas; CITOPATOGÊNICO **2** Que se caracteriza por ou que causa mudanças patológicas nas células; CITOPATOGÊNICO [F.: *citopatia* + *-ico*[2].]

citopatologia (ci.to.pa.to.lo.*gi*.a) *sf. Biol.* Área da medicina ligada às pesquisas e estudos que envolvem exames microscópicos e avaliação de amostras celulares; patologia celular [F.: *cit(o)-* + *patologia*.]

citoplasma (ci.to.*plas*.ma) *sm. Biol.* Parte da célula que envolve o núcleo [F.: Do fr. *cytoplasme*.]

citoplasmático (ci.to.plas.*má*.ti.co) *a. Biol.* Ref. a ou próprio de citoplasma; CISTOPLÁSMICO [F.: *citoplasma* + *-ático*, seg. o mod. gr.]

citoplásmico (ci.to.*plás*.mi.co) *a. Biol.* O mesmo que *citoplasmático* [F.: *citoplasma* + *-ico*[2], seg. o mod. vern.]

citoscopia (ci.tos.co.*pi*.a) *sf. Biol. Med.* Exame celular [F.: *cit(o)-* + *-scopia*.]

citoscópico (ci.tos.*có*.pi.co) *a. Biol. Med.* Ref. a citoscopia ou próprio dela (exame citoscópico) [F.: *citoscopia* + *-ico*[2].]

citosina (ci.to.*si*.na) *sf. Quím.* Substância cristalina nitrogenada: um derivado aminado da piramidina, que se encontra à guanina na molécula de DNA [F.: *cit(o)-* + *-os(e)-* + *-ina*[2].]

citostático (ci.tos.*tá*.ti.co) *a. Bio.* Diz-se de substância que inibe ou impede o processo de reprodução das células [F.: *cit(o)-* + *-stático*.]

citotóxico (ci.to.*tó*.xi.co) *a. Biol.* Diz-se de agente capaz de exercer ação tóxica sobre determinadas células ou órgãos [F.: *cit(o)-* + *tóxico*.]

⊕ ***citra petita*** (*Lat.* /*kitra petita*/) *loc. a. Jur.* Diz-se do julgamento em que se decide aquém do pleteiado pelo autor da ação [Cf. *extra petita* e *ultra petita*]

citrato (ci.*tra*.to) *sm. Quím.* Qualquer sal ou éster do ácido cítrico [F.: *citr(i)-* + *-ato*[2].]

◎ **citr(i)-** *el. comp.* = 'do gên. *Citrus*'; 'fruta cítrica': *citrato, cítrico, citrícola, citricultor, citricultura, citrino* (< lat. medv.) [F.: Do lat. *citrus, i*, 'limoeiro'; 'cidreira'.]

cítrico (*cí*.tri.co) *a.* **1** Diz-se de ácido ($C_6H_8O_7$) encontrado em certas frutas **2** Diz-se de fruta que contém esse ácido, como a laranja, o limão etc. **3** Diz-se de algo que se assemelha em algum aspecto a característica presente nessas frutas (cores cítricas; perfumes cítricos) **4** Ref. ou pertencente aos arbustos e árvores do gênero *Citrus* [F.: *citr(i)-* + *-ico*[2].]

citrícola (ci.*trí*.co.la) *a2g.* **1** Que cultiva árvores ou arbustos do gên. *Citrus* **2** Relativo à citricultura [F.: *citr(i)-* + *-cola*[1].]

citricultor (ci.tri.cul.*tor*) [ô] *Agr. a.* **1** Ref. a ou próprio da citricultura **2** Diz-se de indivíduo que se dedica à citricultura *sm.* **3** Esse indivíduo [F.: *citr(i)-* + *-cultor*.]

citricultura (ci.tri.cul.*tu*.ra) *sf. Agr.* Cultivo de frutas cítricas [F.: *citr(i)-* + *-cultura*.]

citrino (ci.*tri*.no) *a.* **1** Que tem a cor ou o sabor do limão ou assemelha-se a ele **2** Diz-se dessa cor ou desse sabor *sm.* **3** Fruta cítrica **4** Variedade de quartzo amarelado [F.: Do lat. medv. *citrinus, a, um*.]

citro (*ci*.tro) *sm. Bot.* Designação comum às árvores e arbustos do gênero *Citrus*, da fam. das rutáceas, tais como o limoeiro, a laranjeira etc. [F.: Do lat. cient. *Citrus*, do lat. *citrus, i*, 'limoeiro'.]

citronela (ci.tro.*ne*.la) *sf. Bot.* Designação comum às plantas do gên. *Citronella*, algumas com odor semelhante ao do limão e us. na fabricação de velas e óleos repelentes [F.: Do fr. *citronnelle*.]

ciumada (ci.u.*ma*.da) *sf.* Demonstração exagerada de ciúme; CIUMEIRA [F.: *ciúme* + *-ada*[1].]

ciúme (ci.*ú*.me) *sm.* **1** Sentimento doloroso e complexo, nem sempre claro para a pessoa, e que pode envolver tristeza, insegurança e hostilidade, gerado por medo (baseado em motivos reais ou imaginários) da perda de pessoa querida: *Não deixou que o ciúme do rapaz estragasse o namoro.* [Muito us. no pl.] **2** *Restr.* Designação que se dá a vários sentimentos ou tendências ligadas ao ciúme (1): desejo de que alguém querido não se relacione com outras pessoas; incapacidade de aceitar que pessoa querida ou amada goste de outrem; suspeita ou predisposição a suspeitar que a pessoa amada é infiel [Nesta acp., muito us. no pl.: *Minha esposa não tem ciúmes de mim.*] **3** Zelo excessivo por alguma coisa, que leva a não gostar de compartilhá-la, cedê-la, emprestá-la: *Laura tem ciúmes de seus CDs.* **4** Sentimento de rivalidade pessoal, despertado por afetos subjetivos (e não pela situação objetiva); hostilidade por alguém, como se suas realizações, qualidades, felicidade etc. significassem ou trouxessem falta de bem-querer em relação à pessoa **5** *P. ext.* Despeito, inveja, ressentimento: *Tentou disfarçar o ciúme do sucesso do amigo.* [F.: Do lat. *zelumen, este, do lat. *zelus* < gr. *zelos* (ver *zelo*).]

ciumeira (ci.u.*mei*.ra) *sf.* **1** *Pop.* O mesmo que *ciumada* **2** *P. ext.* (Situação caracterizada por rixas devidas a) sentimento intenso de ciúmes, inveja ou despeito: *Rolou a maior ciumeira entre as atrizes do elenco.* [F.: *ciúme* + *-eira*.]

ciumento (ci.u.*men*.to) [i-u] *a.* **1** Afetado por sentimento de ciúme; diz-se de quem tem ou manifesta ciúme: *Quando está ciumento, ele se descontrola.* **2** Que sente ciúme intenso, ou com frequência; que tem tendência a sentir ciúme de pessoas queridas ou da pessoa amada *sm.* **3** Pessoa ciumenta [F.: *ciúme* + *-ento*.]

ciúmes (ci.*ú*.mes) *smpl.* **1** *Bot.* Beijo-de-frade (erva balsaminácea) **2** Ver *ciúme* (esp. acps. 1 e 2)

cível (*cí*.vel) *Jur. a2g.* **1** Ref. ao, próprio do ou pertencente ao direito civil; CIVIL [Cf. *penal*.] *sm.* **2** Área de jurisdição dos tribunais em que são julgados os processos de natureza civil [Pl.: *-veis*.] [F.: De *civil*, modif. por infl. de *-vel*, mais comum na língua. Hom./Par: *cível* (sm.), *civil* (sm.) [Como adjetivos, *cível* (a2g.) e *civil* (a2g.) são sinônimos.].]

civeta (ci.*ve*.ta) *sf.* **1** *Zool.* Denominação comum a diversos mamíferos da fam. dos viverrídeos, de pelagem manchada e focinho fino. Ocorrem na África e Ásia **2** *Zool.* Mamífero carnívoro da fam. dos viverrídeos (*Civetticits civetta*), de pelagem negra com manchas brancas e glândulas anais que produzem secreção oleosa conhecida como almíscar, us. em perfumaria; GATO-ALMISCARADO

cívico (*cí*.vi.co) *a.* **1** Ref. à condição de cidadão (membro de um Estado) ou ao conjunto de cidadãos de um país: *Votar é um dever cívico.* **2** Que é feito, realizado ou se manifesta em honra da pátria (espírito cívico; amor cívico); PATRIÓTICO [Ant.: *antipatriótico*] [F.: Do lat. *civicus, a, um*.]

civil (ci.*vil*) *a2g.* **1** Que diz respeito ao cidadão ou ao conjunto dos cidadãos; ref. à interação dos cidadãos como membros de uma comunidade política (responsabilidade civil; sociedade civil) **2** Ref. a ou que regula as relações entre os cidadãos, naqueles aspectos que envolvem seus direitos pessoais e privados, os acordos, contratos, associações, prestações etc. entre eles (direito civil) **3** Ref. ao, próprio do ou pertencente ao direito civil; CÍVEL [Nesta acp., cf. *penal* e *criminal*.] **4** Ref. aos assuntos públicos e às atividades, costumes, necessidades, modos de vida etc. dos cidadãos em geral, e não a determinados assuntos, instituições ou um domínios específicos da vida social; *esp.*: que não é militar nem religioso (polícia civil; casamento civil; registro civil) **5** Que ocorre entre cidadãos do mesmo país (guerra civil) **6** Que é bem-educado, cortês; CIVILIZADO [Ant.: *incivil, grosseiro*] **7** *Restr.* Ref. à condição de um cidadão ou uma cidadã no que diz respeito a estar ou não unido(a) a outra pessoa por vínculo conjugal, de casamento, ou semelhante a casamento: *estado civil [ver esta loc. no verbete estado]; união civil entre pessoas do mesmo sexo* *sm.* **8** Cidadão que não é militar **9** *Pop.* Cartório; autoridade civil que registra oficialmente casamentos (considerados como associação entre cidadãos): *Casaram-se no civil e no religioso.* [Pl.: *-vis.*] [F.: Do lat. *civilis, e.* Hom./Par.: *civil* (a2g. sm.), *cível* (a2g. sm.). [O adjetivo *civil*, na acp. 3, é sinônimo de *cível*.].]

civilidade (ci.vi.li.*da*.de) *sf.* **1** Caráter do ato ou comportamento que segue os costumes relativos à boa convivência entre cidadãos, ou as convenções de demonstração de consideração e respeito mútuos: *A civilidade de seu gesto causou boa impressão.* **2** Observância às formalidades ou convenções entre os membros bem-educados de uma coletividade: *Quanta falta de civilidade!* **3** *P. ext.* Caráter da pessoa bem-educada, que age com (mostras de) dignidade, consideração e respeito pelos outros: *Reconheceu a grandeza e a civilidade do adversário.* [F.: do lat. *civilitas, atis.* Sin. ger.: *cortesia, urbanidade, gentileza, polidez.* Ant. ger.: *incivilidade.*]

civilismo (ci.vi.*lis*.mo) *sm.* **1** Doutrina que propõe o exercício do poder, do governo, pelos civis (por contraste com militares ou religiosos) **2** Entusiasmo de caráter cívico; CIVISMO **3** Predomínio de critérios próprios do Direito Civil em outros ramos do Direito [F.: *civil* + *-ismo.*]

civilista (ci.vi.*lis*.ta) *a2g.* **1** Ref. ao civilismo; CIVILÍSTICO **2** Que é favorável ao civilismo *s2g.* **3** Pessoa favorável ao civilismo **4** Especialista em direito civil [F.: *civil(ismo)* + *-ista.*]

civilização (ci.vi.li.za.*ção*) *sf.* **1** Ação ou resultado de civilizar(-se) **2** Estado ou condição do que se tornou civilizado **3** Processo de aquisição de valores sociais, culturais, tecnológicos etc., que define o desenvolvimento de uma sociedade **4** Estado do desenvolvimento ou adiantamento cultural, tecnológico e material de uma sociedade **5** Tipo de cultura e de sociedade desenvolvido por um povo em determinada época, que o caracterizam naquele estágio e que ele transmite às gerações seguintes: *a civilização asteca.* [Pl.: *-ções.*] [F.: *civilizar* + *-ção*, ou do fr. *civilisation.*]

civilizacional (ci.vi.li.za.ci.o.*nal*) *a2g.* Ref. a civilização [Pl.: *-nais.*] [F.: *civilização* (no padrão erudito, *civilizacion-*) + *-al*¹.]

civilizado (ci.vi.li.*za*.do) *a.* **1** Que se civilizou (povos civilizados) **2** Que tem ou desenvolveu uma civilização; cuja vida social é marcada por aprimoramento das instituições coletivas e por nível relativamente alto de riqueza material e espiritual: *uma das mais civilizadas nações da Antiguidade.* **3** Diz-se de que tem civilidade, de quem é cortês, gentil, bem-educado **4** Em que há cortesia e respeito mútuos: *Tivemos uma conversa civilizada.* *sm.* **5** Pessoa que tem civilidade [F.: Part. de *civilizar.*]

civilizador (ci.vi.li.za.*dor*) [ô] *a.* **1** Diz-se do que contribui para o processo de civilização *sm.* **2** Quem ou aquilo que contribui para o processo de civilização [F.: Do part. *civilizado* + *-or.*]

civilizar (ci.vi.li.*zar*) *v.* **1** Tornar(-se) civil, bem-educado [*td.*: *Temos de civilizar essa criança rebelde.*] [*int.*: *O rapaz adquiriu modos e civilizou-se aos poucos.*] **2** Levar civilização a ou adquirir civilização; pôr (alguém, grupo, sociedade etc.) ou pôr-se em processo de aquisição de elementos culturais, sociais, tecnológicos etc. que caracterizam um estádio civilizatório mais avançado que o original [*td.*: *civilizar tribos primitivas.*] [*int.*: *Muitos povos civilizaram-se ao longo do tempo.*] **3** Fazer evoluir ou evoluírem, aprimorar(em-se) condições e/ou instituições sociais ou civis [▶ 1 civilizar] [F.: *civil* + *-izar* ou do fr. *civiliser.*]

civilizatório (ci.vi.li.za.*tó*.ri.o) *a.* Que tem atuação positiva no processo de civilização [F.: *civiliza(r)* + *-tório.*]

civismo (ci.*vis*.mo) *sm.* **1** Amor e dedicação à pátria; PATRIOTISMO; CIVILISMO **2** Dedicação ao que interessa à coletividade [F.: do fr. *civisme;* ver *cívico* (< lat. *civis* 'cidadão') e *-ismo.*]

cizânia (ci.*zâ*.ni.a) *sf.* **1** *Bot.* Espécie de gramínea nociva (*Lolio temulentum*) que brota no meio do trigo; JOIO **2** *Fig.* Desentendimento entre pessoas; DISCÓRDIA; DESAVENÇA [F.: do lat. tardio *zizania, ae.*]

⊠ **cl**¹ Símb. de *centilitro*

⊠ **Cl**² *Quím.* Símb. do *cloro*

clã *sm.* **1** *Etnog.* Grupo formado por famílias com ancestrais comuns, entre os povos celtas (escoceses, irlandeses e gauleses) e teutônicos **2** *Antr.* Em sociedades tribais e outras, ger. sem organização estatal, grupo de famílias que têm origem comum ou a atribuem a um ancestral mítico, formando uma subdivisão do povo ou da tribo e que pode ter características diversas (agregado espacialmente ou disperso, exogâmico ou endogâmico etc.) **3** Grupo formado por uma única família **4** *Fig.* Grupo unido de pessoas que têm os mesmos objetivos, ou com fortes laços de fidelidade e identificação mútuas; PARTIDO; GREI [F.: do ingl. *clan*, de or. celta (gaélico escocês *clann* < irlandês antigo *cland* 'broto, rebento, descendência' < lat. *planta* 'planta').] ■ **~ totêmico** *Antr.* Clã (2) cujo ancestral comum (real ou suposto) é representado por um totem

cladosseláquio (cla.dos.se.*lá*.qui.o) *sm.* *Ict. Pal.* Designa peixes elasmobrânquios da fam. dos cladosselaquídeos, semelhantes ao tubarão atual e que viveram, do Devoniano Médio ao Permiano Inferior, na América do Norte e na Europa

clamar (cla.*mar*) *v.* **1** Bradar, gritar, exclamar (algo) [*td.*: *Clamou que parassem de brigar.*] [*int.*: *A multidão clamava em protesto.*] **2** Protestar com veemência ou em voz alta [*tr.* + *contra*: *O réu clamava contra a decisão do juiz.*] **3** Pedir com insistência; implorar, rogar, suplicar [*tr.* + *por*: *Os fiéis clamavam (por) um milagre.* Nesta acp., a prep. *por* tem valor afetivo.] [*tdi.* + *a*: *Clamou a Deus que abrandasse seu sofrimento.*] [*td.*: *Arrependidos, clamavam perdão.*] **4** Exigir com urgência; INSTAR [*tr.* + *por*: *O povo clamou por justiça.*] [▶ 1 clamar] [F.: Do lat. *clamare.*]

clâmide (*clâ*.mi.de) *sf.* *Vest.* Na antiga Grécia, manto que se prendia ao pescoço e aos ombros por meio de um broche [F.: Do lat. *chlamys, ydis;* do gr. *khlamús, údos.*]

clamídia (cla.*mí*.di.a) *Biol.* *sf.* **1** Gênero das clamidiáceas, constituído por micro-organismos que podem provocar doenças no homem e nos animais **2** Espécie desse gênero [F.: Do lat. cient. *Chlamydia.*]

clamor (cla.*mor*) [ô] *sm.* **1** Ação ou resultado de clamar **2** Conjunto de vozes, de gritos, ger. tumultuosos; massa sonora produzida por vozes e outros ruídos de muitas pessoas: *A multidão prorrompeu num clamor de alegria.* **3** Protesto conjunto, aos gritos: *Acovardou-se diante do clamor da plateia.* **4** *Fig.* Protesto, reclamação conjunta em que se reivindica algo (ger. por vários meios, e de modo articulado ou coordenado): *O governo precisa atender ao clamor da sociedade.* **5** Pedido insistente, súplica **6** Procissão em que os fiéis rezam alto e em conjunto [F.: do lat. *clamor, oris.*] ■ **~ público** Manifestação pública de descontentamento, revolta, indignação popular

clamoroso (cla.mo.*ro*.so) [ô] *a.* **1** Em que há clamor; que produz clamor; RUIDOSO **2** Que se faz ou se expressa com, ou por meio de, clamor, esp. clamor público: *Enfrentou uma oposição clamorosa.* **3** Que é absolutamente evidente, claro, inegável; que chama atenção (fracasso clamoroso): *O juiz cometeu um erro clamoroso.* [Pl.: [ó]. Fem.: [ó].] [F.: *clamor* + *-oso.* Sin. ger.: *gritante.*]

clandestinidade (clan.des.ti.ni.*da*.de) *sf.* **1** Qualidade ou condição daquele ou daquilo que é clandestino **2** Atuação ou realização clandestina de uma prática sujeita a proibição ou restrição (econômica, política); atividade exercida ilegalmente: *combater a clandestinidade no transporte público:* "relatos médicos sobre... [mulheres] que pagaram com a vida o recurso à clandestinidade do aborto." (Paula Sá, "O aborto clandestino mata em Portugal") [F.: *clandestino* + *-(i)dade.*]

clandestino (clan.des.*ti*.no) *a.* **1** Que se faz ou realiza ocultamente, em segredo, ger. com caráter ilícito (encontro clandestino; aborto clandestino) **2** Que existe ou atua ocultamente, de modo não oficial, por ser objeto de proibição (partidos clandestinos) **3** Que embarca secretamente em meio de transporte, para viajar sem passagem ou sem os documentos necessários (passageiro clandestino) *sm.* **4** Indivíduo clandestino (3) [F.: Do lat. *clandestinus, a, um.*]

clangor (clan.*gor*) [ô] *sm.* **1** Som forte e estridente de alguns instrumentos metálicos, como a trombeta **2** Som forte e agudo do choque ou atrito entre objetos metálicos: *clangor de espadas; clangor de gongos; clangor de tampas de panelas* [F.: do lat. *clangor, oris.* Hom./Par.: *clangores* [ô] (pl.), *clangores* (fl. *clangorar*).]

clangorar (clan.go.*rar*) *v. int.* **1** Soar de maneira clangorosa **2** Anunciar ocorrendo acontecimento [▶ 1 clangorar] [F.: *clango(r)* + *-ar*². Hom./Par.: *clangores* (fl.), *clangores* /ô/ (pl. *clangor* [s. m.]). Tb. *clangorejar.*]

clangorejar (clan.go.re.*jar*) *v.* Ver *clangorar* [▶ 1 clangorejar]

claque (*cla*.que) *sf.* **1** Conjunto de pessoas contratadas ou combinadas para aplaudir ou vaiar um espetáculo **2** Grupo de admiradores ou partidários de alguém **3** Chapéu alto cuja copa, provida de molas, pode ser achatada **4** *Lus.* Conjunto dos torcedores de uma agremiação esportiva; TORCIDA [F.: do fr. *claque.*]

claquete (cla.*que*.te) *sf.* *Cin. Telv.* Pequeno quadro que assinala cada tomada de cena e registra tb. a sequência que está sendo rodada, com a finalidade de facilitar a montagem definitiva do filme; quando há som direto, bate-se com uma peça presa na parte superior da claquete para que o som produzido seja gravado e auxilie na sincronização final entre imagem e som [F.: Do fr. *claquette.*]

clara (*cla*.ra) *sf.* **1** Substância transparente esbranquiçada, rica em albumina, encontrada no interior do ovo, envolvendo a gema **2** A parte branca do olho; esclerótica, branco do olho **3** Espaço livre em floresta ou bosque; CLAREIRA **4** *Mar.* Abertura feita no casco, na estrutura ou em alguma parte do navio, para passar ou instalar alguma peça **5** *Mar.* Período de diminuição de nevoeiro ou chuva, quando há maior visibilidade [F.: fem. substantivado de *claro*. Ver tb. *claras* sfpl. (e a loc. *às claras*).]

claraboia (cla.ra.*boi*.a) *sf.* **1** *Arq.* Espécie de janela, ger. no teto, no telhado ou no alto da parede de uma construção, para deixar entrar luz **2** Qualquer abertura por onde a luz possa penetrar **3** Entrada ou boca de mina [F.: Do fr. *claire-voie* (orig. aplicado a séries de janelas em certas igrejas), de *claire* 'clara (fem. de *claro*)' e *voie* 'via, caminho'.]

clarão (cla.*rão*) *sm.* **1** Grande claridade: *o clarão de um incêndio* **2** Luz intensa que é emitida ou aparece em um rápido instante, como um relâmpago **3** Breve cintilação ou brilho: *os clarões de um punhal.* **4** *Fig.* Momento ou ocasião breve em que certo sentimento, estado de espírito ou capacidade intelectual se manifestam de modo mais intenso: *clarão de entusiasmo; clarão de lucidez.* **5** *Bras.* Espaço livre, descoberto, em floresta ou bosque; CLAREIRA [Pl.: *-rões.*] [F.: *claro* + *-ão*¹.]

claras (*cla*.ras) *sfpl.* Us. na loc. *às claras* ■ **Às ~** **1** Abertamente, publicamente, sem ocultar nada: *agir às claras* **2** Sem rodeios, sem disfarces ou evasivas: *Expôs-lhe às claras todas as suas críticas.* **3** Objetivamente, sem preconceitos: *É melhor enfrentar e resolver o problema às claras.*

clareamento (cla.re.a.*men*.to) *sm.* Ação ou efeito de clarear; CLAREAÇÃO [F.: *cl arear* + *-mento.*]

clareante (cla.re.*an*.te) *a.* **1** Que clareia *sm.* **2** O que se usa para clarear; ALVEJANTE [F.: *clarear* + *-nte.*]

clarear (cla.re.*ar*) *v.* **1** Tornar(-se) claro ou mais claro [*td.*: *Esse sabão clareia a roupa.*] [*int.*: *Depois do tratamento, os dentes clarearam.* Ant.: *enegrecer; escurecer*] **2** Romper a aurora; AMANHECER [*int.*: *No verão o dia clareia mais cedo.* Ant.: *escurecer*] **3** Tornar(-se) nítido, inteligível; suscitar ou encontrar (em problema, dúvida etc.) resposta, solução etc.; ESCLARECER [*td.*: *A explicação clareou minhas ideias.*] [*int.*: *Com as consultas, minhas dúvidas clarearam.*] **4** Abrir(em-se) lacunas, vãos, clareiras em [*td.*: *Clareou parte da mata para construir um campo de pouso.*] [*int.*: *À noite ouviu os tratores, pela manhã constatou que a mata clareara.*] **5** Ficar ou fazer ficar (o céu) sem as nuvens que antes o cobriam [*int.*: *Com o vento, o céu clareou.*] [*td.*: *A forte ventania clareou o céu.*] **6** Fazer ficar ou ficar (a voz) mais clara, límpida [*td.*: *Pigarreou para clarear a voz.*] [*int.*: *Tinha a voz rouca, mas com o tempo ela clareou.*] [▶ 13 clarear] [F.: *claro* + *-ear*².]

clareira (cla.*rei*.ra) *sf.* **1** Espaço aberto em mata ou bosque, sem sombra e com pouca ou nenhuma vegetação; ABERTA; CLARA; CLARÃO; CLARO **2** Terreno desmatado, sem árvores, cercada de brenhas ou matas **3** Terreno aberto após a ceifa de uma seara **4** *Fig.* Espaço vazio; LACUNA; VÃO [F.: *claro* + *-eira.*]

clarejar (cla.re.*jar*) *v.* *P. us.* Ver *clarear* [▶ 1 clarejar] [F.: *claro* + *-ejar.*]

clarete (cla.*re*.te) *a2g.* **1** Que tem a cor suavemente avermelhada do vinho clarete (vestido clarete) **2** Diz-se dessa cor (cor clarete) *sm.* **3** *Enol.* Vinho tinto de cor vermelho-clara, de sabor suave **4** *Enol.* Mistura de um vinho branco com um vinho tinto **5** A cor clarete: *Entre o lilás e o clarete, prefiro o último.* [F.: Do fr. *claret.*]

clareza (cla.*re*.za) [ê] *sf.* **1** Qualidade ou condição do que é claro, bem iluminado, fácil de ser percebido pela visão **2** Qualidade do que é claro, fácil de entender [Ant.: *obscuridade, ambiguidade*] **3** Transparência, limpidez [Ant.: *turbidez*] **4** Qualidade ou capacidade de distinguir as coisas pela visão, com detalhes: *enxergar com clareza.* **5** *P. ext.* Capacidade de perceber e distinguir com detalhes as sensações (esp. auditivas) ou os objetos que as provocam: *a inflamação no ouvido diminuiu a clareza de audição.* **6** *Fig.* Capacidade de distinguir intelectualmente, de compreender: *clareza de raciocínio.* **7** Característica da voz, do som, do timbre que é facilmente perceptível **8** Declaração escrita para prova de alguma transação; RECIBO; CONHECIMENTO **9** *Lud.* Ato de levantar todas as cartas da mesa, no cassino ou em outros jogos semelhantes ■ **~ meridiana** **1** A claridade máxima que há no meio-dia, ou comparável à dessa hora **2** *Fig.* Clareza total; ausência de elementos obscuros ou difíceis de perceber ou compreender; ausência de distorções, subterfúgios ou preconceitos; transparência

clariciano (cla.ri.ci.*a*.no) *a.* **1** Quem tem o estilo ou a maneira de pensar literariamente da escritora brasileira Clarice Lispector *a.* **2** Diz-se do entusiasta ou conhecedor dessa escritora *sm.* **3** Especialista, conhecedor da obra de Clarice Lispector [F.: Do antr. *Clarice* + *-ano.*]

claridade (cla.ri.*da*.de) *sf.* **1** Qualidade ou condição do que é claro **2** Luz emitida por algo, esp. com efeito ou propósito de iluminar; facho ou foco de luz: *Foi ofuscado pela claridade dos faróis do carro.* **3** Presença de luz; local ou ambiente iluminado: *baratas fogem da claridade.* **4** Quantidade de luz (em um ambiente, ou incidindo sobre um objeto): *Aqui não há claridade suficiente para fotografar sem flash.* **5** Luz intensa ou brilho luminoso que emana de algo: *a claridade da Lua* **6** Luz pouco intensa, indireta e/ou difusa (percebida em contraste com a escuridão, mas que não chega a iluminar bem os objetos): *Distinguiu, com esforço, uma claridade no horizonte noturno.* **7** Brancura, alvura **8** *Fig.* Inteligência, conhecimento, razão, entendimento; valor intelectual ou espiritual; capacidade de elevar, purificar, clarificar os pensamentos ou sentimentos: "Tomás de Aquino escrevendo milhares de páginas de uma claridade soberana..." (Eduardo Lourenço, *Pessoa revisitado*) [F.: do lat. *claritas, atis.*]

clarificação (cla.ri.fi.ca.*ção*) *sf.* **1** Ação ou efeito de clarificar **2** Ação ou resultado de clarear líquidos turvos [F.: Do lat. *clarificatio, onis.*]

clarificante (cla.ri.fi.*can*.te) *a.* Que clarifica, que torna claro, límpido [F.: *clarificar* + *-nte.*]

clarificar (cla.ri.fi.*car*) *v.* **1** Tornar(-se) claro, límpido, promovendo ou causando algum processo de retirada ou perda de certas substâncias, ou por meio de limpeza, purificação etc.; PURIFICAR(-SE) [*td.*: *Clarificar a manteiga em fogo brando (separando da gordura os demais componentes); A filtragem clarificou o vinho.*] [*int.*: *Com as medidas de proteção ambiental, as águas do rio clarificaram-se.*] **2** *Fig.* Livrar(-se) daquilo que é nocivo à mente ou ao espírito, daquilo que corrompe ou degrada moralmente, daquilo que turva ou entristece; *tb.*: extinguir ou perder vícios, culpas, pecados; PURIFICAR(-SE) [*td.*: *O perdão do amigo clarificou nossa consciência atormentada; clarificar a alma pela meditação e pela oração.*] [*int.*: *Com a psicoterapia, sua vida interior clarificou-se.*] **3** *Fig.* Fazer ficar ou ficar claro, inequívoco; tornar(-se) mais compreensível; tirar ou perder caráter ambíguo, duvidoso ou obscuro; ACLARAR(-SE); ESCLARECER(-SE) [*td.*: *Consultou a gramática para clarificar a questão.*] [*int.*: *Aos poucos as razões que levaram ao crime clarificavam-se.*] [▶ 11 clarificar] [F.: Do lat. *clarificare.*]

clarim (cla.*rim*) *Mús. sm.* **1** Instrumento de sopro, feito de metal, com tubo ger. estreito e longo e extremidade cônica, que tem timbre claro e estridente, ger. us. para toques militares (em sinais de aviso ou para execução de manobras) **2** Instrumento de sopro us. em bandas militares, orquestras etc., de som similar ao do clarim (1), mas dotado de válvulas ou pistões **3** Registro de órgão que imita o som desse instrumento *s2g.* **4** Pessoa que toca esse instrumento [Pl.: *-rins.*] [F.: do espn. *clarín* < espn. *claro* 'claro'.]

clarinada (cla.ri.*na*.da) *sf.* Toque de clarim [F.: *clarim* (padrão erudito: *clarin-*) + *-ada*[1].]

clarinar (cla.ri.*nar*) *v. int.* **1** Tocar clarim **2** *Bras.* Produzir som como o do clarim **3** Emitir som característico (o galo) [▶ 1 clarinar] [F.: *clarim* + *-ar.*]

clarineta (cla.ri.*ne*.ta) [ê] *sf.* Ver *clarinete*

clarinete (cla.ri.*ne*.te) [ê] *Mús. sm.* **1** Instrumento de sopro composto de um tubo, ger. de madeira ou metal, com bocal de palheta e chaves **2** Registro de órgão que imita o som desse instrumento *s2g.* **3** Pessoa que toca esse instrumento [Nesta acp., us. quando explícita ou implicitamente referido a uma orquestra ou outro conjunto musical. Não se usará *clarineta* ou *clarinete* como equivalente de *clarinetista* em frases como: *É um(a) clarinetista profissional.*] [F.: Do fr. *clarinette* < it. *clarinetto*, do mesmo étimo latino de *clarim* e *claro.* Tb. *clarineta.*]

clarinetista (cla.ri.ne.*tis*.ta) *Mús. s2g.* Pessoa que toca clarinete [F.: *clarinete* + *-ista.*]

clarinista (cla.ri.*nis*.ta) *sm.* **1** Músico que toca clarim *a.* **2** Ref. ao músico que toca clarim [F.: *clarim* + *-ista.*]

clarissa (cla.*ris*.sa) *sf.* Religiosa da ordem de Santa Clara, fundada em 1211, em Assis, Itália; CLARISTA [Esta ordem recebeu uma regra, redigida por são Francisco de Assis e aprovada em 1253.]

clarividência (cla.ri.vi.*dên*.ci.a) *sf.* **1** Qualidade de clarividente **2** Visão clara e acurada **3** Entendimento preciso ou adequado das coisas; DISCERNIMENTO; PERSPICÁCIA; SAGACIDADE **4** Prudência, sensatez **5** Capacidade de ver ou antever acontecimentos futuros ou ter conhecimento de fatos ocultos, misteriosos [F.: *claro* + *-i-* + *vidência*; baseado no fr. *clairvoyance.*]

clarividente (cla.ri.vi.*den*.te) *a2g.* **1** Que vê bem, com clareza **2** Que tem percepção aguda, inteligente ou intuitiva; que age com sagacidade; PERSPICAZ **3** Que tem ou demonstra cautela, prudência, sensatez; que tem bom entendimento; AJUIZADO **4** Diz-se de pessoa capaz de prever acontecimentos; VIDENTE *s2g.* **5** Pessoa clarividente [F.: *claro* + *-i-* + *vidente*; baseado no fr. *clairvoyant.*]

claro (*cla*.ro) *a.* **1** Em que há luz (quarto claro; noite clara); ALUMIADO; ILUMINADO [Ant.: *escuro, sombrio.*] **2** Diz-se de tempo ou de atmosfera ou do céu sem nuvens, ou com poucas nuvens; ABERTO; LIMPO [Ant.: *anuviado, encoberto, fechado.*] **3** Que ilumina, clareia; BRILHANTE; LUMINOSO: *a luz clara do Sol* [Ant.: *escuro, obscuro, sombrio.*] **4** Que reflete bem a luz (espelho claro); BRILHOSO; LUSTROSO; POLIDO [Ant.: *baço, embaçado.*] **5** *Fig.* Fácil de entender (explicação clara); COMPREENSÍVEL; INTELIGÍVEL [Ant.: *difícil, incompreensível, ininteligível.*] **6** Diz-se de pessoa cuja pele é muito branca; ALVO; NÍVEO [Ant.: *escuro, negro, preto.*] **7** Diz-se de olho azul ou verde **8** Transparente, límpido, cristalino (águas claras) [Ant.: *opaco, turvo.*] **9** Cuja cor ou tonalidade é pouco intensa (vestido claro); DESBOTADO; PÁLIDO [Ant.: *escuro, forte, vivo.*] **10** Diz-se dessa cor ou tonalidade: *estofados de tons claros.* **11** Bem visível (silhuetas claras); NÍTIDO; PERCEPTÍVEL: *Os contornos desta figura não estão claros* [Ant.: *imperceptível.*] **12** Diz-se de visão ou audição aguçadas; AGUDO; PENETRANTE: *Apesar da idade, minha avó tem vista e ouvido bem claros.* [Ant.: *deficiente, fraco.*] **13** Que se ouve com nitidez (som claro); DISTINTO; INCONFUNDÍVEL [Ant.: *impreciso, indistinto.*] **14** Que representa as coisas de modo vívido, com exatidão, de modo fiel ou sem distorção (lembranças claras; descrição clara); CERTO; CORRETO; EXATO [Ant.: *falso, inexato.*] **15** Que tem capacidade de apreender ou compreender intelectualmente aquilo que é difícil, complicado (inteligência clara, juízo claro, entendimento claro); FÁCIL [Ant.: *difícil.*] **16** Evidente, manifesto, óbvio (vontade clara) [Ant.: *subentendido.*] **17** Bem expresso ou declarado; sem ambiguidade (leis claras); COMPREENSÍVEL; INEQUÍVOCO [Ant.: *ambíguo, incompreensível.*] **18** Capaz de convencer (prova clara); CONVINCENTE; PERSUASIVO [Ant.: *inconclusivo, inconvincente.*] **19** Averiguado, certo, comprovado: *Não está bem claro quem foi o autor do crime.* [Ant.: *duvidoso, incerto.*] **20** *Poét.* Célebre, glorioso; preclaro, ilustre (claro feito; clara descendência) **21** *Art. gr.* Diz-se de letra, fio ou vinheta de traços mais finos do que o usual [Cf.: *meio-claro.*] *sm.* **22** Lugar ou espaço onde falta ou rareia o que existe em grande quantidade em volta ou nas proximidades; CLAREIRA; VÃO: *os claros de um bosque/ de uma sementeira/ dos cabelos.* **23** *P. ext.* Incapacidade, ger. passageira, de raciocinar ou de lembrar algo; BRANCO: *Durante o depoimento teve um claro e não conseguiu responder às perguntas.* **24** O mesmo que *clareira* **25** Num texto escrito, falta de letras, palavras ou linhas; LACUNA **26** *Art. pl.* Área mais clara ou iluminada de uma pintura ou gravura **27** *Art. gr.* Espaço entre palavras, linhas, figuras, nas margens e outras áreas de qualquer material impresso **28** *Art. gr.* Material branco que gera esse espaço *adv.* **29** Com clareza, de modo facilmente compreensível, ou que deixa claros o significado e a intenção; que não desperta dúvidas; sem ambiguidades, sem evasivas ou ardis; claramente (falar claro; agir claro) *Interj.* **30** Sem dúvida; com certeza: *Ela telefonará, claro!* [Tb. us. para concordar com ou reforçar o que outra pessoa diz. Por vezes, ocorre como simples redução de orações curtas como 'é claro', 'está claro', 'é/está claro que'.] [F.: Do lat. *clarus, a, um.*] ■ **~ de abertura** *Art. gr.* Espaço em branco, na abertura ou início da primeira linha de um parágrafo **~ de entrada** *Art. gr.* Ver *Claro de abertura.* **Em ~ 1** Sem preencher (com texto, ou outra coisa); em branco **2** Sem dormir: *passar a noite em claro* **No ~** *RS* À vista; a dinheiro **Pelo ~** Claramente, sem disfarce

claro-escuro (cla.ro-es.*cu*.ro) *sm.* **1** *Art. pl. Fot.* Em desenho, pintura, gravura, fotografia etc., o contraste geral que se estabelece entre as zonas claras e escuras **2** A impressão que esse contraste causa no observador **3** *Art. pl.* Técnica de pintar ou desenhar em que os efeitos estéticos se produzem a partir da combinação de tons pretos, brancos e outras cores muito escuras **4** *Art. pl.* Estilo em que predomina essa técnica **5** Luminosidade muito fraca ou suave obscuridade; lusco-fusco: *O claro-escuro da antemanhã.* [Pl.: *claros-escuros e claro-escuros.*] [F.: formado por infl. do it. *chiaroscuro.*]

clarone (cla.*ro*.ne) *sm. Bras. Mús.* Clarinete-baixo [F.: Do it. *clarone.*]

clarume (cla.*ru*.me) *sm. P. us.* O mesmo que *claridade*

◎ **-clase** *el. comp.* = 'ruptura'; 'fratura (ou falha)'; 'descontinuidade'; 'reflexão': *áclase, anáclase* (< gr.), *antanáclase* (< gr.), *catáclase* (< gr.), *diáclase* (< gr.), *geóclase, litóclase, paráclase* [F.: Do gr. *-klasis, eos*, como em *anáklasis, eos*, do gr. *klásis, eos*, 'ação de quebrar, de romper'. F. conexas: *-clasia* e *-clásio.*]

◎ **-clasia** *el. comp.* = 'ruptura'; 'fratura'; 'degeneração': *aclasia, aortoclasia, litoclasia, periodontoclasia* [F.: Do gr. *klásis, eos*, 'ação de quebrar, de romper', + *-ia*[1]. F. conexas: *-clase* e *-clásio.*]

◎ **-clásio** *el. comp.* = 'quebra'; 'fratura'; 'lascagem'; 'mineral (monoclínico, ou triclínico, feldspato etc.)': *anortoclásio, clinoclásio, euclásio, loxoclásio, ortoclásio, oligoclásio, plagioclásio, sinclásio, triploclásio* [F.: Do gr. *klásis, eos*, 'ação de quebrar, de romper', + *-io*[3]. F. conexas: *-clase* e *-clasia.*]

classe (*clas*.se) *sf.* **1** Cada um dos grupos em que se dividem ou se ordenam, por critérios vários, quaisquer seres ou coisas; CATEGORIA; ORDEM **2** Categoria em que se classificam os cidadãos de uma sociedade qualquer, conforme sua condição econômico-financeira e seu *status* social; classe social **3** Qualidade, categoria presumivelmente superior: *Providenciaram hospedagem e transporte de primeira classe.* **4** Conjunto de pessoas que exerce a mesma atividade (classe dos advogados; classe médica) **5** Categoria de pessoas fundada na suposta importância ou dignidade de seu cargo: *Juiz de primeira classe.* **6** Padrão adotado por determinados meios de transporte, conforme o preço e as acomodações oferecidas: *Viajava na primeira classe.* **7** Aula em que se ensina determinada matéria (classe de matemática) **8** *P. ext.* Conjunto de alunos que a frequentam; TURMA **9** *P. ext.* O lugar em que se administram as aulas **10** *Bras.* Finura de modos, polidez, educação: *Uma pessoa de classe.* **11** Grupo de pessoas que se destacam por características particulares: *A classe dos ociosos, dos empistolados.* **12** Grupo de coisas que se separam das demais por sua natureza ou qualidade: *Vendiam diversas classes de bidês e vasos sanitários.* **13** Conjunto de indivíduos que, num mesmo ano, atinge o período em que se cumpre o serviço militar (a classe de 1990) **14** Na taxonomia biológica, cada uma das grandes categorias de seres vivos em que se reparte um filo ou divisão, primeiro e maior dos conjuntos de um reino da natureza (classe dos insetos/das aves/dos mamíferos), por sua vez repartida em ordens, como estas em famílias, estas últimas em gêneros, estes em espécies **15** *Álg.* Conjunto de objetos que possuem uma ou mais características comuns **16** *Geom.* O maior número de tangentes a uma curva algébrica plana, que passam por um ponto fora da curva **17** *Est.* Qualquer dos intervalos disjuntos em que se divide a área de variação de uma distribuição de frequência [F.: Do lat. *classis, is.*] ■ **~ de palavras** *Gram.* Conjunto das palavras de uma língua que têm propriedades comuns (semânticas, funcionais [ou sintáticas]); categoria gramatical; classe gramatical; parte do discurso **~ gramatical** *E. ling.* Ver *classe de palavras* **~ média** *Soc.* A categoria social formada por profissionais liberais, industriais e comerciantes de pequeno porte, funcionários de média e alta função etc. **~ social 1** *Soc.* Camada social (em sociedade assim estruturada) que tem em comum o poder aquisitivo e consequente nível de vida, o nível de participação na vida econômica da sociedade e os interesses e comportamentos daí advindos **2** Na concepção marxista, grupo que desempenha função definida na estrutura econômica de uma sociedade – como detentora dos meios de produção, ou detentora da força de trabalho, ou das funções intermediárias e de serviço etc.

classicismo (clas.si.*cis*.mo) *sm.* **1** Qualidade ou característica do que é clássico, esp. do que pertence a época ou corrente consideradas clássicas; *tb.*: estilo clássico ou semelhante ao dos clássicos: *o classicismo de pintores como Tintoretto e Ticiano; o classicismo de uma coreografia (sua proximidade com as do balé clássico)* **2** Caráter do que é ou imita, repete ou é influenciado por aquilo que é clássico; respeito ou apego ao que é consagrado por certa tradição que serve de modelo ou referência **3** Uso ou valorização, esp. em arte, de modelos ou padrões baseados na busca de equilíbrio, simplicidade, contenção, boa proporção etc., e de universalidade e permanência (por oposição, por exemplo, ao excesso, à paixão, à ruptura de normas, à inovação acentuada etc.): *Suas últimas pinturas revelam um classicismo que desconcertou os críticos.* **4** *Restr.* Tendência estética que se funda nos cânones da tradição clássica, e que inclui os ideais da arte greco-romana da Antiguidade, ou da arte do séc. XVII e de parte do XVIII **5** A época clássica de produção de obras de arte literárias, artísticas, filosóficas etc.; CLASSISMO: *Viveu nos últimos anos do classicismo.* [Inicial freq. maiúscula nessas acps.] **6** Corrente ou doutrina dos partidários exclusivos dos escritores da Antiguidade ou dos escritores clássicos (por oposição aos modernos ou românticos etc.); sistema de imitação do estilo clássico na arquitetura, na pintura, na música etc. **7** *Ling.* Elegância e depuração no emprego das palavras; ATICISMO [F.: *clássico* + *-ismo.*]

classicista (clas.si.*cis*.ta) *a2g.* **1** Ref. ao ou próprio do classicismo **2** Que é seguidor ou admirador do classicismo **3** Que se especializa no estudo de período(s), assuntos, estilos, obras ou autores clássicos *s2g.* **4** Seguidor ou admirador do classicismo **5** Especialista em temas clássicos [F.: *clássico* + *-ista.*]

clássico (*clás*.si.co) *a.* **1** Ref. às ou próprio das artes, da literatura ou da cultura da Antiguidade greco-romana **2** Que procura seguir os modelos artísticos e literários dos antigos gregos e romanos: *Escultura de estilo clássico.* **3** Que se baseia nas tradições ou nos costumes consagrados: *Texto moderno de inspiração clássica.* **4** Que serve de exemplo à realização de algo: *O arquiteto guiava-se por um gosto clássico.* **5** Que se apresenta simples e discreto, sem excesso de ornamentações: *Um vestido de linhas clássicas.* **6** Que se mantém ao longo dos tempos; que vigora ou é preservado por várias gerações: *Depois da cerimônia, seguiam-se os festejos clássicos.* **7** Que é costumeiro, habitual, arraigado: *São horas de tomarmos o clássico chá.* **8** Diz-se da obra de um autor que se tornou um modelo de inspiração: *'Guerra e Paz' é um romance clássico.* **9** Ref. a ou ao material us. em classe, em aula **10** *Desus.* Ref. ao clássico (15), curso de ensino médio já extinto *sm.* **11** Autor clássico ou obra clássica: *Era um leitor de clássicos.* **12** Artista que, pelas suas altas qualidades, obteve consagração definitiva: *Machado de Assis é um clássico.* **13** *Bras. Pop. Fut.* Jogo disputado entre clubes importantes: *Só ia aos estádios para ver clássicos.* **14** *Bras. Turfe* Páreo especial, em que todos os cavalos correm com o mesmo peso **15** *Bras. Desus.* Curso de nível médio de três anos, no qual predominava o ensino de línguas, filosofia etc. [F.: Do lat. *classicus.*]

classificação (clas.si.fi.ca.*ção*) *sf.* **1** Ação ou resultado de classificar(-se) **2** Maneira de ordenar seres ou coisas conforme algum critério estabelecido **3** *Biol.* Distribuição dos seres vivos em agrupamentos semelhantes, segundo caracteres evolutivos comuns **4** Observação, mensuração ou avaliação das qualidades, propriedades, condições ou desempenho; ordenação (de pessoas, fenômenos, coisas, animais) segundo o resultado dessa avaliação **5** Aprovação (em exame, concurso etc.), esp. para prosseguir para etapa seguinte em uma disputa ou em um processo de seleção **6** Classe ou categoria a que algo ou alguém pertence, ou posição que ocupa, numa classificação (2), esp. quando esta é uma hierarquia ou gradação, ou quando é resultado de mensuração, de avaliação de desempenho, etc.: *Os astrônomos discordam quanto à classificação de Plutão: se ele está entre os planetas ou se é um 'corpo planetário' ou 'planeta anão'.* **7** *Restr.* Posição obtida por um candidato ou competidor em concurso, exame, competição esportiva etc.: *Nossa equipe obteve ótima classificação no torneio.* **8** *Restr.* Grau, medida ou ou atributo recebido por algo ou alguém, numa avaliação, teste etc.: *O filme tem classificação "Livre"* [*isto é, está classificado entre os filmes liberados para espectadores de todas as idades*]: "Enquanto [o petróleo usualmente comercializado no mercado internacional] tem 39,4 graus API (padrão de classificação), o produto extraído no Brasil tem classificação de 20 graus API." (*Gazeta Mercantil*, 13.06.2003) **9** *Doc.* Sistema de sinais simbólicos us. em bibliotecas, filmotecas, arquivos etc. para distribuir as unidades que as compõem (livros, filmes, pastas etc.) e localizá-las em lugares adequados a consultas [Pl.: *-ções.*] ■ **~ decimal** *Doc.* Sistema de catalogação de áreas de conhecimento, que usa números de base decimal para representar e organizar as áreas, os assuntos e suas subdivisões **~ natural** *Biol.* Aquela que agrupa animais e vegetais de acordo com um conjunto de caracteres **~ periódica** *Quím.* A que organiza os elementos da natureza em períodos; tabela periódica

classificado (clas.si.fi.*ca*.do) *a.* **1** Que se classificou; que foi objeto de classificação **2** Avaliado ou qualificado de determinado modo **3** Que foi aprovado para etapa seguinte, em concurso, torneio, disputa etc. **4** Que foi distribuído e ordenado por classes, grupos etc. conforme um critério estabelecido **5** *Restr.* Diz-se de ser vivo (ou grupo de seres vivos semelhantes) a que se atribui posição taxinômica definida entre as demais espécies, gêneros, famílias, ordens etc., e que recebe denominação científica apropriada ***sm.*** **6** Aquele que se classificou em exame, competição etc. **7** Ver *Anúncio classificado* [F.: part. de *classificar*.]

classificador (clas.si.fi.ca.*dor*) [ô] ***a.*** **1** Que classifica ou serve para classificar ***sm.*** **2** Pessoa que classifica, ou que estabelece a classificação de algo **3** Aquilo que serve para se estabelecer uma classificação; padrão ou critério para classificar **4** Pasta para guardar papéis conforme um critério de classificação **5** Máquina ou dispositivo-máquina us. para separar objetos ou materiais conforme o tamanho, a qualidade etc. [F.: *classificar* + *-dor*.]

classificar (clas.si.fi.*car*) ***v.*** **1** Dispor(-se) ou arranjar(-se) em classes; distribuir ou poder distribuir-se (um conjunto de seres, coisas, entidades abstratas) em grupos bem definidos de acordo com regras, com padrões de referência estabelecidos [***td.*** */* ***tdr.*** + *em, por*: *Classificamos as obras (em cinco grupos) (pela data de publicação).*] [***int.***: *Os animais podem classificar-se em vertebrados e invertebrados.*] **2** Distinguir e determinar num conjunto as categorias ou agrupamentos em que se pode distribuir seus componentes [***td.***: *classificar os gêneros de filmes da locadora.*] **3** Atribuir (algo, alguém) a, ou incluí-lo em, determinada categoria ou grupo predefinido, com base em certas características **4** *Restr. Biol.* Determinar a classe, ordem, família, gênero e espécie de (organismo vivo), com base em suas características e segundo certos critérios [***td.***: *classificar um inseto, uma planta.*] **5** Organizar, arrumar, dar ordem ou disposição metódicas a (aquilo que foi reunido ou acumulado ao acaso ou sem critério) [***td.***: *classificar documentos, coleções.*] **6** Ordenar ou dispor hierarquicamente, em gradação (do menor para o maior, do pior para o melhor etc.), ou em categorias baseadas nessa gradação ou hierarquia [***td.***: *Caberá ao júri elaborar, corrigir e classificar as provas dos candidatos.*] [***tdr.*** + *em*: *Classificou as amostras em ruins, razoáveis e boas.*] **7** Distinguir (ou estar entre) aqueles merecedores de aprovação, numa hierarquia ou gradação; *esp.*: aprovar ou ser aprovado para etapa seguinte em concurso, competição etc.; *tb.*: ser motivo para aprovação [***td.***: *Os juízes só classificaram três concorrentes.*] [***tr.*** + *em, para*: *Meu time classificou-se para a final.*] [***tdr.*** + *a, para*: *A goleada classificou o time para as finais.*] **8** Formar ou expressar certa ideia, juízo ou opinião a respeito de (algo ou alguém); CONSIDERAR; QUALIFICAR [***tdp.***: *Ele se classifica de muito inteligente.* "...com aquela cara que tia Alzira classificava de 'cara de boi sonso'..." (Marques Rebelo, *Contos Reunidos*)] **9** *Jur.* Determinar o tipo de delito a que se refere (uma acusação), e consequentemente o tipo de punição cabível, em caso de condenação [***td.***] [▶ **11** classificar] [F.: Do lat. **classificare*. Hom./Par.: *classificáveis* (fl.), *classificáveis* (a. pl.).]

classificatório (clas.si.fi.ca.*tó*.ri:o) ***a.*** **1** Que classifica ou serve para classificar: *exame classificatório* **2** Ref. a classificação **3** *Antr.* Que recebe a mesma designação que outro parente mais próximo (ou que outra relação de parentesco mais próxima) e tem lugar equivalente ao deste no sistema de parentesco e relações sociais (irmão classificatório, germanidade classificatória) [F.: *classificar* + *-tório*.]

classificável (clas.si.fi.*cá*.vel) ***a2g.*** Que pode ser classificado [Pl.: *-veis*.] [F.: *classificar* + *-vel*.]

classismo (clas.*sis*.mo) ***sm.*** Tendência a valorizar certas classes sociais [F.: *classe* + *-ismo*. Cf.: *classicismo*.]

classista (clas.*sis*.ta) ***a2g.*** **1** Que representa uma classe, um grupo ou categoria de pessoas, ger. definido em termos profissionais, ou na relação trabalho-capital (sindicato classista; representante classista) ***s2g.*** **2** Pessoa que defende os interesses de uma classe, ou que a representa perante os representantes de outras (em negociações, acordos etc.) [F.: *classe* + *-ista*.]

classudo (clas.*su*.do) ***a.*** *Bras. Pop.* Diz-se de pessoa que tem muita classe, que tem modos educados e elegantes [F.: *classe* + *-udo*.]

◎ **-clasta** ***el. comp.*** = 'que quebra, rompe ou destrói (algo)': *biblioclasta, dendroclasta, iconoclasta* [F.: Do gr. *-klástes*, do v. gr. *kláo*, 'quebrar'; 'romper'; 'destruir'. F. conexas: *clast(o)-*, *-clase*, *-clasia* e *-clastia*.]

◎ **-clastia** ***el. comp.*** = 'redução'; 'ruptura'; 'destruição': *aortoclastia, litoclastia.* [F.: Do gr. *klast-*, como em *klastós, é, ón*, do v. gr. *kláo*, 'quebrar'; 'romper'; 'destruir'. F. conexas: *clast(o)-*, *-clasta*, *-clase* e *-clasia*.]

clástico (*clás*.ti.co) ***a.*** *Pet.* Diz-se de rocha sedimentar composta esp. por fragmentos desagregados de outras rochas ou por minerais que surgem da alteração química de formações rochosas [F.: *clast(o)-* + *-ico*[2].]

◎ **-clast(o)-** ***el. comp.*** Ver *clast(o)-*

◎ **-clasto** ***el. comp.*** Ver *clast(o)-*

◎ **clast(o)-** ***el. comp.*** = 'quebrado'; 'fragmentado'; 'fragmento'; 'dividido'; 'destruído'; 'destruição': *clástico, clastomania, clastômano; citoclástico; litoclasto, osteoclasto* [F.: Do adj. gr. *klastós, é, ón*, 'quebrado', 'roto', do v. gr. *kláo*, 'quebrar', 'romper'. F. conexas: *-clasta* e *-clastia*.]

claudicante (clau.di.*can*.te) ***a.*** **1** Que claudica, coxeia **2** *Fig.* Hesitante, vacilante, duvidoso **3** *Fig.* Que comete falhas; que não tem bom desempenho ou não demonstra eficiência **4** Que apresenta defeito(s), imperfeição [F.: *claudicar* + *-nte*; Do lat. *claudicans, antis*.]

claudicar (clau.di.*car*) ***v.*** **1** Não ter firmeza em uma das pernas ou um dos pés; andar com movimento diferente numa das pernas (ger. arrastando-a); MANCAR; CAPENGAR; COXEAR [***int.***: *A dor o fazia claudicar.*] [***tr.*** + *de*: *Depois do acidente, claudicava de uma perna.*] **2** *Fig.* Ter mau desempenho; funcionar mal; apresentar defeito, imperfeição; errar; FALHAR [***tr.*** + *em*: *Claudicou nas respostas.*] [***int.***: *A memória do avô já claudicava.*] [▶ **11** claudicar] [F.: Do lat. *claudicare*.]

claustral (cla.us.*tral*) ***a2g.*** **1** Relativo a claustro; MONÁSTICO [Pl.: *-ais*.] ***sm.*** **2** Conjunto de construções que são ligadas a um claustro (celas, fontes, sala capitular etc.) [Pl.: *-ais*.] [F.: Do lat. *claustralis, e*; ver *claustr(o)-*.]

◎ **claustr(o)-** ***el. comp.*** 'lugar fechado'; 'clausura': *claustral* (< lat.), *claustrofobia, claustrófobo, claustromania, claustrômano.* [F.: Do lat. *claustrum, i*, 'barreira'; 'tranca'; 'ferrolho'; 'recinto fechado'; do v.lat. *claudere* ou *cludere*, 'fechar'; 'cerrar'; 'clausurar'; 'murar'; 'cercar', etc.]

claustro (*claus*.tro) ***sm.*** **1** *Arq.* Em convento, galeria coberta, ou com arcadas abertas, em torno de um pátio interior; o conjunto desse pátio com a galeria **2** *P. ext.* Convento, mosteiro **3** *Fig.* Vida monástica; CLAUSURA **4** Conselho ou assembleia de professores universitários [F.: Do lat. *claustrum, i*.]

claustrofobia (claus.tro.fo.*bi*.a) ***sf.*** *Psiq.* Medo patológico de permanecer em lugares fechados [F.: *claustr(o)-* + *-fobia*. Cf. *agorafobia*.]

claustrofóbico (claus.tro.*fó*.bi.co) *Psiq.* ***a.*** **1** Ref. a claustrofobia **2** Diz-se de indivíduo que sofre de claustrofobia; CLAUSTRÓFOBO ***sm.*** **3** Esse indivíduo; CLAUSTRÓFOBO [F.: *claustrofobia* + *-ico*[2].]

claustrófobo (claus.*tró*.fo.bo) ***a. sm.*** *Psiq.* O mesmo que *claustrofóbico* [F.: *claustr(o)-* + *-fobo*.]

claustromania (claus.tro.ma.*ni*:a) ***sf.*** *Psiq.* Tendência mórbida para ficar confinado em espaço fechado [F.: *claustr(o)-* + *-mania*.]

claustromaníaco (claus.tro.ma.*ní*:a.co) ***a.*** **1** *Psiq.* Que diz respeito à claustromania **2** Diz-se de indivíduo que sofre de claustromania; CLAUSTRÔMANO ***sm.*** **3** Esse indivíduo; CLAUSTRÔMANO [F.: *claustroman(ia)* + *-íaco*.]

claustrômano (cla.us.*trô*.ma.no) ***a. sm.*** *Psiq.* O mesmo que *claustromaníaco* (2 e 3) [F.: *claustr(o)-* + *-mano*[1].]

cláusula (*cláu*.su.la) ***sf.*** **1** *Jur.* Cada um dos artigos ou itens de um contrato, tratado, testamento etc. **2** *Jur.* Disposição especial contida em um contrato; obrigação ou condição que se estabelece aí **3** *P. ext.* Condição, exigência que se apresenta ou acrescenta para estabelecer um acordo (formal ou informal) **4** Norma, preceito **5** *Desus. Gram. Ling.* Oração, conjunto articulado de elementos sintáticos que faz parte de sentença maior e mais complexa **6** *Gram.* Ver *Oração subordinada* [F.: do lat. *clausula, ae*.] ■ **~ à ordem** *Jur.* A que indica que um determinado título de crédito é transferível mediante endosso **~ caf** *Com. Jur.* Ver *Cláusula cif* **~ cif** *Com. Jur.* Em contratos comerciais, a que estipula que o preço de compra e venda inclui a mercadoria, o seguro e o frete até o local de destino **~ cominatória** *Jur.* A que determina uma sanção, na forma de pagamento ou de perda de vantagens contempladas no contrato, para a parte que descumprir obrigação contratual **~ condicional** *Jur.* A que condiciona o efeito de ato jurídico a eventual fato ou circunstância futura **~ de escala móvel** *Jur.* A que prevê revisão de preços contemplados em contrato, em função de eventual variação dos custos nele previstos (matéria-prima, mão de obra, inflação etc.) **~ de estilo** *Jur.* A que é usada frequentemente em atos jurídicos de mesma natureza, por isso tacitamente aceita pelas partes, mesmo quando não explícita **~ de nação mais favorecida** *Econ.* Aquela, em contrato econômico internacional, que obriga uma parte a não conceder a qualquer outro país melhores condições do que as que oferece naquele contrato **~ fas** *Econ. Jur.* Em contratos comerciais, a que estipula que o preço de compra e venda inclui a mercadoria e as despesas de transporte até o porto de embarque **~ fob** *Econ. Jur.* Em contratos comerciais, a que estipula que o preço de venda inclui o valor da mercadoria já a bordo no porto de embarque, mas não o transporte e o seguro até o porto de destino, que são por conta do comprador **~ for** *Econ. Jur.* A correspondente à cláusula fob quando o transporte da mercadoria é terrestre **~ ouro** *Jur.* Aquela que prevê reajuste de valores em contrato (devido a depreciação, aumentos de custos etc.) tendo como referência o valor do ouro ou de moeda estrangeira **~ pétrea** *Jur.* Dispositivo constitucional imutável

clausura (clau.*su*.ra) ***sf.*** **1** Lugar ou ambiente fechado **2** Em um convento, parte ou local que se destina somente aos frades ou às freiras, e onde não podem entrar pessoas não pertencentes à comunidade dos religiosos **3** *Fig.* Situação de quem não sai de um lugar restrito ou fechado, esp. de quem vive em claustro ou convento **4** A vida ou o modo de vida dos religiosos que não saem da clausura (2), ou, p. ext., daqueles que vivem em convento **5** *Fig.* Vida retirada, isolada de outras pessoas ou comunidades; ISOLAMENTO; RECLUSÃO; RECOLHIMENTO [F.: do lat. *clausura, ae*. Hom./Par.: *clausura(s)* (sf. [pl.]), *clausura(s)* (fl. *clausurar*).]

clausurado (clau.su.*ra*.do) ***a.*** O mesmo que *enclausurado*

clausurar (clau.su.*rar*) ***v.*** Ver *enclausurar* [▶ **1** clausurar] [F.: *clausur(a)* + *-ar*[2]. Hom./Par.: *clausura(s)* (fl.), *clausura* (sf. pl.); *clausuras* (fl.), *clausuras* (sf. pl.).]

clava (*cla*.va) ***sf.*** **1** Pau, ger. maciço e pesado, mais grosso numa das extremidades, us. como arma; MAÇA **2** *P. ext.* Tacape **3** *Zool.* Porção terminal, dilatada, da antena de certos insetos [Dim.: *clávula*] [F.: do lat. *clava, ae*.]

clave (*cla*.ve) ***sf.*** **1** *Mús.* Sinal colocado no início da pauta musical para servir de referência à identificação das notas escritas e à determinação das respectivas alturas em que devem ser tocadas **2** *Fig.* Modo com que se organizam ou se articulam uma série de ideias ou termos inter-relacionados; linha, método, perspectiva, orientação na organização ou apresentação das ideias; modo de entender, de pensar, de interpretar; CHAVE [F.: Do lat. *clavis, is*.]

📖 São 3 as claves us. nas partituras musicais: a clave de sol, que parte da segunda linha da pauta (de baixo para cima) identificando a linha onde se escreve a nota sol de uma certa escala nessa clave; a clave de fá, que parte da quarta linha da pauta, identificando a linha da nota fá em certa escala dessa clave; e a clave de dó, na qual o intervalo entre as duas curvas identifica a linha da nota dó em certa escala dessa clave.

clavecino (cla.ve.*ci*.no) ***sm.*** *Mús.* O mesmo que *cravo*[2]

clavicórdio (cla.vi.*cór*.di:o) ***sm.*** *Mús.* Instrumento assemelhado ao cravo, de som suave, com mecanismo de metal que pinça as cordas quando as respectivas teclas são premidas [Instrumento popular no séc. XVIII, bastante apreciado por Johann Sebastian Bach.] [F.: Do lat. *clavichordium*.]

clavícula (cla.*ví*.cu.la) *Anat.* ***sf.*** Cada um dos dois ossos alongados e recurvados, situados na parte superior do tórax, e que unem este aos ombros: cada um se articula com o esterno e com uma escápula, e é capaz de movimento rotatório sobre o próprio eixo [F.: do lat. *clavícula, ae* 'pequena chave' (alusão ao movimento de rotação).]

clavicular (cla.vi.cu.*lar*) ***a2g.*** Ref. à clavícula [F.: *clavícula* + *-ar*[1].]

clavicülário (cla.vi.cu.*lá*.ri:o) ***sm.*** **1** Pessoa responsável pela guarda das chaves de cofre ou arquivo; CHAVEIRO **2** Quadro ou móvel onde se penduram chaves [F.: Do lat. tard. *clavicularius*, 'chaveiro' < lat. *clavícula* (ver *clavícula*).]

clavina (cla.*vi*.na) ***sf.*** Carabina [Aum.: *clavinaço*. Dim.: *clavinote*]

clávula (*clá*.vu.la) ***sf.*** **1** Clava de pequenas dimensões **2** Parte em forma de flagelo das antenas dos insetos [F.: Do lat. *clavula, ae*.]

⊕ ***clean*** (*Ing.* /clin) ***a2g.*** Diz-se de estilo de decoração, de vestuário etc., que exclui exageros de ornamentos e se apresenta ger. em tons claros

clemência (cle.*mên*.ci:a) ***sf.*** **1** Disposição de espírito para perdoar erros ou minorar castigos impostos a outrem; INDULGÊNCIA; MISERICÓRDIA **2** *P. ext.* Bondade, benevolência; magnanimidade **3** *Fig.* Suavidade, brandura, amenidade: *a clemência do clima* [F.: do lat. *clementia, ae*. Hom./Par.: *clemência(s)* (sf. [pl.]), *clemencia(s)* (fl. *clemenciar*).]

clemente (cle.*men*.te) ***a2g.*** **1** Que tem ou demonstra clemência; BENIGNO; INDULGENTE **2** *P. ext.* Bondoso, benévolo, benevolente **3** *Fig.* Que não traz desconforto; suave, brando, ameno (diz-se esp. de clima ou tempo) [F.: do lat. *clemens, entis*.]

clementina (cle.men.*ti*.na) ***sf.*** *Lus. Bot.* Fruta híbrida de tangerina de casca fina e um tipo de laranja [F.: Do fr. *clémentine*.]

clepsidra (clep.*si*.dra) ***sf.*** Antigo instrumento para medir o tempo pelo escoamento de água de um cone superior para um cone inferior; RELÓGIO DE ÁGUA [F.: do lat. *clepsydra, ae*, deriv. do gr. *klepsy'dra*.]

clépsidra (*clép*.si.dra) ***sf.*** Forma não pref. de *clepsidra*

◎ **clepto-** ***el. comp.*** = 'roubar'; 'furtar'; 'dissimular': *cleptocracia, cleptocrata, cleptomania, cleptômano* [F.: Do v. gr. *klépto*, 'roubar'; 'dissimular'; 'esconder'.]

cleptocracia (clep.to.cra.*ci*.a) ***sf.*** *Pol.* Regime político que se caracteriza pela prática da corrupção, esp. com o dinheiro público [F.: *clepto-* + *-cracia*.]

cleptocrata (clep.to.*cra*.ta) ***s2g.*** **1** Indivíduo que participa ativamente da cleptocracia ou é seu defensor ***a2g.*** **2** Diz-se desse indivíduo [F.: *clepto-* + *-crata*.]

cleptocrático (clep.to.*crá*.ti.co) ***a.*** **1** Ref. a cleptocracia ou a cleptocrata ***a.*** **2** Diz-se de regime político em que é comum a prática da cleptocracia [F.: *cleptocrata* + *-ico*[2].]

cleptomania (clep.to.ma.*ni*.a) ***sf.*** *Psiq.* Impulso doentio e incontrolável de furtar; CLOPEMANIA [F.: *clepto-* + *-mania*.]

cleptomaníaco (clep.to.ma.*ní*.a.co) *Psiq.* ***a.*** **1** Ref. a cleptomania **2** Diz-se de indivíduo que sofre de cleptomania; CLEPTÔMANO ***sm.*** **3** Esse indivíduo; CLEPTÔMANO [F.: *cleptoman(ia)* + *-íaco*.]

cleptômano (clep.*tô*.ma.no) ***a. sm.*** *Psic.* O mesmo que *cleptomaníaco* (2 e 3) [F.: *clepto-* + *-mano*[1].]

clerestório (cle.res.*tó*.ri:o) ***sm.*** *Arq.* Nas igrejas medievais, o conjunto das janelas laterais do pavimento superior [F.: Do ing. *clerestory*.]

clerical (cle.ri.*cal*) ***a2g.*** **1** Ref. ou pertencente ao clero **2** Que é favorável ao clero, à Igreja (como orientador da vida social, mesmo entre leigos, ou na política etc.) [Pl.: *-cais*.] [F.: do lat. *clericalis, e*.]

clericalismo (cle.ri.ca.*lis*.mo) ***sm.*** **1** Influência do clero ou da Igreja em assuntos seculares **2** Conjunto de ideias e atitudes dos que apoiam de modo fervoroso, ou incondicional, o clero e suas diretrizes [F.: *cleciral* + *-ismo*.]

clericalizar (cle.ri.ca.li.*zar*) ***v.*** ***td.*** Fazer com que se torne clerical: *clericalizar o ensino* [▶ **1** clericalizar] [F.: *clerical* + *-izar*.]

clericato (cle.ri.*ca*.to) *sm.* Condição ou dignidade de sacerdote; SACERDÓCIO [F.: Do lat. *clericatu.*]

clérigo (*clé*.ri.go) *sm.* 1 Pessoa que pertence à classe eclesiástica; membro do clero 2 Pessoa que recebeu ordens sacras 3 Sacerdote cristão 4 Aquele que foi iniciado nas ordens sacras pela tonsura dos cabelos [Col.: *clerezia, clero.*] [F.: do lat. *clericus, i.*]

clero (*cle*.ro) *sm.* 1 Conjunto dos sacerdotes ou dos que têm oficialmente função pastoral, em determinada religião cristã, esp. a católica 2 Classe ou divisão social formada por funcionários oficiais da Igreja católica e/ou das igrejas cristãs em geral: *O monarca procurou garantir o apoio do clero e da nobreza.* 3 A classe, corporação ou subdivisão social formada por aqueles que são sacerdotes de uma religião não cristã, ou membros oficiais de qualquer organização religiosa [F.: do lat. *clerus, i.*] ■ **Alto ~** Conjunto dos eclesiásticos que têm alta posição hierárquica **Baixo ~** 1 Parte do clero formada pelos sacerdotes que não têm posição hierárquica importante 2 *Pol.* Termo, posv. criado na Câmara de Deputados, que designa o conjunto de parlamentares supostamente sem muita influência ou participação nos processos políticos e com pouca aparição na mídia, mas que juntos podem decidir votações e fazer aprovar projetos e medidas de seu interesse, principalmente no que tange a questões internas da Câmara **~ regular** Conjunto de religiosos pertencentes a uma ordem ou congregação, com modo de vida específico **~ secular** Conjunto dos clérigos que não estão vinculados a nenhuma ordem ou congregação

clicada (cli.*ca*.da) *sf. Fot. Inf.* O mesmo que *clique* [F.: *clique + -ada.*]

clicado (cli.*ca*.do) *a.* 1 Que sofreu a ação de clicar (*mouse clicado*) 2 *Fot. Inf.* Que foi fotografado [F.: Part. de *clicar.*]

clicar (cli.*car*) *v.* 1 (Produzir som de estalido ao) pressionar (um botão ou dispositivo mecânico similar), para acionar algum aparelho, p. ex. câmara fotográfica, ou controlar seu funcionamento [*td.*: *Clicou todos os botões, sem conseguir desligar a máquina.*] [*tr. + em*: *Não adianta ficar clicando nos interruptores e teclas antes de ler as instruções.*] 2 *Inf.* Pressionar e soltar botão do *mouse*, ou fazê-lo estando o cursor devidamente posicionado em ponto na tela ou naquilo que está aí representado [*ta.*: *Clicar no ícone para iniciar o programa.*] [*td. /tda.*: *É preciso clicar o mouse (no menu).*] [*int.*: *Posicionou o cursor e clicou*] 3 *Bras. Pop.* Fotografar (algo ou alguém) [*td.*: *Clicar uma modelo.*] 4 Produzir clique, estalido (diz-se esp. de aparelhos mecânicos, mecânico-elétricos ou mecânico-eletrônicos, ao serem acionados ou ao funcionarem) [*int.*: *Quando a escritora entrou, as câmaras clicaram.*] [▶ 11 clicar] [F.: *clique + -ar*[2]. Hom./Par.: *clique(s)* (fl.), *clique(s)* (sm. [pl.]).]

clicável (cli.*cá*.vel) *a2g. Fot. Inf.* Que pode ser clicado, fotografado [Pl.: *-veis.*] [F.: *clicar + -vel.*]

clichê (cli.*chê*) *sm.* 1 *Art. gr.* Placa de metal gravada em relevo com textos ou imagens para serem impressos por prensa tipográfica 2 *Gráf.* Texto ou imagem obtidos por esse tipo de impressão 3 *Fig.* Ideia, expressão muito repetida; LUGAR-COMUM; CHAVÃO 4 *Fot.* Negativo fotográfico 5 *Jorn.* Cada uma das tiragens (às vezes, com modificações) da mesma edição de um jornal [F.: do fr. *cliché.*] ■ **Segundo ~** Uma segunda tiragem do mesmo número de jornal ou revista, à qual se acrescentaram notícias importantes de última hora, ou devido ao esgotamento da primeira tiragem

clicheria (cli.che.*ri*.a) *Art. gr. sf.* 1 Oficina onde se fazem clichês 2 Conjunto de clichês 3 Técnica de fabricação de clichês [F.: do fr. *clicherie.*]

⊕ **click** (*Ing.* /click/) *sm.* O mesmo que *clique*

◎ **-clid(o)-** *el. comp.* Ver *clid(o)-*

◎ **-clido** *el. comp.* Ver *clid(o)-*

◎ **clid(o)-** *el. comp.* = 'chave'; 'clavícula': *clidomancia, clidomante; aclidiano, esternoclidomastoideo; áclido* [F.: Do gr. *kleís, kleidós.* Há por vezes, na língua, formas (menos pref.) em *cleid(o)-, -cleid(o)-*: *esternocleidomastóideo.*]

clidocraniano (cli.do.cra.ni.*a*.no) *a. Anat.* Relativo à clavícula e ao crânio [F.: *clid(o)- + craniano.*]

cliente (cli.*en*.te) *s2g.* 1 Pessoa que contrata os serviços de advogado ou procurador para que defendam os seus interesses 2 Pessoa que consulta repetidamente o mesmo médico, dentista etc. 3 Pessoa que recorre com frequência a um mesmo estabelecimento comercial (loja, restaurante etc.); FREGUÊS 4 Correntista de um banco 5 *Inf.* Computador, equipamento ou programa que, em uma rede, usa serviços (como acesso a dados e a equipamentos periféricos) de outro (o servidor) 6 *Hist.* Pessoa que, na Roma antiga, estava sob a proteção de outros cidadãos poderosos (os patronos); PATROCINADO [F.: do lat. *cliens, entis.*]

clientela (cli.en.*te*.la) *sf.* 1 Conjunto de clientes, de frequentadores de um estabelecimento comercial; FREGUESIA 2 Conjunto de clientes de um profissional, como médico, dentista, advogado etc. 3 *Pej.* Conjunto de setores, grupos ou pessoas que dependem ou se beneficiam dos favores ou benesses dos detentores do poder político: *clientela eleitoral* 4 *Hist.* Conjunto dos plebeus que, entre os antigos romanos, estavam sob a proteção de um patrono [F.: do lat. *clientela, ae.*]

clientelismo (cli.en.te.*lis*.mo) *sm.* 1 *Bras.* Prestação ou recebimento de favores políticos, esp. de natureza eleitoral, em troca de benefícios pessoais ou de um grupo 2 *Restr.* Relação em que uma pessoa mais poderosa (o patrão) dá assistência ou proteção a outras (os clientes) que dela dependem parcialmente, em troca do apoio destas, esp. através do voto, a seus objetivos políticos [F.: *clientela + -ismo.*]

clientelista (cli.en.te.*lis*.ta) *a2g.* 1 Ref. a clientela 2 *Bras.* Ref. a clientelismo *s2g.* 3 Defensor ou beneficiário das práticas do clientelismo [F.: *clientela + -ista.*]

clientelístico (cli.en.te.*lís*.ti.co) *a. Bras. Pej.* Relativo a clientelismo ou clientelista [F.: *clientelista + -ico*[2].]

clima (*cli*.ma) *sm.* 1 *Clim.* Estado regular (ou sucessão regular de estados) da atmosfera em determinada região, caracterizado por certas condições (pressão, temperatura, umidade, vento etc.) que se repetem segundo um padrão, ger. observado ao longo de vários anos ou de períodos ainda maiores 2 Região ou país considerado nas suas condições atmosféricas; lugar que tem determinado clima (1): *Mudaram-se em busca de outros climas.* 3 *Clim.* Zona terrestre entre círculos paralelos 4 *Fig.* Impressão ou efeito emocional causados por um conjunto (ger. impreciso) de ações, palavras, aspectos, condições; *tb.*: estado de ânimo, ou influência predominante, em determinado ambiente social; ATMOSFERA: *Uma narrativa de clima sombrio; O clima na reunião ficou tenso.* [F.: do fr. *climat.*] ■ **~ ardente** *Clim.* Aquele que registra temperaturas médias entre 25 e 28°C **~ constante** Ver *Clima marítimo* **~ continental** *Clim.* Clima predominante no interior dos continentes, no qual a diferença entre as temperaturas médias de verão e de inverno é de mais de 17°C **~ desértico** *Clim.* Aquele que apresenta secas prolongadas, com média pluviométrica anual máxima de 250 mm **~ frio** *Clim.* Aquele cuja temperatura média fica entre 5 e 10°C **~ glacial** *Clim.* Aquele cuja temperatura média fica abaixo de 0°C **~ marítimo** *Clim.* Aquele que prevalece no litoral, com variação máxima de 7°C do inverno para o verão; clima constante **~ muito frio** *Clim.* Aquele de temperatura média entre 0 e 5°C **~ quente** *Clim.* Aquele que tem uma temperatura média entre 20 e 25°C **~ subtropical** *Clim.* Clima cuja temperatura média é inferior a 20°C e sem um inverno perfeitamente caracterizado **~ temperado** *Clim.* Aquele que apresenta temperaturas ger. abaixo de 20°C no verão e no inverno, e estações bem caracterizadas

climatérico (cli.ma.*té*.ri.co) *a.* 1 Referente a cada uma das épocas da existência humana que os antigos consideravam como críticas, pelo fato de julgarem que o organismo humano passava periodicamente por grandes transformações que podiam ser perigosas para a vida 2 *Fisl.* Ref. ao período que antecede a menopausa e às mudanças fisiológicas que ocorrem no organismo da mulher [F.: Do gr. *klimakterikós.*]

climatério (cli.ma.*té*.ri:o) *sm.* 1 *Med.* Período da vida marcado por alterações fisiológicas e psicológicas ligadas ao final da fase ou capacidade reprodutiva do indivíduo: na mulher, aquele que antecede e leva à menopausa; no homem, o período de declínio de sua potência sexual 2 *Hist. Med.* Na medicina antiga, cada um dos períodos climatéricos (ver *climatérico* [1]) [F.: do lat. *climacterium, ii,* do gr. *klimakter* 'período crítico, de grandes alterações'.]

climático (cli.*má*.ti.co) *a.* Do, ref. ou pertencente ao clima (de uma dada época, de uma região ou em geral); CLIMATOLÓGICO [F.: Do fr. *climatique*; ver *climat(o)-*.]

climatização[1] (cli.ma.ti.za.*ção*) *sf.* 1 Conjunto dos procedimentos capazes de criar, em recinto fechado, um clima artificial: *Climatização de uma estufa de flores.* 2 Preparação de produto, material etc. para resistir a certas condições climáticas [Pl.: *-ções.*] [F.: Do fr. *climatisation.*]

climatização[2] (cli.ma.ti.za.*ção*) *sf.* Ação ou resultado de climatizar[2] [Pl.: *-ções.*] [F.: *climatizar*[2] + *-ção.*]

climatizado[1] (cli.ma.ti.*za*.do) *a.* Em que houve ou que passou por climatização[1] [F.: Part. de *climatizar*[1].]

climatizado[2] (cli.ma.ti.*za*.do) *a.* 1 Que se adaptou a um novo clima ou ambiente 2 *Fig.* Acostumado, adaptado [F.: Part. de *climatizar*[2].]

climatizar[1] (cli.ma.ti.*zar*) *v. td.* Fazer a climatização[1] de [▶ 1 climatizar] [F.: Do fr. *climatiser.*]

climatizar[2] (cli.ma.ti.*zar*) *v.* O mesmo que *aclimatar* [*td. tdi.*] [▶ 1 climatizar] [F.: *climat(o)- + -izar.*]

◎ **-climat(o)-** *el. comp.* Ver *climat(o)-*

◎ **climat(o)-** *el. comp.* = 'conjunto de condições atmosféricas de uma região': *climático* (< fr.), *climatizar, climatogenético, climatograma, climatologia; bioclimatologia* [F.: Do gr. *klíma, atos,* 'inclinação'; 'pôr do sol'; 'clima'; 'região', 'zona geográfica', do v. gr. *klíno,* 'fazer pender', 'inclinar'.]

climatogenético (cli.ma.to.ge.*né*.ti.co) *a. Clim.* Referente à formação do clima e suas alterações [F.: *climat(o)- + genético.*]

climatograma (cli.ma.to.*gra*.ma) *sm. Clim.* Representação gráfica do clima de determinado lugar [F.: *climat(o)- + -grama.*]

climatologia (cli.ma.to.lo.*gi*.a) *sf.* Ciência que estuda os climas do planeta [F.: *climat(o)- + -logia.*]

climatológico (cli.ma.to.*ló*.gi.co) *a.* 1 Ref. a climatologia 2 Climático [F.: *climatologia + -ico*[2].]

climatologista (cli.ma.to.lo.*gis*.ta) *Clim. a2g.* 1 Diz-se de especialista em climatologia *s2g.* 2 Esse especialista [F.: *climatologia + -ista.*]

clímax (*clí*.max) [cs] *sm.* 1 O ponto culminante, o ponto máximo; elemento, momento, situação etc. caracterizado por ter maior importância, ou por ser o final de um processo gradativo (de crescimento, intensificação, aprimoramento etc.); AUGE 2 O maior grau de desenvolvimento em um processo biológico ou social 3 *Ecol.* Comunidade estável adaptada às condições ambientais prevalentes da região onde habitam 4 O momento decisivo da ação em uma obra de ficção (romance, filme, peça de teatro etc.), quando as tensões do enredo e as expectativas quanto ao seu desfecho chegam ao máximo de intensidade e começam a se resolver; ápice 5 O momento ou estado de máxima excitação sexual; o orgasmo 6 *Ling.* Enunciação de uma série de frases ou orações em andamento crescente ou decrescente; gradação 7 *Ling.* Concatenação dos elementos de um período de forma que cada um comece pela última palavra do anterior [Opõe-se a *anticlímax.*] [Pl.: *clímaces.*] [F.: Do lat. *climax, acis* 'id.', do gr. *klîmaks, akos,* 'escada'; 'gradação'.]

clinche (*clin*.che) *sm. Pug.* No boxe, lance em que o lutador abraça seu adversário para impedi-lo de desferir golpes

clínica (*clí*.ni.ca) *sf.* 1 Prática da medicina 2 Clientela de um médico 3 Estabelecimento público ou particular onde as pessoas fazem consultas, exames, tratamentos etc. 4 *Med.* Aula de medicina ministrada em hospitais, com utilização dos próprios doentes, que servem de objeto de estudos 5 A observação direta, pelo médico, do estado do paciente, incluindo exames mais ou menos simples (auscultação, medição de temperatura, etc.), ou outros, além de perguntas etc., e guiada pela combinação de conhecimento, experiência e sensibilidade: "A clínica é soberana, isso quer dizer que nenhum médico, em sã consciência, pode fazer o diagnóstico de um paciente sem vê-lo, baseado apenas em um resultado de exame de laboratório." (Jane Feldman) 6 O conjunto das manifestações ou a evolução de uma doença, tal como assim observadas 7 Lugar em que se fazem tratamentos diversos, não necessariamente médicos: *clínica de estética; clínica de rejuvenescimento* 8 Conjunto de práticas (ou de pessoas que as aplicam) destinadas a observar, corrigir e aprimorar o desempenho de determinada atividade específica ou propiciar a aquisição de certas técnicas ou habilidades: *clínica de natação; clínica de teatro/de pedagogia, etc.* [F.: do gr. *klinike,* es. Hom./Par.: *clínica* (sf.), *clinica* (fl. de *clinicar*).] ■ **~ geral** *Med.* Especialidade médica que trata as doenças dos vários órgãos e sistemas do corpo que não exigem tratamento cirúrgico; clínica médica; medicina interna **~ médica** *Med.* Ver *Clínica geral*

clinicar (cli.ni.*car*) *v. int.* Exercer a profissão de médico, e esp. de clínico: *Clinicou nesta cidade por toda a sua vida.* [▶ 11 clinicar] [F.: *clínica + -ar*[2]. Hom./Par.: *clinica(s)* (fl.), *clínica(s)* (sf. [pl.]); *clinico* (fl.), *clínico* (a. sm.).]

clínico (*clí*.ni.co) *a.* 1 Ref. a clínica (esp. nas acps. 1, 5 e 6) 2 Ref. ao diagnóstico e tratamento de pessoas enfermas (exame clínico, cuidados clínicos) 3 Diz-se de médico que se dedica à *clínica geral*; GENERALISTA; INTERNISTA 4 Que se dá na presença do paciente; ref. à clínica (4) 5 *Fig.* Próprio do tipo de atenção que tem um médico, esp. ao fazer diagnóstico a partir de observação, análise, pesquisa, conhecimento (olhar clínico): *Descreveu a situação com minúcia clínica.* *sm.* 6 Médico que exerce a *clínica geral*; CLÍNICO GERAL [F.: Do gr. *klinikós, é, ón.* Hom./Par.: *clinico* (fl. de *clinicar*).]

clinômetro (cli.*nô*.me.tro) *sm.* 1 Em topografia, instrumento que mede a inclinação de uma superfície plana 2 *Mar.* Instrumento que, numa embarcação, mede o balanço de um bordo para outro [F.: *clin(o)- + -metro.*]

clipado (cli.*pa*.do) *a.* 1 Que se clipou, ou que foi submetido a clipagem *a.* 2 Diz-se de matéria jornalística da mídia impressa de que se fez recorte: *O material clipado foi oferecido aos assinantes.* 3 Diz-se de material televisivo de que se fez videoclipe: *As cenas de violência foram clipadas e enviadas à justiça.* [F.: Part. de *clipar.*]

clipagem (cli.*pa*.gem) *sf.* 1 *Jorn.* Atividade de seleção, recorte e arquivamento organizado de matérias jornalísticas a respeito de determinado assunto 2 Produto dessa atividade 3 Resumo atualizado das principais notícias de jornais e revistas [Em todas as acps., usa-se tb. o ing. *clipping.*] [Pl.: *-gens.*] [F.: do ing. americano *clipping,* adaptado ao port. com o suf. *-agem.*]

⊕ ***clip art*** (*Ing.* /*clipart*) *loc. subst. Art. gr. Edit. Inf.* Ilustração disponível em arquivo (imagens, impressos etc.) para pronta utilização em trabalhos gráficos

⊕ ***clipboard*** (*Ing.* /*clipbórd*) *sm. Inf.* O mesmo que *área de transferência* [Pl.: *clipboards.*]

clipe[1] (*cli*.pe) *sm.* 1 *Bras.* Pequena peça metálica ou de plástico, para prender papéis por pressão, sem furá-los 2 Joia ou enfeite com pequena mola ou outra espécie de fecho para fixá-la no lugar, us. como brinco ou broche [F.: do ing. *clip.*]

clipe[2] (*cli*.pe) *sm.* Videoclipe

⊕ ***clipping*** (*Ing.* /*clipin*) *sm. Jorn.* Ver *clipagem*

⊕ ***clique***[1] (*Fr.* /*clic*/) *sf.* 1 Grupo de pessoas com os mesmos interesses 2 *Pej.* Grupo de indivíduos que trama contra alguém

clique[2] (*cli*.que) *sm.* 1 Ação ou resultado de clicar 2 Ruído seco e breve, produzido por certos objetos ou mecanismos; ESTALIDO: *Toda vez que desligava, o aparelho dava um clique.* 3 *Fon.* Cada um dos fonemas produzidos em determinadas línguas, principalmente em certos idiomas africanos, que se servem da sucção de ar para dentro da boca (formando um espaço entre duas oclusões, da língua e, ger., do palato mole) e produzindo estalidos variados [Em português, os cliques não são utilizados como sons da fala, mas obtidos quando se fazem movimentos bucais, com sucção de ar, para o beijo, o muxoxo e outros estalidos onomatopeicos, como a imitação do trote de cavalos etc.] 4 *Inf.* Ação ou resultado de apertar o botão do *mouse* **interj.** 5 Expressão onomatopaica us. para representar um estalido breve e seco: Clique! *Era assim que fazia com o interruptor para assustar os que tinham medo do escuro.* [F.: Do ing. *click.*]

◎ **-clise[1]** *el. comp.* = 'aumento'; 'apoio'; 'intercalação, incorporação ou colocação de voc. átono (esp. de pron.)': *anáclise* (< gr.), *apossínclise, ênclise* (< gr.), *heteróclise, mesóclise, próclise, síncilse* (< gr.) [F.: Do gr. *klísis, eos* (com iota breve), 'ação de inclinar'; 'pôr do sol'; 'flexão'; 'declinação'; 'aumento (no início, no meio ou no fim da palavra)', nome de ação do v. gr. *klíno*, 'inclinar'.]

◎ **-clise[2]** *el. comp.* = 'introdução de líquido em (dado órgão ou estrutura anatômica)'; 'lavagem (com clister)': *autóclise, enteróclise, histeróclise, proctóclise* [F.: Do gr. *klýsis, eos* (com *y* breve), 'ação de lavar (por meio de clister)', nome de ação do v. gr. *klýzo*, 'banhar'; 'lavar'; 'limpar'.]

◎ **-clise[3]** *el. comp.* = 'fechamento': *colpoclise, coreclise, histeroclise.* [F.: Do gr. *kleîsis, eos*, 'ação de fechar, de trancar', nome de ação do v. gr. *kleío*, 'fechar'; 'trancar'.]

clister (clis.*ter*) [é] *sm. Med.* Injeção de água ou de algum medicamento líquido no reto (porção final do intestino), ger. para preparo de exame ou para lavagem intestinal; ENEMA [F.: do gr. *klystér.*] ■ **~ opaco** *Rlog.* Líquido de contraste introduzido no reto para exame radiográfico

clitelo (cli.*te*.lo) *Anat. Zool. sm.* Segmento mais espesso do corpo de certos anelídeos, cuja função é segregar um material viscoso para a cópula e que forma o casulo no qual são depositados os óvulos [F.: Do lat. cient. *clitellum.*]

clítico (*clí*.ti.co) *a.* 1 *Gram.* Referindo-se a vocábulo átono, diz-se daquele que, na pronúncia, integra-se à palavra que o antecede ou o sucede, como se fosse sílaba desta (ger. são preposições, pronomes oblíquos, conjunções etc.) 2 Ref. a tal vocábulo [F.: Do ing. *clitic*, oriundo de *enclitic* ou *proclitic* ('enclítico' e 'proclítico'); em português temos ainda *mesoclítico*.]

clitoriano (cli.to.ri.*a*.no) *a.* O mesmo que *clitoridiano.* [F.: *clitóris* + *-ano.*]

clitoridectomia (cli.to.ri.dec.to.*mi*.a) *sf. Cir.* Cirurgia de extração do clitóris; CLITORIDOTOMIA [Atualmente pouco us. como procedimento cirúrgico.] [F.: *clitorid(o)-* + *-ectomia.*]

clitoridiano (cli.to.ri.di.*a*.no) *a.* Relativo ao clitóris; CLITORÍDEO [F.: *clitóride* + *-iano.*]

◎ **clitorid(o)-** *el. comp.* = 'clitóris ou clitóride': *clitoridectomia, clitoridiano, clitoridotomia; clitoriano, clitorismo.* [F.: Do gr. *kleitorís, ídos* (com iota breve na última sílaba).]

clitoridotomia (cli.to.ri.do.to.*mi*.a) *sf. Cir.* O mesmo que *clitoridectomia* [F.: *clitorid(o)-* + *-tomia.*]

clitóris (cli.*tó*.ris) *sm2n. Anat.* Protuberância carnuda e erétil na parte anterior e superior da vulva, entre os pequenos-lábios, homóloga, anatomicamente, ao pênis [F.: Do lat. cient. *clitoris*, do nom. do gr. *kleitorís, ídos.* (Com base no grego, a melhor prosódia é clítoris, mas o uso consagrou clitóris; a melhor forma, porém, seria clitóride, menos us.).]

clitorismo (cli.to.*ris*.mo) *Med. sm.* 1 Hipertrofia do clitóris 2 Ereção contínua, ger. dolorosa, do clitóris [F.: *clitor(i)-* + *-ismo.*]

clivado (cli.*va*.do) *a.* Que passou por processo de clivagem [F.: Part. de *clivar.*]

clivagem (cli.*va*.gem) *sf.* 1 Ação, processo ou resultado de clivar 2 *Min.* Propriedade que têm certos cristais ou rochas de se dividirem ou tenderem a se dividir ao longo de certos planos paralelos (que formam as faces, ou que são faces possíveis, do mineral ou rocha) 3 *P. ext.* Quebra ou fragmentação de cristal ou rocha ao longo desses planos ou direções preferenciais 4 *Emb.* Série de divisões mitóticas sincronizadas, sofridas pelo zigoto ao percorrer a tuba uterina, e que o tornam um embrião multicelular; *tb.*: cada uma dessas divisões 5 *Psic.* Fragmentações (de conjuntos de ideias, representações, sentimentos) possíveis de acontecer no aparelho psíquico de um indivíduo 6 *Ling.* Divisão de uma oração em duas [P. ex.: *É de pintar que ele gosta*, em vez de *Ele gosta de pintar.*] 7 Formação de grupos, partidos, facções, em função de diferenças (econômicas, étnicas, culturais etc.) dentro de uma sociedade, população ou de um território; separação ou oposição entre os grupos assim formados ou diferenciados: *a clivagem étnica observada nos Bálcãs.* 8 *Quím.* Ruptura, separação de uma molécula (ger. complexa, como de proteína) em moléculas menores, mais simples 9 *Fig.* Separação, diferenciação por planos, por níveis, por categorias [Pl.: *-gens.*] [F.: do fr. *clivage.*] ■ **~ básica** *Min.* Aquela que é paralela à base do cristal **~ do ego** 1 *Psiq.* Distúrbio psicopatológico que consiste na existência no mesmo indivíduo de dois sistemas psíquicos sem relação entre eles 2 *Psic.* Nas psicoses, existência, no nível do ego, de duas atitudes contraditórias e simultâneas para com a realidade

cloaca (clo.*a*.ca) *sf.* 1 Cano, vala ou fossa para receber dejeções 2 Coletor de esgotos 3 Vaso sanitário, latrina 4 Vala ou sarjeta, onde se escoam água e lama: "Todos esses epigramas... passam-me pelos pés como um enxurro de cloaca... O que faço é arregaçar as calças!" (Eça de Queirós, *Os Maias*) 5 Depósito de lixo; chafurdeiro 6 *Fig.* Lugar imundo, pestilento 7 *Zool.* Câmara em que se abrem o canal intestinal, o aparelho urinário e os ovidutos das aves, répteis, anfíbios e peixes 8 *Fig.* Conjunto de vícios, torpezas, imoralidades [F.: Do lat. *cloaca, ae*; na acp. zool., do lat. cient. *cloaca*, de mesma or.]

cloacal (clo.a.*cal*) *a2g.* 1 Relativo a cloaca; CLOACINO 2 *Fig.* Que é imundo, sujo 3 *Fig.* Que não tem dignidade; SÓRDIDO; ASQUEROSO [F.: Do lat. *cloacale.*]

cloasma (clo.*as*.ma) *sm. Derm.* Mancha na pele causada por doenças do fígado, gravidez e demasiada exposição ao sol [F.: Do lat. cient. *chloasma.*]

⊕ ***clochard*** (*Fr. /clochard*) *sm. P. us.* Indivíduo que vive nas ruas, sem trabalho nem domicílio definido; VAGABUNDO; MENDIGO

clonação (clo.na.*ção*) *sf. Biol.* O mesmo que *clonagem* [F.: *clonar* + *-ção.*]

clonado (clo.*na*.do) *a. Gen.* Diz-se do que passou por processo de clonagem (ovelha clonada) [F.: *clonar* + *-ado.*]

clonagem (clo.*na*.gem) *sf.* 1 Ação, processo ou resultado de clonar 2 *Gen.* Produção natural ou, esp., artificial de clones, de células ou organismos geneticamente idênticos (técnica de clonagem) 3 *P. ext.* Reprodução, ger. fraudulenta e ilegal, de objetos, equipamentos, materiais, tornando-os idênticos a um único original reconhecido (clonagem de cartão de crédito) [Pl.: *-gens.*] [F.: *clonar* + *-agem[2]*.]

clonar (clo.*nar*) *v. td.* 1 *Gen.* Reproduzir (células, organismos, ser vivo) usando material genético idêntico; fazer clone de (material genético, esp. células de um organismo, ou um organismo inteiro) 2 *Fig. Pop.* Produzir cópia ou imitação idêntica de (algo) 3 *Fig.* Produzir algo com certas características básicas idênticas a (um original), com intenção de que possa ser confundido com este, ou vendido ou usado em seu lugar [*td.*: *A quadrilha clonava cartões de crédito.*] 4 Obter dados básicos de (pessoa, equipamento) que permitem realizar certas operações e utilizar certos serviços no lugar da pessoa ou do equipamento originais [*td.*] [▶ 1 clonar] [F.: *clone* + *-ar[2]*. Hom./Par.: *clone(s)* (fl.), *clone(s)* (sm. [pl.]); *clonais* (fl.), *clonais* (pl. de *clonal*).]

clonável (clo.*ná*.vel) *a.* Que pode ser clonado [Pl.: *-veis.*] [F.: *clonar* + *-vel.*]

clone (*clo*.ne) *sm.* 1 *Gen.* Conjunto de células geneticamente idênticas, derivadas por mitose de uma única célula original; tb.: organismo geneticamente idêntico a outro, resultante de reprodução assexuada ou da divisão de um óvulo fertilizado (como no caso de gêmeos humanos idênticos) 2 Indivíduo geneticamente idêntico a outro, produzido por manipulação genética, esp. a partir da transferência do núcleo de uma célula somática para um óvulo enucleado e implantado em um útero 3 Conjunto de réplicas de uma molécula (ou trecho de molécula) de DNA, ou de outra macromolécula 4 *Fig.* O que aparenta ser a cópia de uma forma original 5 *Inf.* Cópia de programa capaz de executar as mesma funções que o original 6 Cópia ou imitação produzida pelos mesmos processos ou com as mesmas características técnicas básicas que o objeto (p. ex., produto industrial) original [F.: Do gr. *klon, onós*, pelo inglês *clone.*]

📖 A recentemente desenvolvida tecnologia da clonagem — ou seja da criação de clones (seres vivos com características genéticas idênticas às de um outro ser original) sem reprodução sexual — abre caminho para o aperfeiçoamento de espécies, mas desperta questões éticas ainda não resolvidas (esp. no que tange à reprodução de seres humanos). Experiências foram feitas com sucesso com ovelhas e bezerros, mas ainda não decorreu tempo suficiente para se julgarem as consequências da clonagem, seja no próprio clone, seja no ambiente natural e social.

◎ **clope-** *el. comp.* = 'roubo'; 'furto': *clopemania* [F.: Do gr. *klopé, ês.*]

clopemania (clo.pe.ma.*ni*.a) *sf. Antq. Psiq.* O mesmo que *cleptomania* [F.: *clope-* + *-mania.*]

clopemaníaco (clo.pe.ma.*ní*:a.co) *a. sm. Antq. Psiq.* O mesmo que *cleptomaníaco* [F.: *clopeman(ia)* + *-íaco.*]

cloqueio (clo.*quei*.o) *sm.* Som que a galinha produz

cloração (clo.ra.*ção*) *sf.* 1 *Quím.* Ação ou resultado de clorar 2 *Quím.* Reação em que um ou mais átomos de cloro se ligam a um reagente 3 Processo que consiste na adição de cloro à água, para torná-la pura ou adequada para o consumo, para a imersão etc. (cloração da piscina) [Pl.: *-ções.*] [F.: *clorar* + *-ção.*]

clorado (clo.*ra*.do) *Quím. a.* 1 Que contém cloro (diz-se de substância) 2 Que passou por processo de cloração [F.: Part. de *clorar.*]

cloral (clo.*ral*) *sm. Quím.* Substância tóxica, derivada do acetaldeído, us. na fabricação de DDT [Fórm.: CL_3CCHO] [Pl.: *-ais.*] [F.: Do fr. *chloral.*]

cloranfenicol (clo.ran.fe.*ni*.col) *sm. Ter.* Antibiótico, natural ou sintetizável, eficaz contra bactérias Gram-positivas, Gram-negativas e rickettisiáceas [Obtida a partir da cultura da bactéria *Streptomyces venezuelae*, a substância teve seu uso limitado por causar, como efeito adverso, aplasia medular. Fórm.: $C_{11}H_{12}Cl_2O_5N_2$] [Pl.: *-cóis.*] [F.: Do ingl. *chloramphenicol.*]

clorar (clo.*rar*) *v. td.* 1 Tratar (a água) com cloro 2 Combinar cloro com (outras substâncias) [▶ 1 clorar] [F.: *cloro* + *-ar[2]*. Hom./Par.: *cloro* (fl.), *cloro* (sm.).]

clorato (clo.*ra*.to) *sm. Quím.* Qualquer sal do ácido clórico ou ânion proveniente dele [F.: *clor(o)-* + *-ato[2]*.]

cloremia (clo.re.*mi*.a) *sf. Med.* O mesmo que *clorose* (1) [F.: *clor(o)-* + *-emia.*]

clorêmico (clo.*rê*.mi.co) *a. Med.* Ref. à cloremia [F.: *cloremia* + *-ico[2]*.]

cloreto (clo.*re*.to) [ê] *sm. Quím.* Sal derivado do ácido clorídrico [F.: *clor(o)-* + *-eto[2]*.] ■ **~ de sódio** Sal de cozinha

cloridrato (clo.ri.*dra*.to) *sm. Quím.* Designa cloretos que resultam da adição do ácido clorídrico a uma base orgânica [F.: *clor(o)-* + *-hidrato.*]

cloridria (clo.ri.*dri*.a) *sm. Fisl.* Grande teor de ácido clorídrico no estômago

clorídrico (clo.*rí*.dri.co) *a. Quím.* Diz-se do ácido composto de volumes iguais de hidrogênio e de cloro, de cheiro forte, us. industrialmente [F.: *clor(o)* + *(h)idr(ogênio)* + *-ico[2]*.]

cloríneo (clo.*rí*.ne.o) *a.* Que tem coloração erverdeada; clorino [F.: *clor(o)*+ *-íneo.*]

clorita (clo.*ri*.ta) *sf. Min.* Grupo de minerais monoclínicos, de coloração esverdeada, cuja composição e estrutura se assemelham às das micas [F.: *clor(o)* + *-ita.*]

◎ **clor(o)-** *el. comp.* = 'verde-pálido', 'esverdeado'; '([de] cor) verde'; 'clorofila'; 'cloro'; 'cloreto'; '(ácido) clórico': *clorita; clorofila* (< fr.); *clorocisto, cloroplasto; cloreto, cloroalcano; cloremia; clorato; acloroblepsia, acloropsia; anticloro, clinocloro* [F.: Do gr. *khlorós, á, ón.*]

◎ **-clor(o)-** Ver *clor(o)-*

◎ **-cloro** Ver *clor(o)-*

cloro (*clo*.ro) [ó] *sm.* 1 *Quím.* Elemento químico de peso atômico 35, 457, de número atômico 17, ponto de fusão -100, 9°, ponto de ebulição 34,5°, um gás venenoso, amarelo-esverdeado, de cheiro forte e sufocante, us. em indústria, e como alvejante de papel e tecido, desinfetante, e no tratamento de água para consumo humano [Símb.: *Cl.*] 2 *P. ext.* Ver *Cloro líquido* [F.: do gr. *khlorós.*] ■ **~ líquido** *Pop.* Designação que se dá a um líquido resultante da reação entre o gás cloro e uma solução aquosa de hidróxido de sódio, e que é uma forma concentrada de água sanitária **~ sólido** *Pop.* Nome atribuído a substância us. como alvejante, ger. tendo como ingrediente principal o hipoclorito de cálcio

clorofícea (clo.ro.*fí*.ce:a) *sf. Bot.* Espécime das clorofíceas, que constituem um dos maiores grupos de algas pelo seu número de espécies e gêneros, com ocorrência nos mais variados ambientes (água-doce, marinha, salobra, ou *habitat* subaéreo). São tb. conhecidas como algas verdes [F.: Do lat. cient. *Chlorophyceae.*]

clorofila (clo.ro.*fi*.la) *sf. Bioq.* Substância pigmentar que se encontra nas células vegetais, dando cor verde às folhas, e cuja ação é a de catalisar, na presença de luz, a síntese dos hidratos de carbono a partir do dióxido de carbono e da água (ver *fotossíntese*) [F.: Do fr. *chlorophylle*; ver *clor(o)-* e *-filo[2]*.]

clorofilado (clo.ro.fi.*la*.do) *a.* Que contém clorofila [F.: *clorofila* + *-ado.*]

clorofilia (clo.ro.fi.*li*:a) *sf.* 1 *Bot.* Estudo, pesquisa, conhecimento a respeito da clorofila 2 Qualidade ou condição de vegetal clorofilado [F.: *clorofila* + *-ia[1]*.]

clorofiliano (clo.ro.fi.li.*a*.no) *a. Bot.* Que se refere à clorofila [F.: *clorofila* + *-iano.*]

clorofluorcarboneto (clo.ro.flu.or.car.bo.*ne*.to) [ê] *sm. Quím.* Qualquer um dos compostos gasosos que contêm carbono, cloro e flúor, us. em sistemas de refrigeração, solventes para limpeza, aerossóis etc., considerados a principal causa da destruição da camada de ozônio. [Sigla: CFC] [F.: Do ing. *chlorofluorcarbon.*]

clorofluorocarboneto (clo.ro.flu.o.ro.car.bo.*ne*.to) *sm. Quím.* Derivado clorado e fluorado de hidrocarbonetos, de largo emprego na indústria [Sigla: CFC.] [F.: *clor(o)-* + *flúor* + *carboneto.*]

clorofórmio (clo.ro.*fór*.mi:o) *sm. Quím.* Substância líquida, incolor, oleaginosa e aromática, que tem a propriedade de causar a anestesia ou a insensibilidade: "Voltavam-lhe ao cérebro ideias homicidas — esganá-la, dar-lhe clorofórmio..." (Eça de Queiróz, *Primo Basílio*) [F.: *clor(o)-* + *fórm(ico)* + *-io[2]*.]

cloroformizar (clo.ro.for.mi.*zar*) *v. td.* 1 Aplicar clorofórmio em; anestesiar com clorofórmio 2 Misturar com clorofórmio 3 *Fig.* Anular parcial ou totalmente a sensibilidade de [▶ 1 cloroformizar] [F.: *clorofórm(io)* + *-izar.*]

cloroplastídeo (clo.ro.plas.*tí*.de.o) *sm. Bot.* O mesmo que *cloroplasto.* [F.: *clor(o)-* + *plastídeo.*]

cloroplasto (clo.ro.*plas*.to) *sm. Bot.* Organela que tem clorofila em sua estrutura interna, que é ger. formada por um sistema interligado de lamelas organizadas em pilha [F.: *clor(o)* + *-plasto.*]

cloropreno (clo.ro.*pre*.no) *sm. Quím.* Substância líquida, incolor, us. na fabricação de borracha sintética [Fórm.: C_4H_5Cl] [F.: *clor(o)* + *(iso)preno.*]

cloroquina (clo.ro.*qui*.na) *sf. Farm. Quím.* Substância nitrogenada us. como antimalárico, antiamebiano e antirreumático [Fórm.: $C_{18}H_{26}ClN_3$] [F.: *clor(o)-* + *-quina.*]

clorose (clo.*ro*.se) *sf.* 1 *Pat.* Doença frequente em mulheres jovens, espécie de anemia caracterizada pela palidez do rosto, perturbações menstruais e fraqueza geral; CLORANEMIA; CLOREMIA 2 *Bot.* Estiolamento das plantas, com amarelecimento das partes verdes, causado por parasitas de vários tipos e, em função disso, deficiência nutricional, ger. de ferro ou nitrogênio [F.: *clor(o)-* + *-ose[1]*.]

clorotiazida (clo.ro.ti.a.*zi*.da) *sf. Farm.* Substância diurética de estrutura tiazídica utilizada esp. em pacientes hipertensos e/ou diabéticos [F.: *Clor(o)-* + *tiazida.*]

⊕ ***close*** (*Ing. /clouse/*) *sm. Cin. Fot. Telv.* Ver *close-up* ■ **Dar um ~ (em)** 1 *Cin. Fot. Telv.* Enquadrar (assunto) em *close-up* 2 Mostrar ou representar como que de muito perto (em *close-up*), ou com detalhes 3 *Fig.* Ver de perto; (ir até um lugar para) saber pessoalmente ou presenciar diretamente o que acontece

⊕ ***closet*** (*Ing. /clósit*) *sm.* Numa habitação, pequeno cômodo, ger. sem janela, us. para guardar casacos, sapatos, roupas e utensílios domésticos como materiais de limpeza e pequenas peças da casa [Pl.: *closets*.]

⊕ **close-up** (*Ing. /clôse-âp*) *sm.* **1** *Fot. Cin. Telv.* Tomada de câmera que destaca, em grande plano, um rosto, um detalhe etc.; PRIMEIRO PLANO; CLOSE; CLOSE SHOT **2** *Fig.* Exame feito de muito perto; exame detalhado, íntimo: *O texto estava bom, mas, em um close-up, vimos que apresentava algumas falhas.*

clostrídio (clos.*trí*.di:o) *sm. Biol.* Designa bactérias baciliformes do gên. *Clostridium* que vivem no solo ou no sistema digestivo de homens e animais [F.: Do lat. cient. *Clostridium*.]

clóvis (*cló*.vis) *sm.* Indivíduo fantasiado (no carnaval), usando máscara e vestindo um macacão, tendo na mão uma bola ou balão (antigamente uma bexiga de boi inflada) a qual golpeia no chão [F.: Posv. do ing. *clown* 'palhaço'.]

⊕ **clown** (*Ing. /cláun*) *sm.* O mesmo que *palhaço* [Pl.: *clowns*.]

⊠ **CLT** Sigla de *Consolidação das Leis Trabalhistas* [Cf.: *celetista*.]

clube (*clu*.be) *sm.* **1** Sociedade de pessoas que se reúnem regularmente em determinado local para a prática de atividades culturais, desportivas, musicais etc.: *O clube vai promover um baile.* **2** A sede do clube; o local especialmente destinado às atividades dessa sociedade de pessoas: *Vamos ter um baile no clube.* **3** *Bras.* Clube (1) cujas principais atividades são esportivas e de recreação, e que ger. forma equipes (amadoras ou profissionais) para disputar torneios com equipes de outros clubes de mesma natureza [É muito comum, no mundo inteiro, que os clubes que participam de torneios importantes de esportes populares (esp. de futebol, e tb. vôlei, basquete etc.) contem com preferência (ou 'torcida') de grande número de pessoas, quase sempre independentemente de estas serem sócios ou membros dos clubes em questão.] **4** Sociedade em que se discutem os negócios públicos (clube republicano) **5** Associação de pessoas que se reúnem com determinado objetivo, ou cujas atividades se dão em torno de um assunto de interesse comum: *clube de xadrez; clube do samba* [F.: Do ing. *club*.] ■ **~ de várzea** *Fut.* Clube esportivo (esp. de futebol) em subúrbio ou arredores de uma cidade, ger. com instalações simples, e esp. sem estádio próprio

clubismo (clu.*bis*.mo) *sm.* **1** Tendência para se congregar em clubes, o que reflete espírito de sociabilidade **2** Espírito de dedicação ao clube por parte de seus sócios [F.: *club(e)* + *-ismo*.]

clubista (clu.*bis*.ta) *a2g.* **1** Que se refere a clube ou clubismo *a2g.* **2** Diz-se do indivíduo que tende a congregar-se com outros em clubes **3** Diz-se do sócio, frequentador, desportista ou simples torcedor de um clube: *Clubista fanático, passava seus dias na sede do Flamengo. s2g.* **4** Indivíduo que tende a congregar-se com outros em clubes **5** Sócio, frequentador, desportista ou simples torcedor de um clube [F.: *club(e)* + *-ista*.]

clubístico (clu.*bís*.ti.co) *a.* Referente a clubismo ou a clubista [F.: *clubista* + *-ico*².]

clusiácea (clu.si:*á*.ce:a) *sf. Bot.* Espécime das clusiáceas, fam. da ordem das gutiferales que apresenta árvores, arbustos, cipós e ervas com seiva resinosa, folhas simples, flores ger. em cimeiras e frutos em drupas, bagas ou cápsulas. Grande parte ocorre em regiões tropicais e várias no Brasil, como o bacurizeiro, o bacupari, além de outras cultivadas como ornamentais, pelas madeiras, frutos comestíveis, para extração de resinas, gomas e tinturas e pelas cascas e folhas medicinais [F.: Do lat. cient. *Clusiaceae*.]

⊕ **cluster** (*Ing. /cláster/*) *sm.* **1** *Fon.* Sequência de fonemas formada por um grupo de consoantes sucessivas **2** *Inf.* Unidade mínima, medida em *bytes*, de espaço de armazenamento em disco magnético, de acordo com o que foi estabelecido durante a formatação do disco **3** *Inf.* Sistema de computadores que trabalham em conjunto, como se fossem um só, para realizar tarefas pesadas de processamento de dados **4** *Mús.* Conjunto de sons de segundas maiores e menores

⊠ **cm** Símb. de *centímetro*

⊠ **CMN** Sigla de *Conselho Monetário Nacional* (órgão responsável por expedir diretrizes que regulem o funcionamento do Sistema Financeiro Nacional)

⊠ **CMY** *Art. gr.* Sigla em inglês de Cyan-Magenta-Yellow (azul-claro-magenta-amarelo, sistema que se utiliza dessas três cores para com elas gerar as demais) [Cf.: *RGB*.]

⊠ **CMYK** *Art. gr.* Sigla em inglês de Cyan-magenta-yellow-black (azul-claro-magenta-amarelo-preto, modelo gerador de cor, no qual cada uma delas é descrita com uma mistura destas quatros cores básicas)

⊠ **CNA** **1** Sigla de *Confederação Nacional de Agricultura* **2** Sigla de Conselho Nacional de Arbitragem (Quadro de árbitros que atuam nas provas do calendário desportivo nacional da Confederação Brasileira de Pesca e Desportos Subaquáticos, CBPDS)

⊠ **CNBB** Sigla de *Conferência Nacional dos Bispos do Brasil.*

⊠ **CNEN** Sigla de *Comissão Nacional de Energia Nuclear*

⊠ **CNI** Sigla de *Confederação Nacional da Indústria*

cnidário (cni.*dá*.ri:o) *Zool. sm.* **1** Espécime dos cnidários, filo de animais invertebrados aquáticos que inclui a água-viva, os corais, as anêmonas-do-mar, radialmente simétricos, com uma das extremidades exibindo uma boca circundada por tentáculos *a.* **2** Ref. ou pertencente aos cnidários [F.: Adapt. do lat. cient. *Cnidaria*.]

◎ **cnid(o)-** *el. comp.* = 'urticante'; 'urtiga'; 'medusa': *cnidário* (< lat. cient.), *cnidoblasto, cnidócito* [F.: Do gr. *kníde, es*, 'urtiga'; 'urtiga-do-mar'; 'medusa'.]

cnidócito (cni.*dó*.ci.to) *sm. Zool.* O mesmo que *cnidoblasto.* [F.: *cnid(o)-* + *-cito*.]

⊠ **CNPq** Sigla do *Conselho Nacional de Desenvolvimento Científico e Tecnológico*

⊠ **CNTP** Sigla de *Condições Normais de Temperatura e Pressão*

co-¹ *Pref.* = companhia, concomitância: *coautor, colaborar, correlação, corroborar.*

co-² *el. comp.* = 'complemento': *cologaritmo*

⊠ **Co** *Quím.* Símb. de *cobalto.*

coabitação (co:a.bi.ta.*ção*) *sf.* **1** Habitação num mesmo lar de duas ou mais pessoas: *Na união estável, a coabitação dos companheiros não é obrigatória.* **2** *Fig.* Convívio, convivência harmônica, união ou paralelismo sem conflito: *Gatos e bebês: coabitação sem perigos.* **3** Relacionamento conjugal; relações sexuais [Pl.: *-ções*.] [F.: *coabitar* + *-ção*.]

coabitar (co:a.bi.*tar*) *v.* **1** Habitar, ou morar, conjuntamente, no mesmo local [*ta.: Os estudantes coabitavam num albergue; Diferentes povos coabitam no nosso país.*] [*tr.* + *com*: *Coabita com uma amiga para dividir as despesas.*] **2** Viver junto como marido e mulher [*int.: Ana e Jorge coabitam há muitos anos.*] [*tr.* + *com*: *Aceitou coabitar com o rapaz sem se casarem.*] **3** Manter relações sexuais, tê-las regularmente (licitamente, ou não) [*tr.* + *com.*] **4** Existir simultaneamente (com ou sem correlação ou associação direta, com ou sem conflito) [*ta.: O bem e o mal coabitam em cada ser.*] [▶ **1** coabitar] [F.: Do lat. tard. *cohabitare*.]

coação¹ (co:a.*ção*) *sf.* **1** Ação de coar; CÔA **2** *Bras.* Seleção, separação do gado segundo critérios de qualidade, ou segundo local de origem ou proprietário [Pl.: *-ções*.] [F.: *coa(r)* + *-ção*.]

coação² (co:a.*ção*) *sf.* **1** Ação ou resultado de coagir **2** *Jur.* Constrangimento, situação de ameaça ou violência que se impõe a uma pessoa para que ela aja contra a sua vontade (coação moral, coação psicológica) [Pl.: *-ções*.] [F.: Do lat. *coactio, onis*.]

coada (co:*a*.da) *sf.* **1** Suco de legumes passados por coador **2** O mesmo que *barrela* [F.: Feminino substantivado de *coado*, particípio de *coar*.]

coadjutor (co:ad.ju.*tor*) [ô] *a.* **1** Que coadjuva; que ajuda alguém em alguma atividade, esp. na igreja (bispo coadjutor) *sm.* **2** Aquele que ajuda outro em algum trabalho ou missão **3** *Ecles.* Sacerdote nomeado para ajudar e substituir um prior ou prelado no exercício de suas funções: "O coadjutor escutava com a taciturnidade da inveja..." (Eça de Queirós, *O crime do padre Amaro*) [F.: do lat. *coadjutor*, de *coadjuvare* 'coadjuvar'.]

coadjuvação (co:ad.ju.va.*ção*) *sf.* Ato de coadjuvar, colaboração, ajuda; AUXÍLIO; COOPERAÇÃO [Pl.: *-ções*.] [F.: *coadjuvar* + *-ção*.]

coadjuvante (co:ad.ju.*van*.te) *a2g.* **1** Que ajuda, que auxilia, que concorre para um fim comum **2** Secundário, acessório, complementar (função coadjuvante) **3** *Cin. Teat. Telv.* Diz-se de ator ou atriz que, em determinado filme, peça, novela etc., interpreta papel secundário, ger. contracenando com ator ou atriz principal; *p. ext.*: diz-se do ref. ao papel secundário assim representado *s2g.* **4** Aquele que ajuda com um objetivo comum **5** *Cin. Teat. Telv.* Ator ou atriz coadjuvante (3): *Embora coadjuvante, sua interpretação emocionou o público.* [F.: *coadjuva(r)* + *-nte*.]

coadjuvar (co:ad.ju.*var*) *v. td.* **1** Prestar ajuda a; AJUDAR; AUXILIAR: *O monitor coadjuvou os colegas mais atrasados; Em certos momentos eles se coadjuvavam.* **2** Participar de (um trabalho, um esforço, a criação de algo, etc.) com função acessória, de menor destaque [*td.: Ela aceitou coadjuvar a produção do espetáculo.*] **3** Completar, complementar, trazer elementos acessórios, auxiliares [*td.: coadjuvou os argumentos do colega.*] [▶ **1** coadjuvar] [F.: Do lat. *coadjuvare*.]

coadministração (co:ad.mi.nis.tra.*ção*) *sf.* **1** Ação de administrar (duas ou mais drogas) conjuntamente: *Estudo do efeito da coadministração de álcool e cocaína.* **2** Gestão conjunta de negócios públicos ou privados: *A sociedade conjugal se dá em regime de coadministração.* [Pl.: *-ções*.] [F.: *co-*¹ + *administração*.]

coado (co:*a*.do) *a.* Passado pelo coador (café coado) [F.: Part. de *coar*.]

coador (co:a.*dor*) [ô] *a.* **1** Que côa ou serve para coar *sm.* **2** Utensílio provido de saco de pano ou tela de arame ou plástico utilizado para coar certas preparações, deixando passar apenas a parte mais líquida e fina que se quer aproveitar: *coador de chá; coador de café.* [F.: *coar* + *-dor*.]

coadunação (co:a.du.na.*ção*) *sf.* **1** Ação ou resultado de coadunar(-se) **2** Estado ou condição do que se coadunou; COMPATIBILIDADE; HARMONIA **3** Ajuntamento de várias pessoas ou coisas formando um todo; ARTICULAÇÃO; CONFORMAÇÃO; AJUSTAMENTO [+ *entre*: *coadunação entre as partes*] [+ *com*: *coadunação com o mercado*] [+ *a*: *coadunação às normas*.] [Pl.: *-ções*.] [F.: *coaduna(r)* + *-ção*.]

coadunar (co:a.du.*nar*) *v.* **1** Pôr(-se) em harmonia, em conformidade, em concordância (com); COMBINAR(-SE); HARMONIZAR(-SE) [*td.: coadunar posições contrárias*] [*tdr.* + *com*: *coadunar ideias com atitudes.*] [*tr.* + *com*: *Tal reação não se coaduna com a sua índole.*] [*int.: Nossos gostos não se coadunam.*] **2** Juntar (vários elementos), formando um todo [*td.*] [▶ **1** coadunar] [F.: Do lat. *coadunare*.]

coagir (co:a.*gir*) *v.* Obrigar (alguém) a fazer alguma coisa; COATAR; CONSTRANGER; FORÇAR [*td.: Não se deve coagir ninguém.*] [*tdr.* + *a*: *Coagiram-nos a aceitar o regulamento.*] [▶ **46** coagir] [F.: Dev. de *coação*.]

coagulação (co:a.gu.la.*ção*) *sf.* **1** Processo de natureza química, pelo qual certos líquidos (esp. sangue, leite) se tornam cada vez mais espessos, até formar uma porção solidificada, e que ocorre quando se dá a aglutinação de partículas em suspensão no líquido, e a massa resultante, impermeável, se separa da parte líquida **2** Ação ou resultado de coagular(-se) ou coalhar(-se); COALHADURA **3** *Fisquím.* Precipitação da fase dispersa em uma solução coloidal, decorrente de aglutinação dos componentes devido a alguma modificação física ou química **4** *Biol. Med.* Formação, no sangue, de uma rede de filamentos de fibrina, a partir da qual se constitui uma massa semissólida, pela aglutinação de células sanguíneas (leucócitos, eritrócitos) – processo que normalmente ocorre como mecanismo de hemostase quando há lesões em vasos sanguíneos [Pl.: *-ções*.] [F.: *coagula(r)* + *-ção*.]

coagulado (co:a.gu.*la*.do) *a.* **1** Que se coagulou, que perdeu a fluidez (leite coagulado) **2** Que passou do estado líquido para o sólido (sangue coagulado) [F.: Part. de *coagular*.]

coagulador (co:a.gu.la.*dor*) [ô] *a.* **1** Que causa ou produz coagulação (aparelho coagulador) *sm.* **2** *Anat. Zool.* Abomaso (porção do estômago dos ruminantes) [F.: *coagular* + *-dor*.]

coagulante (co:a.gu.*lan*.te) *a2g.* **1** Que causa coagulação (elemento/agente coagulante) *sm.* **2** Substância que causa ou auxilia a coagulação: *Testou-se o coagulante em planta.* [F.: *coagula(r)* + *-nte*.]

coagular (co:a.gu.*lar*) *v.* **1** Tornar(-se) (líquido) semissólido; causar a coagulação de ou sofrer coagulação; COALHAR(-SE) [*td.: O limão coagula o leite.*] [*int.: Pôs o sangue da galinha no molho antes que coagulasse; O sangue coagulou-se e fechou a ferida.*] **2** *P. ext. Fig.* Formar uma só massa ou concreção pela mistura ou acréscimo de vários elementos [*int.*: "A rapina de teus mercadores e a libação de teus perdidos; e a ostentação da hetaira do Posto Cinco – em cujos diamantes se coagularam as lágrimas de mil meninas miseráveis – tudo passará." (Rubem Braga, *Ai de ti, Copacabana*)] **3** *Fig.* Adensar-se, aglutinar-se; interligar-se, formando como que um só conjunto coeso (ou uma situação concreta etc.) a partir de vários elementos antes dispersos [*int.: Conflitos localizados coagularam numa grande crise*: "...outros paradigmas que não esses que são corrompidos desde que se coagularam nessa dimensão escabrosa do novo pensamento mundial" (Zé Ramalho, *Carne de Pescoço*)] **4** *Fig.* Perder a fluidez; ficar como que obstruído, imobilizado [*int.*: "A aparência das coisas coagulou-se/ Em desesperado hiato. (...)" (Jorge de Lima)] [▶ **1** coagular] [F.: Do lat. *coagulare*.]

coagulável (co:a.gu.*lá*.vel) *a2g.* Que (se) pode coagular, que é suscetível de coagulação: *O sangue é um líquido coagulável.* [Pl.: *-veis*.] [F.: *coagula(r)* + *-vel*. Hom./Par.: *coaguláveis* (pl.), *coaguláveis* (fl. *coagular*).]

coágulo (co:*á*.gu.lo) *sm.* **1** Parte coalhada ou coagulada de um líquido; massa sólida ou semissólida resultante de processo de coagulação; COALHADURA; COALHO **2** Porção de sangue ou linfa solidificadas por coagulação **3** Qualquer produto ou substância que provoca a coagulação do leite; COALHO [F.: Do lat. *coagulum*. Hom./Par.: *coágulo* (sm.), *coagulo* (fl. *coagular*).] ■ **~ sanguíneo** *Biol.* Coágulo (2) formado de fibrina e células sanguíneas aglutinadas, como resultado de processo natural de hemóstase [Cf. *tampão hemostático* e *trombo*.]

coagulograma (co:a.gu.lo.*gra*.ma) *sm. Med.* Em hematologia clínica, série de testes laboratoriais que medem os vários parâmetros da coagulação sanguínea [F.: *coágulo* + *-grama*.]

coala (co.*a*.la) *sm. Zool.* Marsupial da fam. dos fascolarctídeos (*Phascolarctos cinereus*), de pelagem densa, garras aguçadas e grandes orelhas e com até 85 cm de comprimento, nativo da Austrália [F.: Do ingl. *koala*.]

coalescência (co:a.les.*cên*.ci:a) *sf.* **1** Aderência ou união ou ligação de partes que se achavam separadas; FUSÃO; AGLUTINAÇÃO **2** Estado daquilo que coalesceu **3** Processo pelo qual elementos diversos ou dispersos coalescem, formam um todo maior, coeso **4** Processo pelo qual gotículas de um líquido, ao entrarem em contato, juntam-se umas às outras e aumentam de tamanho **5** *Fon.* Processo de redução de um ditongo a vogal (p. ex. o ditongo latino /ae/ passou em português a /é/ e /i/: *caesar* > *césar, aetate* > *idade*) [F.: *coalesce(r)* + *-ncia*.]

coalescente (co:a.les.*cen*.te) *a2g.* **1** Que causa coalescência, que une, liga, adere (filtro coalescente); ADERENTE, AGLUTINANTE **2** Que forma com outros (por agregamento, aderência, justaposição) um agregado, ou um todo coeso; que passa por coalescência *sm.* **3** Elemento coalescente: *O álcool éster texanol é um coalescente auxiliar para tintas látex.* [F.: Do lat. *coalescens/entis*.]

coalescer (co:a.les.*cer*) *v.* **1** Fazer aderir ou aderir, unir fortemente; AGLUTINAR [*td.: O cicatrizante coalesceu as bordas da ferida.*] [*int.: Os caules da planta se juntaram e coalesceram.*] **2** *P. ext.* Formar um agregado; formar uma só unidade extensa a partir de várias menores e anteriormente esparsas [*int.: fragmentos coalesceram e formaram um só bloco; uma grande ferida formada por pequenas lesões que cresceram e coalesceram.*] [*tr.* + *em*: *Os países coalesceram em três grandes blocos geopolíticos.*] **3**

Fig. Reunir ou fazer acumular-se em torno de si [***td.***: *O manifesto coalesceu milhares de assinaturas.*] [▶ 33 coalescer] [F.: Do lat. *coalescere.*]

coalhada (co:a.*lha*.da) ***sf.*** **1** Leite coalhado, ger. us. na fabricação de queijos e laticínios **2** Porção de leite coalhado, servida como alimento [F.: Fem. subst. de *coalhado* (part. de *coalhar*).]

coalhado (co:a.*lha*.do) ***a.*** **1** Que se coalhou; diz-se de certos líquidos, esp. o leite, quando se tornam mais consistentes, viscosos, até formar massa semissólida **2** *Fig.* Com presença de massa ou multidão, de elementos numerosos (coisas, pessoas); APINHADO; CHEIO: *texto coalhado de adjetivos exagerados; céu coalhado de nuvens; noite coalhada de estrelas; praia coalhada de banhistas.* [F.: Part. de *coalhar.*]

coalhar (co:a.*lhar*) ***v.*** **1** Causar coagulação de (um líquido, esp. o leite), ou passar por esse processo; tornar(-se) cada vez mais grosso, viscoso, por efeito de aglutinação de seus componentes, até formar massa sólida ou semissólida; COAGULAR(-SE) [***td.***: *coalhar o leite é o primeiro passo para produzir queijo; a presença de certas substâncias coalha o leite.*] [***int.***: *O leite coalhou(-se).*] **2** *Fig.* Ser tomado quase inteiramente por grande quantidade de elementos individuais que vão formando como que uma grande massa ou multidão; APINHAR-SE; COBRIR-SE; ENCHER-SE [***int.***: *As ruas coalharam de pessoas e automóveis:* "Até que o mar inteiro / Se coalhou de transatlânticos" (Oswald de Andrade, *"História Pátria"*)] **3** *Fig.* Chegar, estar ou aparecer em grande número em (lugar etc.); APINHAR; ENCHER [***td.***: *dezenas de mensagens a coalhar a caixa postal:* "Dez batalhões despencaram, de mistura pelos cerros abaixo. Atulharam as baixadas. Galgaram depois as ladeiras que os apertam. Coalharam o topo das colinas; e desceram-nas de novo (...)" (Euclides da Cunha, *Os Sertões*)] **4** *Fig.* Fazer surgir ou fazer haver grande quantidade de algo em (um lugar); ENCHER; APINHAR [***tdr.*** + *de*: *As árvores coalham o chão de folhas; A noite coalhou o céu de estrelas.*] [▶ 1 coalhar] [F.: Do lat. *coagulare.* Hom./Par.: *coalho* (fl.), *coalho* (sm.).]

coalheira (co:a.*lhei*.ra) ***sf.*** **1** Substância utilizada nas queijarias para provocar a coagulação do leite; COALHO **2** *Restr.* Líquido digestivo segregado no abomaso (uma das cavidades do estômago do boi e de outros ruminantes), us. para coagular o leite **3** *P. ext.* Abomaso [F.: *coalh(ar)* + *-eira.*]

coalho (co:*a*.lho) ***sm.*** **1** Porção de substância líquida que se coagulou, que se tornou mais densa ou (quase) solidificada; COÁGULO: *coalho de sangue; coalho de leite.* **2** A flor do cardo, muito utilizada para coalhar o leite de ovelha e produzir queijos de excelente qualidade **3** Substância us. para provocar processo de coagulação, esp. para coalhar o leite, na fabricação de queijo; COALHEIRA **4** *Restr.* Líquido segregado pelo estômago dos ruminantes, us. em queijarias para coagular leite; COALHEIRA **5** *Fig.* Dinheiro economizado [F.: Do lat. *coagulum.* Hom./Par.: *coalho* (sm.), *coalho* (fl. *coalhar*).]

coalização (co:a.li.za.*ção*) ***sf.*** Ver *coalizão* [Pl.: *-ções.*] [F.: *coalizar(-se)* + *-ção.*]

coalizão (co:a.li.*zão*) ***sf.*** **1** Acordo ou aliança de partidos para um fim comum; coalização; COLIGAÇÃO **2** Liga ou aliança de países, nações ou governos: *A comunidade era uma coalizão explosiva de paixão política radical.* **3** *P. ext. Fig.* Associação ou junção de agentes, entidades, fatores (ou sentimentos, tendências etc.) que atuam em conjunto, reforçando-se mutuamente **4** Associação de ou cooperação entre agentes econômicos, ger. produtores, de um mesmo setor ou categoria, para enfrentar outros concorrentes, aumentar influência ou poder no mercado etc. **5** *Restr. Jur.* Associação (consórcio, convênio, fusão de capitais) contrária ao princípio da livre concorrência, com propósito de aumento desproporcional dos lucros, em prejuízo do consumidor [Pl.: *-zões.*] [F.: Do fr. *coalition.*]

coalizar-se (coa.li.*zar*-se) ***v. int.*** Fazer pacto com objetivo comum; ALIAR-SE; COLIGAR-SE: *Foram quatro países que se coalizaram.* [▶ 1 coalizar-se] [F.: Posv. do fr. (*se*) *coaliser.*]

coana (co.*a*.na) ***sf.*** *Anat.* Abertura nasal posterior, atrás das narinas, que comunica a cavidade nasal com a faringe. Os dois segmentos, direito e esquerdo, estão separados pelo vômer [F.: Do gr. *khóanos.*]

coanócito (co:a.*nó*.ci.to) ***sm.*** *Zool.* Célula fudamental das esponjas com um flagelo circundado por um colar de pelos microscópicos e responsável pela geração da corrente de água e filtração do alimento [F.: Do gr. *chóano(s)* 'crisol' + *-cito.*]

coar (co.*ar*) ***v.*** **1** Fazer passar por coador, filtro, peneira etc., para filtrar, remover as partículas sólidas menos finas [***td.***: *coar o café, o suco.*] **2** Deixar passar através de si [***td.***: *A cortina leve coa a luz do sol.*] **3** Passar através, introduzir(-se) atravessando um obstáculo (tb. *Fig.*) [***ta.***: *Os raios de sol coavam-se pelas nuvens; O ódio coava-se na sua alma.*] **4** Fazer escorrer (o metal fundido) para dentro de um molde; VAZAR [***td.***: *coar o chumbo, o ouro.*] **5** Deixar cair em gotas; DESTILAR [***td.***: *Sentiu o frescor do orvalho que a manhã coava.*] **6** *Fig.* Fazer chegar oculta ou dissimuladamente [***tda.***: *Coou-lhe algumas moedas na mão; Coou-lhe algumas palavras ao ouvido.*] **7** *Fig.* Escapar, fugir [***ta.***: *Coou-se por uma fenda e sumiu.*] **8** *Bras. Amaz.* Apartar, selecionar (o gado) levando-se em conta determinadas características [***td.***] **9** Separar, retirar (o gado que não pertence à fazenda em que se encontra) [***td.***] [▶16 coar] [F.: Do lat. *colare.*]

coarctação (co:arc.ta.*ção*) ***sf.*** **1** Ação ou resultado de coarctar; DIMINUIÇÃO; RESTRIÇÃO **2** *Pat.* Estreitamento ou constrição no calibre de um duto, como p. ex. de uma artéria (coarctação da aorta) [F.: Do lat. *coarctatio, onis* 'estreitamento, constrição', de *coarctatum*, supino de *coarctare* 'unir, estreitar'.]

coarctado (co.arc.*ta*.do) ***a.*** Restringido, circunscrito: *Teve seu direito coarctado.* [F.: Do lat. *coarctatus, a, um* 'id.', part. pas. de *coactare* 'restringir, circunscrever'.]

coarctar (co:arc.*tar*) ***v. td.*** Reduzir o alcance ou âmbito de; reduzir(-se) a limites mais estreitos; LIMITAR(-SE); RESTRINGIR(-SE): *O governo-geral coarctou a autoridade dos donatários; O deputado coarctou-se em seu discurso.* [▶ 1 coarctar, coartar] [F.: Do lat. *coarctare.* Hom./Par.: *coar(c)to* (fl.), *coar(c)to* (a.).]

coartar Ver *coarctar*

coarticulação (co:ar.ti.cu.la.*ção*) *Fon.* ***sf.*** **1** Articulação que envolve de um modo simultâneo mais de um ponto do aparelho fonador, como ocorre na produção de consoantes oclusivas [pk], [bg], [pt] e [bd] das línguas do oeste africano **2** Presença de traços fonéticos na articulação de determinado fonema derivada da articulação de outro anteriormente produzido, como por exemplo a nasalização do ditongo /ui/ na sílaba inicial do vocábulo 'muito' no português do Brasil, em virtude da presença da consoante nasal /m/ [Pl.: *-ções.*] [F.: *co-*[1] + *articulação.*]

coartilheiro (co:ar.ti.*lhei*.ro) ***sm.*** Dois ou mais jogadores de futebol ou de futsal que marcaram o maior e igual número de gols numa partida, numa rodada, num turno ou num campeonato [F.: *co-*[1] + *artilheiro.*]

coastro (co:*as*.tro) ***sm.*** Cada um dos artistas de maior e igual destaque numa mesma peça teatral ou num mesmo filme [F.: *co-*[1] + *astro.*]

coatar (co:a.*tar*) ***v. td.*** **1** *P. us.* Ver *coagir* (submeter alguém a coação) **2** (Usar poder ou autoridade, ger. considerados legítimos, para) impor limites ou restrições ou correções a (certa ação, processo etc.): "Este preceito visa a coatar práticas desenvolvidas ao correr dos tempos que foram desnaturando a ordem natural das coisas." (Celso Ribeiro Bastos, *Comentários à Constituição do Brasil*) [Nesta acp. (largamente empregada em contextos jurídicos), sob evidente infl. de *coarctar/coartar.*] [▶ 1 coatar] [F.: Do lat. *coactare.* Hom./Par.: *coato* (fl.), *coato* (a.); *coata(s)* (fl.), *coata(s)* (fem. [pl.] do adj. *coato*).]

coativação (co:a.ti.va.*ção*) ***sf.*** *Fisl.* Processo fisiológico que consiste na ativação simultânea de diferentes terminais nervosos ou de diferentes feixes de músculos: *Coativação dos músculos do braço e do ombro.* [Pl.: *-ções.*] [F.: *co-*[1] + *ativação.*]

coativar (co.a.ti.*var*) ***v. td.*** Ativar conjuntamente [▶ 1 coativar] [F.: *co-*[1] + *ativar.*]

coativo (co:a.*ti*.vo) ***a.*** **1** Que coata, que coage, que força a agir de determinado modo (medidas coativas) **2** Ref. a coação; COERCIVO; COERCITIVO **3** Que tem o direito, possibilidade ou capacidade de compelir ou obrigar (poder coativo); COERCIVO; COERCITIVO **4** *Filos.* Que impede o livre-arbítrio; que restringe a escolha ou decisão autônoma [F.: *coat(o)* + *-ivo.*]

coator (co:a.*tor*) [ô] *Jur.* ***sm.*** **1** Pessoa que coage ou obriga alguém a um ato (notificação do coator) ***a.*** **2** Que coage, obriga ou sujeita alguém a fazer algo (ato/agente coator) [Pl.: *-ores.* Fem.: *-ora.*] [F.: do lat. *coactor, oris* 'o que obriga, constrange'. A f. *coatora* do fem. é criação vernácula.]

coautor (co:au.*tor*) [ô] ***sm.*** **1** O que faz, cria ou produz algo juntamente com outro ou outros **2** *Restr.* Aquele que realiza uma obra trabalhando em colaboração ou parceria com outrem: *Luiz Gonzaga e Humberto Teixeira são coautores da canção "Asa-Branca".* **3** *Restr.* Aquele que é um dos causadores de, ou responsáveis por, algo: *Irritou-se ao perceber que era coautor daquele problema.* **4** *Jur.* Aquele que pratica um ilícito civil ou penal juntamente com outra(s) pessoa(s); CÚMPLICE: *O grave senhor foi preso como coautor do crime.* [Pl.: *coautores.*] [F.: *co-*[1] + *autor.*]

coautoria (co:au.to.*ri*.a) ***sf.*** **1** Estado, qualidade ou caráter de coautor (de algo): *o cientista reivindica a coautoria da descoberta.* **2** Colaboração, interação ou parceria entre coautores de uma obra ou trabalho: *um artigo escrito em coautoria com colegas.* **3** Aquilo que é o resultado de colaboração ou parceria entre coautores: *O filme é uma coautoria de/entre vários documentaristas.* **4** *Jur.* Existência de dois ou mais autores de um crime [F.: *co-*[1] + *autoria.*]

coaxante (co:a.*xan*.te) ***a2g.*** Que coaxa; que solta ou imita coaxo(s): "No princípio era o pântano, com vales de agrião e rãs coaxantes." (Monteiro Lobato, *Cidades Mortas*) [F.: *coaxar* + *-nte.*]

coaxar (co:a.*xar*) ***v.*** **1** Soltar a voz (a rã, o sapo) [***int.***] **2** *Fig.* Exprimir em voz como a da rã ou do sapo, ou produzir som semelhante ao deles [***td.*** / ***tdi.*** + *para*: *O monstro coaxava ameaças (ao herói).*] [***int.***: *O menino coaxava para tentar atrair algum sapo.*] [▶ 1 coaxar] ***sm.*** **3** O mesmo que *coaxo*: "calaram-se os trinados dos rouxinóis, só se ouve o coaxar das rãs" (Vicente de Almeida de Eça, *Luís de Camões Marinheiro*) [F.: Do lat. *coaxare.* Hom./Par.: *coaxo* (fl.), *coaxo* (sm.).]

coaxial (co:a.xi.*al*) [cs] ***a2g.*** **1** *Tec.* Cujos eixos são coincidentes; que tem um só eixo comum (diz-se de figuras, sólidos, mecânicos etc.) (cilindros coaxiais) **2** *Tec.* Que é composto de mais de duas ou mais peças, unidades ou dispositivos similares, montados concentricamente ou com um eixo comum (alto-falante coaxial): *rotor coaxial* [*aquele formado por dois rotores ou hélices, sobrepostos*] [Trata-se, de fato, de uso específico, no sing., da acp. 1, aplicada a certos aparelhos etc.: assim, *alto-falante coaxial* é designação alternativa de um conjunto único de dois ou mais alto-falantes com um só eixo.] **3** Diz-se de cabo para transmissão de sinais elétricos, constituído por várias camadas concêntricas de materiais condutores e isolantes, ger. em torno de um fio central, de cobre [Pl.: *-ais.*] [F.: *co-*[1] + *axial.*]

coaxo (co:*a*.xo) ***sm.*** **1** Ação ou resultado de coaxar **2** A voz do sapo ou da rã [F.: Dev. de *coaxar.*]

⊠ **COB** Sigla de *Comitê Olímpico Brasileiro*

cobaia (co.*bai*.a) ***sf.*** **1** *Zool.* Pequeno roedor da fam. dos caviídeos (*Cavia porcellus*), também chamado *porquinho-da-índia*, muito utilizado em experiências de laboratório (inoculação, vivissecção etc.); PREÁ-DA-ÍNDIA **2** *P. ext.* Camundongo ou outro animal, ger. pequeno e fácil de se criar em cativeiro, us. em experimentos científicos, esp. em testes da eficiência e dos efeitos de medicamentos, vacinas, cosméticos etc.; p. ext. qualquer animal ou ser humano submetido a alguma experiência científica (em biologia, medicina, estudos do comportamento etc.) **3** *Fig.* Aquilo ou aquele que é objeto de experiências ou experimentos alheios: *Nenhum país deve ser cobaia de outro mais poderoso.* [F.: Do lat. cient. *cobaya.*] ■ **~ de laboratório** **1** Cobaia (1), camundongo ou outro animal (ou, p. ext., ser humano) empregado em experiência de laboratório **2** *Fig.* Aquele ou aquilo que é usado ou manipulado segundo os interesses de alguém, para servir de teste ou experiência

cobáltico (co.*bál*.ti.co) ***a.*** Relativo a cobalto (óxido/azul cobáltico) [F.: *cobalt(o)* + *-ico.*]

cobalto (co.*bal*.to) ***sm.*** **1** *Quím.* Elemento químico de número atômico 27, metal de coloração branco-prateada com matizes azulados, sendo us. em ligas metálicas, em processos de galvanoplastia, na preparação de agentes secantes e em fertilizantes; tb. é utilizado na terapia do câncer [Símb.: *Co*] **2** Pigmento azul ou azul-esverdeado, à base de óxido de cobalto e óxido de alumínio **3** Cor azul forte e viva ***a2g2n.*** **4** Que tem coloração ou tonalidade semelhantes às da cor azul do pigmento feito à base desse elemento (azul cobalto) [F.: Do al. *Kobalt*, nome de um duende das lendas germânicas, ao qual se atribuía o minério de prata (em que se encontra tb. o cobalto).] ■ **~ 60** *Quím.* Isótopo radioativo do cobalto, us. como fonte de radiação na radioterapia

cobarde (co.*bar*.de) ***a2g. s2g.*** Ver *covarde*

cobardia (co.bar.*di*.a) ***sf.*** Ver *covardia*

cobardice (co.bar.*di*.ce) ***sf.*** O mesmo que *covardice, covardia* [F.: *cobarde* + *-ice.*]

coberta (co.*ber*.ta) ***sf.*** **1** Tudo o que se estende sobre qualquer coisa ou corpo para cobri-los: *Ficou debaixo das árvores, sem um teto, uma coberta.* **2** Peça de tecido que se estende por cima de lençóis e colchas da cama, esp. servindo-lhe de adorno e/ou como agasalho para quem se deita: *A coberta era de chenile e de um azul bem claro.* **3** Cada uma das peças de tecido (lençol, colcha, cobertor) com que se cobre o corpo para mantê-lo aquecido ao deitar ou dormir; *esp.*: cobertor [Nesta acp., é muito us. no pl.: *O feriado amanheceu chuvoso e ela passou o dia a ler, debaixo das cobertas.*] **4** *Fig.* Qualquer proteção, abrigo **5** *Fig.* Aquilo que encobre, esconde (a identidade de alguém, suas intenções etc.); disfarce, dissimulação, artifício **6** *Arq.* Teto ou telhado; COBERTURA **7** *Mar.* Espaço coberto em convés abaixo do convés principal, onde ger. se abrigam a tripulação, equipamentos ou provisões etc.; cada um dos diferentes andares ou pavimentos internos de um navio: *Passou todo o dia na coberta, apreciando o mar.* **8** *Carp.* Tabuleiro superior e horizontal do banco de carpinteiro **9** *Constr.* O tampo do degrau numa escada **10** Peça que cobre a fechadura **11** *Bras. N.* Embarcação de madeira provida de duas toldas ***a.*** **12** Diz-se de animal (fêmea) prenhe (égua coberta) [F.: f. fem. substantivada de *coberto.*] ■ **Baralhar as ~s** *S.* Entrar em briga, em conflito **~ de cama** Peça de tecido que serve para cobrir e ornar a cama, por sobre outras coberturas (como lençol ou colcha); tb.: essa peça, de tecido grosso ou quente, us. como agasalho; cobertor [Tb. se diz apenas *coberta* (ver acps. 2 e 3).] **~ de desmonte** No garimpo de diamantes, terra inútil que cobre o cascalho **~ de mesa** **1** O conjunto de travessas, terrinas, pratos, recipientes etc., ger. de louça ou porcelana, que são colocados sobre a mesa e em que se servem os alimentos e bebidas de uma refeição **2** *P. ext.* Conjunto de iguarias servidas à mesa, ao mesmo tempo

coberto (co.*ber*.to) ***a.*** **1** Que tem acima de si ou diretamente sobre si algo que cobre, uma cobertura: *Aqui tem muita poeira, verifique se os pratos estão todos cobertos.* [Ant.: *descoberto*] **2** Que tem teto ou estrutura semelhante, para proteger da chuva, do sol etc. (pátio coberto, garagem coberta) [Ant.: *descoberto*] **3** Que tem diretamente sobre si, ou em volta de si, peça(s) de tecido ou de outro material similar (como alguma roupa, lençol, cobertor etc.); tapado, vestido, resguardado: *Antes de ir dormir verificou se os filhos estavam cobertos; Ela é muçulmana, só sai de casa com o rosto coberto; Está muito frio lá fora, só saia bem coberto.* [Ant.: *descoberto*] **4** Que tem sobre si grande quantidade de (partículas, objetos, animais etc.), que parecem formar uma camada que cobre ou envolve: *O chão estava coberto de poeira e a parede, coberta de manchas; O prato do bolo amanheceu coberto de formigas.* **5** *P. ext.* Que está ou parece estar tomado ou inteiramente ocupado por algo ou por grande quantidade de coisas ou pessoas;

CHEIO; REPLETO: *estádio coberto por torcedores das duas equipes; campina coberta de flores.* 6 Protegido, defendido: *O cabeça de área gritou para o lateral: "Pode avançar, você está coberto, estou bem aqui!"* [Ant.: *descoberto.*] 7 Com cobertura de calda de açúcar, glacê etc. (diz-se de doce, bolo etc.) 8 Oculto, escondido; ENCOBERTO: *inimigos cobertos* 9 Que não está evidente; disfarçado, dissimulado: *intenções cobertas* 10 Liquidado, pago (dívida coberta) 11 Garantido por avalista ou provimento de fundos; tb.: cujo valor deve ser pago, ou está sujeito a indenização, segundo contrato: *cheque coberto; automóvel coberto contra roubo e acidentes.* [Cf. tb. a acp. de 'protegido'.] 12 Diz-se de fêmea (esp. de animais de criação) que se acasalou com macho, ou que está prenhe 13 *Lud.* Que tem a face principal (com o desenho ou marca indicativa de valor) virada para baixo (diz-se de carta de jogar, de pedra de dominó etc.) 14 Percorrido, completado (diz-se de trecho de caminho, percurso, distância) *sm.* 15 Lugar coberto; ALPENDRE; TELHEIRO 16 Trecho de terreno, esp. de pastagem, que fica à sombra de árvores [F.: Do lat. *coopertus*, part. pas. de *cooperire.*] ■ **A ~** Com acesso à quantia, em dinheiro, de determinada dívida ou obrigação de pagamento **A ~ de** Protegido de, defendido contra; livre de (ação ou ameaça de algo ou alguém) **Pôr a ~** Pôr em lugar ou situação segura; proteger, abrigar, resguardar

cobertor (co.ber.*tor*) [ô] *sm.* 1 Peça, ger. retangular, de lã de fio grosso, de algodão felpudo ou de outro material, que se usa para manter o corpo aquecido e, ger., se coloca estendida sobre os lençóis da cama 2 O mesmo que *colgadura* 3 O que tampa ou encobre alguma coisa; cobertura 4 *Carp.* Parte superior de um degrau; COBERTA 5 *Fig.* Aquilo que serve para esconder, ocultar, dissimular, disfarçar (esp. um defeito ou engano); COBERTURA [F.: *cobert(o)* + *-or.*] ■ **~ de orelha** Pessoa com quem alguém se deita; amante

cobertura (co.ber.*tu*.ra) *sf.* 1 Ação ou resultado de cobrir; COBRIMENTO 2 Tudo o que cobre ou que serve para cobrir qualquer coisa, como telhado, tampa, capa, colcha, capote etc.: *A choupana tinha cobertura de sapê; Gostava de bolo com cobertura de chocolate.* 3 *Bras. Arq. Cons.* Apartamento construído sobre a laje do último andar de um edifício 4 Revestimento: *Aplicou uma cobertura de madeira na parede do escritório.* 5 *Econ.* Fundos para pagamento: *Aumentou o número de cheques sem cobertura.* 6 *Jorn. Rád. Telv.* Trabalho de reportagem no local em que ocorrem os fatos: *A emissora fará toda a cobertura das eleições.* 7 *Esp.* Em esportes coletivos, como futebol, basquete, vôlei etc., ato de cobrir e proteger o espaço de um companheiro de equipe, para possibilitar ou em consequência de sua movimentação para outro espaço 8 Segurança garantida a alguém em situação de grande risco: *A investigação pôs o agente em perigo, mas a polícia dava-lhe cobertura.* 9 *Enc.* Operação de cobrir a capa dura de um livro com diferentes materiais, como couro, feltro etc. 10 O material utilizado nesse processo 11 *Ecol.* Camada que reveste o solo: *As áreas sem cobertura vegetal são passíveis de erosão.* 12 Garantia ou proteção oferecidas por um contrato de seguro: *A apólice não prevê cobertura em caso de incêndio.* 13 *Jorn. Rád. Telv.* Território alcançado pela ação jornalística ou pela transmissão das notícias, reportagens, programas etc.: *Conseguiram a cobertura de 18 estados da federação.* 14 *Mil.* Apoio, acompanhamento de outra arma ou força armada: *Investiram com a cobertura da artilharia e da aviação.* [F.: Do lat. tard. *coopertura.*]

cobiça (co.*bi*.ça) *sf.* 1 Sentimento ou impulso de quem quer intensamente ter, obter ou acumular riquezas, bens materiais; AMBIÇÃO; GANÂNCIA; CUPIDEZ 2 *P. ext.* Ambição exagerada (por honra, poder, riqueza etc.); desejo, ânsia, avidez ardente de possuir, dominar ou ter poder sobre alguma coisa ou pessoa: *A bailarina logo lhe despertou uma cobiça indisfarçável.* [F.: do lat. vulgar *cupiditia* < lat. *cupiditas* 'desejo, paixão, concupiscência' (ver tb. *cúpido* e *cupidez*). Hom./Par.: *cobiça(s)* (sf. [pl.]), *cobiça(s)* (fl. *cobiçar*).]

cobiçado (co.bi.*ça*.do) *a.* Que se cobiça; DESEJADO; ANSIADO; ALMEJADO [F.: Part. de *cobiçar.*]

cobiçar (co.bi.*çar*) *v. td.* Ter ou sentir cobiça, desejo ardente, de (algo ou alguém); ter ambição intensa, exagerada por (algo); AMBICIONAR [▶ 12 **cobiçar**] [F.: *cobiça* + *-ar*[2]. Hom./Par.: *cobiça(s)* (fl.), *cobiça(s)* (sf. [pl.]).]

cobiçável (co.bi.*çá*.vel) *a2g.* Que se cobiça ou deseja ardentemente; que é digno de ser cobiçado (riqueza cobiçável) [Pl.: *-veis.*] [F.: *cobiçar* + *-vel.*]

cobiçoso (co.bi.*ço*.so) [ô] *a.* 1 Que cobiça ou deseja avidamente possuir algo; AMBICIOSO; DESEJOSO; GANANCIOSO 2 Que revela ou é provocado por cobiça (olhar cobiçoso; atitude cobiçosa) [Pl.: [ó]. Fem.: [ó].] *sm.* 3 Aquele que cobiça alguma coisa de maneira impulsiva e persistente: *Até então, não passara de um cobiçoso inapto e sem imaginação.* [Pl.: [ó]. Fem.: [ó].] [F.: *cobiç(a)* + *-oso.*]

cobogó (co.bo.*gó*) *sm. Arq. Cons.* Peça de construção vazada, feita de cerâmica, cimento, gesso etc., utilizada em paredes e fachadas com o fim de obstruir a incidência direta dos raios solares mas permitir a ventilação e a entrada de luz natural [F.: Das iniciais dos sobrenomes *Coimbra, Boeckmann* e *Góis* (posv. dos engenheiros que iniciaram o uso desse tipo de elemento vazado, em PE, nos anos 1930). Var.: *combogó.*]

cobra (*co*.bra) *sf.* 1 *Zool.* Nome comum a todos os répteis da subordem das serpentes, venenosos ou não, de corpo alongado e desprovido de membros; SERPENTE 2 *Fig.* Pessoa astuciosa e falsa: *Os vizinhos consideravam-na uma cobra, fria, calculista.* 3 Pessoa de má índole, de gênio ruim: *Só faz maldades: é uma cobra.* 4 Objeto ou figura com formato de linha sinuosa, semelhante às cobras, esp. quando se deslocam 5 Fileira de coisas, animais ou pessoas, esp. quando não está em linha reta 6 *Lus.* Bolo em forma de cobra, feito de açúcar, farinha e ovos 7 *Bras. Folc.* Uma das personagens zoológicas do bumba meu boi 8 O grupo 9 no jogo do bicho, a que correspondem as dezenas 33, 34, 35 e 36 *s2g.* 9 *Bras.* Pessoa competente e habilidosa em determinado assunto ou atividade: *O mentecapto era um cobra nos cem metros rasos.* *a2g.* 10 *Bras.* Diz-se dessa pessoa: *Ela era cobra em história universal.* [F.: Do lat. *colubra, ae.* *Na acp. 1 é epiceno.*] ■ **Andar como ~ quando perde a peçonha** *N. E.* Estar ou mostrar-se ansioso por vingança **~ criada** *Bras.* Pessoa experiente **Comer/engolir ~** *Bras. Pop.* Ficar com raiva, ficar furioso; ficar cobra; virar cobra **Dizer ~s e lagartos de** Dizer coisas desabonadoras, insultuosas, a respeito de (algo ou alguém) **Ficar/virar ~** *Bras. Pop.* Ficar furioso, indignado; comer/engolir cobra; virar cobra **Matar a ~ e mostrar o pau** *Bras.* Fazer uma afirmação e provar **Virar ~** Ver *Ficar cobra*

cobra-cega (c o.bra-*ce*.ga) *sf. Zool.* Denominação comum aos anfíbios ápodes da ordem dos gimnofionos com até 1, 5m de comprimento lembrando uma minhoca grande, de olhos bem pequenos, cabeça pontuda, que lhe possibilita escavar sua toca subterrânea; encontradiço após fortes chuvas ou quando se revira a terra, alimenta-se de vermes e pequenos insetos [Pl.: *cobras-cegas.*] [Hom./Par.: *cabra-cega.*]

cobra-cipó (co.bra-ci.*pó*) *sf. Zool.* Denominação comum a diversas serpentes da fam. dos colubrídeos, de hábitos diurnos, com corpo esverdeado e delgado; vive ger. sobre árvores e arbustos [Pl.: *cobras-cipó.*]

cobra-coral[1] (co.bra-co.*ral*) *sf.* 1 *Zool.* Denominação comum a diversas serpentes venenosas, do gên. *Micrurus*, da fam. dos elapídeos, de corpo delgado, ornado de anéis nas cores amarelo, preto e vermelho, e cujo comprimento, nas maiores, pode chegar a 1, 5m; CORAL 2 *Bras. P. ext. Zool.* Cobra-coral-falsa [Pl.: *cobras-corais.*]

cobra-coral[2] (co.bra-co.*ral*) *sf. Zool.* Denom. comum a diversas serpentes não venenosas, da fam. dos colubrídeos, cuja coloração lembra a das cobras-corais venenosas; CORAL [Pl.: *cobras-corais.*]

cobra-d'água (co.bra-*d'á*.gua) *sf. Zool.* Denominação comum à diversas serpentes da fam. dos colubrídeos, esp. aquela do gên. *Helicops*, que vive próximo a lagoas, açudes e pequenos rios [Pl.: *cobras-d'água.*]

cobra-de-veado (co.bra-de-ve.*a*.do) *sf. Zool.* Ver *jiboia* [Pl.: *cobras-de-veado.*]

cobrado (co.*bra*.do) *a.* Que se tem, teve ou terá que pagar (valor cobrado) [F.: Part. de *cobrar.*]

cobrador (co.bra.*dor*) [ô] *a.* 1 Que cobra, que faz cobranças; RECEBEDOR *sm.* 2 Pessoa que cobra (dívidas, obrigações etc.), que faz cobranças 3 Nos veículos coletivos (bondes, ônibus), funcionário que recebe o dinheiro das passagens; TROCADOR [F.: *cobrar* + *-dor.*]

cobra-grande (co.bra-*gran*.de) *sf. Zool.* Ver *sucuri* (*Eunectes murinus*) [Pl.: *cobras-grandes.*]

cobrança (co.*bran*.ça) *sf.* 1 Ação ou resultado de cobrar ou receber quaisquer dívidas, ou donativos: *cobrança de impostos.* 2 Arrecadação, recebimento de valores 3 *Fig.* Ato de exigir que alguém cumpra obrigação ou promessa ou, p. ext., de reclamar de quem supostamente não as cumpriu: *um relacionamento cheio de cobranças e recriminações.* 4 *P. ext.* Obrigação, demanda, exigência; aquilo que se impõe ou parece impor-se a alguém como uma obrigação e necessidade; tarefa a ser cumprida: *um trabalho difícil, com muitas cobranças e desafios.* [F.: *cobr(ar)* + *-ança.*]

cobrar (co.*brar*) *v.* 1 Exigir, solicitar (o pagamento do que é devido) [*td.: cobrar uma dívida.*] 2 Pedir (determinada quantia) por produto ou serviço oferecido e/ou realizado [*td.: Resolveu cobrar R$600,00 pelo aluguel do apartamento.*] [*tdi. + a, de: Cobra aos/dos fiéis o dízimo.*] [*tdr. + por: Cobrou R$50,00 pelo serviço.*] [*int.: Esse marceneiro cobra muito caro.*] 3 Exigir (inclusive de si mesmo) o cumprimento de (promessa, compromisso) [*td. /tdi. + a,: Cobrava (a todos os amigos) presença na festa.*] [*td. / tdr. + de: Cobrou (do pai) o CD prometido.*] 4 Recuperar, recobrar [*td.: cobrar a liberdade, os bens*] 5 *Fig.* Refazer-se, restaurar-se de (ânimo, brio, forças etc.) [*td.: Cobrou ânimo e enfrentou o desafio.*] 6 Encher-se, tomar-se de (de) [*tdr. + de: cobrar-se de raiva, de medo, de esperança.*] [*td.: Cobrou coragem e foi enfrentar a ira do patrão.*] 7 Adquirir por força ou ação, tomar, conquistar [*td.: cobrar territórios inimigos.*] 8 Pagar a (si mesmo) com recursos próprios; INDENIZAR-SE; PAGAR-SE [*td.: Contatado o prejuízo, cobrou-se usando suas reservas.*] 9 *Bras.* Em pesca de baleia, puxar e recolher a corda que prende o arpão [*int.*] 10 *Esp.* Executar (penalidade marcada pelo árbitro) por meio de chute ou arremesso [*td.: cobrar falta, escanteio*] [▶ 1 **cobrar**] [F.: De *recobrar*, com aférese, este do lat. *recuperare.* Hom./Par.: *cobre(s)* (fl.), *cobre(s)* (sm. [pl.]) e *cobre(s)* (fl. de *cobrir*); *cobro* (fl.), *cobro* [ô] (sm.); *cobra(s)* (fl.), *cobra(s)* (sf. [pl.]).]

cobre (*co*.bre) *sm.* 1 *Quím.* Elemento químico de número atômico 29, metal vermelho, maleável e dúctil [Símb.: *Cu.*] 2 Moeda feita desse metal 3 *P. ext.* Qualquer moeda, esp. de pequeno valor 4 *Bras. MG.* Antiga moeda de 40 réis 5 *Fig.* Dinheiro [Nesta acp., tb. us. como sm. pl. (cf. o verbete *cobres*).] 6 *Grav.* Placa gravada em cobre 7 *P. ext.* A estampa obtida com essa placa *smpl.* 8 Como smpl., ver o verbete *cobres* [F.: Do lat. *cuprum.* Hom./Par.: *cobre* (sm. [pl.]), *cobre(s)* (fl. *cobrar*), *cobre(s)* (fl. *cobrir*).] ■ **Arrancar os cobres, cair com os cobres etc.** [Ver essas locs. no verbete *cobres* (smpl.).] **~ amarelo** Latão

cobreiro (co.*brei*.ro) *sm.* 1 *Pop. Pat.* Erupção vesiculosa cutânea com base eritematosa; HERPES-ZÓSTER 2 Trabalhador em criatório de cobra [F.: *cobra* + *-eiro.*]

cobre-leito (co.bre-*lei*.to) *sm.* Colcha que se estende sobre a cama: "...*podia ver a mulher com muita nitidez – deitada sobre o cobre-leito cor de chocolate...*" (Dúlio Gomes, *Objeto identificado*) [Pl.: *cobre-leitos.*]

cobrelo (co.*bre*.lo) [ê] *sm.* 1 Cobra de pequeno tamanho 2 *Pop. Med.* Erupção cutânea (herpes-zóster) assim chamada em razão da crendice popular que atribui essa dermatose ao contato com roupa sobre a qual teria passado uma cobra; COBREIRO [F.: *cobr(a)* + *-elo.*]

cobres (*co*.bres) *smpl.* 1 Dinheiro em moedas de pouco valor (originalmente de cobre), us. no troco: *Dei-lhe meus últimos cobres.* 2 *P. ext.* Pequena quantia em dinheiro; TROCADOS: *Guardei uns cobres para viajar no fim de semana.* 3 *P. ext. Pop.* Dinheiro em geral: *Vendeu tudo, contou os cobres e se mandou.* [Ger. us. em expr. como *arrancar os cobres, passar nos cobres* etc.] 4 Conjunto de utensílios ou objetos de cobre ou de latão: *os cobres da cozinha* [F.: pl. de *cobre.*] ■ **Arrancar os ~** Tomar muito dinheiro ou quase todo o dinheiro (de alguém) (seja em um negócio, ou com ardil ou esperteza, através de processo judicial, ou com extorsão etc.): *Conseguiu uma indenização alta e arrancou os cobres do ex-patrão.* **Cair com os ~** *Bras. Pop.* Fazer despesa, pagar; ser obrigado a gastar dinheiro; passar os cobres, espichar os cobres **Espichar os ~** *Bras. Pop.* Ver *Cair com os cobres* [Cf. o sintagma *espichar os cobres* 'economizar dinheiro, ou conseguir alguma renda extra'.] **Passar nos ~** *Bras. Pop.* Obter dinheiro pela venda de algo (ger. fazendo negócio singular, e não como comércio ou atividade regular) [Cf. *Passar os cobres.*] **Passar os ~** *Bras. Pop.* Ver *Cair com os cobres* [Cf. a expr. *Passar nos cobres.*] **Torrar nos ~** *Pop.* Vender por qualquer preço, pela primeira oferta de dinheiro; queimar, torrar [Cf. o sintagma *torrar os cobres* 'torrar o dinheiro, gastá-lo todo, esbanjá-lo'.]

cobrição (co.bri.*ção*) *sf.* 1 Ação ou resultado de cobrir(-se) 2 Cópula de animais quadrúpedes (certificado de cobrição; baia de cobrição; período de cobrição) [Pl.: *-ções.*] [F.: *cobrir* + *-ção.*]

cobrinha (co.*bri*.nha) *sf.* 1 Pequena cobra 2 Objeto parecido com cobra: *Molde uma cobrinha com a massa plástica e junte as extremidades.* *sf.* 3 Fila, fileira: *A esquadrilha fez umas acrobacias com os aviões em cobrinha.* 4 Brincadeira infantil em que duas crianças seguram bem perto do chão uma corda fazendo-a ondular, tendo as demais que ir saltando a corda, que gradativamente vai tendo aumentada a altura das ondulações, de sorte que as crianças que ao saltar a tocam vão sendo excluídas da brincadeira, vencendo aquela que por mais tempo permanecer sem tocar a corda [F.: *cobra* + *-inha.*]

cobrir (co.*brir*) *v.* 1 Encobrir ou proteger (algo, alguém ou a si mesmo), pondo alguma coisa por cima, diante ou em redor; TAPAR [*td.: cobrir a cabeça/o rosto.*] [*tdr. + com, de: cobrir um bolo (com uma redoma*); *Cobriu-se com o roupão ao levantar; Cobria o filho da tempestade (com o próprio corpo).*] 2 Espalhar(-se) por cima ou pela superfície de [*td.: Nuvens escuras cobriam a cidade; O suor cobria-lhe o rosto.*] [*tdr. + com, de: Cobriu o bolo com/de creme.*] 3 Ficar (toda uma superfície, um lugar etc.) sob a camada de algo que se espalhou sobre eles [*int.: Toda a cidade cobriu-se de neve.*] 4 Proteger, defender [*td. / tdr. + contra: A retaguarda cobria as tropas (contra o inimigo).*] 5 Abafar, amortecer (som) [*td.: A buzinas cobriam os gritos de alerta do guarda.*] 6 Encher(-se), cumular(-se) [*tdr. + de: A mãe cobre o filho de cuidados; Cobria a mulher de joias.*] [*int.: Durante a obra, os móveis cobriram-se de pó.*] 7 Ser suficiente para [*td.: O salário dele não cobre as despesas.*] 8 Custear, pagar, liquidar (despesas) [*td.*] 9 Exceder, ultrapassar [*td.: cobrir o lanço em um leilão; O Milan cobriu todas as ofertas e ficou com o jogador.*] 10 Responsabilizar-se por (algo); assegurar (algo) [*td.: O plano de saúde não cobria alguns exames; A garantia da joia cobria as pedras.*] 11 Fazer com que não se note; DISFARÇAR; DISSIMULAR [*td.: cobrir defeitos; O comportamento agressivo cobria sua insegurança.*] 12 Percorrer (distância) [*td.: O atleta cobriu os 100 m em tempo recorde.*] 13 *Agr.* Tapar (a raiz da planta) com terra [*td.*] 14 *Jorn. Rád. Telv.* Fazer reportagem sobre [*td.: Todos os jornais cobriram o evento.*] 15 *Lud.* Jogar sobre (carta de outro jogador) uma de valor maior [*td.*] 16 Ter (animais) cópula com [*td.: Um touro cobre, anualmente, cerca de trinta vacas.*] 17 *Esp.* Em jogo esportivo, vigiar, um jogador, jogador adversário ou espaço do campo a cargo de (jogador de seu time disso encarregado quando este abandona por um momento a função por ter sido ultrapassado, por ter ido ao ataque etc.) [*td.: Me cobre aí, que vou avançar!*] [▶ 51 **cobrir.** Part.: *coberto.*] [F.: Do lat. *cooperire.* Hom./Par.: *cobre(s)* (fl.), *cobre(s)* (sm[pl.] e fl. de *cobrar*).]

cobro[1] (*co*.bro) [ô] *sm.* 1 Ação ou resultado de cobrar, arrecadar; COBRANÇA; ARRECADAÇÃO 2 *Ant.* Foro (quantia paga ao dono de um terreno) cobrado pela coroa aos que ocupavam terras do rei 3 *Ant.* Lugar seguro para se guardar dinheiro [F.: Dev. de *cobrar.*] ■ **Pôr a/em ~** Juntar, reunir (dinheiro, riqueza) e guardar em local seguro

cobro[2] (*co*.bro) [ô] *sm. Pop. Pat.* Erupção na pele (às vezes o herpes-zóster) que a crendice popular atribui ao contato com qualquer roupa pela qual tenha passado uma cobra; COBRELO; COBREIRO [F.: Posv. de *cobra*.]

cobro[3] (*co*.bro) [ô] ***sm.*** **1** Fim, termo, cessação: *Ergueram-se em revolta sem cobro, durante anos.* ***sm.*** **2** *Náut.* Cada uma das voltas sobrepostas (como que em zigue-zague) de um cabo ou amarra em convés de navio **3** *Mar.* Pranchão de madeira us. no revestimento de porão de carga de navio [F.: De or. duvidosa, posv. de *cobrir*.] **▪ Pôr ~ a/em** Fazer cessar, não deixar continuar; pôr fim a; *esp.*: reprimir (ação alheia, situação) [Cf. a loc. *pôr a/em cobro* (ver no verbete *cobro*[1]).]

coca[1] (*co*.ca) ***sf.*** Ação ou resultado de cocar: *A coca seria realizada à noite, para os bandidos não a perceberem.* [F.: Dev. de *cocar*[2].] **▪ À ~ de 1** À espreita de **2** À cata de

coca[2] (*co*.ca) ***sf.*** **1** *Bot.* Arbusto da família das eritroxiláceas, *Erythroxylum coca*, nativo da Bolívia, de folhas ovadas ou elípticas e flores aromáticas, que contém diversos alcaloides, esp. a cocaína (substância), e us. em mastigação, em infusões e na produção de droga alucinógena (cocaína aspirável ou injetável, *crack*); CUCA; IPADU **2** Nome comum de diversas outras plantas do mesmo gên. utilizadas esp. por indígenas bolivianos e peruanos como estimulantes, inibidoras da fome e do frio **3** *Bras.* Substância narcótica extraída de diversas plantas, principalmente euforbiáceas, com que se atordoam os peixes para pegá-los com as mãos **4** *Pop.* Ver *cocaína* [F.: Do quíchua *kuka*.]

coca[3] (*co*.ca) ***sf.*** *Náut.* Embarcação comprida e estreita utilizada na Europa, entre os séculos XIII e XV [F.: Do it. *cocca*.]

coca[4] (*co*.ca) ***sf.*** *Náut.* Cada uma das dobras que fazem os cabos enquanto estão novos e não amaciam [F.: Posv. do fr. *coque*.]

coca[5] (*co*.ca) ***sf.*** *Bras. RS* Saco de malhas para pescar peixes e camarões [F.: De or. obsc.]

coca[6] (*co*.ca) ***sf.*** **1** *Bot.* Cada uma das unidades ou subdivisões dos frutos capsulares que se separam quando amadurecem; COCO (Ô) ***sf.*** **2** *Lus. Pop.* Castanha [F.: Do lat. *coccum*.]

coca[7] (*co*.ca) ***sf.*** *Bras. Pop.* F. regr. de *cocaína*

coca[8] (*co*.ca) ***sf.*** **1** *Lus.* Carinho exagerado; MIMO **2** *Lus.* Leve cabeçada [F.: De or. onom. (*coco*).] **▪ Dar ~ (a) 1** Seduzir, encantar (alguém) com carinhos; p. ext.: fascinar **2** *Lus.* Animar com mimos, carícias

coca[9] (*co*.ca) ***sf.*** Refrigerante de origem estadunidense com base na noz-de-cola aromatizada e que usa o caramelo como corante [F.: Abrev. de *Coca-Cola*®.]

coça (*co*.ça) [ó] ***sf.*** **1** Ação ou resultado de coçar; COÇADURA **2** Surra; agressão ou maus-tratos físicos: *Levou uma coça das feias.* [F.: Dev. de *coçar*. Hom./Par.: *coça* (sf.), *coça* (fl. *coçar*), *cossa* (sf.).]

cocada (co.*ca*.da) ***sf.*** **1** *Cul.* Doce feito de coco-ralado e açúcar ou calda de açúcar, cozido até adquirir consistência firme, cortado de variadas formas **2** Doce de consistência e preparo semelhantes, feito com outros frutos e, ger., com leite **3** *Bras. Pop.* Pancada com a cabeça; CABEÇADA **4** *Bras. RJ Pop.* Menina-moça; COCADINHA **5** *Bras. MA* Conversa amorosa ou sedutora; *p. ext.*: aquilo que se fala para agradar; conversa-fiada **6** *Bras. RN* Tapa, pancada com a mão; BOFETADA; SOPAPO ***s2g.*** **7** *Bras. BA Pop.* Pessoa que transmite recados, esp. de namorados; leva e traz; ALCOVITEIRO [F.: *coc(o)* + *-ada*.] **▪ Comer/vender ~** Ser a terceira pessoa num programa de namorados **Rei/rainha da ~ preta** *Bras. Pop.* Ver esta loc. no verbete *rei*

coçada (co.*ça*.da) ***sf.*** Ação de coçar; COÇADURA [F.: Fem. substv. de *coçado*.]

cocada-puxa (co.ca.da-*pu*.xa) ***sf.*** *N. E. Cul.* Doce de consistência pastosa e grudenta, feito de coco-ralado, melado ou calda de açúcar mascavo [Pl.: *cocadas-puxa*.]

cocaína (co.ca.*í*.na) ***sf.*** **1** *Quím.* Extrato da pasta feita com as folhas da coca (*Erytroxylum coca*), alcaloide de fórmula $C_{17}H_{21}NO_4$, empregado (ger. na forma de um sal) em medicina como anestésico local, e us. (ilegalmente) como entorpecente que causa sensação eufórica **2** *P. ext.* Essa substância, preparada, ger. na forma de pó, para ser us. como entorpecente (injetável ou aspirável): *A polícia apreendeu 20kg de cocaína.* **3** *Fig. Pop.* Aquilo a que alguém é extremamente, ou entusiasticamente apegado, de que alguém depende para se sentir bem, ou feliz [F.: *coca*[2] + *-ina*.]

cocainomania (co.ca:i.no.ma.*ni*.a) ***sf.*** *Psiq.* Hábito mórbido e imperioso de injetar-se, cheirar ou (mais raramente) tomar cocaína [F.: *cocaína* + *-o-* + *-mania*.]

cocainômano (co.ca:i.*nô*.ma.no) ***a.*** **1** *Psiq.* Diz-se de quem tem o hábito ou vício de consumir cocaína (paciente cocainômano) **2** Ref. a cocainomania, ou próprio daqueles que têm esse hábito (tendências cocainômanas) ***sm.*** **3** *Psiq.* Aquele que tem o hábito de consumir cocaína, que é dependente dessa substância [F.: *cocaín(a)* + *-o-* + *-mano*.]

cocal (co.*cal*) ***sm.*** Ver *coqueiral* [Pl.: *-cais*.] [F.: *coco* + *-al*.]

cocaleiro (co.ca.*lei*.ro) ***sm.*** **1** Plantador de coca **2** Pessoa que trabalha em plantação de coca [F.: Do espn. plat. *cocalero*.]

⊕ **cocalero** (co.ca.*le*.ro) (*espn. plat.*) ***sm.*** Plantador de coca

coca(ô) (*co*.ca) [ô] ***sf.*** **1** Parte de capa ou manto que cobre a cabeça e um pouco do rosto; BIOCO; CAPUZ **2** *Lus. Fig.* Personagem do folclore português, semelhante ao papão ou bicho-papão, que assusta as crianças; CUCA **3** Espantalho **4** *Fig.* Panela ou abóbora oca em que se fazem buracos em forma de olhos, nariz e boca, para lhe enfiar uma vela acesa e, à noite, assustar as pessoas **5** *Lus. Infan.* Pequeno ferimento ou dor em crianças; AXE; DODÓI **6** *Lus.* Vegetação que, na estiagem, cobre as pedras dos rios ***a.*** **7** *Bot.* Diz-se de uma variedade de amêndoa de casca mole [F.: De or. contrv.]

cocão[1] (co.*cão*) ***sm.*** **1** Cada um dos paus ou pregos fixos nas pranchas laterais do carro de bois, entre os quais gira o eixo e cujo vão forma a empolgueira **2** *Lus.* Vazadura, por baixo do chedeiro, entre as cantadeiras, e contra a qual gira o eixo do carro de bois [Pl.: *-ões*.] [F.: De or. obsc.]

cocão[2] (co.*cão*) ***sm.*** **1** *N. E. S Bot.* Arbusto (*Erythroxylon pelleterianum*) da fam. das eritroxiláceas, de flores brancas, frutos drupáceos e folhas empregadas na cura de doenças do estômago; FRUTA-DE-FARAÓ; FRUTA-DE-POMBA **2** *Bot.* Árvore da família das eritroxiláceas (*Erytroxylon pulchrum*); tb. *arco-de-pipa* **3** *Bot.* Árvore sapotácea (*Mimusops elata*), presente no Brasil; tb. *maçaranduba-vermelha* **4** *Bras. Fig.* Bengala grossa; CACETE [Pl.: *-ões*.] [F.: *coca*[2] + *-ão*.]

cocão[3] (co.*cão*) ***sm.*** **1** *Lus.* Primeiro ovo de perdiz posto fora do ninho **2** *Bras. Pop. Lud.* A bola de gude de peso e diâmetro maiores que as outras us. no jogo; BOLÃO [Pl.: *-ões*.] [F.: *coco* (ô) + *-ão*.]

cocar[1] (co.*car*) ***sm.*** **1** Adorno de cabeça confeccionado com penas e us. por diversos povos indígenas **2** Penacho ou laço us. como adorno na cabeça, no chapéu ou capacete **3** Fita, ger. arrumada com laço ou em forma de roseta, e que se prende à cabeça, à roupa etc., tendo as cores distintivas de um grupo, partido ou nação **4** Laço no chapéu dos lacaios, com as cores distintivas dos amos **5** Laço e roseta com que se enfeitam os cavalos **6** *Bras. PI BA Zool.* Galinha-d'angola [F.: do fr. *cocarde*.]

cocar[2] (co.*car*) ***v.*** Estar ou ficar à espreita de; observar espreitando [***td.***: *cocar os passos de alguém.*] [***int.***: *Podia ficar horas cocando pelo vidro da janela.*] [▶ **11 cocar**] [F.: De or. incerta. Tb. *cucar*. Hom./Par.: *coca* (fl.), *coca* (sf.), *coca* [ô] (sf.); *cocas* (fl.), *cocas* (pl. do sf.), *cocas* [ô] (pl. do sf.); *coco* (fl.), *coco* [ô] (sm.), *coco* [ô] (sm.), *cocó* (sm. sf.), *cocô* (sm.); *cocar*, *cucar* (em todas as fl.).]

coçar (co.*çar*) ***v.*** **1** Roçar ou esfregar (uma ferida, ou a pele de uma ou mais partes do próprio corpo, ou de outrem) com as pontas dos dedos, esp. as unhas, ou com um objeto áspero para fazer cessar a sensação de comichão ou coceira [***td.***: *coçar a cabeça; Era alérgico e logo começou a se coçar; Como não podia se mover, teve de pedir que alguém lhe coçasse o braço.*] **2** Esfregar com as unhas, com os dedos (voluntária ou involuntariamente), por algum outro motivo [***td.***: *Coçava a cabeça enquanto pensava.*] [***tda.***: *Fez cafuné no filho, coçando-o na cabeça; Tinha mania de se coçar no queixo.*] **3** Provocar sensação de comichão, de coceira, de necessidade de se coçar; COMICHAR [***int.***: *A picada do inseto coçava muito.*] **4** *Pop.* Surrar, sovar; dar uma coça em (alguém) [***td.***] **5** *Bras. N. E.* Cansar muito, estafar, maltratar (animal) com excesso de trabalho [***td.***] **6** Esforçar-se por conseguir algo; ter de enfrentar dificuldades; BATALHAR [***int.***: *Ele precisa se coçar muito para subir na vida.*] **7** *Mar.* Gastar-se (cabo, vela, etc.) pelo atrito com outros objetos [***int.***] [▶ **12 coçar**] [F.: do lat. **coctiare*, de *coctus* 'cozido'. Hom./Par.: *coça* (fl.), *coça* (sf.), *cossa* (sf.).] **▪ Não/nunca se ~ 1** Não fazer nenhum gesto ou menção de pegar dinheiro para pagar despesa: *Quando o garçom traz a conta ele olha para o outro lado e nunca se coça.* **2** Não agir, não trabalhar ou não colaborar; não mostrar intenção ou preocupação de ajudar alguém, de enfrentar uma situação ou resolver um problema; não ter iniciativa, não tomar providências: *Todos os outros arrumavam a casa e ele, vendo televisão, nem se coçava.*

cocção (coc.*ção*) ***sf.*** **1** Ação, processo ou resultado de cozer, de preparar (alimento, bebida) ao fogo, esp. em água quente ou fervente; COZEDURA; COZIMENTO **2** *Antq. Fisl.* Digestão dos alimentos no estômago [Pl.: *-ções*.] [F.: Do lat. *coctio, onis*.]

coccidiose (coc.ci.di:*o*.se) [ó] ***sf.*** *Vet.* Enfermidade causada pela ingestão de protozoários parasitas coccídios, que afeta a parede intestinal, o fígado e os rins de animais domésticos ou selvagens [F.: *coccídio* + *-ose*.]

coccígeo (coc.*cí*.ge:o) ***a.*** Do cóccix; que pertence ou é próprio dele (osso coccígeo); COCCIGIANO [F.: *cóccix*, pela f. radical *coccig-* + *-eo*.]

cóccix (*cóc*.cix) [cs] ***sm2n.*** *Anat.* Pequeno osso situado na parte inferior e posterior da bacia, articulado com o sacro, formando como que uma cauda rudimentar [F.: Do lat. cient. *coccix*, a partir do gr. *kokkyx* 'cuco' (devido à semelhança do osso com o bico da ave).]

cócega (*có*.ce.ga) ***sf.*** **1** Sensação particular, ora prazerosa, ora irritante (ou ambas as coisas simultaneamente), que ger. provoca movimentos ou risos compulsivos, causada por toques ou fricções ou pressões leves em alguns pontos da superfície da pele ou das mucosas: "Torceram-se em estrondoso gargalhar como sob cócegas..." (Monteiro Lobato, *Urupês*) **2** *Fig.* Grande vontade, desejo, tentação **3** *Fig.* Impaciência, inquietação, ansiedade, sofreguidão [Vocábulo mais us. no plural: *cócegas*. Popularmente observa-se tb. as formas: *cosca* e *coscas*.] [F.: posv. formação regress. de *cocegar*.] **▪ ~s na língua** Vontade ou impulso de falar, de dizer algo, de se manifestar **Fazer ~(s)** Provocar sensação de cócega em alguém

cocegar (co.ce.*gar*) ***v.*** **1** Fazer cócegas em alguém [***td.***: *A menina riu quando o tio a cocegueou de leve.*] [***ti.***: *Alguma coisa cocegou na minha nuca e me deu um susto.*] [***int.***: *Os insetos que andavam em seu corpo não arranhavam nem mordiam, mas cocegavam.*] **2** *Fig.* Estimular (alguém ou algo), provocar algum tipo de inquietação, alguma vontade ou desejo em [***td.***: *Aquilo que viu deixou-o intrigado, cocegou seu pensamento.*] [▶ **14 cocegar, 13 coceguear**] [F.: *coceg(a)* + *-ar*.]

coceguear Ver *cocegar*

coceira (co.*cei*.ra) ***sf.*** **1** (Sensação desconfortável, na superfície da pele, que provoca) forte vontade ou impulso de se coçar; grande comichão; PRURIDO: "Uma coceira nas pernas que ele atribui à vida sedentária..." (Coelho Neto, *Água de Juventa*) **2** Irritação cutânea provocada pela ação de se coçar [F.: *coç(ar)* + *-eira*.] **▪ ~ na língua** Ver *Cócegas na língua*

cochada (co.*cha*.da) ***sf.*** *Ant.* Apertão, torcida [F.: Fem. substv. de *cochado*.]

cochado (co.*cha*.do) ***a.*** **1** *Ant.* Apertado, torcido **2** *Gír. Mar.* Diz-se de pessoa protegida por outra ***sm.*** **3** Essa pessoa [F.: Part. de *cochar*.]

cochar (co.*char*) ***v. td.*** **1** *Mar.* Torcer fio(s) ou cabo(s) para formar cordão ou cabo calabroteado **2** Proteger, apadrinhar alguém, oferecendo-lhe oportunidades **3** *Pop.* Proteger, apoiar alguém, facilitar-lhe as coisas **4** Ver *acochar* **5** *Lus.* Colocar (a sardinha) em canastra [▶ **1 cochar**] [F.: *coch(a)* + *-ar*[2]. Hom./Par.: *cocha(s)* (fl.), *cocha* /ô/ (sf. e pl.); *coche* (fl.), *coche* /ô/ (sm. e interj.); *cocho* (fl.), *cocho* /ô/ (sm.); *cocha(s)* (fl.), *coxa* /ô/ (sf. e pl.); *cocho* (fl.), *coxo* /ô/ (a. s. m.).]

coche[1] (*co*.che) [ô] ***sm.*** **1** Carruagem fechada e de grande luxo, esp. a de modelo antigo, e us. em certas cerimônias oficiais (p. ex., da realeza); CARRUAGEM **2** Qualquer carro, ger. fechado e de duas rodas, puxado por cavalo; SEGE **3** *Bras.* Carro fúnebre [F.: Do fr. *coche*.]

coche[2] (*co*.che) [ô] ***sm.*** **1** Tabuleiro com rebordos para transportar cal amassada; COCHO **2** Vasilha de madeira; COCHO **3** *Náut.* Pequena embarcação **4** Pá de madeira com rebordos, us. para colocar a cal em carrinhos **5** Vaso ou tabuleiro de cortiça, de fundo côncavo, onde se faz a primeira lavagem para desencardir a roupa; COCHELA **6** *Lus.* Caixa do rebolo de marceneiros e carpinteiros **7** *Lus.* Vasilha de lata, com que se extrai água das poças [F.: De or. contrv.; posv. var. de *cocho*.]

coche[3] (*co*.che) [ô] ***interj.*** *Pop.* Us. para chamar ou enxotar porcos [F.: De or. onom.]

cocheira (co.*chei*.ra) ***sf.*** **1** Lugar onde se guardam coches, carruagens e outros veículos ***sf.*** **2** *P. ext.* Cavalariça, estrebaria: "Dormindo nos adros das igrejas e comendo nas cocheiras das casas grandes..." (Machado de Assis, *Histórias da Meia-noite*) [F.: *coche*[1] + *-eira*. Hom./Par.: *coxeira* (sf.).] **▪ De ~ 1** *Bras.* Confidencial, reservado, que não se deve revelar: *informação de cocheira*. **2** De maneira reservada; confidencialmente: *Vou-lhe dar, de cocheira, algumas dicas.*

cocheiro (co.*chei*.ro) ***sm.*** **1** Aquele que dirige os cavalos de carruagem ou outro veículo hipomóvel; BOLEEIRO: "Estala no ar o chicote do cocheiro palrão..." (Antero de Figueiredo, *Espanha*.) **2** *Astron.* Constelação do hemisfério setentrional, tb. designada de *Auriga* [Nesta acp., com maiúscula.] [F.: *coche*[1] + *-eiro*.]

cochichado (co.chi.*cha*.do) ***a.*** Que se cochichou, falado em tom muito baixo (segredo cochichado); SUSSURRADO [F.: Part. de *cochichar*.]

cochichar (co.chi.*char*) ***v.*** **1** Dizer (algo) em voz baixa ou ao pé do ouvido; SUSSURRAR; SEGREDAR [***td.***: *Ele cochichou um nome que não ouvi.*] [***tr.*** + *com*: *Pare de cochichar com ela!*] [***int.***: *As duas cochicham o tempo todo.*] ***v.*** **2** Dizer (algo) em voz baixa ou junto ao ouvido de outra pessoa; falar ou conversar dessa maneira [***int.***: *Olhavam as pessoas passarem, riam e cochichavam em seguida.*] [▶ **1 cochichar**] [F.: de or. onom., ou a partir de *cochicho* + *-ar*[2]. Hom./Par.: *cochicho* (fl.), *cochicho* (sm.).]

cochicho (co.*chi*.cho) ***sm.*** **1** Ação ou resultado de cochichar **2** Fala em voz baixa, ger. em tom de segredo; SUSSURRO **3** Aquilo que se fala em voz baixa, em segredo, esp.: intriga, mexerico: *Os cochichos que circulavam na vizinhança chegaram até ele.* **4** *Bras. Ornit.* Pássaro furnariídeo (*Anumbius annumbi*) de dorso escuro, garganta branca e cauda alargada e comprida, que faz ninho nas forquilhas das árvores e é encontrado no centro, sul e leste do Brasil e em países próximos, com voz característica **5** Espécie de apito ou brinquedo cujo som imita o desse pássaro **6** O mesmo que *cochicholo* [F.:De or. onom; nas acps. 1 a 3, é por vezes considerado dev. de *cochichar* (cuja or. igualmente onomatopaica talvez seja, no entanto, conexa com a da palavra nas demais acps.).]

cochicholo (co.chi.*cho*.lo) [ó] ***sm.*** *Bras. Pop.* Quarto apertado, acanhado, ou casinha pequena e simples: "Você não quer vender-me o cochicholo?" (Artur Azevedo, *Casadinha de Fresco*) [F.: Dim. de *cochicho*, na acp. de 'casa ou quarto pequeno'.]

cochilada (co.chi.*la*.da) ***sf.*** **1** Ação ou resultado de cochilar **2** Cochilo, soneca **3** *Fig.* Pequeno descuido ou distração; BOBEADA; VACILO: *O gol foi resultado de uma cochilada do zagueiro.* [F.: *cochil(ar)* + *-ada*[1].]

cochilar (co.chi.*lar*) ***Bras. v. int.*** **1** Dormir um sono leve e curto; DORMITAR **2** *Fig.* Distrair-se, descuidar-se; BOBEAR: *O atacante cochilou e perdeu a bola.* **3** *Fig. Pop.* Desperdiçar uma boa chance [▶ **1 cochilar**] [F.: De or. africana. Hom./Par.: *cochilo* (fl.), *cochilo* (sm.).]

cochilo (co.*chi*.lo) ***sm.*** **1** Ação ou estado de quem cochila, de quem adormece e logo acorda: *tirar um cochilo.* **2** Sono pouco demorado e pouco profundo, ger. em condições improvisadas **3** *Fig.* Desatenção, ou erro causado por essa desatenção; COCHILADA: *Essa falha foi um cochilo do mecânico.* [F.: Dev. de *cochilar*.]

cochiloso (co.chi.*lo*.so) [ô] *a.* **1** Que cochila, preguiçoso *sm.* **2** Aquele que cochila com frequência, indolente [Pl.: [ó]. Fem.: [ó].] [F.: *cochilo + -oso.*]

cochinês (co.chi.*nês*) *sm.* **1** Indivíduo nascido ou que vive em Cochim (Índia) [Pl.: *-neses* [ê]. Fem.: *-nesa* [ê].] *a.* **2** De Cochim; típico dessa cidade ou de seu povo [Pl.: *-neses* [ê]. Fem.: *-nesa* [ê].] [F.: Do top. *Cochim + -ês.*]

cocho (*co*.cho) [ô] *sm.* **1** Vasilha, tabuleiro ou recipiente, ger. de madeira, us. para fins diversos (conforme as regiões e tradições) como dar de comer ou beber ao gado, lavar mandioca, deixar alimentos ou substâncias a fermentar, transportar ou preparar certos materiais (como cal) etc. **2** Recipiente especial, de material, tamanho e formato adequado, onde se põe alimento para o gado **3** Nas máquinas de amolar, a caixa em que gira a mó **4** Canoa, esp. a que é pequena ou pouco veloz **5** *Bras.* Viola de cinco cordas, ger. de braço curto [Tb. se diz *viola de cocho*.] **6** Parte da prensa que recebe a massa a ser espremida, na fabricação da farinha [F.: De or. controversa.] ■ **Comer e virar o ~** Ser ingrato com quem lhe fez bem; cuspir no prato em que comeu **Comer no mesmo ~** Pôr-se no mesmo nível (de alguém), conviver ou interagir de igual para igual, ou fazer parceria (com alguém)

cochonilha (co.cho.*ni*.lha) *sf.* **1** *Zool.* Denominação comum a diversos insetos homópteros, parasitas, que se alimentam de seiva vegetal [Algumas spp. podem se tornar pragas agrícolas.] **2** *Quím.* Corante vermelho obtido da cochonilha-do-carmim, us. na indústria alimentícia e farmacêutica [F.: Do espn. *cochinilla*.]

cociente (co.ci:*en*.te) *sm. Mat.* Ver *quociente*

⊕ ***cocker spaniel*** (*Ing. /cóker spâniel/*) *sm.* **1** Raça de cães de baixa estatura, focinho quadrado e orelhas pendentes, com pelame ligeiramente ondulado, macio, denso e de diversas cores **2** Cão pertencente a essa raça [Pl.: *cocker spaniels*.]

⊕ ***cockpit*** (*Ing. /cócpit/*) *sm.* Cabine ou compartimento do piloto e/ou do copiloto, com os instrumentos de controle, em veículos não muito grandes (como carros de corrida, naves espaciais, barcos e aviões pequenos)

cóclea (*có*.cle:a) *sf.* **1** *Anat.* Na orelha interna (ou, anteriormente, ouvido interno), a parte anterior do labirinto: tubo espiralado em que ficam os órgãos sensórios da audição [*Cóclea* substituiu *caracol* na nova terminologia anatômica.] **2** Espiral, ou objeto ou figura espiralados **3** *Fís. Mec.* Ver *Parafuso de Arquimedes* [F.: do lat. *cochlea* '(concha de) caracol' (< gr. *kokhlías*); na acp. anatômica, pelo lat. cient. *cochlea* (alusão à forma dessa parte do corpo).]

coclear (co.cle.*ar*) *a2g.* **1** Ref. a cóclea (nervo coclear) **2** O mesmo que *cocleado.* **3** *Bot.* Que se desenvolve de maneira helicoidal **4** *Bot.* Diz-se de prefloração em que uma das peças florais é externa e a outra, interna, sendo as outras peças externas em relação a uma margem e internas em relação a outra [F.: *cóclea + -ar²*.]

cocleia (co.*clei*.a) *sf.* Concha em forma de espiral, caracol; CÓCLEA: "...ele passou do riso bobo à carranca de ódio, resmungou, se encolheu para dentro, como um caramujo à cocleia, e ainda bateu com a porta." (João Guimarães Rosa, "São Marcos", *in Sagarana*) [F. Do lat. *cochlea, ae.*]

coco¹ (*co*.co) *sm.* **1** *Bac.* Designação dada a bactérias arredondadas, esféricas, como os estreptococos e os estafilococos **2** *Bot.* O mesmo que *coca⁶* (2) (subdivisão de certos frutos capsulares) [F.: do lat. cient. *coccus*, deriv. do gr. *kokkos*, 'grão', 'semente'. Hom./Par.: *coco* [ô] (sm.); cocô (sm.).]

coco² (*co*.co) *sm.* **1** Fruto do coqueiro ou coqueiro-da-baía (a palmeira *Cocos nucifera*), grande e ovoide, de casca muito dura e resistente, cujas fibras são aproveitadas em artesanato e indústria, e que tem em seu interior, quando ainda verde, um líquido claro e alimentício (a água de coco) que com o amadurecimento se transforma numa polpa branca comestível, muito us. em receitas de doces, balas, bebidas, molhos etc.; COQUEIRO [O coco é uma drupa: em seu interior, há uma noz dura e esférica, cujo interior é oco, tendo ar e um líquido transparente, a água de coco, que é o albume ou endosperma do fruto. Por ser fibroso e ter casca impermeável, o coco pode flutuar na água por muito tempo, sem se deteriorar – o que permitiu a disseminação da espécie em regiões de vários continentes.] **2** A palmeira (*Cocos nucifera*, única sp. do seu gên.) que dá esse fruto; COQUEIRO; COQUEIRO-DA-BAÍA **3** *P. ext.* Designação de frutos de outras palmeiras, arredondados e duros como o coco (1), porém menores **4** *P. ext.* Designação de várias espécies e variedades de palmeiras [Não raro, aparece formando nomes compostos: *coco-catulé, coco-de-quaresma, coco-de-iri*.] **5** *Fig. Pop.* Cabeça, crânio **6** Recipiente feito do endocarpo (casca) do coco-da-baía, a que se acopla um cabo; *p. ext.*: recipiente com forma e uso idênticos, feito de folha de flandres **7** *Bras. Pop.* Grande soma de dinheiro; BOLADA **8** *Bras. Pop.* Cachaça **9** Água de coco: *Vou ali tomar um coco.* [F.: De or. controversa. Cf.: *coco* [ó].] ■ **Ir catar ~** *Pop.* Ir embora, cair fora [Us. como forma de dispensar alguém, ou rejeitar aquilo que fez ou falou.] **Mandar catar ~** Mandar embora, de forma pouco respeitosa, alguém que atrapalha, ou que causa desagrado **Quebrar ~** Não disparar (arma), por falha

◎ **-coco** [ó] *el. comp.* = 'semente'; 'grão'; 'baga'; 'bactéria'; 'verme': *areococo, ascococo, asperococo, cenococo, croococo, difococo, diplococo, eleococo, enterococo, equinococo, estafilococo, estigmatococo, estreptococo, gonococo, hipnococo, melicoco, meningococo, oxicoco, planococo, pneumococo, protococo, pseudococo, sarcococo, tetracoco.* [F.: Do lat. cient. *-coccus*, do gr. *kókkos, ou*, 'semente'; 'grão'; 'baga'; 'pevide'; 'cochonilha', em termos de botânica, bacteriologia e zoologia.]

coco³ (*co*.co) *sm. Metrol.* Medida de capacidade us. no Japão, equivalente a seis alqueires, ou cerca de 210 litros [F.: Do jap. *koku*.]

coco⁴ (*co*.co) *sm.* **1** *Bras.* Dança popular nordestina, de roda, oriunda do estado de Alagoas, que se executa ao som de canto, batida de palmas e toque de percussão **2** *Mús.* A música dessa dança, também executada em separado [F.: De or. contrv. Cf.: coco [ó].]

coco⁵ (*co*.co) *sm.* O mesmo que *chapéu de coco* ou *chapéu-coco*

cocó (co.*có*) *sf.* **1** *Bras. Infan.* Galinha (ou, p. ext., galo ou qualquer galináceo) **2** Penteado que junta os cabelos na altura da nuca; COQUE [F.: voc. onom. Hom./Par.: cocó (sm.), cocô (sm.), *coco* (ó) (sm.), *coco* (ô) (sm.).]

cocô (co.*cô*) *Bras. sm.* **1** *Fam.* Fezes, excremento **2** *Pej.* Algo de muito má qualidade: *Aquela peça é um cocô.* [F.: De or. contrv. Hom./Par.: cocô (sm.), *cocó* (sm.), *coco* (ó) (sm.), *coco* (ô) (sm.).] ■ **Fazer ~** *Infan. Pop.* Eliminar as fezes do corpo; defecar, evacuar

coco-da-baía (co.co-da-ba.*í*.a) *sm.* **1** O mesmo que *coco²* [ô], fruto do coqueiro-da-baía **2** O mesmo que *coqueiro-da-baía* [Pl.: *cocos-da-baía*.]

coco-de-catarro (co.co-de-ca.*tar*.ro) *sm.* Ver *bocaiuva* [Pl.: *cocos-de-catarro*.]

cocolitoforídeos (co.co.li.to.fo.*rí*.de:os) *smpl.* Organismos extremamente pequenos, que vivem em ambientes oceânicos com águas oxigenadas, límpidas e quentes; são esféricos, piriformes ou fusiformes e incluem-se entre as algas unicelulares; são flagelados e dotados de uma carapaça externa constituída por diversos elementos que se encaixam uns nos outros, dissociando-se após a morte [F.: *coc* (o)- + *-lito-* + *-fora* + *-ídeos*.]

cócoras (*có*.co.ras) *sfpl.* Us. na loc. *de cócoras.* [F.: or. obsc.] ■ **A ~** Ver *De cócoras.* **De ~** Apoiado nos dois pés e com os joelhos bem dobrados; agachado, sentado sobre os próprios calcanhares **Em ~** Ver *De cócoras*

cocoricar (co.co.ri.*car*) *v. int.* Soltar a voz (o galo), ger. com som alto e longo (representado pela onom. *cocoricó*) [▶ 11 cocoricar. Normalmente é defec., só se conjugando nas 3ªs. pess.] [F.: *cocoricó + -ar²*.]

cocoricó (co.co.ri.*có*) *sm. Bras.* Onomatopeia do canto do galo

cocoroca (co.co.*ro*.ca) [ó] *sf.* **1** Ver *corcoroca s2g.* **2** *Bras. Fam.* Pessoa velha e caduca *a2g.* **3** *Bras. Fam.* Velho e caduco [F.: De *corcoroca*, por dissimilação.]

cocorocó (co.co.ro.*có*) *sm.* Ver *cocoricó*

cocorote (co.co.*ro*.te) [ó] *sm. Bras.* Pancada na cabeça dada com os nós dos dedos; CASCUDO: "...Aí Sinhá Vitória se zangou, achou-o insolente e aplicou-lhe um cocorote." (Graciliano Ramos, *Vidas secas*) [F.: De or. contrv.]

cocoruto (co.co.*ru*.to) *sm.* Ver *cocuruto*

cocota (co.*co*.ta) [ó] *sf. Bras. Antq.* Mocinha vaidosa; adolescente bonita e sensual [Freq. us. no dim.: *cocotinha*.] [F.: do fr. *cocotte*.]

cocote (co.*co*.te) *sf.* Ver *cocota*

⊕ **cocu** (*Fr. / coqui/*) *a.* **1** *Gír.* Diz-se de marido traído *sm.* **2** Esse marido [Sin. ger.: *corno*.]

cocuruto (co.cu.*ru*.to) *sm.* **1** O alto da cabeça **2** *P. ext.* O ponto mais alto de algo ou de algum lugar; CUME: *Morava lá no cocuruto do morro.* **3** Vértice ou ponta de algo **4** Qualquer saliência ou protuberância, ger. de formato cônico, arredondado ou pontudo **5** Saliência em um terreno, montículo ou pequena elevação, como os murundus no Brasil central e os altos das coxilhas, nas planícies do sul **6** *Bras.* Giba (saliência do pescoço) do zebu **7** Parte inchada e endurecida; inchaço; CALOMBO [F.: de or. contrv.]

côdea (*cô*.de:a) *sf.* **1** Parte externa e mais dura de algo (p. ex., de árvores e frutos, ou de alimentos macios que vão ressecando e endurecendo após a preparação, ou quando assados, crestados etc.); CASCA; CROSTA *sf.* **2** Pedaço (de pão ou de alimento semelhante), esp. quando endurecido: "...a côdea mostrará que a crosta dura/ da terra é uma fartura/ para os que têm e dão." (Guilherme de Almeida, *"A Lição"*) **3** Mancha, crosta ou acúmulo de sujeira, ger. em roupa ou objeto doméstico [F.: Do lat. *cutina*; lat. *cute* 'pele'.]

codeína (co.de.*í*.na) *sf. Quím.* Alcaloide narcótico que se extrai do ópio, us. para aliviar a tosse ou como sedativo e hipnótico [F.: Do fr. *codeine*, do gr. *kódeia* 'papoula' + *-ina*.]

códex (*có*.dex) *sm.* Ver *códice* [Pl.: *códices*.] [F.: Do lat. *codex, cis*.]

códice (*có*.di.ce) *Bibl. sm.* **1** Manuscrito em pergaminho cujas folhas se unem como num livro **2** Compilação metódica de documentos históricos, leis etc. **3** Manuscrito ou exemplar antigo de obra de autor clássico **4** Entre os antigos romanos, tábula (placa com cera, na qual se escrevia), ou conjunto de tábulas unidas de modo a poderem ser dobradas, formando conjunto similar a códice (1) ou livro [F.: Do lat. *codex, codicis.* F. paralela: *códex*.]

codicilo (co.di.*ci*.lo) *Jur. sm.* **1** Documento mais simples que o testamento, redigido para expressar a última vontade de alguém a respeito de seu enterro e da distribuição de seus bens de valor pouco elevado **2** Documento posterior ao testamento, que o modifica em certos aspectos [F.: Do lat. *codicillu*.]

codificação (co.di.fi.ca.*ção*) *sf.* Ação ou resultado de codificar [Pl.: *-ções*.] [F.: *codifica(r)* + *-ção*.]

codificado (co.di.fi.*ca*.do) *a.* **1** Que é parte de um código (acps. 1 e 2); que foi objeto de codificação; reunido, compilado, organizado em código: *leis codificadas na época alfonsina.* **2** Que está sujeito a normas, regras, princípios bem-definidos; que é objeto de um código ou de codificação: *a conduta minuciosamente codificada dos membros da corte imperial.* **3** Transmitido ou registrado segundo regras de determinado código (acps. 3, 4, 5); *esp.*: convertido para um código secreto (mensagem codificada) [F.: Part. de *codificar*.]

codificador (co.di.fi.ca.*dor*) [ô] *a.* **1** Que produz ou elabora código (acps. 1 e 2); que compila, organiza, sistematiza leis, regras, documentos **2** Diz-se de pessoa, máquina ou dispositivo que representa e transmite ou registra informações ou mensagens usando os sinais ou símbolos de determinado código *sm.* **3** Aquele que codifica, que produz um código (acps. 1 e 2) ou obra de reunião e sistematização de textos, documentos, doutrinas etc. **4** Aquele ou aquilo (p. ex., programa de computador) que converte informações ou mensagens recebidas para outro código **5** *Restr. Eletrôn.* Circuito que codifica sinais eletrônicos, modificando, segundo determinado código, os sinais recebidos **6** *Inf.* Dispositivo que transpõe uma forma de expressão para outra própria para um computador [F.: *codificar + -dor*.]

codificar (co.di.fi.*car*) *v. td.* **1** Compilar, reunir, agrupar (conjunto de leis, regras, normas, princípios etc.) de forma sistemática; SISTEMATIZAR **2** Reunir, compilar (manuscritos, documentos, informações diversas ou de fontes variadas etc.), formando uma só obra **3** Organizar e regular (ações ou atividades humanas), submetendo a um conjunto sistemático ou completo de leis, princípios, normas etc.; estabelecer um código (2) para regular (algo): *Os antigos textos religiosos de várias civilizações também tinham por função codificar a vida social; codificar os procedimentos e condutas dos funcionários.* **4** Usar um código (conjunto de sinais ou símbolos e de regras de uso) para representar (informações, dados); converter (mensagens) para determinado código (acps. 4 e 5) **5** *Inf.* Empregar linguagem de programação para formular (as instruções que compõem um programa específico): *codificar um algoritmo em linguagem C* **6** Modificar ou representar, segundo um código não divulgado, (informações contidas em um meio), para impedir ou dificultar a leitura ou veiculação dessas informações: *codificar (o filme em) um DVD.* **7** Estabelecer ou determinar os sinais e símbolos (com seus respectivos significados) que serão empregados em (determinada atividade, obra etc.): *codificar a sinalização do trânsito; É preciso codificar (as ilustrações e explicações do manual de instruções do aparelho).* **8** *Telc.* Converter uma mensagem representada segundo determinado código em sinais próprios de outro código, para transmissão em outro canal [▶ 11 codificar] [F.: *códi(ce)* + *-ficar*.]

código (*có*.di.go) *sm.* **1** Coleção de leis, disposições ou regulamentos sobre qualquer matéria (código penal) **2** Conjunto de preceitos ou normas de comportamento: *código de conduta; o código de honra dos samurais.* **3** Sistema de troca de informação ou de mensagens, que consiste em definir um conjunto limitado de sinais (p. ex., certos sons, ou gestos, ou figuras, cores etc.) e regras para combiná-los de modo que cada sinal ou grupo de sinais corresponda a determinada mensagem, informação ou significado **4** Código (3) us. para troca de mensagens secretas, e cujas regras são portanto ocultadas e mais ou menos difíceis de descobrir, tornando as mensagens incompreensíveis para quem não o conheça; esp.: sistema que usa palavras, letras ou outros sinais de comunicação conhecidos, mas segundo regras diferentes e complicadas: *Escreveu um bilhete num código secreto.* **5** *Inf.* Conjunto de sinais ou símbolos para representar dados e instruções de computador (segundo regras relativas ao modo com que podem ser combinados e à correspondência entre os sinais us. pelas pessoas e aqueles operados pela máquina) **6** Sinal ou série de sinais (sons, palavras, gestos etc.) que serve por convenção para representar ou identificar exclusivamente algo ou alguém; cada um dos símbolos us. em um código (acps. 3, 4 ou 5) **7** *Restr.* Palavra ou expressão, ou gesto etc., que tem, para certo grupo de pessoas, um significado combinado, diferente do conhecido ou habitual, ger. servindo como sinal ou instrução para alguma ação, como aviso, etc. **8** Série alfanumérica (algarismos e/ou letras) que identifica cada um dos itens de uma lista, como p. ex. usuários de um serviço, produtos em estoque etc.: *informe o seu código de assinante; digite o código do produto.* **9** *Inf.* Série de sinais alfanuméricos ou outros (bits) que representam determinada instrução de computador [F.: Do lat. *codice*.] ■ **~ antigo** Reunião de antigos textos manuscritos, leis etc.; códice **~ binário** *Inf.* Sistema que emprega apenas um par de sinais (ger. os algarismos ou dígitos 0 e 1, ou o par alta voltagem/baixa voltagem) para representar os dados e instruções processados por computadores digitais **~ de barras** *Inf.* Sistema de representação de série alfanumérica (para, p. ex., identificar um produto e seu preço) por meio de barras paralelas de diferentes larguras, que são interpretadas por dispositivo leitor **~ de endereçamento postal** *Bras.* Código (8) com oito dígitos us. pelos correios para identificar logradouros, municípios etc., e que se usa aposto ao endereço [Sigla: *CEP*.] **~ de erro** *Inf.* Número ou série de algarismos que resulta de processamento de instruções, de forma a indicar a natureza de um erro em execução de programa, quando ocorre ~ **de máquina** *Inf.* Código (5) ou programa que contém as instruções básicas diretamente lidas e executadas pelo computador, sem programa adicional; linguagem de máquina ~ **genético 1** *Gen.* A forma bioquímica de transmissão de informações biológicas hereditárias, comum a praticamente todos os seres vivos: consiste numa correspondência entre os diferentes códons (sequências de nucleotídeos) nas moléculas de DNA e RNA e os respectivos aminoácidos específicos, formados na síntese de proteínas regulada por essas moléculas **2** O conjunto de informações genéticas que se encontram no DNA ou RNA de um ser vivo, e que é basicamente o mesmo, e igualmente estruturado, em todos os indivíduos de sua espécie [Tb. apenas *morse*: *Recebeu uma mensagem em morse.*] ~ **Morse** Sistema (inventado por Samuel Morse) de representação de letras e números por séries de pontos (sons ou lampejos curtos) e/ou traços (sons ou lampejos longos), us. em telegrafia, sinais luminosos etc.; alfabeto Morse

codilheira (co.di.*lhei*.ra) *sf. Vet.* Tumor de que sofrem as cavalgaduras na ponta do codilho [F.: *codilho* + *-eira*.]

codilho (co.*di*.lho) *sm. Vet.* Articulação superior dos membros dos quadrúpedes; COTOVELO [F.: Do espn. *codillo*.]

codinome (co.di.*no*.me) [ô] *sm.* **1** Nome falso para ocultar a identidade de uma pessoa, um grupo, um plano etc. **2** *P. ext. Pop.* Apelido, alcunha; designação especial (não necessariamente secreta) que se dá, por qualquer razão, a algo ou alguém em determinado círculo, atividade, situação social etc. [F.: Do ing. *code name* 'nome de código'.]

codireção (co:di.re.*ção*) *sf.* Ação de duas ou mais pessoas dirigirem conjuntamente (um negócio, uma peça teatral, um filme, um espetáculo etc.) [Pl.: *-ções*.] [F.: *co-*[1] + *direção*.]

codiretor (co:di.re.*tor*) [ô] *sm.* Cada um dos diretores (de um mesmo negócio, de uma mesma peça teatral, de um mesmo filme, de um mesmo espetáculo) [Pl.: *-ores*.] [F.: *co-*[1] + *diretor*.]

codirigente (co:di.ri.*gen*.te) *s2g.* **1** Pessoa que dirige juntamente com outra ou outras uma organização *a2g.* **2** Que dirige juntamente uma organização (sócia <u>codirigente</u> de uma equipe) [F.: *co-*[1] + *dirigente*.]

codirigir (co:di.ri.*gir*) *v. td.* Dirigir conjuntamente com outro: *Os irmãos Taviani <u>codirigiram</u> obras-primas.* [▶ 39 codirigir] [F.: *co-*[1] + *dirigir*.]

codominância (co:do.mi.*nân*.ci:a) *sf. Gen.* Condição em que dois diferentes alelos em um par de genes aparecem juntos num heterozigoto [F.: *co-*[1] + *dominância*.]

códon (*có*.don) *sm. Gen.* Sequência de três nucleotídeos que na síntese de proteínas determina a posição do aminoácido na cadeia polipeptídica [Pl.: *-ones ou -ons*.] [F.: Do ing. *codon*.]

codorna (co.*dor*.na) [ó] *Zool. sf.* **1** Pequena ave asiática, da fam. dos fasianídeos (*Coturnix japonica*), criada em muitos países para a obtenção de sua carne e de seus ovos **2** Denominação comum às aves do gên. *Nothura*, da fam. dos tinamídeos, encontradas em grande parte do Brasil e em países vizinhos, onde vivem em regiões campestres [F.: De *codorniz*. Sin. ger.: *codorniz*.]

codorniz (co.dor.*niz*) *sf.* Ver *codorna* [Pl.: *-izes*.] [F.: Do lat. *coturnix, icis*.]

coedição (co:e.di.*ção*) *sf.* **1** Produção e publicação de livro, disco, programa etc. sob a responsabilidade de mais de um editor ou editora, ou mediante algum convênio, divisão de serviços e tarefas etc. entre firma editora e uma instituição cultural, científica etc. **2** Obra assim publicada [Pl.: *-ções*.] [F.: *co-*[1] + *edição*.]

coeditar (co:e.di.*tar*) *v. td.* Publicar em associação com outra(s) editora(s) ou outro(s) editor(es) [▶ 1 coeditar] [F.: *co-*[1] + *editar*.]

coeditor (co:e.di.*tor*) [ô] *sm.* Cada um dos editores de uma obra publicada em coedição [Pl.: *-ores*.] [F.: *co-*[1] + *editor*.]

coeducação (co:e.du.ca.*ção*) *sf.* **1** Processo educacional levado a efeito sob a responsabilidade de mais de um agente educador **2** Ação ou processo de coeducar **3** *Restr.* Educação conjunta de indivíduos de ambos os sexos [Cf. *ensino misto*.] [Pl.: *-ções*.] [F.: *co-*[1] + *educação*.]

coeducar (co:e.du.*car*) *v. td.* Educar em conjunto, em convívio (pessoas pertencentes a distintos grupos, categorias, classes etc.), visando diminuição de preconceitos e respeito às diferenças; esp.: educar em conjunto alunos de ambos os sexos [▶ 11 coeducar] [F.: *co-*[1] + *educar*.]

coeducativo (co:e.du.ca.*ti*.vo) *a.* Ref. a coeducação; que promove coeducação (movimento/programa <u>coeducativo</u>) [F.: *co-*[1] + *educativo*.]

coeficiente (co:e.fi.ci:*en*.te) *sm.* **1** *Mat.* Número que multiplica outro; fator ou produto de fatores, considerado (arbitrariamente, ou convencionadamente) em relação a outros, em uma multiplicação **2** Em um termo algébrico, fator multiplicativo constante de uma variável; a parte numérica de um monômio **3** Número que serve de medida para determinada propriedade ou característica (de um fenômeno, ou processo, ou, esp., do desempenho de algo ou alguém): *alto <u>coeficiente</u> de aproveitamento; <u>coeficiente</u> de rendimento escolar.* **4** *P. ext.* Nível, grau **5** Aquilo que, com sua presença ou ação em grau maior ou menor, tem influência na produção de determinado resultado; FATOR [F.: Do lat. cient. *coefficiens, tis* 'que efetua'.] ▪ ~ **angular** *Geom. an.* Tangente do ângulo que uma reta faz com o eixo das abscissas (dos *xx*) de um sistema de coordenadas cartesianas; o coeficiente da variável *x*, na equação reduzida da reta ~ **de acoplamento** *Fís.* Numa situação de acoplamento de dois sistemas em movimento e reciprocamente dependentes, coeficiente que mede a intensidade dessa influência na equação que expressa o sistema ~ **de atrito** *Fís.* Em situação de atrito entre dois corpos em contato, razão entre o módulo da força de atrito pelo módulo da força normal à superfície de contato ~ **de inteligência** Ver *Quociente de inteligência* (Q. I.) ~ **linear** *Geom. an.* O termo constante, independente de *x*, na equação reduzida de uma reta

coelaborado (co:e.la.bo.*ra*.do) *a.* Que foi elaborado em conjunto [F.: *co-*[1] + *elaborado*.]

coelheira (co:e.*lhei*.ra) *sf.* Lugar próprio para criar coelhos [F.: *coelho* + *-eira*.]

coelheiro (co:e.*lhei*.ro) *sm.* Cão especializado na caça de coelho; PODENGO [Esse tipo de cão assim como sua atividade é corrente em Portugal, não no Brasil.] [F.: *coelho* + *-eiro*.]

coelho (co:*e*.lho) [ê] *sm.* **1** *Zool.* Mamífero lagomorfo da fam. dos leporídeos (*Oryctolagus cuniculus*), de pequeno porte, pelo macio e orelhas longas, cauda curta ou ausente, de que há variedades silvestres (apreciadas como caça) e raças criadas para a produção de carne e pele ou como animais domésticos **2** *Cul.* Prato preparado com a carne desse animal: *<u>Coelho</u> é a especialidade desse restaurante.* **3** *Esp.* Corredor que, sem ser um competidor ou sem ter expectativa de vencer, vai durante algum tempo à frente dos que disputam a prova, para estimular os demais a imprimir um ritmo forte **4** *Bras. Lud.* No jogo do bicho, o 10º grupo [F.: Do lat. *caniculus*.] ▪ **Matar dois ~s com/de uma (só) cajadada** Com um só trabalho ou esforço, obter mais de um resultado

coentro (co:*en*.tro) *sm.* **1** *Bot.* Erva aromática de pequenas flores brancas ou róseas, e folhas tb. pequenas, penatífidas **2** Suas folhas e sementes us. como tempero [F.: Do lat. *coriandru*, deriv. do gr. *koriandron*.]

coenzima (co:en.*zi*.ma) *sf. Bioq.* Molécula não proteica que se associa a uma enzima, processo essencial à atividade desta [F.: *co-* + *enzima*.] ▪ ~ **A** *Bioq.* Coenzima que atua na transferência de grupos acila, em vários processos químicos ~ **R** *bioq.* Coenzima atuante no processo de crescimento de animais [Presente na gema de ovo, em levedo, no fígado.]

coerção (co:er.*ção*) *sf.* **1** Ação ou resultado de coagir; COAÇÃO [+ *sobre, para*: *<u>coerção</u> <u>sobre</u> os acusados; <u>coerção</u> <u>para</u> manter a ordem*.] **2** Ação de reprimir, de coibir; REPRESSÃO **3** *Jur.* Autoridade (e seu exercício) do Estado para impor a lei e seu cumprimento [Pl.: *-ções*.] [F.: Do lat. *coertio, onis*.]

coercibilidade (co:er.ci.bi.li.*da*.de) *sf.* **1** Qualidade do que é coercível **2** Possibilidade de coerção (<u>coercibilidade</u> da norma) [Ant.: *incoercibilidade*.] [F.: *coercível*, sob a f. radical *coercibil-* + *-i-* + *-dade*.]

coercitivo (co:er.ci.*ti*.vo) *a.* **1** Que exerce ou pode exercer coerção, que reprime (normas <u>coercitivas</u>) **2** *Jur.* Que impõe ou tem autoridade para impor pena [F.: Do lat. *coercitus*, pelo fr. *coercitif*.]

coercivo (co.er.*ci*.vo) *a.* **1** Que exerce ou é capaz de exercer coerção, que coage (medida <u>coerciva</u> **2** *Jur.* Que aplica pena **3** *Fís.* Diz-se da propriedade de alguns materiais, como o aço, se magnetizarem e conservarem a força magnética [F.: Do lat. *coercere* (na f. do rad. *coerc-*) + *-ivo*.]

coerdeiro (co:er.*dei*.ro) *sm. Jur.* Cada um dos herdeiros [F.: *co-*[1] + *herdeiro*.]

coerência (co:e.*rên*.ci:a) *sf.* **1** Relação lógica e harmônica entre ideias, atos, situações etc.; LÓGICA; NEXO [+ *com, entre*: *A <u>coerência</u> do depoimento <u>com</u> os fatos reais; A <u>coerência</u> <u>entre</u> o discurso e a prática.*] **2** Qualidade, condição, estado do que tem coerência (1): *Conhecendo suas ideias, é notória a <u>coerência</u> de seus atos.* **3** Lógica interna entre os elementos de um sistema, como entre argumentos, ideias, ações etc., ausência de contradições ou paradoxos entre eles: *Seus textos são todos de uma grande <u>coerência</u>.* **4** Prevalência de uma uniforme maneira de alguém pensar, proceder, julgar etc. **5** *Est.* Num sistema avaliado estatisticamente, propriedade segundo a qual, para um parâmetro aleatório do sistema, tende o sistema para esse parâmetro quando o tamanho da amostra tomada tende para infinito **6** *Fís.* Propriedade de terem ondas eletromagnéticas monocromáticas com o mesmo comprimento de onda diferenças de fase constantes. e de passarem pela mesma região do espaço [F.: Do lat. *cohaerentia*. Ant. ger.: *incoerência*.]

coerente (co:e.*ren*.te) *a2g.* **1** Que tem coesão, ou em que há aderência recíproca **2** Que tem ou em que há coerência, nexo; LÓGICO [+ *com*: *Foi <u>coerente</u> <u>com</u> o que acredita.*] **3** Que age com coerência, de acordo com a lógica ou com seus princípios ou suas ideias, ou suas decisões e escolhas anteriores [+ *com*: *Em seu discurso, foi <u>coerente</u> (<u>com</u> tudo que sempre defendeu.)*] [F.: Do lat. *cohaerens, entis*.]

coesão (co:e.*são*) *sf.* **1** *Fís.* Propriedade que define o grau de união das moléculas ou partículas; AGLUTINAÇÃO **2** Harmonia e equilíbrio entre as partes de um todo ou entre membros de um grupo; UNIDADE: *Não se vê <u>coesão</u> <u>entre</u> os adversários do regime; Falta <u>coesão</u> ao grupo.* **3** Caráter lógico de um discurso, texto etc.; COERÊNCIA: *O advogado mostrou a <u>coesão</u> das provas.* **4** *Ling.* Expressão formal das conexões de sentido que ligam entre si as partes de um texto [Pl.: *-sões*.] [F.: Do lat. cient. *cohaesio*, pelo fr. *cohésion*.]

coesivo (co:e.*si*.vo) *a.* **1** Que se aglutina (solo <u>coesivo</u>) **2** De coesão; que causa coesão (elo <u>coesivo</u>) [F.: *coeso* + *-ivo*.]

coeso (co:*e*.so) [ê ou é] *a.* **1** Que tem coesão, que é unido por coesão (solo <u>coeso</u>; time <u>coeso</u>) **2** Que tem nexo, lógica interna (texto <u>coeso</u>) **3** Que apresenta harmonia entre suas partes; CONCORDE [F.: Do lat. *cohaesus*, part. passado do v. *cohaerere* 'estar unido, ligado, pegado, junto'.]

coesor (co:e.*sor*) [ô] *a.* **1** Que facilita ou permite a coesão (mecanismo <u>coesor</u>) *sm.* **2** *Fís.* Tubo que contém partículas metálicas que se tornam condutoras num campo eletromagnético [Empregou-se esse aparelho como detector de ondas no princípio da telegrafia sem fios (TSF).] [F.: *coeso* + *-or*.]

coestaduano (co:es.ta.du:*a*.no) *a.* **1** Que é do mesmo estado que outro *sm.* **2** Pessoa ou algo que é do mesmo estado que outro [F.: *co-*[1] + *estado* + *-ano*[1].]

coetâneo (co:e.*tâ*.ne:o) *a.* **1** Que é da mesma época de outro (escritores <u>coetâneos</u>); CONTEMPORÂNEO; COEVO [+ *de*: *<u>coetâneo</u> <u>de</u> outra geração de músicos*] **2** Que é da mesma idade do outro *sm.* **3** Aquele ou aquilo que é da mesma época de outro **4** Aquele ou aquilo que é da mesma idade de outro [F.: Do lat. *coetaneus*.]

coevo (co:*e*.vo) [ê] *a.* **1** O mesmo que *coetâneo sm.* **2** O mesmo que *coetâneo* [F.: Do lat. *coaevus*.]

coexistência (co:e.xis.*tên*.ci:a) [z] *sf.* **1** Existência simultânea entre coisas, ou seres, ou entidades etc.: *<u>coexistência</u> de dois subsistemas.* **2** Convívio harmônico e pacífico: *<u>coexistência</u> de culturas.* [+ *entre*: *<u>coexistência</u> <u>entre</u> as partes.*] [+ *com*: *<u>coexistência</u> <u>com</u> outra pessoa.*] [F.: *co-*[1] + *existência*.]

coexistente (co:e.xis.*ten*.te) [z] *a2g.* Que coexiste, que existe simultaneamente (com algo ou alguém também existente): *doença física <u>coexistente</u> com transtorno mental* [F.: *co-*[1] + *existente*.]

coexistir (co:e.xis.*tir*) [z] *v.* Existir ao mesmo tempo e/ou no mesmo lugar [*tr.* + *com*: "A riqueza demasiada de poucos <u>coexiste</u> <u>com</u> a exclusão de muitos." (*Folha de S.Paulo*, 27.11.1999)] [*int.*: *Nas restingas <u>coexistem</u> vários tipos de vegetação*] [▶ 3 coexistir] [F.: *co-*[1] + *existir*.]

⊠ **Cofecon** Sigla de Conselho Federal de Economia

⊠ **Cofen** Sigla de *Conselho Federal de Enfermagem*

cofiar (co.fi.*ar*) *v. td.* Alisar, ameigar (barba, bigode ou cabelo) com a mão [▶ 1 cofiar] [F.: Do fr. *coiffer* 'pentear'.]

⊠ **Cofins** Sigla de Contribuição para o Financiamento da Seguridade Social, tributo federal devido pelas empresas e equivalente a um dado percentual sobre seu faturamento mensal

cofo[1] (co.fo) [ô] *sm.* Cesto bojudo para carregar pescado, caranguejo etc.; SAMBURÁ [Pl.: [ô].] [F.: Do gr. *kóphinos*, pelo lat. *cophinus* 'cesto'.]

cofo[2] (co.fo) [ô] *sm.* Espécie de sapato ou pantufo antigo [F.: De or. obsc.]

cofo[3] (co.fo) [ô] *sm. Ant.* Espécie de escudo de origem persa, muito us. no Oriente, na Antiguidade [F.: Do ár. *quffa*.]

cofre (co.fre) [ó] *sm.* **1** Caixa ou móvel, ger. com segredo na fechadura, próprio para guardar dinheiro, joias etc. **2** Conjunto de recursos financeiros de um governo ou outra entidade (<u>cofres</u> municipais): *<u>cofre</u> das indústrias.* **3** Em banco, instituição financeira etc., casa de moeda etc., recinto fortemente protegido (grandes portas resistentes com segredo, vigilância, alarmes etc.) no qual se guardam valores, dinheiro, objetos preciosos etc.; CAIXA-FORTE **4** *Mec.* Em veículo automotor, compartimento do motor **5** Por metonímia, o conteúdo de um cofre: *Naquele assalto ao banco, os ladrões levaram o <u>cofre</u> inteiro.* **6** *Tip.* Mesa na qual se põe a forma a ser impressa, em impressão plana ou planocilíndrica [F.: Do gr. *kóphinos*, pelo lat. *cophinus*, pelo fr. *coffre*.] ▪ ~ **de carga** Contêiner **~s públicos** O erário

cofre-forte (co.fre-*for*.te) *sm.* Ver *caixa-forte* [Pl.: *cofres-fortes*.]

cofundador (co:fun.da.*dor*) [ô] *sm.* Cada um dos fundadores [Pl.: *-ores*.] [F.: *co-*[1] + *fundador*.]

cogestão (co:ges.*tão*) *sf.* Gestão conjunta [Pl.: *-tões*.] [F.: *co-*[1] + *gestão*.]

cogestor (co:ges.*tor*) [ô] *sm.* Cada um dos participantes na gestão de algo [Pl.: *-tores*.] [F.: *co-*[1] + *gestor*.]

cogitação (co.gi.ta.*ção*) *sf.* **1** Ação ou resultado de cogitar, de refletir; REFLEXÃO **2** Ação ou resultado de imaginar como possível, ou tencionar algo futuro, de conceber projetos, planos etc.; INTENÇÃO; PLANO: *A viagem era somente uma <u>cogitação</u>.* [Pl.: *-ções*.] [F.: Do lat. *cogitatio, onis*.] ▪ **Estar fora de ~** Não ser opção, não ser considerado como possível ou como alternativa

cogitado (co.gi.*ta*.do) *a.* Que se cogitou; PENSADO; PROJETADO; REFLETIDO [Ant.: *incogitado*.] [F.: Part. de *cogitar*.]

cogitar (co.gi.*tar*) *v.* **1** Pensar longa e insistentemente a respeito de; CONSIDERAR; IMAGINAR [*td.*: *<u>Cogitamos</u> um modo de convencê-lo.*] [*tr.* + *de, em, sobre*: *Orgulhoso, nem <u>cogitou</u> <u>em</u> pedir ajuda.*] [*int.*: *Depois de muito <u>cogitar</u>, encontrei uma solução.*] **2** Ter intenção de; PLANEJAR; TENCIONAR [*td.*: *Não <u>cogito</u> sair tão cedo.*] **3** Ficar longa e profundamente concentrado e absorto em pensamentos, reflexões etc.; CISMAR; MEDITAR [*int.*: *Passou a tarde absorto, a <u>cogitar</u>.*] [▶ 1 cogitar] [F.: Do lat. *cogitare*.]

cogitável (co.gi.*tá*.vel) *a2g.* Que se pode imaginar, pensar [Ant.: *incogitável*.] [Pl.: *-áveis*.] [F.: Do lat. *cogitabilis, e*.]

cognação (cog.na.*ção*) *sf.* **1** Parentesco pelo sangue de todos os membros de uma família natural ou civil que tenha um antepassado comum **2** *Gram.* Analogia entre vocábulos cognatos [Pl.: *-ções*.] [F.: Do lat. *cognatio, onis* 'parentesco por consanguinidade'.]

cognato (cog.*na*.to) *sm.* **1** *Gram.* Palavra que tem a mesma raiz que outra(s) (p. ex. *livro* e *livraria*) **2** Parente por cognação *a.* **3** *Gram.* Diz-se de palavra que tem a mesma raiz de outra (vocábulo cognato) **4** Diz-se de parente por cognação (parente cognato) [F.: Do lat. *cognatus*.] ▪ **Falsos ~s** *Ling.* Ver *Falsos amigos*, no verbete *amigo*

cognição (cog.ni.*ção*) *sf.* **1** Ação ou resultado de ter ou adquirir conhecimento **2** Capacidade ou processo de adquirir e assimilar percepções, conhecimentos etc.: *a cognição da realidade.* **3** *P. ext.* Esse conhecimento, ou essa percepção **4** *Jur.* Fase em processo judicial de uma demanda na qual o juiz toma conhecimento do pedido, da defesa e das provas e decide [Em contraposição à fase de execução.] **5** *Psi.* Conjunto dos processos da mente envolvidos na percepção, na representação, no pensamento, nas associações e lembranças etc. **6** *Psi.* Uma das três funções mentais básicas (afeto, cognição e volição) [Pl.: *-ções*.] [F.: Do lat. *cognitio, onis*.]

cognitivismo (cog.ni.ti.*vis*.mo) *sm. Fil.* Conjunto de concepções psicológicas que têm por objeto principal o estudo dos processos de aquisição dos conhecimentos e de tratamento das informações [F.: *cognitivo* + *-ismo*.]

cognitivista (cog.ni.ti.*vis*.ta) *a2g.* **1** Do cognitivismo ou relativo a ele (teoria cognitivista; texto cognitivista) *s2g.* **2** *Fil.* Pessoa adepta do cognitivismo: *Para um cognitivista, os juízos morais são asserções.* [F.: *cognitivo* + *-ista*.]

cognitivo (cog.ni.*ti*.vo) *a.* **1** Ref. à cognição, capacidade de aquisição de conhecimento, ou ao conhecimento: *desenvolvimento cognitivo humano.* **2** Ref. à função e ao processo mental do tratamento das informações (percepção, memória, raciocínio etc.) **3** *Psi.* Ref. aos processos da mente envolvidos na percepção, na representação, no pensamento, nas associações e lembranças, na solução de problemas etc. [F.: Do lat. *cognitus* + *-ivo*.]

cógnito (*cóg*.ni.to) *a. Ant.* Conhecido, sabido: "Na terra do obsequente ajuntamento, / Se foi o Mouro ao cógnito aposento." (Luís Vaz de Camões, *Os Lusíadas, Canto I, Parte II, estrofe 72*) [F.: Do lat. *cognitus, a, um*.]

cognome (cog.*no*.me) *sm.* Denominação (às vezes de caráter qualificativo, positivo ou depreciativo) que se dá a algo, ou alguém, ou um grupo etc., como epíteto, como extensão ou substituição de sua designação comum, de seu nome próprio etc.; ALCUNHA; APELIDO; ANTONOMÁSIA [F.: Do lat. *cognomen*.]

cognominado (cog.no.mi.*na*.do) *a.* Que recebeu cognome; APELIDADO; ALCUNHADO [F.: *cognominar* + *-ado*[1].]

cognominar (cog.no.mi.*nar*) *v. td.* Designar (algo ou alguém, inclusive si mesmo) por cognome; dar cognome a; ALCUNHAR: *A imprensa cognominou o atleta (de) "filho do vento"; O grupo cognominou-se (de) Turma Dez.* [▶ 1 cognominar] [F.: Do lat. *cognominare*.]

cognoscente (cog.nos.*cen*.te) *a2g.* **1** Que conhece, que toma conhecimento: *O conhecimento reside na mente do sujeito cognoscente.* *s2g.* **2** Sujeito cognoscente: *O cognoscente tem autonomia no processo de construção de seu conhecimento.* [F.: Do lat. *cognoscens, entis*, part. presente de *cognoscere* 'conhecer, tomar conhecimento'.]

cognoscível (cog.nos.*cí*.vel) *a2g.* Que se pode conhecer (antecedentes cognoscíveis); CONHECÍVEL [Pl.: *-veis*.] [F.: Do lat. *cognoscibilis*.]

cogote (co.go.te) [ó] *sm. Pop.* Parte de trás da cabeça; CACHAÇO; CANGOTE; CERVIZ; NUCA [F.: Do espn. *cogote*.]

cogula (co.*gu*.la) *sf.* Túnica larga, ger. com capuz, us. por monges de certas ordens monásticas: "...Deu-se pressa em enfiar a cogula beneditina..." (Machado de Assis, *"A Igreja do Diabo" Histórias sem Data*) [F.: Do lat. tardio *cuculla* 'capa com capucho'.]

cogular (co.gu.*lar*) *v. td.* **1** Encher (recipiente, medida) um pouco além de sua capacidade, formando cogulo; o mesmo que *acogular* **2** *P. ext.* Encher (algo) completamente; ABARROTAR [▶ 1 cogular] [F.: *cogulo* + *-ar*[2]. Hom./Par.: *cogula* (3ª p. s.), *cogulas* (2ª p. s.), *cogula* (sf. [pl.]); *cogulo* (1ª p. s.), *cogulo* (sm.).]

cogulo (co.*gu*.lo) *sm.* **1** Porção de algo (seco, como grãos, produto em pó, areia etc.) que na tomada de medida a excede, ultrapassando as bordas do medidor, formando pequena elevação **2** *P. ext.* Aquilo que excede de uma quantidade, diferença para mais de uma quantidade em relação a outra; EXCESSO [F.: Do lat. *cucullus* (como em *cuculo*).]

cogumelo (co.gu.*me*.lo) *sm.* **1** *Bot.* Nome comum a diversas plantas celulares ou criptógamas, formadas pela frutificação de fungos; constituem dezenas de famílias; muitos são comestíveis, alguns são venenosos ou alucinógenos **2** *Mar.* Ventilador cujo tubo de exaustão tem forma de cogumelo [F.: Do lat. *cucumellum*, dim. de *cucuma* 'caldeirão', 'banheira pequena'.]

⊠ **COI** Sigla de Comitê Olímpico Internacional

coibição (co:i.bi.*ção*) *sf.* Ação de coibir; IMPEDIMENTO; PROIBIÇÃO; REPRESSÃO: *coibição do trabalho forçado.* [Ant.: *consentimento, permissão*.] [Pl.: *-ções*.] [F.: Do lat. *cohibitio, onis*.]

coibido (co:i.*bi*.do) *a.* **1** Que se coibiu; PROIBIDO; REPRIMIDO [Ant.: *consentido, permitido*.] *sm.* **2** Objeto de coibição [F.: Part. de *coibir*.]

coibidor (co:i.bi.*dor*) [ô] *a.* **1** Que coíbe, repressor (agente coibidor) [Pl.: *-ores*. Fem.: *-ora*.] *sm.* **2** O que coíbe [F.: *coibir* + *-dor*.]

coibir (co.i.*bir*) *v.* **1** Fazer parar, reprimir; impedir que continue [*td.*: *coibir o aumento abusivo de preços.*] **2** Impedir, proibir (alguém) de (fazer algo) [*tdr.* + *de*: *O médico coibiu-o de fumar.*] [*td.*: *Queria falar, mas a insegurança o coibia.*] **3** Reduzir, restringir [*td.* / *tdr.* + *a*: *A Constituição coíbe as decisões do presidente (aos limites da lei).*] **4** Conter-se, reprimir-se [*td.* / *tdr.* + *de*: *Aprendeu a coibir-se (de discutir inutilmente).*] **5** Abster-se, privar-se [*tdr.* + *de*: *coibir-se de viagens para economizar; Coibiu-se de tomar posição sobre o assunto.*] [▶ 54 coibir] [F.: Do lat. *cohibere*.]

coibitivo (co:i.bi.*ti*.vo) *a.* Que coíbe (medida coibitiva); IMPEDITIVO; REPRESSIVO [Ant.: *estimulado, permitido*.] [F.: *coibido*, sob a f. radical *coibit-* + *-ivo*.]

coice (*coi*.ce) *sm.* **1** Golpe com as patas traseiras, dado por cavalo, burro etc.; PATADA **2** Recuo de arma de fogo no instante do disparo **3** *Fig.* Atitude grosseira; ESTUPIDEZ: *Mal-humorado, só responde com coices.* [F.: Do lat. *calx, cis*, 'pé dos homens e dos animais'. A f. *couce* embora mais ant. é muito pouco usada contemporaneamente.] ▪ **~ da porta** A parte da porta onde se fixam as dobradiças

coiceira (coi.*cei*.ra) *sf.* **1** Parte da porta onde se fixam as dobradiças; COICE; COICE DA PORTA **2** Soleira, limiar [F.: *coice* ou *couce* + *-eira*.]

coiceiro (coi.*cei*.ro) *a.* **1** Que habitualmente dá coices (jumento coiceiro) **2** *Fig.* Que é dado a fazer grosserias, a falar de modo grosseiro com as pessoas [F.: *coice* ou *couce* + *-eiro*.]

coifa (*coi*.fa) [ô] *sf.* **1** Espécie de chaminé, com ou sem exaustor, em forma de campânula para eliminação de vapores, fumaça, gordura, ar aquecido etc., acima de fogão, aquecedor a gás (em laboratório) etc. **2** Touca feminina tecida em rede **3** *P. ext.* Qualquer tecido ou malha com que se envolve algo **4** *Mec.* Acessório para veículos onde se embute a alavanca de câmbio e de freio **5** *Enc.* Curvatura nas extremidades da lombada de um livro **6** *Bot.* Espécie de bainha que protege ápice da raiz de uma planta **7** *Mar. G.* Cobertura da espoleta na ogiva de projetil ou obuz que lhes permite perfurar blindagens **8** *Desus. Obst.* Parte da membrana que às vezes cobre a cabeça do feto em seu nascimento [F.: Do lat. tardio *cofia*, de origem germânica.]

coífero (co.*í*.fe.ro) *a.* Que apresenta formato de coifa [F.: *coif(a)* + *-ero*.]

coima (*coi*.ma) [ô] *sf.* **1** Pena pecuniária imposta a quem comete pequenos furtos, ou a dono de animais que pastam sem licença em propriedade alheia; PENALIDADE **2** *P. ext.* Qualquer multa ou pena pecuniária **3** Imputação de culpa, erro, responsabilidade **4** *RS* Rodada no jogo da tava [F.: Do lat. *calumnia* 'acusação falsa ou injusta', 'fraude'.]

coimbrão (co:im.*brão*) [o-im] *sm.* **1** Pessoa nascida ou que vive em Coimbra (Portugal) *a.* **2** De Coimbra, típico dessa cidade ou de seu povo [Pl.: *ãos*. Fem.: *ã*] [F.: Do lat. lusitânico *colimbrianus*.]

coinchar (co.in.*char*) *v.* Grunhir (o porco); GUINCHAR [▶ 1 coinchar] [F.: De or. onom.]

coincho (co*in*.cho) [o-in] *sm.* Som emitido pelos suínos; CUINCHO, GRUNHIDO: "Logo que ouvir grunhido ou coincho faça fogo." (Coelho Neto, *Vida Mundana*) [F.: Dev. de *coinchar*.]

coincidência (co:in.ci.*dên*.ci:a) *sf.* **1** Concorrência casual (e supostamente improvável) no tempo e/ou no espaço de fatos, presenças, situações etc. que têm alguma relação entre si: *Foi a maior coincidência nos encontrarmos.* **2** Situação em que situações, fatos, condições etc. acontecem ao mesmo tempo, no mesmo lugar ou às mesmas pessoas: *Devido à coincidência de horários não poderei ir à sua peça.* **3** Similaridade, identidade ou igualdade entre ideias, fatos, situações, opiniões, intenções etc.: *A coincidência de interesses uniu-os.* [+ *com, entre*: *coincidência de teorias antigas com novas descobertas; coincidência entre certas declarações.*] **4** Concorrência de fatos ou circunstâncias para o mesmo fim ou objetivo: *Essa coincidência de fatores agilizou a realização do projeto.* [F.: *coincidir* + *-ência*.]

coincidente (co:in.ci.*den*.te) *a2g.* Que coincide [+ *com*: *opiniões coincidentes com as nossas.*] [F.: *coincidir* + *-ente*, ou do lat. medv. *coincidens, entis* (part. pres. do v. *coincidere*.]

coincidir (co:in.ci.*dir*) *v.* **1** Suceder, acontecer ao mesmo tempo [*tr.* + *com*: *A descoberta da bússola coincidiu com a da pólvora.*] [*int.*: *Os dois cursos coincidirão.* O uso intransitivo pressupõe reciprocidade da regência tr: *Os dois cursos coincidirão* equivale a *um curso coincidirá com o outro.*] **2** Ser idêntico em formas, em dimensões; ajustar-se perfeitamente (uma linha ou superfície sobre outra) [*int.*: *Os retângulos não precisavam coincidir.*] [*tr.* + *com*: *Essa assinatura coincide com a dele.*] **3** Estar em concordância; estar de acordo com (algo); CONCORDAR; CONDIZER [*int.*: *Os resultados dos exames dos dois laboratórios coincidiram.*] [*tr.* + *com, em*: *A declaração do segurança não coincidiu com a do vigia; Os médicos coincidiram na avaliação do quadro.*] **4** Encontrar-se num mesmo ponto [*ta.*: *Os pontos x e y coincidem no mesmo plano.*] **5** Acontecer, ocorrer [*td.*: *Coincidiu que, em pouco tempo, viajaria de novo.*] [▶ 3 coincidir] [F.: Do lat. medv. *coincidere*.]

coinstrução (coins.tru.*ção*) *sf.* Instrução conjunta [Pl.: *-ções*.] [F.: *co-* + *instrução*.]

coió (coi.*ó*) *sm.* **1** *Bras. Zool.* Peixe (*Dactylopterus volitans*) teleósteo do Atlântico, com grandes nadadeiras peitorais, que, quando atacado, abre-as como se fossem asas para amedrontar o inimigo; ver tb. *peixe-voador* **2** *Zool.* Peixe (*Exocoetus volitans*) teleósteo, de água profundas, com grandes nadadeiras peitorais; tb. chamado *voador* e *peixe-voador* **3** Indivíduo tolo, bobo, coió (5) **4** Certo tipo de assobio que se dirige, como galanteio, a uma mulher: *Assobiou coió, mas ela fingiu não ouvir.* **5** *BA* Cabana, barraco ou palhoça com um cômodo só *a2g.* **6** *Pop.* Que é bobo, tolo, ridiculamente ingênuo [F.: posv. de origem indígena.]

coiote (coi.o.te) [ó] *sm. Zool.* Mamífero da fam. dos canídeos (*Canis latrans*), similar ao lobo, porém menor, encontrado nas Américas do Norte e Central [F.: Do náuatle *coyotl*, pelo espn. (México) *coyote*.]

coirmã (co:ir.*mã*) *sf.* **1** Cada uma das filhas de um irmão ou irmã em relação aos do outro irmão ou irmã **2** Cada sociedade ou empresa de um mesmo grupo ou com afinidades entre si [F.: *co-*[1] + *irmã*.]

coirmão (co:ir.*mão*) *a.* **1** Que é primo em primeiro grau **2** Que pertence ao mesmo grupo ou tem interesses em comum (emissoras coirmãs) *sm.* **3** O primo em primeiro grau [Pl.: *-mãos*. Fem.: *-mã*.] [F.: *co-*[1] + *irmão*.]

coiro (*coi*.ro) *sm.* Ver *couro*

coisa (*coi*.sa) *sf.* **1** Tudo que existe ou pode existir: *qualquer coisa desse mundo.* **2** Qualquer ser inanimado, sem vida ou objetos: *as pessoas e as coisas.* **3** Fato real ou palpável; acontecimento: *A coisa se passou como relatei.* **4** Aquilo sobre o que se conversa, se escreve, fala, pensa etc.; assunto ou ideia: *Por um instante, passou uma coisa muito estranha na sua cabeça; Conversavam sobre qualquer coisa.* **5** Aquilo que é de seu interesse ou do de alguém; NEGÓCIO: *Deixou o emprego para cuidar das coisas da família.* **6** O que não se conhece; mistério: *Há coisas aí que precisamos desvendar.* **7** Vinculação ou ligação de alguma ordem entre pessoas; relação: *Naquela época ainda não havia coisa alguma entre nós.* **8** *Pop.* Indisposição repentina e indeterminada; TROÇO: *De repente ficou pálido e teve uma coisa.* *sm.* **9** *Pop.* O diabo [Trata-se de palavra-ônibus us. em lugar de qualquer objeto, fato, acontecimento, sentimento ou sensação etc.] [F.: Do lat. *causa, ae*, 'causa'; 'razão, motivo' etc. A f. *cousa*, embora mais ant., é contemporaneamente muito pouco usada.] ▪ **Aí é que a ~ fia fino** Ver *Agora/aí é que são elas*, no verbete *ela* **Alguma ~** Um pouco, um tanto: *Estava alguma coisa inquieto.* **~ de** Cerca de, aproximadamente: *Passou por aqui há coisa de dez minutos.* **~ do arco da velha** Coisa espantosa, inacreditável **~ em si** *Hist. FIl.* Segundo o filósofo Kant, o que subsiste, independentemente de ser (e de como é) representado, e que é causa dos fenômenos **~ julgada** *Jur.* Sentença definitiva e irrecorrível, após esgotados todos os recursos impetrados contra ela **~ pública** Os negócios ou os interesses do Estado, ou da sociedade **~s e loisas** Mistura de coisas várias, assuntos vários **Coisíssima nenhuma** **1** De maneira alguma, de jeito nenhum: *Não vou fazer isso coisíssima nenhuma.* **2** Absolutamente nada: *Prometeu mundos e fundos e não fez coisíssima nenhuma.* **E lá vai ~** *Bras. Fam.* Expressa arredondamento, algum acréscimo a grandeza mencionada: *Ganhou 800 reais e lá vai coisa.* **Grande ~** Expressão interjetiva que atribui a fato ou circunstância o oposto de seu significado literal, ou seja, a característica de ser pouco importante, insignificante: *– Fiz cem abdominais. – Grande coisa, eu faço duzentas todo dia.* **Não dizer ~ com ~** Falar sem nexo, sem coerência **Não fazer ~ com ~** Agir sem método ou coerência, confusamente, disparatadamente **Não ser lá grande ~** Não ter muito valor ou mérito, não ser de boa qualidade **Saber das ~s** Estar bem informado, ser entendido (em algo), estar por dentro **Uma ~** **1** *Bras. Fam. Pop.* Algo com qualidade positiva (bonito, bom, agradável, valioso etc.): *O concerto foi uma coisa, saímos entusiasmados!* **2** Sensação indescritível: *Senti uma coisa e quase desmaiei.* **3** Algo com qualidade negativa (feio, ruim, desagradável etc.): *Este time está uma coisa, não ganha uma!*

coisa à toa (coi.sa à *to*.a) *sf.* Coisa sem importância, insignificância [Pl.: *coisas à toa*.]

coisa em si (coi.sa em *si*) *sf. Fil.* No Kantismo, a realidade como ela é, destituída da experiência [Pl.: *coisas em si*.]

coisa-feita (coi.sa-*fei*.ta) *sf.* **1** *Bras.* Ver *bruxaria* (2 e 5) **2** Situação confusa, com gritaria, agitação, desordem etc.; REBU; ROLO [Pl.: *coisas-feitas*.]

coisama (coi.*sa*.ma) *sf.* Quantidade significativa de coisas [F.: *coisa* + *-ama*.]

coisar (coi.*sar*) *Bras. Pop. v.* Verbo us. em lugar de qualquer outro verbo que o falante desconhece, não lembra ou prefere não dizer [*td.*: *Coisa logo essa marcha!*] [*int.*: *Meu computador não está coisando.*] [▶ 1 coisar] [F.: *coisa* + *-ar*[2]. Hom./Par.: *coisa(s)* (fl.), *coisa(s)* (sf. [pl.]).]

coisa-ruim (coi.sa-ru:*im*) *sm. Pop.* Diabo, capeta [Pl.: *coisas-ruins*.]

coisificação (coi.si.fi.ca.*ção*) *sf. Fil.* Transformação dos seres humanos, suas propriedades, relações e ações, em seres semelhantes a coisas, que se comportam de acordo com as leis do universo das coisas; REIFICAÇÃO [Pl.: *-ções*.] [F.: *coisificar* + *-ção*.]

coisificar (coi.si.fi.*car*) *v. td.* Reduzir (o ser humano ou sua consciência) a simples coisa ou algo que tem somente valor material [▶ 11 coisificar] [F.: *coisa* + *-ificar*.]

coitado (coi.*ta*.do) *sm.* **1** Pessoa digna de pena: *O coitado não tem o que comer.* *a.* **2** Que é digno de pena: "...mas sua entrada a essa altura seria constrangedora para o coitado do rapaz..." (Ana Maria Machado, *Texturas*) [É mais comum essa forma, na qual o adjetivo precede o substantivo e é seguido da preposição *de*.] *interj.* **3** Usado para exprimir pena, compaixão: *Coitado! Tropeçou no banco e machucou a perna; Ele é muito ingênuo, coitado! Vão tirar tudo dele.* [F.: *coit(ar)* + *-ado*.]

coité (co:i.*té*) *sm.* **1** *Bot.* Árvore da fam. das bignoniáceas (*Crescentia cujete*), de cujos frutos se fazem cuias e cabaças;

CUIEIRA; CUITÉ **2** *P. ext.* Pequena cuia feita desse fruto; CUITÉ [F.: Do tupi *cúi-etê.*]

coiteiro (coi.*tei*.ro) *sm.* **1** Indivíduo que guarda couto, ou coutada, terra onde é proibida a caça, ou a entrada de estranhos **2** *N. E.* Aquele que dá asilo, coito a bandidos, que os protege [F.: *couto* + *-eiro.*]

coito[1] (*coi*.to) [ô] *sm.* Ato sexual; CÓPULA [F.: Do lat. *coitus* 'união', 'junção', 'casamento'.]

coito[2] (*coi*.to) *sm.* **1** *Ant.* O mesmo que *couto* (1) (terra ou território...) **2** O mesmo que *couto* (2) (local de refúgio...) **3** O mesmo que *couto* (3) (lugar de abrigo...); ASILO; VALHACOUTO [F.: Var. de *couto.*]

coito[3] (*coi*.to) *sm.* Certa medida antiga, posv. equivalente ao *côvado* [F.: Posv. alteração de *côvado.*]

coivara (coi.*va*.ra) *sf.* **1** Conjunto de galhos e ramagens remanescentes de queimada na roça, e que se queima para limpar o terreno ao mesmo tempo que se o aduba com as cinzas: "...Grande parte foi a coivara que simplesmente se desmanchou em monturo..." (Gilberto Freyre, *A Cana e a Mata*) **2** *MA* Conjunto de galhos e ramagens que descem os rios nas cheias [F.: Posv. do tupi.]

◎ **-cola**[1] *el. comp.* = 'que cultiva, cuida ou se dedica a'; 'que vive ou habita em'; 'que cresce, medra em'; 'que adora, ama': *agrícola* (< lat.), *apícola, aranícola, avícola, enícola, oleícola, vinícola, vitícola; aerícola, agarícícola, algícola, altícola, andícola, arborícola, arenícola, calcícola, caulícola, cavernícola, flutícola* (< lat.), *fontícola, fungícola, lignícola* (< lat.), *montícola* (< lat.), *radicícola, rupícola, silvícola* (< lat.), *terrícola* (< lat.); *hominícola, ignícola, publícola* [F.: Do lat. *-cola, ae,* do v.lat. *colere,* 'cultivar'; 'cuidar'; 'tratar'; 'habitar'; 'prosperar'.]

◎ **-cola**[2] *el. comp.* Ver *col(a)-*

◎ **col(a)-** *el. comp.* = 'gelatina'; 'substância que adere ou faz aderir'; 'goma': *colágeno, colênquima; glicocola.* [F.: Do gr. *kólla, es.*]

cola[1] (*co*.la) [ó] *sf.* **1** Substância aglutinante com que se ligam materiais como madeira, pano, papel, couro, metal, dependendo dos compostos químicos nela empregados; GOMA; GRUDE **2** *Bras. Pop.* Cópia fraudulenta, imediata ou previamente preparada, para as respostas exigidas em provas ou exames prestados por estudante **3** *P. ext.* Papel ou material em que essa cópia foi escrita: *Ela trouxera a cola presa a uma liga no meio da coxa.* **4** *Bras.* Plágio [F.: Do gr. *kólla.* Hom./Par.: *cola* (fl. de *colar*).]

cola[2] (*co*.la) *sf.* **1** *Ant.* Cauda ou rabo de animal **2** Vestígio da passagem de homem ou animal por algum lugar; rastro [F.: Do lat. vulg. *coda,* pelo espn. *cola.* Hom./Par.: *cola* (fl. de *colar*).] ■ **Andar na ~ de alguém** *Bras. Pop.* Seguir alguém, ir na pista de alguém **Bater com a ~ na cerca** *S. Pop.* Morrer

cola[3] (*co*.la) *sf.* **1** *Bot.* Nome comum às árvores do gên. *Cola,* da fam. das esterculiáceas, nativas da África, cultivadas por suas sementes, ricas em alcaloides, chamadas de noz-de-cola **2** *Bot.* Coleira **3** *Bot.* Noz-de-cola **4** Bebida refrigerante que contém noz-de-cola ou seu equivalente sintético [F.: Posv. de um idioma africano antigo.]

cola[4] (*co*.la) [ó] *sm.* Vento forte que sopra nas costas das Filipinas [F.: De or. obsc.]

cola[5] (*co*.la) [ó] *sf.* *BA* Entre os malês, circuncisão [F.: De or. obsc.]

colabado (co.la.*ba*.do) *a.* *Med.* Arruinado, prejudicado (pulmão colabado) [F.: Part. de *colabar.*]

colabar (co.la.*bar*) *v. td. int. Pat.* Sofrer ou acarretar aluimento (órgão ou estrutura de orgão) [▶ 1 colabar] [F.: Do lat. *collabare.*]

colaboração (co.la.bo.ra.*ção*) *sf.* **1** Ação ou resultado de colaborar, de prestar ajuda em algo, de participar na realização de algo; COOPERAÇÃO: *O projeto é fruto de uma colaboração entre as equipes.* [+ *com*: *A colaboração dos moradores com a Prefeitura deu bons resultados.*] **2** Aquilo que se faz em conjunto, com ajuda mútua: *A limpeza do parque foi uma colaboração dos moradores do bairro.* **3** Aquilo que (ideia, trabalho, tarefa, doação etc.) contribui para a execução de algo; AJUDA: *Vou precisar da colaboração de todos.* [+ *em, para*: *Foi fundamental sua colaboração na pesquisa.; Pediram a colaboração de todos para a melhoria dos serviços.*] **4** Artigo ou participação em jornal, revista (por alguém que não consta no corpo fixo de redatores), obra literária ou científica **5** O conjunto das colaborações (4) de uma obra [Pl.: *-ções.*] [F.: *colaborar* + *-ção.*]

colaboracionismo (co.la.bo.ra.ci.o.*nis*.mo) *sm.* Apoio logístico dado por indivíduo ou facções de um país a tropas estrangeiras invasoras [F.: *colaboração* sob a f. radical *colaboracion-* + *-ismo.*]

colaboracionista (co.la.bo.ra.ci:o.*nis*.ta) *a2g.* **1** Que apoia ou colabora com as forças inimigas que ocupam seu país *s2g.* **2** Pessoa que apoia ou colabora com o inimigo que está ocupando o seu país à força [F.: *colaboração* (na forma rad. *colaboracion-*) + *-ista,* ou do fr. *collaborationiste.*]

colaborador (co.la.bo.ra.*dor*) [ô] *a.* **1** Que colabora, que ajuda pessoa ou grupo num trabalho qualquer **2** Que ajuda outra pessoa a exercer a sua função **3** Que escreve artigos para jornal e outras publicações sistematicamente, sem pertencer a seu quadro de redatores ou colunistas *sm.* **4** Indivíduo ou grupo que ajuda num trabalho qualquer **5** Aquele que ajuda outra a exercer suas funções **6** Quem escreve para periódicos regularmente, sem pertencer a seu quadro permanente de redatores ou colunistas [F.: *colaborar* + *-dor.*]

colaborar (co.la.bo.*rar*) *v.* **1** Prestar ajuda, auxílio, numa tarefa, trabalho, ação etc.; AJUDAR; COOPERAR [*tr.* + *com, em, para*: *Queremos colaborar para a/ na campanha do agasalho.*] [*int.*: *Ser solidário não é só simpatizar, o importante é colaborar.*] **2** Ter parte em (certo resultado); contribuir para; PARTICIPAR [*tr.* + *com, em*: *A ingestão de bebidas alcoólicas colabora para aumentar os acidentes.*] **3** Escrever, contribuir com material para (periódicos, livros, obras de referência ou científicas etc.) [*tr.* + *com, em, para*: *Ele colabora no semanário do colégio; Colaborou com vários verbetes (para o dicionário).*] **4** Trabalhar com uma ou mais pessoas numa obra ou projeto, esp. literário ou científico [*tr.* + *com, em*: *Colaborou na criação da revista; A população colaborou com o prefeito na construção da creche.*] [▶ 1 colaborar] [F.: Do lat. *collaborare.*]

colaborativo (co.la.bo.ra.*ti*.vo) *a.* Que envolve colaboração (trabalho colaborativo; espaço colaborativo) [F.: *colaborado* (part. de *colaborar*) sob a f. rad. *colaborat-* + *-ivo.*]

colação (co.la.*ção*) *sf.* **1** Ação ou resultado de colar **2** Concessão de título, grau, direito, ou benefício eclesiástico: *a colação de grau dos formandos; colação de bens.* **3** Comparação, cotejo de uma cópia de um texto com o original, ou desse orignal e sua(s) cópia(s) com suas edições, para identificar a edição adequada **4** Refeição leve, ger. fora da hora normal (como a que faziam monges beneditinos após a leitura das *Collationes*), ou a que se faz após um dia de jejum **5** *Bibl.* Registo, num catálogo de livros, das características físicas de um deles, tais como número de tomos, formato, número de páginas etc. **6** *Jur.* Restituição que herdeiros legítimos fazem à massa da herança de valores que tenham recebido anteriormente, para assim se poder fazer a partilha como legada [Pl.: *-ções.*] [F.: Do lat. *collatio, onis.*] ■ **Trazer à ~** Trazer à baila, mencionar a propósito, referir

colacionar (co.la.ci:o.*nar*) *v. td.* **1** *Bibl.* Fazer a colação, o confronto de cópia de manuscrito com o original: "O manuscrito existia em imperfeitas cópias e era preciso colacioná-las..." (João Ribeiro, *Colmeia*) **2** Fazer a colação, o cotejo de: *colacionar assinaturas.* **3** *Art. Gr.* Examinar cuidadosamente, antes da costura, se os cadernos de um livro estão em ordem; REVISAR: *colacionar livros.* **4** *Jur.* Devolver ou entregar bens ou seus respectivos valores à colação: *colacionar bens.* [▶ 1 colacionar] [F.: *colação* + *-ar*[2].]

colaço (co.*la*.ço) *a.* **1** Diz-se de indivíduo em relação a outro que, sem ser seu irmão, foi amamentado pela mesma mulher: "...Tratam-se como irmãos: serão colaços?..." (D. Francisco Manuel de Melo, *Feira dos Anexins*) *sm.* **2** Indivíduo que, sem ser irmão da outro, foi amamentado pela mesma mulher [F.: lat. *collacteus.*]

coladeira (co.la.*dei*.ra) *sf.* Instrumento ou máquina us. para espalhar cola sobre uma superfície que se queira aderir a outra [F.: *colado* + *-eira.*]

colado (co.*la*.do) *a.* **1** Que se fixou com cola, grudado (máscara de papel colado) **2** Apertado, justo (vestido colado) **3** Bem junto um do outro: *Romântica, gostava mesmo era de dançar de rosto colado.* **4** Junto de, acompanhado de: *José só existe colado em Fernando.* **5** Preso, fixo: *Queria correr, mas sentia-se colado ao chão.* **6** Rente a, bem junto de: *O braço estava colado ao corpo.* [F.: Part. de *colar.*]

colador (co.la.*dor*) [ô] *sm.* **1** Profissional que cola cartazes publicitários em *outdoors*: *As folhas numeradas facilitam o trabalho do colador.* **2** O que cola *a.* **3** Ref. ao que cola (substância coladora) [F.: *cola(r)* + *-dor.*]

colagem (co.*la*.gem) *sf.* **1** Ação ou resultado de colar **2** *Art. Plást.* Composição artística feita a partir da seleção e coordenação de elementos ou fragmentos de diferentes materiais, de diversas origens, em que se colocam superpostos ou lado a lado recortes, fotos etc. **3** Processo de moldagem de peças de cerâmica ao se verter num molde uma mistura fluida de pasta **4** *Enol.* Depuração de vinho mediante adicionamento de cola, na qual aderem e precipitam-se as impurezas [Pl.: *-gens.*] [F.: Na acp. 1, *cola*[1] + *-agem*[2]; nas acps. 2 a 4, do fr. *collage.*]

colágeno (co.*lá*.ge.no) *sm.* *Bioq.* Proteína presente nos tecidos conjuntivos de animais (pele, tendão, osso, cartilagem etc.); COLAGÊNIO [F.: *col(a)-* + *-geno.*]

colagista (co.la.*gis*.ta) *s2g.* Artista plástico que trabalha com colagens [F.: *colag(em)* + *-ista.*]

colagogo (co.la.*go*.go) [ô] *Med. a.* **1** Que excita a secreção de bílis *sm.* **2** Medicamento colagogo [F.: Do gr. *kholagogós, ós, on,* 'que expele a bílis'; ver *col(e)-* e *-agogo.*]

colangiografia (co.lan.gi:o.gra.*fi*.a) *sf.* *Med.* Exame radiográfico dos dutos biliares [F.: *col(e)-* + *-angi(o)-* + *-grafia.*]

colangite (co.lan.*gi*.te) *sf.* *Med.* Inflamação de um ou mais de um duto biliar [F.: *col(e)-* + *-angi(o)-* + *-ite*[1].]

colante (co.*lan*.te) *a2g.* **1** Que cola, adere; ADERENTE; GRUDENTO **2** Diz-se de roupa justa, feita com tecido que adere ao corpo (vestido colante, calça colante) [F.: *colar*[3] + *-nte.*]

colapsar (co.lap.*sar*) *v.* **1** Provocar ou sofrer colapso [*td.*] **2** *Pat.* Sofrer colapso físico ou mental, cair em estado de prostração profunda ou desfalecer, por perda ou interrupção das energias vitais [*int.*] **3** *Med.* Perder as forças, desmaiar por insuficiência circulatória ou respiratória **4** *Fig.* Passar a desintegrar-se, arruinar-se; DECOMPOR(-SE): [*int.*: *Seu reinado/sua política econômica colapsou.*] [▶ 1 colapsar] [F.: *colaps(o)* + *-ar*[2].]

colapsível (co.lap.*sí*.vel) *a2g.* **1** *Geol.* Desmoronável, sujeito a depressão ou afundamento (solo colapsível) **2** Que se desmonta, dobradiço, dobrável (poltrona/coluna de direção/pedal de freio colapsível) **3** Que se arruína [Pl.: *-veis.*] [F.: Do ing. *collapsible* 'id', de *to collapse* 'ruir, desmoronar-se', do lat. *collapsus,* part. passado de *collabi* 'cair, arruinar-se'. Cf. *colabar.*]

colapso (co.*lap*.so) *sm.* **1** *Pat.* Achatamento anormal das paredes de uma estrutura ou de um órgão do corpo **2** *Med.* Falência do sistema nervoso ou circulatório, com diminuição súbita de energia, prostração etc.; síncope (colapso cardíaco) **3** *Fig.* Estado de crise, paralisação, ruína, desmoronamento ou extinção de algo: *Tomaram-se medidas para evitar um colapso econômico; No segundo tempo o time entrou em colapso e sofreu uma goleada.* **4** *Bot.* Perda da turgescência em tecido vegetal [F.: Do lat. *collapsus,* pelo fr. *collapse.* Hom./Par: *colapso* (fl. de *colapsar*).] ■ **~ circulatório** *Pat.* Interrupção ou falha da circulação sanguínea **~ nervoso** *Pop. Psiq.* Crise aguda, psicológica ou psíquica (esp. depressão) **~ pulmonar** *Pat.* Ausência de expansão pulmonar por obstrução dos brônquios, pneumotórax etc.

colar[1] (co.*lar*) *sm.* **1** Ornato ger. us. em volta do pescoço, em forma de cadeia ou de uma fieira (4) de pequenos objetos, contas, gemas etc.: *colar de pérolas* **2** Cadeia de ouro esmaltado usada por cavaleiros de certas ordens **3** Colarinho, gola **4** Parte do pescoço do boi que constitui a base da cabeça **5** Sinal natural em torno do pescoço de um animal **6** *Pop.* Laço corredio em corda para estrangular alguém **7** *P. ext. Fig.* Opressão, sumissão, jugo [F.: Do lat. *collare, is.* Hom./Par.: *colar* (v.).]

colar[2] (co.*lar*) *v.* **1** Receber (título, grau) ao terminar curso superior [*td.*: *Colo grau em janeiro.*] **2** Investir (alguém) na posse de cargo, função, grau etc.; EMPOSSAR [*tdr.* + *em.*: *O conselho decidiu colar o decano dos catedráticos na reitoria.*] **3** *Ecles.* Nomear para benefício eclesiástico vitalício [*td.*] [▶ 1 colar] [F.: Formado a partir de *colação.* Hom./Par.: *cola(s)* (fl.), *cola(s)* (sf. [pl.]); *colar (es)* (fl.), *colar (es)* (sm. [pl.]); *colo* (fl.), *colo* (sm.).]

colar[3] (co.*lar*) *v.* **1** Fazer aderir ou aderir com cola; GRUDAR [*td.*: *colar a capa do livro*] [*tda.*: *Colou o adesivo no vidro do carro.*] [*int.*: *Essa figurinha não cola mais.*] **2** *Bras. Pop.* Copiar às escondidas (respostas questões, textos etc.) de outrem, ou de cola (2), durante exame escrito [*td.*: *Colou a prova toda.*] [*tr.* + *de*: *Sempre cola do amigo.*] [*int.*: *Foi punido porque colou.*] **3** Pôr(-se) junto, encostar(-se) [*tdr.* + *a, em*: *Colou o radinho no ouvido para acompanhar o jogo; Colou-se ao poste para proteger-se da poeirada.*] **4** Seguir (alguém), mantendo-se próximo ou mesmo a distância [*tr.* + *em*: *Colaria no irmão para ver aonde ele ia todas as tardes.*] **5** Ficar propositadamente na companhia de (alguém), ger. para conseguir algo [*tr.* + *em*: *Colou na aniversariante para ser convidada para a festa.*] **6** Ajustar-se, moldar-se (tecido, peça de vestuário) [*int.*: *A calça cola bem.*] **7** *Gír.* Ser aceito ou acreditado [*int.*: *Sua desculpa não cola.*] **8** Clarificar (o vinho) com cola de peixe [*td.*] **9** *Pop. Esp.* Manter-se sempre próximo de (jogador adversário) para impossibilitar suas jogadas [*tr.* + *em*] **10** *Inf.* Inserir (em documento ou pasta) texto, imagem ou arquivo previamente copiado [*tda.*: *Copie o texto e cole-o aqui.*] [▶ 1 colar] [F.: *cola*[1] + *-ar*[2].]

colarejo (co.la.*re*.jo) *sm.* **1** Indivíduo nascido ou que vive em Colares (Portugal) *a.* **2** De Colares; típico dessa cidade ou de seu povo [F.: Do top. *Colares* + *-ejo.*]

colarinho (co.la.*ri*.nho) *sm.* **1** Gola (1) de camisa, feita de pano e cosida em volta da abertura para o pescoço **2** *Bras. Fig.* Espuma que se forma na borda de um copo de cerveja ou chope **3** *Arq.* Moldura de seção quadrada, listel na parte superior do fuste de uma coluna [F.: colar (do lat. *collare*) + *-inho.*] ■ **Mudar o ~** *Gír.* Tomar bebida alcoólica

colarinho-branco (co.la.ri.nho-*bran*.co) *sm. Bras.* Nome dado ao profissional cujo cargo (profissional liberal, executivo de empresa, funcionário público etc.) exige ger. certo grau de formalidade e que ele trabalhe de terno e gravata [Pl.: *colarinhos-brancos.*] [F.: Do adj. ing. *white-collar.*]

colateral (co.la.te.*ral*) *a2g.* **1** Que está paralelo ou ao lado: *A mesa dele é colateral à minha.* **2** *Jur.* Diz-se de quem é parente indireto (sobrinho colateral, prima colateral) **3** *Med.* Diz-se do efeito maléfico de certos medicamentos: *Antibióticos têm efeitos colaterais.* [Pl.: *-rais.*] [F.: *co-*[1] + *lateral,* ou do lat. *collateraaes.*]

cola-tudo (co.la-*tu*.do) *sm2n.* Produto industrial, adesivo constituído de substância extremamente aglutinante que se aplica em objetos ou partes de material diverso para, quando secar, fazê-los aderir um ao outro

colcha (*col*.cha) [ô] *sf.* **1** Coberta de cama, tb. us. como decoração; COBERTOR; MANTA **2** *N. E.* Em moenda primitiva, lugar em que cai o caldo de cana [F.: Do lat. *collocare,* pelo fr. *colche* e pelo espn. *colcha.*] ■ **~ de retalhos** *Fig.* Aquilo que é composto por diversas partes diferentes, ger. sem conexão ou analogia entre elas

colchão (col.*chão*) *sm.* **1** Armação, espécie de coxim recheado de espuma, penas, lã ou material macio, com ou sem molas, que ger. se põe sobre o estrado da cama e é us. para deitar o corpo sobre ele **2** *P. ext.* Aquilo que serve de proteção ou de amortecimento [Pl.: *-chões.*] [F.: *colcha* + *-ão*[1].] ■ **~ de água** Colchão que contém água como material de preenchimento, o que o torna flexível em cada ponto que recebe pressão externa **~ de ar** **1** Colchão inflável, para que o ar seja o elemento de seu preenchimento **2** Zona na qual o ar movimentado por ventiladores oferece resistência, sustentando a flutuação sobre ele de objetos, como uma embarcação, um veículo terrestre especial etc. **~ de molas** Colchão cuja estrutura de sustentação é constituída de molas, que lhe dão flexibilidade, resistência ao peso e maciez

colcheia (col.*chei*.a) *sf.* **1** *Mús.* Elemento de ritmo, com duração de tempo correspondente a oitava parte da semibreve ou metade da semínima **2** A representação gráfica desse tempo, constituída por cabeça, ger. preta, haste e um colchete [Símb.: ver na ilustração do verbete *figura* (5).] **3** *Bras.* Entre os cantadores brasileiros, estrofe com seis versos de sete sílabas cada um, com rima no segundo, quarto e sexto versos; SEXTILHA [F.: Adapt. do fr. *crochée.*]

colchete (col.*che*.te) [ê] *sm.* **1** *Vest.* Conjunto formado por um pequeno gancho (ger. de metal) e uma pequena argola (ger. um fio costurado) ou por duas pequenas peças de metal, uma com um pino e outra com um orifício, que, ao se encaixarem, servem para prender uma parte da roupa a outra [us. ger. no pl.] **2** Cada uma dessas duas partes (colchete-macho, colchete-fêmea) **3** *P. ext.* Qualquer coisa que sirva para unir, juntar **4** Espécie de gancho duplo no qual açougueiros penduram carne **5** *Gram.* Sinal de pontuação us. para isolar palavras ou frases de um texto; parênteses retos **6** *Mat.* Sinal us. como símbolo de associação **7** *Arq.* Ornato em forma de folhagens saídas de um elmo, que decora cornijas e capitéis; COGOILO **8** *Bras.* Espécie de porteira feita de arame farpado armado em estacas, presa de um lado a um mourão da cerca e que se fecha numa argola em outro mourão **9** *Carp.* Espécie de cunha que serve de apoio ao carpinteiro no trabalho de plaina **10** *Od.* Grampo que prende ponte (prótese dentária) a dente fixo [F.: Do fr. *crochet.*] ■ **~ de gancho** Aquele tem a forma de um pequeno gancho que se encaixa em um fio em forma de laçada, ou numa pequena argola costurada na roupa **~ de pressão** Aquele em que uma das partes encaixa na outra sob pressão [Tb. apenas *pressão.*]

colchoaria (col.cho:a.*ri*.a) *sf.* Local onde se fabricam ou se vendem colchões, travesseiros e afins [F.: *colchão* sob a f. rad. *colcho-* + *-aria.*]

colchoeiro (col.cho:*ei*.ro) *sm.* Aquele que fabrica, vende ou recupera colchões, travesseiros, almofadas etc. [F.: *colchão* sob a f. rad. *colcho-* + *-eiro.*]

colchonete (col.cho.*ne*.te) [é] *sm.* Tipo de colchão fino, maleável, portátil, fácil de ser dobrado ou enrolado, ger. us. no chão [F.: *colchão* sob a f. rad. *colchon-* + *-ete.*]

coldre (*col*.dre) [ô] *sm.* **1** Cada um de dois estojos ou sacos de couro que se penduram no arção de sela para neles se guardarem armas de fogo **2** *P. ext.* Estojo de couro para revólver ou pistola, preso no cinto, ou junto à axila, em correia presa ao ombro **3** *Lus.* Em Beira, prostituta, rameira, mulher pública **4** *Lus.* No Alentejo, estômago [F.: De or. contr.]

◎ **-cole** *el. comp.* Ver *col(i)-*

◎ **-col(e)-** *el. comp.* Ver *col(e)-*

◎ **col(e)-** *el. comp.* = 'bile'; '(secreção, vesícula etc.) biliar': *colagogo, coleciste, colecistectomia, colecistite, colecistopatia, colemia, coléstase, colesterol* (< ing.); *acolúria, acoluria* [F.: Do gr. *kholé, ês.* F. conexa: *-colia*[1].]

coleante (co.le.*an*.te) *a2g.* **1** Que se desloca como cobra; SERPENTEANTE **2** Cheio de curvas, sinuoso (estrada/rio coleante) [F.: *colea(r)* + *-nte.*]

colear[1] (co.le.*ar*) *v. td. RS* Derrubar o animal, puxando-o pela cola ou cauda [▶ 13 colear] [F.: Posv. do espn. plat. *colear.*]

colear[2] (co.le.*ar*) *v.* **1** Mover o colo (a serpente) [*int.*] **2** Mover (alguém) a cabeça e o pescoço simultaneamente [*int.*] **3** Mover-se ou avançar sinuosamente, descrevendo zigue-zagues; SERPEAR; SERPENTEAR [*int.*: *A serpente coleava(-se) no meio capinzal; A longa fila coleava lentamente pela rua acima.*] **4** Avançar em zigue-zague ao longo de [*td.*: *O cão corria coleando a linha de obstáculos.*] [▶ 13 colear] [F.: *colo* + *-ear*[2].]

coleção (co.le.*ção*) *sf.* **1** Conjunto de objetos, ger. conservados em grupo, que têm alguma relação entre si: *coleção de documentos* **2** Um desses conjuntos, organizado, reunido pelo valor artístico, cultural, histórico etc. de seus componentes, ou por sua raridade, singularidade etc., ou pelo interesse do colecionador (coleção de selos, coleção de quadros) **3** Quantidade, ajuntamento, agrupamento **4** Compilação, ajuntamento seletivo de coisas segundo algum critério: *coleção de sonetos* **5** Conjunto, limitado ou não, de obras de um mesmo ou vários autores, de um ou diversos assuntos, publicado pela mesma editora; ANTOLOGIA; COLETÂNEA: *coleção de Guimarães Rosa; coleção de contos policiais.* **6** Conjunto dos modelos criados por costureiro ou estilista para uma certa temporada **7** *Med.* Ajuntamento, acúmulo (de sangue, fluidos, pus etc.) em cavidade do organismo [Pl.: *-ções.*] [F.: Do lat. *collectio, onis*, pelo fr. *collection.*]

colecionado (co.le.ci:o.*nar*) *a.* Que se colecionou, reunido em coleção (material colecionado) [F.: Part. de *colecionar.*]

colecionador (co.le.ci:o.na.*dor*) [ô] *a.* **1** Que coleciona; COLECIONISTA: *Não é só um artista, é um artista colecionador, especialmente de desenhos* *sm.* **2** Pessoa que coleciona: *colecionador de miniaturas* [F.: *colecionar* + *-dor.*]

colecionar (co.le.ci:o.*nar*) *v. td.* **1** Reunir em coleção; fazer coleção de; COLIGIR: *colecionar cédulas antigas.* **2** *Pop.* Possuir ou receber (algo) em grande quantidade: *Desempregado, coleciona dívidas; A bela modelo colecionava elogios.* [▶ 1 colecionar] [F.: *coleção* + *-ar*[2], pelo padrão erudito.]

colecionável (co.le.ci:o.*ná*.vel) *a2g.* Que se pode colecionar ou é digno de ser colecionado [Pl.: *-veis.*] [F.: De *coleciona(r)* + *-vel.*]

colecionismo (co.le.ci:o.*nis*.mo) *sm.* Colecionamento, no jargão dos colecionadores [F.: De *coleção*, na f. radical *colecion-* + *-ismo.*]

colecistectomia (co.le.cis.tec.to.*mi*.a) *sf. Cir.* Extirpação da vesícula biliar [F.: *col(e)-* + *-cist(o)-* + *-ectomia.*]

colecistite (co.le.cis.*ti*.te) *sf. Med.* Inflamação da vesícula biliar, ger. causada por infecção bacteriana [F.: *col(e)-* + *-cist(o)-* + *-ite*[1].]

colecistopatia (co.le.cis.to.pa.*ti*.a) *sf. Med.* Doença da glândula biliar [F.: *col(e)-* + *-cist(o)-* + *-patia.*]

colectomia (co.lec.to.*mi*.a) *sf. Cir.* Retirada cirúrgica, total ou parcial, do cólon [F.: *col(o)-* + *-ectomia.*]

colédoco (co.*lé*.do.co) *sm.* Ducto formado pela fusão dos canais hepático e cístico e que conflui para o duodeno (cisto de colédoco) [F.: *col(e)-* + *-doco.*]

coledocoscopia (co.le.do.cos.co.*pi*.a) *sf.* Exame endoscópico do colédoco [F.: *colédoco* + *-scopia.*]

coledocoscópico (co.le.do.cos.*có*.pi.co) *a.* De ou relativo a coledocoscopia (exame coledocoscópico) [F.: *coledocoscop(ia)* + *-ico.*]

coledocostomia (co.le.do.cos.to.*mi*.a) *sf. Cir.* Abocamento (6) do canal colédoco para comunicar-se com o exterior [F.: *colédoco* + *-stomia.*]

colega (co.*le*.ga) *s2g.* **1** Pessoa que em relação a outra(s) pertence à mesma classe, corporação, sociedade etc., ou frequenta o mesmo colégio ou a mesma classe, ou a mesma comunidade etc., ou exerce a mesma profissão, atividade etc.; CAMARADA **2** Pessoa que, em relação a outra, exerce a mesma profissão, atividade ou função: *colega de estudos* [F.: Do lat. *coll e ga.*]

colegiado (co.le.gi:*a*.do) *a.* **1** Que se reúne com outras pessoas em colégio **2** Diz-se de governo constituído em forma de colégio (3), ou seja, no qual os participantes têm iguais poderes **3** Diz-se de igreja que, sem catedral tem cabido próprio *sm.* **4** Pessoa que se reúne com outras em colégio (associação ou corporação) **5** Órgão dirigente cujos membros têm os mesmos poderes e o mesmo direito a voto [F.: Do lat. tar. *collegi a tus.*]

colegial (co.le.gi:*al*) *a2g.* **1** Ref., inerente ou pertencente a colégio ou a aluno de colégio; ESCOLAR [Pl.: *-ais.*] *s2g.* **2** Aluno de colégio; ESTUDANTE [Pl.: *-ais.*] [F.: Do lat. *collegialis*, pelo fr. *collégial.*]

colégio (co.*lé*.gi:o) *sm.* **1** Escola, pública ou particular, de ensino fundamental e/ou médio; LICEU **2** O conjunto de alunos dessa escola **3** Associação ou reunião de colegas, de companheiros de uma mesma profissão ou atividade; corporação, grêmio: *colégio de cientistas.* **4** Grupo de pessoas com poder representativo para deliberar e/ou votar **5** *Ant.* Convento de jesuítas que tinha a obrigação de prover ensino [F.: Do lat. *collegium.*] ■ **~ eleitoral** Grupo de indivíduos encarregados de elegerem alguém para ocupar cargo, receber homenagem ou prêmio etc.

coleguismo (co.le.*guis*.mo) *sm.* **1** Procedimento, atitude, comportamento de colega; CAMARADAGEM [Ant.: *rivalidade.*] **2** Sentimento de companheirismo e solidariedade para com colegas [F.: *colega* + *-ismo.*]

coleio (co.*lei*.o) [ê] *sm.* **1** Ação ou resultado de colear; COLEAMENTO **2** Movimento sinuoso, em zigue-zague, serpeante: *coleio da cobra.* [F.: Dev. de *colear.*]

coleira[1] (co.*lei*.ra) *sf.* **1** Peça, ger. de couro, que se coloca em torno do pescoço dos animais (esp. cães) para identificálos, e a que se pode prender correia ou corrente **2** *Bras. Fig.* Colarinho; gravata **3** *Zool.* Região em torno do pescoço de animais (aves e mamíferos) cujo aspecto específico pode servir para caracterizar a espécie **4** Em armaduras antigas, proteção para a região do pescoço **5** Argola de ferro que se punha no pescoço de escravos ou prisioneiros, unida por correntes a seus membros para imobilizá-lo, ou a peças similares em outros escravos ou prisioneiros, para sujeitá-los uns aos outros; GARGALHEIRA [F.: *colo* + *-eira.*]

coleira[2] (co.*lei*.ra) *sf. Bot.* Árvore da fam. das esterculiáceas (*Cola acuminata*), de origem africana, com flores amarelas aromáticas, e frutos em forma de estrela, que contêm sementes conhecidas como noz-de-cola [F.: *cola*[3] + *-eira.*]

coleira[3] (co.*lei*.ra) *N. sm.* **1** *Zool.* Espécie de carrapato **2** *Pop.* Indivíduo velhaco, que caloteia seus credores, que é mau pagador [F.: *colo* + *-eira.*]

coleira[4] (co.*lei*.ra) *sf.* **1** *Zool.* Ave, fêmea do coleiro **2** *Zool.* Ave fringilídea (*Sporophila lineola*); o mesmo que *coleirinha* **3** *Zool.* Ave fringilídea (*Sporophila caerulescens*) [F.: Fem. de *coleiro.*]

coleiro (co.*lei*.ro) *sm.* **1** *Bras. Zool.* Ave passeriforme, família dos emberizídeos (*Sporophila caerulescens*), tb. chamada *coleirinho, papa-capim, tiã-tiã* **2** *Art. Graf.* Recipiente para aquecimento da cola pelos encadernadores [Dim.: *coleirinho.*] [F.: Do gr. *kólla, és-*, séc. XVI, *colla-* + -eiro; v. col(o/i)- + -eiro.]

coleiro-virado (co.lei.ro-vi.*ra*.do) *sm. Bras.* Diz-se de coleirinho com plumagem adulta; COLEIRINHA; TEMTENZINHO [Pl.: *coleiros-virados.*] [F.: Do gr. *kólla, és-*, séc. XVI, *colla-+ -eiro* + pospositivo *vir-* + *-ado.*]

colêmbolo (co.*lêm*.bo.lo) *a.* **1** *Zool.* Ref. aos colêmbolos *sm.* **2** *Zool.* Espécime dos colêmbolos, ordem de insetos, apterigotos, hab. de lugares úmidos, que se caracterizam por possuir um apêndice caudal modificado utilizado para saltar [F.: *col(a)-* + gr. *-êmbolos*; lat. cien. *Collembola.*]

colemia (co.le.*mi*.a) *sf. Med.* Presença de bílis ou de pigmentos biliares no sangue [F.: *col(e)-* + *-emia.*]

colendo (co.*len*.do) *a.* Diz-se de que ou quem é respeitável ou digno de consideração (colendo colegiado, colendo magistrado); VENERANDO; RESPEITÁVEL [F.: Do lat. *colendus*, gerundivo de *colere* 'venerar'.]

colênquima (co.*lên*.qui.ma) *sm. Bot.* Tecido vegetal de células alongadas com paredes espessadas de celulose, que tem função de sustentação dos órgãos em desenvolvimento ou herbáceos no caule jovem, ramos, pecíolo e nas folhas [F.: *col(a)-* + *-ênquima.*]

coleóptero (co.le:*óp*.te.ro) *Zool. a.* **1** Ref. aos coleópteros *sm.* **2** Espécime dos coleópteros, grande ordem de insetos mais conhecidos como besouros [F.: Do gr. *koleópteros*, pelo lat. cient. *coleopterus*, pelo fr. *coléoptère.*]

coleperitônio (co.le.pe.ri.*tô*.nio) *sm. Med.* Designação de forma grave de peritonite, resultante da existência de bile na cavidade peritonial [F.: *col(e)-* + gr. *-peritónion, ou.*]

cólera (*có*.le.ra) *sf.* **1** Sentimento violento de alguém em reação ao que o revolta, ofende, prejudica, indigna etc.; FÚRIA; IRA [Ant.: *calma, serenidade.*] **2** *Rel.* A indignação e atitude de justiça punitiva atribuídas a Deus ante indignidades cometidas pelos homens (cólera divina) **3** Ferocidade, raiva, agressividade (dos animais) **4** *Fig.* Agitação, impetuosidade, fúria: *A cólera do mar amedrontou a tripulação.* *s2g.* **5** *Pat.* Doença infecciosa, o mesmo que *cólera-morbo* [F.: Do gr. *choléra*, pelo lat. *cholera.*]

cólera-morbo (có.le.ra-*mor*.bo) [ô] *s2g. Pat.* Doença infecciosa e contagiosa aguda, ger. epidêmica, causada pelo *Vibrio cholerae*, transmitida sobretudo pela água e caracterizada por diarreia abundante, prostração e cãibras [Tb. se diz apenas *cólera.*] [Pl.: *cóleras-morbos, cóleras-morbo.*] [F.: Do gr. *choléra-*, pelo lat. *cholera-*, séc. XIX *chólera-mórbus.*]

colérico (co.*lé*.ri.co) *a.* **1** Que, por índole, é propenso a acessos de cólera (1) [Ant.: *calmo, sereno*] **2** Que está acometido ou que manifesta cólera (1); ENRAIVECIDO; FURIOSO; IRADO **3** Diz-se de quem contraiu a/o cólera (cólera-morbo) *sm.* **4** Indivíduo colérico [F.: Do gr. *cholerikós*, pelo lat. *choleri cus*,.]

coléstase (co.*lés*.ta.se) *sf. Pat.* Retenção, bloqueio ou interrupção do fluxo nos canais biliares por causas diversas [F.: *col(e)-* + *-stase.*]

colestático (co.les.*tá*.ti.co) *Pat. a.* **1** Ref. ou inerente a colestase (sintomas colestáticos) **2** Diz-se de indivíduo que apresenta colestase *sm.* **3** Esse indivíduo [F.: *colést(ase)* + *-ático*, seg. o mod. gr.]

colesterol (co.les.te.*rol*) *sm. Bioq.* Substância presente em todas as células do corpo, cujo nível elevado provoca problemas cardiovasculares [Pl.: *-róis.*] [F.: Do ing. *cholesterol.*]

colesterolemia (co.les.te.ro.le.*mi*:a) *sf. Med.* Presença de colesterol no sangue [F.: *colesterol* + *-emia.*]

colestiramina (co.les.ti.ra.*mi*.na) *sf. Bioq.* Tipo de resina sintética, constituída de amônio, neutralizante de sais biliares [F.: Do ing. *cholestyramine*, de *chole(sterol)* + *styr(ene)* + *amine.*]

coleta[1] (co.*le*.ta) [é] *sf.* **1** Ação ou resultado de coletar, colher; COLHEITA **2** Pedido ou recolhimento de donativos para obras comuns, ou ações beneficentes, caridade etc.: *coleta de alimentos para os flagelados.* **3** *Econ.* Imposto ou taxa a ser recolhido **4** Recolhimento, na natureza, de recursos naturais (alimentos, matéria-prima etc.) que foram, ou não, cultivados; COLHEITA [F.: Do lat. *collecta.* Hom./Par.: *coleta* (flex. de *coletar*); *coleta* [ê] (*sf.*).]

coleta[2] (co.*le*.ta) [ê] *sf. Taur.* Trancinha de cabelo que toureiros espanhóis usam na nuca [F.: Do espn. *coleta.* Hom./Par. *coleta, coletas* (fl. de *coletar*), *coleta[s]* (fem. [pl.] do a. *coleto*).]

coletânea (co.le.*tâ*.ne:a) *sf.* **1** *Liter.* Conjunto de excertos de várias obras ou textos selecionados e reunidos (coletânea policial); ANTOLOGIA: *coletânea de contos brasileiros; coletânea de crônicas de Machado de Assis.* **2** Conjunto, reunião, coleção de várias coisas, itens, obras etc. [F.: Do lat. *collectanea.*]

coletar (co.le.*tar*) *v.* **1** Fazer coleta de; COLHER; RECOLHER [*td.*: *coletar impostos, donativos, contribuições.*] **2** Recolher elementos para exame laboratorial (sangue, urina, fezes etc.) [*td.*: *coletar urina para exame.*] **3** Colher para uso (alimentos, matéria-prima etc. disponíveis na natureza) [*td.*] **4** Apanhar (plantas, animais) para pesquisa [*td.*] **5** Obrigar (empresa, indústria etc.) ao pagamento de coleta, de imposto; TRIBUTAR [*td.*] **6** Determinar e recolher cota, quantia que deve ser paga por (cada um dos membros de um grupo, ou por grupo, entidade etc.) para certa finalidade, inclusive determinar a si mesmo ou reciprocamente [*td.*: *coletar os condôminos para cobrir os gastos extras; Os condôminos coletaram-se para cobrir os gastos extras.*] [▶ 1 coletar] [F.: *coleta* + *-ar*[2]. Hom./Par.: *coleta(s)* (fl.), *coleta(s)* (sf.); *colete(s)* [ê] (fl.), *colete(s)* (fl.), *colete(s)* (sm. [pl.]); *coletáveis* (fl.), *coletáveis* (pl. de *coletável*).]

colete (co.*le*.te) [ê] *sm.* **1** Peça de vestuário, sem mangas nem gola, que se usa por cima de camisa ou blusa, abotoada na frente **2** Ver *espartilho*; CORPETE **3** *Mil.* Parte da culatra do canhão **4** Espécie de grade circular, resguardo feito de madeira ou de arame para proteger tronco de árvore ou arbusto **5** *Zool.* Pequeno tamanduá (*Tamandua tetradactyla*) encontradiço no Brasil, o mesmo que *tamanduá-mirim* [F.: Do fr. *collet.* Hom./Par.: *colete* (flex. de *coletar*).] ■ **~ de salvação** *Lus.* Colete salva-vidas **~ ortopédico** *Ort.* Aquele ger. us. para proteger ou firmar a coluna vertebral ou o tórax **~ salva-vidas** Aquele que, contendo cortiça, inflado com ar etc., permite a flutuação de quem o veste, servindo como salva-vidas

coletiva (co.le.*ti*.va) *sf.* **1** *Art. pl.* Exposição ou mostra de arte que reúne trabalhos de dois ou mais artistas num mesmo local: *coletiva de escultores; coletiva de fotógrafos.* [Ant.: *individual*] **2** *Jorn.* F. red. de *entrevista coletiva* [F.: Fem. de *coletivo.*]

coletividade (co.le.ti.vi.*da*.de) *sf.* **1** Qualidade de coletivo [Ant.: *individualidade*] **2** Grupo de indivíduos que partilham dos mesmos interesses, costumes e hábitos; COMUNIDADE: *defender os interesses da coletividade.* **3** *Soc.* O mesmo que sociedade (13) [F.: *coletivo* + *-(i)dade*; ou do fr. *collectivité.*]

coletivismo (co.le.ti.*vis*.mo) *sm. Pol.* Doutrina ou sistema socioeconômico em que os meios de produção e de consumo pertencem à coletividade, igualmente distribuídos por cada membro [Cf.: *cooperativismo.*] [F.: *coletivo* + *-ismo*, ou do fr. *collectivisme.*]

coletivista (co.le.ti.*vis*.ta) *a2g.* **1** Ref. ou inerente ao coletivismo **2** Que é adepto ou praticante do coletivismo; COOPERATIVISTA [Ant.: *individualista.*] *s2g.* **3** Pessoa que pratica o coletivismo [F.: *coletivo* + *-ista*, ou do fr. *collectiviste.*]

coletivizado (co.le.ti.vi.*za*.do) *a.* **1** Que sofre ou sofreu coletivização (agricultura coletivizada) [Ant.: *individualizado.*] **2** Que é ou se tornou coletivo: *Era um sonho de progresso coletivizado.* **3** *Econ. Pol.* Que é ou foi constituído sob controle de coletividade ou organizado segundo princípios do coletivismo de um grupo, uma classe, um povo, uma comunidade etc. [F.: Do lat. *collectivus, a, um-* + *-izar-* + *-do.*]

coletivizar (co.le.ti.vi.*zar*) *v. td.* **1** Tornar(-se) coletivo **2** Passar (algum ou mais meios de produção) para a coletividade [▶ 1 coletivizar] [F.: *coletiv(o)* + *-izar.*]

coletivo (co.le.*ti*.vo) *a.* **1** Que abrange muitas ou todas as pessoas ou a elas pertence (interesse coletivo, bens coletivos) [Ant.: *individual.*] **2** Que é utilizável por muitas pessoas, e a isso se destina (chuveiro coletivo) **3** *Gram.* Diz-se de numeral que expressa um conjunto que contém número inteiro de entidades: *Dezena, centena, dúzia etc. são numerais coletivos.* **4** *Gram.* Diz-se do subst. sing. que designa um conjunto de indivíduos ou objetos da mesma espécie (p. ex., o substantivo coletivo para quadros é *pinacoteca*) *sm.* **5** O que diz respeito a toda uma comunidade: *Governos devem pensar no coletivo.* **6** *Bras.* Veículo coletivo (2) de transporte, como, p. ex., o ônibus, **7** *Bras. Fut.* F. red. de *treino coletivo*, treino de futebol em que se simula um jogo: *O coletivo da seleção foi animador.* **8** *Gram.* F. red. de *substantivo coletivo*: *O coletivo de quadro é pinacoteca.* [F.: Do lat. *collectivus*, pelo fr. *collectif.*]

coletor (co.le.*tor*) [ô] *a.* **1** Que coleta, colige, compila **2** Diz-se de cano principal de esgoto, no qual se reúnem e entroncam os canos secundários **3** *Elet. Eletrôn.* Diz-se de eletrodo que coleta elétrons, num sistema elétrico ou eletrônico *sm.* **4** Pessoa que colige, compila: *coletor de imagens; coletor de textos* **5** *Jur.* Pessoa (ger. da Fazenda Pública) que coleta, que recebe coletas, ou impostos; COBRADOR **6** *Elet. Eletrôn.* Eletrodo coletor (5) **7** *Elet.* Parte do induzido de um dínamo onde escovas recolhem a corrente produzida **8** Todo recipiente em que se juntam coisas (coletor de lixo) [F.: Do lat. tardio *collector.*] ▪▪ **~ solar** *Tec.* Placa metálica disposta sobre uma tubulação de serpentina (3), e que utiliza a radiação solar para aquecimento da água

coletoria (co.le.to.*ri*.a) *sf.* **1** Repartição pública que arrecada coletas ou impostos **2** Cargo e funções de coletor [F.: *coletor* + *-ia*[1].]

colgadura (col.ga.*du*.ra) *sf.* Estofo, tecido ou peça de pano, ger. vistoso, que se pendura em paredes ou janelas, como enfeite ou cobertura (colgadura de flores/oriental) [F.: Do lat. *collocare-* + *-locus, i*; séc. XIII *colgado*; rad. de *colgado* + *-ura.*]

colhão (co.*lhão*; cu.*lhão*) *sm.* **1** *Tabu.* Testículo **2** *Pop. Vulg.* Coragem, disposição, valentia: *Você não tem culhão pra fazer isso!* [Pl.: *-lhões.*] [F.: Do lat. *coleo, eonis.*]

colhedeira (co.lhe.*dei*.ra) *sf.* **1** *Art. Pl.* Tipo de espátula de madeira, us. por pintores para juntar tintas moídas **2** *Emec.* O mesmo que *colheitadeira* [F.: Do lat. *colligo, is, llégi, llectum, lligère-*, port. *colligo* > *collio* > *colho-*, séc. XIII *coller-* + *-deira.*]

colhedor (co.lhe.*dor*) [ô] *a.* **1** Diz-se de quem ou que colhe, ou recebe (dispositivo colhedor) *sm.* **2** Indivíduo que colhe ou recolhe (colhedor de frutos/de plantas) *smpl.* **3** *Náut.* Cabo delgado us. para ligar peças de madeira e outros cabos de sustentação dos mastros de embarcações [F.: Do lat. *colligo, is, llégi, llectum, lligère-*, port. *colligo* > *collio* > *colho-*, séc. XIII *coller-* + *-dor.*]

colheita (co.*lhei*.ta) *sf.* **1** Ação ou resultado de colher; APANHA; COLETA: *colheita do café; colheita de impostos.* **2** Reunião dos produtos colhidos em determinada época; SAFRA: *Vendeu-se toda a colheita.* **3** *Fig.* Aquilo que se recebe, se ajunta, se colhe, se obtém: *colheita de sucessos.* [F.: Do lat. *collecta.*]

colheitadeira (co.lhei.ta.*dei*.ra) *sf. Agr. Emec.* Máquina us. para colher produtos agrícolas, que ceifa, trilha, classifica e ensaca; COLHEDEIRA [F.: *colheita(r)* + *-deira*, mais adequado seria *colhedeira* (*colher* + *-deira*).]

colher[1] (co.*lher*) *sf.* **1** Talher com cabo e concha rasa na ponta, us. para misturar ou servir alimentos, ou comer alimentos líquidos ou pastosos: *colher de sopa; colher de café.* **2** O conteúdo quantitativo de uma colher; COLHERADA: *Tomou uma colher de xarope.* **3** *P. ext.* Denominação comum de diversos instrumentos e utensílios, semelhantes à colher, de diferentes usos em diferentes atividades e ofícios: *colher de pedreiro.* **4** Certo aparelho de pesca, formado por uma rede em concha munida de cabo [Aum.: *colheraça*. Dim.: *colherzinha*] [F.: Do gr. *kokhliárion*, pelo lat. *cochlear*, e pelo fr. *cuillère.*] ▪▪ **~ de pedreiro** Espécie de espátula triangular, com cabo de madeira, com que os pedreiros aplicam ou alisam argamassa, manipulam tijolos etc. **Dar de ~** *Fut.* Dar um passe perfeito a companheiro, esp. para que possa marcar um gol com toda a facilidade **Dar (uma) ~ de chá** **1** *Bras. Gír.* Oferecer oportunidade (a algo ou alguém): *O gerente deu-lhe uma colher de chá e admitiu-o como experiência.* **2** Facilitar algo, favorecer: *A professora deu uma colher de chá na prova, fazendo perguntas fáceis.* **De ~** *Bras. Gír.* Fácil de fazer, que não requer esforço **Meter a ~ em** *Fam.* Intrometer-se, dar palpite sem ter sido convidado; meter o bedelho

colher[2] (co.*lher*) [ê] *v.* **1** Tirar, separar da haste (flores, frutos, folhas); apanhar [*td.* / *tdr.* + *de*: *colher frutos (do pé).*] **2** Recolher, reunir, apanhar [*td.*: *colher assinaturas para um abaixo-assinado; O magistrado colheu todos os elementos antes de prolatar a sentença.*] [*tdr.* + *de*: *colher dados dos anais.*] **3** Coletar, arrecadar [*td.*: *Os enfermeiros colheram o sangue dos voluntários; colher donativos para os desabrigados.*] **4** Conseguir, obter [*td.*: *Colheram novas informações (do correspondente internacional).*] **5** Receber como recompensa ou consequência de algo, ação (meritória ou não) [*td.*: *Está agora colhendo os frutos de seu esforço; Colheu aplausos de uma plateia eufórica; Quem semeia vento colhe tempestade.*] **6** Retirar, recolher (algo, de algum lugar) [*tda.*: *colher amostras de minério da jazida.*] **7** Acolher, receber [*tda.*: *Colheu o filho nos braços.*] **8** *Fig.* Apanhar, alcançar de surpresa, surpreender [*td.*: *Colhemos o fiscal aceitando suborno; O aguaceiro colheu-nos na estrada.*] [*tdp.*: *Uma doença colheu-o debilitado.*] **9** Atingir, alcançar [*td.*: *A flecha, certeira, colheu o alvo.*] **10** Segurar com força para que não escape; AGARRAR; INTERCEPTAR [*td.*: *Lançou-se contra o fugitivo e o colheu com energia.*] **11** Alcançar a intenção ou o sentido de; captar, perceber [*td.*: *Não colheste a dimensão do teu ato?*] **12** Derrubar por impacto, atropelar [*td.*: *Ao atravessar a autoestrada, um ônibus o colheu.*] **13** Fazer(-se) a colheita (de) [*td.*: *Naquela fazenda colhe-se café; Os agricultores já colheram as azeitonas.*] [*int.*: *Há tempo de plantar e tempo de colher.*] **14** Poder colher por ter o que colher [*int.*: *Quem planta certamente irá colher.*] **15** Tirar como conclusão; DEDUZIR; INFERIR [*tdr.* + *de*: *Das insinuações do chefe colheu sua intenção.*] **16** Ser concludente, categórico, convincente [*int.*: *Este argumento não colhe.*] **17** Aprisionar, capturar [*td.*: *Saiu ao campo para colher borboletas.*] [▶ 2 colher] [F.: Do lat. *colligere*. Hom./Par: *colher(es)* (fl.); *colher(es)* (sf. [pl.]).]

colherada (co.lhe.*ra*.da) *sf.* A porção (de algo) que enche uma colher: *colherada de mel.* [F.: *colher* + *-ada*[1].] ▪▪ **Meter a sua ~ em** *Fam.* Intrometer-se; meter a colher em

colher-de-vaqueiro (co.lher-de-va.*quei*.ro) *sf. Bras. Bot.* Espécie de bananeira-do-campo, árvore alta em forma piramidal, de ramos espessos, folhas enormes e rígidas, flores amarelas ou róseas, frutos em cápsulas, típica do cerrado, cuja madeira é us. em carpintaria e caixotaria; EMBIRUÇU; MOLIANA [Pl.: *colheres-de-vaqueiro.*]

colhereiro (co.lhe.*rei*.ro) [ê] *sm.* **1** Fabricante ou vendedor de colheres **2** *Bras. Ornit.* Ave pernalta, de bico achatado em forma de colher, pescoço branco, ventre e asa róseos, cauda amarelo-ocre **3** *Ornit.* Designação comum de uma espécie de marreco norte-americano, migrante no inverno para a Colômbia **4** *Port. Fig.* Indivíduo que gosta de se intrometer na vida alheia [F.: *colher-* + *-eiro.*]

colhido (co.*lhi*.do) *a.* **1** Que foi retirado, extraído (sangue colhido; urina colhida) **2** Apanhado, tirado, separado do ramo ou da haste (fruto colhido; flor colhida) **3** Atingido, alvejado (colhido em pleno voo) **4** Obtido, conquistado: *Colhidos os louros da vitória, poderia descansar por um ou dois dias.* **5** Recolhido, arrecadado (donativos colhidos) **6** *Fig.* Alcançado, visado de modo inesperado (colhido de surpresa/em flagrante) **7** Deduzido, depreendido, concluído: *Essas informações colhidas da entrevista não são confiáveis.* [F.: Part. de *colher*. Cf.: *coletado; coligido.*]

colhuda (co.*lhu*.da) *sf. BA Pop.* Mentira, bazófia, história inventada de caso extraordinário em relação aos padrões normais, que se conta como supostamente verídica, às vezes como gabação, às vezes para impressionar, às vezes como simples divertimento (pois os ouvintes identificam a bazófia mas fingem acreditar, e até mesmo replicam com outra, ainda mais extraordinária) [F.: De or. pop., na Bahia. Talvez de *colhões.*]

colhudeiro (co.lhu.*dei*.ro) *a.* **1** *BA Pop.* Que costuma contar colhudas, famoso por suas colhudas; FAROLEIRO *sm.* **2** Aquele que conta colhudas [Colhudeiro famoso da literatura é o barão de Münchausen.] [F.: *colhuda* + *-eiro.*]

colhudo (co.*lhu*.do) *a.* **1** Diz-se de quem ou que tem testículos grandes (animal colhudo) **2** *Bras. Fig.* Indivíduo valentão; atrevido, abelhudo; MALVADO *sm.* **3** *RS.* Cavalo não castrado [F.: De f. rad. ad hoc *colh-* + -udo.]

◎ **coli-** Ver *col(i)-+*

◎ **col(i)-** *el. comp.* = 'pescoço, colo': *colirrostro, colífero, coliforme*[2]*; angulícolo, crassícolo; albícole* [F.: Do lat. *collum, i.*]

◎ **-colia**[1] *el. comp.* = 'bile'; 'secreção biliar': *acolia* (< gr.), *hipercolia, oligocolia* [F.: Do gr. *-kholía, as*, como em *melankholía, as*, 'condição de ter bile negra'; 'melancolia', do gr. *khole, ês*, 'bile'. F. conexa: *col(e)-.*]

◎ **-colia**[2] *el. comp.* = 'anomalia ou disfunção do cólon': *aerocolia, dolicocolia* [F.: Do gr. *kólon, ou*. F. conexa: *col(o)-.*]

colibacilo (co.li.ba.*ci*.lo) *sm. Bac.* Designação comum a diversos tipos e subtipos de bacilo encontráveis nos intestinos de vertebrados e invertebrados, no solo ou em meio líquido [F.: Do lat. cient. *coli bacillus*, 'bacilo do cólon'.]

colibacilose (co.li.ba.ci.*lo*.se) *sf. Med.* Infecção ou doença causada por colibacilo [F.: *colibacilo* + *-ose*[1].]

colibri (co.li.*bri*) *sm. Zool.* Ver *beija-flor.* [F.: Do fr. *colibri.*]

cólica (*có*.li.ca) *sf.* **1** *Pat.* Dor aguda e espasmódica na região do abdome, com causas variadas (cólica intestinal, cólica menstrual) **2** *P. ext.* Dor espasmódica em órgão oco fora da região abdominal **3** *Fig.* Sensação de medo, angústia, aflição [Us. no pl.] **4** *Fig.* Situação aflitiva, difícil, problemática; aperto [Us. no pl.] [F.: Do gr. *koliké*, pelo lat. tardio *colice(a)*, pelo fr. *colique.*]

cólico[1] (*có*.li.co) *a. Anat.* Ref. ou inerente ao cólon ou colo (desconforto cólico; cirurgia cólica) [F.: Do lat. *cholicus, a, um.*]

cólico[2] (*có*.li.co) *a.* Da ou ref. a bile [F.: Do fr. *cholique*, deriv. do gr. *cholikós.*]

colículo (co.*lí*.culo) *sm. Anat.* Cada uma das quatro pequenas proeminências que constituem os corpos quadrigeminados da audição e da visão (colículo inferior/superior) [F.:.]

colidência (co.li.*dên*.ci:a) *sf.* Termo relacionado com registro de marcas e patentes, para situação na qual registo pedido colide com a existência de registro prévio, não podendo, portanto, ser concedido [F.: *colidir* + *-ência.*]

colidente (co.li.*den*.te) *a2g.* Que colide, que conflita, que é contraditório (a algo) [F.: *colidir* + *-ente.*]

colidir (co.li.*dir*) *v.* **1** Fazer ir ou ir de encontro (a) [*tdr.* + *com*: *Os vagalhões colidiram o iate com a marina.*] [*int.*: *Os dois caminhões colidiram.*] [*tr.* + *com*: *O barco colidiu com as rochas.*] **2** *Fig.* Ser contrário ou contraditório; serem (duas coisas) contraditórias entre si; CHOCAR-SE [*tr.* + *com*: *A guerra colide com as instituições livres.*] [*int.*: *Nos homens, as intenções e os gestos por vezes colidem.*] [▶ 3 colidir] [F.: Do lat. *collidere.*]

coliforme[1] (co.li.*for*.me) [ó] *Bac. sm.* **1** Denominação dada aos bacilos gram-negativos encontrados no intestino de homens e animais (coliforme fecal) *a2g.* **2** Diz-se de qualquer um desses bacilos [F.: *coli-* + *-forme.*] ▪▪ **~ fecal** *Bac.* Bacilo presente em ou oriundo de fezes

coliforme[2] (co.li.*for*.me) *a2g.* Que tem forma de colo ou de pescoço [F.: *col(i)-* + *-forme.*]

coligação (co.li.ga.*ção*) *sf.* **1** Ação ou resultado de coligar; união, ligação **2** Liga, amálgama de substâncias: *coligação de metais* **3** União, aliança de pessoas, grupos ou organizações que têm a intenção de atingir objetivos comuns; (coligação partidária); COALIZÃO; LIGA **4** *Fig.* Trama, concluio [Pl.: *-ções.*] [F.: Do lat. *colligatio, onis.*]

coligado (co.li.*ga*.do) *a.* **1** Que está ou foi unido por coligação (muros coligados); LIGADO **2** Que é membro de coligação (partidos coligados) *sm.* **3** Membro de uma coligação: *acordo entre coligados* [F.: Do lat. *colligátus*. Part. pass. de *coligar.*]

coligar (co.li.*gar*) *v.* **1** Promover união, coligação entre, ou unir-se, ligar-se, esp. por coligação, aliança; fazer aliança política [*td.*: *Um interesse comum coligava os adversários.*] [*tdr.* + *a, com, contra*: *Os socialistas vão coligar-se com os social-democratas; Os partidos de centro coligaram-se (cada um coligou a si mesmo com os outros).*] **2** Tornar semelhante; identificar como afim; estabelecer relação entre [*td.*: *O traço irônico coliga aqueles dois autores.*] **3** Tornar próximo por afinidade [*td.*: *Interesses comuns coligavam os dois amigos.*] [▶ 14 coligar] [F.: Do lat. *colligare.*]

coligido (co.li.*gi*.do) *a.* **1** Que se coligiu; colhido, coletado: *coligidos os fatos referentes à História.* **2** Reunido em coleção; juntado (apontamentos coligidos; anotações coligidas) **3** *Bibl. Liter.* Extraído de várias obras e documentos (manuscrito coligido); COLETÂNEO [F.: Part. de *coligir.*]

coligir (co.li.*gir*) *v.* **1** Reunir, juntar (o que está disperso) [*td.*: "e *coligindo* os petrechos da costura..." (Machado de Assis, *Dom Casmurro*)] **2** Reunir em coleção; COLECIONAR [*td.*: *coligir conchas, insetos*] **3** Concluir por inferência; DEDUZIR; INFERIR [*tdr.* + *de*: *O detetive coligiu das pistas a hora do crime.*] [▶ 46 coligir] [F.: Do lat. *colligere.*]

colimado (co.li.*ma*.do) [á] *a.* **1** Que sofreu colimação **2** Diz-se do que se tem em vista, em mira (objetivo colimado) **3** *Fís.* Diz-se de feixe de raios luminosos ou de feixe de partículas que têm as trajetórias paralelas [F.: Part. de *colimar.*]

colimar (co.li.*mar*) *v.* **1** *Fig.* Ter por objetivo; visar a [*td.*: *O acórdão não colimou essas finalidades.*] **2** Dirigir a vista para; MIRAR; VISAR [*td.*] **3** Observar por meio de instrumento adequado [*td.*] **4** *Ópt.* Fazer ficarem paralelos (os raios luminosos de um feixe) [*td.*] **5** *Fís. nu.* Fazer ficarem paralelas (as trajetórias de partículas de um feixe) [*td.*] [▶ 1 colimar] [F.: Do lat. dos astrônomos *collimare* (leitura equivocada de *collineare*), posv. pelo it. *collimare.*]

colina[1] (co.*li*.na) *sf.* Elevação de terreno de pouca altitude, mais baixa que uma montanha e de declive suave; CERRO; OUTEIRO: *Da colina avista-se o vale.* [F.: Do lat. tard. *colli na*, pelo it. *collina* e pelo fr. *colline.*]

colina[2] (co.*li*.na) *sf. Quím.* Substância constituinte da lecitina e de outras substâncias de origem biológica, importante no metabolismo das gorduras [Fórm.: $(C_5H_{14}NO)+$] [F.: *col(e)-* + *-ina*[2], ou do al. *Cholin.*]

colina[3] (co.*li*.na) *sf. Lus.* No Algarve, na pesca do atum, corda com que se prende a rede ao aparelho de pesca [F.: De or. obsc.]

colinear[1] (co.li.ne:*ar*) *a2g.* **1** Diz-se de pontos que se dispõem sobre uma mesma reta **2** *Geom.* Diz-se de uma configuração em relação a outra que pertença à mesma reta [F.: *co-*[1] + *linear.*]

colinear[2] (co.li.ne.*ar*) *Geom. v. td.* **1** Dispor ou determinar (diversos pontos) sobre uma linha reta **2** Colocar (configurações ou figuras diversas) sobre uma linha reta [▶ 13 colinear] [F.: Deduz. de *colineação*.]

colinérgico (co.li.*nér*.gi.co) *Fisl. sf.* **1** Diz-se de fibra nervosa que, sob efeito de uma excitação, libera acetilcolina **2** Ref. a acetilcolina [F.: *(acetil)colina* + *-erg(o)-*[1] + *-ico*[2].]

colinesterase (co.li.nes.te.*ra*.se) *sf. Bioq.* Cada uma das enzimas do tecido nervoso que catalisam a hidrólise da acetilcolina, essenciais para o funcionamento do sistema nervoso [F.: *(acetil)colina* + *esterase*; *colinestérase* é melhor f., porém menos us.] ■ **~ verdadeira** *Bioq.* Acetilcolinesterase

colinomimético (co.li.no.mi.*mé*.ti.co) *a.* **1** *Fisl.* Diz-se do que provoca contração muscular com interrupção da atividade espontânea (esforço colinomimético) **2** *Bioq.* Diz-se de substância ou medicamento que tem ação semelhante à da acetilcolina no cérebro [F.: *(acetil)colina* + *-o-* + *mimético*.]

colírio (co.*lí*.ri:o) *sm.* **1** *Med.* Medicamento que se aplica nos olhos, mais especificamente na conjuntiva, para tratamento de doenças ou para aliviar irritações **2** *Bras. FIg. Pop.* Pessoa atraente, bonita, agradável de se ver: *Aquela modelo é um colírio.* [F.: Do gr. *kollýrion*, pel o lat. *collyrium*.]

colisão (co.li.*são*) *sf.* **1** Ação ou resultado de colidir [+ *com, de, entre*: *colisão com o governo; colisão entre dois carros; colisão de ideias.*] **2** Encontro mais ou menos violento, embate entre corpos; CHOQUE **3** Embate, luta, conflito, entre grupos, partidos, facções etc. [Ant.: *acordo*.] **4** Contradição, oposição, discordância, divergência entre ideias, planos, intenções etc.: *Em questão tão complexa, foi inevitável a colisão de opiniões e propostas.* **5** Conflito entre hipóteses, opções, possíveis atitudes etc.: *Para decidir, teria de superar uma embaraçosa colisão.* **6** *Gram.* Combinação desagradável de sons, resultante de aliteração [Pl.: *-sões*.] [F.: Do lat. *collisio, onis*.]

coliseu (co.li.*seu*) *sm.* **1** Anfiteatro us. na Antiguidade para a realização de jogos e competições (Coliseu romano) **2** *P. ext.* Estádio, ginásio e local para competições, jogos e diversões populares, de projeto à maneira do Coliseu de Roma **3** Casa de diversões, esp. para espetáculos de circo [F.: Do gr. *kolossaîos*, pelo lat. tardio *coloss e um*, pelo it. *Coliseo*.]

colite (co.*li*.te) *sf. Pat.* Inflamação do cólon [F.: *col(o)-* + *-ite*[1].]

⊕ **collant** (*Fr.* / *colã*) *sm.* **1** Roupa de fibra elástica aderente ao corpo: *collant de ginástica.* **2** Roupa íntima feminina, colante, inteiriça que substitui sutiã e calcinha **3** Meia-calça de malha

colmar[1] (col.*mar*) *v. td.* **1** Cobrir ou revestir de colmo(s) **2** *P. ext.* Pôr cobertura ou revestimento em [▶ **1 colmar**] [F.: *colmo* + *-ar*[2].]

colmar[2] (col.*mar*) *v.* **1** Fazer subir, elevar ao ponto mais alto, mais sublime; SUBLIMAR [*td.*: *Aquele belo gesto colmou sua magnanimidade e sua generosidade.*] **2** Ser o complemento de, rematar, completar [*td.*: *Com uma pirueta incrível a bailarina colmou sua magnífica apresentação.*] **3** Encher, cumular [*tdr.* + *de*: *Saudosa, a mãe colmou a filha de carinhos.*] [▶ **1 colmar**] [F.: Posv. do lat. *cumulare*.]

colmeal (col.me:*al*) *sm.* **1** *Apic.* Lugar onde há colmeias; ENXAMEAL **2** *Apic.* Grande número de colmeias **3** *Apic.* Enxame de abelhas **4** *Fig.* Agrupamento de casa numa disposição que lembra uma colmeia [Pl.: *-ais*.] [F.: *colmeia* + *-al*[1].]

colmeeiro (col.me:*ei*.ro) *sm.* Aquele que cuida de colmeias ou negocia com colmeias; APICULTOR [F.: *colmeia* + *-eiro*.]

colmeia (col.*mei*.a) *sf.* **1** Cortiço (ou outro tipo de habitação) construído pelas abelhas para nele habitarem e produzirem mel, geleia etc. **2** Enxame de abelhas **3** *Fig.* Aglomeração ou grande quantidade de coisas ou de pessoas **4** *Lus.* Lugar, recinto etc. onde habitam muitas pessoas; CORTIÇO [F.: De or. contrv., prov. pré-romana. Embora a pronúncia da variante *colmeia* seja com o e fechado [ê], é mais comum no Brasil com o *e* aberto.]

colmo (*col*.mo) [ô] *sm.* **1** *Bot.* O caule típico das gramíneas, ger. cilíndrico, com nós e entrenós bem-marcados e distintos, ocos (como no bambu) ou cheios (como na cana-de-açúcar): *colmo do bambu* **2** Palha comprida que se usa para cobrir cabanas ou choças, atar feixes etc.; a cobertura feita com colmos **3** Cabana coberta com colmo; CHOÇA; COLMADO [F.: Do lat. *culmus*. Hom./Par.: *colmo* (fl. de *colmar*).]

◎ **-colo**[1] *el. comp.* Ver *col(i)-*.

◎ **-colo**[2] *el. comp.* Ver *col(o)-*.

◎ **col(o)-** *el. comp.* = 'cólon'; 'intestino grosso': *colectomia; coloproctologia, colorretal, colostomia; colonoscopia; coliforme*[1]*; megalocolo, megalocólon* [F.: Do gr. *kólon*, ou. F. conexa: *-colia*[2].]

colo[1] (*co*.lo) [ó] *sm.* **1** *Anat.* Parte do corpo humano que une a cabeça ao tronco; região que inclui o pescoço e os ombros; PESCOÇO **2** *Anat.* Embocadura estreita de algumas cavidades, ou de alguns órgãos: *colo do útero.* **3** *Anat. Zool.* Parte estreita do corpo ou de órgão de animal **4** *Anat.* Parte estreita entre a cabeça e o corpo de certos ossos: *colo do fêmur* **5** Qualquer forma estreitada como um colo (3) num objeto, como um vaso, uma vasilha etc. **6** Designação dada à parte do corpo que, quando sentado, compreende as coxas e o abdome; REGAÇO: *Só dormia no colo da mãe.* **7** Passagem entre montanhas, menos estreita que um desfiladeiro **8** Boca de balão **9** *Bot.* Canal afilado no arquegônio [F.: Do lat. *collum*, Cf.: *colo*[2], o mesmo que *cólon*.] ■ **~ anatômico** *Od.* O limite entre a raiz do dente e a coroa, e no limite da cobertura da gengiva **~ cirúrgico** *Od.* Linha adjacente à do colo anatômico, e subgengival **~ da glande** *Anat.* Parte estreita do pênis, entre a coroa da glande e os corpos cavernosos **~ do útero** *Anat.* Parte inferior do útero, que chega até a vagina **Trazer ao ~** Dar atenção, proteção, cuidados (a alguém)

colo[2] (*co*.lo) [ó] *sm. Anat.* Parte do intestino grosso, entre o ceco e o reto [Tb. *cólon*.] [F.: Ver em *cólon*.]

colocação (co.lo.ca.*ção*) *sf.* **1** Ação ou resultado de colocar(-se); SITUAÇÃO; POSIÇÃO **2** Lugar alcançado em qualquer classificação ou em competição esportiva: *Sua colocação no concurso, em primeiro lugar, valeu-lhe o cargo; Obteve a terceira colocação na corrida.* **3** Emprego ou trabalho: *Conseguiu ótima colocação numa multinacional.* **4** *Com. Econ.* Distribuição, venda, saída (de produtos, mercadorias): *colocação do produto.* **5** *Econ.* Aplicação (de dinheiro, títulos, valores etc.) **6** Posição de determinadas palavras na sintaxe de uma língua (colocação pronominal) **7** *Bras.* Casa (ger. sobre palafitas) que serve de habitação a seringueiro da Amazônia [Pl.: *-ções*.] [F.: Do lat. *collocatio, onis*. Evite-se usar na acepção de *ideia, opinião* (*não gostei de sua colocação*), *sugestão* (*fazer uma colocação*).]

colocado (co.lo.*ca*.do) [á] *a.* **1** Posto, situado: *móvel colocado no canto; livros colocados na mesa.* [Ant.: *retirado, suprimido*.] **2** Que é ou foi apresentado, exposto: *argumento colocado no debate.* **3** Empregado em determinado trabalho ou cargo: *colocado na repartição.* **4** Moral ou socialmente situado: *bem colocado na sociedade.* **5** *Com. Econ.* Distribuído ou vendido: *produto colocado no mercado.* **6** Classificado, ordenado: *colocado em segundo lugar.* **7** Direcionado, dirigido: *chute colocado no canto.* **8** *RJ. Gír.* Drogado, chapado *sm.* **9** Indivíduo em determinada posição, numa ordem classificatória: *premiados os primeiros colocados.* [F.: Do lat. *collocatus, a, um*.]

colocar (co.lo.*car*) *v.* **1** Pôr (algo ou alguém, inclusive si mesmo) (num lugar, em certa posição etc.), botar, dispor [*tda.*: *Coloque os documentos aqui, o processo naquela prateleira.*] [*td.*: *Antes de subir na escada, colocou um reforço; Encontrou-a na fila e colocou-se a seu lado; Coloque essas peças em ordem.*] **2** Levar (algo ou alguém, inclusive si mesmo) a (situação, condição, inclusive moral); CONDUZIR; PÔR [*tdi.* + *em*: *Colocara a amiga numa embrulhada; Alerta, colocou-se a postos.*] **3** Situar (geograficamente) em determinado lugar [*tda.*: *Por engano, colocava Tocantins na Região Centro-Oeste.*] **4** Usar de acordo (ou não) com a norma, com a gramática [*td.*: *Colocam mal os pronomes.*] **5** Propor, apresentar para consideração e/ou votação etc. [*td.*: "O MST coloca como meta o assentamento de um milhão de famílias." (Antonio Callado, *Entre o Deus e a Vasilha*) Há restrições ao uso com essa acepção, como equivalente à também criticada fórmula *fazer uma colocação*.] **6** Negociar, vender [*td.*: *Planejou colocar seus produtos naquela praça.*] **7** Aplicar (como investimento), empregar; INVESTIR; PÔR [*tdi.* + *em*: *Colocara a herança nos títulos da estatal.*] **8** Dar ou conseguir emprego ou ocupação para (alguém, inclusive si mesmo) [*td.*: *Quando abriu a primeira vaga na firma, colocou o amigo; Foi procurar emprego, e na primeira tentativa conseguiu colocar-se.*] **9** Sobrepor, botar em posição privilegiada [*tda.*: *Colocava a Alemanha acima de tudo.*] **10** Arrumar, assentar (colocar tijolos, azulejos) **11** Obter (inclusive para si mesmo) certa posição, colocação, classificação (em competição, concurso etc.) [*tdi.* + *em, entre*: *Assumiu o time na lanterna e colocou-o entre os primeiros; Fez excelente prova e colocou-se em segundo lugar.*] [▶ **11 colocar**] [F.: Do lat. *collocare*.]

colódio (co.*ló*.di:o) [ó] *sm. Quím.* Solução viscosa de uma variedade de nitrocelulose em uma mistura de álcool e éter ou outro solvente, us. como cobertura protetora de feridas, queimaduras, úlceras, em revestimento de filmes e chapas fotográficas, na fabricação de vernizes e lacas [F.: Do lat. cient. *collodium*.]

colofão (co.lo.*fão*) *sm. Edit.* Anotação final, posta na última página dos livros, que fornece informações sobre o impressor, o lugar e a data em que foi feita a sua impressão, e por vezes sobre certas características técnicas do papel, tipologia etc. [Já era us. em manuscritos medievais como nota final, e em livros impressos até o séc. XVI na página de rosto.] [Pl.: *-fões; -fons*. Pl. p. us. no Brasil: *colofones*.] [F.: Do gr. *kolophón*, pelo lat. tardio *colophon*. Tb. *cólofon*.]

cólofon Ver *colofão*

cologaritmo (colo.ga.*rit*.mo) *sm. Mat.* Logaritmo decimal do inverso de um número [Pl.: *cologaritmos*.] [F. *co-*[2] + *logaritmo*.]

coloidal (co.loi.*dal*) *a2g.* **1** *Fís. Quím.* Ref. a coloide, ou a sistema (sólido, líquido ou gasoso) semelhante a ele; COLOIDE **2** Que tem a natureza gelatinosa da cola[1] (1) [Pl.: *-dais*.] [F.: *coloide* + *-al*[1].]

coloide (co.*loi*.de) *Fís. Quím. sm.* **1** *Fís. Quím.* Substância de propriedades especiais, sistema (que pode ser sólido, líquido ou gasoso) de aspecto homogêneo, constituído de duas fases, uma dispersora, a outra (nela) dispersa, esta feita de partículas maiores que as de uma solução e menores que as de uma suspensão **2** *Quím.* Corpo que não cristaliza ou de difícil cristalização, e cuja difusão, em dissolução, é muito lenta *a2g.* **3** O mesmo que *coloidal* (2) [F.: *cola*[1] + *-oide*.] ■ **~ hidrófilo** *Fís. Quím.* Coloide que tem água como fase dispersora, e cujas partículas da fase dispersa ligam-se com as moléculas da água **~ hidrófobo** *Fís. Quím.* Coloide que tem água como fase dispersora, e cujas partículas da fase dispersa não se ligam às moléculas da água

coloidosmótico (co.loi.dos.*mó*.ti.co) [ó] *a. Quim.* Ref. ou inerente a osmose dos coloides (reação coloidosmótica) [F.: *coloide* + *osmótico*.]

colomba (co.*lom*.ba) [ô] *sm. Cul.* Pão doce em forma de pomba, consumido ger. na época da Páscoa (colomba pascal) [F.: Do lat. *columba, ae* 'pomba'.]

colombense (co.lom.*ben*.se) *s2g.* **1** Indivíduo nascido ou que vive em Colombo (capital do Sri Lanka) *a2g.* **2** De Colombo; típico dessa cidade ou de seu povo [F.: Do top. *Colombo* + *-ense*.]

colombiano[1] (co.lom.bi:*a*.no) *sm.* **1** O mesmo que *colombense*[1] *(1)* *a.* **2** O mesmo que *colombense*[1] *(2)* *a.* **3** Ref. ao navegante genovês Cristóvão Colombo (1451-1506), descobridor da América, ou à sua época [F.: Do top. *Colômbia* + *-ano*[1]; do antr. (Cristóvão) *Colombo* + *-iano*. Cf.: *coulombiano*.]

colombiano[2] (co.lom.bi:*a*.no) *sm.* **1** Indivíduo nascido ou que vive na Colômbia (América do Sul) *a.* **2** Da Colômbia; típico desse país ou de seu povo [F.: Do top. *Colômbia* + *-ano*[1].]

colombiano[3] (co.lom.bi:*a*.no) *sm.* **1** Indivíduo nascido ou que vive em Colômbia (SP) *a.* **2** De Colômbia; típico dessa cidade ou de seu povo [F.: Do top. *Colômbia* + *-ano*[1].]

colombina (co.lom.*bi*.na) *sf.* **1** *Teat.* Personagem da *commedia dell'arte*, mulher atraente e inconstante, amiga do Pierrô e do Arlequim **2** Fantasia de carnaval inspirada nessa personagem [F.: Do antr. *Colombina*. Cf.: *columbina* (fem. *columbino*).]

◎ **-cólon** *el. comp.* Ver *col(o)-*

cólon (*có*.lon) *sm. Anat.* Porção média do intestino grosso que vai do íleo ao reto; COLO [Pl.: *cólons*. Pl. p. us. no Brasil: *cólones*.] [F.: Do gr. *kólon*, pelo lat. *colon*.]

colonato (co.lo.*na*.to) [á] *sm.* **1** *Pol.* Sistema político-social de colônia (regime de colonato) **2** *Econ.* Sistema econômico em que o trabalhador é um colono **3** Estado e instituição de colono **4** Extensão territorial explorada por colonos [F.: Do lat. tard. *colonatus, us*.]

colônia[1] (co.*lô*.ni:a) *sf.* **1** Região, território situado fora do âmbito geográfico de um Estado, e cuja posse e administração este exerce; DOMÍNIO; POSSESSÃO: *O Brasil foi colônia de Portugal; as antigas colônias portuguesas na África.* **2** *Geog. Pol.* Estado sob a autoridade governamental de outro; PROTETORADO **3** Grupo de pessoas que migram e se fixam em outro país, ou em outra região de seu país, às vezes como colonizadores, e ger. mantendo seus costumes originais (língua, cultura etc.); o lugar em que se fixam e onde habitam: *a colônia de italianos em São Paulo; a colônia cearense do Rio de Janeiro.* **4** Grupo de pessoas que habitam no mesmo lugar, na mesma cidade, na mesma região etc., e que têm em comum afinidades de comportamento, culturais, históricas, profissionais etc.: *a colônia judaica da França; colônia nudista.* **5** Grupo de pessoas que se estabelecem em um lugar com a mesma finalidade; o lugar em que se estabelecem: *colônia de pescadores.* **6** *Biol.* Conjunto de organismos de uma mesma espécie que vivem juntos: *colônia de bacilos; colônia de borboletas.* [F.: Do lat. *colônia*. Hom./Par.: *colonia* (sf.).] ■ **~ agrícola** **1** *Bras.* Área rural dividida em lotes ger. com as instalações necessárias para receber lavradores; a povoação resultante da absorção desses lavradores **2** Estabelecimento penal do Estado onde os condenados trabalham em agricultura **~ enraizamento** Aquela em que os colonos convivem com a população indígena local, mesclando-se com ela ou aos poucos substituindo-a **~ de férias** Lugar preparado (com instalações adequadas) para oferecer a grupos (ger. de jovens, colegiais etc.) o gozo de férias com atividades esportivas, culturais etc. **~ de povoamento** Colônia (as pessoas, o lugar, o núcleo populacional lá criado) estabelecida em área pouco povoada, para povoá-la **~ penal** Estabelecimento oficial onde condenados pela Justiça cumprem pena trabalhando (ger. em agricultura)

colônia[2] (co.*lô*.ni:a) *sf.* Ver *água-de-colônia* [F.: Do lat. *colonia*. Cf.: *colonia* (*sf.*).]

colonial (co.lo.ni:*al*) *a2g.* **1** Ref. ou inerente a colônia ou a colonos (regime colonial, tradição colonial) **2** Que possui colônia ou possessão (império colonial) **3** Que tem ou apresenta condições de colônia (território colonial) **4** *Biol.* Que vive em colônia (bactéria colonial) **5** *Bras. Histl.* Ref. ao período em que o Brasil era colônia de Portugal, esp. à arte, arquitetura, história, literatura etc. (estilo colonial) [Pl.: *-ais*.] *s2g.* **6** Aquele que é especialista em questões relativas a colônias ou colonos, ou que se dedica a essas questões; COLONISTA [F.: *colônia*[1]- + *-al*[1].] ■ **~ brasileiro** Estilo artístico e arquitetônico típico do Brasil colonial, ou nele inspirado

colonialismo (co.lo.ni:a.*lis*.mo) *sm.* **1** *Pol.* Concepção e sistema ideológico que preconiza e estabelece a colonização e/ ou o domínio político e econômico de um território ou país por outro país **2** Atitude de apoio ideológico ou político a essa concepção e a esse sistema **3** Processo histórico do estabelecimento de colônias: *O colonialismo europeu na África começou nas ilhas Canárias.* **4** Época em que ocorre domínio colonial de um território: *Essas obras remontam ao colonialismo português no Brasil.* **5** Situação de sujeição ao regime colonialista: *A África saiu do colonianismo para a independência.* [F.: *colonial* + *-ismo*.]

colonialista (co.lo.ni:a.*lis*.ta) ***a2g.*** **1** *Pol.* Ref., inerente ou próprio do colonialismo ou a colônia (política colonialista) **2** Que exerce ou é partidário do colonialismo (governo colonialista) ***s2g.*** **3** Quem é partidário do colonialismo, ou quem o exerce [F.: *colonial* + *-ista*.]

coloniano (co.lo.ni:*a*.no) ***sm.*** **1** Indivíduo nascido ou que vive em Colônia (Alemanha) ***a.*** **2** De Colônia; típico dessa cidade ou de seu povo [F.: Do top. *Colônia* + *-ano*[1].]

colonização (co.lo.ni.za.*ção*) ***sf.*** Ação ou resultado de colonizar [Pl.: *-ções*.] [F.: *colonizar* + *-ção*, e pelo fr. *colonisation*.]

colonizado (co.lo.ni.*za*.do) [á] ***a.*** **1** *Econ. Pol.* Que sofreu colonização, que passou por processo de colonização (povo colonizado; nação colonizada) [Ant.: *descolonizado*.] **2** Em que se estabeleceu colônia, povoado de colonos ***sm.*** **3** *Econ. Pol.* Indivíduo, grupo social, país ou continente que sofreu colonização (situação de colonizado) [F.: Part. de *colonizar*.]

colonizador (co.lo.ni.za.*dor*) [ô] ***sm.*** **1** Pessoa que coloniza ***a.*** **2** Que coloniza, que promove colonização [F.: *colonizar* + *-dor*.]

colonizar (co.lo.ni.*zar*) ***v. td.*** **1** Ocupar ou habitar na condição de colono (região ou país): *Os vikings colonizaram grande parte das ilhas Britânicas* **2** Criar colônia em (lugar) ou tornar (território, região etc.) colônia: *A Inglaterra colonizou a Jamaica.* **3** *Fig.* Invadir, ocupar, alastrar-se por (área, terreno etc.): *Algumas espécies de cupins colonizam pastagens no Brasil.* **4** Exercer domínio sobre (país, território, povo etc.) como sobre uma colônia [▶ 1 colonizar] [F.: *colônia*[1] + *-izar*, e pelo fr. *coloniser*.]

colono (co.*lo*.no) ***sm.*** **1** Pessoa que faz parte de uma colônia[1] (3), ou que nela habita **2** Trabalhador que cultiva terra alheia em troca de salário **3** Pessoa que emigra para povoar terra estranha: *Israel envia colonos à Cisjordânia.* [F.: Do lat. *colonus*.]

colonoscopia (co.lo.nos.co.*pi*:a) ***sf.*** *Med.* Exame do interior do cólon e da porção superior do reto, com uso do colonoscópio [F.: *colon-* + *-o-* + *-scopia*.]

coloproctologia (co.lo.proc.to.lo.*gi*:a) ***sf.*** *Med.* Ramo da gastroenterologia que se dedica ao estudo e tratamento das patologias do cólon, do reto e do ânus [F.: *col(o)-* + *-proct(o)-* + *-logia*.]

coloquial (co.lo.qui:*al*) ***a2g.*** **1** Ref. a colóquio ou dele próprio, característico **2** De maneira informal, descontraída, como em colóquio (2) **3** *Liter.* Diz-se de maneira de se expressar, de texto, obra etc. em que o vocabulário e a sintaxe são bem próximos dos da linguagem cotidiana: *Fez todo o discurso num tom bem coloquial.* [Pl.: *-ais*.] [F.: *colóquio* + *-al*[1].]

coloquialidade (co.lo.qui:a.li.*da*.de) [á] ***sf.*** *Ling.* Qualidade de coloquial (coloquialidade do discurso) [Ant.: *formalidade, rebuscamento*.] [F.: *coloquial-* + *-(i)dade*.]

coloquialismo (co.lo.qui:a.*lis*.mo) [í] ***sm.*** **1** Característica do que é coloquial **2** *Ling.* Estilo de linguagem informal, coloquial [Ant.: *academicismo, formalismo*.] **3** *Liter.* Estilo de escrever e discorrer próximo da linguagem comum, cotidiana (coloquialismo do texto) [F.: *coloquial-* + *-ismo*.]

coloquiar (co.lo.qui.*ar*) ***v. int.*** Estabelecer colóquio, conversar informalmente [F.: *colóqui(o)* + *-ar*[2].]

colóquio (co.*ló*.qui:o) ***sm.*** **1** Conversa entre duas ou mais pessoas **2** Conversa íntima, ger. entre duas pessoas **3** Conversa ou debate que aborda uma determinada questão (religiosa, cultural etc.) para elucidar dúvidas, conciliar divergências etc. [F.: Do lat. *colloquium*.]

◎ **-color** [ôr] ***el. comp.*** Formador de adj. de dois gêneros (alguns substantivados), cunhados em geral no próprio lat., ou, em alguns poucos casos, no vernáculo ou em outra língua moderna de cultura, ger. com as seguintes ideias: **a)** 'que tem *n* cor(es)': *bicolor* (< lat.), *diversicolor* (< lat.), *incolor* (< lat.), *monocolor, multicolor* (< lat.), *omnicolor, onicolor* (< lat.), *quadricolor* (< lat.), *septicolor, seticolor, tricolor* (< lat.), *unicolor* (< lat.), *versicolor* (< lat.); **b)** 'que tem a cor (daquilo a que se refere o rad. que o antecede)': *auricolor* (< lat.), *lacticolor* (< lat.), *flucticolor, fluticolor* (< lat.), *nocticolor* (< lat.) [F.: Do lat. *-color, oris*, do lat. *color, oris*, 'cor'; 'tinta'; 'característica de estilo'. F. conexa: *color(i)-*.]

coloração (co.lo.ra.*ção*) ***sf.*** **1** Ação ou resultado de colorar, de dar ou adquirir cores, de colorir: *coloração de um tecido* **2** Efeito causado pelas cores; COLORIDO: *As cobras peçonhentas apresentam uma coloração característica; coloração de um fruto.* **3** *Fon.* Fenômeno de assimilação progressiva ou regressiva em que uma vogal transmite às consoantes vizinhas algumas de suas características. [Cf. nesta acp.: *assimilação*.] [Pl.: *-ções*.] [F.: Do lat. *coloratio, onis*; ver *color(i)-*.]

colorado (co.lo.*ra*.do) ***a.*** **1** Que se colorou ou coloriu; que tem ou recebeu cor (tecido colorado); COLORIDO **2** *RS.* De cor vermelha **3** *Pol.* Ref. a partido político do Uruguai ou a seu seguidor **4** *RS. Fut.* Ref. ou pertencente ao Esporte Clube Internacional, de Porto Alegre [Superl.: *coloradíssimo/a*.] ***sm.*** **5** *Pol.* Integrante ou adepto do Partido Colorado uruguaio **6** *RS. Fut.* Membro, associado, torcedor ou jogador do Esporte Clube Internacional **7** *RS.* Tipo de animal cavalar e bovino de pelos avermelhados [F.: Do lat. *coloratus, a, um*, part. pass. do v.lat. *colorare*, 'colorar'; ver *color(i)-*.]

colorante (co.lo.*ran*.te) ***a2g.*** **1** Diz-se de substância artificial ou natural us. para colorir [Ant.: *descolorante*.] ***sm.*** **2** Essa substância: *Não pode comer alimento com colorante.* [F.: *colorar* + *-nte*. Sin. ger.: *corante*.]

colorar (co.lo.*rar*) ***v. td. int.*** O mesmo que *colorir* [▶ 1 colorar] [F.: Do v.lat. *colorare*, 'dar cor a'.]

⊕ ***coloratura*** (*It.* / *coloratura*/) *Mús.* ***sf.*** **1** Ornamentação floreada em música vocal, frequente na ópera italiana **2** Capacidade de elaborar ornamentos vocais em alta velocidade (coloratura operística) **3** A soprano que tem voz muito aguda e extensa, capaz de realizar vocalises rápidos e muito extensos ***a2g.*** **4** Diz-se de quem tem voz de soprano muito aguda e extensa

colorau (co.lo.*rau*) ***sm.*** *Cul.* Pó vermelho feito de urucum ou pimentão seco, usado para condimentar e/ou colorir alimentos [F.: Do espn. *colorado*, posv. por via dialetal.]

colorear (co.lo.re.*ar*) ***v. td. int.*** O mesmo que *colorir* [▶ 13 colorear] [F.: *color(i)-* + *-ear*[2].]

⊕ ***colored*** (*Ing.* /*coloréd*/) ***a2g.*** *Antq.* Dizia-se, no Brasil, de pessoa negra, esp. se norte-americana (cantora colored) [Tb. us. como subst.]

◎ **color(i)-** ***el. comp.*** = 'cor': *coloração* (< lat.), *colorado* (< lat.), *colorar* (< lat.), *coloratura* (< it.), *colorimetria, colorir* (posv. do it.) [F.: Do lat. *color, oris*, 'cor'; 'tinta'. F. conexa: *-color*.]

colorido (co.lo.*ri*.do) ***a.*** **1** Que tem ou recebeu cores (desenho colorido) **2** Feito de cores **3** *Fig.* Que tem brilho, vivacidade (estilo colorido, prosa colorida) ***sm.*** **4** O mesmo que *coloração* (2) **5** *Art. pl.* Efeito da mistura e do uso das cores numa obra **6** *P. ext.* Combinação de cores na paisagem, na vegetação etc. **7** *Fig.* Brilhantismo, vivacidade [F.: Part. de *colorir* ou do it. *colorito*.]

colorir (co.lo.*rir*) ***v.*** **1** Cobrir ou matizar de cor(es); dar cor(es) a ou tomar cor(es) [***td.***: *colorir um desenho; colorir um ambiente*] [***int.***: *O céu da manhã aos poucos coloria-se.*] **2** *Fig.* Tornar mais alegre, brilhante, vivo ou expressivo; DECORAR; ORNAR [***td.***: *A boa notícia coloriu o dia; colorir bem a figura de uma personagem.*] **3** *Fig.* Pôr adornos, enfeites em; ADORNAR; ENFEITAR [***td.***: *Várias pedrinhas coloriam o aquário.*] **4** *Fig.* Encobrir aspectos negativos de (situação, problema, dificuldade etc.) aplicando interpretações ou descrições positivas; CAMUFLAR; DISFARÇAR; DISSIMULAR [***td.***: *Não tentemos colorir a dura realidade da seca.*] **5** Ficar (o rosto) corado; CORAR; RUBORIZAR [***int.***: *Por causa do vexame que passara, seu rosto coloriu intensamente.*] [▶ 58 colorir] [F.: *color* (forma ant. de *cor*) + *-ir*; ou do it. *colorire* Hom./Par.: *colores* (fl.), *colores* (s2g. sm. pl.).]

colorista (co.lo.*ris*.ta) ***a2g.*** **1** Que colore (ilustrador colorista) **2** *Art. pl.* Diz-se de pintor que prima pelo colorido ou que tende principalmente ao efeito do colorido **3** *Fig.* Diz-se de escritor notável pela perfeição das descrições ou das imagens **4** *Bras.* Que trabalha na fabricação de tintas ***s2g.*** **5** Aquele que colore **6** *Art. pl.* Pintor colorista (2) **7** *Fig.* Escritor colorista (3) **8** Quem trabalha na fabricação de tintas **9** Estilista especializado na mistura e aplicação de tinturas nos cabelos [F.: *color(i)-* + *-ista*, por infl. do fr. *coloriste*.]

colorístico (co.lo.*rís*.ti.co) ***a.*** **1** Ref. ou inerente a cor ou a colorismo (processo colorístico) **2** Diz-se do que tem brilho e vivacidade (folhagem colorística) [Ant.: *opaco; incolor*.] [Superl.: *coloristiquíssimo/a*.] [F.: *colorista* + *-ico*.]

colorização (co.lo.ri.za.*ção*) ***sf.*** **1** Ação ou resultado de colorizar; COLORAÇÃO [Ant.: *descoloração, descolorização*.] **2** Manifestação ou mudança de cor em substâncias químicas, farmacêuticas etc. **3** *Art. Pl. Eletron. Cin. Fot.* Técnica de colorir imagens em filmes, vídeos, gravuras, desenhos, fotografias etc. originalmente produzidos em preto e branco [+ *de, por*: *colorização de filme; colorização por computador*] [Pl.: *-ções*.] [F.: *colorizar-* + *-ção*.]

colorizado (co.lo.ri.*za*.do) ***a.*** **1** Que passou por colorização; que recebeu cor (material colorizado; pedra colorizada); COLORIDO [Ant.: *descolorizado*.] **2** *Art. Pl. Eletrôn. Cin. Fot.* Diz-se de desenho, gravura, filme, vídeo, fotografia, orig. em preto e branco, que sofreu processo de colorização [F.: Part. de *colorizar*.]

colorizar (co.lo.ri.*zar*) ***v. td.*** **1** *P. us.* Dar cores a; colorir **2** *Cin.* Colorir filmes que foram feitos originalmente em preto e branco [▶ 1 colorizar] [F.: *color (i)-* + *-izar*.]

colorretal (co.lor.re.*tal*) ***a2g.*** *Med.* Ref. ou inerente ao cólon e ao reto (exame colorretal; infecção colorretal) [Pl.: *-tais*.] [F.: *col(o)-* + *retal*.]

colossal (co.los.*sal*) ***a2g.*** **1** Que tem as dimensões ou proporções de um colosso (estátua) **2** *P. ext.* Que tem dimensões extraordinárias; IMENSO; GIGANTESCO [Ant.: *minúsculo*.] **3** *Fig.* Fora do comum, extraordinário (obra colossal) [F.: *colosso* + *-al*[1].]

colosso (co.*los*.so) [ô] ***sm.*** **1** Estátua de dimensões gigantescas, de enormes proporções **2** Qualquer coisa (objeto, construção etc.) de tamanho muito acima do comum, descomunal: "És belo, és forte, impávido colosso." (Osório Duque Estrada, *Hino Nacional Brasileiro*) **3** *Fig.* Entidade dotada de poder, supremacia, influência; império ou poderosa soberania: *A China desponta como um colosso econômico.* **4** *Fig.* Pessoa muito grande e forte **5** *Fig.* Pessoa dotada de qualidades extraordinárias: *Camões foi um colosso da língua portuguesa.* **6** *Fam.* Algo muito bom: *O jantar está um colosso.* **7** *Bras.* Grande quantidade: *A embarcação transporta um colosso de gente.* [F.: Do gr. *kolossós*, pelo lat. *colossus*.]

colostomia (co.los.to.*mi*:a) ***sf.*** **1** *Cir.* Procedimento cirúrgico destinado a estabelecer uma conexão artificial entre a luz do cólon e a parte externa do abdome, para a eliminação das fezes **2** O estoma resultante desse procedimento [F.: *col(o)-* + *-stomia*.]

colostro (co.*los*.tro) [ô] ***sm.*** *Ginec.* Líquido nutritivo amarelado, rico em anticorpos, excretado pelas glândulas mamárias nos primeiros dias após o parto [F.: Do lat. *colostrum, i*.]

colpite (col.*pi*.te) ***sf.*** *Pat.* Inflamação da vagina; VAGINITE [F.: *colp(o)-* + *-ite*[1].]

◎ **-colp(o)-** ***el. comp.*** Ver *colp(o)-*

◎ **-colpo** ***el. comp.*** Ver *colp(o)-*

◎ **colp(o)-** ***el. comp.*** = 'prega'; 'sinuosidade'; 'cavidade'; 'vagina': *colpite; colposcopia, colposcópio, colpotomia; encolpismo; hematocolpo* [F.: Do gr. *kólpos, ou*, 'prega', 'fenda', 'cavidade'.]

colportor (col.por.*tor*) [ô] ***a.*** **1** Diz-se de quem (indivíduo, vendedor) leva consigo livros para os vender ou distribuir de porta em porta ***sm.*** **2** Aquele que carrega consigo mercadorias (esp. livros) para vender ou distribuir de porta em porta [F.: Do fr. *colporteur*.]

colposcopia (col.pos.co.*pi*:a) ***sf.*** *Med.* Exame do interior da vagina e do colo do útero por meio do colposcópio [F.: *colp(o)-* + *-scopia*.]

colposcópio (col.pos.*có*.pi:o) ***sm.*** *Med.* Aparelho us. na colposcopia, para observação da vagina e do colo do útero [F.: *colp(o)-* + *-scópio*.]

colpotomia (col.po.to.*mi*.a) ***sf.*** *Cir.* Incisão na vagina; VAGINOTOMIA [F.: *colp(o)-* + *-tomia*.]

colquicina (col.qui.*ci*.na) ***sf.*** *Quim.* Alcaloide cristalino amarelo, extraído da semente e caule da planta vulgarmente conhecida como dama-nua, us. no tratamento de ataques agudos de gota [fórm.: $C_{22}H_{25}NO_6$] [F.: Do fr. *colchicine*. Tb. *colchicina*.]

columbário (co.lum.*bá*.ri:o) ***sm.*** **1** Entre os antigos romanos, construção sepulcral dotada de pequenos nichos destinados a receber as urnas funerárias ***sm.*** **2** Construção provida de nichos nos quais são depositadas urnas com cinzas de cadáveres humanos **3** *P. us.* Pombal [F.: Do lat. *columbarium, ii*; ver *columb(o)-* e *-ário*.]

columbino (co.lum.*bi*.no) ***a.*** **1** Ref. ou pertencente a pombo **2** Que tem forma ou aspecto de pombo (escultura columbina) **3** *Fig.* Diz-se de indivíduo cândido, inocente, puro [Ant.: *corrompido, impuro, malicioso*.] [F.: Do lat. *columbinus, a, um*. Hom./Par.: *columbino* (*a.*), *colombiano* (a. sm.); *columbina* (fem.), *colombina* (sf.).]

◎ **columb(o)-** ***el. comp.*** = 'pombo': *columbário* (< lat.), *columbino* (< lat.), *columbofilia, columbófilo* [F.: Do lat. *columbus, i*, ou *columba, ae*.]

columbofilia (co.lum.bo.fi.*li*.a) ***sf.*** **1** Amor e dedicação aos pombos; grande interesse pelos pombos **2** Arte e técnica de criação e adestramento de pombos, esp. pombos-correios [F.: *columb(o)-* + *-filia*[1].]

columbófilo (co.lum.*bó*.fi.lo) ***a.*** **1** Ref. ou inerente a columbofilia **2** Diz-se de indivíduo ou entidade que se dedica à columbofilia ***sm.*** **3** Esse indivíduo ou entidade [F.: *columb(o)-* + *-filo*[1].]

columela (co.lu.*me*.la) ***sf.*** **1** Pequena coluna **2** *Biol.* Qualquer estrutura orgânica em forma de pequena coluna de sustentação **3** *Anat. Zool.* Eixo central da concha dos gastrópodes **4** *Anat.* Eixo central cônico do osso em caracol do ouvido dos mamíferos **5** *Anat.* O septo nasal **6** *Anat. Zool.* Parte semelhante ou comparada a uma coluna óssea, muscular ou carnuda do organismo animal **7** *Anat. Zool.* Bastonete ósseo ou cartilaginoso que conecta a membrana timpânica ao ouvido interno nos anfíbios, répteis e aves **8** *Bot.* Eixo da cápsula de musgos e de algumas hepáticas [F.: Do lat. cient. *columella*.] ■ **~ áurea** *Zool.* Haste óssea ou cartilaginosa encontrada nos reptis que liga a membrana do tímpano ao ouvido interno, permitindo a transmissão de som

coluna (co.*lu*.na) ***sf.*** **1** *Arq.* Estrutura cilíndrica us. para sustentar abóbadas, entablamentos etc., e/ou enfeitar construções, composta de três partes: *base* ou *pedestal, fuste, capitel* **2** Qualquer objeto ou suporte semelhante a coluna (1). seja quanto ao aspecto seja quanto à função: *Colunas retorcidas de madeira, formavam os pés da mesa de estilo colonial.* [Dim. de (1) e (2): *colunelo, coluneta*.] **3** *Cons.* Viga vertical que sustenta parte do peso de uma edificação **4** Série de objetos sobrepostos, erguendo-se em sentido vertical; PILHA; RUMA **5** *Fig.* Base, apoio, sustentáculo **6** O que, de forma mais ou menos cilíndrica, eleva-se a uma altura considerável: *Coluna de fumaça.* **7** *Fig.* Pessoa ou coisa muito forte, resistente; PILAR **8** Linha vertical de algarismos: *a coluna das dezenas, numa soma* **9** *Edit.* Cada uma das disposições verticais de texto em página de livro, revista etc. **10** *Jorn.* Seção de jornal ou revista ger. sempre assinada pelo mesmo jornalista **11** *Mil.* Tropa de soldados formada em linha **12** *Mil.* Destacamento de soldados em formação compacta que avança sobre um objetivo ou que está encarregado de missão específica **13** *Mar. G.* Formação tática, em linha e a intervalos regulares, dos navios de uma esquadra **14** *Fís.* Massa líquida ou gasosa de um fluido contido em recipiente cilíndrico: *coluna de água no poço* **15** *Bras. Anat.* Coluna vertebral; RAQUE **16** *Bot.* Estrutura que resulta da junção de estames e pistilos na flor da orquídea; GINOSTÊMIO **17** *Álg.* Numa matriz, conjunto de termos dispostos numa mesma vertical **18** Em qualquer disposição em forma de matriz (tabela, quadro etc.) linha de elementos dispostos na mesma vertical [F.: Do lat. *columna*. Hom./Par.: *coluna* (sf.), *coluna* (fl. de *colunar*).] ■ **~ barométrica** *Fís.* Coluna de mercúrio que, num barômetro, equilibra a pressão atmosférica e, com isso, serve para medi-la **~ compósita** *Arq.* A que compõe no capitel os estilos das colunas coríntia e jônica **~ coríntia** *Arq.* A que tem capitel com duas fileiras de folhas e oito volutas ~

corolítica *Arq.* Coluna cujo fuste é ornado com espiral de folhas e flores **~ cronogeológica** *Geol.* Quadro que estabelece uma relação entre as rochas e o tempo geológico, para datação dos que nelas se encontram **~ dórica** *Arq.* A que tem fuste acanelado, capitel simples (sem decoração), e se apoia diretamente na laje (sem base) **~ eólica** *Arq.* A que tem como capitel duas folhas de acanto **~ geológica** As camadas de rochas da crosta terrestre superpostas na ordem de sua formação, ou de sua idade geológica **~ gótica** *Arq.* A que serve de sustentação de abóbadas góticas e romanas, sem engrossamento a meia altura e não muito alta **~ jônica** *Arq.* A que tem fuste acanelado e capitel retangular ornado por volutas **~ luminosa** *Met.* Fenômeno luminoso na forma de uma luz vertical, acima e abaixo do Sol **~ salomônica** Coluna de fuste em espiral como seriam as do templo de Salomão **~ vertebral** *Anat.* A parte do esqueleto formada pela sobreposição articulada das vértebras, e que serve de sustentação vertical do corpo [Tb. apenas *coluna.*]

coluna do meio (co.lu.na do *mei*.o) *s2g.* **1** *Bras. Joc.* Indivíduo homossexual **2** *Fig.* Indivíduo vacilante, indeciso [Ref. à coluna de empate, situada no meio de outras duas, no boleto de loteria esportiva.] [Pl.: *colunas do meio.*]

colunar[1] (co.lu.*nar*) *a2g.* **1** Ref. a coluna **2** Em forma de coluna; disposto em colunas (aspecto colunar; disposição colunar) *sf.* **3** *MT* Antiga moeda espanhola de prata, cunhada no Paraguai nos tempos coloniais [F.: Do lat. *columnaris*, deriv. de *columna*. Hom./Par.: *colunar* (v.).]

colunar[2] (co.lu.*nar*) *v. td.* **1** Formar ou dispor em colunas, em filas **2** Dar forma de coluna a [▶ 1 colunar] [F.: *coluna* + *-ar*[2]. Hom./Par.: *coluna* (3ª p. s.), *colunas* (2ª p. s.), *coluna(s)* (sf. [pl.]); *colunar* (sf.); *colunaria* (1ª e 3ª p. s.), *colunária* (fem. *colunário* [a.]).]

colunário (co.lu.*ná*.ri:o) [á] *a.* **1** Que tem colunas, reais ou representadas *sm.* **2** *Med.* Solução medicinal para instilação nas narinas ou para ducha nasal **3** *Jorn.* Conteúdo de coluna de jornal [F.: Do lat. tardio *columnarius, a, um.* Hom./Par.: *colunaria* (fl. de *colunar*).]

colunata (co.lu.*na*.ta) *Arq. sf.* **1** Sequência de colunas dispostas simetricamente, ger. como elemento arquitetônico numa fachada, no espaço diante ou em torno de uma edificação etc.: *a colunata da praça de São Pedro, em Roma* **2** Conjunto de colunas que sustentam entablamento, teto etc., formando entre elas uma galeria [Do lat. tardio *columnatum*, pelo it. *colónnata.*]

colunável (co.lu.*ná*.vel) *a2g.* **1** Diz-se de pessoa que, por seu mérito, sua posição social, alguma realização etc. pode ser citado em coluna (ger. social) de jornal ou de revista [Pl.: *-veis.*] *s2g.* **2** Pessoa colunável [Pl.: *-veis.*] [F.: *colunar*[2] (dar forma de coluna de jornal ou revista) + *-vel.* Hom./Par.: *colunáveis* (pl.), *colunáveis* (fl. de *colunar*).]

colunismo (co.lu.*nis*.mo) *sm.* **1** *Jorn.* Atividade de colunista (colunismo político; colunismo social) **2** *Jorn. Rad. Telv.* Atividade exercida por cronista ou repórter autor de coluna em qualquer mídia ou meio de comunicação (colunismo televisivo) [F.: *coluna* + *-ismo.*]

colunista (co.lu.*nis*.ta) *s2g. Bras. Jorn.* Comentarista, cronista ou crítico que mantém coluna regular e periódica em jornal ou revista [F.: *coluna* (*Jorn.*) + *-ista.* Cf.: *cronista.*]

com (com) *prep.* **1** Indica condição de companhia; na companhia de: *Por que você não quis sair com eles?* **2** Indica meio ou instrumento: *Limpou a mesa com desinfetante.* **3** Indica modo: *A vendedora o tratou com grosseria.* **4** Indica estado ou condição: *Ela está com uma gripe muito forte.* **5** Indica ato de levar consigo: *Saio sempre com o celular.* **6** Dá o sentido de 'junto a': *Na esquina da avenida Rio Branco com a rua do Ouvidor.* **7** Em relação a: *Deixe de implicância com ele.* **8** Serve como elemento de realce: *Parem com essa batucada!* [F.: do latim *cum.*]

◎ **com-** *Pref.* = 'com', 'junto com': *coautoria, colaborar, copiloto, corresponsável.*

coma[1] (*co*.ma.) *sf.* **1** Cabeleira grande e farta *sf.* **2** Crina de cavalo, ou de outro animal **3** Juba do leão, ou pelos ou penas na cabeça ou no pescoço de um animal **4** Plumas para enfeite da cabeça, de capacete etc.; COCAR; PENACHO **5** Copa de árvore, ger. frondosa **6** *Astr.* Nuvem luminosa de gás e poeira que circunda o núcleo de um cometa; CABELEIRA **7** *Ópt.* Aberração de um sistema óptico em que a imagem de um ponto luminoso, situado fora do eixo óptico, assume a forma de um cometa [Do gr. *kóme*, pelo lat. *coma.* Hom./Par.: *coma*[1] (sm.), *coma* (fl. de *comer*).]

coma[2] (co.ma) *sm.* **1** *Med.* Estado de inconsciência durante o qual ficam anuladas as atividades cerebrais superiores, conservando-se apenas respiração e circulação. É causado por traumatismo ou doença, e pode também ser induzido via medicamentosa **2** *Fig.* Apatia, insensibilidade: *Somente um milagre despertaria a população do coma político.* [F.: Do gr. *kôma*, pelo fr. *coma.*] ▪ **~ cárus** *Med.* Ver *Coma profundo.* **~ profundo** *Med.* Estado de coma com cessação de todas as reações motoras e possível perturbações de funções vegetativas, como a respiração **~ vígil** *Med.* Estágio do coma em que o paciente pode ser despertado por estímulos de dor

coma[3] (co.ma) *sf.* **1** *Ant. Gram.* Sinal de pontuação correspondente à vírgula **2** *Mús.* Em partituras, sinal em forma de vírgula que configura o momento em que o executante (vocal ou instrumental) deve respirar, sem proceder à pausa **3** *Mús.* A nona parte de um tom, quase imperceptível ao ao ouvido humano **4** *Mús.* Intervalo entre duas notas enarmônicas, em instrumentos não temperados [F.: Do gr. *kómma*, pelo lat. *comma.*]

comadre (co.*ma*.dre) *sf.* **1** Madrinha de uma pessoa (em batizado, crisma etc.) em relação aos pais desta pessoa **2** Mãe de uma pessoa (batizada, crismada etc.) em relação aos padrinhos desta pessoa **3** *Fam.* Amiga, companheira **4** *Pop.* Forma de tratamento para mulher com a qual se mantém algum relacionamento, ou para vizinha **5** Parteira, em relação a pais ou padrinhos do neonato **6** *Pej.* Mulher bisbilhoteira, maledicente **7** *Pop.* Espécie de urinol, de fundo chato, para uso de doentes que não podem sair da cama; APARADEIRA **8** Utensílio (espécie de botija com água quente) que se passa sobre as cobertas de uma cama para aquecê-la **9** *Lud.* Brincadeira infantil na qual os participantes simulam a interação entre famílias [Masc. nas acps. 1 a 4: *compadre.*] [F.: Do lat. tardio *commater.*]

comadreira (co.ma.*drei*.ra) *sf.* **1** *Fig.* Mulher curiosa, indiscreta; BISBILHOTEIRA; MEXERIQUEIRA **2** *Bras.* Tipo de urinol achatado, us. por pessoas impossibilitadas de levantar da cama; APARADEIRA; COMADRE **3** *Bras. P. ext.* Botija ou outro recipiente similar de água quente, us. para aquecer as cobertas da cama [F.: *comadre* + *-eira.*]

comadrice (co.ma.*dri*.ce) *sf.* **1** *Fig.* Comportamento característico de comadre **2** *Fig.* Intriga, mexerico, bisbilhotice [F.: *comadre* + *-ice.*]

⊠ **Comam** *sf.* Sigla de Coordenadoria Geral da Marinha Mercante

comanda (co.*man*.da) *sf.* **1** Formulário de anotação de pedido do cliente em bares e restaurantes **2** Papeleta onde se registra esse pedido; BOLETO [F.: Dev. de *comandar*. Cf.: *comanda* (fl. de *comandar*).]

comandado (co.man.*da*.do) *a.* **1** Dirigido, governado (contingente comandado) **2** Controlado por alguém (veículo comandado; família comandada) **3** Ordenado (ataque comandado) **4** Administrado, gerido (empresa comandada) *sm.* **5** Indivíduo que se encontra sob comando, subordinado a outrem [F.: Part. de *comandar.*]

comandância (co.man.*dân*.ci:a) *sf. Mil.* Cargo, função, área de competência de comandante (comandância do quartel); COMANDO [F.: *comandar* + *-ância.*]

comandante[1] (co.man.*dan*.te) *a2g.* **1** Que comanda (oficial comandante); DIRIGENTE *sm.* **2** Pessoa que comanda, ou que detém um comando **3** *Mar.* Oficial que exerce o comando de um navio mercante ou de guerra **4** *Mil.* Oficial que exerce o comando de qualquer força militar **5** *Aer.* Aquele que exerce o comando de uma aeronave (militar ou civil) ou de uma espaçonave [F.: Do fr. *commandant.*]

comandante[2] (co.man.*dan*.te) [â] *s2g.* **1** Aquele que é mandante, juntamente com outra pessoa (comandante do assalto) **2** Aquele que, sozinho ou com outros, contrata alguém para fazer algo [F.: *co*[1] + *mandante*. Hom./Par.: *comandante* (s2g.).]

comandante em chefe (co.man.dan.te em *che*.fe) *sm. Mil.* Alta patente de oficial militar que exerce funções de comando de tropas em operações específicas [Pl.: *comandantes em chefe.*]

comandar (co.man.*dar*) *v.* **1** *Mil.* Dirigir tropa como seu comandante, ou ação da tropa, operação militar etc. [*td.: comandar um regimento/ uma esquadra/ uma esquadrilha; comandar uma operação de resgate.*] **2** *P. ext.* Dirigir qualquer grupo de pessoas ou atividades [*td.: Comandou os negócios da empresa/ a fuga do presídio.*] [*int.: Não desejava comandar.*] **3** Administrar, governar; DIRIGIR [*td.: Comandara o município com mão de frade.*] [*int.: Nunca soube comandar.*] **4** Dar ordem, orientação ou comando para (certa ação, medida, comportamento etc.); ORDENAR [*td.: Comandou que a tropa se perfilasse.*] **5** Ter o controle de, domínio sobre (físico ou moral) [*td.: Depois da lesão, não comanda mais os dedos das mãos; Incontida euforia comandou a cerimônia.*] **6** Ser fator preponderante na conduta de alguém [*td.: A ambição comandava-lhe cada passo.*] **7** Pôr em funcionamento; ACIONAR [*td.: Este dispositivo comanda as luzes da cauda.*] **8** *Fig.* Dominar, estar em situação mais elevada que [*td.: A fortificação comanda toda a planície.*] **9** *Bras.* Registrar (o garção) em comanda pedido de cliente em restaurante, bar etc. [▶ 1 comandar] [F.: Do lat. pop. *commandare* pelo fr. *commander*. Hom./Par.: *comando* (flex. de *comandar*)/ *comando* (*sm.*); *comanda* (flex. de *comandar*); *comandas* (flex. de *comandar*) / *comanda(s)* (*sf.*).]

comandita (co.man.*di*.ta) *sf. Jur.* Tipo de estado ou sociedade constituído por um ou mais associados que são solidariamente responsáveis pela instituição, e um ou mais associados capitalistas, que provêm fundos sem gerenciá-los, e são por eles responsáveis até o limite subscrito pelos sócios [F.: Do fr. *commandita.*]

comanditário (co.man.di.*tá*.ri:o) *Jur. Com. a.* **1** Diz-se de sócio de sociedade em comandita que só é responsável até o limite do capital empregado *sm.* **2** Esse sócio: "...a parte que tinha como comanditário em uma grande casa importadora." (Coelho Neto, *Água de Juventa*) [F.: Do fr. *commanditaire.*]

comando (co.*man*.do) *sm.* **1** Ação ou resultado de comandar **2** Posto ou função de comandante **3** Direção, liderança, chefia, governo **4** Ordem em voz alta para alguma ação, medida etc. **5** Posição de liderança em competição: *Durante nove voltas da corrida esteve no comando do pelotão da frente.* **6** *Mil.* Grupo militar especializado em missões rápidas em território hostil **7** *Mil.* Membro desse grupo **8** *Bras. Mil.* Órgão que dirige uma unidade operativa, e que inclui o comandante, seu Estado-maior e os serviços: *Comando Militar do Leste.* **9** *Bras. Mil.* Local onde funciona o referido órgão **10** *Mar. G.* Área territorial sob comando de um militar **11** *P. ext.* Grupo de ação estratégica (comando sanitário) **12** *Inf.* Qualquer instrução dada ao computador para a execução de operação **13** *Inf.* Num sistema de controle, variável de entrada que se modifica de maneira autônoma **14** Dispositivo que aciona ação mecânica, eletrônica etc., num sistema: *os comandos da aeronave* **15** *Jur.* Imperativo da norma jurídica que proíbe fazer ou deixar de fazer algo [F.: Dev. de *comandar*. Ideia de 'comando': *-arquia, oligarquia, hierarquia.*]

comarca (co.*mar*.ca) *sf.* **1** *Jur.* Circunscrição administrativa do poder judiciário, sob alçada de um ou mais juízes de direito **2** *Antq.* Região fronteiriça; CONFINS **3** Divisão judicial de um Estado sob alçada de Juízo de Direito (tribunal de primeira instância) [F.: *co-*[1] + *marca*[1] ('fronteira').]

comatoso (co.ma.*to*.so) [ô] *a.* Ref. a, ou próprio de coma[2] [Fem. e pl.: [ó].] [*coma*[2] (na forma *comat-*) + *-oso*, ou do fr. *comateux.*]

combalido (com.ba.*li*.do) *a.* **1** Falto de forças físicas; ENFRAQUECIDO; ABATIDO **2** Moralmente abalado; DESANIMADO **3** *Fig.* Enfraquecido, desgastado: *o combalido setor automotivo; problemas típicos de um governo combalido.* [F.: Part. de *combalir.*]

combalir (com.ba.*lir*) *v.* **1** Destituir(-se) de força ou vitalidade; abater(-se), debilitar(-se) o corpo ou o espírito de (alguém); DEBILITAR(-SE); ENFRAQUECER(-SE) [*td.: A doença combalia o atleta; Aquele desgosto combaliu-o muito.*] [*int.: Combalia-se com a falta de esperança.*] **2** Tornar(-se) instável, vulnerável; ABALAR(-SE) [*td.: Essas escaramuças não hão de combalir o estado de direito.*] [*int.: Os prédios combaliram-se com o terremoto.*] **3** Causar o apodrecimento de (fruto, p. ex.); APODRECER; DETERIORAR [*td.*] [▶ 59 combalir] [F.: De or. contrv.]

combate (com.*ba*.te) *sm.* **1** Ação ou resultado de combater **2** *Mil.* Ação bélica de menor amplitude que a batalha, travada em área restrita **3** *Fig.* Esforço para dominar ou extinguir um problema, uma doença: *Combate às drogas.* **4** *Fig.* Luta, batalha, embate físico (inclusive entre animais); tb. metáfora para as dificuldades, os desafios que se precisa enfrentar: "A vida é combate/ que os fracos abate/, que os fortes, os bravos/ só pode exaltar". (Gonçalves Dias, *Canção do Tamoio*) **5** *Fig.* Enfrentamento, prélio, embate (físico, esportivo, político etc.) [F.: Dev. de *combater*. Hom./Par.: *combate* (sm.), *combate* (fl. de *combater*).] ▪ **Dar ~ a 1** Lutar contra, combater **2** Enfrentar (adversário), inclusive no esporte, exercendo marcação, assediando etc. **Fora de ~ 1** Vencido, sem condições para continuar a lutar **2** *Fig.* Sem forças, exausto

combatente (com.ba.*ten*.te) *a2g.* **1** Que combate ou pode combater **2** Que luta com vigor pela vitória em disputa, competição etc.: *zagueiro combatente. s2g.* **3** Soldado, guerreiro *sm.* **4** *Ornit.* Ave pernalta caradriiforme, escolopacídea (*Philomachus Pugnax*), cujo macho apresenta exuberante plumagem no pescoço, a qual exibe para a fêmea no acasalamento; BRIGÃO **5** Nome de certas raças de aves (esp. galos) agressivas e belicosas [F.: *combater* + *-nte.*]

combater (com.ba.*ter*) *v.* **1** Bater-se com; sustentar combate, batalha, guerra contra; LUTAR [*td.: combater o inimigo; As duas tribos combateram- se até quase dizimarem uma a outra.*] [*tdr.* + *com, contra: As tropas combateram com /contra uma unidade de elite.*] [*int.: Nessa batalha a palavra de ordem era não recuar, combater sempre.*] **2** Lutar, pugnar em favor de ou contra algo [*tr.* + *a favor /em prol de, contra, por: Combatemos pela /em prol da justiça e contra a desigualdade.*] **3** Tomar medidas, pugnar por, esforçar-se para dominar, vencer, eliminar, extinguir, suprimir (algo, situação, [*td.: combater um incêndio/a inflação/um vício etc.*] **4** Opor-se a, ser ou manifestar-se contra [*td.: Combateu no Senado a nova proposta de orçamento.*] [*tdr.* + *contra*: Essa ONG combate *contra a prática do desmatamento.*] **5** Contestar, questionar (em debate oral ou por escrito) [*td.: Começou a combater o colega deputado assim que este iniciou o discurso; Aparte contra aparte, combateram-se na tribuna durante uma hora.*] [▶ 2 combater] [F.: Do lat. vulg. **combattere.*]

combatido (com.ba.*ti*.do) *a.* Que se combateu; ATACADO, CONTESTADO: *discurso combatido pela oposição* [F.: Part. de *combater.*]

combatível (com.ba.*tí*.vel) *a2g.* **1** Que pode ser combatido com êxito (epidemia combatível) **2** Que pode ser sujeito a controvérsia (argumento combatível); CONTESTÁVEL; QUESTIONÁVEL [Ant.: *incontestável, inquestionável.*] [F.: *combater* + *-vel.*]

combatividade (com.ba.ti.vi.*da*.de) *sf.* **1** Caráter, condição ou qualidade de quem (ou do que) é combativo **2** Tendência a combater [F.: *combativo* + *-(i)dade*, ou do fr. *combativité.*]

combativo (com.ba.*ti*.vo) *a.* **1** Que tem ou demonstra ânimo, espírito ou instinto de combatente **2** Que se revela agressivo e determinado na luta por alguma causa: *Pugnava por um jornalismo participante, combativo.* **3** Que não recua diante da luta: *espírito combativo.* **4** Que discute ou envolve-se em briga por qualquer razão [F.: Do fr. *combatif.*]

combinação (com.bi.na.*ção*) *sf.* **1** Ação ou resultado de combinar(-se) **2** Ajuntamento de coisas agrupadas em certa disposição ou em certa ordem **3** A maneira ou o critério com que foram agrupadas essas coisas **4** Aquilo que foi combinado, acertado para uma ação, providência, realização de um plano ou objetivo etc.; AJUSTE; ACORDO: *Não é necessário planejar de novo, vale nossa combinação.* **5** Associação de elementos ou fatores para determinado efeito, finalidade etc.: *Essa tarefa exige uma combinação de energia e criatividade.* **6** Série de números ou letras que constituem o segredo que permite acionar o mecanismo de abertura de um cofre **7** Plano, projeto **8** Ligação íntima ou união estreita, fusão: *O sal comum resulta da combinação do cloro com o sódio.* **9** O corpo ou elemento resultante dessa combinação: *A água é uma combinação do hidrogênio com o oxigênio.* **10** Conformidade, harmonia **11** *Vest.* Roupa íntima feminina que reúne saia e corpinho num só peça, e que se usa por baixo do vestido **12** *Mat.* Agrupamento de elementos selecionados de um conjunto, sem consideração por sua ordem **13** *Mat.* Grupos que se obtêm com um número qualquer de objetos tomados dois e dois, três e três, etc., de modo que cada grupo difira de cada um dos outros ao menos em um objeto, e que no mesmo grupo não entre o mesmo objeto mais de uma vez **14** *Gram.* Processo de formação de palavra em que se unem partes de duas ou mais palavras para formar uma terceira; p. ex.: *aborrecer + adolescente = aborrecente* **15** *Biol.* Nome científico de espécie ou subespécie, sempre constituído por um nome genérico seguido de um nome específico **16** *Esp.* No xadrez, concatenação mentalmente antecipada de jogadas para levar a posição vantajosa no tabuleiro, ou a xeque-mate para o adversário [Pl.: *-ções.*] [F.: Do lat. tardio *combinatio, onis.*] ■ **~ linear** *Mat.* Soma em que as parcelas são entidades matemáticas análogas (todas equações, ou variáveis etc.), e cada uma é multiplicada por um número real [Na combinação linear $ax_1 + bx_2 + cx_3 + ...zx_n$, x_1, x_2...x_n são entidades de mesmo tipo, e os coeficientes *a, b,...z* são números reais.] **~ química** *Quím.* Ligação estável de duas ou mais substâncias por reação química, formando outra(s) substância(s)

combinado (com.bi.*na*.do) *a.* **1** Que foi agrupado de forma ordenada, segundo algum critério **2** Que foi ajustado, convencionado, acordado **3** Que se encontra unido de maneira íntima **4** Que se apresenta em harmonia (cores combinadas) **5** *Bras. Mil.* Diz-se de força militar, operação, atividade etc. em que participam unidades de mais de uma força armada, sob comando único, numa missão comum *sm.* **6** Aquilo que se combinou: *O combinado foi partir de madrugada.* **7** *Esp.* Time formado por jogadores de diferentes clubes: *O combinado tinha mais paulistas que cariocas.* **8** *Cul.* Prato da cozinha japonesa que contém porções de *sushi* e *sashimi* [F.: Part. de *combinar.*]

combinar (com.bi.*nar*) *v.* **1** Deixar acertado, pactuado, planejado; ACORDAR [*td.*: *combinar uma viagem de férias; Combinaram encontrar-se na cidade.*] [*tr.* + *em*: *Combinavam em passar os fins de semana em Arraial do Cabo.*] [*tdr.* + *com*: *Combine o pagamento com o cliente.*] **2** Associar, misturar elementos diferentes para obter certo resultado; ORDENAR [*td.*: *Combinou pigmentos especiais para produzir uma tinta nova.*] [*tdr.* + *com*: *combinar leite com banana.*] **3** Associar(-se), aliar(-se) (fatores, qualidades, técnicas etc.) para determinado fim [*td.*: *Aquele instrumentista combina técnicas bastante diferentes.*] [*tdr.* + *com*: *É preciso combinar o talento com o trabalho.*] [*int.*: *Razão e emoção combinaram-se em sua decisão.*] **4** Estar em relação de harmonia; AJUSTAR [*tr.* + *com*: *Meu jeito combina com o seu.*] [*int.*: *Essas cores não combinam.*] [*td.*: *A arte da decoração é saber combinar móveis, objetos e cores.*] **5** *Quím.* Fazer ligação entre elementos químicos ou participar dela [*tdr.* + *com*: *combinar o cobre com o enxofre*] [*td.*: *combinar ferro e enxofre.*] [*int.*: *Hidrogênio e oxigênio combinam-se para formar a água.*] [▶ 1 combinar] [F.: Do lat. tardio *combinare.*]

combinatório (com.bi.na.*tó*.ri:o) *a.* **1** Ref. a combinação ou combinações **2** Em que há combinação ou combinações [F.: *combinar* + *-tório.*]

combinável (com.bi.*ná*.vel) *a2g.* Que pode ser combinado [Ant.: *incombinável.*] [F.: *combinar* + *-vel.* Hom./Par.: *combináveis* (pl.), *combináveis* (fl. de *combinar*).]

combinete (com.bi.*ne*.te) [ê] *sf.* Parte do vestuário feminino que combina numa só peça uma combinação curta e uma calcinha [F.: Do fr. *combinette.*]

combo (*com*.bo) *a2g.* **1** Diz-se de dispositivo que executa duas ou mais funções, não necessariamente completas, em um só equipamento: *Note que a unidade combo lê DVDs mas não os grava, gravando somente CDs.* *sm.* **2** *Tec.* Equipamento que desempenha diversas funções em um único componente físico [F.: Red. de *combinado*, por infl. do ing. *combo.*]

comboiado (com.boi:*a*.do) *a.* Que é ou foi escoltado, acompanhado para ter mais segurança: *caminhão comboiado por policiais.* [F.: Part. de *comboiar.*]

comboiar (com.boi.*ar*) *v. td.* **1** Acompanhar (comboio) oferecendo proteção; ESCOLTAR: *Navios ingleses comboiaram a esquadra portuguesa.* **2** *Bras. P. ext. Pop.* Acompanhar, seguir de perto: *Os monitores comboiaram as crianças durante o passeio.* **3** *Lus.* Ajudar a transportar, formando comboio: *Usaram uma locomotiva de emergência para comboiar o trem até Lisboa.* **4** *Aut.* Manter-se (um carro de corrida, seu piloto) logo atrás de (outro): *O piloto alemão comboiou o inglês até o fim da corrida.* [▶ 1 comboiar. Quanto à acentuação do *o*, ver paradigma 18.] [F.: *comboio* + *-ar*². Hom./Par.: *comboio* (fl.), *comboio* [ô] (sm.).]

comboieiro (com.bo:i.*ei*.ro) *a.* **1** Que escolta ou guia comboio *sm.* **2** O que conduz comboio **3** *Mar. G.* Navio de guerra que vai à frente de comboio **4** *Amaz.* Responsável pela condução de uma tropa de muares aos locais de extração de látex, nos seringais [F.: *comboi* + *-eiro.*]

comboio (com.*boi*.o) [ô] *sm.* **1** Porção de veículos que, juntos, se dirigem a um mesmo destino **2** *Mar.* Grupo de navios mercantes que viajam juntos sob a escolta de embarcações de guerra **3** *Mar. G.* O conjunto de navios de guerra que escoltam navios mercantes num comboio (2) **4** *Mil.* Conjunto de veículos de apoio a uma força militar que acompanha seus deslocamentos transportando munições e mantimentos *sm.* **5** Conjunto de vagões ferroviários rebocados ou impulsionados por uma locomotiva **6** *Bras. Amaz.* Conjunto de animais de carga que transportam mercadorias [Pronuncia-se *comboio* (ô) no Brasil e *comboio* (ó) em Portugal.] [F.: Do lat. pop. *conviare*, pelo fr. *convoi.*]

comborço (com.*bor*.ço) [ô] *sm.* Amante de uma mulher em relação ao marido ou outro amante desta [F.: De or. obsc.]

comburente (com.bu.*ren*.te) *a2g.* **1** Que alimenta a combustão *sm.* **2** Aquilo que alimenta e mantém a combustão [F.: Do lat. *comburens, entis.*]

comburido (com.bu.*ri*.do) *a.* Queimado, submetido a combustão; COMBUSTO [F.: Part. de *comburir.*]

combustão (com.bus.*tão*) *sf.* **1** Ação ou resultado de queimar; USTÃO **2** Estado de um corpo ou de uma substância que se consome ardendo, produzindo calor e luz; IGNIFICAÇÃO **3** Incêndio (por metonímia) **4** *Quím.* Emissão de calor e luz causada por reação química entre substâncias combustíveis e o oxigênio; USTÃO **5** *Fig.* Eclosão ou situação de violência, choques, conflagração, revolução, guerra **6** *Fig.* Situação de balbúrdia, de tumulto [Pl.: *-tões.*] [F.: Do lat. *combustio, onis.*] ■ **~ espontânea** A que ocorre aparentemente sem ser provocada por agente externo **~ externa** *Mec.* Em sistema motriz, a que ocorre fora do motor (como em máquina a vapor) **~ interna** *Mec.* A que ocorre dentro de motor, como no motor a explosão

combustível (com.bus.*tí*.vel) *a2g.* **1** Que tem a propriedade de se incendiar, de poder arder, queimar, consumir-se em combustão **2** *Fig.* Diz-se de situação, condições, estado de coisas passíveis de redundar em conflito, disputa, guerra etc. *sm.* **3** Substância, produto ou material que produz combustão, esp. como fonte de energia em máquinas, motores, usinas, geradores etc. [Pl.: *-veis.*] [F.: *combust-* (rad. de *combustus*, part. pass. do v.lat. *comburere*) + *-ível*, e por influência do fr. *combustible.*] ■ **~ atômico** *Enuc.* Ver *Combustível nuclear.* **~ enriquecido** *Enuc.* Material cujos isótopos passíveis de fissão foram aumentados em relação à configuração natural **~ fóssil** Combustível obtido a partir de matéria orgânica fóssil (como o petróleo e o gás natural) **~ nuclear** *Enuc.* Material que, por conter isótopos físseis, pode ser us. como fonte de energia num reator nuclear; combustível atômico

combustor (com.bus.*tor*) [ô] *a.* **1** Que arde ou queima *sm.* **2** Aquilo que arde ou queima **3** *Bras.* Bico de gás, esp. o que alimentava poste de iluminação pública; esse poste, muito us. em praças e jardins [F.: *combusto* + *-or.*]

◎ **-com(e)-** *el. comp.* = cabelo, cabeleira, barba: *acomia* [F.: Do gr. *kóme, es.*]

come (*co*.me) *sm. Pop. Fut.* Drible desconcertante [F.: Dev. de *comer.*]

começar (co.me.*çar*) *v.* **1** Dar início, começo, a; INICIAR; PRINCIPIAR [*td.*: "...ajoelhou e começou uma prece." (José de Alencar, *A Viuvinha*)] [*tr.* + *a, de, por*: *Começou a contar sua história.*] **2** Ter começo; ter princípio [*int.*: *O filme vai começar.*] [*ta.*: *Essa rua começa na praia.*] **3** Iniciar (de determinada maneira) [*tp.*: *A música começou altíssima.*] **4** Fazer sua estreia em algo, ou sua primeira experiência ou tentativa [*int.*: *A empresária começou vendendo joias.*] **5** Fazer (algo) como início de ação, atividade, atuação etc. [*tr.* + *por*: *Subiu ao palco para sua apresentação, e começou por contar uma anedota.*] [▶ 12 começar. O *e* do radical é aberto nas f. rizotônicas. Us. tb. como auxiliar, seguido das prep. *a* ou *por* + verbo principal no infinitivo, indicando 'início de ação': *O bebê começou a andar com 11 meses.*] [F.: Do lat. vulg. **cominitiare.* Hom./Par.: *comece(s)* (fl.), *comesse(s)* [ê] (fl. de *comer*); *começo* (fl.), *começo* [ê] (sm.).]

começo (co.*me*.ço) [ê] *sm.* **1** Ação ou resultado de começar **2** O momento em que algo se inicia ou passa a existir; INÍCIO; PRINCÍPIO [Ant.: *fim*] **3** Antecedente, causa, origem de algo, de um processo [F.: Dev. de *começar.* Hom./Par.: *começo* (ê) (sm.), *começo* (é) (fl. de começar).]

começos (co.*me*.ços) [ê] *smpl.* Primeiras tentativas, experiências, ensaios: *os começos da informática* [F.: Pl. de *começo.*]

comédia (co.*mé*.di:a) *sf.* **1** *Teat.* Peça teatral em que predominam elementos de comicidade e farsa **2** *Teat.* O estilo desse gênero teatral **3** *P. ext. Teat.* Qualquer peça teatral; DRAMA **4** *Teat.* A arte de escrever e representar comédias **5** *Teat.* A arte teatral; DRAMA; TEATRO **6** *Teat.* Companhia de teatro, grupo teatral **7** *Teat.* O teatro como instituição, sua organização, seus atores, suas casas teatrais, sua atividade etc. **8** *Cin. Telv.* Obra de ficção, cinema, televisão etc. cuja finalidade é provocar o riso do público; este gênero de obra **9** *Fig.* Sentimento ou atitude fingida, dissimulada: *Seu engajamento político não passou de uma comédia.* **10** *Fig.* Fato, pessoa ou situação que, pelo seu ridículo ou inesperado, provoca o riso: *Sua queda no salão foi uma comédia.* **11** *Fig.* O complexo das vivências, fatos, alegrias e tristezas, conquistas e fracassos etc. que se desenvolve durante a vida (comédia da vida) [F.: Do gr. *komo(i)día*, pelo lat. *comoedia.* Hom./Par.: *comédia* (sf.), *comedia* (fl. de *comediar* e *comedir*, e sf.); Cf.: *tragédia.*] ■ **Alta ~** *Teat.* A de temática elevada **Baixa ~** *Teat.* A de temática licenciosa ou burlesca **~ de caráter** *Teat.* A que é baseada nos comportamentos e atitudes de cada personagem **~ de costumes** *Teat.* A que expressa usos e costumes, comportamento, mentalidade e sentimentos de determinado segmento social em determinada época **~ moral** *Teat.* Comédia de costumes que realça padrões de comportamento ético **~ musical** *Teat. Cin.* Representação de sequência narrativa entremeada de números musicais, dança etc.

comediante (co.me.di:*an*.te) *s2g.* **1** Ator ou atriz de comédia; CÔMICO **2** *P. ext.* Ator ou atriz de qualquer gênero **3** *Fig. Pej.* Pessoa que, para obter qualquer vantagem ou apenas para se exibir, apresenta-se de maneira afetada, falsa, fingida [Existe tb. o fem. *comedianta.*] [F.: *comédia* + *-nte*, ou adaptação do fr. *comédien.*]

comédia-pastelão (co.*mé*.di:a-pas.te.*lão*) *sf. Cin.* Filme simples e de poucos recursos, no qual os atores se movimentam com o aberto propósito de provocar risos, valendo-se de tortas atiradas nos rostos, pancadarias e situações inverossímeis [Tb. se diz *pastelão.*] [Pl.: *comédias-pastelões, comédias-pastelão.*]

comedido (co.me.*di*.do) *a.* Que tem comedimento; MODERADO; PRUDENTE; SÓBRIO: "...se mostrava sempre grave, pensador e comedido..." (Machado de assis, *A Mão e a Luva*) [Ant.: *descomedido, imoderado*] [F.: Part. de *comedir.*]

comedimento (co.me.di.*men*.to) *sm.* **1** Ação ou resultado de comedir(-se) **2** Comportamento ou atitude sóbrios, moderados; a qualidade de quem assim se comporta; MODERAÇÃO; PRUDÊNCIA [F.: *comedir* + *-mento.* Ant.: *imoderação.*]

comediógrafo (co.me.di:*ó*.gra.fo) *sm.* **1** Autor de comédias, de textos cômicos, esp. para teatro **2** *P. ext.* Autor de peças de teatro em geral; DRAMATURGO; TEATRÓLOGO [F.: Do gr. *komoidiográphos*, pelo lat. *comoediographus* 'autor cômico'.]

comedir (co.me.*dir*) *v. td.* **1** Sujeitar(-se) ao que é moderado, sóbrio, conveniente; moderar(-se), controlar(-se): *O noivo ciumento prometeu comedir-se mais; comedir os gastos, os instintos.* **2** Sujeitar a normas, usos, hábitos socialmente aceitos o comportamento, atitude, hábito de (alguém, inclusive si mesmo), evitando excessos; conter(-se): *É preciso comedir a torcida para evitar tumultos; Ele tem de se comedir mais quando dirige.* [▶ 58 comedir. V. defec.: não é us. na 1ª pess. sing. do pres. do ind. e no pres. do subj.] [F.: Do lat. **commetire.* Hom./Par.: *comedia(s)* (fl.), *comédia(s)* (fl. de *comediar*), *comédia(s)* (sf. [pl.]).]

comedogênico (co.me.do.*gê*.ni.co) *a. Med.* Diz-se de produto cosmético suscetível de provocar incidência de cravos e outras afecções cutâneas: *Creme de beleza comedogênico.* [F.: *comedão* + *gênico.*]

comedor (co.me.*dor*) [ô] *a.* **1** Que come **2** Diz-se de pessoa que come muito; COMILÃO; GLUTÃO **3** Diz-se de pessoa do sexo masculino com vida sexual intensa *sm.* **4** Pessoa que come muito; COMILÃO; GLUTÃO **5** Indivíduo muito ativo sexualmente *sm.* **6** Lugar onde se come; COMEDOURO **7** Aproveitador, parasita [F.: *comer* + *-dor.*] ■ **~ de caranguejo** *ES MG. Joc.* Referência jocosa dos habitantes de Minas Gerais e do interior do Espírito Santo aos habitantes de Vitória (ES) e do litoral capixaba **~ de formiga** *SP Joc.* Referência jocosa dos santistas aos habitantes da cidade de São Paulo

comedoria (co.me.do.*ri*:a) *sf.* **1** *Bras.* Reunião festiva com fartura de alimentos e bebidas; COMEZAINA; PATUSCADA; REGA-BOFE **2** Comida em quantidade **3** *Fig.* Mamata, negociata [F.: *comedor* + *-ia.*]

come-dorme (co.me-*dor*.me) *sm2n.* **1** *Zoo.* Nome de várias espécies de cobras do gên. *Sibynomorphus* que se alimentam de insetos **2** Chá calmante que conduz a sono profundo

come e dorme (co.me e*dor*.me) *sm.* **1** *Bras. Pop.* Indivíduo imprestável, sem ocupação, que vive às custas dos favores de outrem **2** Indivíduo muito preguiçoso

comemoração (co.me.mo.ra.*ção*) *sf.* **1** Ação ou resultado de comemorar **2** Festa, solenidade, cerimônia ou reunião em que se comemora algo **3** Qualquer forma de homenagem ou memoração de alguém, de um fato, de uma realização etc. **4** *Litu.* Menção que a Igreja Católica faz de um santo, festa, celebração etc., no dia em que celebra outra festa mais solene [Pl.: *-ções.*] [F.: Do lat. *commemoratio, onis.*]

comemorado (co.me.mo.*ra*.do) *a.* **1** Que se comemorou **2** Trazido à lembrança **3** Evocado em cerimônia ou solenidade **4** Celebrado festivamente [F.: Part. de *comemorar.*]

comemorar (co.me.mo.*rar*) *v. td.* **1** Celebrar com festa, festejar (data, acontecimento ou ocasião especial): *comemorar um aniversário.* **2** Solenizar a recordação de: *O documentário e o ciclo de palestras comemoraram o grande compositor.* **3** Trazer à memória, fazer recordar; lembrar: *Este monumento comemora o fim da escravidão.* [▶ 1 comemorar] [F.: Do lat. *commemorare.* Hom./Par.: *comemoráveis* (fl.), *comemoráveis* (pl. de *comemorável*).]

comemorativo (co.me.mo.ra.*ti*.vo) *a.* **1** Que faz lembrar (fato notável, pessoa, conquista etc.), que comemora, que se refere a ou que envolve comemoração: *Edição comemorativa de uma revista.* **2** *Med.* Ref. ao estado anterior de um doente (em relação a seu estado ou doença atuais) (sinais comemorativos) *sm.* **3** *Med.* Informação quanto a esse estado anterior, com fins diagnósticos [Nesta acp., mais us. no plural.] [F.: *comemorar* + *-tivo.*]

comemoratório (co.me.mo.ra.*tó*.ri:o) *a.* **1** Ref. a comemoração **2** Que diz respeito a comemoração [F.: *comemorar* + *-tório.* Sin. ger.: *comemorativo.*]

comemorável (co.me.mo.*rá*.vel) *a2g.* Que propicia ou merece comemoração: *atitude comemorável por todos.* [F.: *comemorar* + *-vel.*]

comenda (co.*men*.da) *sf.* 1 Benefício, ger. financeiro, que antigamente se concedia a eclesiásticos ou cavaleiros de ordens militares 2 Distinção honorífica, condecoração 3 Divisa ou insígnia de quem recebe tal distinção (o comendador) 4 Terceiro grau na hierarquia de certas ordens militares 5 Terra que se concedia como recompensa de serviços, obrigando-se quem a recebia a protegê-la e defendê-la de inimigos e malfeitores [F.: Dev. de *comendar* (port. ant.), or. do lat. *commendare*.]

comendador (co.men.da.*dor*) [ô] *sm.* 1 Aquele que é agraciado com uma comenda (benefício) 2 Indivíduo que é titular de uma comenda (4), grau hierárquico de ordem militar 3 Indivíduo detentor de comenda, condecoração honorífica, que é portador de sua insígnia [Fem.: *comendadeira, comendadora*] [F.: Adapt. do fr. ant. *comandeor* 'o que comanda'.]

comenos (co.*me*.nos) *sm2n.* Momento, ocasião, instante [F.: Do port. ant. *comeos*, de *com* e *meio* (do lat. *cum minus*).] ■ **Neste ~** 1 Nesta ocasião, nesta oportunidade 2 Neste ínterim

comensal (co.men.*sal*) *a2g.* 1 Diz-se de cada uma das pessoas que comem juntas (ger., mas não só, à mesa) 2 *Ecol.* Diz-se de organismo que vive em comensalismo [Pl.: *-sais.*] *s2g.* 3 Cada um dos que comem juntos (ger. à mesma mesa): "Sendo até aí um dos primeiros amigos da nobreza e seu comensal, converteu-se Coelho em seu acérrimo inimigo." (Franklin Távora, *O Matuto*) 4 *P. ext.* Indivíduo que frequenta assiduamente casa de outrem e nela come, ou faz suas refeições 5 *Pej.* Indivíduo que vive às custas de outrem 6 *Ecol.* Organismo que vive em comensalismo [Pl.: *-sais.*] [F.: Do lat. *commensalis*, pelo fr. *commensal*.]

comensalidade (co.men.sa.li.*da*.de) *sf.* 1 Qualidade de comensal 2 Camaradagem entre comensais [F.: *comensal* + *-i-* + *-dade*.]

comensalismo (co.men.sa.*lis*.mo) *sm. Ecol.* Relação entre duas espécies animais ou vegetais que se associam numa relação em que uma delas recebe benefício, sem prejuízo para a outra; INQUILINISMO [Cf.: *simbiose*.] [F.: *comensal* + *-ismo*.]

comensurável (co.men.su.*rá*.vel) *a2g.* 1 Que pode ser medido; MENSURÁVEL 2 Que admite ter ou tem uma medida idêntica à de outra coisa 3 *Mat.* Diz-se de uma grandeza cuja medida, em relação a uma unidade convenientemente escolhida, é um número racional [Ant.: *incomensurável*] [Pl.: *-veis.*] [F.: Do lat. tardio *commensurabilis*. Hom./Par.: *comensuráveis* (pl.), *comensuráveis* (fl. de *comensurar*.]

comentado (co.men.*ta*.do) *a.* 1 Que foi objeto de comentários: *O assunto foi muito comentado*. *a.* 2 Que foi objeto de comentários e anotações de especialistas: *Código Civil comentado*. [F.: Part. de *comentar*.]

comentar (co.men.*tar*) *v.* 1 Falar sobre; tecer comentários acerca de [*td.: Toda a vizinhança comentava o escândalo.*] [*tdr. + com: Comentamos a decisão com os funcionários.*] 2 Fazer comentários críticos sobre; analisar criticamente [*td.: O professor comentará as provas amanhã.*] 3 Dizer de passagem [*td.: Chegou a comentar que ouvira os boatos.*] 4 Fazer observações maliciosas sobre [*td.: Passa os dias a comentar a vida dos outros.*] [▶ 1 comentar] [F.: Do lat. *commentare*.]

comentário (co.men.*tá*.ri:o) *sm.* 1 Apreciação, análise, opinião expressas sobre um fato, uma situação, uma circunstância etc. 2 Observação crítica, nota ou conjunto de notas, em forma oral ou escrita, que se faz sobre texto, filme, obra de arte etc. 3 Interpretação mais ou menos maliciosa que se dá aos atos ou às palavras de outrem 4 *Jur.* Conjunto de notas com que se comenta o texto de uma lei, de um regulamento etc. 5 *Ling.* Parte de uma sentença que diz algo acerca de outro elemento nela presente [Cf., nesta acp.: *tópico* (Informação...).] 6 *Inf.* Trecho de texto de um *script* que é só um esclarecimento, não constituindo comando ou instrução [F.: Do lat. *commentarium*.]

comentarista (co.men.ta.*ris*.ta) *a2g.* 1 Que faz comentário(s) 2 *Jorn.* Diz-se de quem habitualmente faz comentários sobre assuntos diversos em jornal, revista, rádio, televisão etc.: *Ele não é um locutor narrador, é um locutor comentarista*. *s2g.* 3 Pessoa que habitualmente faz comentários sobre assuntos diversos em jornal, revista, rádio, televisão etc.: *comentarista de turfe*. [F.: *comentário* + *-ista*.]

come-quieto (co.me-*quie*.to) *sm2n.* 1 *Gír.* Indivíduo discreto, que não alardeia conquistas amorosas 2 *Pop.* Calçado de lona; ALPARGATA

comer (co.*mer*) *v.* 1 Ingerir (alimento), introduzindo na boca, mastigando e engolindo [*td.: comer pão*] [*tr. + de: Depois da prece, todos comeram do pão.* (*Neste exemplo, está implícita a ideia de 'parte', 'porção' de algo: Todos comeram (uma parte) do pão.*); *Não fazia cerimônia, comia de tudo.*] 2 Alimentar-se (de); fazer refeições [*int.: Nunca comi nesse restaurante.*] [*td.: Só come produtos orgânicos.*] 3 Provar, experimentar (comida ou tipo de comida) [*tr. + de: comer do fruto proibido.*] 4 Gastar até o fim, consumir, dissipar [*td.: Comeu toda a mesada (em balas).*] 5 Provocar desgaste ou destruição de; CORROER [*td.: As traças vão comer esses livros; A gangrena comeu-lhe o pé.*] 6 Consumir ou gastar rapidamente (dinheiro, tempo etc.) [*td.: Todo mês, as prestações comem o seu salário.*] 7 Suprimir; deixar de incluir (sílabas, palavras) [*td.: Nervosa, ela comia palavras e não terminava as frases.*] 8 *Lud.* Excluir (peça do adversário) no xadrez, no jogo de damas [*td.*] 9 Experimentar sentimento intenso (raiva, ódio, solidão etc.) [*tr. + de: O rapaz comia-se de inveja.*] 10 Causar comichão ou prurido a [*td.: A impingem come- -me o braço.; A sarna o comia impiedosamente.*] 11 *Fig.* Acreditar facilmente em; aceitar sem crítica (fato ou dito inverídico); ENGOLIR [*td.*] 12 *Fig.* Obter proveito, lucrar (ger. por meios ilícitos) [*int.: Deve-se combater os que comem à custa do povo.*] 13 *Tabu.* Ter relação sexual com [*td.*] 14 Considerar, julgar [*tdp.: Sempre a comeram por inocente.*] 15 Roubar, furtar, surrupiar [*td.: Aquele funcionário corrupto comeu o que pôde, até ser descoberto.*] 16 Consumir (veículo) muito (combustível); BEBER [*td.: É um carrão, mas come come (combustível)!*] 17 *Pop. Esp.* Em futebol, basquete, futsal etc., driblar, fazer finta em (jogador adversário) [*td.: Depois de comer os dois zagueiros chutou para fora.*] 18 Bater, castigar, espancar [*int.: O pau/a palmatória/o cinto hoje vai comer.*] [▶ 2 comer] *sm.* 19 Comida, alimento 20 Gastar, dissipar, despender esbanjando [F.: Do lat. *comedere*. Ideia de 'comer': *-fagia, -fago, -voro*.]

comercial (co.mer.ci:*al*) *a2g.* 1 Ref. ao, do ou próprio do comércio (contrato comercial, abordagem comercial) 2 Que visa ao comércio, que a ele é dedicado (curso comercial); MERCANTIL 3 Que potencialmente pode ser bom negócio, gerar lucro (proposta comercial, projeto comercial): *entidade sem fins comerciais* 4 Feito com o único objetivo de gerar lucro e sucesso imediatos (filme comercial) [Pl.: *-ais.*] *sm.* 5 *Publ.* Anúncio ou mensagem publicitária transmitida por rádio, televisão ou cinema [Pl.: *-ais.*] [F.: Do lat. tardio *commercialis*, pelo fr. *commercial*.]

comercialismo (co.mer.ci:a.*lis*.mo) *sm.* 1 Predomínio do espírito comercial 2 Ênfase nos lucros e no aspecto financeiro [F.: *comercial* + *-ismo*.]

comercialização (co.mer.ci:a.li.za.*ção*) *sf.* 1 Ação ou resultado de comercializar 2 *Econ.* Processo de intermediação entre o produtor e o consumidor que consiste em disponibilizar os bens e serviços produzidos, na forma, tempo e local em que o consumidor esteja disposto a adquiri-los, e que envolve distribuição, *marketing* etc. [Pl.: *-ções.*] [F.: *comercializar* + *-ção*, com posv. influência do fr. *commercialisation*.]

comercializado (co.mer.ci:a.li.za.do) *a.* 1 Que se comerciou, ou comercializou 2 Artigo de qualquer natureza posto no comércio 3 Vendido [F.: Part. de *comercializar*.]

comercializar (co.mer.ci:a.li.*zar*) *v. td.* 1 Tornar comerciável, dar condições comerciais a (mercadoria, produto, serviço etc.) 2 Distribuir no comércio, pôr à venda [▶ 1 comercializar] [F.: *comercial* + *-izar*. Hom./Par.: *comercializáveis* (fl.), *comercializáveis* (pl. de *comercializável*).]

comercializável (co.mer.ci:a.li.*zá*.vel) *a2g.* Que pode ser comercializado; COMERCIÁVEL [F.: *comercialziar* + *-vel*.]

comerciante (co.mer.ci:*an*.te) *a2g.* 1 Que comercia, que pratica, exerce o comércio 2 Que tem habilidade, tendência, vocação para o comércio 3 *Pej.* Diz-se de indivíduo que em suas atividades só se preocupa com o possível lucro ou sucesso financeiro *s2g.* 4 Pessoa comerciante; NEGOCIANTE [F.: *comerciar* + *-nte*. Cf.: *comerciário*.]

comerciar (co.mer.ci.*ar*) *v.* 1 Travar relações comerciais; fazer negócios, comércio; NEGOCIAR [*tr. + com, em: O Brasil comercia com a Europa; Nossa família comercia em têxteis.*] [*int.: pessoas proibidas de comerciar*] 2 *P. us.* Ter trato; ter relações lícitas ou ilícitas (com alguém) [*tr. + com.*] [▶ 1 comerciar] [F.: Do lat. **commerciare*. Hom./Par.: *comerciáveis* (fl.), *comerciáveis* (pl. de *comerciável*); *comercio* (fl.), *comércio* (sm.); *comerciaria* (fl.), *comerciária* (fem. de *comerciário*).]

comerciário (co.mer.ci:*á*.ri:o) *a.* 1 Ref. a comércio ou a quem trabalha no comércio *sm.* 2 *Bras.* Empregado de estabelecimento comercial [F.: *comércio* + *-ário*. Hom./Par.: *comerciária* (fem.), *comerciaria* (fl. de *comerciar*). Cf.: *comerciante*.]

comerciável (co.mer.ci:*á*.vel) *a2g.* 1 Que pode ser comerciável 2 Próprio para o comércio [F.: *comerciar* + *-vel*. Sin. ger.: *comercializável*. Ant. ger.: *incomerciável*.]

comércio (co.*mér*.ci:o) *sm.* 1 Atividade de compra e venda ou troca de mercadorias ou serviços num sistema de mercado, ger. visando ao lucro 2 O conjunto de estabelecimentos ou lojas em que se pratica essa atividade 3 A classe dos comerciantes, o conjunto de comerciantes: *O comércio não se manifestou a respeito da nova lei.* 4 Profissão de quem comercia 5 O conjunto dos estabelecimentos comerciais em um país, estado, cidade etc.: *O comércio carioca teve novo impulso.* 6 Relações de negócios ou de sociedade 7 *Pej.* Relações sexuais (esp. as ilícitas) 8 *MG ES BA* Pequena localidade onde se realizam feiras semanais; RUA [F.: Do lat. *commercium*. Hom./Par.: *comércio* (sm.), *comercio* (fl. de *comerciar*).] ■ **De fechar o ~** *Gír.* Extraordinário, formidável; de parar o trânsito: *Ela é muito bonita, de fechar o comércio.*

comes (co.mes) *smpl.* Petiscos, acepipes [F.: Substv. de '(o que se) *come*', tomado numa f. plural, ou substv. de *comes* (fl. de *comer*), posv.] ■ **~ e bebes** *Fam.* Acepipes e bebidas em reunião social, comemoração etc.

comestibilidade (co.mes.ti.bi.li.*da*.de) *sf.* Qualidade do que é ou pode ser comestível

comestíveis (co.mes.*tí*.veis) *smpl.* Gêneros alimentícios; VÍVERES: *Começavam a faltar comestíveis na cidade sitiada.*

comestível (co.mes.*tí*.vel) *a2g.* 1 Que é próprio ou saudável para ser comido; COMEDOURO; COMÍVEL; EDULE: *fruta comestível*. [Ant.: *incomestível, incomível*] [Pl.: *-veis.*] *s2g.* 2 Aquilo que se come por ser alimentício ou saboroso: *Em sua casa havia toda espécie de comestíveis.* [Pl.: *-veis.*] [F.: Do lat. tardio *comestibilis*.]

cometa (co.*me*.ta) [ê] *sm.* 1 *Astr.* Astro cujo núcleo é formado por partículas de fraca luminosidade, envolto numa nuvem de vapor (chamada cabeleira) que por vezes se prolonga em uma cauda que se estende a milhões de quilômetros, podendo ser visto da Terra ao passar perto do Sol, em sua órbita curto e elíptica, mais longa e mais excêntrica que a dos planetas 2 *Fig.* Pessoa, animal ou coisa que surge e desaparece numa passagem breve e efêmera 3 *Bras. P. ext.* Ver *caixeiro-viajante*; tropeiro que viajava pelo Brasil para fazer comércio, podendo também levar correio e mensagens 4 *Her.* Estrela de oito raios, um dos quais forma uma cauda flamejante 5 *Zool.* Peixe teleósteo cipriniforme, ciprinídeo (*Carassius auratus*), de olhos grandes e salientes, corpo curto e nadadeira caudal bem desenvolvida [F.: Do gr. *kométes* pelo lat. *cometa*. Ideia de 'cometa': *comet(o)-, cometografia*.] ■ **~ de curto período** *Astron.* Cometa cuja periodicidade, dependendo de diferentes critérios de astrônomos, é de menos de 200, ou de menos de 10 anos **~ de longo período** *Astron.* Cometa cuja periodicidade é de mais de 200 anos; cometa não periódico; cometa parabólico **~ de período intermediário** *Astron.* Cometa cuja periodicidade é de entre 10 e 100 anos **~ elíptico** *Astron.* Cometa cuja órbita é elíptica [Como os cometas de período intermediário e os de curto período.] **~ hiperbólico** *Astron.* Cometa cuja órbita, ao ser calculada, aponta para uma hipérbole (o que pode significar que não completa ciclo no sistema solar, e não pertence a ele) **~ não periódico** *Astron.* Ver *Cometa de longo período* **~ parabólico** *Astron.* Ver *Cometa de longo período* **~ periódico** *Astron.* Cometa que, tendo periodicidade estabelecida, pode ser observado [Como o cometa de curto período e o cometa de período intermediário.]

📖 O cometa é um corpo celeste que gira em torno do Sol, formado por um núcleo de elementos congelados (quando está afastado do Sol), que se transformam em gases ao se aproximar do Sol, formando uma cauda (sempre voltada para o lado oposto ao do Sol). O primeiro registro de observação de um cometa é de 240 a.C., referente ao cometa de Halley, que completa sua órbita em ciclos de c. 76 anos. As mais recentes verificações da existência de grandes cometas foram em 1976 (do West, cuja órbita completa dura c. 500.000 anos), em 1995, do Hale-Bopp, em 1996 do Hyakutake, em 1997 e 2007, do McNaught.

cometer (co.me.*ter*) *v.* 1 Fazer, praticar, levar a efeito; empreender, levar avante mesmo com risco; PERPETRAR [*td.: cometer um erro, uma injustiça, um pecado; cometer um ato de valor, um gesto solidário etc.*: "...pede perdão para o crime que vai cometer." (José de Alencar, *A Viuvinha*)] 2 Empreender ou lançar-se a (algo arriscado, aventuroso); expor-se a (perigo, risco) [*td.: cometer uma façanha*] [*ti. + a: É perigoso, não convém cometer-se a isso.*] 3 Designar, confiar (a alguém) (missão, encargo, tarefa); ENCARREGAR; INCUMBIR [*tdi. + a: O ministro cometeu ao secretário acompanhar a investigação; Cometeram-lhe um trabalho penoso.*] 4 Apresentar (proposta) a; oferecer (algo) como opção [*tdi. + a, para: cometer ao inquilino um acordo.*] 5 *Joc. Pej.* Produzir, criar (algo) de forma inábil, desastrosa [*td.: A jornalista cometeu alguns artigos desastrosos e foi dispensada.*] 6 *Ant.* Enfrentar, atacar com ímpeto; ACOMETER [*td.: cometer uma tribo inimiga.*] [▶ 2 cometer] [F.: Do lat. *committere*. Hom./Par.: *cometa(s)* (fl.), *cometa(s)* (sm.).]

cometida (co.me.*ti*.da) *sm.* 1 Ato ou efeito de cometer; ACOMETIDA; ACOMETIMENTO 2 Investida, ataque 3 Manifestação súbita de um sentimento

cometido (co.me.*ti*.do) *a.* Ocorrido, perpetrado [F.: Part. de *cometer*.]

cometimento (co.me.ti.*men*.to) *sm.* 1 Ação ou resultado de cometer; ACOMETIDA; ACOMETIMENTO; COMETIDA 2 O ato praticado 3 Tentativa que envolve perigo e audácia [F.: *cometer* + *-imento*.]

comezaina (co.me.*zai*.na) *sf.* 1 Refeição farta, abundante; grande quantidade de comida 2 Conjunto de pessoas que se reúnem festivamente para comer e beber; PATUSCADA; REGA-BOFE [F.: *come-* + *-z-* + *-aina*. Tb. *comezana*.]

comezana (co.me.*za*.na) *sf.* Ver *comezaina*

comezinho (co.me.*zi*.nho) *a.* 1 Que é bom ou fácil de comer 2 *Fig.* Que é muito simples e evidente, de fácil compreensão: *explicação comezinha* 3 *Fig.* Que é banal, corriqueiro: *verdades comezinhas* 4 Que é próprio da vida doméstica; CASEIRO: *tarefas comezinhas* [F.: *come(r)* + *-zinho*.]

comichão (co.mi.*chão*) *sf.* 1 Sensação cutânea incômoda., que dá vontade de coçar, esfregar a pele; PRURIDO: "...não podia suportar o cheiro de fumo, e queixava-se de muita sede e comichão pelo corpo." (Aluísio de Azevedo, *Casa de Pensão*) 2 *Fig.* Desejo veemente de fazer alguma coisa; TENTAÇÃO: *Não resistiu à comichão (na língua) e interrompeu o orador.* 3 *P. ext.* Sentimento de aflição, impaciência, ansiedade [Pl.: *-chões.*] [F.: Do lat. *comestio, onis*, pelo espn. *comezón*.]

comichar (co.mi.*char*) *v.* 1 Provocar ou experimentar sensação de coceira, prurido (em parte do corpo) [*td.: Um formigamento comichava os dedos do pianista.*] [*int.: Meu corpo inteiro está comichando.*] 2 *Fig.* Sentir comichão, vontade intensa de fazer algo [*tr. + de: Comichava de vontade de bisbilhotar o vizinho.*] [*int.: Prometeu segredo, mas sua língua comichava.*] 3 Sentir comichão (impaciência), [▶ 1 comichar] [F.: *comich(ão)* + *-ar*[2]. Hom./Par.: *comicham* (fl. de *comichar*) e *comichão* (*sf.*).]

comicidade (co.mi.ci.*da*.de) *sf.* Qualidade, condição, caráter do que é cômico, engraçado [F.: *cômico* + *-idade*.]

comício (co.*mí*.ci:o) *sm.* **1** Reunião pública, ger. ao ar livre, em que se fazem manifestações a favor ou contra (ações, fatos, políticas etc.) ou na qual um candidato a cargo eletivo apresenta seu programa político e procura angariar votos **2** Entre os antigos romanos, assembleia popular que possuía poderes para eleger magistrados ou resolver questões eleitorais e religiosas [F.: do lat. *comitium*.]

comício-relâmpago (co.mí.ci:o-re.*lâm*.pa.go) *sm.* Comício improvisado e de curta duração [Pl.: *comícios-relâmpago*.]

cômico (*cô*.mi.co) *a.* **1** Ref. a comédia e a comediantes, ou ao teatro em geral, **2** Que provoca ou busca provocar o riso por ser engraçado ou ridículo (cena cômica; discurso cômico); BURLESCO **3** Que escreve textos com o fim de provocar o riso (autor cômico) **4** Que atua em papéis esp. elaborados para despertar o riso (ator cômico) *sm.* **5** Autor de comédias; COMEDIÓGRAFO **6** Ator especializado em papéis cômicos; COMEDIANTE: *Os cômicos do teatro brasileiro.* **7** O conjunto dos elementos cômicos de um texto, representação teatral, filme etc.: *O cômico daquele texto estava nas entrelinhas.* **8** Aquilo que faz rir; BURLESCO [F.: Do gr. *komikós*, pelo lat. *comicus*.]

comida (co.*mi*.da) *sf.* **1** O que é próprio para se comer; o que se come **2** Refeição, esp. almoço ou jantar: *Afinal chegara a hora da comida.* **3** Ato de comer **4** Conjunto de pratos típicos ou característicos de um país, região etc.: *a comida chinesa.* **5** *Tabu.* Pessoa com quem se tem secretamente relações sexuais **6** *Tabu.* Pessoa que se oferece ou se entrega (para relação sexual) [F.: Fem. substantivado de *comido*, part. pass. de *comer*.] ■ **~ carregada** *N. E.* Comida muito temperada, ou feita de ingredientes não muito saudáveis **~ de sal** A que é temperada com sal (p. op. à insossa, ou à doce) **~ rápida** Ver *Fast-food*

comido (co.*mi*.do) *a.* **1** Que se comeu, que foi ingerido **2** *Fig.* Roído, carcomido, gasto **3** *Fig.* Ganho no jogo de xadrez ou damas **4** *Fig.* Saltado ou omitido de propósito ou involuntariamente; PULADO: *Os capítulos comidos não atrapalhavam o enredo da novela.* **5** *Fig.* Suprimido ou eliminado; CORTADO: *Eram tantas as partes comidas, que a história ficou incompreensível.* **6** *Fig.* Enganado, logrado **7** *Tabu. Gír.* Possuído sexualmente [F.: Part. de *comer*.]

comigo (co.*mi*.go) *pr. pess.* **1** Com a pessoa que fala: "Mas isso é assassinato. Não, escusas de contar comigo." (Eça de Queirós, *Alves e Cia*) **2** Na companhia da pessoa que fala: *Ontem ela foi ao cinema comigo.* **3** Juntamente, simultaneamente com quem fala (cantem comigo) **4** No interior de quem fala: *Que a paz esteja comigo.* **5** No coração, no espírito de quem fala: *Carrego uma tristeza comigo.* **6** Em proveito de quem fala: *Gastou comigo um dinheirão.* **7** Que se dirige à pessoa que fala: *Esse grito não foi comigo.* **8** Para ser realizado ou resolvido por quem fala: *Trabalho duro é comigo mesmo.* **9** Na posse de quem fala: *Aquele disco está comigo.* **10** Da relação que quem fala mantém consigo próprio: *Não vou engolir essa mentira, pensei comigo mesmo.* [Nesta acp., *comigo* vem ger. acompanhado de *mesmo*.] **11** Do gosto de quem fala, ou adequado a sua índole: *Música clássica não é comigo. Ficar de papo para o ar tampouco é comigo.* [F.: *com* + (*Ant.*) *migo*, do lat. *mecum*, pelo lat. vulg. *micum*.]

comigo-ninguém-pode (co.mi.go-nin.guém-*po*.de) *sm2n.* *Bras. Bot.* Planta arácea (*Diffenbachia picta*), de folhas verdes com manchas esbranquiçadas e fruto bacáceo, muito cultivada como ornamental, apesar de venenosa

comilança (co.mi.*lan*.ça) *sf.* **1** *Bras. Pop.* Ação de comer muito, ou com sofreguidão **2** *Bras.* Ambundância de comida **3** *Fig.* Ação de tirar proveito de algo, defraudando; obtenção de ganhos de maneira ilícita; COMEDEIRA; LADROAGEM; MAMATA [F.: *comil(ão)* + *-ança*. Tb. *comilância* (f. menos us.).]

comilância (co.mi.*lân*.ci:a) *sf.* Ver *comilança*

comilão (co.mi.*lão*) *a.* **1** Diz-se de pessoa que come muito, com voracidade [Pl.: *-lões*.] *sm.* **2** Essa pessoa; GLUTÃO: "...a beatitude do comilão repleto..." (Rebelo da Silva, *Contos e lendas*) [Pl.: *-lões*.] [F.: Do lat. *comedone*.]

cominação (co.mi.na.*ção*) *sf.* **1** Ação ou resultado de cominar **2** *Jur.* Ameaça de pena, por descumprimento de contrato, transgressão de lei ou de proibição etc. **3** *Jur.* Imposição, prescrição de pena **4** *Ret.* Recurso que consiste em ameaçar a audiência com possíveis males que lhe podem advir **5** *Rel.* Ameaça de castigo para induzir ao arrependimento por pecados [Pl.: *-ções*.] [F.: Do lat. *comminatio, onis*.]

cominado (co.mi.*na*.do) *a.* **1** *Jur.* Que recebeu castigo ou pena por infração ou falta de cumprimento de contrato, de preceito, de ordem, de mandato etc.: *O crime foi cominado com cinco anos de prisão.* **2** *Jur.* Ameaçado por infração à lei [F.: Part. de *cominar*.]

cominar (co.mi.*nar*) *v.* **1** *Jur.* Prescrever, decretar (penalidade), por descumprimento ou infração legal [*td.*: *A lei deverá cominar expressamente as penas de reclusão.*] [*tdi.* + *a*: *O juiz cominou ao infrator uma multa maior.*] **2** *Fig.* Impor, prescrever (condição) [*td.*: *Ante tal conduta, cominou seu isolamento.*] [*tdi.* + *a*: *Cominou isolamento ao soldado indisciplinado.*] **3** *Jur.* Ameaçar com pena ou castigo no caso de infração legal ou falta de cumprimento de contrato ou de um preceito, ordem ou mandado [*tdi.* + *a*: *O regulamento, em caso de infração, cominava pesada multa ao infrator.*] **4** Ameaçar com castigo, represália etc., em caso de falta, má conduta etc. [*tdi.* + *a*: *Cominou-lhe o desligamento do grupo, caso não se corrigisse.*] [▶ **1** cominar] [F.: Do lat. *comminare*, pelo fr. *comminer*.]

cominativo (co.mi.na.*ti*.vo) *a.* Ver *cominatório* [F.: Do lat. *comminativus*.]

cominatório (co.mi.na.*tó*.ri:o) *a.* **1** Ref. a cominação; COMINATIVO **2** Que envolve ameaça; ameaçador: "...avançava para ele cominatório..." (Aquilino Ribeiro, *D. Sebastião*) [F.: Do lat. *cominatorius*, pelo fr. *comminatoir*.]

cominho (co.*mi*.nho) *sm.* **1** *Bot.* Planta da fam. das umbelíferas (*Cuminum cyminum*), cujas sementes são usadas como condimento **2** O fruto dessa planta, us. como condimento **3** *Fig.* Coisa sem importância: "...engasgavam-se com um cominho..." (Antônio Vieira, *Sermões*) **4** *Fig. Pop.* Intriga, mexerico **5** *Bras. Gír.* Dinheiro [F.: Do gr. *kúminon*, pelo lat. *cuminum*.]

◎ **-cômio** *el. comp.* = 'lugar ou estabelecimento próprio para a internação ou tratamento de (doentes [com dada enfermidade] ou ser humano com dada característica)': *frenocômio, gerontocômio, manicômio, nosocômio, sifilicômio.* [F.: Do lat. cient. *-comium*, tomado posv. a partir do lat. *nosocomium*, registrado modernamente na língua inglesa e na francesa, e tomado por empréstimo, historicamente, no port. (*nosocômio*) e no espn. (*nosocomio*), com registro, porém, no Código Justianiano (em referência ao *nosocomium* criado em 369 pelo imperador em uma basílica dedicada a Nossa Senhora) e em São Jerônimo em referência ao "lugar onde se cuidam dos enfermos", fundado e mantido pela diaconisa Fabíola (posteriormente canonizada), em seu próprio castelo. O lat. *nosocomium, ii*, remonta ao gr. *nosokomeîon, ou*, este do v. gr. *nosokoméo*, 'cuidar, tratar de uma doença', de *nósos, ou*, 'doença', e o v. gr. *koméo*, 'cuidar, tratar'.]

comiseração (co.mi.se.ra.*ção*) *sf.* Compaixão pelos infortúnios alheios; MISERICÓRDIA: "...solicitando-lhe a comiseração..." (Eça de Queirós, *Notas Contemporâneas*) [Ant.: *indiferença*.] [Pl.: *-ções*.] [F.: Do lat. *commiseratio, onis*.]

comiserado (co.mi.se.*ra*.do) *a.* Que sente pena, compaixão, dó; APIEDADO; COMPADECIDO; CONDOÍDO: "O gaúcho do sul, ao encontrá-lo nesse instante, sobreolhá-lo-ia comiserado." (Aluísio Azevedo, *O Mulato*) [F.: Part. de *comiserar*.]

comiserar (co.mi.se.*rar*) *v.* **1** Sentir compaixão; COMPADECER-SE; APIEDAR-SE [*tr.* + *de*: *Quem vai comiserar-se do pobre órfão?*] **2** *P. us.* Inspirar pena, compaixão, comiseração a [*td.*: *O mendigo comiserou os transeuntes.*] [▶ **1** comiserar] [F.: Do lat. **commiserare*, por *commiserari*.]

comiserativo (co.mi.se.ra.*ti*.vo) *a.* **1** Que se comisera, que tem compaixão **2** Que inspira compaixão; COMISERADOR [F.: Do lat. *comiseratus, a, um*.]

comissão (co.mis.*são*) *sf.* **1** Ação ou resultado de cometer, incumbir, designar, encarregar **2** Cargo, missão, encargo temporários: *"...em comissão de estudos..."* (Monteiro Lobato, *Urupês*) **3** Exercício temporário de cargo ou função por funcionário já pertencente à administração pública **4** Grupo de pessoas encarregadas de funções especiais, de tratar de um assunto: *A diretoria nomeou uma comissão para estudar o projeto*; "...convidar alguns de vós, em comissão dos outros..." (Machado de Assis, *O Alienista*) **5** Na Câmara e no Senado, cada grupo de parlamentares encarregados de estudarem aspectos específicos dos projetos de lei: *Comissão de Constituição e Justiça.* **6** *P. ext.* Local onde se reúnem esses grupos **7** *Com.* Remuneração sobre o valor da compra ou da venda (ger. um percentual) recebido pela pessoa que agenciou o negócio **8** *Jur.* Mandato ou jurisdição concedido pelo juiz para desempenho de função específica **9** Antiga patente ou carta de corso concedida pelo governo para que um navio entrasse em combate contra o inimigo [Pl.: *-sões*.] [F.: Do lat. *commissio, onis*.] ■ **~ de frente** *Bras.* Ala de escola de samba que abre o desfile, cumprimentando o público e os juízes **~ parlamentar de inquérito** Comissão formada por membros do parlamento (Câmara de deputados e/ou Senado) e, eventualmente especialistas em certos assuntos, para, por incumbência parlamentar ou de órgão público, investigar situações que envolvam escândalo, má gestão, corrupção etc. por parte de parlamentares ou na administração pública [Sigla: *CPI*.]

comissariado (co.mis.sa.ri:*a*.do) *sm.* **1** Emprego, cargo, função ou atividade de comissário **2** Período em que se exerce essa função, atividade etc. **3** Local em que o comissário exerce sua função: *comissariado de polícia.* [F.: *comissário* + *-ado*².]

comissário (co.mis.*sá*.ri:o) *sm.* **1** Encarregado de comissão: "...comissário de um grupo de lavrantes..." (Alberto Pimentel, *Lobo da Madragoa*) **2** Autoridade policial **3** Na antiga URSS, chefe de um comissariado, equivalente a ministro [Tb. *comissário do povo*.] **4** *Mar. Merc.* Oficial encarregado dos pagamentos, supervisão de ranchos e bem-estar dos passageiros **5** *Ant. Mar. G.* Oficial sob cujo encargo estavam os serviços de administração dos navios e estabelecimentos navais [Atualmente oficial da Intendência da Marinha.] **6** *Com.* Pessoa que por ofício se encarrega de realizar negócios de natureza mercantil mediante certa comissão **7** Indivíduo que, em caráter temporário, realiza certa missão para o governo, inclusive a de representá-lo junto a outra entidade pública **8** O mesmo que *comissário de bordo*; AEROMOÇO [F.: Do lat. tardio *commissarius*, pelo fr. *commissaire*.] ■ **Comissária de bordo** *Avi.* Ver *Comissário de bordo*. **~ de bordo** *Avi.* Em avião comercial, encarregado de dar assistência aos passageiros, controlar as bagagens, servir as refeições etc.

comissionado (co.mis.sio.*na*.do) *a.* **1** Que exerce uma comissão, que recebe uma incumbência [Ant.: *comitente*] *sm.* **2** Ocupante de cargo público em comissão: "Marckam, comissionado pelo governo inglês, andava nas regiões..." (Euclides da Cunha, *A Margem da História*) [F.: Part. de *comissionar*.]

comissionamento (co.mis.sio.na.*men*.to) *sm.* **1** Ato ou efeito de comissionar **2** Delegação de poder provisório **3** Nomeação para cargo em comissão ou para função temporária [F.: *comissionar* + *-mento*.]

comissionar (co.mis.si:o.*nar*) *v.* **1** Confiar (tarefa ou missão); encarregar de comissões; expedir como comissário; ENCARREGAR [*td.*: *O general comissionou três oficiais (para a missão).*] **2** Designar para cargo em comissão, ou para função temporária [*tdp.*: *A embaixada comissionou-o (como) adido militar.*] [▶ **1** comissionar] [F.: *comissão* + *-ar*², seg. o mod. erudito, e do fr. *commissioner*.]

comissivo (co.mis.*si*.vo) *a.* Que decorre especificamente de uma ação, nunca de um acaso [F.: Do lat. *comissus*. Cf.: *omissivo*.]

comissura (co.mis.*su*.ra) *sf.* **1** *Anat.* Ponto, linha ou superfície em que duas partes se juntam **2** Junção, encontro (de duas partes) **3** *Anat.* Junção das bordas de duas partes do corpo que formam abertura em forma de fenda (pálpebras, lábios, válvula cardíaca etc.): "...franzindo os beiços em comissuras de escárnio..." (Coelho Neto, *Sertão*) **4** *Cir.* União dos bordos de um corte, incisão ou ferida; SUTURA **5** *Bot.* Linha de junção de duas partes de um fruto **6** *Mar.* Abertura estreita no costado dos navios **7** *P. ext.* Abertura em geral [F.: Do lat. *commissura*.]

comitê (co.mi.*tê*) *sm.* **1** Comissão (4, 5), junta de pessoas com missões especiais, inclusive membros de Câmara, Senado etc. **2** *P. ext.* Grupo de pessoas que se reúne para determinado fim **3** Lugar onde se reúne esse grupo [F.: Do ing. *committee*, pelo fr. *comité*.] ■ **Em ~** Num pequeno círculo de pessoas; em particular: *Reuniram-se em comitê para discutir o assunto.*

comitente *a2g.* **1** Diz- de pessoa que incumbe outra de realizar determinados atos mediante pagamento de comissão; CONSTITUINTE **2** Diz-se de quem consigna mercadorias ou dá ordens de compra a outrem **3** *Jur.* Diz-se do juiz que delega suas funções provisoriamente a outro para determinados atos *s2g.* **4** Pessoa que incumbe outra de realizar determinados atos mediante pagamento de comissão **5** Aquele que consigna mercadorias ou dá ordens de compra a outrem **6** O juiz que delega suas funções provisoriamente a outro para determinados atos [F.: Do lat.: *commitens, entis*. Ant. ger.: *comissionado*.]

comitiva (co.mi.*ti*.va) *sf.* **1** Reunião de pessoas que formam grupo para acompanhar alguém ou algo, como forma de representação, homenagem, prestígio etc.; SÉQUITO: "...À frente desta aparatosa comitiva..." (Arnaldo Gama, *Filho do Baldaia*) **2** *MT* Grupo de pessoas que segue o coletor da poaia **3** *S. E.* Grupo de peões que acompanha a boiada e o(s) boiadeiro(s) [F.: Do lat. vulg. *comitiva*, pelo it. *comitiva*.]

comível (co.*mí*.vel) *a2g.* **1** Que se pode comer; COMESTÍVEL **2** *Pej.* Diz-se do alimento não muito bom, mas sofrível **3** *Tabu.* Diz-se de pessoa por quem se sente certa (mas não muita) atração sexual [Pl.: *-veis*.] [F.: *comer* + *ível*. Ant. ger.: *incomível*.]

comandita (co.man.*di*.ta) *Jur. Com. sf.* **1** Espécie de sociedade constituída por um ou mais associados, ou responsáveis solidariamente, e por um ou mais associados capitalistas, ou fornecedores de fundos, sem nenhuma gerência e responsáveis só até a importância do capital empregado **2** Cada cota-parte dessa sociedade [F.: Do fr. *comandite*.]

⊕ **commedia dell'arte** (*Ital.: comédia delarte*) *sf.* Gênero teatral italiano de grande receptividade popular entre os séculos XVI e XVIII, desempenhado principalmente por atores itinerantes. Seus textos eram geralmente improvisados, mas com personagens fixos, como arlequim, colombina, pantaleão e outros, quase sempre identificados por máscaras

⊕ ***comme il faut*** (*Fr.: kóm´il fô*) *loc. adv.* Como deve ser, como convém: "Seria uma pena que um rapaz tão perfeito não escolhesse uma noivazinha comme il faut, bonita, instruída, que soubesse entrar e sair numa sala, conversar." (Aluísio Azevedo, *Casa de Pensão*)

⊕ **commodity** (*Ingl. /comóditi/*) *sf.* **1** *Econ.* Matéria-prima homogênea em estado bruto ou qualquer produto primário mineral ou vegetal, produzidos em larga escala, ger. destinados ao comércio externo e cujo preço é regulado pela relação entre oferta e procura [Exemplo: minérios, petróleo, café, soja, trigo etc.] **2** Todo produto produzido em massa [Pl.: *commodities*.]

◎ **-como** *el. comp.* = de barba; de cabelo: *liócomo* [F.: Do gr. *-komos* < gr. *kóme, es*, 'cabelo', 'cabeleira'.]

como (*co*.mo) *adv.* **1** Us. em indagações (sobre modo): *Como se faz isso?* **2** Us. para pedir repetição do que foi dito: *Como? Que disse?* **3** Us. para expressar pasmo, surpresa, ou indignação, ou para pedir explicação: *Como?! Você não quer?; Como é que você faz uma coisa dessas?* **4** Us. para expressar intensidade (algo além do comum): *Como é belo o seu jardim!; Como você está bonita hoje!* **5** Pelo qual, por quê: *Esse é o jeito como fazemos as coisas; É educada a forma como nos tratam.* **6** Com noção de modo; do jeito que, da forma que: *Agiu como quis, sem dar satisfações a ninguém; O trabalho não está como eu quero.* **7** Com ideia de medida, quantidade ou valor aproximado; cerca de: *Levou como um mês para fazer o serviço.* *conj. comp.* **8** Mas também (us. na correlação não só... como (também): *Não só é bela* como simpática. *conj. caus.* 9 Porque, pois que: *Como chovia, não saiu. conj. conf.* 10 Conforme: *Como se pode ver, é impossível ganhar o campeonato. conj.* 11 Como integrante, significando "o modo pelo qual": *Ele ensinou como montar o som; Não sabia como sair daquele labirinto.* [F.: Do lat. *quomodo.* Hom./Par.: *como* (adv. conj.), *como* (fl. de *comer*).] ■ **~ quê** Muito: *É medroso como quê.* **A ~** A quanto, a que preço: *A como estão vendendo estas flores?*

cômoda (*cô*.mo.da) *sf.* Móvel com tampo plano e gavetas ao longo de sua altura e na medida de sua largura, onde geralmente se guarda roupa branca: "...dois vasos da China sobre a cômoda..." (Eça de Queirós, *A Cidade e as Serras*) [F.: Fem. substv. de *cômodo.*]

comodatário (co.mo.da.*tá*.ri:o) *sm.* Aquele que recebe algo em regime de comodato [F.: *comodato* + *-ário.*]

comodato (co.mo.*da*.to) *sm. Jur.* Empréstimo de um bem não fungível a ser devolvido no prazo estipulado [F.: Do lat. *commodatum.*]

comodidade (co.mo.di.*da*.de) *sf.* 1 Qualidade do que é cômodo: "...comodidade do encosto..." (Alexandre Herculano, *O bobo*) 2 O que é cômodo, conveniente: *Este serviço de quarto a qualquer hora é uma comodidade.* 3 Conforto, bem-estar: *Preparou tudo para a comodidade dos hóspedes.* 4 Ocasião favorável, meio fácil de fazer ou usufruir de algo: *A compra de bilhetes pela internet é uma grande comodidade.* 5 Tudo que torna a vida mais agradável: *as comodidades da vida moderna.* [Mais us. no pl.] [F.: Do lat. *commoditas, atis.*]

comodismo (co.mo.*dis*.mo) *sm.* Modo de ser, atitude do comodista; EGOÍSMO [F.: *cômodo* + *-ismo.*]

comodista (co.mo.*dis*.ta) *a2g.* 1 Diz-se de pessoa que faz questão de preservar sua comodidade, que evita assumir compromissos e tarefas, enfrentar dificuldades e desafios etc.: "*Mister* Shaw pediu oito dias de licença, mas, como era comodista, não saiu do Rio." (Marques Rebelo, "Felicidade" *in Contos reunidos*) *s2g.* 2 Essa pessoa [F.: *cômodo* + *-ista.*]

cômodo (*cô*.mo.do) *a.* 1 Diz-se do que se presta convenientemente ao uso a que é destinado (cadeira cômoda) 2 Diz-se do que não apresenta dificuldade, ou que oferece facilidades (acesso cômodo, crediário cômodo) 3 Que é agradável, confortável (vida cômoda) 4 *Pej.* Diz-se do que (atitude, comportamento, maneira de tratar problema, tarefa etc.) visa só a facilidade, evitando conflito, dificuldade, compromisso etc.: *a indiferença social é muito cômoda. sm.* 5 O mesmo que *comodidade*, qualidade de cômodo: *os cômodos do celibato.* 6 Cada uma das divisões de uma habitação: *casa de seis cômodos.* 7 Unidade de hospedagem em hotel, pensão etc.; ACOMODAÇÃO 8 *Lus.* Conjunto de herdades, ou fazendas, que se dedicam a uma lavoura [F.: Do lat. *commodus.*] ■ **À ~** À vontade, sem ser perturbado

comodoro (co.mo.*do*.ro) *sm.* 1 Presidente de iate clube 2 Diretor do setor de náutica em clubes recreativos 3 *Lus. Mil.* Posto intermediário entre capitão de mar e guerra e contra-almirante 4 Oficial que preenche esse posto 5 *Mar. Merc.* Nas companhias de navegação, título dado ao mais velho capitão de navio na ativa [F.: Do fr. *commandeur* (de or. holandesa), pelo ing. *commodore.*]

comorense (co.mo.*ren*.se) *a.* 1 Pertencente ou relativo à República Federal Islâmica de Cômores, estado insular no Oceano Índico, localizado ao sul do continente africano; COMORIANO *sm.* 2 Natural do habitante do arquipélago de Cômores; COMORIANO

cômoro (*cô*.mo.ro) *sm.* Pequena elevação de terreno; MONTE; OUTEIRO; DUNA: "Sentou-se num cômoro e pôs-se a riscar a terra com um graveto, pensando." (Coelho Neto, "Os pombos" *in Mar de histórias*) [F.: Do latim *cumulus.*]

comovedor (co.mo.ve.*dor*) [ô] *a.* 1 Ver *comovente sm.* 2 Aquilo que provoca comoção: *Nesse filme, o comovedor foi saber que tudo isso realmente aconteceu.* [F.: *comover* + *-dor.*]

comovente (co.mo.*ven*.te) *a2g.* Que comove, emociona; COMOVEDOR; EMOCIONANTE; TOCANTE: *A sua solidariedade com os pobres é comovente.* [F.: Do lat. *commovens, entis.*]

comover (co.mo.*ver*) *v.* 1 Causar perturbação emocional a; causar comoção no ânimo de; EMOCIONAR; COMPUNGIR [*td.:* "...aquelas palavras tocantes de Lúcia me comoviam." (José de Alencar, *Lucíola*): "Nenhuma revelação amorosa o comovia." (Eça de Queirós, *Primo Basílio*)] [*int.: O apelo não comoveu.*] 2 Sentir emoção, comoção (em relação a algo, fato, circunstância etc.); ABALAR-SE; IMPRESSIONAR-SE [*int.: Ele se comove facilmente.*] [*tr.* + *com: Todos se comoveram com a dramática situação dos flagelados.*] 3 Despertar ou sentir ternura, fazer perder ou perder frieza de sentimentos [*td.: A inocência daquela criança o comoveu.*] [*int.: Ele comoveu-se ao ver aquela criança inocente.*] 4 Estimular, incitar, mover, ou resolver-se a (fazer algo) [*tdr.* + *a: A injustiça nos comoveu a reagir.*] [*tr.* + *a: comover-se a agir.*] 5 Inquietar, abalar [*td.: A suspeita de uma epidemia comoveu o país.*] 6 Provocar agitação, abalo etc.; ABALAR; AGITAR [*td.: A ira de Posídon comoveu o mar.*] [▶ 2 comover] [F.: Do lat. *commovere.*]

comovido (co.mo.*vi*.do) *a.* 1 Que se comoveu 2 Que ficou ou está emocionado, enternecido 3 Compelido, agitado; INCITADO [F.: Part. de *comover.*]

compacidade (com.pa.ci.*da*.de) *sf.* 1 Qualidade ou estado daquilo que é compacto, denso 2 Relação entre o volume aparente de um sólido e o espaço real ocupado por suas partículas. Tal relação varia de acordo com a dimensão dos poros existentes entre as partículas [F.: Do fr. *compacité.*]

compactação (com.pac.ta.*ção*) *sf.* 1 Ação ou resultado de compactar 2 *Cons.* Processo pelo qual os espaços entre grânulos de terra de um solo, terreno etc. são eliminados ou reduzidos pela pressão do próprio peso, ou em operação mecânica (para conferir mais dureza, impermeabilidade, resistência etc.) pela pressão de um cilindro (manual ou mecanizado) que rola sobre eles, ou das batidas de um instrumento socador etc. 3 *Cons.* Processo pelo qual os espaços vazios no interior de massa de concreto são eliminados ou reduzidos (a golpes de pilão, por meio de vibração etc.) para conferir maior resistência, impermeabilidade etc. 4 *Bras. Inf.* Ação e resultado de compactar dados, arquivos etc. [Pl.: *-ções.*] [F.: *compactar* + *-ção.*]

compactado (com.pac.*ta*.do) *a.* 1 Que foi comprimido, juntado 2 Que foi comprimido num determinado limite, de forma a ocupar menor espaço 3 Que foi unido num só bloco [F.: Part. de *compactar.*]

compactador (com.pac.ta.*dor*) *a.* 1 Que ou aquele que compacta *sm.* 2 Máquina usada para compactação de solos ou para operações de concretagem e asfaltamento

compactar (com.pac.*tar*) *v.* 1 Unir (partes, segmentos etc.) de modo a reduzir tamanho, dimensão ou volume; CONDENSAR [*td.* / *tdr.* + *em: Compactou toda a obra do escritor (num único volume).*] 2 *Bras. Inf.* Abreviar codificação de (dados) para diminuir o espaço de memória ocupado [*td.: compactar arquivos.*] 3 Aplicar pressão para reduzir volume de (materiais) [*td.: compactar lixo, concreto.*] 4 Tornar-se compacto ou mais compacto, ficar mais coeso, denso, com as partes componentes mais unidas [*int.: Com o tempo, a estrada de terra compactou-se.*] [▶ 1 compactar] [F.: *compacto* + *-ar*[2]. Hom./Par.: *compacto* (fl.), *compacto* (sm.); *compacta(s)* (fl.), *compacta(s)* (fem. de *compacto*).]

⊕ ***compact disc*** (*Ingl.* /*cômpect disk*/) *loc. subst.* Pequeno disco no qual as informações (imagens, sons, programas de computador etc.) são gravadas digitalmente e são reproduzidas (em aparelhos de som ou vídeo, processadas por computador etc.) por meio de leitura com raios laser [Sigla: *CD.*]

compacto (com.*pac*.to) *a.* 1 Que tem as partes componentes muito unidas; COMPRIMIDO; DENSO 2 Espesso, basto: *Baixou uma névoa compacta.* [Ant.: *rarefeito.*] 3 Que é numeroso, abundante (e ger. com seus componentes muito próximos um do outro): *Uma multidão compacta assistia ao show.* 4 De dimensões reduzidas sem prejuízo da funcionalidade (apartamento compacto, som compacto) 5 Diz-se de texto ou estilo conciso, sem excessos de verbosidade *sm.* 6 Aparelho de som com os componentes em peça única, ou independentes mas de pequenas dimensões 7 *Telv.* Edição condensada de um programa (jornalístico, esportivo, musical etc.) [Nas acp. 4 e 5, tb. us. como adj.] 8 Exemplar de *compact disc: Ela comprou dois compactos de música sertaneja.* [F.: Do lat. *compactu s.* Ideia de 'compacto': *dens(i)-.*]

compactuado (com.pac.tu:*a*.do) *a.* Que foi objeto de pactuação ou ajuste [F.: Part. de *compactuar.*]

compactuar (com.pac.tu.*ar*) *v.* Fazer pacto com (alguém), ger. no sentido de aceitar, transigir com (ações, situações duvidosas, ilícitas etc.) [*tr.* + *com: Não quis compactuar com os colegas corruptos; Compactuou com o vigia no assalto à loja.* Ger. tem conotação pejorativa.] [▶ 1 compactuar] [F.: *com-* + *pactuar.*]

compadecer (com.pa.de.*cer*) *v.* 1 Causar, inspirar dó, compaixão em [*td.: Compadecia-o o sofrimento do amigo.*] 2 Sentir compaixão (de); APIEDAR-SE; CONDOER-SE [*tr.* + *de.: compadecer-se dos desabrigados.*] [*int.: Ao ver tanto sofrimento, o médico compadeceu-se.*] 3 Acomodar-se, conformar-se, harmonizar-se, ser compatível (com) [*tr.* + *com: Sua saúde frágil não se compadece com este clima úmido; Liberalidade e avareza não se compadecem (uma com a outra).*] 4 Conseguir aceitar algo difícil ou inaceitável, suportar, tolerar [*td.: Não podemos compadecer os desonestos e os aproveitadores.*] [▶ 33 compadecer] [F.: Do lat. *compatescere (clássico *compati*).]

compadecido (com.pa.de.*ci*.do) *a.* Que sente ou sentiu compaixão por alguém: *O amigo, compadecido, apoiava-o em suas decisões.* [F.: Part. de *compadecer.*]

compadecimento (com.pa.de.ci.*men*.to) *sm.* Ato ou efeito de compadecer(-se), compaixão [F.: *compadecer* + *-mento.*]

compadragem (com.pa.*dra*.gem) *sm.* 1 Qualidade ou condição de compadres 2 Relação entre compadres; FAMILIARIDADE; INTIMIDADE 3 *Pej.* Acordo ilícito, favorecimento [Sin. ger.: *compadrio.*]

compadrar (com.pa.*drar*) *v. td.* 1 Tornar-se compadre (padrinho do filho ou da filha) 2 Estabelecer relacionamento muito amigável [▶ 1 compadrar] [F.: *compadr(e)* + *-ar*[2].]

compadre (com.*pa*.dre) *sm.* 1 O padrinho de pessoa batizada em relação ao pai dela, ou este em relação ao padrinho 2 *Pop.* Amigo íntimo, camarada; tratamento que se dá a amigos, conhecidos, vizinhos etc. 3 *Bras.* Espécie de urinol para doentes do sexo masculino, que nele podem urinar sem sair do leito; o mesmo que *patinho* (vaso alongado) 4 *Bras. Rel.* Nos candomblés, Exu como protetor da casa e, na umbanda, um seu epíteto *a2g.* 5 *RS* Pretensioso, presunçoso [F.: Do lat. tardio *compatrem.* Fem. das acps. 1 e 2: *comadre.*]

compadresco (com.pa.*dres*.co) *a.* Relativo a compadragem: "Já naquele tempo o empenho, o compadresco, eram uma mola real de todo o movimento social" (Manuel Antônio de Almeida, *Memórias de um Sargento de Milícias*) [F.: *compadre* + *-esco.*]

compadrio (com.pa.*dri*:o) *sm.* 1 Condição de compadres; relação entre compadres; COMPADRADO 2 *P. ext.* Sentimento ou ambiente de intimidade, gentileza e cordialidade; COMPANHEIRISMO 3 *P. ext.* Proteção, favorecimento exagerado e injusto, ou ilícito; FAVORITISMO; MANCUMUNAÇÃO [F.: *compadre* + *-io*[1]. Sin. ger.: *compadrice.*]

compadrismo (com.pa.*dris*.mo) *sm.* 1 Relação entre compadres; COMPADRICE; COMPADRIO 2 *Fig.* Expressão de amizade, de cordialidade [F.: *compadre* + *-ismo.*]

compaixão (com.pai.*xão*) *sf.* Sentimento pesar, pena e simpatia para com o sofrimento de outrem, associado ao desejo de confortá-lo, ajudá-lo etc.; DÓ; PIEDADE [Pl.: *-xões.*] [F.: Do lat. tardio *compassio, onis.*]

companheira (com.pa.*nhei*.ra) *sf.* 1 Fem. de *companheiro* 2 Mulher que acompanha alguém e compartilha de sua sorte e destino 3 Mulher casada ou que vive maritalmente com alguém em relação a essa pessoa 4 Cada uma de um grupo de mulheres que trabalham, estudam ou vivem em comum; COLEGA [F.: Fem. de *companheiro.*]

companheirismo (com.pa.nhei.*ris*.mo) *sm.* 1 Maneira amistosa e prestimosa de ser e de agir, própria de companheiro; CAMARADAGEM; COLEGUISMO: *O companheirismo dela ajudou-o a superar o momento difícil.* 2 Convívio amistoso, cordial, solidário: *Encontrou no grupo um ambiente de companheirismo.* [F.: *companheiro* + *-ismo.*]

companheiro (com.pa.*nhei*.ro) *a.* 1 Que acompanha alguém (animal companheiro) 2 Que acompanha alguma coisa, combinando com ela: *sapato e bolsa companheiros sm.* 3 Aquele ou aquilo que acompanha, faz companhia 4 Aquele que tem uma convivência íntima e harmoniosa com alguém, com mútua proteção, ajuda, compartilhamento etc.; CAMARADA; PARCEIRO 5 Homem casado, ou que vive maritalmente com uma mulher, em relação a esta 6 Forma de tratamento entre amigos, camaradas, conhecidos etc., ou eventual, como chamamento: *Ei, companheiro, você pode me ajudar a tirar o carro da vaga?* 7 *Astron.* Estrela companheira (2), que forma com outra um sistema de duas estrelas (sendo ou não visível) [F.: *companha* (séc. XIII 'grupo de pessoas que seguem juntas') + *-eiro.*]

companhia (com.pa.*nhi*:a) *sf.* 1 Ação ou resultado de acompanhar 2 Presença de algo ou alguém que acompanha: "...não arredava pé de casa a não ser na companhia dos amigos..." (Aluísio Azevedo, *O Cortiço*) [Essa presença pode ser agradável, proveitosa, virtuosa (uma boa companhia) ou não (má companhia).] 3 Pessoa que está acompanhando alguém: *Vem jantar e traz companhia.* 4 Grupo organizado de pessoas reunido para um fim comum (companhia teatral; Companhia de Jesus) 5 *Com.* Firma comercial ou industrial com vários sócios 6 *Jur.* Sociedade anônima 7 *Mil.* Subdivisão de um regimento ou batalhão, formada de pelotões e comandada por um capitão 8 *HIst.* Na época do Brasil colonial, cada uma das unidades locais de bandeirantes [F.: *companha* (séc. XIII 'grupo de pessoas que seguem juntas' + *-ia*[1].] ■ **~ aberta** *Com. Jur.* Sociedade anônima cujas ações são negociáveis em bolsa de valores ou mercado de balcão **~ fechada** *Com. Jur.* Sociedade anônima cujas ações não são negociáveis em bolsa de valores ou mercado de balcão **Fazer ~** Ficar junto (a alguém) para que não esteja ou se sinta só **Trabalhar na ~ do desvio** Estar sem trabalho, desempregado

comparação (com.pa.ra.*ção*) *sf.* 1 Ação ou resultado de comparar para perceber semelhanças e diferenças entre duas pessoas, coisas ou situações; COTEJO; CONFRONTO 2 *Ling.* Cotejo entre dois termos numa construção sintática, definindo-se um deles a partir de uma qualidade conhecida do outro (*Saquarema tem ondas mais altas do que Cabo Frio*) [Pl.: *-ções.*] [F.: Do lat. *comparatio, onis.*] ■ **Não tem ~** *Pop.* Comparando algo, alguém ou situação com outros, maneira de dizer que é muito melhor **Sem ~** Diz-se daquilo que, por ser muito bom, tem-se como certo ser melhor que outros

comparador (com.pa.ra.*dor*) [ô] *a.* 1 Que faz comparações *sm.* 2 Pessoa ou algo que compara 3 *Fís.* Instrumento óptico de precisão destinado a comparar distâncias 4 *Eletrôn.* Circuito ou dispositivo que recebe dois sinais, compara-os (quanto a, p. ex., amplitude, tensão etc.) e fornece um sinal para indicar se ambos concordam ou não 5 *Inf.* Dispositivo que compara duas transcrições da mesma informação e indica se elas estão concordes ou não [F.: *comparar* + *-dor.*]

comparar (com.pa.*rar*) *v.* 1 Confrontar (elementos distintos mas de mesma natureza) identificando semelhanças, diferenças, relações; COTEJAR [*td.: É sempre bom comparar preços.*] [*tdr.* + *a, com: comparar uma pessoa a / com outra.*] 2 Confrontar elementos de natureza diferente para identificar pontos de analogia ou de similaridade [*td.: Comparava bailarinas a/com borboletas.*] [*td.: Não dá para comparar alhos e bugalhos.*] 3 Tomar(-se) como igual, semelhante ou equivalente; igualar(-se) [*tdr.* + *a, com: A crítica compara o jovem poeta a Drummond.*] [*tr.* + *a, com: Nenhum dos alunos se compara ao mestre; Ninguém se compara com ele.*] [▶ 1 comparar] [F.: Do lat. *comparare.* Hom./Par.: *comparáveis* (fl.), *comparáveis* (pl. de *comparável*); *compares* (fl.), *cômpares* (pl. de *cômpar*).]

comparatismo (com.pa.ra.tis.mo) *sm. Ling.* Teoria, método e pesquisas de gramática comparada; COMPARATIVISMO

comparatista (com.pa.ra.*tis*.ta) *sm.* 1 Especialista em disciplinas comparadas 2 *Ling.* Linguista especializado em gramática comparada *a.* 3 Diz-se do estudioso especializado em disciplinas comparadas, como p. ex. literatura ou direito comparado **4** *Ling.* Que diz respeito ao linguista especializado em gramática comparada [F.: Do fr. *comparatiste.* Sin. ger.: *comparativista.* Cf.: *gramática comparada.*]

comparativismo (com.pa.ra.ti.*vis*.mo) *sm. Ling.* Teoria, métodos e pesquisas de gramática comparada; COMPARATISMO [F.: *comparativo* + *-ismo.*]

comparativista (com.pa.ra.ti.*vis*.ta) *a. Ling.* Que se dedica ao comparativismo; COMPARATISTA [F.: *comparativo* + *-ista.*]

comparativo (com.pa.ra.*ti*.vo) *a.* **1** Que envolve ou que faz comparação, que serve para comparar (estudo comparativo) **2** Diz-se de forma vocabular que exprime comparação (adjetivo comparativo) **3** *Gram.* Diz-se de conjunção subordinativa que introduz o segundo termo de um confronto ou comparação (p. ex., em *Nada é tão gostoso como um suco bem gelado no verão,* o *como* tem valor comparativo) *sm.* **4** *Gram.* Grau de adjetivos e advérbios que exprime a qualidade de um substantivo, comparando-a com outra e expressando que aquela é igual a esta (*tão... quanto*), inferior (*menos... que*) ou superior (*mais... que*) **5** *Gram.* Vocábulo ou forma vocabular que expressa esse grau: *Maior é comparativo de grande.* [F.: Do lat. *comparativus.*] ■ **~ de igualdade** *Gram.* Na comparação entre coisas, pessoas ou situações, grau que exprime condição de igualdade (em quantidade, tamanho ou intensidade) entre eles [Ex.: *Chutou tantas vezes quanto o time adversário; Ele é tão alto quanto o colega; Gosta tanto do irmão quanto da irmã.*] **~ de inferioridade** *Gram.* Na comparação entre coisas, pessoas ou situações, grau que exprime condição de inferioridade (em quantidade, tamanho ou intensidade) de um em relação aos demais [Ex.: *Chutou menos vezes que o time adversário; É menos alto que o colega; Gosta menos do irmão que da irmã.*] **~ de superioridade** *Gram* Na comparação entre coisas, pessoas ou situações, grau que exprime condição de superioridade (em quantidade, tamanho ou intensidade) de um em relação aos demais [Ex.: *Sua casa é maior (mais grande) que a minha; Essa proposta é pior (menos boa) que aquela outra; Gosta mais do irmão que da irmã.*]

comparável (com.pa.*rá*.vel) *a2g.* **1** Que se pode comparar com outras coisas: *Essa casa é comparável àquela em que morávamos.* **2** Diz-se de alguém ou algo que tem qualidades semelhantes às de outro; ANÁLOGO: *análise comparável à de grandes especialistas.* [Pl.: *-veis.*] [F.: Do lat. *comparabilis,* pelo fr. *comparable.* Hom./Par.: *comparáveis* (pl.), *comparáveis* (fl. de *comparar*).]

comparecer (com.pa.re.*cer*) *v.* **1** Apresentar-se em lugar determinado, pessoalmente ou por intermédio de representante [*ta.: O contratempo não o impediu de comparecer à reunião.*] [*int.: Apesar da forte chuva, não deixou de comparecer.*] **2** Apresentar-se no seu posto ou repartição para exercer as suas funções [*ta.: Muitos deputados deixaram de comparecer na Câmara.*] **3** *Jur.* Apresentar-se por ordem de uma autoridade judicial na condição de acusado ou de testemunha [*ta.: comparecer ao/no/ante o tribunal; Foi intimado a comparecer ante/perante o juiz.*] [*int.: Compareceram as testemunhas do autor.*] **4** *Pop.* Contribuir com (dinheiro, algo de valor) ou pagar (determinada quantia) [*tr. + com: Cada um compareceu com trinta reais/dois quilos de alimento.*] **5** *Pop.* Contribuir com (dinheiro, comida, objetos etc.) [*tr. + com: Fizeram uma vaquinha para a festa, e cada um compareceu com trinta reais.*] [▶ 33 compare**cer**] [F.: Do lat. **comparescere* (clássico *comparere*).]

comparecimento (com.pa.re.ci.*men*.to) *sm.* **1** Ação ou resultado de comparecer, de estar presente em um lugar, voluntária ou obrigatoriamente **2** Apresentação (pessoalmente ou por intermédio de representante, procurador etc.) em juízo, cartório etc. [F.: *comparecer* + *-imento.*]

comparsa (com.*par*.sa) *s2g.* **1** *Cin. Teat. Telv.* Personagem que desempenha papel secundário na cena; COADJUVANTE; FIGURANTE: "...Talvez um comparsa de menos fizesse patear a tragédia humana." (Machado de Assis, *Memórias Póstumas de Brás Cubas*) **2** Cúmplice com papel secundário: "...robusto comparsa, alugado para queimar..." (Rebelo da Silva, *Casa dos Fantasmas*) [F.: Do it. *comparsa.*]

comparticipar (com.par.ti.ci.*par*) *v. ti.* Participar conjuntamente de algo com alguém; compartilhar [▶ 1 compartilhar] [F.: *com-* + *participar.*]

compartilhado (com.par.ti.*lha*.do) *a.* Que foi repartido, que se compartilhou; COMPARTIDO: *O prêmio foi compartilhado pelos dois candidatos.* [F.: Part. de *compartilhar.*]

compartilhamento (com.par.ti.lha.*men*.to) *sm.* Ato ou efeito de compartilhar [F.: *compartilhar* + *-mento.*]

compartilhar (com.par.ti.*lhar*) *v.* **1** Dividir ou repartir (com alguém); COMPARTIR; PARTILHAR [*td.: Precisamos compartilhar a água do planeta.*] [*tdr. + com: compartilhar o quarto com a irmã.*] **2** Ter ou tomar parte em; participar de [*tr. + de:* "Compartilhava plenamente da opinião secretarial..." (Marques Rebelo, *Contos Reunidos*)] **3** *Inf.* Utilizar em rede (um mesmo recurso computacional) [*td.: compartilhar impressoras/arquivos.*] [▶ 1 compartilhar] [F.: *com-* + *partilhar.*]

compartilhável (com.par.ti.*lhá*.vel) *a2g.* **1** Que pode ser compartilhado **2** Que pode ser objeto de divisão, de partilha [F.: *compartilhar* + *-vel.*]

compartimentação (com.par.ti.men.ta.*ção*) *sf.* **1** Ação ou efeito de separar em compartimentos **2** Divisão em compartimentos [Pl.: *-ões.*] [F.: *compartimentar* + *-ção.*]

compartimentado (com.par.ti.men.*ta*.do) *a.* Separado em compartimentos, classes ou categorias [F.: Part. de *compartimentar.*]

compartimentalizar (com.par.ti.men.ta.li.*zar*) *v. td.* Dividir ou separar em compartimentos, classes, categorias [▶ 1 compartimentali**zar**] [F.: *compartimental* + *-izar.*]

compartimentar (com.par.ti.men.*tar*) *Bras. v. td.* **1** Dividir ou separar em compartimentos: *Compartimentamos a sala do escritório.* **2** *P. ext.* Separar em partes ou categorias: *Os estudantes compartimentavam a matéria de matemática.* **3** *P. ext.* Colocar em um único compartimento: *Compartimentou as roupas na gaveta.* [▶ 1 compartimen**tar**] [F.: *compartimento* + *-ar*[2]. Hom./Par.: *compartimento* (fl.), *compartimento* (sm.).]

compartimento (com.par.ti.*men*.to) *sm.* **1** Cada uma das partes separadas (por divisória, painel etc.) ou divisões de gaveta, caixa, cofre ou semelhante; DIVISÓRIA; ESCANINHO **2** Cada divisão de casa, apartamento, veículo etc.: "... No compartimento fumarento e sujo..." (Antero de Figueiredo, *Espanha*) **3** *Fig.* Qualquer setor, divisão etc., mesmo imaginários ou metafóricos, de algo: *os compartimentos da alma/da mente/da memória* [F.: Do it. *compartimento.*] ■ **~ de colisão** *Mar.* Compartimento estanque na proa e na ré de embarcação, para receber a água (impedindo-a de invadir a embarcação) em caso de abalroamento pela proa ou pela popa **~ estanque** *Mar.* Compartimento interno em embarcação, isolado de outros por paredes e portas estanques (com vedação à passagem de água), formando o conjunto um sistema que visa a impedir que, em caso de abalroamento, a água penetre livremente no interior da embarcação, podendo levá-la ao naufrágio

compartir (com.par.*tir*) *v.* **1** Dividir, partilhar, distribuir por várias pessoas ou lugares [*td. / tdr. + com: A menina compartiu seus brinquedos (com crianças carentes).*] [*tda.: compartir as vacinas por todos os postos de saúde.*] **2** Ter parte em; participar de; compartilhar [*tr. + de, em:* "Compartimos do seu entusiasmo:" "Receoso de compartir no perigo dos dois perseguidos." (Camilo Castelo Branco, *Livro de Consolação*)] [*tdr. + com: Compartiu seus temores com o amigo.*] [*td.: Amigos verdadeiros compartem alegrias e tristezas.*] **3** Dividir em compartimentos; COMPARTIMENTAR [*td.: Para carregar pequenos objetos precisaria compartir o porta-malas.*] [▶ 3 compar**tir**] [F.: Do lat. *compartire,* por *compartiri,* pelo padrão erudito.]

compassado (com.pas.*sa*.do) *a.* **1** Medido, separado por intervalos de tempo iguais e regulares (remadas compassadas); PAUSADO; VAGAROSO [Ant.: *acelerado, apressado.*] **2** *Mús.* Que se realiza segundo certa cadência ou ritmo (andar compassado, respiração compassada); CADENCIADO; RITMADO [Ant.: *vivaz.*] **3** Pausado, vagaroso **4** *Mús.* Diz-se de música ou trecho musical que se executa segundo o compasso e o andamento estipulados [F.: Part. de *compassar.*]

compassar (com.pas.*sar*) *v.* **1** Conferir ou adquirir cadência ou ritmo regular [*td.: Os soldados compassaram a marcha.*] [*int.: Apaixonada, seu coração não se compassava.*] **2** Fazer ficar ou ficar num ritmo mais lento, pausado; mover-se de modo pausado [*td.: Cansado da corrida, parou um pouco para compassar a respiração.*] [*int.: Compassou-se para não chegar muito adiantado.*] **3** Criar intervalos (num processo, ou entre eventos); ESPAÇAR [*td.: Longos silêncios compassavam o diálogo.*] **4** *Fig.* Regular, moderar [*td.: Soube compassar as suas ações e maneiras.*] **5** Calcular as dimensões de; MEDIR [*td.: Quem seria capaz de compassar o firmamento?*] **6** Medir com o compasso [*td.*] **7** Dispor com exatidão simétrica (ruas, alamedas etc.) [*td.*] **8** *Mús.* Marcar compasso de (música) [*td.*] [▶ 1 compas**sar**] [F.: Do lat. vulg. **compassare.* Hom./Par.: *compasso* (fl.), *compasso* (sm.).]

compassividade (com.pas.si.vi.*da*.de) *sf.* Qualidade de compassivo

compassivo (com.pas.*si*.vo) *a.* **1** Que sente compaixão, compadecido (pessoa compassiva) **2** Que denota compaixão: "...palavras compassivas, suavíssimas..." (Viriato Correia, *Contos do Sertão*) [F.: Do lat. tardio *compassivus.* Sin. ger.: *condolente.* Ant. ger.: *desalmado, empedernido.*]

compasso (com.*pas*.so) *sm.* **1** Instrumento composto de duas hastes, ou pernas, unidas em uma das extremidades por um eixo e que se abrem e fecham pela outra extremidade, a fim de medir ou descrever arcos de círculo **2** Andamento, passo, marcha regular, movimento cadenciado: "... dançando a compasso..." (Alexandre Herculano, *Lendas e Narrativas*) [Ant.: *descompasso.*] **3** *Mar.* Distribuição de pesos a bordo de uma embarcação, para equilibrá-la; esse equilíbrio **4** *Mús.* Divisão da pauta musical em partes iguais, separadas por barras verticais, cada uma com certo número de tempos (2, 3 ou 4), indicado pelo numerador de uma fração no início da peça ou do trecho musical, sendo o denominador indicativo da figura de ritmo que constitui a unidade de tempo **5** *Mús.* Cada uma dessas divisões: *Repita este compasso em ritmo mais acelerado.* [F.: Do lat. *compassare,* pelo fr. *compasser* e daí *compas.* Hom./Par.: *compasso* (v. *compassar*).] ■ **A ~ com** Simultaneamente com: *Cantarolava a compasso com o chilrear dos pássaros* [*É indicado pelo sinal C.*] **~ binário** *Mús.* Compasso (4) de dois tempos, marcado com fração de numerador 2 **~ de espera** Tempo em que se espera que algo aconteça [*É indicado pelo sinal c.*] **~ nonário** *Mús.* Compasso (4) de nove tempos **~ quaternário** *Mús.* Compasso (4) de quatro tempos, marcado com fração de numerador 4 **~ quinário** *Mús.* Compasso (4) de cinco tempos **~ setenário** *Mús.* Compasso (4) de sete tempos **~ ternário** *Mús.* Compasso (4) de três tempos, marcado com fração de numerador 3

📖 A notação do compasso musical, em forma de fração ordinária, dispõe no numerador o número de unidades de tempo que o compõem, e no denominador a especificação dessa unidade. O compasso 3/8, p. ex., é um compasso de 3 tempos (os compassos de 3 tempos são chamados ternários) sendo cada tempo representado por uma colcheia (expressa pelo número 8). O compasso 4/4 pode ser representado por um símbolo em forma de C, e o de 2/2 por um símbolo em forma de um C cortado verticalmente por uma linha.

compatibilidade (com.pa.ti.bi.li.*da*.de) *sf.* **1** Qualidade ou condição do que é compatível, daquilo que pode coexistir em harmonia com outro ou outra coisa **2** Possibilidade ou capacidade (de cargo, função, ofício etc.) de ser exercido ou (direito, prerrogativa etc.) de ser possuído ao mesmo tempo por uma mesma pessoa **3** *Farm.* Possibilidade de um medicamento ser tomado com outro(s) sem perda de eficácia e sem choque químico **4** *Biol.* Capacidade de grupo sanguíneo, ou tecido, de se unir a outro e funcionar em conjunto com ele **5** *Inf.* Capacidade de programas, sistemas, dispositivos etc. funcionarem junto sem prejudicar o funcionamento do computador, de seu sistema operacional, de outros programas, sistemas e dispositivos **6** *Mat.* Propriedade de um sistema de equações no qual existe ao menos um conjunto de valores das variáveis que satisfaz todas as equações do sistema [F.: *compatível* + *-idade,* segundo o modelo erudito. Ant. ger.: *incompatibilidade.*]

compatibilização (com.pa.ti.bi.li.za.*ção*) *sf.* Ação ou resultado de compatibilizar(-se) [Ant.: *incompatibilização.*] [Pl.: *-ções.*] [F.: *compatibilizar* + *-ção.*]

compatibilizado (com.pa.ti.bi.li.*za*.do) *a.* Que se compatibilizou, se tornou compatível com outro; CONCILIADO; HARMONIZADO [Ant.: *incompatibilizado.*] [F.: Part. de *compatibilizar.*]

compatibilizar (com.pa.ti.bi.li.*zar*) *v.* Tornar (algo ou alguém, inclusive si mesmo) conciliável ou compatível com (outra coisa, outrem) [*td.: Como compatibilizar desejos tão diferentes?*] [*tdr. + com:* "...há muito já se fala de compatibilizar o bem-estar do ambiente com o de seres humanos..." (*Folha de S.Paulo,* 03.10.1999)] [*int.: As duas propostas compatibilizam-se.*] [▶ 1 compatibili**zar**] [F.: *compatível* + *-izar,* segundo o modelo erudito.]

compatível (com.pa.*tí*.vel) *a2g.* **1** Que pode existir conjuntamente ou conciliar-se com outro(s): "...encargos nem por isso muito compatíveis..." (Rodrigo Paganino, *Contos do Tio Joaquim*) **2** Capaz de funcionar conjuntamente: *Este programa não é compatível com o sistema operacional que ele usa.* **3** Diz-se de cargo, função, ofício que pode ser exercido ao mesmo tempo que outro(s) **4** *Farm.* Diz-se de medicamento que pode ser ministrado com outro sem problema **5** *Hem.* Diz-se de tipo de sangue que apresenta compatibilidade com outro [Pl.: *-veis.*] [F.: Do lat. tardio *compatiblis* (de *compati*) pelo fr. *compatible.* Ant. ger.: *incompatível.*]

compatrício (com.pa.*trí*.ci:o) *a.* **1** Ref. ao que tem origem no mesmo país *sm.* **2** Nascido no mesmo país ou mesma terra que outro; CONTERRÂNEO; PATRÍCIO [F.: *com-* + *patrício.*]

compatriota (com.pa.tri:o.ta) *a2g.* **1** Diz-se de pessoa que tem a mesma pátria, a mesma nacionalidade de outra; COMPATRÍCIO *s2g.* **2** Essa pessoa: "...a paixão que desvairara seus compatriotas..." (Xavier Marques, *Pindorama*) [F.: Do lat. *compatriota.*]

compelido (com.pe.*li*.do) *a.* **1** Deslocado pela força ou por um sentimento **2** Constrangido a tomar determinada atitude: "Teria profundo sentimento se fosse compelido a recolhê-los...(a hospício)" (Machado de Assis, *O Alienista*) [F.: Part. de *compelir.*]

compelir (com.pe.*lir*) *v.* **1** *Fig.* Coagir (alguém) a fazer algo; CONSTRANGER; FORÇAR; OBRIGAR [*tdr. + a: Compeliram-no a aceitar a missão.*] **2** Forçar (alguém) a deslocar-se usando força; EMPURRAR; IMPELIR [*td.*] [▶ 50 compe**lir**] [F.: Do lat. *compellere.*]

compendiar (com.pen.di.*ar*) *v.* **1** Reunir (material disperso) em compêndio, publicar em compêndio [*td.: Mandou-se compendiar a legislação enfitêutica que andava dispersa.*] [*tdr. + em: A editora compendiou a obra completa da escritora em dois volumes.*] **2** Fazer ou ser uma síntese de; resumir em compêndio [*td.: Ele compendia (em si) muitos personagens; Compendiou todas as informações para facilitar a consulta.*] [▶ 1 compendi**ar**] [F.: Do lat. *compendiare.* Hom./Par.: *compendio* (fl.), *compêndio* (sm.).]

compêndio (com.*pên*.di:o) *sm.* **1** Resumo, sumário de doutrinas **2** Livro, esp. escolar, que serve de texto para estudo **3** *Fig.* Quem ou o que resume em si (inclusive como símbolo, ícone etc.) uma teoria ou doutrina, um período histórico, certas qualidades etc. [F.: Do lat. *compendium.* Hom./Par.: *compendio* (v. *compendiar*).]

compenetração (com.pe.ne.tra.*ção*) *sf.* **1** Ato ou efeito de compenetrar(-se) **2** *Fig.* Certeza íntima e profunda [Pl.: *-ões.*] [F.: *compenetrar* + *-ção.*]

compenetrado (com.pe.ne.*tra*.do) *a.* **1** Muito concentrado; ATENTO **2** Intimamente convencido (de algo), convicto, persuadido: *compenetrado da importância de sua missão.* **3** Sério, sisudo, circunspecto [F.: Part. de *compenetrar.*]

compenetrar (com.pe.ne.*trar*) *v.* **1** Adquirir ou fazer adquirir certeza, convicção íntima (de algo); CONVENCER(-SE) [*tr.* + *de*: *Compenetrou-se da necessidade de restringir suas despesas.*] [*tdr.* + *de*: *A campanha compenetrava as mães da importância da amamentação.*] **2** *Fig.* Assimilar, reter completamente, passar a dominar (um assunto); compreender o pensamento ou ideia de (algo ou alguém) [*tr.* + *de*: *Ao longo de décadas, compenetrou-se da doutrina da Igreja.*] **3** Causar forte impressão a; IMPRESSIONAR [*td.*: *Compenetrou-o a visão de pessoas mortas.*] **4** Fazer penetrar bem; ARRAIGAR [*td.*] [▶ 1 compenetrar] [F.: *com-* + *penetrar*.]

compensação (com.pen.sa.*ção*) *sf.* **1** Ação ou resultado de compensar, de equilibrar atos, acontecimentos etc. de valores opostos: *Depois de maltratá-lo passou a fazer-lhe agrados, mas essa compensação não desfez o rompimento.* **2** Equilíbrio, igualdade, proporção: *compensação entre ganhos e perdas.* **3** *Cont.* Pagamento do valor de um cheque depositado em conta bancária **4** Vantagem: "...havia compensação para nós na chegada da noite..." (Rodrigo Paganino, *Contos do Tio Joaquim*) **5** *Psic.* Mecanismo inconsciente de defesa **6** *Fisl.* Reação do organismo com mudanças em sua conformação ou seu comportamento para restabelecer seu equilíbrio, quando afetado por alterações fisiológicas ou anatômicas, patológicas ou não [Pl.: *-ções*.] [F.: Do lat. *compensatio, onis*.] ∎∎ **Em** ~ Expressão que antecede a menção de algo que é tido como compensação, ou contrapartida de outro: *Vou atrasar um pouco, mas em compensação vou ficar mais tempo.*

compensado (com.pen.*sa*.do) *a.* **1** Que teve compensação **2** Reparado (diz-se de prejuízo, mal etc.) **3** *Cont.* Que passou pela compensação bancária (diz-se de cheque) **4** Que foi equilibrado (peso compensado) **5** Que foi indenizado ou beneficiado por ação reparadora (de dano, prejuízo, ofensa etc.) ou recompensado *sm.* **6** *Bras.* Placa formada por camadas finas (até 1mm de espessura) de madeira superpostas (com as fibras de cada camada perpendiculares em relação às fibras das camadas adjacentes), coladas e prensadas [Tb. *madeira compensada*.] **7** Qualquer dessas placas, cortada segundo certas medidas [F.: Do lat. *compensatus*, part. pass. de *compensare*.]

compensador (com.pen.sa.*dor*) [ô] *a.* **1** Que compensa: *Trabalhou muito mas teve resultados compensadores.* **2** Que traz vantagens, ganho, lucro etc. (investimento compensador) **3** Que serve como substituto: *Não deu para almoçar, para comeu um sanduíche compensador.* *sm.* **4** Aquilo que compensa, contrabalança, aquilo que traz compensação: *O compensador, neste caso, foram as demonstrações de carinho que recebeu.* **5** *Tecn.* Mecanismo que serve para corrigir oscilações ou variações de algo **6** *Aer.* Aerofólio ou similar us. para o equilíbrio da aeronave **7** *Ópt.* Instrumento que mede a diferença de fase entre dois componentes de um raio luminoso com polarização elíptica **8** *Ópt.* Elemento us. para corrigir a diferença de caminho entre os raios luminosos, na dupla refração **9** Maquinismo que evita variações no comprimento de pêndulo (de relógio) devido a variação de temperatura, e suas consequências no andamento do relógio [F.: *compensar* + *-dor*.]

compensar (com.pen.*sar*) *v.* **1** Neutralizar os efeitos de (algo negativo) com algo, ação, medida, influência positiva etc.; CONTRABALANÇAR; EQUILIBRAR [*tdr.* + *com*: *Compensava a falta de dinheiro com criatividade.*] [*td.*: *O bem-estar dos filhos compensa qualquer sacrifício.*] **2** Reparar dano ou prejuízo de (alguém); INDENIZAR [*tdr.* + *de*, *por*: *Compensaram-no pelas perdas com a enchente.*] **3** Trazer consequências positivas (a) [*td.*: "O retorno financeiro não compensou os investimentos." (*FolhaSP*, 02.12.1999)] [*int.*: *O grande esforço compensou.*] **4** Contrabalançar(-se), equilibrar(-se) [*td.*: *Como os dois erros desta conta se compensam, o resultado dela está certo.*] **5** *Cont.* Pagar, fazer valer; passar por compensação (cheque de outro banco) [*td.*: *compensar um cheque.*] [*int.*: *Aguardou os cheques compensarem.*] **6** *Jur.* Liquidar ou amortizar (dívida) por meio do encontro de débitos com créditos por receber [*td.*: *O estado compensará suas dívidas para com a União usando os royalties do petróleo.*] [▶ 1 compensar] [F.: Do lat. *compensare*. Hom./Par.: *compensáveis* (fl.), *compensáveis* (pl. de *compensável*).]

compensatório (com.pen.sa.*tó*.ri:o) *a.* Ref. a, que envolve ou contém compensação: *O governo adotou medidas compensatórias da perda na arrecadação.* [F.: Do lat. *compensat(us)*, part. pass. de *compensare* + *-tório*.]

compensável (com.pen.*sá*.vel) *a2g.* Que pode ser compensado, passível de se compensar [Pl.: *-veis*.] [F.: *compensar* + *-vel*. Hom./Par.: *compensáveis* (pl.); *compensáveis* (fl. de *compensar*).]

competência (com.pe.*tên*.ci:a) *sf.* **1** Capacidade de realizar algo de modo satisfatório; APTIDÃO [Ant.: *incompetência*.] **2** Possibilidade de realizar tarefas, considerando uma hierarquia ou a necessidade de qualificação; poder ou autoridade daí decorrente; ALÇADA: *Isso não é de minha competência.* **3** Conjunto de conhecimentos, capacitações, habilidades etc.: *Venceu graças a sua competência.* **4** *Fig. Pop.* Indivíduo de grande capacidade, sabedoria etc.: *É uma competência em física.* **5** *Jur.* Aptidão de autoridade pública para efetuar determinados atos **6** *Ling.* O conhecimento inato ou não, mas inconsciente, que leva um indivíduo a falar e compreender a sua língua **7** Conflito, luta, oposição, disputa: *Concorrentes no mercado, enfrentaram-se em renhida competência.* [F.: Do lat. *competentia*. Ideia de 'competência', *suf.* *-ário* e *-az*.] ∎∎ **À** ~ Por meio de porfia, disputa, confronto

competente (com.pe.*ten*.te) *a2g.* **1** Que tem competência (1 e 3), que tem capacidade de realizar obrigações, tarefas, empreendimentos de forma satisfatória; CAPAZ [Ant.: *incapaz*.] **2** *Jur.* Que tem poder, autoridade, competência (2) para certas ações, medidas, incumbências etc. [Ant.: *incompetente*.] **3** Que é adequado, próprio, ou admitido pela lei: *Tomou as providências competentes no caso* "...organizar o competente processo..." (Bernardo Guimarães, *Lendas e Romances*) [F.: Do lat. *competens, entis*.]

competição (com.pe.ti.*ção*) *sf.* **1** Ação ou resultado de competir **2** Disputa simultânea entre dois ou mais concorrentes por um resultado favorável, vitória, sucesso, vantagem etc. (comerciais, esportivos, amorosos, políticos etc.); CONCORRÊNCIA **3** Evento ou série de eventos em que ocorre essa disputa: *Chegou-se à metade do campeonato e nenhum time destacou-se realmente na competição.* **4** *Ecol.* Luta pela sobrevivência (entre espécies, espécimes etc.), esp. ante a carência de recursos necessários à vida [Pl.: *-ções*.] [F.: Do lat. *competitio, onis*.]

competidor (com.pe.ti.*dor*) *a.* **1** Que compete *sm.* **2** Pessoa, grupo, entidade etc. que compete; ANTAGONISTA; RIVAL: "Com tamanha necessidade de escravos, procuraram afastar da cena os competidores." (Alberto da Costa e Silva, *A Manilha e o Libambo*) **3** Concorrente em disputa esportiva: *O adiamento da prova provocou o protesto dos competidores.* [F.: Do lat. *competitor*.]

competir (com.pe.*tir*) *v.* **1** Entrar em disputa (por prêmio, posição, objeto de desejo etc.); CONCORRER; DISPUTAR [*tr.* + *com*, *por*: *O atleta, contundido, não podia competir com os outros em pé de igualdade; Ambas as cidades competem pela instalação da fábrica.*] [*tr.* + *com*, *em*: "...não existira homem capaz de competir com ele na afeição..." (Machado de Assis, *Dom Casmurro*)] [*int.*: *As ginastas não vão competir neste ano.*] **2** Pretender ser igual ou superior; RIVALIZAR [*tr.* + *com*: *O aluno queria competir com o mestre.*] **3** Ser da competência, da jurisdição ou da atribuição ou responsabilidade de; CABER [*ti.* + *a*: *A decisão compete ao juiz; Compete-lhe cuidar dos filhos.*] **4** Pertencer por direito; CABER [*ti.* + *a*: *Quanto poderá competir a cada filho neste inventário?*] [▶ 50 competir] [F.: Do lat. *competere*. Hom./Par.: *compito* (fl.), *cômpito* (sm.).]

competitividade (com.pe.ti.ti.vi.*da*.de) *sf.* Qualidade do que ou de quem é competitivo

competitivo (com.pe.ti.*ti*.vo) *a.* **1** Ref. a ou em que existe competição **2** Em que há forte ambiente de competição (mercado competitivo) **3** Que pode, em competição, oferecer vantagens sobre os demais (preços competitivos) **4** Diz-se de pessoa que tem gosto para competir **5** Diz-se de pessoa, grupo, produto etc. com aptidão para competir [F.: *competir* + *-tivo*.]

compilação (com.pi.la.*ção*) *sf.* **1** Ação ou resultado de compilar **2** Obra composta por extratos de diversos escritos sobre um assunto: "...na presente compilação entram quase todos os artigos." (Agostinho de Campos, *Fé no Império*) [Pode ter sentido pejorativo, denotando obra montada de excertos, sem originalidade.] [Pl.: *-ções*.] [F.: Do lat. *compilatio, onis*.]

compilado (com.pi.*la*.do) *a.* Que foi enfeixado numa única obra [F.: Part. de *compilar*.]

compilador (com.pi.la.*dor*) [ô] *a.* **1** Que faz compilação *sm.* **2** Alguém ou algo que reúne e estrutura textos, documentos etc. de origens diversas **3** *Inf.* Programa de computador us. para compilar, para converter um programa escrito em linguagem de alto nível em programa escrito em linguagem de máquina [F.: Do lat. *compilator*.]

compilar (com.pi.*lar*) *v. td.* **1** Reunir em um corpo, tirando de uma e outra parte (leis, tratados, documentos etc. que estavam dispersos) **2** *Pej.* Montar, sem originalidade, obra a partir de excertos de outras obras de outros autores **3** *Inf.* Converter (programa em linguagem de alto nível) para linguagem de máquina **4** *Inf.* Em termos gerais, traduzir (programa em) linguagem simbólica de alto nível para linguagem de baixo nível, ou legível pelo computador [▶ 1 compilar] [F.: Do lat. *compilare*.]

complacência (com.pla.*cên*.ci:a) *sf.* **1** Disposição para comprazer outrem ao aceitar seu comportamento, atender suas vontades, satisfazer-lhe os gostos ou preferências etc.; BENEVOLÊNCIA; CONDESCENDÊNCIA: *Trata a todos com complacência:* "...contemplava-o com a afetuosa complacência de amigo..." (Alexandre Herculano, *O Monge de Cister*) [Ant.: *malevolência*.] **2** Atitude ou ação movida por essa disposição: *Já não o satisfaziam as complacências do amigo.* **3** *Med.* Estado do hímen complacente **4** Prazer, satisfação: *Olhava para o filho com grande complacência.* **5** *Fisl.* Indicador da capacidade de distensão de estruturas como vasos sanguíneos, coração e pulmões **6** *Fisl.* Capacidade de distensão dos pulmões (dos alvéolos pulmonares) e da caixa torácica por unidade de pressão [Com os pulmões distendidos a complacência diminui, por se estar perto da capacidade máxima de distensão.] [F.: Do lat. tardio *complacentia* (ou adaptação do fr. *complaisance*).]

complacente (com.pla.*cen*.te) *a2g.* **1** Que usa de complacência, benevolência; BENÉVOLO; CONDESCENDENTE: "...escutastes complacentes as palavras..." (Latino Coelho, *Oração da Coroa*) **2** Em que há ou que denota complacência, cortesia (maneiras complacentes); CORTÊS; OBSEQUIOSO [Ant.: *descortês*.] **3** Em que há ou que denota complacência com si mesmo, autossatisfação: *Feliz com seu progresso na tarefa, permitiu-se um complacente descanso,* **4** *Pej.* Demasiadamente condescendente com algo ou alguém, inclusive si mesmo **5** *Med.* Diz-se de hímen que deixa passar o pênis sem se romper [F.: Do do lat. *complacens, entis*, ou adaptação do fr. *complaisant*.]

compleição (com.plei.*ção*) *sf.* **1** *Med.* Conjunto dos caracteres físicos que se observam em uma pessoa (compleição robusta) **2** *P. ext.* Inclinação, disposição de espírito (compleição irritável); ÍNDOLE; TEMPERAMENTO [Pl.: *-ções*.] [F.: Do lat. *complexio, onis*.]

complementação (com.ple.men.ta.*ção*) *sf.* **1** Ação ou resultado de complementar; COMPLEMENTO **2** *Álg.* Operação na qual cada conjunto é associado a seu complemento [Pl.: *-ções*.] [F.: *complementar* + *-ção*.]

complementar[1] (com.ple.men.*tar*) *v.* Dar ou receber complemento; completar(-se), inclusive reciprocamente; concluir(-se); acrescentar algo como complemento a; servir de complemento para [*td.*: *Complementou seu curso com uma bela dissertação de mestrado; Teoria e prática se complementam (uma complementa a outra); O vale-transporte complementa o salário; A dissertação de mestrado complementou o curso.*] [*int.*: *A investigação complementou-se afinal.*] [▶ 1 complementar] [F.: *complemento* + *-ar*[2]. Hom./Par.: *complementaria* (fl.), *complementária* (fem. de *complementário* [a.]); *complementarias* (fl.), *complementárias* (pl. do fem.).]

complementar[2] (com.ple.men.*tar*) *a2g.* **1** De ou ref. a complemento; que complementa, que serve de complemento: *Ele precisa de aulas complementares.* **2** Diz-se de cor (em relação a outra cor) cuja junção com esta as anula (gerando ausência de cor): *Azul é a cor complementar do alaranjado.* [F.: *complemento* + *-ar*[1].]

complementaridade (com.ple.men.ta.ri.*da*.de) *sf.* **1** Qualidade, caráter ou condição do que é complementar **2** Fato de duas coisas ou fenômenos se complementarem **3** *Econ.* Interdependência entre dois fenômenos

complemento (com.ple.*men*.to) *sm.* **1** Ação ou resultado de complementar **2** Aquilo que serve de complemento, que se deve acrescentar a algo para torná-lo completo **3** Cada uma de duas partes que se completam mutuamente para exercer uma função, para ter estabilidade etc.: *A porca é o complemento do parafuso; A precaução é o complemento da ousadia.* **4** Aquilo que se acrescenta a algo (roupa, decoração etc.) como ornamento; ACESSÓRIO: *Este vestido precisa de um complemento, que tal uma gola de renda?* **5** *Gram.* Sintagma ou oração que complementam o sentido de um elemento numa frase [P. ex.: subst.: Criticou a construção *do prédio*; adj.: É um rapaz decidido *a tudo*; v.: dirigir *um veículo*; Anunciou *que ia sair de férias*; adv.: Chegou antes *das seis horas*.] **6** *Geom.* Ângulo que se deve unir a outro para obter um ângulo de 90 graus **7** *Imun.* Sistema complexo de proteínas enzimáticas, presente no soro humano fresco e no de outras espécies que, combinado com anticorpos, atua contra microrganismos invasores **8** *Mat.* Conjunto que se deve unir a outro para obter o conjunto maior, que contém todos os elementos [F.: Do lat. *complementum*) Hom./Par.: *complemento* (v. *complementar*).] ∎∎ ~ **algébrico** *Álg.* Cofator ~ **circunstancial** *Gram.* Ver *Adjunto adverbial* ~ **de adjetivo** *Gram.* O que completa um adjetivo: *Estou feliz que venha.* ~ **de agente** *Gram.* Ver *Agente da (voz) passiva* ~ **de causa eficiente** *Gram.* Ver *Agente da (voz) passiva* ~ **de objeto** *Gram.* Predicativo do objeto ~ **de preposição** *Gram.* Complemento regido por preposição [Ex.: *Discorreu sobre os assuntos em pauta.*] ~ **direto** *Gram.* Ver *Objeto direto* ~ **do sujeito** *Gram.* Predicativo do sujeito ~ **indireto** *Gram.* Ver *Objeto indireto* ~ **nominal** *Gram.* Palavra ou expressão que complementa o sentido de um substantivo que deriva de um verbo, e que corresponde na frase com o verbo ao complemento deste [Ex.: Da forma verbal *Sabe dominar a bola* tem-se a forma com substantivo *Tem domínio de bola*, na qual 'de bola' é o complemento nominal de 'domínio'.] ~ **objetivo** *Gram.* Ver *Objeto direto* ~ **terminativo** *Gram.* Ver *Objeto indireto* ~ **verbal** *Gram.* O que completa o sentido do verbo, regido ou não de preposição; objeto direto ou indireto, predicativo

completação (com.ple.ta.*ção*) *sf.* Ato ou efeito de completar; CONCLUSÃO; REMATE [Ant.: *incompletação*] [Pl.: *-ões*.]

completamente (com.ple.ta.*men*.te) *adv.* **1** De modo completo, em sua totalidade; TOTALMENTE; INTEIRAMENTE; INTEGRALMENTE: *A minha intenção era completamente outra; O segredo não foi completamente revelado.* **2** No mais alto nível; TOTALMENTE: *Ficou completamente louco* [F.: *completo* + *-mente*.]

completamento (com.ple.ta.*men*.to) *sm.* Ato ou efeito de completar; COMPLETAÇÃO [F.: *completar* + *-mento*.]

completar (com.ple.*tar*) *v.* **1** Acrescentar a (algo) o que o torna completo, preencher ou inteirar; tornar(-se) completo, inteiro, absoluto, pleno [*td.*: *completar o tanque, o orçamento.*] [*int.*: *O ciclo ainda não se completou; O côncavo e o convexo se completam.*] **2** Levar a termo; CONCLUIR; TERMINAR [*td.*: *Um agente completará a missão.*] **3** Atingir, perfazer (idade, valor etc.) [*td.*: "Amaro completava então seis anos." (Eça de Queirós, *O Crime do Padre Amaro*)] [▶ 1 completar] [F.: *completo* + *-ar*[2]. Hom./Par.: *completo* (fl.), *completo* (a.); *completa* (fl.), *completa* (fem. de *completo*).]

completas (com.*ple*.tas) *sf.* *Rel.* Na liturgia católica, a última parte das horas canônicas, a da recitação do ofício divino ou breviário; COMPLETÓRIO: "...a Rosa'uarda gostou de mim, me ensinou as primeiras bandalheiras, e as completas, que juntos fizemos, no fundo do quintal..." (João Guimarães Rosa, *Grande Sertão: Veredas*)

completeza (com.ple.*te*.za) [ê] *sf.* Qualidade, condição, circunstância de estar completo; COMPLETUDE [F.: *completo* + *-eza*.]

completivo (com.ple.*ti*.vo) *a.* **1** Que ou aquilo que completa, que serve de complemento **2** Que abrange, cobre ou compreende **3** *Gram.* Ref. ao elemento constituinte que tem função de complemento *sm.* **4** *Gram.* O elemento constituinte que exerce função de complemento [F.: Do lat. *completivus, a, um.*]

completo (com.*ple*.to) *a.* **1** Que tem todas as partes; ACABADO; INTEGRAL; INTEIRO [Ant.: *inacabado, incompleto, parcial*] **2** Que atingiu o máximo de sua potencialidade; PERFEITO; TOTAL **3** Cabal, total, pleno (serenidade completa) **4** Que apresenta todas as qualidades exigidas: *É um completo cavalheiro.* **5** *Bot.* Diz-se da flor que tem todos os seus verticilos **6** Que não pode conter mais nada, em que não há mais lugar: *O ônibus está completo.* **7** Que abrange todas as etapas ou modalidades possíveis: *revisão completa do carro.* [Como adj., ant.: *incompleto*.] [Como adj., ant.: *incompleto*.] *sm.* **8** A totalidade, o total: *O completo da turma passou de ano.* [F.: Do lat. *completus*. Hom./Par.: *completo* (v. *completar*). Ideia de 'completo', pref. *plen(i)-* e *tele(o)-*.]

completório (com.ple.*tó*.ri:o) *sm.* **1** Segmento final de qualquer coisa (o completório da existência); TERMO; FIM **2** O mesmo que *completas*

completude (com.ple.*tu*.de) *sf.* Estado, condição ou qualidade do que é completo, daquilo a que não falta nada [Ant.: *incompletude*.] [F.: *completo* + *-tude*.]

complexado (com.ple.*xa*.do) [cs] *a.* **1** Diz-se de pessoa que tem complexo (9) **2** *P. ext.* Diz-se pessoa que, por sua timidez ou por ser de difícil trato parece ter complexo (9) *sm.* **3** Essa pessoa (1 e 2) [F.: Part. de *complexar*.]

complexão (com.ple.*xão*) *sf.* **1** Conjunto de elementos ou partes que perfazem um todo **2** Encadeamento de coisas, conjunto **3** *Ret.* Figura de linguagem que se constitui na repetição de palavras no início e ao final de dois ou mais versos ou frases de um texto [Cf.: *anáfora* e *epífora*.] **4** *Fon. Gram.* O mesmo que *sinérese* **5** *Fís.* Conjunto de parâmetros descrevem um sistema num estado bem definido; tb. *microestado* [Pl.: *-ões*.] [F.: Do lat. *complexio, onis*.]

complexar (com.ple.*xar*) [cs.] *v. td.* **1** Tornar(-se) complexo **2** *Quím.* Tornar (uma substância) complexa **3** *Psic.* Causar complexo em [▶ **1 complexar**] [F.: *complex(o)* + *-ar*[2].]

complexidade (com.ple.xi.*da*.de) [cs] *sf.* Qualidade, condição ou estado do que é complexo [F.: *complexo* + *-idade*.]

complexificar (com.ple.xi.fi.*car*) [cs] *v. td.* Tornar (algo) complexo, ou mais complexo: *Ele tem a mania de complexificar os problemas.* [▶ **11 complexificar**] [F.: *complexo* + *-ficar*.]

complexo (com.*ple*.xo) [cs] *a.* **1** Que abrange ou contém muitos elementos ou aspectos diversos, com diferentes formas de inter-relação, às vezes de difícil apreensão ou compreensão: "...são tão complexos os atos humanos..." (Afrânio Peixoto, *Maias e Estevas*) [Ant.: *simples*.] **2** Complicado, difícil (enredo complexo) [Ant.: *descomplicado, fácil*.] **3** A que falta clareza (código complexo); CONFUSO; OBSCURO [Ant.: *claro, compreensível*.] **4** *Gram.* Diz-se do sujeito ou atributo em que a ideia principal é modificada por outras **5** *Lóg.* Diz-se da proposição em que alguma palavra tem uma proposição que dela depende **6** *Mat.* Diz-se do número que é expresso por unidades distintas e homogêneas (como horas, minutos e segundos; dia, mês e ano) **7** *Mat.* Diz-se de número constituído de uma parte real e uma imaginária, no formato $a+bi$, no qual a e b são reais, i imaginário *sm.* **8** Conjunto, reunião de várias coisas, elementos, circunstâncias etc., com algum tipo de relação entre si (complexo petroquímico): *complexo de propostas, de circunstâncias.* **9** *Psic.* Conjunto organizado de representações e lembranças de forte valor afetivo, parcial ou totalmente inconscientes ou reprimidas, que podem influir no comportamento **10** *P. ext. Psic.* Perturbação de comportamento decorrente dessa influência **11** *Card.* Representação no eletrocardiograma da sístole ventricular **12** *Med.* Sequência de ondas cerebrais registradas em eletroencefalograma e que apresentam um padrão específico e constante, independentemente de sua amplitude ou duração [F.: Do lat. *complexus*.] ■ **~ B** Ver *Complexo vitamínico B* **~ Brasileiro** *Bras. Geol.* Denominação (segundo Branner) dos terrenos brasileiros mais antigos **~ conjugado** *Mat.* Número complexo cuja parte real é igual à de outro número complexo, e cuja parte imaginária tem sinal contrário à parte imaginária do segundo [Tb. apenas *conjugado*.] **~ de Édipo** **1** *Psi.* Segundo Sigmund Freud, atração erótica de uma criança pelo progenitor do sexo oposto, e consequente tendência hostil para com o progenitor do mesmo sexo **2** Especialmente, atração sexual de um menino pela mãe, acompanhado de ciúme do pai **~ de Electra** **1** *Psi.* Segundo Carl Jung, atração sexual de uma filha pelo pai **2** *P. ext.* Forte ligação entre pai e filha **~ de Golgi** *Cit.* Sistema de vesículas, ou pequenos sacos, no citoplasma das células, que tem, entre outras funções, a da secreção celular [Complexo de Golgi substituiu aparelho de Golgi na nova nomenclatura anatômica.] **~ de inclusão** *Quím.* Combinação química na qual cavidade existente numa molécula é preenchida por molécula menor, sem se processar ligação química entre elas **~ de inferioridade** **1** *Psi.* Conjunto de sensações e reações psiquicamente estruturadas, associados a uma autopercepção de deficiências e inferioridade, reais ou imaginárias **2** *Psic.* Segundo Alfred Adler, conjunto de sensações e reações psiquicamente estruturadas que teriam como causa o conflito entre uma vontade e o temor do fracasso, baseado em experiência anterior **~ de superioridade** *Pop.* Sentimento de que se é superior a outrem (em qualidade, qualificação, nível econômico ou social etc.) **~ espacial** *Astnáut.* Área ou base aérea onde se acham instalados todos os equipamentos necessários para preparação e realização de missões espaciais por espaçonaves **~ vitamínico B** *Farm.* Associação de vitaminas B_1, B_2, B_6 e B_{12}, de ação na prevenção de certas doenças e na proteção de tecido nervoso, em estados de convalescença e durante o uso de determinados medicamentos

complicação (com.pli.ca.*ção*) *sf.* **1** Ação ou resultado de complicar(-se), de tornar(-se) confuso ou difícil **2** Qualidade, condição ou estado do que é complicado, do que, pela complexidade de sua composição ou da relação entre seus elementos, é de difícil apreensão, entendimento, funcionamento etc.: *a complicação do trânsito.* **3** Coisa intrincada, de difícil entendimento: *O enredo desse filme é uma complicação, quase não dá para acompanhar.* **4** Situação complicada; ENRASCADA: *Ele se meteu numa complicação dos diabos.* **5** *Med.* Agravamento do quadro médico de um paciente, ou ocorrência de novos sintomas enquanto ainda se manifestam os iniciais [Pl.: *-ções*.] [F.: Do lat. *complicatio, onis*.]

complicado (com.pli.*ca*.do) *a.* **1** Que tem ou manifesta complicação; que se complicou **2** Que é confuso, difícil de se apreender ou compreender, enredado (algo ou alguém): "...É muito complicado isso, murmurou ela, corando..." (Eça de Queirós, *Os Maias*) **3** Excessivamente detalhado, ou sobrecarregado de elementos, extravagante (bordado complicado) **4** *Med.* Em que ocorreu agravamento (diz-se de doença) [F.: Do lat. *complicatus*.]

complicador (com.pli.ca.*dor*) [ô] *a.* **1** Diz-se de alguém ou de algo que complica, que acarreta ou introduz complicações (elemento complicador) *sm.* **2** Esse indivíduo ou essa coisa [F.: *complicar* + *-dor*.]

complicar (com.pli.*car*) *v.* **1** Tornar(-se) (mais) difícil, confuso ou complexo para apreender, compreender, usar, resolver etc. [*td.*: *A chuva complicou o trânsito.*] [*int.*: *A vida moderna complicou-se.*] **2** Dificultar a solução de [*td.*: *A greve geral complica a crise política no país.*] **3** Envolver (algo ou alguém, inclusive si mesmo) em (ger. situação difícil, embaraçosa, complicada etc.); COMPROMETER(-SE); ENREDAR(-SE) [*tdr.* + *em*: *Fez tudo para não complicá-los no escândalo.*] [*td.*: *Falou demais e se complicou.*] **4** *Med.* Tornar(-se) crítico, mais grave [*td.*: *A demora no socorro complicou o quadro de choque anafilático.*] [*int.*: *O quadro complicou-se com o surgimento de perturbações renais.*] [▶ **11 complicar**] [F.: Do lat. *complicare*.]

complô (com.*plô*) *sm.* **1** Trama conspiratória contra o poder dominante, o Estado, o regime etc. **2** *P. ext.* Acordo, trama, conluio feito por um grupo de pessoas contra uma pessoa, uma autoridade ou uma instituição; CONSPIRAÇÃO; CONJURA [F.: Do fr. *complot*.]

componente (com.po.*nen*.te) *a2g.* **1** Diz-se de algo que faz parte de um conjunto organizado: *peças componentes de um motor.* **2** Diz-se de pessoa que participa de um grupo, é membro de uma classe, instituição etc.; INTEGRANTE: *os atores componentes do grupo teatral.* **3** *Gram.* Diz-se de cada uma das partes constituintes da gramática de uma língua [Tb. us. como subst.] *s2g.* **4** Alguém ou algo que faz parte de um conjunto organizado; parte ou elemento de um sistema: *os componentes de um computador.* **5** Membro de um grupo: *os componentes do coral.* **6** *Quím.* Substância que compõe um sistema químico (e necessária para caracterizá-lo) [Tb. us. como adj.] *sf.* **7** *Astron.* Qualquer das estrelas que compõem um sistema estelar [F.: Do lat. *componens, entis*.]

compor (com.*por*) *v.* **1** Formar, constituir (pela união de partes ou elementos) [*td.*: *Com as flores que colhera compôs um buquê.*] **2** Fazer parte da formação de, ou ser formado por [*td.*: *Esses alunos compõem o coro da escola.*] **3** Dar nova forma a, modelar; AMOLDAR [*td.*: *Compunha com capricho cada um dos pratos.*] **4** Criar artisticamente (peça musical, poema) [*td.*: *Levou cinco anos compondo a ópera Wozzeck.*] [*int.*: *É compositor nato, compõe desde criança.*] **5** Fazer entrar (alguém, inclusive si mesmo, instituição etc.) em acordo; CONCILIAR [*td.*: *A ONU compôs os países litigantes.*] [*tdr.* + *com*: *A mãe conseguiu compor o pai com o filho; O governo compôs-se com a oposição.*] **6** Pôr em ordem; ARRUMAR(-SE) [*td.*: *compor arranjos florais; compor o cabelo*: "O deputado subiu ao quarto para se compor..." (Machado de Assis, *Esaú e Jacó*)] **7** *Art. Gr.* Transformar originais de livro ou periódico em textos organizados por tipo e corpo de letra, largura de coluna etc., armazenados de forma a permitir sua posterior organização em páginas, arquivos [*td.*] **8** Aparentar, conformar [*td.*: *Antes de entrar, compunha uma fisionomia circunspecta.*] **9** *Jur.* Fazer acordo, conciliação [*tr.* + *com*: *A firma teve de compor com o denunciante.*] **10** *Teat. Cin. Telv.* Adotar (ator, atriz), representado, características de (personagem que interpreta), encarnar [*td.*: *Compôs meticulosamente a personagem.*] **11** Fazer melhorar, restabelecer [*tr.* + *com*: *Compôs o estômago com um antiácido.*] **12** Aceitar, adaptando-se, resignar-se a [*tr.* + *com*: *Depois que se compôs com a situação, melhorou de humor.*] **13** *RS* Exercitar, treinar (cavalo) para uma prova [*td.*] [▶ **60 compor**. Part.: *composto*.] [F.: do lat. *componere*.]

comporta[1] (com.*por*.ta) *sf.* **1** Tipo de porta que contém as águas de uma barragem, represa, dique etc., e que pode regular sua vazão **2** *Lus.* Portinhola corrediça. esp. a do lagar do vinho **3** *BA PE* Palavreado enganador, lábia [Mais us. no pl.] [F.: *com-* + *porta*. Hom./Par.: *comporta* (v. *comportar*).]

comporta[2] (com.*por*.ta) *sf.* Certa dança de salão e moda popular do século XVIII [F.: Dev. de *comportar*.]

comportado (com.por.*ta*.do) *a.* Que tem bom comportamento; o mesmo que *bem-comportado* [Ant.: *malcomportado*] [F.: Do lat. *comportatu s*, part. pass. de *comportare*; part. pass. de *comportar-se*.]

comportamental (com.por.ta.men.*tal*) *a2g.* Ref. a comportamento [Pl.: *-tais*.] [F.: *comportamento* + *al*[1].]

comportamentalismo (com.por.ta.men.ta.*lis*.mo) *sm.* *Psi.* Teoria e método de investigação psicológica que busca examinar o comportamento humano e dos animais com ênfase em estímulos específicos do ambiente, sem recorrer à introspecção; BEHAVIORISMO [F.: *comportamental* + *-ismo*.]

comportamentalista (com.por.ta.men.ta.*lis*.ta) *a2g.* **1** *Psi.* Que segue os métodos e conceitos do comportamentalismo *s2g.* **2** Especialista na teoria do comportamentalismo; BEHAVIORISTA [F.: *comportamental* + *-ista*.]

comportamento (com.por.ta.*men*.to) *sm.* **1** Maneira de se comportar, de viver, de agir e reagir etc.; CONDUTA; PROCEDIMENTO: "Procurar a regeneração por um melhor comportamento futuro." (Arnaldo Cama, *Segredos do Abade*) **2** Modo de agir, em geral, em relação aos fatores ambientais: *o comportamento das formigas no inverno* **3** Conjunto de reações e atitudes do indivíduo diante do meio social, em sua interação com as situações etc.: *Quando a mãe está presente este menino tem outro comportamento.* **4** Reação de algo em determinadas circunstâncias: *Gabou o comportamento do carro na estrada.* **5** Forma pela qual um organismo, ou parte dele, funciona ou reage a estímulo: *o comportamento do coração em condições de estresse.* [F.: *comportar* + *-mento*. Ideia de 'comportamento', pref. *et(o)-*.]

comportar (com.por.*tar*) *v.* **1** Agir ou portar-se (de determinada maneira) [*tp.*: *O lutador já se comportava como campeão.*] **2** Proceder de forma correta ou esperada [*int.*: *Espero que vocês se comportem.*] **3** *P. ext.* Ter (maquinismo, máquina, motor, dispositivo mecânico etc.) certa atuação em certa circunstância [*int.*: *Meu carro nas subidas comporta-se muito bem.*] **4** Ter capacidade para receber ou acomodar [*td.*: *O tanque comporta setenta litros de gasolina; As paredes deste prédio não comportam a construção de outro andar.*] **5** Conter em si [*td.*: *Aquela súplica comportava muito sofrimento.*] **6** Tornar possível ou exequível; admitir, permitir [*td.*: *As minhas posses não comportam tais despesas; O planejamento não comportava falhas; Aquela frase comportava diversos significados.*] **7** Suportar, tolerar [*td.*: *Seu temperamento não comporta afrontas.*] **8** Demandar, requerer, necessitar [*td.*: *A profissão de médico comporta muito estudo.*] [▶ **1 comportar**] [F.: Do lat. *comportare*. Hom./Par.: *comportáveis* (fl.), *comportáveis* (pl. de *comportável*).]

comportável (com.por.*tá*.vel) *a.* Que se pode comportar, que é permissível, admissível, tolerável [Pl.: *-eis*.] [F.: *comportar* + *-vel*.]

composição (com.po.si.*ção*) *sf.* **1** Ação ou resultado de compor **2** Disposição das partes que compõem algo; forma ou estrutura pela qual o constituem; CONSTITUIÇÃO: *a composição do corpo humano.* **3** *Farm.* Proporção em que devem entrar as substâncias na preparação de um medicamento **4** *Quím.* Proporção em que os elementos se unem para formar um composto **5** *Art. gr.* Passagem de um original para os caracteres tipográficos, de fotocomposição, arquivo de computador etc. **6** *Art. gr.* O resultado dessa passagem, texto formado em processo tipográfico, fotomecânico, eletrônico etc. **7** *Art. gr.* A oficina ou estúdio em que se faz esse trabalho **8** *Mús.* A técnica e a arte de compor música **9** *Mús.* Obra musical **10** Produção literária, científica ou artística: "composições geralmente atribuídas a Platão..." (Latino Coelho, *Oração da Coroa*) **11** *Jur.* Acordo entre litigantes **12** Exercício escolar de escrita; REDAÇÃO **13** *Ling.* Formação de palavra pela junção de elementos léxicos, por justaposição (*cata-vento, guarda-chuva*) ou por aglutinação (*tragicomédia*) **14** *Fer.* Conjunto dos vagões de um trem **15** *Pol.* Pacto político em que as partes fazem concessões mútuas [Pl.: *-ções*.] [F.: Do lat. *compositio, onis*. Ideia de 'composição', suf. *-peia*.] ■ **~ a frio** *Art. gr.* Todo sistema de composição de texto que não usa fundição de tipos; composição fria [Ex.: *fotocomposição*.] **~ a quente** *Art. gr.* Todo sistema de composição de texto que usa fundição de tipos; composição quente [Ex.: *linotipia, monotipia*.] **~ arejada** *Art. gr.* Aquela que tem distribuição equilibrada entre os espaços ocupados por texto e os claros entre eles **~ cerrada** *Art. gr.* Ver *Composição compacta* **~ cheia** *Art. gr.* Ver *Composição compacta* **~ compacta** *Art. gr.* Aquela que não tem entrelinha maior que o corpo utilizado, não tem claros nem elementos gráficos; composição cerrada, composição cheia **~ corrida** *Art. gr.* A que não contém caracteres especiais ou gráficos, tabelas, corandéis etc.; composição seguida; matéria corrida **~ fotográfica** *Art. gr.* Fotocomposição **~ fria** *Art. gr.* Ver *Composição a frio.* **~ quebrada** *Tip.* Aquela que apresenta muitas linhas curtas, e/ou que é dividida em muitos parágrafos, apresenta muitos claros etc. **~ quente** *Art. gr.* Ver *Composição a quente.* **~ recorrida** *Art. gr.* Composição, ou parte dela, refeita em medida diferente para se adequar a diagramação **~ seguida** *Art. gr.* Ver *Composição corrida* **~ tabular** **1** *Art. gr.* Aquela na qual as primeiras linhas dos parágrafos não têm claro inicial, e que tem uma entrelinha maior entre parágrafos **2** Composição de fios no enquadramento de tabelas e quadros

compositivo (com.po.si.*ti*.vo) *a.* **1** Relativo a composição **2** Que é próprio para compor [F.: Do lat. *compositivus, a, um.*]

compósito (com.*pó*.si.to) *a.* **1** Composto, mesclado, heterogêneo **2** Que tem vários préstimos, serve a diversas finalidades **3** Feito de várias partes ou elementos diferentes **4** *Arq. Hist.* Relativo à *ordem compósita* e a seus elementos *sm.* **5** Material formado pela mistura e aglutinação de duas ou mais substâncias [F.: Do lat. *compositus, a, um.*]

compositor (com.po.si.*tor*) [ô] *sm.* **1** Aquele ou aquilo que compõe **2** *Art. gr.* Encarregado de compor (7) originais de texto em tipografia, fotocomposição, arquivos de computador etc.; TIPÓGRAFO **3** *Mús.* Aquele que se dedica a compor músicas: *Bach é um dos grandes compositores da história da música.* **4** *RS* Tratador que prepara o cavalo para a corrida **5** *RS* O cavalo assim preparado; PARELHEIRO *a.* **6** Que compõe (máquina compositora) [F.: Do lat. *compositor.*]

composta (com.*pos*.ta) *sf. Bot.* Espécime das compostas, família que inclui milhares de gêneros e dezenas de milhares de espécies de ervas (aquáticas, arbustos, trepadeiras, árvores). Muitas são tóxicas, outras medicinais (arnica, camomila), ornamentais (dália, margarida) ou alimentícias (alface, alcachofra, estragão) [F.: Do lat. cient. *Compositae.*]

compostador (com.pos.ta.*dor*) *Ecol. sm.* **1** Encarregado da compostagem **2** Recipiente onde se processa a compostagem

compostagem (com.pos.*ta*.gem) *sf. Ecol.* Método de reciclagem de lixo orgânico e mineral mediante fermentação para produção de adubo agrícola [Pl.: *-gens.*] [F.: Do fr. *compostage.*]

compostar (com.pos.*tar*) *v.* Fazer entrar em decomposição e fermentar (lixo, resíduos orgânicos etc.) para formar adubo natural [*td.*: *compostar lixo orgânico.*] [▶ **1 compostar**] [F.: Do lat. *componere*, pelo fr. *compost* (part. de *composer*) + *-ar*².]

compostável (com.pos.*tá*.vel) *a2g.* Passível de compostar, de entrar em fermentação [Pl.: *-veis.*] [F.: *compostar* + *-vel.*]

composto (com.*pos*.to) [ô] *a.* **1** Formado por mais de um elemento [Ant.: *simples.*] **2** Diz-se de quem age com compostura; GRAVE; SÉRIO **3** *Gram.* Diz-se de vocábulo formado pela junção de duas ou mais palavras, como *beija-flor, queima-roupa* [Ant.: *simples.*] **4** *Gram.* Diz-se do tempo de verbo em que se emprega um verbo auxiliar, como em *tem feito, havia morrido*, ou como nos tempos da voz passiva [Ant.: *simples.*] **5** *Gram.* Diz-se de período formado por mais de uma oração **6** *Gram.* Diz-se do sujeito de uma oração formado por mais de um núcleo, sendo os núcleos ger. ligados por conectivo **7** *Bot.* Diz-se da folha que resulta da união de folíolos **8** *Bot.* Diz-se do fruto que resulta da soldadura dos pistilos, como a pinha e o ananás **9** *Bot.* Diz-se de órgão vegetal formado pela junção de dois ou mais elementos iguais (flor composta) *sm.* **10** *Quím.* Substância composta (1), formada pela combinação de mais de um elemento [Tb. us. como adj.] **11** Resultado da combinação de várias coisas: *Ele é um composto de presunção e vaidade.* **12** *Com.* Em *marketing*, o conjunto de atividades que visam a um fim promocional quanto a produto, preço, ponto de venda e promoção [Tb. *composto de* marketing.] [Pl.: [ó]. Fem.: [ó].] [F.: Do lat. *compositus.*]

compostor (com.pos.*tor*) [ô] *sm.* Recipiente em que se armazena matéria orgânica (lixo orgânico, folhas secas etc.) para que fermente, gerando adubo orgânico [F.: *compostar* + *-or.*]

compostura (com.pos.*tu*.ra) *sf.* **1** Comportamento comedido, educado, adequado a uma situação; COMEDIMENTO: "...perdendo a compostura solene..." (Alexandre Herculano, *Eurico, o Presbítero*) **2** Ação ou resultado de compor; COMPOSIÇÃO; FORMAÇÃO **3** Restauração, conserto: *a compostura de um móvel.* **4** Falsificação, contrafação: *a perfeita compostura de uma obra de arte.* **5** Modo sóbrio e comedido de se comportar; COMEDIMENTO; CORREÇÃO **6** *RS* Ação de preparar um cavalo para corrida; resultado dessa alça (o estado de preparação do cavalo) **7** *RS* Tempo gasto nessa preparação **8** Cosmético, esp. quando us. para disfarçar rugas, melhorar o aspecto do rosto etc. [Nesta acp., us. no pl.] [F.: Do lat. *compositura.*] ■ **Passar da ~** *RS Hip.* Treinar (cavalo de corrida) além do ponto ideal

compota (com.*po*.ta) *sf.* Doce de frutas cozidas em calda de açúcar [F.: Do lat. *composita*, part. fem. subst. de *componere*, pelo fr. *compote.*]

⊕ ***compound*** (*Ing.* /campáund) *sm.* **1** Conjunto de edifícios de uma única finalidade; COMPLEXO **2** *Elet.* Mistura isolante para máquinas elétricas, esp. aplicada a moldes plásticos

compra (*com*.pra) *sf.* **1** Ação ou resultado de comprar; AQUISIÇÃO: *Vamos às compras?* [Ant.: *venda.*] **2** O que se comprou: *sacola de compras.* **3** No jogo do baralho, aquisição de cartas, retirada de carta do maço para a mão do jogador, pedido de carta **4** *Fig.* Suborno [F.: Dev. de *comprar.*] ■ **~ das iaôs** *Umb.* Leilão para resgatar simbolicamente a iaô de seu orixá

comprado (com.*pra*.do) *a.* **1** Que se comprou, que foi adquirido por dinheiro **2** *Fig.* Que foi subornado (testemunha comprada) *sm.* **3** *Econ.* Quem, confiante na subida dos preços assumiu compromisso de compra futura, por preço já determinado, de títulos, *commodities* etc. [F.: Part. de *comprar.*]

comprador (com.pra.*dor*) [ô] *a.* **1** Diz-se de pessoa ou instituição que compra **2** *Econ.* Diz-se de mercado no qual, em certo momento, em certa vigência de preços, há mais disposição e busca de compra do que oferta de bens ou serviços, o que pode causar elevação nos preços (mercado comprador) *sm.* **3** Pessoa ou instituição que compra ou busca comprar [F.: *comprar* + *-dor.*]

comprar (com.*prar*) *v.* **1** Adquirir (algo, bem, serviço etc.) em troca de pagamento (à vista ou a crédito) [*td.*: *comprar um sítio.*] [*int.*: *Cada vez mais pessoas compram pela internet.*] [*tdi.* + *a, de*: *Comprou ao /do joalheiro um anel.*] **2** *Fig.* Ter ou conseguir, obter (algo) como resultado (de uma ação, providência, situação etc.) [*td.*: *comprar barulho, briga; Comprou sossego indo morar sozinho.*] **3** Dar algo de valor, conceder vantagem a (alguém) para, ilicitamente, conseguir em troca benefício; SUBORNAR [*td.*: *O marginal comprou a testemunha.*] **4** Aceitar ou acreditar em (história, desculpa etc.) [*td.*: *Ninguém comprou aquela versão dos fatos.*] **5** Sacar (carta de baralho, peças) em certos jogos [*td.*] [▶ **1 comprar**] [F.: Do lat. vulg. **comperare* (clássico *comparare*). Hom./Par.: *compra(s)* (fl.), *compra(s)* (sf.); *compráveis* (fl.), *compráveis* (pl. de *comprável*).] ■ **~ a mangrado** Comprar sem escolher o que se está comprando **~ briga** Envolver-se em conflito, litígio etc. de terceiro, ou desnecessariamente, ou por impulso etc.

comprável (com.*prá*.vel) *a2g.* **1** Que se pode comprar, acessível para compra; comerciável **2** Que pode ser subornado, comprado; SUBORNÁVEL [Pl.: *-veis.*] [F.: *comprar* + *-vel.*]

comprazer (com.pra.*zer*) *v.* **1** Sentir contentamento ou prazer; DELEITAR-SE [*tr.* + *com, de, em*: *Comprazia-se em exercer a caridade; Compraz-se com a felicidade alheia.*] **2** Satisfazer (o gosto, a vontade) (de alguém, inclusive si mesmo), ser gentil ou agradável (com) [*tr.* + *a*: *Emendou-se para comprazer aos pais; Aquelas botas não comprazíam ao seu gosto refinado.*] [*tdr.* + *com*: *Comprazia a vaidade do chefe com elogios exagerados.*] [*int.*: *Ela tem verdadeiro prazer em comprazer.*] **3** Ser condescendente; CEDER; TRANSIGIR [*int.*: *Para manter boas relações às vezes é preciso comprazer.*] [▶ **37 comprazer.** Apresenta tb. as variantes *comprazi* etc. (pret. perf.), e suas derivações.] [F.: Do lat. *complacere.*]

comprazimento (com.pra.zi.*men*.to) *sm.* **1** Ato ou efeito de comprazer, de agir com complacência **2** Obséquio, ato de agradar **3** Satisfação, deleite consigo mesmo [F.: *comprazer* + *-mento.*]

compreender (com.pre:en.*der*) *v.* **1** Alcançar com o raciocínio, a inteligência; perceber o sentido de; assimilar com clareza; ENTENDER [*td.*: *compreender uma explicação, um problema, uma situação.*] **2** Proceder de modo compreensivo ou tolerante em relação a (algo ou alguém, situação etc.) por entender-lhe as razões [*td.*: "Tente compreender seu pai, acrescentou..." (João Ubaldo Ribeiro, *Diário do Farol*)] **3** Conter em si; constar de; abranger [*td.*: *O processo de seleção compreende duas etapas.*] **4** Mencionar, incluir [*td.*: *Este catálogo não compreende os manuscritos.*] **5** *Fig.* Estender a sua ação a [*td.*: *Estas normas compreendem todos os lojistas.*] **6** Estar contido [*ta.*: *Exuberante biodiversidade compreende-se na vastidão da Amazônia.*] [▶ **2 compreender**] [F.: Do lat. *comprehendere.*]

compreendido (com.pre:en.*di*.do) *a.* **1** Incluído, contido, abrangido: *O espaço compreendido entre a montanha e o mar.* **2** Que foi assimilado, alcançado pelo entendimento [F.: Part. de *compreender*. Ant. ger.: *incompreendido.*]

compreensão (com.pre:en.*são*) *sf.* **1** Ação ou resultado de compreender **2** Habilidade ou faculdade de perceber o significado de algo; ENTENDIMENTO; PERCEPÇÃO: *Tem perfeita compreensão de seus atos.* **3** Domínio de um assunto, de uma ideia, de uma situação etc. **4** Disposição para acatar e respeitar opiniões ou atitudes alheias; INDULGÊNCIA [Ant.: *incompreensão.*] **5** *Lóg.* Conjunto das características contidas na definição de um conceito que compreende uma ideia geral desse conceito; CONOTAÇÃO **6** *Fil.* Uso da intuição e da empatia como única forma adequada de investigar processos sociais, culturais, históricos etc. [Segundo Dilthey, filósofo alemão.] [Pl.: *-sões.*] [F.: Do lat. *comprehensionis.*]

compreensibilidade (com.pre:en.si.bi.li.*da*.de) *sf.* **1** Qualidade do que é compreensível **2** Capacidade ou faculdade de compreender [F.: Do lat. *comprehensibilitas, atis.*]

compreensível (com.pre:en.*sí*.vel) *a2g.* Que se pode compreender, passível de ser compreendido; ACESSÍVEL; FÁCIL; INTELIGÍVEL [Ant.: *inacessível, incompreensível, obscuro.*] [Pl.: *-veis.*] [F.: Do lat. *comprehensibilis.*]

compreensivo (com.pre:en.*si*.vo) *a.* **1** Que compreende, que tem entendimento: "...uma vistosa pelega, que ela empalmou com um compreensivo piscar de olho..." (Marques Rebelo, "Conto *à la mode*", *in Contos Reunidos*) **2** Que tem ou demonstra compreensão; INDULGENTE: "...e em nossa tristeza havia suavidade, porque éramos pacientes e compreensivos." (Cecília Meireles, "Lamento pela cidade perdida", *in Obra em Prosa*) [Ant.: *incompreensivo, insensível.*] **3** Que aceita a opinião dos outros; TOLERANTE [Ant.: *intolerante.*] [F.: Do lat. *comprehensivus.*]

compressa (com.*pres*.sa) *sf.* **1** Pano, gaze ou algodão, embebido ou não em medicamento, e que se aplica sobre ferimento, para limpá-lo ou tratá-lo, ou sobre parte dolorida do corpo para aliviar o incômodo: "...Fazia umedecer constantemente as compressas da cabeça..." (Eça de Queirós, *O Primo Basílio*) **2** *Fig.* Qualquer coisa que comprime, pressiona: *A angústia era uma compressa a apertar-lhe o peito e a garganta.* [F.: Do lat. *compressa*, fem. de *compressus*, posv. pelo fr. *compresse.*]

compressão (com.pres.*são*) *sf.* **1** Ação ou resultado de comprimir, de aproximar umas das outras as partes que constituem um corpo, ou de aplicar pressão sobre um fluido ou um corpo, de modo a reduzir-lhes o volume **2** Estado que resulta dessa ação **3** Diminuição, redução, restrição **4** *Cir.* Aperto por meio de ligadura ou instrumento cirúrgico **5** *Fís.* Aumento de pressão de um sistema pela ação de forças externas **6** *Fig.* Restrição, limitação, redução: *compressão de despesas* **7** *Eletrôn.* Redução de ganho num dispositivo quando se aplica um sinal de maior nível que o anterior, de modo que os componentes do sinal mais fraco não se percam, nem os do sinal mais forte sobrecarreguem o dispositivo **8** *Mec.* O ciclo num motor a explosão no qual a mistura combustível é comprimida **9** *Med.* Método de massagem que usa a pressão dos dedos e da palma da mão, ou de compressas, instrumentos especiais etc. [Pl.: *-sões.*] [F.: Do lat. *compressio, onis.*]

compressibilidade (com.pres.si.bi.li.*da*.de) *sf.* **1** Condição ou qualidade do que é compressível **2** *Fís.* Propriedade de corpos ou substâncias de se reduzirem a um volume menor por efeito da compressão [F.: *compressível* + *-idade*, pelo padrão erudito.]

compressível (com.pres.*sí*.vel) *a2g.* Que pode ser comprimido; cujo volume pode diminuir por efeito de compressão; COMPRIMÍVEL [Ant.: *incompressível.*] [Pl.: *-veis.*] [F.: Do lat. *compressus* (part. pass. de *comprimere*) + *-ível*; posv. adaptação do fr. *compressible.*]

compressivo (com.pres.*si*.vo) *a.* **1** Que serve para comprimir; COMPRESSÓRIO [Ant.: *extensivo*] **2** *Fig.* Que reprime, refreia; REPRESSIVO [F.: *compresso* + *-ivo.*]

compressor (com.pres.*sor*) [ô] *a.* **1** Que comprime (músculo compressor) *sm.* **2** *Cir.* Instrumento para comprimir, ger. durante cirurgia, região do corpo ou vasos sanguíneos (para impedir hemorragia) **3** Rolo destinado a compactar e aplainar o leito de estradas [Tb. *rolo compressor.*] **4** *Mec.* Máquina us. para comprimir fluidos (compressor de ar) **5** Resguardo corrediço de gavetas de fichários e arquivos, que serve de apoio a fichas **6** *Rád.* Dispositivo para comprimir o contraste na modulação da voz [Tb. us. como adj. em todas as acp.] [F.: Do lat. *compressor.*]

comprido (com.*pri*.do) *a.* **1** Longo, extenso, tanto em relação ao tempo quanto ao espaço (neste caso, longitudinalmente) (corredor comprido, dia comprido) [Ant.: *curto.*] **2** *Fig.* Muito extenso (no tempo), a ponto de ser cansativo, monótono: *Dormiu durante a comprida fala do orador.* [Ant.: *rápido.*] **3** *P.ext.* Que tem estatura elevada; ALTO [Ant.: *baixo.*] **4** Bastante crescido no sentido do comprimento (cabelos compridos); LONGO [Ant.: *curto.*] **5** Diz-se de cavalo de dorso muito alongado **6** *Bras.* Diz-se do café que se tornou ralo pela adição de água [Ant.: *curto.*] **7** *GO Min.* Diz-se de mineral (indicativo da presença de diamante) detetado em área tão extensa que se torna difícil precisar a localização do diamante *sm.* **8** Esse mineral, ou esse diamante de difícil localização, ger. de ocorrência esporádica [F.: Part. do verbo ant. *comprir*, do lat. *complere* 'encher'. Hom./Par.: *cumprido* (part. do v. *cumprir*). Ideia de 'comprido', pref. *dolic(o)-, long-* e *suf. -longo.*] ■ **Ao ~** No sentido do comprimento, em sentido longitudinal: *deitar-se ao comprido*

comprimento (com.pri.*men*.to) *sm.* **1** Uma das três dimensões de um corpo tridimensional [As três dimensões são: *comprimento, altura* e *largura* ou *profundidade.*] **2** Extensão de algo no sentido longitudinal ou de ponta a ponta: *Estendeu um tapete em todo o comprimento do corredor.* **3** A medida dessa extensão: *O comprimento do corredor era de dez metros.* **4** Altura (como comprimento (2, 3) de algo vertical): *o comprimento de um poste.* **5** Duração, espaço de tempo: *Reclamou do comprimento do discurso.* **6** *Geom.* Num retângulo a maior distância entre dois vértices consecutivos (medida de um dos dois lados maiores e iguais); num paralelepípedo, a medida de uma das quatro arestas maiores (e iguais) **7** *Mat.* Em uma permutação cíclica, o número de elementos [F.: ant. *comprir* + *-mento*. Hom./Par: *cumprimento*. Ideia de 'comprimento', usar pref. *longimec(o)-.*] ■ **~ de onda** *Fís.* Distância entre dois pontos de uma onda que se encontram na mesma fase de dois pulsos sucessivos da onda

comprimido (com.pri.*mi*.do) *a.* **1** Que se comprimiu (ar comprimido); COMPRESSO **2** Reduzido a um volume menor: "...era mais fácil de transportar do que o granulado, que viajava comprimido em cestos cobertos de esteira." (Alberto da Costa e Silva, *A Manilha e o Libambo*) **3** *Fig.* Que foi reprimido *sm.* **4** *Farm.* Substância medicamentosa comprimida em forma de pastilha, para se ingerir sem mastigar [F.: Part. de *comprimir.*]

comprimir (com.pri.*mir*) *v.* **1** Compactar(-se), reduzir(-se) a menor volume, por meio ou efeito de pressão; APERTAR(-SE); ESPREMER(-SE) [*td.*: *O peso comprimiu as molas do colchão.*] [*int.*: "Na entrada do anfiteatro comprimia-se a multidão..." (Raul Pompeia, *O Ateneu*)] **2** Fazer pressão em; APERTAR; PREMER [*td.*: *Impaciente, comprimia sem parar o botão do elevador.*] **3** Contrair(-se), encolher(-se) [*td.*: *Comprimiu-se todo para passar pela porta; Comprimiu as pernas para caber na poltrona.*] **4** *Fig.* Refrear ou impedir expansão, crescimento de [*td.*: *A importação comprime a demanda pelo produto nacional.*] **5** *Fig.* Afligir, confranger [*td.*: *A doença do pároco comprime o coração dos fiéis.*] **6** *Fig.* Oprimir, reprimir [*td.*: *Ele comprimia tanta revolta, até que adoeceu.*] [▶ **3 comprimir**]

[F.: Do lat. *comprimere*. Hom./Par.: *comprimido* (part.), *comprimido* (a. sm.).]

comprimível (com.pri.*mí*.vel) ***a2g.*** Que se pode comprimir, passível de ser comprimido; COMPRESSÍVEL [Ant.: *incomprimível*.] [Pl.: *-veis*.] [F.: *comprimir* + *-vel*.]

comprista (com.*pris*.ta) ***s2g.*** **1** Pessoa que se lança avidamente às compras **2** Pessoa encarregada das compras de uma empresa, loja, etc. [F.: *compra* + *-ista*.]

comprobatório (com.pro.ba.*tó*.rio) ***a.*** **1** Ref. a comprovação **2** Que serve para comprovar algo, que contém comprovação, prova do que se afirma ou alega (documento comprobatório); ATESTATÓRIO [F.: *comprovar* + *tório*, segundo o modelo erudito. Tb. *comprovatório*.]

comprometedor (com.pro.me.te.*dor*) [ô] ***a.*** Que compromete ou que pode comprometer: *Questionado, fez declarações comprometedoras*. [F.: *comprometer* + *-dor*.]

comprometer (com.pro.me.*ter*) ***v.*** **1** Obrigar(-se) por compromisso a (algo) [***tdr.*** + *a, com, em*: *A lei compromete o cidadão ao pagamento de impostos; Comprometeu-se com o diretor a manter o programa no ar*: "...comprometia-se a cobrar o aluguel dos outros inquilinos..." (Aluísio Azevedo, *Casa de Pensão*)] **2** Expor (alguém ou a si próprio) a situação constrangedora ou perigosa; ENVOLVER(-SE) [***td.:*** *Calou-se para não comprometer o amigo; Comprometeu-se ao falar o que não devia.*] [***tdr.*** + *com, em*: *Seu testemunho comprometeu o chefe nas irregularidades.*] **3** Obrigar a si mesmo a compromisso de casamento, noivar (com) [***tdr.*** + *com*: *Contra a vontade dos pais, comprometeu-se com a prima; Não usavam aliança, mas já se comprometeram (reciprocamente, ou seja, cada um comprometeu-se com o outro.)*] **4** Ter efeito negativo sobre, causar dano a; PREJUDICAR [***td.:*** *Noites mal dormidas comprometem a saúde.*] **5** Empenhar ou arriscar (palavra, honra, patrimônio etc.) [***td.:*** *Para fazer o negócio, comprometi todas as minhas economias.*] [▶ **2** comprometer] [F.: Do lat. *compromittere*.]

comprometido (com.pro.me.*ti*.do) ***a.*** **1** Que se comprometeu **2** Preso a um compromisso **3** Dado como garantia, empenhado: "...esperanças de salvar trinta por cento do material comprometido..." (Júlio Ribeiro, *A Carne*) **4** Que pactuou casamento ou é casado **5** Que sofreu dano: *Com o tremor de terra, o alicerce da casa ficou comprometido.* [F.: Part. de *comprometer*.]

comprometimento (com.pro.me.ti.*men*.to) ***sm.*** Ação ou resultado de comprometer(-se); COMPROMISSO: "... parlamentar com os mortos sem comprometimento..." (Almeida Garrett, *Viagens na Minha Terra*) [F.: *comprometer* + *-imento*.]

compromissado (com.pro.mis.*sa*.do) ***a.*** Que assumiu ou prestou compromisso; COMPROMETIDO [F.: Part. de *compromissar*.]

compromissário (com.pro.mis.*sá*.*ri*:o) ***a.*** **1** Obrigado por compromisso ***sm.*** **2** *Jur.* Pessoa a quem se fez promessa de compra e venda [F.: *compromisso* + *-ário*.]

compromisso (com.pro.*mis*.so) ***sm.*** **1** Ajuste pelo qual pessoas assumem certas obrigações recíprocas; COMPROMETIMENTO **2** *Jur.* Ato pelo qual duas ou mais partes aceitam sujeitar a decisão de um pleito a uma arbitragem **3** *Jur.* Qualquer combinação ou promessa formal, ajuste, pacto, contrato etc.; ACORDO; TRATADO: *O Brasil sempre cumpriu com seus compromissos internacionais.* **4** *Bras. Pop.* Obrigação social: *Tinha o compromisso de ir ao baile.* **5** Dívida: *Liquidou todos os seus compromissos.* **6** Regulamento ou estatutos de uma confraria. **7** Concordata de falido com seus credores [F.: Do lat. *compromissum*.]

compromissório (com.pro.mis.*só*.ri:o) ***a.*** Em que há ou que envolve compromisso; COMPROMISSIVO [F.: *compromisso* + *-ório*.]

comprovação (com.pro.va.*ção*) ***sf.*** **1** Ação ou resultado de comprovar **2** *Jur.* Ação de acrescentar prova ou conjunto de provas para deixar patente o que se pretende ser verdade **3** *Jur.* Essa prova ou conjunto de provas **4** Série de documentos referentes a despesas efetuadas por determinada verba, esp. pública [Pl.: *-ções*.] [F.: Do lat. *comprobatio, onis*.]

comprovado (com.pro.*va*.do) ***a.*** **1** Confirmado, demonstrado, provado **2** *Edit.* Que sofreu correção **3** *Jur.* Diz-se das provas aduzidas a um processo [F.: Do lat. *comprobatus, a, um*.]

comprovante (com.pro.*van*.te) ***a2g.*** **1** Que comprova algo ***sm.*** **2** Aquilo que comprova algo **3** Recibo, nota fiscal ou qualquer documento que comprove determinadas despesas [F.: Do lat. *comprobans, antis*.]

comprovar (com.pro.*var*) ***v.*** **1** Atestar a veracidade de; concorrer para provar; CORROBORAR [***td.:*** *Este documento comprova a acusação*: "Tenho exames que comprovam a contusão." (*FolhaSP*, 31.08.1999)] [***tdi.*** + *a, para*: *Falta ainda comprovar o milagre para os fiéis.*] **2** Mostrar a evidência de ou tornar (algo) evidente, claro; DEMONSTRAR; EVIDENCIAR [***td.:*** *Sua dedicação ao marido comprovava seu amor.*] [***tdi.*** + *a, para*: *A dedicação dela comprovou ao marido o seu amor.*] [▶ **1** comprovar] [F.: Do lat. *comprobare*.]

comprovativo (com.pro.va.*ti*.vo) ***a.*** Que contém prova do que se alega, que serve para comprovar; COMPROBATIVO; COMPROBATÓRIO; PROBATÓRIO [F.: *comprovat* (rad. de *comprovado*) + *ivo*.]

comprovável (com.pro.*vá*.vel) ***a.*** Que pode ser comprovado [Pl.: *-veis*. F.: Do lat. *comprobabilis, e*.]

compulsão (com.pul.*são*) ***sf.*** **1** Ação ou resultado de compelir **2** *Jur.* Ação pela qual um tribunal superior obriga um inferior a cumprir sua decisão ou despacho **3** *Psic.* Pressão interna pela qual o sujeito é compelido a realizar certos atos ou a ter determinada conduta [Pl.: *-sões*.] [F.: Do lat. *compulsio, onis*, pelo fr. *compulsion*.]

compulsar (com.pul.*sar*) ***v.*** ***td.*** **1** Examinar, consultar ou folhear (textos, documentos etc.) [***td.:*** *Para escrever esta obra, compulsou muitos documentos; A comissão compulsará os currículos.*] **2** *Antq.* Obrigar, compelir, constranger [***tdr.*** + *a*: *O dever compulsou-o a agir com energia.*] [▶ **1** compulsar] [F.: Do lat. *compulsare*.]

compulsivo (com.pul.*si*.vo) ***a.*** **1** Ref. a, em que há compulsão; que é próprio para ou que visa a compelir: "Qual, em suma, o elemento compulsivo, a que se move o poder das almas?" (Rui Barbosa, *Conferência em Buenos Aires*) **2** *Psiq.* Diz-se de pessoa compelida internamente a realizar certos atos que destoam do senso comum ***sm.*** **3** *Psiq.* Essa pessoa [F.: De *compuls-* (radical de *compulsus*, part. pass. do lat. *compellere*) + *-ivo*.]

compulsória (com.pul.*só*.ri:a) ***sf.*** **1** Aposentadoria obrigatória do servidor público, por limite de idade **2** *Jur.* Mandado de juizado superior a inferior, determinando cumprimento de decisão ou instrução **3** *Jur.* Ação de tomar conta de atas e minutas, por ordem judicial superior [F.: Fem. substv. de *compulsório*.]

compulsoriedade (com.pul.so.ri:e.*da*.de) ***sf.*** Qualidade ou condição de compulsório; OBRIGATORIEDADE [F.: *Compulsório* + *dade*.]

compulsório (com.pul.*só*.ri:o) ***a.*** **1** Que compele, obriga; que tem caráter obrigatório: "...existia algo no mundo que tornasse compulsório ou indispensável ter uma vocação?" (João Ubaldo Ribeiro, *Diário do Farol*.) **2** Diz-se de contribuição determinada pelo governo federal, de caráter obrigatório e temporário (empréstimo compulsório) **3** *Jur.* Determinado por compulsória [F.: De *compuls-* (radical do lat. *compulsus*, part. pass. de *compellere*) + *-ório*.]

compunção (com.pun.*ção*) ***sf.*** **1** Sentimento de profundo pesar **2** Sentimento de culpa e de arrependimento por haver cometido algum mal ou pecado; CONTRIÇÃO **3** Manifestação (sincera ou não) desse arrependimento **4** Tristeza por haver ofendido a Deus ou Lhe desobedecido; REMORSO: "Depois, irmãos da Santa-Casa com sua compunção clerical." (João Cabral de Melo Neto, *Auto do Frade*) [Pl.: *-ções*.] [F.: Do lat. *compunctio, onis*. Sin. ger.: *compungimento*.]

compungido (com.pun.*gi*.do) ***a.*** **1** Arrependido, pesaroso: "...o ar compungido de quem recebe do médico uma sentença dolorosa." (Aluísio Azevedo, *O Cortiço*) **2** Sensibilizado, enternecido [F.: Part. de *compungir*.]

compungir (com.pun.*gir*) ***v.*** **1** Causar compunção em, fazer (alguém) ficar aflito, arrependido, pesaroso, magoado etc. [***td.:*** *A lembrança de seus pecados compungia-o ao extremo.*] **2** Despertar enternecimento ou compaixão (em); COMOVER [***td.:*** *O drama dos desabrigados compungiu a cidade.*] [***int.:*** *O cenário de uma guerra compunge.*] **3** Sentir-se pesaroso, aflito ou moralmente arrependido [***int.*** /***tr.*** + *de*: *Foi cruel, mas não se compungiu (do que fez).*] [▶ **46** compungir] [F.: Do lat. *compungere*.]

computação (com.pu.ta.*ção*) ***sf.*** **1** *Inf.* Conjunto de técnicas e conhecimentos ref. ao uso de computador: *bacharel em ciência da computação.* **2** *Inf.* Processamento de dados por computador **3** Ação ou resultado de computar, de fazer cálculos; CÔMPUTO: "...fazei a computação dos contos com o tesoureiro-mor..." (Alexandre Herculano, *O Monge de Cister*) [Pl.: *-ções*.] [F.: Do lat. *computatio, onis*.] ■ **~ científica** *Inf.* Estudo do uso de computadores em pesquisas científicas, esp. em cálculos e simulações **~ gráfica** *Inf.* Uso de computadores e da informática para criar, tratar, editar, animar, armazenar imagens, esp. na área das artes gráficas e visuais, cinematografia, publicidade etc.

computacional (com.pu.ta.ci:o.*nal*) ***a2g.*** Ref. a computação ou a computador [Pl.: *-nais*.] [F.: *computação* + *-al*, seg. o mod. erudito.]

computado (com.pu.*ta*.do) ***a.*** **1** Que foi incluído, abrangido, calculado: *Já foram computadas todas as despesas e ainda há dinheiro.* **2** *Inf.* Processado em computador **3** *Inf.* Que concluiu todas as etapas de um algoritmo e chegou ao resultado previsto [F.: Part. de *computar*.]

computador (com.pu.ta.*dor*) [ô] ***sm.*** **1** *Inf.* Aparelho eletrônico que funciona a partir de princípios matemáticos e pode ser programado para desempenhar tarefas variadas, como armazenar, buscar, processar, classificar, organizar, formatar e apresentar dados, inclusive impressos **2** Encarregado de fazer cômputos; CALCULISTA [F.: Do lat. *computator*.] ■ **~ analógico** *Inf.* Aquele cujos dados são representados por quantidades físicas que variam continuamente, num processo análogo ao da variação original **~ de grande porte** *Inf.* Aquele com grande capacidade de armazenamento e de processamento, que pode realizar muitas rotinas simultâneas, e ser simultaneamente utilizado por muitos usuários; *mainframe* **~ digital** *Inf.* Aquele que opera com dados discretos ou descontínuos, na forma de processos lógicos e aritméticos estruturados em programas **~ eletrônico** *Inf.* Computador digital, no qual o processamento é feito por meio de circuitos eletrônicos [Tb. apenas *computador*.] **~ híbrido** *Inf.* Aquele que trabalha com dados tanto analógicos quanto digitais **~ pessoal** *Inf.* Microcomputador destinado a um só usuário, ou a uso doméstico

computadorizado (com.pu.ta.do.ri.*za*.do) ***a.*** **1** Realizado com o auxílio de ou exclusivamente por computador (tomografia computadorizada) **2** Ativado e operado por computador (alarme computadorizado) **3** Equipado com computadores, ou em que se passou a usar computadores na realização de trabalhos e tarefas (escritório computadorizado); INFORMATIZADO [F.: Part. de *computadorizar*.]

computadorizar (com.pu.ta.do.ri.*zar*) *Inf.* ***v. td.*** **1** Automatizar por meio de computadores, equipar com computadores; INFORMATIZAR: *O gerente computadorizou o setor de vendas.* **2** Fornecer, processar ou armazenar (informações) em computador ou em rede de computadores; COMPUTAR [▶ **1** computadorizar] [F.: *computador* + *-izar*.]

computar (com.pu.*tar*) ***v.*** **1** Fazer o cômputo, a contagem de; calcular o montante de; CONTAR [***td.:*** *computar gastos/votos.*] **2** Orçar em, calcular em [***tdr.*** + *em*: *Computou o custo do projeto em trezentos mil reais.*] **3** *Inf.* Processar ou analisar em computador; COMPUTADORIZAR [***td.:*** *computar os dados de uma pesquisa.*] **4** Pôr em paralelo; comparar; ajustar [***tdr.*** + *com*: *computar o lucro com as despesas.*] **5** Incluir entre os demais de um conjunto, numa contagem; inscrever (algo ou alguém) entre; listar, arrolar [***tdr.*** + *entre, em*: *O diretor computou aquela crítica entre as demais que recebeu; Computaram seu nome entre os favoritos/na lista dos favoritos.*] [▶ **1** computar] [F.: Do lat. *computare*. Hom./Par.: *computáveis* (fl.), *computáveis* (pl. de *computável*); *computo* (fl.), *cômputo* (sm.).]

computável (com.pu.*tá*.vel) ***a.*** Que pode ser computado, calculado, somado [Pl.: *-veis*. F.: Do lat. *computabilis, e*.]

cômputo (*côm*.pu.to) ***sm.*** **1** O resultado da ação de computar; CÁLCULO; CONTAGEM; CONTA **2** Averiguação, apuração: "...e em cômputos rigorosos a ciência já demonstrou que ele não pode absolutamente voar." (Guimarães Rosa, *Ave, Palavra*) [F.: Do lat. tardio *computus*. Hom./Par.: *computo* (v. *computar*).] ■ **~ eclesiástico** *Cron.* O conjunto das regras segundo as quais se calculam as datas em que recaem as festas móveis cristãs

comum (co.*mum*) ***a2g.*** **1** Diz-se do que segue o padrão geral e habitual, sem se distinguir em sua espécie (pessoa comum; procedimentos comuns); BANAL; TRIVIAL [Ant.: *incomum, inusual*] **2** Que é muito frequente; COSTUMEIRO; HABITUAL; USUAL: *um defeito comum nesse tipo de carro* [Ant.: *inusitado, raro*] **3** Que pertence ou se estende a mais de um, a muitos ou a todos (interesse comum, amigos comuns, responsabilidade comum); COLETIVO [Ant.: *individual, particular*] **4** Que é feito conjuntamente por mais de uma pessoa, entidade, instituição etc., ou com a finalidade de atender a mais de um desses fatores: *As duas empresas desenvolveram um projeto comum.* **5** *Gram.* Diz-se do substantivo que nomeia classes de seres com propriedades relativamente constantes e essenciais [Cf. *próprio*.] **6** Vulgar, simples ou sem importância: *é uma pessoa comum* **7** Que ocorre (tipo, espécie, espécime, fato etc.) com abundância entre os demais, sendo por isso representativo (carrapato comum): *um dia comum de inverno* **8** *Ling.* Diz-se de língua que desconsidera diferenças regionais, dialetos etc., para servir de meio de comunicação entre os habitantes dessas regiões e usuários desses dialetos (língua comum) [Pl.: *-muns*. Superl.: *comuníssimo*.] ***sm.*** **9** A maioria, a generalidade: *Ganha mais que o comum dos empregados* **10** Aquilo que é normal, corriqueiro: *Em casa, o comum é dormir tarde.* [Ant.: *incomum, insólito*] [F.: Do lat. *communis*.] ■ **Em ~** De maneira conjunta ou coletiva: *Aquela foi uma decisão tomada em comum.*

comum de dois (co.mum *de dois*) ***a2g.*** **1** *Ling.* Diz-se de substantivo com uma só forma para o masculino e o feminino (p. ex. *artista: o artista/a artista; o viajante/a viajante*) ***sm.*** **2** Esse substantivo [Abrev.: *2g*.] [Pl.: *comuns de dois*.] [Cf.: *epiceno e sobrecomum*.]

comuna (co.*mu*.na) ***sf.*** **1** *Ant. Hist.* Cidade medieval emancipada e capaz de governar-se por suas próprias leis **2** Divisão territorial política na França e em Portugal **3** *Hist.* Governo popular que assumiu o poder em Paris em 1871 (comuna de Paris) **4** *Lus.* Administração de concelho **5** *PE* Grupo de pessoas que saem para farrear ou fazer arruaça **6** *Ant.* Colônia tolerada judeus ou de mouros que eram obrigados a viver em bairros próprios, chamados respectivamente *judiaria* e *mouraria* **7** Qualquer grupo que se estabelece em uma certa região, e cujos membros compartilham uma identidade histórica, cultural, social etc. ***s2g.*** **8** *Pop.* Pessoa adepta do comunismo; comunista [F.: Do fr. *commune*. Para a acp. 8, regr. de *comunista*.]

comunal (co.mu.*nal*) ***a2g.*** **1** Que pertence a duas ou mais pessoas, ou à maioria delas, ou a todas **2** Relativo ou pertencente a uma comuna ***sm.*** **3** Habitante de uma comuna [F.: Do lat. tardio *communalis, e*.]

comungante (co.mun.*gan*.te) ***a2g.*** **1** Que comunga **2** *Rel.* Diz-se de pessoa católica que recebeu ou vai receber o sacramento da Eucaristia **3** Diz-se de pessoa que participa do mesmo ideal de outra(s) ***s2g.*** **4** Qualquer dessas pessoas [F.: *comungar* + *-nte*.]

comungar (co.mun.*gar*) ***v.*** **1** *Litu.* Dar a comunhão; administrar o sacramento da eucaristia a [***td.:*** *O padre comungou os fiéis.*] **2** *Teol.* Receber, tomar em comunhão [***td.:*** *comungar a hóstia.*] **3** *Litu.* Receber o sacramento da eucaristia [***int.:*** *O rapaz confessou-se antes de comungar.*] **4** Compartilhar (sentimentos, ideais etc.); ter parte em; concordar, partilhar [***td.*** / ***tr.*** + *com, de, em*: *Ele não comunga as (com as/ nas / das) ideias radicais do irmão*: "Comungava silenciosamente comigo nestas graves meditações." (Almeida Garrett)] **5** Pertencer a um grupo ou sociedade que tem a mesma crença religiosa, política, literária ou científica [***tr.*** + *em*: *Poucos sabiam que ele comungava na Maçonaria.*] **6** Ter parte em, afinidade, contato, ligação, comunicação com [*tr.* + *com*: *comungar com o abstrato.*] [▶ 14 comungar] [F.: Do lat. *comunicare.*]

comunhão (co.mu.*nhão*) *sf.* **1** Ação ou resultado de comungar: *em comunhão com a divindade.* **2** Relações comuns, identidade de opiniões, de crenças etc.: *comunhão de ideais.* **3** *Rel.* Para os católicos, o sacramento da eucaristia **4** *Rel.* A cerimônia e o momento em que os fiéis católicos recebem a hóstia consagrada **5** *Jur.* Posse e/ou domínio de duas ou mais pessoas sobre a mesma coisa (comunhão de bens) [Pl.: *-nhões.*] [F.: Do lat. ecles. *communio, onis.*] ▪ **~ universal** *Jur.* Regime matrimonial no qual todos os bens e dívidas de cada cônjuge tornam-se comuns do casal

comunicabilidade (co.mu.ni.ca.bi.li.*da*.de) *sf.* **1** Qualidade, condição ou estado do que é comunicável, disposição para entrar em comunicação [Ant.: *incomunicabilidade.*] **2** Condição favorável a que se estabeleça comunicação **3** *Jur.* Condição ou qualidade de bens em comunhão [F.: *comunicável* + *-idade*, segundo o mod. erudito.]

comunicação (co.mu.ni.ca.*ção*) *sf.* **1** Conceito, capacidade, processo e técnicas de transmitir e receber ideias, mensagens, com vistas à troca de informações, instruções etc.: *A comunicação é um pré-requisito para a formação e consolidação de uma sociedade.* **2** Ação ou resultado de comunicar(-se), de transmitir e receber mensagens: *Esta empresa precisa melhorar a comunicação com as filiais.* **3** A mensagem transmitida ou recebida, oral ou por escrito: *Chegou uma comunicação da matriz.* **4** O conjunto de conhecimentos, técnicas e procedimentos sobre essa transmissão e recepção de ideias, informações e mensagens, ministrado como disciplina: *Ela estudou comunicação.* **5** Exposição oral ou escrita sobre determinado tema **6** Capacidade de dialogar; ENTENDIMENTO: *A comunicação entre os cônjuges é fundamental.* **7** Ação de conversar; COLÓQUIO; CONVERSAÇÃO: *Só têm comunicação por telefone.* **8** Aviso, participação (comunicação de noivado) **9** Ligação, passagem entre dois lugares: *Esse quarto tem comunicação com a sala.* **10** *Elet.* Transmissão a distância de informação por meio de sinais em fios ou ondas eletromagnéticas **11** *Med.* Anomalia cardíaca na qual há comunicação (9) entre compartimentos do coração que não deveriam tê-la (comunicação inter auricular) **12** *Telc.* Conexão entre dois ou mais locais distanciados no espaço, por meio de dispositivos elétricos, eletrônicos, telegráficos, telefônicos etc. **13** *Mec.* Transmissão de movimento de um sistema mecânico a outro **14** *Ling.* Processo de emissão (por um emissor) e recepção (por um receptor) de mensagem em código linguístico comum a ambos **15** *Psi.* Inter-relação entre dois aspectos de uma personalidade, que propicia a influência das alterações sofridas por um deles sobre o outro [Pl.: *-ções.*] [F.: Do lat. *communicatio, onis.*] ▪ **~ de massa** *Teor. in.* Circulação ou difusão de mensagens dirigidas indiferenciadamente a grandes parcelas da população, através dos meios de comunicação de massa (televisão, rádio, jornais etc.) **~ humana** *Teor. in.* A que se faz entre seres humanos, por meio de sistemas de signos (como a linguagem falada e escrita), e não por instruções ou comandos (como a que envolve animais e máquinas); comunicação social **~ interpessoal** *Teor. in.* A que se faz diretamente entre dois ou mais indivíduos (pela fala, por carta ou mensagem, por *e-mail*, pelo telefone etc.) **~ não verbal** *Teor. in.* Comunicação que emprega sistemas de signos que não os da linguagem falada ou escrita (como gestos, imagens, sinais etc.) **~ social** **1** *Teor. in.* A que, através de meios especializados e tecnicamente estruturados, se realiza entre um órgão de informação (empresa, organização oficial ou governamental etc.) e a sociedade **2** A atividade profissional que se dedica a planejar e realiza essa comunicação **3** *Lus.* Ver *Comunicação de massa* **4** Ver *Comunicação humana.* **~ verbal** *Teor. in.* A que se realiza por meio da linguagem falada ou escrita, exclusiva dos seres humanos **~ visual** **1** *Teor. in.* Aquela que tem como principal suporte o aspecto gráfico ou visual de uma mensagem (como expressa em formatação de textos, criação de cartazes, concepção de logotipos e logomarcas etc.) **2** Programação visual, parte do desenho industrial que expressa o conteúdo de mensagens e de informações em uma forma visual

comunicações (co.mu.ni.ca.*ções*) *sfpl.* **1** Meios técnicos instalados para estabelecer comunicação ('transmissão a distância...'); TELECOMUNICAÇÕES: *Com os progressos técnicos, as comunicações têm ficado cada vez mais rápidas.* **2** Meios de transporte (comunicações fluviais, aéreas, terrestres) **3** As mensagens transmitidas pela televisão, rádio, jornais, revistas etc. a um conjunto heterogêneo e geograficamente disperso de destinatários [F.: Pl. de *comunicação.*]

comunicado (co.mu.ni.*ca*.do) *a.* **1** Que se comunicou, que se tornou conhecido **2** Que foi transmitido, cujo teor foi passado adiante: *notícia comunicada por toda a imprensa.* **3** Que se pegou por contágio: *gripe logo comunicada a toda a família.* **4** Que teve ligação estabelecida, que foi posto em contato (com); LIGADO; UNIDO: *comunicado ao mar por um canal.* **5** *Jur.* Diz-se de bem, patrimônio em comunhão, transmitido *sm.* **6** Informação transmitida por qualquer meio de comunicação; INFORME: *Receberam um comunicado urgente:* "De qualquer forma, um comunicado oficial, dizendo o que diz, faz a gente ficar pensativa." (Cecília Meireles, "Ministério da Educação IV" *in Obra em prosa*) [F.: Do lat. *communicatus*, part. pass. de *communicare.*]

comunicador (co.mu.ni.ca.*dor*) [ô] *a.* **1** Que comunica, que envia e recebe mensagens (aparelho comunicador) *sm.* **2** Aquele que comunica **3** Aquele que apresenta programas de televisão, rádio etc. **4** Especialista em comunicação; profissional capacitado a criar mensagens, informes, reclames etc. para um público-alvo; COMUNICÓLOGO **5** Aquele ou aquilo que constitui a fonte emissora num processo de comunicação [F.: Do lat. *communicator.*]

comunicante (co.mu.ni.*can*.te) *a2g.* **1** Que estabelece comunicação (dispositivo comunicante) **2** Comunicativo: "... peito aberto e comunicante..." (Ricardo Jorge, *Sermões de Um Leigo*) **3** *Anat.* Diz-se de formação que liga entre si duas estruturas anatômicas de um mesmo sistema (como, p. ex., dois vasos sanguíneos, dois nervos etc.) ou de um mesmo órgão etc. **4** Diz-se, no plural, de vasos que se comunicam entre si por ligações através de algum ponto de suas paredes, ou de seus fundos (vasos comunicantes) [F.: Do lat. *communicans, antis.*]

comunicar (co.mu.ni.*car*) *v.* **1** Transmitir, repassar ou divulgar (qualquer informação) (a alguém) [*td. tdi.* + *a*, *para*: *O secretário comunicou (à população) que as praias estão liberadas.*] **2** Estar ou entrar em comunicação, em entendimento com [*tr.* + *com*: *Comunique-se com a gerência da loja.*] **3** Estabelecer ou ter conexão entre (lugares); UNIR(-SE) [*tdr.* + *com*: *Um corredor comunicava a sala com os quartos.*] [*int.*: *Atlântico e Pacífico comunicam-se pelo canal do Panamá.*] **4** Transmitir por contágio, proximidade, ou influência [*tdi.* + *a*: *O enfermo comunicou sua doença a todo mundo.*] **5** Noticiar, participar, revelar, fazer saber [*td. tdi.* + *a*: *Comunicou seu noivado aos amigos; A mensagem comunicava (aos pais) sua decisão de voltar a estudar.*] **6** Manter (mais de uma pessoa) relações amistosas, satisfatórias entre elas [*int.*: *O casal brigava o tempo todo sem conseguir comunicar-se.*] **7** Colocar(-se) em conexão íntima, em ligação estreita com [*tdi.* + *com*: *Por meio da oração e da contrição procurava comunicar-se com Deus.*] **8** Dar passagem a [*td.*: *A água comunica eletricidade.*] **9** Aproximar-se, acercar-se de [*tr.* + *com*: *Rapidamente o barco comunicou com a margem.*] **10** Propiciar [*tdi.* + *a*: *O acontecimento comunicou muita felicidade ao rapaz.*] **11** Conferir (a), impregnar (de) [*tdi.* + *a*: *As tensões comunicavam grande suspense à sua história.*] **12** Passar, transmitir [*tdi.* + *a*: *Comunicava seu entusiasmo a todo mundo; Anunciou que comunicaria suas funções ao substituto.*] **13** Propagar-se, difundir-se, tornar-se conhecido [*int.*: *A notícia comunicou-se rapidamente.*] **14** *Jur.* Fazer passar (bens, herança etc.) a outrem por sucessão [*tdi.* + *a*] **15** *Jur.* Encontrar-se inserido na sociedade matrimonial de bens e interesses [*int.*] [▶ 11 comunicar] [F.: do lat. *communicare.*]

comunicativo (co.mu.ni.ca.*ti*.vo) *a.* **1** Ref. a, que envolve ou que serve a comunicação **2** Que se comunica com facilidade, ou com habilidade, que tem propensão a se comunicar; DESINIBIDO; EXPANSIVO; SOCIÁVEL [Ant.: *arredio, retraído, tímido.*] **3** Que gosta de conversar; CONVERSADOR; FALADOR [Ant.: *calado, quieto.*] **4** Contagiante, que se propaga facilmente [F.: Do lat. *communicativus.*]

comunicável (co.mu.ni.*cá*.vel) *a2g.* **1** Que se pode ou deve comunicar, passível de ser comunicado: *Este relatório é comunicável, o outro é sigiloso.* [Ant.: *incomunicável.*] **2** Que se propaga facilmente; CONTAGIANTE **3** *Jur.* Que se pode transferir, passar a outrem: *No regime de comunhão parcial, os bens comunicáveis são aqueles adquiridos depois do casamento.* [Ant.: *incomunicável, intransmissível.*] [Pl.: *-veis.*] [F.: Do lat. tardio *communicabilis.*]

comunicólogo (co.mu.ni.*có*.lo.go) *sm. Bras.* Pessoa formada em curso de comunicação ou muito entendida no assunto; COMUNICADOR [F.: *comunic-* + *-o-* + *-logo.*]

comunidade *sf.* **1** Qualidade ou condição do que é comum; COMUNHÃO: *comunidade de objetivos.* **2** Concordância, harmonia (comunidade de opiniões, comunidade de sentimentos) **3** Conjunto das pessoas que partilham, ger. em determinado contexto geográfico ou num grupo maior, o mesmo *habitat*, religião, cultura, tradições, interesses etc.: *a comunidade judaica; a comunidade da zona oeste.* **4** *P. ext.* Lugar em que se situa esse conjunto de pessoas **5** *Restr.* Grupo de indivíduos que partilham os mesmos objetivos e crenças, ou o lugar ou o meio em que eles interagem: *a comunidade dos amantes da natureza.* **6** A sociedade; COLETIVIDADE: *regras para a convivência em comunidade.* **7** Conjunto das pessoas que exercem a mesma profissão ou atividade, ou que têm os mesmos hábitos, preferências etc.: *a comunidade dos jornalistas; a comunidade dos filatelistas; a comunidade do Orkut* **8** Ordem religiosa; CONGREGAÇÃO: *a comunidade das ursulinas.* **9** *Biol. Ecol.* Biocenose **10** Conjunto politicamente organizado de indivíduos que por afinidade cultural, histórica, cultural, social etc., estabelecem uma ligação baseada em objetivos comuns, independentemente de nacionalidade ou país de moradia (comunidade europeia) [F.: Do lat. *communitas, atis.*] ▪ **~ de fala** *Ling.* Ver *Comunidade linguística.* **~ linguística** *Ling.* Grupo de pessoas que, em determinada época, partilham a mesma língua ou dialeto, independentemente de terem a mesma nacionalidade ou viverem no mesmo país

comunismo (co.mu.*nis*.mo) *sm.* **1** Sistema social no qual não existe propriedade privada individual, a terra e os meios de produção pertencem à coletividade, e os bens são partilhados de acordo com as necessidades de cada um **2** *Econ. Pol.* Ideologia e doutrina política (concebido por Karl Marx) que visa ao comunismo (1) como sistema social e econômico a se desenvolver a partir do socialismo, baseado na propriedade coletiva através do Estado, que se propõe a distribuir os bens segundo as necessidades individuais e a abolir as classes sociais **3** *Econ. Pol.* Sistema político, econômico e social que segue o comunismo (2), instaurado na antiga União Soviética a partir da Revolução de 1917 (onde prevaleceu até 1990), e em alguns outros países **4** *Pol.* O conjunto dos comunistas e sua atividade política **5** *Pol.* A doutrina e a linha política dos partidos comunistas [F.: Do fr. *communisme.*] ▪ **~ primitivo** *Hist. Econ. Pol.* Sistema de organização social da Idade da Pedra, no qual a propriedade dos meios de produção (relativos à caça, à coleta e a uma agricultura primitiva) eram coletivos, e os produtos divididos entre todos os membros da coletividade

comunista (co.mu.*nis*.ta) *a2g.* **1** Que diz respeito ao comunismo (princípios comunistas) **2** Diz-se de pessoa que é simpática ao comunismo ou que é membro de partido, movimento ou organização comunista *s2g.* **3** Partidário do comunismo; militante de partido comunista: "...desde o palácio dos reis até o falanstério dos comunistas..." (Almeida Garrett, *Helena*) [F.: Do fr. *communiste.*]

comunitário (co.mu.ni.*tá*.rio) *a.* **1** Ref. a, de ou próprio de comunidade (instituições comunitárias) **2** Em que há preocupação social (ação comunitária) [F.: Do fr. *communitaire.*]

comunitarismo (co.mu.ni.ta.*ris*.mo) *sm.* Ciência ou prática de governo que privilegia o que é comunitário, coletivo ou resultante da participação do agrupamento [F.: *comunitário* + *ismo.*]

comunizar (co.mu.ni.*zar*) *v. td.* **1** Inclinar(-se) para o comunismo ou levar a este: *O governo comunizara a agricultura; Os meios de transporte se comunizaram.* **2** Implantar o comunismo em **3** Tornar(-se) comunal (terra, propriedade etc.) [▶ 1 comunizar] [F.: *comun(ismo)* + *-izar.*]

comutabilidade (co.mu.ta.bi.li.*da*.de) *sf.* Qualidade ou condição do que é comutável, do que se pode comutar [F.: *comutável (-vel* na f. do lat. *-bil(i)-)* + *-(i)dade.*]

comutação (co.mu.ta.*ção*) *sf.* **1** Ação ou resultado de comutar; SUBSTITUIÇÃO; TROCA **2** Troca, permutação, permuta: *comutação de bens; comutação de tarefas* **3** *Jur.* Redução ou atenuação de uma pena **4** *Ling.* Substituição de uma unidade linguística por outra da mesma língua, na mesma construção, para tentar obter outra palavra, frase ou sintagma **5** *Ling.* Uso alternado de dois idiomas por pessoa bilíngue **6** *Elet.* Conversão de corrente alternada em contínua e vice-versa com o uso de um comutador **7** *Elet.* Inversão de sentido da corrente ou abertura e fechamento de conexões de um circuito elétrico **8** *Inf.* Estabelecimento de conexão discada entre um computador e um terminal **9** *Mat.* Num conjunto, mudança na ordem em que é efetuada uma operação entre dois de seus elementos [Pl.: *-ções.*] [F.: Do lat. *commutatio, onis.*]

comutador (co.mu.ta.*dor*) [ô] *a.* **1** Que comuta *sm.* **2** Aquele ou aquilo que comuta **3** *Elet.* Interruptor, dispositivo que pode interromper ou permitir (restabelecendo) o fluxo de corrente elétrica num sistema **4** *Elet.* Dispositivo us. para inverter o sentido de uma corrente **5** *Elet.* Dispositivo us. para substituir parte de um circuito por outro ou para alterar as conexões de circuitos **6** *Telc.* Peça ou mecanismo us. para estabelecer ligação entre dois aparelhos ou circuitos telefônicos [Tb. us. como a. nas acps. 2 a 6.] [F.: *comutar* + *-dor.*]

comutar (co.mu.*tar*) *v.* **1** Substituir ou trocar (uma coisa por outra); PERMUTAR [*td.*: *Num escambo desenfreado, comutavam mercadorias e bens.*] [*tdr.* + *com*, *por*: *comutar bens por serviços; Os índios comutavam peles e plumas por espelhos e miçangas; Comutava figurinhas com o colega.*] **2** Substituir (algo por outra coisa), mudar (de uma coisa para outra) [*td.*: *O projetor comutava diapositivos em ritmo acelerado.*] **3** *Jur.* Atenuar ou tornar mais branda (penalidade) [*td.*: *comutar uma pena.*] **4** *Mat.* Fazer a comutação (inversão de ordem) de (dois ou mais elementos de um conjunto) [*td. tdr.* + *por*: *comutar elementos; comutar um elemento por outro.*] [▶ 1 comutar] [F.: Do lat. *commutare.* Hom./Par.: *comutáveis* (fl.), *comutáveis* (pl. de *comutável*).]

comutatividade (co.mu.ta.ti.vi.*da*.de) *sf.* **1** Característica ou propriedade do que é comutativo **2** *Mat.* Propriedade de uma operação matemática na qual a ordem dos elementos não altera o resultado [F.: *comutativo* + *-idade.*]

comutativo (co.mu.ta.*ti*.vo) *a.* **1** Que comuta *a.* **2** Relativo a troca ou que envolve troca, permuta; PERMUTATIVO **3** *Jur.* Contrato no qual há perfeita equivalência nas prestações a serem cumpridas pelas partes **4** *Mat.* Diz-se da operação cujo resultado independe da ordem dos termos: *A adição é uma operação comutativa.* **5** *Ling.* Ref. à comutação de elementos linguísticos [F.: Do lat. *commutativus, a, um.*]

comutável (co.mu.*tá*.vel) *a2g.* **1** Que se pode ou deve comutar; PERMUTÁVEL [Ant.: *incomutável.*] **2** *Ling.* Diz-se de elemento linguístico ou unidade de expressão que podem ser substituídos em construções similares sem alteração do significado ou da validade gramatical [Pl.: *-veis.*] [F.: Do lat. *commutabilis.*]

◎ **con-** *el. comp.* Ver *com-*

cona (*co*.na) [ô] *sf. Tabu.* Vulva [F.: Do lat. *cunnus.*]

⊠ **Conama** (co.*na*.ma) *sm.* Sigla de Comissão Nacional do Meio Ambiente, órgão do Ministério do Meio Ambiente

⊠ **Conar** (co.*nar*) *sm.* Sigla de Conselho de Autorregulamentação Publicitária, organização não governamental que busca impedir a prática de publicidade enganosa ou abusiva

conativo (co.na.*ti*.vo) *a.* **1** Ref. a conação **2** *Ling.* Diz-se de função da linguagem que tem por objetivo produzir um determinado efeito no receptor [F.: Do ing. *conative.*]

conatural (co.na.tu.*ral*) *a2g.* 1 Que nasce com o indivíduo; CONGÊNITO; INATO; CONATO: *O instinto de sobrevivência é conatural a qualquer espécie de ser vivo.* 2 Da mesma natureza; CONGÊNERE: *Recebeu então o título de conselheiro, este mais conatural ao seu modo de agir.* [F.: Do lat. *conaturalis, e.*]

concatenação (con.ca.te.na.*ção*) *sf.* 1 Ação ou resultado de concatenar; CONCATENAMENTO 2 Relação, ligação entre fatos, ideias, elementos etc.; ENCADEAMENTO: *A concatenação dos acontecimentos levou à descoberta do crime.*: "...a concatenação de tantos e tão travados infortúnios..." (Camilo Castelo Branco, *Paço de Ninães*) [Pl.: *-ções.*] [Do lat. *concatenatio, onis.*]

concatenado (con.ca.te.*na*.do) *a.* 1 Que se concatenou, ligado, encadeado *a.* 2 Ligado numa sequência lógica ou orgânica, relacionado: "...como que um longo e concatenado raciocínio." (Latino Coelho, *Vasco da Gama*) [F.: Part. de *concatenar.*]

concatenar (con.ca.te.*nar*) *v.* 1 Estabelecer ligação ou conexão entre; LIGAR [*td.*: *concatenar pensamentos/fatos; Concatenou todos os dados de que dispunha, tentando chegar a uma conclusão.*] 2 Estabelecer(-se) relação entre (elementos [de]) segundo certo critério ou certa sequência lógica; ENCADEAR [*td.*: *Concatenou as tarefas de acordo com o cronograma aprovado; Nervoso, não concatenava bem as frases.*] [*tdr.* + *com*: *Soube concatenar as providências com as solicitações, à medida que surgiam.*] [*int.*: *Esclarecida a causa, todos os fatos se concatenaram.*] 3 Ser ou tornar condizente, compatível com; HARMONIZAR [*tr.* + *com*: *Essa conduta não concatena com seu caráter; Essas atitudes não se concatenam (uma com outra).*] [*tdr.* + *com*: *Sabe concatenar trabalho com lazer.*] [*td.*: *Sabe concatenar trabalho e lazer.*] [▶ 1 concatenar] [F.: Do lat. *concatenare.*]

concavidade (con.ca.vi.*da*.de) *sf.* 1 Característica ou estado do que é côncavo 2 Forma ou disposição do que é côncavo; CÔNCAVO: *a concavidade de uma lente.* [Nas acp. 1 e 2, ant.: *convexidade.*] 3 Escavação interna, cavidade, depressão em algo, ger. tendo seu fundo formato côncavo; CAVIDADE: *rocha com várias concavidades.* 4 Depressão de terreno; BURACO; REENTRÂNCIA [Ant.: *ressalto, saliência.*] [F.: Do lat. *concavitas, atis.*]

côncavo (*côn*.ca.vo) *a.* 1 Que tem a superfície mais funda no centro do que na borda: *vidro côncavo.* 2 Que tem reentrância ou escavação irregular na superfície; ENFUNADO [Ant.: *saliente.*] *sm.* 3 O formato côncavo (1) de algo; CONCAVIDADE: *o côncavo de um penhasco.*: "...Coincidência total/ do côncavo e convexo/ assim é o nosso amor/ no sexo..." (Roberto Carlos, "O Côncavo e o Convexo") [F.: Do lat. *concavus.* Ant. ger.: *convexo.*]

côncavo-convexo (côn.ca.vo-con.*ve*.xo) [vécsso] *a.* Diz-se do objeto côncavo de um lado e convexo de outro [Fem.: *côncava-convexa*; Pl.: *côncavo-convexos.*]

conceber (con.ce.*ber*) *v.* 1 Compreender, entender; interpretar, considerar [*td.*: *Discordamos do seu modo de conceber a existência.*] 2 Aceitar como possível [*td.*: "...não concebiam que se pudesse viver sem ler..." (Ana Maria Machado, *Texturas*)] 3 *Fig.* Formar na mente (ideia, pensamento); IDEALIZAR; IMAGINAR [*td.*: *Concebeu a hipótese de renunciar.*] [*tdp.*: *Concebem-no como gênio.*] 4 *P. ext.* Dar alento (na mente) a, sonhar com, acalentar [*td.*: *Concebia ideais quase inacessíveis.*] 5 Criar, inventar ou imaginar (algo) [*td.*: *conceber um novo sistema de segurança; conceber um soneto/uma tela.*] 6 Gerar (embrião), ficar prenhe (de) [*td.*: *conceber gêmeos.*] [*int.*: *Queria um dia conceber.*] [*tr.* + *de*: *Sonhava engravidar, e por fim concebeu do companheiro.*] 7 Dar à luz [*td.*] [▶ 2 conceber] [F.: Do lat. *concipere.*]

concebido (con.ce.*bi*.do) *a.* 1 Gerado, fecundado: *A virgem Maria foi concebida do Espírito Santo.* 2 Planejado, projetado, imaginado: "...ele havia concebido de exterminar naquele dia todos os inimigos da casa." (José de Alencar, *O Guarani*) 3 Representado pelo pensamento, figurado, imaginado: *Os belos pojetos concebidos na mocidade mostraram-se irrealizáveis.* [F.: Part. de *conceber.*]

concebível (con.ce.*bí*.vel) *a2g.* 1 Que se pode conceber, imaginar; CONCEPTÍVEL: *Xingou-o com todos os palavrões concebíveis e imagináveis.* [Ant.: *inconceptível.*] 2 Que se pode compreender, entender; COMPREENSÍVEL: *Não é concebível que um time ruim desses faça uma campanha tão boa.* [Ant.: *incompreensível.*] 3 Que se pode admitir, aceitar; ACEITÁVEL; ADMISSÍVEL: *Não é concebível que ele desrespeite assim o tio.* [Ant.: *inaceitável, inadmissível*] [Pl.: *-veis.*] [F.: *conceber* + *-ível.* Ant. ger.: *inconcebível.*]

concedente (con.ce.*den*.te) *a2g.* 1 Que concede: *No caso das emissoras de TV e rádio, o poder concedente é o governo federal.* *sm.* 2 O responsável pela concessão; CONCESSOR: *Os concedentes de tais privilégios exigem em troca a máxima fidelidade.* [F.: Do lat. *concedens, entis.*]

conceder (con.ce.*der*) *v.* 1 Dar, conferir ou outorgar (algo) [*td.*: *É um superior que não concede regalias.*] [*tdi.* + *a*: *Concedeu mais autonomia ao vice.*] 2 Outorgar como concessão (permissão para exploração) [*td.* *tdi.* + *a*: *O governo resolveu conceder (à empresa) a exploração do canal de televisão.*] 3 Permitir, dar consentimento a [*td.*: *O juiz concedeu que o rapaz saísse da cidade.*] [*tdi.* + *a*: "...ela lhe concedia certas intimidades..." (João Ubaldo Ribeiro, *Diário do Farol*)] 4 Admitir por hipótese; reconhecer (ideias, opiniões, atitudes) [*td.*: *Concedo que fui um pouco grosseiro.*] 5 Concordar, anuir [*tr.* + *a*, *em*: *O pai concedeu no que o filho pedira.*] [▶ 2 conceder] [F.: Do lat. *concedere.*]

concedido (con.ce.*di*.do) *a.* Que foi objeto de concessão; PERMITIDO; ADMITIDO; OUTORGADO [F.: Part. de *conceder.*]

concedível (con.ce.*dí*.vel) *a2g.* Que pode ser objeto de concessão [Pl.: *-veis.* F.: *conceder* + *-ível.*]

conceição (con.cei.*ção*) *Rel.* *sf.* 1 *Antq.* O mesmo que *concepção*, ação ou resultado de conceber, gerar (embrião) 2 *Rel.* No catolicismo, dogma da concepção sem pecado de Maria 3 Festa que comemora esse evento [Nas acps. 2 e 3, inicial maiúsc.] 4 Ordem militar portuguesa encarregada de defender a fé na Conceição de Maria 5 *Num.* Moeda portuguesa de ouro da época de d. João VI 6 *Num.* Moeda de prata do mesmo reinado, com a efígie de Nossa Senhora da Conceição [Pl.: *-ções.*] [F.: Do lat. *conceptio, onis.*]

conceito (con.*cei*.to) *sm.* 1 O que se concebe sobre algo ou alguém no pensamento, na ideia; modo de pensar sobre algo; NOÇÃO; IDEIA; CONCEPÇÃO: *O conceito de liberdade varia muito entre os povos; Seu conceito de educação é totalmente repressivo; Ela teve de mudar os seus conceitos.* 2 Opinião manifesta sobre algo ou alguém; NOME; REPUTAÇÃO: *Seu conceito foi bom, mas caiu muito.* 3 *Fil.* Representação mental e linguística de qualquer objeto concreto ou abstrato, que para a mente significa o próprio objeto no processo de sua identificação, descrição e classificação 4 *Pedag.* Avaliação do aproveitamento do estudante: *A maioria dos alunos teve conceito C.* 5 *Fil.* Frase de conteúdo moral; MÁXIMA; DIVISA 6 Conclusão moral de uma narrativa; MORAL 7 Nas charadas, a parte em que se indica a chave para a solução 8 Frase, dito, expressão engenhosa, bem-articulada, original, que vem a calhar etc. [F.: Do lat. *conceptum, -i.*] ■ **~ absoluto** *Lóg.* Aquele (referente a qualidade, relatividade etc.) que não é limitado pelas limitações concretas do objeto ao qual se aplica; conceito abstrato [Ex.: a criatividade, a simultaneidade.] **~ abstrato** *Lóg.* Ver *Conceito absoluto.* **~ indefinido** *Lóg.* Conceito cuja essência é indeterminada, ou seja, não permite inferir algo determinado [Ex.: não terrestre.]

conceituação (con.cei.tu:a.*ção*) *sf.* 1 Ação ou resultado de conceituar, de criar um conceito: *O relatório ficou um pouco vago, falta uma conceituação mais clara dos resultados.* 2 Ação ou resultado de fazer ou dar uma avaliação: *Sua conceituação sobre o projeto foi a melhor possível.* [F.: *conceituar* + *ção.*]

conceituado (con.cei.tu.*a*.do) *a.* 1 Que é ou foi objeto de conceito; de que se formou algum conceito; AVALIADO; CONSIDERADO 2 Que tem boa reputação: *Niemeyer é um arquiteto conceituado.* [F.: Part. de *conceituar.*]

conceitual (con.cei.tu:*al*) *a2g.* 1 Ref. a, que diz respeito a conceito: *Esta questão não tem a ver com interesses apenas, ela é conceitual.* 2 Que contém conceito (arte conceitual) 3 Ref. a ou em que há concepção 4 Do ou ref. a conceitualismo [Pl.: *-ais.*] [F.: Do lat. *conceptualis* (ou *conceito* + *-ual*, por via pop.). Tb. *conceptual.*]

conceitualismo (con.cei.tu:a.*lis*.mo) *sf.* *Fil.* Doutrina medieval concebida por Abelardo (1079-1142), segundo a qual os conceitos e ideias gerais não existem em si mesmos, sendo apenas construções do espírito [F.: *conceitual* + *ismo.* Tb. *conceptualismo.*]

conceitualista (con.cei.tu:a.*lis*.ta) *a2g.* 1 *Fil.* Relativo ao conceitualismo ou conceptualismo 2 Que conceitualiza, ou conceptualiza *s2g.* 3 Adepto ou seguidor do conceitualismo ou conceptualismo [F.: *conceitualismo* + *ista.* Tb. *conceptualista.*]

conceitualização (con.cei.tu:a.li.za.*ção*) *sf.* Ação ou resultado de conceituar, de criar, desenvolver ou enunciar conceitos [F.: *conceitualizar* + *-ção.* Tb. conceptualização.]

conceitualizado (con.cei.tu:a.li.*za*.do) *a.* Que foi objeto de conceitualização; que foi interpretado, explicado [F.: Part. de *conceitualizar.* Tb. *conceptualizado.*]

conceitualizar (con.cei.tu:a.li.*zar*) *v.* *td.* Expressar conceito ou ideia sobre (algo) [▶ 1 conceitualiz **ar**] [F.: *conceitual* + *-izar.* Tb. *conceptualizar.*]

conceituar (con.cei.tu.*ar*) *v.* 1 Formar ou exprimir conceito, definição ou explicação para [*td.*: *Como conceituar a arte moderna?*] 2 Formar opinião ou conceito de; julgar [*tdp.*: *Por acaso conceitua-me como infalível?*] [*tr.* + *de*, *sobre*: *Conceitua de /sobre tudo e todos.* "Conceituar dos homens e do seu interior." (Almeida Garrett)] 3 Contribuir para formação de conceito (bom ou mau) sobre; AVALIAR [*td.*: *Seu comportamento o conceituava bem entre os colegas.*] 4 Atribuir valor, qualidade, defeito etc. a; qualificar ou classificar (algo ou alguém) como [*tdr.* + *de*: *Conceituou o amigo de imprudente.*] [*tdp.*: *Não a conceitue uma hipócrita só porque mudou de ideia.*] 5 Atribuir conceito, nota etc. a (trabalho escolar, prova, desempenho de aluno etc.) [*td.*: *O professor ainda não conceituou os trabalhos da turma.*] [▶ 1 conceituar, conceptuar] [F.: *conceito* + *-uar.* Tb. *conceptuar.*]

conceituoso (con.cei.tu.*o*.so) [ô] *a.* 1 Em que há conceito (frase, dito, expressão engenhosos); que contém conceito 2 Diz-se de pessoa que fala por conceitos; SENTENCIOSO [Fem. e pl.: [ó].] *sm.* 3 Essa pessoa [Pl.: [ó]. Fem.: [ó].] [F.: *conceito* (f. rad. *conceitu-* do lat. *conceptus*) + *-oso.*]

concelebração (con.ce.le.bra.*ção*) *sf.* 1 Ação ou resultado de concelebrar 2 *Rel.* Participação de vários ministros numa mesma cerimônia litúrgica: *A missa foi concelebrada por cinco padres.* [F.: *concelebrar* + *ção.*]

concelebrar (con.ce.le.*brar*) *v.* *Rel.* Celebrar conjuntamente um ofício religioso [*td.*] [▶ 1 concelebrar] [F.: Do lat. *concelebrare.*]

concentração (con.cen.tra.*ção*) *sf.* 1 Ação ou resultado de concentrar(-se) 2 *P. ext.* Condição ou estado de quem se concentra, de quem focaliza sua atenção em determinado assunto ou atividade, ou em suas próprias meditações e pensamentos: *A boa prática da ioga exige alto grau de concentração.* 3 Reunião de muitas pessoas ou objetos em um determinado lugar: *Há uma grande concentração de veículos na ponte.* [Ant.: *dispersão.*] 4 *Esp.* Isolamento de jogadores ou atletas antes de um jogo ou de uma competição: *A concentração para as Olimpíadas será longa.* 5 *Esp.* Local em que ficam isolados esses esportistas em isolamento: *A concentração da seleção brasileira fica em Teresópolis.* 6 Mobilização de energia e atenção para um objetivo determinado: *Sem concentração nos estudos, não conseguirá passar no concurso; concentração nos objetivos.* 7 Resultado da acumulação de certos elementos: *alta concentração de gás carbônico.* 8 *Quím.* Proporção do soluto em relação ao solvente ou à solução: *substância de alta concentração.* 9 Proporção, em um todo, de um certo componente ou de um elemento externo: *concentração de álcool num organismo.* [Pl.: *-ções.*] [F.: *concentrar* + *-ção.*] ■ **~ de renda** *Econ. Pol.* O processo e o grau de grande acumulação de riqueza num segmento pequeno da sociedade **~ de saturação** *Quím.* Concentração de uma solução no ponto máximo do peso do soluto que ela admite **~ galáctica** *Astron.* Concentração de matéria em torno do centro de uma galáxia

concentrado (con.cen.*tra*.do) *a.* 1 Reunido num mesmo centro ou ponto: *sambistas concentrados para o desfile.* [Ant.: *disperso.*] 2 Muito apertado (espaço concentrado); EXÍGUO; LIMITADO [Ant.: *amplo, vasto.*] 3 *Quím.* Diz-se de solução que teve o teor de soluto aumentado por concentração (fórmula concentrada) 4 Que teve o odor intensificado por um processo de apuração (perfume concentrado) 5 Muito atento; ABSORTO: *cientista concentrado em suas pesquisas.* [Ant.: *alheado, desatento, distraído.*] 6 *Fig.* Muito forte (raiva concentrada); INTENSO [Ant.: *fraco, tênue.*] 7 Diz-se de alimento que teve o volume reduzido pela extração da água: *caldo de galinha concentrado.* [Ant.: *diluído.*] *sm.* 8 Esse alimento 9 *Mln.* Produto (composto de minério) resultado de processo aplicado a composto original, no qual o teor do minério desejado é superior ao do original [F.: Part. de *concentrar.*]

concentrador (con.cen.tra.*dor*) [ô] *a.* 1 Que concentra 2 Diz-se do indivíduo que chama a si a responsabilidade por decisões ou tarefas; CENTRALIZADOR *sm.* 3 *Quím.* Aparelho destinado a concentrar uma solução, ger. pela eliminação da água 4 *Inf.* Em um sistema de computadores, unidade que reagrupa os dados provindos de vários terminais e os encaminha por uma única via 5 *Telc.* Dispositivo que permite ligar diversos circuitos telefônicos de uma localidade com seus correspondentes em outra localidade [Pl.: *-ores.*] [F.: *concentrado* + *or.*]

concentrar (con.cen.*trar*) *v.* 1 Convergir ou fazer convergir (para um único ponto, lugar, direção); reunir (num mesmo ponto ou lugar); agrupar(-se) [*tdr.* + *em*: *Concentrou numa só frase toda a sua ideia; O absolutismo concentra todo o poder no monarca.*] [*tda.* + *em*: *Os alunos concentraram-se no pátio.*] [*td.*: *concentrar forças em busca da vitória.*] 2 Dedicar grande atenção a., orientar esforço, energia para [*tdr.* + *em*: *Concentrara-se na tarefa durante toda a semana.*] [*int.*: *Precisava aprender a concentrar-se.*] 3 Tornar(-se) mais denso, menos diluído, mais forte [*td.*: *concentrar o molho/o suco*] [*int.*: *Com a evaporação, o suco concentrou-se ainda mais.*] 4 *Esp.* Reunir(-se) (time) em local isolado antes de uma partida ou durante competição [*int.*: *A seleção concentra-se em Teresópolis.*] [*td.* *tda.*: *O técnico resolveu concentrar o time (na Granja Comari)*] 5 Revelar(-se) em grande quantidade e intensidade; SINTETIZAR(-SE) [*tdr.* + *em*: *Concentrara em sua figura ridícula as esperanças da nação.*] [*tr.* + *em*: *Concentravam-se nela todos os pecados da comunidade.*] 6 *Econ.* Distribuir (renda, riqueza) de modo que a uma parte pequena (e mais rica, portanto) da população caiba sempre o maior quinhão, em detrimento da maior parte (e mais pobre) [*td.*: *concentrar a renda*] 7 *Quím.* Aumentar o teor de um soluto em (solução) [*td.*] [▶ 1 concentrar] [F.: *con-* + *centro* + *-ar*.]

concentricidade (con.cen.tri.ci.*da*.de) *sf.* Qualidade, condição ou estado do que é concêntrico: *O astrônomo observava a concentricidade das órbitas.* [F.: *concêntrico* + *-idade.*]

concêntrico (con.*cên*.tri.co) *a.* 1 *Geom.* Que tem o mesmo centro (diz-se esp. de curvas, e esp. de círculos com raios de dimensões diferentes) (círculos concêntricos); HOMOCÊNTRICO 2 Que forma com sua disposição círculos concêntricos: *Dispôs as cadeiras em várias filas, em formação concêntrica.* 3 Que forma com seu traçado ou seu rumo círculos ou curvas concêntricas: *O avião matinha um voo concêntrico enquanto perdia altitude.* [F.: Do lat. medo. *concentricus.*]

concepção (con.cep.*ção*) *sf.* 1 Ação ou resultado de conceber, de gerar ou ser gerado (no útero) um ser vivo, como resultado da fecundação de um óvulo por espermatozoide(s): *a concepção de uma criança.* [Ant.: *anticoncepção, contracepção.*] 2 Ação ou resultado de criar algo na mente ou no intelecto, de ter ideia(s), de imaginar (coisas concretas ou abstratas): *Deve-se a ele a concepção de um novo gênero teatral; Esta obra é uma concepção daquele arquiteto famoso.* 3 Faculdade, ação ou resultado de entender algo; COMPREENSÃO; NOÇÃO; PERCEPÇÃO: *Ela não tem a menor concepção do que está se passando.* [+ de, sobre: *Sua concepção de/sobre moral é estranha.*] 4 Ponto de vista, maneira de ver, sentir, interpretar algo; OPINIÃO: *Na minha concepção isso não está correto.* [Pl.: *-ções.*] [F.: Do lat. *conceptio, onis*, segundo modelo semierudito.] ■ **~ in vitro** *Med.* Método de fecundação no qual o espermatozoide penetra no óvulo fora do organismo da mãe, sendo depois o embrião implantado em útero para continuação da gestação

conceptismo (con.cep.*tis*.mo) *sm. Liter.* Estilo barroco surgido na Espanha nos séculos XVI e XVII, caracterizado especialmente pela originalidade e agudeza do pensamento e pelo contraste de ideias e conceitos [F.: *concept* + *-ismo*.]

conceptivo (con.cep.*ti*.vo) *a.* **1** Relativo a concepção **2** Próprio para conceber ou para ser concebido **3** Que tem capacidade para conceber, fecundo [F.: Do lat. *conceptivus, a, um*.]

conceptual (con.cep.tu:*al*) *a2g.* Ver *.conceitual*

conceptualismo (con.cep.tu:a.*lis*.mo) *sm. Fil.* Ver *conceitualismo* [F.: Do fr. *conceptualisme*.]

conceptualista (con.cep.tu.a:*lis*.ta) *a2g.* Ver *conceitualista* [F.: *conceptualismo* + *-ista*.]

conceptualização (con.cep.tu:a.li.za.*ção*) *sf.* Ver *conceitualização* [Pl.: *-ções*.] [F.: *conceptualizar* + *-ção*.]

conceptualizado (con.cep.tu:a.li.*za*.do) *a.* Ver *conceitualizado* [F.: Part. de *conceptualizar*.]

conceptualizar (con.cep.tu:a.li.*zar*) *v. td.* Ver *conceitualizar* [F.: *conceptual* + *-izar*.]

conceptuar (con.cep.tu.*ar*) *v.* Ver *conceituar*

concernência (con.cer.*nên*.ci:a) *sf.* Propriedade do que é concernente, que tem relação com ou que diz respeito a alguma coisa [F.: *concern-* + *ência*.]

concernente (con.cer.*nen*.te) *a2g.* **1** Que concerne a, tem relação com, diz respeito a; REFERENTE; RELATIVO [+ *a*: *documento concernente a um assunto*.] **2** Que interessa a: *O problema nos é concernente*. [F.: Do lat. *concernente (concernens, entis)*, part. pres. de *concernere*.]

concernido (con.cer.*ni*.do) *a.* Em que houve concernência

concernir (con.cer.*nir*) *v.* **1** Dizer respeito, tocar, ter relação, pertencer; REFERIR-SE; TOCAR [*tr.* + *a*: *Nas coisas que concernem à vida íntima, ele é muito reservado*: "Malle criou filmes sinceros em dramaticidade, sutis no que concerne à técnica cinematográfica." (*Folha de S.Paulo*, 13.09.1999)] **2** Ser atribuível ou adequado a, caber a [*tr.* + *a*: *Essa crítica não me concerne*.] [▶ **50 concernir**. Us. quase somente nas 3as. pess. do sing. e do pl.] [F.: Do lat. *concernere*.]

concertação (con.cer.ta.*ção*) *af.* **1** Ação ou resultado de concertar(-se) *sf.* **2** Ajuste, acordo, entendimento, pacto; CONCERTAMENTO; CONCERTO [F.: *concertar* + *ção*.]

concertado (con.cer.*ta*.do.) *a.* **1** Que foi objeto de concertação **2** Ameno, calmo: *Nas tardes concertadas da província*. **3** Recatado, moderado: "Itaguaí não possuiria um único cérebro concertado?" (Machado de Assis, *O Alienista*) **4** *Jur.* Conferido (documentos concertados) [Cf.: *consertado* F.: Part. de *concertar*.]

concertante (con.cer.*tan*.te) *a2g.* **1** Que combina, ajusta, pactua **2** *Mús.* Diz-se da parte solística de um concerto **3** *Mús.* Diz-se de um estilo de música baseado no diálogo entre várias vozes ou instrumentos **4** *Mús.* Diz-se do solista ou do instrumento que exerce essa função [F.: Do lat. *concertans, antis*.]

concertar (con.cer.*tar*) *v.* **1** Pôr(-se) em acordo, em recíproca aceitação ou concordância; CONCILIAR; HARMONIZAR [*td.*: *Prefeito e governador concertaram suas posições*.] **2** Combinar (algo) por deliberação conjunta, ou predeterminar (linha de ação ou evento futuro), tramar (algo) [*td.*: *Os sócios concertaram um plano para salvar a empresa*.] [*tdr.* + *com*: *O comandante concertou uma trégua com o inimigo*.] **3** Concordar, convir [*tr.* + *em*: *Todos concertaram em cancelar a festa; Concertamo-nos em manter silêncio*.] **4** Pôr em boa ordem ou disposição, tornar harmônico, dispor de forma correta; ENDIREITAR; COMPOR [*td.*: *Concertou o paletó na hora da foto*.] **5** Fazer soar ou soar harmonicamente [*td.*: *concertar cânticos*.] [*int.*: *Ela dizia ouvir concertar vozes de anjos*.] **6** Estar conforme, de acordo; corresponder a (ao se cotejarem, p. ex., original e cópia) [*tr.* + *com*: *A certidão concerta com o livro de onde foi extraída*.] **7** Pôr enfeite ou ornamento em; ENFEITAR; ORNAR [*td.*: *concertar o salão com fitas e flores*] [▶ **1 concertar**] [F.: Do lat. *concertare*. Hom./Par.: *concerto* (flex. de *concertar*), *concerto* (ê) (*sm.*), *conserto* (ê) (*sm.*); *consertar* (*v.*).]

concertina (con.cer.*ti*.na) *sf.* **1** *Mús.* Instrumento parecido com o acordeão, de formato hexagonal e com dois teclados de botões; HARMÔNICA; SANFONA **2** Tipo de arame farpado, enrolado num formato helicoidal, que pode ser estendido (como o fole de uma concertina [1]) [F.: Do it. *concertina*.]

concertista (con.cer.*tis*.ta) *a2g.* **1** Diz-se de músico que se apresenta em concerto *s2g.* **2** Esse músico [F.: Do it. *concertista*.]

concerto (con.*cer*.to) [ê] *sm.* **1** Ação ou resultado de concertar **2** *Mús.* Obra musical para instrumento(s) solista(s) e orquestra: *concerto para flauta*. **3** *Mús.* Audição pública de obras musicais de qualquer gênero, que podem ser executadas por instrumentistas, cantores, orquestras etc.; RECITAL: *Assistiu a um concerto no Teatro Municipal*. **4** Condição de harmonia e de boa arrumação; ARRANJO; ORDEM: *dar concerto à balbúrdia*. **5** Combinação harmoniosa de sons, vozes etc.: *o concerto matinal dos pássaros* **6** *P. ext.* Qualquer combinação ou sucessão de sons, ruídos, ditos, gritos etc.: *De longe, um concerto de buzinas já anunciava o engarrafamento*. **7** Combinação, acordo entre pessoas ou instituições; PACTO [+ *com, entre*: *concerto com vizinhos, concerto entre povos*.] **8** *Jur.* Composição, ajuste entre as partes **9** *Jur.* Comparação, confronto (*concerto* de documentos) [F.: Do it. *concerto*. Hom./Par.: *concerto* (v. *concertar*) e *conserto* (*subst.*).] ■ **~ duplo/triplo** *Mús.* Concerto para dois/três solistas e orquestra **~ grosso** *Mús.* Concerto (ger. do período barroco) no qual se desenvolve um diálogo entre um grupo de solistas (*concertino*) e o grosso da orquestra (*concerto grosso, ripieno, tutti*), com momentos em que se fundem

concessão (con.ces.*são*) *sf.* **1** Ação ou resultado de conceder, permitir, consentir; AUTORIZAÇÃO; PERMISSÃO [+ *para*: *Obteve concessão para abrir uma franquia*.] **2** Permissão oficial para exploração de bens naturais ou serviços públicos ou de usufruir de certo privilégio [+ *de*: *concessão de um canal de televisão*] **3** O bem ou serviço ou privilégio assim concedidos **4** Ação ou resultado de ceder, de abrir mão (de algo, de uma atitude etc.) em favor de outrem, de permitir ou aceitar alguma coisa por tolerância: *O casal fez concessões mútuas para manter a união; Esse professor não faz concessão a aluno algum*. **5** A figura, a ação ou o resultado de concordar ou fingir concordar com argumento ou posição de adversário, em algo que se lhe podia contestar **6** *Gram.* Numa oração, menção de fato ou circunstância contrários à descrição da ação principal, mas que não a impede [P. ex.: Ele continuou o discurso, embora sob intensa vaia.] [Pl.: *-sões*.] [F.: Do lat. *concessio, onis*.]

concessionária (con.ces.si:o.*ná*.ri:a) *sf.* **1** *Bras.* Empresa que comercializa veículos de uma determinada marca, por concessão da fábrica; REVENDEDOR **2** Empresa que recebeu concessão, a que foi concedido algo, a exploração de um serviço etc.: *concessionária das barcas*. [F.: Fem. subst. de *concessionário*.]

concessionário (con.ces.si:o.*ná*.ri:o) *a.* **1** Diz-se de indivíduo, de pessoa física ou jurídica que obteve concessão de serviço público ou privado, de exploração comercial de determinado produto etc.: *órgão concessionário para limpeza pública*. *sm.* **2** Essa pessoa ou firma [F.: *concessão* + *-ário*, segundo o mod. erudito.]

concessivo (con.ces.*si*.vo) *a.* **1** Ref. a concessão **2** *Gram.* Diz-se de conjunção subordinativa (*embora, conquanto* etc.) que introduz uma oração que contraria a ação expressa na oração principal mas que não impede sua realização **3** *Gram.* Diz-se da oração assim subordinada [F.: Do lat. *concessivus*.]

concessor (con.ces.*sor*) [ô] *a.* **1** Diz-se de quem (pessoa física ou jurídica) faz concessão (de algo) *sm.* **2** Aquele que faz concessão [F.: Do rad. lat. *concessus* + *-or*.]

concessório (con.ces.*só*.ri:o) *a.* **1** Relativo a ou que envolve concessão **2** Que indica consentimento, permissão; CONCESSIVO [F.: *concess-* + *-ório*.]

concha (*con*.cha) *sf.* **1** *Anat. Zool.* Envoltório calcário, curvo e rígido de certos moluscos, como caracóis e mariscos **2** Qualquer objeto ou utensílio com esse feitio **3** Esse formato ou feitio: *Bebeu água da fonte com a mão em concha*. **4** Espécie de talher côncavo, grande e fundo para servir sopa e outros alimentos líquidos **5** O conteúdo desse talher: *A dieta só permite tomar uma concha de sopa*. **6** Prato de balança **7** Concavidade do corpo (*concha* da orelha) **8** *Tabu.* A vulva **9** *Lus.* A orelha **10** *Mús.* Parte mais larga e ligeiramente côncava das chaves dos instrumentos de sopro **11** *Teat.* Pequena cúpula sobre o buraco do ponto, e que ajuda a propagar sua voz em direção aos atores em cena **12** *Geog.* Pequena enseada redonda **13** *Fig.* Casa, residência: *Deprimido, há uma semana não sai de sua concha*. [F.: Do gr. *kógche*, pelo lat. tardio *conchula*, dim. de *concha*.] ■ **~ acústica** *Arq.* Construção em lugar aberto, em forma de concha, que serve para refletir o som na direção do público presente **De ~** *GO Pop.* De excelente qualidade **Sair da ~** **1** *Fig.* Mostrar-se, aparecer (depois de estar sumido ou omisso) **2** Sair de retraimento, isolamento

conchavado (con.cha.*va*.do) *a.* **1** Que se conchavou, que formou conchavo; CONLUIADO; MANCOMUNADO: *Empregado conchavado com outros para derrubar o chefe*. **2** Ligado, encaixado, reunido (opiniões conchavadas) [Ant.: *apartado, desconchavado, separado*.] **3** Que foi ajustado (acordo conchavado); ACORDADO; COMBINADO; PACTUADO [Ant.: *descombinado, desconchavado, rompido*.] **4** *RS* Diz-se de empregado assalariado (peão conchavado): "...só tinha de seu um cavalo gordo, o facão afiado e as estradas reais, estava conchavado de posteiro, ali na entrada do rincão..." (João Simões Lopes Neto, "A salamanca do jarau", in *Lendas do Sul*) *sm.* **5** Esse empregado, trabalhador de estância [F.: Part. de *conchavar*.]

conchavar (con.cha.*var*) *v.* **1** *Ant.* Pôr(-se) junto; REUNIR; UNIR [*td.*: *conchavar doutrinas antagônicas*.] [*int.*: *As opiniões acabaram por se conchavar*.] **2** *Fig.* Fazer entrar em entendimento [*td.*: *Queriam conchavar os que discordavam; Conchavamos nossas ideias*.] [*int.*: *Conchavamos depois de muitas discórdias*.] **3** *Fig.* Fazer uma combinação; ACERTAR; MARCAR [*td.*: *Conchavamos a festa para a próxima semana*.] [*tdr.* + *com*: *Conchavou a posição dele com a da mulher*.] **4** *RS* Arquitetar trama, conluio; CONLUIAR(-SE) [*td.*: *Conchavaram a cassação do deputado*.] [*int.*: *Os conspiradores conchavam à sombra*.] **5** *RS* Colocar, encaixar (coisas menores dentro de coisas maiores) [*td.*] **6** *RS* Dar ou conseguir emprego em (residência, fazenda etc.) [*td.*: *Conchavou uma nova faxineira*.] [*tdp.*: *Conchavou-se como boiadeiro*.] [*int.*: *A experiência fê-lo conchavar na fazenda do coronel*.] **7** *RS* Ligar-se amorosamente a alguém sem estar com ele casado; AMANCEBAR(-SE); AMIGAR(-SE) [*tdr.* + *com*: *Ela conchavou-se com o vizinho*.] **8** *Lus. Jur.* Assinar (contrato de trabalho) [*td.*: *Conchavei-me com a empresa hoje cedo*.] [▶ **1 conchavar**] [F.: Do lat. tardio *conclavare*.]

conchavo (con.*cha*.vo) *sm.* **1** Ação ou resultado de conchavar **2** Combinação, acordo, ajuste (*conchavos* políticos) *sm.* **3** Conluio, maquinação com objetivo interesseiro ou ilícito: *Fizeram um conchavo para burlar o fisco*. **4** *RS* Emprego, colocação: *Arranjou conchavo numa estância*. [F.: Dev. de *conchavar*. Hom./Par.: *conchavo* (fl. *conchavar*).]

conchegar (con.che.*gar*) *v.* **1** Aproximar(-se) de, pondo em contato, em busca de conforto, proteção; apertar(-se) contra; ACONCHEGAR(-SE) [*tdr.*: *Conchegou o filho ao peito; Os filhotes conchegavam-se à gata*.] **2** Achegar, aproximar [*td.*: *Conchegara a lanterna para ver que bicho era*.] [*tdr.* + *a, de*: *Conchegue uma cadeira a nós; Conchegou-se da janela para espiar pelo vidro*.] **3** Cobrir(-se), envolver(-se) bem com (roupa, agasalho etc.) aproximando-os do corpo [*tdr.* + *em*: *Conchegou-se no sobretudo e saiu naquele frio todo; Ela conchegou seu gatinho no cobertor*.] [*td.*: *Conchegou bem o cachecol antes de sair*.] **4** Dispor de forma que fique cômodo, agradável [*td.*: *Conchegou as almofadas e recostou o corpo cansado*.] [*tda.*: *Conchegou o filho no berço e apagou a luz*.] **5** Ajeitar, compor (roupa, vestuário) [*td.*: *Conchegou com esmero a roupa de cama*.] [▶ **14 conchegar**. Tem o *e* fechado nas formas rizotônicas: *conchego* (ê), *conchegas* (ê) etc.] [F.: Do lat. *complicare*. Tb. *aconchegar*.]

conchego (con.*che*.go) [ê] *sm.* **1** Conforto, sensação de segurança e proteção de um ambiente acolhedor **2** *Fig.* Sentimento de satisfação emocional causado por situação agradável, calorosa etc.: *Seu conchego eram os serões familiares*. **3** *Fig.* Refúgio, abrigo (o *conchego* do lar) **4** *Fig.* Aquele que protege, sustenta, propicia o conchego (1) de outrem: *Meu pai sempre foi o conchego de nossa família*. **5** *Pej. Pop.* Protetor, num relacionamento fora dos padrões sociais, legais, morais etc. vigentes: *Ela arrumou um conchego e deixou de trabalhar*. [Sin. ger.: *aconchego*.] [F.: Regr. do v. *conchegar*.]

concho (*con*.cho) *a.* **1** Que é muito confiante em si: "Facão na cinta, lá vou eu mui concho..." (João Simões Lopes Neto, *Cancioneiro Guasca*) **2** Orgulhoso, soberbo, vaidoso: *Respondia a todos, concho de suas virtudes*. [Ant.: *despretensioso, humilde*.] **3** Que está protegido por concha (2) *sm.* **4** *Lus.* Mexilhão de água-doce *sm.* **5** *Lus.* Vaso de folha ou de cortiça, com um cabo comprido, e que serve para tirar água dos poços [F.: Posv. de *concha*.]

concidadão (con.ci.da.*dão*) *sm.* **1** O habitante de uma cidade ou país em relação a outro(s) da mesma cidade ou país: "Os judeus, reputando a Cristo como um concidadão, o sentenciaram conforme a lei." (Rebelo da Silva, *Fastos da Igreja*) **2** Aquele que, em relação a outrem, tem a mesma cidadania [Pl.: *-dãos*. Fem.: *-dã*.] [F.: *con-* + *cidadão*.]

conciliábulo (con.ci.li:*á*.bu.lo) *sm.* **1** *Ant. Rel.* Concílio de prelados heréticos, cismáticos ou convocados para discutir objetivos contrários à Igreja **2** *P. ext.* Reunião de religiosos não católicos **3** *P. ext.* Pequena assembleia **4** Reunião secreta com objetivos maléficos; CONLUIO; CORRILHO **5** *P. ext.* Trama, conspiração **6** *Fig.* Série de conversas longas para resolução de algum assunto: *Propostas do conciliábulo que se reuniu com o ministro*. [F.: do lat. *conciliabulu(m)*.]

conciliação (con.ci.li:a.*ção*) *sf.* **1** Ação ou resultado de conciliar(-se), de se porem de acordo pessoas em divergência ou disputa **2** Harmonização entre pessoas, coisas ou ideias até então conflituosas, contraditórias, destoantes etc. [+ *de, entre*: *conciliação de horários; conciliação entre marido e mulher*.] **3** *Jur.* Ajuste entre as partes para pôr fim a demanda legal: *Junta de Conciliação e Julgamento*. [Pl.: *-ções*.] [F.: Do lat. *conciliatio, onis*, pelo fr. *conciliation*.]

conciliado (con.ci.li.a.do) *a.* **1** Que se conciliou, entrou em acordo: *réu e queixoso conciliados pelo juiz*. **2** Em que interveio conciliação: "Eles se chegaram a nós como obreiros voluntários conciliados com a lei de Deus." (Xavier Marques, *Pindorama*) **3** Harmonizado: *tendências e ideias conciliadas*. [F.: Part. de *conciliar²*.]

conciliador (con.ci.li:a.*dor*) [ô] *a.* **1** Que concilia, harmoniza, apazigua (divergências, opiniões, ânimos etc.) ou que é próprio para conciliar, harmonizar: *Em toda divergência na empresa ela sempre adota uma atitude conciliadora*. **2** Diz-se de indivíduo com índole de conciliar, apaziguar; APAZIGUADOR *sm.* **3** Essa pessoa: *Ele é o conciliador da família*. [F.: Do lat. *conciliator*, pelo fr. *conciliateur*.]

conciliar¹ (con.ci.li:*ar*) *a2g.* **1** Ref. a concílio, ou que dele resulta (*decisão* conciliar) **2** Diz-se de quem participa de concílio (representante conciliar) [F.: *concílio* + *-ar¹*.]

conciliar² (con.ci.li.*ar*) *v.* **1** Aliar, unir; combinar, compatibilizar (coisas diferentes ou que sejam ou pareçam incompatíveis) [*td.*: *conciliar trabalho e estudos*.] [*tdr.* + *a, com*: *Os pais conciliavam o rigor com a tolerância; Um chefe que concilia os deveres do seu cargo com a benevolência*.] [*int.*: *Trata-se de características que não se conciliam*] **2** Harmonizar(-se); pôr(-se) de acordo; reconciliar(-se) [*td.*: *O juiz conciliara marido e mulher*.] [*tdr.* + *a, com*: *conciliar o interesse dos patrões com as reivindicações dos empregados; Depois da conversa, eles se conciliaram*. (*um se conciliou com o outro*)] [*int.*: *Um político sempre disposto a conciliar*.] **3** Fazer ficar ou ficar sossegado, em paz [*td.*: *conciliar o espírito/a mente*.] [*int.*: *Depois de ter feito tanta maldade, não conseguia conciliar-se*.] **4** Atrair a si; granjear, captar [*td.*: *Concilia admiração por onde passa*.] [*tdi.* + *a*: *Seu temperamento difícil só lhe concilia inimizades*.]

5 Conseguir atingir (o sono) [*td.: Em poucos instantes conciliou o sono.*] [▶ 1 conciliar] [F.: Do lat. *conciliare.* Hom./Par.: *concilio* (fl.), *concílio* (sm.), *consílio* (sm.); *conciliaria* (fl.), *conciliária* (fem. de *conciliário*), *consiliária* (fem. de *consiliário*).]

conciliativo (con.ci.li:a.*ti*.vo) *a.* Ref. a conciliação, que se destina a conciliar ou que serve para conciliar; CONCILIADOR; CONCILIANTE; CONCILIATÓRIO: *um espírito conciliativo.* [F.: *conciliat-* (do part. do v. latino *conciliare*) + *-ivo.*]

conciliatório (con.ci.li:a.*tó*.ri:o) *a.* O mesmo que *conciliativo*; próprio para conciliar; que serve para a conciliação (discurso conciliatório) [F.: *conciliar²* + *-tório.*]

conciliável (con.ci.li.*á*.vel) *a2g.* Que se pode conciliar: "O infortúnio é conciliável com a delicadeza." (Camilo Castelo Branco, *Livro de Consolação*) [Ant.: *inconciliável.*] [F.: *conciliar* + *-vel.* Hom./Par.: (pl.) *conciliáveis, conciliáveis* (fl. de *conciliar*).]

concílio (con.*cí*.li:o) *sm.* 1 *Rel.* Assembleia de bispos católicos, aprovada pelo papa, para deliberar sobre fé, doutrina e disciplina eclesiástica 2 *P. ext.* Conselho, assembleia de religiões não católicas [F.: do lat. *concilium.* Hom./Par.: *concilio* (v. *conciliar*).] ■ **~ ecumênico** *Rel.* Grande assembleia de toda uma Igreja cristã, para definir sua ação e repensar sua doutrina

concisão (con.ci.*são*) *sf.* Qualidade do que ou de quem é conciso; brevidade e clareza no falar e no escrever; LACONISMO [Ant.: *prolixidade, verbosidade.*] [Pl.: *-sões.*] [F.: Do lat. *concisio, onis,* pelo fr. *concision.*]

conciso (con.*ci*.so) *a.* 1 Breve e claro na forma escrita ou oral (texto conciso, discurso conciso); SUCINTO 2 Que se expressa com brevidade e clareza (escritor conciso); LACÔNICO [F.: Do lat. *concisu.* Ant. ger.: *prolixo, verboso.*]

concitação (con.ci.ta.*ção*) *sf.* Ação ou resultado de concitar; INCITAÇÃO, INSTIGAÇÃO: "Urge a concitação de todos os segmentos comunitários para irmanarem-se nesta seara que não é eminentemente pública." (Maurício Kuehne, "Reflexões sobre a lei prisional brasileira e a lei dos crimes hediondos") [Pl.: *-ções.*] [F.: Do lat. *concitatio, onis.*]

concitar (con.ci.*tar*) *v.* 1 Incitar, instigar [*td.: concitar animosidades.*] [*tdr. + a: Concitou a população a participar da campanha.*] 2 Induzir, incitar (à desordem, ao tumulto) [*td.: concitar os grevistas.*] [*tdr. + a: concitar o povo à rebelião.*] [▶ 1 concitar] [F.: Do lat. *concitare.*]

conclamação (con.cla.ma.*ção*) *sf.* 1 Ação ou resultado de conclamar; CHAMAMENTO; CONVOCAÇÃO: *conclamação para a votação.* 2 Grito simultâneo de muita gente; ACLAMAÇÃO; PROCLAMAÇÃO: *conclamação do povo ao novo governante.* [Pl.: *-ções.*] [F.: Do lat. *conclamatio, onis.*]

conclamar (con.cla.*mar*) *v.* 1 Convocar, incitar, chamar [*td.: É um político que sabe conclamar as massas.*] [*tdr. + a, para: O ministro conclamou a população para colaborar no combate ao dengue.*] 2 Aclamar (alguém) em grupo, coletivamente [*td.: A multidão conclamava os heróis do penta.*] [*tdp.: Conclamaram-no líder do movimento grevista.*] [*int.: Desapontados com a inutilidade de seus protestos, já não conclamavam mais.*] 3 Clamar, bradar simultaneamente (um grupo, multidão etc.), tb. como protesto ou reivindicação [*td.: A torcida, entusiasmada, conclamava "Mais um! Mais um!"; O povo, revoltado, conclamava a deposição do tirano.*] 4 Falar em voz alta; BRADAR; VOZEAR [*int.: Os guerreiros conclamavam durante a luta.*] [▶ 1 conclamar] [F.: Do lat. *conclamare.*]

conclave (con.*cla*.ve) *sm.* 1 *Rel.* Reunião de cardeais, a portas fechadas, para eleger o papa 2 O local dessa reunião, no Vaticano 3 *P. ext.* Reunião para discussão de um tema importante, esp. uma reunião secreta; CONGRESSO; ENCONTRO 4 O local dessa reunião [F.: Do lat. *conclave* 'com chave'.]

concludência (con.clu.*dên*.ci:a) *sf.* Condição ou qualidade do que é concludente [Ant.: *inconcludência.*] [F.: *concludente* (f. rad. *conclud-*) + *-ência.*]

concludente (con.clu.*den*.te) *a2g.* 1 Que faz chegar a uma conclusão (argumento concludente); CONCLUSIVO; TERMINANTE [Ant.: *evasivo, impreciso.*] 2 Que demonstra cabalmente (prova concludente); CATEGÓRICO; CONVINCENTE; DECISIVO [Ant.: *improcedente, refutável.*] [F.: Do lat. *concludens, entis,* part. pres. de *concludere.* Ant. ger.: *inconcludente.*]

concluído (con.clu.*í*.do) *a.* 1 Que se concluiu; ACABADO; TERMINADO: "Deu por concluída a tarefa e foi almoçar." (Machado de Assis, *Histórias da Meia-noite*) [Ant.: *começado, iniciado.*] 2 Que foi deduzido, inferido: *Voto concluído em razão dos depoimentos.* [F.: Part. de *concluir.* Ideia de 'concluído', usar pref. *tele(o)-.*]

concluinte (con.clu.*in*.te) *a2g.* 1 *P. us.* Que conclui; CONCLUDENTE; CONCLUENTE: "Foram estas razões ditas pelo Arcebispo... tão concluintes que não duvidava ninguém." (Frei Luís de Sousa, *Vida do Arcebispo*) 2 Diz-se de estudante que está concluindo um curso (concluinte do ensino médio/do curso de filosofia) *s2g.* 3 *Bras.* Estudante que está concluindo um curso em uma escola, faculdade etc.: *Foi inesquecível a cerimônia da entrega de diplomas aos concluintes.* [F.: *concluir* + *-nte.*]

concluir (con.clu.*ir*) *v.* 1 Finalizar, terminar de fazer; fazer chegar ou chegar ao fim de [*td.: concluir uma leitura; Concluímos o percurso em três horas.*] 2 Ter seu fim; chegar a seu termo; acabar, terminar [*tr. + com: O soneto concluiu com um terceto apoteótico.*] 3 Tirar por consequência; deduzir, inferir [*td.:* "Logo concluiu que lhe tinham armado uma cilada." (Josué Montello, *Um Rosto de Menina*)] [*tdr. + de: Concluíram de tudo isso que ele falava a verdade.*] 4 Chegar a acordo ou ajuste sobre; FIRMAR [*td.: Os empresários concluíram a venda das ações por preço justo.*] 5 Terminar um texto, uma declaração etc.; ARREMATAR [*int.: Para concluir, agradeço a todos os que aqui estão.*] 6 Decidir ou resolver após reflexão [*tr. + em, por: Concluíra em/por recusar o convite; A autoridade concluiu pelo indeferimento do pedido.*] 7 *Fut.* Finalizar uma jogada [*int.: Apesar do passe perfeito, o atacante não concluiu bem.*] 8 *Jur.* Ser concludente, categórico ao demonstrar ou provar algo [*int.: As provas concluem.*] [▶ 56 concluir] [F.: Do lat. *concludere.*]

conclusão (con.clu.*são*) *sf.* 1 Ação ou resultado de concluir, finalizar; FINALIZAÇÃO; TÉRMINO [Ant.: *começo, início.*] 2 Fim, termo: *a conclusão de uma obra* 3 Epílogo, fecho: *A conclusão do romance é surpreendente.* 4 Resultado final, desfecho (ger. positivo, com acordo) de um processo, negócio etc.: *Discutiram longamente os termos do acordo até chegarem a uma conclusão.* 5 Entendimento que se alcança a partir de observação e análise: *Estudaram o caso e chegaram a conclusões surpreendentes.* 6 *Lóg.* Proposição que fecha um raciocínio e resulta de um processo dedutivo 7 *Jur.* Sentença pela qual o juiz decide por uma das partes, em um processo litigioso 8 *Liter. Mús.* Parte final de uma obra literária ou musical [Pl.: *-sões.*] [F.: Do lat. *conclusio, onis.*] ■ **Conclusões magnas** Na Universidade de Coimbra, teses que antecedem o doutoramento

conclusivo (con.clu.*si*.vo) *a.* 1 Que encerra em si, indica ou exprime uma conclusão (resultado conclusivo) 2 Que conclui ou que é próprio para concluir, finalizar: *O público aplaudiu de pé a cena conclusiva do espetáculo.* 3 *Gram.* Diz-se da conjunção coordenativa que expressa conclusão (p. ex.: *portanto*) [F.: Do lat. *conclusivus.*]

concluso (con.*clu*.so) *a.* 1 Acabado, findo, ultimado, terminado 2 Diz-se de processo encaminhado ao magistrado para que seja despachado ou sentenciado: "Vão os autos conclusos ao Geral..." (Camilo Castelo Branco, *Bruxa*) [F.: Do lat. *conclusus, a, um.* Ant. ger.: *inconcluso.*]

concoide (con.*coi*.de) *a2g.* 1 Que tem forma de concha; CONCOIDAL *sf.* 2 *Geom.* Curva que se descreve tirando de um ponto fixo a uma reta ou a uma curva muitas linhas que a interceptam, e tomando sobre estas, a partir das intercepções, pontos igualmente distantes da reta ou curva [F.: Do gr. *konkhoeides,* 'semelhante a concha'.] ■ **~ da reta** O mesmo que *concoide* (2) **~ de Nicomedes** O mesmo que *concoide* (2)

concolor (con.co.*lor*) [ô] *a2g.* 1 Que tem a mesma cor: "Na baixada, mato e campo eram concolores..." (João Guimarães Rosa, "São Marcos" *in Sagarana*) 2 De cor uniforme: "E o Major Saulo indicava... um boi esguio, preto, azulado, azulego; não: azul asa de gralha, água longe, lagoa funda, ...concolor, azulíssimo..." (João Guimarães Rosa, "O burrinho pedrês" *in Sagarana*) 3 *Bot.* Diz-se de folha, pétala etc. que tem a mesma cor em ambas as faces [F.: Do lat. *concolor, oris.* Sin. ger.: *unicolor.*]

concomitância (con.co.mi.*tân*.ci:a) *sf.* 1 Estado, condição ou qualidade do que é concomitante; SIMULTANEIDADE *sf.* 2 Ocorrência simultânea de dois ou mais eventos, fatos, situações etc. 3 *Rel.* Doutrina católica que defende a coexistência, Eucaristia, do corpo (a hóstia) e do sangue (o vinho) de Cristo [F.: Do lat. tardio *concomitantia,* pelo fr. *concomitance.*]

concomitante (con.co.mi.*tan*.te) *a2g.* 1 Diz-se de fato que acontece ao mesmo tempo que outro(s); SIMULTÂNEO: *uso concomitante de vários medicamentos.* 2 *Med.* Diz-se de sintoma que acompanha os sinais e sintomas característicos de uma doença 3 Diz-se de fato ou circunstância que acompanha outro(s): *De longe percebeu-se o clarão da explosão e o concomitante estrondo.* 4 *Mús.* Diz-se de som (harmônico) que se produz juntamente com o som principal [F.: Do lat. *concomitans, antis.*]

concordância (con.cor.*dân*.ci:a) *sf.* 1 Ação ou resultado de concordar; ANUÊNCIA; APROVAÇÃO [Ant.: *discordância.*] 2 Acordo entre pessoas ou coisas, mútua adequação, conformidade: *concordância de objetivos.* [+ *com, entre, sobre: Houve concordância com o inquilino em todos os detalhes; concordância entre as partes; concordância sobre os temas da reunião.*] 3 Conciliação, concórdia, harmonia (concordância de ideias) [Ant.: *desarmonia, discórdia.*] 4 *Gram.* Adaptação da flexão de uma palavra a outra com que se relaciona e da qual depende na frase (concordância nominal/verbal) [+ *com, entre: concordância do verbo com o sujeito; concordância entre substantivos e adjetivos.*] 5 *Geol.* Sucessão paralela de depósitos estratificados; CONFORMIDADE 6 Índice em ordem alfabética de termos, nomes, temas da Bíblia, com indicação de sua localização e contexto (o que faculta estabelecer relações entre eles) 7 Índice em ordem alfabética de palavras e termos de um universo de texto (de um autor, um assunto, uma época etc.) no contexto em que aparecem, o que permite deduzir seus diversos significados e usos [F.: *concordar* + *-ância.* Ant. ger.: *discordância.*] ■ **~ nominal** *Gram.* Adequação entre gênero e número de substantivo com as flexões correspondentes de seus modificadores **~ verbal** *Gram.* Adequação da flexão de um verbo (pessoa e número, gênero no particípio passado) às flexões correspondentes do sujeito da oração

concordante (con.cor.*dan*.te) *a2g.* 1 Que concorda, que está de acordo; ACORDE [Ant.: *divergente.*] 2 Que combina, harmoniza (atos concordantes); CONDIZENTE; HARMONIOSO [Ant.: *conflitante, desarmônico.*] 3 Que consente (aceno concordante); ANUENTE; AQUIESCENTE 4 *Geol.* Diz-se de formação geológica que se apresenta numa sucessão regular e paralela à estrutura basal [F.: Do lat. *concordans, antis.* Ant. ger.: *discordante.*]

concordar (con.cor.*dar*) *v.* 1 Pôr de acordo, harmonizar, conciliar [*td.: concordar amigos brigados; concordar diversas atividades.*] [*tdr. + a, com: Concordava sua vontade com a do amigo.*] 2 Estar de acordo; ter a mesma opinião quanto a [*tr. + com, em, sobre: Ninguém precisa concordar em/sobre todos os assuntos; Concordou (em) que precisava de férias.*] [*int.: Vocês podem concordar ou discordar.*] 3 Estar de acordo, ter a mesma opinião de (algo ou alguém) [*tr. + com: Quanto ao resto, concordava com o amigo; Não concordou com o discurso do deputado.*] 4 Estabelecer por acordo, entrar em acordo quanto a algo; AJUSTAR; PACTUAR [*td.: Depois de longo conflito, concordaram uma trégua.*] 5 Consentir, aceitar [*tr. + em, com:* "...a tia da moça concordou logo em trazê-la..." (Machado de Assis, *Casa Velha*)] [*int.: Festa aqui em casa? Não concordarei de jeito algum!*] 6 *Gram.* Expressar em palavras aceitação de algo, concordância com algo [*int.: "Está bem!" concordou ele sem hesitar.*] 7 Estar em relação ou proporção, ou em conformidade [*tr. + com: Essa assinatura concorda com a sua.*] [*int.: Nem sempre o que se diz e o que se pensa concordam.*] 8 *Gram.* Estar (termos de uma oração) em concordância gramatical, como flexões de gênero, número, pessoa etc. [*tr. + com, em: Os adjetivos e substantivos concordam em gênero e número; O sujeito da oração concorda com o verbo em número e pessoa.*] 9 *Gram.* Pôr (termos de uma oração) em concordância gramatical [*tdr. + com: Deve-se concordar o substantivo com o adjetivo que o qualifica.*] [▶ 1 concordar] [F.: Do lat. *concordare.* Hom./Par.: *concorde(s)* (fl.), *concorde(s)* (a2g.).]

concordata (con.cor.*da*.ta) *Jur. sf.* 1 *Jur.* Acordo legal entre negociante que não pode pagar o que deve e seus credores, evitando a falência do primeiro, e que pode estipular alongamento de prazo para pagamento parcial ou total da dívida 2 Tratado diplomático público e solene que o Vaticano celebra com outro(s) Estado(s) para regular relações mútuas e matérias de interesse comum 3 *Jur.* Acordo pelo qual um Estado em má situação financeira se compromete a pagar aos credores [F.: Do lat. medv. *concordata,* pl. de *concordatum.*]

concordatário (con.cor.da.*tá*.ri:o) *a.* 1 Ref. a concordata (petição concordatária) 2 Diz-se de pessoa ou empresa que pediu concordata ou é favorecido por ela *sm.* 3 *Jur.* Essa pessoa ou empresa [F.: *concordata* + *-ário.*]

concorde (con.*cor*.de) *a2g.* 1 Que está de acordo, que tem a mesma opinião; CONCORDANTE: "Depois da discussão ficaram todos concordes." (Machado de Assis, *Memorial de Aires*) 2 Que harmonizam em intenção, atitude, sentimentos etc.: *São almas gêmeas, concordes em tudo.* [F.: Do lat. *concors, cordis.*]

concórdia (con.*cór*.di:a) *sf.* 1 Situação em que prevalece a harmonia de propósitos, o entendimento [+ *com, entre: concórdia com os antigos inimigos.; concórdia entre vizinhos.*] 2 Paz: *Todos esperam presenciar a concórdia entre as nações.* [F.: Do lat. *concordia.* Ant. ger.: *discórdia.*]

concorrência (con.cor.*rên*.ci:a) *sf.* 1 Ação ou resultado de concorrer; COMPETIÇÃO; DISPUTA [+ *entre, com: concorrência entre/com produtos similares.*] 2 Comparecimento simultâneo de pessoas no mesmo lugar: *O coquetel teve enorme concorrência.* 3 *Com.* Pesquisa de preços para compra e venda de materiais ou prestação de serviços [+ *para: concorrência para aquisição de equipamentos.*] 4 *Adm. Jur.* Modalidade de licitação pública para contrato ou compra de valor muito alto, determinado por lei 5 *Fig.* Coincidência, confluência de fatos, circunstâncias etc.: *A concorrência de vários fatores benéficos levaram-no a aceitar a oferta.* 6 Conjunto de adversários, concorrentes: *Perdeu para a concorrência por muito pouco.* 7 *Econ.* Situação em que há muitas ofertas (de bens, serviços etc.) que competem umas com as outras: *Quanto maior for a concorrência maior será a possibilidade de caírem os preços.* [F.: Do lat. *concurrentia,* ou *concorrer* + *-ência.*] ■ **~ imperfeita** *Econ.* Em mercado de oferta e procura, situação na qual há percepção de diferenças na oferta (de preço, de marca, de vantagens), ger. estimuladas ou criadas por *marketing* ou publicidade **~ perfeita** *Econ.* Em mercado de oferta e procura, situação hipotética na qual há grande número de vendedores e compradores, sem identificação de diferenças na oferta capazes de influenciar a procura, ou o preço **~ pública** *Jur.* Tipo de licitação feita por poder público para aquisição de bens ou serviços, mediante cumprimento, pelos candidatos, de qualificações e especificações mínimas estipuladas em edital

concorrencial (con.cor.ren.ci.*al*) *a2g.* 1 Relativo a concorrência (liberdade concorrencial) 2 Que participa de concorrência (candidatura concorrencial) [F.: *concorrência* + *-al.*]

concorrente (con.cor.*ren*.te) *a2g.* 1 Que concorre [+ *a: alunos concorrentes a vagas na universidade.*] 2 Diz-se de pessoa que compete, disputa com outra; COMPETIDOR; RIVAL: *Destacou-se entre os atletas concorrentes.* 3 Diz-se do que acontece ao mesmo tempo que outra coisa, ger. no sentido de cooperar para um mesmo resultado; CONCOMITANTE; SIMULTÂNEO [+ *para: fatores concorrentes para o sucesso do projeto.*] *s2g.* 4 Pessoa que concorre ou se candidata; CANDIDATO; PRETENDENTE: *Há vários concorrentes ao prêmio.* 5 Pessoa que compete com outra(s) 6 Algo que acontece no mesmo momento que outra coisa, ger. com o sentido de cooperar para o mesmo resultado [F.: Do lat. *concurrens, entis,* ou *concorrer* + *-nte.*]

concorrer (con.cor.*rer*) *v.* **1** Candidatar-se (a um cargo, a uma vaga) [*tr.* + *a*: *O político concorrerá ao Senado; Meu filho concorrerá a uma bolsa de estudos.*] [***int.***: *Neste concurso vão concorrer muitos jovens.*] **2** Competir, disputar (inclusive clientela, mercado etc.; inclusive em qualidade, competência etc.) [*tr.* + *a, com*: *O nadador concorrerá com atletas experientes; O judoca preparou-se para concorrer ao ouro; É difícil concorrer com um talento como o dele.*] [***int.***: *Nossa empresa desistiu de concorrer.*] **3** Ir juntamente com outros ao mesmo lugar; AFLUIR; CONFLUIR [***ta.***: *Os torcedores concorreram ao estádio.*] **4** Contribuir, ajudar, cooperar [*tr.* + *para*: "Os seus gestos concorreram para aumentar o terror da multidão..." (Franklin Távora, *O Cabeleira*)] **5** Juntar-se para ação ou efeito comum [*tr.* + *para*: *As providências tomadas concorreram para o êxito do projeto.*] **6** Existir simultaneamente; COEXISTIR [*tr.* + *em*: *As mais belas virtudes concorrem naquele jovem.*] **7** *Fig.* Estar de acordo; ter posição ou opinião coincidentes; CONCORDAR [***int.***: *Quanto às novas medidas, todos os diretores concorrem.*] [▶ 2 concorrer] [F.: do lat. *concurrere.*]

concorrido (con.cor.*ri*.do) *a.* **1** A que concorre, afluí muita gente, muito frequentado (espetáculo concorrido) **2** Que foi objeto de competição, de disputa (concurso concorrido) [F.: Part. de *concorrer.*]

concreção (con.cre.*ção*) *sf.* **1** Ação ou resultado de tornar(-se) concreto, sólido ou real; MATERIALIZAÇÃO; SUBSTANCIALIZAÇÃO: *concreção do cimento/de planos.* **2** Característica ou estado do que é ou se tornou concreto, duro, sólido; SOLIDEZ **3** Massa formada por partículas que solidificaram **4** Massa resultante da condensação de um líquido ou da agregação de partículas sólidas contidas num líquido **5** *Pat.* Massa sólida formada em cavidade natural do corpo ou dos tecidos; CÁLCULO: *concreção nos rins, na vesícula biliar.* **6** *Pat.* União anômala de partes (de órgãos) adjacentes **7** *Astron.* Formação de um objeto celeste pela agregação de objetos menores **8** *Psi.* Imagem que se forma pela reunião de imagens ou elementos simples [Pl.: *-ções.*] [F.: Do lat. *concretio, onis*, pelo fr. *concrétion.*]

concretagem (con.cre.*ta*.gem) *sf.* Ação ou resultado de concretar: *serviços/usinas de concretagem.* [Pl.: *-gens.*] [F.: *concretar* + *-agem*².]

concretar (con.cre.*tar*) *Bras. v.* **1** *Cons.* Colocar concreto armado em; pavimentar com concreto; construir usando concreto armado [***td.***: *concretar uma pista.*] **2** *Cons.* Vazar concreto em estado plástico em forma armada com vergalhões de ferro, para com isso criar estrutura sólida de concreto armado [***td.***: *concretar uma viga.*] **3** Tornar(-se) concreto, real; CONCRETIZAR [***td.***: *concretar um desejo.*] [***int.***: *Meus pensamentos concretaram-se.*] [▶ 1 concretar] [F.: *concreto* + *-ar*². Hom./Par.: *concreto* (fl.), *concreto* (sm.); *concreta* (fl.), *concreta* (fem. de *concreto*).]

concreticidade (con.cre.ti.ci.*da*.de) *sf.* Estado ou qualidade do que é concreto: "Pensar o homem como generalidade é retirar a sua essência e omitir a sua concreticidade." (José Martins Ribeiro, *O conhecimento escolar no ensino básico*...) [F.: *Concreto* + *-ice* + *-dade.*]

concretismo (con.cre.*tis*.mo) *sm.* **1** *Art. Pl. Liter.* Movimento do início do séc. XX, cuja característica é a dissociação da forma de qualquer modelo natural, concentrando-se nos elementos materiais e visuais da própria obra; ARTE CONCRETA [Termo cunhado por Max Bill, artista suíço.] **2** Predomínio ou prevalecimento do que é concreto [F.: *concreto* + *-ismo.*]

concretista (con.cre.*tis*.ta) *a2g.* **1** Ref. ao concretismo, ou a qualquer arte concreta (música, poesia etc.) **2** Que é adepto do concretismo *s2g.* **3** Artista que segue o concretismo [F.: *concretismo* + *-ista.*]

concretização (con.cre.ti.za.*ção*) *sf.* Ação ou resultado de concretizar(-se), de realizar(-se); MATERIALIZAÇÃO [Pl.: *-ções.*] [F.: *concretizar* + *-ção.*]

concretizador (con.cre.ti.za.*dor*) [ô] *a.* **1** Que concretiza, que materializa, que dá existência real *sm.* **2** Aquele que realiza algo; MATERIALIZADOR: *Getúlio Vargas foi o concretizador do sonho brasileiro de explorar as jazidas nacionais de petróleo.* [F.: *concretizar* + *-dor.*]

concretizar (con.cre.ti.*zar*) *v.* Tornar(-se) concreto, real; EFETIVAR(-SE); MATERIALIZAR(-SE); REALIZAR(-SE) [***td.***: *concretizar o sonho de ter uma casa própria.*] [***tdr.*** + *em*: *Concretiza personagens imaginários em belíssimas esculturas.*] [***int.***: *Encontrando terreno propício, a monopolização se concretiza.*] [▶ 1 concretizar] [F.: *concreto* + *-izar.*]

concreto (con.*cre*.to) *a.* **1** Que existe materialmente; PALPÁVEL: *Um livro é um objeto concreto.* **2** Que existe ou pode existir realmente, que não é (só) imaginário; REAL; VERDADEIRO: *Apresentou-se-lhe uma possibilidade concreta de conseguir um emprego.* **3** Claramente e especificamente definido, determinado (objetivos concretos) **4** Diz-se do que é sólido (e não fluido) (substância concreta); CONDENSADO; ESPESSO **5** *Gram.* Diz-se do substantivo que representa o que é percebido pelos sentidos ou pela imaginação (p. ex., *árvore, fada*) [Por oposição a *abstrato.*] *sm.* **6** Tudo que é concreto (1), que tem existência material **7** Massa compacta que resulta da mistura de cimento, areia, água e pedras e que endurece aos poucos **8** *Quím.* Pomada com essência us. em perfumaria [F.: Do lat. *concretus.* Hom./Par.: *concreto* (v. *concretar*).] ■ **~ aparente** *Arq. Cons.* Concreto us. em construção sem qualquer tipo de revestimento **~ arejado** *Cons.* Concreto no qual se introduzem bolhas de ar uniformemente distribuídas, o que aumenta sua plasticidade e maneabilidade **~ armado** *Arq. Cons. Eng.* Concreto com estrutura interna de vergalhões de ferro para torná-lo mais resistente **~ betuminoso** *Eng.* Aquele que usa ligante betuminoso e é aplicado a quente para pavimentação de ruas, rodovias e pistas de aeroportos **~ ciclópico** *Cons.* Concreto misturado a pedras de grande volume **~ pré-moldado** *Cons.* Concreto no formato de blocos pré-fabricados **~ protendido** *Cons. Eng.* Concreto armado que foi submetido a tensões prévias que aumentam-lhe a resistência aos esforços que irá suportar [Tb. apenas *protendido. Lus.*: *concreto pré-esforçado.*] **~ vibrado** *Cons. Eng.* Aquele que foi submetido a vibrações para torná-lo mais denso

concretude (con.cre.*tu*.de) *sf.* Qualidade do que é concreto, real: "...e onde madeira, couro e metal criavam uma concretude cênica impressionante..." (*O Globo*, 26.12.1997) [F.: *concreto* + *-tude*, por haplologia.]

concriador (con.cri:a.*dor*) [ô] *a.* **1** Que participa com outro(s) na criação de alguma coisa: *de espírito concriador.* *sm.* **2** O que participa na criação de algo: *um concriador de trilhas sonoras.* [F.: *concriar* + *-dor.*]

concubina (con.cu.*bi*.na) *sf.* **1** Mulher que vive com um homem sem ser casada com ele; AMÁSIA; BARREGÃ **2** *P. ext. Pej.* Prostituta **3** *Bot.* Certa variedade de tulipa [F.: Do lat. *concubina.*]

concubinagem (con.cu.bi.*na*.gem) *sf.* União livre de casal não legalmente casado, m. que *concubinato*: "Desvelado o segredo da sua concubinagem, foi expulsa afrontosamente." (Camilo Castelo Branco, *Boêmia do Espírito*) [F.: *concubinar* + *-agem.*]

concubinato (con.cu.bi.*na*.to) *sm.* **1** Estado de um homem e uma mulher que coabitam como cônjuges sem serem casados: *viver em concubinato.* **2** *Antr.* Forma de união conjugal diferente do regime matrimonial, aceita em algumas sociedades **3** *Jur.* União estável de duas pessoas que não são casadas uma com a outra **4** *Hist.* Na antiga Roma, união conjugal permitida entre cidadãos não romanos [F.: Do lat. *concubinatus.*]

conculcar (con.cul.*car*) *v.* ***td.*** **1** *Fig.* Desprezar, desdenhar, aviltar: *Certos ditadores conculcam as leis e os direitos humanos.* **2** Pisar repetidamente em, calcar com os pés; ESMAGAR; ESPEZINHAR; PISOTEAR [▶ 11 conculcar] [F.: Do lat. *conculcare.*]

concunhada (con.cu.*nha*.da) *sf.* **1** Esposa do cunhado de uma pessoa em relação a essa pessoa **2** Cunhada de um dos cônjuges em relação ao outro cônjuge [F.: *con-* + *cunhada.*]

concunhado (con.cu.*nha*.do) *sm.* **1** Marido da cunhada de uma pessoa em relação a essa pessoa **2** Cunhado de um dos cônjuges em relação ao outro cônjuge [F.: *con-* + *cunhado.*]

concupiscência (con.cu.pis.*cên*.ci:a) *sf.* **1** Apetite sexual intenso: "...aquelas contra cujo pudor a sua brutal concupiscência se aguçava..." (Franklin Távora, *O Cabeleira*) [Ant.: *castidade, pureza.*] **2** Ambição, desejo, cobiça de bens ou de prazeres materiais [Ant.: *desambição, desapego.*] **3** *Fil. Rel.* A tendência do homem de cobiçar bens terrenos, decorrente do pecado original [F.: Do lat. *conscupiscentia.*]

concupiscente (con.cu.pis.*cen*.te) *a2g.* **1** Que tem concupiscência; COBIÇOSO; GANANCIOSO: *No que fazia e no que dizia mostrava-se concupiscente, além de invejoso.* **2** Que expressa concupiscência: "O Alves arregalou os olhos concupiscentes e fez estalar a língua..." (Eça de Queirós, *Primo Basílio*) [F.: Do lat. *concupiscens, entis.*]

concursado (con.cur.*sa*.do) *a.* **1** Diz-se de indivíduo que passou em concurso, que se habilitou a cargo (ger. público) por concurso (funcionário concursado) *sm.* **2** Esse indivíduo [F.: Part. de *concursar.*]

concursar (con.cur.*sar*) *v.* ***td.*** Fazer passar (ger. candidatos a cargo, função etc.) por concurso para selecionar e admitir ou contratar: *A prefeitura concursará novos médicos até o fim do ano* [▶ 1 concursar] [F.: *concurso* + *-ar*². Hom./Par.: *concurso* (fl.), *concurso* (sm.).]

concurso (con.*cur*.so) *sm.* **1** Ação ou resultado de concorrer **2** Prova de seleção entre vários candidatos para obtenção, por graduação qualitativa, de cargo ou conquista de prêmio [+ *para, de*: *concurso para juiz/de contos.*] **3** Colaboração, participação, ajuda: *Trabalha com o concurso dos melhores especialistas.* **4** Ação ou resultado de fluir e juntar-se (conjunto de pessoas ou de coisas) num mesmo lugar; AFLUÊNCIA; CONCORRÊNCIA: *Foi surpreendente o concurso de estudantes na conferência.* **5** Evento público (artístico, esportivo etc.) em que se apresentam várias entidades, disputando um prêmio, título etc.; CERTAME **6** Modalidade de aposta do turfe em que ganha quem indicar o maior número de vencedores e placês em páreos determinados pela comissão de corridas **7** *Geom.* Interseção, cruzamento [F.: Do lat. *concursus.*]

concussão (con.cus.*são*) *sf.* **1** Ação ou resultado de concutir **2** Pancada violenta ou o seu resultado em parte ou órgão do corpo (concussão cerebral); CHOQUE **3** *Fig.* Abalo, choque emocional **4** Onda violenta de choque, transmitida pelo ar, resultante da detonação de explosivo **5** *Jur.* Extorsão de dinheiro ou exigência de vantagens indevidas por funcionário público em exercício: *crime de concussão.* [Pl.: *-sões.*] [F.: Do lat. *concussio, onis*, pelo fr. *concussion.*] ■ **~ cerebral** *Med.* Perda de consciência causada por pancada sofrida na cabeça

concussionário (con.cus.si:o.*ná*.ri:o) *a.* **1** Diz-se do funcionário que pratica concussão: "Ora, dê-me de lá um ministro concussionário na monarquia constitucional." (Camilo Castelo Branco, *Maria da Fonte*) **2** Que é indiciado no crime de concussão *sm.* **3** Aquele que pratica concussão **4** O que é indiciado em crime de concussão [F.: *Concussão* sob a f. rad. *concussion-* + *-ário.*]

condado (con.*da*.do) *sm.* **1** Divisão territorial de alguns países: *A Inglaterra é dividida em condados.* **2** Título ou dignidade de conde **3** *Hist.* Território concedido pelo rei a um conde, para ficar sob sua jurisdição [F.: *conde* + *-ado.*]

condão (con.*dão*) *sm.* **1** Suposto poder sobrenatural que pode produzir o bem ou o mal; DOM; MAGIA **2** *Fig.* Poder, capacidade: *Ela tem o condão de acalmar as crianças.* [Pl.: *-dões.*] [F.: Posv. dev. do v. *condõar*, do port. arcaico.] ■ **Vara/varinha de ~** Nas histórias de fadas, varinha com poderes mágicos usada por fadas ou bruxas

conde (*con*.de) *sm.* **1** *Hist.* No feudalismo, senhor e governante independente (por hereditariedade) de um feudo, de uma propriedade territorial **2** Título de nobreza, imediatamente superior ao de visconde e inferior ao de marquês **3** Pessoa que possui esse título [Fem.: *-dessa.*] [F.: Do lat. *comite(m)* 'companheiro'.] ■ **~ palatino 1** *Hist.* No Império Romano, conde investido de autoridade judicial suprema **2** No Sacro Império Romano Germânico, conde com poderes imperiais dentro de seus domínios

condecoração (con.de.co.ra.*ção*) *sf.* **1** Ação ou resultado de condecorar: *A cerimônia de condecoração será no palácio.* **2** Insígnia (p. ex., comenda, medalha) com que se presta honra e homenagem a alguém por seu mérito: "Esse policial merece uma promoção e uma condecoração." (*Folha de S.Paulo*, 17.10.1999) **3** *Fig.* Tudo que representa valor, mérito: *Cada cicatriz do soldado é uma condecoração por bravura.* [Pl.: *-ções.*] [F.: *condecorar* + *-ção.*]

condecorado (con.de.co.*ra*.do) *a.* **1** Que recebeu ou tem condecoração (condecorado com a Cruz de Malta) **2** Que traz patente um distintivo qualquer **3** *Fig.* Nobilitado, realçado: *político condecorado por seus projetos sociais.* *sm.* **4** O que usa ou tem direito de usar condecoração: *No préstito figuravam diversos condecorados.* [F.: Do lat. *condecoratus, a, um.*]

condecorar (con.de.co.*rar*) *v.* **1** Distinguir, premiar (alguém ou a si próprio) com condecoração [***td. tdr.*** + *com*: *O governo condecorou os bombeiros (com a Medalha de Ordem do Mérito); Em um de seus delírios, o ditador condecorava-se (com diversas medalhas).*] **2** Dar um título ou designação honrosa a [***tdr.*** + *com*: *A Coroa condecorou-o com o título de marquês; Condecorara-se com o epíteto de Salvador.*] **3** Dar realce, destaque, a; DISTINGUIR; REALÇAR [***td.***: *Aqueles alfarrábios condecoravam feitos heroicos.*] [▶ 1 condecorar] [F.: Do lat. *condecorare.*]

condenação (con.de.na.*ção*) *sf.* **1** Ação ou resultado de condenar **2** *Jur.* Sentença a réu julgado culpado [Ant.: *absolvição.*] **3** *P. ext. Jur.* A pena imposta por um juiz nessa sentença **4** *Fig.* Reprovação, crítica enérgica [+ *a, por*: *condenação a/por uma má conduta.* Ant.: *aprovação.*] **5** Indício ou evidência de culpa: *A marca de seu sapato no local do crime foi uma condenação.* **6** *Fig. Med.* Diagnóstico que atribui ao doente um estágio irreversível e terminal da doença [Pl.: *-ções.*] [F.: Do lat. *condemnatio, onis.*]

condenado (con.de.*na*.do) *sm.* **1** Indivíduo que recebeu condenação, que é ou foi condenado (em qualquer das acepções como adjetivo) **2** Pessoa com doença considerada incurável e letal *a.* **3** Que foi declarado culpado e sentenciado com pena: *O réu condenado cumprirá pena de dez anos.* [+ *a*: *Réu condenado à prisão perpétua.* Ant.: *absolvido.*] **4** *Fig.* Infeliz, desgraçado *a.* **5** Diz-se de pessoa que sofre de doença incurável e letal (paciente condenado) **6** Não apropriado (por razões técnicas, éticas etc.): *Por usar métodos condenados, fracassou.* **7** *Bras.* Diz-se de construção considerada irrecuperável, prestes a desabar (prédio condenado) **8** Diz-se de qualquer dispositivo ou sistema defeituoso e irrecuperável: *Essa instalação elétrica está condenada, não tem mais como consertar.* **9** *Bras.* Muito perverso, malvado (cangaceiro condenado) [F.: Do lat. *condemnatus*, ou part. de *condenar.*] ■ **Como um ~** Muito, demasiadamente: *Trabalhava como um condenado para cumprir os prazos.*

condenar (con.de.*nar*) *v.* **1** *Jur.* Proferir (o juiz) sentença de punição contra (réu) [***td.***: *A justiça condenou o estelionatário.*] [***tdr.*** + *a*: *Condenou o réu a dois anos de prisão.* Ant.: *absolver.*] **2** Atribuir culpa a, considerar (algo ou alguém) culpado (de); CULPAR [***td.***: *Não o condeno por ter hesitado; Não se condene por tão pouco.*] [***tdr.*** + *de, por*: *Condenava o sócio de traição.*] **3** Declarar ilegal (ato, comportamento, procedimento etc.) [***td.***: *A lei condena o estelionato.*] **4** Considerar ou declarar (algo ou alguém) inadequado ou censurável em relação a padrões éticos, qualitativos, técnicos etc.; CENSURAR; CRITICAR; REFUTAR; REJEITAR; REPROVAR [***td.***: *Admirava seu talento como administrador, mas condenava seu comportamento agressivo*: "Condenou a ideia de remover-se o doente..." (Raul Pompeia, *O Ateneu*)] **5** Ser um indício contra (algo ou alguém) [***td.***: *Parecia inocente, mas suas contradições o condenaram.*] **6** Proibir o uso de alguma coisa, por não estar de acordo com (costume, regra etc.) [***td.***: *A Igreja católica condenou a heresia ariana; A gramática normativa condena algumas construções.*] **7** *Fig.* Obrigar alguém a fazer (algo); impor(-se) uma obrigação ou um castigo [***tdr.*** + *a*: *A doença condenou-o a abster-se do álcool; Condena-se a todo tipo de obrigação.*] **8** *Fig. Med.* Considerar (um doente) incurável ou com mau prognóstico [***td.***: *Valia-se* *da fé, embora o médico o tenha condenado.*] 9 Considerar (alguma coisa) irrecuperável ou em más condições de uso, de segurança etc. [*td.*: *Os engenheiros condenaram o prédio depois da vistoria.*] [▶ 1 condenar] [F.: Do lat. *condemnare*. Hom./Par.: *condenáveis* (fl.), *condenáveis* (pl. de *condenável* [a2g.]).]

condenatório (con.de.na.*tó*.ri:o) *a.* 1 Que envolve, suscita ou contém condenação (evidência condenatória): "...constrangedoras declarações de voto condenatório..." (*O Globo*, 01.06.2002) 2 Ref. a condenação [F.: *condenar* + *-tório*.]

condenável (con.de.*ná*.vel) *a2g.* 1 Merecedor de condenação (atitude condenável); CENSURÁVEL; REPREENSÍVEL; REPROVÁVEL [Ant.: *elogiável, louvável, meritório*] 2 Que se pode ou deve condenar, passível de ser condenado (réu condenável) [Pl.: *-veis*.] [F.: Do lat. *condemnabilis*. Hom./Par. *condenáveis* (pl.), *condenáveis* (fl. de *condenar*).]

condensação (con.den.sa.*ção*) *sf.* 1 Ação ou resultado de condensar(-se) 2 Redução (ger. de texto, exposição, obra escrita etc.) ao que é essencial ao entendimento; síntese, resumo: *Trabalhou na condensação do livro.* 3 *Fís.* Fenômeno que consiste na passagem de um corpo em estado de vapor para o estado líquido 4 *Quím.* Reação em que duas moléculas pequenas se combinam para formar uma grande, freq. com eliminação de moléculas simples, tais como as de água, amônia etc. 5 *Fig.* Agregação, reunião, união (condensação de forças) 6 Processo no qual uma substância aumenta de densidade, torna-se mais espessa [Pl.: *-ções*.] [F.: Do lat. *condensatio, onis*.]

condensado (con.den.*sa*.do) *a.* 1 Que se condensou ou passou por condensação 2 Que foi resumido ao essencial (texto condensado) 3 Que passou do estado de vapor para o estado líquido (vapor condensado) 4 Que se concentrou pela evaporação parcial da água 5 Que se adensou, tornou-se mais espesso (leite condensado) 6 *Art. gr.* Diz-se de tipo, ou família de tipos que se estreitou, ou de texto em que se apertou o espaçamento entre os tipos *sm.* 7 Qualquer produto ou material ou texto resultante de condensação de outro: *o condensado de um romance.* 8 Coleção na qual se reúnem condensações, excertos, resumos de textos diversos [F.: Part. de *condensar*.]

condensador (con.den.sa.*dor*) [ô] *a.* 1 Que condensa *sm.* 2 *Elet.* Dispositivo para armazenar ou conservar energia elétrica num circuito; CAPACITOR 3 *Mec.* Num sistema mecânico, dispositivo no qual se verifica a condensação de vapor que circula pelo sistema mediante seu resfriamento 4 *Mec.* Peça do sistema de ignição do motor a explosão, paralela ao platinado 5 *Ópt.* Dispositivo ou sistema óptico convergente, que serve para iluminar objetos que estão sendo observados, ou numa projeção [F.: *condensar* + *-dor*.]

condensar (con.den.*sar*) *v.* 1 Transformar(-se) (gás, vapor) em líquido; LIQUEFAZER(-SE) [*td.*: *Este aparelho condensa o vapor.*] [*int.*: *Pela manhã, o vapor-d'água condensava-se e formava uma neblina espessa.*] 2 Tornar(-se) (mais) denso, espesso, consistente [*td.*: *condensar o mingau acrescentando-lhe farinha.*] [*int.*: *A fumaça condensou-se impedindo a visão.*] 3 *Fig.* Resumir(-se) (um livro, uma obra, uma exposição) [*td.*: *condensar um romance para adaptá-lo ao cinema.*] [*tdr.* + *em*: *Condensou toda a obra num único volume.*] [*tr.* + *em*: *O texto condensa-se num único pensamento.*] 4 *Fig.* Juntar(-se), conglomerar(-se), concentrar(-se) [*td.*: *um líder que condensa multidões; O povo condensou-se para ver o ídolo; concentrar esforços e medidas.*] 5 *Art. gr.* Estreitar um tipo, mantendo seu desenho básico, ou um texto, diminuindo os espaços entre os tipos [*td.*] [▶ 1 condensar] [F.: Do lat. *condensare*.]

condescendência (con.des.cen.*dên*.ci:a) *sf.* 1 Ação ou resultado de condescender 2 Qualidade de condescendente; TOLERÂNCIA; TRANSIGÊNCIA [*O patrão não demonstrava condescendência em sua maneira de tratar os empregados.* Ant.: *intransigência*.] 3 Anuência a, tolerância para com (interesses, vontades ou pedidos) de (outrem); APROVAÇÃO; AQUIESCÊNCIA; DEFERIMENTO [+ *a*, (*para*) *com*: *condescendência (para) com os alunos; condescendência aos pedidos dos alunos.*] [F.: *condescender* + *-ência*.]

condescendente (con.des.cen.*den*.te) *a2g.* 1 Que condescende, que está disposto ou tende a ceder à vontade de outrem ou que aceita ideias, comportamentos e opiniões alheias, mesmo que não sejam condizentes com seu modo próprio de pensar; TOLERANTE; TRANSIGENTE [+ *com*, *em*: *Era um chefe condescendente com as pequenas faltas dos empregados; O professor era condescendente em questões de disciplina.* Ant.: *intransigente*.] 2 *Pej.* Que abdica de critérios qualitativos ou de mérito, de valores éticos etc., no julgamento de algo ou alguém [+ *com*: *Era condescendente com as falcatruas do filho.*] 3 *Pej.* Que afeta superioridade, suposta tolerância com falhas de outrem, que na verdade expressa certa arrogância ou desdém: *Lançou um olhar condescendente ao amigo, que não acertava com o talher adequado.* [F.: *condescender* + *-nte*.]

condescender (con.des.cen.*der*) *v.* 1 Ceder voluntariamente (à vontade, ao pedido de alguém); CONSENTIR; TRANSIGIR [*tr.* + *a*, *com*, *em*: *Condescendeu em dar outra chance ao rapaz; Entrei neste negócio por condescender com o meu sócio; Afinal condescendeu a seu pedido.*] [*int.*: *Diante de tanta insistência, condescendeu.*] 2 Ser condescendente, tolerante, indulgente [*tr.* + *com*: *Não se deve condescender com o arbítrio.*] 3 Responder anuindo [*int.*: "Estou às suas ordens, condescendeu prontamente Almeida." (Camilo Castelo Branco, "Gracejos que matam", *in Novelas do Minho*)] [▶ 2 condescender] [F.: Do lat. *condescendere*.]

condessa (con.*des*.sa) [ê] *sf.* 1 Mulher ou viúva de conde: "De repente, porém, desapareceu de Londres a condessa parisiense." (Camilo Castelo Branco, *Demônio do Ouro*) 2 Título honorífico entre o de viscondessa e o de marquesa 3 *Ant.* Na Idade Média, mulher que possuía um condado 4 *CE Bot.* Árvore (*Rollinia mucosa*) da fam. das anonáceas, de frutos comestíveis, raízes aromáticas e madeira usada em caixotaria; ARATICUM-PITAIÁ; FRUTA-DE-CONDE; PINHA 5 *Bras. Bot.* Árvore (*Annona reticulata*) da fam. das anonáceas, de madeira mole e frutos compostos em forma de coração; CORAÇÃO-DE-BOI; CACHIMÃ; MILOLÓ 6 Cesto de vime redondo ou ovalado, sem asa e dotado de tampa: "Que será? disse o conselheiro abrindo a condessa." (Gervásio Lobato, *Lisboa em camisa*) [F.: Do lat. tardio *comitissa*. Hom./Par.: *condessa* (Flex. de *condessar*).]

condestável (con.des.*tá*.vel) *sm.* 1 *Ant.* Título do primeiro oficial da coroa portuguesa e primeiro dignitário do reino, que tinha o comando de todo o exército, m. que *condestabre* e *condestable*: *O primeiro condestável do reino português foi D. Nuno Álvares Pereira.* 2 Chefe de artilharia 3 *Ant.* Escudeiro-mor 4 Intendente-geral das cavalariças reais que comandava, em alguns casos, as forças de cavalaria 5 Título honorífico da corte, sempre desempenhado por um dos infantes, que nas grandes solenidades acompanhava o rei de estoque desembainhado e se colocava no trono à sua direita: "Imagina, veado caçado pelo condestável." (Gervásio Lobato, *Lisboa em Camisa*) [Fem.: *condestablessa*.] [F.: Resultado da evolução fonética do lat. *comes stabulis* (companheiro do estábulo).]

condição (con.di.*ção*) *sf.* 1 Estado, situação ou circunstância de pessoa(s) ou coisa(s), do tempo etc.: *A condição do doente melhorou; Viviam num casebre em condições miseráveis; Este carro está em péssima condição; A realização do evento dependerá das condições atmosféricas.* 2 Qualidade, estado, índole (de alguém) ou circunstância requeridos ou necessários para que algo ou alguém tenha o desempenho adequado [+ *de*, *para*: *Beatriz está doente, não tem condição de trabalhar; Este projeto não tem condição de ser aprovado; O atleta está sem condições para competir.*] 3 Situação social, profissional, familiar etc.: *Ele trabalhou muito e hoje desfruta de boa condição.* 4 *P. ext.* Situação social e/ou econômica elevada, status elevado: *Ela é pessoa de condição.* 5 Exigência imposta a alguém para que algo seja aceito ou aconteça: *Aceitou o cargo com a condição de que seria por tempo limitado.* 6 Posição (de vantagem ou desvantagem) num negócio, num acordo etc.: *Esta empresa está em excelente condição para obter o contrato.* 7 Fator imprescindível para a existência de algo ou de uma situação: *A temperatura ambiente abaixo de zero é condição para a formação de geleiras.* 8 Possibilidade: *Há condição de prorrogarmos o prazo de entrega?* 9 *Jur.* Cláusula que determina a necessidade de ocorrência de certo fato ou circunstância para que se realize o previsto no ato jurídico 10 *Inf.* Expressão de álgebra booliana que só pode ter como resultado 'verdadeiro' ou 'falso' [Pl.: *-ções*.] [F.: Do lat. *conditio, onis*.] ■ **~ de fato** *Jur.* Condição que não emana de lei, e cuja realização só depende das partes envolvidas **~ física** Estado geral do organismo; preparo físico **~ necessária** *Lóg. Mat.* A que é imprescindível para se obter um certo resultado ou efeito, mas que, mesmo realizada, não os garante sozinha **~ sine qua non** Condição indispensável para que ocorra certo fato ou condição **~ suficiente** *Lóg. Mat.* Condição que, satisfeita, é suficiente para se obter determinada consequência **Condições normais de temperatura e pressão** *Fís.* Estado de um sistema à temperatura de 0 °C e à pressão de 760 mm de mercúrio [Sigla.: *CNTP*] **Sob ~** Condicionalmente

condicente (con.di.*cen*.te) *a2g.* Ver *condizente* [F.: Do lat. *condicens, entis*, part. pres. de *condicere*.]

condicionado (con.di.ci:o.*na*.do) *a.* 1 Dependente de (condição); VINCULADO [+ *a*: *reajuste salarial condicionado ao aumento das vendas.*] 2 *Psi.* Diz-se do reflexo ou resposta que sofreu condicionamento de algum estímulo externo 3 Diz-se do que ou de quem (animal, pessoa, grupo, sistema etc.) por hábito, adestramento, repetição de circunstâncias etc., acostumou-se a ter certa reação ante um certo estímulo 4 *Tec.* Diz-se do ar refrescado ou aquecido por meio de aparelho [F.: Part. de *condicionar*.]

condicionador (con.di.ci:o.na.*dor*) [ô] *a.* 1 Que condiciona, que estabelece condição (cláusula condicionadora) 2 Que ou o que torna os cabelos mais soltos e macios (diz-se de produto) (xampu condicionador) *sm.* 3 Aquilo que condiciona 4 Produto destinado a amaciar os cabelos e deixá-los mais soltos 5 Aparelho destinado a refrescar ou aquecer o ar ambiente; CONDICIONADOR DE AR; AR-CONDICIONADO [F.: *condicionar* + *-dor*.] ■ **~ de ar** 1 Qualquer aparelho que serve para regular a temperatura e a umidade de um recinto fechado 2 *Restr.* Qualquer aparelho que serve para baixar a temperatura de um recinto fechado; ar-condicionado, ar-refrigerado

condicional (con.di.ci:o.*nal*) *a2g.* 1 Que envolve ou depende de condição: *Meu amor por ele não é condicional.* [Ant.: *incondicional*.] 2 *Gram.* Diz-se de conjunção subordinativa que expressa condição (p. ex.: *se, salvo se, contanto que, uma vez que etc.*) 3 *Jur.* Diz-se do herdeiro que é constituído sob condição suspensiva, que só depois de cumprida o habilita à posse da herança [Pl.: *-nais*.] *sf.* 4 *Jur.* Permissão ao condenado de cumprir em liberdade o restante de sua pena, após certo tempo preso e julgado reabilitado [Tb. *lilberdade condicional*.] 5 *Gram.* Conjunção condicional [Pl.: *-nais*.] *sm.* 6 O antigo modo condicional (verbal), hoje chamado *futuro do pretérito* [F.: Do lat. *conditionalis*.]

condicionalidade (con.di.ci:o.na.li.*da*.de) *sf.* Caráter ou estado do que é condicional, do que impõe condições: *a condicionalidade na escolha de parcerias.* [F.: *condicional* + *-i-* + *-dade*.]

condicionamento (con.di.ci:o.na.*men*.to) *sm.* 1 Ação ou resultado de condicionar, de estabelecer condições para a realização de algo [+ *de* (...*a*): *O condicionamento da liberação de verbas a algumas exigências.*] 2 Conjunto das condições em que se realiza um fato: "Educação preparatorial do aluno, condicionamento da ciência e do acesso do professorado." (Ricardo Jorge, *Sermões de um Leigo*) 3 *Fisl. Psi.* Associação, pela repetição, de um estímulo a uma reação não natural de forma que esse estímulo provoque sempre essa reação 4 *Tec.* Controle de temperatura e umidade de alimento ou produto de forma a favorecer suas condições de conservação 5 *Esp.* O mesmo que *condicionamento físico* [F.: *condicionar* + *-mento*. Cf.: *acondicionamento*.] ■ **~ físico** Capacidade de realizar atividades físicas ou esportes, obtida com treinamento, exercícios etc.

condicionante (con.di.ci:o.*nan*.te) *a2g.* 1 Que condiciona, que estabelece condição para a realização ou cumprimento de algo (cláusula condicionante) 2 Que constitui uma condição para a ocorrência de um fato: *O financiamento externo é um fator condicionante para a realização desse projeto.* *s2g.* 3 Aquilo que condiciona, que é condicionante (2), que impõe condição ou define algo como condição: *A maioridade é condicionante para que ela receba a herança.* 4 *Psi.* Fator que cria um condicionamento (3) [F.: *condicionar* + *-nte*.]

condicionar (con.di.ci:o.*nar*) *v.* 1 Tornar dependente de condição; estabelecer condições para algo ser realizado [*td.*: *Condicionou que só iria à festa se tivesse companhia.*] [*tdr.* + *a*: *O banco condicionou o empréstimo à apresentação de um fiador.*] 2 Tornar (alguém, algo) apto ou adaptado a certas condições [*tdr.* + *a*: *condicionar os jogadores à altitude.*] 3 Determinar um comportamento; fazer adquirir ou adquirir um hábito [*tdr.* + *a*: *O treinador condicionou o cão a só obedecer aos seus comandos; Condicionou-se a beber mais líquido.*] 4 Determinar características de [*td.*: *A genética condiciona a cor dos olhos dos indivíduos.*] 5 O mesmo que *acondicionar* ('pôr objeto em embalagem, guardar em local adequado') 6 Fazer o dessecamento de (alimentos, cereais, tecidos etc.) [*td.*: *Condicionou a seda para determinar o seu peso real.*] [▶ 1 condicionar] [F.: *condição* + *-ar²*, ou adaptação do fr. *conditionner*. Cf.: *acondicionar*. Hom./Par.: *condicionais* (fl.), *condicionais* (pl. *condicional* [a2g. sf. sm.]).]

condigno (con.*dig*.no) *a.* 1 Proporcional ao valor, ao merecimento (remuneração condigna); MERECIDO; DEVIDO [+ *a*, *de*: *Prêmio condigno ao seu talento*: "Estadeando um aparato condigno de seus apelidos." (Camilo Castelo Branco, *Novelas do Minho*)] 2 Justo, merecido, devido: *Ele faz jus a um salário condigno devido a suas responsabilidades.* 3 Que tem ou se apresenta com dignidade; DIGNO: *Ela merece respeito e um trabalho condigno.* [F.: Do lat. *condignus*.]

côndilo (*côn*.di.lo) *sm. Anat.* Tuberosidade ou eminência articular de um osso arredondado de um lado e achatado do outro: *os côndilos da maxila, do fêmur.* [F.: Do gr. *kóndilos, ou*.]

condiloma (con.di.*lo*.ma) *sm. Med.* Excrescência mole, carnosa e dolorosa, nas regiões anal e perineal, e nas partes genitais do homem e da mulher, e esp. as pápulas úmidas da sífilis secundária [F.: Do gr. *kondyloma*.]

condilomatoso (con.di.lo.ma.*to*.so) [ô] *a.* 1 Rel. a condiloma (aspecto condilomatoso) 2 Que possui condiloma (doente condilomatoso) *sm.* 3 Indivíduo portador de condiloma [Pl.: [ó]. Fem.: [ó].] [F.: *condiloma* sob a f. rad. *condilomat-* + *-oso*.]

condimentado (con.di.men.*ta*.do) *a.* 1 A que se adicionou condimento(s), tempero(s); TEMPERADO: *Moqueca é um prato muito condimentado.* 2 *Fig.* Diz-se da conversa ou da obra mordaz, picante 3 *Fig.* Que desperta interesse e excitação; EXCITANTE: *Os candidatos mantiveram um debate condimentado na TV.* [F.: Part. de *condimentar*.]

condimentar¹ (con.di.men.*tar*) *a2g.* 1 Ref. a condimento 2 Que serve como condimento, que é próprio para condimentar [F.: *condimento* + *-ar¹*.]

condimentar² (con.di.men.*tar*) *v. td.* 1 Acrescentar condimento(s) a; TEMPERAR: *Condimentamos o peixe de véspera.* 2 *Fig.* Dar expressão, vida a; realçar, valorizar: *A presença do autor condimentou o debate sobre o livro.* 3 *Fig.* Tornar (texto, história, discurso etc.) excitante, picante, mordaz; APIMENTAR [▶ 1 condimentar] [F.: *condimento* + *-ar²*. Hom./Par.: *condimento* (fl.), *condimento* (sm.).]

condimentício (con.di.men.*tí*.ci:o) *a.* Que serve para condimentar (composto condimentício) [F.: *condimento* + *-ício*.]

condimento (con.di.*men*.to) *sm.* 1 Substância usada para realçar o sabor de um alimento; TEMPERO: *O sal, a pimenta e as especiarias são usados como condimento.* 2 *Fig.* Detalhe usado para realçar efeitos em uma conversa ou em uma obra: *Em seus textos usava o condimento de um humor sarcástico, mordaz.* 3 *Fig.* O que torna picante um texto, um livro, um filme, uma obra em geral [F.: Do lat. *condimentum*.]

condimentoso (con.di.men.*to*.so) [ô] *a.* 1 Que condimenta, tempera (ervas condimentosas); CONDIMENTÍCIO: "Saboreou os acepipes do condimentoso jantar." (Camilo Castelo

Branco, *Livro de Consolação*) **2** Em que há condimento, ou que é muito condimentado [Pl.: [ó]. Fem.: [ó].] [F.: *condimento* + *-oso*.]

condiscípulo (con.dis.*cí*.pu.lo) ***sm.*** Companheiro de estudo, ger. em uma mesma classe ou no mesmo estabelecimento de ensino; COLEGA [F.: Do lat. *condiscipulus*.]

⊕ ***conditio juris*** (*Lat.* /*konditio juris*/) ***loc. subst.*** Condição de que depende um ato jurídico para ter validade: *A posse é a conditio juris da função pública.* [F.: *Conditio*, 'condição' e *juris*, 'direito' (condição de direito).]

condizente (con.di.*zen*.te) ***a2g.*** **1** Que condiz, que está de acordo, ajustado, harmônico, bem combinado; CONCORDANTE: *Sua decisão está condizente com o seu pensamento.* **2** Bem-falante, que se expressa com coerência: "... conversei com um rapaz seminarista, muito condizente, conferindo no livro de rezas..." (Guimarães Rosa, *Grande Sertão: Veredas*) [F.: *condizer* + *-nte*. Ou do lat. *condicens, entis*. Tb. *condicente*.]

condizer (con.di.*zer*) ***v.*** Estar de acordo ou em proporção, em harmonia (em relação a algo ou alguém); COMBINAR; CONCORDAR [*tr.* + *com, a, em*: *A tua explicação não condiz com a realidade; Fantasia e fantasiado condizem em excentricidade; Os gestos condizem com a pessoa, são exagerados.*] [***int.***: *As duas versões não condizem.*] [▶ **20 condizer**] [F.: Do lat. *condicere*.]

condoeiro (con.do:*ei*.ro) ***a.*** *Bras. Liter.* Ver *condoreiro*

condoer (con.do.*er*) ***v.*** **1** Sentir pena, compaixão (de) [*tr.* + *de*: *A enfermeira condoeu-se do paciente.*] **2** Provocar compaixão em [***td.***: *O drama do cantor condoeu seus admiradores.*] [▶ **36 condoer**] [F.: Do lat. *condolere*.]

condoído (con.do.*í*.do) ***a.*** Que se condói, que sente compaixão (por alguém, condição, situação etc.): "...Os vizinhos, condoídos e consternados, a ajudam naquela ansiosa luta..." (Bernardo Guimarães, *Lendas*) [+ *de, por*: "Condoído dos revezes daquele infeliz, contou a Açucena, com sua permissão, os doze meses de vida..." (Camilo Castelo Branco, *A Neta do Arcediago*): "Condoído também pela sorte da infeliz..." (Gastão Cruls, *Ao Embalo da Rede*)] [F.: Part. de *condoer*.]

condoimento (con.do.i.*men*.to) [o-i] ***sm.*** **1** Ação ou resultado de condoer(-se) ***sm.*** **2** Compaixão, condolência: "Os mais dignos de condoimento são os de Itália." (Mário Barreto, *Cartas Persas*) [F.: *condoer* + *-mento*.]

condolência (con.do.*lên*.ci:a) ***sf.*** Sentimento ou estado de quem se condói, de quem é sensível à dor, ao sofrimento de outrem; COMPAIXÃO; PENA; PESAR [F.: Do fr. ant. *condolence*, atualmente *condoléance*.]

condolências (con.do.*lên*.ci:as) ***sfpl.*** Expressão de sentimento de pesar, o mesmo que *pêsames*: *Fui ao enterro para apresentar minhas condolências à viúva.*

⊕ ***condom*** (*Ing.* /*cândom*/) ***sm.*** Invólucro fino ade látex com que se envolve o pênis antes de relação sexual, para evitar contágio de doença sexualmente transmissível ou fecundação; CAMISA DE VÊNUS; CAMISINHA

condominial (con.do.mi.ni.*al*) ***a2g.*** Que diz respeito a condomínio (contribuição condominial) [Pl.: *-ais*.] [F.: *condomínio* + *-al*[1].]

condomínio (con.do.*mí*.ni:o) ***sm.*** **1** *Jur.* Posse, domínio ou direito de exploração de bem ou objeto indiviso, ou de conjunto de bens ou objetos tomados como conjunto indiviso, por mais de uma pessoa simultaneamente ***sm.*** **2** Bem ou conjunto de bens possuídos em sistema de condomínio (1): *Foi posto a venda um condomínio campestre.* **3** O conjunto de proprietários de um condomínio: *O condomínio de herdeiros decidiu apressar a partilha dos bens.* **4** Conjunto de unidades habitacionais que ocupam um mesmo espaço delimitado e se regula por uma convenção aprovada em assembleia dos proprietários: *Construíram um condomínio de luxo naquele terreno.* **5** Taxa, ger. mensal, que cada integrante de um condomínio paga para a manutenção das áreas comuns e para as despesas administrativas gerais: *Meu condomínio está muito caro.* [F.: *con-* + *domínio*.] ■ **~ fechado** **1** Condomínio residencial em que as instalações ger. são cercadas, e para as quais o acesso é controlado **2** Condomínio para o qual a entrada de novos condôminos deve ser previamente aprovada

condômino (con.*dô*.mi.no) ***sm.*** **1** Aquele que participa de um condomínio (conjunto de unidades...): *Os condôminos se reuniram para eleger o síndico.* **2** *Jur.* Proprietário, juntamente com outros, de um bem indiviso ou de um conjunto indiviso de bens; COPROPRIETÁRIO [F.: Do lat. med. *condominus* (*con-* + *dominus*).]

condor (con.*dor*) [ô] ***sm.*** **1** *Zool.* Grande ave de rapina, carniceira, da fam. dos catartídeos (*Vultur gryphus*), encontrada ao longo dos Andes **2** *Fig.* Indivíduo que se destaca em uma causa **3** *Num.* Ant. moeda de ouro colombiana e chilena **4** *Num.* Moeda de ouro do Equador [F.: Do quíchua *kúntur* pelo espn. *cóndor*.]

condoreiro (con.do.*rei*.ro) ***a.*** **1** *Bras. Liter.* Diz-se da escola literária brasileira da última fase romântica (1860-1870), e de seu estilo hiperbólico e forte apelo libertário, cujo expoente máximo foi Castro Alves; CONDOEIRO: *a poesia condoreira de Castro Alves.* **2** *Bras. Liter.* Diz-se do poeta dessa escola ou que escreve nesse estilo **3** *P. ext. Pej.* Diz-se de um estilo exageradamente bombástico ***sm.*** **4** Poeta condoreiro (2): *Castro Alves é o maior dos condoreiros.* [F.: *condor* + *-eiro*.]

⊕ ***condottiere*** (*It.* /*kondotiére*/) ***sm.*** **1** *Ant. Hist.* Chefe de mercenários, bandidos, guerrilheiros na Itália medieval e renascentista **2** Título dado ao ditador italiano Benito Mussolini por seus seguidores **3** *P. ext.* Aquele que vive do acaso; AVENTUREIRO [Forma aportug. *condotiero*.]

condricte (con.*dric*.te) ***a.*** **1** Ref. aos condrictes ***sm.*** **2** *Zool.* Espécime dos condrictes, classe de peixes de esqueleto cartilaginoso, corpo revestido de escamas placoides, crânio sem suturas, cinco a sete pares de brânquias, dentes não fundidos aos maxilares e substituídos em sequência, dentre os quais se incluem os cações, quimeras e as raias [F.: Do lat. cient. classe *Chondrichthues*.]

condrioma (con.dri:*o*.ma) ***sm.*** *Cit.* O conjunto de condriossomas das células animais e vegetais [F.: *condri(o)-* + *-oma*.]

condriossomo (con.dri:os.*so*.mo) ***sm.*** *Cit.* Cada uma das diminutas estruturas em forma de grânulos, bastonetes ou fios, constituídas de lipoproteína, que ocorrem no citoplasma da maioria das células, m. que *condriossoma* [F.: *condri(o)* + *somo*.]

◎ **-condr(o)-** ***el. comp.*** Ver *condr(o)-*

◎ **-condro** ***el. comp.*** Ver *condr(o)-*

◎ **condr(o)-** ***el. comp.*** = 'cartilagem': *condroblasto, condrodistrofia, condroma*; *acondroplasia*; *pericondro* [F.: Do gr. *khóndros, ou*.]

condroblasto (con.dro.*blas*.to) ***sm.*** *Hist.* Célula do tecido cartilaginoso, que tem a faculdade de se reproduzir [F.: *condr(o)-* + *-blasto*.]

condrodistrofia (con.dro.dis.tro.*fi*.a) ***sf.*** **1** *Ort.* Distúrbio genético que tem como consequência a distrofia (desenvolvimento anormal) de cartilagem de articulação e/ou má-formação esquelética **2** *Ort.* Essa distrofia [F.: *condr(o)-* + *distrofia*.]

condroma (con.*dro*.ma) ***sm.*** *Med.* Tumor formado de tecido cartilaginoso, ou que produz células cartilaginosas [F.: *condr(o)-* + *-oma*[1].]

condução (con.du.*ção*) ***sf.*** **1** Ação ou resultado de conduzir (tb. no sentido de gerir, dirigir, governar etc.): *condução dos negócios/do carro.* **2** Ato de transportar alguma coisa de um lugar para outro: "Aumenta a labuta com a lavagem das redes no mar, com a sua condução pelo areal." (Raul Brandão, *Pescadores*) **3** *Bras.* Transporte, meio de transporte, esp. coletivo: *Perdeu a condução para casa.* **4** Ato de dirigir veículo: *Deu aulas de condução quando estava exilado.* **5** *Elet.* Transmissão de calor ou de eletricidade através de um meio **6** *Jur.* Pagamento, pelas partes interessadas num processo, das despesas de deslocamento do juiz ou de auxiliar de justiça que seja de interesse do processo **7** *Neur.* Transmissão de impulsos entre neurônios ou entre neurônios e outros órgãos **8** *Esp.* No vôlei, infração que consiste em impulsionar a bola com movimento contínuo da mão, e não com um único toque [Pl.: *-ções*.] [F.: Do lat. *conductio, onis*.] ■ **~ antidrômica** *Fisl.* Condução de impulsos nervosos em direção contrária àquela em que deveria realizar-se **~ sináptica** *Neur.* Condução de impulsos nervosos através de uma sinapse nervosa

conducente (con.du.*cen*.te) ***a2g.*** **1** Que conduz a um fim determinado; que tem determinado fato ou situação como resultado final: *estratégia conducente ao sucesso.* **2** Que é apropriado para produzir determinado resultado, ou que tende para ele: *Medidas conducentes para o bom governo da pátria.* [F.: Do lat. *conducens, entis*.]

conduíte (con.du.*í*.te) ***sm.*** *Cons. Elet.* Tubo flexível, ger. embutido (em chão, parede etc.), para passagem de fiação elétrica, ou fios e cabos telefônicos etc.; ELETRODUTO [F.: Do fr. *conduit*.]

conduta (con.*du*.ta) ***sf.*** **1** *P. us.* Ação ou resultado de conduzir(-se); CONDUÇÃO **2** Modo de alguém agir, proceder ou se portar (conduta exemplar); COMPORTAMENTO **3** Transporte de passageiros **4** *Lus. Ant.* Reunião de pessoas que são conduzidas para algum lugar por ordem superior **5** *Ant.* Ação de vigiar ou controlar ou disciplinar pessoas, suas ações **6** *Fer.* Na caldeira das locomotivas, ponto onde terminam as tubulações e se ergue a chaminé **7** Tubo ou passagem para conduzir líquidos ou gases; CONDUTO [F.: Do lat. *conducta, ae*.] ■ **~ típica** *Pedag. Psiq.* Forma de comportamento, ou atitude típicas de pessoas com síndromes ou problemas de natureza psicológica, neurológica ou psiquiátrica, em nível que exija atendimento pedagógico e educacional especializado

condutância (con.du.*tân*.ci:a) ***sf.*** **1** *Elet.* Capacidade de um meio determinado de conduzir eletricidade **2** *Elet.* Medida da capacidade de um material condutor, ou de um circuito de corrente contínua, para deixar passar corrente, e que é equivalente ao inverso da resistência [F.: Do fr. *conductance*.] ■ **~ equivalente** *Fís. -quím.* A de um eletrólito que contém um equivalente-grama de um soluto que está entre dois eletrodos planos e paralelos a uma distância de 1cm um do outro **~ específica** *Fís. -quím.* A de um condutor cuja seção plana e cujo comprimento têm dimensão unitária; condutividade **~ mútua** *Eletrôn.* Transcondutância (q. v.)

condutibilidade (con.du.ti.bi.li.*da*.de) ***sf.*** **1** Qualidade de um corpo, substância ou uma forma de energia etc. de poderem ser conduzidos propagados em determinado meio: *a condutibilidade do som em um fluido.* **2** Propriedade de certos materiais de serem condutores de uma forma de energia (condutibilidade elétrica, condutibilidade térmica) [F.: *condutível* + *-(i)dade*.]

condutível (con.du.*tí*.vel) ***a2g.*** Que tem possibilidade de ser conduzido, transmitido ou propagado: *O calor é condutível pelos metais.* [F.: Posv. do fr. *conductible*.]

condutividade (con.du.ti.vi.*da*.de) *Elet.* ***sf.*** **1** Qualidade (de um corpo, substância etc.) de ser condutor de eletricidade **2** Medida dessa capacidade (esp. de um circuito), equivalente ao inverso da resistividade [F.: *condutiv(o)* + *-(i)dade*.] ■ **~ térmica** *Fís.* Quantidade de calor que passa a cada unidade de tempo através da unidade de área de um condutor térmico, no qual há um gradiente de temperatura uniforme equivalente a um grau de temperatura por unidade de comprimento

condutivo (con.du.*ti*.vo) ***a.*** **1** Rel. a condução (líquido condutivo) **2** Que conduz ou é próprio para conduzir; CONDUTOR: *O metal é condutivo da eletricidade.* [F.: Rad. do lat. *condu(c)tus* + *-ivo*.]

conduto (con.*du*.to) ***sm.*** **1** Qualquer passagem ou caminho, esp. tubo ou canal, por onde passam, escoam fluidos; DUTO **2** *Anat.* Canal do organismo; estrutura por onde passa normalmente, no interior do organismo ou para fora dele, alguma secreção ou excreção (conduto lacrimal); DUCTO [A designação preferencial é *ducto*.] **3** Aquilo que serve de meio para se chegar a determinado fim, ou para a realização ou completação de algum processo **4** *Pop.* Alimento que se costuma comer com pão (queijos, frios etc.) **5** *Cons.* Conduíte **6** *Lus.* Segundo prato de uma refeição, ger. servido após a sopa ***a.*** **7** Trazido, levado, conduzido [F.: Do lat. *conductus, a, um*.] ■ **~ auditivo externo** *Anat.* Canal que, em cada ouvido, se estende do pavilhão ao tímpano **~ vulcânico** *Geol.* Em vulcão, canal que liga a câmara subterrânea do magma à superfície (até a cratera), por onde escapam gases e magma (esp. nas erupções vulcânicas); chaminé

condutor (con.du.*tor*) [ô] ***a.*** **1** Que conduz, ou que apresenta a propriedade ou capacidade de conduzir alguma coisa **2** *Elet.* Diz-se do meio (material, ou peça, instrumento etc. feitos com material adequado) que serve para conduzir energia elétrica (fio condutor) **3** *Fís.* Diz-se do corpo ou material capaz de transmitir outras formas de energia (como calor ou som) **4** Que serve para guiar, orientar; que faz avançar ou progredir em determinada direção: *processo condutor da deliberação e tomada de decisão.* **5** Que serve para transmitir (mensagem etc.); que serve de portador (de sinais, informações etc.): *motivo condutor* [*ver essa loc. no verbete motivo*] ***sm.*** **6** Aquele que dirige ou guia um veículo, um meio de transporte (como automóvel, barco, trem etc.) **7** Aquele que é um guia ou orientador, que mostra o caminho ou ação a tomar **8** *Art. gr.* Empregado encarregado de preparar e supervisionar o trabalho das prensas **9** Empregado que cobra e/ou recolhe passagens em bondes e trens [Nesta acp., do ing. *conductor*.] **10** *Cons.* Cano por onde desce a água de chuva recolhida pelas calhas [F.: Do lat. *conductore*.] ■ **~ criogênico** *Fís.* Condutor de resistência muito pequena em baixa temperatura **~ de imagem** *Art. gr. Grav.* Superfície impressora de qualquer tipo **~ elétrico** *Elet.* Todo sistema capaz de transportar carga elétrica, na forma de corrente elétrica [Tb. apenas *condutor*.] **~ ôhmico** *Elet.* Condutor elétrico de resistência constante

conduzido (con.du.*zi*.do) ***a.*** **1** Que se conduziu, levado, transportado [+ *a, para, por*: "Arroubada em visões e desprendimentos, mas conduzida em cada momento à mesquinha, original e eterna necessidade." (Afrânio Peixoto, *A Esfinge*): "Parecia incrível que ela, tão jovem, tão formosa, fosse dali conduzida, por nós todos, para o cemitério, para o túmulo." (Veiga Miranda, *A Eterna Canção*)] **2** Dirigido, guiado: *automóvel conduzido pelo filho do proprietário, orquestra conduzida pelo maestro titular.* [F.: part. de *conduzir*.]

conduzir (con.du.*zir*) ***v.*** **1** Acompanhar (alguém) a algum lugar, guiando [***td.***: *O guarda é que está conduzindo as crianças.*] [***tda.***: *O mordomo conduziu o visitante até a sala.*] **2** *P. ext.* Acompanhar, dando cuidado, atenção, proteção, ou em sinal de respeito, como cortesia, etc. [*td.* /***tda.***] **3** Comandar, governar, dirigir; administrar, chefiar, orientar (algo ou alguém) em determinada atividade, processo ou trajetória [***td.***: "O dr. Cláudio conduzia os trabalhos com verdadeira perícia..." (Raul Pompeia, *O Ateneu*)] [*tdr.* + *a, para*: *O presidente conduziu a nação à beira do caos.*] **4** Fazer chegar; permitir ou fazer com que algo se desloque (até certo lugar), servindo de veículo ou de passagem; LEVAR; TRANSMITIR [***ta.***: *Esta trilha conduz à cachoeira.*] [***tda.***: *A tubulação conduz a água para a caldeira; Alguns nervos conduzem os estímulos até o cérebro.*] **5** Carregar (objeto, pessoa); deslocar (algo) sustentando-o sobre si ou dentro de si [***td.***: *Conduzia nos braços a criança adormecida; O ônibus pode conduzir dezenas de passageiros.*] **6** *Fig.* Comportar-se, apresentar uma conduta [***int.***: *Conduzia-se bem em situações formais.*] **7** *Fig.* Influenciar (alguém) a agir ou se comportar de certa maneira, com determinado objetivo ou com certas consequências futuras; encaminhar, levar (no sentido moral) [*tdi.* + *a*: *As más companhias conduziram-no à desonra.*] **8** *Fig.* Dar movimento a (algo), arrastando ou puxando [***td.***: *Os cavalos conduziam a diligência.*] **9** Dirigir, guiar (um veículo) [***td.***: *Aprendeu a conduzir caminhões.*] **10** Ter como resultado; ocasionar, proporcionar [*tr.* + *a*: *Foi essa ideia que conduziu ao sucesso do filme.*] **11** Agir de modo a fazer com que (uma situação, um processo, uma atividade) prossiga ou se desenvolva, ou que chegue a determinado desfecho ou a uma conclusão, ger. dando instruções, orientações ou exercendo influência [***td.***: *Conduzia o conflito familiar com muita sabedoria; O juiz conduziu impecavelmente o jogo até o apito final.*] [*tdr.* + *a*: *Conduziu a campanha ao melhor desfecho possível.*] **12** *Mús.* Dirigir, reger [***td.***: *O maestro conduziu a orquestra com grande brilho*] **13** *Fís.* Transmitir algum tipo energia entre dois pontos diferentes [*td.: A água conduz eletricidade.*] 14 *Geom.* Traçar linha orientado-a por determinadas coordenadas [*tdr.* + *por: Conduza a reta Z pelas coordenadas fornecidas.*] [▶ 57 conduzir] [F.: do lat. *conducere.* Ideia de 'que conduz': usar pospos. *-fora* e *-foro.*]

cone (*co.ne*) *sm.* 1 *Geom.* Sólido formado por uma figura plana e todos os segmentos de reta que ligam os pontos dessa figura a um ponto (o vértice do cone) situado fora dela; o espaço contido por uma *superfície cônica* 2 *Geom.* Sólido gerado pela rotação de um triângulo reto tendo um de seus catetos como eixo; o mesmo que *Cone reto* 3 *Geom.* Superfície cônica, isto é, aquela descrita por uma reta que se desloca em torno de um ponto fixo nela situado (o vértice) [O uso nesta acp. é considerado impróprio.] 4 Qualquer objeto com a forma exata ou semelhante à de um cone: *uma bola de sorvete dentro do cone da casquinha.* [F.: Do fr. *cone.*] ■ **~ aluvial** Depósito de material de aluvião trazido por corrente de água, cuja forma é de um leque, ou cone; cone de dejeção; cone de detritos; leque de aluvião; leque de dejeção **~ assintótico** *Geom.* Cone cujas geratrizes são assintóticas das hiperboloides **~ circular** *Geom.* Cone cuja base é um círculo **~ de aluvião** *Geol.* Ver *Cone aluvial.* **~ de avalancha** *Geol.* Acúmulo de material trazido por avalancha (neve, fragmentos de rocha, gelo etc.) **~ de dejeção** *Geol.* Ver *Cone aluvial* **~ de detritos** *Geol.* Ver *Cone aluvial* **~ de luz** *Fís.* No contínuo espaço-tempo (segundo a geometria de Lorentz), espaço cônico acessível a sinais que são emitidos de um ponto situado no seu vértice **~ de sombra** *Astron.* Zona de sombra que a Terra projeta sobre a Lua nos eclipses lunares ou que a Lua projeta sobre a Terra nos eclipses solares **~ diretor** *Geom. an.* Superfície cônica descrita por uma reta que passa por um ponto fixo do espaço e se move paralelamente à geratriz de uma superfície regrada em seu movimento de gerar essa superfície **~ equilátero** *Geom.* Cone circular cuja altura é igual ao diâmetro da base **~ eruptivo** *Geol.* Ver *Cone vulcânico.* **~ esférico** *Geom.* Sólido limitado por uma superfície cônica circular e por uma superfície esférica cujo centro coincide com o vértice da primeira **~ oblíquo** *Geom.* Cone cuja altura não passa pelo centro da base, não sendo, portanto, seu eixo perpendicular à base **~ quádrico** *Geom.* Aquele cuja seção reta é uma cônica (circunferência, ou elipse, ou hipérbole, ou parábola) **~ reto** *Geom.* Cone cuja altura passa pelo centro da base, sendo, portanto, seu eixo perpendicular à base **~ Sul** Designação do bloco de países – e da respectiva área geográfica – formado por Argentina, Brasil, Chile, Paraguai e Uruguai **~ truncado** *Geom.* Parte de um cone compreendida entre dois planos não paralelos que cortam todas as suas geratrizes; tronco de cone **~ vulcânico** *Geol.* Acumulação de material lançado pela cratera de um vulcão, no formato de um cone que envolve a cratera; cone eruptivo

conectado (*co.nec.ta.do*) *a.* Que se conectou; LIGADO; PLUGADO; UNIDO: *A luz só acende se o fio estiver conectado à corrente elétrica.* [F.: part. de *conectar.*]

conectar (*co.nec.tar*) *v.* 1 Fazer conexão entre (dois ou mais elementos); ligar (uma coisa a outra) [*td.: O encanador conectou os dois canos.*] [*tdr.* + *a, em:* "...esperamos conectar os movimentos do médico às câmeras e aos instrumentos..." (*Folha de S.Paulo*, 21.03.1999)] 2 *Inf.* Ligar (computador) a outros computadores (ou ligar computadores entre si), ger. de uma rede ou sistema, e esp. à internet [*td.: Conectaram os computadores da empresa.*] [*tdr.* + *a, com: conectar o computador à / com a internet.*] 3 Utilizar conexão física para estabelecer comunicação, troca de mensagens e dados etc. com (outros computadores, programas, equipamentos, ou rede de computadores, ou as pessoas que os utilizam) [*tdr.* + *a, com: instalar programa/ placa que conecte o computador à / com a rede; conectar-se à internet,* us. em relação a usuários de equipamentos de computador, ou aos programas por eles utilizados.] 4 Relacionar acontecimentos, fatos, ideias; estabelecer ou descobrir nexos, vínculos entre coisas, ações, pessoas [*tdr.* + *a, com: Conectou um fato ao outro e descobriu a verdade.*] [▶ 1 conectar] [F.: Do lat. *conectare,* pelo ing. *(to) connect* 'ligar'.]

conectável (*co.nec.tá.vel*) *a2g.* Que se pode conectar, ligar: *dispositivo conectável ao equipamento principal.* [F.: *conectar* + *-vel.*]

conectividade (*co.nec.ti.vi.da.de*) *sf.* 1 Qualidade do que é conectivo 2 *Inf.* Capacidade (de um computador, programa etc.) de operar em ambiente de rede, conectando-se e trocando dados (em maior ou menor velocidade, eficiência etc.) com outros: *O programa permite conectividade global.* 3 *Restr. Inf.* Capacidade de conectar-se à internet [F.: *conectivo* + *-(i)dade.*]

conectivo (*co.nec.ti.vo*) *a.* 1 Que liga ou conecta (tecido conectivo) [Usa-se também *conetivo.*] *sm.* 2 Aquilo que serve como elemento ou meio de ligação física entre outras coisas 3 *Gram.* Elemento que serve de ligação entre palavras ou orações [F.: Do fr. *connectif, -ive.*]

conector (*co.nec.tor*) [ô] *a.* 1 *Elet. Eletrôn. Inf.* Que conecta ou estabelece ligações elétricas ou eletrônicas entre dois dispositivos *sm.* 2 *Elet. Eletrôn. Inf.* Peça que estabelece ligações elétricas ou eletrônicas entre dois dispositivos 3 *Gram.* O mesmo que *conectivo* [F.: Do ing. *connector.* Var.: *conetor.*]

cônego (*cô.ne.go*) *sm.* 1 *Rel.* Padre do clero secular, que pertence a um cabido ou a uma basílica e que tem alguma função religiosa, ger. de rezar ofícios 2 *Fig.* Pessoa que vive regaladamente e com pouco trabalho [F.: Do lat. *canonicus, i.*] ■ **~ regrante** *Ecles.* Aquele que segue regra monástica

conexão (*co.ne.xão*) [cs] *sf.* 1 Ação ou resultado de conectar, de estabelecer ligação entre pessoas ou coisas 2 Aquilo que conecta, ou que serve para conectar, ligar, comunicar 3 Relação causal, ou o fato de duas ou mais coisas (fatos, ações) terem com outra a mesma relação causal: *Não há conexão entre os dois crimes.* 4 Relação lógica, esp. entre coisas similares, contíguas, sequenciais, ou que pertencem a uma mesma classe ou categoria: *Essa história tem íntima conexão com a precedente.* 5 Elemento, fator, ação ou qualidade comum a duas ou mais coisas e que representa uma ligação factual entre elas 6 *Cons.* Peça que liga dois tubos ou fios 7 Ponto de um percurso onde se troca de veículo ou de meio de transporte, para prosseguir ou completar a viagem: *Para chegar a Londrina, fizemos conexão em Curitiba.* 8 *Inf.* Comunicação entre dispositivos ou computadores para transferência de dados 9 Agente intermediário na atividade do narcotráfico [Pl.: *-xões.*] [F.: Do lat. *connexio, onis.*]

conexidade (*co.ne.xi.da.de*) *sf.* Estado ou qualidade do que é conexo: *As declarações do acusado não formavam nenhuma conexidade com o crime praticado.* [F.: *conexo* + *-i-* + *-dade.*]

conexo (*co.ne.xo*) [cs] *a.* 1 Que possui conexão ou em que há conexão (temas conexos) [+ *a, com, entre: Essa maneira de ver é intimamente conexa com a dos liberais; Esses dois fatos são conexos entre si:* "É a recusa da extradição, não só para os crimes políticos, senão também para os a ele conexos." (Rui Barbosa, *Colunas de Fogo*)] 2 *Jur.* Diz-se da ação de tal modo ligada a outra que o julgamento de uma tem efeito sobre a outra [Ant.: *inconexo, desconexo.*] [F.: Do lat. *conexus, a, um.*]

confabulação (*con.fa.bu.la.ção*) *sf.* 1 Ação ou resultado de confabular: "...As confabulações de tais espíritos são dignas de memória..." (Machado de Assis, *"Relíquias de casa velha"*) [+ *com, entre, sobre: confabulação com alguém/ entre amigos/sobre um negócio.*] 2 Maquinação, combinação entre várias pessoas, para fins escusos; INTRIGA; TRAMA [Pl.: *-ções.*] [F.: Do lat. *confabulatio, onis.*]

confabular (*con.fa.bu.lar*) *v.* 1 Conversar com familiaridade, sem cerimônia, esp. para trocar ideias, opiniões, impressões [*tr.* + *com: Disse-me que confabula frequentemente com o espírito do avô.*] [*int.: Antes de dormir, costumavam confabular.*] 2 Falar, conversar sobre assunto secreto, misterioso ou suspeito [*tr.* + *com: É um político que não confabula com golpistas.*] [*int.: Estavam a um canto, cochicando, confabulando.*] 3 *P. ext. Pop.* Planejar ou combinar (algo) em conjunto [*td.: Antes de se despedirem, confabularam uma nova visita ao amigo.*] 4 *Psic.* Narrar ou compor histórias irreais como se tivessem acontecido; FANTASIAR [*td.: Confabular uma cena de sedução.*] [*int.: O paciente apresentou uma patológica tendência a confabular.*] [▶ 1 confabular] [F.: Do lat. *confabulare.*]

confabulatório (*con.fa.bu.la.tó.ri:o*) *a.* 1 Que diz respeito a confabulação 2 Que permite confabulação (tom confabulatório) 3 Propenso a confabulação: "E ei-lo, confabulatório, felisomem." (Guimarães Rosa, "Quemadmodum", *in Ave, Palavra*) [F.: Do rad. lat. *confabulat-* + *-ório.*]

confecção (*con.fec.ção*) *sf.* 1 Ação ou resultado de confeccionar 2 Preparação de algo por combinação (artesanal) de ingredientes: *confecção de um medicamento.* 3 Fabricação ou acabamento de objetos, por meios artesanais ou industriais 4 Pequena indústria de roupas 5 Roupa confeccionada industrialmente [Pl.: *-ções.*] [F.: Do lat. *confectio, onis.*] ■ **De ~** Que resulta de operação de reunir ou combinar elementos de modo tecnicamente adequado, mas sem excelência ou sem qualidades artísticas **Meia ~** *Vest.* Roupa fabricada em série mas não totalmente arrematada, para que o seja sob medida do comprador

confeccionado (*con.fec.ci:o.na.do*) *a.* 1 Que se confeccionou, manipulou: *medicamento confeccionado com ingredientes naturais.* 2 Diz-se de obra a que se deu acabamento: *armário confeccionado em cerejeira.* 3 Diz-se de vestimenta ou material têxtil industrializados: *camisa confeccionada em linho.* [F.: Part. de *confeccionar.*]

confeccionar (*con.fec.ci:o.nar*) *v. td.* 1 Modificar matéria-prima e/ou unir componentes diversos para produzir (roupas, acessórios, enfeites etc.); FABRICAR: *confeccionar roupas/sapatos e bolsas/brincos e pulseiras.* 2 *Farm.* Preparar (remédio, droga, doce, confeito etc.), manipulando, dosando e combinando ingredientes diversos: *confeccionar uma pomada.* [▶ 1 confeccionar] [F.: Do fr. *confectionner.*]

confeccionista (*con.fec.ci:o.nis.ta*) *a2g.* 1 Relativo a confecção (indústria confeccionista) 2 Que trabalha em confecção ou é seu proprietário *sm.* 3 Funcionário ou dono de confecção [Sin. ger. *confeccionador*; F.: *confecção* sob a f. rad. *confeccion-* + *-ista.*]

confederação (*con.fe.de.ra.ção*) *sf.* 1 União de vários estados independentes que reconhecem um governo comum 2 Reunião de pessoas, grupos sociais, instituições, Estados etc. com um fim determinado; ALIANÇA; ASSOCIAÇÃO; LIGA: *Confederação dos Tamoios.* 3 Reunião de associações ou federações profissionais, sindicais, esportivas etc.: *Confederação Brasileira de Futebol.* [Pl.: *-ções.*] [F.: Do lat. *confoederatio, onis.*]

confederado (*con.fe.de.ra.do*) *a.* 1 Que ou o que se confederou, que faz parte de confederação; ASSOCIADO; COLIGADO *sm.* 2 Pessoa ou entidade participante de confederação 3 *Hist.* Militar ou simpatizante da Confederação Sulista na guerra de Secessão dos Estados Unidos (1861-1865) [F.: Part. de *confederar.*]

confederar (*con.fe.de.rar*) *v.* 1 Associar(-se), unir(-se) com reconhecimento mútuo da autonomia e aceitando obediência a regras, leis etc. estabelecidas em comum acordo; formar confederação [*td.: confederar os estados.*] [*int.: As colônias confederaram-se.*] 2 Unir-se ou colaborar (formalmente ou não) para um fim comum ou para combater um oponente comum, geralmente de natureza política; ASSOCIAR(-SE); COLIGAR(-SE) [*tr.* + *a, com, contra, em:* "Aí se confederou com outro chefe, o destemido padre João do Cano." (Camilo Castelo Branco, *Maria da Fonte*)] [▶ 1 confederar] [F.: Do lat. tardio *confoederare.*]

confederativo (*con.fe.de.ra.ti.vo*) *a.* Ref. a confederação (sistema confederativo) [F.: *confederar* + *-tivo.*]

confeitado (*con.fei.ta.do*) *a.* 1 Coberto com açúcar, glacê etc. (amendoim confeitado; bolo confeitado) 2 Diz-se de certa pastilha doce 3 *Fig.* Diz-se de algo a que se procurou abrandar os aspectos ruins, dando uma aparência agradável; ADOÇADO; DISFARÇADO; DULCIFICADO: *Discurso confeitado com palavras amáveis.* [F.: Part. de *confeitar.*]

confeitar (*con.fei.tar*) *v.* 1 Cobrir (doce, iguaria etc.) com açúcar ou pasta feita de açúcar [*td.*] 2 *Bras.* Enfeitar (bolo, torta) com cobertura preparada à base de açúcar (p. ex., chocolate, geleia, glacê, cremes) e com confeitos [*td.: Confeitava bolos de aniversário.*] [*int.: Tinha vários bicos de confeitar.*] 3 *Bras.* Compor figuras ou desenhos usando açúcar combinado a outros ingredientes comestíveis (frutas, chocolate etc.) [*int.*] 4 *Fig.* Dissimular, disfarçar, suavizando [*td.: Procurava confeitar o seu erro para não magoar os pais.*] [▶ 1 confeitar] [F.: *confeito* + *-ar²*. Hom./Par.: *confeito* (fl.), *confeito* (a. sm.); *confeitaria(s)* (fl.), *confeitaria(s)* (sf. [pl.]).]

confeitaria (*con.fei.ta.ri.a*) *sf.* 1 A profissão ou atividade dos confeiteiros 2 O conjunto das iguarias ou receitas da atividade confeiteira em geral, ou das que são típicas, tradicionais ou usualmente consumidas em determinada região ou época 3 Loja onde se fazem e/ou vendem doces, bolos, biscoitos, e tb. salgados etc. 4 *Bras.* Tipo de restaurante onde se servem chá, chocolate, café acompanhados de torradas, biscoitos, bolos etc.; CASA DE CHÁ [F.: *confeito* + *-aria.* Hom./Par.: *confeitaria(s)* (sf. [pl.]), *confeitaria(s)* (fl. *confeitar*).]

confeiteiro (*con.fei.tei.ro*) *a.* 1 Ref. a confeitaria, ou a confeitos (indústria confeiteira) *sm.* 2 Pessoa que fabrica e/ ou vende confeitos, bolos, doces etc.; DOCEIRO: "As boticas e as lojas de confeiteiro eram lugares frequentados pelos mundanos." (Alberto Pimentel, *O Lobo da Madragoa*) [F.: *confeito* + *-eiro.*]

confeito (*con.fei.to*) *Cul. sm.* 1 Guloseima de açúcar em ponto vítreo, a que se adicionam sabor e cor artificiais; BALA; REBUÇADO 2 Pequenas pastilhas ou bolinhas feitas de açúcar e corantes, us. para confeitar bolos e doces 3 Semente comestível ou pequeno fruto envolvidos em uma preparação açucarada: "Tais amores são como os confeitos que, sob um doce revestimento que logo se dilui, encerram a amêndoa amarga." (Coelho Neto, *Água de Juventa*) *a.* 4 Que se confeitou; CONFEITADO [F.: Do it. *conffeto.*]

conferência (*con.fe.rên.ci:a*) *sf.* 1 Reunião para debater assunto importante, ger. de interesse internacional; CONVENÇÃO 2 Exposição de informações ou ideias, palestra sobre tema cultural, científico etc.: "Críticos de grande voga fazem conferências sobre este árido tema." (Mário Barreto, *Através do Dicionário e da Gramática*) 3 Reunião entre duas ou mais pessoas sobre assunto(s) de interesse comum: *A conferência entre o governador e o secretário foi breve; Esperou a conferência do pai com a filha antes de decidir.* 4 Ação ou resultado de conferir, de verificar a correção ou exatidão de algo: *conferência de dados.* [F.: Do lat *conferentia, ae.*] ■ **~ de cúpula** *Pol.* Encontro internacional de chefes de Estado ou de governo para tratar de temas de grande importância; cimeira [Tb. apenas *cúpula.*] **~ de frete** *Mar. Merc.* Conclave internacional de companhias de navegação para fixar regras para o comércio marítimo, como as de frete, distribuição de cargas, etc. **~ de imprensa** *Lus.* O mesmo que *entrevista coletiva* **~ eletrônica** Comunicação audiovisual entre duas ou mais pessoas distantes entre si, realizada por meios eletrônicos, em tempo real, ger. em caráter restrito ou privado; a troca de informações, ideias etc. que utiliza essa forma de comunicação

conferenciar (*con.fe.ren.ci.ar*) *v.* 1 Trocar ideias; discutir ou tratar em conferência; ter conferência [*tr.* + *com: O ministro conferenciou com os assessores (sobre as eleições).*] [*int.: Os ministros reuniram-se para conferenciar.*] 2 Conversar a respeito de algo [*td.* + *com: Prefere conferenciar com os parentes antes de decidir.*] [*int.: Conferenciaram durante uma hora.*] 3 Proferir conferência [*int.: O cientista aceitou o convite para conferenciar (sobre clonagem) no Senado.*] [▶ 1 conferenciar] [F.: *conferência* + *-ar²*. Hom./Par.: *conferencia(s)* (fl.), *conferência(s)* (sf. [pl.]).]

conferencista (*con.fe.ren.cis.ta*) *a2g.* 1 Que faz conferências (pesquisador conferencista) *s2g.* 2 Pessoa que dá ou é chamado para dar conferência(s) (conferencista renomado): *A conferencista de hoje não poderá vir.* [F.: *conferênc(ia)* + *-ista.*]

conferente (*con.fe.ren.te*) *a2g.* 1 Que confere, verifica, compara 2 *P. us.* Conferencista *s2g.* 3 Pessoa encarregada de conferir a entrada e saída de mercadorias ou matérias-primas 4 *P. us.* Conferencista 5 *Ant.* Funcionário encarregado de conferir assinaturas e impressões digitais em uma instituição bancária 6 Auxiliar de revisão que lê os originais em voz alta para o revisor 7 Aquele cuja função é conferir documentos, contas, mercadorias; esp.: funcionário da alfândega que examina as bagagens e mercadorias que passam pela aduana 8 Cada um daqueles que participam de uma conferência (conversa ou reunião para debater, deliberar, ou sobre negócios e interesses comuns) [F.: Do lat. *conferens, entis.*]

conferição (con.fe.ri.*ção*) *sf.* Ação ou resultado de conferir; CONFERÊNCIA: *a conferição dos votos.* [Pl.: *-ções.*] [F.: *conferir* + *-ção.*]

conferido (con.fe.*ri*.do) *a.* 1 Que foi comparado, confrontado, verificado (contas conferidas) 2 Que foi concedido; OUTORGADO: *Título conferido por sua excelente participação em todas as provas.* [Ant.: *negado.*] [F.: Part. de *conferir.*]

conferir (con.fe.*rir*) *v.* 1 Examinar (algo) novamente, com atenção, ou comparar com outra coisa, para saber se está correto [*td.*: *conferir uma conta.*] [*tdr.* + *com*: *Conferimos as respostas com as do livro.*] 2 Dar, conceder (algo, ger. um bem abstrato, uma condição pessoal, um direito etc.) com autoridade oficial, ou por meio de ritual; MINISTRAR; OUTORGAR [*tdi.* + *a*: *O júri conferiu prêmios aos melhores concorrentes.*] 3 Fazer com que algo ou alguém adquira determinadas características; dar ou emprestar determinado aspecto, atributo etc.; IMPRIMIR [*tdi.* + *a*: *Os pormenores conferiam verossimilhança à história.*] 4 Estar conforme; estar correto ou exato; não ser ou não estar diferente do que foi calculado, esperado ou estipulado [*tr.* + *com*: *A descrição do suspeito não confere com o depoimento da testemunha.*] [*int.*: *A contagem dos votos confere.*] 5 Discutir, conferenciar [*tr. int.*] [▶ 50 conferir] [F.: Do lat. **conferere*, por *conferre.*]

confessado (con.fes.*sa*.do) *a.* 1 Que se confessou 2 Declarado, confesso: "Nela o mal é puro e confessado reumatismo." (Machado de Assis, *Memorial de Aires*) [Ant.: *inconfessado.*] *sm.* 3 O que costuma confessar-se a um certo padre: *o confessado do padre capelão.* [F.: Part. de *confessar.*]

confessar (con.fes.*sar*) *v.* 1 Contar (um segredo); revelar por meio de palavras (o que antes ocultava) [*td.*: "Confesso agora que fiquei ansioso." (Josué Montello, *Sempre Serás Lembrada*)] [*tdi.* + *a*: *A modelo confessou ao repórter que não resiste a um doce.*] 2 Admitir, reconhecer (culpa, erro, crime) [*int.* /*td.*: *O culpado acabará confessando (o crime).*] [*tdi.* + *a, para*: *Confessou o furto à polícia.*] [*tdp.*: *Confessou-se responsável pelo desaparecimento da agenda.*] 3 Declarar(-se), reconhecer(-se) [*tdp.*: *A atleta confessou-se cansada; Todos o confessaram (por) salvador.*] 4 *Rel.* Contar, relatar (pecados) (a um sacerdote) em confissão [*tdi.* + *a*: *Confessei ao padre que menti.*] [*tr.* + *a, com, de*: *Confessou(-se) antes de comungar.*] [*tr.* + *a, com, de*: *confessar-se ao/com o sacerdote dos pecados que cometera.*] 5 *Rel.* Ouvir aquilo que é dito por (alguém) em confissão [*td.*: *O padre confessou seus paroquianos.*] 6 Dizer publicamente que é seguidor de (religião, doutrina etc.); PROFESSAR [*td.*] 7 *Fig.* Deixar transparecer; REVELAR; TRAIR [*td.*: *Sua face confessa uma tristeza profunda.*] [▶ 1 confessar] [F.: Do lat. *confessu.* Hom./Par.: *confesso* (fl.), *confesso* (ê) (a. sm.), *confesso* (ê) (sm.); *confessa(s)* (fl.), *confessa(s)* (fem. adj. *confesso*).]

confessável (con.fes.*sá*.vel) *a2g.* Que se pode ou deve confessar: *um deslize confessável.* [Ant.: *inconfessável.*] [Pl.: *-veis.*] [F.: *confessar* + *-vel.* Hom./Par.: (pl.) *confessáveis, confessáveis* (fl. de *confessar*).]

confessional (con.fes.si:o.*nal*) *a2g.* 1 Ref. a confissão (segredo confessional) 2 Que se refere a uma crença religiosa: *O catolicismo foi sua opção confessional.* 3 *Liter.* Diz-se do texto, ger. autobiográfico, em que o autor revela fatos íntimos de sua vida pregressa 4 Que se assemelha a uma confissão: *Fez-lhe uma revelação confessional.* 5 Ref. a crença religiosa (ger. expressa formalmente e publicamente) 6 Ref. ao confessionalismo [Pl.: *-nais.*] [F.: Do lat. ecles. *confessionalis, e.*]

confessionário (con.fes.si:o.*ná*.ri:o) *sm.* 1 *Rel.* Na igreja católica, lugar onde o padre ouve as confissões dos fiéis: "Lembrou-me que a Igreja estabeleceu no confessionário um cartório seguro." (Machado de Assis, *Dom Casmurro*) 2 Móvel em forma de cabine fechada com janelas laterais cobertas por cortina ou treliça, no interior do qual o padre sentado ouve as confissões dos fiéis ajoelhados em degraus abaixo das janelas 3 *Fig.* Qualquer lugar ou ocasião em que uma ou mais pessoas revelam segredos: *O grande confessionário que são alguns programas de televisão.* 4 A confissão, praticada como sacramento [F.: Do lat. ecles. *confessionarium, ii.*]

confesso (con.*fes*.so) [é] *a.* 1 Que confessou sua culpa (assassino confesso) 2 Que foi objeto de confissão (segredo confesso); CONFESSADO 3 Que declarou sua fé, sua adesão a uma religião 4 *Restr.* Convertido ao cristianismo *sm.* 5 Pessoa que se converteu ao cristianismo 6 Monge, religioso que vive em mosteiro 7 *Hist. Rel.* Pessoa que confessou ou admitiu as acusações feitas contra ela nos tribunais da Inquisição [F.: Do lat. *confessus, a, um.* Hom./Par.: *confesso* (a. sm.), *confesso* (fl. *confessar*); *confessa(s)* (af. [pl.]), *confessa(s)* (fl. *confessar*).]

confessor (con.fes.*sor*) [ô] *sm.* 1 *Rel.* Na religião católica, padre encarregado de ouvir as confissões e prescrever as penitências: "...Na quaresma, eu e os outros rapazes íamos esconder-nos do confessor debaixo das camas..." (Machado de Assis, *Memorial de Aires*) 2 *P. ext.* Aquele que ouve confissões ou confidências de outrem 3 Aquele que confessa, declara sua fé, esp. a cristã *a.* 4 *Hist. Rel.* Diz-se dos cristãos que com heroísmo professaram publicamente sua fé [F.: Do lat. ecles. *confessor, oris.*]

confete (con.*fe*.te) [é] *sm.* 1 (Porção de) rodelinhas de papel colorido que as pessoas costumam atirar umas nas outras durante o carnaval ou outras festas e festejos 2 Cada uma dessas rodelinhas: Confete / Pedacinho colorido de saudade/ Ai, ai, ai, ai, / Ao te ver na fantasia que usei,/ Confete,/ Confesso que chorei" (Davi Nasser e Jota Júnior, *Confete*) 3 *Fig.* Elogio público que se faz a alguém, muitas vezes como falsa lisonja [F.: Do it. *confetti.*] ■ **Jogar ~ (em)** 1 *Fig.* Elogiar, enaltecer (alguém) 2 *Fig.* Adular, bajular (alguém)

confiabilidade (con.fi.a.bi.li.*da*.de) *sf.* ou alguém confiável: *Os testes puderam assegurar a confiabilidade dos equipamentos; Essas pessoas já deram mostras de não apresentar um alto grau de confiabilidade.* [F.: *confiável* (segundo o padrão erudito *confiabil-*) + *-(i)dade.*]

confiado (con.fi.*a*.do) *a.* 1 Que se confiou a alguém: *A missão a ele confiada foi cumprida.* 2 *Pop.* Diz-se de quem é atrevido, folgado: *É pessoa muito confiada, melhor não dar-lhe muita atenção.* *sm.* 3 Pessoa atrevida, folgada [F.: Part. de *confiar.*]

confiança (con.fi:*an*.ça) *sf.* 1 Sentimento de quem confia em algo ou alguém: *Ganhou a confiança de todos.* [+ *em*: *Ele tem confiança no médico da família.*] 2 Segurança íntima: *agir com confiança.* 3 Bom conceito, boa opinião que as pessoas têm em relação a alguém ou algo: *profissional de confiança.* 4 Sentimento de respeito, de harmonia e entendimento: *Um clima de confiança cercou a assinatura do contrato.* 5 *Pop.* Petulância, atrevimento, fidúcia; atitude de quem é confiado (2): *Teve a confiança de entrar sem pedir licença.* [F.: *confi (ar)* + *-ança.*] ■ **Dar ~ (a)** Dar/aceitar tratamento informal, de proximidade (a/de alguém) **De ~** 1 Em que ou em quem se pode confiar; confiável: *Pode deixar a encomenda com ele, é de confiança.* 2 Que só pode ser confiado a pessoa de responsabilidade, confiável: *cargo de confiança.* **Em ~** 1 Sem desconfiar, sem dúvida quanto à confiabilidade ou discrição: *Antecipou-lhe, em confiança, o resultado do exame.* 2 Sem se precaver ou acautelar: *Assinou, em confiança, o cheque não preenchido.*

confiante (con.fi:*an*.te) *a2g.* 1 Que confia, que tem confiança em algo ou alguém: *Continua confiante em tudo que ouviu das testemunhas.* 2 Que crê ou tem esperança: *O povo está confiante na democracia.* 3 Que tem autoconfiança, segurança: *O atleta confiante permanece calmo.* [F.: *confia (r)* + *-nte.*]

confiar (con.fi.*ar*) *v.* 1 Ter confiança, ter fé; dar crédito (a algo ou alguém); ACREDITAR; ESPERAR; FIAR-SE [*tr.* + *em, de*: *Confio nele e de sua capacidade*: "É por isso mesmo que eu não confio muito na tal justiça." (Aluísio Azevedo, *Casa de Pensão*)] [*int.*: *Confie e tudo dará certo.*] 2 Pôr(-se) à guarda, proteção, responsabilidade ou cuidados de (algo ou alguém); entregar(-se) com segurança, com confiança [*tdi.* + *a, em*: *Antes de morrer, confiou às irmãs a criação da filha; Confio os documentos ao contador da firma; O professor confia a turma ao monitor; Confiou-se à/na melhor clínica.*] 3 Dar a saber, revelar em confiança; CONFIDENCIAR [*tdi.* + *a*: *Não confiava suas angústias a ninguém.*] [▶ 1 confiar] [F.: Do lat. *confidare* por *confidere.* Hom./Par.: *confiáveis* (fl.), *confiáveis* (pl. de *confiável*).]

confiável (con.fi:*á*.vel) *a2g.* Que merece confiança (informação confiável, empresa confiável) [Pl.: *-veis.*] [F.: *confia(r)* + *-vel.* Hom./Par.: *confiáveis* (pl.), *confiáveis* (fl. *confiar*).]

confidência (con.fi.*dên*.ci:a) *sf.* 1 Informação secreta ou íntima revelada a alguém: *Fez à amiga confidências sobre um namoro secreto.* 2 Confiança, esp. na fidelidade, lealdade ou discrição de alguém [F.: Do lat. *confidentia, ae.* Hom./Par.: *confidência(s)* (sf. [pl.]), *confidência(s)* (fl. *confidenciar*).] ■ **Em ~** De maneira confidencial, reservadamente

confidencial (con.fi.den.ci.*al*) *a2g.* Que foi comunicado em segredo ou que não deve ser do conhecimento de muitos (informação confidencial; assunto confidencial); SECRETO; SIGILOSO [Pl.: *-ais.*] [F.: *confidência* + *al*[1]. Hom./Par.: *confidenciais* (pl.), *confidenciais* (fl. *confidenciar*).]

confidenciar (con.fi.den.ci.*ar*) *v.* 1 Contar em confidência, em segredo; SEGREDAR [*td.*: "...confidenciou que tinha de demiti-lo e à assessora." (*Folha de S.Paulo*, 19.12.1999)] [*tdi.* + *a*: *O entrevistado confidenciou ao repórter a sua preocupação.*] 2 Conversar assuntos sigilosos ou íntimos com; trocar confidências [*tr.* + *com*: *Procurou um canto para confidenciar com o pai.*] [*int.*: *Confidenciaram-se por alguns instantes.*] [▶ 1 confidenciar] [F.: *confidência* + *-ar*[2]. Hom./Par.: *confidenciais* (fl.), *confidenciais* (pl. de *confidencial*); *confidência(s)* (fl.), *confidência(s)* (sf. [pl.]).]

confidente (con.fi.*den*.te) *s2g.* 1 Diz-se de ou pessoa a quem se fazem confidências, a quem se confiam segredos, intimidades: "A Honora, minha confidente e conselheira... desatou a rir." (Aquilino Ribeiro, *Maria Benigna*) 2 *Teat.* Personagem convencional, ger. amigo do protagonista, e que tem por função ouvir-lhe as confidências (de modo que o público saiba de acontecimentos relevantes não encenados) *a2g.* 3 Diz-se da pessoa em quem se confia e a quem se contam segredos (amigo confidente) [F.: Do lat. *confidens, entis.*]

configuração (con.fi.gu.ra.*ção*) *sf.* 1 Ação ou efeito de configurar(-se) 2 A forma exterior das coisas; CONFORMAÇÃO; FEITIO: "*A configuração da África Austral aparece já delineada... nalgumas cartas da Idade Média.*" (Latino Coelho, *Vasco da Gama*) 3 Arranjo, disposição geral, organização (de partes, elementos, componentes etc.): *a configuração de uma série de gravuras.* 4 Conjunto de características próprias; PERFIL 5 *Inf.* Conjunto dos elementos componentes (e suas respectivas características de funcionamento) que determinam a capacidade de um computador 6 *Inf.* Conjunto de padrões e características de operação de um programa ou conjunto de programas 7 *Astron.* Forma de um grupo de astros ligados por linhas imaginárias (configuração astrológica) 8 *Quím.* Forma ou disposição espacial (ou sua representação bidimensional ou tridimensional) com que se ligam os átomos de uma molécula 9 *Geom.* Figura formada por pontos, linhas ou superfícies 10 *Elet.* O conjunto dos componentes interligados em um circuito para desempenhar uma função determinada [Pl.: *-ções.*] [F.: Do lat. *configuratio, onis.*] ■ **~ eletrônica** *Quím.* Modo de distribuição dos elétrons em seus orbitais, em um átomo ou molécula

configurado (con.fi.gu.*ra*.do) *a.* 1 Que se configurou, formou, representou: *modelo configurado conforme as exigências do cliente.* [Ant.: *deformado, desfigurado.*] 2 Criado no pensamento; IMAGINADO: *configurada em sua lembrança como uma santa.* 3 *Inf.* Diz-se de programa cujas opções de uso definem a preferência do usuário, bem como se adaptam às características do computador em que está instalado [F.: Do lat. *configuratus, a, um.*]

configurar (con.fi.gu.*rar*) *v.* 1 Dar a (algo) determinada forma ou figura; formar uma figura ou a representação de algo; REPRESENTAR [*td.*: *Com mãos hábeis, o escultor configurava a imagem da santa.*] [*tda.* + *em*: *configurar um terreno no papel.*] 2 Tomar forma ou figura definida; aparecer como imagem ou objeto com contornos ou outras características próprias [*int.*: *Um vulto configura-se a distância.*] 3 Dar ou atribuir a (algo) determinado perfil, um conjunto de características próprias, ou criar ou conceber dessa maneira; tb.: ser uma característica definitória de (algo) [*td.*: *Antes de executar o plano, configurou-o mentalmente em detalhes; O desentendimento entre os partidos governistas configurou a crise.*] 4 Ter ou adquirir as características, os aspectos típicos de; poder ser considerado ou classificado como; CARACTERIZAR; REPRESENTAR [*td.*: *O número de casos da doença não configura uma epidemia.*] [*tp.*: *O plágio configura-se crime.*] 5 *Inf.* Definir padrões para o funcionamento de (programa, acessório, máquina) [*td.*] [▶ 1 configurar] [F.: Do lat. *configurare.* Hom./Par.: *configuráveis* (fl.), *configuráveis* (pl. *configurável* [a2g.]).]

configurativo (con.fi.gu.ra.*ti*.vo) *a.* Que serve para configurar (elemento configurativo): *um quadro configurativo da realidade estudada.* [F.: Rad. do part. *configurado* (f. *configurat-*) + *-ivo.*]

configurável (con.fi.gu.*rá*.vel) *a2g.* Que se pode configurar: *um sistema de informática configurável.* [Pl.: *-veis.*] [F.: *configurar* + *-vel.* Hom./Par.: (pl.) *configuráveis, configuráveis* (fl. de *configurar*).]

confim (con.*fim*) *a2g.* 1 Que confina; CONFINANTE; CONTÍGUO; PRÓXIMO; VIZINHO [+ *a, de*: *uma região confim a/de outra.* Ant.: *afastado, distante, longínquo.*] *sm.* 2 Limite extremo; FRONTEIRA; RAIA: "As minorias étnicas birmanesas deslocadas no confim com a Tailândia estão vivendo uma grave crise humanitária." (portasabertas.org.br, "Direitos humanos violados e expulsão das minorias étnicas", 20.12.2004) 3 Lugar remoto, distante: *nos confins do mundo.* [Pl.: *-fins.* Nas acps. 2 e 3, mais us. no pl.] [F.: Do lat. *confinis, e.*]

confinado (con.fi.*na*.do) *a.* 1 Que se confinou, que não pode sair de um espaço fechado ou ultrapassar determinados limites (ar confinado); PRESO; DETIDO [+ *em, a*: *passarinhos confinados em gaiolas; presos confinados a uma pequena cela.*] 2 Diz-se de área que faz fronteira com outra, ou que é adjacente a (algo que serve de limite); CIRCUNSCRITO; ENCERRADO: *O sítio tem a área fronteira confinada à rodovia.* 3 *Fig.* Restrito, que respeita ou adota certas limitações; que não tem abrangência; que tem objeto ou propósito específicos; CIRCUNSCRITO: *análise confinada aos aspectos econômicos daquele período* [F.: Part. de *confinar.*]

confinamento (con.fi.na.*men*.to) *sm.* 1 Ação ou resultado de confinar(-se): *Foi necessário o confinamento dos animais da fazenda.* 2 Estado ou condição daquilo ou daquele que está confinado, preso, impedido de sair de um espaço limitado: *gado criado em confinamento; Seu confinamento em poder de sequestradores durou poucos dias.* 3 *Restr. Zoot.* Técnica de criação de animais dentro de construções ou espaços fechados, impedidos de se deslocarem livremente 4 Estado de quem se afasta de ou não se comunica com outras pessoas, em algum local fechado ou reservado: *noviças em confinamento.* 5 Estado ou qualidade do que é restrito, sem abrangência: *Criticaram o confinamento da análise elaborada no livro.* 6 Fato ou circunstância de algo (área, terreno, espaço, superfície etc.) ser contíguo a ou ter fronteira comum com outra área, terreno etc. 7 *Fig.* Proximidade, semelhança 8 *Jur.* Imposição, arbitrária ou não, por parte de autoridade ou detentor do poder, de limites à liberdade de se deslocar, esp. de sair da própria residência [F.: *confina (r)* + *-mento.*]

confinante (con.fi.*nan*.te) *a2g.* 1 O mesmo que *confim* (1): "Foram os primeiros que palmilharam com hábitos sacerdotais as terras de Jangomá, confinantes da Tartária." (Camilo Castelo Branco, *Paço de Ninães*) [Ant.:

afastado, distante.] **2** Que aprisiona, encarcera, prende, isola; CONFINADOR: *um sentimento confinante de poder.* [F.: *confinar* + *-nte.*]

confinar (con.fi.*nar*) *v.* **1** Prender, encarcerar; pôr(-se) ou manter(-se) em recinto fechado ou dentro de limites [*td.: Lida a sentença, o juiz mandou confinar o réu.*] [*tda. + em: Confinou as crianças em casa:* "...admitia que a jovem viúva se confinasse na solidão..." (Cecília Meireles, *Crônicas de Educação 4*)] **2** Circunscrever, cercar [*td.: É preciso confinar a horta para protegê-la dos animais.*] **3** Restringir, limitar [*tdr. + a: Confinaram sua função ao preenchimento de formulários.*] **4** Ser contíguo; fazer limite ou fronteira (com) [*tr. + com: O sítio confina com terreno da Marinha.*] [*int.: Portugal e Espanha confinam.*] **5** *Fig.* Ser muito próximo ou semelhante, afim; ter relação, proximidade; aproximar-se (de) [*tr. + com: A doutrina ortodoxa confina com a católica; A pressa confina com a imperfeição; Eles se dão bem porque seus temperamentos confinam.*] **6** *Desus.* Desterrar para os confins, para lugar distante [*td.*] [▶ 1 confinar] [F.: *confin(s)* + *-ar*[2].]

confins (con.*fins*) *smpl.* **1** Limite, fronteira; o fim ou extremo de um território, região etc.: *os confins do Acre com o Amazonas.* **2** Lugar muito distante; parte ou região mais afastada, longínqua ou inacessível: *os confins da floresta; os confins do mundo.* [Raramente us. no sing.] [F.: Pl. de *confim.*]

confirmação (con.fir.ma.*ção*) *sf.* **1** Ação ou resultado de confirmar(-se) [+ *de, em: confirmação de informação, de dados; Aguarda-se sua confirmação no cargo.*] **2** Aquilo que confirma, comprova, corrobora; qualquer afirmação, informação ou fato que dá certeza de que algo anteriormente feito, dito ou observado é verdadeiro, exato ou continua válido **3** *Rel.* Em várias religiões, ato, rito ou cerimônia em que a fé em uma divindade, ou a adesão a uma doutrina, ou o pertencimento a uma comunidade são afirmadas mais uma vez, de modo público **4** Decisão ou julgamento (p. ex., de autoridade, juiz, tribunal) que concorda com decisão, julgamento ou parecer de alguém de posição hierárquica inferior **5** Manutenção da validade de um ato ou condição **6** *Ret.* Parte do discurso em que o orador expõe e desenvolve as provas **7** *Rel.* Cerimônia católica em que a pessoa confirma os votos que foram feitos em seu nome no batismo; CRISMA **8** *Rel.* No catolicismo, aprovação da eleição e apresentação de um bispo promulgada pela cúria romana [Pl.: *-ções.*] [F.: Do lat. *confirmatio, onis.*]

confirmado (con.fir.*ma*.do) *a.* **1** Que se aprovou, confirmou, ratificou; CERTIFICADO; COMPROVADO: *formatura confirmada por diploma.* [Ant.: *alterado, corrigido.*] **2** Que teve sua veracidade atestada (depoimento confirmado); SANCIONADO; VALIDADO [Ant.: *contestado, invalidado.*] **3** *Rel.* Que recebeu o sacramento da confirmação, na Igreja católica **4** *Rel.* Que professou publicamente sua fé diante de comunidade religiosa protestante [F.: Do lat. *confirmatus, a, um.*]

confirmar (con.fir.*mar*) *v.* **1** Afirmar, declarar com firmeza, que é verdadeiro, exato ou válido (algo que foi dito, feito ou pensado anteriormente); RATIFICAR; CORROBORAR [*td.: Confirmou o que dissera.*] [*tdi. + a: Confirmou ao pai tudo o que dissera.*] **2** Demonstrar a veracidade ou a validade de; COMPROVAR [*td.: Os experimentos confirmam essa hipótese.*] **3** Reafirmar com certeza, com autoridade, ger. após julgamento, deliberação etc. [*td.: Os superiores confirmaram a decisão.*] **4** Manter, firmar, reiterar; não alterar a situação de [*tda.: Apesar das denúncias, o presidente confirmou o assessor no cargo.*] [*td.: A portaria confirmou o que já estava determinado.*] **5** Realizar-se, cumprir-se [*int.: Confirma-se o que eu lhe disse há dias.*] **6** *Rel.* Administrar o sacramento da confirmação a, ou recebê-lo; CRISMAR(-SE) [*td.: O bispo confirmou-as.*] [*int.: Há de confirmar-se quando completar doze anos.*] [▶ 1 confirmar] [F.: Do lat. *confirmare.*]

confirmativo (con.fir.ma.*ti*.vo) *a.* O mesmo que *confirmante* (gesto confirmativo) [F.: *confirmado* (f. rad. *confirmat-*) + *-ivo.*]

confirmatório (con.fir.ma.*tó*.ri:o) *a.* Que diz respeito a ou envolve confirmação (exame confirmatório); ATESTATÓRIO; COMPROBATÓRIO; CONFIRMANTE [F.: *confirmado* (f. rad. *confirmat-*) + *-ório.*]

confiscar (con.fis.*car*) *v.* **1** Apreender para o fisco em consequência de ou como punição para crime ou contravenção; APREENDER; ARRESTAR [*td. /tdi. + a: O juiz mandou confiscar os bens dos acusados/aos acusados.*] **2** Apoderar-se (daquilo que pertencia ou estava em poder de alguém) em nome da autoridade ou da lei, graças ao poder ou com uso ou ameaça de força [*td.:* "...depois que o Plano Collor confiscou seu dinheiro, pensou em ir viver na Alemanha." (*Folha de S.Paulo*, 26.09.1999)] **3** *Fig.* Não deixar que alguém tenha posse ou faça uso de (algo); tomar para si; apossar-se de; apreender [*td.: Quando jogávamos no vestíbulo, o síndico confiscava nossa bola.*] [*tdi. + a: confiscar a chave do carro ao pai.*] [▶ 11 confiscar] [F.: Do lat. *confiscare.* Hom./Par.: *confiscáveis* (fl.), *confiscáveis* (pl. de *confiscável*); *confisco* (fl.), *confisco* (sm.).]

confisco (con.*fis*.co) *Jur. sm.* **1** Apreensão pelo Estado dos bens de uma pessoa em razão de crime por ela praticado; CONFISCAÇÃO **2** Apreensão de mercadoria contrabandeada **3** A coisa confiscada **4** *P. ext.* Apreensão de algo que contraria leis, regulamentos: *confisco de armas de pessoas que não têm autorização para usá-las ou portá-las.* [F.: Dev. de *confiscar.* Hom./Par.: *confisco* (fl. de *confiscar*).] ■ **~ cambial** *Econ.* Retenção, pelo governo, de parte de letras de câmbio de exportadores, para atender a pagamentos em moeda estrangeira

confissão (con.fis.*são*) *sf.* **1** Ação ou resultado de confessar(-se) **2** *Rel.* Entre os católicos, sacramento que consiste na revelação voluntária dos próprios pecados ao sacerdote com vistas ao recebimento de uma penitência e consequente absolvição **3** *Rel.* Neste sacramento, o ato de revelar os próprios pecados ao confessor: *Fez a confissão de seus pecados ao padre.* **4** Confidência, segredo **5** Declaração de uma crença ou doutrina; ou a própria crença ou doutrina característica de determinado grupo religioso (esp. protestante): *as igrejas de confissão luterana.* **6** *Ret.* Figura que consiste em confessar a falta imputada [Pl.: *-sões.*] [F.: Do lat. *confessio, onis.*] ■ **~ auricular** *Litu.* A que se faz, em voz baixa, ao confessor **~ de dívida** *Jur.* Obrigação assumida por escrito pelo devedor **~ de fé** *Rel.* Declaração dos artigos da fé cristã, como expressão da própria fé do declarante

⊕ **confiteor** (*Lat. /konfiteor/*) *sm. Litu.* Oração que começa por essa palavra latina, e em que o católico, depois de se confessar pecador, pede a proteção divina e de todos os santos; CONFISSÃO [F.: Substv. da 1ª p. s. pres. ind. do v. latino *confiteor* 'eu confesso'.]

conflagração (con.fla.gra.*ção*) *sf.* **1** Ação ou resultado de conflagrar **2** Luta ou guerra generalizada (conflagração mundial) **3** Distúrbio político ou social num país, cidade ou região (conflagração social, conflagração urbana) **4** Grande incêndio **5** *Fig.* Aumento da intensidade, ou manifestação veemente, de um sentimento [Pl.: *-ções.*] [F.: Do lat. *conflagratio, onis.*]

conflagrar (con.fla.*grar*) *v. td.* **1** Dar início a (conflito, agitação, perturbação); DESENCADEAR [*td.: O atentado conflagrou a guerra contra o terrorismo.*] **2** Levar ao conflito generalizado [*td.: A guerra entre quadrilhas conflagrou o bairro.*] **3** Causar fogo em ou iniciar a combustão de (algo); dar início a grande incêndio em; tb.: incendiar completamente [*td.: A queda do balão conflagrou a floresta.*] **4** *Fig.* Provocar, abrasar, excitar (sentimentos, paixões); intensificar [*td.: A injustiça conflagrou sua indignação.*] **5** Incitar a ação enérgica, esp. à revolta; provocar, incitar [*td.: conflagrar o povo.*] **6** Entrar em situação de guerra ou conflito generalizados, ou ser tomado por ações violentas, lutas [*int.: Por duas vezes, no século XX, a Europa conflagrou-se.*] **7** Entrar em luta, insurgir-se, revoltar-se (um grupo, uma região etc.) [*int.: As províncias estavam a ponto de conflagrar-se.*] [▶ 1 conflagrar] [F.: Do lat. *conflagrare.*]

conflitante (con.fli.*tan*.te) *a2g.* **1** Que está em luta, em conflito, em choque (facções conflitantes); COLIDENTE **2** Oposto, contrário, contraditório (tendências conflitantes) **3** Incompatível, inconciliável [+ *com, entre: situação conflitante com a realidade nacional.; teorias conflitantes entre si.*] [F.: *conflita* (*r*) + *-nte.*]

conflitar (con.fli.*tar*) *v.* Estar em desacordo, em conflito; ser oposto, contraditório ou incompatível [*tr. + com:* "Essa argumentação conflita com as propostas do setor alcooleiro para resolver sua crise." (*Folha de S.Paulo*, 23.11.1999)] [*int.: As interpretações de um mesmo texto às vezes conflitam.*] [▶ 1 conflitar] [F.: Do lat. *conflictare.* Hom./Par.: *conflito* (fl.), *conflito* (sm.).]

conflitivo (con.fli.ti.vo) *a.* Que tem caráter conflituoso, colidente; CONFLITANTE: *Viver num ambiente conflitivo é altamente estressante; uso conflitivo do solo.* [F.: *conflito* + *-ivo.*]

conflito (con.*fli*.to) *sm.* **1** Luta, guerra (conflito internacional) [+ *com, entre: conflito de um povo com outro; conflito entre nações vizinhas.*] **2** Oposição de ideias, sentimentos ou interesses: *conflito de gerações.* [+ *entre: conflito entre socialistas e liberais.*] **3** Manifestação mútua e agressiva (sem violência física) de discordância, antipatia, ódio; esp.: discussão forte, altercação **4** *Psiq.* Estado mental em que a pessoa se encontra hesitante ou insegura entre alternativas excludentes, ou em que tem sentimentos que parecem opostos **5** *Teat.* Elemento básico da ação dramática, representado pelo protagonista e pelo antagonista, e a partir do qual ocorre a progressão narrativa **6** *Liter.* Oposição entre duas forças ou personagens, em geral entre o protagonista e uma força externa, como a natureza, a família, a sociedade ou outra personagem, e a partir da qual se organiza a ação [F.: Do lat. *conflictus, us.*] ■ **~ armado** Guerra, embate militar **~ das leis** *Jur.* Contradição entre leis de diferentes países, ou entre leis antigas e novas de um país **~ dramático** *Cin. Liter. Teat.* A oposição conflitante entre ideias, situações ou ações que constitui o tema central de um livro, uma peça, de um filme etc.

conflituado (con.fli.tu.*a*.do) *a.* Que está em conflito (universo conflituado); ANTAGÔNICO; DIVERGENTE: "...o que o Cinema Novo recupera para si de Mauro não é a harmonia tão frequente e decantada, e sim o olhar conflituado sobre o homem..." (Sheila Schvarzman, *As Utopias de Humberto Mauro*) [F.: *conflito* (f. rad. *conflitu-*) + *-ado.*]

conflituoso (con.fli.tu.*o*.so) [ô] *a.* **1** Ref. a ou tem caráter de conflito: *os aspectos mais conflituosos das relações familiares* **2** Em que há conflito(s) ou caracterizado por conflito(s) (relação conflituosa) **3** Que é propenso a conflitos; que tem atitudes agressivas, violentas, desafiadoras (temperamento conflituoso) **4** *P. ext.* Irritável; IRASCÍVEL **5** Que está em conflito (luta, oposição, contradição) com outra coisa ou pessoa (sentimentos conflituosos; decisões conflituosas); CONFLITANTE [Pl.: [*ó*]. Fem.: [*ó*].] [F.: *conflit(o)* + *-uoso.*]

confluência (con.flu.*ên*.ci:a) *sf.* **1** Ação, processo ou resultado de confluir **2** Ponto de encontro entre duas ou mais coisas; CONVERGÊNCIA **3** Lugar em que dois ou mais rios se encontram; AFLUÊNCIA **4** Junção, reunião: *Houve uma feliz confluência de ideias.* **5** *Fig.* (Aproximação ou entendimento que traz) acordo, concordância, similaridade; COINCIDÊNCIA: *confluência de interesses; confluência de argumentações* [F.: do lat. *confluentia, ae.*]

confluente (con.flu.*en*.te) *a2g.* **1** Que conflui; que flui em direção a outro, para juntar-se a ele (córregos confluentes) **2** *P. ext.* Que converge com outro para um mesmo ponto (caminhos confluentes) **3** *Fig.* Que se aproxima de outro ou a ele se junta; que conduz a resultados ou conclusões semelhantes, compatíveis ou coincidentes (ideias confluentes; interesses confluentes) **4** Que se desenvolve até tocar outra coisa (p. ex., outro órgão) do qual estava inicialmente separado **5** *Bot.* Diz-se de órgão constituído por partes que se entrelaçam **6** *Pat.* Diz-se de uma lesão que se liga a outra *sm.* **7** *Geog.* Rio que desemboca na mesma foz que outro rio [Cf. *afluente.*] [F.: do lat. *confluens, entis.*]

confluir (con.flu.*ir*) *v.* **1** Ir, dirigir-se, afluir, para um mesmo ponto; CONVERGIR [*ta. + de, para: Para o Alto Xingu confluem jurunas e jês:* "As tropas confluíam do extremo norte e do extremo sul." (Euclides da Cunha, *Os Sertões*)] [*tr. + com: A passeata, na praça, confluiu com outra marcha.*] [*int.: Na praça, as duas passeatas confluíram.*] **2** Unirem-se (rios, águas), entrando num leito comum [*tr. + com: O araguaia conflui com o Tocantins.*] [*ta. + a, para: rios que confluem a /para o mar.*] [*int.: Em Manaus, os rios Negro e Solimões confluem.*] **3** *Fig.* Tender para um mesmo objetivo ou resultado; (apresentar tendência para) similaridade, concordância; COINCIDIR; CONVERGIR [*tr. + com, para: Meu projeto de vida conflui com o dele; Nossos projetos confluem para melhorar o ensino público.*] [*int.: As previsões teóricas e os dados experimentais confluíram.*] [▶ 56 confluir] [F.: Do lat. *confluere* 'correr juntamente para'.]

conformação (con.for.ma.*ção*) *sf.* **1** Ato de dar ou adquirir forma; CONFIGURAÇÃO **2** A forma, a figura (ou, p. ext., as características gerais) que são dadas ou adquiridas; CONFIGURAÇÃO; FEITIO **3** Ação de formar(-se) um ser ou uma entidade abstrata pelo arranjo de suas partes componentes **4** *Fig.* O aspecto geral daquilo que é assim formado; o modo característico com que as partes de algo se unem, se complementam e formam o todo **5** Forma, aspecto, compleição: *O rapaz tinha má conformação física.* **6** Ação ou estado de quem se conforma, aceita sem revolta uma situação etc.; RESIGNAÇÃO; SUBMISSÃO [Pl.: *-ções.*] [F.: do lat. *conformatio, onis.*]

conformado (con.for.*ma*.do) *a.* **1** Que se conformou **2** Que tem determinada conformação física ou forma corporal; que tem determinada disposição, estrutura, arranjo específico: *Tinha uma cabeça mal-conformada.* **3** Que aceita (algo) com resignação: *Estava conformado com sua má sorte.* *sm.* **4** Aquele que se conforma; RESIGNADO [F.: part. de *conformar*; lat. *conformatus, a, um.*]

conformador (con.for.ma.*dor*) [ô] *a.* **1** Que conforma, dá forma *sm.* **2** Aquele ou aquilo que conforma **3** Instrumento de chapeleiro que serve para tirar medidas e determinar a conformação exata de uma cabeça [F.: Do lat. *conformator, oris.*]

conformar (con.for.*mar*) *v.* **1** Aceitar com resignação, resignar-se; acomodar-se, condescender; ACOMODAR-SE; CONDESCENDER; RESIGNAR-SE [*int.: É lutador; não se rende, nem se conforma; O jogador não se conformava com a reserva.*] **2** Tornar ou ser adequado, conforme; conciliar, adequar [*td.: Era impossível conformar tantos quereres.*] [*tdr. + a, com: É preciso conformar o projeto à legislação.*] [*tr. + a, com: Aquele ato insano não conforma com a sua índole; Tais medidas conformam-se bem ao nosso intento.*] **3** Ser da mesma opinião, concordar [*tr. + com: O juiz conformou-se com a argumentação do promotor.*] **4** Dar determinada forma a; formar, dispor, configurar [*td.: Não há dois homens que a natureza conformasse da mesma maneira.*] [▶ 1 conformar] [F.: Do lat. *conformare.* Hom./Par.: *conforme(s)* (fl.), *conforme(s)* (a2g. conj.); *conformáveis* (fl.), *conformáveis* (pl. *conformável* [a2g.]).]

conformativa (con.for.ma.*ti*.va) *sf. Gram.* Ver *conjunção conformativa* [F.: fem. substantivado de *conformativo.*]

conforme (con.*for*.me) *a2g.* **1** Que tem a mesma forma, ou forma semelhante: *duas colunatas conformes.* **2** Que se mostra conformado, resignado: *Depois de muito sofrer, parecia conforme com seu destino.* **3** Que concorda ou coincide: *Os dois peritos emitiram pareceres conformes.* **4** Que tem a mesma opinião: *Estavam ambos conformes quanto ao caso.* **5** Na forma apropriada, correta: *O contrato estava conforme.* **6** De acordo (com): *Estava conforme (com ela) quanto às medidas a tomar.* **7** Que é semelhante ou parecido: *Esta campanha está conforme com a das eleições passadas.* **8** Que está em concordância ou coincidente (com algo): *Os dois grupos fizeram propostas conformes.* *adv.* **9** Em conformidade (com algo): *Leu o regulamento e emitiu o memorando conforme.* *conj.* **10** À medida que: *Conforme o tempo passava, ela ia se animando.* **11** Assim que, logo que: *Conforme entrou, foi logo atirando.* **12** De acordo com, segundo: *Conforme o que foi publicado, não vai haver aumento este ano.* **13** Na dependência de (situação, circunstância etc.): *Conforme o tempo, vamos ou não viajar este fim de semana.* [F.: Do lat. *conformis, e.*]

conformes (con.*for*.mes) *smpl.* Aquilo que é considerado como padrão, que é normalmente esperado ou previsto [F.: pl. de *conforme.*] ■ **Dentro dos ~** *Bras.* Da maneira que deve ser; sem percalços, sem grandes imprevistos etc.; nos conformes: *A cerimônia transcorreu dentro dos conformes.* **Nos ~** *Bras.* Ver *Dentro dos conformes* **Ter (os) seus ~** *Pop.* Ter as suas restrições (de acordo com as circunstâncias); ter exceções, ou aspectos negativos, que exigem cautela; ter os seus poréns

conformidade (con.for.mi.*da*.de) *sf.* **1** Estado, condição ou qualidade daquilo que é conforme **2** Identidade, semelhança ou analogia de forma: *conformidade de traços fisionômicos.* **3** Semelhança de natureza, de maneira de ser etc.; EQUIVALÊNCIA: *conformidade de opiniões.* **4** Ausência de conflito, contradição etc.; COMPATIBILIDADE **5** Ação de aceitar, de se colocar de acordo; CONCORDÂNCIA: *Tivemos a conformidade do chefe para agir daquela maneira.* **6** Obediência ou respeito àquilo que foi estabelecido, decidido, ordenado **7** Relação entre coisas que se combinam, que se harmonizam: *conformidade de cores e sons.* **8** Atitude ou estado de quem se conforma, se resigna; RESIGNAÇÃO: *conformidade com o destino.* [F.: do lat. *conformitas, atis.*] **▪▪ Em ~ com** De acordo com; obedecendo ou se conformando a; sem conflito ou discrepância com **Nesta ~** Desta maneira (como combinado, acertado, dito etc.)

conformismo (con.for.*mis*.mo) *sm.* **1** Tendência de se conformar com a própria sorte, com acontecimentos e realidades indesejadas etc. **2** Atitude de quem aceita passivamente regras e valores estabelecidos **3** Defesa desse tipo de tendência ou atitude, da conformidade ou resignação com os acontecimentos [F.: do fr. *conformisme.*]

conformista (con.for.*mis*.ta) *a2g.* **1** Que aceita com resignação a má sorte, situações indesejadas, dolorosas etc. **2** Que aceita passivamente as regras, ideias e valores do meio em que vive **3** Ref. a, próprio de ou caracterizado por conformismo ou pela defesa deste (ideias conformistas) *s2g.* **4** Indivíduo conformista: *Os conformistas baixaram a cabeça.* [F.: do fr. *conformiste.*]

confortado (con.for.*ta*.do) *a.* **1** Fortalecido, animado, revigorado: "Sentia-se mais confortado, se punha as mãos e rezava por alma do monge." (Camilo Castelo Branco, *Bruxa*) [Ant.: *debilitado, enfraquecido, fraco.*] **2** Aliviado, consolado, alentado: *Sentia-se confortado com o apoio que recebera.* [Ant.: *desalentado, desconsolado.*] **3** Aconchegado, agasalhado: *confortado em seu casaco de lã.* [Ant.: *desagasalhado.*] [F.: Do lat. *confortatus, a, um.* Ant. ger.: *desconfortado, inconfortado.*]

confortador (con.for.ta.*dor*) [ô] *a.* **1** Que dá ânimo, força; RECONFORTANTE; REVIGORANTE: *Foi um remédio confortador.* **2** *Fig.* Que consola, alivia (gesto confortador) *sm.* **3** Pessoa ou coisa que conforta, anima, consola: *A música e os livros eram seus confortadores.* [F.: do lat. tardio *confortatore.*]

confortante (con.for.*tan*.te) *a.* Que tem a propriedade de confortar; CONFORTADOR, CONFORTATIVO: *No frio, um gole de café bem quente é confortante.* [Ant.: *desconfortante.*] [F.: Do lat. *confortans, antis.*]

confortar (con.for.*tar*) *v.* **1** Aliviar, diminuir dor, desprazer físico, ou sofrimento moral, espiritual de (alguém ou de si mesmo); CONSOLAR(-SE) [*td.: Massagem e relaxamento confortaram-na; Sua missão é confortar as pessoas que sofrem.*] [*int.: Na companhia dos amigos, ele confortou-se.*] **2** Tornar(-se) forte, vigoroso; dar (ou ganhar) novo ânimo ou disposição; refazer(-se), revigorar(-se); FORTIFICAR(-SE) [*td.: Eu me sentia fraco, mas esta sopa confortou -me.*] [*int.: confortar-se com um bom café.*] **3** Fazer ficar confortável, cômodo [*td.: Com o dinheiro, mobiliou e confortou a casa.*] [▶ **1** confortar] [F.: Do lat. tard. *confortare.* Hom./Par.: *conforto* [ó] (fl.), *conforto* [ô] (sm.); *confortáveis* (fl.), *confortáveis* (pl. de *confortável*).]

confortável (con.for.*tá*.vel) *a2g.* **1** Que proporciona conforto físico (cama confortável) **2** Que traz alívio; que transmite sensação de conforto ao espírito (solução confortável) **3** *P. ext.* Que não traz incômodos, que é conveniente aos interesses ou necessidades de alguém; que não exige esforço: *Chegaram a uma combinação confortável para ambos; É muito confortável para você ficar apenas observando e criticando, sem ajudar.* **4** Em que não há carência de recursos para suprir necessidades, nem preocupações de ordem material, econômica; CÔMODO: *Não enriqueceu, mas tem uma vida/situação confortável.* **5** Que garante contentamento, bem-estar e segurança; que não traz ou não é objeto de tensões, preocupações: *remuneração confortável; emprego confortável; casamento confortável* [Pl.: *-veis.*] [F.: *conforta(r)* + *-vel.* Hom./Par.: *confortáveis* (pl.), *confortáveis* (fl. *confortar*).]

conforto[1] (con.*for*.to) [ô] *sm.* **1** Ação ou resultado de confortar **2** Aquilo que traz alívio, consolo: *A meditação foi seu conforto.* **3** Estado ou situação daquele que encontrou conforto (2), de quem se sente em paz, ajustado às circunstâncias: *Encontrou conforto na meditação.* [F.: Dev. de *confortar.*]

conforto[2] (con.*for*.to) [ô] *sm.* **1** Aquilo que proporciona comodidade, que causa bem-estar físico: *Não se privava dos confortos da tecnologia, era adepto de todos os gadgets e engenhocas modernas.* **2** A comodidade e o bem-estar assim proporcionados: *Não abria mão do conforto dos hotéis de luxo, por mais caros que fossem.* **3** Situação ou condição ou qualidade do que oferece proteção, tranquilidade, aconchego, comodidade etc.: *Nada como o conforto do lar; Preferia o conforto do antigo emprego a novos desafios.* [F.: Do ing. *comfort.*]

confrade (con.*fra*.de) *sm.* **1** Cada membro de uma confraria em relação aos outros **2** Membro de uma irmandade religiosa **3** *P. ext.* Colega, companheiro; indivíduo que tem a mesma condição ou situação que outro, por natureza ou dentro de uma instituição, uma atividade, um ofício etc. [Fem.: *confreira*] [F.: Do lat. *confrater, atis.*]

confrangedor (con.fran.ge.*dor*) [ô] *a.* **1** Que confrange, oprime, aflige, angustia; CONFRANGENTE: "Recolheram silenciosos, com a imaginação a divagar sobre a incerteza confrangedora do destino." (Samuel Maia, *Sexo Forte*) **2** Que aperta, esmigalha, mói [F.: *confranger* + *-dor.*]

confranger (con.fran.*ger*) *v.* **1** Causar dor, angústia, opressão a; AFLIGIR; ANGUSTIAR; OPRIMIR [*td.: Essa desgraça nos confrange; Sentia uma saudade que lhe confrangia o peito.*] **2** Sentir dor, angústia, opressão [*int.: Confrange-se noite e dia na solidão.*] **3** Constringir(-se), contrair(-se), comprimir(-se) [*td.: A criança confrangeu a boca ao provar da limonada.*] [*int.: Com o passar dos anos, seu rosto confrangia-se.*] **4** *P. us.* Partir em pequenos pedaços; ESMIGALHAR; MOER [*td.: Quase me confrangeste os ossos da mão com este aperto!*] [▶ **35** confranger] [F.: Do lat. **confrangere* (clássico *confringere*).]

confrangido (con.fran.*gi*.do) *a.* **1** Contorcido, contraído de dor não física (alma confrangida); AFLITO; AGONIADO; QUEBRANTADO [Ant.: *aliviado, tranquilo.*] **2** Contrafeito, constrangido, embaraçado: *Ouvia confrangido as reclamações do pai.* **3** Esmigalhado, despedaçado, moído **4** Que se comprimiu; APERTADO; CERRADO; CONTRAÍDO: *Tinha a boca confrangida de ódio.* [Ant.: *descerrado, descontraído.*] [F.: Part. de *confranger.*]

confrangimento (con.fran.gi.*men*.to) *sm.* **1** Sofrimento, aflição, angústia: "...não podemos ocultar o nosso confrangimento, e deplorar que a beleza daquela juventude generosa e temerária tenha sido destruída precocemente quando a Universidade e o povo brasileiro tanto precisavam dela." (Manuel Teixeira Gomes, "D. Joaquina Eustáquia Simões D'Aljezur", *in Biblioteca Online do Conto*) **2** Característica ou estado de quem é acanhado; CONSTRANGIMENTO; TIMIDEZ [Ant.: *audácia, ousadia.*] **3** Ação ou resultado de apertar(-se); COMPRESSÃO; CONSTRIÇÃO: *confrangimento de músculos.* [Ant.: *relaxamento.*] **4** Estado de abatimento; DESÂNIMO; PROSTRAÇÃO [Ant.: *alento, estímulo.*] **5** Ação ou resultado de partir(-se), fragmentar(-se); ESMIGALHAMENTO; ESPEDAÇAMENTO; ESTILHAÇAMENTO [F.: *confranger* + *-mento.*]

confraria (con.fra.*ri*.a) *sf.* **1** Sociedade ou associação de pessoas leigas, para fins religiosos ou ligados à religião (caridade, prestação de assistência etc.); CONGREGAÇÃO; IRMANDADE **2** Associação ou conjunto de pessoas que têm os mesmos interesses e objetivos: "...era um vinho forte (...) fornecido por uma confraria de mulheres devotas." (Álvares de Azevedo, *Noites na Taverna*) **3** Grupo mais ou menos organizado de indivíduos que têm a mesma condição ou categoria social, ou a mesma profissão, atividade etc. **4** *P. ext.* Grupo de colegas, de camaradas, de colaboradores, ou conjunto de pessoas que têm afinidades, similaridades, mesmo sem constituir um grupo organizado **5** *Teat.* Sociedade teatral que, na França medieval, dedicava-se à montagem de espetáculos religiosos e pantomimas [F.: do fr. *confrérie.*]

confraternidade (con.fra.ter.ni.*da*.de) *sf.* **1** Caráter ou qualidade de confrade; a união de confrades: *É membro de uma confraternidade secreta.* **2** Relação que une os companheiros da mesma confraria ou sociedade (confraternidade literária, musical) **3** *P. ext.* Conjunto de relações amigáveis entre pessoas que têm ocupações idênticas **4** Amizade como de irmãos: *A confraternidade unia-os nas ocasiões de perigo.* [F.: *con-* + *fraternidade.*]

confraternização (con.fra.ter.ni.za.*ção*) *sf.* **1** Ação ou resultado de confraternizar(-se) **2** Manifestação de sentimento ou condição de confraternidade [Pl.: *-ções.*] [F.: *confraternizar* + *-ção.*]

confraternizar (con.fra.ter.ni.*zar*) *v.* **1** Comemorar com outras pessoas [*int.: Os premiados confraternizaram após a cerimônia.*] [*tr.* + *com: No fim da partida, os jogadores confraternizaram com a torcida.*] **2** Ter sentimentos, convicções ou opiniões semelhantes a de outrem [*ti.* + *com, em: Aquele economista confraternizava com seu colega (em diversas questões).*] **3** Conviver pacificamente, como irmãos [*tr.* + *com: Procura sempre confraternizar com os vizinhos.*] [*int.: Era um bairro tranquilo onde todos confraternizavam.*] **4** *P. us.* Estabelecer união fraterna entre; unir como irmãos; IRMANAR [*td.: confraternizar antigos desafetos.*] [▶ **1** confraternizar] [F.: Do fr. *confraterniser.*]

confrei (con.*frei*) *sm. Bot.* Erva vivaz, da família das boragináceas (*Symphytum officinale*), de rizoma grosso e raízes fusiformes, fasciculadas, caules eretos, flores de cor branca ou lilás, tubulosas, dispostas nos ramos em cimeiras geminadas curtas e escorpioides; tem propriedades adstringentes, cicatrizantes, anti-inflamatórias e é muito utilizada em cosmética [F.: Do ing. *comfrey.*]

confreire (con.*frei*.re) *sm.* Irmão em confraria ou ordem militar, mesmo que *confrade* [F.: *con-* + *freire.*]

confrontação (con.fron.ta.*ção*) *sf.* **1** Ação ou resultado de confrontar(-se) **2** Ação de colocar (algo ou alguém) à frente de outro **3** Ação de comparar, de buscar diferenças entre coisas **4** Combate, luta, briga, guerra; CONFRONTO: *Os traficantes evitavam confrontação com a polícia.* **5** *Jur.* Acareação de acusados ou testemunhas, para comparação do conteúdo de seus depoimentos [Pl.: *-ções.*] [F.: *confrontar* + *-ção.*]

confrontado (con.fron.*ta*.do) *a.* **1** Que se confrontou: *O documento foi declarado falso ao ser confrontado com o original.* **2** Que foi posto diante de outrem; ACAREADO **3** Que foi comparado, cotejado: "Confrontada a primeira com a última das cláusulas grifadas, não há quem não sinta que de 'escritos' é que ali se cogita." (Rui Barbosa, *Réplica*) **4** Que está demarcado (terreno confrontado) [F.: part. de *confrontar.*]

confrontamento (con.fron.ta.*men*.to) *sm.* Ação ou resultado de confrontar(-se); CONFRONTAÇÃO [F.: *confrontar* + *mento.*]

confrontante (con.fron.*tan*.te) *a2g.* **1** Que confronta; CONFRONTADOR **2** Que delimita ou confina (diz-se ger. de construção) **3** Que é contíguo, que tem limite comum com outro, que confina **4** Diz-se de proprietário de construção que confina com outra *sm.* **5** Aquele ou aquilo que confronta **6** Proprietário de construção ou área que confina com outra [F.: *confrontar* + *-nte.*]

confrontar (con.fron.*tar*) *v.* **1** Pôr ou ficar (coisas ou pessoas) frente a frente, ou pôr ou ficar (algo ou alguém) em frente ou defronte a algo [*td.: Confrontou os dois quadros, pendurando-os em paredes opostas.*] [*tdr.* + *com: Confrontaram as saídas da fortaleza com altas torres.*] [*int.: As capelas dos dois santos confrontam-se; A imagem de São Benedito confronta-se com a entrada da igreja.*] *v.* **2** Pôr (duas ou mais pessoas) frente a frente, em situação de divergência ou de contradição; ACAREAR [*td.: O juiz irá confrontar os litigantes.*] [*tdr.* + *com: confrontar o acusado com as testemunhas.*] **3** Comparar, cotejar [*td.: confrontar várias propostas.*] [*tdr.* + *com: O escrivão confrontou as assinaturas do documento com as constantes dos livros.*] **4** Enfrentar; entrar em confronto [*td.: Nosso maior desafio é confrontar a pobreza.*] [*tr.* + *com: O mocinho confrontou-se com o vilão.*] **5** Estar de frente; defrontar(-se); p. ext.: ter limite, confinar [*tr.* + *com: A escola confronta(-se) com a linha férrea; Favelas e condomínios de luxo confrontam-se no mesmo bairro.*] [▶ **1** confrontar] [F.: Do fr. *confronter*, deriv. do lat. medv. *confrontare.* Hom./Par.: *confronto* (fl.), *confronto* (sm.).]

confronte (con.*fron*.te) *a2g.* **1** *P. us.* Posto defronte: *vítima e réu confrontes.* **2** Que faz fronteira com outro, confrontado (países confrontes); FRONTEIRIÇO; VIZINHO *adv.* **3** *Bras. N. E.* Defronte, em frente: *Morava confronte à noiva.* [F.: *con-* + *fronte.* Hom./Par.: *confronte* (fl. de *confrontar*).]

confronto (con.*fron*.to) *sm.* **1** Ação ou resultado de confrontar **2** Comparação, cotejo, confrontação: *confronto de ideias divergentes.* **3** Oposição hostil, agressiva; COMBATE: *confronto entre policiais e traficantes.* **4** Choque belicoso entre pessoas; briga, luta, combate **5** Disputa, competição direta entre concorrentes, rivais etc. **6** Jogo, partida [F.: Dev. de *confrontar.* Hom./Par.: *confronto* (sm.), *confronto* (fl. *confrontar*).]

confuciano (con.fu.ci.*a*.no) *a.* Relativo ao teórico chinês Confúcio (551 a.C.-479 a.C.), a sua filosofia ou aos seus discípulos (princípios confucianos); CONFUCIANISTA [F.: *Confúcio* + *-ano.*]

confucionismo (con.fu.ci:o.*nis*.mo) *sm. Fil. Hist. Pol.* Sistema de ideias (políticas, religiosas e éticas) atribuído ao filósofo chinês Confúcio (551 a.C.-479 a.C.) e seus seguidores, e que se tornou doutrina oficial da China de 136 a.C. até 1912 [Como doutrina, caracteriza-se pela valorização da família e do Estado e pelo exercício, nestes, das virtudes da justiça, da reverência aos antepassados e do amor filial, da sinceridade.] [F.: do antrop. *Confúcio* (lat. *Confucius*) + *-n-* + *-ismo.*]

confucionista (con.fun.ci:o.*nis*.ta) *a2g.* **1** Ref. ao filósofo chinês Confúcio ou ao confucionismo **2** Que segue o confucionismo *s2g.* **3** Pessoa que segue essa filosofia [F.: *confucian(o)* + *-ista.*]

confundido (con.fun.*di*.do) *a.* **1** Que foi, equivocadamente, tido como outro: *passageiro confundido com o assaltante.* **2** Assustado, assombrado, intimidado: *Confundido com a insistência dos repórteres, deixou a sala.* **3** Atordoado, confuso: *A pancada na cabeça deixou-o confundido.* **4** Envergonhado, tímido, embaraçado: *Sentia-se confundido com os elogios recebidos.* [Ant.: *desenvolto.*] **5** Que se misturou (ideias confundidas); EMBARALHADO; MISTURADO [F.: Part. de *confundir.*]

confundir (con.fun.*dir*) *v.* **1** Tomar ou ser tomado por outra coisa ou pessoa; não distinguir(-se) [*td.: Confundi as datas de aniversário e de casamento.*] [*tdr.* + *com:* "...não o confundiria com qualquer outro homem." (José de Alencar, *Senhora*)] [*tr.* + *com: Alguns doentes do dengue confundem-se com os da gripe.*] **2** Fazer ficar ou ficar atrapalhado, confuso [*td.: O ladrão confundiu a polícia e escapou.*] [*int.: A defesa confundiu-se e o centroavante fez o gol.*] **3** Encontrar-se, reunir-se, misturar-se, tornando-se indistinguíveis [*tr.* + *com: A cor do camaleão confundia-se com a da planta.*] [*int.: Atacantes e defensores confundiam-se na escuridão da noite.*] **4** Reunir sem ordem; baralhar, misturar [*td.: O novo ajudante confundiu todos os meus livros.*] [*tdr.* + *com: Confundiu os textos de prosa com os de poesia.*] **5** Causar embaraço a [*td.: Confundiu o contendor com argumentos complexos.*] **6** Cometer engano; equivocar-se [*td.: Confundiu-se com as portas e entrou no banheiro errado.*] **7** Não reconhecer ou distinguir (pessoas, coisas) [*td.: Sempre confundia os irmãos gêmeos.*] **8** Não conseguir estabelecer diferença (entre uma coisa e outra) [*tdr.* + *com: Sempre confundia o essencial com o secundário.*] **9** Mostrar-se insistente, repetitivo [*int.: Confundiu-se num emaranhado de justificativas.*] **10** Causar dano, prejuízo; arruinar, prejudicar [*td.: Ao dar aquele passo em falso, confundiu todo o seu plano.*] **11** Desvirtuar [*td.: Estavam querendo confundir suas nobres intenções.*] [▶ **3** confundir] [F.: Do lat. *confundere.*]

confundível (con.fun.*dí*.vel) ***a2g.*** Que se pode confundir, sujeito a confusão; COMUM; IGUAL: *Deve-se ter cuidado com um produto confundível com outro de qualidade inferior.* [Ant.: *atípico, especial, inconfundível.*] [F.: *confundir + -vel.*]

confusão (con.fu.*são*) ***sf.*** **1** Ação ou resultado de confundir(-se) **2** Mistura desordenada de coisas: *A escrivaninha era uma confusão de papéis.* **3** Estado do que se apresenta desordenado ou aquilo que revela desordem, desorganização: *O que marcou aquele desfile foi a desorganização, a desorientação das modelos, em suma, uma enorme confusão.* **4** Ausência de clareza, de inteligibilidade: *O livro era uma confusão de ideias.* **5** Agitação intensa e descontrolada; tumulto: *A passeata acabou em confusão.* **6** Ação ou situação de tomar uma pessoa, coisa ou fato por outros: *confusão de datas; confusão de nomes.* **7** Estado ou condição de quem perdeu, temporariamente ou não, a capacidade de reconhecer diferenças **8** Estado mental de indivíduo que se encontra confuso, que não consegue pensar com clareza, com lógica, objetivamente **9** Estado de quem não tem certeza do que quer ou do que sente: *Nunca pensou que pudesse passar por uma confusão emocional tão grande.* **10** Brincadeira barulhenta, agitada: *A confusão das crianças perturbava sua concentração.* **11** Falta de arrumação; BAGUNÇA: *Seu quarto era uma confusão.* **12** Briga, desentendimento entre duas ou mais pessoas **13** *Fig.* Espanto ou perplexidade diante de algo inesperado [Pl.: *-sões.*] [F.: Do lat. *confusio, onis.*]

confuso (con.*fu*.so) ***a.*** **1** Qua apresenta ou denota confusão; que se confundiu **2** Que se encontra misturado, desordenado: *A lista estava confusa, sem um critério ou ordenação coerentes.* **3** Que não tem clareza ou nitidez (descrição confusa, texto confuso, desenho confuso); OBSCURO **4** Perturbado, inseguro; DESORIENTADO: *Ficou confuso no cruzamento, sem entender a sinalização das estradas.* **5** Que revela hesitação, falta de firmeza; HESITANTE; PERPLEXO: *Ficou confuso ao ver o pai da namorada.* [F.: Do lat. *confusus.*]

confutação (con.fu.ta.*ção*) ***sf.*** Ação ou resultado de confutar; REFUTAÇÃO [F.: do lat. *confutatio, onis.*]

confutar (con.fu.*tar*) ***v. td.*** **1** Exprimir opinião ou argumento contrário a; REBATER; REFUTAR: *O promotor confutou a defesa.* **2** Demonstrar a falsidade, a inexatidão de; CONTESTAR; CONTRADIZER: *Na carta, confutava as afirmações do jornalista.* [▶ 1 confutar] [F.: Do lat. *confutare.* Hom./Par.: *confutáveis* (fl.), *confutáveis* (pl. de *confutável*).]

conga (*con*.ga) ***sf.*** **1** Dança popular cubana, de origem africana, de ritmo sincopado, originalmente associada aos festejos carnavalescos e também apreciada em outros países latino-americanos, e que consiste em andar no ritmo e marcar o compasso com movimento brusco ou sacudidela do corpo **2** *Mús.* Música que acompanha essa dança, acompanhada de vários tipos de tambores **3** Certo tipo de tambor, us. no acompanhamento da conga (acps. 1 e 2) [F.: do hispano-americano *conga.*]

congada (con.*ga*.da) ***sf.*** *Bras. Etnol. Folc.* Dança dramática afro-brasileira, criada pelos escravos negros no séc. XVII, em que se representa a coroação de um rei ou uma rainha e que inclui lutas simbólicas de espada [F.: *congo + -ada*[1].]

congelação (con.ge.la.*ção*) ***sf.*** Ação, processo ou resultado de congelar; CONGELAMENTO [Pl.: *-ções.*] [F.: *congelar + -ção.*]

congelado (con.ge.*la*.do) ***a.*** **1** Que se congelou; endurecido ou solidificado (líquido, gás, ou aquilo que é líquido ou gasoso) por estar em temperatura baixa (rio congelado) **2** Excessivamente frio: *No inverno, seu nariz ficava congelado.* **3** *Cin. Telv.* Imobilizado, parado; diz-se da imagem cinematográfica que se mantém idêntica por algum tempo, sem que haja efeito de movimento: *De repente, a cena ficou congelada.* **4** Diz-se de alimento resfriado abaixo da temperatura de congelamento da água, como método de conservação **5** Que está fixo, que não se modifica, por efeito de alguma restrição ou limitação (preços congelados) **6** Que não pode ser movimentado, transferido ou utilizado (recursos congelados) ***sm.*** **7** Alimento congelado (4): *Comia bem, mas não gostava de congelados.* [F.: part. de *congelar*; lat. *congelatus, a, um.*]

congelador (con.ge.la.*dor*) [ô] ***a.*** **1** Que congela; que causa congelamento ***sm.*** **2** Compartimento da geladeira em que a temperatura é menor que 0º, no qual se produz o gelo **3** Aparelho (eletrodoméstico ou de uso comercial ou industrial), semelhante a geladeira, que se destina a congelar os alimentos [F.: *congelar + -dor.*]

congelamento (con.ge.la.*men*.to) ***sm.*** **1** Ação, processo ou resultado de congelar(-se) **2** Estado de qualquer corpo congelado **3** Resfriamento acentuado de um corpo ou substância, ger. abaixo do ponto de solidificação da água ou da própria substância **4** *Econ.* Estabilização de preços ou salários, tarifas etc. no nível em que se encontravam em certa data **5** Técnica de congelar, de resfriar abaixo de 0º os alimentos e mantê-los assim durante determinado período, ao fim do qual poderão ser consumidos normalmente, depois de aquecidos **6** *Fig.* Paralisação, imobilização, suspensão do movimento ou de processo de modificação **7** Efeito que consiste em manter inalterada determinada imagem cinematográfica (de filme ou vídeo), de modo que não haja impressão de movimento **8** Entorpecimento ou alteração dos tecidos do corpo devido ao frio muito intenso [F.: *congela(r) + -mento.*]

congelante (con.ge.*lan*.te) ***a2g.*** **1** Que congela ou é capaz de congelar (temperatura congelante; frio congelante); CONGELADOR **2** Muito ou excessivamente frio (chuva congelante) **3** *Fig. Pop.* Que causa choque, inação, imobilidade, semelhante ao efeito do frio intenso (medo congelante) [F.: *congelar + -nte*; lat. *congelans, antis.*]

congelar (con.ge.*lar*) ***v.*** **1** Fazer passar ou passar do estado líquido para o estado sólido, por resfriamento [***td.:*** *O frio intenso congelou a água das torneiras.*] [***int.:*** *Estava tão frio que a água congelou; Num instante o leite congelou-se no freezer.*] **2** Submeter à ação do frio, para conservar [***td.:*** *A cozinheira congelou as refeições do mês inteiro.*] **3** *Fig.* Tornar(-se) frio como gelo, ou muito frio; esp.: enregelar(-se) (parte do corpo), tornar ou ficar entorpecido, sem facilidade de movimentos [***td.:*** *O ar-condicionado congelou os meus dedos.*] [***int.:*** *Ao limpar a geladeira, meus dedos congelaram; Suas orelhas vão se congelar nesta friagem.*] **4** *P. ext. Fig.* Inibir (quase) completamente (ação ou reação de algo ou alguém) [***td.:*** *Ficou sem resposta: a timidez e o nervosismo congelaram-na.*] **5** Embargar, tolher-se (a voz de alguém) [***int.:*** *A voz congelou-se-lhe diante da cena aterrorizante.*] **6** *Fig.* Tornar ou ficar fixo, paralisado; IMOBILIZAR [***td.:*** *O susto congelou-o.*] [***int.:*** *Ficou com tanto medo que congelou.*] **7** *Fig. Cin. Telv.* Paralisar, dar aspecto de imobilidade a (uma imagem, uma cena) [***td***] **8** *Inf.* Parar de responder a comandos (computador ou programa em execução) [***int.***] **9** *Econ.* Fixar (preços, salários, tarifas) por um prazo determinado ou indefinidamente [***td.:*** *O governo congelou os preços dos medicamentos.*] **10** *Econ. Jur.* Reter; tornar indisponível (bem, capital, crédito) [***td.:*** *A justiça congelou os bens dos fraudadores.*] [▶ 1 congelar] [F.: Do lat. *congelare.* Hom./Par.: *congeláveis* (fl.), *congeláveis* (pl. de *congelável*).]

congeminar[1] (con.ge.mi.*nar*) ***v.*** **1** *Lus.* Pensar, refletir; imaginar [***tr. + em:*** *Durante horas congeminou naquelas palavras.*] [***int.:*** *Passava os dias isolado, congeminando.*] **2** Concentrar-se nos próprios pensamentos, ficar absorto; CISMAR [▶ 1 congeminar] [F.: Alter. de *imaginar.*]

congeminar[2] (con.ge.mi.*nar*) ***v.*** **1** Aumentar em quantidade ou intensidade; multiplicar(-se), intensificar(-se) [***td.:*** *congeminar esforços*] [***int.:*** *feridas que se congeminavam pelo corpo*] **2** Fraternizar(-se), irmanar(-se) [***td.:*** *A adversidade os congeminou.*] [***int.:*** *Crescem e congeminam-se a olhos vistos.* Nota: Alguns puristas consideram imprópria esta acp.] [▶ 1 congeminar] [F.: Do lat. *congeminare.* Hom./Par.: *congeminar* (em várias flexões), *conjuminar* (v. [em várias flexões]).]

congênere (con.*gê*.ne.re) ***a2g.*** **1** Que pertence ao mesmo gênero **2** Que é idêntico ou semelhante **3** Que tem a mesma origem que outro [F.: do lat. *congener, eris.*]

congenial (con.ge.ni.*al*) ***a2g.*** **1** Conforme com a natureza, o gênio ou a índole de: "Pode-se imaginar que a matéria brasileira congenial com o seu espírito seria representada, digamos, por José Bonifácio..." (*O Globo*, 25.09.1999) **2** Próprio da natureza de; CONGÊNITO; INATO: *A maldade é congenial à espécie humana:* "Amou e cantou várias damas com a facúndia congenial dos gênios de sua têmpera." (Camilo Castelo Branco, *Perfil do Marquês de Pombal*) [Pl.: *-ais.*] [F.: *con + genial.*]

congenialidade (con.ge.ni.a.li.*da*.de) ***sf.*** Estado ou qualidade do que é congenial; IDENTIDADE [F.: *congenial + -(i)dade.*]

congênito (con.*gê*.ni.to) ***a.*** **1** Que se manifesta desde o nascimento ou antes dele (doença congênita) **2** Que se manifesta de maneira natural, espontânea; INATO: *Tinha uma queda congênita para a música.* [F.: do lat. *congenitus, a, um.*]

congérie (con.*gé*.ri.e) ***sf.*** **1** Acumulação de coisas; COLEÇÃO; ACERVO; SÉRIE: "E surgem, então, nessa estranha congérie, as disposições relativas aos cursos jurídicos..." (*O Globo*, 04.06.2002) **2** *Ret.* Recurso que consiste na coordenação sintática de diversos termos ligados a uma oração [F.: Do lat. *congeries, ei.*]

congestão (con.ges.*tão*) ***sf.*** *Pat.* Afluência excessiva de um fluido, ger. o sangue, a alguma parte do corpo (congestão nasal) [Pl.: *-tões.*] [F.: do lat. *congestio, onis.*]

congestionado (con.ges.ti:o.*na*.do) ***a.*** **1** Que se congestionou; que sofreu congestão **2** *Bras.* Em que se impede o livre movimento; em que há congestionamento (trânsito congestionado) **3** Que se tornou avermelhado, afogueado: *rosto congestionado de raiva.* [F.: part. de *congestionar.*]

congestionamento (con.ges.ti:o.na.*men*.to) ***sm.*** **1** Ação ou resultado de congestionar(-se) **2** *Bras.* Acúmulo de veículos que impede a livre circulação do trânsito; ENGARRAFAMENTO **3** *Bras.* Acúmulo de pessoas que torna difícil o livre trânsito: *O excesso de pessoas provocou um congestionamento na entrada do estádio.* **4** *P. ext.* Quantidade acumulada, excessiva de coisas (tarefas, mensagens etc.), que prejudica a movimentação, o trabalho etc. **5** Condição caracterizada por funcionamento deficiente (de um equipamento, de uma organização, de uma atividade), quando há excesso de tarefas ou operações a serem realizadas: *congestionamento das linhas telefônicas.* [F.: *congestionar + -mento.*]

congestionar (con.ges.ti:o.*nar*) ***v.*** **1** *Bras.* Sobrecarregar(-se) (via de passagem ou fluxo); impedir ou dificultar circulação, trânsito ou transmissão de (pessoas, veículos, mensagens), causando acúmulo ou obstrução; causar ou sofrer congestionamento [***td.:*** *O grande número de telefonemas congestionou as linhas.*] [***int.:*** *Por causa do temporal, o tráfego de veículos congestionou(-se).*] **2** Provocar ou sofrer acúmulo de sangue ou de outro fluido corporal (em) (órgão, vasos de um órgão) [***td.:*** *Os resfriados congestionam as vias nasais.*] [***int.:*** *Seus olhos congestionaram-se porque bebera demais.*] **3** *Fig.* Ficar vermelho (rosto, face), com intensificação do fluxo de sangue causada por raiva, vergonha etc. [***int.:*** *Ficou furioso, e imediatamente seu rosto congestionou-se.*] [▶ 1 congestionar] [F.: *congestão + -ar*[2], segundo o mod. erudito. Hom./Par.: *congestionáveis* (fl.), *congestionáveis* (pl. de *congestionável*).]

congestivo (con.ges.*ti*.vo) ***a.*** **1** Ref. a congestão **2** Que é acompanhado de congestão (tremor congestivo). [F.: *congest(ão) + -ivo.*]

congesto (con.*ges*.to) ***a.*** **1** Em estado de congestão; CONGESTIONADO **2** Rubro de emoção (olho congesto) **3** Amontoado, acumulado ***sm.*** **4** *P. us. Pat.* O mesmo que *congestão* [F.: Do lat. *congestus, a um.*]

conglobar (con.glo.*bar*) ***v.*** **1** Formar um corpo, massa ou agrupamento mais ou menos esféricos, por aproximação ou reunião de elementos diversos [***td.:*** *Preparou um lindo enfeito, conglobando sementes, flores e folhas secas.*] [***int.:*** *partículas que se conglobam compactamente.*] **2** Juntar(-se) formando um todo; CONCENTRAR(-SE); AGREGAR(-SE); AGRUPAR(-SE) **3** Tratar simutaneamente de várias coisas; ACUMULAR [***td.:*** *Possuía o dom de conglobar, a um só tempo, várias atividades e empreendimentos.*] [***tdr. + em:*** *A coletânea congloba num só volume o melhor da prosa e da poesia do grande escritor.*] [***int.***] [▶ 1 conglobar] [F.: Do lat. *conglobare.*]

conglomeração (con.glo.me.ra.*ção*) ***sf.*** **1** Ação ou resultado de conglomerar(-se) **2** Massa ou conjunto de coisas que se conglomeraram; CONGLOMERADO [Pl.: *-ções.*] [F.: Do lat. *conglomeratio, onis.*]

conglomerado (con.glo.me.*ra*.do) ***a.*** **1** Que se aglomerou ou integrou num todo compacto ou coerente **2** Que é composto de partes diferentes que se ligam de maneira coesa: *material conglomerado de madeiras e fibras sintéticas.* **3** *Geol.* Diz-se de rocha clástica formada por fragmentos de origem diferente, que se ligam por meio de qualquer tipo de cimento ***sm.*** **4** Conjunto de elementos ligados entre si, formando um corpo coeso ou massa compacta; CONGLOMERAÇÃO **5** Conjunto de elementos dispostos muito proximamente entre si; AGRUPAMENTO; CONGLOMERAÇÃO: *conglomerado de barracas.* **6** *Bras. Econ.* Grande grupo econômico-financeiro que atua em campos ou setores diversos [F.: Do lat. *conglomeratus, a, um.*]

conglomerar (con.glo.me.*rar*) ***v.*** **1** Reunir(-se), agregar(-se), associar(-se) [***td.:*** *A associação conglomera pequenas empresas.*] [***int.:*** *As emissoras conglomeraram-se e formaram uma rede nacional; Elementos diversos conglomeram-se naquela cultura.*] **2** Reunir (elementos) em, ou formar, massa, conjunto, agrupamento ou agregado compactos, coesos; esp.: conglobar(-se) [***td.:*** *processos geológicos que conglomeraram as rochas.*] [***int.:*** *Com a avalanche a neve conglomerou-se.*] [▶ 1 conglomerar] [F.: Do lat. *conglomerare.*]

congo (*con*.go) ***a.*** **1** Ver *congolês* (1 e 3) ***sm.*** **2** Ver *congolês* (4) **3** Ver *congolês* (6) **4** *N. N. E. Etnog.* Variedade de dança afro-brasileira [F.: Do top. *Congo.*]

congolense (con.go.*len*.se) ***a2g.*** **1** Ref. à República do Congo **2** Da República do Congo; típico desse país ou de seu povo ***s2g.*** **3** Pessoa que nasceu ou vive na República do Congo [Sin. ger.: *congolês, conguês.* F.: *Congo + ense.*]

congolês (con.go.*lês*) ***a.*** **1** Da República do Congo (África) ou típico desse país ou de seu povo; CONGO **2** Da República Democrática do Congo, antigo Zaire (África) ou típico desse país ou de seu povo **3** Ref. à língua falada pelos congos; CONGO [Pl.: *-leses.* Fem.: *-lesa.*] ***sm.*** **4** Indivíduo nascido ou que vive na República do Congo; CONGO **5** Indivíduo nascido ou que vive na República Democrática do Congo **6** *Gloss.* Língua banta falada pelos congos; CONGO [Pl.: *-leses.* Fem.: *-lesa* (*nas acps. 1 a 5*).] [F.: top. *Congo + -l- + -ês.*]

congonha (con.*go*.nha) ***sf.*** **1** *Bras. Bot.* Designação comum a vários arbustos que se assemelham à erva-mate **2** *RS.* Erva-mate (folhas de mate) que se deixa secar à sombra (sem fogo), e que se usa, não no mate preparado em xícara, ou no chimarrão **3** *Bras. Pop.* Aguardente de cana [F.: Do tupi.]

congraçamento (con.gra.ça.*men*.to) ***sm.*** **1** Ação ou resultado de congraçar(-se) ***sm.*** **2** Encontro festivo, amistoso e fraterno; CONCILIAÇÃO: "...manifestações de sincretismo religioso, que dão a quem chega a falsa impressão de total congraçamento de raças e classes sociais." (*Veja*, 09.12.1998) **3** Reconciliação: *Seu congraçamento com o antigo adversário político foi muito comentado.* [F.: *congraçar + mento.*]

congraçar (con.gra.*çar*) ***v.*** **1** Reunir, harmonizando; fazer as pazes; RECONCILIAR(-SE) [***td.:*** *O acordo congraçou inimigos seculares.*] [***tdr. + com:*** *A morte do grande estadista congraçou liberais com socialistas.*] [***tr. + com:*** *Enfim congraçou-se com o irmão.*] [***int.:*** *As nações congraçaram-se.*] **2** Conciliar, harmonizar [***td.:*** *congraçar opiniões/interesses.*] [▶ 12 congraçar] [F.: *con- + graça + -ar*[2].]

congratulações (con.gra.tu.la.*ções*) ***sfpl.*** Palavra que se usa para cumprimentar alguém que fez ou obteve algo de bom; PARABÉNS: *Congratulações pelo brilhante texto.* [Como sfpl., tem uso de interjeição ou de fórmula de cumprimento, sem sentido de plural; p. ex.: *Passou no concurso? Congratulações!*; ou ainda: *Congratulações a todos.* Note-se a diferença em relação ao uso de *congratulações* como pl. de *congratulação*, como no seguinte ex.: *Receba minhas congratulações* (ou seja, "minhas palavras de congratulação") *por ter passado no concurso.*] [F.: pl. de *congratulação.*]

congratular (con.gra.tu.*lar*) *v.* **1** Dirigir palavras corteses, alegres, de cumprimento ou reconhecimento a (alguém que teve sucesso ou obteve algo bom); manifestar bons sentimentos (a quem vive uma ocasião feliz); FELICITAR; PARABENIZAR [*td.: congratular os atletas (da/pela vitória); Os atletas congratularam-se após a partida.*] **2** Ficar alegre ou feliz junto (com outra pessoa) em razão da felicidade, da satisfação ou do sucesso dela [*tr. + com: Congratulo-me contigo pelo triunfo que alcançaste.*] [▶ **1 congratular**] [F.: Do lat. *congratulare*, por *congratulari*.]

congratulatório (con.gra.tu.la.*tó*.ri:o) *a.* Ref. a congratulação, que serve para congratular; em que há ou se manifestam congratulações [F.: *congratula(r)* + *-tório*.]

congregação (con.gre.ga.*ção*) *sf.* **1** Ação ou resultado de congregar(-se) **2** Assembleia, reunião **3** Conselho de professores em escola de ensino médio ou superior **4** *Rel.* Associação de caráter religioso; confraria **5** *Restr.* Grupo de fiéis de uma religião, que se reúnem ou se associam (ger. em caráter local) para o culto e a instrução religiosos segundo certos princípios da doutrina e tradição **6** Grupo ou comunidade de religiosos, ger. sob orientação de um líder ou superior, que emitem votos simples, não solenes [Pl.: *-ções*.] [F.: Do lat. *congregatione*.] **■ ~ monástica** *Rel.* Instituto da igreja católica romana na qual fazem-se apenas votos simples **~ romana** *Rel.* Subdivisão independente de uma ordem, formada por união de mosteiros

congregacional (con.gre.ga.ci:o.*nal*) *a2g.* **1** Ref. a uma congregação (de bispos, fiéis etc.) **2** Ref. a ou que enfatiza o princípio da autonomia das congregações locais na condução da vida religiosa; diz-se das igrejas protestantes que seguem esse princípio [Pl.: *-nais*.] [F.: *congregação* + *-al*[1]; do ing. *congregational*.]

congregado (con.gre.*ga*.do) *a.* **1** Que se uniu, reuniu ou misturou (instituições congregadas, moléculas congregadas) *sm.* **2** Indivíduo que faz parte de uma congregação religiosa, grupo, assembleia, confraria [F.: Do lat. *congregatus, a, um*.]

congregar (con.gre.*gar*) *v.* **1** Unir(-se) em torno de um interesse comum; convocar (pessoas) ou reunir-se em congresso ou outra espécie de associação permanente ou temporária [*td.: O sindicato congrega 35 mil profissionais.*] [*int.: Nesta assembleia congregam-se vários especialistas; Congregou-se hoje a junta da paróquia.*] **2** Existir simultaneamente, concorrer [*int.: Congregaram-se nele todas as virtudes.*] **3** Ligar(-se), conglutinar(-se) (substâncias, partículas) [*td. int.*] [▶ **14 congregar**.] [F.: Do lat. *congregare*.]

congressional (con.gres.si:o.nal) *a2g.* **1** Pertencente ou relativo a congresso (rotina congressional); CONGRESSUAL **2** Procedente de congresso (decisão congressional) [F.: *congressio* (do rad. lat. *congressio*) + *al*[1].]

congressista (con.gres.*sis*.ta) *a2g.* **1** Ref. a congresso **2** Que participa de congresso ou é membro de congresso *s2g.* **3** Pessoa que participa de um congresso (encontro de profissionais, cientistas etc.) **4** Membro do Congresso (órgão legislativo); PARLAMENTAR (S2G.) [F.: *congress(o)* + *-ista*.]

congresso (con.*gres*.so) *sm.* **1** Reunião, encontro **2** Reunião de representantes ou especialistas de determinada área de atividade para debater assuntos importantes dessa área, apresentar novas informações, ou resultados de pesquisas, produtos etc.; CONVENÇÃO: *congresso de fisioterapeutas.* **3** Conjunto de cidadãos especialmente designados para se reunirem e debater, deliberar e estabelecer as leis de um Estado (república, monarquia constitucional); o órgão legislativo de um país [Em alguns países, é formado por uma só câmara (assembleia); em outros, por duas, de composição e funções distintas. No Brasil, as duas câmaras são a Câmara dos Deputados e o Senado (ou Senado Federal).] **4** O poder legislativo federal, constituído pela Câmara dos Deputados e o Senado Federal [F.: Do lat. *congressus, us*.]

congressual (con.gres.su.al) *a2g.* Relativo ou pertencente a congresso; CONGRESSISTA; CONGRESSIONAL [F.: *congressu* (tema do lat. *congressus*) + *al*[1].]

congro (*con*.gro) *sm. Zool.* Denominação comum aos peixes teleósteos do gên. *Conger*, da fam. dos congrídeos, como o *C. orbignyanus*, encontrado na costa atlântica da América do Sul, de corpo alongado e roliço, sem escamas, com até 1m de comprimento [F.: Do lat. *congrus, i*.]

congro-rosa (con.gro-*ro*.sa) *sm. Zool.* Peixe teleósteo da fam. dos ofidiídeos (*Genypterus brasiliensis*), encontrado no Atlântico Sul, de corpo rosado, com até 1m de comprimento e carne apreciada

côngrua (côn.gru:a) *sf. Ant.* Pensão recebida pelos párocos para seu sustento: "Com o que se consegue ainda alguma coisa é com o relaxe da côngrua." (Eça de Queirós, *O Crime do Padre Amaro*)

congruência (con.gru:*ên*.ci:a) *sf.* **1** Identidade ou correspondência entre as características de duas ou mais coisas: *Seu projeto tinha congruência.* **2** Adequação de algo ao fim que se destina **3** Ausência de contradições ou conflitos entre elementos de um todo, ou entre uma parte e o todo; COERÊNCIA **4** *Geom.* Propriedade de, ou relação entre, entidades geométricas congruentes (como ângulos e polígonos) [F.: Do lat. *congruentia, ae*.]

congruente (con.gru.*en*.te) *a2g.* **1** Em que há congruência; caracterizado por harmonia, correspondência ou identidade entre elementos ou características **2** *Geom.* Diz-se de figuras que, superpostas, coincidem perfeitamente, como ângulos, ou polígonos que têm mesma forma e mesmas medidas **3** *Mat.* Diz-se de números cuja diferença é divisível por determinado número (o módulo): *10 é congruente com 4 (módulo 3), pois 10-4 = 2x3* [F.: Do lat. *congruens, entis*.]

congruir (con.gru.*ir*) *v.* Estar em concordância, em harmonia [*tdr. + com: Essa manifestação congrui com nossa formação cultural.*] [*int.:* "...um dos principais desafios desta coluna: como essas dois ângulos podem congruir..." (Paulo Lemos, *Economia e Gestão das TD*)] [▶ **56 congruir**]

conguês (con.*guês*) *a2g.* **1** Ref. à República do Congo *s2g.* **2** Pessoa natural da República do Congo ou que vive nesse país [Sin. ger.: *congolês, congolense*. F.: *Congo* + *-ês*.]

conhaque (co.*nha*.que) *sm.* **1** Bebida alcoólica que se obtém da destilação de vinhos brancos, esp. os da região de Cognac, França **2** Uma dose de conhaque: *Bebeu um conhaque e foi dormir.* [F.: Do top. fr. *Cognac*.]

conhecedor (co.nhe.ce.*dor*) [ô] *a.* **1** Que conhece algo, que tem muitos conhecimentos e/ou experiência, ou é especialista, em determinado assunto: *Era um homem conhecedor das mulheres. sm.* **2** Aquele que conhece: *Os conhecedores de vinho aprovaram a safra deste ano.* [F.: *conhece(r)* + *-dor*.]

conhecer (co.nhe.*cer*) *v.* **1** Fazer ideia, ter noção de, conhecimento, informação sobre (por experiência direta, por informações recebidas de outrem) [*td.: Ele conhece as lendas daquele vilarejo; Conhece tudo sobre a Europa; Você precisa conhecer o regulamento da empresa.*] **2** Travar conhecimento, ter ou manter relações sociais com, ter contato pessoal com (alguém) [*td.: O menino não conheceu o avô:* "Conheceram-se na academia e ficaram amigos..." (Machado de Assis, *A Mão e a Luva*)] **3** *Restr.* Conhecer (acp. 1) (um lugar) por ter estado lá pessoalmente [*td.: Você conhece a Bahia?*] **4** Visitar ou encontrar pela primeira vez [*td.: Venha conhecer minha casa/minha família.*] **5** Ter experiência de [*td.: conhecer as voltas que o mundo dá; Conviveu com a tribo para conhecer seu modo de vida.*] **6** Saber muito, ou ter muitas e corretas informações sobre (um assunto, um conceito etc.); SABER; DOMINAR [*td.:* "...fala umas poucas línguas, e conhece bastantes ciências." (Júlio Ribeiro, *A Carne*)] **7** Reconhecer, distinguir [*td.: Ficou tão diferente que não o conheci.*] **8** Discernir, distinguir com clareza [*td.: Conhecei o bem e o mal.*] **9** Nomear, intitular [*tdp.: Conhecemos esse período da História como Paleolítico.*] **10** Prever, ter indícios de [*td.: Conheço a chegada da chuva pelo cheiro suave que a precede.*] **11** Apreciar, julgar [*td.: Não conhece a própria capacidade; Conhece- te a ti mesmo.*] **12** Submeter-se, sujeitar-se a [*td.: uma avareza que não conhece limites.*] **13** *Ant.* Ter relações sexuais com [*td.: Só conheceu a mulher depois de casado.*] **14** Admitir, permitir, aceitar [*td.: Sua consciência jamais conheceu injustiça; Era um soberano que não conhecia a ideia de clemência.*] **15** *Jur.* Ter competência para julgar certas causas, num determinado processo [*tr. + de: Para poder julgar é necessário que o juiz conheça da causa.*] **16** Fazer a identificação de [*td.: Conheceu a prima desaparecida pelo jeito de andar.*] **17** Fazer a avaliação de; aquilatar [*td.: Depois daquela experiência passou a conhecer melhor a situação.*] **18** Fazer a constatação de; reconhecer [*td.: Ao ouvir aquelas palavras, conheceu os verdadeiros desígnios de seu chefe.*] **19** Respeitar, obedecer [*td.: Era uma mulher que não conhecia princípios morais.*] **20** Imaginar, calcular, prever [*td.: Era impossível conhecer as intenções do inimigo.*] **21** Ter conhecimento sobre [*td.: Conhecia todos os antecedentes do candidato.*] **22** Ter a experiência própria de; sentir [*td.: Os ricos não conhecem a fome.*] **23** Estar muito bem informado sobre [*td.: O delegado conhecia bem a ficha do suspeito, por isso a captura não fora uma grande surpresa.*] **24** *Jur.* Em direito processual, diz-se do tomar ciência (uma instância jurídica superior àquela em que a ação tramita) de um recurso [*tr. + de: O Supremo Tribunal Federal finalmente conheceu do recurso.*] [▶ **33 conhecer**] [F.: Do lat. *cognoscere*. Ant. ger.: *desconhecer, ignorar*.]

conhecido (co.nhe.*ci*.do) *a.* **1** Que é objeto de conhecimento das pessoas: *fato conhecido.* **2** De que se tem experiência ou algum conhecimento: *Vivia uma situação já conhecida.* **3** Que é conhecido de muitos; que tem fama, celebridade: *um cantor muito conhecido.* **4** Que atende por (nome, apelido etc.): *Era conhecido como Careca. sm.* **5** Indivíduo a quem se foi diretamente apresentado, ou com quem se tem ou teve anteriormente relações pessoais não muito próximas (ou relações profissionais, de negócios etc.): *Tinha muitos conhecidos no bairro.* [F.: part. de *conhecer*.]

conhecimento (co.nhe.ci.*men*.to) *sm.* **1** Ato de conhecer algo pela razão, pela experiência ou pela informação recebida: *Não temos conhecimento de outro planeta em que haja vida.* **2** Compreensão, percepção intelectual dos fatos e relações entre eles (relativos a determinado assunto ou parcela da realidade) **3** Domínio de um assunto, uma técnica, uma arte etc.: *Os conhecimentos de francês o ajudaram bastante durante a viagem.* **4** O conjunto do que é conhecido, sabido por alguém, ou por um grupo, ou em determinado campo de atividade, determinada época: *A Enciclopédia tinha o objetivo de reunir todo o conhecimento humano.* **5** Instrução, erudição: *Seu conhecimento é enciclopédico.* [Tb. us. no pl.] **6** Capacidade ou faculdade de conhecer, de formar, reunir e organizar informações a respeito da realidade, dos acontecimentos **7** Relação não muito profunda entre pessoas: *Travaram conhecimento durante o serviço militar mas depois não mais se encontraram.* **8** Pessoa com quem se tem relação pessoal ou social; CONHECIDO **9** Consciência de si, da própria existência e das percepções e relações com o mundo em redor **10** *Jur.* Aceitação de uma causa para julgamento, por um juiz ou um tribunal: *A Segunda Câmara não tomou conhecimento da apelação.* **11** *Com.* Documento representativo de mercadoria entregue a empresas transportadoras para levá-la ao destino **12** Designação de certos documentos contratuais ou de recibos relativos a depósito ou transporte de objetos (bagagem, mercadorias); esp. aqueles que podem ser negociados como representativos da própria mercadoria **13** *Ant.* Relação sexual, cópula, esp. entre homem e mulher [F.: *conhecer* + *-mento*.] **■ Tomar ~ 1** Ter informação (sobre algo); ter informação da existência, ou da condição específica (de algo ou alguém) **2** Levar em consideração, ou dar importância a (algo ou alguém) [Nesta acp., ger. us. na forma negativa, servindo para dar tb. ideia de 'menosprezar, desconsiderar'.] **3** *Jur.* Acolher formalmente (causa ou recurso)

conhecimentos (co.nhe.ci.*men*.tos) *smpl.* Instrução, cultura, erudição: *Era homem de grandes conhecimentos.* [F.: pl. de *conhecimento*.]

conhecível (co.nhe.*cí*.vel) *a2g.* Que pode ser conhecido; COGNOSCÍVEL [Pl.: *-veis*. F.: *conhecer* + *-i-* + *-vel*.]

◎ **con(i)-** *el. comp.* = 'cone': *cônico* (< gr.), *conífera* (< lat. cient.), *coniforme* [F.: Do gr. *kônos, ou*.]

cônica (*cô*.ni.ca) *sf. Geom.* Curva que é a interseção de um plano e de uma superfície cônica circular, e que tem a propriedade de, para todos os seus pontos, ser sempre igual o quociente entre a distância a uma reta (no mesmo plano da curva) e a um outro ponto, fora da reta [As cônicas são: circunferência, elipse, parábola e hipérbole. As equações de suas coordenadas no plano cartesiano são polinômios de segundo grau. Tb. se diz *seção cônica*.] [F.: Fem. substv. de *cônico*.] **■ ~ central** *Geom.* A que tem um centro de simetria [Curvas desse tipo são as elipses e as hipérboles.]

conicidade (co.ni.ci.*da*.de) *sf.* **1** Qualidade do que é cônico **2** A forma de cone [F.: *cônico* + *-(i)dade*.]

cônico (*cô*.ni.co) *a.* **1** Ref. a cone *a.* **2** Que tem forma de cone; CONIFORME [F.: Do gr. *konikós, é, ón*.]

conídio (co.*ní*.di:o) *sm. Biol.* Esporo assexual localizado na extremidade de uma hifa fértil [F.: Do lat. cient. *conidium*.]

conífera (co.*ní*.fe.ra) *sf. Bot.* Espécime das coníferas, classe da divisão das gimnospermas que reúne nove fam. (ex.: araucariáceas e pináceas), setenta gên. (ex.: *Araucaria* e *Pinus*) e cerca de seiscentas espécies (ex.: araucária e pinheiro), de plantas lenhosas; PINÓPSIDA [F.: Adaptação do lat. cient. *Coniferae*.]

coniforme (co.ni.*for*.me) *a2g.* Em forma de cone [F.: *con(i)-* + *-forme*.]

⊠ **Conin** Sigla de *Conselho Nacional de Informática e Automação*

conivência (co.ni.*vên*.ci:a) *sf.* **1** Ação ou atitude coniventes; tolerância, complacência ou transigência com defeitos, faltas ou erros de outrem: *Criticou a conivência dos pais com os excessos cometidos pelos jovens.* **2** Cumplicidade, colaboração com infração, crime etc. cometidos por outra pessoa, e que consiste em não tentar prevenir ou evitar que sejam realizados, ou em não denunciá-los: *Houve conivência dos fiscais no desfalque.* **3** *Bot.* Aproximação, pelo ápice, de partes vegetais que são livres na base [F.: Do lat. *coniventia, ae*.]

conivente (co.ni.*ven*.te) *a2g.* **1** Que encobre ou não revela ato ilegal ou imoral praticado por alguém: *Foi conivente na demissão injusta do colega; Jamais serei conivente com gente desonesta.* **2** Que não procura prevenir ou evitar que alguém cometa uma infração ou um crime; que demonstra ou age com cumplicidade: *O réu não participou da execução do crime, mas foi conivente com ele/com os bandidos; um fiscal conivente nos desfalques.* **3** Que demonstra cumplicidade: *Foi conivente no desfalque.* **4** *Biol. Bot. Anat.* Diz-se de partes ou estruturas anatômicas (vegetais ou animais) que convergem ou se tocam, sem que haja fusão entre elas *s2g.* **5** Pessoa conivente [F.: Do lat. *connivens, entis*.]

conjectura (con.jec.*tu*.ra) *sf.* **1** Juízo sem fundamento, sem precisão; afirmação ou ideia que pode ser verdadeira, mas que não foi verificada; HIPÓTESE: *Não se pode acreditar em mera conjectura.* **2** Ação ou resultado de deduzir que algo pode ser possível ou realizável com base apenas em presunções; SUPOSIÇÃO: *Gostava de fazer conjecturas sobre o futuro.* [F.: Do lat. *conjectura, ae*. Tb. *conjetura*.]

conjectural (con.jec.tu.*ral*) *a2g.* Fundado em conjecturas [Pl.: *-rais*.] [F.: *conjectura* + *-al*[1]. Hom./Par.: *conjecturais* (pl.), *conjecturais* (fl. *conjecturar*). Tb. *conjetural*.]

conjecturar (con.jec.tu.*rar*) *v.* **1** Formar ideia, opinião etc. com base em conjecturas, em hipóteses, em probabilidades; PRESUMIR [*td.: Com essa cara ressabiada, só posso conjecturar que estás aborrecido comigo.*] [*int.: Melhor do que conjecturar é aguardar os resultados.*] **2** Prever, antever [*td.: Conjecturo o sucesso dessa empreitada.*] [▶ **1 conjecturar**] [F.: *conjectura* + *-ar*[2]. Hom./Par.: *conjectura(s)* (fl.), *conjectura(s)* (sf. [pl.]; *conjecturáveis* (fl.), *conjecturáveis* (pl. de *conjecturável*). Tb. *conjeturar*.]

conjetura (con.je.tu.ra) *sf.* Ver *conjectura*

conjetural (con.je.tu.*ral*) *a2g.* Ver *conjectural* [Pl.: *-rais*.]

conjeturar (con.je.tu.*rar*) *v.* Ver *conjecturar*

conjugação (con.ju.ga.*ção*) *sf.* **1** Ação ou resultado de conjugar(-se) **2** Ação ou resultado de juntar(-se), ligar(-se), confluir; LIGAÇÃO; JUNÇÃO: *Há uma suspeita conjugação de coincidências nessa história.* **3** União ou associação de elementos, fatos, ações etc.: *Houve uma conjugação de esforços para a equipe obter a vitória.* **4** *Gram.* Ação de conjugar (um verbo), de flexioná-lo de acordo com modo, tempos e pessoas **5** *Gram.* O conjunto das flexões (modo, tempo, pessoa e número) de um verbo **6** *Gram.* Classe morfológica do verbo, ger. determinada por sua vogal temática (1ª conjugação, 2ª conjugação etc.) **7** Relação adaptativa, conexão: *conjugação de uma espécie com o meio ambiente.* **8** *Biol.* Em processo reprodutivo sexuado de certas bactérias, algas etc., união, fusão de células ou gametas, com transferência de caracteres genéticos [Pl.: *-ções.*] [F.: Do lat. *conjugatio, onis.*] ▪▪ **~ celular** *Biol.* Fusão de células

conjugado (con.ju.*ga*.do) ***a.*** **1** Que foi ligado, unido; ASSOCIADO; COMBINADO **2** *Gram.* Diz-se de forma verbal que sofreu flexão; FLEXIONADO **3** *Bot.* Diz-se de folha que tem dois folíolos no ápice do pecíolo **4** *Geom.* Diz-se de ângulo em relação a outro somado ao qual perfazem juntos 360° **5** *Quím.* Diz-se de composto que apresenta duas ligações duplas; diz-se de cada uma dessas ligações **6** *Quím.* Diz-se do ácido (ou base) que resulta da reação entre uma base e um solvente ***sm.*** **7** *Quím.* Esse ácido **8** Apartamento que tem o quarto e a sala em um só espaço, além de cozinha e banheiro [Tb.: *apartamento conjugado.*] **9** *Fís.* Sistema formado por duas forças paralelas e de sentidos opostos, aplicadas em pontos diferentes de um mesmo corpo; BINÁRIO; TORQUE **10** *Geom.* Ângulo conjugado (4) [F.: Part. de *conjugar*, ou do lat. *conjugatus.*]

conjugal (con.ju.*gal*) ***a2g.*** Ref. ou pertencente a cônjuge, a casal ou a casamento (vida em comum do casal) (fidelidade conjugal; bens conjugais; conflitos conjugais): "...desconhecia as santas e puras delícias da afeição conjugal..." (Bernardo Guimarães, *A Escrava Isaura*) [Pl.: *-gais.*] [F.: Do lat. *conjugalis, e.* Hom./Par.: *conjugais* (pl.), *conjugais* (fl. *conjugar*).]

conjugalmente (con.ju.gal.*men*.te) ***adv.*** De maneira conjugal; como marido e mulher: "A costureira conversava com um homem... e (Rubião) viu-os ir ambos, conjugalmente, para o lado da Glória." (Machado de Assis, *Quincas Borba*) [F.: *conjugal* + *-mente.*]

conjugar (con.ju.*gar*) ***v.*** **1** Reunir(-se), juntar(-se), combinando [***td.:*** *A proposta conjugava todas as necessidades.*] [***tdr.*** + *com*: *A obra conjugava textos com imagens.*] [***tr.*** + *com*: *Nesta exposição, trabalhos recentes se conjugam com as primeiras criações.*] **2** *Gram.* Expor ordenadamente as flexões de (um verbo); ter uma série de formas flexionadas, relativas aos diversos tempos, modos, pessoas e números [***td.:*** *conjugar o verbo pôr*] [***int.:*** *O verbo 'deter' conjuga-se pelo 'ter'.*] **3** Dar ao verbo determinada forma específica (flexão), com a correta terminação relativa a (pessoa e número, tempo, modo) [***td.:*** *Conjugue o verbo pôr no pretérito perfeito/na 2ª pessoa do singular.*] [***int.:*** *Os verbos impessoais, como chover, usualmente só se conjugam na 3ª pessoa do singular.*] [▶ 14 conjugar] [F.: Do lat. *conjugare.* Hom./Par.: *conjugais* (fl.), *conjugais* (pl. de *conjugal* [a2g.]); *conjugáveis* (fl.), *conjugáveis* (pl. de *conjugável*).]

conjugável (con.ju.*gá*.vel) ***a2g.*** Que pode ser conjugado [Pl.: *-veis.*] [F.: *conjugar* + *-vel.* Hom./Par.: *conjugáveis* (pl.), *conjugáveis* (fl. *conjugar*).]

cônjuge (*côn*.ju.ge) ***sm.*** **1** Indivíduo em relação à pessoa com quem está casado; CONSORTE **2** Indivíduo com quem uma pessoa tem vida em comum similar à do casamento (ger. envolvendo coabitação, relações sexuais, companheirismo, certas obrigações morais ou legais etc.) [F.: Do lat. *conjux, ugis.*]

conjuminação (con.ju.mi.na.*ção*) ***sf.*** **1** Ação ou resultado de conjuminar; CONJUMINÂNCIA ***sf.*** **2** Combinação de coisas diferentes (conjuminação de fatores) **3** Concordância de coisas diversas [F.: *conjuminar* + *-ção.*]

conjuminar (con.ju.mi.*nar*) ***v.*** *Bras. Pop.* Combinar(-se), ligar(-se), juntar(-se) (ger. coisas díspares ou aparentemente incompatíveis) [***td.:*** *Não conseguia conjuminar ligeireza e perfeição.*] [***tdr.*** + *com*: *conjuminar uma ideia com outra.*] [***tr.*** + *em*: *Diversos fatores conjuminaram-se no surgimento da vida sobre a Terra.*] [▶ 1 conjuminar] [F.: Posv. alter. de *congeminar.*]

conjunção (con.jun.*ção*) ***sf.*** **1** Ação ou resultado de pôr(-se) junto, de unir(-se) ***sf.*** **2** Combinação ou associação de fatos ou coisas; ocorrência simultânea no tempo, ou presença no mesmo lugar ou espaço: *Uma conjunção de coincidências o levou à vitória.* **3** Ensejo, oportunidade: *Aproveitou a conjunção para cair fora.* **4** Ligação, união, reunião num só corpo ou unidade **5** Contato muito próximo ou íntimo, de natureza sexual; cópula, relações sexuaix (conjunção carnal) **6** *Astrol. Astron.* Alinhamento de dois ou mais astros, observados da Terra, resultando em aparente encontro no céu, no mesmo grau do Zodíaco: *Os eclipses solares ocorrem quando há conjunção da Lua e do Sol.* **7** *Astrol. Astron.* Configuração em que dois astros apresentam o menor afastamento aparente entre si: *conjunção de Saturno com a Lua.* **8** *Gram.* Palavra invariável que liga dois termos ou duas orações [Pl.: *-ções.*] [F.: Do lat. *conjunctio, onis.*] ▪▪ **~ aditiva** *Gram.* Qualquer das conjunções coordenativas que ligam dois termos de uma oração, ou duas orações coordenadas [Ex.: *e, nem.* Tb. (*Antq.*) *conjunção aproximativa* e *conjunção copulativa.* Tb. apenas *aditiva.*] **~ adversativa** *Gram.* Qualquer das conjunções ou locuções conjuntivas coordenativas que ligam dois termos de uma oração, ou duas orações de função idêntica, dando ideia de oposição entre elas [Ex.: *mas, porém, contudo, todavia* etc. Tb. apenas *adversativa.*] **~ alternativa** *Gram.* Qualquer das conjunções coordenativas que ligam dois termos de uma oração, ou duas orações de sentido diferente, para indicar que o fato ou situação numa mencionados implicam a não realização simultânea do fato ou situação mencionados na outra; conjunção disjuntiva [Ex.: *já... já; ora... ora; ou; ou... ou; quer... quer* etc. Tb. apenas *alternativa.*] **~ aproximativa** *Gram.* Ver *Conjunção aditiva* [Tb. apenas *aproximativa.*] **~ causal** *Gram.* Qualquer das conjunções ou locuções conjuntivas que iniciam oração subordinada para denotar que o fato ou situação desta é a causa do fato ou situação expresso na oração principal [Ex.: *desde que, já que, pois, pois que, porquanto, porque, visto que* etc. Tb. apenas *causal.*] **~ comparativa** *Gram.* Qualquer das conjunções ou locuções conjuntivas que iniciam oração subordinada que funciona como segundo membro de uma comparação [Ex.: *assim como, do que, qual, quanto, que* etc. Tb. apenas *comparativa.*] **~ concessiva** *Gram.* Qualquer das conjunções ou locuções conjuntivas que iniciam oração subordinada que expressa fato ou condição de certa forma contraditórios aos expressos na oração principal, mas que coexistem com aqueles [Ex.: *ainda que, conquanto, embora, mesmo que, posto que* etc. Tb. apenas *concessiva.*] **~ conclusiva** *Gram.* Qualquer das conjunções ou locuções conjuntivas coordenativas que emprestam à segunda oração, em relação à primeira, o sentido de consequência ou ilação; conjunção ilativa [Ex.: *logo, pois, por conseguinte, portanto* etc. Tb. apenas *conclusiva.*] **~ condicional** *Gram.* Qualquer das conjunções ou locuções conjuntivas coordenativas que ligam a oração principal a uma oração subordinada que expressa condição necessária ao fato ou condição expressos na oração principal [Ex: *caso, contanto que, dado que, salvo se, se* etc. Tb. apenas *condicional.*] **~ conformativa** *Gram.* Qualquer das conjunções ou locuções conjuntivas que iniciam oração subordinada que expressa acordo, conformidade com fato ou situação expressos na oração principal; conjunção modal [Ex.: *como, conforme, consoante, segundo* etc. Tb. apenas *conformativa.*] **~ consecutiva** *Gram.* Qualquer das conjunções ou locuções conjuntivas que iniciam oração subordinada que expressa fato ou situação que é uma consequência lógica de fato ou situação expressos na oração principal; conjunção correlativa [Ex.: *de forma que, de sorte que, que* (*tal... que, tanto... que*) etc. Tb. apenas *consecutiva.*] **~ continuativa** *Gram.* Qualquer das conjunções ou locuções conjuntivas que ligam orações, denotando que o fato ou a situação expressos na segunda é uma continuação de fato ou situação expressos na primeira [Ex.: *além disso, daí, entretanto, no entanto, pois, porque* etc. Tb. apenas *continuativa.*] **~ coordenativa** *Gram.* Qualquer das conjunções ou locuções conjuntivas que ligam termos de uma oração ou duas orações de mesma função gramatical [Tb. apenas *coordenativa.* Há conjunções coordenativas de diferentes tipos: aditivas, adversativas, alternativas, conclusivas e explicativas.] **~ copulativa** *Gram.* Ver *Conjunção aditiva* [Tb. apenas *copulativa.*] **~ correlativa** *Gram.* Ver *Conjunção consecutiva* [Tb. apenas *correlativa.*] **~ de planeta superior** *Astron.* Alinhamento entre a Terra, um planeta exterior e o Sol, estando o Sol entre os dois planetas **~ disjuntiva** *Gram.* Ver *Conjunção alternativa* [Tb. apenas *disjuntiva.*] **~ explicativa** *Gram.* Qualquer das conjunções ou locuções conjuntivas que ligam orações, emprestando à segunda caráter de explicação ou justificação do que é expresso na primeira [Ex.: *isto é, por exemplo, porquanto, porque, que* etc. Tb. apenas *explicativa.*] **~ final** *Gram.* Qualquer das conjunções ou locuções conjuntivas que iniciam oração subordinada que expressa um objetivo ou um finalidade do fato ou situação expressos na oração principal [Ex.: *a fim de que, para que, porque* (no sentido de *para que*) etc. Tb. apenas *final.*] **~ geocêntrica** *Astron.* Alinhamento entre dois corpos celestes em hipotética observação a partir do centro da Terra **~ heliocêntrica** *Astron.* Alinhamento entre dois corpos celestes em hipotética observação a partir do centro do Sol **~ ilativa** *Gram.* Ver *Conjunção conclusiva* [Tb. apenas *ilativa.*] **~ inferior** *Astron.* Alinhamento de um planeta com o Sol, estando o planeta entre a Terra e o Sol **~ integrante** *Gram.* Qualquer das conjunções que iniciam oração subordinada que tem função de sujeito, objeto direto ou indireto, predicativo, complemento nominal, ou aposto da oração principal [São as conjunções *que* e *se.* Tb. apenas *integrante.*] **~ modal** *Gram.* Ver *Conjunção conformativa* [Tb. apenas *modal.*] **~ periódica** *Antq. Gram.* Ver *Conjunção temporal* [Tb. apenas *periódica.*] **~ proporcional** *Gram.* Qualquer das conjunções ou locuções conjuntivas que iniciam oração subordinada que expressa fato ou condição que se realizam simultaneamente a fato ou condição expressos na oração principal [Ex.: *à medida que, ao passo que, à proporção que, quanto mais... mais* etc. Tb. apenas *proporcional.*] **~ subordinativa** *Gram.* Qualquer das conjunções ou locuções conjuntivas que ligam duas orações, iniciando aquela que é subordinada à principal para completá-la ou determinar-lhe o sentido [Pode ser *causal, comparativa, concessiva, condicional, conformativa, consecutiva, final, integrante, proporcional* e *temporal.* Tb. apenas *subordinativa.*] **~ superior** *Astron.* Conjunção do Sol e de um planeta, estando o Sol entre os dois planetas **~ temporal** *Ling.* Qualquer das conjunções ou locuções conjuntivas que iniciam oração subordinada que dá à oração principal um contexto de tempo [Ex.: *antes que, depois que, desde que, enquanto, quando* etc. Já se chamou *conjunção periódica.* Tb. apenas *temporal.*]

conjuncional (con.jun.ci:o.nal) ***a2g.*** **1** Relativo a conjunção; CONJUNTIVO **2** *Gram.* Que começa por conjunção (frase conjuncional); SINDÉTICO [Ant.: *assindético*] [F.: *conjuncion* (rad. de *conjunção*) + *-al.*]

conjuntiva (con.jun.*ti*.va) ***sf.*** **1** *Anat.* Membrana mucosa que reveste a parte interna da pálpebra e a parte externa do globo ocular **2** *Lóg.* Proposição que está ligada a outra(s) pela conjunção *e*, formando um conjunto que só é verdadeiro se todas as proposições o forem [F.: Do lat. cient. *conjunctiva.*]

conjuntival (con.jun.ti.*val*) ***a2g.*** Referente ou pertencente a conjuntiva [F.: *conjuntiva* + *al.*]

conjuntivite (con.jun.ti.*vi*.te) ***sf.*** *Pat.* Inflamação da conjuntiva, ger. com produção de secreções [F.: *conjuntiva* + *-ite*[1].]

conjuntivo (con.jun.*ti*.vo) ***a.*** **1** Que junta ou reúne; que conecta ou estabelece relação entre coisas ou pessoas **2** Ref. a conjunção **3** *Gram.* Que une palavras ou orações (por meio de conjunções como 'e', 'nem', 'ou' etc.) **4** *Med.* Diz-se de tecido que une ou liga órgãos, revestindo-os ou dando-lhes sustentação no interior do corpo **5** *Gram.* O mesmo que *subjuntivo* (2) ***sm.*** **6** *Gram.* O mesmo que *subjuntivo* (modo verbal) [F.: Do lat. *conjunctivus, a, um.*]

conjunto (con.*jun*.to) ***a.*** **1** Que ocorre simultaneamente e em relação ou cooperação com outros fatos, ações etc. (esforços conjuntos) **2** Que está ligado, conjugado com, somado a (outra coisa): *O governo atendeu aos apelos conjuntos dos industriais.* **3** Situado em lugar adjacente, contíguo (casas conjuntas) ***sm.*** **4** Reunião de partes, componentes ou segmentos que formam um todo: *o conjunto das peças da máquina.* **5** Equipe, grupo: *o conjunto de funcionários do banco.* **6** Grupo de residências que, juntas, adquirem um caráter particular: *conjunto residencial de Del Castilho.* **7** Grupo de músicos que executam juntos peças musicais em apresentação, gravação etc.: *conjunto de sopros; conjunto de cordas.* **8** Traje feminino constituído ger. de saia ou calça em combinação com casaco ou blusa: *Ela vestia um conjunto verde-claro.* **9** Bom entrosamento entre os participantes de um grupo: *Faltou conjunto à seleção de vôlei.* **10** *Hip.* Em provas hípicas, cavaleiro e cavalo considerados como um todo, como um conjunto (3) **11** Reunião de objetos, ferramentas, utensílios etc. com características semelhantes e que servem ao mesmo fim: *conjunto de panelas.* **12** A totalidade dos componentes de um todo: *Esta lista registra o conjunto de sócios do clube.* [F.: Do lat. *conjunctus.*] ▪▪ **~ aberto** Aquele cujo número de componentes não é limitado, que admite novos elementos **~ bem ordenado** *Mat.* Conjunto ordenado no qual qualquer subconjunto tem um primeiro elemento menor que qualquer outro elemento daquele subconjunto **~ compacto** *Mat.* Conjunto infinito no qual qualquer subconjunto que ele contenha tem pelo menos um ponto de acumulação que também lhe pertence **~ complementar** *Mat.* Aquele que deve-se unir a outro para se obter um terceiro conjunto; complemento **~ conexo** *Mat.* Conjunto que não pode ser dividido em dois subconjuntos fechado sem qualquer ponto em comum **~ contínuo** *Mat.* Conjunto que é ao mesmo tempo compacto e conexo **~ denso** Ver *Conjunto denso em um espaço.* **~ denso em si mesmo** *Mat.* Conjunto no qual a vizinhança de qualquer de seus pontos contém no mínimo um outro ponto que lhe pertence também **~ denso em um espaço** *Mat.* Conjunto tal que todas as vizinhanças dos pontos de um espaço contêm no mínimo um ponto que lhe pertença [Tb. apenas *conjunto denso.*] **~ de partes** *Mat.* Ver *Conjunto potência* **~ derivado** *Mat.* Conjunto formado pelos pontos de acumulação de outro conjunto ▪▪ **~ discreto** *Mat.* Conjunto que não tem qualquer ponto de acumulação [Ex.: o conjunto dos números inteiros.] **~ enumerável** *Mat.* Aquele no qual os elementos podem ter correspondência biunívoca com os números inteiros naturais; conjunto numerável **~ fechado** *Mat.* Conjunto que contém todos os seus pontos de acumulação **~ finito** *Mat.* Conjunto no qual cada elemento pode ser posto em correspondência biunívoca com cada elemento de um subconjunto limitado dos números naturais **~ histórico** *Arq.* Grupo de edificações de valor ou interesse histórico, ger. bem-preservadas **~ infinito** *Mat.* Aquele cujo número de elementos é ilimitado **~ interseção** *Mat.* Conjunto no qual todos os elementos pertencem simultaneamente a dois ou mais conjuntos **~ isolado** *Mat.* Aquele que não contém qualquer de seus pontos de acumulação, sendo formado de pontos isolados **~ nulo** *Mat.* Conjunto sem elementos, conjunto vazio **~ numerável** *Mat.* Ver *Conjunto enumerável.* **~ ordenado** *Mat.* Aquele entre cujos elementos existe uma relação de ordem **~ perfeito** *Mat.* Conjunto idêntico ao seu conjunto derivado, sendo ao mesmo tempo fechado e denso em si mesmo **~ potência** *Mat.* Conjunto que contém todos os subconjuntos possíveis formados com os elementos de um certo conjunto; conjunto de partes [P. ex., para um conjunto (X, Y, Z) os subconjuntos possíveis são Ø (vazio), (X), (Y), (Z), (X, Y), (X, Z), (Y, Z), (X, Y, Z), e o conjunto potência é o conjunto que contém esses oito subconjuntos.] **~ união** *Mat.* Com relação a dois ou mais conjuntos, conjunto no qual qualquer elemento pertence pelo menos a um desses conjuntos **~ universo** *Mat.* Aquele que contém todos os elementos de um determinado âmbito **~ vazio** *Mat.* O que não contém nenhum elemento **Em ~ 1** Como um grupo: *Esses fatores determinam, em conjunto, o estado da economia.* **2** Juntamente (com outros): *Após o solo de cada um, os três tenores cantaram em conjunto.*

conjuntura (con.jun.*tu*.ra) ***sf.*** **1** Situação não duradoura, resultante da combinação de diversos fatores ou circunstâncias: *A atual conjuntura econômica é um desastre*: "Seus próprios pais com ela se aconselhavam nas conjunturas difíceis." (Franklin Távora, *O Matuto*) **2** Fato, acontecimento, ocorrência que modifica ou caracteriza determinada situação concreta **3** Ocasião, oportunidade **4** Estado de uma sociedade, ou de uma parte, aspecto ou setor dela, cuja determinação precisa depende não só de processos e tendências gerais e de fatores estruturais, mas de muitas outras variações e modificações (inclusive ações humanas) de abrangência, duração ou influência mais restrita, e que podem ser objeto de análise ou de alguma previsão com vistas a orientar a atuação de um agente político ou econômico [F.: *conjunt(o)* + *-ura*.]

conjuntural (con.jun.tu.*ral*) *a2g.* **1** Ref. ou pertencente a conjuntura (fatores conjunturais, análise conjuntural) **2** Que resulta ou depende de determinada conjuntura (desemprego conjuntural): *crise política conjuntural*. [Em ambas as acps., é não raro empregado por oposição a *estrutural*.] [Pl.: *-rais*.] [F.: *conjuntura* + *-al*¹.]

conjuração (con.ju.ra.*ção*) *sf.* **1** Ação ou resultado de conjurar **2** Associação de pessoas para um fim comum, ligadas entre si por juramento ou compromisso **3** Sublevação ou trama contra autoridade estabelecida; CONSPIRAÇÃO [Pl.: *-ções*.] [F.: Do lat. *conjuratio, onis*.] ∎ **~ Mineira** Movimento secreto que visava tornar o Brasil independente do regime colonial português, cujo foco se localizava em Vila Rica (hoje Ouro Preto), e chefiado por Joaquim José da Silva Xavier, o Tiradentes; foi descoberto e reprimido pelo governo português em 1789 [Tb. designado como *Inconfidência Mineira*.]

conjurado (con.ju.*ra*.do) *a.* **1** Que se associa com outros para agir **2** Que toma parte em conjuração ou conspiração **3** Que foi combinado para determinado fim **4** Que foi implorado ou rogado insistentemente *sm.* **5** Aquele que toma parte numa conspiração **6** *Bras. Hist.* Cada um daqueles que participaram da Conjuração Mineira [F.: Do lat. *conjuratus, a, um*.]

conjurador (con.ju.ra.*dor*) [ô] *sm.* **1** Aquele que conjura contra algo ou alguém; CONSPIRADOR; CONJURANTE: *Apanharam os republicanos conjuradores*. *sm.* **2** Indivíduo que faz conjuros; EXORCISTA [Pl.: *-ores*. F.: *conjurado* + *-or*.]

conjurar (con.ju.*rar*) *v.* **1** Convocar, chamar (para malefício, conjuração) [*td.*: "...falando às estrelas, conjurando os maus espíritos..." (José de Alencar, *Iracema*)] **2** Desfazer (feitiço, magia) [*td.*: *Só ele poderá conjurar o feitiço*.] **3** Expulsar, repelir (espíritos malignos); ESCONJURAR; EXORCISMAR [*td.*: *conjurar demônios*.] **4** *Fig.* Afastar (ameaça, situação perigosa) [*td.*: *Somaram-se esforços para conjurar a praga*.] **5** Tramar, maquinar (revolta, conjuração); CONSPIRAR [*td.*: *conjurar um motim*.] [*tr.* + *contra*: *Os rebeldes conjuraram contra a República*.] **6** Promover reação; INCITAR; INSTIGAR [*td.*: *Conjurou os descontentes e deu início à manifestação*.] [*tdr.* + *a, contra, para*: *Conjurou-os contra o rei; conjurar à revolta os oprimidos*.] **7** Promover uma rebelião, uma revolta; INSURGIR-SE; REVOLTAR-SE [*tr.* + *contra*: *Conjuraram contra o tirano*.] [*int.*: *As tropas conjuraram-se, decididas a combater o regime*.] **8** Fazer pedidos insistentes a [*td.*: *Tanto o conjurei, que afinal cedeu*.] [*tdr.* + *a*: *Conjurou-o a unir-se na luta*.] **9** Manifestar desagrado, lástima por; LAMURIAR-SE; LASTIMAR-SE; QUEIXAR-SE [*tr.* + *contra*: *Vive a conjurar-se contra os infortúnios da vida*.] [▶ 1 conjurar] [F.: Do lat. *conjurare*. Hom./Par.: *conjuro* (fl.), *conjuro* (sm.).]

conjuro (con.*ju*.ro) *sm.* **1** Invocação do demônio ou de espíritos satânicos **2** Pedido insistente, súplica **3** Prática religiosa para expulsar espíritos malignos, exorcismo [F.: Regr. de *conjurar*.]

conluiado (con.lui:*a*.do) *a.* **1** Que conluiou(-se), que entrou em conluio **2** Acertado, combinado com outra(s) pessoa(s) para mau fim: "Frade abominável, também és tu conluiado com o cego?" (Alexandre Herculano, *Lendas*) **3** Que participa de conluio; MANCOMUNADO: "Sim senhor! Conluiada com o Padilha e tentando afastar os empregados sérios do bom caminho." (Graciliano Ramos, *São Bernardo*) [F.: Part. de *conluiar*.]

conluiar (con.lui.*ar*) *v.* **1** Unir(-se) em conluio, fazer aliança no intuito de prejudicar ou defraudar [*tdr.* + *contra, para*: *conluiar partidos de oposição contra o governo/ para derrubar o governo*.] [*tr.* + *com, contra*: *Conluiou-se com o inimigo; Vários países conluiaram-se contra a potência*.] **2** Planejar, tramar em conluio; CONSPIRAR; MAQUINAR [*td.*: *conluiar um sequestro*.] **3** Aliar(-se), combinar(-se); reunir(-se) como em conluio; fazer coexistir ou existir conjuntamente sem conflito [*tr.* + *com*: "Conluiava-se nela a beleza do diabo, própria da idade, com a beleza de Deus, permanente." (Monteiro Lobato, *Urupês*)] [*tdr.* + *com*: *Ela conluiava a inteligência com uma grande beleza*.] [▶ 1 conluiar] [F.: *conluio* + *-ar*². Hom./Par.: *conluio* (fl.), *conluio* (sm.).]

conluio (con.*lui*:o) *sm.* **1** Combinação entre pessoas com o intuito de lesar ou prejudicar alguém; CONSPIRAÇÃO; TRAMA: *conluio para derrubar um governo*. **2** *Fig.* União ou coexistência de coisas díspares; ação ou efeito da combinação de elementos diversos, esp. quando impressionam a ponto de parecerem intencionais: *O encanto que ela exercia vinha do conluio da beleza com a inteligência*. [F.: Do lat. *colludium*.]

conosco (co.*nos*.co) [ô] *pr. pess.* **1** Com a pessoa que fala, juntamente com outra ou outras pessoas: *Veio conversar conosco*. **2** Em nossa companhia: *Venha passear conosco*. **3** Em nosso poder, em nossas mãos: *Deixem o carro conosco*. **4** Para ser feito, decidido ou resolvido por nós: *Trabalhar demais não é conosco*. **5** Dirigido a nós: *Aquela ofensa não foi conosco*. **6** Ao mesmo tempo que nós: *Quando começarmos a correr, corram conosco*. **7** Em relação a nós; com, ou para, as nossas pessoas: *Conosco está tudo bem; Tenha mais paciência conosco!* **8** Em nosso proveito, para nosso benefício: *Foram de uma grande generosidade conosco*. **9** Entre nós, de nós para nós mesmos (cada um para si ou uma pessoa para outra): *Mesmo sem admiti-lo para os outros, dizíamos conosco que a situação era perigosa*. [Nesta acp. reflexiva, não se usa (com raras exceções) acompanhado de pronomes como *mesmos* ou *próprios*, nem de numerais; usa-se, nestes casos, com + nós: *com nós mesmos; com nós cinco*.] **10** Em nosso pensamento, em nossa consciência: *Tomamos conosco a decisão de recusar a oferta*. [As várias acps. de *conosco* (e muitas outras nuances e conotações) são paralelas ao uso e significado da prep. *com*. Quanto à primeira pessoa do plural, à qual o pronome se refere, ela pode indicar, assim como o pron. nós, 1) eu + ele(s)/ela(s); 2) eu + tu/vós (você[s]); 3) eu + ele(s)/ela(s) + tu/vós/você(s).] [F.: *com* + *nosco*, este do lat. *noscum* (< *nobiscum*), do pron. *nos* (*nobis*) 'nos' + prep. *cum* 'com'.]

conotação (co.no.ta.*ção*) *sf.* **1** Ideia ou sentimento que uma palavra ou coisa pode sugerir; significado suplementar que se atribui a uma palavra, expressão ou objeto, por se estabelecer algum tipo de associação com outras palavras, objetos e seres, ou outros contextos e situações, além daqueles presentes ou referidos diretamente: *Os termos mente e espírito podem ser sinônimos, mas cada um tem conotação diferente*. **2** *Lóg.* O mesmo que *compreensão* (conjunto de características definidoras) [Pl.: *-ções*.] [F.: Do lat. *conotatio, onis*.]

conotar (co.no.*tar*) *v. td.* **1** Evocar ou sugerir (sentido(s) ou significado(s) sobreposto(s) ao conceito objetivo de uma palavra ou expressão): *'Usar' é um termo forte que conota manipulação* [Cf. *denotar*.] **2** *P. ext.* Fazer pensar em, dar impressão de; manifestar, expressar: *Sua postura tímida pode conotar covardia*. [▶ 1 conotar] [F.: Do lat. medv. *connotare*, com infl. do ing. (to) *connote*. Ver tb. *conotação* e *denotação*.]

conotativo (co.no.ta.*ti*.vo) *a.* **1** Ref. a conotação **2** Que serve para conotar **3** Que tem conotação [F.: Do lat. med. *connotativus*; ver *conotar* e *-tivo*.]

conquanto (con.*quan*.to) *conj.* Mesmo que seja verdade que; se bem que; EMBORA: *Conquanto cansado, continuou correndo*. [F.: Prep. *com* + *quanto*.]

conquilho (con.*qui*.lho) *a.* Que tem forma de concha; CONQUIFORME: "Um bicho bivalve, conquilho entre tâmara e barata, escava para si leito rochoso..." (Guimarães Rosa, *Ave, Palavra!*) [F.: Do gr. *kogchylion*.]

conquista (con.*quis*.ta) *sf.* **1** Ação, processo ou resultado de conquistar: *Só pensava na conquista daquele prêmio*. **2** Sucesso, êxito em alguma tentativa ou algum empreendimento esp. difícil **3** Aquilo que se obtém com intenção e esforço: *o prêmio foi uma conquista coletiva*. **4** Luta, batalha ou guerra para ocupar e tomar posse de um lugar: *Morreu durante a conquista da fortaleza inimiga*. **5** Pessoa cujo amor (ou carinho, ou bons sentimentos, ou atração erótica etc.) foi despertado pelos esforços de alguém: *A garçonete foi sua última conquista*. **6** Obtenção de melhorias (conquistas sociais) [F.: Regress. de *conquistar*.]

conquistado (con.quis.*ta*.do) *a.* **1** Que se conquistou, que se alcançou, ger. por meio de esforço; CONSEGUIDO; ALCANÇADO: *cargo conquistado em concurso público*. **2** Vencido pela força das armas; SUBJUGADO: "Quinhoavam com ele terras conquistadas." (Antero de Figueiredo, *Espanha*) **3** Que foi cativado, seduzido (coração conquistado); ENAMORADO [F.: Part. de *conquistar*.]

conquistador (con.quis.ta.*dor*) [ô] *a.* **1** Que conquista algo ou alguém (guerreiro conquistador) **2** Que faz conquistas amorosas *sm.* **3** Aquele que conquista algo: *Era um conquistador de terras*. **4** Aquele que conquista mulheres: *Ela detestava os conquistadores baratos*. [F.: *conquistar* + *-dor*.]

conquistar (con.quis.*tar*) *v.* **1** Dominar pela força; SUBJUGAR [*td.*: *Os antigos romanos conquistaram vastos territórios*.] [*tdr.* + *a*: *Na Guerra dos Seis Dias, Israel conquistou ao Egito a península do Sinai*.] **2** Obter, alcançar (prêmio, vitória); receber, ter para si (algo que outros cedem ou concedem) [*td.*: *Conquistou o título de melhor ator*.] [*tdr.* + *a*: *Conquistamos aos concorrentes um carro*.] **3** Adquirir à custa de esforço, de merecimento [*td.*: *conquistar a notoriedade*.] **4** *Fig.* Atrair pelas próprias qualidades (amizade, favor, simpatia etc.); GRANJEAR [*td.*: "...duvido que não conquiste a confiança absoluta de todos eles..." (João Ubaldo Ribeiro, *Diário do Farol*)] **5** Conseguir a amizade, a simpatia, o favor de; CATIVAR [*td.*: *Por causa do teu jeito arrogante, nunca conquistarás o teu sogro*.] **6** Despertar sentimento de amor ou paixão em; fazer apaixonar-se; SEDUZIR [*td.*: *Procurava conquistar todas as mulheres do escritório*.] **7** Fazer aderir a; atrair ao seio de, para (alguma coisa) [*td.*: *A igreja conquistou adeptos*.] [*tdr.* + *a, para*: *Tentei conquistá-lo para integrar o grupo de voluntários*.] [▶ 1 conquistar] [F.: Do lat. medv. *conquistare*. Hom./Par.: *conquista(s)* (fl.), *conquista(s)* (sf. [pl.]); *conquistáveis* (fl.), *conquistáveis* (pl. de *conquistável* [a2g.]).]

conquistável (con.quis.*tá*.vel) *a2g.* Que pode ser conquistado, fácil de conquistar [Pl.: *-áveis*. F.: *conquistar* + *-vel*.]

consabido (con.sa.bi.do) *a.* Sabido, conhecido por muitos ou por todos (fatos consabidos) [F.: *con-* + *sabido*.]

consagração (con.sa.gra.*ção*) *sf.* **1** Ação ou efeito de consagrar(-se) **2** Condição daquele ou daquilo que se consagra: *Aquele show trouxe consagração do artista*. **3** *Rel.* Oferenda ou dedicação de algo ou alguém a uma divindade: *consagração de um sacerdote; consagração de um templo sagrado*. **4** *Rel.* Parte da missa católica em que a hóstia e o vinho representam o corpo e o sangue de Cristo **5** Dedicação, entrega: *a consagração de um artista à sua arte*. **6** Legitimação, reconhecimento: *a consagração dos ideais românticos*. [Pl.: *-ções*.] [F.: Do lat. *consacratio, onis*.]

consagrado (con.sa.*gra*.do) *a.* **1** Que é louvado, reconhecido por todos (escritor consagrado); ACLAMADO **2** Que tem aprovação, validade; CONFIRMADO; RATIFICADO: "Nesse contexto surge o conceito de responsabilidade fiscal que restou consagrado em uma lei..." (*Veja*, 29.09.2004) **3** *Lit. Cat.* Que se transubstanciou (hóstia consagrada) **4** Que é dedicado, devotado a: "Partido ostensivamente consagrado às reformas liberais." (Rui Barbosa, *Colunas de Fogo*) **5** Que serve ou está destinado a: *Seus domingos são consagrados às brincadeiras com o filho*. **6** *Rel.* Que foi tornado sagrado (altar consagrado) **7** Que foi oferecido, dedicado a: *A canção será consagrada às vítimas da tragédia*. [F.: Part. de *consagrar*.]

consagrador (con.sa.gra.*dor*) [ô] *a.* **1** Que consagra ou envolve consagração (ritual consagrador; sucesso consagrador; *Este foi um ano consagrador para o cineasta: seu filme teve grande sucesso de público e recebeu prêmios internacionais*. *sm.* **2** Aquele ou aquilo que consagra [F.: *consagra(r)* + *-dor*.]

consagrar (con.sa.*grar*) *v.* **1** *Rel.* Tornar sagrado; reservar ou dedicar (algo, alguém) à divindade (por meio de culto) ou ao serviço dela (por voto, promessa) [*td.*: *Consagraram a capela numa singela cerimônia*.] [*tdi.* + *a*: *Ana consagrou a Deus seu filho Samuel*.] **2** *Rel.* Realizar a conversão do pão e do vinho no corpo e no sangue de Jesus Cristo, por meio do rito da Eucaristia [*td.*: *O padre consagrou o pão e o vinho*.] [*int.*: *O padre não pôde consagrar*.] **3** *Rel.* Abençoar; celebrar religiosamente [*td.*: *O sacerdote consagrou o casamento*.] **4** Reconhecer ou ser reconhecido publicamente pelo valor, mérito; dar ou receber reconhecimento, notoriedade [*td.*: *O prêmio Nobel consagrou o pesquisador e sua equipe*.] [*tdp.*: *A ascensão política de seus discípulos e a aplicação das suas ideias consagraram-no como o economista mais influente do país*.] [*int.*: *O jovem piloto consagrou-se*.] **5** Garantir a validade de; CONFIRMAR; RATIFICAR; VALIDAR [*td.*: *O uso consagrou muitas palavras estrangeiras*.] [*tdp.*: *A jurisprudência consagrou como legítimas tais reivindicações*.] **6** Tornar grandioso ou elevado; EXALTAR; LOUVAR [*td.*: *O poema consagra os feitos do herói*.] **7** Tributar (afeto, amizade, devoção etc.); DEDICAR; DEVOTAR [*tdi.* + *a*: "O amor fraternal que consagrava a seu irmão e a Isabel..." (José de Alencar, *O Guarani*)] [▶ 1 consagrar] [F.: Do lat. tardio *consacrare*. Ant. ger.: *desconsagrar*.]

consanguíneo (con.san.*guí*.ne:o) *a.* **1** Que é do mesmo sangue; que tem o mesmo sangue **2** Que tem com outra pessoa parentesco por filiação (pai, mãe, ou outro ascendente ou ancestral em comum) e não por casamento; COGNATO **3** Que envolve ou se dá entre parentes consanguíneos (acp. 2) (diz-se de esp. de casamento) **4** *Jur.* Que é irmão apenas por parte de pai [Nesta acp., é termo do direito romano e se opõe a *uterino*.] *sm.* **5** Pessoa que descende do mesmo ancestral (de outra ou outras pessoas); COGNATO **6** *Jur.* Indivíduo que é irmão (de alguém) somente por parte de pai [Nesta acp. é termo do direito romano e se opõe a *parente uterino*.] [F.: Do lat. *consanguineus, a, um*.]

consanguinidade (con.san.gui.ni.*da*.de) *sf.* **1** Qualidade do que ou de quem é consanguíneo **2** Relação de parentesco em que há um ascendente comum **3** *Restr. Jur.* Parentesco estabelecido por linha paterna **4** *Fig.* Conexão estreita, íntima, entre coisas [F.: Do lat. *consanguinitas, atis*.] ∎ **~ colateral** *Antr.* A que existe entre descendentes de um mesmo antepassado **~ linear** *Antr.* A que existe entre antepassado(s) e seu(s) descendente(s) e vice-versa

consciência (cons.ci.*ên*.ci:a) *sf.* **1** Atributo que permite a uma pessoa a percepção, com certo grau de objetividade, do que se passa em torno de si (o mundo exterior) e dentro de si próprio (o mundo interior ou subjetivo) **2** *P. ext.* O conhecimento, a percepção desse atributo **3** Capacidade de julgar o que é correto e o que não é, de acordo com valores morais e de conhecimento: *Sua ações eram sempre ditadas pelos valores de sua consciência*. **4** Conhecimento, noção, percepção (de situações, fatos, conceitos específicos): *Tinha consciência de que agira errado*. **5** Aplicação e zelo naquilo que se faz ou realiza: *Fazia seus trabalhos com muita concentração e consciência*. **6** Percepção e conhecimento da própria atividade (psíquica ou física): *Não tinha clara consciência do que fazia e do que se passava em sua mente*. **7** Honradez, retidão, probidade: *Este é um profissional de consciência*. **8** Sensibilidade ou pré-disposição para perceber situações, problemas, processos etc. ligados a temas de interesse social, ideológico, político etc.: *Sua consciência ecológica o fazia revoltar-se com o desmatamento criminoso*. **9** O conjunto das pessoas capazes de ter essa consciência (8): *Apelava para a consciência ecológica do país, pedindo o fim desses abusos*. **10** *Fil. Psic.* Com base em conceito do filósofo alemão Nietzsche, e adotado na psicanálise, a faculdade de autopercepção objetiva, limitada pela ação das pulsões e emoções do ser humano **11** *Med.* Estado em que o sistema nervoso está capacitado aos processos de percepção, reflexão, ação compatível, comportamento coerente etc. Corresponde, comumente, ao estado de quem domina suas capacidades de perceber (ver, ouvir), pensar e agir **12** *Psi.* Nível de atividade mental no qual se tem percepção dos processos internos e externos (em oposição ao nível da inconsciência ou da subconsciência) **13** *Mec.* Placa de metal que operador de broca manual coloca no peito para com ele fazer pressão na empunhadura da broca sem se machucar [F.: Do lat. *conscientia.*] ■ **~ coletiva** *Soc.* Segundo certas teorias sociológicas, conjunto de fenômenos mentais (ideias, representações, sentimentos) que decorrem da vida social como um todo, e não da psicologia individual ou das interações entre indivíduos **~ de classe** *Soc.* Percepção ou consciência de pertinência a determinada classe social ou econômica **~ de si** *Fil.* Consciência que percebe a si mesma, autoconsciência **~ moral** *Fil.* Capacidade de perceber a adequação de ideias, atos e situações aos padrões morais convencionados, permitindo distinguir os 'bons' dos 'maus', o que leva a sua aprovação ou desaprovação **Em sã ~** Com muita sinceridade **Pôr a ~ em almoeda** *Fig.* Não ter escrúpulos em corromper-se, vender-se **Perder a ~** Desfalecer, desmaiar

consciencioso (cons.ci.en.ci:*o*.so) [ô] *a.* **1** Que observa as coisas e age com o máximo de consciência; que procura entender, refletir, avaliar conscientemente **2** Que é guiado pela consciência daquilo que deve e pode ser feito, seja em termos morais, ou de competência profissional etc.; CUIDADOSO; APLICADO: *É um psiquiatra muito consciencioso.* **3** Feito com grande cuidado, conforme regras, método ou julgamento aplicados de modo consciente e detalhado; ESCRUPULOSO; METICULOSO; METÓDICO: *revisão conscienciosa dos manuscritos originais.* [Pl.: [ó]. Fem.: [ó].] [F.: *consciênci(a)* + *-oso.*]

consciente (cons.ci.*en*.te) *a2g.* **1** Que tem seus sentidos em pleno funcionamento: *Esteve desmaiado um bom tempo, mas agora está consciente.* **2** Que é capaz de perceber e interpretar, raciocinar, querer algo, ter um objetivo etc. **3** Que tem consciência, que tem conhecimento do que faz ou sente: *Não agiu por impulso cego, estava plenamente consciente do que fazia.* **4** Que está devidamente informado a respeito de algo: *Estava consciente do significado daquela proibição.* **5** Que é feito com consciência, com conhecimento e cuidado (trabalho consciente) **6** Que tem conhecimento de e é sensível a processos e fatores de natureza ética, social, cultural, ideológica, política etc., e ger. age de acordo: *Já foi um vândalo irresponsável, mas hoje é um indivíduo consciente e ajustado.* *sm.* **7** *Psi.* O conjunto dos fatos e processos psíquicos dos quais o indivíduo tem pleno conhecimento, constituindo-se assim no nível mais elevado e imediato de percepção e consequente comportamento [Em oposição ao *inconsciente*, e diferente do *subconsciente.*] [F.: Do lat. *consciens, entis.* Ver tb. *inconsciente* e *subconsciente.*]

⊕ ***conscientia fraudis*** (cons.ci.*en*.ti.a *frau*.dis) (*Lat.*) *loc. subst. Jur.* Consciência da fraude

⊕ ***conscientia sceleris*** (cons.ci.*en*.ti.a sce.*le*.ris) (*Lat.*) *loc. subst. Jur.* Total consciência, por parte do indivíduo, do caráter criminoso do ato que cometeu ou no qual teve participação

conscientização (cons.ci.en.ti.za.*ção*) *sf.* **1** *Bras.* Ato ou efeito de conscientizar(-se) **2** *Pol. Soc.* Processo de conhecer, de tornar consciente o sentido e o caráter das relações humanas na sociedade em que se vive e dos mecanismos sociopolíticos que regem o funcionamento dessa sociedade **3** *Psic.* Processo de trazer à consciência elementos psíquicos e motivações que se encontram no domínio inconsciente [Pl.: *-ções.*] [F.: *conscientiza(r)* + *-ção.*]

conscientizado (cons.ci.en.ti.*za*.do) *a.* **1** Que se tornou consciente; que foi trazido ao consciente **2** Diz-se de pessoa que tem ou adquiriu consciência dos problemas político-sociais ou a respeito da natureza dos processos históricos coletivos: *um grupo de trabalhadores conscientizados.* [F.: Part. de *conscientizar.*]

conscientizar (cons.ci:en.ti.*zar*) *v.* **1** Tornar(-se) consciente, informado, ciente (de algo) [*tdr.* + *de*: *A campanha conscientizou a população dos riscos da automedicação.*] [*tr.* + *de*: *Conscientizou-se do mal que provocou, e se arrependeu.*] **2** Tornar(-se) capaz de compreender seus direitos e deveres como cidadão, a realidade política do país e do mundo, as causas e processos das mudanças históricas; tornar-se consciente, politizado [*td.*: *É preciso informar os jovens, para conscientizá-los.*] [*int.*: *conscientizar-se para votar bem.*] **3** *Psic.* Fazer voltar ao consciente (episódios que tinham sido esquecidos, motivações, elementos da personalidade) [*tr.* + *de*: *Conscientizou-se dos momentos que precederam o acidente.*] [▶ 1 conscientizar] [F.: *consciência* (do lat. *conscientia*) + *-izar*, segundo o mod. erudito.]

cônscio (*côns*.ci:o) *a.* **1** Que tem consciência ou conhecimento do que faz ou deve fazer: *cônscio de seus deveres e obrigações* **2** Que tem consciência, percepção e entendimento claros do que acontece ao redor: *estava atordoado, mas suficientemente cônscio; eles não pareciam cônscios do perigo iminente.* **3** Consciente dos processos e conflitos sociais, da situação política, e de suas convicções quanto a eles; CONSCIENTIZADO; POLITIZADO **4** Feito com consciência, cuidado e eficiência; CONSCIENCIOSO [F.: Do lat. *conscius, a, um.*]

conscrição (cons.cri.*ção*) *sf.* Alistamento, chamada de cidadãos para prestar serviço militar [Pl.: *-ções.*] [F.: Do lat. *conscriptio, onis.*]

conscrito (cons.*cri*.to) *a.* **1** Que foi recrutado, alistado, convocado para o serviço militar **2** *Hist.* Diz-se dos senadores romanos, na época da república, que não eram patrícios *sm.* **3** Indivíduo alistado no exército **4** *Hist.* Na Roma antiga, na época da república, designação dada aos senadores que não eram patrícios, e originalmente alistados por ocasião da ampliação do senado de 100 para 300 membros [F.: Do lat. *conscriptus, a, um.*]

consectário (con.sec.*tá*.ri:o) *a.* Que ocorre em consequência de algo; CONSEQUÊNCIA; RESULTADO: "...maximizando os encargos dos juízes (...) e provocando consectário retardamento da prestação jurisdicional." (*O Globo*, 06.08.2004) [F.: Do lat. *consectarius, a, um.*]

consecução (con.se.cu.*ção*) *sf.* **1** Ação ou resultado de conseguir; CONSEGUIMENTO; OBTENÇÃO: *trabalhar em prol da consecução da excelência no ensino* **2** Êxito, obra ou realização de valor; CONSEGUIMENTO **3** Realização gradativa de algo, através do prosseguimento das etapas de um plano ou método: *a consecução de um projeto de longo prazo.* **4** Ação ou processo de suceder, de ser consecutivo a outros fatos [Pl.: *-ções.*] [F.: Do lat. *consecutio, onis.*]

consecutividade (con.se.cu.ti.vi.*da*.de) *sf.* Característica, qualidade ou estado do que é consecutivo; SEQUENCIALIDADE [F.: *consecutivo* + *-(i)dade.*]

consecutivo (con.se.cu.*ti*.vo) *a.* **1** Que se segue imediatamente a outro; IMEDIATO; SEGUIDO; SEQUENTE: *Teve três gripes consecutivas.* [Ant.: *descontinuado, intervalado.*] **2** Que se dá após algo, como consequência; CONSEQUENTE; RESULTANTE: *dor na coluna consecutiva a uma queda.* **3** *Gram.* Diz-se de conjunção subordinativa que expressa o efeito ou a consequência de algo [Ger. faz-se uso de um termo intensivo na oração principal: *Foi tamanha a correria, que saiu tudo errado.*] [F.: Do fr. *consecutif* < lat. medv. *consecutivus.*]

conseguido (con.se.*gui*.do) *a.* Que se conseguiu, que foi obtido, alcançado, atingido com esforço e êxito: *Esta foi sua proeza mais conseguida.* [F.: Part. de *conseguir.*]

conseguinte (con.se.*guin*.te) *a2g.* **1** Que segue outro; CONSECUTIVO: *Choveu durante oito dias conseguintes.* **2** Que deriva ou decorre (de outras coisas anteriores) sem conflito; consequente; p. ext.: coerente, lógico *sm.* **3** Aquilo que segue [F.: *consegui(r)* + *-nte.*] ■ **Por ~** Por isso, em consequência; portanto [Us. ao tirar ou expor conclusão de enunciado anterior.]

conseguir (con.se.*guir*) *v.* **1** Atingir, alcançar um objetivo, ger. difícil [*td.*: *conseguir fazer uma dieta/parar de fumar.*] **2** Obter com aplicação, inteligência ou habilidade [*td.*: *Você conseguirá os ingressos?; Estudou muito e conseguiu um 10 em matemática.*] [*tdr.* + *de*: *O investigador conseguiu informações valiosas de uma das testemunhas.*] **3** Ser capaz de (fazer algo); ter aptidão ou potencial para [*td.*: *A bailarina consegue girar apoiada nas pontas dos pés.*] **4** Atingir o extremo de; chegar ao ponto de; ter como consequência [*td.*: *Ela consegue me tirar do sério; O vendaval conseguiu destelhar as casas.*] [▶ **55 conseguir**] [F.: Do lat. vulg. e medv. *consequere* (clássico *consequi*).]

conselheiral (con.se.lhei.*ral*) *a2g.* **1** Próprio de conselheiro (obrigação conselheiral) **2** Que lembra um conselheiro pela austeridade, gravidade: *Sempre falava com o amigo em tom conselheiral.* **3** *Joc.* Que tem jeito e modos do Conselheiro Acácio, personagem de Eça de Queirós, que se caracteriza por maneiras ridiculamente solenes e ditos pomposos, de aparente sabedoria: "Lisboa tem quatro defeitos crônicos para Fradique: é aliterada, afadistada, catita e conselheiral." (Eça de Queirós, *Fradique Mendes*) [Sin. ger.: conselheiresco, conselheirático. F.: *conselheiro* + *al*[1].]

conselheirismo (con.se.lhei.*ris*.mo) *sm. Pej.* Dito ou ato que se caracteriza por uma solenidade pomposa e vazia, conselheirice [F.: *conselheiro* + *ismo.*]

conselheiro (con.se.*lhei*.ro) *a.* **1** Que aconselha; que dá conselhos **2** Ref. a quem dá conselhos, opiniões, avisos, ou a quem participa de conselho ou grupo consultivo (prudência conselheira); CONSELHEIRAL *sm.* **3** Indivíduo que dá conselhos, opiniões, ou que é consultado para dar juízos, pareceres **4** Membro de um conselho, de um grupo reunido para dar parecer ou assessoria, ou para julgar, deliberar etc. **5** *Bras.* Título honorífico concedido durante o Império [F.: Do lat. *consiliarus, a, um.*] ■ **~ de embaixada** *Dipl.* Um dos postos na carreira diplomática brasileira, entre os de ministro de segunda classe e primeiro-secretário

conselho (con.*se*.lho) [ê] *sm.* **1** Opinião ou aviso que se dá a uma pessoa quanto ao que ela deve fazer em determinada situação; PARECER **2** Grupo de pessoas que se reúne para debater e/ou resolver um assunto: *conselho de professores.* **3** Assembleia de ministros **4** Grupo de pessoas que atua como corpo consultivo em atividades públicas ou privadas: *Conselho Nacional de Educação; conselho de economia.* **5** Noção ou conhecimento do que é adequado, do que convém; TINO: *gente de bom conselho.* [F.: Do lat. *consilium, ii.*] ■ **~ de guerra** *Mil.* Ver *Conselho de Justiça Militar.* **~ de Justiça Militar** Órgão da justiça militar que julga crimes (mesmo comuns) em tempo de guerra, ou crimes de natureza militar em tempos de paz; corte marcial

consenso (con.*sen*.so) *sm.* **1** Concordância de ideias, de opiniões **2** Senso comum: *De acordo com o consenso popular, trabalhar demais cansa.* **3** Aprovação, consentimento: *Esperava o consenso do chefe ao seu pedido.* [F.: Do lat. *consensus, us.*] ■ **~ das gentes** *Rel.* Fato de haver crença na divindade nas diversas religiões dos povos, considerado como prova consensual da existência de Deus **~ mútuo** Acordo ou consentimento pleno de todas as partes envolvidas em um negócio, contrato etc., e que é condição para que estes sejam realizados ou desfeitos; consentimento mútuo, mútuo consenso **Mútuo ~** O mesmo que *consenso mútuo*

consensual (con.sen.su.*al*) *a2g.* **1** Ref. a consenso (condições consensuais) **2** Que resulta de consenso ou reflete consenso (decisão consensual) [Pl.: *-ais.*] [F.: *consenso* + *-ual.*]

consensualizar (con.sen.su.a.li.*zar*) *v. td.* Pôr em consenso, em concordância [▶ **1 consensualizar**] [F.: *consensual* + *-izar.*]

consentâneo (con.sen.*tâ*.ne:o) *a.* **1** Que é apropriado, conveniente; ADEQUADO; APROPRIADO: *O lugar era consentâneo a seu estilo de vida.* **2** Que combina bem (com alguma coisa); COERENTE; CORRESPONDENTE: *A voz da cantora era consentânea à sua opulência física.* [F.: Do lat. *consentaneus, a, um.*]

consentido (con.sen.*ti*.do) *a.* **1** Que se consentiu: "É dificilmente alguém fugiria se o namoro fosse consentido pelos pais." (*O Globo*, 16.11.2003) **2** Que se tolerou; CONDESCENDIDO: *Erros graves dos jovens são muitas vezes consentidos em silêncio pelos pais.* **3** Com que se concordou; AQUIESCIDO; ANUÍDO: "Ainda existirá o rapto amoroso e consentido,..." (*O Globo*, 21.09.2004) **4** *Jur.* Aceito, achado em conformidade com a lei (procuração consentida) [F.: Part. de *consentir.*]

consentimento (con.sen.ti.*men*.to) *sm.* **1** Ação ou resultado de consentir **2** Permissão para que alguém faça algo; declaração de que não há objeção ou discordância; LICENÇA: *Viajou com o consentimento do marido.* **3** Manifestação de quem aprova alguma coisa; declaração favorável a uma ideia ou ação: *Os empresários deram consentimento ao novo plano.* **4** Tolerância, condescendência, concordância não expressa **5** Similaridade de pensamento, vontade, interesses, ou aceitação mútua dos respectivos interesses e vontades, sem conflito, ger. em vista de um objetivo comum; CONSENSO [F.: *consentir* + *-mento.*] ■ **~ mútuo** Ver *Consenso mútuo* **Mútuo ~** Ver *Consenso mútuo*

consentir (con.sen.*tir*) *v.* **1** Não criar impedimento, obstáculo; DEIXAR; PERMITIR [*td.*: *Consente qualquer tipo de abusos; Não consentia que conversassem durante a aula.*] [*tr.* + *com, em*: *O autor consentiu com a publicação; O padre não consentiu no casamento da grávida.*] [*int.*: *Os pais sabem quando é possível consentir.*] **2** Admitir, aceitar [*tr.* + *em*: *Não consinto em receber menos que o combinado.*] **3** Tornar possível; dar ocasião a [*td.*: *As circunstâncias não consentem adiamento.*] **4** Estar em harmonia; condizer; ser compatível; COMBINAR; HARMONIZAR(-SE) [*tr.* + *com*: *Os ricos consentem com o luxo; O ambiente familiar consentia com atitudes e conversas informais.*] **5** Demonstrar aprovação, concordância; ANUIR; APROVAR; AQUIESCER [*int.*: *Seu olhar era sinal de que consentira.*] [▶ **50 consentir**] [F.: Do lat. *consentire.*]

consequência (con.se.*quên*.ci:a) *sf.* **1** Aquilo que acontece ou se apresenta na sequência de algo (um acontecimento, uma ação, uma situação ou condição) e que dele depende, sendo por ele causado ou determinado (direta ou indiretamente); DECORRÊNCIA; EFEITO; RESULTADO: *As mudanças do clima são mesmo consequência da poluição?* **2** *Med.* Distúrbio ou complicação que resulta de uma doença: *A gripe, malcuidada, lhe trouxe sérias consequências.* **3** Efeito de muita importância: *Foi um ato de grandes consequências; um erro sem consequência.* **4** Conclusão lógica de um raciocínio, a partir de determinadas afirmações ou premissas; DEDUÇÃO; ILAÇÃO; INFERÊNCIA: *Que consequência esperar de tal atitude?* [F.: Do lat. *consequentia, ae.*] ■ **Em ~** Como resultado, por causa (daquilo que foi ou será mencionado): *Adormeceu e, em consequência, chegou atrasado.* **Em ~ de** Devido a; por causa de; como sequência, resultado ou efeito de (ação, condição, acontecimento): *Morreu em consequência da explosão.* **Por ~** **1** Por isso, pela razão mencionada, por conseguinte **2** Us. para apresentar algo como resultado necessário de certas condições ou como conclusão lógica de um raciocínio

consequente (con.se.*quen*.te) *a2g.* **1** Que se segue a algo ou resulta de alguma coisa: *Foi o resultado consequente de um ato irresponsável.* **2** Que se mostra racional, coerente: *Era sempre consequente em seus atos.* **3** Que se deduz de um raciocínio perfeito: *A conclusão consequente daquele pensamento era evidente.* **4** Que procede de maneira coerente, sensata: *Ele é sempre consequente em suas opções.* *sm.* **5** *Fil.* Em certas proposições lógicas, afirmação que decorre necessariamente de outra **6** *Mat.* Numa sequência ordenada, termo que sucede a outro de maneira imediata **7** *Mat.* Nome que se dá aos denominadores de uma proporção [F.: Do lat. *consequens, entis.*]

consertado (con.ser.*ta*.do) *a.* **1** Que passou por conserto ou restauração (relógio consertado, roupa consertada) **2** Que foi corrigido, posto em ordem (dados consertados) [Hom./Par. *concertado*; F.: Part. de *consertar.*]

consertar (con.ser.*tar*) *v.* **1** Tornar novamente útil ou íntegro (algo quebrado, estragado etc.); REPARAR; RESTAURAR [*td.*: *O técnico consertou o aparelho.*] **2** Corrigir (erro, mal-entendido etc.) [*td.*: *Tentou consertar a gafe, mas só piorou as coisas.*] **3** *Fig.* Solucionar ou remediar (situação de conflito) ou consequências de uma ação que redundou em resultados inconvenientes [*td.*: *Fez de tudo para consertar seu casamento.*] **4** Colocar em ordem ou na disposição habitual ou organizar melhor [*td.*: *Consertava sempre a colcha da cama.*] **5** Fazer o cotejo (da cópia com o original);

CONFERIR; COTEJAR [*td.: Consertou o texto de seu artigo.*] [*tdr. + com: consertar textos com o original*] [▶ 1 consertar] [F.: Do lat. **consertare*, frequentativo de *conserere*. Hom./Par.: *concertar* (em todas as fl.); *conserto* [ê] (fl.), *conserto* [ê] (sm.); *conserto* (fl.), *concerto* [ê] (sm.).]

consertável (con.ser.*tá*.vel) *a2g.* Que é passível de ser consertado; REPARÁVEL; RESTAURÁVEL [Pl.: *-áveis*. F.: Rad. de *consertar + vel.*]

conserto (con.*ser*.to) [ê] *sm.* **1** Ação ou resultado de consertar; REPARO: *Estava ansioso para fazer o conserto do carro.* **2** Anulação ou diminuição dos efeitos indesejáveis daquilo que se disse ou se fez **3** Ordem ou arranjo das partes, ou disposição segundo regras: *anotações caóticas, fora de conserto.* [F.: Dev. de *consertar*. Hom./Par.: *conserto* [ê] (sm.), *conserto* [é] (fl. *consertar*); *conserto* (sm.), *concerto* (sm.).]

conserva (con.*ser*.va) *sf.* **1** Ação, processo ou efeito de conservar **2** Preparação para impedir que uma substância, ger. um alimento, se estrague, se deteriore **3** Calda doce, ou azeda ou salgada (com açúcar, ou azeite, vinagre etc.) em que se conservam certos alimentos **4** *P. ext.* Alimento assim conservado: *seção de conservas, no supermercado* **5** Produto farmacêutico preparado com partes vegetais, algum líquido e açúcar **6** *P. ext.* Alimento enlatado **7** *Desus.* Companhia, pessoa ou grupo que acompanha, que se mantém junto a outra pessoa ou grupo [F.: Dev. de *conservar*.] ■ **De ~ 1** Posto de lado: *Resolveu deixar seu assessor de conserva por algum tempo.* **2** Na companhia de outrem **Navegar de ~** *Mar.* Navegar junto de outro navio, protegendo-o

conservação (con.ser.va.*ção*) *sf.* **1** Ação ou resultado de conservar(-se) **2** Série de ações e cuidados para evitar que objetos de valor ou obras de arte se estraguem, se deteriorem ou se percam com o tempo: *conservação do acervo de um museu; conservação de livros, de monumentos* **3** Conjunto de cuidados, ações, intervenções etc. que visam proteger algo contra dano, deterioração, desperdício etc.: *conservação da pele e dos cabelos.* **4** Utilização e administração planejadas (de elementos naturais considerados como bens ou recursos econômicos) com objetivo de evitar destruição, exploração indevida ou excessiva, decaimento **5** *Fís.* O fato de não se alterarem determinadas grandezas ou propriedades em um sistema, ao longo de transformações ou reações por que passam os componentes individuais deste: *conservação da energia* [Pl.: *-ções*.] [F.: Do lat. *conservatione*.]

> 🕮 Sobre a noção de conservação da natureza, v. achega enciclopédica no verbete ecossistema.

conservacionismo (con.ser.va.ci:o.*nis*.mo) *sm.* **1** Conjunto de princípios e técnicas us. na preservação do meio ambiente e na busca pela utilização racional ou moderada dos recursos naturais, com a finalidade de criar melhores condições de vida **2** Movimento que luta em defesa do aprimoramento do meio ambiente, esp. pela preservação ou conservação dos ecossistemas naturais [F.: *conservação* (segundo o padrão erudito *conservacion-*) + *-ismo*.]

conservacionista (con.ser.va.ci:o.*nis*.ta) *a2g.* **1** Relativo ou pertencente ao conservacionismo: "Está prevista também a criação da Vila dos Botânicos – um campus conservacionista no horto..." (*Jornal do Brasil*, 21.08.1993) **2** Que mostra simpatia ou é adepto do conservacionismo (movimento conservacionista) *s2g.* **3** Indivíduo que entende de conservacionismo ou é militante desse movimento [F.: *conservacion* (rad. de *conservação*) + *-ismo*.]

conservado (con.ser.*va*.do) *a.* **1** Que se mantém em bom estado, apesar da idade ou do tempo (casarão conservado; pessoa conservada) **2** Preservado, guardado **3** Mantido próprio para o consumo: *Carne conservada em banha de porco.* **4** Preparado com técnica própria para evitar a deterioração [F.: Part. de *conservar*.]

conservador (con.ser.va.*dor*) [ô] *a.* **1** Que conserva alguma coisa **2** *Pol.* Que defende ideias, valores culturais e morais e instituições de tipo tradicional, sancionados por autoridade estabelecida; que é contrário a inovações radicais ou mudanças abruptas, esp. na forma de organização político-social **3** *Restr.* Que é membro de um partido conservador ou adepto do conservadorismo político e social **4** *Quím.* Diz-se de substância que impede a deterioração dos alimentos causada por enzimas e microrganismos; CONSERVANTE **5** Feito com, caracterizado por, ou que demonstra cautela, moderação, esforço por não cometer excessos: *projeção/estimativa conservadora; métodos conservadores* *sm.* **6** Aquele que conserva **7** Aquele que se encarrega da manutenção de arquivos, bibliotecas etc. **8** Indivíduo conservador (2), contrário a mudanças, favorável à conservação das tradições ou da ordem estabelecida **9** *Pol. Soc.* Indivíduo adepto do conservadorismo político ou que é membro de grupo ou partido conservador (acps. 2 e 3) **10** Substância que conserva os alimentos; CONSERVANTE [F.: Do lat. *conservator, oris*.]

conservadorismo (con.ser.va.do.*ris*.mo) *sm.* **1** Caráter ou qualidade do que é conservador **2** Conjunto de ideias ou atitude própria de quem é conservador (2); defesa da manutenção dos valores tradicionais da moral, dos costumes, da autoridade estabelecida; CONSERVANTISMO **3** *Pol.* Atitude ou conjunto de ideias dos que defendem a conservação (ou mudança muito gradual) da organização da sociedade e das instituições políticas e sociais, esp. os que são contrários à introdução de mudanças patrocinadas pelo Estado como representante da massa dos cidadãos e favoráveis a uma economia baseada na iniciativa individual e nos interesses privados **4** *P. ext.* Aversão a mudanças, esp. sociais e de costumes **5** Qualquer ideologia ou sistema de ideias baseados em valores tradicionais ou na oposição a mudanças [F.: *conservador* + *-ismo*. Sin. ger.: *conservantismo*.]

conservante (con.ser.*van*.te) *a2g.* **1** Que conserva ou serve para conservar **2** Diz-se de substância que, por sua ação química, evita, diminui ou retarda o processo de deterioração de certos produtos, esp. alimentos [Sin.: *conservador* (adj.).] *sm.* **3** Aquilo que conserva ou que serve para conservar **4** Substância conservante (2) [Sin.: *conservador* (sm.).] [F.: *conserva(r)* + *-nte*.]

conservantismo (con.ser.van.*tis*.mo) *sm.* Ver *conservadorismo*. [F.: *conservante* + *-ismo*.]

conservantista (con.ser.van.*tis*.ta) *a2g. s2g.* O mesmo que *conservadorista* [F.: *conservante* + *-ista*.]

conservar (con.ser.*var*) *v.* **1** Manter(-se) em bom estado; não deixar que (algo, alguém) perca certas características essenciais; PRESERVAR [*td.: Congelou os alimentos para conservá-los por mais tempo; Esse sabão conserva a cor das roupas.*] [*int.: A tumba do faraó conservou-se por séculos; O leite só se conserva na geladeira.*] **2** Manter, não deixar se extinguir ou mudar [*td.: A moça conservou a calma; Poderia mudar de turma, mas resolveu conservar-se na mesma.*] **3** Não perder; não deixar de ter; continuar a ter, possuir, apresentar; MANTER [*td.: Conservar a saúde; Conservar amizades; Apesar de todo o sofrimento, conservou sua fé.*] **4** Permanecer ou manter em (determinado estado) [*tp.: Os reféns conservaram-se ilesos; Interrogado, conservou-se em silêncio (silencioso).*] [*tdp.: Conservava o carro limpo.*] **5** Abrigar, armazenar [*td.: Conservava o vinho na adega.*] **6** Manter(-se) (vivo) [*td.: Conservou o prisioneiro vivo; Apesar do prognóstico pessimista, conservou-se vivo por muitos anos.*] **7** Manter-se (alguém) como proprietário ou usuário de [*td.: Gostaria de conservar a fazenda do avô.*] **8** Manter(-se) vivo no espírito [*td.: Ainda conservava suas ilusões.*] [*int.: Essas lembranças irão se conservar por longo tempo.*] **9** Manter no modo em que antes se encontrava [*td.: Conservou a arma na cintura; Ela conserva a biblioteca sempre arrumada.*] **10** Permanecer em (lugar, cargo, função etc.) [*td.: Ainda conserva a chefia do departamento.*] **11** Continuar a manter boa disposição, ânimo, saúde [*td.: Ele se conserva bem graças à alimentação e aos exercícios.*] **12** Defender, salvaguardar [*td.: Embora muito atacada, a tropa ainda conservava suas posições.*] **13** Manter (alguém) numa posição, ocupação etc. [*td.: Conservei essa mulher (como amante) durante anos.*] [*tdr. + em: Conservaram-no na direção da empresa.*] [▶ 1 conservar] [F.: Do lat. *conservare*. Hom./Par.: *conserva(s)* (fl.), *conserva* (sm. [e pl.]); *conserváveis* (fl.); *conserváveis* (pl. *conservável*).]

conservativo (con.ser.va.*ti*.vo) *a.* **1** Ref. a ou que envolve conservação (processo conservativo); CONSERVANTE; CONSERVATÓRIO **2** Próprio para conservar (substância conservativa); CONSERVANTE; CONSERVATÓRIO **3** *Fís.* Diz-se de sistema ou processo em que não há dissipação de energia mecânica [F.: Do lat. *conservativus*.]

conservatório (con.ser.va.*tó*.ri:o) *a.* **1** Que conserva ou serve para conservar *sm.* **2** Estabelecimento onde se ensinam artes, esp. música e canto **3** Estabelecimento que se dedica a proteger e educar crianças pobres e órfãos [F.: Do lat. tardio *conservatoriu*; na acp. de 'instituição de ensino de artes', infl. do it. *conservatorio*.]

consideração (con.si.de.ra.*ção*) *sf.* **1** Ação ou resultado de considerar **2** Importância, respeito ou estima que se tem por alguém: "Estivera em casa de um amigo, pessoa de muita consideração onde se reunia a mais fina sociedade." (Aluísio Azevedo, *Casa de Pensão*) [Ant.: *desapreço, desconsideração, desrespeito*.] **3** Exame ou observação mais ou menos atentos (de algo ou alguém) e acompanhados de algum tipo de pensamento ou reflexão a respeito, ger. para formar juízo, opinião etc.; AVALIAÇÃO; APRECIAÇÃO: *Depois de demorada consideração, resolveu sair.* **4** (Argumento em que se formula ou expõe) motivo ou razão para agir de determinado modo: *Acatou logo as considerações do pai.* [Nesta acp., mais us. no pl.] [Pl.: *-ções*.] [F.: Do lat. *consideratio, onis*.] ■ **Em ~ a** Por respeito a, em atenção a **Levar/tomar em ~** Considerar, levar/ter em conta; lembrar de (coisa, fato etc.) como elemento importante para formar juízo ou decisão; incluir (coisa, fato etc.) entre os demais fatores analisados ou observados

considerado (con.si.de.*ra*.do) *a.* **1** Que é alvo de consideração, de respeito, de estima: *Era um homem muito considerado.* **2** Que é examinado cuidadosa e seriamente: *Os três casos considerados neste relatório deverão ser solucionados com urgência.* **3** Que é objeto de determinado juízo ou opinião; que recebe determinada designação ou é classificado de determinado modo (especificados a seguir): *Considerado traidor, foi expulso do grupo.* [F.: Part. de *considerar*.]

considerando (con.si.de.*ran*.do) *sm.* **1** No texto introdutório de leis, sentenças, propostas etc., cada uma das observações ou motivos enumerados em parágrafos iniciados com as palavras *considerando* ou *atendendo* **2** Motivo, argumento [Mais us. no pl.] [F.: Do lat. *considerandus*.]

considerar (con.si.de.*rar*) *v.* **1** Ter certa opinião ou juízo sobre; ACHAR; JULGAR [*td.: Considero que não há como manter as esperanças.*] [*tdp.: Consideramos o assunto encerrado; Considero-o (como) o meu melhor amigo; Considerava-se o máximo:* "Se não a conhece, não se pode considerar revolucionário." (Cecília Meireles, *Crônicas de Educação 2*)] **2** Olhar atenta e minuciosamente; FITAR(-SE) [*td.: Da janela do quarto, a jovem considerava o mar.*] **3** Ter respeito, admiração por (alguém ou algo); ter em boa conta; RESPEITAR [*td.: Todos consideram sua opinião.*] **4** Levar em conta; PESAR; PONDERAR [*td.: O juiz considerou todas as circunstâncias.*] [*tdp.: O juiz considerou as circunstâncias atenuantes.*] **5** Pensar, refletir sobre [*td.: Considere minha proposta.*] [*tr. + em, sobre: Considerou demoradamente naquelas palavras.*] [*int.: Tenha calma e considere antes de falar com ele.*] **6** Examinar atentamente [*td.: Considerou demoradamente cada item do relatório.*] **7** Interpretar (algo) de certa maneira [*tdp.: Considere o desafio (como) uma oportunidade de vida.*] [*tr. + sobre: A maneira de ela considerar sobre a situação é irracional.*] [▶ 1 considerar] [F.: Do lat. *considerare*. Hom./Par.: *consideráveis* (fl.), *consideráveis* (pl. de *considerável* [a2g.]).]

considerável (con.si.de.*rá*.vel) *a2g.* **1** Que pode ser considerado de determinado modo: *uma decisão considerável como sábia.* **2** Que pode ou deve ser considerado, levado em conta: *um conselho simples, porém considerável.* **3** Digno de consideração, de admiração e respeito; que tem valor ou importância; NOTÁVEL: *Esse escritor realizou um trabalho considerável.* **4** Que é bastante bom, grande, intenso etc., mas não em grau máximo: *produtos de considerável qualidade.* **5** Que é muito grande: *Tratava-se de uma quantia considerável.* [Pl.: *-veis*.] [F.: *considerar* + *-vel*. Hom./Par.: *consideráveis* (pl.), *consideráveis* (fl. *considerar*).]

consignação (con.sig.na.*ção*) *sf.* **1** Ação ou resultado de consignar **2** *Jur.* Depósito judicial, em nome de um terceiro ou em estabelecimento, que o devedor faz do dinheiro ou da coisa que constitui o objeto da obrigação, em certos casos porque o credor se recusa a recebê-la, mas também por outros motivos previstos em lei **3** *Jur.* Depósito de mercadorias que alguém (um consignador) deixa em mãos de outrem (um consignatário), para que este possa vendê-las ou delas faça outro uso, conforme a disposição do consignador [Pl.: *-ções*.] [F.: Do lat. *consignatio, onis*.] ■ **~ de rendimento** Cessão provisória a um credor dos benefícios de um bem do devedor, como forma de amortizar a dívida **~ em folha** Forma de pagamento de dívida na qual o valor das parcelas da amortização é descontado do salário mensal **~ em pagamento** Em situação de dívida, depósito judicial do que é devido para liquidação da obrigação

consignado (con.sig.*na*.do) *a.* **1** Firmado por escrito; REGISTRADO: "Quando da entrega da roupa, foi consignada na nota a existência de diversas manchas..." (*O Globo*, 24.06.1998) **2** Dedicado a; CONSAGRADO: *canção consignada à filha.* **3** Atribuído, dado **4** Circunscrito, reservado, confinado: *O caso está consignado à esfera jurídica iraquiana.* **5** *Com.* Posto em consignação; DEPOSITADO: "Nesses casos, o pagamento da taxa deve ser consignado em juízo." (*O Globo*, 26.10.1997) *sm.* **6** Credor de dívida cujo pagamento é depositado em juízo [F.: Do lat. *consignatus, a, um*.]

consignar (con.sig.*nar*) *v.* **1** Declarar, mencionar formalmente; REGISTRAR [*td.: Durante a sindicância, consignou nomes, datas e depoimentos.*] **2** Passar, entregar (mercadoria) (a quem a venderá diretamente), ger. cobrando comissão [*td.: Procuramos empresas que queiram consignar produtos de informática.*] [*tdi. + a: O distribuidor consignou à livraria cem exemplares do livro.*] **3** Confiar (algo) aos cuidados de outrem [*tdi. + a, para: Consignei-lhe todo o meu patrimônio.*] **4** Dar a conhecer (por escrito ou oralmente); ASSINALAR [*td.: Consignei a minha reprovação.*] [*tdi. + a: Consignou-lhe o meu descontentamento pela crise familiar.*] **5** Fixar, depositar (uma quantia) para uma aplicação específica ou para o pagamento de uma dívida [*td.: Até o fim do mês, o governo pretende consignar todo o montante da arrecadação.*] [*tdr. + a, para: A recente portaria consignou o excedente de caixa para a reforma das escolas.*] **6** Consagrar, tributar, dedicar [*tdi. + a: Consignamos-lhes os melhores auspícios.*] **7** *Mar.* Pôr (um navio) à disposição de quem o deve carregar [*td. tdi.*] **8** Encomendar (uma alma) [*tdi. + a: O capelão consignou a Deus a alma do soldado ferido.*] **9** *Jur.* Fazer desconto de certa quantia no pagamento de militar, funcionário público efetivo ou não, de acordo com a lei [*td.: O departamento jurídico consignou a metade dos proventos do funcionário.*] [▶ 1 consignar] [F.: Do lat. *consignare*. Hom./Par.: *consignáveis* (fl.), *consignáveis* (pl. de *consignável* [a2g.]).]

consignatário (con.sig.na.*tá*.ri:o) *sm.* **1** Indivíduo que recebe mercadorias em consignação **2** Indivíduo que recebe em consignação algo que equivale ao que lhe é devido **3** Indivíduo ou firma que recebe e se responsabiliza por depósito ou encargo, por quantia, valor, mercadorias pagos ou entregues em consignação **4** Aquele que recebe algo pelo qual se responsabiliza **5** Aquele a quem algo é expressamente dedicado, tributado ou consagrado **6** Aquele que é signatário juntamente com outro ou outros; tb. *cossignatário* [F.: *consignar* + *-tário*.]

consignatória (con.sig.na.*tó*.ri:a) *sf. Jur.* Ação movida contra o credor que se recusa a receber a quantia correspondente à quitação da dívida: "O que há de tão complexo em se decidir uma ação de despejo e uma consignatória, coisa que não demanda mais que conhecimentos jurídicos rudimentares?" (*O Globo*, 14.09.1999) [F.: Fem. substv. do adj. *consignatório*.]

consignatório (con.sig.na.*tó*.ri:o) *a. Jur.* Ref. a consignação [F.: *consigna(r)* + *-tório*.]

consigo (con.*si*.go) *pr. pess.* **1** Com ele/ela (a pessoa de quem se fala); na sua companhia: *A garota levou consigo o lápis e o caderno.* [Us. sempre reflexivamente, isto é, quando a pessoa de quem se fala é sujeito da oração. Portanto, diz-se *Abandonou o local e arrebanhou consigo vários colegas.* Mas não se usa o pronome consigo em outros casos; cf., p. ex.: *Os pais e irmãos viajavam com ela.*] **2** Em poder ou sob a responsabilidade dele/dela: *Ficaram consigo as sobras do espólio.* [Assim como na acp. 1, e em todas as demais, tem sentido reflexivo, ou seja, é referido ao próprio suj. da oração.] **3** De si para si mesmo/mesma: "Ora! disse consigo a rapariga..." (Aluísio Azevedo, *Casa de Pensão*) **4** Em relação à sua própria pessoa; em seu proveito ou prejuízo: *Seja mais generoso consigo mesmo.* **5** Em sua mente: *Ele sempre tinha consigo muitas lembranças daquele amor.* [Uso reflexivo, referido ao sujeito da oração. Ver notas às acps. 1 e 2.] **6** Dentro de si mesmo: *Ela trazia consigo os sinais de um ódio poderoso.* **7** Com você(s) mesmo(s)/mesma(s); com o(s) senhor(es) mesmo(s) ou a(s) senhora(s) mesma(s) [Us. (sempre reflexivamente) em relação à 2ª pessoa (sing. ou pl.) quando esta é designada com algum pronome de tratamento.] **8** *Lus.* Com você(s), com o(s) senhor(es) ou a(s) senhora(s): *A senhora acaso quer que eu vá consigo?* [Uso condenado por alguns gramáticos e comentadores. Note-se que, nesta acp., não tem uso reflexivo, e que é extensivo a outros casos em que a 2ª pess. (sing. ou pl.) é designada por algum pronome de tratamento.] [F.: Do lat. *secum*, com reduplicação da prep. *cum*. Hom./Par.: *consigo* (pron.), *consigo* (fl. *conseguir*).]

⊕ ***consilium fraudis*** (con.*si*.li.um *frau*.dis) (*Lat.*) ***loc. subst.*** *Jur.* Maquinação entre dois ou mais indivíduos para lesar ou fraudar outrem

consistência (con.sis.*tên*.ci:a) ***sf.*** **1** Estado do que é consistente **2** Característica de um objeto ou corpo do ponto de vista de sua firmeza, aderência, resistência etc.: *a consistência de um pêssego.* **3** (Grau mais ou menos alto de) dureza, firmeza, rigidez: *Colocou mais cimento na massa para obter maior consistência.* **4** (Grau mais ou menos alto de) densidade ou viscosidade: *Gostava da consistência daquela pasta.* **5** *Fig.* Condição do que tem coerência, veracidade, realidade: *O projeto, que antes parecia débil, começava a ganhar consistência.* **6** *Fig.* Firmeza de atitude, de caráter, de opinião: *Era um homem sem consistência.* **7** Ausência de contradições, de ambiguidades; COERÊNCIA **8** *Fig.* Constância, regularidade, perseverança (numa atividade, na disposição, nas ações): *A consistência de seus esforços deu bom resultados.* [F.: Do lat. *consistentia, ae.*]

consistente (con.sis.*ten*.te) ***a2g.*** **1** Que tem dureza, firmeza, rijeza; compacto: *uma rocha pouco consistente, que se fragmenta com facilidade.* **2** Que é bastante denso, espesso ou viscoso: *um caldo/uma sopa consistente.* **3** *Fig.* Cujas partes não apresentam contradições, lacunas, discordâncias (entre si, ou com outra coisa); que tem compatibilidade, coerência, coesão, solidez: *raciocínio consistente* [+ *com*: *administração consistente (com as propostas de governo.)*] **4** *Fig.* Que tem ou parece ter coerência, fundamentação na realidade objetiva ou no bom-senso; difícil de refutar; PLAUSÍVEL **5** Que tem boa quantidade ou proporção daquilo que é importante ou necessário; SUBSTANCIAL **6** Que é formado de, constituído por; que consta ou consiste [+ *em*: *um sistema consistente em poucos elementos; uma empresa consistente em vários departamentos.*] **7** Caracterizado por constância, firmeza, regularidade, perseverança, durabilidade (nas ações, atitudes etc.): *relações políticas e comerciais consistentes.* [F.: Do lat. *consistens, entis.*]

consistir (con.sis.*tir*) ***v.*** **1** Depender essencialmente de; ter como fundamento; basear-se [+ *em*: *O rebanho consistia em duzentos bois; Essa coleção consiste em pinturas do século XIX.* (É comum mas convém evitar o uso da prep. *de*.).] **2** Depender essencialmente de; ter como fundamento; basear-se [+ *em*: *Seu sucesso consiste na sua estrita disciplina.*] **3** Resumir-se, limitar-se a [+ *em*: *Sua educação consiste no pouco que a madrinha lhe ensinara.*] **4** Ser equivalente a, expressar-se em [+ *em*: *Ser valente consiste, em primeiro lugar, em dominar a si mesmo.*] [F.: Do lat. *consistere.*]

consistômetro (con.sis.*tô*.me.tro) ***sm.*** *Tec.* Aparelho que determina a consistência de substâncias semifluidas ou plásticas: *A massa de tomate, o concreto, as graxas, as tintas têm sua textura definitiva analisada pelo consistômetro.* [F.: *consist-* + *-o-* + *-metro.*]

consistorial (con.sis.to.ri:*al*) ***a2g.*** Pertencente ou relativo ao consistório (congregação consistorial) [F.: *consistório* + *-al*¹.]

consistório (con.sis.*tó*.ri.o) ***sm.*** **1** Assembleia de cardeais presidida pelo papa **2** *P. ext.* Lugar em que se realiza essa assembleia **3** Qualquer assembleia ou reunião em que se tratam assuntos importantes [F.: Do lat. *consistorium, ii.*]

consoada (con.so.*a*.da) ***sf.*** **1** Refeição ligeira que se faz à noite, em dias de jejum **2** Ceia da noite de Natal **3** *Lus. Antq.* Presente oferecido no Natal [F.: Do lat. *consolata.*]

consoante (con.so.*an*.te) ***sf.*** **1** *Ling.* Fonema que, ao ser pronunciado, encontra obstáculo à passagem do ar e que, sozinho, não forma sílaba **2** Letra que representa esse fonema: *As consoantes da palavra 'raiva' são 'r' e 'v'.* ***sm.*** **3** Palavra que termina com o mesmo som que outra(s); RIMA ***a2g.*** **4** *Ling.* Diz-se desse fonema ou dessa letra (ver acps. 1 e 2) **5** Que tem consonância; que é concordante, concorde **6** Diz-se de rima em que a vogal tônica e todos os fonemas (ou letras) a seguir são idênticos [Cf. *toante.*] ***prep.*** **7** De acordo com: *Fiz tudo consoante as regras.* ***conj.*** **8** Conforme: *Agi consoante a sua vontade.* [F.: Do lat. *consonans, antis.*]

consoar (con.so.*ar*) ***v.*** **1** Fazer soar ou emitir som conjuntamente [***td.***: *O técnico de som consoou todas as trilhas sonoras.*] [***tdr.*** + *com*: *O técnico ainda consoou o tiro de revólver com o barulho da queda.*] [***int.***: *As buzinas consoavam no engarrafamento.*] **2** Rimar entre si [***tr.*** + *com*: *'Amor' consoa com 'dor'.*] [***int.***: *As palavras 'mesa' e 'tabuleiro' não consoam.*] **3** *Fig.* Ter compatibilidade; COMBINAR [***ti.*** + *com*: *A minha personalidade não consoa com a sua.*] [▶ 16 consoar] [F.: Do lat. *consonare.* Ant. ger.: *dissonare.*]

consócio (con.*só*.ci:o) ***sm.*** **1** Sócio ou membro de confraria em relação aos demais **2** *P. ext.* Companheiro, parceiro **3** *P. ext.* Colega, confrade [F.: Do lat. *consocius, a, um.* Hom./Par.: *consócio* (sm.), *consocio* (fl. de *consociar*), *consórcio* (sm.).]

consogra (con.*so*.gra) [ó] ***sf.*** Mãe de um dos cônjuges em relação à mãe do outro [F.: Fem. de *consogro.*]

consogro (con.so.gro) [ô] ***sm.*** Pai de um dos cônjuges em relação ao pai do outro [Pl.: [ó]. Fem.: [ó].] [F.: Do lat. *consocrus, us.*]

consolação (con.so.la.*ção*) ***sf.*** **1** Ação ou resultado de consolar(-se) **2** Aquilo que alivia, que traz conforto para quem sente tristeza, frustração etc.: *Aquele gesto não serviu como consolação.* **3** Pessoa ou algo que traz consolo: *Essa menina é a minha consolação.* **4** Aquilo que traz ou representa alguma compensação ou recompensa para esforço malsucedido: *Recebeu um prêmio de consolação.* [Pl.: *-ções.*] [F.: Do lat. *consolatio, onis.* Sin. ger.: *consolo.*]

consolar (con.so.*lar*) ***v.*** **1** Trazer alívio ao sofrimento ou desgosto (de) [***td.***: *Tentamos em vão consolar a viúva.*] [***tdr.*** + *de, por*: *Só o tempo poderá consolá-lo desse desgosto; Fez uma viagem para consolar-se pela perda do marido.*] [***int.***: *As lágrimas também consolam.*] **2** Aceitar resignado dor, perda, infortúnio etc.; CONFORMAR-SE; RESIGNAR-SE [***int.***: *Nossas palavras não foram suficientes para que ela se consolasse.*] **3** Tornar brando ou suportável; MITIGAR; SUAVIZAR [***td.***: "*Consolei mágoas, tédios e fracassos...*" (Cecília Meirelles, *Oração da Noite*)] **4** Suscitar, produzir sensação agradável em [***td.***: *Depois da longa jornada uma sopa quente nos consolou.*] [▶ 1 consolar] [F.: Do lat. **consolare*, por *consolari.* Hom./Par.: *consolo* (fl.), *consolo* [ô] (sm.); *consoláveis* (fl.), *consoláveis* (pl. de *consolável*); *consolar* (v.), *consular* (a.).]

consolatório (con.so.la.*tó*.ri:o) ***a.*** Que tem por fim consolar (carta consolatória) [F.: Do lat. *consolatorius, a, um.*]

console¹ (con.so.le) ***sm.*** *Bras.* Ver *consolo* [ó] [F.: Do fr. *console.* Hom./Par.: ver em *console*².]

console² (con.so.le) ***sm.*** **1** *Inf.* Terminal, ou conjunto de programas e equipamentos (p. ex., teclado e monitor) por meio do qual se pode operar o computador, permitindo a inserção e visualização de dados e, principalmente, o controle das operações executadas **2** Peça de automóvel, esp. de passeio, que fica entre o painel de instrumentos e mostradores e o espaço entre os bancos, onde ger. se encontra a alavanca de câmbio, e que pode ter funções diversas, inclusive de suporte para objetos [F.: Do ing. *console.* Hom./Par.: *console(s)* (sm. [pl.]), *console(s)* (fl. *consolar*).]

consolidação (con.so.li.da.*ção*) ***sf.*** **1** Ação ou resultado de consolidar(-se) **2** Ação de tornar(-se) sólido, endurecido; SOLIDIFICAÇÃO **3** Ação de dar ou adquirir firmeza, estabilidade: *consolidação da rotina doméstica; consolidação de um método de trabalho* **4** Reunião de empresas, esp. de tipo industrial, em uma só; FUSÃO **5** *Econ.* Transformação de dívida flutuante em permanente; operação de destinar receita especial para garantir o pagamento de um empréstimo público **6** Obra que se destina a aumentar a consistência de um terreno, impedindo seu desmoronamento **7** *Jur.* Reunião de leis semelhantes ou complementares, de acordo com determinada ordem ou princípio: *consolidação das leis trabalhistas.* **8** Empréstimo com que se financiam dívidas preexistentes **9** Processo pelo qual um osso fraturado recupera inteiramente sua integridade **10** *Pat.* Aumento patológico da densidade e rigidez de um tecido elástico do organismo **11** Obra que consiste em intervir em uma edificação, monumento ou outro elemento arquitetônico, acrescentando-lhe material resistente, para dar-lhe estabilidade e resistência e impedir que venha a se deteriorar, se fragmentar ou desmoronar [Pl.: *-ções.*] [F.: Do lat. *consolidatio, onis.*]

consolidado (con.so.li.*da*.do) ***a.*** **1** Solidamente assentado; FIRMADO; FIXADO: *O alicerce foi consolidado com concreto.* **2** *Fig.* Consistente, respeitável (carreira consolidada) ***a.*** **3** *Econ.* diz-se da dívida pública quando transformada em renda permanente ***sm.*** **4** *Econ.* Título de dívida pública consolidada [F.: Part. de *consolidar.*]

consolidador (con.so.li.da.*dor*) [ô] ***a.*** **1** Que consolida, estabiliza ***sm.*** **2** Aquele que consolida, estabiliza: "...nosso incansável homem público, consolidador da democracia brasileira, merece todo tipo de homenagem." (*O Globo*, 25. 10.2003) [F.: Do lat. *consolidator, oris.*]

consolidar (con.so.li.*dar*) ***v.*** **1** Tornar(-se) sólido ou mais sólido, mais duro, consistente [***td.***: *O calor consolidou o concreto rapidamente.*] [***int.***: *O cimento consolidou(-se) em poucas horas.*] **2** Tornar(-se) mais firme, duradouro, estável [***td.***: *consolidar amizades; A empresa consolidou sua posição no mercado.*] [***int.***: *A marca consolidou-se no seu segmento.*] **3** Fundir (empresas) em uma única [***td.***] **4** *Adm. Econ.* Garantir o pagamento dos juros de (uma dívida pública) por meio de uma receita especial; converter (uma dívida pública) em permanente, por meio do pagamento anual do respectivo juro [***td.***] **5** *Jur.* Fazer a junção ou consolidação de (leis) de acordo com determinado sistema ou ordem [***td.***] **6** *Med.* Dar condições para que ocorra processo de formação de um calo ósseo em (fratura); passar por esse processo; tb.: recuperar a integridade após fratura, ou permitir que (um osso) a recupere [***td.***: *Imobilizou o braço para consolidar a fratura; Para consolidar bem o osso, é necessário imobilizá-lo na posição correta*] [***int.***: *A fratura consolidou-se completamente em poucas semanas.*] [▶ 1 consolid**ar**] [F.: Do lat. *consolidare.* Hom./Par.: *consolida* (fl.), *consólida* (sf.).]

consolo¹ (con.*so*.lo) [ó] ***sm.*** **1** Mesa pequena, que ger. se encosta à parede, por vezes dotada de pés ornamentais: "Aquilo falava-me em amavios de Vovó Olegária, assim como os consolos e dunquerques, com as caixinhas antigas..." (Guimarães Rosa, *Estas Estórias.*) **2** *Arq.* Suporte para estátuas, sacadas etc., que se prende à parede e ger. tem duas volutas em forma de S na parte de baixo **3** *Mús.* Parte superior da harpa **4** *Mús.* Nos órgãos, peça móvel em que se localizam os teclados, os registros e os pedais **5** Em dispositivos de controle de instrumentos (elétricos, eletrônicos, mecânicos etc.) conjunto de botões, mostradores etc., montados num suporte [F.: Do fr. *console.* Hom./Par.: *consolo* [ô] (sm.), *consolo* [ó] (fl. *consolar*); *consolo* [ô] (sm.), *consolo* [ô].]

consolo² (con.so.lo) [ô] ***sm.*** **1** Ação ou resultado de consolar(-se); CONSOLAÇÃO **2** Aquilo que traz consolo: *A felicidade dos filhos é o consolo de toda a luta dos pais.* **3** *N. E. Pop.* Chupeta **4** *Vulg.* Pênis artificial; objeto de material firme, imitando pênis ereto, para ser manipulado eroticamente; CONSOLADOR; CONSOLO DE VIÚVA [Pl.: [ô].] [F.: Dev. de *consolar.* Hom./Par.: *consolo* [ó] (sm.).]

⊕ ***consommé*** (*Fr.* /consomê/) ***sm.*** *Cul.* Caldo claro, de carne, galinha ou peixe, servido frio ou quente

consonância (con.so.*nân*.ci.a) ***sf.*** **1** Ação ou resultado de soar ao mesmo tempo **2** Ação ou resultado de produzir sons (simultâneos ou não) que se assemelham ou se combinam, se harmonizam **3** *Fig.* Concordância, acordo, conformidade: *Jogava em consonância com as regras.* **4** Combinação agradável de sons simultâneos ou qualidade dos sons que se combinam agradavelmente; tb.: conjunto de sons harmoniosos; HARMONIA **5** Rima, repetição ou similaridade de sons (ou os sons similares ou idênticos) ao final de versos, palavras etc. [F.: Do lat. *consonantia, ae.*]

consonantal (cons.so.nan.*tal*) ***a2g.*** **1** *Gram.* Ref. a consoante **2** *Gram.* Que é formado por consoantes (grupo consonantal) [Pl.: *-tais.*] [F.: *consonante* (lat. *consonans, antis,* étimo de *consoante*) + *-al*¹.]

consonante (con.so.*nan*.te) ***a2g.*** **1** Que apresenta consonância, harmonia (vozes consonantes); HARMÔNICO; HARMONIOSO **2** Que está de acordo; em concordância: "...ajusta-se aos ditames atuais e é consonante com a filosofia do policiamento comunitário." (*O Globo*, 17.12.2000) [F.: Do lat. *consonans, antis.* Sin. ger.: *cônsono.*]

consonântico (con.so.*nân*.ti.co) ***a.*** **1** *Fon.* Relativo a ou próprio das consoantes; CONSONANTAL **2** Que faz parte do grupo das consoantes; CONSOANTE [F.: *consoante* + *-ico*².]

consorciado (con.sor.ci:*a*.do) ***a.*** **1** Que participa de consórcio (clientes consorciados) **2** Que contraiu matrimônio; CASADO ***sm.*** **3** Aquele que participa de consórcio **4** Pessoa casada [F.: *consórcio* + *-ado.*]

consorciar (con.sor.ci.*ar*) ***v.*** **1** Unir(-se), associar(-se), fazer parceria [***td.***: *O prefeito consorciou empresas para realizar o projeto.*] [***tdr.*** + *a, com*: *consorciar nossos interesses aos dos parceiros.*] [***tr.*** + *com*: *A escola pretende consorciar-se com outras da região.*] **2** Unir(-se) por casamento; CASAR(-SE) [***td.*** / ***tdr.*** + *com*: *Consorciaram a filha (com um rapaz muito rico).*] [***int.***: *Quem imaginaria que se fossem consorciar depois de tanto tempo?*] [***tr.*** + *com*: *Irás consorciar-te com o teu primo?*] [▶ 1 consorciar] [F.: *consórcio* + *-ar*². Hom./Par.: *consorcio* (fl.), *consórcio* (sm.); *consorciar, consociar* (nas várias fl. dos dois v.).]

consórcio (con.*sór*.ci:o) ***sm.*** **1** Sistema de autofinanciamento para compra de certos bens (casa, automóvel, eletrodoméstico etc.), em que pessoas se associam pagando cada uma o valor do bem dividido em prestações mensais, usando-se o total arrecadado para comprar as mercadorias, que vão sendo sorteadas (e havendo tb. a possibilidade de a pessoa pagar o restante do valor devido e adquirir o objeto desejado sem sorteio) **2** União, associação de empresas distintas e autônomas para execução de um projeto comum, ger. de grande porte **3** União conjugal entre duas pessoas; CASAMENTO; MATRIMÔNIO **4** União, combinação ou associação de qualquer natureza **5** *P. ext.* Interação regular e frequente, convivência [F.: Do lat. *consortium -ii.* Hom./Par.: *consórcio* (sm.), *consorcio* (fl. *consorciar*); *consórcio* (sm.), *consócio* (sm.), *consocio* (fl. *consociar*).]

consorte (con.*sor*.te) [ó] ***s2g.*** **1** Pessoa que tem a mesma sorte, o mesmo destino que outra **2** Ver *cônjuge* **3** Sócio, parceiro, pessoa associada a outra ***sm.*** **4** Marido da rainha, quando é esta a monarca, a detentora da realeza [Nesta acp., tb. se usa *príncipe consorte.*] [F.: Do lat. *consors, ortis.*]

conspicuidade (cons.pi.cui.da.*de*) ***sf.*** **1** Qualidade ou estado do que é distinto, ilustre; NOBREZA; DISTINÇÃO **2** Qualidade do que é atraente, vistoso **3** Qualidade ou estado do que é bem claro, perceptível; VISIBILIDADE **4** Qualidade ou estado do que é sério, respeitável; AUSTERIDADE; CIRCUNSPECÇÃO [F.: *conspícuo* + *-(i)dade.*]

conspícuo (cons.*pí*.cu:o) ***a.*** **1** Que é claramente visível; que chama a atenção **2** Que é ilustre, importante, notável: *Ele foi o orador mais conspícuo de sua época.* **3** Que é sério, grave, circunspecto: *Tinha um rosto clássico e conspícuo.* 4 Que é característico, típico; diz-se de elemento ou qualidade cuja presença ou ocorrência permite identificar, classificar a coisa ou o ser que o apresenta 5 Que atrai atenção ou se destaca por ser estranho, feio, grotesco, etc. 6 Em que há ostentação, exagero, espalhafato, intenção de chamar atenção, de se distinguir (consumo conspícuo) [F.: Do lat. *conspicuus, a, um.*]

conspiração (cons.pi.ra.*ção*) *sf.* 1 Ação ou resultado de conspirar, de formar plano contra interesses políticos ou econômicos de alguém poderoso, ou dos governantes; CONLUIO; TRAMA 2 Trama ou combinação que se arma secretamente contra alguém 3 *Fig.* Convergência de vários meios ou processos para um mesmo fim ou resultado [Pl.: *-ções.*] [F.: Do lat. *conspiratio, onis.*]

conspirador (cons.pi.ra.*dor*) [ô] *a.* 1 Que conspira *sm.* 2 Indivíduo que conspira, que participa de conspiração [F.: Do lat. *conspirator, oris.*]

conspirar (cons.pi.*rar*) *v.* 1 Planejar secretamente, e em comum, alguma coisa contrária ao interesse de outrem; tramar, maquinar uma conspiração [*td.: conspirar uma revolta:* "Ríamos de José Dias que conspirou a nossa desunião e acabou festejando o nosso consórcio." (Machado de Assis, *Dom Casmurro*)] [*tr.* + *contra, para*: *Aquele grupo conspira contra as mudanças; Conspiraram para depor o rei.*] 2 Apresentar-se favorável ou desfavorável para (algo ou alguém); concorrer, conduzir a um fim [*tr.* + *contra, para: Achava que o mundo conspirava contra ele; Tudo conspira para a minha felicidade.*] 3 *P. ext. Pop.* Falar em voz baixa, sussurrando; COCHICHAR; SEGREDAR [*int.: As duas atravessaram o corredor conspirando.*] [▶ 1 conspirar] [F.: Do lat. *conspirare.*]

conspirativo (cons.pi.ra.*ti*.vo) *a.* 1 Ref. a conspiração 2 Que tem características de conspiração 3 Que concorre para determinado efeito ou resultado [F.: *conspirar* + *-tivo.*]

conspiratório (cons.pi.ra.*tó*.ri:o) *a.* O mesmo que *conspirativo* [F.: *conspira(r)* + *-t-* + *-ório*¹.]

conspurcação (cons.pur.ca.*ção*) *sf.* Ação ou resultado de conspurcar(-se); PROFANAÇÃO; AVILTAMENTO; ULTRAJE; DESONRA: "...imaginei o ar de reprovação que devem fazer (...) essas figuras exponenciais e eternas do samba, diante de tanta bobagem, deturpação e conspurcação daquilo que fizeram e deixaram." (*O Globo*, 24.02.1999) [F.: *conspurcar* + *-ção.*]

conspurcado (cons.pur.*ca*.do) *a.* 1 Que se conspurcou 2 Que foi maculado, manchado (lençol conspurcado) 3 Que foi ultrajado, aviltado (nome conspurcado); DIFAMADO; CALUNIADO 4 Que foi corrompido, pervertido (infância conspurcada) [F.: Do lat. *conspurcatus, a, um.*]

conspurcador (cons.pur.ca.*dor*) *a.* 1 Que conspurca 2 Que macula, desonra; DIFAMADOR; CALUNIADOR 3 Que perverte, corrompe; PERVERSOR; CORRUPTOR *sm.* 4 Indivíduo conspurcador [F.: *conspurca(r)* + *-dor.*]

conspurcar (cons.pur.*car*) *v.* 1 Tornar(-se) sujo, manchar(-se) [Us. ger. em relação ao que é considerado precioso, ou cuja pureza é especialmente valorizada.] [*td.: Tocava no vestido da noiva com cuidado para não conspurcá-lo.*] [*int.: As águas do rio, que eram cristalinas, conspurcaram-se.*] 2 Tornar(-se) impuro, profanar(-se), corromper(-se) [*td.: ímpios conspurcaram o templo.*] [*int.: A sagrada doutrina conspurcou-se com a inclusão de textos apócrifos.*] 3 *Fig.* Fazer perder ou perder as boas qualidades; fazer perder ou perder a dignidade, a honra, a respeitabilidade; tornar(-se) vil, abjeto; CORROMPER(-SE) [*td.: Distorceram nossas palavras e conspurcaram o sentido do que dissemos.*] [*int.: Tantas foram as decepções, que seu ideal de vida conspurcou-se inteiramente.*] 4 *Fig.* Diminuir ou desfazer parcialmente (a boa opinião que as pessoas têm de alguém); DESONRAR; INFAMAR [*td.:* "Esse homem, ébrio ou infame, proferira com fatuidade o nome de Maria Isabel, conspurcando-lhe a fama." (Camilo Castelo Branco, *O Regicida*)] [*int.: Depois que foi preso, sua imagem conspurcou-se.*] [▶ 11 conspurcar] [F.: Do lat. *conspurcare.* Hom./Par.: *conspurcáveis* (fl.), *conspurcáveis* (pl. *conspurcável* [a2g.]).]

conspurcável (cons.pur.*cá*.vel) *a2g.* Que pode ser conspurcado [Pl.: *-veis.*] [F.: *conspurcar* + *-vel.* Hom./Par.: *conspurcáveis* (pl.), *conspurcáveis* (fl. *conspurcar*).]

constância (cons.*tân*.ci.a) *sf.* 1 Característica ou qualidade do que é constante 2 Qualidade, ação ou comportamento daquele que cumpre deveres e compromissos assiduamente 3 Qualidade, caráter, ação ou comportamento de quem persevera, de quem se mantém firme num propósito, num objetivo, numa intenção; PERSEVERANÇA; PERSISTÊNCIA; INSISTÊNCIA 4 Qualidade ou característica daquilo ou daquele que se mantém ao longo do tempo, do que continua ou permanece (do mesmo modo ou de certa forma ou em certo estado); CONTINUIDADE 5 Qualidade, caráter ou ação daquele que se mantém fiel, leal à sua fé, aos seus sentimentos, aos seus princípios e valores etc.; FIDELIDADE; LEALDADE 6 O número de vezes que uma ação, um processo, ou um fenômeno se repete (esp. em um dado lugar ou sob certas circunstâncias ou condições) [F.: Do lat. *constantia, ae.*]

constante (cons.*tan*.te) *a2g.* 1 Que consta de algo: *os depoimentos constantes do processo.* 2 Que demonstra persistência, tenacidade: *Causavam grande impressão seus constantes atos de coragem.* 3 Que se mostra permanente: *Sua constante rabugice incomoda todo mundo.* 4 Que está registrado, anotado: *Os alunos constantes dessa relação devem ser suspensos.* 5 Que é contínuo, incessante: *o constante e desagradável rumor do tráfego.* 6 Que se mostra inalterável: *a loquacidade constante do carioca.* *sf.* 7 Algo que se repete em seu contexto: *O amarelo é uma constante na pintura de Van Gogh.* 8 Número que é fixo, não se altera, em todas as fórmulas matemáticas que descrevem quantitativamente certos fenômenos universais, ou determinada situação específica, certo tipo de fenômeno, certa propriedade etc. [F.: Do lat. *constans, antis.*] ■ **~ de Avogadro** *Fís. -quím.* A que expressa o número de moléculas na molécula-grama de qualquer substância, equivalente a 6,022137 x 10^{23} [Símb.: *L* ou *N A.*] **~ de desintegração** *Fís. nu.* O inverso da meia-vida de um nuclídeo radioativo multiplicado pelo logaritmo neperiano de dois **~ de dissociação** *Fís. -quím.* Constante de equilíbrio da reação de ionização de uma substância; constante de ionização **~ de equilíbrio** *Fís. -quím.* Relação entre as atividades dos reagentes e os produtos de uma reação química que é satisfeita quando a reação está em equilíbrio **~ de Faraday** *Fís. -quím.* Quantidade de eletricidade que pode transformar um equivalente-grama num íon, em eletrólise **~ de força** *Fís.* Segundo a lei de Hooke, constante de proporcionalidade entre a força aplicada a uma mola e sua elongação sob essa força **~ de gravitação** *Fís.* Constante de proporcionalidade da lei de gravitação universal de Newton, equivalente a 6,6726 x 10^{-11} m^3/kg. s^2 [Símb.: *G*] **~ de Hubble** *Cosm.* Constante de proporcionalidade entre as velocidades de recessão das galáxias e suas distâncias **~ de Planck** *Fís.* Constante que multiplicada à frequência de onda de uma partícula quântica determina a sua energia **~ de proporcionalidade** *Mat.* Razão entre duas grandezas proporcionais; fator de proporcionalidade [É igual a 6, 62608 x 10^{-34} joules por segundo. Símb.: *h.*] **~ dielétrica** *Elet.* Quociente entre a capacidade de um capacitor que usa um dielétrico e a capacidade do mesmo capacitor sem o dielétrico **~ dos gases perfeitos** *Fís.* Constante de proporcionalidade da lei dos gases perfeitos, que, independentemente da natureza do gás, é equivalente a 8,3144 joules por kelvin por mol **~ radioativa** *Fís. nu.* Ver *Constante de desintegração* [Símb.: *R*] **~ solar** *Astron.* Número de calorias absorvidas numa superfície de 1cm^2 exposta a raios solares e a eles perpendicular, numa distância média entre a Terra e o Sol, fora da atmosfera terrestre. É equivalente a 1,98 b1 0,05 cal/cm^2 por minuto **~ unificada de massa atômica** *Fís. -quím.* Duodécima parte da massa em repouso de um átomo de carbono 12

constantinopolitano (cons.tan.ti.no.po.li.*ta*.no) *sm.* 1 Indivíduo nascido ou que viveu em Constantinopla (antigo nome de Istambul, na Turquia) *a.* 2 De Constantinopla; típico dessa cidade ou de seu povo [F.: Do lat. *constantinopolitanus, a, um.*]

constar (cons.*tar*) *v.* 1 Ser composto de, consistir em, conter [*tr.* + *de: Este poema consta de dez cantos.*] 2 Estar presente ou incluído em [*tr.* + *de, em: Este poema consta da/na antologia do poeta.*] 3 Ser sabido (por); passar por certo, por evidente (para) [*ti.* + *a: Não me consta que seja preciso nova matrícula.*] [*int.: Apesar de seu jeito modesto, consta que é mandão e autoritário:* "Não consta qual deles a beijou primeiro." (Machado de Assis, *Esaú e Jacó*)] 4 Estar escrito ou mencionado [*ta.: Constam do/no dicionário alguns sinônimos para esta palavra.*] 5 Chegar ao conhecimento de (alguém) [*ti.* + *a: Constou aos habitantes da ilha (pelos meteorologistas) que um furacão se aproximava.*] [▶ 1 constar] [F.: Do lat. *constare.*]

constatação (cons.ta.ta.*ção*) *sf.* 1 Ação ou resultado de constatar; COMPROVAÇÃO; CONFIRMAÇÃO 2 Apuração, verificação 3 Afirmação que expressa um fato constatado ou supostamente constatado [Pl.: *-ções.*] [F.: Do fr. *constatation.*]

constatado (cons.ta.*ta*.do) *a.* Que se constatou; AVERIGUADO; VERIFICADO; COMPROVADO [F.: Part. de *constatar.*]

constatar (cons.ta.*tar*) *v. td.* 1 Determinar ou confirmar a veracidade de (fato, afirmação etc.); averiguar, testificar: *O inquérito constatará se a testemunha disse a verdade.* 2 Verificar, perceber, ter confirmação de: *A professora constatou o progresso dos alunos.* [▶ 1 constatar] [F.: Do fr. *constater.* Nota: Gal. muito us. no Brasil.]

constatável (cons.ta.*tá*.vel) *a2g.* Que se pode constatar, averiguar: "...é de opinião de que o jogador não está na sua melhor forma física e que isto é facilmente constatável: basta se olhar os dois últimos jogos..." (*O Globo*, 31.08.1998) [F.: *constata(r)* + *-vel.*]

constelação (cons.te.la.*ção*) *sf.* 1 *Astr.* Qualquer grupo de estrelas próximas entre si; esp.: conjunto de estrelas que aparecem sempre próximas entre si, no céu, sendo ger. designado com um nome e associado a um desenho imaginário: *constelação do Cruzeiro do Sul:* "...estrela que brilha mais/ que uma constelação / nestas noites de verão." (Ataulfo Alves, *Vida da Minha Vida*) 2 *Astron.* Cada uma das 88 subdivisões da esfera celeste (ou o conjunto das estrelas nela visíveis) criadas pela União Astronômica Internacional: *Urano e Netuno serão visíveis na constelação de Capricórnio, logo após o pôr do sol.* 3 *Fig.* Grupo de pessoas notáveis (constelação de economistas; constelação de artistas) 4 *P. ext.* Reunião de elementos ligados entre si ou que formam um conjunto coerente (constelação de argumentos) [Pl.: *-ções.*] [F.: Do lat. *constellatio, onis.*] ■ **~ zodiacal** *Astron.* Cada uma das divisões do zodíaco

constelado (cons.te.*la*.do) *a.* 1 Cheio de estrelas e constelações (diz-se de céu, noite etc.); ESTRELADO 2 Que tem forma de estrela 3 *Fig.* Repleto, coberto, cheio: *A festa estava constelada de artistas e famosos.* [F.: Do lat. *constellatus, a, um.*]

constelar (cons.te.*lar*) *v. td.* 1 Ficar ou fazer ficar cheio de estrelas, constelações: *Mal abriu a janela, viu que o céu se constelara.* 2 Produzir reflexos cintilantes que lembram as estrelas: *O sol da manhã já constelava o lago.* 3 *Fig.* Conferir, distinção; HONRAR [▶ 1 constelar] [F.: Posv. rad. *constel-* + *-ar.*]

consternação (cons.ter.na.*ção*) *sf.* 1 Grande tristeza; CONTRISTAÇÃO; DESGOSTO; PESAR [Ant.: *alegria, satisfação.*] 2 Grande comoção; ABALO; CHOQUE 3 Desânimo, desalento [Ant.: *ânimo, vigor.*] [Pl.: *-ções.*] [F.: Do lat. *consternatio, onis.*]

consternado (cons.ter.*nado*) *a.* 1 Que se consternou, que sofreu grande desgosto; profundamente pesaroso ou comovido; DESOLADO; MAGOADO; TRISTE; ABALADO; CHOCADO [+ *com, por: consternado com a notícia.* Ant.: *alegre, satisfeito.*] 2 Marcado por, ou que manifesta, comoção (lágrimas consternadas); ABALADO; CHOCADO [F.: Part. de *consternar.*]

consternamento (cons.ter.na.*men*.to) *sm.* Ação ou resultado de consternar(-se); CONSTERNAÇÃO: *Sua morte causou consternamento.* [F.: *consterna(r)* + *-mento.*]

consternar (cons.ter.*nar*) *v.* Lançar(-se) em estado de consternação; fazer ficar ou ficar triste, abatido ou perturbado; afligir(-se) intensamente [*td.: A morte do irmão consternou-o muito.*] [*tr.* + *com, de: Todos se consternaram com a/da tragédia.*] [▶ 1 consternar] [F.: Do lat. *consternare.*]

constipação (cons.ti.pa.*ção*) *sf.* 1 *Med.* Prisão de ventre 2 Ver *Constipação nasal*; RESFRIADO [Uso considerado impróprio, nesta acp.] [Pl.: *-ções.*] [F.: Do lat. *constipatio, onis.*] ■ **~ nasal** Inflamação (e obstrução dela resultante) das vias respiratórias; resfriado

constipado (cons.ti.*pa*.do) *Med. a.* 1 *Pat.* Que se constipou, se resfriou 2 Que se constipou, contraiu prisão de ventre *sm.* 3 Aquele que se constipou, se resfriou 4 Aquele que se constipou, contraiu prisão de ventre [F.: Part. de *constipar.*]

constipante (cons.ti.*pan*.te) *a2g.* 1 *Pat.* Que constipa, capaz de constipar, resfriar 2 Que constipa, capaz de constipar, causar prisão de ventre *sm.* 3 Aquilo que constipa, que resfria 4 Aquilo que constipa, que causa prisão de ventre [F.: De *constipar.*]

constipar (cons.ti.*par*) *v.* 1 *Med.* Causar constipação a, ou ficar constipado, com prisão de ventre [*td.: A baixa ingestão de líquidos constipou-o.*] [*int.: Se não sair para caminhar, constipa-se.*] 2 Fazer ficar ou ficar resfriado [*td.: Veio uma lufada de ar que constipou todos os presentes.*] [*int.:* "Não venham fora! Não se constipem!" (Eça de Queirós, *A Cidade e as Serras*) Uso impróprio nesta acp.] [▶ 1 constipar] [F.: Do lat. *constipare.*]

constitucional (cons.ti.tu.ci:o.*nal*) *a2g.* 1 Ref., inerente ou pertencente a constituição (ação de constituir, modo como algo é formado ou composto) (elemento constitucional, direito constitucional) 2 Ref. ou pertencente à Constituição (acps. 5 e 6) de uma unidade política, ou à constituição (normas, regimento) de uma instituição (parágrafo constitucional) 3 Que tem o respaldo da Constituição; que é determinado, regido ou permitido por Constituição (mandato constitucional, salvaguarda constitucional) [Ant.: *anticonstitucional, inconstitucional.*] 4 *Pol.* Diz-se de regime político em que os poderes e as prerrogativas das diversas instituições ou esferas do governo são limitados por uma Constituição 5 *Biol.* Que é próprio e inerente à organização físico-psíquica do indivíduo, que não resulta de processos patológicos ou da influência direta de causas exteriores [Pl.: *-nais.*] [F.: Rad. do lat. *constitutio, onis* sob a f. *constitucion-* + *-al.* Cf.: *constituinte.*]

constitucionalidade (cons.ti.tu.ci:o.na.li.*da*.de) *sf.* Característica, qualidade ou estado do que é constitucional (constitucionalidade do governo; defesa da constitucionalidade) [Ant.: *(pol.) inconstitucionalidade.*] [F.: *constitucional* + *-(i)dade.*]

constitucionalismo (cons.ti.tu.ci:o.na.*lis*mo) *Pol. sm.* 1 Doutrina que defende o princípio de que a vida do país deve ser regida por uma Constituição 2 Regime político em que essa doutrina é aplicada [F.: *constitucional* + *-ismo.*]

constitucionalista (cons.ti.tu.ci:o.na.*lista*) *a2g.* 1 Ref., inerente ou pertencente ao constitucionalismo (tradição constitucionalista) 2 Diz-se de pessoa que é adepta do constitucionalismo 3 Diz-se de pessoa que se especializou em Constituição ou em direito constitucional *s2g.* 4 Adepto do constitucionalismo: *Os constitucionalistas sucederam aos absolutistas.* 5 *Jur.* Especialista em direito constitucional [F.: *constitucional* + *-ista.*]

constitucionalização (cons.ti.tu.ci:o.na.li.za.*ção*) *sf.* Ato ou efeito de constitucionalizar(-se) [Ant.: *inconstitucionalização*] [Pl.: *-ções.*] [F.: De *constitucionalizar(-se)* + *-ção.*]

constitucionalizar (cons.ti.tu.ci:o.na.li.*zar*) *v.* 1 Tornar(-se) constitucional [*td.: constitucionalizar uma nação*] 2 Fazer (um governo, um país) submeter-se a uma constituição [*td.: constitucionalizar um país.*] [*int.: Este é um país que precisa constitucionalizar-se.*] [▶ 1 constitucionalizar] [F.: *constitucional* + *-izar.* Hom./Par.: *constitucionalizáveis* (fl.), *constitucionalizáveis* (pl. *constitucionalizável* [a2g.]).]

constituição (cons.ti.tu:i.*ção*) *sf.* 1 Ação, processo ou resultado de constituir; ESTABELECIMENTO; FORMAÇÃO: *constituição de uma empresa; constituição do governo.* 2 Maneira como está formado, constituído, composto, ou estruturado um conjunto de coisas, de seres vivos, de um grupo de pessoas: *constituição de uma célula eletroquímica; constituição da mesa diretora.* **3** Conjunto das características anatômicas, funcionais, reacionais e psíquicas de um indivíduo; COMPLEIÇÃO **4** Conjunto das normas reguladoras de uma instituição; ESTATUTO; REGIMENTO **5** *Jur.* Lei fundamental e suprema que regula a organização de um Estado e rege a vida de uma nação, estabelecendo-lhe a forma de governo, as relações entre os poderes públicos, a distribuição de competências, os direitos e deveres dos cidadãos etc.; a lei máxima, à qual todas as outras leis devem ajustar-se; CARTA CONSTITUCIONAL; CARTA MAGNA **6** *Jur.* Conjunto de leis fundamentais que regulam os direitos e deveres no âmbito estadual, elaborada e aprovada pela Assembleia Legislativa de cada Estado da Federação [Com maiúsc. nas acps. 5 e 6.] [Pl.: *-ções.*] [F.: Do lat. *constitutio, onis.*]

📖 A Constituição de um Estado (instância política de um país) é sua lei fundamental, ou seja, o conjunto das normas e princípios que regerão todas as leis do Estado, em todos os níveis. Assim, nenhuma lei, ou decreto, ou medida, seja municipal, estadual ou federal, poderá em seu teor contradizer o que está estabelecido na Constituição. O Brasil já teve várias constituições aprovadas (ger., a não ser em situações de exceção, por corpo de representantes da sociedade especialmente designado para isso: a Assembleia Constituinte): a monarquista, de 1824 (seguida de atos adicionais em 1834, 1840, 1847), a primeira republicana, de 1891, reformada em 1926, a segunda republicana, de 1934 (extinta em 1937 pelo Estado Novo), a terceira republicana, de 1946, as de 1967 e 1969 (sob o regime militar) e a de 1988, novamente sob regime democrático.

constituído (cons.ti.tu.*í*.do) *a.* **1** Que se constituiu; FORMADO; ORGANIZADO **2** Fixado, estabelecido pela constituição (poder constituído) [F.: De *constituir(-se).*]

constituinte (cons.ti.tu:*in*.te) *a2g.* **1** Ref. ou inerente a constituição **2** Que faz parte de, constitui ou integra algo; COMPONENTE; CONSTITUTIVO: *peças constituintes do carro.* **3** *Pol.* Diz-se de congresso, assembleia, comissão, corte, deputado etc. que tem por finalidade elaborar e estabelecer uma Constituição **4** Diz-se de pessoa que nomeia outra seu procurador ou representante *sm.* **5** Cada um dos componentes de algo: *os constituintes de um produto.* **6** *Ling.* Unidade linguística (fonológica, morfológica, semântica, sintática) que é parte de uma unidade maior, mais complexa *s2g.* **7** *Pol.* Parlamentar que é membro de uma Assembleia Constituinte **8** Pessoa que nomeia um representante legal *sf.* **9** Assembleia constituinte; corpo de representantes dos cidadãos que se reúne para elaborar e estabelecer a Constituição de um Estado: *deputado que fez parte da constituinte de 1988.* [Ger. com maiúscula inicial, nesta acp.] [F.: *constituir* + *-nte.* Cf.: *componente, constitucional.*] ▪ **~ essencial** *Min.* Numa rocha, o mineral que a caracteriza

constituir (cons.ti.tu.*ir*) *v.* **1** Dar existência a (instituição, organização, grupo organizado etc.); CRIAR; FORMAR; ORGANIZAR [*td.*: *Os funcionários da empresa constituíram um coral; constituir família.*] **2** Representar, ser expressão de, consistir em [*td.*: *O voto consciente constitui um dever e um direito do cidadão.*] [*tr.* + *em*: *A indústria hoje se constitui na principal atividade econômica.*] **3** Dar certos poderes a (alguém, instituição etc.) para exercer certas funções, tarefas etc. [*tdp.*: "...desejo constituí-lo meu conselheiro e diretor." (Machado de Assis, *Helena*)] **4** Ser a parte principal, a base de; formar a essência de; COMPOR [*td.*: *As células constituem os tecidos de vegetais e animais.*] **5** Ser composto de, ter como parte(s) [*tr.* + *de*: *O corpo humano constitui-se de três partes principais.*] **6** Atribuir a algo ou alguém, inclusive si mesmo, certa condição, arrogar(-se) a qualidade de [*tdr.* + *em*: *Constituiu-se no defensor dos desamparados; Ela constitui sua empresa na melhor equipada para assumir o projeto.*] **7** Reunir-se com outros elementos para formar um todo [*td.*: *Vários artigos inéditos constituíram os anais do congresso.*] **8** Fazer (alguém ou algo) ir para certo lugar, posto etc. [*tdr.* + *em*: *O presidente da empresa constituiu seu cunhado no cargo de diretor administrativo.*] **9** Apresentar ou dar como base, fundamento; BASEAR(-SE); FUNDAR(-SE) [*tdr.* + *em*: *Constituiu sua defesa em provas concretas.*] [*tr.* + *em*: *Meu trabalho de pesquisa constituiu-se em traduções de textos latinos.*] [▶ **56** constituir] [F.: Do lat. *constituere.*]

constitutivo (cons.ti.tu.*ti*.vo) *a.* **1** Ref. ou inerente a constituição **2** Que constitui, que entra na constituição de algo; COMPONENTE; CONSTITUINTE: *elementos constitutivos de um sistema.* **3** Que é o cerne, ou um dos elementos básicos; ESSENCIAL; INDISPENSÁVEL: *prática constitutiva de uma vida saudável.* **4** Que é característico ou distintivo [F.: Do lat. *constitutivus, a, um.*]

constrangedor (cons.tran.ge.*dor*) [ô] *a.* **1** Que constrange **2** Que é incômodo, embaraçoso, inconveniente (episódio constrangedor) *sm.* **3** Alguém ou algo que constrange **4** Pessoa ou algo que é incômodo, embaraçoso, inconveniente [F.: *constranger* + *-dor.*]

constranger (cons.tran.*ger*) *v.* **1** Impedir (alguém) de agir livremente; REPRIMIR [*td.*: *A pressão do advogado constrangeu a testemunha.*] **2** Forçar (alguém) a fazer algo, impondo limitações, restrições à sua livre ação ou escolha, ou com ameaças etc.; COAGIR; COMPELIR [*tdr.* + *a*: *Constrangeram-no a desmentir tudo.*] **3** Impor sua vontade sobre (alguém), por meio de força ou poder; SUBJUGAR [*td.*] **4** Impor limites a; impedir ou dificultar ação ou processo; tolher, restringir; tb.: violentar, forçar [*td.*: *constranger a iniciativa/a vontade/a consciência*] **5** *P. ext.* Deixar ou ficar (alguém) embaraçado ou envergonhado [*td.*: *Falava aos gritos, a ponto de constranger os colegas.*] [*int.*: *Ele se constrangia ao ver o comportamento do irmão.*] **6** *P. ext.* Incomodar(-se), aborrecer(-se) [*td.*: *provocações que nos constrangem e irritam*] [*int.*: *Não se constranja por causa desse pequeno mal-entendido*] **7** Apertar-se, contrair-se ou impedir os movimentos de [*td.*: *Constrangia-se para que todos coubessem no carro; Este colete constrange -me.*] [▶ **35** constranger] [F.: Do lat. *constringere.*]

constrangido (cons.tran.*gi*.do) *a.* **1** Que teve pouca ou nenhuma escolha, opção; que agiu sem ter liberdade, ou sob ordens, ameaças etc.; COAGIDO; FORÇADO: *funcionários constrangidos a passarem por revista.* [Ant.: *desobrigado.*] **2** Que sente ou que expressa constrangimento, vergonha, inibição, embaraço (ar constrangido, expressão constrangida); ENVERGONHADO; INIBIDO: *Desculpou-se, constrangido com o comportamento do colega.* [Ant.: *desembaraçado, descontraído.*] **3** Pouco à vontade; CONTRAFEITO; INCOMODADO: *Na festa, não conhecia ninguém e estava visivelmente constrangida.* **4** Que sofre compressão; APERTADO; COMPRIMIDO: *os pés constrangidos nos sapatos novos.* [Ant.: *desapertado.*] **5** Reprimido, subjugado; cuja ação ou liberdade está restrita ou suprimida [F.: Part. de *constranger.*]

constrangimento (cons.tran.gi.*men*.to) *sm.* **1** Ação ou resultado de constranger; COAÇÃO: *constrangimento da liberdade.* **2** Limitação, restrição (à liberdade, à ação, à escolha) que se impõe de modo forçado; CERCEAMENTO **3** Situação embaraçosa e incômoda de quem foi constrangido: *Passou por um constrangimento desnecessário.* [Ant.: *agrado, satisfação.*] **4** Embaraço, acanhamento; sensação ou atitude de quem está pouco à vontade: "O médico recebeu o abraço sem constrangimento." (Machado de Assis, *Helena*) [Ant.: *desembaraço.*] **5** *P. ext.* Coisa desagradável e inevitável; ABORRECIMENTO **6** Redução do volume de um corpo ou de uma substância por meio de pressão; APERTO; COMPRESSÃO; CONSTRIÇÃO [Ant.: *desaperto.*] [F.: *constranger* + *-mento.*]

constrição (cons.tri.*ção*) *sf.* **1** Ação ou resultado de constringir **2** Aperto, compressão; CONSTRANGIMENTO **3** Estreitamento de diâmetro de um corpo causado por pressão circular sobre o mesmo (constrição da pupila) **4** *Med.* Estenose de canal ou esfíncter [Pl.: *-ções.*] [F.: Do lat. *constrictio, onis.*] ▪ **~ primária** *Cit.* Centrômero **~ secundária** *Cit.* Região estreitada em corpo de cromossomo

constricto (cons.*tric*.to) *a.* Que aperta, que comprime em círculo; constrito [F.: Do lat. *constrictus, a, um.*]

constrigência (cons.trin.*gên*.ci:a) *sf.* *Ópt.* Número de Abbe; medida da capacidade de concentração de uma substância, que corresponde ao quociente do índice de refração da substância para a raia D menos uma unidade, pela diferença entre o índice de refração da raia F e o índice de refração da raia C [F.: *constringir* + *-ência*, pelo ing. *constringency.*]

constringir (cons.trin.*gir*) *v.* **1** Apertar circularmente ou cingir-se, contrair-se [*td.*: "Mãos de ferro constringem-lhe a garganta." (Monteiro Lobato, *Negrinha*)] [*int.*: *Com a emoção, sua garganta constringiu-se.*] **2** *Fig.* Confranger, afligir, angustiar [*td.*: *O remorso constringia seu coração.*] [▶ **46** constringir] [F.: Do lat. *constringere.*]

constritante (cons.tri.*tan*.te) *a2g.* Ver *constritivo*

constritivo (cons.tri.*ti*.vo) *a.* **1** Que constringe, que aperta ou (se) contrai; CONSTRINGENTE; CONSTRITANTE **2** *Fon.* De acordo com a *Nomenclatura Gramatical Brasileira*, trata-se das consoantes *fricativas, vibrantes* e *laterais*, como p. ex. o *f*, o *v*, o *s* (de salmo) do português [F.: Do lat. *constrictivus, a, um.*]

constritor (cons.tri.*tor*) [ô] *a.* **1** Que constringe; CONSTRINGENTE **2** Que aperta circularmente; que cinge, apertando: *O torniquete é um instrumento constritor.* **3** *Zool.* Diz-se de cobra que mata a presa constringindo-a *sm.* **4** O que constringe **5** O que aperta envolvendo [F.: *constricto* + *-or.*]

construção (cons.tru.*ção*) *sf.* **1** Ação ou resultado de construir; EDIFICAÇÃO **2** Ação, processo, modo ou arte de elaborar, de criar, de constituir; COMPOSIÇÃO; CRIAÇÃO; ELABORAÇÃO: *construção de um plano; construção de um romance.* **3** *Restr.* Processo de formação de algo **4** *Restr.* Modo como algo está constituído; estrutura, esquema **5** *Cons.* Aquilo que foi construído; edificação, casa, edifício (construção sólida) **6** Conjunto de técnicas que possibilitam o ato de construir (técnico em construção) **7** *Gram. Ling.* Distribuição e encadeamento de vocábulos em frases, orações, períodos, segundo o sentido e conforme as regras do idioma **8** *Gram. Ling.* Conjunto de unidades que formam, segundo regras de combinação, a unidade maior na hierarquia linguística [P. ex.: *o, cedinho, saiu* e *trabalhador* são as unidades de construção da frase: *O trabalhador saiu cedinho*).] [Pl.: *-ções.*] [F.: Do lat. *constructio, onis.*] ▪ **~ civil** **1** *Eng.* O ramo da engenharia especializado na construção de edificações civis, como prédios, casas, pontes, estradas etc. **2** *P. ext.* (Setor da economia formado pelo) conjunto das empresas e indivíduos (e suas atividades) dedicados à construção de casas, pontes, estradas etc. **~ gramatical** Parte da gramática que trata da estruturação funcional das palavras na frase, e das frases e orações no discurso **~ ternária** *Mús.* Modelo estrutural de composição musical, importante na música erudita ocidental, em que o tema é apresentado em três fases em relação a sua tonalidade: (A) no tom principal orientado para o da dominante; (B) em modulações para outros tons; (A) de novo no tom principal, sem orientação para a dominante

constructo (cons.*truc*.to) *sm.* **1** Construção de ideia, conceito, teoria etc. em plano puramente mental e intelectual **2** *Psiq.* Montagem de pensamento a partir da percepção e combinação de diversas percepções, atuais ou passadas [F.: Do lat. *constructus, a, um.*]

construído (cons.tru.*í*.do) *a.* Que se construiu: *Ponte construída sobre a baía.* [F.: Part. de *construir.*]

construir (cons.tru.*ir*) *v.* **1** Erguer obras de engenharia; edificar (casas, prédios, pontes etc.) [*td.*: *construir um edifício*] **2** Montar (algo) juntando partes que se combinam; FABRICAR [*td.*: *Os homens são capazes de construir máquinas muito úteis à humanidade.*] **3** Tomar (determinado espaço) com edificação [*int.*: *Este terreno não é próprio para construir.*] **4** *Fig.* Dar ou conceber forma a (trabalho de criação mental); ELABORAR; FORMAR [*td.*: *Jorge Amado construiu personagens fantásticos.*] **5** *Fig. Geom.* Desenhar figuras geométricas [*td.*: *construir um hexágono.*] **6** *Ling.* Organizar (sequência de elementos linguísticos) obedecendo às regras gramaticais [*td.*: *construir uma frase com sujeito e predicado.*] **7** Imaginar, conceber, criar, organizando ideias de maneira coerente e dando condições para sua realização; ARQUITETAR [*td.*: *Precisamos rapidamente construir uma medida emergencial para sanar nossos débitos.*] **8** *Fig.* Elaborar por partes, detalhadamente; formar ou constituir gradativamente, por acréscimo de elementos, ao longo do tempo; PREPARAR [*td.*: *Meu pai construiu sua carreira na empresa em que trabalha até hoje.*] **9** *Fig.* Armar, preparar (plano, tática etc.) para benefício próprio e/ou prejuízo de outrem [*td.*: *O menino construiu uma estória para livrar-se do castigo.*] [▶ **56** construir. No pres. do ind., as formas usuais são (tu) *constróis*, (ele) *constrói* e (eles) *constroem*, e no imper. afirm., *constrói* (tu).] [F.: Do lat. *construere.*]

construtivismo (cons.tru.ti.*vis*.mo) *sm.* **1** Característica do que é construtivo *sm.* **2** Ação construtiva (política, social, literária etc.) **3** *Arquit. Art. Graf. Art. Pl.* Estilo não figurativo de arte, na pintura, arquitetura e esp. em artes gráficas, surgido na União Soviética na terceira década do séc. XX, que propõe o uso de materiais modernos, como concreto, vidro, aço etc. [Ger. com inicial maiúscula.] **4** *Psi.* Teoria que procura descrever os diferentes estágios por que passam os indivíduos no processo de aquisição do conhecimento, como se desenvolve a inteligência humana através de ações mútuas entre indivíduo e meio, e como o indivíduo se tona autônomo [Através das interações entre o sujeito e o meio, novos níveis de conhecimento vão sendo indefinidamente construídos.] **5** *Teat.* Cenografia que usa estruturas simplificadas e versáteis (andaimes, escadas, caixas, painéis etc.) [F.: *construtivo* + *-ismo.*]

construtivista (cons.tru.ti.*vis*.ta) *a2g.* **1** Ref., inerente ou pertencente ao construtivismo (modelo construtivista, teoria construtivista) **2** Que é adepto do ou segue os princípios do construtivismo (professor construtivista, escola construtivista) *s2g.* **3** Indivíduo construtivista (2) [F.: construtivo + *-ista.*]

construtivo (cons.tru.*ti*.vo) *a.* **1** Ref. ou inerente a construção (técnicas construtivas) **2** Que serve para construir (materiais construtivos) **3** *Fig.* Que é benéfico para a concepção, criação ou realização de novas obras; que ajuda a construir (método construtivo) **4** Que visa renovar, corrigir, melhorar, aperfeiçoar aquilo que já existe (crítica construtiva); POSITIVO [Ant.: *maléfico, negativo.*] [F.: Do lat. *constructivus, a, um.* Ant. ger.: *destrutivo.*]

construto (cons.*tru*.to) *sm.* Ver *constructo*

construtor (cons.tru.*tor*) [ô] *sm.* **1** Pessoa que constrói, que executa trabalho de construção (construtor de navios; construtor de estradas) **2** *P. ext.* Indivíduo ou entidade que realiza ou é responsável por projetos, planos (de coisas a construir, de atividades etc.), que organiza certo trabalho, tarefa ou empreendimento; ELABORADOR: *construtores da redemocratização.* *a.* **3** Que constrói, que executa trabalho de construção **4** Diz-se de indivíduo ou empresa cuja atividade é construir casas, edifícios e outras obras de engenharia (engenheiro construtor; firma construtora) [F.: Do lat. tardio *constructor, oris.* Sin. ger.: *criador, edificador.* Ant. ger.: *demolidor, destruidor.*]

construtora (cons.tru.*to*.ra) [ô] *sf.* Empresa que constrói, reforma e/ou repara edifícios e obras diversas, como estradas, pontes etc. [F.: F. subst. do adj. *construtor.*]

consubstanciação (con.subs.tan.ci:a.*ção*) *sf.* **1** Ação ou resultado de consubstanciar(-se) **2** União, presença de dois ou mais corpos na mesma substância **3** *Teol.* Doutrina segundo a qual o corpo e o sangue de Jesus Cristo coexistem na substância do pão e do vinho consagrados **4** *Fig.* Reunião ou coincidência de vários elementos, propriedades etc. numa só entidade material, numa só substância ou existência substantiva: "Mozart é o dom da humanidade, a consubstanciação de tudo o que ela tem de trágico e burlesco, o milagre terreno da criação." (Maria Augusta Gonçalves, *"Mozart – a simplicidade da perfeição"*) **5** *Fig.* Realização, concretização; existência real, material, daquilo que foi concebido, imaginado: *a consubstanciação de antigas aspirações.* [Pl.: *-ções.*] [F.: *consubstanciar* + *-ção.*]

consubstanciado (con.subs.tan.ci:*a*.do) *a.* Que se consubstanciou: *A dor consubstanciada em suas palavras.* [F.: Part. de *consubstanciar.*]

consubstancial (con.subs.tan.ci:*al*) *a.* **1** Que é de uma única substância **2** Que tem a mesma natureza, a mesma constituição: "A unidade nas forças do universo é ali consubstancial com sua pluralidade." (Latino Coelho, *Oração da Coroa*) [Pl.: *-ais.*] [F.: Do lat. *consubstancialis, e.* Hom./Par.: *consubstanciais* (pl.), *consubstanciais* (fl. de *consubstanciar*).]

consubstancialidade (con.subs.tan.ci:a.li.*da*.de) *sf.* Qualidade do que é consubstancial [F.: *consubstancial* + *-(i)dade.*]

consubstanciar (con.subs.tan.ci.*ar*) *v.* **1** Unir-se numa só substância; formar algo por consubstanciação, por presença na mesma coisa ou substância [*int.: O sangue de Cristo consubstancia-se no vinho consagrado; A carne de Cristo e o pão se consubstanciam na hóstia.*] **2** Concretizar, materializar [*td.: A construção de novas filiais consubstanciou o projeto de expansão.*] [*tr. + em: Essas ameaças podem se consubstanciar em agressão.*] **3** Unir partes num só corpo ou conjunto coeso; CONSOLIDAR; UNIFICAR [*td.: O relatório consubstancia as conclusões da reunião.*] **4** Unificar-se, unir-se intimamente, identificar-se [*tr. + com: Logo se consubstanciaram com o modo de vida europeu.*] [▶ 1 consubstanciar] [F.: *con-* + *substância* + *-ar*².]

consuetudinário (con.su:e.tu.di.*ná*.ri:o) *a.* **1** Ref. ou pertencente aos costumes de um povo, aos hábitos de um grupo ou sociedade **2** *Jur.* Que se fundamenta nos usos e costumes, na prática e não nas leis escritas (direito consuetudinário) **3** Que é comumente observado na prática; que se repete regularmente como modo de agir; COSTUMEIRO; HABITUAL [Ant.: *incomum, insólito.*] **4** Diz-se de quem adquiriu por costume certo tipo de caráter ou de comportamento (indicado pelo substantivo): *Não és pessoa má, mas te tornaste um mentiroso consuetudinário.* [F.: Do lat. *consuetudinarius, a, um.*]

cônsul (*côn*.sul) *sm.* **1** Representante diplomático de uma nação em país estrangeiro **2** *Hist.* Cada um dos magistrados supremos na antiga república romana e na primeira república francesa [Pl.: *-sules.* Fem.: *consulesa.*] [F.: Do lat. *consul, ulis.*] ■ **~ honorário** Cidadão de um país, nele residente, e que exerce as funções de cônsul de outro país

consulado (con.su.*la*.do) *sm.* **1** Função, dignidade ou cargo de cônsul **2** Período em que um indivíduo exerce essa função **3** Local em que um cônsul reside **4** Repartição consular; escritório autônomo, ou dentro de embaixada, em que o cônsul e outros funcionários da representação de um país atendem o público **5** Governo exercido por cônsul(es), ou o período de duração desse governo [F.: Do lat. *consulatus, us.* Hom; /Par.: *consolado.*]

consular (con.su.*lar*) *a2g.* Ref., inerente ou pertencente a cônsul ou a consulado (serviço consular, credencial consular) [F.: Do lat. *consularis, e.* Hom./Par.: *consolar.*]

consulente (con.su.*l en*.te) *a2g.* **1** Diz-se de pessoa que faz uma consulta, que pede conselhos **2** Diz-se de pessoa que consulta algo em lugar específico: *pesquisador consulente de biblioteca. s2g.* **3** Qualquer dessas pessoas: *um tarólogo com poucos consulentes; consulente de um site.* [F.: Do lat. *consulens, entis.*]

consulesa (con.su.*le*.sa) [ê] *sf. Dipl.* Mulher diplomata que chega ao cargo que responde pelo consulado [F.: *cônsul* + *-esa.*]

consulta (con.*sul.ta*) *sf.* **1** Ação ou resultado de consultar, buscar informação, opinião ou diagnóstico profissional [+ *a, com, sobre: consulta ao advogado; consulta com pediatra; consulta sobre construção de ponte.*] **2** Parecer, conselho: *Prefere não dar consulta aos amigos fora do ambiente profissional.* **3** Atendimento; serviço ou tempo determinado em que um profissional recebe um cliente, ouve suas dúvidas e as responde: *O dentista aumentou o preço da consulta; Na clínica, o dia de consulta é terça-feira.* **4** Reunião em que especialistas ou detentores de certos cargos trocam opiniões e deliberam a respeito de um assunto, apresentado oficialmente [F.: Dev. de *consultar.*]

consultado (con.sul.*ta*.do) *a.* **1** Que se consulta ou consultou, que recebe ou recebeu consulta *sm.* **2** Aquele que é ou foi consultado [F.: Part. de *consultar.*]

consultante (con.sul.*tan*.te) *a2g.* **1** Que consulta ou consultou, que faz ou fez consulta, que pede conselhos *sm.* **2** Aquele que consulta ou consultou [F.: De *consultar.*]

consultar (con.sul.*tar*) *v.* **1** Pedir a (alguém, esp. especialista em determinado assunto) parecer, conselho, opinião etc. [*td.: consultar uma astróloga.*] [*tdr. + sobre: Consultei o engenheiro sobre a obra.*] [*tr. + com: consultar-se com um médico.*] **2** Dar consulta ou parecer (a) [*td.: Às sextas-feiras consulta pacientes cobertos pelo plano de saúde.*] [*int.: O velho advogado parou de consultar.*] **3** Buscar informação ou fazer pesquisa em; procurar esclarecer-se, informar-se ou conhecer alguma coisa por meio de [*td.:* "Logo ia consultar um manual para esclarecer uma hipótese." (Pepetela, *A Geração da Utopia*)] **4** *Fig.* Sondar, examinar antes de decidir; MEDITAR; REFLETIR [*td.: consultar o coração/a consciência.*] [*int.: Consultou-se antes de responder.*] [▶ 1 consultar] [F.: Do lat. *consultare.*]

consultivo (con.sul.*ti*.vo) *a.* **1** Ref. ou inerente a consulta, à busca e oferecimento de opinião, conselho etc. ger. de profissional ou especialista; CONSULTÓRIO **2** Que tem a função de auxiliar, assessorar, dando opinião, conselho ou parecer (assessor consultivo) **3** *Restr.* Que dá opinião ou parecer a consultas determinadas, mas sem ter poder de decidir ou agir (diz-se ger. de grupo de pessoas qualificadas, numa instituição) (conselho consultivo) [F.: *consulta* + *-ivo.*]

consultor (con.sul.*tor*) [ô] *a.* **1** Que pede conselho, opinião; que faz consulta; CONSULENTE **2** Que dá consulta, conselho; que emite parecer especializado (consórcio consultor, firma consultora) *sm.* **3** Profissional que dá pareceres, orientação, esclarecimentos sobre assunto de sua especialidade (consultor editorial, consultor jurídico); CONSELHEIRO [F.: Do lat. *consultor, oris.*]

consultoria (con.sul.to.*ri*:a) *sf.* **1** Ação ou resultado de dar consulta, conselho, parecer etc. (consultoria jurídica, consultoria econômica) **2** *P. ext.* Cargo ou local de trabalho de consultor [F.: *consultor* + *-ia*¹.]

consultório (con.sul.*tó*.ri:o) *a.* **1** Ref. ou inerente a consulta (procedimento consultório, atividade consultória); CONSULTIVO *sm.* **2** Gabinete de trabalho de profissional da área de saúde, onde atende aos clientes que vêm com ele se consultar (consultório dentário) [F.: *consulta* + *-ório.*]

consumação[1] (con.su.ma.*ção*) *sf.* **1** Ação ou resultado de consumar(-se) **2** Realização completa ou perfeita (de algo pensado, imaginado, aspirado): *consumação de um ideal.* **3** Conclusão daquilo que foi planejado ou preparado; ação que torna algo efetivo ou irreversível: *consumação de um crime longamente planejado; A destituição do presidente foi a consumação da crise política.* **4** Término, fim (por aniquilamento ou destruição): *Encontrou na morte a consumação de todas as angústias.* [Pl.: *-ções.*] [F.: Do lat. *consummatio, onis.*]

consumação[2] (con.su.ma.*ção*) *sf.* **1** *Bras.* Aquilo que se consome (alimentos, bebidas) em bar, boate, casa de espetáculos etc. [Considerado galicismo; o termo vernáculo seria *consumo.*] **2** Valor da consumação (1) **3** O mesmo que *consumação mínima*, no v. *consumação*² [Pl.: *-ções.*] [F.: Do fr. *consommation.*] ■ **~ mínima** Quantia mínima de consumo, efetivado ou não, cobrada por alguns bares, boates etc., ger. em troca do direito de permanecer no estabelecimento quando há alguma apresentação artística ou outra

consumado (con.su.*ma*.do) *a.* **1** Que se consumou, que se realizou inteiramente, que se completou (tarefa consumada); TERMINADO **2** *P. ext.* Que não pode ser desfeito ou alterado; irremediável, irrevogável (fato consumado) **3** *Fig.* Diz-se de quem é um exemplo perfeito de certo tipo de pessoa, de quem tem ou desenvolveu em alto grau todas as qualidades (boas ou más) que caracterizam determinada categoria (cientista consumado; idiota consumado) [F.: Do lat. *consumm a tus, a, um.*]

consumar (con.su.*mar*) *v.* **1** Realizar, concretizar, praticar [*td.: Primeiro ameaçou, depois consumou a agressão.*] **2** Fazer chegar ou chegar ao término, ao fim, ger. após desenvolver(-se) ao mais alto grau; acabar(-se) após ter passado por todas as fases ou gradações [*td.: consumar um martírio/uma obra-prima.*] [*int.: O sequestro do milionário consumou-se com o pagamento do resgate e a perseguição aos bandidos.*] **3** Ter como desfecho ou consequência, resultar [*tr. + em: Sua desatenção consumou-se num grave acidente.*] **4** Tornar(-se) exímio; dar (ou adquirir) perfeição [*tdr. + em: consumar-se no estudo/nas letras; A inteligência e a dedicação não bastaram para consumá-lo na carreira.*] **5** Tornar(-se) plenamente vigente e efetiva (determinada situação ou relação); completar(-se) um processo, levando-o (ou chegando) ao auge, ao ponto extremo [*td.: A confirmação das denúncias consumou a crise administrativa; consumar o casamento (isto é, ter relações sexuais)*] [*int.: Para ela, a fase da maturidade consumou-se com o êxito profissional.*] [▶ 1 consumar] [F.: Do lat. *consummare.*]

consumição (con.su.mi.*ção*) *sf.* **1** Ação ou resultado de consumir(-se), de destruir(-se) totalmente [+ *em, por: consumição na dor; consumição pelas chamas.*] **2** Ação ou resultado de gastar pelo uso contínuo **3** *Bras.* Inquietação, preocupação, grande apreensão; AFLIÇÃO **4** *Bras. P. ext.* Grande incômodo, estorvo ou aborrecimento [Pl.: *-ções.*] [F.: *consumir* + *-ção.*]

consumido (con.su.*mi*.do) *a.* **1** Que se consumiu; QUEIMADO; DESTRUÍDO **2** Que foi comprado, comido, bebido, utilizado como bem de consumo **3** *Bras.* Preocupado, amofinado; ABATIDO [F.: Part. de *consumir.*]

consumidor (con.su.mi.*dor*) [ô] *a.* **1** Que consome ou provoca consumo; que faz ou exige uso de algo (ger. recursos), causando desgaste, diminuição da quantidade, deterioração etc.: "...uma arquitetura imprópria para o homem e altamente consumidora de energia" (Gogliardo Vieira Maragno, *Adequação bioclimática da arquitetura de Mato Grosso do Sul*) **2** Que compra, que adquire mercadorias (bens de consumo) ou paga por serviços; comprador; CLIENTE; FREGUÊS **3** *Biol.* Diz-se de animal, considerado em relação a outro(s) ser(es) vivo(s) de que se alimenta *sm.* **4** Quem compra mercadorias e serviços para uso próprio ou de pessoas próximas (família etc.); COMPRADOR; CLIENTE; USUÁRIO: *consumidor de vinhos.* **5** *Econ.* Pessoa física ou jurídica que usa ou adquire produtos ou serviços: *A retração dos consumidores segurou a inflação.* **6** *Biol.* Organismo heterotrófico, consumidor (3) de outros na cadeia alimentar [F.: *consumir* + *-dor.*] ■ **~ de primeira ordem** *Ecol.* O que não sintetiza substâncias orgânicas e que, por isso, se alimenta de organismos que as sintetizam; herbívoro **~ de segunda ordem** *Ecol.* O que se alimenta de herbívoros; consumidor secundário **~ de terceira ordem** *Ecol.* Organismo carnívoro, que se alimenta de consumidor de segunda ordem; consumidor terciário **~ primário** *Ecol.* Ver *Consumidor de primeira ordem.* **~ secundário** *Ecol.* Ver *Consumidor de segunda ordem* **~ terciário** *Ecol.* Ver *Consumidor de terceira ordem.*

consumir (con.su.*mir*) *v.* **1** Absorver (comida ou bebida); alimentar-se de; COMER; INGERIR [*td.: No verão, consumimos muito líquido.*] **2** Gastar (dinheiro, remuneração etc.) na aquisição de bens, serviços etc. [*td.: Consome metade do salário antes da segunda semana do mês.*] [*tr. + com: consumir com supérfluos.*] [*int.: Há anos deixei de consumir além do necessário.*] **3** *Pej.* Consumir (2) desmedidamente, sem necessidade [*int.: Sua atividade preferida era percorrer as lojas e consumir.*] **4** Usar, gastar, empregar (tempo, esforço, serviço, fornecimento, trabalho etc.) [*td.: Estas obras consumirão três anos; consumir gás/energia.*] **5** *Fig.* Tirar as forças de ou perder as forças; ABATER(-SE); ENFRAQUECER(-SE) [*td.:* "...em menos de um mês a tuberculose consumiu-a..." (Marques Rebelo, *Contos Reunidos*)] [*int.: Consumiu-se em prolongada doença.*] **6** Cair ou fazer cair no esquecimento; apagar(-se) da memória [*td.: O tempo tudo consome.*] [*int.: Com o passar do tempo, a lembrança da infância consumiu-se.*] **7** Queimar (no fogo) ou ser queimado até o fim [*td.: As chamas consumiram a plantação.*] [*int.: A mata consumiu-se nas chamas.*] **8** Gastar ou usar (algo) até o fim; DILAPIDAR; ESGOTAR; EXAURIR [*td.: Em pouco tempo consumiu todo o patrimônio; Aquele projeto consumiu todos os seus recursos.*] **9** *P. us. Rel.* Receber (o sacerdote) o sacramento da Eucaristia, a hóstia; COMUNGAR [*int.: Antes de os fiéis comungarem, o padre consome.*] **10** *CE* Enganar, ludibriar, iludir [*td.*] [▶ 53 consumir] [F.: Do lat. *consumere.*]

consumismo (con.su.*mis*.mo) *sm.* **1** Hábito, desejo compulsivo (individual) ou tendência (social) de consumir, de adquirir bens de consumo, ger. muito além das necessidades práticas efetivas **2** *Econ. Soc.* Sistema econômico-social baseado em, ou caracterizado por, produção e aquisição maciças de bens de consumo **3** *Econ.* Teoria segundo a qual o aumento do consumo é favorável à economia [F.: *consumo* + *-ismo.*]

consumista (con.su.*mis*.ta) *a2g.* **1** Ref. ou inerente a consumismo; em que há consumismo (hábito consumista, sociedade consumista) **2** Diz-se de quem consome em excesso, de quem faz da aquisição de bens de consumo uma atividade ou preocupação central em sua vida (família consumista) *s2g.* **3** *Econ.* Indivíduo favorável ao consumismo, ou que o pratica e defende **4** Pessoa que compra excessiva ou compulsivamente, que tem tendência a consumir artigos supérfluos [F.: *consumo* + *-ista.*]

consumível (con.su.*mí*.vel) *a2g.* Que se pode consumir [Ant.: *inconsumível.*] [Pl.: *-veis.*] [F.: *consumi(r)* + *-vel.*]

⊕ ***consummatum est*** (*Lat. /consumátum est/*) *loc. v. Está consumado* [*Palavras de Cristo na cruz, segundo a Vulgata.*]

consumo (con.*su*.mo) *sm.* **1** Ação ou resultado de consumir; GASTO **2** Quantidade que se utiliza ou se consome de algo; quantidade consumida; GASTO: *consumo de combustível.* **3** Aquilo que se gasta ou o quanto se gasta; DESPESA; GASTO: *O consumo no passeio ficou dentro do esperado.* **4** *Econ.* Ação ou resultado de consumir, de adquirir mercadorias e serviços para satisfação das necessidades humanas: *poder de consumo; consumo das famílias.* **5** Ação de ingerir, de comer ou beber algo; INGESTÃO: *consumo de bebidas alcoólicas.* **6** Ação de utilizar por ingestão ou por aplicação: *consumo de drogas; consumo de medicamentos.* [F.: Dev. de *consumir.* Hom./Par. *consumo* (sm.), *consumo* (fl. de *consumir*).]

consumpção (con.sump.*ção*) *sf.* **1** Ato ou efeito de consumir(-se) **2** *Pat.* Depauperamento gradativo, por doença **3** *Rel.* Ato de comungar durante a missa **4** *Pat.* O mesmo que *tuberculose* [Pl.: *-ções.*] [F.: Do lat. *consumptio, onis.* Tb. *consunção.*]

consumptivo (con.sump.*ti*.vo) *a.* **1** Que consome; consuntivo; DEVORADOR; DESTRUTIVO **2** *Med.* Que faz ficar debilitado, corroído; DEBILITANTE [F.: *consumpt(o)* + *-ivo.*]

consunção (con.sun.*ção*) *sf.* Ver *consumpção*

consuntivo (con.sun.*ti*.vo) *a.* **1** Que tem a propriedade de consumir, que destrói; CONSUMIDOR **2** *Med.* Que enfraquece, debilitante, depauperador (moléstia consuntiva) [F.: *consumpto* + *-ivo.*]

conta (*con*.ta) *sf.* **1** Ação ou resultado de contar, de computar, de calcular: *Todo mês faz a conta de todas as despesas.* **2** Operação aritmética: *Feitas as contas, apuramos um pequeno lucro.* **3** Registro contábil do movimento de entrada e de saída de valores e de mercadorias **4** Valor a pagar por mercadoria ou serviço: *pagar a conta do hotel.* **5** Documento (fatura etc.) apresentado ou enviado ao comprador ou ao cliente com a indicação desse valor **6** Contrato de negócios entre um banco e uma pessoa ou firma, e que envolve serviços relativos a depósitos e outras transações feitas pelo cliente, registradas numa conta (3); ver *Conta-corrente* (1) **7** Dívida de um comprador a ser paga no futuro; CREDIÁRIO: *Pagará a conta da mobília em 12 prestações.* **8** Cada uma das pequenas peças de material e formato variados us. em rosários, colares, pulseiras, bordados etc. **9** *Fig.* Obrigação moral, respeito: *Só devo contas a mim mesmo.* [Nesta acp., ger. us. no pl.] **10** *Fig.* Responsabilidade, cuidado: *Deixou os filhos por conta da avó.* **11** *Fig.* Reputação, conceito: *Ela o tem em alta conta* **12** *Publ.* Contrato mantido com agência de publicidade **13** *Publ.* Cada cliente dessa agência [F.: Dev. de *contar.* Hom./Par.: *conta* (sf.), *conta* (fl. de *contar*).] ■ **À ~ de 1** Por causa de **2** A pretexto de **A ~s com** Metido em, envolvido com **Afinal de ~s** Finalmente, enfim **Ajustar ~s** Acertar pendência (financeira, emocional etc.) com alguém, de forma amigável ou litigiosa. **~ conjunta** *Econ.* Conta em banco em nome de duas ou mais pessoas, podendo cada uma delas movimentá-la **~ corrente** 1 *Econ.* Conta em banco, de depósitos à vista. [Tb. *conta-corrente*.] 2 *Cont.* Em contabilidade de empresa, registro de créditos e débitos de cliente, fornecedor etc. **~ de chegar** Aquela em que, para atingir valor preestabelecido, modificam-se valores de parcelas, fatores etc. **~ especial** *Econ.* Conta bancária na qual o banco garante, até determinada quantia, o pagamento de cheques mesmo que não tenham fundos [Ver tb. *Cheque especial*.] **~ fantasma** Conta bancária com nome do titular fictício, o que impede identificá-lo **~ redonda** Aquela em que se desprezam, no resultado, valores fracionários **Dar ~ de** 1 Notar, perceber; dar-se conta de: *De repente, deu conta de que estava atrasado.* 2 Dar informe sobre: *Deu conta ao chefe da situação do projeto.* 3 Dar fim a; dar cabo de: *Os meninos deram conta do sorvete em minutos.* 4 Desincumbir-se a contento de (tarefa, missão); dar conta do recado: *Pode deixar, vamos dar conta dessa tarefa.* **Dar ~ do recado** Ver *Dar conta de* (4) **Dar-se ~ de** Ver *Dar conta de* (1) **Demais da ~** *Bras. Pop.* Além do razoável; demasiadamente **Em ~** Barato, com bom preço **Fazer de ~ (que)** Fingir (na atitude ou no pensamento): *Faz de conta que você me conhece; Sei que você não me ama, mas vou fazer de conta.* **Fazer ~ que** Ver *Fazer de conta que* **Levar em ~** Levar em consideração, dar importância a **Pedir as ~s** *Bras.* Pedir demissão (empregado) **Por ~** 1 Como parte de um total (ger. adiantamento de um total a ser pago): *Não tenho dinheiro para saldar toda a dívida, mas tome 100 reais por conta.* 2 *Bras. Fam.* Irritado, indignado **Por ~ de** 1 Sob a responsabilidade de: *Deixe isso por minha conta.* 2 Financiado ou custeado por: *A festa correu por conta do padrinho.* 3 Por motivo de, ou a pretexto de: *Faltou à prova por conta de uma (alegada) doença.* **Por ~ própria** Por sua própria decisão ou iniciativa; com seus próprios recursos **Saldar ~s** 1 *Fig.* Exigir satisfações 2 Desforrar-se, desforçar-se **Por ~ do Bonifácio** *Bras. Pop.* Sem ligar para nada, alheio, indiferente **Prestar ~(s) (de)** Dar informe ou relatório a quem de direito sobre seus atos, suas despesas etc. **Sem ~** Em grande quantidade **Ser a ~** Ser suficiente, bastante **Ter em ~** Considerar, ter em mente, levar em conta **Ter na ~ de** Considerar, reputar: *Todos o tinham na conta de responsável e diligente.* **Tomar ~ de** 1 Ser responsável por execução de tarefa etc.; encarregar-se de 2 *Restr.* Cuidar de alguém, para garantir bem-estar, segurança 3 Vigiar, não deixar que se estrague, que seja roubado, etc. 4 Ocupar completamente: *Em pouco tempo o mato tomou conta do terreno.*

contábil (con.*tá*.bil) *a2g. Bras.* Ref., inerente ou pertencente a contabilidade (registro contábil, prática contábil) [Pl.: *-beis.*] [F.: Do lat. *computabi lis, e.*]

contabilidade (con.ta.bi.li.*da*.de) *sf.* 1 *Cont.* Ciência, técnica, método e atividade de calcular e registrar a movimentação financeira de uma firma, entidade, instituição, pessoa física etc. 2 O conjunto de livros, banco de dados e documentos de escrituração de uma entidade 3 O setor de uma empresa responsável por essa atividade 4 *Fam.* Cálculo de receitas e despesas: *É a mãe que faz a contabilidade da casa.* [F.: *contábil* + *-i-* + *-dade.*] ■ **~ nacional** *Econ.* Registro de dados sobre o desempenho econômico de um país em certo período **~ paralela** *Econ.* Contabilidade não conforme às leis vigentes, ger. com o fim de sonegar o fisco **~ pública** *Econ.* A que se refere aos órgãos de governo e às autarquias e empresas sob seu controle

contabilista (con.ta.bi.*lis*.ta) *s2g.* Indivíduo formado em contabilidade e/ou que exerce essa atividade; técnico ou especialista em contabilidade; CONTADOR [F.: *contábil* + *-ista.*]

contabilização (con.ta.bi.li.za.*ção*) *sf.* Ação de contabilizar, escriturar, lançar na contabilidade de; ESCRITURAÇÃO [Pl.: *-ções.*] [F.: *contabilizar* + *-ção.*]

contabilizado (con.ta.bi.li.*za*.do) *a.* Que se contabilizou (prejuízo contabilizado); ESCRITURADO [F.: Part. de *contabilizar.*]

contabilizar (con.ta.bi.li.*zar*) *v. td.* 1 Registrar sistematicamente (dados numéricos sobre movimentação comercial, financeira etc.); lançar, escriturar: *A empresa contabiliza despesa e receita.* 2 *P. ext. Pop.* Avaliar, estimar fazer a contagem, o cálculo de: *contabilizar o lucro que teria no negócio; A prefeitura ainda não contabilizou os prejuízos causados pela enchente.* 3 *P. ext.* Ter ou apresentar um total de: *A Feira contabilizou 100 mil visitantes nos primeiros dias.* [▶ 1 contabilizar] [F. *contábil* + *-izar.* Hom./Par.: *contabilizáveis* (fl.), *contabilizáveis* (pl. *contabilizável* [a2g.]).]

contabilizável (con.ta.bi.li.*zá*.vel) *a2g.* Que pode ou deve ser contabilizado, escriturado (lucro contabilizável) [Pl.: *-veis.*] [F.: *contabilizar* + *-ável.* Hom./Par.: *contabilizáveis* (pl.), *contabilizáveis* (fl. *contabilizar*).]

conta-corrente (con.ta-cor.*ren*.te) *sf.* Contrato que se faz num estabelecimento bancário, para ter o direito de lhe utilizar os serviços (usar seus talões de cheques, pagar e receber dinheiro, guardá-lo, transferi-lo para outrem); CONTA [Pl.: *contas-correntes.*]

contactado (con.tac.*ta*.do) *a.* 1 Que se contactou, que foi objeto de contacto: *O pedreiro contactado virá amanhã.* *sm.* 2 *Antr.* Diz-se de indígena ou povo indígena com o qual os indigenistas já mantiveram algum contato [F.: part. de *contactar.* Tb. *contatado.*]

contactante (con.tac.*tan*.te) *a2g.* 1 Que contacta ou contata, que faz contato *s2g.* 2 Aquele ou aquilo que contacta ou contata, que faz contato [F.: De *contactar.*]

contatar (con.ta.*tar*) *v.* 1 Pôr algo ou ver alguém (Inclusive si mesmo) em contato, comunicação com [*tr.* + *com*: *Contatei com ela pela internet.*] [*tdr.* + *com*: *Contatou-se com os parentes canadenses antes de viajar; Vou contatar você com o diretor.*] 2 Pôr em contacto, estar ou entrar em contacto; CONECTAR; JUNTAR; TOCAR [*td.*: *contactar dois fios elétricos.*] [*int.*: *Os fios elétricos contataram.*] 3 *Antr.* Iniciar contacto, relação com (povo indígena que até então vivera isolado em sua cultura nativa) [*td.*] [▶ 1 contactar] [F.: *contacto* + *-ar*[2]. Hom./Par.: *contacto* (fl.), *contacto* (sm.). Tb. *contatar.*]

contactável (con.tac.*tá*.vel) *a2g.* 1 Que se pode contactar, com que se pode estabelecer contacto: *A empresa é uma das contactáveis.* 2 *Antr.* Que se pode contactar, para aculturação: *Na época, nenhum txucarramãe era contactável.* [Pl.: *-veis.*] [F.: *contactar* + *-vel.*]

contacto (con.*tac*.to) *sm.* 1 Ação ou resultado de tocar (um corpo em outro); o estado dos corpos que se tocam: *Acalma-se ao contacto da mão dela.* 2 Comunicação, convívio (contacto humano) 3 Interação direta ou indireta entre pessoas, grupos, ideias etc. [+ *com, entre*: *contacto com a torre; contacto entre autor e leitor.*] 4 Junção, conexão, ligação (esp. a que permite transmissão ou comunicação de força ou energia, de efeitos físicos, de ideias, influências etc.) 5 Aquele que serve de ligação de alguém com pessoa ou instituição; CONEXÃO: *Ele é meu contacto naquela empresa.* 6 *Publ.* Profissional que serve de intermediário entre agência de publicidade e um cliente 7 *Fot.* Cópia do negativo feita diretamente sobre papel fotográfico (sem ampliação) 8 *Antr.* Interação entre (indivíduos de) diferentes grupos, etnias etc. (contacto com os indígenas) [Ver *contacto cultural.*] 9 *Astron.* Momento em que dois astros parecem tocar-se 10 *Geol.* Encontro entre duas rochas ou duas formações diferentes [F.: Do lat. *contactus, us.* Hom./Par.: *contacto* (v. *contactar*).] ■ **~ cultural** *Antr.* Situação em que membros de grupos considerados culturalmente distintos entram em contacto mais ou menos regular, resultando em transmissão e assimilação de elementos de ambas as culturas **~ de agência** *Publ.* O funcionário de agência de publicidade que atende a um cliente em todas as diversas fases de um projeto e junto aos diversos departamentos da agência [Tb. apenas *contacto.*] **~ de veículos** *Publ.* Funcionário de veículo de propaganda (jornal, rádio, televisão etc.) que cuida da venda de seu espaço ou tempo a agências ou clientes diretos [Tb. apenas *contacto.*] **~ linguístico** *Ling.* Transmissão de elementos de uma língua ou dialeto para comunidade falante de outra língua ou dialeto, e vice-versa, em função de interação entre membros das duas comunidades

contado (con.*ta*.do) *a.* 1 Que se contou, narrou (história contada) 2 Cuja quantidade foi calculada ou conferida: *distância de 120 passos, contados de porta a porta.* 3 Que está na quantidade exata, justa, sem qualquer sobra: *Tenho o dinheiro contado para a volta.* *sm.* 4 *Lus.* Dinheiro em espécie [F.: Part. de *contar.*] ■ **De ~** Em dinheiro, à vista (pagamento)

contador (con.ta.*dor*) [ô] *a.* 1 Que conta ou mede (aparelho contador) 2 Que narra, relata *sm.* 3 Ver *contabilista* 4 Aquele que narra, relata fatos, casos etc.: *contador de histórias*: "...a padroeira de textos e têxteis bem podia ser uma contadora oral..." (Ana Maria Machado, *Texturas*) 5 Aparelho ou dispositivo que faz o registro da quantidade de algo (eletricidade, água, gás etc.); MEDIDOR 6 *Art. Graf.* Aparelho adaptado às máquinas impressoras para contar as folhas impressas 7 Espécie de armário antigo com muitas gavetas pequenas 8 *Inf.* Dispositivo us. para contar processos repetidos no computador (contador de acessos) [F.: *contar* + *-dor.*]

contadoria (con.ta.do.*ri*.a) *sf.* Firma ou setor de empresa pública ou privada, responsável pelos pagamentos e recebimentos de valores, bem como pela verificação das contas; TESOURARIA [F.: *contador* + *-ia.*]

conta-fios (con.ta-*fi*.os) *sm2n.* 1 *Art. Graf.* Lupa us. para exame de detalhes da imagem gráfica, como retícula, registro de cores etc. 2 Tipo de lente ou microscópio us. para examinar tecidos mistos, esp. na alfândega [F.: *contar* (na 3ª pess. sing. pres. ind.) + pl. de *fio.*]

contagem (con.*ta*.gem) *sf.* 1 Ação ou resultado de contar, de registrar, observar ou verificar a quantidade de coisas, o número de repetições de um fenômeno, a frequência de um evento: *contagem de cédulas; contagem de dias.* 2 Ação de contar, enumerando: *O pugilista mal ouvia a contagem do juiz.* 3 A quantidade contada, ger. com especificação das diversas parcelas; CÔMPUTO; SOMA: *tabela com a contagem de medalhas das Olimpíadas.* 4 *Bras. Esp.* Resultado parcial ou final de um jogo, ou de um torneio, segundo o número de pontos contados: *A contagem foi dois a zero para o Brasil.* 5 *Mat.* Determinação do número de elementos de um conjunto 6 Ordenado pago a contador de tribunal [Pl.: *-gens.*] [F. *contar* + *-agem.*] ■ **~ regressiva** 1 Acompanhamento do tempo restante para determinado evento, ger. em segundos, decrescendo 2 A expectativa de evento no decorrer do tempo restante para ele: *Já estamos em contagem regressiva para as férias.*

contagiado (con.ta.gi.*a*.do) *a.* 1 Que se contagiou, contaminou; CONTAMINADO 2 *Fig.* Que foi fortemente influenciado por algo; que absorveu, foi dominado ou invadido (por algo exterior que causa alteração); TOMADO [+ *com, de, por*: *contagiado com más ideias; contagiado de emoção; contagiado pela alegria.*] [F.: Part. de *contagiar.*]

contagiante (con.ta.gi:*an*.te) *a2g.* 1 Que contagia; que se propaga por contágio (doença contagiante) 2 *Fig.* Que se espalha, passando de lugar para lugar ou de pessoa para pessoa por sua influência, intensidade, ou por outras características próprias (sorriso contagiante, emoção contagiante) [F.: *contagiar* + *-nte.* Sin. ger.: *contagioso.*]

contagiar (con.ta.gi.*ar*) *v.* 1 Causar doença em (pessoa ou pessoas), transmitindo a ela(s), involuntariamente ou não, e por contato direto ou indireto, o agente causador (microrganismo como vírus, bactéria etc.); CONTAMINAR [*td.* / *tdr.* + *com*: *Estava gripado e contagiou todo o departamento* (*com* o *vírus*).] 2 Adquirir uma doença (por ficar infectado com agentes causadores dela) após contato com algo ou alguém previamente infectado; CONTAMINAR-SE [*int.* / *tr.* + *com, de*: *A enfermeira não se contagiou* (*com*/*de sarampo*).] 3 *Fig.* Exercer influência sobre (alguém), transmitindo (sentimento, emoção, ideia, hábito etc.) [*tdr.* + *com*: *A juventude contagiou a sociedade com sonhos e esperança.*] 4 Passar a ter ou apresentar (ideia, sentimento, hábito etc.) por influência de outrem, ou do ambiente social [*tdr.* + *com*: *contagiar-se com a inércia da equipe.*] 5 *Fig.* Afetar ou ser afetado por algo como sentimento, sensação, ideia etc. que parece se transmitir ou difundir como doença contagiosa [*td.*: *O romantismo da música contagiou a plateia.*] [*tr.* + *com*: *A cidade contagiou-se com o clima de festa.*] 6 *Fig.* Ter influência ou efeito nocivos sobre; CORROMPER; PERVERTER [*td.*: *A corrupção de alguns políticos contagiou o partido.*] [▶ 1 contagiar] [F.: *contágio* + *-ar*[2]. Hom./Par.: *contagio* (fl.), *contágio* (sm.).]

contágio (con.*tá*.gi:o) *sm.* 1 Ação ou resultado de contagiar, de transmitir (doença, elemento causador de doença etc.) por contato direto ou indireto 2 *P. us.* Doença contagiosa 3 *Fig.* Transmissão, ou reprodução involuntária de emoções, afetos ou de características negativas, vícios etc., de uma pessoa para outra 4 *Ling.* Passagem de traço(s) de um elemento linguístico para outro por contiguidade ou proximidade 5 Manifestação, em alguém, de comportamento, reação, emoção ou tendência originalmente apresentada por outra pessoa de quem a primeira sofreu influência [F.: Do lat. *contagium, ii.* Hom./Par.: *contagio* (v. *contagiar*).] ■ **~ psíquico** *Psiq.* Transmissão, a outro indivíduo, de sintoma(s) psíquico(s), mediante influência mental

contagioso (con.ta.gi:*o*.so) [ô] *a.* 1 Que se transmite ou alastra por contágio (doença contagiosa) 2 Que influencia, contagia (riso contagioso, choro contagioso) [Pl.: [ó]. Fem.: [ó].] [F.: Do lat. *contagiosus, a, um.* Sin. ger.: *contagiante.*]

conta-giros (con.ta-*gi*.ros) *sm2n. Emec. Fís.* Aparelho que mede a velocidade de rotação de um motor ou de um eixo, contando o número de voltas completas por unidade de tempo (ger. minuto); TAQUÍMETRO; TACÔMETRO [F.: *contar* (na 3ª pess. sing. pres. ind.) + pl. de *giro.*]

conta-gotas (con.ta-*go*.tas) [ô] *sm2n.* Pequeno tubo de vidro ou plástico, tendo pequena abertura numa das extremidades e, na outra, um dispositivo que pode ser manuseado para pingar as gotas de um líquido, uma a uma [F.: *contar* (na 3ª pess. sing. pres. ind.) + pl. de *gota.*]

⊕ **container** (*Ing.* /conteiner/) *sm.* Ver *contêiner*

contaminação (con.ta.mi.na.*ção*) *sf.* 1 Ação ou resultado de contaminar(-se), de tornar(-se) infectado ou impuro com presença de micro-organismos ou substâncias nocivas; estado do que ficou infectado ou poluído [+ *com, de, entre*: *contaminação dos alimentos; contaminação com vírus; contaminação entre vizinhos.*] 2 *Fig.* Influência (positiva ou negativa) de um elemento, fator ou característica sobre outros, ger. com alteração da situação ou do conjunto 3 *Ling.* Alteração linguística devida à semelhança formal e semântica entre duas palavras [Pl.: *-ções.*] [F.: Do lat. *contaminatio, onis.* Ant. ger.: *descontaminação.*] ■ **~ sintática** *Ling.* Ver *quiasma* (1)

contaminado (con.ta.mi.*na*.do) *a.* 1 Que se contaminou, se infectou (alimentos contaminados); VICIADO; CORROMPIDO: "Da herdada corrupção, contaminados ficam todos enfim." (Bocage) 2 Que se poluiu (praia contaminada) 3 *Inf.* O mesmo que *infectado* (arquivo contaminado) [F.: Part. de *contaminar.* Ant. ger.: *descontaminado; incontaminado.*]

contaminador (con.ta.mi.na.*dor*) [ô] *a.* 1 Que contamina, que infecta *sm.* 2 Aquele ou aquilo que contamina, infecta [F.: Do lat. *contaminator, oris.* Ant. ger.: *descontaminador.*]

contaminante (con.ta.mi.*nan*.te) *a2g.* 1 Que contamina, capaz de contaminar, infectar *s2g.* 2 Aquele ou aquilo que contamina, que infecta [F.: *contaminar* + *-ante.* Sin. ger.: *contaminador* Ant. ger.: *descontaminante.*]

contaminar (con.ta.mi.*nar*) *v.* 1 Transmitir a ou adquirir doença ou agente da doença; CONTAGIAR(-SE); INFECTAR(-SE) [*td.*: *Gripado, contaminou a família.*] [*int.*: *Contaminou-se ao cuidar do paciente tuberculoso.*] [*tr.* + *com*: *contaminar-se com antraz.*] 2 Transmitir-se (doença ou agente da doença) a [*td.*: *O vírus do dengue contaminou os moradores do bairro.*] 3 Espalhar-se (substância nociva) em; ser infectado ou atingido por (substância nociva) [*td.*: *Os detritos contaminaram a lagoa.*] [*tr.* + *com, de*: *A água do rio contaminou-se com/de coliformes fecais.*] [*int.*: *Um agricultor contaminou-se durante a aplicação de inseticida na plantação.*] 4 *Fig.* Afetar, atingir, exercer influência forte sobre; transmitir a outrem sentimento, ideia, estado de espírito etc.; ser afetado, sofrer influência, adquirir certo sentimento ou ideia transmitidos por outrem; CONTAGIAR(-SE) [*td.*: *A crise política não contaminou a economia.*] [*tdr.* + *com, de*: *Conseguiu contaminar a turma inteira com seu entusiasmo.*] [*tr.* + *com, de*: *A arte contaminou-se de conceitos tecnológicos:* "...celebridades e anônimos os mais diversos procuram 'contaminar-se' do poder da mídia como estratégia de autopotencialização e realização." (Valter A. Rodrigues, *Poder e (im)potência da mídia: a alegria dos homens tristes*)] [Us. frequentemente, mas não sempre, em conotação negativa.] 5 *Fig.* Manchar, viciar, corromper [*tdr.* + *com, de*: *Contaminou os vizinhos com/de suas intrigas.*] [*td.*: *Aquela atitude covarde contaminou definitivamente sua reputação.*] 6 *Inf.* Introduzir(-se) vírus em ou adquirir (computador, sistema, arquivo) vírus; INFECTAR(-SE) [*td.*: *O vírus contaminou um grande número de máquinas.*] [*tdr.* + *com*: *A quadrilha contaminou os computadores da firma com diversos vírus.*] [*int.*: *Sem antivírus, o sistema contaminou-se.*] [► 1 contaminar] [F.: Do lat. *contaminare.*]

contanto (con.*tan*.to) Us. apenas na loc. conj. *contanto que* ■ ~ **que** Sob a condição de que; desde que: *Aceito a tarefa, contanto que você me ajude.*

contar (con.*tar*) *v.* 1 Efetuar a contagem de; verificar ou atestar a quantidade de [*td.*: *Contei cinco barcos na lagoa.*] 2 Fazer contas, calcular [*int.*: *Ele já sabe ler, escrever e contar.*] 3 Ter (quantidade de) [*td.*: *contar trinta anos de serviço/seis meses de vida.*] 4 Ter à disposição; dispor de [*td.*: *A escola conta bons empregados.*] [*tr.* + *com*: *A escola conta com três professores novos.*] 5 Obter, incluir [*tr.* + *com.*: "...o evento contou com cerca de 1.500 pessoas..." (*Folha de S.Paulo*, 13.11.1999)] 6 Esperar a, ou confiar na participação, ajuda etc. de (alguém) [*tr.* + *com*: *Conto com você no mutirão.*] 7 Ter expectativa ou esperança de [*td.*: "...não contava divertir-me tanto!" (Joaquim Manuel de Macedo, *A Moreninha*)] [*tr.* + *com*: *Estou contando com a queda da inflação; Contamos com tua amizade.*] 8 Levar ou ser levado em consideração [*td.*: *Paga luz e gás, sem contar a alimentação.*] [*int.*: *A honestidade conta muito.*] 9 Relatar, narrar (fato, história etc.) [*td.*: *Ela contou que havia morado no Sul.*] [*tdi.* + *a, para*: *Ele contou o final do filme para os amigos.*] [*tr.* + *de*: *Começou a contar de suas viagens pela Itália.*] 10 Incluir, considerar (entre pessoas ou coisas) [*tdr.* + *em, entre*: *Conto-o no número de meus melhores amigos; Conto-o entre os meus melhores amigos.*] 11 Ter na conta de; JULGAR [*tdp.*: *Conto-o como a pessoa mais inteligente que conheço.*] 12 Ter intenção de; fazer planos; PLANEJAR; TENCIONAR [*td.*: *Contávamos passar as férias em Lisboa.*] 13 Fazer suposição de; IMAGINAR; PENSAR [*td.*: *Ele contava concluir a tese até o final do ano.*] [*tr.* + *em*: *Contei em acabar o vestido hoje.*] 14 Passar o tempo; DECORRER [*int.*: *Contam-se doze anos que ela se foi.*] [► 1 contar] [F.: Do lat. *computare*. Hom./Par.: *conta(s)* (fl.), *conta(s)* (sf. [pl.]); *conto* (fl.), *conto* (sm.); *contem* (fl.), *contém, contêm* (fl. de *conter*).]

contatar (con.ta.*tar*) *v.* Ver *contactar* [F.: *contato* + *-ar*[2]. Hom./Par.: *contato* (fl.), *contato* (sm.).]

contato (con.*ta*.to) *sm.* Ver *contacto* [F.: Do lat. *contactus, us*. Hom./Par.: *contato* (v. *contatar*).]

contável (con.*tá*.vel) *a2g.* 1 Que se pode contar, calcular 2 Que se pode contar, narrar [Pl.: *-veis.*] [F.: *contar* + *-ável.*]

contêiner (con.*têi*.ner) *sm.* Receptáculo de dimensões, materiais e formas diversas destinado a acondicionar mercadorias a serem nele conservadas ou transportadas em navios, trens etc.; cofre de carga [Pl.: *contêineres.*] [F.: Do ing. *container.*]

contemplação (con.tem.pla.*ção*) *sf.* 1 Ação ou resultado de contemplar, de observar: "...perdendo-se na contemplação do retrato de Mansinho..." (Antônio Callado, *Bar Don Juan*) 2 Aplicação das forças mentais em abstrações; MEDITAÇÃO 3 Observação silenciosa, atenta e refletida sobre um tema: "...duas maneiras dolorosas de evitar a contemplação de um acontecimento que nos atinge..." (Cecília Meireles, "A infância e a sua atmosfera"(*Diário de Notícias*, 30.11.1932).) 4 Benevolência, consideração [+ *com*: *contemplação com defeitos alheios.*] 5 *Teol.* Concentração, absorção em tudo que diz respeito a Deus [Pl.: *-ções.*] [F.: Do lat. *contemplatio, onis.*]

contemplado (con.tem.*pla*.do) *a.* 1 Que foi premiado ou agraciado [+ *com, por*: *contemplado com o prêmio; contemplado por sorteio.*] 2 Que se observa, admirando ou refletindo a respeito; que é objeto ou motivo de contemplação (paisagem contemplada, quadros contemplados) *sm.* 3 Indivíduo premiado, sorteado, escolhido [F.: Part. de *contemplar.*]

contemplador (con.tem.pla.*dor*) *a.* 1 Que contempla, que gosta de contemplar *sm.* 2 Aquele que contempla, que se compraz em contemplar (contemplador da beleza): "Fui, e vi à vontade, porque ao redor do seu esquife eram poucos os contempladores." (Camilo Castelo Branco, *Vinte Horas*) [F.: Do lat. *contemplator, oris.*]

contemplar (con.tem.*plar*) *v.* 1 Olhar (algo, alguém ou a si mesmo) com atenção ou admiração [*td.*: *contemplar-se no espelho*: "...Peri continuava a contemplar a sua senhora." (José de Alencar, *O Guarani*)] 2 Levar em conta; atentar para [*td.*: *O acordo contempla os pedidos dos funcionários.*] 3 Dar algo como prova de consideração ou como reconhecimento [*td.* /*tdr.* + *com*: *Contemplou no testamento seus amigos mais íntimos; A Academia contemplou a atriz brasileira (com o troféu).*] 4 Admirar com o pensamento [*td.*: *contemplar a grandeza de Deus.*] 5 Entregar-se a profundas reflexões; pensar, meditar (em algo) [*int.*: *Sua vida consiste em contemplar e orar.*] [*tr.* + *em*: *contemplar no sentido da vida/nos obstáculos a serem superados.*] 6 Imaginar, supor (ger. com desejo, fantasia, ou temor, apreensão) [*td.*: *Nem bem casara, já contemplava a casa repleta de filhos.*] [► 1 contemplar] [F.: Do lat. *contemplare.*]

contemplatividade (con.tem.pla.ti.vi.*da*.de) *sf.* Característica, modo de ser de contemplativo [F.: *contemplativo* + *-i-* + *-dade.*]

contemplativismo (con.tem.pla.ti.*vis*.mo) *sm.* Atitude, método ou tendência de quem é contemplativo [F.: *contemplativo* + *-ismo.*]

contemplativo (con.tem.pla.*ti*.vo) *a.* 1 Ref. a ou em que há contemplação (1) 2 Que habitualmente entra em estado de contemplação (2) 3 Que causa contemplação (3) ou é próprio para levar à contemplação (música contemplativa) 4 *Rel.* Dedicado à contemplação do que se refere a Deus: *a vida contemplativa das carmelitas descalças.* [F.: Do lat. *contemplativus, a, um.*]

contemporaneidade (con.tem.po.ra.nei.*da*.de) *sf.* 1 Qualidade ou condição de contemporâneo; coexistência no tempo: *contemporaneidade de Machado de Assis e/com José de Alencar.* 2 O tempo ou época presentes; o conjunto das pessoas e acontecimentos contemporâneos; esp.: as tendências mais recentes em determinado campo de atividade: *um artista afinado com a contemporaneidade.* [F.: *contemporâneo* + *-(i)dade.*]

contemporâneo (con.tem.po.*râ*.ne:o) *a.* 1 Que pertenceu à mesma época passada (em relação a outra coisa ou pessoa): *escritores contemporâneos de José de Alencar.* 2 *Restr.* Que esteve em, ou frequentou, um lugar na mesma época que outra pessoa (convivendo, ou não, com ela) 3 Que é do tempo atual (músicos contemporâneos; arte contemporânea) *sm.* 4 Aquele ou aquilo que pertenceu à mesma época passada ou que é do tempo atual: *Foi meu contemporâneo de escola.* [F.: Do lat. *contemporaneus, a, um.* Sin. ger.: *coetâneo, coevo.*]

contemporização (con.tem.po.ri.za.*ção*) *sf.* Ação ou resultado de contemporizar; CONDESCENDÊNCIA; TOLERÂNCIA; TRANSIGÊNCIA [Ant.: *oposição, resistência.*] [Pl.: *-ções.*] [F.: *contemporizar* + *-ção.*]

contemporizado (con.tem.po.ri.*za*.do) *a.* Que foi objeto de contemporização, condescendência [F.: Part. de *contemporizar.*]

contemporizador (con.tem.po.ri.za.*dor*) [ô] *a.* 1 Que contemporiza, que transige; CONCILIADOR *sm.* 2 Aquele que contemporiza: "Apesar do tom duro da nota do governo, o ministro da Previdência foi mais contemporizador." (*O Globo*, 27.11.2001) [F.: *contemporizado* + *or.*]

contemporizar (com.tem.po.ri.*zar*) *v.* 1 Chegar a um acordo por meio de concessões de ambas as partes; ser condescendente, tolerante, transigente; aceitar posições alheias; CONCILIAR; CONDESCENDER; TRANSIGIR [*tr.* + *com*: *A Igreja não aceitou contemporizar com hereges; Contemporizava com os pequenos deslizes do amigo.*] [*int.*: *Nas reuniões não discute, contemporiza sempre.*] 2 Dar a (problema, situação) uma solução temporária, paliativa; minimizar (sem extinguir) dificuldades, tensões, conflitos; atenuar na aparência; ABRANDAR; CONTORNAR [*td.*] 3 Entreter (alguém) para ganhar tempo [*td.*: *A monitora contemporizava os alunos até a professora chegar.*] [F.: *con-* + lat. *tempore* 'tempo' + *-izar*; ver tb. *temporizar.*]

contenção[1] (con.ten.*ção*) *sf.* 1 *Bras.* Ação ou resultado de conter(-se): *contenção de encostas; contenção de despesas.* 2 Estado do que é impedido de se deslocar, se espalhar ou progredir [Pl.: *-ções.*] [F. *conter* + *-ção*, como em *abstenção.* Hom./Par.: *contenção* (sf.), *contensão* (sf.).]

contenção[2] (con.ten.*ção*) *sf.* 1 Ação ou resultado de contender(-se); CONTENDA; LUTA 2 Discussão ou desentendimento; conflito de ideias, opiniões [Pl.: *-ções.*] [F.: Do lat. *contentio, onis.*]

contencionista (con.ten.ci:o.*nis*.ta) *a2g.* 1 Que tende ao contencionismo, à severa contenção de despesas (política econômica contencionista) *s2g.* 2 Aquele que pratica ou preconiza o contencionismo [F.: *contenção(ion)* + *-ista.*]

contencioso (con.ten.ci:*o*.so) [ô] *a.* 1 Que envolve litígio, contenda, oposição entre pessoas que discordam (questão contenciosa) 2 Que deixa dúvidas, ou que é objeto de restrições, de desconfiança, de opiniões ou interesses conflitantes (solução contenciosa); DUVIDOSO; INCERTO 3 *Jur.* Diz-se de ato que é objeto de contestação ou de disputa, de reivindicações opostas; LITIGIOSO: *negócio contencioso entre Brasil e EUA* 4 Que (ou típico de quem) tende a contender, a contestar, ou que o faz com frequência (alunos contenciosos; comportamento contencioso) [Pl.: [ó]. Fem.: [ó].] *sm.* 5 Litígio judicial; assunto, negócio ou qualquer ato ou situação em relação aos quais há contenda, disputa, contestação: *O governo abriu um contencioso com a empresa petrolífera.* 6 Órgão de uma repartição pública ou de uma empresa privada onde se examinam as questões litigiosas [Pl.: [ó].] [F.: Do lat. *contentiosus, a, um.*]

contenda (con.*ten*.da) [ê] *sf.* 1 Ação ou resultado de contender; ALTERCAÇÃO; BRIGA: *contenda com amigos.* [Ant.: *acordo, conciliação.*] 2 Oposição de ideias, com mútuas objeções, refutações, contestações entre as partes (contenda familiar); DISCÓRDIA; DISCUSSÃO; RIXA [Ant.: *concórdia, entendimento.*] 3 *P. ext.* Debate, polêmica 4 *Jur.* Controvérsia judicial; questão em que há discórdia, a ser resolvida por autoridade; LITÍGIO 5 Luta armada; COMBATE; GUERRA [+ *entre, por, sobre*: *contenda entre países; contenda por dinheiro; contenda sobre fronteiras.* Ant.: *paz.*] [F.: Dev. de *contender*. Sin. ger.: *contenção*[2].]

contendedor (con.ten.de.*dor*) (ô) *a.* *sm.* Forma preferível a e menos us. que *contendor*

contender (con.ten.*der*) *v.* 1 Entrar em ou ter discussão, briga, desentendimento, contenda (física ou verbal) com alguém [*tr.* + *com, sobre, por*: *Não queria contender com o irmão (sobre futebol/por mulher).*] [*int.*: *É melhor conciliar do que contender.*] 2 Contrapor-se a alguém, fazendo objeções, manifestando oposição [*int.*] 3 Competir, disputar, entrar em antagonismo ou rivalidade para ter algo, uma condição etc. [*tr.* + *com, por*: *Contendia (com rivais) pelos favores da duquesa.*] 4 Ser igual ou superior (quanto a valor, ou a determinada qualidade, situação etc.); RIVALIZAR [*tr.* + *com*: *Poucos jogadores contendem com Ronaldo em termos de fama.*] [► 2 contender] [F.: Do lat. *contendere.*]

contendor (con.ten.*dor*) [ô] *a.* 1 Que contende ou luta com outro 2 Que é adversário, rival; ANTAGONISTA *sm.* 3 Aquele que contende ou luta com outro 4 Indivíduo que é adversário, rival [F.: *contendor*, var. haplológica de *contendedor*, este de *contender* + *-dor.* NOTA: A forma mais correta e menos us. é *contendedor.*]

contensão[1] (con.ten.*são*) *sf.* Contenda, luta, confronto [Pl.: *-sões.*] [F.: Do lat. *contensio, onis.* Hom./Par.: *contensão* (sf.), *contenção* (sf.).]

contensão[2] (con.ten.*são*) *sf.* 1 Concentração mental, atenção, esforço intelectual 2 Tensão considerável [Pl.: *-sões.*] [F.: *con-* + *tensão*; Hom./Par.: *contensão* (sf.), *contenção* (sf.).]

contentamento (con.ten.ta.*men*.to) *sm.* 1 Ação ou efeito de contentar(-se) 2 Estado de quem está contente ou contentado, satisfeito; SATISFAÇÃO 3 Sentimento de felicidade, de grande prazer; ALEGRIA; JÚBILO [F.: *contentar* + *-mento.* Ant.: *descontentamento, desgosto, tristeza.*]

contentar (con.ten.*tar*) *v.* 1 Fazer ficar (ou ficar) contente, satisfeito, dando (ou recebendo) aquilo que se esperava, queria, exigia ou necessitava; SATISFAZER(-SE) [*td.*: *É impossível contentar todo mundo.*] [*tr.* + *com*: *As crianças se contentam com brinquedos simples.*] 2 Apaziguar, sossegar [*td.*: *Deu chupeta e colo para contentar o bebê.*] [► 1 contentar] [F.: *contente* + *-ar*[2]. Hom./Par.: *contente(s)* (fl.), *contente(s)* (a. [pl.]); *contento* (fl.), *contento* (a. sm.); *contentáveis* (fl.), *contentáveis* (pl. de *contentável* [a2g.]).]

contente (con.*ten*.te) *a2g.* 1 Que está feliz, alegre ou que se sente muito bem em relação a algo; ALEGRE; FELIZ 2 Que teve seus desejos, necessidades ou expectativas atendidos; SATISFEITO [F.: Do fr. *content*, do lat. *contentus, a, um.* Ant. ger.: *descontente, malcontente.* Hom./Par.: *contente(s)* (a2g. [pl.]) *contente(s)* (fl. *contentar*).]

contento[1] (con.*ten*.to) *sm.* O mesmo que *contentamento.* [F.: Dev. de *contentar*. Ant.: *desgosto.* Hom./Par.: *contento* (sm.), *contento* (fl. de *contentar*), *contempto* (sm.).] ■ **A ~** De maneira satisfatória, que é conforme ou bastante para os desejos ou necessidades

contento[2] (con.*ten*.to) *sm.* *P. us.* O mesmo que *conteúdo* (2) [Muito us. no pl.] [F.: Do lat. *contentus, a, um*, substantivado. Hom./Par.: *contento* (sm.), *contento* (fl. *contentar*), *contempto* (sm.).]

contentor (con.ten.*tor*) [ô] *a.* 1 Que contém, que é capaz de conter 2 Aquilo ou aquele que contém, que é capaz de conter [F.: Do lat. *contentus, a, um.* Hom./Par.: *contemptor* (sm., adj.); *contendor* (sm., adj.).]

conter (con.*ter*) *v.* 1 Ter em si, encerrar, incluir [*td.*: *Este livro contém mapas e ilustrações.*] 2 Exercer controle, domínio sobre (algo, alguém ou si mesmo), impedindo ou dificultando sua manifestação ou sua ação; REFREAR; REPRIMIR [*td.*: *Tentava conter o choro; Ela não se conteve e caiu na gargalhada.*] 3 Manter em certos limites [*td.*: *conter as despesas.*] 4 Conter o ímpeto de, impedir de avançar; REPRIMIR [*td.*: *Os policiais contiveram a multidão; A barragem conteve as águas do rio.*] 5 Ter capacidade de abrigar, comportar na sua extensão, na sua capacidade [*td.*: *O auditório da faculdade contém cem lugares; O tanque de meu carro contém 50 litros de combustível.*] 6 Resumir-se em (algo) [*tr.* + *em*: *Seu interesse por arte contém-se na música.*] [► 7 conter. NOTA: Recebem acento agudo no *e* da desin. as formas (tu) *conténs*, (ele) *contém* e *contém* (tu); recebe acento circunflexo no *e* da desin. a f. (eles) *contêm.*] [F.: Do lat. *continere.* Hom./Par.: *contém, contêm* (fl.), *contem* (fl. de *contar*).]

conterraneidade (con.ter.ra.nei.*da*.de) *sf.* Característica ou condição de conterrâneo [F.: *conterrâneo* + *-(i)dade.*]

conterrâneo (con.ter.*râ*.ne:o) *a.* 1 Que é da mesma terra (país, estado, cidade, região) que outro *sm.* 2 Aquele que é da mesma terra que outro [F.: Do lat. *conterraneus, i.* Sin. ger.: *compatrício, compatriota, patrício.* Ant. ger.: *forasteiro, estrangeiro.*]

contestabilidade (con.tes.ta.bi.li.*da*.de) *sf.* Característica ou condição do que é contestável, refutável [Ant.: *incontestabilidade*] [F.: *contestável* + (*at. bili*) + *-dade.*]

contestação (con.tes.ta.*ção*) *sf.* 1 Ação ou resultado de contestar, de negar a validade ou veracidade de algo; IMPUGNAÇÃO; REFUTAÇÃO: *contestação do resultado.* 2 Atitude de quem se nega a aceitar, admitir ou submeter-se a uma situação, uma autoridade, uma ação alheia etc. 3 Debate, questão, polêmica 4 *Jur.* Petição em que o réu contraria o pedido do autor da ação 5 *P. us.* Confirmação de um testemunho com outro [Pl.: *-ções.*] [F.: Do lat. *contestatio, onis.*]

contestado (con.tes.*ta*.do) *a.* 1 Que se contestou, que se refutou (documentos contestados); DUVIDOSO 2 Que foi considerado inválido (resultado contestado) *sm.* 3 Aquele ou aquilo que se contesta, que se questiona 4 *Bras.* Região de domínio controverso: *Muitos sertanejos perderam a vida na guerra do Contestado.* [Região disputada pelos estados do Paraná e de Santa Catarina.] [F.: Part. de *contestar*.]

contestador (con.tes.ta.*dor*) [ô] *a.* 1 Que contesta, protesta, nega ou contradiz; CONTESTANTE 2 Que tende a pôr em dúvida ou a não aceitar a legitimidade ou os pressupostos de situações, ações alheias, autoridade etc. *sm.* 3 Aquele que contesta, protesta, nega ou contradiz 4 Indivíduo que contesta sistematicamente, ou por temperamento, esp. a ordem ou a autoridade vigente [F.: *contestar* + *-dor*.]

contestante (con.tes.*tan*.te) *a2g.* 1 Que contesta; CONTESTADOR 2 Diz-se de quem, como réu de uma ação, contesta-a ao defender-se *s2g.* 3 Pessoa que contesta; CONTESTADOR 4 *Jur.* O réu que contesta a ação movida contra ele, ao defender-se [F.: *contestar* + *-nte*.]

contestar (con.tes.*tar*) *v.* 1 Negar a validade, a veracidade ou a exatidão de; CONTRADIZER; REFUTAR [*td.*: *Contestou a crítica, por tendenciosa.* Ant.: *aprovar, concordar.*] 2 Apresentar resposta contraditória a, replicar a, refutando [*tr.* + *a*: *Contestarei à sua carta com uma ação no tribunal.*] [*int.*: *Ao ouvir aquilo, Ana contestou com veemência.*] 3 Lançar dúvida sobre a veracidade de (decisão, ideia etc.); questionar (algo) a (alguém) [*td.*: *O delegado contestou as provas apresentadas pela vítima.*] [*tdi.* + *a*: *Contestou ao professor os seus argumentos.*] 4 Manifestar discordância, resistência ou oposição; OPOR-SE [*int.*: *O povo não tem razão para contestar.*] 5 Rejeitar como inválido, injusto ou ilegal (decisão, sentença, processo ou resultado de processo etc.); IMPUGNAR; REFUTAR [*td.*: *Contestou a marcação do pênalti; Vou contestar o resultado do concurso.* Ant.: *aceitar, acatar.*] 6 *Jur.* Provar, asseverar com razões, confirmar [*td.*] [▶ 1 contestar] [F.: Do lat. *contestare*, por *contestari*. Hom./Par.: *conteste(s)* (fl.), *conteste(s)* (a. [pl.]); *contestáveis* (fl.), *contestáveis* (a2g. [pl.]); *contesto* (fl.), *contexto* [ê] (sm.).]

contestatório (con.tes.ta.*tó*.ri:o) *a.* Ref. a ou que envolve contestação; contestador (movimento contestatório) [F.: Do lat. *contestatorius, a, um*. Hom./Par.: *contestatário*.]

contestável (con.tes.*tá*.vel) *a2g.* Que se pode contestar, que é suscetível de contestação (atitude contestável, critérios contestáveis) [Pl.: *-veis*.] [F.: *contesta(r)* + *-vel*.]

conteste (con.*tes*.te) *a2g.* 1 Diz-se de quem depõe ou afirma o mesmo que outra pessoa (testemunhas contestes); CONCORDE 2 Diz-se daquilo que afirma ou se baseia em um mesmo princípio, uma mesma suposição (asserções contestes) 3 *P. ext.* Que confirma ou corrobora outra afirmação; COMPROVATIVO [F.: Do lat. medv. *contestis, e*. Ant. ger.: *inconteste*. Hom./Par.: *conteste* (a2g.), *conteste* (fl. de *contestar*).]

conteudista (con.te.u.*dis*.ta) [e-u] *a2g.* 1 *Liter.* Que defende o conteudismo, que valoriza mais o conteúdo do que a forma *s2g.* 2 Aquele ou aquilo que representa o conteudismo, valorizando o conteúdo em detrimento da forma [Ant.: *formalista*.] 3 *Bras.* Em editoras, o responsável pelo conteúdo técnico de uma obra [F.: *conteúdo* + *-ista*.]

conteúdo (con.te.*ú*.do) *a.* 1 *Desus.* Contido em alguma coisa ou parte *sm.* 2 O que está contido ou se encerra em algo: *conteúdo de uma garrafa.* [Oposto a *continente* ('que contém ou encerra...').] *sm.* 3 Por metonímia, a capacidade (medida) de um continente: *O conteúdo da garrafa é de um litro.* 4 Aquilo de que algo é formado: *o conteúdo alveolar dos pulmões; o conteúdo dos sonhos e das fantasias.* 5 Assunto, teor, soma de conceitos e ideias de texto, obra, filme etc.: *o conteúdo de um artigo.* 6 A essência conceitual de algo (ideia, obra, pensamento, situação etc.); presença dessa essência como sentido genérico nessas manifestações: *Sua fala foi bonita, mas sem conteúdo.* 7 *Ling.* Carga semântica de um signo linguístico; SIGNIFICADO [F.: Part. (ant.) do verbo *conter*, ou do lat. vulg. *contenutus*.]

contexto (con.*tex*.to) [ês] *sm.* 1 Aquilo que constitui o texto na sua totalidade; o conjunto dos elementos textuais em que se encontra uma palavra ou passagem, e que modifica ou esclarece o sentido desta 2 Conjunto de circunstâncias ou fatos inter-relacionados que envolvem um evento particular, uma situação etc.: *o contexto histórico da Independência brasileira.* 3 Encadeamento das ideias do discurso, contextura 4 Argumento, assunto 5 *Ling.* Realidade extralinguística que numa situação de comunicação determina o conjunto de condições de uso da língua [F.: Do lat. *contextus, us*.]

contextual (con.tex.tu:*al*) [ês] *a2g.* 1 Ref. a contexto 2 Que depende de ou varia conforme o contexto, a situação, as circunstâncias: *uma frase de significado contextual.* [Pl.: *-ais*.] [F.: *contexto* + *-ual*.]

contextualização (con.tex.tu:a.li.za.*ção*) [es] *sf.* 1 Ação ou resultado de contextualizar, colocar no contexto correspondente 2 Vinculação do conhecimento à sua origem e aplicação [Pl.: *-ções*.] [F.: *contextualizar* + *-ção*.]

contextualizado (con.tex.tu:a.li.*za*.do) [es] *a.* Que se contextualizou: *Estratégias de ensino contextualizado.* [F.: Part. de *contextualizar*.]

contextualizar (con.tex.tu:a.li.*zar*) *v. td.* 1 Apresentar as circunstâncias e o contexto de (fato, ideia, afirmação, comportamento etc.): *O jornalista contextualizou suas declarações.* 2 *Ling.* Apresentar frase ou texto onde (determinada palavra ou expressão) se encontra: *Contextualize a palavra 'rico' para ver se é adjetivo ou substantivo.* 3 Entender, analisar ou interpretar o significado de algo levando em conta o contexto, as circunstâncias de ocorrência [▶ 1 contextualizar] [F.: *contextual* + *-izar*.]

contextura (con.tex.*tu*.ra) *sf.* 1 Maneira como se dispõem e se ligam entre si as partes de um todo; CONTEXTO; ENCADEAMENTO 2 *Liter.* Ordem ou sequência de ideias, argumentos, palavras, elementos de um conjunto textual o enredo de uma composição literária 3 Entrelaçamento dos fios de um tecido (inclusive um tecido orgânico); TEXTURA; TRAMA 4 Configuração sensível de superfície mineral; TEXTURA [F. *contexto* (do lat. *contextus*) + *-ura*, ou pelo fr. *contexture*.]

contido (con.*ti*.do) *a.* 1 Que está inteiramente dentro, no interior de algo, ou que não passa de certos limites; ABRANGIDO 2 Que é um elemento que constitui ou consta de um todo ou grupo maior 3 Que não passa ou é impedido de passar de certo limite (de tempo, de espaço, de intensidade), ou de sair para o exterior, ou, fig., de se manifestar (grito contido); REFREADO; REPRIMIDO 4 *Her.* Diz-se de peça compreendida dentro de orla, grinalda ou outra peça circundante [F.: Part. de *conter*. Ant. ger.: *incontido*.]

contiguidade (con.ti.gui.*da.de*) *sf.* 1 Qualidade ou estado de contíguo; ADJACÊNCIA; PROXIMIDADE; VIZINHANÇA 2 Proximidade imediata entre pessoas; contato, convívio [F.: *contíguo* + *-(i)dade*.]

contíguo (con.*tí*.guo) *a.* 1 Que está ao lado, junto, próximo, vizinho; ADJACENTE: *A sala de jantar é contígua à cozinha.* [Ant.: *afastado, separado*.] 2 *P. ext.* Que está próximo (no tempo, ou quanto ao sentido): *Os participantes do grupo têm ideias contíguas entre si.* [F.: Do lat. *contiguus, a, um*. Ant. ger.: *distante*. Hom./Par.: *contíguo* (a.), *contiguo* (fl. de *contiguar*).]

continência (con.ti.*nên*.ci:a) *sf.* 1 *Mil.* Cumprimento ou saudação formal e reverente entre militares ou de um militar para uma autoridade civil ou religiosa de alto escalão [Ger. inclui o gesto de erguer o braço direito e dobrá-lo para tocar no quepe, capacete etc. com a ponta dos dedos estendidos.] 2 Moderação nas palavras, gestos e atos; COMEDIMENTO: *beber com continência.* 3 Atitude ou capacidade de não realizar determinados atos, ou de não seguir impulsos, tendências 4 Atitude de abster-se de prazeres (continência sexual); CASTIDADE 5 *Med.* Capacidade de retardar a realização de necessidades fisiológicas (continência urinária) 6 *Jur.* Relação entre duas ações que envolvem as mesmas partes e causa de pedir, de modo que o objeto de uma abranja o da outra 7 Volume interior de um recipiente; CAPACIDADE [F.: Do lat. *continentia, ae*.] ■ **~ fecal** *Med.* Capacidade de reter as fezes até o momento da defecação voluntária **~ urinária** *Med.* Capacidade de reter a urina até o momento da urinação voluntária

continental (con.ti.nen.*tal*) *a2g.* 1 Que se localiza no continente: *O Rio de Janeiro é uma cidade continental.* 2 Do ou próprio do continente (águas continentais, clima continental) 3 Ref. ao continente por oposição a uma região insular (Europa continental) 4 Que tem vasta extensão de terra (dimensões continentais) [Pl.: *-tais*.] [F.: *continente* + *-al²*.]

continentalidade (con.ti.nen.ta.li.*da*.de) *sf.* Característica ou condição de continental (a continentalidade do Brasil) [F.: *continental* + *-i-* + *-dade*.]

continentalismo (con.ti.nen.ta.*lis*.mo) *sm. Pol.* Tendência à formação de alianças continentais, à união estratégica dos diversos países de um continente [F.: *continental* + *-ismo*.]

continente (con.ti.*nen*.te) *a2g.* 1 Moderado; que sabe conter-se (comportamento continente) 2 Casto, abstinente [Ant.: *incontinente*.] 3 Que contém ou encerra alguma coisa [Opõe-se a *conteúdo*.] 4 Unido em uma só peça, contínuo; CONTÍGUO *sm.* 5 *Geog.* Território vastíssimo cercado por águas oceânicas, e que constitui cada uma das seis grandes divisões da Terra (Europa, Ásia, África, América, Oceania e Antártida) [Europa e Ásia formam um só bloco contínuo, a Eurásia. A Oceania, além de incluir a Austrália, que tem dimensões continentais, é formada por centenas de ilhas.] 6 *Geog.* Parte continental de uma região em relação a outra que é insular: *Parte da população da ilha de Paquetá trabalha no continente.* 7 O que contém ou é feito para conter algo [Opõe-se a *conteúdo*.] 8 *Bras. RS Ant.* Designação popular do Estado do Rio Grande do Sul, dos tempos coloniais até meados do séc. XIX [F.: Do lat. *continens, entis*.] ■ **~ austral** *Geog.* A massa continental na região do Polo Sul; Antártida **Antigo ~** 1 Europa, Ásia e África 2 *Antq.* Portugal, em relação a suas antigas colônias **Novíssimo ~** *Geog.* A Oceania **Novo ~** *Geog.* As Américas **Velho ~** V *Antigo continente*

continentista (con.ti.nen.*tis*.ta) *RS a2g.* 1 Diz-se de indivíduo que foi revolucionário em 1835, no Rio Grande do Sul; FARRAPO; FARROUPILHA; CONTINENTINO *s2g.* 2 Aquele que participou da revolução de 1835; FARRAPO; FARROUPILHA; CONTINENTINO *a2g. s2g.* 3 *Antq.* O mesmo que *gaúcho* [F.: *Continente* (de São Pedro), nome dado então ao RS + *-ista*.]

contingência (con.tin.*gên*.ci:a) *sf.* 1 Condição do que é contingente (1), casual [Ant.: *incontingência*] 2 Possibilidade de algo acontecer ou não 3 Fato que não é previsível ou sobre cuja ocorrência não há certeza, que depende de circunstâncias não controláveis; tb.: conjunto de condições ou circunstâncias que determinam um fato não previsto 4 *Fil.* Acontecimento eventual que não tem em si a sua razão de ser, pois poderia ter ocorrido de maneira diferente ou simplesmente não ter se efetuado 5 *Est.* Comparação entre dois dados de quantidades mensuráveis cuja medida é baseada no afastamento de suas frequências em relação aos valores que teriam [F.: Do lat. *contingentia, ae*.]

contingenciado (con.tin.gen.ci.*a*.do) *a. Econ.* Que se contingenciou, que foi objeto de controle orçamentário no governo: *Valor contingenciado não tem previsão de ser liberado.* [F.: Part. de *contingenciar*.]

contingencial (con.tin.gen.ci*al*) *a2g.* 1 Ref. a contingência 2 Que é eventual, temporário, contingente: *A força de trabalho contingencial reúne mais profissionais que os funcionários da empresa.* 3 Que atende a contingências, se adapta ou responde a elas (liderança contingencial) [Pl.: *-ais*.] [F. *contingência* + *-al¹*.]

contingenciamento (con.tin.gen.ci:a.*men*.to) *Econ. sm.* 1 Ato ou efeito de contingenciar, fazer (o governo) controle orçamentário 2 Política econômica em que o governo impõe limites à produção, comercialização, importação ou exportação de determinados bens [F.: *contingenciar* + *-mento*.]

contingenciar (con.tin.gen.ci.*ar*) *v. td. Econ.* Impor (ger. o governo) limites e regras a (uso de recursos e verbas, orçamento etc.): "O Ministério do Planejamento adiantou também que o governo não vai contingenciar qualquer recurso destinado à ciência e tecnologia." (*O Globo*, 16.04.2005) [▶ 1 contingenciar] [F.: *contingência* + *-ar²*. Hom./Par.: *contingencia(s)* (fl.), *contingência(s)* (sf. [pl.]).]

contingente (con.tin.*gen*.te) *a2g.* 1 Que é incerto ou que pode acontecer por acaso; CIRCUNSTANCIAL; EVENTUAL [Ant.: *certo*] 2 *Fil.* Diz-se das coisas e dos acontecimentos que não têm em si a sua razão de ser, pois se concebem como podendo ser ou não ser 3 *Fil.* Segundo Spinoza, situação ou circunstância que parece eventual por não se ter, pela limitação do conhecimento, explicação ou compreensão da sua causa 4 *Lóg.* Diz-se de uma expressão verbal ou simbólica cuja verdade ou falsidade só pode ser conhecida pela experiência (verdade contingente) *sm.* 5 Conjunto de pessoas formado para executar determinada tarefa: *contingente de atendimento aos flagelados.* 6 *Mil.* Destacamento de militares de uma unidade para desempenho de certa tarefa ou missão eventual: *contingente de ajuda às vítimas.* 7 Quantidade de homens que cada circunscrição tem de dar para o serviço militar 8 Determinação quantitativa (contingente populacional) 9 Quinhão, porção, parcela: *Deu seu contingente de ajuda.* 10 *Fil.* Algo que não tem em si a razão suficiente de sua existência, pois poderia ter ocorrido de maneira diferente ou simplesmente não ter se efetuado 11 *Econ. Com.* Quantidade máxima de um produto que uma nação fixa para sua importação ou exportação em determinado prazo, e provenientes de países especificados [F.: Do lat. *contingens, entis*.]

continuação (con.ti.nu:a.*ção*) *sf.* 1 Ação ou resultado de continuar; PROSSEGUIMENTO; PROSSECUÇÃO: *Decidiram pela continuação do projeto.* 2 Sucessão de acontecimentos da mesma natureza: *O que se viu foi uma continuação de acidentes e incidentes.* 3 Aquilo que é, no espaço, o seguimento ou a sequência de algo; PROLONGAMENTO: *Esta saleta é a continuação daquela sala maior.* 4 Prolongamento, no tempo, de um evento, apresentação etc.: *A peça teve tal sucesso que decidiram por sua continuação em cartaz.* 5 Rua, avenida, estrada ou caminho que dá seguimento a um outro: *Esta rua é continuação daquela.* 6 Acréscimo na duração de algo; PRORROGAÇÃO: *Decidiram pela continuação do racionamento.* 7 Parte de uma obra (cinematográfica, literária etc.) que dá seguimento à(s) precedente(s): *Este filme é uma continuação da série de televisão.* [Pl.: *-ções*.] [F.: Do lat. *continuatio, onis*.]

continuado (con.ti.nu:*a*.do) *a.* 1 Que não tem ou que não sofre interrupção; que prossegue no tempo, sem cessar (esforço continuado); CONTÍNUO [Ant.: *intermitente, interrompido, interrupto*.] 2 Que se repete ou se sucede com certa frequência; SUCESSIVO: *Telefonei continuadas vezes mas não o encontrei em casa.* 3 *Antq. Gram.* O mesmo que *aposto* [F.: Part. de *continuar*; lat. *continuatus, a, um*.]

continuador (con.ti.nu.a.*dor*) [ô] *a.* 1 Que continua, que é capaz de continuar algo *sm.* 2 Aquele que continua, que é capaz de continuar: *Foi um continuador do Expressionismo.* [F.: *continuar* + *-dor*.]

continuar (con.ti.nu.*ar*) *v.* 1 Dar seguimento, prosseguimento a [*td.*: *Continuou o discurso sem interrupção.*] [*tr.* + *a, em, com*: *Ela continuou com a pesquisa.*] 2 Seguir adiante em (ação); prosseguir em [*td.*: "O trem pode continuar sua marcha veloz..." (Kurban Said, *Ali e Nino*)] [*tr.* + *em*: *Continuou em sua caminhada.*] 3 Manter (qualidade ou estado) [*tp.*: "E o Cachimbo da Paz continua proibido." (Gabriel, o Pensador, *Cachimbo da Paz*)] 4 Ter prosseguimento; PERDURAR [*int.*: *Apesar da chuva, a missa campal continuou.*] 5 Vir em seguida a; suceder [*td.*: *Um dia continua o outro e assim segue a vida.*] 6 Estender(-se), prolongar(-se) [*td.*: *O pedreiro continuou o muro.*] [*int.*: *Estas montanhas continuam(-se) até o mar.*] [▶ 1 continuar. Us. tb. como v. aux., seguido de gerúndio ou da prep. *a* + v. principal no infinit., indicando continuação, persistência da ação: *Continuaram pedindo doações; Você continua a trabalhar à noite?*] [F.: Do lat. *continuare*. Hom./Par.: *continuo* (fl.), *contínuo* (a. sm.).]

continuidade (con.ti.nu:i.*da.de*) *sf.* 1 Qualidade ou condição do que é contínuo 2 Prosseguimento ou persistência de um fato, acontecimento ou contexto (continuidade cultural) 3 Ligação não interrompida das partes de um todo: "O encanto vinha justamente da sensação de coisas vistas, uma ressurreição que era continuidade." (Machado de Assis, *Memorial de Aires*) 4 *Cin. Telv. Publ.* Relação de coerência ou de continuidade entre elementos necessários para o desenvolvimento da(s) sequência(s) de um filme, novela, programa, propaganda etc. 5 *Mat.* Propriedade da função contínua 6 *Elet.* Condição de um circuito que permite a passagem da corrente elétrica sem interrupção 7 *Cons.* Junção dos elementos estruturais para formar o todo resistente de uma construção 8 *Ling.* Organização sequencial dos tópicos de uma conversação, de modo que a abertura de um tema se dá após o fechamento do precedente [F.: Do lat. *continuitas, atis.* Ant. nas acps. 1 a 3: *descontinuidade.*]

continuísmo (con.ti.nu:*ís*.mo) *sm.* 1 *Bras. Pol.* Manutenção do poder político nas mãos das mesmas pessoas ou do mesmo grupo 2 *P. ext.* Manutenção, continuação ou continuidade de qualquer situação 3 Ação, estratégia ou manobra para manter a situação política ou econômica 4 *P. ext.* Doutrina ou tendência favorável à continuidade (esp. na condução de assuntos políticos, econômicos, administrativos) [F.: *contínuo* ou *continu(idade)* + *-ismo.*]

continuísta (con.ti.nu:*ís*.ta) *a2g.* 1 *Bras. Pol.* Ref. a continuísmo ou que o defende ou favorece (estratégia continuísta; facção continuísta) *s2g.* 2 *Bras.* Aquele que é defensor do continuísmo, em política ou outro campo de atividade 3 *Cin. Telv.* Pessoa responsável pela continuidade (coerência entre as cenas) de um filme, novela, programa etc. [F.: *continu(ismo)* ou *continu(idade)* + *-ista.*]

contínuo (con.*tí*.nu:o) *a.* 1 Que continua, se estende, no tempo ou no espaço, sem interrupções; CONTINUADO; SEGUIDO: *a rotação contínua da Terra.* 2 Que se prolonga sem pausas ou sem divisões: *faixa contínua de pedestres.* 3 Que se repete consecutivamente com intervalos regulares; SUCESSIVO 4 Que tem coerência ou lógica (discurso contínuo) 5 *Pap.* Diz-se do papel fabricado em tiras compridas e enrolado em bobinas 6 *Mat.* Diz-se da função cujo valor em um ponto é igual ao do seu limite para esse mesmo ponto 7 *Fon.* Diz-se do som da fala que é produzido sem o fechamento completo do trato vocal 8 *Ling.* O mesmo que *durativo* (2) *sm.* 9 Funcionário encarregado de transportar papéis e documentos, ir a bancos etc.; BÓI; OFFICE BOY [F.: Do lat. *contin u us, a, um.* Ant. nas acps. 1 a 3: *descontínuo.* Hom./Par.: *contínuo* (a. sm.), *continuo* (fl. de *continuar*).] ▪▪ **~ espaço-tempo** *Fís.* Na teoria da relatividade de Einstein, o espaço de quatro dimensões (as três dimensões espaciais mais o tempo) **De ~** 1 De maneira continuada, continuamente 2 Imediatamente

⊕ ***continuum*** (*Lat.* /*contínuum*/) *sm.* 1 Série de muitos elementos em sequência, em que cada um quase não difere do que se lhe segue, observando-se, por isso, grande diferença entre os elementos iniciais e os finais 2 *Mat.* O conjunto de todos os números reais

contista (con.*tis*.ta) *a2g.* 1 *Liter.* Ref. a conto (1), esp. ao conto como gênero literário (estilo contista, tradição contista) *s2g.* 2 *Liter.* Aquele que escreve contos 3 *Bras. P. us.* Pessoa que pratica o delito do conto do vigário; VIGARISTA [F.: *conto* + *-ista.* Hom./Par.: *contista* (a2g. s2g.), *comtista* (a2g. s2g.).]

contística (con.*tís*.ti.ca) *sf. Liter.* Conjunto de uma obra literária constituída basicamente de contos (a contística de Dalton Trevisan) [F.: *contista* + *-ica.*]

conto¹ (*con*.to) *sm.* 1 *Liter.* Narrativa falada ou escrita, breve e concisa, menor que o romance, ger. de uma única ação, com pequeno número de personagens em torno de um único ou poucos incidentes 2 Relato falso e enganoso; mentira que se conta a alguém; EMBUSTE; ENGODO 3 Conta, número, cômputo 4 *Antq.* Um milhão: *um conto de réis.* 5 *Ant.* Pequeno disco de metal us. para calcular 6 *Lus.* Mil escudos 7 *Lus.* Medida de sal que se compõe de cinquenta rasas 8 *Lus.* Medida de ovos, equivalente a vinte dúzias 9 *Moç.* Vinte meadas de linho para o coradouro [F.: Do lat. *computus.* Hom./Par.: *conto* (sm.), *conto* (fl. de *contar*).] ▪▪ **~ da carochinha** 1 Conto de fadas 2 Lorota, mentira **~ de Trancoso** *Lus.* Ver *Conto da carochinha* **~ de réis** Um milhar de mil-réis (q. v.) [Tb. apenas *conto.*]

conto² (*con*.to) *sm.* 1 Extremidade inferior da lança 2 Ponteira de um bastão 3 *Mil.* Extremidade em forma de globo de um canhão [F.: Do gr. *kontós*, pelo lat. *contus.* Hom./Par.: *conto* (sm.), *conto* (fl. de *contar*).]

conto do vigário (con.to do vi.*gá*.ri:o) *sm.* 1 *Bras.* Golpe us. para enganar pessoas ingênuas e obter seu dinheiro, oferecendo-lhes falsas vantagens em negócios tortuosos, ou encenando uma situação complicada, que leva a pessoa a entregar seu dinheiro sem desconfiar do engodo 2 Qualquer embuste preparado com má-fé para aproveitar-se da ingenuidade de alguém e obter seu dinheiro ou objetos de valor [Pl.: *contos do vigário.*] [F.: *conto¹* + *do* + *vigário.*]

contorção (con.tor.*ção*) *sf.* 1 Ação ou resultado de contorcer(-se) 2 *Med.* Movimento exagerado, ou espasmódico, ou irregular, de um ou mais músculos do corpo (contorção facial) 3 Movimento de contorcionista, que exige grande flexibilidade ou elasticidade 4 Arqueamento de qualquer material flexível: *contorção da vara de pescar.* [Pl.: *-ções.*] [F.: Do lat. *contort i o, onis.*]

contorcer (con.tor.*cer*) *v.* 1 Torcer com força, contraindo; fazer dobrar ou dobrar sobre si (objeto ou parte do corpo); torcer(-se), dobrar(-se), contrair(-se); ter contorção [*td.*: *A cobra contorceu o corpo antes do bote; contorceu-se de dor; Contorceu a boca em reprovação.*] 2 Ter forma recurvada ou curvas sucessivas; formar uma sequência de curvas [*int.*: *A escadaria contorcia-se até o alto da torre.*] [▶ 33 contor**cer**] [F.: Do lat. vulg. *contorcere*, por *contorquere.*]

contorcido (con.tor.*ci*.do) *a.* 1 Que se contorceu: *Apareceu todo contorcido de dor.* 2 Muito torcido (ferro contorcido) [F.: Part. de *contorcer.*]

contorcionismo (con.tor.ci:o.*nis*.mo) *sm.* 1 Técnica ou arte acrobática, ger. circense, de contorção do corpo: *Com atroz contorcionismo, enfiou-se na mala do palhaço.* 2 *Fig.* Esforço para equilibrar orçamento: *Só com muito contorcionismo conseguiu sobreviver naquele ano.* [F.: *contorção* (f. *contorcion-*) + *-ismo.*]

contorcionista (con.tor.ci:o.*nis*.ta) *a2g.* 1 Que tem facilidade em contorcer o próprio corpo 2 Diz-se de artista, ginasta etc. que se apresenta realizando contorções *s2g.* 3 Artista, ginasta etc. que se apresenta realizando contorções 4 *Fig.* Pessoa que sempre dá um jeito de conseguir ter ou fazer as coisas apesar de todas as dificuldades [F.: *contorção* + *-ista*, seg. o mod. erudito.]

contornado (con.tor.*na*.do) *a.* 1 Que se contornou, se rodeou: *casa contornada por árvores frutíferas.* 2 Resolvido, solucionado: *problema rapidamente contornado pelo gerente.* 3 Cuja superfície foi delimitada; cujo contorno foi traçado: *olhos contornados por lápis escuro.* [F.: Part. de *contornar.*]

contornar (con.tor.*nar*) *v. td.* 1 Dar volta(s) em torno de: *Para chegar à igreja, contorne a praça.* 2 Estender-se em volta, em torno de; CIRCUNDAR; RODEAR: *Uma cerca de arame farpado contornava toda a propriedade; A estrada contorna a montanha até o topo.* 3 *Fig.* Solucionar parcialmente ou evitar (situação problemática, dificuldade): *contornar uma crise/ um bug.* 4 Dar acabamento em volta de: *A estilista contornou a barra da calça com cristais.* 5 Traçar o contorno, os limites de: *Usou hidrocor para contornar o desenho.* 6 *Fig.* Tornar mais apurado (texto, frases etc.), arredondar, aprimorar, burilar: *O compositor pediu para seu parceiro contornar a letra da música.* [▶ 1 contor**nar**] [F.: *con-* + *tornar*, ou do lat. *contornare*, pelo it. *contornare.* Hom./Par. *contorno* (fl.), *contorno* [ô] (sm.).]

contornável (con.tor.*ná*.vel) *a2g.* Que se pode contornar [Ant.: *incontornável.*] [Pl.: *-veis.*] [F.: *contornar* + *-vel.* Hom./ Par.: (pl.) *contornáveis*, *contorneis* (fl. de *contornar*).]

contorno (con.*tor*.no) [ô] *sm.* 1 Linha que limita exteriormente um corpo, uma figura ou um objeto qualquer, e que serve ou é percebida como indicação ou representação da forma, do relevo, da proporção entre as partes, do perfil, etc. (contorno dos olhos) 2 Perímetro, circuito, caminho que dá uma volta (quase) completa ao redor de uma área ou local (contorno da cidade) 3 Limite arredondado de certas formas do corpo humano (contorno dos quadris) 4 Caminho opcional para desviar, contornar ou dar a volta: *Fez o contorno para fugir do trânsito.* 5 *Fig.* Vigor de expressão, elegância, arredondamento de um período, na expressão escrita 6 Característica, traço distintivo, modo de ser; elemento que é próprio de algo ou alguém, ou que o torna reconhecível: *Aos poucos, a ideia original, muito vaga, ganhou contornos mais precisos.* [Muito us. no pl.] [F.: Dev. de *contornar.* Hom./Par.: *contorno* [ô] (sm.), *contorno* [ó] (fl. de *contornar*).]

contra (*con*.tra) *prep.* 1 Em oposição, em combate a: *ação contra a violência; campanha contra as drogas.* 2 Em direção oposta à de: *ir contra a corrente; caminhar contra a multidão.* [Us. quando há movimento de ambas as partes, isto é, em direções opostas.] 3 Em direção a: *atirar contra um alvo.* [Us. quando há movimento em uma única direção, ger. com ímpeto, vigor, fúria etc.] 4 Com a frente para, defronte de: *A casa está contra o sol nascente.* 5 Junto de, em contato com: *Tomou-o nos braços e apertou-o contra o peito.* 6 De encontro a: *O caminhão chocou-se contra o barranco.* 7 Em objeção a, em refutação de: *Nada tenho a dizer contra isso.* 8 Em desacordo com: *Partiu contra sua vontade.* 9 Em posição contrária, divergente ou antagônica a (algo ou alguém): *Sou contra a pena de morte.* 10 Com objetivo contrário, hostil a, ou que resulta em prejuízo para: *atentados contra o meio ambiente.* 11 Como defesa, proteção ou prevenção a: *alarme contra incêndios; vacina contra gripe.* 12 De combate a, para alívio ou cura de: *xarope contra a tosse.* 13 Para reparação ou indenização a: *seguro contra incêndios/ roubo.* 14 Ao contrário de: *O negócio falhou contra todas as esperanças.* 15 Em troca de, em reciprocidade com: *apostar um contra cem.* 16 Para débito em: *cheque emitido contra um banco.* *adv.* 17 De modo desfavorável ou antagônico, contrariamente (votar contra) *a2g.* 18 *Esp.* Que não é (diz-se de gol, cesta, ponto etc.) feito em favor, mas em prejuízo do time do atleta que o marca *sm.* 19 O lado negativo de alguma coisa: *Serão avaliados os prós e os contras da sua decisão.* [Mais us. no pl.] 20 Contestação negativa; OBJEÇÃO: *Não vou poder ir, meu pai deu o contra.* 21 *Hist.* Termo com que se denominava os rebeldes contra o sandinismo na Nicarágua, em 1980 [Us. mais no pl.] [F. Do lat. *contra.* Ideia de 'contra' *cata-* (*cataclismo*) *contra-* (*contra-aviso*).] ▪▪ **Ser do ~** *Pop.* Divergir, discordar sempre de tudo; opor-se habitualmente a sugestões, ideias etc.

◎ **contra-** *el. comp.* 1 = 'oposição'; 'ação conjunta'; 'contrariamente a': *contraveneno, contradizer, contrapeso, contraordem* 2 = 'ação recíproca e similar, neutralizadora': *contra-ataque, contraespionagem, contrarrevolução.* 3 = 'reforço': *contramuro, contrapilastra.* 4 = 'ação verificadora': *contraexame, contraprova.* 5 = 'auxiliar': *contra-almirante, contramestre.* [F.: Do lat. *contra.*]

contra-almirante (con.tra-al.mi.*ran*.te) *sm.* 1 *Mar. G.* Patente militar imediatamente abaixo de vice-almirante 2 *Mar. G.* Militar que tem essa patente *a2g.* 3 Diz-se de navio que é comandado pelo contra-almirante [Pl.: *contra-almirantes.*] [NOTA: Freq. a palavra *almirante* é us. no lugar de *contra-almirante.*]

contra-argumentar (con.tra-ar.gu.men.*tar*) *v. td.* Apresentar argumento em contrário: *Contra-argumentou que aquele ideal já estava ultrapassado.* [▶ 1 contra-argumen**tar**] [F.: *contra* + *argumentar.*]

contra-argumento (con.tra-ar.gu.*men*.to) *sm.* Argumento lançado contra outro [Pl.: *contra-argumentos.*]

contra-arrestar (con.tra-ar.res.*tar*) *v. td.* 1 Colocar obstáculo a: *Decidiu contra-arrestar aqueles hábitos nocivos.* 2 Mostrar oposição a [▶ 1 contra-arres**tar**] [F.: *contra* + *arrestar.*]

contra-atacar (con.tra-a.ta.*car*) *v.* 1 Atacar (adversário, oponente) depois de sofrer investida; tomar a ofensiva depois de repelir um ataque [*td.*: *Depois de sofrer bombardeios contra-atacou a potência inimiga.*] [*int.*: *Acuado, o guerreiro contra-atacou; O time se defendia bem e contra-atacava rapidamente.*] 2 Contestar, responder (com palavras ou ações) a atitude de (alguém); CONTRADIZER; REFUTAR [*int.*: *"Ele inventa mentiras para diminuir meu sucesso", contra-atacou o ofendido.*] [*td.*: *Contra-atacava o rival com apartes inflamados.*] [▶ 11 contra-ata**car**] [F.: *contra-* + *atacar.* Hom./Par.: *contra-ataque(s)* (fl.), *contra-ataque(s)* (sm. [pl.]).]

contra-ataque (con.tra-a.*ta*.que) *sm.* 1 Ação ou resultado de contra-atacar 2 *Mil.* Ação ofensiva temporária e específica para repelir o ataque inimigo 3 *Esp.* Tática que consiste em tomar a bola do adversário que está atacando e partir em velocidade para pegar sua defesa desguarnecida [Pl.: *contra-ataques.*]

contra-aviso (con.tra-a.*vi*.so) *sm.* Aviso que anula ou altera outro; CONTRAORDEM [Pl.: *contra-avisos.*]

contrabaixista (con.tra.bai.*xis*.ta) *s2g.* Indivíduo que toca contrabaixo; CONTRABAIXO [F.: *contrabaixo* + *-ista.*]

contrabaixo (con.tra.*bai*.xo) *sm.* 1 *Mús.* Instrumento de cordas que tem o maior tamanho e o som mais grave, no grupo daqueles com o formato do violino 2 *Ant. Mús.* A voz mais grave que a do baixo; *tb.*: cantor que tem voz desse tipo 3 *Mús.* O mesmo que *contrabaixista* 4 *Mús.* Entre os instrumentos de um mesmo grupo ou família, aquele que tem som mais grave [F.: Do it. *contrabbasso.*]

contrabalançar (con.tra.ba.lan.*çar*) *v.* 1 Igualar em peso, ou em força exercida, a (peso ou força que atua em sentido contrário); EQUILIBRAR [*td.*: *No sistema de alavanca, um peso menor e mais distante pode contrabalançar um peso maior.*] 2 *P. ext.* Ter efeito de intensidade equivalente ao de (determinada ação ou determinado agente), mas contrário a estes ou que tende a anulá-los [*td.*: *Os aplausos contrabalançavam as vaias; O grupo hesitava: a prudência de uns a contrabalançar a ousadia dos outros.*] 3 *Fig.* Compensar, abrandar (algo negativo); obter (contrapondo pesos, medidas, atribuição de importância etc. a fato, ideia, situação etc.) equilíbrio ou compensação de; COMPENSAR; CONTRAPESAR [*td.*: *A distribuição de recursos procurava contrabalançar as desigualdades regionais.*] [*tdr.* + *com*: *Contrabalançou sua falta de experiência com muita dedicação.*] 4 *Fig.* Garantir a proporção, o equilíbrio entre (diferentes atividades, coisas) [*tdr.* + *com*: *O atleta tentava contrabalançar os estudos com os treinos.*] [▶ 12 contrabalan**çar**] [F.: *contra-* + *balançar.*]

contrabalancear (con.tra.ba.lan.ce.*ar*) *v.* Ver *contrabalançar* [▶ 13 contrabalanc**ear**] [F.: *contra-* + *balancear.*]

contrabandeado (con.tra.ban.de.*a*.do) *a.* Que se contrabandeia ou contrabandeou; transportado e comercializado ilegalmente (cigarro contrabandeado) [F.: Part. de *contrabandear.*]

contrabandear (con.tra.ban.de.*ar*) *v.* 1 Introduzir ou tentar introduzir mercadorias estrangeiras num país sem pagar os devidos impostos; comerciar ilegalmente [*td.*: *Foi preso na alfândega por contrabandear peças de computador; A quadrilha contrabandeava animais silvestres.*] [*int.*: *Ele vive de contrabandear.*] 2 *Fig.* Trazer (elementos, ideias etc.) para outro contexto, outro campo de atividade, desrespeitando normas ou convenções [*td. /tda.*: *Contrabandeou (para o ensaio filosófico) alguns termos das ciências exatas.*] [▶ 13 contraband**ear**] [F.: *contrabando* + *-ear²*.]

contrabandista (con.tra.ban.*dis*.ta) *a2g.* 1 Ref. a contrabando 2 Que faz contrabando, que contrabandeia; MUAMBEIRO *s2g.* 3 Pessoa que faz contrabando, que contrabandeia, ou, p. ext., que vende mercadorias contrabandeadas; MUAMBEIRO [F.: *contrabando* + *-ista.*]

contrabando (con.tra.*ban*.do) *sm.* 1 Delito que consiste em importar ou exportar clandestinamente mercadorias proibidas ou sem o pagamento de taxas e impostos devidos 2 A mercadoria contrabandeada; MUAMBA: *Foi pego em flagrante com o carro cheio de contrabando.* 3 *Fig.* Ato irregular ou praticado às escondidas 4 Bando que se forma para combater outro 5 *Fig.* Pessoa com quem se mantém uma relação amorosa irregular ou clandestina [F.: Do it. *contrabbando.*]

contracampo (con.tra.*cam*.po) *sm. Cin. Telv.* Campo filmado em direção oposta à do campo anterior (p. ex., alguém aparece de costas, abrindo a porta da casa, e depois de frente, entrando em casa); CONTRAPLANO [F.: *contra-* + *campo.*]

contracanto (con.tra.*can*.to) *sm. Mús.* Melodia secundária que acompanha a principal, estabelecendo uma espécie de diálogo com ela [F.: *contra-* + *canto.*]

contração (con.tra.*ção*) *sf.* 1 Ação ou resultado de contrair(-se); diminuição da extensão, área ou volume de algo (contração muscular); CONSTRIÇÃO; CONTRATURA; ENCOLHIMENTO; ESTREITAMENTO [Ant.: *descontração, dilatação.*] **2** Diminuição do âmbito, do alcance, da esfera de ação, influência etc. (contração psicológica) **3** *Gram. Ling.* Aglutinação de preposição com outro elemento gramatical [Ocorre principalmente com as preposições *de, em* e *por*, que se aglutinam com artigo, ou com pron. dem. ou com pron. indef., formando uma única palavra (p. ex.: da, dele, numa, nessa, naquele, doutro, pela).] **4** A palavra formada por contração (2) **5** Redução de duas ou mais vogais contíguas a uma só [Ver *crase, coalescência, elisão.*] **6** *Med.* Cada uma de uma série de movimentos espasmódicos, intermitentes, do útero, que fazem parte do processo do parto e o prenunciam **7** Diminuição fisiológica ou patológica das dimensões de um órgão ou outro elemento anatômico [Pl.: *-ções.*] [F.: Do lat. *contractio, onis.*]

contracapa (con.tra.*ca*.pa) *sf. Art. gr. Edit.* Cada um dos lados internos da capa de um livro, revista etc. [Designação comum à segunda capa e à terceira capa (ver essas locs. no verbete *capa*). O termo é tb. equivocadamente empregado para designar a quarta capa.] [F.: *contra- + capa.*]

contracena (con.tra.*ce*.na) *sf.* **1** Atuação de quem contracena com outro(a) ator(atriz) **2** *Teat.* Cena secundária, com marcação complementar (recuada, lateral), em que os diálogos (se há) são simulados, e que se dá simultaneamente à cena principal [F.: *contra- + cena.*]

contracenação (con.tra.ce.na.*ção*) *sf.* **1** *Teat. Cin. Telv.* Ato ou efeito de contracenar, de atuar um artista diretamente com outro: *Extraordinária a contracenação de Jeremy Irons com Juliette Binoche em Perdas e danos, de Louis Malle.* **2** Atuação em papéis secundários: *Põe em cena figuras paralelas menos importantes, que servem para a contracenação.* [F.: *contracenar + -ção.*]

contracenar (con.tra.ce.*nar*) *v.* **1** *Cin. Teat. Telv.* Atuar (em cena de peça, filme, televisão etc.) com outro ator [*tr. + com: No filme, ela contracena com vários atores e atrizes importantes.*] [*int.: As duas irmãs contracenaram no papel de inimigas.*] **2** Marcar contracena; fingir que dialoga enquanto outros atores estão realmente dialogando [*int.: Começou a carreira contracenando em algumas novelas de TV.*] [▶ 1 contracen**ar**] [F.: *contracena + -ar².* Hom./Par.: *contracena(s)* (fl.), *contracena(s)* (sf. [pl.]).]

contracepção (con.tra.cep.*ção*) *sf.* **1** *Biol.* Método ou técnica (de uso temporário e sem efeitos irreversíveis) para evitar que relações sexuais resultem em gravidez; ANTICONCEPÇÃO [A contracepção pode impedir que haja fecundação do óvulo pelo espermatozoide, ou impedir que ocorra a nidação do óvulo fecundado.] **2** Infecundidade decorrente do uso de contraceptivos [Pl.: *-ções.*] [F.: Do ing. *contraception.*]

contraceptivo (con.tra.cep.*ti*.vo) *a.* **1** *Med.* Diz-se de medicamento, método ou técnica que impede a fecundação *sm.* **2** Esse medicamento, método ou técnica [F.: Do ing. *contraceptive.* Sin. ger.: *anticoncepcional, anticonceptivo.*]

contracheque (con.tra.*che*.que) *sm.* Documento emitido pelo empregador (firma comercial, repartição pública etc.) ao empregado e que relaciona os ganhos salariais e os descontos devidos ou acréscimos, servindo de autorização, comprovante e garantia de recebimento do salário *SP*; HOLERITE [F.: *contra- + cheque.*]

contrachoque (con.tra.*cho*.que) *sm.* Abalo, choque em sentido contrário; CONTRAGOLPE: *o contrachoque petrolífero de 1986.* [F.: *contra- + choque.*]

contracorrente (con.tra.cor.*ren*.te) *sf.* **1** *Oc.* Corrente marítima ou fluvial que flui em sentido oposto ao da corrente principal; CONTRAFLUXO **2** *Tec.* Processo em que duas correntes interagem, fluindo em sentidos opostos **3** *Fig.* Aquilo que se coloca contra a opinião ou tendência geral, ou o senso comum: *um escritor que está na contracorrente da literatura brasileira.* [F.: *contra- + corrente.*]

contracosta (con.tra.*cos*.ta) [ó] *sf.* **1** *Oc.* Costa litorânea que se opõe a uma outra, que fica voltada em direção contrária à dela, no mesmo continente ou na mesma ilha: "Os mouros... passando de África à contracosta de Espanha..." (Antônio Vieira, *Sermões*) **2** *PA* A costa norte da ilha de Marajó [F.: *contra- + costa.*]

contráctil (con.*trác*.til) *a2g.* Ver *contrátil* [Pl.: *-teis.*] [F.: *contracto + -il.*]

contraculto (con.tra.*cul*.to) *sm.* Ofício religioso que vai de encontro a outro, que se lhe opõe radicalmente: *O satanismo é um contraculto de todos os cultos cristãos.* [F.: *contra- + culto.*]

contracultura (con.tra.cul.*tu*.ra) *sf.* **1** Movimento cultural surgido na década de 1960, que questionava os valores e práticas das sociedades ocidentais industrializadas e massificadas, esp. o caráter materialista, competitivo e consumista, e pregava mudanças sociais, econômicas e de atitude e mentalidade **2** Prática cultural que rejeita e combate os valores culturais dominantes; ANTICULTURA [F.: *contra- + cultura.*]

contracultural (con.tra.cul.tu.*ral*) *a2g.* **1** Ref. à contracultura (1): *ousadia contracultural* **2** Ref. a contracultura (2); que contesta ou contraria a cultura predominante [Pl.: *-ais.*] [F.: *contracultura + -al¹.*]

contradança (con.tra.*dan*.ça) *sf.* **1** Dança em que os pares formam filas e executam movimentos contrários **2** *Mús.* A música que acompanha esse tipo de dança **3** *S. E. S* Design. genérica de danças de quadrilha **4** *Bras. Fig.* Situação instável, caracterizada por oscilações, variações, mudanças frequentes (de lugar, de governo, de função etc.) [F.: Do fr. *contredanse.* Hom./Par.: *contradança* (sf.), *contradança* (fl. de *contradançar*).]

contradição (con.tra.di.*ção*) *sf.* **1** Ação ou resultado de contradizer(-se) **2** Desacordo, incoerência, incompatibilidade entre afirmações, atitudes, fatos etc. anteriores e os atuais: *Este seu preconceito está em contradição com todo o seu discurso sobre tolerância e convivência.* **3** Qualquer afirmação ou atitude que seja incoerente com uma afirmação ou atitude feita anteriormente; DESMENTIDO; CONTESTAÇÃO: *Este texto é uma contradição a tudo que ele sempre afirmou.* [Ant.: *confirmação.*] **4** Contestação, impugnação; objeção, oposição **5** *Jur.* Desacordo entre as respostas dos jurados aos quesitos **6** *Fil.* No marxismo, condição que põe em conflito as forças produtivas e as relações de produção **7** *Lóg.* Incompatibilidade de coexistência de duas proposições, quando uma exclui necessariamente a outra **8** *Lóg.* Princípio lógico de que uma coisa não pode ao mesmo tempo ser e não ser, o que implica o caráter verdadeiro da exclusão do contrário [Pl.: *-ções.*] [F.: Do lat. *contradictio, onis.*] ■ **Sem ~** De maneira incontestável

contradita (con.tra.*di*.ta) *sf.* **1** Declaração contrária, que contradiz ou contesta outra; CONTESTAÇÃO; CONTRADIÇÃO; IMPUGNAÇÃO **2** *Jur.* Alegação forense que uma parte faz contra outra numa ação [F.: Fem. substv. do part. *contradito.* Cf.: *contradição.*]

contraditar (con.tra.di.*tar*) *v. td.* **1** Questionar a veracidade de (algo); contradizer, desmentir (alguém): *contraditar uma teoria/ um cientista.* **2** *Jur.* Opor contradita a (ger. testemunha): *O promotor contraditou a testemunha por ser sócia da ré.* [▶ 1 contradit**ar**] [F.: *contradita + -ar².* Hom./Par.: *contradita(s)* (fl.), *contradita(s)* (sf. [pl.]); *contradito* (fl.), *contradito* (a.).]

contraditor (con.tra.di.*tor*) [ô] *a.* **1** Que contradita ou contradiz **2** *Jur.* Que apresenta contradita em juízo *sm.* **3** Aquele que contradita ou contradiz **4** *Jur.* Aquele que apresenta contradita em juízo [F.: Do lat. *contradictor, oris.*]

contraditória (con.tra.di.*tó*.ri:a) *sf.* **1** Proposição oposta a outra; CONTRADITA **2** *Jur.* Aquilo que encerra discussão judicial; processo em que há contestação das partes, réplica, tréplica, impugnação [F.: Fem. substv. de *contraditório.*]

contraditório (con.tra.di.*tó*.ri:o) *a.* **1** Que contradiz o anteriormente afirmado; que se contradiz ou tende a contradizer-se (argumento contraditório; pessoa contraditória); INCOERENTE [Ant.: *coerente.*] **2** Em que há ou que constitui uma contradição (discurso contraditório; sentimentos contraditórios); DIVERGENTE **3** *Jur.* Em que ocorre contestação das partes **4** *Jur.* Diz-se de processo ou julgamento em que há discussão judicial *sm.* **5** *Jur.* Princípio de igualdade entre as partes na apresentação e na contestação de provas [F.: Do lat. *contradictorius, a, um.*]

contradizer (con.tra.di.*zer*) *v. td.* **1** Dizer ou expressar o oposto de; CONTRARIAR; IMPUGNAR; REFUTAR: *contradizer uma proposição.* **2** Contestar afirmação, declaração, ideia de (alguém); redarguir a: *Convicto de sua razão, contradisse o advogado:* "Não serei eu que os desdiga ou contradiga." (Machado de Assis, *Dom Casmurro*) **3** Dizer o contrário do que anteriormente ou noutro lugar afirmara: *A testemunha se contradisse várias vezes.* **4** Estar em desacordo (com): *As notícias sobre o sequestro se contradizem em diferentes jornais:* "Padrões da moda contradizem gosto nacional" (*Folha de S.Paulo*, 20.06.2004) [▶ **20** contra**dizer**] [F.: Do lat. *contradicere.*]

contradomínio (con.tra.do.*mí*.ni:o) *sm. Mat.* Conjunto dos valores que pode assumir a variável dependente de uma função [F.: *contra- + domínio.*]

contraente (con.tra.*en*.te) *a2g.* **1** Que contrai **2** Que celebra um contrato (firma contraente); CONTRATANTE *s2g.* **3** Aquele ou aquilo que contrai, assume um compromisso (esp. casamento): *Embora o contraente assuma o matrimônio em idade legalmente imprópria para o casamento, este não será invalidado.* **4** O que celebra um contrato, convênio etc.; CONTRATANTE: *O segundo contraente prestará seus serviços na sede da empresa.* [F.: Do lat. *contrahens, entis.*]

contraespião (con.tra.es.pi.*ão*) *sm.* Agente designado para se contrapor à atividade de um espião [Pl.: *contraespiões.* Fem.: *contraespiã.*]

contraespionagem (con.tra.es.pi:o.*na*.gem) *sf.* **1** Ação de combate às atividades dos espiões inimigos **2** Organização com essa finalidade [Pl.: *contraespionagens.*]

contraexemplo (con.tra-e.*xem*.plo) *sm.* Exemplo que se dá com o fim de contrariar uma afirmação ou teoria: *A vitória do negro Jesse Owens, na Berlim de 1936, foi um contraexemplo vivo do arianismo.* [Pl.: *contraexemplos.*]

contrafação (con.tra.fa.*ção*) *sf.* **1** Ação ou resultado de contrafazer, de dar ou tomar aparência falsa, enganadora; DISFARCE; FALSIDADE; FINGIMENTO: *Toda aquela gentileza foi uma contrafação.* [Ant.: *franqueza, sinceridade.*] **2** *P. ext.* Imitação ou reprodução que não tem o valor ou a validade da coisa, obra ou ação original **3** Produção de algo enganosamente semelhante a determinada coisa original ou que aparenta ter qualidade ou valor que não possui; falsificação de produtos, assinaturas, textos etc.; ADULTERAÇÃO; FRAUDE: *contrafação de obras de arte.* **4** Produto falsificado; *esp.:* aquilo que é produzido em desrespeito a patente industrial, ou a certos direitos (de marca de indústria, autorais, de propriedade intelectual): *Camelôs vendem contrafações de produtos de marca.* **5** Imitação, paródia, plágio [Ant.: *criação, inovação.*] [Pl.: *-ções.*] [F.: Do lat. *contrafactio, onis.* Tb. *contrafacção.*]

contrafacção (con.tra.fac.*ção*) *sf.* Ver *contrafação* [Pl.: *-ções.*]

contrafatual (con.tra.fa.tu.*al*) *a2g.* Diz-se da especulação de natureza hipotética e utópica, oposta àquela que se baseia em fatos ou dados já existentes [Pl.: *-ais.*] [F.: *contra- + fatual.*]

contrafazer (con.tra.fa.*zer*) *v. td.* **1** Imitar, arremedar, por zombaria ou para fazer rir: *Gostava de contrafazer figuras conhecidas.* **2** Reproduzir (algo) imitando, com intenção de fazer passar a imitação pelo original; FALSIFICAR: *contrafazer quadros de artistas famosos.* **3** Disfarçar: *contrafazer a voz, para não ser reconhecido.* **4** Impor-se sobre a vontade de (alguém ou si mesmo); CONSTRANGER: *Contrafez o amigo ao fazer ele acompanhá-lo na viagem; Contrafez-se ao aceitar o convite para não melindrar o tio.* **5** Fazer mudar de aspecto, de forma; DESFIGURAR: *A raiva contrafez-lhe o semblante.* [▶ **22** contra**fazer**] [F.: Do lat. *contrafacere.*]

contrafé (con.tra.*fé*) *sf. Jur.* Cópia autêntica de citação ou intimação judicial, que é entregue a quem foi citado ou intimado [F.: *contra- + fé.*]

contrafeito (con.tra.*fei*.to) *a.* **1** Que se contrafez; que foi falsificado ou imitado por contrafação (texto contrafeito; pintura contrafeita); ADULTERADO; DETURPADO [Ant.: *autêntico, legítimo.*] **2** Feito sem espontaneidade; que demonstra constrangimento, incômodo ou ausência de vontade, de convicção, de concordância (gesto contrafeito); CONSTRANGIDO; EMBARAÇADO **3** Que age contra a vontade; COAGIDO; FORÇADO: *Contrafeito, pediu desculpas. sm.* **4** *Cons.* Peça de madeira que se prega na parte inferior dos caibros e que vai além da parede exterior **5** *Bras.* Papagaio cujas penas são tingidas para terem cores mais vivas e atraentes [F.: Do lat. *contrafactus, a, um.*]

contrafilé (con.tra.fi.*lé*) *sm. Bras.* Carne magra e macia retirada da parte média do dorso bovino, us. em assados e grelhados, como bife e rosbife [F.: *contra- + filé.*]

contrafluxo (con.tra.*flu*.xo) *sm.* Fluxo em direção oposta à de outro fluxo; CONTRACORRENTE [F.: *contra- + fluxo.*]

contraforça (con.tra.*for*.ça) [ô] *sf.* Força em sentido contrário [F.: *contra- + força.*]

contraforte (con.tra.*for*.te) *sm.* **1** *Geog.* Ramificação montanhosa que se defronta com a cadeia principal: *contrafortes da Serra do Mar.* **2** Forro us. para reforçar calçados e roupas **3** *Cons.* Estrutura para reforçar ou escorar construções **4** Aquilo que serve para proteger, defender, preservar, e que é colocado diante ou em volta da coisa a ser protegida [F.: Do it. *contrafforte.*]

contragolpe (con.tra.*gol*.pe) *sm.* **1** Golpe que se desfere como reação a um golpe recebido; REAÇÃO; REVIDE **2** Reação defensiva que consiste em atacar antecipadamente ou em resposta a ataque sofrido, para evitar certos efeitos deste; CONTRA-ATAQUE; CONTRAOFENSIVA [F.: *contra- + golpe.*]

contragolpear (con.tra.gol.pe.*ar*) *v. td.* Retrucar com golpe a golpe recebido: *Contragolpeou o adversário.* [▶ **13** contragolp**ear**] [F.: *contra + golpear.*]

contragosto (con.tra.*gos*.to) [ô] *sm.* **1** Ausência de vontade ou gosto; *p. ext.:* aversão, repulsa, antipatia: *Comeu o doce a contragosto.* [Us. quase sempre na loc. *a contragosto.*] **2** Aquilo que contraria o gosto ou a vontade de alguém [F.: *contra- + gosto.*] ■ **A ~** Contra a vontade, com desprazer ou contrariedade; coagidamente, por dever ou obrigação

contraguerrilha (con.tra.guer.*ri*.lha) *sf.* Conjunto de combatentes especialmente treinados para anular e/ou destruir operações guerrilheiras [F.: *contra- + guerrilha.*]

contraído (con.tra.*í*.do) *a.* **1** Que sofreu contração, encolhimento, diminuição de comprimento ou volume (músculos contraídos; órgão contraído); CRISPADO; ENCURTADO; RETRAÍDO [Ant.: *espichado, estendido, esticado.*] **2** Que passou a ser uma condição da pessoa; que afeta diretamente alguém ou é da sua responsabilidade (doença contraída; empréstimo contraído); ADQUIRIDO [Ant.: *descartado, rejeitado.*] **3** *Fig.* Que foi afetado por [+ *de, em: contraído de dor; contraído em tristeza.*] **4** *Fig.* Tímido, embaraçado [Ant.: *descontraído, desembaraçado.*] [F.: Part. de *contrair.* Ideia de 'contraído', usar pref. ² *esten(o)-.*]

contraindicação (con.tra.in.di.ca.*ção*) *sf.* **1** Ação ou resultado de contraindicar **2** Indicação que anula ou se opõe a outra (contraindicação administrativa) **3** *Med.* Qualquer condição ou sintoma que torne impróprio uma intervenção cirúrgica ou o uso de uma medicação [Pl.: *contraindicações.*]

contraindicado (con.tra.in.di.*ca*.do) *a.* **1** Que se contraindica ou contraindicou (processo contraindicado) **2** Prejudicial, desaconselhável: *Hormônio tireoidiano é contraindicado nos regimes para emagrecer.* [Ant.: *aconselhável, recomendado.*] [Pl.: *contraindicados.*] [Ant. ger.: *indicado.*]

contraindicar (con.tra.in.di.*car*) *v.* **1** Opor-se a determinado uso ou procedimento (ger. médico ou odontológico) [*td.: O médico contraindicou uma cirurgia no meu caso.*] [*tdi. + a, para: O dentista contraindicou ao paciente o uso de açúcar.*] **2** Ser desaconselhável a [*td.: Seu estado de saúde contraindica uma viagem muito longa.*] [▶ **11** contraindi**car**] [F.: *contra- + indicar.*]

contrainformação (con.tra.in.for.ma.*ção*) *sf.* **1** Ação ou resultado de impedir, frustrar ou dificultar o acesso do adversário ou inimigo a informações próprias **2** *Mil.* Conjunto de medidas que, na guerra ou em tempos de paz, tem como objetivo registrar, evitar e neutralizar a espionagem, a subversão, ou outras atividades de um adversário ou inimigo **3** Organização responsável pela contrainformação [Pl.: *contrainformações.*]

contrainteligência (con.tra.in.te.li.*gên*.cia) *sf.* Atividade que tem como objetivo neutralizar a inteligência adversa, proteger o conhecimento sensível e manter o sigilo das operações de inteligência para evitar que agentes de outros países ou de instituições concorrentes penetrem no governo, forças armadas, agências de inteligência, ou em setores estratégicos de empresas [Pl.: *contrainteligências.*]

contrair (con.tra.*ir*) *v.* **1** Causar ou sofrer redução de tamanho, volume, forma, estrutura etc.; provocar contração em ou sofrer contração; encolher(-se), retrair(-se) [*td.: contrair os músculos; Tremendo de frio, contraiu-se todo.*] [*int.: Seu rosto contraiu-se numa careta.*] **2** Ser acometido por [*td.: contrair uma doença/ uma mania.*] **3** Efetuar, concretizar, assumir compromisso (que precisa ser honrado) [*td.: contrair matrimônio/ dívidas.*] **4** *Ling.* Fazer ou sofrer junção de (sons de palavras adjacentes) [*td.: contrair uma preposição e um artigo.*] [*tr. + com: Em 'da', a preposição 'de' contrai- se com o artigo 'a'.*] [*int.: A preposição 'em' e o pronome 'este' contraem-se na forma 'neste'.*] **5** *Med.* Sofrer ou fazer sofrer diminuição do comprimento e/ou volume (um músculo, órgão) [*td.: Contraiu o bíceps em resposta ao estímulo elétrico.*] [*int.: Seu baço contraiu-se em virtude da doença.*] **6** Apertar-se, fechar-se [*int.: Seus lábios contraíram-se de ódio.*] [▶ **43** contr**air**] [F.: Do lat. *contrahere.* Ant. ger.: *descontrair.*]

contralateral (con.tra.la.*te*.ral) *a2g.* **1** *Anat.* Que está situado no lado oposto do corpo: *O rim direito é contralateral ao rim esquerdo.* **2** *Med.* Diz-se de sintoma que se manifesta do lado oposto ao da lesão que o motivou [Pl.: *contralaterais.*] [F.: *contra-* + *lateral.*]

contralto (con.*tral*.to) *sm.* **1** *Mús.* No canto, a mais grave das vozes femininas, cujo registro fica entre o de tenor e o de meio-soprano **2** *Mús.* Mulher que canta com essa voz **3** *Mús.* Instrumento com essa tonalidade *a2g.* **4** Diz-se de cantora com esse registro de voz ou de instrumento com registro correspondente [F.: Do it. *contralto.*]

contraluz (con.tra.*luz*) *sf.* **1** Local oposto àquele em que a luz incide diretamente **2** *Pint.* Luz que incide no sentido oposto àquele em que se pintou o quadro **3** *Fot.* Efeito que se obtém quando a luz incide por trás do objeto, em torno do qual se vê um halo luminoso **4** *Teat.* Foco de luz que incide do palco sobre a plateia [F.: *contra-* + *luz.*]

contramão (con.tra.*mão*) *sf.* **1** Sentido oposto ao do fluxo de veículos permitido em determinada rua, avenida, estrada, ou em determinada pista de rua, estrada etc.: "Morreu na contramão atrapalhando o tráfego." (Chico Buarque, *Construção*) [Ant.: *mão.*] **2** *Fig.* Posição que indica opinião ou atitude contrária ao que está estabelecido, à tendência ou preferência geral, ou ao senso comum (contramão da história) [Pl.: *-mãos.*] *a2g2n.* **3** *Fig.* Que é de difícil acesso, ou distante: *O lugar onde ela estuda é muito contramão.* **4** Que está na contramão, que anda em sentido contrário (fluxos contramão) *adv.* **5** Em sentido ou movimento opostos ao do fluxo, ao da orientação permitida, estabelecida; fora da mão (trafegar contramão) [F.: *contra-* + *mão.*]

contramarcha (con.tra.*mar*.cha) *sf.* Marcha que segue o caminho oposto ao de seu início, ou que recua de volta ao local em que começou [F.: *contra-* + *marcha.*]

contramarco (con.tra.*mar*.co) *sm.* *Cons.* Designação da parte fixa que apoia o marco ou guarnição do vão de portas e janelas [F.: *contra-* + *marco.*]

contramaré (con.tra.ma.*ré*) *sf.* **1** *Oc.* Corrente oposta à maré ordinária **2** *Fig.* Sentido oposto; CONTRAFLUXO: *A telefonia celular segue na contramaré da economia.* [F.: *contra-* + *maré.*]

contramedida (con.tra.me.*di*.da) *sf.* Medida, providência destinada a anular ou atenuar o efeito de outra (contramedidas administrativas) [F.: *contra-* + *medida.*]

contramensagem (con.tra.men.*sa*.gem) *sf.* **1** Mensagem oposta a outra: *Uma contramensagem ordenou o cessar-fogo.* **2** *P. ext.* Conjunto de elementos, não explícitos, que se contrapõem à mensagem de um texto, de uma obra (contramensagem do filme) [F.: *contra-* + *mensagem.*]

contramestre (con.tra.*mes*.tre) *sm.* **1** Profissional encarregado de chefiar um grupo de trabalhadores (contramestre de obra) **2** *Mar.* Substituto do capitão no comando de um navio **3** *Mar.* Suboficial encarregado dos trabalhos marinheiros a bordo **4** *Bras. Mús.* Violeiro cantador que faz a segunda voz [F.: *contra-* + *mestre.*]

contramolde (con.tra.*mol*.de) *sm.* **1** Molde com que se envolve outro para reforçar, proteger ou dar solidez **2** Desenho ou forma invertida de objeto que se vai reproduzir **3** *Art. Graf.* Reprodução de gravura do objeto a ser estampado, com relevo inverso, na impressão em relevo, nos processos de gofragem ou de relevografia; CONTRACUNHO; CONTRAMATRIZ **4** *Pal.* Reprodução da forma de um organismo obtida pelo preenchimento, ger. com gesso, do espaço antes ocupado por ele [Cf.: *contra-* + *molde.*]

contraofensiva (con.tra.o.fen.*si*.va) *sf.* **1** Estratégia com o objetivo de sair de uma posição defensiva para tomar a iniciativa do ataque **2** Operação que se empreende depois de ter sofrido a ofensiva do adversário [Pl.: *contraofensivas.*]

contraordem (con.tra.*or*.dem) *sf.* Ordem que anula uma ordem anterior ou se opõe a ela [Pl.: *contraordens.*] [F.: *contra-* + *ordem.*]

contraparente (con.tra.pa.*ren*.te) *s2g.* **1** Parente afastado; pessoa que não tem parentesco direto, que é parente de parentes diretos ou mais próximos **2** Parente por afinidade; pessoa com a qual o vínculo de parentesco se estabelece em decorrência de casamento com algum parente direto dela (p. ex.: genros, sogros, cunhados) [Como fem. tb. se usa *contraparenta.*] [F.: *contra-* + *parente.*]

contraparte (con.tra.*par*.te) *sf.* **1** Aquilo que complementa, e que tem características distintas, contrastantes ou opostas a outras partes do todo; COMPLEMENTO *sf.* **2** *Mús.* Parte musical secundária em contraponto a outra, a principal [F.: *contra-* + *parte.*]

contrapartida (con.tra.par.*ti*.da) *sf.* **1** *Cont.* Lançamento contábil que corresponde e se contrapõe a outro **2** Aquilo que completa, ou que compensa, ou que serve de compensação; aquilo que corresponde a algo, mas tem sentido ou efeito contrário [+ *a, de: A poluição e degradação ambiental são a contrapartida do crescimento industrial.*] **3** Aquilo que se dá ou faz em troca de algo recebido ou como correspondente ou complemento à ação de outrem para o mesmo objetivo: *A contrapartida do governo federal, no projeto, é de 2 milhões, devendo o governo estadual se responsabilizar pela infraestrutura das instalações.* [F.: *contra-* + *partida.*] ■ **Em ~** Em compensação; por outro lado

contrapasso (con.tra.*pas*.so) *sm.* **1** Passo de dança em direção oposta a outro anterior **2** *Mil.* Meio passo, com o mesmo pé, para recuperar andamento e cadência da marcha [F.: *contra-* + *passo*[1].]

contrapé (con.tra.*pé*) *sm.* **1** *Bras.* Pé (um só) de apoio e sustentação em certo momento de uma ação física **2** *Esp.* Situação de quem está apoiado nesse pé, o que pode dificultar movimento que exija apoio no outro pé **3** O que é o oposto de algo; o contrário **4** Base, apoio [F.: *contra-* + *pé.*] ■ **No ~ 1** No lado ou na direção do pé em que a pessoa está momentaneamente apoiada (o que dificulta o movimento adequado: *Bateu o pênalti no contrapé do goleiro.* **2** *Fig.* De surpresa; em momento ou condição que não permite ação ou reação eficaz

contrapelo (con.tra.*pe*.lo) [ê] *sm.* **1** Direção oposta à direção natural do pelo **2** *Fig.* Inabilidade ou inaptidão ao fazer algo [F.: *contra-* + *pelo.*] ■ **A ~ 1** No sentido contrário ao do crescimento do pelo **2** *Fig.* De maneira desfavorável, fora da ocasião ou condições adequadas

contrapesar (con.tra.pe.*sar*) *v. td.* **1** Equilibrar o peso pela colocação de um contrapeso: *Contrapesar uma balança.* **2** *Fig.* Fazer avaliação de; avaliar, pesar: *Contrapesou os méritos e deméritos do aluno.* **3** Compensar [▶ **1** contrapes**ar**] [F.: *contrapeso* + *ar*[2]. Hom./Par.: *contrapeso* (fl.), *contrapeso* /ê/ (sm.).]

contrapeso (con.tra.*pe*.so) [ê] *sm.* **1** Peso us. para equilibrar ou anular a força de um outro peso **2** *Fig.* Qualquer coisa que sirva para equilibrar ou compensar outra **3** A vara us. pelos equilibristas para aumentar a capacidade de reequilibrar o corpo, sem cair; MAROMBA **4** Peça ou mecanismo em elevadores e máquinas, para equilibrar a diferença de peso ou diminuir o atrito por esta provocado **5** *Agr.* Peça que se coloca em tratores e máquinas agrícolas para garantir maior estabilidade ao trabalhar o solo **6** *Com.* Pequena porção acrescentada a uma quantidade de mercadoria, para completar aquilo que foi originalmente pedido **7** *P. ext.* Esse acréscimo de mercadoria quando de qualidade inferior [F.: Do it. *contrappeso*, ou de *contra-* + *peso.*]

contraplano (con.tra.*pla*.no) *sm.* *Cin. Telv.* O mesmo que *contracampo* [A cena, cenário ou personagem de frente para a câmera no campo ou plano é visto de costas no contraplano.] [F.: *contra-* + *plano.*]

contrapoder (con.tra.po.*der*) *sm.* Poder (de um país, governo, entidade, organismo, pessoa etc.) que se opõe a outro ou que o equilibra [F.: *contra-* + *poder.*]

contrapontear (con.tra.pon.te.*ar*) *v.* **1** *Mús.* Pôr em contraponto; submeter às técnicas do contraponto; CONTRAPONTAR [*td.: Contraponteou uma antiga composição musical.*] **2** *RS* Contestar afirmação; dizer em resposta; CONTRADITAR; RETRUCAR [*td.: Contraponteou o irmão o tempo todo.*] [*int.: Minha mãe me aconselhou a não contrapontear.*] **3** *RS* Entrar em desavença; DESAVIR(-SE) [*tr. + com: Contraponteou-se com o avô.*] [▶ **13** contrapont**ear**] [F.: *contraponto* + *-ea r*[2].]

contrapontista (con.tra.pon.*tis*.ta) *a2g.* **1** *Mús.* Que domina e utiliza a técnica do contraponto *s2g.* **2** *Mús.* Especialista em contraponto [F.: *contraponto* + *-ista.*]

contrapontístico (con.tra.pon.*tís*.ti.co) *a.* **1** *Mús.* Ref. a ou próprio de contraponto ou contrapontista (talento contrapontístico) **2** *Liter.* Que se caracteriza pelo entrelaçamento e a superposição de elementos, ou em que há essa superposição ou entrelaçamento (técnica contrapontística) [F.: *contrapontista* + *-ico*[2].]

contraponto (con.tra.*pon*.to) *sm.* **1** *Mús.* Arte ou técnica de composição em que se sobrepõem melodias distintas executadas simultaneamente **2** *Mús.* Composição ou trecho musical em que ocorre essa simultaneidade de melodias **3** *Mús.* Arte de compor para dois ou mais instrumentos ou para duas ou mais vozes **4** *Fig.* O que contrasta com algo e, ao mesmo tempo, o complementa **5** *Fig.* Uso ou ocorrência de temas que se entrelaçam, num texto literário, roteiro, peça etc. [F.: Do it. *contrappunto*, do lat. medv. *contrapunctum.*] ■ **~ invertível** *Mús.* Aquele no qual se pode fazer inversão na posição das vozes sem consequências na harmonia **Em ~ a** Simultânea e paralelamente a algo, causando efeitos combinados de contraste, semelhança e complementaridade

contrapor (con.tra.*por*) [ô] *v.* **1** Pôr contra ou em frente a algo; pôr lado a lado [*tdr. + a: Contrapôs o escudo à lança; contrapor o peito às balas.*] [*td.: contrapor um par de jarros.*] **2** Pôr em paralelo; comparar; confrontar [*td.: No livro o autor contrapõe duas personagens.*] **3** Apresentar(-se) em oposição a algo ou alguém [*td.: Na defesa, o advogado contrapôs bons argumentos.*] [*tdr. + a: contrapor uma opinião a outra:* "...sua política procurou não se contrapor aos interesses portugueses..." (Alberto da Costa e Silva, *A manilha e o libambo*)] [*tr. + a*] [▶ **60** contrap**or** Part.: *contraposto.*] [F.: Do lat. *contraponere.*]

contraporca (con.tra.*por*.ca) *sf.* Porca atarraxada sobre outra para que esta não desaperte [F.: *contra-* + *porca.*]

contraposição (con.tra.po.si.*ção*) *sf.* **1** Ação ou resultado de contrapor(-se) **2** Posição ou disposição em sentido contrário ao de algo **3** Oposição, divergência **4** *Her.* Num escudo, posição oposta de figuras **5** *Art. pl.* Disposição de elementos pictóricos ou esculturais para contrabalançar o efeito de outros em benefício do equilíbrio formal [Pl.: *-ções.*] [F.: Do lat. *contrapositio, onis.*]

contraposto (con.tra.*pos*.to) [ô] *a.* **1** Que se contrapôs **2** Em posição ou sentido contrário; OPOSTO **3** Em que há desacordo, ou que contradiz; OPOSTO; CONTRÁRIO **4** *Art. pl.* Diz-se de escultura ou de reprodução artística de figura humana com a parte superior do corpo virada em direção oposta à inferior **5** *Her.* Diz-se de cada uma de duas armas brancas dispostas juntas, com as respectivas pontas em sentidos contrários [F.: Do lat. *contrapositus, a, um*, part. de *contraponere.*]

contraproducente (con.tra.pro.du.*cen*.te) *a2g.* **1** Que não produz o resultado que se esperava ou produz resultado oposto **2** Que prova o contrário ou o oposto do que se queria provar [F.: *contra-* + *producente.*]

contrapropaganda (con.tra.pro.pa.*gan*.da) *sf.* *Comun.* Propaganda (de natureza comercial ou, esp., política) cujo intuito é o de se opor a outra ou anulá-la [F.: *contra-* + *propaganda.*]

contrapropor (con.tra.pro.*por*) *v. td.* Apresentar proposta de (ação, oferta, pagamento etc. a serem feitos), como alternativa a outra; fazer contraproposta de: *Os patrões contrapropõem um aumento menor.* [▶ **60** contrapro**por.** Part.: *contraproposto.*] [F.: *contra-* + *propor.*]

contraproposta (con.tra.pro.*pos*.ta) *sf.* Proposta que alguém apresenta como alternativa a uma outra recebida e não aceita [F.: *contra-* + *proposta.*]

contraprova (con.tra.*pro*.va) *sf.* **1** *Jur.* Contestação jurídica dos argumentos contra o réu **2** *Jur.* Prova que anula ou se opõe a uma prova anterior **3** *Tip.* Prova tipográfica em que já foram feitas as emendas de uma prova anterior **4** *Art. gr.* Prova invertida de desenho ou gravura que se obtém a partir de prova ainda úmida de tinta [F.: *contra-* + *prova.*]

contrariado (con.tra.ri.*a*.do) *a.* **1** Que se contrariou **2** Que sofre ou sofreu oposição ou contestação (opinião contrariada) **3** Que passou por contrariedade **4** *Fig.* Que está insatisfeito, aborrecido porque aconteceu algo diferente do esperado ou do pretendido **5** *Fig. P. ext.* Que sente ou revela desgosto, aborrecimento, decepção ou tristeza; DESCONTENTE; DESGOSTOSO [F.: Part. de *contrariar.*]

contrariar (con.tra.ri.*ar*) *v.* **1** Estar em oposição a; ir de encontro a [*td.: Essa medida contraria os interesses da comunidade.*] **2** Fazer ou dizer algo oposto ao que foi dito ou feito, ou que é esperado [*td.:* "...tinha o danado defeito de contrariar qualquer coisa que a gente falava." (Guimarães Rosa, *Grande sertão: veredas*)] **3** Causar ou sofrer aborrecimento, incômodo; ABORRECER; INCOMODAR [*td.: A atitude do gerente contrariou os clientes.*] [*tr. + com: Ele não se contraria com esse boato.*] [*int.: Insistiu com o seu comportamento só para contrariar.*] **4** Não ter respeito por; VIOLAR [*td.: Pessoas há que contrariam as normas estabelecidas.*] **5** Servir de obstáculo a; ATRAPALHAR; ESTORVAR; OBSTAR [*td.: O mau tempo contrariou nossos planos de acampar no fim de semana.*] [▶ **1** contrari**ar**] [F.: Do lat. *contrariare.* Hom./Par.: *contrario* (fl.), *contrário* (a. sm.).]

contrariedade (con.tra.ri.e.*da*.de) *sf.* **1** Qualidade ou condição do que é contrário **2** Oposição entre coisas **3** Resistência a alguma coisa: *Demonstrou contrariedade ao pedido de aumento.* **4** Desgosto ou aborrecimento com algo ou alguém: *Teve grande contrariedade com a batida do carro.* **5** *Fig. P. ext.* Situação ou fato desfavorável, desagradável, ou que representa uma dificuldade, um estorvo, uma perda, ou prejuízo: *Passou por muitas contrariedades neste ano.* **6** *Lóg.* Relação de oposição lógica entre uma proposição universal afirmativa e uma proposição universal negativa, que implica que ambas não podem ser verdadeiras ao mesmo tempo, podendo, contudo, serem ambas falsas [F.: Do lat. *contrarietas, atis.*]

contrário (con.*trá*.ri:o) *a.* **1** Que se opõe a, que é o oposto, o inverso de (algo: *Na reunião, a cada proposta feita apresentava uma proposta contrária.* **2** Que tem sentido oposto (direção contrária) **3** Que está no avesso: *Vestiu a blusa do lado contrário.* **4** Que não concorda, que discorda: *Ele tem opinião contrária à legalização das drogas.* **5** Que é contra, hostil a algo, que tem opinião ou posição adversa: *Ele é contrário à eutanásia.* **6** Que contradiz ou contraria: *Esta é uma afirmação contrária à declaração dele.* **7** Que não tem gosto, inclinação ou interesse por algo; DESAFEIÇOADO: *Sou contrário a qualquer tipo de carteado.* **8** Que não é favorável; ADVERSO; DESFAVORÁVEL: *A sorte lhe foi contrária, perdeu tudo no jogo.* **9** *Lóg. Fil.* Que se encontra em relação de contrariedade (proposições contrárias) *sm.* **10** Qualquer coisa que seja contrária a outra, ou o seu oposto: *O contrário do amor é o ódio.* **11** Indivíduo, equipe ou time adversário, em jogo, partida, disputa **12** *PA* O boi adversário na festa do bumba meu boi [F.: Do lat. *contrarius.*] ■ **Ao ~ 1** Do lado avesso: *Estendeu a colcha ao contrário, com o bordado para baixo.* **2** Com a frente para trás: *Sua camiseta está ao contrário.* 3 Ver *Pelo contrário* **Ao ~ de** Ao invés de, em oposição a: *Ao contrário do combinado, assumiu sozinho o trabalho; Ao contrário dos colegas, que sempre atrasavam, costumava chegar mais cedo.* **Do ~** Se não for assim: *Siga as instruções do manual, do contrário não vai funcionar.* **Pelo ~** Nada disso, e sim o oposto; ao contrário (3): *— Está com frio? — Pelo contrário, com muito calor.*

contrarrazão (con.trar.ra.*zão*) *sf. Jur.* Argumento ou razão que, numa ação, impugna argumento ou razão anteriormente apresentados pela outra parte [F.: *contra-* + *razão*.]

contrarreforma (con.trar.re.*for*.ma) *sf.* 1 Ação ou recurso contestatório à reforma anteriormente realizada 2 *Hist. Rel.* Movimento religioso de reação à Reforma protestante, empreendido pela Igreja Católica no séc. XVI [Com iniciais maiúsc., nesta acp.] [Pl.: *contrarreformas*.]

contrarregra (con.trar.*re*.gra) *Cin. Teat. Telv. Rád. s2g.* 1 Profissional responsável pela administração do palco, ou do local de encenação e filmagem, no que respeita a sonorização, cenários, objetos de cena, vestuário, indicação de entrada e saída de atores ou convidados etc. [Pl.: *contrarregras*.] *sf.* 2 O trabalho de contrarregra (1): *Ele se encarregará da contrarregra.* [F.: *contra-* + *regra*.]

contrarrevolução (con.trar.re.vo.lu.*ção*) *sf.* 1 Revolução que pretende anular ou se opor a outra que a antecedeu e restaurar a situação anteriormente vigente 2 Movimento contrarrevolucionário, ou o conjunto daqueles que procuram anular uma revolução em curso [No contexto histórico da segunda metade do séc. XIX e no séc. XX, o termo é mais comumente referido à oposição das revoluções de inspiração comunista.] [Pl.: *contrarrevoluções*.] [F.: *contra* + *revolução*.]

contrassenha (con.tras.*se*.nha) *sf.* Qualquer conjunto de caracteres (palavra, frase, número, símbolo, sinal, fórmula etc.) previamente convencionado para servir de resposta a uma senha; CONTRASSINAL [Pl.: *contrassenhas*.] [F.: *contra* + *senha*.]

contrassenso (con.tras.*sen*.so) *sm.* Proposição, juízo ou ato que contraria a lógica ou o senso comum; ABSURDO; DISPARATE; DESPROPÓSITO: "Bem que não possamos tirar a limpo o contrassenso popular de chamarem Bruxa à exorcista da serra." (Camilo Castelo Branco, *Bruxa*) [Pl.: *contrassensos*.] [F.: *contra-* + *senso*.]

contrastado (con.tras.*ta*.do) *a.* 1 Que se contrastou 2 Que passou por avaliação ou por comparação para que possíveis diferenças ou variações fossem observadas (diz-se de duas ou mais coisas ou de elementos de uma só) 3 *Our.* Que foi avaliado por meio de toque com água-régia ou outro processo (químico) contrastivo (diz-se de metal, joia etc.) 4 *Rlog.* Em que se injetou ou se aplicou contraste (3) (diz-se de órgão ou vaso sanguíneo) 5 *Rlog.* Diz-se de radiografia de órgão ou de vaso sanguíneo feita a partir da utilização de contraste (3) [F.: Part. de *contrastar*.]

contrastante (con.tras.*tan*.te) *a2g.* 1 Que contrasta ou faz contraste 2 Em que há ou que revela oposição, antagonismo ou divergência (opiniões contrastantes; posições contrastantes) [F.: *contrastar* + *-nte*.]

contrastar (con.tras.*tar*) *v.* 1 Comparar, pôr (elementos distintos) em contraste, verificando ou salientando as diferenças; CONFRONTAR; CONTRAPOR; COTEJAR [*td.*: *contrastar poemas de épocas distintas.*] [*tdr.* + *com*: *contrastar uma versão com outra.*] 2 Estar ou fazer ficar em contraste (mais de uma coisa), numa relação de aspectos diferentes de modo que essa diferença realce reciprocamente o aspecto de cada coisa [*tr.* + *com*: *A generosidade de um contrasta com a mesquinhez do outro; O azul do céu contrastava com o branco das nuvens.*] [*int.*: *São atitudes que contrastam violentamente: uma é pacificadora, a outra extremamente agressiva.* Tb. pode ser considerado tr, no sentido de que cada atitude contrasta (reciprocamente) com a outra.] [*tdr.* + *com*: *Vou contrastar a parede bege com um tapete marrom.*] 3 Opor-se a; ser ou mostrar-se o contrário de [*td.*: *A reação alérgica contrastava os efeitos colaterais esperados; Atitudes rudes contrastam regras de etiqueta.*] 4 *Our.* Avaliar os quilates de; aquilatar [*td.*: *contrastar o ouro/ a prata/ uma pedra preciosa.*] 5 Determinar o valor de; avaliar [*td.*: *contrastar uma obra de arte/ uma obra literária.*] 6 *Ant.* Arrostar perigos; lutar [*tr.* + *com*: *contrastar com a tempestade/ com o inimigo.*] [▶ 1 contras**tar**] [F.: Do lat. tard. *contrastare* (*contra stare*). Hom./Par.: *contrastaria(s)* (fl.), *contrastaria(s)* (sf. [pl.]).]

contraste (con.*tras*.te) *sm.* 1 Diferença ou oposição fortes, marcantes, entre coisas análogas ou que se apresentam no mesmo contexto de percepção: *o contraste entre a alegria e a tristeza; o contraste de temperamento entre os dois amigos.* 2 Aquilo que caracteriza essa diferença ou oposição e faz sobressair um dos elementos comparados: *O maior contraste entre elas não é a aparência, e sim o temperamento.* 3 Comparação entre coisas ou objetos afins ou entre elementos de um todo, para se estabelecer as diferenças ou variações existentes; *tb.*: comparação em que se enfatizam as diferenças: *Um contraste entre as duas propostas nos ajudará a decidir; Para efeito de contraste, lembremos que no ano passado os salários, além de maiores, foram pagos em dia.* 4 *Art. pl.* Uso, ou o resultado deste, de elementos (cores, luz e sombra, massas etc.) contrastantes, de modo a destacar os valores plásticos de uma pintura, tela, painel etc. 5 *Cin. Fot. Telv.* Variação de tonalidades, de luz e de sombra em fotografia, imagem, película etc.; tb.: grau de diferença entre a parte mais clara e a mais escura de uma imagem 6 *Art. gr.* Variação entre o claro e o escuro, num trabalho gráfico 7 *Ling.* Relação (de distinção ou oposição) entre unidades contíguas na cadeia da fala 8 *Med.* Substância introduzida (por via oral, intravenosa etc.) no paciente para a realização de exames radiológicos e outros, e que faz com que, na imagem obtida, haja contraste entre o órgão a ser examinado e os demais órgãos e tecidos à sua volta 9 *Our.* Avaliação por toque (ger. com água-régia) da qualidade de um metal (esp. ouro e prata) 10 *Ant.* Briga, contenda, discussão [F. De or. contrv. posv. do fr. *contraste*. Hom./Par.: *contraste(s)* (sm. [pl.]), *contraste(s)* (fl. *contrastar*).]

contrastivo (con.tras.*ti*.vo) *a.* 1 Que contrasta 2 Ref. a, ou em que há contraste 3 Diz-se do que está em contraste (ideias contrastivas) 4 *Ling.* Diz-se de estudo, gramática, curso etc. que apresenta as semelhanças e diferenças entre dois ou mais idiomas, aparentados ou não, a partir da descrição sincrônica (e do confronto objetivo) da fonologia, morfologia, sintaxe e semântica deles [F.: *contraste* + *-ivo*.]

contratação (con.tra.ta.*ção*) *sf.* 1 Ação ou resultado de contratar 2 *Esp.* Atleta que passa a integrar uma equipe após assinar um contrato: *três novas contratações integraram-se à equipe.* 3 Trato, combinação [Pl.: *-ções*.] [F.: *contratar* + *-ção*.]

contratado (con.tra.*ta*.do) *a.* 1 Que se contratou 2 Que foi matéria de contrato, de acordo (preço contratado) 3 Diz-se de indivíduo com quem se celebrou um contrato ou acordo profissional *sm.* 4 Aquele com quem se celebrou um contrato ou acordo profissional 5 *Bras.* Funcionário admitido no serviço público por contrato temporário ou para exercer interinamente função especializada [F.: Part. de *contratar*.]

contratador (con.tra.ta.*dor*) [ô] *a.* 1 Que contrata 2 Que negocia com mercadorias *sm.* 3 Aquele que contrata; CONTRATANTE 4 Indivíduo que negocia com mercadorias (contratador de diamantes) [F.: *contratar* + *-dor*.]

contratante (con.tra.*tan*.te) *a2g.* 1 Que contrata; CONTRATADOR 2 Que faz ou assina contrato, acordo ou tratado com outrem *s2g.* 3 Pessoa que contrata 4 *Jur.* Cada uma das partes na celebração de um contrato ou outro acordo ou tratado; CONTRAENTE; ESTIPULANTE [F.: *contratar* + *-nte*.]

contratar (con.tra.*tar*) *v.* 1 Admitir ou ser admitido em emprego; ASSALARIAR(-SE); EMPREGAR(-SE) [*td.*: *A loja contratou mais cinco vendedores; contratar engenheiros para a obra.*] [*int.*: *Contratou-se por três anos com boas condições.*] 2 Fazer acordo de negócio; comerciar [*tr.* + *em*: *Este grupo contrata em vários ramos de negócio.*] 3 Assegurar por meio de contrato [*td.*: *contratar serviços de traslado; Alguns postos contratam o transporte de combustível.*] 4 Ajustar, assumir compromisso pactuado [*td.*: *Contrataram casamento.*] [▶ 1 contra**tar**] [F.: *contrato* + *-ar²*. Hom./Par.: *contrato* (fl.), *contrato* (a. sm.); *contratáveis* (fl.), *contratáveis* (pl. de *contratável*); *contrateis* (fl.), *contráteis* (pl. de *contrátil*).]

contratável (con.tra.*tá*.vel) *a2g.* Que se pode contratar (serviço contratável) [Pl.: *-veis*.] [F.: *contratar* + *-vel*. Hom./Par.: *contratáveis* (pl.), *contratáveis* (fl. de *contratar*).]

contratempo (con.tra.*tem*.po) *sm.* 1 Acontecimento inesperado e inoportuno que modifica o desenrolar esperado de uma ação ou fato ou que os impede: *O defeito no equipamento causou-nos um pequeno contratempo no trabalho.* 2 *P. ext.* Aquilo que serve de obstáculo ou de empecilho para algo, ger. causando perda de tempo, gasto maior de energia, etc. 3 *P. ext.* Situação desfavorável ou desvantajosa: *Morar longe do local de trabalho é um contratempo.* 4 *Fig.* Aquilo que contraria ou aborrece; CONTRARIEDADE 5 *Mús.* Em um compasso musical, o tempo fraco, isto é, correspondente às notas executadas sem acentuação ou intensidade maior; *tb.*: padrão rítmico que consiste em fazer os sons produzidos corresponderem à parte fraca, não acentuada, do compasso, havendo pausas nos tempos fortes [Cf., nesta acp., *síncope*.] 6 *Cin. Telv.* Intervalo entre as falas de dois atores 7 *Ant. Dnç.* Um dos passos do minueto [F.: Do it. *contrattempo* ou de *contra-* + *tempo*.]

contratenor (con.tra.te.*nor*) [ô] *a.* 1 *Mús.* Diz-se de cantor com voz que ultrapassa a tessitura de tenor *sm.* 2 *Mús.* Cantor cuja voz ultrapassa a tessitura de tenor 3 *Mús.* Voz masculina com essa característica [F.: *contra-* + *tenor¹*.]

contraterrorismo (con.tra.ter.ro.*ris*.mo) *sm.* Programa ou política governamental, ou organismo específico de combate ao terrorismo e a ações sistemáticas de uso de violência para fins políticos, ideológicos etc. [F.: *contra-* + *terrorismo*. Ver tb.: *antiterror* e *antiterrorismo*.]

contrátil (con.*trá*.til) *a2g.* Que pode contrair(-se) ou encolher(-se) (músculo contrátil); CONTRAÍVEL [Pl.: *-teis*.] [F.: *contracto* (adj.) + *-il¹*. Hom./Par.: *contráteis* (fl.), *contrateis* (fl. de *contratar*). Tb. *contráctil*.]

contrato (con.*tra*.to) *sm.* 1 Ação ou resultado de contratar 2 Acordo que estabelece uma série de direitos e deveres entre as partes acordadas 3 *Jur.* Acordo entre duas ou mais partes (pessoas, empresas, instituições, governos etc.) com o propósito de atribuir, contrair, modificar, transferir, preservar ou revogar direitos e/ou obrigações 4 *Jur.* Documento que formaliza e ratifica esse acordo 5 *Bras.* Lugar em que se extrai a gordura de uma baleia e se fabrica azeite 6 *Bras. Etnog. Mús.* Aquele que, nas festas do reisado, canta a parte com registro mais grave *a.* 7 Que se contraiu, sofreu contração; contraído [F.: Do lat. *contractus*. Hom./Par.: *contrato* (sm.), *contrato* (fl. de *contratar*).] ▪ **~ acessório** *Jur.* Aquele que, pressupondo a existência de outro, dele depende, ger. servindo-lhe de garantia **~ aleatório** *Jur.* Aquele em que ao menos uma das obrigações nele assumidas depende de fato futuro **~ bilateral** *Jur.* Aquele em que as duas partes assumem obrigações **~ consensual** *Jur.* O que se aperfeiçoa mediante simples consenso entre as partes **~ de gaveta** Aquele em que um vendedor (ger. de imóvel) é o beneficiário direto de financiamento para a compra, e o comprador completa os pagamentos baseado em procuração **~ de risco** *Jur.* Aquele no qual o lucro do investimento depende do bom resultado do empreendimento **~ formal** *Jur.* Aquele cuja validez depende de formalidades ou solenidades legais; contrato solene **~ solene** *Jur.* Ver *Contrato formal.* **~ social** *Fil. Pol.* Segundo os conceitos de Hobbes, Locke e Rousseau, convenção tácita entre cidadãos livres, que garanta o equilíbrio, o bem-estar e o bom funcionamento da sociedade, suas instituições, seus grupos, suas leis etc. **~ unilateral** *Jur.* Aquele em que as obrigações cabem a só uma das partes

contratorpedeiro (con.tra.tor.pe.*dei*.ro) *sm. Mar.* Navio de guerra bastante veloz, munido de torpedos, armas antissubmarinas ou mísseis; DESTRÓIER [F.: *contra-* + *torpedeiro*.]

contratransferência (con.tra.trans.fe.*rên*.ci.a) *sf. Psic.* Resposta emocional do analista, em termos de sentimentos inconscientes, ao processo de transferência relativo a outros elementos feito pelo paciente ao próprio analista [F.: *contra-* + *transferência*.]

contratual (con.tra.tu.*al*) *a2g.* 1 Ref. a contrato (rescisão contratual) 2 Que está presente em um contrato (cláusulas contratuais) 3 Que se estipulou em contrato [Pl.: *-ais*.] [F.: *contrato* + *-ual*.]

contratualismo (con.tra.tu:a.*lis*.mo) *sm. Fil. Pol.* Doutrina originada na filosofia grega segundo a qual o Estado foi estabelecido mediante contrato entre os cidadãos, ou entre eles e o soberano, valorizando assim a liberdade individual contra a autocracia [O pensamento liberal moderno requeceu tal doutrina, trazendo-lhe novos aspectos em relação à valorização do indivíduo.] [F.: *contratual* + *-ismo*.]

contratura (con.tra.*tu*.ra) *sf.* 1 Ação ou resultado de contrair(-se); CONTRAÇÃO 2 *Med.* Contração muscular ocasionada por contusão, pela paralisação de músculos antagônicos ou por problemas neurológicos [F.: Do lat. *contractura, ae*.]

contraturno (con.tra.*tur*.no) *sm.* Em instituição, empresa, serviço etc. que opera por turnos, turno que não é aquele que está em curso ou em que funciona ou opera a pessoa ou o serviço a que se está referindo: *Tudo isso aconteceu em meu contraturno, por isso não sei dizer exatamente o que houve.* [F.: *contra-* + *turno*.]

contravale (con.tra.*va*.le) *sm.* 1 Documento ou declaração escrita que se opõe a um vale, de natureza financeira, monetária ou comercial, ou a uma autorização de pagamento, ou que impede liberação de crédito 2 *Lus.* Fosso guarnecido de parapeito com que os sitiantes se defendem de ataques [F.: *contra-* + *vale²*.]

contravapor (con.tra.va.*por*) [ô] *sm.* 1 Inversão da corrente do vapor de água, nos cilindros de uma máquina a vapor ou de uma locomotiva, para travá-la, ou fazê-la recuar 2 *Bras. Fig.* Reação contrária inesperada, súbita [F.: *contra-* + *vapor*.]

contravenção (con.tra.ven.*ção*) *sf.* 1 Ação ou resultado de infringir, de transgredir lei, norma, regra etc. 2 *Jur.* Violação ou infração de dispositivos legais, contratuais ou regulamentares [Pl.: *-ções*.] [F.: Do fr. *contravention*.] ▪ **~ penal** *Jur.* Violação da lei menos grave que um crime, punível com multa ou prisão simples

contraveneno (con.tra.ve.*ne*.no) *sm. Med. Farm.* Substância que neutraliza ou atenua a ação de um veneno; ANTÍDOTO [F.: *contra-* + *veneno*.]

contraventor (con.tra.ven.*tor*) [ô] *sm.* 1 Aquele que pratica contravenção, que infringe a lei ou alguma regra ou norma; INFRATOR; TRANSGRESSOR 2 *Bras. Pop.* Aquele que chefia negócio de apostas no jogo do bicho [F.: De *contravenção*, a partir do rad. *contravent-* (do sup. do v.lat. *contravenire*, de que resulta o fr. *contravention*, fonte do port.), + *-or*.]

contravir (con.tra.*vir*) *v.* 1 Cometer transgressão; DESOBEDECER; INFRINGIR [*td.*: *Contravir uma norma.*] [*tr.* + *com*: *Nesse quadro, o pintor contraveio com os princípios da estética.*] 2 Argumentar em resposta; REDARGUIR; RESPONDER; RETORQUIR [*td.*: *O advogado contraveio que aquele argumento não era válido.*] [*tdi.* + *a*: *Contraveio-lhe que o assunto não era aquele.*] [*int.*: *Ao ouvir tal absurdo, contraveio de maneira indignada.*] [▶ 42 contra**vir**] [F.: *contra-* + *vir*.]

contravolta (con.tra.*vol*.ta) *sf. Bras.* Volteio, giro em sentido contrário ao movimento anterior [F.: *contra-* + *volta*.]

contribuição (con.tri.bui.*ção*) *sf.* 1 Ação ou resultado de contribuir 2 Participação colaborativa numa atividade, na fundação, elaboração, construção ou resolução de algo etc.: *Foi notável sua contribuição para a causa democrática.* 3 Aquilo que uma pessoa (ou um grupo) faz ou com que colabora para ajudar, favorecer ou melhorar algo ou alguém, no aspecto material, moral (emocional), intelectual etc.: *Esta ala do hospital é uma contribuição de uma grande empresa; A obra desse escritor é uma das maiores contribuições à literatura contemporânea.* 4 Numa despesa coletiva, parte que cabe a cada pessoa 5 Qualquer bem destinado a suprir determinada carência: *Deu uma contribuição para um orfanato.* 6 Pagamento de, ou o imposto a que pessoa física ou jurídica está sujeita: *Embora a contribuição deste ano tenha sido superior à devida, sua restituição ainda não saiu.* 7 *Bras.* Quantia paga pelo cidadão ao Estado para o custeio de despesas públicas (contribuição previdenciária) [Pl.: *-ções.*] [F.: Do lat. *contributio, onis*, com prov. influência da term. de *contribuir*, e por anal. com pares como *distribuir: distribuição, constituir: constituição, restituir: restituição* etc., que seguem a mesma linha de infl.] ▪ **~ de melhoria** *Econ.* Tributo pago por quem teve bem valorizado por obra pública

contribuidor (con.tri.bu:i.*dor*) [ô] *a.* 1 Que contribui ou faz contribuição 2 Que está sujeito a tributação (cidadão contribuidor); CONTRIBUINTE *sm.* 3 Aquele que contribui ou faz contribuição 4 Indivíduo sujeito a tributação; CONTRIBUINTE [F.: *contribuir* + *-dor.*]

contribuinte (con.tri.bu.*in*.te) *a2g.* 1 Que faz contribuição 2 Que paga tributos; sujeito a tributação (firma contribuinte) *s2g.* 3 Pessoa que faz contribuições 4 Pessoa física ou pessoa jurídica sujeita a tributação em virtude de rendimentos ou de patrimônio [F.: *contribuir* + *-nte.*]

contribuir (con.tri.bu.*ir*) *v.* 1 Cooperar para a realização de algo, para determinado objetivo; fazer donativos (para alguém ou alguma instituição); COLABORAR [*tr.* + *com, para*: *contribuir (com doações) para a construção do asilo; contribuir com brinquedos para as crianças carentes/ o orfanato.*] [*td.* / *tdi.*: *contribuir agasalhos (para os desabrigados).*] [*int.*: *Todos os empresários contribuíram.*] 2 Ter participação em determinado resultado [*tr.* + *para, a*: *O luxo contribuiu para a sua ruína/ ao seu declínio.*] 3 Pagar a parte que lhe cabe em uma despesa comum [*tr.* + *com, para*: *Todos contribuíram (com vinte reais) para o churrasco.*] [*int.*: *Quem ainda não contribuiu?*] 4 *Econ.* Pagar impostos ao Estado [*tr.* + *com*: *Com a nova lei, as empresas contribuirão com 20% de seu lucro.*] [*int.*: *Toda empresa deve contribuir.*] [▶ 56 contrib**uir**] [F.: Do lat. *contribuere.*]

contributivo (con.tri.bu.*ti*.vo) *a.* Ref. a, ou que envolve contribuição (regime contributivo) [F.: *contribuir* + *-tivo*, seg. o mod. erudito.]

contributo (con.tri.*bu*.to) *sm.* Aquilo com que se contribui; CONTRIBUIÇÃO [F.: Do lat. *contributus, a, um*, substv.]

contrição (con.tri.*ção*) *Rel. sf.* 1 Sentimento de culpa ou arrependimento por pecados cometidos ou por ofensa a Deus 2 No cristianismo, a prece que expressa esse sentimento [Pl.: *-ções.*] [F.: Do lat. *contritio, onis.* Hom./Par.: *contrição* (sf.), *constrição* (sf.).]

contristar (con.tris.*tar*) *v.* Tornar(-se) muito triste; afligir(-se); penalizar(-se) [*td.*: *A poluição da lagoa contristou os biólogos.*] [*tr.* + *com*: *Todos contristam-se com o drama dos desabrigados.*] [*int.*: *A miséria contrista.*] [▶ 1 contrist**ar**] [F.: Do lat. *contristare.*]

contrito (con.*tri*.to) *a.* 1 Que se contritou, se arrependeu (criminoso contrito); ARREPENDIDO [Ant.: *incontrito*] 2 Que revela contrição, que expressa arrependimento (gesto contrito, queixas contritas) [F.: Do lat. *contritus, a, um.* Hom./Par.: *contrito* (a.), *constrito* (a., sm.).]

controlacionista (con.tro.la.ci:o.*nis*.ta) *a2g.* 1 Ref. ou inerente a controle (projeto controlacionista; tendência controlacionista) 2 Ref. a, ou que defende uma política de controle de natalidade 3 *Fig. Pop.* Que exerce ou cultiva exagerado controle [F.: *controlação* + *-ista*, seg. o mod. erudito.]

controlado (con.tro.*la*.do) *a.* 1 Que se controlou, que está ou foi submetido a controle 2 Que responde a certo comando ou controle: *aeromodelos controlados (por controle remoto).* *a.* 3 Que está sob controle, que se subjugou ou dominou (incêndio controlado) 4 Que deve estar conforme o prescrito ou fixado por lei, decreto etc. (preços controlados) 5 Que não é permitido a todos (acesso controlado); RESTRITO 6 *P. ext.* Sujeito a certas regras ou limites e à fiscalização do cumprimento destes (venda controlada; comércio controlado) 7 *Med. Farm.* Que só pode ser vendido sob prescrição médica e com o registro do comprador e do médico que o prescreveu (remédio controlado) 8 *Fig.* Diz-se de pessoa que possui autodomínio (rapaz controlado); COMEDIDO; PONDERADO 9 *Fig.* Que se expressa com comedimento, moderação (emoção controlada) [F.: Part. de *controlar.*]

controlador (con.tro.la.*dor*) [ô] *a.* 1 Que controla 2 *Adm.* Que exerce controle acionário de empresa, firma, grupo empresarial etc. 3 *Fig. Pop.* Que tenta controlar pessoas e coisas (namorado controlador) *sm.* 4 Aquele ou aquilo que controla 5 *Fig. Pop.* Indivíduo controlador, dominador [F.: *controlar* + *-dor.*]

controladoria (con.tro.la.do.*ri*.a) *sf.* 1 Funções de quem exerce controle 2 *Adm.* Departamento ou órgão de controle 3 *Adm.* Órgão oficial que executa o controle financeiro dos governos (controladoria estadual; controladoria municipal) [F.: *controlador* + *-ia*[1].]

controlar (con.tro.*lar*) *v. td.* 1 Manter (algo, alguém) sob domínio ou vigilância, submeter a controle: *Os seguranças controlavam a multidão.* 2 Dirigir, governar, comandar: *O partido controlou o país até as eleições seguintes; Um novo grupo passou a controlar a empresa.* 3 Não deixar (algo) exceder determinados limites, restringir, moderar, conter: *controlar as despesas/ a inflação/ os níveis de colesterol.* 4 Fiscalizar, verificar e/ ou comandar o andamento de; MONITORAR: *O prefeito quer controlar o trabalho nas creches.* 5 Refrear (sentimento ou emoção) (de [alguém, inclusive a si mesmo]); CONTER; MODERAR: *A aeromoça controlava seu nervosismo; Controlou-se e ficou calado.* [▶ 1 control**ar**] [F. Do fr. *contrôler*. Nota É galicismo de uso largo e corrente. Hom./Par. *controle(s)* (fl.), *controle(s)* [ô] (sm. [pl.]).]

controlável (con.tro.*lá*.vel) *a2g.* 1 Que pode ser controlado (impulso controlável; despesa controlável) [Ant.: *incontrolável*] 2 *Fig.* Que se pode comandar, dominar, manipular com certa facilidade (diz-se de pessoa) [Pl.: *-veis.*] [F.: *controlar* + *-vel*. Hom./Par.: *controláveis* (pl.) *controláveis* (fl. *controlar*).]

controle (con.*tro*.le) [ô] *sm.* 1 Ação ou resultado de controlar; ação de exercer domínio ou comando sobre algo ou alguém 2 Fiscalização ou monitoramento exercidos sobre certas atividades, ou o poder de exercê-los: *A prefeitura detém o controle do trânsito na cidade.* 3 Verificação, fiscalização ou avaliação das regras, normas, ou do valor ou das especificações estabelecidos para processos, produtos, serviços etc. (controle de qualidade) 4 Ação ou poder de regular, determinar ou monitorar as ações ou o comportamento de outrem: *Seu controle sobre o marido é total.* 5 Observação ou manutenção de algo (avaliável ou mensurável): *Há anos busca o controle do seu peso* 6 Ação ou resultado de exercer força restritiva sobre algo, de limitar, de determinar, ou de impedir sua ocorrência (controle de natalidade) 7 *Tec.* Mecanismo ou dispositivo que controla ou regula o funcionamento de máquina, aparelho etc. 8 *Tec.* Chave, botão ou circuito que se destina a comandar o mecanismo de máquina, aparelho ou instrumento 9 Domínio sobre as próprias emoções; AUTOCONTROLE: *Perdeu o controle na reunião.* 10 Capacidade de (ou habilidade para) dominar uma situação com discernimento, reflexos adequados etc.: *Teve controle para evitar a colisão.* 11 *Publ.* Departamento ou setor responsável pela avaliação da estratégia de mídia adotada em campanhas publicitárias 12 *Telv.* Numa emissora, local onde são recebidos os sons e as imagens de externas para que se façam a seleção, a organização e a transmissão ou a gravação destes 13 *Rád. Telv.* Equipamento com o qual se coordena a produção técnica e artística de programa, ou a sala ou local para isto equipados [F.: Do fr. *contrôle*. Ant. nas acps. 1, 4, 9 e 10: *descontrole*. Hom./Par.: *controle* (sm.), *controle* (fl. de *controlar*); *controles* (pl.), *controles* (fl. de *controlar*).] ▪ **~ remoto** 1 *Eletrôn.* Método para controlar a distância o funcionamento de máquinas ou equipamentos, através de comandos ou sinais eletrônicos. 2 Aparelho faz essa função emitindo sinais que são captados pelo aparelho

controvérsia (con.tro.*vér*.si:a) *sf.* 1 Diferença de opiniões ou discussão quanto a uma ação, afirmação, teoria, proposta ou questão; POLÊMICA 2 *P. ext.* Ação de negar, contradizer ou de se opor a algo; CONTESTAÇÃO; IMPUGNAÇÃO 3 *P. ext.* Debate de ideias; POLÊMICA [F.: Do lat. *controversia, ae.*]

controverso (con.tro.*ver*.so) *a.* 1 Que provoca ou é objeto de controvérsia (assunto controverso); POLÊMICO [Ant.: *incontroverso, incontestável, irrefragável.*] 2 Em que há ou que encerra controvérsia (discurso controverso) 3 Diz-se de pessoas cujas ideias ou ações suscitam controvérsia, ou que despertam sentimentos ou opiniões conflitantes, nas pessoas (político controverso) [F.: Do lat. *controversus, a, um*, part. de *controvertere*. Sin. ger.: *controvertido.*]

controverter (con.tro.ver.*ter*) *v. td.* 1 Apresentar objeção a; QUESTIONAR; REBATER: *controverter falsas afirmativas.* 2 Tornar controverso, ou assunto de controvérsia [▶ 2 controvert**er**] [F.: Do lat. *controvertere.*]

controvertido (con.tro.ver.*ti*.do) *a.* O mesmo que *controverso* [F.: Part. de *controverter.*]

contubérnio (con.tu.*bér*.ni:o) *sm.* 1 Vida em comum, convívio 2 Convivência sob o mesmo teto; COABITAÇÃO 3 *P. ext. Fig.* Qualidade, condição ou caráter do que é íntimo, familiar; ausência de cerimônia; FAMILIARIDADE; INTIMIDADE 4 *Fig.* Concubinato, amigação, mancebia 5 *Hist.* Tipo de tenda de campanha do exército romano [F.: Do lat. *contubernium, ii.*]

contudo (con.*tu*.do) *conj.* Expressa contraposição entre termos de uma mesma frase, ou de frases diferentes, com nuanças de ressalva, concessão etc.; ENTRETANTO; PORÉM; TODAVIA: *O filme agradou no exterior, contudo não fez sucesso no Brasil.* [F.: *com* + *tudo.*]

contumácia (con.tu.*má*.ci:a) *sf.* 1 Insistência ou teimosia extrema; OBSTINAÇÃO [+ *em*: *contumácia no erro.*] 2 *Jur.* Falta a qualquer intimação judicial; não comparecimento em juízo, para questão criminal 3 *Jur.* Ação de desobedecer deliberadamente a ordens judiciais [F.: Do lat. *contumacia, ae.*]

contumaz (con.tu.*maz*) *a2g.* 1 Que é dado a agir com contumácia (1), com insistência, com teimosia 2 Que insiste ou persiste em algo [+ *em*: *pessoa contumaz em seus sonhos.*] 3 *Jur.* Que não cumpre ordem ou intimação judicial, deliberadamente 4 Habituado a fazer certa coisa (mentiroso contumaz); COSTUMEIRO; VEZEIRO 5 Que constitui hábito, costume [Superl.: *contumacíssimo.*] *s2g.* 6 Indivíduo extremamente teimoso 7 *Jur.* Pessoa que não cumpre ordem ou intimação judicial deliberadamente [F.: Do lat. *contumax, acis.*]

contumélia (con.tu.*mé*.li:a) *sf.* 1 Palavra ou dito que insulta, ofende, afronta; INJÚRIA; OFENSA; INSULTO [Ant.: *elogio.*] 2 *Lus.* Cumprimento como reverência a alguém ger. importante; MESURA; VÊNIA 3 *Lus.* Cumprimento afetado, hipócrita; RAPAPÉ [Mais us. no pl.] [F.: Do lat. *contumelia, ae.*]

contundência (con.tun.*dên*.ci.a) *sf.* 1 Qualidade, caráter ou condição do que é contundente (contundência das provas) 2 Característica de quem ou do que é categórico, incisivo, firme (contundência de palavras); FIRMEZA [F.: *contundir* + *-ência.*]

contundente (con.tun.*den*.te) *a2g.* 1 Que pode causar contusão (objeto contundente) 2 Que não pode ser contestado ou refutado (provas contundentes; argumentos contundentes) 3 *Fig.* Que agride ou causa sofrimento (palavras contundentes) 4 *Fig.* Que revela contundência, firmeza de propósito (tom contundente) 5 *Fig.* Multíssimo agressivo [F.: Do lat. *contundens, entis*, part. pres. do v.lat. *contundere.*]

contundido (con.tun.*di*.do) *a.* 1 Que sofreu contusão (jogador contundido); MACHUCADO; LESIONADO 2 *Fig.* Abalado, ferido, magoado [F.: Part. de *contundido.*]

contundir (con.tun.*dir*) *v.* 1 Provocar lesão em ou sofrer lesão; FERIR(-SE); LESIONAR(-SE); MACHUCAR(-SE) [*td.*: *Contundiu o pé na pelada.*] [*int.*: *O levantador contundiu-se na jogada.*] 2 *Fig.* Ferir moralmente, magoar [▶ 3 contund**ir**] [F.: Do lat. *contundere.*]

conturbação (con.tur.ba.*ção*) *sf.* 1 Ação ou resultado de conturbar(-se) 2 Agitação ou alteração de ordem emocional 3 *Fig.* Perturbação da ordem pública; SUBLEVAÇÃO [Pl.: *-ções.*] [F.: Do lat. *conturbatio, onis.*]

conturbado (con.tur.*ba*.do) *a.* 1 Que não é tranquilo (homem conturbado; pensamento conturbado); PERTURBADO 2 Que apresenta agitação, imprevistos e percalços (vida conturbada; corrida conturbada) 3 *Fig.* Que revela intranquilidade, perturbação emocional (olhar conturbado) 4 *Fig.* Em que há ou que está em alvoroço: *As ruas estavam conturbadas.* [F.: Do lat. *conturbatus.*]

conturbador (con.tur.ba.*dor*) [ô] *a.* 1 Que traz ou causa conturbação; que perturba *sm.* 2 Indivíduo conturbador [F.: Do lat. *conturbator, oris.*]

conturbante (con.tur.*ban*.te) *a2g.* Diz-se de que ou de quem conturba, perturba (discurso conturbante; atitude conturbante) [F.: *conturbar* + *-nte.*]

contusão (con.tu.*são*) *sf.* 1 Ação ou resultado de contundir(-se) 2 Traumatismo causado por pancada ou acidente: *A contusão tirou o tenista da final.* 3 *Fig.* Forte emoção; perturbação moral; ABALO; CHOQUE [Pl.: *-sões.*] [F.: Do lat. *contusio, onis.*]

contusivo (con.tu.*si*.vo) *a.* Provocado por contusão (desconforto contusivo; dor contusiva) [F.: Do lat. *contusus, a, um* (v. *contuso*) + *-ivo.*]

contuso (con.*tu*.so) *a.* Que sofreu contusão, ou que dela resulta (joelho contuso; ferida contusa); CONTUNDIDO [F.: Do lat. *contusus, a, um.*]

conubial (co.nu.bi:*al*) *a2g.* 1 Ref. ou inerente a conúbio 2 Conjugal, matrimonial, nupcial (leito conubial; relação conubial) [Pl.: *-ais.*] [F.: Do lat. *connubialis, e.*]

conúbio (co.*nú*.bi:o) *sm.* 1 União conjugal entre duas pessoas ou a cerimônia de realização e celebração dessa união; CASAMENTO; MATRIMÔNIO 2 *Fig.* União, ligação, associação estreita; qualquer vínculo ou conexão, esp. aqueles em que há grande familiaridade ou intimidade: *conúbio sexual entre um homem e uma mulher; conúbio da razão com a paixão.* [F.: Do lat. *connubium, ii.*]

conurbação (co.nur.ba.*ção*) *sf.* O conjunto formado por cidades e vilarejos muito próximos uns dos outros [Pl.: *-ções.*] [F.: Do ing. *conurbation.*]

convalescença (con.va.les.*cen*.ça) *sf.* 1 Ação ou resultado de convalescer 2 Período de restabelecimento da saúde e das forças após doença grave ou cirurgia [F.: Do lat. *convalescentia, ae.*]

convalescente (con.va.les.*cen*.te) *a2g.* 1 Que se recupera de uma doença ou cirurgia *s2g.* 2 Pessoa convalescente [F.: Do lat. *convalescens, entis*, part. pres. de *convalescere.*]

convalescer (con.va.les.*cer*) *v.* Fazer recuperar ou recuperar a saúde e o vigor depois de doença, cirurgia, acidente, abalo etc.; RECUPERAR(-SE); RESTABELECER(-SE) [*tr.* + *de*: *convalescer de uma forte gripe.*] [*int.*: *Depois do derrame, não mais convalesceu, e logo morreu.*] [*td.*: *A vida no campo convalesceu-o.*] [▶ 33 convales**cer**] [F.: Do lat. *convalescere.*]

convalidação (con.va.li.da.*ção*) *Jur. sf.* 1 Ação ou resultado de convalidar (convalidação legal) [Ant.: *invalidação.*] 2 Restabelecimento da validade ou eficácia de um ato ou contrato jurídico anulável por incorreto ou incompleto [Pl.: *-ções.*] [F.: *convalidar* + *-ção.*]

convalidado (con.va.li.*da*.do) *a. Jur.* Diz-se de ato jurídico ou contrato, carente de certos requisitos legais, que tem restabelecida a validade ou eficácia (testamento convalidado); REVALIDADO [F.: Part. de *convalidar.*]

convalidar (con.va.li.*dar*) *v. td.* 1 *Jur.* Tornar válido (ato jurídico a que faltava algum requisito legal): *O advogado convalidou o contrato.* 2 Restabelecer a validade de (ato, contrato); REVALIDAR: *O professor convalidou o seu diploma de doutorado, realizado na França.* [▶ 1 convalid**ar**] [F.: *con-* + *validar.*]

convecção (con.vec.*ção*) *sf.* 1 *Fís.* Ação ou processo de condução, transmissão ou propagação (convecção de eletricidade; convecção de calor) 2 *Fís.* Processo de circulação de calor em fluidos, sob temperatura não uniforme, devido à variação de densidade e à ação da gravidade (convecção térmica) 3 *Met.* Corrente vertical de massas de ar atmosférico, gerada pelo aquecimento do solo, essencial para a formação de muitas nuvens 4 *Oc.* Movimento e mistura de massas de água nos mares [Pl.: *-ções.*] [F.: Do lat. *convectio, onis.* Hom./Par.: *convecção* (sf.), *convicção* (sf.).]

convelir (con.ve.*lir*) *v.* 1 Abalar, convulsionar (algo que se apresentava firme, sólido) [*td.*: *Diversos fatores conve-*

liram as bases dos regimes socialistas europeus.] **2** *Med.* Ser alvo de convulsões, de espasmos [**int.**: *Por causa da febre, o paciente convulia.*] [▶ **50** convelir] [F.: Do lat. *convellere.*]

convenção (con.ven.*ção*) *sf.* **1** Encontro, assembleia de pessoas, ger. representantes de instituições, empresas etc., que se reúnem para discutir assuntos de interesse comum; CONGRESSO; CONFERÊNCIA **2** *Pol.* Reunião dos membros de um partido político realizada com o propósito de escolha de candidatos ou de determinação da posição do partido frente a certos temas **3** Conjunto de regras adotadas a partir de uma combinação ou acordo prévio: *A convenção do condomínio proíbe festas na garagem.* **4** O que é acatado por uso ou costume social em um grupo, comunidade ou sociedade **5** Aquilo que somente ganha sentido ou valor quando tem seu significado previamente aceito por todos aos quais se dirige, e que portanto o interpretam da mesma maneira: *O sinal vermelho é a convenção us. para indicar que se deve parar.* **6** Técnica, prática ou recurso adotado por certa atividade ou por certo meio profissional: *as convenções das notações musicais.* **7** *Jur.* Acordo entre duas ou mais partes referente a um fato específico [Pl.: *-ções.*] [F.: Do lat. *conventio, onis.*]

convencer (con.ven.*cer*) *v.* **1** Persuadir (alguém) com razões, argumentos ou fatos; adquirir certeza, convicção de algo de que se duvidava [**tdr.** + *a, de*: *A campanha pretende convencer as pessoas a se vacinarem; convencer os jurados da inocência do réu.*] [**tr.** + *de*: *Com campanha, a sociedade convenceu-se da importância da prevenção de doenças.*] **2** *Pop.* Ter plena aceitação por parte de (público, crítica, eleitores etc.) [**td.**: *O desempenho da atriz mirim convenceu a plateia.*] [**int.**: *A atuação do Fluminense na final convenceu.*] [▶ **33** convencer] [F.: Do lat. *convincere.*]

convencido (con.ven.*ci*.do) *a.* **1** Que se convenceu de alguma coisa [+ *a, de*: *Estava convencido a tomar uma atitude; Estava convencido de que estava certo.*] **2** *Bras.* Que tem, demonstra ou expressa pretensão, arrogância, convencimento (ger. exagerado ou infundado) do próprio valor ou superioridade (vizinho convencido) *sm.* **3** Indivíduo convencido, pretensioso, arrogante ou imodesto: *O convencido continuava a exibir-se.* [F.: Part. de *convencer.*]

convencimento (con.ven.ci.*men*.to) *sm.* **1** Ação ou resultado de convencer alguém ou a si mesmo acerca de algo **2** Estado ou atitude de quem está convencido de algo, de quem tem certeza ou convicção **3** *Bras.* Atitude presunçosa, falta de modéstia [F.: *convencer* + *-imento.*]

convencional (con.ven.ci:o.*nal*) *a2g.* **1** Ref. a, resultante de ou conforme convenção (comportamento convencional) **2** Que corresponde a padrões já estabelecidos **3** Que é aprovado pela tradição ou uso: *coador de pano convencional.* **4** *Fig.* Diz-se de pessoa que age ou vive de acordo com as regras ou costumes sociais **5** *Pej.* Em que há apenas apego a uma regra social, sendo desprovido de sinceridade **6** *Mil.* Diz-se de arma, ou armamento, que não faz uso ou não comporta energia nuclear, ação química ou biológica [Pl.: *-nais.*] *s2g.* **7** Aquele que integra ou faz parte de convenção (1 e 2) [Pl.: *-nais.*] [F.: Do lat. *conventionalis.*]

convencionalismo (con.ven.ci:o.na.*lis*.mo) *sm.* **1** Qualidade ou caráter do que é convencional **2** Submissão ou apego exagerado às convenções (convencionalismo social; convencionalismo político) **3** *P. ext.* Sistema ou conjunto de convenções [F.: *convencional* + *-ismo.*]

convencionalista (con.ven.ci:o.na.*lis*.ta) *a2g.* **1** Que tem caráter de convenção (evento convencionalista) **2** Que é apegado às convenções (indivíduo convencionalista) *s2g.* **3** Adepto e partidário de convenções e do convencionalismo **4** Membro de uma convenção [F.: *convencional* + *-ista.*]

convencionar (con.ven.ci:o.*nar*) *v.* **1** Estabelecer (algo) de comum acordo, por convenção; ajustar mutuamente [**td.**: *Convencionaram uma senha para entrar no clube.*] **2** Combinarem, ajustarem (mais de uma pessoa) algo entre si [**tr.** + *em*: *Convencionaram-se em apresentar juntos uma proposta.*] [▶ **1** convencionar] [F.: *convenção* + *-ar*[2], segundo o mod. erudito.]

conveniado (con.ve.ni:*a*.do) *a.* **1** Que é ou foi objeto de convênio **2** Diz-se daquele que convenia ou firma convênio com instituição, empresa etc. *sm.* **3** Aquele que convenia ou firma convênio com instituição, empresa etc. [F.: Part. de *conveniar.*]

conveniar (con.ve.ni.*ar*) *Bras. v.* Fazer convênio (com) [**td.**: *Veja como conveniar sua instituição de ensino.*] [**tdr.** + *a*: *É preciso conveniar algumas escolas à rede pública.*] [**tr.** + *com*: *O governo autorizou o parlamento a conveniar com as prefeituras.*] [**int.**: *Qualquer escola pode conveniar-se.*] [▶ **1** conveniar] [F.: *convênio* + *-ar*[2].]

conveniência (con.ve.ni:*ên*.ci:a) *sf.* **1** Qualidade do que é conveniente: *Contestou a conveniência de remarcar preços naquele momento.* **2** Qualidade do que está de acordo com os interesses, as necessidades, as condições ou o gosto de uma pessoa ou de um grupo: *Isso não é de minha conveniência.* **3** *P. ext.* Aquilo que corresponde a tais interesses, necessidades, condições etc. **4** *Fig.* Qualidade do que é útil ou do que facilita a realização de algo, ou ajuda a poupar tempo, recursos **5** *Fig.* O que pode representar vantagem material ou que pode ser do interesse de alguém (namoro de conveniência; amizade de conveniência) **6** Decoro, decência **7** Convenção, esp. convenção social [Us, no pl,.] [F.: Do lat. *convenientia.* Ant. nas acps. 1, 2 e 4: *inconveniência.*] ■ **Guardar as ~s** Agir de acordo com convenções sociais **Respeitar as ~s** Agir com decoro

conveniente (con.ve.ni:*en*.te) *a2g.* **1** Que convém, esp. por ser útil, vantajoso, cômodo; FAVORÁVEL; INTERESSANTE **2** Oportuno, adequado; que ocorre ou é feito do modo correto ou no momento correto, com bons resultados **3** Que está de acordo com ou é o mais indicado para as condições ou a situação; APROPRIADO **4** Que segue as regras ou expectativas, esp. as da moral ou da decência; DECENTE; DECOROSO [F.: Do lat. *conveniens, entis,* part. de *convenire.*]

convênio (con.*vê*.ni:o) *sm.* **1** Acordo, convenção, pacto (convênio cultural) **2** *Jur.* Contrato entre órgãos públicos: *Senado e Câmara dos deputados celebram convênio de cooperação tecnológica.* **3** *Jur.* Acordo entre órgão público e empresa privada para prestação de serviços **4** *Jur.* Contrato[1] (3) entre pessoa física ou pessoa jurídica e empresa privada para prestação de serviços: *A firma fez um convênio com uma seguradora que favorece todos os seus empregados.* **5** Acordo com empresa, hospital ou rede associada que, a partir do pagamento de mensalidades, dá à pessoa (o conveniado) direito a atendimento médico (ou odontológico), exames, internações, cirurgias etc., conforme o disposto em contrato; SEGURO-SAÚDE [F.: Do lat. medv. *convenium, i.* Hom./Par.: *convênio* (sm.), *convenio* (fl. de *conveniar*).]

conventículo (con.ven.*tí*.cu.lo) *sm.* **1** Convento pequeno **2** Reunião secreta de pessoas, ger. conspiratória e sediciosa: *A revolta foi fruto do conventículo.* **3** Concílio de bruxas, mágicos, feiticeiros, nigromantes **4** *Fig.* Casa de prostituição [F.: Do lat. *conventiculum, i,* dim. de *conventus, us.*]

convento (con.*ven*.to) *sm.* **1** Edificação em que habita uma comunidade religiosa [Dim.: *conventículo.*] **2** *Fig.* A totalidade dos religiosos que nela habitam: *O convento acordou cedo.* **3** *Fig.* A vida e a rotina dos religiosos num convento **4** *Fig.* Qualquer morada ou lugar em que as pessoas levem uma vida mais regrada e com várias restrições de comportamento **5** *Bras. Pop. Fig.* Penitenciária **6** *Fig.* Edificação ou casa muito grandes [F.: Do lat. *conventus.*]

conventual (con.ven.tu:*al*) *a2g.* **1** Ref. a ou próprio de convento **2** Diz-se da missa regular do dia, esp. de domingo ou dia santo, rezada pelo pároco da igreja *s2g.* **3** Pessoa que vive em convento [Pl.: *-ais.*] [F.: Do lat. ecles. *conventualis, e.*]

convergência (con.ver.*gên*.ci:a) *sf.* **1** Ação ou resultado de convergir **2** Qualidade, propriedade ou condição do que converge, do que é convergente **3** *Geom.* Propriedade das linhas retas, dos raios luminosos etc. que convergem para um mesmo ponto **4** O ponto para o qual convergem linhas, raios luminosos etc.; o grau ou a intensidade com que isso se verifica **5** Afluência de várias coisas para um mesmo ponto **6** *Fig.* Coincidência ou afinidade de ações, posturas ou pensamentos (convergência de opiniões; convergência de esforços); CONFLUÊNCIA **7** *Ling.* Em línguas de origens diferentes, a ocorrência de modificações e evoluções paralelas ou afins **8** *Oft.* Posição ou movimentação dos olhos para que a luz de um único ponto luminoso se reflita nas duas fóveas [F.: *convergir* + *-ência,* ouj do fr. *convergence.*]

convergente (con.ver.*gen*.te) *a2g.* **1** Que segue ou se dirige para o mesmo ponto ou lugar (caminhos convergentes) **2** Que apresenta desenvolvimento ou tendência similares (aos de outro), que leva a resultados iguais ou semelhantes (evolução convergente; métodos convergentes) **3** Que tem orientação, conduta ou ideias e objetivos similares aos de outrem [F.: *convergir* + *-ente.*]

convergir (con.ver.*gir*) *v.* **1** Dirigir-se para, concorrer a um ponto comum [**ta.**: *Todos os olhares convergiam para o altar; duas linhas que convergem em um ponto.*] **2** *Fig.* Tender para um mesmo objetivo ou ideia [**tr.** + *para*: *As verbas convergiram para a saúde.*] [**int.**: *Depois do debate, as opiniões convergiram.*] **3** Juntar-se, reunir-se num lugar comum [**ta.**: *Todas essa nova ideias convergem na plataforma do partido.*] [▶ **45** convergir] [F.: Do lat. *convergere,* pelo fr. *converger.*]

conversa[1] (con.*ver*.sa) *sf.* **1** Ação ou resultado de conversar **2** Troca de palavras, ideias, relatos, informações etc. entre duas ou mais pessoas sobre um ou mais assuntos, ou ao sabor do que vai lhes ocorrendo; CONVERSAÇÃO; DIÁLOGO **3** Conversa (2) séria, por vezes formal, que tem por objetivo algo importante, como, por ex., esclarecer mal-entendidos, advertir, aconselhar, combinar interesses, fazer um acerto de contas etc.: *Venha aqui, por favor, precisamos ter uma conversa.* **4** *Fig.* Tema(s) ou assunto(s) sobre os quais se conversa: *Não tratamos disso, nossa conversa foi outra.* **5** *Fig. Pop.* Fala vazia, sem valor, conteúdo, importância ou sentido; PALAVREADO: *Deixa de conversa, entra logo no assunto que nosso tempo é escasso.* **6** *P. ext. Pop.* História ou relato falso; INVENÇÃO; MENTIRA: *Disse que iria me ajudar, mas era conversa.* [F.: Dev. de *conversar.*] ■ **~ fiada** **1** Promessa, proposta, planos de pessoa que não pretende cumpri-los ou realizá-los [Tb. *conversa-fiada.*] **2** Ver *Conversa mole* (2) **~ mole** **1** *Bras. Pop.* Ver *conversa-fiada* **2** Conversa que não leva a nada, lero-lero; conversa-fiada, conversa para boi dormir [Sin. nesta acp.: *Moç. bula-bula.*] **~ para boi dormir** *Bras. Pop.* Ver *Conversa mole* (2) **~ vai, ~ vem** *Por.* Depois de muita conversa: *Conversa vai, conversa vem, acabaram chegando ao principal.* **Deixar de ~** *Bras. Pop.* Parar com evasivas e rodeios e ir ao assunto **Ir na ~ (de)** *Bras. Pop.* Deixar-se convencer, acreditar no que lhe é dito (por alguém): *Fui na conversa (dele) e me dei mal.* **Jogar (a) ~ fora** Conversar sobre banalidades, bater papo **Passar uma ~ em** Argumentar com lábia tentando convencer (alguém) de algo **Puxar ~** Tentar dar início a uma conversa com alguém

conversa[2] (con.*ver*.sa) *sf.* Mulher que se recolheu em convento, mas que não professa [F.: Fem. subst. de *converso*[1].]

conversação (con.ver.sa.*ção*) *sf.* **1** Ação ou resultado de conversar **2** Arte ou prática de conversar em língua estrangeira **3** *P. ext. Pop.* Aula de língua estrangeira voltada para o desenvolvimento da expressão verbal **4** *Comun.* Troca de informações, relatos, mensagens etc. feita entre usuários de uma rede de comunicação [Pl.: *-ções.*] [F.: Do lat. *conversatio, onis.*]

conversacional (con.ver.sa.ci:o.*nal*) *a2g.* **1** Ref. ou inerente a conversação (encontro conversacional; proposta conversacional); COLOQUIAL **2** *Bras. P. us. Inf.* O mesmo que *interativo* (prática conversacional) [Pl.: *-nais.*] [F.: *conversação* + *-al,* seg. o mod. erudito.]

conversadeira (con.ver.sa.*dei*.ra) *a.* **1** Fem. de conversador, que tem prazer de conversar (anfitriã conversadeira) *sf.* **2** Mulher que gosta de conversar ou que conversa bem **3** *P. ext. Pej.* Aquela que comete indiscrições sobre a vida alheia em suas conversas; FALADEIRA **4** Cadeira dupla, com assentos opostos **5** *Arq.* Assento integrado à parede pouco abaixo de peitoril de janela, de madeira, cantaria, ou da própria alvenaria [F.: *conversar* + *-deira.*]

conversado (con.ver.*sa*.do) *a.* **1** Que se conversou; sobre o que se conversou (tema conversado) **2** Com quem se conversou **3** *P. ext. Fig.* Diz-se de pessoa com quem se conversou habilmente para sondar-lhe a opinião, o interesse etc. sobre algo ou alguém **4** *Fig.* Diz-se de quem tem conversa fluente, que sabe conversar: *indivíduo inteligente e conversado.* **5** Que flui, corre naturalmente, no tom de uma conversa (diz-se de estilo) **6** *Fig.* Que transcorre durante conversas: *ágape muito conversado.* **7** *Fig.* Diz-se de quem conversou e entrou em acordo quanto a algo; APALAVRADO; COMBINADO: *Ficamos então conversados.* *sm.* **8** *Bras. Pop. P. us.* Namorado [F.: Do lat. *conversatus, a, um.*] ■ **Estar ~** Ter (duas ou mais pessoas que conversam) o assunto esgotado [Us. tb. de modo quase interjectivo, para expressar que o assunto está encerrado ou que não há necessidade ou possibilidade de dizer ou debater mais nada: *"Traga suas reivindicações por escrito, eu encaminharei ao chefe, e estamos conversados."*]

conversador (con.ver.sa.*dor*) [ô] *a.* **1** Que gosta de conversar; que conversa muito, ou em excesso; FALADOR *sm.* **2** Indivíduo conversador [F.: *conversar* + *-dor*; lat. *conversator, oris* 'companheiro, aquele que convive'.]

conversa-fiada (con.ver.sa-fi:*a*.da) *s2g.* **1** *Bras.* Pessoa que não pretende cumprir o que promete **2** Pessoa que conta vantagem com exagero, que gosta de se gabar [F.: *conversa* + fem. de *fiado*[2]. Cf. a loc. *conversa-fiada* no verbete *conversa.*]

conversão (con.ver.*são*) *sf.* **1** Ação ou resultado de converter(-se) **2** Ação ou resultado de transformar(-se) uma coisa em outra **3** Passagem ou mudança de um estado a outro ou de uma forma a outra **4** Ação ou resultado de adaptar(-se) a um novo uso ou função **5** Ação ou resultado de substituir ou trocar uma (ou mais coisa[s]) por outra(s) **6** Mudança de religião, de partido político, de estilo de vida etc. [+ *de... a*: *conversão de alguém à fé católica.*] **7** Mudança de sentido ou direção no trânsito **8** *Econ.* Troca de moeda de um país pela de um outro [+ *de... em*: *conversão de dólares em reais.*] **9** *Metal.* Processo ou operação para transformar uma liga em outro produto **10** *Mil.* Mudança de direção durante a marcha **11** *Psi.* Mudança de atitude ou opinião **12** *Psi.* Surgimento de sintomas corporais (p. ex., paralisia) por efeito de afetos recalcados [Pl.: *-sões.*] [F.: Do lat. *conversio, onis.*]

conversar (con.ver.*sar*) *v.* **1** Falar (com uma ou mais pessoas) trocando ideias, relatando coisas, tratando de assuntos etc. [**tr.** + *com*: *O diretor conversou com os atores (sobre o filme).*] [**int.**: *As comadres conversaram três horas seguidas.*] **2** Tratar, discutir, discorrer sobre (algo) em conversa [**td.**: *Só sabe conversar futebol.*] [**tr.** + *de, sobre*: *Passa horas conversando de/sobre música clássica; "Conversávamos de fins e destinos humanos."* (Eça de Queirós, *A cidade e as serras*)] **3** Falar (com uma ou mais pessoas) sobre (ideias, assuntos etc.) [**tr.** + *com, de, sobre*: *Vou conversar com ela de/sobre vários problemas.*] [**int.** + *de, sobre*: *Conversamos de/sobre vários problemas.*] **4** *Pop.* Tentar convencer (alguém) ger. para conseguir algo ilegal ou ilícito [**td.**: *Tentou conversar o fiscal, mas acabou multado.*] **5** Tentar seduzir (alguém) [**td.**] **6** Sondar os sentimentos, as intenções de (alguém) [**td.**: *Tentou conversar o ministro, mas não ficou sabendo de nada.*] [▶ **1** conversar] [F.: Do lat. **conversare,* por *conversari.*]

conversibilidade (con.ver.si.bi.li.*da*.de) *sf.* **1** Qualidade do que é conversível, do que é transformável ou modificável; CONVERTIBILIDADE [Ant.: *inconversibilidade*] **2** *Econ.* Possibilidade de troca de moedas diferentes, segundo taxas de câmbio fixadas ou preços estabelecidos **3** *Econ.* (Possibilidade de) transformação dos títulos de crédito ao portador em nominativos, ou vice-versa [F.: *conversível* + *-(i)dade,* seg. o mod. erudito.]

conversível (con.ver.*sí*.vel) *a2g.* **1** Que se pode converter; CONVERTÍVEL **2** Que pode ser trocado por outra coisa, por outros valores (moeda de outro país, ouro etc.) **3** Diz-se do carro ou embarcação que possui capota dobrável ou removível *sm.* **4** O carro com esse tipo de capota [Pl.: *-veis.*] [F.: Do lat. *conversibilis, e.*]

converso[1] (con.*ver*.so) *a.* **1** Que se converteu **2** Diz-se de quem fez votos mas não recebeu ordens sacras; de quem, sendo leigo, serve em convento *sm.* **3** Pessoa que se converteu 4 Religioso que fez votos mas não recebeu ordens sacras; leigo servidor em convento [F.: Do lat. *conversus.*]

converso² (con.*ver*.so) *sm.* 1 Ação de conversar, o que se conversa; CONVERSAÇÃO 2 Lugar no qual se conversa; LOCUTÓRIO; PARLATÓRIO [F.: Dev. de *conversar.*]

conversor (con.ver.*sor*) [ô] *sm.* 1 *Elet.* Aparelho que transforma a corrente contínua em alternada e vice-versa 2 *Eletrôn.* Dispositivo que transforma a frequência de um sinal (permitindo que um receptor de rádio ou de televisão receba sinais de uma frequência para a qual não está sintonizado 3 *Inf.* Dispositivo que possibilita transferir informações de um sistema de um determinado tipo para outro, como, por exemplo, de analógico para digital 4 *Fot.* O mesmo que *teleconversor* **a.** 5 Que converte ou que provoca ou estimula a conversão 6 *Sid.* Espécie de forno no qual se obtém o aço ao se injetar uma corrente de ar no ferro fundido [F.: *converso¹* + *-or.*] ■ **~ de frequência** *Eletrôn.* Aparelho ou circuito que modifica a frequência de um sinal

converter (con.ver.*ter*) *v.* 1 Persuadir (alguém) a adotar ou adotar uma religião, ideologia, estilo de vida etc. [*td.*: *A tarefa dos jesuítas era converter os pagãos.*] [*tdr.* + *a*: *São Francisco converteu o sultão da Babilônia à fé; converter um republicano à monarquia.*] [*tr.* + *a*: *converter-se ao protestantismo/ ao vegetarianismo.*] 2 Transformar(-se) uma coisa, uma tarefa, uma característica etc., em outra; TRANSMUDAR(-SE) [*tdr.* + *em*: "...querem converter em escândalo o que foi apenas uma brincadeira." (*Folha de S.Paulo*, 22.01.1999)] [*tr.* + *em*: *O riso converteu-se em pranto.*] 3 Alterar a função ou finalidade de [*tdr.* + *em*: *converter a casa em ateliê.*] 4 *Esp.* Aproveitar (penalidade) para marcar (gol, cesta, pontos etc.) [*td.*: *O atacante converteu o pênalti.*] 5 *Basq.* Arremessar a bola para dentro da cesta; ENCESTAR [*int.*: *Arremessou da linha dos 3 metros e converteu!*] 6 *Econ.* Trocar valor (expresso em certa moeda, certo título etc.) por valor considerado equivalente (em outra moeda, outro título etc.); COMUTAR [*tdr.* + *em*: *converter reais em dólares; converter uma pena corporal em pena pecuniária.*] 7 Trocar qualquer direito ou ônus em outros, considerados equivalentes [*tdr.* + *em*: *Converteu as férias em remuneração financeira; Converteu a pena de prisão em prestação de serviços comunitários.*] 8 *Inf.* Mudar um arquivo de um formato para outro [*tdr.* + *em, para*: *converter um arquivo Word para PDF.*] [▶ 2 converter] [F.: Do lat. *convertere.*]

convertibilidade (con.ver.ti.bi.li.*da*.de) *sf.* Qualidade do que é convertível, do que é modificável ou transformável; CONVERSIBILIDADE [F.: Do lat. *convertibilitas, atis.*]

convertido (con.ver.*ti*.do) *a.* 1 Que se converteu (título convertido); CONVERSO 2 Que se transformou em outra coisa, ou que adquiriu nova forma, ou que passou a um outro estado 3 Que mudou de crença, religião, opinião etc. 4 Que foi adaptado para uma nova função (diz-se de imóvel, de parte dele, ou de um estabelecimento) 5 *Esp.* Marcado (diz-se de ponto, gol) 6 *P. ext. Esp.* Que resultou em gol, ponto etc. (pênalti convertido) *sm.* 7 Aquele que se converteu a uma nova religião, crença, doutrina ou ideologia [F.: Part. de *converter.*]

convertível (con.ver.*tí*.vel) *a2g.* Que se pode converter; CONVERSÍVEL [Ant.: *inconvertível.*] [Pl.: *-veis.*] [F.: Do lat. *convertibilis, e.*]

convés (con.*vés*) *sm. Cnav.* Pavimento ou piso de navio, esp. o que é descoberto ou coberto com toldo; DEQUE [Pl.: *-veses.*] [F.: Do espn. *convés* ou do cat. *combés.*] ■ **~ principal** *Cons. Mar.* Convés contínuo, que se estende de proa a popa, o primeiro de cima para baixo

convescote (con.ves.*co*.te) *sm. Bras. Antq.* Passeio com refeição ao ar livre; PIQUENIQUE [F.: De *conv(ívio)* 'festa familiar' + *escote* 'quinhão dado por cada um para a despesa'. Neologismo criado por Antônio de Castro Lopes para traduzir o ing. *pic-nic.*]

convexidade (con.ve.xi.*da*.de) [cs] *sf.* 1 Qualidade de convexo 2 Curvatura exterior de uma linha ou superfície convexa [P. op. a: *concavidade.*] [F.: Do lat. *convexitas, átis.*]

convexo (con.*ve*.xo) [cs] *a.* Que forma uma saliência arredondada para fora (como a parte externa de um círculo ou de uma esfera) [F.: Do lat. *convexus.* Ant.: *côncavo.*]

convicção (con.vic.*ção*) *sf.* 1 Ação ou resultado de convencer 2 Forte confiança ou crença em alguma coisa: *Tenho convicção de que serei aprovado no concurso.* [+ *de, sobre, quanto a*: *ter convicção de /sobre a culpa do acusado.*] 3 Princípios, ideias que norteiam a vida de alguém: *Não abro mão de minhas convicções.* [Pl.: *-ções.*] [F.: Do lat. *convictio, onis*, pelo fr. *conviction.*]

convício (con.*ví*.ci:o) *sm.* Injúria, afronta, doesto: "Meia dúzia de convícios ríspidos, num calão enérgico." (Euclides da Cunha, *Os sertões*) [F.: Do lat. *convicium*, ou *convitium, ii.*]

convicto (con.*vic*.to) *a.* 1 Que está convencido, que tem convicção, certeza de algo; CONVENCIDO [+ *de*: *juiz convicto da inocência do réu.*] 2 Diz-se do réu que teve sua culpa provada (assassino convicto) [F.: Do lat. *convictus*, part. de *convincere.*]

convidado (con.vi.*da*.do) *a.* 1 Que recebeu um convite (professor convidado) [+ *a, para*: *convidado a /para uma festa.*] *sm.* 2 Pessoa convidada: *Os convidados da festa foram chegando aos poucos.* [F.: Part. de *convidar.*]

convidar (con.vi.*dar*) *v.* 1 Chamar (alguém) para comparecer a algum lugar ou participar de algo [*td.*: *No meu aniversário, convido todos os meus amigos.*] [*tdr.* + *a, para*: "Leôncio o convidara a vir visitar a irmã..." (Bernardo Guimarães, *A escrava Isaura*)] 2 Despertar a vontade; ATRAIR; INDUZIR [*tdr.* + *a*: *O bom ambiente da firma nos convida a trabalhar.*] [*tr.* + *a*: *A marcha acelerada do progresso convida à reflexão.*] 3 Aparecer em um lugar ou fazer algo sem ter sido chamado [*tdr.* + *para*: *Ignorado pelo anfitrião, ele se convidou para a festa.*] 4 Ordenar de forma delicada ou sutil [*tdr.* + *a*: *O segurança convidou o penetra a sair da festa.*] 5 Apresentar sugestão ou proposta a; PROPOR [*tdr.* + *a*: *Convidou o amigo a reconsiderar sua decisão.*] [▶ 1 convidar] [F.: Do lat. vulgar *convitare.* Ant. ger.: *desconvidar.*]

convidativo (con.vi.da.*ti*.vo) *a.* Que convida, que exerce atração sobre alguém (preços convidativos; sorriso convidativo); ATRAENTE [F.: *convidar* + *-tivo.*]

convincente (con.vin.*cen*.te) *a2g.* Que convence ou que tem poder de convencer (argumentos convincentes); PERSUASIVO [F.: Do lat. *convincens, entis.*]

convir (con.*vir*) *v.* 1 Ser apropriado, adequado, conforme; ficar bem (com); ajustar-se; condizer [*tr.* + *a*: *Convém a um líder ser respeitoso; Tem tudo o que convém a uma adolescente; Usa roupas que não convêm a um professor.*] [*int.*: *Nas circunstâncias, essa atitude não convém.*] 2 Ser conveniente, oportuno, favorável, proveitoso [*tr.* + *a*: *Só me ajudou porque lhe convinha.*] [*int.*: *Convém reduzir o consumo de sal.*] 3 Estar de acordo; admitir; concordar [*tr.* + *em*: *Conveio em tudo que se lhe propôs; Conviria comigo (em) que estava errado.* Pode ocorrer elipse da prep. *em* na sequência *verbo* + *em* + *que.*] 4 *Ant.* Existir, suceder ao mesmo tempo; coincidir [*tr.* + *com*: *A passagem do cometa conveio com um terremoto.*] 5 Vir a calhar, a propósito [*tr.* + *a, para*: *Esta mudança no câmbio acabou lhes convindo, vão viajar semana que vem.*] [▶ 42 convir. Part.: *convindo.* Observar as formas *convém* (3ª pess. sing.) e *convêm* (3ª pess. pl.).] [F.: Do lat. *convenire.*]

convite (con.*vi*.te) *sm.* 1 Pedido ou solicitação para que alguém esteja presente em certa ocasião ou participe de algo [+ *a, para*: *convite a /para um jogo.*] 2 Por eufemismo, solicitação, ordem, recomendação: *O olhar carrancudo do professor era um convite ao silêncio na aula.* 3 A própria mensagem escrita ou falada us. para solicitar a presença: *Recebi ontem o convite de casamento.* 4 Bilhete ou documento que propicia ingresso gratuito em um evento ou espetáculo 5 *Fig.* Aquilo que atrai, que tenta: *A torta na cozinha era um convite à gula.* 6 Aquilo que estimula, incita: *Um luar que é um convite ao romance.* 7 *Jur.* Tipo de licitação para aquisição de bem ou serviço de pequeno valor, em que o licitante convoca diretamente os concorrentes ao fornecimento [F.: Do lat. med. *convitare*, pelo cat. *convit.*]

conviva (con.*vi*.va) *s2g.* Pessoa que participa como convidado de um jantar, banquete, comemoração, festa etc. [F.: Do lat. *conviva.*]

convivência (con.vi.*vên*.ci:a) *sf.* 1 Ação ou resultado de conviver ou de estar junto com frequência [+ *de... com, entre*: *convivência dos pais com os filhos; convivência entre as pessoas.*] 2 O relacionamento contínuo entre pessoas que convivem 3 Coexistência simultânea e harmoniosa entre seres ou coisas distintos [F.: *conviver* + *-ência.*]

convivente (con.vi.*ven*.te) *a2g.* 1 Que convive com outrem em relações de amizade 2 *Bras.* Que busca a boa companhia ou convivência; AFÁVEL; SOCIÁVEL [Ant.: *cerimonioso.*] 3 *NE.* Propenso a amores ilícitos; FEMEEIRO *sm.* 4 Aquele que convive com outrem em relações de amizade 5 Pessoa afável, sociável [F.: *convive(r)* + *-nte.*]

conviver (con.vi.*ver*) *v.* 1 Viver na mesma comunidade ou residência de (uma pessoa, tendo contato com ela); ter convivência, intimidade [*tr.* + *com*: *Convivi com meus primos por mais de dez anos (em uma mansão).*] 2 Habitar ou partilhar o mesmo espaço; coexistir [*int.*: *No Pantanal, várias espécies convivem em harmonia; O bem e o mal convivem em cada um de nós.*] 3 Ter certo tipo de relacionamento [*tr.* + *com*: *conviver mal com os colegas.*] [*int.*: *O casal convive em harmonia.*] 4 Adaptar-se, ajustar-se a, ou aceitar (uma situação difícil, um mal) [*tr.* + *com*: *Ele aprendeu a conviver com as dificuldades; Não é fácil conviver com a enxaqueca.*] [▶ 2 conviver] [F.: Do lat. *convivere.*]

convívio (con.*ví*.vi:o) *sm.* 1 Ver *convivência* 2 *P. us.* Banquete, festim [F.: Do lat. *convivium.*]

convizinho (con.vi.*zi*.nho) *a.* 1 Que habita a vizinhança de outro 2 *Fig.* Semelhante, próximo: "A língua dos ciganos é muito convizinha do sânscrito." (J. Ribeiro, *Colmeia*) *sm.* 3 O que habita a vizinhança de outro [F.: *con-* + *vizinho.*]

convocação (con.vo.ca.*ção*) *sf.* 1 Ação ou resultado de convocar 2 Convite ou chamado a uma ou várias pessoas para que compareça(m) a reunião, evento, assembleia etc. 3 *Esp.* Chamado para integrar uma seleção nacional de algum esporte: *O goleiro ficou surpreso com sua convocação.* 4 *Esp.* Lista de pessoas convocadas: *O locutor leu a convocação ainda na sede da confederação.* 5 *Mil.* Chamada para o serviço militar ou para operações de guerra [Pl.: *-ções.*] [F.: Do lat. *convocatio, onis.*]

convocado (con.vo.*ca*.do) *a.* 1 Que recebeu uma convocação [+ *a, para*: *convocado à /para a reunião.*] *sm.* 2 Pessoa chamada para comparecer a um evento ou dele participar, ou para integrar um grupo selecionado 3 Pessoa chamada para integrar-se ao exército em períodos de paz ou de guerra [F.: Part. de *convocar.*]

convocar (con.vo.*car*) *v.* 1 Solicitar o comparecimento (de); chamar, convidar ger. para reunião ou atividade em conjunto [*tdr.* + *a, para*: *A Secretaria de Educação convocou os candidatos aprovados (para o treinamento); O vereador convocou a população (a participar das discussões/ a lutar).*] 2 Fazer reunir, constituir [*td.*: *convocar uma assembleia/ uma junta/ um concílio.*] 3 Fazer realizar; instituir; estabelecer [*td.*: *convocar eleições/ um referendo.*] 4 *Esp.* Chamar (jogadores) para participar de seleção [*td. tdr.* + *para*: *O técnico convocou os melhores jogadores do país (para o amistoso).*] 5 *Mil.* Chamar para serviço militar ou para a guerra [*td.*: *O governo convocou trinta mil reservistas.*] 6 Pedir com empenho; solicitar [*td.*: *convocar o apoio da sociedade.*] [▶ 11 convocar] [F.: Do lat. *convocare.*]

convocatória (con.vo.ca.*tó*.ri:a) *sf.* Carta circular ou ordem de convocação para determinada reunião [F.: fem. substv. de *convocatório.*]

convocatório (con.vo.ca.*tó*.ri:o) *a.* Que convoca ou que serve para convocar (edital convocatório; ato convocatório) [F.: *convocar* + *-tório.*]

convolar (con.vo.*lar*) *v.* 1 *Jur.* Mudar de cônjuge, estado, ideias, partido etc. [*td.*: *A viúva que convola novas núpcias ou adquire renda de qualquer espécie suficiente para sua sustentação perde direito à pensão.*] [*tr.* + *com*: *Convolou para posições de esquerda.*] 2 *Jur.* Transformar (medida judicial) em outra [*tdr.* + *em*: *O juiz convolou o arresto em penhora de bens.*] [▶ 1 convolar] [F.: Do lat. *convolare.*]

convosco (con.*vos*.co) [ô] *pr. pess.* 1 Com a pessoa, ou as pessoas, a quem se fala: *Não vos ofendais, só estou brincando convosco.* 2 Em vossa companhia: *Que Deus esteja convosco.* 3 Em vosso poder; sob vossa responsabilidade: *A tarefa ficou convosco.* [No Brasil é pouco us. e praticamente se restringe à linguagem religiosa.] 4 Ao mesmo tempo que vós: *sairemos convosco.* 5 Em vossa mente: *Guardai convosco essas lembranças.* 6 Dirigido ou respeitante a vós; a vosso cargo: *Agora o problema é convosco.* [F.: Do lat. *voscum* (por *vobiscum*), com duplicação da prep. *cum*, que já está em *voscum*: *cum voscum.*]

convulsão (con.vul.*são*) *sf.* 1 *Med.* Contração violenta e involuntária de músculos normalmente voluntários do corpo, devido a problemas no sistema nervoso central 2 *Med.* Contração espasmódica de músculo(s); ESPASMO 3 Agitação social de grande dimensão, perturbação violenta da ordem estabelecida 4 Grande agitação, desordem, rebuliço 5 *Fig.* Forte reação emocional a certos traumas, estímulos etc. [Pl.: *-sões.*] [F.: Do lat. *convulsio, onis.*]

convulsionado (con.vul.si:o.*na*.do) *a.* 1 Em convulsão 2 Agitado, conturbado 3 Contraído, sofrido (expressão convulsionada) [F.: Part. de *convulsionar.*]

convulsionar (con.vul.si:o.*nar*) *v.* 1 Pôr(-se) em convulsão; fazer ficar ou ficar transtornado, agitado, perturbado [*td.*: *O temporal convulsionou a rotina dos cidadãos.*] [*int.*: *A pequena cidade convulsionou-se com a chegada de turistas.*] 2 Estimular a revolta de (alguém) [*td.*: *convulsionar os insatisfeitos.*] 3 *Med.* Sofrer convulsões [*int.*: *Depois de medicado, parou de (se) convulsionar.*] [▶ 1 convulsionar] [F.: De *convulsão* + *-ar²*, segundo o mod. erudito. Hom./Par.: *convulsionaria* (fl.), *convulsionária* (fem. de *convulsionário*).]

convulsivante (con.vul.si.*van*.te) *a2g.* 1 Que torna convulsivo 2 Diz-se de substância que provoca convulsão ou espasmo *sm.* 3 Substância convulsivante [F.: *convulsivo* + *-nte.*]

convulsivo (con.vul.*si*.vo) *a.* 1 Ref. a convulsão 2 Em que há convulsão ou que denota ou caracteriza convulsão (tremor convulsivo); CONVULSO 3 Que provoca convulsão (substância convulsiva) 4 *Fig.* Que não se consegue conter ou dominar emocionalmente (choro convulsivo); DESCONTROLADO 5 Que parece ter sofrido convulsão, por estar contorcido, distorcido: *Munch e sua figura convulsiva no quadro O grito.* [F.: Do fr. *convulsif.*]

convulso (con.*vul*.so) *a.* 1 Em que há ou que denota convulsão; ver *convulsivo* 2 Cujo aspecto ou manifestação sugere convulsão, espasmo (tosse convulsa) 3 Em estado ou situação de convulsão (3, 4), agitação, tumulto: *A polícia teve de conter a multidão convulsa.* [F.: Do lat. *convulsus*, part. de *con-vellere.*]

convulsogênico (con.vul.so.*gê*.ni.co) *a.* Capaz de produzir convulsão (estímulo convulsogênico) [F.: *convuls(ão)* + *-o-* + *gen(o)-* + *-ico².*]

convulsoterapia (con.vul.so.te.ra.*pi*.a) *sf. Psiq.* Tratamento de certas psicopatias mediante o uso de agentes convulsivantes, como insulina, choque elétrico etc. [F.: *convuls(ão)* + *-o-* + *-terapia.*]

convulsoterápico (con.vul.so.te.*rá*.pi.co) *a. Psiq.* Ref. a convulsoterapia [F.: *convulsoterapia* + *-ico².*]

coobrigado (co.o.bri.*ga*.do) *a.* 1 Que assume uma obrigação ou se responsabiliza por algo junto com outros *sm.* 2 Pessoa coobrigada [F.: *co-¹* + *obrigado.*]

cooferecer (co.o.fe.re.*cer*) *v.* Fazer oferecimento junto com outra pessoa [*tdi.* + *a*: *Os irmãos cooferecerам uma festa à família.*] [▶ 33 cooferecer] [F.: *co-¹* + *oferecer.*]

⊕ ***cookie*** (*Ing.* /*cúqui*/) *sm.* 1 *Cul.* Tipo de biscoito feito de massa de bolo, crocante e salpicado com nozes, chocolate etc. *sm.* 2 *Inf.* Arquivo de texto gerado pelo navegador de internet após sua utilização e mantido temporariamente no disco rígido, contendo informações de identificação do usuário

⊕ ***cooler*** (*Ing.* /*cúlar*/) 1 Pequeno ventilador destinado a refrigerar circuitos eletrônicos (computadores, amplificadores etc.) 2 Recipiente cilíndrico, ger. contendo gelo, onde se coloca cerveja ou outro tipo de bebida, sucos etc.

coonestação (co.o.nes.ta.*ção*) *sf.* Ação ou resultado de coonestar [Pl.: *-ções.*] [F.: *coonestar* + *-ção.*]

coonestar (co.o.nes.*tar*) *v. td.* Fazer que pareça honesto, dar aparência de honestidade, probidade a; fazer parecer decente, sério: "Privilégios diplomáticos não podem ser invocados (...) para coonestar o enriquecimento sem causa..." (STF, *Constituição do Brasil*); "O senhor Chinoca apressou-se, porém, a coonestar meu estrambótico guarda-roupa." (Aquilino Ribeiro, *A via sinuosa*) [▶ 1 coonestar] [F. Do lat. *cohonestare*.]

cooperação (co.o.pe.ra.*ção*) *sf.* Ação ou resultado de cooperar, de prestar ajuda; COLABORAÇÃO; CONTRIBUIÇÃO [+ *com, entre*: *cooperação com o governo; cooperação entre governos.*] [+ *em, para*: *cooperação na / para a reconstrução do país.*] [Pl.: *-ções*.] [F.: Do lat. *cooperatio, onis*, pelo fr. *coopération*.]

cooperado (co.o.pe.*ra*.do) *sm.* Membro ou participante de cooperativa; COOPERATIVADO [F.: Part. substv. de *cooperar*.]

cooperador (co.o.pe.ra.*dor*) [ô] *a.* **1** Que coopera; COOPERANTE *sm.* **2** Pessoa que coopera [F.: Do fr. *cooperateur*, deriv. do lat. *cooperatio, -onis*.]

cooperante (co.o.pe.*ran*.te) *a.* **1** Que coopera *sm.* **2** O que coopera [F.: *cooperar* + -nte. Sin. ger.: *cooperador*.]

cooperar (co.o.pe.*rar*) *v.* Atuar juntamente com outrem ou com outros para um fim comum; contribuir para que algo ocorra; COLABORAR [*tr.* + *com, em, para*: *Os empresários decidiram cooperar com o governo; Eu também cooperei neste melhoramento; A geada cooperou para o aumento do preço das hortaliças; Cooperei com meu irmão na construção da casa dele.*] [*int.*: *É necessário que todos cooperem.*] [▶ 1 cooperar] [F.: Do lat. **cooperare*, por *cooperari*, pelo fr. *coopérer*.]

cooperativa (co.o.pe.ra.*ti*.va) *sf.* Sociedade ou empresa mantida pelo trabalho e a contribuição dos associados, e que visa o benefício destes através da racionalização e harmonização das atividades por eles desenvolvidas: *Os produtores de laranja criaram uma cooperativa para negociar com as fábricas de suco.* [F.: Do fr. *coopérative*, deriv. de *coopératif*.]

cooperativado (co.o.pe.ra.ti.*va*.do) *sm.* Membro de cooperativa; o mesmo que *cooperado* [F.: *cooperativa* + *-ado¹*.]

cooperativismo (co.o.pe.ra.ti.*vis*.mo) *sm. Econ.* Modo de organização socioeconômica (ou doutrina que a defende) em que as cooperativas são os principais agentes na produção e distribuição de bens [F.: *cooperativ(a)* + *-ismo*.]

cooperativista (co.o.pe.ra.ti.*vis*.ta) *a2g.* **1** Ref. às sociedades cooperativas ou ao cooperativismo **2** Que é adepto do cooperativismo *s2g.* **3** Adepto do cooperativismo [F.: *cooperativ(a)* + *-ista*.]

cooperativização (co.o.pe.ra.ti.vi.za.*ção*) *sf.* Transformação (de empresa, entidade, agrupamento ou serviço) em cooperativa: *Cooperativização da comunidade pesqueira.* [Pl.: *-ções*.] [F.: **cooperativizar* + -ção.]

cooperativo (co.o.pe.ra.*ti*.vo) *a.* **1** Que coopera (colega cooperativo) **2** Que envolve cooperação, em que há cooperação (trabalho cooperativo) [F.: Do lat. tard. *cooperativus*.]

cooptação (co.op.ta.*ção*) *sf.* Ação ou resultado de cooptar [Pl.: *-ções*.] [F.: Do lat. *cooptatio, onis*.]

cooptado (co.op.*ta*.do) *a.* **1** Admitido sem formalidades (cooptado pelo sindicato) **2** Atraído, seduzido [F.: Part. de *cooptar*.]

cooptador (co.op.ta.*dor*) *a.* **1** Que coopta *sm.* **2** O que coopta [F.: *coopta(r)* + *-dor*.]

cooptar (co.op.*tar*) *v. td.* **1** Atrair (alguém) e fazer participar de um movimento, ideologia, partido, ideal etc.; AGREGAR; ALICIAR: *O partido cooptou mais integrantes.* **2** Admitir (algo, alguém) numa corporação com dispensa das condições ordinariamente exigidas para a admissão [▶ 1 cooptar] [F.: Do lat. *cooptare*.]

cooptável (co.op.*tá*.vel) *a2g.* Que se pode cooptar: *Um sistema sindical centralizador pode tornar-se mais cooptável.* [Pl.: *-veis*.] [F.: *coopta(r)* + *-vel*.]

coordenação (co.or.de.na.*ção*) *sf.* **1** Ação ou resultado de coordenar(-se) [+ *de... a, com*: *coordenação de uma ação a / com outra.*] [+ *entre*: *coordenação entre ações.*] **2** Ação ou resultado de organizar algo; ARRANJO; ARRUMAÇÃO; ORGANIZAÇÃO: *É responsável pela coordenação das festividades.* [Ant.: *descoordenação, desorganização*.] **3** Relação vigente entre os elementos que compõem um todo articulado, de tal maneira que o comportamento de cada um depende do modo como os outros se comportam; ARTICULAÇÃO: *coordenação entre as seções de uma fábrica.* [Ant.: *desarticulação*.] **4** Gerência de um projeto, atividade etc.; o setor, departamento etc. que o coordena (coordenação política); ADMINISTRAÇÃO; CHEFIA; COMANDO **5** *Gram.* Ligação sintática entre termos ou orações independentes e equivalentes [Cf.: *subordinação*.] **6** *Gram.* Relação entre os elementos de uma construção sintática, tal que construção equivalente se poderia fazer com cada um dos elementos em separado [Ex.: na frase *João e Pedro jogam futebol* a relação entre João e Pedro é de coordenação, pois se poderiam construir as frases *João joga futebol* e *Pedro joga futebol*.] **7** *Med.* Atividade do sistema nervoso central que permite ao indivíduo controlar e dirigir seus movimentos (coordenação motora) [Pl.: *-ções*.] [F.: Do lat. tard. *coordinatio, onis*.] ■ **~ assindética** *Ling.* União de elementos linguísticos de sintaxe equivalente, sem conjunções coordenativas entre eles **~ sindética** *Ling.* União de elementos linguísticos de sintaxe equivalente, ligados por conjunção coordenativa

coordenada (co.or.de.*na*.da) *sf.* **1** *Geom.* Cada uma das referências constituintes de um sistema que permite localizar um ponto no plano ou no espaço **2** *Fig.* Aquilo que serve para orientação em alguma atividade ou na vida em geral; DIRETRIZ [Nesta acepção, us, ger. no plural.] **3** *Gram.* Oração da mesma natureza que a outra a que se liga em sequência, com ou sem conectivo **4** *Teat.* Cada uma das linhas imaginárias que dividem o palco, us. para a arrumação dos cenários [F.: Fem. substv. de *coordenado*.] ■ **~ astronômica** *Astron.* Cada um dos arcos de círculo máximo da esfera celeste, us. para determinar a posição de um astro nela **~ celeste** *Astron.* Ver *Coordenada astronômica* **~ geográfica** *Astron.* Cada uma das duas coordenadas de um ponto na superfície da Terra, a latitude, que tem como referência o equador, e a longitude, que tem como referência um meridiano tomado como origem **~ heliocêntrica** *Astron.* Sistema de coordenadas que indicam qualquer ponto da esfera celeste tendo como referência o centro do Sol **~ horizontal** *Astron.* Cada coordenada astronômica de um sistema que tem como referências o plano do horizonte real, e o eixo vertical do lugar. São: o azimute, a altura e a distância zenitais **~s cartesianas** **1** *Geom. an.* Sistema de coordenadas de um ponto no plano no qual as curvas coordenadas são retas paralelas a dois eixos que se cortam [Os eixos de *x* e de *y* (para sistemas no plano, com dois eixos de coordenadas) ou de *x, y, z* (para sistemas tridimensionais).] **2** Sistema de coordenadas de um ponto no espaço em que as superfícies coordenadas são planos respectivamente paralelos a três planos com uma interseção comum **3** *P. ext.* Sistema de coordenadas de um ponto num espaço de *n* dimensões em relação a planos generalizados que se interceptam num ponto comum **~s cartesianas ortogonais** *Geom. an.* Coordenadas cartesianas em que as curvas ou superfícies coordenadas são perpendiculares entre si **~s cilíndricas** *Geom. an.* Coordenadas nas quais as famílias de superfícies coordenadas são de cilindros coaxiais, semiplanos com origem no eixo comum desses cilindros, e planos perpendiculares a esse eixo **~s cônicas** *Geom. an.* Coordenadas nas quais as famílias de superfícies coordenadas são de esferas concêntricas e cones elípticos ortogonais entre si **~s elípticas** Coordenadas nas quais as famílias de superfícies coordenadas são de cilindros elípticos que têm o mesmo foco, cilindros hiperbólicos e planos **~s esféricas** *Geom. an.* Coordenadas nas quais as famílias de superfícies coordenadas são de esferas concêntricas, cones coaxiais cujos vértices estão no centro das esferas, e semiplanos com origem no eixo comum dos cones ortogonais entre si **~ intrínsecas** *Geom. an.* As coordenadas de uma curva ou de uma superfície definidas sem referência de um sistema cartesiano; coordenadas naturais **~ naturais** *Geom. an.* Ver *Coordenadas intrínsecas* **~ ortogonais** *Geom. an.* Coordenadas nas quais as famílias de curvas ou de superfícies são mutuamente perpendiculares **~s parabólicas** *Geom. an.* Coordenadas nas quais as famílias de superfícies coordenadas são de paraboloides de revolução invertidos e semiplanos mutuamente perpendiculares **~ polares** *Geom. an.* Coordenadas de um ponto no plano em que as famílias de curvas coordenadas são um feixe de retas com um ponto comum e circunferências concêntricas com centro nesse ponto **~ retangulares** *Geom. an.* Ver *Coordenadas cartesianas ortogonais*

coordenado (co.or.de.*na*.do) *a.* **1** Que se coordenou; ordenado ou organizado segundo certa ordem e método, esp. em correspondência e combinação com a ordem e o método de ordenação de outras coisas, ações etc. [+ *a, com*: *atividades de socialização coordenadas ao / com outras, de tipo assistencial.*] **2** *Gram.* Ligado por meio de uma relação de coordenação, de justaposição sem dependência ou hierarquia (oração coordenada) [F.: Part. de *coordenar*.]

coordenador (co.or.de.na.*dor*) [ô] *a.* **1** Que coordena: *grupo coordenador do evento.* *sm.* **2** Aquele que coordena: *O coordenador do debate faltou.* [F.: *coordenar* + *-dor*.]

coordenadoria (co.or.de.na.do.*ri*.a) *sf.* **1** Função ou cargo de coordenador **2** Local onde o coordenador exerce sua função [F.: *coordenador* + *-ia¹*.]

coordenar (co.or.de.*nar*) *v.* **1** Dispor(-se), organizar(-se), ou realizar(-se) segundo certo método ou certa ordem [*td.*: "Fui dar um passeio para coordenar as minhas ideias." (Teixeira de Vasconcelos, *Viagem na terra alheia*)] [*int.*: *Estava meio tonto, e suas palavras não se coordenavam bem.*] **2** Orientar, dirigir (equipe, departamento, projeto etc.) [*td.*: *coordenar a equipe de combate ao dengue.*] **3** Ligar, interligar, associar [*tdr.* + *a, com*: *coordenar o planejamento à / com a execução.*] [*td.*: *coordenar esforços.*] **4** Associar elementos, ou ações, ou medidas etc. de forma harmoniosa, sincrônica, ajustada etc. [*td.*: *Os trapezistas coordenaram seus movimentos com perfeição.*] **5** *Gram.* Ligar (termos ou orações) por meio de conjunção coordenativa [*td.*: *coordenar dois períodos.*] [*tdr.* + *a*: *coordenar uma oração a outra.*] [▶ 1 coordenar] [F.: Do lat. med. *coordinare*.]

coordenativo (co.or.de.na.*ti*.vo) *a.* **1** Ref. a coordenação (princípio coordenativo) **2** *Gram.* Diz-se da conjunção que coordena dois termos ou duas orações, que marca gramaticalmente a justaposição ou combinação sem hierarquia ou subordinação [Na frase *Jorge e Pedro jantaram e saíram em seguida*, 'e' é a conj. coordenativa. Cf. *subordinativo*.] [F.: *coordena(r)* + *-tivo*.]

coorte (co.*or*.te) [ó] *sf.* **1** A décima parte de uma legião, entre os antigos romanos **2** Grupo armado; TROPA **3** Conjunto formado por um grande número de pessoas **4** Conjunto de pessoas que compartilham alguma característica relevante para estudo comparativo: *Este artigo trata dos determinantes da mortalidade neonatal a partir de uma coorte de nascidos vivos.* **5** *Bot. Zool.* Conjunto taxonômico de espécies, mais abrangente do que uma ordem (ou superordem) e menos abrangente do que uma classe (ou subclasse) [F.: Do lat. *cohors -tis*.]

copa (*co*.pa) [ó] *sf.* **1** Espécie de vaso fundo de tamanho e formatos diversos, para conter bebida, e do qual se bebe; CÁLICE; TAÇA [Tb. us. em liturgia, heráldica etc.] **2** Taça artística us. como prêmio aos vencedores de competições; TROFÉU: *A copa da Suécia em 1958 foi apenas a primeira de uma série de cinco conquistadas pelo Brasil.* **3** Torneio esportivo no qual se disputa um troféu: *Copa Davis (de tênis); a Copa do Mundo de futebol.* [*O Brasil foi campeão pela quarta vez na Copa de 1994.* Us. às vezes no Brasil como referência à Copa do Mundo de Futebol.] **4** Cômodo de uma casa contíguo à cozinha onde se guardam louças, talheres, roupas de mesa etc., e onde se fazem refeições íntimas **5** Esse cômodo em estabelecimentos públicos como hotéis, hospitais, escolas etc., onde se preparam refeições leves a serem servidas, lava-se a louça etc. **6** Parte superior do chapéu **7** Parte superior das árvores, formada pela ramagem, em forma convexa **8** Cada uma das guarnições redondas nas duas extremidades do bocal de freio campeiro **9** Para o naipe de baralho, ver *copas* **10** Vasilha de aduelas na qual se pisa a uva e se deixa o mosto fermentar; BALSEIRO; DORNA **11** *Ant. Gír.* Nota de quinhentos (mil réis, ou cruzeiros) [F.: DO lat. *cuppa* 'vaso'.] ■ **Da ~ e cozinha** Muito íntimo

copacabanense (co.pa.ca.ba.*nen*.se) *s2g.* **1** Indivíduo nascido ou que vive no bairro de Copacabana (RJ) *a2g.* **2** De Copacabana; típico desse bairro, dessa praia ou de seus habitantes ou frequentadores [F.: Do top. *Copacabana* + *-ense*.]

copado (co.*pa*.do) *a.* **1** Que tem copa ('parte superior das árvores'), esp. uma grande ou abundante copa (árvore copada); FRONDOSO **2** Que tem forma de copa [F.: *copa (4)* + *-ado¹*.]

copaíba (co.pa.*í*.ba) *sf.* **1** *Bras. Bot.* Nome de várias árvores do gên. *Coapaifera*, leguminosa, esp. a *Copaifera langsdorfii* e a *Copaiba officinalis*, que produzem óleo medicinal e madeira avermelhada muito us. em marcenarias; COPAIBEIRA **2** Óleo obtido dessas árvores, de uso medicinal para diversos fins [F.: Do tupi *kopa'iua*.]

copal (co.*pal*) *a2g.* Diz-se de resinas vítreas, extraídas de diversas árvores tropicais, da família das leguminosas-cesalpináceas, us. na fabricação de vernizes e lacas [Pl.: *-pais*.] [F.: Do asteca *copalli*, pelo hisp. -americ. *copal*.]

copar (co.*par*) *v.* **1** Podar ramos de (árvore), para que forme copa [*td.*: *copar a mangueira.*] **2** Formar copa (a árvore) [*int.*: *A mangueira copou-se;* "A planta cresceu, copou, bracejou ramos a um e outro lado..." (Machado de Assis, *A chave*)] **3** *P. ext.* Tornar convexo; enfunar; inchar [*td.*: *A ventania copava seu vestido rodado.*] **4** Pôr reto, erguido, direito (orelha de certos animais); FITAR [*td.*: *O lobo copou as orelhas como se tivesse ouvido algo.*] **5** *Ant.* Pentear (o cabelo) arredondando-o [*td.*] [▶ 1 copar] [F.: *copa* + *-ar²*. Hom./Par.: *copo* (fl.), *copo* (sm.); *copa(s)* (fl.), *copa* (sf.), *copas* (sfpl.); *copeis* (fl.), *copéis* (pl. de *copel*).]

coparticipação (co:par.ti.ci.pa.*ção*) *sf.* **1** Ação ou resultado de coparticipar; participação conjunta **2** *Jur.* Situação em que a lei penal é infringida simultaneamente por mais de um agente **3** *Jur.* Produção conjunta, por dois ou mais interessados, de um evento cultural ou obra artística [Pl.: *-ções*.] [F.: *co-¹* + *participação*.]

coparticipar (co:par.ti.ci.*par*) *v.* Participar junto com outra(s) pessoa(s) [*tr.* + *de, em.*: *Os moradores coparticiparam da/na reforma da igreja.*] [▶ 1 coparticipar] [F.: *co-¹* + *participar*.]

copartícipe (co:par.*tí*.ci.pe) *s2g.* Cada um dos participantes de um plano de ação (copartícipe de decisões/de um crime); COPARTICIPANTE [F.: *co-¹* + *partícipe*.]

copas (*co*.pas) *sfpl.* Naipe de baralho onde figuram corações vermelhos [F.: Pl. de *copa*.] ■ **Fechar-se em ~** Ficar em silêncio, calar, por amuo ou discrição

copatrocinar (co.pa.tro.ci.*nar*) *v. td.* Patrocinar em conjunto: *A Petrobrás e a Eletromar copatrocinaram o espetáculo.* [▶ 1 copatrocinar] [F.: *co-¹* + *patrocinar*.]

copázio (co.*pá*.zi.o) *sm.* **1** Copo de grande tamanho [Aum. irreg. de *copo*.] **2** *P. ext.* O conteúdo desse copo: *Tomou um copázio de cerveja.* [F.: *cop(o)* + *-ázio*.]

copeiro (co.*pei*.ro) *sm.* **1** Profissional que se ocupa do serviço de copa (parte da casa contígua à cozinha), serve a mesa e faz outros serviços domésticos **2** Armário ou aparador para copos, garrafas etc. **3** *Desus.* Aquele que faz doces, licores *a.* **4** *Bras. N. E.* Que tem uma roda posta em movimento pela água que cai do alto, enchendo cubos ou copos (engenho copeiro) [F.: *cop(a)* + *-eiro*.]

copenhaguense (co.pe.nha.*guen*.se) *s2g.* **1** Indivíduo nascido ou que vive em Copenhague (capital da Dinamarca) *a2g.* **2** De Copenhague; típico dessa cidade ou de seu povo [F.: Do top. *Copenhague* + *-ense*.]

copépode (co.*pé*.po.de) *Zool. sm.* **1** Espécime dos copépodes, classe de crustáceos muito pequenos cujo corpo é dividido em anéis *a2g.* **2** Ref. aos copépodes [F.: Do lat. cient. *Copepoda*. F. não pref.: *copépodo*.]

copépodo (co.*pé*.po.do) *sm.* F. não pref. de *copépode*

cópia (*có*.pi:a) *sf.* **1** Reprodução textual do que está escrito em outro lugar; transcrição de um texto original: *Os monges beneditinos faziam cópias de manuscritos.* **2** Reprodução de texto ou imagem em máquina copiadora; FOTOCÓPIA; XEROCÓPIA; XEROX: *Você tirou uma cópia daquela apostila?* [Tb. se diz: *cópia xerográfica* ou *cópia xerox*.] **3** Reprodução de original de obra de arte, texto, gravura, fotografia, gravação musical etc., por falsificação; CONTRAFAÇÃO; PLÁGIO: *Esse não é o original, mas uma cópia.* **4** Imitação do jeito, estilo etc. característicos de (outra pessoa): *Ele, jogando,* *é uma cópia do Didi; Essa interpretação da sonata é uma cópia da gravação de Nelson Freire.* 5 *Fig.* Pessoa muito semelhante a outra: *Ele é a cópia do avô.* 6 Grande quantidade, grande número, abundância [F.: Do lat. *copia.*] ▪▪ **~ de segurança** *Inf. Backup* **~ fotostática** *Art. gr.* Reprodução fotográfica de texto, matéria impressa, por contato direto com o material sensível **~ heliográfica** *Art. gr.* Cópia obtida por processo de heliografia [Tb. apenas *heliográfica.*] **~ por contato** *Fot.* Cópia de um negativo diretamente sobre o papel fotográfico [Tb. apenas *contato.*]

copiador (co.pi:a.*dor*) [ô] *sm.* 1 Profissional que faz cópias de textos, partituras ou documentos; COPISTA; ESCREVENTE 2 Livro onde são feitas cópias de documentos [F.: *copiar* + *-dor.*]

copiadora (co.pi:a.*do*.ra) [ô] *sf.* 1 Máquina que faz fotocópias 2 Loja especializada em fazer fotocópias: *Tem uma copiadora enorme na praça perto do cartório e da faculdade.* 3 *Cin. Fot.* Aparelho que faz cópias de filmes, negativos ou *slides* [F.: fem. substantivado de *copiador.*]

copiagem (co.pi:*a*.gem) *sf.* Operação de copiar (fotografias, filmes, VHS, DVD, CD etc.) [Pl.: *-gens.*] [F.: *copi(ar)* + *-agem*[2].]

copião (co.pi:*ão*) *sm. Cin.* Primeira seleção montada de cenas filmadas para análise e decisão sobre a montagem ou edição da cópia final de um filme [Pl.: *-ões.*] [F.: *cópia* + *-ão*[1].]

copiar (co.pi.*ar*) *v.* 1 Escrever as mesmas palavras e sinais de (um texto, documento etc.), na mesma ordem em que foram escritas originalmente; fazer cópia escrita de [*td.: copiar um texto.*] 2 *P. ext.* Produzir, por meios fotográficos ou químicos e eletrônicos, uma imagem de (documento, texto impresso ou manuscrito, etc.); fotocopiar [*td.: copiar a escritura do imóvel/a carteira de identidade.*] 3 Fazer, produzir algo muito similar, ou idêntico, a (outra coisa produzida anteriormente), depois de observá-la; obter (de algo ou alguém) por meio de imitação ou reprodução [*td.: Copiaram seu vestido de noiva.*] [*tdr.* + *de*: *Copiou da loja a decoração da sala.*] 4 Repetir o processo material de produção de algo; reproduzir, fabricando cópia exata, por qualquer processo; esp.: produzir cópia para que possa substituir, ou ser usada da mesma maneira que, o objeto original [*td.: copiar uma chave; copiar um DVD.*] 5 Fazer, produzir, realizar algo por imitação de (algo original); basear-se em (ideia ou criação alheia) para fazer ou criar nova obra que tem características em comum com a primeira; inspirar-se em; plagiar [*td.: A perfumaria da esquina copia perfumes franceses; copiar uma obra de arte; copiar uma ideia.*] 6 Produzir imitação ou cópia de (um objeto) para que seja confundida com este; CONTRAFAZER; FALSIFICAR [*td.: Mandou copiar o quadro valioso e guardou o original no cofre; Copiaram sua assinatura e passaram cheques em seu nome.*] 7 Reproduzir ilegalmente (registro de uma obra ou criação original), criar cópia de (algo) para uso ou distribuição não autorizados; PIRATEAR [*td.*] 8 *Inf.* Gravar conjunto de bits que representam (texto, imagem, sons, ou arquivo previamente marcados ou selecionados) para transferi-los [ver *colar*] para outro local (p. ex., em outro aplicativo ou outro dispositivo de armazenamento) sem apagar os originais [*td.*] 9 Fazer algo a exemplo de; repetir ou imitar (o que alguém faz); agir do mesmo modo que (outra pessoa), depois de observá-la [*td.: Copiava em tudo o amigo; Copiava as travessuras do primo.*] 10 Fazer ter semelhanças reciprocamente [*td.: As irmãs copiavam-se ao se maquiar.*] 11 *Fot.* Produzir uma imagem fotográfica em papel, a partir de um negativo ou de um registro digital [▶ 1 copiar] [F.: *cópia* + *-ar*[2]. Hom./Par.: *copio* (fl.), *copio* (sm.); *copia(s)* (fl.), *cópia(s)* (sf. [pl.]), *copiá(s)* (sm. [pl.]).]

copidescar (co.pi.des.*car*) *v.* Fazer trabalho de copidesque (em) [*td.: Trabalha copidescando artigos de jornal; Copidescou o livro que o pai escreveu.*] [*int.: Um redige e o outro copidesca.*] [▶ 11 copides**car**] [F.: *copidesque* + *-ar*[2], com alt. de *qu-* em *c-*. Hom./Par.: *copidesque(s)* (fl.), *copidesque(s)* (sm. [pl.]).]

copidesque (co.pi.*des*.que) [é] *sm.* 1 *Edit.* Revisão de um texto a ser publicado tendo em vista a correção gramatical, a clareza, seu ajuste aos critérios editoriais etc.: *Os originais do romance estão precisando de um copidesque.* *s2g.* 2 Pessoa que realiza esse trabalho: *É você o copidesque da revista?* [F.: Do ing. *copy desk.*]

copilação (co.pi.la.*ção*) *sf.* Ver *compilação* [Pl.: *-ções.*]

copilar (co.pi.*lar*) *v. td.* Ver *compilar*

copiloto (co.pi.*lo*.to) [ô] *sm.* 1 *Aer.* Piloto auxiliar do comandante de avião, também chamado de segundo piloto 2 *P. ext.* Auxiliar de piloto de embarcação 3 *P. ext.* Auxiliar que fica junto ao piloto ou motorista de um automóvel (ger. em provas de automobilismo, ou em viagens, excursões etc.) [Pl.: *copilotos.*] [F.: *co-*[1] + *piloto.*]

copioso (co.pi:*o*.so) [ô] *a.* 1 Que tem ou apresenta algo em grande quantidade (refeição copiosa; chuvas copiosas); ABUNDANTE; FARTO [+ *de, em*: *obra copiosa de / em informações.*] 2 Diz-se daquilo que se apresenta com outros similares e em grande quantidade ou abundância; numeroso: "Aqui se cria o peixe copioso, / E os vastos pescados em saveiros / Não receando o Elemento undoso, / Neste exercício estão dias inteiros" (Manuel de Santa Maria Itaparica, *Descrição da Ilha de Itaparica*) 3 Que é prolongado, estendido, ou em que há grande número de elementos característicos: *choro copioso* [*demorado ou com muitas lágrimas*]; *palestra copiosa.* [Pl.: [ó]. Fem.: [ó]] [F.: Do lat. *copiosus.*]

copirraite (co.pir.*rai*.te) *sm. Jur.* Direito exclusivo sobre uma obra artística, científica ou literária quanto à sua impressão, reprodução e venda; COPYRIGHT (ING.) [F.: aportuguesamento do ing. *copyright.*]

copista (co.*pis*.ta) *s2g.* 1 Ver *copiador* (1) 2 Pessoa que, antes da invenção dos meios mecânicos e eletrônicos de reprodução, copiava manuscritos; ESCRIBA 3 *Fig.* Pessoa que imita obras ou ideias de outros; PLAGIADOR; PLAGIÁRIO [F.: Do fr. *copiste.*]

copla (*co*.pla) *sf. Poét.* Pequena composição poética, em quadras, para ser cantada [F.: Do lat. *cópula* 'laço, união'.]

copo (*co*.po) *sm.* 1 Recipiente cilíndrico, sem asas, de vidro, cristal, plástico, metal etc., us. para dele se beberem líquidos 2 Recipiente similar, mas provido de um pé mais ou menos fino que se apoia numa base circular; CÁLICE; TAÇA: *Ergamos os copos, vamos brindar.* 3 Por metonímia, o conteúdo de um copo: *Bebeu dois copos de leite.* 4 Quantidade que cabe nesse recipiente: *Essa receita de bolo manda usar um copo de açúcar.* 5 Bebida alcoólica: *Eles saíram para tomar uns copos por aí.* [Aum.: *copaço; copázio.*] [F.: De *copa* (no masc.).] ▪▪ **Não beber nem desocupar o ~** *GO Pop.* Ficar indeciso, não resolver **Ser um bom ~** Ser dado ao consumo de bebida alcoólica; ser bom bebedor

copo-de-leite (co.po-de-*lei*.te) *Bot. sm.* 1 *Bras.* Planta arácea, aquática, ornamental (*Zantedeschia aethiopica*), de flores brancas, de textura encorpada, miolo amarelo em forma de bastão e folhas largas 2 *Bot.* O mesmo que *açucena* (1) 3 O mesmo que *calá*[5] 4 O mesmo que *palma-de-são-josé* [Pl.: *copos-de-leite.*]

copra (*co*.pra) *sf.* Amêndoa do coco, seca e preparada, da qual se extrai o copraol: "Enviou... para Marselha... copra adquirida em Goa." (José Pinheiro, *Apud Glossário Luso-Asiático, sub voce*) [F.: Do malaiala *koppara*, der. do hindustani *khopra*, sânscrito *kharpara.*]

◎ **copr(o)-** *el. comp.* = 'fezes'; 'excrementos': *coprófago* (< fr. < gr.), *coprofilia, coprofobia, coprolalia, coprólito, coprologia* [F.: Do gr. *kópros, ou,* 'esterco, excremento'; 'sujeira'; 'estábulo'.]

coprocessador (co.pro.ces.sa.*dor*) [ô] *Inf. sm.* 1 Processador auxiliar que num computador realiza cálculos matemáticos complexos, liberando o processador principal para cálculos mais simples e outras funções (coprocessador matemático) *a.* 2 Que processa cálculos matemáticos complexos num computador (módulo coprocessador) [Pl.: *-dores.*] [F.: *co-*[1] + *processador.*]

coprodução (co.pro.du.*ção*) *sf.* 1 Ação de produzir (filmes, espetáculos, programas televisivos ou radiofônicos etc.) conjuntamente (apoio à coprodução de filmes) 2 Obra (cinematográfica, televisiva, radiofônica, teatral etc.) realizada sob a responsabilidade de dois ou mais agentes produtores: *O filme Bicho de 7 cabeças é uma coprodução de três produtoras.* [Pl.: *-ções.*] [F.: *co-*[1] + *produção.*]

coprodutor (co.pro.du.*tor*) [ô] *sm.* Cada um dos produtores responsáveis pela produção de um (filme, peça teatral etc.) [Pl.: *-tores.* Fem.: *-tora.*] [F.: *co-*[1] + *produtor.*]

coproduzir (co.pro.du.*zir*) *v. td.* Produzir juntamente com outro(s): *Três veteranos de Roma coproduziram o filme.* [▶ 57 coproduzir] [F.: *co-*[1] + *produzir.*]

coprófago (co.*pró*.fa.go) *a.* 1 Que se alimenta de excrementos (besouro coprófago) *sm.* 2 Animal que se alimenta de excrementos 3 *Psiq.* Indivíduo que ingere excrementos em virtude de compulsão patológica [F.: Do gr. *koprophágos, os, on*, pelo fr. *coprophage*; ver *copr(o)-* e *-fago.*]

coprofilia (co.pro.fi.*li*.a) *sf.* 1 *Biol.* Condição de microrganismo que vive nas fezes 2 *Psiq.* Excitação erótica motivada pelo cheiro, visão ou contato com excrementos humanos [F.: *copr(o)-* + *-filia*[1].]

coprofílico (co.pro.*fí*.li.co) *a.* 1 *Biol. Psiq.* Ref. a coprofilia 2 *Psiq.* Diz-se de indivíduo que tem coprofilia; COPRÓFILO *sm.* 3 *Psiq.* Esse indivíduo; COPRÓFILO [F.: *coprofilia* + *-ico*[2].]

coprófilo (co.*pró*.fi.lo) *a.* 1 *Biol.* Diz-se de bactéria que vive em fezes, em excrementos 2 *Psiq.* Coprofílico (2) *sm.* 3 *Psiq.* Coprofílico (3) [F.: *copr(o)-* + *-filo*[1].]

coprofobia (co.pro.fo.*bi*.a) *sf. Psiq.* Aversão mórbida ao ato de defecar e a fezes [F.: *copr(o)-* + *-fobia.*]

coprofóbico (co.pro.*fó*.bi.co) *Psiq. a.* 1 Ref. a coprofobia 2 Diz-se de indivíduo que sofre de coprofobia; COPRÓFOBO *sm.* 3 Esse indivíduo; COPRÓFOBO [F.: *coprofobia* + *-ico*[2].]

coprófobo (co.*pró*.fo.bo) *a. sm. Psiq.* O mesmo que *coprofóbico* (2 e 3) [F.: *copr(o)-* + *-fobo.*]

coprolalia (co.pro.la.*li*.a) *sf. Psiq.* Compulsão para usar palavras obscenas ou de dizer obscenidades [F.: *copr(o)-* + *-lalia.*]

coprólito (co.*pró*.li.to) *sm.* 1 *Pal.* Massa de fezes fossilizadas e petrificadas 2 *Med.* Massa endurecida de matéria fecal nos intestinos [F.: *copr(o)-* + *-lito*[1].]

coprologia (co.pro.lo.*gi*.a) *sf.* 1 *Med.* Estudo científico e análise laboratorial das fezes para fins fisiológicos e diagnósticos; ESCATOLOGIA 2 Uso de linguagem obscena em literatura 3 Estudo dos adubos orgânicos [F.: *copr(o)-* + *-logia.*]

copropriedade (co.pro.pri:e.*da*.de) *sf.* 1 Posse conjunta de um bem por parte de duas ou mais pessoas; condição de coproprietário; CONDOMÍNIO: *Para não arcar com despesas, desistiu da copropriedade do terreno; Adquiriu um terreno em copropriedade (com os irmãos).* 2 Bem comum a duas ou mais pessoas [F.: *co*[1] + *propriedade.*]

coproprietário (co.pro.pri:e.*tá*.ri:o) *sm.* Pessoa que é dona de um bem junto com outra(s) pessoa(s); CONDÔMINO [F.: *co-*[1] + *proprietário.*]

copta (*cop*.ta) [ó] *s2g.* 1 Indivíduo dos coptas, povo egípcio do período helenístico e do período sob o domínio romano 2 Pessoa nascida no Egito que se considera descendente dos coptas 3 Membro da Igreja Copta do Egito *sm.* 4 Língua camito-semítica, originada do egípcio antigo, que sobrevive como língua litúrgica da Igreja Copta; CÓPTICO *a2g.* 5 De ou pertencente ao coptas, a sua língua, religião ou cultura [F.: De um lat. med. **coptus*, do top. *Coptus, e*, 'Copto, cidade do Egito', do árabe egípsio *quft* (*copto gyptios* < gr. *Aigy'ptios* 'egípcio').]

cóptico (*cóp*.ti.co) *a.* 1 De ou pertencente aos coptas, a sua língua, cultura ou religião (Cairo cóptico; escrita cóptica; evangelho cóptico); COPTA *sm.* 2 Língua copta; COPTA: *traduzido para o cóptico.* [F.: Do lat. *copticus, a, um.*]

cópula (*có*.pu.la) *sf.* 1 O ato sexual; COITO; COPULAÇÃO 2 Ligação ou união entre duas coisas; VÍNCULO 3 *Gram.* Verbo que liga o atributo ao sujeito sem acrescentar nenhum significado adicional; verbo de ligação 4 *Lóg.* O verbo *ser* quando empregado unicamente para ligar a designação do sujeito a um predicado deste [F.: Do lat. *copula* 'união, ligação', 'casamento'. Hom./Par.: *cópula* (sf. [pl.], *copula(s)* (fl. *copular*); *cópula* (sf.), *cúpula* (sf.).]

copulação (co.pu.la.*ção*) *sf.* 1 O mesmo que *cópula* 2 *Quím.* Ligação química entre um sal de diazônio e um fenol ou uma amina [F.: Do lat. *copulatio, onis*, 'ligação, encadeamento'.]

copulador (co.pu.la.*dor*) [ô] *a.* 1 Que copula (órgão copulador) *sm.* 2 O que copula [F.: Do lat. *copulator, oris.*]

copular (co.pu.*lar*) *v.* 1 Ligar, unir, juntar [*td.: copular as peças da pulseira.*] [*tdr.* + *a*: *copular o elo à corrente.*] 2 Ter cópula, relação sexual (com) [*tr.* + *com*: *Entre as formigas, a principal função dos machos é copular com as rainhas.*] [*int.:* "As chimpanzés adultas tipicamente copulam centenas de vezes para cada filhote concebido." (Drauzio Varella, *A relação dos machos com as fêmeas*)] [▶ 1 copular] [F.: Do lat. *copulare.* Hom./Par.: *copula(s)* (fl.), *cópula(s)* (sf. [pl.]); *copular, cupular* (v.).]

copulativo (co.pu.la.*ti*.vo) *a.* 1 Que liga uma coisa a outra (verbo copulativo) 2 Ref. a cópula [F.: Do lat. *copulativus, a, um.*]

⊕ ***copy desk*** (*Ing.* /*cópi desk*/) *sm.* Ver *copidesque* [Tb. se diz apenas *copy.*]

⊕ ***copyleft*** (*ing.:* /*cópileft*/) *sm.* Termo que designa o conceito e a prática da partilha aberta de informação, criação artística (texto, filme, música etc.) através de *software* livre, ger. pela internet [F.: De jogo de palavras em inglês, para se opor (ideologicamente) a *copyright*, o direito de autor, em que *right* 'direito' é substituído pelo oposto de *right* 'direita', ou seja, *left* 'esquerda', mas que tb. significa 'deixado, permitido'.]

⊕ ***copyright*** (*Ing.* /*cópirait*/) *sm. Jur.* Ver *copirraite*

coque[1] (*co*.que) *sm.* Golpe na cabeça dado com o nó dos dedos, ou com algo duro como uma vara, uma régua etc.; CASCUDO: *Ele deu um coque na cabeça do menino.* [F.: Termo de or. onomatopaica.]

coque[2] (*co*.que) *sm. Quím.* Resíduos provenientes da queima de carvão mineral [F.: Do ing. *coke.*] ▪▪ **~ de madeira** *Quím.* Carvão obtido da queima da madeira **~ de petróleo** *Quím.* Carvão obtido da destilação do petróleo **~ siderúrgico** *Metal.* Carvão us. nos altos-fornos

coque[3] (*co*.que) *sm.* Tipo de penteado (ger. feminino) em que o cabelo é enrolado em forma de concha, espiral, rosca etc. e fixado na cabeça com grampo, rede, elástico, travessa, vareta etc. [F.: Posv. do gr. *kókkos* 'grão', pelo lat. *coccum*, pelo fr. *coque.*]

coque[4] (*co*.que) *sm.* Cozinheiro; o mesmo que *cuca*[1] [F.: Do ing. *cook.*]

coqueiral (co.quei.*ral*) *sm.* Aglomeração ou plantação de coqueiros [Pl.: *-rais.*] [F.: *coqueir(o)* + *-al*[1].]

coqueiro (co.*quei*.ro) *sm.* 1 *Bot.* Palmeira (*Cocos nucifera*) que dá cocos (ver *coco*[1] [ô]) 2 Nome comum a todas as palmeiras que dão cocos [F.: *coco*[1] [ô] + *-eiro.*]

coqueiro-baixense (co.quei.ro-bai.*xen*.se) *s2g.* 1 Indivíduo nascido ou que vive em Coqueiro Baixo (RS) *a2g.* 2 De Coqueiro Baixo; típico dessa cidade ou de seu povo [Pl.: *coqueiro-baixenses.*] [F.: Do top. *Coqueiro Baixo* + *-ense.*]

coqueluche (co.que.*lu*.che) *sf.* 1 *Med.* Doença infecciosa e contagiosa, mais comum na infância, que se caracteriza por acessos violentos de tosse 2 *Fig.* Fato, pessoa ou objeto que, no momento, faz muito sucesso ou se encontra no centro das atenções: *A bebida preparada com extrato de clorofila virou coqueluche no litoral paulista.* [F.: Do fr. *coqueluche.*]

coqueria (co.que.*ri*.a) *sf.* Numa siderúrgica, local onde está instalada a unidade de produção de coque[2] [F.: *coqu(e)*[2] + *-eria.*]

coquete (co.*que*.te) [é] *a2g.* 1 Diz-se de pessoa, esp. mulher, que procura despertar a admiração dos outros por sua aparência física, ger. apenas pelo prazer de seduzir 2 *P. ext.* Diz-se de pessoa volúvel, inconstante em seus afetos *s2g.* 3 Pessoa coquete [F.: Do fr. *coquette.*]

coquetear (co.que.te.*ar*) *v. int.* Assumir maneiras e atitudes coquetes: *Ela mal chegou na festa, começou logo a coquetear.* [▶ 13 coquet**ear**] [F.: *coquete* + *-ear*[2].]

coquetel (co.que.*tel*) *sm.* 1 Drinque preparado com mistura de bebidas alcoólicas a que se pode adicionar gelo, suco de frutas etc. 2 *P. ext.* Bebida preparada similarmente, com ingredientes não alcoólicos 3 Reunião social onde se servem ger. canapés e drinques desse tipo, entre outras bebidas 4 *Cul.* Prato de entrada, acompanhado de molho, servido frio e em taça 5 *Fig.* Combinação de medicamentos us. para combater uma doença ou síndrome especifica: *O governo oferece gratuitamente o coquetel anti-AIDS a todos* *os doentes.* 6 *Fig.* Combinação de elementos diversos e heterogêneos [Pl.: *-téis.*] [F.: Do ing. *cock-tail.*] ▪▪ **~ molotov** Espécie de artefato incendiário rudimentar, feito com uma garrafa que contém líquido inflamável e um pano neste embebido, que serve de pavio

coquetelaria (co.que.te.la.*ri*.a) *sf.* Arte de preparar coquetéis [F.: *coquetel* + *-aria.*]

coquetismo (co.que.*tis*.mo) *sm.* 1 Qualidade ou característica própria de pessoas coquetes 2 Modos, comportamento de coquete [F.: *coquet(e)* + *-ismo.*]

coquinho (co.*qui*.nho) *sm.* 1 Coco pequeno 2 *Bot.* O mesmo que *jeribá* [F.: *coco* + *-inho¹*, com alt. do *-c-* para *-qu-*.]

cor¹ [ó] *sm. Antq.* Ver *coração* [Us. na loc. *de cor.*] [F.: Do lat. *cor.*] ▪▪ **De ~** De memória **De ~ e salteado** De memória sem esquecer nada: *Recitou o poema de cor e salteado.*

cor² [ô] *sf.* 1 Aparência dos corpos segundo o modo pelo qual refletem ou absorvem a luz, cuja radiação se apresenta numa determinada frequência: *a cor amarela desta bola.* [As diferentes cores designam-se por nomes próprios, como amarelo, vermelho, azul etc. ou pelo nome de objetos cujas cores são tomadas por tipos, como cor de laranja, cor de castanha etc. Neste caso a frase denominativa equivale a um adjetivo invariável ou a um substantivo masculino: um vestido cor de laranja, duas salas cor-de-rosa.] 2 *Fís.* Impressão particular que causam na vista os diferentes raios luminosos, simples ou combinados, quando refletidos pelos corpos: *É daltônico, não distingue cores.* [Esta noção ajusta-se à primeira, mas exclui o preto, que, resultando da falta de luz ou da absorção desta pelos corpos, não pode ser considerada como cor.] 3 *Ópt.* Propriedade da radiação eletromagnética de produzir no observador sensação subjetiva característica, cujos elementos qualitativos variam de acordo com o comprimento de onda 4 O colorido predominante em um corpo, ambiente, substância etc.: *Ao entardecer toda a paisagem ganha uma cor avermelhada.* 5 Marca distintiva, ou simbólica, de um país, partido, clube esportivo etc.: *O novo uniforme não respeita as cores tradicionais do meu time.* [Ger. no pl.] 6 Substância corante que se mistura em tinta: *Acrescentou a cor azul à mistura de tintas.* 7 O colorido da pele de uma pessoa: "O teu cabelo não nega mulata/porque és mulata na cor..." (Lamartine Babo, irmãos Valença, *O teu cabelo não nega*) 8 *Fig.* Realce, vivacidade: *Foi uma interpretação cheia de cor e de brilho.* 9 *Pint.* Resultado da mesclagem de tintas de tons diversos: *a exuberância das cores dos pintores expressionistas.* 10 *Fís. quânt.* Propriedade dos *quarks* e glúons que, na cromodinâmica quântica, tem um papel similar ao da carga elétrica 11 *Fig.* Aspecto, feição: *Suas palavras têm a cor da mentira.* [F.: Do lat. *colorem.*] ▪▪ **~ complementar** *Ópt.* Cada uma das cores primárias que, superpostas, resultam na cor branca **~ de burro quando foge** *Joc.* Cor indefinida **~ espectral** *Ópt.* A que corresponde a uma radiação eletromagnética monocromática visível **~ fria** Toda cor, no espectro visível, que fica entre o verde e o violeta, incluindo as variações de cinza **~ fundamental** Cada cor do espectro visível **~ local** 1 *Pint.* Numa pintura, representação das cores que definem a percepção de um objeto (cor, volume, textura etc.) de modo a reproduzir seu aspecto real 2 Conjunto dos elementos característicos que dão a ideia de um lugar, de uma época etc. [Como paisagem, vestuário, mobiliário, representação de hábitos e culturas etc.] **~ neutra** Qualquer cor sem muito brilho ou definição, na qual prevalecem tons de cinza, bege etc. **~ primária** Cada uma de três cores que se misturam para, de acordo com as proporções de cada uma, reproduzir todo o espectro visível. Para cores luminosas projetadas (como nas telas de televisão) são o verde, vermelho e o azul. Para os pigmentos que refletem a luz (como nas obras impressas, pinturas etc.) são o amarelo, o ciã e o magenta **~ quente** Toda cor, no espectro visível, que fica entre o vermelho e o amarelo, incluindo as variações de ocre e marrom **~ secundária** Aquela que se obtém da mistura de duas cores primárias (como, p. ex., no caso das cores luminosas, o amarelo que se obtém da soma de focos verde e vermelho, e no caso das cores refletidas, o vermelho que se obtém da soma do magenta com o amarelo) **~ terciária** Aquela que se obtém da mistura de uma cor primária com uma ou mais cores secundárias: o verde-azulado, o marrom refletido (verde com vermelho), o laranja luminoso (vermelho com amarelo) etc. [Constituem a maioria das cores na natureza.] **De ~** 1 Diz-se das pessoas de pele escura 2 Us. para indicar que algo tem cor(es) diferente(s) de branco, preto ou cinza: tapete de cor; blusa de cor 3 *Restr.* Vestindo roupa nem branca, nem cinza nem preta [A expressão 'de cor' pode ser substituída por outra que menciona especificamente a cor: *estava de azul* quer dizer, pois, 'estava de vestido (/roupa/calça/blusa) azul'.] **Em cores** Diz-se de ilustração, imagem, filme, televisão etc. que não é em preto e branco [O equivalente *a cores*, muito us., é condenado por alguns como sendo, supostamente, galicismo (apesar de o correspondente em francês ser *en couleurs*).] **Ficar sem ~** Ficar pálido (por doença, emoção, susto etc.) **Mudar de ~** Ficar pálido ou, contrário, corado, ruborizado **Não ver a ~ do dinheiro** 1 *Pop.* Levar um calote 2 Estar financeiramente abalado, não dispor de dinheiro **Perder a ~** 1 Ficar sem cor 2 Desbotar **Sob ~ de** Com o pretexto de **Ter boa/má ~** Ter as faces naturalmente rosadas, coradas/amareladas, pálidas

coração (co.ra.*ção*) *sm.* 1 *Anat.* Órgão muscular dos animais vertebrados, situado na cavidade torácica, que recebe e bombeia o sangue do corpo em contrações ritmadas, fazendo-o circular por todo o organismo 2 A parte do tórax onde se sente pulsar o coração; PEITO 3 *Zool.* Nos animais invertebrados, estrutura de função análoga à do coração dos vertebrados 4 *Fig.* O coração (1) considerado como sede das emoções de um indivíduo, por oposição à sede intelectual, a cabeça 5 *Fig.* Os afetos, sentimentos, vontades, desejos e inclinações mais íntimos de alguém 6 *Fig.* Capacidade de ter bons sentimentos em relação aos outros; *esp.*: bondade, generosidade; p. ext.: caráter, índole: *É uma pessoa de enorme coração.* [Ant.: *indiferença, insensibilidade.*] 7 Qualquer desenho, figura ou objeto que estilize a forma do coração humano 8 Essa forma ou figura estilizadas, como símbolo do amor 9 *Fig.* A parte mais central, principal ou profunda de algo; ÂMAGO: *O coração da linguagem é o verbo.* [Ant.: *exterior.*] 10 A parte mais ativa e importante, local em que se dão as principais atividades de uma cidade, um país, uma região; CENTRO: *Brasília é o coração administrativo do Brasil.* 11 O conjunto de tudo que é emocional, afetivo, intuitivo e/ou moral, em uma pessoa (ger. por oposição ao que é meramente orgânico ou puramente racional), e considerado como aquilo que é mais próprio ou característico dela 12 Coragem, disposição, ânimo (coração de leão); BRAVURA [Ant.: *covardia, temor.*] 13 Intensidade que se dá aos atos e expressões; grande disposição ou empenho; ARDOR: *Põe o coração em tudo que faz.* 14 *Fig.* A pessoa amada; AMADO; BENQUERER; QUERIDO [Ant.: *desafeto, malquerer.*] 15 *Her.* O centro do escudo [Pl.: *-ções.*] [F.: De or. contrv., posv. a partir do lat. *cor, cordis.*] ▪▪ **Abrir o ~** Expressar com sinceridade os sentimentos ou pensamentos íntimos; fazer confidência; desabafar **Botar/colocar/deitar o ~ à larga** Ver *Pôr o coração à larga* **Com o ~ aberto** Com disposição, sinceridade, confiança; sem mentiras ou temores **Com o ~ na(s) mão(s)** 1 Com temor, apreensão, nervosismo; aflito 2 Com profunda emoção; emocionado 3 Com sinceridade **~ de ouro** (Pessoa que tem) coração generoso, bondoso **~ de pedra** (Pessoa que tem) coração pouco sensível, que não se comove (esp. com sofrimento alheio), que não tem bondade ou generosidade **~ direito** *Med. Anat.* A parte direita do coração; o conjunto de aurícula direita e ventrículo direito, onde circula o sangue venoso **~ esquerdo** *Anat.* A parte esquerda do coração; o conjunto de aurícula esquerda e ventrículo esquerdo, onde circula o sangue arterial **~ mole** 1 (Pessoa que tem) coração muito sensível, que se emociona facilmente ou se comove com a dor alheia 2 *P. ext.* Condescendência: *Dedico este livro a S. T., de todo o coração.* **Cortar o ~** *Fig.* Emocionar ou comover intensamente, causando grande dor moral, tristeza, aflição ou dó extremos, esp. por compaixão; cortar a alma: *uma história de cortar o coração.* **De ~** Com sentimento sincero; com afeto verdadeiro, genuíno **De ~ aberto** Ver *Com o coração aberto* **De todo o ~** 1 Ver *De coração* 2 Com sinceridade completa ou com grande convicção; tb.: com dedicação, ardor, fé **Do fundo do ~** 1 Com sinceridade 2 Com amor, afeição. **Falar com o ~ nas mãos** Ser sincero; revelar os próprios sentimentos e pensamentos **Falar do ~** Ver *Falar com o coração nas mãos* **Pôr o ~ à larga** Não se preocupar, não se afligir; tranquilizar-se (esp. em relação ao que vai ocorrer) **Ter o ~ aberto** Ser afável, ter boa disposição e bons sentimentos em relação aos outros **Ter o ~ perto da goela** Ser sincero e impulsivo; não conseguir esconder o que sente e pensa (mesmo quando pode ofender ou magoar outrem)

> 📖 O coração é o principal órgão do aparelho circulatório, responsável pela circulação de sangue por todo o organismo. O coração á a bomba que aciona o sangue pelas veias e artérias, num ciclo completo: a) o coração recebe dos pulmões o sangue rico em oxigênio e o impulsiona pelas artérias e vasos capilares a todo o corpo; o sangue deixa o oxigênio nos tecidos e deles recebe o gás carbônico (CO_2) liberado pelas células do corpo; b) por vasos capilares e pelas veias o sangue com CO_2 é impulsionado de volta ao coração; c) o coração envia pela artéria pulmonar o sangue com CO_2 aos pulmões, onde este libera o CO_2 para ser expirado e recebe oxigênio; d) pela veia pulmonar o sangue rico em oxigênio é levado ao coração e daí recomeça o ciclo. O coração é um músculo oco dividido em quatro compartimentos: duas aurículas [ou átrios] (direita e esquerda), na metade superior, e dois ventrículos (direito e esquerdo) na metade inferior. Entre aurícula e ventrículo do mesmo lado, uma válvula impede que o sangue retorne. O lado direito, onde circula o sangue com gás carbônico, é separado por uma parede interna do esquerdo, onde circula o sangue rico em oxigênio. Para impulsionar o sangue, o coração se contrai e se distende c. 80 vezes por minuto. Ao se expandir, recebe sangue das veias: em sua aurícula direita, o sangue com gás carbônico, que chega pela veia cava; e em sua aurícula esquerda, sangue oxigenado dos pulmões, que chega pela veia pulmonar. Ao se contrair, expele o sangue das aurículas para os ventrículos, e destes para fora do coração, pelas artérias: do ventrículo direito o sangue com gás carbônico segue para os pulmões, pela artéria pulmonar; e do ventrículo esquerdo, pela artéria aorta, sai para todo o corpo o sangue oxigenado.

coração-de-boi (co.ra.ção-de.*boi*) *sm.* 1 Certa variedade de manga 2 *Bot.* Árvore pequena da família das anonáceas, de flores amarelas e de um branco esverdeado e frutos bacáceos, e cuja madeira é us. na construção civil; ARATICUM; ATA; PINHA 3 *Pat.* Hipertrofia do coração [Nesta acp., sem hifens: *coração de boi.*] [Pl.: *corações-de-boi, corações de boi.*]

coracoide (co.ra.*coi*.de) *a2g.* 1 Recurvo, coracóideo *sm.* 2 *Anat. Zool.* Osso da cintura escapular dos vertebrados ovíparos de respiração pulmonar [F.: Do lat. cient. *coracoides* < grego *korakoeidés*, 'semelhante ao corvo'.]

corado (co.*ra*.do) *a.* 1 Que tem ou adquiriu cor *a.* 2 Que tem a face rosada ou avermelhada (esp. por exposição ao sol ou ao frio): *Meninos corados pelo futebol entraram na sala.* 3 Cujas faces estão avermelhadas, afogueadas, por efeito de algum estado emocional intenso (vergonha, raiva etc.); RUBRO; VERMELHO 4 *Fig.* Que está envergonhado ou acanhado: *O professor ficou corado com a insinuação.* 5 Tostado pelo calor do fogo: *Eu pedi frango corado com batatas.* 6 Branqueado ou clareado pela exposição ao sol (camisa corada) [F.: Do lat. *coloratu.*]

coradouro (co.ra.*dou*.ro) *sm.* 1 *Bras.* Lugar onde se estende a roupa para branqueá-la 2 Ação de branquear certos materiais (tecido, cera) pela exposição ao sol [F.: *corar* + *-douro.*]

coragem (co.*ra*.gem) *sf.* 1 Atitude firme (sem hesitação, sem temor ou sem fraqueza) diante de situações perigosas ou difíceis; BRAVURA; DESTEMOR: *Foi muita coragem dele enfrentar os bandidos.* 2 Força moral e perseverança no enfrentamento de situações emocionalmente difíceis; disposição para suportar ou superar problemas: *Ela enfrentou o câncer com grande coragem.* 3 *Pej.* Atitude desaforada ou desavergonhada; AUDÁCIA; DESFAÇATEZ: *Aquele safado teve a coragem de dizer na minha cara que não sabia de nada.* 4 Firmeza de caráter, disposição firme a fazer o que se considera correto 5 Determinação, constância, perseverança; TENACIDADE [Pl.: *-gens.*] *interj.* 6 Us. para dar ânimo [F.: Do fr. *courage.*]

corajoso (co.ra.*jo*.so) [ô] *a.* 1 Que tem ou demonstra coragem; VALENTE; BRAVO [+ *de, para*: *homem corajoso em / para dar sua opinião.*] 2 Que demonstra força e disposição diante de obstáculos ou de problemas *sm.* 3 Pessoa corajosa [Pl.: [ó]. Fem.: [ó].] [F.: De *coragem* (na forma *coraj-*) + *-oso*, como adapt. do fr. *courageux.*]

coral¹ (co.*ral*) *sm.* 1 *Zool.* Animal marinho, invertebrado, do filo dos cnidários, ger. de cor vermelho-alaranjada, em forma de pólipo com tentáculos na abertura oral, e que tem esqueleto calcário que é o principal formador dos recifes e atóis: *Em torno dos corais vivem várias espécies marinhas.* 2 A cor característica desse animal: *Resolvi pintar minha sala de coral.* 3 Produto, ger. avermelhado, secretado pelos corais (1) e us. em adornos e joias [Pl.: *-rais.*] *a2g2n.* 4 Que é dessa cor (brincos coral) 5 Diz-se dessa cor [F.: Do lat. tard. *corallum*, deriv. do gr. *korállion.* Hom./Par.: *corais* (pl.), *corais* (fl. *corar*).]

coral² (co.*ral*) *sf. Herp.* Ver *cobra-coral* (cobra venenosa de corpo vermelho-amarelado com anéis pretos; cobra não venenosa, de coloração semelhante) [Pl.: *-rais.*] [F.: Do lat. tard. *corallum*, deriv. do gr. *korállion.* Hom./Par.: ver no verbete *coral¹.*]

coral³ (co.*ral*) *a2g.* 1 Ref. a coro (conjunto de cantores ou, no teatro, de atores/narradores) 2 Que é ou foi concebido para ser cantado, recitado ou representado por um coro musical ou teatral (arranjo coral; trechos corais) 3 Diz-se de composição que tem partes cantadas por um coro 4 De ou ref. a composição (ou parte dela) cantada pelo coro, ou a um coral (7): *prelúdio coral* [*parte instrumental que antecede canção ou hino em coro*]. [Pl.: *-rais.*] *sm.* 5 *Mús.* Coro, grupo de pessoas que cantam em conjunto; CORO: *Mamãe decidiu cantar em um coral.* 6 *Mús.* Música ou canção cantada por um coro, ou composta ou arranjada para sê-lo: *Eles cantaram um lindo coral de Bach.* 7 Hino religioso de melodia simples, que na tradição protestante (luterana) era cantado por toda a congregação; *p. ext.*: música composta com base nesse tipo de hino [Pl.: *-rais.*] [F.: Do lat. med. *choralis.*]

coralígeno (co.ra.*lí*.ge.no) *a.* Que é formado por corais (calcário coralígeno); CORALÍNEO; CORALINO [F.: *coral(i/o)-* + *-geno.*]

coralíneo (co.ra.*lí*.ne:o) *a.* 1 Que é proveniente do coral (material coralíneo) 2 Que é formado por corais (maciço coralíneo) [F.: coral + *-íneo.* Hom./Par.: *coralíneo* (a.), *coralino* (a.). Ideia de: *coral(i/o)-.*]

coralino (co.ra.*li*.no) *a.* 1 Ref. ao coral marinho: *Certos peixes preferem áreas com fundo raso, rochoso e coralino.* 2 Que tem a cor do coral (casca coralina); CORAL 3 Semelhante ao coral na textura ou na forma 4 Que é feito de coral (colar coralino) 5 *Biol.* Criado pelo acúmulo de certos corais e algas (formação coralina) [F.: Do lat. *corallinus, a, um.*]

coralista (co.ra.*lis*.ta) *Mús. s2g.* 1 Pessoa que canta num coro; CORISTA *a2g.* 2 De ou próprio de coralista (associação coralista) [F.: *coral³* + *-ista.* Ideia de: *cor(o)-.*]

corânico (co.*râ*.ni.co) *Rel. a.* 1 De ou pertencente ao Corão, o livro sagrado do islamismo (texto corânico; versículo corânico) 2 Que segue os princípios do Corão (tribunal corânico; credo corânico) 3 Cujas características são descritas pelo Corão (paraíso corânico; traço corânico) [F.: De *Corão*, sob a forma radical *coran-* + *-ico.*]

corante (co.*ran*.te) *a2g.* 1 Diz-se de substância ou produto que serve para corar (colorir), tingir alguma coisa *sm.* 2 Tal substância ou produto: *Esse doce contém corantes artificiais.* [F.: *corar* + *-nte*; fr. *colorant.* Sin. ger.: *colorante, tingidor.*]

Corão (Co.*rão*) *sm. Rel.* Ver *Alcorão* [Pl.: *-rões* e *rães.*]

corar (co.*rar*) *v.* **1** Enrubescer no rosto, ficar com o rosto rosado ou avermelhado por intensificação da circulação de sangue, provocada por sentimento de vergonha, raiva etc., ou pelo calor ou frio ambientes [*int.*: *Sempre cora (de vergonha) quando encontra o rapaz.*] **2** *Restr.* Ficar envergonhado, mostrar-se tímido, acanhado (mesmo sem ficar com o rosto avermelhado) [*int.*: *Diante da plateia, corou, hesitou e ficou sem ação.*] **3** Dar ou adquirir cor ou coloração mais intensa, mais viva, por algum processo físico ou químico (uso de pigmentos etc.) ou por pigmentação (no caso da pele) [*td.*: *Usou ruge para corar as bochechas; Os indígenas costumam se enfeitar corando o corpo; corar bacilos em violeta de genciana.*] [*int.*: *Quando toma sol, o bebê logo cora; Aquecido, o ferro ficou em brasa e corou.*] **4** Expor ou ser exposta (roupa) ao sol para branquear; QUARAR [*td.*: *corar a roupa.*] [*int.*: *Descansou enquanto a roupa corava.*] **5** Fazer adquirir ou adquirir (fritura ou assado) cor amarronzada, de tostado; DOURAR [*int.*: *Refogue a cebola na manteiga, junte a carne e mexa até corar.*] [*td.*: *Diminua a temperatura do forno para corar o bolo.*] **6** *Fig.* Tornar agradável ou favorável na aparência (defeito, imperfeição, engano, ato reprovável etc.); disfarçar; desculpar; justificar [*td.*] [▶ **1 corar**] [F.: Do lat. *colorare*. Hom./Par.: *cores* [ó] (fl.), *cores* [ô] (pl. de *cor*); *coro* [ó] (fl.), *coro* [ô] (sm.); *coráveis* (fl.), *coráveis* (pl. de *corável* [a2g.]).]

corbelha (cor.*be*.lha) [é] *sf.* **1** Pequena cesta, ger. de vime ou madeira, com flores, frutas, doces etc. us. para presentear alguém ou decorar um ambiente **2** (Lugar em que se expõe) o conjunto dos presentes de núpcias [F.: Do fr. *corbeille*, deriv. do lat. *corbicula*, dim. de *corbis -is* 'cesto de vime'.]

corça (*cor*.ça) [ô] *sf.* **1** Fêmea do corço **2** *Pop.* Fêmea do veado [Tb. se us. a pronúncia com /ó/.] [F.: De or. obsc. Hom./Par.: *corsa* (fem. *corso* [a. sm.]).]

corcel (cor.*cel*) *sm.* **1** Cavalo muito bom e veloz: *Montava um corcel negro, com paramentos de prata.* **2** *Ant.* Cavalo us. em campanhas militares, em batalhas [Pl.: *-céis*.] [F.: Do fr. *coursier*.]

corço (*cor*.ço) [ô] *sm.* **1** Espécie de veado de pequeno porte (*Capreolus capreolus*), encontrado na Europa e Ásia, de galhadas curtas, com três pontas **2** Qualquer veado pequeno, de outras espécies **3** *Lus.* Em ninhada de leitões, o mais novo de todos [F.: De or. obsc. Hom./Par.: *corso*.]

corcoroca (cor.co.*ro*.ca) **1** *Zool.* Nome de vários peixe perciformes, hemulídeos, tb. chamados *cococoroca*, *cocoroca*, *biquara* **2** *Zool.* Nome de vários peixes teleósteos, perciformes, pomadasídeos (*H. plumiere*, *Pomadasys corvinaeformis*, *Haemulon sciurus*) [F.: F. sincopada de *cororocoroca*, voc. onom. que imita o ronco do peixe.]

corcova (cor.*co*.va) *sf.* **1** Protuberância nas costas ou no peito; CORCUNDA; GIBA; BOSSA: *O camelo tem duas corcovas e o dromedário, uma.* **2** Saliência de forma mais ou menos arredondada **3** Sinuosidade, curva acentuada **4** Salto do cavalo, com o dorso arqueado; CORCOVO [F.: Posv. dev. de *corcovar*.]

corcovado (cor.co.*va*.do) *a.* **1** Que se corcovou, que adquiriu curvatura saliente, protuberância ou sinuosidade(s) (costas corcovadas) **2** Que tem ou forma saliência(s) pronunciada(s) e um tanto arredondada(s): *O morro, por ser muito corcovado, ficou com este nome.* **3** Que, por má-formação ou por alguma condição física se curva para baixo, tendo as costas ou dorso formando um arco ou protuberância: *Voltou a andar, mas estava todo corcovado, e apoiado a uma bengala.* *sm.* **4** *Bras. Ornit.* Ave galiforme, fasianídea (gên. *Odontophorus*), da Amazônia; URU; URU-CORCOVADO **5** Espécie de borboleta (gên. *Morpho*, fam. dos ninfalídeos) de asas de coloração azul muito viva; AZUL-SEDA [F.: *corcova* + *-ado*[1].]

corcovar (cor.co.*var*) *v.* **1** Dar forma arqueada a; curvar (o corpo) [*td.*: *O felino corcovou o corpo antes de saltar.*] [*int.*: "Jacinto já não corcovava..." (Eça de Queirós, *A cidade e as serras*)] **2** Tornar-se recurvado, acorcundado [*int.*: *Envelheceu e começou a corcovar.*] **3** Dar corcovos, pulos, saltos (diz-se de cavalgadura); PINOTEAR [*int.*: *O burro corcovava sem parar.*] [▶ **1 corcovar**] [F.: *corcova* + *-ar*[2]. Hom./Par.: *corcova(s)* (fl.), *corcova(s)* (sf. [pl.]); *corcovo* (fl.), *corcovo* [ô] (sm.).]

corcovear (cor.co.ve.*ar*) *v.* **1** Dar corcovos; dar saltos arqueando o lombo (o cavalo); CORCOVAR; PINOTEAR [*int.*: *Assustado, o potro corcoveava(-se).*] **2** Ficar curvado (esp. de modo permanente); curvar as costas ou tê-las encurvadas; adquirir corcova; ENCURVAR(-SE) [*int.*: *Era tão tímido que às vezes corcoveava; De tão alto corcoveou-se.*] **3** Movimentar-se em pequenas curvas, em curvetas, em posição ou trajeto sinuosos; CORCOVAR; CURVETEAR; SERPENTEAR [*int.*: "Cobras deslizavam corcoveando..." (Coelho Neto, *O rajá de Pendjab*)] [▶ **13 corcovear**] [F.: *corcova* + *-ear*[2].]

corcoveio (cor.co.*vei*.o) *sm.* **1** Salto dado por animal, ger. cavalo, arqueando o dorso para cima; CORCOVA; CORCOVO; PINOTE **2** *P. ext.* Qualquer salto parecido com o corcoveio de um cavalo [F.: Dev. de *corcovear*. Ideia de: *corcov-*.]

corcovo (cor.*co*.vo) [ô] *sm.* **1** Salto que dá o cavalo (ou, p. ext., outro animal), arqueando o dorso; PINOTE: *Passou pela frente da venda com a égua aos corcovos.* **2** Salto semelhante, ou em que o corpo se dobra ou se contorce **3** Elevação do terreno; MONTÍCULO [Pl.: [ó].] [F.: De or. obsc. Hom./Par.: *corcovo* (ô) (sm.), *corcovo* (ó) (fl. *corcovar*).]

corcunda (cor.*cun*.da) *a2g.* **1** Que tem protuberância nas costas ou no peito; CACUNDA; CARCUNDA; CORCOVADO *s2g.* **2** Aquele que apresenta essa protuberância; CARCUNDA; CACUNDA; CACUNDO; CORCOVADO *sf.* **3** *Pat.* Deformidade da coluna vertebral, com protuberância nas costas ou no peito, incl. em animais que não o homem; CACUNDA; CARCUNDA; GIBA; GEBA; BOSSA; CORCOVA [F.: De or. obsc.]

◎ **-corda** *el. comp.* Ver *cord(o)-*

corda (*cor*.da) [ó] *sf.* **1** Utensílio mais ou menos longo, flexível e resistente, feito com fios ou fibras torcidos ou entrelaçados e us. para amarrar, laçar, puxar **2** Fio grosso de tripa, crina ou fibra us. para retesar armas de arremesso, como o arco **3** Fio, ger. de arame, em que se estende roupa para secar **4** *Esp. Lud.* Pedaço de corda (1) leve e de tamanho conveniente, que se faz girar entre os pés e a cabeça segurando-o pelas extremidades, devendo-se saltar por sobre ele para deixá-lo passar entre os pés e o chão a cada volta; us. como brinquedo, ou para exercícios físicos (pular corda) **5** *Mús.* Fio de tripa, seda, náilon, aço que produz som quando dedilhado, friccionado, percutido **6** Fio encurvado ou mola, ger. de aço, que são torcidos para, ao se distenderem, acionar o mecanismo de relógio mecânico, brinquedo etc. [Ver tb. as expr. *dar corda* e *estar com toda a corda*.] [F. Do lat. *chorda*.] ■■ **A ~ e a caçamba** *Fig. Joc.* Pessoas muito amigas, inseparáveis **Com a ~ no pescoço** Em dificuldades (ger. financeiras), em apuros **~ bamba** **1** Corda sobre a qual se apresentam, equilibrando-se, malabaristas, funâmbulos etc. **2** *Fig.* Situação muito instável, difícil e perigosa **~ de recitação** *Mús.* Em canto gregoriano, a nota sobre a qual se desenvolve a linha melódica **~ dorsal** *Emb.* Estrutura de células, em formato de bastão, que constitui o eixo do qual se desenvolverá o embrião **~ do tímpano** *Anat.* Ramo do nervo facial que inerva as glândulas salivares e a parte anterior da língua **~s vocais** *Anat.* Ver *Corda vocal* **~ vocal** *Antq. Anat.* Antiga denominação de *prega vocal*, cada uma de quatro membranas existentes na laringe (duas *falsas* e duas *verdadeiras*), que (as *verdadeiras*), ao vibrar, produzem a voz e seus sons **Dar ~ (a/em)** **1** Fazer entrar em tensão a corda (6) ou mola (de um dispositivo mecânico, relógio, brinquedo etc.) para que transmita movimento ao mecanismo e faça-o funcionar **2** Dar a (alguém) pretexto ou deixa para falar, agir, namorar etc.: *Quer que ele conte tudo? É só(lhe) dar um pouco de corda; Queria namorar o rapaz e deu-(lhe) toda a corda possível.* **Estar com toda a ~** **1** Estar animado, ativo, sem inibições **2** Falar sem parar, excitadamente **3** Estar em grande agitação, cheio de disposição ou energia **Roer a ~** Faltar a um compromisso; deixar de fazer o combinado; abandonar um projeto ou negócio

cordada (cor.*da*.da) *sf.* *Esp.* No montanhismo, grupo de dois ou mais escaladores unidos por uma mesma corda: *Montar uma cordada de três.* [F.: *corda* + *-ada*[1].]

cordado[1] (cor.*da*.do) *Zool.* *sm.* **1** Espécime dos cordados, filo que inclui, além dos vertebrados, os anfioxos e tunicados, animais caracterizados pela presença de uma notocorda e de fendas branquiais em ao menos uma das fases da vida *a.* **2** Ref. ou pertencente aos cordados [F.: Adaptç. do lat. cient. *Chordata*.]

cordado[2] (cor.*da*.do) *a.* *Bot.* Diz-se de folha de base reentrante e dois lobos arredondados [F.: Do lat. cient. *cordatus*, do lat. *cordatus, a, um*, 'ref. ao coração'.]

cordame (cor.*da*.me) *sm.* **1** Conjunto de cordas ou cabos; CORDOALHA **2** Conjunto de cabos ou cordas de uma embarcação; CORDOAME: "...a alma dos homens do mar, /perdida entre cordame e alcatrão..." (Cecília Meireles, *Crônica trovada da cidade de Sam Sebastiam*) [F.: *corda* + *-ame*.]

cordão (cor.*dão*) *sm.* **1** Corda fina e bem flexível, feita de fibras ou fios (cordão de algodão); CORDEL **2** *Restr.* Cadarço para fechar e amarrar sapato, ou bolsa etc. **3** Corrente us. à volta do pescoço **4** *Anat. Bot.* Qualquer órgão assemelhado a uma corda pequena (cordão nervoso, cordão placentário) **5** *Bras.* Grupo de foliões carnavalescos **6** Fileira, série de pessoas ou coisas (cordão dos puxa-saco) **7** *Arq.* Ornato em forma de filete **8** Fita larga que serve de insígnia a condecorações **9** *Bras.* Cada um dos fios presos a certas partes de bonecos e marionetes, por meio dos quais se controlam os movimentos destes **10** Série de elevações de terreno alinhadas [Pl.: *-dões*.] [F.: Do fr. *cordon*.] ■■ **~ de aningas** *PA* Designação comum a longas faixas de aningas que, por espaço às vezes de quilômetros, serpeiam no campo baixo e nos mundongos, ocupando o leito dos antigos regos obstruídos **~ de mato** *AM* Faixa estreita e comprida de árvores, em campo aberto **~ espermático** *Anat.* Cordão que liga a cavidade abdominal a cada testículo **~ umbilical** **1** *Emb.* Órgão que, durante a gestação, liga o feto à placenta e lhe garante a nutrição **2** *Astron.* Conjunto de tubos que, antes do lançamento, alimentam nave espacial de combustível e energia **3** *Fig.* Vínculo forte de dependência (material, afetiva, intelectual etc.) em relação à pessoa que sustenta, apoia, influencia etc. **Puxar os cordões à bolsa** *Lus.* Gastar muito dinheiro; fazer grande despesa

cordato (cor.*da*.to) *a.* **1** Que concorda, que está sempre de acordo **2** Que age com prudência; SENSATO [Ant.: *renitente, contumaz*.] **3** *Fig.* Que é amável, cordial, polido no trato com as pessoas [F.: Do lat. *cordatus, a, um*.]

◎ **-corde** *el. comp.* Ver *cord(o)-*

cor de abóbora (cor de a.*bó*.bo.ra) *a2g2n.* **1** Que tem a cor amarelo-avermelhada da polpa da abóbora *sm2n.* **2** Essa cor

cor de burro quando foge (cor de bur.ro quan.do *fo*.ge) *a2g2n.* Diz-se daquilo que tem cor indefinida e estranha: *Escolheu um vestido cor de burro quando foge.* [Cf. *cor de burro quando foge*, no verbete *cor*.]

cor de carne (cor de*car*.ne) *a2g2n.* Que tem a cor bege meio rosada como a da pele de pessoas brancas (camisa cor de carne); COR DE PELE

cordeiro (cor.*dei*.ro) *sm.* **1** Filhote de carneiro; ANHO; BORREGO **2** Carne do cordeiro preparada como alimento, ou prato feito com ela **3** *Fig.* Pessoa dócil, delicada, inocente [F.: Do lat. vulg. *cordarius*.] ■■ **~ de Deus** *Rel.* Designação dada a Jesus Cristo, na qualidade daquele que foi sacrificado pela remissão dos pecados da humanidade

cordel (cor.*del*) *sm.* **1** Corda fina; BARBANTE; GUITA; CORDÃO **2** Meada de fio esticada entre pregos e us. pelos pedreiros para marcar alinhamento **3** *Bras.* F. red. de *literatura de cordel* **4** Livreto ou folheto, ou a história nele impressa, produzidos com as técnicas gráficas e narrativas da *literatura de cordel* [Pl.: *-déis*.] [F.: Do fr. *cordel*.] ■■ **~ detonante** *Expl.* Estopim feito de material altamente inflamável, protegido por capas de materiais diversos (alguns, impermeáveis) **De ~** *Liter.* Que é da literatura popular, e impresso em folhetos baratos; que é próprio do gênero literário conhecido como *literatura de cordel*

cordelista (cor.de.*lis*.ta) *Bras.* *s2g.* **1** Pessoa que compõe cordéis, que escreve ou publica narrativas romanceadas, poesias etc. dentro do gênero ou da técnica da literatura de cordel (cordelista paraibano; a cordelista Elvira) *a2g.* **2** De ou próprio do cordel, das obras e técnicas desse tipo de literatura (tradição cordelista) **3** Diz-se de quem compõe cordéis (obra ou folheto da literatura de cordel) [F.: De *cordel* + *-ista*. Ideia de: *cord-*.]

cordeona (cor.de:*o*.na) *RS Mús.* *sf.* Concertina: "Cordeona velha que se espicha e que se encolhe/" (Grupo Minuano, *Reencontro*) [F: Forma aferética de *acordeona*, fem. de *acordeão*.]

cor de pele (cor de *pe*.le) *a2g2n.* O mesmo que *cor de carne*

cor-de-rosa (cor-de-*ro*.sa) *sm2n.* **1** A cor vermelha muito clara, que se obtém da mistura do vermelho com o branco, e que é característica de certas rosas; ROSA **2** *P. ext.* Roupa dessa cor: *A menina vestia cor-de-rosa.* *a2g2n.* **3** Que é dessa cor (vestidos cor-de-rosa); ANACARADO; NACARADO; RÓSEO; ROSADO **4** *Fig.* Feliz, alegre, agradável, sem problemas ou falhas; DITOSO; FAVORÁVEL: *Por ora, está tudo cor-de-rosa.*

cordial (cor.di:*al*) *a2g.* **1** Ref. ao coração **2** *Fig.* Que vem do coração, ou que expressa os sentimentos genuínos; EFUSIVO; FRANCO; SINCERO: *votos cordiais de paz e felicidade.* **3** Diz-se de quem não esconde seus sentimentos; *tb.*: que age movido mais pelos sentimentos do que pela razão **4** *P. ext.* Que tem, demonstra ou desperta bons sentimentos ou boa disposição em relação aos outros; que é espontâneo e caloroso: *Comoveu-se com tantas manifestações cordiais de apoio.* **5** Marcado por demonstrações de cortesia, simpatia, bons sentimentos, ou por ausência de tensão, conflito ou animosidade (negociação cordial; relações cordiais); AFÁVEL; CORTÊS; GENTIL: *Recebeu tratamento cordial, mas sem efusividade.* *sm.* **6** Preparação (bebida alcoólica, ou produto medicamentoso) que ativa a circulação do sangue e dá ânimo, vigor: *Deram-lhe um cordial que lhe ergueu o ânimo.* **7** Medicamento que estimula ou tonifica o coração [Pl.: *-ais*.] [F.: Do lat. *cordialis*.]

cordialidade (cor.di:a.li.*da*.de) *sf.* **1** Característica do que ou de quem é cordial **2** Comportamento ou temperamento de quem é cordial **3** Tratamento afável, gentil ou afetuoso: *Foram recebidos com toda a cordialidade.* [F.: *cordial* + *-(i)dade*.]

cordilheira (cor.di.*lhei*.ra) *sf.* **1** *Geog.* Cadeia de altas montanhas; ESPINHAÇO; SERRARIA: *cordilheira dos Andes.* **2** *MT* Extensão de mata junto às barrancas dos rios **3** *Bras.* No Pantanal, elevação do terreno que separa lagoas, ger. com um ou dois metros de altura e coberta de vegetação densa [F.: Do espn. *cordillera*.]

◎ **-córdio** *el. comp.* = 'corda'; 'instrumento musical de cordas'; 'estrutura semelhante a uma corda ou a um feixe de cordas': *clavicórdio* (< lat. medv.), *eneacórdio, monocórdio, pentacórdio*; *notocórdio* [F.: Do gr. *khordê, ês*, 'tripa'; 'intestino'; 'corda feita de tripa'; 'corda de instrumento musical', em alguns casos pelo gr. *-khordon*, + *-io*[3], ou pelo lat. medv. *-chordium* (< gr. *khordê, ês*). F. conexa: *cord(o)-*.]

◎ **-cordo** *el. comp.* Ver *cord(o)-*

◎ **cord(o)-** *el. comp.* = 'corda'; 'corda de instrumento musical'; 'instrumento musical de corda(s)'; 'notocórdio': *cordofone, cordotomia, cordoveias*; *heptacordo* (< gr.), *policordo* (< gr.); *notocorda*; *septicorde, seticorde, tetracorde* [F.: Do gr. *khordê, ês*, 'tripa'; 'intestino'; 'corda feita de tripa'; 'corda de instrumento musical', fonte do lat. *chorda, ae*. F. conexa: *-córdio*.]

cordoalha (cor.do.*a*.lha) *sf.* **1** Conjunto de cordas ou cabos; CORDAME **2** Conjunto de cabos ou cordas de uma embarcação [F.: *corda* + *-oalha*.]

cordoame (cor.do.*a*.me) *sm.* *Mar.* O mesmo que *cordame* (2) [F.: *corda* + *-oame*.]

cordoaria (cor.do:a.*ri*:a) *sf.* **1** Ofício de cordoeiro **2** Lugar onde se fabricam ou se vendem cordas **3** *BA* Certo tipo de rede de pescar [F.: *corda* + *-oaria*, ou de *cordão*, sob a f. *cordo-* + *-eiro*, com desnasalação.]

cordoeiro (cor.do.*ei*.ro) *sm.* **1** Fabricante ou vendedor de corda *a.* **2** Que fabrica cordas (indústria cordoeira) **3** Que vende cordas **4** Ref. a, ou de corda(s) [F.: *corda* + *-oeiro*, ou de *cordão*, sob a f. *cordo-*, + *-eiro*, com desnasalação.]

cordofanês (cor.do.fa.*nês*) *sm.* **1** Indivíduo nascido ou que vive em Cordofão (Sudão) ***a.*** **2** De Cordofão; típico dessa região ou de seu povo [Pl.: *-neses* [ê]. Fem.: *-nesa* [ê].] [F.: Do top. *Cordofão* + *-ês*.]

cordofone (cor.do.*fo*.ne) *sm. Mús.* Qualquer instrumento cordófono [F.: *cord(o)-* + *-fone*.]

cordofônio (cor.do.*fô*.ni:o) *Mús. sm.* **1** Qualquer instrumento musical de cordas: "A viola é instrumento fundamental do modinheiro, é cordofônio, pois suas cordas comunicam vibração ao ar." (Prof. Maynard de Araújo, *Revista Sertaneja Nº4, maio de 1958*) ***a.*** **2** Diz-se de instrumento de corda [F.: *cordófono* + *-io*[3].]

cordófono (cor.*dó*.fo.no) *Mús. **a.*** **1** Diz-se de instrumento que produz som pela vibração de uma ou mais cordas estendidas entre dois pontos fixos [Ex.: cítara, harpa, violino, violoncelo.] ***sm.*** **2** Instrumento cordófono (1); CORDOFONE [F.: *cord(o)-* + *-fono*.]

⊕ ***cordon-bleu*** (*Fr. /cordon blö/*) *Cul. **s2g.*** **1** Cozinheiro(a) profissional de grande distinção, conhecimento e habilidade ***a2g.*** **2** Diz-se de cozinheiro muito habilidoso e que conhece a fundo a arte culinária [Pl.: *cordons-bleus*.] [Ideia de: *cord-*.]

cordotomia (cor.do.to.*mi*.a) *sf. Cir.* Cirurgia que consiste no desligamento de certas fibras nervosas da medula espinhal com a finalidade de aliviar dor intratável [F.: *cord(o)-* + *-tomia*.]

cordovão (cor.do.*vão*) *sm.* Couro de cabra curtido, muito us. no fabrico de calçados [F.: Do espn. *cordobán* 'de Córdoba (cidade da Espanha)'.]

cordoveias (cor.do.*vei*.as) *sfpl. Antq. Pop.* Tendões e veias do pescoço, mãos etc. quando salientes: "...o pescoço intumescido de cordoveias grossas..." (Aluísio de Azevedo, *O Cortiço*) [F.: *cord(o)-* + pl. de *veia*.]

cordovês[1] (cor.do.*vês*) *sm.* **1** Indivíduo nascido ou que vive em Córdoba (Argentina) [Pl.: *-veses* [ê]. Fem.: *-vesa* [ê].] ***a.*** **2** De Córdoba; típico dessa cidade ou de seu povo [Pl.: *-veses* [ê]. Fem.: *-vesa* [ê].] [F.: Do top. *Córdoba* (na forma var. *Córdova*) + *-ês*.]

cordovês[2] (cor.do.*vês*) *sm.* **1** Indivíduo nascido ou que vive em Córdova (Espanha) [Pl.: *-veses* [ê]. Fem.: *-vesa* [ê].] ***a.*** **2** De Córdova; típico dessa cidade ou de seu povo [Pl.: *-veses* [ê]. Fem.: *-vesa* [ê].] [F.: Do top. *Córdova* (espn. *Córdoba*) + *-ês*.]

cordura (cor.*du*.ra) *sf.* **1** Qualidade de cordato ou cordo **2** Bom-senso; PRUDÊNCIA; SENSATEZ **3** Disposição amistosa, tolerante [F.: *cordo* + *-ura*.]

coreano (co.re:*a*.no) ***a.*** **1** Da Coreia do Norte ou da Coreia do Sul (Ásia); típico desses países ou de seus povos **2** *Gloss.* Ref. à língua falada em ambos os países ***sm.*** **3** Pessoa nascida ou que vive na Coreia do Norte ou na Coreia do Sul **4** *Gloss.* A língua falada em ambos os países [F.: *Core(ia)* + *-ano*.]

coreia[1] (co.*rei*.a) *sf.* **1** Dança, baile: "Ao ver esta desenfreada coreia, é para perguntar que bicho ou que peçonha picaria os bailarinos" (Ricardo Jorge, *Canhenho de um vagamundo*) **2** *Neur.* Doença neurológica que se manifesta por movimentos convulsivos e irregulares dos membros (ger. mãos e antebraços) e da cabeça; REMELEXO [F.: Do lat. *chorea*.] ∎ **~ de Huntington** *Neur.* Distúrbio autossômico dominante, autodegenerativo, caracterizado por coreia (2), desordenação na marcha, na fala, e alterações nas condições mentais, mudança de personalidade, perda de memória, e déficit de atenção, manifestando-se comumente na idade adulta [Tb. é chamada de *doença de Huntington*, porque o termo coreia descreve apenas um dos sintomas da doença.] **~ de Sydenham** *Neur.* Manifestação grave de coreia (2), que acomete ger. crianças e adolescentes, em que ocorrem movimentos involuntários, arrítmicos e contínuos, ger. de grande amplitude, que se alternam de um grupo muscular para outro, dando dessa forma o aspecto de dança [É conhecida popularmente como *dança de são guido, dança de são vito* ou *dança de santo antônio*.]

coreia[2] (co.*rei*.a) *sf. MG N. E. Pop.* Zona de meretrício; zona [F.: Do top. *Coreia*, país da Ásia, como ref. pej.]

◎ **coreo-** = dança: *coreografia, coreômano*. [F.: Do gr. *choreúein*.]

coreografado (co.re:o.gra.*fa*.do) ***a.*** Com coreografia (espetáculo coreografado; passos coreografados); ENSAIADO [F.: Part. de *coreografar*. Ideia de: *core(o)-*.]

coreografar (co.re:o.gra.*far*) *v. td.* **1** Fazer coreografia de dança para ser acompanhada por (obra musical): *coreografar cantigas folclóricas e peças clássicas.* **2** Criar, conceber movimentos corporais (dançados ou não) a serem executados por uma ou mais pessoas em uma cena, espetáculo etc.: *Coreografou todos os passos da cantora no show; Foi chamada para coreografar os números de sapateado do novo musical.* [▶ **1 coreografar**] [F.: *coreógrafo* + *-ar*. Hom./Par.: *coreografa(s)* (fl.), *coreógrafa(s)* (fem. [pl.] coreógrafo); *coreografo* (fl.), *coreógrafo* (sm.).]

coreografia (co.re:o.gra.*fi*.a) *sf.* **1** Arte de criar os passos e movimentos que devem compor uma dança ou bailado **2** *P. ext.* O próprio conjunto dos passos e movimentos concebidos pelo coreógrafo: *A coreografia de Fokine deu ainda mais esplendor ao Pássaro de fogo.* **3** *P. ext.* Qualquer sequência de movimentos que lembre dança [F.: *core(o)-* + *-grafia*. Hom./Par.: *corografia*.]

coreográfico (co.re:o.*grá*.fi.co) ***a.*** Ref. a coreografia e/ou a coreógrafo (laboratório coreográfico) [F.: *coreograf(ia)* + *-ico*. Hom./Par.: *corográfico* (a.), *corógrafico* (a.). Ideia de: *core(o)-* e *-gráfico*.]

coreógrafo (co.re:*ó*.gra.fo) *sm.* Especialista na arte da coreografia; aquele que cria ou concebe os passos e movimentos de uma dança, ou que é responsável por coreografar uma cena, espetáculo etc. [F.: Do lat. *core(o)-* + *-grafo*. Hom./Par.: *corógrafo*.]

coreomania (co.re:o.ma.*ni*.a) *sf. Psi.* Paixão por dança, mania de dançar; DINOMANIA: "O dançarino... naquela coreomania estupenda, percorria a roda sem sustar-se para retomar alento..." (Júlio Ribeiro, *A Carne*) [F.: *core(o)-* + *-mania*.]

coreomaníaco (co.re:o.ma.*ní*.a.co) *Psi. sm.* **1** Pessoa que tem mania de dançar; COREÔMANO ***a.*** **2** Ref. a coreomania **3** Diz-se de quem tem coreomania; COREÔMANO [F.: *coreomania* + *-aco*. Ideia de: *core(o)-*.]

coreto (co.*re*.to) [ê] *sm.* **1** Pavilhão, em praça pública, para concertos de banda de música **2** *MG* Reunião festiva, em que se canta **3** *MG* Canção entoada nesse tipo de encontro: "...vontade de falar aqueles versos, como quem cantasse um coreto..." (Guimarães Rosa, *Grande sertão: veredas*) [F.: Do it. *coretto*.] ∎ **Bagunçar o ~ (de alguém)** *Bras. Pop.* Atrapalhar a vida (de alguém), tumultuar atividade ou situação; comprometer o prestígio, a imagem (de alguém)

corfiota (cor.fi.*o*.ta) *s2g.* **1** Indivíduo nascido ou que vive na ilha de Corfu (Grécia) ***a2g.*** **2** Da ilha de Corfu; típico dessa ilha ou de seu povo [F.: Do it. *corfiota*.]

corgo (*cor*.go) [ó] *sm.* **1** Ver *córrego*: "Dentro do corgo tinha um jacaré, grande..." (Guimarães Rosa, *Manuelzão e Miguilim*) **2** *Lus.* Terra grossa e pouco profunda, encontrada na base de encostas [F.: Forma sincopada de *córrego*.]

◎ **cori-** *el. comp.* = 'separado'; 'distante': *coripétalo* [F.: Do adv. e prep. gr. *khorís*, 'separadamente'.]

◎ **-coria**[1] *el. comp.* = 'disseminação': *anemocoria, antropocoria, barocoria, hidrocoria, zoocoria* [F.: Do rad. do v. gr. *khoréo*, 'retirar-se', 'afastar', 'espalhar', + *-ia*[1]. F. conexa: *-coro*.]

◎ **-coria**[2] *el. comp.* = '(irregularidade na) pupila': *acoria, anisocoria* [F.: Do gr. *kóre, es*, 'pupila', + *-ia*[1].]

coriáceo (co.ri:*á*.ce:o) ***a.*** **1** De consistência dura como a do couro **2** Que tem aspecto semelhante ao do couro **3** *Fig.* Grosso ou grosseiro, embrutecido, endurecido (burrice coriácea) [F.: Do lat. tard. *coriaceus, a, um*.]

corifeu (co.ri.*feu*) *sm.* **1** *Teat.* Na tragédia grega original, séc. VII a.C., regente dos cânticos entoados pelo coro **2** *P. ext.* Bailarino do corpo de baile que, no balé clássico, pode executar papel de solista **3** *Fig.* Pessoa que mais se distingue em uma atividade artística, profissional ou num grupo; CHEFE; DIRETOR; LÍDER; MESTRE: "Agora, em 2001, é a vez do corifeu dos corifeus Antônio Carlos Brasileiro de Almeida Jobim – o Tom Jobim..." (Editora Globo, *Jornal de Arte e Cultura*) **4** Pessoa que chefia uma seita [Fem.: *corifeia*.] [F.: Do adjetivo grego *koruphaíos, a, on* 'que ocupa o ponto mais alto, o mais importante', us. substantivadamente, derivado de *kórus, uthos* 'casco, cabeça'. Ideia de: *corif-*.]

corimba (co.*rim*.ba) *sf.* Nos cultos afro-brasileiros, cântico com que se homenageiam ou se evocam os orixás [F.: Posv. do ioruba *ko*, 'cantou', + *orín*, 'canção', + *ba*, 'realmente'.]

corimbo (co.*rim*.bo) *sm. Bot.* Modo de inflorescência em que os pedúnculos das flores, nascendo de pontos diversos da haste, se elevam todos ao mesmo nível, como nas flores da hera: "Da folhagem frondosa pendiam corimbos e filandras que se entrelaçavam em redes." (Coelho Neto, *Rajá I*) [F.: Do lat. *corymbus, i*. Ideia de: *corimb(i/o)-*.]

corincho (co.*rin*.cho) *sm. RS* Audácia, petulância, soberba: "Orre, maula!... quebraram-te o corincho..." (Simões Lopes Neto, *Contos Gauchescos*) [F.: De or. obsc.] ∎ **Quebrar o ~ de** *Bras. S.* Acabar com a bazófia de (alguém); quebrar-lhe a castanha; desmoralizá-lo

coríndon (co.*rín*.don) *sm. Min.* Pedra preciosa, formada de sesquióxido de alumínio e ordinariamente transparente ou translúcida, branca ou de cores; CORINDO; CORUNDO [Pl.: *coríndons ou coríndones*.] [F.: Do fr. *corindon* 'id', e este, do télugo, língua regional da Índia, falada pelos télugos, grupo de etnia dravídica que habita a região norte de Madras, cidade portuária daquele país, no Golfo de Bengala.]

coringa (co.*rin*.ga) *sm.* Ver *curinga*

corintiano (co.rin.ti:*a*.no) *sm.* **1** Pessoa que torce ou joga pelo Corinthians ***a.*** **2** Do ou próprio do Esporte Clube Corinthians Paulista (jogador corintiano; torcida corintiana) [F.: *Corinthians* + *-ano*.]

coríntio (co.*rín*.ti:o) *sm.* **1** Pessoa nascida na cidade de Corinto (Grécia) ***a.*** **2** De Corinto; típico dessa cidade ou de seu povo; CORÍNTICO **3** *Arq.* Diz-se de uma das três ordens da arquitetura grega clássica, a de mais rica ornamentação (coluna coríntia; capitel coríntio) [F.: Do lat. *corinthius, a, um*.]

cório (*có*.ri:o) *sm.* **1** *Emb.* Em diversas classes de vertebrados, membrana que envolve o embrião e o saco vitelínico, ou o ovo, nas classes dos peixes e insetos **2** *Histl.* O mesmo que *derma* **3** *Anat. Zool.* Membrana flexível existente entre os segmentos ou apêndices nos artrópodes [F.: Do gr. *khórion, ou*, 'pele, membrana'. Tb. *córion*.]

coriomeningite (co.ri:o.me.nin.*gi*.te) *sf.* Meningite cerebral em que há infiltração celular das meninges mais ou menos acentuada, comumente com infiltração linfocítica dos plexos coroides [F.: *cório* + *meningite*.]

córion (*có*.ri:on) *sm.* Ver *cório*

coriônico (co.ri:*ô*.ni.co) ***a.*** Ref. a cório [F.: *cório(n)* + *-ico*[2].]

coriscante (co.ris.*can*.te) ***a2g.*** Que corisca ou é capaz de coriscar, soltar faíscas, reluzir [F.: *coriscar* + *-nte*.]

coriscar (co.ris.*car*) *v.* **1** Relampejar [***int.***: *Ontem à noite coriscou muito.* Nesta acp., us. como verbo impessoal.] **2** Brilhar como coriscos; CINTILAR [***int.***: *Seus brincos coriscavam.*] **3** Produzir clarão [***int.***: *Quando o cantor chegou, os flashes dos fotógrafos coriscaram.*] **4** *Fig.* Disparar, lançar [***td.***: *Sua boca coriscava impropérios.*] [▶ **11 coriscar**] [F.: Do lat. *coruscare*. Hom./Par.: *corisco* (fl.), *corisco* (sm.).]

corisco (co.*ris*.co) *sm.* **1** Faísca elétrica na atmosfera; RAIO; RELÂMPAGO **2** *P. ext.* Qualquer faísca ou centelha; brilho momentâneo **3** *Fig.* Catástrofe, desastre **4** *Fig.* Pessoa agitada, esperta, vivaz, ou que é rápida nas ações [F.: Do lat. *coriscum*.]

corista (co.*ris*.ta) ***a2g.*** **1** Que canta em coro; CORALISTA **2** Que coordena o coro num convento (irmão corista) **3** Que canta ou dança em número ou espetáculo musical ***s2g.*** **4** Quem canta em coro **5** Sacerdote que coordena o coro **6** Pessoa que canta ou dança em musical [F.: *cor(o)* + *-ista*.]

corixo (co.*ri*.xo) *sm. Bras. GO MT* Canal por onde se escoam para os rios as águas das lagoas, brejos ou campos baixos; CORIXA; CORIXE [F.: *or. obsc*.]

coriza (co.*ri*.za) *sf.* **1** Rinite aguda de causa infecciosa ou alérgica **2** A incômoda secreção resultante; MONCO; RANHO; DEFLUXO [F.: Do lat. *coryza*.]

corja (*cor*.ja) *sf.* **1** *Pej.* Bando ou conjunto de pessoas desprezíveis, pela má conduta e mau caráter; CANALHA; MALTA; SÚCIA; CAMBADA **2** *Ant.* Grupo de vinte; VINTENA [F.: Do malaiala *kórchchu*.]

cormo (*cor*.mo) *sm. Bot.* Eixo longitudinal de certas plantas, que compreende a raiz e o caule [F.: Do gr. *kormós*.]

cormófita (cor.*mó*.fi.ta) *sf.* **1** *Bot.* Espécime das cormófitas, que em antiga classificação compreendem as plantas de eixo longitudinal bem diferençado, como o cormo ***a.*** **2** *Bot.* Diz-se de planta dotada de cormo [F.: Do lat. *cormophyta*.]

cornada (cor.*na*.da) *sf.* Golpe com os cornos; CORNAÇO; CHIFRADA [F.: *corno* + *-ada*[1].]

cornagem (cor.*na*.gem) *sf.* Respiração difícil e sibilante de certos animais com doença pulmonar; muito comum no cavalo; PIEIRA; BUZINAÇÃO [Muito comum no cavalo.] [F.: Do fr. *cornage*.]

cornalão (cor.na.*lão*) ***a.*** Diz-se do touro de chifres enormes [F.: Do espn. *cornalón*.]

cornalina (cor.na.*li*.na) *sf. Min.* Ágata em geral avermelhada e semitransparente [F.: Do fr. *cornaline*.]

cornamusa (cor.na.*mu*.sa) *sf. Mús.* Instrumento de sopro composto de um odre de ar, um tubo superior (soprado pelo executante), dois bordões e um tubo modulante, estes três munidos de palheta interna; GAITA DE FOLES [F.: Do fr. *cornemuse*.]

córnea (*cór*.ne:a) *sf. Anat.* Membrana transparente e fibrosa, ligada à esclerótica, e que recobre a íris e a pupila, deixando passar a luz [F.: Fem. substv. de *córneo*.]

corneação (cor.ne.a.*ção*) *sf.* **1** Ato ou efeito de cornear, atacar com os cornos **2** *Fig.* Ato ou efeito de trair, enganar o cônjuge, namorado ou namorada [Pl.: *-ões*.] [F.: *cornear* + *-ção*.]

cornear (cor.ne.*ar*) *v. td.* **1** Bater com os cornos em; golpear com o(s) chifre(s); ACORNAR; ESCORNAR: *O touro corneou o toureiro.* **2** *Vulg.* Trair (namorado, amante e esp. o cônjuge), tendo relações sexuais com outra pessoa; praticar adultério; CHIFRAR: *Era acusada de cornear o marido.*) [▶ **13 cornear**] [F.: *corno* + *-ear*. Hom./Par.: *corneais* (fl.), *corneais* (pl. *corneal* [a2g.]).]

◎ **-córneo** *el. comp.* = 'que ou o que tem chifre, corno, saliência córnea, ou antena': *acuticórneo, cervicórneo, cianicórneo, clavicórneo, compressicórneo, crassicórneo, crinicórneo, curvicórneo, denticórneo, filicórneo, fulvicórneo, fuscicórneo, laticórneo, luteicórneo, molinicórneo, nasicórneo, nigricórneo, nodicórneo, ocricórneo, plenicórneo, reticórneo, rostricórneo, rubricórneo, tauricórneo* [F.: Do lat. *corneus, a, um*, 'que tem corno(s)', 'feito de corno', do lat. *cornu, us*, 'corno'; 'chifre'. F. conexas: *corn(i)-* e *-corne*.]

córneo (*cór*.ne:o) ***a.*** **1** Ref. a corno, chifre (tecido córneo; matéria córnea) **2** Fabricado de chifre **3** Feito de substância (ger. orgânica) dura, endurecida ou resistente como a dos chifres, ou que tem consistência similar à dos chifres **4** *Fig.* Resistente, invencível (ignorância córnea) [F.: Do lat. *corneus*.]

córner (*cór*.ner) *Esp. Fut. sm.* **1** Cada um dos quatro cantos do campo **2** Ver *escanteio* [F.: Do ing. *corner*.] ∎ **Chutar para ~** Pôr de lado, livrar-se de (algo ou alguém); desprezar, não dar ou deixar de dar importância; chutar para escanteio

corneta[1] (cor.*ne*.ta) [ê] *sf.* **1** *Mús.* Corno originalmente utilizado pelos pastores como instrumento sonoro, soprado na extremidade mais estreita **2** Instrumento de sopro de metal, de tubo cônico e uso militar, para os toques de comando e ordem-unida **3** *Mús.* Qualquer instrumento simples de sopro, feito de metal e com corpo afunilado; TROMBETA **4** *Pop. Joc.* O nariz, a parte proeminente do rosto; *p. ext.*: a cara **5** Entrada principal de um formigueiro ***sm.*** **6** *Fig.* O corneteiro [F.: Do it. *cornetta*.] ∎ **~ acústica** Instrumento que se aplicava ao ouvido, para concentrar os sons e conduzi-lo diretamente ao canal auditivo. Era us. antigamente para aumentar a capacidade de audição de pessoas parcialmente surdas **~ de chaves** *Mús.* Instrumento de sopro que tem no tubo orifícios fechados por chaves que se abrem com a pressão dos dedos, assim emitindo os diferentes sons cromáticos

corneta[2] (cor.*ne*.ta) [ê] ***a2g.*** 1 *Bras.* Que tem um só chifre (diz-se de boi ou de vaca) 2 *RS* Que se mete no que não lhe cabe e atrapalha; INTROMETIDO; TRAPALHÃO ***s2g.*** 3 O boi ou a vaca que tem um só chifre 4 Indivíduo corneta (2) [F.: *corno* + *-eta*.]

cornetada (cor.ne.*ta*.da) ***sf.*** 1 Toque de corneta 2 *Fig.* Dito ou revelação surpreendente: *Veio com uma cornetada de paixão e fuga.* [F.: *corneta* + *-ada*.]

cornetear[1] (cor.ne.te.*ar*) *Bras.* ***v.*** 1 Tocar corneta (instrumento musical de sopro) [***int.***: *Nos jogos da Copa, a criançada corneteava.*] 2 *Fig.* Anunciar com alarde; PROCLAMAR; TROMBETEAR [***td.***: *Corneteava seus parcos sucessos.*] [▶ 13 cornetear] [F.: *corneta* + *-ear*[2].]

cornetear[2] (cor.ne.te.*ar*) ***v. int.*** *RS* Imiscuir-se como intrometido, agir como intruso, meter o bedelho em assunto não seu [▶ 13 cornetear] [F.: *corneta*[2] + *-ear*[2].]

corneteiro (cor.ne.*tei*.ro) ***a.*** 1 Que toca corneta numa unidade militar ***sm.*** 2 Aquele que toca corneta, esp. para dar os avisos e sinais de comando em uma unidade militar [F.: *cornet(a)* + *-eiro*.]

cornetista (cor.ne.*tis*.ta) ***a2g.*** 1 Que toca cornetim ou clarim numa fanfarra ***s2g.*** 2 Aquele que toca cornetim ou clarim numa fanfarra [F.: *corneta* + *-ista*.]

◎ **corn(i)-** ***el. comp.*** = 'corno', 'chifre'; 'saliência córnea'; 'antena': *cornicabra, cornicurto, cornífero* (< lat.), *corniforme, cornígero* (< lat.), *cornípede* (< lat.), *cornípeto, cornudo* (< lat.) [F.: Do lat. *cornu, us*, 'corno'; 'chifre'. F. conexas: *-corne* e *-córneo*.]

corniano (cor.ni.*a*.no) ***a.*** *Anat.* Relativo a córnea; CORNEAL [F.: *córnea* + *-ano*.]

cornífero (cor.*ní*.fe.ro) ***a.*** Que tem cornos, ou que tem saliências que lembram chifres (como antenas, tentáculos); CORNUDO; CORNÍGERO [F.: Do lat. *cornifer, erum*; ver *corn(i)-* e *-fero*.]

cornija (cor.*ni*.ja) ***sf.*** 1 *Arq.* Parte superior do entablamento, assentada sobre o friso 2 Moldura bem destacada que arremata o alto da fachada de um prédio, escondendo o telhado e protegendo-lhe a parede das águas pluviais 3 Moldura semelhante à cornija (2), encimando paredes, móveis, portas [F.: Do it. *cornice*.]

cornimboque (cor.nim.*bo*.que) [ó] ***sm.*** *Bras. N. N. E. MG* Ponta de chifre que se usava para guardar rapé; BINGA; CORNIBOQUE; CORRIMBOQUE; TABAQUEIRO; TAROQUE [F.: *or. obsc.*]

cornípeto (cor.*ní*.pe.to) ***a.*** 1 Que ataca ou fere com o chifre ou corno 2 *P. ext. Fig.* Que revela agressividade; AGRESSIVO [F.: *corn(i)-* + *-peto*.]

corno (*cor*.no) [ô] ***sm.*** 1 *Anat. Zool.* O mesmo que *chifre* 2 O material de que é feito o corno (1), us. na fabricação de vários objetos 3 *Mús.* Instrumento de sopro, espécie de trombeta feita com corno (1) 4 Recipiente para bebida feito com corno (1) 5 Bico ou ponta de certos objetos, com aspecto de corno (1) 6 *Pop.* Cada ponta da lua crescente 7 *Astron.* Interseção da linha que divide as áreas iluminadas e na sombra no disco visível de planeta ou satélite com o bordo exterior desse disco 8 *Geog.* Ponta em forma de chifre de um território, de um continente: *o corno da África (no extremo nordeste do continente).* 9 *N. E.* Garoto, menino [ger. no diminutivo, *corninho*.] 10 *Joc. Vulg.* Marido cuja mulher tem ou teve relações sexuais com outros homens (com ou sem conhecimento ou consentimento dele); CABRÃO; CHIFRUDO; CORNUDO; GALHUDO [Dim.: *cornicho, cornículo*] ***a.*** 11 *Joc. Vulg.* Diz-se de homem traído (sexualmente) pela mulher, ou companheira, ou namorada etc.; CHIFRUDO; CORNUDO; GALHUDO [Pl.: [ó].] [F.: Do lat. *cornu*. Ideia de 'corno', usar pref. *cerat-* e *corn-* e suf. *-cera, -cero, -córneo* e *-córnio*. Sin. ger.: *chifre*. Nas acps. 10 e 11 é ofensivo.] ■ **~ da abundância** O mesmo que *cornucópia* (vaso em forma de chifre cheio de frutas e flores, simbolizando fartura) **~ inglês** *Mús.* O mesmo que *corne-inglês* (instrumento musical) **~ manso** *Pej. Tabu.* Marido sexualmente traído e conformado com isso **Meter os ~s (em)** Empreender (atividade ou tarefa) com vigor e entusiasmo **Não ir com os ~s de** Não simpatizar com **Pôr ~s em** *Pej. Tabu.* Enganar, trair sexualmente o cônjuge. **Pôr (alguém) nos ~s da Lua** *Pop.* Elogiar, enaltecer com certo exagero

cornucópia (cor.nu.*có*.pi:a) ***sf.*** 1 Vaso em forma de chifre, ger. representado a transbordar de flores e de frutas, outrora símbolo mitológico da fertilidade e riqueza, hoje emblema da agricultura e do comércio 2 *P. ext.* Fonte de abundância e felicidade 3 *Fig. Joc. Irôn.* Grande ou excessiva quantidade, profusão (ou aquilo que tem, guarda ou produz algo em grande quantidade): "É uma cornucópia de asneiras este literato..." (Camilo Castelo Branco, "A Caveira" *in Cenas Contemporâneas*) [F.: Do lat. *cornu copia* lit. 'chifre da abundância' (cf. etim. de *corno* e de *cópia*).]

cornudo (cor.*nu*.do) ***a.*** 1 Que tem cornos, chifres; CORNÍFERO; CHIFRUDO 2 Ver *corno* (8) ***sm.*** 3 Animal dotado de chifres 4 Ver *corno* (7) [F.: Do lat. *cornutus*.]

◎ **-coro** ***el. comp.*** = 'que se afasta'; 'que espalha'; '(*p. ext.*) disseminado': *anemocoro, hidrocoro, zoocoro* [F.: Do v. gr. *khoréo*, 'retirar-se'; 'afastar'; 'espalhar'. F. conexa: *-coria*[1].]

coro[1] (co.ro) [ô] ***sm.*** 1 *Mús.* Conjunto de pessoas que cantam juntas; CORAL 2 Parte composta para coro, em ópera ou cantata: *o Coro dos Ferreiros, de Verdi.* 3 Estribilho, refrão 4 Sucessão de manifestações orais: *coro de reclamos.* 5 Conjunto simultâneo de vozes, cantos, sons etc. (de): *um coro de buzinas; um coro de sabiás.* 6 Parte da igreja destinada ao canto e ao clero 7 Em igreja de convento, parte separada por grades, atrás das quais as freiras e outras conventuais assistem às cerimônias religiosas 8 *Teat.* No teatro clássico, conjunto dos atores que cantam, declamam, narram e comentam a ação: *coro grego.* [Pl.: [ó].] [F.: Do gr. *khorós*, pelo lat. *chorus*. Hom./Par.: *coro* [ó], *couro*.] ■ **~ a capela** *Mús.* Coro sem qualquer acompanhamento instrumental **~ falado** *Mús.* Coro declamado **~ múltiplo** *Mús.* Coro composto para mais de um conjunto coral **Em ~** Em uma só voz, em uníssono **Fazer ~ com** Reiterar, apoiando, proposta, opinião etc., ou dar apoio a (quem as faz)

coro[2] (co.ro) [ó] ***sm.*** *Ant.* Nome que os antigos davam ao vento que soprava do noroeste, no mar Mediterrâneo [F.: Do lat. *corus*.]

coro[3] (co.ro) [ó] ***sm.*** Certa medida entre os antigos hebreus [F.: Do heb., pelo gr. *kóros*.]

coró (co.*ró*) ***sm.*** *Zool.* Ver *escaravelho*

coroa (co.*ro*.a) [ô] ***sf.*** 1 Ornamento circular que se usa sobre ou cingindo a cabeça como insígnia da realeza ou nobreza 2 *P. ext.* Ornamento similar us. como emblema de triunfo, distinção, ou como simples enfeite: *coroa de louros* 3 Todo objeto que tem a forma aproximada de uma coroa 4 *Fig.* Recompensa, prêmio; GALARDÃO: *a coroa da vitória* 5 *Fig.* O poder real, a dignidade monárquica, o regime da monarquia: *Eram republicanos convictos, adversários da coroa.* 6 *Fig.* A própria pessoa do soberano [Nesta e na acp. anterior, ger. com inicial maiúscula.] 7 *Rel.* Tonsura circular na cabeça dos padres 8 *Art. pl.* Grinalda de espigas e cachos de uva simbolizando a abundância 9 *Fig.* Fecho, remate: *A valsa dos noivos foi a coroa da festa.* 10 *Astron.* Círculo luminoso em torno do sol ou da lua 11 *Geom.* A superfície plana compreendida entre duas circunferências concêntricas 12 Calvície circular, no alto ou meio da cabeça 13 *Bot.* Conjunto de folhas no alto do fruto do abacaxi 14 A parte mais elevada de algo; CIMO; CUCURUTO; CUME 15 *Arq.* Ornato que arremata o topo de um prédio ou um elemento arquitetônico 16 *Anat.* Saliência (em formação anatômica) de forma circular 17 *Od.* Revestimento metálico com que se cobre um dente ou resíduo de dente para protegê-lo ou complementá-lo 18 *Bot.* Conjunto circular de apêndices a corola e os estames de certas flores 19 *Zool.* Tufo de penas em forma de coroa (1) na cabeça de certas aves 20 *Bras. Geol.* Banco de areia 21 O reverso de uma moeda, opondo-se a *cara* 22 *Min.* A face superior de um diamante 23 *Econ.* Unidade monetária us. em alguns países europeus 24 *Ant. Num.* Nome de antigas moedas de Portugal, uma de ouro (valendo dez mil réis), outra de prata (valendo mil réis) 25 *Rel.* Rosário (um meio rosário) com sete padre-nossos e sete dezenas de ave-marias 26 Arranjo circular de flores, vazado no centro, com que se homenageiam pessoas falecidas, no velório ou no enterro [Tb. *coroa funerária*.] ***s2g.*** 27 *Bras. Gír.* Pessoa de meia-idade ou idosa: *O coroa assumiu a chefia.* [F.: Do gr. *koróne*, pelo lat. *corona*.] ■ **~ Austral** *Astron.* Constelação austral, visível na borda da Via-Láctea, junto a Escorpião [Tb. apenas *coroa*.] **~ da glande** *Anat.* Borda em torno da glande, separada dos corpos cavernosos pelo colo da glande **~ da língua** *Anat.* A parte mais frontal da língua **~ de espinhos** *Fig.* Mortificação, tormento (por analogia com a coroa de espinhos posta na cabeça de Jesus) **~ de louros** 1 Na antiguidade greco-romana, grinalda de folhas de louro com que se premiavam ações, criações, atuações meritórias [Tb. apenas *coroa*. Tb. apenas *louros*.] 2 Prêmio, honra, glória **~ dentária** *Od.* Porção de um dente revestida de esmalte **~ funerária** Arranjo circular de flores que se põe sobre caixão de defunto ou a seu lado, em sepultura etc., como homenagem ao falecido **~ naval** *Bras. Mar. G* Símbolo que encima todos os distintivos de órgãos da Marinha do Brasil **~ solar** *Astron.* Camada da atmosfera solar que envolve a cromosfera **Tríplice ~** *Turfe* Sequência de três grandes prêmios que são disputados anualmente em hipódromos do Brasil, para selecionar o melhor potro da geração dos três anos

coroação (co.ro:a.*ção*) ***sf.*** 1 Ato ou efeito de coroar(-se) 2 Rito ou cerimônia em que se oficializa a passagem de alguém à condição de rei ou rainha, à posição de monarca soberano de um Estado, simbolizada pela coroa 3 *P. ext.* Cerimônia em que se dá a alguém coroa que simboliza um título, o reconhecimento de uma posição ou qualidade superior 4 *Rel.* Ritual em que se oferece a coroa à imagem de um santo ou da Virgem Maria 5 *Fig.* Remate, desfecho especial ou grandioso; conclusão feliz, adequada: *A dança foi a coroação dos festejos.* 6 Momento, ato ou acontecimento mais importante, mais significativo (e não necessariamente o último) de um processo: *O prêmio recebido foi a coroação de sua carreira.* [Pl.: *-ções*.] [F.: *coroa(r)* + *-ção*. Sin. ger.: *coroamento*.]

coroa-de-cristo (co.ro:a-de-*cris*.to) *Bot.* ***sf.*** 1 Arbusto da fam. das euforbiáceas, *Euphorbia tirucalli*, da África oriental, Índia e sudeste asiático, de flores amareladas ou esverdeadas e com um látex branco de propriedades tidas por purgativas como antissifilíticas 2 Arbusto de pequeno porte mas da mesma fam., *Euphorbia millii*, de ramos longos e flores vermelhas, nativo de Madagascar 3 Arbusto da fam. das ramnáceas, *Paliurus aculeatus*, de madeira dura e elástica, flores amareladas, dotado de propriedades medicinais e encontrado tanto na Europa como na Ásia [Pl.: *coroas-de-cristo*.]

coroa-de-frade (co.ro:a-de-*fra*.de) ***sf.*** *Bot.* Planta da fam. das cactáceas, *Melocactus bahiensis*, de caules pequenos e angulados, nativa do Brasil, onde é encontrada principalmente na caatinga [Pl.: *coroas-de-frade*.]

coroado[1] (co.ro.*a*.do) ***a.*** 1 Que tem coroa ou adorno semelhante na cabeça 2 Que se coroou, que recebeu a coroa, a dignidade ou condição de monarca soberano 3 *Fig.* Recompensado, premiado (obra coroada) 4 *Fig.* Glorificado, celebrado (pelas qualidades, conquistas) 5 Que chegou ao ponto culminante, ou a um desfecho feliz, grandioso etc. [F.: Part. de *coroar*.]

coroado[2] (co.ro.*a*.do) ***sm.*** 1 Denominação dada pelos portugueses a indígenas brasileiros de vários povos e grupos, que costumavam usar adornos semelhantes a coroas de plumas ***a.*** 2 Diz-se de indígena de algum desses grupos [F.: *coroa* + *-ado*[1].]

coroados (co.ro.*a*.dos) ***smpl.*** 1 *Etnol.* Pessoas pertencentes a diversas tribos indígenas brasileiras e suas famílias linguísticas (bororo, caingangue, puri) ***a2g2n.*** 2 Dos ou ref. aos coroados

coroamento (co.ro:a.*men*.to) ***sm.*** 1 O mesmo que *coroação* (em todas as acps.) 2 *Arq.* Adorno ou remate, no alto de um edifício ou de uma parte dele [F.: *coroa(r)* + *-mento*.]

coroar (co.ro.*ar*) ***v. td,*** 1 Pôr coroa na cabeça de (alguém): *Coroou a musa do verão.* 2 Designar ou proclamar como chefe supremo, esp. como rei ou pontífice: *Coroar o rei/o papa.* 3 Pôr coroa ou outro adorno ou arremate na parte mais alta de (algo) 4 *P. ext.* Estar ou aparecer no alto, no topo ou acima de (algo) como se fosse coroa ou enfeite 5 Encerrar, finalizar, arrematar (evento, atividade ou cerimônia, aquilo que se diz, ação duradoura, série de elementos etc.) com algo que chama atenção, que tem valor especial (tb. com uso irônico) [***td.***: *Coroou com um golaço a sua ótima atuação na partida; Com uma piada de gosto duvidoso, coroou sua história.*] 6 Ser o coroamento de (algo), o elemento (ger. final) de maior valor, mais importante ou mais representativo [***td.***: *a vitória coroou sua estratégia; o prêmio coroou sua carreira.*] 7 *Fig.* Dar, ou servir como, prêmio a (alguém, ou alguma ação especial, um feito ou esforço realizados) 8 Pôr algo, ger. circular, em volta de (uma coisa ou lugar); estar, aparecer ou estender-se em volta de (algo); CINGIR; CIRCULAR; RODEAR [***tdr.*** + *com*: *Coroou com um halo a imagem do santo.*] [***td.***: *Montanhas coroam a cidade.*] 9 Satisfazer, cumprir (vontade, aspiração etc.): *A publicação do livro coroou seu maior desejo.* [▶ 16 coroar] [F.: Do lat. *coronare*. Ant. ger.: *descoroar*.]

coroca (co.*ro*.ca) [ó] ***a2g.*** 1 *Bras. Pej. Pop.* Diz-se de pessoa velha que se acha enfraquecida e doente, ou confusa, pouco lúcida; CADUCO; DECRÉPITO; CAQUÉTICO ***s2g.*** 2 *Pej.* Pessoa velha e feia; COROIA; CURUCA; CURUNGO [F.: Do tupi *kuruca*. É ofensivo.]

corofilia (co.ro.fi.*li*:a) ***sf.*** *Psi.* Tendência a dirigir o interesse sexual a um jovem ou a uma jovem [F.: Do gr. *kóros, ou*, 'jovem', + *-filia*[1].]

corofílico (co.ro.*fí*.li.co) *Psi.* ***a.*** 1 Ref. à corofilia 2 Diz-se de indivíduo que tem corofilia; CORÓFILO ***sm.*** 3 Esse indivíduo; CORÓFILO [F.: *corofilia* + *-ico*[2].]

corófilo (co.*ró*.fi.lo) *Psi.* ***a. sm.*** O mesmo que *corofílico* (2 e 3); COROFÍLICO [F.: Do gr. *kóros, ou*, 'jovem', + *-filo*[1].]

corografia (co.ro.gra.*fi*:a) ***sf.*** *Geog.* Descrição de país, região ou localidade por meio de mapa e convenções bem estipuladas [F.: Do gr. *khorographía*, pelo lat. *chorographia, ae*. Hom./Par.: *corografia* (sf.), *coreografia* (sf.).]

corográfico (co.ro.*grá*.fi.co) ***a.*** *Geog.* Ref. à corografia [F.: Do gr. *khorographikós*. Hom./Par.: *corográfico* (a.), *coreográfico* (a.).]

coroide (co.*roi*.de) ***a2g.*** 1 Que se assemelha a membrana ***sm.*** 2 *Anat.* Membrana fina que recobre a parte posterior do olho, entre a retina e a esclerótica. [Sin. nesta acp.: *coroideia*.] [F.: Do gr. *choroeidés*, var. de *chorioeidés*, pelo lat. cien. *choroides*. Tb. *corioide*.]

coroideia (co.roi.*de*:i:a) *Anat.* ***sf.*** Ver *coroide*, ou *corioide* [F.: *coroide* + *-eia*.]

coroidiano (co.roi.di.*a*.no) ***a.*** Ref. ou pertence à coroide [F.: *coroide* + *-ano*.]

coroinha (co.ro.*i*.nha) ***sf.*** 1 Pequena coroa ***sm.*** 2 *Rel.* Menino que ajuda o padre nos ofícios divinos [Nesta acp., alusão à tonsura (ou coroa).] 3 *Ornit.* Pássaro fringilídeo (*Carduelis yarellii*) do Nordeste do Brasil e norte da América do Sul, semelhante ao pintassilgo, e que tem coloração preta no alto da cabeça, sendo os lados amarelos [F.: Dim. de *coroa* + *-inha*.]

corola (co.*ro*.la) ***sf.*** *Bot.* Verticilo da flor formado pelas pétalas, em torno do pistilo e dos estames [Dim.: *corólula*] [F.: Do lat. *corolla*.]

corolário (co.ro.*lá*.ri:o) ***sm.*** 1 *Lóg.* Proposição que é inferida a partir de uma proposição anterior demonstrada, sem ser acompanhada de demonstração ou comprovação adicionais 2 *P. ext.* Fato ou situação decorrente de outro, resultante deste; aquilo que é consequência ou desenvolvimento natural ou ocasional de algo anterior; RESULTADO: *Nem sempre a dedicação tem por corolário o sucesso.* 3 Continuação ou prosseguimento de um raciocínio, de um argumento [F.: Do lat. *corolarium*.]

corologia (co.ro.lo.*gi*:a) ***sf.*** Estudo da distribuição geográfica dos seres vivos [F.: *coro-* + *-logia*.]

corona (co.*ro*.na) ***sf.*** 1 *Bot.* Linha de apêndices nas corolas de numerosas plantas 2 *Arq.* Moldura na parte inferior de uma cornija; COROA 3 *Met.* Série de círculos coloridos em torno do Sol ou da Lua quando encobertos por nuvem clara [F.: Do lat. *corona, ae*, 'coroa', por via erudita.]

coronal (co.ro.*nal*) ***a2g.*** 1 Ref. a coroa; CORONÁRIO 2 Que tem forma de coroa; CORONIFORME 3 Ref. à coroa solar 4 *Od.* Ref. à coroa dentária 5 *Anat.* Diz-se do osso mais anterior do crânio; FRONTAL *sm.* 6 Esse osso; FRONTAL [Pl.: *-nais.*] [F.: Do lat. *coronalis, e.*]

coronária (co.ro.*ná*.ri:a) *sf. Anat.* Cada uma das duas artérias que irrigam o coração; artéria coronária [F.: F. red. de *artéria coronária*.] ■ ~ **estomáquica** *Anat.* Cada uma das artérias que irrigam o estômago

coronariano (co.ro.na.ri.*a*.no) *a.* Ref. às artérias coronárias, a suas características e problemas (doença coronariana) [F.: *coronária* + *-ano*[1].]

coronário (co.ro.*ná*.ri:o) *a.* 1 Ref. a coroa ou a coroação; CORONAL 2 *Anat.* Que envolve um órgão ou uma parte do corpo como uma coroa (artérias coronárias) [F.: Do lat. *coronarius, a, um.*]

coronariopata (co.ro.na.ri:o.*pa*.ta) *Pat. a2g.* 1 Que sofre de coronariopatia *s2g.* 2 Aquele que sofre de coronariopatia [F.: *coronária* + *-o-* + *-pata.*]

coronariopatia (co.ro.na.ri:o.pa.*ti*:a) *sf. Pat.* Doença de estreitamento e obstrução das artérias coronárias [F.: *coronária* + *-o-* + *-patia.*]

coronavírus (co.ro.na.*ví*.rus) *sm2n. Micbiol.* Cada um dos vírus de um grupo que pode causar infecções em aves e diversos mamíferos, inclusive o homem (sua forma lembra a de uma coroa, ao microscópio) [F.: Do lat. *corona, ae,* 'coroa', + *vírus.*]

coronel (co.ro.*nel*) *sm.* 1 No Exército brasileiro e na Força Aérea Brasileira (coronel-aviador), posto mais alto dos oficiais superiores, acima de tenente-coronel 2 Militar que tem essa patente 3 *Bras.* Chefe político ou pessoa de influência, no interior (ger. latifundiário, ou detentor de cargo importante, ou profissional liberal etc.) 4 *P. ext.* Pessoa que tem posição de destaque e influência, ger. exercida de modo autoritário, em um grupo ou atividade 5 Aquele que paga as despesas de outros, esp. em mesa de bar 6 *Joc. Irôn.* Homem, ger. mais velho, que sustenta mulher ou amante [Pl.: *-néis.*] [F.: Do fr. *colonel.*]

coronelato (co.ro.ne.*la*.to) *sm.* Posto ou dignidade de coronel [F.: *coronel* + *-ato*[1].]

coronel-aviador (co.ro.*nel*-a.vi:a.*dor*) *Mil. sm.* 1 Na Força Aérea Brasileira, posto de oficial superior entre tenente-coronel aviador e brigadeiro 2 Militar dessa patente [Pl.: *coronéis-aviadores.*]

coronelício (co.ro.ne.*lí*.ci:o) *Pej. Mil. a.* 1 Ref. a ou próprio de coronel 2 Que alardeia importância política [F.: *coronel* + *-ício.*]

coronelismo (co.ro.ne.*lis*.mo) *sm.* 1 *Bras. Pol.* Sistema político-social vigente no Brasil interiorano do fim do Império e da Primeira República, com base na oligarquia agrária dos coronéis latifundiários [Cf.: *caudilhismo.*] 2 *P. ext.* Qualquer prática ou tendência política similar às do coronelismo [F.: *coronel* + *-ismo.*]

coronelista (co.ro.ne.*lis*.ta) *a2g.* 1 Ref. a coronelismo 2 Que é partidário do coronelismo *s2g.* 3 Aquele que é partidário do coronelismo [F.: *coronel* + *-ista.*]

coronha (co.*ro*.nha) *sf.* 1 Peça de aço, madeira ou outros materiais, em que se encaixa a parte posterior do cano de uma arma de fogo portátil (revólver, rifle etc.), e que serve de empunhadura ou apoio 2 *Bot.* O mesmo que *olho-de-boi*, no verbete *olho de boi* (3), certa trepadeira (*Diocleia violacea*) 3 *Bot.* O mesmo que *esponjeira*, arbusto (*Acacia farnesiana*) [F.: Posv. do espn. *cureña.*]

coronhada (co.ro.*nha*.da) *sf.* Golpe desferido com a coronha; CRONHADA [F.: *coronha* + *-ada*[1].]

coronilha (co.ro.*ni*.lha) *Bot. sf.* 1 Árvore ramnácea brasileira, pequena, de folhas coriáceas; ESPINHO-DE-TOURO 2 *Bras. RS* Árvore leguminosa brasileira de tamanho médio, espinhos escuros e avermelhados; ESPINHO-DE-CRISTO *s2g.* 3 *RS* Indivíduo forte e valente [F.: Do espn. *coronilla.*]

corovoca (co.ro.*vo*.ca) *sf. Pop.* Biboca, baiuca [F.: De or. incerta.]

corpaço (cor.*pa*.ço) *sm.* 1 Corpo grande; CORPANZIL *sm.* 2 Corpo benfeito, de proporções harmoniosas [F.: *corp(o)* + *-aço.* Sin. ger.: *corpão.*]

corpanzil (cor.pan.*zil*) *sm.* Corpo grande, volumoso, avantajado: *Enfiou o corpanzil no carro, que afundou meio palmo.* [Não raro, tem uso pej.] [Pl.: *-zis.*] [F.: *corp(o)* + *-an-* (por processo de nasalização) + *-z-* + *-il.*]

corpão (cor.*pão*) *sm.* O mesmo que *corpaço.* [F.: *corpo* + *-ão*[1].]

corpete (cor.*pe*.te) [ê] *sm.* 1 Peça muito justa do vestuário feminino, que cobre do colo à cintura; CORPINHO: "... vestida ricamente de preto, direita no seu corpete espartilhado e seco." (Eça de Queirós, *O primo Basílio*) 2 *Vest.* Espécie de colete feminino; BOLERO 3 *Vest.* Roupa de baixo feminina que modela o busto [F.: Do it. *corpetto.*]

corpinho (cor.*pi*.nho) *sm.* 1 Corpo pequeno, delicado 2 Blusa justa e que não vai além da cintura; CORPETE 3 Ver *sutiã.* [F.: *corpo* + *-inho*[1].]

corpo (*cor*.po) [ô] *sm.* 1 *Anat.* Estrutura física e individualizada do homem ou dos animais 2 *Anat.* O tronco, de um ser humano ou de um animal 3 *P. ext.* Compleição física: *Ainda menina, já tinha corpo.* 4 A realidade carnal (em oposição à espiritual): "Porque os corpos se entendem, mas as almas não." (Manuel Bandeira, *Belo belo*) 5 Cadáver: *Encontraram três corpos entre os escombros.* 6 *Fig.* Parte essencial ou mais importante de algo: *o corpo de sua obra.* 7 Densidade, consistência: *O desenho ganhou corpo; Prefiro este tecido, tem mais corpo; Acrescentou farinha para dar corpo ao creme.* 8 Materialidade: *Soube dar corpo a seu sonho.* 9 Conjunto de profissionais, de número variável, que formam um grupo de mesma atividade num contexto maior, e que pode ter caráter corporativo (corpo diplomático; corpo médico): *corpo de baile; corpo de fuzileiros navais.* 10 *Aer.* Fuselagem das aeronaves 11 Parte de uma vestimenta correspondente ao tronco humano 12 Corporação: *o corpo dos fuzileiros navais.* 13 A parte principal de um texto escrito (livro, ensaio, artigo etc.), em relação a introdução e fechamento, notas, comentários etc. 14 Qualquer substância ou matéria ou combinação delas, que ocupam lugar no espaço (corpo sólido; corpo líquido) 15 *Fig.* Importância, influência, grandeza, vulto: *A ideia de uma reforma no sistema eleitoral ganhava cada vez mais corpo.* 16 Coleção, conjunto de leis e disposições civis, canônicas, etc. 17 Aumento, crescimento, desenvolvimento: *Aos poucos, o boato vai tomando corpo.* 18 Todo objeto natural existente no céu (corpo celeste) 19 *Mil.* Agrupamento militar especializado, que forma contingente ou arma: *corpo de engenharia militar.* 20 *Álg.* Anel de integridade no qual todos os elementos, à exceção do zero, têm inverso multiplicativo 21 *Art. gr.* Medida em pontos tipográficos do tamanho de uma letra numa composição, que é a distância vertical de sua base à base da letra correspondente na linha acima, ou seja, incluindo a entrelinha 22 *Enol.* No vinho, o 'peso' que seus componentes 'secos' acrescentam ao teor alcoólico, tornando-o mais ou menos denso 23 Espessura do papel, medida em gramas por m² (tb. *gramatura*) 24 *Art. gr.* Espessura em pontos tipográficos de elementos gráficos, como fios, entrelinhas etc. 25 *Jur.* Qualquer indivíduo considerado juridicamente em si mesmo, sem bens ou haveres 26 *Mús.* Em certos instrumentos musicais de corda, a caixa de ressonância, ger. de madeira: *o corpo do violoncelo.* [Pl.: *-ó.*] [F. Do lat. *corpus.*] ■ ~ **aberto** Segundo certas crenças, corpo vulnerável a doenças e outros males, por não ter proteção sobrenatural [P. opos. a *corpo-fechado.*] ~ **a** ~ 1 Em que há contato físico ou pessoal (propaganda corpo a corpo) 2 Em que cada contendor tenta atingir o corpo do adversário (luta corpo a corpo) 3 Luta corpo a corpo: *Engalfinharam-se num corpo a corpo.* ~ **amarelo** *Histl.* Ver *Corpo-lúteo* ~ **caloso** *Anat.* Estrutura do encéfalo que reúne os dois hemisférios cerebrais e serve de ponte da ação de um sobre o outro ~ **cavernoso** *Anat.* Tecido erétil do pênis e do clitóris ~ **celeste** *Astron.* Massa de matéria, sólida ou fluida, natural ou artificial, existente no espaço [P. ex.: os planetas, as estrelas, os meteoritos, etc.] ~ **celular** *Cit.* A parte central do neurônio, onde fica o núcleo ~ **ciliar** *Anat.* Parte espessa entre coroide e íris de cada olho ~ **da guarda** 1 *Mil.* Destacamento de soldados encarregados de guardar posto militar, quartel, instalação etc. 2 Local onde esse destacamento se aloja ~ **de baile** Conjunto fixo dos bailarinos de um teatro, companhia etc. ~ **de bombeiros** Corporação encarregada de prevenir e combater incêndios, socorrer suas vítimas etc. ~ **de Cristo** 1 *Rel.* O pão da eucaristia 2 A Igreja cristã ~ **de delito** Fato ou evidência material que atesta a existência de um crime ~ **de luz** *Turfe* Cada unidade de distância equivalente ao comprimento do corpo de um cavalo, para medir a distância de um cavalo a outro durante a corrida e na chegada ~ **de texto** 1 *Jorn.* Parte da matéria de jornal que se segue ao lide 2 Parte principal de texto impresso, excluindo títulos, subtítulos, notas etc. ~ **diplomático** O conjunto dos representantes de países estrangeiros junto ao governo de outro país ~ **discente** O conjunto de alunos de um estabelecimento de ensino ~ **docente** O conjunto de professores de um estabelecimento de ensino ~ **esponjoso** *Anat.* Estrutura peniana interna, longitudinal que, assim como os corpos cavernosos, produz a ereção ~ **estranho** 1 *Med.* Objeto ou matéria estranhos ao organismo nele introduzido intencionalmente ou não, e que pode provocar inflamação ou rejeição 2 *Fig.* Pessoa coisa que não se integrou ou adaptou a um ambiente, grupo etc. ~ **fechado** Segundo certas crenças, corpo invulnerável a doenças e outros males, por ter proteção sobrenatural [P. opos. a *corpo aberto.*] ~ **lúteo** *Biol.* Após a ruptura do folículo de Graaf, massa de células que proliferaram e se transformaram a partir das células dele remanescentes; corpo amarelo ~ **negro** *Fís.* Corpo que absorve toda a radiação nele incidente, mantendo equilíbrio com a radiação emitida por ele ~ **pineal** *Anat.* Pequena glândula endócrina intracraniana, segrega, entre outras substâncias, a melatonina [Antes denominada *epífise*, ou *glândula pineal.*] ~ **vertebral** *Anat.* Estrutura em forma de tambor na parte anterior de toda vértebra, à exceção da primeira ~ **vítreo** *Oft.* Substância gelatinosa e transparente no globo ocular, situada entre o cristalino e a retina **Botar** ~ *Bras. Pop.* Crescer fisicamente, adquirindo o corpo formas adultas **Criar** ~ 1 Ver *Botar corpo* 2 Ver *Ganhar corpo* **Dar de** ~ *Tabu.* Defecar **De** ~ **e alma** De maneira total, com dedicação total: *Mergulhou no projeto de corpo e alma.* **De** ~ **mole** Sem ânimo, sem vigor, sem entusiasmo **De** ~ **presente** Com a presença da pessoa, ou de seu corpo, se falecida **Deitar** ~ 1 Ver *Criar corpo* 2 Ver *Ganhar corpo* **Em** ~ Sem agasalho, esp. o tronco, o busto **Em** ~ **e alma** Ver *De corpo e alma* **Entrar com o** ~ *Bras. Fam.* Participar de empreendimento, negócio etc. sem entrar com dinheiro **Fazer** ~ **mole** Não se empenhar, não se dedicar a algo; eximir-se de atender a solicitação, apelo etc. **Fechar o** ~ 1 *Bras.* Supostamente, tornar o corpo invulnerável a ataques ou outros malefícios, mediante magia, feitiçaria etc. 2 *CE* Tomar bebida alcoólica a pretexto de proteger o corpo de doenças **Ganhar** ~ Aumentar, desenvolver-se, fortalecer-se (pessoa ou coisa); deitar corpo: *Com os exercícios, ganhou corpo e nem parece a mesma pessoa; Sua proposta ganhou corpo e parece que será aprovada.* **Negar o** ~ Desviar-se, esquivar-se de algo **Quebrar o** ~ *Tabu.* Defecar **Tirar o** ~ **fora** Esquivar-se de uma incumbência, de uma situação; não assumir responsabilidade **Tomar** ~ Ver *Ganhar corpo*

corpo a corpo (cor.po a*cor*.po) *Bras. sm2n.* 1 Luta de confronto físico 2 *P. ext.* Confronto de opiniões, ideias, argumentos; DISCUSSÃO 3 *Pol.* Contato pessoal do candidato a um cargo eletivo com o eleitor: *Fez corpo a corpo na periferia.*

corpo de prova (cor.po de*pro*.va) *sm. Bras. Eci.* Amostra representativa de material de construção, de acordo com normas definidas, para maior garantia dos resultados [Pl.: *corpos de prova.*]

corporação (cor.po.ra.*ção*) *sf.* 1 Associação de pessoas com afinidade profissional, organizadas sob um mesmo regulamento que ger. tb. é relativo a suas atividades, negócios e carreiras 2 *P. ext.* Conjunto de pessoas associadas para uma causa ou um objetivo comuns 3 *Adm.* Empresa ou associação de empresas de um ou mais setores de atividade econômica [Pl.: *-ções.*] [F.: Do lat. *corporatio.*]

corporal (cor.po.*ral*) *a2g.* 1 Ref. a corpo (de ser humano ou animal) e sua atividade; *tb.:* que é feito com o corpo (postura corporal; luta corporal; expressão corporal; trabalho corporal) 2 Que atinge ou afeta o corpo (punição corporal) 3 Que é material, físico, concreto, em oposição a espiritual, psíquico, abstrato: *aspectos corporais e psicológicos do envelhecimento.* [Pl.: *-rais.*] [F.: Do lat. *corporalis.* Sin. ger.: *corpóreo.*]

corporalidade (cor.po.ra.li.*da*.de) *sf.* Qualidade do que é corpóreo ou corporal; CORPOREIDADE [Ant.: *incorporalidade*] [F.: Do lat. *corporalitas, atis.*]

corporalizar (cor.po.ra.li.*zar*) *v.* 1 Dar corpo a; tomar corpo; MATERIALIZAR(-SE) [*td.*: *O mágico corporalizou um pombo branco.*] [*tdr.* + *em*: *Corporalizou sua história num belo livro.*] [*int.*: *Diz que o Saci corporalizou-se diante dele.*] [*tr.* + *em*: *O mau caráter corporalizou-se no protótipo do bom rapaz.*] 2 *Fig.* Tornar palpável, patente ou evidente [*td.*: *Gestos e sinais corporalizaram a linguagem.*] [*int.*: *A descrença no time se corporalizou e todos acabamos por lançar a culpa sobre os outros.*] [*tr.* + *em*: *O imaginário corporalizou-se em imagens visíveis.*] [▶ 1 corporalizar] [F.: *corporal* + *-izar.*]

corporativismo (cor.po.ra.ti.*vis*.mo) *sm.* 1 *Pol. Soc.* Doutrina para a qual a ordem político-social deve basear-se na constituição e representação de corporações profissionais, ger. sob controle de um Estado autoritário 2 Defesa dos interesses de uma categoria profissional em detrimento dos da sociedade como um todo; espírito de corpo [F.: *corporativo* + *-ismo.*]

corporativista (cor.po.ra.ti.*vis*.ta) *a2g.* 1 Ref. a corporativismo 2 Que defende e pratica o corporativismo *s2g.* 3 Aquele que defende e pratica o corporativismo [F.: *corporativ(o)* + *-ista.*]

corporativo (cor.po.ra.*ti*.vo) *a.* 1 Ref. a corporação 2 Organizado conforme corporação 3 Com base na representação das corporações profissionais, sob controle central (estado corporativo) [F.: Do fr. *corporatif.*]

corporatura (cor.po.ra.*tu*.ra) *sf.* 1 Aspecto exterior do corpo; compleição física; CONFORMAÇÃO 2 *P. ext.* Tamanho avantajado de um corpo; CORPULÊNCIA [F.: Do lat. *corporatura, ae.*]

corpóreo (cor.*pó*.re:o) *a.* Ver *corporal* [F.: Do lat. *corporeu.*]

corporificação (cor.po.ri.fi.ca.*ção*) *sf.* 1 Ação ou efeito de corporificar ou corporalizar 2 Ação, processo ou resultado de tornar(-se) real, efetivo; MATERIALIZAÇÃO; CONCRETIZAÇÃO: *Não viu a corporificação de suas ideias.* 3 Representação ou expressão concreta, perceptível aos sentidos, daquilo que é concebido abstratamente: *a dança é a corporificação do ritmo e da harmonia.* 4 Reunião em um só corpo, ou em um grupo coeso, uma organização etc., de coisas ou pessoas dispersas: *a corporificação dos operários num grêmio.* [Pl.: *-ções.*] [F.: *corporificar* + *-ção.*]

corporificado (cor.po.ri.fi.*ca*.do) *a.* Que se corporificou; CORPORIZADO [F.: Part. de *corporificar.*]

corporificar (cor.po.ri.fi.*car*) *v.* 1 Atribuir corpo a (algo que não o tem); representar (algo abstrato, concebido) como se fosse concreto, perceptível pelos sentidos [*td.*: *corporificar uma imagem divina.*] 2 Dar forma ou existência concreta a (o que é abstrato); expressar de modo perceptível aos sentidos; ser, estar ou tornar-se associado a (ideia, entidade ou sentimento abstratos) (us. com relação ao que é concreto, corpóreo) [*td.*: *gestos que corporificam sentimentos e emoções.*] 3 Ser a realização efetiva, material e concreta de (aquilo que era apenas uma ideia, possibilidade, suposição, expectativa futura, etc.) [*td.*: *O novo emprego corporificou seu sonho de ascensão social; Os desequilíbrios climáticos parecem corporificar as previsões dos ecologistas.*] 4 Agrupar (o que está disperso) em um corpo, em um agregado ou massa coesa; reunir (pessoas) em grupo organizado [*td.* / *tdr.* + *em*: *corporificar os funcionários (num grêmio).*] 5 Tomar corpo; passar a ser algo real, efetivo, diretamente percebido ou observável [*tr.* + *em*: *Seus pressentimentos corporificaram-se numa ameaça concreta.*] [▶ 11 corporificar] [F.: corpo (na forma do lat. *corpus/corporis*) + *-ficar.*]

corpulência (cor.pu.*lên*.ci:a) *sf.* Qualidade do que ou de quem é corpulento, tem corpo avantajado: *Por sua corpulência, não conseguiu entrar no elevador.* [F.: Do lat. *corpulentia.*]

corpulento (cor.pu.*len*.to) *a.* 1 Que tem o corpo grande, em geral tanto na altura como no peso (indivíduo corpulento) 2 Gordo, obeso 3 *P. ext.* Que tem grandes dimensões; volumoso [F.: Do lat. *corpulentus.*]

⊕ ***corpus*** (*Lat.* /córpus/) *sm.* 1 *Ling.* Coleção de textos da língua efetivamente em uso coligidos em livros, periódicos, documentos de todo tipo 2 Repertório ou conjunto da obra de um autor 3 Coletânea de documentos sobre um tema [Pl.: *corpora.*]

⊕ ***Corpus Christi*** (*Lat.* /córpus crísti/) *loc. subst. Rel.* Na Igreja Católica, festa do corpo de Cristo, de sua eucaristia, na quinta-feira depois do domingo da Santíssima Trindade

corpuscular (cor.pus.cu.*lar*) *a2g.* 1 Ref. a ou próprio de corpúsculo: "...a mudança na velocidade da luz quando passa do ar para a água. Segundo a teoria corpuscular, a velocidade aumentaria; segundo a ondular, diminuiria." (*Folha de S.Paulo*, 21.05.2006) 2 Que é composto de corpúsculos: *coletividades corpusculares de hemácias.* [F.: *corpúsculo* + *-ar*[1].]

corpúsculo (cor.*pús*.cu.lo) *sm.* 1 Corpo de ínfimas dimensões 2 Cada um dos corpos muito pequeninos e encapsulados do organismo, compostos de várias células 3 Designação de certas estruturas de composição e função específicas, no interior das células de um organismo [F. Do lat. *corpusculum*; ver *corpo* e *-úsculo.*]

correada (cor.re:*a*.da) *sf.* Pancada desferida com correia [F.: *corre(ia)* + *-ada*[2].]

correame (cor.re:*a*.me) *sm.* 1 Coleção de correias; CORREAGEM 2 Conjunto de correias us. em antigos uniformes militares [F.: *corre(ia)* + *-ame.*]

correão (cor.re:*ão*) *sm.* Correia grande e larga, ger. de couro [Pl.: *-ões.*] [F.: *corre(ia)* + *-ão*[1]. Hom./Par.: *corrião* (sm.).]

correaria (cor.re:a.*ri*:a) *sf.* 1 Estabelecimento onde se fazem e vendem correias, arreios e outros artigos de couro 2 Local onde se situa esse estabelecimento [F.: *corre(ia)* + *-aria.*]

correção (cor.re.*ção*) *sf.* 1 Ação ou efeito de corrigir, de tirar erros, falhas, defeitos, imprecisões (ger. segundo um modelo ou regra): *A correção do texto levou horas.* 2 Qualidade do que ou quem é correto, certo, sem defeito técnico, estético ou moral: *correção da linguagem; correção da conduta.* 3 Sanção, castigo: *Optaram por dar-lhe uma correção.* 4 Ação ou efeito de melhorar, aprimorar, aperfeiçoar 5 *F.* red. de *casa de correção* [Pl.: *-ções.*] [F. Do lat. *correctio.* Hom./Par.: *correção* (sf.), *correição* (sf.), *corrição* (sf.).] ▪▪ ~ **cambial** *Econ.* Modificação (ou medida, ger. percentual, dessa modificação) da(s) taxa(s) de câmbio de uma moeda, que supostamente reflete a situação econômica do país; *tb.*: novo cálculo de uma quantia a ser paga (p. ex., aquela prevista em um contrato), em função dessa modificação ~ **monetária** *Econ.* Reajuste de valores nominais (de depósitos, preços etc.) de acordo com índices de desvalorização da moeda, para tentar manter estável seu poder aquisitivo

correceptor (cor.re.cep.*tor*) [ô] *sm.* Aquele que recebe algo juntamente com outro [F.: *co*[1] + *receptor.*]

correcional (cor.re.ci:o.*nal*) *a2g.* 1 Ref. a correção 2 *Jur.* Diz-se de pena aplicada a pequenos delitos, contravenções. 3 Diz-se de tribunal simples (sem júri) que julga tais delitos *sm.* 4 Jurisdição de um tribunal desse tipo [Pl.: *-nais.*] [F.: *correção* + *-al*[1], com base no padrão do lat. (*correctione*).]

corre-corre (cor.re-*cor*.re) *sm.* 1 Ato de várias pessoas correrem, esp. de modo desorganizado, ou com ruído; situação em que isso ocorre; CORRERIA: *o corre-corre dos repórteres para entrevistar e fotografar as celebridades.* 2 *P. ext.* Confusão, tumulto (em que várias pessoas correm ou se movimentam) 3 Ato de fazer várias coisas com rapidez, de desempenhar várias tarefas ou ações em seguida, sem descanso, ou quase simultaneamente; situação em que isso se dá: *Todo dia é esse mesmo corre-corre no trabalho.* 4 *Bras. P. ext.* Pressa, ou conjunto de ações e atividades em que há ou parece haver pressa, urgência; AGITAÇÃO; LUFA-LUFA; CORRERIA: *o corre-corre do centro da cidade.* 5 *Bot.* Planta convolvulácea, de folhas ovaladas e flores azuis 6 *Ornit.* Ver *tico-tico-do-campo* [Pl.: *corres-corres e corre-corres.*]

corredeira (cor.re.*dei*.ra) *sf.* Parte do rio em que, devido a um declive, as águas correm mais depressa; CACHOEIRA; RÁPIDO: "...e um fio propício de corredeira..." (Guimarães Rosa, *Grande sertão: veredas*) [F.: *correr* + *-deira.*]

corredentor (cor.re.den.*tor*) *a.* 1 Para alguns teólogos católicos, que tem o dom de redimir o homem, junto com o Redentor, Jesus Cristo (diz-se da Virgem Santíssima e dos santos) *sm.* 2 Aquele que tem esse dom [F.: *co*[1] + *redentor.*]

corrediça (cor.re.*di*.ça) *sf.* 1 Encaixe de metal, madeira e outros materiais sobre o qual corre uma porta, janela, tampa de caixa 2 *Teat.* Armação cenográfica, de pano ou de madeira, para redefinição do espaço lateral; BASTIDOR 3 Cortina de janela que se enrola e desenrola; ESTORE 4 Cortina que corre sobre trilho ou vara cilíndrica [F.: Fem. substv. do adj. *corrediço.*]

corrediço (cor.re.*di*.ço) *a.* 1 Que corre sobre trilho ou batente; que se movimenta ou pode ser movimentado nos dois sentidos de uma única direção, puxado ou empurrado (porta corrediça); CORREDIO [Ant.: *fixo.*] 2 Que desliza com facilidade (lingueta corrediça); DESLIZANTE; RESVALANTE [Ant.: *aderente.*] 3 Que tem a superfície lisa (piso corrediço) [Ant.: *acidentado, áspero, irregular.*] 4 Diz-se de água não estagnada; CORRENTE; FLUENTE [Ant.: *estagnado, parado.*] 5 Que se dá ou se processa sem encontrar obstáculos ou dificuldades; FÁCIL [F.: *correr* + *-diço.*]

corredio (cor.re.*di*:o) *a.* O mesmo que *corrediço* [F.: *corre(r)* + *-dio.*]

corredor (cor.re.*dor*) [ô] *a.* 1 Que corre, se desloca rapidamente; que sabe correr ou que é capaz de andar ou correr velozmente 2 Diz-se de quem participa de corrida (a pé, a cavalo, de carro, moto etc.) 3 Diz-se de cavalo de raça para corridas 4 Diz-se do osso da canela do boi *sm.* 5 Aquele que corre, por entretenimento ou esporte 6 Cavalo de raça us. em corridas 7 *Arq.* Passagem relativamente estreita e comprida, dentro de casa ou edifício, que liga uma parte a outra, um cômodo a outro 8 *P. ext.* Qualquer caminho, estreito, comprido, coberto ou não, us. como passagem 9 *Fig.* Espaço, local, ger. adjacente a um centro de decisão, em que circulam pessoas ligadas àquelas que têm poder e onde se tecem comentários e divulgam boatos: *Comenta-se, nos corredores do palácio, que o ministro será afastado.* [Ger. us. no pl.] 10 Área urbana na qual se concentram atividades de determinado tipo, com possibilidade de circulação de pessoas entre os diversos locais (corredor cultural; corredor gastronômico) 11 Espaço potencial de passagem ou trânsito 12 *Geog.* Trecho esp. perigoso à navegação 13 Nas salinas, cada um dos caminhos divisórios entre os tabuleiros de sal 14 *Geog.* Trecho estreito na embocadura de um rio 15 *SC* Fenda em encosta rochosa 16 *RS* Anel us. para ajustar ou apertar a costura de arreios 17 *RS* Indivíduo que incita os animais em rinhas de galo 18 *N. E. Cul.* Osso da canela do boi rico em tutano e muito apreciado [As acp. subst. podem ser empr. tb. como adjetivas.] [F.: *correr* + *-dor.*] ▪▪ ~ **cultural** *Bras* Área urbana onde se localizam vários centros ou eventos culturais, por isso alvo de interesse e estímulo especiais ~ **ecológico** Faixa de vegetação natural, ou seminatural, cria comunicação entre áreas naturais preservadas, suscitando o fluxo de genes, de plantas e de animais ~ **polonês** Estreita passagem entre duas fileiras paralelas formadas por pessoas a curta distância uma da outra, que batem (com as mãos ou com paus, chicotes etc.), de brincadeira ou como forma de castigo, em quem a atravessa

correeiro (cor.re:*ei*.ro) *sm.* Pessoa que fabrica ou vende correias e outros produtos de couro [F.: *correia* + *-eiro.*]

corregedor (cor.re.ge.*dor*) [ô] *sm. Jur.* Magistrado com jurisdição sobre os outros juízes de sua comarca, com a função de fiscalizar a administração da justiça e o exercício da advocacia [F.: De *corrigir* (na forma ant., *correger*) + *-dor.*]

corregedoria (cor.re.ge.do.*ri*:a) *Jur. sf.* 1 Cargo ou jurisdição (e sua área) de corregedor 2 Repartição onde trabalha o corregedor [F.: *corregedor* + *-ia.* Sin. ger.: *corretoria.*]

córrego (*cór*.re.go) *sm.* 1 Rio pequeno, com pouco volume de água; ARROIO; CORGO; RIACHO; RIBEIRO; RIBEIRÃO 2 Sulco cavado por águas correntes 3 Caminho estreito e fundo entre montes, cadeia de montanhas etc.; DESFILADEIRO 4 *N. E.* Cada afluente do rio São Francisco [F.: Do lat. hisp. *corrugus, i.*]

correia (cor.*rei*.a) *sf.* 1 Tira de couro, fibra ou material sintético para atar, apertar, prender (correia de sapato; correia de relógio) 2 Tira estreita e resistente que, em máquinas e motores, transmite movimento circular às peças em que se encaixa: *correia do radiador.* 3 Cada uma das tiras do arreio de uma cavalgadura [Mais us. no pl.] [F.: Do lat. *corrigia, ae.* Ideia de 'correia', usar pref. *ament(i)-* e *lor(i/o)-*.] ▪▪ **Encurtar as ~s a** Constranger, limitar ou cercear a liberdade a (alguém)

correição (cor.rei.*ção*) *sf.* 1 Ato ou efeito de corrigir(-se); CORREÇÃO; CONSERTO 2 *Jur.* Visita de inspeção de autoridade competente para fiscalizar estabelecimentos em sua jurisdição 3 *Jur.* Ofício de corregedor 4 *Jur.* Região sob jurisdição de um juiz; COMARCA 5 *Bras. Zool.* Marcha de formigas, em grande quantidade, ger. para se mudar de local ou em busca de alimento 6 *Bras. Zool.* Nome comum a formigas carnívoras, subfamília dos dorilíneos, que se caracterizam por se deslocarem em fila, em longas marchas. Tb. *formiga-correição* 7 *P. ext.* Época de aparecimento ou proliferação de formigas ou outros insetos [Pl.: *-ções.*] [F.: Do lat. *correctio, onis.* Hom./Par.: *correção* (sf.) (A palavra *correição*, na acp. (1), é sinônima, não parônima, de *correção*.).]

correio (cor.*rei*.o) *sm.* 1 Pessoa encarregada de levar ou distribuir correspondência; CARTEIRO; MENSAGEIRO 2 Qualquer sistema organizado para a troca de mensagens (correio aéreo, correio sentimental) [O adjetivo qualificador pode dizer respeito ao tipo de mensagens trocadas, à forma de enviá-las, etc.] 3 Serviço ou programa de armazenamento e distribuição (envio, recepção) de mensagens, esp. por meios eletrônicos: *correio eletrônico* [*ver essa loc.*]; *correio de voz* [*ver essa loc.*]. 4 Empresa ou organização, pública ou privada, incumbida de receber e distribuir correspondência escrita (cartas, telegramas, cartões postais etc.) assim como objetos diversos (produtos, encomendas etc.) [Nesta acp., tb. us. no pl., com aproximação da acp. 1 e por influência da designação usual de *companhia/empresa de correios* (isto é, empresa em que trabalham aqueles encarregados de distribuir e entregar mensagens).] 5 Edifício que abriga esse tipo de repartição: *Foi ao correio buscar uma encomenda.* 6 Correspondência; conjunto de cartas e outras mensagens escritas que alguém envia ou recebe: *Seu correio chegou mas não pôde ler ainda.* 7 Mala para transporte de correspondência 8 *Fig.* Algo prenunciador; ARAUTO; PRECURSOR: *Dizem que o canto do bem-te-vi é correio de chuva.* [F.: Do espn. *correo.*] ▪▪ ~ **de voz** 1 Sistema automático de armazenamento de mensagens telefônicas para posterior consulta do destinatário; tb.: programa ou equipamento que o realizam 2 Conjunto de mensagens assim armazenadas ~ **eletrônico** 1 *Inf.* Sistema e serviço de envio e recebimento de mensagens e arquivos por rede de computadores; *e-mail* 2 Mensagem ou conjunto de mensagens enviadas ou recebidas por meio desse serviço; *e-mail*

correlação (cor.re.la.*ção*) *sf.* 1 Relação recíproca entre dois ou mais termos [Designa genericamente certas relações que parecem vigorar de modo similar ou simétrico entre duas ou mais coisas, isto é, que incluem determinada relação específica (p. ex., influência, causação etc.) e uma relação equivalente na direção oposta.] 2 Relação entre coisas, fatos, ou entidades matemáticas que tendem a ocorrer ou variar conjuntamente e de modo não casual 3 Ver *correspondência* (5) 4 Concomitância, paralelismo ou interdependência entre fatos, processos, variações, ou entre elementos que variam 5 Ação de correlacionar, de estabelecer, descobrir ou afirmar a existência de uma relação mútua 6 Conjunto de relações entre vários elementos e fenômenos (correlação de forças) 7 Lista de termos ou elementos, e dos termos e elementos a eles equivalentes ou correspondentes (correlação de nomenclaturas) [Pl.: *-ções.*] [F.: *co-*[1] + *relação.*] ▪▪ ~ **de forças** Modo como os vários agentes (indivíduos, instituições etc.) interagem em função de seus interesses e de seu poder em determinada sociedade ou setor da sociedade, e que configura uma situação a ser levada em conta nas respectivas atuações e planos desses agentes

correlacionado (cor.re.la.ci:o.*na*.do) *a.* Que se correlaciona ou se correlacionou [F.: Part. de *correlacionar.*]

correlacionar (cor.re.la.ci:o.*nar*) *v.* 1 Pôr em correlação [*tdr.* + *com*: *Devemos correlacionar nosso peso com a altura.*] 2 Descobrir ou afirmar a existência de relação ou correlação entre [*tdr.* + *com*: *O investigador correlacionou o depoimento da testemunha com o da vítima.*] [*td.*: *O cientista não conseguiu correlacionar os resultados dos dois experimentos.*] 3 Ter correlação ou relação mútua, ligação, interdependência [*int.*: *desenvolvimento econômico correlaciona-se com a educação pública; violência e desemprego correlacionam-se.*] 4 Ter ou apresentar relação de correspondência, equivalência, paralelismo, similaridade [▶ 1 correlacionar] [F.: *co-*[1] + *relacionar.*]

correlacionável (cor.re.la.ci:o.*ná*.vel) *a2g.* Que se pode correlacionar [Pl.: *-veis.*] [F.: *correlaciona(r)* + *-vel.*]

correlativo (cor.re.la.*ti*.vo) *a.* 1 Que apresenta correlação *sm.* 2 O que apresenta correlação [F.: Do lat. *correlativus, a, um.* Sin. ger.: *correlato.*]

correlato (cor.re.*la*.to) *a.* 1 Que apresenta correlação, ligação (fenômenos correlatos); CORRELATIVO; RELACIONADO [Ant.: *contraposto, desconexo, oposto.*] 2 *Ling.* Diz-se de palavra cujo significado tem correlação com o de outra: *belo, bonito e outros termos correlatos.* *sm.* 3 O que apresenta correlação: *Estuda a disciplina e todos os seus correlatos.* 4 *Ling.* Palavra cujo significado tem correlação com o de outra: *'Máximo' é um correlato de 'grande'.* [F.: Dev. de *correlatar*. Hom./Par.: *correlato* (a. sm.), *correlato* (fl. de *correlatar*), *correlata(s)* (fem. [pl.]), *correlata(s)* (fl. *correlatar*).]

correligionário (cor.re.li.gi:o.*ná*.ri:o) *a.* 1 Diz-se de pessoa, grupo ou partido que compartilha a mesma convicção, posição ou doutrina (religiosa, política, filosófica) de outra pessoa, grupo ou partido *sm.* 2 Indivíduo que compartilha ideias com outros, ou que é da mesma religião, partido, corrente de ideias [F.: *co-*[1] + *religionário.* Ant. ger.: *adversário, antagonista.*]

corre-mundo (cor.re-*mun*.do) *a.* 1 Que viaja, se transmite ou se divulga pelo mundo *s2g.* 2 Pessoa que está sempre longe de sua terra ou em viagem pelo exterior [Pl.: *corre-mundos.*]

corrente (cor.*ren*.te) *a2g.* 1 Que corre, flui sem obstáculo (água corrente) 2 Que está em curso ou em vigor (ano corrente; moeda corrente) 3 *Fig.* Que é aceito e us. por muitos, ou admitido como certo: *expressão de uso corrente.* 4 Conhecido de todos; NOTÓRIO; PROPALADO: *O comentário corrente é que o casal já está vivendo junto.* *sf.* 5 Movimento constante, ou de alguma duração, das águas ou do ar em determinada direção (corrente marítima; corrente fria); CORRENTEZA 6 Série de elos ger. feitos de ferro ou aço, us. para prender fortemente; CADEIA; GRILHÃO 7 Série de elos desse tipo mas delicados, de metal nobre, us. como enfeite à volta do pescoço, pulso, tornozelo; CORDÃO 8 *Elet.* Movimento de cargas elétricas em determinada direção; fenômeno relacionado à presença da energia elétrica em um material condutor (corrente contínua) 9 Cadeia de pessoas ou coisas interligadas: *Formaram uma corrente de amor.* 10 Conjunto de ideias similares (ou de pessoas que as sustentam) a respeito de determinado assunto, ou dentro de uma atividade, um campo de conhecimento etc.; DIVISÃO; FACÇÃO; SUBGRUPO: *O conflito foi entre as duas correntes principais.* 11 Carta ou mensagem, ger. anônima, distribuída com promessas e ameaças que dependem de os destinatários a repassarem a certo número de pessoas *sm.* 12 O que é usual ou corriqueiro: *O corrente era o fingimento.* [F.: Do lat. *currens, entis.*] ▪▪ **Ao ~ de** Informado sobre, a par de **Contra a ~** Em oposição à opinião ou às posições da maioria ~ **alternada** *Elet.* Corrente elétrica que inverte (alterna) ciclicamente sua direção e sua intensidade [Símb.: *ac, ca, AC* ou *CA*] ~ **ativa** *Elet.* Num circuito de corrente alternada, componente que está em fase com a tensão; corrente wattada ~ **contínua** *Elet.* Corrente elétrica cuja direção é sempre a mesma (sem alternar o sentido), e cuja intensidade é constante, ou varia muito pouco [Símb.: *CC* ou *DC*] ~ **de aberração** *Oc. Fís.* Corrente de águas do mar paralela à costa, resultante de arrebentações ou de barras que lhe são oblíquas ~ **de ar** 1 Movimento de ar num espaço fechado, causado por uma abertura; ar encanado 2 Movimento do vento em certa direção 3 Movimento de ar na troposfera, em sentido vertical 4 Movimento de ar nas camadas mais altas da atmosfera ~ **de deriva** *Oc. Fís.* Movimento lento de águas do mar, causado por ventos fracos ~ **de Foucault** *Elet.* Corrente induzida num condutor por um campo magnético variável ~ **de indução** *Elet.* Corrente induzida por um fluxo magnético variável; corrente induzida ~ **de lava** *Geol.* Jazida antiga de lava que, ao endurecer, preservou a forma com a qual correu ou escorreu ~ **de maré** *Oc. Fís.* Movimento das águas do mar no sentido horizontal, durante o fluxo ou o refluxo da maré ~ **de meteoros** *Astron.* Ver *Chuva de meteoros* ~ **de refluxo** *Oc. Fís.* Corrente de águas do mar que se afasta da costa ~ **de rolos** *Tec.* Corrente feita de rolos metálicos articulados, us. para transmitir esforços intensos ~ **dewattada** *Eng. Elet.* Ver *Corrente reativa.* ~ **eficaz** *Elet.* A intensidade de uma corrente alternada que, num intervalo de tempo, aquece um resistor no mesmo grau de uma corrente alternada que percorre o mesmo resistor no mesmo intervalo de tempo ~ **elétrica** 1 *Elet.* Fluxo de carga elétrica através de um condutor [Tb. apenas *corrente.*] 2 A intensidade de tal fluxo [Símb.: *I*. Tb. apenas *corrente.*] ~ **estelar** *Astron.* Conjunto de estrelas com movimento similar e situadas na mesma região do céu ~ **induzida** *Elet.* Ver *Corrente de indução* ~ **lacustre** Movimento das águas de um lago por ação do vento ~ **marinha** *Oc.* Ver *Corrente marítima* ~ **marítima** Movimento das águas oceânicas em certa direção ~ **polifásica** *Eng. Elet.* Corrente elétrica composta, produzida por um gerador, que apresenta tensões alternadas senoidais com diferenças de fase constantes ~ **reativa** *Eng. Elet.* Componente de um circuito de corrente alternada, que está em quadratura com a tensão; corrente dewattada ~ **trifásica** *Eng. Elet.* Corrente elétrica produzida por um gerador trifásico, que forma simultaneamente três tensões alternadas com uma diferença de fase constante, igual a 120° ~ **wattada** *Eng. Elet.* Ver *Corrente ativa*

correnteza (cor.ren.*te*.za) [ê] *sf.* 1 Ver *corrente* (5) 2 *Restr.* Nas praias, rios etc., fluxo ou movimento relativamente rápido e maciço de água, que arrasta ou é capaz de arrastar consigo objetos, pessoas 3 Série de coisas ou pessoas enfileiradas e muito próximas ou ligadas (lembrando elos de corrente): *correnteza de casas/edifícios.* 4 *Restr.* Facilidade ou desembaraço ao falar e/ou escrever sem interrupção ou hesitação; FLUÊNCIA [F.: *corrente* + *-eza.*]

correntio (cor.ren.*ti*:o) *a.* 1 Que corre bem; que se movimenta com facilidade, fluindo, deslizando, ou como que deslizando; CORRENTE; CORREDIÇO 2 *Fig.* Que tem fluidez ou fluência (escrita correntia); FLUENTE 3 Habitual, usual, comum (palavra correntia) [Ant.: *incomum, raro.*] [F.: *corrente* + *-io.*]

correntista (cor.ren.*tis*.ta) *Bras.* **a2g.** 1 Diz-se de cliente de banco que tem conta-corrente **s2g.** 2 Esse cliente 3 Escriturário do livro de contas-correntes [F.: (conta-)*corrente* + *-ista.*]

correr (cor.*rer*) *v.* 1 Locomover-se (pessoa ou animal) a grande velocidade mediante ação rápida das pernas ou patas em seu contato com o solo e no impulso para avançar [**int.**: *Corri, mas não o alcancei.*] 2 Deslocar-se no espaço com velocidade (veículo) [**int.**: *Vou descer, este ônibus está correndo demais.*] 3 Imprimir muita velocidade a veículo, ao dirigi-lo [**int.**: *Seja prudente ao dirigir nas ruas, não corra.*] 4 Participar de (corrida) [**td.**: *Você vai correr a maratona?*] [**tr.** + *em*: *O piloto reserva vai correr no próximo Grande Prêmio da Fórmula 1.*] 5 Fazer algo apressadamente; APRESSAR-SE; APURAR-SE [**int.**: *É bom correr para não perder o trem.*] [**tr.** + *a*: "*Corremos* a apear-nos no elegante estabelecimento..." (Almeida Garrett, *Viagens na minha terra*)] 6 Fluir, escorrer, jorrar [**int.**: *Parou, exausto, o suor a correr pela face.*] [**ta.**: *As águas do rio correm revoltas entre as pedras.*] 7 Estar exposto a (perigo ou risco) [**td.**: *O telhado, malconservado, corre o risco de desabar.*] 8 Ir a, percorrer ou visitar (algum lugar) [**td.**: *Nestas férias pretendo correr todo o Nordeste.*] 9 Ir a, visitar seguidamente (diversos lugares); PERCORRER [**td.**: *Corri todas as livrarias e não achei o livro.*] 10 Espalhar-se, propagar-se, ter curso [**int.**: *Corre o boato de que ele vai ser demitido.*] 11 *Fig.* Ser notório, do conhecimento geral [**int.**: *Não foi noticiado, mas, segundo corre, ele já está contratado.*] 12 Passar ou fazer passar de mão em mão; CIRCULAR [**ta.**: *A carta correu entre os alunos da escola inteira.*] [**td.**: *correr uma lista.*] [**tdr.** + *entre, por*: *Correu um abaixo-assinado entre os alunos da turma.*] 13 Transcorrer, decorrer (tempo) [**int.**: *Nas férias, parece que os dias correm mais rapidamente; Corria o ano de 1905 quando Einstein publicou seu primeiro trabalho sobre a teoria da relatividade.*] 14 Ter seguimento, desenrolar-se, suceder em certa condição [**tp.**: *A viagem correra tranquila.*] 15 Prosseguir, tramitar [**int.**: *Apesar das dificuldades, o processo corre normalmente.*] 16 Passar de leve [**tdr.** + *em, por*: *João correu a mão pelos cabelos, pensativo.*] 17 Fugir, escapar [**tdr.** + *de*: *Os artistas correram dos fotógrafos indiscretos.*] 18 Afugentar, espantar [**td.**: *Os cães de guarda correram os invasores.*] [**tr.** + *com*: *Os cães de guarda correram com os invasores.*] 19 Deslizar, escorregar, deslocar-se (em virtude do próprio peso ou à força) [**int.**: *A corda corre bem na roldana.*] 20 Atender rapidamente [**int.**: *Todos correram para receber o visitante.*] 21 Acudir ou socorrer rapidamente, acorrer [**tr.** + *a*: *A enfermeira correu ao chamado do enfermo.*] 22 Passar de maneira rápida [**tdr.** + *por*: *O ator subiu ao palco e correu os olhos pela plateia.*] 23 *Fig.* Ser divulgado em, tornar-se do conhecimento de (âmbito, grupo, lugar) [**td.**: *A notícia já corria a cidade inteira.*] 24 Ter seguimento no tempo; DECORRER; TRANSCORRER [**int.**: *Já corria o verão, mas o calor não chegava.*] 25 Desenrolar-se, desenvolver-se [**int.**: *A festa correu bem.*] 26 *Fig.* Estender-se, espalhar-se (no espaço) [**int.**: *Ao lado do caminho corria um renque de palmeiras.*] 27 *Fig.* Estar presente [**td.**: *Nesse tipo de personalidade corre o espírito dos valentes.*] 28 Analisar percorrendo, examinar detalhadamente ao longo de [**td.**: *Correu o livro inteiro para encontrar aquela citação.*] 29 Apresentar (resultado) de sorteio, jogo etc. [**int.**: *Essa loteria corre às sextas-feiras.*] 30 Editar, imprimir [**td.**: *À meia-noite, a oficina começou a correr a revista.*] 31 Girar, vigorar, ter curso, circulação (moeda) [**int.**: *A moeda que corre em nosso país é o real.*] 32 Ser da responsabilidade de, atribuído a [**tr.** + *por*: *As despesas correm por minha conta.*] 33 Ter ou assumir responsabilidade (por algo); ARCAR [**tr.** + *com*: *Ela resolveu correr com as despesas da festa.*] 34 Caber por obrigação [**ti.** + *a*: *Corre ao pai esse dever.*] 35 Fazer (algo) mover-se deslizando [**td.**: *correr as cortinas/a porta.*] 36 Desenvolver-se, processar-se, avançar (processo, atividade, tarefa etc.) [**int.**: *As filmagens correram como se previa.*] 37 *P. us.* Vexar-se [**int.**: *Correu-se de vergonha e trancou-se no quarto.*] 38 *Fig.* Ter início [**int.**: *A apuração das eleições começa a correr hoje.*] [▶ 2 correr] [F.: Do lat. *currere*. Hom./Par.: *corro* /ô / (fl.), *corro* /ó / (sm.); *corra(s)* (fl.), *corra* (sf. [e pl.]); *correria(s)* (fl.), *correria* (sf. [e pl.]).] ■ ~ **atrás** *Pop.* Esforçar-se por obter algo, conseguir resolver um problema, realizar uma ação ou um projeto etc., enfrentando dificuldades com tenacidade [Pode-se usar sem qualquer complemento: *Para conseguir se inscrever a tempo, ele teve de correr atrás.*] ~ **tudo** Correr com grande velocidade

correria (cor.re.*ri*:a) *sf.* 1 Ato ou efeito de correr; CORRIDA 2 Pressa, agitação; CORRE-CORRE; LUFA-LUFA: *a correria das pessoas no centro da cidade.* [Ant.: *lentidão, vagar.*] 3 Corrida ou movimentação de muitas pessoas 4 Tumulto, briga em espaço aberto 5 Ataque repentino a inimigo; ACOMETIDA; ASSALTO; INCURSÃO 6 *Amaz. Hist.* Matança de índios por proprietários rurais [F.: *correr* + *-ia*[1].]

correspondência (cor.res.pon.*dên*.ci:a) *sf.* 1 Ato ou efeito de corresponder(-se); tb.: aquilo que é ou se apresenta como correspondente; RECIPROCIDADE: *Não encontrou correspondência a seus sentimentos.* 2 Troca de cartas ou mensagens, em papel (ger. pelos correios) ou eletronicamente, pela internet 3 Coleção de cartas enviadas e recebidas; CORREIO: *a correspondência de Guerra Peixe.* 4 *Jorn.* Seção de um jornal, uma revista etc. em que se publicam cartas enviadas à redação e eventuais respostas a essas cartas 5 Relação de conformidade entre uma pessoa e outra, uma coisa e outra, um conjunto e outro etc.; paralelismo (ou, mais raramente, antiparalelismo) entre ações, processos, características de duas ou mais coisas ou pessoas; ANALOGIA; CORRELAÇÃO [+ *entre*: *correspondência entre o excesso de calor e as viroses.*] 6 *Restr.* Harmonia, complementaridade, simetria 7 *Restr.* Similaridade, presença de características comuns 8 *Mat.* Regra de associação entre elementos de dois conjuntos [F.: *corresponder* + *-ência.*] ■ ~ **ativa** Na correspondência (3) de uma pessoa, o conjunto das cartas, mensagens etc. que ela escreveu e enviou [Opõe-se a *correspondência passiva.*] ~ **biunívoca** *Mat.* Considerando dois conjuntos, associação de cada elemento do primeiro a somente um elemento do segundo, e de cada elemento do segundo a um só elemento (obviamente o mesmo da primeira associação) do primeiro ~ **contínua** *Mat.* Transformação de um conjunto em outro, conservadas as vizinhanças de cada ponto; transformação contínua [Opõe-se a *correspondência direta* ou *correspondência positiva.*] ~ **direta** Ver *Correspondência positiva* [Opõe-se a *correspondência inversa* ou *correspondência negativa.*] ~ **inversa/negativa** Correspondência (5) que envolve modificações paralelas e de sentidos contrários: *correspondência inversa entre a quantidade de alimentos ingerida e o aproveitamento destes pelo organismo* [*isto é, quanto maior uma, menor o outro*]. ~ **passiva** Na correspondência (3) de uma pessoa, o conjunto das cartas, mensagens etc. que ela recebeu de outras [Opõe-se a *correspondência ativa.*] ~ **positiva** Correspondência (5) que envolve modificações paralelas e de mesmo sentido: *correspondência positiva entre investimentos sociais e qualidade de vida* [*isto é, aumento de um correspondendo a aumento do outro*].

correspondente (cor.res.pon.*den*.te) **a2g.** 1 Que corresponde, que está em relação de correspondência: *termos/elementos/fenômenos correspondentes.* **a2g.** 2 Que mostra adequação ou pertinência a algo ou alguém; AFIM; COMPATÍVEL; CONDIZENTE: *uma prática não correspondente à teoria.* [Ant.: *conflitante, discordante, discrepante.*] 3 Que é apropriado, adequado; CERTO; PRÓPRIO: *Usou palavras correspondentes à gravidade do momento.* [Ant.: *errado, impróprio, inadequado.*] **s2g.** 4 Aquele que troca cartas com uma ou mais pessoas 5 *Jorn.* Profissional incumbido de enviar para a sede do jornal matérias resultantes da cobertura de acontecimentos da cidade, região ou país em que se encontra: *correspondente de guerra.* 6 Funcionário encarregado de redigir a correspondência de uma empresa [F.: *corresponder* + *-nte.*] ■ ~ **de guerra** *Jorn.* Jornalista com a missão de cobrir um conflito armado em algum lugar ~ **estrangeiro** *Jorn.* Jornalista encarregado de cobrir os eventos em um país estrangeiro (em relação ao qual é cidadão, ou ao qual pertence o jornal ou agência que representa) ~ **internacional** *Jorn.* Jornalista encarregado de cobrir eventos em qualquer parte do mundo, para onde é enviado por seu jornal ou agência

corresponder (cor.res.pon.*der*) *v.* 1 Ter relação com; ser adequado a; estar em conformidade com; REFLETIR [**tr.** + *a*: *A imagem que temos dele não corresponde à realidade; O curso não correspondeu às suas expectativas; O vestido não correspondia ao tamanho indicado.*] 2 Ter relação de equivalência ou analogia com; REPRESENTAR [**tr.** + *a*: *Esta parcela corresponde à primeira prestação; O material já entregue corresponde à metade do serviço total.*] 3 Trocar correspondência (cartas, *e-mails*) entre si, ou comunicar-se com (alguém) [**int.**: *Eles se correspondem há anos.*] [**tr.** + *com*: *O oficial se correspondeu com o espião por muito tempo.*] 4 Retribuir com equivalência, com a mesma intensidade [**tr.** + *a*: *A tia correspondia ao afeto da criança; O eleitor correspondeu ao cumprimento do candidato.*] 5 Ser proporcional a; ter relação complementar ou correlação com [**tr.** + *a*: *Seu talento não corresponde à fama que tem; Este pé de sapato não corresponde àquele outro.*] [▶ 2 corresponder] [F.: *co-*[1] + *responder.*]

correspondido (cor.res.pon.*di*.do) *a.* Que se corresponde, que encontra correspondência (amor correspondido) [F.: Part. de *corresponder.*]

corresponsabilidade (cor.res.pon.sa.bi.li.*da*.de) *sf.* Responsabilidade compartida entre dois ou mais agentes (corresponsabilidade social) [F.: *co-*[1] + *responsabilidade.*]

corresponsável (cor.res.pon.*sá*.vel) **a2g.** 1 Que é responsável juntamente com outrem **s2g.** 2 Aquele que é um dos responsáveis por algo ou alguém [Pl.: *-veis.*] [F.: *co-*[1]+ *responsável.*]

corretagem (cor.re.*ta*.gem) *Com.* *sf.* 1 Trabalho do corretor[2] (de imóveis, ações, seguros) 2 Comissão paga ao corretor[2]: *Paguei 5% de corretagem pela venda da casa.* 3 Atividade de realizar negócio, de agenciar, de combinar interesses, esp. comerciais [Pl.: *-gens.*] [F.: Posv. do provç. ant. *corratatge.*]

corretivo (cor.re.*ti*.vo) *a.* 1 Que corrige ou serve para corrigir (medidas corretivas); CORRETOR 2 Que serve para impor disciplina, punindo faltas ou falhas; DISCIPLINANTE; DISCIPLINAR *sm.* 3 *Bras.* Punição, castigo, pena: *Deram-lhe um corretivo.* [Ant.: *prêmio, recompensa.*] 4 O mesmo que *corretor*[1] (6) (cosmético); CORRETOR 5 O mesmo que *corretor*[1] (7) (líquido para apagar erros de escrita) [F.: *correto* + *-ivo.*]

correto (cor.*re*.to) *a.* 1 Cujos erros foram suprimidos ou consertados; CORRIGIDO; EMENDADO: *edição revista e correta.* 2 Sem nenhum erro ou defeito; que está de acordo com as regras (frase correta); CERTO 3 Apropriado às circunstâncias (decisão correta); CERTO 4 Que está de acordo com aquilo que é comumente praticado ou aprovado, segundo os padrões de um grupo (tratamento correto) 5 Honesto, decente, conforme a moral; DIGNO; ÍNTEGRO: *Não é correto trair; Teve um sócio correto.* 6 Que está de acordo com aquilo que é considerado fato verdadeiro, realidade conhecida; que segue a lógica ou a razão (resposta correta; raciocínio correto; conta correta); CERTO 7 Que está de acordo com o estipulado ou combinado; CERTO: *pagar a quantia correta.* 8 Que não fere as convicções, os princípios ou valores de determinada doutrina, ideologia etc. (ecologicamente correto) [F. Do lat. *correctus*. Ant. ger. *incorreto, errado.*] ■ **Politicamente** ~ 1 Que não ofende ou procura não ofender a sensibilidade ou a dignidade de pessoas de certos grupos sociais minoritários (inclusive étnicos, religiosos, sexuais etc.) 2 (Que se baseia na) convicção de que é um direito político dos vários grupos sociais a supressão de expressões ou atitudes que firam ou ofendam sua dignidade, ou que manifestem e disseminem preconceitos; p. ext.: tendência ou corrente dos que têm essa convicção: *iniciativas politicamente corretas; manifestou-se a favor do politicamente correto.*

corretor[1] (cor.re.*tor*) [ô] *a.* 1 Que corrige, que serve para corrigir; CORRETIVO 2 Que é us. para corrigir falhas de escrita, de pele, de maquiagem (lápis corretor; pincel corretor); CORRETIVO *sm.* 3 Aquele que corrige 4 Aquilo que corrige (corretor ortográfico) 5 Revisor de provas tipográficas 6 Cosmético que disfarça olheiras e manchas no rosto; CORRETIVO 7 Líquido branco e opaco ou outro material para ser aplicado ao papel sobre erros de escrita e apagá-los; CORRETIVO [F.: Do lat. *corrector, oris.*]

corretor[2] (cor.re.*tor*) [ô] *a.* 1 Que age como intermediário *sm.* 2 *Com.* Aquele que trabalha como intermediário na compra e venda de imóveis, ações, seguros 3 *Lus.* Despachante de alfândega 4 *Lus.* Aquele que vive da prostituição; PROXENETA [F.: Posv. do provç. ant. *corratier.*] ■ ~ **de amores** Intermediário entre amantes ou entre pessoas envolvidas em relações amorosas; alcoviteiro

corretora (cor.re.*to*.ra) [ô] *sf.* 1 *Com.* Empresa que comercia com títulos e valores mobiliários, detendo o monopólio das operações na bolsa de valores 2 Firma especializada em corretagem, em intermediar compra e venda (ou aluguel) de imóveis, ou de outros serviços (como seguros) [F.: Fem. de *corretor*².]

corréu (cor.*réu*) *sm. Jur.* Réu juntamente com outro ou outros réus ou rés [Fem.: *-ré*.] [F.: *co-*¹ + *réu*.]

corrião (cor.ri:*ão*) *sm. Bras. MG* Cinto de couro largo, de homem, com fivela [Pl.: *-ões*.] [F.: Por *correão, de correia*. Hom./Par.: *corrião* (sm.), *correão* (sm.).]

corricar (cor.ri.*car*) *v. int.* **1** Correr com passos pequenos, curtos **2** Andar rápido **3** *Bras.* Andar perambulando **4** *Bras.* Pescar com corrico [▶ **11 corricar**] [F.: Rad. de *correr* + *-icar.* Hom./Par.: *corrico* (fl.), *corrico* (sm.), *corrica* (fl.), *corrica* (sf.).]

corrida (cor.*ri*.da) *sf.* **1** Ato ou efeito de correr **2** Fato ou situação em que uma ou, esp., várias pessoas correm ou se deslocam rapidamente; CORRERIA **3** *Esp.* Competição (a pé, a cavalo, carro, moto, lancha etc.) em que os participantes devem completar um trajeto, sendo o vencedor aquele que for mais rápido, que primeiro cruzar a linha de chegada (corrida automobilística) **4** Trajeto percorrido por passageiro em veículo de aluguel: *corrida de táxi.* **5** Grande agitação, atividade ou movimentação intensas e apressadas; CORRERIA **6** Movimentação de várias pessoas que acorrem a um mesmo lugar na tentativa de se antecipar às demais, procurando obter algo (supostamente) insuficiente para todos: *corrida do ouro* [*afluência de pessoas a uma região em que se descobriu ouro*]; *Começou a corrida para comprar os ingressos para o desfile de carnaval.* **7** Tourada [Tb. se usa *corrida de touros*.] **8** *BA* Ver *corredeira* [Tb. se diz *corrida de touros*.] **9** Ataque ou assalto a território inimigo, ger. com cavalos ou a pé **10** *Pop.* Repreensão, advertência severa; ADMOESTAÇÃO *pop.*; PASSA-FORA [F. Fem do part. *corrido*.] ∎ **~ com/de obstáculos** *Atl.* Corrida na qual o atleta deve, à medida que corre, ultrapassar obstáculos (barreiras com determinada altura, ou pequenos trechos com água ou areia) colocados a distâncias preestabelecidas [As provas são comumente designadas pela distância, acrescida do termo 'com barreiras': 100 m com barreiras (para mulheres), 110 m com barreiras, 400 m com barreiras.] **~ da tainha** *RS* O movimento de migração das tainhas **~ de cavalos** *Turfe* Corrida disputada por cavalos montados por jóqueis, ger. em circuito oval, com piso de areia ou grama e distâncias variadas **~ de fundo** *Atl.* Corrida sem obstáculos, de longa distância (5.000, 10.000 e 42.195 m [maratona]) **~ de meio-fundo** *Atl.* Corrida com percurso de 800 ou de 1.500 m sem obstáculos, ou de 3.000 m com barreiras, em que prevalece o equilíbrio entre a velocidade e a resistência **~ de revezamento** *Atl.* Corrida em equipe de quatro atletas que cumprem cada um, sequencialmente, uma parte do percurso, passando aquele que completa seu percurso um bastão ao companheiro que vai começar o seu (sem deixar cair, o que desclassificaria a equipe) [São as provas de 4x100 e 4x400.] **~ de touros** Tourada **~ de velocidade** *Atl.* Corrida rasa (sem obstáculos) disputada em percurso curto, na qual prevalecem a explosão da saída e a pura velocidade (sem ser necessária resistência) [São as provas de 100 m, 200 m e 400 m.] **~ rasa** *Atl.* Corrida em pista sem obstáculos **Botar a ~ fora** **1** *RS* Perder uma corrida (de animais) por imperícia **2** *Fig.* Prejudicar empreendimento, negócio etc. **De ~** **1** *Pop.* Apressadamente: *Saltaram do barco de corrida.* **2** Próprio para disputar corrida: *carro de corrida.*

corrido (cor.*ri*.do) *a.* **1** Que se correu ou se percorreu (quilômetro corrido); PERCORRIDO **2** Que passou ou transcorreu (diz-se de período de tempo); escoado; PASSADO; TRANSCORRIDO: *um mês corrido desde sua chegada.* **3** Diz-se de período de tempo contado sem pausa ou interrupção (semana corrida): *partida disputada em dois tempos de 15 minutos corridos cada um.* **4** Agitado, caracterizado por intensa movimentação, muitas ações ou atividades: *Foi um dia corrido, estávamos muito atarefados; um jogo corrido, disputado e cheio de boas jogadas.* **5** Diz-se do texto impresso em que as linhas quase não têm claros **6** Rejeitado, recusado (negócio corrido); esp.: expulso de um lugar: *Corridos do bar, os dois arruaceiros foram embora.* [Ant.: *aceito, acolhido.*] **7** Que está envergonhado; VEXADO: *Após o o vexame, ficaram corridos.* **8** Muito usado ou gasto (roupas corridas); BATIDO **9** *S.* Diz-se de animal que está no cio *sm.* **10** Animal no cio **11** *Bras.* Espécie de cascalho **12** *Pop.* Na rinha, galo que foge de outro que já o venceu **13** *BA Pop. Mús.* Variedade de samba de roda sem refrão **14** *BA Mús. Cap.* Cantiga de capoeiristas, com refrão [F.: Part. de *correr*.] ∎ **~ da moléstia** **1** *Pop.* Diz-se de animal, esp. cão, com hidrofobia **2** *Pop.* Enraivecido, furioso, muito zangado **~ de vergonha** *Pop.* Muito envergonhado

corrigenda (cor.ri.*gen*.da) *sf.* **1** Ver *errata* **2** Reprimenda, advertência, repreensão; ADMOESTAÇÃO [F.: Do lat. medv. *corrigenda*.]

corrigido (cor.ri.*gi*.do) *a.* **1** Que se corrigiu; CONSERTADO; REPARADO **2** Examinado, para sofrer correções (texto corrigido) [F.: Part. de *corrigir*.]

corrigir (cor.ri.*gir*) *v.* **1** Examinar (prova, exercício, exame, texto etc.) para verificar se está correto e neles apontar erros e acertos, ger. substituindo o errado pelo certo, às vezes atribuindo grau, nota etc. [*td.*: *corrigir uma prova/ um texto.*] **2** Tornar correto aquilo que apresentava erro, defeito, imprecisão etc. [*td.*: *No ensaio, o coreógrafo corrigiu os movimentos da bailarina; Releu o texto e teve de corrigir muita coisa.*] **3** Pôr em melhor estado, ou fazer funcionar melhor; ARRUMAR; ENDIREITAR; CONSERTAR [*td.*: *Corrigiu o nó da gravata antes de entrar na sala; Corrigiu a regulagem do motor, que estava acelerado; O piloto corrigiu com hábil manobra a trajetória do carro na curva; corrigir a pontaria.*] **4** Eliminar (defeito, hábito etc.) [*td.*: *lentes que corrigem defeitos da visão; Ela precisa corrigir essa mania de interromper os outros; exercícios para corrigir a postura.*] **5** Melhorar a conduta de (alguém, inclusive si mesmo); EMENDAR [*td.*: *Nem com conselhos nem com castigos conseguiu corrigi-lo; É teimoso e não se corrige.*] **6** Repreender com rigor; CENSURAR [*td.*: *Corrigiu o funcionário diante dos colegas.*] **7** Melhorar, atenuar (sintomas, doenças ou ameaça de doenças etc.) [*td.*: *Medicamentos ajudam a corrigir os fatores de risco para doenças cardíacas.*] **8** Reparar, compensar, anular ou diminuir os efeitos de (agravo, injustiça) [*td.*: *Não há como corrigir os prejuízos que teve.*] **9** Aplicar castigo a (alguém ou si próprio); PUNIR(-SE) [*td.*: *O pai corrigia o filho com uma correia.*] [▶ **46 corrigir** Apresenta duplo part.: *corrigido, correto*.] [F.: Do lat. *corrigere*.]

corrigível (cor.ri.*gí*.vel) *a2g.* Que se pode corrigir; REPARÁVEL [Ant.: *incorrigível*] [Pl.: *-veis*.] [F.: *corrigi(r)* + *-vel*.]

corrilho (cor.*ri*.lho) *sm.* **1** Reunião secreta de um grupo com interesses políticos ou escusos; CONLUIO; CONCILIÁBULO; CONJURAÇÃO **2** Aglomeração de pessoas, esp. quando agitada; AJUNTAMENTO **3** Intriga, mexerico, alcovitice [F.: Do espn. *corrillo*.]

corrimão (cor.ri.*mão*) *sm.* Barra de madeira ou metal, com ou sem balaústres, fixada ao longo de uma escada, rampa etc., para as pessoas se apoiarem com as mãos [Pl.: *-mãos, -mões*.] [F.: *corri-* (do v. *correr*, na forma fl. *corre*) + *mão*.]

corrimento (cor.ri.*men*.to) *sm.* **1** Ação ou resultado de correr, escorrer; FLUXO **2** *Pat.* Secreção patológica de qualquer órgão **3** *Restr. Pat.* Corrimento mucoso, produzido por inflamação na mucosa uterina ou vaginal; tb. *leucorreia*. [F.: *correr* + *-imento*.]

corriola (cor.ri.*o*.la) *sf.* **1** *Bot.* Planta herbácea, da fam. das convolvuláceas, nativa da Europa, de flores brancas ou róseas **2** *Bras. Pop.* Grupo de pessoas desonestas, mancomunadas, acumpliciadas; QUADRILHA **3** *Pop.* Vaia, apupo dirigida a alguém **4** *Bras. Pop.* Motim de rua, tumulto, arruaça **5** *Bras. Pop.* Bando de arruaceiros, de baderneiros **6** *Fig.* Logro, burla, engodo, armadilha: *Foi vítima de corriola.* **7** *SP. Folc* Dança popular, na qual casais valsam ao som da viola e cumprem sentenças cantadas em verso por um mestre **8** *Folc.* Jogo em que se enrola uma fita dobrada metendo ponteiros entre as voltas **9** *P. ext.* A fita usada nesse jogo [F.: Por *correola*, dim. de *correia*, posv. Tb. *curriola*.]

corriqueiro (cor.ri.*quei*.ro) *a.* **1** Que é comum, habitual, usual [Ant.: *atípico, diferente, incomum.*] **2** Que não tem graça, estilo; DESENXABIDO; DESGRACIOSO [Ant.: *gracioso*.] **3** *Bras. BA* Agitado, inquieto, irrequieto **4** Presunçoso, afetado *sm.* **5** *N. N. E.* Pequeno candeeiro de folha de flandres, com pavio de algodão; FIFÓ [F.: *corriq-* (de *corricar*) + *-eiro*.]

corroboração (cor.ro.bo.ra.*ção*) *sf.* **1** Ação ou resultado de corroborar; COMPROVAÇÃO; CONFIRMAÇÃO; RATIFICAÇÃO: *A notícia era uma corroboração da suspeita.* [Ant.: *desmentido, invalidação.*] **2** Aquilo que serve para confirmar ou comprovar, ou que é dito, indicado ou mencionado para corroborar: *Os resultados da pesquisa foram a corroboração daquilo que já se supunha.* **3** Fortalecimento, revigoramento esp. de enfermo [Ant.: *debilitação, enfraquecimento.*] **4** *Dipl.* Parte final de documento, em que se faz menção direta aos meios de validá-lo, servindo para garantir a validade do ato ao qual se refere [Pl.: *-ções*.] [F.: *corroborar* + *-ção*; lat. *corroboratio, onis*.]

corroborado (cor.ro.bo.*ra*.do) *a.* Que foi confirmado, comprovado, ratificado (estudo corroborado) [F.: Part. de *corroborar*.]

corroborar (cor.ro.bo.*rar*) *v.* **1** Confirmar, comprovar, ratificar [*td.*: *estudos que corroboram uma teoria.*] **2** Dar ou adquirir forças; FORTALECER(-SE); FORTIFICAR(-SE) [*td.*: *Este remédio corrobora o aparelho digestivo.*] [*int.*: *Corroborou-se com as vitaminas.*] [▶ **1 corroborar**] [F.: Do lat. *corroborare*.]

corroborativo (cor.ro.bo.ra.*ti*.vo) *a.* Que corrobora ou que leva a corroboração [F.: *corroborar* + *-tivo*.]

corroer (cor.ro.*er*) *v.* **1** Gastar ou desgastar, roendo ou como que roendo, retirando pequenas porções do material que compõe algo [*td.*: *Os cupins corroeram parte do móvel; A erosão corroeu a rocha e esculpiu formas impressionantes.*] **2** *P. ext.* Desgastar, consumir alterar destrutivamente (um corpo ou material) por algum processo químico (corrosão) [*td.*: *A ferrugem corrói o ferro.*] **3** *P. ext.* Causar gradualmente, ou progressivamente, destruição, extinção ou decadência [*td.*: *A miséria e a injustiça corroem as instituições sociais.*] **4** Sofrer desgaste, corrosão, destruição gradual ou decadência [*int.*: *Com o passar do tempo, a parede corroeu-se e acabou desmoronando; O metal corroeu-se em contato com o ácido.*] **5** *Fig.* Enfraquecer ou destruir progressivamente, fazer decair, fazer piorar; passar por lenta destruição, por decadência; depravar(-se), desnaturar(-se), corromper(-se) [*td.*: *O egoísmo corrói a amizade.*] [*int.*: *Sua personalidade corroía-se naquele ambiente insano.*] **6** *Fig.* Sofrer, mortificar-se [*int.*: *Ele até hoje se corrói de remorso.*] [▶ **36 corroer**] [F.: Do lat. *corrodere*.]

corroído (cor.ro.*í*.do) *a.* **1** Que se corroeu; CARCOMIDO; GASTO: *ferro corroído pela ferrugem.* **2** *Fig.* Que se deteriorou; DANIFICADO; DESTRUÍDO: *confiança corroída pela intriga.* [F.: Part. de *corroer*.]

corromper (cor.rom.*per*) *v.* **1** Alterar(-se) para pior, adulterar(se), estragar(-se), fazendo perder ou perdendo componentes essenciais, ou boas qualidades originais; tornar(-se) inútil, não aproveitável; fazer decair, ou decair-se [*td.*: *O contato com o ar corrompeu os medicamentos; O vírus corrompeu vários arquivos.*] [*int.*: *Os produtos se corromperam devido ao calor e à umidade.*] **2** *Fig.* Ter má influência sobre ou sofrer má influência de; afastar(-se) do que é bom ou aprovado; perder ou fazer perder as boas qualidades morais (como honestidade, decência, pudor etc.); PERVERTER(-SE) [*td.*: *Nem o dinheiro nem a fama o corromperam.*] [*int.*: *Ele vai acabar corrompendo-se com as más companhias.*] **3** Subornar ou deixar(-se) subornar (juiz, funcionário etc.) [*td.*: *Tentou corromper o prefeito.*] [*int.*: *Querendo ganhar dinheiro fácil, ele se corrompeu.*] [▶ **2 corromper**] [F.: do lat. *corrumpere*.]

corrompido (cor.rom.*p i*.do) *a.* **1** Que se corrompeu; CORRUPTO **2** Que perdeu a boa condição ou as boas qualidades originais **3** Que deixou de ser honesto, ou de agir segundo princípios morais **4** *Inf.* Diz-se de circuito ou suporte físico de dados que se danificou; *p. ext.*: diz-se dos dados que não podem ser acessados ou utilizados devido a algum tipo de dano ou erro de gravação, transmissão etc.: *recuperar arquivos corrompidos.* *sm.* **5** Indivíduo corrompido (3): *Criticou os corrompidos e os corruptores.* [F.: Part. de *corromper*.]

corrosão (cor.ro.*são*) *sf.* **1** Ação ou resultado de corroer(-se) **2** Desgaste gradativo de um material que interage com o meio como, p. ex., a formação de ferrugem, em metais: *aço resistente à corrosão.* **3** *Geol.* Destruição de rochas devido à decomposição química realizada por água-doce ou salgada **4** *Restr. Quím.* Transformação de metais ou ligas em óxidos, hidróxidos etc., por processo de oxidação **5** *Fig.* Degradação, destruição ou aniquilação lenta, gradual, de algo; ARRUINAMENTO; RUÍNA: *corrosão da esperança.* [Pl.: *-sões*.] [F.: Do lat. tardio *corrosio, onis*.]

corrosivo (cor.ro.*si*.vo) *a.* **1** Que corrói, que provoca corrosão; ÁCIDO; CÁUSTICO: *a ação corrosiva da ferrugem.* **2** *Fig.* Destruidor, destrutivo; que agride como que corroendo, desgastando: *os efeitos corrosivos da calúnia; humor corrosivo.* *sm.* **3** *Quím.* Substância corrosiva: *Usou um corrosivo terrível.* [F.: Do lat. *corrosivus, a, um*.]

corrubiana (cor.ru.bi:*a*.na) *sf. Bras. MG Met.* Densa nebulosidade nas regiões montanhosas, com queda de temperatura e ventos frios; CORRUPIANA [F.: Var. de *corrupiana*.]

corrugado (cor.ru.*ga*.do) *a.* Que se corrugou, se enrugou (papelão corrugado) [F.: Part. de *corrugar*.]

corrugar (cor.ru.*gar*) *v. P. us.* Produzir ou adquirir rugas, pregas; ENRUGAR(-SE) [*td.*: *A idade corrugou o homem.*] [*int.*: *Os aborrecimentos faziam-na corrugar; As roupas corrugam-se.*] [▶ **14 corrugar**] [F.: Do lat. *corrugare*.]

corruíra (cor.ru:*í*.ra) *sf. Bras. Zool.* Ver *cambaxirra* (*Troglodytes musculus*); CAMBAXIRRA; GARRIÇA; GARRINCHA [F.: Do tupi *kuru' ira*.]

corrupção (cor.rup.*ção*) *sf.* **1** Ação ou resultado de corromper(-se) **2** Adulteração das características originais de algo; DESVIRTUAÇÃO; DETURPAÇÃO: *corrupção do sentido de uma frase.* [Ant.: *conservação, manutenção.*] **3** Decomposição orgânica; DETERIORAÇÃO; PUTREFAÇÃO [Ant.: *conservação, preservação.*] **4** *Soc.* Ato ou efeito de subornar, vender e comprar vantagens, desviar recursos, fraudar, furtar em benefício próprio e em prejuízo do Estado ou do bem público; ALICIAÇÃO **5** *Fig.* Degeneração moral; DEPRAVAÇÃO; IMORALIDADE; PERVERSÃO [Ant.: *decência, decoro, moralidade.*] [Pl.: *-ções*.] [F.: Do lat. *corruptio, onis*. Var.: *corrução*.]

corrupião (cor.ru.pi:*ão*) *sm. Bras. Zool.* Pássaro da fam. dos emberizídeos (*Icterus jamacaii*), encontrado esp. no Nordeste brasileiro, de cor negra e laranja, conhecido pela aptidão de imitar os outros no canto e aprender pequenas melodias; CONFLIZ; SOFRÊ [Pl.: *-ões*.] [F.: De or. contrv.]

corrupiar (cor.ru.pi.*ar*) *v.* Girar, andar em corrupio, ou fazer girar, rodopiar [*int.*: "Está que parece um pião corrupiando." (Monteiro Lobato, *Negrinha*)] [*td.*: *A criança corrupiou o pião.*] [▶ **1 corrupiar**] [F.: *corrupio* + *-ar*². Hom./Par.: *corrupio* (fl.), *corrupio* (sm.).]

corruptela (cor.rup.*te*.la) *sf.* **1** Ação ou resultado de corromper(-se); CORRUPÇÃO **2** Alteração ou perda de qualidades originais de algo; desvirtuação, abuso **3** Palavra ou expressão grafada ou pronunciada em desacordo com as normas ou o vocabulário da linguagem considerada culta ou de maior prestígio (como "fusil" em lugar de *fusível*; "vrido" em lugar de *vidro*, "licoto" no lugar de *helicóptero*) **4** Trecho copiado que, por descuido humano ou falha técnica, difere do original e descaracteriza a intenção do autor **5** *GO* Reunião de garimpeiros em acampamentos [F.: Do lat. *corruptela, ae*. Tb. *corrutela*.]

corruptibilidade (cor.rup.ti.bi.li.*da*.de) *sf.* Característica de quem ou do que é corruptível: *normas que ajudem a diminuir a corruptibilidade dos funcionários.* [Ant.: *incorruptibilidade*.] [F.: Do lat. *corruptibilitas, atis*.]

corruptível (cor.rup.*tí*.vel) *a2g.* Que se pode corromper, que está sujeito à corrupção (juízes corruptíveis) [Ant.: *incorruptível*.] [Pl.: *-veis*.] [F.: Do lat. *corruptibilis, e*. Tb. *corrutível*.]

corruptivo (cor.rup.*ti*.vo) *a.* Ver *corruptível* [F.: Do lat. *corruptivus, a, um*. Var.: *corrutivo*.]

corrupto (cor.*rup*.to) *a.* **1** Que se corrompeu; CORROMPIDO **2** Que sofreu alteração (para pior); que perdeu (algumas de) suas qualidades originais; corrompido (trecho corrupto); CORROMPIDO; ADULTERADO; DESVIRTUADO; DETURPADO [Ant.: *conservado, preservado.*] **3** Deteriorado, decomposto, estragado; CORROMPIDO [Ant.: *íntegro.*] 4 *Soc.* Que se entrega à corrupção; que é venal e desonesto, lesa o Estado e a sociedade [Ant.: *impoluto.*] 5 *Fig.* Devasso, depravado, imoral [Ant.: *decente, decoroso, respeitável.*] *sm.* 6 Aquele que se entrega à corrupção [F.: Do lat. *corruptus, a, um.* Ant. ger.: *incorrupto.* Tb. *corruto.*]

corruptor (cor.rup.*tor*) [ô] *a.* 1 Que corrompe; capaz de corromper 2 Que causa deterioração, alteração destrutiva (agente corruptor) 3 *Soc.* Que procura e consegue corromper a outrem, lesar o Estado e a sociedade *sm.* 4 Aquele que corrompe alguém ou algo [F.: Do lat. *corruptor, oris.* Tb. *corrutor.*]

corrutela (cor.ru.*te*.la) *sf.* Ver *corruptela*

corrutível (cor.ru.*tí*vel) *a2g.* Ver *corruptível*

corruto (cor.*ru*.to) *a. sm.* Ver *corrupto*

corrutor (cor.ru.*tor*) *a. sm.* Ver *corruptor*

corsário (cor.*sá*.ri:o) *a.* 1 Ref. a corso[1] (navio corsário) 2 Diz-se de calça justa feminina que chega até o meio da perna *sm.* 3 Navio destinado ao corso[1] 4 Comandante desse tipo de navio 5 *P. ext.* Navio destinado à pirataria 6 *P. ext.* O mesmo que *pirata* (bandido que navega para roubar) [F.: Do it. *corsaro* 'capitão de navio de combate a navios mercantes de inimigos', este, do it. *corsa* 'ação de combater navios' < it. *corso* 'curso, carreira, trajeto'.]

corselete (cor.se.*le*.te) [ê] *sm.* 1 *Antq. Mil.* Armadura leve que cobria o peito de soldados que lutavam a pé 2 Ver *corpete* (1) 3 *Anat. Zool.* Parte do tórax dos insetos coleópteros 4 Parte de uma concha bivalve de que sai o ligamento, se exterior [F.: Do fr. *corselet.* Var. das acps. 1 e 2: *cossolete, cossoleto.*]

córsico (*cór*.si.co) *sm.* 1 Indivíduo nascido ou que vive na ilha de Córsega, no Mediterrâneo *a.* 2 Da Córsega; típico dessa ilha ou de seu povo [F.: Do lat. *corsicus, a, um.* Sin. ger.: *corso.*]

corso[1] (*cor*.so) [ô] *Mar. sm.* 1 Operação de guerra naval em que um comandante de navio mercante recebe do Estado a missão de atacar o tráfego do inimigo 2 Modo de vida errante característica de alguns povos bárbaros 3 *Antq.* Em antigos carnavais, desfile de carros enfeitados (com máscaras, serpentinas etc.) que transportavam foliões; PRÉSTITO 4 Cardume de sardinhas; ESPICHA [F.: Do it. *corsa.* Hom./Par.: *corso* (sm.), *corso* (sm. a.), *corço* /ô/ (sm.).]

corso[2] (*cor*.so) [ô] *sm. a.* O mesmo que *córsico* [F.: Do lat. *corsus, a, um.*]

corta-capim (cor.ta-ca.*pim*) *sm. Bras.* Golpe de capoeira, em que o lutador, apoiado nas mãos e agachado sobre uma das pernas, gira a outra em torno do corpo numa sucessão de rasteiras [Pl.: *corta-capins.*]

cortada (cor.*ta*.da) *sf.* 1 *Esp.* Jogada de ataque, que consiste em dar pancada forte na bola, de cima para baixo (no vôlei, tênis, pingue-pongue, p. ex.) 2 Rua pequena, ou passagem, entre vias preferenciais e maiores; TRAVESSA [F.: *cortar*[1] + *-ada*[1].]

cortada do mastro (cor.*ta*.da do *mas*.tro) *sf.* *ES* Manifestação folclórica pagã-religiosa em que a comunidade, um mês antes da festa do padroeiro, sai em procissão para cortar um tronco de árvore, enfeita-o depois com canga e grinaldas de flores e o coloca num barco [Pl.: *cortadas do mastro.*]

cortadeira (cor.ta.*dei*.ra) *sf.* 1 *Tec.* Qualquer instrumento ou máquina de cortar 2 Instrumento para remexer terra 3 *PE* Tipo de foicinheira us. em cavalgaduras; PICADEIRA 4 *Zool.* Ver *saúva* (tb. *formiga-cortadeira*) [F.: *cortar* + *-deira.*]

cortado[1] (cor.*ta*.do) *a.* 1 Que se cortou: *mato cortado rente; Mostrou à mãe o dedo cortado.* 2 De que se aparou ou desbastou o excesso (mato cortado; cabelo cortado) 3 Separado de algo de que era parte inerente: *Ofereceu bolo às visitas, e serviu as fatias cortadas.* 4 Interrompido, obstruído, descontinuado [Ant.: *continuado.*] 5 Talhado (diz-se de roupa): *terno bem cortado.* 6 Dispensado, eliminado, exonerado: *Os jogadores cortados já se desligaram da seleção.* 7 *Fig.* Muito magoado; FERIDO; MACHUCADO: *A solidão e as saudades afligem seu cortado coração.* *sm.* 8 Situação aflitiva, agrura: *Pobre rapaz, está passando por um cortado...* 9 Agitação, afobação [F.: Part. de *cortar.*]

cortado[2] (cor.*ta*.do) *sm.* *S.* Um quarto da antiga moeda *boliviano*, assim dividida para facilitar o troco [F.: Var. de *quartado.*]

cortador (cor.ta.*dor*) [ô] *a.* 1 Que corta, que serve para cortar 2 *BA* Que namora muito, ou que gosta de namorar; NAMORADOR 3 *Fig.* Que abre caminho, rasgando obstáculos *sm.* 4 O que corta, o que serve para cortar: *cortador de grama; cortador de legumes.* 5 *Desus. Esp.* No vôlei, jogador que ataca na rede, que desfere cortada (1) 6 Aquele que faz o corte da carne no açougue 7 *BA* Aquele que namora muito ou gosta de namorar [F. *cortar* + *-dor.*]

cortadora (cor.ta.*do*.ra) [ô] *sf.* *Mec.* Máquina própria para cortar diversos tipos de materiais, como metal, papel, concreto etc. [F.: Fem. substv. de *cortador.*]

corta-gotas (cor.ta-*go*.tas) *sm2n.* 1 Qualquer dispositivo para evitar que gotas vazem, respinguem ou escorram, us. esp. em recipientes nos quais se servem ou se preparam bebidas (como garrafas, jarras, cafeteiras) *a2g2n.* 2 Diz-se de qualquer dispositivo para impedir que gotas caiam ou escorram da saída de um recipiente: *anel corta-gotas* [*colocado em volta do gargalo de uma garrafa*]. [F.: *corta* (fl. do v. *cortar*) + *gotas.*]

corta-jaca (cor.ta -*ja*.ca) *sf.* 1 *Bras. N. E.* Passo tradicional do samba de roda, no qual o dançarino torce e movimenta o pé como se estivesse cortando jaca 2 *PE AL* Adulador, bajulador [Pl.: *corta-jacas.*]

corta-luz (cor.ta-*luz*) *Bras. Esp. sm.* 1 Lance no qual um jogador passa ou fica entre um companheiro e um adversário, impedindo que este dispute a bola com aquele ou que possa acompanhar a jogada 2 Lance em que um jogador, com o fim de enganar os adversários, ameaça chutar ou lançar a bola que chega até ele, mas subitamente abre as pernas ou os braços deixando-a passar para um companheiro mais bem posicionado [Pl.: *corta-luzes.*] [F.: *corta* (fl. do v. *cortar*) + *luz.*]

cortante (cor.*tan*.te) *a2g.* 1 Que corta, que tem gume para cortar (instrumento cortante); AFIADO [Ant.: *cego, embotado, rombudo.*] 2 Frio, gelado, a ponto de transmitir a sensação de que corta a pele (vento cortante) [Ant.: *quente.*] 3 Diz-se de som estrídulo, agudo, como que a cortar os tímpanos; ESTRIDENTE; PENETRANTE: *Gritou-nos com uma voz cortante.* 4 Lancinante, pungente: *uma pontada cortante.* 5 *Fig.* Ferino, mordaz (ironia cortante) *sm.* 6 *RJ* Mistura de cola com pedacinhos de vidro que se passa na linha de pipa ou papagaio para que possa cortar as linhas de outras pipas; o mesmo que *cerol* (1) [F.: *cortar* + *-nte.*]

cortar (cor.*tar*) *v.* 1 Dividir ou partir com instrumento cortante ou com as mãos [*td.: cortar uma corda; cortar as folhas de um galho.*] 2 Ferir(-se) com um instrumento cortante [*td.: Cortou o dedo com a faca afiada; Cuidado para não se cortar!*] 3 Aparar (o cabelo, as unhas, a grama etc.) [*td.: Cortou o bigode com cuidado.*] 4 Ter aparado (por outrem, ger. barbeiro profissional) (o cabelo) [*td.: Ele saiu, foi cortar o cabelo.*] 5 Derrubar (ger. árvore, ou qualquer coisa que se erga verticalmente) por meio de corte junto ao solo [*td.: Os madeireiros cortaram num só dia mais de 30 árvores.*] 6 Reduzir, diminuir (algo) eliminando partes, parcelas, componentes etc. [*td.: cortar despesas.*] 7 Pôr fim a (definitiva ou provisoriamente); INTERROMPER; SUSPENDER [*td.: cortar relações com alguém; cortar as comunicações.*] 8 Interromper (fornecimento de) [*td.: Por falta de pagamento, a Light cortou a luz.*] 9 Fazer cessar [*td.: Os antipiréticos cortam a febre.*] 10 Impedir (movimento, ação), bloqueando [*td.: Aquela manobra cortou a retirada do inimigo, que ficou cercado.*] 11 Talhar de acordo com um molde [*td.: cortar um vestido.*] 12 Suprimir, eliminar [*td.: Cortei os doces para emagrecer.*] 13 Cruzar com; ATRAVESSAR [*td.: Essa rua corta a avenida Rio Branco.*] 14 Ter bom gume [*int.: Esta tesoura não corta.*] 15 *Esp.* No vôlei, dar cortada, bater na bola com violência junto à rede visando pô-la no chão da quadra adversária [*int.: A bola foi bem levantada, mas o oposto cortou para fora.*] 16 Encurtar, diminuir (distância) [*td.: Se cortarmos caminho, chegaremos mais rápido.*] 17 Ultrapassar (um carro) passando repentinamente à sua frente [*td.:* "O carro cortou a frente do ônibus e entrou à direita..." (*Correio Braziliense,* 15.05.2002)] 18 Dispensar de uma equipe, uma seleção etc. [*td.: O técnico vai cortar dois jogadores da seleção.*] 19 Interromper (a fala de) [*td.: O funcionário começou a se explicar, mas o chefe o cortou; Cortou o discurso do colega com um aparte.*] 20 Remover, eliminar parte de (algo, como texto, filme etc.) [*td.: O autor resolveu cortar metade do último capítulo; Ao editar o filme, cortou muitas cenas.*] 21 *Inf.* Remover (imagem, trecho de um texto etc.) de um arquivo [*td.: Para cortar uma palavra do texto, use o botão direito do mouse.*] [*int.: Copiar, cortar e colar são importantes funções de editores de textos.*] 22 Sulcar (tb. *Fig.*) [*td.: Os barcos cortavam as águas do rio; Uma cicatriz cortava sua testa.*] 23 *Lud.* Dividir baralho em uma ou mais partes [*td.: Corte o baralho em três montes.*] 24 Demitir [*td.: A empresa cortou cem funcionários.*] [*tdr.* + *de: Cortou-o do cargo de chefia.*] 25 *Fut.* Interceptar (bola, passe) de algum jogador [*td.*] 26 *Fut.* Driblar (jogador adversário) com rápido movimento de corpo na direção contrária àquela na qual estava [*td.: Cortou o zagueiro e chutou para o gol.*] 27 *BA Pop.* Cortejar, namorar [*td.*] 28 Afastar, excluir [*td.: Resolveu cortar os amigos desagradáveis.*] [*tdr.* + *de: Cortou da festa os criadores de caso.*] 29 Causar aflição, tormento [*td.: Aquela morte cortou seu coração.*] 30 Avançar através de (terreno) [*td.: A estrada cortava toda a região.*] 31 *RS* Afastar a si mesmo (de grupo, âmbito etc.) [*td.: Desgostoso, cortou-se do círculo de amigos.*] 32 *N. E.* Secar (curso de água) [*int.: Foi tanto o calor, que o rio cortou.*] 33 *Inf.* Transferir (texto ou imagem) de documento ativo para área de transferência [*td.*] [▶ 1 cortar] [F.: do lat. *curtare.* Hom./Par.: *corta* (fl.), *corta* [ô] (fem. de *corto*); *corte(s)* (fl.), *corte* [ô] (sf. [e pl.]). Ideia de 'cortar': usar pospos. *-tomia, -tomo.*]

cortável (cor.*tá*.vel) *a2g.* Que se pode cortar; SECCIONÁVEL [Pl.: *-veis.*] [F.: *corta(r)* + *-vel.*]

corte[1] (*cor*.te) [ó] *sm.* 1 Ação ou resultado de cortar(-se) 2 Efeito da ação de instrumento cortante, com rasgamento de uma superfície ou massa antes contínua; INCISÃO; TALHO 3 Lesão (na pele, ou mais profunda) resultante de corte (2): *O menino mostrou à mãe o corte no dedo.* 4 Gume, fio de instrumento cortante: *O corte deste canivete não está bom.* 5 Talho (tb. tipo de talho) da carne de boi, porco, ave: *Criava bois para o corte; A carne argentina é ótima, mas gosto mais do corte praticado no Brasil.* 6 Ato de aparar, tirar o excesso: *corte da grama.* 7 Porção de tecido suficiente para se fazer roupa: *corte de linho.* 8 Modo como uma peça de vestuário foi talhada: *Ficou com um corte bonito.* 9 Redução ou supressão: *corte de subsídio; corte de verbas.* 10 Obstrução, interrupção de fornecimento: *corte de energia.* 11 Interrupção ou rompimento em relações de qualquer tipo: *corte nas relações comerciais/diplomáticas* etc. 12 Dispensa, eliminação: *corte de pessoal; corte de jogadores.* 13 Supressão, por censura, de trechos de obra literária, filme, espetáculo etc. 14 Alternativa mais curta de um caminho, estrada etc.; ATALHO: *Vamos por este corte aqui, são menos 500 metros de caminhada.* 15 Interrupção natural ou aritificial de uma formação montanhosa, ou de um terreno, criando uma passagem: *o corte do Cantagalo, na Zona Sul do Rio de Janeiro.* 16 Aspecto ou representação gráfica (em desenho técnico) da superfície plana e das projeções de relevo nessa superfície resultante do corte (2) de um corpo trimensional por um plano 17 Projeção vertical, em desenho técnico, de um objeto tridimensional, de um prédio etc. 18 *Enc.* Cada uma das três faces que constituem a espessura de um livro ou revista (excluindo a lombada) que são aparadas em guilhotina 19 Na gravação ou edição de imagem ou de som (de filme, disco etc.) interrupção da continuidade de uma sequência, ger. para início de outra 20 Traço que corta certas letras ou algarismos, como o f, o t, o 7 manuscrito etc. 21 *Esp.* Interrupção de passe do adversário, ou, esp. no futebol, drible curto no qual o jogador que o pratica muda subitamente de direção, enganando seu marcador [F. Dev. de *cortar.* Hom./Par. *corte* [ô]. Ideia de corte: usar posp. *-tomia, -tomo.*] ▪▪ **~ geológico** *Geol.* Corte em um terreno, para examinar sua estrutura geológica **Ruim de ~** 1 *N. E. Pop.* Em situação financeira precária 2 Em má condição de saúde

corte[2] (*cor*.te) [ô] *sf.* 1 O palácio, a residência do soberano; PAÇO 2 Conjunto de pessoas, esp. da nobreza, que acompanha o soberano ou lhe frequenta o paço 3 *P. ext.* A cidade onde o monarca vive, compreendendo o palácio e seu entorno 4 Conjunto dos que compõem o governo de uma monarquia: *a corte da Dinamarca.* 5 Companhia, entretenimento: "Fico a fazer a minha corte à tua mulher." (Eça de Queiroz, *Uma campanha alegre*) 6 Galanteio, atenção amorosa: *Cansou de fazer-lhe a corte.* 7 *Jur.* Tribunal de justiça: *corte de apelação.* 8 *Bras.* Ver *mutirão* 9 *Fig.* Conjunto de pessoas bajuladoras [F.: Do lat. cláss. *cohors, ortis,* pelo lat. vulg. *cors, cortis.* Hom./Par.: *corte* [ó] (sm., fl. de *cortar*).] ▪▪ **~ celeste** O conjunto dos anjos e dos santos **~ marcial** Ver *Conselho de Justiça Militar* **Fazer a ~ (a)** Cercar (alguém) de atenções e galanteios para conquistar-lhe o amor

cortejado (cor.te.*ja*.do) *a.* 1 Que se cortejou, que se tratou com cortesia 2 Que se galanteou [F.: Part. de *cortejar.*]

cortejador (cor.te.ja.*dor*) [ô] *a.* 1 Diz-se de pessoa que corteja, que faz a corte a alguém *sm.* 2 Essa pessoa [F.: *cortejar* + *-dor.* Sin. ger.: *galanteador.*]

cortejar (cor.te.*jar*) *v. td.* 1 Fazer a corte a; tentar conquistar (mulher); GALANTEAR: "Nisto passou um rapaz alto, que a cortejou sorrindo..." (Machado de Assis, *Quincas Borba*) 2 Lisonjear, obsequiar, visando obter algo; tratar com cortesia, por interesse; ADULAR: *cortejar os poderosos.* 3 Fazer cortesia; cumprimentar: *Cortejou os vizinhos e foi trabalhar.* [▶ 1 cortejar] [F.: Do it. *corteggiare.* Hom./Par.: *cortejo* (fl.), *cortejo* [ê] (sm.).]

cortejo (cor.*te*.jo) [ê] *sm.* 1 Ação ou resultado de cortejar 2 Saudação, cumprimento, vênia (ger. a pessoas distintas ou importantes); CORTESIA: *O cardeal recebeu o cortejo dos fiéis.* 3 Galanteio, amabilidade, corte 4 Comitiva, séquito que acompanha uma ou mais pessoas importantes 5 *P. ext.* Grupo de pessoas em procissão (cortejo fúnebre) 6 Vantagem ou desvantagem por acréscimo: *A câmara e seu cortejo de regalias.* [F.: Do it. *corteggio.* Hom./Par.: *cortejo* (fl. de *cortejar*).]

cortês (cor.*tês*) *a2g.* 1 Que mostra cortesia, amabilidade, gentileza (pessoa cortês); AFÁVEL; GENTIL [Ant.: *descortês, incivil.*] 2 Gracioso e refinado nos modos e no falar; FINO; POLIDO [Ant.: *grosseiro, rude.*] 3 Ref. a corte [ô] (3) [Pl.: *-teses.*] [F.: *corte* [ô] + *-ês.* Ant. ger.: *descortês.*]

cortesã (cor.te.*sã*) *sf.* 1 *Ant.* Dama da corte, favorita do soberano 2 *Ant.* Mulher devassa e endinheirada 3 Prostituta que atua nas camadas mais altas da sociedade [F.: Do it. *cortigiana.*]

cortesão (cor.te.*são*) *a.* 1 Ref. a corte [ô] (1 a 4) ou a ela pertencente (costumes cortesãos); ÁULICO 2 Próprio da corte [ô] (1 a 4) ou de quem nela vive; PALACIANO 3 Refinado, educado, cortês [Ant.: *descortês.*] *sm.* 4 Aquele que frequenta a corte; ARISTOCRATA; FIDALGO; PALACIANO 5 *P. us.* Indivíduo educado, amável [Ant.: *grosseirão.*] 6 Indivíduo bajulador, puxa-saco [Pl.: *-sãos, -sões.* Fem.: *-sã.*] [F.: Do it. *cortigiano.*]

cortesia (cor.te.*si*:a) *sf.* 1 Qualidade, atributo de quem ou do que é cortês; AMABILIDADE; GENTILEZA; POLIDEZ: *Por cortesia, convidou-a a tomar um trago.* [Ant.: *descortesia, grosseria.*] 2 Atitude ou gesto delicado, cortês; GENTILEZA: *Teve a cortesia de avisá-lo.* [Ant.: *indelicadeza.*] 3 Gesto que representa uma saudação educada e respeitosa a alguém; MESURA; VÊNIA 4 Oferta especial, brinde, serviço extra oferecidos como demonstração de apreço ou como *marketing*; MIMO; PRESENTE: *O sorvete é cortesia da casa.* 5 *Taur.* Cumprimento que os participantes de uma tourada (toureiros, bandarilheiros etc.) fazem às autoridades e ao público presentes antes e depois da tourada [F.: *cortês* + *-ia*[1].] ▪▪ **Fazer ~ com o chapéu alheio** Ser dadivoso ou generoso à custa de outra pessoa

córtex (*cór*.tex) [cs] *Biol. sm2n.* 1 *Biol.* Camada mais externa de estruturas anatômicas vegetais ou animais, diferente de sua substância interna; CASCA; CORTIÇA 2 *Anat.* Envolvimento externo de vários órgãos (córtex cerebral; córtex renal) **3** *Bot.* Em caules e raízes de vegetais, conjunto dos tecidos externos ao vascular; CASCA [Pl.: *-tices.*] [F.: Do lat. *cortex, icis.*]

cortiça (cor.*ti*.ça) *sf.* **1** *Bot.* Casca espessa, leve e porosa de árvores como o sobreiro, com que se fabricam rolhas, boias etc.; o material que constitui essa casca **2** Nome de várias dessas árvores, esp. da fam das anonáceas e leguminosas; CORTICEIRA **3** *P. us. Biol.* Ver *córtex* (1) **4** Cada uma das rodas ou discos de cortiça em bordas de rede de pescar, que, flutuando, a sustentam **5** *PA Bot.* Ver *pau de jangada* **6** Boia feita de cortiça (1) [F.: Do lat. *corticea*, subst. do adj. lat. *corticeus*. Ideia de 'cortiça', usar pref. *fel(o)-*.]

cortical (cor.ti.*cal*) *a2g.* Ref. a córtex ou córtice [Pl.: *-cais.*] [F.: Do lat. cien. *corticalis.*]

corticeira (cor.ti.*ce* i.ra) *sf.* **1** *Bot.* Árvore leguminosa papilionácea do Brasil e da Argentina, ornamental, de flores róseas ou vermelhas e madeira porosa como a cortiça; BUCARÉ; CORALEIRA; CORALEIRO **2** *Bot.* Ver *flor-de-coral* **3** Depósito de cortiça, para a venda [F.: *córti(ce)* + *-eira.*]

corticento (cor.ti.*cen*.to) *a.* **1** Que se assemelha ao córtex **2** Que tem o aspecto e/ou a natureza da cortiça [F.: *cortiça* + *-ento.*]

◎ **cortic(i)-** *el. comp.* = 'cortiça', 'casca' (de árvore), 'córtex' (cerebral, da suprarrenal): *córtice, corticosteroide*

◎ **cortico-** Ver *cortic(i)-*

cortiço (cor.*ti*.ço) *sm.* **1** Cavidade ou construção de cera onde abelhas ou vespas se estabelecem para fabricar o mel e a cera **2** Qualquer cavidade onde as abelhas fabricam a cera e o mel; COLMEIA **3** *Bras. Fig.* Casa pobre e de quartos alugados a muita gente; casa de cômodos; CABEÇA DE PORCO **4** *Bras.* Agrupamento de casas pequenas e pobres [F.: De *cortiça.*]

corticoide (cor.ti.*coi*.de) *a2g.* **1** *Bioq.* Diz-se de esteroide, como a cortisona, sintetizado ou extraído do córtex das glândulas suprarrenais **2** Diz-se de esteroide us. como anti-inflamatório *sm.* **3** *Bioq.* Cada um dos hormônios produzidos pelo córtex das glândulas suprarrenais, ou substância sintética similar [O mesmo que *corticosteroide.*] [F.: *cortico-* + *-oide*, ou do ing. *corticoid.*]

corticosteroide (cor.ti.cos.te.*roi*.de) *Bioq.* *a.* **1** Diz-se de cada um dos hormônios esteroides produzidos pelas suprarrenais, ou sinteticamente, e empregados como anti-inflamatórios; CORTICOIDE *sm.* **2** Cada um desses esteroides [F.: Do ing. *corticosteroid.*]

corticosterona (cor.ti.cos.te.*ro*.na) *sf.* *Bioq.* Hormônio esteroide ($C_{21}H_{30}O_4$), produzido pelo córtex das suprarrenais e essencial ao metabolismo dos carboidratos e das proteínas [F.: Do ing. *corticosterone.*]

corticotrofina (cor.ti.co.tro.*fi*.na) *sf.* **1** *Bioq.* Hormônio secretado pela glândula pituitária, estimula o córtex das suprarrenais a produzirem corticosteroides; tb. *adrenocorticotrofina*, sigla *ACTH* **2** *Farm.* Preparado de adrenocorticotrofina para tratamento de artrite e febre reumática [F.: Do ing. *corticotrophin.* F. paral.: *corticotropina.*]

cortina (cor.*ti*.na) *sf.* **1** Peça de pano ou de outro material que se pendura para cobrir algo ou um recinto (protegendo da luz, do olhar etc., ou como separação, divisória etc.); CORTINADO; REPOSTEIRO **2** Qualquer coisa que impeça a passagem da luz, obstruindo: *obturador de cortina; cortina de fumaça.* **3** *Teat.* Qualquer material us. para ocultar a boca de cena **4** Termo que indica, em roteiros ou textos teatrais, o momento em que deve cair a cortina (3) **5** *Cin. Telv.* Efeito visual que bloqueia e libera a imagem, para passar de um plano a outro **6** *Fig.* Fileira, série, carreira (cortina de árvores) **7** *Cons.* Parte da muralha entre duas torres de uma fortificação **8** *Cons.* Murada que serve de arrimo a ambos os lados de uma ponte [F.: Do lat. tard. *cortina.*] ■ **Atrás da ~** *Bras.* De maneira escusa; por baixo do pano **~ alemã** *Antq. Teat.* Ver *Cortina de manobra* **~ à polichinelo** *Teat.* Cortina teatral inteiriça com um tubo preso a sua borda inferior, que se abre ao ser içado o tubo, com isso enrolando a cortina **~ de bambu** *Antq. Fig. Pol.* As fronteiras políticas e culturais entre a China e o resto do mundo, em analogia com o termo 'cortina de ferro' aplicado à antiga União Soviética e aos países comunistas da Europa oriental **~ de boca** *Teat.* Tela ou cortina que separa o público do palco, ocultando-o **~ de ferro** **1** *Teat.* Placas de amianto à frente da cortina de boca para isolar o a plateia do palco em caso incêndio; cortina de segurança **2** *Antq. Fig. Pol.* A fronteira política e cultural que havia entre os países do Ocidente e a ex-União Soviética e os países comunistas da Europa oriental **3** *Antq. P. ext. Pol.* Denominação da área geográfica ocupada pela ex-União Soviética e os países comunistas da Europa oriental **~ de fumaça** **1** *Mil.* Nuvem artificial formada intencionalmente pela fumaça das chaminés de navios de guerra, ou por produtos químicos usados com este fim, para ocultar a posição ou o movimento de tropas, navios, grupos em confronto etc., em situações de combate **2** *P. ext. Fig.* Qualquer medida para ocultar, iludir ou despistar **~ de manobra** *Teat.* Cortina leve us. para ocultar troca de cenário em área não usada do palco enquanto a cena continua **~ de segurança** *Teat.* Ver *Cortina de ferro* (1) **~ grega** *Teat.* Cortina de teatro em duas seções, uma transpassando ligeiramente a outra no centro, que se abrem ou fecham afastando-se ou aproximando-se **~ italiana** *Teat.* Cortina de teatro em duas seções franzidas que é aberta levantando-se verticalmente e puxando-se lateralmente ao mesmo tempo **~ lenta** *Teat.* Abertura ou fechamento em ritmo lento da cortina de boca **~ rápida** *Teat.* Abertura ou fechamento súbito da cortina de boca

cortinado (cor.ti.*na*.do) *sm.* **1** Cortina (1) grande **2** Armação de tecido fino, ger. filó ou similar, em volta de cama ou berço, para proteger de mosquitos *a.* **3** Que recebeu cortina; provido de cortina [F.: *cortina*[1] + *-ado*[1].]

cortisol (cor.ti.*sol*) *sm.* Hormônio esteroide, produzido pelas suprarrenais ou sinteticamente, us. em medicina como anti-inflamatório; HIDROCORTISONA [Pl.: *-sóis.*] [F.: *cortis(ona)* + *-ol*[2].]

cortisona (cor.ti.*so*.na) *sf.* Hormônio corticosteroide ($C_{21}H_{28}O_5$) produzido natural ou sinteticamente e us. como poderoso anti-inflamatório, no tratamento de atrites, alergias etc. [F.: Do ing. *cortisone.*]

coruja (co.*ru*.ja) *sf.* **1** *Zool.* Nome atribuído a diversas aves de rapina, esp. noturnas, pertencentes às fam. dos estrigídeos e dos titonídeos, de cabeça arredondada e olhos enormes, capazes de voar em silêncio, o que auxilia na captura de ratos, morcegos, pequenos répteis e invertebrados **2** *Bras. Pej. Pop.* Mulher idosa e muito feia; BRUACA; BRUXA *s2g.* **3** Quem é coruja (4, 5) *a2g.* **4** Que é excessivamente orgulhoso de filho, sobrinho, neto (pai coruja, mãe coruja, avó coruja) **5** Diz-se de quem passa noites em claro, em atividade, de quem é notívago [Aum.: *corujão.*] [F.: De or. obsc., psv. do lat. *curusa.*]

corujada (co.ru.*ja*.da) *Bras. sf.* **1** Entre radioamadores, uso de estação alheia ou escuta dos postos que dialogam **2** Ato de olhar (para ente querido) com excessiva admiração [F.: *coruja* + *-ada*[2].]

corujão (co.ru.*jão*) *Bras. sm.* **1** *Ornit.* Coruja (*Pulsatrix perspicillata*) da fam. dos estrigídeos, com até meio metro de comprimento, dorso marrom-escuro; ocorre do México até a Argentina, inclusive grande parte do Brasil; MURUCUTUTU **2** *Bras. Ornit.* Nome atribuído a algumas corujas da fam. dos estrigídeos, esp. do gên. *Bubo* **3** *AL* Tipo de papagaio de papel **4** *Pop.* Voo comercial realizado tarde da noite, ger. com tarifas reduzidas **5** Ônibus que viaja durante a noite [Pl.: *-jões.*] [F.: *coruja* + *-ão*[1].]

corujar (co.ru.*jar*) *Bras. v.* **1** Emitir som, canto (a coruja) [*int.: Ouvimos a ave corujar toda a noite.*] **2** *Pop.* Contemplar, espreitar (alguém ou algo) como simples curioso [*td.: Corujava a moça pela fresta da janela.*] [▶ 1 corujar] [F.: *coruja* + *-ar*[2]. Hom./Par.: *coruja(s)* (fl.), *coruja(s)* (sf. [pl.]).]

corujice (co.ru.*ji*.ce) *sf. Fam.* Comportamento de quem é coruja, de quem mima e elogia demais os filhos ou pessoas queridas; CORUJISMO [F.: *coruja* + *-ice.*]

corumbá (co.rum.*bá*) *sm.* Lugar distante, esquecido: "Ainda se conseguisse um ramal de estrada de ferro por esses corumbás..." (Plínio Cavalcanti, *S. Lagedo*) [Mais us. no pl.] [F.: Do top. *Corumbá* (MS).]

corunhês (co.ru.*nhês*) *sm.* **1** Indivíduo nascido ou que vive em Corunha (Espanha) *a.* **2** De Corunha; típico dessa cidade ou de seu povo [Pl.: *-nheses* [ê]. Fem.: *-nhesa* [ê].] [F.: Do top. *Corunha* + *-ês.*]

coruscação (co.rus.ca.*ção*) *sf.* **1** Ação ou resultado de coruscar **2** Fulgor repentino **3** *Tec.* Brilho momentâneo da prata na copelação, ao passar do estado líquido para o sólido [Pl.: *-ções.*] [F.: Do lat. *coruscatio, onis.*]

coruscante (co.rus.*can*.te) *a2g.* Que corusca, que irradia esplendor; FULGURANTE; REFULGENTE; RELUZENTE [F.: *corusca(r)* + *-nte.*]

coruscar (co.rus.*car*) *v.* **1** Emitir brilho, cintilação; FAISCAR; RELUZIR [*int.: As luzes coruscavam ao longe.*] **2** *Bras. Gír.* Dardejar, lançar [*td.: Seus olhos coruscavam brilhos de loucura.*] [▶ 11 coruscar] [F.: Do lat. *coruscare.*]

corusco (co.*rus*.co) *sm.* Fulgor súbito; CLARÃO; CINTILAÇÃO; CORUSCAÇÃO [F.: regr. de *coruscar.*]

corveia (cor.*vei*.a) *sf.* **1** *Soc.* Trabalho não remunerado que, no feudalismo, o vassalo tinha de prestar a seu senhor **2** *P. ext.* Trabalho duro e imposto por alguém [F.: Do fr. *corvée.*]

corvejar (cor.ve.*jar*) *v.* **1** Gritar, crocitar (corvo, urubu) [*int.:* "...cerco dos abutres alvacentos corvejando sob o céu desolado..." (Abdias Nascimento, *O agadá da transformação*)] **2** Imitar a voz do corvo [*int.*] **3** Ruminar, repisar (um assunto, uma ideia) [*td.*] [▶ 1 corvejar] [F.: *corvo* + *-ejar.*]

corvense (cor.*ven*.se) *s2g.* **1** Aquele ou aquela que nasceu ou que vive na ilha do Corvo (Açores) *a2g.* **2** De ilha do Corvo; típico dessa ilha ou de seu povo [F.: Do top. (*ilha do*) *Corvo* + *-ense.*]

corveta (cor.*ve*.ta) [ê] *Mar. sf.* **1** Navio de guerra veloz, menor do que a fragata, de escolta e antissubmarino, ger. armado com mísseis **2** *Ant.* Navio de guerra a vela, de três mastros, com apenas uma bateria de canhões [F.: Posv. do hol. med. *korver*, pelo fr. *corvette.* Hom./Par.: *curveta* (sf.).]

corvídeo (cor.*ví*.de:o) *sm.* **1** *Zool.* Espécime dos corvídeos, fam. de aves, cosmopolitas, onívoras, gregárias, de bico forte, asas largas, plumagem negra ou azul-violeta, e que inclui as gralhas e os corvos *a.* **2** *Zool.* Ref. ou pertencente aos corvídeos [F.: Adaptç. do lat. cient. *Corvidae.*]

corvina (cor.*vi*.na) *sf.* *Zool.* Nome comum de peixes marinhos teleósteos da fam. dos cienídeos, como o *Micropogonias furnieri*, ou o *Sciaena aquila*, de coloração prateada, mais escura no dorso e até 60 cm de comprimento, comum em todo o Atlântico e apreciado pelo sabor da carne; CORVINA-DE-LINHA; MARISQUEIRA [F.: Do espn. *corvina.*]

corvo (*cor*.vo) [ô] *sm.* **1** *Zool.* Nome comum a várias aves da fam. dos corvídeos, esp. a de gênero *Corvus*, encontradas em grande parte do mundo, de plumagem ger. negra e notável capacidade de aprendizado **2** *Zool.* Qualquer espécie ou espécime desse gênero **3** *Bras.* Nome que às vezes se atribui, impropriamente, ao urubu **4** *Arq.* Ornato que pende da cornija em forma de S invertido; MODILHÃO **5** *Astron.* Certa constelação austral **6** *Fig. Pej.* Quem, anonimamente, faz o papel de delator [Pl.: [ó].] [F.: Do lat. *corvus.* Nas acps. 1 a 3 é *epiceno.*]

cós *Vest.* *sm2n.* **1** Tira de pano reforçada que envolve como remate a cintura de certas peças de vestuário, como calças e saias; CINTA **2** A parte da roupa na qual se ajusta o cós (1): *o cós alto das calças dos toureiros.* **3** Tira que remata as mangas ou o peitilho da camisa, sobre a qual se ajustam os punhos e o colarinho [F.: Do lat. *corpus*, pelo provç. *cors* 'corpo'.]

coscorão (cos.co.*rão*) *sm.* **1** *Cul.* Filhó de farinha e ovos, passado em calda de açúcar **2** Casca espessa de ferida que se cicatriza **3** *Bras. S Pej.* Homem bronco e atrasado [Pl.: *-rões.*] [F.: De um rad. *kosk-*, onomatopeia do golpe dado em um objeto duro; esp. *coscorrón.*]

coscorento (cos.co.*ren*.to) *a.* Que tem cascas ou crostas [F.: *coscoro* + *-ento.*]

coscoro (cos.*co*.ro) [ô] *sm.* **1** Ação ou resultado de endurecer, de enrijecer; ENDURECIMENTO; ENRIJECIMENTO **2** Dureza, rigidez ou encrespamento de um tecido engomado **3** Camada espessa, endurecida, que se forma sobre uma superfície; CROSTA **4** Enrugamento da pele [F.: Regress. de *coscorão.*]

cosedura (co.se.*du*.ra) *sf.* Ação ou resultado de coser [F.: *coser* + *-dura.* Hom./Par.: *cosedura* (sf.), *cozedura* (sf.).]

coser (co.*ser*) *v.* **1** Ligar, unir (uma coisa à outra, bordas de um rasgão, esp. tecidos) com linha e agulha [*td.: A costureira coseu a blusa rasgada.*] [*int.: Passava as tardes a coser*] [*tdr. + em: O alfaiate coseu o bolso no paletó.*] **2** Fazer algum trabalho com linha e agulha em (pano, peça de roupa etc.) [*td.: A costureira coseu a saia rasgada.*] **3** Ligar as bordas de (peças, estruturas etc.) por meio de costura; costurar [*td.*] **4** *Cir.* Unir as bordas de uma ferida ou incisão por meio de pontos cirúrgicos [*td.*] **5** *Bras. Fig.* Crivar (alguém ou algo) de facadas, punhaladas etc. [*tdr. + a, com: Coseu o invasor a facadas.*] **6** Encostar (algo, ou si mesmo) em algum lugar [*tdr.: Coseu o ouvido na parede para ouvir a conversa; Coseu-se à parede para não ser visto.*] **7** *P. us.* Unir-se, associar-se, mancomunar-se [*tr. + com: A prima coseu-se com a amiga num canto e ficaram a tramar coisas.*] [▶ 2 coser] [F.: Do lat. *cosere*, por *consuere.* Cf.: *cozer.*]

cosido (co.*si*.do) *a.* **1** Que se coseu; COSTURADO **2** Muito unido, colado **3** *Fig.* Voltado para si mesmo; ENSIMESMADO [F.: Part. de *coser.* Hom./Par.: *cosido* (a.), *cozido* (a. sm.).]

cosme e damião (cos.me e da.mi.*ão*) *sm. Bras. RJ Antq.* Dupla de policiais incumbida de patrulhar certos pontos da cidade [Pl.: *cosme e damiões, cosmes e damiões.*] [F.: Dos hierônimos (São) *Cosme* e (São) *Damião.*]

cosmética (cos.*mé*.ti.ca) *sf.* **1** *Tec.* Conjunto de técnicas e produtos utilizados na estética da aparência física **2** *P. ext.* Indústria dos cosméticos [F.: Do gr. *kosmetiké.*]

cosmético (cos.*mé*.ti.co) *sm.* **1** Produto us. para tratar e/ou embelezar a pele do rosto ou do corpo e/ou os cabelos; MAQUILAGEM; PINTURA [Mais us. no pl.] *a.* **2** Diz-se desse tipo de produto **3** Próprio para correção de falhas, defeitos etc. (cirurgia cosmética); CORRETIVO; CORRETOR **4** Que serve para ornamentar, enfeitar; DECORATIVO; ORNAMENTAL **5** *Fig. Pej.* Superficial, insignificante (modificações cosméticas) [Ant.: *importante, significante, substancial.*] [F.: Do gr. *kosmetikós*, pelo fr. *cosmétique.*]

cosmetologia (cos.me.to.lo.*gi*:a) *sf.* Ramo da pesquisa aplicada aos cosméticos e sua utilização [F.: *cosmét(ico)* + *-o-* + *-logia.*]

cosmetologista (cos.me.to.lo.*gis*.ta) *a2g.* **1** Que se especializou em cosmetologia *s2g.* **2** Especialista em cosmetologia; COSMETÓLOGO [F.: *cosmetologia* + *-ista.*]

cosmetólogo (cos.me.*tó*.lo.go) *sm.* Especialista em cosmetologia; COSMETOLOGISTA [F.: *cosmét(ico)* + *-o-* + *-logo.*]

cosmiatria (cos.mi.a.*tri*:a) *sf. Med.* Ramo da dermatologia voltado para a estética, com largo emprego de cosméticos (cremes, géis e outros produtos) [F.: *cosm(ético)* + *-iatria.*]

cósmico (*cós*.mi.co) *a.* **1** Ref. ou pertencente ao cosmo, ou ao universo, ou dele originário (espaço cósmico, raios cósmicos) **2** Diz-se de astro que nasce e se põe ao mesmo tempo que o Sol **3** Ref. ao espaço interestelar (navegação cósmica) [F.: Do gr. *kosmikós*, pelo lat. *cosmicus.*]

◎ **-cosm(o)-** *el. comp.* Ver *cosm(o)-*

◎ **-cosmo** *el. comp.* Ver *cosm(o)-*

◎ **cosm(o)-** *el. comp.* = 'universo'; 'mundo'; 'organização': *cosmogênese, cosmogonia, cosmologia; acomismo, pancosmismo; macrocosmo, microcosmo* [F.: Do gr. *kósmos, ou.*]

cosmo (cos.mo) *sm. sm2n.* **1** O universo, o espaço sideral, considerado como conjunto organizado e harmônico **2** *Fil.* Para os pitagóricos, o universo harmonioso, integrado e regular, oposto ao caos [F.: Do gr. *kósmos*, pelo lat. tard. *cosmos.* Tb. *cosmos.*]

cosmogênese (cos.mo.*gê*.ne.se) *sf.* O mesmo que *cosmogonia* (1) [F.: *cosm(o)-* + *-gênese.*]

cosmogenético (cos.mo.ge.*né*.ti.co) *a.* Ref. a cosmogênese [F.: *cosmogên(ese)* + *-ético*, seg. o mod. grego.]

cosmogonia (cos.mo.go.*ni*:a) *sf.* **1** Doutrina mítica, religiosa ou filosófica de explicação da origem do universo; COSMOGÊNESE [Cf.: *cosmologia.*] **2** Explicação da origem do sistema solar [F.: Do gr. *kosmogonía, as*, 'criação do mundo'.] ■ **~ estelar** *Astron.* Teoria sobre o surgimento e a evolução dos corpos celestes

cosmogônico (cos.mo.*gô*.ni.co) *a.* Ref. a cosmogonia; COSMOGENÉTICO [F.: *cosmogonia* + *-ico*².]
cosmografia (cos.mo.gra.*fi*:a) *sf. Astr.* Descrição do mundo pela astronomia; astronomia descritiva [F.: Do gr. *kosmographía, as.*]
cosmográfico (cos.mo.*grá*.fi.co) *a.* Ref. a cosmografia ou a cosmógrafo: "A geografia e as ciências cosmográficas... encontram nos espíritos seletos devotadíssimos cultores" (Latino Coelho, *Vasco da Gama*) [F.: *cosmografia* + *-ico*².]
cosmógrafo (cos.*mó*.gra.fo) *sm. Astr.* Especialista em cosmografia: "Jerusalém está no meio do mundo, como muitos cosmógrafos querem afirmar." (Pantaleão de Aveiro, *Itinerário*) [F.: Do gr. *kosmográphos*, pelo lat. *cosmographus, i.*]
cosmologia (cos.mo.lo.*gi*.a) *sf. Astron.* Ciência que estuda a origem, estrutura e evolução do universo [F.: Do gr. *kosmología, as.*]
cosmológico (cos.mo.*ló*.gi.co) *a.* Ref. a cosmologia ou a cosmólogo [F.: Do gr. *kosmologikós, é, ón.*]
cosmólogo (cos.*mó*.lo.go) *sm.* Profissional que se dedica à cosmologia [F.: *cosm(o)-* + *-logo.*]
cosmonauta (cos.mo.*nau*.ta) *s2g. Astron.* Tripulante ou passageiro de nave espacial; ESPAÇONAUTA [F.: *cosm(o)-* + *-nauta*. Ver tb. *astronauta.*]
cosmonáutica (cos.mo.*náu*.ti.ca) *sf.* Ciência e técnica do voo espacial [F.: *cosm(o)-* + *-náutica*. Ver tb. *astronáutica.*]
cosmonave (cos.mo.*na*.ve) *sf.* Nave que realiza viagens espaciais; ESPAÇONAVE [F.: *cosm(o)-* + *-nave.*]
cosmopolita (cos.mo.po.*li*.ta) *a2g.* **1** Ref. a, ou que é, cosmópole, cidade enorme e com um número muito grande de habitantes, vindos de toda parte do globo: *Londres e Nova York são cosmopolitas.* **2** Que é próprio das grandes cidades, esp. quanto à diversidade de pessoas, modos e estilos de vida, inovação de costumes etc.: *Modo de viver cosmopolita.* **3** Diz-se de centro urbano que apresenta características semelhantes às das grandes cidades **4** Que sofre a influência de vários povos e países (mentalidade cosmopolita) **5** *Biol.* Diz-se de organismo, espécie etc. que ocorre em todos os lugares do mundo, inclusive em águas oceânicas **6** Que se comporta ou se sente como cidadão do mundo, sem vínculos estreitos com determinada comunidade local ou regional; *tb.:* que tem modo de vida semelhante aos de habitantes de várias metrópoles ao redor do globo, ou que frequenta com certa assiduidade as importantes cidades mundiais **7** Diz-se de quem viaja muito e conhece lugares e costumes de várias partes do mundo *s2g.* **8** Pessoa cosmopolita (acps. 6 e 7) [F.: Do gr. *kosmopolités*. Ant. (nas acps. 1 a 4 e acp. 6): *provinciano.*]
cosmopolitano (cos.mo.po.li.*ta*.no) *a.* **1** Ref. a cosmópole ou cosmópolis, peculiar a ela; COSMOPOLITA **2** Que reflete a vida dos grandes centros urbanos (cidade cosmopolitana) **3** Que vive em vários países **4** Que pertence a todos os países ou é comum a muitos; INTERNACIONAL; UNIVERSAL **5** Ref. à cidade de Cosmópolis (SP) ou a seus habitantes *sm.* **6** Aquele que se considera cidadão do mundo: *Eça considerava que ele e Ramalho Ortigão, por muito viajarem, eram cosmopolitanos, "andadores de continentes", cidadãos do mundo.* **7** Aquele que nasceu na cidade de Cosmópolis (SP) ou que nela vive [F.: Do gr. *kosmopolites;* do top. *Cosmópolis* + *-tano.*]
cosmopolitismo (cos.mo.po.li.*tis*.mo) *sm.* **1** Qualidade de cosmopolita; estilo de vida de cosmopolita [Ant.: *bairrismo, provincianismo.*] **2** Interesse pelo que vem de ou que é característico dos grandes centros urbanos **3** *Fil.* Doutrina que alega que a pátria de todos os homens é o Universo [F.: *cosmopolit(a)* + *-ismo.*]
cosmopolitizar (cos.mo.po.li.ti.*zar*) *v.* Tornar(-se) cosmopolita [*td.*] [*int.*] [▶ 1 cosmopolitizar]
cosmos (*cos*.mos) *sm.* Ver *cosmo*
cosmosfera (cos.mos.*fe*.ra) *sf. Astr.* O universo físico observável da Terra [F.: *cosmo* + *-sfera.*]
cosmovisão (cos.mo.vi.*são*) *sf.* Visão de mundo; concepção do mundo; MUNDIVIDÊNCIA [Pl.: *-sões.*] [F.: *cosm(o)-* + *visão.*]
⊕ ***cosplay*** (*Ing.* /cósplêi/) *sm.* Comportamento lúdico, ger. adotado em festas ou convenções realizadas com esse propósito, que consiste em fantasiar-se como personagens de mangás, desenhos animados, filmes ou séries de televisão, assumindo tb. comportamento característico desses personagens [F.: Contr. de *costume play*, 'brincar com roupas, fantasias'.]
cosquento (cos.*quen*.to) *a. Bras. Pop.* Muito sensível a cócegas; COCEGUENTO [F.: *cosca* (cócega) + *-ento.*]
cossaco (cos.*sa*.co) *sm.* **1** Soldado do exército russo czarista, recrutado entre os povos guerreiros do sul da Rússia **2** Indivíduo dos cossacos, povos guerreiros que habitavam o sul da Rússia e a Ucrânia **3** *P. ext.* Indivíduo brutal, feroz, cruel [F.: Do russo *kozák*, pelo fr. *cosaque.*]
cossecante (cos.se.*can*.te) *a2g.* **1** Diz-se da secante do complemento de um ângulo *sf.* **2** *Mat.* Função que determina o inverso do seno. [Símb.: *csc.*] [F.: *co*¹ + *secante.*] ■ **~ hiperbólica** *Trig.* Função definida como o inverso do seno hiperbólico **~ hiperbólica inversa** *Trig.* Arco-cossecante hiperbólica **~ inversa** *Trig.* Arco-cossecante
cosseno (cos.*se*.no) *Trig. sm.* **1** Em triângulo retângulo, razão (relação numérica) entre a medida do cateto adjacente ao ângulo agudo considerado e a medida da hipotenusa **2** No círculo trigonométrico, abscissa do ponto extremo do arco, tendo origem no ponto de interseção com o eixo [F.: Do lat. *cosinus.*] ■ **~ hiperbólico** *Trig.* Função igual à média aritmética entre duas funções exponenciais que têm expoentes simétricos **~ hiperbólico inverso** *Trig.* Arco cosseno hiperbólico **~ inverso** *Trig.* Arco cosseno
costa (*cos*.ta) [ó] *Geog. sf.* **1** Faixa de terra firme ao longo do mar; LITORAL **2** Faixa marítima ao longo da terra firme: *A costa brasileira é rica em pescado.* **3** *P. ext.* Área à margem de lagoa, lago, rio etc. **4** Área em declive; ENCOSTA **5** *Anat.* O dorso da mão [Ant.: *palma.*] **6** *Bot.* O mesmo que *costela* (3) [F.: Do lat. *costa, ae.*] ■ **Dar à ~** *Mar.* Atingir (embarcação) a costa, por vontade ou por acidente, ou devido a erro de navegação (por má visibilidade etc.)
costa-abaixo (*cos*.ta-a.*bai*.xo) *sm.* **1** *Bras. S* Declive, descida de morro **2** *Fig.* Queda, decadência [Pl.: *costa-abaixos.*] [F.: Do espn. *cuesta abajo.*]
costa-arriba (*cos*.ta-ar.*ri*.ba) *sm.* **1** *Bras. S* Aclive, subida de morro; COSTA-ACIMA **2** Disparate, coisa sem pé nem cabeça [Pl.: *costa-arribas.*] [F.: Do espn. *cuesta arriba.*]
costado (cos.*ta*.do) *sm.* **1** *Cnav.* Revestimento exterior do casco de uma embarcação **2** *Cnav.* Este revestimento, entre a linha-d'água (estando a embarcação com carga máxima) e a borda superior **3** Este revestimento, esp. de pequena embarcação **4** Lado, flanco **5** *Pop.* Costas (1) **6** Declive de um terreno **7** Cada um dos quatro *costados*, os quatro avós de uma pessoa *a.* **8** *Bot.* Que tem costa ('nervura') ou costela [F.: *costa* + *-ado*¹.] ■ **Dar com os ~s em** Ir ter em (algum lugar) **De quatro ~s** Por descendência dos dois avós paternos e dos dois avós maternos **De sete ~s** Convicto, totalmente identificado com algo: *É um nacionalista de sete costados.* **No ~** Na consciência (diz-se de sensação ou percepção de culpa de algo)
costal (cos.*tal*) *a2g.* **1** *Anat.* Ref. ou pertencente às costas (dor costal) **2** Ref. às costelas *sm.* **3** Fardo ou mercadoria que se leva às costas (um costal de cocos): "Costais de mantimentos e gêneros de resgate subiam para os armazéns..." (Xavier Marques, *Pindorama*) **4** *BA* Cada um dos elementos que compõem uma carga suspensa em cangalhas **5** Conjunto dos fios que prendem a meada, para evitar de emaranhar-se [F.: Do lat. tard. *costalis, e.*]
costa-marfinense (*cos*.ta-mar.fi.*nen*.se) *s2g.* **1** Aquele ou aquela que nasceu ou que vive na Costa do Marfim (África) *a2g.* **2** Da Costa do Marfim; típico desse país ou de seu povo (música costa-marfinense) [Pl.: *costa-marfinenses.*] [F.: Do top. *Costa (do) Marfim* + *-ense*. Tb. *costa-marfiniano.*]
costa-marfiniano (*cos*.ta-mar.fi.ni.*a*.no) *sm. a.* O mesmo que *costa-marfinense* [F.: Do top. *Costa (do) Marfim* + *-iano.*]
costaneira (cos.ta.*nei*.ra) *sf.* **1** Em carpintaria, tábua retirada das extremidades de um tronco, e por isso mais estreita e com mais falhas que as outras; CASQUEIRA **2** *Cons.* Pau que nos telhados atravessa os barrotes, *ripa* **3** *Art. Gr.* Papel inferior com que se resguardam as resmas **4** Papel grosso e de má qualidade **5** *Cont.* Livro de apontamentos comerciais; BORRADOR [F.: Do espn. *costanera.*]
costaneiro (cos.ta.*nei*.ro) *a.* **1** *Marc.* Ref. a costaneira (tábua costaneira) **2** *Art. Gr.* Ref. a costaneira, pedaço de papel colocado ao lado das resmas na encadernação *sm.* **3** Cada um dos lados do lombo de uma rês **4** Vaqueiro que acompanha o gado pelos lados ou atrás para evitar que se descaminhe: "Os costaneiros se afastam e aboiam prolongado" (Guimarães Rosa, "O burrinho pedrês", *in Sagarana*) [F.: De *costaneira*, com alteração do suf. para *eiro.*]
costa-riquenho (*cos*.ta-ri.*que*.nho) *sm. a.* Ver *costarriquenho* [Pl.: *costa-riquenhos.*]
costarriquenho (cos.tar.ri.*que*.nho) *sm.* **1** Indivíduo nascido ou que vive em Costa Rica (América Central) *a.* **2** De Costa Rica; típico desse país ou de seu povo [F.: Do espn. *Costarriqueño*. Tb. *costa-riquenho.*]
costas (*cos*.tas) *sfpl.* **1** *Anat.* Parte de trás do tronco humano; COSTADO: *dor nas costas.* **2** Parte de trás dos objetos; VERSO [Ant.: *anverso.*] **3** Encosto de cadeira ou poltrona; ESPALDAR [F.: Pl. de *costa.*] ■ **Às ~** Ver *No costado* **Carregar (algo) nas ~** Realizar sozinho (um trabalho, projeto etc.) cumprindo tarefas que caberiam a outro(s) **Pelas ~ 1** Sem o conhecimento da pessoa da qual se fala, deslealmente: *Na frente dele, eram só elogios, pelas costas não lhe poupavam críticas.* **2** Traiçoeiramente: *Pelas costas, armaram um complô contra ela.* **Querer ver pelas ~s** Querer que alguém ou algo vá embora, ou desapareça **Ter (as) ~ largas** Aceitar responsabilidades que caberiam a outrem **Ter (as) ~ quentes** Contar com a proteção de alguém **Voltar as ~ a** Eximir-se de apoiar, manifestar indiferença por **Mostrar as ~s** Fugir
costear (cos.te.*ar*) *v.* **1** Seguir ou navegar junto à costa, o litoral (de); BORDEAR; MARGEAR [*td.: O barco costeou toda a ilha.*] [*int.: A embarcação costeava próxima ao litoral.*] **2** Aproximar-se (embarcação) da costa, do litoral [*int.: A lancha costeou-se, buscando um ponto para atracar.*] **3** Percorrer pelos lados, em torno de; CONTORNAR; MARGEAR; RODEAR [*td.: costear um parque.*] **4** *Fig.* Fazer rodeios para (algo); ficar de rodeios, evitando entrar direto num assunto; BORDEJAR [*td.: costear uma questão delicada.*] [*int.: Costeou, testando a reação da mulher.*] **5** *Bras.* Arrebanhar, reunir (o gado); VAQUEJAR [*td.: Costeou o rebanho ao entardecer.*] **6** *MG MT S.* Prender (o gado) por algum tempo para amansá-lo [*td.*] **7** *MT S* Castigar (alguém) por desforra, privando-o de alguma coisa [*td.*] [▶ 13 costear] [F.: *costa* + *-ear*².]
costeio (cos.*tei*:o) *sm.* **1** Ação ou resultado de costear (o gado), arrebanhá-lo **2** Ajuntamento das vacas no estábulo para tirar leite: "Por enquanto, o costeio aqui mesmo é a pouco: só para o gasto de casa, umas vinte vaquinhas pasteiras..." (Guimarães Rosa, "A estória de Lélio e Lina", *in No Urubuquaquá, no Pinhém*) [F.: Dev. de *costear*; Hom./par *costeio* (flex. de costear) e *custeio* (sm.).] ■ **Dar um ~ em** *S. Pop.* Aplicar punição em (alguém)
costeira (cos.*tei*.ra) *sf.* **1** *Antq.* Costa marítima **2** *Bras.* Elevação à beira-mar **3** *Lus.* Encosta, declive: "Chegara-lhe aos ouvidos... o rumor de um automóvel que descia a costeira de Tendais." (Aquilino Ribeiro, *Volfrâmio*) [F.: Fem. subst. de *costeiro.*] ■ **Bater a ~** *RS* Ir de casa em casa fofocando, mexericando
costeiro (cos.*tei*.ro) *a.* **1** Ref. a costa (2) ou que nela navega (patrulhamento costeiro) **2** Situado na costa (1) (país costeiro); LITORÂNEO *sm.* **3** Quem trabalha em navegação costeira **4** Encosta, declive; o mesmo que *costeira* [F.: *costa* + *-eiro.*]
costela (cos.*te*.la) [é] *sf.* **1** *Anat.* Cada um dos ossos (12 pares) achatados e encurvados que partem da coluna vertebral e formam a maior parte da parede do tórax **2** Parte interna de navio **3** *Bot.* A nervura central da folha; COSTA **4** *Bras. Fam.* A mulher de alguém; CARA-METADE **5** *Bras.* Irregularidade de terreno (ondulação transversal à estrada ou ao caminho) que provoca solavancos em veículos **6** Armadilha de apanhar pássaros, feita de duas redes encaixadas cada uma numa vara em arco, que se fecham sobre a presa [F.: *costa* + *-ela.*] ■ **~ falsa** *Anat.* Cada costela dos três pares de costelas que se unem ao osso esterno pela sétima cartilagem costal **~ flutuante** *Anat.* Cada costela dos dois pares de costelas que não se unem ao osso esterno **~ verdadeira** *Anat.* Cada costela dos sete pares de costelas que se unem ao osso esterno por uma cartilagem costal
costela-de-adão (cos.*te*.la-de-a.*dão*) *sf.* Trepadeira arácea (*Monstera deliciosa*), de flores e frutos amarelo-claros e cujas folhas, grandes e arredondadas, têm o limbo fendido, o que lhes confere aspecto semelhante ao desenho do esqueleto torácico humano, particularidade de onde provém seu nome; BANANA-DO-BREJO; BANANA-DO-MATO [Pl.: *costelas-de-adão.*]
costela de vaca (cos.*te*.la de *va*.ca) *sf.* Irregularidade feita de estreitas ondulações em estrada de terra, que provoca solavancos nos veículos; COSTELA; CATABI [Pl.: *costelas de vaca.*]
costeleta (cos.te.*le*.ta) [ê] *sf.* **1** Costela de certos animais, com carne a ela aderente, us. como alimento humano **2** Iguaria preparada com a costeleta (1) **3** *Bras.* Faixa de cabelo que cresce em cada têmpora, junto às orelhas, e de barba que se deixa crescer como continuação desta (neste caso, tb. *suíça*, [Lus] *patilha.*) [Nesta acp., mais us. no pl.] [F.: *costela* + *-eta.*]
costilhar (cos.ti.*lhar*) *sm.* **1** *RS* O conjunto formado pelas costelas de uma rês **2** A carne da rês que se encontra entre as costelas **3** *Cul.* Essa carne preparada como alimento (assada, frita ou como churrasco) [F.: Do espn. platino *costillar.*]
costumado (cos.tu.*ma*.do) *a.* **1** Que se costumou; HABITUAL; COSTUMEIRO: *A tranquilidade costumada do campo. sm.* **2** O de costume, o que é habitual: *Não se estranha o costumado.* [F.: de *costumar*; f. paral. *acostumado.*]
costumar (cos.tu.*mar*) *v.* **1** Ter por costume ou hábito [*td.: Ela costuma caminhar na praia todo dia ao entardecer.* Us. como v. auxiliar seguido de infinitivo para indicar ação ou processo habitual.] **2** Ser (fato, acontecimento) costumeiro, frequente [*int.: No mês de fevereiro costuma fazer frio em Portugal.*] **3** Fazer adquirir ou adquirir o costume, o hábito de; adaptar(-se), afazer(-se) a (algo) [*td.: costumar as crianças a tomar banho frio.*] [*int.: costumar-se a sair sozinha/ ao clima quente.*] [▶ 1 costumar] [F.: *costume*¹ (1) + *-ar*². Hom./Par.: *costume(s)* (fl.), *costume(s)* (sm. [pl.]); *costumaria* (fl.), *costumária* (fem. de *costumário*, a.).]
costume¹ (cos.*tu*.me) *sm.* **1** Prática ou comportamento habitual; HÁBITO; PRAXE; ROTINA: *Tenho o costume de tomar chá sem açúcar.* **2** Prática ou modo de viver comum a uma comunidade ou povo; COMPORTAMENTO; CONDUTA: *A inglesa já se adaptou aos costumes brasileiros.* [Nesta acp., mais us. no pl.] **3** *Jur.* Legislação introduzida pelo uso, não escrita **4** Moda, uso: *Entre os jovens é geral o costume das calças jeans.* **5** Característica, peculiaridade: *Tem o costume de responder sempre com outra pergunta.* **6** *Rel.* Conjunto de práticas do judaísmo divulgadas pela tradição [Mais us. no pl.] [F.: Do lat. **co(n)stumine*, de **co(n)suetumen, inis, alter.* do lat. clláss. *consuetudo, inis*, 'hábito'; 'costume'.] ■ **Às de ~** *Jur.* Abrev. da expressão *às perguntas de costume*, us. em depoimento referindo-se às perguntas de praxe feitas às testemunhas
costume² (cos.*tu*.me) *sm.* **1** *Bras.* Conjunto feminino de duas peças, composto de casaco e saia, ger. de mesmo tecido **2** *Bras.* Traje social, ger. masculino, composto de calça, paletó e colete **3** Traje próprio para ocasiões formais [F.: Do fr. *costume.*]
costumeiro (cos.tu.*mei*.ro) *a.* **1** Que é comum ou frequente (ritual costumeiro); USUAL; HABITUAL [Ant.: *incomum, infrequente.*] **2** *Jur.* Consuetudinário [F.: *costume*¹ + *-eiro.*]
costura (cos.*tu*.ra) *sf.* **1** Ação ou resultado de costurar, de unir ou prender usando linha e agulha **2** A técnica, a arte, a atividade, a profissão de costurar: *curso de costura.* **3** Linha de junção de duas peças de tecido costuradas uma à outra: *A costura do bolso desfez-se.* **4** A peça resultante do ato de costurar: *Perguntou se as costuras estavam prontas.*

5 *Cir.* Ação de costurar, de unir as bordas de uma incisão cirúrgica; SUTURA **6** *Cir.* O resultado dessa ação, a incisão fechada com o fio; a cicatriz daí resultante **7** *Bras. Pop.* Ação de dirigir veículo contornando e ultrapassando seguidamente em zigue-zague os outros carros no trânsito **8** *Enc.* No processo de encadernação, ação de unir cadernos ou folhas de livro por meio de um fio, numa máquina munida de agulha; o resultado dessa ação **9** *Cons. Cnav.* União de chapas metálicas, tábuas etc. em obras civis ou navios **10** *Cnav.* Espaço entre tábuas no costado de embarcação, que ger. se calafeta [F.: Do lat. vulg. **consutura*. Hom./Par.: *costura* (fl. de *costurar*). Ideia de 'costura', usar *suf. -rrafia.*] ■ **Alta ~ 1** Atividade de projetar, fabricar, exibir e vender roupas, ger. exclusivas ou em número limitado, criadas por costureiros de renome **2** O conjunto e o ambiente desses costureiros **3** O conjunto de roupas assim criadas

costurado (cos.tu.*ra*.do) ***a.*** **1** Que se costurou, se uniu por pontos (roupa costurada; livro costurado); COSIDO: "Todas as mesas e cômodas estavam guarnecidas de toalhas de renda, desde muito costuradas por Eulália para aquele dia." (Camilo Castelo Branco, *Demônio do ouro*) **2** *Bras. Fig.* Negociado, estabelecido em conversas e entendimentos: *Sua candidatura, costurada aos poucos pelos interesses locais, acabou se firmando.* [F.: part. de *costurar*.]

costurador (cos.tu.ra.*dor*) ***a.*** **1** Que costura, capaz de costurar; COSEDOR **2** *Bras. Fig.* Que costura, combina, articula ***sm.*** **3** Aquele que costura, cose, une com fios **4** *Bras. Fig.* Aquele que articula entendimentos e conchavos políticos: *Foi o costurador do acordo entre os partidos.* [F.: *costurar + dor.*]

costurar (cos.tu.*rar*) ***v.*** **1** Com linha e agulhar, unir (pedaços de tecido ou de outro material, ou partes separadas de tecido ou outro material); prender (pedaço de tecido ou outro material, acessório etc.) em; fazer esse trabalho de costura em (tecido, roupa, peça etc.); COSER [***td.***: *Costurou a calça rasgada; Deixa eu costurar este rasgão na toalha.*] [***int.***: *Não sei costurar.*] [***tdr.*** *+ em*: *Costurou um bolso/botão na camisa.*] **2** Trabalhar profissionalmente com costura [***td.***: *costurar vestidos de noiva.*] [***int.***: *Formou-se na Europa e costura num renomado ateliê.*] **3** *Fig.* Unir (dados, elementos etc.) [***td.***: "Costurando rotina e ficção." (*JBonline*, 24.06.2005)] **4** Buscar (aliança, acordo) em benefício próprio; articular; conchavar [***td.***: *Costurava uma situação favorável para o partido; costurar um acordo.*] **5** *Bras. Fig.* Dirigir ou pilotar em zigue-zague, cortando (outros veículos) [***td.***: *Dirigia a toda, costurando os carros.*] [***int.***: *Alguns motoqueiros costuram no trânsito da cidade.*] **6** *Fut.* Dar dribles curtos e ligeiros entre os adversários [***int.***] **7** *Bras. S* Esfaquear, ferir (alguém) intencionalmente com faca [***td.***] **8** *Bras. Pop.* Desferir tiros de metralha em; METRALHAR [***td.***: *Costurou o bandido (de balas).*] [▶ **1** costurar] [F.: *costura + -ar*². Hom./Par.: *costura(s)* (fl.), *costura(s)* (sf. [pl.]).]

costureiro (cos.tu.*rei*.ro) ***sm.*** **1** Indivíduo que costura por ofício **2** Profissional que idealiza coleções de roupas e dirige confecção de alta-costura **3** *Anat.* Músculo encontrado na parte anterior e interna da coxa; SARTÓRIO ***a.*** **4** Diz-se desse músculo; SARTÓRIO [F.: *costura + -eiro.*]

cota¹ (co.ta) *Vest.* ***sf.*** **1** Vestimenta feita de anéis de couro retorcido ou de malha de ferro que os cavaleiros usavam como proteção: "E sairemos ao combate / De cota e elmo e a longa espada?" (Camilo Pessanha, "Castelo de óbidos" *in Clepsidra*) **2** Peça de proteção, parte da armadura, que cobria da cintura aos joelhos **3** *Ant.* Tipo de gibão **4** Vestimenta branca colocada sobre a túnica, us. pelos acólitos; espécie de sobrepeliz **5** *Ant.* Espécie de corpete us. na Idade Média [F.: Do frâncico *kotta*, pelo fr. ant. *cote*. Hom./Par.: *cota* (sf.), *cota* (fl. de *cotar*).]

cota² (*co*.ta) [ó] ***sf.*** **1** Parcela de um todo que cabe a cada um de seus possuidores ou aos que a ele têm direito; COTA-PARTE; QUINHÃO: *Quis saber qual era a sua cota na distribuição de lucros.* **2** Parcela que corresponde a fração do preço a ser pago por algo, ger. pagável a prazo; PRESTAÇÃO **3** Quantia que cabe a cada um em despesa ou negócio compartilhado; COTA-PARTE: *Ela já entrou com sua cota na despesa mensal da butique.* **4** Quantidade estabelecida, como meta ou como limite (neste caso, esp. na quantidade de certos produtos ou de matéria-prima importados): *cotas de produção; Prejudicada a produção interna, cogita-se aumentar a cota de importação do trigo.* **5** Porção de alguma coisa concreta ou abstrata: *Nada de chocolate, você já esgotou sua cota semanal; Ele já superou uma cota razoável de decepções amorosas.* **6** Distância vertical, expressa numa certa medida, de um ponto a uma superfície horizontal de referência; ALTITUDE; ALTURA **7** *Geom. an.* Em sistema de coordenadas cartesianas, medida da distância de um ponto no espaço ao eixo *z* **8** *Arq.* Valor de cada medida em projetos arquitetônicos **9** *Jur.* Capital de cada sócio em uma empresa de sociedade limitada **10** Nota à margem de um documento **11** *Publ.* Índice de audiência de um veículo de propaganda **12** *Publ.* Tempo ou espaço atribuído a anunciante no total disponível em veículo publicitário [F.: Da loc. lat. *quota (pars)* 'a parte cabível a cada um'. Hom./Par.: *cota* (v. *cotar*). Tb. *quota*.] ■ **~ de coroamento** *Arq.* A altura máxima permitida por lei para uma edificação

cota³ (*co*.ta) ***sf.*** Numa ferramenta de corte, o lado oposto ao gume [F.: De or. obsc.]

cota⁴ (*co*.ta) ***sf.*** Na Índia portuguesa, construção fortificada para defesa de um lugar; FORTALEZA [F.: Do neoárico e sânscrito *kotta*.]

cota⁵ (*co*.ta) ***s2g.*** *Afr.* Pessoa que, pela idade avançada, merece respeito e consideração; ANCIÃO [F.: Do quimb. *kota*, 'superior'.]

cotação (co.ta.*ção*) ***sf.*** **1** *Econ.* Ação ou resultado de cotar, de avaliar ou fixar preço, valor etc. **2** *Econ.* Valor atribuído pelo mercado a moeda, título, ação etc. **3** *Fig.* Conceito, reputação, valor qualitativo atribuído a algo ou alguém: *A cotação do prefeito está em baixa.* [Pl.: *-ções.*] [F.: *cotar + -ção.*]

cotado (co.*ta*.do) ***a.*** **1** Que se cotou, que teve um valor fixado (preço cotado) **2** De boa cotação no mercado: *Suas ações estavam cotadas.* **3** Que tem alta probabilidade de vencer uma disputa [+ *para*: *cotado para ministro.*] [F.: part. de *cotar.*]

cotangente (co.tan.*gen*.te) ***a2g.*** **1** Diz-se da tangente do complemento de um ângulo ***sf.*** **2** Função determinada pelo cociente entre as funções do cosseno e seno. [Símb.: *cot.*] [F.: *co*² + *tangente.*]

cotão (co.*tão*) ***sm.*** **1** Lanugem de certos vegetais **2** Pelo que se solta dos panos **3** Felpa ou lanugem que se prende aos forros do vestido, atrás dos móveis etc. **4** Tecido de algodão bem resistente [Pl.: *cotões*. Dim.: *cotanilho.*] [F.: Do fr. *coton.*]

cota-parte (co.ta-*par*.te) ***sf.*** **1** A parte de um todo que cabe a cada um de seus possuidores; COTA; QUINHÃO **2** Quantia que corresponde à parte de cada participante em negócio, despesa específica, formação de capital etc.; COTA [Pl.: *cotas-partes.*] [Tb. *quota-parte.*]

cotar (co.*tar*) ***v.*** **1** Avaliar ou fixar o preço ou o valor de; estabelecer a taxa de [***td.***: *cotar um serviço; O governo cotou o preço de alguns medicamentos.*] [***tdr.*** *+ em*: *Cotaram o jogador em dez milhões de dólares.*] **2** *Geog.* Marcar o nível, a altura de [***td.***: *cotar a montanha.*] **3** *P. us.* Assinalar por meio de cota, nota, apontamento [***td.***: *cotar os autos.*] **4** *Fig.* Atribuir certo valor qualitativo (inclusive moral) a (algo ou alguém); QUALIFICAR; TACHAR [***tdp.***: *Indignado com seu comportamento, cotou-o de irresponsável.*] [▶ **1** cotar] [F.: *cota*⁵ *+ -ar*². Hom./Par.: *cota(s)* (fl.), *cota(s)* (sf. s2g. a2g. [pl.]); *cote(s)* (fl.), *cote(s)* (sm. [pl.]); *cotaria* (fl.), *cotária* (fem. de *cotário*); *coto* (fl.), *cotó* (sm. a.), *coto* [ô] (sm.).]

cotejado (co.te.*ja*.do) ***a.*** Que se cotejou, que se comparou com base em um modelo; CONFERIDO [+ *com*: *cotejado com o original*] [F.: part. de *cotejar.*]

cotejar (co.te.*jar*) ***v.*** **1** Analisar, verificar (alguma coisa) comparando com outra coisa, esp. tomando como referência cotas, ou notas, presentes em cada uma [***td.***: *Cotejo ponto por ponto as duas versões do relatório.*] [***tdr.*** *+ com*: *O diretor resolveu cotejar o previsto com o realizado.*] **2** *P. ext.* Analisar, comparando, duas ou mais coisas em função de suas semelhanças e diferenças [***td.***: *Ao cotejar as assinaturas, constatou a falsificação.*] [***tdr.*** *+ com*: *Cotejou uma assinatura com a outra e constatou a falsificação.*] **3** Comparar (diferentes provas ou versões de um mesmo texto) e assinalar as diferenças ou os erros [***td.***: *Cotejou as duas versões do poema.*] [***tdr.*** *+ com*: *Cotejou o poema com a sua tradução.*] [▶ **1** cotejar] [F.: *cota*⁵ *+ -ejar*. Hom./ Par.: *cotejo* (fl.), *cotejo* (sm.).]

cotejo (co.*te*.jo) [ê] ***sm.*** **1** Ação ou resultado de cotejar **2** Comparação entre coisas ou pessoas para verificar-lhes as semelhanças e diferenças [+ *com*: *O autor fez o cotejo do livro com o original.*] [F.: Dev. de *cotejar*. Hom./Par.: *cotejo* (v. *cotejar*).]

⊕ ***coterie*** (*Fr. /côtrri/*) ***sf.*** **1** Associação de pessoas com interesses comuns **2** *Pej.* Grupo de indivíduos desonestos e de má fama; CHORRILHO; IGREJINHA; PANELINHA

cotidianidade (co.ti.di:a.ni.*da*.de) ***sf.*** Característica e condição do que é cotidiano, diário [F.: *cotidiano + -(i)dade*; cf. *quotidianidade.*]

cotidiano (co.ti.di:*a*.no) ***sm.*** **1** Conjunto das atividades diárias de uma pessoa ou de uma comunidade: "...depende intimamente do convívio com a prosa do cotidiano de jornalistas..." (Antônio Callado, *Reflexos do baile*) ***a.*** **2** Que ocorre diariamente, que costuma ocorrer todos os dias (engarrafamento cotidiano) **3** Que se pratica ou que se verifica habitualmente; HABITUAL: *Começou suas tarefas cotidianas: leu as notícias e os e-mails, respondeu a alguns e apagou outros.* **4** *P. ext.* Comum, banal: "...para quem o fato cotidiano seria também pretexto para a página literária." (Josué Montello, *O Juscelino Kubitschek de minhas recordações*) [Ant.: *excepcional, incomum.*] [F.: Do lat. *quotidianus* (ou *cottidianus*). Tb. *quotidiano.*]

◎ **-cótila** ***el. comp.*** Ver *cotil(o)-*.

cotilédone (co.ti.*lé*.do.ne) ***sm.*** **1** *Bot.* Folha embrionária responsável pela nutrição da planta, no início de seu desenvolvimento, seja como órgão de reserva e transportador de substâncias, seja como órgão fotossintético **2** *Bot.* Planta crassulácea do gên. *Cotyledon*, com várias espécies na África e na Ásia, esp. a *Cotyledon secunda* [F.: Do gr. *kotyledón*, pelo lat. *cotyledon, onis.*]

cotiledôneo (co.ti.le.*dô*.ne:o) ***a.*** **1** *Bot.* Ref. a cotilédone; COTILEDONAR **2** *Bot.* Que possui cotilédones [F.: *cotilédone + -eo.*]

◎ **-cotil(o)-** ***el. comp.*** Ver *cotil(o)-*

◎ **-cótilo** ***el. comp.*** Ver *cotil(o)-*

◎ **cotil(o)-** ***el. comp.*** = 'cavidade'; '(*p. ext.*) oco'; '(*p. ext.*) cotilédone'; '(*p. ext.*) ventosa': *cotilóforo; acotíleo; acótilo, dicótilo, epicótilo, hectocótilo, hipocótilo, monocótilo; hidrocótila, omocótila* [F.: Do gr. *kotýle, es*, 'cavidade'; 'pequeno vaso'; 'taça'; 'parte côncava da mão ou do pé', ou do gr. *kótylos, ou*, 'taça'.]

cótilo (*có*.ti.lo) ***sm.*** **1** *Anat.* Cavidade de um osso na qual se articula a cabeça (5) de outro **2** *Metrol.* Entre os romanos, medida de capacidade correspondente a 1/4 de litro [F.: Do gr. *kótylos, ou*, 'taça', ou de *kotýle, es*, 'pequena cavidade', pelo lat. *cotyles, es*, ou *cotyla, ae.*]

cotilóforo (co.ti.*ló*.fo.ro) [ô] ***a.*** *Anat.* Provido de cótilo (1) [F.: *cotil(o)- + -foro.*]

cotinina (co.ti.*ni*.na) ***sf.*** Metabolito derivado da nicotina e que se deposita no sangue, na urina e na saliva, inclusive dos fumantes passivos, e cuja análise permite a avaliação mais precisa dos males causados pelo tabagismo [F.: *(ni) cotina + -ina*².]

cotista (co.*tis*.ta) ***a2g.*** **1** Diz-se de quem possui cotas de capital de empresa, de títulos de propriedade, de ações etc. ***s2g.*** **2** Pessoa cotista (1) [F.: *cota*⁵ *+ -ista*. Tb. *quotista.*]

cotização (co.ti.za.*ção*) ***sf.*** Ação ou resultado de cotizar(-se) [Hom./par.: *cutisação.*] [Pl.: *-ões.*] [F.: *cotizar + -ção*. Tb. *quotização.*]

cotizado (co.ti.*za*.do) ***a.*** Que se cotizou, que se repartiu em cotas: *Pagaram a dívida com o dinheiro cotizado entre eles.* [Cf. *cutisado* (part. de *cutisar*); F.: part. de *cotizar* ou *quotizar*. Tb. *quotizado.*]

cotizar (co.ti.*zar*) ***v.*** **1** Participar na arrecadação de cotas, contribuições, frações de valor para determinado fim [***int.***: *Eles se cotizaram para financiar a festa.*] **2** Dividir, repartir, distribuir por cotas [***td.***: *cotizar uma despesa.*] **3** Fixar cota, valor, preço etc. de (bem, serviço etc.) [***td.***: *Precisamos cotizar nossos serviços.*] [▶ **1** cotizar] [F.: *cota*⁵ *+ -izar*. Hom./Par.: *cotizar, cutisar* (em todas as fl.). Tb. *quotizar.*]

cotizável (co.ti.*zá*.vel) ***a2g.*** Que se pode cotizar, que se pode dividir em cotas [Pl.: *-veis.*] [F.: *cotizar, quotizar + -vel.*]

coto¹ (co.to) [ô] ***sm.*** **1** *Med.* Parte restante de membro amputado; COTOCO **2** Nó dos dedos, saliência óssea na articulação de um dedo [Mais us. no pl.] **3** Resto de vela, tocha etc. **4** Tipo de lima próprio para amolar serras **5** *Zool.* Parte da asa de aves em que nascem as penas **6** Pena incipiente de ave **7** Algo bem pequeno; COTÓ; COTOCO **8** *BA* No traje típico das baianas, a parte superior da camisa; CABEÇÃO [F.: Do lat. *cubitus* 'cotovelo'. Hom./Par.: *coto* (v. *cotar*); *cotó* (adj. e subst.), *couto* (subst.).]

coto² (co.to) [ô] ***sm.*** *Mús.* Instrumento de cordas japonês, parecido com o antigo saltério (ou a cítara atual), com grande caixa de ressonância que se apoia no chão e treze cordas [Pl.: [ô].] [F.: Do jap. *koto.*]

cotó¹ (co.*tó*) *Pop. Bras.* ***a2g.*** **1** Diz-se de quem teve amputado (parte de) braço ou perna **2** Diz-de de animal que não tem rabo ou que o tem mutilado ***s2g.*** **3** Pessoa cotó (1) ***sm.*** **4** Indivíduo de baixa estatura **5** *Bot.* Planta rubiácea (*Palicuria densifolia*) [Tb. *cotó-cotó.*] [F.: Var. acutizada de *coto*. Hom./Par.: *coto* (v. *cotar*); *coto* (subst.), *couto* (subst.).]

cotó² (co.*tó*) ***sm.*** **1** *Desus.* Espécie de faca grande, ou cutelo **2** *S.* Faca pequena e reles **3** *RS* Coisa pequena, insignificante [F.: Do fr. *couteau.*]

cotó³ (co.*tó*) ***sm.*** *Bras. Bot.* Planta das rubiáceas (*Rudgea viburnoides*), de uso medicinal

cotoco (co.*to*.co) [ô] ***sm.*** **1** Pedaço muito pequeno de qualquer coisa: *Do meu lápis só sobrou um cotoco.* **2** Parte remanescente de um membro parcialmente amputado **3** Indivíduo de baixa estatura **4** Parte restante de uma vela, uma tocha etc. **5** *BA* Na vestimenta típica de baiana, parte superior da camisa [Pl.: [ô].] [F.: *coto + toco* (segundo Antenor Nascentes). Sin. ger.: *toco.*]

cotonete (co.to.*ne*.te) [é] ***sm.*** Haste pequena (e ger. flexível) de plástico envolta nas extremidades em pequenos chumaços de algodão, us. ger. fins higiênicos (esp. limpeza de pequenas cavidades) [F.: Do fr. *cotonnette*. Nota: A marca registrada é *Cotonete®*.]

◎ **coton(i)-** ***el. comp.*** = 'algodão': *cotonicultor, cotonicultura, cotonifício* [F.: Do it. *cotone*, do ár. *qutun*, 'algodão'.]

cotonicultor (co.to.ni.cul.*tor*) [ô] ***a.*** **1** Que cultiva ou tem plantação ou cultura de algodão **2** Ref. à cultura de algodão ***sm.*** **3** Aquele que cultiva ou tem plantação de algodão [F.: *coton(i)- + -cultor.*]

cotonicultura (co.to.ni.cul.*tu*.ra) ***sf.*** Cultivo de algodão [F.: *coton(i)- + -cultura.*]

cotonifício (co.to.ni.*fí*.ci:o) ***sm.*** O mesmo que *algodoaria* [F.: *coton(i)- + -fício.*]

cotovelaço (co.to.ve.*la*.ço) ***sm.*** *Fut.* Pancada forte que se dá com o cotovelo; COTOVELADA: *Ao entrar na grande área, deu um cotovelaço no zagueiro.* [F.: *cotovelo + -aço.*]

cotovelada (co.to.ve.*la*.da) ***sf.*** **1** Golpe dado com o cotovelo; COTOVELAÇO **2** Toque leve com o cotovelo que se dá para chamar a atenção de alguém [F.: *cotovelo + -ada*¹.]

cotoveleira (co.to.ve.*lei*.ra) ***sf.*** **1** *Esp.* Peça de material elástico e resistente usada por desportistas para proteger os cotovelos **2** *Mil.* Peça de armadura, feita de couro ou metal, para proteção dos cotovelos [F.: *cotovelo + -eira.*]

cotovelo (co.to.*ve*.lo) [ê] ***sm.*** **1** *Anat.* Articulação do braço com o antebraço, mais precisamente do osso úmero com os ossos ulna (antigo cúbito) e rádio **2** Parte da manga de uma roupa que cobre a região dessa articulação **3** *Fig.* Curva ou ângulo fechado (ger. de estrada, rio, via pública etc.): *cotovelo de rio; cotovelo de estrada.* **4** Qualquer dispositivo, artefato, parte de sistema, planta, máquina etc. que se apresente em ângulo, lembrando um cotovelo (1) [F. Do lat. *cubitalis*, de *cubitus* 'cotovelo', posv. pelo moçárabe *qubtál.*] ■ ~ **de captura** *Geog.* Mudança no curso de um rio por ter sido capturado por outro **Falar pelos ~s** *Fam.* Falar muito, falar demais

cotovia (co.to.*vi*.a) *sf. Zool.* Nome de várias aves passeriformes pequenas, da família dos alaudídeos, esp. a *Alauda arvensis*, de cor cinzenta, bico longo e agudo, canora de canto apreciado, que vive em descampados e constrói ninhos no chão [F.: Posv. de or. onomatopaica.]

cotoxó (co.to.*xó*) *s2g.* **1** Membro dos cotoxós, tribo indígena que se extinguiu na Bahia e integrava a família camacã *a2g.* **2** Do ou ref. aos cotoxós [F.: De or. camacã.]

⊕ ***cottage*** (*Ing.* /*cótidj*/) *sm.* **1** Queijo branco, macio, feito com leite desnatado e de gosto suave **2** Pequena casa de campo, elegante e de estilo rústico

coturno (co.*tur*.no) *sm.* **1** *Bras.* Bota de cano alto amarrada com cordões, ger. us. por militares **2** *Hist. Teat.* Calçado de sola muito alta, us. por atores nas representações de tragédias **3** *Ant. Vest.* Tipo de calçado antigo us. por gregos e romanos de alta posição, e que cobria o pé e a perna, até quase o joelho **4** *Vest.* Tipo de calçado de sola muito grossa **5** Meia curta masculina **6** *Lus. Vest.* Meia que não cobre o pé, indo do tornozelo até quase o joelho [F.: Do gr. *kóthornos*, pelo lat. *cothurnus*.] ■ **De alto/baixo ~** Que está em alta/baixa posição hierárquica ou social

couce Ver *coice*

couceiro Ver *coiceiro*

coudelaria (cou.de.la.*ri*.a) *sf.* O mesmo que *haras* [F.: *coudel*, 'capitão de cavalaria', + *-aria*.]

coulomb (cou.*lomb*) *sm. Fís.* No Sistema Internacional, unidade de medida para a carga elétrica [Símb.: *C*.] [Pl.: *coulombs*.] [F.: Do antr. (*Charles Augustin*) *Coulomb* (1736-1806), físico francês.]

⊕ ***country*** (*Ing.* /*câuntri*/) *Mús. sm.* **1** Red. de *country music*, gênero de música popular rural norte-americana **2** Estilo de mobiliário, roupa, música etc. que imita e é semelhante ao estilo rural dos EUA *a.* **3** Ref. à vida rural do sul e oeste dos EUA, a sua música, vestuário, móveis, eventos (música *country*, moda *country*)

couraça (cou.*ra*.ça) *sf.* **1** *Anat. Zool.* Placas ou escamas ósseas que envolvem e/ou protegem o corpo de determinados animais **2** *Mar.* Revestimento de aço us. para proteger grandes navios de combate **3** Parte da armadura que protege o tronco **4** *Fig.* O que serve de proteção, defesa **5** *N. E. Fut.* Bola de couro, o mesmo que *couro* (7): "Por muito tempo jogamos com bola de borracha. O primeiro a aparecer com uma de couro, couraça, foi Leopoldo Mello." (Carlito Lima, *Confissões de um capitão*) [F.: Do lat. *coriacea*, fem. de *coriaceus, a, um*, 'de couro'.]

couraçado (cou.ra.*ça*.do) *a.* **1** Revestido com couraça [Tb. fig.] **2** *Mar.* Diz-se de navio protegido por couraça (2) *sm.* **3** *Mar.* Navio de guerra de grande porte protegido por couraça [F.: Part. de *couraçar*. Sin. ger.: *encouraçado*.]

couraçar (cou.ra.*çar*) *v. td.* Cobrir(-se) ou proteger(-se) com couraça ou com algo semelhante [Tb. fig.] [▶ **1** couraçar] [F.: *couraça* + *-ar*[2].]

courama (cou.*ra*.ma) *sf.* **1** Grande quantidade de couro **2** *N. E.* Roupa protetora de couro us. por vaqueiros [F.: *couro* + *-ama*.]

coureiro (cou.*rei*.ro) *sm.* **1** Negociante de couros; SAMARREIRO **2** *Bras.* Indivíduo que negocia ilegalmente com couro de animais silvestres **3** Profissional que retira o couro de animais (bovinos, suínos) para uso industrial; COUREADOR **4** *Bras. MA* Tocador de tambor; TAMBOZEIRO [F.: *couro* + *-eiro*.]

⊕ ***courier*** (*Ing.* /*cúriar*/) *sm.* **1** *P. us.* Coleta e entrega rápida de correspondência e encomendas **2** *P. ext.* Mensageiro us. por *courier*

couro (*cou*.ro) *sm.* **1** Pele grossa de certos animais: *couro de jacaré; couro de boi.* **2** Essa pele curtida, preparada para a confecção de roupas, bolsas etc. **3** *Pop.* Pele humana curtida pelo sol ou envelhecida **4** Pele que recobre o crânio humano (couro cabeludo) **5** *Fig. Pop.* Pessoa, esp. mulher, muito velha e feia **6** *Pej.* Prostituta velha **7** *Bras. Fut.* Bola us. no futebol **8** *Bras.* O mesmo que *chicote* (1) **9** *Bras.* O mesmo que *curtume* (1) [F. Do lat. *corium, ii*. Hom./Par.: *couro* (sm.), *coro* [ô] (sm.). Tb. *coiro*.] ■ ~ **cabeludo** A pele que cobre o crânio e na qual crescem os cabelos ~ **cru** Couro que não foi curtido ~ **da Rússia** Couro curtido com casca de salgueiro, ou amieiro, e tratado com óleo de bétula, para ficar macio e perfumado ~ **de Moscóvia** Ver *Couro da Rússia* **Comer o ~ de** *CE* Espancar (alguém) **Dar no ~** *RJ SP Gír.* Ser apto a cumprir bem tarefa ou trabalho: *Podemos confiar-lhe a missão, ele dá no couro.* [Muito us. na forma negativa.] **Dar o ~ às varas** *Fam. Pop.* Morrer **Em ~** *Lus.* Nu, despido **Tirar o ~ de** **1** *Pop.* Criticar, falar mal de **2** Explorar (alguém) arrancando-lhe muito dinheiro, cobrando muito caro por algo

coutada (cou.*ta*.da) *sf.* **1** *Ant.* Terra onde é proibido caçar **2** Terra para o gado pastar **3** O mesmo que *couto* (2) [F.: *couto* + *-ada*[1].]

couteiro (cou.*tei*.ro) *sm.* Aquele que vigiava a coutada (1) [F.: *couto* + *-eiro*.]

couto (*cou*.to) *sm.* **1** *Ant.* Terra em que se proibia a entrada de estranhos *sm.* **2** *Ant.* Local de refúgio de criminosos ou foragidos por concessão especial; COUTADA: "...refugiou-se, então, numa igreja, onde ficaria, sob o privilégio do couto..." (Alberto da Costa e Silva, *A manilha e o libambo*) **3** Lugar em que se pode ficar abrigado ou protegido [F.: Do lat. *cautum, i*. Hom./Par.: *couto* (sm.), *coito* (sm.), *coto* (sm.).]

⊕ ***couvade*** (*Fr.* /*cuváde*/) *sf.* **1** *Antr.* Costume de algumas sociedades conforme o qual, a gravidez da mulher e depois do nascimento do filho, o pai obedece a uma série de restrições e ritos **2** Período de duração dessas restrições

couve (*cou*.ve) *sf. Bot.* Planta da família das crucíferas (*Brassica oleracea*) comestível, de folhas largas e grossas e flores brancas ou amarelas. Entre suas variedades, além da própria *couve*, estão a *couve-flor* (*Botrytis*), o *repolho* (*Capitata*), o *brócolos* (*Italica*) etc. [F.: Do lat. *caulis*.] ■ ~ **à mineira** *Bras. Cul.* Couve em tiras finas e refogada em óleo, manteiga etc.

couve-flor (cou.ve-*flor*) *sf.* **1** *Bot.* Tipo de couve do grupo *Botrytis* (*Botrytis cauliflora*), de caule curto, de cujo centro saem pedúnculos florais brancos comestíveis **2** *Cul.* Alimento preparado, de diversas maneiras, com esses pedúnculos [Pl.: *couves-flores, couves-flor*.]

couve-manteiga (*cou*.ve-man.*tei*.ga) *sf. Bras. Hort.* Couve de caule alto, folhas tenras e verde-claras, a mais estimada pelo gosto popular, esp. como complemento da feijoada [Pl.: *couves-manteiga*.]

⊕ ***couvert*** (*Fr.* /*cuvér*/) *sm.* **1** O conjunto de peças e apetrechos que se põe à mesa para se servir uma refeição (como toalha, pratos, talheres, copos etc.) **2** *Cul.* Série de iguarias (azeitonas, torradas, pastas etc.) que se costuma servir antes do primeiro prato, esp. em restaurantes; SERVIÇO **3** Aquilo que se paga por essas iguarias e/ou pelo serviço de atendimento à mesa, em restaurantes **4** Cada conjunto de elementos que formam uma unidade de *couvert* (2): *Garçom, somos quatro mas só queremos dois couverts.* [Ver tb. *serviço*.] ■ ~ **artístico** Valor somado a conta de restaurante, bar, boate etc., ref. ao pagamento por apresentação artística

couve-tronchuda (*cou*.ve-tron.*chu*.da) *sf. Hort.* Hortaliça brassicácea (*Brassica oleracea apiana*), de caule curto e folhas espessas, aglomeradas em cabeça menor e mais aberta que a dos repolhos; COUVE-PORTUGUESA; COUVE-TRONCHA [Pl.: *couves-tronchudas*.]

cova (*co*.va) [ó] *sf.* **1** Qualquer buraco, escavação, abertura, fenda etc. na terra **2** Buraco cavado no chão para se enterrarem pessoas ou animais mortos; SEPULTURA **3** *Fig. P. ext.* A morte, o fim da existência, o destino final do ser vivo **4** *Agr.* Abertura feita na terra para plantação de sementes ou mudas de vegetais **5** Buraco onde vivem ou se escondem certos animais; TOCA **6** Qualquer depressão ou concavidade: *Está muito magro, olhe as covas em seu rosto.* **7** Caverna, covil, antro [Dim.: *covacho*.] [F.: Do adj. lat. *covus* (var. de *cavus* 'oco'), pelo lat. vulg. **cova*.] ■ **Descer à ~** Morrer **Ter o(s) pé(s) na ~** Estar gravemente doente ou muito debilitado

côvado (*cô*.va.do) *sm. Ant.* Medida antiga de comprimento, equivalente a 66 cm [F.: Do lat. *cubitus, i*, pelo port. medv. *côbedo*.]

covalência (co.va.*lên*.ci:a) *sf. Quím.* Ligação entre átomos ou moléculas que compartilham de um par de elétrons [F. par. *covalente*.] [F.: *co-*[2] + *valência*.]

covalente (co.va.*len*.te) *a2g. Quím.* Ref. a covalência ou que implica esse tipo de ligação [F. par.: *covalente*.] [F.: *co-*[2] + *valente*.]

covarde (co.*var*.de) *a2g.* **1** Diz-se de pessoa que não tem coragem [Ant.: *corajoso, ousado*.] **2** Diz-se de pessoa que é desleal, desonesta: *Foi covarde ao sabotar o projeto do adversário.* [Ant.: *honesto, leal*.] **3** Que revela ou denota covardia, ou que é próprio de quem é covarde (atitude covarde) *s2g.* **4** Qualquer dessas pessoas [F.: Do fr. ant. *coart* (atual *couard*). Tb. *cobarde*.]

covardia (co.var.*di*.a) *sf.* **1** Falta de coragem ou comportamento que denota ou resulta dessa falta; MEDO; PUSILANIMIDADE [Ant.: *coragem, destemor, ousadia*] **2** Ação desleal, esp. aproveitando a fraqueza de outrem [+ *com*: *covardia com os subalternos*.] [F.: *covarde* + *-ia*[1]. Tb. *cobardia, covardice*.]

covariação (co.va.ri:a.*ção*) *sf.* **1** *Est.* Constante oscilação simultânea, em sinal e grandeza, dos termos de duas séries cronológicas **2** *Est.* Medida dessa tendência [Pl.: *-ões*.] [F.: *co-* + *variação*.]

coveiro (co.*vei*.ro) *sm.* **1** Quem trabalha em cemitério abrindo covas; SEPULTADOR **2** *Fig.* Aquele que contribui para o fracasso de projeto, instituição, equipe, ação, jogo etc.: *Com seus desmandos, foi o coveiro da firma.* **3** *Lus.* No Alentejo, cabana onde se prendem os cabritos enquanto se ordenham suas mães **4** *Zool.* Nome comum a espécies de besouro (gên. *Nicrophorus*) que enterram pequenos animais para desovar sobre eles [F.: *cova* + *-eiro*.]

coveitiano (co.vei.ti:*a*.no) *sm. a.* O mesmo que *Kuwaitiano*

⊕ ***cover*** (*Ing.* /*câvar*/) *s2g.* Pessoa ou grupo de pessoas que se apresenta profissionalmente como imitação de um artista ou conjunto musical famoso

⊕ ***cover-girl*** (*Ing.* /*câvargörl*/) *sf.* Mulher que posa como modelo para foto de capa de revista [Pl.: *cover-girls*.]

covil (co.*vil*) *sm.* **1** Cova que serve de morada para feras; TOCA: *covil de lobos; covil do urso.* **2** *Fig.* Refúgio de malfeitores, ladrões etc.; ANTRO; ESCONDERIJO: "É um ninho de comunistas. Mas o general vai sanear o covil!" (Marques Rebelo, *O simples coronel Madureira*) **3** *Fig.* Habitação miserável; CHOÇA **4** *Fig.* Prostíbulo, bordel **5** Toca de coelho ou lebre [Pl.: *-vis*.] [F. Do lat. *cubile*.]

covilhanense (co.vi.lha.*nen*.se) *s2g.* **1** Aquele ou aquela que nasceu ou que vive em Covilhã (Portugal) *a2g.* **2** De Covilhã; típico dessa cidade ou de seu povo [F.: Do top. *Covilhã* + *-ense*.]

covinha (co.*vi*.nha) *sf.* **1** Cova pequena **2** Pequena cavidade no queixo: "...na covinha galante embelezando o queixo..." (Marques Rebelo, "Um destino" *in Contos reunidos*) **3** Cavidade que em certas pessoas se forma nas bochechas pela contração dos músculos ao sorrir **4** *Lus.* Certo jogo de gude [Us. no pl.] [F.: *cova* + *-inha*.]

covo[1] (*co*.vo) [ô] *sm.* **1** Armadilha de pesca composta de um cercado de esteiras com pesos de chumbo **2** Espécie de gaiola para criação de galinhas **3** *AL Gír.* Relógio de má qualidade [F.: De *côvão* ('cesto'), por apócope, este, por sua vez, do gr. *kóphinos* 'cesto', pelo fr. *coffin*.]

covo[2] (*co*.vo) [ô] *a.* **1** Côncavo e fundo *sm.* **2** Tudo aquilo que é côncavo e fundo: *O afresco cobre todo o covo da cúpula.* [F.: Do lat. *cavum*.]

⊕ ***cowboy*** (*Ing.* /*caubói*/) *sm.* Ver *caubói* [Pl.: *cowboys*.]

coxa (*co*.xa) [ô] *sf.* **1** *Anat.* Parte do membro inferior de seres humanos e de animais vertebrados em geral, entre o quadril e o joelho [Tem como esqueleto o fêmur.] **2** *Zool.* Segmento das patas dos artrópodes (o mais próximo ao corpo) *s2g.* **3** *Bras. Pop. Fut.* Quem torce pelo Coritiba Futebol Clube, do Paraná; CORITIBANO *a2g.* **4** *Bras. Pop. Fut.* Que torce por esse clube (torcida coxa); CORITIBANO [F.: Do lat. *coxa*. Hom./Par.: *cocha* (fl. de *cochar*).] ■ **Em cima da(s) ~(s)** Ver *Nas coxas* **Nas ~s** *Vulg.* De qualquer maneira, apressadamente, sem capricho; em cima das coxas: *Apressado, fez o trabalho nas coxas.*

coxalgia (co.xal.*gi*.a) *sf. Med.* Dor na coxa ou na articulação coxofemoral [F.: *coxa* + *-algia*.]

coxeante (co.xe:*an*.te) *a2g.* **1** Que coxeia, que caminha com dificuldade devido a defeito físico; CLAUDICANTE; MANCO **2** *P. ext.* Que vacila, hesitante **3** *Fig.* Diz-se do rumo dos pequenos cursos d'água, que parecem hesitar diante das irregularidades do terreno por onde correm (regatos coxeantes) [F.: *coxear* + *ante*.]

coxear (co.xe.*ar*) *v. int.* **1** Andar puxando de uma perna, ou apoiando-se mais em uma perna do que na outra, por deficiência física permanente ou temporária, contusão etc.; CLAUDICAR; MANCAR; MANQUEJAR: *Foi coxeando até o balcão:* "Eugênia coxeava um pouco, tão pouco, que eu cheguei a perguntar-lhe se machucara o pé." (Machado de Assis, *Memórias Póstumas de Brás Cubas*) **2** *Fig.* Estar ou ficar irresoluto, indeciso; HESITAR; VACILAR **3** *Fig.* Estar incompleto, sem condições para ficar em simetria, equilíbrio [▶ **13** coxear] [F.: *coxo* + *-ear*[2].]

coxeira (co.*xei*.ra) *sf.* Passo irregular de animal coxo; COXEADURA; MANQUEIRA [Hom./par.: *cocheira*.] [F.: *coxa* + *-eira*.]

coxia (co.*xi*.a) *sf.* **1** Passagem entre duas fileiras de cadeiras, bancos, camas ou outros objetos **2** *Teat.* Em teatro, assento extra colocado nessa passagem, ou nas laterais **3** Espaço que um cavalo ocupa na estrebaria, junto à manjedoura; BAIA **4** *Teat.* Espaço em torno da cena no palco (esta limitada por cenário, cortina etc.), que não é visto da plateia e onde atores aguardam a entrada em cena, ou circulam, e onde trabalham técnicos do espetáculo etc. [Us. no pl.] **5** *Cnav.* Prancha de madeira presa entre duas bancadas consecutivas de um veleiro e em cujo centro se fixa o mastro **6** *BA MG* Passadeira estreita que circula a barcaça do rio São Francisco e por onde se faz com os remos a manobra das varas **7** *BA* Pequena colina em uma planície **8** *Bras.* Série de objetos postos em ordem **9** *PE* Pilha arrumada de tijolos ou outras coisas [F.: Do it. *corsia*.] ■ **Correr a ~** *Pop.* Vaguear sem destino

coxias (co.*xi*.as) *sfpl. Teat.* Espaço situado entre o palco e as paredes adjacentes a este, onde os atores aguardam a hora de entrar em cena, fora das vistas do público; BASTIDORES [F.: Pl. de *coxia*.]

coxilha (co.*xi*.lha) *sf. S.* Campo extenso com relevo ondulado em que se desenvolve a pecuária [F.: Do espn. plat. *cuchilla*.]

coxim (co.*xim*) *sm.* **1** Tipo de almofada grande e bem estofada que pode servir de assento **2** Espécie de sofá sem encosto; DIVÃ **3** Parte da sela que serve de assento para o cavaleiro **4** Almofada revestida de couro, em que o ourives corta a folha de ouro **5** *Mar.* Trançado de cabos ou cordões us. a bordo, com usos diversos **6** *Cons.* Peça com reforço de alvenaria sobre qual se apoia a extremidade de uma viga **7** Nas ferrovias, suporte de ferro sobre o dormente, em que se assenta o trilho **8** *Mec.* Cilindro ou meio cilindro oco no qual se encaixam e giram as extremidades de um eixo [Pl.: *-xins*.] [F.: Do lat. vulg. *coxinum*, pelo catalão *coixí*.]

coxinha (co.*xi*.nha) *Bras. Cul. sf.* **1** Coxa de galinha, que se usa ger. na preparação de canjas e sopas, ou como parte do frango à passarinho *sf.* **2** Salgadinho empanado e frito em forma de coxa de galinha, com uma porção de sua carne envolta em massa de farinha de trigo [F.: *coxa* + *-inha*.]

coxinilho (co.xi.*ni*.lho) *sm. Bras. RS* Manta, em geral de lã, que se coloca sobre a sela da montaria [F.: Do espn. *cojinillo*. Tb. *coxonilho*.]

coxo (*co*.xo) [ô] *a.* **1** Que coxeia; diz-se de pessoa que, devido a limitação permanente ou temporária, anda sem se apoiar firmemente em uma das pernas **2** *Fig.* Que está torto, instável ou não equilíbrio; CAPENGA **3** Diz-se de objeto a que falta uma perna ou que tem uma perna ou extremidade mais curta, o que lhe reduz ou tira a estabilidade (mesa coxa) **4** *Poét.* Diz-se de verso que carece dos elementos necessários (número de sílabas, ritmo etc.) a sua boa harmonia **5** *Fig.* Diz-se de qualquer coisa desequilibrada, imperfeita, incompleta etc. *sm.* **6** Pessoa que coxeia **7** *CE Pop.* O diabo

8 *CE Pop.* O diabo 9 *Lus.* Qualquer animal peçonhento [Pl.: ô.] [F.: Do lat. vulg. *coxus*. Hom./Par.: *cocho* (subst.).]

coxofemoral (co.xo.fe.mo.*ral*) *a2g. Anat.* Ref. à articulação do osso coxal com o fêmur [Pl.: *-ais*.] [F.: *cox(o)* + *femoral*.]

coxonilho (co.xo.*ni*.lho) *sm.* Ver *coxinilho*

coxudo (co.*xu*.do) *a.* De coxas longas ou volumosas: *Coxuda como era, sua minissaia eletrizou a cidade.* [F.: *cox(a)* + *-udo*.]

cozedura (co.ze.*du*.ra) *sf.* 1 Ação ou resultado de cozer, de preparar alimentos ao fogo; COZIMENTO; COCÇÃO 2 Cozimento de uma matéria-prima ao fogo, como etapa da fabricação de um produto: *cozedura do gesso; cozedura do barro.* 3 Estado ou condição do que se cozeu; COZIMENTO 4 Conjunto de coisas postas de uma só vez no forno para cozer: *Está pronta a nova cozedura de cerâmicas.* 5 Parte mais consistente de um caldo ou um xarope [F. *cozer* + *-dura*.]

cozer (co.*zer*) *v. td.* 1 O mesmo que *cozinhar* (1 a 5) 2 *P. us.* Fazer a digestão de (alimento); DIGERIR [▶ 2 cozer] [F.: Do lat. cláss. *coquere*, pelo lat. vulg. *cocere*. Hom./ Par.: cozer, coser (em todas as fl.).]

cozido (co.*zi*.do) *a.* 1 Que se cozeu, que se cozinhou (batatas cozidas) 2 *Enol.* Diz-se de vinho que já fermentou e se purificou, portanto próprio para se beber *sm.* 3 Aquilo que se cozinhou, que foi cozido 4 *Cul.* Prato ger. composto de carnes, legumes e algumas verduras, ovos, batatas etc., cozidos, servido ger. com pirão de farinha [F.: Part. de *cozer*.]

cozimento (co.zi.*men*.to) *sm.* O mesmo que *cozedura* (1 e 3) [F.: *cozer* + *-imento*.]

cozinha (co.*zi*.nha) *sf.* 1 Compartimento de casa, restaurante, navio etc., em que se preparam as refeições, e para isso equipado (com fogão, pia, armários, petrechos diversos etc.) 2 O conjunto dos pratos característicos de um país, uma região etc. (cozinha italiana; cozinha mineira) 3 *Cul.* Técnica e arte de cozinhar, de preparar pratos com criatividade e bom gosto 4 *Pop.* A parte mais ao fundo de qualquer recinto 5 *P. ext. Mús.* Em um conjunto musical, os instrumentos de percussão, que ficam ger. ao fundo 6 *Fig.* Ambiente, lugar por trás de algo (instituição, grupo etc.), portanto menos exposto e propício a segredos e conchavos 7 *Bras. Gír. Jorn.* Preparo de originais para publicação [F.: Do lat. tard. *coquina*, pelo lat. vulg. **cocina*. Hom./Par.: *cozinha* (fl. de *cozinhar*).]

cozinhado (co.zi.*nha*.do) *a.* 1 Que se cozinhou; COZIDO 2 *Fig.* Tramado, urdido: *Sua eleição foi toda cozinhada no sindicato.* 3 *Fut.* De andamento intencionalmente prejudicado, retardado: *O segundo tempo do jogo foi claramente cozinhado pelo juiz. sm.* 4 *Fam.* Refeição que se prepara no quintal e se cozinha em trempe, como uma espécie de piquenique [F.: part. de *cozinhar*.]

cozinhar (co.zi.*nhar*) *v.* 1 Preparar (alimento) submetendo-o à ação do fogo ou por outro processo (brasas, forno de micro-ondas etc.); COZER [*td.*: *cozinhar as batatas; Não desperdice a água de cozinhar o bacalhau.*] [*int.*: "O meu Mateus, um preto... que me serve há muito ano, quando há que cozinhar, sabe cozinhar!" (Eça de Queirós, *Os Maias*)] 2 Ser (alimento) preparado ao fogo [*int.*: *As batatas estão cozinhando.*] 3 Fazer atingir ou atingir a cozedura, o estado de cozido [*td.*: *Aumente o fogo para cozinhar o frango mais depressa.*] [*int.*: *Não apague o fogo, o frango ainda não cozinhou.*] 4 Saber cozer; trabalhar como cozinheiro [*int.*: *Meu pai cozinha como ninguém; Cozinha num restaurante francês.*] 5 Submeter (argila) à ação do fogo, para fazer telhas, tijolos etc. [*td.*] 6 *Fig.* Tramar, maquinar ardilosamente [*td.*: *Cozinhava sua derrota.*] 7 *Pop.* Ir levando (alguém, algo) na conversa, protelando ou evitando ação decisiva; EMBROMAR; ENROLAR [*td.*: *O locatário ia cozinhando o proprietário para adiar o pagamento; Cozinhavam o jogo, esperando o apito final.*] [*int.*: *Os jogadores cozinhavam, prendiam a bola, para garantir o placar.*] [▶ 1 cozinhar] [F.: Do lat. cláss. *coquinare*, pelo lat. vulg. **cocinare*.]

cozinheiro (co.zi.*nhei*.ro) *sm.* 1 Aquele que cozinha, esp. o que o faz profissionalmente 2 Aquele que sabe cozinhar, que prepara pratos com maior ou menor grau de refinamento e arte: *Ele é excelente cozinheiro, mas não exerce a profissão.* [F.: *cozinha* + *-eiro*.] ■ **~ de forno e fogão** Exímio cozinheiro, capaz de criar e preparar muitos e bons pratos [Tb. apenas *de forno e fogão*: *Ele é de forno e fogão.*]

CPD Sigla de *Centro de Processamento de Dados*

⊠ **CPF** Sigla de *Cadastro de Pessoa Física*

⊠ **CPI** Sigla de Comissão Parlamentar de Inquérito, comissão de investigação formada por vereadores, deputados ou senadores para apurar situações nas quais há suspeita de corrupção, violação de decoro, improbidade administrativa, prevaricação etc. por parte de instituições ou pessoas públicas

CPMF Sigla de *Contribuição Provisória sobre Movimentação Financeira*

CPOR Sigla de *Centro de Preparação de Oficiais da Reserva*

cps Abrev. de *caracteres por segundo*

⊠ **CPU** *Inf.* Sigla, em inglês, de unidade central de processamento, a parte responsável pelo funcionamento básico de um computador [Tb. se diz *UCP*.] [F. Do ing. *central processing unit*.]

⊠ **Cr** *Quím.* Símb. de cromo

craca (*cra*.ca) *sf. Zool.* Denominação comum aos pequenos crustáceos da classe dos cirrípedes, marinhos e sésseis, caracterizados pela presença de uma carapaça calcária que protege o corpo, e que aderem a superfícies como rochedos marinhos, cascos de embarcações, cais etc. [F.: De or. obsc.]

crachá (cra.*chá*) *sm.* 1 Cartão em que estão escritos dados pessoais de uma pessoa, e que esta usa preso à roupa ou pendurado ao pescoço para identificação em congressos, em grandes empresas, em eventos que reúnem por período curto pessoas de diferentes lugares, etc. 2 Condecoração, insígnia 3 Emblema de corporação militar que se prende no quepe [F.: Do fr. *crachat*.]

◎ **-cracia** *el. comp.* = 'poder', 'força'; 'domínio, influência ou supremacia de certo grupo'; 'sistema político ou modo de governo': *aristocracia* (< gr.), *burocracia* (< fr.), *cafeocracia, democracia* (< gr.), *dulocracia* (< gr.), *escravocracia, etocracia, fisiocracia* (< fr.), *gerontocracia, ginecocracia* (< gr.), *mesocracia, oclocracia, oligocracia, plutocracia, talassocracia* (< gr.), *tecnocracia, teocracia* (< gr.), *timocracia* [Observe o valor pejorativo de formas como *burrocracia, canalhocracia, papelocracia, pedantocracia, pornocracia* etc.] [F.: Do gr. *-kratía, as*, do gr. *krátos, eos-ous*, 'força'; 'poder'; 'autoridade'; 'soberania'; 'domínio'; 'governo'. F. conexa: *-crata*.]

⊕ **crack** (*Ing.* /créc/) *sm.* Droga tóxica ilegal derivada da cocaína e comercializada em forma de cristais inaláveis [F. aport.: *craque*.]

⊕ **cracker** (*Ing.* /créquer/) *sm. Inf.* Especialista em programas, sistemas e redes de computador que invade sistemas e computadores alheios com a intenção de causar dano, roubar dados, valores etc. [Ver tb. *hacker*.]

cracoviano (cra.co.vi:*a*.no) *sm.* 1 Indivíduo nascido ou que vive em Cracóvia (Polônia) *a.* 2 De Cracóvia; típico dessa cidade ou de seu povo [F.: Do top. *Cracóvia* + *-ano*[1].]

◎ **-crania** *el. comp.* = 'crânio'; 'cabeça'; 'anormalidade craniana'; 'cefaleia': *acrania, macrocrania, microcrania; hemicrania* (< gr.) [F.: Do gr. *-krania, as*, do gr. *kraníon, ou*, 'crânio'. F. conexa: *crani(o)-*.]

cranial (cra.ni:*al*) *a2g. Anat.* Ref. a crânio (caixa cranial); CRANIANO [Pl.: *-ais*.] [F.: *crânio* + *-al*[1].]

craniano (cra.ni:*a*.no) *a.* 1 Ref. ao crânio 2 Do crânio (radiografia craniana) [F.: *cranio-* + *-ano*.]

craniar (cra.ni.*ar*) *v. td. Bras. Pop.* Criar (algo) na imaginação; imaginar, bolar: *Craniou uma solução para o problema.* [▶ 15 craniar] [F.: *crânio* + *-ar*[2].]

◎ **crani(o)-** *el. comp.* = 'crânio'; 'cabeça': *craniectomia, craniobucal, craniografia, craniologia; acrânio, endocrânio, epicrânio, mesocrânio, pericrânio, sincrânio* [F.: Do gr. *kraníon, ou*. F. conexa: *-crania*.]

◎ **-crânio** *el. comp.* Ver *crani(o)-*

crânio (*crâ*.ni:o) *sm.* 1 *Anat.* Conjunto de ossos da cabeça humana e dos demais animais vertebrados, que constitui como que uma caixa ou invólucro protetor dentro do qual ficam o cérebro e os principais órgãos sensoriais, e ao qual se prende a mandíbula 2 *P. ext.* A parte superior, convexa, da cabeça, formada por esses ossos e demais tecidos e órgãos aí situados 3 *Fig.* O cérebro; *p. ext.*: raciocínio, capacidade de pensamento: *Use o crânio que você resolve o problema.* 4 *Bras. Fig. Pop.* Pessoa muito inteligente ou que conhece muito certo assunto: *Ela é um crânio em português.* [F.: Do gr. *kraníon*. Ideia de 'crânio', usar pref. *crani (o)-* e suf. *-cefalia* e *-céfalo*.]

cranioencefálico (cra.ni:o.en.ce.*fá*.li.co) *a. Anat.* Ref. ao crânio e ao encéfalo ao mesmo tempo (radioscopia cranioencefálica) [F.: *crani(o)-* + *encefálico*.]

craniofacial (cra.ni:o.fa.ci:*al*) *a2g. Anat.* Ref. ao crânio e à face ao mesmo tempo [Pl.: *-ais*.] [F.: *crani(o)-* + *facial*.]

craniologia (cra.ni:o.lo.*gi*:a) *sf.* 1 *Antr.* Estudo comparativo dos crânios humanos 2 *Antq. Med.* O mesmo que *frenologia* [F.: *crani(o)-* + *-logia*.]

craniológico (cra.ni:o.*ló*.gi.co) *a. Antq. Antr. Med.* Ref. à craniologia [F.: *craniologia* + *-ico*[2].]

craniometria (cra.ni:o.me.*tri*.a) *sf.* Mensuração do crânio ou estudo das características métricas dele [F.: *crani(o)-* + *-metria*[1].]

craniométrico (cra.ni:o.*mé*.tri.co) *a.* Ref. a craniometria [F.: *craniometria* + *-ico*[2].]

craniotabes (cra.ni:o.*ta*.bes) *sf2n.* 1 *Med.* Osteoporose craniana, caracterizada pelo amolecimento congênito dos ossos do crânio 2 *Med.* Zona depressível da tábua óssea do crânio humano, comum em recém-nascidos 3 *Med. Pat.* Afilamento da calota craniana, vista como sintoma de raquitismo [F.: *crani(o)-* + *tabes*.]

craniotomia (cra.ni:o.to.*mi*:a) *sf. Med.* Operação na qual se perfura o crânio para intervir em funções do encéfalo; CEFALOTOMIA [F.: *crani(o)-* + *-tomia*.]

craó (cra.*ó*) *Bras. s2g.* 1 *Etnol.* Pessoa pertencente a um grupo de tribos indígenas do Norte do Tocantins *sm.* 2 *Gloss.* Língua, do ramo timbira, falada por esse grupo *a2g.* 3 Do ou ref. a craó (1 e 2) [F.: Do etnm. *Krahó*. Tb. *craô*.]

crapô (cra.*pô*) *sm.* 1 Defeito em diamante ou pedra preciosa 2 Espécie de jogo de paciência, com baralho, para uma ou duas pessoas 3 *Mús.* Piano de um quarto de cauda 4 *Mil.* Pequeno morteiro da Primeira Guerra Mundial [F.: Do fr. *crapaud*.]

crapudo (cra.*pu*.do) *a.* Que tem aparência de sapo [F.: De or. obsc.]

crápula (*crá*.pu.la) *s2g.* 1 Pessoa vil ou desonesta; SALAFRÁRIO; VELHACO 2 Pessoa devassa, libertina *a2g.* 3 Diz-se de qualquer dessas pessoas *sf.* 4 Modo de vida desregrado, libertino: "...o jogo, a crápula aí se praticavam com prejuízo (...) do sossego e honra das famílias." (Franklin Távora, *O Cabeleira*) [Ant.: *austeridade, comedimento*.] [F.: Do lat. *crapula, ae*.]

crapuloso (cra.pu.*lo*.so) [ô] *a.* 1 Ref. à crápula, a comportamento libertino 2 Dado à libertinagem; DEVASSO [Ant.: *pudico, recatado*.] *sm.* 3 Indivíduo crapuloso; DEVASSO; LIBERTINO [Pl.: [ó]. Fem.: [ó]] [F.: *crápula* + *-oso*.]

craque[1] (*cra*.que) *s2g.* 1 Pessoa muito boa em certa atividade ou área de conhecimento: *É um craque no violão.* 2 *Fut.* Jogador excelente *sm.* 3 No turfe, cavalo que corre muito 4 *Quím.* O mesmo que *crack*. [F.: Do ingl. *crack*, 'o que tem capacidade superior'; 'cristal de cocaína'.]

craque[2] (*cra*.que) *sm.* Ruína financeira; QUEBRA: *craque da bolsa.* [F.: Do ingl. *crash*.]

craqueamento (cra.que.a.*men*.to) *sm. Quím.* Ação ou resultado de craquear, de obter a decomposição térmica de hidrocarbonetos pesados do petróleo em outros mais leves [F.: *craquear* + *-mento*.]

craquear (cra.que.*ar*) *v. td.* 1 *Quím.* Dividir (um composto) em moléculas mais simples: *Não há a combustão capaz de craquear as moléculas de carbono da areia, mantendo-a preservada.* 2 *Inf.* Adquirir o número de série de um programa vendável para registrá-lo ilicitamente: *craquear um programa / um jogo.* [▶ 13 craquear] [F.: Do ingl. *crack*, 'cristal de cocaína'; 'o que tem capacidade superior', + *-ear*[2].]

craqueiro (cra.*quei*.ro) *sm.* 1 Viciado em *crack*, consumidor dessa mistura tóxica 2 Traficante de *crack* [F.: *craque* (crack) + *-eiro*.]

craquelado (cra.que.*la*.do) *a.* Que se craquelou, que se submeteu à técnica pela qual se fazem aparecer gretas e ranhuras em uma superfície pintada ou envernizada, conferindo-lhe aspecto rústico ou antigo; CRAQUELÊ [F.: part. de *craquelar*.]

craquelar (cra.que.*lar*) *v. int.* Trincar, picar [▶ 1 craquelar] [F.: Do fr. *craquelé* + *-ar*[2].]

craquelê (cra.que.*lê*) *sm. Art. Pl.* Vaso ou qualquer peça de louça que apresenta ranhuras no verniz ou esmalte, m. que *craquelado* [F.: Do fr. *craquelé*.]

crase (*cra*.se) *sf.* 1 *Ling.* Fusão de duas vogais idênticas [Pode se dar como parte da evolução da língua (dolor > door > dor; leer > ler), ou como fenômeno de prosódia (p. ex., em linguagem poética ou coloquial).] 2 *Restr. Ling.* Crase (1) da preposição *a* com os artigos *a* ou *as*, ou da preposição *a* com os pronomes demonstrativos *a(s), aquela(s), aquele(s), aquilo* 3 Acento grave que indica essa fusão na escrita (p. ex., em *ir à biblioteca* usa-se crase no *a*) 4 Marca ou traço característicos da personalidade de alguém; ÍNDOLE; TEMPERAMENTO 5 *Med.* Composição própria e bem equilibrada de um líquido corporal e seus vários constituintes, esp. do sangue que tem boa capacidade de coagulação [F.: Do gr. *krasís*. Ver tb. *contração*.]

craseado (cra.se.*a*.do) *a. Bras. Gram.* Que se craseou, que recebeu o sinal da crase: *Quando ocorre a junção do artigo fem. sing. a com a preposição a, usa-se sempre o a craseado.* [F.: Part. de *crasear*.]

craseamento (cra.se.a.*men*.to) *sm. Bras. Gram.* Ação ou resultado de crasear, de colocar crase [F.: *crasear* + *-mento*.]

crasear (cra.se.*ar*) *v. td. Bras. Gram.* Pôr acento grave sobre (a partícula a, em geral), para indicar a crase [▶ 13 crasear] [F.: *crase* + *-ear*[2].]

crassidão (cras.si.*dão*) *sf.* 1 Condição ou característica de crasso; GROSSERIA; GROSSURA: *Comia como um javali, numa crassidão sem limites.* 2 *Pej.* Grande ignorância [Pl.: *-dões*.] [F.: Do lat. *crassitudo, inis*.]

crasso (*cras*.so) *a.* 1 Que é espesso, grosso, denso ou cerrado [Ant.: *ralo, rarefeito*] 2 Que resulta de ou é caracterizado por falta de refinamento (da sensibilidade, da inteligência), por falta de instrução ou de educação (erros crassos; ignorância crassa): *erros cometidos devido à crassa boa-fé.* 3 *Restr.* Caracterizado pela rudeza; que não tem ou não demonstra delicadeza (sujeito crasso; vocabulário crasso); BRONCO; TOSCO [Ant.: *educado, polido*.] [F.: Do lat. *crassus, a, um*.]

◎ **-crata** *el. comp.* = 'que ou aquele que tem ou exerce dado poder ou domínio'; 'que ou aquele que pertence a um dado grupo ou que é adepto de um sistema, regime ou forma de governo'; 'membro': *ácrata, acrata; aristocrata, autocrata* (< gr.), *burocrata* (< fr.), *democrata* (< fr.), *escravocrata, fisiocrata* (< fr.), *gerontocrata, ginecocrata, plutocrata, talassocrata, tecnocrata, teocrata, timocrata* [F.: Do gr. *-kratés, és, és*, conexo com o gr. *-kratía, as*, ambos do gr. *krátos, eos-ous*, 'força'; 'poder'; 'autoridade'; 'domínio'; 'governo'. F. conexa: *-cracia*.]

cratera (cra.*te*.ra) *sf.* 1 Buraco grande em algum objeto ou superfície, resultante de explosão ou de forte impacto: *A granada abriu uma cratera no chão; cratera produzida pela queda de um meteorito.* 2 A abertura por onde saem gases ou lava quando o vulcão está em atividade ou em erupção; tb.: depressão no solo ou na rocha, em torno da abertura de um vulcão ativo ou extinto, e produzida pelas erupções 3 Grande taça onde os antigos gregos misturavam vinho e água 4 *Poét.* Taça grande 5 *P. ext.* Qualquer abertura (ger. funda, ou larga, maior que o comum, ou de aspecto irregular) em uma superfície: *Os furúnculos fizeram crateras em sua coxa.* 6 *Fig.* Aquilo que provoca uma desgraça, uma calamidade 7 Bolha em superfície metálica, ger. resultante de corrosão [F.: Do gr. *kratéra*.] ■ **~ adventícia** *Geog. Geol.* Abertura no costado de um vulcão, por onde pode sair lava; cratera secundária **~ central** *Geog. Geol.* Cratera no centro da chaminé de um vulcão **~ de explosão** *Astron.* Cratera formada pelo impacto de um grande meteoro na superfície terrestre, pulverizando-se este ~ **de subversão** *Geog. Geol.* A que se forma pela subversão de rocha submetida à ação de matéria em fusão ~ **lunar** *Astron.* Formação lunar com aspecto de uma cratera, ou depressão ~ **meteorítica** *Astron.* A que resulta do impacto de um meteorito sobre a superfície de um planeta ou de um satélite ~ **secundária** *Geog. Geol.* Ver *Cratera adventícia*

crateriforme (cra.te.ri.*for*.me) *a2g.* Em forma de cratera [F.: *cratera* + *-iforme.*]

craterização (cra.te.ri.za.*ção*) *sf.* Ação ou resultado de craterizar(-se), de formar crateras [Pl.: *-ões.*] [F.: *craterizar* + *-ção.*]

cratofania (cra.to.fa.*ni*.a) *sf. Rel.* Manifestação ou aparição de força, de algo poderoso, no âmbito religioso [F.: Do gr. *kratós* 'força', 'potência' + *-fania.*]

cravação (cra.va.*ção*) *sf.* **1** Ação ou resultado de cravar **2** Conjunto de cravos[1] (4) ou pregos de fixação **3** Maneira de dispor pregos, tachas etc., esp. como enfeite de móveis: *cômoda com cravação em metal dourado.* **4** Engaste de pedra preciosa em joia **5** *Tip.* Marca visível no verso da folha impressa, resultante do excesso de pressão do cilindro ou de um prelo manual sobre os tipos [Pl.: *-ções.*] [F.: *cravar* + *-ção.*]

cravado (cra.*va*.do) *a.* **1** Que se cravou, que foi enfiado com força **2** Que se fixou, se fitou: *De olhos cravados na imagem, murmurava.* **3** Que se engastou: *Um rubi cravado no anel.* **4** Que foi apresentado ou medido com exatidão: *O juiz encerrou a partida aos 48 minutos cravados do segundo tempo.* [F.: part. de *cravar.*]

cravador (cra.va.*dor*) *a.* **1** Que crava, capaz de cravar, fincar *sm.* **2** Aquele que crava algo, que é capaz de cravar, fincar **3** Artista que crava pedras preciosas **4** *Tec.* Furador usado pelos sapateiros para abrir buracos nos calçados [F.: *cravado* + *-or.*]

cravagem (cra.*va*.gem) *sf. Bot.* Doença que ocorre em certas gramíneas, esp. no centeio, quando é também chamada de centeio-espigado, causada por fungos, e que provoca o apodrecimento da espiga antes da maturação; ESPORÃO [F.: *cravar* + *-agem.*]

cravar (cra.*var*) *v.* **1** Fazer penetrar ou penetrar profundamente; FINCAR(-SE) [*td.*: *cravar uma faca.*] [*tda.*: *O gato cravou as garras no sofá.*] [*ta.*: *O machado cravou-se no tronco.*] **2** Fixar(-se) (o olhar); FITAR [*tdr.* + *em*: *Carlos cravou os olhos em Cecília.*] [*tr.* + *em*: *Seus olhos se cravaram nos meus.*] **3** Engastar (pedraria) em joia [*tdr.* + *em*: *Cravou um diamante no anel.*] **4** Fixar, marcar [*td.*: *O piloto alemão cravou o melhor tempo da corrida.*] **5** Prender (alguma coisa) com prego, cravo etc. [*td. tda.*: *Cravei o espelho (na parede da sala).*] **6** Agarrar-se a (alguma coisa) [*ta.*: *Cravou-se à árvore para que o vento não a levasse.*] **7** *Enc.* Em processo de encadernação, fixar (pino, prego etc.) [*tda.*: *A máquina cravou pinos nas capas.*] [▶ 1 cravar] [F.: Do lat. *clavare.* Hom./Par.: *cravo* (fl.), *cravo* (sm.).]

craveira (cra.*vei*.ra) *sf.* **1** Abertura em ferradura para a fixação do cravo[1] (4) **2** Barra ou régua com determinada altura (ger. regulável) us. para medir ou comparar a altura de pessoas **3** Instrumento us. por sapateiros para medir os pés **4** Designação dada a instrumentos de medição (do comprimento, da espessura, do diâmetro etc.) dotados de régua graduada, ger. com barras reguláveis que se ajustam às extremidades do objeto a ser medido **5** Medida fixa (ou objeto que a tem), us. por convenção para com ela se comparar as dimensões ou propriedades de objetos específicos; medida padronizada; BITOLA; ESTALÃO; PADRÃO [F.: *cravo*[1] + *-eira.*]

craveiro (cra.*vei*.ro) *sm.* **1** *Bot.* Planta que dá o cravo[1] (1) **2** Pessoa que faz cravos[1] (4) de ferraduras [F.: *cravo*[1] + *-eiro.*]

craveiro-da-índia (cra.vei.ro-da-*ín*.di:a) *sm. Bot.* Árvore (*Syzygium aromaticum*) que dá o cravo-da-índia [Pl.: *craveiros-da-índia.*]

cravejado (cra.ve.*ja*.do) *a.* **1** Que se cravejou, se fixou **2** Que tem engastes preciosos: "Tirou de um pequeno estojo uma larga rede de fios de pérolas, cravejada de espaço a espaço por coruscantes safiras..." (Gastão Cruls, *Ao embalo da rede*) **3** *Fig.* Ornado com coisas brilhantes: "Estava o céu cravejado de estrelas..." (Camilo Castelo Branco, *A enjeitada*) [F.: Part. de *cravejar.*]

cravejamento (cra.ve.ja.*men*.to) *sm.* **1** Ação ou resultado de cravejar(-se), fixar(-se) **2** Ação ou resultado de cravejar, de engastar (pedras ou metais preciosos) [F.: *cravejar* + *-mento.*]

cravejar (cra.ve.*jar*) *v.* **1** Fixar por meio de cravos (certo tipo de prego) [*td.*: *O peão cravejou as ferraduras do cavalo.*] **2** Fixar, prender, engastar pedra preciosa em joia [*tda.*: *cravejar esmeraldas no anel; cravejar o anel com brilhantes.*] **3** *Fig.* Colocar(-se) de permeio; espalhar elementos diversos em algo (ou apresentar tais elementos), como adornos aplicados a um objeto; ENTREMEAR(-SE); INTERPOR(-SE) [*tdr.* + *de*: *cravejar as páginas do diário de fotos.*] [*tr.* + *de*: *Em noite de São João o céu craveja-se de balões.*] [▶ 1 cravejar] [F.: *cravo*[1] + *-ejar.*]

cravelha (cra.*ve*.lha) [ê] *sf.* **1** Peça à qual se prende a extremidade de cada corda de certos instrumentos musicais (violão, guitarra etc.), e que ao ser girada retesa-a ou afrouxa-a, permitindo a afinação **2** Tramela [F.: Do lat. *clavicula, ae.*] ▪▪ **Apertar a** ~ Ser rigoroso com alguém, exigir muito de alguém **Dar à** ~ Ser insistente com alguém, impacientar com exigências; apertar a cravelha

cravelho (cra.*ve*.lho) *sm.* Trava que roda presa a um prego ou parafuso para fechar pequenas portas, postigos ou janelas; TRAMELA; TARAMELA: "Nesse momento desandou ela o cravelho da porteira." (Aquilino Ribeiro, *Volfrâmio*) [F.: Forma masc. de *cravelha.*]

cravina (cra.*vi*.na) *sf.* **1** *Bot.* Cravo pequeno: "Eu ia colhendo e atirando para o côncavo do avental que ela trazia: cravos, cravinas, bogaris." (Coelho Neto, *Morto*) *sf.* **2** *Bot.* Planta cariofilácea (*Dhyantus plumarius*), ornamental, de caules bastante ramificados, folhas lanceoladas e flores cheirosas, solitárias; CRAVO-BORDADO; CRAVO-MIMOSO **3** *Zool.* Ave passeriforme dos emberizídeos (*Coryphospingus pileatus*), ocorre no N., N. E. e C. O. do Brasil. Tb. *galinho-da-serra* [F.: *cravo* + *ina.*] **4** *Mil.* Arma de cano longo, o mesmo que *clavina* ou *carabina* [F.: do fr. *carabine.*]

cravista (cra.*vis*.ta) *s2g. Mús.* Pessoa que toca cravo[2] ou compõe para esse instrumento [F.: *cravo*[2] + *-ista.*]

cravo[1] (*cra*.vo) *sm.* **1** *Bot.* Flor (*Dianthus caryophyllus*) aromática com pétalas recortadas nas bordas **2** *Bot.* Ver *cravo-da-índia* **3** *Med.* Ponto escuro na pele, esp. do rosto, surgido por obstrução sebácea do poro **4** Tipo de prego para prender ferraduras **5** *Hist.* Prego com que se fixavam as mãos e os pés dos condenados à morte na cruz **6** *Med.* Calo profundo e doloroso localizado na planta do pé [F.: Do lat. *clavus, i.* Hom./Par.: *cravo* (sm.), *cravo* (fl. *cravar*).] ▪▪ **Dar uma no ~ e outra na ferradura** **1** Alternar golpe certeiro com outro não tanto **2** Fazer ou apoiar coisas opostas, ger. intencional e maliciosamente

cravo[2] (*cra*.vo) *sm. Mús.* Instrumento com cordas e teclado, que precedeu o piano e um tanto similar a este, mas cujas cordas emitem som ao serem pinçadas, quando se premem as teclas correspondentes [F.: Posv. do fr. *clavier*. Hom./Par.: ver *cravo*[1].]

cravo-da-índia (cra.vo-da-*ín*.di:a) *sm. Bot.* Botão da flor do craveiro-da-índia, seco e us. como condimento, e de que se extrai o óleo de cravo, com propriedades medicinais e usos em perfumaria, farmácia e odontologia; CRAVO [Pl.: *cravos-da-índia.*]

cravo-de-defunto (*cra*.vo-de-de.*fun*.to) *sm.* **1** Nome de várias plantas compostas, do gen. *Tagetes*, ornamentais e odoríferas, de flores alaranjadas com bordas amarelas que exalam odor enjoativo; CRAVINHA-DE-TÚNIS; CRAVO-DA-ÍNDIA **2** A flor dessa planta [Pl.: *cravos-de-defunto.*]

⊕ **crawl** (*Ing. /cróu/*) *sm.* Ver *Nado livre*

Crea Sigla de *Conselho Regional de Engenharia, Arquitetura e Agronomia*

creatina (cre.a.*ti*.na) *sf. Bioq.* Composto nitrogenado que se sintetiza com base nos aminoácidos e se acha em todo tecido muscular, como fosfocreatina [F.: Do fr. *créatine.*]

creatinina (cre.a.ti.*ni*.na) *sf. Bioq.* Composto nitrogenado cíclico resultante do metabolismo da creatina e presente tanto na urina como no sangue [F.: *creatina* + *-ina.*]

creatinoquinase (cre.a.ti.no.qui.*na*.se) *sf. Med. Card.* Enzima muscular capaz de catalisar reações indicadoras do grau de comprometimento do miocárdio; CREATINOFOSFOQUINASE [F.: *creatino* + *quinase.*]

creche (*cre*.che) *sf.* **1** Instituição pública que cuida durante o dia de crianças pequenas, cujos pais ou responsáveis trabalham fora durante o dia, são carentes ou estão impossibilitados de dar cuidados básicos **2** Estabelecimento particular que acolhe e dá recreação e elementos de socialização e educação básica a crianças muito novas **3** Local ou setor, em uma empresa, onde se dão cuidados e recreação aos filhos muito novos (em idade pré-escolar) de funcionários durante o horário de trabalho destes [F.: Do fr. *crèche.*]

Creci Sigla de *Conselho Regional de Corretores de Imóveis*

credenciado (cre.den.ci:*a*.do) *a.* **1** Que se credenciou, que recebeu credencial, documento, poder ou crédito para algo **2** Que se capacitou, que foi habilitado [F.: part. de *credenciar.*]

credencial (cre.den.ci.*al*) *a2g.* **1** Que confere crédito, poder, autoridade (documento credencial) **2** Merecedor de crédito: *As provas do concurso serão aplicadas por uma instituição credencial.* *sf.* **3** Cartão de identificação que autoriza a entrada ou presença em determinado local, e esp. a participação em determinado evento: *Não conseguiu credencial para trabalhar nas Olimpíadas.* **4** Comprovante de qualificação: *O homem foi detido com falsa credencial de piloto.* **5** Aquilo (ação passada, condição presente, título, fama etc.) que abona, valoriza algo ou alguém, que suscita confiança de outros: *Usa o nome famoso do ex-marido como sua principal credencial.* [Nesta acp., tb. us. no pl.] **6** Documento que autoriza um embaixador, delegado etc. a representar seu país no exterior [Nesta acp., mais us. no pl.] [Pl.: *-ais.*] [F.: Do it. *credenziale.*]

credenciamento (cre.den.ci:a.*men*.to) *sm.* **1** Ação ou resultado de credenciar(-se) **2** Concessão de licença pelo governo de um país para que alguém o represente no estrangeiro **3** Habilitação dada pelo governo a uma pessoa ou empresa para atuar em determinado ramo de atividade [F.: *credenciar* + *-mento.*]

credenciar (cre.den.ci.*ar*) *v.* **1** *Dipl. Pol.* Dar credenciais a [*tda.*: *O governo credenciou o diplomata na Coreia.*] **2** *P. ext.* Dar direito, crédito ou poderes a [*tdp.*: *A experiência que tem a credencia como chefe.*] [*tdr.* + *a*: *O diploma o credencia a exercer a profissão.*] [▶ 1 credenciar] [F.: *credenci(al)* + *-ar*[2]. Hom./ Par.: *credencia(s)* (fl.), *credência(s)* (sf. [pl.]); *credenciais* (fl.), *credenciais* (pl. *credencial*).]

crediário (cre.di.*á*.ri:o) *sm.* **1** Plano de pagamento de compra a prestações: *Fez um crediário para comprar o som.* **2** Dívida contraída nesse tipo de compra: *Faltam muitas prestações para liquidar o crediário.* [F.: *crédi(to)* + *-ário.*]

credibilidade (cre.di.bi.li.*da*.de) *sf.* Qualidade ou característica de quem ou do que merece crédito (1), de quem ou do que é confiável, crível; CONFIABILIDADE: *A notícia infundada afetara a credibilidade da imprensa.* [F.: Do lat. tard. *credibilitas, atis.*]

creditado (cre.di.*ta*.do) *a.* **1** Que se creditou a alguém ou algo: *boato creditado à vingança de um desafeto.* **2** Depositado em conta-corrente (diz-se de dinheiro ou quantia determinada) *sm.* **3** *Econ.* Pessoa em cuja conta ou capital se lançou determinado valor **4** *Econ.* Pessoa beneficiada em abertura de crédito ou portadora de carta de crédito [F.: Part. de *creditar.*]

creditar (cre.di.*tar*) *v.* **1** Dar crédito ou confiança a [*td.*: *Para assumir a função de revisor, a editora creditou-o.*] [*tdr.* + *a*: *Meu grupo de teatro ganhou um prêmio, o que o creditou a participar do festival.* Ant.: *descreditar.*] **2** *Fig.* Considerar como causa ou autor de [*tdr.* + *a*: *Creditaram o insucesso à inexperiência da equipe.*] **3** *Fig. Com. Econ.* Depositar (uma quantia) na conta bancária de alguém [*td.*: *O governo creditou o salário dos funcionários.*] [*tda.*: *A firma creditou R$ 500,00 na conta dele.* Ant.: *debitar.*] **4** *Com. Cont.* Dar como garantia ou caução [*td.*: *Creditei o fechamento do negócio, assinando um documento.*] **5** *Com. Econ. Jur.* Inscrever como credor de certa quantia [*tdr.* + *em*: *O governo creditou a concessionária em quinhentos mil reais pela restauração da ponte.*] [▶ 1 creditar] [F.: Do lat. *creditare.* Hom./Par.: *credito* (fl.), *crédito* (sm.).]

creditício (cre.di.*tí*.ci:o) *a.* Ref. a crédito (operações creditícias); CREDITÓRIO [F.: *crédito* + *-ício.*]

crédito (*cré*.di.to) *sm.* **1** Confiança: *uma pessoa digna de crédito.* [Ant.: *desconfiança, suspeição.*] **2** Boa fama; CONFIABILIDADE; CREDIBILIDADE: *Depois do acidente, perdeu o crédito como motorista.* **3** Influência, prestígio: *Adquiriu crédito no meio universitário.* **4** Empréstimo ou pagamento a prazo **5** Valor obtido em empréstimo a prazo: *A empresa conseguiu um crédito de R$ 10.000,00.* **6** Quantia a que se tem direito: *Tem um crédito de R$ 50,00 com a butique.* [Ant.: *débito.*] **7** Quantia depositada em conta bancária: *O extrato registra um crédito de R$ 100,00.* [Ant.: *débito.*] **8** Indicação dos artistas e colaboradores em filme, programa de TV, ou dos colaboradores em livro, projeto etc.: *Os créditos aparecem quando acaba o filme.* **9** Em cursos universitários, unidade de medida do valor conferido a cada disciplina, e que depende do número de horas dedicadas a ela e da sua importância no currículo [Cada aluno, para formar-se, deve acumular número determinado de créditos, divididos entre as diversas disciplinas conforme especificação de cada curso.] [F.: Do lat. *creditum, i.*] ▪▪ **A ~** *Com.* Para pagamento/recebimento futuro; fiado ~ **capital** *Econ.* Ver *Crédito de corporação* ~ **de confiança** (Expressão de) confiança em que alguém ou algo comporte-se como esperado, ou atenda às expectativas ou necessidades, em certa situação, atribuição de responsabilidade, encomenda de serviço etc. ~ **de corporação** *Econ.* Crédito feito com o lançamento de debêntures por sociedades anônimas; crédito capital ~ **direto ao consumidor** *Econ.* Crédito concedido diretamente a alguém para adquirir bem de consumo ou serviço ~ **real** O que se baseia em garantia expressa em bens imóveis ou móveis ~ **rotativo** *Econ.* Crédito que, até determinado limite, não se esgota após sua utilização inicial, prescindindo de novo contrato **Levar a ~** *Com.* Creditar, lançar em conta-corrente

credível (cre.*dí*.vel) *a2g. P. us.* Em que se pode crer; ACREDITÁVEL; CRÍVEL: "Expressamente os conduzia a Portugal para darem credível testemunho de que em sua navegação chegara a Calicute." (Latino Coelho, *Vasco da Gama*) [Pl.: *-veis.* Superl.: *credibilíssimo.*] [F.: Do lat. *credibilis, e.*]

credo (*cre*.do) [é] *sm.* **1** Aquilo em que alguém acredita ou afirma acreditar **2** *Rel.* Conjunto das crenças básicas dos seguidores de uma religião ou seita; *p. ext.*: conjunto dos princípios básicos de uma doutrina religiosa **3** *Rel.* Oração católica que contém os princípios da crença nessa religião; CREIO EM DEUS PAI **4** Momento, na missa, em que se reza essa oração **5** *P. ext.* Conjunto de convicções, princípios, normas etc. pelos quais age uma pessoa, uma instituição, um partido etc.: *o credo socialista.* ***interj.*** **6** *Pop.* Us. para exprimir espanto e aversão; CRUZ-CREDO; CRUZES; TESCONJURO [F.: Do lat. *credo*, 1ª p. s. pres. do ind. do v. *credere* 'crer'.] ▪▪ **Com o ~ na boca** Com apreensão, com percepção de riscos; assustadamente

⊕ **credo quia absurdum** (*Lat. /credo cuía absurdum/*) *Teol.* Creio porque é absurdo (frase atribuída a santo Agostinho, com o significado de que a fé deve prescindir da compreensão)

credor (cre.*dor*) [ô] *a.* **1** Diz-se de pessoa ou instituição que emprestou dinheiro ou fez venda por crediário a alguém [Ant.: *devedor.*] **2** Diz-se de pessoa ou instituição merecedora, digna, que tem ou suscita confiança dos outros *sm.* **3** Pessoa ou instituição a quem se deve [F.: Do lat. *creditor, oris.* Ant. ger.: *devedor.*] ▪▪ ~ **pignoratício** *Jur.* Aquele que tem como garantia título de venda de bens que lhe garante o direito de deles usufruir mediante aluguel ~ **quirografário** Aquele que tem preferência ou privilégio sobre os demais

credulidade (cre.du.li.*da*.de) *sf.* Característica ou condição de crédulo, ingênuo: "Apenas solicitam dos irmãos... um pouco menos de credulidade na linguagem insidiosa dos que os exploram." (Rui Barbosa, *Queda do Império*) [F.: Do lat. *credulitas, atis.*]

crédulo (cré.du.lo) *a.* **1** Diz-se de quem acredita ingenuamente, ou tende a acreditar facilmente, naquilo que é dito ou apresentado a ela, esp. sem evidências para comprovação ou mesmo sem motivações fortes; CÂNDIDO; INGÊNUO **2** Ref. a ou caracterizado por crença(s) ingênua(s), pouco plausíveis, ou supersticiosas (atitude crédula) **3** Que acredita, tende a acreditar ou tem confiança na autenticidade ou veracidade de algo, com base em convicções subjetivas e/ou evidências objetivas: *O mercado está pouco crédulo quanto à eficiência das medidas tomadas pelo governo.* ***sm.*** **4** Pessoa crédula (1); CÂNDIDO; INGÊNUO [F.: Do lat. *credulus, a, um.* Ant. ger.: *descrente, incrédulo.*]

creio em deus pai (crei.o em deus *pai*) ***sm2n.*** *Rel.* O mesmo que *credo* (2) [F.: *crer* (na 1ª pess. pres. ind.) + *em* + *Deus* + *pai.*]

creiom (crei.*om*) ***sm.*** **1** Lápis de grafita para desenho **2** Desenho feito com esse lápis [Pl.: *-ons.*] [F.: Do fr. *crayon.*]

cremação (cre.ma.*ção*) ***sf.*** **1** Ação ou resultado de cremar (cremação de cadáver); INCINERAÇÃO **2** Rito ou cerimônia fúnebre em que se crema o corpo de um morto **3** *Fig.* Ação ou resultado de extinguir como pelo fogo, ou como se reduzindo a cinzas, ou de tirar a intensidade, o ardor (cremação de tristezas) [Pl.: *-ções.*] [F.: Do lat. *crematio, onis.*]

cremado (cre.*ma*.do) *a.* **1** Que se cremou, que foi submetido a cremação; INCINERADO [F.: part. de *cremar.*] **2** Da cor do creme [F.: *creme* + *-ado.*]

cremalheira (cre.ma.*lhei*.ra) ***sf.*** **1** *Mec.* Peça dentada que se encaixa a outras na estrutura de engrenagens **2** *Mec.* Barra dentada que engrena com rodas dentadas, em mecanismos onde há transformação de movimento retilíneo em movimento circular, ou vice-versa **3** *Restr.* Trilho dentado de linha férrea, colocado (entre os dois trilhos principais) em trechos íngremes, para engrenar em rodas dentadas das locomotivas e, assim, facilitar a tração e aumentar a segurança **4** *P. ext.* A linha ferroviária com esse trilho **5** *Ant.* Dispositivo de ferro, preso ao fogão, que permitia manter suspenso um recipiente sobre o fogo [F.: Do fr. *crémaillère.*]

cremar (cre.*mar*) *v.* **1** Converter (cadáver, corpo de quem morreu) em cinzas (sumariamente, ou como parte de rito funerário) [*td.*] **2** Realizar ou comparecer a cerimônia fúnebre em que se faz a cremação do corpo de (alguém que morreu) [***td.:*** *A família respeitou o desejo do morto e o cremou, numa cerimônia simples.*] **3** *Fig.* Extinguir(-se), fazer perder (ou perder) a intensidade [***td.*** / ***int.:*** *tempo de cremar tristezas / cremaram-se as tristezas.*] [▶ 1 cremar] [F.: Do lat. *cremare.* Hom./Par.: *creme* (fl.), *creme* (sm. a.).]

◎ **cremat(o)-** *el. comp.* = 'bens'; 'riquezas'; 'dinheiro': *crematofobia, crematófobo* [F.: Do gr. *khrema, atos,* 'aquilo de que nos servimos, do que nos valemos' – no pl. *khremata,* 'riquezas'.]

crematofobia (cre.ma.to.fo.*bi*:a) ***sf.*** *Psiq.* Pavor ou aversão patológica ao dinheiro, à riqueza [F.: *cremat(o)-* + *-fobia.*]

crematofóbico (cre.ma.to.*fó*.bi.co) *Psiq.* *a.* **1** Ref. a crematofobia **2** Diz-se de indivíduo que sofre de crematofobia; CREMATÓFOBO ***sm.*** **3** Esse indivíduo; CREMATÓFOBO [F.: *crematofobia* + *-ico*².]

crematófobo (cre.ma.*tó*.fo.bo) *a.* ***sm.*** *Psiq.* O mesmo que *crematofóbico* (2 e 3) [F.: *cremat(o)-* + *-fobo.*]

crematório (cre.ma.*tó*.ri:o) ***sm.*** **1** Lugar onde se fazem cremações: *O funeral será realizado no crematório.* *a.* **2** Ref. a ou que envolve cremação **3** Usado para cremar (forno crematório) [F.: *cremar* + *-tório.*]

creme (*cre*.me) ***sm.*** **1** Substância cosmética ou farmacêutica de consistência mais ou menos pastosa (ger. preparado por emulsificação) e que pode ser espalhada e friccionada na pele: *creme de barbear.* **2** Qualquer preparação que consiste em um líquido tornado grosso, denso (por acréscimo de substâncias, fervura etc.) **3** A nata do leite [Ver tb. *creme de leite.*] **4** *Cul.* Substância grossa e pastosa feita com leite e açúcar, farinha ou ovos, us. em recheios, confeitos, ou como sobremesa **5** *Cul.* Qualquer molho cremoso, ger. à base de leite ou farinha; *tb.:* alimento espesso, pastoso, feito com farinha, legumes ou verduras e leite, para acompanhar outros (creme de milho): *creme de cenoura.* **6** Sopa bem grossa (creme de ervilha) **7** *Fig.* O que existe de melhor em um grupo de pessoas ou conjunto de coisas; ESCOL; NATA: *Pertence ao creme da sociedade.* [Alusão ao creme ou nata do leite, que é uma substância mais 'rica' e fica no alto.] **8** A cor amarelada da nata do leite ***a2g2n.*** **9** Que é dessa cor (paredes creme) **10** Diz-se dessa cor: *meias de cor creme.* [F.: Do fr. *crème.*] ■ **~ chantili /chantilly** *Cul.* Creme de leite fresco e batido com açúcar [Tb. apenas *chantili* ou *chantilly.*] **~ de leite** Produto ger. industrializado feito da parte gordurosa do leite (a nata) e us. em vários preparados culinários (doces ou salgados)

cremeira (cre.*mei*.ra) ***sf.*** Recipiente de louça, vidro ou porcelana para conter e servir creme [F.: *creme* + *-eira.*]

cremona (cre.*mo*.na) ***sf.*** Tipo de tranca de ferro deslizante para portas e janelas; CARMONA [F.: Do fr. *crémone.*]

cremonense (cre.mo.*nen*.se) ***s2g.*** **1** Aquele ou aquela que nasceu ou que vive em Cremona (Itália) ***a2g.*** **2** De Cremona; típico dessa cidade ou de seu povo [F.: Do top. *Cremona* + *-ense.*]

cremosidade (cre.mo.si.*da*.de) ***sf.*** Característica ou condição de cremoso [F.: *cremoso* + *-(i)dade.*]

cremoso (cre.*mo*.so) [ô] *a.* **1** Que tem consistência de creme (2): *sopa cremosa.* **2** Ref. a ou que contém creme (1): *medicamento cremoso.* [Pl.: [ó]. Fem.: [ó].] [F.: *creme* + *-oso.*]

crença (*cren*.ça) ***sf.*** **1** Ação ou resultado de crer (com ou sem razões, motivos, confirmação objetiva etc.); estado mental de quem crê: *Não perde a crença na vitória final; crença na astrologia.* ***sf.*** **2** Fé religiosa [Ant.: *ceticismo, descrença.*] **3** Aquilo que uma pessoa ou grupo consideram como verdadeiro (crenças filosóficas) **4** Profunda e íntima convicção; CERTEZA; CONFIANÇA: *Nada abala sua crença na Justiça.* [Ant.: *desconfiança, descrédito.*] [F.: Do lat. med. *credentia, ae.*]

crendice (cren.*di*.ce) ***sf.*** Crença (ger. popular) considerada absurda ou ridícula, e que não tem respaldo nas doutrinas religiosas ou em explicações científicas; ABUSÃO; SUPERSTIÇÃO [F.: *crente* (com alteração para *crend-*) + *-ice.*]

◎ **cren(o)-** *el. comp.* = 'fonte'; 'águas minerais': *crenoterapia* [F.: Do gr. *kréne, es.*]

crenoterapia (cre.no.te.ra.*pi*:a) ***sf.*** Tratamento com águas minerais [Cf.: *hidroterapia.*] [F.: *cren(o)-* + *-terapia.*]

crente (*cren*.te) ***a2g.*** **1** Diz-se de quem acredita, de quem crê em algo [+ *em:* "Crentes ainda em melhores dias vindouros..." (Ferreira de Castro, *Selva*) Ant.: *cético, descrente.*] **2** Que manifesta crença religiosa **3** Que segue uma religião protestante; EVANGÉLICO **4** Diz-se de quem é crédulo, crê ingenuamente ou leva por demais a sério seus assuntos e responsabilidades **5** *Pop.* Diz-se de quem está (equivocadamente, ou ingenuamente) convencido de algo, ou com certa expectativa: *Ele está crente que vai se dar bem.* ***s2g.*** **6** Pessoa crédula **7** Sectário de uma religião **8** Membro de igreja protestante [F.: Do lat. *credens, entis.*]

creodonte (cre.o.*don*.te) *Pal.* ***sm.*** **1** Espécime dos creodontes, ordem de mamíferos extintos ger. carnívoros e digitígrados, de corpo alongado e grande cauda, que viveram no Período Terciário ***a2g.*** **2** *Pal.* Ref. ou pertencente aos creodontes [F.: Adaptç. do lat. cient. *Creodonta.*]

🌐 **creole** (/*Fr.* /crrêóle/) ***a2g.*** **1** Diz-se de quem descende de europeu nascido nas Antilhas ou na América espanhola **2** Diz-se de pessoa branca descendente de colonizadores franceses ou espanhóis nessa região, e que preserva a língua e a cultura dos antepassados **3** Diz-se de quem é mestiço de negro e emigrante da França ou da Espanha **4** Ref. à cultura dessas pessoas (música creole; cozinha creole) ***sm.*** **5** Descendente de europeu nascido nas Antilhas ou na América espanhola **6** Branco descendente de colonizadores franceses ou espanhóis nessa região **7** Mestiço de negro e emigrante da França ou da Espanha que fala dialeto do francês ou do espanhol [F.: alter. de *criolle,* do espn. *criollo.*]

creolina (cre:o.*li*.na) ***sf.*** Nome comercial de uma substância líquida us. como desinfetante, antisséptico e germicida [F.: Do fr. *créoline.*]

creosotado (cre.o.so.*ta*.do) *a.* *Quím.* Que contém creosoto ou em que se aplicou creosoto (rum creosotado) [F.: Part. de *creosotar.* Ideia de: *creo-, -soto* e *soter(i/o)-.*]

creosotar (cre.o.so.*tar*) *v. td.* **1** Fazer aplicação de creosoto a: *O dentista creosotou a polpa do dente.* **2** Aplicar creosoto em (madeira) para protegê-la do processo de apodrecimento: *O marceneiro creosotou os móveis.* [▶ 1 creosotar] [F.: *creosoto* + *-ar*².]

creosoto (cre.o.*so*.to) [ô] ***sm.*** *Quím.* Destilado do alcatrão, oleoso e volátil, us. como expectorante e no tratamento de cáries [F.: Do al. *Kreosot.* Hom./Par.: *creosoto* (sm.), *creosoto* (fl. de *creosotar*). Ideia de: *creo-, -soto* e *soter(i/o)-.*]

crepe (*cre*.pe) [é] ***sm.*** **1** Tecido fino e leve, de aspecto ondulado e áspero ao toque, ger. transparente, feito de fios de seda ou de lã muito torcidos **2** Designação dada a vários tecidos leves semelhantes ao crepe, feitos com seda ou outros fios naturais ou artificiais, coloridos ou de cor preta, us. esp. em peças de roupa femininas **3** Crepe ou outro tecido de cor preta, us. em trajes de luto, em velórios, cerimônias fúnebres etc. **4** Fita negra us. em sinal de luto; BRAÇADEIRA **5** *Fig.* Grande tristeza; LUTO **6** *Cul.* Tipo de panqueca, servida com recheios doces ou salgados **7** Porção ou rolo de borracha de qualidade inferior, esp. a que é tirada da maniçoba, e us. em sola de calçado [F.: Do fr. *crêpe* < fr. ant. *crespe* 'crespo, enrugado'.]

creperia (cre.pe.*ri*.a) ***sf.*** Restaurante especializado em servir crepes (2) [F.: Do fr. *crêperie.*]

crépido (*cré*.pi.do) *a.* *Poét.* Crespo, ondulado, frisado (como o crepe) [Ant.: *liso.*] [F.: Or. contrv.: de *crepe* + *-ido,* ou do fr. *crépu.*]

crepitação (cre.pi.ta.*ção*) ***sf.*** **1** Ação ou resultado de crepitar, de estalar; ESTALO; ESTALIDO **2** Qualquer ruído similar aos estalos do fogo ao queimar madeira e outros materiais (crepitação de tiros) **3** *Med.* Sucessão de pequenos estalidos que se percebem na ausculta pulmonar de pacientes com pneumonia ou edema pulmonar **4** *Med.* Série de estalos que fazem as partes de um osso fraturado [Pl.: *-ções.*] [F.: *crepitar* + *-ção.*]

crepitante (cre.pi.*tan*.te) ***a2g.*** **1** Que crepita, que produz estalo(s) ou estalido(s) (fogueira crepitante) **2** Que é composto por estalo(s) ou estalido(s), ou que é semelhante a uma série rápida de estalos (som crepitante) [F.: *crepitar* + *-nte.*]

crepitar (cre.pi.*tar*) *v.* Dar ou produzir estalidos (como aqueles da madeira e outros materiais, ao queimar e lançar faíscas, ou o do sal quando é lançado ao fogo) [***int.:*** *As chamas crepitaram durante toda a noite; A lenha crepitava na fogueira; As folhas secas crepitavam ao serem pisadas.*] [***ta.:*** "Ouvindo a chuva crepitar nas telhas..." (Manuel Ribeiro, *A planície heroica*)] [▶ 1 crepitar] [F.: Do lat. *crepitare.*]

crepom (cre.*pom*) ***a2g.*** **1** Diz-se de papel de seda encrespado **2** Diz-se de certo tipo de tecido crespo, ondulado ***sm.*** **3** Esse papel ou esse tecido [Pl.: *-pons.*] [F.: Do fr. *crépon.*]

crepuscular (cre.pus.cu.*lar*) ***a2g.*** **1** Do ou ref. ao crepúsculo (luz crepuscular; hora crepuscular) **2** Que acontece no crepúsculo; que surge, se manifesta ou está ativo ao cair da noite (passeio crepuscular): *animal de hábitos crepusculares.* **3** *P. ext. Fig.* Ref. a ou que se dá ao fim de um período, de um ciclo histórico; esp.: decadente ou próprio de período de decadência (civilização crepuscular) **4** *Fig.* Vago, indefinido, indistinto; que não discerne ou não é discernido com clareza e nitidez [F.: *crepúsculo* + *-ar*¹.]

crepúsculo (cre.*pús*.cu.lo) ***sm.*** **1** Claridade fraca e indireta dos períodos de transição do dia para a noite e vice-versa (quando o Sol ainda não surgiu no céu ou já se pôs, mas sua luz incide nas camadas superiores da atmosfera); LUSCO-FUSCO **2** Período do dia em que há essa claridade [Nessas acps., é mais usual o emprego da palavra para designar a claridade e o período correspondente no anoitecer – daí o sentido figurado da acp. 3. Para designar a claridade fraca da manhã, ger. se emprega algum qualificativo: *crepúsculo matutino/da manhã.*] **3** *Fig.* Proximidade do fim; DECLÍNIO; OCASO: *crepúsculo da vida.* [F.: Do lat. *crepusculum, i.*] ■ **~ da vida** *Fig.* A velhice **~ matutino** *Astron.* O crepúsculo no raiar do dia **~ vespertino** *Astron.* O crepúsculo no pôr do sol

crer *v.* **1** Ter confiança, ser otimista, ter boas expectativas em relação a algo; ACREDITAR; CONFIAR [***td.:*** *Creio que tudo dará certo.*] **2** Considerar como real a existência de [***tr.*** + *em: Creio em Deus.; Eu não creio em bruxas, mas que existem, existem.*] **3** Aceitar (algo ou alguém, suas palavras ou propostas etc.) como verdadeiro, eficiente, cumpridor do que promete ou capaz de realizar aquilo a que se propõe; ACREDITAR [***tr.*** + *a, em: Meu pai crê na medicina chinesa; Os apóstolos criam a Jesus.*] **4** Ter como real, provável ou possível (qualidade, fato, condição etc.); JULGAR; SUPOR [***td.:*** *Luíza crê que ele teve razão.*] [***tdp.:*** *Eu o cria mais inteligente.*] **5** *Rel.* Ter fé; ACREDITAR [***int.:*** *Fez uma promessa, porque crê.*] [▶ **34 crer**] [F.: Do lat. *credere.* Hom./Par.: *creste(s)* [ê] (fl.), *creste(s)* (fl. de *crestar*); *crê* (fl.), *cré* (sm.); *cresse(s)* [ê] (fl.), *cresce(s)* (fl. de *crescer*); *críamos* (fl.), *criamos* (fl. de *criar*); *crieis* (fl.), *crieis* (fl. de *criar*).]

crescendo (cres.*cen*.do) ***sm.*** **1** *Mús.* Aumento gradual da intensidade de um som **2** *Mús.* Esse aumento aplicado na execução de um trecho de música **3** *Fig.* Crescimento, aumento, intensificação ou desenvolvimento progressivos de algo: *O suspense segue num crescendo.* ***adv.*** **4** *Mús.* Com intensidade sonora cada vez maior [Us., nesta acp., como indicação de execução de trecho de música.] [F.: Do it. *crescendo.*]

crescente (cres.*cen*.te) ***a2g.*** **1** Que cresce ou está crescendo; que se torna ou está se tornando maior sob algum aspecto, esp. em tamanho, número ou quantidade, em intensidade ou frequência, etc.: *distância crescente entre os dois veículos; acessos crescentes de irritação; Um murmúrio crescente se espalhou pela sala, quando o diretor entrou; Confessou o amor crescente que sentia por ela.* **2** Que está em desenvolvimento ou em algum processo similar ou comparável a crescimento **3** Próspero, florescente, em progresso, em ascensão, em processo de melhora ou aprimoramento (carreira crescente) [Ant.: *decadente.*] **4** *Astr.* Diz-se da lua no período posterior à lua nova e antes da lua cheia, quando parte cada vez maior do hemisfério voltado para a Terra fica visível, iluminada pelo sol [Usualmente, o termo se refere ao aspecto da lua quando tem uma figura menor que o semi-círculo (quarto crescente). No período entre o quarto crescente e a lua cheia, quando se vê mais que metade do hemisfério lunar, diz-se que a lua é *crescente gibosa.*] **5** *Ling.* Diz-se de ditongo constituído de semivogal seguida de vogal (p. ex., a palavra *ioiô* tem dois ditongos crescentes) ***sm.*** **6** *Astr.* O período entre a lua cheia e o quarto crescente **7** *Restr.* *Astr.* Ver *Quarto crescente* (fase da Lua) **8** A Lua, quando aparece com menos de metade do hemisfério visível iluminada, entre as fases da lua cheia e do quarto crescente **9** Figura ou formato com que a Lua aparece no período entre a fase da lua nova e a do quarto crescente (e tb. entre o quarto minguante e a lua nova que vem a seguir), com uma linha convexa e outra côncava **10** Figura de semi-círculo; MEIA-LUA **11** Qualquer coisa com essa forma ou figura (ver acps. 9 e 10) **12** Arma, estandarte ou divisa dos muçulmanos, que traz caracteristicamente a figura do crescente (8); *tb.:* o conjunto dos povos ou países muçulmanos, esp. os da África do Norte e Arábia (Oriente Médio) **13** *Arq.* Arco, muito us. em edificações muçulmanas, com parte curva maior que o semi-círculo **14** Ferramenta curva para podar árvores ***sf.*** **15** Cheia de rio ou maré; ENCHENTE [F.: *crescer* + *-nte.*]

crescer (cres.*cer*) *v.* **1** Desenvolver-se, aumentando em altura, duração, comprimento, tamanho, volume etc. [***int.:*** "Ela cresce – nem é mais a menina." (Guimarães Rosa, *Ave, palavra*)] **2** Aumentar (algo) na quantidade; MULTIPLICAR(-SE) [***int.:*** *A população urbana cresceu vertiginosamente.*] **3** *Fig.* Aumentar ou adquirir (autoridade, importância, qualidade etc.) [***tr.*** + *em: Depois do curso, ele cresceu em competência e eficiência.*] [***int.:*** *Ela cresceu na empresa este ano.*] **4** Aumentar em intensidade, força ou ímpeto [***int.:*** *Na sala começou-se a espalhar um sussurro, que cada vez crescia mais.*] **5** Desenvolver-se (em determinado estado ou condição) [***tp.:*** *Crescia saudável.*] **6** Nascer e desenvolver-se; MEDRAR [***int.:*** *O mato crescia na grama.*] **7** Desenvolver-se (vegetais); MEDRAR [***int.:*** *Naquela terra,* *o milho não cresceu.*] **8** Tornar-se maior em sua atividade, mais produtivo, mais abrangente, mais próspero; PROGREDIR; PROSPERAR [*tr.* + *em*: *O estado cresce na criação de gado.*] [*int.*: *Sua empresa cresceu muito.*] **9** *Fig.* Investir contra (alguém) [*tr.* + *para, sobre*: *Encolerizado, Aquiles cresceu sobre Heitor como uma fera.*] **10** *Lus.* Sobrar, restar [*int.*: *Já muito idoso, ainda lhe crescia o talento.*] [▶ 33 crescer] [F.: Do lat. *crescere*. Hom./Par.: *cresce(s)* (fl.), *cresse(s)* [ê] (fl. de *crer*); *crescem* (fl.), *cressem* [ê] (fl. de *crer*).] ■ **Cresça e apareça** Expressão que indica a quem ela é dita que deve se tornar apta (adulta, experiente, capacitada etc.) ante de comparecer com ideias, ações, opiniões etc.

crescido (cres.*ci*.do) *a.* **1** Que cresceu; que aumentou de tamanho; mais volumoso e/ou mais alto e/ou mais largo que antes; GRANDE: *Tem a barriga crescida por estar grávida; crianças crescidas e fortes.* **2** *Restr.* Que já se desenvolveu bastante, ou (quase) completamente; que já (quase) completou a fase de crescimento ou desenvolvimento: *Eles já têm filhos crescidos.* **3** Aumentado em quantidade, em intensidade **4** Aumentado em número, quantidade, intensidade, frequência, ou em outra medida **5** Que progrediu, avançou em conquistas, aumentou em importância, valor, adquiriu mais poder ou capacidade **6** Que se tornou mais próspero, afortunado, bem-sucedido em sua atividade ou negócio **7** Diz-se da idade da maturidade, do pleno desenvolvimento físico e mental [F.: Part. de *crescer.*]

crescimento (cres.ci.*men*.to) *sm.* **1** Ação ou resultado de crescer **2** Aumento em número ou quantidade, multiplicação (*crescimento* da população) [Ant.: *decréscimo, diminuição.*] **3** Aumento em intensidade, frequência ou outra medida: *crescimento do crime/da criminalidade.* **4** Aumento da extensão ou alcance, da influência, difusão (*crescimento* religioso) **5** Aumento em importância ou valor, em capacidade ou poder (crescimento *profissional*); ASCENSÃO; SUBIDA [Ant.: *declínio, queda.*] **6** Ampliação, expansão (*crescimento* dos negócios) [Ant.: *redução.*] **7** Subida, elevação; aumento de uma medida ou do resultado de um cálculo, como p. ex. índice, taxa etc. (*crescimento* da inflação) [Ant.: *baixa, descida, diminuição.*] **8** *Pop.* Febre intermitente e frequente [Nesta acp. mais us. no pl.] **9** *Lus.* O que sobra, resta; CRÉSCIMO; SOBEJO [F.: *crescer* + *-imento.*] ■ **~ econômico** *Econ.* Aumento da capacidade de produção e/ou da atividade econômica um país ou região, expresso ger. pelo aumento da renda *per capita* [Cf.: *Desenvolvimento econômico* (1).] **~ vegetativo** Aumento da população de determinado local ou região, em certo período, resultante da diferença entre o número de nascimentos e o de mortes (isto é, sem levar em conta fatores como migrações)

créscimo (*crés*.ci.mo) *sm.* **1** *Lus.* O que sobra, resta; os resíduos ou restos; EXCEDENTE **2** Aumento da febre [F.: De *crescer*, analogamente a *acréscimo.*]

crespo (*cres*.po) [ê] *a.* **1** Diz-se de pelos, fios ou cabelos muito encaracolados e pouco maleáveis (cabelos *crespos*) [Ant.: *alisado, liso.*] **2** Que é áspero; que tem como característica a presença de frisos, rugas, dobras, irregularidades bem visíveis ou sensíveis pelo tato (tecido *crespo*; alface *crespa*); RUGOSO [Ant.: *desenrugado, macio.*] **3** Cuja superfície se apresenta cheia de ondulações, devido ao vento, à agitação (diz-se ger. do mar); ENCAPELADO [Ant.: *bonançoso, calmo.*] **4** Escarpado, pedregoso (diz-se de terreno) [Ant.: *liso, plano.*] **5** Cheio, lotado, tomado **6** Que causa incômodo, por ser agressivo, insolente, rude, grosseiro **7** Ameaçador, perigoso **8** *Fig.* Que é incômodo, desprazeroso, difícil *sm.* **9** *Bras. N. E.* Tapioca fina e servida enrolada **10** Tapioca ou pão de mandioca, tostados [F.: Do lat. *crispus, a, um*. Ideia de 'crespo', usar pref. *cresp-* e *crisp(i)-*.]

cresta (*cres*.ta) *sf.* **1** Ação ou resultado de crestar; CRESTAMENTO **2** Queima ou queimadura superficial; CRESTAMENTO [F.: Dev. de *crestar*. Hom./Par.: *cresta* (sf.), *cresta* (fl. de *crestar*). Ideia de: *crest-*.]

crestado (cres.*ta*.do) *a.* **1** Queimado superficialmente; ESTURRICADO; CHAMUSCADO: "...estão ameaçadas pelos constantes incêndios no mato *crestado* neste verão inclemente." (*O Globo*, 28.01.1999) **2** Ressecado, ger. por frio ou calor excessivo (face *crestada*); ENRUGADO; ENCARQUILHADO [F.: Part. de *crestar*. Ideia de: *crest-*.]

crestar (cres.*tar*) *v.* **1** Queimar(-se) superficialmente; expor(-se) rapidamente ou superficialmente à ação do fogo ou do calor [*td.*: *Minha mãe crestou o pão no forno.*] [*int.*: *Crestava-se ao sol da tarde.*] **2** Tornar endurecido, quebradiço, por ressecamento devido à ação de frio ou calor [*td.*: *O frio crestou os lábios da criança.*] [*int.*: *O solo crestou-se com a seca.*] **3** Ficar enrugado, ger. por ação do sol, desidratação ou envelhecimento natural [*td.*: *O sol lhe crestou a pele.*] [*int.*: *Crestava-se dia após dia.*] **4** Dar cor mais escura, ou de queimado, a; ganhar essa cor; tornar(-se) trigueiro, escuro, moreno [*td.*: *O sol crestou-lhe demais o rosto.*] [*int.*: *Enquanto jogava bola, crestou-se.*] **5** *Fig.* Enfraquecer, desgastar [*td.*: "...o mormaço da corrupção vai *crestando* todos os estímulos nobres..." (José de Alencar, *O gaúcho*)] [*int.*: *Seu desejo crestou-se.*] [▶ 1 crestar] [F.: Do lat. *crustare*. Hom./Par.: *cresta(s)* (fl.), *cresta(s)* (sf. [pl.]); *creste(s)* (fl.), *creste(s)* [ê] (fl. de *crer*); *cresto* (fl.), *cresto* [ê] (sm.).]

cretáceo (cre.*tá*.ce:o) *a.* **1** Ref. à ou composto de cré[1] (solo *cretáceo*) **2** *Geol.* Ref. ao último período da era mesozoica, quando surgiram os primeiros mamíferos e plantas *sm.* **3** *Geol.* Esse período [Nesta acp., com inicial maiúsc.] [F.: Do lat. *cretaceus, a, um* 'ref. à cré'.]

cretense (cre.*ten*.se) *s2g.* **1** Aquele ou aquela que nasce ou que vive em Creta (Grécia) *a2g.* **2** De Creta; típico dessa ilha ou de seu povo [F.: Do lat. *cretensis, e.*]

cretinice (cre.ti.*ni*.ce) *sf.* Qualidade ou comportamento de cretino; CRETINISMO; IMBECILIDADE; INSOLÊNCIA; ATREVIMENTO [F.: *cretino* + *-ice.*]

cretinismo (cre.ti.*nis*.mo) *sm.* **1** *Med.* Deficiência físico-mental causada pela ausência ou mau funcionamento da glândula tireoide **2** Qualidade ou condição de cretino (tolo); estupidez; CRETINICE **3** Comportamento ou atitude de cretino (tolo; insolente, atrevido); CRETINICE [F.: *cretino* + *-ismo.*]

cretinizar (cre.ti.ni.*zar*) *v. td.* Tornar(-se) cretino, imbecil: *Certos programas de TV cretinizam as pessoas.* [▶ 1 cretinizar] [F.: *cretino* + *-izar.*]

cretino (cre.*ti*.no) *a.* **1** Que sofre de cretinismo ou que é próprio de quem tem essa condição **2** Que é pouco inteligente ou muito tolo, ou que tem pensamentos ou comportamento muito pouco sensatos (ideia *cretina*); ESTÚPIDO; IMBECIL **3** *Pop.* Diz-se de quem tem comportamento inconveniente, ou atitude atrevida, insolente *sm.* **4** Pessoa tola, pouco inteligente, pouco sensata, estúpida **5** Pessoa que sofre de cretinismo [F.: Do fr. *crétin.*]

cretinoide (cre.ti.*noi*.de) *a2g.* **1** Que é cretino ou próprio de quem cretino, tolo, imbecil; IMBECILOIDE: "– Nunquinha faça aquela pergunta *cretinoide*: 'Você é feliz?'" (*O Globo*, 03.11.2001) *s2g.* **2** Pessoa cretina, imbecil, tola [F.: *cretino* + *-oide.*]

cretone (cre.*to*.ne) *sm.* Tecido grosso de linho ou algodão us. em cortinas, colchas etc. [F.: Do fr. *cretonne.*]

créu *sm. Gír. Tabu.* Termo (difundido por música e dança da cultura funk que levam esse nome) baseado na insinuação textual (expressiva, onomatopeica) e gestual do coito, em conotação maliciosa e pornográfica [F.: De or. expressiva chula.]

cria (*cri*.a) *sf.* **1** Filhote recém-nascido: *A leoa defende com fúria sua cria.* **2** *Pop.* Criança (em relação à mãe ou ao pai), filho ou filha, rebento **3** *Bras.* Pessoa criada em casa alheia; AGREGADO: *Veio do interior e virou cria da família.* **4** *Bras.* Pessoa cuja formação foi influenciada por outrem: *Esses artistas são crias do velho mestre.* **5** *S Pop.* Pessoa ou animal que é natural ou procedente de determinado lugar, que cresceu nesse lugar e tem hábitos próprios a ele: *Ele é cria da cidade.* **6** Grupo de animais que são criados e mantidos por alguém para aproveitá-los no sustento doméstico ou para comercializá-los [F.: Dev. de *criar*. Hom./Par.: *cria* (fl. *criar*).] ■ **~ de pé** Criança que recém começou a andar **~ de peito** Criança que ainda mama **Lamber a ~ 1** Tratar um filho com carinho **2** *Fig.* Exibir orgulhosa e carinhosamente fruto de seu trabalho

criação (cria.*ção*) *sf.* **1** Ação ou resultado de criar, de fazer existir algo que não havia, ou de desenvolver, dar nova feição ou uso ao que já existe: *Aprovada a sinopse, dedicou-se à criação do roteiro.* **2** Capacidade ou talento de criar, de conceber coisas novas; CRIATIVIDADE: *A criação dele é admirável, suas obras são realmente inovadoras.* **3** Aquilo que se cria, produto (artístico, literário, artesanal etc.) da imaginação, do talento, do trabalho humano: *Esse romance foi sua melhor criação.* **4** Produção, elaboração de qualquer coisa **5** O momento, a instância ou o ato (atribuído a Deus) em que se deu existência aos seres e ao mundo; a origem de todas as coisas existentes **6** O conjunto dos seres criados, a totalidade do universo [Nas acps. 3 e 4, inicial ger. maiúsc.] **7** Processo de alimentar e educar uma criança: *Esmerou-se na criação do filho.* **8** O resultado (bom ou mau) desse processo no caráter, comportamento, qualidades etc. de uma pessoa; EDUCAÇÃO: *De seu comportamento nota-se que é de boa/má criação.* **9** Ação de fundar, estabelecer, instituir: *criação de um curso; criação de empregos; a criação de uma universidade.* **10** Conjunto de animais domésticos mantidos para abate, venda etc.; essa atividade econômica: *criação de rãs; criação de vacas leiteiras.* **11** O período da infância, da meninice: *amigos de criação.* **12** *Publ.* Concepção e materialização de mensagem publicitária, quanto a texto, imagem, mídias etc. **13** *Publ.* Setor de agência de propaganda encarregado dessa atividade **14** *Publ.* O resultado dessa atividade em forma de mensagem publicitária, anúncio, reclame, mote etc. **15** *N. N. E.* Gado caprino e ovelhum **16** *S.* Alvenaria de pedra miúda e argamassa com que se preenchem vãos deixados por pedras maiores **17** *Vest.* Novo modelo ou nova moda de roupa ou de acessórios de vestuário **18** *Mús.* Interpretação de obra musical característica do artista que a faz **19** *Cin. Teat. Telv.* Interpretação marcante de um personagem pelo ator; a primeira interpretação de um personagem por um ator e que passa a ser um padrão [Pl.: *-ções.*] [F.: Do lat. *creatio, onis.*] ■ **De ~** Diz-se de filho adotivo em relação a qualquer membro da família que o adotou, ou de qualquer membro da família em relação a esse filho (filho/mãe de criação, irmão de criação etc.)

criacionismo (cri.a.ci:o.*nis*.mo) *sm.* **1** *Teol.* Doutrina (oposta à teoria da evolução), baseada no Gênese bíblico, segundo a qual todos os seres foram criados por Deus tal como são e se mantêm biologicamente imutáveis: "...Darwin elaborou a teoria da evolução das espécies. Com isso empreendeu uma revolução no mundo ocidental, que aceitava, como dogma imutável, a doutrina do *criacionismo*." (*O Globo*, 28.05.2002) **2** *Rel.* Doutrina religiosa segundo a qual as pessoas têm suas almas criadas no momento mesmo em que são concebidas [P. opos. a *traducianismo.*] **3** Princípio das pessoas que defendem como absolutamente essencial a criação de fato ou ideia novos **4** *Lit.* Variante hispano-americana do expressionismo, surgida especialmente no Chile do começo do século XX [F.: *criação* + *-ismo*. Ideia de: *cria-*.]

criacionista (cri.a.ci:o.*nis*.ta) *s2g.* **1** Adepto ou defensor do criacionismo *a2g.* **2** Ref. a criacionismo: "O Dia de Darwin acontece num momento que movimentos *criacionistas*... propõem explicar a vida na Terra através de uma interpretação literal da Bíblia." (*O Globo*, 11.02.2005) [F.: *criação* + *-ista*. Ideia de: *cria-*.]

criada (cri:*a*.da) *sf.* **1** Empregada doméstica **2** Conjunto de crias **3** *S.* Erva-mate em estágio de completa maturação [F.: Fem. de *criado*. Ideia de: *cria-*.]

criadagem (cri:a.*da*.gem) *sf.* **1** Conjunto dos criados empregados em uma casa **2** A classe dos criados [Pl.: *-gens.*] [F.: *criado* + *-agem*[2].]

criadeira (cri:a.*dei*.ra) *sf.* **1** O mesmo que *ama de leite* **2** Incubadeira para pintos; CHOCADEIRA **3** *Bras.* Rês própria para procriação **4** *N. E.* Chuva miúda, contínua, que molha bem a terra; tb. *chuva-criadeira a.* **5** Que cria bem, que fecunda: "As chuvas miúdas são mais *criadeiras* mas você bem sabe que não é tempo!" (Monteiro Lobato, *Negrinha*) [F.: *criar* + *-deira.*]

criado (cri.*a*.do) *a.* **1** Que se criou; GERADO; PRODUZIDO **2** Que se alimentou e educou (filhos *criados*) **3** Que se instituiu, fundou *sm.* **4** Pessoa que presta serviços domésticos; EMPREGADO **5** Denominação com que, por cortesia, se apresenta quem se põe a serviço de outra pessoa: *Pode contar aqui com este seu criado.* [F.: Do lat. *creatus.*]

criado-mudo (cri.a.do-*mu*.do) *sm.* O mesmo que *mesa de cabeceira* [Pl.: *criados-mudos.*]

criador (cri:a.*dor*) [ô] *a.* **1** Que cria ou criou, que faz ou fez surgir ou existir algo que não havia antes; CRIATIVO; INVENTIVO: *um talento criador.* **2** Que tem a capacidade ou a iniciativa de criar, inventar coisas novas (talento *criador*); CRIATIVO; INVENTIVO **3** Diz-se do que cria com abundância (solo *criador*); FECUNDO; FÉRTIL **4** Diz-se de pessoa que se dedica à criação de animais para abate, venda etc. (fazendeiro *criador*) *sm.* **5** Aquele que cria, inventa, concebe: *o criador de uma teoria.* **6** Aquele que funda, dá início a instituição, organização, entidade etc.: *Estes retratos são dos criadores da universidade.* **7** Pessoa que cria animais: *criador de cabras.* **8** *Rel.* Aquele que deu origem a todos os seres e ao mundo, ou seja, Deus; DEUS: *Por tudo isso, dou graças ao Criador.*: "...são criaturas imensas como o próprio *Criador*..." (Cecília Meireles, "O mal de crescer", *in Diário de Notícias*, 24.05.1931) [Nesta acp., inicial ger. maiúsc.] **9** *Cin. Teat. Telv.* Ator que é o primeiro intérprete de certo personagem, ou que o faz muito bem **10** Aquele que suscita, provoca situações, circunstâncias etc.: *Ele é um criador de casos; Esta empresa é uma criadora de oportunidades.* [F.: Do lat. *creator*. Ideia de 'criador', usar suf. *-urgo.*]

criadouro (cri:a.*dou*.ro) *sm.* **1** Local ou recipiente próprio para criação ou desenvolvimento de espécies animais ou vegetais; VIVEIRO; CRIATÓRIO: *O principal criadouro do mosquito da dengue são os pratinhos de vasos de plantas.* **2** *Lus.* O mesmo que *creche* [F.: *criar* + *-douro, -doiro*[1].]

criança (cri:*an*.ça) *sf.* **1** Ser humano, menino ou menina, com idade infantil, entre o nascimento e o início da puberdade **2** *Fig.* Pessoa ainda não adulta, ou muito jovem [Pode ser termo amistosamente jocoso, como referência a alguém mais jovem do que quem o usa: *Você só tem quarenta anos? Mas é uma criança!*] **3** *Fig.* Pessoa ingênua, inexperiente, infantil: *Ele é uma criança, acredita em tudo que lhe dizem.* **4** Cria, filho: *Casaram há pouco tempo, mas já têm duas crianças; a criança da vaca.* **5** *Gír. Fut.* Em gíria de locutores de futebol, a bola: *Matou a criança no peito e chutou.* *a2g.* **6** *Fig.* Diz-se de pessoa ingênua, inexperiente, infantil: *Arranjou um namorado muito criança.* [Ant.: *adulto, maduro.*] [F.: *criar* + *-ança*, ou do lat. *creantia*. Ideia de 'criança', usar pref. *ped* (*o*)- e *puer* (*i*)-.] ■ **~ de peito** A que ainda mama **~ grande** *Joc.* Adulto de comportamento infantil (ingênuo, imaturo, crédulo etc.)

criançada (cri:an.*ça*.da) *sf.* **1** Grupo de crianças; o conjunto das crianças **2** *P. us.* Atitude infantil, comportamento ou ato de criança; CRIANCICE [F.: *criança* + *-ada*[1].]

criancice (cri:an.*ci*.ce) *sf.* **1** Atitude ou ato ou dito imaturos ou ingênuos, próprios de criança; CRIANÇADA; IMATURIDADE; INFANTILIDADE **2** Falta de prudência ou de reflexão, típica de criança, inclusive por parte de pessoa adulta; IMPRUDÊNCIA; LEVIANDADE [Ant.: *sensatez.*] [F.: *criança* + *-ice.*]

criançola (cri:an.*ço*.la) *s2g.* Pessoa que já não é mais criança, mas que se comporta ou se expressa como tal [F.: *criança* + *-ola.*]

criar (cri.*ar*) *v.* **1** Dar existência a, a partir do nada [*td.*: "No princípio, *criou* Deus os céus e a Terra." (Gênese, I, 1)] **2** Formular na mente; CONCEBER; INVENTAR [*td.*: *O desenhista William Steig criou o ogro Shrek.*] **3** Dar origem a, produzir [*td.*: *Cientistas japoneses criaram um robô com movimentos humanos; A umidade criou mofo nessa parede.*] **4** Suscitar o aparecimento de (como consequência) [*td.*: *A pancada criou um grande hematoma na perna.*] **5** Dar o leite do peito a; alimentar ao seio; ALEITAR; AMAMENTAR [*td.*: *Ela não tinha leite para criar os filhos.*] **6** Promover a educação de; EDUCAR [*td.*: *Vovô criou-me desde pequena.*] [*tdr.* + *em*: *Criou os netos na fé cristã.*] **7** Educar e sustentar (uma criança) [*td.*: *Muitas mães criam os filhos sozinhas.*] **8** Estabelecer (alguma coisa), fundar, instituir [*td.*: *criar uma escola / um curso / leis.*] **9** Manter (animais) para fazer procriar, ou por gosto [*td.*: *criar* *gado / gatos.*] **10** Cultivar (planta) [*td.*: *criar orquídeas.*] **11** Passar a ter ou dispor de (algo) resultante de esforço próprio ou por outro acaso [*td.*: *criar coragem / raízes.*] **12** Fazer surgir, ser a causa de; CAUSAR [*td.*: *Vou embora para não criar confusão; Por onde anda cria simpatias.*] [*tdi.* + *a, para*: *A greve dos motoristas criou transtornos para o povo.*] **13** Crescer e desenvolver-se (em determinado lugar) [*ta.*: *Meu pai criou-se no campo.*] **14** Passar a ter determinado sentimento [*tdr.* + *a, por*: *Aquela senhora criou amor pelas crianças de rua.*] **15** Educar ou crescer em convívio com (alguém ou algo) [*tdr.* + *com*: *Criaram a criança com os primos.*] [*tr.* + *com*: *Criou-se com muitos irmãos, naturais e adotados.*] **16** Nascer, originar-se [*int.*: *O milho cria-se rapidamente naquela região.*] **17** Encher-se de pus (ferida) [*int.*] [▶ **1** criar] [F.: Do lat. *creare.* Hom./Par.: *cria(s)* (fl.), *cria(s)* (sf. [pl.]); *criamos* (fl.), *criámos* (fl. de *crer*); *crieis* (fl.) *criéis* (fl. de *crer*).]

criatividade (cri:a.ti.vi.*da*.de) *sf.* **1** Capacidade de inventar, criar, conceber na imaginação **2** Qualidade de quem ou do que é inovador, criativo, original; ORIGINALIDADE **3** *Ling.* Capacidade de produzir e compreender grande número de enunciados devido ao conhecimento intuitivo que todo falante possui dos princípios e regras de sua língua [F.: *criativo* + *-idade.*]

criativo (cri:a.*ti*.vo) *a.* **1** Ref. a criatividade (capacidade criativa); INOVADOR **2** Que possui muita imaginação e criatividade ou que se caracteriza por isso (publicitário criativo; projeto criativo); INVENTIVO; PRODUTIVO **3** *Publ.* Profissional encarregado de criação em agência de publicidade [F.: Do lat. *creatus* (part. de *creare*) + *-ivo*, ou *criar* + *-tivo.*]

criatório (cri:a.*tó*.ri:o) *sm.* **1** Local para criação de animais; CRIADOURO: *criatório de peixes; criatório de rãs.* **2** *N. E.* Local em que se cria gado **3** *PI GO* Gado bovino [F.: *criar* + *-tório.*]

criatura (cri:a.*tu*.ra) *sf.* **1** Ser ou coisa resultante de criação **2** Pessoa, indivíduo: *Ela é uma ótima criatura.* **3** *Fig.* Pessoa que é cria ideológica ou intelectual de outrem: "Mas Santana, que é criatura do Caraça, retrucou..." (Guimarães Rosa, *Sagarana*) **4** *Fig.* Ser vivo monstruoso [F.: Do lat. *creatura, ae.*]

crica (*cri*.ca) *sf. Lus. Tabu.* A vulva *Bras.*; QUIRICA [F.: De or. contrv.]

cricati (cri.ca.*ti*) *a2g.* **1** Relativo ao grupo indígena dos cricatis, que habita o centro do Maranhão **2** Diz-se da língua falada por esse grupo *s2g.* **3** *Etnol.* O indígena desse grupo *sm.* **4** *Ling.* A língua do ramo timbira falada por esse grupo [F.: Do etn. *Krikati.*]

criciúma (cri.ci:*ú*.ma) *sf.* **1** *Bot.* Nome de uma gramínea do gên. *Criciuma* (*Criciuma asymetrica*), trepadeira nativa do Brasil, us. para fazer cestos **2** *Bras. Bot.* Nome de diversas plantas das gramíneas, esp. gêneros *Arundiaria, Chusquea* e *Olyra*, e destes esp. a *Chusquea capituliforme*, taquara fina e flexível us. na fabricação de cestos [F.: Posv. de origem tupi.]

◎ **cric(o)-** *el. comp.* = 'anel'; 'cartilagem cricoide': *cricofaríngeo, cricoide* (< gr.), *cricotireoideo* [F.: Do gr. *kríkos, ou*, 'anel'; 'argola'; 'bracelete'.]

cricofaríngeo (cri.co.fa.*rín*.ge:o) *a. Anat.* Relativo ou pertencente, simultaneamente, à faringe e à cartilagem cricoide (músculo cricofaríngeo) [F.: *cric(o)-* + *faríngeo.*]

cricoide (cri.*coi*.de) *Anat. sf.* **1** Anel cartilaginoso que fica na parte inferior da laringe *a2g.* **2** *Anat.* Diz-se desse anel na parte inferior da laringe [F.: Do gr. *krikoeidés, és, és.*]

cricotireoideo (cri.co.ti.re.*oi*.de:o) *a. Anat.* Ref. ou pertencente às cartilagens cricoide e tireoidea, ou aos músculos que nelas se prendem [F.: *cric(o)-* + *tireoideo.*]

cri-cri (cri-*cri*) *Bras. sm.* **1** Onomatopeia que imita a voz dos grilos **2** Certo brinquedo que imita a voz dos grilos *a2g.* **3** *Pop.* Que é implicante, maçante **4** *Gír.* Diz-se de conversa que só trata de filhos e de empregadas domésticas (crianças e criadas) **5** *P. ext.* Diz-se de conversa maçante sobre assuntos de pouco ou nenhum interesse *s2g.* **6** *Pop.* Pessoa implicante, maçante [F.: De or. onomatopaica. Pl. em todas as classes: *cri-cris.*]

cricrilar (cri.cri.*lar*) *Bras. v. int. Bras.* Emitir som, cantar (o grilo): *O grilo cricrilava alegre no campo.* [▶ **1** cricrilar] [F.: *cri-cri* + *-l-* + *-ar*[2].]

crime (*cri*.me) *sm.* **1** *Jur.* Violação da lei penal, dolosa ou culpável, por ação ou por omissão **2** *Jur.* Segundo o conceito material, ação que ofende um bem sob tutela jurídica: *A polícia luta contra o crime.* **3** Num conceito amplo, qualquer atividade ilegal: *A polícia luta contra o crime.* **4** Transgressão moral ou ética, rejeitada pela sociedade: *A população considera um crime a omissão dos governantes.* **5** *Fig.* Ato ou situação condenáveis, de consequências negativas: *Com tanta gente faminta, desperdiçar alimento é um crime.* *a2g2n.* **6** Criminal (denúncias crime; processo crime) **7** Que tem caráter ou aspecto de crime; CRIMINOSO [F.: Do lat. *crimen.*] ▪▪ **~ capital** *Jur.* O punido ou punível com a pena capital **~ comissivo** *Jur.* O que resulta diretamente de um ato do criminoso **~ comum** *Jur.* O que é julgado no âmbito da justiça ordinária, e sem atingir bens pertencentes ao Estado **~ contra a humanidade** Crime cometido contra o ser humano em si, como, p. ex., o genocídio **~ culposo** *Jur.* Crime resultante não de intenção dolosa, mas de imprudência, imperícia etc. **~ de colarinho-branco** *Bras.* Crime contra a ordem econômica e social, cometido por agentes econômicos, por funcionários de órgãos do governo ou por pessoas que têm acesso a eles **~ de lesa-majestade** Crime cometido contra o rei, ou membro da família real, ou o poder soberano de um Estado **~ de lesa-pátria** Crime cometido contra a pátria; crime de leso-patriotismo **~ de lesa-razão** Crime cometido contra a razão **~ de leso-patriotismo** Ver *Crime de lesa-pátria* **~ de responsabilidade** *Jur.* Crime cometido por funcionário público, com abuso de autoridade ou descumprimento de dever inerente a seu cargo ou função **~ doloso** *Jur.* Crime cometido com a intenção do dolo, assumindo o criminoso o risco de produzi-lo **~ eleitoral** *Jur.* Crime contra a lei eleitoral, ou que interfere no direito de livre escolha do eleitor **~ falho** *Jur.* O que fracassa em chegar a seu termo, apesar do empenho de seu agente **~ formal** *Jur.* Crime consumado, conceitualmente independente de seu resultado **~ hediondo** *Jur.* Crime atroz, com uso de crueldade ou violência, inafiançável, ger. imprescritível e não suscetível de anistia **~ omissivo** *Jur.* Crime que se consuma a partir de uma omissão do criminoso **~ organizado** *Jur.* Aquele cometido por agentes estruturados e instrumentados para sua prática, através de planejamento e logística, como verdadeiras empresas **~ permanente** *Jur.* Crime que se consuma ao longo de certo tempo **~ preterdoloso** *Jur.* Aquele em que a intenção inicial do agente levou a resultado mais grave que o pretendido, imputável como culpa, configurando um crime doloso na intenção e culposo no resultado; crime preterdoloso **~ preterintencional** *Jur.* Ver *Crime preterdoloso* **~ putativo** *Jur.* O que existe na intenção e na imaginação do agente, mas que não constitui crime na prática, portanto não acarreta punição **~ qualificado** *Jur.* Crime cometido em circunstâncias que podem agravar a pena

criminal (cri.mi.*nal*) *a2g.* **1** Ref. a ou que envolve crime (processo criminal; antecedentes criminais); CRIMINOSO **2** Ref. a julgamento de crimes [Pl.: *-nais.*] *sm.* **3** Divisão do poder judiciário que trata dos processos criminais [F.: Do lat. *criminalis, e.*]

criminalidade (cri.mi.na.li.*da*.de) *sf.* **1** Condição ou estado do que é criminoso: "...uma provocação que chegava às raias da criminalidade." (João Ubaldo Ribeiro, *O conselheiro come*) **2** Caracterização, qualificação de um crime *sf.* **3** Atividade ilegal; DELINQUÊNCIA; CRIME: *cair na criminalidade.* **4** Conjunto de crimes cometidos em certo espaço de tempo e lugar: *índice de criminalidade.* **5** *Pop.* A totalidade dos criminosos, dos marginais; MARGINALIDADE [F.: *criminal* + *-(i)dade.*]

criminalista (cri.mi.na.*lis*.ta) *a2g.* **1** *Jur.* Diz-se de profissional que se especializou em direito criminal (advogado criminalista) *s2g.* **2** *Jur.* Esse profissional **3** *N. E. MG SP Pop.* Jurado que invariavelmente condena os réus [F.: *criminal* + *-ista.*]

criminalística (cri.mi.na.*lís*.ti.ca) *sf.* **1** *Jur.* Disciplina do direito penal que conjuga conhecimentos e técnicas para o esclarecimento de crimes e a identificação de criminosos **2** Jurisprudência criminal [F.: *criminalista* + *-ica.*]

criminalístico (cri.mi.na.*lís*.tico) *a.* Ref. a criminalística e a criminalista: *perito criminalístico.* [F.: *criminalista* + *-ico*[2].]

criminalização (cri.mi.na.li.za.*ção*) *sf. Jur.* Ação, processo ou resultado de criminalizar(-se): "...grupo de países que lidam com a droga sem enfatizar a criminalização." (*O Globo*, 14.11.2004) [Ant.: *descriminalização.*] [Pl.: *-ções.*] [F.: *criminalizar* + *-ção.*]

criminalizado (cri.mi.na.li.*za*.do) *a.* Considerado criminoso ou que se criminalizou: "Fato, aliás, criminalizado pela Lei de Responsabilidade Fiscal." (*O Globo*, 10.01.2002) [F.: Part. de *criminalizar.*]

criminalizar (cri.mi.na.li.*zar*) *v. td.* Considerar ou classificar como crime: *criminalizar a ação dos crackers.* [▶ **1** criminalizar] [F.: *criminal* + *-izar.*]

◎ **crimin(o)-** *el. comp.* = 'crime': *criminal* (< lat.), *criminocracia, criminógeno, criminologia, criminólogo.* [F.: Do lat. *crimen, inis*, 'separação'; 'triagem'; 'decisão'; 'decisão judicial'; 'acusação'; 'objeto ou motivo da acusação'; 'crime'.]

criminologia (cri.mi.no.lo.*gi*.a) *Jur. sf.* **1** Estudo das teorias do direito penal **2** Estudo psicológico e sociológico das causas do comportamento antissocial do homem [F.: *crimin(o)-* + *-logia.*]

criminológico (cri.mi.no.*ló*.gi.co) *a.* Ref. ou pertencente a, ou que envolve criminologia (conhecimento criminológico) [F.: *criminologia* + *-ico*[2].]

criminologista (cri.mi.no.lo.*gis*.ta) *s2g.* Jurista que se especializou em criminologia [F.: *criminologia* + *-ista.*]

criminólogo (cri.mi.*nó*.lo.go) *sm. Jur.* Especialista em criminologia; CRIMINOLOGISTA [F.: *crimin(o)-* + *-logo.*]

criminosidade (cri.mi.no.si.*da*.de) *sf.* Qualidade ou característica do que é criminoso [F.: *criminoso* + *-(i)dade.*]

criminoso (cri.mi.*no*.so) [ô] *a.* **1** Em que há crime ou culpa (ato criminoso; intenção criminosa) **2** *Fig.* Condenável (inclusive no aspecto ético, moral, social etc.) a ponto de equivaler a um crime; MALVADO; PERVERSO: *Cortar verbas da saúde é um ato criminoso.* **3** Que cometeu crime ou ato condenável *sm.* **4** Aquele que comete ou cometeu crime; BANDIDO; FACÍNORA; MALFEITOR **5** Réu, delinquente, infrator [Ant.: *inocente*] [F.: Do lat. *criminosus.*]

crina (*cri*.na) *sf.* **1** *Anat. Zool.* Pelo comprido e flexível do pescoço e da cauda de cavalo, burro, zebra etc. **2** Tecido áspero e grosseiro feito de fibras vegetais us. na fabricação de esponjas, tapetes, colchões etc. **3** *Mús.* Conjunto de fios finos e flexíveis estendidos de ponta a ponta no arco de instrumentos de corda, que fricciona as cordas (como no violino, violoncelo, contrabaixo) [F.: Do lat. *crinis.*] ▪▪ **~ vegetal** Denominação fibra retirada de planta (agave, palmeira etc.) us. como sucedâneo de crina animal

crineira (cri.*nei*.ra) *sf.* **1** Crina farta e longa; CRINAL **2** *P. ext.* Farta quantidade de pelos que nasce na cabeça de certos animais, como o leão; JUBA **3** *Mil.* Nos capacetes us. pelos cavalarianos, conjunto de fios pendentes [F.: *crina* + *-eira.* Ideia de: *crin(i)-.*]

◎ **crin(i)-** *el. comp.* = 'crina'; 'pelo'; 'cabelo': *crinífero, criniforme, crinipreto* [F.: Do lat. *crinis, is.*]

◎ **-crinia** *el. comp.* = 'secreção': *acrinia, hipercrinia* [F.: Do v. gr. *krínō* (com *i* breve), 'separar'; 'distinguir'; 'segregar', + *-ia*[1]. F. conexa: *-crin(o)-, -crino*[2].]

crinífero (cri.*ní*.fe.ro) *a.* Que tem crina [F.: *crin(i)-* + *-fero.*]

criniforme (cri.ni.*for*.me) *a2g.* Que tem forma ou aspecto de crina, ou de fio de cabelo [F.: *crin(i)-* + *-forme.*]

crinipreto (cri.ni.*pre*.to) [ê] *a.* Diz-se de cavalo que tem a crina preta e o resto do pelo de outra cor [F.: *crin(i)-* + *preto.*]

◎ **-crin(o)-** *el. comp.* = 'que produz ou expele dada secreção'; 'glândula secretora'; (*P. ext.*) 'secreção': *exocrínico; diácrino, endócrino, exócrino, holócrino.* [F.: Do v. gr. *krínō*, 'separar'; 'distinguir'; 'segregar' (com i breve).]

◎ **-crino** *el. comp.* Ver *crin(o)-*

◎ **crin(o)-** *el. comp.* = 'lírio': *crinoide* (< lat. cient.); *hiócrino.* [F.: Do gr. *krínon, ou* (com i breve).]

crinoide (cri.*noi*.de) *sm.* **1** *Zool.* Espécime dos crinoides, classe de equinodermos que possuem cinco braços ramificados e corpo em forma de cálice, entre eles o lírio-do-mar *a2g.* **2** *Zool.* Ref. ou pertencente aos crinoides [F.: Adaptç. do lat. cient. *Crinoidea.*]

crinudo (cri.*nu*.do) *sm.* **1** Pessoa muito peluda ou cabeluda *a.* **2** *Bras. S* Que tem crina farta e longa **3** *P. ext.* Diz-se de quem tem muito pelo ou cabelo [F.: *crina* + *-udo.* Ideia de: *crin(i)-.*]

◎ **crio-[1]** *el. comp.* = 'frio', 'gelo', 'temperatura extremamente baixa'; 'utilização do frio': *criobiologia, criocirurgia, crioclastia, criofilia, criofísica, criogenia, crioglobulina* [F.: Do gr. *krýos, eos-ous*, 'frio'.]

◎ **crio-[2]** *el. comp.* = 'carneiro'; 'aríete': *criocéfalo* [F.: Do gr. *kriós, oû.*]

criobiologia (cri:o.bi:o.lo.*gi*:a) *sf.* Ciência que estuda os efeitos das baixas temperaturas nos sistemas biológicos [F.: *crio-*[1] + *biologia.*]

criocirurgia (cri:o.ci.rur.*gi*:a) *sf. Cir.* Método cirúrgico que usa gases como o nitrogênio em temperatura muito baixa para curar lesões: "A criocirurgia utiliza o poder destrutivo do frio para o tratamento de tumores." (*O Globo*, 11.03.2001) [F.: *crio-*[1] + *cirurgia.*]

crioclastia (cri:o.clas.*ti*:a) *sf. Geol.* Processo de fragmentação de geleiras e rochas que resulta da força exercida pela água que congela dentro das fendas; GELIFRAÇÃO [F.: *crio-*[1] + *-clastia.*]

criofilia (cri:o.fi.*li*:a) *sf.* **1** *Biol.* Capacidade de certos organismos para se adaptar às baixas temperaturas e nelas se desenvolver **2** Predileção por lugares de clima frio [F.: *crio-*[1] + *-filia*[1].]

criofílico (cri:o.*fí*.li.co) *Biol. a.* **1** Ref. a criofilia **2** Diz-se de organismo que vive ou se desenvolve melhor em temperaturas muito baixas (micro-organismo criofílico); CRIÓFILO; CRIMOFÍLICO [F.: *criofilia* + *-ico*[2].]

criófilo (cri:*ó*.fi.lo) *a. Biol.* O mesmo que *criofílico* (2) [F.: *crio-*[1] + *-filo*[1].]

criofísica (cri.o.*fí*.si.ca) *sf.* Parte da física que estuda o comportamento da matéria a temperaturas muito baixas [F.: *crio-*[1] + *física.*]

criogenia (cri:o.ge.*ni*.a) *sf. Fís.* Produção de baixas temperaturas e estudo dos seus efeitos em materiais e sistemas diversos [F.: *crio-*[1] + *-genia.*]

criogênico (cri:o.*gê*.ni.co) *Fís. a.* **1** Ref. a criogenia **2** Ref. a temperaturas baixíssimas **3** Capaz de produzir ou manter temperaturas muito baixas (recipiente criogênico) [F.: *criogenia* + *-ico*[2].]

criogenização (cri:o.ge.ni.za.*ção*) *sf.* Congelamento (esp. o que induz a estado vegetativo): *A criogenização de seres humanos só acontece na ficção científica.* [Pl.: *-ções.*] [F.: Adaptç. do ing. *cryogenization.*]

crioglobulina (cri:o.glo.bu.*li*.na) *sf. Med.* Proteína que se precipita a baixas temperaturas e se dissolve a partir de 37°C: "...quando está presente na circulação sanguínea um determinado tipo de globulina que é anômalo, chamado de crioglobulina..." (*O Globo*, 05.01.2003) [F.: *crio-*[1] + *globulina.*]

crioléu (cri.o.*léu*) *sm.* **1** *RJ Pop.* Festa popular cujos frequentadores eram predominantemente negros e crioulos **2** *Pej.* Grupo de pessoas negras ou crioulas [F.: *criolo* + *-éu.* Sin. ger.: *criouléu; crioulada.*]

crioprecipitado (cri:o.pre.ci.pi.*ta*.do) *sm. Med.* Derivado de sangue que contém, além do fator de coagulação, outras proteínas: "...doação é útil para quatro pessoas, que aproveitam os subprodutos do sangue: hemácias, plaquetas, plasma e crioprecipitado." (*O Globo*, 07.03.2002) [F.: *crio-*[1] + *precipitado.*]

crioscopia (cri:os.co.*pi*.a) *Fís-quím. sf.* **1** Técnica com a qual se mede a diminuição do ponto de congelamento de líquidos provocada pela presença de um soluto não volátil **2** Efeito coligativo no qual se dá o abaixamento da temperatura de fusão [F.: Do ingl. *cryoscopy*; ver *crio-*[1] e *-scopia.*]

crioscópico (cri:os.*có*.pi.co) ***a.*** *Fís-quím.* Ref. a crioscopia ou próprio dela (ponto crioscópico) [F.: *crioscopia* + *-ico*[2].]

crioscópio (cri:os.*có*.pi:o) ***sm.*** *Fís-quím.* Aparelho us. na medição do ponto de congelamento de um líquido [F.: *crio-*[1] + *-scópio*.]

criotemperatura (cri:o.tem.pe.ra.*tu*.ra) ***sf.*** *Fís. Quím.* Baixa temperatura provocada por aplicação de gelo, neve carbônica etc. [F.: *crio-*[1] + *temperatura*.]

crioterapia (cri:o.te.ra.*pi*.a) ***sf.*** *Med.* Tratamento baseado em aplicações de frio intenso (gelo, neve carbônica etc.) [F.: *crio-*[1] + *-terapia*.]

crioulo (cri:*ou*.lo) ***a.*** **1** Diz-se de indivíduo negro [Dependendo de como se usa e de quem usa o termo nessa acepção, pode denotar preconceito.] **2** *Ant.* Dizia-se de pessoa negra nascida na América do Sul, esp. no Brasil **3** *Ant.* Dizia-se de pessoa de ascendência europeia nascida nas colônias europeias da América, e de seu dialeto **4** Diz-se do que é nativo do local de quem fala ou escreve, e não trazido ou importado de outro lugar: "Os cavalos crioulos queriam mais pressa, quase com ânsia." (Guimarães Rosa, *Estas estórias*) **5** *Bras.* Diz-se de cigarro feito de fumo de rolo e palha de milho **6** Diz-se de galinha que não tem raça definida **7** *Ant.* Dizia-se de escravo que nascia na casa de seu senhor **8** De ou ref. a cada uma das línguas mistas nascidas do contato de um idioma europeu com línguas nativas (vocabulário crioulo) ***sm.*** **9** Indivíduo de cor negra [Ver achega na acp. 1.] **10** Indivíduo negro nascido na América do Sul, esp. no Brasil **11** Indivíduo de ascendência europeia nascido nas colônias europeias da América **12** Indivíduo nativo da região (onde se fala ou escreve o termo) **13** *Gloss.* Cada uma das línguas essencialmente orais nascidas da mistura da língua europeia colonizadora com a língua nativa: "...imitavam a maneira de vestir europeia e falavam entre si um crioulo do português." (Alberto da Costa e Silva, *A manilha e o libambo*) **14** Cigarro crioulo (5) **15** Escravo crioulo (6) [F.: *cria* (dev. de *criar*) + *-oulo*, *-oilo* (*de orig. controversa).] ■■ **~ de Cabo Verde** *Gloss.* Língua nativa baseada no português, falado em Cabo Verde (África) **~ do Pastoreio** Ver *Negrinho do Pastoreio*

cripta (*crip*.ta) ***sf.*** **1** Recinto subterrâneo de antigas igrejas, us. como capela ou cemitério, abrigo de relíquias etc.: "... descendo às criptas do Panthéon para depor uns ramos..." (Eça de Queiroz, *Cartas familiares*) **2** Capela subterrânea sobre a qual se construiu nova igreja, que a ela dá acesso **3** Galeria subterrânea, ger. us. para sepultar os mortos, como ossuário etc.; CATACUMBA **4** Gruta, caverna **5** *Fig.* Lugar oculto **6** *Anat.* Cavidade, antro, esp. dentro de um osso **7** *Anat.* Pequena depressão em forma de tubo **8** *Bot.* Cavidade em órgão vegetal [F.: Do gr. *kry'pte*, pelo lat. *crypta*, pelo fr. *crypte*.] ■■ **~ estomática** *Bot.* Espaço na superfície das folhas de certas plantas, onde ficam os estômatos, ou poros condutores de ar

críptico (*críp*.ti.co) ***a.*** **1** Ref., semelhante ou pertencente a cripta (tesouros crípticos) **2** Que é feito objetivando ocultar ações, pensamentos etc. **3** *Fig.* Que guarda um sentido oculto, enigmático, misterioso: *Nos confundiu com sua performance críptica.* **4** Cifrado (texto críptico); CODIFICADO **5** *Ecol.* Diz-se de característica ou coloração que faz com que um animal fique tão integrado ao ambiente que tanto seus predadores quanto suas presas têm dificuldade em detectá-lo **6** *Zool.* Diz-se de animal que possui algumas dessas características crípticas [F.: Do lat. *crypticus, a, um.* Hom./Par.: *críptico* (a.), *crítico* (sm. a.). Ideia de: *cript(o)-*.]

◎ **-cript(o)-** ***el. comp.*** Ver *cript(o)-*

◎ **cript(o)-** ***el. comp.*** = 'oculto'; 'escondido'; 'secreto'; 'disfarçado': *criptandro, criptoanálise, criptocarpo, criptocomunista, criptofascista, criptografar, criptografia; decriptar, encriptar* (< ing.) [F.: Do gr. *kryptós, é, ón*, 'oculto'; 'secreto'.]

criptoanálise (crip.to:a.*ná*.li.se) ***sf.*** **1** Conjunto de técnicas us. para decifrar caracteres de uma escrita desconhecida **2** Ação de aplicar essas técnicas [F.: *cript(o)-* + *análise*.]

criptocarpo (crip.to.*car*.po) ***a.*** *Bot.* Diz-se de vegetal que tem os frutos escondidos [F.: *cript(o)-* + *-carpo*.]

criptococose (crip.to.co.*co*.se) [ó] ***sf.*** *Med.* Doença contagiosa causada por fungo (*Cryptococcus neoformans*) e caracterizada por nódulos ou abcessos em várias partes do corpo, sobretudo pulmão, cérebro e meninges [F.: *criptococo* + *-ose*[1].]

criptocomunista (crip.to.co.mu.*nis*.ta) ***s2g.*** **1** Comunista que disfarça suas convicções político-ideológicas ***a2g.*** **2** Diz-se desse indivíduo [F.: *cript(o)-* + *comunista*.]

criptoconservador (crip.to.con.ser.va.*dor*) [ô] ***s2g.*** **1** Conservador que disfarça suas convicções político-ideológicas ***a2g.*** **2** Diz-se desse indivíduo [F.: *cript(o)-* + *conservador*.]

criptocristalino (crip.to.cris.ta.*li*.no) ***a.*** *Min.* Diz-se de rocha constituída por minerais de estrutura muito fina, não identificáveis em exame microscópico (sílica criptocristalina) [F.: *cript(o)-* + *cristalino*.]

criptodiro (crip.to.*di*.ro) *Zool.* ***sm.*** **1** Espécime dos criptodiros, subordem dos quelônios capazes de retrair a cabeça verticalmente para dentro da carapaça ***a.*** **2** Ref. ou pertencente aos criptodiros [F.: Adaptç. do lat. cient. *Cryptodira*. Cf.: *pleurodiros*.]

criptofascista (crip.to.fas.*cis*.ta) ***s2g.*** **1** Fascista que disfarça suas posições político-ideológicas ***a2g.*** **2** Diz-se desse indivíduo [F.: *cript(o)-* + *fascista*.]

criptofone (crip.to.*fo*.ne) ***sm.*** Aparelho que embaralha as vozes, de modo a impedir a escuta telefônica clandestina [F.: *cript(o)-* + *fone*.]

criptógamo (crip.*tó*.ga.mo) *Bot.* ***sm.*** **1** Vegetal cujos órgãos reprodutores (gametas e esporos) são muito pequenos ou ocultos [P. opos. a *fanerógamo*.] ***a.*** **2** Ref. a criptógamos (1); CRIPTOGÂMICO **3** Diz-se de vegetal com órgãos reprodutores bem pequenos ou ocultos [P. opos. a *fanerógamo*.] [F.: *cripto-* + *-gamo*.]

criptografado (crip.to.gra.*fa*.do) ***a.*** Escrito em código; CIFRADO; CODIFICADO: "Um funcionário do TRE apareceu com um CD criptografado que mostrava votos nossos que não foram registrados." (*O Globo*, 29.10.2003) [F.: Part. de *criptografar*.]

criptografar (crip.to.gra.*far*) ***v. td.*** **1** Transcrever (um texto) em código, de modo que somente quem conhece esse código possa entendê-lo **2** *Inf.* Codificar (dados) para impedir sua compreensão por quem não conheça esse código [▶ 1 criptografar] [F.: *cript(o)-* + *-graf(o)-* + *-ar*[2].]

criptografia (crip.to.gra.*fi*.a) ***sf.*** **1** Escrita cifrada: *Usar criptografia na transmissão de dados pela internet.* **2** Conjunto de técnicas us. para cifrar um texto: *técnico em criptografia.* [F.: Do lat. mod. *cryptographia*.]

criptográfico (crip.to.*grá*.fi.co) ***a.*** Ref. a criptografia (sistema criptográfico) [F.: *criptografia* + *-ico*[2].]

criptógrafo (crip.*tó*.gra.fo) ***sm.*** **1** Aquele que é especialista em criptografia, i. e., transforma o texto aberto em texto cifrado ou vice-versa **2** Aparelho que se destina a criptografar mensagens [F.: *cript(o)-* + *-grafo*.]

criptograma (crip.to.*gra*.ma) ***sm.*** **1** Mensagem cifrada **2** Sinal de significado oculto, ger. us. para cifrar mensagem [F.: *cript(o)-* + *-grama*.]

criptoliberal (crip.to.li.be.*ral*) ***s2g.*** **1** Liberal que disfarça suas convicções político-ideológicas ***a2g.*** **2** Diz-se desse indivíduo [Pl.: *-rais*.] [F.: *cript(o)-* + *liberal*.]

criptologia (crip.to.lo.*gi*.a) ***sf.*** **1** Conjunto de conhecimentos us. na criação ou decodificação de criptogramas **2** Ciência oculta; OCULTISMO [F.: *cript(o)-* + *-logia*.]

criptológico (crip.to.*ló*.gi.co) ***a.*** Ref. a criptologia [F.: *criptologia* + *-ico*[2].]

criptomania (crip.to.ma.*ni*:a) ***sf.*** *Psiq.* Tendência ou necessidade doentia de esconder-se [F.: *cript(o)-* + *-mania*.]

criptomaníaco (crip.to.ma.*ní*:a.co) *Psiq.* ***a.*** **1** Ref. ou pertencente a criptomania **2** Diz-se de indivíduo que sofre de criptomania, i. e., que tem necessidade doentia de se esconder; CRIPTÔMANO ***sm.*** **3** Esse indivíduo; CRIPTÔMANO [F.: *criptoman(ia)* + *-íaco*.]

criptonacionalismo (crip.to.na.ci.o.na.*lis*.mo) ***sm.*** Nacionalismo dissimulado [F.: *cript(o)-* + *nacionalismo*.]

criptonazista (crip.to.na.*zis*.ta) ***s2g.*** **1** Nazista que disfarça suas convicções político-ideológicas ***a2g.*** **2** Diz-se desse indivíduo [F.: *cript(o)-* + *nazista*.]

criptônimo (crip.*tô*.ni.mo) ***sm.*** **1** Pseudônimo, ger. de escritor, especialmente se seu verdadeiro nome esteve sempre oculto ou incerto: "...'O quilombo de Manuel Congo' foi trazido à luz em 1935, sob o criptônimo de Marcos mas de autoria de Carlos Lacerda, segundo revelação feita pelo ilustrador do livro..." (*O Globo*, 28.03.1998) **2** Aquele que oculta seu nome usando anagrama ou iniciais **3** Pseudônimo de uma pessoa ***a.*** **4** Diz-se de quem oculta seu nome usando anagrama ou iniciais **5** Diz-se de pseudônimo de uma pessoa **6** Que oculta um nome qualquer **7** Diz-se de obra na qual o nome do autor é ocultado por outro (romance criptônimo) [F.: *cript(o)-* + *-ônimo*.]

criptônio (crip.*tô*.ni:o) ***sm.*** *Quím.* Elemento químico de número atômico 36, da família de gases nobres, com pequena presença na atmosfera; CRÍPTON [Símb.: *Kr*] [F.: Do gr. *kryptón*, pelo ing. *krypton*.]

criptorquidia (crip.tor.qui.*di*.a) ***sf.*** *Med.* Ausência de testículo na bolsa escrotal, por estar retido no abdômen ou no canal inguinal: *O bebê nasceu com criptorquidia.* [F.: *cript(o)-* + *-orquidia*.]

criptozoólogo (crip.to.zo.*ó*.lo.go) ***sm.*** Especialista em animais ocultos ou supostamente fantásticos: *Os criptozoólogos viviam em busca de evidências sobre a existência do Monstro do Lago Ness.* [F.: *cript(o)-* + *zoólogo*.]

críquete (*crí*.que.te) ***sm.*** *Esp.* Jogo originário da Inglaterra, disputado entre duas equipes de 11 jogadores num gramado em que há duas balizas a uma distância de c. 20 m uma da outra, formada cada uma por três estacas com c. 70 cm de altura sobre as quais se equilibra uma barra transversal [F.: Do ing. *cricket*.]

> 🕮 Os arremessadores de uma equipe lançam uma pequena bola para derrubar a barra defendida por rebatedor da equipe contrária, que com um bastão procura rebater a bola o mais longe que puder, para correr depois o maior número de vezes possível entre as balizas, até a equipe adversária alcançar a bola e rearremessar. Quando se derruba a barra, o rebatedor é eliminado. Depois que uma equipe perde todos os rebatedores termina o jogo, vencendo o time que mais percursos fez entre as balizas.

crisálida (cri.*sá*.li.da) ***sf.*** **1** *Zool.* Pupa das mariposas e borboletas, estágio de seu desenvolvimento de lagarta a borboleta ou mariposa **2** O casulo que as envolve nesse estágio **3** *Fig.* Estado de latência, estado embrionário **4** *Fig.* Aquilo que é latente, que ainda não se consolidou ou expressão em fato concreto [F.: Do gr. *chrysallis, ídos*, pelo lat. *chrysallis, idis*.]

crisântemo (cri.*sân*.temo) ***sm.*** *Bot.* Nome dado a várias plantas compostas do gên. *Chrysanthemum* de flores amarelas, róseas ou alaranjadas, esp. arbustos ornamentais que incluem o gên. *Dendranthema*; MONSENHOR; MONSENHOR-AMARELO [F.: Do gr. *khrysánthemon*, pelo lat. cient. *Chrysanthemum*.]

crise (*cri*.se) ***sf.*** **1** *Med.* Alteração repentina no quadro de doença (crise cardíaca) **2** *Med.* Surgimento repentino de problema de saúde ou agravamento de estado crônico (crise epiléptica) **3** Estado de súbito desequilíbrio mental ou emocional: *crise de choro.* **4** Fase difícil na evolução de um processo ou situação; APURO; DIFICULDADE: *crise econômica, crise matrimonial; crise cambial.* [Ger. devido a descompasso entre os recursos e estruturas existentes e novas situações que se desenvolvem.] **5** Estado de incerteza ou ruptura em relação a escolhas, crenças etc. (crise ideológica; crise de identidade) **6** Surgimento ou manifestação repentina de um sentimento; ACESSO; ATAQUE: *crise de ciúme.* **7** Falta, deficiência, escassez: *crise no fornecimento de energia.* **8** *Soc.* Situação de tensão social, política etc.; CONFLITO **9** *Soc.* Situação socioeconômica problemática, ger. acompanhada de desemprego, empobrecimento etc.: *A crise de 1929, nos Estados Unidos.* **10** O mesmo que *crise dramática* [F.: Do gr. *krísis*, pelo lat. *crisis*.] ■■ **~ dramática** *Liter. Teat.* Momento culminante de um conflito, uma intriga, uma situação dramática desenvolvida em obra literária, teatral etc. **~ epiléptica** *Neur. Psiq.* Ataque repentino e periódico característico da epilepsia, com convulsões, perda de consciência etc. **~ epiléptica generalizada** *Neur. Psiq.* Alteração da consciência e ocorrência de manifestações vegetativas maciças, devido a aumento da atividade do cérebro, ger. acompanhadas de fenômenos motores como espasmos de contração muscular, perda de consciência etc., seguidos de longo período de sono **~ epiléptica parcial** *Neur. Psiq.* Aquela que se manifesta apenas com uma breve perda de consciência

crisma (*cris*.ma) ***sf.*** **1** *Rel.* Sacramento católico de confirmação do batismo **2** A cerimônia desse sacramento; a unção com o óleo santo que se faz nesse sacramento **3** *P. ext.* Mudança de nome de pessoa, local etc. **4** *P. ext.* O novo nome adotado; ALCUNHA ***sm.*** **5** Óleo sagrado us. no sacramento da crisma; santo óleo [F.: Do gr. *chrisma* 'unguento', pelo lat. *chrisma*.]

crismado (cris.*ma*.do) ***a.*** **1** *Rel.* Que passou pelo sacramento da crisma, confirmando assim o sacramento do batismo: "Isso significa abrir as portas da sacristia e permitir a celebração, por exemplo, de casamentos, desde que a pessoa seja um cristão batizado e crismado..." (*O Globo*, 18.04.1999) **2** Que recebeu novo nome ou designação: *Vila Rica foi crismada de cidade com o nome de Ouro Preto.* **3** *Pop.* Que apanhou, foi surrado ou espancado [F.: Part. de *crismar*. Ideia de: *crism(at)-*.]

crismar (cris.*mar*) ***v.*** **1** *Rel.* Administrar ou receber o sacramento da crisma; dar ou receber unção com o crisma (óleo) [***td.***: *O bispo crismou meu irmão ontem.*] [***int.***: *Eu me crismei no ano passado.*] **2** Mudar o nome de outrem ou o próprio; pôr alcunha a, ou receber alcunha; COGNOMINAR(-SE) [***tdp.***: *O povo crismou a praça de "Praça das Flores"; Crismara-se de Luna quando virou escritora.*] [▶ 1 crismar] [F.: Do lat. tard. *chrismare*. Hom./Par.: *crisma* (fl.), *crisma* (sf. sm.).]

◎ **-criso** ***el. comp.*** Ver *cris(o)-*

◎ **cris(o)-** ***el. comp.*** = 'ouro'; 'da cor do ouro': *crisântemo* (< gr.), *crisobalanácea* (< lat. cient.), *crisocarpo, crisofilia, crisofilo, crisófilo; bibliocriso.* [F.: Do gr. *khrysós, oû*, 'ouro'.]

crisoberilo (cri.so.be.*ri*.lo) ***sm.*** *Min.* Mineral ortorrômbico e pedra semipreciosa, esverdeada, de que se obtém o berílio, metal us. em computadores, reatores atômicos etc. [F.: Do lat. *chrysoberyllus*.]

crisol (cri.*sol*) ***sm.*** **1** *Quím.* Recipiente de material metálico ou refratário us. em experiências químicas; CADINHO **2** *Fig.* Aquilo que serve para experimentar e comprovar as boas qualidades de algo ou alguém: "...Medes o meu espírito pelos afetos humanos; mas é porque não sabes como ele saiu depurado do crisol do padecer infernal..." (Alexandre Herculano, *Eurico*) **3** *Fig. P. ext.* Circunstância ou lugar adequados a que se revelem e apurem sentimentos **4** *Tip.* Recipiente em que se derrete o chumbo para a fundição das linhas do linotipo [Pl.: *-sóis*.] [F.: Do espn. *crisol*.]

crisólita (cri.*só*.li.ta) *Min.* ***sf.*** **1** Olivina com alto percentual de forsterita **2** Variedade de olivina verde-amarelada ou tirante ao marrom [F.: *cris(o)-* + *-lita*.]

crisólito (cri.*só*.li.to) ***sm.*** *Min.* Berilo de tom verde-amarelado [F.: Do lat. *chrysolithus, i*.]

crisóstomo (cri.*sós*.to.mo) ***a.*** **1** Diz-se de pessoa que tem os dentes da frente obturados ou banhados a ouro; BOCA DE OURO **2** *Fig.* Diz-se de pessoa que tem discurso expressivo, eloquente ***sm.*** **3** Pessoa com boca de ouro; BOCA DE OURO **4** Orador eloquente [F.: Do gr. *chrysostomos*, pelo lat. *chrysostomus*.]

crispação (cris.pa.*ção*) ***sf.*** **1** Ação ou resultado de crispar(-se), contrair(-se); CRISPAMENTO **2** Ação ou resultado de crispar(-se), encrespar(-se), enrugar(-se) [Pl.: *-ções*.] [F.: *crispar* + *-ção*.]

crispado (cris.*pa*.do) ***a.*** **1** Que se crispou, enrugou, encrespou (mar crispado); ENCRESPADO **2** Que se contraiu (rosto crispado); FRANZIDO ***sm.*** **3** Contração: *O crispado de seu rosto revelava o quanto estava nervoso.* [F.: Do lat. *crispatus*.]

crispamento (cris.pa.*men*.to) ***sm.*** **1** Ação ou resultado de crispar(-se) **2** Enrugamento da superfície de certo objetos, como o papel, por efeito de aproximação do fogo **3** Enrugamento causado pelo frio ou pelo vento **4** *Med.* Contração espasmódica dos músculos ou dos nervos [F.: *crispar* + *-mento*. Sin. ger.: *crispação*.]

crispante (cris.*pan*.te) ***a2g.*** **1** Que faz crispar: *um vento frio e crispante* **2** Contraído, franzido: "Cruzados os braços, crispantes os beiços, acendidos os olhos, Francisco Xavier... parou no limiar do quarto." (Camilo Castelo Branco, *Judeu*) [F.: Do lat. *crispans, antis*.]

crispar (cris.*par*) ***v.*** **1** Contrair(-se), encolher(-se), de dor, frio, raiva, ansiedade etc. [***td.***: *Crispou os músculos da face, num sinal de contrariedade.*] [***int.***: *Seu rosto crispou-se de dor.*] ***v.*** **2** Contrair(-se), encolher(-se), às vezes espasmodicamente, de dor, frio, raiva, ansiedade etc. [***td.***: *O vento crispa as águas da lagoa.*] [***int.***: *Puxou um fio da blusa e o tecido crispou-se.*] [▶ **1 crispar**] [F.: Do lat. *crispare*. Hom./Par.: *crispar, crespar* (em várias fl.).]

crisso (*cris*.so) ***sm.*** *Anat. Zool.* Parte terminal do abdome das aves, entre as coxas e a cauda; região ao redor da cloaca [F.: Posv. do lat. *crissum*.]

crista (*cris*.ta) ***sf.*** **1** *Anat. Zool.* Excrescência carnosa na cabeça de determinadas aves, como galo, peru etc. **2** *Anat. Zool.* Topete de penas; PENACHO; POUPA **3** *Anat. Zool.* Protuberância na cabeça ou no dorso de certos peixes, anfíbios e répteis **4** Ornato em forma de crista (1, 2) no cimo de capacete, elmo etc. **5** *Bot.* Apêndice das folhas das palmeiras **6** O ponto mais alto; ÁPICE; COCURUTO: *crista da onda.* **7** Cume, pico (crista da montanha) [Ant.: *base, pé.*] **8** Aresta numa formação montanhosa, onde se juntam em cima duas vertentes **9** *Astron.* Relevo linear na superfície da Lua **10** *Oc.* Relevo linear no alto de uma elevação no fundo do mar **11** Aresta do parapeito, em fortificação **12** *Cons.* Aresta de muro ou telhado **13** *Bras. Pop.* Cabelo, cabeleira **14** *Anat.* Borda estreita e alongada de certos ossos (crista do púbis; crista ilíaca) [F.: Do lat. *crista*.] ▪ **~ dorsal** *Zool.* Nos quelônios, linha de encontro das carapaças laterais; quilha dorsal **~ ilíaca** *Anat.* A borda superior do osso ilíaco **~ mitocondrial** *Cit.* Cada prega do interior da mitocôndria **De ~ caída** *Fam.* Sem ânimo **Jogar as ~s** *Lus.* Brigar, lutar **Na ~ da onda** Na moda, em momento de sucesso ou evidência

cristã (cris.*tã*) ***sf.*** Fem. de *cristão*

crista-de-galo (cris.ta-de-*ga*.lo) ***sf.*** *Bras. Bot.* Designação comum a diversas plantas ornamentais da família das amarantáceas, esp. a *Celosia cristata*, cuja inflorescência, com flores aveludadas, vermelhas, róseas, amareladas ou esbranquiçadas, muito se assemelha à crista do galo [Pl.: *cristas-de-galo*.]

cristal (cris.*tal*) ***sm.*** **1** *Fís.* Corpo sólido, ou substância sólida com átomos, íons ou moléculas geometricamente dispostos **2** *Fís.* A estrutura dessa disposição, na qual os padrões de ordenação repetem-se modularmente nas três dimensões do espaço **3** Fragmento de substância ou de composto que apresenta forma geométrica (cristal de sal) **4** *Min.* Quartzo vítreo transparente e incolor; o mesmo que *cristal de rocha* **5** *Min.* Vidro de qualidade superior, de grande pureza e transparência, formado por três partes de sílica, duas de óxido de chumbo e uma de potássio: *cálice de cristal.* **6** Objeto feito desse vidro: *Pôs a mesa com todos os seus cristais.* **7** *P. ext.* Vidro muito límpido e frágil **8** *Fig.* Limpidez, transparência: *o cristal das águas.* **9** *Fig.* Som claro e agradável: *A voz daquela soprano é cristal puro.* **10** *Eletrôn.* Detector mineral de sinais elétricos, para a amplificação de sinais em equipamentos como rádios, instrumentos musicais etc. [Pl.: *-tais*.] [F.: Do gr. *kry'stallos* 'gelo', pelo lat. *crystallum*.] ▪ **~ de rocha** *Min.* Quartzo vítreo incolor, muito us. na indústria eletrônica, de vidros de qualidade e em telecomunicação [Tb. apenas *cristal*.] **~ gêmeo** *Min.* Combinação, no mesmo mineral, de dois cristais que cresceram numa relação rotacional **~ líquido** *Quím.* Líquido cujas moléculas alinham-se com regularidade similar à de um cristal sólido comum, e cujas propriedades ópticas (como a de ficar transparente ou opaco pela aplicação de um campo elétrico) favorecem seu uso em telas de microcomputadores portáteis e de aparelhos de televisão, nos mostradores de relógios eletrônicos etc. **~ negativo** *Ópt.* Cristal com eixo único, em que o índice de refração extraordinário é menor que o índice de refração ordinário **~ piezelétrico** *Fís.* Aquele que tem como propriedade criar uma diferença de potencial elétrico a partir de uma compressão entre suas faces **~ positivo** *Ópt.* Cristal com eixo único, em que o índice de refração extraordinário é maior que o índice de refração ordinário

cristaleira (cris.ta.*lei*.ra) ***sf.*** *Bras.* Móvel envidraçado para guardar objetos finos, ger. de cristal [F.: *cristal* + *-eira*.]

cristalífero (cris.ta.*lí*.fe.ro) ***a.*** Que contém cristais (rocha cristalífera) [F.: *cristal* + *-ífero*.]

cristalinidade (cris.ta.li.ni.*da*.de) ***sf.*** Condição ou qualidade de cristalino; TRANSLUCIDEZ; TRANSPARÊNCIA: "... diamante límpido que o seu olhar trespassava, não lhe encontrando senão pureza, refulgência e cristalinidade." (Manoel Ribeiro, *Batalha nas sombras*) [Ant.: *opacidade*.] [F.: *cristalino* + *-i-* + *-dade*.]

cristalino (cris.ta.*li*.no) ***a.*** **1** Ref. a, pertencente a ou que tem a natureza ou a estrutura do cristal **2** *Petr.* Que é constituído (diz-se esp. de rocha) quase que só por cristais **3** Diz de som ou do que tem som límpido e claro como o do cristal ao ser percutido (voz cristalina); PURO **4** Que permite a fácil passagem da luz, que é transparente como o cristal (água cristalina); LÍMPIDO **5** *Fig.* Que apresenta absoluta clareza, que é fácil de apreender e compreender (discurso cristalino) [Ant.: *confuso, obscuro*.] ***sm.*** **6** *Anat.* Ver *lente*[1] (2: estrutura lentiforme...) [F.: Do gr. *krystállinos*, pelo lat. *crystallinus*.]

cristalização (cris.ta.li.za.*ção*) ***sf.*** **1** Transformação em cristal ou cristais: *cristalização do magma.* **2** *Fís.* Surgimento de cristais em solução saturada, causada por resfriamento ou evaporação do solvente [+ *de... em*: *cristalização do arsênio em octaedros.*] **3** *Fig.* Manutenção de um mesmo estado ou situação: *cristalização da desigualdade social.* **4** *Fig.* Concretização, materialização de algo [+ *de... em*: *cristalização de sonhos em realidade.*] **5** *Cul.* Preparação de doces e frutas cobertos com açúcar [Pl.: *-ções*.] [F.: *cristalizar* + *-ção*.]

cristalizado (cris.ta.li.*za*.do) ***a.*** **1** Que se cristalizou **2** Feito cristal, semelhante a cristal: "Terras purulentas e sem humo esboroavam-se em pedrisco cristalizado." (Manoel Ribeiro, *Planície heroica*) **3** *Fig.* Fixado, imóvel, incapaz de desenvolver-se, modificar-se ou desfazer-se: *ódio cristalizado no tempo.* **4** Que foi envolvido em camada de açúcar cristal (fruta cristalizada) **5** *Fig.* Que se efetivou, se realizou (projeto cristalizado; voto cristalizado) [F.: Part. de *cristalizar*.]

cristalizador (cris.ta.li.za.*dor*) [ô] ***a.*** **1** Que cristaliza **2** Diz-se de compartimento ou recipiente em que alguma coisa se cristaliza (vaso cristalizador) ***sm.*** **3** *Ind.* O compartimento em que algo se cristaliza, como os das salinas e os tanques ou tabuleiros dos engenhos de cana-de-açúcar [F.: *cristalizar* + *-dor*.]

cristalizar (cris.ta.li.*zar*) ***v.*** **1** Transformar(-se) em cristal ou cristais; fazer tomar ou tomar forma e contextura cristalinas [***int.***: *O mel cristalizou(-se)*: "Galeões, bergantins e naus, esperando o açúcar que os engenhos do recôncavo cristalizam." (Xavier Marques, *Pindorama*)] **2** Condensar-se em cristal ou cristais [***tr.*** + *em*: *O salitre cristaliza em prismas retos de base romboidal.*] **3** *Fig.* Manter(-se) em um mesmo estado ou situação; não experimentar mudança; estagnar(-se) [***int.***: *Seu modo de pensar cristalizou(-se) há anos.*] [***td.***: *Ficou irredutível, cristalizou sua decisão.*] **4** *Cul.* Tratar ou cobrir com açúcar [***td.***: *cristalizar frutas.*] **5** *Fig.* Transformar(-se) em; tornar(-se) real; efetivar(-se) [***tr.*** + *em*: *O objetivo de salvar o planeta cristalizou-se no aparecimento de várias ONGs.*] [▶ **1 cristalizar**] [F.: *cristal* + *-izar*. Hom./Par.: *cristalizáveis* (fl.), *cristalizáveis* (pl. de *cristalizável* [a2g.]).]

cristalizável (cris.ta.li.*zá*.vel) ***a2g.*** Que pode se cristalizar [Pl.: *-veis*.] [F.: *cristalizar* + *-vel*. Hom./Par.: *cristalizáveis* (pl.), *cristalizáveis* (fl. de *cristalizar* [v.]).]

◎ **cristal(o)- *el. comp.*** = 'cristal': *cristalífero, cristalino, cristalografia, cristaloide, cristalomancia.* [F.: Do gr. *krýstallos, ou*, 'gelo'; 'frio', 'cristal'; 'vidro transparente'.]

cristalografia (cris.ta.lo.gra.*fi*.a) ***sf.*** Ciência que estuda os cristais, sua formação, estrutura etc. [F.: *cristal(o)-* + *-grafia*.]

cristalográfico (cris.ta.lo.*grá*.fi.co) ***a.*** **1** Ref. a cristalografia **2** Ref. ou conforme a ou próprio das formações e estruturas que são objeto de estudo da cristalografia [F.: *cristalografia* + *-ico*[2].]

cristaloide (cris.ta.*loi*.de) ***a2g.*** **1** Que se parece com ou equivale a cristal **2** Diz-se da cápsula do cristalino ***sm.*** **3** *Anat.* A membrana que envolve o cristalino **4** *Quím.* Substância que forma soluções com capacidade para transpor membranas semipermeáveis e que podem ser cristalizadas **5** *Min.* Pequeno corpo, sem forma geométrica definida, que por sua cristalinidade polariza a luz [F.: *cristal(o)-* + *-oide*.]

cristalomancia (cris.ta.lo.man.*ci*.a) ***sf.*** Adivinhação por meio de um espelho ou de qualquer objeto de cristal [F.: *cristal(o)-* + *-mancia*.]

cristalúria (cris.ta.*lú*.ri:a) ***sf.*** *Med.* Ocorrência de cristais na urina [F.: *cristal(o)-* + *-úria*. Tb. *cristaluria*.]

cristandade (cris.tan.*da*.de) ***sf.*** **1** O conjunto dos cristãos, a comunidade cristã em geral **2** Característica ou qualidade de cristão [F.: Do lat. tard. *christianitas, atis*.]

cristão (cris.*tão*) ***a.*** **1** *Teol.* Que prega ou segue o cristianismo (família cristã) **2** *Teol.* Ref. ou pertencente a, que é relacionado ou compatível com o cristianismo (procedimento cristão; ética cristã) **3** Que tem ou manifesta ter ou ter tido influência do cristianismo ***sm.*** **4** *Teol.* Pessoa cristã (1) **5** *Pop.* Qualquer pessoa: *Não tem um cristão que me ajude?* **6** *SC Hist.* Nome pelo qual era chamado o membro do partido conservador [O membro do partido contrário, liberal, era chamado *judeu*.] [Pl.: *-tãos*. Fem.: *-tã*. Superl.: *cristianíssimo*.] [F.: Do lat. *christianus*.]

cristão-novo (cris.tão-*no*.vo) ***sm.*** Denominação dada a judeu convertido recentemente ao cristianismo, ou a seu descendente [Esp. em Portugal e Espanha (depois em suas colônias, inclusive no Brasil) em conversões forçadas pela Inquisição, nos séculos XV e XVI.] [Pl.: *cristãos-novos*. Fem.: *cristã-nova*.]

cristianismo (cris.ti:a.*nis*.mo) ***sm.*** **1** *Teol.* A doutrina cristã, baseada na fé em Jesus como o Salvador e Redentor, e em seus ensinamentos éticos e morais **2** *Teol.* O conjunto das religiões baseadas nos ensinamentos e na vida de Jesus Cristo **3** Cada uma dessas religiões com seus ensinamentos [F.: Do lat. ecl. *christianismus*.]

📖 A pregação de Jesus aos judeus, seus correligionários, condenava o comportamento do estamento religioso judaico (principalmente os sacerdotes do Templo) e o domínio romano, e dava uma nova interpretação às crenças e à ética judaicas, provavelmente influenciada pela seita dos essênios. Aos poucos esses conceitos, expressos nas mensagens e parábolas de Jesus e marcados por sua liderança espiritual e alguns milagres a ele atribuídos, foram-se cristalizando num novo caminho de fé, e Jesus começou a ser tido como o esperado Messias (de onde 'Cristo', do grego Khristós, tradução do hebraico mashiach, 'ungido'). Seus discípulos e seguidores na Judeia e fora dela, mesmo após sua crucifixão pelos romanos, foram todos judeus até o ano 65, mas a expansão maior da crença sob a liderança de Paulo (Saulo, ou Shaul) – principalmente no Império Romano (que não teria êxito se obrigasse os romanos conversos ao cumprimento de deveres religiosos judaicos tais como a circuncisão, as leis dietéticas e outros) – e a questão do messianismo de Jesus, não aceito pela maioria dos judeus, acabou por separar o cristianismo do judaísmo e por torná-lo uma crença universal, em suas diversas igrejas: a católica, a ortodoxa, a protestante etc.

cristianíssimo (cris.ti:a.*nís*.si.mo) ***a.*** **1** Superl. abs. sint. de *cristão*: *um comportamento cristianíssimo em todos os momentos de sua vida.* **2** Diz-se de título dos reis católicos de França: *Sua Majestade Cristianíssima.* ***sm.*** **3** Esse título [F.: Do lat. ecles. *christianissimus, a, um*.]

cristianização[1] (cris.ti:a.ni.za.*ção*) ***sf.*** **1** Conversão à fé cristã (cristianização de hereges) **2** Atribuição de sentimentos, princípios e hábitos cristãos (cristianização de um texto) [Pl.: *-ções*.] [F.: *cristianizar*[1] + *-ção*.]

cristianização[2] (cris.ti:a.ni.za.*ção*) ***sf.*** *Bras. Pol.* Ação, processo ou resultado de cristianizar[2]; traição política na qual o candidato de um partido a um dado cargo eletivo é abandonado ou preterido por seus correligionários durante a campanha [F.: *cristianizar*[2] + *-ção*.]

cristianizado[1] (cris.ti:a.ni.*za*.do) ***a.*** Que se cristianizou (índios cristianizados) [F.: Part. de *cristianizar*[1].]

cristianizado[2] (cris.ti:a.ni.*za*.do) ***a.*** *Bras. Pol.* Abandonado à própria sorte [Refere-se ao político Cristiano Machado abandonado à própria sorte pelo PSD, que preferiu apoiar Getúlio Vargas.] [F.: Part. de *cristianizar*[2].]

cristianizar[1] (cris.ti:a.ni.*zar*) ***v.*** **1** Tornar(-se) cristão; converter(-se) à religião cristã [***td.***: *Os jesuítas cristianizavam os indígenas.*] [***int.***: *Muitos africanos cristianizaram-se.*] **2** Atribuir, dar a (algo ou alguém) o caráter cristão [***td.***: *Racine cristianizou seus heróis pagãos.*] **3** Adotar ideias, sentimentos ou costumes cristãos [***int.***: "As almas dos brutos e dos objetos se cristianizam, ouvindo as palavras de Jesus" (Antero de Figueiredo, *Espanha*)] [▶ **1 cristianizar**] [F.: Do gr. *khristianízo*, pelo lat. *christianizare*.]

cristianizar[2] (cris.ti:a.ni.*zar*) ***v. td.*** Abandonar (um partido político) à própria sorte a eleição de um correligionário a cargo eletivo; trair politicamente ao retirar ou negar o apoio partidário [▶ **1 cristianizar**] [F.: Do antr. *Cristiano (Machado)*, político do PSD que foi abandonado pelo seu partido nas eleições de 1950, + *-izar*.]

cristo (*cris*.to) ***sm.*** **1** *Teol.* Jesus, o filho de Deus [Nesta acp., com inicial maiúsc.] **2** A imagem de Jesus na cruz: *Tinha um cristo na cabeceira.* **3** *Bras. Pop.* Vítima de injustiça, perseguição etc.: *Esse nasceu para cristo.* **4** *Esp.* Formação em que o ginasta fica, nas argolas, com os dois braços esticados horizontalmente [F.: Do gr. *khristós, é, ón*, 'o ungido'; 'Jesus Cristo (com maiúsc.)'.] ▪ **Bancar o ~** *Bras.* Expiar pela culpa de outrem **Ser o ~** Ver *Bancar o cristo*

cristogênese (cris.to.*gê*.ne.se) ***sf.*** Estudo da origem e da evolução da crença e da fé em Cristo como criador do Universo [F.: *(Jesus) Cristo* + *-gênese*.]

cristologia (cris.to.lo.*gi*.a) ***sf.*** Estudo da vida e dos ensinamentos de Jesus Cristo [F.: Do ingl. *christology* (1673).]

critério (cri.*té*.ri:o) ***sm.*** **1** O que serve de parâmetro para comparação, avaliação, escolha, decisão etc.: *Experiência foi o critério principal da seleção.* **2** Faculdade de conseguir identificar o que é correto e verdadeiro; DISCERNIMENTO **3** Faculdade de julgar com acerto; JUÍZO; TINO: *Pode confiar na opinião dele, ele tem muito critério.* **4** Maneira própria de avaliar pessoas, coisas, situações: *Às vezes usa de critérios bastante discutíveis na análise da situação.* **5** *Fil.* Num sistema de pensamento, conceito fundamental para estabelecer diferença de julgamento entre categorias opostas como o bem e o mal, a beleza e a feiura etc.; AVALIAÇÃO; CRÍTICA [F.: Do gr. *kritérion*, pelo lat. *criterium*.]

criterioso (cri.te.ri.*o*.so) [ô] ***a.*** **1** Em que há critério; que tem ou manifesta ter critério (análise criteriosa; consumidor criterioso); SENSATO; PONDERADO **2** Que tem ou manifesta bom-senso, juízo, discernimento (decisão criteriosa) [Pl.: [ó]. Fem.: [ó].] [F.: *critério* + *-oso*.]

crítica (*crí*.ti.ca) ***sf.*** **1** Análise para avaliação qualitativa de algo: *Resolveu submeter os originais à crítica do amigo.* **2** Arte, faculdade ou atividade de apreciar e avaliar obra artística, científica etc. (crítica literária; crítica musical) [+ *de, sobre*: *crítica de / sobre um livro.*] **3** A expressão, ger. escrita, da crítica (2): *O livro é uma compilação de críticas teatrais.* **4** O conjunto daqueles que exercem a crítica: *A crítica foi unânime: todos elogiaram a obra.* **5** *Pop.* Avaliação desfavorável: *Seu comportamento foi alvo da crítica de todos.* [+ *a, contra*: *crítica aos políticos; crítica contra os aumentos de impostos.*] **6** Juízo criterioso: *obra apreciada por uma crítica honesta.* **7** *Fil.* Ver *critério* (5) **8** Discussão de fatos e textos (esp. históricos) [F.: Do gr. *kritiké*, pelo lat. *critica* (pl.) e pelo fr. *critique*.] ▪ **Abaixo da ~** Muito ruim, lamentavelmente inaceitável **~ do texto** Ver *Crítica* *textual* [Ver tb.: *ecdótica*.] **~ textual** Disciplina que visa à recomposição da forma linguística original (a do autor) de um texto, dele extirpando acréscimos e alterações

criticado (cri.ti.*ca*.do) ***a.*** Que se criticou; que foi objeto de crítica ou censura: *Jogador criticado por sua péssima atuação na partida final.* [F.: Part. de *criticar*.]

criticalidade (cri.ti.ca.li.*da*.de) ***sf.*** **1** Qualidade do que é crítico ou está nessa condição **2** *Fis. Nu.* Processo em que se atinge uma reação em cadeia autossustentada em um reator nuclear [F.: Rad. do ing. *criticality* (f. *critical-*) + *-i-* + *-dade*.]

criticar (cri.ti.*car*) ***v.*** **1** Analisar (uma obra, literária ou artística) e comentar sobre suas qualidades e defeitos [***td.***: *O colunista criticou e aplaudiu o notável livro.*] **2** *P. ext. Pop.* Fazer comentários desfavoráveis sobre (algo ou alguém); notar defeitos (em); CENSURAR [***td.*** / ***tdp.***: *criticar o procedimento (como desonesto)*: "Interrompendo-a apenas por alguma curta frase a recomendar ou criticar um ou outro prato." (Júlio Dinis, *Uma família inglesa*)] [***int.***: *Criticava mas não sabia fazer melhor.*] **3** Expressar crítica (3) a respeito de [***td.***: *Criticou o filme em sua coluna de cinema.*] [▶ **11 criticar**] [F.: *crítica* + *-ar*[2], ou do fr. *critiquer*. Hom./Par.: *criticáveis* (fl.), *criticáveis* (pl. de *criticável*); *criticaria* (fl.), *criticaria* (sf.); *critica(s)* (fl.), *crítica(s)* (sf. [pl.]); *critico* (fl.), *crítico* (a. sm.).]

criticável (cri.ti.*cá*.vel) ***a2g.*** Que se pode ou deve criticar (comportamento criticável); CENSURÁVEL; CONDENÁVEL [Ant.: *elogiável*.] [Pl.: *-veis*.] [F.: *criticar* + *-vel*.]

criticidade (cri.ti.ci.*da*.de) ***sf.*** Qualidade de crítico; conhecimento e capacidade crítica: "O exercício da criticidade requer disposição de pensamento e liberdade de reflexão também do espaço mais que necessário para a sua expressão..." (Afonso Caramano, "Exercício de criticidade", *in Observatório da Imprensa*, 02.05.2006) [F.: *crítico* + *-i-* + *-dade*.]

criticismo (cri.ti.*cis*.mo) ***sm.*** **1** Atitude, ação ou tendência de fazer julgamento crítico, apreciação, análise, juízo etc. de algo: *Ante tantos problemas, seu criticismo era mais que aceitável, era necessário.* **2** Tendência ou faculdade de tratar ou interpretar um evento em função de algum critério de avaliação **3** *Fil.* Doutrina do filósofo Immanuel Kant (1724-1804), baseada na teoria de que o conhecimento racional deve ser o fundamento do pensamento filosófico, negando com isso qualquer dogmatismo ou ceticismo absolutos [F.: Do ing. *criticism*, pelo al. *Kritizismus* e pelo fr. *criticisme*.]

crítico (*crí*.ti.co) ***a.*** **1** Que encerra crítica, análise, julgamento; que analisa (obra, atitude, evento) segundo certos critérios: *Lançou-lhe um olhar crítico, analítico, perscrutador; um ensaio crítico sobre a obra de um autor.* **2** Especificamente, que encerra análise ou juízo negativos, que censura: *Fez-lhe uma observação crítica, mais como advertência do que como censura.* **3** Ref. ou pertencente à crítica **4** Que envolve perigo ou riscos: *O navio passou por situação crítica em alto-mar.* **5** Que é capaz de distinguir com competência o verdadeiro do falso, o bom do mau etc.: *Seu senso crítico o ajuda a tomar as decisões certas.* **6** *Med.* Que indica crise; GRAVE; PERIGOSO: *A doença saiu da fase crítica.* ***sm.*** **7** Profissional que faz crítica literária, musical etc.: *Os críticos elogiaram a peça.* **8** Quem aponta defeitos, falhas etc.: *Os críticos do governo foram severos.* [F.: Do gr. *kritikós*, pelo lat. *criticus*.]

crivado (cri.*va*.do) ***a.*** **1** Que passou por crivo; JOEIRADO; PENEIRADO **2** *P. ext.* Furado em muitas partes (crivado de setas, de facadas, de balas); ATRAVESSADO; PERFURADO **3** *Fig.* Cheio, muito ornado ou provido de (coisas miúdas): "Sopesando a sua imensa clava crivada de escamas de peixe e dentes de fera..." (José de Alencar, *O Guarani*) **4** *Fig.* Cravejado, sarapintado, constelado: *um céu crivado de estrelas.* [F.: Do lat. *cribatus, a, um*.]

crivar (cri.*var*) ***v.*** **1** Fazer muitos furos em, ou ser furado em vários pontos [***td.***: *As flechas crivaram o animal.*] [***tdr.*** + *de*: *O atirador crivou o alvo de balas*; "O cachorro estraçalhou-lhe a roupa, crivando-lhe o braço de dentadas." (Viriato Correia, *Contos do sertão*)] [***tr.*** + *de*: *A jarra explodiu, e ele crivou-se de cacos.*] **2** *Fig.* Encher(-se) em demasia [***tdr.*** + *de*: *Na entrevista coletiva, os jornalistas crivaram o candidato de perguntas.*] **3** *Fig.* Encher(-se) de pintas; cravejar(-se); constelar(-se) [***td. tdr.*** + *de*: *O sarampo crivara sua pele (de exantemas).*] [***tr.*** + *de*: *Pegou muito sol e seu rosto crivou-se de sardas.*] **4** Passar por crivo [***td.***: *Crivou o cascalho do rio, em busca de diamantes.*] [▶ **1 crivar**] [F.: Do lat. *cribrare*. Hom./Par.: *crivo* (fl.), *crivo* (sm.); *crivar*, *clivar* (em todas as fl.).]

crível (*crí*.vel) ***a2g.*** Em que se pode acreditar; que se pode crer; ACREDITÁVEL; VEROSSÍMIL: *Sua desculpa não é crível.* [Ant.: *incrível, inacreditável, inverossímil*.] [Pl.: *-veis*. Superl.: *credibilíssimo*.] [F.: Do lat. *credibilis*.]

crivo (*cri*.vo) ***sm.*** **1** Peneira de arame **2** Ver *coador* (utensílio...) **3** Peça cônica e furada do regador de plantas; RALO **4** Utensílio de cozinha munido de uma lâmina esburacada, por cujos orifícios se faz passar massa para dar-lhe forma de fios **5** Nos garimpos de diamantes, a peneira na qual se passa o cascalho **6** Espécie de visor aplicado a portas, na forma de chapa perfurada ou de tabuinhas cruzadas em treliça, que permite a visão de dentro para fora mas dificulta a de fora para dentro **7** Grelha de fornalha, esp. em engenho de açúcar **8** *Bras.* Cada barra dessa grelha **9** Objeto com muitos furos **10** *Fig.* Avaliação minuciosa segundo certos critérios; crítica: *Passou pelo crivo do examinador.* **11** Tipo de bordado de bastidor para o qual se prepara o pano tirando-lhe alguns fios no comprimento e na largura para formar uma grade; JOEIRA [F.: Do lat. *cribrum*.] ■ **~ de Eratóstenes** *Arit.* Método de elaboração de uma tábua de números primos pela supressão sucessiva, da série dos números naturais ímpares, dos múltiplos de 3, de 5, de 7 etc.

⊠ **CRM** Sigla de *Conselho Regional de Medicina*

croata (cro:*a*.ta) ***s2g.*** **1** Pessoa nascida ou que vive na Croácia (Europa) ***sm.*** **2** *Gloss.* Dialeto falado pelos croatas e em outras partes da antiga Iugoslávia ***a2g.*** **3** Da Croácia (Europa); típico desse país ou de seu povo **4** Do ou ref. ao croata (2) [F.: Do servo-croata de or. iraniana *hrvat* 'montanha', pelo lat. moderno *Croata*, pelo fr. *croate*.]

crocante (cro.*can*.te) *Bras.* ***a2g.*** **1** Que faz um barulho seco de estalo ao ser mordido (biscoito crocante) **2** *Cul.* Que é preparado com noz, amendoim, castanha, amêndoa ou açúcar caramelado de modo a ficar crocante (1) (diz-se de guloseima, biscoito, chocolate etc.) [F.: Do fr. *croquant*.]

crochê (cro.*chê*) ***sm.*** **1** Trama de linha tecida à mão, com um tipo de agulha que tem um gancho na ponta: *blusa de crochê*: "...agasalhava, com o xale de crochê, o peito cavado..." (Marques Rebelo, "História" *in Contos reunidos*) **2** A ação de fazer crochê: *Sua distração é o crochê*; "...justamente quando vai a feliz remate o crochê?" (Monteiro Lobato, "O comprador de fazendas" *in Urupês*) **3** *GO Pop.* Troca de várias coisas a um só tempo [F.: Do fr. *crochet*. Tb. *crochê*.]

crociano (cro.ci:*a*.no) ***sm.*** **1** Seguidor das ideias do filósofo, crítico e historiador italiano Benedetto Croce (1866-1952) ***a.*** **2** Diz-se daquele que segue as ideias de Benedetto Croce [F.: Do top. Benedetto *Croce* + *-ano*.]

crocitar (cro.ci.*tar*) ***v.*** **1** Soltar a voz (o corvo, o abutre, a coruja etc.); CORVEJAR [***int.***: *Um bando de corvos crocitava*; "Estava a pegar no sono, a ladrona da coruja veio crocitar para cima da casa." (Aquilino Ribeiro, *Volfrâmio*)] **2** Dizer (algo), imitando a voz dessas aves, ou imitar essa voz [***td.***: *A bruxa crocitava insultos.*] [***int.***: *Não era um corvo, mas alguém que crocitava.*] [▶ **1 crocitar**] [F.: Do lat. *crocitare*. Hom./Par.: *crocito* (fl.), *crocito* (sm.).]

crocito (cro.*ci*.to) ***sm.*** **1** Ato ou efeito de crocitar **2** Voz como a do corvo e outras aves semelhantes [F.: Do lat. *crocitus, us*. Hom./Par.: *crocito* (fl. de *crocitar*).]

crocodilar (cro.co.di.*lar*) *Pop. Fig.* ***v. td.*** **1** Agir com falsidade ou desonestidade; trair (alguém) de modo ardiloso **2** Delatar (algo ou alguém); trair a confiança [▶ **1 crocodilar**] [F.: *crocodilo* + *-ar*[2].]

crocodiliano (cro.co.di.li.*a*.no) *Zool.* ***sm.*** **1** Espécime dos crocodilianos, ordem de répteis aquáticos de grande porte e corpo recoberto por placas córneas, que inclui os crocodilos e jacarés ***a.*** **2** *Zool.* Ref. ou pertencente aos crocodilianos [F.: Do lat. cient. ordem *Crocodilia* + *-ano*[1].]

crocodilo (cro.co.*di*.lo) ***sm.*** **1** *Zool.* Denominação comum a diversos grandes répteis carnívoros da fam. dos crocodilídeos, esp. do gên. *Crocodylus*, de mandíbulas grandes e fortes, encontrados em águas doces, salgadas e salobras de grande parte do mundo **2** O couro desse réptil us. em sapatos, cintos etc. **3** *Fig. Pej.* Falso amigo [F.: Do gr. *krokódeilos*, pelo lat. *crocodilus*. Na acp. 1 é *epiceno*.]

◎ **-croico** ***el. comp.*** = 'que apresenta a qualidade indicada por palavra terminada em *-croísmo*': *alocroico, dicroico, pleocroico* [F.: Do gr. *khroós* ou *khrós, khrotós*, 'superfície de um corpo'; 'pele'; 'carne'; 'matiz'; 'coloração', + *-ico*[2], seg. o mod. gr.]

◎ **-croísmo** ***el. comp.*** = 'coloração': *pleocroísmo, tricroísmo* [F.: Do gr. *khróa, as*, 'cor', + *-ismo*.]

⊕ ***croissant*** (*Fr. /croassã/*) ***sm.*** *Cul.* Pãozinho de massa muito fina, enrolado em forma de meia-lua

cromado (cro.*ma*.do) ***a.*** **1** Revestido de cromo[1] ou que o contém (metal cromado; estante cromada) ***sm.*** **2** Acessório ou parte cromada de um veículo: "Um automóvel rico, reluzente de cromados, parou em frente deles." (Aquilino Ribeiro, *Volfrâmio*) [F.: Part. de *cromar*.]

cromagem (cro.*ma*.gem) ***sf.*** Ato ou efeito de cromar; CROMAÇÃO [Pl.: *-gens*.] [F.: *cromar* + *-agem*[2].]

cromar (cro.*mar*) ***v. td.*** *Quím.* Revestir (objeto de metal) com fina camada de cromo [▶ **1 cromar**] [F.: *cromo*[1] + *-ar*[2]. Hom./Par.: *cromeis* (fl.), *croméis* (pl. de *cromel*).]

cromática (cro.*má*.ti.ca) ***sf.*** **1** *Ópt.* Ciência que estuda as cores **2** Arte de bem combinar cores e sons [F.: *cromat(o)-* + *-ica*, ou fem. substv. de *cromático*.]

cromaticidade (cro.ma.ti.ci.*da*.de) *Ópt.* ***sf.*** **1** Qualidade, propriedade ou característica do que é cromático **2** Propriedade de uma radiação luminosa visível que tem como característica duas coordenadas cromáticas [F.: *cromático* + *-(i)dade*.]

cromático (cro.*má*.ti.co) ***a.*** **1** *Ópt.* Da ou pertencente à cromática (1) **2** Ref. a cores ou a percepção delas: *O daltonismo traz alterações cromáticas.* **3** *Mús.* Formado por semitons (escala cromática) **4** *Cit.* Ref. a cromatina [F.: Do lat. tard. *chromaticus, a, um*, do gr. *khromatikós, é, ón*.]

cromátide (cro.*má*.ti.de) ***sf.*** *Cit.* Cada um dos filamentos idênticos que resultam da divisão longitudinal do cromossomo durante a cariocinese [F.: Do ing. *chromatid*; ver *cromat(o)-*.] ■ **~s filhas** *Cit.* Filamentos cromossomiais paralelos, observados ao final da prófase **~s homólogas** *Cit.* Cromátides não idênticas pertencentes a dois homólogos distintos **~s irmãs** *Cit.* Cromátides idênticas pertencentes ao mesmo homólogo

cromatina (cro.ma.*ti*.na) ***sf.*** *Cit.* Substância do núcleo celular, formadora dos cromossomos; CARIOTINA [F.: Do ing. *chromatine*; ver *cromat(o)-* e *-ina*[2].]

cromatismo (cro.ma.*tis*.mo) ***sm.*** **1** Emprego harmonioso das cores **2** Recomposição da luz após passar por corpo transparente **3** *Mús.* Uso de escala cromática, formada somente por semitons, em sistema musical **4** *Bot.* Excesso de coloração de certos vegetais; CROMISMO **5** *Pint.* Distribuição ou utilização das cores em uma pintura [F.: Do gr. *khromatismós, oû*, 'ação de colorir'.]

cromatização (cro.ma.ti.za.*ção*) ***sf.*** Ação de dar coloração irisada [Pl.: *-ções*.] [F.: *cromatizar* + *-ção*.]

cromatizar (cro.ma.ti.*zar*) ***v. td.*** Efetuar a cromatização de [▶ **1 cromatizar**] [F.: *cromat(o)-* + *-izar*.]

◎ **-cromat(o)-** Ver *cromat(o)-*

◎ **cromat(o)-** ***el. comp.*** = 'cor'; 'pigmento'; 'pigmentação'; 'coloração'; 'cromossomo' (*cromatina*); (*p. ext.*) 'cromatina' (*cromatólise*): *cromática, cromático* (< lat. < gr.), *cromátide, cromatizar, cromatofobia, cromatóforo, cromatografia, cromatopsia*; *biocromatologia, discromatopsia*; *cromocentro, cromófilo, cromóforo, cromolitografia, cromomicose, cromosfera*; *biocromado, discromopsia*; *calicromo, citocromo* [F.: Do gr. *khrôma, atos*, 'superfície de um corpo'; 'pele'; 'cor da pele'; 'cor'; 'figura de estilo'; 'modulação'. F. conexa: *-cromia*.]

cromato (cro.*ma*.to) ***sm.*** *Quím.* Qualquer sal do ácido crômico [F.: *cromo*[1] + *-ato*[2].]

cromatofobia (cro.ma.to.fo.*bi*.a) ***sf.*** *Psi.* Medo patológico de cores [F.: *cromat(o)-* + *-fobia*.]

cromatofóbico (cro.ma.to.*fó*.bi.co.) *Psi.* ***a.*** **1** Relativo a cromatofobia **2** Diz-se de indivíduo que sofre de cromatofobia; CROMATÓFOBO ***sm.*** **3** Esse indivíduo; CROMATÓFOBO [F.: *cromatofobia* + *-ico*[2].]

cromatófobo (cro.ma.*tó*.fo.bo) *Psi.* ***a. sm.*** O mesmo que *cromatofóbico* (2 e 3) [F.: *cromat(o)-* + *-fobo*.]

cromatóforo (cro.ma.*tó*.fo.ro) ***a.*** **1** Diz-se de estrutura, órgão etc., que contém pigmento ***sm.*** **2** *Cit.* Célula pigmentada do derma, que contribui para alterar a cor da pele humana e dos animais **3** *Biol. Bot. Cit.* Pequena massa de protoplasma, sem membrana exterior; tb. *plastídio* [F.: *cromat(o)-* + *-foro*.]

cromatografia (cro.ma.to.gra.*fi*.a) ***sf.*** *Quím.* Técnica para separar os componentes de uma mistura complexa [F.: *cromat(o)-* + *-grafia*.]

cromatógrafo (cro.ma.*tó*.gra.fo.) ***sm.*** *Quím.* Instrumento próprio para análises por cromatografia [F.: *cromat(o)-* + *-grafo*.]

cromatopsia (cro.ma.to.*psi*.a) ***sf.*** **1** *Ópt.* Visão das cores **2** *Oft.* Distúrbio visual em que algumas cores são percebidas incorretamente **3** Distúrbio visual em que objetos sem cor são vistos coloridos [F.: *cromat(o)-* + *-opsia*. Cf.: *discromatopsia*.]

◎ **-cromia** ***el. comp.*** = 'cor'; 'pigmentação'; 'ocorrência de cor(es) com dada característica'; 'diferença ou irregularidade de cor'; 'método, técnica ou processo de fotografia, reprodução ou impressão em cores diferentes ou fixação de cor(es)': *anisocromia, biocromia, estereocromia, fotocromia, heliocromia, heterocromia, hipercromia, hipocromia, homocromia, litocromia, monocromia, policromia, quadricromia, tipocromia, tricromia, xantocromia* [F.: Do gr. *khrôma, atos*, 'superfície de um corpo'; 'pele'; 'cor da pele'; 'cor'; 'figura de estilo'; 'modulação', + *-ia*[1] (q. v.). F. conexas: *cromat(o)-* e *crom(o)-*.]

crômico (*crô*.mi.co) *Quím.* ***a.*** **1** Ref. ao anidrido (CrO_3) que contém cromo trivalente **2** Ref. ao ácido (H_2CrO_4) que contém cromo trivalente **3** O mesmo que *cromático* [F.: *cromo*[1] + *-ico*[2].]

cromo[1] (*cro*.mo) ***sm.*** **1** *Quím.* Metal prateado e maleável, us. na fabricação de aço inoxidável e para revestir metais [Símb.: *Cr*.] **2** Tipo de pelica muito macia e resistente, curtida com impregnações dos sais de cromo e us. para fabricar calçados finos [F.: Do gr. *khrôma, atos*, pelo fr. *chrome*.] ■ **~ alemão** Couro curtido pelo uso de cromo

◎ **-crom(o)-** ***el. comp.*** Ver *cromat(o)-*

◎ **-cromo** ***el. comp.*** Ver *cromat(o)-*

◎ **crom(o)-** ***el. comp.*** Ver *cromat(o)-*

cromo[2] (*cro*.mo) ***sm.*** **1** *Art. Gr. Fot.* Fotografia transparente em cores **2** Tipo de estampa colorida que se cola em álbuns, cadernos etc. [F.: F. red. de *cromolitografia*.]

cromocentro (cro.mo.*cen*.tro.) ***sm.*** *Cit.* Região do núcleo celular à qual o cromossomo politênico encontra-se ligado [F.: *crom(o)-* + *-centro*.]

cromófilo (cro.*mó*.fi.lo) *Med.* ***sm.*** **1** Aquele que tem cromofilia, atração por cores, especialmente as mais fortes ***a.*** **2** Diz-se daquele que tem cromofilia [F.: *crom(o)-* + *-filo*[1].]

cromóforo (cro.*mó*.fo.ro) ***a.*** **1** Diz-se de um grupo que, introduzido numa molécula orgânica, origina um composto cromogênico pouco colorido que se pode tornar matéria corante pela introdução de outros grupos ***sm.*** **2** *Quím.* Grupo químico que origina a coloração de uma substância [F.: *crom(o)-* + *-foro*.]

cromografia (cro.mo.gra.*fi*.a) ***sf.*** *Art. gr.* Técnica para impressão em cores, em geral de vinhetas [F.: *crom(o)-* + *-grafia*.]

cromográfico (cro.mo.*grá*.fi.co) ***a.*** *Art. gr.* Relativo à cromografia [F.: *cromografia* + *-ico*[2].]

cromolitografia (cro.mo.li.to.gra.*fi*.a) *Art. gr.* ***sf.*** **1** Processo litográfico de reprodução em cores por meio de impressões sucessivas **2** A estampa resultante dessa técnica [F.: *crom(o)-* + *litografia*.]

cromomicose (cro.mo.mi.*co*.se) [ó] ***sf.*** *Med.* Micose dermo-epidérmica crônica, que afeta principalmente os membros inferiores [F.: *crom(o)-* + *micose*.]

cromonema (cro.mo.*ne*.ma) *sm. Biol.* Filamento de molécula de DNA que compõe um cromossomo [F.: *crom(o)-* + *-nema.*]

cromorno (cro.*mor*.no) *sm. Mús.* Instrumento de sopro de palheta dupla, em voga na era medieval e no Renascimento; DULCIANA [F.: Do al. *Krummhorn.*]

cromosfera (cro.mos.*fe*.ra) *sf. Astron.* Camada vermelha da atmosfera solar, composta esp. de hidrogênio e situada entre a coroa solar e a fotosfera [F.: *crom(o)-* + *-sfera.*]

cromossoma (cro.mos.*so*.ma) *sm.* Ver *cromossomo*

cromossomático (cro.mos.so.*má*.ti.co) *a. Biol. Cit. Gen.* Ref. a cromossomo; CROMOSSOMIAL; CROMOSSÔMICO [F.: *cromossomo* ou *cromossoma* + *-ático*, seg. o mod. gr.]

cromossômico (cro.mos.*sô*.mi.co) *a. Biol. Cit. Gen.* O mesmo que *cromossomático* [F.: *cromossomo* + *-ico*[2].]

cromossomo (cro.mos.*so*.mo) *sm. Cit. Gen.* Componente do núcleo celular que contém a informação das características transmitidas hereditariamente [F.: Do al. *Chromosom*; ver *crom(o)-*, *-somo.* Tb. *cromossoma.*] ■ **~ sexual** *Biol.* Cromossomo cujos genes determinam o desenvolvimento dos órgãos genitais e dos caracteres sexuais secundários **~ X** Cromossomo sexual que determina o desenvolvimento dos caracteres sexuais femininos **~ Y** Cromossomo sexual que determina o desenvolvimento dos caracteres sexuais masculinos

cromoterapia (cro.mo.te.ra.*pi*.a) *sf. Med.* Método que emprega luzes de cores fortes e intensidades variadas para combater diferentes afecções [F.: *crom(o)-* + *-terapia.*]

cromotipia (cro.mo.ti.*pi*.a) *sf. Art. Gr.* Qualquer método de impressão tipográfica colorida; CROMOTIPOGRAFIA [F.: *crom(o)-* + *-tipia.*]

cromotipografia (cro.mo.ti.po.gra.*fi*.a) *sf. Art. Gr.* O mesmo que *cromotipia.* [F.: *crom(o)-* + *tipografia.*]

◎ **-cronia** *el. comp.* = '(dado) tempo': *acronia, diacronia, heterocronia, sincronia, tautocronia* [F.: Do gr. *khrónos, ou,* + *-ia*[1].]

crônica (*crô*.ni.ca) *sf.* **1** *Liter.* Breve narrativa sobre temas cotidianos e atuais [+ *de, sobre*: *crônica de/sobre um bairro.*] **2** *Jorn.* Coluna ou seção em revista ou jornal, ger. assinada, com comentários, críticas, narrativas etc., sobre temas ou fatos momentosos de interesse diverso (culturais, esportivos, políticos, sociais etc.), ger. a partir de noticiário **3** Gênero ou categoria ou conjunto de textos ou matérias que se referem a tema ou atividade de determinada especialidade (crônica esportiva; crônica política) **4** *Hist.* Narração de fatos históricos em ordem cronológica (crônica republicana) [+ *de*: *crônica do império brasileiro.* O gênero evoluiu, de relato verídico de eventos historicamente relevantes, a análise e comentários sobre temas correntes e cotidianos da sociedade, como os sociais, políticos, culturais etc.] **5** Descrição da genealogia de uma família nobre, da vida de um rei etc. **6** *Liter.* Narrativa com descrição de personagens e da evolução de fatos e circunstâncias ao longo do tempo; ROMANCE: "...leia a *Crônica do Condestabre* ou a *Crônica de Dom Pedro de Menezes.*" (Alberto da Costa e Silva, *As caravelas na Senegâmbia*) **7** *Mid.* Relato detalhado dos principais acontecimentos de uma determinada situação ou evento: *Encarregou-o de fazer a crônica do jogo decisivo.* **8** *Pop.* Conjunto de notícias ou boatos referentes a certos fatos ou assuntos: *É surpreendente a crônica de traições no meio político.* **9** *Pop.* Biografia escandalosa: *Sua crônica era conhecida por toda a vizinhança.* [F.: Do gr. *chroniká*, pelo lat. *chronica.*]

cronicar (cro.ni.*car*) *v. int.* Escrever crônicas: *cronicar assuntos.* [▶ **11 cronicar**] [F.: *crônica* + *-ar*[2].]

cronicário (cro.ni.*cá*.ri:o) *sm. Jorn.* Em jornais antigos, parte ou página reservada às crônicas [F.: *crônica* + *-ário.*]

crônico (*crô*.ni.co) *a.* **1** Que diz respeito ao tempo **2** *Med.* Diz-se de doença que dura muito tempo **3** Mal que se repete indefinidamente [Ant.: *agudo.*] **4** Diz-se de paciente que apresenta doença crônica [F.: Do gr. *cronikós*, pelo lat. *chronicu.*]

croniqueiro (cro.ni.*quei*.ro) *sm. Pej. Jorn.* Cronista inferior, incompetente [F.: *crônico* + *-eiro.*]

cronista (cro.*nis*.ta) *s2g.* Aquele(a) que é autor(a) de crônica(s) [F.: *crônica* + *-ista.*]

◎ **-cron(o)-** *el. comp.* Ver *cron(o)-*

◎ **-crono** *el. comp.* Ver *cron(o)-*

◎ **cron(o)-** *el. comp.* = 'tempo', 'tempo transcorrido'; '(*P. ext.*) ocorrência de um fato'; 'idade', 'faixa etária'; 'estações do ano': *cronômetro, cronograma, cronógrafo; cronografia, cronologia, cronônimo; cronoinversão, cronoleto; tautocronismo; ácrono, isócrono, oligócrono* [F.: Do gr. *khrónos, ou.* F. conexa: *-cronia.*]

cronobiologia (cro.no.bi:o.lo.*gi*.a) *sf. Biol.* Estudo dos ritmos das atividades biológicas [F.: *cron(o)-* + *biologia.*]

cronobiológico (cro.no.bi:o.*ló*.gi.co) *a. Biol.* Ref. a cronobiologia [F.: *cronobiologia* + *-ico*[2].]

cronobiologista (cro.no.bi:o.lo.*gis*.ta) *s2g. Biol.* Especialista em cronobiologia [F.: *cronobiologia* + *-ista.*]

cronofobia (cro.no.fo.*bi*.a) *sf. Psiq.* Temor patológico à passagem do tempo; medo patológico de envelhecer [F.: *cron(o)-* + *-fobia.*]

cronofóbico (cro.no.*fó*.bi.co) *Psiq. a.* **1** Ref. a cronofobia **2** Diz-se de indivíduo que tem cronofobia; CRONÓFOBO *sm.* **3** Esse indivíduo; CRONÓFOBO [F.: *cronofobia* + *-ico*[2].]

cronófobo (cro.*nó*.fo.bo) *Psiq. a. sm.* O mesmo que *cronofóbico* (2 e 3) [F.: *cron(o)-* + *-fobo.*]

cronografia (cro.no.gra.*fi*.a) *sf.* **1** Estudo do tempo e de suas divisões, por ordem de ocorrência dos fatos **2** Qualquer relação de situações ou eventos ocorridos ao longo do tempo **3** Relação de datas e acontecimentos históricos; CRONOLOGIA **4** *Astron.* Parte da astronomia que descreve o planeta Saturno [F.: *cron(o)-* + *-grafia.*]

cronógrafo (cro.*nó*.gra.fo) *sm.* **1** Aparelho que registra e situa no tempo o momento em que se observou uma ação **2** Cronômetro que registra intervalos de tempo [F.: *cron(o)-* + *-grafo.*]

cronograma (cro.no.*gra*.ma) *sm.* **1** Representação gráfica da previsão das etapas e dos prazos para a execução de um trabalho: *cronograma de uma obra.* **2** Registro de um cronógrafo [F.: *cron(o)-* + *-grama.*]

cronologia (cro.no.lo.*gi*.a) *sf.* **1** *Astron.* Estudo das divisões do tempo e o estabelecimento de datas, baseado na astronomia **2** Relação de datas e acontecimentos históricos: *A cronologia da história do Brasil.* **3** Ordem de ocorrência de atos ou fatos: "Vedes aí a cronologia dos gestos. Era só executá-la." (Machado de Assis, *Dom Casmurro*) [F.: Do gr. *khronologia, as.*]

cronológico (cro.no.*ló*.gi.co) *a.* Ref. a ou que envolve cronologia; conforme à evolução ou à passagem do tempo: "A deusa Minerva (...) a primeira doutora na ordem cronológica (...)" (Agostinho de Campos, *Fé no império*) [F.: *cronologia* + *-ico*[2].]

cronologista (cro.no.lo.*gis*.ta) *a2g.* **1** Diz-se de especialista em cronologia *s2g.* **2** Esse especialista [F.: *cronologia* + *-ista.*]

cronometrado (cro.no.me.*tra*.do) *a.* **1** Que se cronometrou, aferido por cronômetro (treino cronometrado) **2** *Fig.* Contado, limitado (diz-se de tempo, período ou prazo no limite para a realização de uma ou várias tarefas) [F.: Part. de *cronometrar.*]

cronometragem (cro.no.me.*tra*.gem) *sf.* Ato ou efeito de medir a duração de um feito, uma ação, uma prova desportiva, por meio de cronômetro [Pl.: *-gens.*] [F.: *cronometrar* + *-agem*[2].]

cronometrar (cro.no.me.*trar*) *v. td.* **1** Marcar com o cronômetro a duração de: *cronometrar uma corrida.* **2** *Fig.* Controlar com rigor e precisão: *A mulher cronometrava todas as suas ações.* [▶ **1 cronometrar**] [F.: *cronômetro* + *-ar*[2]. Hom./Par.: *cronometro* (fl.), *cronômetro* (sm.).]

cronometria (cro.no.me.*tri*.a) *sf.* **1** *Emec.* Estudo das técnicas para medição dos intervalos de tempo e manutenção de sua unidade: *serviço civil de navegação e cronometria por satélite.* **2** Fabricação de cronômetros [F.: *cron(o)-* + *-metria*[1].]

cronométrico (cro.no.*mé*.tri.co) *a.* Referente a cronometria ou cronômetro [F.: *cronômetro* + *-ico*[2].]

cronometrista (cro.no.me.*tris*.ta) *s2g.* **1** Aquele que fabrica e/ou vende cronômetros **2** Indivíduo encarregado de cronometrar (uma prova, competição etc.) [F.: *cronometria* + *-ista.*]

cronômetro (cro.*nô*.me.tro) *sm.* Relógio de precisão us. para medir intervalos de tempo em frações de segundo e us. em competições esportivas, testes de velocidade, experiências tecnológicas etc. [F.: *cron(o)-* + *-metro*[1]. Hom./Par.: *cronômetro* (sm.), *cronometro* (fl. de *cronometrar*).]

cronotipo (cro.no.*ti*.po) *sm.* Ritmo corporal variável segundo a disposição inata da pessoa, que de acordo com as horas mais propícias para acordar e dormir apresenta maior ou menor rendimento em suas atividades nos períodos da manhã ou da tarde [F.: *cron(o)-* + *tipo.*]

cronotrópico (cro.no.*tró*.pi.co) *a.* Que diz respeito a ou que coordena a regularidade de um ritmo [F.: *cron(o)-* + *-trop(o)-* + *-ico*[2].]

⊕ ***crooner*** (*Ing.* /*crúner*/) *s2g.* Vocalista de música popular, que canta acompanhado de pequena orquestra ou conjunto musical

croque (*cro*.que) [ó] *sm.* **1** *Mar.* Vara com um gancho de metal na extremidade, usada para facilitar a atracação de barcos **2** *Pop.* Pequena pancada na cabeça, com os dedos; CASCUDO [F.: Do fr. *croc.*]

croquete (cro.*que*.te) [é] *sm.* **1** *Cul.* Bolinho de forma alongada, feito de carne moída de boi, peixe, ave etc., passado em gema de ovo e farinha de rosca e frito **2** *Joc. Tabu.* Pênis [F.: Do fr. *croquette.*]

croqui (cro.*qui*) *sm. Art. Pl.* Esboço de pintura, desenho, planta ou projeto feito à mão [F.: Do fr. *croquis.*]

crossa (*cros*.sa) [ó] *sf.* **1** Bastão que tem a extremidade superior em curva, como o báculo episcopal **2** Por metonímia, a parte superior e curva desse bastão **3** *P. ext.* Qualquer coisa que tenha esse formato, ou formato parecido **4** *Anat.* Curvatura em vaso sanguíneo, ou em tronco linfático: *crossa da aorta.* [F.: Do fr. *crosse.*]

⊕ ***cross-country*** (*Ing.* /*crós-cântri*/) *sm. Esp.* Corrida de atletismo, ciclismo ou esqui realizada em trilhas ou terreno acidentado [Us. tb. como apositivo (*corrida cross-country*).]

⊕ ***crossing-over*** (*Ingl.* /*cróssin ouver*/) *sm. Cit.* Ligação de cromossomos com troca de segmentos entre dois cromatídeos [F.: Ingl., 'travessia'.]

crosta (*cros*.ta) [ô] *sf.* **1** Camada endurecida ou espessada que se forma em torno de um corpo, ou sobre ele: *crosta de sujeira.* **2** *Med.* Nome que se dá a escama mais ou menos dura que se forma sobre uma ferida pela dessecação de um líquido em sua superfície **3** Casca de pão; CÔDEA [F.: Do lat. *crusta.*] ■ **~ da Terra/terrestre** *Geof.* Litosfera

crotalária (cro.ta.*lá*.ri:a) *sf. Bot.* Denom. comum a plantas forrageiras da fam. das leguminosas, do gên. *Crotalaria*, das regiões tropicais e subtropicais [F.: Do lat. cient. *Crotalaria.*]

crótalo (*cró*.ta.lo) *sm.* **1** *Zool.* Denominação comum às serpentes do gên. *crotalus*, com mais de vinte espécies no Brasil, conhecidas vulgarmente como cascavéis **2** *Mús.* Instrumento semelhante à castanhola e à matraca **3** Instrumento com muitas campainhas e guizos; PAGODE CHINÊS [F.: Do lat. *crotalum, i.*]

cru *a.* **1** Que não está cozido: *Não como sashimi, porque não gosto de peixe cru.* [Ant.: *cozido.*] **2** Não suficientemente cozido: *Passe mais este bife, ainda está cru.* **3** Diz-se do que está em estado natural, que não foi preparado em qualquer processo especial, como curtição, tingimento etc. (couro cru; linho cru) **4** Que não sofreu qualquer processo ou interferência que lhe diminuísse a intensidade, o brilho etc.: *Nenhuma nuvem toldava a crua luz do meio-dia.* **5** *Fig.* Inexperiente, imaturo: *Ele ainda está muito cru para manejar essa máquina.* [Ant.: *experiente, maduro.*] **6** Ainda em fase inicial, não elaborado o bastante; INCIPIENTE: *Este texto ainda está muito cru, é preciso trabalhá-lo mais.* **7** Sem disfarce ou fingimento: *Disse a verdade nua e crua.* [Ant.: *disfarçado.*] **8** Sem delicadeza, eufemismo ou polimento (palavras cruas); ÁSPERO; BRUTO; RÍSPIDO [Ant.: *delicado, gentil, suave.*] **9** Cruento, sanguinolento, bárbaro (guerra crua) [Ant.: *incruento.*] **10** Aflitivo, angustiante, penoso: "E foi que, de doença crua e feia, a mais que eu nunca vi..." (Luís de Camões, *Os lusíadas* (canto V)) [Ant.: *suportável, tolerável.*] **11** Escandaloso, chocante (linguagem crua) [Fem.: *crua.*] *a2g2n.* **12** Que é da cor do material de que é feito em estado natural (vestido cru, bolsas cru) **13** Diz-se dessa cor: *lençol de cor cru. sm.* **14** *Lus.* Em Portugal, óleo cru, petróleo em estado bruto [F.: Do lat. *crudus.* Hom./Par.: (pl.) crus, *cruz* (sf.).] ■ **A ~** Sem dissimulação ou disfarce **Estar/ser ~ em** Não ter conhecimentos sobre, não estar preparado em

◎ **cruci-** *el. comp.* = 'cruz': *crucial* (< lat.), *cruciante* (< lat.), *cruciforme, crucígero* [F.: Do lat. *crux, crucis.*]

crucial (cru.ci.*al*) *a2g.* **1** De extrema importância para que algo aconteça, ocorra, ou exista; muitíssimo importante para algo ou alguém; CAPITAL; ESSENCIAL; FUNDAMENTAL: *Uma boa alimentação é crucial para o desenvolvimento da criança.* [Ant.: *secundário.*] **2** O mesmo que *cruciforme* **3** Que envolve grande dificuldade; ÁRDUO; DIFÍCIL; ESPINHOSO: *Deixar a casa paterna foi uma decisão crucial.* [Ant.: *fácil, tranquilo.*] **4** Que tem a força ou o poder de decidir ou definir, ou de levar à decisão ou à definição (de algo, ger. de grande importância ou dificuldade); categórico, terminante (alegação crucial); DECISIVO **5** *Fig.* Em que algo, a despeito da dificuldade, é definido ou decidido (momento crucial) [Pl.: *-ais.*] [F.: Do lat. tardio *crucialis, e.*]

cruciante (cru.ci.*an*.te) *a2g.* **1** Que aflige, tortura, martiriza (problema cruciante) **2** Difícil de sentir, de suportar (dor cruciante) **3** Que crucia, crucifica [F.: Do lat. *crucians, antis.*]

cruciar (cru.ci.*ar*) *v. td. P. us.* O mesmo que *crucificar* [▶ **1 cruciar**] [F.: Do v.lat. *cruciare.* Hom./Par.: *cruciaria* (fl.), *cruciária* (fem. *cruciário* [a.]).]

crucífera (cru.*cí*.fe.ra) *sf. Bot.* Espécime das crucíferas, fam. da ordem das caparidales, com 3250 spp. de ervas de folhas dispostas em espiral e flores tetrâmeras, de distribuição cosmopolita; muitas spp. são us. na alimentação humana [F.: Adaptç. do lat. cient. *Cruciferae.*]

cruciferário (cru.ci.fe.*rá*.ri:o) *sm. Rel.* Aquele que carrega a cruz em procissões ou cerimônias religiosas [F.: *crucífero* + *-ário.*]

crucífero (cru.*cí*.fe.ro) *a.* **1** Que sustenta uma cruz **2** Em forma de cruz; CRUCIAL **3** Que tem a cruz por insígnia **4** Que diz respeito à ordem religiosa do séc. XVII cujos religiosos trajavam branco e traziam no escapulário negro uma cruz também branca **5** *Her.* Diz-se do símbolo cuja representação é um globo encimado por uma cruz **6** *Bot.* De flores cruciformes [F.: Do lat. *crucifer, era, erum.*]

crucificação (cru.ci.fi.ca.*ção*) *sf.* **1** Ação ou resultado de crucificar; CRUCIFIXÃO **2** *P. ext.* Suplício que consistia em pendurar a pessoa numa cruz, us. na Antiguidade: *a crucificação de Jesus Cristo.* **3** *Fig.* Atribuição de falta ou delito a alguém; ACUSAÇÃO [Pl.: *-ções.*] [F.: *crucificar* + *-ção.*]

crucificado (cru.ci.fi.*ca*.do) *a.* **1** Pregado na cruz **2** Submetido ao martírio da crucificação; TORTURADO **3** *Fig.* Torturado, atormentado: *crucificado pelas dívidas.* **4** *Fig.* Duramente criticado: *O jogador foi crucificado pela torcida. sm.* **5** *Rel.* Homem que padeceu o suplício da cruz [Nesta acp., com inicial maiúsc.] **6** *Rel.* Jesus Cristo [F.: Part. de *crucificar.*]

crucificar (cru.ci.fi.*car*) *v. td.* **1** Pregar numa cruz; aplicar o suplício da cruz a: *Crucificaram Jesus e os dois ladrões.* **2** *Fig.* Causar grande aflição ou tormento a; atormentar moralmente; mortificar: *O remorso o crucificava.* **3** *Fig.* Criticar duramente; falar mal de: *Ele é estranho, mas não é justo crucificá-lo.* [▶ **11 crucificar**] [F.: Do lat. tard. *crucificare*, do lat. *crucifigere*, 'pregar à cruz'.]

crucifixão (cru.ci.fi.*xão*) [cs] *sf.* O mesmo que *crucificação* (1) [Pl.: *-xões.*] [F.: Do lat. *crucifixio, onis.*]

crucifixo (cru.ci.*fi*.xo) [cs] *sm.* **1** Imagem de Cristo pregado na cruz **2** Objeto cruciforme de madeira, metal etc. como representação do Cristo crucificado *a.* **3** Que foi pregado na cruz; CRUCIFICADO [F.: Do lat. *crucifixus, a, um*, 'que foi crucificado'.]

cruciforme (cru.ci.*for*.me) *a2g.* Que tem a forma de cruz (motivo cruciforme; igreja cruciforme); CRUCIAL [F.: *cruci-* + *-forme.*]

crucígero (cru.*ci*.ge.ro) *a. Bot.* Que apresenta flores em forma de cruz; CRUCÍFERO [F.: *cruci-* + *-gero*.]

crudelidade (cru.de.li.*da*.de) *sf.* Qualidade ou característica do que é cruel; CRUEZA [F.: Do lat. *crudelitas, atis*, por via erudita. Tb. *crueldade*, por via pop.]

◎ **crud(i)-** *el. comp.* = 'cru': *crudívoro* [F.: Do lat. *crudus, a, um*, 'sangrento'; 'cru'; 'não cozido'.]

crudívoro (cru.*dí*.vo.ro) *a.* **1** Que se alimenta ou ingere alimentos crus *sm.* **2** Indivíduo ou animal crudívoro (1) [F.: *crud(i)-* + *-voro*.]

cruel (cru.*el*) *a2g.* **1** Que é malvado, que maltrata (inimigo cruel); ATROZ; BÁRBARO; DESUMANO: *Ele é cruel com os animais; um tirano cruel na forma de tratar os adversários* [Ant.: *benevolente, bondoso, clemente*.] **2** Que causa dor, sofrimento; (vida cruel, destino cruel); DOLOROSO [Ant.: *bom, feliz*.] **3** Terrível, horrível, implacável (doença cruel) **4** Rigoroso, intransigente (patrão cruel; crítica cruel) [Ant.: *indulgente, transigente*.] **5** Que expressa ou denota crueldade (sentença cruel; decisão cruel) **6** Sangrento, cruento (combate cruel) [Pl.: *-éis.* Superl.: *crudelíssimo, cruelíssimo*.] [F.: Do lat. *crudelis*.]

crueldade (cru.el.*da*.de) *sf.* **1** Qualidade ou característica de cruel; ATROCIDADE; MALDADE; PERVERSIDADE; CRUDELIDADE: *O estado do corpo mostra a crueldade do crime.* [+ *com, em*: *crueldade com os prisioneiros; crueldade no tratamento.* Ant.: *bondade, humanidade*.] **2** Ação cruel, bárbara, inclemente; BARBARIDADE; CRUEZA; IMPIEDADE; MALEVOLÊNCIA: "Quem foi que fez aquela crueldade? Coitado! Por um pouquinho não morreu." (Franklin Távora, *Matuto*) [Ant.: *beneficência, benevolência, caridade*.] **3** Rigor, inclemência: *a crueldade do inverno.* [Ant.: *amenidade, brandura*.] [F.: Do lat. *crudelitas, atis*, por via pop.]

cruento (cru:*en*.to) *a.* **1** Em que corre muito sangue; cheio de sangue, banhado em sangue (guerra cruenta; campo cruento); SANGRENTO; SANGUINOLENTO **2** Cruel, sanguinário, desumano (ditadura cruenta) **3** Que fere, que punge; PUNGENTE [F.: Do lat. *cruentus*. Ant. ger.: *incruento*.]

crueza (cru:*e*.za) [ê] *sf.* **1** Característica do estado de cru, não cozido **2** Qualidade do que é singelo ou rude, porém espontâneo e original: *A crueza das cenas tornaram seu filme sem precedentes.* **3** Característica ou condição do que é cruel; CRUELDADE **4** Problema estomacal causada pela má qualidade dos alimentos ou por dificuldade em digeri-los; INDIGESTÃO **5** Condição da água que se encontra pesada pela presença de sais calcários que a tornam indigesta [F.: *cru-* + *-eza*.]

cruor (cru.*or*) [ô] *sm.* **1** Sangue derramado: "Matar a frio... como o carniceiro faz à rês e o caçador à perdiz, isso não o poderia; repugnava-lhe. Tinha nojo ao cruor." (José de Alencar, *Til*) **2** Parte corante do sangue **3** Coágulo de sangue [F.: Do lat. *cruor, oris*.]

crupe (*cru*.pe) *sm. Med.* Obstrução aguda da laringe, por neoplasia, infecção, alergia, corpo estranho etc., que provoca acessos de tosse e/ou rouquidão e pode levar à asfixia [F.: Do ing. *croup*, pelo fr. *croup*.] ■ **~ diftérico** *Pat.* Obstrução na laringe causada por difteria

crupiê (cru.pi:*ê*) *sm.* Funcionário de cassino que dirige os jogos de uma mesa, recolhe o dinheiro das apostas e paga aos ganhadores [F.: Do fr. *croupier*.]

crura (*cru*.ra) *Anat. sf.* **1** Perna, coxa **2** Estrutura peduncular, esp. qualquer massa compacta de fibras que conectam partes do cérebro [F.: Do lat. *crus, cruris*.]

crural (cru.*ral*) *a2g. Anat.* Relativo ou pertencente à coxa (músculo crural)

crustáceo (crus.*tá*.ce:o) *Zool. sm.* **1** Espécime dos crustáceos, subfilo de animais invertebrados, em sua maioria aquáticos e marinhos, que inclui as lagostas, camarões, siris e caranguejos entre outros *a.* **2** *Zool.* Ref. ou pertencente aos crustáceos [F.: Adaptç. do lat. cient. *Crustacea*.]

cruz *sf.* **1** *Hist.* Antigo instrumento de suplício formado por dois toros, um vertical e o outro nele atravessado horizontalmente, no qual se pregavam as mãos e os pés da vítima, que lá ficava, ger. até morrer **2** *Rel.* Cruz (1) na qual Jesus foi pregado até morrer, tornando-se por isso o símbolo do cristianismo [Nesta acp. ger. com inicial maiúscula.] **3** Qualquer objeto ou adereço ou figura que represente a cruz da crucificação de Cristo: *Ela usa uma cruz pendurada no cordão.* **4** *Fig.* Sofrimento, martírio: *Os problemas familiares são a sua cruz.* **5** *Rel.* A paixão e a morte de Cristo: *o sacrifício da Cruz.* [Inicial maiúsc.] **6** *Rel.* O cristianismo: *O triunfo glorioso da Cruz.* [Inicial maiúsc.] **7** Qualquer coisa com o formato de uma cruz (1) ou conjunto de coisas dispostas em formato de cruz (1): *Aquela cruz de estrelas é o Cruzeiro do Sul; Fez uma cruz com os palitos de fósforos.* **8** Qualquer sinal escrito ou impresso em forma de cruz: *Marque a resposta correta com uma cruz.* **9** Insígnia ou condecoração militar ou eclesiástica com essa forma **10** Símbolo do poder eclesiástico **11** *Mar.* Parte da âncora em que os braços se prendem à haste **12** *Litu.* Gesto de persignação ou benzedura, no qual a mão descreve um percurso em forma de cruz **13** Sinal gráfico em forma de cruz (7) com formato e função variados, indicar ano de morte junto ao nome do falecido, ser chamada para notas etc.; ADAGA; OBELISCO **14** *Bot.* Nome de várias plantas onagráceas, do gênero *Jussieua* **15** *Cap.* Contra-ataque a golpe desferido com o pé, quando o capoeirista se agacha esquivando-se e se levanta para derrubar o contendor **16** *Her.* Ornamento em forma de cruz (1) em escudos e brasões [Dim.: *cruzeta*.] [F.: Do lat. *crux, cis*. Hom./Par.: *crus* (pl. de *cru*); (pl.) cruzes, *cruzes* (fl. de *cruzar*).] ■ **Assinar em ~** **1** Assinar (ger. analfabeto) desenhando uma cruz **2** Assinar sem ler o que está assinando **carregar (a) sua ~** *Fig.* Ter atribulações, encargos pesados; penar, sofrer; levar (a) sua cruz **~ alçada** *Rel.* Crucifixo que se carrega, alçado, em cerimônias católicas, esp. procissões **~ alta** *Her.* Aquela cuja travessa cruza a haste acima da metade desta; cruz latina **~ celta** *Her.* Cruz latina com um anel em volta do ponto de cruzamento da haste com a travessa **~ de Genebra** Ver *Cruz vermelha* **~ de Lorena** Cruz com duas travessas, sendo a superior menor que a inferior **~ de Malta** *Her.* Cruz com os braços curtos e iguais, e que se alargam à medida que se afastam de sua interseção **~ de Santo André** Cruz com o formato de um *X* **~ de Santo Antônio/Santo Antão** Cruz com o formato de um *T*; cruz egípcia **~ dos templários** *Her.* Cruz de esmalte vermelho, cujos braços iguais se alargam em curva, terminando em arcos que têm seu centro no centro da cruz **~ do Sul** *Astron.* O Cruzeiro do Sul **~ egípcia** *Her.* Ver *Cruz de Santo Antônio* **~es ou cunhos** *Lus.* Cara ou coroa **~ florenciada** *Her.* Cruz cujos braços terminam em flor de lis **~ gamada** *Her.* Cruz de braços iguais, tendo a extremidade de cada um deles um remate em ângulo de 90º, num formato semelhante ao da letra grega *gama*; suástica **~ grega** *Her.* Cruz de quatro braços iguais **~ helvética** *Her.* Cruz grega com os braços cheios, sobre fundo vermelho **~ latina** *Her.* Ver *Cruz alta* **~ papal** *Her.* Cruz com longa haste e três travessas altas de comprimento decrescente de baixo para cima, trifoliadas **~ patriarcal** *Her.* Cruz com o formato da cruz de Lorena, mas aguçada na extremidade superior da haste e com as travessas trifoliadas; cruz russa **~ russa** *Her.* Ver *Cruz patriarcal* **~ vermelha** Cruz grega com os braços cheios, vermelha sobre fundo branco, símbolo da neutralidade das ambulâncias, segundo a Convenção de Genebra, e símbolo da instituição do mesmo nome; cruz de Genebra **Entre a ~ e a água-benta** Ver *Entre a cruz e a caldeirinha* **Entre a ~ e a caldeirinha** Em situação difícil e sem saída, na qual nenhuma alternativa é boa **Fazer ~(es) na boca** Ficar sem comer **Levar a ~ ao Calvário** Concluir missão difícil, encargo ou tarefa penosa **Levar (a) sua ~** Ver *Carregar (a) sua cruz* **Ser a ~** Ser o motivo, a causa do sofrimento de alguém

cruza (*cru*.za) *sf.* **1** Acasalamento para procriação de animais; CRUZAMENTO **2** O produto dessa cruza **3** *Bras.* Segunda lavra dada à terra, cortando transversalmente a primeira **4** Lã que se extrai de carneiro mestiço [F.: Regress. de *cruzar*.]

cruzada (cru.*za*.da) *sf.* **1** Expedição cristã, na Idade Média, para expulsar os muçulmanos da Terra Santa e reconquistar Jerusalém e o túmulo de Cristo **2** *Fig.* Movimento ou campanha em defesa de um projeto ou objetivo [+ *a favor de, por, contra*: *O governo lançou uma cruzada contra as drogas*.] **3** *RS* Encruzilhada (cruzada de carreiros) **4** Ação ou resultado de cruzar (cruzada de pernas); CRUZAMENTO **5** *RS* Ação ou resultado de atravessar um caminho, cruzando-o **6** *Esp.* No tênis, jogada em que a bola é lançada para atravessar diagonalmente a quadra adversária [F.: *cruz* + *-ada*.]

> 🕮 Foram sete as grandes cruzadas cristãs (além de três menores), que visavam a libertar a Terra Santa do domínio muçulmano, esp. os lugares santos do cristianismo. A primeira durou três anos (1096-1099), foi conclamada por Pedro, o Eremita, massacrou muçulmanos e judeus e chegou a conquistar Jerusalém, sob o comando de Godofredo de Bouillon; a segunda foi de 1147 a 1149, conclamada pelo papa Eugênio III; quando o sultão Saladino tomou Jerusalém em 1187, o papa Gregório VIII lançou a terceira cruzada, na qual Ricardo Coração de Leão conquistou Acre em 1191, mas não chegou a Jerusalém; a quarta cruzada, entre 1202 e 1204, acabou conquistando Constantinopla; a quinta começou em 1218 atacando o Egito, mas isso atrasou o avanço para a Terra Santa, e em 1221 as tropas do papa não conseguiram atacar o Cairo, aceitando uma trégua; foi o imperador alemão Frederico II quem iniciou a sexta cruzada em 1227, que terminou num acordo em 1229 – com Frederico como rei de Jerusalém – e numa trégua de dez anos; com o fim da trégua, uma sétima cruzada teve início, mas Jerusalém caiu em mãos turcas em 1244. Derrotados em sua tentativa de reconquistá-la, em 1250, os cruzados recuaram e muitos foram feitos prisioneiros, sendo resgatados em 1254.

cruzadista (cru.za.*dis*.ta) *a2g.* **1** Pessoa afeita ao passatempo de palavras cruzadas **2** Que diz respeito ao cruzado (moeda brasileira) *s2g.* **3** Que se dedica a palavras cruzadas

cruzado¹ (cru.*za*.do) *sm.* **1** Pessoa que tomava parte em cruzada (1) da Idade Média **2** *Fig.* Indivíduo que defende ou promove alguma ideia, projeto ou doutrina: *Ele é um cruzado da moralidade.* [F.: De *cruzada* com alt. de *-a* para *-o*.]

cruzado² (cru.*za*.do) *a.* **1** Diz-se do que teve sua trajetória ou fluxo interceptados por outro(s), ou que converge de muitos pontos de origem para um só (linhas cruzadas; tiros cruzados; caminhos cruzados) **2** Posto ou disposto em forma de cruz (dedos cruzados) **3** Que resulta de cruzamento (de espécies, raças etc.) **4** Diz-se do cheque em que se colocam dois traços para que não possa ser trocado por dinheiro, mas apenas depositado **5** *Esp.* Que foi lançado diagonalmente no campo de jogo (chute cruzado; bola cruzada) **6** *Antr.* Ref. a relação de parentesco que resulta de uma série de relações de filiação e germanidade na qual figura ao menos um par de germanos de sexos opostos *sm.* **7** *Econ.* Moeda brasileira que substituiu o cruzeiro em 1986 [Em 1989, foi introduzido o cruzado-novo, que vigorou até 1990, com a volta do cruzeiro.] **8** *Esp.* No boxe, soco desferido enquanto o pugilista gira rápido para o lado do punho com que tenta atingir o alvo: *Acertou um cruzado de direita.* [F.: Part. de *cruzar*.] ■ **~ novo** *Econ.* Unidade monetária brasileira de 16 de janeiro de 1989 a 15 de março de 1990, quando foi substituída pelo *cruzeiro* [Símb.: *NCz$*]

cruzador (cru.za.*dor*) [ô] *sm.* **1** *Mar. G.* Navio de combate veloz, us. para lançamento de mísseis, escolta de comboios etc. **2** *Esp.* No boxe, nome da categoria para lutadores entre 79, 379kg e 86, 183kg **3** Aquele ou aquilo que cruza *a.* **4** Que cruza **5** Diz-se do pugilista que, no boxe, pertence à categoria cruzador [F.: *cruzar* + *-dor*.]

cruzamento (cru.za.*men*.to) *sm.* **1** Ação ou resultado de cruzar; CRUZADA **2** Disposição em cruz **3** Ponto onde duas ruas ou avenidas se cruzam; ponto em que duas coisas se cruzam; ENCRUZILHADA **4** Interseção de duas ou mais coisas que se interceptam, ger. gerando confusão: *cruzamento de linha telefônicas; Naquele cruzamento de vozes não dava para se entender nada.* **5** Acasalamento entre animais **6** *Biol.* Acasalamento entre linhagens ou indivíduos geneticamente diferentes **7** *Bras. Rel.* Na umbanda, rito final da iniciação de um médium **8** *Antr.* Condição de parente cruzado² (6) [F.: *cruzar* + *-mento*.] ■ **~ léxico** *Ling.* Junção de duas palavras para formar uma nova [Ex.: *propina* + *duto* = *propinoduto*.] **~ sintático** *Ling.* Construção sintática inadequada resultante de confusão entre duas construções válidas; quiasma: *Preciso que você me ajude.* + *Necessito de uma ajuda sua.* = *Necessito de que você me ajude.*

cruzar (cru.*zar*) *v.* **1** Pôr em forma de cruz; dar forma de cruz a [*td.*: *Cruzou os talheres sobre o prato.*] **2** Fazer entrelaçar [*td.*: *cruzar as pernas.*] **3** Cortar, interceptar(-se) (linhas, ruas etc.) [*td.*: *Essa rua cruza a avenida Paulista.*] [*tr.* + *com*: *Essa rua cruza(-se) com a avenida Paulista.*] **4** Deparar-se com (algo ou alguém, vindo de e continuando em direções diferentes) [*tr.* + *com*: *Cruzei com o João quando ia para o trabalho.* A forma pronominal *cruzavam-se* encaixa nesta regência, pois indica reciprocidade, na forma 'um cruzava com o outro'.] [*int.*: *Foguetes e rojões cruzavam-se no ar.*] **5** Passar através de; TRANSPOR [*td.*: *Cruzou o portão de casa e desapareceu.*] **6** Juntar (animais) para que procriem [*tdr.* + *com*: *Cruzei meu cachorro com uma cadela de raça.*] [*tr.* + *com*: *Minha gata siamesa cruzou com um vira-lata.*] **7** Deslocar-se no espaço em qualquer direção; percorrer em vários sentidos; ATRAVESSAR [*td.*: *Cruzou mares e oceanos.*] **8** Percorrer (espaço) sem rumo; PERAMBULAR; VAGUEAR [*td.*: *Cruzou, alheio, as ruas da cidade.*] **9** Apor dois riscos paralelos diagonalmente em (cheque), indicando que deve ser depositado e não sacado [*td.*: *Cruzei o cheque por segurança.*] **10** Estabelecer ligação, correspondência entre [*td.*: *Os policiais cruzavam informações pelo rádio.*] **11** *Esp.* Lançar (bola) diagonalmente no campo de jogo [*td.*: *O jogador cruzou a bola para a área.*] [*int.*: *No jogo contra a Alemanha, foi difícil cruzar.*] **12** Fazer, com o dedo polegar, três sinais em cruz para benzer (alguém, inclusive si mesmo); BENZER(-SE) [*td.*: *O padre cruzou o grupo de fiéis.*] [▶ **1 cruzar**] [F.: *cruz* + *-ar²*. Hom./Par.: *cruza(s)* (fl.), *cruza(s)* (sf. [pl.]); *cruzo* (fl.), *cruzo* (sm.).] ■ **~ os braços** Ficar inativo, não tomar providências, recusar intervir em situação etc.

cruz-credo (cruz-*cre*.do) *interj.* Expressão de susto, medo ou repugnância; CREDO

cruz de malta (cruz de *mal*.ta) *sf.* **1** *Her.* Cruz em que seus quatro segmentos partem de um centro comum e vão se alargando até as extremidades **2** *Bot.* Designação comum a diversas plantas do gênero *Jussiaea* [Nesta acp., *cruz-de-malta*.] [Pl.: *cruzes de malta, cruzes-de-malta*.]

cruzeira (cru.*zei*.ra) *sf.* **1** *Tip.* Barra de metal que, nos formatos maiores, atravessa a rama de composição de cima a baixo (às vezes tb. horizontalmente), dividindo-a ao meio; CRUZ **2** O claro correspondente a essa barra e que divide a folha impressa em partes iguais; MEDIANIZ [F.: *cruz* + *-eira*.]

cruzeirense (cru.zei.*ren*.se) *s2g.* **1** Torcedor ou associado do Esporte Clube Cruzeiro, de Belo Horizonte (MG) *a2g.* **2** Do ou ref. a esse clube [F.: (*Esporte Clube*) *Cruzeiro* + *-ense*.]

cruzeirense-do-sul (cru.zei.*ren*.se-do-sul) *s2g.* **1** Aquele ou aquela que nasceu ou que vive em Cruzeiro do Sul (PR) *a2g.* **2** De Cruzeiro do Sul; típico dessa cidade ou de seu povo [F.: Do top. *Cruzeiro* (*do Sul*) + *-ense*.]

cruzeiro (cru.*zei*.ro) *sm.* **1** Grande cruz erguida em igrejas, cemitérios, praças etc. **2** *Arq.* Parte da igreja entre a nave central e a capela-mor **3** *Econ.* Moeda brasileira que vigorou de 01.11.1942 até 12.02.1967, e de 16.03.1990 a 31.07.1993 **4** Viagem turística em navio de passageiros: *Foram até o Ceará num cruzeiro.* **5** *Mar. G.* Navegação de patrulhamento das águas, em certa área, emn várias rotas **6** *Aer.* Padrão estabelecido para a altitude e velocidade das aeronaves **7** Velocidade padrão para certo tipo de veículo, em certo tipo de percurso, que proporcione o melhor rendimento possível de combustível e as melhores condições de percurso **8** *Hist.* Ordem militar brasileira instituída pelo imperador D. Pedro I [Inicial maiúsc.] *a.* **9** Que tem forma de cruz (arco cruzeiro) [F.: *cruz* + *-eiro*.] ■ **~ do Sul** *Astron.* Constelação do hemisfério sul, visível a olho nu como uma cruz formada por cinco estrelas [Us. como referência para se localizar a direção do Polo Sul.] ~ **novo** *Econ.* Unidade monetária brasileira de 13 de fevereiro de 1967 a 15 de maio de 1970, quando voltou a ser apenas *cruzeiro.* [Símb.: *NCr$*] ~ **real** *Econ.* Unidade monetária brasileira de agosto de 1993 a julho de 1994, quando foi substituída pelo real, à razão de um real para 2.750 cruzeiros reais [Símb.: *CR$*]

cruzeta (cru.*ze*.ta) [ê] *sf.* 1 Cruz pequena 2 *Cons.* Régua em forma de T, us. em construção civil para nivelar 3 *Arq.* Moldura de um ornamento de porta ou janela de sacada que excede o nível de sua base nas laterais 4 Nos teatros e casas de *show*, utensílio de metal em forma de T com uma base cônica, e em cuja haste horizontal adaptam-se refletores e lâmpadas elétricas 5 Peça composta de hastes que punham em movimento os cilindros da prensa de talho-doce ou o carro da prensa litográfica; MOLINETE 6 *Her.* Cruz pequena ou cada uma dessas cruzes ou das cruzes soltas representadas em um brasão 7 *Bras. N. N. E. Lus.* Cabide em forma de cruz que se pendura dentro do guarda-roupa 8 *Tec.* Peça da máquina a vapor, que articula a haste do êmbolo ao tirante, e que, com a manivela, transforma movimentos retilíneos em sentidos alternados em movimento circular que aciona as rodas 9 *Pint.* Cruz de madeira com os braços móveis, nos quais se suspendem as estampas ou desenhos que servem de modelo aos estudantes 10 *Náut.* Armação provisória de vergas e mastros feita de antenas 11 *Bras. SP* Local onde se cruzam duas correntezas de rio, formando redemoinho 12 *Mec.* Qualquer peça disposta transversalmente na extremidade de eixo, haste etc. 13 Tubo ou cano ramificado em forquilha dupla 14 *Lus.* Estrela de bronze com quatro pontas, três das quais se inserem na árvore de rodízio das azenhas, girando a que fica de fora sobre uma peça fixa 15 *Mec.* Nome de várias peças em forma de cruz us. em diferentes maquinismos 16 *Her.* Cada uma de pequenas cruzes representadas em brasões [F.: *cruz* + *-eta.*]

cruzetado (cru.ze.*ta*.do) *a.* 1 Que tem forma de cruzeta (1) 2 *Her.* Diz-se de brasão no qual há cruzetas (16) [F.: *cruzeta* + *-ado*[1].]

cruzmaltino (cruz.*mal*.ti.no) *a. Esp.* Torcedor do Clube de Regatas Vasco da Gama, do Rio de Janeiro, cujo símbolo é uma cruz de malta

cruz-oestano (cruz-o:es.*ta*.no) *sm.* 1 Aquele ou aquela que nasceu ou que vive em Cruzeiro do Oeste (PR) *a.* 2 De Cruzeiro do Oeste; típico dessa cidade ou de seu povo [F.: Do top. *Cruz(eiro) (do) Oeste* + *-ano*[1]. Tb. *cruzeirense.*]

cruz-serrano (cruz-ser.*ra*.no) *sm.* 1 Indivíduo nascido ou que vive em Santa Cruz de la Sierra (Bolívia) *a.* 2 De Santa Cruz de la Sierra; típico dessa cidade ou de seu povo [F.: Do top. *(Santa) Cruz* (de la) *Sierra* + *-ano*[1].]

⊠ **Cs** *sm. Quím.* Símb. do *césio*

csi [cs] *sm.* A 14ª letra do alfabeto grego. Corresponde ao 'x' latino (com som de /cs/) [F.: Do gr. *ksei* ou *ksi.*]

CTA *sm.* Sigla de Centro Técnico Aeroespacial, de São José dos Campos (SP)

◎ **cten(o)-** *el. comp.* = 'pente': *ctenócero, ctenoide, ctenóforo* (< lat. cient.) [F.: Do gr. *kteís, ktenós.*]

ctenóforo (cte.*nó*.fo.ro) *sm.* 1 *Zool.* Espécime dos ctenóforos, filo de animais marinhos pelágicos, que se assemelham às medusas *a.* 2 *Zool.* Ref. ou pertencente aos ctenóforos [F.: Adaptç. do lat. cient. *Ctenophora*; ver *cten(o)-* e *-foro.*]

CTI *sm. Med.* Sigla de *Centro de Terapia Intensiva*

cu[1] *Tabu. sm.* 1 Ver *ânus* 2 O conjunto das nádegas e o ânus; BUNDA; TRASEIRO 3 Extremidade da agulha oposta à ponta [F.: Do lat. *culus.*] ∎∎ **Cair de ~** 1 *Lus. Tabu.* Cair sentado 2 Ficar sem dinheiro; ficar a nenhum 3 Espantar-se, surpreender-se **Dar o ~** *Tabu.* Praticar (como parceiro passivo) coito anal; tomar no cu **Encher o ~** *Tabu.* Comer muito **Ficar com o ~ na mão** *Bras. Tabu.* Apavorar-se, ter muito medo **Ir ao ~ de** *Lus. Tabu.* Praticar (como parceiro ativo) coito anal **Não ter no ~ o que periquito roa** *Bras. Tabu.* Ser muito pobre **Nascer com o/de ~ para a/pra Lua** *Tabu.* Ser sortudo, ter muita sorte **No ~ do Judas** *Tabu.* Muito longe **O que tem (a ver) o ~ com as calças?** *Tabu.* O que é que uma coisa tem a ver com (a) outra? **Tirar o ~ da reta** *Tabu.* Eximir-se de responsabilidade (para com algo ou alguém) **Tirar o ~ da seringa** *Bras. Tabu.* Safar-se de situação difícil, desagradável **Tomar no ~** 1 *Tabu.* Ver *Dar o cu* 2 Dar-se mal; fracassar; ser prejudicado por ação malévola alheia

⊠ **Cu**[2] *Quím.* Símb. do *cobre*

cuba[1] (*cu*.ba) *sf.* 1 Vasilha grande para vinho e outros líquidos; TINA; TONEL 2 Recipiente para uso industrial; TANQUE 3 A bacia de uma pia; LAVATÓRIO 4 Recipiente de vidro, louça etc. us. em laboratórios de física e química 5 No termômetro, o reservatório do mercúrio [Dim.: *cubeta.*] [F.: Do lat. *cupa*. Hom./Par.: *cuba* (fl. de *cubar*).] ∎∎ **~ da agulha** *Náut.* Recipiente onde se põe a parte móvel de uma bússola (flutuador, ímã, rosa dos ventos) e o líquido que a envolve, e que tem nele marcada a linha de fé, que mostra a direção da proa da embarcação **~ de nível constante** *Mec.* Reservatório de gasolina do carburador, cujo nível, assistido por uma boia, é mantido constante

cuba[2] (*cu*.ba) *sm.* 1 *Bras.* Indivíduo que domina a prática da feitiçaria 2 *PE* Indivíduo influente, poderoso 3 *PE* Indivíduo ladino, matreiro, esperto [F.: De *cuebas*, de or. obsc.]

cuba[3] (*cu*.ba) *sf. Bot.* Certa variedade de tabaco [F.: Do top. *Cuba* (país insular do Caribe).]

cubagem (cu.*ba*.gem) *sf.* 1 Cálculo da capacidade de um recipiente ou recinto 2 Quantidade de unidades cúbicas que cabem em certo espaço 3 Ação, resultado ou método de cubar em determinado espaço um certo volume de líquido, gás etc. [Pl.: *-gens.*] [F.: *cubo* + *-agem*[2].]

cuba-libre (cu.ba-*li*.bre) *sf.* Bebida resultante da mistura de rum com refrigerante à base de cola [Pl.: *cubas-libres.*]

cubano (cu.*ba*.no) *sm.* 1 Pessoa nascida ou que vive em Cuba (América Central) *a.* 2 De Cuba; típico desse país ou de seu povo [F.: *Cuba* + *-ano*[1].]

cubar (cu.*bar*) *v. td.* 1 Medir ou avaliar em unidades cúbicas (o volume de um sólido): *Vamos cubar o quarto para instalar o ar-condicionado.* 2 Elevar ao cubo 3 Realizar a cubagem (3) de, a medição num certo espaço do volume de (líquido, gás etc.) [▶ 1 cubar] [F.: *cubo* + *-ar*[2]. Hom./ Par.: *cubo* (fl.), *cubo* (sm. a.); *cuba(s)* (fl.), *cuba(s)* (sf. s2g).]

cubata (cu.*ba*.ta) *sf.* Choupana coberta de folhas existente em alguns povoados africanos; CHOÇA

cubatão (cu.ba.*tão*) *sm. SP Geog.* Pequena elevação na base de uma cadeia de montanhas [Pl.: *-tões.*] [F.: De or. obsc.]

cúbico (*cú*.bi.co) *a.* 1 Que tem a forma de cubo (1); CUBOIDE 2 Ref. a cubo (3), à terceira potência de um número, de uma medida: *O caminhão transportou 5 metros cúbicos de entulho.* 3 *Crist.* Diz-se de sistema cristalino com quatro eixos ternários de simetria e três eixos iguais e perpendiculares entre si 4 *Crist.* Diz-se de mineral que cristaliza no sistema cúbico [F.: Do lat. *cubicus.*]

cubículo (cu.*bí*.cu.lo) *sm.* 1 Pequeno compartimento ou aposento: *Esconderam-se num cubículo sem ventilação.* 2 Cela de convento 3 *Ant.* Quarto de dormir; ALCOVA; CÂMARA 4 *Bras.* Cela de cadeia [F.: Do lat. *cubiculum.*]

cubismo (cu.*bis*.mo) *sm. Art. Pl.* Movimento artístico do início do séc. XX, iniciado na pintura (Georges Braque, Pablo Picasso) e que se estendeu à escultura, caracterizado por representar a visão tridimensional de pessoas e objetos por meio de formas geométricas como que percebidas simultaneamente nas três dimensões [F.: *cubo (1)* + *-ismo.*]

cubista (cu.*bis*.ta) *a2g.* 1 Ref. ao cubismo ou próprio dele (quadro cubista) 2 Diz-se de pessoa, esp. artista plástico, adepta ou seguidora do cubismo *s2g.* 3 *Art. Pl.* Essa pessoa [F.: *cubismo* + *-ista.*]

cubital (cu.bi.*tal*) *a2g. Anat.* Relativo ao osso cúbito ou à articulação de mesmo nome, que conecta o braço ao antebraço [F.: Do lat. *cubitalis, e.*]

cúbito (*cú*.bi.to) *Anat. sm.* 1 *Anat.* Osso na parte interna do antebraço, que forma com o rádio seu esqueleto; ULNA [Tb. era chamado 'osso do cotovelo', *Ulna* substitui *cúbito*, na nova terminologia anatômica.] 2 *Ant.* Medida que tinha o comprimento de um antebraço; CÔVADO 3 *Zool.* A tíbia das patas anteriores de um inseto 4 *Bras.* Entre ladrões, compartimento secreto no sapato, no qual se esconde o fruto de um roubo [F.: Do lat. *cubitus.*]

cubo (*cu*.bo) *sm.* 1 *Geom.* Poliedro formado por seis faces quadradas do mesmo tamanho [O mesmo que *hexaedro regular.*] 2 Qualquer sólido semelhante a esse objeto: *cubos de gelo.* 3 *Alg.* A terceira potência de um número: *27 é o cubo de nove.* [Ou seja, este número multiplicado pelo quadrado de si mesmo.] 4 Peça de encaixe da extremidade do eixo dos carros a tração animal 5 *Mar.* Na hélice de um navio, parte central ligada ao eixo e de onde saem as pás 6 *Mec.* No automóvel, peça pela qual passa um eixo; MANCAL 7 Numa roda movida a água, cada vão que recebe a água que movimenta a roda 8 *Lus.* Na Beira, recipiente para transporte de líquidos 9 *Lus.* No Alentejo, grande cesto us. na vindima 10 *Lus.* Na Beira, medida para sólidos, equivalente a um e meio alqueire 11 *Lus.* No Minho e em Trás-os-Montes, ajuntamento de água junto de um moinho 12 *Ant.* Em antigas fortificações, pequena torre na parte lateral do muro [F.: Do lat. *cubus.*] ∎∎ **~ perfeito** *Mat.* Número que é o cubo de um número inteiro [Ex.: 8, que é o cubo de 2; 64, que é o cubo de 4.]

cuboide (cu.*boi*.de) *a2g.* 1 Que tem a forma de cubo (1); CÚBICO 2 *Anat.* Diz-se de osso curto do pé, situado na parte anterior e superior de cada tarso e articulado posteriormente com o calcâneo *sm.* 3 *Anat.* Esse osso, ou qualquer outro em forma de cubo (1) [F.: *cubo* + *-oide.*]

cuca[1] (*cu*.ca) *sm. Bras. Moç. Cul.* O mesmo que *mestre-cuca* [F.: Do ingl. *cook*. Hom./Par.: *cuca* (sm.), *cuca* (sf.), *cuca* (fl. de *cucar*).]

cuca[2] (*cu*.ca) *Bras. Pop. sf.* 1 Cabeça: *Cobre a cuca com um boné.* 2 Intelecto, mente: *Está bem maluco, com a cuca atrapalhada.* [F.: De or. incerta.]

cuca[3] (*cu*.ca) *sf.* 1 *Folc.* Ente fantástico feminino com que se assusta as crianças; PAPÃO: *Ficou com a cuca meio ruim.* 2 *Fig.* Mulher feia, velha e rabugenta [F.: Posv. de *coca* (ô), 'papão'.]

cuca[4] (*cu*.ca) *sf. Cul.* Bolo de origem alemã feito com farinha de trigo, fermento, ovos e manteiga, que na culinária nacional recebe também, por vezes, cobertura de frutas, como a maçã e a banana, e açúcar [F.: Do al. *Kuchen.*]

cuca[5] (*cu*.ca) *sf. PE* Rolo feito com o mato roçado [F.: De *quicuca*, com aférese.]

cuca[6] (*cu*.ca) *sf. MG Pop.* Ação ou modo de vida de quem é dado a grandes despesas e a gastos supérfluos; OSTENTAÇÃO [F.: De or. obsc.]

cuca-fresca (cu.ca-*fres*.ca) [ê] *a2g.* 1 *Bras. Pop.* Diz-se de pessoa que demonstra habitualmente bom estado de espírito, tem espírito saudável, equilibrado, leve, conciliador; que tem cabeça boa [Pl.: *cucas-frescas.*] *s2g.* 2 Essa pessoa

cucar[1] (cu.*car*) *v. int.* Cantar (o cuco); cucular [▶ 11 cucar] [F.: *cuco* + *-ar*[2]. Hom./Par.: *cuca* (fl.), *cuca* (sf.); *cucar, cocar* (em todos os tempos do v.), *cocar* (sm.).]

cucar[2] (cu.*car*) *v.* Ver *cocar*[2]. [*td.: Vivia desconfiado e cucava os passos da mulher.*] [*int.: Distraído, cucava pelo vidro da janela.*] [▶ 11 cucar]

cucar[3] (cu.*car*) *v. td.* 1 *Pop.* Bolar, imaginar (projetos, diretrizes): *Os jovens cucam projetos fantásticos.* 2 Remoer, ruminar (ideias, pensamentos); MATUTAR: *Vive a cucar seus problemas.* [▶ 11 cucar] [F.: *cuca*[1] + *-ar*[2]. Hom./Par.: ver *cucar*[1].]

cucar[4] (cu.*car*) *v. int. Lus. Pop.* Sair, retirar-se de algum lugar: *Mal tinha chegado e cucou.* [▶ 11 cucar] [F.: ver *cuca* (interj.) + *-ar*[2]. Hom./Par.: ver *cucar*[1].]

cuco[1] (*cu*.co) *sm.* 1 *Zool.* Ave europeia (*Cuculus canorus*), da fam. dos cuculídeos, cujo canto é composto de duas notas; põe seus ovos em ninhos de outras aves, para que estas os choquem 2 Relógio de pêndulo em que cada hora é anunciada por um cuco (1) mecânico que sai de uma caixa 3 Este cuco mecânico, e seu canto, que lembra o da ave: "Cuco, cuco, cuco! / O passarinho do relógio está maluco / Ainda não é hora do batente..." (Haroldo Lobo e Milton de Oliveira, *O passarinho do relógio*) 4 *Lus. Ant. Tabu.* Marido cuja mulher lhe é infiel; CORNO 5 *Lus.* Em gíria lisboeta, policial, guarda de polícia [F.: Do lat. *cuculus.*]

cuco[2] (*cu*.co) *sm. Bras. Pop.* Cozinheiro; mestre-cuca; COQUE [F.: Do ing. *cook.*]

cucuia (cu.*cui*.a) *sf.* Fim, malogro [Us. na loc. *ir para a(s) cucuia(s).*] [F.: Var. do top. *Cacuia*, nome de um cemitério carioca.] ∎∎ **Ir para a ~** 1 *Bras. Pop.* Morrer 2 Fracassar, malograr: *Com essa chuva, nosso passeio foi para a cucuia.*

cuculado (cu.cu.*la*.do) *a.* 1 Que tem forma de capuz 2 Coberto com capuz; ENCAPUZADO 3 Diz-se de inseto que apresenta protórax em forma de capuz [F.: *cuculo* + *-ado.*]

cucular[1] (cu.cu.*lar*) *a2g.* Que tem forma de cuculo, de capuz; cuculado [F.: *cuculo* + *-ar*[2]. Hom./Par.: *cocular* (v.).]

cucular[2] (cu.cu.*lar*) *v. int.* O mesmo que *cucar* (cantar o cuco) [▶ 1 cucular] [F.: *cuco*[1] + *-ar*[2]. Hom./Par.: *cuca* (fl.), *cuca* (sf.).]

cucular[3] (cu.cu.*lar*) *Bras. v. td. tdi. N. E. Pop.* O mesmo que *acogular* [▶ 1 cucular] [F.: De *acucular.*]

cuculídeo (cu.cu.*lí*.de:o) *sm. Zool.* Espécime dos cuculídeos, família de aves de bico curvo, com duas garras voltadas para a frente e duas para trás; são os anus, sacis etc. [F.: Do lat. *cucullus*, pelo lat. cient. *cuculidae.*]

cuculo[1] (*cu*.cu.lo) *sm.* 1 Espécie de capuz; CAPELO 2 *Zool.* Estrutura anatômica semelhante a um capuz 3 *N. E.* Ver *cogulo* 4 *N. E.* Quantidade ou porção de alguma coisa [F.: Do lat. *cucullus* 'capuz'.]

cuculo[2] (*cu*.cu.lo) *sm. Zool.* Em certos aracnídeos, órgão que cobre palpos, olhos e quelíceras [F.: Do lat. cient. *cucullus.*]

cucumbi (cu.cum.*bi*) *sm.* 1 *Bras. Etnog.* Antiga dança dramática dos negros, com cortejo e danças guerreiras em celebração à puberdade 2 Instrumento musical us. nessa dança [F.: De or. africana, posv. do quimb. *kikumbi* 'puberdade'.]

cucurbitácea (cu.cur.bi.*tá*.ce:a) *sf. Bot.* Espécime das cucurbitáceas, fam. de plantas, ger. herbáceas e escandentes, da ordem das violales, com 755 spp., entre elas a abóbora, o melão, o pepino e a melancia [F.: Adaptç. do lat. cient. *Cucurbitaceae.*]

cucurbitáceo (cu.cur.bi.*tá*.ce:o) *a. Bot.* Ref. ou pertencente às cucurbitáceas [F.: De *cucurbitácea*, com var. suf; ver *-áceo.*]

cu da mãe-joana (cu da mãe jo:a.na) *sm.* 1 *Tabu.* Assunto em que todos se intrometem e dão opinião; CASA DA MÃE-JOANA 2 Grande confusão [Pl.: *cus de mãe-joana.*]

cu de ferro (cu de *fer*.ro) *a2g.* 1 *Bras. Gír. Vulg.* Diz-se de pessoa que é extrema ou excessivamente dedicada aos estudos ou ao trabalho, ou que leva muito a sério suas obrigações, ger. com sucesso; CÊ-DÊ-EFE *s2g.* 2 *Bras. Vulg.* Essa pessoa; CÊ-DÊ-EFE [Pl.: *cus de ferro.*]

cu de judas (cu de *ju*.das) *sm. Tabu.* Lugar muito distante de onde se fala; CAFUNDÓ; CU DO MUNDO; CU DO JUDAS [Pl.: *cus de judas.*]

cu-doce (cu-*do*.ce) *Bras. Vulg. s2g.* Pessoa que afeta escrúpulos e melindres excessivos [Pl.: *cus-doces.*] ∎∎ **Fazer ~** *Bras. Chulo* Fingir não aceitar alguma coisa, quando intimamente muito a deseja

cu do mundo (cu do *mun*.do) *sm. Tabu.* Ver *cu de judas* [Pl.: *cus do mundo.*]

cueca[1] (cu:*e*.ca) [é] *sf.* 1 *Bras. Vest.* Peça íntima do vestuário masculino, ger. um tipo de calção de tecido fino, us. sob as calças 2 *Lus.* Peça íntima do vestuário feminino, o mesmo que *calcinha (2)* [F.: *cu* + *-eca*. Tb. us. no pl. *cuecas.*]

cueca[2] (cu:*e*.ca) [é] *sf.* Dança da América do Sul espanhola, na qual o par, cada um com um lenço na mão direita, gira sem se tocar [F.: Do espn. platense *zambacueca.*]

cuecas (cu:*e*.cas) [é] *sfpl. Vest.* Ver *cueca*

cueiro (cu:*ei*.ro) *sm.* Pano com que se envolvem as crianças de colo, esp. da cintura para baixo [F.: *cu* + *-eiro.*] ∎∎ **Cheirar a ~s** Mostrar-se muito criança ou imaturo (para assumir certa condição, responsabilidade etc.)

cuia (*cui*.a) *sf.* 1 Fruto da cuieira cuja casca tem a forma de uma baga ovoide 2 Recipiente feito da casca seca dessa fruta; CABAÇA; CABAÇO 3 Qualquer recipiente com formato de cuia (2) 4 *RS* Cabaça, ger. ornada de prata lavrada, em que se prepara e bebe o chimarrão, sugando-o pela bombilha 5 *Bras.* A cabeça; COCO; CUCA 6 *N. E.* Medida de capacidade, ger. correspondente a 10 litros 7 *N. E.* O conteúdo dessa medida: *Comprou uma cuia de azeite de dendê.* 8 *N. E.* Cada prato da balança 9 *N. E. Ant.* Prostituta [F.: Do tupi.] ■ **Juntar as ~s** *Bras. Pop.* Mudar de endereço, de residência **Tomar na ~ dos quiabos** *Pop.* Ser enganado, ser passado para trás

cuíca (cu:*í*.ca) *sf.* **1** *Mús.* Instrumento semelhante a um tambor, mas só com a pele superior, à qual se prende uma vara que produz um ronco peculiar quando friccionada por um pano úmido ou mesmo a mão molhada: "Roncou, roncou, / roncou de raiva a cuíca, / roncou de fome..." (João Bosco e Aldir Blanc, *O ronco da cuíca*) **2** *Zool.* Denominação comum a diversos marsupiais da fam. dos didelfiídeos, semelhantes ao gambá mas sempre de menor porte [F.: Do tupi **ku'ika*.]

cuidado (cui.*da*.do) *sm.* **1** Atenção especial ou precaução; CAUTELA; PRUDÊNCIA: *Tenha cuidado ao atravessar a rua; Montou o aparelho com cuidado, seguindo o manual.* [Ant.: *desatenção, descuido.*] **2** Responsabilidade, encargo, incumbência: *As crianças ficarão sob meus cuidados.* [Nesta acp. mais us. no pl.] **3** Zelo, desvelo, dedicação: *o cuidado com o paciente.* [Ant.: *descaso, desleixo, displicência.*] **4** O objeto desse zelo: *Seu filho era todo o seu cuidado.* **5** Inquietação, preocupação: "Esquece por momentos seus cuidados / e passa o seu domingo em Paquetá..." (Braguinha, *Fim de semana em Paquetá*) *a.* **6** Bem-feito, bem-acabado (serviço cuidado); APRIMORADO; CAPRICHADO; IMPECÁVEL [Ant.: *mal-ajambrado, imperfeito.*] **7** Em que se pensou muito (resposta cuidada); MEDITADO; PONDERADO; REFLETIDO [Ant.: *impensado, irrefletido.*] **8** Que se previu (resultado cuidado); CALCULADO; ESPERADO [Ant.: *imprevisto, incalculado, inesperado.*] *interj.* **9** Expressa advertência: *Cuidado, cão feroz!* [F.: Do lat. *cogitatum.*]

cuidadoso (cui.da.*do*.so) [ô] *a.* **1** Que tem ou mostra cuidado, zelo (médico cuidadoso; trabalho cuidadoso) [+ *com, de*: *mulher cuidadosa com a casa; aluno cuidadoso nos deveres.* Ant.: *descuidado, desleixado, negligente.*] **2** Que demonstra atenção, interesse (empregado cuidadoso); EDUCADO; GENTIL; SOLÍCITO [Ant.: *desatencioso, descortês.*] **3** Que é precavido, prevenido, cauteloso: *Pessoa cuidadosa não se expõe inutilmente a perigos.* [Ant.: *imprevidente, incauto.*] [Pl.: [ó]. Fem.: [ó].] [F.: *cuidado* + *-oso*. Tb. *cuidoso* (var. haplológica).]

cuidar (cui.*dar*) *v.* **1** Ter cuidados (2, 3) com (algo, alguém ou si próprio); tratar; tomar conta de (alguém ou algo) [*tr.* + *de*: *Eu já sei cuidar de mim mesmo; Ele sabe se cuidar (cuidar de si mesmo)*: "...seria melhor para que cada um cuidasse de sua vida..." (Aluísio de Azevedo, *O mulato*)] **2** Ter o encargo de; encarregar-se de; RESPONSABILIZAR(-SE) [*tr.* + *de, para*: *Minha irmã cuida do jantar.*] **3** Prestar atenção (naquilo que faz); atentar para [*tr.* + *de, em*: *Cuide da sua tarefa que eu cuido da minha; Pensaram cuidar no que era mais conveniente.*] **4** Imaginar, julgar, supor [***td.***: "Em que mundo cuidava ele que vivia?" (Miguel Torga, *Senhor Ventura*)] [***tdp.***: *Cuidava-o protetor dos pobres.*] [*tdr.* + *de*: *Depois do que fez, o que devemos cuidar desse rapaz?*] **5** Interessar-se por; tratar de [*tr.* + *de*: *O governo cuidava mais da política do que da administração.*] **6** Ter precaução; PREVENIR-SE [***int.***: *Procure se cuidar na festa.*] [*tr.* + *em*] **7** Ter-se na conta de, considerar-se [***tdp.***: *Ele se cuida muito experiente, mas ainda lhe falta prática.*] [▶ **1** cuidar] [F.: Do lat. *cogitare.*]

cuidoso (cui.*do*.so) *a. P. us.* Ver *cuidadoso*: "O velho andava arredado de casa, esquecido de si e só cuidoso da sua adorada Olímpia." (Aluísio Azevedo, *Girândola de amores*)

cuieira (cui.*ei*.ra) *sf. Bot.* Árvore nativa do Brasil, da fam. das bignoniáceas (*Crescentia cujete*), medicinal e ornamental, cujo fruto, em cuia, é us. para fazer recipientes e instrumentos musicais [F.: *cuia* + *-eira.*]

cuinchar (cu.in.*char*) *v. int.* Berrar, grunhir (o porco) [▶ **1** cuinchar] [F.: De orig. onom.: Hom./Par.: *cuincho* (fl.), *cuincho* (sm.).]

cuincho (cu.*in*.cho) *sm.* Ação ou resultado de cuinchar; o grunhido do porco [F.: Dev. de *cuinchar*. Hom./Par.: *cuincho* (fl. de *cuinchar*).]

cuité (cui.*té*) *sm. Bot.* Fruto madurecido e duro da cuieira, com o qual são feitos recipientes para líquidos, grãos, farinhas etc.; CUIA; CUIETÉ; CABAÇA

cujo (*cu*.jo) *pr. rel.* **1** Indica a posse (pelo que é representado pelo substantivo que o precede) do que representa o substantivo que o segue (de que, de quem, do qual, da qual, dos quais, das quais): *A senhora, cujo carro (o carro da qual) está à venda, mora ali.* [Concorda em gênero e número com o substantivo que o segue (cujo carro, cuja casa, cujos filhos).] *sm.* **2** *Bras. Joc. Pop.* Indica pessoa da qual não se quer dizer o nome, já citada antes; *dito-cujo* **3** *Bras. Pop.* O diabo [F.: Do lat. *cuju*, do adj. *cujus.*]

◎ **-cula** *el. comp.* = 'diminuição' (= 'de pequeno tamanho'): *aurícula* (< lat.), *cutícula* (< lat.), *febrícula* (< lat.) [F.: Do lat. *-cula*. Outra f.: *-culo* (var.).]

culatra (cu.*la*.tra) *sf.* **1** *Arm.* A parte de trás do cano de qualquer arma de fogo **2** *Arm.* A parte traseira de um canhão **3** *Mil.* A retaguarda da tropa **4** *Pop.* O traseiro, as nádegas de alguém **5** *S.* A retaguarda de um rebanho **6** *Mec.* Peça que veda a parte superior dos cilindros, nos motores a explosão **7** *Tabu.* O ânus **8** Peça de ferro ou madeira que se acrescenta ao dente do arado quando este se vai gastando pelo uso [F.: Do it. *culatta.*]

culatrear (cu.la.tre.*ar*) *v. td.* **1** *RS* Seguir atrás de um rebanho, tocando-o para a frente: *O jovem boiadeiro culatreou o rebanho para a margem do rio.* **2** *Fig.* Ir no encalço de; PERSEGUIR: *Os policiais culatreavam o suspeito do roubo.* [▶ **13** culatrear] [F.: *culatra* + *-ear²*.]

culhão (cu.*lhão*) *sm. Tabu.* Ver colhão [Pl.: *-lhões*.] [F.: Do lat. *coleus, i.*]

culinária (cu.li.*ná*.ri:a) *sf.* **1** A arte de cozinhar, esp. na criação de pratos sofisticados em seus ingredientes e combinações: *curso de culinária.* **2** O conjunto de pratos característicos de determinada região: *A culinária francesa é muito apreciada.* [F.: Fem. substv. de *culinário.*]

culinário (cu.li.*ná*.ri:o) *a.* Ref. a cozinha ou a culinária (receitas culinárias; talento culinário) [F.: Do. lat. *culinarius.*]

culinarista (cu.li.na.*ris*.ta) *s2g.* Profissional especializado em culinária, que desenvolve receitas, prepara cardápios, testa produtos de empresas alimentícias etc. [F.: *culinária* + *-ista.*]

culminação (cul.mi.na.*ção*) *sf.* **1** Ação ou resultado de culminar **2** Apogeu, auge, culminância; CLÍMAX [Ant.: *decadência; declínio.*] **3** *Astr.* Posição mais elevada de um astro em seu movimento diurno, atingida acima do horizonte e no ponto mínimo de sua distância zenital [Pl.: *-ões*.] [F.: Do lat. tar. *culmino, as, avi, atum, are-* + *-ção.*]

culminância (cul.mi.*nân*.ci:a) *sf.* **1** Ação ou resultado de culminar; CULMINAÇÃO **2** O ponto mais elevado de algo; APOGEU; AUGE; ZÊNITE: *culminância de um período; culminância do pensamento.* [F.: *culminar* + *-ância.*]

culminante (cul.mi.*nan*.te) *a2g.* Que atingiu o ponto mais elevado, ou mais importante, ou mais intenso de algo: *O nascimento do filho foi o momento culminante de sua vida; o ponto culminante de uma cordilheira.* [F.: *culminar* + *-nte.*]

culminar (cul.mi.*nar*) *v.* **1** Ter como ponto culminante; chegar ao ponto culminante, atingir o auge, o apogeu [*tr.* + *com, em*: *As faltas do jogador culminaram com a sua expulsão; O Himalaia culmina no monte Everest.*] [***int.***: *A pressão do ar culminou e o balão explodiu.*] **2** *Astron.* Passar (corpo celeste) pelo meridiano [***int.***] **3** *Astron.* Atingir (uma estrela) seu ponto mais elevado em relação ao horizonte de um observador [***int.***] [▶ **1** culminar] [F.: Do lat. *culminare*, pelo fr. *culminer.*]

◎ **-culo** *el. comp.* Ver *-cula*

culote (cu.*lo*.te) *sm.* **1** Calça larga à altura dos quadris e bem justa do joelho para baixo, us. tanto por homem como por mulher com botas de cano alto, ger. para montar a cavalo [Tb. us. no pl.] **2** *Bras. Pop. Anat.* Excesso de gordura localizada na parte lateral dos quadris [Tb. us. no pl.] [F.: Do fr. *culotte.*]

culpa (*cul*.pa) *sf.* **1** Responsabilidade atribuída a algo ou alguém por mal, dano ou prejuízo causado: *Assumiu a culpa pelo erro na previsão dos custos.* **2** Ação ou inação de que resulte dano ou prejuízo: *A sociedade inteira tem culpa da corrupção.* **3** Sentimento insistente e doloroso que alguém experimenta por ter agido mal ou faltado com um dever: *Sentiu muita culpa por ter batido na criança.* **4** *Rel.* Transgressão de princípio ou mandamento, esp. nos contextos teológicos do judaísmo e cristianismo; PECADO **5** Origem causadora ou explicação de acontecimento que tenha resultado nefasto: *A culpa da enchente não é da chuva, mas da falta de saneamento.* **6** *Jur.* Falta, delito que fere os princípios do dever jurídico, cometida por ação ou omissão **7** *Jur.* Ato voluntário que tenha efeito lesivo sobre os direitos de outrem [F.: Do lat. *culpa.*] ■ **Por ~ de** Devido a, por causa de (referindo-se a alguém ou algo inconveniente): *Atrasou-se por culpa do temporal.* **Ter ~ no cartório** Estar envolvido em crime ou falta

culpabilidade (cul.pa.bi.li.*da*.de) *sf.* Característica ou estado do que ou de quem é culpado ou se mostra culpável: *Era óbvia a culpabilidade do rapaz.* [F.: *culpável* + *-(i)dade*, segundo o modelo erudito.]

culpado (cul.*pa*.do) *a.* **1** Que tem culpa, que é responsável por ato criminoso ou reprovável **2** Que é dominado por sentimento de culpa: *Sentia-se culpado pela desagregação da família.* **3** *Jur.* Que infringiu a lei, agindo com dolo ou culpa; RÉU **4** Que é responsável, por ação ou omissão, intencionais ou não, por consequências ruins, danosas, prejudiciais *sm.* **5** Aquele que é culpado, que cometeu ação dolosa ou culposa [F.: Do lat. *culpatus.*]

culpar (cul.*par*) *v.* **1** Atribuir culpa a (algo ou alguém, inclusive si mesmo), acusar(-se) de culpa, declarar(-se) culpado; INCRIMINAR(-SE) [***td.***: *culpar um réu; Culpou-se para salvar o amigo.*] [*tdr.* + *de, por*: *Ninguém pode culpá-lo pelo ocorrido; Ele se culpa pelo fracasso do projeto.*] **2** Revelar a própria culpa involuntariamente, por indiscrição ou insensatez [***td.***: *Quis defender-se mas culpou-se ainda mais.*] **3** Indicar como causa [*tdr.* + *por*: *Culpou a chuva pelo atraso.*] [***td.***: *Chegou atrasado e culpou a chuva.*] [▶ **1** culpar] [F.: Do lat. *culpare*. Hom./ Par.: *culpa(s)* (fl.), *culpa(s)* (sf. [pl.]).]

culpável (cul.*pá*.vel) *a2g.* **1** Que se pode culpar, a que ou a quem se pode atribuir culpa; INCRIMINÁVEL **2** Que pode ser censurado, merecedor de repreensão (comportamento culpável) [Pl.: *-veis*.] [F.: Do lat. *culpabilis.*]

culposo (cul.*po*.so) [ô] *a.* **1** Que tem ou experimenta sentimento de culpa **2** Em que existe culpa **3** *Jur.* Diz-se de ato que, embora culpável, foi cometido não intencionalmente, ou sem que o autor tivesse previsto suas consequências [Ant.: *doloso.*] [Fem. e pl.: [ó].][F.: *culpa* + *-oso.*]

⊕ **cult** (*Ing.* /câlt/) *a2g2n. Pop.* Diz-se de pessoa, movimento artístico, obra de arte etc. que é cultuado nos meios artísticos ou pelo público: *filmes, artistas, diretores cult.*

culteranismo (cul.te.ra.*nis*.mo) *sm.* **1** Característica ou qualidade do que é culto, do que possui cultura; ILUSTRAÇÃO; REFINAMENTO [Ant.: *incultismo.*] **2** *Liter.* Escola literária do séc. XVII, típica de poetas e prosadores barrocos, caracterizada por extremo rigor no emprego das palavras, estilo artificial, afetado e conceituoso, opulência imagística e lexical, uso abundante de metáforas e hipérboles. O autor espanhol Luís de Gôngora (1561-1627) é um expoente desse estilo; CULTISMO [Cf.: *conceptismo.*] **3** *Fon. Ling.* Demasiado purismo na dicção e no estilo e no uso da linguagem; ERUDITISMO; PRECIOSISMO [F.: Do espn. *culteranismo.*]

cultigem (cul.*ti*.gem) *sm.* Animal caracteristicamente doméstico que é incapaz de sobreviver em ambiente selvagem (como p. ex. o cachorro) [F.: Do lat. *colo, is, colui, cultum, colère*, de lat. *cultus, us-* + de orig. lat. *-go, ginis.*]

cultismo (cul.*tis*.mo) *sm.* **1** Qualidade ou condição do que é culto, do que tem cultura **2** Tudo o que denota cultura intelectual; ERUDIÇÃO; ILUSTRAÇÃO; REFINAMENTO **3** *Liter.* Estilo particularmente precioso e afetado de poetas e prosadores barrocos, esp. na Espanha do séc. XVII, e sobretudo com base na obra de Gôngora; CULTERANISMO **4** *Ling.* Componente léxico, sintático etc. que passa a fazer parte da língua literária a partir de fontes eruditas; ERUDITISMO [F.: *culto²* + *-ismo.*]

cultista (cul.*tis*.ta) *a2g.* **1** Ref. ou inerente ao cultismo (rito/linguagem cultista) **2** Diz-se de quem é partidário do cultismo *s2g.* **3** Partidário do cultismo; CULTERANISTA [F.: Do lat. *cultus, a, um-*, séc. XV *cultu-* + *-ista.*]

cultivado (cul.ti.*va*.do) *a.* **1** *Agr.* Que se cultivou **2** Que é ou foi objeto de cultivo (flor cultivada) **3** Criado artificialmente por meio de técnicas especiais (pérolas cultivadas) **4** Que recebeu atenção e tratamento especial, dedicação e aplicação (virtuosismo cultivado; relação cultivada) **5** *P. us.* Possuidor de grande saber, conhecimento, cultura (orador cultivado); CULTO [Ant.: *incivilizado; inculto*] [F.: Do lat. medv. *cultivare-*, secXVI *cultivar-* + *-do.*]

cultivador (cul.ti.va.*dor*) [ô] *a.* **1** Que cultiva, que vive do cultivo **2** *P. ext. Agr.* Que trabalha com a terra; CULTOR *sm.* **3** Aquele que cultiva (terra, flores, frutos etc.); CULTOR **4** *Agr.* Instrumento agrícola que prepara o terreno para o plantio, abrindo sulcos, afofando etc. **5** *Lus. Pop.* Cantador de fados [F.: *cultivar* + *-dor*, ou do fr. *cultivateur.*]

cultivar¹ (cul.ti.*var*) *sf. Agr. Bot.* Variedade de planta criada pelo homem através de técnicas de cultivo (como hibridismo, seleção etc.) [F.: Do ingl. *cultivar*, do ingl. *cultivated variety.*]

cultivar² (cul.ti.*var*) *v.* **1** *Agr. Bot.* Efetuar a fertilização da terra pelo trabalho de revirá-la, regá-la etc.; amanhar [***td.***] **2** Criar condições para o desenvolvimento de vegetais [***td.***: *cultivar milho.*] **3** *Agr.* Exercer a agricultura [***int.***: *Ele aprendeu como cultivar.*] **4** Criar, alimentar, desenvolver [***td.***: *Cultivou um gosto refinado por cinema.*] **5** Manter, sustentar [***td.***: *Cultiva amizades com muito carinho; Gosta de cultivar as lembranças da infância.*] **6** Desenvolver pelo estudo, pela observação, pelo exercício etc. [***td.***: *Cultiva aplicadamente seu talento para a pintura.*] **7** Aplicar-se a [***td.***: *Cultiva as obras assistenciais com determinação.*] **8** Educar(-se), adquirir cultura [***td.***: *Cultivou-se durante os anos no exterior.*] [▶ **1** cultivar] [F.: Do lat. medv. *cultivare.* Hom./Par.: *cultivo* (fl.), *cultivo* (sm.); *cultiváveis* (fl.), *cultiváveis* (pl. de *cultivável* [a2g.]).]

cultivável (cul.ti.*vá*.vel) *a2g.* **1** *Agr.* Que pode ser cultivado (campo/semente cultivável) [Ant.: *incultivável.*] **2** Que se pode ou deve desenvolver (arte/raciocínio cultivável) **3** Que pode ou deve ser mantido, conservado, preservado (amizade cultivável) [Pl.: *-veis*.] [F.: *cultivar* + *-vel*. Hom./Par.: *cultiváveis* (pl. de *cultivável*), *cultiváveis* (fl.).]

cultivo (cul.*ti*.vo) *sm.* **1** Ação ou resultado de cultivar (a terra, plantas, flores, cereais) (cultivo da soja/de laranjas) **2** *Agr.* Processo de produção, com métodos e técnicas, de vários tipos de plantas, como alimento ou matéria-prima **3** *P. ext.* Ação ou resultado de cultivar determinados conhecimento, cultura etc.; EDUCAÇÃO; ERUDIÇÃO **4** Atenção regular para com algo útil, benéfico (cultivo da ginástica) **5** *Lus.* Esterco, estrume [F.: Dev. de *cultivar.*]

culto¹ (*cul*.to) *sm.* **1** Veneração a uma divindade: *culto da virgem Maria/de Iemanjá.* **2** *Rel.* Ritual ou conjunto de rituais: *A liberdade de culto é garantida pela Constituição.* **3** Cerimônia de culto (2) nas igrejas protestantes **4** Dedicação extrema a algo ou alguém: *Faz verdadeiro culto à memória da mãe.* [F.: Do lat. *cultus, us.*] ■ **~ de possessão** *Antr.* Conjunto de práticas e crenças que têm como eixo o suposto fenômeno da possessão de pessoas por espíritos e seres sobrenaturais

culto² (*cul*.to) *a.* **1** Que é bastante instruído, que tem muitos conhecimentos (professora culta) **2** Diz-se de país ou povo com alto grau de civilização; CIVILIZADO **3** Que se cultivou (terra culta) **4** Em conformidade com os padrões formais (português culto; música culta); ERUDITO [F.: Do lat. *cultus, a, um.*]

◎ **-cultor** *el. comp.* = 'aquele que cultiva, cria ou faz criação (daquilo que o rad. ou base quer dizer)'; 'especialista na cultura de (algo)'; 'aquele que explora o fabrico ou o comércio de (algo)': *apicultor, arboricultor, bananicultor, bovinocultor, cacauicultor, cafeicultor, equinocultor, floricultor, lacticultor, oleicultor, pomicultor, suinocultor, vinicultor* [F.: Do lat. *-cultor, oris*, como no lat. *agricultor, oris* (> port. *agricultor*). F. conexa: *-cultura* (q. v.).]

cultor (cul.*tor*) [ô] *a.* **1** Que cultiva; CULTIVADOR **2** Que se dedica a determinado assunto ou pessoa: *Revelou-se um crítico rigoroso e cultor da pintura abstrata.* **3** *Fig.* Adepto, partidário (de uma causa, ideologia etc.): *Era um jornalista cultor do feminismo e da psicanálise.* *sm.* **4** Aquele que cultiva: *Foi sempre um cultor de Rossini, e da boa mesa.* [F.: Do lat. *cultor.*]

cultuado (cul.tu.*a*.do) *a.* 1 Diz-se de quem ou que é objeto ou motivo de culto(artista cultuado) 2 A que ou quem é rendido e tributado culto (santidade cultuada); IDOLATRADO; VENERADO [+ *com, por: cultuado com ardor; cultuado por suas virtudes.*] [F.: Do lat. *cultu-* + *-ar* + *-do.*]

cultual (cul.tu.*al*) *a2g.* 1 Ref. a culto ou que dele é próprio (veneração cultual) *sf.* 2 Associação que tem por fim a inspeção ou o exercício do culto [F.: *culto*[1] (no rad. *cultu-*) + *-al*[1].]

cultuar (cul.tu.*ar*) *v. td.* 1 Dedicar, render culto a; ADORAR: *Os antigos egípcios cultuavam o Sol.* 2 Tratar como objeto de culto; IDOLATRAR: *Cultuam essa atriz como a uma deusa;* "Em matéria de religião (...) cultuam essa caricatura do cristianismo." (Monteiro Lobato, *Cidades mortas*) [▶ 1 cultuar] [F.: *cultu* (*culto*) + *-ar*[2]. Hom./ Par.: *cultuais* (fl.), *cultuais* (pl. de *cultual*).]

cultuável (cul.tu.*á*.vel) *a2g.* Que pode, deve ou merece ser cultuado; digno de culto [Ant.: *desprezível.*] [Pl.: *-veis.*] [F.: *cultuar* + *-vel*. Hom./Par.: *cultuáveis* (pl.), *cultuáveis* (fl. de *cultuar* [v.]).]

◎ **-cultura** *el. comp.* = 'cultivo, plantação ou criação (daquilo que o rad. ou base nom. quer dizer)': *apicultura, arboricultura, bananicultura, bovinocultura, cacauicultura, cafeicultura, equinocultura, fruticultura, orizicultura, piscicultura, suinocultura, vinicultura* [F.: Do lat. *-cultura, ae*, como no lat. *agricultura, ae* (> port. *agricultura*). F. conexa: *-cultor* (q. v.).]

cultura (cul.*tu*.ra) *sf.* 1 *Agr.* Ação, processo ou resultado de cultivar a terra, ou certa planta 2 *Agr.* Parte cultivada de um solo, de uma região 3 *Agr.* Produto desse cultivo (cultura da soja/do cogumelo) 4 Conjunto de atividades voltadas para a criação de plantas e animais: *cultura de cítricos/de abelhas.* 5 Soma das informações e conhecimentos de uma pessoa, ou de um grupo social: *Era homem de grande cultura. Aquela gente lia muito, tinha cultura.* 6 Conjunto de costumes predominantes num grupo ou classe social [Cf.: *contracultura.*] 7 *Antr.* Tudo o que caracteriza uma sociedade qualquer, compreendendo sua linguagem, suas técnicas, artefatos, alimentos, costumes, mitos, padrões estéticos e éticos (cultura ianomâni/neolítica) 8 Panorama de um país no que se refere ao movimento da criação e divulgação das artes, da ciência e das instituições a elas concernentes: *Naquelas décadas, a cultura decaiu.* 9 *Antr.* Conjunto dos valores intelectuais e morais, das tradições e costumes de um povo, nação, lugar ou período específico (cultura asteca/celta/mediterrânea); CIVILIZAÇÃO 10 A ação e o método de cultivar tecidos vivos, microrganismos etc. em ambiente favorável e controlado 11 *P. ext.* Esse ambiente, e os nutrientes que alimentam esses tecidos ou microrganismos 12 O tecido ou microrganismos assim cultivados [F.: Do lat. *cultura.*] ▪ **~ de massa** *Soc.* Conjunto dos bens culturais produzidos pela indústria cultural, e os costumes, valores, práticas etc. de largas parcelas da população, difundidos graças aos meios de comunicação de massa **~ física** Desenvolvimento e fortalecimento do corpo humano através de ginástica, esporte, atividades físicas etc. **~ material** *Antr.* O conjunto dos artefatos de um grupo sociocultural, e das técnicas, conhecimentos etc. relativos à produção e uso de tais artefatos

cultural (cul.tu.*ral*) *a2g.* 1 *Antr.* Ref. a cultura (acps. 5 a 9) 2 Que diz respeito ao conjunto de tradições, costumes, conhecimentos de uma dada sociedade, de um grupo ou classe social (padrão cultural; identidade cultural) 3 Que revela nível aprimorado de cultura e cabedal de conhecimentos: *A programação cultural da tevê é lamentável.* 4 Que difunde a cultura: *setor de intercâmbio cultural.* [Pl.: *-rais.*] *sm.* 5 O que é cultural, o que diz respeito à cultura [F.: *cultura* + *-al*[1].]

culturalismo (cul.tu.ra.*lis*.mo) *sm.* 1 Tendência a considerar a cultura fator autônomo e preponderante 2 *Antr.* Conceito pelo qual a cultura de uma sociedade constitui realidade objetiva, de natureza coletiva, com especificidade própria, oposta ao controle individual ou social, de modo que os fatos e elementos que determinam a cultura, devem ser apreendidos em seu contexto geral [F.: Do lat. *cultura, ae-* + -al, al. *kulturell-* + -ismo.]

culturalista (cul.tu.ra.*lis*.ta) *a2g.* 1 Ref. ou pertencente ao culturalismo (índole culturalista) *s2g.* 2 Adepto ou defensor do culturalismo [F.: Do lat. *cultura, ae-* + -al, al. *kulturell-* + -ista.]

culturismo (cul.tu.*ris*.mo) [i] *sm.* Prática de exercícios físicos com o objetivo de trabalhar esp. certos grupos de músculos, com fins estéticos e/ou competitivos; FISICULTURISMO; FISIOCULTURISMO; MUSCULAÇÃO [Cf.: *culturanismo; culturalismo.*]

culturista (cul.tu.*ris*.ta) [i] *a2g.* 1 Ref. ou inerente ao culturismo 2 Diz-se de quem pratica culturismo *s2g.* 3 Indivíduo que pratica culturismo [F.: Do lat. *cultura, ae-* + -ista. Sin. ger.: *fisiculturista, fisioculturista.*]

cumaru (cu.ma.*ru*) *Bras. Bot. sm.* 1 Árvore da fam. das leguminosas, gênero *Dipteryx odorata*, própria da mata úmida, de grande porte, que fornece ótima madeira de lei; CUMARU-VERDADEIRO 2 Fruto do cumaru-verdadeiro, comestível e odorífico, rico em cumarina, us. na medicina, em perfumaria e para extração de óleo 3 Árvore (*Dipteryx punctata*), das leguminosas, nativa do Brasil; tb. *cumaru-amarelo* [F.: Do tupi *kumba'ru.*]

cumbé (cum.*bé*) [é] *sm.* 1 Dança de origem africana 2 *Bras.* Qualquer bicho mole, como a lesma, sanguessuga etc. 3 *Bras. Fig.* Indivíduo indolente, mole, sem graça, insípido, desenxabido *sf.* 4 *Bras. Pop.* Aguardente, cachaça [Hom./ Par.: *cumbe* (sf.).]

cumbuca (cum.*bu*.ca) *sf.* 1 *Bras.* Vaso feito de fruto do cuieiro ou do cabaceiro (cabaça), em cuja parte superior se faz um furo, us. por índios e caboclos, para conter e transportar líquidos 2 Cabaça destinada a aprisionar macacos e que contém um furo pelo qual o animal mete a mão para pegar uma isca, ficando preso por não conseguir libertar o braço [F.: Do tupi *kui'mbuka*, ou segundo A. Nascentes, do tupi *kuya'buka*, por *cuiambuca.*]

cume (*cu*.me) *sm.* 1 Parte mais alta ou ponto culminante de montanha, monte; CIMO; PÍNCARO; TOPO 2 *Fig.* O ponto máximo a que se pode chegar; ÁPICE; APOGEU; AUGE: *Atingiu o cume do poder.* [F.: Do lat. *culmen, inis.*]

cumeada (cu.me.*a*.da) *sf.* 1 Série de cumes de montanhas 2 *Fig.* A parte mais alta do telhado; CUMEEIRA 3 *Fig.* O ponto mais elevado ou intenso, ápice, apogeu (mais us. no pl.) [F.: Rad. *cume* + *-ada*[1].]

cumeeira (cu.me.*ei*.ra) *sf.* 1 A parte mais alta de um telhado, onde se encontram as duas águas; CUMEADA 2 Pau comprido que corre ao longo da cumeeira (1), onde se apoiam os caibros das duas águas do telhado 3 A parte mais alta de um vagão ferroviário [F.: Rad. *cume* + *-eira.*]

⊕ **cum gano salis** (cum-ga.no-*sa*.lis) [ss] (*cumganosális*) *loc. adv.* 1 Literalmente, 'com um grão de sal', 'temperado com um grão de sal' 2 Como uma brincadeira, não de todo sério; que não é verdade 3 *Jur. Ling.* Diz-se de enunciado ou postulado que não se deve considerar ou levar a sério

cúmplice (*cúm*.pli.ce) *a2g.* 1 *Jur.* Que contribui para a realização de um ato ilegal ou criminoso 2 *P. ext.* Que participa, ao lado de outrem, da realização de algo (ger. de conotação negativa); PARCEIRO; SÓCIO 3 Que denota cumplicidade: *Trocaram olhares cúmplices.* *s2g.* 4 Aquele que é cúmplice em algo: "...naquela manhã assistiu, oculto no mato, à última combinação entre os cúmplices." (Adolfo Caminha, *Tentação*) 5 *Fig.* Aquilo que favorece a ocorrência ou realização de alguma coisa (ger. de conotação negativa): *O nevoeiro foi o grande cúmplice de sua fuga.* [F.: Do lat. *complex, icis.*]

cumpliciar (cum.pli.ci.*ar*) *v.* O mesmo que *acumpliciar* [▶ 1 cumpliciar] [F.: *cúmplice* + *-iar.*]

cumplicidade (cum.pli.ci.*da*.de) *sf.* 1 Ação ou condição de cúmplice 2 *Jur.* Participação secundária em ato ilegal ou criminoso [F.: *cúmplice* + *-(i)dade.*]

cumprido (cum.*pri*.do) *a.* 1 Executado corretamente (plano cumprido) 2 Atendido, satisfeito; que correspondeu ao prometido (missão cumprida) [+ *com: cumprido com o estabelecido* Ant.: *descumprido; desobedecido.*] 3 Que se realizou, se efetivou (vaticínio cumprido) 4 Cujo tempo para a realização se completou (pena cumprida; prazo cumprido); COMPLETADO; TERMINADO [F.: Part. de *cumprir*. Hom./ Par.: *comprido* (sm).]

cumpridor (cum.pri.*dor*) *a.* 1 Ref. a quem cumpre, que executa seus deveres, compromissos, promessas (operário cumpridor de tarefas; funcionário cumpridor do regulamento) [Ant.: *descumpridor.*] *sm.* 2 Aquele que cumpre seu dever (cumpridor da lei) 3 *Jur.* Que ou quem executa testamento; executor testamentário; TESTAMENTEIRO [F.: Do lat. *compleo, es, evi, etum, ere-* + *-do* + *-or*; séc. XIV, *cumpridor.*]

cumprimentado (cum.pri.men.*ta*.do) *a.* 1 Que recebeu cumprimentos 2 A que ou quem foram feitos, apresentados ou dirigidos cumprimentos 3 Elogiado, louvado, saudado, cortejado (cumprimentado pelo discurso) [Ant.: *criticado.*] 4 Felicitado; lisonjeado (cumprimentado por sua coragem) [Ant.: *recriminado.*] [F.: Part. de *cumprimentar.*]

cumprimentar (cum.pri.men.*tar*) *v. td.* 1 Dirigir (a alguém ou reciprocamente) cumprimentos, saudações; SAUDAR(-SE): *Todo dia cumprimento aquele velhinho simpático; Os vizinhos se cumprimentaram.* 2 Dirigir elogios a, ou trocar cumprimentos, elogios, felicitações; ELOGIAR(-SE); FELICITAR(-SE): *Foi ao camarim cumprimentar o ator pelo belo espetáculo; Depois da belíssima estreia, os atores se cumprimentaram.* [▶ 1 cumprimentar] [F.: *cumprimento* + *-ar*[2]. Hom./ Par. *cumprimento* (fl.), *cumprimento* (sm.) *cumprimente* (fl.), *comprimente* (a2g.), *comprimento* (sm.).]

cumprimento (cum.pri.*men*.to) *sm.* 1 Ação ou resultado de cumprir, realizar algo: *O cumprimento de uma tarefa.* 2 Atitude ou palavra de cortesia, elogio: *O artista recebeu muitos cumprimentos pela sua obra.* 3 Palavra ou gesto de saudação: *Fez um cumprimento formal às moças e se retirou.* 4 Palavra elogiosa que se dirige a alguém: *Ela ouvia cumprimentos galantes a cada passo.* [F.: *cumprir* + *-mento*. Cf. *comprimento.*]

cumprir (cum.*prir*) *v.* 1 Pôr em prática; executar (algo predeterminado por outrem, por nós mesmos ou combinado, prescrito, prometido, estipulado, ordenado etc.) [*td.*: *Os jogadores cumpriram à risca o plano do técnico; cumprir uma promessa; cumprir uma tarefa.*] [*tr.* + *com*: *cumprir com o combinado; cumprir com uma obrigação.*] 2 Completar (mandato, tempo em prisão etc.) [*td.*: *Os bandidos cumpriram três anos de prisão.*] [*int.*: *Cumpriram-se vinte anos de ausência da terra natal.*] 3 Ser necessário ou conveniente; CONVIR [*int.*: *Cumpre impedir a volta da febre amarela.*] [*ti.* + *a*: *Cumpre-nos obedecer às leis.*] 4 Ser (algo) de responsabilidade de; COMPETIR [*ti.* + *a*: *Cumpre aos pais a educação dos filhos.*] 5 Realizar, acontecer [*int.*: *Cumpriu-se a profecia.*] 6 Desempenhar (cargo, função etc.) [*td.*: *Era preciso cumprir bem o cargo de jornalista.*] 7 Sujeitar-se a (alguma determinação ou condição) [*td.*: *Os filhos cumpriram a determinação do pai.*] [▶ 3 cumprir] [F.: Do lat. *complere.*]

cumprível (cum.*prí*.vel) *a2g.* Que se pode cumprir; que é para ser cumprido(acordo/promessa cumprível); EXECUTÁVEL [Ant.: *descumprível; violável.*] [Pl.: *-eis.*] [F.: Do lat. *compleo, es, evi, etum, ere-*, secXIV, *cumplir-* + -vel.]

cumulado (cu.mu.*la*.do) *a.* 1 Excessivamente cheio, abarrotado (tanque cumulado de água) [Ant.: *esvaziado.*] 2 Disposto em cúmulo (objetos cumulados); AMONTOADO; EMPILHADO 3 Recebido, concedido em grande quantidade ou intensidade (cumulado de elogios) 4 Que se guardou (dinheiro cumulado; joias cumuladas); ARMAZENADO; CONSERVADO [Ant.: *diminuido.*] 5 O mesmo que *acumulado* [F.: Do lat. *cumulo, as, avi, atum, are-* + -do.]

cumular (cu.mu.*lar*) *v.* O mesmo que *acumular* [F.: Do lat. *cumulare*. Hom./Par.: *cumulo* (fl.), *cúmulo* (sm.).]

cumulatividade (cu.mu.la.ti.vi.*da*.de) *sf.* *Econ.* Tendência ou possibilidade de acumulação de taxas, impostos, tributos, dívidas etc. (cumulatividade fiscal); SOBRECARGA [Ant.: *isenção.*] [F.: Do lat. *cumulo, as, avi, atum, are-* + der. lat. *fidélis->* port. -idade.]

cumulativo (cu.mu.la.*ti*.vo) *a.* 1 Que cumula, que se vai acrescendo com o tempo: *Terá de pagar juros cumulativos.* 2 Que se faz ou evolui por acumulação (processo cumulativo) [F.: *cumular* + *-tivo.*]

cúmulo (*cú*.mu.lo) *sm.* 1 Conjunto de coisas sobrepostas; acúmulo 2 O ponto mais alto, o grau mais elevado, até mesmo excessivo, de alguma coisa, positiva ou negativa: "...naquele caso era uma imbecilidade, um cúmulo de ridículo." (Raul Pompeia, *O ateneu*) 3 *Met.* Grande nuvem branca com topo de contornos arredondados e base retilínea horizontal, com aspecto de flocos de algodão [F.: Do lat. *cumulus, i.*] ▪ **~ de galáxias** *Astron.* Ver *aglomerado de galáxias*, no verbete *aglomerado* **~ estelar** *Astron.* Ver *aglomerado estelar*, no verbete *aglomerado* **~ galáctico** *Astron.* Ver *aglomerado galáctico*, no verbete *aglomerado* **~ globular** *Astron.* Ver *aglomerado globular*, no verbete *aglomerado*

cúmulo-cirro (cú.mu.lo-*cir*.ro) *sm.* Ver *cirro-cúmulo* [Pl.: *cúmulos-cirros e cúmulos-cirro.*]

cúmulo-estrato (cú.mu.lo-es.*tra*.to) *sm. Met.* Ver *estrato-cúmulo* [Pl.: *cúmulos-estratos e cúmulos-estrato.*]

cúmulo-nimbo (cú.mu.lo-*nim*.bo) *sm. Met.* Ver *nimbo-cúmulo* [Pl.: *cúmulos-nimbos e cúmulos-nimbo.*]

◎ **cune(i)-** *el. comp.* = 'cunha'; '(*anat.*) ossos do pé': *cuniano, cuneifoliado, cuneiforme, cuneirrostro* [F.: Do lat. *cuneus, i*, 'cunha'.]

cuneiforme (cu.nei.*for*.me) *a2g.* 1 Que tem forma de cunha (instrumento cuneiforme) 2 Traçado em forma de cunha (escrita cuneiforme) *sm.* 3 *Anat.* Osso cuneiforme que existe em cada tarso [F.: *cune(i)-* + *-forme.*]

cunha (*cu*.nha) *sf.* 1 Peça metálica ou de madeira dura com formato de diedro agudo, que se introduz numa brecha para melhor fender algo (um tronco, pedra etc.) ou para calçar, fixar certos objetos (uma porta, um móvel etc.) 2 Peça que fixa a lâmina de certas ferramentas, esp. a plaina 3 *Mil.* Estratégia que consiste em introduzir em território inimigo soldados, espiões ou comandos especiais 4 *Liter.* Palavra acessória para completar a medida de um verso ou lhe aperfeiçoar a eufonia; CAVILHA; RÍPIO 5 *Zool.* Nas caudas das aves de rapina, cada uma das penas externas 6 *Fig.* Intervenção de pessoa influente em benefício de alguém; PISTOLÃO 7 *Art. gr.* Peça de monotipo que determina a largura certa do tipo que está sendo fundido 8 *Geol.* Massa de terra susceptível de deslizamento sobre uma superfície interna em caso de cisalhamento ou ruptura do maciço terroso [F.: De or. contv. Ideia de 'cunha': *cunei-*: *cuneiforme.*] ▪ **À ~** Abarrotado, apinhado **~ esférica** *Geom.* Porção de uma esfera limitada pelos dois semicírculos resultantes da interseção de dois planos que se cortam com a esfera, e pela superfície da esfera entre esses dois planos (um fuso esférico)

> 📖 A cunha pode ser considerada uma máquina simples, que consiste num prisma de base quadrangular de cujos lados maiores (do quadrângulo da base) saem dois planos em ângulo agudo que se encontram numa aresta. A força aplicada no sentido da base para a aresta resulta numa grande pressão concentrada nesta, o que implica em força de penetração em meios sólidos. Ex.: a lâmina de machados.

cunhã (cu.*nhã*) *Amaz. sf.* 1 Mulher 2 Mulher jovem 3 A mulher do caboclo 4 *Bot.* Trepadeira leguminosa (*Centrosema brasilianum*); FEIJÃO-BRAVO [F.: Do tupi *ku'ñã.*]

cunhada (cu.*nha*.da) *sf.* Irmã de um dos cônjuges em relação ao outro, e vice-versa: a mulher do irmão de alguém em relação a este [F.: Do lat. *cognata.*]

cunhadio (cu.nha.*di*.o) *sm.* Grau de parentesco entre cunhados; cunhadia [F.: *cunhado* + *-io*[1].]

cunhado[1] (cu.*nha*.do) *sm.* 1 O irmão de um dos cônjuges em relação a este 2 O marido da irmã de uma pessoa em relação a esta 3 *Amaz.* Forma de tratamento equivalente a 'meu amigo', 'meu senhor' etc.: *Não se preocupe, cunhado, eu cuido disso.* [F.: Do lat. *cognatus.*]

cunhado[2] (cu.*nha*.do) *a.* 1 Que se cunhou, que traz um cunho 2 Que se transformou em moeda, amoedado [F.: Part. de *cunhar.*]

cunhagem (cu.*nha*.gem) *sf.* 1 Ação ou resultado de cunhar, fabricar moedas 2 Fabrico de diversos tipos de metal [Pl.: *-gens.*] [F.: *cunhar* + *-agem*[2].]

cunhal (cu.*nhal*) *Cons. sm.* **1** Ângulo saliente formado por duas paredes convergentes; ESQUINA; QUINA **2** Pilastra de pedras lavradas na junção de duas paredes; cada uma dessas pedras [Pl.: *-nhais.*] [F.: *cunha*+ *-al*¹.]
cunhantã (cu.nhan.*tã*) *sf.* Ver *cunhatã*
cunhar (cu.*nhar*) *v. td.* **1** Fabricar (moeda) imprimindo nela um sinal ou desenho: *Quando vão começar a cunhar as novas moedas?* **2** *P. ext.* Transformar (metal) em moeda; AMOEDAR: *cunhar prata/ ouro.* **3** Criar (nova palavra ou termo): *Não faz muito tempo que o povo cunhou o termo "funqueiro".* **4** *Fig.* Tornar notável; evidenciar: *Algumas correntes psicanalíticas cunharam novos conceitos.* **5** Inventar, adotar: *Os políticos gostam de cunhar frases de efeito.* [▶ **1 cunhar**] [F.: Do lat. *cuneare.* Hom./ Par.: *cunhais* (fl.), *cunhais* (pl. de *cunhal*); *cunho* (fl.), *cunho* (sm.); *cunha(s)* (fl.), *cunha(s)* (sf. [pl.]), *conha(s)* (sf. [pl.]).]
cunhatã (cu.nha.*tã*) *sf.* **1** *AM* Menina **2** *AM* Mulher jovem; CUNHÃ [F.: Do tupi *kuña'tai.* Tb. *cunhantã.*]
cunhete (cu.*nhe*.te) [ê] *sm.* **1** Pequena cunha **2** *Mil.* Caixa ou caixote de madeira com reforço interno de folha metálica para acondicionar e transportar munições de guerra [F.: Do lat. *cuneus, i-*, séc. XIV, *cuna-* + -ete.]
cunho (*cu*.nho.) *sm.* **1** Placa de metal gravada em côncavo para marcar com inscrições e imagens em relevo moedas e medalhas **2** Conjunto das marcas deixadas por essa placa **3** Uma das faces de determinadas moedas em que as armas reais eram representadas **4** *Fig.* Qualquer tipo de marca caracterizante, selo, carimbo (tb. em sentido figurado): *O discurso trazia o cunho de sua rebeldia.* **5** *Fig.* Índole, caráter: *Quis dar ao filme um cunho introspectivo.* **6** *Mar.* Peça no formato aproximado de uma bigorna, presa a amurada ou turco (5) de embarcações, em torno da qual se passa um cabo a que se necessita dar volta [F.: Do lat. *cuneus.*]
cunicular (cu.ni.cu.*lar*) *a2g.* Do, ou referente a(os) coelho(s) [F.: Do lat. *cunicularis, e.*]
cuniculicultor (cu.ni.cu.li.cul.*tor*) [ô] *a. sm.* Ver *cunicultor* [F.: Do lat. *cuniculus, i* 'coelho' + *-cultor.*]
cuniculicultura (cu.ni.cu.li.cul.*tu*.ra) *sf.* Ver *cunicultura* [F. Do lat *cuniculus, i* 'coelho' + *-cultura.*]
cunicultor (cu.ni.cul.*tor*) [ô] *a.* **1** Que cria coelhos: *setor cunicultor da pecuária brasileira sm.* **2** Aquele que cria coelhos [F.: F. red. de (menos us.) *cuniculicultor.*]
cunicultura (cu.ni.cul.*tu*.ra) *sf.* Criação de coelhos [F.: F. red. de *cuniculicultura.*]
cunilíngua (cu.ni.*lín*.gua) *sf.* Prática sexual de aplicar a boca e a língua à vulva da mulher, com sucção ou fricção no clitóris [F.: Do lat. *cunnus, i*, 'vulva', + *língua.*]
cupão (cu.*pão*) *sm.* Ver *cupom*
cupê (cu.*pê*) *sm.* **1** *Ant.* Carruagem fechada puxada por cavalo, de quatro rodas, ger. com dois lugares além do cocheiro, este do lado de fora, à frente **2** Carro de passeio de duas portas [F.: Do fr. *coupé.*]
cupidez (cu.pi.*dez*) *sf.* **1** Ação ou caráter de cúpido, de ambicioso, cobiçoso, sequioso **2** *Fig.* Ambição, cobiça (esp. de bens materiais): *Sua cupidez não tinha limite, cada vez mais rico, não se bastava.* [F.: *cúpido*+ *-ez.*]
cupidinoso (cu.pi.di.*no*.so) [ô] *a.* Que deseja intensamente; AMOROSO [Pl.: [ó]. Fem.: [ó].] [F.: De *cupido*, sob a f. lat. *cupidin-* (< lat. *Cupido, inis*) + *-oso*, seg. o mod. erudito.]
cupido (cu.*pi*.do) *sm.* **1** *Mit.* Deus do amor, entre os romanos (na Grécia, Eros), representado por um menino de asas armado de arco e flecha [Nesta acp. com inicial maiúsc.] **2** *Fig.* Cada um dos gênios alados que aparecem junto de Vênus e Cupido, na arte romana e renascentista [Nesta acp. ger. com inicial maiúsc.] **3** *P. ext.* Paixão amorosa; amor **4** Homem que se presume bonito e é dado a fazer galanteios **5** *Bras. P. ext.* Pessoa supostamente responsável pela união de um casal [F.: Do lat. *Cupido, inis.* Hom./Par.: *cupido* (sm.), *cúpido* (a.).]
cúpido (*cú*.pi.do) *a.* **1** Que cobiça intensamente os bens materiais, esp. dinheiro; AMBICIOSO; GANANCIOSO **2** Dominado pelo desejo; LIBIDINOSO [F.: Do lat. *cupidus.*]
cupim (cu.*pim*) *sm.* **1** *Zool.* Denominação comum aos insetos da ordem dos isópteros, sociais que se alimentam de matéria vegetal; TÉRMITA; TÉRMITE [Muitas spp. podem se tornar pragas por destruírem construções e móveis de madeira, além de livros.] **2** *P. ext.* Ver *cupinzeiro*; CUPINZEIRO; CUPINEIRO **3** *Bras.* Corcova ou toutiço do touro zebu; GEBA; GIBA **4** *Bras.* A carne dessa corcova, que muitos apreciam assada **5** *Bras.* Cabelo ulótrico do negro; CARAPINHA [F.: Do tupi *kupi'i.*]
cupincha (cu.*pin*.cha) *s2g. Bras. Pop.* Pessoa a que se tem amizade estreita, camaradagem; AMIGO; CAMARADA [Col.: *cupinchariа.*] [F.: De or. obsc.]
cupineiro (cu.pi.*nei*.ro) *sm.* Ver *cupinzeiro*
cupinzeiro (cu.pin.*zei*.ro) *sm.* **1** *Bras.* Ninho do cupim, de barro socado, às vezes de grandes proporções; CUPIM **2** Árvore atacada e destruída por cupins [F.: *cupim* + *-z-* + *-eiro.* Tb. *cupineiro.*]
cupom (cu.*pom*) *sm.* **1** Cartão ou impresso ger. publicado em revistas, que oferece a seu possuidor vantagens como prêmios, desconto na compra de determinados produtos, ingresso em salas de espetáculo etc. **2** *Econ.* Parte destacável de uma apólice, título ou cautela que indica os juros ou dividendos a que o portador tem direito em datas antecipadamente determinadas [Pl.: *-pons.*] [F.: Do fr. *coupon.* Tb. *cupão*, pl. *cupões.*]
cúpreo (*cú*.pre:o) *a.* **1** Ref. a cobre; CÚPRICO **2** Da cor do cobre [F.: *cupr(i)-* + *-eo.*]
◎ **cupr(i)-** *el. comp.* = 'cobre': *cúpreo, cúprico, cuprífero, cuprino.* [F.: Do lat. *cuprum, i.*]
cúprico (*cú*.pri.co) *a.* **1** *Min.* Ref. ou inerente a cobre (veio cúprico; jazida cúprica) **2** Feito total ou parcialmente de cobre ou que tem cor de cobre **3** *Quím.* Diz-se dos compostos que contêm cobre divalente [F.: *cupr(i)-* + *-ico*².]
cuprífero (cu.*prí*.fe.ro) *a.* **1** *Min.* Ref. ou pertencente a cobre; CÚPRICO; CÚPREO **2** Feito de cobre, que contém cobre (metal cuprífero) [F.: *cupr(i)-* + *-fero.*]
cuprino (cu.*pri*.no) *a.* *Min.* O mesmo que *cúprico* (1) [F.: *cupr(i)-* + *-ino*¹.]
cuproso (cu.*pro*.so) [ô] *a.* *Quím.* Ref. ou pertencente a qualquer sal de cobre monovalente (elemento cuproso; reação cuprosa) [Fem. e pl. [ó].] [F.: *cupr(i)-* + *-oso.*]
cupuaçu (cu.pu:a.*çu*) *sm.* **1** *Bot.* Árvore esterculiácea do gênero *Theobroma*, nativa da Amazônia, de flores paniculadas e frutos comestíveis, de que se extrai um sumo de alta qualidade nutritiva **2** O fruto dessa árvore [F.: Do tupi *kupua'su.*]
cúpula (*cú*.pu.la) *sf.* **1** *Arq.* Nome que se dá à parte superior e hemisférica de determinadas construções, tanto em seu aspecto côncavo e interno (abóbada) quanto no aspecto convexo e externo (zimbório, domo) **2** *Arq.* Qualquer arremate superior que tenha forma semelhante **3** *Fig.* Conjunto de pessoas responsáveis pela direção de uma empresa, instituição, partido político etc.; DIREÇÃO: *Eram questões de que só a cúpula da universidade podia tratar.* **4** *Fig.* O mesmo que *reunião de cúpula*, encontro internacional que reúne os dirigentes de diversos países **5** *Mil.* Cobertura arredondada que remata fortificações, peças de artilharia ou carros de combate, para propiciar o ricochete dos projetis inimigos [F.: Do it. *cupola.*] ∎ **~ de horizonte** *Teat.* Tela em formato de semicírculo, ao fundo do palco, sobre a qual se projetam imagens, cenários de paisagem etc.; ciclorama
cupulado (cu.pu.*la*.do) *a.* **1** Ref. ou inerente a cúpula (diz-se de construção, objeto, entidade, partido político, organização mundial etc.) **2** Semelhante a cúpula, que tem cúpula, que apresenta cúpula (abajur cupulado; estrutura cupulada) [F.: Do it. *cupola-* + -ado.]
cupular (cu.pu.*lar*) *a2g.* Ref. a cúpula ou a esta assemelhado; que tem forma de cúpula [F.: *cúpula* + *-ar*¹.]
cura (cu.ra) *sf.* **1** Ação ou resultado de curar(-se) **2** Recuperação da saúde **3** Todo meio de combater uma doença; TRATAMENTO: *Tentou uma cura de hidromassagem.* **4** *Fig.* Remédio, solução: *Para a sua desonestidade, não há cura.* **5** *Cul.* Método de defumar carnes, peixes, queijos e outros alimentos ao calor do fogo, ou ao fumeiro **6** *Cons.* Tratamento conferido ao concreto para evitar que se evapore a água de seu amassamento; SAZONAMENTO **7** *Lus.* Em Trás-os-Montes, ação de mater o bicho-da-seda dentro do casulo, para que não o fure **8** Tratamento de matéria-prima ou de produto (com calor, substância química etc.) que visa a mudar suas especificações ou propriedades **9** *Ant.* Paróquia *sm.* **10** Vigário de aldeia, de paróquia [F.: Do lat. *cura, ae.*]
curaçau (cu.ra.*çau*) *sm.* Licor feito de cascas de laranja-da-terra temperado com canela, cravo, e originário de Curaçau, ilha das Antilhas Holandesas [F.: Do top. *Curaçau.*]
curado (cu.*ra*.do) *a.* **1** Que se curou; sarou; que se recuperou totalmente de doença **2** *Fig.* Que se livrou de sentimento ou comportamento negativo, depressivo etc.: *Sofreu muito com o rompimento, mas já está curado.* **3** *Cul.* Que foi defumado ou enxugado ao calor (queijo curado) **4** Que passou por cura (6, 8) **5** *Bras.* Considerado defendido contra facadas, tiros, veneno de cobra etc., graças a mandingas ou mezinhas [F.: Do lat. *curatus, a, um*, part. de *curare.*]
curador (cu.ra.*dor*) [ô] *a.* **1** Que cura um doente **2** *Jur.* Que exerce uma curadoria *sm.* **3** *Jur.* Aquele que é legalmente incumbido de cuidar dos bens e interesses de quem se acha incapacitado de fazê-lo, como órfãos menores, inválidos, loucos, toxicômanos **4** *Jur.* Aquele que é encarregado pelo Ministério Público de defender por lei, junto às varas especializadas, os incapazes, os ausentes, as massas falidas **5** Pessoa responsável pelas obras de arte de um museu **6** *Bras.* Rezador ou feiticeiro a que se atribuem poderes capazes de imunizar as pessoas contra diversos males, como agressão a faca ou a bala, mordida de cobra etc. [F.: Do lat. *curator, oris.*] ∎ **~ de artes** Encarregado da organização e da manutenção de obras de arte (em museus, galerias de arte etc. [Tb. apenas *curador.*] **~ de casamentos** *Jur.* Aquele que é encarregado de cuidar da juridicidade do vínculo matrimonial **~ de família** *Jur.* Aquele encarregado de defender a família constituída e o vínculo matrimonial; curador do vínculo **~ de massas falidas** *Jur.* Aquele encarregado de cuidar dos interesses dessas massas nos processos de falência e de concordata, inclusive na atribuição de responsabilidades a autor de crime falimentar **~ de menores** *Jur.* Aquele que, junto a juízo de menores, trata dos casos de menores abandonados e/ou delinquentes **~ de resíduos** *Jur.* Aquele que, em casos de testamento, cuida da execução da vontade do testador, atuando em qualquer processo que envolva os bens legados **~ do vínculo** *Jur.* Ver *Curador de família* **~ geral dos órfãos** *Jur.* Aquele que se encarrega de zelar pelos direitos, interesses e pessoa dos órfãos, em todo processo que lhes diga respeito
curadoria (cu.ra.do.*ri:a*) *sf.* **1** *Jur.* Cargo ou função de curador, daquele que defende os interesses de incapazes; CURATELA **2** Cargo ou função de curador de artes [F.: Do lat. *curatoria, ae.*]
curandeirismo (cu.ran.dei.*ris*.mo) *sm.* **1** *Bras.* Atividade ou conjunto das práticas dos curandeiros; a crença na eficiência de seus métodos **2** *Jur.* Crime caracterizado por anúncio da suposta capacidade de realizar curas milagrosas, seja por que meio for [F.: *curandeiro* + *-ismo.*]
curandeiro (cu.ran.*dei*.ro) *a.* **1** Que trata pessoas doentes por meio de rezas e feitiçarias **2** Que trata doentes sem ser formado em medicina, muitas vezes com métodos que incluem rezas, magias, beberagens *sm.* **3** Aquele a quem se atribui a capacidade de curar por meio de rezas e feitiçarias **4** Médico que se vale de tais meios **5** *Pej.* Médico de má qualidade e de formação ética duvidosa; MEDICASTRO [F.: Do lat. *curandu* (gen. de *curare*) + *-eiro.*]
curar (cu.*rar*) *v.* **1** Recuperar a saúde de (alguém, inclusive si mesmo) [*td.*: *Passou a vida curando doentes.*] **2** Livrar de (doença, mal etc.); SARAR [*td.*: *A pomada curou a ferida.*] [*tdr.* + *de*: *As ervas curaram Joana da infecção.*] [*tr.* + *de*: *Você já se curou da sinusite?*] **3** *Fig.* Corrigir, emendar (falta, defeito, comportamento etc.) [*tdr.* + *de*: *Quero curá-lo da mania de imitar as pessoas.*] **4** Secar (alimento) ao sol ou ao calor [*td.*: *curar a carne.*] **5** Branquear (roupa ou tecido) ao sol; CORAR; QUARAR [*td.*] **6** Preparar (material, matéria-prima etc.) para o uso [*td.*] [▶ **1 curar**] [F.: Do lat. *curare.*]
curare (cu.*ra*.re) *sm.* **1** Veneno paralisante, de consistência resinosa e cor castanho-avermelhada, extraído de plantas do gênero *Strychnos* e us. pelos índios para envenenar suas flechas; CURARA; ERVAGEM; UAIRARI; TICUNA; VOORARA **2** Extrato obtido dessas mesmas plantas, portador de alcaloides us. na medicina como analgésicos e relaxantes musculares **3** *Bot.* Nome de vários arbustos do gênero *Strychnos*, nativos da Amazônia [F.: De dial. caribe *urari.*]
curarizar (cu.ra.ri.*zar*) *v. td.* **1** Usar curare para envenenar: *Os índios curarizam as suas flechas.* **2** *Ter.* Administrar curare a (pessoa ou animal), com a finalidade de provocar estado de relaxamento: *O veterinário curarizou o cão.* [▶ **1 curarizar**] [F.: *curare* + *-izar.*]
curatela (cu.ra.*te*.la) *sf.* **1** *Jur.* Ver *curadoria* **2** Função ou ação de curador [F.: Do lat. *curatella, ae.*]
curatelar (cu.ra.te.*lar*) *v. td.* Atuar como curador: *Curatelou os bens do marido, após o acidente.* [▶ **1 curatelar**] [F.: Do lat. *curatella.*]
curativo (cu.ra.*ti*.vo) *a.* **1** Que cura, que serve para curar: *Aquelas folhas têm poder curativo. sm.* **2** Ação ou resultado de curar: *Era uma doença de curativo demorado.* **3** Aplicação de remédio e cobertura adequados à assepsia e cicatrização de ferida, corte, machucado; PENSO: *Teve de fazer um curativo na farmácia.* **4** *P. ext.* Material us. nessa aplicação, como gaze, esparadrapo, algodão; PENSO: *Voltou com um grande curativo no pescoço.* [F.: *curar* + *-tivo.*]
curato (cu.*ra*.to) *sm.* **1** Função ou cargo de cura, de pároco **2** Lugar em que mora um cura **3** Aldeia ou povoação administrada por um cura [F.: *cura*, 'pároco', + *-ato*¹.]
curatorial (cu.ra.to.ri.*al*) *a2g.* Ref. ou inerente a curador de exposição, de evento, projeto etc. (experiência/pendor curatorial) [Pl.: *-ais.*] [F.: Do lat. *curator, oris*, 'o que zela, cuida', + *-ial.*]
curau (cu.*rau*) *sm.* **1** *GO MT SP Cul.* Creme de milho-verde, polvilhado com canela **2** *Bras.* Comida muito comum no sertão, feita de carne de sol pilada com farinha de mandioca e temperos; PAÇOCA **3** *Bras.* O mesmo que *caipira* **4** Indivíduo curau (5, 6) *a2g.* **5** *Bras.* Que deixa o sertão para fugir da seca; RETIRANTE **6** *MT* Que não tem experiência, que é calouro, novato [F.: De or. obsc.]
curável (cu.*rá*.vel) *a2g.* Que pode ser curado [Pl.: *-veis.*] [F.: Do lat. *curabilis, e.*]
curdo (*cur*.do) *sm.* **1** Indivíduo dos curdos, grupo étnico nômade, sem país próprio, que vive em regiões vizinhas do Iraque, Irã, Turquia, Síria e parte da extinta União Soviética **2** *Gloss.* Língua falada pelos curdos *a.* **3** De ou ref. a esse povo ou à sua língua [F.: Gentílico ref. a *Curdistão.*]
cureta (cu.*re*.ta) [ê] *sf.* **1** *Cir.* Instrumento cirúrgico semelhante a uma colher de bordas cortantes, us. em raspagens internas ditas, por isso, curetagens *sm.* **2** *Bras. Pej.* Aquele que faz abortos; ABORTEIRO [F.: Do fr. *curette.*]
curetagem (cu.re.*ta*.gem) *sf.* *Cir.* Procedimento cirúrgico que consiste em raspar as paredes internas de um órgão para lhe remover lesões ou, na cavidade intrauterina, fazer aborto [Pl.: *-gens.*] [F.: *cureta*+ *-agem*².]
curetar (cu.re.*tar*) *v. td.* **1** *Cir.* Extrair ou raspar com cureta (lesões, tecido fetal ou placentário em casos de abortos etc.): *curetar o foco de pus/ uma lesão; curetar o útero após um aborto espontâneo.* **2** Raspar com cureta tecido de (órgão): *curetar o útero.* [▶ **1 curetar**] [F.: *cureta* + *-ar*². Hom./ Par. *cureta(s)* (fl.), *cureta(s)* [ê] (sf. [pl.]) *cureto* (fl.), *coreto* [ê] (sm.).]
cúria (*cú*.ri:a) *sf.* **1** *Rel.* Tribunal eclesiástico que se compõe do papa e dos bispados; corte pontifícia **2** *Hist.* Cada uma das partes em que se dividiam as antigas tribos romanas **3** *Hist. Rel.* Local em que se reunia o senado romano **4** *Antq. Hist.* O senado romano [F.: Do lat. *curia, ae.*]
curial (cu.ri.*al*) *a2g.* **1** Ref. ou pertencente a cúria (autoridade/tratado curial) **2** *Fig.* Conveniente, adequado, sensato (discurso curial) [Ant.: *inadequado; inconveniente.*] **3** *Fig.* De acordo com as normas (comportamento curial) *sm.* **4** Oficial da cúria eclesiástica **5** *Restr.* Membro da cúria, o senado romano [F.: Do lat. *curiālis, e*; séc. XVI, *curial.*]
curiango (cu.ri.*an*.go) *sm.* **1** *Bras. Zool.* Ver *bacurau* **2** *Bras. Fig.* Pessoa que quase só sai à noite [F.: Do quimb. *kurianka.*]
curiboca (cu.ri.*bo*.ca) [ó] *s2g.* *N. N. E.* Ver *cariboca*
curicaca (cu.ri.*ca*.ca) *sf. Bras. Zool.* Ave da fam. dos tresquiornitídeos (*Theristicus caudatus*), nativa da América

do Sul, com bico bem longo e curvo, dorso cinzento, pescoço alaranjado e partes inferiores pretas [F.: Do tupi *kuri'kaka;* séc. XVIII, *curicaca.*]

curie (cu.*ri*.e) *sm. Fís. nu.* Unidade de medida de radioatividade [Símb.: Ci. Homenagem ao casal de físicos Pierre e Marie Curie, que descobriram o elemento rádio e fizeram outras descobertas; foram ambos agraciados com o Prêmio Nobel.] [F.: Do fr. *curie,* do antr. *Curie.*]

curimã (cu.ri.*mã*) *sf. Bras. N. E. Zool.* Ver *tainha* [F.: Do tupi *kuri'ma.*]

curimatá (cu.ri.ma.*tá*) *sm.* Ver *curimbatá*

curimbatá (cu.rim.ba.*tá*) *sm. Bras. Zool.* Denom. comum aos peixes de água-doce teleósteos, da fam. dos curimatídeos, gên. *Prochilodus*, com 24 espécies distribuídas por todo o Brasil; CURIMBA; PAPA-TERRA [F.: Do tupi *kurima'ta.* Tb. *curimatá, curimatã, grumatã, corumbatá.*]

curinga (cu.*rin*.ga) *sm.* **1** Carta de baralho que, dependendo do jogo, pode ocupar o lugar de qualquer outra, ou assumir-lhe o valor **2** *Bras. P. ext.* Indivíduo que consegue ter bom desempenho em atividades diversas **3** *Bras. P. ext. Esp.* Jogador que tem a capacidade de atuar em várias posições **4** *Bras. P. ext. Teat.* Ator que desempenha vários papéis numa mesma peça **5** *Inf.* Caractere (ger. asterisco) que representa qualquer outro e é us. para localizar determinadas informações **6** *AL PE* Indivíduo de aspecto franzino, ger. feio e magro [F.: Do quimb. *kuringa.* Tb. *coringa.*]

curió (cu.ri.*ó*) *sm. Bras. Zool.* Pássaro canoro da fam. dos emberizídeos (*Oryzoborus angolensis*), das Américas do Sul e Central, com machos de plumagem negra, castanha no ventre e fêmeas de coloração acastanhada; AVINHADO; BICUDO [F.: Do tupi *Kuri'o.*]

cúrio (*cú*.ri.o) [ú] *sm. Quím.* Elemento metálico radioativo, trivalente, de número atômico 96, massa atômica 242, da família dos actinídeos, obtido pelo bombardeamento de urânio e plutônio no cíclotron, us. como fonte de calor em baterias termonucleares [símb.: *Cm*] [F.: Do lat. cient. *Curium.* Hom./Par.: *curió* (sm).]

curiosa (cu.ri:*o*.sa) *sf. Bras. Pop.* Mulher que faz parto sem formação, sem habilitação legal; PARTEIRA [F.: Fem. substv. de *curioso.*]

curiosar (cu.ri:o.*sar*) *v.* Olhar, espreitar (algo ou alguém) com curiosidade; CURIOSEAR [*td.*: *Curiosava a garota da casa vizinha.*] [*int.*: "A alva empalidecia os céus e a claridade curiosava pelos buracos da fechadura..." (Manuel Ribeiro, *Planície heroica*)] [▶ 1 curiosar] [F.: *curioso* + *-ar*².]

curiosear (cu.ri:o.se.*ar*) *v. td.* O mesmo que *curiosar* [▶ 13 crasear] [F.: *curioso* + *-ear*².]

curiosidade (cu.ri:o.si.*da*.de) *sf.* **1** Qualidade de quem, ou do que, é curioso **2** Desejo de ver, ouvir, saber algo novo ou pouco conhecido: *A revista explorava a curiosidade do leitor.* **3** Interesse pelo conhecimento ou investigação de determinado assunto: *Tinha curiosidade pela vida dos índios.* **4** Desejo de conhecer particularidades da vida alheia; BISBILHOTICE: *Olhava com curiosidade para a casa da vizinha.* **5** Informação que traz revelações surpreendentes ou interessantes: *O livro era repleto de curiosidades.* **6** Lugar ou costume típico ou insólito em cidade, bairro, país: *As curiosidades de Brasília o excitavam.* **7** Objeto raro, interessante ou original: *Achou muitas curiosidades no brechó.* [F.: Do lat. *curiositas, atis.*]

curioso (cu.ri:*o*.so) [ô] *a.* **1** Que se interessa por saber ou aprender coisas novas **2** *Pej.* Que procura insinuar-se na vida alheia, no que não lhe diz respeito: *Mostrou-se logo curioso e intrometido.* [Ant.: *discreto.*] **3** *Bras. Pop.* Que se dedica a uma arte ou atividade como amador **4** *Restr.* Raro, original; surpreendente: *O quadro tinha vários aspectos curiosos.* [Ant.: *banal.*] **5** Que revela curiosidade (olhar curioso) [Fem. e pl.: [ó].] *sm.* **6** Aquele que se interessa por saber ou aprender coisas novas **7** Aquele que procura insinuar-se na vida alheia, no que não lhe diz respeito; BISBILHOTEIRO; ABELHUDO **8** Aquele que se dedica a uma arte ou atividade como amador; PRÁTICO [Fem. e pl.: [ó].] [F.: Do lat. *curi sus, a, um.*]

curiosos (cu.ri.o.sos) [ó] *smpl.* Espectadores em lugar público onde ocorreu algo sério ou inusitado: *A polícia afastou os curiosos do local do acidente.* [F.: Pl. de *curioso.*]

curra (*cur*.ra) *sf. Bras. Gír.* Ação ou resultado de currar, praticar violência sexual e coletiva contra uma pessoa; ESTUPRO [F.: Prov. de *curro.*]

curral (cur.*ral*) *sm.* **1** Área cercada onde se abriga o gado, ger. bovino **2** Área cercada para a piscicultura, com água-doce ou salgada, tb. us. como armadilha para capturar peixes **3** *Bras. Pej.* Lugar sujo, desagradável **4** *Fig.* A igreja, como lugar de reunião e proteção dos fiéis **5** *N. N. E.* Lugar de ensaio para o boi-bumbá **6** *Lus.* Na ilha da Madeira, vale pouco acessível **7** *Ant.* Pátio onde se encenavam comédias **8** *Ant.* Casa que oferece aconchego e comodidade **9** *Ant.* Acampamento ou residência de chefe africano [Pl.: *-rais.*] [F.: T alvez lat. *curral̄e, is.*] ■ **~ eleitoral** **1** Grupo de eleitores sob a influência de um político, ger. candidato a cargo eletivo, e no qual votam sistematicamente **2** Em dia de eleição, local em que cabos eleitorais concentram eleitores de seu candidato, ger. provendo-lhes alimentação e transporte aos locais de votação

curraleiro (cur.ra.*lei*.ro) *a.* **1** Que fica em curral **2** Diz-se de gado bovino criado ou recolhido em curral **3** Ref. ao que guarda e cuida do curral (peão curraleiro) **4** Ref. ou pertencente a raça bovina oriunda de Goiás *sm.* **5** *Port.* Guarda de curral de animais [F.: orig. duv., talvez lat. *currale, is-*, XV *currall-+-eiro*; séc. XVIII, *corraleiro.*]

currar (cur.*rar*) *v. td. Bras. Pop.* Violentar sexualmente (alguém), com a participação de outras pessoas; ESTUPRAR [▶ 1 currar] [F.: *curra* + *-ar*². Hom./ Par.: *curra(s)* (fl.), *curra(s)* (sf. [pl.]); *currais* (fl.), *currais* (pl. de *curral*); *curro* (fl.), *curro* (sm.).]

curricular (cur.ri.cu.*lar*) *a2g.* Ref. a currículo¹ (planejamento curricular; matéria curricular) [F.: *currículo*¹ + *-ar*¹.]

currículo¹ (cur.*rí*.cu.lo) *sm.* **1** Ato de correr; CORRIDA; CURSO **2** Pequeno atalho, desvio de caminho **3** *Bras.* O conjunto das matérias de um curso: *currículo de medicina; currículo do ensino fundamental.* [F.: Do lat. *curriculum, i,* 'ato de correr'; 'carreira'; 'local onde se corre'.]

currículo² (cur.*rí*.cu.lo) *sm.* Ver *curriculum vitae* [F.: F. red. e adaptada de *curriculum vitae.*]

⊕ ***curriculum vitae*** (*Lat.* /*curriculum vite*/) *loc. subst.* Documento com dados ref. a características pessoais, formação, escolaridade, experiência profissional, trabalhos realizados etc., apresentado quando alguém se candidata a emprego, concurso, cargo específico etc. [Pl.: *curricula vitae.*]

curriola (cur.ri.*o*.la) *sf.* Ver *corriola*

curro (*cur*.ro) *sm.* **1** *Taur.* Lugar anexo à praça ao qual se recolhem os touros antes e depois da corrida; CURRAL **2** Conjunto dos touros para uma corrida **3** *Bras. Gír.* Bordel, prostíbulo **4** *Bras. Fig.* Cópula violenta; CURRA **5** *SP. Restr.* Conjunto de senzalas **6** *Lus.* Cavalo reprodutor; GARANHÃO [Hom./Par.: *curro* (fl. de currar).]

currupira (cur.ru.*pi*.ra) *sm.* Ver *curupira*

curry (*Ing.* /*kâri*/) *sm.* **1** *Cul.* Condimento em pó, de origem indiana, amarelo, composto de várias especiarias, como gengibre, coentro, cúrcuma, pimenta-do-reino, cravo-da-índia, açafrão-da-índia etc., us. para preparar carnes, peixes, vegetais, crustáceos; CARIL **2** *P. ext.* Molho feito de pó de curry (arroz ao curry; frango ao curry) **3** Prato feito desse molho (curry de camarão) [Pl.: *curries.*]

cursar (cur.*sar*) *v.* **1** Passar ao longo de, percorrer (espaços) [*td.*: *Como um andarilho, cursou regiões desconhecidas.*] [*tr.* + *por*: *As regiões por onde cursei eram inóspitas.*] **2** Transpor (mares, oceanos etc.) [*td.*: *A embarcação cursou lentamente o rio.*] **3** *Fig.* Ocorrer, processar-se de determinado modo; DECORRER; TRANSCORRER [*int.*: *Os acordos de paz cursavam bem no plenário.*] **4** *Fig.* Frequentar ou seguir (aula, curso, escola, matéria etc.) [*td.*: *cursar a primeira série / medicina.*] **5** *Fig.* Frequentar (estabelecimento de ensino) [*td.*: *Comecei a cursar a Faculdade de Medicina ainda muito jovem.*] **6** *Fig.* Fazer-se presente em; PARTICIPAR [*td.*: *Cursava com alegria os concertos.*] **7** *P. us.* Soprar (o vento) [*int.*: *Naquelas paragens cursavam ventos gelados.*] **8** *Ant.* Ter o alcance de (armas de fogo) [*td.*: *A arma cursa trezentos metros.*] [▶ 1 cursar] [F.: Do lat. *cursare.* Hom./Par.: *curso* (fl.), *curso* (sm.).]

cursilhista (cur.si.*lhis*.ta) *a2g.* **1** *Rel.* Ref. ou concernente a cursilhismo e a cursilho **2** *Rel.* Diz-se de quem é adepto de ou que faz o cursilho *s2g.* **3** *Rel.* Aquele ou aquela que adere ao cursilho ou que é praticante dele [F.: Do espn. *cursillo* + *-ista.*]

cursilho (cur.*si*.lho) *sm. Rel.* Movimento católico surgido na Espanha franquista de 1948 a fim de conferir maior severidade ao cumprimento de certos preceitos da fé cristã e lhes imprimir um cunho ideológico nas relações comunitárias [F.: Do espn. *cursillo.*]

cursinho (cur.*si*.nho) *sm.* **1** *Gram.* Dim. de *curso* **2** *Bras.* Qualquer dos cursos preparatórios para vestibular [F.: *curso*+ *-inho.*]

cursivo (cur.*si*.vo) *a.* **1** Que é manuscrito, escrito à mão, com o tipo de letra próprio para isso (no qual as letras se unem umas às outras, permitindo um correr contínuo do instrumento de escrita sobre o papel) **2** Diz-se desse tipo de letra manuscrita, ger. pequena e traçada de maneira fluente **3** Diz-se do caráter tipográfico que imita essa letra **4** Que é feito sem esforço *sm.* **5** *Art. gr.* Caráter tipográfico que imita essa letra [F.: Do it. *corsivo.*]

curso (*cur*.so) *sm.* **1** Programa de formação educacional em determinado campo e constituído de uma série de períodos, matérias, lições **2** Cada uma das divisões da formação escolar ou universitária: *curso vestibular/de pós-graduação.* **3** Estabelecimento de ensino: *Ontem, não nos vimos no curso.* **4** Fluxo, escoamento, corrente: *curso do rio/do pensamento.* **5** Rumo, direção, rota: *Seguiu seu próprio curso.* **6** Percurso, caminho, distância: *voo de longo curso.* **7** Voga, circulação: *A palavra já não tem curso no meio estudantil.* **8** *Antq.* Ação ou resultado de correr; CORRIDA **9** *Econ.* Relação de valor entre moedas cambiáveis [F.: Do lat. *cursus, us.*] ■ **~ de água** *Geog.* Qualquer formação de água corrente, como rio, regato, riacho etc.; curso fluvial **~ de formação** *MG* Ver *Curso normal* **~ divagante** *Geog.* Curso de rio em planície, ger. cheio de meandros **~ fluvial** Ver *Curso de água* **~ forçado** *Econ.* Obrigatoriedade legal do uso de certa moeda como meio de pagamento **~ inferior** *Geog.* Parte final do curso de um rio, perto da foz **~ médio** *Geog.* Parte intermediária do curso de um rio **~ normal** *Pedag.* Curso de formação de professores do Ensino Fundamental e de C. A; curso de formação **~ superior** *Geog.* Parte inicial do curso de um rio, perto de sua cabeceira **~ supletivo** *Antq. Ped.* Curso no qual se adquiria, de forma resumida, os conteúdos das disciplinas do primeiro e segundo graus **Dar (livre) curso a** *Fig.* Deixar ou fazer algo seguir; prosseguir **Em ~** **1** Atual, corrente (referindo-se a determinado período): *o ano em curso.* **2** Diz-se de moeda em circulação em determinado país ou região **3** No momento da realização: *O jogo está em curso e o resultado não está definido.* **4** Não encerrado, não finalizado; que está acontecendo, que ainda se processa ou se desenvolve: *Não quis interromper um processo em curso.*

cursor (cur.*sor*) *sm.* **1** *Inf.* Sinal (cujo formato pode variar) que, por meio do *mouse,* se movimenta na tela de um monitor de computador, e que indica a posição na qual o próximo caractere a ser digitado deve aparecer **2** *Elet. Eletr. Emec.* Peça adaptada para correr ao longo de outra em diversos tipos de instrumento de medição ou cálculo **3** *Ant.* Escravo que precedia, à pé, a carruagem de seu senhor **4** *Ant.* Aquele que corria em estádios, na rua, em competições etc.; CORREDOR **5** Mensageiro do papa **6** *Astron.* Fio que atravessa o campo de um micrômetro, us. para medir o diâmetro aparente de um astro *a.* **7** Que corre ou percorre, que é capaz de correr ou percorrer; CORREDOR **8** *Elet. Eletr. Emec.* Diz-se de peça adaptada para correr ao longo de outra em diversos tipos de instrumento de medição ou cálculo [F.: Do lat. *cursor, o ris.*] ■ **~ do mouse** *Inf.* Ícone (uma seta, uma barra etc.) que se movimenta na tela de um computador de acordo com os movimentos imprimidos ao *mouse,* indicando onde terá efeito a ação desferida ao se clicar

curta (*cur*.ta) *a.* **1** *Gram.* Fem. de *curto sm.* **2** *Cin.* F. red. de *curta-metragem* [F.: Fem. substv. de *curto,* do lat. *curtus, a, um.*] ■ **À ~** Apressadamente

curta-metragem (cur.ta-me.*tra*.gem) *sm. Cin.* Filme que dura no máximo 30 minutos ou pouco mais e apresenta intenção ora estética, ora educativa, comercial, publicitária etc. [Tb. apenas *curta.*] [Pl.: *curtas-metragens.*]

curtição (cur.ti.*ção*) *sf.* **1** Ação ou resultado de curtir: *curtição do couro/de um filme.* **2** *Bras. Gír.* Desfrute, fruição muito prazerosa; DELEITE; BARATO: *O passeio foi uma curtição.* **3** Pessoa ou coisa que causa prazer, satisfação, diversão etc.: *Este livro é uma curtição; Nosso novo professor é uma curtição.* [Pl.: *-ções.*] [F.: *curtir* + *-ção.*]

curtido (cur.*ti*.do) *a.* **1** Que se curtiu **2** Preparado ou amaciado mediante curtimento (couro curtido; pele curtida) **3** *Bras. Gír.* Bem aproveitado, em que houve prazer (férias curtidas) **4** *Fig.* Que suportou sofrimento, dor ou dificuldades; CALEJADO; ENDURECIDO [F.: Part. de *curtir.*]

curtidor (cur.ti.*dor*) *a.* **1** Que faz curtimento de couro, de peles, de alimentos, etc. **2** *Bras. Pop.* Que desfruta, que obtém prazer e satisfação com o que faz (curtidor de cinema/de boa companhia) [Ant.: *sofredor.*] **3** Que é ocioso, que vive folgadamente, que zomba; BOA-VIDA; GOZADOR *sm.* **4** Aquele que faz curtimento de couro, peles, de alimentos etc. **5** Aquele que sabe desfrutar, que obtém satisfação das situações ou do convívio com as pessoas **6** *Bras. Pop.* Indivíduo ocioso, que vive folgadamente, que zomba; BOA-VIDA; GOZADOR [F.: De orig. contrv. lat. vulg. *corretrīre-*, der. lat. cl. *retrītus-*, séc. XIV *cortir-* + -do + -or; séc. XIV, *cortjdor.*]

curtimento (cur.ti.*men*.to) *sm.* Ação e resultado de curtir couros e peles; CURTIÇÃO; CURTIDURA; CURTUME [F.: *curtir* + *-mento.*]

curtir (cur.*tir*) *v.* **1** Preparar (couro, pele) para ser industrializado, deixando-o de molho em líquido apropriado [*td.*: *É preciso curtir o couro antes de usá-lo.*] **2** Conservar (comida) em molho adequado [*td.*: *curtir azeitonas.*] **3** Deixar (bebida alcoólica) em lugar conveniente antes do consumo [*td.*: *curtir o vinho.*] **4** *P. ext. Fig.* Enrijecer diante da desgraça, infelicidade, infortúnio etc. [*int.*: *A pobreza faz o homem curtir.*] **5** *P. ext. Fig.* Ser firme diante de (desgraça, dor, sofrimento etc.); SUPORTAR [*td.*: *Ele curtia com resignação as misérias da vida.*] **6** Queimar, expondo ao tempo [*td.*: *O ar frio da manhã curtiu-lhe o rosto.*] **7** *Fig. Pop.* Esperar passar (as consequências do uso exagerado de bebida alcoólica) [*td.*: *Bebeu tanto que, no dia seguinte, teve de curtir a ressaca.*] **8** *Bras. Pop.* Divertir-se, ter prazer, satisfação (com); DESFRUTAR [*td.*: *Passou a manhã curtindo desenhos animados.*] [*int.*: *Este fim de semana não vou trabalhar, vou só curtir.*] **9** *Bras. Pop.* Gostar muito de (uma pessoa, uma música etc.) [*td.*: *Joana curte muito os primos.*] [▶ 3 curtir] [F.: De or. contrv., posv. do lat. vulg. **corretrire,* deriv. de *retrire.* Hom./Par.: *curto* (fl.), *curto* (a. sm.).]

curtível (cur.*tí*.vel) *a2g.* **1** Diz-se de couro, peles, alimentos, etc. que podem ser curtidos **2** Que pode ser conservado em líquidos e/ou recipientes adequados **3** Que se pode queimar, enrijecer **4** *Bras. Pop.* Que pode ser aproveitado, gozado, desfrutado (romance/música curtível); DELEITÁVEL [F.: De orig. contrv. lat. vulg. *corretrīre-*, der. lat. cl. *retrītus-*, séc. XIV *cortir-*¹ + -vel.]

curto¹ (*cur*.to) *a.* **1** Pequeno em comprimento (cabelo curto; saia curta) **2** De pouca duração (filme curto; viagem curta) [Ant.: *comprido, longo.*] **3** Escasso, insuficiente; PARCO: *Como o dinheiro anda curto, não saí.* **4** *Fig.* Limitado, restrito (vista curta; ideias curtas) **5** Resumido, conciso, lacônico (texto curto) [Ant.: *prolixo.*] [F.: Do lat. *curtus, a, um.*]

curto² (*cur*.to) *sm. Bras.* F. red. de *curto-circuito*

curto-circuito (cur.to-cir.*cui*.to) *sm.* **1** *Elet.* Num dado circuito elétrico, contato de resistência zero entre dois pontos de potencial distinto **2** *Fig.* Colapso repentino em alguma coisa, causando problemas, interrupção, desorientação: *curto-circuito do sistema econômico.* [Pl.: *curtos-circuitos.*] [F.: *curto*¹ + *circuito.* F. red.: *curto.*]

curtume (cur.*tu*.me) *sm.* **1** Estabelecimento onde se curtem couros e peles **2** Ação ou resultado de curtir (1 a 7), o mesmo que *curtimento.* **3** Qualquer dos métodos de curtir

(1) **4** O material us. no processo de curtir (1) [Ger. us. no pl.] [F.: Rad. de *curtir* sob a f. *curt-* + *-ume*.]
curtumeiro (cur.tu.*mei*.ro) *sm.* **1** Dono de curtume **2** Trabalhador de curtume (1) [F.: *curtume*+ *-eiro*.]
curul (cu.*rul*) *a2g.* **1** *Hist.* Ref. ou pertencente a uma classe de antigos magistrados romanos **2** Diz-se de quem goza do privilégio de se sentar na cadeira com essa designação (magistrado/personalidade curul) *sf.* **3** Designativo das cadeiras de marfim em que se sentavam na Roma antiga os mais altos dignitários, como símbolo do poder judiciário (curul senatorial) **4** *P. ext.* Cadeira ocupada por magistrados ou pessoas revestidas de magnificência e importância [F.: Do lat. *curulis, e.* Pl.: *-uis*.]
curumba (cu.*rum*.ba) *s2g.* **1** *N. E.* Aquele que deixa o sertão em busca de trabalho nas estradas, fábricas ou engenhos **2** *N. E. P. ext.* Qualquer pessoa que foge da seca, abandonando o sertão; RETIRANTE **3** *NE. Pej.* Aquele que trabalha nos engenhos ou canaviais, na época da safra **4** *N. E. Pej.* Andarilho esfarrapado que, a pé ou a cavalo, vaga pelas estradas **5** *PE Pej.* Morador do meio rural e muito rude *sf.* **6** *N. E. Pej.* Mulher velha e maltratada; CURUCA [F.: De or. obsc. Nas acps. 4 e 6 pode ser ofensivo.]
curumi (cu.ru.*mi*) *AM. sm.* **1** Menino, garoto **2** Vara us. na pesca do pirarucu [F.: Do tupi *kunu'mi* ou *kuru'mi*. Tb. *curumim*.]
curumim (cu.ru.*mim*) *sm.* Ver *curumi* [Pl.: *-mins*.]
curupira (cu.ru.*pi*.ra) *sm. Bras. Folc.* Ente fantástico das matas, representado ger. como um anão de cabelos vermelhos e pés voltados para trás, dos quais se utiliza para enganar os caçadores e, assim, proteger os animais e toda a floresta [F.: Do tupi *kuru'pira*. Tb. *currupira*.]
curupiti (cu.ru.*pi*.ti) *Bras. Etnol. s2g.* **1** Membro dos curupitis, povo indígena extinto, que habitava a região do rio Pacajá (PA) *a2g.* **2** *Bras. Etnol.* Ref. ou pertencente aos curupitis [F.: Do tupi.]
curuquerê (cu.ru.que.*rê*) *sm.* **1** *Bras. Zool.* Larva do inseto lepidóptero, praga que ataca folhas e brotos novos do algodoeiro **2** *Bras. Pop.* Confusão, baderna [F.: Do tupi *ku'ru ker ê*, ou de *puruke're*.]
cururu (cu.ru.*ru*) *sm.* **1** *Zool.* Ver *sapo-cururu* **2** *Bot.* Trepadeira sapindácea, de flores pequenas, brancas ou esverdeadas **3** *MT* Pequeno roedor octodontídeo; TUCO-TUCO **4** *SP MT Folc.* Dança de roda com cantos de desafio e temas quase sempre religiosos **5** *SP* Desafio entre cantadores, ao som de violas, que improvisam com base em rimas apresentadas por um terceiro cantador [F.: Do tupi *kuru'ru*.]
curva (*cur*.va) *sf.* **1** *Geom.* Figura descrita pela trajetória de um ponto que se move mudando continuamente de direção **2** Linha ou superfície arqueada; CURVATURA [Ant.: *reta*.] **3** Trecho sinuoso de rodovia, estrada, caminho etc., no qual muda gradativamente de direção **4** Trajetória de um corpo no espaço que se movimenta mudando gradativamente de direção: *A bola fez uma curva que enganou o goleiro.* **5** Linha que, num gráfico, passa por pontos que representam as alterações de uma variável: *A curva mostra uma grande variação de temperatura.* **6** *Arq.* Arco, curvatura (de abóbada); elemento arqueado em construções, móveis etc. [F.: Fem. substv. de *curvo*. Hom./Par.: *curva* (flex. de *curvar*).] ■ **~ algébrica** *Geom. an.* Curva cuja equação tem para uma das duas variáveis uma função polinômica **~ característica** **1** *Geom. an.* Sobre uma superfície, toda curva cujas tangentes em qualquer ponto são direções características da superfície nesse ponto **2** *Eng. Elet.* Num circuito ou componente elétrico ou eletrônico, curva que expressa a variação do sinal de saída em relação ao sinal de entrada [Tb. apenas *característica*.] **~ característica de transferência** *El. Eet.* Num circuito elétrico, curva que expressa a razão entre a tensão de saída e a tensão de entrada **~ cilíndrica** *Geom.* Curva que pode ser contida numa superfície cilíndrica **~ composta** Curva formada pela concordância de arcos de raios diferentes, mas cujas curvaturas têm o mesmo sentido **~ cônica** *Geom.* Curva resultante da interseção de um plano com uma superfície cônica **~ cúbica** *Geom. an.* Curva algébrica plana que tem como equação cartesiana uma equação do terceiro grau [Tb. apenas *cúbica*.] **~ de calibração** *Fís.* Curva que, num gráfico, estabelece uma relação entre os valores de uma grandeza física diretamente mensurável com os valores de uma outra grandeza (ger. na escala de um instrumento de medição) **~ de contorno** *Geom. an.* Ver *Curva de nível* (2) **~ de Gauss** *Geom. an.* Curva plana que tem como equação cartesiana uma exponencial com expoente quadrático negativo **~ de nível** **1** Em carta topográfica, linha que liga pontos de mesma cota [As curvas de nível, quando muito próximas, indicam grande variação de altitude por unidade de distância, ou seja, um terreno íngreme. E vice-versa.] **2** *Geom. an.* Projeção ortogonal sobre um plano de qualquer das interseções de uma superfície com planos paralelos ao plano das projeções; curva de contorno **~ de oferta** *Econ.* Gráfico que expressa a relação entre o preço de um bem e o volume de oferta colocada no mercado a esse preço **~ de orvalho** *Fís.* Linha de equilíbrio que une os pontos em que, ao se resfriar um vapor a pressão constante, começa a aparecer a fase líquida **~ de procura** *Econ.* Gráfico que expressa a relação entre o preço de um bem e o volume de aquisição desse bem àquele preço **~ de resposta** *Fís.* Gráfico que expressa a relação entre os sinais de entrada e de saída num instrumento **~ de transição** Aquela cujo raio varia de maneira gradual, suavizando sua mudança de direção **~ esférica** *Geom.* Curva que pode ser contida numa superfície esférica **~ espacial** *Geom.* A que se situa num espaço tridimensional, mas não necessariamente reversa, podendo ser plana **~ fechada** *Geom.* Curva que divide uma superfície em duas regiões, uma das quais finita, de modo que nenhum ponto de uma das regiões pode ser ligado a qualquer ponto da outra por arcos de curvas contínuas contidos na superfície sem cortá-la **~ geodésica** *Geom.* A curva de menor comprimento que liga dois pontos de uma superfície ou de um espaço [Tb. apenas *geodésica*.] **~ hipsográfica** Curva de nível (1) que inclui terras emersas e o relevo submarino adjacente **~ hodográfica** Ver *hodógrafo* **~ isobárica** *Fís.* Curva que, numa carta ou num diagrama, une os pontos de mesma e constante pressão [Tb. apenas *isobárica*.] **~ isógona** *Geog.* Curva que, numa carta geográfica, liga pontos com a mesma declinação magnética **~ plana** *Geom.* Curva contida num plano [P. opos. a *curva reversa*.] **~ podária** *Geom. an.* Lugar geométrico dos pés das perpendiculares a partir de um mesmo ponto às tangentes de uma curva [Tb. apenas *podária*.] **~ quadrática** *Geom.* Cônica **~ reversa** *Geom.* Curva não contida num plano [P. opos. a *curva plana*.]
curvado (cur.*va*.do) *a.* **1** Que se curvou (haste curvada; costas curvadas); CURVO **2** Vergado para frente e para baixo; inclinado [Ant.: *ereto*.] **3** *Fig.* Dominado, subjugado; resignado, oprimido [F.: Do lat. *curvatus, a, um*.]
curvamento (cur.va.*men*.to) *sm.* **1** Ação ou resultado de curvar ou arquear; arqueamento (curvamento de um arco); VERGAMENTO [Ant.: *desencurvamento; esticamento*.] **2** *Mar.* Medição da capacidade de um navio de carga **3** *Geol.* Movimento de partes da crosta terrestre, formando arcos de grande curvatura; EMPENAMENTO [F.: Do lat. *curvo, as, avi, atum, are-*, séc. XVIII *curvar-* + lat. vulgar *-mentu*.]
curvar (cur.*var*) *v.* **1** Tornar(-se) curvo; dobrar(-se) em arco; ENVERGAR(-SE) [*td.*: *O vento curvou a árvore.*] [*int.*: *O bambu, de tão alto, curvou(-se).*] **2** Inclinar(-se) para diante ou para baixo [*td.*: *Curvou a cabeça, envergonhado.*] [*int.*: *Curvei (-me) sobre a bicicleta para consertá-la.*] **3** Inclinar a cabeça ou o corpo para cumprimentar [*int.*: *Ao se cumprimentarem, os japoneses se curvam.*] **4** Inclinar (a cabeça ou o corpo em sinal de respeito ou humildade) [*td.*: *curvar o corpo diante do altar, em sinal de reverência.*] [*int.*: *curvar-se diante do altar.*] **5** *Fig.* Aceitar, com resignação ou admiração (uma situação ou circunstância) [*int.*: "A Europa curvou-se ante o Brasil/ e clamou parabéns em meigo tom/ brilhou lá no céu mais uma estrela/ apareceu Santos Dumont." (Eduardo das Neves, *A conquista do ar*)] [*tr.* + *a*: *O mundo todo se curva ao talento do futebol brasileiro.*] **6** Submeter-se, render-se a (alguém ou alguma situação) [*tr.* + *a*: "G8 não deve se curvar ao terrorismo, diz premier dinamarquês." (*Jornal do Brasil*, 05.07.2005)] [*int.*: *Nenhum governo deve se curvar, por maior que seja a pressão externa.*] [▶ **1** curvar] [F.: Do lat. *curvare*. Hom./Par.: *curva(s)* (fl.), *curva(s)* (sf. [pl.]); *curvais* (fl.), *curvais* (pl. de *curval*); *curvo* (fl.), *curvo* (a.).]
curvas (*cur*.vas) *sfpl.* Formas arredondadas e de contornos bem-feitos, no corpo humano: *É uma bailarina de curvas mais do que atraentes.* [F.: Fem. pl. subst. de *curvo*.]
curvatura (cur.va.*tu*.ra) *sf.* **1** Ação ou resultado de curvar **2** Forma de cumprimento que consiste em curvar o corpo para a frente; esse movimento **3** A parte curva de um corpo ou objeto **4** Aspecto ou aparência curva de algo [F.: Do lat. *curvatura, ae*.] ■ **~ de campo** *Ópt.* Aberração de um sistema óptico tal que a superfície focal, que deveria ser plana, apresenta-se em curva **~ gaussiana** *Geom. an.* Resultado das curvaturas principais de uma superfície num ponto **~ geodésica** *Geom. an.* Considerando uma curva numa superfície e um plano tangente a essa superfície num ponto da curva, curvatura da projeção ortogonal da curva sobre esse plano tangente; curvatura tangencial **~ normal** *Geom. an.* A curvatura da seção normal de uma superfície num determinado ponto e numa determinada direção **~ principal** *Geom. an* Valor máximo ou mínimo da curvatura normal em um ponto de uma superfície **~ tangencial** *Geom. an.* Ver *Curvatura geodésica*
curveta (cur.*ve*.ta) [ê] *sf.* **1** Volta ou curva pequena de caminho ou atalho **2** Movimento em que o cavalo se ergue e dobra as patas dianteiras, sob o comando do cavaleiro [F.: *curva* + *-eta*. Hom./Par.: *corveta* (*sf.*).]
curvetear (cur.ve.te.*ar*) *v.* **1** Erguer-se, dobrando as patas dianteiras [*int.*: *O cavalo curveteava, irritado.*] **2** Movimentar(-se), fazendo pequenas curvas [*int.*: *As borboletas curveteiam no jardim.*] [*td.*: "Saltavam (os gnus) como pulgas, curveteando os corpos no salto..." (Henrique Galvão, *Curica*)] [▶ **13** curvetear] [F.: *curveta* + *-ear*[2].]
◎ **curv(i)-** *el. comp.* = 'curvo', 'recurvado'; 'dobrado'; 'curva': *curvifloro, curvilhão, curvilíneo, curvirrostro, curvígrafo* [F.: Do lat. *curvus, a, um*, 'curvo'; 'recurvado'; 'dobrado'; 'arqueado'.]
curvilhão (cur.vi.*lhão*) *sm.* **1** *Anat. Zool.* Designação da parte da perna dos quadrúpedes atrás da articulação do joelho **2** *Zool.* O mesmo que *jarrete* (2) [Pl.: *-lhões*.] [F.: *curv(i)-* + *-(i)lhão*.]
curvilíneo (cur.vi.*lí*.ne:o) *a.* **1** Que tem ou é formado por linhas curvas (corpo curvilíneo) **2** Que forma curvas (movimento curvilíneo) **3** Que segue direção curva (traçado curvilíneo) [F.: *curv(i)-* + *-líneo*.]
curvo (*cur*.vo) *a.* **1** Que tem a forma de uma curva, ou que está curvado, dobrado, não em linha reta [+ *diante de, perante*: *curvo diante da adversidade/perante as autoridades*.] **2** *Fig.* Que se dobrou, curvou, sucumbiu (ante fato triste, adversidade etc.) [F.: Do lat. *curvus, a, um*.]
cuscuz (cus.*cuz*) *sm.* **1** *BA PE Cul.* Doce cozido no vapor, feito com tapioca, farinha de arroz ou milho, leite, leite de coco e açúcar **2** *MG SP* Bolo salgado e bem condimentado cozido no vapor e feito com farinha de milho, legumes, peixe e camarão, ou galinha e ovos cozidos; CUSCUZ-PAULISTA [F.: Do ár. *kuskus*.] ■ **~ de tapioca** *Cul.* Bolo feito de farinha de tapioca, coco-ralado e açúcar no leite
cuscuzeira (cus.cu.*zei*.ra) *sf.* Forma para cozer cuscuz, de lata, alumínio ou barro, provida de furos no fundo e adaptada à boca de uma panela em que se põe água para ferver; cuscuzeiro [F.: *cuscuz* + *-eira*.]
cuscuzeiro (cus.cu.*zei*.ro) *sm.* **1** *Bras.* Fabricante ou vendedor de cuscuz **2** *Bras.* Vasilha de lata, de alumínio ou de barro, adaptada a uma panela com água fervendo, em que se cozinha cuscuz; CUSCUZEIRA **3** Tipo de chapéu em forma cônica **4** *S.* Pico arredondado, destacado em uma chapada; CUME; CIMO; MORRO DE CHAPÉU [F.: *cuscuz* + *-eiro*. Hom./Par.: *coscoseiro*.]
cuscuz-paulista (cus.cuz-pau.*lis*.ta) *sm. MG SP Cul.* Ver *cuscuz* (2) [Pl.: *cuscuzes-paulistas*.]
cusparada (cus.pa.*ra*.da) *sf.* **1** *Bras.* Ação ou resultado de cuspir em grande quantidade; CUSPADA **2** Grande quantidade de cuspe [F.: *cuspe* + *-arada*.]
cuspe (*cus*.pe) *sm.* Secreção de saliva [F.: Dev. de *cuspir*. Tb. *cuspo*.] ■ **Quebrar o ~** *N. E. Pop.* Comer a primeira refeição do dia
cuspida (cus.*pi*.da) *a.* **1** Fem de *cuspido*, em que se cuspiu, que recebeu cuspe (tigela/varanda cuspida) *sm.* **2** Ação ou resultado de cuspir; CUSPIDELA; CUSPIDURA [F.: Part. fem. de *cuspir*.]
◎ **-cúspide** *el. comp.* = 'que tem ou termina em x ponta(s)': *bicúspide, quadricúspide, tricúspide, unicúspide* [F.: Do lat. *cuspis, idis*, 'ponta de lança'; 'dardo'; 'lança'; 'tridente'.]
cúspide (*cús*.pi.de) *sf.* **1** Ápice; extremidade, ponta aguda e longa de algo; PÍNCARO; VÉRTICE: *cúspide da lança/da torre.* **2** O ferrão tanto dos aracnídeos, como das vespas, abelhas e outros insetos **3** *Geom.* Ponto duplo em que as duas tangentes são coincidentes numa curva **4** Nome que se dá ao tridente de Netuno, deus do mar na mitologia romana **5** *Anat.* Qualquer formação pontiaguda projetada para adiante, esp. as estruturas triangulares da valva cardíaca **6** *Bot.* Parte afilada em que acabam diversos órgãos laminares, como as folhas e pétalas **7** *Od.* Saliência do dente destinada a cortar e moer os alimentos [F.: Do lat. *cuspis, idis*.]
cuspideira (cus.pi.*dei*.ra) [ê] *sf.* Recipiente (fixo no chão ou móvel) ou utensílio us. para cuspir; ESCARRADEIRA [F: *cuspir* + *-deira*.]
cuspidela (cus.pi.*de*.la) *sf.* **1** O mesmo que *cuspidura*. **2** Ação de cuspir furtiva ou rapidamente [F.: *cuspir* + *-dela*.]
cuspido (cus.*pi*.do) *a.* **1** Em que se cuspiu ou que foi cuspido (calçada cuspida; chiclete cuspido) **2** Que foi lançado para fora: *Cuspido do carro que dirigia, teve várias fraturas.* **3** *Fig.* Desacreditado, humilhado (orgulho cuspido) **4** *Fig.* Igualzinho, sem tirar nem pôr: *Pedrinho é o pai dele, Pedro Ataíde, cuspido.* [F.: Part. de *cuspir*.] ■ **~ e escarrado** Idêntico a, exatamente igual a: *Essa menina lembra a irmã, cuspida e escarrada.*
cuspidura (cus.pi.*du*.ra) *sf.* Ação ou resultado de cuspir; CUSPIDELA [F.: *cuspir* + *-dura*.]
cuspilhar (cus.pi.*lhar*) *v.* O mesmo que *cuspinhar* [*td.*] [*int.*] [*ta.*] [▶ **1** cuspilhar] [F.: *cuspe* + *-ilhar*.]
cuspinhar (cus.pi.*nhar*) *v.* Cuspir repetidamente e pouco de cada vez; CUSPILHAR [*td.*: *cuspinhar fumo.*] [*int.*: *Fumava e cuspinhava.*] [*ta.*: "O Pascoal fumava uns cigarros ordinários e cuspinhava pelas paredes." (André Brun, *Dez contos*)] [▶ **1** cuspinhar] [F.: *cuspe* + *-inhar*.]
cuspir (cus.*pir*) *v.* **1** Expelir saliva ou cuspe em [*int.*: *Cuspiu de lado e continuou a falar.*] [*tr.* + *em*: *O menino cuspia em todas as crianças.*] **2** Lançar da boca (comida, sangue etc.) [*td.*: *A criança cuspiu o bombom.*] [*int.*: *Por causa do remédio, não parava de cuspir.*] **3** Expelir, jorrar (qualquer coisa) [*td.*: *O vulcão cuspia uma fumaça escura.*] **4** *P. ext. Fig.* Dirigir palavras ger. ríspidas, ultrajes etc. [*td.*: *Vive cuspindo afrontas.*] [*tdr.* + *em*: *Muito aborrecido, cuspia toda sua ira na irmã.*] [*tr.* + *em*: *Cuspiu na honra da jovem.*] **5** *Fig.* Mostrar desdém, desprezo por; DESDENHAR; DESPREZAR [*tr.* + *em*: *Vivia cuspindo nos conselhos da mãe.*] **6** Lançar para longe (alguém ou algo) [*td.*: *O leão feroz cuspiu o adestrador.*] [*tdr.* + *contra*: *Aborrecida com a desordem, a jovem cuspiu as roupas contra o irmão.*] [▶ **53** cuspir] [F.: Do v.lat. *conspuere*, pelo v.lat. vulg. **conspuire*. Hom./Par.: *cuspo* (fl.), *cuspo* (sm.).]
cuspo (*cus*.po) *sm.* Ver *cuspe* [F.: Dev. de *cuspir*. Hom./Par.: *cuspo* (fl. de *cuspir*).]
cusquenho (cus.que.*nho*) *s2g.* **1** Indivíduo nascido ou que vive em Cusco (Peru) *a2g.* **2** De Cusco; típico dessa cidade ou de seu povo [F.: Do top. *Cusco* + *-ense*.]
◎ **-cussão** *el. comp.* Registra-se em subst. fem. (nomes de ação) formados no próprio latim (*concussão, discussão, excussão, percussão, sucussão*), derivados de verbos lat. terminados em *-cutere*, f. apofônica do v.lat. *quatere*, 'sacudir'; 'agitar'; 'atacar'; 'inquietar' (ver *-cutir*), ou em *eletrocussão* (q. v.), *hidrocussão* (por analogia) e *repercussão*, formados no vernáculo [F.: Do lat. *-cussio, onis*, do lat. *-cussum*, do supino de verbos em *-cutere*, + suf. lat. *-io, -ionis* (ver *-ão*[3]).]
custa (*cus*.ta) *sf. P. us.* Despesa que se tem para fazer algo; DISPÊNDIO; EXPENSAS; GASTO [F.: Dev. de *custar*.] ■ **À**

~ da barba longa Sem trabalhar; à custa do pai **À(s) custa(s) de 1** Ao preço de, com o sacrifício de: *Dedicou-se à família, à custa de sua carreira.* **2** Graças a, por meio de: *Passou de ano, à custa de muito esforço.* **3** A expensas de: *Sustenta a família à custa do irmão.* **À ~ do pai** Ver *À custa da barba longa.*

custar (cus.*tar*) *v.* **1** Ser comprado por certo preço; ter certo preço ou valor para venda [*td.*: *Esse livro deve ter custado uma fortuna.*] **2** Ter como resultado certa perda ou revés [*tdi.* + *a*: *A arrogância pode custar a ele o emprego.*] **3** Ser difícil ou trabalhoso [*int.*: *Vou terminar a tarefa, mas como ela custa!*] **4** Levar tempo; DEMORAR [*int.*: *Custaram, mas chegaram a tempo.*] [▶ **1 custar** Us. tb. como v. auxiliar modal, seguido da prep. *a* + v. principal no infinitivo, com o sentido de 'ter dificuldade de' ou 'levar tempo para': *Ela custou a entender; O ônibus custou a chegar.*] [F.: Do lat. *constare* Cf. *auxiliar* e *modal*.] **■ ~ barato** Estar à venda ou ser comprado por preço baixo **~ caro 1** Estar à venda ou ser comprado por preço elevado **2** Ser conseguido à custa de muito trabalho, sofrimento, sacrifício etc. **3** Ter consequências penosas, difíceis: *Sua indisciplina custou-lhe caro: foi suspenso e perdeu as provas.* **custe o que ~** A qualquer preço, seja qual for o esforço ou o sacrifício necessários, ou a possível consequência: *Vamos ser campeões custe o que custar.*

custas (*cus*.tas) *sfpl. Jur.* Despesas, previstas em lei, ref. a processo judicial: *Foi o pai quem lhe pagou as custas da ação.* [F.: Dev. de *custar*.]

custeado (cus.te.*a*.do) *a.* **1** Que teve despesas pagas ou providas **2** Subsidiado (projeto custeado pelo BID); FINANCIADO; SUBVENCIONADO [F.: Part. de *custear*.]

custeamento (cus.te:a.*men*.to) *sm.* **1** *Cont.* Ação ou resultado de custear; CUSTEIO **2** *Cont.* Conjunto de gastos ou despesas feitas ou a fazer com alguém ou alguma coisa, em um estabelecimento, firma, construção, obra, empreitada etc.; PAGAMENTO **3** *P. ext. Cont.* Listagem, relação escrita de gastos e despesas [F.: Do lat. *consto, as, avi, atum-* + -ear, séc. XIX *custear-* + mento; XIX, *costeamento*.]

custear (cus.te.*ar*) *v. td.* Pagar as despesas de; FINANCIAR: *empresa custeou sua viagem; custear a exploração de uma mina.* [▶ **13 custear**] [F.: *custo* + *-ear*². Hom./Par.: *custear, costear* (em todas as fl.) *custeado* (part.), *costeado* (a.) *custeio* (fl.), *costeio* (sm.).]

custeio (cus.*tei*.o) *sm.* **1** Ação ou resultado de custear; CUSTEAMENTO **2** Soma de despesas relativas à realização de algo (custeio do evento) **3** Financiamento, dinheiro: *A empresa buscava custeio para o projeto.* [F.: Dev. de *custear.* Hom./Par.: *costeio* (sm. e flex. de *costear*); *custeio* (flex. de *custear*).]

custo (*cus*.to) *sm.* **1** Trabalho, tempo, dinheiro gastos na produção de bens e serviços (custo do material/da viagem); VALOR **2** *Econ.* Quantia a ser paga por um bem ou serviço; PREÇO: *Dobrara, então, o custo de manutenção da casa.* **3** *Fig.* Dificuldade, esforço: *Com muito custo chegou a Parati.* **4** Demora, morosidade: *Foi um custo o comerciante nos atender.* [F.: Dev. de *custar*.] **■ A ~** Com dificuldade, com esforço: *A custo consegui estacionar o carro.* **A todo ~** Seja como for, custe o que custar: *Temos que resolver isso a todo custo.* **~ Brasil** *Econ.* O nível de custos necessários à produção de bens no Brasil (considerado elevado, comparado com o de outros países), mencionado muitas vezes como alusão crítica ao peso de impostos, à ineficiência, à possível corrupção na forma de subornos e comissões etc. **~ de oportunidade** *Econ.* O que se expressa pelo valor dos benefícios de uma oportunidade que não foi aproveitada **~ de produção** *Econ.* Total dos gastos (matéria-prima, mão de obra, amortização de equipamento etc.) no processo de produção de mercadoria ou serviço **~ de reposição** *Cont.* Na avaliação de estoques, o preço corrente da mercadoria [Cf.: *Custo histórico*.] **~ de vida** *Econ.* Nível de recursos necessários para atender às necessidades básicas (de uma família, de um setor da sociedade): *O custo de vida da classe média brasileira está muito alto.* **~ direto** *Econ.* Ver *Custo variável* **~ fixo** *Econ.* Parte do custo que não varia com a quantidade produzida (como o aluguel das instalações) **~ histórico** *Cont.* Na avaliação de estoques, o preço original de compra da mercadoria [Cf.: *Custo de reposição*.] **~ marginal** *Econ.* Aumento no custo de produção por ter sido produzida uma unidade adicional **~ social** *Econ.* Soma dos custos arcados pela sociedade num processo de produção [Ex.: os custos decorrentes de poluição, acidente ecológico etc.] **~ variável** *Econ.* Parte do custo de produção que varia com a quantidade de bens produzidos (como o custo da matéria-prima); custo direto **Dar pelo ~** Contar algo tal como ouvido de terceiro

custo-benefício (cus.to-be.ne.*fí*.ci:o) *sm.* **1** *Econ.* Relação entre o que se investe em um negócio e o que se retira de lucro **2** *Fig.* Relação entre os custos emocionais ou de outra natureza de algo e o benefício que se espera auferir dele [Pl.: *custos-benefícios*.]

custódia (cus.*tó*.di:a) *sf.* **1** *Jur.* Ação ou resultado de proteger, guardar algo ou alguém (custódia de títulos/dos filhos); TUTELA **2** *P. ext. Jur.* Local seguro para guardar algo ou para manter alguém detido (custódia de presos/de menores) **3** *P. ext.* Guarda ou proteção em geral **4** *Rel.* Em todo templo católico, recipiente de ouro ou prata, cercado por lâminas circulares de cristal, onde se expõe a hóstia consagrada, para a adoração dos fiéis; OSTENSÓRIO [F.: Do lat. *custodia, ae*.]

custodial (cus.to.di.*al*) *a2g.* **1** Ref. ou inerente a custódia (seguro/ação custodial) **2** Diz-se de que ou quem guarda, detém ou protege (parentesco/prisão custodial); TUTELAR [Pl.: *-ais*.] [F.: Do lat. *custodia, ae-* + -al.]

custodiante (cus.to.di.*an*.te) *a2g.* **1** Diz-se de que ou quem retém alguma coisa sob custódia (instituição custodiante); TUTELANTE *sm.* **2** Aquele que mantém alguma coisa em custódia: *O custodiante é o Banco do Brasil.* [F.: Do lat. *custodia, ae-* + -ar + lat. *-ns, -ntis*.]

custodiar (cus.to.di.*ar*) *v. td.* **1** *Jur.* Pôr, ter ou manter em custódia; GUARDAR; PROTEGER: *Uma das funções da Biblioteca Nacional é custodiar documentos de valor histórico:* "Gozava da honra de custodiar o inimigo." (Aquilino Ribeiro, *Gavião*) **2** Deter, ou reter preso [▶ **1 custodiar**] [F.: *custódia* + *-ar*². Hom./Par.: *custodia(s)* (fl.), *custódia(s)* (sf. [pl.]); *custodio* (fl.), *custódio* (a.).]

custódio (cus.*tó*.di:o) *a.* **1** Que guarda, protege e defende algo ou alguém *sm.* **2** *Hist.* Na Roma antiga, oficial designado para fiscalizar as eleições dos magistrados, a fim de impedir a fraude **3** *Hist.* Capitão de armas, no exército romano **4** *Lus.* Criança não batizada, pagã [F.: Do lat. *custos, odis*.]

customizar (cus.to.mi.*zar*) *v. td.* Adaptar (produto, serviço, programa de informática etc.) ao gosto do cliente ou a especificações por ele determinadas; PERSONALIZAR [Termo condenado por alguns, por sua raiz estrangeira, mas de uso frequente.] [▶ **1 customizar**] [F.: Do ing. *customer* 'cliente' + *-izar*.]

custoso (cus.*to*.so) [ô] *a.* **1** Que custa muito dinheiro (jantar custoso) [Ant.: *barato*.] **2** Que é difícil, problemático: *A escalada será custosa.* [Ant.: *fácil*.] **3** *Bras.* Que é lerdo, vagaroso (tarefa custosa) [+ *de, para*: *custoso de fazer; custoso para receber.*] **4** *GO* Que faz travessura, arte; que gera tumulto; ARTEIRO; TRAVESSO [Fem. e pl.: [ó].] [F.: custo + *-oso*.]

CUT (*cut*) [û] *sf.* Sigla de Central Única dos Trabalhadores, entidade sindical que congrega diversas categorias profissionais [Criada em São Paulo, SP, em 1981.]

cutâneo (cu.*tâ*.ne:o) *a.* *Anat.* Ref. ou pertencente à cútis, à pele (infecção cutânea) [F.: Rad. de *cútis* + *-âneo*, ou do fr. *cutané*.]

cutaneomucoso (cu.ta.neo.mu.*co*.so) [ô] *Anat. a.* **1** Ref. ou inerente à mucosa ou à pele (medicamento cutaneomucoso; lesão cutaneomucosa) **2** Diz-se da linha de união entre a pele e a mucosa, localizada nos orifícios anal, nasal, oral e vaginal [Pl.: [ó]. Fem.: *ó*] [F.: *cutâneo* + *mucoso*.]

⊕ **cutback** (cut.*back*) (*Ing. /katbék/*) *sm.* Manobra praticada por surfista para voltar ao encontro da espuma da onda [F.: Do ing. *cutback*.]

cutelada (cu.te.*la*.da) *sf.* *Ant.* Golpe de cutelo ou de arma branca [F.: Do lat. *cultellus, i-*, de *culter, cultri-*, séc. XIV *coytello* -+ -ada; secXV, *cuytellada*. Ver tb. *cutilada*.]

cutelaria (cu.te.la.*ri*.a) *sf.* **1** Oficina ou estabelecimento de cuteleiro, em que se fazem ou se vendem instrumentos cortantes **2** O trabalho do cuteleiro [F.: *cutelo* + *-aria*. Hom./Par.: *cutilaria* (flex. de *cutilar*).]

cuteleiro (cu.te.*lei*.ro) *a.* **1** Que fabrica ou vende instrumentos cortantes, como facas, tesouras, canivetes, navalhas *sm.* **2** Aquele que fabrica ou vende instrumentos cortantes, como facas, tesouras, canivetes, navalhas [F.: *cutelo* + *-eiro*. Hom./Par.: *coteleiro* (*sm.*).]

cutelo (cu.*te*.lo) *sm.* **1** Instrumento cortante que compreende uma lâmina semicircular e um cabo de madeira, us. outrora para decapitações e, até recentemente, para cortar carnes, couros etc. **2** *P. ext.* Espécie de faca de lâmina larga, us. em açougues e frigoríficos **3** *Fig.* Ação violenta de repressão, demissão, expurgo etc. (cutelo demissionário) [F.: Do lat. *cultè llus*.]

cutia (cu.*ti*.a) *sf.* *Bras. Zool.* Nome comum dado aos roedores do gên. *Dasyprocta*, da fam. dos dasiproctídeos, com até 60 cm de comprimento, cauda e pelo muito curtos [F.: Do tupi *aku'ti*. Tb.: *aguti*.]

cutícula (cu.*tí*.cu.la) *sf.* **1** *Anat.* Pele um pouco mais dura que contorna as unhas; PELÍCULA **2** *Bot.* Epiderme das plantas novas, esp. que recobre as células de partes aéreas [F.: Do lat. *cuticula, ae*. Hom./Par.: *cotícula* (sf.) *cutícola* (sf.).]

cuticular (cu.ti.*cu*.lar) *a2g.* Ref. ou pertencente à cútis ou à cutícula (tratamento/beleza cuticular) [F.: Do lat. *cuticularis, e*.]

cuticuloso (cu.ti.*lo*.so) *a.* Que tem forma de cutícula [Pl.: [ó]. Fem.: [ó].] [F.: *cutícula* + *-oso*.]

cutilada (cu.ti.*la*.da) *sf.* **1** Golpe de cutelo, espada, sabre e outras armas brancas **2** *P. ext.* Ferimento resultante de um golpe dessa natureza [F.: Por * *cutelada*, de *cutelo* + *-ada*¹.]

cutiliquê (cu.ti.li.*quê*) *sm.* *Bras.* Pessoa ou coisa sem importância, sem mérito [F.: prov. da Abrev. da pal. *que*, a letra q com til em cima, lida *cu til quê*, *cu* como o antigo nome da letra q.] **■ De ~** De pouca monta; sem importância: razões, questões de cutiliquê [Cf.: *quotiliquê*.]

cutina (cu.*ti*.na) *sf.* *Bot.* Substância constituinte da cutícula que protege as folhas e outros órgãos aéreos dos vegetais [F.: *cútis* (f. rad. *cut-*) + *-ina*.]

◎ **-cutir** *el. comp.* Registra-se em verbos formados no próprio latim (*concutir, discutir, excutir, incutir e percutir*) ou no vernáculo (*eletrocutir e rediscutir*); o sentido etimológico dos vocábulos com este elemento liga-se à noção de 'agitar(-se) em várias direções, fazer tremer, sacudir, abalar', da f. não prefixada do rad. do v.lat. *quatere*; alguns verbos, porém, ganharam já no latim (*discutir, excutir*), já no vernáculo (*eletrocutir*) sentido (figurado) específico, em virtude da anteposição de pref. ou de elemento [F.: Do lat. *-cutio, is, cussi, cussum, cutere*, f. apofônica, por prefixação, do v.lat. *quatio, is, cussi, quassum, quatere*. Os verbos com este elemento formam seu nome de ação em *-cussão* (q. v.).]

cutirreação (cu.tir.re:a.*ção*) *sf.* *Med.* Reação inflamatória da pele à introdução ou aplicação intradérmica de substância para a qual o organismo está sensibilizado, e que possibilita o diagnóstico de doenças infecciosas como lepra, sífilis, tuberculose, febre tifoide e outras, ou ainda a identificação de alérgenos [Pl.: *cutirreações*.] [F.: Do lat. *cutis, is-* + *-re-* + lat. *-actio, onis*, séc. XVIII *reacção*.]

cútis (*cú*.tis) *sf2n.* **1** *Anat.* Pele do rosto; TEZ **2** A pele das pessoas; EPIDERME [F.: Do lat. *cutis, is*.]

cutruca (cu.*tru*.ca) *s2g.* **1** *Bras. Pop.* Indivíduo sem instrução, inculto, ignorante **2** *Bras. Pej.* O mesmo que *galego* (3) [F.: Posv. do quimb. *kutuluka*.]

cutuba (cu.*tu*.ba) *a2g.* **1** *N. NE.* Que tem força e coragem **2** Que é inteligente **3** Que é importante ou poderoso **4** Que é bonito, que tem boa aparência **5** Que é bom, bondoso [F.: Do tupi *ku'tu bae*.]

cutucada (cu.tu.*ca*.da) *sf.* *Bras. Pop.* Ação ou resultado de cutucar ou catucar; CUTUCÃO; CATUCÃO [F.: *cutucar* + *-ada*¹. Tb. *catucada*.]

cutucão (cu.tu.*cão*) *Bras. Pop. sm.* **1** Gesto de tocar alguém ou alguma coisa com força; cutucada forte **2** Cutilada, facada [Pl.: *-cões*.] [F.: *cutucar* + *-ão*³. Tb. *catucão*.]

cutucar (cu.tu.*car*) *v. td.* **1** *Bras.* Tocar (alguém) rapidamente com o cotovelo, dedo etc., para chamar-lhe a atenção: *Cutuquei-o para que não dormisse durante a palestra:* "Estava eu parado ante um mostruário, no Rio, quando alguém me cutucou as costelas." (Monteiro Lobato, *Urupês*) **2** Introduzir o dedo ou objeto fino e pontudo em orifício de: *cutucar a orelha.* **3** Tocar com insistência em: *Não cutuque a ferida.* **4** *Fig. Pop.* Provocar, desafiar: *Ele não perde a chance de cutucar o rival com insinuações.* **5** Causar incômodo ou machucar de leve pelo contato: *O pino do brinco a cutucava.* [▶ **11 cutucar**] [F.: De or. contrv., posv. do tupi *ku'tug*. Hom./ Par.: *cutuca* (fl.), *cutuca* (sf.); *cutucas* (fl.), *cutucas* (pl. do sf.). Tb. *catucar*.]

cuvilheiro (cu.vi.*lhei*.ro) *a.* **1** Que se mete com a vida alheia, que é dado a bisbilhotice; ALCOVITEIRO; BISBILHOTEIRO *sm.* **2** Aquele que se mete com a vida alheia, que é dado a bisbilhotice; ALCOVITEIRO; BISBILHOTEIRO [F.: Do lat. *cubicularius, a, um*, 'que cuida do quarto'.]

cuvu (cu.*vu*) *sm.* *Bras.* Cesto em forma de funil usado para pescar em lugares rasos e lodosos de rios e lagoas; JUQUIÁ [F.: De or. obsc.]

cuxá (cu.*xá*) *sm.* **1** *Bras. Bot.* Planta amargosa, us. em temperos; CARURU-AZEDO **2** *Bras. Cul.* Molho feito com folhas de caruru-azedo, gengibre, vinagre e outros temperos **3** *MA. Cul.* Prato preparado com arroz, quiabo, folhas de vinagreira e pó de gergelim torrado [F.: provav. do tupi *'ku- + -xai*.]

cuxiú (cu.xi:*ú*) *sm.* *Bras. Zool.* Nome comum dado aos macacos cebídeos, amazônicos, do gên. *Chiropotes* (*C. satanas* e *C. albinasus*), com até 50 cm de comprimento do corpo e pelagem escura, longa e espessa [F.: Do tupi *kuxi'u*.]

⊠ **cv** (cv) *Fís.* Símb. de *cavalo-vapor*

CVM *sf.* *Econ.* Sigla de Comissão de Valores Mobiliários. Entidade criada em 1976 e sediada no Rio de Janeiro, com atribuições de regulamentação, controle e fiscalização do mercado de capitais e do funcionamento das bolsas de valores, e de administração e custódia de valores mobiliários

czar (*czar*) *sm.* **1** *Hist.* Título ostentado pelos soberanos russos (oficialmente, de 1547 a 1721, e, extraoficialmente, desta última data até 1917) **2** Título us., na Idade Média, por soberanos búlgaros e sérvios [Fem.: *czarina*] [F.: Do rus. *tsar.* Tb. *tzar*, fem. *tzarina*.]

czarda (*czar*.da) *sf.* **1** *Mus.* Dança húngara de origem cigana, com abertura lenta e ápice vigoroso e veloz nas partes subsequentes **2** *Mus.* Composição musical com as características dessa dança [Cf.: *xarda*, variante preferida, porém menos usada.]

czarina (cza.*ri*.na) *sf.* *Hist.* Título que se dava à imperatriz russa, entre os reinados de Pedro o Grande e Paulo I [F.: Do al. *Zarin*, pelo fr. *czarine*. Tb. *tzarina*.]

czarismo (cza.*ris*.mo) *sm.* *Hist. Pol.* Sistema político monárquico e autocrático (sendo o czar, ou tzar, o monarca) existente na Rússia, do séc. XV até a revolução bolchevista de 1917 [F.: *czar* + *-ismo*. Tb. *tzarismo*.]

czarista (cza.*ris*.ta) *a2g.* **1** *Hist. Pol.* Ref. ao czarismo **2** *Hist. Pol.* Que é partidário do czarismo **3** *P. ext. Pol.* Que defendia ou defende o czarismo *s2g.* **4** Quem é partidário do czarismo [F.: *czar* + *-ista*. Tb. *tzarista*.]

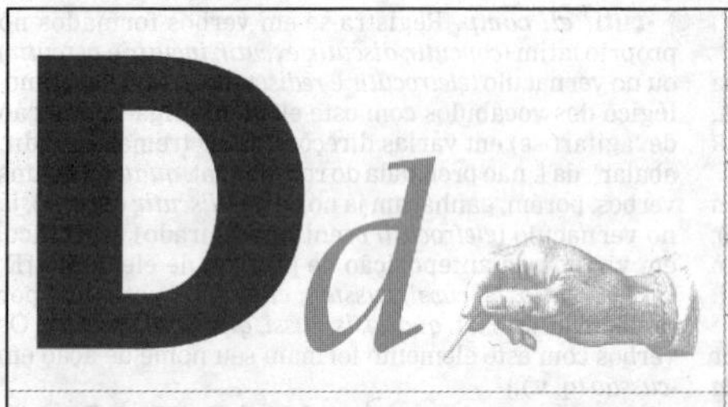

Com suas origens na escrita hierática egípcia, o ancestral mais antigo do *d* recebeu o nome de *deret* (mão). Ao ser adotado pelos fenícios, passou a se chamar *daleth* (porta). Os gregos, ao empregarem a letra fenícia, deram-lhe a forma de um triângulo, chamando-a *delta*. O *delta* chegou ainda aos etruscos e romanos, que foram os responsáveis pelo desenho do *d* que conhecemos hoje.

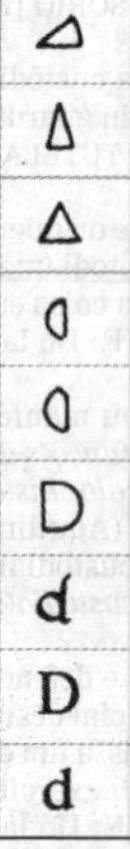

	Fenício
	Grego
	Grego
	Etrusco
	Romano
	Romano
	Minúscula carolina
	Maiúscula moderna
	Minúscula moderna

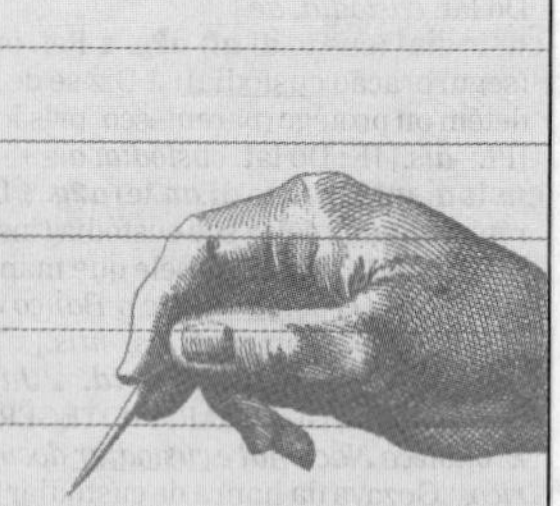

D (*dê*) *sm.* **1** A quarta letra e terceira consoante do alfabeto **2** *Mús.* Na notação musical por cifras, equivale à nota *ré* **3** Abreviatura de dom e dona (D. João VI, D. Ana) **4** No sistema romano de numeração, representa o número quinhentos ***num.*** **5** O quarto em uma série (fila D) [F.: Da 4ª letra do alfabeto latino, esta da 4ª letra do alfabeto grego (delta).]

da **1** Contr. da prep. *de* com o art. def. fem. *a*: *A professora da turma.* **2** Contr. da prep. *de* com o pron. dem. fem. *a*: *As garrafas estão quase vazias, tire água da que está mais cheia.* [F.: *de* + *a*. Hom./Par.: *da* (contr.), *dá* (fl. de *dar*).]

⊠ **DAC** Sigla de *Departamento de Aviação Civil*

dação (da.*ção*) *sf.* **1** *Antq.* Ato ou efeito de dar, de doar; DOAÇÃO **2** Devolução a alguém de algo que era seu; RESTITUIÇÃO [Pl.: *-ões.*] [F.: Do lat. *datio,onis.*]

⊕ ***da capo*** (*It./da capo/*) *loc.adv. Mús.* Desde o início: *repetir da capo.*

dacarense (da.ca.*ren*.se) *s2g.* **1** Aquele ou aquela que nasceu ou que vive em Dacar (capital do Senegal) ***a2g.*** **2** De Dacar; típico dessa cidade ou de seu povo [F.: Do top. *Dacar* + *-ense.*]

dacha (*da*.cha) *sf.* Na Rússia, casa de veraneio fora da cidade [F.: do russo *datcha.* Forma paral.: *datcha.*]

⊕ ***dachshund*** (*Al./dársrunt/*) *Cinol. sm.* **1** Raça alemã de cachorros muito baixos e dos mais inteligentes, de pernas curtas, corpo bem alongado ("salsicha") e orelhas pensas **2** Cão que pertence a essa raça [Pl.: *Dachshunde* (*al.*).] [NOTA: No Brasil, o *dachshund* é erroneamente chamado bassê.]

dácio (*dá*.ci:o) *sm.* **1** Aquele que nasceu ou que viveu em Dácia (antigo país da Europa [correspondente à Romênia]) ***a.*** **2** De Dácia; típico desse país ou de seu povo [F.: Do lat. *dacius, ii.*]

◎ **dacno-** ***el. comp.*** = 'morder': *dacnomania, dacnômano* [F.: Do v. gr. *dákno.*]

dacnomania (dac.no.ma.*ni*.a) *sf. Psiq.* Distúrbio mental grave em que o indivíduo apresenta forte compulsão de morder a si ou a outra pessoa [F.: *dacno-* + *-mania.*]

dacnomaníaco (dac.no.ma.*ní*.a.co) *Psiq.* ***a.*** **1** Ref. à dacnomania **2** Diz-se de indivíduo que sofre de dacnomania; DACNÔMANO ***sm.*** **3** Esse indivíduo; DACNÔMANO [F.: *dacnoman(ia)* + *-íaco*, seg. o mod. gr.]

dacnômano (dac.*nô*.ma.no) *Psiq. **a. sm.*** O mesmo que dacnomaníaco (2 e 3); DACNOMANÍACO [F.: *dacno-* + *-mano*¹.]

dacriadenalgia (da.cri:a.de.nal.*gi*.a) *sf. Oft.* Dor na glândula lacrimal [F.: *dacri(o)-* + *-aden(o)-* + *-algia.*]

dacriadenite (da.cri:a.de.*ni*.te) *sf. Oft.* Inflamação de glândula lacrimal [F.: *dacri(o)-* + *-aden(o)-* + *-ite*¹.]

◎ **-dacri(o)-** ***el. comp.*** Ver *dacri(o)-*

◎ **dacri(o)-** ***el. comp.*** = 'lágrima': *dacriadenalgia, dacriadenite, dacriorreia; apodacrítico* (< gr.) [F.: Do gr. *dákryon, ou.*]

dacriorreia (da.cri.or.*réi*:a) *sf. Pat.* Fluxo lacrimal contínuo e excessivo [F.: *dacri(o)-* + *-rreia.*]

dactilífero (dac.ti.*lí*.fe.ro) ***a.*** *Zool.* Que contém dedos [F.: *dactil(o)-*, *datil(o)-* + *-ífero.*]

◎ **-dactil(o)-** ***el. comp.*** Ver *datil(o)-*

◎ **dactil(o)-** ***el. comp.*** Ver *datil(o)-*

◎ **-dáctilo** ***el. comp.*** Ver *datil(o)-*

dáctilo (*dác*.ti.lo) ***a.*** **1** Diz-se de pé de verso grego ou latino formado por uma sílaba longa e duas breves ***sm.*** **2** Esse pé de verso [F.: Do gr. *dáktylos, ou*, pelo lat. *dactylus, i.* Tb. *dátilo.*]

dactilografar (dac.ti.lo.gra.*far*) *v.* Ver *datilografar* [▶1 danar] [F.: Composto pelo radical erudito *dactil-* (do grego).]

dactilografia (dac.ti.lo.gra.*fi*.a) *sf.* Ver *datilografia*

dactilográfico (dac.ti.lo.*grá*.fi.co) ***a.*** Ver *datilográfico*

dactilógrafo (dac.ti.*ló*.gra.fo) ***sm.*** Ver *datilógrafo*

dactiloscopia (dac.ti.los.co.*pi*.a) *sf.* Ver *datiloscopia*

dactiloscópico (dac.ti.los.*có*.pi.co) ***a.*** Ver *datiloscópico*

dactiloscopista (dac.ti.los.co.*pis*.ta) ***a2g.s2g.*** Ver *datiloscopista*

⊠ **DAD** Sigla de *disco de áudio digital*

dadaísmo (da.da.*ís*.mo) *sm. Art.Pl. Liter.* Movimento estético que, durante a Primeira Guerra Mundial, contestou as formas e os valores dominantes na arte e na cultura europeias, denunciando as contradições e a violência da civilização através de provocações, do ridículo, da falta de lógica ou de sentido; DADÁ [F.: Do fr. *dadaïsme.*]

dadaísta (da.da.*ís*.ta) ***a2g.*** **1** Relativo ao dadaísmo, ou que tem afinidade com esse movimento: *obra dadaísta; influências dadaístas.* ***a2g.*** **2** Diz-se de pessoa que foi adepta do dadaísmo ou que com este se identificou; DADÁ ***sm.*** **3** Adepto ou integrante do dadaísmo [F.: Do fr. *dadaïste.*]

◎ **-dade** *suf. nom.* Ver *-idade*

dadeira (da.*dei*.ra) *Bras. Pop. sf.* **1** Mulher que com frequência tem ataques de nervos, chiliques **2** Mulher que cede fácil ao sexo promíscuo **3** Mulher que faz sexo por dinheiro; PROSTITUTA [F.: *dado* (part. de *dar*) + *-eira.*]

dádiva (*dá*.di.va) *sf.* **1** Algo que se dá [+ *a*: *dádiva de carinho aos irmãos.*] **2** Ação ou resultado de dar algo a alguém, de boa vontade e espontaneamente **3** *Fig.* Aquilo que é especialmente favorável; fato ou circunstância feliz (que acontece como um presente do acaso, do destino, da providência divina etc.): *filhos são uma dádiva.* [F.: Posv. do lat. *dativa*, pl. de *dativum*, 'donativo'.] ▪▪ **~ de sangue** *Lus.* Doação de sangue

dadivoso (da.di.*vo*.so) [ô] ***a.*** **1** Que gosta de dar ou que costuma dar (sem pedir ou querer nada em troca); GENEROSO; MÃO-ABERTA [Ant.: *avarento, pão-duro, sovina.*] **2** Que costuma dar, por caridade ou compaixão, ajuda material a quem necessita; CARIDOSO **3** *Fig.* Que oferece ou tem a oferecer riqueza ou fartura de coisas boas: *a sábia e dadivosa Natureza.* [Fem. e pl.: [ó].] [F.: *dádiva* + *-oso.*]

dado¹ (*da*.do) ***sm.*** **1** Pequeno cubo marcado em cada face por um número, de um a seis (ger. sinalizados por marcas ou pequenos círculos), e que é us. em jogos (sozinho ou, ger., em par) para que um número seja obtido ao acaso. (O dado é agitado na mão e atirado sobre uma superfície, sendo o resultado o número que aparece na face voltada para cima quando o dado fica em repouso.) **2** *Ant. Mil.* Pelouro cúbico usado pela artilharia: "Os tiros das caravelas tiravam todos com rocas de pedra, e dos dados de ferro eram feridos..." (Gaspar Correia, *Lendas das Índias*) **3** *Arq.* Cubo que serve de base a qualquer estrutura; PLINTO [F.: De or. contrv; posv. do ár. *dad.*] ▪▪ **Jogar ~s com** **1** *Fig.* Deixar que o acaso determine aquilo que acontecerá a (algo ou alguém) **2** Pôr (algo ou alguém) em risco (esp. de modo inconsequente ou irresponsável), em alguma ação ou empreendimento que depende da sorte **Lançar os ~s** Iniciar, fazer ou empreender algo arriscado, que depende da sorte para ter êxito; arriscar

dado² (*da*.do) ***a.*** **1** Que se deu; que foi oferecido, presenteado: *A cavalo dado não se olham os dentes.* **2** Que se concede, permite; FACULTADO: "Eram providências dadas pela viúva." (Camilo Castelo Branco, *A enjeitada.*) **3** Que é afeito; que está habituado: "Foram quase uma revelação para as pessoas dadas ao estudo das questões marítimas." (Rui Barbosa, *Cartas de Inglaterra.*) **4** *Fig.* Que estabelece facilmente relação amigável, afável, amistosa: *É uma moça comunicativa, muito dada com todo mundo.* **5** Que é usual, comum **6** Diz-se de cavalo que, cansado, passa a obedecer a seu cavaleiro **7** Datado: *Dado em Lisboa aos 15 dias do mês de março.* ***Pr.indef.*** **8** Não determinado; ALGUM; CERTO: *Em dado momento ouviu-se um grito.* ***sm.*** **9** Algo já conhecido que contribui para a formulação de um pensamento, para a solução de um problema etc.: *Procurava novos dados para sua argumentação; Um novo dado vital esclareceu o crime.* **10** Resultado de uma investigação ou pesquisa: *Os dados estatísticos não provavam grande coisa.* **11** Informação ou conjunto de informações esclarecedoras sobre uma pessoa, um grupo ou instituição: *Queremos todos os dados sobre esse cidadão.* **12** *Bras.* O que é característico de algo, de alguém: *Um dado fundamental da ciência é o estudo e o aprimoramento constantes.* **13** *Inf.* Informação que um computador pode processar **14** *Fil.* Elemento inicial ou básico de um processo de conhecimento **15** Aquilo que foi combinado: *O dado era sair às 9 horas.* **16** Elemento fundamental que resulta ou é próprio da natureza ou da condição de algo: *Faltam a esse estudo mais dados sobre a vida no campo.* **17** *Ling.* Cada um dos enunciados de uma língua, estabelecido como elemento capaz de ser a base de um estudo, teoria etc. sobre essa língua (sua composição, estrutura etc.) [F.: Do lat. *datus, a, um*, part.pass. do v.lat. *dare.*] ▪▪ **~ que** **1** Já que, uma vez que: *Dado que você estudou, deverá fazer boa prova.* **2** Se: *Dado que chegue a tempo, poderá participar.* **3** Embora, apesar de que: *Dado que estivesse chovendo, não vestiu a capa.*

dador (da.*dor*) [ô] ***a.*** **1** Que dá, que concede a outrem **2** *Jur.* Diz-se de pessoa que outorga; CONCESSOR; OUTORGANTE [Ant.: *outorgado, recebedor.*] ***sm.*** **3** Aquele que dá, que concede a outrem **4** *Jur.* Pessoa que outorga; CONCESSOR; OUTORGANTE [Ant.: *outorgado, recebedor.*] **5** *Lus.* O mesmo que *doador*: *dador de sangue.* [F.: Do lat. *dator, oris.*]

dáfnia (*dáf*.ni:a) *sf. Zool.* Denominação comum aos crustáceos cladóceros de água-doce, da fam. dos dafnídeos, do gên. *Daphnia*, de carapaça transparente, conhecido como pulga-d'água, muito us. para alimentar peixes de aquário [F.: Do lat. cient. gên. *Daphnia.*]

◎ **dafn(o)-** ***el. comp.*** = 'loureiro': *dafnomancia, dafnomante* [F.: Do gr. *dáphne, es.*]

dafnomancia (daf.no.man.*ci*.a) *sf. Oct.* Predição que se baseia na queima das folhas do loureiro [F.: *dafn(o)-* + *-mancia.*]

dafnomante (daf.no.*man*.te) *s2g. Oct.* Aquele que pratica a dafnomancia [F.: *dafn(o)-* + *-mante.*]

⊠ **dag** Símb. de *decagrama*

dagã (da.*gã*) *sf. Bras. Rel.* A mais antiga das duas filhas de santo que realizam o padê de Exu com o babalorixá (a outra é a *sidagã*); IADAGÃ [F.: Posv. do ior. *da*, 'tornar-se' + *oga* 'chefe, superior'.]

daguerreotipia (da.guer.re.o.ti.*pi*:a) *sf. Fot.* Antigo método fotográfico baseado na ação do vapor de iodo sobre uma placa sensibilizadora de prata [F.: *daguerreótipo* + *-ia.*]

daguerreótipo (da.guer.re.*ó*.ti.po) ***sm.*** **1** Aparelho fotográfico inventado por Daguerre (1787-1851), físico e pintor francês, em 1839, em que uma chapa de cobre era emulsionada com vapores de mercúrio **2** Imagem obtida com esse aparelho [F.: Do fr. *daguerréotype.*]

daí (da.*í*) **1** Desse lugar; do lugar antes mencionado, ou do lugar onde está a pessoa com quem se fala: *Você vê bem daí?* **2** Desse ponto; desse momento: *Vi você no almoço; daí até a noite o que fez?* [Acompanhado ger. de loc. de lugar ou tempo: *daí* para frente, *daí* em diante, *daí* de cima.] **3** Dada essa circunstância, por causa disso: *Tinha um ligeiro sotaque, daí deduzi que era estrangeiro; O temporal impediu-nos de sair, daí desistimos.* [Pode exprimir ideia de decorrência factual, ou de conclusão ou inferência lógica.] **4** Em continuação, e depois, a seguir; então: *Esperou que ela chegasse, daí saíram juntos.* [F.: Contr. da prep. *de* com o adv. *aí*. Hom./Par.: *daí*, *dai* (fl. de *dar*).] ▪▪ **E ~** **1** Us. para perguntar sobre a continuação de um evento narrado: *Você contou que o carro derrapou e saiu da estrada. E daí, o que aconteceu?* **2** Us. para perguntar sobre a importância ou as consequências de um fato, ou sobre as conclusões que podem ser tiradas de uma afirmação **3** Us. como forma de expressar a pouca importância atribuída a algo: *Está cansado? E daí? É preciso terminar o trabalho!* [Tb. se usa seguido de *que*: *E daí que não convidaram você? Você não queria mesmo ir à festa!*]

daimista (da:i.*mis*.ta) *Bras.* ***a2g.*** **1** Ref. ao santo-daime ou que é adepto desta seita ***s2g.*** **2** Aquele que é adepto do santo-daime [F.: *daime* + *-ista.*]

⊠ **dal** Abrev. de *decalitro*

dalai-lama (da.lai-*la*.ma) ***sm.*** *Rel.* O líder religioso do lamaísmo [Pl.: *dalai-lamas.*] [F.: Do tibetano *dalai-lama*; do mongol *dalai*, 'oceano'.]

dalém (da.*lém*) Do lado de lá de, de um lugar mais distante que [*os sons de tiro vêm dalém daquelas montanhas; costumes dalém da fronteira.* NOTA: Pode indicar procedência/origem ou pertencimento.] [F.: Contr. da prep. *de* com o adv. *além.*]

dalgum (dal.*gum*) Contr. da prep. *de* com o pron. indef. *algum*: *Veio dalgum aeroporto do Sul.*

dali (da.*li*) **1** Daquele lugar: *Saíram dali e foram para outro lugar; Não são dali da aldeia, são forasteiros.* [Pode indicar origem/procedência ou pertencimento.] **2** Desse ou daquele momento; a partir de então [Não raro é acompanhado de loc. que expressa lugar ou tempo: *dali de cima*; *dali para trás*; *dali em diante.*] [F.: Contr. da prep. *de* com o adv. *ali.*]

dália (*dá*.li:a) *sf.* **1** *Bot.* Denom. comum às plantas do gên. *Dahlia*, da fam. das compostas, nativas de regiões de altitude do México à Colômbia, muito cultivadas pelas flores lindíssimas, de variadas cores **2** *Bot.* A flor dessas plantas **3** *Bras. Cin. Teat. Telv.* Texto que fica oculto no cenário ou ao lado da câmera para que atores, locutores etc. dele se utilizem [O texto era disfarçado originalmente em um vaso de flores, daí o nome.] [F.: Do lat. cient. *Dahlia*, do antr. (*Anders*) *Dahl* (-1789), botânico sueco.]

dálmata (*dál*.ma.ta) *s2g.* **1** Pessoa nascida na antiga Dalmácia, região hoje dividida entre a Croácia, Bósnia-Herzegóvina e Iugoslávia; DALMACIANO; DALMATENSE ***sm.*** **2** *Gloss.* Língua falada na antiga Dalmácia; DALMÁTICO **3** *Cin.* Raça de cachorro de pelo curto e branco com pintas pretas ou pardas, porte médio, orelhas pensas, altamente adestrável **4** *Cin.* Cão dessa raça ***a2g.*** **5** Da Dalmácia; típico dessa região e de seu povo; DALMACIANO; DALMATENSE **6** *Gloss.* Do ou ref. ao dálmata **7** Ref. a essa raça ou a esse cão [F.: Do lat. *dalmatae,arum.*]

dalmatense (dal.ma.*ten*.se) ***s2g. a2g.*** O mesmo que *dálmata* (1 e 5) [F.: Do top. *Dalmácia*, sob a f. lat. *Dalmat-*, + *-ense*, seg. o mod. erudito.]

daltônico (dal.*tô*.ni.co) ***a.*** **1** Diz-se de pessoa que não distingue visualmente as cores (ou certas cores), que tem daltonismo ***sm.*** **2** Essa pessoa [F.: *daltonismo* + *-ico*², seg. o mod. grego.]

daltonismo (dal.to.*nis*.mo) ***sm.*** **1** *Med.* Distúrbio da visão que impede a percepção correta das cores, esp. o vermelho e o verde **2** *Fig.* Falta de sensibilidade, de perspicácia ou de capacidade de compreensão em relação a certos assuntos ou aspectos da realidade (daltonismo social) [F.: Do fr. *daltonisme*, do antr. (*John*) *Dalton* (1766-1844), físico e químico inglês, + suf. fr. *-isme* (< gr.).]

⊠ **dam** Símb. de *decâmetro*

dama (*da*.ma) *sf.* **1** Mulher de família nobre (dama do castelo) **2** Designação honorífica ou respeitosa de qualquer mulher adulta, casada ou solteira: "Algumas damas empunhavam binóculos." (Raul Pompeia, *O Ateneu*) 3 Mulher que dança com um homem: *Escolheu a dama para a primeira dança.* [Nesta acp. opõe-se a *cavalheiro*.] 4 *Lud.* Peça do xadrez, a mais importante depois do rei 5 *Lud.* Carta do baralho que tem figura feminina: *dama de copas.* 6 *Lud.* No jogo de damas, a peça que atinge a última fileira do lado adversário 7 *N.E. MG GO* Meretriz [Nesta acp., tb. se diz mulher-dama.] 8 Na Idade Média, a esposa de um senhor feudal ou aquela que possuía um feudo 9 *Afr.* Mulher ou namorada [F.: Do fr. *dame.*] ■ ~ **de companhia** Mulher, ger. profissional, que faz companhia a alguém ~ **de honor** 1 *Ant.* Mulher da corte, e que ger. morava no palácio (do rei, de um nobre etc.) 2 Mulher jovem que, em cerimônia de casamento, acompanha a noiva no cortejo nupcial; dama de honra ~ **de honra** *Bras.* Ver *Dama de honor* **Primeira** ~ *Bras.* Mulher de chefe de governo **Ser uma** ~ *Fam.* Ser educado, de boas maneiras, gentil (homem ou mulher)

dama-da-noite (da.ma-da-*noi*.te) *sf.* Arbusto (*Cestrum nocturnum*) da fam. das solanáceas, ornamental, de folhas lanceoladas e pequenas flores branco-esverdeadas de intenso perfume à noite; JASMIM-DA-NOITE [Pl.: *damas-da-noite.*]

damanense (da.ma.*nen*.se) *s2g.* 1 Pessoa que nasceu ou que vive em Damão (Índia) *a2g.* 2 De Damão; típico dessa cidade ou de seu povo [F.: Do top. *Damão* + *-ense*, seg. o mod. erudito.]

damas (*da*.mas) *sfpl.* Jogo em que, num tabuleiro com 64 quadrados de duas cores alternadas, dois parceiros movimentam diagonalmente suas pedras (brancas ou pretas, em número de 12 para cada um), visando a tomar o maior número de pedras do adversário e atingir o lado oposto do tabuleiro; JOGO DE DAMAS [F.: De or. contrv; posv. do espn. (*ajedrez de la*) *dama.*]

damasceno (da.mas.*ce*.no) *sm.* 1 Pessoa nascida ou que vive em Damasco, capital da Síria (Ásia) *a.* 2 De Damasco; típico dessa cidade ou de seu povo [F.: Do lat. *damascenus, a, um.*]

damasco (da.*mas*.co) *sm.* 1 Fruto comestível do damasqueiro, de casca aveludada e polpa macia, semelhante ao pêssego, e que, maduro, tem cor amarelo-avermelhada; ABRICÓ; ALPERCHE 2 A cor amarelo-avermelhada do damasco (1) maduro 3 Tecido de seda, com trama ornamental de cetim e tafetá, com flores e desenhos em relevo, originalmente fabricado em Damasco, Síria; ADAMASCADO 4 Tecido de lã, linha ou algodão semelhante ao damasco (tecido) original *a2g2n.* 5 Que tem a cor damasco (2): *cortinas damasco.* 6 Diz-se dessa cor: *saia de cor damasco.* [F.: Do top. *Damasco* (< lat. *Damascus, i*), cidade da Síria.]

damasqueiro (da.mas.*quei*.ro) *sm. Bot.* Árvore da família das rosáceas (*Prunus armeniaca*) que dá o damasco; ABRICOZEIRO; ALPERCHEIRO [F.: *damasco* + *-eiro.*]

damasquinação (da.mas.qui.na.*ção*) *sf.* Ação ou resultado de damasquinar; DAMASQUINAGEM [Pl.: *-ções.*] [F.: *damasquinar* + *-ção.*]

damasquinado (da.mas.qui.*na*.do) *a.* 1 Ornado com incrustações de ouro e/ou prata, ou outro metal (diz-se de metal ou de objeto do qual é feito) 2 Ornado com damasco (3), tecido trabalhado em relevo [F.: Part. de *damasquinar.*]

damasquinagem (da.mas.qui.*na*.gem) *sf.* O mesmo que *damasquinação* [Pl.: *-gens.*] [F.: *damasquinar* + *-agem*², ou do fr. *damasquinage.*]

damasquinar (da.mas.qui.*nar*) *v. td.* 1 Fazer ornamentos em (tecido, couro, metal etc.) por meio de rebaixamento do fundo para pôr em relevo os motivos decorativos [Essa técnica é originária de Damasco, Síria, de onde o nome.] 2 Fazer incrustação de metal (ouro, prata etc.) em (objeto, peça de metal) com ornamento; TAXIAR [▶ 1 damasquinar] [F.: Do fr. *damasquiner.*]

damasquino (da.mas.*qui*.no) *sm.* 1 Pessoa nascida ou que vive em Damasco, capital da Síria; DAMASCENO *a.* 2 De Damasco; típico dessa cidade ou de seu povo; DAMASCENO 3 Ref. à arma branca tauxiada de ouro ou de prata [F.: Do it. *damaschino.* Hom./Par.: *damasquino* (fl. de *damasquinar*).]

danação (da.na.*ção*) *sf.* 1 Ação ou resultado de danar(-se) 2 *Rel.* Condenação da alma aos castigos eternos; CASTIGO [Ant.: *absolvição, salvação.*] 3 Raiva, fúria, zanga 4 Hidrofobia, raiva 5 *N.E.* Situação de grande desordem e agitação; BALBÚRDIA; CONFUSÃO: *Estive doente e a casa ficou uma danação.* 6 *Bras. Pop.* Travessura, diabrura, traquinada 7 Decadência física, moral ou material; RUÍNA: *A droga causou a danação do infeliz.* [Pl.: *-ções.*] [F.: Do lat. *damnatio, onis.*]

danado (da.*na*.do) *a.* 1 Diz-se de pessoa que é forçada a sofrer castigo ou punição; CONDENADO; AMALDIÇOADO 2 *Restr. Rel.* Que foi condenado a sofrimentos intensos no Inferno, como castigo por pecado(s) 3 Diz-se de pessoa que está zangada, furiosa; IRADO [+ *com*: *Ficou danado com o irmão porque ele demorou.*] 4 Diz-se de pessoa que tem má índole, que pratica maldades 5 *Bras. Fam.* Diz-se de pessoa, esp. criança, que faz travessuras (menino danado) [Ant.: *comportado.*] 6 Diz-se do que é extraordinário, incrível: "...tenho andado com uma sorte para mulheres, menino! Uma sorte danada!" (Eça de Queirós, *Os Maias*) 7 Diz-se de pessoa muito valente: "O Reinaldo é valente como mais valente, sertanejo supro. E danado jagunço..." (Guimarães Rosa, *Grande sertão: veredas*) 8 *Bras.* Muito forte e incômodo, ruim: *uma dor de cabeça danada!* 9 *Bras.* Hábil, esperto, jeitoso: *empregado danado no trabalho.* 10 Hidrófobo (cão danado) 11 Us. para acentuar, intensificar, exagerar aquilo que se diz de algo ou alguém [Ver loc. *danado de.*] 12 Que tem ou mostra forte atração, interesse, vontade etc. [Ver loc. *danado para* e loc. *danado por.*] *sm.* 13 Pessoa que foi condenada 14 Pessoa que está zangada, furiosa 15 Pessoa que tem má índole, que pratica maldades 16 Pessoa, esp. criança, que faz travessuras 17 Pessoa muito valente 18 *Bras.* Pessoa hábil, esperta, jeitosa [F.: Do lat. *damnatus,* part. pass. do v.lat. *damnare.*] ■ ~ **de** *Bras. Pop.* Muito: *Este sorvete é danado de bom!* ~ **para** 1 *Pop.* Com muita vontade de, ansioso por: *Ela está danada para tirar férias.* 2 Que ou quem tem o hábito de (fazer algo): *Que menino danado para fazer travessuras!* ~ **por** *Pop.* Que gosta muito de, amante de: *Sou danado por chocolate.*

danar (da.*nar*) *v.* 1 Causar ou dano, prejuízo, mal, estrago etc. a (alguém ou algo), ou sofrer dano, prejuízo, mal, estrago etc; ESTRAGAR; DANIFICAR [*td.*: *O sol danava a plantação.*: "...A calma dos lagos zangou-se / A rosa dos ventos danou-se..." (Chico Buarque, *Rosa dos ventos*)] [*int.*: *Um vinho mesclado com água se adultera e dana.*] 2 Causar ou passar por depravação, degeneração; CORROMPER; PERVERTER [*td.*: *As más companhias e o vício acabaram por daná-lo.*] [*int.*: *Sujeito a más influências e fraco de caráter, danaram-se seu corpo e sua mente.*] 3 *Fig.* Causar ou sentir grande irritação; ENFURECER [*td.*: *Tamanha irresponsabilidade danou seu pai.*] [*tr.* + *com*: *Danou-se com a acusação injusta.*] 4 *Fig.* Pôr-se a fazer algo difícil, trabalhoso etc., de modo incansável; esforçar-se muito, ou sacrificar-se (para alcançar ou realizar algo); EXTENUAR [*tdr.* + *de*: *Danava-se de trabalhar para sustentar os filhos.*] 5 *Fig. Pext.* Perder o controle de si mesmo ao fazer algo, e por isso fazê-lo em demasia, em excesso, de modo incontrolável, descontrolado [*tdr.* + *de*: *danar-se de rir; danar-se de chorar.*] 6 Fugir às pressas; pôr-se em fuga [*ta.*: *Danou(-se) pelas estradas sem rumo.*] 7 Ser atacado de hidrofobia, ou transmitir essa doença a (pessoa ou animal) [*int.*: *Se não tivesse tomado todos os cuidados em área tão infestada, seus animais iriam danar e morrer.*] [*td.*: *Um animal infectado danou o menino.*] 8 Atirar (algo) em/contra, ger. com a intenção de causar dano, prejuízo ou mal a alguém, ou com o intuito de destruir a coisa arremessada [*tda.*: *Danou a panela na cabeça do ladrão; Danou o jarro contra a parede.*] [▶ 1 danar É v. aux. na locução "*danar a* + infinitivo", e ali significa 'começar, principiar a fazer algo (repetidamente ou por muito tempo)': *Meus pais danavam a contar histórias à noite.*] [F.: Do lat. *damnare.* Hom./Par.: *dano* (fl.), *dano* (*sm.*).] ■ ~ **a** *Bras.* Começar a: *Assustado, danou a berrar.* **dane(m)-se** Ver: *Que se dane(m).* **danou-se** 1 *N.E. Pop.* Exclamação que expressa que está tudo perdido, sem solução 2 Exclamação que expressa surpresa **E danou-se** *Bras. Gír.* Ver *E lá vai fumaça* no verbete *fumaça* [Cf.: *danou-se.*] **Pra** ~ *Bras. Pop.* Muito, demasiadamente: *Ele fala pra danar!* **Que se dane(m)** 1 *Pop.* Us. para desejar mal a ou desprezar o destino de outrem: *Vou fazer o que acho certo e ele que se dane.* 2 Us. como loc. interjetiva que expressa repulsa, desprezo, desânimo, ou para desejar mal a outrem; dane-se, danem-se

dança (*dan*.ça) *sf.* 1 Arte e técnica de acompanhar o ritmo da música com movimentos intencionais ou harmoniosos do corpo (seja de modo convencional ou improvisado) 2 Série de movimentos realizados em acompanhamento ao ritmo de uma música; ação de dançar ou modo de dançar (dança folclórica, danças típicas): *Admira a dança dos russos.* 3 *Mús.* Música composta ou executada para ser acompanhada por dança (2), por movimentos do corpo 4 *Pop.* Baile; reunião, festa ou outra ocasião em que várias pessoas dançam: *Esta noite vai ter dança.* 5 *Med.* Movimento neurológico anormal 6 *Fig.* Movimentação de pessoas que agem ou interagem; processo ou situação dinâmicos, cheios de modificações: *Vai começar a dança dos candidatos a cargos públicos.* 7 *Fig.* Série de fatos e elementos, ou assunto, que é difícil de acompanhar, de compreender; situação confusa, questão complicada: *a dança dos preços.* 8 *Zool.* Série de movimentos ou padrão de comportamento observados em certas espécies de aves, esp. na ocasião da formação de casais para reprodução 9 *Zool.* Movimentos corporais que as abelhas realizam perante outras da colmeia e que têm função comunicacional, servindo para indicar direção e distância de fontes de alimentos [F.: Do fr. *danse*, posv. Hom./Par.: *dança* (sf.), *dança* (fl. de *dançar*).] ■ **cair na** ~ *Fig.* Ver *Entrar na dança* ~ **clássica** Dança que segue as regras de movimentos, gestos e passos da escola clássica de coreografia, ou seja, do balé clássico ~ **da fecundidade** *Teat.* Na Grécia antiga, dança ritual em honra ao deus Dioniso; dança fálica ~ **das cadeiras** 1 Brincadeira em que se dança em torno de cadeiras dispostas uma ao lado da outra e em número menor que o de participantes, que tentam assegurar um lugar o mais rápido possível, quando a música para de tocar 2 *Fig.* Troca recorrente das pessoas responsáveis por determinados cargos ou funções: *A dança das cadeiras na Fórmula 1, visando à temporada 2005, esquentou de vez.* ~ **de São Guido** *Pat.* Coreia (distúrbio neurológico) ~ **de São Vito** *Pat.* Coreia (distúrbio neurológico) ~ **do ventre** Dança oriental executada por mulher que move contínua e onduladamente o ventre, ger. nu ~ **dos paulitos** *Lus. Folc.* Dança de Portugal, na qual os dançarinos, empunhando pauzinhos, imitam os gestos de profissionais (carpinteiros, barbeiros etc.) ~ **dramática** *Bras.* Qualquer bailado popular que encena uma história, um assunto etc. (como bumba meu boi, maracatu, pastoril etc.) ~ **fálica** *Teat.* Ver *Dança da fecundidade* ~ **macabra** 1 Dança que se encenava no fim da Idade Média, simbolizando a igualdade entre os mortais, e que representava a morte como uma personagem a levar com ela, indistintamente, pessoas de diversas idades e condições sociais 2 Representação, em imagens, dessa dança ou de cena similar 3 *Pext.* Qualquer cena, real ou encenada, que faz lembrar a morte ou em que esta acontece, e que no entanto também tem alguma beleza ou lembra uma coreografia ~ **moderna** Forma de dança cuja técnica (passos, coreografia etc.) baseia-se na expressão corporal, livre dos rigores ou das convenções da dança clássica **Entrar na** ~ 1 Envolver-se em algo, iniciar certa atividade, entrar em negócio (por iniciativa própria ou juntando-se a outras pessoas) 2 Entrar em confusão, briga ou tumulto; cair na dança

dançadeira (dança.*dei*.ra) *sf.* 1 Mulher que gosta muito de dançar, que dança muito 2 Dançarina [F.: *dançar* + *-deira.*]

dança de santo antônio (dan.ça de san.to an.*tô*.ni:o) *Neur.* Ver *Coreia de Sydenham*, no verbete *coreia*

dança de são guido (dan.ça de são *gui*.do) *Neur.* Ver *Coreia de Sydenham*, no verbete *coreia*

dança de são vito (dan.ça de são *vi*.to) *sf. Pop. Neur.* Síndrome provocada por estreptococos e caracterizada por movimentos involuntários e rápidos na base dos membros; COREIA DE SYDENHAM; DANÇA DE SÃO GUIDO [Pl.: *danças de são vito.*]

dançado (dan.*ça*.do) *a.* 1 Que se dançou ou se dança 2 Ref. a dança ou a quem dança: *Tinha um passo dançado.* [F.: Part. de *dançar.*]

dançador (dan.ça.*dor*) [ô] *a.* 1 Diz-se de indivíduo que dança ou gosta de dançar, ou do que dança por profissão; DANÇARINO *sm.* 2 Esse indivíduo [F.: *dançar* + *-dor.*]

dançante (dan.*çan*.te) *a2g.* 1 Em que há dança (chá dançante, espetáculo dançante) 2 Feito para dançar ou que dá vontade de dançar (música dançante, ritmo dançante) 3 Que dança ou faz movimentos semelhantes aos de dança (ave dançante) *s2g.* 4 Pessoa que dança em festa, ou em festividades e bailados populares, procissões etc. [F.: *dançar* + *-nte.*]

dançar (dan.*çar*) *v.* 1 Fazer movimentos corporais para acompanhar música ou ritmo, como forma de arte, por prazer ou expressividade individual, ou de modo convencional (como em rituais etc.) [*int.*: *Os convidados dançaram durante a festa de formatura.*] 2 *Restr.* Fazer os passos ou movimentos próprios de (certa dança) [*td.*: *dançar forró; dançar um tango argentino.*] 3 *Gír.* Dar-se mal (ger. em acontecimento, negócio, disputa, tentativa ou ação em que haja risco de alguma espécie); sair perdendo algo; levar a pior [*int.*: *Deu bobeira, não foi esperto, e acabou dançando.*] 4 *Gír.* Perder a liberdade; ser preso [*int.*: *Foi pego em flagrante e dançou.*] 5 *Gír.* Perder a vida (por uso de drogas) ou ser assassinado [*int.*: "Eu tinha consciência do risco que estava correndo por usar drogas. Era um jogo... e eu perdi para elas. Só não dancei." (Esmeralda Ortiz, Entrevista interativa)] 6 *Fig.* Estar solto, frouxo [*int.*: *Mandou ajustar a calça que estava dançando.*] 7 *Fig.* Mover-se ou agitar-se mais ou menos livremente, ou desordenadamente, impelido por algo; oscilar, balançar [*int.*: "E o teu barco negro / Dançava na luz..." (David Mourão-Ferreira, *Barco negro*)] 8 *Pop.* Não se realizar conforme esperado ou desejado; ser desfeito, cancelado (acordo, plano, negócio etc.), ger. contra a vontade, ou causando decepção [*int.*: *Meu sonho de viajar nas férias dançou.*] [▶12 dançar] [F.: Do fr. *danser.* Hom./Par.: *dança, danças* (fl.), *dança(s)* (*sf.*[pl.]).] ■ ~ **conforme tocam** Fazer aquilo que outros esperam ou exigem, ou que as circunstâncias parecem impor; dançar conforme a música (ver em *música*)

dançarino (dan.ça.*ri*.no) *sm.* 1 Homem que dança, esp. aquele que o faz por ofício; BAILARINO 2 Homem que dança bem, ou que gosta de dançar *a.* 3 Diz-se desse homem 4 Ref. a dança 5 *Fig.* Que tem qualidades que lembram a arte ou os movimentos da dança, ou aqueles que dançam bem: *equilíbrio dançarino; graça e leveza dançarinas.* [F.: *dançar* + *-ino*, por infl. do it. *ballerino.*]

dançarola (dan.ça.*ro*.la) *sf. S.* Pequeno baile popular; DANÇATA [F.: *dançar* + *-ola.*]

dança-teatro (dan.ça-te.*a*.tro) *sf.* Espetáculo que mistura, ao mesmo tempo, técnicas de dança e teatro, de coreografia e pantomima, de ritmo e expressão corporal: *Uma companhia alemã desenvolve nova linguagem na dança-teatro contemporânea.* [Pl.: *danças-teatro.*]

dançável (dan.*çá*.vel) *a.* Que se pode dançar, próprio para dançar (diz-se de ritmo ou música): *Música erudita muitas vezes não é dançável.* [Pl.: *-veis.*] [F.: *dançar* + *-ável.* Hom./Par.: (pl.) *dançáveis, dançáveis* (fl. de *dançar*).]

danceteria (dan.ce.te.*ri*:a) *sf. Bras.* Casa noturna em que se pode beber e que conta com uma pista de dança [F.: Deriv. de *dançar*, em anal. com *cafeteria, sorveteria* etc.]

⊕ **dancing** (*Ing./déncin/*) *sm.* Casa noturna em que se paga para dançar; SALÃO DE DANÇA

dandalunda (dan.da.*lun*.da) *sf.* 1 *Bras. Rel.* Nome dado a Iemanjá no rito angola-congo 2 Nome dado aos orixás que vêm do fundo do mar (p.ex., Omolu-Dandalunda) [Inicial maiúsc. nas duas acp.] [F.: De or. obsc.]

dândi (*dân*.di) *sm.* 1 Homem que se veste com requinte; ALMOFADINHA; FRAJOLA 2 *Pext.* Homem de delicadeza afetada e presumida [F.: Do ing. *dandy.*]

dandismo (dan.*dis*.mo) *sm.* 1 Modo de ser ou de se apresentar de um dândi; FACEIRICE; GARRIDICE 2 *Pext. Pej.* Afetação e artificialismo de dândi [F.: Do ing. *dandyism.*]

danês (da.*nês*) *a. sm.* O mesmo que *dinamarquês* (1 e 3) [F.: Do fr. *danois.*]

dangbé (dang.*bé*) *Bras. Rel. sm.* 1 Nos cultos de origem jeje, serpente sagrada do equilíbrio e do movimento, representada engolindo a própria cauda; DÃ 2 Em São Luís do Maranhão, no culto jeje da Casa das Minas, entidade espiritual infantil equivalente ao erê dos candomblés nagôs [F.: Posv. do jeje *dangbe*, 'serpente sagrada'.]

danificação (da.ni.fi.ca.*ção*) *sf.* Ação ou resultado de danificar; DANO; ESTRAGO; RUÍNA [Pl.: *-ções.*] [F.: *danificar* + *-ção.*]

danificado (da.ni.fi.*ca*.do) *a.* Que se danificou; que sofreu dano; AVARIADO; ESTRAGADO [F.: Part. de *danificar.*]

danificar (da.ni.fi.*car*) *v.* 1 Causar dano físico a (algo); alterar para pior, ou fazer com que perca valor, utilidade etc; DETERIORAR; ESTRAGAR; PREJUDICAR [*td.*: *A ferrugem danificou as dobradiças; O acidente danificou-lhe as feições.*] 2 *Pext.* Causar algum tipo de alteração permanente em (máquina, aparelho etc.), que impede ou dificulta o bom funcionamento [*td.*: *A* *alteração de voltagem danificou o motor da geladeira.*] 3 *Jur.* Provocar dano moral a; alterar a natureza ou as qualidades de (algo), diminuindo-lhe a importância, o prestígio etc. [*td.*: "...poderiam danificar a constituição da sociedade familiar..." (José Airton de Amorim, *Breves anotações sobre as formas de constituição da família segundo a Constituição atual*)] 4 Sofrer dano, diminuição da integridade ou do valor (materiais ou morais) [*int.*: *Sua imagem danificou-se após o escândalo.*] [▶11 danificar] [F.: Do lat. *damnificare.*]

daninho (da.*ni*.nho) *a.* 1 Que causa dano(s), estrago(s); DANOSO; NOCIVO [+ *a*, *para*: *daninho a /para o coração/ plantação.* Ant.: *benéfico, favorável.*] 2 Que pratica ou leva a praticar ações más; mau, ruim, perverso (influência daninha, temperamento daninho) [Ant.: *bom, bondoso.*] 3 *N.E.* Endiabrado, traquinas, travesso [Ant.: *comportado, dócil.*] 4 Diz-se de seres vivos que trazem doenças ou prejudicam atividades humanas, esp. das plantas que causam estragos a plantações (erva daninha) [F.: *dano*¹ + -*inho*².]

danisco (da.*nis*.co) *a.* 1 *Bras. Fam.* Esperto, sabido ou valente demais; DANADO 2 *N.E.* Que se espanta à toa (cavalo danisco); ARISCO [F.: *dano*+ -*isco*.]

dannemorita (dan.ne.mo.*ri*.ta) *sf. Min.* Silicato básico de ferro, manganês e magnésio [F.: Do top. sueco *Dannemora* + -*ita*.]

dano (*da*.no) *sm.* 1 Modificação ou alteração (por processo natural, por acidente, ou por ação intencional), que torna algo defeituoso; perda de certas boas qualidades, da boa condição, do valor, da beleza, utilidade etc; DETERIORAÇÃO; ESTRAGO [+ *a*, *para*: *dano a /para o meio ambiente/ à saúde.*] 2 Qualquer mal, afronta ou humilhação pessoal causados a alguém: "Somente o Céu severo, / as Estrelas e o Fado sempre fero, / com meu perpétuo dano se recreiam" (Camões, *Canção IX*) 3 Prejuízo ou ofensa moral [+ *a*, *para*: *dano à /para a reputação.*] 4 Prejuízo ou estrago material [+ *a*, *para*: *danos à /para a propriedade.*] 5 *Restr. Jur.* Diminuição do valor dos bens possuídos por alguém, devido à ação direta, influência ou omissão de outrem; prejuízo financeiro ou patrimonial [F.: Do lat. *damnum, i.*] ▪ **~ emergente** 1 *Jur.* Consequência danosa do não cumprimento de um contrato 2 Perda real em dinheiro **~ infecto** *Jur.* Prejuízo possível ou iminente

danoso (da.*no*.so) [ô] *a.* Que causa dano, mal; DANINHO; NOCIVO: *O fumo é danoso para os pulmões.* [F.: Do lat. *damnosus, a, um.* Fem. e pl.: [ó].]

dantes (*dan*.tes) 1 Contr. da prep. *de* com o adv. *antes* 2 Antes, anteriormente 3 Antigamente [F.: *de* + *antes*.]

dantesco (dan.*tes*.co) [ê] *a.* 1 Ref. ao poeta italiano Dante Alighieri (1265-1321) 2 Próprio da ou semelhante à descrição poética do inferno e dos sofrimentos das almas, feita na primeira parte do poema a *Divina Comédia* de Dante (estilo dantesco) 3 *Fig.* Que traz, evoca ou é marcado por horrores, sofrimentos, desespero, pavor (cenas dantescas) [F.: Do antr. *Dante* + -*esco*.]

danubiano (da.nu.bi:*a*.no) *sm.* 1 Indivíduo nascido ou que vive às margens do rio Danúbio (Europa) *a.* 2 Do rio Danúbio; típico desse rio ou daqueles que vivem às suas margens [F.: Do top. *Danúbio* + -*ano*¹.]

◎ **-dão** *suf. nom.* Ver -(*i*)*dão*

daomeano (da:o.me.*a*.no) *sm.* 1 Pessoa nascida ou que viveu no antigo Daomé, atual República do Benim (África) 2 *Gloss.* Língua falada no antigo Daomé; FOM *a.* 3 Do Daomé; típico dessa região ou de seu povo 4 Do ou ref. ao daomeano (2) [F.: Do top. *Daomé* + -*ano*¹.]

dápraba (*dá*.pra.ba) *sf.* Ritual de iniciação em que os índios xavantes, depois de cerimônia, cantam e dançam juntos

daquele (da.*que*.le) [ê] 1 Indica origem em, ou pertencimento a, algo ou alguém indicado e não muito próximo: *Depois daquele dia nunca mais o vi; Daquela direção não vem ninguém; Esta bola é daquele menino.* 2 *Pop.* Us., sempre no pl., para dar ideia de que algo ou alguém é incomum, extraordinário, ou que tem em alto grau certa qualidade (boa ou má): *Hoje está um frio daqueles!* (= *'muito forte, intenso'*); *uma prova daquelas* (= *'muito difícil'*). [F.: Contr. da prep. *de* com o pron. dem. *aquele*.]

daqueloutro (da.que.*lou*.tro) Contr. de *daquele* com o pron. indef. *outro*: *Lemos os livros daquele e daqueloutro autor.*

daquém (da.*quém*) Contr. da prep. *de* com o adv. *aquém*: *De volta a Lisboa, Camões refugiou-se no mundo daquém mar.*

daqui (da.*qui*) 1 Deste lugar (onde está a pessoa que fala ou escreve): *Daqui se vê o mar.* 2 Deste ponto, posição ou situação (próxima a e indicada por quem fala): *Li daqui até o fim do poema.* [Acompanhado ger. de loc. que expressam lugar: daqui de cima; daqui em diante; daqui pra frente.] 3 Deste instante; desde agora; a partir do momento presente ou do momento indicado por quem fala: *Daqui até o dia da prova terá que estudar muito; daqui para frente.* [Acompanhado ger. de loc. que expressam tempo.] [F.: Contr. da prep. *de* com o adv. *aqui*.] ▪ **~ a** Dentro de, depois de (um certo tempo): *A corrida vai começar daqui a três minutos.* **Estar/ser ~** *Fam.* Ser muito bom, bonito etc. (ger. acompanhado de gesto, puxando o lóbulo da orelha); ser da pontinha

daquilo (da.*qui*.lo) Contr. da prep. *de* com o pron. dem. *aquilo*: *Qual é o nome daquilo?* [F.: *de* + *aquilo*.]

dar *v.* 1 Ceder, transferir (bens, posses, algo que se tem à disposição) sem remuneração; DOAR [*td.*: *Resolveu dar toda a sua coleção de selos.*] [*tdi.* + *a*, *para*: *Deu seus livros aos alunos.*] 2 Oferecer como presente ou brinde a; PRESENTEAR [*tdi.* + *a*, *para*: *Deu rosas de presente para a/à namorada.*] 3 Passar (algo) às mãos de (alguém) [*tdi.* + *a*, *para*: *Espere, vou lhe dar um copo de água.*] [*td.*: *É a sua vez de dar as cartas.*] 4 Oferecer (gratificação, pagamento, remuneração etc.) [*tdi.* + *a*, *para*: *Não deu nada ao rapaz que achou seu celular.*] [*tdi.* + *a*, *para*: *Deram uma ninharia pelo carro.*] 5 Conceder, oferecer (atenção, consentimento, favor, serviço, poder, conselho, tempo etc.) [*tdi.* + *a*, *para*: *dar abrigo aos pobres; dar assistência aos doentes; Deu seu lugar à senhora idosa;* "São coisas lindas que eu tenho para te dar..." (Tom Jobim, *Wave*)] 6 Atribuir (nome, título etc.) [*tdi.* + *a*: *Deu ao filho o nome de Alexandre.*] 7 Atribuir (valor, importância); dedicar (tempo, atenção) [*tdi.* + *a*, *para*: *Não dava atenção para a/à namorada.*] 8 Promover, organizar, oferecer (encontro, evento, festa) [*td.*: *A faculdade sempre dá cursos nas férias.*] [*tdi.* + *a*: *Deu um jantar aos convidados.*] 9 Transmitir (informação, notícia); COMUNICAR [*td.*: *Os jornais deram uma triste notícia agora.*] [*tdi.* + *a*: *Esqueceu de dar o recado ao patrão.*] 10 Ser noticiado [*td.*: *Deu no jornal que o jogo foi adiado.*] 11 Transmitir (instrução, recomendação, ordem etc.) [*td.*: *Para afirmar sua autoridade, começou a dar ordens.*] [*tdi.* + *a*: *No intervalo o técnico deu instruções ao time.*] 12 Levar a efeito (uma ação) [*td.*: *Dei uma olhada no jornal de hoje.*] 13 Ser a causa de; resultar em; PROVOCAR [*td.*: *Comida salgada dá sede.*] [*tr.* + *em*: *A sua estratégia não deu em nada.*] [*tdi.* + *a*: *A alegria da neta dava ânimo ao avô.*] 14 Deparar com; TOPAR [*tr.* + *com*: *Ao pular o muro, deu com a dona da casa.*] 15 Ter vocação para [*tr.* + *para*: *Meu filho dá para música.*] 16 Ter acesso ou vista para [*ta.*: *Esta porta dá para o quintal.*] 17 Ministrar (aula, curso, lição); LECIONAR [*td.*: *Ela dá aulas há muito tempo.*] [*tdi.* + *a*, *para*: *Ela dá aulas a crianças carentes.*] 18 Administrar, ministrar (posologia) [*tdi.* + *a*: *De seis em seis horas, dava antibiótico aos enfermos.*] 19 Aplicar (beijo, pancada, surra etc.) [*tdi.* + *em*: *O bebê deu uma mordida no irmão.*] 20 Ser suficiente; BASTAR [*tr.* + *para*: "Não sei é se o dinheiro vai dar para tanta bugiganga..." (Marques Rebelo, *O simples coronel Madureira*)] [*ti.* + *para*: "Deu pra ti, baixo-astral / Vou pra Porto Alegre, tchau..." (Kleiton e Kledir, *Deu pra ti*)] 21 Gerar, fazer brotar; produzir [*td.*: *dar frutos; Essa fonte dá água cristalina.*] [*tdi.* + *a*: *Casaram-se há cinco anos e ela já lhe deu três filhos.*] 22 Soar, bater [*td.*: *Já deram nove horas.*] 23 Dar-se conta de; PERCEBER [*tr.* + *por*: *Quando deu pela coisa, já era tarde.*] 24 Suceder (algum fato); ACONTECER; OCORRER [*int.*: *Esse fato deu-se no ano passado.*] 25 Adaptar-se a; ter boa relação [*ta.*: *Elas não se dão bem.*] 26 Ter êxito (bom ou mau); HAVER-SE [*ta.*: *Deu-se muito bem naquele empreendimento.*] 27 *Tabu.* Consentir em ter relação sexual (diz-se ger. de mulher) [*tdi.* + *para*: "...ela dá pra qualquer um, maldita Geni!" (Chico Buarque, *Geni e o Zepelim*)] 28 Ter consequência (boa ou má); RESULTAR [*tp.*: *O negócio deu certo/errado.*] 29 Exalar (cheiro bom ou mão) [*td.*: *Essa trepadeira dá um cheiro maravilhoso.*] 30 Manifestar, deixar transparecer [*td.*: *Ele já dá está dando sinais de cansaço.*] 31 Oferecer esforço, tempo, atenção etc. a empreendimento, tarefa, missão etc. [*tdr.* + *a*. *para*, *por*: *Dava o máximo de seus esforços aos projetos sociais; Deu tudo pela vitória do time; Deu-se toda à missão de educar os filhos.*] 32 Oferecer para enlace, enlaçar (mão, braço) [*tdi.* + *a*: *Deu -lhe a mão/o braço para atravessarem a rua; Deram-se as mãos para atravessar a rua.*] 33 Atribuir, por estimativa [*tdi.* + *a*: *Quantos anos você dá a ela?*] 34 Considerar (algo ou alguém) em certa situação, condição etc. [*tdp.* + *como*, *por*: *Depois de buscas inúteis, deram-no como/por desaparecido.*] [▶ 8 dar a) Us. como suporte quando, seguido de um subst., forma uma loc. que substitui um v. de sentido específico, como nos ex. das acps. 8: dar a notícia = *noticiar*, 9: dar uma olhada = *olhar*, e 16: dar uma mordida = *morder*. b) Us. como aux., seguido das preps. *de* ou *para* + v. principal no infinit., indicando 'início de uma ação habitual': Deu de /para falar mal de mim.] [F.: Do lat. *dare*, 'dar, conceder, permitir'. Hom./Par.: *dá(s)* (fl.), *da(s)* (prep. de + art. def. e pron. dem. *a* [pl.]); *dê* (fl.), *de* (prep.); *desse(s)* (fl.), *desse(s)* [ê] (prep. *de* + pron. dem. *esse* [pl.]); *deste(s)* (fl.), *deste(s)* [ê] (prep. *de* + pron. dem. *este* [pl.]); *dai* (fl.), *daí* (contração da prep. *de* com o advérbio *aí*); *deu* (fl.), *déu* (sm.); *dará* (fl.), *dara* (a2g.s2g.).] ▪ **~ a saber** Comunicar, fazer saber **~ certo** Ter bom êxito, sucesso **~ de/para** Habituar-se a, cismar de: *Ultimamente ele deu de roer as unhas.* **~ de si** Ceder sob peso ou pressão, ou por causa de esforço continuado: *Choveu muito, as barragens deram de si e o rio transbordou.* **~ duro** *Bras. Gír.* Trabalhar muito, esforçar-se muito **~ em cima de** *Bras.* Assediar (alguém) visando conquista amorosa: *Deu em cima dela o tempo todo, mas ela não lhe deu bola.* **~ em nada/Não ~ em nada** Não resultar em nada, não ter sucesso **~es e tomares** Conflitos, desavenças **~ fé** Atestar como verdade: *Confirmo e dou fé.* **~ mole** *Bras. Pop.* Descuidar-se, agir com displicência: *O zagueiro deu mole, e o atacante fez o gol.* **~ mole para** Dar sinais de interesse ou atração por (alguém) **~ o tom** *Fig.* Ser a característica predominante ou o parâmetro de algo: *Sonhos dão o tom das cartas para Papai-Noel* **~ para** Ver *Dar de/para* **~ para trás** 1 Recuar, voltar atrás: *Na hora de fechar o acordo, ele deu para trás.* 2 Piorar, degringolar: *O projeto ia bem, mas acabou dando para trás.* **~ (o) que falar** Ser motivo de comentários (ger. maliciosos) ou críticas **Não se ~ por achado** 1 Não dar (alguém) importância ao que se diz a seu respeito 2 Fingir que não entende; fazer-se de desentendido 3 Não mudar de ideia ante argumentos ou opiniões contrários, não dar o braço a torcer **Não se lhe ~** Ver *Pouco se lhe dar.* **Para o que der e vier** Com disposição de enfrentar qualquer circunstância ou consequência, boas ou más: *Estou com você para o que der e vier.* **Pouco se lhe dá** Sem lhe fazer diferença, sem ter interesse, ser-lhe indiferente **Quem dera (a)** Us. interjetivamente para expressar desejo de que as coisas sejam (ou fossem) de determinado modo, ou expectativa de que algo ocorra: *Quem (me) dera passar no vestibular em primeira opção.* [Em relação a expectativa ou desejo de coisas futuras, equivale a *oxalá, tomara.*] **Se me dão** Quando é oferecido, ou seja, quando não é preciso comprar (ger. cigarro, charuto): *Só fuma (cigarro) se me dão.*

dardejante (dar.de.*jan*.te) *a2g.* 1 Que irradia brilho intenso (sol dardejante); CINTILANTE; FLAMEJANTE 2 *Fig.* Que atinge ou fere como dardo; que revela intensidade de sentimentos (como agressividade, ou aflição etc.) (palavras dardejantes): *Vi seu olhar dardejante de ódio/ de paixão.* 3 Que dardeja, que arremessa dardo(s) ou atinge com dardo(s) [F.: *dardejar* + -*nte*.]

dardejar (dar.de.*jar*) *v.* 1 Atirar dardos em (alguém ou algo) [*td.*: *dardejar o inimigo.*] 2 Acertar ou ferir com dardo(s) [*td.*: *Sua imperícia o fez dardejar o ombro do amigo; Errou o alvo e dardejou a parede.*] 3 *Fig.* Emitir ou lançar (algo) contra ou na direção de (alguém ou algo), de modo enérgico ou intenso, como se fosse(m) dardo(s) [*td.*: "O sol dardejava raios de fogo..." (José de Alencar, *Cinco minutos*)] 4 Dizer (algo) com ênfase ou convicção; dirigir a (alguém) palavras duras, enérgicas etc. [*td.*: "Não comeces a gesticular como um louco e a dardejar paradoxos a torto e a direito!" (Aluísio Azevedo, *Rendas e fitas*)] [*tdr.* + *com*: *Dardejaram o médico com perguntas.*] 5 *Fig.* Magoar ou ofender (alguém) com palavras ditas de modo agressivo, crítico, sarcástico [*tdr.* + *com*: *Em vez de argumentar, preferiu dardejar seus opositores (com observações irônicas).*] 6 *Fig.* Brilhar, emitindo raios de luz ou os refletindo como se fossem dardos; cintilar, tremeluzir [*int.*: *Seu anel dardejava como uma estrela;* "Fulge e dardeja o sol nos amplos horizontes..." (Olavo Bilac, *Defenda Carthago!* (*Panóplias*))] [▶1 dardejar] [F.: *dardo* + -*ejar*. Hom./Par.: *dardejo* [ê] (fl. de *dardejar*), *dardejo* [è] (*sm.*).]

dardo (*dar*.do) *sm.* 1 Haste com ponta metálica aguçada, para ser arremessada manualmente, us. como arma, em competições de atletismo, ou em jogos de pontaria 2 *Zool.* Ver *ferrão* 3 *Zool.* Língua de ofídio 4 *Fig.* Aquilo que fere ou magoa 5 *Fig.* Dito mordaz; MALEDICÊNCIA; SARCASMO [F.: Do fr. *dard*.]

⊠ **DARF** Sigla de *documento de arrecadação de receitas federais*

darma (*dar*.ma) *Rel. sm.* 1 No hinduísmo, conjunto dos princípios que regem a conduta individual, a vida moral e social 2 No budismo, conjunto dos princípios que regem a vida espiritual dos seres humanos e confundem-se com a própria doutrina de Buda [F.: Do sânscrito *dharma*, 'dever'.]

daroês (da.ro.*ês*) *sm. Rel.* Religioso muçulmano ou membro de ordem monástica que fez votos de humildade, pobreza e castidade; DERVIXE [F.: De or. persa.]

dartro (*dar*.tro) *sm. Pus. Med.* Designação genérica e obsoleta de diversos problemas de pele, como a impigem e o herpes-zóster [Cf. *dermatose*.] [F.: Do fr. *dartre*.]

darwiniano (dar.wi.ni.*a*.no) *a.* 1 Ref. ao naturalista inglês Charles Darwin (1809-1882), sua obra e suas ideias, e esp. sua teoria a respeito da evolução das espécies 2 Relativo à teoria da evolução proposta por C.Darwin, ou ao darwinismo; darwinista (a2g.) *sm.* 3 O mesmo que *darwinista* (s2g.) [F.: Do antr. Charles Robert *Darwin* + -*iano*.]

darwinismo (dar.wi.*nis*.mo) *sm. Biol.* Teoria proposta pelo naturalista inglês Charles Darwin, ou desenvolvida a partir de suas ideias, que afirma serem todas as espécies animais e vegetais formadas por processos de evolução e diferenciação a partir de uma origem comum, através de mutações aleatórias que favoreceram a sobrevivência de seus portadores [F.: Do antr. (*Charles Robert*) *Darwin* (1809-1882), naturalista inglês, + -*ismo*.] ▪ **~ social** *Antr. Soc.* Doutrina ou corrente segundo a qual os fenômenos sociais e culturais passam por processos de evolução semelhantes aos formulados por C. Darwin em relação à evolução biológica

📖 Em 1859, 23 anos após ter completado uma viagem de circum-navegação que durou cinco anos (destinada a pesquisas em sua área de naturalista, e na qual aportou também na Bahia e no Rio de Janeiro), Charles Darwin publicou sua teoria da evolução e seleção das espécies, segundo a qual na luta pela sobrevivências às condições do meio ambiente, as espécies mais fortes, ou mais capazes, se adaptam e sobrevivem, transmitindo geneticamente essas adaptações. Com isso, observou, as características das espécies que evoluíram diferem daquelas que apresentava a espécie em sua forma primitiva. Sua teoria despertou polêmica, algumas de natureza religiosa (pois contradiziam a versão bíblica da Criação do homem, por exemplo, que para Darwin é resultado da evolução do símio primitivo), mas com algumas modificações e aperfeiçoamentos continua sendo atual, mesmo que ainda discutida e polêmica.

darwinista (dar.wi.*nis*.ta) *a2g.* 1 O mesmo que *darwiniano* (enunciado darwinista) 2 Relativo ao darwinismo ou aos seus seguidores *s2g.* 3 Seguidor da teoria de Darwin, ou do darwinismo: *o eminente darwinista Richard Dawkins.* [F.: Do antr. Charles Robert *Darwin* + -*ista*. Sin. ger.: *darwiniano*.]

◎ **dasi-** *el. comp.* = 'espesso', 'denso'; 'piloso': *dasicarpo, dasicaule, dasimetria, dasímetro* [F.: Do gr. *dasýs, eîa, ý*.]

dasipodídeo (da.si.po.*dí*de:o) *Zool. a.* 1 Ref. a dasipodídeo(s) (2) 2 Espécime de dasipodídeos, família de famíferos (são os tatus) [F.: Do lat. cient. *Dasypodidae*.]

⊠ **DAT** Sigla do ing. *digital audio tape*, fita magnética de 4mm de largura us. para gravações sonoras em geral

data (*da*.ta) *sf.* 1 Indicação exata do dia, mês e ano da ocorrência de um fato 2 O registro dessa data (1): "A data estava repetida no alto." (Ana Maria Machado, *A audácia dessa mulher*) 3 *P.ext.* Época, tempo 4 Porção ou faixa de terreno: "Tinham armas, tinham de comer, tinham vontade de lutar. Mas não tinham, nunca tiveram data." (Antônio Callado, *Bar Don Juan*) 5 *S.E.* Terreno retangular de aproximadamente 20 x 40 m 6 *Bras.* Jazida de ouro ou pedras preciosas 7 *Astr.* Registro do momento preciso da ocorrência de um fenômeno astronômico **8** Ação ou resultado de doar; DAÇÃO; DOAÇÃO **9** Aquilo que se dá ou se doa **10** Grande quantidade (indefinida) **11** Porção, medida ou quantidade determinadas **12** Conjunto de dados para serem processados ou de resultados de processamento [F.: Do lat. *data*, fem. de *datus, a, um*, part. pas. do v.lat. *dare* (> *dar*).]

data-base (da.ta-*ba*.se) *sf. Bras. Econ.* Data em que passam a vigorar determinadas mudanças nas condições de trabalho (esp. salariais) de uma categoria profissional, periodicamente negociadas entre o respectivo sindicato e o empregador [Pl.: *datas-base* e *datas-bases*.]

datação (da.ta.*ção*) *sf.* **1** Ação, processo ou resultado de datar **2** *Arqueol. Fís.nu.* Determinação ou estimativa da idade de um material orgânico ou inorgânico, com base em sua composição química (p.ex., a presença e proporção de elementos radioativos) **3** Em lexicografia, anotação da data em que uma palavra aparece documentada por escrito pela primeira vez [Pl.: *-ções*.] [F.: *datar* + *-ção*.] ▪ **~ por carbono 14** *Arqueol.* Avaliação da antiguidade de materiais de origem orgânica (madeira, carvão) por comparação entre a radioatividade causada pela desintegração do carbono 14 nesse material, e sua radioatividade nos mesmos tipos de material no presente **~ por radiocarbono** *Arqueol.* Avaliação da antiguidade de material arqueológico pela análise da desintegração de isótopo de radiocarbono

datado (da.*ta*.do) *a.* **1** Que traz o registro de determinada data [+ *de, em*: *carta datada de /em 25 de maio de 1855*.] **2** Repleto de elementos ou referências de sua época que perderam significado ou importância: *Filmes de ficção científica são datados.* **3** Que é do passado e já não tem relevância, uso ou função no presente; que não é atual ou não foi atualizado; ANTIQUADO; ULTRAPASSADO: *Só usa termos datados.* [F.: Part. de *datar*.]

datador (da.ta.*dor*) *a.* **1** Que data, que tem a incumbência de ou os meios para datar *sm.* **2** Aquele ou aquilo que data, que serve para registrar datas (datador eletromagnético) [F.: *datar* + *-dor*.]

datafone (da.ta.*fo*.ne) *sm.* Serviço especial prestado por algumas operadoras de telefone que, mediante cadastro, senha, conexão precisa, dão ao cliente acesso computadorizado a dados e informações sobre países estrangeiros, viagens, bens de consumo etc. [Tb. us. apositivamente: *linhas datafone*.] [F.: *Datafone* (marca registrada), de *data* + *fone*.]

⊠ **Dataprev** Sigla de *Empresa de Processamento de Dados da Previdência Social*

datar (da.*tar*) *v.* **1** Anotar ou registrar data em [*td.*: *datar uma carta; Datou a fotografia e guardou-a como lembrança do encontro; Assinou o cheque mas datou-o do ano anterior.*] **2** *Restr.* Registrar em algo a data em que foi produzido ou concluído **3** Acontecer (fato único) em certa data, ou existir (fato ou coisa) desde certa época [*ta.* + *de*: *A fundação de Brasília data de 1960.*] **4** Estabelecer ou determinar a data ou época em que algo se deu ou se originou [*td.*: *datar documentos históricos; datar fósseis.*] [▶1 datar] [F.: *data* + *-ar*². Hom./Par.: *data* (fl.), *data* (sf.); *dataria* (fl.), *dataria* (sf.).]

⊕ **datashow** (*Ing./deitaxou/*) Sistema multimídia de apresentação de informações, mensagens, publicidade por computador [*Datashow*, marca registrada.]

⊕ **data venia** (*Lat./data vênia/*) *Jur.* Com a devida permissão (frase respeitosa com que se inicia uma exposição contrária à manifesta antes por outrem)

⊕ **datcha** (*Rus./dat'cha/*) *sf.* Ver *dacha*

◎ **-datil(o)-** *el. comp.* Ver *datil(o)-*

◎ **datil(o)-** *el. comp.* = 'dedo'; 'dedos': *dactilífero/datilífero, dactiloide/datiloide, dactilólise/datilólise, dactiloscopia/datiloscopia; adactilismo/adatilismo; adáctilo/adátilo, didáctilo/didátilo* [Em vocábulos de maioria científica (esp. de Biol., Zool., Anat. e Med.), em pares com ou sem o *-c-* (*-k-*) do rad. grego.] [F.: Do gr. *dáktylos, ou* (y breve).]

◎ **-dátilo** *el. comp.* Ver *datil(o)-*

dátilo (*dá*.ti.lo) *a.* **1** *Poét.* Na versificação grega e latina, diz-se de pé métrico formado de uma sílaba longa seguida de duas breves [Cf. *anapesto*.] *sm.* **2** *Poét.* Esse pé métrico **3** Na Grécia antiga, medida que equivalia a meia polegada [F.: Do gr. *dáktulos,ou*. Sin. ger.: *dáctilo*.]

datilografado (da.ti.lo.gra.*fa*.do) *a.* Que foi escrito com datilógrafo ou máquina de escrever (carta datilografada) [F.: Part. de *datilografar*. Tb. *dactilografado*.]

datilografar (da.ti.lo.gra.*far*) *v.* Escrever com máquina de datilografia [*td.*: *datilografar um documento.*] [*int.*: *Ela datilografa muito bem.* Ver tb. *digitar*.] [▶ 1 datilografar] [F.: *datilógrafo* + *-ar*². Hom./Par.: *datilografa(s)* (fl.), *datilógrafa(s)* (sf.[pl.]); *datilografo* (fl.), *datilógrafo* (sm.). Tb. *dactilografar*.]

datilografia (da.ti.lo.gra.*fi*.a) *sf.* Técnica ou processo de produzir ou reproduzir texto(s) com datilógrafo (máquina de escrever) [F.: *datil(o)-* + *-grafia*. Tb. *dactilografia*.]

datilográfico (da.ti.lo.*grá*.fi.co) *a.* **1** Ref. à datilografia **2** Próprio para datilografar (diz-se de máquina mecânica ou elétrica) [F.: *datilografia* + *-ico*². Tb. *dactilográfico*.]

datilógrafo (da.ti.*ló*.gra.fo) *sm.* **1** Pessoa que sabe usar máquina de escrever ou o faz por ofício **2** *RJ Pop.* Autor de partituras para músicas compostas por compositores populares que não conhecem as convenções da escrita musical **3** *Desus.* O mesmo que *máquina de escrever* [F.: *datilo-* + *-grafo*. Hom./Par.: *datilógrafo* (sm.), *datilografo* (fl. *datilografar*). Tb. *dactilógrafo*.]

datiloscopia (da.ti.los.co.*pi*.a) *sf.* Método para obter e identificar impressões digitais [F.: *datilo-* + *-scopia*. Tb. *dactiloscopia*.]

datiloscópico (da.ti.los.*có*.pi.co) *a.* Ref. à datiloscopia [F.: *datiloscopia* + *-ico*². Tb. *dactiloscópico*.]

datiloscopista (da.ti.los.co.*pis*.ta) *a2g.* **1** Diz-se de profissional que é especialista em datiloscopia *a2g.* **2** Diz-se de pessoa que se ocupa da datiloscopia, que colhe impressões digitais *s2g.* **3** Esse profissional ou essa pessoa [F.: *datiloscopia* + *-ista*. Tb. *dactiloscopista*.]

dativo (da.*ti*.vo) *a.* **1** *Jur.* Outorgado, nomeado ou designado a alguém por decisão de um juiz, ou por testamento, e não por lei (defensor dativo) **2** Ref. a dativo (3) *sm.* **3** *Ling.* O caso de declinação que, em algumas línguas, exprime a relação de objeto indireto [F.: Do lat. *dativus, a, um*.] ▪ **~ de atribuição** *Ling.* Complemento verbal que expressa aquele a quem se dá ou atribui algo **~ de fim** *Ling.* Complemento verbal que expressa a finalidade de uma ação **~ de interesse** *Ling.* Ver *Dativo ético*. **~ ético** *Ling.* Complemento verbal que expressa aquele em cujo benefício ou detrimento é realizada a ação [Ex.: os pron. oblíquos *me, te*... etc. em frases do tipo: *Não me ouse sair agora!*] **~ de proveito** *Ling.* Ver *Dativo ético*

davídico (da.*ví*.di.co) *a.* Ref. a Davi (1055-1014 a.C.), segundo rei da monarquia hebraica [F.: Do lat. *davidicus,a,um*.]

dazibao (da.zi.*bao*) *sm.* Jornal mural afixado em lugares públicos, na China [F.: Do chinês mandarino.]

⊠ **d.B** *Fís.* Símb. de *decibel*

⊠ **Db** *Elet. Eletrôn. Fís.* Símb. de *decibel* [Cf.: *Db*.]

⊠ **d.C.** Abreviatura de *depois de Cristo* [Cf.: *a.C., a.D.*]

⊠ **dc** *Elet.* Ver *cc*

⊠ **DDC** *Telc.* Sigla de *discagem direta a cobrar*

⊠ **DDD** *Telc.* Sigla de *discagem direta a distância*

⊠ **DDG** *Telc.* Sigla de *discagem direta gratuita*

⊠ **DDI** *Telc.* Sigla de *discagem direta internacional*

⊠ **d.d.p** Abrev. de *diferença de potencial*

⊠ **DDT** *Quím.* Sigla de *diclorodifeniltricloroetano*

de *prep.* **1** Indica origem: *Seus erros provêm da inexperiência; Desça já da árvore!; Cheguei do trabalho agora.* **2** Indica o lugar ou momento em que se inicia um trajeto ou um período de tempo, uma contagem ou medição: *de um lado até o outro são 10 metros; de ontem para hoje, tudo mudou.* **3** Indica condição, situação: *Você estava de férias? [ficar de pé; virar de costas; acordou de ressaca; está de mal com o amigo (= brigado, estremecido).* É prep. largamente empregada em locuções que indicam posição corporal, estado físico ou moral, relação com outras pessoas ou coisas, etc.] **4** Indica motivo ou causa: *Caiu de cansaço; atrasou-se de propósito.* **5** Indica uso, função, propósito, destinação: *creme de alisar cabelo; sala de reuniões.* **6** Indica modo de agir, ou a maneira como algo se dá **7** Indica quantidade, preço, medida: *turma de 25 alunos; blusa de R$30; muro de três metros.* **8** Indica lugar, posição: *A unha do pé encravou; a porta da frente.* **9** Indica meio, instrumento: *Fomos de carro; Comeu de garfo e faca.* **10** Indica o material que forma ou constitui um objeto etc.: *blusa de seda; caixa de madeira.* **11** Indica posse, prerrogativa, atribuição de algo a alguém: *De quem é essa caneta?; um direito de todos os cidadãos; uma conquista de todos nós*: "Achavam-se os dois no corredor da casa de Luís Alves..." (Machado de Assis, *A mão e a luva*) **12** Indica relação com algum assunto (com uso equivalente ao da prep. *sobre*): *Fale de suas férias.* **13** Indica relação especial, típica ou característica; próprio de: *brincadeira de criança levada.* **14** Indica tempo: *Choveu de noite.* **15** Us. para qualificar algo ou alguém, atribuir-lhe alguma característica: *um prato de primeira (qualidade); uma história triste, de chorar; um jogo difícil, e vencê-lo será uma questão de paciência.* [Em muitíssimos casos, forma locuções com substantivos, verbos, advérbios, numerais etc.] **16** Introduz complementos de verbos e de nomes: *Nunca se esqueça de mim.* **17** Usa-se após um adj. para torná-lo mais expressivo: *O tonto do João esqueceu meu livro.* **18** Emprega-se como partitivo: *Na vida há dessas coisas; Comeu do bolo.* **19** Determina o segundo termo da comparação: *É mais gordo do que o primo; É mais alto do que eu.* **20** Com os verbos auxiliares *ter* e *haver* mais infinitivo impessoal, forma locuções perifrásticas dando ideia de futuro: *Ele há de voltar para o Brasil.* [NOTA: Forma locuções adverbiais (*de vez em quando, de bruços* etc.).] [F.: Da prep. lat. *de*. Hom./Par.: *de* (prep.), *dê* (fl. de *dar*), *dê* (sm.).]

◎ **de-** *pref.* Ocorre em inúmeros vocábulos, muitos dos quais formados no próprio latim, ou no português ou em outra língua moderna, ger. com o sentido de: 'movimento de cima para baixo' (*defluxo*); 'afastamento, separação' (*demover*); 'extração' (*depenar*); 'redução, diminuição' (*deduzir, decrescer*); 'intensidade, continuidade ou progressão' (*dessudação; decair*); 'oposição ou negação' (*decompor*) [F.: Da prep. lat. *de*, 'de cima de'; 'fora de'; 'originário ou procedente de'; 'em'; 'sobre', etc.]

dê *sm.* A letra *d* [Hom./Par.: *dê* (sm.), *dê* (fl. de *dar*), *de* (prep.).]

deadjetival (de.ad.je.ti.*val*) *a2g. Ling.* Que é derivado de adjetivo [F.: *de-* + *adjetivo* + *-al*¹.]

⊕ **deadline** (*Ing./déd láine/*) *sm.* **1** Prazo máximo para a conclusão de uma tarefa: *A prova tem de ser entregue até meio-dia; esse é o deadline.* **2** *Jorn.* Momento em que um jornal está pronto para ser impresso **3** *P.ext.* Prazo limite para que uma matéria ou um anúncio sejam entregues

dealbar (de.al.*bar*) *sm. Poét.* O alvorecer, raiar do dia

deambulação (de:am.bu.la.*ção*) *sf.* Ato ou efeito de deambular, de andar a esmo, passear [Pl.: *-ões*.] [F.: Do lat. *deambulatio, onis*.]

deambular (de.am.bu.*lar*) *v. int.* Andar sem rumo, sem destino; vaguear: *Deambulou pela cidade, sem saber ao certo que direção tomar.* [▶ 1 deambular] [F.: Do lat. *deambulare*.]

deão (de.*ão*) *sm.* **1** Decano (1) **2** *Rel.* O superior hierárquico de um cabido, do conjunto dos cônegos de uma catedral ou de uma igreja colegiada; DECANO [Pl.: *-ãos, -ães* e *-ões*. Fem.: *-ã*.] [F.: Do fr. ant. *deiien* (atual *doyen*), do lat. *decanus, i*.]

debacle (de.*ba*.cle) *sf.* Ruína, mau resultado, derrocada: *O escândalo deu origem à debacle financeira da empresa.* [F.: do fr. *débâcle*.]

debaixo (de.*bai*.xo) *adv.* **1** Em lugar mais baixo e na mesma direção vertical que o de algo ou alguém acima: *Moro no terceiro andar e ela mora no apartamento debaixo; Levantou o pano para ver o que havia debaixo.* **2** *Fig.* Em situação difícil, desanimadora, deprimente; por baixo: *A perda do emprego o deixou meio debaixo.* **3** *Fig.* Em situação de inferioridade hierárquica, de pouca importância ou pouco prestígio; por baixo [NOTA: Não confundir com o sintagma *de baixo*, us. nas loc. adv.: *de baixo a cima*; *de baixo para cima* (indicam direção de movimento, orientação espacial ou hierárquica). Não confundir com a loc. *de baixo*, us. frequentemente (e impropriamente) como oposta a *de cima*, do topo, indicando a posição mais inferior (e não aquela logo abaixo): Ela mora na cobertura, e nós moramos no andar de baixo, no térreo.] [F.: *de* + *baixo*.] ▪ **~ de** **1** Em posição inferior a algo que está verticalmente por cima; embaixo de; sob: *Morava debaixo do viaduto.* **2** Em posição de estar coberto por algo (tb. *Fig.*): *Vestia a camiseta do clube debaixo da camisa; Sempre viveu debaixo da proteção dos tios.* **3** Em condição de subordinação a ou dependência de: *Estava debaixo de juramento.* **4** Em situação de ser alvo de algo, ser atingido por algo: *Desfilamos debaixo de chuva; Saiu do palco debaixo de vaias.*

debalde (de.*bal*.de) *adv.* Sem resultado, ou sem o resultado desejado; inutilmente, em vão: "Cuidei que ia voltar-se, mas enganei-me; esperei muito tempo, e debalde." (José de Alencar, *Cinco minutos*) [F.: *de* + *balde* (< ár. *batil*, 'inútil, vão').]

debandada (de.ban.*da*.da) *sf.* **1** Fuga desordenada, ou em correria, de várias pessoas ou animais; DISPERSÃO **2** Saída ou desligamento voluntários de grande número de membros de um grupo, de clientes etc.: *debandada de alunos para o novo curso.* **3** *Mil.* Desorganização de soldados ou veículos que estavam alinhados **4** *Fig.* Confusão, desordem, desorientação [F.: *debandar* + *-ada*¹.]

debandado (de.ban.*da*.do) *a.* **1** Que debandou **2** Diz-se de soldado cuja fileira se desfez [F.: Part. de *debandar*.]

debandar (de.ban.*dar*) *v.* **1** Sair do grupo (corporação, partido etc.) [*int.*: *Depois de tantos anos no grupo, pela primeira vez pensou em debandar.*] [*tr.* + *de*: *Estava decidido a debandar do quartel.*] **2** Pôr(-se) em fuga; DISPERSAR [*td.*: *A polícia debandou os arruaceiros.*] [*int.*: *Os baderneiros criaram a confusão e debandaram(-se).*] **3** Deixar de estar unido, coeso ou organizado (grupo de pessoas) [*int.*: *Depois da aula, a turma debandou.*] **4** *Fig.* Perder coesão ou coerência; tornar-se confuso, desorientar-se [*int.*: *Ao tentar concluir o raciocínio, debandou; Uma narrativa que debanda na parte final.*] [▶ 1 debandar] [F.: *de-* + *bando*¹ + *-ar*², ou do fr. *débander*.]

debate (de.*ba*.te) *sm.* **1** Discussão em que se apresentam argumentos a favor ou contra alguma coisa (um argumento, uma proposta, uma ação etc.), visando a uma conclusão (debates parlamentares/judiciários) [Tb. se usa no pl., esp. quando é demorado ou quando várias pessoas participam.] **2** Discussão em torno de opiniões diversas, nem sempre antagônicas, sobre um tema: *um debate sobre cultura afro-brasileira.* **3** Dúvida, contestação **4** *Lit.* Poema dialogado medieval, ger. satírico e alegórico [F.: Do fr. *débat*. Hom./Par.: *debate* (sm.), *debate* (fl. de *debater*).]

debatedor (de.ba.te.*dor*) [ô] *a.* **1** Que participa de debate *sm.* **2** Aquele que participa de debate **3** Aquele que é encarregado de levantar questões e fazer observações críticas às ideias apresentadas por outra(s) pessoa(s) [F.: *debate* + *-dor*.]

debater (de.ba.*ter*) *v.* **1** Trocar (uma pessoa com outra, ou várias pessoas entre si) ideias sobre um assunto, apresentando e ouvindo (ou lendo) diferentes opiniões, argumentos etc; DISCUTIR [*td.*: *Debatiam os pontos centrais do projeto.*] [*int.*: *Agora vão debater até o amanhecer.*] [*td.* + *com* Debateu com os auxiliares (sobre) as providências necessárias.] **2** Discutir com veemência ou ardor numa disputa verbal, em defesa de alguém, de uma causa, de certas ideias ou opiniões; ALTERCAR; DISCUTIR; PORFIAR [*tr.* + *com*: *Debateu com o professor desnecessariamente.*] [*int.*: "...seus discípulos se debatiam numa infrutífera querela" (*Folha de S.Paulo*, 01.04.2003).] **3** Apresentar ideia ou argumento contrários aos de outrem; fazer objeções, críticas; CONTESTAR; QUESTIONAR [*td.*: *Não ousou debater a decisão presidencial.*] **4** Mover o corpo (ou partes dele) impetuosa e repetidamente para escapar de sujeição física ou de afogamento [*int.*: *Debateu-se o quanto pôde (contra as ondas), mas acabou por afogar-se.*] **5** *P.ext.* Ter fortes e agitados movimentos involuntários do corpo (ou partes dele), em agonia [*int.*: "A ponta do seu cabelo crescido mergulhava num prato de mel cheio de moscas mortas e de moscas que se debatiam" (Antônio Callado, *Bar Don Juan*)] **6** *Fig.* Enfrentar ou esforçar-se por escapar de grande aflição, um sério problema, ou uma grande dificuldade (financeira, emocional, familiar etc.) [*tr.* + *com, contra*: *Debatia-se com a falta de trabalho e de recursos; Seus amigos debateram-se contra o vício do filho por muitos anos.*] [▶ 2 debater] [F.: Do fr. *débattre*. Hom./Par.: *debate* (fl.), *debate* (sm.).]

debatido (de.ba.*ti*.do) *a.* Que se debateu, foi discutido, examinado (item debatido) [F.: Part. de *debater*.]

debelamento (de.be.la.*men*.to) *sm.* Ato ou efeito de debelar; DEBELAÇÃO

debelar (de.be.*lar*) *v. td.* **1** Vencer numa guerra ou luta com armas, derrotar; impor sua vontade ou autoridade sobre (alguém) pelo uso da força, dominar; conter, reprimir (ação de opositor): *Os policiais debelaram a rebelião.* **2** Pôr fim a (algo ruim) (tb. *Fig.*); EXTINGUIR: *debelar fogo; debelar doença;* "...arrimando o firme pensar, debelava a tristeza e aflição de ideias." (João Guimarães Rosa, *Estas estórias*): "Assim, debelariam os médicos as moléstias regionais..." (Cecília Meireles, *Crônicas de educação 1*) [▶ 1 debelar] [F.: Do lat. *debellare*.]

debênture (de.*bên*.tu.re) *sf. Econ.* Título de crédito ao portador, emitido por uma empresa em troca de empréstimo a juros e amortizável a longo prazo, cuja garantia é o valor do patrimônio e a confiabilidade (e não itens ou bens especificados); obrigação ao portador [F.: Do ing. *debenture*, do lat. *debentur*. Hom./Par.: *debênture* (sf.), *debenture* (fl. de *debenturar*).] ■ ~ **conversível** *Econ.* Aquela que pode ser trocada por ações da sociedade que a emitiu

debicar (de.bi.*car*) *v.* **1** Tocar em algo com o bico (uma vez ou repetidas vezes), esp. para tirar ou ingerir pequenos pedaços ou porções [*td.*] [*tr.* + *em*: *O sanhaço debica na goiaba madura.*] **2** *Fig.* Comer pequena quantidade de algo; ingerir alimento(s) aos poucos [*td.*: *Debicava o pão enquanto lia.*] [*tr.* + *em*: *Debicou em alguns salgadinhos.*] [*int.*: *Não come refeições e passa o dia a debicar.*] **3** *Fig.* Debochar, zombar (com pequenas provocações ou observações irônicas) [*int.*: "...Zé Bebelo também mudou de toada, para debicar, com um engraçado atrevimento..." (João Guimarães Rosa, *Grande sertão: veredas*)] [*td.*: "O irmão, estudante de medicina, não condenava. Achava graça na ideia, mas debicava-o." (Marques Rebelo, *Marafa*)] [*tr.* + *de*: *Tanto debicou o/do amigo, que acabou irritando a todos.*] [▶ 11 debicar] [F.: *de-* + *bicar.* Hom./Par.: *debique* (fl.), *debique* (sm.).]

débil (*dé*.bil) *a2g.* **1** Sem força ou energia (movimentos débeis, voz débil); FRACO **2** Que tem pouco vigor, pouca resistência ou eficiência (organismo débil); FRACO; FRÁGIL **3** Sem disposição ou ânimo, sem firmeza de vontade; que não se impõe (caráter débil) **4** Quase imperceptível aos sentidos (luz débil, ruído débil) **5** Que existe em quantidade pequena ou insuficiente; minguado (débeis recursos) **6** Pouco importante, pouco significativo ou influente (argumento débil, provas débeis) **7** Que tem pouca influência, poucos efeitos, pouca eficácia (campanha débil) **8** *Pej. Pop.* Pouco inteligente; tolo *s2g.* **9** *Bras. Pej.* Pessoa pouco inteligente ou pouco esperta; indivíduo tolo, simplório [F.: Do lat. *debilis, e.*] ■ ~ **mental 1** *Psiq.* Indivíduo que tem problemas relativamente acentuados de desenvolvimento mental, com baixo desempenho intelectual e dificuldades de adaptação social, devido a algum tipo de deficiência do sistema nervoso central [Tb. apenas *débil*.] **2** *P.ext. Pej.* Indivíduo tolo ou sem inteligência; débil

debilidade (de.bi.li.*da*.de) *sf.* **1** Qualidade de débil; falta de força física ou de vigor; FRAQUEZA **2** *P.ext.* Falta de força de vontade, de capacidade de decidir e agir, de enfrentar dificuldades **3** Condição daquilo que é pouco intenso: *A debilidade da luz torna as cores indistintas.* [F.: Do lat. *debilitas, atis.*] ■ ~ **mental** *Psiq.* Estado congênito ou adquirido, no qual há dificuldade de julgamento e de adaptação social, e em que o nível de inteligência do paciente, medido em teste, é aproximadamente o de uma criança de sete anos. (É considerado uma forma leve de retardamento mental.)

debilitação (de.bi.li.ta.*ção*) *sf.* **1** Ação ou resultado de debilitar(-se); perda de força, energia ou poder; ENFRAQUECIMENTO; DEBILITAMENTO **2** Condição da pessoa que perdeu força, vigor, saúde, ou que perdeu disposição, ânimo etc. **3** Condição daquilo que perdeu força, intensidade, resistência, ou que perdeu poder, influência etc. [Pl.: *-ções*.] [F.: Do lat. *debilitatio, onis*.]

debilitado (de.bi.li.*ta*.do) *a.* **1** Que se debilitou **2** Enfraquecido fisicamente, sem saúde; ADOENTADO **3** Sem ânimo ou força moral; DESANIMADO [F.: Part. de *debilitar*.]

debilitamento (de.bi.li.ta.*men*.to) *sm.* **1** Ato ou efeito de debilitar(-se) **2** Enfraquecimento físico ou moral [F.: *debilitar* + *-mento*. Sin. ger.: *debilitação*.]

debilitante (de.bi.li.*tan*.te) *a2g.* Que causa debilitamento, enfraquecedor: "E ela, receando que a influência debilitante de Lisboa não conviesse a..." (Eça de Queirós, *Os Maias*) [Ant.: *fortificante*] [F.: Do lat. *debilitans, antis*.]

debilitar (de.bi.li.*tar*) *v.* Tornar(-se) fraco, física ou moralmente, ou sofrer enfraquecimento físico ou moral; ENFRAQUECER; ESMORECER [*td.*: *Infecções debilitam o organismo.*] [*int.*: *O governo debilitou-se depois do escândalo.* Ant.: *reabilitar; regenerar.*] [▶ 1 debilitar] [F.: Do v.lat. *debilitare*.]

debilização (de.bi.li.za.*ção*) *sf.* **1** Processo de enfraquecimento gradativo; DEBILITAÇÃO **2** Ausência de forças, de vontade ou motivação [Pl.: *-ões*.]

debilizado (de.bi.li.*za*.do) *a.* Tornado débil, fragilizado [F.: Part. de *debilizar*.]

debilizante (de.bi.li.*zan*.te) *a2g.* Que torna débil, que enfraquece

debiloide (de.bi.*loi*.de) *Bras. Pop. Pej. a2g.* **1** Que é fraco de inteligência ou é bobo; DÉBIL *s2g.* **2** Pessoa debiloide [F.: *débil* + *-oide*.]

debique (de.*bi*.que) *sm.* Ação ou resultado de debicar, deboche; ESCÁRNIO; ZOMBARIA [F.: Dev. de *debicar*. Hom./Par.: *debique* (sm.), *debique* (fl. de *debicar*).]

debitado (de.bi.*ta*.do) *a.* **1** Que se debitou **2** Anotado, registrado como dívida ou débito de pessoa física ou jurídica [F.: Part. de *debitar*.]

debitar (de.bi.*tar*) *v.* **1** *Econ. Cont. Com.* Anotar ou registrar como dívida [*td.*: *debitar as compras.*] [*tdi.* + *a*: *O banco debitou os juros à conta do cliente.*] **2** *Fig.* Imputar responsabilidade a; RESPONSABILIZAR [*tdi.* + *a*: "O médico Edimar Bocchi debitou a morte à fatalidade, pois a causa da morte de Serginho foi hipermetrofia miocárdica." (*Jornal do Brasil*, 02.12.2004)] [▶ 1 debitar] [F.: *débito* + *-ar*[2] ou do fr. *débiter.* Hom./Par.: *debito* (fl.), *débito* (sm.).]

débito (*dé*.bi.to) *sm.* **1** O mesmo que *dívida* **2** *Cont.* Lançamento de despesa ou dívida [Ant.: *crédito*.] **3** Deflúvio (2) [F.: Do lat. *debitum, i.* Hom./Par.: *débito* (sm.), *debito* (fl. de *debitar*).] ■ ~ **automático** *Econ.* Sistema de pagamento de contas (de luz, gás, telefone, serviços etc.) que são enviadas diretamente ao banco em que o sacado tem conta-corrente e dela debitadas sem intervenção do correntista ~ **fluvial** Volume de água que escoa por uma imaginária seção transversal de um rio num período relativamente longo **Levar a** ~ Debitar, registrar como dívida ou quantia paga a outros

deblaterar (de.bla.te.*rar*) *v.* Falar com veemência, como protesto, crítica, reclamação, reivindicação ou advertência; BRADAR; DECLAMAR [*td.*: *Deblaterava que exigia respeito.*] [*tr.* + *contra*: *Em seu discurso, deblaterou contra as atrocidades da ditadura.*] [*int.*: *O deputado deblaterava num plenário vazio.*] [▶ 1 deblaterar] [F.: Do v.lat. *deblaterare*.]

debochado (de.bo.*cha*.do) *a.* **1** *Bras.* Que zomba, caçoa; que é dado a fazer zombarias (menino debochado) **2** *Bras.* Que revela deboche, zombaria (sorriso debochado) **3** Devasso, libertino *sm.* **4** Indivíduo debochado (1 e 3) [F.: Part. de *debochar*.]

debochador (de.bo.cha.*dor*) *a.* **1** Que debocha, escarnece, zomba **2** Que ironiza, faz pouco-caso, despreza alguém ou algo *sm.* **3** Pessoa dada ao deboche, ao escarnecimento, à zombaria **4** Indivíduo que menospreza, ironiza, deprecia alguém ou alguma coisa [F.: Rad. do part. *debochado* + *-or*.]

debochar (de.bo.*char*) *v.* **1** Expor (alguém ou algo) ao ridículo ou fazer ironias, deboches a seu respeito; ZOMBAR; ESCARNECER; ZOAR (GÍR.) [*int.*: *O réu ouviu a sentença debochando.*] [*tr.* + *de*: *O cantor debochava da plateia que o vaiava.*] [*td.*: *Debochava o tênis colorido do amigo.*] **2** Fazer pouco de (alguém ou algo); MENOSPREZAR [*tr.* + *de*: *Não devia debochar da inteligência de ninguém.*] [*td.*: *Debochava a capacidade do amigo de dar cambalhotas.*] [▶ 1 debochar Nota: É raro o registro como td., que se limita principalmente a registros literários do início do séc. passado.] [F.: Do fr. *débaucher* ou de *deboche* + *-ar*[2]. Hom./Par.: *deboche* [ó] (fl.), *deboche* [ó] (sm.).]

deboche (de.*bo*.che) *sm.* **1** *Bras.* Troça, zombaria, gozação **2** *Bras.* Desprezo ostensivo e zombeteiro; ESCÁRNIO **3** Desregramento de costumes; DEVASSIDÃO; LIBERTINAGEM [F.: Do fr. *débauche*. Hom./Par.: *deboche* (sm.), *deboche* (fl. de *debochar*).]

debocheira (de.bo.*chei*.ra) *sf. S.* Zombaria excessiva: "... garantir a retirada do perdedor sem a debocheira dos ganhadores." (Simões Lopes Neto, *Contos gauchescos*) [F.: *deboche* + *-eira*.]

debordamento (de.bor.da.*men*.to) *sm.* **1** Ato ou efeito de desbordar, de ultrapassar margens; DESBORDAMENTO; TRANSBORDAMENTO **2** *Poét.* O mesmo que *enjambement*

debrear (de.bre.*ar*) *v. td. int.* Acionar a embreagem de (um veículo a motor); embrear [▶ 13 debrear] [F.: Do fr. *débrayer*.]

debridamento (de.bri.da.*men*.to) *sm.* **1** *Méd.* Remoção de corpo estranho ou de tecido desvitalizado *sm.* **2** *Zoo.* Ato ou efeito de um cavalo soltar-se do freio, bridão ou brida [F.: *debridar* + *-mento*. Tb. *desbridamento*.]

debris (de.*bris*) *sm.* Restos de qualquer coisa destruída, fragmentos, pedaços, cacos [F.: Do fr. *débris*.]

debruado (de.bru:*a*.do) *a.* **1** Guarnecido ou enfeitado com debrum nas bordas: "...couro de lontra debruado de tafetá azul..." (Simões Lopes Neto, *Contos gauchescos*) **2** *P.ext.* Contorno enfeitado com filete ou algo similar **3** Ornamentado, enfeitado, requintado **4** Orlado, ladeado, circundado **5** *Her.* Que diz respeito à peça separada do campo por cotico, filete, perfil ou vergueta de esmalte diferente [F.: Part. de *debruar*.]

debruar (de.bru.*ar*) *v.* **1** Enfeitar com debrum [*td.*: *debruar a saia.*] **2** *Fig.* Enfeitar, ornar [*td.*: *Debruava o soneto como os parnasianos.*] [*tdr.* + *com, de*: "...límpido incêndio a debruar de vermelho quase frio as nuvens espessas." (Paulo Mendes Campos, *O cego de Ipanema*)] [▶ 1 debruar] [F.: *debrum* + *-ar*[2], com desnasalação.]

debruçado (de.bru.*ça*.do) *a.* **1** Que se debruçou, que está de bruços **2** Tombado, inclinado para frente **3** *Fig.* Prosternado, inclinado em posição de reverência ou submissão (debruçado aos pés da santa-cruz) **4** *Hip.* Diz-se do cavalo cujos membros anteriores estão desaprumados, causando--lhe desequilíbrio ao cavalgar [F.: Part. de *debruçar*.]

debruçar (de.bru.*çar*) *v.* **1** Inclinar (peito, tronco ou a si mesmo) para frente [*tda.*: *Debruçava o peito sobre o volante.*] [*td.*: *debruçar o corpo.*] [*tda.*: *debruçar-se na janela.*] **2** *Fig.* Dedicar-se a (estudo, trabalho); APLICAR-SE [*tr.* + *sobre*: "Alfredo Bosi debruça-se sobre o enigma da obra de Machado de Assis." (*Folha de S.Paulo*, 10.07.1999); "...tratei de me debruçar com os alunos sobre o paradoxo de sermos uma sociedade tão excludente..." (Ana Maria Machado, *Texturas*)] [▶ 12 debruçar] [F.: *de-* + *bruç(os)* + *-ar*[2].]

debrum (de.*brum*) *sm.* **1** Tira que se costura dobrada sobre a borda de um tecido, us. como enfeite ou reforço **2** Fita que se prega em torno de quadro, gravura etc. **3** *Her.* Filete de esmalte que rodeia uma peça [Pl.: *-bruns*.] [F.: De or. contrv.]

debulha (de.*bu*.lha) *sf.* Ato ou efeito de debulhar, extrair grãos, bagos ou sementes; DEBULHAMENTO: *Na próxima semana começa a debulha do milho.*

debulhado (de.bu.*lha*.do) *a.* **1** Que passou por debulha (milho debulhado) **2** *Fig.* Desfazer-se, desmanchar-se (debulhado em lágrimas) [Part. de *debulhar*.]

debulhadora (de.bu.lha.*do*.ra) [ô] *sf.* Máquina de debulhar cereais [F.: *debulhar* + *-dora*.]

debulhamento (de.bu.lha.*men*.to) *sm.* **1** Ato de debulhar **2** O mesmo que *debulha*

debulhar (de.bu.*lhar*) *v.* **1** Retirar os grãos ou os bagos de (fruta, cereal) [*td.*: *debulhar o trigo.*] **2** *Fig.* Pôr-se ou estar a (chorar ou lamentar-se) em demasia ou de maneira intensa ou descontrolada, como se a pessoa fosse perdendo de si ao fazê-lo; DESMANCHAR; DESFAZER [*tr.* + *em*: *debulhar-se em lágrimas; debulhar-se em prantos; debulhar-se em queixas*: "No longa-metragem, Björk é Selma, a operária ultramíope que fez meio mundo se debulhar em lágrimas nos cinemas." (FolhaSP, 20.07.2001) Repare que, nesta acp., parte da ideia da ação está no substantivo que segue: *lágrima, pranto, queixa.*] [▶ 1 debulhar] [F.: Do lat. vulg. **depoliare* (clás. *despoliare*, 'espoliar'). Hom./Par.: *debulha* (fl.), *debulha* (sf.); *debulho* (fl.), *debulho* (sm.).]

debutante (de.bu.*tan*.te) *a2g.* **1** *Gal.* Que faz sua entrada formal na vida social (diz-se de moça) **2** Que se inicia em alguma atividade (atriz debutante) *s2g.* **3** *Gal.* Moça debutante **4** Aquele ou aquela que se inicia em alguma atividade [F.: Do fr. *débutant, ante* (m. e f.).]

debutar (de.bu.*tar*) *v. int.* **1** Estrear em certa atividade, esp. na vida social; INICIAR; PRINCIPIAR **2** *Fig.* Completar 15 anos de idade (esp. as moças); comemorar essa idade: *Marcela debutará na casa de festas amanhã.* **3** Participar (um cavalo) de um páreo pela primeira vez [▶ 1 debutar] [F.: Do fr. *débuter*. Hom./Par.: *debute* (fl.), *debute* (sm.); *debutes* (fl.), *debutes* (pl.).]

debuxar (de.bu.*xar*) *v. td.* **1** Riscar na madeira (esp. buxo) a figura, a imagem de: *Primeiro debuxou um pequeno barco, depois talhou o horizonte.* **2** *P.ext.* Traçar os contornos de; fazer o desenho inicial, o esboço de; ESBOÇAR: *debuxar um vestido.* **3** *Fig.* Representar na ideia; IMAGINAR; FIGURAR: *debuxar planos para o futuro.* **4** *P.ext.* Determinar os tópicos, a disposição geral e a forma de (algo); fazer o planejamento de; PLANEAR; PLANEJAR: *debuxar um poema; debuxar um drama.* [▶ 1 debuxar] [F.: Posv. do fr. ant. *deboissier*. Hom./Par.: *debuxo* (fl.), *debuxo* (sm.).]

debuxo (de.*bu*.xo) *sm.* **1** Desenho de um objeto em seus contornos gerais, sem precisão nem detalhes; BOSQUEJO; ESBOÇO **2** *Fig.* Projeto de uma obra literária, musical etc.: *debuxo de um poema.* **3** Chapa lavrada em relevo, para estampar tecidos [F.: Dev. de *debuxar*. Hom./Par.: *debuxo* (sm.), *debuxo* (fl. de *debuxar*).]

◎ **dec(a)-** *el. comp.* = 'dez'; 'em número de dez'; 'unidade dez vezes maior (pref. do SI)': *decacampeão, decaedro* (< fr.), *decálogo* (< gr.), *decágono* (< lat.), *decassílabo* (< lat. < gr.); *decagrama, decâmetro, decalitro* [Como pref. do SI equivalente a um multiplicador 10^1, foi adotado na França por lei de 7 de abril de 1795 e no Brasil, por lei de 1833 e de 1862.] [F.: Do gr. *deka-*, do gr. *déka*, 'dez'.]

decacampeão (de.ca.cam.pe.*ão*) *a.* **1** Ref. ao ganhador de dez campeonatos, especialmente se consecutivos [Fem.: *decacampeã*] *sm.* **2** Indivíduo, equipe, instituição etc. que ganhou dez campeonatos, esp. se consecutivos [F.: *deca-* + *campeão*.]

década (*dé*.ca.da) *sf.* **1** Período de dez anos; DECÊNIO: *A crise durou uma década.* **2** Cada década (1) em que se divide um século: *A televisão surgiu na década de 1950.* **3** Grupo ou série de dez; DEZENA [F.: Do lat. *decas, adis*, 'grupo de dez'.] ■ ~ **pitagórica** *Fil. Mat.* Somatório dos quatro primeiros números naturais, representando a unidade perfeita da natureza ~ **republicana** *Hist.* Cada um dos períodos de dez dias que compunham um mês no calendário da república francesa após a Revolução

decadência (de.ca.*dên*.ci:a) *sf.* **1** Estado do que decai, se aproxima do fim ou da ruína; DECLÍNIO: *decadência da civilização grega.* [Ant.: *progresso*] **2** Degradação, deterioração (decadência dos costumes) **3** Empobrecimento, enfraquecimento: "...um artigo interessante sobre a decadência do protestantismo em Inglaterra." (Eça de Queirós, *Os Maias*) **4** Período em que algo decaiu ou se degradou: *Os poetas da decadência.* **5** *Jur.* O mesmo que *caducidade* (5) [F.: Do lat. medv. *decadentia, ae*, pelo fr. *décadence*.]

decadente (de.ca.*den*.te) *a2g.* **1** Que decai, que está em declínio ou decadência (império decadente, bairro decadente) **2** *Lit.* Decadentista (1) [F.: Do fr. *décadent*.]

decadentismo (de.ca.den.*tis*.mo) *sm.* **1** *Liter.* Estilo que em alguns aspectos assemelha-se ao *Simbolismo*, caracterizado pelo pessimismo, pelo tédio e descrédito nas instituições humanas, voltado para um excessivo refinamento da sensibilidade, condição que propicia a valorização dos prazeres sensuais e a busca de sensações extravagantes; DECADISMO **2** Estilo típico de uma época caracterizada por decadência social, moral, política etc. **3** *P.ext.* Condição ou estado típicos do que está em decadência [F.: Do fr. *décadentisme*.]

decadentista (de.ca.den.*tis*.ta) *a2g.* **1** *Liter.* Referente ao decadentismo *s2g.* **2** Adepto, entusiasta do decadentismo [Fr.: Do fr. *décadentiste*.]

decaedro (de.ca.*e*.dro) *sm.* **1** *Geom.* Poliedro de dez faces *a.* **2** Que tem dez faces [F.: Do fr. *décaèdre*.]

decagonal (de.ca.go.*nal*) *a2g. Geom.* Que tem dez lados e dez ângulos [Pl.: *-nais*.] [F.: *decágono* + *-al*[1].]

decágono (de.*cá*.go.no) *Geom. sm.* Polígono de dez lados [F.: Do b.-lat. *decagonum, i.*]

decagrama (de.ca.*gra*.ma) *sm. Metrol.* Medida de peso que equivale a dez gramas. [Símb.: *dag*] [F.: Do fr. *décagramme*.]

decaída (de.ca.*í*.da) *sf.* **1** Ação ou resultado de decair; DECAIMENTO **2** Ação ou situação de quem decaiu, passou para um estado qualitativamente inferior; DECAIMENTO; EMPOBRECIMENTO **3** *Pej.* Prostituta, meretriz [F.: Fem. substv. de *decaído*.]

decaído (de.ca.*í*.do) *a.* **1** Que decaiu **2** Empobrecido, arruinado **3** Muito velho; DECRÉPITO *sm.* **4** Aquele que decaiu **5** Indivíduo decaído (2 ou 3) [F.: Part. de *decair*.]

decaimento (de.ca.i.*men*.to) [a-i] *sm.* **1** Ação ou resultado de decair **2** Queda, tombo **3** Declínio, decadência **4** Diminuição de atividade, de grau, de intensidade **5** Passagem para uma condição de menor qualidade **6** *Jur.* Perda de causa ou processo **7** *Mar.* Desvio de curso (de uma embarcação) **8** *Fís.* Diminuição da atividade de um material que contém substância radioativa [Ver tb. decaída.] [F.: *decair* + *-mento*.] ■ ~ **múltiplo** *Fís.nu.*

Na desintegração de um radionuclídeo, processo em que se verificam modos competitivos de decaimento ~ **radiativo** *Fís.nu.* Processo no qual um nuclídeo ou um núcleo composto se transforma espontaneamente em outro, que passa a emitir partículas (como elétrons, fótons etc.)

decair (de.ca.*ir*) *v.* **1** Sofrer redução; BAIXAR; DIMINUIR [*int.*: *A produção decaiu pela metade.*] **2** Deixar de ter merecimento, ou perder valor, dignidade, poder, eficiência, qualidade etc. [*tr. + de*: *decair da confiança de alguém.*] [*int.*: *A antiga elite decaiu.*] **3** Tornar-se pior; PIORAR [*int.*: *O aluno decai a cada dia.* Ant.: *progredir, melhorar.*] **4** Ir para baixo; pender [*int.*: *Passada a tempestade, os galhos das árvores decaíam e quase tocavam o chão.*] **5** *Jur.* Perder processo ou causa judicial [*int.*] **6** Desviar-se (embarcação) do rumo [*ta.*] [▶ 43 decair] [F.: Do v.lat. vulg. *decadere*, ou de *de- + cair.*]

decalcado (de.cal.*ca*.do) *a.* **1** Reproduzido por meio de decalque **2** Imitado, copiado [F.: Part. de *decalcar.*]

decalcar (de.cal.*car*) *v.* **1** Transferir por compressão uma imagem para superfície específica [*td.*: *decalcar uma figura.*] [*tda. + em, sobre*: *Decalcou um pássaro sobre o papel.*] **2** *tb. Fig.* Reproduzir (voluntária ou involuntariamente) modelo ou obra; IMITAR [*tdr. + em*: "O Cerro Torre decalca sua imponência no lago homônimo..." (*Jornal do Brasil*, 03.10.2004)] [*td.*: *decalcar um modelo; decalcar um estilo.*] **3** *Fig.* Fazer surgir ou produzir uma imagem, como se por decalque [*td.*] [*tda. + em, sobre*] [▶ 11 decalcar] [F.: Do fr. *décalquer*. Hom.: *decalco* (fl.), *decalco* (sm.); *decalque* (fl.), *decalque* (sm.); *decalques* (fl.), *decalques* (pl. do sm.).]

decalcomania (de.cal.co.ma.*ni*.a) *sf.* **1** Transposição de um desenho ou figura de um papel para outro por meio de compressão **2** A imagem obtida dessa maneira [F.: Do fr. *décalcomanie.*]

decalitro (de.ca.*li*.tro) *sm. Metrol.* Medida de capacidade ou volume equivalente a dez litros [Símb.: *dal.*] [F.: Do fr. *décalitre.*]

decálogo (de.*cá*.lo.go) *sm.* **1** Conjunto de dez princípios de uma doutrina, filosofia, moral etc. **2** *Rel.* Os dez mandamentos bíblicos [F.: Do gr. *dekálogos, ou*, pelo lat. *decalogus, i.*]

📖 O decálogo mencionado na Bíblia representa um resumo, em dez mandamentos, dos preceitos religiosos para uma conduta compatível com princípios religiosos e com uma ética de comportamento. Segundo o relato bíblico, teriam sido entregues por Deus a Moisés, no monte Sinai, gravados em duas tábuas de pedra. Os conceitos nele expressos se constituíram na base da fé e do sistema moral das religiões monoteístas e das relações sociais.

decalque (de.*cal*.que) *sm.* **1** Transferência de uma imagem gráfica de uma superfície para outra, por compressão ou cópia **2** Essa imagem **3** *Fig.* Imitação, plágio **4** *Ling.* Introdução, numa língua, de formação estrangeira por meio de tradução (p.ex.: arranha-céu, decalque do ingl. *skyscraper*) [F.: Dev. de *decalcar*. Hom./Par.: *decalque* (sm.), *decalque* (fl. de *decalcar*).]

decamerônico (de.ca.me.*rô*.ni.co) *a.* Relativo ao estilo ou ao livro Decameron, do escritor italiano Giovanni Boccaccio (1313-1375)

decâmetro (de.*câ*.me.tro) *sm.* **1** *Metrol.* Unidade de comprimento que equivale a dez metros. [Símb.: *dam.*] **2** Essa medida [F.: Do fr. *décamètre*; ver *dec(a)-* + *-metro.*]

decanato (de.ca.*na*.to) *sm.* **1** Dignidade, jurisdição ou qualidade de decano ou deão **2** *Astrol. Astrôn.* Cada uma das três partes de dez graus em que se divide um signo do zodíaco [F.: *decano* + *-ato*[1].]

decaneto (de.ca.*ne*.to) [é] *sm.* Décimo descendente numa linha genealógica [F.: *dec(a)-* + *neto.*]

decano (de.*ca*.no) *sm.* **1** O membro mais velho ou mais antigo de uma classe, assembleia, corporação etc; DEÃO **2** Sub-reitor de universidade **3** *Rel.* Deão (2) **4** *Fig.* Aquele que se destaca entre seus iguais: *decano dos poetas brasileiros.* **5** *Astrol.* Astro que rege um decanato [F.: Do lat. *decanus, i.*]

decantação[1] (de.can.ta.*ção*) *sf.* Ação ou resultado de decantar[1]; exaltação ou celebração em verso e canto [Pl.: *-ções.*] [F.: Do lat. tard. *decantatio, onis.*]

decantação[2] (de.can.ta.*ção*) *sf.* **1** *Quím.* Separação de líquidos não misturáveis ou de sólidos, por ação da gravidade **2** *Restr.* Separação das impurezas que se depositam no fundo de um líquido **3** Filtragem das impurezas de um líquido **4** Ação, processo ou efeito de purificar o caldo de cana, antes da evaporação **5** Limpeza, purificação [Pl.: *-ções.*] [F.: Do lat. medv. dos alquimistas *decanthatio, onis*, 'purificação', pelo fr. *décantation.*]

decantado[1] (de.can.*ta*.do) *a.* **1** Que se decantou, celebrou em canto e versos **2** Celebrado, famoso, notável: *O decantado poeta acumulou vários prêmios.* **3** *Fig.* Profetizado, vaticinado [F.: Do lat. *decantatus, a, um*, part. Do v.lat. *decantare*, 'louvar'.]

decantado[2] (de.can.*ta*.do) *a.* **1** *Quím.* Diz-se de líquido que foi separado de impurezas que se depositaram no fundo do recipiente que o contém (vinho decantado) **2** *Fig.* Purificado, limpo, livre do mal [F.: Part. de *decantar*[2].]

decantador[1] (de.can.ta.*dor*) [ô] *a.* **1** Que decanta, que celebra em canto ou verso **2** Diz-se de quem faz elogios **3** Que faz previsões ou tem premonições; VATICINADOR *sm.* **4** Aquele que celebra em canto e verso **5** Aquele que é dado a fazer elogios **6** Aquele que vaticina, que faz previsões [F.: *decantar*[1] + *-dor.*]

decantador[2] (de.can.ta.*dor*) [ô] *a.* **1** Que decanta, separa impurezas, filtra *sm.* **2** Recipiente no qual se depositam as impurezas do caldo de cana aquecido [F.: *decantar*[2] + *-dor.*]

decantamento (de.can.ta.*men*.to) *sm.* Ação ou resultado de decantar[2], de purificar um líquido por gravidade; DECANTAÇÃO [F.: *decantar*[2] + *-mento.*]

decantar[1] (de.can.*tar*) *v. td.* **1** Elogiar (alguém ou algo), ger. em versos; ENALTECER: *decantar a beleza da mulher amada.* **2** Predizer, profetizar, vaticinar: *decantar o futuro.* [▶ 1 decantar] [F.: Do v.lat. *decantar*, 'louvar'.]

decantar[2] (de.can.*tar*) *v.* **1** *Quím.* Separar as impurezas que se depositaram no fundo de (líquido) [*td.*: "o lírio-branco decanta a argila em suspensão e elimina 95% a 98% dos coliformes fecais da água" (FolhaSP, 07.06.2001)] **2** *Bras.* Tirar as impurezas de (o caldo de cana) [*td.*] **3** *Fig.* Livrar (algo ou alguém) de (algo ruim, mal ou prejudicial) [*tdr. + de*: *O tempo decantou seu coração das mágoas sofridas.*] **4** Desaguar (uma corrente, um fluxo d'água) em [*ta. + em*: *A lagoa decanta-se no mar.*] [▶ 1 decantar] [F.: Do lat. medv. dos alquimistas *decanthare*, pelo fr. *décanter.*]

decantatório (de.can.ta.*tó*.ri:o) *a.* **1** Referente ao processo de decantação[2], ou é próprio para decantar[2] **2** Em que há ou que envolve decantação[2] [F.: *decantar*[2] + *-tório.*]

🌐 **decanter** (*Ing. /diquênter/*) *sm.* **1** Frasco para decantar ou para guardar líquidos decantados **2** Garrafa de cristal trabalhado, própria para servir vinho à mesa

decapitação (de.ca.pi.ta.*ção*) *sf.* Ato ou efeito de decapitar, de cortar fora a cabeça [Pl.: *-ções.*] [F.: *decapitar* + *-ção.*]

decapitado (de.ca.pi.*ta*.do) *a.* Que sofreu decapitação, que teve a cabeça cortada; DEGOLADO [F.: Part. de *decapitar.*]

decapitador (de.ca.pi.ta.*dor*) [ô] *a.* **1** Diz-se de quem ou do que decapita *sm.* **2** Instrumento ou indivíduo que decapita [F.: *decapitar* + *-dor.*]

decapitável (de.ca.pi.*tá*.vel) *a2g.* Passível de ser decapitado [Pl.: *-veis.*] [F.: *decapitar* + *-vel.* Hom./Par.: *decapitáveis* (pl.), *decapitáveis* (fl. de *decapitar* [v.]).]

decápode[1] (de.*cá*.po.de) *a2g. Zool.* Que tem dez patas ou dez membros locomotores [F.: Do gr. *dekápous, odos.*]

decápode[2] (de.*cá*.po.de) *Zool. sm.* **1** Espécime dos decápodes, ordem de crustáceos, em sua maioria marinhos que inclui lagostas, camarões, caranguejos, siris, dentre outros *a2g.* **2** *Zool.* Ref. ou pertencente aos decápodes [F.: Adapt. do lat.cient. *Decapoda*, do gr. *dekápous, odos.*]

decapotável (de.ca.po.*tá*.vel) *sm.* Veículo cujo teto pode ser removido; CONVERSÍVEL [F.: *des* + *capotável.*]

decarboxilado (de.car.bo.xi.*la*.do) [cs] *a. Quím.* Estrutura química da qual foi retirado o grupo carboxila [F.: *de-* + *carboxila.*]

decasségui (de.cas.*sé*.gui) *a2g.* **1** Diz-se de estrangeiro, esp. de ascendência japonesa, que vai trabalhar no Japão sem a intenção de imigrar definitivamente *s2g.* **2** Estrangeiro decasségui (1) [F.: Do jap. *dekassegui*, 'trabalhador temporário'. Tb. *decasségui.*]

decassílabo (de.cas.*sí*.la.bo) *a.* **1** Que tem dez sílabas **2** *Poét.* Que tem dez sílabas métricas *sm.* **3** Vocábulo decassílabo (1) **4** *Lit. Poét.* Verso decassílabo (2): *poema em decassílabos.* [F.: Do gr. *dekasýllabos, os, on*, pelo lat. *decasyllabus, a, um.*]

decatleta (de.ca.*tle*.ta) *s2g. Esp.* Atleta especialista em decatlo; DECLATONISTA [F.: Do ingl. *decathlete.*]

decatlo (de.*ca*.tlo) *sm. Esp.* Prova de atletismo composta de dez modalidades: quatro corridas, três saltos e três lançamentos [F.: Do ingl. *decathlon*; ver *dec(a)-* + *-atlo.* Cf.: *pentatlo* e *triatlo.*]

📖 O decatlo é uma prova olímpica para homens, por sua vez constituída de dez provas diferentes, cujo parâmetro de avaliação é o equilíbrio e a versatilidade do atleta em relação aos três fundamentos do atletismo: velocidade, força (inclusive resistência) e impulsão. São elas: corrida de 100 m rasos, salto em distância, lançamento de peso, salto em altura, corrida de 400 m rasos, corrida de 110 m com barreiras, lançamento de disco, salto com vara, lançamento de dardo, corrida de 1.500 m rasos.

decátlon (de.*cá*.tlon) *sm.* Ver *decatlo* [Pl.: *de decátlon: decátlones* e (*Bras.*) *decátlons.*]

decenal (de.ce.*nal*) *a2g.* **1** Que dura dez anos **2** Que se realiza de dez em dez anos [Pl.: *-nais.*] [F.: Do lat. *decennalis, e.*]

decência (de.*cên*.ci:a) *sf.* **1** Qualidade, característica ou condição do que é decente **2** Decoro nas ações, na linguagem, no vestuário etc; conformidade com o modelo social estabelecido; COMPOSTURA **3** Pudor, recato [Ant.: *indecência.*] **4** Correção moral; HONESTIDADE; INTEGRIDADE **5** Padrão digno de conforto material: "Américo não é avarento, porque despende bastante para viver com decência e algum luxo..." (J. M. de Macedo, *Luneta mágica*) [F.: Do lat. *decentia, ae.* Hom./Par.: *decência* (sf.), *descência* (sf.).]

decendial (de.cen.di.*al*) *a2g.* Relativo a decêndio, que dura dez dias [Pl.: *-ais.*] [F.: *decêndio* + *-al*[1].]

decêndio (de.*cên*.di:o) *sm.* Período de dez dias [F.: Do lat. *decem*, 'dez', + el. *-dio* (de *dia*).]

decênio (de.*cê*.ni:o) *sm.* Período de dez anos; DÉCADA [F.: Do lat. *decennium, ii.*]

decente (de.*cen*.te) *a.* **1** Que revela pudor, decoro (roupa decente) [Ant.: *indecente, indecoroso.*] **2** Digno, honesto, honrado (trabalho decente) **3** Satisfatório, adequado, conveniente: *vida sem luxo, mas decente.* **4** Asseado, limpo: *A casa está decente para receber visitas.* [F.: Do lat. *decens, entis.* Hom./Par.: *decente* (a2g.), *descente* (a2g.sf.), *discente* (a2g.s2g.).]

decepação (de.ce.pa.*ção*) *sm.* Ato ou efeito de decepar; DECEPAMENTO

decepado (de.ce.*pa*.do) *a.* **1** Que se decepou, que se separou de um todo (galho decepado) **2** Que foi decapitado, degolado **3** *Fig.* Que foi eliminado ou destruído (orgulho decepado) [F.: Part. de *decepar.*]

decepador (de.ce.pa.*dor*) [ô] *a.* **1** Diz-se do que ou de quem decepa *sm.* **2** O agente ou autor da decepação [F.: Do rad. de *decepado* + *-or.*]

decepamento (de.ce.pa.*men*.to) *sm.* Ato ou efeito de decepar; DECEPAÇÃO [F.: *decepar* + *-mento.*]

decepar (de.ce.*par*) *v. td.* **1** Extrair (parte de um todo) por corte; CORTAR: *decepar galhos de uma árvore; decepar um braço.* **2** *Fig.* Destruir, eliminar, acabar: "...a qualquer momento pode decepar qualquer pretensão de crescimento econômico..." (*FolhaSP*, 23.08.2004) **3** *Fig.* Provocar a interrupção de; INTERROMPER; INTERCEPTAR: *decepar uma conversa; decepar um discurso.* **4** *Fig.* Fazer morrer [▶ 1 decepar] [F.: *de-* + *cepo* + *-ar*[2]. Hom./Par.: *decepar, descepar* (em todas as fl.).]

decepção (de.cep.*ção*) *sf.* **1** Sentimento de tristeza ou frustração ante o fracasso de expectativas (decepção amorosa); DESAPONTAMENTO; DESILUSÃO **2** O que causou decepção (1): *A viagem foi uma decepção.* [Pl.: *-ções.*] [F.: Do lat. *deceptio, onis.*]

decepcionado (de.cep.cio.*na*.do) *a.* Que se decepcionou, sofreu decepção; DESILUDIDO; DESAPONTADO [F.: Part. de *decepcionar.*]

decepcionante (de.cep.ci:o.*nan*.te) *a2g.* Que causa decepção; FRUSTRANTE [F.: *decepcionar* + *-nte.*]

decepcionar (de.cep.ci:o.*nar*) *v.* **1** Provocar ou sofrer decepção; DESAPONTAR; DESILUDIR [*td.*: *Sua irresponsabilidade decepciona os pais.*] [*int.*: *Todos decepcionaram-se.*] [*tr. + com*: *Todos decepcionaram-se com o resultado do jogo.*] **2** Ser um fracasso; sair-se mal em algo, frustrando todas as expectativas [*tr.*: *A equipe masculina decepcionou nas Olimpíadas.*] [▶ 1 decepcionar] [F.: *decepção* (sob o rad. *decepcion-*) + *-ar*[2], seg. o mod. erudito.]

decerto (de.*cer*.to) *adv.* Certamente, por certo: "...foi decerto uma fraqueza d'instante." (Casimiro de Abreu, *Carolina*) [F.: *de* + *certo*. Hom./Par.: *decerto* (adv.), *disserto* (fl. de *dissertar*).]

decesso (de.*ces*.so) [é] *sm.* **1** Ação ou resultado de deceder; ÓBITO; PASSAMENTO **2** Falecimento, morte: *Anunciou-se o decesso do primeiro-ministro.* **3** Decrescimento, diminuição **4** Rebaixamento a uma posição hierarquicamente inferior em função, cargo, patente etc. [F.: Do lat. *decessus, us.*]

◎ **deci-** *pref.* = 'dez vezes menor (unidade)': *decibel, decigrama, decilitro, decímetro* [F.: Do lat. *decimus, a, um.*]

decibel (de.ci.*bel*) *Fís. sm.* Unidade de medida da variação relativa de potência elétrica ou sonora; expressa na prática a intensidade do som [Símb.: dB]: *Sons de intensidade superior a 80 decibéis causam dano aos ouvidos.* [Pl.: *-béis.*] [F.: Do ingl. *decibel*; ver *deci-* e *bel.*]

decibelímetro (de.ci.be.*lí*.me.tro) *sm.* **1** *Fís.* Aparelho eletroacústico próprio para medir a intensidade dos sons; SONÔMETRO **2** *Fís. Mús.* Aparelho us. para medir e comparar sons e intervalos harmônicos [F.: *decibel* + *metro.*]

decididamente (de.ci.di.da.*men*.te) *adv.* **1** De modo decidido, firme; com firmeza ou resolução **2** Definitivamente: *Decididamente, não! respondeu o pai.* [Us. para expressar ou responder com decisão, convicção, firmeza, certeza inabaláveis e inalteráveis.] [F.: Fem. de *decidido* + *-mente.*]

decidido (de.ci.*di*.do) *a.* **1** Que tomou uma decisão: *Estou decidido a viajar.* **2** Firme em seus propósitos; RELUTO; DETERMINADO: *É um homem decidido.* **3** Que foi objeto de decisão (assunto decidido); RESOLVIDO [F.: Part. de *decidir.*]

decidir (de.ci.*dir*) *v.* **1** Tomar uma resolução, decisão ou determinação; determinar a ocorrência de certo fato ou ação; RESOLVER [*td.*: *Decidiu voltar a estudar; Decidi partir antes do amanhecer.*] [*int.*: *Ele não decidiu bem ao optar pela viagem de carro.*] [*tr. + por*: "Caneira decide-se pelo *Sporting*" (*Record*, 30.12.2005)] **2** Emitir um parecer, um juízo, uma decisão (esp. com poder legal ou majoritário) sobre (uma pendência, uma questão, uma causa, um conflito entre partes etc.) ou a favor ou contra (algo, alguém, ou parte[s] envolvida[s]) [*td.*: *O juiz decidiu que a criança ficará com os avós*: "...quem decide se o nepotismo é certo ou errado é o eleitor" (*FolhaSP*, 13.04.2005)] [*tr. + sobre, por, contra, a favor de, em favor de, de, entre, em*: "Justiça decide segunda-feira sobre reajuste dos ônibus" (*O Globo*, 06.01.2006): TRF decide pela abertura parcial de posto de gasolina: "A OMC (Organização Mundial de Comércio) decidiu... a favor do Brasil em uma disputa contra a União Europeia..." (*FolhaSP*, 30.05.2005)] **3** *Restr.* Resolver-se contra ou a favor de [*tr. + sobre, por, contra, a favor de, em favor de*: *O Ministério Público decidiu-se pelo arquivamento dos autos; O prefeito decidiu-se contra o aumento das passagens; O juiz decidiu-se em favor do réu.*] **4** *P.ext.* (de 2) Estabelecer como lei, norma, regra; DISPOR [*td.*: *A LDB decide que matérias são adequadas ao ensino fundamental.*] [*tr. + de*: *A Constituição decide da liberdade de expressão.*] **5** *Fig.* Ter o direito de escolher, de optar [*tr. + sobre*: "Mulher ou sociedade: quem decide sobre o aborto?" (*ComCiência, Ciência e Religião*, 05.2005)] **6** *Esp.* Disputar o direito a [*td.*: *Flamengo e Vasco decidem a classificação amanhã.*] [*tdr. + com*: "Flu goleia e decide vaga com Grêmio Barueri" (*AOL: Esportes.* 08.01.2006)] **7** *Esp.* Disputar partida decisiva de (torneio, competição etc.) com (time) [*tdr. + com, contra*: "São Paulo decide Mundial contra o Liverpool" (*FolhaOnline*, 18.12.2005)] **8** Ser a causa imediata ou decisiva de [*td.*: *A doença do filho decidiu a sua partida para o campo.*] **9** Resultar, redundar; definir-se [*tr. + para*: *A crise da doença decidiu-se para o mal.*] [▶ 3 decidir] [F.: Do v.lat. *decidere*. Hom./Par.: *decida* (fl.), *descida* (sf.); *decidas* (fl.), *descidas* (pl. do sf.); *decido* (fl.), *descido* (a. sm.); *decidir, dissidir* (todas as fl.).]

decídua (de.*cí*.du:a) *sm. Anat.* Membrana que envolve o útero durante a gestação e é expulsa no momento do parto [Cf.: *decíduo.*] [F.: Do lat. cient. *decidua.*]

deciduado (deci.du.*a*:do) *a. Zool.* Que possui decídua [F.: *decídua* + *-ado.*]

decidual (de.ci.du:*al*) *a2g.* Relativo ou pertencente a decídua [Pl.: *-ais.*] [F.: *decídua* + *-al.*]

deciduidade (de.ci.du:i.*da*.de) [u-i] *sf.* Condição de decíduo, de que não é permanente [F.: *decíduo* + *-idade*.]

decíduo (de.*cí*.du:o) *a.* **1** *Biol.* Que se desprende e cai em determinada época do ano ou fase de desenvolvimento (folhagem decídua, chifre decíduo); CADUCO **2** *Bot.* Caducifólio **3** Que cai ou se solta (dente decíduo); CADIVO; CADUCO [F.: Do lat. *deciduus, a, um*.]

decifração (de.ci.fra.*ção*) *sf.* **1** Ato ou efeito de decifrar; DECIFRAMENTO **2** *P.ext.* Atividade que consiste em compreender ou explicar esp. palavras, frases ou textos obscuros ou muito complexos **3** Ação ou resultado de conhecer algo novo **4** Solução de charadas, enigmas, problemas etc. **5** *Mús.* Boa execução de uma peça musical, sem ter ensaiado ou treinado para tocá-la [F.: *decifrar* + *-ção*.]

decifrado (de.ci.*fra*.do) *a.* **1** Resolvido por decifração, solucionado **2** Compreendido, entendido (diz-se principalmente de palavras, frases ou textos obscuros ou muito complexos) **3** *Mús.* Diz-se de peça musical que, embora não ensaiada ou estudada, foi bem executada pelo intérprete [F.: Part. de *decifrar*.]

decifrador (de.ci.fra.*dor*) *a.* **1** Que decifra **2** Que soluciona enigmas, charadas, problemas etc. **3** Que se dedica à compreensão de palavras, frases ou textos obscuros ou muito complexos **4** Que diz respeito ao que toma conhecimento de algo novo **5** *Mús.* Ref. ao intérprete que, sem ensaio ou estudo, executa bem um trecho ou peça musical *sm.* **6** O que decifra **7** Indivíduo que soluciona charadas, enigmas, problemas etc. **8** *P.ext.* Pioneiro no conhecimento de algo **9** *Mús.* Músico que executa bem uma peça sem tê-la estudado ou ensaiado [F.: Rad. do part. *decifrado* + *-or*.]

decifragem (de.ci.*fra*.gem) *sm.* Ato de decifrar; DECIFRAÇÃO

decifrarnento (de.ci.fra.*men*.to) *sm.* Processo ou efeito de decifrar; DECIFRAÇÃO [F.: *decifrar* + *-mento*.]

decifrar *v. td.* **1** Ler (texto cifrado, ilegível etc.) (tb. Fig.): *É impossível decifrar esta letra.* **2** Captar o sentido de; COMPREENDER; RESOLVER: *decifrar enigmas.* **3** Desvendar (sistema de código etc.): *O programador decifrava a nova linguagem de computador.* **4** *Mús.* Executar satisfatoriamente (música), sem treino; tocar de ouvido: *decifrar uma peça de Mozart.* [▶ 1 decifrar] [F.: De *de-* + *cifrar* ou do it. *decifrare*, posv. Hom./Par.: *decifráveis* (fl.), *decifráveis* (pl. do a2g.).]

decifrável (de.ci.*frá*.vel) *a2g.* Que pode ser decifrado, decodificado: *Mensagem facilmente decifrável.* [Ant.: *indecifrável*.] [Pl.: *-veis*.] [F.: *decifrar* + *-vel*. Hom./Par.: *decifráveis* (pl.), *decifráveis* (fl. de *decifrar*).]

decigrama (de.ci.*gra*.ma) *sm. Metrol.* Décima parte do grama. [Símb.: *dg*.] [F.: Do fr. *décigramme*; ver *deci-* e *-grama*.]

decilitro (de.ci.*li*.tro) *sm. Metrol.* Décima parte do litro. [Símb.: *dl*.] [F.: Do fr. *décilitre*; ver *deci-* e *-litro*.]

décima (*dé*.ci.ma) *sf.* **1** Cada uma das dez partes iguais em que se divide a unidade **2** Conjunto de dez; DEZENA **3** Imposto cujo valor é o resultado da divisão por dez de um rendimento; DÍZIMA **4** *P.ext.* Tributo, contribuição **5** *Poét.* Estrofe de dez versos **6** *Bras. S. P.ext.* Estrofe de verso ou canção **7** *Bras. N.E. P.ext.* Estrofe de dez versos setissílabos, muito us. por cantadores nordestinos **8** *Mús.* Intervalo composto de três notas da escala diatônica [F.: Fem. substv. de *décimo*. Hom./Par.: *décima* (sf.), *decima* (fl. de *decimar*).]

decimal (de.ci.*mal*) *a2g.* **1** Ref. a dez ou à décima parte **2** Diz-se do sistema de medida ou monetário que tem por base o número dez **3** *Mat.* Diz-se de número menor que a unidade ou que possua uma parte menor que a unidade: *0,75 e 2,8 são números decimais.* *sm.* **4** *Mat.* Número decimal, ou seja, aquele que é escrito num sistema decimal *s2g.* **5** *Mat.* Em um número decimal, cada algarismo à direita da vírgula [Pl.: *-mais*.] [F.: Do lat. medv. *decimalis, e*. Hom./Par.: *decimais* (pl.), *decimais* (fl. de *decimar*).]

decimétrico (de.ci.*mé*.tri.co) *Metrol. a.* **1** Relativo a decímetro **2** Que mede um decímetro **3** Dividido em decímetros [F.: *decímetro* + *-ico*.]

decímetro (de.*cí*.me.tro) *sm. Metrol.* Décima parte do metro. [Símb.: *dm*.] [F.: Do fr. *décimètre*; ver *deci-* e *-metro*.]

décimo (*dé*.ci.mo) *num.* **1** Ordinal que, em uma sequência, corresponde ao número dez: *Moro no décimo andar.* **2** Que é dez vezes menor que uma unidade ou um todo (diz-se de parte): *Pagou a décima parte do preço.* *sm.* **3** Cada uma das partes de um todo dividido por dez: *Paguei dois décimos do preço.* [F.: Do lat. *decimus, a, um*. Hom./Par.: *décimo* (num.), *decimo* (fl. de *decimar*).]

decisão (de.ci.*são*) *sf.* **1** Ação ou resultado de decidir **2** Resolução que se toma a respeito de alguma coisa; DELIBERAÇÃO **3** Julgamento, sentença, veredicto **4** Capacidade de decidir com firmeza; DETERMINAÇÃO; CORAGEM [Ant.: *indecisão*.] **5** *Bras. Esp.* Partida final de um campeonato, ou aquela cujo resultado determina quem é campeão [Pl.: *-sões*.] [F.: Do lat. *decisio, onis*.] ▪ **~ executória** *Jur.* Aquela tomada por órgão administrativo e imediatamente aplicável no âmbito de seus administrados **~ interlocutória** *Jur.* Num processo, decisão de juiz em matéria que não é a principal

decisionismo (de.ci.si:o.*nis*.mo.) *sm. Fil.* Teoria elaborada pelo filósofo e jurista alemão Carl Schmitt (1888-1985), um dos teóricos do nazismo, segundo a qual em épocas de crise a desordem só se transforma em ordem por meio da decisão absoluta, que tem primazia sobre a ordem

decisivo (de.ci.*si*.vo) *a.* **1** Que decide, que leva a um resultado definitivo: "...a expedição segue rumo decisivo para o seu objetivo lógico..." (Euclides da Cunha, *Confrontos e contrastes*) **2** Categórico, terminante, peremptório: *A resposta foi um não decisivo.* **3** Em que as coisas se decidem (momento decisivo); CRÍTICO; GRAVE **4** Que revela ou impõe decisão (ânimo decisivo); RESOLUTO; CORAJOSO [F.: Do lat. medv. *decisivus, a, um*, pelo fr. *décisif*.]

decisório (de.ci.*só*.ri:o) *a.* **1** Que decide **2** *Jur.* Que tem o poder de decidir *sm.* **3** Parte da sentença em que o juiz revela sua decisão; DISPOSITIVO [F.: Do lat. medv. *decisorius, a, um*.]

declamação (de.cla.ma.*ção*) *sf.* **1** Ação, maneira, arte ou resultado de declamar **2** *Fig.* Discurso vazio, afetado e artificioso [Pl.: *-ções*.] [F.: Do lat. *declamatio, onis*.]

declamado (de.cla.*ma*.do) *a.* Que foi dito ou recitado em voz alta [F.: Part. de *declamar*.]

declamador (de.cla.ma.*dor*) [ô] *a.* **1** Que declama *sm.* **2** Aquele que declama, recita [F.: *declamar* + *-dor*.]

declamar (de.cla.*mar*) *v.* **1** Falar em voz alta, interpretando o conteúdo com gestos, expressões faciais e entonação expressiva [*td.*: *Declamou versos de Cecília Meireles.*] [*int.*: *Ela declama muito bem.*] **2** *Fig.* Falar de modo solene em público; DISCURSAR [*td.*: *No comício, o deputado declamou um pomposo discurso.*] [*int.*: *Na festa de formatura, o reitor foi o primeiro a declamar.*] **3** *Fig.* Proferir insultos; BRADAR; DEBLATERAR [*td.*: "...a ingênua que murmura tolices e declama disparates..." (Cecília Meireles, *Crônicas de Educação 4*)] [*tr.* + *contra*: *declamar contra a família.*] [*tdr.* + *contra*: *declamar injúrias contra o cidadão.*] **4** Discursar afetadamente, em estilo enfático e sem ideias [*int.*: *Quando ele bebe, começa logo a declamar.*] **5** *Mús.* Cantar sem regras fixas, à semelhança da fala comum [*td.*: *Ela declamou o hino nacional.*] [▶ 1 declamar] [F.: Do v.lat. *declamare*.]

declamatório (de.cla.ma.*tó*.ri:o) *a.* **1** Ref. a declamação (regras declamatórias) **2** *Fig.* Enfático, empolado, afetado [F.: Do lat. *declamatorius, a, um*.]

declaração (de.cla.ra.*ção*) *sf.* **1** Ação ou resultado de declarar(-se) **2** Aquilo que se declara **3** Afirmação verbal ou escrita sobre algo, esp. ainda não revelado **4** Confissão ou revelação de amor: *Fez-lhe uma declaração.* **5** Ato de anunciar solenemente (declaração de guerra) **6** Esclarecimento, explicação, depoimento **7** Informação sobre bens, rendimentos etc., para submeter à fiscalização do Estado [Pl.: *-ções*.] [F.: Do lat. *declaratio, onis*.]

declarado (de.cla.*ra*.do) *a.* **1** Que se declarou (valor declarado) **2** Que foi anunciado, revelado, tornado explícito (amor declarado) [F.: Part. de *declarar*.]

declarante (de.cla.*ran*.te) *a2g.* **1** Que declara **2** *Jur.* Que depõe; DEPOENTE *s2g.* **3** Aquele que declara **4** *Jur.* Aquele que depõe; DEPOENTE [F.: *declarar* + *-nte*.]

declarar (de.cla.*rar*) *v.* **1** Tornar público, verbalmente ou por escrito; dar a conhecer; REVELAR [*td.*: *A vítima não quis declarar o nome dos culpados.*] **2** Dizer ou expor (algo, ger. com convicção, com certeza); AFIRMAR [*td.*: *A atriz declarou que sua agenda para o ano que vem está lotada*: "Recentemente Lula declarou que somente a economia pode salvar seu projeto de reeleição" (Paulo Moura, *A candidatura Lula tem salvação?*)] [*tdi.*: *O Presidente declarou à imprensa as mudanças que serão feitas no Ministério.*] **3** Anunciar como resolução ou determinação (ger. de modo legal ou solene); DECRETAR [*td.*: *Trinidad e Tobago declarou feriado nacional após a classificação para a Copa do Mundo; declarar guerra.*] [*tdi.* + *a*: *Em agosto de 1916, a Itália declarou guerra à Alemanha; Declarou-lhe guerra.* A construção '*declarar guerra a*' é tradicional na língua, e alguns pensam ser o que lhe dá continuidade um complemento nominal e não um objeto indireto; trata-se, porém, de estrutura em que a força parece estar no verbo, na decisão e na ação que se estabelecem; há vários registros modernos da forma '*declarar guerra contra*', menos castiça.] **4** *Fig.* Confessar [*tdi.* + *a*: *O preso declarou o crime ao policial.*] **5** Qualificar ou julgar (alguém ou a si mesmo) como; considerar(-se), reconhecer(-se) [*tdp.*: *O pai declarou-o inocente; Declarou-se cansado de tanta intromissão.*] **6** *P.ext. Jur.* Dar parecer legal sobre; determinar, julgar (como) [*td.*: "STF declarou de quem é a competência para julgar ações de dano moral e material decorrente de acidente de trabalho" (*Informe Sindical*, 01.07.2005)] [*tdp.*: *STF declarou inconstitucional a regulação de crédito-prêmio de IPI.*] **7** Nomear, designar [*tdp.*: *Declarou-o seu herdeiro e testamenteiro.*] **8** *Com. Econ.* Submeter (bens, renda, gastos) à fiscalização do Estado [*td.*: *declarar imposto de renda* (*us. no sentido de declarar renda para pagamento de imposto*).] [*tdi.* + *a*: *Declarou as compras à alfândega.*] **9** Manifestar-se sobre (um assunto, questão, fato etc.); pronunciar-se [*tr.* + *por, contra, em favor de, a favor de*: "Lula não se declarou contra nem a favor das cotas" (*Estadão*, 21.03.2003)] **10** Revelar (um sentimento ainda não externado) [*td.*: *O rapaz finalmente declarou seu medo.*] [*tdi.* + *a*: *No romance, a jovem morreu sem declarar seu amor pelo primo ao irmão.*] **11** *Fig.* Dizer-se apaixonado ou interessado amorosamente (por alguém) [*int., tr.* + *a*: *O rapaz declarou-se (à moça).*] **12** Dar sinais de existência; surgir, manifestar-se repentinamente (doença, epidemia) [*int.*: *A doença declarou-se de uma hora para outra.*] [*ta.*: *A última epidemia de febre aftosa declarou-se numa zona reservada à exportação de carne de vaca.*] [▶ 1 declarar] [F.: Do v.lat. *declarare*.]

declarativo (de.cla.ra.*ti*.vo) *a.* **1** Em que há declaração; DECLARATÓRIO **2** *Ling.* Diz-se de verbo que indica o que o falante vai dizer (p.ex.: afirmar, falar, perguntar) **3** *Ling.* Diz-se da frase que não expressa dúvida sobre o que foi declarado; ASSERTIVO [F.: Do lat. *declarativus, a, um*.]

declaratório (de.cla.ra.*tó*.ri:o) *a.* **1** Relativo a declaração, ou em que há declaração **2** *Jur.* Diz-se de ação ou ato jurídico em que o juiz declara a existência ou não de determinada situação judicial [F.: *declarar* + *-tório*.]

declinação (de.cli.na.*ção*) *sf.* **1** Ação ou resultado de declinar **2** Inclinação, declive **3** Diminuição de intensidade; ABAIXAMENTO **4** Decadência, declínio **5** Recusa, rejeição **6** *Ling.* Em certas línguas, o conjunto de desinências que modificam um substantivo, pronome ou adjetivo para expressar sua função sintática na oração [Ver tb. *caso, desinência* e *língua*.] **7** *Gram.* Cada um dos subconjuntos de uma classe gramatical que segue o mesmo modelo ou paradigma **8** *Astr.* Arco imaginário que corta a esfera terrestre paralelamente ao equador, e que mede o desvio angular em relação a este [Pl.: *-ções*.] [F.: Do lat. *declinatio, onis*.] ▪ **~ magnética** *Geof.* Em certo ponto da Terra, ângulo entre a direção do norte magnético e a do norte geográfico

declinado (de.cli.*na*.do) *a.* **1** Que se declinou **2** Inclinado para as laterais, para frente ou para trás **3** *Gram.* Ref. a palavra ou língua que possui declinação [F.: Do lat. *declinatus,a,um*.]

declinador (de.cli.na.*dor*) *a.* **1** Que diz respeito ao que declina **2** Ref. ao instrumento que mede a declinação de um plano em relação ao horizonte *sm.* **3** O que declina **4** Instrumento us. para medir a declinação de um plano em relação ao horizonte [F.: Rad. do part. *declinado* + *-or*.]

declinante (de.cli.*nan*.te) *a2g.* **1** Diz-se do que declina **2** Ref. ao que está em decadência **3** *Astron.* Que apresenta desvio angular *s2g.* **4** O que declina **5** Quem ou o que se encontra em decadência [F.: *declinar* + *-ante*.]

declinar (de.cli.*nar*) *v.* **1** Desviar-se de um rumo, de um ponto [*td.*: *declinar uma aeronave.*] [*ta.* + *para*: *A embarcação declina para o norte da ilha.*] **2** *Astron.* Afastar-se um astro do equador, em relação ao centro terrestre [*int.*: *A lua declinara naquele exato instante.*] **3** *Fís.* Afastar-se (a agulha magnética) da meridiana [*int.*: *A agulha magnética começou a declinar.*] **4** Mudar de atitude ou de comportamento [*tr.* + *para*: *Minha irmã, de comunicativa e alegre, declinou para introvertida e triste.*] **5** Passar a responsabilidade (de algo) a outrem [*tdi.* + *a*: *Quer sempre declinar a educação dos filhos à mãe.*] **6** Desviar para baixo [*td.*: *Ao ouvir a reprimenda do pai, o jovem declinou o olhar.*] [*int.*: *Seus olhos declinaram de vergonha.*] **7** Entrar em decadência; DECAIR [*int.*: *Os negócios começaram a declinar.*] **8** Perder a força ou a intensidade; ENFRAQUECER [*int.*: *Depois de muitos dias, a chuva declinou.*] **9** Manifestar falta de interesse, não aceitar; RECUSAR [*td.*: *Declinou o cargo de coordenador.*] [*tr.* + *de*: *Declinou do convite.*] **10** *Jur.* Transferir competência ou conhecimento de determinada causa para outro juízo [*td.*: *O juiz declinou o conhecimento do recurso.*] [*tdi.* + *para*: *declinar para a jurisdição da cidade o conhecimento do recurso.*] **11** *Gram.* Fazer passar palavra (adj., pron., subst.) a formas determinadas, segundo o caso expresso na oração [*td.*: *declinar os adjetivos triformes.*] [*int.*: *O aluno não sabe declinar.*] **12** *Gram. Ling.* Acrescentar (nas línguas flexionais) a um radical terminações casuais específicas, para indicar as diferentes funções sintáticas do termo (adj., pron., subst.) na oração [*td.*: *A professora de grego declinou, no quadro-negro, os substantivos da primeira declinação.*] **13** Proferir; DIZER [*td.*: "...ela não quis declinar seu nome completo..." (*Folha de S.Paulo*, 20.03.2005)] [▶ 1 declinar] [F.: Do v.lat. *declinare*. Hom./Par.: *declina* (fl.), *declina* (sf.); *declinas* (fl.), *declinas* (pl. do sf.); *declináveis* (fl.), *declináveis* (pl. de *declinável* [a2g.]).]

declinatória (de.cli.na*tó*.ri:a) *sf. Jur.* Meio de defesa apresentado pelo réu para declarar a incompetência de juiz, tribunal etc. em um julgamento [F.: Fem. substv. de *declinatório*.]

declinatório (de.cli.na.*tó*.ri:o) *a.* **1** Que declina **2** Em que há ou que envolve declinação [F.: *declinar* + *-tório*.]

declinável (de.cli.*ná*.vel) *a2g.* **1** Que se pode declinar **2** *Ling.* Diz-se de língua em que há declinação **3** Diz-se de palavra que pode ser declinada [Pl.: *-veis*.] [F.: Do lat. *declinabilis, e*. Hom./Par.: *declináveis* (pl.), *declináveis* (fl. de *declinar*).]

declínio (de.*clí*.ni:o) *sm.* **1** Inclinação para baixo; DECLIVE; DESCIDA: *Há um declínio acentuado na rua.* **2** Redução na quantidade, extensão, tamanho ou intensidade; DIMINUIÇÃO; QUEDA: *o declínio da produção de café no Brasil; o declínio de um amor.* [Ant.: *aumento, intensificação*.] **3** Perda de força; ENFRAQUECIMENTO: *o declínio de um astro.* [Ant.: *fortalecimento*.] **4** Redução sintomática de uma doença **5** Estado de decadência; OCASO; RUÍNA: *Depois de certa idade, o organismo entra em declínio.* [Ant.: *desenvolvimento, florescimento*.] [F.: *declin(ar)* + *-io*[3].]

declive (de.*cli*.ve) *sm.* **1** Inclinação para baixo de um terreno ou solo; DECLIVIDADE **2** Vertente, lombada (declive de montanha) *a2g.* **3** Diz-se de superfície inclinada para baixo (caminho declive); ÍNGREME; LADEIRENTO [F.: Do lat. *declivis, e*. Ant. ger.: *aclive*.]

declividade (de.cli.vi.*da*.de) *sf.* O mesmo que *declive* (1 e 2) [F.: Do lat. *declivitas, atis*.]

⊕ **déco** (decô) *a2g.* Relativo à "art déco", movimento que vigorou na França entre 1920 e 1930, caracterizado por nova concepção de desenho industrial, decoração e arquitetura

decoada (de.co:*a*.da) *sf.* **1** *Lus.* Água fervida com cinzas, usada para branquear tecidos; BARRELA; LIXÍVIA **2** *Bras. P.ext.* Água fervida com cinzas, us. para depurar o caldo de cana que se encontra nas caldeiras, tornando o açúcar mais forte **3** Ação de coar a água fervida com cinzas [Ver tb.: *decuada*.]

decocção (de.coc.*ção*) *sf.* **1** *Farm.* Extração dos princípios ativos de um vegetal (flor, folha, casca ou sementes) por contato com água em ebulição: "...morre envenenada por uma decocção fortíssima de sementes de datura." (Júlio Ribeiro, *A carne*) **2** O produto resultante desse processo; DECOCTO **3** A digestão de alimentos no estômago [F.: Do lat. *decoctio,onis*.]

decodificação (de.co.di.fi.ca.*ção*) *sf.* **1** Ação ou resultado de decodificar; passagem de uma linguagem codificada para uma linguagem comum, acessível, inteligível **2** *Inf.* Interpretação, por um computador, do código de uma instrução **3** *Ling.* Interpretação do significado de palavra ou frase de uma língua, considerada como código [Pl.: *-ções*.] [F.: *decodificar* + *-ção*.]

decodificado (de.co.di.fi.*ca*.do) *a.* **1** Que se decodificou [Ant.: *codificado*] **2** Vertido para linguagem compreensível o que estava codificado; DECIFRADO; DECODIZADO [F.: Part. de *decodificar*.]

decodificador (de.co.di.fi.ca.*dor*) [ô] *a.* **1** Diz-se daquele ou daquilo (dispositivo, aparelho etc.) que decifra uma mensagem emitida em código **2** *Telv.* Diz-se de aparelho que recompõe o sinal codificado transmitido por estação de televisão a cabo *sm.* **3** Aquele ou aquilo (dispositivo ou aparelho) que decifra mensagem codificada [F.: *decodificar* + *-dor*.]

decodificar (de.co.di.fi.*car*) *v. td.* **1** *Pop. Ling. Inf.* Interpretar (sequência de sinais, códigos etc.), transformando em linguagem comum: *decodificar uma senha.* **2** *Ling. Comun.* Identificar e interpretar os sinais do emissor da mensagem previamente construída por código verbal ou não verbal **3** *P.ext.* Interpretar, decifrar, desvendar: "Badan Palhares, técnico da Unicamp, famoso pela precisão com que decodificou o assassinato de PC Faria" (*Jornal do Brasil*, 26.01.2005) [▶ **11 decodificar**] [F.: *de-* + *codificar*.]

decolagem (de.co.*la*.gem) *sf.* Ação ou resultado de decolar, de levantar voo; DECOLADA [Ant.: *aterragem, aterrissagem*.] [Pl.: *-gens*.] [F.: *decolar* + *-agem*^{2}.]

decolar (de.co.*lar*) *v. int.* **1** *Aer.* Levantar voo (avião): *Por causa da tempestade, o avião não decolou.* [Ant.: *aterrissar*.] **2** *Fig.* Viajar de avião: *Decolei hoje às 7h.* **3** *Fig.* Começar a ter êxito: "...desde que sua carreira decolou..." (*Jornal do Brasil*, 28.06.2002) [▶ **1 decolar**] [F.: Do fr. *décoller*.]

de-comer (de-co.*mer*) *sm. Bras. Pop.* Aquilo que se come; ALIMENTO; COMIDA: "...não deve recusar o de-comer que ela preparou com tanto gosto..." (Domingos Olímpio, *Luzia homem*) [Pl.: *de-comeres*.]

decomponente (de.com.po.*nen*.te) *a2g.* **1** Que decompõe **2** *Biol.* Que realiza a decomposição *sm.* **3** Aquilo que decompõe **4** *Biol.* Aquilo que realiza a decomposição [F.: *decompor* (sob o rad. *decompon-*) + *-ente*, seg. o mod. erudito.]

decomponível (de.com.po.*ní*.vel) *a2g.* Que se pode decompor [Ant.: *indecomponível*.] [Pl.: *-veis*.] [F.: *decompor* (sob o rad. *decompon-*) + *-ível*, seg. o mod. erudito.]

decompor (de.com.*por*) *v.* **1** Separar os elementos que compõem (algo); ANALISAR [*td.*: *decompor uma substância*.] **2** *Mat.* Explicitar um processo para resolução de; ANALISAR; DEMONSTRAR [*td.*: *O professor decompôs o polinômio*.] **3** *Biol.* Fazer entrar ou entrar em decomposição; APODRECER; ESTRAGAR [*td.*: *O calor decompôs as frutas*.] [*int.*: *O cadáver do animal decompunha-se aos poucos*.] **4** *Fís. Ópt.* Fazer aparecer os componentes de determinado fenômeno [*td.*: *O prisma decompõe a luz*.] [*tda.* + *em*] [▶ **60 decompor**. Part.: *decomposto*.] [F.: *de-* + *compor*.]

decomposição (de.com.po.si.*ção*) *sf.* **1** Ação ou resultado de decompor(-se) [Ant.: *composição*.] **2** Separação dos elementos de um todo; ANÁLISE [Ant.: *síntese*.] **3** Apodrecimento, putrefação (decomposição de corpo) **4** Alteração, mudança significativa (decomposição facial) **5** Desagregação do que está unido, organizado; DESARTICULAÇÃO; DESORGANIZAÇÃO: *decomposição de uma sociedade*. [Ant.: *agregação, reorganização, união*.] **6** *Quím.* Separação dos elementos que compõem uma substância **7** *Arit.* Determinação dos componentes de um vetor em relação a uma base [Pl.: *-ções*.] [F.: *decompor* (sob o rad. *decompos-*) + *-ição*, seg. o mod. erudito e por anal. com *compor/composição*.] ■ **~ dupla** *Quím.* Reação química entre dois compostos que se decompõem e trocam suas bases, para formar dois compostos diferentes **~ espontânea** Processo de apodrecimento de organismos após sua morte **~ química** Decomposição de um corpo por ação química

decompositor (de.com.po.si.*tor*) *a.* **1** *Ecol.* Diz-se de organismo que ataca cadáveres e excremento, reduzindo-os a substâncias mais simples; BIORREDUTOR **2** Ref. ao organismo ou à substância que atua no processo de decomposição *sm.* **3** Organismo ou substância atuante no processo de decomposição; DECOMPONEDOR [F.: *de-* + *compositor*.]

decomposto (de.com.*pos*.to) [ô] *a.* **1** Que sofreu ou está em processo de decomposição ou apodrecimento **2** Dividido em seus elementos ou constituintes fundamentais (decomposto em fatores primos) **3** Desarticulado, desagregado [Fem. e pl.: [ó].] [F.: Do lat. *decompositus,a,um*.]

deconstrucionista (de.cons.tru.ci:o.*nis*.ta.) *sf. Soc.* Adepto do deconstrucionismo, corrente que defende a ideia da dissolução, seja de um sistema social ou de uma noção, para substituí-las por outras mais de acordo com a realidade [Ver tb. *deconstrucionismo*.]

⊕ **décor** (*Fr. /decór/*) *sm.* **1** O mesmo que *decoração* **2** *Cin. Teat. Telv.* Mesmo que *cenário* [F.: Do fr. *décor* 'o que serve como ornamento'.]

decoração^{1} (de.co.ra.*ção*) *sf.* Ação ou resultado de decorar^{1}; MEMORIZAÇÃO [Pl.: *-ções*.] [F.: *decorar*^{1} + *-ção*.]

decoração^{2} (de.co.ra.*ção*) *sf.* **1** Ação ou resultado de decorar^{2}: *A decoração do quarto ficou linda*. **2** Arte de combinar harmonicamente os diversos elementos de um ambiente: *Contratou um profissional para fazer a decoração do novo apartamento.* **3** Aquilo que decora; ENFEITE **4** *Cin. Teat. Telv.* Cenário [Pl.: *-ções*.] [F.: *decorar*^{2} + *-ção*.] ■ **~ de interior** *Arq.* Arte e ação de planejar, arranjar e equipar espaços interiores de forma a dar-lhes boa funcionalidade e estética para os fins a que se destinam

decorado^{1} (de.co.*ra*.do) *a.* Que foi aprendido de cor; retido na memória (texto decorado); MEMORIZADO [F.: Part. de *decorar*^{1}.]

decorado^{2} (de.co.*ra*.do) *a.* **1** Que se decorou **2** Que foi mobiliado segundo certos critérios estéticos ou que recebeu elementos decorativos **3** Embelezado, enfeitado [F.: Part. de *decorar*^{2}.]

decorador^{1} (de.co.ra.*dor*) [ô] *a.* **1** Que decora; que memoriza *sm.* **2** O que decora; o que memoriza [F.: *decorar*^{1} + *-dor*.]

decorador^{2} (de.co.ra.*dor*) [ô] *a.* **1** Que decora, que enfeita um ambiente (elemento decorador); DECORATIVO *sm.* **2** Aquele que é especializado em decoração de ambientes [F.: *decorar*^{2} + *-dor*.]

decorar^{1} (de.co.*rar*) *v. td.* Aprender ou tentar aprender (texto, informações) de cor; reter na memória; MEMORIZAR: *decorar a matéria; decorar um roteiro.* [▶ **1 decorar**] [F.: Da loc. *de cor* + *-ar*^{2}. Hom.: *decoro* [ô] (fl.), *decoro* [ô] (sm.).]

decorar^{2} (de.co.*rar*) *v.* **1** Colocar enfeites em; ORNAMENTAR [*tdr.* + *com, de*: *Decorou a cozinha com azulejos pintados à mão*.] **2** *P.ext.* Fazer parte da decoração de [*td.*: *Cerâmicas e quadros naifs decoram sua casa*.] **3** Fazer a decoração de (uma casa, de um ambiente etc.) [*td.*: *Foi ela que decorou a casa de campo deles*.] **4** *Fig.* Tornar mais agradável aos sentidos [*td.*: *A maquiagem decora a anatomia já perfeita*.] [▶ **1 decorar**] [F.: Do v.lat. *decorare*.]

decorativismo (de.co.ra.ti.*vis*.mo) *sm.* Estilo de ornamentação que busca enriquecer uma obra, um ambiente, uma paisagem com requintes e floreios de grande efeito atrativo (decorativismo barroco) [F.: *decorativ(o)* + *-ismo*.]

decorativo (de.co.ra.*ti*.vo) *a.* **1** Ref. à decoração (artes decorativas) **2** Decorador (1) **3** *Fig.* Que tem importância apenas aparente: *Deram-lhe um cargo decorativo.* [F.: *decorar*^{2} + *-tivo*.]

decoreba (de.co.*re*.ba) *sf.* **1** *Bras. Gír.* Ação ou resultado de decorar^{1}, de memorizar sem o cuidado de compreender ou entender aquilo que se estudou *s2g.* **2** Quem costuma estudar apenas decorando textos, sem tentar aprender [F.: De *decorar*^{1}.]

decoro (de.*co*.ro) [ô] *sm.* **1** Atitude de decência, comedimento, compostura (decoro parlamentar) [Ant.: *descomedimento, desregramento*.] **2** Honestidade, integridade, honradez **3** Pudor, recato no agir e falar; MORALIDADE; RESGUARDO: "...todas velhas...nas vestes de veludo ou gorgorão de lã, de golas altas, longas mangas, terrível decoro." (Guimarães Rosa, *Ave, palavra*.) [Ant.: *despudor, impudicícia*.] [F.: Do lat. *decorum, i*. Hom./Par.: *decoro* (sm.), *decoro* (fl. de *decorar*).] ■ **~ parlamentar** *Pol.* Padrão de comportamento ético que se espera de um parlamentar

decoroso (de.co.*ro*.so) [ô] *a.* Conforme ao, ou em que há ou que revela decoro (atitudes decorosas); DECENTE [Ant.: *indecente, indecoroso*.] [Pl.: [ó]. Fem.: [ó].] [F.: Do lat. *decorosus, a, um*.]

decorrência (de.cor.*rên*.ci:a) *sf.* Ação, processo ou resultado de decorrer; consequência, resultado: *A festa foi cancelada em decorrência da chuva*. [F.: *decorrer* + *-ência*.]

decorrente (de.cor.*ren*.te) *a2g.* **1** Que decorre ou se origina de, que se segue a; CONSEQUENTE: *o lucro decorrente de um investimento*. [Ant.: *antecedente, anterior*.] **2** Que decorre, passa (horas decorrentes) **3** *Bot.* Diz-se de folha cujo limbo se prolonga pelo ramo [F.: Do lat. *decurrens, entis*.]

decorrer (de.cor.*rer*) *v.* **1** Passar (o tempo) [*int.*: *Já decorreram dez anos desde sua chegada*.] **2** Acontecer, suceder, ocorrer [*int.*: *Dois outros acidentes decorreram naquele mesmo dia*.] **3** Ter origem em; ser consequência de; DERIVAR [*tr.* + *de*: "Decorreu dessa fiscalização a maioria das multas aplicadas (...)" (*Folha de S.Paulo*, 20.08.1999)] **4** Desdobrar-se, desenrolar-se, transcorrer [*int.*: "Decorreram com regular entusiasmo as manifestações realizadas ontem pela Federação dos Trabalhadores e a Federação Operária do Rio de Janeiro." (*Jornal do Brasil*, 02.05.2004)] [▶ **2 decorrer**] *sm.* **5** Ação de decorrer (o tempo); passagem do tempo ou o tempo decorrido: *Há possibilidade de chuvas esparsas no decorrer do dia*. [F.: Do v.lat. *decurrere*.]

decorrido (de.cor.*ri*.do) *a.* Que decorreu, transcorreu *P.us*; DECURSO; PASSADO: *os anos decorridos entre um fato e outro*. [F.: Part. de *decorrer*.]

decotado (de.co.*ta*.do) *a.* **1** Em que existe decote, ger. grande (vestido decotado) [Ant.: *afogado*.] **2** Que usa decote (moça decotada) **3** Mostrado por decote (colo decotado) **4** Aparado, podado na parte superior (pinheiro decotado) [F.: Part. de *decotar*.]

decotar (de.co.*tar*) *v. td.* **1** Fazer decote em (roupa): *decotar uma blusa*. **2** *Fig.* Vestir roupa com decote: *Decotou-se para o baile de carnaval*. **3** Aparar, cortar por cima ou em redondo (os ramos de uma árvore ou de um arbusto): *decotar a sebe*. **4** *Fig.* Aparar, cortar excessos: *A Justiça decotou, em ação inédita, os juros abusivos do cartão de crédito*. [▶ **1 decotar**] [F.: Alter. de **decurtar* (Do v.lat. *decurtare*, 'encurtar'), posv. Hom./Par.: *decote* (fl.), *decote* (sm.); *decotes* (fl.), *decotes* (pl. do sm.).]

decote (de.*co*.te) [ó] *sm.* **1** Abertura em blusa ou vestido, por onde passa a cabeça, ger. deixando à mostra o pescoço e parte do peito (por vezes tb. parte das costas) **2** Corte, poda (decote de videiras) **3** Ação de cortar o excesso; DECEPAMENTO [F.: Dev. de *decotar*. Hom./Par.: *decote* (sm.), *decote* (fl. *decotar*).]

decrementar (de.cre.men.*tar*) *v. tdi. Mat. Inf.* Diminuir certa quantidade de (uma variável) [▶ **1 decrementar**] [F.: *decremento* + *-ar*^{2}.]

decrepitar (de.cre.pi.*tar*) *v.* **1** Tornar-se decrépito, velho; DEGENERAR(-SE) [*td.*: *A doença decrepitou minha avó dia após dia*.] **2** *Fig.* Decair, debilitar-se [*int.*: *A indústria do meu pai decrepitava diante de todos nós*.] [*td.*: *A economia do país decrepitou nossas reservas*.] [▶ **1 decrepitar**] [F.: *decrépit(o)* + *-ar*^{2}. Hom./ Par.: *decrepito* (flex. de *decrepitar*), *decrépito* (a.).]

decrépito (de.*cré*.pi.to) *a.* **1** Que está muito idoso, fisicamente envelhecido e depauperado (pessoa decrépita) [Ant.: *moço*.] **2** Diz-se de animal muito velho e fraco (pangaré decrépito) [Ant.: *jovem*.] **3** Diz-se daquilo que foi gasto pelo uso ou exposição: "...a infância e a mocidade, até aqui, têm vindo rolando na onda turva de valores decrépitos..." (Cecília Meireles, "A Reforma de Ensino e o movimento da mocidade"(*Diário de Notícias*, 06.12.1930).) [Ant.: *renovado*.] [F.: Do lat. *decrepitus, a, um*. Hom./Par.: *decrépito* (a.), *decrepito* (fl. de *decrepitar*). Ant. ger.: *novo*.]

decrepitude (de.cre.pi.*tu*.de) *sf.* **1** Qualidade, estado ou condição de quem ou do que está decrépito **2** Estado de velhice avançada; SENILIDADE: *Suas palavras incoerentes eram sinais claros de decrepitude*. **3** Estado de ruína, de decadência física: *As paredes da casa revelavam sua decrepitude*. [F.: *decrépito* + *-ude*.]

decrescente (de.cres.*cen*.te) *a2g.* **1** Que decresce: *em ordem decrescente; uma taxa decrescente*. **2** Que está em decadência, em declínio; DECADENTE: *transações comerciais decrescentes*. **3** *Gram.* Diz-se de ditongo formado por vogal seguida de semivogal (p.ex.: *viu, herói, chapéu*) [F.: Do lat. *decrescens, entis*. Ant. ger.: *crescente*.]

decrescer (de.cres.*cer*) *v.* **1** Tornar-se menor; diminuir nas dimensões, na quantidade, na duração ou na intensidade [*int.*: "...à medida que decresce a verdade, a ilusão aumenta..." (*JB*, 11.07.2005)] [*td.*: "O déficit nas áreas rurais (...) decresceu 23,9% nesse mesmo período" (*FolhaSP*, 20.01.2002)] [*tr.* + *em*: "As dotações orçamentárias vão minguando, enquanto aumenta o pagamento de juros, sem decrescer em um único dólar a dívida pública..." (*JB*, 21.12.2003)] **2** *Mat.* Diminuir sequência numérica [*int.*: *Aquela sequência decresce até o primeiro dos números primos*.] **3** *Mús.* Diminuir pouco a pouco a sonoridade vocal ou instrumental de uma execução musical [*td.*: *O oboísta decrescia a melodia naquele trecho da peça*.] [▶ **33 decrescer**] [F.: Do v.lat. *decrescere*. Ant. ger.: *aumentar, crescer*.]

decrescimento (de.cres.ci.*men*.to) *sm.* **1** Ação ou efeito de decrescer, diminuir; DECRÉSCIMO; DIMINUIÇÃO [Ant.: *aumento, crescimento*.] **2** Estado, condição do que está em decréscimo [F.: *decrescer* + *-mento*.]

decréscimo (de.*crés*.ci.mo) *sm.* **1** Ação ou resultado de decrescer; DIMINUIÇÃO; DECRESCIMENTO [Ant.: *aumento, crescimento*.] **2** *Mat.* Acréscimo negativo; DECREMENTO **3** *Med.* Fase em que os efeitos de uma doença diminuem [F.: De *decrescer*, por anal. com *acréscimo* (de formação incomum). Ant. ger.: *acréscimo*.]

decretação (de.cre.ta.*ção*) *sf.* Ação de decretar; decisão por decreto (decretação de falência); DECRETAMENTO [Pl.: *-ões*.] [F.: *decreta(r)* + *-ção*.]

decretado (de.cre.*ta*.do) *a.* **1** Diz-se do que foi determinado por decreto: *Feriado decretado estimula corrida às praias da região*. *adv.* **2** *Bras. N.E. Pop.* De propósito, intencionalmente [F.: Part. de *decretar*.]

decretão (de.cre.*tão*) *sm. Pop.* Decreto extenso e abrangente sobre matéria específica: *Os servidores estavam preocupados com o decretão publicado pelo governo*. [Pl.: *-ões*.] [F.: *decret(o)* + *-ão*.]

decretar (de.cre.*tar*) *v.* **1** Estipular por decreto ou por lei [*td.*: *Decretar estado de emergência*.] **2** *Fig.* Mandar que se faça; DETERMINAR [*td.*: *O professor decretou que cada um traria um livro*: "Justiça decreta Lei Seca no Vibezone." (*JB*, 18.06.2005)] [*tdi.* + *a*: *Decretou ao filho algumas obrigações domésticas*.] **3** *Fig.* Estabelecer, confirmar, ratificar [*td.*: "...o atacante, além de dar uma assistência para Deivid, fez o gol que decretou a vitória..." (*Folha de S.Paulo*, 18.08.2004)] [▶ **1 decretar**] [[F.: *decreto* + *-ar*^{2}. Hom./Par.: *decreto* (fl.), *decreto* (sm.).]

decreto (de.*cre*.to) *sm.* **1** Determinação escrita emitida por chefe de Estado ou qualquer poder competente, leigo ou eclesiástico (decreto legislativo) **2** Mandado judicial (decreto de penhora) **3** Ato de exteriorização de uma vontade, um desejo (decreto dos deuses); DESÍGNIO; INTENÇÃO [F.: Do lat. *decretum, i*. Hom./Par.: *decreto* (sm.), *decreto* (fl. de *decretar*).] ■ **~ executivo** *Jur.* Decisão do poder executivo atinente à questão administrativa do próprio poder **~ judiciário** *Jur.* Decisão, sentença **~ legislativo** *Jur.* Decisão do poder legislativo atinente à questão administrativa ou política do próprio poder **Nem por ~** *Pop.* De maneira alguma, em hipótese alguma: *Não voto nele nem por decreto*.

decreto-lei (de.cre.to-*lei*) *sm. Jur.* Decreto com força de lei, assinado pelo presidente da República, quando este acumula excepcionalmente as funções legislativas [Pl.: *decretos-leis, decretos-lei*.]

decriptar (de.crip.*tar*) *v. td.* Traduzir (texto cifrado); DECIFRAR: "...a frase ativará dispositivos e será cuidadosamente checada por uma equipe de peritos em decriptar códigos." (*Jornal do Brasil*, 01.12.2002) [▶ **1 decriptar**] [F.: *de-* + *-cript(o)-* + *-ar*^{2}.]

decuada (de.*cua*.da) *sf.* **1** Fenômeno que consiste na reação química causada pelo contato da água com as cinzas resultantes de queimadas **2** Extrato de cinzas [F.: Vocábulo de origem contrv. Hom./Par.: *decoada* (sf.). Ver tb. *decoada*.]

decúbito (de.*cú*.bi.to) *sm.* Posição do corpo de quem está deitado, de barriga para baixo ou de costas (decúbito ventral/dorsal) [F.: Do lat. *decubitum*, 'estar deitado', sup. de *decumbere*, 'deitar-se'.] ■ **~ lateral** Estado do corpo humano sobre um plano horizontal, apoiado em um dos flancos **~ ventral** Estado do corpo humano apoiado num plano horizontal, sobre o ventre

decupado (de.cu.*pa*.do) *a. Cin. Telv.* Que se decupou; dividido em partes (diz-se de roteiro) [F.: Part. de *decupar*.]

decupagem (de.cu.pa.*gem*) *Cin. Telv. sf.* **1** Ação ou resultado de decupar **2** Divisão de um roteiro em cenas e planos numerados para facilitar a filmagem ou gravação [Pl.: *-gens*.] [F.: Do fr. *découpage*.]

decupar (de.cu.*par*) *v. td.* **1** *Cin. Telv.* Detalhar (no roteiro) elementos cênicos (planos, efeitos etc.), para facilitar a filmagem ou gravação **2** *Fig.* Ajustar texto para melhorar a compreensão: *Decupou as palavras do intérprete*. [▶ **1 decupar**] [F.: Do fr. *découper*.]

decuplicado (de.cu.pli.*ca*.do) *a.* Diz-se do que se decuplicou, i.e., que se multiplicou por dez: *Tráfego decuplicado em diversas rodovias do país*. [F.: Part. de *decuplicar*.]

decuplicar (de.cu.pli.*car*) *v.* **1** Tornar(-se) dez vezes maior [*int.*: "A inflação caiu, mas a dívida interna decuplicou." (*Jornal do Brasil*, 24.08.2001)] [*td.*: *A indústria bélica decuplicava, no espaço de uma década, os seus produtos.*] **2** *Fig.* Aumentar, crescer exageradamente [*td.*: *A falta de planejamento ainda decuplica a família nordestina.*] [▶ 11 decuplicar] [F.: *décuplo* + *-icar.*]

décuplo (*dé*.cu.plo) *sm.* **1** Quantidade ou tamanho dez vezes maior: *O décuplo de 2 é 20.* ***num.*** **2** Que é dez vezes a quantidade ou o tamanho de uma unidade [F.: Do lat. *decuplus, a, um.*]

decúria (de.*cú*.ri:a) *sf.* **1** Conjunto de dez coisas, objetos ou indivíduos: *Cada decúria tinha a obrigação de organizar os eventos.* **2** Grupo de dez alunos sob a orientação e supervisão do mais capacitado dentre eles, chamado decurião **3** *Antq. Hist.* Entre os romanos, corpo militar composto por dez cavaleiros **4** Grupo de dez juízes no antigo senado romano [F.: Do lat. *decuria.*]

decurião (de.cu.ri.*ão*) *sm.* **1** O chefe de uma decúria **2** Aluno de melhor aproveitamento que, numa classe escolar, explica a matéria para os demais sob a orientação do professor; MONITOR **3** *Ant. Hist.* Oficial que comandava um grupo de dez cavaleiros na milícia romana **4** Conselheiro nos antigos senados romanos municipais e coloniais [Pl.: *-ões.*] [F.: Do lat. *decurio.*]

decurso (de.*cur*.so) *sm.* **1** Ação ou resultado de decorrer (o tempo): *Com o decurso das horas, ia escurecendo.* **2** Período de tempo limitado; DURAÇÃO: *O decurso de seu mandato foi muito longo.* **3** Sequência, sucessão: *O decurso dos acontecimentos.* **4** Distância percorrida em determinado tempo; PERCURSO: *O decurso de um astro.* ***a.*** **5** *P.us.* Decorrido [F.: Do lat. *decursus, a, um.*]

decussação (de.cus.sa.*ção*) *sf.* **1** *Anat.* Cruzamento de feixes nervosos **2** Cruzamento em forma de X que conecta estruturas desiguais dos hemisférios cerebrais e da medula espinhal [Pl.: *-ões.*] [F.: Do lat. *decussationis.*]

decussar (de.cus.*sar*) *v. td.* Colocar ou dispor em forma de cruz [▶ 1 decussar]

dedação (de.da.*ção*) *sf.* **1** *Gír.* Ato ou efeito de dedar, dedurar, acusar; DEDURAGEM: *Era odiado pela dedação que fazia dos colegas ao diretor.* **2** *Vulg.* Troca de carícias sensuais entre duas pessoas que se utilizam dos dedos para proporcionar mútuo prazer [Pl.: *-ões.*] [F.: *deda(r)* + *-ção.*]

dedada (de.*da*.da) *sf.* **1** Ação ou resultado de tocar algo com o dedo: *O bebê deu uma dedada no olho da tia.* **2** Marca de dedo sobre uma superfície: *dedadas de gordura.* **3** Quantidade que se pega com o dedo: *Lambeu uma dedada de mel.* [F.: *dedo* + *-ada*[1].]

dedal (de.*dal*) *sm.* **1** Peça us. no dedo de quem cose para empurrar a agulha sem feri-lo **2** *Fig.* Pequena porção (ger. de líquido): *Sirva-me um dedal desse licor.* **3** *Bot.* Árvore da fam. das litráceas (*Lafoensia densiflora*), nativa do Brasil, de flores campanuladas brancas, róseas ou esverdeadas e cuja casca fornece tintura amarela; ARIAUÁ; DEDALEIRA; PACARI-DA-MATA; PACARI-SELVAGEM [Pl.: *-dais.*] [F.: Do lat. *digitalis*, *e*, por via popular.]

dedaleira (de.da.*lei*.ra) *sf.* **1** *Bot.* Nome comum a várias espécies do gên. *Digitalis*, da fam. das escrofulariáceas, de flores tubulosas (semelhantes a dedais), pendentes e em cachos, esp. *Digitalis purpurea*, nativa da Europa, cultivada como medicinal, por conter digitalina, e tb. como ornamental pelas flores púrpuras, assim como as variedades de flores róseas ou brancas; DIGITAL **2** Caixa us. para guardar dedais [F.: *dedal* + *-eira.*]

dédalo (*dé*.da.lo) *sm.* **1** Lugar confuso, no qual vários caminhos se cruzam; ENCRUZILHADA; LABIRINTO **2** Aquilo que é complicado, intrincado; CONFUSÃO [F.: D o antr. gr. *Daídalos*, nome do arquiteto que construiu o labirinto de Creta, pelo lat. *Daedalus.*]

dedão (de.*dão*) *sm.* **1** O dedo polegar da mão **2** O dedo maior do pé [Pl.: *-dões.*] [F.: *dedo* + *-ão*[1].]

dedar (de.*dar*) *v. Bras. Pop.* O mesmo que *dedurar* [*td.*: *Ele disse que não gosta de dedar ninguém.*] [*int.*: *Durante o interrogatório, queriam que ele dedasse, que dissesse o nome dos envolvidos.*] [▶ 1 dedar] [F.: *dedo* + *-ar*[2]. Hom./Par.: *dedo* [é] (fl.), *dedo* [ê](sm.).]

dedeira (de.*dei*.ra) *sf.* **1** Proteção em couro, plástico, borracha etc. que envolve o dedo para resguardá-lo de ferimentos ou contaminação **2** Espécie de dedal de couro ou pano usado por sapateiros ou ceifeiros quando se utilizam de instrumentos cortantes **3** *Mús.* Objeto colocado no polegar pelo violonista para tanger as cordas de sons graves **4** *Gráf.* Entalhe feito no índice de dedo de um livro para que, com o polegar, se tenha acesso rápido ao capítulo ou assunto desejado (dedeira gráfica) [F.: *ded(o)* + *-eira.*]

dedetização (de.de.ti.za.*ção*) *sf.* Ato ou efeito de dedetizar; DESINSETIZAÇÃO [Pl.: *-ões.*] [F.: *dedetiza(r)* + *-ção.*]

dedetizado (de.de.ti.*za*.do) *a.* **1** Diz-se de ambiente em que foi aplicada a dedetização (apartamento dedetizado); DESINSETIZADO **2** Em que foi aplicado DDT ou outro inseticida [F.: Part. de *dedetizar.*]

dedetizar (de.de.ti.*zar*) *v. td.* Aplicar dedetê ou outro inseticida em: *dedetizar a casa.* [▶ 1 dedetizar] [F.: *dedetê* (da sigla *DDT*, um inseticida) + *-izar.*]

dedéu (de.*déu*) *sm.* Vocábulo us. na loc. adv. *pra dedéu*: *pimenta forte pra dedéu.* ■ **Pra ~** *Bras. Gír.* Muito (em quantidade ou intensidade): *Veio gente pra dedéu; É bom pra dedéu.*

dedicação (de.di.ca.*ção*) *sf.* **1** Ação ou resultado de dedicar(-se) [+ *a, por*: *dedicação aos estudos/pela pátria.*] **2** Qualidade, característica, ação ou atitude de quem cuida de alguém ou de algo com cuidado e atenção; DESVELO: *Cuidou da mãe com muita dedicação.* **3** Demonstração de amor, de profunda afeição: *Mostra sua dedicação aos filhos nos mínimos gestos.* [Pl.: *-ções.*] [F.: Do lat. *dedicatio, onis.*]

dedicado (de.di.*ca*.do) *a.* **1** Que se dedica a algo ou alguém: *Museu dedicado à cultura indígena.* **2** Consagrado a uma divindade: *antigo templo em Delfos, dedicado a Apolo.* **3** *P.ext.* Oferecido como expressão de respeito, gratidão ou afeto, ou como homenagem: *monumento dedicado aos bandeirantes.* **4** Profundamente devotado (dedicado aos filhos) **5** Que se empenha ou sacrifica (profissional dedicado) **6** *Telc.* Diz-se de linha que está sempre ligada entre dois pontos [F.: Do lat. *dedicatus, a, um.*]

dedicar (de.di.*car*) *v.* **1** Empregar (tempo, esforço) para, em benefício de [*tdi.* + *a*: "...jamais dedicaria mais de dois minutos a uma questão dessas." (Ana Maria Machado, *A audácia dessa mulher*)] **2** Oferecer com carinho, ger. expresso em palavras [*tdi.* + *a*: *O radialista dedicou o programa às donas de casa.*] **3** Destinar ao culto de; CONSAGRAR [*tdi.* + *a*: *Dedicaram a capela a Nossa Senhora Aparecida.*] **4** Pôr-se a serviço de, empenhar-se por, ger. com carinho e devoção [*ti.* + *a*: *Dedicou-se à família a vida toda.*] **5** Destinar-se [*ti.* + *a*: *dedicar-se à marinha.*] **6** Devotar (afeto, amizade, respeito etc.) a [*tdi.* + *a*: *Dedicou toda sua consideração aos amigos.*] [▶ 11 dedicar] [F.: Do v.lat. *dedicare.* Hom./Par.: *dedica* (fl.), *dédica* (sf.).]

dedicatória (de.di.ca.*tó*.ri:a) *sf.* Texto escrito no qual alguém dedica alguma coisa a outra pessoa: *foto autografada e com dedicatória às fãs.* [F.: Fem. substv. de *dedicatório.*]

dedicatório (de.di.ca.*tó*.ri:o) *a.* **1** Que dedica **2** Em que há dedicação [F.: Do lat. *dedicatorius, a, um*, ou de *dedicar* + *-tório.*]

dedignar-se (de.dig.*nar*-se) *v.* Julgar indigno de si; não se dignar a: [*tr.* + *de*: *A freira não se dedignava de acolher os necessitados.*] [▶ 1 dedignar-se] [F.: Do v.lat. *dedignare.* Us. ger. na forma negativa, e tendo por si mesmo conotação negativa (não se dignar a) compõe, com isso, o significado positivo de 'dignar-se a'. O ex. acima corresponde, pois, a: *A freira dignava-se de acolher os necessitados.*]

dedilhado (de.di.*lha*.do) *a.* **1** Diz-se do que se dedilhou (violão dedilhado) *sm.* **2** *Mús.* Processo em que, com dedos diferentes, emitem-se notas sucessivas em um instrumento musical de cordas, sopro ou teclado **3** *Mús.* Representação gráfica e numérica indicando o posicionamento dos dedos na emissão das notas musicais em um instrumento [F.: Part. de *dedilhar.*]

dedilhar (de.di.*lhar*) *v. td.* **1** *Mús.* Fazer vibrar, com os dedos, corda de (instrumento): *dedilhar o violão.* **2** Executar (música) em instrumento de cordas dedilhadas: *dedilhar acordes de uma valsa.* **3** *Fig.* Executar trabalho cadenciado com a ponta dos dedos; TAMBORILAR: "Ficou mais de uma hora dedilhando o teclado do *laptop.*" (Ana Maria Machado, *A audácia dessa mulher*) **4** Apontar ao executante, por algarismo, o dedo correspondente a cada nota, em uma melodia ou trecho de: *Sobre a pauta, o professor dedilhou minuciosamente as notas da sonata.* **5** *Fig.* Tocar ou percorrer com a ponta dos dedos: *Dedilhava o tecido, sentindo-lhe a textura.* [▶1 dedilhar] [F.: *dedilho* (< *dedo* + *-ilho*) + *-ar*[2].]

dedinho (de.*di*.nho) *Pop. sm.* **1** O menor dos dedos das mãos ou dos pés, dedo mínimo; MINDINHO: *Pisou-me exatamente no dedinho.* **2** Dedo de criança [F.: *ded(o)* + *-inho.*]

dedo (*de*.do) [ê] *sm.* **1** Cada uma das extensões articuladas que compõem a mão e o pé dos seres humanos e de certos animais **2** Medida equivalente à largura de um dedo humano: *Coloque dois dedos de óleo na massa.* **3** *Zool.* Todo prolongamento terminal dos membros de um vertebrado terrestre **4** A parte da luva em que se enfia o dedo (1) correspondente **5** Quantidade muito pequena: *Pediu apenas um dedo de café.* **6** *Fig.* Estilo pessoal; MÃO: *Este quadro tem o dedo do mestre.* **7** *Fig.* Tendência, aptidão natural; JEITO: *Tem um dedo especial para a culinária.* **8** Nos rotíferos, cada uma das proeminências da extremidade posterior do seu organismo [F.: Do lat. *digitus, i.* Hom./Par.: *dedo* (sm.), *dedo* (fl. de *dedar*).] ■ **A ~** Com muito cuidado e critério: *Auxiliares escolhidos a dedo.* **Botar o ~ no suspiro** *Bras.* Aproveitar circunstância favorável para fazer exigência exagerada ou vexatória **Cheio de ~s** **1** Indeciso, embaraçado, confuso **2** Cheio de trejeitos, de melindres **Chupar ~** Ter o hábito (quase sempre durante a infância) de pôr dedo ou dedos (ger. o polegar) na boca e fazer movimentos de sucção (É por vezes interpretado como compensação infantil por frustração, insegurança, etc.) **Chupando ~** Frustrado em seus intentos de tomar parte em algo ou de realizar um intento **~ anular** O quarto dedo de cada mão, a contar do polegar (assim chamado por ser onde mais habitualmente se usam anéis) [Tb. apenas *anular*; *Fam. seu-vizinho.*] **~ auricular** Ver *Dedo mínimo* **~ de Deus** *Fig.* Ação ou influência de Deus sobre algum assunto humano (manifestada em circunstância ou acontecimento especialmente oportuno ou decisivo); providência divina **~ grande do pé** Ver *Dedo polegar* (2) **~ hipocrático** Dedo cuja falange distal tem a forma de uma baqueta de tambor **~ índex** Ver *Dedo indicador* **~ indicador** Dedo da mão entre o polegar e o médio; dedo índex; dedo mostrador [Tb. apenas *indicador*; *Fam. fura-bolo* ou *fura-bolos.*] **~ médio** O maior dedo da mão, entre o anular e o indicador [*Fam. maior de todos* e *pai de todos.*] **~ meiminho** Ver *Dedo mínimo* **~ mindinho** *Bras. Fam.* Ver *Dedo mínimo* **~ minguinho** *Bras. Fam.* Ver *Dedo mínimo* **~ mínimo** O último dedo da mão em relação ao polegar; dedo meiminho; dedo mindinho; dedo minguinho [Tb. apenas *mínimo.*] **~ mostrador** Ver *Dedo indicador* **~ polegar** **1** O primeiro dedo da mão, o mais curto e grosso, e que pode se opor aos demais [Tb. apenas *polegar*. *N. N.E. S. Fam. mata-piolho* e *cata-piolho.*] **2** O primeiro e mais grosso dedo do pé; dedo grande do pé; dedão **Dois ~s de** Um pouquinho de, pequena quantidade de: *dois dedos de prosa*; *dois dedos de uísque.* **Jurar ~ com ~** *Bras.* Fazer juramento fazendo com os dedos o sinal da cruz **Meter o ~** *Bras. Pop.* Intrometer-se com indiscrição (em assunto alheio) **Não levantar um ~** Não fazer qualquer menção de agir, de ajudar **Pôr/botar o ~ na ferida** *Fig.* Atingir ou mostrar com palavras ou atos o ponto fraco de alguém **Ter ~** Ter jeito, habilidade (para algo) **Tirar o ~** Fazer algo pela primeira vez

dedo de moça (de.do de *mo*.ça) *sf.* Pimenta suave e adocicada do gênero *capsicum*, muito utilizada em molhos, conservas e desidratada em flocos [Pl.: *dedos de moça.*]

dedo-durar (de.do-du.*rar*) *v. td. Bras. Gír.* Ver *dedurar*; DEDAR [▶ 1 dedo-durar] [F.: *dedo-duro* + *-ar*[2]. Hom./Par.: *dedo-duro* (fl. de *dedo-durar*), *dedo-duro* (sm.).]

dedo-durismo (de.do-du.*ris*.mo) *sm.* Ver *dedurismo*

dedo-duro (de.do-*du*.ro) *sm.* **1** Aquele que denuncia, delata o autor de ato supostamente ilícito ou reprovável **2** Aquele que serve de espião para a polícia; ALCAGUETE [Pl.: *dedos-duros.*] ***a2g.*** **3** Que denuncia, delata; DENUNCIANTE [Pl.: *dedos-duros.*]

dedômetro (de.*dô*.me.tro) *sm. Bras. Joc.* Utilização dos dedos para avaliação de resultados que, por algum motivo, não são identificados por instrumentos de precisão: "...infelizmente minha placa não tem sensor de temperatura, mas no dedômetro a temperatura baixou bastante..." (*Forum.clubedohardware.*) [F.: *dedo* + *metro.*]

dedução (de.du.*ção*) *sf.* **1** Ação ou resultado de deduzir; DIMINUIÇÃO; SUBTRAÇÃO: *Conseguiu dedução na taxa da matrícula.* **2** Subtração, retirada de uma parte; ABATIMENTO: *deduções possíveis no Imposto de Renda.* **3** Maneira de pensar em que se analisam os fatos a fim de se chegar a uma conclusão: *desvendar um caso por dedução; A dedução do inspetor foi surpreendente.* **4** A conclusão a que se chega; ILAÇÃO; INFERÊNCIA **5** *Jur.* Exposição de fatos, acontecimentos ou argumentos que embasem uma solicitação, uma contestação ou acusação [Pl.: *-ções.*] [F.: Do lat. *deductio, onis.*]

deduragem (de.du.*ra*.gem) *sf.* Ação ou efeito de dedurar: "Enquanto ela tremia temendo a deduragem insinuada a cada duas frases do pregador..." (Isabel Guimarães, *O táxi.*) [F.: *dedurar* + *-agem.* Tb. *deduração.*]

dedurar (de.du.*rar*) *v. Bras. Gír.* Delatar, denunciar (alguém ou algo); DEDO-DURAR [*td.*: *dedurar o amigo.*] [*int.*: "Marques dedurava e incitava a repressão." ("O dossiê Hergog hoje", 02.11.2004)] [▶ 1 dedurar] [F.: F. haplológica de *dedo-durar*, de *dedo -duro* + *-ar*[2].]

dedurismo (de.du.*ris*.mo) *sm. Bras. Gír.* Costume de alcaguetar, delatar, denunciar alguém ou algo: *Seu dedurismo não lhe permitia fazer amigos.* [F.: *dedo-duro* + *-ismo* (tb. por haplologia).]

dedutibilidade (de.du.ti.bi.li.*da*.de) *sf. Econ.* Característica do que é dedutível (dedutibilidade fiscal) [F.: *Dedutível*, com o suf. *-vel*, sob a f. lat. *-bil(i)-* + *-dade.* Ideia de: *-duz-.*]

dedutível (de.du.*tí*.vel) *a2g.* **1** Que se pode deduzir, depreender, inferir (resposta dedutível) **2** Que é passível de dedução (despesa dedutível) [F.: Do fr. *déductible.*]

dedutivo (de.du.*ti*.vo) *a.* Que se realiza por dedução (raciocínio dedutivo) [Ant.: *indutivo.*] [F.: Do fr. *déductif.*]

deduzido (de.du.*zi*.do) *a.* **1** Que foi diminuído ou subtraído: *imposto deduzido na declaração de renda.* **2** Que foi concluído, inferido: *interesse deduzido, em razão dos elogios feitos à execução do projeto.* [F.: Part. de *deduzir.*]

deduzir (de.du.*zir*) *v.* **1** Chegar à conclusão (por fatos, suposições, raciocínio); INFERIR [*td.*: *Pelo horário, deduzi que não viriam mais.*] [*tdr.*: *Você deduziu o mesmo que eu da conversa?*] **2** Subtrair; abater [*tdr.*: *Deduziu do pagamento o valor das passagens.*] [*td.*: *Deduzir os impostos.* Ant.: *acrescer, somar.*] **3** Enumerar minuciosamente; expor com detalhes [*td.*: "Era-me necessária a carreira política, dizia ele, por vinte e tantas razões, que deduziu com singular volubilidade..." (Machado de Assis, *Memórias póstumas de Brás Cubas*)] **4** *Jur.* Propor ação ou apresentar razões, com fundamentos, em juízo [*td.*: "É necessário que o recorrente, ao buscar prestação jurisdicional sobre questão controvertida, deduza, fundamentadamente, argumentos capazes de abrir caminho ao inconformismo." (*STJ*, 16.11.2004)] [▶ 57 deduzir] [F.: Do v.lat. *deducere.*]

defasado (de.fa.*sa*.do) *a.* **1** Que se defasou, que mostra defasagem (informação defasada); DESATUALIZADO; DESCOMPASSADO **2** *Elet.* Diz-se de fenômeno (oscilação, vibração) que sofreu diferença de fase [F.: Part. de *defasar.*]

defasagem (de.fa.*sa*.gem) *sf.* **1** Ação ou resultado de defasar **2** Diferença de fase; não coincidência entre dois fatos, processos, fenômenos etc. [+ *entre*: *defasagem entre o ano lunar e o ano solar.*] **3** Não concordância, não conformidade; DIFERENÇA; DISCREPÂNCIA: *Existe defasagem de idade entre as crianças da turma.* **4** *Elet.* Diferença de fase entre dois sinais alternados de mesma frequência [Pl.: *-gens.*] [F.: *defasar* + *-agem*[2].]

defasar (de.fa.*sar*) *v.* **1** *Fig.* Tornar desatualizado ou inatual; DESATUALIZAR [*td.*: "Os últimos 23 anos se encarregaram de defasar o dicionário..." (*Jornal do Brasil*, 21.02.2002)] **2** Ficar em defasagem ou em atraso por manter-se como antes; não ser equiparado com valor, nível, grau, modelo etc. atual ou mais recente [*int.*: *Queria um computador que durasse um bom tempo, antes de defasar*: "...os salários subiram e o câmbio defasou-se..." (*Folha de S.Paulo*, 13.04.1997)] **3** *Econ.* Produzir divergência de preços no mercado [*td.*: *Vários fatores defasam o valor dos honorários médicos.*] **4** *Fís.* Produzir diferença de fase (entre dois fenômenos alternativos de mesma frequência) [*td.*: *Efeitos externos podem defasar transdutores elétricos; defasar captadores.*] [▶ 1 defasar] [F.: Voc. deduzido de *defas(agem)*; ver *-ar*[2].]

defatigante (de.fa.ti.*gan*.te) *a2g.* Que tem a capacidade de diminuir a fadiga, o cansaço, o estresse (medicação defatigante) [F.: *de-* + *fatigante.*]

⊕ **default** (*Ingl.* /defó/) *a2g.* **1** Que constitui modelo, padrão (língua *default*) **2** *Inf.* Que é utilizado automaticamente pelo sistema, quando não especificado pelo usuário (configuração *default*) **sm. 3** *Inf.* Aquilo que é modelo, padrão: *default de um sistema.*

defecação (de.fe.ca.*ção*) **sf. 1** Ação de defecar **2** *Fisl.* Expulsão natural dos excrementos pelo ânus **3** *Quím.* Operação de purificar um líquido, eliminando ou deixando que se depositem todas as suas impurezas e sedimentos [Pl.: -*ções*.] [F.: *defecar* + -*ção*.]

defecar (de.fe.*car*) **v. 1** Expelir natural ou involuntariamente excrementos pelo ânus; EVACUAR; BOSTAR; OBRAR; DESCOMER; BORRAR; CAGAR [**int.**: *Seu passarinho quase não defecava.*] **2** *Fig.* Expelir, pelo ânus, qualquer sorte de ser ou substância, à guisa de excrementos [**td.**: "Como foi que o senhor teve aquela ideia do gato que defeca dinheiro?" (*Jornal do Brasil*, 19.02.2005)] **3** *Bras.* Extrair do caldo de cana todo e qualquer sedimento impuro [**td.**: *O decantador defecava, aos olhos dos cientistas, a garapa escura.*] **4** *Fig.* Livrar(-se), tornar(-se) limpo, purificar(-se) [**tr.** + *de*: *defecar-se das injúrias do cônjuge.*] [**td., tdr.** + *de*: *defecar o vinho (das impurezas).*] **5** *Fig.* Debilitar, emagrecer, definhar [**td.**: *Eram menos vinte quilos; a paixão defecou-te em pouco tempo.*] [▶ **11 defecar**] [F.: Do v.lat. *defaecare.*]

defecção (de.fec.*ção*) **sf. 1** Abandono consciente de um grupo (esp. de um partido) ou de uma causa; DESERÇÃO: *O presidente não contava com a defecção dos deputados de seu partido.* **2** *Rel.* Abandono de religião; APOSTASIA **3** Mudança de emprego, em virtude de oferta salarial superior: *Contratou novos funcionários ante a defecção dos antigos.* [Us. esp. em referência à mudança para firma ou empresa concorrente.] **4** *Jur.* Desistência de recurso em instância superior ou inferior [Pl.: -*ções*.] [F.: Do fr. *défection*, do lat. *defectio, onis*, 'deserção'.]

defectível (de.fec.*tí*.vel) **a2g. 1** Imperfeito, defeituoso, incompleto [Ant.: *completo, inteiro, perfeito.*] **2** Passível de erro; FALÍVEL [Ant.: *infalível.*] [Pl.: -*veis*.] [F.: *defecti(vo)* + -*vel*. Ant. ger.: *indefectível.*]

defectividade (de.fec.ti.vi.*da*.de) **sf.** *Gram.* Condição ou característica do que é defectivo: *No futuro, a defectividade de um verbo poderá desaparecer em consequência de formas consagradas pelo uso.* [F.: *defectivo* + -*i*- + -*dade*.]

defectivo (de.fec.*ti*.vo) **a. 1** Em que falta alguma coisa; INCOMPLETO; IMPERFEITO [Ant.: *completo, perfeito.*] **2** *Gram.* Diz-se de verbo que não se conjuga em todas as formas normalmente possíveis: *Abolir é verbo defectivo.* [F.: Do lat. *defectivus, a, um.*]

defeito (de.*fei*.to) **sm. 1** Mau funcionamento, erro, falha ou desarranjo em algo: *defeito na fabricação/no sistema.* **2** Imperfeição física ou moral; DEFORMIDADE: *Entre seus defeitos conta-se a deslealdade.* [Ant.: *perfeição, qualidade, virtude.*] **3** Mania, hábito prejudicial; VÍCIO: *Só tem um defeito: a bebida.* [F.: Do lat. *defectus, us.*] ▪ **~ de massa** *Fís.nu.* Diferença entre a massa de um núcleo em repouso e a soma das massas em repouso dos núcleons que formam este núcleo **~ pontual** *Fís.* Em rede cristalina, substituição de uma partícula por outra **Para não se botar/pôr ~** *Bras. Fam.* Ver *Para ninguém botar/pôr defeito* **Para ninguém botar/pôr ~** Muito bom, acima de toda crítica

defeituoso (de.fei.tu.*o*.so) [ô] **a. 1** Que apresenta defeito, falha ou imperfeição (serviço defeituoso); FALHO; IMPERFEITO [Ant.: *perfeito.*] **2** Que não funciona a contento (motor defeituoso); DESARRANJADO; ENGUIÇADO; QUEBRADO [Ant.: *desenguiçado.*] [Pl.: [ó]. Fem.: [ó].] [F.: Do lat.medv. *defectuosus, a, um.*]

defendente (de.fen.*den*.te) *Pus.* **a2g. 1** Diz-se daquele que defende alguém (parte defendente) **s2g. 2** Aquele que sustenta uma tese contra o arguente: *O defendente tem todo o direito de manifestar-se durante o interrogatório.* [F.: *defender* + -*nte*. Sin. ger.: *defensor.*]

defender (de.fen.*der*) **v. 1** Proteger(-se) de ataque [**td.**: "...um chefe que defendia as fronteiras ou cuidava de um território em nome do rei..." (Alberto da Costa e Silva, *A manilha e o libambo*)] [**tdr.** + *de, contra*: *Esconderam-se para defender-se da ofensiva inimiga; Fechou as janelas para defender a casa contra os insetos.*] **2** Manifestar-se favoravelmente a; lutar em favor de [**tdr.** + *de*: *Sempre defendia a amiga das críticas.*] [**td.**: *É preciso defender o direito à cidadania.*] **3** *Fig. Pext.* Apresentar como ideia, conceito etc. ou dizer com veemência (por crença, fé, conhecimento ou certeza) [**td.**: *Ele defende a tese de que todos os funcionários devem ter direito à participação nos lucros.*] **4** Advogar em benefício de (pessoa, firma etc.) [**td.**: *O advogado que o defende é muito conhecido.*] **5** *Esp.* Não deixar que (ataque ou bola) do adversário atinja o objetivo [**int.**: *O bloqueio do vôlei brasileiro defende bem.*] [**td.**: *O goleiro defendeu uma bola impossível.*] **6** *Esp.* Jogar na defesa de um time, sobretudo na condição de zagueiro, goleiro [**int.**: *Quem defende hoje é um goleiro veterano.*] [**td.**: *Os novos jogadores defendem o time canarinho, em esquema inédito de zagueiros.*] **7** *Bras. Pop.* Obter (sustento, dinheiro) [**td.**: *defender o pão de cada dia.*] [**int.**: *Faz biscates para se defender.*] **8** Afastar risco, perigo, de si mesmo ou de alguém; RESGUARDAR; PROTEGER [**td.**: "João se defendia de outra maneira, que talvez fosse apenas a maneira de fugir dela, de libertar-se dela para libertar-se da lembrança" (Antônio Callado, *Bar Don Juan*)] **9** Resguardar-se de alguém ou de algo [**tdr.** + *de*: *A medicação defendia os miseráveis das verminoses.*] [**td.**: *No inverno, o poncho defende o tropeiro.*] **10** Expor, com justificativa, oralmente (projeto, tese, dissertação) para banca [**td.**: *defender projeto de tese.*] **11** *Fig.* Apresentar (texto, música etc.) ou desempenhar (um papel, um personagem) com maestria ou dignidade, esp. em concurso, em festival etc. [**td.**] [▶ **2 defender**] [F.: Do v.lat. *defendere.*]

defendido (de.fen.*di*.do) **a.** Que está protegido, resguardado ou preservado contra alguém ou algo: *plantio de soja defendido das pragas.* [F.: Part. de *defender.*]

defenestração (de.fe.nes.tra.*ção*) **sf. 1** Ação de lançar alguém ou alguma coisa pela janela: *Em 1618, na chamada "defenestração de Praga", católicos imperiais foram jogados pelas janelas.* **2** *Fig.* Ato de afastar, alijar ou demitir alguém de um cargo importante: *A inconstância de opiniões foi a principal causa de sua defenestração do partido.* [Pl.: -*ções*.] [F.: Do fr. *défenestration.*]

defenestrado (de.fe.nes.*tra*.do) **a. 1** Que foi atirado pela janela (relógio defenestrado) **2** *Fig.* Que foi afastado ou demitido (político defenestrado) [F.: Part. de *defenestrar.*]

defenestrador (de.fe.nes.tra.*dor*) [ô] **a. 1** Diz-se de pessoa que atira alguém ou algo pela janela **2** *Fig.* Diz-se de pessoa responsável pelo afastamento de alguém de um cargo ou posição **sm. 3** Qualquer dessas pessoas [F.: *defenestrar* + -*dor*.]

defenestrar (de.fe.nes.*trar*) **v. td. 1** Lançar (algo ou alguém) pela janela **2** *Fig.* Acabar com (alguém); alijar, marginalizar [▶ **1 defenestrar**] [F.: Do fr. *défenestrer.*]

defensa (de.*fen*.sa) **sf. 1** Ação ou resultado de defender; DEFESA **2** *Mar.* Material (pneus, toras de madeira) colocado no lado externo do navio para defendê-lo de avarias nas atracações [mais us. no pl.] **3** Proteção metálica utilizada em rodovias, acompanhando curvas perigosas, pontes ou despenhadeiros [mais us. no pl.] [F.: Do lat. *defensa, ae.*]

defensável (de.fen.*sá*.vel) **a2g.** Que pode ser defendido (chute defensável, argumento defensável) [Ant.: *indefensável.*] [Pl.: -*veis*.] [F.: Do lat. *defensabilis, e.*]

defensiva (de.fen.*si*.va) **sf. 1** Atitude ou posição de quem se defende: *Como não queria brigar, ficou só na defensiva.* **2** Conjunto dos meios de defesa: *Ante as ameaças, reforçaram a defensiva.* [Ant.: *ofensiva.*] [F.: Do fr. *défensive*, fem. substv. de *défensif*, do lat.medv. *defensivus, a, um.*]

defensivismo (de.fen.si.*vis*.mo) **sm.** Qualquer sistema em que se privilegia a defesa acima de tudo: *O defensivismo da seleção era criticado por todos os comentaristas esportivos.* [F.: *defensivo* + -*ismo*.]

defensivo (de.fen.*si*.vo) **a. 1** Que se defende ou está disposto a se defender: *A postura defensiva do lutador mostrava seu cansaço.* **2** Que serve para defesa (linhas defensivas) **3** Que tem a finalidade de preservar (produto defensivo); PRESERVATIVO [Ant. ger. como a.: *ofensivo.*] **sm. 4** Aquilo que defende [F.: Do lat. medv. *defensivus, a, um.*] ▪ **~ agrícola** *Quím.* Produto químico us. para combater pragas e doenças em plantações; agrotóxico

defensor (de.fen.*sor*) [ô] **a. 1** Que defende **2** Diz-se do que serve para defender (atitude defensora) [Ant.: *acusador.*] **3** Diz-se daquele que luta por uma causa, ideia etc. **sm. 4** Aquele que defende alguém ou algo, esp. na Justiça; PALADINO: *O defensor pediu a palavra.* **5** *Esp.* Jogador que atua na defesa [F.: Do lat. *defensor, oris.*] ▪ **~ dativo** *Jur.* Advogado de defesa nomeado por juiz **~ público** *Jur.* Advogado pago pela Justiça para defender causas de pessoas que não dispõem de recursos para contratar advogado

defensoria (de.fen.so.*ri*.a) **sf. 1** Função de defensor público **sf. 2** Conjunto de defensores públicos [F.: *defensor* + -*ia*[1].] ▪ **~ pública** *Jur.* Instituição oficial formada por defensores públicos, destinada a dar assistência jurídica gratuita a quem não dispõe de meios para contratar particularmente [Tb. apenas *defensoria.*]

deferência (de.fe.*rên*.ci:a) **sf. 1** Sentimento, atitude ou expressão de respeito, de consideração; APREÇO; REVERÊNCIA: *Falou do avô com deferência e carinho.* [Ant.: *desconsideração, desprezo.*] **2** Atenção, cuidado, interesse que uma pessoa dedica a outra; COMPLACÊNCIA: *Tratou o mendigo com deferência.* [Ant.: *descaso, indiferença.*] [F.: Posv. do fr. *déférence*. Sin. ger.: *consideração.*]

deferencial (de.fe.ren.ci.*al*) **a2g. 1** Ref. à deferência: *tratamento solene, deferencial e obsequioso.* **2** *Anat.* Ref. ao canal deferente **3** Diz-se de uma ramificação da artéria vesical inferior relativa ao canal deferente [Pl.: -*ais*.] [F.: *deferência* + -*al*[1].]

deferente (de.fe.*ren*.te) **a2g. 1** Que manifesta ou revela deferência; RESPEITOSO [Ant.: *desrespeitoso.*] **2** Que defere, concede (o que se solicitou); ANUENTE **3** Que demonstra interesse pelos outros; COMPLACENTE [Ant.: *desinteressado, indiferente.*] **4** *Anat.* No homem ou em mamíferos machos, diz-se do canal por onde passam os espermatozoides [F.: Do lat. *deferens, entis.* Hom./Par.: *deferente* (a2g.), *diferente* (a2g.).]

deferido (de.fe.*ri*.do) **a. 1** Que se deferiu, se despachou favoravelmente (requerimento deferido); ATENDIDO; CONCEDIDO **2** Que se concedeu, outorgou [F.: Part. de *deferir*. Ant. ger.: *indeferido, negado*. Hom./Par.: *deferido* (a.), *diferido* (a.).]

deferimento (de.fe.ri.*men*.to) **sm. 1** Ação ou resultado de deferir **2** Concordância com algo que foi pedido por escrito; ANUÊNCIA; APROVAÇÃO: *Concedeu deferimento ao pedido de matrícula.* **3** Concessão, outorga (deferimento de curadoria) [F.: *deferir* + -*mento*. Ant. ger.: *indeferimento*. Hom./Par.: *deferimento* (sm.), *diferimento* (sm.).]

deferir (de.fe.*rir*) **v. 1** Atender a; dar despacho favorável a [**td.**: *deferir um requerimento.*] [**tr.** + *a*: *O juiz deferiu ao pedido de habeas corpus.*] **2** Oferecer (prêmio, privilégio etc.); CONCEDER [**tdi.** + *a*: *A empresa deferiu bônus aos melhores funcionários.*] **3** Manifestar respeito, deferência [**ti.** + *a*: *O padre defere a todos os fiéis.*] **4** Consentir; concordar com [**tr.** + *a*: *O demagogo deferia aos desejos fúteis do povo.*] [▶ **50 deferir**] [F.: Do v.lat. *deferre*. Hom./Par.: *deferir, diferir* (em todas as fl.).]

deferitório (de.fe.ri.*tó*.ri:o) **a. 1** Ref. a deferimento (parecer deferitório) **2** Que defere, aprova ou envolve aprovação, que atende a pedido: *Proferiu despacho deferitório sobre pedido de transferência.* [F.: *deferir* + -*tório*. Ant. ger.: *indeferitório.*]

defesa (de.*fe*.sa) [ê] **sf. 1** Ação ou resultado de defender(-se): *Partiu para a defesa do amigo; defesa de ideais.* [Ant.: *ataque, investida.*] **2** Conjunto de meios, estratégia, preparação etc. empregados para (se) defender ante ataque: *Consolidar a defesa de um país contra possível agressão.* **3** Série de meios, argumentos, estratégia etc. us. para (se) defender de uma acusação; ARGUMENTAÇÃO; ARRAZOADO: *Preparou muito bem a defesa do réu.* **4** Pessoa ou grupo de pessoas que defendem (tb. *Jur.*): *A defesa pediu um aparte.* **5** Ministério que autoriza e controla a produção e aquisição de armas e outros recursos militares de um país (ministério da Defesa) [NOTA: Nesta acp., com inicial maiúsc.] **6** Meio de proteção (defesa pessoal; arma de defesa) **7** Conservação, preservação: *Lutam pela defesa da ecologia.* [Ant.: *abandono, destruição.*] **8** Argumento us. como justificativa; ALEGAÇÃO: *Em sua defesa, o aluno citou o regulamento da escola.* **9** Apresentação oral (defesa de tese) **10** Ato de proibição; INTERDIÇÃO **11** *Zool.* Dente canino dos mamíferos predadores ▪ **Legítima ~** *Jur.* Termo que define circunstância de ato praticado por alguém (ou um coletivo, um país) em defesa própria

defeso (de.*fe*.so) [ê] **a. 1** Proibido, interditado [+ *a*: *área defesa ao tráfego de veículos.*] **2** Não sujeito ou não passível a (pena, ônus etc.); ISENTO **sm. 3** Período em que a pesca ou a caça são proibidas (defeso do camarão) [F.: Do lat. *defensus, a, um.*]

deficiência (de.fi.ci:*ên*.ci:a) **sf. 1** Carência, falta, insuficiência: *A deficiência de vitaminas causa doenças.* **2** *Med.* Insuficiência de um órgão no exercício de suas funções (deficiência auditiva/visual); DÉFICIT **3** *Psiq.* Insuficiência de função intelectual (deficiência mental); DÉFICIT **4** Falha, defeito: *O apagão resultou de uma deficiência na central elétrica.* [Ant.: *abundância, fartura.*] [F.: Do lat.tard. *deficientia, ae.*]

deficiente (de.fi.ci.*en*.te) **a2g. 1** Diz-se de qualquer realização em que há deficiência (1 ou 4); não satisfatório (desempenho deficiente) **2** Insuficiente do ponto de vista quantitativo (dados deficientes); DEFICITÁRIO [Ant.: *abundante, suficiente.*] **s2g. 3** Pessoa portadora de deficiência física e/ou psíquica (deficiente auditivo) [Ant.: *satisfatório.*] [F.: Do lat. *deficiens, entis.*]

deficit (*Lat./dé'fikit/dé'fisit*) **sm.** Ver *déficit.* [F.: Substv. da 3ª pess. pres. ind. Do v.lat. *deficere*, 'abandonar'; 'fazer falta a'; 'extinguir-se, ter fim' etc.]

déficit (*dé*.fi.cit) **sm. 1** *Econ.* Quantia que falta para inteirar o orçamento previsto ou pagar todas as despesas: *déficit de fundos.* **2** Quantidade que falta para atender a uma demanda: *déficit de vagas, déficit habitacional.* **3** *Cont.* Excesso de despesa em relação a receita **4** *Met.* Diminuição de ocorrência de algum fenômeno (déficit pluviométrico) [Ant. das acp. 1 a 4: *excedente, superávit.*] **5** *Med.* Deficiência mensurável (déficit visual) [F.: A port. do lat. *deficit*. A edição do Vocabulário Ortográfico da ABL posterior ao Acordo Ortográfico de 1990 registra apenas a forma latina *deficit.*]

deficitário (de.fi.ci.*tá*.ri:o) **a. 1** Que apresenta ou gera déficit: *O campeonato foi deficitário para o clube.* **2** *Econ.* Que tem saldo negativo (economia deficitária) **3** Deficiente (2) [F.: Do fr. *déficitaire.*]

defina (de.*fi*.na) **sf.** *Port.* (*Beja*) *Cul.* Alimento preparado com sangue de porco coagulado e especiarias; SARRABULHO [F.: De or. incerta. Hom./Par.: *defina* (fl. de deferir).]

definhado (de.fi.*nha*.do) **a. 1** Emagrecido, magro: "Beijei- -lhe a mão, os trêmulos dedos definhados." (Guimarães Rosa, *Ave, palavra*) **2** Sem forças; DEBILITADO; ENFRAQUECIDO **3** Que murchou; MURCHO; SECO [F.: Part. de *definhar*]

definhamento (de.fi.nha.*men*.to) **sm. 1** Falta de forças; CANSAÇO; EXTENUAÇÃO **2** Emagrecimento, abatimento, enfraquecimento: "...o presente é o definhamento gradual que precede a morte." (Joaquim Nabuco, *O abolicionismo*.) **3** Ação ou resultado de definhar, de murchar, secar [F.: *definhar* + -*mento*.]

definhar (de.fi.*nhar*) **v. 1** Tornar(-se) magro, enfraquecido, abatido [**td.**: *A doença o definhou.*] [**int.**: *definhar de tristeza/por enfermidade; Em meio à seca, definha-se o gado.*] **2** *Fig.* Perder o viço; SECAR; MURCHAR [**int.**: *A roseira definhou, com o sol implacável.*] [▶ **1 definhar**] [F.: Do lat. **definare*, ou *de-* + *fim* + -*ar*[2], com palatalização de difícil explicação.]

definibilidade (de.fi.ni.bi.li.*da*.de) **sf.** Qualidade ou estado do que é definível [Ant.: *indefinibilidade.*] [F.: *definí(-vel* > -*bil[i])* + -*dade*.]

definição (de.fi.ni.*ção*) **sf. 1** Ação ou resultado de definir(-se) **2** Explicação do significado de uma palavra, expressão, frase ou conceito **3** Capacidade de descrever (algo ou alguém), destacando suas características **4** Delimitação precisa, exata **5** Indicação do sentido real de alguma coisa: *A estranha relação desses dois rapazes precisa de uma nova definição.* **6** Decisão a respeito de algo pendente: *Preciso de uma definição sua para fazer a reserva.* **7** *Cin. Telv. Fot.* Grau de nitidez de uma imagem: *A imagem do filme está com pouca definição.* **8** Fixação de prazo ou da duração de alguma coisa **9** Manifestação que revela algo de maneira nítida, clara: *A melhor definição do casamento são os filhos; A definição do casamento feliz não exclui a capacidade de perdoar.* **10** *Lóg.* Operação que procura determinar de maneira clara um conceito, um objeto **11** *Rel.* No catolicismo, decisão sobre questão controvertida que parte da Santa Sé **12** *Fil.* Na filosofia de Aristóteles, conceito que revela a natureza essencial, básica, de alguma coisa, destacando-a das demais [Pl.: -*ções*.] [F.: Do lat. *definitio, onis.*] ▪ **Dar ~ de** *Bras. Pop.* Prestar contas de

definido (de.fi.*ni*.do) **a. 1** Que se definiu (limites definidos); DELIMITADO; FIXADO **2** Estabelecido, determinado: *Ainda não temos um projeto definido.* [Ant.: *indeterminado.*] **3** *Gram.* Diz-se do artigo que identifica o substantivo **4** Diz-se de som com reprodução muito precisa **5** *Cin. Fot. Telv.* Diz-se de imagem com contraste e nitidez [Ant. ger. como a.: *indefinido.*] **sm. 6** O que se definiu [F.: Part. de *definir.*]

definidor (de.fi.ni.*dor*) [ô] **a. 1** Que define **sm. 2** Pessoa ou algo que define **3** *Rel.* Conselheiro ou assessor de autoridade religiosa [F.: Do lat. *definitor, oris.*]

definir (de.fi.*nir*) *v.* **1** Explicar, mostrar o significado de uma palavra [**td.**: *Desistiu de tentar definir saudade.*] **2** Determinar a extensão ou os limites de [**td.**: "não tem competência para definir as zonas de reforma agrária" (Antônio Callado, *Entre o Deus e a vasilha*)] **3** Dar a conhecer com exatidão [**td.**: *definir um projeto.*] **4** Determinar em resolução; FIXAR; DECIDIR; ESTABELECER [**td.**: *A assembleia definiu o novo plano de ação; O governo definiu as bases do acordo com os empresários.*] **5** Chegar a uma conclusão; tomar partido ou resolução (quanto a algo); DECIDIR [**tr.** + *por, contra, a favor de, em favor de*: *O Congresso definiu-se a favor da reforma.*] **6** Retratar (a si mesmo ou alguém) por características físicas e psíquicas [**td.**: *Com aquelas cruas palavras, definia seu filho mais novo.*] [**tdp.**: *A vida definiu-me amargo.*] **7** *Fís.* Precisar grandezas (de tempo, espaço etc.) [**td.**: *definir a envergadura do novo avião.*] [▶ 3 definir] [F.: Do lat. *definire.* Hom./Par.: *defina* (fl.), *defina* (sf.).]

definitibilidade (de.fi.ni.ti.bi.li.*da*.de) *sf.* Condição do que é passível de ser definitivo: "... – Que jeito tem ela? – perguntou o Efigeninho. – O da beleza da inesquecibilidade, o da definitibilidade – disse Gutemberg, aereamente..." (Geraldo França de Lima, *Serras Azuis*) [F.: *definiti(vo)* + *-bil(i)-* + *-dade.*]

definitivo (de.fi.ni.*ti*.vo) *a.* **1** Que define, decide ou determina **2** Permanente, efetivo: *Quando será a sua mudança definitiva para Friburgo?* [Ant.: *momentâneo, temporário.*] **3** Que não sofrerá mais nenhuma alteração (documento definitivo, versão definitiva); FINAL; ÚLTIMO **4** Terminante, indiscutível, categórico (argumento definitivo) [Ant.: *discutível, refutável.*] **5** Total, completo (ruína definitiva) [Ant.: *parcial.*] [F.: Do lat. *definitivus, a, um.*]

definitório (de.fi.ni.*tó*.ri:o) *a.* **1** Diz-se do que define (poder definitório) *sm.* **2** Conselho de definidores em uma ordem religiosa: *O Definitório Geral decidia sobre todos os assuntos relativos à província.* **3** Sala onde se reúnem os definidores de uma ordem: "O definitório serve também de museu onde se encontram várias cópias de pintores célebres..." (*São João del-Rei on-line*) [F.: *definir* + *-tório.*]

definível (de.fi.*ní*.vel) *a2g.* Que se pode definir: *Aquilo de que se tem conhecimento é definível.* [Ant.: *indefinível.*] [Pl.: *-veis.*] [F.: *definir* + *-vel.*]

deflação (de.fla.*ção*) *Econ. sf.* **1** Diminuição geral do preço de produtos e serviços [Ant.: *inflação.*] **2** Ação ou resultado de deter a inflação a partir de medidas monetárias ou financeiras [Pl.: *-ções.*] [F.: Do ingl. *deflation.*]

deflacionado (de.fla.ci:o.*na*.do) *a.* Diz-se daquilo que se deflacionou ou em que se constatou deflação (valor deflacionado) [Ant.: *inflacionado.*] [F.: Part. de *deflacionar.*]

deflacionar (de.fla.ci:o.*nar*) *v. td. Econ.* Causar deflação em: *A recessão deflacionou a economia do país.* [▶ 1 deflacionar] [F.: *deflação* (sob o rad. *deflacion-*) + *-ar*^{2}, seg. o mod. erudito. Hom./Par.: *deflacionaria* (fl.), *deflacionária* (fem. de *deflacionário*).]

deflacionário (de.fla.ci:o.*ná*.ri:o) *a.* Que diz respeito à deflação; que tende a produzi-la: "A baixa taxa acumulada nestes últimos doze meses foi determinada, principalmente, pelo comportamento deflacionário de grupos como vestuário..." (dieese.org.br, *Terceiro mês de deflação em São Paulo*, 06.10.98) [Ant.: *inflacionário.*] [F.: *deflação* (rad. *deflacion-*) + *-ário.* Hom./Par.: deflacionária (fem.)/ *deflacionaria* (fl. de *deflacionar*).]

deflagração (de.fla.gra.*ção*) *sf.* **1** Ação ou resultado de deflagrar; DESENCADEAMENTO; INÍCIO: *a deflagração de uma revolta.* **2** Combustão, explosão repentina com chamas: *a deflagração de uma mina.* **3** *Fig.* Surgimento súbito e violento [Pl.: *-ções.*] [F.: Do lat. *deflagratio, onis.*]

deflagrado (de.fla.*gra*.do) *a.* **1** Diz-se do que se deflagrou (cápsula deflagrada); DETONADO **2** Que sofreu forte combustão; INCENDIADO; INFLAMADO **3** *Fig.* Que apareceu de repente; IRROMPIDO: *A greve foi deflagrada de surpresa, ao apagar das luzes do ano passado.* [F.: Do lat. *deflagratus, a, um.*]

deflagrador (de.fla.gra.*dor*) [ô] *a.* **1** Diz-se do que deflagra ou produz deflagração (explosivo deflagrador) *sm.* **2** Aparelho que provoca a combustão de materiais explosivos **3** *Quím.* Aparelho eletroquímico que permite obter elevadíssimas temperaturas **4** *Fig.* O que faz rebentar, explodir, manifestar-se subitamente: *Um olhar, mesmo que despretensioso, pode ser o deflagrador de intensa paixão.* [F.: *deflagrar* + *-dor.*]

deflagrar (de.fla.*grar*) *v.* **1** Fazer arder ou arder, subitamente, em chamas ou explosões [**td.**: *Uma explosão deflagrou o incêndio.*] [**int.**: *A bomba deflagrou antes do tempo.*] **2** *Fig.* Fazer irromper ou irromper, subitamente [**td.**: *Os jovens deflagraram um movimento revolucionário.*] [**int.**: *Um temporal está por deflagrar; Em pouco tempo a guerra iria deflagrar.*] **3** *Quím.* Provocar ou propagar combustão em [**td.**: *deflagrar um composto.*] [▶ 1 deflagrar] [F.: Do v.lat. *deflagrare.* Hom./Par.: *deflagráveis* (fl.), *deflagráveis* (pl. de *deflagrável* [a2g.]).]

deflagrável (de.fla.*grá*.vel) *a2g.* Passível de ser deflagrado [Pl.: *-veis.*] [F.: *deflagrar* + *-vel.* Hom./Par.: *deflagráveis* (pl.), *deflagráveis* (fl. de *deflagrar* [v.]).]

deflator (de.fla.*tor*) [ô] *a.* **1** Diz-se do que favorece a deflação (índice deflator) **2** Coeficiente utilizado em valores inflacionados para expressá-los em valores reais de determinado período: "...De fato, o câmbio atual, utilizando-se como deflator o IPA, já está em um nível próximo ao verificado em dezembro de 1998..." ("Taxas de câmbio reais...", *iedi.org.br*) [F.: Do ing. *deflator.*]

deflectir (de.flec.*tir*) *v.* Provocar desvio da posição de (alguém ou algo) para (um dos lados); DESVIAR; DESLOCAR [**tda.** + *a, para, contra*: *O vidro deflectia a luz para a direita.*] [**int.**: *A luz da lanterna deflectiu.*] [▶ 50 deflectir] [F.: Do v.lat. *deflectere.* Tb. *defletir.*]

deflegmação (de.fleg.ma.*ção*) *sf. Quím.* Nova destilação por que passam certas substâncias, a fim de se lhes extrair a parte aquosa [Pl.: *-ções.*] [F.: *deflegmar* + *-ção.*]

defletir (de.fle.*tir*) *v.* Ver *deflectir*

defletor (de.fle.*tor*) [ô] *a.* **1** Que faz defletir (ímã defletor) *sm.* **2** *Náut.* Aparelho que permite avaliar o desvio da agulha magnética [F.: *deflet(ir)* + *-or.*]

deflexão (de.fle.*xão*) [cs] *sf.* **1** Alteração ou desvio da posição natural para um lado **2** *Arm.* Mudança no trajeto de um projétil de canhão **3** *Med.* Desvio de curva em eletrocardiograma **4** Turbilhonamento em torno de um obstáculo ao escoamento de líquido **5** *Fís.* Desvio de direção da trajetória de um corpo, partícula ou raio luminoso [Pl.: *-xões.*] [F.: Do lat. *deflexio, onis.*]

defloculação (de.flo.cu.la.*ção*) *sf.* **1** Dispersão dos flóculos de uma suspensão; DESCOAGULAÇÃO **2** *Fís-quím.* Quebra ou dispersão de aglomerados por ação físico-química [Ant.: *floculação*] [Pl.: *-ções.*] [F.: *de-* + *floculação.*]

defloculante (de.flo.cu.*lan*.te) *a2g.* **1** Diz-se do que provoca descoagulação (agente defloculante) *sm.* **2** *Quím.* Reagente químico utilizado para modificar a viscosidade de uma composição ou de um produto; ANTICOAGULANTE [F.: *deflocular* + *-nte.*]

deflocular (de.flo.cu.*lar*) *v. td.* **1** Desmanchar a floculação de; dispersar os flóculos de **2** *Fís.* Desfazer aglomerados por meio de ação química [▶ 1 deflocular] [F.: *de-* + *flóculo* + *-ar*^{2}.]

defloração (de.flo.ra.*ção*) *sf.* **1** Perda da virgindade; DESVIRGINAMENTO **2** *Bot.* Queda prematura das flores, causada por geadas, doença ou ataque de insetos [Pl.: *-ções.*] [F.: Do lat. *defloratio, onis.* Sin. ger.: *defloramento.*]

deflorado (de.flo.*ra*.do) *a.* Que se deflorou, que perdeu a virgindade [F.: part. de *deflorar.*]

deflorador (de.flo.ra.*dor*) [ô] *a.* **1** Diz-se de indivíduo que deflora, tira a virgindade de alguém (monstro deflorador) *sm.* **2** Esse indivíduo [F.: *deflorar* + *-dor.* Sin. ger.: *desflorador.*]

defloramento (de.flo.ra.*men*.to) *sm.* O mesmo que *defloração.* [F.: *deflorar* + *-mento.*]

deflorar (de.flo.*rar*) *v.* **1** Fazer (mulher virgem) perder a virgindade; DESVIRGINAR [**td.**] **2** Fazer perder ou perder (planta, árvore) as flores; DESFLORAR(-SE) [**td.**: *A ventania deflorou todo o roseiral.*] [**int.**: *Os flamboaiãs deflorам-se no outono.*] **3** *Fig.* Fazer perder a pureza de alguém ou de um grupo, entidade, instituição etc; CORROMPER; ADULTERAR [**td.**: *Sua presença deflora as convicções iniciais do partido.*] [▶ 1 deflorar] [F.: Do v.lat. *deflorare.*]

defluente (de.flu.*en*.te) *a2g.* **1** Diz-se do que deflui, sai, corre (vazão defluente) **2** *Fig.* Que se origina, deduz: *Seu pensamento é defluente do que observa.* *sm.* **3** *Geog.* Rio que deflui: "...nessa planície, o rio Taquari se comporta como um defluente, isto é, ao invés de receber afluentes, ao longo de seu percurso, vai perdendo água..." ("Diagnóstico da psicultura na bacia do alto Taquari – MS", *cpap.embrapa.br*) [F.: Do lat. *defluens, entis.*]

defluir (de.flu.*ir*) *v.* **1** Correr, deslizar (um líquido) [**int.**: *As águas defluíam rochedo abaixo.*] **2** *P.ext.* Emanar, provir [**tr.** + *de*: *Aquelas cenas defluíam de seu filme anterior.*] [▶ 56 defluir] [F.: Do lat. *defluere.* Hom./Par.: *difluir* (todos os tempos do v.).]

deflúvio (de.*flú*.vi:o) *sm.* **1** Ação ou resultado de defluir (o líquido); DEFLUXÃO; ESCOAMENTO: *É importante analisar a qualidade da água em deflúvio em rios e lagoas na época de chuvas intensas.* **2** Descarga fluvial [F.: Do lat. *defluvium, ii.*]

defluxão (de.flu.*xão*) [cs ou ss] *sm.* **1** Ver *deflúvio* (1) *sf.* **2** Corrimento mórbido por uma membrana mucosa; CORIZA; DEFLUXO: "Faça favor de entrar para dentro, que eu não estou para apanhar uma defluxão de peito..." (Guimarães Júnior, *O homem e o cão*) [Pl.: *-xões.*] [F.: Do lat. *defluxio, onis.*]

defluxo (de.*flu*.xo) [cs ou ss] *Med. sm.* **1** O mesmo que *coriza* **2** Escoamento anormal ou excessivo de líquido para certa parte do organismo [F.: Do lat. *defluxus, us.*]

deformação (de.for.ma.*ção*) *sf.* **1** Ação ou resultado de deformar(-se), de mudar de forma: *A deformação física que vem com a idade.* **2** Desfiguração, afeamento: *Um acidente causou a deformação de seu rosto.* **3** Perda da forma original: *deformação das rochas.* **4** *Fig.* Alteração (ger. para pior); DESVIO: *O alcoolismo é uma doença, não uma deformação de caráter.* **5** Deturpação (de sentido, ideia etc.): *deformação de um texto*; "Está claro que nesse tipo de escritores (...) para quem essas palavras significam cinismo e deformação..." (João Cabral de Melo Neto, *Poesia e composição*) [Pl.: *-ções.*] [F.: Do lat. *deformatio, onis.*] ■ **~ contínua** *Mat.* A que ocorre em corpo material (linha, superfície ou sólido) sem rompê-lo [Tb. apenas *deformação.*] **~ elástica** Deformação física de um corpo por efeito de uma força sobre ele aplicada, que desaparece com a cessação da força [Opõe-se a *deformação plástica.*] **~ linear** A que resulta da variação da distância entre dois pontos vizinhos **~ orogênica** *Geol.* Deformação da crosta terrestre, por levantamento causado por forças verticais ou tangenciais **~ plástica** Deformação física de um corpo por efeito de uma força sobre ele aplicada, que permanece com a cessação da força [Opõe-se a *deformação elástica.*] **~ profissional** Maneira de encarar e apreciar os fatos marcantemente influenciada, ou distorcida, pela visão e os métodos de uma atividade ou profissão

deformado (de.for.*ma*.do) *a.* **1** Que se deformou, que sofreu deformação; DESFIGURADO: *corpo deformado pela doença.* **2** *Fig.* Que mudou para pior; CORROMPIDO [F.: Do lat. *deformatus, a, um.* Ant. ger.: *indeformado.*]

deformador (de.for.ma.*dor*) [ô] *a.* **1** Diz-se do que deforma (efeito deformador) *sm.* **2** Aquele ou aquilo que deforma: *O afastamento da família é um deformador da personalidade humana.* [F.: *deformar* + *-dor.* Sin. ger.: *desfigurador.*]

deformante (de.for.*man*.te) *a2g.* Que deforma, desfigura: *Antônio Francisco Lisboa, o Aleijadinho, sofreu de uma doença deformante que não reprimiu a sua arte.* [F.: *deformar* + *-nte.*]

deformar (de.for.*mar*) *v.* **1** Fazer perder ou perder a forma original [**td.**: *O calor deformou a ferramenta.*] [**int.**: *O corpo deforma-se com a idade.*] **2** Mudar para pior; ADULTERAR; DETURPAR [**td.**: *Os maus hábitos deformam o caráter.*] [▶ 1 deformar] [F.: Do v.lat. *deformare.* Hom./Par.: *deforme* (fl.), *deforme* (a2g.); *deformes* (fl.), *deformes* (pl. do a2g.); *deformáveis* (fl.), *deformáveis* (pl. de *deformável* [a2g.]).]

deformável (de.for.*má*.vel) *a2g.* Que se pode deformar; passível de deformação (superfície deformável) [Ant.: *indeformável.*] [Pl.: *-veis.*] [F.: *deformar* + *-vel.* Hom./Par.: *deformáveis* (pl.), *deformáveis* (fl. de *deformar*).]

deformidade (de.for.mi.*da*.de) *sf.* **1** Defeito físico, congênito ou adquirido: *O acidente deixou-a com uma deformidade na face.* **2** Característica do que perdeu sua forma original **3** *Fig.* Defeito ou fraqueza moral; IMPERFEIÇÃO; VÍCIO **4** *Trt.* O mesmo que *má-formação* [F.: Do lat. *deformitas, atis.*]

defragmentador (des.frag.men.ta.*dor*) [ô] *sm. Inf.* Programa que reúne arquivos e pastas fragmentados em um espaço único e contíguo na área de armazenamento do disco rígido [F.: *desfragmentar* + *-dor.*]

defraudação (de.frau.da.*ção*) *sf.* **1** Espoliação mediante fraude ou dolo; DEFRAUDAMENTO **2** Apoderamento ilícito; USURPAÇÃO **3** Falsificação para enganar [Pl.: *-ções.*] [F.: Do lat. *defraudatio, onis.*]

defraudado (de.frau.*da*.do) *a.* Que sofreu defraudação [F.: Part. de *defraudar.*]

defraudar (de.frau.*dar*) *v.* **1** Espoliar ou lesar (alguém, instituição etc.) mediante fraude ou dolo; FRAUDAR [**td.**: *Todos sabem que ele defrauda o amigo.*] [**tdr.** + *de*: *O advogado defraudou de seus bens os herdeiros.*] **2** Transgredir a norma, a lei [**td.**: *As estratégias do deputado defraudavam quase sempre as leis constitucionais.*] **3** Decepcionar; DESAPONTAR; DESILUDIR [**td.**: *Com tua vida mundana, defraudaste a mãe mais uma vez.*] [▶ 1 defraudar] [F.: Do v.lat. *defraudare.* Hom./Par.: *defraudo* (fl.), *defraudo* (sm.).]

defrontação (de.fron.ta.*ção*) *sf.* **1** Ação ou resultado de defrontar; DEFRONTAMENTO: *A defrontação com o adversário político era iminente.* **2** Estado do que defronta [Pl.: *-ções.*] [F.: *defrontar* + *-ção.*]

defrontado (de.fron.*ta*.do) *a.* Que se defrontou; que sofreu defrontação [F.: Part. de *defrontar.*]

defrontamento (de.fron.ta.*men*.to) *sm.* Ação ou resultado de defrontar; DEFRONTAÇÃO [F.: *defrontar* + *-mento.*]

defrontar (de.fron.*tar*) *v.* **1** Estar ou encontrar(-se) defronte de [**td.**: *Minha casa defronta o parque; Nossas casas defrontam-se.*] [**tr.** + *com*: *Sua casa defronta com a minha.*] **2** Pôr(-se) frente a frente; CONFRONTAR [**td.**: *defrontar duas traduções do mesmo texto.*] [**tdr.** + *com*: *Defrontou a versão da vítima com a do réu; João defrontou-se com o primo, para superar as desavenças.*] **3** Enfrentar, arrostar [**td.**: *defrontar um adversário*; "...ali estavam os dois rivais a se defrontarem" (Josué Montello, *Sempre serás lembrada*)] **4** Ver-se frente a frente; TOPAR; DEPARAR [**tr.** + *com*: *O ministro defrontou-se com um problema inesperado.*] [▶ 1 defrontar] [F.: *defronte* + *-ar*^{2}. Hom./Par.: *defronte* (fl.), *defronte* (adv.).]

defronte (de.*fron*.te) *adv.* **1** Em frente: *Tem música no bar ali defronte.* *a2g.* **2** *MT* Que é diferente de [F.: *de-* + *fronte.* Hom./Par.: *defronte* (adv.a2g.), *defronte* (fl. de *defrontar*).] ■ **~ a/de** **1** Em frente a, diante de: *Sentei-me defronte a ele/dele.* **2** Ante, em oposição a: *Postou-se defronte de todos nessa questão.* **3** Em comparação com: *Defronte deste currículo, o dele não satisfaz.*

defumação (de.fu.ma.*ção*) *sf.* **1** Ação, processo ou resultado de defumar **2** *N.* Processo que se emprega na preparação da borracha, defumando-a **3** Ato de queimar incensos aromatizados para afastar forças nocivas de pessoas ou ambientes, energizando-os positivamente [Pl.: *-ções.*] [F.: *defumar* + *-ção.*]

defumado (de.fu.*ma*.do) *a.* Que se defumou (peixe defumado) [F.: Part. de *defumar.*]

defumadoiro (de.fu.ma.*doi*.ro) *sm.* Ver *defumadouro*

defumador (de.fu.ma.*dor*) [ô] *a.* **1** Que defuma *sm.* **2** Substância para defumar ou perfumar **3** Recipiente onde se queima incenso etc. para defumar **4** *Amaz.* Local em que o seringueiro defuma a borracha [F.: *defumar* + *-dor.*]

defumadouro (de.fu.ma.*dou*.ro) *sm.* **1** *Amaz.* Local em que o seringueiro defuma a borracha **2** Lugar onde se defuma [F.: *defumar* + *-douro*[1]. Tb. *defumadoiro.*]

defumar (de.fu.*mar*) *v. td.* **1** Curar ou secar ao fumo: *defumar carne, peixe etc.* **2** Expor (um local, ambiente, pessoa ou tecido) à fumaça resultante da queima de substância aromática, para perfumar: *defumar a casa, os lençóis de linho etc.* **3** *Rel.* Conduzir o defumador ou turíbulo com incenso, ervas, ou raízes etc. em brasa por um dado ambiente ou local na intenção de purificá-lo, de afastar os maus fluidos com a fumaça que sai do recipiente [Ger. em ato de prece ou oração.] **4** *Espt.* Em ato de prece ou em ritualística, fazer que a fumaça de ervas, raízes, incenso etc. passe ao redor do corpo físico de uma pessoa para livrá-la material e espiritualmente de qualquer mal **5** Expor (o látex da seringueira) à fumaça resultante da queima dos caroços do urucuri [▶ 1 defumar] [F.: *de-* + *fumo* + *-ar*^{2}.]

defuntar (de.fun.*tar*) *S. Pop. v.* Falecer, morrer [**int.**: *O carrasco afinal defuntou.*] [▶ 1 defuntar] [F.: *defunto* + *-ar*^{2}. Hom./Par.: *defunto* (fl.), *defunto* (sm.).]

defunteiro (de.fun.*tei*.ro) *a.* **1** Diz-se daquele que trata de enterros ou os acompanha **2** Que diz respeito a defunto ou a enterro *sm.* **3** Quem cuida de enterros; PAPA-DEFUNTOS: *Veio o defunteiro tomar as medidas do caixão.* ("Quinta de São Romualdo".) [F.: *defunto* + *-eiro.*]

defunto (de.*fun*.to) *a.* **1** Que morreu **2** Próprio de defunto (palidez defunta) **3** Que foi esquecido *sm.* **4** Aquele que morreu **5** O cadáver daquele que morreu [F.: Do lat. *defunctus, a, um.* Hom./Par.: *defunto* (sm.), *defunto* (fl. *defuntar* [v.]).] ■ **~ sem choro** *Bras.* Pessoa desprotegida, abandonda, desprezada **Matar ~** *Bras.* Contar uma história já conhecida **Não poder ver ~ sem chorar** Não ficar indiferente a nada, e querendo participar de tudo

degas (*de*.gas) *sm. Bras. Gír.* A própria pessoa que fala: "...de uma Limeira tranquila, até pacata, dos anos 60, quando o degas aqui chegou..." ("O despertar da consciência", *Gazeta de Limeira*, 30.01.2005) [F.: Vocábulo expressivo de origem incerta.]

degaulista (de.gau.*lis*.ta) [gô] *a2g.* **1** Que diz respeito ao degaulismo, ao general *De Gaulle*, às suas tropas, ao seu governo (resistência degaulista) **2** Diz-se de pessoa que é partidária do degaulismo *s2g.* **3** Essa pessoa [Tb. se diz *gaulista* (gô).] [F.: Charles *de Gaul(le)* + *-ista*.]

degelar (de.ge.*lar*) *v.* **1** Derreter(-se) (aquilo que estava congelado); DESCONGELAR [*td.*: *Degelou o frango para o almoço.*] [*td.*: *Com o calor, o frango degelou.*] **2** *Fig.* Tornar(-se) mais brando ou menos rígido; ABRANDAR; SUAVIZAR [*tr.* + *com*: *O pai degelou-se com o pedido de desculpas.*] [*tr.* + *com*: *Depois da conversa, sentiu seu coração degelar-se.*] [▶ 1 degelar] [F.: *de-* + *gelar*. Sin. ger.: *desgelar.* Hom./Par.: *degelo* (fl.), *degelo* (ê) (sm.).]

degelo (de.*ge*.lo) [ê] *sm.* **1** Derretimento de gelo ou neve **2** *Fig.* Alívio de uma situação tensa [F.: Dev. de *degelar*. Hom./Par.: *degelo* (sm.), *degelo* (fl. de *degelar*).]

degeneração (de.ge.ne.ra.*ção*) *sf.* **1** Ação ou resultado de degenerar(-se) **2** Perda ou deterioração das qualidades originais; DEGENERESCÊNCIA: *O Alzheimer causa a degeneração do cérebro.* **3** Perda ou alteração das qualidades de um ser vivo; ABASTARDAMENTO **4** Mudança para pior; DECAIMENTO **5** *Fig.* Depravação, perversão (de pessoa, sociedade) [Ant. das acp. 1 a 5: *regeneração.*] **6** *Fís.* Possibilidade que têm os modos de vibração independentes de apresentarem a mesma frequência, em um sistema clássico; DEGENERESCÊNCIA [Pl.: *-ções.*] [F.: Do lat. *degeneratio, onis.*]

degenerado (de.ge.ne.*ra*.do) *a.* **1** Que se degenerou **2** Diz-se de ser vivo que perdeu as qualidades próprias de sua espécie ou as teve alteradas; ABASTARDADO **3** Que decaiu de condição; ARRUINADO; DECADENTE [Ant.: *florescente, próspero.*] **4** Depravado, pervertido [Ant.: *decente, puro.* Ant. das acp. 1 a 4: *regenerado.*] **5** *Fís.* Diz-se de conjunto de dois ou mais estados que apresentam o mesmo nível de energia quântica *sm.* **6** Quem ou o que degenerou(-se) [F.: Part. de *degenerar.*]

degenerar (de.ge.ne.*rar*) *v.* **1** Perder as qualidades originais [*int.*: *Segundo ele, o cérebro humano (se) degenerou.*] [*tr.* + *de*: *É uma espécie que degenerou de seus ancestrais.*] **2** Transformar(-se) (em algo pior); ESTRAGAR(-SE); CORROMPER(-SE) [*td.*: *O vício degenerou-o.*] [*tr.* + *em*: "O transporte coletivo na cidade de SP degenerou em confusão..." (*FolhaSP*, 09.12.1999)] [*int.*: *Roma degenerou(-se) com Nero.*] **3** Modificar, alterar, deturpar [*td.*: *Os funcionários degeneraram as ordens do chefe, prejudicando o processo.*] [▶ 1 degenerar] [F.: Do v.lat. *degenerare*. Hom./Par.: *degenere* (fl.), *degênere* (a2g.); *degeneres* (fl.), *degêneres* (pl. do a2g.).]

degenerativo (de.ge.ne.ra.*ti*.vo) *a.* Ref. a ou que causa degeneração: *O câncer é uma doença degenerativa.* [Ant.: *regenerativo.*] [F.: *degenerar* + *-tivo.*]

degenerescência (de.ge.ne.res.*cên*.ci:a) *sf.* **1** Ação ou resultado de degenerar(-se); DEGENERAÇÃO **2** Tendência ou propensão à degeneração **3** Queda ou perda de qualidade **4** *Fís.* O mesmo que *degeneração* (6) [F.: Do fr. *dégénérescence.*]

degenerescente (de.ge.ne.res.*cen*.te) *a2g.* Que revela degenerescência [F.: Do fr. *dégénérescent.*]

deglutição (de.glu.ti.*ção*) *sf.* **1** Ação ou resultado de deglutir **2** *Fisl.* Movimento que faz passar o bolo alimentar da boca para o esôfago [Pl.: *-ções.*] [F.: Do lat. *deglutio, onis.*]

deglutido (de.glu.*ti*.do) *a.* Diz-se do que foi engolido, ingerido (alimento deglutido) [F.: Part. de *deglutir.*]

deglutir (de.glu.*tir*) *v.* Fazer com que (algo [esp. bolo alimentar]) passe da boca para o estômago; ENGOLIR [*td.*: *Deglutiu cada garfada sofregamente.*] [*int.*: *O paciente não conseguia deglutir.*] [▶ 3 deglutir] [F.: Do v.lat. *degluttire.*]

deglutível (de.glu.*tí*.vel) *a2g.* **1** Passível de ser engolido, ingerido: *O alimento doce é facilmente deglutível pelas crianças.* **2** *Fig.* Que pode ser aceito, entendido, compreendido: *Sua obra era deglutível até por pessoas que não entendiam a arte da pintura.* [Pl.: *-veis.*] [F.: *deglutir* + *-vel.*]

degola (de.*go*.la) *sf.* **1** O mesmo que *degolação*; DECAPITAÇÃO **2** *Fig.* Corte, reprovação ou demissão em massa: *Seu nome está na lista de degola.* **3** *Bras.* Concavidade no eixo do carro de boi **4** *Esp.* Exclusão de jogador, equipe ou clube de um campeonato, de uma série ou divisão [F.: Dev. de *degolar*. Hom./Par.: *degola* (sf.), *degola* (fl. *degolar* [v.]).]

degolação (de.go.la.*ção*) *sf.* Ação ou resultado de degolar; DECAPITAÇÃO; DECEPAMENTO; DEGOLA [Pl.: *-ções.*] [F.: *degolar* + *-ção.*]

degolado (de.go.*la*.do) *a.* **1** Diz-se daquele que teve a cabeça cortada pelo pescoço; DECAPITADO; DECEPADO: *motociclista degolado por linha de pipa com cerol.* **2** *Bras. Fig.* Que foi demitido, despedido, exonerado, reprovado em exame: *Time que perde muito tem o treinador degolado a pedido da própria torcida.* [F.: Do lat. *decollatus, a, um.*]

degolador (de.go.la.*dor*) [ô] *a.* **1** Diz-se de que ou quem degola (instrumento degolador) **2** Diz-se de quem exerce a função de algoz, de carrasco *sm.* **3** Quem ou o que degola **4** Tipo de martelo de serralheiro us. para formar cantos redondos e côncavos e para estirar e adelgaçar os metais [F.: *degolar* + *-dor.*]

degolamento (de.go.la.*men*.to) *sf.* **1** Ação ou resultado de degolar(-se) **2** Corte ou reprovação em massa (degolamento de pessoal) [F.: *degolar* + *-mento.*]

degolar (de.go.*lar*) *v. td.* **1** Cortar o pescoço de outrem **2** Cortar fora a cabeça de; DECAPITAR **3** *Art.gr.* Aparar miolo de (livro) atingindo o texto impresso **4** Suicidar-se por degola: *Desesperado, pôs fim à vida: degolou-se.* **5** *Fig. Fut.* Excluir (do time, seleção, campeonato): *degolar o centroavante.* **6** *Fig.* Demitir (quase sempre de maneira sumária); EXONERAR: *degolar funcionários improdutivos.* [▶ 1 degolar] [F.: Do v.lat. *decollare*. Hom./Par.: *degolo* (fl.), *degolo* [ô] (sm.); *degola* (fl.), *degola* (sf.); *degolas* (fl.), *degolas* (pl. do sf.).]

degradação (de.gra.da.*ção*) *sf.* **1** Ação ou resultado de degradar(-se) **2** Destituição humilhante de um cargo, posto grau etc. **3** Processo natural de desgaste; DECOMPOSIÇÃO; DETERIORAÇÃO: *degradação do solo.* **4** Alteração gradual para menos; DIMINUIÇÃO **5** *Art.pl.* Disposição gradativa das nuanças de uma cor **6** Depravação moral; DEVASSIDÃO **7** *Fís. nu.* Perda de identidade ou de energia que ocorre quando uma partícula atravessa um meio [Pl.: *-ções.*] [F.: *degradar* + *-ção.*] **■ ~ ambiental** *Ecol.* Esgotamento de recursos naturais por utilização acima de sua capacidade de renovação **~ de energia** *Fís.* Transformação total ou parcial de energia não térmica em calor, que ocorre nos processos espontâneos ou irreversíveis na natureza

degradado (de.gra.*da*.do) *a.* **1** Aviltado, rebaixado [Ant.: *enaltecido, engrandecido.*] **2** Privado de cargo, grau, dignidade etc. **3** Que se deteriorou; DETERIORADO; ESTRAGADO [F.: Part. de *degradar*. Hom./Par.: *degradado* (a.), *degredado* (a.).]

degradador (de.gra.da.*dor*) [ô] *a.* **1** Que degrada, deteriora ou corrompe, física ou moralmente (tempo degradador); DEGRADANTE [Ant., para o sentido moral: *dignificante, honroso.*] *sm.* **2** Aquele ou aquilo que degrada **3** *Fot.* Aparelho us. para degradar o fundo de fotografias [F.: *degradar* + *-dor.*]

degradante (de.gra.*dan*.te) *a2g.* Que degrada, física ou moralmente [Sin. para o sentido moral: *aviltante.*] [F.: *degradar* + *-nte.*]

degradar (de.gra.*dar*) *v.* **1** Destituir de cargo, grau, autoridade etc., ger. de maneira desonrosa [*td.*: *O governo degradou o ministro.*] [*tdr.* + *de*: *O exército degradou o tenente de suas condecorações.*] **2** *Fig.* Tornar(-se) desprezível, vil; aviltar [*td.*: *Esse escândalo político degradou o partido; Degradou-se por pouco dinheiro.*] **3** Produzir deterioração, desgaste [*td.*: *A água das chuvas degradou a madeira do portão.*] **4** *P.ext.* Atenuar [*td.*: *O tempo degradou as cores do mural.*] **5** *Fig.* Degredar, desterrar [*td.*: *O governo degradou o criador da guerrilha.*] [▶ 1 degradar] [F.: Do v.lat. tard. *degradare*. Hom./Par.: *degradáveis* (fl.), *degradáveis* (pl. de *degradável* [a2g.]); *degradar* (v.), *degredar* (v.).]

degradável (de.gra.*dá*.vel) *a2g.* Passível de ser degradado; que se pode deteriorar [Pl.: *-veis.*] [F.: *degradar* + *-vel*. Hom./Par.: *degradáveis* (pl.), *degradáveis* (fl. de *degradar* [v.]); *degradável* (a2g.), *degredável* (a2g.).]

degradê (de.gra.*dê*) *a2g.* **1** Diz-se de cor ou iluminação com variação de tons, gradativamente mais pálidos *sm.* **2** Esse tipo de cor ou iluminação [F.: Do fr. *dégradé.*]

degrau (de.*grau*) *sm.* **1** Cada um dos planos horizontais de uma escada, em que se coloca o pé para subir ou descer **2** Cada trave horizontal de uma escada móvel **3** *Fig.* Cada ponto sucessivo de uma série nível; GRAU; NÍVEL: *Chegou ao mais alto degrau da carreira.* **4** *Fig.* Meio, recurso para se conseguir algo: *A especialização é um degrau para o sucesso.* [Pl.: *-graus.*] [F.: Do lat. **degradus.*] **■ Por ~s** Gradualmente, progressivamente: *Vamos avançar neste projeto por degraus, etapa por etapa.*

degredado (de.gre.*da*.do) *a.* **1** Diz-se de indivíduo condenado a degredo *sm.* **2** Esse indivíduo [F.: Part. de *degredar*. Hom./Par.: *degredado* (a. sm.), *degradado* (a.). Sin. ger.: *banido, desterrado, exilado.* Ant. ger.: *repatriado.*]

degredar (de.gre.*dar*) *v.* Impor a pena de degredo a; EXILAR; DESTERRAR [*td.*: *Naquele ano o rei degredou muitos súditos.*] [*tda.* + *para, a*: *Naquele ano o rei degredou muitos súditos para as colônias.*] [▶ 1 degredar] [F.: De *degredo* + *-ar²*, ou alter. de *degradar*. Hom./Par.: *degredo* (fl.), *degredo* (ê) (sm.); *degredar*, *degradar* (em todas as fl.).]

degredo (de.*gre*.do) [ê] *sm.* **1** Pena de expulsão para outras terras, que a lei impõe a criminosos; DESTERRO **2** O lugar para onde vai o degredado [Ver tb. *exílio.*] **3** Afastamento, voluntário ou não, de um determinado meio, contexto ou ambiente [F.: De or. contrv.; posv. do lat. *decretum, i.* Hom./Par.: *degredo* (sm.), *degredo* (fl. de *degredar*).]

degringolada (de.grin.go.*la*.da) *sf.* **1** Ação ou resultado de degringolar **2** *Fig.* Decadência evidente; CRISE; RUÍNA [Ant.: *crescimento, progresso.*] [F.: Do fr. *dégringolade.*]

degringolar (de.grin.go.*lar*) *v.* **1** Sofrer decadência, ruína ou aviltamento; DECAIR; DEGENERAR [*int.*: *Por sua própria culpa, a vida de João degringolou*: "...esse estilo bruto e rasgado de cantar degringolou e passou a ser o que, hoje, chamamos de brega." (*JB*, 17.11.2004)] **2** Decair para (situação, condição [esp. negativa]) [*tr.* + *em*: *Com invasões nórdicas, a civilização antiga degringolou em barbárie.*] **3** Perder a ordem ou a organização; deixar de funcionar [*int.*: *Depois da sua chegada, o esquema degringolou.*] [▶ 1 degringolar] [F.: Do fr. *dégringoler.*]

degustação (de.gus.ta.*ção*) *sf.* **1** Ação ou resultado de degustar, saborear: *degustação de vinhos.* **2** *Bras.* Reunião para saborear queijos, vinhos etc. **3** *Fig.* Apreciação prazerosa: *degustação de boa música.* [Pl.: *-ções.*] [F.: Do lat. *degustatio, onis*, posv. pelo fr. *dégustation.*]

degustado (de.gus.*ta*.do) *a.* **1** Que teve o sabor avaliado pelo paladar (licor degustado); PROVADO; SABOREADO **2** Experimentado com interesse e atenção (filme degustado; leitura degustada) [F.: Part. de *degustar.*]

degustador (de.gus.ta.*dor*) [ô] *a.* **1** Diz-se daquele que degusta; que classifica produtos comestíveis com base no paladar *sm.* **2** Esse indivíduo [F.: *degustar* + *-dor.*]

degustar (de.gus.*tar*) *v. td.* **1** Experimentar (comida ou bebida) para saber-lhe o sabor ou a qualidade; PROVAR: *degustar um queijo/um prato.* **2** *Fig.* Apreciar com prazer: *Degustava-lhe a companhia.* [▶ 1 degustar] [F.: Do v.lat. *degustare*, posv. pelo fr. *déguster.*]

◎ **de(i)-** *el. comp.* = 'Deus'; 'deus'; 'divindade': *deísmo, deísta* [F.: Do lat. *deus, dei.*]

⊠ **Deic** Sigla de Departamento Estadual de Investigações Criminais

deicídio (de:i.*cí*.di:o) *sm.* **1** Ação ou resultado de matar Deus ou um deus; morte a um deus **2** *Rel.* A morte infligida a Cristo **3** *Fig.* Contestação da existência de Deus ou de um deus; ATEÍSMO; CETICISMO [F.: *deicida* + *-io.*]

dêictico (*dêic*.ti.co) *a.* Ver *dêitico*

deidade (dei.*da*.de) *sf.* Ser divino; DIVINDADE [F.: Do lat.ecl. *deitas, atis.*]

deificação (de:i.fi.ca.*ção*) *sf.* **1** Ação ou resultado de deificar(-se) **2** Atribuição de natureza divina a (deificação de animal) **3** *Fig.* Adoração ou reverência (deificação da mulher); CULTUAÇÃO [Pl.: *-ções.*] [F.: *deificar* + *-ção.*]

deificado (de:i.fi.*ca*.do) [á] *a.* **1** Diz-se de pessoa ou coisa a que é atribuída natureza divina; que é incluído entre os deuses **2** *Fig.* Cultuado, adorado, endeusado (artista deificado) [Ant.: *desprezado; repelido.*] [F.: Do lat. *deificatus, a, um.*]

deificar (dei.fi.*car*) [e-i] *v. td.* **1** Incluir(-se) entre os deuses; conferir (a alguém ou si mesmo) as qualidades de um deus; endeusar(-se); DIVINIZAR: *O povo queria deificar o soberano; O soberano afirmou que deificava-se para sempre.* **2** *Fig.* Cultivar admiração excessiva, ardorosa, reverenciosa a (algo ou alguém): *A multidão deificava aquele cantor.* **3** Fazer a apoteose de: "O bem e o mal... ambos deificados..." (Gonçalves Dias, *Brasil e oceânia*) [▶ 11 deificar] [F.: Do lat. tard. *deificare*. Hom./Par.: *deifico* (fl.), *deífico* (a.).]

deimático (de:i.*má*.ti.co) [á] *a. Zool.* Diz-se de comportamento ou postura de alguns animais, utilizado como forma de defesa quando atacados (hábito deimático; atitude deimática) [F.: Rad. do gr. *deima, atos*, 'medo, terror' sob a f. *deimat-* + *-ico.*]

◎ **deino-** *el. comp.* F. menos pref. de *din(o)-*

◎ **-deira** *suf. nom.* Formam-se com esse suf. a partir de rad. verbais principalmente: **a)** designativos de mulher (por vezes com valor pej.) que é dada a fazer algo (= ação do rad.), ger. em demasia ou em excesso (*trabalhadeira, faladeira*); **b)** nomes de aparelhos, eletrodomésticos, máquinas ou instrumentos que realizam ou com os quais se realiza a ação, tarefa ou função determinada pelo rad. (*enceradeira, batedeira, empilhadeira*); **c)** nomes de ações caracterizadas por excesso, exagero, ou por continuidade, persistência ou duração (*choradeira, bebedeira*) [F.: Do suf. de part. pass. e adj. *-do*, nas formas *-ado* (da 1ª conjug.) ou *-ido* (da 3ª conjug.), ou da term. **-edo* (do tema em *-e* dos verbos de 2ª conjug. + o suf. *-do*) + *-eira* (ver).]

◎ **-deiro** *suf. nom.* Formam-se a partir de rad. verbais principalmente: **a)** nomes ou qualificativos daquele ou daquilo que faz, realiza ou executa a ação determinada pelo rad. verbal (*abençoadeiro, lavadeiro, carpideiro, benzedeiro*); **b)** nomes de lugar, ger. em que a noção apresentada pelo rad. verbal é traço característico (*despenhadeiro, resvaladeiro, picadeiro*) [F.: Do suf. de part. pass. e adj. *-do* (nas formas *-ado* [da 1ª conjug.] ou *-ido* [da 3ª conjug.], ou na term. **-edo* [do tema em *-e* dos verbos de 2ª]) + *-eiro* (ver).]

deiscência (de:is.*cên*.ci:a) [ê] *sf.* **1** *Bot.* Abertura espontânea de órgão ou partes vegetais para a saída do seu conteúdo, ao alcançarem a maturidade [Ant.: *indeiscência.*] **2** *Cir.* Afastamento de partes anatômicas feridas ou que sofreram incisão cirúrgica [F.: Do fr. *déhiscence*. Hom./Par.: *decência.*]

deiscente (de:is.*cen*.te) [ê] *a2g. Bot.* Diz-se de órgão vegetal que apresenta deiscência [Ant.: *indeiscente.*] [F.: Do fr. *déhiscent*. Hom./Par.: *decente.*]

deísmo (de.*ís*.mo) *sm. Fil.* Sistema ou atitude dos que admitem a existência de um Deus, mas que negam a autoridade de qualquer Igreja [F.: Do fr. *déisme*; ver *de(i)-* e *-ismo.*]

deísta (de.*ís*.ta) *a2g.* **1** Ref. ao ou próprio do deísmo **2** Diz-se do seguidor ou adepto do deísmo *s2g.* **3** Esse seguidor ou adepto [F.: Do fr. *déiste*; ver *de(i)-* e *-ista.*]

deitação (dei.ta.*ção*) *sf.* **1** Ação ou resultado de deitar(-se) **2** Fixação, marcação (deitação de horário) [Ant.: *desmarcação.*] **3** *Pej.* Imposição, ger. excessiva, de (algo) (deitação de normas) [Pl.: *-ções.*] [F.: *deitar* + *-ção.*]

deitado (dei.*ta*.do) *a.* **1** Que se deitou **2** Que está na cama para descansar ou dormir: *À meia-noite já estão todos deitados.* **3** Disposto na horizontal: "Os cajueiros são anarquistas, nenhuma lei rege seus galhos (o de Pirangi, de Natal, é horizontal, cresceu deitado)." (João Cabral de Melo Neto, "Os cajueiros da Guiné Bissau", *in Agrestes*) *sm.* **4** *Art.gr.* Disposição das páginas antes da impressão [F.: Part. de *deitar.*]

deitar (dei.*tar*) *v.* **1** Estender(-se) ao comprido, mais ou menos horizontalmente, na cama ou como se fosse numa cama, para descansar ou dormir [*int.*: *Eles não deitam antes das onze.*] [*td.*: *A babá deitou o menino.*] [*tda.*: *Deitei-me na rede para um cochilo.*] **2** Encostar (algo) numa base e manter apoiado [*tda.*: "...deitou a mão sobre o ombro do moço." (José de Alencar, *A viuvinha*)] **3** Pôr alguma coisa na horizontal ou quase isso [*tda.*: *A moça deitava os vestidos sobre a cama.*] **4** Pôr, fazendo cair [*tdi.* + *em, a*: *deitar açúcar no/ao café.*] **5** Deixar escorrer; DERRAMAR; VERTER [*tda.*: *A torneira não parava de deitar água na pia*; "...viu-o deitar algumas gotas de ópio no cálice de licor..." (José de Alencar, *A viuvinha*)] **6** Manter relação sexual; COPULAR; DORMIR [*tr.* + *com*: *Deitou à noite com Branca e nunca mais a viu*; "...Eu só deito contigo/ Porque quando me abraças / Nada disso me importa..." (Michael Sullivan e Paulo Massadas, *Nem morta*)] **7** Emitir palavras ou qualquer tipo de som [*td.*: *Deitava gritos desesperados o tempo todo.*] **8** Irradiar (luz, calor); DIFUNDIR [*td.*: *O sol estava deitando raios mais brilhantes.*] **9** Expelir (substância animal ou vegetal); EXSUDAR [*td.*: *As laranjas quase não deitavam* *sumo.*] **10** Atirar(-se); LANÇAR(-SE); CAIR(-SE) [*tr.* + *a*: *Deitou-se ao adversário com fúria inesperada.*] **11** Empenhar(-se) em; DEDICAR(SE); DILIGENCIAR [*tr.* + *a*: *deitar-se às provas finais.*] **12** Desprender algo no espaço; SOLTAR [*td.*: *No final do século XX, o homem já deitava grandes dirigíveis.*] **13** Progredir aos olhos da sociedade; MELHORAR; ASCENDER; ELEVAR(-SE) [*int.*: *A cooperativa finalmente deitava, para alegria dos participantes.*] **14** Guiar algo ou alguém a um destino; ENCAMINHAR(-SE); CONDUZIR [*tda.* + *a*, *para*: *Resolveu deitar o carro para a casa da amante.*] **15** Pôr algo em lugar determinado; DEIXAR; COLOCAR [*tda.* + *em*: *Deitou as oferendas nas mãos do padre.*] **16** Expor (a si mesmo ou algo) por vaidade; OSTENTAR [*td.*: *Deitou o colar de pérolas na recepção.*] **17** Dispor algo em posição inclinada; INCLINAR; DESCAIR; PENDER [*td.*: *O minuano deitava as velas no mar agitado.*] **18** Dar origem a, fazer surgir; GERAR; CRIAR [*td.*: *A roseira já deita dezenas de botões.*] **19** Voltar-se para [*tr.* + *para*: *O olhar deitou-se para o horizonte.*] **20** Vestir-se descuidada ou apressadamente [*td.*: *Deitou uma camiseta e foi dormir.*] **21** Atribuir a alguém a responsabilidade sobre algo; IMPUTAR [*tdi.* + *a*: *Deitou a culpa à irmã mais velha.*] **22** Firmar como base, princípio [*td.*: *Tinha deitado ali os fundamentos da sociedade.*] **23** *Avic.* Pôr para chocar [*td.*: *Deitou duas galinhas.*] [▶ **1** deitar NOTA: Us. como aux. + a seguido de infinitivo, indica início súbito de um processo (Deitou a falar e não parou mais).] [F.: Do v.lat. medv. (lus.) *dectare*, Do v.lat. *dejectare*, 'deitar abaixo'; 'derrubar'.] ■ **~ abaixo** Derrubar **~ a perder** Ser causa, por ação ou inação, do fracasso ou da destruição de algo: *Sua indiferença deitou tudo a perder.* **~ e rolar** **1** *Bras. Gír.* Fazer alguém o que bem entende aproveitando-se de ter autoridade, facilidade ou capacidade: *Naquela partida, meu time deitou e rolou.* **2** Ver *Pintar o sete* no verbete *sete* **~ fora** **1** Jogar fora, desfazer-se de **2** Ordenar a saída de, expulsar: *O professor deitou fora o aluno.* **3** Desperdiçar: *Faltou ao exame e deitou fora um ano de estudo.*

dêitico (*dêi*.ti.co) *Ling.* *a.* **1** Ref. a ou próprio da dêixis ou díxis **2** Diz-se de elemento linguístico que expressa dêixis ou díxis, isto é, que faz referência ao momento da enunciação, ao contexto situacional, ao próprio discurso ou aos atores do discurso (ou seja, tempo, espaço, ou pessoa) [São elementos dícticos: pron. pessoais (*eu*, *tu* etc.); pron. e determinantes possessivos (*meu*, *teu* etc.); pron. e determinantes demonstrativos (*este*, *esse*, *aquele* etc.); artigos (*o*, *a*, *os*, *as*, etc.); adv. de lugar e tempo (*aqui*, *lá*, *ontem*, *hoje* etc.); tempos verbais; certas unidades lexicais (ex.: *ir*, *vir* etc.).] *sm.* **3** Esse elemento [F.: Do gr. *deíktikos, é, ón*, 'que mostra ou demonstra', do v. gr. *deiknumi*, 'mostrar', fonte do gr. *dêiksis, eos*, 'exposição pública etc.' O gr. preceitua *díctico* como a melhor forma, *dêitico* e *dêictico*, porém, são mais us., graças talvez à modernidade do termo e ao seu curso nas línguas modernas (ingl. *deiktic* ou *deictic*, fr. *deictique*, espn. *deíctico*).]

deixa (*dei*.xa) *sf.* **1** Circunstância ou fala de que alguém se aproveita para agir ou dar sua opinião: *Os aplausos foram a deixa para que ele discursasse.* **2** *Teat. Telv.* Gesto ou palavra de um ator, que indica o momento da entrada ou fala de outro **3** *Teat. Telv.* Sinal visual ou sonoro us. para indicar ao ator o momento certo de entrar em cena **4** Conjunto de bens transferidos a sucessor(es); HERANÇA; LEGADO [Por vezes no pl.] **5** *S.* Terra às margens de rio encharcada por enchente **6** *SP* Leito de rio em fase de desaparecimento [F.: Dev. de *deixar*. Hom./Par.: *deixa* (sf.), *deixa* (fl. de *deixar*).] ■ **Dar a/uma ~** Indicar o momento ou a ocasião para alguém falar ou agir **Pegar na ~** *N.E.* Num desafio entre cantadores, começar uma estrofe fazendo rima com a última palavra do verso anterior

deixa-disso (dei.xa-*dis*.so) *sm2n.* *Bras. Pop.* Ação de quem busca separar uma briga ou evitar o confronto físico ou verbal entre duas ou mais pessoas [Ver *turma do deixa-disso*, em turma.]

deixado (dei.*xa*.do) *a.* **1** Que se deixou, que foi abandonado (vício deixado; emprego deixado); DESPREZADO; RENUNCIADO [Ant.: *assumido, mantido, retomado.*] **2** Legado, passado, transmitido (herança deixada; sofrimento deixado) [*deixado com boas notícias; deixado de falar; deixado em casa; deixado para o filho; deixado por fazer.* + *com, de, em, para, por:* *deixado com boas notícias; deixado de falar; deixado em casa; deixado para o filho; deixado por fazer.*] **3** Causado, provocado: *A impressão deixada por ela foi de capacidade e liderança.* **4** Esquecido, largado: *livros deixados na sala de aula.* [F.: Part. de *deixar*.]

deixar (dei.*xar*) *v.* **1** Sair do interior ou de perto de [*td.*: *Deixamos a escola assim que terminou a aula.*] **2** Desligar-se de; apartar-se de; ABANDONAR [*td.*: *deixar o partido/o marido/o vício.*] **3** Pedir demissão de; abandonar (tarefa, trabalho); LARGAR [*td.*: *deixar o emprego.*] **4** Não mais segurar, não mais usar nem reter (algo), pondo em algum lugar [*tda.*: *Deixou o livro sobre a cama.*] **5** Afastar de si (recordações, sentimentos); ESQUECER [*td.*: *deixar as ilusões e os sonhos.*] **6** Pôr de lado; parar de se ocupar de; postergar [*td.*: *Deixe por ora as questões mais difíceis; Deixaram a finalização do trabalho para o dia seguinte.*] **7** Dar permissão a; PERMITIR [*td.*: *A mãe os deixou brincar no quintal.* Quando seguido de infinit., esta f. nominal expressa a ação permitida e não se flexiona, mesmo que haja mais de um sujeito na frase: *Os policiais deixaram as pessoas sair.*] **8** Dar ocasião a; tornar possível; PERMITIR; POSSIBILITAR [*td.*: *O céu sem nuvens nos deixou ver o eclipse.* Cf. nota da acp. 7.] **9** Produzir, ao afastar-se ou morrer [*td.*: *deixar lembranças/saudades.*] **10** Transmitir em herança; LEGAR [*td.*: *O banqueiro deixou muitos imóveis.*] [*tdi.* + *para*: *Deixará muitos bens para a mulher.*] **11** Transmitir, suscitando ou incutindo [*tdr.*: *A fruta deixou um gosto ácido na boca.*] **12** Ser a causa de; PROVOCAR [*td.*: *A guerra deixou muito sofrimento.*] [*tdr.* + *em*: *A discussão dos pais deixou nos filhos uma grande tristeza.*] **13** Cessar, interromper ou não realizar (ação nomeada por verbo) [*tr.* + *de*: *Não podia deixar de dizer o que pensava.*] **14** Adiar a realização de; POSTERGAR; TRANSFERIR [*tda.*: *Deixamos a viagem para o ano que vem.*] **15** Tornar, fazer (alguém ou algo) ficar (em certo estado ou condição) [*tdp.*: *Deixa o pai feliz com as boas notas.*] **16** Efetuar a doação de; OFERTAR [*tdi.* + *a*, *para*: *deixar dinheiro para uma criança pobre.*] **17** Omitir citação de; evitar a menção de [*td.*: *O executivo deixava os pormenores dos gastos.*] **18** Entregar-se; não oferecer resistência [*td.*: *A estudante deixou-se abater com a doença.*] **19** Poupar a vítima, na rapinagem, do prejuízo total [*tdi.* + *a*, *para*: *O assaltante deixou-lhe apenas os sapatos e as meias.*] **20** Designar alguém como legatário; INSTITUIR [*tdp.*: *O velho patrão deixa-o como tutor do filho.*] [▶ **1** deixar Us. como aux. + *de* seguido de infinit., como na acp. 13, indica interrupção de um hábito (deixar de fumar/de se exercitar).] [F.: Do lat. *laxare*, 'estender, afrandar', p.ext. 'deixar, permitir'. Hom./Par.: *deixa(s)* (fl.), *deixa(s)* (sf.[pl.]).] ■ **~ a desejar** Não corresponder ao que se pretendia ou esperava **~ atrás** **1** Omitir, não se referir a: *Deixou atrás suas queixas e foi direto às propostas.* **2** Ver *Deixar para trás* **~ cair** *Bras. Pop.* Fazer sucesso, atraindo a atenção **~ correr** **1** Deixar que (algo) ocorra, sem tentar interferir no processo **2** Ficar indiferente a um fato, uma situação **~ de fora** Não incluir, impedir a participação de **~ de mão** *Pop.* Largar, abandonar, deixar de preocupar-se com **~ estar** **1** Ver *Deixar correr* **2** Não se preocupar com algo ou tentar agir para modificá-lo, por resignação ou porque acredita na mudança da situação **~ ir** Ver *Deixar correr* **~ para lá** *Bras. Pop.* Não se importar (com algo), não fazer caso **~ para trás** Pôr-se muito à frente de (algo, alguém, competidor etc.) **~ passar** **1** Tolerar, não coibir (falta, conduta imprópria etc.) **2** Não perceber e, por isso, não corrigir ou alertar para (erro, falha etc.) **~ perceber** Dar indício de, sugerir (inadvertida ou intencionalmente) **~ rolar** Ver *Deixar correr* **~ ver** Mostrar

dêixis (*dêi*.xis) [cs] *sf2n.* *Ling.* Propriedade de alguns elementos linguísticos, como os pronomes pessoais e demonstrativos, de aparecerem como ponto de referência de um contexto situacional, ou de um discurso, no lugar de serem interpretados semanticamente por si mesmos [F.: Do gr. *deiksis, eos*, 'exposição pública (de um objeto)'; 'exibição de um texto'; 'exibição de uma obra literária; leitura, declamação'; 'qualidade de um pronome demonstrativo'. A melhor f. é *díxis*, mas *dêixis* é a mais us.]

⊕ ***déjà entendu*** (*Fr./dêjáântêndí/*) *loc.v.* *Psiq.* Ilusão que leva alguém a crer já ter ouvido algo que na verdade é desconhecido ou novo [F.: Do fr. *déjà*, 'já' + *entendu*, 'ouvido'.]

⊕ ***déjà vécu*** (*Fr./dêjá.vêquí/*) *loc.v.* *Psiq.* Ilusão da memória que leva alguém a crer já ter vivido uma situação de fato desconhecida ou nova [F.: Do fr. *déjà*, 'já' + *vécu*, 'vivido'.]

dejeção (de.je.*ção*) *sf.* **1** Evacuação de fezes; DEFECAÇÃO; DEJETO **2** A matéria evacuada; DEJETO; EXCREMENTO **3** *Geol.* Matéria ejetada por vulcão [Pl.: *-ções.*] [F.: Do lat. *dejectio, onis.* Tb. *dejecção*.]

dejecção (de.jec.*ção*) *sf.* Ver *dejeção*

dejecto (de.*jec*.to) *sm.* Ver *dejeto*

dejejum (de.je.*jum*) *sm.* A primeira refeição do dia; DESJEJUM; DEJEJUADOURO; DEJEJUA [Pl.: *-juns.*] [F.: *de-* + *jejum.*]

dejetar (de.je.*tar*) *v.* **1** Expelir fezes; defecar [*int.*: *Disfarçou e foi ao banheiro dejetar.*] [*td.*: *Defecar é dejetar matéria fecal.*] **2** *Pext.* Expelir, expulsar [*td.*: *A fonte outrora límpida agora dejetava uma água barrenta, muito escura.*] **3** Lançar (dejetos, esgoto etc.) [*tda.* + *em*: *O escoadouro dejeta o esgoto de toda a região na lagoa.*] [▶ **1** dejetar] [F.: Do v.lat. *dejectare*. Hom./Par.: *dejeto* (fl.), *dejeto* (sm.).]

dejeto (de.je.to) *sm.* **1** Dejeção (1 e 2): *dejeto de suínos para engorda de peixes.* **2** Conjunto de resíduos imprestáveis que vão para o lixo ou esgoto (dejeto industrial) [F.: Do lat. *dejectus, us.* Hom./Par.: *dejeto* (sm.), *dejeto* (fl de *dejetar*). Tb. *dejecto*.]

⊕ **de jure** (*Lat. /de jure/*) *loc.adv.* *Jur.* De direito; por direito, legitimamente; segundo as leis, as formalidades legais ou os princípios da justiça [Ant.: *de facto*.] [F.: prep. *de* (ablat.) + *jure*, ablat. sing. de *jus, uris*, 'direito, justiça'.]

⊕ ***de jure constituendo*** (*Lat./ de jure constituendo/*) *loc. adv.* *Jur.* Do direito que deve ser constituído; pelo direito a constituir; pelo direito ainda não vigente [Refere-se a matérias ou situações jurídicas ainda não previstas pelas leis vigentes, mas que poderão ou deverão vir a ser constituídas como normas do direito objetivo.]

◎ **-dela** *suf. nom.* Formador de nomes de ação ágil, ligeira, pouco demorada ou pouco intensa, ou que se dá de modo furtivo (*escapadela, olhadela*) ou por apenas uma vez (*chupadela, tossidela*) a partir de radicais verbais (esp. do part. pass.): *abanadela, alfinetadela, assopradela, espiadela, lambidela/ lambedela, mordidela/ mordedela, mijadela, sacudidela, zurzidela* etc. [F.: Do suf. -do (do part. pass. de verbos da 1ª, 2ª e 3ª conjugações) + suf. dim. *-ela* (ver).]

delação (de.la.*ção*) *sf.* **1** Ação de delatar, acusar; ACUSAÇÃO; DENÚNCIA: "...foram eles, Raimundo e Curvelo, que me deram o primeiro conhecimento, um da corrupção, outro da delação..." (Machado de Assis, "Conto de escola", *in Novas seletas*) **2** Mostra, revelação de algo até então oculto: *Lia-lhe nos olhos a delação de seus sentimentos.* [Pl.: *-ções.*] [F.: Do lat. *delatio, onis.* Hom./Par.: *delação* (sf.), *dilação* (sf.).] ■ **~ premiada** *Bras. Jur.* Conceito jurídico – e sua aplicação – segundo o qual "o participante [de crime] e o associado que denunciar à autoridade o bando ou quadrilha, possibilitando o seu desmantelamento, terá pena reduzida"

delambido (de.lam.*bi*.do) *a.* **1** Que se delambeu ou foi lambido; que lambeu a si mesmo **2** Diz-se de quem exibe afetação, vaidade, orgulho; AFETADO; PRESUNÇOSO [Ant.: *comedido, despojado, humilde.*] **3** Sem expressão ou vivacidade (desenho delambido; palavra delambida); CHOCHO; MEDÍOCRE [Ant.: *expressivo, interessante.*] *sm.* **4** Indivíduo afetado, presunçoso [F.: Part. de *delamber*.]

delatar (de.la.*tar*) *v.* **1** Denunciar por crime [*tdi.* + *a*: *A vítima delatou o agressor à polícia.*] [*td.*: *Não quis delatar o comparsa.*] **2** Denunciar delito ou revelar suas evidências [*tdi.* + *a*: *Delatou a extorsão à Corregedoria.*] [*td.*: *Vou delatar o roubo da joia.*] **3** *Fig.* Fazer ou deixar perceber; DENUNCIAR [*td.*: *O brilho nos olhos delatava sua emoção.*] [▶ **1** delatar] [F.: Do lat. *delatum*, Do v.lat. *deferre*, 'denunciar', + *-ar*², por dedução a partir de *delação* e *delator*. Hom./Par.: *delatar, dilatar* (em todas as fl.); *delatáveis* (fl.), *delatáveis* (pl. de *delatável* [a2g.]).]

delatável (de.la.*tá*.vel) *a2g.* Que pode ou deve ser delatado; ACUSÁVEL; DENUNCIÁVEL [Pl.: *-veis*. Superl.: *delatabilíssimo/a.*] [F.: *delatar* + *-vel*. Hom./Par.: *deletável, dilatável* (a2g.); *delatáveis* (pl.), *delatáveis* (fl. de *delatar*).]

delator (de.la.*tor*) [ô] *a.* **1** Que delata, denuncia (indivíduo delator, fato delator) *sm.* **2** Quem ou o que denuncia alguém por delito ou crime [F.: Do lat. *delator, oris.* Sin. ger.: *acusador, denunciador, denunciante.*]

delavê *a2g.* **1** Diz-se de tecido, de cor manchada, que imita um tecido desbotado *sm.* **2** Esse tecido [F.: Do fr. *délavé*.]

⊕ ***délavé*** (*Fr./delávê/*) *a.sm.* Ver *delavê*

dele (*de*.le) [ê] **1** Contração da prep. *de* com o pr. pess. *ele*: *Gosto muito dele.* *pr.poss.* **2** Que pertence a pessoa ou coisa de que se fala (ele): *Ana devolveu a Pedro o retrato dele.* [Esta é uma forma usual no português falado no Brasil, equivalente a *seu* (5).] [Hom./Par.: *dele* (fl.de *delir*).]

⊕ ***deleatur*** (*Lat./dêlêátur/*) *sm.* *Art.Graf.Edit.* Sinal de revisão que indica supressão de letra, palavra, trecho, etc., ger. de forma assemelhada à letra grega teta (é)

deleção (de.le.*ção*) *sf.* **1** Perda, destruição **2** *Gen.* Perda de uma ou mais unidades de elementos formadores de um gene **3** Mutação devido à remoção de segmento de um cromossomo **4** *Inf.* Ação ou resultado de remover palavra, trecho ou texto de um documento [Pl.: *-ções.*] [F.: *deletar* + *-ção*.]

delegação (de.le.ga.*ção*) *sf.* **1** Transferência de poder, em que uma pessoa torna outra(s) seu(s) representante(s), com a faculdade ou o direito de agir em seu nome e benefício; MANDATO; PROCURAÇÃO **2** Grupo de pessoas às quais se dão esses poderes: "Com uma colega de delegação. Uma moça excelente!" (Marques Rebelo, *O simples coronel Madureira*) **3** Comissão que representa uma cidade, um país etc.: *A delegação brasileira foi a Genebra.* **4** Delegacia (2 e 3) **5** *Jur.* Forma de novação pela qual o devedor transfere a um terceiro a responsabilidade da dívida [Pl.: *-ções.*] [F.: Do lat. *delegatio, onis.*]

delegacia (de.le.ga.*ci*.a) *sf.* **1** *Bras.* Estabelecimento em que um delegado exerce suas funções (delegacia policial; Delegacia do Tesouro) **2** Cargo ou atividade de delegado; DELEGAÇÃO **3** Área de atuação de um delegado; DELEGAÇÃO [F.: Rad. de *delegação* (sob a f. *delegac-*) + *-ia*¹.]

delegado (de.le.*ga*.do) *sm.* **1** *Bras.* Chefe das atividades policiais em determinada localidade ou região **2** Aquele que representa um país, instituição, órgão ou empresa em reunião, congresso etc; EMISSÁRIO; ENVIADO: "Foi delegado a uma conferência de acidentes de trabalho em Genebra..." (Marques Rebelo, *O simples coronel Madureira*) **3** Aquele que recebeu a incumbência e o direito de ser o representante de alguém **4** Diz-se do que se delegou (poderes delegados) [F.: Do lat. *delegatus, a, um.*]

delegar (de.le.*gar*) *v.* **1** Transmitir, conceder ou conferir (poder, incumbência etc.) [*td.*: *delegar tarefas.*] [*tdi.* + *a*: *O imperador delegou o poder à sua filha.*] **2** Enviar (alguém) com representatividade e poder para resolver qualquer questão ou assunto em seu nome [*tdi.* + *para*: *Todos os partidos delegaram um representante para o encontro.*] [▶ **14** delegar] [F.: Do v.lat. *delegare*. Hom./Par.: *delegáveis* (fl.), *delegáveis* (pl. de *delegável* [a2g.]).]

delegatário (de.le.ga.*tá*.ri:o) *a.* **1** Diz-se daquele que se investe de delegação, encargo ou poderes (procurador delegatário; delegatário de funções) **2** *Jur.* Diz-se daquele que recebe a incumbência de representação *sm.* **3** Indivíduo delegatário (1 ou 2) [F.: *delegar* + *-tário*.]

delegável (de.le.*gá*.vel) *a2g.* Que pode ser delegado; INCUMBÍVEL [Pl.: *-veis.*] [F.: *delegar* + *-vel*. Hom./Par.: *delegáveis* (pl.), *delegáveis* (fl. de *delegar*).]

deleitação (de.lei.ta.*ção*) *sf.* **1** Ação ou resultado de deleitar(-se) **2** Prazer suave e prolongado (deleitação de bebida; deleitação de livro); GOZO; REGALO [Pl.: *-ções.*] [F.: Do lat. *delectatio, onis*, por via pop.]

deleitado (de.lei.*ta*.do) *a.* **1** Que se deleitou **2** Que revela ou expressa deleite (olhar deleitado); DELICIADO [Ant.: *aborrecido, desagradado.*] **3** Satisfeito, saciado [+ *com*, *por*: *deleitado com o jantar; deleitado pela leitura.* Ant.: *insatisfeito.*] [F.: Part. de *deleitar*.]

deleitar (de.lei.*tar*) *v.* **1** Provocar deleite, satisfação; DELICIAR [*td.*: *O pianista deleitou o público com suas interpretações.*] **2** Sentir prazer; REGOZIJAR-SE [*tr.* + *com*: *Não há quem não se deleite com esse passeio pela mata.*] [▶ **1** deleitar] [F.: Do v.lat. *delectare*. Hom./Par.: *deleitáveis* (fl.), *deleitáveis* (pl. de *deleitável* [a2g.]).]

deleitável (de.lei.*tá*.vel) *a2g.* Passível de provocar deleite, de dar prazer; DELEITOSO [Pl.: *-veis.*] [F.: *deleitar* + *-vel*. Hom./Par.: *deleitáveis* (pl.), *deleitáveis* (fl de *deleitar*).]

deleite (de.*lei*.te) *sm.* **1** Sensação ou sentimento de intenso prazer, de grande satisfação: *Lançarão um novo disco, para o deleite dos fãs.* **2** Satisfação íntima: *Contar piadas era seu deleite.* [F.: Dev. de *deleitar*. Hom./Par.: *deleite* (sm.), *deleite* (fl. de *deleitar*).]

deleitoso (de.lei.*to*.so) [ô] ***a.*** Que deleita, que dá prazer; muito agradável [Ant.: *desagradável, detestável, repulsivo.*] [Pl.: [ó]. Fem.: [ó].] [F.: *deleite* + *-oso.*]

⊕ ***delenda Carthago*** (*Lat./delénda Cartágo/*) ***loc.v.*** Expressa a necessidade de tomar medidas drásticas e urgentes em situações graves [Frase sempre proferida por Marco Pórcio Catão (234-149 a.C.) em seus discursos no Senado romano, us. para enfatizar a necessidade de aniquilação completa de Cartago, tradicional inimiga de Roma.] [F.: Do lat. *delenda* (nom. fem. sing. de *delendus, a, um*) + top. *Carthago, inis*, lit. 'Cartago deve ser destruída'.]

deletar (de.le.*tar*) ***v.*** **1** *Inf.* Suprimir (texto, arquivo etc.); APAGAR [***td.***: *Deletou sem querer um arquivo importante.*] **2** *P.ext. Pop. Fig.* Fazer desaparecer, fazer sumir; APAGAR; ELIMINAR [***tdr.*** + *de*: *Disse que iria deletá-lo do coração.*] **3** *Bras. Gír.* Matar; dar cabo de; APAGAR; ASSASSINAR [***td.***: "...ouvi um avião de traficante dizer numa entrevista que seu chefe mandara 'deletar o cara'." (*Jornal do Brasil*, 01.11.1999)] [▶ **1** deletar] [F.: Adapt. do ingl. (*to*) *delete*, 'eliminar', este do part. pass. *deletus, a, um*, Do v.lat. *delere* (> port. *delir*). Hom./Par.: *deletar*, *delatar* (em todas as fl.).]

deletério (de.le.*té*.ri:o) ***a.*** **1** Que prejudica a saúde; INSALUBRE: "...exposto aos fumos deletérios de carnes chamuscadas..." (João Ubaldo Ribeiro, *O conselheiro come*) [Ant.: *salubre, saudável.*] **2** Que destrói, causa dano (ação deletéria); DANINHO; DANOSO; NOCIVO [Ant.: *inócuo, inofensivo.*] **3** *Fig.* Que corrompe (doutrinas deletérias); DEGRADANTE [Ant.: *dignificante, engrandecedor.*] [F.: Do fr. *délétère*, do gr. *deletérios, é, on*, 'nocivo'.]

deletrear (de.le.tre.*ar*) ***v. td. int.*** **1** Ler sílaba por sílaba, com dificuldade; SOLETRAR: *deletrear uma palavra.* **2** Ler mal: *A caligrafia ilegível fazia com que deletreasse.* [▶ **13** deletrear] [F.: *de-* + *letra* + *-ear*².]

delével (de.*lé*.vel) ***a2g.*** Que se pode delir ou apagar (tinta delével); APAGÁVEL [Ant.: *indelével, perdurável.*] [Pl.: *-veis.*] [F.: Do lat. *delebilis, e.*]

delfim (del.*fim*) ***sm.*** **1** *Zool.* O mesmo que *golfinho* (1) **2** *Hist.* Título do príncipe herdeiro do trono da França [Pl.: *-fins.*] [F.: Do gr. *delphís, inos*, 'golfinho', pelo lat. *delphin, inis*, 'golfinho'; 'primogênito'.]

◎ **-delfo** ***el. comp.*** = 'útero': *didelfo, monodelfo* [F.: Do gr. *delphýs, ýos.* Ver *-adelfo.*]

delgadeza (del.ga.*de*.za) [ê] ***sf.*** Qualidade do que ou de quem é delgado (delgadeza de cintura; delgadeza dos dedos); ESTREITEZA; FINURA; MAGREZA [Ant.: *espessura, grossura.*] [F.: *delgado* + *-eza.*]

delgado (del.*ga*.do) ***a.*** **1** Que tem pouca espessura (lâmina delgada); FINO [Ant.: *encorpado, grosso.*] **2** De diâmetro reduzido (tubo delgado) **3** Que é magro, esbelto; FRANZINO: *um rapaz alto e delgado.* [Ant.: *gordo, obeso.*] **4** Que não é compacto (nuvens delgadas); RALO; TÊNUE [Ant.: *espesso, grosso.*] **5** Que é aguçado, afiado; PONTUDO: *lápis de ponta delgada.* [Ant.: *grosso, rombudo.*] **6** *Fig.* Dotado de sagacidade, argúcia (mente delgada); PERSPICAZ; SAGAZ ***sm.*** **7** Esbeltez, esguiez: *A dieta realçou-lhe o delgado do talhe.* **8** Porção estreita de um objeto [F.: Do lat. *delicatus, a, um.* Ideia de 'delgado', usar pref. *iscn(o)-* e *tereti-.*]

delibar (de.li.*bar*) ***v. td.*** **1** Saborear (uma bebida), ingerindo pequenas porções: *delibar um vinho.* **2** Beber, libar **3** *Fig. Poét.* Sentir com um leve toque dos lábios; saborear **4** *Fig.* Desfrutar de (nova ou original experiência) [▶ **1** delibar] [F.: Do lat. *delibare.*]

deliberação (de.li.be.ra.*ção*) ***sf.*** **1** Ação ou resultado de deliberar(-se) **2** Discussão em torno de um assunto polêmico; ANÁLISE; DEBATE: *O Conselho está em deliberação sobre o aumento de salário.* **3** Decisão, resolução tomada após reflexão: *Tomou a deliberação de nunca mais beber.* [Pl.: *-ções.*] [F.: Do lat. *deliberatio, onis.*]

deliberado (de.li.be.*ra*.do) ***a.*** **1** Que foi decidido após discussão ou reflexão **2** Feito de propósito (movimento deliberado) [F.: Part. de *deliberar.*]

deliberante (de.li.be.*ran*.te) ***a2g.*** **1** Que delibera ***s2g.*** **2** Aquele ou aquela que delibera [F.: *deliberar* + *-nte.*]

deliberar (de.li.be.*rar*) ***v.*** **1** Decidir(-se), após discussão ou reflexão [***td.***: "...depois de hesitar um pouco, deliberou entrar na sacristia..." (Machado de Assis, *Casa velha*): "...a OMC só delibera assuntos dessa importância por consenso..." (*FolhaSP*, 07.07.1999)] **2** Examinar ou discutir (sobre algo), para decidir [***tr.*** + *sobre*: *deliberar sobre um processo.*] [***int.***: *É preciso deliberar antes de decidir.*] [▶ **1** deliberar] [F.: Do v.lat. *deliberare.*]

deliberativo (de.li.be.ra.*ti*.vo) ***a.*** **1** Que tem poder para decidir, ger. por votação (comitê deliberativo) **2** Ref. a ou que encerra deliberação (voto deliberativo) **3** *Ling.* Diz-se de construção que expressa interrogação do sujeito a respeito de uma deliberação a ser tomada (ex.: que direi?) [F.: Do lat. *deliberativus, a, um.*]

deliberatório (de.li.be.ra.*tó*.ri:o) ***a.*** Ref. ou inerente a, ou que envolve ou encera deliberação; DECISÓRIO; DELIBERATIVO [+ *de, sobre*: *documento deliberatório da reunião; parecer deliberatório sobre o processo.*] [F.: *deliberar* + *-tório.*]

delicadeza (de.li.ca.*de*.za) [ê] ***sf.*** **1** Qualidade, atributo ou característica de quem é delicado; AMABILIDADE; CORTESIA; EDUCAÇÃO: *Ele me ofereceu o assento por delicadeza.* [Ant.: *desconsideração, impolidez.*] **2** Ato, atitude ou dito próprio de pessoa delicada, educada, amável, gentil: *Fizeram a gentileza de nos consultar antes de antecipar o jantar.* **3** Qualidade ou característica do que é muito delicado ou do que está frágil ou enfraquecido; DEBILIDADE; FRAQUEZA: *Preocupa-nos a delicadeza de seu estado.* [Ant.: *força, robustez.*] **4** Característica do que é macio ao toque; SUAVIDADE: *a delicadeza da epiderme dos bebês.* [Ant.: *aspereza.*] **5** Qualidade do que é frágil, quebradiço: *a delicadeza da porcelana.* [Ant.: *resistência, rigidez.*] **6** Beleza, leveza, suavidade (delicadeza de traços) [Ant.: *fealdade, feiura.*] **7** Esmero, primor, capricho: *a delicadeza de um bordado.* **8** *Fig.* Qualidade do que é difícil ou embaraçoso, complexo: *a delicadeza de uma situação.* **9** *Fig.* Demonstração de sutileza: *a delicadeza de uma alma bondosa.* **10** Atitude prudente; CAUTELA; PRECAUÇÃO: *A abordagem tem que ser feita com a maior delicadeza, para evitar melindres.* [Ant.: *desatenção, imprudência.*] **11** Característica especial; REQUINTE: *A delicadeza de um bom vinho.* [F.: *delicado* + *-eza.*]

delicado (de.li.*ca*.do) ***a.*** **1** Que demonstra gentileza no trato com as pessoas (atitude delicada); AMÁVEL; CORTÊS; EDUCADO [Ant.: *descortês, deseducado, indelicado.*] **2** Pouco resistente; FRÁGIL; PRECÁRIO: *criança de saúde delicada.* [Ant.: *forte, resistente.*] **3** Que é macio ao toque (tez delicada); SUAVE **4** Quebradiço, frágil (cristal delicado) [Ant.: *forte, resistente.*] **5** De beleza sutil (formas delicadas); GRACIOSO; ELEGANTE [Ant.: *deselegante, pesado.*] **6** Esmerado, primoroso (entalhe delicado) [Ant.: *descuidado, desleixado.*] **7** *Fig.* Que causa constrangimento; DIFÍCIL; EMBARAÇOSO: *Ficou numa situação delicada.* **8** Dotado de sensibilidade; FINO; SUTIL: *espírito delicado, gosto delicado.* [Ant.: *insensível.*] **9** *Pop.* Diz-se de homem que tem atitudes femininas; ADAMADO; EFEMINADO **10** Que tem suavidade (brisa delicada); BRANDO [F.: Do lat. *delicatus.*]

delicatessen (de.li.ca.*tés*.sen) ***sf.*** **1** Estabelecimento comercial que vende bebidas, frios, conservas, pães etc. ***sfpl.*** **2** Conjunto de iguarias finas, petiscos, guloseimas, doces ou salgados [Com inicial maiúsc., no orig. al.] [F.: Do fr. *délicatesses*, adapt. do al. *Delikatessen.*]

delícia (de.*lí*.ci:a) ***sf.*** **1** Sensação de muito prazer; DELEITE; SATISFAÇÃO: *as delícias do amor.* [Ant.: *desgosto, desprazer.*] **2** Aquilo que tem sabor agradável, apreciável ao paladar; o que é delicioso **3** Intensa felicidade; GOZO: *as delícias da vida conjugal.* [Ant.: *infelicidade.*] **4** Coisa deliciosa ou que dá prazer: *A água do mar estava uma delícia.* **5** Pessoa muito atraente ou extremamente agradável [F.: Do lat. *delicia, ae.* Hom./Par.: *delícia* (sf.), *delicia* (fl. de *deliciar*).]

deliciado (de.li.ci.*a*.do) ***a.*** **1** Que experimentou delícias, deleites; MARAVILHADO; SEDUZIDO **2** Agradado, regalado [+ *de, com*: *deliciado de prazer; deliciado com a música.* Ant.: *aborrecido, caceteado.*] [F.: Part. de *deliciar.*]

deliciar (de.li.ci.*ar*) ***v. td.*** **1** Causar delícia ou deleite: *O cantor deliciou a plateia com sua fina arte*; "...prazeres que não somente deliciam os sentidos mas levantam os espíritos..." (Latino Coelho, *Gladiador.*) **2** Gozar um grande prazer, uma experiência deliciosa: "Estou a deliciar-me aqui, gozando este belo fresco..." (Antero de Figueiredo, *Espanha*) [▶ **1** deliciar] [F.: Do v.lat. **deliciare*, por *deliciari.* Hom./Par.: *delicia* (fl.), *delícia* (sf.); *delicias* (fl.), *delícias* (pl. do sf.).]

delicioso (de.li.ci.*o*.so) [ô] ***a.*** **1** De ótimo sabor; extremamente agradável ao paladar (torta deliciosa) [Ant.: *insípido, insosso.*] **2** Muito agradável (férias deliciosas); ADORÁVEL; ENCANTADOR [Ant.: *desagradável, horrível.*] **3** Muito divertido, engraçado (história deliciosa) [Ant.: *aborrecido.*] **4** *Fig.* Diz-se de quem é extremamente agradável ou muito atraente [Pl.: [ó]. Fem.: [ó].] [F.: Do lat. *deliciosus, a, um.*]

delido (de.*li*.do) ***a.*** **1** Que se deliu, que se dissolveu, que deixou de existir (amor delido) **2** Destruído, derrubado, desfeito (edifício delido) **3** Que esmaeceu; (cores delidas); DESBOTADO; DISSIPADO [+ *com, por*: *delido com o tempo; delido pelo vento.*] [F.: Part. de *delir.*]

delimitação (de.li.mi.ta.*ção*) ***sf.*** **1** Ação ou resultado de delimitar (delimitação de terreno); DEMARCAÇÃO [Ant.: *ampliação; expansão.*] **2** *P.ext.* Fixação de limites éticos, morais, comportamentais etc. (delimitação de poderes; delimitação de direitos); RESTRIÇÃO [Pl.: *-ções.*] [F.: Do lat. *delimitatio, onis.* Ant. ger.: *ampliação, expansão.*]

delimitado (de.li.mi.*ta*.do) ***a.*** Que sofreu delimitação; que recebeu limites (direitos delimitados; fronteira delimitada); CIRCUNSCRITO; DEMARCADO [Ant.: *ampliado, expandido.*] [F.: Do lat. *delimitatus, a, um.*]

delimitador (de.li.mi.ta.*dor*) [ô] ***a.*** **1** Que delimita (faixa delimitadora) ***sm.*** **2** Quem ou o que delimita (delimitador de comando) [F.: *delimitar* + *-dor.*]

delimitar (de.li.mi.*tar*) ***v. td.*** **1** Determinar, espacialmente, os limites de; DEMARCAR: *Um pacto delimitou as novas fronteiras.* **2** Firmar determinantes (éticos, metodológicos etc.); OBJETIVAR: *Era necessário delimitar o assunto já no primeiro parágrafo.* **3** *Fig.* Impor limites a (a ação, procedimento etc.) [▶ **1** delimitar] [F.: Do v.lat. *delimitare.* Hom./Par.: *delimitáveis* (fl.), *delimitáveis* (pl. de *delimitável* [a2g.]).]

delimitável (de.li.mi.*tá*.vel) ***a2g.*** Que se pode delimitar; que pode ser restringido (espaço delimitável; influência delimitável) [Ant.: *indelimitável.*] [Pl.: *-veis.*] [F.: *delimitar* + *-vel.* Hom./Par.: *delimitáveis* (pl.), *delimitáveis* (fl. de *delimitar*).]

delineado (de.li.ne.*a*.do) ***a.*** **1** Que se delineou; desenhado de forma esquemática (planta baixa delineada); TRAÇADO; TRACEJADO **2** Rapidamente esboçado **3** *P.ext.* Descrito de modo sucinto e objetivo: *texto bem delineado.* **4** *Fig.* Que se planejou (viagem delineada); COMBINADO; ENGENDRADO **5** *Fig.* Que teve demarcados os limites; DELIMITADO [Part. de *delinear.*]

delineador (de.li.ne:a.*dor*) [ô] ***a.*** **1** Que delineia, delimita, esboça ou planeja (traçado delineador); DEBUXADOR ***sm.*** **2** Cosmético us. em maquiagem para realçar ou alterar o contorno dos olhos ou dos lábios [F.: *delinear* + *-dor.*]

delineamento (de.li.ne:a.*men*.to) ***sm.*** **1** Ação ou resultado de delinear(-se); ESBOÇO **2** Primeiro projeto de obra, construção etc.: *delineamento de um barco.* [F.: *delinear* + *-mento.*]

delinear (de.li.ne.*ar*) ***v.*** **1** Desenhar os traços ou contornos gerais de; ESBOÇAR [***td.***: *delinear rapidamente um quadro.*] **2** Descrever brevemente, de modo sucinto [***td.***: *O orador delineou o caráter de seu oponente.*] **3** Surgir pouco a pouco, à maneira de esboço [***int.***: *Na alvorada, delineava-se o panorama do vale.*] **4** *Fig.* Traçar um projeto; PLANEJAR; TRAMAR [***td.***: *delinear a próxima viagem.*] [▶ **13** delinear] [F.: Do v.lat. *delineare.*]

delinquência (de.lin.*quên*.ci:a) ***sf.*** **1** Ação ou resultado de delinquir; DELITO **2** Ação, comportamento, característica ou condição de delinquente **3** Desobediência à lei, regulamento etc. [F.: Do lat. *delinquentia, ae.*]

delinquente (de.lin.*quen*.te) ***a2g.*** **1** Diz-se de pessoa que delinquiu ou que é dada a cometer delitos, crimes ou infrações ***s2g.*** **2** Essa pessoa [F.: Do lat. *delinquens, entis.* Sin. ger.: *criminoso, infrator.*]

delinquescente (de.li.ques.*cen*.te) ***a2g.*** **1** Ref. ou inerente a deliquescência **2** *Fig.* Desagregado, decadente (comportamento deliquescente; oratória deliquescente) **3** *Quím.* Que absorve a umidade do ar e nela se dissolve (substância deliquescente) **4** Que se derrete; próprio para derreter [F.: Do lat. *deliquecens, entis.*]

delinquir (de.lin.*quir*) ***v.*** Cometer crime ou falta grave [***tr.*** + *contra*: *delinquir contra o Código Penal.*] [***int.***: *É missão da justiça punir os que delinquem.*] [▶ **58** delinquir] [F.: Do v.lat. *delinquere.*]

délio (*dé*.li:o) ***sm.*** **1** Indivíduo nascido ou que vive na ilha de Delos (Grécia) ***a.*** **2** Da ilha de Delos; típico dessa ilha ou de seu povo [F.: Do gr. *délios, é, on*, pelo lat. *delius, a, um.*]

deliquescer (de.li.ques.*cer*) ***v.*** **1** *Quím.* Passar (uma substância) por processo de desliquescência [***int.***] **2** *Fig.* Fazer despertar os sentimentos de; comover [***td.***] **3** *Fig.* Entrar em processo de degradação; decair [***int.***] **4** Desfazer-se, dissolver-se [***int.***: *A lembrança deliquescia (em sua memória).*] [▶ **33** deliquescer] [F.: Do lat. *deliquescere.*]

delíquio (de.*lí*.qui:o) ***sm.*** **1** *Med.* Perda dos sentidos **2** Estado de fraqueza; PROSTRAÇÃO [F.: Do lat. *deliquium, ii.*]

delir (de.*lir*) ***v.*** **1** Fazer desaparecer ou desaparecer; APAGAR; DISSIPAR [***tdr.*** + *de*: *Márcia conseguiu delir do coração, aquela tristeza.*] [***int.***: *Seus sonhos deliam-se ante a realidade.*] **2** Dissolver-se em meio líquido; DISSIPAR; DILUIR [***td.***: *A correnteza do rio delia todo o sangue fugidio de seu ferimento.*] **3** Tornar a cor menos viva; DESBOTAR [***td.***: *A água dele, com efeito surpreendente, a aquarela, na superfície porosa do papel.*] [▶ **58** delir] [F.: Do v.lat. *delere.* Hom./Par.: *dele* (fl.), *dele* [ê] (contr. da prep. *de* + pron. *ele*); *deles* (fl.), *deles* (contr. no pl.); *delia* (fl.), *délia* (sf.).]

delirante (de.li.*ran*.te) ***a2g.*** **1** Que está em estado de confusão ou perturbação mental caracterizado por delírios e alucinações: *As drogas tornaram-no delirante.* **2** Produzido por, ou como se sob efeito de delírio: *Os filmes surrealistas têm cenas delirantes.* **3** Que se caracteriza pela falta de lógica, pela insensatez: *Ouviu um chorrilho de palavras delirantes.* **4** *Pop.* Que é extraordinário, fantástico: *Aquela sinfonia tem um final delirante.* [F.: Do lat. *delirans, antis.*]

delirar (de.li.*rar*) ***v. int.*** **1** Encontrar-se em estado de delírio ou alucinação: *Delirou devido à febre alta.* **2** *Fig.* Dizer coisas que sejam ou pareçam insensatas ou insanas: *Pedir essa fortuna por uma casa! Você está delirando!* **3** *Fig.* Encontrar-se em estado de exaltação positiva: *A plateia delirou e pediu bis*; "Por isso, todos deliravam, por isso choviam sobre a sua pequena figura franzina aquelas cataratas de aplausos" (Cecília Meireles, *Novas esperanças*) [▶ **1** delirar] [F.: Do v.lat. *delirare.*]

delírio (de.*lí*.ri:o) ***sm.*** **1** *Psiq.* Estado mental em que a pessoa tem ideias que não se ajustam à realidade, ou alucinações que a deixam desnorteada **2** *Fig.* Arrebatamento, êxtase, frenesi: "...é elevado nas asas de seus delírios que o mancebo se faz poeta por amor." (Joaquim Manuel de Macedo, *A moreninha*) **3** *Fig.* Entusiasmo excessivo: *O último gol levou a torcida ao delírio.* [F.: Do lat. *delirium, ii.*] ■ **~ sistematizado** *Psiq.* Sistema aparentemente lógico e estruturado de delírios que acomete alguém, sem prejuízo de percepção, cognição, raciocínio etc.

⊕ ***delirium tremens*** (*Lat./delírium trêmens/*) ***loc.subst.*** *Psiq.* Quadro patológico de delírio causado por consumo excessivo, seguido da supressão de álcool etílico, ópio ou outras drogas em indivíduos dependentes, e caracterizado por tremores, suores, agitação e alucinações [F.: Do lat. *delirium*, nom. sing. de *delirium, ii*, 'delírio', *tremens*, nom. sing. do part. pres. de *tremo, is, mui, ere*, 'tremer'.]

delito (de.*li*.to) ***sm.*** **1** *Jur.* Qualquer ato capaz de infringir a lei estabelecida; CRIME **2** Qualquer ato que constitua uma transgressão da moral vigente; FALTA [F.: Do lat. *delictum, i.*] ■ **flagrante ~** *Jur.* Situação na qual um delito é constatado com todas as evidências necessárias para classificá-lo

delituoso (de.li.tu.*o*.so) [ô] ***a.*** Que constitui ou em que há delito (ato delituoso) [Pl.: [ó]. Fem.: [ó].] [F.: Do fr. *délictueux.*]

⊕ ***delivery*** (*Ingl. /delívri/*) ***sm.*** Serviço de entrega de mercadorias em domicílio, esp. de comida já pronta

◎ **-del(o)-** ***el. comp.*** = 'visível': *psicodélico; enterodelo, urodelo* [F.: Do gr. *délos, e, on*, 'visível'; 'claro'; 'manifesto'; evidente'. Ver *adel(o)-.*]

◎ **-delo** ***el. comp.*** Ver *-del(o)-.*

delonga (de.*lon*.ga) ***sf.*** **1** Ação ou resultado de delongar(-se) **2** Atraso, adiamento, demora [F.: Dev. de *delongar.* Hom./Par.: *delonga* (sf.), *delonga* (fl. de *delongar*).]

delongado (de.lon.*ga*.do) ***a.*** **1** Que se delongou; que se prolongou (conversação delongada); DEMORADO **2** Transferido para outro momento (evento delongado); ADIADO; PROTELADO [Ant.: *adiantado, antecipado.*] **3** Que não foi interrompido; que se manteve (programa delongado) **4** Dilatado (prazo delongado) [F.: Part. de *delongar.*]

delongar (de.lon.*gar*) *v.* 1 Tornar demorado ou demorar; PROLONGAR [*td.*: *Delongaram a assembleia até a noite.*] [*int.*: *A festa delongou-se além do esperado.*] 2 Transferir para outra ocasião; ADIAR [*td.*: *O pai delongou a resposta por muito tempo.*] [▶ 14 delongar] [F.: Do v.lat. **delongare*. Hom./Par.: *delonga* (fl.), *delonga* (sf.); *delongas* (fl.), *delongas* (pl. do sf.).]

delta (*del*.ta) *sm.* 1 A quarta letra do alfabeto grego, correspondente ao *d* latino 2 *Geog.* Conjunto de ilhas ou terreno de formato mais ou menos triangular, que fica situado na embocadura de um rio, formando canais até o mar 3 Sinal triangular que, encontrado nas palmas das mãos e dos pés dos seres humanos, é us. nos processos de identificação pela datiloscopia [F.: Do gr. *délta*, pelo lat. *delta*.]

deltaico (del.*tai*.co) *a.* Ref. ou semelhante a delta de rio (formação deltaica; desenho deltaico) [F.: Do ing. *deltaic*.]

deltoide (del.*toi*.de) *a2g.* 1 Diz-se do que tem a forma da letra delta maiúscula do alfabeto grego (contorno deltoide) 2 *Anat.* Diz-se de músculo triangular que recobre a articulação do ombro (músculo deltoide) 3 *Geom.* Diz-se de quadrilátero não convexo, com dois pares de lados adjacentes iguais 4 *Bot.* Diz-se de folha ovada, assemelhada a um triângulo *sm.* 5 *Anat.* Músculo deltoide (2) 6 *Geom.* Quadrilátero deltoide (3) [F.: *delta* + *-oide*.]

◎ **-dema** *el. comp.* Ver *demo-*

demagogia (de.ma.go.*gi*.a) *sf.* 1 *Pej. Pol.* Ação ou processo de manipular os sentimentos e paixões populares visando à conquista de poder político 2 *Fig.* Prática de aparentar modéstia, humildade, honestidade etc., com objetivos escusos 3 *Pol.* Dominação das facções populares 4 *Pej.* O discurso feito com essa finalidade [F.: Do gr. *demagogía, as*.]

demagógico (de.ma.*gó*.gi.co) *a.* 1 Ref. a demagogia 2 Em que há ou que faz uso de demagogia (1) (medidas demagógicas; político demagógico); DEMAGOGO 3 Que encerra ou manifesta demagogia [F.: Do gr. *demagogikós, é, ón*, posv. pelo fr. *démagogique*.]

demagogo (de.ma.*go*.go) [ô] *sm.* 1 *Pej. Pol.* Líder político que procura conquistar o poder manipulando os sentimentos e paixões do povo e dizendo-se defensor de seus interesses 2 *Hist.* Na antiga Grécia, cada um dos líderes do partido democrático 3 *Pej.* Aquele que procura demonstrar atenção e cuidado por aquilo que é de interesse do povo ou de um grupo ou pessoa em particular, mas que age de forma oportunista e ambiciosa, visando apenas o próprio favorecimento *a.* 4 Demagógico (2 e 3) [F.: Do gr. *demagogós, oû*, 'aquele que conduz ou lidera o povo', posv. pelo fr. *démagogue*.]

demais (de.*mais*) *adv.* 1 Em demasia, em excesso: *Era dinheiro demais.* 2 De maneira muito intensa: *Gostava dela demais.* 3 *P.us.* Além disso; ADEMAIS: *Faltei ao encontro por estar ocupado; demais, estava doente.* *pr.indef.* 4 Os outros, os restantes: *Os demais virão amanhã.* [F.: Do lat. *demagis* ou de *de* + *mais*.]
■ **Por ~** Excessivamente, demasiadamente

demanda (de.*man*.da) *sf.* 1 Ação ou resultado de demandar, buscar; PROCURA: *A demanda por ventiladores cresce no verão.* 2 *Jur.* Ação judicial; LITÍGIO: *Dois fazendeiros estavam em demanda pela posse do terreno.* 3 Exigência, reivindicação: *atendimento das demandas sociais.* [Mais us. no pl.] 4 Discussão, disputa: "Casar-se-á, (...) e desse dia principiarão as amofinações para ti, e intermináveis demandas." (Martins Pena, *O noviço*) 5 Combate, confronto, peleja: *Os jogadores, de súbito, entraram em violenta demanda.* [F.: Dev. de *demandar*. Hom./Par.: *demanda* (sf.), *demanda* (fl. de *demandar*).] ■ **~ agregada** *Econ.* Ver *Demanda global* **~ efetiva** *Econ.* Demanda para a qual existe correspondência de bens em oferta **~ excedente** *Jur.* Diferença entre os bens possuídos e os bens que se deseja possuir (gerando, portanto, mais demanda) **~ global** *Econ.* Relação considerada adequada entre os gastos com pessoal de uma empresa e a receita que esta pode auferir com a colocação de seus produtos **Em ~ de** Em busca de

demandado (de.man.*da*.do) *a.* 1 Que se demandou; que foi pleiteado, requerido, solicitado (esforço demandado); EXIGIDO; LITIGADO 2 Procurado, disputado (prêmio demandado; questão demandada) [Ant.: *encontrado*.] 3 *Jur.* Diz-se de pessoa contra quem se promove demanda; ACIONADO; RÉU *sm.* 4 Essa pessoa [F.: Part. de *demandar*.]

demandador (de.man.da.*dor*) [ô] *a. sm.* Ver *demandante* [F.: *demandar* + *-dor*.]

demandante (de.man.*dan*.te) *a2g.* 1 Que demanda 2 *Jur.* Diz-se de pessoa que move ação judicial contra alguém ou algo *s2g.* 3 *Jur.* Essa pessoa [F.: *demandar* + *-nte*. Sin. ger.: *demandador, pleiteador*.]

demandar (de.man.*dar*) *v.* 1 Requerer, exigir ou necessitar de (algo ou alguém) [*td.*: *O bom estudo demanda dedicação; Os filhos demandam a atenção dos pais.*] 2 Propor (questão) ou exigir (resposta, explicação, satisfação etc.) [*tdi.* + *a*: *Demandava ao amigo as razões daquela maneira de agir.*] 3 *Jur.* Abrir processo judicial contra (pessoa física ou jurídica) [*td.*: *O advogado convenceu-o a demandar (o patrão).*] 4 Sair ou partir em busca de; BUSCAR; PROCURAR [*td.*: *Os navegadores portugueses demandavam novos continentes.*] 5 Reclamar direitos por solicitação formal ou informal; REIVINDICAR; REQUERER [*td.*: *Os professores demandavam melhores condições de trabalho.*] 6 Atingir destino; CHEGAR [*td.*: *O ônibus espacial demanda o solo do Cabo Canaveral hoje.*] 7 Encaminhar-se; lançar-se para [*td.*: *Os bandeirantes demandaram o interior do Brasil.*] [▶ 1 demandar] [F.: Do v.lat. *demandare*. Hom./Par.: *demanda* (fl.), *demanda* (sf.); *demandas* (fl.), *demandas* (pl. do sf.).]

demandista (de.man.*dis*.ta) *s2g.* Pessoa que é dada a mover ações judiciais: "Demandista por gosto e ofício, levava a sua paixão pela arte a ponto de comprar as demandas dos outros." (Júlio Dinis, *A morgadinha dos canaviais*) [F.: *demand(a)* + *-ista*.]

demantoide (de.man.*toi*.de) *sf. Min.* Variedade verde da andradita us. como gema por seu lustre brilhante [F.: Do Al. *Demantoid*, t. forjado pelo mineralogista Nils Gustaf Nordenskiold, a partir do al. *Demant*, 'diamante', em referência à alta qualidade e ao extraordinário brilho da andradita uraliana.]

demão (de.*mão*) *sf.* 1 Cada camada (de tinta, verniz etc.) passada em uma superfície; MÃO 2 Remate, retoque final na elaboração de uma obra ou trabalho: *Deu a última demão para encerrar o texto.* 3 Recomeço de algo (atividade, conversa etc.) que estava interrompido 4 Ajuda, socorro, auxílio: *Deu uma pequena demão para resolver o problema.* [Pl.: *-mãos*.] [F.: *de* + *mão*.]

demaquilante (de.ma.qui.*lan*.te) *a.* 1 Que serve para retirar a maquiagem (creme demaquilante) *s2g.* 2 Produto us. para retirar a maquiagem [F.: Do fr. *démaquillant*.]

demarcação (de.mar.ca.*ção*) *sf.* 1 Ação ou resultado de demarcar 2 Determinação de fronteiras ou limites por meio de marcos ou de outros sinais 3 *Fig.* Distinção ou separação nítida entre coisas diversas 4 Determinação dos aspectos fundamentais de alguma coisa [Pl.: *-ções*.] [F.: *demarcar* + *-ção*.]

demarcado (de.mar.*ca*.do) *a.* Que se demarcou; que foi delimitado, fixado: *As fronteiras foram demarcadas.* [F.: Part. de *demarcar*.]

demarcador (de.mar.ca.*dor*) [ô] *a.* 1 Que demarca (balizas demarcadoras); DELIMITADOR *sm.* 2 Aquilo ou aquele que demarca [F.: *demarcar* + *-dor*.]

demarcar (de.mar.*car*) *v. td.* 1 Determinar os marcos, os limites de; DELIMITAR: *demarcar um terreno e ocupá-lo.* 2 Determinar ou estabelecer (o caráter, a natureza, a abrangência ou o tempo de); DEFINIR: *O professor demarcou o prazo para a entrega dos trabalhos.* 3 Estabelecer a diferença entre; DISTINGUIR; DISCERNIR; DISCRIMINAR: *demarcar qualidades dos filhos.* [▶ 11 demarcar] [F.: *de-* + *marcar*.]

demarcatório (de.mar.ca.*tó*.ri:o) *a.* Ref. a ou que encerra ou serve de demarcação (limite demarcatório) [F.: *demarcar* + *-tório*.]

⊕ **démarche** (*Fr.* /demárche/) *sf.* Tentativa, esforço para conseguir alguma coisa; PROVIDÊNCIA; MEDIDA

⊕ **demarketing** (*Ing.* /demárquetin/) *sm. Mkt.* Estratégia oposta à do marketing convencional, us. para estimular o consumidor a reduzir a demanda de produtos e serviços

demarragem (de.mar.*ra*.gem) *sf.* Ação ou resultado de demarrar [Pl.: *-gens*.] [F.: *demarrar* + *-agem*².]

demarrar (de.mar.*rar*) *v. int.* Romper as amarras; avançar, desenvolver-se [F.: Do fr. *démarrer*.]

demasia (de.ma.*si*:a) *sf.* 1 O que é demais; EXCESSO 2 Desregramento, imoderação, descomedimento [Mais us. no pl.] 3 Ousadia desmedida 4 *Lus.* Troco (2) [F.: Do espn. *demasía*. Hom./Par.: *demasia* (sf.), *demasia* (fl. de *demasiar*).] ■ **Em ~** Excessivamente, demasiadamente

demasiado (de.ma.si.*a*.do) *a.* 1 Que ultrapassa os limites ou os padrões estabelecidos; EXCESSIVO: *Enfrentaram demasiados perigos na excursão.* 2 Que vai além do necessário; SUPÉRFLUO: *Esta casa é demasiada para tão pouca gente.* 3 Imoderado, descomedido *adv.* 4 Muito; em demasia: "...vai, ao parecer, dando demasiado nas vistas esta nossa vida fácil e perdulária..." (Euclides da Cunha, *Contrastes e confrontos*) [F.: Do espn. *demasiado*.] ■ **Por ~** Ver *Em demasia*, no verbete *demasia*.

demasiar (de.ma.si.*ar*) *v. td.* Ultrapassar as medidas ou os padrões normais, estabelecidos; exceder(-se): *Demasiou sua permanência na empresa; Demasiou-se em sua busca da verdade*; "Em verdade que me não demasio (...) não gastasse uma só (hora) em me arrepender de ter escrito tanto..." (D. Francisco Manuel, *Apólogos dial*) [▶ 15 demasiar] [F.: *demasia* + *-ar*².]

demência (de.*mên*.ci:a) *sf.* 1 *Psiq.* Perda progressiva da memória e da capacidade de pensamento e julgamento, de origem orgânica, que leva, muitas vezes, o doente à inadequação social 2 *Psiq.* Qualquer forma de deterioração mental 3 *Pop.* Procedimento fora do comum que sugere insensatez; LOUCURA: *Esse quarto pintado de preto é uma demência.* [F.: Do lat. *dementia, ae*.] ■ **~ precoce** *Antq. Psiq.* Nome que era dado à esquizofrenia quando na juventude **~ senil** *Psiq.* Demência de pessoas idosas, ger. causada por esclerose

demencial (de.men.ci.*al*) *a2g.* Ref. a demência; em que há demência (surto demencial) [Pl.: *-ais*.] [F.: *demência* + *-al*¹.]

dementar (de.men.*tar*) *v.* Fazer ficar ou ficar demente, louco; enlouquecer(-se) [*td.*: *Tantas tragédias pessoais acabaram por dementá-lo.*] [*int.*: *Ante tantos infortúnios, dementou-se.*] [▶ 1 dementar] [F.: Do v.lat. *dementare*.]

demente (de.*men*.te) *a2g.* 1 *Psiq.* Que sofre de alguma forma de demência 2 *Pop.* Que é louco, insensato, desmiolado *s2g.* 3 Pessoa demente (1 e 2) [F.: Do lat. *demens, entis*. Hom./Par.: *demente* (a2g.s2g.), *demente* (fl. de *dementar*).]

demerara (de.me.*ra*.ra) *sf.* O mesmo que *açúcar-demerara* [F.: Do top. *Demerara*.]

demérito (de.*mé*.ri.to) *sm.* 1 Ausência ou perda de mérito, de merecimento; DESMERECIMENTO *a.* 2 Que perdeu ou não tem mérito [F.: Do lat. *demeritus, a, um*.]

demeritório (de.me.ri.*tó*.ri:o) *a.* Ref. a ou que causa demérito [Ant.: *meritório*.] [F.: *demérito* + *-ório*.]

demerol (de.me.*rol*) *sm. Farm.* Denominação comercial do cloridrato de meperidina, us. como narcótico em medicina [F.: Do ing. *Demerol*.]

demerso (de.*mer*.so) *a. Ict.* Que vive nas profundezas do mar (diz-se de peixe) [F.: Do lat. *demersus, a, um*.]

⊕ **demibold** (*Ing.* /demibôud/) *Art.gr.* *a.* 1 De traços mais grossos que o comum e menos fortes que o preto ou negrito (diz-se de tipo de letra) *sm.* 2 Esse tipo de letra

demífugo (de.*mí*.fu.go) *a.* Que afugenta ou afasta o demônio ou as más tentações (abluções demífugas) [F.: *demo*¹ + *-i-* + *-fugo*².]

demissão (de.mis.*são*) *sf.* 1 Ação ou resultado de demitir um empregado; EXONERAÇÃO [Ant.: *admissão*] 2 Ação ou resultado de pedir a própria dispensa de um cargo ou emprego 3 Desistência voluntária; RENÚNCIA [Pl.: *-sões*.] [F.: Do lat. *demisssio, onis*.]

demissibilidade (de.mis.si.bi.li.*da*.de) *sf.* Qualidade de demissível [Ant.: *indemissibilidade*.] [F.: *demissível* + *-(i)dade*, seg. o mod. erudito.]

demissionário (de.mis.si:o.*ná*.ri:o) *a.* Diz-se de quem foi demitido ou pediu demissão de cargo ou emprego [F.: *demissão* + *-ário*, seg. o mod. erudito.]

demissível (de.mis.*sí*.vel) [í] *a2g.* Que se pode demitir; sujeito a demissão [Ant.: *indemissível*.] [Pl.: *-veis*.] [F.: Do rad. lat. *demissio* + *-ível*.]

demitido (de.mi.*ti*.do) *a.* 1 Que se demitiu 2 Que foi exonerado do emprego *sm.* 3 Aquele que se demitiu 4 Aquele que foi exonerado do emprego [F.: Part. de *demitir*.]

demitir (de.man.*dar*) *v.* 1 Pôr de parte; DEPOR; LARGAR [*td.*: *O lavrador demitiu a enxada, após uma jornada de capina.*] 2 Desistir voluntariamente; ABDICAR; RENUNCIAR [*tdr.* + *de*: *Demitira de mim a tarefa de governar.*] [*tr.* + *de*: *O professor demitia-se naquele momento da fama que gozava.*] 3 Destituir (alguém) de emprego, cargo, função, dignidade; EXONERAR; DESPEDIR; DESEMPREGAR [*td.*: *A empresa demite todo ano vários funcionários.*] [*tdr.* + *de*: *O partido demitiu-o da função ministerial.*] [*int.*: *No ano passado, segundo os sindicatos, as firmas demitiram mais que nos dois últimos anos.*] 4 Pedir demissão; requerer a própria saída de (emprego, cargo, função, firma, empresa etc.) [*int.*: *Demitiu-se por divergências com um colega de trabalho.*] [*tr.* + *de*: *Havia decidido demitir-se do cargo.*] [▶ 3 demitir] [F.: Do v.lat. *demittere*.]

demiurgia (de.mi:ur.*gi*.a) *sf.* Ação criadora [F.: Do gr. *demiourgía, as*.]

demiúrgico (de.mi:*úr*.gi.co) *a.* Ref. a demiurgo [F.: Do gr. *demiourgikós*.]

demiurgo (de.mi:*ur*.go) *sm.* 1 *Fil.* Nome pelo qual os platônicos designavam o deus criador 2 *P.ext.* Qualquer divindade 3 *Fig.* Criador de alguma obra extraordinária [F.: Do gr. *demiourgós*.]

◎ **dem(o)-** *el. comp.* = 'povo'; 'população': *demagogia* (< gr.), *demagogo* (< fr. < gr.), *democracia* (< gr.), *democrata* (< fr.), *demofobia, demófobo, demografia, demógrafo, demótico* (< gr.) [F.: Do gr. *dêmos, ou*, 'terra habitada por um povo'; 'país'; 'a população de um país'; 'povo'.]

◎ **demo-** *el. comp.* = 'corpo'; 'estrutura'; 'esqueleto': *democe, demodex* (< lat.cient.); *apódema* [F.: Do gr. *démas*, 'corpo', 'estrutura'; 'altura'.]

◎ **-demon(o)-** *el. comp.* Ver *demon(o)-*

◎ **demon(o)-** *el. comp.* = 'demônio': *demoníaco* (< lat. < gr.), *demonismo, demonografia, demonologia*; *cacodemonomania* [F.: Do gr. *daímon, onos*, 'divindade'; 'gênio'; 'espírito mal'; 'demônio'.]

demo¹ (*de*.mo) *sm.* 1 Demônio 2 *Fig.* Pessoa irrequieta, turbulenta 3 Pessoa má, cruel 4 *Fig.* Pessoa que age com sagacidade, com ardil [F.: Do lat. *daemon, onis*.]

demo² (*de*.mo) *sm.* 1 Agrupamento de indivíduos que partilham referências históricas, culturais, muitas vezes geográficas e econômicas etc; povo, população 2 Unidade administrativa da Grécia, desde a Antiguidade [F.: Do gr. *dêmos*, 'povo'.]

demo³ (*de*.mo) *a.* 1 Que é de demonstração (DVD demo) *sm.* 2 Produto ou atividade feitos como demonstração do que deverá ser a versão final: *Isto ainda não é o compacto finalizado, é só um demo.* [F.: Abreviação do ing. *demonstration*.]

democlipe (de.mo.*cli*.pe) *sm.* Videoclipe feito para demonstração e/ou divulgação [F.: *demo*² + *clipe*².]

democracia (de.mo.cra.*ci*.a) *sf.* 1 *Pol.* Governo em que o povo exerce a soberania; governo popular 2 *Pol.* Sistema ou regime que se baseia na ideia da soberania popular e na distribuição equilibrada do poder, e que se caracteriza pelo direito ao voto, pela divisão dos poderes e pelo controle dos meios de decisão e execução 3 País que tem regime democrático 4 Partido ou grupo político comprometido com os ideais da democracia 5 *Fig.* Igualdade política e social 6 O pensamento ou a prática democrata [F.: Do gr. *demokratía, as*; ver *dem(o)-* e *-cracia*.] ■ **~ autoritária** *Pol.* Forma de governo que surgiu após a Primeira Guerra Mundial, baseado na preponderância do poder executivo sobre os demais **~ direta** *Pol.* Sistema político democrático no qual as decisões são tomadas diretamente pelo povo, e não por representantes eleitos ou por delegação de poder [Era o sistema de algumas cidades-estados da Grécia Antiga e de algumas pequenas sociedades contemporâneas, como o kibutz israelense.] **~ popular** *Pol.* Designação dos regimes políticos centralizados e monopartidários dos países socialistas da segunda metade do séc. XX

> 📖 A democracia, ou seja, na origem grega da palavra, a 'autoridade do povo', foi primeiro implementada na Grécia Antiga, e, com menos duração, em Roma. É a partir do século XVII que se formulam os princípios da democracia moderna, e ela ganha força com a Revolução Francesa e no primeiro Estado democrático moderno, os Estados Unidos da América. No Brasil, afora dois períodos em que não foi exercida com sistema de representação direta (1937-1945, 1964-1985), a partir da independência a democracia se consolidou como princípio e como realidade, dizendo o artigo 1º da Constituição de 1988: "Todo o poder emana do povo, que o exerce por meio de representantes eleitos, ou diretamente, nos termos desta Constituição."

democrata (de.mo.*cra*.ta) *a2g.* 1 Que faz parte da democracia ou segue seus princípios 2 Diz-se de membro de partido democrata *s2g.* 3 Partidário da democracia 4 *Fig.* Aquele que convive de maneira harmoniosa com membros de todas as classes sociais 5 Membro de partido democrata [F.: Do fr. *démocrate.*]

democrático (de.mo.*crá*.ti.co) *a.* 1 Ref. a, da ou próprio da democracia ou de seus princípios (convicções democráticas) 2 Cujo poder emana do povo (Estado democrático); POPULAR 3 Próprio das camadas populares (festa democrática) 4 Que denota sentimento de igualitarismo: *Dirigia o jornal com espírito democrático.* [F.: Do gr. *demokratikós, é, ón*, do gr. *demokratía, as.*]

democratismo (de.mo.cra.*tis*.mo) *sm.* 1 Doutrina ou sistema político democrático 2 *Pej.* Prática político-administrativa em que a tomada de decisão é retardada pelo excesso de discussões em diversas instâncias: "Desagradável (...) é o democratismo – excesso de reuniões, discussões cansativas e repetitivas..." (Carlito Maia, *Uma vez PT, sempre PT*) [F.: *democrata* + *-ismo.*]

democratização (de.mo.cra.ti.za.*ção*) *sf.* Ação, processo ou efeito de democratizar(-se) [Pl.: *-ções.*] [F.: *democratizar* + *-ção.*]

democratizador (de.mo.cra.ti.za.*dor*) [ô] *a.* 1 Que democratiza *sm.* 2 O que democratiza [F.: *democratizar* + *-dor.*]

democratizante (de.mo.cra.ti.*zan*.te) *a2g.* Que democratiza (processo democratizante); DEMOCRATIZADOR [F.: *democratizar* + *-nte.*]

democratizar (de.mo.cra.ti.*zar*) *v.* 1 Levar à democracia ou alcançar situação ou condição democrática [*td.*: *democratizar a nação.*] [*int.*: *O país democratizou-se.*] 2 Tornar(-se) acessível à maior parte da população; POPULARIZAR; COLETIVIZAR [*int.*: *Quando a alfabetização se democratiza, o país cresce.*] [*td.*: *democratizar o ensino público superior.*] [▶ 1 democratizar] [F.: Do fr. *démocratiser.*]

⊕ **démodé** (*Fr. /demodê/*) *a.* Fora de moda (estilo *démodé*)

demodulação (de.mo.du.la.*ção*) *sf.* *Telc.* Reconstituição da informação transmitida por meio de uma onda portadora, no momento de sua recepção [Ant.: *modulação*] [Pl.: *-ções.*] [F.: *demodular* + *-ção.*]

demodulador (de.mo.du.la.*dor*) [ô] *sm.* *Eletrôn.* *Telc.* Detector us. no processo de demodulação [Ant.: *modulador.*] [F.: *demodular* + *-dor.*]

demodular (de.mo.du.*lar*) *v. td.* *Eletrôn.* *Telc.* Processar (um sinal) para obter informação nele contida [Ant.: *modular.*] [▶ 1 demodular] [F.: *de-* + *modular*, para trad. o ingl. *to demodulate.*]

demofilia (de.mo.fi.*li*.a) *sf.* Sentimento de amor ou forte simpatia pelo povo [F.: *dem(o)-* + *-filia*[1].]

demofílico (de.mo.*fí*.li.co) *a.* Ref. a demofilia [F.: *demofilia* + *-ico*[2].]

demófilo (de.*mó*.fi.lo) *sm.* Aquele que tem amor ou forte simpatia pelo povo [F.: *dem(o)-* + *-filo*[1].]

demofobia (de.mo.fo.*bi*.a) *sf.* *Psiq.* Aversão ao povo ou a multidões [Ant.: *demofilia.*] [F.: *dem(o)-* + *-fobia.*]

demofóbico (de.mo.*fó*.bi.co) *Psiq.* *a.* 1 Ref. a demofobia 2 Diz-se de indivíduo que tem demofobia; DEMÓFOBO *sm.* 3 Esse indivíduo; DEMÓFOBO [F.: *demofobia* + *-ico*[2].]

demófobo (de.*mó*.fo.bo) *a. sm.* *Psiq.* O mesmo que *demofóbico* (2 e 3) [F.: *dem(o)-* + *-fobo.*]

demografia (de.mo.gra.*fi*.a) *sf.* Estudo estatístico das populações humanas (seus índices de crescimento ou diminuição, sua composição, suas migrações etc.) e de suas condições sociais e vitais, como nascimentos, mortes, casamentos, saúde, alimentação etc. [F.: *dem(o)-* + *-grafia.*]

demográfico (de.mo.*grá*.fi.co) *a.* 1 Ref. a demografia 2 Ref. à população de uma região, país etc., ou que é próprio dela; POPULACIONAL [F.: *demografia* + *-ico*[2].]

demógrafo (de.*mó*.gra.fo) *sm.* Indivíduo especialista em demografia [F.: *dem(o)-* + *-grafo.*]

demolição (de.mo.li.*ção*) *sf.* Ação ou resultado de demolir [Ant.: *construção*] [Pl.: *-ções.*] [F.: Do lat. *demolitio, onis.*]

demolido (de.mo.*li*.do) *a.* Que se demoliu ou derrubou; posto abaixo (prédio demolido) [F.: Part. de *demolir.*]

demolidor (de.mo.li.*dor*) [ô] *a.* 1 Que demole, derruba; DESTRUIDOR *sm.* 2 Aquele que demole, derruba; DESTRUIDOR [F.: De *demolir* + *-dor.*]

demolir (de.mo.*lir*) *v. td.* 1 Desfazer (uma construção) ou fazê-la cair; pôr abaixo; DERRUBAR: *Vão demolir o antigo prédio.* 2 *Fig.* Anular, destruir, extinguir, abalar inteiramente (ideias, instituições etc.): *Demoliu os argumentos do adversário.* 3 *Fig.* Derrotar mediante violência física: *As tropas invasoras demoliram a resistência.* 4 *Esp.* Vencer com grande vantagem no placar: *A seleção brasileira demoliu a campeã europeia.* [▶ 58 demolir] [F.: Do v.lat. *demolire.*]

demologia (de.mo.lo.*gi*.a) *sf.* O mesmo que *demopsicologia* [F.: *dem(o)-* + *-logia.*]

demológico (de.mo.*ló*.gi.co) *a.* Relativo a demologia ou demopsicologia [F.: *demologia* + *-ico*[2].]

demoníaco (de.mo.*ní*.a.co) *a.* 1 Ref. ao ou próprio do demônio (fúria demoníaca); DIABÓLICO 2 Que parece dominado pelo demônio; ENDEMONINHADO 3 Que tem ou parece ter pacto com o diabo: *Era um homem perverso, demoníaco.* [F.: Do lat. *daemoniacus, a, um.*]

demônio (de.*mô*.ni:o) *sm.* 1 O espírito do mal 2 *Fig.* Pessoa má, perversa, cruel 3 *Fam.* *Fig.* Criança travessa e irrequieta 4 *Fig.* Pessoa feia ou antipática 5 *Mit.* Gênio bom ou mau que, segundo as crenças da Antiguidade, presidia o destino de cada homem [F.: *daemonium, ii.* Ideia de 'demônio': *demon(o)-* (*demonografia*).] ▪ ~ **familiar** *Folc.* Demônio que se supõe estar a serviço de alguém, ger. por ter com ele firmado um pacto **Com os ~s** Exclamação que denota surpresa, ou irritação **Como um ~** Com muita energia, entusiasmo etc.: *Jogou como um demônio, e levou o time à vitória.*

demonismo (de.mo.*nis*.mo) *sm.* 1 Crença nos demônios 2 Culto aos demônios [F.: *demôn (io)* + *-ismo.*]

demonização (de.mo.ni.za.*ção*) *sf.* Ação ou resultado de demonizar(-se) [Pl.: *-ções.*] [F.: *demonizar* + *-ção.*]

demonizado (de.mo.ni.*za*.do) *a.* Que se demonizou; transformado em demônio [F.: Part. de *demonizar.*]

demonizar (de.mo.ni.*zar*) *v. td.* Atribuir caráter demoníaco a (alguém ou si mesmo): *As nações demonizam os países inimigos; Demonizou-se ao tornar-se um criminoso.* [▶ 1 demonizar] [F.: *demon(o)-* + *-izar.*]

demonografia (de.mo.no.gra.*fi*.a) *sf.* O mesmo que *demonologia* (2) [F.: *demon(o)-* + *-grafia.*]

demonologia (de.mo.no.lo.*gi*.a) *sf.* 1 Estudo sistemático sobre os demônios 2 Tratado a respeito da natureza e da influência dos demônios; DEMONOGRAFIA [F.: *demon(o)-* + *-logia.*]

demonológico (de.mo.no.*ló*.gico) *a.* Ref. a demonologia [F.: *demonologia* + *-ico*[2].]

demonomania (de.mo.no.ma.*ni*.a) *sf.* *Psiq.* Distúrbio mental em que o indivíduo se julga possuído por demônio [F.: *demon(o)-* + *-mania.*]

demonomaníaco (de.mo.no.ma.*ní*.a.co) *Psiq.* *a.* 1 Ref. à demonomania 2 Diz-se de indivíduo que sofre de demonomania; DEMONÔMANO *sm.* 3 Esse indivíduo; DEMONÔMANO [F.: *demonoman(ia)* + *-íaco*, seg. o mod. gr.]

demonômano (de.mo.*nô*.ma.no) *Psiq.* *a. sm.* O mesmo que *demonomaníaco* (2 e 3) [F.: *demon(o)-* + *-mano*[1].]

demonstrabilidade (de.mons.tra.bi.li.*da*.de) *sf.* Qualidade ou característica do que é demonstrável [F.: *demonstrável* (sob a f. *demonstrabili -*) + *-(i) dade*, seg. o mod. erudito.]

demonstração (de.mons.tra.*ção*) *sf.* 1 Ação ou resultado de demonstrar 2 Aquilo que serve para tornar evidente ou provar alguma coisa; PROVA: *O acordo foi uma demonstração de amadurecimento político.* 3 Manifestação, mostra (de uma intenção, um sentimento etc.) (demonstração de carinho); SINAL; TESTEMUNHO 4 Raciocínio que comprova uma hipótese ou do qual se infere uma verdade: *demonstração do teorema de Pitágoras.* 5 Exibição, apresentação: *O vendedor fez uma demonstração da nova linha de produtos.* [Pl.: *-ções.*] [F.: Do lat. *demonstratio, onis.*] ▪ ~ **circular** *Lóg.* Ver *Círculo vicioso* (2) no verbete *círculo* ~ **por absurdo** Demonstração da verdade de uma afirmação pela demonstração da falsidade de uma afirmação oposta à primeira

demonstrado (de.mons.*tra*.do) *a.* 1 Que se demonstrou (teorema demonstrado); PROVADO 2 Expresso, mostrado, manifestado (afeto demonstrado) [F.: Do lat. *demonstratus, a, um.*]

demonstrador (de.mons.tra.*dor*) [ô] *a.* 1 Que demonstra; DEMONSTRATIVO *sm.* 2 Aquele que demonstra 3 Aquele cuja função é demonstrar ao público a utilização de um produto posto à venda [F.: *demonstrar* + *-dor.*]

demonstrar (de.mons.*trar*) *v.* 1 Mostrar que (algo) é correto ou verdadeiro por meio de provas ou de raciocínio conclusivo; COMPROVAR [*td.*: *demonstrar uma ideia.*] [*tdi.* + *a*: *O professor demonstrou à turma o teorema.*] 2 Exprimir (intenções, sentimentos, inclinações etc.); MOSTRAR [*td.*: *demonstrar simpatia.*] [*tdi.* + *a*: *Demonstra ao filho todo o seu amor.*] 3 Dar(-se) a conhecer; PATENTEAR; MOSTRAR [*tdi* + *a*: *Demonstramos a todos o seu valor.*] [*td.*: *Diante das dificuldades é que as pessoas se demonstram.*] 4 Ilustrar o que se explica; EXEMPLIFICAR [*td.*: *demonstrar o processo de combustão.*] [*tdi.* + *a*: *O artista demonstrou à plateia a têmpera.*] [▶ 1 demonstrar] [F.: Do v.lat. *demonstrare.* Hom./Par.: *demonstráveis* (fl.), *demonstráveis* (pl. de *demonstrável* [a2g.]).]

demonstrativo (de.mons.tra.*ti*.vo) *a.* 1 Que demonstra, que serve para demonstrar; DEMONSTRADOR: *um esboço demonstrativo de sua arte.* 2 *Gram.* Diz-se do pronome com o qual, ao falar ou escrever, a pessoa localiza, em relação a si, ideias e objetos a que se refere (p.ex.: esse papel, este lápis, aquela caneta) *sm.* 3 Coisa com a qual se demonstra algo: *Enviou-me o demonstrativo das contas a pagar.* 4 *Gram.* Pronome demonstrativo [F.: Do lat. *demonstrativus, a, um.*]

demonstrável (de.mons.*trá*.vel) *a2g.* Que se pode demonstrar [Ant.: *indemonstrável.*] [Pl.: *-veis.*] [F.: Do lat. *demonstrabilis, e.* Hom./Par.: *demonstráveis* (pl.), *demonstráveis* (fl. de *demonstrar*).]

demopsicologia (de.mo.psi.co.lo.*gi*.a) *sf.* 1 Estudo da psicologia de um povo 2 Cultura popular: o conjunto das crenças, lendas e manifestações culturais de um povo ou comunidade [F.: *dem(o)-* + *psicologia.* Sin. ger.: *demologia.*]

demora (de.*mo*.ra) *sf.* 1 Ação ou resultado de demorar(-se) 2 Período de tempo que se estende além do esperado; ATRASO; DELONGA: *A demora no atendimento irritou o paciente.* [Ant.: *pontualidade, prontidão.*] 3 Duração de parada, de permanência: *A demora do trem na estação foi de 20 minutos.* [F.: Dev. de *demorar.* Hom./Par.: *demora* (sf.), *demora* (fl. de *demorar*).]

demorado (de.mo.*ra*.do) *a.* 1 Que tem longa duração: *Foi um passeio demorado.* [Ant.: *breve*] 2 Que chega ou se realiza com atraso; TARDIO: *Um problema de solução demorada.* 3 Que é vagaroso, lento: *O serviço de entrega é demorado.* [F.: Do lat. *demoratus, a, um.*]

demorar (de.mo.*rar*) *v.* 1 Permanecer muito tempo ou além de um limite; RETARDAR [*ta.*: *O funcionário demorou(-se) no escritório.*] 2 Permanecer, ficar (certo tempo) em dado lugar [*tda.* + *em*: "Sabe-se porém que sete dias e sete noites demorou nos paços" (Almeida Garrett] 3 Tardar a que se realize ou se cumpra [*int.*: *A felicidade demora.*] 4 Levar muito tempo para ser feito ou ter longa duração [*int.*: *Nossa! Como esse exame demora!!!; Já são quatro horas. E pelo jeito a reunião ainda vai demorar mais.*] 5 Ultrapassar o tempo estimado; levar mais tempo que o necessário ou o usual (para fazer algo) [*tr.* + *a*, *em*: "Não demorou muito a dar resultado a mudança" (*Jornal do Brasil*, 07.04.2005): "Não demorou em convencer o soberano português..." (Alberto da Costa e Silva, *A manilha e o libambo*)] 6 Pôr ou manter (parte do corpo) em/sobre (algo ou alguém), sem pressa ou intenção de removê-la [*tda.* + *em*: *Demorava o olhar no colo da namorada; Ele demorou o braço sobre o ombro do amigo; Ela demorou o dedo sobre o botão da campainha.*] 7 Morar; HABITAR; RESIDIR [*ta.* + *em*: *Demorou durante anos na casa da tia.*] [▶ 1 demorar Us. como aux. + *a* (ou *em*) seguido de infinitivo, indica o retardo do início ou da realização de um fato: Demorou a chover.] [F.: Do v.lat. *demorare.* Hom./Par.: *demora* (fl.), *demora* (sf.); *demoras* (fl.), *demoras* (pl. do sf.).] ▪ **Demorou** *Bras.* *Gír.* Expressão us. para demonstrar concordância ou satisfação (por vezes entusiástica) com o que foi dito ou perguntado pelo interlocutor [Tb.: *demorô* (ver).]

demorô (de.mo.*rô*) *interj.* *Bras.* *Gír.* Ver *demorou*, em demorar [F.: Corruptela prosódica da 3ª pess. do sing. do pret. perf. do ind. do v. *demorar.*]

demoroso *a.* Moroso, demorado [Pl.: *-ó.* Fem.: *-ó.*] [F.: *demor (a)* + *-oso.*]

demostênico (de.mos.*tê*.ni.co) *a.* 1 Ref. a Demóstenes (384-322 a.C.), grande orador grego, ou à sua eloquência: "Os ecos da palavra demostênica, repercutidos na larga sucessão dos séculos vindouros..." (Latino Coelho, *Oração da coroa*) 2 *Fig.* canfático, eloquente como Demóstenes [F.: Do lat. *demosthenicus, a, um.*]

demótico (de.*mó*.ti.co) *a.* 1 *Gloss.* Diz-se do grego moderno falado na Grécia 2 Diz-se da escrita ou dos caracteres correntes ou vulgares entre os antigos egípcios 3 Do povo; POPULAR: "...a TV brasileira cumpre papel demótico e não democrático." (Renato Janine Ribeiro, *O poder público ausente: a TV nas mãos do mercado*) *sm.* 4 *Gloss.* Grego demótico (1) 5 Escrita ou caracteres demóticos (2) [F.: Do gr. *demotikós, é, ón.*]

demover (de.mo.*ver*) *v.* 1 Motivar (alguém) a desistir ou fazê-lo desistir (de intenção, decisão etc.); DISSUADIR [*td.*: *Ela queria viajar, mas consegui demovê-la.*] [*tdr.* + *de*: *Demovi-a da ideia de viajar agora.*: "...não podia demover-me do cumprimento de meu dever..." (João Ubaldo Ribeiro, *Diário do farol*)] 2 Mudar de lugar; DESLOCAR [*tda.* + *de, até, para*: *Demoveram a árvore da estrada/até o acostamento; Demoveu-se para o seu quarto.*] [*td.*: *Apesar de toda a nossa insistência para que ele saísse do lugar, ele não se demoveu.*] 3 Levar alguém a (fazer algo) ou dispor-se a fazer; ABALAR [*tr.* + *a*: *Meu pai demoveu-se a aceitar minha escolha profissional.*] [*tdr.* + *a*: *A situação demove os associados a concordarem com a proposta.*] [▶ 2 demover] [F.: Do v.lat. *demovere.*]

demudado (de.mu.*da*.do) *a.* 1 Que se demudou ou alterou; TRANSFORMADO 2 *Fig.* Perturbado, transtornado [F.: Do lat. *demutatus, a, um.*]

demudar (de.mu.*dar*) *v.* 1 Dar feição diferente a; mudar(-se), transformar(-se) [*td.*: *O divórcio demudou sua vida; Demudou-se ao casar-se novamente.*] [*tdr.* + *em*: *Demudou seu desânimo em grande energia.*] 2 Comover, emocionar [*td.*: *A revelação demudou a plateia.*] 3 Mudar de aspecto, de cor, em virtude de doença, problema emocional etc. [*td.*: *Seu rosto demudou-se após o desastre que sofreu.*] 4 Mudar o jeito de ser, o caráter etc. em virtude de alguma experiência [*td.*: *Demudou-se profundamente durante a doença.*] [▶ 1 demudar] [F.: Do lat. *demutare.*]

dendê (den.*dê*) *sm.* 1 *Bras.* *Bot.* Dendezeiro 2 *Bot.* O fruto e a semente do dendezeiro, dos quais se extrai óleo 3 Esse óleo, us. em culinária e tb. na fabricação de sabão, vela etc; AZEITE DE DENDÊ; ÓLEO DE PALMA [F.: Do quimb. *ndende.*]

dendezeiro (den.de.*zei*.ro) *sm.* *Bras.* *Bot.* Palmeira (*Elaeis guineensis*) nativa da África ocidental e naturalizada no Brasil, de estipe anelado e ereto que pode chegar a 30m, e de cujos frutos e sementes se extrai óleo; DENDÊ [F.: *dendê* + *-zeiro.*]

dendraxônio (den.dra.*xô*.ni:o) [cs] *sm.* *Ant.* *Anat.* Porção final de axônio, ger. muito ramificada. Tb. *telodendro* [F.: *dendr(o)-* + *axônio.*]

dendrite (den.*dri*.te) *sf.* Ver *dendrito*

dendrítico (den.*drí*.ti.co) *a.* 1 De ou ref. à dendrite ou dendrito 2 *Bot.* Diz-se de mancha semelhante a ramificações que surgem nas folhas infectadas por dados vírus 3 *Geog.* Diz-se de rede de drenagem cujos rios correm em todas as direções, semelhantemente às ramificações de uma árvore 4 *Geog.* Ref., pertinente, semelhante a, ou próprio desse tipo de rede de drenagem (padrão dendrítico) [F.: *dendrite* ou *dentrito* + *-ico*[2].]

dendrito (den.*dri*.to) *sm.* 1 *Cit.* Ramificação dos neurônios 2 *Min.* Nome de arborizações formadas sobre as rochas pela precipitação de óxido de ferro ou de manganês [F.: *dendr(o)-* + *-ito*[1].]

◎ **-dendr(o)-** *el. comp.* Ver *dendr(o)-*

◎ **-dendro** *el. comp.* Ver *dendr(o)-*

◎ **dendr(o)-** *el. comp.* = 'árvore'; 'tronco das árvores'; 'caule': *dendroclastia, dendrocronologia, dendrofilia, dendrófilo, dendrologia; acrodendrofilia, oligodendrócito; clerodendro* (< lat. cient.), *epidendro, rododendro* (< lat. < gr.) [F.: Do gr. *déndron, ou*, 'árvore'.]

dendrobata (den.dro.*ba*.ta) *Zool.* *a.* 1 Diz-se de animal que vive nas árvores *s2g.* 2 Esse animal [F.: *dendr(o)-* + *-bata.* A f. *dendróbata*, embora melhor, é menos us.]

dendroclastia (den.dro.clas.*ti*.a) *sf.* Desrespeito à vida das árvores ou à sua preservação [Ant.: *dendrolatria.*] [F.: *dendr(o)-* + *-clastia.*]

dendroclástico (den.dro.*clás*.ti.co) *a.* Ref. à dendroclastia [F.: *dendroclastia* + *-ico*[2].]

dendrocronologia (den.dro.cro.no.lo.*gi*.a) *sf.* *Geof.* Método de datação que se baseia na contagem dos anéis dos troncos das árvores [F.: *dendr(o)-* + *cronologia.*]

dendrocronologista (den.dro.cro.no.lo.*gis*.ta) *s2g.* *Geof.* Indivíduo especializado em dendrocronologia [F.: *dendr(o)-* + *cronologista.*]

dendrofilia (den.dro.fi.*li*.a) *sf.* **1** Amor às árvores [Ant.: *dendrofobia*.] **2** *Ent.* Qualidade ou condição de dendrófilo (4) [F.: *dendr(o)-* + *-filia*¹.]

dendrofílico (den.dro.*fi*.li.co) *a.* Ref. à dendrofilia [F.: *dendrofilia* + *-ico*².]

dendrófilo (den.*dró*.fi.lo) *a.* **1** Amigo das árvores [Ant.: *dendrófobo*.] **2** *Ent.* Que vive nas árvores ou na madeira, esp. no seu interior (diz-de inseto) *sm.* **3** Aquele que tem grande amor às árvores **4** *Ent.* Inseto dendrófilo (2): *O cupim é um dendrófilo.* [F.: *dendr(o)-* + *-filo*¹.]

dendrograma (den.dro.*gra*.ma) *sm.* Diagrama em forma de árvore (p.ex., uma árvore genealógica) [F.: *dendr(o)-* + *-grama*.]

dendrolatria (den.dro.la.*tri*.a) *sf.* Adoração ou culto das árvores; reverência às árvores [F.: *dendr(o)-* + *-latria*.]

dendrolátrico (den.dro.*lá*.tri.co) *a.* Ref. à dendrolatria [F.: *dendrolatria* + *-ico*².]

dendrologia (den.dro.lo.*gi*.a) *sf. Bot.* Parte da botânica que estuda as árvores [F.: *dendr(o)-* + *-logia*.]

dendrômetro (den.*drô*.me.tro) *sm.* Instrumento para determinar a altura das árvores, sua grossura e a quantidade de madeira que podem dar [F.: *dendr(o)-* + *-metro*.]

denegação (de.ne.ga.*ção*) *sf.* **1** Ação de denegar, de negar; NEGAÇÃO; NEGATIVA **2** Recusa do que se pede; INDEFERIMENTO **3** Contestação, desmentido [Pl.: *-ções*.] [F.: Do lat. *denegatio, onis*.]

denegar (de.ne.*gar*) *v.* **1** Não aceitar a veracidade de; NEGAR [*td.*: *O advogado denegou as palavras do promotor.*] **2** Não dar, não emprestar; RECUSAR [*tdi.* + *a*: *Denegou o dinheiro ao colega.*] **3** Dar despacho negativo; INDEFERIR [*td.*: *O juiz denegou o requerimento da defesa.*] **4** Não se sujeitar a (algo); recusar-se a [*tr.* + *a*: *Regina denegou-se a colaborar naquele empreendimento.*] **5** Não aceitar; RECUSAR [*td.*: *Não haveria quem denegasse sua oferta.*] **6** Causar impedimento; OBSTAR(-SE) [*tdi.* + *a*: *O comitê denegou a inclusão ao associado.*] **7** Desmentir; CONTRADIZER; CONTESTAR; REDARGUIR [*td.*: *No debate, o candidato progressista denegava constantemente seu principal oponente.*] [▶ 14 dene**gar**] [F.: Do v.lat. *denegare*.]

denegatório (de.ne.ga.*tó*.ri:o) *a.* Que denega; em que há denegação [F.: *denegar* + *-tório*.]

denegrido (de.ne.*gri*.do) *a.* **1** Maculado, infamado (nome denegrido) **2** Enegrecido, escurecido [F.: Part. de *denegrir*.]

denegridor (de.ne.gri.*dor*) [ô] *a.* **1** Que denigre *sm.* **2** Aquele que denigre: "...enquanto dá por paus e por pedras o infame denegridor." (Rui Barbosa, *Esfola da calúnia*) [F.: *denegrir* + *-dor*.]

denegrir (de.ne.*grir*) *v. td.* **1** *Fig.* Manchar ou infamar (a honra [de]); tornar (algo ou alguém) desacreditado; CONSPURCAR: *Invejoso, vive a tentar denegrir o caráter do bom homem*: "Revoltava-me ler o que dele se dizia, na ânsia de denegri-lo, a despeito de tudo quanto havia realizado." (Josué Montello, *Sempre serás lembrada*) **2** Fazer(-se) negro ou escuro: *A poluição denigre as paredes; Com o tempo denigrem-se as pinturas.* [▶ 49 dene **grir**] [F.: *de-* + rad. pop. *negr-* (< *negro*) + *-ir*. Tb. *denigrir* (f. erudita).]

dengar (den.*gar*) *v. int. Pop.* Mostrar-se dengoso, faceiro: *A garota passou dengando pela porta do bar.* [F.: *dengo* + *-ar*².]

dengo (*den*.go) *Bras. sm.* **1** Teimosia ou choro insistente de criança **2** Demonstração de fragilidade ou desamparo para receber consolo e carinho **3** Afetação para chamar a atenção dos outros ou seduzir alguém **4** Astúcia, manha [F.: *deng-*, rad. de *dengue*, + *-o*. Sin. ger.: *dengue, denguice*.]

dengoso (den.*go*.so) [ô] *a.* **1** Diz-se de criança chorona **2** Que mostra fragilidade para ser paparicado **3** Insinuante, sedutor **4** Astuto, manhoso [F.: *deng(o)* + *-oso*. Sin. ger.: *dengue*.]

dengue (*den*.gue) *sf.* **1** *Med.* Doença infecciosa transmitida por vírus, contraída pelo homem por picada de mosquito, esp. o *Aedes aegypti*, e caracterizada por febre alta, dores no corpo e cabeça, fadiga, vômito, manchas vermelhas na pele etc. [Também us. como sm.] *sm.* **2** *Bras.* O mesmo que *denguice* **3** *Med.* Ver *dengue* (1) *a2g.* **4** O mesmo que *dengoso* [F.: Do espn. *dengue*.] ∷ **~ hemorrágico/a** *Med.* Forma grave de dengue (ger. recidiva), acompanhada de hemorragias

denguice (den.*gui*.ce) *sf.* Qualidade de dengoso, de quem faz dengo; DENGUE [F.: *dengu(e)* + *-ice*.]

denigrir (de.ni.*grir*) *v. td.* V. *denegrir.* [▶ 3 deni**grir**] [F.: *de-* + rad. erudito *nigr-* (< lat. *niger, nigra, nigrum*) + *-ir*.]

denitrificar (de.ni.tri.fi.*car*) *v.* Realizar a denitrificação [*td.*] [*int.*] [▶ 11 denitrifi**car**] [F.: *de-* + *nitrificar*.]

denodado (de.no.*da*.do) *a.* **1** Que demonstra coragem e intrepidez diante do perigo; CORAJOSO; VALENTE [Ant.: *covarde*.] **2** Que demonstra agitação, impetuosidade ou violência [F.: Do lat. *denotatus, a, um*.]

denodar (de.no.*dar*) *v. td.* Desfazer (nó); desnodar [▶ 1 deno**dar**] [F.: *de-* + *nodar*. Hom./Par.: *denodo* (fl.), *denodo* /ô/ (sm.); *denodar, denudar* (em vários tempos).]

denodo (de.*no*.do) [ô] *sm.* Vigor ou firmeza com que se encaram riscos e perigos; CORAGEM; INTREPIDEZ [Ant.: *covardia*.] [F.: Dev. de *denodar*. Hom./Par.: *denodo* (sm.), *denodo* (fl. de *denodar*).]

denominação (de.no.mi.na.*ção*) *sf.* **1** Ação, processo ou resultado de denominar, de dar nome a algo ou alguém: *A denominação das ruas compete à Câmara Municipal.* **2** Designação, nome **3** *Rel.* Cada uma das igrejas, seitas etc. de uma religião [Pl.: *-ções*.] [F.: Do lat. *denominatio, onis*.]

denominador (de.no.mi.na.*dor*) [ô] *a.* **1** Que denomina ou designa; que dá nome a (coisa ou pessoa) *sm.* **2** Aquele ou aquilo que denomina **3** *Mat.* Numa fração, o termo que fica abaixo do traço e que indica em quantas partes está dividida uma quantidade [F.: Do lat. *denominator, oris*.] ∷ **~ comum** **1** *Mat.* Em um conjunto de frações ordinárias, um múltiplo de todos os denominadores do conjunto **2** *Fig.* Em um grupo de pessoas, opinião, atitude, característica etc. comum a todas, em meio a outras em que há divergência **3** *Fig.* Aspecto comum a dois ou mais seres

denominal (de.no.mi.*nal*) *a2g. Gram.* Diz-se de vocábulo derivado de um nome (substantivo ou adjetivo) (p.ex.: *sambar* de *samba*; *doideira* de *doido*; *realeza* de *real*; *caricatural* de *caricatura*) [Pl.: *-nais*.] [F.: *de-* + *nominal*. Hom./Par.: *denominais* (pl.), *denominais* (fl. de *denominar*).]

denominar (de.no.mi.*nar*) *v.* **1** Atribuir um nome a (pessoa, coisa, ser, etc.); dar nome; NOMEAR; DESIGNAR [*td.*: *Os botânicos denominam as espécies vegetais.*] **2** Dar qualificativo, título ou alcunha a (alguém ou si mesmo) [*tdp.*: *Aquele louco denomina-se imperador*: "A maioria, porém, é daquela espécie que a pitoresca gíria do povo denomina 'ilustres desconhecidos'." (Manuel Bandeira, *Prosa esparsa*)] **3** Receber o nome de [*tdp.*: *Em 1994 a moeda passou a denominar-se "real".*] [▶ 1 denomi**nar**] [F.: Do v.lat. *denominare*.]

denominativo (de.no.mi.na.*ti*.vo) *a.* **1** Que serve para denominar ou nomear **2** *Gram.* Diz-se de verbo que deriva de um nome: *'Massagear' é um verbo denominativo.* [F.: Do lat. *denominativus, a, um*.]

denotação (de.no.ta.*ção*) *sf.* **1** Ação ou resultado de denotar **2** *Ling.* Significado básico e objetivo de uma palavra, um signo, um símbolo etc., sem derivações, sentidos figurados etc. [Opõe-se a conotação.] **3** *Ling.* Relação significativa objetiva existente entre símbolo, sinal, ícone, forma sonora etc. e o conceito que eles representam [Pl.: *-ções*.] [F.: *denotatio, onis*.]

denotador *a.* **1** Que denota ou indica: *gesto denotador de nervosismo.* *sm.* **2** O que denota ou indica [F.: De *denotar* + *-dor*.]

denotar (de.no.*tar*) *v. td.* **1** Evidenciar, deixar ver por certos sinais ou indícios; INDICAR; MOSTRAR; MANIFESTAR: *Seus olhos denotam alegria.* **2** Representar (ideia etc.) como símbolo ou como signo; SIMBOLIZAR; SIGNIFICAR: *A pomba branca denota paz.* **3** Reparar em; OBSERVAR; NOTAR: *Somente os padrinhos denotaram a apreensão dos noivos.* [▶ 1 deno**tar**] [F.: Do v.lat. *denotare*.]

⊕ **denotata** (*Lat./denotáta/*) *sfpl. Ling.* O conjunto das entradas que perfazem um dicionário [F.: Pl. do lat.cien. *denotatum,i*, neutro substv. do lat. *denotatus,a,um*.]

denotativo (de.no.ta.*ti*.vo) *a.* **1** Ref. a ou que encerra denotação **2** Que denota; DENOTADOR [F.: *denotar* + *-tivo*.]

◎ **-dens(i)-** *el. comp.* Ver *densi-*

◎ **densi-** *el. comp.* = 'denso'; '(em) densidade': *densifoliado, densímetro; lactodensimetria* [F.: Do lat. *densus, a, um*.]

densidade (den.si.*da*.de) *sf.* **1** Qualidade do que é denso, compacto: *A densidade do alumínio é menor que a do ferro; a densidade da floresta.* **2** *Fig.* Força, profundidade, intensidade (emocional, intelectual etc.): *um romance de pouca densidade.* **3** Grau de concentração de pessoas num determinado espaço: *baixa densidade demográfica.* [F.: Do lat. *densitas, atis*.] ∷ **~ absoluta** *Fís.* Em um corpo, a massa que corresponde a uma unidade de volume **~ de carga** *Elet.* Em um corpo, a relação entre sua carga elétrica e seu volume, ou superfície **~ de fluxo** *Fís.* Na ocorrência de fluxo por um duto, o fluxo por unidade de área da seção transversal desse duto **~ de fluxo elétrico** *Eng. Elet.* Vetor que se obtém multiplicando o vetor de intensidade de um campo elétrico pela permissividade do meio em que se manifesta **~ de fluxo magnético** *Fís.* A densidade de fluxo de um campo magnético expressa como um vetor; indução magnética **~ de fluxo radiante** *Fís.* A quantidade de energia radiante (como a da luz solar) emitida por unidade de tempo e incidente sobre uma unidade de área [Ger. W/m^2 (watts por metro quadrado).] **~ demográfica** *Geog.* Número médio de habitantes, por unidade de área, numa região ou país [Ger., o número de habitantes por quilômetro quadrado.] **~ ecológica** *Ecol.* A quantidade de indivíduos (ou de biomassa) que tem condição de sobrevivência na unidade de área ou de volume de seu ambiente **~ óptica** *Fís.* Logaritmo decimal do inverso da transmitância **~ relativa** *Fís.* Relação entre a massa específica (massa por unidade de volume) de um corpo e a de outro, tomada como referência

densificar (den.si.fi.*car*) *v.* **1** Tornar(-se) denso ou mais denso; adensar(-se) [*td.*: *A queda de temperatura densificou o nevoeiro.*] [*int.*: *A névoa densificou-se pela manhã.*] **2** *Dem.* Fazer aumentar ou sofrer aumento quantitativo [*td.*: *A miséria densificou as favelas.*] [*int.*: *Infelizmente, no país, os miseráveis densificam-se.*] **3** *Tec.* Aumentar ou sofrer o aumento da densidade (da madeira) pela pressão exercida sobre sua superfície [*td.*] [*int.*] [▶ 11 densifi**car**] [F.: *densi-* + *-ificar*.]

densifoliado (den.si.fo.li.*a*.do) *a. Bot.* Diz-se de vegetal com inúmeras folhas, todas muito próximas [F.: *densi-* + *foliado*.]

densimetria (den.si.me.*tri*.a) *sf.* **1** O processo e a técnica de medir a densidade relativa de fluidos e de sólidos **2** O procedimento dessa medida [F.: *densi-* + *-metria*¹.]

densímetro (den.*sí*.me.tro) *sm. Fís.* Instrumento destinado a medir a densidade de líquidos [F.: *densi-* + *-metro*.]

◎ **-densit(o)-** *el. comp.* Ver *densit(o)-*

◎ **densit(o)-** *el. comp.* = 'densidade'; 'densidade óptica, absorvância': *densitômetro, densitometria; osteodensitometria* [F.: Do lat. *densit(as, atis)* + *-o-*.]

densitometria (den.si.to.me.*tri*.a) *sf. Ópt.* Medida da densidade óptica [F.: Do ing. *densitometry*.] ∷ **~ óssea** *Rlog.* Exame realizado para medir a densidade mineral óssea e dimensionar o risco de fratura

densitômetro (den.si.*tô*.me.tro) *sm. Ópt.* Instrumento destinado a medir a densidade óptica [F.: Do ing. *densitometer* ou de *densit(o)-* + *-metro*.]

denso (*den*.so) *a.* **1** Que tem muita massa em relação ao volume: *O mercúrio é um líquido muito denso.* **2** Grosso, espesso: "O cabelo, denso e castanho, prendia-se-lhe no toutiço por um laço..." (Aluísio Azevedo, *Casa de pensão*) **3** Que é ou está compacto, cerrado (bosque/nevoeiro denso) **4** Que tem conteúdo intenso, profundo: *um livro pequeno, mas denso.* **5** *Fig.* Escuro, carregado: *um quadro de cores densas.* [F.: Do lat. *densus, a, um*. Ant. nas acps. 1, 2 e 3: *rarefeito*.]

dentada (den.*ta*.da) *sf.* **1** Ação de morder, de cortar ou ferir com os dentes; MORDIDA; MORDEDURA **2** Marca ou ferimento resultante dessa ação; MORDIDA **3** *Fig.* Dito mordaz, incisivo **4** *Fig. Pop.* Pedido de dinheiro *Fig. Pop.*; FACADA [F.: Fem. substv. de *dentado* ou de *dentar* + *-ada*¹.]

dentado¹ (den.*ta*.do) *a.* **1** Que tem dentes; DENTEADO [Ant.: *desdentado*.] **2** *Bot.* Diz-se de folha que tem a margem recortada em forma de dentes; DENTEADO [F.: Do lat. *dentatus, a, um*.]

dentado² (den.*ta*.do) *a.* **1** Que foi mordido ou cortado com os dentes **2** Recortado em dentes (roda/faca dentada); DENTEADO [F.: Part. de *dentar*.]

dentadura (den.ta.*du*.ra) *sf.* **1** Conjunto dos dentes naturais de homem ou animal; DENTIÇÃO **2** *Od.* Prótese anatômica, constituída de dentes artificiais e estrutura de material plástico, us. por quem perdeu os dentes naturais **3** O conjunto dos dentes de certas peças e instrumentos [F.: *dentar* + *-dura*.]

dental (den.*tal*) *a2g.* **1** Ref. ou pertencente aos dentes (problema dental); DENTÁRIO **2** Que se usa para limpar os dentes (escova/fio dental) **3** *Fon. Ling.* Em cuja articulação a língua toca nos dentes frontais superiores (diz-se de consoante): *As consoantes /t/ e /d/ são oclusivas dentais.* [Pl.: *-tais*.] *sf.* **4** *Fon. Ling.* Qualquer dessas consoantes [Pl.: *-tais*.] *sm.* **5** Dente de arado [Pl.: *-tais*.] [F.: Do lat. *dentalis, e*. Hom./Par.: *dentais* (pl.), *dentais* (fl. de *dentar*).]

dentaliídeo (den.ta.li.*í*.de:o) *sm.* **1** *Zool.* Espécime dos dentaliídeos, família de moluscos escafópodes, cujo tipo é o dentálio *a.* **2** Dos ou ref. aos dentaliídeos [F.: Do lat. cient. *Dentaliidae*.]

dentálio (den.*tá*.li:o) *sm. Zool.* Gênero de moluscos marinhos, da fam. dos dentaliídeos, de concha tubular, ligeiramente encurvada, aberta nas duas extremidades [F.: Do lat. cient. *Dentalium*.]

dentar (den.*tar*) *v.* **1** Fazer dentes ou pontas em; DENTEAR [*td.*: *O serralheiro dentava a lâmina de aço.*] **2** Morder [*td.*: *Um gatinho dentava delicadamente sua mãe.*] **3** Começar a ter dentes [*int.*: *Este bebê dentou muito cedo.* Ant.: *desdentar*.] [▶ 1 den**tar**] [F.: *dente* + *-ar*². Hom./Par.: *dentaria* (fl.), *dentária* (fem. de *dentário*).]

dentária (den.*tá*.ri:a) *sf. Bot.* Gênero de ervas da fam. das crucíferas, da Eurásia e da costa oriental da América do Norte, cujo nome deve-se aos rizomas denteados [F.: Do lat. cient. *Dentaria*. Hom./Par.: *dentária* (sf.), *dentária* (fem. de *dentário*), *dentaria* (fl. de *dentar*).]

dentário (den.*tá*.rio) *a.* **1** Ref. aos ou próprio dos dentes (tratamento dentário); DENTAL **2** Diz-se do lugar em que o dentista exerce sua profissão (consultório dentário) [F.: Do lat. *dentarius, a, um*. Hom./Par.: *dentária* (fem.), *dentaria* (fl. de *dentar*).]

◎ **-dente** *el. comp.* Ver *dent(i)-*

dente (*den*.te) *sm.* **1** *Anat.* Cada uma das estruturas ósseas incrustadas lado a lado na gengiva e que servem para morder e mastigar [Col.: *dentadura, dentição*.] **2** Qualquer objeto semelhante a um dente (1) (dente de alho) **3** Cada uma das saliências pontudas de certos objetos ou instrumentos: *os dentes de um serrote.* **4** *Bot.* Recorte na borda de certos órgãos vegetais **5** *Cons.* Tijolo proeminente deixado na extremidade de uma parede e que serve de amarração a outra parede; DENTILHÃO [F.: Do lat. *dens, entis*. Ideia de 'dente': *dent(i)-* (*dentifrício*); *odont(o)-* (*odontologia*).] ∷ **Armado até os ~s** Com muitas armas **Bater os ~s** Tremer (de frio, de medo etc.) **Com unhas e ~s** Com aguerrimento, com denodo **~ apontado** Dente que foi limado, ou que sofreu outro tipo de desgaste, até ficar pontudo, triangular **~ canino** *Od.* Cada dente de cada par de dentes pontudos, um par superior outro inferior, que fica, em cada lado, entre o incisivo lateral e o pré-molar [Tb. apenas *canino*.] **~ carniceiro** *Zool.* Dente característico de animais carnívoros, de coroa grande, pontuda e afiada, que perfura e estraçalha a carne da presa **~ de coelho** **1** Coisa estranha, mistério: *Isso não está mal explicado, nessa história tem dente de coelho.* **2** Dificuldade, impedimento difícil de remover: *Não vou cumprir a tarefa a tempo, só deu dente de coelho.* **3** Artimanha, armadilha oculta: *Este negócio parece bom demais, aí tem dente de coelho.* [Cf.: *dente de coelho*.] **~ de leite** *Od.* Cada um dos 20 dentes dentes provisórios da primeira dentição [Cf.: *dente de leite*.] **~ de siso** *Od.* Cada um dos quatro terceiros e últimos molares, que nascem ger. entre os 17 e os 21 anos de idade; dente do juízo [Tb. apenas *siso*.] **~ do juízo** *Bras.* Ver *Dente de siso* **~ incisivo** *Od.* Cada um dos quatro dentes centrais em cada maxilar, sendo dois centrais e um lateral de cada lado; são chatos e cortantes [Tb. apenas *incisivo*.] **~ molar** *Od.* Cada um dos seis dentes de formato mais ou menos cúbico, seis em cada maxilar (três de cada lado), que servem para triturar os alimentos [Tb. apenas *molar*.] **~ permanente** Cada um dos 32 dentes definitivos, da chamada segunda dentição **~ por ~** Com revide igual (em intensidade, meios, objetivos etc.) à ofensa **~ pré-molar** *Anat.* Cada um dos quatro dentes em cada maxilar (dois de cada lado da boca) que ficam, dois a dois, entre os caninos e os molares [Tb. apenas *pré-molar*.] **~ queiro** *N.E.* Ver *Dente de siso* **~ queixeiro** *Bras.* Ver *Dente de siso* **~s viliformes** *Zool.* Dentes pequenos e muito juntos, como em certos peixes **~ vomeriano** *Zool.* Dente incrustado na base do vômer, como em certos peixes **Falar entre os ~s** Resmungar, rosnar **Mostrar os ~s** Demonstrar agressividade

É com os dentes do homem, na mastigação, que começa a preparação dos alimentos para deles se extraírem os elementos necessários ao crescimento e à preservação do corpo e para a obtenção de energia que o corpo consome ao viver. Daí sua importância, e a necessidade de bem cuidar deles. A higiene bucal e uma alimentação rica em cálcio favorecem o fortalecimento dos dentes, esp. na infância e na adolescência. Na primeira dentição (os chamados 'dentes de leite') há vinte dentes temporários em cada arcada. A dentição definitiva tem 16 dentes em cada arcada, e só se completa entre os 17 e 21 anos, com o aparecimento dos últimos molares, chamados 'dentes de siso'.

denteação (den.te:a.*ção*) *sf.* Ação ou resultado de dentear [Pl.: *-ções.*] [F.: *dentear* + *-ção.*]

denteado[1] (den.te.*a*.do) ***a.*** **1** Que tem dentes **2** *Bot.* O mesmo que *dentado*[1] (2) [F.: *dente* + *-ado*[1].]

denteado[2] (den.te.*a*.do) ***a.*** Recortado ou feito em forma de dente [F.: Part. de *dentear.*]

dentear (den.te.*ar*) *v. td.* Criar dentes ou pontas em; DENTAR [▶ 13 dentear] [F.: *dente* + *-ear*[2].]

dente de coelho (den.te de co:*e*.lho) [ê] *sm. Tip.* Defeito de composição gráfica que consiste no espacejamento exagerado ou desigual entre palavras [Pl.: *dentes de coelho.*]

dente-de-leão (den.te-de-le:*ão*) *sm. Bot.* Planta (*Taraxacum officinale*) da fam. das compostas, muito us. na medicina popular; TARAXACO [Pl.: *dentes-de-leão.*]

dente de leite (den.te de*lei*.te) *sm. Fut.* Criança de sete a 12 anos que joga futebol como aprendiz, por uma agremiação esportiva [Pl.: *dentes de leite.*]

dente-seco (den.te-*se*.co) [ê] *RS Pop.* ***a.*** **1** Que é muito valente; VALENTÃO [Pl.: *dentes-secos.*] ***sm.*** **2** Aquele que é muito valente; VALENTÃO [Pl.: *dentes-secos.*]

◎ **-dent(i)-** *el. comp.* Ver *dent(i)-*

◎ **dent(i)-** *el. comp.* = 'dente': *dentado*[1] (< lat.), *dentário* (< lat.), *dentículo* (< lat.), *dentiforme, dentifrício* (< lat.), *dentina* (< ing.); *edentia; tridente* (< lat.) [F.: Do lat. *dens, dentis.*]

dentição (den.ti.*ção*) *sf.* **1** Conjunto dos dentes naturais de homem ou animal; DENTADURA **2** *Anat.* Formação, crescimento e erupção natural dos dentes (primeira dentição) [Pl.: *-ções.*] [F.: Do lat. *dentitio, onis.*] ▪ **Primeira ~** *Od.* Aquela dos 20 dentes provisórios, decíduos, os assim chamados dentes de leite **Segunda ~** *Od.* Aquela dos 32 dentes permanentes, que incluem os 4 dentes de siso **Terceira ~** *Pop. Irôn.* Dentadura postiça

denticulado[1] (den.ti.cu.*la*.do) ***a.*** Que se denticulou; guarnecido de entalhes ou proeminências em forma de dentes [F.: Part. de *denticular.*]

denticulado[2] (den.ti.cu.*la*.do) ***a.*** *Bot.* Que tem pequenos recortes na margem (diz-se de folha) [F.: *dentículo* + *-ado*[1].]

denticular[1] (den.ti.cu.*lar*) *a2g.* **1** Ref. a dentículo(s), a pequeno(s) dente(s) **2** Que tem a forma de ou que é formado de dentículos [F.: *dentículo* + *-ar*[1].]

denticular[2] (den.ti.cu.*lar*) *v. td.* **1** Dar forma de dentículo a **2** Fazer entalhes na forma de dentículos em (ornamento, material etc.) [▶ 1 denticular] [F.: *dentículo* + *-ar*[2].]

dentículo (den.*tí*.cu.lo) *sm.* **1** Pequeno dente **2** *Bot.* Recorte fino na orla de certas folhas **3** *Arq.* Ornato em forma de dente nas cornijas jônicas e coríntias [F.: Do lat. *denticulus, i.* Hom./Par.: *dentículo* (sm.), *denticulo* (fl. de *denticular*).]

dentiforme (den.ti.*for*.me) *a2g.* Em forma de dente [F.: *dent(i)-* + *-forme.*]

dentifrício (den.ti.*frí*.ci.o) ***a.*** **1** Que se usa para fazer a limpeza dos dentes (diz-se de produto, pasta etc.) ***sm.*** **2** Esse creme ou essa pasta [F.: Do lat. *dentifricium, ii.* Tb.: *(Lus.) dentífrico.*]

dentífrico (den.*tí*.fri.co) ***a.sm.*** *Lus.* Ver *dentifrício* [F.: Alter. de *dentifrício*, posv.]

dentina (den.*ti*.na) *sf.* **1** *Histl.* Tecido alvacento rico em cálcio que cobre a polpa dentária **2** *Od.* Camada calcificada dos dentes [É a mais interna e tb. é rica em sais de cálcio.] [F.: Do ing. *dentine.*]

dentinário (den.ti.*ná*.ri:o) ***a.*** Da ou ref. à dentina [F.: *dentina* + *-ário.*]

dentista (den.*tis*.ta) *s2g.* Profissional que trata dos dentes; ODONTOLOGISTA [F.: Do fr. *dentiste.*]

dentre (*den*.tre) ***prep.*** Contr. da prep. *de* com a prep. *entre* (indicando inclusão, associação, exceção, seleção etc.); do meio de: *Um dentre nós deveria retornar a casa*: "Era de jaspe também a pulseira, (...) que surgia dos folhos da manga, como uma magnólia dentre frocos de neve." (José de Alencar, *Sonhos d'ouro*) [F.: *d(e)* + *entre.*]

dentro (*den*.tro) ***adv.*** No interior; INTERIORMENTE: *Aqui dentro é mais confortável.* [F.: Do lat. *de* + *intro*. Ideia de 'dentro': *end(o)-* (*endoscopia*); *ent(o)-* (*entozoário*).] ▪ **~ de 1** No interior de: *Ficou dentro de casa a tarde toda.* **2** *P.ext.* No íntimo de: *Dentro do meu coração o seu nome guardarei.* **3** No decorrer de (tempo): *O avião aterrissará dentro de poucos minutos.* **~ em** Ver *Dentro de* (2 e 3): *Tem esse sentimento gravado bem dentro em sua alma; Chegará dentro em pouco (tempo).* **Estar por ~** *Pop.* Estar bem informado, sabendo das coisas: *Não precisa explicar-lhe, ele está por dentro (da situação).* [Opõe-se a *estar por fora.*] **Por ~** *Gír.* O que é oficial, documentado [Opõe-se a *por fora*, que não é oficial, não tem registro etc.]

dentuça (den.*tu*.ça) *sf. Fam.* Arcada dentária com os dentes da frente muito grandes e/ou salientes [F.: Fem. substv. de *dentuço* ou de *dente* + *-uça.*]

dentuço (den.*tu*.ço) *Bras.* ***a.*** **1** Que tem dentes sobressaídos; que tem dentuça ***sm.*** **2** Indivíduo que tem dentuça [F.: *dente* + *-uço.*]

denudação (de.nu.da.*ção*) *sf.* Ação ou resultado de denudar(-se); DESNUDAMENTO [Pl.: *-ções.*] [F.: *denudar* + *-ção.*]

denudar (de.nu.*dar*) *v. td.* O mesmo que *desnudar* [▶ 1 denudar] [F.: Do lat. *denudare*. Hom./Par.: *denodar* (vários tempos do v.).]

denúncia (de.*nún*.ci:a) *sf.* **1** Ação ou resultado de denunciar; DENUNCIAÇÃO **2** *Jur.* Acusação verdadeira ou falsa que se faz a alguém por falta ou crime cometido; DENUNCIAÇÃO **3** *Jur.* Peça que inaugura ação penal, feita pelo Ministério Público; DENUNCIAÇÃO **4** Declaração a respeito de algo que se mantinha em segredo **5** Comunicação do término de um acordo, pacto, tratado etc. **6** Sinal, indício de algo que se encontra velado, encoberto ou sobre o qual nada se sabe: *Sua amargura é uma denúncia dos dias difíceis que viveu.* [F.: Dev. de *denunciar*. Hom./Par.: *denúncia* (sf.), *denuncia* (fl. *denunciar*).] ▪ **~ cheia** *Jur.* Solicitação de rescisão de contrato de locação feita pelo locador, com base em infração do locatário **~ vazia** *Jur.* Rescisão de contrato de locação por parte do locador sem necessidade de justificativa ou alegação de infração do locatário

denunciação (de.nun.ci:a.*ção*) *sf.* **1** O mesmo que *denúncia* (1 a 3) **2** *Jur.* O mesmo que *notificação (2).* **3** Edital de casamento feito pelo registro civil; proclamas de casamento [Pl.: *-ções.*] [F.: Do lat. *denuntiatio, onis.*]

denunciado (de.nun.ci.*a*.do) *sm.* **1** Aquele que foi objeto de denúncia (citação do denunciado) **2** *Jur.* Indivíduo chamado por réu ou autor a intervir em relação processual; LITISDENUNCIADO ***a.*** **3** Que foi objeto de denúncia [F.: Do lat. *denuntiatus, a, um.*]

denunciador (de.nun.ci:a.*dor*) [ô] ***a.*** **1** Que denuncia, que revela algo ***sm.*** **2** Aquele que denuncia [F.: Do lat. *denuntiator, oris.* Sin. ger.: *denunciante.*]

denunciante (de.nun.ci.*an*.te) *a2g.* **1** Que faz denúncia; que revela fatos antes desconhecidos *s2g.* **2** Aquele que denuncia [F.: Do lat. *denuntians, antis.* Sin. ger.: *denunciador.*]

denunciar (de.nun.ci.*ar*) *v.* **1** Fazer denúncia de; ACUSAR; DELATAR [*td.*: *O jornalista denunciou o crime e os criminosos.*] [*tdi.* + *a*: *A funcionária denunciará a irregularidade à justiça; Os delinquentes denunciaram-se à polícia.*] **2** Mostrar, revelar, dar a perceber (algo oculto, ou seus próprios segredos); EVIDENCIAR [*td.*: *O seu comportamento denuncia o seu caráter*; "...um ovo choco que mal denuncia na casca a podridão interior." (Aluísio Azevedo, *O mulato*)] [*tdi.* + *a*: *Seu silêncio denunciou a todos sua timidez.*] **3** Tornar conhecido, tornar público; REVELAR [*td.*: *A carta denunciava o desejo de voltar.*] **4** Revelar-se involuntariamente; TRAIR-SE [*td.*: *O infeliz denunciava-se a cada desculpa.*] **5** *Jur.* Oferecer denúncia em ação criminal **6** *Jur.* Comunicar fim de (acordo, contrato) [▶ 1 denunciar] [F.: Do v.lat. *denuntiare*. Hom./Par.: *denuncia* (fl.), *denúncia* (sf.).]

denunciativo (de.nun.ci.a.*ti*.vo) ***a.*** Que denuncia; que revela fato, segredo antes encoberto ou desconhecido; DENUNCIADOR; DENUNCIANTE [F.: Do lat. *denuntiativus, a, um.*]

denunciatório (de.nun.ci:a.*tó*.ri:o) ***a.*** Que envolve, implica ou em que há denúncia (aspecto denunciatório; discurso denunciatório) [F.: *denunciar* + *-tório.*]

denuncismo (de.nun.*cis*.mo) *sm. Pej.* Publicação nos meios de comunicação de pretensos fatos ou ocorrências não apurados com o rigor da ética jornalística e que, ao provocarem escândalo e sensacionalismo, ger. visam a atingir a reputação de um indivíduo, de um grupo ou mesmo dos poderes constituídos: "Uma onda de denuncismo tomou conta da imprensa brasileira nos últimos anos. Em nome do direito à informação, acusações são feitas... atingindo reputações, colocando em dúvida o desempenho profissional... dos denunciados." (Sindicato dos Jornalistas Profissionais de S. Paulo, SP, 13.6.1997, *Vítimas do denuncismo*) [F.: *denúncia* + *-ismo*. Ideia de: *nunci-*.]

denuncista (de.nun.*cis*.ta) ***a.*** Que está sempre a fazer denúncias: "As estratégias dos que estão ao sabor da onda denuncista não são convergentes, mas caudatárias, o que significa que não há controle do que vem sendo divulgado e torna o cenário imprevisível" (*Correio Braziliense*, 05.07.2005) [F.: *denúncia* + *-ista.*]

⊕ **deo gratias** (*Lat.* /deo gratias/) ***loc.interj.*** **1** *Litu.* Expressão latina que significa 'graças a Deus', proferida na missa e em outros atos litúrgicos do catolicismo: "*Deo gratias!* respondia o sacristão respirando alto, com o alívio da obrigação finda." (Eça de Queirós, *O crime do padre Amaro*) **2** Expressão de alívio ou de contentamento dita por quem terminou um trabalho cansativo ou fastidioso

deolepsia (de:o.lep.*si*:a) *sf. Psiq.* Estado patológico em que o paciente acredita estar possuído por um deus [F.: Do lat. *deo* + *-leps (i)-* + *-ia*[1].]

deoléptico (de:o.*lép*.ti.co) ***a.*** **1** Ref. à deolepsia **2** Que apresenta deolepsia ***sm.*** **3** Indivíduo deoléptico [F.: *deolepsia* + *-ico*[2].]

deôntico (de:*ôn*.ti.co) ***a.*** Ref. à deontologia, o mesmo que *deontológico* [F.: Do gr. *déontos* + *-ico.*]

deontologia (de:on.to.lo.*gi*.a) *sf.* **1** *Fil.* Teoria do filósofo inglês Jeremy Bentham (1748-1832) que propõe como eticamente correto seguir a tendência humana de buscar o prazer e fugir da dor **2** *P.ext.* Conjunto de normas e procedimentos próprios de uma determinada categoria profissional que, seguido pelos seus membros, serve para garantir a harmonia de trabalho e a ação do grupo: "Os juízes recém-empossados pelo Tribunal de Justiça passaram um mês se preparando num curso de deontologia para enfrentar o batente" (*Correio Braziliense*, 04.01.2005) [F.: Do ing. *deontology* < gr. *déontos*, 'dever, obrigação', + *-logia.*]

deontológico (de:on.to.*ló*.gi.co) ***a.*** Ref. à deontologia (código deontológico) [F.: *deontologia* + *-ico.*]

deoxipiridinolina (de:o.xi.pi.ri.di.no.*li*.na) [cs] *sf. Med.* Um dos produtos de ligações covalentes entre resíduos de lisina e hidroxilisina que propiciam a estabilização da molécula de colágeno da matriz óssea [A deoxipiridinolina é um dos marcadores bioquímicos de reabsorção óssea e pode ser mensurada na urina (na sua forma livre ou ligada a peptídeos).] [F.: *de-* + *-ox(i)-* + *piridinolina.*]

deparador (de.pa.ra.*dor*) [ô] ***a.*** **1** Que depara; que encontra algo ou alguém de maneira repentina ***sm.*** **2** Aquele que encontra algo ou alguém de repente: "...ela murmurava o responsório, que terminou implorando a Santo Antônio, deparador do perdido àqueles que recorriam à sua intercessão junto do Trono do Altíssimo, fizesse a graça de indicar o ladrão por quem estava padecendo um inocente..." (Domingos Olímpio, *Luzia Homem*) [F.: *deparar* + *-dor.*]

deparar (de.pa.*rar*) *v.* **1** Encontrar, dar inesperadamente com; DEFRONTAR-SE; TOPAR [*td.*: *Caminhando pela rua, deparou o amigo.*] [*tr.* + *com*: *Ao nos virarmos, deparamos com o belo crepúsculo; O chefe deparou(-se) com um grande problema.*] **2** Aparecer ou suceder de repente [*td.*: *A quem se deparará sorte igual à dele?*] [*ti.* + *a*: "...encaram com olhos agudos todas as situações que se lhes deparam." (Cecília Meireles, *Rui*)] [▶ 1 deparar] [F.: Do v.lat. *deparare.*]

departamental (de.par.ta.men.*tal*) *a2g.* Ref. ou pertencente a um departamento [Pl.: *-ais.*] [F.: *departamento* + *-al.*]

departamento (de.par.ta.*men*.to) *sm.* **1** Seção ou setor administrativo de empresa, indústria, repartição pública, estabelecimento comercial etc. **2** Nas universidades ou institutos, cada uma das divisões que agrupa disciplinas de um determinado saber: *departamento de língua portuguesa, departamento de letras clássicas.* [F.: Do fr. *département.*] ▪ **Não ser do meu/seu/dele ~** *Bras. Pop.* Não ser da alçada de alguém; não ser da sua competência ou responsabilidade **Ser um outro departamento** *Bras. Pop.* Usa-se, de modo expressivo, para refutar algo ou para indicar a diferença entre duas coisas ou dois fatos, negando, assim, implicação ou consequência entre uma coisa e outra ou um fato e outro: *Ela aceitou a sair com ele, daqui a pouco vão reatar o namoro, disse a Maria / Ah! Isso aí já é um outro departamento! – respondeu Ana.*

depauperação (de.pau.pe.ra.*ção*) *sf.* O mesmo que *depauperamento*: "Tem sido rápida e extremamente visível a concentração de renda nos últimos anos na Argentina devido à tremenda depauperação do país desde o final da década de 1990." (*Valor Econômico*, 07.04.2005.) [Pl.: *-ções.*] [F.: *depauperar* + *-ção.*]

depauperado (de.pau.pe.*ra*.do) ***a.*** **1** Que ficou pobre, que sofreu privação de recursos financeiros: "...o leilão de empresas públicas forneceu um quinhão de vitaminas que reforçaram o caixa depauperado da União..." (*O Estado de S.Paulo*, 09.06.2005) [Ant.: *rico.*] **2** Enfraquecido ou esgotado física ou moralmente; ABATIDO; FRACO [Ant.: *forte, revigorado.*] [F.: Part. de *depauperar.*]

depauperamento (de.pau.pe.ra.*men*.to) *sm.* **1** Ação ou resultado de depauperar(-se) **2** Empobrecimento provocado por privação de recursos financeiros **3** Enfraquecimento ou esgotamento físico: "...os incêndios espontaneamente acesos pelas ventanias atritando rijamente os galhos secos e estonados sobre o depauperamento geral da vida..." (Euclides da Cunha, *Os sertões*) [F.: *depauperar* + *-mento*. Sin. ger.: *depauperação.*]

depauperante (de.pau.pe.*ran*.te) *a2g.* **1** Que causa ruína econômica: "Burocracia desesperadora e carga tributária exploradora e depauperante são filhas diletas de opção centralizadora..." (*Jornal do Brasil*, 13.09.2004) **2** Que causa fraqueza ou esgotamento físico (doença depauperante) [F.: *depauperar* + *-nte.*]

depauperar (de.pau.pe.*rar*) *v.* **1** Privar de recursos; causar ruína econômica a; EMPOBRECER [*td.*: *Maus negócios o depauperaram.* Ant.: *enriquecer.*] **2** Causar fraqueza ou esgotamento físico a (outrem ou si mesmo); DEBILITAR; EXAURIR; EXTENUAR [*td.*: *O trabalho duro nos depaupera.* Ant.: *fortalecer, revigorar.*] [▶ 1 depauperar] [F.: Do v.lat. medv. *depauperare.*]

depenado (de.pe.*na*.do) ***a.*** **1** Que ficou sem suas penas, que as perdeu (ave depenada); DESEMPLUMADO [Ant.: *emplumado.*] **2** *Gír.* Que ficou sem dinheiro, ger. por causa de jogo ou de apostas, ou ainda por excesso de boa-fé (cliente depenado); DEFRAUDADO; ESPOLIADO **3** *Bras. Gír.* Diz-se de veículo que teve muitas de suas peças retiradas após ter sido roubado [F.: Part. de *depenar.*]

depenagem (de.pe.*na*.gem) *sf.* **1** Ação ou resultado de depenar **2** *Avic.* Processo, manual ou mecânico, que arranca as penas de ave(s) abatida(s) **3** *Avic.* O setor do abatedouro de aves no qual se realiza esse processo [Pl.: *-gens.*] [F.: *depenar* + *-agem*[1].]

depenar (de.pe.*nar*) *v.* **1** Arrancar ou perder as penas [*td.*: *Sua tarefa era depenar as aves abatidas.*] [*int.*: *depenar-se um passarinho no período da muda.*] **2** *Fig. Pop.* Tirar, tomar ou extorquir de (alguém) o dinheiro ou os bens; PILHAR; ROUBAR [*td.*: *O escroque depenou o velho.*] **3** *Fig. Pop.* Arrancar ou furtar peças de (veículo abandonado ou roubado) [*td.*: *Os ladrões depenaram o carro.*] **4** Arrancar pelos ou cabelos [*td.*: *Somente aos 17 anos depenou a barba.*] [▶ 1 depenar] [F.: *de-* + *pena*[1] + *-ar*[2].]

dependência (de.pen.*dên*.ci:a) *sf.* **1** Estado em que uma pessoa depende de alguém ou de algo para sobreviver ou ter êxito [Ant.: *independência.*] **2** Condição de quem vive em sujeição, em submissão: *Vive numa enorme dependência da namorada.* [Ant.: *independência*] **3** Condição de quem não consegue se livrar ou se curar de algum vício **4** Cada um dos cômodos de uma casa [Mais us. no pl.] **5** Edificação ou construção anexa a uma casa [Mais us. no pl.] **6** Parte acessória ou complementar de algo **7** Relação, ligação entre coisas afins: *dependência entre os estudos da física e da matemática*; "De modo que há, entre as duas palavras e os dois fatos, uma dependência rigorosa." (Cecília Meireles, "Diário de Notícias", *in Obra em prosa*) **8** *Pat.* Incapacidade de uma pessoa tomar decisões sozinha, dependendo de outrem para fazê-lo **9** Situação em que um aluno passa de ano, mas é obrigado a cursar a matéria em que foi reprovado [F.: *depender* + *-ência*.] ■ ~ **estatística** *Est.* Relação entre duas ou mais variáveis aleatórias quando uma delas afeta a probabilidade de ocorrência da outra; dependência estocástica ~ **estocástica** *Estat.* Ver *Dependência estatística* ~ **física** *Farm. Psiq.* Condição decorrente do uso continuado de certas drogas ou medicamentos, caracterizada por aparecimento de marcadas alterações orgânicas quando esse uso é interrompido [Cf.: *Dependência psicológica*. Tb. apenas *dependência*.] ~ **funcional** *Mat.* Dependência entre duas ou mais funções ligadas por uma identidade ~ **linear** *Mat.* Propriedade de conjunto de vetores de um espaço vetorial quando sua combinação linear pode ser nula mesmo que um ou mais dos coeficientes não seja nulo ~ **psíquica** *Farm. Psiq.* Condição caracterizada por consumo compulsivo e continuado de medicamentos ou drogas para aliviar ou evitar as sensações de mal-estar decorrentes de estados depressivos, de ansiedade etc. [Cf.: *Dependência física*. Tb. apenas *dependência*.] ~ **química** Termo usado para dependência de substâncias químicas us. em medicamentos

dependente (de.pen.*den*.te) ***a2g.*** **1** Que depende, que demonstra dependência [Ant.: *independente*.] **2** Que tem grande dificuldade de se livrar de alguma prática, esp. do uso de drogas **3** *Jur.* Que não tem condições financeiras para se sustentar e por isso depende de outra(s) pessoa(s) **4** *Ling.* Que é inferior, na categoria gramatical, a outro termo e a ele está subordinado ***s2g.*** **5** Pessoa dependente (de outrem, de drogas etc.) **6** *Jur.* Filho(a) quando menor de idade e sob guarda dos pais: *Um casal com três dependentes.* **7** Aluno que passa à série seguinte, mas com a pendência de cursar a matéria em que foi reprovado [F.: Do lat. *dependens, entis*.]

depender (de.pen.*der*) ***v. tr.*** **1** Estar necessitado de sustento, proteção, ajuda etc.: *Para cursar a faculdade, depende dos pais.* **2** Estar sujeito a (certas condições, circunstâncias, fatos ou a certas coisas de que faça uso ou de que tenha necessidade, precisão [neste caso ger. sem alternativa ou opção]): *Grande parte da população depende do transporte coletivo.* **3** Ter como causa necessária; resultar de; DERIVAR; DECORRER: *A boa colheita depende das chuvas.* **4** Estar na dependência de resolução, decisão (de autoridade): *A abertura da rua depende do prefeito.* **5** Ser parte de; estar ligado; PERTENCER: *Os prédios anexos dependem do museu.* [▶ 2 depender] [F.: Do v.lat. *dependere*. Ant. ger.: *independer*.]

dependura (de.pen.*du*.ra) ***sf.*** **1** Ação ou resultado de dependurar(-se); DEPENDURAMENTO; PENDURA **2** Conjunto de objetos dependurados (dependura de uvas); PENDURA **3** *P.ext.* Execução de pena capital em uma estrutura na qual se pendura uma corda de forma própria para estrangulamento; ENFORCAMENTO: "Persistem denúncias de tortura e maustratos como forma de punição ou obtenção de informação. Os métodos mais frequentes são o espancamento e a dependura..." (*Folha de S.Paulo*, 18.08.1994) **4** *Fig. Pop.* Falta de dinheiro, miséria ***s2g.*** **5** *Lus. Fig.* Quem é improdutivo e vive às custas de outrem [F.: Dev. de *dependurar*. Hom./Par.: *dependura* (fl. de *dependurar*).] ■ **À** ~ Ver *Na dependura* **Na** ~ **1** Em situação financeira precária; na miséria **2** Em situação de perigo ou de risco **Estar por uma** ~ *S.* Estar na dependura

dependurado (de.pen.du.*ra*.do) ***a.*** **1** Que se dependurou; PENDIDO; PENDURADO; SUSPENSO **2** Que foi enforcado **3** *Bras. Fig.* Lânguido, dengoso, derretido (olhos dependurados) ***sm.*** **4** Aquele que foi enforcado **5** *GO* Encosta quase sem vegetação [F.: Part. de *dependurar*.]

dependurar (de.pen.du.*rar*) ***v. td. tda.*** Pendurar: *A arrumadeira dependurou a roupa (no cabide).* [Ant.: *despendurar*.] [▶ 1 dependurar] [F.: *de-* + *pendurar*.]

depenicar (de.pe.ni.*car*) ***v.*** **1** Arrancar aos poucos as penas ou os pelos de [***td.***: *A cozinheira depenicava um pato.*] **2** Comer ou tirar (esp. comida) aos pouquinhos; DEBICAR; BELISCAR [***td.*** / ***tr.***: *O menino depenicava (em) um prato de biscoitos.*] [***int.***: *Passou o dia na casa do sogro a depenicar.*] [▶ 11 depenicar] [F.: *de-* + *pena*[1] + *-icar*.]

deperecer (de.pe.re.*cer*) ***v. int.*** Perecer, morrer pouco a pouco, ou debilitar-se progressivamente: *A doença o fez deperecer.* [▶ 33 deperecer] [F.: *de-* + *perecer*.]

de permeio (de per.*mei*:o) ***loc.adv.*** **1** Entre um e outro (coisa ou pessoa): "Fazia-me pensar nas duas casas de Mata-cavalos, com o seu muro de permeio." (Machado de Assis, *Dom Casmurro*) **2** Junto ou misturado com (elementos diferentes), ou no meio de (outro grupo); DE MISTURA: *mala cheia de camisas com umas cuecas de permeio.* **3** Durante certo período de tempo (em que também acontecem outros fatos ou ações); nesse ínterim; ENTREMENTES; DE MISTURA: *Estudou muito e, de permeio, lanchou.* [F.: *de* + *permeio* (dev. de *permear*).]

⊕ **de per si** (*Lat. /de per si/*) **1** Cada um por sua vez; INDIVIDUALMENTE **2** Isoladamente; separadamente em relação aos demais ou ao contexto: *Analise cada fato de per si.* **3** Intrinsecamente; considerado em si mesmo: *Uma ação mal-intencionada, mas que de per si não constitui crime.*

depilação (de.pi.la.*ção*) ***sf.*** Ação ou resultado de depilar(-se), de arrancar ou fazer cair os pelos (próprios ou de outrem) [Pl.: *-ções*.] [F.: *depilar* + *-ção*.]

depilado (de.pi.*la*.do) ***a.*** Que se depilou; a que se retiraram os pelos (perna depilada) [F.: Do lat. *depilatus,a,um*.]

depilador (de.pi.la.*dor*) ***a.*** **1** Que é us. para depilar, para retirar pelos ***sm.*** **2** Aquele que trabalha fazendo depilação **3** Aparelho de depilação **4** Substância us. em depilação [F.: Do lat. *depilator, oris*.]

depilar (de.pi.*lar*) ***v.*** **1** Remover (com aparelho, substância etc.) pelos de [***td.***: *depilar as pernas; Disse que ela saiu para depilar uma freguesa.*] **2** *P.ext.* Ter o corpo ou parte dele depilados por alguém (esp. profissional) [***tr.*** + *com*: *Costuma depilar-se com uma amiga esteticista.*] [▶ 1 depilar] [F.: Do v.lat. *depilare*.]

depilatório (de.pi.la.*tó*.ri:o) ***a.*** **1** Que depila ou serve para depilar; DEPILADOR ***sm.*** **2** Aquilo que se usa para depilar **3** Substância us. para depilar, para fazer cair os cabelos ou os pelos [F.: Do fr. *dépilatoir*.]

depleção (de.ple.*ção*) ***sf.*** **1** *Pat.* Redução ou perda de qualquer substância armazenada em um órgão ou organismo **2** *Pat.* Estado de exaustão ou debilitação provocado por excessiva perda de elementos fundamentais do organismo **3** *Ecol.* Esgotamento pela extração contínua de um recurso natural (depleção do petróleo) **4** *Ecol.* Redução do volume ou da espessura de algo: *A depleção de oxigênio de um rio; A depleção da camada de ozônio.* **5** Uso ou consumo de um produto de forma mais rápida que a sua reposição: "...um desastroso processo de desativação de embarcações, fechamento de indústrias de processamento de pescado e depleção dos estoques" (*O Estado de S.Paulo*, 14.01.2005) [Pl.: *-ções*.] [F.: Do lat. tardio *depletio, onis*.]

deploração (de.plo.ra.*ção*) ***sf.*** **1** Ação ou resultado de deplorar(-se); LAMENTO **2** Expressão verbal com que se deplora, manifestação de lástima, sofrimento ou de desagrado [Pl.: *-ções*.] [F.: Do lat. *deploratio, onis*.]

deplorar (de.plo.*rar*) ***v. td.*** **1** Sentir desagrado ou revolta com; REPROVAR: *Deploro seu comportamento egoísta!* **2** Sentir grande tristeza ou pesar por; LAMENTAR: *Todos deploraram a morte do amigo*; "Quem nunca se deixou transportar por um quadro ou desenho, mostrando santos ardendo em fogueira, (...) experiência a que hoje deploro não assistir (...)" (João Ubaldo Ribeiro, *Diário do farol*) [▶ 1 deplorar] [F.: Do v.lat. *deplorare*. Hom./Par.: *deploráveis* (fl.), *deploráveis* (pl. de *deplorável* [a2g.]).]

deplorável (de.plo.*rá*.vel) ***a2g.*** **1** Que pode ou deve ser deplorado **2** Que causa pesar, consternação: "(...) que isto não passe de uma confusão deplorável com o nome do fundador da família." (Machado de Assis, *O dicionário in: Novas Seletas*) **3** Que provoca repúdio, aversão (sujeito deplorável); ABOMINÁVEL; EXECRÁVEL [Pl.: *-veis*.] [F.: Do lat. *deplorabilis, e*. Hom./Par.: *deploráveis* (pl.), *deploráveis* (fl. de *deplorar* [v.]).]

depoente (de.po.*en*.te) ***a2g.*** **1** *Jur.* Que depõe em juízo, ger. como testemunha **2** *Gram.* Diz-se de verbo, frase etc. cuja forma é passiva, mas possui sentido ativo [Era um homem lido (que fez muitas leituras, que leu muito). A forma lido tem forma passiva, mas sentido ativo.] ***s2g.*** **3** *Jur.* Aquele ou aquela que depõe em juízo, ger. como testemunha **4** *Gram.* Verbo, frase etc. cuja forma é passiva, mas possui sentido ativo [F.: Do lat. *depoens, entis*.]

depoimento (de.po.i.*men*.to) ***sm.*** **1** Ação ou resultado de depor ***sm.*** **2** Declaração pública a respeito de alguma coisa **3** *Jur.* Testemunho que se dá em juízo [F.: Do port. arc. *depoer* (*e* > *i*), Do v.lat. *deponere*, + *-mento*.]

depois (de.*pois*) ***adv.*** **1** Em um momento que vem em seguida: *Depois de formada, fará uma longa viagem de férias.* [Ant.: *antes*.] **2** Atrás, detrás: *O cinema que procura fica depois daquela praça.* [Ant.: *diante*.] **3** Além disso, ademais: *Nada falaria sobre seu romance e, depois, isso não vinha ao caso.* [F.: De or. contrv., posv. do lat. *depost*.] ■ ~ **de** **1** Em momento posterior a, em seguida a: *Saiu para uma volta depois de comer; Chegarei depois das quatro horas.* **2** Em posição (física, hierárquica, de mérito etc.) posterior ou inferior à de: *Você está depois de mim nesta fila; Depois do diretor, o responsável é o gerente do setor; Depois de Pelé, acho que Garrincha foi o melhor jogador daquela Copa.* ~ **que** Desde o tempo em que, ou a partir do momento em que: *Depois que ele saiu, fez-se silêncio.*

depor (de.*por*) [ô] ***v.*** **1** Prestar declarações em investigação oficial; TESTEMUNHAR [***int.***: *Foi intimado a depor no dia seguinte.*] **2** Destituir de cargo, função, posto [***td.***: *Uma conspiração depôs o presidente.*] **3** Renunciar a, desistir de (cargo, autoridade etc.) [***td.***] **4** Fornecer indícios (favoráveis ou desfavoráveis) sobre [***tr.*** + *contra, a favor de*: *Sua história depõe contra você e a favor da moça.*] **5** Colocar (algo) à parte, de lado [***td.***: *Depôs a arma e passou a conversar civilizadamente.*] **6** Colocar, pôr (algo) (em algum lugar) [***tda.***: *Depôs o punhal sobre a mesa e passou a lutar com as mãos.*] **7** Depositar (esperança, expectativa) em [***tdr.*** + *em*: *Depôs todas as suas esperanças no primogênito.*] **8** Acumular(-se), depositar(-se) (ger. no fundo de lugar ou recipiente) [***ta.***: *O pó de café depôs-se no fundo da panela.*] **9** Dizer, expressar [***td.***: *Esse fato depõe o contrário do que foi dito até agora.*] [▶ **60 depor** Part.: *deposto*.] [F.: Do v.lat. *deponere*. Hom./Par.: *depôs* (fl.), *depôs* (prep.).]

deportação (de.por.ta.*ção*) ***sf.*** **1** Ação ou resultado de deportar, de retirar (alguém) de um país, uma região, grupo social etc. **2** *Jur.* Pena de banimento definitivo imposta pelo Estado a cidadão estrangeiro que tenha infringido as leis do país em que se encontra [Pl.: *-ções*.] [F.: Do lat. *deportatio, onis*.]

deportado (de.por.*ta*.do) ***a.*** **1** Que sofreu processo de deportação; que foi banido, exilado (de um país, de uma sociedade etc.) ***sm.*** **2** Indivíduo que foi banido, exilado [F.: Do lat. *deportatus, a, um*.]

deportar (de.por.*tar*) ***v. td.*** Expulsar do país; DESTERRAR; EXPATRIAR: *Decidiram deportar o terrorista.* [Ant.: *repatriar*] [▶ 1 deportar] [F.: Do v.lat. *deportare*.]

deposição (de.po.si.*ção*) ***sf.*** **1** Ação ou resultado de depor, de retirar alguém ou algo do local de origem **2** Exoneração ou demissão de alguém de um cargo ou função **3** Ação de renunciar voluntariamente a um cargo, função etc. **4** Ato de fazer uma declaração, um depoimento **5** Movimento de descida; DESCENSÃO: *deposição da Cruz.* [Ant.: *ascensão*.] [Pl.: *-ções*.] [F.: Do lat. *depositio, onis*.] ■ ~ **da cruz** **1** *Rel.* Celebração religiosa do episódio bíblico em que Jesus, morto na cruz, dela é despregado e baixado **2** *Art.pl.* A representação, em obra de arte, desse episódio ~ **eletrolítica** *Fís.-quím.* Durante eletrólise, formação de uma camada num eletrodo

deposicional (de.po.si.ci:o.*nal*) ***a2g.*** Ref. à deposição [Pl.: *-nais*.] [F.: *deposição* (f. *deposicion* -) + *-al*.]

depositado (de.po.si.*ta*.do) ***a.*** **1** Que se depositou **2** Colocado sob a guarda de uma instituição ou de uma pessoa; GUARDADO; RECOLHIDO: *O dinheiro depositado sumiu.* **3** Que foi confiado a alguém: *segredos depositados em ouvidos não confiáveis.* **4** Diz-se do que se acumula no fundo de uma solução líquida: *Os minerais depositados no fundo do recipiente foram reaproveitados.* [F.: Part. de *depositar*.]

depositante (de.po.si.*tan*.te) ***a2g.*** **1** Que deposita ou que tem algo em depósito ***s2g.*** **2** Aquele ou aquela que deposita ou que tem algo em depósito: "Uma corrida bancária é um fenômeno em que cada depositante tenta sacar seus depósitos antes dos demais..." (*Folha de S.Paulo*, 21.12.2004) [F.: *depositar* + *-nte*.]

depositar (de.po.si.*tar*) ***v.*** **1** Pôr, colocar em [***tda.***: *Deposite seu voto na urna*: "...voltou o magro e diligente funcionário para depositar na mesa com tampo de vidro uma maçaroca deles." (Marques Rebelo, *Contos reunidos*)] **2** Colocar (dinheiro, cheque, objeto de valor) em (local seguro) [***td.***: *A firma depositou o pagamento.*] [***tda.***: *A firma depositou o pagamento no banco.*] **3** Transmitir ou comunicar (algo) em confiança [***tdr.***: *Depositou a herança nas mãos da viúva.*] **4** Projetar (esperança, fé etc.) em [***tdr.***: *Depositava esperança no futuro.*] **5** Acumular (substância) no fundo de [***tda.***: *As correntes depositam sedimentos no canal.*] [▶ 1 depositar] [F.: *depósito* + *-ar*[2]. Hom./Par.: *depositaria* (fl.), *depositária* (fem. de *depositário*); *deposito* (fl.), *depósito* (sm.).]

depositário (de.po.si.*tá*.ri:o) ***sm.*** **1** Indivíduo que recebe algo em depósito **2** Indivíduo a quem se confia um segredo, uma revelação íntima etc. [F.: Do lat. *depositarius, i*. Hom./Par.: *depositária* (f.), *depositaria* (fl. *depositar*).] ■ ~ **infiel** *Jur.* Aquele a quem é confiado algo em depósito, ou para guarda, e que se recusa a devolvê-lo quando legalmente solicitado

depósito (de.*pó*.si.to) ***sm.*** **1** Ação ou resultado de depositar(-se) **2** Aquilo que se deposita ou guarda (dinheiro, gêneros comestíveis etc.) **3** *P.ext.* Local em que se deposita ou guarda alguma coisa, como um armazém, um celeiro, um reservatório etc. **4** Dinheiro que se deposita em um banco **5** Conjunto de substâncias que se depositam ou concentram no fundo de um líquido **6** *Bibl.* Espaço de uma biblioteca em que se guarda o acervo principal **7** *Geol.* Concentração natural de material de natureza rochosa (depósito de jazidas minerais) [F.: Do lat. *depositum, i*. Hom./Par.: *depósito* (sm.), *deposito* (fl. *depositar*).] ■ ~ **abissal** *Geol.* Depósito marinho a mais de 1.000m de profundidade ~ **alóctone** *Geol.* Depósito de materiais originários de áreas diferentes daquela do depósito ~ **aluvial/aluviano** *Geol.* Depósito formado por aluviões ~ **anagênico** *Geol.* Depósito de rochas detríticas ou clásticas, feito de fragmentos de vários tamanhos ~ **a prazo** *Econ.* Depósito bancário que o depositante só poderá retirar depois de determinado prazo ~ **autóctone** *Geol.* Depósito no qual o material depositado sofreu alterações no próprio lugar ~ **à vista** *Econ.* Depósito bancário que o depositante poderá retirar a qualquer momento ~ **bancário** *Econ.* Quantia (de dinheiro) depositada em banco comercial [Tb. apenas *depósito*.] ~ **de mar profundo** *Geol.* Ver *Depósito marinho* ~ **eólico** *Geol.* Depósito formado por material trazido pelo vento ~ **legal** *Jur.* Entrega, estipulada em lei, pelos editores de um país à sua biblioteca nacional, de exemplares de cada livro publicado ~ **litorâneo** *Geol.* Ver *Depósito marinho* ~ **marinho** *Geol.* Depósito de sedimentos no fundo do mar, junto ao litoral (depósito litorâneo) ou em maiores profundidades (depósito de mar profundo) [Cf.: *Depósito terrígeno*.] ~ **paleogêneo** *Geol.* Termo genérico que se aplica aos primeiros depósitos do terciário ~ **pelágico** Depósito de material orgânico nos oceanos e mares a grande profundidade ~ **terrígeno** Depósito de material oriundo de terra na plataforma continental (seixos, cascalhos, areia, lodo etc.) [Cf.: *Depósito marinho*.]

depositório (de.po.si.*tó*.ri:o) ***a.*** **1** Próprio para depositar, armazenar, reservar algo ***sm.*** **2** Local próprio para colocar e reservar certas coisas, mesmo que *depósito* [F.: *depósito* + *-ório*.]

deposto (de.*pos*.to) [ô] ***a.*** **1** Que se depôs ou sofreu deposição **2** Destituído de cargo, posto ou função: "Intenção é conseguir declaração póstuma da condição de anistiado político para o presidente deposto João Goulart" (*Folha de S.Paulo*, 30.09.2004) [F.: Do lat. *depositus, a, um*.]

depravação (de.pra.va.*ção*) ***sf.*** **1** Ação ou resultado de depravar(-se) **2** Degeneração de caráter mórbido; perturbação da saúde **3** Degeneração moral, perversão, corrupção, libertinagem (depravação dos costumes) [Pl.: *-ções*.] [F.: Do lat. *depravatio, onis*.]

depravado (de.pra.*va*.do) ***a.*** **1** Que se depravou **2** Moralmente degenerado; CORRUPTO **3** Perverso, malvado: "A insolente calúnia depravada / Ergueu-se contra mim, vibrou da língua" (Tomás Antônio Gonzaga, *Marília de Dirceu*) **4** Que revela desregramento em seus atos, modos ou pensamentos; LICENCIOSO: "...concebia semelhanças depravadas entre mucamas, garranas e novilhas..." (Xavier Marques, *As voltas da estrada*) ***sm.*** **5** Indivíduo licencioso; DEGENERADO; SIBARITA [F.: Part. de *depravar*.]

depravar (de.pra.*var*) ***v. td.*** **1** Prejudicar, estragar: *O álcool deprava a saúde.* [Ant.: *beneficiar, regenerar*.] **2** Tornar(-se) moralmente inferior; DEGENERAR; PERVERTER: *A inveja deprava as relações humanas.* [Ant.: *regenerar*.] **3** Alterar com fraude; ADULTERAR; FALSIFICAR: *Depravaram as certidões.* **4**

Fig. Provocar a decadência de (algo ou alguém ou de si mesmo) [▶ 1 depravar] [F.: Do v.lat. *depravare.*]
deprê (de.*prê*) *Bras. Pop. Psiq.* ***a.*** **1** O mesmo que *depressivo*: "Copos, mesas de bar, lágrimas e solidão compunham o cenário deprê do estilo" (*Folha de S.Paulo*, 08.08.1996) ***sf.*** **2** O mesmo que *depressão*: "Vendo a minha terra assim em guerra, o meu país... não dá, não dá pra ser feliz. / E bate uma revolta, e bate uma deprê" (Gabriel o Pensador e Lenine, "Brasa") [F.: F. red. de *depressivo* ou de *depressão*.]
deprecação (de.pre.ca.*ção*) ***sf.*** **1** Ação ou resultado de deprecar **2** Pedido feito com insistência e humildade; ROGATIVA; SÚPLICA **3** Súplica para obter o perdão de uma culpa **4** *Jur.* Documento pelo qual um juiz pede a outro que lhe cumpra algum mandado ou ordene alguma diligência. Tb. *deprecada* [Pl.: *-ções.*] [F.: Do lat. *deprecatio, onis.*]
deprecar (de.pre.*car*) ***v.*** **1** Pedir de forma submissa e persistente; IMPLORAR; SUPLICAR [***tdi.*** *+ a*: *Arrependido, o assaltante vai deprecar perdão à vítima.*] [***int.***: *Chorava e deprecava, desesperado.*] **2** *Jur.* Fazer (um juiz) um pedido (a outro), por meio de documento específico [***int.***: *O juiz decidiu deprecar.*] [▶ 11 deprecar] [F.: Do v.lat. *deprecare* (por *deprecari*).]
deprecativo (de.pre.ca.*ti*.vo) ***a.*** Ref. a ou em que há deprecação, súplica; DEPRECATÓRIO; SUPLICANTE [F.: lat. *deprecativus, a, um.*]
deprecatório (de.pre.ca.*tó*.ri:o) ***a.*** Em que há deprecação, mesmo que *deprecativo* [F.: Do lat. *deprecatorius, a, um.*]
depreciação (de.pre.ci:a.*ção*) ***sf.*** **1** Ação ou resultado de depreciar **2** Diminuição de preço ou valor **3** *Fig.* Desprezo, desvalorização de alguém ou algo; DESDÉM [Pl.: *-ções.*] [F.: *depreciar + -ção.* Ant. ger.: *apreciação, valorização.*]
depreciado (de.pre.ci:*a*.do) ***a.*** Que sofreu depreciação: "...o produtor administra queda da cotação e dólar depreciado, situação que fará o País exportar o mesmo volume de 2004 (19 milhões de toneladas), mas com uma receita menor" (*Gazeta Mercantil*, 04.07.2005) [F.: Part. de *depreciar.*]
depreciador (de.pre.ci:a.*dor*) [ô] ***a.*** **1** Que deprecia ***sm.*** **2** Aquele que deprecia [F.: Do lat. *depretiator, oris.*]
depreciar (de.pre.ci.*ar*) ***v.*** ***td.*** **1** Diminuir ou desdenhar os méritos de (algo, alguém ou si próprio); MENOSPREZAR; MENOSCABAR: *Não é correto depreciar os concorrentes.* [Ant.: *engrandecer.*] **2** Reduzir preço ou valor de; DESVALORIZAR: *A estabilidade econômica depreciou os importados.* [▶ 1 depreciar] [F.: Do v.lat. *depretiare*. Hom./Par.: *depreciáveis* (fl.), *depreciáveis* (pl. de *depreciável* [a2g.]). Ant. ger.: *valorizar.*]
depreciativo (de.pre.ci.a.*ti*.vo) ***a.*** Que demonstra ou revela depreciação; que rebaixa ou desvaloriza [Ant.: *apreciativo.*] [F.: *depreciar + -tivo.*]
depreciável (de.pre.ci:*á*.vel) ***a2g.*** Que pode ser depreciado: *Com a introdução de novos modelos, os carros antigos tornam-se extremamente depreciáveis.* [Pl.: *-veis.*] [F.: *depreciar + -vel.*]
depredação (de.pre.da.*ção*) ***sf.*** **1** Ação ou resultado de depredar **2** Ato de caráter destrutivo **3** Ação ilegal de privar alguém de seus bens (depredação de um patrimônio); ROUBO [Pl.: *-ções.*] [F.: Do lat. *depraedatio, onis.*]
depredado (de.pre.*da*.do) ***a.*** Que sofreu depredação, que foi destruído e/ou saqueado: "Há jazigos depredados, cruzes arrancadas, invólucros de alimentos, garrafas vazias de plástico e até mesmo sepulturas violadas" (*Correio Braziliense*, 08.02.2006) [F.: Do lat. *depraedatus, a, um.*]
depredador (de.pre.da.*dor*) [ô] ***a.*** **1** Que depreda ***sm.*** **2** Aquele que comete depredações [F.: Do lat. *depraedator, oris.*]
depredar (de.pre.*dar*) ***v.*** ***td.*** **1** Causar a destruição de: *Os detentos depredaram a prisão.* **2** Apossar-se de bens alheios; praticar roubo, furto de: *O advogado depredou a herança do cliente.* [▶ 1 depredar] [F.: Do v.lat. *depraedare.*]
depredatório (de.pre.da.*tó*.ri:o) ***a.*** Em que há depredação; DEPREDATIVO: "Efetuavam as suas explorações depredatórias no mal vigiado terreno da Casa Mourisca" (Júlio Dinis, *Os fidalgos da casa mourisca*) [F.: *depredar + -tório.*]
depreender (de.pre.en.*der*) ***v.*** **1** Concluir por inferência; DEDUZIR; INFERIR [***td.*** / ***tdr.***: *Depreendi (de sua carta) que José voltará ao Rio.*] **2** Atingir a compreensão de (algo difícil); COMPREENDER; ENTENDER [***td.***: *Depreenderam que nada mais havia a fazer.*] [▶ 2 depreender] [F.: Do v.lat. *deprehendere.*]
depreendido (de.pre.en.*di*.do) ***a.*** Que se depreendeu, compreendido, terminado [F.: Part. de *depreender.*]
depreensão (de.pre.en.*são*) ***sf.*** **1** Ação ou resultado de depreender **2** Assimilação ou compreensão mental; APREENSÃO **3** Conclusão por inferência; DEDUÇÃO [Pl.: *-sões.*] [F.: Do lat. *deprehensio, onis.*]
depressa (de.*pres*.sa) ***adv.*** Em pouco tempo; sem demora; RÁPIDO [Ant.: *devagar*] [F.: *De + pressa.*]
depressão (de.pres.*são*) ***sf.*** **1** Ação ou resultado de deprimir(-se) **2** *Psiq.* Estado patológico, de natureza orgânica e psicológica, que envolve abatimento, desânimo, inércia e, às vezes, ansiedade **3** *P.ext.* Condição de abatimento moral ou de ânimo; DESÂNIMO; LETARGIA; PROSTRAÇÃO [Ant.: *ânimo, excitação.*] **4** Concavidade pouco profunda; DESNÍVEL: *A roda quebrou em uma depressão na estrada.* [Ant.: *elevação.*] **5** *Econ.* Período de baixa atividade econômica com desemprego generalizado; RECESSÃO [Ant.: *desenvolvimento, progresso.*] **6** *Geog.* Terreno ou região em nível mais baixo do que aqueles que os rodeiam **7** *Med.* Diminuição em atividade fisiológica; DEBILITAÇÃO; ENFRAQUECIMENTO [Ant.: *fortalecimento.*] [Pl.: *sões.*] [F.: Do lat. *depressio,onis.*] ■ **~ bipolar** *Psiq.* Aquela em que se alternam estados maníaco e depressivo **~ endógena** *Psiq.* Depressão não causada por estresse ou por alterações orgânicas no encéfalo **~ pós-parto** *Ginec. Psi.* Reação psicológica da mulher após a tensão do (ger. primeiro) parto, com estados de melancolia, instabilidade emocional etc.
depressibilidade (de.pres.si.bi.li.*da*.de) ***sf.*** Qualidade ou estado de depressível [F.: *depressível + -idade*, seg. o mod. erudito.]
depressível (de.pres.*sí*.vel) ***a2g.*** Que pode ser deprimido (edema depressível) [Pl.: *-veis.*] [F.: *depressar + -ível.*]
depressivo (de.pres.*si*.vo) ***a.*** **1** Que se encontra em estado de depressão, de abatimento, de desânimo; DEPRIMIDO **2** Que provoca depressão; DEPRIMENTE **3** Que revela estado de depressão **4** *Psic.* Diz-se de indivíduo que apresenta tendência à ou que sofre de depressão ***sm.*** **5** *Psic.* Esse indivíduo [F.: *depresso + -ivo.*]
depressor (de.pres.*sor*) [ô] ***a.*** **1** Que provoca depressão, abatimento **2** *Med.* Diz-se de substância que diminui uma atividade fisiológica ***sm.*** **3** Aquele ou aquilo que provoca depressão **4** *Med.* Substância depressora [F.: *depresso + -or.*]
deprimente (de.pri.*men*.te) ***a2g.*** **1** Que deprime; que provoca depressão, abatimento; DEPRESSIVO; DEPRESSOR **2** *P.ext.* Diz-se do que é lamentável, do que inspira tristeza, abatimento [F.: Do lat. *deprimens, entis.*]
deprimido (de.pri.*mi*.do) ***a.*** **1** *Psic.* Que está com depressão ou sofre habitualmente de depressão; DEPRESSIVO **2** *Bot.* Diz-se de órgão vegetal cuja forma é comprimida ou achatada **3** *Zool.* De corpo achatado de cima para baixo ***sm.*** **4** *Psic.* Indivíduo que sofre de depressão; DEPRESSIVO [F.: Part. de *deprimir.*]
deprimir (de.pri.*mir*) ***v.*** **1** Abater(-se) moralmente; provocar ou sentir melancolia, desânimo ou grande tristeza; pôr ou entrar em depressão; ENTRISTECER [***td.***: *A má notícia deprimiu toda a família;* "...os morros escondidos naquela pasta de algodão acinzentada e úmida que deprimia os corações amantes do Sol." (Marques Rebelo, *Contos reunidos*)] [***int.***: *Preocupou-se ao ver que a filha estava deprimindo-se.*] [***tr.*** *+ com*: *Deprimiu-se com a doença.*] **2** Tirar o vigor; ENFRAQUECER; DEBILITAR [***td.***: *Os dias de vigília deprimiram a acompanhante.* Ant.: *reanimar.*] **3** Diminuir, enfraquecer [***td.***: *O desemprego deprime a esperança dos jovens.* Ant.: *aumentar.*] **4** Submeter a humilhação; AVILTAR; REBAIXAR [***td.***: *A arrogância do professor deprimia a estudante.* Ant.: *encorajar.*] [▶ 3 deprimir] [F.: Do v.lat. *deprimere*. Sin. ger.: *abater.*]
depuração (de.pu.ra.*ção*) ***sf.*** **1** Ação ou resultado de depurar(-se) **2** Processo que retira as impurezas de um corpo ou substância (depuração da água, depuração da celulose); PURIFICAÇÃO **3** *Fig.* Purificação de crimes ou faltas cometidas; EXPIAÇÃO **4** *Pol.* Série de demissões de cargos de responsabilidade após uma convulsão ou mudança política: "O que está em curso sob as aparências de rearrumação de pessoas e funções na cúpula é, a rigor, uma depuração de finalidade conservadora" (*Folha de S.Paulo*, 30.11.2004) **5** *Fig.* Ação de melhorar, aperfeiçoar, refinar uma habilidade, estilo, comportamento etc. **6** *Bras. Inf.* Eliminação de erros e falhas em um programa [Pl.: *-ções.*] [F.: *depurar + -ção.*]
depurado (de.pu.*ra*.do) ***a.*** Que se depurou ou purificou (ouro depurado); APURADO; LIMPO; PURIFICADO; SANEADO: *uma argumentação depurada das suas contradições.* [F.: Part. de *depurar*. Ideia de: *pur(i)-.*]
depurador (de.pu.ra.*dor*) [ô] ***a.*** **1** Que depura ***sm.*** **2** Aquilo que depura (depurador de ar) **3** *Pap.* No processo de fabricação de papel, aparelho que elimina aglomerados de fibras ou impurezas da celulose **4** *Bras. Inf.* Programa que ajuda a detectar, localizar e corrigir erros em outro(s) programa(s) [F.: *depurado + -or.*]
depuramento (de.pu.ra.*men*.to) ***sm.*** Ação ou resultado de depurar, o mesmo que *depuração*: "Tal depuramento realizado através do tempo [...] criou o cristal de arte que a catedral" (Antero de Figueiredo, *Espanha*) [F.: *depurar + -mento.*]
depurar (de.pu.*rar*) ***v.*** **1** Livrar de (impurezas, imperfeições etc.); tornar mais puro; LIMPAR [***td.***: *depurar a água; depurar o espírito.*] [***tdr.*** *+ de*: *Faltou depurar o poema dos erros de métrica.*] **2** *Fig.* Tornar(-se) apurado; APERFEIÇOAR [***td.***: *depurar o gosto musical.*] **3** *Bras. Inf.* Encontrar e corrigir falhas em (programa computacional) examinando o seu código [***td.***: *depurar um aplicativo.*] [▶ 1 depurar] [F.: Do v.lat. (tard.) *depurare.*]
depurativo (de.pu.ra.*ti*.vo) ***a.*** **1** Que depura; em que há ou que envolve depuração **2** *Farm.* Diz-se de medicamento ou de substância que depura o organismo de toxinas e resíduos inúteis, nocivos ***sm.*** **3** *Farm.* Esse medicamento ou substância [F.: *depurar + -tivo.*]
deputação (de.pu.ta.*ção*) ***sf.*** **1** Ação ou resultado de deputar **2** *Pol.* Delegação de poder ou de mandato **3** *Pol.* Ofício, atividade de deputado **4** *Pol.* Conjunto dos membros de uma assembleia deliberante ou câmara legislativa **5** Reunião de pessoas encarregadas de determinada missão ou tarefa [Pl.: *-ções.*] [F.: *deputar + -ção.*]
deputado (de.pu.*ta*.do) ***a.*** **1** Que recebe delegação de poderes para representar os interesses de outras(s) pessoa(s) em reuniões e decisões oficiais, esp. em assembleia **2** Que é legalmente eleito para a câmara legislativa, para a qual foi conduzido pelo voto do povo **3** Comissionado para tratar de interesses alheios ***sm.*** **4** Aquele que representa os interesses de outrem em reuniões e decisões oficiais **5** Aquele que é eleito para legislar e representar os interesses dos cidadãos **6** Aquele que é comissionado para tratar dos negócios alheios [F.: Part. de *deputar.*]
deputar (de.pu.*tar*) ***v.*** ***tdr.*** **1** Incumbir de (tarefa, missão); encarregar de: *O ministro deputou um delegado para a conferência.* [Ant.: *desincumbir.*] **2** Investir (alguém) de (poder); DELEGAR: *O presidente deputou no secretário poderes de decisão.* **3** Depositar (confiança, fé, crença etc.) em algo ou em alguém: *Deputamos nossa fé na sua boa vontade.* **4** Destinar (algo [esp. de valor]) para algo ou alguém: *Deputaram uma bela quantia para a instituição.* [▶ 1 deputar] [F.: Do v.lat. *deputare.*]
deque (*de*.que) ***sm.*** **1** *Mar.* O piso dos pavimentos de bordo de uma embarcação, de um navio **2** *Arq.* Espécie de patamar ou plataforma formada por um conjunto de tábuas ger. paralelas [F.: Do ingl. *deck.*]
⊕ **derby** (*Ing./dérbi/*) ***sm.*** **1** *Turfe* Competição anual de corrida de cavalos, esp. com animais de 3 anos de idade **2** *Fut.* Jogo de futebol entre times de uma mesma cidade
deriva (de.*ri*.va) ***sf.*** **1** *Aer. Mar.* Desvio de rota de embarcação ou avião em decorrência de correntes marítimas ou do vento **2** Medida de desvio que um instrumento ou aparelho passa a apresentar em relação a seu funcionamento normal **3** *Aer. Mar.* Instrumento que se instala em aeronaves e navios para impedir desvio de rota **4** Medida do desvio que ocorre entre a abertura de um paraquedas e sua chegada ao solo [F.: Do fr. *dérive*. Hom./Par.: *deriva* (fl. *derivar*).] ■ **À ~** Desgarrado, sem rumo **~ dos continentes** *Geof.* Ideia e teoria de que os continentes são blocos de rocha móveis que boiam sobre a camada subsequentemente inferior da crosta terrestre
derivação (de.ri.va.*ção*) ***sf.*** **1** Ação ou efeito de derivar(-se); DIGRESSÃO **2** Movimento que leva alguém ou algo a se desviar do caminho que seguia; AFASTAMENTO **3** Ato de desviar um curso de água; DESCAMINHO; REORIENTAÇÃO **4** *Ling.* Processo de multiplicação e reaproveitamento de um vocábulo pelo acréscimo de sufixos e prefixos (p.ex.: *pedreiro* e *pedraria* são derivações do substantivo *pedra*; e *conter* é uma derivação do verbo *ter*); FORMAÇÃO [Pl.: *-ções.*] [F.: Do lat. *derivatio, onis.*] ■ **~ imprópria** *Ling.* Processo em que uma palavra muda de classe gramatical (e, portanto, adquire significado e uso diferentes) sem mudar de forma [P.ex., *andar*, de verbo para substantivo: *Eu o reconheço pelo andar.*] **~ parassintética** *Ling.* Formação de palavra a partir de outra, ou de radical, mediante acréscimo de prefixo e sufixo [Ex., a partir de *noite*, *a noitecer.*] **~ prefixal** *Ling.* Formação de palavra a partir de outra, ou de radical, mediante acréscimo de prefixo [Ex.: *prezar, desprezar.*] **~ própria** *Ling.* Ver *Derivação sufixal.* **~ regressiva** *Ling.* Formação de palavra a partir de outra pela eliminação de (suposto) sufixo [Ex.: *amasso*, de *amassar.* Cf.: *deverbal.*] **~ sufixal** *E. Ling.* Formação de palavra a partir de outra, ou de radical, mediante acréscimo de sufixo [Ex.: *ferro, ferreiro, ferroso.*]
derivacional (de.ri.va.ci:o.*nal*) ***a2g.*** Ref. ou pertencente a derivação [Pl.: *-nais.*] [F.: *derivação + -al*, seg. o mod. erudito.]
derivada (de.ri.*va*.da) ***sf.*** *Mat.* Para uma função de uma variável, limite ao qual tende a relação do aumento dessa função ao aumento da variável, quando este tende a zero [F.: Fem. subst. de *derivado.*] ■ **~ à direita** *Mat.* Limite da relação de incremento de uma função quando o acréscimo da variável tende a zero pela direita **~ à esquerda** *Mat.* Limite da relação de incremento de uma função quando o acréscimo da variável tende a zero pela esquerda **~ logarítmica** *Mat.* Derivada do logaritmo da função **~ ordinária** *Mat.* Derivada de função com uma só variável **~ parcial** *Mat.* Derivada de função em relação a uma de suas diversas variáveis, quando as demais permanecem constantes **~ primeira** *Mat.* A que se obtém ao se derivar uma função uma única vez **~ total** *Mat.* Considerando uma função com diversas variáveis que são funções de uma única variável, a derivada dessa função em relação a esta variável única **~ de petróleo** Designação genérica de produtos obtidos a partir da refinação ou do craqueamento do petróleo, como gasolina, querosene, óleo diesel, óleo lubrificante etc.
derivado (de.ri.*va*.do) ***a.*** **1** Que tem origem em ou é proveniente de algo: *produtos derivados do petróleo.* **2** Que foi desviado do caminho normal: *ramal derivado da via principal.* **3** Que provém de situação ou circunstância anterior: *exaustão derivada da falta de sono.* **4** *Gram.* Diz-se de palavra que deriva de outra: *Jardineiro é um termo derivado de jardim.* ***sm.*** **5** Aquilo que provém de algo: *derivados da carne.* **6** *Quím.* Substância formada a partir de transformações de outra; DERIVATIVO: *Petrolíferas investem milhões em derivado do gás.* [F.: Part. de *derivar.*]
derivante (de.ri.*van*.te) ***a2g.*** **1** Que (se) deriva **2** Que anda à deriva, deslizando de acordo com as correntes: "Gaivotas adormeciam [...] e semelhavam (ao lume de água) ninfeias derivantes..." (Aquilino Ribeiro, *O homem que matou o diabo*) **3** *Ling.* Diz-se do elemento básico de uma derivação [Cf.: *derivado.*] ***s2g.*** **4** *Ling.* Palavra que forma outra, por derivação **5** *Hidr.* Peça metálica que divide uma linha de mangueira em outras de diâmetro igual ou inferior [F.: Do lat. *derivans, antis.*]
derivar (de.ri.*var*) ***v.*** **1** Fazer provir ou provir (de algo); ORIGINAR [***tr.*** *+ de*: *Todo ser vivo deriva de outros.*] [***tdr.*** *+ de*: "...uma parte da inflação (...) deriva do efeito do dólar falsificado." (*O Globo*, 31.05.2005)] **2** *Ling.* Formar-se (uma palavra) a partir de (outra) [***tr.*** *+ de*: *"Panelaço" deriva de "panela".*] **3** Ser descendente de; PROCEDER; DESCENDER [***tr.*** *+ de*: *A família do pároco deriva de linhagem nobre.*] **4** Alterar o rumo ou a direção (de algo); mudar de rumo, de direção [***td.*** / ***tda.***: *Os lavradores derivaram o córrego (para o meio da plantação).*] [***tr.*** *+ para*: *A conversa dos dois sempre deriva para música.*] [***int.***: *A embarcação derivou por causa do temporal.*] **5** *Ling.* Informar ou sugerir a origem de (palavra, expressão) [***tdr.*** *+ de*: *O dicionário deriva a palavra "doce" do latim.*] **6** *Náut.* Mover-se a esmo, sem rumo; ser levado por correntes [***int.***: *O bote derivou em alto-mar durante dias.*] **7** Correr (curso de água); FLUIR [***int.***: *O riacho deriva por todas as chácaras da redondeza.*] **8** Escoar-se (o tempo); TRANSCORRER [***int.***: *O ano derivou sem maiores incidentes.*] **9** *Mat.* Calcular a derivada de (função) [***td.***] [▶ 1 derivar] [F.: Do lat. *derivare.*]
derivativo (de.ri.va.*ti*.vo) ***a.*** **1** Ref. à derivação (modo derivativo) **2** Que deriva de outro **3** *Gram.* Que se refere a derivação de palavras (prefixo derivativo) ***sm.*** **4** *Bras.* Diversão ou ocupa-

ção para fazer esquecer preocupações, desgostos etc.: *O futebol para ele é um derivativo.* 5 *Quím.* O mesmo que *derivado* (6) 6 *Econ.* Operação ou instrumento financeiro cujo valor quando da data de sua liquidação deriva do valor de outros ativos [F.: Do lat. *derivativus, a, um.*]

derivável (de.ri.*vá*.vel) *a2g.* 1 Que se pode derivar 2 Que admite derivação [Pl.: *-veis.*] [F.: Do lat. *derivabilis,e.* Hom./ Par.: (pl.) *deriváveis, deriváveis* (fl. de *derivar*).]

◎ **-derma** *el. comp.* = 'camada (celular)'; 'tecido (celular)'; 'membrana'; 'revestimento externo': *blastoderma, ectoderma, endoderma, esoderma, exoderma, mesoderma, sarcoderma* [F.: Do gr. *dérma, atos,* 'pele'. Ver *-derme.* F. conexas: *dermat(o)-, derm(o)-* e *-dermia.*]

derma (*der*.ma) *sm. Histl.* Ver *derme*

◎ **derma-** *el. comp.* Ver *derm(o)-*

dermabrasão (der.ma.bra.*são*) *sf. Cir.* Procedimento cirúrgico em que, com um instrumento rotatório ou lixas d'água, as camadas superficiais da pele são retiradas ou lixadas, possibilitando a remoção ou suavização de cicatrizes, tatuagens etc. [Pl.: *-sões.*] [F.: *derm(o)-* + *abrasão,* posv. com infl. do ing. *dermabrasion.* Tb. *dermoabrasão.*]

dermatite (der.ma.*ti*.te) *sf. Med.* Qualquer tipo de inflamação da pele; DERMITE [F.: *dermat(o)-* + *-ite*[1].] ■ **~ exfoliativa** *Derm.* Doença de pele caracterizada por eritema, que pode ter diferentes aspectos, como descamação, coceira, queda de pelos etc. **~ herpetiforme** *Derm.* Doença de pele com caráter de herpes **~ seborreica** *Derm.* Tipo de dermatite que se apresenta como manchas em forma de escara que se descamam, principalmente no couro cabeludo

◎ **-dermat(o)-** *el. comp.* Ver *dermat(o)-*

◎ **dermat(o)-** *el. comp.* = 'pele': *dermatite, dermatografismo, dermatologia, dermatoma, dermatomiose, dermatomiosite, dermatoscópio.* [F.: Do gr. *dérma, atos.* F. alternativa, porém, menos canônica: *derm(o)-.* F. conexas: *-derma, -derme, -dermia* e *-dermo.*]

dermatografismo (der.ma.to.gra.*fis*.mo) *sm. Derm.* Reação alérgica que se manifesta por qualquer arranhadura leve na pele, provocando eritema e vergões no local friccionado [F.: *dermat(o)-* + *-graf(o)-* + *-ismo.*]

dermatologia (der.ma.to.lo.*gi*.a) *sf. Med.* Ramo da medicina que estuda e trata as doenças da pele e mucosas [F.: *dermat(o)-* + *-logia.*]

dermatológico (der.ma.to.*ló*.gi.co) *a.* 1 *Med.* Ref. ou pertencente à dermatologia (clínica dermatológica) 2 *Farm.* Diz-se de medicamento (loção, creme ou pomada) que se aplica sobre a pele, para tratá-la [F.: *dermatologia* + *-ico*[2].]

dermatologista (der.ma.to.lo.*gis*.ta) *Med. a2g.* 1 Diz-se de médico especialista em dermatologia *s2g.* 2 Esse especialista: *Consultou um dermatologista.* [F.: *dermatologia* + *-ista.*]

dermatoma (der.ma.*to*.ma) *sm. Pat.* Tumor cutâneo [F.: *dermat(o)-* + *-oma*[1].]

dermatomiose (der.ma.to.mi.*o*.se) *sf. Med.* Inflamação da pele e da camada muscular subjacente [F.: *dermat(o)-* + *-mi(o)-* + *-ose*[1].]

dermatomiosite (der.ma.to.mi:o.*si*.te) *sf. Med.* Doença sistêmica do tecido conjuntivo caracterizada por inflamação e degeneração dos músculos e *rash* cutâneo distinto [F.: *dermat(o)-* + *-mios-* + *-ite*[1].]

dermátomo (der.*má*.to.mo) *Med. sm.* 1 Segmento cutâneo inervado por fibras provenientes de uma única raiz nervosa 2 *Cir.* Instrumento cirúrgico us. para retirar lâminas de pele para a enxertia [F.: *derma-* + *-tomo.*]

dermatopatia (der.ma.to.pa.*ti*.a) *sf. Derm. Pat.* Denom. geral das doenças de pele; DERMATOSE [F.: *dermat(o)-* + *-patia.*]

dermatoscópio (der.ma.tos.*có*.pi:o) *sm. Derm.* Aparelho provido de lente capaz de aumentar 10 vezes a imagem e que, em contato com a pele, diminui a refração da luz para aumentar a precisão no diagnóstico de lesões pigmentadas da pele, possibilitando a detecção precoce do melanoma [F.: *dermat(o)-* + *-scópio.*]

dermatose (der.ma.*to*.se) *sf. Derm. Pat.* Qualquer doença de pele, esp. a sem inflamação [F.: *dermat(o)-* + *-ose*[1].]

◎ **-derme** *el. comp.* = 'pele'; 'camada (celular)'; 'tecido (celular)'; 'cuja pele tem dada característica (indicada pela base ou rad. nominal)': *blastoderme, ectoderme, endoderme, hipoderme, paquiderme* (< fr. < gr.), *periderme* [F.: Do gr. *dérma, atos,* através do lat. *-dermis, e,* ou do gr. *-dermís, ídos,* ou do gr. *-dermos, os, on.* F. conexas: *dermat(o)-, derm(o)-* e *-derma.*]

derme (*der*.me) *sf. Histl.* Camada de tecido conjuntivo situada sob a epiderme [F.: Der. regr. de *epiderme,* posv. Tb.: *derma.*]

◎ **-dermia** *el. comp.* = 'certa característica da pele'; 'coloração da pele'; 'anormalidade ou irregularidade da pele': *acromodermia, bromodermia, carotenodermia, crisodermia, eritordermia, esclerodermia, gerodermia, leucodermia, ocrodermia, paquidermia* (< gr.), *piodermia, xantodermia, xerodermia* [F.: Do gr. *-dermia,* as, do gr. *dérma, atos,* 'pele'. F. conexa: *dermat(o)-* e *derm(o)-.*]

dérmico (*dér*.mi.co) *a. Med.* Que diz respeito ou é inerente à derme [F.: *derma* + *-ico*[2].]

dermite (der.*mi*.te) *sf. Derm.* O mesmo que *dermatite* [F.: *derm(o)-* + *-ite*[1].]

◎ **-derm(o)-** *el. comp.* Ver *derm(o)-*

◎ **-dermo** *el. comp.* = 'cuja pele (ou couro) tem dada característica': *eritrodermo, escamodermo, gimnodermo, liodermo, malacodermo, osteodermo* [F.: Do gr. *-dermos, os, on* (como no gr. *pakhýdermos, os, on*), 'de pele espessa' do gr. *dérma, atos,* 'pele'. F. conexas: *dermat(o)-, derm(o)-, -derma, -derme* e *-dermia.*]

◎ **derm(o)-** *el. comp.* = 'pele': *dermabrasão, dermoabrasão, dermoide, dermopatia; dermátomo; adermogênese.* [F.: Do nom. do gr. *dérma, atos,* 'pele'. F. conexas: *dermat(o)-, -derma, -derme* e *-dermia.*]

dermoabrasão (der.mo:a.bra.*são*) *sf. Cir.* Ver *dermabrasão*

dermoepidérmico (der.moe.pi.*dér*.mi.co) *a. Histl.* Localizado entre a derme e a epiderme (enxerto dermoepidérmico) [F.: *derm(o)-* + *epidérmico.*]

dermolipectomia (der.mo.li.pec.to.*mi*.a) *sf. Cir.* Cirurgia plástica que retira o excesso de pele e de gordura (dermolipectomia abdominal; dermolipectomia braquial) [F.: *derm(o)-* + *-lip(o)-* + *-ectomia.*]

dermopatia (der.mo.pa.*ti*.a) *sf. Derm.* O mesmo que *dermatopatia* [F.: *derm(o)-* + *-patia.*]

dermopático (der.mo.*pá*.ti.co) *a. Derm.* Ref. a dermopatia [F.: *dermopatia* + *-ico*[2].]

⊕ ***dernier cri*** (*Fr.* /derniê cri/) *loc.subst.* A última moda: "Os curiosos podem visitar o bairro das lojas de eletrônicos para conhecer o 'dernier cri' do setor..." (*Folha de S.Paulo,* 19.01.1998)

derrabar (der.ra.*bar*) *v. td.* 1 Fazer ou sofrer (animal) o corte do rabo, da cauda: *Derrabaram o gato; Os cães derrabaram-se a dentadas.* 2 *P.ext.* Cortar as abas, a cauda de (vestimenta) 3 Cortar a parte traseira de 4 *Mar.* Navegar com a popa mais mergulhada que a proa (embarcação) [▶ 1 derrabar] [F.: *de-* + *rabo* + *-ar*[2].]

derradeiro (der.ra.*dei*.ro) *a.* 1 Que vem atrás ou depois de todos os elementos de uma série, sequência etc; ÚLTIMO: *Os homens entraram um por um; o derradeiro foi o professor.* [Ant.: *primeiro.*] 2 Que não é seguido por nenhum outro de seu gênero ou espécie, ou que se dá no último instante de dado período de tempo (derradeiro suspiro/olhar / lamento, lágrima derradeira, derradeira tentativa); ÚLTIMO: "...foi ainda ensaiando um derradeiro esforço..." (Joaquim Manoel de Macedo, *O moço loiro*) 3 Diz-se de período de tempo que constitui o último termo de uma ordem temporal (derradeiro minuto, hora derradeira); TERMINAL 4 Que sobrevive aos outros; REMANESCENTE: *O derradeiro representante da família.* 5 Que é utilizado como último recurso; EXTREMO; FINAL: *Era o seu derradeiro argumento.* [Ant.: *inaugural, inicial.*] [F.: Do lat.vulg. **der(r)etrarius,* 'extremo'.] ■ **Por ~** Por último, além de tudo: *Pode confiar nela, é honesta, pontual e, por derradeiro, muito eficiente.*

derrama (der.*ra*.ma) *sf.* 1 *Hist.* Tributo extorsivo cobrado no período colonial brasileiro 2 *Bras.* Tributo local cobrado de acordo com as posses de cada um 3 Corte de ramos de uma árvore; PODA; DESBASTE 4 Declive de morro; DERRAME [F.: Dev. de *derramar.* Hom./Par.: *derrama* (sf.), *derrama* (fl. de *derramar*).]

derramado (der.ra.*ma*.do) *a.* 1 Que se derramou 2 Que se espalhou: "...os cabelos soltos, derramados, o olhar quieto e sonolento" (Machado de Assis, *Memórias póstumas de Brás Cubas*) 3 Diz-se de algo (líquidos, grãos, coisas pequenas etc.) que foi entornado, despejado ou vertido: "E o escândalo, como um líquido derramado, ia escorrendo pelas ruas, pelos becos, penetrando por aqui e por ali..." (Aluísio de Azevedo, *Casa de pensão*) 4 *Fig.* Que é prolixo, difuso: "O marido é que pecava por turbulento, excessivo, derramado, dando bem a ver que o cumulavam de favores, que recebia finezas inesperadas e quase imerecidas" (Machado de Assis, *Quincas Borba*) 5 *Fig. Pop.* Que transborda paixão: "Ela não favorecia a um mais que a outro, mas era lhana, graciosa e tinha essa espécie de olhos derramados que não foram feitos para homens ciumentos" (Machado de Assis, "A desejada das gentes" *in Várias histórias*) 6 *Fig. Pop.* Que ficou furioso, raivoso, irado 7 *P.ext. Pop.* Atacado de hidrofobia [F.: Part. de *derramar.*]

derramamento (der.ra.ma.*men*.to) *sm.* Ação ou resultado de derramar (derramamento de óleo); DERRAME; EFUSÃO; EXTRAVASAMENTO [F.: *derramar* + *-mento.*]

derramar (der.ra.*mar*) *v.* 1 Entornar (líquido, areia etc.), com ou sem intenção [*td./ tda.*: *derrame o molho (sobre a carne).*] 2 Pôr fora o conteúdo de [*td.*: *Derramaram a jarra de suco.*] 3 Fazer correr; VERTER [*td.*: *Não derramei uma só lágrima na despedida.*] 4 *Fig.* Manifestar de forma excessiva (sentimentos, cumprimentos etc.); EXCEDER-SE [*td.*: *derramar lamúrias.*] [*tr.* + *em*: *derramar-se em lágrimas; derramar-se em queixas.*] 5 *Fig.* Mostrar-se apaixonado, agir com galanteios [*tr.* + *por*: *derrama-se pelo rapaz.*] 6 Lançar, jogar, espalhar [*td.*: *Os convidados derramavam pétalas sobre os noivos.*] 7 Fazer sair de si, para diversas partes; EMITIR [*td.*: *A Lua derramava claridade pela trilha; Os doces derramavam um aroma agradável pela varanda.*: "Oxum derramou sua beleza no alto do Gantois, em Salvador, para comemorar o centenário (...) de mãe Menininha..." (*Jornal do Brasil,* 12.02.1994)] 8 *Fig.* Tornar conhecido, público; PROPAGAR; DIVULGAR [*tdi.* + *a, para*: *No dia seguinte, as tias derramariam as novidades para toda a vizinhança.*] 9 *Fig.* Doar, com largueza, com generosidade; PRODIGALIZAR [*td./ tdi.* + *a, para*: *derramar esmolas (aos pedintes).*] 10 *Fig.* Distribuir, repartir [*td./ tdi.* + *a, para*: *derramar sorrisos (aos fãs).*] 11 *Fig.* Fazer ir para diferentes lados; DISPERSAR; DEBANDAR [*td.*: *O latir dos cães derramou o gado pela montanha.*] 12 Cortar ou aparar os ramos de (uma árvore, um arbusto etc.) [*td.*] [▶ 1 derramar] [F.: Do lat. vulg. ** diramare* ou *disramare.* Hom./Par.: *derrama* (fl.), *derrama* (sf.).]

derrame (der.*ra*.me) *sm.* 1 Ação ou resultado de derramar; DERRAMAMENTO 2 *Med.* Acúmulo anormal de líquidos ou gases em cavidade natural do corpo 3 *Pop.* Hemorragia cerebral 4 *Pat.* Ruptura de vaso sanguíneo, ocasionando hemorragia 5 O mesmo que *derrama* (4) 6 Ação de espalhar, de fazer circular (algo) em abundância (derrame de notas falsas) [F.: Dev. de *derramar.* Hom./Par.: *derrame* (sm.), *derrame* (fl. de *derramar*).] ■ **~ cerebral** *Pat.* Termo indevido para acidente vascular cerebral (AVC), perturbação súbita da circulação sanguínea no cérebro, com consequências neurológicas como paralisia, afasia etc., que podem ou não ser reversíveis

derrapada (der.ra.*pa*.da) *Bras. sf.* 1 Ação ou resultado de derrapar; DERRAPAGEM 2 *Fig.* Queda, caída: "...há nova preocupação, desta vez com os possíveis efeitos da derrapada do dólar em relação ao real sobre o desempenho das exportações brasileiras" (*O Estado de S. Paulo,* 25.11.2004) 3 *Fig.* Erro cometido por descuido, distração, ou esquecimento; ESCORREGADELA: "A tramoia começou a desabar com a descoberta de que o dinheiro de Nildo saíra do bolso do pai biológico, que pretendia manter em segredo a derrapada conjugal" (*Jornal do Brasil,* 28.03.2006) [F.: *derrapar* + *-ada*[1].]

derrapagem (der.ra.*pa*.gem) *sf. Bras.* Ação ou resultado de derrapar [Pl.: *-gens.*] [F.: Do fr. *dérapage.*]

derrapante (der.ra.*pan*.te) *a2g. Bras.* Que derrapa; DESLIZANTE: "As mudanças começaram em 20 de janeiro de 91 com a troca do piso de mármore derrapante, que obrigava o cliente a andar devagar, por granito..." (*Folha de S.Paulo,* 23.05.1994) [F.: *derrapar* + *-nte.*]

derrapar (der.ra.*par*) *v. int.* Deslizar (numa pista, estrada etc. [ou outra superfície lisa]) desgovernadamente: *O automóvel chocou-se com a mureta após derrapar na pista molhada; No anúncio de tevê, um cãozinho derrapava ao fazer a curva com velocidade.* [▶ 1 derrapar] [F.: Do v.fr. *déraper.*]

derreado (der.re.*a*.do) *a.* 1 Que tomou formato curvo, arqueado, inclinado: "...e o seu chapéu novo, de três bicos, elegantemente derreado um pouco para a esquerda..." (Aluísio Azevedo, *O mulato*) [Ant.: *reto.*] 2 Que se encontra muito cansado; ESFALFADO; EXAURIDO; PROSTRADO [Ant.: *descansado, revigorado.*] 3 Que se machucou; CONTUNDIDO; DESANCADO; ESPANCADO [Ant.: *são.*] [F.: Part. de *derrear.*]

derrear (der.re.*ar*) *v. td.* 1 Curvar, inclinar: *Derreou-se para beijar a criança.* [Ant.: *endireitar.*] 2 Inclinar-se sob peso ou sob pancada; VERGAR: *O vento forte derreava as palmeiras.* 3 *Fig.* Cansar; abater ou ficar abatido: *Nada parecia derrear o lavrador.* 4 Maltratar muito; DESANCAR: *Os maus-tratos derrearam o prisioneiro.* 5 *Fig.* Fazer pouco-caso de; MENOSCABAR; MENOSPREZAR: *Aprenderam a não derrear ninguém.* [Ant.: *considerar.*] 6 *S. Fig.* Abater moralmente; DESANIMAR [▶ 13 derrear] [F.: Do lat. **disrenare* (< lat. *ren, is,* 'rim'), posv.]

derredor (der.re.*dor*) *adv.* 1 Em volta, ao redor, em torno: *Ouviam-se os lamentos derredor.* *sm.* 2 *Ant.* Forma circular [F.: *de* + *redor.*] ■ **~ de** Ver *Em derredor de* **Em ~** Em volta, em torno **Em/ao ~ de** Em/à volta de, ao redor de

derreio (der.*rei*.o) *sm.* Ação ou resultado de derrear; DERREAMENTO [F.: Dev. de *derrear.* Hom./Par.: *derreio* (sm.), *derreio* (fl. de *derrear*).]

derreter (der.re.*ter*) *v.* 1 Converter em estado líquido ou pastoso; LIQUEFAZER [*td.*: *O calor derreteu parte do asfalto.*] [*int.*: *O sorvete já está derretendo.*] 2 *Fig.* Tornar terno ou emotivo [*td.*: *Os carinhos do cachorro a derretiam.*] 3 *Fig.* Exceder-se na expressão dos sentimentos; desfazer-se em zelos, mimos, amabilidades [*tr.* + *por, diante de*: *Derretia-se diante da avó.* Ant.: *conter-se.*] 4 *Fig.* Enamorar-se, encantar-se ou mostrar-se apaixonado [*tr.* + *por*: *Ele ainda derrete-se pela ex-namorada.* Ant.: *desencantar-se.*] 5 *Fig.* Dar fim a; DISSIPAR [*td.*: *Derreteu o salário na viagem.*] 6 *Fig.* Provocar aborrecimento, desgosto; AMOFINAR; CONSUMIR [*td.*: *Nada o derretia tanto quanto o afastamento dos filhos.* Ant.: *aliviar.*] 7 *S. Fig.* Fugir, escapar [*int.*: *Como por encanto, o cavalo derreteu.*] [▶ 2 derreter] [F.: *de-* + port. ant. *reter,* 'desfazer-se'.]

derretido (der.re.*ti*.do) *a.* 1 Que se derreteu, perdendo a solidez; DISSOLVIDO; FUNDIDO; LIQUEFEITO [Ant.: *solidificado.*] 2 *Fig.* Dominado por sentimento intenso; COMOVIDO; EMOCIONADO; ENTERNECIDO: *Fica derretida ao ouvir música.* [Ant.: *empedernido, endurecido.*] 3 *Fig.* Que ficou encantado, apaixonado: *Olhava fixamente a moça, derretido de amor.* [Ant.: *desapaixonado, desencantado.*] [F.: Part. de *derreter.*]

derretimento (der.re.ti.*men*.to) *sm.* 1 Ação ou resultado de derreter(-se); DISSOLUÇÃO; FUSÃO [Ant.: *solidificação.*] 2 *Fig.* Estado de desvanecimento, de enlevo; EMBEVECIMENTO 3 *Fig.* Modo excessivamente sentimental de manifestar amor, afeto [Ant.: *desamor, indiferença.*] [F.: *derreter* + *-imento.*]

derribado (der.ri.*ba*.do) *a.* 1 Que se derribou 2 Deitado abaixo; DERRUBADO: "...o cavaleiro esforçado poderá pôr um joelho sobre os peitos do seu inimigo derribado, e gritar-lhe aos ouvidos..." (Alexandre Herculano, *O bobo*) 3 Aniquilado, destruído: "Pedro respirava tão naturalmente, como se não perdera nada. Teve ímpeto de acordá-lo, bradar-lhe que perdera tudo, se alguma cousa era a instituição derribada." (Machado de Assis, *Esaú e Jacó*) [F.: Part. de *derribar.*]

derribar (der.ri.*bar*) *P.us. v.* 1 Fazer cair; lançar por terra; pôr abaixo [*td.*: "Houve um tremor na cidade de Granada tão repentino e violento, que derribou grande número de edifícios." (Frei Luiz de Sousa: "O que Deus faz, só Deus o pode desfazer; o que Ele levanta, só Ele o pode derribar." (Padre Antônio Vieira, *História do futuro*)] [*tda.*: *Com uma flechada, o príncipe derribou o falcão do alto do muro.* Ant.: *erguer, levantar, suspender.*] 2 Privar de (p.ex.: cargo, dignidade); DEPOR; DEMITIR; DESTITUIR [*td.* Ant.: *admitir, empossar, nomear.*] [*tdr.* + *de*: *derribar alguém do poder.*] [*tda.*] 3 Destruir, aniquilar [*td.*: *As provas trazidas pelo réu não são suficientes para derribar a presunção da existência do delito; Um cônjuge é capaz de alavancar a vida do outro, mas em alguns casos pode derribá-la.*] 4 Prostrar, vencer, subjugar [*td.*: *Com dois socos, derribou o adversário.*] 5 Lançar-se por terra; vir abaixo; ARROJAR-SE; JOGAR-SE; PRECIPITAR-SE [*ta. int.*: *Perdeu o equilíbrio e derribou-se (da bicicleta) (no chão).* Ant.: *alçar-se, erguer-se, levantar-se.*] 6 Colocar em riste para arremeter [*td.*: *Os guerreiros em alerta já derribavam as lanças.*] [▶ 1 derribar] [F.: Do lat. vulg. **deripare* < lat. *ripa,* 'margem', 'ribanceira'.]

derriça (der.*ri*.ça) *Pop. sf.* 1 Ação de derriçar; DERRIÇAGEM: "No sistema de colheita por derriça, como é realizado no Brasil, a qualidade do café pode cair devido a grande quantidade de frutos verdes" (*Folha de S.Paulo*, 26.07.1994) **2** *Fig.* Contenda, disputa, rixa [F.: Dev. de *derriçar.* Hom./Par.: *derriça* (sf.), *derriça* (fl. de *derriçar*).]

derriçar (der.ri.*çar*) *v.* **1** Puxar repetidas vezes com as mãos ou os dentes para rasgar ou arrancar [*td.*: *A hiena derriçou a presa ainda viva.*] **2** Dizer troças gracejos; zombar [*tr.* + *com*: *Gostava de derriçar com a irmã.*] **3** *Bras. Agr.* Colher (os frutos do café) correndo as mãos pelos galhos para fazê-los cair [*td.*: *Passaram a manhã derriçando o café.*] **4** Desfazer um riço [*td.*] **5** Desembaraçar, desamaranhar [*td.*] **6** *Pop.* Fazer derriço a; flertar, namorar [*tr.* + *com*: *Gostava de derriçar com a filha do vizinho.*] [*int.*: *O casalzinho ficou derriçando na varanda.*] **7** Mostrar-se dengoso, amoroso [*td.*: *Derriçava-se todo com a menina.*] [▶ 12 derriçar] [F.: *de-* + *riçar.*]

derriço (der.*ri*.ço) *sm.* **1** *Pop.* Relação de namoro: "Ninguém lhe desdourara a honra da sobrinha, nem o derriço com o José Dias fazia implicância à sua honestidade" (Camilo Castelo Branco, *A brasileira de Prazins*) **2** *Pop.* Homem ou rapaz que alguém namora; NAMORADO: "Um dia encontrara uma carta; perguntou-lhe pelo derriço; ela respondeu, picando vivamente o pesponto: - Ai! A mim ninguém me quer, senhor pároco..." (Eça de Queirós, *O crime do padre Amaro*) **3** Aquilo que é dito ou feito para caçoar de algo ou alguém; ESCÁRNIO; ZOMBARIA: *Tudo lhe serve de derriço.* **4** Ação, modos ou dito de pessoa impertinente que provoca aborrecimentos [F.: Dev. de *derriçar.* Hom./Par.: *derriço* (sm.), *derriço* (fl. de *derriçar*).]

derrisão (der.ri.*são*) *sf.* **1** Riso de zombaria **2** Dito, comportamento ou gesto irônico ou sarcástico que revela desprezo por alguém ou por algo [Pl.: *-sões.*] [F.: Do fr. *dérision.*]

derrisório (der.ri.*só*.ri:o) *a.* Em que há ou que revela ou encerra derrisão, deboche, zombaria [F.: Do b.-lat. *derisorius, a, um.*]

derrocada (der.ro.*ca*.da) *sf.* **1** Ação ou resultado de derrocar(-se) **2** Desabamento, desmoronamento: *a derrocada do muro.* [Ant.: *construção, levantamento.*] **3** *Fig.* Queda, decadência, ruína: *Foi ali que começou a derrocada da empresa.* [Ant.: *ascensão, evolução, progresso.*] [F.: Fem. substv. de *derrocado.*]

derrocado (der.ro.*ca*.do) *a.* Que se derrocou, caído por terra, arruinado (castelo derrocado); DERRUBADO; DESMORONADO [F.: Part. de *derrocar.*]

derrocamento (der.ro.ca.*men*.to) *sm.* Ação ou resultado de derrocar(-se); DERROCADA [F.: *derrocar* + *-mento.*]

derrocar (der.ro.*car*) *v.* **1** Destituir do poder [*td.*: *derrocar um governo/um ditador.* Ant.: *constituir.*] **2** Pôr ou vir abaixo; DESTRUIR; DERRUBAR; DESMORONAR [*td.*: *O terremoto derrocou o centro histórico da cidade.*] [*int.*: *Segundo o engenheiro, o velho túnel não tarda a derrocar.* Ant.: *erguer.*] **3** *Fig.* Destruir (sociedade, instituição, vontade); ARRASAR [*td.*: *A violência derroca a cidade.*] **4** *Fig.* Fazer perder o valor, a grandeza; HUMILHAR; REBAIXAR [*td.*: *A falência derrocou o empresário.*] [▶ 11 derrocar] [F.: *de-* + *roca*² + *-ar*².]

derrogabilidade (der.ro.ga.bi.li.*da*.de) *sf.* Condição do que é derrogável, suscetível de derrogação [F.: *derrogável* + *-bil-* + *-(i)dade.*]

derrogação (der.ro.ga.*ção*) *sf. Jur.* Ação ou resultado de derrogar, revogar ou modificar. Revogação parcial de uma lei, por parte da autoridade competente; DERROGAMENTO [F.: Do lat. *derogatio,onis.*]

derrogar (der.ro.*gar*) *v. td.* **1** *Jur.* Modificar ou abolir em parte (lei, regulamento): "Não pode uma lei ordinária, como é o caso do Estatuto do Desarmamento, derrogar ou alterar dispositivos de uma lei complementar." (*O Globo*, 09.11.2004) **2** *Jur.* Conter disposições contrárias a alguma lei ou uso: "A escuta telefônica, feita às ocultas, é um malefício social e mais um crime que viola a privacidade individual, derroga o sigilo da comunicação..." (*O Globo*, 25.11.1998) **3** *Fig.* Transgredir ou tornar nulos (ideias ou costumes estabelecidos): *derrogar princípios éticos.* [▶ 14 derrogar] [F.: Do v.lat. *derogare.*]

derrogatório (der.ro.ga.*tó*.ri:o) *a.* Que derroga, que implica derrogação (medida derrogatória) [F.: Do lat. *derrogatorius,a,um.* Cf.: *ab-rogatório.*]

derrogável (der.ro.*gá*.vel) *a2g.* Que se pode derrogar; passível de ser derrogado [Pl.: *-veis.*] [F.: *derrogar* + *-vel.* Hom./Par.: *derrogáveis* (pl), *derrogáveis* (fl. de *derrogar*).]

derrota¹ (der.*ro*.ta) *sf.* **1** Insucesso em uma batalha, em uma guerra; REVÉS: *As tropas sofreram séria derrota.* [Ant.: *êxito, triunfo, vitória.*] **2** Fracasso em uma empreitada, no esporte, nos negócios, no amor etc.: *O candidato temia a derrota nas urnas.* [Ant.: *vitória, triunfo.*] **3** *Bras. Fig.* Fato ou acontecimento que constitui grande perda ou desventura para alguém ou para algo **4** *Bras. Fig.* Aquilo que é motivo de grande insatisfação ou que não apresenta a utilidade ou serventia esperada **5** Derrubada de árvores; ABATE; DESBASTE **6** Destituição do poder; DEPOSIÇÃO; DERRUBADA; QUEDA: *Ninguém podia prever a derrota do líder sindical.* [Ant.: *nomeação, posse.*] [F.: Do fr. *déroute.* Hom./Par.: *derrota* (sf.), *derrota* (fl. de *derrotar*); *derrotas* (pl.), *derrotas* (fl. do v.).]

derrota² (der.*ro*.ta) *sf.* **1** Caminho, percurso, direção **2** *Mar.* A rota¹ (1) de uma embarcação **3** *Astron.* Caminho ou espaço percorrido por um astro no céu **4** *Fig.* Modo de vida [F.: *de-* + *rota*¹, posv.]

derrotado (der.ro.*ta*.do) *a.* **1** Que sofreu derrota; que foi vencido (adversário derrotado); SOBREPUJADO; SUPLANTADO [Ant.: *ganhador, vencedor.*] **2** *Fig.* Que se encontra muito cansado, exaurido; EXAUSTO; EXTENUADO; FATIGADO [Ant.: *descansado, repousado.*] **3** Que fracassou em algum empreendimento ou na vida; DECADENTE; FRACASSADO [Ant.: *bem-sucedido, próspero.*] *sm.* **4** Aquele que se sente ou foi derrotado (1, 2 ou 3) [F.: Part. de *derrotar.*]

derrotar (der.ro.*tar*) *v. td.* **1** Vencer em combate; DESBARATAR: *derrotar um exército.* [Ant.: *perder.*] **2** Vencer competição (esportiva, intelectual, eleitoral, profissional); GANHAR: *derrotar um adversário eleitoral/um time.* [Ant.: *perder.*] **3** *Fig.* Destruir, acabar com: "Primeiro, vieram remédios, como os antibióticos, e vacinas que (...) nos ofereceram chances reais de derrotar inimigos letais." (*O Globo*, 28.05.2005) **4** *Fig.* Desencorajar, desanimar: *A morte do irmão derrotou a jovem.* [Ant.: *encorajar.*] **5** *Fig.* Deixar muito cansado; EXAURIR: *A jornada que fez a pé derrotou-o.* [Ant.: *revigorar.*] [▶ 1 derrotar] [F.: Do v.fr. *derouter.* Hom./Par.: *derrota* (fl.), *derrota* (sf.); *derrotáveis* (fl.), *derrotáveis* (pl. de *derrotável* [a2g.]).]

derrotável (der.ro.*tá*.vel) *a2g.* Que pode ser derrotado [Pl.: *-veis.*] [F.: *derrotar* + *-vel.* Hom./Par.: *derrotáveis* (pl.), *derrotáveis* (fl. de *derrotar*).]

derrotismo (der.ro.*tis*.mo) *Bras. sm.* **1** Disposição de espírito ou modo de pensar daquele que tende a esperar apenas pelo seu insucesso, fracasso ou derrota; essa tendência pessimista **2** Ação ou comportamento (ger. de desistência, muitas vezes injustificada) que refletem esta tendência pessimista **3** Estado de desânimo ou sensação de apatia diante da possibilidade de fracasso [F.: *derrota*¹ + *-ismo.*]

derrotista (der.ro.*tis*.ta) *a2g.* **1** Que sempre acredita na derrota, no fracasso **2** Que revela derrotismo (atitude derrotista, comportamento derrotista) *s2g.* **3** Aquele ou aquela que, ger. por pessimismo ou insegurança, tende a acreditar na derrota, no fracasso, no insucesso (próprio ou de outrem): *Os derrotistas sempre transmitem sensação de mal-estar.* [F.: *derrotismo* + *-ista*, seg. o mod. gr.]

derrubada (der.ru.*ba*.da) *sf.* **1** Ação ou resultado de derrubar **2** Ação de abater árvores, matas etc. com a finalidade de abrir espaços livres para plantações, construções etc; ABATE; DESBASTE **3** *Fig.* Demissão em massa: *derrubada de funcionários em cargos comissionados.* **4** Destituição de um governo, um poder vigente: *a derrubada do socialismo soviético.* [F.: Fem. substv. de *derrubado.*]

derrubado (der.ru.*ba*.do) *a.* **1** Que se derrubou, que se pôs abaixo (torre derrubada); DERRIBADO **2** Inclinado, abaixado: "...derrubadas nos ombros direitos, pesadas maças de prata..." (Antero de Figueiredo, *Espanha*) **3** Destituído do poder **4** Que carece de animação, de alegria, de felicidade (festa derrubada, pessoa derrubada) [F.: Part. de *derrubar.*]

derrubador (der.ru.ba.*dor*) *a.* **1** Que derruba, capaz de derrubar *sm.* **2** Aquele que derruba, que se ocupa de derrubar: *É bandido, é um derrubador de árvores, um desmatador.* **3** O mesmo que *lenhador* [F.: Part. de *derrubar* + *dor.*]

derrubar (der.ru.*bar*) *v.* **1** Causar a queda de (algo ou alguém) [*td.*: *Cuidado para não derrubar o vaso!*] **2** Pôr abaixo; DEMOLIR [*td.*: *Vão derrubar o prédio dos correios?*] **3** Destituir de poder ou influência; DEPOR [*td.*: *Articulou-se um golpe para derrubar o ditador.*] [*tdr.* + *de*: *Articulou-se um golpe para derrubar o ditador do poder.*] **4** Impedir, vetar [*td.*: "...a oposição usou todos os mecanismos regimentais e conseguiu derrubar a sessão da CCJ ontem." (*O Globo*, 02.06.2005)] **5** *Pop.* Afetar negativamente ou prejudicar [*td.*: *Tudo o que ela diz é para me derrubar.*] **6** *Fig.* Fazer diminuir ou extinguir [*td.*: "...para a política monetária, que pretende derrubar o consumo, há o advento do crédito consignado..." (*Veja*, 02.03.2005)] **7** *Pop.* Abater fisicamente; PROSTRAR [*td.*: *O resfriado o derrubou.*] **8** *Bras. Turfe* Propagar falsas barbadas entre os apostadores [*int.*: *É conhecido no jóquei por ser dado a derrubar.*] [▶ 1 derrubar] [F.: Do v.lat. vulg. **derupare* (< lat. *rupes, is*, 'precipício'). Hom./Par.: *derruba* (fl.), *derruba* (sf.); *derrube* (fl.), *derrube* (sm.).]

derruído (der.ru.*í*.do) *a.* Que se derruiu, se derrubou ou derribou; ARRUINADO; DESMORONADO: "Vexado por ver derruídos pelas hordas selvagens da soldadesca... os muros da sua capital." (Antero de Figueiredo, *Espanha*) [F.: Part. de *derruir.*]

derruir (der.ru.*ir*) *v. td.* Abalar muito, destruir, anular, fazer desmoronar (coisas, instituições etc.): *Intrigas derruíram a união do grupo.* [▶ 56 derruir] [F.: Do v.lat. *deruere.*]

dervixe (der.*vi*.xe) *sm.* O mesmo que *daroês* [F.: Do fr. *derviche*, do turco *deruiz*, de or. persa.]

◎ **des-** *pref.* De grande vitalidade na língua, exprime, entre outras, as seguintes ideias: **a)** 'ação contrária àquela expressa pelo termo primitivo' (*desfazer, desabituar, desabrigar, desiludir, despentear*)'; **b)** 'oposição ou valor contrário ou oposto ao indicado pelo termo original' (*desafeto, desfavorável*); **c)** 'cessação de um estado ou uma situação anterior' (*desaparecido, desaparecer*); **d)** 'coisa ou ação malfeita' (*desgoverno*); **e)** 'negação' (*desleal, descortês*); **f)** 'ausência ou falta' (*desconforto, descontrole, destemor*); **g)** 'separação ou afastamento' (*desmembrar, desterrar*); **h)** 'mudança de aspecto' (*desfigurar*). Serve ainda para reforçar a ideia expressa pelo termo a que se liga (*desinfeliz, desinquieto*) [F.: De or. contrv; posv. do lat. *dis-* ou da junção das prep. lat. *de* e *ex.* Cf.: *de-.*]

dês *prep. Ant.* Desde: "...houve sempre nome dês ali." (*Demanda do graal*) [F.: F. apocopada de *desde.*]

desabado (de.sa.*ba*.do) *a.* **1** Que desabou (edifício desabado) **2** De aba larga e caída (diz-se de chapéu) *sm.* **3** *SP* Terreno em declive; ENCOSTA; LADEIRA [F.: Part. de *desabar.*]

desabafado (de.sa.ba.*fa*.do) *a.* **1** Que se desabafou, se refrescou **2** Desagasalhado, desaquecido **3** *Fig.* Sem constrangimentos ou obstáculos; DESEMBARAÇADO **4** Aliviado, tranquilizado [Ant.: *abafado.*] [F.: Part. de *desabafar.*]

desabafar (de.sa.ba.*far*) *v.* **1** *Fig.* Expressar (tristeza, raiva etc.) para alívio emocional [*td.*: *Desabafou sua antipatia pela madrasta.*] [*tdr.* + *com*: *Desabafar suas tristezas com o amigo.*] [*tr.* + *com*: *Pediu para desabafar com o irmão.*] [*int.*: *Precisava desabafar.* Ant.: *reprimir.*] **2** Tirar o que causa abafamento; DESAGASALHAR; DESCOBRIR [*td.*: *Desabafe a massa após duas horas; Depois da febre, deve-se desabafar a criança.* Ant.: *abafar.*] **3** Tornar livre a respiração [*td.*: *desabafar o peito.*] [*int.*: *Retire os cobertores para desabafar.*] **4** Destapar, expor ao ar; AREJAR [*td.*: *Abram as janelas para desabafar o ônibus.* Ant.: *abafar.*] **5** Remover o excesso de; DESIMPEDIR [*td.*/ *tdr.* + *de*: *Desabafou o quarto (de móveis).*] **6** *Fig.* Livrar de; DESEMBARAÇAR [*tdr.* + *de*: *Desabafaram-no das tarefas.*] [▶ 1 desabafar] [F.: *des-* + *abafar.*]

desabafo (de.sa.*ba*.fo) *sm.* **1** Ação ou resultado de desabafar(-se) **2** Expressão sincera e espontânea de sentimentos e pensamentos: "...desculpem-me este desabafo..." (Pedro Ivo, *Contos*) **3** Pequena vingança: "...Vingar-se dos coniventes... Um desabafo, era o que reclamava sua natureza encabrestada..." (Xavier Marques, *Voltas da estrada*) [F.: Dev. de *desabafar.* Hom./Par.: *desabafo* (sm.), *desabafo* (fl. de *desabafar*).]

desabalado (de.sa.ba.*la*.do) *a.* **1** Desenfreado, desembestado, desarvorado: "...lançou-se também em correria desabalada..." (Henrique Galvão, *Velo de oiro*) *a.* **2** Excessivo, enorme, descomunal (ambição desabalada) **3** *Bras. Fig. Pop.* Sem escrúpulos, torpe, desonesto [F.: Part. de *desabalar.*]

desabalar (de.sa.ba.*lar*) *v. int.* Sair correndo muito depressa, desenfreadamente: *O ladrão desabalou e ninguém mais o viu.* [▶ 1 desabalar] [F.: *des-* + *abalar.*]

desabamento (de.sa.ba.*men*.to) *sm.* **1** Ação ou resultado de desabar; DESABE **2** *Restr.* Queda repentina de uma construção, de uma encosta etc; DESABE [F.: *desabar* + *-mento.*]

desabar (de.sa.*bar*) *v.* **1** Cair por terra; DESMORONAR [*int.*: *Por sorte, nenhuma casa desabou.*] **2** Cair com força (diz-se de tempestade, chuva); PRECIPITAR [*int.*: *Um temporal desabou sobre o centro da cidade.*] **3** Cair (ger. de grande altura ou com grande força ou violência); DESPENCAR [*int.*: *Estávamos na cozinha quando o giro-visão desabou.*] [*ta.*: *Ela desabou da janela do quinto andar.*] **4** *Fig.* Perder posição, grau ou valor de modo rápido, vertiginoso ou muito significativo (ger. com grande margem de perda) [*int.*: *As ações da firma desabaram na última semana.*] [*ta.*: *Nestapar desabou para 7%*: "E a previsão de investimento desabou de 5,4% para 0,9%" (*Gazeta mercantil*, 07.12.2005)] **5** *Fig.* Perder o controle [*int.*: *Por pouco não desabou ao vê-la chegar.*] **6** Fazer soar (forte ruído) [*td.*] [▶ 1 desabar] [F.: *des-* + *aba* + *-ar*². Sin. (de 1 a 5): *cair.*]

desabastecer (de.sa.bas.te.*cer*) *v.* Não fazer o abastecimento [*td.*: *O inverno fez desabastecer o celeiro.*] [*tdr.* + *de*: *A crise desabasteceu os estabelecimentos de gêneros alimentícios.* Ant.: *abastecer.*] [▶ 33 desabastecer] [F.: *des-* + *abastecer.*]

desabastecimento (de.sa.bas.te.ci.*men*.to) *sm.* **1** Ação ou resultado de desabastecer ou de suspender o fornecimento **2** *Econ.* Falta de determinados produtos no mercado [Ant.: *abastecimento.*] [F.: *desabastecer* + *-imento.*]

desabilitação (de.sa.bi.li.ta.*ção*) *sf.* Ação ou resultado de desabilitar [Pl.: *-ções.*] [F.: *desabilitar* + *-ção.*]

desabilitar *v.* **1** Fazer perder ou perder a habilidade para dada ação, prática ou ofício; tornar(-se) inábil, inepto [*td.*: *Desabilitar alguém; Por não ter estudado, desabilitou-se para a função.*] [*tdr.* + *para*: *A doença o desabilitou para jogar futebol.*] **2** *Bras.* Tornar inativo (um dispositivo, uma função, um aparelho etc.) [*td.* Ant.: *habilitar.*] [▶ 1 desabilitar] [F.: *des-* + *habilitar.*]

desabitação (de.sa.bi.ta.*ção*) *sf.* Ação ou resultado de desabitar [Pl.: *-ções.*] [F.: *desabitar* + *-ção.*]

desabitado (de.sa.bi.*ta*.do) *a.* Que se desabitou, se despovoou; DESERTO; DESPOVOADO [Ant.: *habitado, povoado.*] [F.: Part. de *desabitar.*]

desabitar (de.sa.bi.*tar*) *v.* **1** Não mais habitar (casa, residência etc.) [*td.*: *A estação fria desabitou as casas da praia.*] **2** Ficar (um lugar, vila etc.) sem habitantes [*td.*: *As enchentes fizeram as famílias desabitarem suas casas.*] **3** Fazer com que (os habitantes) abandonem (um lugar, suas moradias etc.); despovoar [*tdr.* + *de*: *Os desabamentos desabitaram a favela de seus moradores.* Ant.: *habitar.*] [▶ 1 desabitar] [F.: *des-* + *habitar.* Hom./Par.: *desabito* (fl.), *desábito* (sm.).]

desabituado (de.sa.bi.tu.*a*.do) *a.* Que se desabituou, que deixou de ter costume ou hábito; DESACOSTUMADO [Ant.: *acostumado, habituado*] [F.: Part. de *desabituar.*]

desabitual (de.sa.bi.tu.*al*) *a2g.* Que não é habitual, que não é costumeiro ou ocorre com frequência; INABITUAL; INSÓLITO [Ant.: *habitual, frequente*] [Pl.: *-ais.*] [F.: *des-* + *habitual.* Hom./Par.: *desabituais* (pl.), *desabituais* (fl. de *desabituar*).]

desabituar (de.sa.bi.tu.*ar*) *v.* Fazer perder ou perder o hábito de; DESACOSTUMAR [*tdr.* + *de*: *Os anos no campo desabituaram Lia da vida urbana; Desabituei-me de sair aos domingos.* Ant.: *habituar.*] [▶ 1 desabituar] [F.: *des-* + *habituar.* Hom./Par.: *desabituais* (fl.), *desabituais* (pl. de *desabitual* [a2g.]).].]

desabonado (de.sa.bo.*na*.do) *a.* **1** Que não tem abonação **2** Que não tem quem abone ou certifique a seu favor (candidato desabonado) **3** Que não tem meios ou recursos financeiros [F.: Part. de *desabonar.*. Ant. ger.: *abonado.*]

desabonador (de.sa.bo.na.*dor*) [ô] *a.* **1** Que desabona, que faz perder a credibilidade, autoridade ou estima (conduta desabonadora) *sm.* **2** Aquele ou aquilo que desabona [F.: *desabonar* + *-dor.* Ant. ger.: *abonador.*]

desabonar (de.sa.bo.*nar*) *v. td.* Fazer perder a credibilidade, autoridade ou estima; DESACREDITAR: *Descobriram coisas que desabonam o vereador.* [▶ 1 desabonar] [F.: *des-* + *abonar.*]

desabono (de.sa.*bo*.no) *sm.* **1** Ação ou resultado de desabonar **2** O que constitui motivo de descrédito: *Nada foi provado em desabono da autora.* [Ant.: *abono.*] **3** Aquilo que é desfavorável ou prejudicial a alguém: "...suspeitoso de que a conversa era em seu desabono..." (Teixeira de Queirós, *Ao sol e à chuva*) **4** Falta de apreço ou consideração; DESPREZO; MENOSPREZO [F.: Dev. de *desabonar.* Hom./Par.: *desabono* (sm.), *desabono* (fl. de *desabonar*).]

desabotinado (de.sa.bo.ti.*na*.do) *a.* **1** *Bras. S.* Que age de maneira amalucada; ALOPRADO; DESTABOCADO **2** Que mostra coragem; VALENTÃO; VALENTE [F.: *des-* + *abotinado*.]

desabotoado (de.sa.bo.to.*a*.do) *a.* **1** Que se desabotoou, que teve os botões abertos (paletó desabotoado) **2** Que perdeu os botões **3** Que desabrochou (diz-se de flor) [Ant.: *abotoado*] [F.: Part. de *desabotoar*.]

desabotoar (de.sa.bo.to.*ar*) *v. td.* **1** Tirar (botão) da casa (na roupa) [*td.* Ant.: *abotoar.*] **2** Abrir (roupa) desabotoando [*td.*: *desabotoar o casaco.* Ant.: *abotoar.*] **3** *Fig.* Abrir (o que estava fechado); DESCERRAR; ENTREABRIR [*td.*: *Desabotoou os lábios num sorriso.* Ant.: *cerrar.*] **4** Abrir as pétalas de, ou tê-las abertas; DESABROCHAR [*td.*: *Neste ano, o maracujazeiro desabotoou lindas flores!*] [*int.*: *Que belas rosas desabotoaram(-se) no seu jardim.*] [▶ 16 desabot**oar**] [F.: *des-* + *abotoar*.]

desabrido (de.sa.*bri*.do) *a.* **1** Que é imoderado, agressivo (crítica desabrida; competitividade desabrida) **2** Atrevido, insolente: *linguagem desabrida e aviltante.* **3** Inclemente, tempestuoso (ventania desabrida) [F.: De or. contrv.]

desabrigado (de.sa.bri.*ga*.do) *a.* **1** Sem abrigo, sem moradia: *Alojaram as famílias desabrigadas num albergue.* **2** Que não oferece proteção; muito exposto à chuva, ao vento etc. (diz-se de lugar): "...as costas desabrigadas do Ceará..." (Afrânio Peixoto, *Maias e Estevas*) **3** *Fig.* Sem proteção, amparo ou auxílio; DESPROTEGIDO; DESAMPARADO *sm.* **4** Quem está desabrigado, esp. aquele que perdeu sua casa: *Os desabrigados foram recolhidos pela Defesa Civil.* [F.: Part. de *desabrigar*. Ant. ger.: *abrigado*.]

desabrigar (de.sa.bri.*gar*) *v. td.* **1** Deixar sem abrigo, sem moradia: *A enchente desabrigou muitas famílias.* **2** *Fig.* Deixar sem amparo; ABANDONAR; DESPROTEGER: *A boa sorte o desabrigou.* [▶ 14 desabri**gar**] [F.: *des-* + *abrigar*.]

desabrigo (de.sa.*bri*.go) *sm.* **1** Falta de abrigo; situação ou circunstância em que falta abrigo: *O terremoto causou o desabrigo de milhares de pessoas.* **2** *Fig.* Abandono, desamparo: *Largou a família, deixando-a ao desabrigo.* [F.: Dev. de *desabrigar*. Ant. ger.: *abrigo*. Hom./Par.: *desabrigo* (sm.), *desabrigo* (fl. de *desabrigar*).]

desabrimento (de.sa.bri.*men*.to) *sm.* **1** Característica ou condição de desabrido; ASPEREZA; GROSSERIA **2** Inclemência do tempo, frio demais, tempestade [Ant.: *amenidade, delicadeza*.] [F.: *desabrir* + *mento*.]

desabrochado (de.sa.bro.*cha*.do) *a.* **1** Que se despertou, se soltou (o que um broche fechava); DESAPERTADO; SOLTO **2** Que desabrochou, que se abriu (rosa desabrochada; sorriso desabrochado); ABERTO [F.: Part. de *desabrochar*.]

desabrochamento (de.sa.bro.cha.*men*.to) *sm.* Ação ou resultado de desabrochar [F.: *desabrochar* + *-mento*.]

desabrochar (de.sa.bro.*char*) *v.* **1** Abrir o botão de (flor) [*td.*: *As chuvas vão desabrochar as violetas.*] [*int.*: *A rosa desabrochou rápido.*] **2** *Fig.* Começar a manifestar-se, ganhar vulto; DESENVOLVER-SE [*int.*: *Um novo estilo literário desabrochou na virada do século.*] **3** Abrir (os lábios ou um sorriso); DESCERRAR [*td.*: *Desabrochou os lábios num sorriso.*] **4** Revelar ou desvendar (segredo) [*td.*] [▶ 1 desabroch**ar**] [F.: *des-* + *abrochar*.]

desabrolhar *v.* **1** Germinar, vicejar; desabrochar [*td.*: *O tempo desabrolhou as plantas.*] [*int.*: *As flores estão desabrolhando.*] **2** *Fig.* Aumentar, crescer, desenvolver-se; desabrochar [*td.*: *Os estudos desabrolharam seu espírito criativo.*] [*int.*: *Seu talento afinal desabrolhou.*] [▶ 1 desabrolh**ar**] [F.: *des-* + *abrolhar*.]

desabusado (de.sa.bu.*sa*.do) *a.* **1** Que é abusado, atrevido, insolente (rapaz desabusado, sorriso desabusado) **2** Inconveniente (comentário desabusado) **3** Desenganado, desiludido *sm.* **4** Aquele que é abusado, atrevido, insolente ou inconveniente [F.: Part. de *desabusar*.]

desabusar (de.sa.bu.*sar*) *v. td.* **1** Tornar(-se) livre de abusões, erros, enganos: *Os esclarecimentos desabusaram o rapaz; Desabusou-se ao ser corrigida pelo pai.* **2** Tornar-se atrevido, abusado, insolente: *Desabusava-se facilmente quando encontrava alguma garota.* [▶ 1 desabus**ar**] [F.: *des-* + *abusar*.]

desabuso (de.sa.*bu*.so) *sm.* Ato ou efeito de desabusar(-se); DESABUSAMENTO [F.: Dev. de *desabusar*. Hom./Par.: *desabuso* (sm.), *desabuso* (fl. de *desabusar*).]

desaçaimar (de.sa.çai.*mar*) *Pus. v. td.* Tirar o açaimo ou focinheira de (um cão ou outro animal) [Ant.: *açaimar, açamar*.] [▶ 1 desaçaim**ar**] [F.: *des-* + *açaimar*.]

desacatamento (de.sa.ca.ta.*men*.to) *sm.* Ato ou efeito de desacatar; DESACATO; DESRESPEITO [F.: *desacatar* + *-mento*.]

desacatar (de.sa.ca.*tar*) *v. td.* **1** Desrespeitar a autoridade de; faltar com o respeito a: *O motorista afirma que não desacatou o policial.* **2** Não dar importância a; não levar em conta (desacatar costumes, ordens) [▶ 1 desacat**ar**] [F.: *des-* + *acatar*.]

desacato (de.sa.*ca*.to) *sm.* **1** Ação ou resultado de desacatar; DESACATAMENTO [Ant.: *acatamento, acato*.] **2** Falta de respeito ou desobediência a alguém, a norma ou a ordem: *Foi preso por desacato à lei.* **3** Desrespeito às coisas sagradas; PROFANAÇÃO **4** Provocação, insolência **5** *Bras. Pop.* Pessoa que causa admiração pela beleza, pelo talento etc. [F.: Dev. de *desacatar*. Hom./Par.: *desacato* (sm.), *desacato* (fl. de *desacatar*).]

desacautelar (de.sa.cau.te.*lar*) *v. td.* Não usar de cautela com; proceder sem cautela; DESPREVENIR-SE [▶ 1 desacautel**ar**] [F.: *des-* + *acautelar*.]

desaceitar (de.sa.cei.*tar*) *v. td.* Não aceitar; discordar, rejeitar: *Desaceitou o convite/o conselho.* [▶ 1 desaceit**ar**] [F.: *des-* + *aceitar*.]

desaceleração (de.sa.ce.le.ra.*ção*) *sf.* **1** Ato ou efeito de desacelerar, redução da velocidade de um corpo em movimento (desaceleração por frenagem/atrito); DECELERAÇÃO **2** Decréscimo de ritmo no progresso ou no desenvolvimento (desaceleração da produção agrícola); DESAQUECIMENTO [Pl.: *-ções*.] [F.: *des-* + *aceleração*. Ant. ger.: *aceleração*.]

desacelerar (de.sa.ce.le.*rar*) *v.* **1** Fazer perder ou perder a velocidade (veículo); reduzir a velocidade de ou tê-la reduzida [*td.*: *Desacelere o carro nas curvas.*] [*int.*: *A moto não desacelerou.*] **2** *Fig.* Moderar desenvolvimento, ritmo ou progresso (de algo) ou ter seu desenvolvimento, ritmo ou progresso reduzido [*td.*: *O problema de saúde talvez desacelere a carreira do ator.*] [*int.*: *Há boas chances de a inflação desacelerar.* Ant.: *estimular.*] [▶ 1 desaceler**ar**] [F.: *des-* + *acelerar*. Ant. ger.: *acelerar*.]

desacertar (de.sa.cer.*tar*) *v.* **1** Desregular (aparelho, equipamento etc.) [*td.*: *O contato com a água desacerta meu relógio.*] **2** Entrar em discordância; desentender-se [*td.*: *China e Japão desacertaram-se durante as negociações.*] **3** Tirar de (algo), ou perder o acerto (ordenação, ritmo etc.) [*td.*: *O tumulto durante a corrida desacertou-lhe o passo.*] [*int.*: *A bateria da escola de samba desacertou-se.*] **4** Não acertar; ERRAR [*td.* / *int.*: *Acostumou-se a desacertar (as respostas de inglês).*] [▶ 1 desacert**ar**] [F.: *des-* + *acertar*. Ant. ger.: *acertar*. Hom./Par.: *desacerto* (fl.), *desacerto* (sm.).]

desacerto (de.sa.*cer*.to) [ê] *sm.* **1** Falta de acerto; EQUÍVOCO; ERRO: "...O que poderá haver é desacerto nas palavras..." (Almeida Garrett, *Viagens na minha terra*) **2** Asneira, bobagem: *Quantos desacertos nesse artigo!* **3** Mal-entendido: *Ocorreu um desacerto entre eles.* [F.: Dev. de *desacertar*. Hom./Par.: *desacerto* (sm.), *desacerto* (fl. de *desacertar*).]

desacomodado (de.sa.co.mo.*da*.do) *a.* **1** Que está fora do lugar (livros desacomodados) **2** Sem acomodação; DESALOJADO **3** Sem conforto, desconfortável: *Esperaram duas horas, desacomodados numa sala.* **4** Que não se acomodou; não conformista: *É preciso investir em profissionais competentes, desacomodados e avessos a preconceitos.* **5** Que perdeu o emprego ou a ocupação [F.: Part. de *desacomodar*.]

desacomodar (de.sa.co.mo.*dar*) *v. td.* **1** Tirar a acomodação ou o conforto de; DESALOJAR: *Ficaram num hotel para não desacomodar os avós.* **2** Alterar a ordem de; DESORGANIZAR; DESORDENAR: *desacomodar os móveis para pintar o quarto.* **3** *Fig.* Reagir a ou sair de estado de inércia ou conformismo: *Finalmente desacomodou-se e pediu o divórcio.* **4** Demitir, desempregar, destituir: *A companhia desacomodou vinte funcionários.* [▶ 1 desacomod**ar**] [F.: *des-* + *acomodar*. Ant. ger.: *acomodar*.]

desacompanhado (de.sa.com.pa.*nha*.do) *a.* **1** Sem companhia; SÓ; SOZINHO **2** Sem a presença de alguém ou algo: *É proibida a entrada de menores desacompanhados.* **3** *Fig.* Sem amparo ou proteção [F.: Part. de *desacompanhar*.]

desacompanhar (de.sa.com.pa.*nhar*) *v. td.* **1** Deixar de oferecer companhia, proteção ou apoio a: *Desacompanhou os amigos quando se casou.* **2** Perder a harmonia ou o compasso com: *A ioga prega que a mente não deve desacompanhar o corpo.* **3** Não (mais) acompanhar o andamento ou a evolução de (algo), ger. por desinteresse ou impossibilidade [▶ 1 desacompanh**ar**] [F.: *des-* + *acompanhar*. Ant. ger.: *acompanhar*.]

desaconchegar (de.sa.con.che.*gar*) *v. td.* Desmanchar o conchego; desunir, separar; tb. *desconchegar* [▶ 14 desaconche**gar**] [F.: *des-* + *aconchegar*.]

desaconselhado (de.sa.con.se.*lha*.do) *a.* **1** Que se desaconselhou ou se desaconselha; CONTRAINDICADO; DESACONSELHÁVEL **2** Privado de conselho, não avisado ou prevenido; DESAVISADO [F.: Part. de *desaconselhar*. Sin. ger.: *aconselhado; aconselhável*.]

desaconselhar (de.sa.con.se.*lhar*) *v.* Aconselhar que não se adote (ação, atitude etc.); DISSUADIR [*td.*: *Os homeopatas desaconselham o uso de antibióticos.*] [*tdi.* + *a*: *Desaconselhou ao paciente bebidas alcoólicas.*] [*tdr.* + *a*: *Desaconselhou o rapaz a cursar medicina.*] [▶ 1 desaconselh**ar**] [F.: *des-* + *aconselhar*. Hom./Par.: *desaconselháveis* (fl.), *desaconselháveis* (pl. de *desaconselhável* [a2g.]).]

desaconselhável (de.sa.con.se.*lhá*.vel) *a2g.* Não aconselhável; que se deve evitar por não ser recomendável ou por representar risco moral ou material: "...de tal direito partia eu para o achar inconveniente, desaconselhável, nocivo..." (Rui Barbosa, *Contra o militarismo*) [Ant.: *aconselhável*.] [Pl.: *-veis*.] [F.: *desaconselhar* + *-vel*. Hom./Par.: *desaconselháveis* (pl.), *desaconselháveis* (fl. de *desaconselhar* [v.]).]

desacoplamento (de.sa.co.pla.*men*.to) *sm.* Ato ou efeito de desacoplar(-se), desconectar(-se): *O desacoplamento das espaçonaves foi demorado.* [Ant.: *acoplamento*.] [F.: *desacoplar* + *-mento*.]

desacorçoado (de.sa.cor.ço.*a*.do) *a.* Ver *desacoroçoado* [F.: Part. de *desacorçoar*.]

desacorçoar (de.sa.cor.ço.*ar*) *v. td. int.* Perder ou fazer perder a esperança, o acordo. Tb. *desacoroçoar* [▶ 16 desacorç**oar**] [F.: *des-* + *acorçoar*.]

desacordado (de.sa.cor.*da*.do) *a.* Que perdeu os sentidos; DESFALECIDO; DESMAIADO: *Depois do choque, o jogador caiu desacordado no gramado.* [Ant.: *acordado*.] [F.: Part. de *desacordar*.]

desacordar (de.sa.cor.*dar*) *v.* **1** Colocar(-se) em desacordo, em discordância [*td.*: *O contrato desacordou os sócios; Desacordou-se da decisão do chefe.*] [*tdi.* + *com*: *Um dos sócios desacordava com os outros.*] [*int.*: *Todos concordaram, mas um sócio desacordou.*] **2** *P.ext.* Estar em desarmonia com; discordar [*td.*: *O artista desacordou inteiramente as cores.*] [*int.*: *As opiniões dos irmãos desacordavam.*] **3** *Mús.* Ficar desafinado (um instrumento musical) [*int.*] **4** *P.ext.* Não combinar; destoar [*int.*: *As cores da varanda desacordavam inteiramente.*] **5** Perder os sentidos, a lembrança [*int.*: *De vez em quando a avó desacordava.*] **6** *Fig.* Sair do estado normal; perder o juízo [*int.*] [▶ 1 desacord**ar**] [F.: *des-* + *acordar*. Hom./Par.: *desacordo* (fl.), *desacordo* /ô/ (sm.); *desacorde(s)* (fl.), *desacorde* (a2g.).]

desacordo (de.sa.*cor*.do) [ô] *sm.* **1** Falta de acordo, de entendimento ou entendimento ou de harmonia entre pessoas; DESARMONIA; DESENTENDIMENTO; DISCORDÂNCIA: "...caminhavam silenciosos, sinal evidente de desacordo..." (Monteiro Lobato, *Cidades mortas*) **2** Contraste, oposição; incompatibilidade: "...remediando-se destarte o desacordo entre o gênero gramatical e o sexo natural..." (Mário Barreto, *Novíssimos estudos*) **3** *Mús.* Falta de afinação, harmonia; DESAFINAÇÃO **4** *Dnç. Mús.* Dança ou canção medieval **5** *P.us.* Perda dos sentidos, desmaio: "...Neste desacordo se deteve algumas horas..." (Camilo Castelo Branco, *Coisas espantosas*) [F.: *des* + *acordo*. Hom./Par.: *desacordo* (sm.), *desacordo* (fl. de *desacordar*).]

desacoroçoado (de.sa.co.ro.ço.*a*.do) *a.* **1** Que não tem mais ânimo, determinação; DESANIMADO; DESMOTIVADO [Ant.: *animado, estimulado*.] **2** Que perdeu a coragem; ACOVARDADO [Ant.: *corajoso*.] **3** Que ficou decepcionado; DESAPONTADO **4** Que não tem mais esperanças; DESESPERANÇADO [Ant.: *alentado, esperançoso*.] *sm.* **5** Pessoa desacoroçoada [F.: Part. de *desacoroçoar*.]

desacorrentado (de.sa.cor.ren.*ta*.do) *a.* **1** Que se desacorrentou, que se desfez de correntes **2** *Fig.* Desimpedido, livre de compromisso [F.: Part. de *desacorrentar*. Ant. ger.: *acorrentado*.]

desacorrentar (de.sa.cor.ren.*tar*) *v.* **1** Livrar de correntes, desprendendo-as ou rompendo-as [*td.*: *O domador desacorrentou o tigre.*] **2** *Fig.* Livrar(-se) de (algo que prende ou oprime) [*tdr.*: *A contratação de uma nova empregada desacorrentou a mulher de várias obrigações domésticas.*] [*tr.*: *Desacorrentou-se da rotina.*] [▶ 1 desacorrent**ar**] [F.: *des-* + *acorrentar*. Ant. ger.: *acorrentar*.]

desacostar (de.sa.cos.*tar*) *v.* **1** *Mar.* Afastar, tirar do lugar (o que estava acostado) [*td.*: *O comandante mandou desacostar a embarcação.* Ant.: *acostar.*] **2** *Bras. Rel.* Afastar o encosto; desincorporar [*int.*] [▶ 1 desacost**ar**] [F.: *des-* + *acostar*.]

desacostumado (de.sa.cos.tu.*ma*.do) *a.* **1** Que perdeu o costume ou a prática; DESABITUADO: *Estava desacostumado com o calor do Brasil, depois de tanto tempo fora.* [Ant.: *acostumado*.] **2** Que não é usual, habitual: *Opinou com desacostumada veemência.* [F.: Part. de *desacostumar*.]

desacostumar (de.sa.cos.tu.*mar*) *v.* Fazer perder ou perder o hábito, o costume; DESABITUAR [*tdi.* + *de*: *O uso do computador desacostumou-o de escrever à mão.* Ant.: *acostumar.*] [▶ 1 desacostum**ar**] [F.: *des-* + *acostumar*.]

desacreditado (de.sa.cre.di.*ta*.do) *a.* **1** Que perdeu a credibilidade: *O partido está hoje, bastante desacreditado.* **2** Que perdeu o bom conceito, a boa reputação: "...Ficava acreditado Deus, e os ídolos desacreditados." (Antônio Vieira, *Sermões*) [Ant.: *conceituado*.] **3** Que sofreu depreciação; DEPRECIADO; DESVALORIZADO [F.: Part. de *desacreditar*.]

desacreditar (de.sa.cre.di.*tar*) *v.* **1** Fazer perder ou perder crédito, boa fama, a boa reputação; DESABONAR [*td.*: *No trabalho, sua indolência o desacreditou.* Ant.: *acreditar.*] [*int.*: *Se continuar assim, vai desacreditar-se.*] **2** Rebaixar o valor, o mérito de; DESMERECER; DEPRECIAR [*td.*: *O mau atendimento desacreditou o restaurante.*] **3** Ter descrença ou desconfiança em relação a (algo) [*td.*: *desacreditar um governo; desacreditar os dados de uma pesquisa.*] **4** Difamar, caluniar [*td.*: *Desacreditaram-no no trabalho por pura inveja.*] [▶ 1 desacredit**ar**] [F.: *des-* + *acreditar*. Hom./Par.: *desacreditáveis* (fl.), *desacreditáveis* (pl. de *desacreditável* [a2g.]).]

desacumular (de.sa.cu.mu.*lar*) *v.* **1** Desfazer, separar, dividir (o que estava acumulado) [*td.*: *Desacumulou as economias que guardara com tanto empenho.*] **2** Desentulhar, desamontoar [*td.*: *Desacumulou a garagem para ter mais espaço.*] [*tdr.* + *de*: *Desacumulou o quarto dos trastes velhos.*] **3** *Bras.* Deixar de ter um ou mais cargos públicos [*int.*: *Os funcionários foram obrigados a desacumular.*] [▶ 1 desacumul**ar**] [F.: *des-* + *acumular*.]

desadaptar (de.sa.dap.*tar*) *v.* **1** Fazer perder ou perder a faculdade de adaptação (esp. a meio, condição, circunstância etc.) [*tdr.* + *de*: *Os anos vividos em Manaus desadaptou-a do frio gaúcho.*] **2** Desvencilhar (alguém) de (hábitos, costumes); DESACOSTUMAR [*tdr.* + *de*: *desadaptar-se do álcool.*] [▶ 1 desadapt**ar**] [F.: *des-* + *adaptar*. Ant. ger.: *adaptar*.]

desadorado (de.sa.do.*ra*.do) *a.* **1** Que se desadorou, que se deixou de adorar; DESAMADO; DETESTADO **2** *Bras. N. N.E.* Cheio de fortes dores **3** Descontrolado, demasiado **4** Turbulento, endiabrado (menino desadorado) [F.: Part. de *desadorar*.]

desadouro (de.sa.*dou*.ro) *sm.* Sensação ou estado de quem sofre dor intensa, ou que passa por algo que inquieta, aborrece, angustia; tb. *desadoro*

desafastar (de.sa.fas.*tar*) *v. td. tda. int. Pop.* O mesmo que *afastar* [▶ 1 desafast**ar**] [F.: *des-* + *afastar*.]

desafazer (de.sa.fa.*zer*) *v.* Fazer perder ou deixar de ter o hábito, o costume; desacostumar(-se) [*tdr.* + *de*: *As longas férias o desafizeram do hábito de trabalhar duro.*] [*tr.* + *de*: *Desafez-se do hábito de sair toda noite com a mulher.* Ant.: *afazer.*] [▶ 22 desafa**zer**] [F.: *des-* + *afazer*.]

desafectação (de.sa.fec.ta.*ção*) *sf.* Ver *desafetação* [Pl.: *-ções*.] [F.: *des-* + *afectação*.]

desafectado (de.sa.fec.*ta*.do) *a.* Ver *desafetado*

desafecto (de.sa.*fec*.to) *sm.* Ver *desafeto* [F.: *des-* + *afecto*.]

desafeição (de.sa.fei.*ção*) *sf.* **1** Perda ou ausência de afeição ou afeto; DESAMOR: "...tal desafeição ou embirra vinha de longe..." (Camilo Castelo Branco, *Sangue*) [Ant.: *afeição, afeto*] **2** Oposição; hostilidade [Pl.: *-ções*.] [F.: *des-* + *afeição*.]

desafeiçoado (de.sa.fei.ço.*a*.do) *a.* **1** Que se desafeiçoou, que perdeu a afeição por (irmãos desafeiçoados); DESAFETO **2** Que não se afeiçoa, que não gosta ou se apega a alguém ou alguma coisa **3** Que faz oposição, que é contrário ou adverso (desafeiçoado a modernização); AVESSO [F.: Part. de *desafeiçoar*.]

desafeiçoar (de.sa.fei.ço.*ar*) *v.* Fazer perder ou perder afeição ou gosto por [*tdr.*: *O tempo desafeiçoou-a do namorado.*] [*tdr.*: *Desafeiçoara-se da vida urbana.*] [▶ 16 desafeiç**oar**] [F.: *des-* + *afeiçoar*[1].]

desafeito (de.sa.*fei*.to) *a.* Que não está afeito, acostumado (a algo); DESACOSTUMADO; DESABITUADO: *jovens desafeitos a leituras.* [F.: *des-* + *afeito*.]

desaferentação (de.sa.fe.ren.ta.*ção*) *sf. Pat.* Modalidade de dor neuropática causada pela falta de impulsos do sistema nervoso periférico ou central [Pl.: *-ções*.] [F.: *des-* + *aferente* + *-(a)ção*.]

desaferrar (de.sa.fer.*rar*) *v.* **1** *Fig.* Fazer abandonar ou renunciar a (planos, intenções, hábitos) [*tdr.* + *de*: *Não há quem a desaferre da ideia de virar freira.*] **2** *Fig.* Desprender com dificuldade [*td.*: *desaferrar a base do liquidificador.*] [*tdr.* + *de*: *desaferrar-se de maus pensamentos.*] **3** Soltar (o que estava preso com ferro) [*td.*: *desaferrar um navio.*] [*tdr.* + *de*: *desaferrar-se das correntes.*] [▶ 1 desaferrar] [F.: *des-* + *aferrar*. Hom./Par.: *desaferro* (fl.), *desaferro* (sm.).]

desaferrolhar (de.sa.fer.ro.*lhar*) *v.* **1** Abrir (o que está fechado com ferrolho) [*td.*: *desaferrolhar o portão.*] **2** Libertar de prisão [*td.*: *desaferrolhar prisioneiros.*] **3** *Fig.* Tirar de esconderijo, de cofre ou de local seguro **4** *Fig.* Liberar(-se), soltar(-se); dar ou ganhar expressão: *desaferrolhar o pensamento, a emoção.* [*td.*: *desaferrolhar o pensamento, a emoção.*] [*int.*: *Seus sentimentos desaferrolharam-se após aquele encontro.*] [▶ 1 desaferrolhar] [F.: *des-* + *aferrolhar*. Ant. ger.: *aferrolhar*.]

desafetação (de.sa.fe.ta.*ção*) *sf.* Falta de afetação na maneira de ser, falar, agir; NATURALIDADE; SIMPLICIDADE [Pl.: *-ções*.] [F.: *des-* + *afetação*.]

desafetado (de.sa.fe.*ta*.do) *a.* **1** Sem afetação, natural, espontâneo **2** Afável, lhano, delicado **3** singelo, natural, fluente (estilo desafetado; linguagem desafetada); DESPRETENSIOSO [F.: *des-* + *afetado*. Ant. ger.: *afetado*.]

desafeto (de.sa.*fe*.to) *sm.* **1** *Bras.* Adversário, inimigo: *O principal suspeito é um antigo desafeto da vítima.* **2** Falta de afeto, de afeição; DESAFEIÇÃO; DESAMOR [Ant.: *afeto, afeição*] **3** Falta de apreciação: *o desafeto dos estudantes pela obra deste autor.* *a.* **4** Que é hostil, contrário, oposto (a alguém ou algo): "...não se mostrando desafeto ao ferreiro..." (Teixeira de Queirós, *Ao sol e à chuva*) [F.: *des-* + *afeto*.]

desafiado¹ (de.sa.fi.*a*.do) *a.* Que se desafiou, que recebeu desafio [F.: Part. de *desafiar¹*.]

desafiado² (de.sa.fi.*a*.do) *a.* Sem corte, sem fio (diz-se de lâmina ou de instrumento cortante), ou que perdeu o fio [F.: Part. de *desafiar²*.]

desafiador (de.sa.fi:a.*dor*) [ô] *a.* **1** Que desafia, provoca: *Cazuza era instável e desafiador, mas também extremamente sedutor; um olhar desafiador.* **2** Que mostra disposição e coragem: *Sempre encarou os problemas de maneira desafiadora, buscando possibilidades para a sua solução.* **3** Difícil de ser executado, vencido ou resolvido: *um divertido e desafiador jogo de quebra-cabeças.* *sm.* **4** Aquele ou aquilo que desafia, provoca [F.: *desafiar¹* + *-dor*. Sin. ger.: *desafiante*.]

desafiante (de.sa.fi.*an*.te) *a2g.* **1** O mesmo que *desafiador* *s2g.* **2** *Esp.* Competidor que desafia o campeão de sua categoria **3** O mesmo que *desafiador* [F.: *desafiar* + *-nte*.]

desafiar¹ (de.sa.fi.*ar*) *v.* **1** Provocar (alguém) a tomar parte em (disputa, duelo, combate) [*td.*: *desafiar o oponente.*] [*tdr.*: *desafiar o oponente para uma disputa.*] **2** Incitar (alguém) a realizar ação considerada difícil [*tdr.* + *a*: *Desafio você a subir na árvore.*] **3** *Fig.* Pôr à prova; exigir o empenho máximo de [*td.*: *O mistério desafiava a nossa inteligência.*] **4** *Fig.* Enfrentar (grande dificuldade ou perigo) [*td.*: *Os trapezistas desafiavam a morte.*] **5** *Fig.* Opor-se abertamente a (lei, autoridade, instituição); CONTESTAR [*td.*: *Desafiou a proibição do prefeito.*] **6** *Bras.* Propor desafio (6) a [▶ 1 desafiar] [F.: De *des-* + port. ant. *afiar*, 'confiar' (< lat. *fidare, por *fidere*).]

desafiar² (de.sa.fi.*ar*) *v.* Fazer perder ou perder (lâmina, instrumento cortante) o fio; CEGAR [*td.*: *Este papelão duro desafiou minha tesoura.*] [*int.*: *De tanto uso, meu canivete desafiou(-se).*] [▶ 1 desafiar] [F.: *des-* + *afiar*.]

desafinação (de.sa.fi.na.*ção*) *sf.* **1** Ação ou resultado de desafinar **2** *Mús.* Ausência ou perda de afinação; DISSONÂNCIA **3** *Fig.* Falta de concordância, de harmonia: "...aquela desafinação que faz dar volta ao juízo..." (Júlio Dinis, *A morgadinha dos canaviais*) [Pl.: *-ções*.] [F.: *desafinar* + *-ção*. Ant. ger.: *afinação*.]

desafinado (de.sa.fi.*na*.do) *a.* **1** *Mús.* Que está fora do tom; não afinado (violão desafinado, vozes desafinadas) **2** *Fig.* Desarmônico, discordante (opiniões desafinadas) **3** Que não alcança a devida afinação (quando canta): *Ele é muito desafinado! É terrível quando ele canta.* [F.: Part. de *desafinar*. Ant. ger.: *afinado*.]

desafinar (de.sa.fi.*nar*) *v.* **1** *Mús.* Fazer ficar ou ficar fora do tom certo [*td.*: *A umidade e o calor desafinaram o violão.*] [*int.*: *cantar uma música sem desafinar.* Ant.: *afinar*.] **2** *Fig.* Estar em desacordo, em desarmonia com; DESTOAR [*tr.* + *de*: *Tanta grosseria desafina da gentileza da equipe.* Ant.: *afinar*.] **3** *Fig.* Provocar perturbação; ATRAPALHAR; ALTERAR [*td.*: *A vaidade desafinou o andamento do trabalho.*] **4** *Fig.* Pôr-se de mau humor; ZANGAR-SE [*tr.* + *com*: *Desafinou(-se) com a sogra.*] **5** *Fig.* Fazer perder ou perder o arranjo, o bom funcionamento, o ajuste [*td.*: *A batida desafinou o automóvel.*] [*int.*: *O motor do automóvel desafinou após o acidente.*] [▶ 1 desafinar] [F.: *des-* + *afinar*.]

desafio (de.sa.*fi*:o) *sm.* **1** Ação ou resultado de desafiar¹ **2** Ato de provocar alguém para um combate ou luta **3** Qualquer espécie de provocação: *Considerou aquela atitude um desafio à sua autoridade; olhar de desafio.* **4** Ação muito difícil de realizar; problema que exige coragem ou esforço: "...fazer as reformas será o principal desafio da economia brasileira..." (*Folha de S.Paulo*, 19.12.1999) **5** *Esp.* Prova de competição entre dois jogadores ou equipes **6** *Bras. Mús.* Disputa musical em que dois cantadores se alternam com versos improvisados: "...os convidados do dono da casa (...) cantaram ao desafio segundo o costume..." (Manuel Antônio de Almeida, *Memórias de um sargento de milícias*) **7** *Bras. Pop. Liter.* Essa modalidade poética, não improvisada [F.: Dev. de *desafiar¹*. Hom./Par.: *desafio* (sm.), *desafio* (fl. de *desafiar*).] ▪▪ **A ~** *Pop. Liter.* De maneira ironicamente provocativa; à desgarrada

desafivelado (de.sa.fi.ve.*la*.do) *a.* Que se desafivelou, que soltou a fivela de (cinturão desafivelado) [Ant.: *afivelado*.] [F.: Part. de *desafivelar*.]

desafivelar (de.sa.fi.ve.*lar*) *v. td.* Abrir ou soltar, desapertando fivela ou presilha; DESFIVELAR: *desafivelar o cinto /o sapato /os cabelos.* [Ant.: *afivelar*.] [▶ 1 desafivelar] [F.: *des-* + *afivelar*.]

desafogado (de.sa.fo.*ga*.do) *a.* **1** Que se desafogou, se livrou do que afogava, pesava ou obstruía: *O avião partiu, desafogado dos fardos.* **2** Aliviado, desembaraçado (desafogado da dor/do desejo) **3** À vontade, ao natural, descontraído: "E contigo, disse ele já noutra voz mais desafogada... com se avém ele, como te trata?" (Almeida Garrett, *Viagens na minha terra*) **4** Em que não há preocupações, esp. financeiras [F.: Part. de *desafogar*.]

desafogamento (de.sa.fo.ga.*men*.to) *sm.* **1** Ato ou efeito de desafogar(-se); DESAFOGO **2** Cessação de dificuldades ou problemas; despreocupação [F.: *desafogar* + *-mento*. Hom./Par.: *desafogueamento* (sm.).]

desafogar (de.sa.fo.*gar*) *v.* **1** Fazer reduzir ou reduzir aquilo que sobrecarrega (ruas, serviços públicos etc.) [*td.*: *desafogar o sistema judiciário.*] **2** Tirar o que aperta, sufoca, oprime; DESOPRIMIR [*td.*: *desafogar o corpo e o espírito.*] [*tdr.* + *de*: *desafogar o espírito das preocupações.*] **3** Tirar o excesso de (algum lugar); DESOBSTRUIR [*tdr.* + *de*: *desafogar a sala de móveis.*] **4** *Fig.* Manifestar com franqueza (sentimentos ou emoções opressivas); ABRIR-SE; DESABAFAR [*tdr.* + *com, em*: "...desafogou em prantos e soluços a dor que tinha..." (José de Alencar, *A pata da gazela*)] **5** *Fig.* Livrar de dificuldades financeiras [*td.*: *A herança desafogou a viúva.*] [▶ 14 desafogar] [F.: *des-* + *afogar*. Hom./Par.: *desafogo* (fl.), *desafogo* (sm.).]

desafogo (de.sa.*fo*.go) [ô] *sm.* **1** Ação ou resultado de desafogar(-se) **2** Alívio, desopressão: *dar desafogo à dor*: "...o desafogo que tinham era falar de sua paixão..." (Camilo Castelo Branco, *Filha do arcediago*) **3** Expressão de sentimentos e pensamentos íntimos; DESABAFO **4** Desembaraço, desenvoltura: *Entrou na sala com grande desafogo.* **5** *Fig.* Fartura financeira; ABASTANÇA: *A família hoje vive com bastante desafogo.* **6** *Fig.* Ação de tornar menos congestionado, mais fluido: *Legislativo debate desafogo da BR 116.* [F.: Dev. de *desafogar*. Hom./Par.: *desafogo* (sm.), *desafogo* (fl. de *desafogar*).]

desafoguear (de.sa.fo.gue.*ar*) *v. td.* Tirar o afogueamento, o calor de; refrescar, refrigerar [▶ 13 desafoguear] [F.: *des-* + *afoguear*.]

desaforado (de.sa.fo.*ra*.do) *a.* **1** Que é atrevido, insolente **2** Falto de cortesia, de boa educação **3** *Jur.* Isento de pagamento de foro *sm.* **4** Indivíduo desaforado (1 e 2) [F.: Part. de *desaforar*.]

desaforar (de.sa.fo.*rar*) *v. td.* **1** Tornar-se atrevido ou desrespeitoso com; OFENDER: *Furou a fila e ainda veio me desaforar!* **2** *Jur.* Transferir (processo) de uma circunscrição judiciária para outra **3** *Jur.* Destituir das prerrogativas de foro **4** *Jur.* Não obrigar a pagamento de foro **5** *Jur.* Destituir do uso ou gozo de imóvel aforado [▶ 1 desaforar] [F.: *des-* + *aforar*.]

desaforo (de.sa.*fo*.ro) [ô] *sm.* Falta de respeito no modo de agir ou de falar; INSOLÊNCIA; ATREVIMENTO: "...que ponha limite aos seus desaforos..." (Manuel Bernardes, *Estímulo prático*) [F.: Dev. de *desaforar*. Hom./Par.: *desaforo* (sm.), *desaforo* (fl. de *desaforar*).]

desafortunado (de.sa.for.tu.*na*.do) *a.* **1** Que não tem sorte; sujeito ao infortúnio, à desgraça, ao fracasso, à carência, ao desamparo; INFELIZ; DESVENTURADO: "...introduzir-vos de tropel nesse desafortunado serralho..." (Mário Barreto, *Cartas persas*) *sm.* **2** Indivíduo desafortunado: "...estes desafortunados dos prazeres reais da vida..." (Camilo Castelo Branco, *Homem rico*) [F.: *des-* + *afortunado*. Ant. ger.: *afortunado*.]

desafronta (de.sa.*fron*.ta) *sf.* Ato ou efeito de desafrontar(-se); reparação de afronta ou ofensa; DESAGRAVO [F.: Dev. de *desafrontar*.]

desafrontado (de.sa.fron.*ta*.do) *a.* **1** Que se desafrontou, se reparou de afronta, de ofensa feita ao brio, ao decoro, à honra; DESFORRADO; VINGADO **2** Que se livrou do que oprimia ou incomodava **3** Aliviado da sensação de calor, de sufoco; AREJADO [F.: Part. de *desafrontar*.]

desafrontar (de.sa.fron.*tar*) *v.* **1** Vingar ou livrar de ofensa ou injúria; DESAGRAVAR [*td.*: *Desafrontou a dignidade do irmão; Caluniado, esperava desafrontar-se um dia.*] [*tdr.* + *de*: *Desafrontou o irmão das calúnias e injúrias.* Ant.: *afrontar*.] **2** Eliminar ou suavizar (mal físico ou moral); ALIVIAR [*td.*: *O analgésico vai desafrontá-lo.*] [*tdr.* + *de*: *O analgésico vai desafrontá-lo da dor.*] [▶ 1 desafrontar] [F.: *des-* + *afrontar*.]

desafrouxar (de.sa.frou.*xar*) *v. td. int.* Tornar(-se) mais largo, mais solto; DESAPERTAR; AFROUXAR [▶ 1 desafrouxar] [F.: *des-* + *afrouxar*.]

desagasalhado (de.sa.ga.sa.*lha*.do) *a.* **1** Sem agasalho; sem roupas quentes que protejam do frio: "...dava prendas a meninos desagasalhados..." (Samuel Maia, *Dona sem dono*) **2** Sem proteção ou abrigo [F.: *des-* + *agasalhado*.]

desagasalhar (de.sa.ga.sa.*lhar*) *v. td.* **1** Tirar o agasalho de (alguém ou si próprio) **2** *Fig.* Deixar ao abandono, sem abrigo; DESABRIGAR: *A enchente desagasalhou muitos moradores da vila.* [▶ 1 desagasalhar] [F.: *des-* + *agasalhar*.]

deságio (de.*sá*.gi:o) *Econ. sm.* **1** Diferença para menos entre o preço de tabela de uma mercadoria e o preço realmente praticado; DESCONTO: *Os automóveis foram vendidos com 30% de deságio.* **2** Diferença para menos entre o valor nominal de um título de crédito, moeda etc. e seu valor de mercado: *O dólar foi trocado com 3% de deságio.* [F.: Do it. *disaggio* ou de *des-* + *ágio*.]

desagradar (de.sa.gra.*dar*) *v.* Causar desprazer ou reação desfavorável em; DESCONTENTAR [*td.*: *O novo visual desagrada os fãs.*] [*tr.* + *a*: *A peça desagradou aos críticos.* Ant.: *agradar*.] [▶ 1 desagradar] [F.: *des-* + *agradar*. Hom./Par.: *desagradáveis* (fl.), *desagradáveis* (pl. de *desagradável* [a2g.]).]

desagradável (de.sa.gra.*dá*.vel) *a2g.* **1** Que desagrada, que incomoda (cheiro desagradável, sensação desagradável) [Ant.: *bom*.] **2** Que causa aborrecimento (notícia desagradável, dia desagradável) **3** Antipático; agressivo; de difícil trato (diz-se de pessoa) [Ant.: *afável, simpático*.] [Pl.: *-veis*.] *sm.* **4** Aquilo que desagrada, aborrece ou incomoda [F.: *desagradar* + *-vel*. Ant. ger.: *agradável*. Hom./Par.: *desagradáveis* (pl.), *desagradáveis* (fl. de *desagradar* [v.]).]

desagrado (de.sa.*gra*.do) *sm.* **1** Ação ou resultado de desagradar **2** Falta de agrado, de prazer; DESPRAZER: *O espetáculo provocou desagrado geral.* **3** Sentimento de insatisfação, de descontentamento: "...aquele jeito da boca (...) significava o seu desagrado..." (Rebelo da Silva, *Mocidade*) **4** Falta de cordialidade, de afabilidade: *Recebeu-nos com desagrado.* [F.: Dev. de *desagradar*. Hom./Par.: *desagrado* (sm.), *desagrado* (fl. de *desagradar*).]

desagravado (de.sa.gra.*va*.do) *a.* **1** Que (se) desagravou, se reparou de agravo, ofensa **2** Que se tornou menos culpável, menos grave (erro/ferimento desagravado) **3** Aliviado, atenuado **4** *Jur.* Emendado, corrigido (o agravo) [F.: Part. de *desagravar*.]

desagravamento (de.sa.gra.va.*men*.to) *sm. Econ.* Isenção de impostos e taxas (desagravamento tributário, decreto de desagravamento) [F.: *desagravar* + *-mento*.]

desagravar (de.sa.gra.*var*) *v. td.* **1** Diminuir a gravidade de; SUAVIZAR; ATENUAR: *Um arrependimento sincero desagrava uma culpa.* **2** Atenuar (mal físico); ALIVIAR: *desagravar uma dor.* **3** Reparar (de dano, ofensa ou injúria); DESAFRONTAR: *Tentava desagravar a sua honra.* **4** *Jur.* Dar provimento, emendar o agravo do juiz de instância inferior [▶ 1 desagravar] [F.: *des-* + *agravar*. Ant. ger.: *agravar*.]

desagravo (de.sa.*gra*.vo) *sm.* **1** Ação ou resultado de desagravar(-se); DESAFRONTA: "...A futura rainha de Portugal terá o seu desagravo..." (Alexandre Herculano, *Lendas e narrativas*) **2** *Jur.* Reparação de dano físico ou moral por meio de retratação **3** *Jur.* Emenda de agravo por meio de sentença [F.: Dev. de *desagravar*. Hom./Par.: *desagravo* (sm.), *desagravo* (fl. de *desagravar*).]

desagregação (de.sa.gre.ga.*ção*) *sf.* **1** Ação ou resultado de desagregar(-se) **2** Separação das partes agregadas: "...A ortodoxia (...) considera a Bíblia uma espécie de desagregação..." (Ramalho Ortigão, *John Bull*) **3** *Fig.* Dissolução: *a desagregação de um casamento/ império.* [Pl.: *-ções*.] [F.: *desagregar* + *-ção*.]

desagregado (de.sa.gre.*ga*.do) *a.* **1** Que se desagregou **2** Separado em partes **3** Que se dissolveu; cujos componentes se dispersaram [F.: Part. de *desagregar*.]

desagregador (de.sa.gre.ga.*dor*) [ô] *a.* **1** Que desagrega, separa ou desune; DESAGREGANTE *sm.* **2** O que causa desagregação: *Esse tipo de relação com a televisão certamente funciona como um desagregador da família.* **3** Máquina ou equipamento para desagregar [F.: *desagregar* + *-dor*.]

desagregante (de.sa.gre.*gan*.te) *a2g.* O mesmo que *desagregador* (1) [F.: *desagregar* + *-nte*.]

desagregar (de.sa.gre.*gar*) *v.* **1** Separar, desunir [*td.*: *As brigas desagregam as equipes.*] [*tdr.* + *em*: *A competição desagregou a turma em grupos rivais.*] **2** Fazer sair de seu meio; DESARRAIGAR [*tdr.* + *de*: *desagregar um índio de sua tribo.*] [▶ 14 desagregar] [F.: *des-* + *agregar*. Hom./Par.: *desagregáveis* (fl.), *desagregáveis* (pl. de *desagregável* [a2g.]).]

desaguadoiro (de.sa.gua.*doi*.ro) *sm.* Ver *desaguadouro*

desaguadouro (de.sa.gua.*dou*.ro) *sm.* Vala ou rego para escoamento de águas; DESAGUADEIRO [F.: *desaguar* + *-douro¹*. Tb. *desaguadoiro*.]

desaguar (de.sa.*guar*) *v.* **1** Lançar (um rio) sua água em (mar, outro rio); DESEMBOCAR [*ta.*: *O rio Pardo deságua no mar.*] **2** Retirar a água de (pântano, embarcação) [*td.*] **3** *Pop.* Fazer xixi [*int.*] [▶ 17 desaguar] [F.: *des-* + *aguar*.]

deságue (de.*sá*.gue) *sm.* **1** Ação ou resultado de desaguar **2** Vale ou rego para escoamento de águas; DESAGUADOURO **3** O lugar onde ocorre esse escoamento, ou o desaguamento [F.: Dev. de *desaguar*.]

desaguisado (de.sa.gui.*sa*.do) *sm.* **1** Conflito, desavença ou briga entre pessoas **2** Desordem, confusão, tumulto [F.: Substv. do part. de *desaguisar*.]

desaire (de.*sai*.re) *sm.* **1** Falta de elegância, esp. na aparência, no trajar **2** Ação indecorosa ou escandalosa; VERGONHA; VEXAME **3** Contratempo; revés da sorte; DESGRAÇA: "...pungia-lhe mais o desaire estar ali D. Mécia..." (Camilo Castelo Branco, *Santo da montanha*) [F.: Do espn. *desaire*.]

desairoso (de.sai.*ro*.so) [ô] *a.* **1** Que não tem elegância; DESELEGANTE; DESAJEITADO **2** Que demonstra falta de vergonha ou de brio: "...a súbita mudança do irmão, que achacava de desairosa e vilã..." (Arnaldo Gama, *A última dona*) [Pl.: [ó]. Fem.: [ó].] [F.: *desaire* + *-oso*.]

desajeitado (de.sa.jei.*ta*.do) *a.* **1** Sem jeito ou habilidade para alguma atividade; INÁBIL: *um dançarino meio desajeitado.* **2** Que é desengonçado, troncho: *Reconheci-a pelo andar desajeitado.* **3** Sem graça, embaraçado: *um pedido de desculpas meio desajeitado.* **4** Desarrumado, deselegante (desajeitado no vestir) **5** Fora de ordem; bagunçado, desarrumado: *camas desajeitadas.* **6** Bronco, pateta [F.: Part. de *desajeitar*.]

desajeito (de.sa.*jei*.to) *sm.* Falta de jeito ou posição adequada: *Com o desajeito dos saltos altos, quase despencou.*: "Mecheu marchava com desajeito, bamba bailava-lhe a perna direita, puxada pela esquerda." (João Guimarães Rosa, "Mechéu" *in Tutameia*) [F.: Dev. de *desajeitar.* Hom./Par.: *desajeito* (sm.), *desajeito* (fl. de *desajeitar*).]

desajudado (de.sa.ju.*da*.do) *a.* Que não tem ou não teve ajuda ou auxílio; DESASSISTIDO; DESFAVORECIDO: "Eu sou uma mulher fraca e desajudada! Mas não lhe darei meu filho!" (Latino Coelho, *Gladiador de Ravena*) [F.: Part. de *desajudar.*]

desajudar (de.sa.ju.*dar*) *v. td. int.* **1** Não ajudar; não prestar auxílio a **2** Atrapalhar, prejudicar, ao tentar ajudar [▶ 1 desajudar] [F.: *des-* + *ajudar.* Ant. ger.: *ajudar.*]

desajuizado (de.sa.ju.i.*za*.do) *a.* **1** Que não tem ou que revela falta de juízo, de bom-senso, de sensatez: "...se eu fora desajuizado, fora semelhante a ti, insensato..." (Manuel Bernardes, *Estímulo prático*) [Ant.: *ajuizado*] *sm.* **2** Aquele que não tem juízo ou que aparenta não ter [F.: Part. de *desjuizar.* Sin. ger.: *inconsequente, insensato.*]

desajustado (de.sa.jus.*ta*.do) *a.* **1** *Psi.* Que não está emocionalmente ajustado, equilibrado **2** *Soc.* Não adaptado ao meio social em que vive **3** Que perdeu o ajustamento (freio desajustado) *sm.* **4** Indivíduo desajustado (1 ou 2) [F.: Part. de *desajustar.*]

desajustamento (de.sa.jus.ta.*men*.to) *sm.* **1** Ação ou resultado de desajustar(-se) **2** Ausência de encaixe entre duas coisas **3** Folga na justaposição de duas ou mais coisas **4** *Biol.* Inadaptação de um organismo a determinadas condições ambientais **5** Falta de coincidência ou de coerência entre fatos, opiniões, ideias, objetivos etc. **6** *Psi.* Falta de equilíbrio emocional **7** *Soc.* Inadaptação ao meio social em que se vive [F.: *desajustar* + *-mento.* Sin. ger.: *desajuste.* Ant. ger.: *ajustamento.*]

desajustar (de.sa.jus.*tar*) *v.* **1** Tirar ou perder o ajuste, da medida ou da sintonia certa [*td.*: *A costureira acabou desajustando o vestido; desajustar um mecanismo.* Ant.: *ajustar.*] **2** Romper (ajuste, combinação) [*td.*: *A hidrelétrica desajustou o acordo com as distribuidoras.* Ant.: *ajustar.*] **3** *Psi.* Causar ou sofrer desequilíbrio emocional [*td.*: *A tragédia desajustou toda a família.*] [*tr.* + *com*: *Desajustou com a perda do marido.*] [*int.*: *Depois da morte da nora, tinha medo que o filho se desajustasse.*] **4** *Fig.* Tornar(-se) inapto ao convívio ou ao meio social [*td.*] [*int.*] [▶ 1 desajustar] [F.: *des-* + *ajustar.*]

desajuste (de.sa.*jus*.te) *sm.* O mesmo que *desajustamento* [Ant.: *ajuste.*] [F.: Dev. de *desajustar.* Hom./Par.: *desajuste* (sm.), *desajuste* (fl. de *desajustar*).]

desalentado (de.sa.len.*ta*.do) *a.* **1** Sem alento, sem ânimo; DESANIMADO [Ant.: *animado, entusiasmado.*] **2** Sem forças, esfalfado, extenuado [F.: Part. de *desalentar.*]

desalentador (de.sa.len.ta.*dor*) [ô] *a.* Que faz perder o alento, o ânimo; DESANIMADOR [Ant.: *animador, estimulante.*] [F.: *desalentar* + *-dor.*]

desalento (de.sa.*len*.to) *sm.* Falta de alento, de ânimo; DESÂNIMO: "...Essas frequentes crises de desalento, de tédio..." (Cecília Meireles, *O respeito pela mocidade*) [Ant.: *alento, ânimo.*] [F.: *des-* + *alento.* Hom./Par.: *desalento* (sm.), *desalento* (fl. de *desalentar*).]

desalinhado (de.sa.li.*nha*.do) *a.* **1** Que não está alinhado: *As rodas da motocicleta estão desalinhadas.* **2** Que está fora da ordem que se estabeleceu **3** Que está mal-arrumado ou malvestido; DESARRUMADO **4** Que está desgrenhado: "...com os cabelos desalinhados e a barba espessa..." (Henrique Galvão, *Velo de oiro*) [F.: Part. de *desalinhar.* Ant. ger.: *alinhado.*]

desalinhamento (de.sa.li.nha.*men*.to) *sm.* **1** Ação ou resultado de desalinhar(-se), de sair de um alinhamento, de determinada ordem no espaço ou no tempo **2** *Pol.* Posição de neutralidade ou de discórdia, por parte de um ou mais países, em relação à aliança estabelecida com outros [F.: *desalinhar* + *-mento.*]

desalinhar (de.sa.li.*nhar*) *v. td.* **1** Tirar ou sair do alinhamento; DESENFILEIRAR: *O vento desalinhou os estandartes.* **2** Desfazer a boa ordem de; DESARRUMAR: *A ventania vai desalinhar meus cabelos.* [▶ 1 desalinhar] [F.: *des-* + *alinhar.* Ant. ger.: *alinhar.*]

desalinhavar (de.sa.li.nha.*var*) *v. td.* Tirar o alinhavo de (costura, roupa) [Ant.: *alinhavar.*] [▶ 1 desalinhavar] [F.: *des-* + *alinhavar.*]

desalinho (de.sa.*li*.nho) *sm.* **1** Falta de alinho; DESARRUMAÇÃO: *cabelos em desalinho.* **2** Desleixo no trajar ou na compostura **3** *Fig.* Perturbação do ânimo ou da razão [F.: Dev. de *desalinhar.* Hom./Par.: *desalinho* (sm.), *desalinho* (fl. de *desalinhar*).]

desalmado (de.sal.*ma*.do) *a.* **1** Incapaz de sentir compaixão pelo próximo; que tem maus instintos; DESUMANO; CRUEL *sm.* **2** Indivíduo desalmado [F.: Part. de *desalmar.*]

desalojar (de.sa.lo.*jar*) *v.* **1** Fazer sair ou sair (alguém ou algo) de alojamento, de local em que se encontra, em que reside; DESINSTALAR; RETIRAR(-SE) [*td.*: *Para receber seus hóspedes, desalojou as crianças.*] [*tda.*: "...a Assembleia Legislativa decidiu ontem, por 28 votos a 11, desalojar a antiga Fundação da Memória Republicana, hoje Fundação José Sarney, do Convento das Mercês..." (*Jornal O Globo*, 18.11.2005) Ant.: *acomodar, alojar.*] **2** Expulsar de uma posição ocupada, de um posto [*td.*: *desalojar o inimigo à baioneta.*] [*tdr.* + *de*: *O presidente da empresa desalojou a secretária de seu cargo.*] [*int.*: "Os detentores de monopólios podem se sentir muito menos estimulados a inovar do que se precisassem competir. E um monopolista, uma vez estabelecido, pode ser difícil de desalojar." (*Jornal O Globo*, 29.08.2005)] **3** Levantar acampamento [*int.*: *Com o fim da expedição, as tropas receberam ordens para desalojar-se.*] [▶ 1 desalojar Apresenta o *ó* aberto nas f. rizotônicas.] [F.: *des-* + *alojar.*]

desamar (de.sa.*mar*) *v. td.* **1** Não mais amar(-se); não ter mais afeto por (alguém, algo ou si mesmo): *Passou a desamar o marido; A partir daquele dia passaram a se desamar.* **2** Não ter gosto por: *Ele desama o trabalho que faz.* [▶ 1 desamar] [F.: *des-* + *amar.*]

desamaranhar (de.se.ma.ra.*nhar*) *v. td.* **1** Desfazer o emaranhado de; DESEMBARAÇAR; DESENLEAR: *Vovó desemaranhou seu tricô.* **2** Tornar compreensível; ELUCIDAR; ESCLARECER: *desemaranhar um crime; desemaranhar um problema.* [▶ 1 desemaranhar] [F.: *des-* + *emaranhar.* Ant. ger.: *emaranhar.*]

desamarrar (de.sa.mar.*rar*) *v.* **1** Livrar (alguém ou algo) de amarras; DESATAR; SOLTAR [*td.*: *desamarrar os pacotes.*] **2** Desatar (laço ou nó) de [*td.*: *desamarrar o cadarço/um nó.*] **3** *Fig.* Desfazer expressão de mau humor de (cara, semblante) [*td.*: *desamarrar a cara.*] **4** *Fig.* Dar mobilidade; permitir que aconteça; DESATRAVANCAR [*td.*: "Uma das primeiras empreitadas de Miro no cargo foi desamarrar este programa." (*O Globo*, 20.11.2003)] **5** *Fig.* Afastar; demover [*tdr.* + *de*: *Seria difícil desamarrá-lo da ideia de vingança.*] [▶ 1 desamarrar] [F.: *des-* + *amarrar.* Ant. ger.: *amarrar.*]

desamarrotar (de.sa.mar.ro.*tar*) *v.* Desfazer o amarrotado de ou tê-lo desfeito; ALISAR [*td.*: *desamarrotar a roupa.*] [*int.*: *O lençol desamarrotava aos poucos.* Ant.: *amarrotar.*] [▶ 1 desamarrotar] [F.: *des-* + *amarrotar.*]

desamassado (de.sa.mas.*sa*.do) *a.* **1** Que se desamassou, que reparou o amassado de (papel, tecido, metal) **2** De que se desfez a massa (pão), para fermentar mais lentamente [F.: Part. de *desamassar.*]

desamassar (de.sa.mas.*sar*) *v.* **1** Desfazer o amassado, as dobras de; ALISAR [*td.*: *Desamassou o capô do carro.*] [*int.*: *O tecido não desamassava facilmente.*] **2** Desfazer (massa do pão) para que demore a fermentar [*td.*] [*int.*] [▶ 1 desamassar] [F.: *des-* + *amassar.* Ant. ger.: *amassar.*]

desambição (de.sam.bi.*ção*) *sf.* Ausência de ambição; DESPRENDIMENTO: "...as nações pacíficas seriam assim mais facilmente vítimas de sua desambição..." (Rui Barbosa, *Conferência em Buenos Aires*) [Ant.: *ambição.*] [Pl.: *-ções.*] [F.: *des-* + *ambição.*]

desambicioso (de.sam.bi.ci.*o*.so) [ô] *a.* **1** Que não tem ambições; DESPRENDIDO; MODESTO [Ant.: *ambicioso, ganancioso.*] [Pl.: [ó]. Fem.: *ó*] *sm.* **2** Indivíduo sem ambições [F.: *des-* + *ambicioso.*]

desambientação (de.sam.bi.en.ta.*ção*) *sf.* **1** Ato ou efeito de desambientar(-se), sair ou ser afastado de seu ambiente **2** Ato ou efeito de não se sentir à vontade fora de seu ambiente [Pl.: *-ções.*] [F.: *desambientar* + *-ção.*]

desambientado (de.sam.bi.en.*ta*.do) *a.* **1** Que está fora do seu ambiente **2** Que ainda não se adaptou ao novo ambiente [F.: Part. de *desambientar.*]

desambientar (de.sam.bi:en.*tar*) *v. td.* Tirar (planta, animal, pessoa) do ambiente natural ou costumeiro; fazer (alguém) sentir-se desambientado: *A saída dos colegas desambientou o rapaz.* [Ant.: *ambientar.*] [▶ 1 desambientar] [F.: *des-* + *ambientar.*]

desamigo (de.sa.*mi*.go) *a.* Que não é amigo; INAMISTOSO; HOSTIL [F.: *des-* + *amigo.* Hom./Par.: *desamigo* (fl. de *desamigar*).]

desaminação (de.sa.mi.na.*ção*) *sf. Bioq.* Toda reação que remova um grupo de radicais amina de uma molécula; DESAMINIZAÇÃO [Pl.: *-ções.*] [F.: *desaminar* + *-ção.*]

desaminase (de.sa.mi.*na*.se) *sf. Bioq.* Toda enzima que catalisa desaminações [F.: *des-* + *amina* + *-ase.*]

desamolgar (de.sa.mol.*gar*) *v. td.* Desamassar ou endireitar (o que estava amolgado, amassado, deformado) [▶ 14 desamolgar] [F.: *des-* + *amolgar.*]

desamontoar (de.sa.mon.to.*ar*) *v. td.* Desfazer, separar (o que está amontoado) [Ant.: *amontoar.*] [▶ 16 desamontoar] [F.: *des-* + *amontoar.*]

desamor (de.sa.*mor*) [ô] *sm.* Falta de amor; DESPREZO; DESDÉM; DESAFEIÇÃO: "...acrescentar ao caráter moral de Camões (...) o desamor da guerra..." (Afonso Lopes Vieira, *Nova demanda*) [F.: *des-* + *amor.*]

desamparado (de.sam.pa.*ra*.do) *a.* **1** Deixado ao desamparo; ABANDONADO: *Trinta menores desamparados ganharam um lar.* **2** Carente de ajuda, apoio ou socorro: *A assistência a idosos desamparados.* **3** Que não está escorado, seguro [Ant. nas acps. 1, 2 e 3: *amparado.*] **4** Inabitado, ermo *sm.* **5** Aquele que não tem quem o ampare, apoie, ajude ou socorra, em termos materiais ou morais [F.: Part. de *desamparar.*]

desamparar (de.sam.pa.*rar*) *v. td.* **1** Deixar desprotegido ou sem sustento; DESPROTEGER; DESASSISTIR: *Pais que desamparam os filhos devem ser punidos.* **2** Deixar sem amparo, sem apoio moral: *Nunca desamparou um amigo.* **3** Tirar arrimo, escora; DESARRIMAR: *A coluna partiu-se e desamparou o teto, que veio abaixo.* **4** Deixar de sustentar, de segurar; FRAQUEJAR: *Sentia suas pernas desampararem-na.* [▶ 1 desamparar] [F.: *des-* + *amparar.* Ant. ger.: *amparar, sustentar.*]

desamparo (de.sam.*pa*.ro) *sm.* **1** Ação ou resultado de desamparar; ABANDONO **2** Falta de auxílio ou de proteção; estado ou condição de quem ou do que não recebe amparo moral nem material: *viver em desamparo.* [F.: Dev. de *desamparar.* Ant. ger.: *amparo.* Hom./Par.: *desamparo* (sm.), *desamparo* (fl. de *desamparar*).] ▪▪ **Ao/em ~** Em estado ou situação de abandono, esquecimento, descuido

desamuar (de.sa.mu.*ar*) *v. Fam.* Tirar o amuo de ou deixar de ficar amuado; alegrar(-se), desemburrar [*td.*: *As caretas do tio desamuaram a menina.*] [*int.*: *O velho carrancudo afinal desamuou-se.*: "Olha lá se é possível a gente desamuar-se!" (Camilo Castelo Branco, *Rapaz pobre*)] [▶ 1 desamuar] [F.: *des-* + *amuar.*]

desancar (de.san.*car*) *v. td.* **1** Espancar; bater em: *Desvairado, desancava quem lhe aparecia na frente.* **2** *Fig.* Criticar ou acusar com severidade: *Desancou o trabalho do colega.* **3** Bater muito nas ancas (esp. de animal) até vergá-lo **4** Derrubar, pôr abaixo: *desancar um muro.* **5** *Pop.* Vencer (alguém) em discussão ou competição, ger. de modo avassalador [▶ 11 desancar] [F.: *des-* + *anca* + *-ar*[2].]

desancorar (de.san.co.*rar*) *Mar. v.* **1** *Pus.* Levantar a âncora de [*td.*: *Desancoraram o navio.*] **2** Sair do porto (embarcação) onde estava ancorada [*int.*: *O comandante mandou desancorar.*] [▶ 1 desancorar] [F.: *des-* + *ancorar.*]

desanda (de.*san*.da) *sf.* **1** Reprimenda, descompostura; REPREENSÃO **2** *Pop.* Desarranjo, diarreia [F.: Dev. de *desandar.*]

desandar (de.san.*dar*) *v.* **1** Fazer andar para trás [*td.*] **2** Fazer retroceder ou retrogradar; recuar [*td.*] **3** Debandar [*int.*: *Terminado o jogo, a torcida desandou.*] **4** *Fig.* Mudar de direção; desviar-se [*tr.* + *de*: *Desandou da vida normal e caiu na criminalidade.*] **5** Começar (algo) de maneira intensa ou súbita [*td.*: *Desandou uma gostosa gargalhada.*] [*tr.* + *em*: *Desandaram numa discussão que certamente iria demorar muito.*] **6** Cair ou precipitar-se de maneira vertiginosa [*ta.*: *Uma súbita nevasca desandou sobre a aldeia.*] **7** Ter como resultado [*tr.* + *em*: *A carreira do jogador desandou em brigas e fracassos contínuos.*] **8** Desferir com violência [*tdi.* + *em*: *O zagueiro desandou vários pontapés no centroavante.*] **9** Impedir de chegar à consistência ideal ou perdê-la [*td.*: *O excesso de vinagre desandou o tempero.*] [*int.*: *Bata a massa vigorosamente para que não desande.*] **10** *Bras. Pop.* Provocar ou ficar com diarreia [*td.*: *Essa comida desanda o intestino.*] [*int.*: *O intestino do menino desandou.*] **11** Mover-se em sentido contrário ao que se esperava [*td.*: *O mecânico desandou a tarraxa, danificando a peça do motor.*] **12** Declinar, decair, deteriorar(-se) [*int.*: *Sua carreira começou a desandar.*] [▶ 1 desandar] [F.: *des-* + *andar.* Hom./Par.: *desando* (fl.), *desando* (sm.); *desanda(s)* (fl.), *desanda* (sf. [e pl.]) e *desanda* (interj.).]

desanexar (de.sa.ne.*xar*) [cs] *v.* Separar (o que estava anexado); desvincular [*td.*: *O governador desanexou aquele território.*] [*tdr.* + *de*: *Desanexaram a região do município.* Ant.: *anexar.*] [▶ 1 desanexar] [F.: *des-* + *anexar.*]

desanimação (de.sa.ni.ma.*ção*) *sf.* **1** Falta de animação, de ânimo; DESALENTO; DESÂNIMO [Ant.: *animação, entusiasmo.*] **2** Abatimento (5, 6), enfraquecimento, esmorecimento **3** Falta de entusiasmo; FRIEZA [Pl.: *-ções.*] [F.: *des-* + *animação.* Ant. ger.: *animação; ânimo.*]

desanimado (de.sa.ni.*ma*.do) *a.* **1** Sem ânimo, entusiasmo, vontade ou coragem; que se mostra apático, desinteressado, desestimulado em relação às coisas de um modo geral ou a algo específico; DESALENTADO: *Tem andado desanimada com a vida.* **2** Que expressa desânimo, abatimento: *Chegou em casa com um ar desanimado.* **3** Entediante, sem animação (festa desanimada) [F.: Part. de *desanimar.* Ant. ger.: *animado.*]

desanimador (de.sa.ni.ma.*dor*) [ô] *a.* **1** Que desanima, que causa desânimo; DESALENTADOR: "...sentia uma desanimadora alusão ao seu amor..." (Eça de Queirós, *Os Maias*) *sm.* **2** Aquele ou aquilo que causa desânimo, desalento [F.: *desanimar* + *-dor.*]

desanimar (de.sa.ni.*mar*) *v.* **1** Tirar o ânimo de, fazer perder o alento, o entusiasmo, a energia, ou perdê-los; DESESTIMULAR; DESALENTAR [*td.*: *A demora desanimou o público.*] [*tr.* + *de*: *Com o frio desanimaram de prosseguir a escalada.*] [*int.*: "Só não podemos desanimar diante da realidade difícil." (*O Globo*, 13.03.2005)] **2** Fazer diminuir; ESMORECER; QUEBRANTAR [*td.*: *Tanta burocracia vai desanimar o entusiasmo dos organizadores.* Ant.: *acender, avivar.*] [▶ 1 desanimar] [F.: *des-* + *animar.* Ant. ger.: *animar.* Hom./Par.: *desanimo* (fl.), *desânimo* (sm.).]

desânimo (de.*sâ*.ni.mo) *sm.* Falta de ânimo, entusiasmo, vontade ou coragem; DESALENTO: "E a bravura irrompeu naquelas almas em desânimo." (Antero de Figueiredo, *Espanha*) [F.: Dev. de *desanimar.* Hom./Par.: *desânimo* (sm.), *desanimo* (fl. de *desanimar*).]

desanuviado (de.sa.nu.vi.*a*.do) *a.* **1** Que se desanuviou, que ficou sem nuvens (tempo desanuviado) **2** Tranquilo, sereno, sem preocupação (semblante desanuviado) [F.: Part. de *desanuviar.*]

desanuviador (de.sa.nu.vi:a.*dor*) [ô] *a.* **1** Que desanuvia, capaz de desanuviar *sm.* **2** Aquele ou aquilo que desanuvia, capaz de desanuviar [F.: *desanuviar* + *-dor.*]

desanuviar (de.sa.nu.vi.*ar*) *v.* **1** *Fig.* Afastar preocupação; tornar(-se) sereno, tranquilo, despreocupado; DESASSOMBRAR; TRANQUILIZAR [*td.*: *Sua presença desanuvia o ambiente.*] [*int.*: *Foi dar uma volta para desanuviar.*] **2** Tornar (céu, tempo) limpo, sem nuvens [*td.*: *O vento desanuviou o céu.* Ant.: *nublar.*] [*int.*: *O dia desanuviou(-se) ao entardecer.*] [▶ 1 desanuviar] [F.: *des-* + *anuviar.* Ant. ger.: *anuviar.*]

desapaixonado (de.sa.pai.xo.*na*.do) *a.* **1** Incapaz de sentir grandes paixões, sentimentos fortes de amor ou ódio; sem paixão ou amor; FRIO: *um indivíduo estranho, arisco, desapaixonado.* **2** Em que não há paixão: *Era um amor desapaixonado.* **3** Diz-se daquele que consegue ser imparcial em seus julgamentos, apreciações ou avaliações **4** Feito de forma objetiva, imparcial: *uma crítica desapaixonada; o desapaixonado exame dos fatos e das circunstâncias.* [F.: *des-* + *apaixonado.* Ant. ger.: *apaixonado.*]

desapaixonar (de.sa.pai.xo.*nar*) *v.* **1** Fazer perder a paixão ou perdê-la [*td.*: *Os adultérios repetidos desapaixonaram o casal; Desapaixonaram-se da noite para o dia.*] **2** *Pext.* Tornar-se sereno, pouco ou nada apaixonado [*tr.* + *de*: *Desapaixonou-se da vida sem motivo aparente.*] **3** Tornar conformado ou mais tranquilo; confortar [*td.*: *Todos os vizinhos procuraram desapaixonar o inconformado viúvo.*] [▶ 1 desapaixonar] [F.: *des-* + *apaixonar.* Ant. ger.: *apaixonar.*]

desaparafusado (de.sa.pa.ra.fu.*sa*.do) *a.* **1** Que se desaparafusou, a que os parafusos foram tirados ou afrouxados **2** *Bras. Fig. Pop.* Diz-se de pessoa tonta, amalucada; TANTÃ *sm.* **3** Pessoa tonta, amalucada; TANTÃ [F.: Part. de *desaparafusar.*]

desaparafusar (de.sa.pa.ra.fu.*sar*) *v.* **1** Tirar ou afrouxar os parafusos de [*td.*: *Desaparafusou o pé da mesa.*] **2** Ter os parafusos afrouxados ou soltos [*int.*: *Com as vibrações, o suporte desaparafusou.*] [▶ 1 desaparafu**sar**] [F.: *des-* + *aparafusar.*]

desaparecer (de.sa.pa.re.*cer*) *v.* **1** Ocultar(-se) às vistas [*int.*: "...o desconhecido deixou a flor e desapareceu." (José de Alencar, *A viuvinha*)] [*ta.*: *Ficou olhando até o carro desaparecer na curva.*] [*tr.* + *com*: *Desapareceram com minha caneta.*] **2** Ficar ou ser encoberto por algo [*int.*: *Aos poucos o Sol foi desaparecendo, em alguns minutos o eclipse era total.*] **3** Fazer deixar ou deixar de existir; ACABAR; EXTINGUIR [*tr.* + *com*: *A fisioterapia desapareceu com as dores.*] [*int.*: *Algumas plantas correm o risco de desaparecer.* Ant.: *surgir.*] **4** Perder-se, extraviar-se [*int.*: *Mandei os livros pelo correio, e eles desapareceram.*] **5** Deixar de ser parte, de acontecer, ou de ser usado [*int.*: *Felizmente, a solidariedade ainda não desapareceu.*] **6** Ter seu estoque esgotado ou deixar de ser comercializado [*int.*: *Em três dias a última edição da revista desapareceu das bancas.*] **7** Deixar de ser perceptível ao ouvido [*int.*: *Sua voz suave desapareceu em meio ao alarido.*] [▶ 33 desapare**cer**] [F.: *des-* + *aparecer.* Sin. ger.: *sumir.*]

desaparecido (de.sa.pa.re.*ci*.do) *a.* **1** Que desapareceu, sumiu (documento desaparecido) [Ant.: *achado, encontrado.*] **2** Que deixou de existir; EXTINTO: *fósseis de espécies desaparecidas.* **3** Cujo paradeiro se ignora: "...Uma das últimas figuras desaparecidas foi o Bernardo..." (Machado de Assis, *Páginas recolhidas*) **4** Que morreu ou que se presume que esteja morto *sm.* **5** Indivíduo desaparecido (4 ou 5): *Entre os desaparecidos, somente três foram localizados e devidamente identificados.* [F.: Part. de *desaparecer.*]

desaparecimento (de.sa.pa.re.ci.*men*.to) *sm.* Ação ou resultado de desaparecer; ausência ou falta súbita, de uma pessoa ou coisa; DESAPARIÇÃO: "...a preocupação dos caixeiros sobre o desaparecimento de um pacote de lenços..." (Eça de Queirós, *Singularidades de uma rapariga loura*) [F.: *desaparecer* + *-imento.*]

desaparelhado (de.sa.pa.re.*lha*.do) *a.* **1** Sem meios adequados, preparo ou habilitação (casa desaparelhada; aluno desaparelhado); DESPREPARADO **2** Diz-se de montaria sem arreios **3** *Mar.* Despojado de aparelho, sem mastros, vergas, cabos; DESMASTREADO [F.: Part. de *desaparelhar.* Sin. ger.: *aparelhado.*]

desaparelhamento (de.sa.pa.re.lha.*men*.to) *sm.* Ato ou efeito de desaparelhar(-se) [Ant.: *aparelhamento.*] [F.: *desaparelhar* + *-mento.*]

desaparelhar (de.sa.pa.re.*lhar*) *v.* **1** *Mar.* Desguarnecer(-se) (embarcação) do conjunto formado por mastros, cabos etc; fazer ficar ou ficar desmastreado [*td. int.*] **2** Privar de tropas e/ou de munições [*td.*: *O comandante preferiu desaparelhar a entrada do forte.*] **3** Retirar os arreios de (cavalgadura) [*td.*] **4** Retirar os móveis e/ou os ornatos de [*td.*: *Desaparelhar uma casa.*] **5** Diminuir ou causar desfalque a (um conjunto de coisas) [*td.*: *Vendeu cem livros, desaparelhando sua biblioteca.*] **6** Desmanchar, desfazer (a mesa que estava posta) [*td.*] [▶ 1 desaparel**har**] [F.: *des-* + *aparelhar.*]

desaparição (de.sa.pa.ri.*ção*) *sf.* Desaparecimento: "...reparando na desaparição de Leonor..." (Pinheiro Chagas, *Morgadinha de Valflor*) [Pl.: *-ções.*] [F.: *des-* + *aparição.*]

desapartar (de.sa.par.*tar*) *v.* **1** *Pop.* O mesmo que *apartar* [*td.*: *desapartar pessoas.*] [*trd.* + *de*: *Foi difícil desapartá-lo do ladrão; Desapartou-se do irmão.*] **2** Pôr fim a (briga) [*td.*: *desapartar uma briga.*] [▶ 1 desapar**tar**] [F.: *des-* + *apartar.*]

desapear (de.sa.pe.*ar*) *v.* O mesmo que *apear* [▶ 13 desape**ar**] [F.: *des-* + *apear.*]

desapegado (de.sa.pe.*ga*.do) *a.* **1** Que não tem apego, que não se interessa; DESINTERESSADO; INDIFERENTE: "...Tremia por ele, por teu pai (...) desapegado de todos os interesses da vida..." (Pedro Ivo, *Contos*) **2** Que não dá valor a bens materiais; DESPRENDIDO; GENEROSO **3** Incapaz de sentir grande afeição ou amor; DESAFEIÇOADO **4** *P.us.* Que não está unido ou colado [F.: Part. de *desapegar.* Ant. ger.: *apegado.*]

desapegar (de.sa.pe.*gar*) *v.* **1** Libertar de apego, de envolvimento [*tdr.* + *de*: *A fé desapegou-o de sua vida luxuosa.*] [*tr.* + *de*: *Não saberia dizer quando me desapeguei daquelas tolas noções.*] **2** Separar, desunir [*tdr.* + *de*: *desapegar as cadeiras da parede.*] [▶ 14 desape**gar**] [F.: *des-* + *apegar*[1]. Sin. ger.: *despegar.* Ant. ger.: *apegar.* Hom./Par.: *desapego* (fl.), *desapego* (sm.).]

desapego (de.sa.*pe*.go) [ê] *sm.* **1** Ausência de apego, de afeição **2** Falta de interesse; INDIFERENÇA: "...desapego de glórias..." (Camilo Castelo Branco, *Luta de gigantes*) [F.: Dev. de *desapegar.* Ant. ger.: *apego.* Hom./Par.: *desapego* (sm.), *desapego* (fl. de *desapegar*).]

desaperceber (de.sa.per.ce.*ber*) *v.* **1** Não tomar cuidado com; DESPREVENIR-SE; DESPERCEBER-SE [*tr.* + *de*: *desaperceber-se do dinheiro.*] **2** Deixar de abastecer com (apercebimentos, provisões ou munições); DESGUARNECER [*td.*: *desaperceber o quartel.*] [*tdr.* + *de*: *desaperceber o quartel de munição.*] [▶ 2 desaperce**ber**] [F.: *des-* + *aperceber.*]

desapercebido (de.sa.per.ce.*bi*.do) *a.* **1** Que não foi percebido, notado: *um fato que passou desapercebido.* **2** Desprevenido, desacautelado: *Apanhou-o desapercebido e o roubou.* **3** Desprovido de provisões (dinheiro etc.) [F.: Part. de *desaperceber.* Ant. ger.: *apercebido.*]

desapertar (de.sa.per.*tar*) *v.* **1** Tornar menos apertado, mais frouxo; AFROUXAR; ALARGAR [*td.*: *desapertar a gravata.*] **2** *Fig.* Livrar de dificuldades financeiras [*td.*: *Desapertou o amigo em dificuldades.*] **3** *Fig.* Libertar de angústia, de opressão; DESOPRIMIR; ALIVIAR [*td.*: *desapertar o coração.*] **4** Libertar (do que aperta ou prende); SOLTAR [*tdr.* + *de*: *Foi difícil desapertar-se dos braços da mãe.* Ant.: *prender.*] **5** *Fig.* Desabrochar-se [*int.*: *A rosa despertou-se antes de ser colhida.*] [▶ 1 desaper**tar**] [F.: *des-* + *apertar.* Ant. ger.: *apertar.* Hom./Par.: *desaperto* (fl.), *desaperto* (sm.).]

desaperto (de.sa.*per*.to) [ê] *sm.* Ato ou efeito de desapertar(-se), de suspender o aperto (inclusive financeiro), o que oprime ou angustia; DESAFOGO [Ant.: *aperto*] [F.: Dev. de *desapertar.* Hom./Par.: *desaperto* [ê] (sm.), *desaperto* (fl. de *desapertar*).]

desapiedado (de.sa.pi:e.*da*.do) *a.* Que não tem ou que mostra falta de piedade; CRUEL; DESUMANO [Ant.: *apiedado*] [F.: Part. de *desapiedar.*]

desapiedar (de.sa.pi:e.*dar*) *v.* Fazer perder ou perder a piedade, a compaixão; tornar(-se) impiedoso [*td.*: *Os maus-tratos que sofreu o desapiedaram.*] [*int.*: *Tanto sofrimento presenciou, que no fim desapiedou-se.*] [▶ 1 desapie**dar**] [F.: *des-* + *apiedar.*]

desaplicar (de.sa.pli.*car*) *v.* **1** Retirar de aplicação financeira [*td.*: *Não desaplique seu dinheiro sem falar com o gerente.*] **2** Desviar, distrair de alguma coisa (a atenção de alguém) [*td.*: *As festas desaplicaram a menina.*] [*tdr.* + *de*: *As festas vão desaplicá-la do estudo.*] [▶ 11 desapli**car**] [F.: *des-* + *aplicar.* Ant. ger.: *aplicar.*]

desapoiar (de.sa.poi.*ar*) *v. td.* **1** Tirar o apoio, a sustentação de; deixar de estar apoiado: *desapoiar uma mesa.* **2** Recusar apoio, amparo a (alguém); DESAMPARAR: *Nunca desapoia os filhos.* **3** Não concordar com; DESAPROVAR: *A gerência desapoiou o projeto.* [▶ 1 desapoi**ar**.] [F.: *des-* + *apoiar.* Ant. ger.: *apoiar.*]

desapontado (de.sa.pon.*ta*.do) *a.* Que se desapontou, sofreu desapontamento; DECEPCIONADO; DESILUDIDO: *Ficaram desapontados com o resultado.* [F.: Adapt. do ingl. *disappointed.*]

desapontador (de.sa.pon.ta.*dor*) [ô] *a.* **1** Que desaponta, que causa desapontamento *sm.* **2** Aquele ou aquilo que desaponta, que causa desapontamento [F.: *desapontar* + *-dor.*]

desapontamento (de.sa.pon.ta.*men*.to) *sm.* **1** Sentimento de tristeza ou decepção por não se ter concretizado uma boa expectativa: "...me mandou um recado expressando seu desapontamento com o meu texto." (*Folha de S.Paulo*, 17.11.1999) **2** Fato ou condição surpreendente que causa desapontamento (1): *O resultado da prova foi um grande desapontamento.* [F.: Adapt. do ingl. *disappointment.*]

desapontar[1] (de.sa.pon.*tar*) *v. td.* **1** Tirar da pontaria: *Desaponte essa arma.* **2** Desfazer a ponta de: *desapontar um lápis.* [▶ 1 desapon**tar**] [F.: *des-* + *apontar*[1]. Cf.: *despontar.*]

desapontar[2] (de.sa.pon.*tar*) *v.* Frustrar ou ver frustrada uma expectativa; fazer ficar ou ficar decepcionado, causar(-se) decepção; DECEPCIONAR(-SE); DESILUDIR(-SE) [*td.*: *A indiferença do herói desapontou-a; Vivia desapontando o companheiro.*] [*tr.* + *com*: *Ela se desapontara com a insegurança do lugar; Desapontou-se com o bicho que deu.*] [▶ 1 desapon**tar**] [F.: Adapt. do ingl. (*to*) *disappoint*, do fr. ant. *desappointer.*]

desaponto (de.sa.*pon*.to) *sm.* *Bras.* Ato ou efeito de desapontar; DESAPONTAMENTO [F.: Dev. de *desapontar.* Hom./Par.: *desaponto* (sm.), *desaponto* (fl. de *desapontar*).]

desapossar (de.sa.pos.*sar*) *v. tdr.* Privar da posse (de algo); despojar de; DESEMPOSSAR [+ *de*: *Desapossaram Carlos do paletó.*] [▶ 1 desapos**sar**] [F.: *des-* + *apossar.*]

desaprazer (de.sa.pra.*zer*) *v.* Provocar aversão em; desagradar [*ti.* + *a*: *Os modos desse rapaz desaprazem à moça.* Ant.: *aprazer.*] [▶ 37 desapra**zer**] [F.: *des-* + *aprazer.*]

desapreciar (de.pre.ci.*ar*) *v. td.* Não demonstrar apreço por; manifestar desgosto por; DESAPREÇAR: *Desapreciava festas regadas a bebida.* [▶ 1 apreci**ar**] [F.: *des-* + *apreciar.*]

desapreço (de.sa.*pre*.ço) [ê] *sm.* Falta de apreço, de estima ou de respeito; MENOSPREZO: *Uma manifestação de desapreço às autoridades e a atos da administração pública.* [Ant.: *apreço.*] [F.: *des-* + *apreço.*]

desaprender (de.sa.pren.*der*) *v.* Esquecer (o que se aprendera) [*td.*: *desaprender a lição.*] [*tr.* + *a*, *de*: *Desaprendeu a brincar.* Ant.: *aprender.*] [▶ 2 desapren**der**] [F.: *des-* + *aprender.*]

desapropriação (de.sa.pro.pri:a.*ção*) *sf.* **1** Ação ou resultado de desapropriar; DESAPROPRIAMENTO **2** *Jur.* Ato pelo qual o proprietário de um bem é obrigado a cedê-lo ao domínio público mediante indenização [Pl.: *-ções.*] [F.: *desapropriar* + *-ção.* Ant. ger.: *apropriação.*]

desapropriado (de.sa.pro.pri.*a*.do) *a.* **1** Que se desapropriou (terreno desapropriado) **2** Que é ou foi vítima de desapropriação: *Vimos o latifundiário desapropriado de suas terras.* **3** Inadequado, incompatível (calçados desapropriados) *sm.* **4** Aquilo que se desapropriou **5** Aquele que é ou foi vítima de desapropriação [F.: Part. de *desapropriar.* Ant. ger.: *apropriado*, exceto a acp. 5.]

desapropriador (de.sa.pro.pri:a.*dor*) [ô] *a.* **1** Que desapropria, capaz de desapropriar *sm.* **2** Aquele ou aquilo que desapropria, que procede a desapropriação [F.: *desapropriar* + *-dor.* Sin. ger.: *expropriador.* Ant. ger.: *apropriador.*]

desapropriar (de.sa.pro.pri.*ar*) *v.* **1** Privar alguém da posse (de algo) [*td.*: *desapropriar terras improdutivas.*] [*tdr.* + *de*: *desapropriar o criminoso de seus bens.*] **2** *Jur.* Transformar (propriedade particular) em bem público [*td.*] **3** Empregar (palavra) de modo impróprio, indevido [*td.*] [▶ 1 desapropri**ar**] [F.: *des-* + *apropriar.*]

desaprovação (de.sa.pro.va.*ção*) *sf.* Ação ou resultado de desaprovar; CONDENAÇÃO; REPROVAÇÃO; CENSURA: "...seu silêncio pode ser de aprovação ou desaprovação..." (Camilo Castelo Branco, *Poesia ou dinheiro?*) [Pl.: *-ções.*] [F.: *desaprovar* + *-ção.*]

desaprovador (de.sa.pro.va.*dor*) [ô] *a.* **1** Que desaprova **2** Que denota censura ou desaprovação (olhar desaprovador) *sm.* **3** Aquele que desaprova [F.: *desaprovar* + *-dor.*]

desaprovar (de.sa.pro.*var*) *v. td.* Não aprovar; julgar de modo não favorável; REPROVAR: *desaprovar um namoro, um comportamento, uma compra, um financiamento etc.* [Ant.: *aprovar, consentir.*] [▶ 1 desapro**var**] [F.: *des-* + *aprovar.*]

desaprovativo (de.sa.pro.va.*ti*.vo) *a.* Que mostra desaprovação, censura; DESAPROVADOR [F.: *desaprovar* + *-tivo.*]

desaproveitar (de.sa.pro.vei.*tar*) *v. td.* Não tirar proveito de; DESPERDIÇAR: *desaproveitar uma oportunidade.* [Ant.: *aproveitar.*] [▶ 1 desaprovei**tar**] [F.: *des-* + *aproveitar.*]

desaprumado (de.sa.pru.*ma*.do) *a.* **1** Que se desaprumou, que está fora do prumo (estante desaprumada) **2** *Fig.* Falto de aprumo, de elegância, de modos (comportamento desaprumado) [F.: Part. de *desaprumar.*]

desaprumar (de.sa.pru.*mar*) *v.* **1** Tirar ou sair do prumo; INCLINAR [*int.*: *A chuva desaprumou a cerca.*] [*int.*: *Com o susto, desaprumei.*] **2** *Fig.* Perturbar [*td.*: *A pergunta indiscreta desaprumou o entrevistado.*] [▶ 1 desapru**mar**] [F.: *des-* + *aprumar.* Ant. ger.: *aprumar.*]

desaprumo (de.sa.*pru*.mo) *sm.* **1** Ato ou efeito de desaprumar(-se), de perder o aprumo **2** Desvio da linha perpendicular, inclinação [F.: Dev. de *desaprumar.* Hom./Par.: *desaprumo* (sm.), *desaprumo* (fl. de *desaprumar*).]

desaquecer (de.sa.que.*cer*) *v. td. int.* **1** Tornar desaquecido; esfriar **2** Diminuir o ritmo de: *desaquecer a economia/a economia desaqueceu.* [▶ 33 desaque**cer**] [F.: *des-* + *aquecer.*]

desaquecimento (de.sa.que.ci.*men*.to) *sm.* **1** Ato ou efeito de desaquecer **2** *Econ.* Redução no processo de crescimento; diminuição das atividades em algum setor (desaquecimento das vendas); DESACELERAÇÃO [F.: *desaquecer* + *-mento.*]

desareado (de.sa.re.*a*.do) *a.* Que se desareou, que teve a areia retirada (pavimentação desareada) [F.: Part. de *desarear.*]

desarmado (de.sar.*ma*.do) *a.* **1** Que se desarmou, que ficou sem arma **2** Que está descarregado ou travado (arma de fogo) **3** Desmontado, desfeito (armário desarmado) **4** Desprevenido: *A despesa encontrou-o desarmado.* **5** Inerme, indefeso (animal ou vegetal) **6** *Mar.* Desaparelhado, sem condições de navegar [F.: Part. de *desarmar.* Ant. ger.: *armado.*]

desarmamentismo (de.sar.ma.men.*tis*.mo) *sm.* **1** Política ou doutrina que condena e luta contra a manutenção e utilização de armas, esp. as de destruição em massa [Ant.: *armamentismo.*] **2** Postura ou ação internacional daqueles que lutam pela redução de armamentos das nações, esp. daquelas cujo poder bélico coloca em risco a continuidade da vida no planeta [F.: *desarmamento* + *-ismo.*]

desarmamento (de.sar.ma.*men*.to) *sm.* **1** Ação ou resultado de desarmar(-se) **2** Processo, ou política, ou conceito de reduzir ou eliminar a quantidade de armas em poder de cidadãos, de grupos, de países etc. **3** *Mil.* Processo, ou política, ou conceito de reduzir os efetivos militares de um exército, de um país, do mundo etc., com vistas à paz mundial: "...ninguém espera grande coisa das comissões de paz e desarmamento..." (Agostinho de Campos, *Fé no império*) **4** *Mar.* Ação de desaparelhar uma embarcação **5** Ação de retirar projétil de arma [F.: *des-* + *armamento.* Sin. ger.: *P.us. desarme.* Ant. ger.: *armamento.*]

desarmar (de.sar.*mar*) *v.* **1** Tirar as armas a [*td.*: *campanha para desarmar a população.*] **2** Desfazer (mecanismo, adorno, ou montagem); DESMONTAR [*td.*: *desarmar uma arapuca; desarmar uma barraca.*] **3** *Fig.* Tirar ou perder a braveza, a hostilidade; SERENAR [*td.*: *A simplicidade do rapaz desarmou o patrão.*] [*int.*: *Desarmou-se ao ver o olhar de desesperança do pequeno assaltante.*] **4** Tirar ou perder o argumento, o raciocínio, ou aquilo que constituía um confronto de ideias, posições, ou uma contestação, uma reivindicação etc. [*td.*: *A sinceridade do político desarmou o jornalista.*] [*int.*: *Desarmou-se ao ver o resultado das últimas pesquisas.*] **5** *Fig.* Tirar os recursos, os meios, ou a força, o poder a; BALDAR; FRUSTRAR [*td.*: *desarmar os planos de alguém*: "Mas, quem diz isso tem um único fim - desarmar os defensores dos escravos para que o preço desses não diminua" (Joaquim Nabuco, *O abolicionismo*)] **6** Descarregar ou desengatilhar (arma) [*td.*: *Não conseguia desarmar a espingarda.*] **7** Desativar por desmonte [*td.*: *desarmar uma bomba; desarmar uma mina.*] **8** *Fut. Basq.* Roubar a bola (ao adversário, ger. antes que esse chute a gol [fut.] ou tente o arremesso [basq.]) [▶ 1 desar**mar**] [F.: *des-* + *armar.* Hom./Par.: *desarme* (fl.), *desarme* (sm.); *desarmes* (fl.), *desarmes* (pl. do sm.).]

desarmamentista (de.sar.ma.men.*tis*.ta) *a2g.* **1** Relativo a desarmamentismo (discurso desarmamentista) *s2g.* **2** Aquele ou aquela que defende ou é partidário do desarmamentismo [F.: *desarmamento* + *-ista.*]

desarme (de.*sar*.me) *sm.* **1** *P.us.* Desarmamento **2** *Fut.* Manobra pela qual o jogador toma a bola do adversário **3** *Taur.* Ação pela qual o touro tira com as hastes a muleta ou qualquer arma das mãos do toureiro [F.: Dev. de *desarmar.* Hom./Par.: *desarme* (sm.), *desarme* (fl. de *desarmar*).]

desarmonia (de.sar.mo.*ni*.a) *sf.* **1** Falta ou ausência de harmonia **2** *Mús.* Dissonância entre as diferentes notas de uma música, tocadas ou cantadas ao mesmo tempo **3** Falta de combinação das partes de um todo entre si: *a desarmonia de formas/ cores.* **4** Divergência de pontos de vista, de abordagens etc.: "...um ou outro costume em desarmonia com os da Europa..." (Gonçalves Dias, *Brasil e Oceania*) **5** Estado de desavença nas relações entre pessoas [F.: *des-* + *harmonia.* Ant. ger.: *harmonia.*]

desarmônico (de.sar.*mô*.ni.co) *a.* **1** Em que não há harmonia **2** Que é dissoante: "...Uma nota deslocada e desarmônica naquele concerto..." (Henrique Galvão, *Velo de oiro*) [F.: *des-* + *harmônico.* Ant. ger.: *harmônico.*]

desarmonizar (de.sar.mo.ni.*zar*) *v. td.* **1** Privar de harmonia: *As cores fortes desarmonizavam o ambiente.* **2** Provocar discordância entre pessoas ou pôr-se em desacordo, em desarmonia: *A notícia desarmonizou a família; A turma desarmoniza-se* *constantemente.* 3 *Mús.* Tornar dissonante [▶ 1 desarmonizar] [F.: *des-* + *harmonizar.*]

desaromatizar (de.sa.ro.ma.ti.*zar*) *v.* Tirar ou perder o aroma; DESAROMAR-SE [**td.**: *O frio desaromatizou as flores.*] [**int.**: *Destampado, o licor desaromatizou-se.*] [▶ 1 desaromatizar] [F.: *des-* + *aromatizar.*]

desarquivado (de.sar.qui.*va*.do) *a.* 1 Que se desarquivou, se retirou de arquivo 2 Que de novo se trouxe à tona, se desencavou 3 *Jur.* Que volta a ter andamento (processo, inquérito), depois de haver sido arquivado [F.: *des-* + *arquivado.*]

desarquivar (de.sar.qui.*var*) *v.* 1 Tirar do arquivo [**int.**: *Um documento de cinco anos já seria arquivo morto, muito difícil de desarquivar; Para desarquivar e/ou descompactar um arquivo, clique no botão Abrir.*] [**td.**: *desarquivar documentos.*] 2 *Jur.* Voltar a dar andamento em (processo, inquérito, projeto etc. antes arquivado); REABRIR [**td.**: "Outra decisão tomada na reunião é desarquivar pelo menos 10 processos criminais envolvendo assassinatos não solucionados." (*Correio Braziliense*, 12.10.1999)] 3 *Fig.* Trazer do esquecimento; trazer de volta à atualidade; RECORDAR; RELEMBRAR [**td.**: *Atriz diz que desarquivou algumas dores para viver personagem; O cantor desarquivou algumas canções de Caymmi.*] [▶ 1 desarquivar] [F.: *des-* + *arquivar.* Ant. ger.: *arquivar.*]

desarraigado (de.sar.rai.*ga*.do) *a.* 1 Que se desarraigou, que foi arrancado pela raiz; EXTIRPADO 2 *Fig.* Que está fora do seu meio, perdeu o ambiente próprio: "...alguns desarraigados compatriotas ultrabasbaques ante tudo que é estrangeiro." (Antero de Figueiredo, *Espanha*) [F.: Part. de *desarraigar.*]

desarraigamento (de.sar.rai.ga.*men*.to) *sm.* Ato ou efeito de desarraigar(-se); DESENRAIZAMENTO; DESRAIZAMENTO; ERRADICAÇÃO; EXTIRPAÇÃO [F.: *desarraigar* + *-mento.*]

desarraigar (de.sar.rai.*gar*) *v.* 1 Afastar (alguém) de algum lugar [**tda.** + *de*: *Os filhos não conseguiram desarraigá-lo da antiga casa.*] 2 *Fig.* Pôr fim a, livrar(-se) de algo [**tdr.** + *de*: *Queria desarraigá-lo de tanta tristeza.*] 3 Retirar da terra um vegetal com sua raiz [**td**: *Tomou todo cuidado para desarraigar a planta e replantá-la.*] [▶ 14 desarraigar. O *g* torna-se *gu* antes de *e.*] [F.: *des-* + *arraigar.* Sin. ger.: *desenraizar.*]

desarranchar (de.sar.ran.*char*) *v.* 1 Retirar ou ficar fora de um rancho, de um grupo [**td. int.**] 2 Sair do rancho, do acampamento [**int.**: "Só desarranchamos às oito horas..." (Gastão Cruls, *Amazônia misteriosa*)] 3 Impedir (alguém) de ter um rancho, uma refeição [**td.**] 4 *Mil.* Fazer refeições fora do quartel 5 Desfazer o rancho ou a camaradagem de [**td.**] [▶ 1 desarranchar] [F.: *des-* + *arranchar.*]

desarranjado (de.sar.ran.*ja*.do) *a.* 1 Que se desarranjou; que está em desalinho, desarrumado ou desorganizado; DESARRUMADO: "...Lançava um olhar (...) sobre os trastes desarranjados e sobre o desalinho do seu amo..." (Gonçalves Dias, *Meditação*) [Ant.: *arrumado, ordenado.*] 2 *Pop.* Com diarreia: *Comeu algo estragado e ficou desarranjado.* 3 *Pop.* Com mau funcionamento ou sem funcionar (motor desarranjado); AVARIADO; ENGUIÇADO [F.: Part. de *desarranjar.*]

desarranjar (de.sar.ran.*jar*) *v.* 1 Desfazer(-se) a ordem habitual; DESARRUMAR; DESORGANIZAR [**td.**: *desarranjar o armário; Comeu demais e desarranjou-se.*] [**int.**: *Os cabelos desarranjaram-se.*] 2 *Fig.* Perturbar o desenvolvimento normal de algo ou passar por alguma coisa que leve a uma mudança para pior; TRANSTORNAR [**td.**: *O terremoto desarranjou a vida de todos os moradores do local.*] [**int.**: *Depois da volta de seu ex-namorado, nossa relação desarranjou-se.*] 3 *Pop.* Causar diarreia ou indigestão a, ou sofrê-la [**td.**: *Pimenta desarranja o seu intestino.*] [**int.**: *Comeu demais e desarranjou-se.*] 4 *Pop.* Desentender-se [**tr.** + *com*: *Desarranjou-se com o amigo.*] [▶ 1 desarranjar] [F.: *des-* + *arranjar.*]

desarranjo (de.sar.*ran*.jo) *sm.* 1 Ação ou processo de desarranjar; estado do que está desarranjado: *Os distúrbios do sono contribuem para o desarranjo do ritmo circadiano.* 2 Falta de arranjo; DESARRUMAÇÃO; DESORDEM 3 *Pop.* Falta de organização; CONFUSÃO 4 *Pop.* Diarreia: "...todos acometidos de desarranjo intestinal..." (Gastão Cruls, *Amazônia que eu vi*) 5 Mau funcionamento; AVARIA; ENGUIÇO: *Supõe-se que houve algum desarranjo no equipamento.* 6 Transtorno, contratempo [F.: Dev. de *desarranjar.* Hom./Par.: *desarranjo* (sm.), *desarranjo* (fl. de *desarranjar*).] ▪ ~ **intestinal** *Fam.* Diarreia

desarrazoado (de.sar.ra.zo.*a*.do) *a.* 1 Que não é razoável; DESCABIDO; DESPROPOSITADO: "...a ingenuidade de suas crenças se lhe figurava ridícula e desarrazoada..." (Júlio Diniz, *A morgadinha dos canaviais*) 2 Que age ou fala de um modo contrário à razão ou ao bom-senso (homem desarrazoado) [F.: Part. de *desarrazoar.* Ant. ger.: *arrazoado, razoável.*]

desarrazoar (de.sar.ra.zo.*ar*) *v.* **int.** Falar ou agir insensatamente; DISPARATAR [▶16 desarrazoar] [F.: *des-* + *arrazoar.*]

desarreado (de.sar.re.*a*.do) *a.* Diz-se do animal do qual se tiraram os arreios [F.: Part. de *desarrear.*]

desarrear (de.sar.re.*ar*) *v.* **td.** Tirar os arreios de (cavalgadura) [▶13 desarrear] [F.: *des-* + *arrear.*]

desarregaçar (de.sar.re.ga.*çar*) *v.* **td.** Liberar, soltar (o que foi arregaçado) [▶ 12 desarregaçar] [F.: *des-* + *arregaçar.*]

desarrimo (de.sar.*ri*.mo) *sm.* 1 Falta de arrimo, de apoio [Ant.: *apoio, encosto, esteio.*] 2 *Fig.* Falta de ajuda, de amparo; ABANDONO; DESAMPARO: *Não se esqueça das crianças no desarrimo das ruas.* [Ant.: *amparo, proteção.*] [F.: Dev. de *desarrimar.* Hom./Par.: *desarrimo* (sm.), *desarrimo* (fl. de *desarrimar*).]

desarrochar (de.sar.ro.*char*) *v.* **td.** Afrouxar, desapertar (o que estava arrochado) [▶ 1 desarrochar] [F.: *des-* + *arrochar.*]

desarrolhado (de.sar.ro.*lha*.do) *a.* Que se desarrolhou, de que se retirou a rolha [Ant.: *arrolhado*] [F.: Part. de *desarrolhar.*]

desarrolhar (de.sar.ro.*lhar*) *v.* **td.** Tirar a rolha de [▶ 1 desarrolhar] [F.: *des-* + *arrolhar.*]

desarrumação (de.sar.ru.ma.*ção*) *sf.* 1 Ação ou resultado de desarrumar 2 Estado do que está desarrumado, bagunçado 3 *Fig.* Qualidade ou característica de quem é desarrumado, desleixado: *A sua desarrumação era notória.* [Pl.: *-ções.*] [F.: *desarrumar* + *-ção.* Ant. ger.: *arrumação.*]

desarrumado (de.sar.ru.*ma*.do) *a.* 1 Que se desarrumou; que se tirou ou que está fora do lugar, da ordem ou da disposição conveniente: "...continuará a casa desarrumada se o espírito cívico não tratar..." (Agostinho de Campos, *Fé no império*) 2 Malvestido, desmazelado; DESGRENHADO 3 Diz-se daquele que tende a deixar as coisas fora de seus devidos lugares 4 Perturbado, transtornado: *Com a mudança, a vida escolar das crianças ficou desarrumada.* 5 *Fig.* Sem emprego, trabalho ou colocação [F.: Part. de *desarrumar.*]

desarrumar (de.sar.ru.*mar*) *v.* 1 Desfazer a arrumação, o arranjo, ou a ordem de, ou perdê-los [**td.**: *desarrumar o quarto.*] [**int.**: *Na confusão, o véu da noiva desarrumou-se por completo.*] [**tr.** + *com*: *Um pouco antes da cerimônia, a decoração do jardim desarrumou-se com o vento.*] 2 *Restr.* Fazer ficar ou ficar desalinhado, despenteado (cabelo[s]) [**td.**: *A ventania desarrumou-lhe o cabelo; Quando era menina adorava desarrumar o cabelo da avó.*] [**int.**: *Na corrida, seu cabelo desarrumou-se.*] [**tr.** + *com*: *Seu belo penteado desarrumou-se com os fortes ventos.*] 3 Fazer ficar ou ficar (um indivíduo) em desalinho, mal-ajambrado, mal-amanhado [**td.**: *A briga com o ladrão desarrumou-o completamente; Crianças desarrumam-se com facilidade.*] [**tr.** + *com*: *Com o tumulto, a jovem desarrumou-se.*] 4 *Fig.* Causar transtorno, desordem, perturbação [**td.**: *Os juros altos desarrumaram sua vida financeira.*] [▶ 1 desarrumar] [F.: *des-* + *arrumar.*]

desarticulação (de.sar.ti.cu.la.*ção*) *sf.* 1 Ação ou resultado de desarticular(-se): "...era mais que separação, era desarticulação..." (Machado de Assis, *Quincas Borba*) 2 Falta de articulação, de coordenação, de união: *A desarticulação do time foi a causa da derrota.* 3 *Med.* Separação de dois ossos contíguos ligados por uma articulação [Pl.: *-ções.*] [F.: *desarticular* + *-ção.* Ant. ger.: *articulação.*]

desarticulado (de.sar.ti.cu.*la*.do) *a.* 1 Que se desarticulou, saiu da articulação, se deslocou (joelho desarticulado); DESCONJUNTADO 2 Que não tem ou parece não ter articulação (porta/caixa/tampa desarticulada) 3 *Fig.* Incoerente, confuso (texto desarticulado) 4 *Fig.* Falto de destreza, de capacidade (profissional desarticulado); INABILIDOSO 5 Que foi descoberto em tempo e se pode evitar (planos terroristas desarticulados); DESFEITO; DESMANTELADO [F.: Part. de *desarticular.*]

desarticulador (de.sar.ti.cu.la.*dor*) [ô] *a.* 1 Que desarticula, que é capaz de tirar da articulação; DESORGANIZADOR *sm.* 2 Aquele ou aquilo que desarticula [F.: *desarticular* + *-dor.*]

desarticular (de.sar.ti.cu.*lar*) *v.* 1 Ter desfeita articulação de, ou deslocar(-se); TORCER [**td.**: *O atleta desarticulou o tornozelo.*] [**int.**: *O pulso desarticulou-se.*] 3 *Fig.* Fragmentar(-se), desbaratar(-se) [**td.**: *A polícia desarticulou a quadrilha.*] [**int.**: *A cúpula do partido desarticulou-se.*] 4 *Fig.* Fragmentar(-se), desbaratar(-se): *A polícia desarticulou a quadrilha; A cúpula do partido desarticulou-se.* [▶ 1 desarticular] [F.: *des-* + *articular.*]

desarvorado (de.sar.vo.*ra*.do) *a.* 1 Transtornado, confuso, desorientado: *Ficaram perplexos e desarvorados ao saber da má notícia.* 2 Diz-se de algo feito em velocidade, mas ger. de modo afoito, descontrolado (fuga desarvorada, correria desarvorada); DESABALADO; DESEMBESTADO 3 Pouco comedido: *um gesto de desarvorada petulância.* 4 *Mar.* Sem rumo, sem governo (navio desarvorado) 5 *Mar.* Diz-se da embarcação que não tem mastros nem enxárcias [F.: Part. de *desarvorar.*]

desarvorar (de.sar.vo.*rar*) *v.* 1 Retirar-se apressadamente; FUGIR [**int.**: *Ao ver o cão raivoso, desarvorou.*] 2 *Bras.* Fazer perder ou perder o bom-senso, a noção das coisas ou o controle, a calma [**td.**: *A escuridão desarvorou os escoteiros.*] [**int.**: *Não era dado a brigas, mas desarvorou-se ao ser ofendido.*] 3 *Mar.* Perder os mastros [**int.**] [▶ 1 desarvorar] [F.: *des-* + *arvorar.*]

desasado (de.sa.*sa*.do) *a.* 1 Que não tem asas 2 Que tem as asas quebradas (sopeira desasada) 3 *Fig.* Que ficou ou que parece estar derreado, prostrado [F.: Part. de *desasar.* Hom./Par.: *desasado* (a.), *dezasado* (a.).]

desasagem (de.sa.*sa*.gem) *sf.* *Ornit.* Em certas aves aquáticas, troca de todas as rêmiges (grandes penas das asas) ao mesmo tempo, o que, durante o processo, impossibilita o voo [Pl.: *-gens.*] [F.: *desasar* + *-agem*[1].]

desasnado (de.sas.*na*.do) *a.* Que se desasnou, que foi ensinado, afastado da ignorância: *Eram garotos desasnados por uma abnegada.* [F.: Part. de *desasnar.*]

desasnar (de.sas.*nar*) *v.* 1 Ensinar, instruir, esp. ministrando os rudimentos do ensino [**td.**] 2 Adquirir instrução, conhecimentos; instruir-se, educar-se [**td. int.**] 3 Corrigir erro ou engano de [**td.**] [▶ 1 desasnar] [F.: *des-* + *asno* + *-ar*[2].]

desasseio (de.sas.*sei*.o) *sm.* Falta de asseio, de limpeza; SUJEIRA [Ant.: *asseio.*] [F.: *des-* + *asseio.* Hom./Par.: *desasseio* (sm.), *desasseio* (fl. de *desassear*).]

desasselvajar (de.sas.sel.va.*jar*) *v.* Tirar a selvageria de (alguém ou si mesmo); tornar(-se) civilizado [**td.**] [▶ 1 desasselvajar] [F.: *des-* + *asselvajar.*]

desassentado (de.sas.sen.*ta*.do) *a.* Que se desassentou, deixou de se assentar, saiu do assentamento ou não o conseguiu (diz-se esp. de agricultor ou indivíduo que não possui terras): *Muitos desassentados não tinham onde cair mortos.* [Ant.: *assentado.*] [F.: Part. de *desassentar.*]

desassentamento (de.sas.sen.ta.*men*.to) *sm.* Ato ou efeito de desassentar(-se), perder assentamento ou não o conseguir: *O desassentamento, no meio de tanta terra, aumentou a crise.* [Ant.: *assentamento.*] [F.: *desassentar* + *-mento.*]

desassimilação (de.sas.si.mi.la.*ção*) *sf.* 1 Ação ou resultado de desassimilar 2 *Fisl.* Processo fisiológico de eliminação de substâncias que restaram da assimilação do alimento pelo organismo [Pl.: *-ções.*] [F.: *desassimilar* + *-ção.* Ant. ger.: *assimilação.*]

desassimilar (de.sas.si.mi.*lar*) *v.* **td.** Fazer terminar a assimilação de; interromper processo de assimilação [▶ 1 desassimilar] [F.: *des-* + *assimilar.*]

desassisado (de.sas.si.*sa*.do) *a.* 1 Que não tem siso, juízo; DESATINADO: "...alegando ser o amor, quando ardente, desassisado..." (Latino Coelho, *Camões*) *sm.* 2 Indivíduo desassisado [F.: Part. de *desassisar.* Ant. ger.: *assisado.*]

desassistência (de.sas.sis.*tên*.ci:a) *sf.* 1 Falta de assistência, de ajuda: *O quadro atual nas áreas de risco é de total desassistência.* 2 Perda de assistência [F.: *des-* + *assistência.*]

desassistido (de.sas.sis.*ti*.do) *a.* Que não conta com nenhuma assistência, ou foi privado dela; DESVALIDO; DESAMPARADO: *a problemática do menor desassistido.* [F.: Part. de *desassistir.*]

desassistir (de.sas.sis.*tir*) *v.* 1 Deixar de amparar, de dar assistência, ou suspender ajuda ou auxílio a alguém; DESAMPARAR [**td.**: *Desassistir os mais favorecidos.*] 2 Não assistir (um espetáculo, programa, filme etc.) [**tr.** + *a*: *Desassistiu a o show que tanto queria ver.*] [▶ 3 desassistir] [F.: *des-* + *assistir.*]

desassociar (de.sas.so.ci.*ar*) *v.* 1 Desfazer sociedade ou vínculo de [**td.**: *A inveja desassociou velhos amigos.*] [**tdr.** + *de*: *Desassociaremos a empresa do convênio; Desassociou-se dos empreendimentos do irmão.*] 2 Desfazer associação entre ideias ou fatos [**td.**: *Na conversa, desassociou os dois acontecimentos.*] [▶ 1 desassociar] [F.: *des-* + *associar.*]

desassombrado (de.sas.som.*bra*.do) *a.* 1 Que se desassombrou 2 Que não é sombrio; que recebe a luz do Sol 3 Diz-se de terreno descampado 4 Que demonstra franqueza, sinceridade 5 Que demonstra coragem, ousadia [F.: Part. de *desassombrar.*]

desassombrar (de.sas.som.*brar*) *v.* **td.** 1 *Fig.* Livrar(-se) de sentimentos como a tristeza, o medo, a angústia [**td.**: *A esperança desassombrou sua alma.*] [**int.**: *Depois do reaparecimento do pai, o filho finalmente desassombrou-se.*] [**tr.** + *com*: *Desassombrara-se com as boas notícias.*] 2 Tornar(-se) claro, iluminado [**td.**] [**int.**] 3 Livrar (um ambiente) de assombração [**td.**: *Sua missão era desassombrar a mansão.*] [▶ 1 desassombrar] [F.: *des-* + *assombrar.*]

desassombro (de.sas.*som*.bro) *sm.* 1 Coragem, intrepidez: *Alia a firmeza de caráter ao desassombro diante de desafios.* 2 Franqueza, sinceridade: *Manifestou-se com lucidez e desassombro.* 3 *Fig.* O que tira o assombro, o medo: "...e diziam o desassombro: Zevasco não morrera, na ocasião..." (Guimarães Rosa, *Tutameia*) [F.: Dev. de *desassombrar.* Hom./Par.: *desassombro* (sm.), *desassombro* (fl. de *desassombrar*).]

desassoreamento (de.sas.so.re:a.*men*.to) *sm.* Ação ou resultado de desassorear; DRAGAGEM [Ant.: *assoreamento.*] [F.: *desassorear* + *-mento.*]

desassorear (de.sas.so.re.*ar*) *v.* **td.** Retirar o assoreamento (areia, lixo etc.) de (rio, lagoa etc.), para liberar o fluxo das águas [▶ 13 desassorear] [F.: *des-* + *assorear.*]

desassossegado (de.sas.sos.se.*ga*.do) *a.* Sem sossego; AFLITO; INQUIETO; PERTURBADO [Ant.: *sossegado.*] [F.: Part. de *desassossegar.*]

desassossegar (de.sas.sos.se.*gar*) *v.* Tirar o sossego, a calma, a tranquilidade a (alguém) ou perdê-los; PERTURBAR(-SE); INQUIETAR(-SE) [**td.**: *A previsão do tempo desassossegou o agricultor.*] [**tr.** + *com*: *Desassossegou-se com o tumulto.*] [**int.**: *Apesar do contratempo, não chegou a desassossegar.*] [▶ 14 desassossegar] [F.: *des-* + *assossegar.* Hom./Par.: *desassossego* (fl.), *desassossego* /ê / (sm.).]

desassossego (de.sas.sos.*se*.go) [ê] *sm.* Falta de sossego; AFLIÇÃO; INQUIETAÇÃO: "...corriam-lhe como um óleo sobre o desassossego de alma..." (Samuel Maia, *Língua de prata*) [F.: Dev. de *desassossegar.* Hom./Par.: *desassossego* (sm.), *desassossego* (fl. de *desassossegar*).]

desassunto (de.sas.*sun*.to) *Bras.* *sm.* 1 Falta de assunto 2 *Pop.* Conversa mole, papo-furado: *Ficavam naquele desassunto, horas a fio, negligenciando os afazeres.* [F.: *des-* + *assunto.*]

desastrado (de.sas.*tra*.do) *a.* 1 Incapaz de fazer bem qualquer coisa; DESAJEITADO; INÁBIL: *Que garçom desastrado, derrubou a bandeja duas vezes!* [Ant.: *habilidoso, jeitoso.*] 2 Que resultou em fracasso total, em desastre; DESASTROSO: *o desastrado recadastramento dos aposentados.* 3 Que resultou de desastre ou fatalidade: *a morte desastrada de sua mulher.* 4 Que não tem graça nem elegância; DESELEGANTE; DESAIROSO *sm.* 5 Indivíduo desastrado [F.: *desastre* + *-ado*[1].]

desastre (de.*sas*.tre) *sm.* 1 Acontecimento funesto, especialmente o que ocorre subitamente e causa danos graves ou fatais; CATÁSTROFE: *o desastre nuclear de Chernobyl*; "...vaticinava-lhe desgostos, desastres e acabamento de vida..." (Camilo Castelo Branco, *Luta de gigantes*) 2 Acidente, ger. envolvendo meios de transportes (colisão, queda, afundamento etc.): *desastre de trem; desastre de avião.* 3 *Fig.* Insucesso, fracasso: "Nosso último *show* na cidade foi um desastre." (*Folha de S.Paulo*, 24.10.1999) [F.: Do it. *disastro.*]

desastroso (de.sas.*tro*.so) [ô] *a.* 1 Resultante de um desastre; que ocorre num desastre: "...prantearam a desastrosa morte do marido e do irmão..." (Antero de Figueiredo, *Espanha*) 2 Que provoca ou que é causa de desastre (manobra desastrosa) 3 Que é ruim, lamentável como um desastre ou que constitui uma forma de desastre: *os efeitos desastrosos do aquecimento global.* 4 *Fig.* Que redunda em fracasso: *Sua carreira teve final desastroso.* [Pl.: [ó]. Fem.: [ó].] [F.: *desastre* + *-oso.*]

desatado (de.sa.*ta*.do) *a.* 1 Que se desatou, se soltou (nó/laço desatado); DESPRENDIDO 2 Desobrigado, isento: *Mandrião desatado, sua leviandade ultrapassava qualquer limite.* 3 Falto de coerência ou sentido; sem nexo (palavrório desatado) [F.: Part. de *desatar*.]

desatar (de.sa.*tar*) *v.* **1** Desfazer (nó, laçada, amarra) [*td.*: *Desatou o laço para abrir o presente.*] **2** Soltar o nó de ou libertar-se do que amarra, prende [*td.*: *desatar um embrulho; Os cavalos desataram-se e fugiram.*] **3** *Fig.* Encontrar solução para; RESOLVER [*td.*: *desatar um mistério.*] **4** *Fig.* Livrar(-se) de; desembaraçar(-se); DESOBRIGAR; ISENTAR [*tdr.* + *de*: *Desatar-se da bebida; Desatou a família das dívidas.*] **5** *Fig.* Tornar(-se) mais expansivo [*td.*: *A bebida desatou-o durante a festa; Passada a fase de adaptação, desatou-se.*] **6** Rescindir, dissolver (um pacto) [*td.*: *Sua insatisfação o fez desatar o acordo.*] **7** Soltar, desfraldar [*td.*: *Desatar as bandeiras ao vento.*] [▶1 desatar. Us. tb como v. auxiliar, seguido da prep. *a* + v. principal no infinitivo indicando início da ação: Desatar a falar.] [F.: *des-* + *atar.*]

desatarraxar (de.sa.tar.ra.*xar*) *v. td.* Soltar ou desapertar tarraxa ou parafuso [▶ 1 desatarraxar] [F.: *des-* + *atarraxar.*]

desataviado (de.sa.ta.vi.*a*.do) *a.* Que não traz atavios; que não é rebuscado; SIMPLES: *o linguajar desataviado do palestrante;* "...nosso sincero e desataviado cronista..." (Pinheiro Chagas, *Descobrimento da Índia*) [F.: Part. de *desataviar.*]

desataviar (de.sa.ta.vi.*ar*) *v. td.* Livrar(-se) de atavios, de enfeites; DESENFEITAR; DESORNAR: *desataviar uma fantasia; Desataviou-se para dormir.* [▶ 1 desataviar] [F.: *des-* + *ataviar.*]

desatenção (de.sa.ten.*ção*) *sf.* **1** Falta de atenção: *Os erros provêm de sua desatenção.* **2** Falta de cortesia, de consideração: "...a vaidade de professor é que me fez padecer com a desatenção de Capitu..." (Machado de Assis, *Dom Casmurro*) **3** Falta de cuidado, de zelo, de preocupação; DESCUIDO [Pl.: *-ções.*] [F.: *des-* + *atenção.*]

desatencioso (de.sa.ten.ci.*o*.so) [ô] *a.* **1** Que revela ou encerra desatenção: "...respondeu numa voz desatenciosa..." (Teixeira de Queirós, *Comédia do campo*) [Ant.: *atencioso.*] **2** Que não tem atenção, zelo, cuidado com as coisas ou com as pessoas **3** Que não agiu ou que não costuma agir com a devida atenção, dedicação, zelo, consideração [Pl.: [ó]. Fem.: [ó].] [F.: *des-* + *atencioso.*]

desatender (de.sa.ten.*der*) *v.* **1** Não levar em consideração; IGNORAR [*td.*: *Este procedimento desatende as normas da instituição.*] [*ti.* + *a*: *Desatendia às recomendações paternas.*] **2** Não prestar atenção ou não atender, não responder a [*td.*] [*ti* + *a*] **3** Faltar ao respeito a [*ti.*: *desatender a um professor / a um pai.*] [▶ 2 desatender] [F.: *des-* + *atender.*]

desatendido (de.sa.ten.*di*.do) *a.* **1** A que não se atendeu (chamada desatendida; telefonema desatendido) **2** Que não recebeu atendimento (doente desatendido; crianças carentes desatendidas); DESASSISTIDO **3** Que não se levou em conta, não se considerou (opinião desatendida); DESCONSIDERADO **4** Descumprido, inobservado (regulamentação desatendida) [F.: Part. de *desatender.* Ant. ger.: *atendido.*]

desatendimento (de.sa.ten.di.*men*.to) *sm.* Ação ou resultado de desatender; falta de atendimento (desatendimento aos necessitados/às reivindicações/às normas); DESASSISTÊNCIA; DESCONSIDERAÇÃO; INOBSERVÂNCIA [Ant.: *atendimento.*] [F.: *desatender* + *-mento.*]

desatentar (de.sa.ten.*tar*) *v. tr.* **1** Não atentar, não reparar: *Desatentei-me do que estava ao meu redor.* **2** Não tomar os devidos cuidados a: *desatentar da segurança dos funcionários.* [▶ 1 desatentar] [F.: *des-* + *atentar.*]

desatento (de.sa.*ten*.to) *a.* **1** Que não está atento, que se mostra distraído, desinteressado: "...o espírito superficial e desatento dos indivíduos rebeldes às formas doutrinárias..." (Ramalho Ortigão, *John Bull*) **2** Que revela desatenção, distração (olhar desatento, gesto desatento) [F.: *des-* + *atento.* Ant. ger.: *atento.*]

desatinado (de.sa.ti.*na*.do) *a.* **1** Que perdeu o tino, que está fora de si: *Ela estava desatinada, sem esperanças.* **2** Que é estouvado, pouco ponderado: "...um invejoso desatinado desafiou-o à espada..." (Camilo Castelo Branco, *Luta de gigantes*) **3** Que demonstra falta de tino, de sensatez: *palavras desatinadas.* **4** Próprio daquele que está fora de si, que perdeu o tino: *Durante anos arquitetou esse desatinado projeto.* **5** Que está ansioso, sôfrego *sm.* **6** Aquele que perdeu o tino, que está fora de si [F.: Part. de *desatinar.*]

desatinar (de.sa.ti.*nar*) *v.* **1** Fazer perder ou perder o tino, o juízo [*td.*: *O sofrimento desatinou-o.*] [*int.*: *O homem desatinou e saiu a esmo.*] **2** Não atinar, não acertar [*int.*: *Desorientado, desatinava.*] [*tr.*: *Desatinava nas palavras que proferia.*] [▶ 1 desatinar] [F.: *des-* + *atinar.* Hom./Par.: *desatino* (fl.), *desatino* (sm.).]

desatino (de.sa.*ti*.no) *sm.* **1** Falta de tino, de equilíbrio, de juízo: "...contra o desatino herético..." (Antônio Vieira, *Sermões*) **2** Ato ou palavras de desatinado: *Cometeu um desatino ao abandonar a família.* [F.: Dev. de *desatinar.* Hom./par.: *desatino* (sm.), *desatino* (fl. de *desatinar*).]

desativação (de.sa.ti.va.*ção*) *sf.* **1** Ato ou efeito de desativar(-se), deixar inativo ou sem como funcionar (desativação de uma bomba) [Ant.: *ativação.*] **2** *Fís.nu.* Decréscimo na atividade radiativa de uma substância; REFRIGERAÇÃO [Pl.: *-ções.*] [F.: *desativar* + *-ção.*]

desativado (de.sa.ti.*va*.do) *a.* **1** Que se desativou, se deixou inativo ou sem como funcionar (projétil desativado) **2** Que não se pode detonar (bomba-relógio desativada) [F.: Part. de *desativar.*]

desativador (de.sa.ti.va.*dor*) [ô] *a.* **1** Que desativa, que torna inoperante, inativo (pino desativador) **2** *Quím.* Que reduz ou anula a capacidade de reação de um catalisador ou produto (efeito desativador) *sm.* **3** Aquele que desativa (desativador de bombas) [F.: *desativado* + *-or.*]

desativar (de.sa.ti.*var*) *v. td.* **1** Tornar inoperante: *desativar uma indústria.* **2** Desmontar um mecanismo: *desativar uma bomba-relógio.* **3** Tirar (algo) de circulação: *desativar uma frota de carros.* [▶ 1 desativar] [F.: *des-* + *ativar.*]

desatolado (de.sa.to.*la*.do) *a.* **1** Que se desatolou, que se livrou de atoleiro; DESATASCADO **2** *Bras. N.E.* Desembaraçado, sem acanhamento **3** Aliviado do excesso de serviço, de dívidas etc; DESAFOGADO [F.: Part. de *desatolar.* Ant. ger.: *atolado.*]

desatolar (de.sa.to.*lar*) *v.* Tirar ou sair do atoleiro; DESATASCAR [*td.*: *O trator desatolou o caminhão.*] [*int.*: *Vibramos quando o carro desatolou.*] [▶ 1 desatolar] [F.: *des-* + *atolar.*]

desatordoar (de.sa.tor.do.*ar*) *v. td.* Fazer (alguém) voltar a si, sair de atordoamento: *Talvez uma ducha fria o desatordoe.* [▶ 16 desatordoar] [F.: *des-* + *atordoar.*]

desatracação (de.sa.tra.ca.*ção*) *sf.* *Mar.* Ato ou efeito de desatracar(-se), desprender e afastar (a embarcação) do cais ou de uma outra embarcação [Ant.: *atracação.*] [Pl.: *-ções.*] [F.: *desatracar* + *-ção.*]

desatracar (de.sa.tra.*car*) *v.* **1** *Mar.* Soltar ou afastar (a embarcação atracada) [*td.*: *É hora de desatracar o navio.*] [*int.*: *Iremos desatracar imediatamente.*] **2** *Fig.* Separar (pessoas ou animais que brigam); DESENGALFINHAR [*td.*: *desatracar os cães; Os lutadores desatracaram-se.*] **3** *Fig.* Desvencilhar(-se) (daquilo a que se está agarrado) [*tdr.*: *desatracar as plantas da cerca.*] [▶ 11 desatracar] [F.: *des-* + *atracar.*]

desatravancar (de.sa.tra.van.*car*) *v. td.* **1** Remover o que impede a passagem por; DESIMPEDIR: *O guarda pedia a todos que desatravancassem o caminho.* **2** *Fig.* Facilitar, desembaraçar o andamento de: *Novos procedimentos desatravancam processos.* **3** Retirar o excedente, aquilo que está demais em (local, móvel etc.) [▶ 11 desatravancar] [F.: *des-* + *atravancar.*]

desatrelar (de.sa.tre.*lar*) *v. td.* **1** Tirar o que está atrelado (a algo ou alguém); DESENGATAR; DESPRENDER; DESAPOR: *Desatrelar um trem.* [Lit. ou fig.] **2** Soltar da trela (animal): *desatrelar o cavalo.* [▶ 1 desatrelar] [F.: *des-* + *atrelar.*]

desatualização (de.sa.tu:a.li.za.*ção*) *sf.* Ato ou efeito de desatualizar(-se), ficar desatualizado [Ant.: *atualização.*] [F.: *desatualizar* + *-ção.*]

desatualizado (de.sa.tu:a.li.*za*.do) *a.* **1** Que se desatualizou, que não acompanhou os progressos de seu ofício **2** Não atualizado, fora de época, ultrapassado (mapa desatualizado; estatísticas desatualizadas) [F.: Part. de *desatualizar.* Ant. ger.: *atualizado.*]

desautorar (de.sau.to.*rar*) *v. td.* Destituir, privar por castigo das honras ou insígnias ou dignidades; EXAUTORAR; DESAUTORIZAR: "Estou desautorado pelos meus antigos mandatários." (Julio Dinis, *Morgadinha*) [▶ 1 desautorar] [F.: *des-* + *autor* + *-ar*[2].]

desautorização (de.sau.to.ri.za.*ção*) *sf.* **1** Ato ou efeito de desautorizar, recusar permissão; DESAUTORAÇÃO **2** Falta do devido respeito; destituição de autoridade ou dignidade; DESRESPEITO; DESCRÉDITO; DESPRESTÍGIO [Pl.: *-ções.*] [F.: *desautorizar* + *-ção.*]

desautorizado (de.sau.to.ri.*za*.do) *a.* **1** Que se desautorizou, que não teve autorização **2** Que perdeu a dignidade ou o prestígio de um cargo **3** Sem autoridade, aptidão ou o necessário conhecimento para algo [F.: Part. de *desautorizar.* Ant. ger.: *autorizado.*]

desautorizar (de.sau.to.ri.*zar*) *v. td.* **1** Tirar, privar da autoridade, o prestígio; DESACREDITAR; DESABONAR; DESAUTORAR: *O gerente desautorizou o funcionário diante de todos; Mentindo, pais desautorizam-se diante dos filhos.* **2** Não autorizar, negar permissão: *Diante dos fatos, coube ao juiz desautorizar a venda do imóvel.* [▶ 1 desautorizar] [F.: *des-* + *autorizar.*]

desavença (de.sa.*ven*.ça) *sf.* Ação de desentender(-se) com outrem; quebra de boas relações; DESENTENDIMENTO; DISCÓRDIA: "...as únicas desavenças que se tinham dado entre eles eram por causa das crianças pobres..." (Teixeira de Queirós, *Comédia do campo*) [F.: *des-* + *avença.*]

desavergonhado (de.sa.ver.go.*nha*.do) *a.* **1** Que não tem ou perdeu a vergonha, tornando-se cínico, descarado: "... ora vejam que desavergonhada esta..." (Teixeira de Queirós, *Comédia do campo*) **2** Próprio de quem é desavergonhado (jeitão desavergonhado) *sm.* **3** Aquele que não tem ou que perdeu a vergonha [F.: Part. de *desavergonhar.* Sin. ger.: *semvergonha.*]

desavergonhamento (de.sa.ver.go.nha.*men*.to) *sm.* Ato ou efeito de desavergonhar(-se), perder a vergonha; DESCARAMENTO; IMPUDOR; ATREVIMENTO; PETULÂNCIA: "...dizedor de palavras de desacatamento contra sua real senhoria e de grã sandice e desavergonhamento." (Alexandre Herculano, *Lendas*) [Ant.: *envergonhamento.*] [F.: *desavergonhar* + *-mento.*]

desavergonhar (de.sa.ver.go.*nhar*) *v.* Fazer perder ou perder a vergonha, o pejo; tornar(-se) descarado, petulante [*td.*] [*int.*] [▶ 1 desavergonhar] [F.: *des-* + *avergonhar.*]

desavindo (de.sa.*vin*.do) *a.* Que está em desacordo, em desavença, em desarmonia: *irmãos desavindos entre si.* [F.: Part. de *desavir.*]

desavir (de.sa.*vir*) *v.* **1** Suscitar ou ter desavença, discórdia; INDISPOR; MALQUISTAR [*td.*: *A partilha dos bens desaviu os irmãos.*] [*tdr.*: *Intrigas servem para desavir os herdeiros com os sócios da empresa; Desavia-se com os vizinhos com facilidade.*] **2** Discordar [*int.*: *Desavieram-se quanto ao preço estabelecido.*] [▶ 42 desavir] [Part.: *desavindo.*] [F.: *des-* + *avir.*]

desavisado (de.sa.vi.*sa*.do) *a.* **1** Que está desprevenido **2** A que falta juízo ou prudência, esp. no agir, falar, portar-se; LEVIANO *sm.* **3** Indivíduo desavisado [F.: Part. de *desavisar.*]

desavisar (de.sa.vi.*sar*) *v.* **1** Anular aviso dado anteriormente [*td.*: *desavisar todos os convocados para o encontro.*] **2** Fazer perder a sensatez, a prudência, o equilíbrio emocional [*td.*: *O ciúme desavisou a pobre mulher.*] **3** Não perceber, não atinar com [*tr.* + *de*: *Desavisou-se do perigo que corria.*] [▶ 1 desavisar] [F.: *des-* + *avisar.*]

desaviso (de.sa.*vi*.so) *sm.* **1** Aviso oposto a outro que foi dado; CONTRA-AVISO; CONTRAORDEM **2** Conduta imprudente ou desajuizada; IMPRUDÊNCIA; INADVERTÊNCIA [F.: Dev. de *desavisar.* Hom./Par.: *desaviso* (sm.), *desaviso* (fl. de *desavisar*).]

desazado (de.sa.*za*.do) *a.* **1** Inoportuno, descabido [Ant.: *azado*] **2** Sem jeito, habilidade ou aptidão; DESAJEITADO; INÁBIL **3** Que não tem cuidado com as coisas; que não demonstra o interesse ou a atenção devidos ou necessários; NEGLIGENTE [F.: *des-* + *azado.* Hom./Par.: *desazado* (a.), *desasado* (a.).]

desazo (de.*sa*.zo) *sm.* **1** Falta de jeito, de habilidade, de aptidão: "...valessem-me do meu desazo..." (Guimarães Rosa, *Estas estórias*) **2** Desmazelo, descuido, negligência [F.: *des-* + *azo.* Hom./Par.: *desazo* (sm.), *desaso* (fl. de *desasar*).]

desbancado (des.ban.*ca*.do) *a.* **1** Que se desbancou, que ficou sem o dinheiro da banca **2** Que foi suplantado, que perdeu o prestígio, a preferência ou o renome: *Aquele é o boteco desbancado pelo Maré Mansa.* [F.: Part. de *desbancar.*]

desbancar (des.ban.*car*) *v. td.* **1** Vencer, levar vantagem a; SUPLANTAR: *Logo na primeira seleção, desbancou os adversários.* [Lit. ou fig.] **2** Ganhar o dinheiro da banca de jogo: *Com dois pares de reis, desbancou os demais.* [▶ 11 desbancar] [F.: *des-* + *bancar.*]

desbaratado (des.ba.ra.*ta*.do) *a.* **1** Que foi gasto exageradamente; que se dissipou; DISSIPADO; MALBARATADO *a.* **2** De que não se tirou o (devido) proveito; DESPERDIÇADO: "...despedia-se com tédio das noites desbaratadas nos cafés..." (Camilo Castelo Branco, *Noites de Lamego*) **3** Aniquilado, derrotado, vencido (tropas desbaratadas, complô desbaratado) **4** Que está desarrumado, desordenado [F.: Part. de *desbaratar.*]

desbaratamento (des.ba.ra.ta.*men*.to) *sm.* **1** Ação ou resultado de desbaratar **2** Dissipação, esbanjamento **3** Derrota **4** Confusão, desordem [F.: *desbaratar* + *-mento.* Sin. ger.: *desbarato.*]

desbaratar (des.ba.ra.*tar*) *v.* **1** Gastar de maneira imprópria ou descomedida; MALBARATAR; ESBANJAR [*td.*: *Desbaratou a herança.*] [*tdr.* + *em, com*: *Desbaratou sua fortuna em (com) mulheres.*] **2** Debandar ou fazer debandar; desfazer(-se); DISPERSAR [*td.*: *A polícia desbaratou a quadrilha; O bando desbaratou-se.*] **3** Levar à ruína; arruinar [*td.*: *Desbaratou seu talento.*] [*tdr.* + *em*: *O pintor desbaratou seu talento em quadros comerciais.*] **4** Derrotar, destroçar, aniquilar [*td.*: *Desbarataram o exército invasor.*] **5** Promover a desordem de [*td.*: *Desbaratou sua coleção de fotos.*] [▶ 1 desbaratar] [F.: *des-* + *baratar.*]

desbarato (des.ba.*ra*.to) *sm.* Ato ou efeito de desbaratar; DESBARATAMENTO [F.: Dev. de *desbaratar.* Hom./Par.: *desbarato* (sm.), *desbarato* (fl. de *desbaratar*).]

desbarrancado (des.bar.ran.*ca*.do) *a.* **1** Que se desbarrancou **2** *Bras.* Em que se formou barranco **3** Em que se desfez barranco *sm.* **4** Lugar onde existem barrancos ou desbarrancos; DESPENHADEIRO; PRECIPÍCIO: "Decidimo-nos por um desbarrancado à margem direita." (Gastão Cruls, *Amazônia misteriosa*) **5** *MG RS GO* Erosão em terreno causada pela água; QUEBRADA [F.: Part. de *desbarrancar.*]

desbarrancamento (des.bar.ran.ca.*men*.to) *sm.* Ação ou resultado de desbarrancar [F.: *desbarrancar* + *-mento.*]

desbarrancar (des.bar.ran.*car*) *v. td.* **1** Escavar profundamente, criando barrancos em **2** Desfazer barrancos de [▶ 11 desbarrancar O c muda em qu antes de e.] [F.: *des-* + *barranco* + *-ar*[2]. Sin. ger.: *esbarrancar.*]

desbarrigado (des.bar.ri.*ga*.do) *a.* **1** Que (se) desbarrigou, que perdeu a barriga pronunciada; DESEMBARRIGADO **2** Que deixa à mostra a barriga, com a roupa aberta **3** *Bras.* Que deu à luz há pouco **4** *MG* Diz-se de animal faminto ou mal alimentado [F.: Part. de *desbarrigar.*]

desbastado (des.bas.*ta*.do) *a.* **1** Que sofreu desbaste **2** Tornado menos basto, menos denso, menos espesso, menos volumoso ou mais fino **3** A que se tirou o excesso, as impropriedades ou imperfeições: *lindas pedras desbastadas.* [F.: Part. de *desbastar.*]

desbastamento (des.bas.ta.*men*.to) *sm.* Ação ou resultado de desbastar; DESBASTE [F.: *desbastar* + *-mento.*]

desbastar (des.bas.*tar*) *v. td.* **1** Tornar menos basto, menos espesso: *desbastar o cabelo/ um arbusto.* **2** Aperfeiçoar ou dar feitio (a uma peça grossa ou tosca de madeira, pedra etc.) tirando ou cortando a matéria a mais **3** Limpar, ao retirar o que não serve ou que está em demasia: *desbastaram as amendoeiras.* **4** *Fig.* Tornar (alguém) menos grosseiro, tirando-lhe a rudeza no trato social; APERFEIÇOAR; POLIR; REFINAR: *Tentou desbastar o namorado, ensinando-lhe algumas regras de etiqueta, e acabou por magoá-lo.* **5** Burilar (capítulo, artigo) retirando o que é excessivo; ENXUGAR: *desbastar um texto.* **6** *Hip.* Ministrar primeiro ensino a cavalgadura: *desbastar uma égua selvagem.* [▶ 1 desbastar] [F.: *des-* + *basto*[1] + *-ar*[2].]

desbaste (des.*bas*.te) *sm.* **1** Ação ou resultado de desbastar, de tornar menos basto: "...o espelho à altura do rosto para o desbaste da gilete..." (Gastão Cruls, *Amazônia que eu vi*) **2** *N.E. Agr.* Operação agrícola para eliminar os rebentos em excesso [F.: Dev. de *desbastar.*]

desbeiçado (des.bei.*ça*.do) *a.* **1** Que se desbeiçou, que tem beiços mutilados ou pouco aparentes: "...longa boca, desbeiçada e fina como um rasgão." (Abel Botelho, *Mulheres da Beira*) [Ant.: *beiçudo.*] **2** *Fig.* Que tem as bordas partidas ou muito gastas; ESBEIÇADO; ESBOUCELADO: "Telhas inclinavam-se sobre a calha desbeiçada." (Coelho Neto, *Miragem*) [F.: Part. de *desbeiçar.*]

desbeiçar (des.bei.*çar*) *v. td.* **1** Cortar ou mutilar o beiço ou os beiços de: *A queda desbeiçou a criança.* **2** *Fig.* Cortar ou quebrar a beirada de; DESBORCINAR; ESBORCINAR: *A pancada na pia desbeiçou o prato.* [▶ 12 desbeiçar] [F.: *des-* + *beiço* + *-ar*[2].]

desbloqueado (des.blo.que.*a*.do) *a.* 1 Que se desbloqueou; DESIMPEDIDO; DESOBSTRUÍDO 2 Que foi liberado; a que foi permitido acesso 3 Que foi liberado, tornado disponível para movimentação (financeira) ou uso (diz-se de cheque, quantia, herança etc.) [F.: Part. de *desbloquear*. Ant. ger.: *bloqueado*.]

desbloqueador (des.blo.que:a.*dor*) [ô] *a.* 1 Que desbloqueia, que tem a função de desbloquear *sm.* 2 Aquele ou aquilo que desbloqueia, que atua em qualquer espécie de desbloqueio [F.: *desbloquear* + *-dor*. Sin. ger.: *bloqueador*.]

desbloqueamento (des.blo.que:a.*men*.to) *sm.* Ato ou efeito de desbloquear (desbloqueamento da estrada); DESBLOQUEIO [Ant.: *bloqueamento*.] [F.: *desbloquear* + *-mento*.]

desbloquear (des.blo.que.*ar*) *v. td.* 1 Livrar de bloqueio, de obstrução; DESIMPEDIR: *desbloquear uma estrada/uma artéria.* 2 Acionar (o que estava parado, mobilizado ou interrompido): *desbloquear um mecanismo.* 3 Permitir acesso a (o que estava bloqueado): *O banco desbloqueará sua conta imediatamente.* 4 Suspender o embargo a (nação, país etc.) 5 *Psi.* Desfazer o bloqueio emocional a [▶ 13 desbloquear] [F.: *des-* + *bloquear.* Hom./Par.: *desbloqueio* (fl.), *desbloqueio* (sm.).]

desbloqueio (des.blo.*quei*:o) *sm.* Ação ou resultado de desbloquear [Ant.: *bloqueio*.] [F.: Dev. de *desbloquear*. Hom./Par.: *desbloqueio* (sm.), *desbloqueio* (fl. de *desbloquear*).]

desbocação (des.bo.ca.*ção*) *sf.* Ato ou efeito de desbocar, usar linguagem chula ou desaforada; DESBOCAMENTO [Pl.: *-ções*.] [F.: *desbocar* + *-ção*.]

desbocado (des.bo.*ca*.do) *a.* 1 *Fig. Pop.* Que costuma usar palavras grosseiras ou obscenas 2 Que é grosseiro, impróprio (linguagem desbocada) 3 Que não obedece ao freio (diz-se de cavalo) *sm.* 4 *Fig. Pop.* Aquele que é dado a usar palavras grosseiras ou obscenas [F.: Part. de *desbocar*.]

desbordamento (des.bor.da.*men*.to.) *sm.* 1 Ação ou resultado de desbordar; DEBORDAMENTO; DESBORDO 2 Encher-se em demasia; TRANSBORDAR 3 Sair para fora do leito (diz-se de rio) 4 Ultrapassar os limites; EXTRAPOLAR [F.: *desbordar* + *-mento*. Ideia de: *bord-*.]

desbordar (des.bor.*dar*) *v.* 1 Fazer passar ou passar por cima da borda; transbordar [*td.*: *Encheu o copo com pressa e desbordou a cerveja.*] [*int.*: *O leite ferveu e desbordou.*] [*ta.*: *O caldo desbordou da panela.*] 2 Transbordar (o rio) para fora do leito [*int.*] 3 Desenvolver-se além do previsto ou esperado; extrapolar [*tr.* + *de*: *A conversa desbordou do assunto que a tinha motivado.*] 4 *P.ext.* Ficar repleto, cheio [*tr.* + *de*: *As arquibancadas desbordavam de torcedores.*] [*int.*: *As lojas desbordavam naquele feriado.*] 5 *Fig.* Estar transbordante de; transbordar [*tr.* + *de*: *Sua mente desbordava de novas ideias.*] [▶ 1 desbordar] [F.: *des-* + *bordar*. Hom./Par.: *desbordo* (fl.), *desbordo* /ô/ (sm.).]

desbotado (des.bo.*ta*.do) *a.* 1 Que perdeu a nitidez ou o brilho (diz-se de cor) [Ant.: *brilhante, vivo*.] 2 Que perdeu a cor original (vestido desbotado); DESCORADO; ESMAECIDO [Ant.: *colorido*.] 3 Pálido, abatido (faces desbotadas) [Ant.: *corado*.] [F.: Part. de *desbotar*.]

desbotamento (des.bo.ta.*men*.to) *sm.* Ação ou resultado de desbotar; perda ou alteração de cor [F.: *desbotar* + *-mento*.]

desbotar (des.bo.*tar*) *v.* 1 Fazer perder ou perder a cor original [*td.*: *O sol desbotou as cortinas.*] [*int.*: *A calça desbotou.*] 2 Fazer perder ou perder o viço; EMPALIDECER [*td.*: *O sofrimento desbotou suas faces.*] 3 *Fig.* Amortecer(-se), deslustrar(-se), apagar(-se) [*int.*] [▶ 1 desbotar] [F.: De or. contrv.]

desbragado (des.bra.*ga*.do) *a.* 1 Que não tem comedimento, moderação: *Manifestava um desbragado ciúme.* 2 Que revela falta de pudor (modos desbragados); INDECOROSO *sm.* 3 Aquele que não tem noção de limites, das conveniências e de decoro; INDECOROSO [F.: Part. de *desbragar*.]

desbragamento (des.bra.ga.*men*.to) *sm.* 1 Ação ou resultado de desbragar 2 Falta de comedimento no comportamento ou na linguagem; falta de pudor [F.: *desbragar* + *-mento*.]

desbragar (des.bra.*gar*) *v. td.* 1 *Mar.* Soltar (o chicote da amarra) da braga ou a braga 2 Livrar-se de conveniências, de normas ger. aceitas: *Desbragou seu comportamento de maneira escandalosa.* 3 Tornar dissoluto, libertino: *O convívio com os boêmios desbragou o rapaz.* [▶ 14 desbragar] [F.: *des-* + *braga* + *-ar*².]

desbravado (des.bra.*va*.do) *a.* 1 Que se desbravou 2 Diz-se de região, terras etc. que foram exploradas e percorridas, deixando de ser desconhecidas 3 Que foi desbastado, limpo ou preparado para o cultivo (terreno desbravado) 4 Que foi amansado, domado [F.: Part. de *desbravar*.]

desbravador (des.bra.va.*dor*) [ô] *a.* 1 Que desbrava: "...esta grandiosa tarefa dos coireleiros desbravadores de charnecas..." (Manuel Ribeiro, *Planície heroica*) *sm.* 2 Aquele que desbrava [F.: *desbravar* + *-dor*.]

desbravamento (des.bra.va.*men*.to) *sm.* 1 Ação ou resultado de desbravar 2 Exploração e reconhecimento de terras desconhecidas: "...o desbravamento da nossa África..." (Agostinho de Campos, *Fé no império*.) 3 Desbaste ou limpeza de um terreno, para cultivá-lo 4 Primeira pesquisa ou estudo de matéria que se desconhece [F.: *desbravar* + *-mento*.]

desbravar (des.bra.*var*) *v. td.* 1 Explorar (lugares desconhecidos): *desbravar o interior do Brasil.* 2 Limpar, abrir caminho em: *desbravar uma floresta.* 3 *Agr.* Preparar (terreno) para o cultivo: *Teve que capinar muito para desbravar aquela roça.* 4 *Fig.* Superar, vencer, suplantar (dificuldade, questão, problema, desafio etc.) 5 *Fig.* Pesquisar, estudar, em busca de novas descobertas: *desbravar novas tecnologias.* 6 Amansar (animal bravio) 7 Tornar menos rude, menos grosseiro; civilizar [▶ 1 desbravar] [F.: *des-* + *bravo* + *-ar*².]

desbriado (des.bri:*a*.do.) *sm.* 1 Sem brio, sem dignidade, desavergonhado: "...todo um exército de desbriados e bandidos, de prostitutas futuras, galopando pela cidade à cata de pão..." (João do Rio, *A alma encantadora das ruas*) *a.* 2 Que não tem brios [F.: *des-* + *brio* + *-ado*. Ideia de: *brig-*.]

desbridamento (des.bri.da.*men*.to.) *sm.* 1 Ação ou resultado de soltar-se de brida ou bridão (a cavalgadura) 2 *Méd.* Remoção de corpo estranho ou de tecido desvitalizado de uma ferida; DEBRIDAMENTO [F.: *desbridar* + *-mento*. Tb. *debridamento*.]

desbrio (des.*bri*:o.) *sm.* Falta de brio, de vergonha, de ânimo ou de dignidade; DESBRIAMENTO: "...pensando no desbrio com que esse homem sujeitava-se a uma degradação de todos os instantes..." (José de Alencar, *Senhora*) [Ant.: *brio*.] [F.: Dev. de *desbriar*. Hom./Par.: *desbrio* (sm.), *desbrio* (fl. de *desbriar*). Ideia de: *brig-*.]

desbrota (des.*bro*.ta.) *sf.* Corte da extremidade de um vegetal, eliminando boa parte dos brotos, a fim de reduzir o crescimento vertical e provocar o desenvolvimento de ramos abaixo desse ponto [F.: *des-* + *brota(r)*. Ideia de: *brot-*.]

desbrotar (des.bro.*tar*) *v. td.* Arrancar, retirar os brotos [▶ 1 desbrotar] [F.: *des-* + *brotar*.]

desbundado (des.bun.*da*.do.) *Gír.* *a.* 1 Diz-se daquele que desbundou, que perdeu o comedimento, a compostura 2 Extasiado, maravilhado 3 Que adotou comportamento libertino 4 Que deixou a atividade política; ALIENADO [F.: Part. de *desbundar*.]

desbundante *a2g.* *Bras. Gír.* Que desbunda, causa admiração, deslumbramento; DESLUMBRANTE; MARAVILHOSO: *O espetáculo foi desbundante!* [F.: *desbundar* + *-nte*.]

desbundar (des.bun.*dar*) *v.* 1 *Gír.* Perder a compostura [*int.*: *Bebeu demais e desbundou.*] 2 Causar ou sentir deslumbramento, impacto [*td.*: *O espetáculo desbundou os jovens.*] [*int.*: *Assistiu ao espetáculo e desbundou.*] 3 *Pop.* Causar constrangimento, desconforto a (alguém); desconcertar [*td.*: *Sua resposta me desbundou.*] [▶ 1 desbundar] [F.: *des-* + *bunda*¹ + *-ar*².]

desbunde (des.*bun*.de) *sm.* 1 *Bras. Pop.* Ação ou resultado de desbundar, de causar deslumbramento ou de ficar deslumbrado com alguém ou algo 2 Pessoa ou coisa que causa deslumbramento 3 Adoção de vida, postura e comportamento alternativo: *marcos da contracultura e do desbunde inteligente no Brasil.* 4 Estado de quem está sob efeito de drogas [F.: Dev. de *desbundar*. Hom./Par.: *desbunde* (sm.), *desbunde* (fl. de *desbundar*).]

desburocratização (des.bu.ro.cra.ti.za.*ção*) *sf.* Ação ou resultado de desburocratizar, de tornar mais eficiente uma estrutura administrativa (estatal ou privada) mediante a supressão ou remanejamento de órgãos, alteração de rotinas, simplificação do organograma etc. [Pl.: *-ções*.] [F.: *desburocratizar* + *-ção*.]

desburocratizado (des.bu.ro.cra.ti.*za*.do) *a.* 1 Que se desburocratizou, que se tornou mais simples e ágil, em termos organizacionais, estruturais e funcionais (diz-se esp. de órgão ou instituição pública ou privada) 2 Que perdeu ou teve eliminado ou anulado parte do caráter burocrático [F.: Part. de *desburocratizar*.]

desburocratizante (des.bu.ro.cra.ti.*zan*.te) *a2g.* Que elimina ou reduz excessos burocráticos (iniciativas desburocratizantes) [F.: *desburocratizar* + *-nte*.]

desburocratizar (des.bu.ro.cra.ti.*zar*) *v. td.* Eliminar ou reduzir a burocracia, o caráter burocrático ou os entraves burocráticos de: *desburocratizar o serviço público.* [▶ 1 desburocratizar] [F.: *des-* + *burocratizar*.]

descabaçado (des.ca.ba.*ça*.do) *a.* *Tabu.* Diz-se de quem perdeu o cabaço, a virgindade; DESVIRGINADO [F.: Part. de *descabaçar*.]

descabaçamento (des.ca.ba.ça.*men*.to) *sm.* *Tabu.* Ação ou resultado de descabaçar, de perder ou fazer perder a virgindade; DESVIRGINAMENTO [F.: *descabaçar* + *-mento*.]

descabaçar (des.ca.ba.*çar*) *v. td.* *Tabu.* Tirar o cabaço, a virgindade de [▶ 12 descabaçar] [F.: *des-* + *cabaço* + *-ar*².]

descabeçado (des.ca.be.*ça*.do) *sm.* 1 *Bras. Fig.* Pessoa que não tem juízo, que é desmiolada *a.* 2 *Bras. Fig.* Sem juízo, desmiolado, maluco 3 Que teve a cabeça cortada [F.: Part. de *descabeçar*. Sin. das acps 1 e 2: *ajuizado, prudente*. Ideia de: *capit-*.]

descabeçar (des.ca.be.*çar*) *v.* 1 Decepar a cabeça de; decapitar [*td.*] 2 *P.ext.* Tirar a parte mais saliente de [*td.*: *A pancada descabeçou o poste de iluminação.*] 3 *SP* Retirar tocos, galhos etc. de (terreno) [*td.*: *O homem descabeçou o quintal.*] 4 Ficar com altura mais baixa (maré, ondas) [*int.*] 5 *Lus.* Ordenhar tetas evitando que se formem caroços [*td.*] [▶ 12 descabeçar] [F.: *des-* + *cabeça* + *-ar*².]

descabelado (des.ca.be.*la*.do) *a.* 1 Que tem os cabelos desarrumados, em desalinho; DESGRENHADO: "...a mulher, que voltava descabelada, a falar sozinha..." (Monteiro Lobato, *Urupês*) 2 Que teve o cabelo arrancado 3 *Fig.* Desmedido, excessivo: "...arrancado a alguma farsa descabelada de Labiche..." (Eça de Queirós, *Cartas de Inglaterra*) 4 *Fig.* Fora de si, ensandecido, enlouquecido 5 *Fig. Pop. Irôn.* Absurdo, sem propósito, sentido ou razão: *Que ideia mais descabelada!!!* [F.: Part. de *descabelar*.]

descabelamento (des.ca.be.la.*men*.to) *sm.* Ação ou resultado de descabelar(-se), de deixar os cabelos em desalinho [F.: *descabelar* + *-mento*. Ideia de: *cabel-*.]

descabelar (des.ca.be.*lar*) *v. td.* 1 Despentear(-se), desgrenhar(-se) [*td.*: *O vento me descabelou; Descabela-se ao dançar.*] 2 Arrancar os cabelos a [*td.*: *Em seus ataques, costumava descabelar-se; Seu golpe o descabelara.*] 3 *Fig. Pop.* Perder o controle de suas emoções; ficar desesperado, angustiado, aflito, fora de si (e demonstrar tal descontrole) [*int.*: *Descabelou-se ao tomar conhecimento da gravidade da situação.*] [▶ 1 descabelar] [F.: *des-* + *cabelo* + *-ar*².]

descaber (des.ca.*ber*) *v.* 1 Não caber, não vir a propósito [*int.*: *Descabe tal observação.*] 2 Não competir a; não ser da competência de [*ti.* + *a*: *Descabia-lhe tal decisão.*] [▶ 19 descaber Us. ger. nas 3ªs pess.]

descabido (des.ca.*bi*.do) *a.* Que não tem cabimento; que é impróprio, inoportuno: "...Julgo (...) descabido e improcedente o seu protesto..." (Júlio Dantas, *Outros tempos*) [F.: Part. de *descaber*.]

descabimento (des.ca.bi.*men*.to) *sm.* Aquilo que é descabido, que não tem cabimento [Ant.: *cabimento*.] [F.: *descaber* + *-imento*.]

descadeirado (des.ca.dei.*ra*.do) *a.* 1 Que sente ou sofre de dor nas cadeiras 2 *Pop.* Cansado ao extremo, exausto 3 Que caminha arrastando as patas traseiras, por estar estropiado (diz-se de animal) 4 Cujas ancas, salientes em virtude da excessiva magreza, sobressaem ao andar, correr [F.: Part. de *descadeirar*.]

descadeirar (des.ca.dei.*rar*) *v.* 1 Provocar lesão ou luxar as cadeiras; fazer sentir ou sentir dor nas cadeiras [*td.*: *A longa caminhada a descadeirou.*] [*int.*: *Descadeirei-me fazendo faxina.*] 2 *Pop.* Deixar ou ficar cansado, extenuado; CANSAR; EXTENUAR [*td.*: *A festa descadeirou a anfitriã.*] [*int.*: *Descadeirou-se ao final da corrida.*] 3 Bater muito em; DERREAR; DESANCAR; DESCONJUNTAR [*td.*: "Era quem descadeirava todos os gatos da fazenda" (Monteiro Lobato, *Urupês*)] 4 Dançar requebrando muito as cadeiras; REBOLAR-SE; REQUEBRAR-SE; SARACOTEAR-SE 5 *Fig.* Causar desânimo; DESANIMAR; DESENCORAJAR [*td.*: "Sessenta e cinco mil pratas em três carreiras seguidas era para descadeirar um bom brasileiro!" (Marques Rebelo, *O simples coronel Madureira*)] [▶ 1 descadeirar] [F.: *des-* + *cadeira* + *-ar*².]

descafeinado (des.ca.fe:i.*na*.do) *a.* De que se extraiu a cafeína (diz-se de café e chá) [F.: Part. de *descafeinar*.]

descaída (des.ca.*í*.da) *sf.* 1 Ação ou resultado de descair: *Com a doença, sua descaída foi rápida.* 2 *Pop.* Descuido, lapso 3 Dito proferido de forma leviana ou impensada: "...dos portugueses se mofava em Castela, pelas suas fanfarronadas, descaídas e misérias..." (Ricardo Jorge, *Sermões de um leigo*) 4 *Cul.* Iguaria feita com miúdos de aves [F.: Fem. subst. de *descaído*.]

descaído (des.ca.*í*.do) *a.* 1 Que descaiu 2 Inclinado, tombado: "...com os braços descaídos (...) Ermelinda adiantava-se..." (Júlio Dinis, *A morgadinha dos canaviais*) 3 *Fig.* Decadente, arruinado 4 *Fig.* Prostrado, abatido [F.: Part. de *descair*.]

descaimento (des.ca:i.*men*.to) *sm.* 1 Ação ou resultado de descair; estado do que ou de quem descaiu: "...aquele andar vagaroso e triste, acompanhado de suspiros e descaimentos de pálpebras..." (Aluísio Azevedo, *O mulato*) 2 Abatimento, desalento 3 *Fig.* Estado, condição ou situação do que está em decadência ou em degeneração 4 *Náut.* Ação de desviar uma embarcação da rota [F.: *descair* + *-mento*.]

descair (des.ca.*ir*) *v.* 1 Deixar pender ou pender [*td.*: *descair os braços.*] [*int.*: *A cabeça descaiu -lhe lentamente.*] 2 Vergar, curvar, por falta de forças [*int.*: "Não há nada a fazer, senão descair / como as lânguidas palmas." (Cecília Meireles, "Prelúdio da monção" *in Dispersos*)] [*ta.*: *Faltando-lhe apoio, descaiu sobre o recosto.*] 3 Inclinar, dobrar para uma direção [*ta.*: *O edifício descai para a esquerda.*] 4 Abater lentamente; BAIXAR; DECLINAR [*int.*: *O sol descaía no horizonte.*] 5 Sofrer diminuição; entrar em decadência; DECAIR; DIMINUIR [*int.*: *Os negócios descaíram e com eles seu prestígio.*] [*ta.*: *descair na vida.*] 6 Ficar mais brando, mais suave; ABRANDAR; AMAINAR [*int.*: *E, de repente, o vento começou a descair.*] 7 Desfalecer; perder as forças [*int.*: *Já sem forças, o corpo descaíra.*] [*ta.*: *descair nos braços de alguém; descair de fome.*] 8 Desviar-se do rumo; DESANDAR; DESCAMBAR [*tr.* + *em, para*: *O estilo descai em jocoso.*] 9 Ser malsucedido, ter mau êxito [*tr.* + *de*: *descair da causa.*] 10 *Náut.* Desviar do rumo ou direção (embarcação); DERIVAR [*int.*: *O mau tempo fez o navio descair.*] 11 *Pop.* Revelar um segredo por descuido ou irreflexão [*int.*] [▶ 43 descair] [F.: *des-* + *cair*.]

descalabro (des.ca.*la*.bro) *sm.* 1 Grande dano, perda ou prejuízo; RUÍNA; DECADÊNCIA: *o descalabro de alguns setores da economia.* 2 Escândalo: *o descalabro de uma gestão fraudulenta.* 3 Desorganização extrema: *o descalabro de uma instituição.* [F.: Do esp. *descalabro*.]

descalçadeira (des.cal.ça.*dei*.ra) *sf.* 1 Instrumento para facilitar o ato de calçar e descalçar sapatos [Cf. *calçadeira*.] 2 *Fig.* Reprimenda feita a alguém; DESCALÇADELA; DESCOMPOSTURA; REPREENSÃO: "...não perdoaria as descalçadeiras, os deboches que lhe passavam quando tinham de denunciar algumas de suas ignóbeis proezas." (Lima Barreto, *Clara dos Anjos*) [F.: *descalçado* + *-eira*. Ideia de: *calc-*.]

descalçadela (des.cal.ça.*de*.la) *sf.* *Pop.* Repreensão, censura, descompostura [F.: *descalçar* + *-dela*.]

descalçar (des.cal.*çar*) *v. td.* 1 Tirar calçados, meias ou luvas de (alguém): *Todo dia descalçava o marido.* 2 Tirar (calçados, meias ou luvas): "...via-se que estava nervosa (...) no modo de descalçar as luvas..." (Josué Montello, "Uma tarde, outra tarde" *in Um rosto de menina*) 3 Tirar calço ou apoio de: *Por que descalçaram esta mesa?*: "Sinoca não pôde descalçar o pé do estribo, e ele e a montada apareceram (...) inchados como balões." (João Guimarães Rosa, *Sagarana*) 4 Tirar pedras ou calçamento de (ruas, estradas etc.); DESEMPEDRAR 5 *Fig.* Privar de auxílio ou de recurso; DESARMAR: *Precisava de auxílio e descalçaram-no.* [▶ 12 descalçar Apresenta duplo part.: *descalçado e descalço*.] [F.: Do lat. *discalceare*. Ant. ger.: *calçar*. Hom./Par.: *descalço* (fl.), *descalço* (a.), *descalças* (fl.), *descalças* (fem. pl. de *descalço*).]

descalcificação (des.cal.ci.fi.ca.*ção*) *sf.* 1 Ação ou resultado de descalcificar(-se) 2 *Med.* Diminuição da quantidade de cálcio de um tecido, órgão ou organismo [Pl.: *-ções*.] [F.: *descalcificar* + *-ção*.]

descalcificado (des.cal.ci.fi.*ca*.do) ***a.*** Diz-se de tecido ou órgão que perdeu cálcio, sofreu descalcificação [F.: Part. de *descalcificar*. Ideia de: *cal(c)-* e *-ficar*.]

descalcificar (des.cal.ci.fi.*car*) *v.* **1** *Biol. Geol. Med. Pat.* Perder cálcio ou seus compostos [***int.***: *Seus ossos e dentes se descalcificaram; A casca do ovo imersa no vinagre se descalcifica; O solo se descalcificou.*] **2** *Biol. Geol. Med. Pat.* Remover cálcio ou seus compostos de [***td.***: *descalcificar a água; Ácidos descalcificam ossos; Fluidos hidrotermais descalcificaram o plagioclásio.*] [▶ 11 descalcifi**car**] [F.: *des-* + *calcificar*. Ant. ger.: *calcificar*.]

descalço (des.*cal*.ço) ***a.*** **1** Sem sapatos; com os pés nus, ou apenas com meias **2** *Fig.* Desprevenido: *Apanhou-me descalço.* **3** Que não está pavimentado (solo descalço) **4** *Rel.* Diz-se de membro de Ordem religiosa que adotou o uso de sandálias como sinal externo de desprendimento (às coisas materiais e da vida mundana), de penitência e de entrega plena à Divina Providência: *Agostinianos descalços, Carmelitas descalços.* [M. us. no pl.] [F.: Do lat. vulg. **discalceus*.]

descalibrado (des.ca.li.*bra*.do) ***a.*** Que não está calibrado ou que não tem o calibre adequado [F.: Part. de *descalibrar*.]

descalibrar (des.ca.li.*brar*) *v.* Fazer perder ou perder a pressão conveniente de ar (câmara de ar, pneu etc.) [***td.***: *O frentista descalibrou o pneu.*] [***int.***: *O pneu descalibrou (-se).*] [▶ 1 descali**brar**] [F.: *des-* + *calibrar*.]

descalvado (des.cal.*va*.do) ***a.*** **1** Que não tem cabelos ou que teve a cabeça raspada; CALVO; CARECA; ESCALVADO **2** Sem vegetação; ÁRIDO; ESTÉRIL: *Colina descalvada.* [F.: Part. de *descalvar*. Ideia de: *calv-*.]

descamação (des.ca.ma.*ção*) ***sf.*** **1** Ação ou resultado de descamar(-se) **2** *Med.* Esfoliação normal ou patológica da epiderme **3** *Geol.* Separação da camada externa de uma rocha por desagregação devido a alterações súbitas de temperatura ou a fatores como chuva e vento [Pl.: *-ções*.] [F.: *descamar* + *-ção*.]

descamado (des.ca.*ma*.do) ***a.*** **1** Que descamou **2** *Med.* Que sofreu descamação (2); ESCAMADO **3** *Geol.* Que sofreu descamação (3) [F.: Part. de *descamar*.]

descamar (des.ca.*mar*) *v.* **1** Retirar escamas, pele etc; ESCAMAR [***td.***: *A cozinheira descamava o badejo; O frio descamou-lhe os lábios.*] **2** Perder escamas, pele etc. [***int.***: *Ressecado pelo sol, seu rosto descamou.*] **3** *Geol.* Sofrer descamação (3) [***int.***] [▶ 1 desca**mar**] [F.: *des-* + *escama* + *-ar*[2].]

descamativo (des.ca.ma.*ti*.vo) ***a.*** **1** Ref. a descamação ***a.*** **2** Que é capaz de provocar descamação (líquido descamativo) [F.: *descamar* + *-tivo*.]

descambado (des.cam.*ba*.do) ***sm.*** **1** *Bras.* Qualquer terreno em declive **2** *RS* Declive de coxilha; DESCAMBADA ***a.*** **3** Que descambou, caiu, degenerou **4** Que é perfeito no que faz; CONSUMADO: *Ele se revelou um descambado trapaceiro.* [F.: Part. de *descambar*. Ideia de: *camb(i)-*.]

descambar (des.cam.*bar*) *v.* **1** Afastar-se ou sair da direção prevista; DERIVAR; IR; TENDER [***int.***: "...o papudo também descambara, acompanhando o caminho do sol." (João Guimarães Rosa, *Sagarana*)] [***ta.***: "...tinham de descambar para lá da Serra do Rojo..." (João Guimarães Rosa, *No Urubuquaquá, no Pinhém*)] **2** Cair, desabar, despencar [***int.***: *O temporal descambou à tarde.*] [***ta.***: *O temporal descambou sobre a cidade.*] **3** Baixar, descer, declinar (lua, sol etc.) [***int.***: *E a lua descambara.*] **4** *Fig.* Mudar de rumo; terminar de um modo diferente do proposto; DEGENERAR; DESCAIR [***tr.*** + *em, para*: "...sem descambar para uma aparência de panfleto político..." (Ana Maria Machado, *A audácia dessa mulher*)] [***int.***: "Os iluminados dizem sempre que a sua experiência não descambará como as outras." (Pepetela, "A casa" *in A geração da utopia*)] **5** *Fig.* Mudar para pior [***tr.*** + *em, para*: *O bate-boca descambou para o xingamento.*] **6** *RS* Declinar, descer (colina, coxilha etc.) [***int.***: *O gado descambou.*] [▶ 1 descam**bar**] [F.: *des-* + *cambar*[2].]

descaminhador (des.ca.mi.nha.*dor*) [ô] ***sm.*** **1** Aquele que desencaminha, que desvia do bom caminho **2** Diz-se daquele que desencaminha outras pessoas [F.: *desencaminhar* + *-dor*. Sin. ger.: *corruptor, desencaminhador, passador, pervertidor*. Ideia de: *caminh-*.]

descaminhar (des.ca.mi.*nhar*) *v.* O mesmo que *desencaminhar* [▶ 1 descami**nhar**] [F.: *des-* + *caminhar*.]

descaminho (des.ca.*mi*.nho) ***sm.*** **1** Ação ou resultado de desviar(-se) do caminho certo ou apropriado: *Abandonou os vícios e outros descaminhos.* **2** Extravio, sumiço: *descaminho de mercadorias.* **3** Apropriação indevida de bens ou dinheiro; desvio de fundos: *O descaminho da verba será apurado pelo auditor.* **4** Contrabando **5** *Jur.* Sonegação de impostos [F.: Dev. de *descaminhar*. Hom./Par.: *descaminho* (sm.), *descaminho* (fl. de *descaminhar*).]

descamisado (des.ca.mi.*sa*.do) ***a.*** **1** Que está sem camisa; que não tem camisa **2** *Fig.* Que é pobre, ou maltrapilho **3** *Pol.* Na Argentina, diz-se dos seguidores de Perón **4** Diz-se do milho a que se retirou a palha ***sm.*** **5** Indivíduo que não tem camisa **6** *Fig.* Indivíduo pobre ou maltrapilho **7** *Pol.* Na Argentina, os seguidores de Perón **8** *Hist.* Na Espanha, alcunha depreciativa dada aos liberais na revolução de 1820 [F.: Part. de *descamisar*.]

descamisar (des.ca.mi.*sar*) *v.* ***td.*** **1** Tirar a camisa de (alguém) **2** Retirar a camisa que encobre (a espiga de milho); ESCAMISAR; DESENCAMISAR [▶ 1 descami**sar**] [F.: *des-* + *camisa* + *-ar*[2].]

descampado (des.cam.*pa*.do) ***a.*** **1** Diz-se de campo ou terreno desabitado, aberto, e sem vegetação ***sm.*** **2** Campo ou terreno descampado: "...Há de ir com o escuro, por esses descampados e serras..." (Alexandre Herculano, *Lendas e narrativas*) [F.: *des-* + *campo* + *-ado*[1].]

descanar (des.ca.*nar*) *v.* ***td.*** *Pop.* Cortar, tirar a cana do milho por cima da maçaroca [▶ 1 desca**nar**] [F.: *des-* + *cana*[1] + *-ar*[2].]

descansado (des.can.*sa*.do) ***a.*** **1** Que descansou ou não chegou a cansar-se: *Quando se está descansado, as palavras vem à mente facilmente.* [Ant.: *cansado*.] **2** Despreocupado, tranquilo: "...Vá descansado, que não há novidades..." (Aluísio Azevedo, *Casa de pensão*) **3** Lento, vagaroso: *É muito descansado no trabalho.* **4** *Pop. Pej.* Diz-se daquele que muito pouco ou nada se importa com coisas de responsabilidade (trabalho, estudo, dinheiro etc.) e que ger. deixa para outro resolver as questões, pendências ou situações decorrentes: *Ele sempre foi assim descansado!!!* [F.: Part. de *descansar*.]

descansar (des.can.*sar*) *v.* **1** Livrar(-se) de cansaço, com repouso [***td.***: "...e descansar o pé..." (João Guimarães Rosa, *Manuelzão e Miguilim*)] [***tr.*** + *de*: *Sob a cachoeira, descansaram da subida.*] [***tdr.*** + *de*: *O passeio nos descansou de um ano difícil.*] [***int.***: *Enfim, depois da faina toda, descansaram.*] **2** Apoiar, assentar sobre alguma coisa por comodidade ou firmeza; FIRMAR [***tda.*** + *em*: *Descansava a mão no joelho dela.*] [***ta.***: *A construção descansa sobre sólidas colunas.*] **3** Ter quem faça o seu trabalho, com a confiança de ser bem executado [***tr.*** + *em*: *O ministro descansa no secretário.*] **4** Livrar(-se) de receio, cuidado ou susto; SERENAR; TRANQUILIZAR [***td.***: *O professor descansou-o quanto às notas do filho.*] [***tdr.*** + *de*: *O chá descansou-o do susto.*] [***int.***: "...como pode um país descansar, ter a confiança no futuro (...) quando diante dele está um abismo que o atrai...?" (Joaquim Nabuco, "O crime" *in A escravidão*)] **5** *Bras.* Morrer, falecer [***int.***: *Depois de velhice tão sofrida, descansou.*] **6** Sepultar ou estar sepultado [***int.***: *Aqui ele descansa em paz.*] **7** Deixar de empenhar-se por algo; SOSSEGAR [***int.***: *Batalhou, batalhou inutilmente e, agora, resolveu descansar.*] **8** Tomar como base ou fundamento; BASEAR(-SE); FUNDAMENTAR(-SE) [***tr.*** + *em, sobre*: *Seu trabalho descansa sobre longas pesquisas.*] **9** Reter o olhar, a atenção; deter-se em; FIXAR; POUSAR [***tdr.*** + *em*: "Descansaremos a alma em relíquias, alabastros..." (Cecília Meireles, "Cidade líquida" *in Crônicas de viagem 2*)] **10** Colocar no lugar de costume [***tda.***: *O aluno descansou os livros na mochila.*] **11** *Bras. N.E. Pop.* Dar à luz; PARIR [***int.***] **12** Ficar de repouso (a terra) para readquirir a fertilidade [***int.***: "...não empregando adubo, mas deixando o solo descansar..." (Joaquim Nabuco, "Receios e consequências – conclusão" *in O abolicionismo*)] **13** Deixar ou ficar de repouso (massa de pão, de torta etc.) para que fermente [***td.***: *Descansamos a massa para que cresça.*] [***int.***: *É preciso que a massa descanse por duas horas.*] [▶ 1 descan**sar**] ***interj.*** **14** *Mil.* Voz de comando militar para que se deixe a posição de sentido e se fique à vontade: *Soldados, descansar!* **15** *Mil.* Assentar o coice da arma no chão, ficando o cano em posição vertical: *Descansar armas!* [F.: *des-* + *cansar*. Ant. ger.: *cansar, fatigar*.]

descanso (des.*can*.so) ***sm.*** **1** Interrupção do movimento, do trabalho ou do esforço físico ou mental; PAUSA; REPOUSO **2** Tempo em que se não trabalha; FOLGA: *descanso semanal.* **3** Sensação de alívio ou de consolo: *Foi um descanso livrar-nos daquele barulho.* **4** Objeto destinado a servir de apoio a outro, ou a parte do corpo: *descanso para o braço.* **5** Vagar, ócio: *Ainda não tive descanso para ler seu livro.* **6** Sono, repouso de quem dorme: *A noite passada não tive duas horas de descanso.* **7** Sossego, paz, tranquilidade: *As crianças não lhe dão descanso.* **8** Postura do soldado que deixa a posição de sentido afastando o pé esquerdo **9** Repouso concedido aos soldados, nas grandes marchas, de quatro em quatro dias ou de cinco em cinco dias **10** Objeto de madeira, metal, plástico etc. us. na mesa para nele se depositarem pratos ou travessas; utensílio em que, à mesa, colocam-se talheres **11** Posição do cão de uma arma de fogo, em que fica seguro por uma mola para não poder desfechar-se pela pressão no gatilho **12** *Fig.* Pessoa a quem alguém confia a direção de seus negócios ou em quem deposita confiança: *Tenho um procurador que é o meu descanso.* **13** Espaço entre os lanços de uma escada; patamar **14** *Fig.* Repouso eterno, morte [Ant.: *canseira, fadiga*.] **15** *Bras. CO* O mesmo que *espeque* (4) [F.: Dev. de *descansar*. Hom./Par.: *descanso* (sm.), *descanso* (fl. de *descansar*).] ■ **~ cômico** *Teat.* Em peça teatral momento cômico intercalado em situação dramática para aliviar a tensão **~ eterno** *Fig.* A morte

descantar[1] (des.can.*tar*) *v.* **1** Cantar acompanhado de um instrumento [***td.***: *Descantar uma melodia.*] [***tdi.*** + *a*: *Descantou canção romântica à namorada.*] [***int.***: *Descantou a noite toda.*] **2** *Mús.* Cantar participando de desafio [***td. int.***] **3** Cantar ligeiramente; cantarolar [***td. int.***] **4** Falar mal de [***tr.*** + *de*: *Descantava do irmão.*] **5** Condizer, harmonizar-se [***tr.*** + *com*: *Tudo o que diz descanta com o que pensa.*] [▶ 1 descan**tar**] [F.: *des-* + *cantar*.]

descantar[2] (des.can.*tar*) *v.* ***td.*** Suprimir os cantos de (sólido, pedra etc.), desbastando-os; DESCANTEAR [▶ 1 descan**tar**] [F.: *des-* + *canto* (1) + *ar*[2].]

descante (des.*can*.te) ***sm.*** **1** *Mús.* Ação de descantar **2** *Mús.* Duelo entre cantadores; DESAFIO; DESGARRADA: "E descantes à viola, ruídos de sambas saracoteados, de vozes lâmures ou irritadas..." (Domingos Olímpio, *Luzia homem*) **3** *Mús.* Técnica medieval de composição, em que se junta uma segunda voz ao cantochão **4** *P.ext. Mús.* Denominação comum às composições polifônicas do séc. XII **5** *Mús.* No séc. XVI, a voz mais aguda em uma composição, que fazia as vezes de segunda voz **6** *Mús.* Canto popular executado por diversas vozes, acompanhado por música; MACHETE **7** *Lus. Ant.* Espécie de viola pequena **8** *Fig.* Justificação que não convence ou satisfaz [F.: Dev. de *descantar*. Sin. ger.: *descanto, discante*. Hom./Par.: *descante* (sm.), *descanto* (sm.), *descante* (fl. de *descantar*). Ideia de: *can(t)-*.] ■ **~ florido** *Mús.* No séc. XII, o descanto, em geral a três vozes, no qual a cada som do canto firme correspondiam, nas outras vozes, sons de valores diferentes

descapitalização (des.ca.pi.ta.li.za.*ção*) ***sf.*** Ação ou resultado de descapitalizar(-se) [Pl.: *-ções*.] [F.: *descapitalizar* + *-ção*.]

descapitalizado (des.ca.pi.ta.li.*za*.do) ***a.*** Que se descapitalizou, que perdeu ou se desfez de seus capitais [F.: Part. de *descapitalizar*.]

descapitalizar (des.ca.pi.ta.li.*zar*) *v.* ***td.*** *Econ.* Causar ou sofrer diminuição de capital ou de patrimônio; gastar ou perder o dinheiro capitalizado: *Descapitalizou-se para reformar a casa*: "É preciso descapitalizar o crime, assim ele tende a falir." (Gilson Dipp, "Lavagem de dinheiro" *in IV Fórum Global de Combate à Corrupção*) [▶ 1 descapitali**zar**] [F.: *des-* + *capital* + *-izar*.]

descaracterização (des.ca.rac.te.ri.za.*ção*) ***sf.*** Ação ou resultado de descaracterizar(-se) [Pl.: *-ções*.] [F.: *descaracterizar* + *-ção*. Tb. *descaraterização*.]

descaracterizado (des.ca.rac.te.ri.*za*.do) ***a.*** **1** Que se descaracterizou **2** Que perdeu suas características originais, ou parte delas: *O carnaval hoje está muito descaracterizado.* [F.: Part. de *descaracterizar*. Tb. *descaraterizado*.]

descaracterizador (des.ca.rac.te.ri.za.*dor*) [ô] ***a.*** **1** Que descaracteriza, que faz perder as características a algo ou alguém: *O progresso tem um efeito descaracterizador sobre as culturas locais.* ***sm.*** **2** Aquilo que descaracteriza [F.: *descaracterizar* + *-dor*. Tb. *descaraterizador*.]

descaracterizar (des.ca.rac.te.ri.*zar*) *v.* ***td.*** **1** Fazer perder ou perder a(s) característica(s), as qualidades ou atributos originais: "...Guignard remoça Ouro Preto, sem no entanto a descaracterizar." (Manuel Bandeira, "Ouro Preto remoçada" *in Andorinha, andorinha*) **2** Desfazer ou retirar a caracterização artística: *O diretor descaracterizou os atores, no meio do filme.* [▶ 1 descaracteri**zar**] [F.: *des-* + *caracterizar*. Tb. *descaraterizar*.]

descarado (des.ca.*ra*.do) ***a.*** **1** Que não tem vergonha, pejo ou escrúpulos; SEM-VERGONHA; DESAVERGONHADO **2** Que indica atrevimento, ousadia extrema: *abuso de poder descarado.* ***sm.*** **3** Indivíduo descarado (1); SEM-VERGONHA; DESAVERGONHADO: "...Não tem vergonha! Forte descarada!.." (Camilo Castelo Branco, *Filha do regicida*) **4** Aquele que é insolente, impudente, cínico [F.: Part. de *descarar*.]

descaramento (des.ca.ra.*men*.to) ***sm.*** **1** Atributo, qualidade ou característica de pessoa descarada; falta de vergonha, de pejo; DESCARO; DESFAÇATEZ: "...com um descaramento muito real..." (Aluísio Azevedo, *O mulato*) **2** Ação, dito ou comportamento de pessoa descarada; DESCARO; DESFAÇATEZ **3** O mesmo que *descoco* (2) [F.: *descarar* + *-mento*.]

descarar (des.ca.*rar*) *v.* Tirar o pejo, a vergonha a, ou perdê-los; tornar(-se) desavergonhado [***td.***] [***int.***] [▶ 1 desca**rar**] [F.: *des-* + *cara* + *-ar*[2].]

descaraterização (des.ca.ra.te.ri.za.*ção*) ***sf.*** Ver *descaracterização*

descaraterizado (des.ca.ra.te.ri.*za*.do) ***a.*** Ver *descaracterizado*

descaraterizador (des.ca.ra.te.ri.za.*dor*) [ô] ***a.sm.*** Ver *descaracterizador*

descaraterizar (des.ca.ra.te.ri.*zar*) *v.* Ver *descaracterizar*

descarbonatação (des.car.bo.na.ta.*ção*) ***sf.*** *Quím.* Ação ou resultado de retirar de uma substância o gás carbônico que ela contém [Pl.: *-ções*.] [F.: *descarbonatar* + *-ção*. Ideia de: *carbon-*.]

descarboxilação (des.car.bo.xi.la.*ção*) [cs] ***sm.*** *Bioq.* Reação em que se retira uma carboxila de um ácido orgânico com o uso de reagentes apropriados [Pl.: *-ções*.] [F.: *descarboxilar* + *-ção*. Ideia de: *carbox(i)-*.]

descarboxilase (des.car.bo.xi.*la*.se) [cs] ***sf.*** *Bioq.* Enzima que catalisa uma reação de descarboxilação; DESCARBOXÍLASE [F.: *des-* + *carboxilase*. Ideia de: *carbox(i)-*.]

descarenado (des.ca.re.*na*.do) ***a.*** *Mec.* Privado de carena, a estrutura instalada na frente de um veículo para dar-lhe forma aerodinâmica (automóvel descarenado) [F.: *des-* + *carenado*. Ideia de: *carin(i)-*.]

descarga (des.*car*.ga) ***sf.*** **1** Ação ou resultado de descarregar, de tirar a carga; DESCARREGAMENTO: *Providenciaram a descarga do caminhão.* **2** Disparo de uma ou de várias armas de fogo: "...a descarga foi unissona..." (Pinheiro Chagas, *Descobrimento da Índia*) **3** Projétil disparado: *recebeu uma descarga à queima-roupa.* **4** Válvula que controla o jorro de água que limpa o vaso sanitário **5** *Elet.* Condução de eletricidade por meio de um gás, ou a partir de uma bateria ou capacitor (descarga elétrica) **6** Volume de vazão de um fluido por unidade de tempo: *descarga de uma represa.* **7** *Emec.* Exaustão dos gases nos motores a explosão **8** *Fisl.* Liberação brusca de uma substância no organismo: *o susto provocou-lhe uma descarga de adrenalina.* **9** *Hidrog.* Total de metros cúbicos por segundo na vazão de um rio **10** *Psic.* Evacuação para o exterior da energia produzida por excitação internas ou externa sobre o aparelho psíquico **11** *Agr.* Ação de descarregar a vinha **12** *Eel.* Ação de anular a carga de uma bateria ou de qualquer dispositivo de armamento de energia **13** *Inf.* Remoção intencional ou acidental de toda a corrente alternada de um sistema ou componente **14** *Mar.* Abertura no costado do navio pela qual se escoam as águas de serviço **15** *Mar.* Abertura de uma máquina pela qual se escoa um fluido após sua utilização **16** *Turfe* Acréscimo de um a quatro quilos sobre o animal que vai ser montado [F.: Do ant. *descárrega*.] ■ **~ elétrica** *Elet.* Passagem de eletricidade por um gás, ger. provocando faíscas **~ em arco** *Elet.* Descarga elétrica entre eletrodos em meio gasoso, de alta intensidade e baixa tensão **~ epiléptica** *Neur.* Conjunto de reações fisiológicas em consequência da súbita e intensa atividade de muitos neurônios cerebrais ao mesmo tempo **~ fluvial** Volume de água (em metros cúbicos) que escoa, por segundo, por uma imaginária seção transversal de um rio por segundo [Cf.: *Débito fluvial*.] **~ sólida** Massa média do total das matérias sólidas (suspensas ou dissolvidas) carregadas por um curso de água, expressa ger. em gramas por metro cúbico da água

descaridoso (des.ca.ri.*do*.so) [ô] *a.* Que não tem caridade, que revela não ter caridade (indivíduo descaridoso; atos descaridosos) [Ant.: *caridoso*.] [Pl.: [ó]. Fem.: [ó].] [F.: *des-* + *caridoso*. Ideia de: *car-*.]

descarnado (des.car.*na*.do) *a.* **1** De que se retirou a carne (osso descarnado) **2** Desprovido de carne; ESQUELÉTICO; MIRRADO: "...Fitava-lhe nas faces descarnadas e macilentas os belos olhos negros..." (Júlio Dinis, *A morgadinha dos canaviais*) [Ant.: *gordo*.] **3** *Fig.* Destituído, desprovido: *Pessoa descarnada de qualquer atrativo*. [F.: Part. de *descarnar*.]

descarnar (des.car.*nar*) *v.* **1** Tirar a carne dos ossos de [*td.*: *O lobo descarnou a presa*.] **2** *P.ext.* Separar a polpa (pericarpo) do caroço [*td.*: *descarnar a jaca*.] **3** Separar o parênquima das fibras das folhas [*td.*] **4** Despegar o dente da gengiva [*td.*] **5** *Fig.* Pôr a descoberto (pedras de terreno, base de edifício, raízes de árvore), tirando-lhes a terra que as cobre ou reveste [*td.*: *As chuvas descarnaram o morro*.] [*int.*: Lá não muito longe, vira ele sob as crastas de verdura descarnar-se o rochedo..." (José de Alencar, *Til*)] **6** *Fig.* Fazer emagrecer ou emagrecer muito [*int.*: "O cassaco de engenho/quando é um velho/.../se apressa a descarnar como taipa em ruína..." (João Cabral de Melo Neto, "Festa na casa-grande" *in Dois parlamentos*)] [*td.*: *A fome descarnou-o*.] **7** *Fig.* Livrar(-se) de; AFASTAR; DESAPEGAR [*tdr.* + *de*: *Descarnou-o dos sofrimentos*.] [▶ 1 descarnar] [F.: *des-* + *carne* + *-ar*[2].]

descaro (des.*ca*.ro) *sm.* O mesmo que *descaramento* [F.: Dev. de *descarar*.]

descaroçado (des.ca.ro.*ça*.do) *a.* A que se retirou o(s) caroço(s); sem caroço(s) [F.: Part. de *descaroçar*.]

descaroçador (des.ca.ro.ça.*dor*) [ô] *a.* **1** Que serve para descaroçar *sm.* **2** Aparelho ou máquina us. para extrair, retirar caroços **3** *Têxt.* Máquina destinada a separar o caroço das fibras de algodão [F.: *descaroçar* + *-dor*.]

descaroçamento (des.ca.ro.ça.*men*.to) *sm.* Ação ou resultado de descaroçar, de retirar caroços: *Descaroçamento do algodão*. [F.: *descaroçar* + *-mento*.]

descaroçar (des.ca.ro.*çar*) *v. td.* **1** Tirar, extrair caroço(s) de: *descaroçar azeitonas/algodão*. **2** *Fig.* Contar com minúcias; explicar com detalhes [▶ 12 descaroçar] [F.: *des-* + *caroço* + *-ar*[2].]

descarregado (des.car.re.*ga*.do) *a.* **1** Diz-se do veículo de que se retirou sua carga (caminhão descarregado) **2** Diz-se da arma de que se retirou a munição (revólver descarregado) **3** Que não tem mais energia (bateria descarregada) **4** Diz-se da carne de açougue com pouco osso **5** Que está livre de um compromisso ou de uma obrigação: *descarregado do dever de escrever a tese*. **6** Que indica tranquilidade, serenidade (semblante descarregado) **7** Que não carrega a carga de problemas, culpas etc.: *Trago o coração descarregado e livre*. [F.: Part. de *descarregar*.]

descarregador (des.car.re.ga.*dor*) [ô] *a.* **1** Que descarrega *sm.* **2** Pessoa que trabalha retirando cargas de navios, caminhões etc. **3** Aparelho us. para esse fim **4** Tubo por onde se escoa o excesso de líquido de um tanque ou reservatório, ladrão [F.: *descarrega(r)* + *-dor*.]

descarregamento (des.car.re.ga.*men*.to) *sm.* Ver *descarga* [F.: *descarrega(r)* + *-mento*.]

descarregar (des.car.re.*gar*) *v.* **1** Aliviar de carga ou carregamento [*td.*: *Passaram dois dias descarregando o navio*.] **2** Retirar (carga ou carregamento) [*td.*: *Descarregaram o café rapidamente*.] [*int.*: "E gente de todas as cores anda pelo cais, na faina de carregar e descarregar." (Cecília Meireles, "Cenário" *in Rui: pequena história de uma grande vida*)] **3** *P.ext.* Tirar um peso de cima; livrar daquilo que pesa [*ti.* + *de*: *Descarregaram a aeronave de todos os supérfluos*.] **4** *Fig.* Trazer alívio, libertação; DESEMBARAÇAR [*tdr.* + *de*: *Descarregavam as comunidades de antigos problemas e aflições*.] **5** *Fig.* Livrar de dever ou obrigação; ALIVIAR; DESOPRIMIR; LIBERTAR [*td.*: *A conversa com o amigo descarregou seu mau humor*.] **6** *Fig.* Transmitir (encargo, responsabilidade ou peso moral); SOBRECARREGAR [*tdr.* + *em*: *Descarregara na mulher toda a responsabilidade da casa*.] **7** *Fig.* Dar curso ou expansão a sentimentos [*td.*: *descarregar as iras*.] **8** *Fig.* Aliviar-se de, desafogar (frustração, preocupação), sendo agressivo com algo ou alguém; DESABAFAR; DESAFOGAR [*tdr.* + *em*, *sobre*: *Descarregaria, assim, sobre o traidor, sua raiva e indignação*.] **9** *Fig.* Dar quitação a [*tdr.* + *de*: *Descarregaram-no da dívida*.] **10** Despejar (um rio as suas águas); DESAGUAR; DESEMBOCAR; DESOBRIGAR [*tda.*: *O rio, ali, descarrega suas águas no oceano*.] **11** Suavizar(-se), descontrair(-se) [*int.*: *No Carnaval, parece que ela se descarregou totalmente*.] **12** *Arm.* Retirar a munição de arma de fogo [*td.*: *Descarregou a espingarda antes de guardá-la*.] **13** *Arm.* Esvaziar arma de fogo de sua carga, atirando [*tdr.* + *em*: *Os bandidos descarregaram as pistolas no carro-forte*.] **14** Vibrar com força de cima para baixo; ARREMESSAR; DESFECHAR [*tdr.* + *em*, *sobre*: *Furioso, descarregou um golpe no ladrão; descarregou um murro sobre a mesa*.] **15** Cair sobre; TOMBAR [*ta.*: *Fortes chuvas descarregaram sobre a cidade*.] **16** *Vit.* Cortar as varas da vinha, deixando só as necessárias à produção [*td.*] **17** *Elet.* Fazer perder ou perder carga elétrica [*td.*: *O curto-circuito descarregou a bateria*.] [*int.*: *As duas baterias descarregaram*.] **18** *Inf.* Transmitir arquivo de um computador para outro; fazer *download*; BAIXAR [*td.*] **19** *Med.* Expelir, lançar [*tda.*: *descarregar toxinas no organismo*.] [*td.*: *descarregar bile*.] [▶ 14 descarregar] [F.: Do lat. medv. *discarricare*. Ant. ger.: *carregar*. Hom./Par.: *descarrego* (fl.), *descarrego* (sm.).]

descarrego (des.car.*re*.go) [ê] *sm.* **1** *Ant. Pop.* Ação de descarregar; DESCARGA; DESCARREGAMENTO **2** Processo usado em vários cultos religiosos para, com orações e banhos, retirar energias negativas do indivíduo [F.: Dev. de *descarregar*. Hom./Par.: *descarrego* (sm.), *descarrego* (fl. de *descarregar*). Ideia de: *des-* e *carr-*.]

descarrilamento (des.car.ri.la.*men*.to) *sm.* Ação ou resultado de descarrilar, descarrilhar [F.: *descarrilar* + *-mento*. Tb. *descarrilhamento*.]

descarrilar (des.car.ri.*lar*) *v.* **1** Fazer sair dos carris ou trilhos [*td.*: *Uma pedra nos trilhos pode descarrilar uma locomotiva*.] **2** Sair dos carris ou trilhos [*int.*: *O trem descarrilou*.] **3** *Fig.* Sair do bom caminho, passar a ter mau comportamento [*int.*: "...o major (...) não percebeu que o espírito do homem ia talvez descarrilhar..." (Machado de Assis, *Quincas Borba*)] [▶ 1 descarrilar] [F.: *des-* + *carril* + *-ar*[2]. Tb. *descarrilhar*. Sin. ger.: *desencarrilar*, *desencarrilhar*.]

descarrilhamento (des.car.ri.lha.*men*.to) *sm.* Ver *descarrilamento*

descarrilhar (des.car.ri.*lhar*) *v.* Ver *descarrilar*

descartabilidade (des.car.ta.bi.li.*da*.de) *sf.* **1** Qualidade ou característica do que pode ser descartado, que é suscetível de ser jogado fora ou posto de lado **2** *Lud.* Uma ou várias cartas que se pode pôr de lado **3** *Fig. P.ext.* Possibilidade de pôr de lado algo ou alguém, rejeitando-o; DESCARTE [F.: *descartável* com suf. *-vel* sob a f. *-bil(i)-* + *-dade*. Ideia de: *des-* e *cart-*.]

descartar (des.car.*tar*) *v.* **1** *Lud.* Rejeitar carta de baralho [*td.*: *Descartou o rei de copas*.] **2** Não levar em conta; DESCONSIDERAR [*td.*: "...não se pode (...) descartar a hipótese..." (Alberto da Costa e Silva, *A manilha e o libambo*)] **3** *Fig.* Jogar fora ou pôr de lado algo, depois de usar [*td.*: *Aplicou a injeção e descartou a seringa*.] **4** *P.ext.* Livrar-se de pessoas ou coisas que não agradam ou causam incômodo [*td.*: *Descartou os fãs e partiu*.] [*tr.* + *de*: *Descartaram do encontro com a família, enviando-lhe um telegrama*.] [▶ 1 descartar] [F.: *des-* + *carta* + *-ar*[2]. Hom./Par.: *descarte* (fl.), *descarte* (sm.); *descartáveis* (fl.), *descartáveis* (pl. de *descartável* [a2g.]).]

descartável (des.car.*tá*.vel) *a2g.* **1** Que pode ser descartado, jogado fora depois do uso (embalagem descartável) **2** *Fig.* Que pode ou merece ser dispensado ou abandonado por não ser importante, ou por não ter a qualidade desejável (hipótese descartável, namorado descartável) [Pl.: *-veis*.] [F.: *descartar* + *-vel*. Hom./Par.: *descartáveis* (pl.), *descartáveis* (fl. de *descartável* [a2g.]).]

descarte (des.*car*.te) *sm.* **1** Ação ou resultado de descartar **2** Em jogo de cartas, carta(s) de baralho descartada(s) [F.: Dev. de *descartar*. Hom./Par.: *descarte* (sm.), *descarte* (fl. de *descartar*).]

descasado (des.ca.*sa*.do) *a.* **1** Que se separou de seu cônjuge: *Homens descasados tendem a temer novos relacionamentos*. **2** Sem par *sm.* **3** Indivíduo descasado: *O padrão de vida dos descasados é inferior ao dos casados*. [F.: Part. de *descasar*.]

descasalar (des.ca.sa.*lar*) *v.* Ver *desacasalar* [▶ 1 descasalar]

descasamento (des.ca.sa.*men*.to) *sm.* Ação ou resultado de descasar(-se), de separar o que estava unido; DESCASADURA; DESACASALAMENTO [F.: *descasar* + *-mento*. Ideia de: *des-* e *cas-*.]

descasar (des.ca.*sar*) *v.* **1** Desfazer o casamento (de); DIVORCIAR [*td.*: *O juiz, com o divórcio, descasou os dois*.] [*int.*: "Porque casar e descasar são coisas que se resolvem rápido." (Rubem Alves, "Muito cedo para decidir" *in Estórias de quem gosta de ensinar – O fim dos vestibulares*)] **2** Separar (animais acasalados ou pessoas que vivem juntas); AFASTAR; DESCASALAR [*td.*] **3** Desfazer combinação harmônica de; DESEMPARELHAR [*td.*: *descasar um par de meias*.] **4** *Fig.* Afastar de (pessoa ou coisa); DESLIGAR; DESUNIR [*tdr.* + *de*: *O mau gênio descasou-o dos amigos*.] [▶ 1 descasar] [F.: *des-* + *casa* + *-ar*[2]. Hom./Par.: *descaso* (fl.), *descaso* (sm.).]

descascado (des.cas.*ca*.do) *a.* **1** Que perdeu a casca ou que a teve retirada (laranja descascada) **2** Que perdeu camadas mais externas da pele em função de exposição prolongada aos raios de sol: *Ela foi à praia anteontem e já está toda descascada hoje*. **3** *Pap.* Diz-se da madeira preparada para a fabricação de pastas de papel [F.: Part. de *descascar*.]

descascador (des.cas.ca.*dor*) [ô] *a.* **1** Que serve para descascar (máquina descascadora) *sm.* **2** Aparelho us. para eliminar a casca de legumes ou frutas ou para separar o grão de sua casca: *Comprei um descascador de laranjas*. [F.: *descascar* + *-dor*.]

descascamento (des.cas.ca.*men*.to) *sm.* Ação ou resultado de descascar [F.: *descascar* + *-mento*.]

descascar (des.cas.*car*) *v.* **1** Tirar a casca ou outra camada externa de [*td.*: "...começa a descascar o aipim." (Ana Maria Machado, *A audácia dessa mulher*)] **2** Perder a casca, o revestimento ou o invólucro [*int.*: *Com a chuva, o portão descascou*.] **3** Escamar a pele por exposição excessiva ao sol ou ao frio; DESCAMAR [*td.*: "...o sol queimara aquela cara, de descascar pele." (João Guimarães Rosa, *No Urubuquaquá, no Pinhém*)] [*int.*: *Escalou a fria montanha e seus lábios descascaram*.] **4** *Bras. Fig.* Falar mal de alguém; admoestar severamente; CRITICAR; DESANCAR [*td.*: *Intrigante, descascava até os amigos*.] **5** Repreender com rispidez; CASCAR; DESLOMBAR [*td.*: *Ficou nervoso e descascou o filho*.] **6** *P.ext.* Dar pancadas; BATER; CASCAR [*tr.* + *em*: *Zangado, descascou nele*.] [▶ 11 descascar] [F.: *des-* + *casca* + *-ar*[2]. Hom./Par.: *descascáveis* (fl.), *descascáveis* (pl. de *descascável* [a2g.]).]

descascável (des.cas.*cá*.vel) *a2g.* Que (se) pode descascar (noz descascável; tinta descascável) [Pl.: *-veis*.] [F.: *descascar* + *-vel*. Hom./Par.: *descascáveis* (pl.), *descascáveis* (fl. de *descascar*).]

descaso (des.*ca*.so) *sm.* **1** Falta de atenção, cuidado, consideração ou zelo (que denota desapreço ou desprezo por algo ou alguém); DESCONSIDERAÇÃO; DESPREZO **2** Ação ou comportamento que revelam descaso (1) [F.: *des-* + *caso*. Hom./Par.: *descaso* (sm.), *descaso* (fl. de *descasar*).]

descavalgar (des.ca.val.*gar*) *v.* **1** Fazer descer ou descer de cavalgadura; APEAR; DESMONTAR [*td.*: *João descavalgou o filho*.] [*int.*: *Descavalgou para tomar um refresco*.] **2** *Mil.* Descer (peças de artilharia) de carretas ou reparos [*td.*] [▶ 14 descavalgar] [F.: *des-* + *cavalgar*.]

descendência (des.cen.*dên*.ci:a) *sf.* **1** Parentesco determinado por proveniência de um antepassado comum **2** Grupo de pessoas aparentadas por filiação a um antepassado comum: *Seus feitos eram motivo de orgulho para toda a sua descendência*. [F.: *descend(er)* + *-ência*.]

descendente (des.cen.*den*.te) *a2g.* **1** Que desce ou decresce: *escala descendente; desempenho descendente*. **2** Que descende **3** Que está do lado oposto ao da origem da linha férrea; que marcha em sentido contrário a outro: *comboio descendente*. *s2g.* **4** Indivíduo que descende de outro ou de um certo grupo [Ant.: *antepassado*, *ascendente*.] *sf.* **5** *Arq.* Teto inclinado que cobre uma escada *smpl.* **6** Pessoas que têm origem numa mesma família, etnia, nação; DESCENDÊNCIA; POSTERIDADE [Ant.: *antepassados*, *ascendentes*.] [F.: Do lat. *descendens -entis*.]

descender (des.cen.*der*) *v.* **1** Proceder ou provir (de determinada família, raça, grupo etc.) [*tr.* + *de*: "...apesar de negros e de muitos descenderem de grumetes." (Alberto da Costa e Silva, *A manilha e o libambo*)] **2** Ter origem; DERIVAR; ORIGINAR(-SE) [*tr.* + *de*: *A língua espanhola descende do latim*.] **3** *P.us.* Chegar a; descer [*ta.*: "Tua alma... / Viu descender à paz purificante / Teu corpo, ainda cansado da agonia." (Manuel Bandeira, "Sonho branco" *in Estrela da tarde*)] **4** Transmitir, comunicar aos descendentes por sucessão hereditária [*tdi.* + *a*: *Descendeu aos filhos o amor ao próximo*.] [▶ 2 descender] [F.: Do v.lat. *descendere*.]

descensão (des.cen.*são*) *sf.* **1** Ação ou resultado de descer, de perder posição, de cair; DECADÊNCIA; DECLÍNIO; DESCIDA [Ant.: *ascensão*, *ascenso*.] **2** Movimento de descida; DEPOSIÇÃO **3** Resultado ou efeito de um movimento descendente **4** *P.us.* Ação de decrescer, diminuir **5** Ação ou resultado de declinar, cair (descensão do sol) **6** *Geog.* Ver *declive* [F.: Do lat. *descensio*, *onis*. Hom./Par.: *descensão* (sf.), *dissensão* (sf.). Ideia de: *-scend-*.]

descenso (des.*cen*.so) *sm.* **1** Ação ou resultado de descer; DESCIDA **2** *Esp.* Rebaixamento de um clube ou seleção de uma divisão para outra: *O descenso para a segunda divisão deixou triste toda a torcida*. **3** *Mús.* Abaixamento do tom da voz **4** *Pat.* O mesmo que *ptose* [F.: Do lat. *descensus*, *us*, 'descida'.]

descentrado (des.cen.*tra*.do) *a.* Que não está centrado ou no eixo; EXCÊNTRICO [F.: Part. de *descentrar*. Ideia de: *centr(i/o)-*.]

descentralização (des.cen.tra.li.za.*ção*) *sf.* **1** Ação ou resultado de descentralizar **2** Modo de administração de um país, estado, cidade, empresa etc. que se caracteriza pela transferência de competências e responsabilidades de um poder central para diversas instâncias periféricas **3** Implantação desse modo de administração [Pl.: *-ções*.] [F.: *descentralizar* + *-ção*.]

descentralizado (des.cen.tra.li.*za*.do) *a.* Em que houve descentralização [F.: Part. de *descentralizar*.]

descentralizador (des.cen.tra.li.za.*dor*) [ô] *a.* **1** Que promove a descentralização (administração descentralizadora) **2** Que é partidário da descentralização (chefe descentralizador). *sm.* **3** Aquele ou aquilo que promove a descentralização [F.: *descentralizar* + *-dor*.]

descentralizante (des.cen.tra.li.*zan*.te) *a2g.* Que descentraliza; DESCENTRALIZADOR [F.: *descentralizar* + *-nte*.]

descentralizar (des.cen.tra.li.*zar*) *v.* **1** *Adm.* Distribuir, espalhar instalações, atribuições, funções etc. que estavam centralizadas; implantar a descentralização (2) (de algo) [*td.*: *descentralizar uma empresa*.] [*int.*: *Muitas vezes é preciso descentralizar para crescer*.] **2** Fazer com que deixe de ser centralizado [*td.*: *descentralizar impostos*; *descentralizar o poder*.] **3** Afastar do centro; tirar do eixo; DESCENTRAR; DESEQUILIBRAR; DISTANCIAR [*td.*: *O temperamento forte descentralizava-o*.] [▶ 1 descentralizar] [F.: *des-* + *centralizar*.]

descentramento (des.cen.tra.*men*.to) *sm.* **1** Ação ou resultado de descentrar(-se), de desviar-se do centro ou eixo **2** *Ópt.* Em aparelho óptico, ausência de alinhamento horizontal ou vertical das lentes [F.: *descentrar* + *-mento*. Ideia de: *des-* e *centr(i/o)-*.]

descentrar (des.cen.*trar*) *v. td.* **1** Desviar ou tirar do centro geométrico: *descentrar a balança*. **2** *P.ext.* Afastar do centro; tirar do eixo: *A vida agitada descentrava-o*. **3** *Ópt.* Desviar a(s) lente(s) de equipamento fotográfico tirando o eixo do ponto central: "...o autofocus só poderá ser utilizado caso seja possível descentrar o sensor utilizado." (Rui Guerra, *Meio-ar/Meio-água*) [▶ 1 descentrar] [F.: *des-* + *centrar*. Sin. ger.: *descentralizar*.]

descer (des.*cer*) *v.* **1** Percorrer algo de cima para baixo [*td.*: "...mas antes de descer a escada que levava ao interior do barco..." (Antônio Callado, *Bar Don Juan*)] **2** Deslocar-se de cima para baixo [*int.*: *Está lá em cima, mas já vai descer*.] **3** Apear, desembarcar, saltar [*int.*: *O motorista parou, porque eu ia descer*.] **4** Deslocar algo de algum ponto para baixo; ABAIXAR [*td.*: *Antes de tudo, desceu os livros da prateleira*.] [*tda.*: *Vamos descer a mudança do caminhão*.] **5** Movimentar para baixo; ABAIXAR [*td.*: *Tímida, desceu os olhos, diante dele*.] **6** Alongar(-se) para baixo ou de cima até baixo; ESTENDER(-SE); PENDER [*int.*: *Fatigado, suspendeu todo esforço, e suas mãos desceram*.] **7** Aumentar a extensão para baixo [*td.*: *descer a bainha da calça*.] **8** Deslocar-se para o sul de determinado ponto [*ta.*: *À noite, desceu a Copacabana*.] **9** Deslocar-se para qualquer lugar [*ta.*: *Todo dia desce* *até a cidade vizinha.*] **10** Ir a um lugar mais baixo e depois voltar para cima [*ta.*: *O balde desceu duas vezes ao poço.*] **11** Ter declive; formar ladeira [*ta.*] **12** Fazer baixar ou baixar o nível ou grau [*td.*: *A geada desceu os termômetros.*] [*int.*: "Eu acho que o termômetro já não tem mais grau para descer." (Marques Rebelo, *Marafa*)] **13** Desfechar, desferir (golpes, pancadas) em [*tdr.* + *em.*: *A polícia desceu o sarrafo nos manifestantes.*] **14** *Fig.* Baixar de posto, nível social ou econômico; perder prestígio, fama etc; DECAIR [*ta.*: *descer numa empresa, no conceito de amigos.*] [*int.*: "A necessidade obriga-nos a tudo. Ao que uma pessoa é capaz de descer!.." (Miguel Torga, "A Leonor viajada", *in Rua - Contos*)] **15** Baixar, cair (noite, chuva, sol) [*ta.*: "A escuridão descera sobre o navio como um manto cúmplice e calado." (Miguel Torga, *Senhor Ventura*)] [*int.*: "O sol começou a descer no poente..." (Alexandre Herculano, "A dama pé de cabra" *in* Aurélio Buarque de Holanda Ferreira e Paulo Rónai, *Mar de histórias 3*)] **16** Ser consequência de; DIMANAR; PROCEDER [*ta.*: *A corrupção desceu do governo aos governados.*] **17** Diminuir de valor; DECRESCER [*int.*: "...as cotações desceram aos trambolhões na Bolsa de Valores..." (Marques Rebelo, "Conto *à la mode*" *in Contos reunidos*)] **18** Perder a superioridade; DECAIR [*int.*: *Sua capacidade intelectual não desceu com a idade.*] **19** Praticar ato com quebra de brio ou decoro; DEGRADAR(-SE); REBAIXAR(-SE) [*tr.* + *a*: *Não haveria de descer à infâmia.*] **20** *P.ext.* Passar a praticar ato menos digno ou sem importância [*tr.* + *a*: "...o sr. Albornoz... teve de descer a uma explicação tão elementar..." (Cecília Meireles, "Leigo e religioso" *in Crônicas de educação 3*)] **21** Baixar, pousar [*ta.*: *O aviãozinho desceu em campo aberto.*] **22** *Esp.* Cair (agremiação, time etc.) para categoria inferior [*tr.* + *para*: *Se derrotado, o time descerá para a segunda divisão.*] [*int.*: *Os cartolas manobraram para que o time não descesse.*] **23** *Mús.* Passar a tom mais grave; baixar o tom [*td.*] **24** *N.E.* Recomeçar (o rio) a correr, depois da estiada [*int.*] **25** *Bras. Rel.* Nos cultos afro-brasileiros, manifestar-se uma entidade no corpo de alguém; BAIXAR; INCORPORAR [*tr.* + *em*: *O orixá não descia nele.*] [*int.*: *A entidade desceu no médium.*] [▶ 33 descer] [F.: De or. contrv. Ant. ger.: *subir*. Hom./Par.: *descido* (fl.), *decido* (fl. de *decidir*).] ▪▪ **~ redondo 1** *Bras.* Ser deglutido sem irritar a garganta ou o esôfago **2** *Fig.* Ser bem aceito, sem provocar reações contrárias

descerebrado (des.ce.re.*bra*.do) *sm.* **1** *Med.* Aquele que teve o cérebro retirado *a.* **2** *Med.* Que sofreu descerebração, teve o cérebro suprimido **3** *Fig.* Que é idiota ou se comporta como idiota; IMBECIL; NÉSCIO [F.: Part. de *descerebrar*. Ideia de: *cerebr(o)-*.]

descerebrar (des.ce.re.*brar*) *v.* **1** Causar danos ao cérebro, ou sofrê-los, de modo que se interrompa sua ligação com os centros nervosos do organismo [*td.*: *Bandido condenado por descerebrar vítima a machadadas; Descerebramos o sapo, que ficou em estado vegetativo.*] [*int.*: *Eu estava ao lado do leito quando ela descerebrou-se.*] **2** *Med.* Extrair o cérebro de [*td.*: *descerebrar a cobaia.*] **3** *Fig.* Tirar o juízo de; tornar idiota; IDIOTIZAR; IMBECILIZAR [*td.*: *Programas de televisão que descerebram adolescentes.*] **4** *Fig.* Privar de liderança [*td.*: *A prisão do líder pretende descerebrar a nova geração de militantes.*] [▶ 1 descerebrar] [F.: *des-* + *cérebro* + *ar*².]

descerimônia (des.ce.ri.*mô*.ni:a) *sf.* Falta de cerimônia, desprezo das normas de etiqueta e poidez; SEM-CERIMÔNIA [F.: *des-* + *cerimônia*. Ideia de: *cerimoni-*.]

descerrado (des.cer.*ra*.do) *a.* **1** Que se descerrou, abriu (o que estava fechado): *O portão foi descerrado.* **2** Descoberto, revelado: *O mistério foi descerrado.* [F.: Part. de *descerrar*. Ideia de: *des-* e *cerr-*.]

descerramento (des.cer.ra.*men*.to) *sm.* Ação, processo ou resultado de descerrar(-se), de abrir o que estava fechado ou junto [F.: *descerrar* + *-mento*. Ideia de: *des-* e *cerr-*.]

descerrar (des.cer.*rar*) *v.* **1** Abrir (o que estava cerrado ou unido) [*td.*: "Ao descerrar os olhos, espantou-se de não encontrar Jaime ao seu lado." (Josué Montello, "Uma tarde, outra tarde" *in Um rosto de menina*)] **2** *Fig.* Manifestar ou revelar (o que estava encoberto, oculto) [*td.*: *descerrar um segredo/enigma.*] [*tdi.* + *a*, *para*: *Descerrou o enigma a todos.*] [▶ 1 descerrar] [F.: *des-* + *cerrar*. Ant.: *fechar*, *ocultar*.]

descida (des.*ci*.da) *sf.* **1** Ação ou resultado de descer **2** Mudança para um lugar mais baixo [Ant.: *ascensão*, *subida*] **3** Terreno inclinado ou declive, do ponto de vista de quem desce; LADEIRA; DESCENSO: *Quase caiu ao correr na descida.* **4** Redução de quantidade, grau, intensidade ou valor de algo; DIMINUIÇÃO; BAIXA: *A descida dos preços surpreendeu agradavelmente a todos.* **5** *Fig.* Decadência, declínio **6** *Mús.* Passagem do agudo ao grave **7** *Bras. Rel.* Manifestação de um ser espiritual, como um orixá, no corpo ou no espírito de alguém; INCORPORAÇÃO [F.: *descer* + *-ida*¹.]

desclassificação (des.clas.si.fi.ca.*ção*) *sf.* **1** Ação, processo ou resultado de desclassificar(-se), de ser eliminado de competição, concurso etc.: *Sua desclassificação do torneio foi uma surpresa.* **2** Ação, processo ou resultado de desclassificar(-se), de deixar de ser considerado em certa classe **3** Condição de desclassificado: *O abandono do estudo e os vícios configuravam sua desclassificação.* [Pl.: *-ções*.] [F.: *desclassificar* + *-ção*.]

desclassificado (des.clas.si.fi.*ca*.do) *a.* **1** Que não obteve classificação: *Foi grande o número de candidatos desclassificados.* **2** *Pej.* Que não goza de consideração social ou que é indigno dela *sm.* **3** *Pej.* Aquele que não goza de boa reputação, por ter má índole ou comportamento reprovável: *Aqueles desclassificados ainda por cima queriam entrar na festa.* [F.: Part. de *desclassificar*.]

desclassificante (des.clas.si.fi.*can*.te) *a2g.* **1** Que desclassifica, desqualifica **2** *Esp.* Diz-se de lance extremamente violento (falta desclassificante, carrinho desclassificante) **3** Diz-se de característica que leva à desclassificação de animal em concurso: *A pele dessa raça normalmente é escura, sendo desclassificante a pele pouco pigmentada.* [F.: *desclassificar* + *-nte*.]

desclassificar (des.clas.si.fi.*car*) *v. td.* **1** Eliminar (concorrente ou candidato) de competição esportiva, concurso etc.: *O júri desclassificou a escola de samba.* **2** Fazer perder o crédito ou o bom conceito; DESACREDITAR: *A falta de ética desclassifica o político.* **3** Retirar de classe ou categoria em que estava classificado: *A censura desclassificou o filme da categoria dos proibidos para menores.* [▶ 11 desclassificar] [F.: *des-* + *classificar*.]

descloretado (des.clo.re.*ta*.do) *a.* *Quím.* Que se descloretou, que não tem sal ou que o perdeu [F.: Part. de *descloretar*. Ideia de: *des-* e *clor(o)-*.]

descoagulação (des.co:a.gu.la.*ção*) *sf.* Ação, processo ou resultado de descoagular, de tornar líquido algo que estava em estado sólido; DESCOAGULAMENTO; DESCOALHO: *Procedeu-se à descoagulação do trombo.* [Pl.: *-ções*.] [F.: *descoagular* + *-ção*. Ideia de: *des-* e *coagul-*.]

descoberta (des.co.*ber*.ta) *sf.* **1** Ação ou resultado de descobrir, de conhecer ou fazer conhecer o que não era conhecido; DESCOBRIMENTO: *a descoberta de novas rotas marinhas.* **2** Aquilo que se descobriu, por invenção, por pesquisa ou por acaso: *as últimas descobertas da ciência.* **3** Terra que se descobriu: *as descobertas de Colombo.* **4** Achado engenhoso ou solução inteligente para algo: *Este método é uma descoberta e tanto.* [F.: F. substv. de *descoberto*.]

descoberto (des.co.*ber*.to) *a.* **1** Que se descobriu; exposto à vista: *Ele se mexe tanto que acaba dormindo com o corpo descoberto.* **2** Que foi revelado, que se tornou público **3** *Mil.* Que não está protegido ou resguardado; EXPOSTO *sm.* **4** *Bras.* Local onde se descobrem minas e são instalados serviços de mineração [F.: Part. de *descobrir*.] ▪▪ **A ~ 1** Desprotegido **2** Com franqueza, com transparência, com sinceridade **3** Sem garantia financeira, sem fundos (dinheiro): *saque a descoberto.*

descobridor (des.co.bri.*dor*) [ô] *a.* **1** Ref. a descoberta: *epopeia descobridora lusitana.* **2** Que descobre ou inventa algo: *Trata-se de uma empresa descobridora de novos produtos.* *sm.* **3** Pessoa que descobre ou inventa algo: *Ela é a maior descobridora viva de novas espécies.* [F.: *descobri(r)* + *-dor*.]

descobrimento (des.co.bri.*men*.to) *sm.* **1** Ação ou resultado de descobrir **2** Invenção, descoberta: *O descobrimento da penicilina revolucionou a medicina.* [F.: *descobrir* + *-mento*.]

descobrir (des.co.*brir*) *v.* **1** Remover o que cobre algo ou alguém, deixando exposto: "...com instruções para descobrir apenas o rosto da moça e só diante do pai dele." (Antônio Callado, "O dia da ressaca" *in Reflexos do baile*) **2** Tirar o chapéu, ger. por educação [*td.*: *Descobriu-se ao passar pela igreja.*] **3** Ver ao longe; AVISTAR; DIVISAR [*td.*: *Descobri uma luz naquela escuridão.*] **4** Criar, inventar [*td.*: *Pasteur descobriu a vacina antirrábica.*] **5** Dar a conhecer; DIVULGAR; REVELAR [*td.*: *Descobriu todos os seus segredos.*] [*tdi.* + *a*, *para*: *Descobriu-se inteiramente à amada.*] **6** Encontrar algo ou alguém até então desconhecido [*td.*: *Descobre talentos para o cinema.*] **7** Encontrar (alguém, algo, situação) que não estava manifesto [*td.*: *Descobriu em outros pontos muitas minas semelhantes.*] **8** *Fig.* Adquirir consciência de; dar-se conta do que não sabia; NOTAR; PERCEBER [*td.*: *Descobrira a melancolia do rapaz.*] [*tdr.* + *em*] **9** Encontrar casualmente alguém ou algo que se perdera [*tda.*: *Descobri o relógio no gaveteiro.*] **10** Delatar, denunciar [*td.*: *Não podia descobri-lo, porque o recebera em confissão.*] **11** Encontrar a solução; SOLUCIONAR [*td.*: *Descobria todos os nossos problemas de matemática.*] **12** Tornar-se claro; ACLARAR; DESANUVIAR [*int.*: *O sol descobriu.*] [▶ 51 descobrir. NOTA.: Part.: *descoberto*.]

descocar-se (des.co.*car*-se) *v. int.* Agir com descoco, com atrevimento, insolência [▶ 11 descocar-se] [F.: Do espn. *descocarse*. Hom./Par.: *descoco* (fl.), *descoco* /ô/ (sm.).]

descoco (des.*co*.co) [ô] *Pop. sm.* **1** Comportamento ou afirmação insensata, disparatada: *Ele teve o descoco de dizer que bebia todas as noites até cair.* **2** Comportamento ou afirmação atrevida ou insolente; DESCARAMENTO; DESPLANTE; ATREVIMENTO: *Você tem o descoco de falar desse modo na frente da sua mãe?* [F.: Do espn. *descoco*, de *coca*, 'cabeça'.]

descoivarado (des.coi.va.*ra*.do) *a.* *Bras.* Terreno de onde foi retirada a coivara, gravetos não consumidos pelo fogo ali posto para limpá-lo e adubá-lo; DESENCOIVARADO [F.: Part. de *descoivarar*.]

descoivaramento (des.coi.va.ra.*men*.to) *sm.* Ação, processo ou resultado de descoivarar (um terreno, uma extensão de terra etc.); DESCOIVARAÇÃO [Ant.: *coivaramento*.] [F.: *descoivarar* + *-mento*.]

descoivarar (des.coi.va.*rar*) *v. td.* *Bras.* Limpar terreno das coivaras provenientes da queima de mato [▶ 1 descoivarar] [F.: *des-* + *coivarar*.]

descolado (des.co.*la*.do) *a.* **1** Que se descolou, ger. por ter perdido cola ou outra substância que o mantinha colado a uma superfície **2** *Gír.* Diz-se de quem que sabe lidar com situações difíceis, tirando o melhor proveito para si mesmo; ESPERTO *Bras. Gír.*; SAFO: *Eu tenho um amigo descolado, que entra sempre nas melhores festas.* **3** *Gír.* Diz-se de quem que se veste e se comporta de uma maneira moderna **4** *Lus.* Diz-se de aeronave que levantou voo [F.: Part. de *descolar*.]

descolagem (des.co.*la*.gem) *sf.* **1** Ação ou resultado de descolar **2** *Lus.* Ação ou efeito de decolar, de levantar voo [Pl.: *-gens*.] [F.: *descolar* + *-agem*².]

descolamento (des.co.la.*men*.to) *sm.* Ação, resultado ou processo de descolar; DESCOLAGEM [F.: *descolar* + *-mento*.]

descolar (des.co.*lar*) *v.* **1** Desligar o que está colado; DESGRUDAR; DESPEGAR [*td.*: *Anda impossível descolar certos adesivos.*] **2** *Fig.* Deixar de estar sempre junto; AFASTAR(-SE) [*tr.* + *de*: *A menina não descola do pai.*] [*tdr.* + *de*: "Era um tropel geral (...) meu cavalo por se descolar de mim, se escoando, escabelado..." (João Guimarães Rosa, "Entremeio com o vaqueiro Mariano", *in Estas estórias*)] **3** *Bras. Pop.* Erguer (alguém ou algo) de algum lugar com força; PUXAR [*tda.*: *Os amigos descolaram-no da rede.*] **4** *Lus.* Erguer o voo (aeronave) [*int.*: *Avião pronto para descolar.* NOTA: No Brasil usa-se *decolar*, aport. servil do fr. *décoller*, descolar.] **5** *Bras. Gír.* Arranjar, obter [*td.*: *Descolou um bom emprego.*] [*tdi.* + *para*: *Prometeu descolar uma grana para o irmão abrir o boteco.*] [▶ 1 descolar] [F.: *des-* + *colar*. Hom./Par.: *descoláveis* (fl.), *descoláveis* (pl. de *descolável* [a2g.]).]

descolável (des.co.*lá*.vel) *a2g.* **1** Que se pode descolar **2** Diz-se de qualquer coisa passível de ser descolada, desunida, ger. sem prejuízo para as partes que a integram (estante descolável) [Pl.: *-veis*.] [F.: *descolar* + *-vel*. Hom./Par.: *descoláveis* (pl.), *descoláveis* (fl. de *descolar* [v.]).]

descolocação (des.co.lo.ca.*ção*) *sf.* Ação ou resultado de descolocar(-se), de retirar algo do lugar em que se encontrava [Pl.: *-ções*.] [F.: *descolocar* + *-ção*. Ideia de: *des-* e *loc(o)-*.]

descolocado (des.co.lo.*ca*.do) *sm.* **1** Fora de seu local habitual: *O jogador estava descolocado.* **2** Que está mal colocado **3** Desempregado *a.* **4** Que está desempregado [F.: Part. de *descolocar*. Ideia de: *des-* e *loc(o)-*.]

descolocar (des.co.lo.*car*) *v. td.* **1** Fazer sair ou sair do local em que estava **2** Fazer perder o perder trabalho, cargo, cupação etc; desempregar(-se): *Descolocou seu pior funcionário; Descolocou-se para buscar outra carreira.* [▶ 11 descolocar] [F.: *des-* + *colocar*.]

descolonização (des.co.lo.ni.za.*ção*) *sf.* Ação, efeito ou resultado de descolonizar. Usa-se principalmente em relação aos movimentos políticos ocorridos em países dependentes para romperem suas ligações com as metrópoles [Pl.: *-ções*.] [F.: *descolonizar* + *-ção*. Ideia de: *des-* e *colon-*.]

descoloração (des.co.lo.ra.*ção*) *sf.* **1** Ação ou resultado de descolorar, descolorir **2** *Quím.* Processo de eliminação dos pigmentos naturais [Pl.: *-ções*.] [F.: *descolorar* + *-ção*.]

descolorado (des.co.lo.*ra*.do) *a.* Que perdeu a cor ou que teve modificada a cor anterior; DESCORADO; DESCOLORIDO; DESBOTADO [F.: Part. de *descolorar*.]

descolorante (des.co.lo.*ran*.te) *a.* **1** Que descolora *sm.* **2** Produto que causa a perda ou diminuição da cor [F.: *descolorar* + *-nte*. Sin. ger.: *descorante*.]

descolorar (des.co.lo.*rar*) *v. td. int.* O mesmo que *descolorir* [▶ 1 descolorar] [F.: *des-* + *colorar*.]

descolorido (des.co.lo.*ri*.do) *a.* **1** Que perdeu a cor por meio de processo natural ou artificial (cabelos descoloridos) **2** Que perdeu vigor e expressividade (vida descolorida) [F.: Part. de *descolorir*.]

descolorir (des.co.lo.*rir*) *v.* **1** Fazer perder ou perder a cor; DESCORAR; DESCOLORAR; DESTINGIR [*td.*: *O sol descoloriu a cortina.*] [*int.*: *A tintura do seu cabelo já descoloriu.*] **2** *Fig.* Fazer perder ou perder a beleza, a expressividade, o brilho [*td.*: "Tudo nelas é mascarar o instinto (...) descolorir desejos, iludindo-se e iludindo." (Aquilino Ribeiro, *O homem que matou o diabo*)] [*int.*] [▶ 58 descolorir] [F.: *des-* + *colorir*. Hom./Par.: *descolores* (fl.), *discolores* (fl. de *discolor* [a2g.]).]

descombinação (des.com.bi.na.*ção*) *sf.* Ação ou resultado de descombinar, de desfazer um acordo, uma situação [Pl.: *-ções*.] [F.: *descombinar* + *-ção*. Ideia de: *des-* e *combin-*.]

descombinado (des.com.bi.*na*.do) *a.* **1** Desmarcado, desfeito o que estava combinado **2** Que não combina com outra coisa (estampas descombinadas) [F.: Part. de *descombinar*. Ant. ger.: *combinado*. Ideia de: *des-* e *combin-*.]

descombinar (des.com.bi.*nar*) *Bras. v.* Cancelar acerto, acordo, encontro que estava combinado [*td.*: *Descombinou a ida ao cinema.*] [*tdr.* + *com*: *Descombinou com os amigos a excursão dominical.*] [▶ 1 descombinar] [F.: *des-* + *combinar*.]

descomedido (des.co.me.*di*.do) *a.* **1** Que não tem moderação ou equilíbrio: *A intenção do terrorismo é provocar reações descomedidas.* **2** Que é inconveniente: *Tinha modos descomedidos, quase escandalosos.* **3** Que é disparatado, absurdo: *Pronunciou frases descomedidas e paradoxais.* [Ant.: *moderado*] **4** Que usa meios condenáveis para alcançar objetivos condenáveis [Ant.: *moderado*.] **5** Que não é prudente ao agir ou ao falar [F.: Part. de *descomedir (-se)*.]

descomedimento (des.co.me.di.*men*.to) *sm.* **1** Ausência de comedimento, de moderação **2** Falta da devida consideração e respeito **3** Ato, atitude, comportamento ou expressão que denota excesso, descontrole, imoderação ou imprudência [F.: *descomedir(-se)* + *-mento*.]

descomedir-se (des.co.me.*dir*-se) *v.* **1** Passar dos limites; não se comedir; cometer excessos; EXCEDER-SE [*int.*: "O mundo, vão de descomedir-se, mofoso confuso removendo-se" (João Guimarães Rosa, *Tutameia*)] [*tr.* + *em*: *Descomediu-se na discussão com o chefe.*] **2** Não conter as palavras, exagerar, desrespeitando a razão e as conveniências; DESNORTEAR-SE; EXCEDER-SE [*tr.* + *em*: *O orador descomediu-se em seu discurso.*] [▶ 58 descomedir-se] [F.: *des-* + *comedir* + *se*¹.]

descomensurável (des.co.men.su.*rá*.vel) *a2g.* Algo que não pode ser medido; IMENSURÁVEL; INCOMENSURÁVEL [Pl.: *-veis*.] [F.: *des-* + *comensurável*. Ideia de: *mens-*.]

descomer (des.co.*mer*) *v. int.* *Bras. Pop.* O mesmo que *defecar* [▶ 2 descomer] [F.: *des-* + *comer*.]

descomissionado (des.co.mis.si:o.*na*.do) *a.* **1** Privado de uma comissão a desempenhar **2** Que não exerce mais cargo em comissão [F.: Part. de *descomissionar*. Ideia de: *des-* e *met-*.]

descomissionamento (des.co.mis.si:o.na.*men*.to) *sm.* Ação ou resultado de descomissionar, de retirar de alguém o exercício de um cargo em comissão ou de uma comissão que lhe fora atribuída [F.: *descomissionar* + *-mento*. Ideia de: *des-* e *met-*.]

descomissionar (des.co.mis.si:o.*nar*) *v. td.* Fazer (alguém) perder cargo ou posto que exercia em comissão [▶ 1 descomissionar] [F.: *des-* + *comissionar*.]

descômodo (des.*cô*.mo.do) *sm.* **1** Aquilo que não oferece comodidade; INCÔMODO: "... não encontraria um estimulante assaz forte para o robustecer contra as fadigas e descômodos da viagem..." (Inglês de Sousa, *O missionário*) *a.* **2** Que não é cômodo; INCÔMODO [F.: *des-* + *cômodo*. Ideia de: *mod-*.]

descompactação (des.com.pac.ta.*ção*) *sf.* **1** Ação ou resultado de descompactar, de tornar algo menos denso **2** *Bras. Inf.* Ação ou resultado de reconstituir ou descomprimir dados [Pl.: *-ções*.] [F.: *descompactar* + *-ção*. Ideia de: *pag-*.]

descompactado (des.com.pac.*ta*.do) *a. Inf.* Que foi submetido a processo de descompactação; FRAGMENTADO [F.: Part. de *descompactar*. Ideia de: *pag-*.]

descompactar (des.com.pac.*tar*) *v. td. Bras. Inf.* Reconstituir (dados compactados em computador) [▶ 1 descompactar] [F.: *des-* + *compactar*.]

descomparecer (des.com.pa.re.*cer*) *v. int.* Não comparecer [▶ 33 descomparecer] [F.: *des-* + *comparecer*.]

descomparecimento (des.com.pa.re.ci.*men*.to) *sm.* Ação ou resultado de não comparecer, de não se fazer presente no lugar onde se era esperado [F.: *des-* + *comparecimento*. Ideia de: *par(e)-*.]

descompartimentar (des.com.par.ti.men.*tar*) *v. td.* Eliminar compartimentos [▶ 1 descompartimentar] [F.: *des-* + *compartimentar*.]

descompassado (des.com.pas.*sa*.do) *a.* **1** Que descompassou, saiu da medida, dos limites, que perdeu a regularidade **2** Que é desordenado, desacertado: "Lenita, com o coração a bater descompassado, descorada, quase sem consciência..." (Júlio Ribeiro, *A carne*) **3** Que não é conveniente ou comedido; DESAPODERADO **4** *Mús.* Que saiu do compasso, que está fora do ritmo **5** *Mar.* Diz-se de embarcação que, por ter sua carga mal distribuída, não segue a linha da água mais conveniente [F.: Part. de *descompassar*. Ant. ger.: *acompassado, compassado*. Ideia de: *des-* e *pass-*.]

descompassar (des.com.pas.*sar*) *v.* **1** *Mús.* Fazer sair ou sair do compasso [*td.*] [*int.*] **2** Fazer sair ou sair da norma, da medida [*td.*] [*int.*] **3** *Fig.* Tornar(-se) descontrolado, descomedido [*td.*] [*int.*] [▶ 1 descompassar] [F.: *des-* + *compassar*.]

descompasso (des.com.*pas*.so) *sm.* **1** Ação ou resultado de descompassar(-se) **2** Falta de medida, de compasso **3** Ausência de sincronização, de acordo ou de harmonia: "...esse resultado pode indicar um descompasso entre a avaliação e o que é ensinado." (*Folha de S.Paulo*, 24.11.1999) **4** *Mús.* Falta ou saída de compasso, de ritmo **5** *P.ext.* Ausência de compostura, de sobriedade [F.: *des-* + *compasso*. Hom./Par.: *descompasso* (sm.), *descompasso* (fl. de *descompassar*).]

descompensação (des.com.pen.sa.*ção*) *sf.* **1** *Med.* Situação ou estado em que o organismo, em função de um problema de natureza estrutural ou funcional, torna-se incapaz de atingir um equilíbrio físico ou mental **2** *Med.* Situação em que um órgão não consegue mais funcionar de maneira adequada (descompensação corniana, descompensação cardíaca) **3** Comportamento inusitado apresentado por uma pessoa que sofreu um abalo emocional ou foi submetida a grande estresse **4** Estado ou condição dessa pessoa [Pl.: *-ções*.] [F.: *descompensar* + *-ção*.]

descompensado (des.com.pen.*sa*.do) *a.* **1** Que se descompensou **2** *Med.* Diz-se de órgão ou organismo em estado de descompensação **3** Diz-se de quem apresenta claro desequilíbrio emocional: *Sua amiga ficou descompensada após o acidente.* [F.: Part. de *descompensar*.]

descompensar (des.com.pen.*sar*) *v. int.* **1** *Psiq.* Entrar em processo de descompensação **2** *P.ext.* Entrar em fase de descompensação [▶ 1 descompensar] [F.: *des-* + *compensar*.]

descompensatório (des.com.pen.sa.*tó*.ri:o) *a. Psi.* Que descompensa, que é capaz de descompensar; DESCOMPENSADOR [F.: *descompensar* + *-tório*.]

descomplicação (des.com.pli.ca.*ção*) *sf.* Ação ou resultado de descomplicar, de tornar algo mais simples ou claro [Pl.: *-ções*.] [F.: *descomplicar* + *-ção*.]

descomplicado (des.com.pli.*ca*.do) *a.* Que se descomplicou; sem complicação, fácil de se entender ou fazer [Ant.: *complicado*] [F.: Part. de *descomplicar*.]

descomplicar (des.com.pli.*car*) *v. td. Bras.* Fazer perder a complicação; SIMPLIFICAR: *descomplicar o discurso.* [▶ 11 descomplicar] [F.: *des-* + *complicar*.]

descompor (des.com.*por*) *v.* **1** Perder ou fazer perder a ordem que tivera; DESARRUMAR(-SE) [*td.*: *Descompôs as gavetas; Com a recessão, sua frota descompôs-se.*] **2** *P.ext.* Retirar enfeites ou acessórios [*td.*: *Acabou com o aniversário, descompôs a mesa.*] **3** Livrar(-se) de roupa; DESNUDAR(-SE) [*td.*: *Chegaram loucos, vorazes, e logo ali se descompuseram.*] **4** Ter o aspecto mudado; DECOMPOR(-SE); DESFIGURAR(-SE) [*td.*: *O ruído, insuportável, descompôs o sossego do lugar; Seu rosto descompôs-se numa fúria cega.*] [*tdr.*: *Descompôs o canteiro de todas as suas cores.*] **5** Perder ou fazer perder a moralidade, ou a conveniência [*td.*: *A humilhação não o descompôs; Com a rivalidade à flor da pele, se descompuseram.*] **6** Repreender asperamente; CENSURAR; RECRIMINAR [*td.*: *Descompôs o garçon sem motivo algum.*] [▶ 60 descompor. Part.: *descomposto*.] [F.: *des-* + *compor*. Cf.: *decompor*.]

descomposto (des.com.*pos*.to) [ô] *a.* **1** Desprovido de ordem, de arranjo, de composição; DESALINHADO; DESARRUMADO: *Ela estava com os cabelos descompostos.* **2** Indecoroso, indecente (ao vestir, falar, agir etc.) **3** Que não está (devidamente) vestido: *Baixei os olhos ao abrir a porta, pois ela estava maliciosamente descomposta.* **4** Que expressa desequilíbrio emocional: *Seu semblante descomposto inspirava medo.* **5** Xingado, ofendido [F.: Part. de *descompor*. Cf.: *decomposto*.]

descompostura (des.com.pos.*tu*.ra) *sf.* **1** Ação ou resultado de descompor(-se), descomposição **2** Falta de compostura **3** Falta de cuidado com a aparência física, com o comportamento **4** Repreensão ou censura áspera: *O médico passou uma descompostura no paciente indisciplinado.* **5** *Lus.* O mesmo que *xingamento* [F.: *des-* + *compostura*.]

descompreender (des.com.pre.en.*der*) *v. td.* Abdicar ou desistir de compreender (algo) [▶ 2 descompreender] [F.: *des-* + *compreender*.]

descompreendido (des.com.pre.en.*di*.do) *a.* Que se descompreende ou se descompreendeu, que não obteve compreensão; INCOMPREENDIDO [Ant.: *compreendido*.] [F.: Part. de *descompreender*.]

descompressão (des.com.pres.*são*) *sf.* Ato ou efeito de descomprimir, de cessar ou reduzir a compressão de algo (descompressão no cilindro do motor) [Ant.: *compressão*.] [Pl.: *-sões*.] [F.: *des-* + *compressão*.]

descompressivo (des.com.pres.*si*.vo) *a.* Que possibilita descompressão, que alivia a compressão [F.: *des-* + *compressivo*.]

descomprimir (des.com.pri.*mir*) *v.* **1** Reduzir ou interromper a compressão ou pressão de [*td.*: *O homem aprendeu a fabricar o frio, comprimindo e descomprimindo um gás; Submeteram-no a uma cirurgia para descomprimir um nervo.*] **2** *Fig.* Reduzir ou interromper forças que impõem uma tendência ou resultado (esp. negativo) para [*td.*: *descomprimir a grave tensão social*: "O ministro estimou que a troca de bônus lançado esta semana pelo governo ajudará a descomprimir os mercados." (*Folha Online*, 27.05.2001)] [▶ 3 descomprimir] [F.: *des-* + *comprimir*. Ant. ger.: *comprimir*.]

descomprometer (des.com.pro.me.*ter*) *v. td.* **1** Retirar apoio (moral, financeiro, psicológico etc.) **2** Desobrigar(-se) de cumprir compromisso, promessa, acordo etc. **3** Desobrigar(-se) de manter compromisso matrimonial [▶ 2 descomprometer] [F.: *des-* + *comprometer*.]

descomprometido (des.com.pro.me.*ti*.do) *a.* Que se descomprometeu, que não tem ou não está tendo compromisso (amoroso, político-partidário, profissional etc.) [Ant.: *comprometido*.] [F.: Part. de *descomprometer*.]

descomprometimento (des.com.pro.me.ti.*men*.to) *sm.* Ato ou efeito de descomprometer(-se); DESCOMPROMISSO [Ant.: *comprometimento*.] [F.: *descompromet(er)* + *-(i)mento*.]

descompromisso (des.com.pro.*mis*.so) *sm.* Falta de compromisso ou comprometimento: *descompromisso com um objetivo; descompromisso com a ética; descompromisso com alguém.* [F.: *des-* + *compromisso*.]

descomunal (des.co.mu.*nal*) *a2g.* **1** Que é fora do comum, inusitado **2** Que é enorme, colossal: *Houve no ano passado um aumento descomunal na sonegação de impostos.* [Pl.: *-nais*.] [F.: *des-* + *comunal*.]

desconcatenado (des.con.ca.te.*na*.do) *a.* Que se desconcatenou, que perdeu a concatenação, a ordem e a coerência (ideias desconcatenadas) [Ant.: *concatenado*.] [F.: *des-* + *concatenado*.]

desconceito (des.con.*cei*.to) *sm.* **1** Mau conceito, má fama; DESCRÉDITO **2** Desconsideração, desrespeito [F.: *des-* + *conceito*.]

desconceituar (des.con.cei.tu.*ar*) *v. td.* Prejudicar a reputação de (alguém ou si mesmo); desacreditar(-se), difamar(-se): "Quincas Borba não dizia pulhices a respeito de padres nem desconceituava doutrinas católicas..." (Machado de Assis, *Quincas Borba*) [▶ 1 desconceituar] [F.: *des-* + *conceituar*.]

desconcentração (des.con.cen.tra.*ção*) *sf.* **1** Ação ou resultado de desconcentrar(-se) **2** Perda ou falta de atenção, de concentração **3** *Adm.* Delegação dos atributos de autoridade a poderes locais, descentralização [Pl.: *-ções*.] [F.: *desconcentrar* + *-ção*.]

desconcentrado (des.con.cen.*tra*.do) *a.* **1** Que se encontra espalhado, disperso: *Trata-se de um território economicamente desconcentrado.* **2** Que não se concentra em um ponto ou região específicos: *O governo introduziu um programa desconcentrado de ações sanitárias.* **3** Que não consegue manter a atenção, a concentração mental: *Alunos desconcentrados atrapalham a aula.* [F.: Part. de *desconcentrar*.]

desconcentrador (des.con.cen.tra.*dor*) *a.* **1** Que desconcentra, capaz de desconcentrar, retirar do centro [Ant.: *concentrador*.] **2** Que tira a concentração, que distrai ou dispersa **3** *Pol.* Que desconcentra o mando, que delega funções; DESCENTRALIZADOR *sm.* **4** Aquele ou aquilo que desconcentra, dispersa **5** *Pol.* Aquele ou aquilo que desconcentra o mando [F.: *desconcentrar* + *-dor*.]

desconcentrar (des.con.cen.*trar*) *v.* **1** Perder ou fazer perder a concentração mental, o foco; DISTRAIR(-SE); DISPERSAR(-SE) [*td.*: *O barulho da rua desconcentrou os alunos.*] [*tdr.* + *de*: *Os fogos na noite desconcentraram o músico da pauta; Desconcentrou-se da leitura.*] **2** Tirar ou afastar do centro; DESCENTRALIZAR [*td.*: *desconcentrar os serviços de comunicações.*] **3** *Fig.* Tornar mais leve; trazer alívio; ALIVIAR; DESANUVIAR [*td.*: *desconcentrar o pensamento.*] [▶ 1 desconcentrar] [F.: *des-* + *concentrar*.]

desconcertado (des.con.cer.*ta*.do) *a.* **1** Confuso, embaraçado: *O advogado ficou desconcertado com o depoimento da testemunha.*: "...Alumiava confusamente os presságios da desconcertada fantasia de Nicolau..." (Camilo Castelo Branco, *Sangue*) **2** *Fig.* Sem graça, constrangido, embaraçado: *Ficamos desconcertados com o seu olhar insistente.* **3** Sem harmonia, sem ordem [F.: Part. de *desconcertar*.]

desconcertante (des.con.cer.*tan*.te) *a2g.* Que desorienta, embaraça, desconcerta: *Foi uma crítica desconcertante.* [F.: *desconcertar* + *-nte*.]

desconcertar (des.con.cer.*tar*) *v.* **1** Desfazer o concerto, a boa disposição, a arrumação de algo; DESARRANJAR; DESMANCHAR [*td.*: *A inflação desconcerta a economia.*] **2** Fazer ficar ou ficar embaraçado, desorientado, inseguro; ATRAPALHAR(-SE); EMBARAÇAR(-SE) [*td.*: *Desconcertou o amigo, ao criticar sua iniciativa.*] [*int.*: *Desconcertou-se quando percebeu a confusão em que se metera.*] **3** Não concordar, não condizer; DISCORDAR; DISCREPAR [*tr.* + *de*: "Não falta com razões quem desconcerte / da opinião de todos." (Camões, *Os lusíadas*)] **4** Não falar certo; dizer bobagens, disparates; DISPARATAR [*int.*: *Nos comícios, só iludia e desconcertava.*] **5** Desarticular, deslocar [*td.*: *Desconcertou o braço.*] **6** Descompor, desalinhar [*td.*: *A praga desconcertou as leivas da lavoura.*] **7** Desorientar(-se), transtornar(-se) [*tdr.* + *com*: *Desconcertou-se com a agressividade do vizinho.*] [▶ 1 desconcertar] [F.: *des-* + *concertar*. Hom./Par.: *desconcertar*, *desconsertar* (v.); *desconcerto* (fl.), *desconcerto* (sm.).]

desconcerto (des.con.*cer*.to) [ê] *sm.* **1** Ação ou resultado de desconcertar(-se); EMBARAÇO: *Era visível seu desconcerto ao ser criticado.* **2** Falta de harmonia, de ordem: *A notícia causou desconcerto e confusão entre as autoridades responsáveis.* **3** Discórdia, discordância entre pessoas, instituições, países etc.: *Havia excessivo desconcerto entre eles.* **4** Despropósito, disparate **5** Desordem, desarranjo: *O poeta horrorizava-se ante o desconcerto do mundo.* [F.: *des-* + *concerto*. Hom./Par.: *desconcerto* (sm.), *desconcerto* (fl. de *desconcertar*), *desconserto* (fl. de *desconsertar*). Cf.: *desconserto*.]

desconchavado (des.con.cha.*va*.do) *a.* **1** Que se desconchavou, se descombinou, perdeu a conformidade **2** Disparatado, sem sentido; DESPROPOSITADO [F.: Part. de *desconchavar*.]

desconchavar (des.con.cha.*var*) *v.* **1** Eliminar ou perder o conchavo; descombinar, desencaixar [*tdr.* + *de*: *O técnico desconchavou duas peças do motor.*] **2** *Pop.* Não entrar ou fazer com que (algo, alguém) não entre em acordo, em harmonia [*td.*: *Desconchavou-se com o parceiro quanto ao preço das mercadorias; O excesso de alterações desconchava a frase.*] **3** Dizer ou fazer algo despropositado, insensato, absurdo [*int.*: *Começou a reclamar demais, de repente desconchavou.*] [▶ 1 desconchavar] [F.: *des-* + *conchavar*.]

desconchavo (des.con.*cha*.vo) *sm.* **1** Ausência de ajuste entre duas ou mais coisas, ideias etc. **2** Ação ou afirmação despropositada, desprovida de sentido; DISPARATE; BOBAGEM; TOLICE [F.: Dev. de *desconchavar*. Hom./Par.: *desconchavo* (sm.), *desconchavo* (fl. de *desconchavar*).]

descondicionado (des.con.di.ci:o.*na*.do) *a.* Que se descondicionou, se livrou de condicionamento: *Aos 19 anos, era já um jovem descondicionado dos medos que lhe incutiram.* [Ant.: *condicionado*.] [F.: Part. de *descondicionar*.]

descondicionamento (des.con.di.ci:o.na.*men*.to) *sm.* Ato ou efeito de descondicionar(-se), de se livrar de condicionamento [Ant.: *condicionamento*.] [F.: *descondicionar* + *-mento*.]

descondicionar (des.con.di.ci:o.*nar*) *v. td.* Tornar sem efeito um condicionamento [▶ 1 descondicionar] [F.: *des-* + *condicionar*. Ant.: *condicionar*.]

desconectado (des.co.nec.*ta*.do) *a.* Que se desconectou, desfez ou interrompeu a conexão (cabo desconectado; impressora desconectada) [Ant.: *conectado*.] [F.: Part. de *desconectar*.]

desconectar (des.co.nec.*tar*) *v.* **1** Anular ou desmanchar uma conexão [*td.*] **2** *P.ext. Elet.* Impedir a conexão de (corrente elétrica) com sua fonte de força [*td.*] **3** Afastar(-se), separar(-se) [*td.*: *As brigas repetidas desconectaram o casal.*] [*tdr.* + *de*: *Desconectou-se dos amigos sem apresentar justificativas.*] [▶ 1 desconectar] [F.: *des-* + *conectar*. Ant.: *conectar*.]

desconector (des.co.nec.*tor*) [ô] *a.* **1** Que desconecta ou serve para desconectar; DESCONECTADOR *sm.* **2** Aquele ou aquilo que desconecta, que opera desconexão [F.: *desconect(ar)* + *-or*. Ant. ger.: *conector*.]

desconexão (des.co.ne.*xão*) [cs] *sf.* **1** Ação ou resultado de desconectar; DESCONECTAÇÃO *sf.* **2** Falta ou interrupção de conexão: "... a aparente desconexão e variedade interminável dos fenômenos da natureza." (Latino Coelho, *Discurso da Coroa*) **3** *Fig.* Ausência de entrosamento entre pessoas, grupos etc. **4** *P.ext.* Falta de sequência lógica nas ideias, incoerência [Pl.: *-xões*.] [F.: *des-* + *conexão*.]

desconexo (des.co.*ne*.xo) [cs] *a.* **1** Que se encontra desunido ou desconectado (fios desconexos) **2** Que não tem ou não apresenta conexão ou coerência: *Fez um discurso desconexo.* [F.: *des-* + *conexo*.]

desconfiado (des.con.fi.*a*.do) *a.* **1** Que tende a desconfiar *a.* **2** Que se ofende, se melindra facilmente *sm.* **3** Aquele que tende a desconfiar ou que se melindra à toa [F.: Part. de *desconfiar*.]

desconfiança (des.con.fi.*an*.ça) *sf.* **1** Disposição de espírito ou condição de quem não confia nos outros: *É grande a sua desconfiança da namorada.* **2** Disposição pessimista em relação a algo: *Ele encara com desconfiança seu futuro profissional.* [F.: *des-* + *confiança*.]

desconfiar (des.con.fi.*ar*) *v.* **1** Deixar de confiar ou não confiar; perder a confiança em [*tr.* + *de*: *O rapaz desconfia do tio.*] **2** Conjeturar desfavoravelmente; suspeitar de algo (fato, acontecimento, ação etc.) tido como improvável [*tr.* + *de*: *Desconfio de que não saiba a verdade.*] [*td.*: *Desconfio que não saiba a verdade.*] **3** Duvidar, suspeitar da honestidade, da sinceridade de alguém [*tr.* + *de*: *Nessa época, desconfiava muito do marido.*] **4** Ter desconfianças, suspeitas, dúvidas; DUVIDAR [*int.*: *Diante de tanta boa vontade, desconfiou.*] **5** Perder a confiança; desanimar, desesperançar [*int.*] **6** Não confiar reciprocamente [*tr.* + *de*: *Os sócios desconfiam(-se) (um desconfia do outro).*] **7** Ficar aborrecido, agastado; considerar ofensa o que é apenas brincadeira, gracejo; ABORRECER-SE; AGASTAR-SE; MELINDRAR-SE [*tr.* + *com*: *Desconfiou com os amigos.*] [▶ 1 desconfiar.] [F.: *des-* + *confiar*.]

desconfiômetro (des.con.fi.ô.me.tro) *Bras. Pop.* **sm. 1** Capacidade de uma pessoa perceber que está tendo atitudes inconvenientes, embaraçosas etc., e assim tentar evitá-las; SEMANCOL; SEMANCÔMETRO; MANCÔMETRO: *Falava sem parar, sem o menor desconfiômetro.* **2** *P.ext.* Capacidade de desconfiar do que outra pessoa diz, faz ou pretende; (*p.ext.*) capacidade de criticar, de avaliar, considerar e julgar (informação, opinião etc. dada por outrem): "Qual a maneira certa de ler um jornal, ouvir um noticioso ou assistir a um telejornal? Com o 'desconfiômetro' ligado. A ideia do *Observatório da Imprensa* é muito simples – se a imprensa é o observatório do país, ela também precisa ser observada. A voz crítica da sociedade também deve ser criticada já que a democracia é um processo dinâmico e, sobretudo, integral." (Alberto Dines, *in Observatório da imprensa*, 04.05.2007) [F.: *desconfi(ar)* + *-o* + *-metro*.]

desconformar (des.con.for.*mar*) *v.* Não ser ou estar conforme; discordar, divergir [*tr.* + *de* Ant.: *conformar.*] [▶ 1 desconfor**mar**] [F.: *des-* + *conformar*. Hom./Par.: *desconforme* (fl.), *desconforme* (a2g.).]

desconforme (des.con.*for*.me) **a2g. 1** Que não está conforme, de acordo: *desconforme com o regulamento.* **2** Que não é proporcional, por ser muito maior do que o usual: *uma cabeça pequena em um corpo desconforme.* **3** Muito grande, descomunal **4** Exagerado, desmedido [F.: *des-* + *conforme.*]

desconformidade (des.con.for.mi.*da*.de) **sf. 1** Ausência de acordo, de conformidade; DIVERGÊNCIA **2** Qualidade ou condição do que é desconforme; DESPROPORÇÃO; DEFORMIDADE [F.: *des-* + *conformidade.*]

desconfortante (des.con.for.*tan*.te) **a2g. 1** Que desconforta, que causa desconforto; INCÔMODO **2** Em que não há conforto [F.: *desconfortar* + *-nte.* Ant. ger.: *confortante.*]

desconfortar (des.con.for.*tar*) *v.* **td. 1** Retirar o conforto de **2** *Fig.* Tirar o ânimo, o alento, o consolo de [Ant.: *confortar.*] [▶ 1 desconfor**tar**] [F.: *des-* + *confortar*. Hom./Par.: *desconforto* (fl.), *desconforto* [ô] (sm.); *desconfortáveis* (fl.), *desconfortáveis* (pl. *de desconfortável* [a2g.]).]

desconfortável (des.con.for.*tá*.vel) **a2g. 1** Que não proporciona conforto físico; que não é confortável: *Aquele sofá é belo, mas desconfortável.* **2** Que provoca ou que revela embaraço, mal-estar, constrangimento: *Suas palavras geraram um silêncio desconfortável.* [Pl.: *-veis.*] [F.: *des-* + *confortável.* Hom./Par.: *desconfortáveis* (pl.), *desconfortáveis* (fl. *de desconfortar* [v.]).]

desconforto (des.con.*for*.to) [ô] **sm. 1** Falta de conforto, de comodidade: *Roupas apertadas causam desconforto.* **2** Sensação de mal-estar, de aflição física ou emocional: *As más notícias trouxeram-lhe desconforto e preocupação.* [F.: *des-* + *conforto.* Hom./Par.: *desconforto* (sm.), *desconforto* (fl. de *desconfortar*).]

descongelado (des.con.ge.*la*.do) **a. 1** Que saiu do estado de congelamento (carne descongelada) **2** *Econ.* Que, após um período de imobilidade forçada, pode voltar a sofrer variações de valor: *As tarifas públicas foram descongeladas.* [F.: Part. de *descongelar.*]

descongelamento (des.con.ge.la.*men*.to) **sm. 1** Ação ou resultado de descongelar: *O descongelamento desse produto leva oito horas.* **2** *Econ.* Liberação de preços, salários, tarifas etc. [F.: *descongelar* + *-mento.*]

descongelar (des.con.ge.*lar*) *v.* **1** Derreter ou fazer derreter o gelo ou o que estava congelado; DEGELAR [**td.**: *Descongelara o peixe para o jantar.*] [**int.**: *O rio ainda não descongelou.*] **2** *Fig.* Deixar ou fazer deixar de sentir frio excessivo; AQUECER [**td.**: *descongelar as mãos.*] [**int.**: *Vou ficar perto da lareira, para descongelar.*] **3** *Fig.* Trazer animação ou ficar animado; quebrar o gelo; ANIMAR [**td.**: *Na primeira piada, descongelou a plateia.*] [**int.**: *Recebeu um telefonema e descongelou.*] **4** *Econ.* Desbloquear ou liberar (salários, preços etc.) [**td.**: *O governo descongelou os preços dos remédios.*] **5** *Aer.* Fazer desprender o gelo da aeronave por meio de gás, anticongelante elétrico etc. [**td.**] [▶ 1 descongel**ar**] [F.: *des-* + *congelar.*]

descongestionado (des.con.ges.ti:o.*na*.do) **a.** Que se descongestionou, se livrou de congestão ou congestionamento (nariz descongestionado; avenida descongestionada) [Ant.: *congestionado.*] [F.: Part. de *descongestionar.*]

descongestionante (des.con.ges.ti:o.*nan*.te) **a2g. 1** Que descongestiona, que combate a congestão, o congestionamento (remédio descongestionante) **s2g. 2** Aquilo ou aquele que combate a congestão, o congestionamento (descongestionante nasal) [F.: *descongestionar* + *-nte.* Sin. ger.: *descongestionador.* Ant. ger.: *congestionante.*]

descongestionar (des.con.ges.ti:o.*nar*) *v.* **1** Livrar de congestão, de anomalia na circulação sanguínea, ou deixar de apresentar tais sintomas [**td.**: *descongestionar os olhos; descongestionar as artérias.*] [**int.**: *Com o colírio, seus olhos descongestionaram.*] **2** Fazer desobstrução; DESOBSTRUIR [**td.**] **3** Restabelecer fluxo de trânsito normal em (rua, bairro, cidade); DESOBSTRUIR [**td.**: *Com o rodízio dos carros, pretendem descongestionar o centro.*] **4** Tirar o inchaço ou tê-lo desfeito; DESINCHAR [**td.**: *Usou uma pomada para descongestionar o ferimento.*] [**int.**: *Com o remédio, o machucado descongestionou.*] **5** *Fig.* Causar diminuição, redução; DESACUMULAR [**td.**: *Teve uma trabalheira, mas descongestionou o armário.*] [▶ 1 descongestion**ar**] [F.: *des-* + *congestionar.*]

desconhecedor (des.co.nhe.ce.*dor*) **a. 1** Que desconhece ou tende a desconhecer **2** Desagradecido, ingrato: *Desconhecedor dos favores que lhe fazem.* **sm. 3** Aquele que desconhece, que tende a desconhecer **4** Indivíduo que não reconhece os favores ou benefícios que recebe; MAL-AGRADECIDO; INGRATO [F.: *desconhecer* + *-dor.*]

desconhecer (des.co.nhe.*cer*) *v.* **1** Não conhecer (algo ou alguém), não ter informação a respeito; IGNORAR [**td.**: "Porfírio aceitou o cargo, embora não desconhecesse os espinhos que trazia..." (Machado de Assis, *O alienista*)] **2** Não reconhecer; não identificar; não ter a certeza ou não se lembrar de (algo ou alguém que era conhecido) [**td.**: *Desconhecia, então, todos os seres que o haviam acompanhado.*] [**tdr.** + *em*: *Amargurado, desconhecera até qualidades nos amigos.*] **3** Não ter experiência ou vivência de algo [**td.**: *Era um homem que desconhecia o amor.*] **4** Não admitir; não aceitar [**td.**: *Desconheceu as críticas e seguiu com o trabalho.*] [**tdp.**: *Desconheceu-o como cliente.*] **5** Fingir que não reconhece as pessoas, por ingratidão, empáfia ou coisa parecida [**td.**: *Passeou pelo salão desconhecendo os amigos.*] [▶ 33 descon**hecer**] [F.: *des-* + *conhecer.*]

desconhecido (des.co.nhe.*ci*.do) **a. 1** Que não é conhecido; que se ignora [+ *a, de, para, por*: *assunto desconhecido de todos.*] **2** Diz-se daquele que não se sabe quem é ou daquele que se está vendo pela primeira vez **3** Misterioso, secreto **4** Que não tem fama ou notoriedade: *Trata-se de um cientista brilhante, mas desconhecido.* [Ant.: *célebre, famoso*] **sm. 5** Aquele que não se conhece: *Havia muitos desconhecidos na festa.* **6** Aquele que não tem fama ou notoriedade **7** Qualquer coisa que não se conhece (esp. a morte, o futuro etc.): *O desconhecido é, às vezes, assustador.* [F.: Part. de *desconhecer.*] ◼ **Ilustre ~** Indivíduo sem credenciais, particularidade, referência que a identifique ou distinga

desconhecimento (des.co.nhe.ci.*men*.to) **sm. 1** Ação ou resultado de desconhecer **2** Falta de conhecimento; IGNORÂNCIA **3** Falta de reconhecimento, de atenção, de gratidão: *Só teve dela desconhecimento e indiferença.* [F.: *desconhecer* + *-imento.*]

desconjuntado (des.con.jun.*ta*.do) **a. 1** Que se desconjuntou, desarticulou: *A máquina perdeu alguns parafusos e ficou desconjuntada.* **2** *Fig.* Diz-se de quem ou de animal que se move de maneira desajeitada, desengonçada: *Aquele seu primo desconjuntado não joga no meu time.* **3** Separado, desunido [F.: Part. de *desconjuntar.*]

desconjuntar (des.con.jun.*tar*) *v.* **1** Sair ou fazer sair (osso) da(s) junta(s), da articulação; DESLOCAR [**td.**: *desconjuntar o joelho.*] [**int.**: *Com o excesso de peso, o ombro desconjuntou-se.*] **2** Causar ou ter a sensação de deslocamento [**td.**: *O excesso de exercícios desconjuntou-lhe todo o corpo.*] [**int.**: *Com o esforço, desconjuntou-se todo.*] **3** Desmantelar(-se), desunir(-se) [**td.**: *O transporte desconjuntou a estante.*] [**int.**: *A poltrona desconjuntou.*] **4** Desbaratar, desmanchar [**td.**: *Os contratempos desconjuntaram-me os planos.*] [▶ 1 desconjun**tar**] [F.: *des-* + *conjuntar.*]

desconjurado (des.con.ju.*ra*.do) **a. 1** Que se desconjurou, que sofreu desacato **2** Que foi esconjurado, exorcizado [F.: Part. de *desconjurar.*]

desconjurar (des.con.ju.*rar*) *v.* **td. 1** Ter atitude de desacato; desacatar **2** O mesmo que *esconjurar* [▶ 1 desconju**rar**] [F.: *des-* + *conjurar.*]

desconsertar (des.con.ser.*tar*) *v.* **td. 1** Desfazer o conserto de **2** Desarranjar, desconjuntar [▶ 1 desconser**tar**] [F.: *des-* + *consertar*. Hom./Par.: *desconcertar* (todos os tempos do v.); *desconserto* (fl.), *desconserto* /ê/ (sm.), *desconcerto* /ê/ (sm.). Ant. ger.: *consertar.*]

desconserto (des.con.*ser*.to) [ê] **sm. 1** Ato ou efeito de desconsertar(-se), desordem, estrago; DESARRANJO: *Em vez de conserto, foi um desconserto que lhe fizeram no relógio.* **2** *Fig.* Contratempo, transtorno [F.: Dev. de *desconsertar*. Hom./Par.: *desconserto* [ê] (sm.), *desconserto* (fl. de *desconsertar*), *desconcerto* [ê] (sm.), *desconcerto* (fl. de *desconcertar*). Ant. ger.: *conserto.*]

desconsideração (des.con.si.de.ra.*ção*) **sf. 1** Ação ou resultado de desconsiderar, de não levar em conta: *A desconsideração dessa cláusula pode acarretar graves problemas.* **2** Falta de consideração, de apreço, de respeito, de cuidado (com alguém ou com algo que, por princípio, deveria ser considerado, estimado, respeitado); DESATENÇÃO [+ *a, (para), com*: *desconsideração (para) com alguém.*] **3** Ação ou comportamento que revela ou que é tido como sinal de desconsideração (2): *Foi desconsideração não ter ido à festa.* [Pl.: *-ções.*] [F.: *des-* + *consideração.*]

desconsiderado (des.con.si.de.*ra*.do) **a. 1** Que não se levou em conta; DESPREZADO: *Foram desconsiderados todos os pedidos de revisão de prova.* **2** A que não se deu valor: *O músico, desconsiderado em seu país, fez sucesso no exterior.* **3** Que perdeu a estima ou crédito; DESACREDITADO: "...Cuido sempre que a pobreza me abate aos olhos dos estranhos desde que fui desconsiderado de meus parentes." (Camilo Castelo Branco, *Estrelas propícias*) [F.: Part. de *desconsiderar.*]

desconsiderar (des.con.si.de.*rar*) *v.* **td. 1** Não considerar, não levar em conta; DESPREZAR: *O patrão desconsiderou o pedido.* **2** Faltar com o respeito; não dar atenção a; DESRESPEITAR: *Desconsideraram o filho do corregedor.* **3** Perder ou fazer perder a consideração ou o respeito dos outros; DESACREDITAR: *Suas atitudes violentas desconsideravam-no.* [▶ 1 desconsider**ar**] [F.: *des-* + *considerar.*]

desconsolação (des.con.so.la.*ção*) **sf. 1** Ato ou efeito de desconsolar(-se), afligir(-se); DESCONSOLO; MAL-ESTAR; TRISTEZA; AFLIÇÃO **2** Coisa que desconsola, entristece ou aflige [Pl.: *-ções.*] [F.: *desconsolar* + *-ção.* Ant. ger.: *consolação.*]

desconsolado (des.con.so.*la*.do) **a.** Que não tem ou está sem consolo; ACABRUNHADO; TRISTE: *A torcida ficou desconsolada com a derrota do time.* [F.: Part. de *desconsolar.*]

desconsolador (des.con.so.la.*dor*) **a. 1** Que desconsola, que tende a desconsolar, amargurar **sm. 2** Aquilo ou aquele que desconsola ou tende a desconsolar [F.: *desconsolar* + *-dor.* Sin. ger.: *consolador.*]

desconsolar (des.con.so.*lar*) *v.* **1** Fazer sentir desconsolo, tristeza a; AFLIGIR; ENTRISTECER [**td.**: *O término do namoro desconsolou o rapaz.*] [**int.**: *A seca, no sertão, desconsola e debilita.*] **2** Provocar desinteresse; fazer perder o ânimo; DESINTERESSAR [**td.**: *As notícias sobre a corrupção desconsolaram-no.*] **3** Não ter consolação nem alegria; ENTRISTECER-SE; AFLIGIR-SE [**int.**: *Desconsolara-se ao ver tanta miséria.*] [▶ 1 desconso**lar**] [F.: *des-* + *consolar*. Hom./Par.: *desconsolo* (fl.), *desconsolo* [ô] (sm.); *desconsoláveis* (fl.), *desconsoláveis* (pl. de *desconsolável* [a2g.]); *desconsolado* (fl.), *desconsolado* (a.).]

desconsolo (des.con.*so*.lo) [ô] **sm.** Falta de consolo, de alívio, de lenitivo: *Está no maior desconsolo porque perdeu a promoção.* [F.: *des-* + *consolo*. Hom./Par.: *desconsolo* (sm.), *desconsolo* (fl. de *desconsolar*).]

desconstituição (des.cons.ti.tu:i.*ção*) **sf. 1** Ato ou efeito de desconstituir(-se) [Ant.: *constituição*] **2** *Jur.* Suspensão de relação jurídica [Pl.: *-ções.*] [F.: *desconstituir* + *-ção.*]

desconstituir (des.cons.ti.tu.*ir*) *v.* **1** Retirar poderes concedidos [**td.**: "...vice-governador... nomeou o réu... sem desconstituir os motivos constantes do ato do governador..." (Revista *Consultor Jurídico*, 22.03.2005.)] [**tdp.**: *Desconstituíram-no como testemunha.*] **2** *Jur.* Anular quaisquer vínculos jurídicos estabelecidos [**td.**: *O banco ingressou com uma ação rescisória para desconstituir as sentenças julgadas.*] [▶ 56 desconstit**uir**] [F.: *des-* + *constituir.*]

desconstrução (des.cons.tru.*ção*) **sf. 1** Ato ou efeito de desconstruir(-se), desfazer(-se) [Ant.: *construção*] **2** *Fil. Liter.* Ver desconstrucionismo [Pl.: *-ções.*] [F.: *desconstruir* + *-ção.*]

desconstrucionismo (des.cons.tru.ci:o.*nis*.mo) **sm.** *Fil. Liter.* Tendência (esp. do francês Derrida e seguidores) a desmontar a interpretação tradicional do texto filosófico e literário peculiares à cultura ocidental, desestruturando suas "verdades" e valores em benefício de uma visão pluralista dos significados; DESCONSTRUÇÃO [F.: *desconstrução* sob a f. rad. *desconstrucion-* + *-ismo.*]

desconstrucionista (des.cons.tru.ci:o.*nis*.ta) **a2g. 1** Ref. ao desconstrucionismo ou adepto dessa tendência **s2g. 2** Seguidor dos preceitos do desconstrucionismo [F.: *desconstrução* sob a f. rad. *desconstrucion-* + *-ista.*]

desconstruir (des.cons.tru.*ir*) *v.* **1** Destruir (uma construção) ou desfazer (qualquer tipo de obra), ger. para refazê-la em outros padrões [**td.**: *A estilista desconstruiu pedaços de crochê para transformá-los em coletes.*] **2** *Fig.* Fazer com que perca ou perder a forma, estrutura ou conceito originais, ou tradicionalmente aceitos [**td.**: *um texto que desconstruiu a linearidade narrativa.*] [**int.**: *O modelo patriarcal se desconstruiu ao longo do tempo, mas continua existindo.*] [▶ 56 desconstr**uir**] [F.: *des-* + *construir*. Ant. ger.: *construir.*]

descontaminação (des.con.ta.mi.na.*ção*) **sf.** Ato ou efeito de descontaminar, anular contaminação, remover micro-organismos, radiação e outros agentes deletérios [Ant.: *contaminação*] [Pl.: *-ções.*] [F.: *descontaminar* + *-ção.*]

descontaminado (des.con.ta.mi.*na*.do) **a.** Que se descontaminou, passou por processo de descontaminação [Ant.: *contaminado*] [F.: Part. de *descontaminar.*]

descontaminante (des.con.ta.mi.*nan*.te) **a2g. 1** Que descontamina, que ataca a contaminação **s2g. 2** Aquilo ou aquele que ataca a contaminação (descontaminante natural) [Ant.: *contaminante; contagiante*] [F.: *descontaminar* + *-nte.*]

descontaminar (des.con.ta.mi.*nar*) *v.* **td.** Anular ou tornar mais brando os efeitos de uma contaminação em (alguém ou algo) [Ant.: *contaminar.*] [▶ 1 descontamin**ar**] [F.: *des-* + *contaminar.*]

descontar (des.con.*tar*) *v.* **1** Diminuir (quantidade, quantia ou parte) de uma soma ou total; ABATER; DEDUZIR [**td.**: "...mas isso é para descontar o que me deve aquele sujeito." (Aluísio Azevedo, *Girândola de amores*.)] [**tdr.** + *de*: *Não descontaram dos salários os dias de greve.*] **2** Trocar (cheque, título, vale) por dinheiro [**td.**: "Já não descontarei o cheque / que certo dia me mandaste..." (João Cabral de Melo Neto, "A W. H. Auden", *in Agrestes*)] **3** *Fig.* Não levar em consideração, em conta (parte de) algo [**td.**: "Vamos descontar (...) a Natureza. A excelência do RJ é a do povo carioca." (Otto Maria Carpeaux, "Introdução" *in Marafa*)] **4** *Fam.* Desforrar-se de (agressão, insucesso, frustração); REVIDAR; VINGAR-SE [**td.**: "...havemos de viver a dobro, para descontar esses dias que desvivemos!" (José de Alencar, *Senhora*.)] [**tdr.** + *em*: *Descontava nos amigos o insucesso amoroso.*] **5** *Fig.* Ter de volta; COMPENSAR; RECUPERAR [**td.**: "...Gil começava como um bárbaro a descontar o tempo perdido..." (Antônio Callado, *Bar Don Juan*.)] **6** *Cont.* Trocar com desconto, abatendo do valor nominal certa quantia equivalente à depreciação dos títulos ou valores descontados [**tdr.** + *de*: *descontar o valor anteriormente pago da parcela a pagar.*] **7** *Cont.* Fazer operação ou comércio de desconto [**int.**: *As agências bancárias não descontarão esta semana.*] **8** *Fut.* Diminuir numa partida, fazendo gol, a diferença de gols entre os times [**td.**: *A Argentina descontou (a diferença) no fim do jogo.*] **9** *Fut.* Repor, no término do jogo, o tempo de paralisação da partida [▶ 1 descon**tar**] [F.: *des-* + *contar*. Hom./Par.: *desconto* (fl.), *desconto* (sm.); *descontáveis* (fl.), *descontáveis* (pl. de *descontável* [a2g.]).]

descontável (des.con.*tá*.vel) **a2g.** Que se pode ou deve descontar [Pl.: *-veis.*] [F.: *descontar* + *-vel.* Hom./Par.: *descontáveis* (pl.), *descontáveis* (fl. de *descontar*).]

descontentamento (des.con.ten.ta.*men*.to) **sm. 1** Ação ou resultado de descontentar(-se) **sm. 2** Sentimento de insatisfação, frustração, decepção: *O descontentamento com as medidas adotadas era geral.*: "(...) espalharam o descontentamento e geraram um ambiente de generalizada opressão e rebeldia." (Alberto da Costa e Silva, *A manilha e o libambo*) [Ant.: *contentamento*] [F.: *descontentar* + *-mento.*]

descontentar (des.con.ten.*tar*) *v.* **td.** Tornar descontente; causar desprazer, decepção ou insatisfação a; DESGOSTAR; DESAGRADAR; FRUSTRAR: *As medidas do governo descontentaram os trabalhadores*: "...aceitou a responsabilidade de descontentar a escravidão." (Joaquim Nabuco, *O abolicionismo*)

[▶ 1 descontentar] [F.: *des-* + *contentar*. Hom./Par.: *descontente* (fl.), *descontente* (a2g.); *descontentes* (fl.), *descontentes* (pl. do a2g.).]

descontente (des.con.*ten*.te) ***a2g.*** **1** Que manifesta ou expressa descontentamento: *Ele tinha um ar descontente.* **2** Que nutre ou apresenta sentimento de descontentamento, de desgosto: *Pessoas descontentes passam por aqui todos os dias.* ***s2g.*** **3** Aquele ou aquela que se encontra descontente (2) com algo ou com alguém [F.: *des-* + *contente*. Ant. ger.: *contente*.]

descontingenciar (des.con.tin.gen.ci.*ar*) ***v. td.*** *Econ.* Eliminar cotas para a importação de mercadorias, gastos de verbas orçamentárias etc. [▶ 1 descontingenciar] [F.: *des-* + *contingência* + *-ar*².]

descontinuação (des.con.ti.nu:a.*ção*) ***sf.*** Ato ou efeito de descontinuar, suspender a continuação: *a única decisão passível de ser tomada é a descontinuação do serviço.* [Ant.: *continuação*.] [Pl.: *-ções*.] [F.: *descontinuar* + *-ção*.]

descontinuado (des.con.ti.nu.*a*.do) ***a.*** Que se descontinuou, que deixou de continuar, se interrompeu: *o sistema será descontinuado no próximo mês.* [Ant.: *continuado*.] [F.: Part. de *descontinuar*.]

descontinuar (des.con.ti.nu.*ar*) ***v.*** **1** Não continuar; interromper [***td.***: *O empresário descontinuou o projeto.*] [***int.***: *Na segunda quinzena o trabalho descontinuou.* Ant.: *continuar*.] **2** Variar, alterar(-se) [***int.***: *O batimento cardíaco descontinuava a todo momento.*] [▶ 1 descontinuar] [F.: *des-* + *continuar*.] ▪▪ **Sem ~** Sem interrupção

descontinuidade (des.con.ti.nu:i.*da*.de) ***sf.*** **1** Qualidade, estado ou condição do que é descontínuo [Ant.: *continuidade*] **2** Falta ou interrupção de continuidade: *Novas obras causarão descontinuidade no fornecimento de água.* [Ant.: *continuidade*] **3** Alteração, variação frequente de algo; OSCILAÇÃO **4** *Mat.* Propriedade de uma função descontínua **5** *Geof.* Superfície que separa áreas geológicas com condições distintas de temperatura, pressão, densidade etc.: *descontinuidade entre a crosta e o manto.* [F.: *descontínuo* + *-(i)dade*.] ▪▪ **~ de Gutemberg** *Geof.* Camada a 2.900km de profundidade entre o manto e a crosta terrestre **~ de Mohorovicic** *Geol.* Camada divisória entre a crosta e o manto da Terra, cuja profundidade pode variar entre 5-10km (no fundo dos oceanos) a 35-40km, sob os continentes

descontínuo (des.con.*tí*.nu:o) ***a.*** **1** Que não é contínuo, que apresenta interrupção em algum ponto (série descontínua) [Ant.: *contínuo*.] **2** Que não tem regularidade (no seu desenvolvimento ou elaboração), que é interrompido [Ant.: *contínuo*] **3** *Ling.* Que se constitui de dois ou mais termos, formando uma unidade sintática mesmo que outros termos se interponham entre eles (diz-se, p. ex., do grau comparativo: É mais alto do que o irmão.) **4** *Jur.* Cujo exercício foi interrompido (posse descontínua) [F.: *des-* + *contínuo*. Hom./Par.: *descontínuo* (a.), *descontinuo* (fl. *descontinuar*).]

desconto (des.*con*.to) ***sm.*** **1** Diminuição ou abatimento no preço de produto ou serviço **2** Ação ou resultado de descontar, de desconsiderar algo no cômputo geral **3** *Econ.* Negociação de título de crédito em data anterior à marcação de seu vencimento [F.: Dev. de *descontar*. Hom./Par.: *desconto* (fl. *descontar*).] ▪▪ **~ em folha** *Jur.* Montante de impostos, obrigações etc. devidos por assalariado, descontados de sua remuneração pelo empregador, na folha de pagamento; a operação de fazer tal desconto **~ na fonte** *Jur.* Abatimento de valores de impostos, obrigações etc., devidos por recebedor, feitos antecipadamente pelo pagador no ato de remunerar o primeiro

desconto-padrão (des.con.to-pa.*drão*) ***sm.*** Abatimento, ger. de imposto, em conformidade com um modelo estipulado para cada faixa salarial, ou de carreira na empresa ou em órgão público: *desconto-padrão na declaração do imposto de renda.* [Pl.: *descontos-padrão*.]

descontração (des.con.tra.*ção*) ***sf.*** **1** Ação ou resultado de se descontrair **2** Falta de contração ou estado de relaxamento [Ant.: *contração*] **3** *Fig.* Ausência de acanhamento, de constrangimento: *A descontração no ambiente de trabalho aumenta a produtividade.* [Pl.: *-ções*.] [F.: *descontra(ir)* + *-ção*, por anal. com *contração*.]

descontraído (des.con.tra.*í*.do) ***a.*** **1** Que não fica constrangido ou embaraçado, que age e fala de forma espontânea: *Só havia pessoas descontraídas no jantar.* **2** Que não apresenta rigidez muscular: *Você tem de ficar com o pescoço descontraído para cabecear.* [Ant.: *contraído*] **3** *Fig.* Relaxado, distenso [F.: *des-* + *contraído*.]

descontrair (des.con.tra.*ir*) ***v.*** **1** Deixar de contrair(-se); fazer cessar a contração [***td.***: *Um banho morno descontrai os músculos.*] [***int.***: *Quando me viu, seu rosto descontraiu(-se).*] **2** Perder ou fazer perder o acanhamento, o constrangimento [***td.***: *Suas brincadeiras descontraem o ambiente.*] [***int.***: *Bebiam, flertavam, conversavam, faziam tudo para descontrair.*] [▶ 43 descontrair] [F.: *des-* + *contrair*. Sin. ger.: *relaxar*.]

descontratar (des.con.tra.*tar*) ***v. td.*** Anular, suspender o contrato de: *Descontratou dois funcionários.* [Ant.: *contratar*.] [▶ 1 contratar] [F.: *des-* + *contratar*.]

descontrolado (des.con.tro.*la*.do) ***a.*** **1** Que se descontrolou, que se encontra fora de controle: *Um ônibus descontrolado invadiu a calçada.* **2** Que não pode controlar a si mesmo: *Ele fica totalmente descontrolado quando seu time perde.* [F.: Part. de *descontrolar*. Ant. ger.: *controlado*.]

descontrolar (des.con.tro.*lar*) ***v.*** **1** Perder ou fazer perder o controle ou equilíbrio; DESEQUILIBRAR; DESGOVERNAR [***td.***: *O ímã descontrolou a bússola.*] **2** Perder ou fazer perder o controle emocional [***td.***: *A lentidão do computador descontrolou a secretária.*] [***int.***: *Mimado, descontrola-se quando lhe negam algo.*] [▶ 1 descontrolar] [F.: *des-* + *controlar*. Hom./Par.: *descontrole* (fl.), *descontrole* (sm.); *descontroles* (fl.), *descontroles* (pl. do sm.).]

descontrole (des.con.*tro*.le) [ô] ***sm.*** Perda ou falta de controle de algo objetivo ou não (descontrole da direção; descontrole emocional): "As novas armas da não cooperação, da descentralização e do descontrole do poder." (Cecília Meireles, *Crônicas de viagem*) [Ant.: *controle*] [F.: *des-* + *controle*. Hom./Par.: *descontrole* (sm.), *descontrole* (fl. *descontrolar*).]

desconversa (des.con.*ver*.sa) ***sf.*** **1** Conversa ou diálogo em que os interlocutores, proposital ou involuntariamente, não conseguem se entender de maneira nenhuma [Ant.: *conversa*] **2** *Bras.* Mudança voluntária de assunto quando não se quer falar sobre algo **3** *Bras.* Atitude de dissimulação em que alguém finge não entender o que foi dito [F.: *des-* + *conversa*. Hom./Par.: *desconversa* (sf.), *desconversa* (fl. *desconversar*).]

desconversão (des.con.ver.*são*) ***sf.*** Ato ou efeito de desconverter, de anular a conversão [Ant.: *conversão*.] [Pl.: *-sões*.] [F.: *des-* + *conversão*.]

desconversar (des.con.ver.*sar*) ***v. int.*** **1** Parar de conversar: "Era antes um recurso para desconversar e não tocar na matéria." (Machado de Assis, *Quincas Borba*) **2** *Bras.* Mudar de assunto, fugindo a uma explicação, ou fingir que não entendeu; DISFARÇAR; DISSIMULAR: *Não adiantava desconversar: tinha de lhe dar uma resposta.* **3** *Lus.* Descambar no gracejo ou na chocarrice [▶ 1 desconversar] [F.: *des-* + *conversar*. Hom./Par.: *desconversáveis* (fl.), *desconversáveis* (pl. de *desconversável* [a2g.]).]

desconvidar (des.con.vi.*dar*) ***v. td.*** **1** Tornar sem efeito um convite **2** *Fig.* Não dar oportunidade, margem, estímulo: *Sua atitude hostil desconvidava tentativas de acordo.* [▶ 1 desconvidar] [F.: *des-* + *convidar*. Ant. ger.: *convidar*.]

desconvidativo (des.con.vi.da.*ti*.vo) ***a.*** Que não é convidativo, que não atrai; DESESTIMULANTE [Ant.: *atraente, convidativo, estimulante*.] [F.: *des-* + *convidativo*.]

desconvir (des.con.*vir*) ***v.*** **1** Não ser conveniente ou proveitoso a [***ti.*** + *a*: *O projeto, certamente, desconviria aos planos do engenheiro.*] [***int.***: *Naquele momento, seu plano desconvinha.*] **2** Não admitir, não concordar; discordar, discrepar [***tr.*** + *em, de*: *Desconveio em que se realizasse tal empreitada; desconveio do veredicto.*] [▶ 42 desconvir] [F.: *des-* + *convir*. Ant. ger.: *convir*.]

desconvite (des.con.*vi*.te) ***sm.*** Ato ou efeito de desconvidar, de anular um convite: *Surpresa, a moça recebeu a comunicação do desconvite para a cerimônia.* [Ant.: *convite*.] [F.: *des-* + *convite*.]

desconvocação (des.con.vo.ca.*ção*) ***sf.*** Ato ou efeito de desconvocar, de suspender uma convocação: *O ministro está confiante na desconvocação das greves.* [Ant.: *convocação*.] [Pl.: *-ções*.] [F.: *desconvocar* + *-ção*.]

desconvocado (des.con.vo.*ca*.do) ***a.*** Que se desconvocou, que teve suspensa a convocação: *O jogador foi desconvocado devido a um problema no tornozelo.* [Ant.: *convocado*.] [F.: Part. de *desconvocar*.]

desconvocar (des.con.vo.*car*) ***v. td.*** Suspender a convocação de (alguém): *O exército desconvocou centenas de soldados.* [Ant.: *convocar*.] [▶ 11 convocar] [F.: *des-* + *convocar*.]

descoordenação (des.co.or.de.na.*ção*) ***sf.*** **1** Ato ou efeito de descoordenar(-se), de ficar sem coordenação **2** Falta de coordenação, de ajustamento, de encadeamento (descoordenação motora); DESAJUSTE; DESORGANIZAÇÃO [Pl.: *-ções*.] [F.: *descoordenar* + *-ção*. Ant. ger.: *coordenação*.]

descoordenado (des.co.or.de.*na*.do) ***a.*** Que se descoordenou, perdeu a coordenação [Ant.: *coordenado*.] [F.: Part. de *descoordenar*.]

descoordenar (des.co.or.de.*nar*) ***v. td.*** Anular ou interromper a coordenação de; desajustar, desorganizar: *O incidente descoordenou sua programação.* [Ant.: *coordenar*.] [▶ 1 descoordenar] [F.: *des-* + *coordenar*.]

descorado (des.co.*ra*.do) ***a.*** **1** Que perdeu a cor (parede descorada); PÁLIDO; DESBOTADO [Ant.: *corado*] **2** *Fig.* Desprovido de vigor, de força (ânimo descorado) [F.: Part. de *descorar*¹.]

descoramento (des.co.ra.*men*.to) ***sm.*** Ação ou resultado de descorar(-se), de perder a cor ou o vigor; PALIDEZ; DESBOTAMENTO [F.: *descorar* + *-mento*.]

descorante (des.co.*ran*.te) ***a2g.*** **1** Que descora, que faz perder a cor; DESCOLORANTE: *Foi usar o agente descorante e estragou o lenço.* ***s2g.*** **2** Aquele ou aquilo que descora: *Viu que o cloro é um temível descorante.* [F.: *descorar* + *-nte*. Ant. ger.: *corante*.]

descorar¹ (des.co.*rar*) ***v.*** **1** Alterar ou tirar a cor de [***td.***: *O tempo descorara o vestido.*] **2** Perder a cor [***int.***: "O azul apagou-se, o vermelho descora." (Cecília Meireles, "Morte no aquário" *in Dispersos*)] **3** *Fig.* Tornar(-se) pálido, sem brilho, sem expressão; DESMAIAR; EMPALIDECER [***td.***: "...no susto que a descora... Aninha está mais bela ainda." (Almeida Garrett, *O arco de Sant'ana*)] [***int.***: *Lúcia descorou ao receber notícia.*] [▶ 1 descorar] [F.: *des-* + *cor* [ô] + *-ar*². Sin. ger.: *desbotar, descolorir, incolorar*. Ant. ger.: *corar, tingir*. Hom./Par.: *descores* (fl.), *descores* (pl. do sf.); *descoráveis* (fl.), *descoráveis* (pl. de *descorável* [a2g.]).]

descorar² (des.co.*rar*) ***v. td.*** Esquecer o que estava decorado; não se lembrar mais: *descorar um texto, uma música.* [▶ 1 descorar] [F.: *des-* + *cor* [ó] + *-ar*². Ant. ger.: *lembrar*.]

descorçoado (des.cor.ço.*a*.do) ***a.*** **1** Que não tem coragem, ânimo; DESALENTADO; DESANIMADO ***sm.*** **2** Pessoa desanimada, sem ânimo [F.: Part. de *descorçoar* e de *descoroçoar*, respectivamente.]

descorçoar (des.cor.ço.*ar*) ***v.*** Ver *descoroçoar* [▶ 16 descorçoar] [F.: De *descoroçoar* (com síncope).]

descornamento (des.cor.na.*men*.to) ***sm.*** Ato ou efeito de descornar(-se), de tirar os cornos de um animal ou de o animal perder os cornos: "O descornamento é uma técnica usada para a eliminação dos chifres, e tem como vantagens: redução de danos nas dependências da propriedade..." (Serviço Brasileiro de Respostas Técnicas, *Resposta técnica*) [F.: *descornar* + *-mento*.]

descornar (des.cor.*nar*) ***v. td.*** Tirar ou perder os cornos (um animal) [▶ 1 descornar] [F.: *des-* + *corno* + *-ar*².]

descoroçoar (des.co.ro.ço.*ar*) ***v.*** Fazer perder ou perder a coragem, o entusiasmo, o ânimo; DESANIMAR; DESAPONTAR; DESENCORAJAR [***td.***: "...essa visão de uma próxima catástrofe na sua vida... descoroçoava-o..." (Lima Barreto, *Clara dos Anjos*)] [***int.***: "Com isto o Leonardo-Pataca descoroçoou completamente." (Manuel Antônio de Almeida, *Memórias de um sargento de milícias*)] [▶ 16 descoroçoar] [F.: *des-* + *coração* + *-ar*² (com assimilação e desnasalação). Ant. ger.: *acoroçoar*. Hom./Par.: *descoroçoado* (fl.), *descoroçoado* (a. sm.).]

descortês (des.cor.*tês*) ***a2g.*** **1** Que não é gentil, cortês, educado ou delicado [+ (*para*) *com*: *descortês para com os amigos.*] [+ *em*: *pessoa descortês nas maneiras.*] **2** Que se mostra rude, grosseiro **3** Que revela grosseria ou descortesia: *gesto descortês.* [Pl.: *-teses*.] [F.: *des-* + *cortês*. Ant. ger.: *cortês*.]

descortesia (des.cor.te.*si*.a) ***sf.*** **1** Falta de cortesia, de gentileza [+ (*para*) *com*: *descortesia (para) com os colegas de trabalho.*] [+ *em*: *descortesia na mesa.*] **2** Atitude, comportamento ou dito descortês ou rude; GROSSERIA [F.: *des-* + *cortesia* ou de *descortês* + *-ia*¹. Ant. ger.: *cortesia*.]

descortinado (des.cor.ti.*na*.do) ***a.*** **1** Que se descortinou, se exibiu, abrindo a cortina: *panorama descortinado da janela.* **2** *P.ext.* Avistado, contemplado, divisado ao longe: *um dirigível prateado descortinado no céu.* **3** Descoberto, revelado, exposto: *A tragédia descortinada era impossível de prever.*: "...além de ter descortinado um tribunal tranquilo, suficientemente ajustado no respeito e harmonia entre seus membros..." (*Notícias do Tribunal Superior do Trabalho*, 22.02.2006.) [Ant.: *escondido, oculto*.] [F.: Part. de *descortinar*.]

descortinar (des.cor.ti.*nar*) ***v.*** **1** Abrir, fazendo correr a cortina [***td.***: *descortinar a janela/ o palco.*] **2** Dar a conhecer; tornar evidente; EVIDENCIAR; MOSTRAR; REVELAR [***td.***: *O avião descortinou a beleza do pantanal.*] [***tdi.*** + *a, para*: "... há um mistério na minha pergunta, que só mais tarde lhe poderei descortinar." (Joaquim Manuel de Macedo, *O moço loiro*)] **3** Enxergar, ver (ger. à distância); AVISTAR [***td.***: "... percorreram museus (...) descortinaram toda a cidade do alto da torre." (Marques Rebelo, *O simples coronel Madureira*)] **4** Descobrir, distinguir, notar [***td.***: "Um bando de corvos passou alto, negro (...) sem se poder descortinar no seu rastro senão um prenúncio de desgraça." (Miguel Torga, *O senhor Ventura*)] **5** *Mil.* Abater, derrubar (cortina de uma fortificação) [***td.***] **6** *Bras.* Abrir clareiras na mata [***td.***] [▶ 1 descortinar] [F.: *des-* + *cortina* + *-ar*². Hom./Par.: *descortino* (fl.), *descortino* (sm.).]

descortínio (des.cor.*tí*.ni:o) ***sm.*** Ver *descortino* [F.: Rad. do v. *descortinar* + *-ínio*.]

descortino (des.cor.*ti*.no) ***sm.*** **1** Ação ou resultado de descortinar: *o descortino de novos horizontes.* **2** Capacidade de antevisão: "Tudo fazia para manter o subalterno em apagado lugar, envergonhado da própria falta de descortino e de malícia comercial, (...)" (Marques Rebelo, *Contos reunidos*) **3** Compreensão aguda e rápida de algo; PERSPICÁCIA [F.: Dev. de *descortinar*. Hom./Par.: *descortino* (fl. *descortinar*).]

descoser (des.co.*ser*) ***v.*** **1** Desfazer(-se) a costura de; DESCOSTURAR [***td.***: *A costureira descoseu-lhe a manga do paletó.*] [***int.***: *A bainha está se descosendo.*] **2** Despedaçar, destroçar [***td.***: "...é necessário descoser vínculos, desconstruir significados..." (Claudia Chigres, "De como Almada Negreiros constrói sua invenção em *Nome de Guerra*", *in Revista Semear 3*)] **3** *Fig.* Desconjuntar, destroçar [***td.***: *O excesso de barro descoseu a pavimentação e o veículo caiu numa cratera.*] **4** *Fig.* Rasgar com objeto cortante; DILACERAR [***td.***: "Não quero te descoser com a tua faca do mato..." (Almeida Garrett, *O arco de Sant'ana*.)] **5** *Fig.* Tornar público; DELATAR; DIVULGAR [***td.***: *descoser a vida alheia.*] [▶ 2 descoser] [F.: *des-* + *coser*. Hom./Par.: *descosido* (fl.), *descosido* (a.).]

descosido (des.co.*si*.do) ***a.*** **1** Que tem as costuras desfeitas (bainha descosida); DESCOSTURADO **2** *Fig.* Que não está bem estruturado ou articulado (argumento descosido, texto descosido) [F.: Part. de *descoser*.]

descosturado (des.cos.tu.*ra*.do) ***a.*** Que se descosturou; DESCOSIDO [Ant.: *costurado*] [F.: Part. de *descosturar*.]

descosturar (des.cos.tu.*rar*) ***v.*** Desfazer(-se) a costura de; DESCOSER [***td.***] [***int.***] [▶ 1 descosturar] [F.: *des-* + *costurar*.]

descravar (des.cra.*var*) ***v.*** **1** Retirar o que estava cravado (cravos, pregos etc.); desencravar, descravejar [***td.***] **2** Despregar (os olhos, a vista) [***tdi.*** + *de*: *Não descravava os olhos da garota.*] [▶ 1 descravar] [F.: *des-* + *cravar*. Ant. ger.: *cravar*.]

descredenciado (des.cre.den.ci.*a*.do) ***a.*** Que se descredenciou, que perdeu as credenciais; DESABONADO: *prestador de serviço descredenciado.* [Ant.: *credenciado*.] [F.: Part. de *descredenciar*.]

descredenciamento (des.cre.den.ci:a.*men*.to) ***sm.*** Ato ou efeito de descredenciar: *descredenciamento arbitrário de serviços médico-hospitalares por operadoras de planos de saúde.* [Ant.: *credenciamento*.] [F.: *descredenciar* + *-mento*.]

descredenciar (des.cre.den.ci.*ar*) ***v. td.*** Suspender credenciamento ou credenciais de; DESOUTORGAR; DESABONAR: *A empresa descredenciou dois dos seus representantes.* [Ant.: *credenciar*.] [▶ 1 descredenciar] [F.: *des-* + *credenciar*.]

descrédito (des.*cré*.di.to) ***sm.*** **1** Perda ou falta de consideração, de estima, de confiança por parte dos outros: *O senador caiu em descrédito total.* **2** Fama, reputação ruim, negativa: "Só se (...) a gente amiúda no ajuizar o desonroso assunto, isto sim, rança o descrédito de se ser tornadiço covarde." (João Guimarães Rosa, *Grande sertão: veredas*) [F.: *des-* + *crédito*. Hom./Par.: *descrédito* (sm.), *descredito* (fl. *descreditar*).]

descrença (des.*cren*.ça) *sf.* 1 Perda ou falta de crença, de fé, de confiança; CETICISMO: *A descrença na política pode acarretar trágicas consequências.* [+ *de, em*: *descrença do /no futuro.*] 2 Ausência de fé religiosa, ou sentimento ou característica daquele que não tem fé [+ *de, em*: *descrença da/na religião.*] [F.: *des-* + *crença*.]

descrente (des.*cren*.te) *a2g.* 1 Que não crê, não acredita em algo [+ *de, em*: *pessoa descrente dos /nos homens.*] 2 Que não possui fé religiosa [+ *de, em*: *descrente dos/nos milagres divinos.*] *s2g.* 3 Aquele ou aquela que não acredita em nada, que não crê 4 Pessoa que não crê em Deus [F.: *descrer* + *-nte*.]

descrer (des.*crer*) *v.* 1 Não crer em; não dar crédito a; DUVIDAR; NEGAR [*td. tr.* + *de*: *Descrê (de) tudo que seus sentidos não percebem.*] 2 Deixar de confiar [*tr.* + *de, em*: *Após a separação, passou a descrer em mulheres.*] [▶ 34 descrer] [F.: *des-* + *crer*. Ant. ger.: *acreditar, crer*.]

descrever (des.cre.*ver*) *v.* 1 Reproduzir por escrito ou oralmente; expor em palavras como é ou foi (alguém, alguma coisa, um fato, sentimento) [*td.*: "Seria longo descrever a vida desse moço..." (José de Alencar, *A viuvinha*)] [*tdi.* + *a, para*: "É impossível descrever-te o que se passou então em mim..." (José de Alencar, *Cinco minutos*)] 2 Expor com detalhes, contar minuciosamente [*td.*: "Fui minucioso (...) em descrever a serra, os planos inclinados..." (Júlio Ribeiro, *A carne*)] [*tdi.* + *a, para*: *Descreveu-nos a viagem, dia a dia.*] 3 Seguir percorrendo ou movendo; ter trajetória ou movimento de determinada forma [*td.*: *Descrevendo uma espécie de oito no céu, o piloto desceu com o ultraleve.*] 4 *Mat.* Desenhar, riscar, traçar [*td.*: *descrever uma espiral.*] 5 *Ling.* A partir da análise de um *corpus* (ver), produzir descrição objetiva e sistemática de uma língua, variante ou dialeto [*td.*] [▶ 2 descrever. NOTA.: Particípio irregular: *descrito*.] [F.: Do v.lat. *describere*.]

descrição (des.cri.*ção*) *sf.* 1 Ação ou resultado de descrever alguma coisa, oralmente ou por escrito: *Fez uma descrição fiel da situação.* 2 *Liter.* Modalidade de texto literário que prioriza a enumeração detalhada do aspecto exterior dos seres e das coisas: *As descrições que Eça de Queirós faz n'O primo Basílio são excepcionais.* 3 *Jur.* Detalhamento das circunstâncias que envolvem um processo 4 *Ling.* Análise sincrônica e exposição sistemática e objetiva dos dados linguísticos contidos num *corpus* [Pl.: *-ções*.] [F.: Do lat. *descriptio, onis*. Hom./Par.: *descrição* (sf.), *discrição* (sf.).]

descrido (des.*cri*.do) *a.* 1 Que descreu, perdeu a fé ou a confiança *sm.* 2 Aquele que descreu: "Falas como um descrido, como um saciado!" (Álvares de Azevedo, *Macário*.) [F.: Part. de *descrer*. Sin. ger.: *descrente*. Ant. ger.: *crido*.]

descriminação (des.cri.mi.na.*ção*) *sf. Jur.* Ação ou resultado de descriminar, de retirar a imputação de crime a algo; DESCRIMINALIZAÇÃO [Pl.: *-ções*.] [F.: *descriminar* + *-ção*. Hom./Par.: *descriminação* (sf.), *discriminação* (sf.).]

descriminalizar (des.cri.mi.na.li.*zar*) *v. td. Jur.* O mesmo que *descriminar* (2) [▶ 1 descriminalizar] [F.: *des-* + *criminalizar*.]

descriminar (des.cri.mi.*nar*) *v. td.* 1 Considerar ou declarar inocente; tirar a culpa; ABSOLVER; INOCENTAR: *O júri descriminou-o.* 2 *Jur.* Abolir a qualificação como crime de alguma prática ou costume; DESCRIMINALIZAR: *A Holanda descriminou o uso de maconha.* [▶ 1 descriminar] [F.: *des-* + *criminar*. Hom./Par.: *descriminar, discriminar* (em várias fl.).]

descrioulização (des.cri:ou.li.za.*ção*) *sf. Ling.* Ato ou efeito de descrioulizar(-se), de reestruturar(-se) uma língua crioula segundo as normas e influências da língua-padrão [Ant.: *crioulização*.] [Pl.: *-ções*.] [F.: *des-* + *crioulização*.]

descristianização (des.cris.ti:a.ni.za.*ção*) *sf.* Ato ou efeito de descristianizar(-se), de eliminar a fé cristã, a influência do cristianismo [Ant.: *cristianização*.] [Pl.: *-ções*.] [F.: *descristianizar* + *-ção*.]

descristianizar (des.cris.ti.a.ni.*zar*) *v. td.* Eliminar a condição de cristão de (alguém ou si mesmo) [Ant.: *cristianizar*.] [▶ 1 descristianizar] [F.: *des-* + *cristianizar*.]

descritério (des.cri.*té*.ri:o) *sm.* Falta de critério, de base para avaliar ou fazer alguma coisa; CONFUSÃO; DESORIENTAÇÃO [Ant.: *critério, organização*.] [F.: *des-* + *critério*.]

descriterioso (des.cri.te.ri:*o*.so) [ô] *a.* Não criterioso, a que falta critério ou orientação; CONFUSO; DESORIENTADO [Ant.: *criterioso, ordenado*.] [Pl.: [ó]. Fem.: [ó].] [F.: *des-* + *criterioso*.]

descritiva (des.cri.*ti*.va) *sf.* 1 *Mat.* Red. de *geometria descritiva* 2 *Ling.* Red. de *gramática descritiva*

descritível (des.cri.*tí*.vel) *a2g.* Que pode ser descrito (experiências descritíveis) [Ant.: *indescritível*.] [Pl.: *-veis*.] [F.: Do rad. do lat. *descriptus, a, um*, 'descrito', part. Do v.lat. *describere* (> *descrever*) + *-ível*.]

descritivismo (des.cri.ti.*vis*.mo) *Ling. sm.* 1 Escola americana de análise objetiva e sincrônica dos fatos e sistemas da língua, com base exclusivamente em *corpus* dos falantes nativos 2 Doutrina que recomenda que a linguística deve registrar e explicar os princípios da língua, sem lhe impor outras normas [F.: *descritivo* + *-ismo*.]

descritivo (des.cri.*ti*.vo) *a.* 1 Que descreve, que retrata uma pessoa, um objeto, uma situação etc.: *um poema descritivo.* 2 Diz-se de texto que apresenta aspectos descritivos 3 Que relaciona ou enumera detalhes, características de forma organizada (ciência descritiva, botânica descritiva) 4 *Gram.* Diz-se do estudo gramatical que descreve e registra como os usuários da língua constroem e empregam as palavras em enunciados: *gramática descritiva, por oposição à gramática prescritiva.* 5 *Geom.* Diz-se de ramo da geometria que trata da representação plana de figuras espaciais [F.: Do lat. *descriptivus, a, um*.]

descrito (des.*cri*.to) *a.* 1 Que se descreveu, se relatou ou se expôs com minúcias 2 Diz-se esp. de linha curva traçada por um corpo em movimento 3 *Biol.* Diz-se de ser vivo nomeado cientificamente [F.: Do lat. *descriptus,a,um*.]

descritor (des.cri.*tor*) [ô] *a.* 1 Que descreve, que sabe descrever em detalhes *sm.* 2 Aquele ou aquilo que descreve 3 Termo que descreve objetivamente um conceito em um tesauro ou em uma indexação [F.: Do lat. *descriptor, oris*.]

descruzar (des.cru.*zar*) *v. td.* Apartar, separar (o que estava cruzado): *descruzar os braços; descruzar as pernas.* [▶ 1 descruzar] [F.: *des-* + *cruzar*.]

descuidado (des.cui.*da*.do) *a.* 1 Que não tem zelo ou o devido cuidado com alguém ou algo [+ *com, de, em*: *pessoa descuidada com/da /na linguagem.*] 2 Que não presta a devida atenção; DESATENTO: *Alunos descuidados acabam perdendo o dia da prova.* 3 Que manifesta desleixo com a própria aparência: *Minha filha está saindo com um rapaz tão descuidado.* 4 Que não se mediu, que não foi alvo de atenção: *Acabou magoando-a com aquelas palavras descuidadas.* 5 Que denota distração ou ausência de preocupação, de cuidado; DISTRAÍDO: "Foi num lavatório de edifício público, por acaso. (...). Descuidado, avistei (...) dois espelhos -um de parede, o outro de porta lateral (...) faziam jogo." (João Guimarães Rosa, *Primeiras estórias*) [F.: Part. de *descuidar*.]

descuidadoso (des.cui.da.*do*.so) [ô] *a.* Não cuidadoso; a que falta cuidado; DESCUIDADO; DESCUIDOSO; NEGLIGENTE [Ant.: *cuidadoso*.] [Pl.: [ó]. Fem.: [ó].] [F.: *descuidado* + *-oso*.]

descuidar (des.cui.*dar*) *v.* 1 Tratar sem cuidado (alguém ou alguma coisa) ou não lhe dar importância; DESCURAR; NEGLIGENCIAR [*td.*: *Descuidou a ferida.*] [*tr.* + *de, em*: "Além disso ela descuidava-se do enxoval." (Eça de Queirós, *O crime do padre Amaro*): "...se ia arruinando, por descuidar-se em chamar freguesia..." (Camilo Castelo Branco, *Coração, cabeça e estômago*)] 2 Deixar de prevenir-se; DISTRAIR-SE; DESPREVENIR-SE [*int.*: *O herói descuidou-se, e o bandido o feriu.*] 3 Fazer esquecer; DISTRAIR [*tdr.* + *de*: *Os cuidados com o filho descuidaram-no da própria vida.*] [▶ 1 descuidar] [F.: *des-* + *cuidar*. Hom./Par.: *descuido* (fl.), *descuido* (sm.).]

descuidista (des.cui.*dis*.ta) *a2g.* 1 *Bras. Gír.* Que rouba se valendo das distrações e descuidos da vítima 2 Diz-se de indivíduo que é descuidado, negligente [Ant.: *cuidadoso, interessado*.] *s2g.* 3 Esse indivíduo 4 Ladrão que se vale das distrações e descuidos da vítima para roubar; GATUNO [F.: *descuido* + *-ista*.]

descuido (des.*cui*.do) *sm.* 1 Falta de cuidado, de atenção: *Caiu da casa por descuido.* [+ *com, de, em*: *descuido com /da/ na forma.*] 2 Falta de zelo, de apuro: *Há alguns descuidos de estilo em seu novo romance.* 3 Ato imprudente, desprovido de reflexão 4 Infração, falta, erro: "(...) qualquer movimento abala esta secreta arquitetura/ qualquer pequeno descuido pode derramar este oceano (...)" (Cecília Meireles, *Dispersos, in Poesia completa*) 5 Distração ou esquecimento: "(...) um grande número de homens, propensos à rebelião ao menor descuido dos guardas (...)." (Alberto da Costa e Silva, *A manilha e o libambo*) 6 *Bras. Pop. Joc.* Gravidez resultante de imprudência ou descuido, ou o filho concebido sem planejamento prévio 7 *Bras. Pop.* Furto no qual o ladrão se vale da desatenção ou do descuido da vítima [F.: Dev. de *descuidar*. Hom./Par.: *descuido* (sm.), *descuido* (fl. *descuidar*).]

descuidoso (des.cui.*do*.so) [ô] *a.* O mesmo que *descuidadoso* [F.: *descuidado* + *-oso*, por haplologia.]

desculpa (des.*cul*.pa) *sf.* 1 Ação ou resultado de desculpar(-se) [+ *de, por*: *pedir desculpas de/por ter chegado tarde.*] 2 Perdão por erro ou falta cometida: "(...) oferece e agradece penhorado, e ainda pede desculpa por alguma contrariedade." (Antônio Callado, *O dia da ressaca, in Reflexos do baile*) 3 Demonstração de arrependimento 4 Justificativa apresentada para desfazer culpa: *Não aceitou suas desculpas.* 5 Motivo falsamente alegado para justificar ação, ausência, dito etc.: *Apresentou uma desculpa esfarrapada para o que fez.* [F.: Dev. de *desculpar*. Hom./Par.: *desculpa* (sf.), *desculpa* (fl. *desculpar*).]

desculpabilizar (des.cul.pa.bi.li.*zar*) *v. td.* Tornar desculpável [▶ 1 desculpabilizar] [F.: *desculpável*, sob a f. *desculpabil-*, + *-izar*, seg. o mod. erudito.]

desculpar (des.cul.*par*) *v.* 1 Perdoar(-se) por falta cometida de modo voluntário ou não [*td.*: *Não quis desculpar o amigo.*] [*tdr.* + *de, por*: *Desculpou-o de/pelo seu atrevimento; Procure desculpar-se de suas fraquezas.*] 2 Relevar (falta cometida); ESCUSAR [*td.*: *Estamos acostumados a desculpar pequenos deslizes; Desculpou o rompante do irmão.*] 3 Pedir desculpas, justificando-se ou não [*tr.* + *de, por*: *O professor desculpou-se de/pelo atraso.*] 4 Isentar, dispensar de [*tdr.* + *de, por*: *Pediu que a desculpassem de ir à reunião.*] 5 Servir de desculpa ou justificativa ou pretexto para algo [*td.*: *O sofrimento não desculpa a ausência paterna.*] [▶ 1 desculpar] [F.: *des-* + *culpar*. Hom./Par.: *desculpa* (fl.), *desculpa* (sf.); *desculpas* (fl.), *desculpas* (pl. de *desculpa*); *desculpáveis* (fl.), *desculpáveis* (pl. de *desculpável* [a2g.]).]

desculpável (des.cul.*pá*.vel) *a2g.* Que se pode desculpar (falha desculpável; infração desculpável) [Ant.: *culpável, imperdoável, indesculpável*.] [Pl.: *-veis*.] [F.: *desculpar* + *-vel*. Hom./Par.: (pl.) *desculpáveis, desculpáveis* (fl. de *desculpar*).]

descultivo (des.cul.*ti*.vo) *sm.* 1 Ato ou efeito de descultivar, de deixar de cultivar, de manter sem qualquer lavra [Ant.: *cultivo, lavra*.] 2 Falta de cultura, de conhecimento; IGNORÂNCIA; INCULTURA [Ant.: *conhecimento, cultura*.] [F.: Dev. de *descultivar*. Hom./Par.: *descultivo* (fl. de *descultivar*).]

descumprido (des.cum.*pri*.do) *a.* Que se descumpriu, que deixou de ser cumprido, executado (contrato descumprido) [Ant.: *cumprido*.] [F.: Part. de *descumprir*.]

descumpridor (des.cum.pri.*dor*) [ô] *a.* 1 Diz-se de quem descumpre, costuma descumprir: *Foi um funcionário descumpridor de qualquer obrigação.* *sm.* 2 Aquele que descumpre, que costuma descumprir: *Era um descumpridor contumaz de todas as ordens recebidas.* [Pl.: *-ores*.] [F.: *descumprir* + *-dor*.]

descumprimento (des.cum.pri.*men*.to) *sm.* Ação ou resultado de descumprir, de desobedecer ou desrespeitar normas, regras, acordos, contratos, compromissos etc. [F.: *descumprir* + *-mento*.]

descumprir (des.cum.*prir*) *v. td.* Não cumprir; INFRINGIR: *descumprir acordo; descumprir lei; descumprir ordem.* [Ant.: *acatar, observar*] [▶ 3 descumprir] [F.: *des-* + *cumprir*.]

descupinização (des.cu.pi.ni.za.*ção*) *sf.* Ato ou efeito de descupinizar, de eliminar cupins com inseticida próprio: *Encomendou a descupinização da casa.* [Pl.: *-ções*.] [F.: *descupinizar* + *-ção*.]

descupinizar (des.cu.pi.ni.*zar*) *v. td.* Acabar com os cupins de: *Descupinizou o guarda-roupa.* [▶ 1 descupinizar] [F.: *des-* + *cupi(m)* + *-n-* + *-izar*.]

descurar (des.cu.*rar*) *v.* 1 Deixar de dar amparo ou cuidado a (algo, alguém ou si mesmo); DESCUIDAR; DESLEIXAR [*tr.* + *de*: *Não podia descurar(-se) da saúde do filho diabético; Jamais descurou(-se) da família.*] 2 Não cuidar ou não tratar do modo correto, adequado [*td.*: *Mesmo ressentido, não descurou os deveres assumidos na união.*] [*tr.* + *de*: *descurar(-se) do trabalho.*] 3 Fazer que se torne descuidado ou desleixado [*td.*: *As más companhias o descuraram.*] [▶ 1 descurar] [F.: *des-* + *curar*.]

desdar (des.*dar*) *v.* 1 Desfazer(-se) (nó, laço etc.); DESATAR(-SE) [*td.*: *desdar o nó.*] [*int.*: *O laço desdeu-se.*] 2 *P.us.* Retomar algo que se havia dado [*td.*: *desdar um presente.*] [▶ 8 desdar] [F.: *des-* + *dar*.]

desde (des.de) [ê] *prep.* 1 A partir de (no espaço, no tempo): *Chovia desde o Rio Grande do Sul até São Paulo; Estão trabalhando desde ontem.* 2 Começando por (numa atividade, numa enumeração etc.); DE: *Fazia de tudo: desde faxina até lavagem de roupa.* [F.: Combinação da antiga prep. *des* (< lat. *de ex*), já documentada no séc. XIII, com a prep. *de*.] ■ **~ então** Desde uma determinada época, ou momento: *Comprou um despertador, e desde então não mais chegou atrasado.* **~ quando** 1 A partir de (um determinado tempo); desde que (1): *Ele tem essa procuração desde quando era assessor do chefe.* 2 *Irôn.* Expressa ceticismo ou ironia em relação a um fato ou suposição: *Desde quando é o aluno quem marca o dia da prova?* **~ que** 1 A partir do momento em que: *Desde que chegou, abafou.* 2 Uma vez que: "Rejeitou a suposição, desde que lhe ouvira perguntar..." (Machado de Assis, *A Causa secreta*)

desdém (des.*dém*) *sm.* 1 Pouco-caso para com alguém ou com algo [+ *de, em, para com, por*: *Não há desdém de minha parte; Havia desdém em suas palavras; desdém para com/ pela vida humana.*] 2 Comportamento ou modo de falar depreciativo, agressivo: *Não me venha com seus desdéns.* 3 Falta de cuidado ou de capricho: *Mesmo em ocasiões festivas ela vestia-se com desdém.* [Pl.: *-déns*.] [F.: Do provç. *desdenh*.] ■ **Ao ~** Displicentemente, com negligência

desdenhado (des.de.*nha*.do) *a.* 1 Que se desdenhou, que foi tratado com desdém; DESPREZADO; MENOSPREZADO; REPUDIADO 2 Que é ou foi alvo de troça; RIDICULARIZADO; ZOMBADO [F.: Part. de *desdenhar*. Ant. ger.: *reconhecido, respeitado*.]

desdenhar (des.de.*nhar*) *v.* 1 Manifestar desdém a ou tratar com desdém ou desprezo; DESPREZAR [*td*: *Ele às vezes desdenha os amigos.*] 2 Fazer pouco-caso de; ESCARNECER [*tr* + *de*: *Ele tem o mau hábito de desdenhar dos mais fracos.*] [▶ 1 desdenhar] [F.: Do lat. vulg. **disdignare*.]

desdenhoso (des.de.*nho*.so) [ô] *a.* 1 Que encerra ou demonstra desdém 2 Que mostra indiferença ou desprezo para com alguém ou algo [Pl.: [ó]. Fem.: [ó].] [F.: *desdém* + *-oso*.]

desdentado (des.den.*ta*.do) *a.* 1 Que perdeu alguns ou todos os dentes *Pop*; BANGUELA [Ant.: *dentado*] 2 *Zool.* Ref. aos desdentados *sm.* 3 *Zool.* Espécime dos desdentados, ordem de mamíferos que tem a dentição imperfeita ou que não tem dentição, como o tamanduá e o tatu [F.: *des-* + *dentado*.]

desdentar (des.den.*tar*) *v. td.* Perder ou fazer perder dentes [▶ 1 desdentar] [F.: *des-* + *dent(e)* + *-ar*[2].]

desdita (des.*di*.ta) *sf.* Ausência ou falta de dita, de sorte; INFELICIDADE; DESVENTURA; INFORTÚNIO: "(...) uma comiseração que raramente se estendia a seus camaradas de desdita (...)" (Alberto da Costa e Silva, *A manilha e o libambo*) [F.: *des-* + *dita*.]

desditado (des.di.*ta*.do) *a.* Que padece de desdita, desventura, infelicidade; DESDITOSO; DESVENTURADO; INFELIZ [Ant.: *ditoso, feliz*.] [F.: *desdita* + *-ado*[1].]

desditoso (des.di.*to*.so) [ô] *a.* 1 Que não tem sorte ou que não é feliz; DESVENTURADO; DESGRAÇADO: *Sempre tive uma vida desditosa.* [Ant.: *ditoso*] *sm.* 2 Aquele que não tem sorte ou que não é feliz [Pl.: [ó]. Fem.: [ó].] [F.: *desdita* + *-oso*.]

desdizer (des.di.*zer*) *v.* 1 Negar ou contradizer afirmação já feita [*td.*: *Desdisse o que havia dito; Falou na viagem, mas depois se desdisse.*] 2 Deixar de cumprir (promessa); descumprir [*td.*] 3 Estar em desacordo ou desarmonia com; DISCORDAR [*tr.* + *de*: *A última interpretação desdiz da anterior.*] 4 Desviar-se de padrão considerado exemplar [*tr.* + *de*: *Não desdiz da tradição de sua tribo.*] [▶ 20 desdizer] [F.: *des-* + *dizer*.]

desdobar (des.do.*bar*) *v. td.* Livrar(-se) de embaraço, de algo enredado ou confuso; DESENREDAR(-SE); DESEMBARAÇAR(-SE) [Ant.: *dobar*.] [▶ 1 desdobar] [F.: *des-* + *dobar*.]

desdobrado (des.do.*bra*.do) *a.* 1 Que se desdobrou, que foi aberto ou dividido (terreno desdobrado); FRACIONADO [Ant.: *inteiro*.] 2 De que se desfez a(s) dobra(s): *Guardou o lençol mesmo desdobrado.* [Ant.: *dobrado*.] 3 Que recebeu o máximo empenho: *Enfrentou o desafio com ânimo desdobrado.* [F.: Part. de *desdobrar*.]

desdobramento (des.do.bra.*men*.to) *sm.* 1 Ação, processo ou resultado de desdobrar(-se) [Ant.: *dobramento*] 2 Ação de se desfazer as dobras de algo; DESEMBRULHO **3** *Fig.* Ação de dedicar-se ou de empenhar-se ao máximo; EMPENHO; DEDICAÇÃO **4** Produção ou multiplicação de algo em dobro **5** *Fig.* Desenvolvimento ou repercussão de um fato: *Os desdobramentos do escândalo atingiram o diretor.* **6** *Fig.* Perpetuação **7** Decomposição, análise **8** *Espt.* Transe no qual o espírito do médium percipiente desloca-se a outros lugares e faz descrições daquilo que sua percepção alcança e daquilo que ele faz em tal condição [F.: *desdobrar* + *-mento.*]

desdobrar (des.do.*brar*) *v.* **1** Abrir(-se), estender(-se) (algo que estava dobrado) [*td.*: *desdobrar a toalha.*] [*int.*: *Os estandartes desdobram-se ao vento.*] **2** Dividir em duas ou mais partes [*td.*: *Desdobramos a verba para atender a todas as demandas.*] **3** Tornar-se maior ou mais complexo; desenvolver-se, multiplicar-se [*int.*: *As tarefas desdobravam-se à medida que o projeto avançava.*] **4** *Fig.* Esforçar-se ao máximo; EMPENHAR-SE [*int.*: *Se quiser vencer, vai ter que desdobrar-se.*] [*tr.* + *para*: *Minha mãe desdobra-se para dar conta de seus afazeres.*] **5** *Fig.* Ter algo como resultado; REDUNDAR [*tr.* + *em*: *As pesquisas de gerações de cientistas desdobraram-se nessa vacina.*] **6** Prolongar(-se) no tempo ou no espaço [*td. tda.*: *A falta de energia fez a escuridão se desdobrar (pela pequena cidade).*] [*int.*: *Prados que se desdobravam ao longe.*] [*tda.*: *A reunião desdobrou-se até o final da manhã.*] **7** *Espt.* Passar por desdobramento [*int.*: *O médium desdobrou-se antes do esperado.*] [▶ 1 desdo**brar**] [F.: *des-* + *dobrar*. Hom./Par.: *desdobráveis* (fl.), *desdobráveis* (pl. de *desdobrável* [a2g.]).]

desdobrável (des.do.*brá*.vel) *a2g.* Que se pode desdobrar [Pl.: *-veis.*] [F.: *desdobrar* + *-vel*. Hom./Par.: *desdobráveis* (pl.), *desdobráveis* (fl. de *desdobrar*).]

desdoirar (des.doi.*rar*) *v.* Ver *desdourar*

desdoiro (des.*doi*.ro) *sm.* Ver *desdouro*

desdormido (des.dor.*mi*.do) *a. Bras.* Que desdormiu, que deixou de dormir e mostra sinais de sono [F.: Part. de *desdormir.*]

desdormir (des.dor.*mir*) *v. int.* Ficar sem conseguir dormir, passar em claro: *Dormiu, depois desdormiu e ficou acordado até de manhã.* [▶ 51 desdor**mir**] [F.: *des-* + *dormir.*]

desdouramento (des.dou.ra.*men*.to) *sm.* **1** Ação ou resultado de desdourar(-se), de tirar ou perder o dourado, o brilho [Ant.: *douramento.*] **2** *Fig.* Perda do crédito, da consideração, da respeitabilidade; DESCRÉDITO; DESONRA; MÁCULA [Ant.: *aplauso, consideração, louvor.*] [F.: *desdourar* + *-mento*. Sin. ger.: *desdouro.*]

desdourar (des.dou.*rar*) *v.* **1** *Fig.* Manchar, obscurecer (o nome, a reputação, a honra) de; DESACREDITAR; DESMERECER [*td.*: *Boatos maldosos desdouraram sua reputação.*] **2** Fazer perder ou perder o brilho (tb. *Fig.*); DESLUSTRAR [*td.*: *O ácido desdourou meu anel.*] [*Int.*: *Sem o homenageado, a cerimônia desdourou-se.*] **3** Fazer perder ou perder o revestimento de ouro [*td.*: *Desdourar um troféu.*] [*int.*: *A pulseira desdourou-se em pouco tempo.*] [▶ 1 desdou**rar**] [F.: *des-* + *dourar*. Hom./Par.: *desdouro* (fl.), *desdouro* (sm.). Tb. *desdoirar.*]

desdouro (des.*dou*.ro) *sm.* **1** Ação ou resultado de desdourar(-se) ou desdoirar(-se), de perder a douradura, a cor ou um tom dourado **2** *Fig.* Perda de honra ou de consideração por parte dos outros; DESLUSTRE; DESONRA; MÁCULA [F.: Dev. de *desdourar*. Hom./Par.: *desdouro* (sm.), *desdouro* (fl. de *desdourar* ou *desdoirar*). Tb. *desdoiro.*]

desdramatizar (des.dra.ma.ti.*zar*) *v. td.* Tirar o caráter dramático de: *O dramaturgo desdramatizou sua última peça.* [▶ 1 desdramati**zar**] [F.: *des-* + *dramatizar.*]

deseconomia (de.se.co.no.*mi*:a) *sf. Econ.* Fenômeno que se observa quando o crescimento da produção de uma empresa ultrapassa a escala de seus recursos, provocando, em consequência, a elevação dos custos médios [F.: *des-* + *economia.*]

deseducação (de.se.du.ca.*ção*) *sf.* **1** Ação ou resultado de deseducar(-se), de embrutecer(-se): *A telinha, no Brasil, é uma arma feroz da deseducação.* **2** Falta de educação, de civilidade, de instrução [Pl.: *-ões.*] [F.: *deseducar* + *-ção*. Ant. ger.: *educação.*]

deseducado (de.se.du.*ca*.do) *a.* **1** Diz-se de pessoa que se deseducou, que foi mal educado ou perdeu a educação **2** Diz-se de pessoa grosseira, descortês; MAL-EDUCADO; RUDE [Ant.: *afável, cortês, bem-educado.*] **3** Diz-se de pessoa inculta, não instruída [Ant.: *culto, esclarecido, instruído.*] *sm.* **4** Qualquer uma dessas pessoas [F.: Part. de *deseducar*. Ant. ger.: *educado.*]

deseducar (de.se.du.*car*) *v. td.* **1** Educar mal ou inadequadamente **2** Prejudicar a educação de alguém: *Certos programas de tevê deseducam as crianças.* [▶ 11 deseduc**ar**] [F.: *des-* + *educar.*]

deseducativo (de.se.du.ca.*ti*.vo) *a.* Que deseduca ou educa mal; que atua contra a educação (espetáculo deseducativo); DESEDUCADOR [Ant.: *educativo.*] [F.: *deseducar* (f. rad. *deseducat-*) + *-ivo.*]

desejabilidade (de.se.ja.bi.li.*da*.de) *sf.* Qualidade, estado ou característica do que é desejável (desejabilidade social): *a desejabilidade da democracia como forma de governo.* [F.: *desejável* (*-vel* > *-bil(i)-*) + *-dade.*]

desejado (de.se.*ja*.do) *a.* **1** Que se deseja espiritual ou materialmente; ALMEJADO; COBIÇADO **2** Que corresponde àquilo com que se sonha, que se aspira (emprego desejado) **3** Que desperta o desejo sensual (mulher desejada) [F.: Part. de *desejar*. Ant. ger.: *indesejado.*]

desejar (de.se.*jar*) *v.* **1** Ter desejo ou vontade de; QUERER [*td.*: *Ele deseja que o filho seja um homem de bem.*] **2** Querer ter; COBIÇAR [*td.*: *Desejava um som novo.*] **3** Exprimir o desejo de que (alguém) passe a ter [*tdi.*: "...apertou-lhe a mão, desejando-lhe um futuro vitorioso." (Marques Rebelo, *Marafa*)] **4** Ter interesse sexual em [*td.*: *Ele a desejava e não lhe escondia isso; Desejavam-se e amavam-se com paixão.*] **5** Querer algo ou alguém para determinado fim ou para exercer determinada função [*tdp.*: *O chefe desejava-o gerente.*] [▶ 1 dese**jar**] [F.: *desejo* + *-ar*[2]. Hom./Par.: *desejo* (fl.), *desejo* (sm.); *desejáveis* (fl.), *desejáveis* (pl. de *desejável* [a2g.]).]

desejável (de.se.*já*.vel) *a2g.* **1** Que desperta o desejo (corpo desejável) **2** Que é objeto de aspiração, que é almejado: *O título de doutora era desejável para ela.* **3** Que é importante ou necessário: *Simpatia é uma qualidade desejável em um vendedor.* [Pl.: *-veis.*] *sm.* **4** Aquilo que apresenta as qualidades ou condições necessárias para algo [Pl.: *-veis.*] [F.: *desejar* + *-vel*. Hom./Par.: *desejáveis* (pl.), *desejáveis* (fl. de *desejar* [v.]).]

desejo (de.*se*.jo) [ê] *sm.* **1** Vontade, anseio ou ambição por alguma coisa; aspiração de ter, de conseguir ou de que algo aconteça: *O desejo do pai era que o filho seguisse a sua profissão.* [+ *de*: *desejo de liberdade.*] **2** Vontade de ter relações sexuais com alguém; atração física **3** *Pop.* Vontade repentina de determinada comida ou bebida sentida pela mulher grávida: *Minha mulher está com desejo de sorvete de mangaba.* **4** *Psic.* Demanda psíquica que busca instaurar novamente a situação da primeira satisfação **5** Aquilo que é desejado [F.: Do lat. *desedium, do lat.cláss. *desidia, ae*. Hom./Par.: *desejo* (sm.), *desejo* (fl. *desejar*).]

desejoso (de.se.*jo*.so) [ô] *a.* **1** Que tem desejo; que manifesta ou expressa desejo; ávido: "Sentou-se pois, ao lado, atento e desejoso de agradar ao interlocutor." (Afrânio Peixoto, *A esfinge*) **2** Que se mostra decidido a realizar algo [Pl.: [ó]. Fem.: [ó].] [F.: *desejo* + *-oso*. Ant. ger.: *indesejoso.*]

deselegância (de.se.le.*gân*.ci:a) *sf.* **1** Falta de elegância no vestir ou nas maneiras: "...da deselegância discreta de suas meninas." (Caetano Veloso, *Sampa*) **2** Ato, atitude, dito ou comportamento deselegante, rude, descortês ou indecoroso; DESCORTESIA: *Foi deselegância sua falar daquele jeito com o garçom.* **3** *Fig.* Característica de texto ou discurso incorreto ou mal-elaborado, repleto de impropriedades estilísticas **4** Falta de harmonia, de leveza, esp. de movimentos [F.: *des-* + *elegância*. Ant. ger.: *elegância.*]

deselegante (de.se.le.*gan*.te) *a2g.* **1** Que revela falta de elegância **2** Que denota mau gosto, desarmonia: *uma roupa deselegante.* **3** Que indica falta de educação, de polidez: *uma atitude deselegante.* **4** Que mostra discordância em relação às normas, convenções sociais etc.: *Tem uma redação deselegante.* [F.: *des-* + *elegante*. Ant. ger.: *elegante.*]

desembaçado (de.sem.ba.*ça*.do) *a.* Que recuperou a transparência ou o brilho (vidro desembaçado) [F.: Part. de *desembaçar.*]

desembaçador (de.sem.ba.ça.*dor*) [ô] *a.* **1** Que desembaça, que restitui o brilho, o lustre *sm.* **2** Dispositivo (ger. de veículo) que serve para desembaçar o vidro de janela [F.: *desembaçar* + *-dor.*]

desembaçamento (de.sem.ba.ça.*men*.to) *sm.* Ação ou resultado de desembaçar, de devolver o brilho, a polidez ou a transparência a algo [F.: *desembaçar* + *-mento.*]

desembaçar (de.sem.ba.*çar*) *v.* **1** Fazer recuperar ou recuperar (objeto embaçado) o brilho ou a transparência [*td.*: *Desembaçar as vidraças / os talheres.*] [*int.*: *Meus óculos desembaçaram(-se).*] **2** *Fig.* Recuperar ou fazer recuperar o ânimo; REANIMAR; REVIGORAR [*td.*: *Um passeio no parque desembaçará as crianças.*] [*int.*: *Ao avistar a noiva, desembaçou-se.*] **3** *Fig.* Recuperar ou fazer recuperar o caráter positivo, a credibilidade [*td.*: *Queremos desembaçar a imagem da empresa.*] [*int.*: *Esperava que sua reputação se desembaçasse.*] [▶ 12 desemba**çar**] [F.: *des-* + *embaçar.*]

desembaciar (de.sem.ba.ci.*ar*) *v. td.* Desfazer o efeito de embaciamento, desenevoar(-se), restituir a transparência de: *Desembaciou o para-brisa; O céu já se desembaciava.* [Ant.: *embaciar.*] [▶ 1 desemba**ciar**] [F.: *des-* + *embaciar.*]

desembainhado (de.sem.bai.*nha*.do) [a-i] *a.* **1** Que se desembainhou, que se retirou da bainha (espada desembainhada) **2** Diz-se de peça do vestuário cuja bainha foi desmanchada (calças desembainhadas; paletó desembainhado) [F.: Part. de *desembainhar*. Ant. ger.: *embainhado.*]

desembainhar (de.sem.ba.i.*nhar*) *v. td.* **1** Tirar (ger. arma branca) da bainha: *desembainhar a espada.* **2** Descoser a bainha de (peça do vestuário): *desembainhar uma calça.* [▶ 1 desembai**nhar**] [F.: *des-* + *embainhar.*]

desembalado[1] (de.sem.ba.*la*.do) *a.* Que se desembalou, cuja embalagem foi retirada ou desfeita [F.: Part. de *desembalar*[1].]

desembalado[2] (de.sem.ba.*la*.do) *a.* Diz-se de arma descarregada, sem munição [F.: Part. de *desembalar*[2].]

desembalado[3] (de.sem.ba.*la*.do) *a.* Que perdeu o embalo, que teve reduzida a velocidade (veículo desembalado) [Ant.: *embalado.*] [F.: Part. de *desembalar*[3]. Cf.: *desabalado.*]

desembalar[1] (de.sem.ba.*lar*) *v. td.* Retirar da embalagem; DESEMBRULHAR: *Posso desembalar meu presente?* [▶ 1 desemba**lar**] [F.: *des-* + *embalar*[2].]

desembalar[2] (de.sem.ba.*lar*) *v. td.* Tirar a bala de (cartucho, arma de fogo); DESCARREGAR [▶ 1 desemba**lar**] [F.: *des-* + *embalar*[3].]

desembalar[3] (de.sem.ba.*lar*) *v.* Fazer perder ou perder a velocidade [*td.*] [*int.*] [▶ 1 desemba**lar**] [F.: *des-* + *embalar*[1].]

desembaraçado (de.sem.ba.ra.*ça*.do) *a.* **1** *Fig.* Que não é tímido, que demonstra ter autoconfiança: "Não sou tímido; ao contrário, peco por desembaraçado." (José de Alencar, *Lucíola*) **2** *P.ext.* Que se expressa e age com presteza e autoconfiança, demonstrando agilidade e inteligência prática em todas as circunstâncias **3** De que se tiraram os nós ou o embaraço (cabelos desembaraçados) **4** Que se livrou de algo que representava uma dificuldade, uma limitação: *desembaraçado de suas dívidas.* **5** *Jur.* Que não possui nenhuma pendência de natureza legal (imóvel desembaraçado, carro desembaraçado) [F.: Part. de *desembaraçar*. Ant. ger.: *embaraçado.*]

desembaraçamento (de.sem.ba.ra.ça.*men*.to) *sm.* Ação ou resultado de desembaraçar(-se); DESEMBARAÇO [Ant.: *embaraçamento*] [F.: *desembaraçar* + *-mento.*]

desembaraçar (de.sem.ba.ra.*çar*) *v.* **1** Desfazer o embaraço, os nós de; DESEMARANHAR [*td.*: *desembaraçar um novelo; desembaraçar os cabelos.*] **2** Livrar(-se) de (incômodos ou obstruções); DESIMPEDIR; DESEMBARGAR [*td.*: *desembaraçar o trânsito.*] [*tr.* + *de*: *desembaraçar as calçadas do entulho.*] **3** Desvencilhar(-se) de pessoa inoportuna, maçante ou desagradável [*tdr.* + *de*: *Tentou desembaraçá-la do bêbado e acabou se aborrecendo.*] [*tr.* + *de*: *A atriz desembaraçou-se elegantemente dos repórteres.*] **4** *Fig.* Fazer perder ou perder o constrangimento, a timidez; DESINIBIR [*td.*: *O contato com os colegas desembaraçou-a.*] [*int.*: *Elaine desembaraçou-se depois que entrou no grupo.*] **5** *Fig.* Apressar a tramitação de [*td.*: *desembaraçar uma negociação.*] [▶ 12 desembara**çar**] [F.: *des-* + *embaraçar*. Hom./Par.: *desembaraço* (fl.), *desembaraço* (sm.).]

desembaraço (de.sem.ba.*ra*.ço) *sm.* **1** Ação ou resultado de desembaraçar(-se); DESEMBARAÇAMENTO **2** *Fig. P.ext.* Qualidade ou característica de pessoa que se expressa e age com presteza e autoconfiança, demonstrando agilidade e inteligência prática em todas as circunstâncias **3** Ausência de constrangimento, de embaraço, de timidez: *Um homem de grande desembaraço!* [F.: *des-* + *embaraço*. Ant. ger.: *embaraço*. Hom./Par.: *desembaraço* (sm.), *desembaraço* (fl. *desembaraçar*).]

desembaralhamento (de.sem.ba.ra.lha.*men*.to) *sm.* **1** Ação ou resultado de desembaralhar, de colocar em ordem (desembaralhamento de mensagens); ORDENAÇÃO; ORGANIZAÇÃO [Ant.: *desorganização.*] **2** Simplificação para melhorar o entendimento (desembaralhamento de ideias); DESINTRICAMENTO [Ant.: *complicação, intrincamento.*] [F.: *desembaralhar* + *-mento*. Ant. ger.: *baralhamento, confusão, mistura.*]

desembaralhar (de.sem.ba.ra.*lhar*) *v.* **1** Pôr em ordem (o que estava embaralhado) [*td.*: *desembaralhar fios de lã.*] **2** *Fig.* Tornar compreensível [*td.*: *desembaralhar um caso policial.*] **3** Tornar-se claro, nítido [*int.*: *Seguiu viagem depois que a vista se desembaralhou.* Ant.: *turvar-se*] [▶ 1 desembara**lhar**] [F.: *des-* + *embaralhar*. Ant. ger.: *emaranhar.*]

desembarcado (de.sem.bar.*ca*.do) *a.* **1** Que desembarcou, que se tirou ou saiu de embarcação ou, por extensão, de outro meio de transporte (bagagem desembarcada) **2** *Mar.* Diz-se de pessoa que não faz mais parte da tripulação de um navio [F.: Part. de *desembarcar*. Ant. ger.: *embarcado.*]

desembarcadoiro (de.sem.bar.ca.*doi*.ro) *sm.* Ver *desembarcadouro*

desembarcadouro (de.sem.bar.ca.*dou*.ro) *sm.* Local de desembarque; CAIS [Ant.: *embarcadouro, embarcadoiro*] [F.: *desembarcar* + *-douro*[1]. Tb. *desembarcadoiro.*]

desembarcar (de.sem.bar.*car*) *v.* **1** Fazer descer ou descer (alguém ou algo de um meio de transporte) [*tda.*: *Os americanos desembarcaram suas tropas no golfo Pérsico.*] [*ta.*: *Desembarcaremos do trem na próxima estação.*] [*int.*: *Duzentos passageiros desembarcaram.*] **2** Retirar ou sair (alguém ou algo) de uma embarcação [*td.*] [*int.*] [▶ 11 desembar**car**] [F.: *des-* + *embarcar*. Hom./Par.: *desembarque* (fl.), *desembarque* (sm.).]

desembargador (de.sem.bar.ga.*dor*) [ô] *a.* **1** *Jur.* Diz-se de juiz de Tribunal de Justiça ou de Tribunal de Apelação *sm.* **2** *Jur.* Juiz de Tribunal de Justiça ou de Tribunal de Apelação, cuja função é suspender o embargo de alguma coisa [F.: *desembargar* + *-dor.*]

desembargadoria (de.sem.bar.ga.do.*ri*:a) *sf.* Cargo e prerrogativa de desembargador; tribunal em que este exerce suas funções: *Juiz prestes a assumir a desembargadoria.* [F.: *desembargador* + *-ia.*]

desembargar (de.sem.bar.*gar*) *v.* **1** Livrar (alguém ou algo) de embaraço ou obstáculo [*tdr.* + *de*: *desembargar o funcionário das dívidas.*] [*td.*: *desembargar projetos paralisados.*] **2** *Jur.* Suspender o embargo de [*td.*: *desembargar um imóvel penhorado.*] [▶ 14 desembar**gar**] [F.: *des-* + *embargar*. Hom./Par.: *desembargo* (fl.), *desembargo* (sm.).]

desembargo (de.sem.*bar*.go) *sm.* **1** *Jur.* Ato de suspender a apreensão judicial de bens de um devedor por meio de sentença definitiva; DESIMPEDIMENTO **2** Sentença definitiva de juiz ante um litígio **3** Remoção de obstáculo, impedimento ou embaraço; DESIMPEDIMENTO [F.: Dev. de *desembargar*. Hom./Par.: *desembargo* (sm.), *desembargo* (fl. *desembargar*).]

desembarque (de.sem.*bar*.que) *sm.* **1** Ação de desembarcar, de descer ou sair de qualquer meio de transporte: *O desembarque durará 10 minutos.* [Ant.: *embarque*] **2** Local em que se desembarca: *O desembarque é no portão amarelo.* [Ant.: *embarque*] **3** *Mil.* Ação militar de invasão do território inimigo (desembarque das tropas aliadas) [F.: Dev. de *desembarcar*. Hom./Par.: *desembarque* (sm.), *desembarque* (fl. *desembarcar*).]

desembestada (de.sem.bes.*ta*.da) *sf.* **1** Ação ou resultado de desembestar **2** Corrida irreprimível, esp. de cavalgadura; DISPARADA; GALOPADA [F.: Fem. substv. de *desembestado.*]

desembestado (de.sem.bes.*ta*.do) *a.* **1** Que corre desenfreadamente: *Um cavalo desembestado cruzou a estrada.* **2** Que está apressado: *Ele saiu desembestado daqui.* [F.: Part. de *desembestar.*]

desembestar (de.sem.bes.*tar*) *Bras. v.* **1** Sair ou partir a toda velocidade; DESABALAR [*int.*: *O rebanho, assustado, desembestou.*] [*ta.*: *Pegaram as bicicletas e desembestaram morro abaixo.*] **2** *Fig.* Perder a calma, o controle [*int.*] [▶ 1 desembes**tar** Usa-se como auxiliar, seguido de *a* + infinitivo, para indicar o início de uma ação ou processo que se desenrola com vontade e ímpeto: *Laura desembestou a rir da piada.*] [F.: *des-* + *embestar.*]

desembocadura (de.sem.bo.ca.*du*.ra) *sf.* **1** Ação ou resultado de desembocar **2** *Geog.* Local onde o curso de um rio encontra as águas do mar ou as de outro rio; FOZ [F.: *desembocar* + -*dura*.]

desembocar (de.sem.bo.*car*) *v.* **1** Desaguar (em algum lugar) [*ta.*: *O rio Amazonas desemboca no mar.*] **2** Dar em; TERMINAR; ACABAR [*ta.*: *Esta ruazinha desemboca numa praça.*] **3** *Fig.* Resultar em; CUMULAR; CULMINAR [*tr.* + *em*: *As ofensas desembocaram numa briga feia.*] **4** *P.us.* Pôr para fora (pela boca) [*td.*] [▶ 11 desembo**car**] [F.: *des-* + *embocar.*]

desembolsado (de.sem.bol.*sa*.do) *a.* **1** Que se desembolsou, se tirou de bolso ou bolsa **2** Que se gastou ou pagou: *Considerava um perda irrecuperável, o dinheiro desembolsado pelo aluguel.* [F.: De *desembolsar.*]

desembolsar (de.sem.bol.*sar*) *v. td.* **1** Tirar da bolsa ou do bolso **2** Ter gasto de; DESPENDER: *desembolsar muito dinheiro.* [▶ 1 desembol**sar**] [F.: *des-* + *embolsar*. Hom./Par.: *desembolso* (fl.), *desembolso* (sm.).]

desembolso (de.sem.*bol*.so) [ô] *sm.* **1** Ação ou resultado de desembolsar certa quantia **2** Quantia que se desembolsou: *Qual foi o seu desembolso nessa viagem?* [F.: Dev. de *desembolsar*. Hom./Par.: *desembolso* (sm.), *desembolso* (fl. *desembolsar*).]

desembrear (de.sem.bre.*ar*) *v.* Soltar(-se) a embreagem de (um veículo); DESENGRENAR [*td.*: *desembrear um carro.*] [*int.*: *Trocou a marcha e desembreou.*] [▶ 13 desembr**ear**] [F.: *des-* + *embrear.*]

desembreio (de.sem.*brei*.o) *sm. Pop.* Ação ou resultado de desembrear, de soltar a embreagem do veículo; DESEMBREAMENTO [F.: Dev. de *desembrear.*]

desembrulhado (de.sem.bru.*lha*.do) *a.* **1** Que se desembrulhou, que se tirou de embrulho **2** Que se deslindou, se esclareceu (caso desembrulhado) [F.: De *desembrulhar.*]

desembrulhar (de.sem.bru.*lhar*) *v.* **1** Desfazer (embrulho, pacote); ABRIR; DESEMBALAR; DESENROLAR [*td.*: *Mamãe desembrulhou os pacotes.*] **2** Retirar (o conteúdo) de um embrulho, envoltório; DESEMPACOTAR [*td.*: *A criança desembrulhava os doces rapidamente.*] **3** *Bras.* Deixar sair (abrolho, broto etc.) [*td.*: *O agricultor desembrulhava os brotos de feijão.*] **4** *Fig.* Desfazer uma confusão, uma impressão falsa, um mal-entendido; DESENREDAR(-SE); ESCLARECER(-SE) [*td.*: *desembrulhar uma fofoca.*] [*int.*: *Em reunião de família, desembrulhou-se um grande problema.*] **5** Livrar-se (de dificuldades, de uma situação confusa, embaraçosa); SAFAR-SE [*tr.* + *de*: *Este ano, o país desembrulhou-se de muitas falcatruas.*] **6** Desfazer, desmanchar a(s) dobra(s) a; DESDOBRAR [*td.*: *A empregada desembrulhou os lençóis que estavam na gaveta.*] [▶ 1 desembru**lhar**] [F.: *des-* + *embrulhar*. Hom./Par.: *desembrulho* (fl.), *desembrulho* (sm.).]

desembuchar (de.sem.bu.*char*) *Pop. v. td.* **1** Dizer francamente (o que não se queria ou não se ousava dizer); DECLARAR; DESABAFAR: *Desembuche logo o que pretende fazer!* **2** Aliviar o estômago de (excesso de alimento) **3** *Bras.* Desembolsar (dinheiro, valor, quantia) [▶ 1 desembu**char**] [F.: *des-* + *embuchar.*]

desemburrar (de.sem.bur.*rar*) *v.* **1** Dar ou adquirir instrução, livrando(-se) da ignorância; DESASNAR(-SE); INSTRUIR(-SE) [*td.*: *Queria desemburrar o filho com a leitura diária; Desemburrou-se lendo jornal.*] [*int.*: *Custou, mas acabou desemburrando.*] **2** Dar ou aprender bons modos, boas maneiras; polir(-se) [*td.*] [*int.*] **3** Perder ou fazer perder o amuo, o mau humor; tornar(-se) alegre; DESAMUAR-SE [*td.*] [*int.*] [▶ 1 desembur**rar**] [F.: *des-* + *emburrar*. Ant. ger.: *emburrar.*]

desemoldurar (de.se.mol.du.*rar*) *v. td.* Tirar da moldura; DESENQUADRAR [▶ 1 desemoldu**rar**] [F.: *des-* + *emoldurar.*]

desempacar (de.sem.pa.*car*) *v.* **1** Fazer voltar ou voltar a andar (cavalgadura empacada) [*td.*: *Desempacou o cavalo com muito esforço.*] [*int.*: *Muito tempo depois, a mula desempacou.*] **2** *Fig.* Fazer voltar a andar ou voltar a andar (lit. ou fig.) ou a progredir, evoluir, desenvolver-se [*td.*] [*int.*] [▶ 11 desempa**car**] [F.: *des-* + *empacar.*]

desempachar (de.sem.pa.*char*) *v.* **1** Livrar(-se) de empacho, estorvo; DESOBSTRUIR(-SE); DESEMBARAÇAR(-SE) [*td.*: *Desempachou a garagem.*] [*tdr.* + *de*: *Desempachou o sótão dos caixotes de bebida; Desempachou-se das preocupações.*] **2** *Fig.* Descarregar, eliminar [*td.*: *Conseguiu desempachar a implicância.*] **3** *Fig.* Desempanturrar(-se) [*td.*: *Queria desempachar o estômago; Tomou um digestivo para desempachar-se.*] [▶ 1 desempa**char**] [F.: *des-* + *empachar*. Hom./Par.: *desempacho* (fl.), *desempacho* (sm.). Ant. ger.: *empachar.*]

desempacotar (de.sem.pa.co.*tar*) *v. td.* **1** Desfazer (um pacote ou embrulho) **2** Retirar (algo) de dentro de caixa, pacote ou embrulho (abrindo-o ou desfazendo-o): *Demorou a desempacotar os livros.* [▶ 1 desempaco**tar**] [F.: *des-* + *empacotar.*]

desempalhar (de.sem.pa.*lhar*) *v. td.* **1** Tirar (algo) da cobertura ou proteção de palha: *Desempalhar os pratos.* **2** Tirar a palha que enche (colchão, estofado, cadeira) **3** Desmanchar a empalhação de [▶ 1 desempa**lhar**] [F.: *des-* + *empalhar*. Ant. ger.: *empalhar.*]

desempanar[1] (de.sem.pa.*nar*) *v. td.* **1** Fazer voltar o brilho, o lustre de: *Desempanar o espelho/uma reputação.* **2** Retirar os panos que encobrem ou protegem (algo): *Desempanou as cadeiras novas.* **3** *Fig.* Esclarecer; tornar claro: *Desempanar um assunto.* [▶ 1 desempa**nar**] [F.: *des-* + *empanar.*]

desempanar[2] (de.sam.pa.*nar*) *v. td. Lus.* Resolver a pane de (veículo, motor); CONSERTAR: *Os mecânicos desempanaram o meu carro velho.* [Ant.: *empanar.*] [▶ 1 desempa**nar**] [F.: *des-* + *empanar.*]

desemparelhado (de.sem.pa.re.*lha*.do) *a.* **1** Que se desemparelhou, deixou de estar emparelhado ou com suas outras partes: "...o desditoso marido voltou a cabeça e fitou em Augusto um de seus desemparelhados olhos." (Júlio Dinis, *Morgadinha*) **2** Diz-se do elétron que não tem sua parelha (elétron de spin oposto) no mesmo orbital [F.: De *desemparelhar.*]

desemparelhar (de.sem.pa.re.*lhar*) *v. td.* Separar(-se) (o que estava emparelhado) [*td.*: *Desemparelhar os animais.*] [*Int.*: *Os cavalos (se) desemparelhavam na curva.*] [▶ 1 desempare**lhar**] [F.: *des-* + *emparelhar*. Cf.: *desaparelhar.*]

desempastelar (de.sem.pas.te.*lar*) *Art.gr. v. td.* **1** Desfazer o empastelamento, repondo tipos e matrizes nos lugares certos **2** Rearrumar material empastelado [▶ 1 desempaste**lar**] [F.: *des-* + *empastelar.* Ant. ger.: *empastelar.*]

desempatar (de.sem.pa.*tar*) *v.* **1** Tirar ou sair do empate [*td.*: *Os votos finais desempataram a eleição.*] [*int.*: *A partida acaba de desempatar.*] **2** Remover ou desfazer um problema, empecilho, dificuldade etc., ou resolver, desembaraçar (o que estava empatado, complicado) [*td.*: *desempatar um negócio.*] **3** Deixar ou ficar (alguém) livre de compromisso (de trabalho, financeiro ou amoroso) ou de relação (esp. malresolvida) [*td.*: *Não queria casar, mas também não queria desempatar a pobre moça.*] [*tdr.* + *de*: *Desempatou-se do casório.*] **4** Retirar (dinheiro, quantia) de aplicação financeira; DESAPLICAR [*td.*] [▶ 1 desempa**tar**] [F.: *des-* + *empatar*. Hom./Par.: *desempate* (fl.), *desempate* (sm.).]

desempate (de.sem.*pa*.te) *sm.* **1** Ação ou resultado de desempatar **2** Ação ou resultado de obter, em competição ou votação, vantagem temporária ou definitiva: *Aos 33 minutos do primeiro tempo o Vasco conseguiu o desempate, mas aos 40 o Flamengo voltou a empatar.* **3** Ato ou processo pelo qual se dá como vencedor indivíduo, partido, grupo, time etc. que estava igualado, em pontos ou votos, a seu concorrente direto, em disputa, competição ou votação [Há ger. consenso ou estabelecimento prévio entre as partes quanto as condições ou regras de desempate, ou, ainda, a determinação de tais regras ou condições por regulamento da competição ou votação.] **4** Resolução, decisão do que estava empatado ou indeciso [F.: Dev. de *desempatar*. Hom./Par.: *desempate* (sm.), *desempate* (fl. de *desempatar*).]

desempeçonhar (de.sem.pe.ço.*nhar*) *v. td.* Tirar peçonha, veneno de; DESENVENENAR [▶ 1 desempeço**nhar**] [F.: *des-* + *empeçonhar.*]

desempenadeira (de.sem.pe.na.*dei*.ra) *sf.* **1** Pequena tábua dotada de alça numa face e bem plana na outra, us. pelos pedreiros para distribuir e alisar o reboco ou estuco; BROQUEL; DESEMPOLADEIRA **2** Máquina de desempenar tábuas que funciona com um tambor de lâminas rotativo [F.: *desempenado*+ -*eira*.]

desempenado (de.sem.pe.*na*.do) *a.* **1** Que não está empenado; que está reto ou plano (madeira desempenada) [Ant.: *empenado.*] **2** *Fig.* Que tem corpo esguio e postura elegante **3** *Cons.* Diz-se de emboço, reboco ou estuque sem irregularidade na superfície **4** *Fig.* Que é ágil, desembaraçado, presto **5** *Bras. Fig.* Forte, destemido, valentão: "...a julgar pelo nome, Chico Prego devia ser alto, magro e desempenado..." (Luís Guilherme Santos Neves, *Racismo ou Justa Causa*) **6** *Fig.* Dito ou feito com ousadia ou coragem [F.: Part. de *desempenar.*]

desempenar (de.sem.pe.*nar*) *v.* **1** Fazer ficar ou ficar reto, plano, desempenado; DESENTORTAR [*int.*: *Apertada no torno, a chave (se) desempenou.*] **2** Tornar plana uma superfície; ALISAR; APLAINAR [*td.*: *Desempenar o emboço de uma parede.*] **3** Assumir ou fazer assumir uma postura elegante; APRUMAR; DESENTORTAR [*td.*: *A ioga desempenou meu tio.*] [*Int.*: *Desempenar-se com a ajuda de exercícios.*] [▶ 1 desempe**nar**] [F.: *des-* + *empenar*. Hom./Par.: *desempeno* (fl.), *desempeno* (sm.).]

desempenhado (de.sem.pe.*nha*.do) *a.* **1** Que se desempenhou, se resgatou de penhor **2** Que se exerceu (função desempenhada) **3** Que se executou, que se levou ao fim: *Tarefa desempenhada com louvor.* **4** *Teat. Mús.* Interpretado, representado: *Sonhou com um Boris desempenhado em Moscou.* [F.: De *desempenhar.*]

desempenhar (de.sem.pe.*nhar*) *v.* **1** Cumprir os deveres ou obrigações de (função, cargo) [*td.*: "Eu ia ser padre, ia desempenhar (...) uma missão nobre..." (João Ubaldo Ribeiro, *Diário do Farol*)] **2** Realizar, executar (tarefa, trabalho) [*td.*: *O citoplasma desempenha a maior parte do trabalho da célula.*] [*tr.* + *de*: *Desempenhou-se bem de sua nova tarefa.*] **3** *Cin. Teat.* Representar, interpretar [*td.*: *Desempenha um papel de destaque na peça.*] **4** Representar, exercer [*td.*: *As exportações desempenham um importante papel na economia.*] **5** *Jur.* Resgatar (um bem penhorado) [*td.*] **6** Livrar (a outrem ou a si) de dívidas [*td.*] **7** Desobrigar(-se) de (compromisso assumido) [*tdr.* + *de*] [▶ 1 desempe**nhar**] [F.: *des-* + *empenhar*. Hom./Par.: *desempenho* (fl. de *desempenhar*), *desempenho* (sm.).]

desempenho (de.sem.*pe*.nho) *sm.* **1** Ação ou resultado de desempenhar(-se) **2** Execução ou modo de executar uma tarefa ou atividade **3** Funcionamento de um serviço, máquina, veículo etc. **4** *Fig.* Cumprimento de obrigação ou promessa **5** *Teat. Cin.* O modo de representar; interpretação **6** *Ling.* Manifestação em situações concretas do conhecimento de uma língua por parte do falante; PERFORMANCE; ATUAÇÃO [P. opos. a *competência* (6).] [F.: Dev. de *desempenhar*. Hom./Par.: *desempenho* (sm.), *desempenho* (fl. de *desempenhar*).]

desempeno (de.sem.*pe*.no) *sm.* **1** Ação ou resultado de desempenar(-se) **2** Qualidade ou estado do que está desempenado; NIVELAMENTO **3** *Carp.* Instrumento us. por carpinteiros para verificar se uma superfície está plana **4** *Fig.* Desembaraço, desenvoltura, agilidade: "Bem, disse o italiano com o desempeno de um chefe dispondo o plano da batalha..." (José de Alencar, *O guarani*) **5** *Fig.* Aprumo, garbo, elegância: "Falta-lhe a plástica impecável, o desempeno, a estrutura corretíssima das organizações..." (Euclides da Cunha, *Os sertões*) **6** *Fig.* Coragem, ousadia [F.: Dev. de *desempenar*. Ant. nas acps. 1 e 2: *empeno*. Hom./Par.: *desempeno* (sm.), *desempeno* (fl. de *desempenar*).]

desemperrar (de.sem.per.*rar*) *v.* **1** Fazer voltar ou voltar a mover-se ou a funcionar (o que estava emperrado); DESTRAVAR(-SE) [*td.*: *desemperrar uma gaveta/fechadura.*] [*int.*: *A porta do elevador finalmente (se) desemperrou.*] **2** *Fig.* Fazer perder ou perder a inibição; SOLTAR(-SE) [*td.*: *As brincadeiras da turma desemperraram a nova colega.*] [*int.*: *Entre os velhos amigos, logo (se) desemperra.*] **3** *Fig.* Fazer com que (alguém) deixe de teimar ou de estar aborrecido [*td.*: *Conversando, desemperrou o menino birrento.*] [▶ 1 desemper**rar**] [F.: *des-* + *emperrar*. Ant. ger.: *emperrar*. Hom./Par.: *desemperro* (fl.), *desemperro* [ê] (sm.).]

desemperro (de.sem.*per*.ro) [ê] *sm.* **1** Ação ou resultado de desemperrar, de desbloquear, de retirar os entraves para processo, atividade etc; DESEMPERRAMENTO: *O presidente cobrou o desemperro dos gastos.* [Ant.: *bloqueio, impedimento.*] **2** Destravamento, soltura (desemperro do portão) [Ant.: *travamento.*] **3** *Fig.* Afastamento daquilo que tolhe, inibe; DESEMBARAÇO; DESINIBIÇÃO: *Tímida no início, logo demonstrou desemperro na função.* [Ant.: *embargo, inibição.*] [F.: Dev. de *desemperrar.* Hom./Par.: *desemperro* (sm.), *desemperro* (fl.).]

desempertigar (de.sem.per.ti.*gar*) *v. td.* **1** Deixar o empertigamento, a postura rígida **2** Perder a atitude empertigada, mostrar-se à vontade, simpático [▶ 14 desemperti**gar**] [F.: *des-* + *empertigar.*]

desempestar (de.sem.pes.*tar*) *v. td.* **1** Livrar ou ficar livre de peste, debelar ou vencer a infecção; DESEMPESTEAR **2** Acabar com o mau cheiro; desempestear; DESODORIZAR [▶ 1 desempes**tar**] [F.: *des-* + *empestar.* Ant. ger.: *empestar.*]

desempilhar (de.sem.pi.*lhar*) *v. td.* Tirar de pilha (coisas empilhadas): *desempilhar caixas.* [▶ 1 desempi**lhar**] [F.: *des-* + *empilhar.*]

desempinar (de.sem.pi.*nar*) *v. td. int.* Deixar ou fazer deixar o pino, baixar, descer, não estar mais empinado [▶ 1 desempi**nar**] [F.: *des-* + *empinar.*]

desemplumado (de.sem.plu.*ma*.do) *a.* Que se desemplumou, que perdeu as plumas; DEPENADO; DESPLUMADO [Ant.: *emplumado.*] [F.: De *desemplumar.*]

desempoar (de.sem.po.*ar*) *v.* **1** Limpar do pó, da poeira [*td.*: *desempoar os móveis.*] **2** *Fig.* Fazer perder ou perder os preconceitos ou a arrogância [*td.*: *A doença desempoou-a.*] [*int.*: *Com as dificuldades, aquele homem petulante desempoou(-se).*] [▶ 16 desempo**ar**] [F.: *des-* + *empoar.*]

desempobrecer *v.* Sair ou fazer sair da pobreza [*int.*: *Em apenas dois anos desempobreceu.*] [*td.*: *A nova atividade o desempobreceu.*] [▶ 33 desempobre**cer**] [F.: *des-* + *empobrecer.*]

desempoçar (de.sem.po.*çar*) *v. td.* **1** Desfazer as poças de: *Desempocem o quintal para evitar o dengue.* **2** Tirar (alguém ou algo) de poça etc. [▶ 12 desempo**çar**] [F.: *des-* + *empoçar*. Hom./Par.: *desempoçar, desempossar* (em todas as fl.).]

desempoleirar (de.sem.po.lei.*rar*) *v.* **1** Fazer descer ou descer do poleiro [*td.*: *O cachorro entra no galinheiro e desempoleira as aves.*] [*int.*: *As galinhas desempoleiravam depois do galo.*] **2** *Fig.* Fazer descer ou descer de um lugar alto [*td.*: *O incêndio desempoleirou a torcida.*] [*ta.*: *Na hora do almoço, os operários desempoleiraram dos andaimes.*] [▶ 1 desempolei**rar**] [F.: *des-* + *empoleirar.*]

desempossar (de.sem.pos.*sar*) *v. tdr.* O mesmo que *desapossar* [+ *de*] [▶ 1 desempos**sar**] [F.: *des-* + *empossar*. Hom./Par.: *desempossar, desempoçar* (em todas as fl.).]

desempregado (de.sem.pre.*ga*.do) *a.* **1** Que está sem emprego ou trabalho *sm.* **2** Indivíduo que não está empregado, que se encontra ger. em ociosidade involuntária por falta de emprego, ou que exerce trabalhos irregulares enquanto procura um emprego [F.: Part. de *desempregar*. Ant. ger.: *empregado.*]

desempregar (de.sem.pre.*gar*) *v.* **1** Demitir(-se) de emprego ou cargo; DESPEDIR; EXONERAR [*td.*: *A firma desempregou vários funcionários; Preferiu desempregar-se a continuar estressando-se.*] **2** Fazer perder ou perder o emprego ou cargo [*td.*: *A alta do petróleo e dos juros e o aumento de impostos desempregaram muita gente.*] [*int.*: *Depois do último plano econômico muitos desempregaram-se, pois várias firmas e fábricas fecharam.*] [▶ 14 desempre**gar**] [F.: *des-* + *empregar*. Hom./Par.: *desemprego* (fl.), *desemprego* (sm.).]

desemprego (de.sem.*pre*.go) [ê] *sm.* **1** Falta de emprego **2** *Econ.* Situação em que parte da força de trabalho não consegue emprego e se encontra em ociosidade involuntária ou em trabalhos irregulares [F.: *des-* + *emprego*. Ant. ger.: *emprego*. Hom./Par.: *desemprego* (sm.), *desemprego* (fl. de *desempregar*).]

■ **~ disfarçado** *Econ.* Situação em que o desemprego real é maior do que aquele apontado pelas estatísticas **~ estrutural** *Econ.* O que resulta de uma situação estrutural, e não eventual, na qual a oferta de mão de obra em determinado lugar é maior que a quantidade de vagas que a atividade econômica pode oferecer **~ friccional** *Econ.* O que resulta de uma situação eventual na qual a oferta de mão de obra em determinado lugar é maior que a quantidade de vagas que a atividade econômica pode oferecer **~ tecnológico** *Econ.* O que ocorre quando o uso de novas tecnologias tornam dispensáveis, por obsoletas ou excedentes, certas atividades ou o número de empregos que elas suscitam, diminuindo com isso a oferta de empregos

desenastrar (de.se.nas.*trar*) *v. td.* Tirar o nastro (ou nastros) de, soltar a fita (ou fitas) que prende ou trança os cabelos; DESATAR; DESNASTRAR [Ant.: *enastrar.*] [▶ 1 desenas**trar**] [F.: *des-* + *enastrar.*]

desencabar (de.sen.ca.*bar*) *v.* Soltar ou retirar do cabo de (ferramenta ou utensílio qualquer) [*td.*: *Desencabou a foice.* Ant.: *encabar.*] [*int.*: *A enxada se desencabou.*] [▶ 1 desenca**bar**] [F.: *des-* + *encabar.*]

desencabeçar (de.sen.ca.be.*çar*) *v.* **1** *Pop.* Tirar da cabeça, da ideia; DISSUADIR [*tdr.* + *de*: *Desencabeçou o filho de sair de casa.* Ant.: *persuadir.*] **2** *Fig.* Desviar do bom caminho, por maus conselhos ou exemplos; DESENCAMINHAR [*td.*: *As drogas,* *infelizmente, desencabeçaram boa parte da molecada da rua.*] **3** Retirar do topo de lista, rol etc. [**td.**] [▶ 12 desencabeç**ar**] [F.: *des- + encabeçar.*]

desencabrestar (de.sen.ca.bres.*tar*) *v.* **1** Tirar ou soltar-se do cabresto [**td.**: *desencabrestar um cavalo; Os potros desencabrestaram-se durante a noite.*] **2** *Fig.* Tornar(-se) impetuoso, descomedido [**td.**: *Liberdade em excesso desencabresta os jovens.*] [**Int.**: *Com a ausência dos pais, desencabrestou-se.*] [▶ 1 desencabrest**ar**] [F.: *des- + encabrestar.*]

desencabular (de.sen.ca.bu.*lar*) *v.* **1** *Bras.* Perder o encabulamento, a inibição [**td.**: *Só a profissional desencabulou o mauricinho.*] [**int.**: *A patricinha desencabulou depois de umas e outras.*] **2** *Esp.* Tornar-se animado, eficiente, após ter-se mostrado retraído [**int.**: *A torcida espera que o time desencabule; Esse cavalo ainda não desencabulou.*] [▶ 1 desencabul**ar**] [F.: *des- + encabular.* Ant. ger.: *encabular.*]

desencadeado (de.sen.ca.de.*a*.do) *a.* **1** Que se desencadeou, se desprendeu; DESACORRENTADO [Ant.: *encadeado*] **2** Que rompeu ou irrompeu com força, fúria (tsunami desencadeado /avalanche desencadeada) **3** *Fig.* Desconexo, desconcatenado, ilógico [F.: Part. de *desencadear.*]

desencadeador (de.sen.ca.de.a.*dor*) *a.* **1** Que desencadeia, que desprende; DESENCADEANTE: *Nessa época do ano, as altas temperaturas têm um efeito desencadeador de tempestades.* **2** Que faz romper ou irromper com força **3** Aquele que desencadeia: *Os Beatles, com sua música e seu comportamento, foram os desencadeadores da contracultura.* [F.: *desencadeado + -or.*]

desencadeamento (de.sen.ca.de:a.*men*.to) *sm.* **1** Ação ou resultado de desencadear(-se) **2** Separação de coisas que têm conexão entre si [Ant.: *encadeamento*] **3** Soltura de algo ou alguém preso ou atado por cadeias **4** Ação ou resultado de provocar certo acontecimento, resultado, reação ou resposta **5** Sucessão de fatos, acontecimentos ou ações que geram ou resultam em novo fato, acontecimento ou ação **6** Manifestação súbita e violenta (de fenômeno natural) **7** Liberação com ímpeto (contra algo ou alguém) do que estava retido; sublevação; rebelião **8** *Fig. Teat. Liter. Cin. Telv.* Parte em que ocorre a ação que determina os demais acontecimentos de uma narrativa (de um livro, filme, novela etc.) [F.: *desencadear + -mento.*]

desencadeante (de.se.ca.de.*an*.te) *a2g.* **1** Que desencadeia, que desprende; DESENCADEADOR [Ant.: *encadeante*] **2** Que faz romper ou irromper com força [F.: De *desencadear.*]

desencadear (de.sen.ca.de.*ar*) *v.* **1** Provocar o início de (processo, ação, reação etc.) ou ter início, ger. com ímpeto e/ou subitamente [**td.**: *Sua atitude desencadeou uma onda de protestos.*] [**int.**: *Ao entardecer, desencadeou-se uma terrível tempestade.*] **2** Desprender(-se) o que estava atado, preso ou ligado (por cadeias, correntes etc.); SOLTAR(-SE) [**td.**: *desencadear um prisioneiro.*] [**int.**: *Os cães desencadearam-se.*] **3** *Fig.* Desunir, desligar (as coisas que têm conexão entre si) [**td.** Ant.: *encadear*] [▶ 13 desencade**ar**] [F.: *des- + encadear.*]

desencadernar (de.sen.ca.der.*nar*) *v.* **1** Sair ou retirar da encadernação (livro, caderno) [**td.**] **2** *P.ext.* Desmantelar(-se), desconjuntar(-se) [**int.**] [▶ 1 desencadern**ar**] [F.: *des- + encadernar.* Ant. ger.: *encadernar.*]

desencaixado (de.sen.cai.*xa*.do) *a.* **1** Diz-se de articulação, peça etc. que está fora do(s) encaixe(s); DESARTICULADO **2** *Fig.* Que está fora de seu lugar habitual; DESLOCADO **3** Que se retirou de uma caixa; DESENCAIXOTADO **4** Diz-se de dinheiro aplicado, empregado no mercado financeiro [F.: Part. de *desencaixar.* Ant. nas acps. 1 a 3: *encaixado.*]

desencaixar (de.sen.cai.*xar*) *v.* **1** Fazer sair ou sair do encaixe [**td.**: *A vibração desencaixou o calço do motor.*] [**tdr.** + **de**: *desencaixar um cano do outro.*] [**int.**: *Com a vibração, o calço do motor desencaixou(-se).*] **2** *Fig.* Tirar alguém de uma função, uma posição, uma linha de comportamento etc; DESLOCAR [**tda.**: *desencaixar funcionários de seus departamentos.*] [**tdr.**: *Desencaixou o empregado de sua função.*] **3** Retirar de dentro de caixa ou similar [**td.**] **4** *Bras.* Investir (dinheiro) no mercado financeiro [**td.**] [▶ 1 desencaix**ar**] [F.: *des- + encaixar.* Hom./Par.: *desencaixe* (fl.), *desencaixe* (sm.).]

desencaixe (de.sen.*cai*.xe) *sm.* **1** Ação ou resultado de desencaixar(-se); DESENCAIXAMENTO; DESENCAIXADURA **2** Desconjuntamento de articulação, peça etc. **3** Movimento para retirar algo de uma caixa; DESENCAIXOTAMENTO **4** Montante de dinheiro retirado de caixa para cobrir gastos ou despesas (desencaixe financeiro) **5** *Bras.* Ação de investir ou de liberar para investimento valor (quantia) mantido em caixa **6** Afastamento de um indivíduo de sua função ou emprego **7** *Fig.* Situação em que algo ou alguém está fora do contexto habitual **8** *Soc.* Mudança desencadeada pelo processo de modernização e globalização que substitui formas tradicionais de sociedade e provoca o deslocamento do indivíduo das relações sociais de contextos locais de interação [F.: Dev. de *desencaixar.* Ant. nas acps. 1 a 3 e 5: *encaixe.* Hom./Par.: *desencaixe* (sm.), *desencaixe* (fl. de *desencaixar*).]

desencaixotado (de.sen.cai.xo.*ta*.do) *a.* Que é retirado de uma caixa ou caixote; DESENCAIXADO [F.: Part. de *desencaixotar.*]

desencaixotamento (de.sen.cai.xo.ta.*men*.to) *sm.* Ação ou resultado de desencaixotar; DESENCAIXE [F.: *desencaixotar + -mento.*]

desencaixotar (de.sen.cai.xo.*tar*) *v.* **td.** Tirar de caixa ou caixote: *Você já desencaixotou os livros?* [▶ 1 desencaixot**ar**] [F.: *des- + encaixotar.*]

desencalacrar (de.sen.ca.la.*crar*) *v.* **td.** Fazer sair ou livrar-se de problemas, ger. financeiros: *Ajudou a desencalacrar o amigo endividado; Atolado em problemas, não conseguia desencalacrar-se.* [▶ 1 desencalacr**ar**] [F.: *des- + encalacrar.*]

desencalhar (de.sen.ca.*lhar*) *v.* **1** Soltar(-se) uma embarcação (ou uma baleia) presa (em areia, rochas etc.) [**td.**: *desencalhar um navio.*] [**int.**: *Sem conseguir desencalhar, a baleia acabou morrendo na praia da Barra.*] **2** Devolver ao uso (algo encostado, sem uso) [**td.**: *desencalhar uma roupa antiga.*] **3** *Bras.* Voltar a vender ou a ser vendido (estoque, mercadorias encalhadas) [**td.**: *Nas vendas de Natal, a loja desencalhou o estoque de sandálias.*] [**int.**: *Com a liquidação, várias roupas do verão passado desencalharam.*] **4** *Pop.* Dar andamento a, ou voltar a ter andamento, processo, negociação etc. obstruídos [**td.**: *A boa vontade do funcionário desencalhou o processo.*] [**int.**: *As negociações finalmente desencalharam.*] **5** *Bras. Joc.* Arranjar namorado(a) ou esposo(a) [**int.**: *O solteirão do bairro finalmente (se) desencalhou.*] [▶ 1 desencalh**ar**] [F.: *des- + encalhar.* Hom./Par.: *desencalhe* (fl.), *desencalhe* (sm.).]

desencalhe (de.sen.*ca*.lhe) *sm.* **1** Ação ou resultado de desencalhar **2** *Mar.* Remoção de uma embarcação encalhada (o desencalhe de um navio) **3** *P.ext.* Desobstrução de um caminho para permitir o deslocamento de algo ou alguém **4** *Bras. P.ext.* Venda de produto(s) encalhado(s) **5** *Bras. Fig. Pop.* Casamento de quem está solteiro por um longo período [F.: Dev. de *desencalhar.* Ant. nas acps. 1 a 4: *encalhe.* Hom./Par.: *desencalhe* (sm.), *desencalhe* (fl. de *desencalhar*).]

desencalho (de.sen.*ca*.lho) *sm.* Ação ou resultado de desencalhar; DESENCALHE; DESENCALHAMENTO [F.: Dev. de *desencalhar.*]

desencalmado (de.sen.cal.*ma*.do) *a.* **1** Que se desencalmou, se livrou da calma ou calmaria quente da atmosfera [Ant.: *encalmado*] **2** *Fig.* Tornado sereno, acalmado, apaziguado [F.: Part. de *desencalmar.*]

desencaminhado (de.sen.ca.mi.*nha*.do) *a.* **1** Que se desencaminhou **2** Que se distanciou do rumo estabelecido **3** *P.ext.* Extraviado de forma ocasional ou intencional (carta desencaminhada; dinheiro desencaminhado) **4** *Fig.* Diz-se daquele que se desviou dos padrões éticos e sociais vigentes; PERVERTIDO **5** *Pop.* Que perdeu a virgindade, ger. ainda cedo e fora do casamento [F.: Part. de *desencaminhar.* Ant. nas acps. 1, 2 e 4: *encaminhado.*]

desencaminhador (de.sen.ca.mi.nha.*dor*) *a.* **1** Que desencaminha, capaz de desencaminhar **2** Que perverte, corrompe; CORRUPTOR *sm.* **3** Aquele que desencaminha **4** Aquele que é pervertedor, corruptor: *É uma ardilosa desencaminhadora de crianças.* [F.: *desencaminhado + -or.*]

desencaminhamento (de.sen.ca.mi.nha.*men*.to) *sm.* **1** Ação ou resultado de desencaminhar(-se) **2** Mudança de rumo **3** *P.ext.* Extravio ocasional ou intencional de objeto(s), dinheiro etc. **4** *Fig.* Desvio dos padrões éticos e sociais vigentes; PERVERSÃO [F.: *desencaminhar + -mento.* Sin. ger.: *descaminho.* Ant. nas acps. 1 e 2: *encaminhamento.*]

desencaminhar (de.sen.ca.mi.*nhar*) *v.* **1** Desviar(-se) do caminho que parecia apropriado [**td.**: *A ambição desmedida o desencaminhou.*] [**int.**: *Meu vizinho desencaminhou-se na vida e perdeu tudo.*] **2** Assumir ou fazer assumir comportamento moralmente condenável; CORROMPER(-SE); PERVERTER(-SE) [**td.**: *desencaminhar menores de idade.*] [**int.**: *Muitos jovens se desencaminham nas mãos do tráfico.*] **3** Ocultar ou fazer desaparecer (documento, prova etc.) [**td.**: *desencaminhar um processo.*] [▶ 1 desencaminh**ar**] [F.: *des- + encaminhar.* Sin. ger.: *extraviar.*]

desencanação[1] (de.sen.ca.na.*ção*) *sf.* Ato ou efeito de desencanar[1], de desviar de cano ou de retirá-lo [Ant.: *encanação; encanamento*] [Pl.: *-ções.*] [F.: *desencanar*[1] *+ -ção.*]

desencanação[2] (de.sen.ca.na.*ção*) *sf. Bras.* Ato ou efeito de desencanar[2], de tirar canas ou talas [Pl.: *-ções.*] [F.: *desencanar*[2] *+ -ção.*]

desencanado[1] (de.sen.ca.*na*.do) *a.* **1** Sem encanamento, não canalizado **2** Que se desencanou, que desviou de cano [F.: Part. de *desencanar*[1].]

desencanado[2] (de.sen.ca.*na*.do) *a. Bras.* Diz-se de membro (com osso fraturado) do qual se retirou aquilo que o imobilizava (as canas ou gesso) [F.: Part. de *desencanar*[2].]

desencanado[3] (de.sen.ca.*na*.do) *Bras. Pop. a.* **1** Que se desencanou, se livrou de uma ideia fixa **2** Diz-se de indivíduo que não se preocupa ou perturba com nada **3** Próprio de indivíduo desencanado[3] (2), tranquilo, despreocupado: *ter um ar desencanado.* [F.: Part. de *desencanar*[3].]

desencanar[1] (de.sen.ca.*nar*) *v.* **1** Desviar do cano ou tirar o cano a (líquido encanado) [**td.**] **2** Desembocar em [**ta.**: *Sem tratamento, os dejetos da comunidade desencanavam na lagoa.*] [▶ 1 desencan**ar**] [F.: *des- + encanar*[1].]

desencanar[2] (de.sen.ca.*nar*) *Bras. v.* **1** Retirar as canas, talas ou soldas que foram colocadas para soldar fraturas ósseas: *Depois de cicatrizada a fratura, desencanaram a perna da jovem.* [**td.**] **2** Sair (parte ou membro imobilizado) da posição correta [**int.**] [▶ 1 desencan**ar**] [F.: *des- + encanar*[2].]

desencanar[3] (de.sen.ca.*nar*) *v. Bras. Gír.* Livrar-se de uma ideia fixa ou de uma preocupação; deixar de se preocupar; esquecer-se [**int.**: *Sofreu com o fim do namoro, mas desencanou.*] [**tr.** + **de**: *Quero sair pra desencanar dos problemas.*] [▶ 1 desencan**ar**] [F.: *des- + encanar*[3], posv. Ant.: *encanar.*]

desencantado (de.sen.can.*ta*.do) *a.* **1** Que se desencantou **2** Que está livre de encantamento, feitiço, sortilégio; DESENFEITIÇADO **3** *P.ext.* Que deixou de ser atraente **4** *P.ext.* Que perdeu a ilusão em relação a algo ou alguém; DESILUDIDO **5** *Pop.* Que foi encontrado ou descoberto (diz-se de algo perdido ou escondido) [F.: Part. de *desencantar.* Ant. nas acps. 1 a 3: *encantado.*]

desencantamento (de.sen.can.ta.*men*.to) *sm.* **1** Ação ou resultado de desencantar(-se); DESENCANTO **2** Quebra do encantamento; DESENFEITIÇAMENTO: *O desencantamento transformou o sapo em um príncipe.* **3** *P.ext.* Estado ou sentimento daquele que sofreu desilusão com relação a algo ou alguém; DESENCANTO; DESILUSÃO: *desencantamento com o trabalho.* **4** *Pop.* A descoberta de algo raro ou perdido [F.: *desencantar + -mento.* Ant. nas acps. 1 a 3: *encantamento.*]

desencantar (de.sen.can.*tar*) *v.* **1** Quebrar o encanto de [**td.**: *Com um beijo, o príncipe desencantou a princesa adormecida.*] **2** *Pop.* Mostrar habilidade ou capacidade que estava oculta [**int.**: "Ele desencantou na partida decisiva contra o Vitória, fazendo um gol..." (*Folha de S. Paulo*, 14.11.1999)] **3** Provocar decepção em ou ficar decepcionado; DESILUDIR(-SE); DECEPCIONAR(-SE) [**td.**: *Seu novo livro desencantou os leitores.*] [**tr.** + **de, com**: *Muitos eleitores se desencantaram com o governo.*] **4** *Pop.* Achar, descobrir, encontrar (algo perdido ou difícil de achar) [**td.**] **5** *Fig.* Ser feito ou ficar pronto (algo esperado há bastante tempo) [**int.**: *Aleluia!!! Sua obra desencantou!!!*] [▶ 1 desencant**ar**] [F.: *des- + encantar.* Hom./Par.: *desencanto* (fl.), *desencanto* (sm.).]

desencanto (de.sen.*can*.to) *sm.* O mesmo que *desencantamento* (1 e 3): "Eu faço versos como quem chora/De desalento... de desencanto..." (Manuel Bandeira, *Desencanto*) [F.: Dev. de *desencantar.* Ant.: *encanto.* Hom./Par.: *desencanto* (sm.), *desencanto* (fl. de *desencantar*).]

desencapado (de.sen.ca.*pa*.do) *a.* Que se desencapou, que está ou ficou sem capa ou cobertura (fio desencapado; livro desencapado) [F.: part. de *desencapar.*]

desencapar (de.sen.ca.*par*) *v.* **td.** Tirar a cobertura ou capa de: *desencapar um caderno; desencapar um fio.* [▶ 1 desencap**ar**] [F.: *des- + encapar.*]

desencapelar (de.sen.ca.pe.*lar*) *v.* **1** Deixar (o mar) de estar encapelado, tornando-se sereno [**int.**] **2** Tirar o capelo ou chapéu de [**td.**] **3** *Mar.* Retirar a encapeladura ou calcês de verga, mastro, mastaréu **4** *Mar.* Retirar na abita as voltas do capelo da amarra [**td. int.**] [▶ 1 desencapel**ar**] [F.: *des- + encapelar.* Ant. ger.: *encapelar.*]

desencapsular (de.sen.cap.su.*lar*) *v.* **td.** Retirar da cápsula [Ant.: *encapsular.*] [▶ 1 desencapsul**ar**] [F.: *des- + encapsular.*]

desencarangar (de.sen.ca.ran.*gar*) *v.* **1** Fazer recuperar o movimento de (algo ou si próprio) [**td.**: *O empurrão desencarangou o carro.*] [**int.**: *A carroça, afinal, desencarangou (-se).*] **2** Curar-se de doenças [**td.**] [▶ 14 desencarang**ar**] [F.: *des- + encarangar.* Ant. ger.: *encarangar.*]

desencarar (de.sen.ca.*rar*) *v.* **td.** Deixar de encarar [▶ 1 encar**ar**] [F.: *des- + encarar.*]

desencarcerar (de.sen.car.ce.*rar*) *v.* **td.** Tirar da prisão ou cárcere (lit. ou fig.); LIBERTAR: *A Justiça decidiu desencarcerá-lo; desencarcerar as emoções.* [▶ 1 desencarcer**ar**] [F.: *des- + encarcerar.*]

desencardir (de.sen.car.*dir*) *v.* **td.** Limpar algo que tem sujeira acumulada, deixando mais claro: *sabão em pó para desencardir roupas brancas.* [▶ 3 desencard**ir**] [F.: *des- + encardir.*]

desencargo (de.sen.*car*.go) *sm.* **1** Desobrigação de um encargo; DESCARGO **2** *Fig.* Diminuição do peso, da pressão ou força exercidos por algo (desencargo de consciência); ALÍVIO **3** *Jur.* Desempenho ou inteiro cumprimento de um encargo ou uma obrigação [F.: *des- + encargo.*]

desencarnação (de.sen.car.na.*ção*) *sf.* **1** Ato ou efeito de desencarnar(-se), deixar a carne, a vida corpórea, como espírito; MORRER **2** Ato ou efeito de desencarnar, deixar de assediar, perseguir alguém [Pl.: *-ões*.] [F.: *desencarnar + -ção.*]

desencarnado (de.sen.car.*na*.do) *a.* **1** Despegado da carne; DESCARNADO **2** *Espt.* Diz-se do espírito separado do corpo **3** Diz-se de escultura humana, em madeira, que teve a cor da carne retirada *sm.* **4** Indivíduo que desencarnou [F.: Part. de *desencarnar.*]

desencarnar (de.sen.car.*nar*) *v.* **1** *Espt.* Sair do corpo físico a alma de (alguém); MORRER [**int.**: *Sem sofrer, serenamente, desencarnou.*] **2** *Pop.* Deixar de seguir ou de importunar; DESGRUDAR [**tr.** + **de**: *Não consigo que esses vendedores desencarnem de mim.*] **3** Despegar da carne [**td.**] **4** *Fig.* Retirar de lugar escondido, oculto [**td.**] [▶ 1 desencarn**ar**] [F.: *des- + encarnar.*]

desencarquilhar (de.sen.car.qui.*lhar*) *v.* **td. int.** Perder ou fazer perder as carquilhas, rugas; DESFRANZIR(-SE); DESENRUGAR(-SE) [▶ 1 desencarquilh**ar**] [F.: *des- + encarquilhar.*]

desencarregar (de.sen.car.re.*gar*) *v.* **1** Livrar de culpa, absolver [**td.**] **2** Desobrigar de encargo obrigação, tarefa [**tdr.** + **de**: *Desencarregou o filho da ida à cidade.*] **3** Despedir de emprego, cargo, função; EXONERAR; DISPENSAR [**td.**] [▶ 14 desencarreg**ar**] [F.: *des- + encarregar.*]

desencarrilamento (de.sen.car.ri.la.*men*.to) *sm.* Ação ou resultado de desencarrilar ou desencarrilhar; DESCARRILAMENTO [F.: *desencarrilar + -mento.* Tb. *desencarrilhamento.*]

desencarrilar (de.sen.car.ri.*lar*) *v.* O mesmo que *descarrilar* [**td.**] [**int.**] [▶ 1 desencarril**ar**] [F.: *des- + encarrilar.* Tb. *desencarrilhar.*]

desencarrilhamento (de.sen.car.ri.lha.*men*.to) *sm.* Ver *desencarrilamento*

desencarrilhar (de.sen.car.ri.*lhar*) *v.* Ver *desencarrilar*

desencasquetar (de.sen.cas.que.*tar*) *v.* **1** *Fam.* Dissuadir (alguém ou a si próprio) de (ideia fixa, mania, preocupação etc.); DESPERSUADIR [**tdr.** + **de**: *Desencasquetou o amigo de fumar; Está noutra fase, desencasquetou-se de tudo!* Ant.: *compenetrar*] **2** Tirar (ideia, intenção) da cabeça [**td.**: *Desencasquetou a ideia de ser astronauta.*] **3** Retirar o casquete de si ou de outrem [**td.**] [▶ 1 desencasquet**ar**] [F.: *des- + encasquetar.*]

desencastoar (de.sen.cas.to.*ar*) *v.* **td.** **1** Tirar o castão de (bengala) **2** Desprender (gema, pedra) de engaste de joia; DESCRAVEJAR [▶ 16 desencast**oar**] [F.: *des- + encastoar.*]

desencavar (de.sen.ca.*var*) *v.* **td.** **1** Trazer à mostra o que estava guardado ou escondido; DESENCOVAR: *Viajando pelo* interior, desencavei antiguidades fantásticas. 2 Fazer (algo [esp. instrumento para cavar, capinar]) sair da cavidade (buraco, cova etc.) em que estava preso ou ajustado [▶ 1 desencavar] [F.: des- + encavar.]

desencilhado (de.sen.ci.*lha*.do) *a.* 1 Que se desencilhou, de que se tirou a cilha 2 *Bras.* De que se tiraram os arreios; DESARREADO [F.: De *desencilhar*.]

desencilhar (de.sen.ci.*lhar*) *v. td.* 1 Tirar a cilha de (cavalgadura): Desencilhou os cavalos. 2 *Bras. P.ext.* Tirar os arreios de (cavalo e outros animais): desencilhar animais de carga. [▶ 1 desencilhar] [F.: des- + encilhar. Ant. ger.: encilhar.]

desencobrir (de.sen.co.*brir*) *v. td.* Revelar, tirando a cobertura ou tampa de: desencobrir um prato. [▶ 51 desenco brir Part.: desencoberto.] [F.: des- + encobrir.]

desencolher (de.sen.co.*lher*) *v.* 1 Fazer voltar ou voltar à forma normal ou anterior (o que estava encolhido) [*td.*: Desencolher um tecido; O animal desencolheu-se para dar o bote.] 2 *Fig. Pop.* Fazer perder ou livrar-se de inibição; DESEMBARAÇAR(-SE) [*td.*: O contato com os amigos desencolheu-a.] [*int.*: Ao entrar na faculdade desencolheu-se.] [▶ 2 desencolher] [F.: des- + encolher. Ant. ger.: encolher.]

desencomendar (de.sen.co.men.*dar*) *v. td.* Cancelar (pedido ou encomenda): Como a loja atrasou, desencomendei a segunda remessa. [▶ 1 desencomendar] [F.: des- + encomendar.]

desencontrado (de.sen.con.*tra*.do) *a.* 1 Que segue em direção oposta à de outro 2 Que não está sincronizado (movimentos desencontrados) 3 *Fig.* Em que não há convergência de ideias ou de fatos (opiniões desencontradas); DISCORDANTE 4 Diz-se daquilo que não está em harmonia ou equilíbrio com seu similar (cores desencontradas) 5 Desalinhado (dentes desencontrados) [F.: Part. de *desencontrar*.]

desencontrar (de.sen.con.*trar*) *v.* 1 Não deixar estar ou não se encontrar no mesmo lugar (e em proximidade e contato [visual]), no mesmo momento que outra(s) pessoa(s); [*td.*: Muitos incidentes acabaram desencontrando os dois.] [*tdr.* + *de*: Desencontrou-se do irmão durante a festa da empresa.] 2 Desajustar(-se), desacertar(-se) [*td.*: As engrenagens desencontraram-se.] 3 *Fig.* Não ter o mesmo conteúdo, não manifestar a mesma opinião; DIVERGIR; DISCORDAR [*int.*: Quase sempre nossas ideias desencontram(-se). Ant.: coincidir, concordar] [▶ 1 desencontrar] [F.: des- + encontrar. Hom./Par.: desencontro (fl.), desencontro (sm.).]

desencontro (de.sen.*con*.tro) *sm.* 1 Ação ou resultado de desencontrar(-se) 2 Ação de não estar no local combinado, previsto ou devido na hora certa 4 Discordância, divergência (desencontro de informações) [F.: Dev. de *desencontrar*. Hom./Par.: desencontro (sm.), desencontro (fl. de desencontrar).]

desencorajado (de.sen.co.ra.*ja*.do) *a.* Que está sem coragem, ânimo ou estímulo; DESANIMADO; DESESTIMULADO [F.: Part. de *desencorajar*. Ant.: encorajado.]

desencorajador (de.sen.co.ra.ja.dor) [ô] *a.* Que desencoraja, faz perder a coragem; que é capaz de desencorajar; DESESTIMULADOR; DESENCORAJANTE [Ant.: encorajador.] [F.: De *desencorajar* + -dor.]

desencorajamento (de.sen.co.ra.ja.*men*.to) *sm.* 1 Ação ou resultado de desencorajar(-se) 2 Estado de quem se sente sem coragem, ânimo ou estímulo 3 O sentimento ou sensação de quem está neste estado; DESÂNIMO; DESALENTO [F.: desencorajar + -mento. Ant. ger.: encorajamento.]

desencorajar (de.sen.co.ra.*jar*) *v.* 1 Tirar a coragem, a vontade ou o estímulo a (alguém [de fazer algo]), ou perdê-los; DESANIMAR [*td.*: Logo que soube da negociata, seu melhor amigo desencorajou-o.] [*tdr.* + *de*: Eu o desencorajei de seguir viagem. Ant.: encorajar, estimular, incentivar] 2 Manifestar-se desfavorável ou contra (algo), ou dizer-se descrente do valor ou benefício de (dado fato, acontecimento ou ocorrência) [*td.*: Seus pais desencorajaram seu namoro com o filho do contraventor; Sua mulher desencorajou a compra da moto.] 3 Refrear ou reprimir (algo ilegal ou prejudicial [em dado contexto]) [*td.*: desencorajar a pirataria, a sonegação, a imigração ilegal; desencorajar o uso de automóveis nos grandes centros urbanos.] [▶ 1 desencorajar] [F.: des- + encorajar.]

desencordoar (de.sen.cor.do.*ar*) *v. td.* Tirar as cordas de: desencordoar o violão. [▶ 16 desencordoar] [F.: des- + encordoar.]

desencorpar (de.sen.cor.*par*) *v. td.* Diminuir o volume, o corpo, o tamanho, a textura ou consistência de: Para desencorpar os cabelos, use condicionador. [▶ 1 desencorpar] [F.: des- + encorpar.]

desencostar (de.sen.cos.*tar*) *v.* 1 Afastar(-se) do local onde (se) estava apoiado; DESARRIMAR [*td.*: Desencosta essa cabeça, menino!] [*tda.*: Desencoste o corpo da parede; Quer desencostar-se da cômoda, por favor?] [*ta.*: Desencoste de mim, por favor?] 2 Abrir (o que estava fechado ou quase fechado) [*td.*: desencostar a janela.] [▶ 1 desencostar] [F.: des- + encostar.]

desencovar (de.sen.co.*var*) *v. td.* 1 Tirar de buraco ou cova: desencovar os ovos da tartaruga. 2 *Fig.* Trazer à mostra o que estava guardado ou escondido: De onde você desencovou essas velharias? [▶ 1 desencovar] [F.: des- + encovar.]

desencravar (de.sen.cra.*var*) *v.* 1 Arrancar (prego, cravo etc.) de [*td.*: desencravar uma tábua.] 2 Soltar(-se) o que está pregado, cravado ou encravado [*tda.*: desencravar um espinho do dedo.] [*int.*: É impossível a unha (se) desencravar espontaneamente.] 3 *Tip.* Desentupir (o olho do tipo) [*td.*] 4 *Bras. Pop. Joc.* Desencalhar (5) [*int.*] [▶ 1 desencravar] [F.: des- + encravar.]

desencrespar (de.sen.cres.*par*) *v.* 1 Tornar(-se) liso o que era crespo ou encaracolado; ALISAR [*td. int.*] 2 Tornar-se calmo, desencapelado (o mar) [*int.*] 3 *Fig.* Fazer que recupere ou recuperar a calma, a serenidade, a tranquilidade; ACALMAR(-SE); DESANUVIAR(-SE) [*td. int.*] [▶ 1 desencrespar] [F.: des- + encrespar.]

desencruzar (de.sen.cru.*zar*) *v. td.* O mesmo que *descruzar*: desencruzar as pernas. [Ant.: encruzar] [▶ 1 desencruzar] [F.: des- + encruzar.]

desencurvar (de.sen.cur.*var*) *v. td.* Endireitar (o que está curvo ou encurvado); pôr(-se) reto ou ereto; DESCURVAR: desencurvar as costas; Desencurvou-se ao perceber a presença do oficial superior. [Ant.: curvar, fletir, flectir.] [▶ 1 desencurvar] [F.: des- + encurvar.]

desendividamento (de.sen.di.vi.da.*men*.to) *sm.* Ato ou efeito de desendividar(-se), saldar dívida [Ant.: endividamento] [F.: desendividar + -mento.]

desendividar (de.sen.di.vi.*dar*) *v.* Livrar(-se) de dívidas (pagando-as ou contribuindo para isso) [*td.*: medidas para desendividar o Brasil.] [*int.*: Com esforço, conseguiu desendividar-se.] [▶ 1 desendividar] [F.: des- + endividar. Ant. ger.: endividar.]

desenevoar (de.se.ne.vo.*ar*) *v. td.* 1 Dissipar(-se) a nuvem, a névoa, o nevoeiro; DESANUVIAR(-SE) [*td.*: Os raios de sol desenevoaram o céu.] [*int.*: Na montanha, o céu desenevoou-se.] 2 *Fig.* Tornar(-se) desanuviado, sereno, tranquilo [*td.*: A boa notícia o desenevoou.] [*int.*: Seus olhos desenevoaram-se.] 3 Esclarecer-se; tirar todas as dúvidas; ACLARAR-SE [*td.*: O monitor desenevoou as dúvidas dos colegas da turma.] [*int.*: Com os estudos, sua mente desenevoou-se.] [▶ 16 desenevoar] [F.: des- + enevoar. Ant. ger.: enevoar.]

desenfadar (de.sen.fa.*dar*) *v. td.* Distrair(-se) (quem está aborrecido ou entediado); DIVERTIR(-SE): Disse coisas engraçadas para desenfadá-las; Joga paciência para desenfadar-se. [▶ 1 desenfadar] [F.: des- + enfadar. Hom./Par.: desenfado (fl. de desenfadar), desenfado (sm.).]

desenfado (de.sen.*fa*.do) *sm.* 1 Divertimento que alivia o enfado; passatempo agradável que traz serenidade de espírito 2 Ausência ou alívio de enfado; sossego, tranquilidade: "Este pequeno romance deve sua existência somente aos dias de desenfado e folga..." (Joaquim Manuel de Macedo, *A moreninha*) [F.: Dev. de *desenfadar*. Ant. ger.: enfado. Hom./Par.: desenfado (sm.), desenfado (fl. de desenfadar).]

desenfaixado (de.sen.fai.*xa*.do) *a.* 1 Que se desenfaixou; que está sem faixa(s) [Ant.: enfaixado] 2 *Espt.* Livre dos laços temporais e carnais (espírito desenfaixado) [F.: Part. de *desenfaixar*.]

desenfaixar (de.sen.fai.*xar*) *v. td.* Tirar as faixas ou tiras de: Os arqueólogos desenfaixaram a múmia. [▶ 1 desenfaixar] [F.: des- + enfaixar.]

desenfardar (de.sen.far.*dar*) *v. td.* Tirar do(s) fardo(s); DESEMBALAR: desenfardar mercadorias. [▶ 1 desenfardar] [F.: des- + enfardar. Hom./Par.: desenfardo (fl.), desenfardo (sm.).]

desenfardo (de.sen.*far*.do) *sm.* Ato ou efeito de desenfardar, de se retirar fardo; DESEMBALAGEM; DESENFARDAMENTO [F.: Dev. de *desenfardar*. Hom./Par.: desenfardo (fl. de desenfardar).]

desenfastiar (de.sen.fas.ti.*ar*) *v. td.* 1 Afastar o tédio, o enfado de; DIVERTIR; RECREAR: Inventou brincadeiras para desenfastiar as crianças. 2 Tirar o fastio de, despertar o apetite em: O cheiro da comida desenfastiou-nos num instante. 3 *Fig.* Tornar mais leve, ameno; SUAVIZAR: Puxei conversa para desenfastiar a viagem. [▶ 1 desenfastiar] [F.: des- + enfastiar. Ant. ger.: enfastiar.]

desenfeitado (de.sen.fei.*ta*.do) *a.* Que se desenfeitou, se desornou, ficou sem enfeites; DESATAVIADO; DESORNADO [Ant.: enfeitado.] [F.: Part. de *desenfeitar*.]

desenfeitar (de.sen.fei.*tar*) *v.* Tirar os enfeites, adornos de (alguém [ou si mesmo], algo ou local); DESORNAR; DESATAVIAR [*td.*: Após a festa, desenfeitamos o salão; As jovens desenfeitaram-se após o baile.] [▶ 1 desenfeitar] [F.: des- + enfeitar. Ant. ger.: enfeitar.]

desenfeitiçado (de.sen.fei.ti.*ça*.do) *a.* 1 Que se desenfeitiçou, se desencantou; que se livrou de feitiço ou bruxaria 2 *Fig.* Que saiu de uma paixão, que perdeu o fascínio por algo ou alguém [F.: Part. de *desenfeitiçar*. Ant. ger.: enfeitiçado.]

desenfeitiçar (de.sen.fei.ti.*çar*) *v.* 1 Livrar (alguém) de encanto ou feitiço [*td.*: O beijo da princesa desenfeitiçou o sapo.] 2 *P.ext.* Tirar (alguém) do efeito de uma paixão, de um fascínio [*tdr.* + *de*: Só o tempo poderá desenfeitiçá-lo dessa paixão.] [▶ 12 desenfeitiçar] [F.: des- + enfeitiçar. Ant. ger.: enfeitiçar.]

desenfeixar (de.sen.fei.*xar*) *v. td.* 1 Desmanchar um feixe de (alguma coisa) 2 *Fig.* Desfazer a união de; DESATAR; DESUNIR [▶ 1 desenfeixar] [F.: des- + enfeixar. Ant. ger.: enfeixar.]

desenferrujar (de.sen.fer.ru.*jar*) *v.* 1 Tirar a ferrugem de [*td.*: Passe óleo nas dobradiças para desenferrujá-las.] 2 *Fig.* Exercitar (o que estava parado ou sem uso) [*td.*: Na Argentina, desenferrujei meu castelhano.] [*int.*: Está fazendo ginástica para desenferrujar(-se).] [▶ 1 desenferrujar] [F.: des- + enferrujar. Ant. ger.: enferrujar.]

desenfiar (de.sen.fi.*ar*) *v.* 1 Retirar (o que está enfiado ou embutido) [*td.*: um jogo infantil de enfiar e desenfiar pecinhas.] 2 Tirar (pedras, contas etc.) de fio ou linha [*td.*: Desenfiei as pérolas do colar.] 3 Tirar o fio ou a linha de [*tdr.* + *de*: Desenfiar a linha da agulha.] [▶ 1 desenfiar] [F.: des- + enfiar. Ant. ger.: enfiar.]

desenforcar (de.sen.for.*car*) *v. td.* Desprender, soltar da forca: desenforcar o prisioneiro de guerra. [Ant.: enforcar] [▶ 11 desenforcar] [F.: des- + enforcar.]

desenformar (de.sen.for.*mar*) *v. td.* Tirar da forma [ô]: desenformar uma empada. [Ant.: enformar] [▶ 1 desenformar] [F.: des- + enformar. Hom./Par.: desenformar, desinformar (em todas as fl.).]

desenfornar (de.sen.for.*nar*) *v. td.* Tirar do forno: Desenfornou o frango assado. [Ant.: enfornar] [▶ 1 desenfornar] [F.: des- + enfornar.]

desenfreado (de.sen.fre.*a*.do) *a.* 1 Que não tem freio [Ant.: enfreado] 2 *P.ext.* Que corre, evolui, cresce ou se desenvolve sem controle: o aumento desenfreado do custo de vida. 3 Que se dá em grande velocidade e de modo descontrolado: corrida desenfreada às lojas em liquidação. 4 *Fig.* Diz-se de algo que não pode ser contido ou controlado (desejo desenfreado) 5 *Fig.* Que não tem limite (consumismo desenfreado) 6 *Fig.* Furioso, raivoso, enfurecido [F.: Part. de *desenfrear*.]

desenfrear (de.sen.fre.*ar*) *v.* 1 Soltar os freios de [*td.*: desenfrear os cavalos.] 2 *Fig.* Desencadear (comportamento, emoção etc.) e deixar correr livremente [*td.*: A época do Natal desenfreia um espírito consumista.] 3 *Fig.* Demonstrar muita raiva; ENFURECER-SE; ENCOLERIZAR-SE [*int.*: Sentindo-se desrespeitado, o freguês desenfreou-se.] 4 Sair de uma contenção com força [*int.*: O mar desenfreou-se e arrebentou o asfalto.] 5 Deslocar-se ou correr desabaladamente [*td. int.*: Com os tiros, a multidão desenfreou(-se), tentando escapar do pior.] [▶ 13 desenfrear] [F.: des- + enfrear. Ant. ger.: refrear.]

desenfronhar (de.sen.fro.*nhar*) *v. td.* 1 Tirar a fronha de (almofada, travesseiro etc.) ou sair da fronha [*td.*: Desenfronhou o travesseiro.] [*int.*: O travesseiro desenfronhou-se.] 2 *P.ext.* Retirar (algo) de onde se encontrava guardado [*td.*: Desenfronhou uns discos velhos para vender.] 3 *Pop.* Dar(-se) a conhecer; EXPOR(-SE) [*td.*: Não sabia de onde o pai desenfronhara tal ideia.] [*int.*: Seus argumentos desenfronharam-se.] 4 *Fig. Pop.* Emitir, soltar (mentiras) em abundância [*td.*: A menina arteira desenfronhava mentiras constantemente.] [▶ 1 desenfronhar] [F.: des- + enfronhar.]

desenfurnar (de.sen.fur.*nar*) *v. td.* 1 Retirar (algo) de onde estava guardado: Desenfurnei umas roupas de lã para essa viagem. 2 *Pop.* Voltar a conviver socialmente: Já é hora de ele desenfurnar-se e sair com os amigos. 3 *Náut.* Tirar (os mastros) do seu lugar [▶ 1 desenfurnar] [F.: des- + enfurnar. Ant. ger.: enfurnar.]

desengaiolar (de.sen.gai.o.*lar*) *v. td.* 1 Tirar ou sair de gaiola: Os meninos desengaiolaram o canário; Por descuido do tratador, o símio desengaiolou-se. 2 *Fig.* Libertar(-se) de prisão (lit. ou fig.); dar ou ganhar liberdade: desengaiolar o coração; Com a maturidade, desengaiolaram-se seus pensamentos. [▶ 1 desengaiolar] [F.: des- + engaiolar. Ant. ger.: engaiolar.]

desengajado (de.sen.ga.*ja*.do) *a.* 1 Que se liberou de engajamento, compromisso moral ou contratual 2 Que não assume posição política ou que não é adepto de uma corrente ideológica 3 *Pop.* Diz-se de militar que não mora no quartel *sm.* 4 Indivíduo livre de engajamento, compromisso moral ou contratual 5 Aquele que não assume posicionamento político ou ideológico 6 *Pop.* Militar que não reside fora do quartel [F.: Part. de *desengajar*. Ant. nas acps. 1, 2, 4 e 5: engajado.]

desengajamento (de.sen.ga.ja.*men*.to) *sm.* 1 Ato ou efeito de desengajar(-se), dar baixa do serviço militar 2 Liberação de compromisso ideológico ou existencial [F.: De *desengajar* + -mento. Ant. ger.: engajamento.]

desengajar (de.sen.ga.*jar*) *v.* Fazer (algo ou alguém, inclusive si mesmo) deixar de participar de; DESLIGAR-SE [*tdr.* + *de*: Resolveu desengajar-se da campanha. Ant.: engajar.] [▶ 1 desengajar] [F.: des- + engajar.]

desenganado (de.sen.ga.*na*.do) *a.* 1 Livre de enganos ou ilusões [Ant.: enganado] 2 *Fig. Med.* Diz-se de doente, ger. em fase terminal, para o qual os especialistas dizem não haver (mais) tratamento ou medicação capazes de curá-lo de doença fatal 3 Sem esperança (amor desenganado) 4 Franco, decidido 5 *RS* Diz-se de cavalo manso, sem capacidade de reagir [F.: Part. de *desenganar*.]

desenganador [ô] *a.* 1 Que desengana, que desfaz engano ou ilusão: "...a lentidão do progresso real é um triste e desenganador dinamômetro da tão limitada potência das faculdade humanas." (Alexandre Herculano, *Opúsculos*) *sm.* 2 Aquele que desengana, que esclarece [F.: desenganar + -dor. Ant. ger.: enganador.]

desenganar (de.sen.ga.*nar*) *v. td.* 1 Tirar do engano; mostrar a realidade; DESILUDIR: É melhor desenganá-lo, para que ele não tenha falsas esperanças. [Ant.: enganar] 2 Não dar mais esperança de vida a; CONDENAR: Os médicos desenganaram o paciente. 3 *RS* Amansar (animal selvagem, ger. de montaria); DOMAR [▶ 1 desenganar] [F.: des- + enganar. Hom./Par.: desengano (fl.), desengano (sm.).]

desenganchar (de.sen.gan.*char*) *v. td.* 1 Liberar o que estava preso (ger. com gancho): Não conseguiu desenganchar o fecho da mala. 2 Tirar o gancho de [▶ 1 desenganchar] [F.: des- + enganchar. Ant.: enganchar.]

desengano (de.sen.*ga*.no) *sm.* 1 Ação ou resultado de desenganar(-se) 2 Aquilo que desfaz o engano ou ilusão 3 Desilusão, desesperança 4 Declaração de impossibilidade de cura de um doente 5 Conhecimento e evidência do erro ou engano em que se estava 6 Tudo aquilo (acontecimento, fato etc.) que leva a sair ou evitar uma situação de engano 7 Franqueza, liberdade nas palavras e ações [F.: Dev. de *desenganar*. Hom./Par.: desengano (sm.), desengano (fl. de desenganar).]

desengarrafar (de.sen.gar.ra.*far*) *v. td.* 1 Liberar o acúmulo de elementos que obstruem o andamento ou o fluxo de: desengarrafar o trânsito. 2 Retirar de garrafa [▶ 1 desengarrafar] [F.: des- + engarrafar. Ant. ger.: engarrafar.]

desengasgamento (de.sen.gas.ga.*men*.to) *sm.* Ato ou efeito de desengasgar, vencer o engasgo; DESENGASGUE [Ant.: engasgamento; engasgue.] [F.: desengasgar + -mento.]

desengatado (de.sen.ga.*ta*.do) *a.* 1 Que se desengatou, se soltou do engate (vagões desengatados) 2 Desembreado, desengrenado (diz-se de veículo ou máquina com marchas): Deixou o carro desengatado. 3 Desaperrado, desengatilhado (diz-se de arma) 4 Desatrelado, liberado do carro de tração (mula desengatada) [F.: Part. de *desengatar*. Ant. ger.: engatado.]

desengatar (de.sen.ga.*tar*) *v.* 1 Desprender de engate [*td.*: Os astronautas desengataram as naves.] [*tdr.* + *de*: O mecâ-

nico desengatou o carro do reboque.] **2** Soltar a embreagem de; DESENGRENAR [*td.*: *O motorista desengatou a marcha na descida.*] **3** Desativar uma arma de fogo (esp. espingarda); DESENGATILHAR; DESAPERRAR [*td.*] **4** *Fig.* Decidir ou dar solução para (situação complicada, impasse, irresolução etc.) [*td.*] [▶ 1 desengat**ar**] [F.: *des-* + *engatar*. Ant. ger.: *engatar*. Hom./Par.: *desengate* (fl.), *desengate* (sm.).]

desengate (de.sen.*ga*.te) *sm.* **1** Ato ou efeito de desengatar; DESENGATAMENTO **2** Desatrelamento de animal de tração **3** Lugar onde as locomotivas manobram para desengatar [F.: Dev. de *desengatar*. Ant. ger.: *engate*. Hom./Par.: *desengate* (fl. de *desengatar*).]

desengatilhar (de.sen.ga.ti.*lhar*) *v. td.* **1** Acionar o gatilho de (arma de fogo), dar um tiro; DISPARAR **2** Desarmar(-se) o gatilho: *Desengatilhar(-se) uma espingarda.* [Ant.: *engatilhar.*] **3** *Fig.* Ser causa de algo; PROVOCAR; DESENCADEAR: *O es tresse pode desengatilhar doenças.* **4** *Fig.* Alterar ou desfazer (expressão facial): *Desculpou-se sem desengatilhar o sorriso.* [▶ 1 desengatilh**ar**] [F.: *des-* + *engatilhar.*]

desengavetado (de.sen.ga.ve.*ta*.do) *a.* **1** Que se desengavetou, se tirou de gaveta ou equivalente **2** *Fig.* Retomado, posto em prática de novo **3** Separado, retirado (veículo que entrou pelo outro) [F.: Part. de *desengavetar*. Ant. ger.: *engavetado.*]

desengessar (de.sen.ges.*sar*) *v. td.* Tirar do gesso (o que estava engessado): *Desengessei a perna.* [Ant.: *engessar*] [▶ 1 desengess**ar**] [F.: *des-* + *engessar.*]

desengolir (de.sen.go.*lir*) *v.* Lançar fora o que já havia engolido; VOMITAR [*td.*: *Desengoliu o alimento.*] [*int.*: *Foi ao banheiro para desengolir.*] [▶ 51 desengol**ir**] [F.: *des-* + *engolir.*]

desengomar (de.sen.go.*mar*) *v.* Tirar a goma (do que estava engomado) [*td.*: *Mandou desengomar o colarinho da camisa.* Ant.: *engomar.*] [*int.*: *O linho desengoma com facilidade.*] [▶ 1 desengom**ar**] [F.: *des-* + *engomar.*]

desengonçado (de.sen.gon.*ça*.do) *a.* **1** Que tem o(s) engonço(s) ou a(s) articulação(ões) frouxa(s); DESCONJUNTADO **2** *P.ext.* Diz-se de objeto, mobília etc. cuja estrutura ou armação está fora do encaixe (mesa desengonçada) **3** *Fig.* Que se mostra desajeitado, sem elegância, proporção ou harmonia (andar desengonçado) **4** *Fig.* Diz-se de pessoa ou animal que pode mover e dobrar os membros com extrema flexibilidade *sm.* **5** Indivíduo desengonçado [F.: Part. de *desengonçar.*]

desengonçar (de.sen.gon.*çar*) *v.* **1** Tirar ou sair dos engonços, das dobradiças (portão, janela etc.); DESENCAIXAR [*td.*] **2** Tornar algo torto ou desarticulado, alterando sua estrutura; DESCONJUNTAR [*td.*: *Ele desengonçou o livro que lhe emprestei.*] **3** *Fig.* Mexer-se sem elegância ou equilíbrio [*int.*: *O turista desengonçava-se tentando sambar.*] [▶ 12 desengon**çar**] [F.: *des-* + *engonçar*. Hom./Par.: *desengonço* (fl. de *desengonçar*), *desengonço* (sm.).]

desengonço (de.sen.*gon*.ço) *sm.* **1** Ato ou efeito de desengonçar(-se) **2** Ação ou resultado de sair ou retirar dos engonços (dobradiças) **3** *Fig.* Estado do que é desengonçado, desajeitado, sem equilíbrio: "Modos desengonçados de linhas elegantes no ritmo do desengonço moderno." (Antero de Figueiredo, *Espanha*) [F.: Dev. de *desengonçar*. Sin. ger.: *desengonçamento*. Hom./Par.: desengonço (fl. de *desengonçar*).]

desengordar (de.sen.gor.*dar*) *v.* Perder a gordura ou o volume; EMAGRECER [*td.*: *A ginástica desengordou-o.*] [*int.*: *Fazia caminhada para desengordar.* Ant.: *engordar.*] [▶ 1 engord**ar**] [F.: *des-* + *engordar.*]

desengordurar (de.sen.gor.du.*rar*) *v.* Retirar a gordura ou o excesso de gordura de [*td.*: *Para desengordurar o caldo, deixe-o esfriar.*] [*int.*: *um produto que desengordura e remove manchas.*] [▶ 1 desengordur**ar**] [F.: *des-* + *engordurar.* Ant. ger.: *engordurar.*]

desengraçado (de.sen.gra.*ça*.do) *a.* **1** Que não tem graça; DESENXABIDO; INSÍPIDO **2** Que não tem elegância ou encanto; DESGRACIOSO *sm.* **3** Indivíduo desengraçado [F.: *des-* + *engraçado.*]

desengraxar (de.sen.gra.*xar*) *v.* Tirar ou perder a graxa ou o brilho (do que estava engraxado) [*td.*: *O giz desengraxou a bolsa.* Ant.: *engraxar*] [*int.*: *A lama fez as botas desengraxarem.*] [▶ 1 desengrax**ar**] [F.: *des-* + *engraxar.*]

desengrenar (de.sen.gre.*nar*) *v. td.* **1** Soltar a engrenagem de; DESENGATAR; DESEMBREAR: *desengrenar a marcha do carro.* [Ant.: *engrenar.*] **2** Desfazer a ligação mecânica que transmite o movimento de motor de (p. ex. automóvel) (para as peças por este acionadas) [▶ 1 desengren**ar**] [F.: *des-* + *engrenar.*]

desengrossadeira (de.sen.gros.sa.*dei*.ra) *sf. Carp.* Tipo de desempenadeira cuja folga em relação às tábuas a que se aplica é de regulagem grossa [F.: De *desempenado* + *-eira.*]

desengrossar (de.sen.gros.*sar*) *v. td.* Tornar menos grosso ou fazer com que fique ralo: *desengrossar uma barra de ferro; desengrossar um mingau.* [Ant.: *engrossar*] [▶ 1 desengross**ar**] [F.: *des-* + *engrossar.*]

desenguiçar (de.sen.gui.*çar*) *v.* **1** *Bras.* Consertar (o que estava enguiçado) [*td.*: *O mecânico desenguiçou o carro.* Ant.: *enguiçar.*] **2** Livrar-se de má sorte, quebranto; DESENFEITIÇAR(-SE) [*td.*: *A mulher desenguiçou sua vida.*] [*int.*: *Tinha certeza de que seu casamento ia desenguiçar(-se).*] [*int.*] [▶ 12 desengui**çar**] [F.: *des-* + *enguiçar.*]

desenhador (de.se.nha.*dor*) [ô] *sm.* **1** *P.us.* O mesmo que *desenhista* *a.* **2** Que faz desenhos (aparelho desenhador)

desenhar (de.se.*nhar*) *v.* **1** Fazer desenho (de) [*td.*: *Portinari desenhou os azulejos deste painel.*] [*int.*: *Toda criança gosta de desenhar.*] **2** Conceber o projeto de (arquitetura, moda etc.) [*td.*: *Meu tio desenha móveis para uma fábrica.*] **3** Tornar-se visível; APARECER; DELINEAR-SE [*int.*: *Uma tempestade desenhava-se no céu.*] **4** *Fig.* Fazer a descrição de (algo ou alguém), apontando suas características principais [*td.*: *Esse historiador desenhou como ninguém o contexto político da Proclamação da República.*] **5** *Fig.* Tornar(-se) levemente perceptível [*td.*: *Os conflitos desenhavam o estado de ânimo dos familiares.*] [*int.*: *No rosto do humorista desenhou-se um sorriso irônico.*] [▶ 1 desenh**ar**] [F.: Do it. *disegnare*, do v.lat. *designare*. Hom./Par.: *desenho* (fl. de *desenhar*), *desenho* (sm.).]

desenhista (de.se.*nhis*.ta) *s2g.* Pessoa que desenha, por profissão ou prazer [F.: *desenho* + *-ista*.] ■ **~ industrial** Profissional especializado em desenho industrial

desenho (de.*se*.nho) *sm.* **1** Representação de coisas ou pessoas por meio de traços feitos a lápis, tinta etc., ger. sobre papel: *o desenho de uma árvore.* **2** Arte técnica dessa representação (curso de desenho) **3** Obra de arte realizado por meio dessa técnica: *um desenho de Goeldi.* **4** Feitio, configuração, contorno: *O desenho dos lábios.* **5** Projeto, planta, traçado: *O desenho de um edifício.* **6** Linha, estilo, *design* (desenho arrojado) **7** *Fig.* Elaboração, concepção, formulação: *o desenho de uma estratégia.* **8** *Fig.* Plano, desígnio, propósito [F.: Dev. de *desenhar*. Hom./Par.: *desenho* (sm.), *desenho* (fl. de *desenhar*).] ■ **~ à mão livre** Desenho sem uso de instrumentos de orientação do traço (régua, compasso etc.) **~ animado** **1** Filme feito com sucessivas imagens desenhadas ou criadas em computador, que ao serem projetadas sobre a tela são vistas como se estivessem em movimento; o processo ou o conceito de se criarem tais filmes **2** A atividade e o ramo da indústria cinematográfica que produz esses filmes **~ arquitetônico** O desenho técnico de projetos de arquitetura (pode ser planta baixa, corte, elevação, perspectiva, detalhamento etc.) **~ industrial** **1** Atividade, arte e processo de criar e projetar produtos industriais, reunindo informações sobre as necessidades de uso e funcionalidade, materiais adequados, processos industriais racionais, concepções estéticas etc; *design.* **2** O produto dessa atividade

desenlaçar (de.sen.la.*çar*) *v.* **1** Desmanchar o laço de [*td.*: *O prefeito desenlaçou a faixa inaugural da placa.*] **2** Soltar do laço [*td.*: *desenlaçar um animal.*] **3** Desprender-se ou desligar-se daquilo a que se está preso, ligado [*tdr.* + *de*: *A criança desenlaçou-se do abraço da mãe.*] [*int.*: *Fez um esforço violento para desenlaçar-se.*] **4** Separar o que está entrelaçado [*td.*: *desenlaçar as mãos.*] **5** *Fig.* Desenredar, aclarar (um mistério) [*td.*] **6** *Fig.* Resolver (uma questão, uma dificuldade) [*td.*] [▶ 12 desenla**çar**] [F.: *des-* + *enlaçar*. Ant. ger.: *enlaçar*. Hom./Par.: *desenlace* (fl.), *desenlace* (sm.); *desenlaces* (fl.), *desenlaces* (pl. do sm.).]

desenlace (de.sen.*la*.ce) *sm.* **1** Ação ou resultado de desenlaçar(-se); DESENLAÇAMENTO **2** Resultado final; DESFECHO; DESENREDO: *o desenlace de uma história.* **3** Resolução, solução de algo intrincado, complicado (negócio, situação, questão etc.) **4** Fim de um relacionamento amoroso **5** *Fig.* Morte [F.: Dev. de *desenlaçar*. Hom./Par.: *desenlace* (sm.), *desenlace* (fl. de *desenlaçar*); *desenlaces* (pl. do sm.), *desenlaces* (fl. de *desenlaçar*).]

desenlamear (de.sen.la.me.*ar*) *v. td.* **1** Tirar a lama de: *desenlamear um carro.* **2** *Fig.* Restabelecer a reputação ou a honra de: *Com custo, conseguiu desenlamear seu nome.* [▶ 13 desenlam**ear**] [F.: *des-* + *enlamear.* Ant. ger.: *enlamear.*]

desenlatar (de.sen.la.*tar*) *v. td.* Retirar (o conteúdo) de uma lata [Ant.: *enlatar*] [▶ 1 desenlat**ar**] [F.: *des-* + *enlatar.*]

desenlear (de.sen.le.*ar*) *v.* **1** Tirar o enleio (ou liame) de, ou dele livrar-se; DESPRENDER(-SE) [*td.*: *Desenleou a fiação.*] [*tdr.* + *de*: *O coelho desenleou-se da armadilha.*] [*int.*: *O fio desenleou-se.*] **2** Libertar(-se) de dificuldade, estorvo, enrascada [*td.*: *Conseguiu desenlear o prisioneiro.*] [*tdr.* + *de*: *Desenleou-se dos tormentos.*] [▶ 13 desenl**ear**] [F.: *des-* + *enlear.* Ant. ger.: *enlear.*]

desenodoar (de.se.no.do.*ar*) *v. td.* **1** Tirar a nódoa, a mancha de; DESNODOAR: *A empregada desenodoou a camisa.* **2** *Fig.* Fazer voltar o crédito, a confiança: *Conseguiu desenodoar a reputação de sua empresa.* [▶ 16 desenodo**ar**] [F.: *des-* + *enodoar*. Ant. ger.: *enodoar.*]

desenovelar (de.se.no.ve.*lar*) *v.* **1** Desenrolar o que estava complicado ou confuso; ACLARAR; ELUCIDAR [*td.*: *Demorei para desenovelar o problema.* Ant.: *emaranhar.*] **2** Esticar o que estava enrolado em novelo [*td.*: *desenovelar o barbante.*] [*int.*: *A linha se desenovelou quase toda.*] **3** Desenvolver-se, ocorrer [*int.*: *A tragédia desenovelava-se diante de nossos olhos.*] [▶ 1 desenovel**ar**] [F.: *des-* + *enovelar.*]

desenquadramento (de.sen.qua.dra.*men*.to) *sm.* **1** Ato ou efeito de desenquadrar, retirar do quadro ou moldura; DESEMOLDURAMENTO **2** *Cin. Fot. Telv.* Ação ou resultado de perder ou tirar do enquadramento **3** *Fig.* Fuga a uma ordem ou situação imposta [F.: Dev. de *desenquadrar* + *-mento*. Ant. ger.: *enquadramento.*]

desenquadrar (de.sen.qua.*drar*) *v.* **1** Tirar da moldura, do quadro; DESEMOLDURAR; DESENCAIXILHAR [*td.*: *desenquadrar uma tela.* Ant.: *emoldurar*] **2** Excluir (algo ou alguém) de um quadro, de uma lista, de um grupo [*tdr.* + *de*: *Vão desenquadrar da equipe dois dos jogadores.*] **3** *Cin. Fot. Telv.* Tirar do enquadramento [*td.*] [▶ 1 desenquadr**ar**] [F.: *des-* + *enquadrar.*]

desenraivecer (de.sen.rai.ve.*cer*) *v.* Tornar(-se) calmo, sereno; fazer perder ou perder a raiva [*td.*: *O chá vai desenraivecê-la.*] [*int.*: *É preciso tomar remédio para desenraivecer.* Ant.: *enraivecer.*] [▶ 33 desenraive**cer**] [F.: *des-* + *enraivecer.*]

desenraizamento (de.sen.ra.i.za.*men*.to) *sm.* **1** Ato ou efeito de desenraizar(-se); DESARRAIGAMENTO [Ant.: *enraizamento*] **2** *Fig.* Afastamento de algo ou alguém de suas origens, sua terra [F.: Dev. de *desenraizar* + *-mento.*]

desenraizar (de.sen.ra.i.*zar*) *v.* **1** Arrancar pela raiz [*td.*: *Desenraizar plantas.*] **2** Fazer sair ou sair (da terra onde nasceu ou foi criado) [*tda.*: *O trabalho o desenraizou de seu país; Desenraizei-me de São Paulo ainda pequeno.*] [▶ 18 desenrai **zar**] [F.: *des-* + *enraizar.* Sin. ger.: *desarraigar.* Ant. ger.: *enraizar.*]

desenrascar (de.sen.ras.*car*) *v. td.* **1** Livrar(-se) de enrascadas, confusões, apuros: *O advogado desenrascou o réu; Desenrasquei-me a tempo.* **2** *Mar.* Desembaraçar (cabos, velas etc.) [▶ 11 desenras**car**] [F.: *des-* + *enrascar.* Ant. ger.: *enrascar.*]

desenredar (de.sen.re.*dar*) *v. td.* **1** Desfazer a trama de; DESEMBARAÇAR; DESEMARANHAR: *desenredar uma meada.* **2** *Fig.* Livrar(-se) de dificuldade, confusão ou engano; DESENRASCAR(-SE): *Precisa, antes de tudo, desenredar-se.* **3** *Fig.* Esclarecer uma situação, questão, caso ou fato intrincado; DESVENDAR: *A polícia está tentando desenredar o crime.* [▶ 1 desenred**ar**] [F.: *des-* + *enredar.* Ant. ger.: *enredar*. Hom./Par.: *desenredo* (fl. de *desenredar*), *desenredo* (sm.).]

desenredo (de.sen.*re*.do) [ê] *sm.* **1** Ato ou efeito de desenredar; DESENREDAMENTO **2** Desfecho, desenlace **3** *Teat.* Maneira de ser, índole, temperamento. Tb. *catástase* [F.: Dev. de *desenredar*. Ant. ger.: *enredo*, exceto acp. 3. Hom./Par.: *desenredo* [é] (fl. de *desenredar*).]

desenrijar (de.sen.ri.*jar*) *v. td.* Tirar a rijeza de; ficar sem rijeza; tornar(-se) macio ou menos rijo [*td.*: *O sedentarismo desenrijeceu suas pernas.*] [*int.*: *Desenrijeceu-se depois de aposentado.* Ant.: *enrijar.*] [▶ 1 desenrij**ar**] [F.: *des-* + *enrijar.*]

desenrolado (de.sen.ro.*la*.do) *a.* **1** Que se desenrolou, que se desfez de rolo ou enrolamento **2** Desembrulhado, desempacotado **3** Desenvolvido, levado a efeito (ação desenrolada em tal ou qual lugar) **4** *P.ext.* Explicado, bem exposto **5** *Bras. Fig. Pop.* Desembaraçado, sem complicação [F.: Part. de *desenrolar.*]

desenrolamento (de.sen.ro.la.*men*.to) *sm.* **1** Ato ou efeito de desenrolar(-se) [Ant.: *enrolamento*] **2** *Fig.* Processo de desenvolvimento, desencadeamento (desenrolamento dos fatos) **3** *Fig. Pop.* Ação ou resultado de desenrolar (6), solucionar um problema, uma confusão [F.: Dev. de *desenrolar* + *-mento.*]

desenrolar (de.sen.ro.*lar*) *v.* **1** Desfazer(-se) um rolo ou a forma de rolo de (algo) [*td.*: *desenrolar um pergaminho; O carretel desenrolou-se.*] **2** Desembrulhar [*td.*: *Desenrolei o presente assim que o vi.*] **3** *Fig.* Apresentar(-se) gradativamente [*td.*: *O publicitário desenrolou uma série de quadros para os diretores da empresa.*] [*int.*: "...a beleza das cenas que se desenrolavam aos nossos olhos..." (José de Alencar, *Lucíola*)] **4** *Fig.* Expor minuciosamente; DESENVOLVER [*td.*: *desenrolar longamente um assunto.*] [*int.*] **5** *Gír.* Ter, levar (uma conversa, um papo etc.) com (alguém) [*td.*: *Desenrolamos uma conversa séria sobre dinheiro.*] [*tdr.*: *Desenrolou um papo longo com o irmão.*] **6** *Fig.* Resolver (dificuldade, confusão); DESEMBARAÇAR [*td.*: *O contador desenrolara suas finanças.*] **7** *Fig.* Desenvolver-se; acontecer, suceder [*int.*: *Foi em Paty de Alferes que se desenrolou um dos mais importantes levantes de negros.*] [▶ 1 desenrol**ar**] [F.: *des-* + *enrolar.* Ant. ger.: *enrolar.*]

desenroscar (de.sen.ros.*car*) *v. td.* **1** Desfazer(-se) a rosca ou a forma de rosca de; ESTIRAR(-SE); DESENROLAR(-SE): *Desenroscou as tranças; A jiboia desenroscou-se.* **2** Desaparafusar **3** *Fig.* Sair de dificuldade ou confusão: *Enfim desenroscou-se financeiramente.* [▶ 11 desenros**car**] [F.: *des-* + *enroscar.* Ant. ger.: *enroscar.*]

desenrugado (de.sen.ru.*ga*.do) *a.* Que se desenrugou, ficou sem rugas; DESFRANZIDO; ALISADO [F.: Part. de *desenrugar.*]

desenrugar (de.sen.ru.*gar*) *v. td.* **1** Tirar ou perder as rugas [*td.*: *Desenrugar o rosto.*] [*int.*: *Sua testa desenrugou-se.*] **2** Tirar ou perder pregas, vincos [*td.*: *Desenrugou o vestido.*] [*int.*: *O lençol desenrugou-se.*] **3** Retirar ou perder o aspecto severo, austero [*td.*: *A vitória do seu time desenrugou seu rosto.*] [*int.*: *Sua face desenrugou-se ao ver o filho querido.*] [▶ 14 desenru**gar**] [F.: *des-* + *enrugar*. Ant. ger.: *enrugar.*]

desenrustir (de.sen.rus.*tir*) *v.* Deixar de ser enrustido, oculto, dissimulado [*td.*: *O homem afinal desenrustiu sua raiva.*] [*int.*: *O homossexual afinal desenrustiu.*] [▶ 3 desenrust**ir**] [F.: *des-* + *enrustir.* Ant. ger.: *enrustir.*]

desensaboar (de.sen.sa.bo.*ar*) *v. td.* Enxaguar(-se), livrando(-se) do sabão, do sabonete: *Desensaboou o rosto.* [Ant.: *ensaboar.*] [▶ 16 desensabo**ar**] [F.: *des-* + *ensaboar.*]

desensacar (de.sen.sa.*car*) *v. td.* **1** Tirar de saco ou saca **2** *Fig.* Dar a conhecer (algo secreto); REVELAR; DESEMBUCHAR [▶ 11 desensa**car**] [F.: *des-* + *ensacar.*]

desensebar (de.sen.se.*bar*) *v. td.* **1** Tirar o sebo ou a mancha de sebo de (algo): *A cozinheira desensebou os armários da cozinha.* **2** Limpar qualquer mancha ou sujeira de: *Precisava desensebar aquela calça.* [Ant.: *ensebar*] [▶ 1 desenseb**ar**] [F.: *des-* + *ensebar.*]

desensinar (de.sen.si.*nar*) *v. td.* Fazer com que (alguém) desaprenda ou esqueça o que havia aprendido: *Quanto mais estuda, mais desensina as regras de concordância.* [Ant.: *ensinar.*] [▶ 1 desensin**ar**] [F.: *des-* + *ensinar.* Hom./Par.: *desensino* (fl.), *desensino* (sm.).]

desentaipar (de.sen.tai.*par*) *v. td.* **1** *Cons.* Tirar de entre taipas: *Desentaiparam as janelas da velha casa.* **2** *Fig.* Libertar, desembaraçar **3** Desagravar, desafrontar [▶ 1 desentaip**ar**] [F.: *des-* + *entaipar.* Ant. ger.: *entaipar.*]

desentalar (de.sen.ta.*lar*) *v.* **1** *Pop.* Desengasgar(-se) [*td.*: *Com tapinhas nas costas, desentalou a criança; Tossiu e desentalou-se.*] **2** Retirar a(s) tala(s) de [*td.*: *O enfermeiro desentalou minha perna ontem.*] **3** Livrar(-se) de embaraços ou dificuldades [*tdr.* + *de*: *A herança a desentalou das dívidas.*] [▶ 1 desental**ar**] [F.: *des-* + *entalar.* Ant. ger.: *entalar.*]

desentediar (de.sen.te.di.*ar*) *v. td.* Livrar(-se) de tédio ou fastio; ANIMAR(-SE); ENTUSIASMAR(-SE) [Ant.: *entediar*] [▶ 1 desentedi**ar**] [F.: *des-* + *entediar.*]

desentender (de.sen.ten.*der*) *v.* **1** Entrar em desavença; DESAVIR-SE [*tr.* + *com*: *Desentendeu-se com o amigo por motivos banais; Os irmãos às vezes se desentendem.*] **2** Não entender, não perceber o significado de [*td.*] **3** Fingir não entender [*td.*: *Desentendeu minhas indiretas.*] [▶ 2 desenten**der**] [F.: *des-* + *entender.*]

Cristo)] **16** Elucidar(-se), esclarecer(-se), resolver(-se) [**td.**: *desfazer dúvidas.*] [**int.**: *Minhas interrogações se desfizeram?*] **17** *Fig.* Manifestar-se de modo exagerado; DESMANCHAR-SE; DERRAMAR-SE [**tdr.** + *em*: "Desfiz-me em agradecimentos, que me saiam do coração" (Joaquim Manuel de Macedo, *Luneta mágica*)] **18** *Fig.* Destruir com razões opostas; REFUTAR [**td.**: *Com que facilidade João desfez os meus argumentos!*] **19** *Fig.* Desdenhar, menosprezar [**tr.** + *de*: *Ninguém deve desfazer dos outros.*] **20** Abater ou enfraquecer fisicamente [**td.**: *A doença desfez tanto a criança que foi difícil reconhecê-la.*] **21** *Fig.* Transformar-se em (algo diferente) [**tdr.** + *em*: *O frio da noite desfazia-se em orvalho.*] [▶ **22 desfazer** Part.: *desfeito.*] [F.: *des-* + *fazer*. Hom./Par.: *desfazia* (fl.), *disfasia* (sf.).]

desfazimento (des.fa.zi.*men*.to) *sm.* **1** Ação ou resultado de desfazer(-se) **2** Alteração ou transformação de alguma coisa, material ou não (desfazimento do acordo, desfazimento do muro); DESMANCHO; DESMONTE [Ant.: *construção, estruturação.*] **3** Eliminação de ordem anterior; ANULAÇÃO; INVALIDAÇÃO; REVOGAÇÃO [Ant.: *homologação, revalidação.*] **4** Corrosão, destruição (desfazimento de metal) **5** Diluição, dissolução: *desfazimento do torrão de açúcar na água.* **6** Ação ou resultado de desarrumar, de desmanchar (desfazimento de penteado; desfazimento de bainha); DESALINHAMENTO; DESMANCHO [Ant.: *arrumação.*] **7** Ação ou resultado de desatar (desfazimento de nó); DESENLACE **8** Esclarecimento, deslindamento, solução (desfazimento de mistério) [F.: *desfazer* + *-mento*. Ant. ger.: *fazimento.*]

desfechar (des.fe.*char*) *v.* **1** Dar (tiro); DISPARAR [**td.**: *desfechar uma descarga de canhão.*] [**tda.**: *Desfechou um tiro no peito.*] **2** Disparar (arma de fogo) [**td.**: *desfechar um revólver.*] **3** Atingir (algo ou alguém), ger. com as próprias mãos; DESFERIR [**td.**: *desfechar um golpe/um soco/uma coronhada.*] **4** Tirar o fecho ou o selo de [**td.**] **5** Dar início a, repentina e intensamente [**tp.** + *em*: *desfechar em pranto/riso.*] **6** Ter início, romper, de repente e com força (tempestade, nevasca etc.) [**int.**] **7** Lançar (um olhar) com expressão repentina de ameaça, raiva etc. [**tdi.**: *Desfechou-lhe um olhar de ódio mortal.*] **8** Soltar (gargalhada) [**td.**] **9** Proferir (blasfêmias, insultos, injúrias) com atrevimento [**td.**] **10** Chegar ao fim; CONCLUIR [**int.**: *Não acho que o drama desfeche naturalmente.*] [▶ **1 desfechar**] [F.: *des-* + *fechar*. Hom./Par.: *desfecho* (fl. de *desfechar*), *desfecho* [ê] (sm.).]

desfecho (des.*fe*.cho) [ê] *sm.* **1** Ação ou resultado de desfechar **2** Conclusão de um fato ou acontecimento (trágico desfecho); DESENLACE **3** *Restr.* Solução de questão ou situação difícil, complicada ou penosa; DESENLACE **4** Parte final, conclusão de uma obra literária, peça teatral etc; DESENLACE **5** *Vet.* Mudança de dentição nos cavalos [F.: Dev. de *desfechar*. Hom./Par.: *desfecho* (sm.), *desfecho* (fl. de *desfechar*).]

desfeita (des.*fei*.ta) *sf.* **1** Ação, procedimento ou dito, ger. rude ou deselegante, que ofende, constrange ou fere a dignidade de alguém; OFENSA; DESCONSIDERAÇÃO: *Recusar meu convite foi uma desfeita.* **2** *Lus. Cul.* Petisco feito de bacalhau desfiado, grão-de-bico, cebola etc; DESFEITO [F.: Fem. substv. de *desfeito*.]

desfeitear (des.fei.te.*ar*) *v.* **td.** Dirigir desfeita a; tratar sem o devido respeito ou a devida consideração; DESCONSIDERAR; INSULTAR; OFENDER: *desfeitear uma autoridade.* [▶ **13 desfeitear**] [F.: *desfeita* + *-ear*².]

desfeito (des.*fei*.to) *a.* **1** Que se desfez (lar desfeito; aliança desfeita); DESMANCHADO; DESTRUÍDO **2** Que foi anulado, revogado (contrato desfeito) **3** Desalinhado, desarrumado (penteado desfeito) **4** Desfigurado, descomposto (rosto desfeito) **5** Baldado, frustrado: *Viu os seus planos desfeitos pela esperteza do irmão.* **6** Dissolvido, diluído: *açúcar desfeito em água.* **7** Derrotado, desbaratado **8** Furioso, violento (temporal desfeito) *sm.* **9** *Lus. Cul.* Desfeita (2) [F.: Part. de *desfazer*, por anal. com *feito*².]

desferir (des.fe.*rir*) *v.* **td.** **1** Dar, desfechar (golpe, soco etc.) **2** Lançar, acertar: *desferir setas.* **3** Fazer vibrar (as cordas de instrumento musical) **4** Tirar (sons) de um instrumento de cordas **5** Brandir: *desferir a espada.* **6** *Náut.* Desfraldar (velas) **7** Levantar (voo) [▶ **50 desferir**] [F.: Formação vernácula de or. contrv; posv. de *des-* + *-ferir*, do lat. **ferere*, por *ferre*, inf. Do v.lat. *fero, fers, tuli, latum, ferre*, 'levar', 'trazer', 'ter', 'andar', 'mostrar', 'manifestar', 'levar adiante', 'transportar', 'impelir' etc.]

desferrar (des.fer.*rar*) *v.* **1** Tirar ou perder a ferradura [**td.**: *desferrar um cavalo.*] [**int.**: *Na cavalgada, a égua desferrou-se.*] **2** Retirar, desencravar (os dentes) de algo ou alguém [**td.**] **3** *Mar.* Desfraldar (a[s] vela[s] de embarcação) [▶ **1 desferrar**] [F.: *des-* + *ferrar.*]

desfertilizar (des.fer.ti.li.*zar*) *v.* Retirar a ou ficar sem fertilidade [**td.**: *A poeira vulcânica desfertilizou o solo.* Ant.: *fertilizar.*] [**int.**: *O solo desfertilizou-se.*] [▶ **1 desfertilizar**] [F.: *des-* + *fertilizar.*]

desfiado (des.fi.*a*.do) *a.* **1** Que se desfiou **2** Diz-se de tecido desfeito em fios; ESFIAPADO **3** Contado, narrado, explicado (relato desfiado, estória desfiada) *sm.* **4** Aquilo que se desfiou [F.: Part. de *desfiar.*]

desfiamento (des.fi.a.*men*.to) *sm.* **1** Ação ou resultado de desfiar **2** Perda ou retirada de fio (desfiamento do tecido); DESCOSTURA [Ant.: *costura, fiação.*] **3** Relato sequenciado e detalhado (desfiamento de histórias) [F.: *desfiar* + *-mento.*]

desfiar (des.fi.*ar*) *v.* **1** Desfazer(-se) em fios (um tecido, uma peça de roupa etc.) [**td.**: *Desfiou a barra da calça.*] [**int.**: *A toalha desfiou; O pulôver desfiou-se na lavagem.*] **2** Reduzir a fibras [**td.**: *desfiar um frango.*] **3** Passar as contas de (rosário, terço etc.) uma a uma pelos dedos [**td.**: *Desfia um rosário todos os dias.*] **4** Correr em fio (falando de líquidos) [**int.**] **5** *Fig.* Contar, narrar ou descrever minuciosamente [**td.**: *O pescador continuou a desfiar suas histórias.*] [▶ **1 desfiar**] [F.: *des-* + *fiar*².]

desfibrado (des.fi.*bra*.do) *a.* **1** Que se desfibrou **2** Reduzido a fibras **3** Destituído ou falto de fibras **4** *Fig.* Que demonstra fraqueza, falta de energia, física ou moral; MOLE; FRACO *sm.* **5** *Fig.* Indivíduo desfibrado (4) [F.: Part. de *desfibrar.*]

desfibramento (des.fi.bra.*men*.to) *sm.* **1** Ação ou resultado de desfibrar(-se); remoção de fibras **2** Característica ou condição de indivíduo desfibrado, enfraquecido; DESALENTO; DESÂNIMO; ENFRAQUECIMENTO [Ant.: *alento, encorajamento, fortalecimento.*] **3** *Art.gr.* Moagem das fibras de madeira para fabricação da pasta do papel [F.: *desfibrar* + *-mento.*]

desfibrar (des.fi.*brar*) *v.* **1** Retirar as fibras de ou reduzir a fibras [**td.**: *desfibrar carne; desfibrar sisal.*] **2** *Fig.* Explicar minuciosamente; ANALISAR; ESMIUÇAR [**td.**] **3** *Fig.* Fazer perder ou perder o ânimo, a coragem, a energia [**td.**] [**int.**] [▶ **1 desfibrar**] [F.: *des-* + *fibra* + *-ar*².]

desfibrilação (des.fi.bri.la.*ção*) *sf.* *Card.* Interrupção ou cessação de fibrilação pela aplicação de choque elétrico (desfibrilação auricular, desfibrilação ventricular) [Ant.: *fibrilação.*] [Pl.: *-ções.*] [F.: *des fibrilar* + *-ção.*] ■ **~ auricular** *Card.* Desfibrilação de uma aurícula do coração **~ ventricular** *Card.* Desfibrilação de um ventrículo do coração

desfibrilador (des.fi.bri.la.*dor*) [ô] *sm.* **1** *Card.* Aparelho que emite descarga elétrica no tórax do paciente para evitar ou reverter fibrilação cardíaca: "... roguei pelo desfibrilador, aquela máquina que dá um choque no coração e, muitas vezes, faz o bichão voltar a funcionar." (Sérgio Xavier, *Revista Placar*) *a.* **2** Diz-se desse aparelho [F.: *desfibrilar* + *-dor.*]

desfibrilar (des.fi.bri.*lar*) *v.* **td.** *Card.* Emitir descarga elétrica no tórax do paciente para evitar ou reverter fibrilação cardíaca, restabelecendo, assim, os movimentos do (coração): *desfibrilar o coração.* [▶ **1 desfibrilar**] [F.: *des-* + *fibrilar.*]

desfiguração (des.fi.gu.ra.*ção*) *sf.* **1** Ação ou resultado de desfigurar(-se); DEFORMAÇÃO; DESFIGURAMENTO [Ant.: *conservação.*] **2** Alteração da forma externa; MUDANÇA; TRANSFORMAÇÃO [+ *em, por*: *desfiguração em caricatura; desfiguração por distorção.* Ant.: *aperfeiçoamento.*] **3** *Fig.* Alteração nos elementos essenciais (desfiguração de caráter); DETURPAÇÃO [Pl.: *-ções.*] [F.: *desfigurar* + *-ção.*]

desfigurado (des.fi.gu.*ra*.do) *a.* **1** Que se desfigurou **2** Cuja aparência foi muito alterada; DEFORMADO: *As queimaduras deixaram-no desfigurado.* **3** Que teve as características originais modificadas; DETURPADO: *texto desfigurado pela tradução.* **4** Que sofreu alteração mental ou comportamental; TRANSTORNADO [F.: Part. de *desfigurar.*]

desfiguramento (des.fi.gu.ra.*men*.to) *sm.* O mesmo que *desfiguração* (1) [F.: *desfigurar* + *-mento.*]

desfigurante (des.fi.gu.*ran*.te) *a2g.* Que desfigura, que deforma (doença desfigurante, maquiagem desfigurante) [Ant.: *embelezante.*] [F.: *desfigurar* + *-nte.*]

desfigurar (des.fi.gu.*rar*) *v.* **td.** **1** Alterar ou ter alteradas as feições ou o aspecto (ger. de modo extremo e a tornar irreconhecível aquele ou aquilo que sofreu tal ação): *O acidente o desfigurou.* **2** *Fig.* Deturpar, falsear: *desfigurar a verdade; No debate, desfigurava o pensamento dos oponentes.* [▶ **1 desfigurar**] [F.: *des-* + *figurar.*]

desfilada (des.fi.*la*.da) *sf.* **1** O mesmo que *desfile* (1) **2** Corrida impetuosa; DISPARADA [F.: *desfilar* + *-ada*¹.] ■ **À ~** Em disparada, a toda velocidade

desfiladeiro (des.fi.la.*dei*.ro) *sm.* **1** Passagem estreita entre vertentes de montanhas; GARGANTA; PASSO: "... viu-se, sobre as vertentes que apertam o desfiladeiro naquele ponto, a 4ª Brigada, escalando-as..." (Euclides da Cunha, *Os sertões*) **2** *Fig.* Situação embaraçosa, de difícil solução [F.: *desfilar* + *-deiro.*]

desfilante (des.fi.*lan*.te) *a2g.* **1** Que desfila (profissional desfilante) *s2g.* **2** Aquele que desfila (desfilante contumaz) [F.: *desfilar* + *-nte.*]

desfilar (des.fi.*lar*) *v.* **1** *Mil.* Caminhar, marchar em fila(s) ou coluna(s) [**int.**] **2** Caminhar por uma passarela exibindo ao público produtos (roupas, joias etc.) [**int.**: *Antes de desfilar, a modelo foi conhecer a cidade.*] [**ta.**: *Ela já desfilou em Paris e Milão.*] [**tr.**: *Seu sonho é desfilar para os grandes estilistas.*] **3** Seguir-se um ao outro; SUCEDER-SE [**int.**: *No safari, viu desfilar uma multidão de animais.*] **4** *Fig.* Passar em sequência pelo espírito [**ta.** + *por*: *As suas campanhas desfilaram então por sua mente.*] **5** *Bras.* Exibir-se (escola de samba, grupo de maracatu, frevo etc.) ao longo de uma via [**int.**: *A Mangueira desfilará ao amanhecer.*] **6** *Bras.* Ostentar, exibir [**td.**: *Gosta de desfilar a bela namorada.*] [▶ **1 desfilar**] [F.: *des-* + *fila*¹ + *-ar*². Hom./Par.: *desfile* (fl.), *desfile* (sm.); *desfiles* (fl.), *desfiles* (pl. do sm.).]

desfile (des.*fi*.le) *sm.* **1** Ação de desfilar; PASSAGEM: *Assistimos ao desfile de nossa escola de samba.* **2** Conjunto de pessoas que se deslocam em um espetáculo público; PARADA; MARCHA: *O desfile militar passou em frente ao palanque das autoridades.* **3** Exibição em passarela das últimas criações de uma casa de moda ostentadas por seus modelos femininos e/ou masculinos: *O desfile apresentou os lançamentos para o verão.* **4** *P.ext.* Ato de exibir, de ostentar **5** Grande quantidade; PLETORA: *Ele proferiu um desfile de impropérios.* [F.: Dev. de *desfilar*. Hom./Par.: *desfile* (sm.), *desfile* (fl. de *desfilar*); *desfiles* (pl.), *desfiles* (fl. do v.).]

desfitar (des.fi.*tar*) *v.* **1** Parar de fitar, de olhar [**td.**: *Não desfitou a moça um só instante.*] [**tdr.** + *de*: *Não desfitava os olhos do rapaz.*] [**ta.**: *Seu olhar não se desfitava da paisagem.*] **2** *Pus.* Despegar, tirar [**tdr.** + *de*: *Não desfitava a mão do punho da espada.*] [▶ **1 desfitar**] [F.: *des-* + *fitar.* Ant. ger.: *fitar.*]

desfloração (des.flo.ra.*ção*) *sf.* **1** Ação ou resultado de desflorar(-se) **2** Queda ou emurchecimento natural das flores **3** Rompimento do hímen mediante ato sexual; perda da virgindade [Pl.: *-ções.*] [F.: *desflorar* + *-ção.* Sin. ger.: *defloração, desfloramento* e *defloramento.*]

desflorador (des.flo.ra.*dor*) [ô] *a.* **1** Que desflora, que corta ou faz cair as flores **2** Que tira a virgindade *sm.* **3** Aquele que desflora ou desflorou uma pessoa virgem [F.: *desflorar* + *-dor.* Sin. ger.: *deflorador.*]

desfloramento (des.flo.ra.*men*.to) *sm.* O mesmo que *desfloração.* [F.: *desflorar* + *-mento.*]

desflorar (des.flo.*rar*) *v.* **1** Fazer perder ou perder as flores; DEFLORAR(-SE) [**td.**: *A ventania desflorou as árvores.*] [**int.**: *As árvores desfloraram no outono.*] **2** Fazer perder ou perder a virgindade; DEFLORAR(-SE); DESVIRGINAR(-SE) [**td.**] [**int.**] [▶ **1 desflorar**] [F.: *des-* + *flor* + *-ar*².]

desflorestamento (des.flo.res.ta.*men*.to) *sm.* Ação ou resultado de desflorestar; DESMATAMENTO: *Entre as causas do desflorestamento está o corte indiscriminado da madeira.* [F.: *desflorestar* + *-mento.*]

📖 O desflorestamento, ou desmatamento, é o processo de desaparecimento das florestas pela ação do homem, principalmente ações não autorizadas, que podem ser para exploração econômica, como extração de madeira, abertura de pastos para criação de gado etc., ou expansão descontrolada de áreas de residência, instalações industriais etc. O aumento da consciência ecológica e a consequente percepção dos crescentes danos que esse processo causa ao meio ambiente, por serem as florestas importante fator da oxigenação e da biodiversidade, têm gerado tentativas de controle e medidas compensatórias, como a obrigatoriedade de replantio nos desmatamentos autorizados, a repressão às várias formas de desmatamento selvagem e criminoso, a politização do problema, os programas de esclarecimento etc. A gravidade do problema pode ser expressa em números: Os 16 milhões de km² de florestas tropicais antes existentes no planeta estavam reduzidos a 9 milhões na última década do século XX. No Brasil, que abriga 30% das florestas tropicais do mundo, só na Amazônia perderam-se, em 10 anos, 12% de sua área florestal.

desflorestar (des.flo.res.*tar*) *v.* **td.** *Bras. Ecol.* Derrubar floresta ou boa parte dela; DESMATAR [Ant.: *florestar.*] [▶ **1 desflorestar**] [F.: *des-* + *floresta* + *-ar*², ou *des-* + *florestar.*]

desfocado (des.fo.*ca*.do) *a.* **1** *Cin. Fot. Telv.* Diz-se de imagem que está fora de foco, por erro ou efeito intencional de desfocalização **2** *P.ext.* Diz-se daquilo que está fora de foco [F.: Part. de *desfocar.*]

desfocalizar (des.fo.ca.li.*zar*) *v.* **td.** Deixar de focalizar (algo): *A câmera desfocalizou o rapaz para focalizar a moça.* [▶ **1 desfocalizar**] [F.: *des-* + *focalizar.*]

desfocar (des.fo.*car*) *v.* **td.** **1** Tirar o foco de (câmera, filmadora etc.) **2** Tornar (algo) impreciso ou fora de foco em fotografia ou filme: *O fotógrafo desfocou suas feições.* **3** *Fig.* Desviar a atenção de (assunto, problema, pessoa etc.): *Seria mais produtivo desfocar este tópico.* [▶ **11 desfocar**] [F.: *des-* + *focar.* Ant. ger.: *focar.*]

desfolhação (des.fo.lha.*ção*) *sf.* **1** Ação ou resultado de desfolhar (desfolhação da árvore, desfolhação do caderno); DESFOLHAMENTO; DESFOLHA; DESFOLIAÇÃO [Ant.: *enfolhamento, enfolhação.*] **2** Retirada ou queda de folhas ou pétalas [Pl.: *-ções.*] [F.: *desfolhar* + *-ção.*]

desfolhamento (des.fo.lha.*men*.to) *sm.* O mesmo que *desfolhação.* [F.: *desfolhar* + *-mento.*]

desfolhante (des.fo.*lhan*.te) *Agr. Quím. a2g.* **1** Que desfolha, provoca desfolhação (agente desfolhante, substância desfolhante) *sm.* **2** Aquilo que desfolha, provoca desfolhação (desfolhante manual) [F.: *desfolhar* + *-nte.*]

desfolhar (des.fo.*lhar*) *v.* **1** Despojar(-se) das folhas ([de] uma planta) ou das pétalas ([de] uma flor) [**td.**: *O outono desfolha as árvores.*] [**int.**: *Os girassóis desfolharam-se.*] **2** Passar (notas de dinheiro) uma a uma [**td.**: *Desfolhou um maço de cédulas de cinquenta.*] **3** Descamisar (espiga de milho) [**td.**] **4** *Bras.* Desembainhar (o facão) [▶ **1 desfolhar**] [F.: *des-* + *folha* + *-ar*².]

desfoque (des.*fo*.que) *sm.* *Cin. Fot. Telv.* O mesmo que *desfocalização* (desfoque da imagem) [F.: Dev. de *desfocar*. Hom./Par.: *desfoque* (sm.), *desfoque* (fl. de *desfocar*); *desfoques* (pl.), *desfoques* (fl. de *desfocar*).]

desforço (des.*for*.ço) [ô] *sm.* **1** Esforço, dispêndio de energia: *O percurso será realizado com desforço próprio (bicicleta e caminhada) de uma equipe.* **2** Ação ou resultado de desforçar(-se), desagravo, reparação de afronta, de injúria ou ofensa recebida: "... Não pensando senão em tomar estrondoso desforço..." (Franklin Távora, *O matuto*) **3** *Jur.* Ato praticado pelo possuidor para ser mantido ou restituído na posse de que foi esbulhado: *Os atos de defesa ou desforço não podem ir além do indispensável.* [Pl.: [ó].] [F.: Dev. de *desforçar*. Hom./Par.: *desforço* (sm.), *desforço* [ó] (fl. de *desforçar*).]

desformalizar (des.for.ma.li.*zar*) *v.* **td.** Suspender a formalização de; retirar o caráter formal de algo [Ant.: *formalizar.*] [▶ **1 desformalizar**] [F.: *des-* + *formalizar.*]

desforra (des.*for*.ra) [ó] *sf.* **1** Reparação de um ultraje ou de uma ofensa; VINGANÇA: "... Foi preciso enjaulá-la, certa vez, num quartel, para evitar sanguinosas desforras contra os sentimentos liberais..." (Rui Barbosa, *Colunas de fogo*) **2** Recuperação de vantagem perdida: *O time foi à desforra e venceu na final.* [F.: Dev. de *desforrar*².]

desforrado (des.for.*ra*.do) *a.* De que se tirou o forro; sem forro ou revestimento (teto desforrado, parede desforrada) [Ant.: *forrado.*] [F.: Part. de *desforrar*¹.]

desforrar¹ (des.for.*rar*) *v.* **td.** Retirar o forro de: *desforrar o paletó/a poltrona.* [▶ **1 desforrar**] [F.: *des-* + *forro*¹ + *-ar*². Hom./Par.: *desforro* (fl.), *desforro* [ô] (sm.); *desforra* (fl.), *desforra* (sf.); *desforras* (fl.), *desforras* (pl. do sf.).]

desforrar² (des.for.*rar*) *v.* Tirar a desforra; vingar-se de (ofensa, derrota, surra) [**td.**: *desforrar perdas.*] [**tdr.** + *de*: *Desforrei-me da ofensa.*] [▶ **1 desforrar**] [F.: *des-* + *forrar*².]

desfragmentação (des.frag.men.ta.*ção*) *sf. Inf.* Ação ou resultado de desfragmentar [Pl.: *-ções*.] [F.: *desfragmentar* + *-ção*.]

desfragmentado (des.frag.men.*ta*.do) *a.* **1** Que se desfragmentou, que sofreu desfragmentação; JUNTADO [Ant.: *fragmentado, quebrado*.] **2** *Inf.* Que foi reunido em um só local do disco rígido (arquivo desfragmentado) [F.: Part. de *desfragmentar*.]

desfragmentador (des.frag.men.ta.*dor*) [ô] *Inf. sm.* **1** Programa que reúne arquivos e pastas fragmentados em um espaço único e contíguo na área de armazenamento do disco rígido *a.* **2** *Inf.* Que diz respeito a esse programa **3** *Inf.* Que desfragmenta [F.: *desfragmentar* + *-dor*.]

desfragmentar (des.frag.men.*tar*) *v. td. Inf.* Juntar (partes do arquivo fragmentado) em um só ponto do disco rígido: *Desfragmentar a unidade de disco do computador é uma tarefa rotineira.* [▶ 1 desfragmentar] [F.: *des-* + *fragmentar*.]

desfraldado (des.fral.*da*.do) *a.* **1** Que se desfraldou; que foi solto, aberto, largado ao vento (bandeira desfraldada) [Ant.: *guardado, recolhido*.] **2** *Fig.* Dado a conhecer; divulgado (diz-se de lema, pensamento, ideal político ou religioso etc.) [F.: Part. de *desfraldar*.]

desfraldar (des.fral.*dar*) *v. td.* **1** *Náut.* Soltar, abrir ao vento (velas); DESPREGAR **2** Abrir, desenrolar; DESPREGAR: *desfraldar uma bandeira*.: "Abre (o elefante) as orelhas descomunais. Depois são os outros que também nos fitam e desfraldam os enormes pavilhões" (Henrique Galvão, *Velo de oiro*) **3** *Fig.* Divulgar (notícia) [▶ 1 desfraldar] [F.: *des-* + *fralda* + *-ar*².]

desfranzir (des.fran.*zir*) *v.* **1** Tirar o franzido de; ALISAR [*td.*: *Desfranziu a saia.*] **2** Desenrugar(-se) [*td.*: *Desfranziu o rosto.*] [*int.*: *Sua fisionomia desfranziu-se.*] [▶ 49 desfranzir] [F.: *des-* + *franzir*.]

desfrequentado (des.fre.quen.*ta*.do) *a.* **1** Não frequentado, ou pouco frequentado (restaurante desfrequentado) [Ant.: *frequentado*.] **2** Deserto ou quase deserto, despovoado (rua desfrequentada) [F.: *des-* + *frequentado*.]

desfrisante¹ (des.fri.*san*.te) *a2g.* **1** Que desfrisa, tira o anelado ou frisado (do cabelo, esp.) [Ant.: *frisante*.] *sm.* **2** Creme para alisar cabelos crespos [F.: *desfrisar*¹ + *-nte*.]

desfrisante² (des.fri.*san*.te) *a2g.* **1** Que desfrisa, que destoa (canção/conceito desfrisante); DESTOANTE [Ant.: *frisante*.] **2** Que não é frisante, mal-enquadrado (portal desfrisante) [F.: *desfrisar*² + *-nte*.]

desfrisar¹ (des.fri.*sar*) *v.* **1** Fazer perder (o cabelo) a qualidade de crespo; DESENCRESPAR; DESANELAR [*td.*: *A professora desfrisou os cabelos; Os cabelos desfrisaram-se.*] [*int.*: *O cabelo desfrisou.*] **2** Ficar desalinhado (cabelo); DESALINHAR(-SE); DESPENTEAR(-SE) [*td.*: *A ventania desfrisou seus cabelos.*] [*int.*: *Seus cabelos desfrisaram-se com o vento.*] **3** Tirar ou perder o franzido, as rugas [*td.*: *desfrisar o rosto.*] [*int.*: *De tanto lavar, a saia desfrisou-se.*] [▶ 1 desfrisar] [F.: *des-* + *frisar*¹.]

desfrisar² (des.fri.*sar*) *v.* Não se adaptar, não se ajustar; DESTOAR [*tr.* + *de*: *Seu comportamento desfrisa do meu.*] [*int.*: *Nossas opiniões desfrisam.*] [▶ 1 des frisar] [F.: *des-* + *frisar*².]

desfrutar (des.fru.*tar*) *v.* **1** Ter, gozar de [*tr.* + *de*: *Ela desfruta de bom conceito no meio acadêmico.*] **2** Sentir prazer com, deleitar-se com; APRECIAR [*td.tr.* + *de*: *um local ideal para relaxar e desfrutar (de) bons momentos.*] **3** Colher os frutos de (uma terra) sem a adubar nem cultivar [*td.*] **4** Viver à custa de [*td.*] **5** Fazer zombaria de; DEBOCHAR; GOZAR [*td.*] [▶ 1 desfrutar] [F.: *des-* + *fruto* + *-ar*². Hom./Par.: *desfruta* (fl.), *desfruta* (sf.); *desfrutas* (fl.), *desfrutas* (pl.); *desfrute* (fl.), *desfrute* (sm.); *desfrutes* (fl.), *desfrutes* (pl.); *desfruto* (fl.), *desfruto* (sm.); *desfrutáveis* (fl.), *desfrutáveis* (pl. de *desfrutável* [a2g. s2g.]).]

desfrutável (des.fru.*tá*.vel) *a2g.* **1** Que se pode desfrutar ou usufruir **2** Que se presta a zombaria ou chacota **3** Que é dado a ridicularia; ESCANDALOSO; LEVIANO: "... A mulher falhara lá, meia semana, pífia e desfrutável..." (Guimarães Rosa, 'Buriti', *in Noites do sertão*) **4** Diz-se de quem se presta ao desfrute sexual [Pl.: *-veis*.] *s2g.* **5** Aquele ou aquela que se presta ao desfrute sexual [Pl.: *-veis*.] [F.: *desfrutar* + *-vel*. Hom./Par.: *desfrutáveis* (pl.), *desfrutáveis* (fl. de *desfrutar* [v.]).]

desfrute (des.*fru*.te) *sm.* **1** Ação ou resultado de desfrutar; DESFRUTAÇÃO; DESFRUTO **2** *Pop.* Escarnecimento, zombaria, ridicularização; DESFRUTO **3** *Econ.* Rendimento máximo da produção **4** *Bras.* Atitude indigna, leviana **5** *Bras. Pop.* Ação ou resultado de permitir liberdades sexuais ou de realizar o ato sexual com outrem [F.: Dev. de *desfrutar*. Hom./Par.: *desfrute* (sm.), *desfrute* (fl. de *desfrutar*); *desfrutes* (pl.), *desfrutes* (fl. de *desfrutar*).] ■ **Dar-se ao ~** *Pop.* Prestar-se a ser ou ser motivo de zombaria

desgalhar (des.ga.*lhar*) *v.* **1** Cortar, tirar os galhos de [*td.*: *Desgalhou a amendoeira por causa da rede elétrica.*] **2** Perder os galhos [*int.*: *Algumas árvores desgalharam-se com a ventania.*] [▶ 1 desgalhar] [F.: *des-* + *galho* + *-ar*².]

desgarrado (des.gar.*ra*.do) *a.* **1** Que se desgarrou (documento desgarrado); EXTRAVIADO **2** Desviado do rumo, afastado, separado (diz-se de veículo, navio, animal, pessoa etc.) [Ant.: *arrebanhado*.] **3** Diz-se de indivíduo desprovido de moral; DESENCAMINHADO; DEVASSO; LIBERTINO; CORROMPIDO; PERVERTIDO [Ant.: *regenerado*.] **4** *Fig.* Livre, solto, espontâneo (discurso desgarrado, cantiga desgarrada) [F.: Part. de *desgarrar*.]

desgarrar (des.gar.*rar*) *v.* **1** Apartar-se do rumo, do caminho; DESVIAR-SE; EXTRAVIAR-SE [*td.*: *Uma rajada de vento desgarrou a asa-delta; A embarcação desgarrou-se.*] [*int.*: *O último pelotão desgarrou.*] **2** Afastar(-se), perder(-se) (de grupo, rebanho, companhia etc.); TRESMALHAR(-SE) [*td.*: *O estrondo desgarrou os bois.*] [*tr.* + *de*: *Na caminhada desgarrara(-se) dos irmãos.*] **3** Afastar(-se) do caminho do bem, da honra; DESENCAMINHAR(-SE); PERVERTER(-SE) [*td.*: *As novas amizades o desgarraram.*] [*int.*: *Perdeu o emprego e desgarrou-se.*] **4** Desviar-se, afastar-se [*tr.* + *de*: *desgarrar de uma ideia/um assunto.*] [F.: *des-* + *garra* + *-ar*².]

desgaseificação (des.ga.se:i.fi.ca.*ção*) *sf. Quím.* O mesmo que *desgasificação* [Pl.: *-ções*.]

desgaseificar (des.ga.se:i.fi.*car*) *v. td. Quím.* O mesmo que *desgasificar* [▶ 11 desgaseificar] [F.: *des-* + *gaseificar*. Hom./Par.: *desgaseificáveis* (fl.), *desgaseificáveis* (pl. de *desgaseificável* [a2g.]).]

desgaseificável (des.ga.se:i.fi.*cá*.vel) *a2g. Quím.* Que se pode desgaseificar (bebida desgaseificável); DESGASIFICÁVEL [Ant.: *gaseificável, gasificável*] [Pl.: *-veis*.] [F.: *desgaseificar* + *-vel*. Hom./Par.: *desgaseificáveis* (pl.), *desgaseificáveis* (fl. de *desgaseificar*).]

desgasificação (des.ga.si.fi.ca.*ção*) *sf. Quím.* Ação ou resultado de desgasificar, de eliminar o gás de um dado sistema, ger. por aquecimento, vácuo, absorção, utilização de substâncias químicas etc; DESGASEIFICAÇÃO; DEGASAGEM [Ant.: *gaseificação, gasificação*.] [Pl.: *-ções*.] [F.: *desgasificar* + *-ção*.]

desgasificar (des.ga.si.fi.*car*) *v. td. Quím.* Retirar, eliminar ou diminuir o gás de; DESGASEIFICAR [▶ 11 desgasificar] [F.: *des-* + *gasificar*. Hom./Par.: *desgasificáveis* (fl.), *desgasificáveis* (pl. de *desgasificável* [a2g.]).]

desgasificável (des.ga.si.fi.*cá*.vel) *a2g. Quím.* Que se pode desgasificar; DESGASEIFICÁVEL [Pl.: *-veis*.] [F.: *desgasificar* + *-vel*. Hom./Par.: *desgasificáveis* (pl.), *desgasificáveis* (fl. de *desgasificar*).]

desgastado (des.gas.*ta*.do) *a.* **1** Que se desgastou, que é ou foi destruído, gasto (construção desgastada, costumes desgastados) [+ *com, por*: *desgastado com os acontecimentos; desgastado pelo tempo.* Ant.: *conservado*.] **2** Gasto por atrito ou corrosão **3** Danificado pelo uso ou pelo esforço (motor desgastado) **4** *Fig.* Que sofreu abalo emocional; em que se perdeu o interesse ou o entusiasmo (casamento desgastado; amizade desgastada) **5** *Fig.* Que sofreu desgaste ou perda moral; que ficou manchado moralmente (imagem desgastada, reputação desgastada) **6** *Fig.* Que perdeu espaço em seu meio ou que teve sua (boa) reputação ou credibilidade maculada por algo dito ou feito [F.: Part. de *desgastar*.]

desgastante (des.gas.*tan*.te) *a2g.* **1** Que desgasta **2** Que exige grande dispêndio de energia (caminhada desgastante); CANSATIVO **3** Que causa desgaste emocional por ser tedioso ou estressante: *Tivemos uma conversa muito desgastante.* [F.: *desgastar* + *-nte*.]

desgastar (des.gas.*tar*) *v.* **1** Gastar(-se) aos poucos; CONSUMIR(-SE) [*td.*: *A maresia desgasta a lataria dos carros.*] [*int.*: *O piso de cerâmica desgastou-se com o tempo.*] **2** Fazer perder ou perder (valor, qualidade etc.) [*td.*: *A inflação desgasta o poder de compra dos salários.*] [*int.*: *Nossa amizade se desgastou.*] **3** Consumir (energia, força física ou mental) (de) [*td.*: *Esse trabalho está desgastando minhas forças.*] [*int.*: *Nos últimos anos, ele desgastou-se muito.*] **4** *Fig.* Fazer sofrer ou sofrer abalo moral ou queda de apreço, de consideração [*td.*: *Embora infundada, a denúncia desgastou o deputado; A derrota desgastou sua imagem.*] [*tdr.* + *com*: *Ele se desgastou com permanência no cargo, após tantas denúncias.*] [F.: *des-* + *gastar*. Hom./Par.: *desgaste* (fl.), *desgaste* (sm.); *desgastes* (fl.), *desgastes* (pl.); *desgasto* (fl), *desgasto* (sm.).]

desgaste (des.*gas*.te) *sm.* **1** Ação ou resultado de desgastar(-se) **2** Deterioração material determinada pelo uso ou funcionamento; CORROSÃO; ESFACELAMENTO: *O desgaste das articulações ósseas gera a artrose.* **3** Dispêndio de energia psíquica (desgaste emocional); ESTRESSE **4** Perda da importância; ENVELHECIMENTO: *O desgaste dos ideais da modernidade.* **5** Perda de credibilidade: *O desgaste da diretoria levou à sua destituição pela assembleia dos acionistas.* **6** *Geol.* Erosão das rochas por agentes exógenos; ABLAÇÃO [F.: Dev. de *desgastar*. Hom./Par.: *desgaste* (sm.), *desgaste* (fl. de *desgastar*); *desgastes* (pl.), *desgastes* (fl. de *desgastar*).]

desgelar (des.ge.*lar*) *v. td. int.* O mesmo que *degelar* [▶ 1 desgelar] [F.: *des-* + *gelar*. Hom./Par.: *desgelo* (fl.), *desgelo* (sm.).]

desgelo (des.*ge*.lo) [ê] *sm.* O mesmo que *degelo* [F.: Dev. de *desgelar*. Hom./Par.: *desgelo* (sm.), *desgelo* (fl. de *desgelar*).]

desgostar (des.gos.*tar*) *v.* **1** Dar desgosto, aborrecimento a (alguém) ou sentir-se desgostoso, aborrecido [*td.*: *A notícia desgostou-os; Sua atitude desgosta a todos.*] [*tdr.* + *com, de*: *Desgostei-me com os modos de seu amigo; Desgostou-se da vida.*] **2** Não gostar ou deixar de gostar [*tr.* + *de*: *Não desgosto de peixe, mas prefiro frango.*] [*tdr.* + *de*: *Desgostou-se da profissão.*] [▶ 1 desgostar] [F.: *des-* + *gostar*. Hom./Par.: *desgosto* (fl. de *desgostar*), *desgosto* (sm.).]

desgosto (des.*gos*.to) [ô] *sm.* **1** Ausência de alegria, prazer ou gosto; DESPRAZER **2** Sentimento de tristeza; PESAR; MÁGOA **3** *P.ext.* Sentimento de decepção, desilusão e mágoa: *Causou grande desgosto aos pais ao fugir com o cunhado.* **4** *P.us.* Sentimento de aversão, de repugnância [F.: Dev. de *desgostar*. Hom./Par.: *desgosto* (sm.), *desgosto* (fl. de *desgostar*).]

desgostoso (des.gos.*to*.so) [ô] *a.* **1** Que sente ou demonstra desgosto; TRISTE; ABORRECIDO: "... O rapaz, de exagerada sensibilidade, ficou abatido, desgostoso da vida..." (Luís Viana Filho, *A vida de Rui Barbosa*) **2** Que expressa desgosto, descontentamento: *Proferiu um discurso desgostoso.* **3** Que tem gosto desagradável [Pl.: [ó]. Fem.: [ó].] [F.: *desgosto* + *-oso*.]

desgovernado (des.go.ver.*na*.do) *a.* **1** Que se desgovernou **2** Destituído de governo (lar desgovernado) **3** Que não tem orientação nem regra (pessoa desgovernada); DESORIENTADO; DESORDEIRO **4** Que não tem controle sobre as finanças; DISSIPADOR; GASTADOR; PERDULÁRIO **5** Descontrolado; fora de controle: *Caminhão desgovernado choca-se contra uma muralha.* [F.: Part. de *desgovernar*.]

desgovernar (des.go.ver.*nar*) *v.* **1** Dar má direção a ou tomar má direção; governar(-se) mal [*td.*: *As pedaladas rápidas desgovernaram a bicicleta.*] [*int.*: *A mula desgovernou-se.*] **2** Fazer perder ou perder (o controle, o governo, a orientação etc.) [*td.*: *A surpresa desgovernou-o momentaneamente.*] [*int.*: *O helicóptero desgovernou-se e caiu.*] **3** *Náut.* Perder o rumo, o governo [*int.*: *A lancha desgovernou.*] **4** *Bras.* Perder a direção, o norte; DESNORTEAR-SE; DESORIENTAR-SE [*td.*] [▶ 1 desgovernar] [F.: *des-* + *governar*. Hom./Par.: *desgoverno* (fl. de *desgovernar*), *desgoverno* [ê] (sm.).]

desgoverno (des.go.*ver*.no) [ê] *sm.* **1** Ausência de governo, de autoridade política e administrativa **2** Má administração política; mau governo **3** Falta de comedimento, de moderação, de equilíbrio **4** Dissipação, desperdício, esbanjamento **5** Falta ou perda de controle [F.: *des-* + *governo*. Hom./Par.: *desgoverno* (sm.), *desgoverno* (fl. de *desgovernar*).]

desgraça (des.*gra*.ça) *sf.* **1** Má sorte; ADVERSIDADE; INFELICIDADE; INFORTÚNIO: "Minha desgraça, ó cândida donzela / ... / É ter para escrever todo um poema / E não ter um vintém para uma vela." (Álvares de Azevedo, *Minha desgraça*) **2** Acontecimento funesto; TRAGÉDIA; CALAMIDADE: "Um dia, porém, o seu homem, depois de correr meia-légua, puxando uma carga superior às suas forças, caiu morto na rua... João Romão mostrou grande interesse por esta desgraça..." (Euclides da Cunha, *Contrastes e confrontos*) **3** *Fig.* Miséria: *Perdeu tudo e caiu na desgraça.* **4** *Fig.* Pessoa ou coisa deplorável, detestável: *Isso de ter de sujeitar-se por dinheiro é uma desgraça.* **5** Indivíduo ou coisa lastimável, sem préstimo: *Minha cunhada é uma desgraça; Esta casa velha é uma desgraça.* **6** *Pop.* Palavra-ônibus empregada para se referir, de modo pejorativo, negativo, a qualquer coisa; TROÇO: *Essa desgraça não cozinha!* **7** *Fig.* Sentimento ou estado de grande aflição [F.: *des-* + *graça*. Sin. ger. (pop.): *desgrama*.]

desgraçado (des.gra.*ça*.do) *a.* **1** Que tem má sorte; desditoso; INFAUSTO; INFELIZ **2** Que vive em estado de miséria; INDIGENTE **3** Infame, vil: *Que bandido desgraçado.* **4** Que é digno de pena ou piedade; DESVENTURADO **5** Que não tem préstimo, inábil, incapaz **6** *Bras. Pop.* De natureza extraordinária, excepcional, sem precedentes (pontaria/força/sorte desgraçada); DANADO **7** Inconveniente, despropositado: *Uma lembrança desgraçada.* **8** *Bras. Pop.* Admiravelmente hábil, astuto ou bem-afortunado *sm.* **9** Indivíduo desprezível em razão de seus maus costumes; patife: *O desgraçado finalmente foi preso.* **10** Indivíduo miserável, digno de dó ou compaixão: "De tanto desejar a mulher, esquecera completamente o marido..." Fosse médico de nariz e garganta, ou simplesmente de clínica geral, ou tisiólogo, vá lá. Mas pediatra! O próprio Menezes pensava: "Enquanto o desgraçado trata de criancinhas, é passado para trás! E, por um momento, ele teve remorso de fazer aquele papel com um pediatra" (Nelson Rodrigues, *O pediatra*) [F.: Part. de *desgraçar*.]

desgraçar (des.gra.*çar*) *v. td.* **1** Causar desgraça, infelicidade a; tornar(-se) infeliz: *O acidente desgraçou sua vida; Desgraçou-se por causa das drogas.* **2** *Pop.* Tirar a virgindade de; DEFLORAR: *Desgraçou a moça e sumiu.* [▶ 12 desgraçar] [F.: *des-* + *graça* + *-ar*². Hom./Par.: *desgraça* (fl.), *desgraça* (sf.); *desgraças* (fl.), *desgraças* (pl. do sf.).]

desgraceira (des.gra.*cei*.ra) *sf.* **1** Série ou conjunto de desgraças: *O fumo tem a ver com toda essa desgraceira que vem acontecendo na Terra.* **2** Coisa horrível: "... Isso de mulher, hoje em dia, é mesmo uma desgraceira..." (Aluísio de Azevedo, *Girândola de amores*) **3** *Fig.* Coisa de má qualidade ou malfeita [F.: *desgraça* + *-eira*.]

desgracioso (des.gra.ci.*o*.so) [ô] *a.* Desprovido de graça; DESAJEITADO; FEIO: "... O sertanejo é... desgracioso, desengonçado, torto..." (Euclides da Cunha, *Os sertões*) [Pl.: [ó]. Fem.: [ó].] [F.: *des-* + *gracioso*.]

desgrama (des.*gra*.ma) *Pop. sf.* **1** Infortúnio, azar, má sorte **2** *Fig.* Coisa ou pessoa digna de lástima **3** *Fig.* Acontecimento funesto, infeliz ou trágico **4** *Fig.* Palavra-ônibus us. pejorativa ou negativamente para se referir a qualquer objeto ou acontecimento; TROÇO **5** *Fig.* Grande aflição ou angústia **6** *Fig.* Pobreza extrema; MISÉRIA; PENÚRIA [F.: De or. contrv; posv. cruzamento entre *desgraça* e *gramar*¹, 'suportar algo difícil'. Sin. ger.: *desgraça*.]

desgramado (des.gra.*ma*.do) *a.* **1** *Bras. Pop.* Diz-se de indivíduo esperto, danado, ou desgraçado *sm.* **2** *Bras. Pop.* Indivíduo esperto, danado, desgraçado: *O desgramado passou-lhe a perna de novo.* [F.: Posv. de *desgrama* + *-ado*¹.]

desgravação (des.gra.va.*ção*) *sf.* Ação ou resultado de desgravar (desgravação de vídeo, desgravação de arquivo) [Ant.: *gravação*.] [Pl.: *-ções*.] [F.: *desgravar* + *-ção*.]

desgrenhado (des.gre.*nha*.do) *a.* **1** Diz-se do cabelo em desalinho, despenteado: "Corre, corre, Victorino... gritou a pobre mulher, os cabelos desgrenhados..." (Franklin Távora, *O matuto*) **2** *Fig.* Confuso, revolto: "... Lembro-me dos sinos que... bimbalham no ar dores desgrenhadas..." (Antero de Figueiredo, *Espanha*) **3** Desordenado sem regularidade: "... Os mais eram os lances, os caracteres, as *ficelles* e até o estilo dos mais acabados tipos do romantismo desgrenhado..." (Machado de Assis, "A chinela turca", *in Papéis avulsos*) *sm.* **4** Aquele que traz o cabelo despenteado [F.: Part. de *desgrenhar*.]

desgrenhamento (des.gre.nha.*men*.to) *sm.* **1** Ação ou resultado de desgrenhar(-se) **2** Desalinho dos cabelos **3** Desordem, desalinho: "... O desgrenhamento das ramagens... O choro vão da água triste..." (Cecília Meireles, *Tumulto*) [F.: *desgrenhar* + *-mento*.]

desgrenhar (des.gre.*nhar*) *v. td.* **1** Fazer ficar ou ficar despenteado, com os cabelos em desalinho: *O vento desgrenhou-a.* **2** *Fig.* Perder o comedimento, o controle: *Esperneou, desgrenhou-se, mas não conseguiu nada.* [▶ 1 desgrenhar] [F.: *des-* + *grenha* + *-ar*².]

desgrudar (des.gru.*dar*) *v.* **1** Soltar o que estava grudado; DESCOLAR(-SE) [*td.*: *Desgrudou as folhas para a impressão do texto.*] [*tdr.* + *de*: *Desgrude essa mão do meu ombro.*] [*int.*:

A etiqueta desgrudou(-se).] **2** *Fig.* Afastar(-se), distanciar(-se) [*tdr.* + *de*: *Não desgrudava os olhos da tela.*] [*tr.* + *de*: *O menino não (se) desgruda da mãe.*] [▶ 1 desgrudar] [F.: *des-* + *grudar.* Ant. ger.: *grudar.*]

desguaritar (des.gua.ri.*tar*) *S. SP v.* **1** Desviar(-se) do bando; DESGARRAR(-SE); EXTRAVIAR(-SE); TRESMALHAR(-SE) [*td.* *int.*: *O bezerro disparou e desguaritou (-se).*] [*tr.* + *de*: *A ovelha desguaritou do rebanho.*] **2** *P.ext.* Afastar(-se) do grupo [*tr.* + *de*: "Meu pai veio a Mato Grosso com a Coluna Prestes. Aqui, desguaritou dos companheiros,..." (*Diário de Cuiabá*, 21.06.2001)] [*int.*: *Meu irmão desguaritou(-se) na quermesse.*] [*td.*: *O estrondo desguaritou todo mundo.*] [▶ 1 desguaritar] [F.: *des-* + *guarita* + *-ar*[2].]

desguarnecer (des.guar.ne.*cer*) *v.* **1** Deixar ou ficar sem armas, proteção etc; DESPROTEGER(-SE) [*td.*: *desguarnecer uma trincheira; A ausência do cão desguarnecerá a casa.*] [*int.*: *Com a sua saída, a defesa desguarneceu-se.*] **2** Retirar enfeites, objetos etc. de; DESORNAR: *O decorador desguarneceu o salão.* **3** Deixar ou ficar sem aquilo que é importante, necessário, útil (em dada situação) [*td.*] [*int.*] [▶ 33 desguarnecer] [F.: *des-* + *guarnecer.*]

desguarnecido (des.guar.ne.*ci*.do) *a.* **1** Que se desguarneceu; sem guarnição; DESASSISTIDO; DESPROTEGIDO: "As brigadas abalaram, deixando de todo esquecido, ao longe, o comboio, desguarnecido (...)" (Euclides da Cunha, *Os sertões*) **2** Sem adorno, enfeite ou decoração; desprovido: *A velha dama trazia o pescoço desguarnecido de colar*: "A estátua da Donzela, desguarnecida de flores, com o pedestal nu" (Eça de Queirós, *Cartas familiares*) **3** *Art.gr.* Ref. à moldura da qual se retirou a guarnição **4** *Mil.* Que está sem guarnições, munição etc. **5** Destituído, necessitado: *O ensino público está desguarnecido de bons professores.* [F.: Part. de *desguarnecer.*]

desguedelhado (des.gue.de.*lha*.do) *a.* **1** Diz-se de cabelo despenteado, desgrenhado **2** Diz-se daquele que tem o cabelo despenteado [F.: Part. de *desguedelhar*. Forma paral.: *esguedelhado.*]

desguedelhar (des.gue.de.*lhar*) *v.* Pôr (os cabelos) em desalinho; DESALINHAR(-SE); DESGRENHAR(-SE); DESPENTEAR(-SE); EMARANHAR(-SE) [*td.*: *O vento desguedelhou meus cabelos.* Ant.: *ajeitar, arrumar, pentear.*] [*int.*: *Prenda os cabelos; não os deixe desguedelhar-se*: "...a roupa empastava-lhe com o suor e a cabeleira desguedelhava-se sobre a testa." (Aluísio Azevedo, *Casa de Pensão*) Ant.: *ajeitar(-se), arrumar(-se), pentear.*] [▶ 1 desguedelhar] [F.: *des-* + *guedelha* + *-ar*[2]. Variações: *desgadelhar, esgadelhar, esguedelhar.*]

desguiar (des.gui.*ar*) *v. int. Bras. Gír.* Ir embora, cair fora [▶ 1 desguiar] [F.: *des-* + *guiar.*]

desidentificação (de.si.den.ti.fi.ca.*ção*) *sf.* Ação ou resultado de desidentificar(-se), de desfazer ou perder a identidade [Ant.: *identificação.*] [Pl.: *-ções.*] [F.: *desidentificar* + *-ção.*]

desidentificar (de.si.den.ti.fi.*car*) *v.* **1** Fazer deixar ou deixar de se identificar com, de ser ou de parecer idêntico a; DESSEMELHAR(-SE); DIVERGIR [*tdr.* + *de*: *É preciso desidentificar o Estado de seu governante.*] [*int.*: *Marido e mulher se desidentificaram; Teorias que se vão desidentificando.* Ant.: *assemelhar-se, identificar-se, igualar-se.*] **2** Fazer perder ou perder a identidade, as características que distinguem (alguém ou algo) [*td.*: *Trocou de roupa e maquiagem, desidentificou a personagem.*] [*int.*: *É um homem que não se desidentificou por causa do sucesso.*] [▶ 11 desidentificar] [F.: *des-* + *identificar.*]

desideologização (de.si.de.o.lo.gi.za.*ção*) *sf.* Ação ou resultado de desideologizar, de retirar ou depurar elementos ideológicos [Ant.: *ideologização.*] [Pl.: *-ções.*] [F.: *desideologizar* + *-ção.*]

desideologizar (de.si.de.o.lo.gi.*zar*) *P.us. v.* Expurgar(-se), livrar(-se) de crenças, valores, princípios, pressupostos ideológicos, em prol de uma visão não distorcida e não tendenciosa [*td.*: "Desideologizou amplamente o debate, sem se comprometer formalmente com nenhuma posição." (*Folha de S.Paulo*, 08.10.2002): "Todos os meus documentários, e com Zweig não é diferente, são uma tentativa de desideologizar o tema, dar ao espectador a chance de tirar suas próprias conclusões." (Sílvio Back apud Hugo Sukman, *O Globo*, Segundo Caderno, 04.03.1997) Ant.: *ideologizar.*] [*int.*: *Para se debater um assunto de forma objetiva e franca, é preciso antes desideologizar-se totalmente.*] [▶ 1 desideologizar] [F.: *des-* + *ideologia* + *-izar.*]

desiderativo (de.si.de.ra.*ti*.vo) *a.* **1** Que expressa desejo, vontade **2** *Gram. Ling.* Diz-se de verbo ou locução verbal que indicam desejo ou vontade, em expressões como "quero sair", "desejo escrever um conto" [F.: Do lat. *desiderativus, a, um.*]

desiderato (de.si.de.*ra*.to) *sm.* Coisa desejada; ASPIRAÇÃO; DESIDERATUM: "... Era de supor que o Basílio não visasse a outro desiderato..." (Aquilino Ribeiro, *Mônica*) [F.: Do lat. *desideratum*, substv. do neutro do part. pass. Do v.lat. *desiderare.*]

desídia (de.*sí*.di:a) *sf.* **1** Indolência, ociosidade, preguiça **2** Falta de cuidado, irresponsabilidade no que realiza; DESLEIXO: "... Cobiçado pelos que das mãos, por nossa desídia nos arrancaram tudo..." (Latino Coelho, *Camões*) **3** *Jur.* Negligência ou descuido [F.: Do lat. *desidia, ae.*]

desidioso (de.si.di.*o*.so) [ô] *a.* **1** Indolente, preguiçoso **2** Negligente, sem cuidado nem atenção no que faz [Pl.: [ó]. Fem.: [ó].] [F.: Do lat. *desidiosus, a, um.*]

desidratação (de.si.dra.ta.*ção*) *sf.* **1** Ação ou resultado de desidratar(-se) **2** Técnica para remoção de água de certas substâncias **3** *Med.* Perda excessiva de água dos tecidos orgânicos **4** *Med.* Afecção grave provocada por calor excessivo e caracterizada por vômito e diarreia **5** *Agr.* Processo de retirada ou redução de água de frutas ou legumes **6** *Petrq.* Processo de extração da água de um petróleo bruto **7** Reação pela qual se retiram uma ou mais moléculas de um composto [Pl.: *-ções.*] [F.: *desidratar* + *-ção.*]

desidratado (de.si.dra.*ta*.do) *a.* **1** Que sofreu desidratação (carne desidratada) **2** *Med.* Aquele apresenta desidratação (4) [F.: Part. de *desidratar.*]

desidratante (de.si.dra.*tan*.te) *a2g.* **1** Que desidrata, que gera desidratação (tratamento desidratante, pomada desidratante); DESIDRATADOR [Ant.: *hidratante.*] *sm.* **2** *Quím.* Substância us. na desidratação de outra [F.: *desidratar* + *-nte.*]

desidratar (de.si.dra.*tar*) *v.* **1** Retirar a água de [*td.*: *desidratar plantas/alimentos.*] **2** *Med.* Causar ou apresentar desidratação [*td.*: *As altas temperaturas desidrataram os turistas.*] [*int.*: *O menino desidratou-se com o calor.*] [▶ 1 desidratar] [F.: *des-* + *hidratar.*]

desidremia (de.si.dre.*mi*.a) *sf. Med.* Redução da taxa de água no sangue [F.: *des-* + *-idr(o)-* + *-emia.*]

desidrêmico (de.si.*drê*.mi.co) *a. Med.* Ref. ou inerente a desidremia (tratamento desidrêmico) [F.: *desidremia* + *-ico*[2].]

desidrogenação (de.si.dro.ge.na.*ção*) *sf. Quím.* Ação ou resultado de desidrogenar [Pl.: *-ções.*] [F.: *desidrogenar* + *-ção.*]

desidrogenado (de.si.dro.ge.*na*.do) *a. Quím.* De que se retirou o hidrogênio (diz-se de hidrocarboneto etc.) [Ant.: *hidrogenado.*] [F.: Part. de *desidrogenar.*]

desidrogenar (de.si.dro.ge.*nar*) *v. td. Quím.* Retirar hidrogênio de [▶ 1 desidrogenar] [F.: *des-* + *hidrogenar.*]

desidrogenase (de.si.dro.ge.*na*.se) *sf. Bioq.* Cada uma das enzimas que atuam na remoção de hidrogênio por moléculas orgânicas, com transferência a outras substâncias, e na catalisação de desidrogenações; DEIDROGENASE [F.: De *desidrogen-*, como em *desidrogenar* e *desidrogenação*, + *-ase*; *desidrogênase* é a melhor f., porém menos us.]

🌐 **design** (*Ing. /dizáin/*) *sm.* **1** Concepção física, formal e funcional de um produto; DESENHO INDUSTRIAL: *O design deste automóvel é futurista.* **2** O produto resultante dessa concepção ■ **~ gráfico** *Art.gr. Des.ind.* Conjunto de conceitos estéticos, técnicas e processos us. na criação e desenvolvimento de representações visuais de ideias, mensagens, entidades etc., por meio de textos, vinhetas impressas, de cinema ou de televisão, logotipos, signos, publicações impressas etc.

designação (de.sig.na.*ção*) *sf.* **1** Ação ou resultado de designar; INDICAÇÃO; NOMEAÇÃO: *A designação para a vaga obedecerá a critérios explícitos.* **2** Meio pelo qual se designa alguém ou algo; NOME; DESIGNATIVO: *Qual é a designação de sua empresa?* [Pl.: *-ções.*] [F.: *designar* + *-ção.*]

designado (de.sig.*na*.do) *a.* **1** Que se designou, que recebeu designação [Ant.: *desconvocado, desligado.*] **2** Que foi indicado para cargo, função, serviço etc; NOMEADO [+ *como, para*: *designado como representante; designado para dirigir.*] **3** Indicado, apontado, citado *sm.* **4** Aquele que se designou, que recebeu designação [F.: Do lat. *designatus, a, um.*]

designador (de.sig.na.*dor*) [ô] *a.* **1** Que designa, ou indica ou especifica (sinal designador); DESIGNANTE *sm.* **2** Aquele que designa, ou indica ou especifica (designador de tarefas) [F.: Do lat. *designator, oris.*]

designar (de.sig.*nar*) *v.* **1** Servir de nome a; DENOMINAR(-SE); CHAMAR(-SE) [*td.*: *Esse termo designa uma doença.*] [*tp.*: *A avenida passou a designar-se Ayrton Senna.*] **2** Indicar (alguém) para cargo, função [*td.*: *O chefe da equipe designou o assistente.*] [*tdr.* + *para*: *Designei João para coordenar o projeto.*] **3** Determinar, atribuir, fixar [*td.*: *Falta designar local e data.*] [*tdi.* + *a, para*: "Mas o copeiro assumiu o posto que lhe designaram" (Aluísio Azevedo, *Casa de pensão*)] **4** Ser o sinal, o símbolo, a representação de [*td.*: *A pomba branca designa a paz.*] **5** Apontar, mostrar [*td.*: "Sinha Vitória (...) designou os juazeiros invisíveis" (Graciliano Ramos, *Vidas Secas*)] [▶ 1 designar Observar a sílaba tônica nas formas do sing. e da 3ª pess. do pl. do pres. do ind. (de.*sig*.no, de.*sig*.nam) e subj. (de.*sig*.ne, de.*sig*.nem).] [F.: Do v.lat. *designare.*]

designatário (de.sig.na.*tá*.ri:o) *a.* **1** *Bras. Com. Econ.* Diz-se de indivíduo, empresa ou entidade que é credenciada por escrito, em cheque cruzado, para receber a respectiva importância *sm.* **2** *Bras. Com. Econ.* O indivíduo, empresa ou entidade que é credenciada por escrito, em cheque cruzado, para receber a respectiva importância [F.: *designar* + *-tário.*]

designativo (de.sig.na.*ti*.vo) *a.* **1** Que designa: *Maria é nome próprio designativo de pessoa do sexo feminino.* *sm.* **2** Designação (2): *No quartel meu designativo era Sobrinho, soldado Sobrinho.* [F.: *designar* + *-tivo.*]

🌐 **designer** (*Ing. /dizáiner/*) *s2g.* Profissional que concebe o *design* de um produto, desenhista industrial

desígnio (de.*síg*.ni:o) *sm.* **1** Ideia ou intenção de fazer ou realizar algo; VONTADE; PROPÓSITO: *Não havia o desígnio de processá-lo.* **2** *P.ext.* O que se pretende realizar; INTENÇÃO; SONHO; DESEJO: *Seu desígnio é ser presidente da República.* **3** *Fig.* A manifestação ou expressão de uma vontade, de uma intenção **4** *Fig.* A razão de ser ou a finalidade de algo (fato, acontecimento etc.); PROPÓSITO [F.: Do lat.tard. *designium,ii*, Do v.lat. *designare*, 'marcar'; 'indicar'.]

desigual (de.si.*gual*) *a2g.* **1** Que não é igual ou o mesmo para todos; DIFERENCIADO: *Educação desigual aumenta distorções na globalização.* **2** Diferente, dessemelhante **3** Injusto, parcial (partilha desigual) **4** Volúvel, inconstante (caráter desigual) **5** Assimétrico, irregular (terreno desigual) **6** Que não é uniforme (passadas desiguais) **7** Em que não há equilíbrio de forças (luta desigual) **8** *P.us.* Extraordinário, singular [Pl.: *-guais.*] [F.: *des-* + *igual.*]

desigualar (de.si.gua.*lar*) *v.* Tornar(-se) desigual; considerar(-se) desigual; DIFERENCIAR(-SE) [*td.*: *O regulamento do concurso não pode desigualar os candidatos; Irmãos não devem desigualar-se.*] [*tdr.* + *de*: *Faz de tudo para desigualar-se dos outros.*] [▶ 1 desigual **ar**] [F.: *des-* + *igualar.* Ant. ger.: *igualar.*]

desigualdade (de.si.gual.*da*.de) *sf.* **1** Condição do que é desigual ou diferenciado: *Não é justo que haja desigualdade salarial para desempenho de tarefas iguais.* **2** Ausência de equilíbrio: *É patente a desigualdade de forças entre as partes.* **3** Variação, inconstância, volubilidade (desigualdade de horários) **4** Em que não há regularidade, que está desnivelado (desigualdades na topografia) **5** Ausência de uniformidade (desigualdade na coloração); DESUNIFORMIDADE **6** Desproporção, parcialidade, injustiça: *É um pai que trata os filhos com desigualdade.* **7** Distinção (desigualdades sociais) **8** *Mat.* Expressão em que se comparam duas quantidades desiguais, usando-se os sinais 'maior', 'menor', 'diferente' [F.: De *desigual* + *-(i)dade*, ou de *des-* + *igualdade.*]

desiludido (de.si.lu.*di*.do) *a.* **1** Que sofreu desilusão, que se desiludiu [+ *com, de*: *desiludido com o amigo; desiludido de si próprio.* Ant.: *animado; encantado.*] **2** Que perdeu a esperança, que está descrente **3** Que se decepcionou com algo ou com alguém *sm.* **4** Aquele que sofreu desilusão, que se desiludiu **5** Indivíduo desiludido (2 ou 3) [F.: Part. de *desiludir.*]

desiludir (de.si.lu.*dir*) *v.* Tirar as ilusões, as esperanças de, ou perdê-las; DECEPCIONAR(-SE); DESENGANAR(-SE) [*td.*: *O resultado da prova desiludiu muita gente.*] [*tdr.* + *de*: *A separação não o desiludiu do amor.*] [*int.*: *Uma sucessão de recusas desanima e desilude; Não sonhe demais, você pode desiludir-se.*] [▶ 3 desiludir] [F.: *des-* + *iludir.* Ant.: *iludir.*]

desilusão (de.si.lu.*são*) *sf.* **1** Ação ou resultado de desiludir(-se) **2** Perda da ilusão; DECEPÇÃO; DESENGANO: "... É a primeira desilusão sobre a autonomia da indústria nacional..." (Fialho de Almeida, *Os gatos*) **3** Sentimento de frustração, desapontamento [Pl.: *-sões.*] [F.: *des-* + *ilusão.*]

desimpedido (de.sim.pe.*di*.do) *a.* **1** Que está desobstruído (caminho desimpedido); LIVRE **2** Facilitado, liberado: *o requerimento agora pode seguir, está desimpedido.* **3** Sem compromissos ou obrigações **4** Que não tem compromisso afetivo com outro alguém; solteiro, descomprometido **5** Sem embargos: "... Falara com aparente serenidade, com uma voz clara e desimpedida..." (Teixeira de Queirós, *Comédia do campo*) **6** Franco, sem rodeios: *Todos admiravam o seu jeito desimpedido de se expressar.* [F.: Part. de *desimpedir.*]

desimpedimento (de.sim.pe.di.*men*.to) *sm.* **1** Ação ou resultado de desimpedir **2** Ausência de comprometimento ou obrigatoriedade: *O candidato deverá apresentar declaração de desimpedimento para o exercício da função.* **3** Retirada de obstáculos; desobstrução: *O síndico determinou o desimpedimento de todas as portas do edifício.* [F.: *desimpedir* + *-mento.*]

desimpedir (de.sim.pe.*dir*) *v. td.* Retirar obstáculo, impedimento a; DESOBSTRUIR: *Rebocaram o carro para desimpedir a rua; A alteração no regulamento desimpedirá a tramitação do processo.* [Ant.: *impedir.*] [▶ 44 desim**pedir**] [F.: *des-* + *impedir.*]

desimportante (de.sim.por.*tan*.te) *a2g.* De pouca ou nenhuma importância; INSIGNIFICANTE [F.: *des-* + *importante.*]

desincentivador (de.sin.cen.ti.va.*dor*) [ô] *a.* **1** Que desincentiva, desencoraja, tira o estímulo *sm.* **2** Aquele ou aquilo que reduz ou anula o incentivo [F.: *des* + *incentivar* + *-dor*. Sin. ger.: *desencorajador.*]

desincentivar (de.sin.cen.ti.*var*) *v.* Tirar o incentivo, o estímulo de; perder o incentivo; DESALENTAR(-SE); DESENCORAJAR(-SE); DESESTIMULAR(-SE); INIBIR(-SE) [*td.*: "Correm-se assim os riscos de perturbar o bom andamento das obras e serviços, desincentivar investidores estrangeiros e nacionais." (*O Globo*, 06.04.1999)] [*int.*: *Quis ir ao passeio mas desincentivou-se.* Ant.: *alentar(-se), encorajar(-se), estimular(-se), incentivar(-se).*] [▶ 1 desincentivar] [F.: *des-* + *incentivar.*]

desincentivo (de.sin.cen.*ti*.vo) *sm.* **1** Ação ou omissão que conduz à perda ou redução do incentivo **2** Falta de incentivo [F.: *des-* + *incentivo.*]

desinchaço (de.sin.*cha*.ço) *sm.* Regressão do inchaço, redução da intumescência [F.: *des-* + *inchaço.*]

desinchar (de.sin.*char*) *v.* **1** Fazer ficar ou ficar menos inchado ou sem inchação; DESINTUMESCER [*td.*: *Aplicou uma compressa fria para desinchar os olhos.*] [*int.*: *Com o repouso, os pés desincharam(-se).*] **2** *Fig.* Fazer diminuir a vaidade, presunção de (alguém), ou perdê-las [*td.*: *As críticas o desincharam.*] [*int.*: *Após a gafe, desinchou(-se).*] [▶ 1 desinchar] [F.: *des-* + *inchar.* Ant. ger.: *inchar.*]

desinclinação (de.sin.cli.na.*ção*) *sf.* **1** Ato ou efeito de desinclinar, de pôr a prumo **2** *Fig.* Modificação na tendência ou disposição para algo [Pl.: *-ções.*] [F.: *desinclinar* + *-ção.*]

desinclinar (de.sin.cli.*nar*) *v.* **1** Tirar a inclinação de; perder a inclinação; APRUMAR(-SE); DESENTORTAR(-SE); ENDIREITAR(-SE) [*td.*: *Colocou aparelho para desinclinar alguns dentes.* Ant.:.] [*int.*: *A curva de juros desinclinou(-se) bruscamente.* Ant.: *curvar, desaprumar, desnivelar, inclinar, vergar*] **2** *Fig.* Tirar o gosto a, desafeiçoar, afastar [*tdr.* + *de*: *desinclinar alguém de um vício.*] [▶ 1 desinclinar] [F.: *des-* + *inclinar.*]

desincompatibilização (de.sin.com.pa.ti.bi.li.za.*ção*) *sf.* Ação ou resultado de desincompatibilizar, de tornar compatível o que não o era [Pl.: *-ções.*] [F.: *desincompatibilizar* + *-ção.*]

desincompatibilizado (de.sin.com.pa.ti.bi.li.*za*.do) *a.* **1** Que se desincompatibilizou **2** Que voltou a ser compatível [F.: Part. de *desincompatibilizar.*]

desincompatibilizar (de.sin.com.pa.ti.bi.li.*zar*) *v. td.* **1** *Pol.* Deixar cargo, função incompatíveis com candidatura, para candidatar-se em eleição: *O governador deve desincompatibilizar-se antes do pleito.* **2** Tirar ou perder a incompatibilidade de; tornar(-se) compatível; HARMONIZAR(-SE): *O interesse comum desincompatibilizou-os; Depois de muita conversa, suas propostas desincompatibilizaram-se.* [▶ 1 desincompatibilizar] [F.: *des-* + *incompatibilizar.* Ant. ger.: *incompatibilizar.*]

desincorporado (de.sin.cor.po.*ra*.do) *a.* **1** Que (se) desincorporou **2** Que se afastou ou foi afastado de um corpo, uma corporação; DESVINCULADO **3** Que foi separado do grupo ou conjunto a que pertencia; DESAGREGADO; DESUNIDO [F.: Part. de *desincorporar.*]

desincorporar (de.sin.cor.po.*rar*) *v.* **1** Fazer sair ou sair de corporação; DESLIGAR(-SE) [*td.*: *O Exército desincorporou o excesso de contingente.*] [*tda.*: *Terminado o período, desincorporou-se da Marinha.*] **2** Separar, retirar o que estava incorporado num todo [*td.*: *desincorporar territórios.*] [*tdr.* + *de*: *O projeto visa desincorporar da língua portuguesa palavras e expressões estrangeiras.*] **3** *Bras. Rel.* Deixar o corpo do médium (diz-se de espírito, entidade) [*int.*] **4** *Bras. Rel.* Deixar de ter um espírito ou entidade incorporado em si [*int.*: *Ao desincorporar, muitos médiuns não se lembram de nada do que se passou.*] [▶ 1 desincorporar] [F.: *des-* + *incorporar.* Ant. ger.: *incorporar.*]

desincumbir (de.sin.cum.*bir*) *v.* **1** Realizar, cumprir uma missão ou incumbência [*tr.* + *de*: *Quis desincumbir-se logo da difícil tarefa.*] **2** Tirar o encargo de; DESOBRIGAR [*tdr.* + *de*: *Desincumbiu o jardineiro de regar as plantas.*] [▶ 3 desincumbir] [F.: *des-* + *incumbir.* Ant. ger.: *incumbir.*]

desindexação (de.sin.de.xa.*ção*) [cs] *sf.* **1** Ação ou resultado de desindexar **2** *Econ.* Eliminação de reajuste obrigatório em função de mudança de algum parâmetro escolhido como índice: *Com a desindexação, elimina-se cláusula que vincule o valor do contrato à inflação.* [Pl.: *-ções.*] [F.: *desindexar* + *-ção.*]

desindexado (de.sin.de.*xa*.do) [cs] *a.* **1** Que se desindexou, que perdeu a característica de reajuste obrigatório **2** *Econ.* Diz-se de item cujo valor não varia em função de alterações de algum índice, como a inflação: *As aposentadorias foram desindexadas, mas as tarifas de serviços públicos, não.* [F.: Part. de *desindexar.*]

desindexar (de.sin.de.*xar*) [cs] *Econ. v.* Dissociar valores, correção etc. (de índices econômicos, preços) [*td.*: *desindexar a economia.*] [*tdr.* + *de*: *desindexar contratos do dólar.* Ant.: *indexar.*] [▶ 1 desindexar] [F.: *des-* + *indexar.*]

desindicar (de.sin.di.*car*) *Bras. Pop. P.us. v.* **1** Retratar-se de indicação feita anteriormente, ou retirá-la; DESABONAR *Bras. Rest;* DEMITIR *Bras. Rest;* EXONERAR; INVALIDAR [*td.*: "Lula diz que indica e 'desindica' ministros quando quiser." (*Folha Online*, 02.11.2003) Ant.: *abonar, afiançar, indicar, nomear.*] **2** Considerar não indicado [*td.*: *Desindica-se a aspirina em casos de dengue.* Ant.: *indicar.* Nesta acp., o verbo é us. normalmente na voz passiva] [▶ 11 desindicar] [F.: *des-* + *indicar.*]

desinência (de.si.*nên*.ci:a) *sf.* **1** *Gram.* Todo segmento fônico situado no final do vocábulo que numa língua marque categorias gramaticais tais como gênero, número, pessoa etc.: *No Português, o segmento final - s no voc. bolos é desinência de plural.* **2** Fim, termo, extremidade **3** *Bot.* Extremidade de um órgão [F.: Do lat. medieval *desinentia.*]

desinfeção (de.sin.fe.*ção*) *sf.* Ver *desinfecção*

desinfecção (de.sin.fec.*ção*) *sf.* **1** Ação ou resultado de desinfeccionar **2** Eliminação de agentes infecciosos; ASSEPSIA: *Descobriu-se no séc. XIX o poder do ozônio de desinfecção da água.* **3** Cura de infecção [Pl.: *-ções.*] [F.: *des-* + *infecção.* Tb. *desinfeção.*]

desinfeccionar (de.sin.fec.ci:o.*nar*) *v. td.* Destruir ou eliminar germes nocivos, infecciosos; DESINFETAR [Ant.: *infeccionar*] [▶ 1 desinfeccionar] [F.: *des-* + *infeccionar.* Tb. *desinfecionar.*]

desinfecionar (de.sin.fe.ci:o.*nar*) *v.* Ver *desinfeccionar*

desinfectação (de.sin.fec.ta.*ção*) *sf.* Ver *desinfetação*

desinfectado (de.sin.fec.*ta*.do) *a.* Ver *desinfetado*

desinfectador (de.sin.fec.ta.*dor*) [ô] *a.sm.* Ver *desinfetador*

desinfectante (de.sin.fec.*tan*.te) *a2g. sm.* Ver *desinfetante*

desinfectar (de.sin.fec.*tar*) *v.* Ver *desinfetar*

desinfeliz (de.sin.fe.*liz*) *a2g. Bras. Pop.* Infeliz ou muito infeliz: "...Nunca dantes me sentira / Tão desinfeliz assim..." (Manuel Bandeira, "Toada", *Mafuá do malungo*) [F.: *des-* + *infeliz.*]

desinfestação (de.sin.fes.ta.*ção*) *sf.* **1** Ação ou resultado de desinfestar **2** Extermínio de quaisquer formas de animais (ger. insetos) capazes de agir como vetores de doenças [Pl.: *-ções.*] [F.: *desinfestar* + *-ção.* Cf.: *desinfetação.*]

desinfestar (de.sin.fes.*tar*) *v. td.* **1** Livrar daquilo que infesta ou que é prejudicial, nocivo, incômodo **2** Exterminar (formas animais nocivas [esp. insetos]) [▶ 1 desinfestar] [F.: *des-* + *infestar.*]

desinfetação (de.sin.fe.ta.*ção*) *sf.* Ação ou resultado de desinfetar, de destruir os germes patogênicos de um local; SANEAMENTO [Pl.: *-ções.*] [F.: *desinfetar* + *-ção.* Cf.: *desinfestação.* Tb. *desinfectação.*]

desinfetado (de.sin.fe.*ta*.do) *a.* Livre de germes, por ação de produto desinfetante [F.: Part. de *desinfetar.* Tb. *desinfectado.*]

desinfetador (de.sin.fe.ta.*dor*) [ô] *a.* **1** Que desinfeta *sm.* **2** Produto químico próprio para causar a desinfecção; DESINFETANTE [F.: *desinfetar* + *-dor.* Tb. *desinfectador.*]

desinfetante (de.sin.fe.*tan*.te) *sm.* **1** Substância, produto ou medicamento que neutraliza ou combate germes nocivos de modo a evitar contaminação: *Os desinfetantes não destroem todos os microrganismos. a2g.* **2** Diz-se dessa substância, produto ou medicamento **3** Que desinfeta, desinfetador [F.: *desinfetar* + *-nte.* Tb. *desinfectante.*]

desinfetar (de.sin.fe.*tar*) *v.* **1** Livrar do que infe(c)ta ou pode infe(c)tar (matando micróbios); DESINFECCIONAR [*td.*: *desinfetar uma ferida/instrumentos cirúrgicos.*] [*int.*: *Há neste produto uma substância que desinfeta.*] [Ant.: *infetar, infectar.*] **2** *Bras. Gír.* Sair de um lugar onde se incomoda a outrem; ir embora [*ta.*: *Desinfeta daí!*] [▶ 1 desinfetar] [F.: *des-* + *infetar.* Tb. *desinfectar.*]

desinflação (de.sin.fla.*ção*) *sf. Econ.* Queda ocasional do índice de inflação; DEFLAÇÃO [Pl.: *-ções.*] [F.: *des-* + *inflação.*]

desinflacionar (de.sin.fla.ci:o.*nar*) *v. td. Econ.* Reduzir a inflação de; promover a deflação de; DEFLACIONAR: *As medidas visavam desinflacionar a economia.* [Ant.: *inflacionar.*] [▶ 1 desinflacionar] [F.: *des-* + *inflacionar.*]

desinflacionário (de.sin.fla.ci:o.*ná*.ri:o) *Econ. a.* **1** Ref. à desinflação **2** Que é voltado para reduzir a inflação; DEFLACIONÁRIO [F.: *desinflação* + *-ário*, seg. o mod. erudito.]

desinflamação (de.sin.fla.ma.*ção*) *sf.* **1** Ação ou resultado de desinflamar(-se) **2** Cessamento ou diminuição de inflamação: *Esse procedimento proporciona a desinflamação das varizes.* [Pl.: *-ções.*] [F.: *desinflamar* + *-ção.*]

desinflamado (de.sin.fla.*ma*.do) *a.* **1** Que teve a inflamação diminuída ou cessada: *O joelho desinflamado reagiu bem ao teste.* **2** Que perdeu o ardor ou o entusiasmo [F.: Part. de *desinflamar.*]

desinflamar (de.sin.fla.*mar*) *v.* Eliminar ou reduzir a inflamação de, ou ficar desinflamado [*td.*: *desinflamar as gengivas.*] [*int.*: *O ferimento desinflamou; Sua garganta já se desinflamou.* Ant.: *inflamar.*] [▶ 1 desinflamar] [F.: *des-* + *inflamar.*]

desinflar (de.sin.*flar*) *v.* **1** Tornar(-se) murcho, vazio; ESVAZIAR; MURCHAR [*td.*: *desinflar o balão.*] [*int.*: *O colchão de ar desinflou(-se).* Ant.: *encher(-se), inflar(-se).*] **2** *Fig.* Fazer diminuir ou diminuir o excesso (de); ABATER(-SE); DEPRIMIR(-SE); REDUZIR(-SE) [*td.*: "A revelação foi decisiva para desinflar os ânimos oposicionistas." (*Veja*, 07.06.2006)] [*int.*: "...revolucionou a prosa em língua espanhola, que, com ele, se desinflou, pôde se purificar de uma carga muito forte..." (*Correio Braziliense*, 04.07.1999)] **3** *Bras. Fig. Rest.* Fazer diminuir ou diminuir o número de funcionários [*int.*: "Se não desinflar, o setor público acabará por arrastar com ele toda a sociedade brasileira." (*Ibidem*, 10.07.2002)] [*td.*] **4** Reduzir(-se) ou eliminar(-se) a inflação (de); DESINFLACIONAR(-SE) [*td.*: "...deve ser mais fácil desinflar uma economia que teve um surto inflacionário recente do que uma cujo processo inflacionário seja crônico." (*Revista Brasileira de Economia*, vol. 57, n. 4, out-dez./ 2003)] **5** *Fig.* Diminuir, reduzir, decrescer [*tr.* + *de...para*: "A fatia da dívida interna atrelada ao câmbio desinflou de 40% do total para 2%." (*Correio Braziliense*, 30.03.2005) Ant.: *aumentar, crescer, inchar.*] [▶ 1 desinflar] [F.: *des-* + *inflar.*]

desinformação (de.sin.for.ma.*ção*) *sf.* **1** Ação ou resultado de desinformar: *Desenvolveu uma intensa campanha de desinformação.* **2** Informação falsa que é divulgada com o propósito de confundir **3** Desconhecimento, ignorância: *A desinformação sobre a doença é grande na comunidade.* [Pl.: *-ções.*] [F.: *desinformar* + *-ção.*]

desinformado (de.sin.for.*ma*.do) *a.* **1** Não informado ou mal informado; IGNORANTE: *Ela é uma moça desinformada, parece desconhecer tudo. sm.* **2** Indivíduo desinformado: *O desinformado é presa fácil dos espertalhões.* [F.: Part. de *desinformar.* Cf. *desenformado.*]

desinformar (de.sin.for.*mar*) *v. td.* Informar erradamente ou não informar: *Preferiu desinformar os leitores a dar aquela notícia.* [Ant.: *informar*] [▶ 1 desinformar] [F.: *des-* + *informar.*]

desinibição (de.si.ni.bi.*ção*) *sf.* **1** Característica, condição ou estado de desinibido; DESCONTRAÇÃO: *Seu grau de desinibição é acima da média.* **2** Supressão de uma inibição [Pl.: *-ções.*] [F.: *desinibir* + *-ção.*]

desinibido (de.si.ni.*bi*.do) *a.* Livre de inibições, acanhamento ou timidez (sujeito desinibido, conversa desinibida); DESCONTRAÍDO; EXTROVERTIDO [F.: *des-* + *inibido.*]

desinibir (de.si.ni.*bir*) *v.* Livrar-(se) de inibição, vergonha, timidez [*td.*: *A dança desinibe os atores.*] [*int.*: *A dança fez o adolescente desinibir-se.* Ant.: *inibir.*] [▶ 3 desinibir] [F.: *des-* + *inibir.*]

desinquietação (de.sin.qui:e.ta.*ção*) *sf.* **1** Estado de quem ou do que está desinquieto; DESASSOSSEGO; INTRANQUILIDADE: "... A desinquietação reina em todas as fileiras..." (Antônio Feliciano de Castilho, *Outono*) [Ant.: *calma, tranquilidade.*] **2** *P.ext.* Perturbação, incômodo [Pl.: *-ções.*] [F.: *desinquietar* + *-ção.*]

desinquietar (de.sin.qui:e.*tar*) *v.* Tirar ou perder a calma, o sossego; tornar(-se) desinquieto; INQUIETAR(-SE) [*td.*: *O barulho desinquietava o bebê.*] [*int.*: *Após uma hora de espera, começou a desinquietar-se.*] [▶ 1 desinquietar] [F.: *desinquieto* + *-ar²*.]

desinquieto (de.sin.qui.*e*.to) [é] *a.* **1** Muito inquieto; AGITADO; INTRANQUILO: *Aguardavam desinquietos o sinal de partida.* [Ant.: *calmo, impassível.*] **2** Travesso, levado (criança desinquieta) **3** Revolto, agitado (mar desinquieto) [Ant.: *quieto, tranquilo.*] [F.: *des-* + *inquieto.*]

desinserido (de.sin.se.*ri*.do) *a.* Que se desinseriu, cuja inserção foi desfeita [F.: Part. de *desinserir.*]

desinsetização (de.sin.se.ti.za.*ção*) *sf.* Ação, processo ou resultado de desinsetizar, de combater e eliminar insetos [Pl.: *-ções.*] [F.: *desinsetizar* + *-ção.*]

desinsetizador (de.sin.se.ti.za.*dor*) [ô] *a.* **1** Que desinsetiza, que extermina insetos *sm.* **2** Profissional de desinsetização **3** Produto ou substância us. para desinsetizar [F.: *desinsetizar* + *-dor.*]

desinsetizar (de.sin.se.ti.*zar*) *v.* Exterminar os insetos de; DEDETIZAR [*td.*: *Não pode haver baratas, desinsetizamos a casa*: "...contratou um serviço de fumacê particular para desinsetizar as salas de aula duas vezes por semana." (*O Globo*, 07.02.2002)] [▶ 1 desinsetizar] [F.: *des-* + *inseto* + *-izar.*]

desinsofrido (de.sin.so.*fri*.do) *a.* Muito impaciente, extremamente agitado; INSOFRIDO: "...A calmaria se desfez quando Pedro, desinsofrido e azoado, nos anunciou que o homem não respeitara a cerca..." (J. L. Mora Fuentes, *Retratos de antes da luta*) [Ant.: *calmo.*] [F.: *des-* + *insofrido.*]

desintegração (de.sin.te.gra.*ção*) *sf.* **1** Ação ou resultado de desintegrar(-se) **2** Ação ou resultado de decompor-se, desfazer-se, de ter sua integridade, coesão ou formação desfeita; DECOMPOSIÇÃO; DESFAZIMENTO: *As causas primeiras da desintegração do mundo soviético.* **3** *Fís.nu.* Transformação do núcleo de um átomo em outro núcleo **4** Ação ou resultado de afastar-se ou de ser afastado de um grupo, conjunto, ou corporação [Pl.: *-ções.*] [F.: *desintegrar* + *-ção.*] ▪▪ **~ alfa** *Fís.nu.* Desintegração radioativa na qual é emitida uma partícula alfa **~ artificial** *Fís.nu.* Desintegração radioativa resultante da captura de uma partícula por um núcleo **~ beta** *Fís.nu.* Desintegração radioativa na qual é emitido um elétron **~ espontânea** *Fís.nu.* Transformação natural de um nuclídeo, ou de um núcleo composto em outro, com emissão de partículas; desintegração natural **~ gama** *Fís.nu.* Desintegração radioativa na qual são emitidos raios gama **~ múltipla** *Fís.nu.* Ver *Desintegração ramificada.* **~ natural** *Fís.nu.* Ver *Desintegração espontânea.* **~ ramificada** *Fís.nu.* Aquela que pode ocorrer por duas ou mais diferentes sequências de reação; desintegração múltipla

desintegrado (de.sin.te.*gra*.do) *a.* **1** Que se desintegrou, cuja inteireza se desfez; DESAGREGADO; DESUNIDO; FRAGMENTADO **2** Que deixou de fazer parte de um todo (grupo, conjunto etc.) [F.: Part. de *desintegrar.*]

desintegrador (de.sin.te.gra.*dor*) [ô] *a.* **1** Que desintegra, desfaz ou separa de um todo *sm.* **2** Aquele ou aquilo que desintegra [F.: *desintegrar* + *-dor.*]

desintegrante (de.sin.te.*gran*.te) *a2g.* Que desintegra, promove a desintegração; DESAGREGANTE [F.: *desintegrar* + *-nte.*]

desintegrar (de.sin.te.*grar*) *v.* **1** Fazer perder ou perder a integridade; DECOMPOR(-SE); DESUNIR(-SE) [*td.*: *As divergências desintegraram o grupo.*] [*int.*: *O foguete desintegrou-se ao regressar à Terra.*] **2** Separar, retirar [*tdr.* + *de*: *Desintegramos do texto duas partes fundamentais.*] [▶ 1 desintegrar] [F.: *des-* + *integrar.* Ant. ger.: *integrar.*]

desinteligência (de.sin.te.li.*gên*.ci:a) *sf.* **1** Desentendimento, discordância, divergência, desavença: *Chefe e chefiado tiveram uma desinteligência passageira.* **2** Falta de inteligência; IGNORÂNCIA; INCULTURA [F.: *des-* + *inteligência.*]

desinterditar (de.sin.ter.di.*tar*) *v.* **1** *Jur.* Suspender a interdição judicial de; LIBERAR [*td.*: *A Vigilância Sanitária desinterditou as máquinas de caldo de cana lacradas ontem*: "A ANP analisará a documentação requerida, (...) para desinterditar o duto, assegurando-se, assim, que o mesmo somente retorne a operar em condições seguras." (*Folha Online*, Dinheiro, 18.06.2001)] **2** Retirar obstrução ao trânsito em; DESATRAVANCAR; DESOBSTRUIR; DESIMPEDIR; LIBERAR [*td.*: *Usaram gás lacrimogênio para dispersar os manifestantes e desinterditar a estrada; As explosões desinterditaram o túnel da mina.* Ant.: *atravancar, obstruir.*] **3** *Bras. Fig.* Voltar a tratar de (assunto vedado, não permitido); RETOMAR [*td.*: *É preciso desinterditar o debate sobre política econômica.* Ant.: *impedir, proibir, vedar.*] [▶ 1 desinterditar] [F.: *des-* + *interditar.* Sin. ger.: *interditar.*]

desinteressado (de.sin.te.res.*sa*.do) *a.* **1** Que não age por interesse; imparcial **2** Que não visa vantagens; não interesseiro (amizade desinteressada; julgamento desinteressado); DESPRENDIDO **3** Não envolvido, desapaixonado, desapegado **4** Negligente, não empenhado [Ant.: *perseverante.*] [F.: Part. de *desinteressar.*]

desinteressante (de.sin.te.res.*san*.te) *a2g.* **1** Que não tem ou não desperta interesse; sem importância: *Esta é uma estrutura desinteressante, por não ter padrões a serem descobertos.* **2** Sem graça, sem humor: *Foi um jogo chato, desinteressante.* [Ant.: *divertido.*] [F.: *des-* + *interessante.*]

desinteressar (de.sin.te.res.*sar*) *v.* **1** Perder o interesse, o entusiasmo, o gosto [*tr.* + *de, por*: "O povo, desde Augusto, se desinteressara das coisas públicas" (Eça de Queirós, *Cartas familiares*)] **2** Deixar de querer; desistir [*tr.* + *de*: *Desinteressou-se de tocar o projeto para frente.*] **3** Perder o encanto, a afeição [*tr.* + *de*: *Depois de alguns meses, desinteressou-se do namorado.*] **4** Privar(-se) dos lucros [*tdr.*] [▶ 1 desinteressar] [F.: *des-* + *interessar.* Hom./Par.: *desinteresse* (fl.), *desinteresse* [ê](sm.); *desinteresses* (fl.), *desinteresses* (pl. do sm.).]

desinteresse (de.sin.te.*res*.se) *sm.* **1** Falta de interesse; INDIFERENÇA; DESCASO: *Qual a razão do desinteresse de certas pessoas pela política?* **2** Isenção de motivos interesseiros; GENEROSIDADE; DESPRENDIMENTO: *O bem deve ser feito caritativamente, com desinteresse.* **3** Falta de cuidado, de atenção [F.: *des-* + *interesse.*]

desintoxicação (de.sin.to.xi.ca.*ção*) [cs] *sf.* **1** Ação ou resultado de desintoxicar(-se) **2** Superação dos distúrbios causados por um veneno no corpo **3** *Med. Psiq.* Terapêutica destinada a livrar uma pessoa dos resultados e da dependência do uso de certas drogas [Pl.: *-ções.*] [F.: *desintoxicar* + *-ção.* Sin. ger.: *destoxificação.*]

desintoxicado (de.sin.to.xi.*ca*.do) [cs] *a.* **1** Que se desintoxicou **2** *Méd.* Liberto de substâncias tóxicas (o organismo) **3** Eliminada a atividade tóxica (o ambiente) [F.: Part. de *desintoxicar.*]

desintoxicador (de.sin.to.xi.ca.*dor*) [cs] *Imun. a.* **1** Que desintoxica; DESINTOXICANTE *sm.* **2** Aquilo que desintoxica; DESINTOXICANTE [F.: *desintoxicar* + *-dor.*]

desintoxicante (de.sin.to.xi.*can*.te) [cs] *Imun. a2g.s2g.* O mesmo que *desintoxicador* [F.: *desintoxicar* + *-nte.*]

desintoxicar (de.sin.to.xi.*car*) [cs] *v. td.* **1** Livrar(-se) de intoxicação e/ou de seus efeitos: *desintoxicar o organismo; Desintoxicou-se com leite.* **2** *Med.* Aplicar tratamento médico a (dependente químico) para livrá-lo do vício [▶ 11 desintoxicar] [F.: *des-* + *intoxicar.*]

desintumescer (de.sin.tu.mes.*cer*) *v.* Fazer desaparecer ou desaparecer o intumescimento, o inchaço; DESINCHAR(-SE) [*td.*] [*int.* Ant.: *intumescer, inchar*] [▶ 33 desintumescer] [F.: *des-* + *intumescer.*]

desinventar (de.sin.ven.*tar*) *P.us. v.* Retroceder, retroagir na ação de inventar (algo) [*td.*: *Não é possível desinventar as armas nucleares*; "É preciso desinventar os objetos. O pente, por exemplo. É preciso dar ao pente funções de não pentear. Até que ele fique à disposição de ser uma begônia." (Manoel de Barros, *Ensaios fotográficos*): "Você que inventou a tristeza, / Ora, tenha a fineza / De desinventar." (Chico Buarque, *Apesar de você*)] [▶ 1 desinventar] [F.: *des-* + *inventar*. Ant. ger.: *inventar*. NOTA: ação ilógica e impossível.]

desinvestir (de.sin.ves.*tir*) *P.us. v.* **1** Privar(-se) (alguém) de (direito, autoridade ou dignidade de que está investido); DEMITIR; DEPOR; DESTITUIR; EXONERAR [*tdr.* + *de*: *desinvestir-se de seus direitos fundamentais; A rainha desinvestiu os bispos (de suas funções)*: "Constata-se, no entanto, preocupante tendência de desacreditar a nossa Organização e até mesmo de desinvestir a ONU de sua autoridade política." (Luís Inácio Lula da Silva, "Discurso na 58ª Assembleia Geral da ONU", *in Folha Online*, 23.09.2003)] **2** *Fig. Psic.* Livrar(-se) (alguém) de (investimento (XX) em sentimento, ideia, condicionamento etc.) [*tdr.* + *de*: *desinvestir alguém de sua ansiedade; desinvestir-se dos condicionamentos sociais.*] **3** *Econ.* Diminuir seu capital (uma empresa), perdendo ou vendendo parte do ativo fixo ou não repondo bens de produção [*int.*: "Quando se fala em desinvestir, não significa que todos os ativos tenham de ser vendidos." (*Idem, Dinheiro*, 26.02.2004)] **4** *P.ext.* Deixar de investir ou reduzir os investimentos em [*tr.* + *em*: *O governo desinvestiu na educação pública.*: "...o governo desinvestiu nessas empresas e não investiu em lugar nenhum..." (João Sayad, *Folha de S.Paulo*, 09.08.1999)] **5** *P.ext.* Vender o patrimônio para custear despesas; DESCAPITALIZAR-SE [*int.* Ant.: *capitalizar.*] [▶ 50 desinvestir] [F.: *des-* + *investir*. Sin. ger.: *investir.*]

desionização (de.si:o.ni.za.*ção*) *Fís. Quím. sf.* **1** Eliminação de íons de um gás ionizado **2** Processo de desionizar uma substância ou um espaço [Pl.: *-ções.*] [F.: *desionizar* + *-ção.*]

desionizar (de.si:o.ni.*zar*) *v. td. Fís. Quím.* Eliminar os íons de [▶ 1 desionizar] [F.: *des-* + *ionizar.*]

desirmanado (de.sir.ma.*na*.do) *a.* **1** Que se afastou de alguém ou algo que lhe era próximo, com que(m) era ou estava irmanado **2** Que se difere de outro(s) objeto(s) com que forma conjunto (talheres desirmanados) **3** De opiniões ou tendências divergentes: *Nesse assunto, estavam desirmanados.* [F.: Part. de *desirmanar.*]

desirmanar (de.sir.ma.*nar*) *v. td.* **1** Separar (coisas emparelhadas); DESEMPARELHAR; DESCASAR: *desirmanar um par de luvas.* **2** Quebrar(-se) relação ou laço de amizade entre irmãos e amigos; DESFRATERNIZAR(-SE); DESARMONIZAR(-SE): *A herança desirmanou Carlos e Daniel.* [*int.*: *harmonizar, reconciliar.*] [▶ 1 desirmanar] [F.: *des-* + *irmanar.*]

desistência (de.sis.*tên*.ci:a) *sf.* **1** Ação ou resultado de desistir **2** Abdicação de algo que se queria; RENÚNCIA **3** *Jur.* Renúncia a um direito reconhecido **4** *Jur.* Renúncia por parte de quem recorre de decisão judicial a dar prosseguimento a um recurso interposto **5** Falta de interesse por pessoa amada **6** Retratação do que se afirmara **7** *Bras. Pop.* Expelir fezes; evacuação [F.: *desistir* + *-ência.*]

desistente (de.sis.*ten*.te) *a2g.* **1** Que desiste ou desistiu *s2g.* **2** Aquele que desiste ou desistiu [F.: Do lat. *desistens, entis.*]

desistir (de.sis.*tir*) *v.* Renunciar a (algo ou alguém); não prosseguir em (ação, atitude) [*tr.* + *de*: *Ele quer desistir da campanha.*] [*int.*: *Apesar de tudo, não desistiremos.*] [▶ 3 desistir] [F.: Do v.lat. *desistere.*]

desjeito (des.*jei*.to) *sm.* Condição ou característica do que ou de quem é desajeitado; falta de jeito; DESAJEITAMENTO [F.: *des-* + *jeito.*]

desjejuar (des.je.ju.*ar*) *P.us. v.* **1** Comer a primeira refeição do dia; quebrar o jejum [*int.*: *Acordei cedo, desjejuei (-me) e saí para o trabalho*: "Os longos dias de privações que vitimavam os próprios oficiais, um alferes, por exemplo, morrendo embuchado, ao desjejuar com punhados de farinha após três dias de fome." (Euclides da Cunha, *Os sertões*)] **2** Dar a primeira refeição do dia a; tirar o jejum de [*td.*: *Minha primeira tarefa do dia é desjejuar meu irmão.*] [▶ 1 desjejuar] [F.: *des-* + *jejuar*. Ant. ger.: *jejuar.*]

desjejum (des.je.*jum*) *sm.* Primeira refeição do dia, se possível de frutas, café com leite, pão, queijo, frios, geleia etc., com a qual se quebra o jejum da noite; CAFÉ DA MANHÃ; DEJEJUM; DEJEJUADOURO; DEJUA; DEJUAÇÃO *Lus;* PEQUENO ALMOÇO [Ant.: *jejum.*] [Pl.: *-juns.*] [F.: *des-* + *jejum.*]

desjungir (des.jun.*gir*) *P.us. v.* **1** Desunir, desjuntar, desligar [*td.*: *desjungir as páginas do livro / as pernas.* Ant.: *juntar, ligar, unir.*] [*tr.* + *de*: *A sola (se) desjungiu do sapato.*] [*int.*: *As peças do brinquedo se desjungiram.*] **2** Tirar (animais de carga) da canga; desprender do jugo; DESATRELAR; DESEMPARELHAR [*td.*: "Os filhos de Anceu desjungiram as mulas fumegantes." (F. R. Chateaubriand, trad. de Camilo Castelo Branco, *Os mártires*) Ant.: *ajoujar, atrelar, cangar.*] [▶ 46 desjungir] [F.: *des-* + *jungir*. Ant. ger.: *jungir.*]

⊕ **desktop** (*Ing. /désctop/*) *sm. Inf.* Na tela do computador, representação gráfica dos principais programas e periféricos utilizados, por meio de ícones dispostos de modo a dar à tela o aspecto de uma mesa de trabalho; ÁREA DE TRABALHO ▪ **~ publishing** *Inf.* Ver *Editoração eletrônica* no verbete *editoração.*

deslaçar (des.la.*çar*) *v.* **1** Soltar, desprender (o que estava enlaçado); DESENLAÇAR [*td.*: "A distância aperta uns vínculos e deslaça outros." (Aquilino Ribeiro, *Mônica*) Ant.: *enlaçar.*] [*int.*: *A fita deslaçou- se.*] **2** *Lus.* Perder ou não obter a consistência que se pretende; DESANDAR [*int.*: *Se a maionese começa a deslaçar, adicione um pouco de água.*] [▶ 12 deslaçar] [F.: *des-* + *laço* + *-ar²*.]

deslacrar (des.la.*crar*) *v. td.* Tirar o lacre, o selo de segurança de: *deslacrar uma garrafa*: "Álvaro deslacrou o macete das cartas" (Camilo Castelo Branco, *Homem rico*) [Ant.: *lacrar.*] [▶ 1 deslacrar] [F.: *des-* + *lacrar.*]

deslambido (des.lam.*bi*.do) *Bras. Pop. a.* **1** Sem interesse particular, sem graça ou vivacidade; DESENXABIDO **2** Afetado, presunçoso, tolo **3** Cínico, descarado, sem-vergonha [F.: *des-* + *lambido.*]

deslanar (des.la.*nar*) *v.* Tirar a lã de (animal lanígero); TOSQUIAR [*td.*] [▶ 1 deslanar] [F.: *des-* + *lã* + *-ar²*.]

deslanchar (des.lan.*char*) *v. Bras. Pop.* Dar impulso a ou ganhar impulso [*td.*: *A chegada do Dia das Mães deslanchou as vendas.*] [*int.*: *A economia chinesa deslanchou; Depois desse filme, a carreira do ator deslanchou.*] [▶ 1 deslanchar] [F.: Adapt. do fr. *déclencher*, com influência de *lancha*, posv.]

deslanche (des.*lan*.che) *sm.* Ação ou resultado de deslanchar (o deslanche da campanha; deslanche do carro); AVANÇO; DESENROLAR; EVOLUÇÃO, [Ant.: *declínio; interrupção, parada.*] [F.: Dev. de *deslanchar*. Hom./Par.: *deslanche* (fl. de *deslanchar*).]

deslavado (des.la.*va*.do) *a.* **1** Que se deslavou **2** Que perdeu a cor em sucessivas lavagens; DESCOLORIDO; DESBOTADO; DESTINGIDO **3** *Fig.* De conduta petulante, audaciosa ou descarada; ATREVIDO; DESCARADO; SEM-VERGONHA **4** *Fig.* Que revela descaramento ou atrevimento (comportamento deslavado) **5** Que está sem sal ou que não tem sabor; INSÍPIDO; INSOSSO [F.: Part. de *deslavar.*]

desleal (des.le.*al*) *a2g.* **1** Que viola acordos afetivos ou de ordem prática (amigo desleal, parceiro desleal); FALSO; INFIEL; TRAIÇOEIRO; TRAIDOR **2** Que desrespeita princípios ou normas combinados (atitude desleal) **3** Que revela falta de consideração ou de lealdade [Pl.: *-ais.*] [F.: *des-* + *leal*. Ant. ger.: *leal.*]

deslealdade (des.le:al.*da*.de) *sf.* **1** Condição ou característica do que ou de quem é desleal: *Após a deslealdade da gerente, não voltou lá.* **2** Ação ou resultado de trair a confiança depositada por alguém [F.: *des-* + *lealdade*. Ant. ger.: *lealdade.*]

deslegitimação (des.le.gi.ti.ma.*ção*) *sf.* Ação ou resultado de deslegitimar, reduzir ou anular legitimidade ou autoridade [Pl.: *-ções.*] [F.: *deslegitimar* + *-ção.*]

deslegitimar (des.le.gi.ti.*mar*) *v. td.* Tirar, anular a legitimidade ou a legitimação de; fazer deixar de ser legítimo: "Esse argumento deslegitima e censura o exercício da oposição e da crítica, elementos essenciais à ordem democrática." (*Veja*, 24.03.2004) [▶ 1 deslegitimar] [F.: *des-* + *legitimar.*]

desleitar (des.lei.*tar*) *v.* **1** *Bras.* Espremer a teta de (animal) para extrair-lhe o leite; ORDENHAR; MUNGIR [*td.*: *Aprendeu cedo a desleitar vacas, fazer cercas, montar burro bravo.*] **2** Tirar o aleitamento de; deixar de ser aleitado; DESMAMAR [*td.*: *A mãe desleitou a criança muito cedo.* Ant.: *aleitar, amamentar.*] [*int.*: *Os porquinhos já se desleitaram.*] **3** Retirar de (peles e couros) a gelatina e o excesso de tanino [*td.*] [▶ 1 desleitar] [F.: *des-* + *leite* + *-ar²*.]

desleixado (des.lei.*xa*.do) *a.* **1** Que (se) desleixa, descuida; DESMAZELADO; NEGLIGENTE **2** Que é indolente *sm.* **3** Aquele que (se) desleixa, que é desmazelado **4** Aquele que é indolente [F.: Part. de *desleixar.*]

desleixar (des.lei.*xar*) *v. td.* Descuidar(-se) de; agir com negligência, desleixo: *desleixar a aparência; Desanimado, desleixou-se totalmente.*: "Desleixavam-se preguiçosamente revelando (...) indolência." (Teixeira de Queirós, *Comédia do campo*) [▶ 1 desleixar] [F.: *des-* + *leixar* (forma arcaica, Do v.lat. *laxare*, fonte tb. de *deixar*).]

desleixo (des.*lei*.xo) *sm.* **1** Ação ou resultado de desleixar(-se), de agir com desatenção ou preguiça **2** Falta de ânimo ou empenho: *O desleixo o afastou do cargo.* **3** Falta de cuidado, de capricho ou apuro [F.: Dev. de *desleixar.*]

deslembrado (des.lem.*bra*.do) *a.* **1** Que se deslembrou, se esqueceu; DESMEMORIADO; ESQUECIDO [Ant.: *lembrado.*] **2** Sem recordação, sem lembrança de algo ou alguém: *Vinha sozinho e, deslembrado, nem viu o portão da casa.* **3** Omitido, ignorado [F.: Part. de *deslembrar.*]

deslembrança (des.lem.*bran*.ça) *sf.* Ação ou resultado de deslembrar; falta de lembrança; ESQUECIMENTO [Ant.: *lembrança.*] [F.: *des-* + *lembrança.*]

deslembrar (des.lem.*brar*) *v.* Esquecer(-se); OLVIDAR [*td.*: *Deslembrou o compromisso.*] [*tr.* + *de*: *Deslembrou-se de pagar a conta do gás.*] [▶ 1 deslembrar] [F.: *des-* + *lembrar*. Ant.: *recordar, lembrar.*]

desligado (des.li.*ga*.do) *a.* **1** Que se desligou, que não está ligado ou funcionando: *O computador estava desligado.* **2** Que se afastou e se encontra distante; AFASTADO; ISOLADO: *desligado dos parentes.* **3** Que se encontra separado, desunido **4** Que foi desvinculado de uma rede de serviços e teve seu funcionamento interrompido (telefone desligado) **5** Que se viu afastado de uma instituição ou movimento: *soldado desligado do Exército.* **6** *Pop.* Que é voltado para si mesmo e só se preocupa com seus interesses **7** *Fig. Pop.* Aéreo, distraído: *Naquele tempo, Adriana andava muito desligada.* *sm.* **8** *Pop.* Aquele que é ou está desatento ou distraído; AÉREO [F.: Part. de *desligar.*]

desligamento (des.li.ga.*men*.to) *sm.* **1** Ação ou resultado de desligar(-se); SEPARAÇÃO **2** Interrupção da atividade: *desligamento das máquinas.* **3** Separação ou afastamento de algo como família, instituição **4** Característica de quem é distraído: *O desligamento de Odete era visível.* **5** Ato de exoneração de cargo, emprego ou função **6** Ausência de ligações ou nexos [F.: *desligar* + *-mento.*]

desligar (des.li.*gar*) *v.* **1** Interromper o funcionamento ou a conexão de (aparelho, mecanismo); DESCONECTAR [*td.*: *desligar o rádio/a torradeira/o telefone.*] [*int.*: *A pessoa desligou, mas voltará a telefonar.*] **2** Deixar de ter vínculo, contato, convívio social [*tr.* + *de*: *Desligou-se dos amigos de infância ao exilar-se.*] **3** Deixar de tomar parte em ou de ser membro de [*tr.* + *de*: *desligar-se de um partido/projeto.*] **4** Demitir, exonerar (de emprego, cargo, função) [*td.*] **5** Ficar alheio; esquecer (algo ou tudo); não se importar [*int.*: *Soube do caso, mas preferiu desligar-se, não se envolver.*] [*tr.* + *de*: *Saiu de férias para desligar-se dos problemas.*] [▶ 14 desligar] [F.: *des-* + *ligar*. Ant. ger.: *ligar.*]

deslindamento (des.lin.da.*men*.to) *sm.* **1** Ação ou resultado de deslindar, encontrar a solução de casos intrincados; DESLINDAÇÃO; DESLINDE **2** Averiguação de demarcações, remarcação; DESLINDE [F.: *deslindar* + *-mento*. Ideia de: *limit-.*]

deslindar (des.lin.*dar*) *v.* **1** Apurar, descobrir (coisa difícil ou embaraçosa); ESCLARECER; ELUCIDAR [*td.*: *O detetive deslindou o mistério em pouco tempo.*] **2** Esmiuçar, investigar [*td.*: *deslindar todos os aspectos de uma questão.*] **3** Averiguar as demarcações de; DEMARCAR [*td.*: *deslindar os limites de uma propriedade.*] **4** Fazer a separação de; APARTAR [*tdr.* + *de*: *deslindar a realidade da fantasia.*] [▶ 1 deslindar] [F.: *des-* + *lindar*. Hom./Par.: *deslinde* (fl.), *deslinde* (sm.); *deslindes* (fl.), *deslindes* (pl. do sm.).]

deslinde (des.*lin*.de) *sm.* Ação ou resultado de deslindar; ACLARAMENTO; DESLINDAÇÃO; DESLINDAMENTO; ESCLARECIMENTO [F.: Dev. de *deslindar*. Hom./Par.: *deslinde* (sm.), *deslinde* (fl. de *deslindar*); *deslindes* (pl.), *deslindes* (fl. de *deslindar*).]

deslizamento (des.li.za.*men*.to) *sm.* **1** Ação ou resultado de deslizar; DESLIZE **2** Deslocamento e queda de grande quantidade de terra de uma encosta, depois de fortes chuvas: *Um deslizamento obstruiu a estrada.* [F.: *deslizar* + *-mento.*]

deslizante (des.li.*zan*.te) *a2g.* **1** Que desliza, escorrega; DESLIZADOR **2** Diz-se de local (ou de superfície) sobre o qual se desliza com facilidade; ESCORREGADIÇO; ESCORREGADIO; RESVALADIÇO [F.: *deslizar* + *-nte.*]

deslizar (des.li.*zar*) *v.* **1** Mover-se suavemente sobre uma superfície [*int.*: *O acidente ocorreu quando uma rocha deslizou.*] [*ta.*: *Ficamos horas olhando os surfistas deslizarem sobre as ondas.*] **2** Perder o controle do movimento e o equilíbrio ao se mover; ESCORREGAR [*ta.*: *O avião deslizou na pista sob neve e alcançou a rua, matando uma pessoa.*] **3** Passar suavemente (as mãos, os dedos etc.) [*tda.*: *Deslizou a mão pelo tecido acetinado; Sadicamente, deslizou o punhal pela nuca da vítima.*] **4** *Fig.* Fazer movimentos suaves [*ta.*: *A bailarina deslizava no palco.*] [*int.*: *As nuvens pareciam deslizar.*] **5** Incorrer em deslize, em falha [*int.*: *Pressionado, deslizou muitas vezes mas conseguiu corrigir-se.*] [▶ 1 deslizar] [F.: De or. obsc. Hom./Par.: *deslizar* (v.), *deslisar* (v.); *deslize* (fl.), *deslizes* (fl.), *deslize* (sm.), *deslizes* (pl.). Cf. *deslisar.*]

deslize (des.*li*.ze) *sm.* **1** O mesmo que *deslizamento* **2** Pequena falta ou engano; ERRO: *Cometeu um deslize na leitura, mas não lhe faltaram aplausos.* **3** Falta moral ou desvio na conduta, sem muita importância: *O chefe compreendeu o deslize da secretária.* [F.: Dev. de *deslizar*. Hom./Par.: *deslize* (sm.), *deslize* (fl. de *deslizar*); *deslizes* (pl.), *deslizes* (fl. de *deslizar*).]

deslocação (des.lo.ca.*ção*) *a.* **1** Ação ou resultado de deslocar(-se); DESLOCADURA; DESLOCAMENTO: "... previu a próxima e inevitável deslocação de forças para Ásia." (Euclides da Cunha, *Contrastes e confrontos*) **2** Ação de locomover-se, de se encaminhar para algum lugar; DESLOCAMENTO; LOCOMOÇÃO **3** *Ortop.* Luxação, deslocamento de dois ou mais ossos com relação a seu ponto de articulação normal; DESLOCAMENTO **4** *Lus. Fut.* Ver *impedimento*. **5** *Quím.* Ver *deslocamento* (1) **6** *Psi.* Transferência de energia psíquica atrelada a desejo inconsciente para um objeto [Pl.: *-ções.*] [F.: *deslocar* + *-ção.*]

deslocado (des.lo.*ca*.do) *a.* **1** Que se deslocou, que saiu de seu lugar **2** *Med.* Diz-se de membro que se encontra desarticulado ou fora das juntas (ombro deslocado) **3** *Fig.* Que não combina bem com certo contexto ou situação: *Estava deslocado na festa.* **4** Mudado, fora de lugar habitual: *Encontrou todas as camas deslocadas no alojamento.* **5** Diz-se daquele que foi transferido de local de trabalho: *Foi deslocado para o Recife.* [F.: Part. de *deslocar.*]

deslocalização (des.lo.ca.li.za.*ção*) *sf.* **1** Ação ou resultado de deslocalizar, de remover algo para outro local; DESLOCADURA **2** *Fís-quím.* Movimentação de elétrons *pi* entre ligações duplas e/ou triplas alternadas de uma molécula, o que resulta em em aumento de sua estabilidade [Pl.: *-ções.*] [F.: *deslocalizar* + *-ção*. Ideia de: *des-* e *loc(o)-.*]

deslocalizar (des.lo.ca.li.*zar*) *v.* **1** *Econ.* Desativar (empresa, indústria, p. ex.) e instalar em outro local, para auferir maiores lucros por meio de salários mais baixos, benefícios fiscais legislação ambiental menos exigente etc. [*tda.*: *A empresa vai deslocalizar sua produção do Chile para o Uruguai.*] **2** Mudar a localização de, ou eliminar referências a ela [*td.*: "A tradução/adaptação (...) faz considerável esforço para deslocalizar a trama, que perde a maior parte de seu sentido ao ser afastada da cultura do Sul dos Estados Unidos..." (*O Globo*, 20.03.1999)] [▶ 1 localizar] [F.: *des-* + *localizar*. Sin. ger.: *localizar*. Ant.: *situar.*]

deslocamento (des.lo.ca.*men*.to) *sm.* **1** Ação ou resultado de deslocar(-se), de mudar de lugar; DESLOCAÇÃO **2** Ação ou resultado de transferir pessoas, esp. por razões profissionais; REMOÇÃO; TRANSFERÊNCIA **3** *Med.* Saída de um osso de sua articulação natural; DESARTICULAÇÃO; LUXAÇÃO **4** *Psi.* Mecanismo de defesa pelo qual o investimento afetivo em algo ou alguém é transferido para outra coisa ou pessoa **5** Ver *cilindrada* [F.: *deslocar* + *-mento.*] ▪ **~ Doppler** *Fís.* Aparente variação na frequência de uma onda, percebida por um observador, devido à influência de um movimento relativo existente entre este observador e a fonte emissora;

deslocamento Doppler-Fizeau ~ **Doppler-Fizeau** *Fís.* Ver *Deslocamento Doppler* ~ **einsteiniano** *Fís.* Deslocamento das linhas de radiação eletromagnética de estrelas de grande massa para comprimentos de onda longos, pela influência de seu forte campo gravitacional ~ **elétrico** *Eletr.* Vetor que se obtém multiplicando o vetor de intensidade de um campo elétrico pela permissividade do meio em que se manifesta; densidade de fluxo elétrico

deslocar (des.lo.*car*) *v.* **1** Fazer mudar ou mudar de posição ou lugar; MOVER(-SE) [*td.*: *Juntos, conseguiram deslocar a pedra; As ilhas próximas se deslocaram durante o terremoto.*] **2** Ir de um lugar para outro [*td.*: *Infelizmente não tenho como me deslocar até aí.*] **3** Afastar de um lugar, posição etc; TRANSFERIR [*td.*: *deslocar um funcionário.*] [*tda.*: *Deslocaram o funcionário novato para o almoxarifado.*] **4** Desarticular(-se) (uma parte articulada do corpo) [*td.*: *deslocar o pé/o ombro.*] [*int.*: *Com a queda, meu pulso deslocou-se.*] **5** Afastar-se de onde estava preso; DESPRENDER-SE [*int.*: *Com o sacolejo, parte da carga se deslocou.*] [▶ 11 deslo**car**] [F.: *des-* + *locar.* Cf.: *deslocar.*]

deslombado (des.lom.*ba*.do) *a.* **1** Que sofreu deslombamento, espancamento, esbordoamento; DERREADO; ESPANCADO; SURRADO **2** Em estado precário, em ruínas: "... muito casarão deslombado, mostrando as misérias como um mendigo." (Raul Pompeia, *O ateneu*) **3** Que se encontra abatido, que foi derrotado, vencido [F.: Part. de *deslombar*. Ideia de: *des-* e *lomb(o)-*.]

deslumbrado (des.lum.*bra*.do) *a.* **1** Que fica ou ficou fascinado ou maravilhado por algo; EMBEVECIDO; ENCANTADO **2** *Bras. Pop.* Ingenuamente fascinado, e dominado por essa reação: *Deslumbrado com o poder, só pretende desfrutá-lo.* **3** Que se ofuscou por causa de luz ou brilho em demasia; ENCANDEADO **4** Que sofre perturbação da mente; ALUCINADO *sm.* **5** *Bras. Pop.* Indivíduo considerado ingênuo, tolo ou superficial por se entusiasmar facilmente com qualquer coisa: *Virou um deslumbrado.* **6** *Bras. Pop.* Aquele que tem fascínio por coisas ou atributos que não possui [F.: Part. de *deslumbrar.*]

deslumbramento (des.lum.bra.*men*.to) *sm.* **1** Ação ou resultado de deslumbrar(-se); DESLUMBRE **2** Estado de turvação da vista causado por luz ou brilho em demasia, ou por outros fatores, tais como vertigem: "A dor, forte e imprevista, / Ferindo-me, imprevista, /De branca e de imprevista, /Foi um deslumbramento." (Camilo Pessanha, *Clépsidra*) **3** *Fig.* Sensação vivida por aquele que está fascinado ou encantado com algo; ENCANTAMENTO: *deslumbramento com o sucesso repentino.* **4** *P.ext.* Objeto desse estado, coisa ou ser capaz de deslumbrar, fascinar; ENCANTO; MARAVILHA: *Aos 17 anos, ela era um deslumbramento.* **5** *Fig.* Perturbação mental; ALUCINAÇÃO; OBCECAÇÃO [F.: *deslumbrar* + *-mento.*]

deslumbrante (des.lum.*bran*.te) *a2g.* **1** Que fascina e encanta; FASCINANTE: *O rapaz tinha um corpo deslumbrante.* **2** Que é ou parece suntuoso; FAUSTOSO; LUXUOSO **3** Que deslumbra, turvando a vista pelo excesso de luz ou brilho; OFUSCANTE [F.: *deslumbrar* + *-nte.*]

deslumbrar (des.lum.*brar*) *v.* **1** Fazer sentir ou sentir assombro; ENCANTAR(-SE); MARAVILHAR(-SE) [*td.*: *A paisagem deslumbrou os turistas.*] [*tr.* + *com*: *Deslumbraram-se com a beleza do espetáculo.*] [*int.*: *uma obra de arte que deslumbra.*] **2** *Fig. Pej.* Fazer perder ou perder a simplicidade e/ou a sensatez; tornar(-se) convencido [*td.*: *O poder deslumbrou-a; Apesar do assédio da mídia, nunca se deslumbrou.*] [*tr.*: *Deslumbrou-se com o próprio sucesso.*] [*int.*: *O sucesso por vezes deslumbra.*] **3** Ofuscar(-se) (a visão de), pelo excesso de luz ou brilho [*td.*: *A luz dos refletores deslumbrou o ator; De repente, sua visão deslumbrou-se.*] [▶ 1 deslum**brar**] [F.: Do espn. *deslumbrar.* Hom./Par.: *deslumbre* (fl.), *deslumbre* (sm.); *deslumbres* (fl.), *deslumbres* (pl. do sm.).]

deslumbre (des.*lum*.bre) *sm.* **1** Turvação da vista causada por excesso de luz, de brilho **2** Encantamento, forte admiração, fascínio **3** *Fig.* Alucinação, perturbação dos sentidos [F.: Dev. de *deslumbrar*. Sin. ger.: *deslumbramento*. Hom./Par.: *deslumbre* (sm.), *deslumbre* (fl. de *deslumbrar*).]

deslustrar (des.lus.*trar*) *v.* **1** Tirar ou diminuir o valor, a importância de [*td.*: *Em nenhum momento, apesar das críticas de que foi alvo, deslustrou a cultura.*] **2** Fazer perder ou perder a honra, reputação, a dignidade; DESACREDITAR(-SE); DESONRAR(-SE); MACULAR(-SE) [*td.*: *Os escândalos deslustraram seu nome.*] [*int.*: *O caráter que tinha sido puro, elevado, deslustrou-se e degradou-se.*] **3** Fazer perder ou perder o lustre, o polimento [*td.* Ant.: *lustrar, polir.*] [▶ 1 deslus**trar**] [F.: *des-* + *lustrar.* Hom./Par.: *deslustre* (fl.), *deslustre* (sm.); *deslustres* (fl.), *deslustres* (pl. do sm.).]

deslustre (des.*lus*.tre) *sm.* **1** Ação ou resultado de deslustrar(-se) **2** Sem brilho, lustre ou polimento **3** Descrédito moral; DESDOURO; DESONRA; MÁCULA [F.: Dev. de *deslustrar.* Sin. ger.: *deslustro.* Ant. ger.: *lustre.* Hom./Par.: *deslustre* (sm.), *deslustre* (fl. de *deslustrar* [v.]); *deslustres* (pl.), *deslustres* (fl. do v.).]

◎ **-desma** *el. comp.* Ver *desm(o)-*

desmacular (des.ma.cu.*lar*) *v.* **1** *Fig.* Tirar as máculas da reputação de; DESAGRAVAR; DESULTRAJAR; VINGAR [*td.* Ant.: *desonrar, difamar, macular.*] **2** *P.us.* Tirar manchas de; DESENODOAR; LIMPAR [*td.*: *desmacular a toalha da mesa.* Ant.: *enodoar, manchar, sujar.*] [▶ 1 macu**lar**] [F.: *des-* + *mácula* + *-ar*². Sin. ger.: *macular.*]

desmadeiramento (des.ma.dei.ra.*men*.to) *sm.* Ação ou resultado de desmadeirar, de cortar árvores de uma floresta [F.: *desmadeirar* + *-mento.* Ideia de: *des-* e *matr-*.]

desmadeirar (des.ma.dei.*rar*) *v. td.* Derrubar árvores de (um terreno), esp. para extrair madeira; DESFLORESTAR; DESMATAR [▶ 1 desmadei**rar**] [F.: *des-* + *madeira* + *-ar*².]

desmagnetização (des.mag.ne.ti.za.*ção*) *sf.* **1** Ação ou resultado de desmagnetizar, de eliminar um campo magnetizado **2** *Fís.* Ação de eliminar propriedades magnéticas de corpo magnetizado [Ant.: *magnetização.*] [Pl.: *-ções.*] [F.: *desmagnetizar* + *-ção.* Ideia de: *des-* e *magnet(i/o)-*.] ■ ~ **adiabática** *Fís.* Desmagnetização de uma substância de permeabilidade magnética positiva, realizada sem trocas térmicas com o exterior

desmagnetizador (des.mag.ne.ti.za.*dor*) [ô] *sm.* **1** Aquilo que desmagnetiza **2** *Fís.* Instrumento usado na desmagnetização de corpos magnetizados *a.* **3** Diz-se do que desmagnetiza **4** Diz-se de aparelho usado para desmagnetizar corpos magnetizados [F.: *desmagnetizar* + *-dor.* Ant. ger.: *magnetizador.* Ideia de: *des-* e *magnet(i/o)-*.]

desmagnetizar (des.mag.ne.ti.*zar*) *v.* **1** Tirar as propriedades magnéticas de, ou perdê-las; DESIMANTAR(-SE) [*td.*: *desmagnetizar a bússola.* Ant.: *imantar, magnetizar.*] [*int.*: *Meu bilhete do metrô desmagnetizou-se.*] **2** *Fig.* Libertar(-se) de atração ou influência (de) [*td.*: *A serpente assustou-se e desmagnetizou o pássaro.*] [*int.*: *Já não se interessa por ele, desmagnetizou-se.*] [▶ 1 desmagneti**zar**] [F.: *des-* + *magnetizar.*]

desmaiado (des.mai.*a*.do) *a.* **1** Que desmaiou, perdeu os sentidos **2** Que perdeu a cor (0 verde desmaiado); DESBOTADO; DESCORADO; ESMAECIDO; PÁLIDO **3** Que perdeu as forças; DESCOROÇOADO; ESMORECIDO **4** Que não tem força; BAIXO; FRACO: *Por toda parte, ouvia-se um lamento desmaiado.* *sm.* **5** Falta ou perda de cor; PALIDEZ **6** Aquele que desmaiou, perdeu os sentidos [F.: Part. de *desmaiar.*]

desmaiar (des.mai.*ar*) *v.* **1** Perder os sentidos, a consciência; DESFALECER [*int.*: *Foi internada após desmaiar.*] **2** Fazer perder ou perder a cor ou o brilho; DESBOTAR(-SE) [*td.*] [*int.*] **3** Perder o brilho; OBSCURECER-SE [*int.*: *Já podíamos ver o sol desmaiar.*] **4** *Fig.* Perder o lustre, o brilho; DESLUSTRAR; EMPANAR [*td.*: *Esta pequena falha não desmaiará sua atuação.*] [▶ 1 desmai**ar**] [F.: De *esmaiar* (do fr.ant. *esmaïer*, 'desfalecer'), com mudança de prefixo. Hom./Par.: *desmaio* (fl.), *desmaio* (sm.).]

desmaio (des.*mai*.o) *sm.* **1** Ação ou resultado de desmaiar, de perder temporariamente os sentidos, ger. por queda de pressão ou distúrbio neurológico **2** Diminuição da cor, do brilho ou da viveza do colorido **3** Abatimento do espírito; DESALENTO; DESÂNIMO; DESCOROÇOAMENTO; ESMORECIMENTO **4** *Astron.* Súbita redução da intensidade de sinal de rádio, percebida na frequência de alguns MHz, no percurso de transmissão no hemisfério terrestre que está iluminado pelo Sol [F.: Dev. de *desmaiar.*]

desmama (des.*ma*.ma) *sf.* Ver *desmame*

desmamado (des.ma.*ma*.do) *sm.* **1** Aquele que não é mais amamentado; EXÚBERE *a.* **2** Que deixou de ser amamentado [F.: Part. de *desmamar*. Ideia de: *des-* e *mam-*.]

desmamar (des.ma.*mar*) *v.* Finalizar ou ter finalizado o período de amamentação [*td.*: *É preciso desmamar os bezerros.*] [*int.*: *O bebê já desmamou.*] [▶ 1 desma**mar**] [F.: *des-* + *mamar.*]

desmame (des.*ma*.me) *sm.* Ação de desmamar, de suspender aleitamento de criança ou de animal [F.: Dev. de *desmamar*. Hom./Par. *desmame* (sm.), *desmame* (fl. de *desmamar*). Tb. *desmama.*]

desmanchado (des.man.*cha*.do) *sm.* **1** Pessoa que não cuida de sua aparência, e não se preocupa com o que faz ou diz; DESELEGANTE; DESLEIXADO; DESMAZELADO *a.* **2** Que se desmanchou ou foi desfeito **3** Que foi desmontado ou desfeito (quebra-cabeça desmanchado); DESMANTELADO; DESESTRUTURADO **4** Que está desordenado, fora de ordem (cabelo desmanchado); DESALINHADO; DESARRUMADO **5** Que se quebrou ou fragmentou (asfalto desmanchado); DESPEDAÇADO; DESTROÇADO; FRAGMENTADO **6** Que está ou foi desenrolado, desfeito ou solto (laço desmanchado); DESEMBRULHADO; DESENLAÇADO **7** Que está ou foi descosturado (pesponto desmanchado); DESCOSIDO; DESCOSTURADO **8** Que sofreu separação (casamento desmanchado); DESUNIDO; DISSOLVIDO **9** Que se anulou (encontro desmanchado); ANULADO; CANCELADO; REVOGADO **10** Que foi dispersado ou se dispersou (tumulto desmanchado); DESVANECIDO; ESPALHADO **11** Que acabou, não existe mais ou desapareceu (cisma desmanchada); ELIMINADO; EXTINTO **12** *P.us.* Que se deslocou das juntas, está fora da articulação (membro desmanchado); DESARTICULADO; DESCONJUNTADO; DESLOCADO **13** *Hip.* Diz-se de cavalo cujos movimentos não são harmoniosos **14** Diz-se de quem não tem cuidado com sua própria aparência, com seus atos ou ditos; DESELEGANTE; DESLEIXADO; DESMAZELADO [F.: Part. de *desmanchar*. Ideia de: *des-* e *man(i/u)-*.]

desmanchador (des.man.cha.*dor*) [ô] *sm.* **1** O que desmancha algo **2** *Pop.* Indivíduo que faz desmanchos; ABORTEIRO *a.* **3** Que desmancha [Fem.: *desmanchadora, desmanchadeira.*] [F.: *desmanchar* + *-dor.* Ideia de: *des-* e *man(i/u)-*.]

desmancha-dúvidas (des.man.cha-*dú*.vi.das) *sm2n.* *Pop.* Dicionário; PAI-DOS-BURROS; TIRA-TEIMAS [F.: *desmanchar* + pl. de *dúvida.*]

desmancha-prazeres (des.man.cha -pra.*ze*.res) [ê] *s2g2n.* *Fam.* Pessoa que, voluntária ou involuntariamente, estraga a alegria alheia *RS*; TROMPETA [F.: *desmanchar* (na 3ª pess. pres. ind.) + pl. de *prazer.*]

desmanchar (des.man.*char*) *v.* **1** Alterar ou desfazer a forma de (algo) ou tê-la modificada ou desfeita; DESFAZER(-SE); DESTRUIR(-SE) [*td.*: *Não chore para não desmanchar a maquiagem.*] [*int.*: *Os tapetes desmancharam-se com a inundação.*] **2** Desfazer a arrumação (de); DESARRUMAR(-SE) [*td.*: *A ventania desmanchou o penteado.*] [*tr.* + *com*: *O penteado se desmanchou com o vento.*] **3** Fazer perder ou perder a forma ou consistência original; DILUIR(-SE) [*td.*: *Desmanche logo a farinha.*] [*int.*: *Mexa até o tomate desmanchar.*] **4** Tornar nulo ou inválido; ANULAR; CANCELAR; DISSOLVER [*td.*: *desmanchar um namoro/uma sociedade.*] **5** Fazer desaparecer; pôr fim a [*td.*: *desmanchar uma empresa, uma firma.*] **6** Exceder-se em, descomedir-se [*tr.* + *em*: *O crítico desmanchava-se em elogios.*] [▶ 1 desman**char**] [F.: Do fr. ant. *desmancher* (atual *démancher*).]

desmanche (des.*man*.che) *sm.* **1** Ação ou resultado de desmanchar(-se) **2** *Bras. Gír.* Oficina clandestina em que se desmontam veículos roubados para revenda das peças **3** *Bras. Gír.* Desmonte de veículo roubado para revenda de peças **4** Destruição, derrubamento, esp. de imóveis: *Acompanhou o desmanche dos barracos.* [F.: Dev. de *desmanchar.* Cf.: *desmancho.*]

desmancho (des.*man*.cho) *sm.* **1** Ação ou resultado de desmanchar(-se) **2** Desestruturação de algo já feito, construído, estruturado (o desmancho do alpendre) **3** Falta de comedimento, intemperança: "Quando Camões servia no Oriente, já eram endêmicos e habituais os erros e desmanchos..." (Latino Coelho, *Camões*) **4** Ausência de ordem; DESORDEM **5** Defeito no funcionamento de algo; ENGUIÇO **6** *P.us.* Deslocamento de osso; desarranjo em articulação; LUXAÇÃO **7** *Bras.* Negócio que não deu certo, que se frustrou **8** *Pop.* Suspensão da gravidez por vontade própria; ABORTO [F.: Dev. de *desmanchar*. Hom./Par.: *desmancho* (sm.), *desmancho* (fl. *desmanchar*). Cf. *desmanche.*]

desmandado (des.man.*da*.do) *a.* **1** Que se desmandou **2** Que se entregou a transgressões, descomedimentos; DESCOMEDIDO; DEVASSO; DISSOLUTO: "... mas sabendo depois que ela se havia desmandado em sua vida, faltou-me generosidade para continuar-lhe os meus auxílios." (Franklin Távora, *O matuto*) **3** Que teve o mando revogado, foi privado de autoridade **4** Diz-se, em balística, de projétil que se desviou do rumo ou foi mal direcionado; DESGARRADO; PERDIDO [F.: Part. de *desmandar*. Ideia de: *des-* e *mand-*.]

desmandar (des.man.*dar*) *v.* **1** Desfazer ou contrariar uma ordem [*td.*: *desmandar um ataque.*] **2** Abusar do poder [*int.*: *Aqui ele manda e desmanda.* Normalmente coordenado com o verbo mandar.] **3** Perder o limite; ABUSAR; DESCOMEDIR-SE; EXCEDER-SE [*tr.* + *em*: *desmandar-se no comer.*] [*int.*: *Em geral controla a raiva, mas desta vez desmandou-se.*] [▶ 1 desman**dar**] [F.: *des-* + *mandar.* Hom./Par.: *desmando* (fl.), *desmando* (sm.).]

desmandibular (des.man.di.bu.*lar*) *v.* **1** Deslocar ou quebrar a mandíbula (de) [*td.*: *Se abrir mais a boca acabará por desmandibular-se.*: "...não desconhecer a vitoriosa e decisiva arte de desmandibular um insolente com um aceno d'um murro..." (Ramalho Ortigão, *John Bull*)] [*tdr.* + *com*: "...não desconhecer a vitoriosa e decisiva arte de desmandibular um insolente com um aceno d'um murro..." (Ramalho Ortigão, *John Bull*)] **2** *Fig.* Fazer abrir ou abrir a boca de espanto, admiração, pasmo [*td.*: *O espetáculo de circo desmandibula a criançada.*] [*int.*: *Desmandibulou-se com a beleza do quadro.*] **3** *Fig.* Fazer dar ou dar grandes gargalhadas [*tdr.* + *de*: "...fazia refrão às sandices rimadas do troveiro, desmandibulando de riso a assistência." (Belmonte, "Ideias de João-Ninguém", *in eBookLibris*)] [*int.*: "O príncipe desmandibulou-se numa transmontinissima gargalhada..." (*Idem*)] **4** Tirar as mandíbulas de [*td.*: *desmandibular o inseto / a ave.*] [▶ 1 desmandibu**lar**] [F.: *des-* + *mandíbula* + *-ar*².]

desmando (des.*man*.do) *sm.* **1** Ação ou resultado de desmandar(-se), uso arbitrário ou excessivo do poder; ABUSO; IMODERAÇÃO **2** Transgressão disciplinar ou de regulamento; DESOBEDIÊNCIA **3** Desregramento moral, devassidão [F.: Dev. de *desmandar.* Hom./Par.: *desmando* (sm.), *desmando* (fl. de *desmandar*).]

desmantelado (des.man.te.*la*.do) *a.* **1** Que se desmantelou, que foi derrubado, demolido (galpão desmantelado) **2** Que foi desbaratado, vencido totalmente: *As colunas inimigas foram desmanteladas.* **3** *Mar.* Que foi desaparelhado (diz-se de navio, embarcação) [F.: Part. de *desmantelar.*]

desmantelador (des.man.te.la.*dor*) [ô] *sm.* **1** Pessoa desmantela, destrói ou quebra algo *a.* **2** Que desmantela, destrói ou quebra algo [F.: *desmantelar* + *-dor.* Ideia de: *des-* e *mant(el)-*.]

desmantelamento (des.man.te.la.*men*.to) *sm.* **1** Ação ou resultado de desmantelar(-se); DESMANTELO **2** Destruição, demolição (de casa, edifício, empresa, organização): *Viu o desmantelamento de tudo o que construíra.* [F.: *desmantelar* + *-mento.*]

desmantelar (des.man.te.*lar*) *v.* Destruir(-se) (edificação, organização etc.) [*td.*: *Os pedreiros desmantelaram o muro; Ajudou a desmantelar a quadrilha.*] [*int.*: *O muro desmantelou-se com a enxurrada.*] [▶ 1 desmante**lar**] [F.: *des-* + *mantel* + *-ar*².]

desmantelo (des.man.*te*.lo) [ê] *sm.* **1** O mesmo que *desmantelamento* (1) **2** *CE Pop.* Período da menstruação **3** *CE Pop.* Falta de regularidade do ciclo menstrual **4** *CE Pop.* Qualquer doença genital feminina [F.: Dev. de *desmantelar*. Hom./Par.: *desmantelo* (sm.), *desmantelo* (fl. de *desmantelar*).]

desmarcado (des.mar.*ca*.do) *a.* **1** Que perdeu a marca ou o marco (A terra desmarcada) **2** Que foi cancelado ou adiado (encontro desmarcado) **3** *Esp.* Diz-se de jogador que saiu da marcação, que está menos seguido e vigiado pelo adversário **4** Que não tem limite ou que ultrapassa as medidas; DESMEDIDO; EXCESSIVO; IMENSO **5** *BA Pop.* Diz-se de homem ou animal de pênis descomedido [F.: Part. de *desmarcar.*]

desmarcar (des.mar.*car*) *v. td.* **1** Cancelar ou adiar (compromisso, plano etc.): *O presidente desmarcou a reunião.* **2** Tirar as marcas ou marcos de: *desmarcar um terreno; Não desmarque a página do livro.* **3** *Esp.* Livrar-se de marcação do adversário: *Conseguiu desmarcar-se e fazer o gol.* [▶ 1t desmar**car**] [F.: *des-* + *marcar.*]

desmareado (des.ma.re.*a*.do) **1** *Mar.* Desgovernado, mal manobrado (navio) **2** Limpo de manchas ou oxidações [F.: Part. de *desmarear*. Ideia de: *des-* e *mar-*.]

desmascarado (des.mas.ca.*ra*.do) *a.* **1** Que se desmascarou, que ficou sem a máscara [Ant.: *mascarado.*] **2** *Fig.* De que se descobriram as intenções secretas; DESMORALIZADO: *O impostor, desmascarado, fugiu da cidade.* 3 *Fig.* Que se desvendou, se deu a conhecer: *O golpe estava desmascarado.* [F.: Part. de *desmascarar.*]

desmascaramento (des.mas.ca.ra.*men*.to) *sm.* Ação ou resultado de desmascarar(-se) [Ant.: *mascaramento.*] [F.: *desmascarar* + *-mento.*]

desmascarar (des.mas.ca.*rar*) *v. td.* 1 Tirar a máscara de: *Desmascarou o palhaço e reconheceu o amigo.* 2 *Fig.* Revelar as intenções ocultas de, ger. desmoralizando: *O seu intuito era desmascarar o impostor.* 3 Desfazer disfarce ou encobrimento de: *A investigação desmascarou o estelionatário; Cometeu um erro, e desmascarou-se.* [▶ 1 desmascarar] [F.: *des-* + *mascarar.*]

desmastrar (des.mas.*trar*) *v.* O mesmo que *desmastrear* [*td.*] [*int.*] [▶ 1 desmastrar] [F.: *des-* + *mastro* + *-ear*².]

desmastrear (des.mas.tre.*ar*) *v.* 1 Tirar os mastros de (uma embarcação) [*td.*] 2 Perder os mastros [*int.*: *O barco desmastreou-se na tempestade.*] 3 *Fig.* Fazer ficar ou ficar desorientado, desnorteado [*td. int.*] [▶ 13 desmastrear] [F.: *des-* + *mastrear*. Sin. ger.: *desmastrar.*]

desmatado (des.ma.*ta*.do) *a.* 1 Que se desmatou *a.* 2 Diz-se de terreno (área, solo etc.) de onde se retirou o mato 3 *Bras.* Diz-se de floresta ou região devastada pela ação criminosa dos que derrubam ou queimam a mata; DESFLORESTADO [F.: Part. de *desmatar.*]

desmatador (des.ma.ta.*dor*) [ô] *a.* 1 Que desmata, limpa ou desbasta o mato *sm.* 2 Aquele que abate matas e florestas [F.: *desmatar* + *-dor.*]

desmatamento (des.ma.ta.*men*.to) *sm.* 1 *Bras. Ecol.* Ação ou resultado de desmatar; DESFLORESTAMENTO [Tal ação pode causar severas alterações ou a destruição de ecossistema(s), leia mais em *desflorestamento.*] 2 Limpeza de um terreno que se faz retirando o mato que o recobre [F.: *desmatar* + *-mento.*]

desmatar (des.ma.*tar*) *Bras. v.* Derrubar as árvores, destruir a mata (de) [*td.*: *Queimadas estão desmatando a Amazônia.*] [*int.*: *Pequenos proprietários rurais são os que mais desmatam.*] [▶ 1 desmatar] [F.: *des-* + *mata* + *-ar*².]

desmate (des.*ma*.te) *sm.* Corte da vegetação de determinada região; DESFLORESTAMENTO; DESMATAMENTO: *A lei pretende frear o desmate naquela área.* [F.: Dev. de *desmatar.*]

desmaterialização (des.ma.te.ri:a.li.za.*ção*) *sf.* 1 Ação ou resultado de desmaterializar(-se) 2 *Espt.* Desaparição supostamente paranormal de um ser ou objeto material 3 *Fís.nu.* Ver *aniquilamento* [Pl.: *-ções.*] [F.: *desmaterializar* + *-ção*. Ant. ger.: *materialização*. Ideia de: *des-* e *matr-*.]

desmaterializar (des.ma.te.ri.a.li.*zar*) *v.* 1 Fazer perder ou perder a forma material; tornar(-se) imaterial; DESINTEGRAR-SE; SUMIR [*td.*: "...dá vontade de desmaterializar aqueles sujeitos que chamam isso [música eletrônica], pejorativamente, de 'bate-estacas'." (*O Globo*, 23.12.2005)] [*int.*: *No filme Matrix há dois gêmeos albinos que se desmaterializam.*] 2 *Espt.* Fazer perder ou perder a suposta forma material [*td.*: *O espírito desmaterializou o coágulo do cérebro dele.*] [*int.*: *Um objeto sólido pode desmaterializar-se e materializar-se noutro lugar?*] 3 *Lus. Inf.* Prescindir de, dispensar suporte material ou físico (p.ex.: papel, cartão, plástico) e (fazer) passar para meio eletrônico; [*td.*: *A urna eletrônica desmaterializou o voto; O governo vai desmaterializar processos judiciais e acabar com as pilhas de papel.*] [*int.*: *Os formulários impressos desmaterializaram- se; agora serão preenchidos por meio do computador.*] [▶ 1 desmaterializar] [F.: *des-* + *materializar*. Ant. ger.: *materializar.*]

desmazelado (des.ma.ze.*la*.do) *a.* 1 Que se desmazela, se descuida; DESLEIXADO; NEGLIGENTE 2 *Pop.* Que está sempre doente; DOENTIO; ENFERMIÇO; ESQUÁLIDO; RAQUÍTICO *sm.* 3 Aquele que não cuida da própria aparência, do trato pessoal ou das coisas que possui [F.: Part. de *desmazelar.*]

desmazelar-se (des.ma.ze.*lar*-se) *v. int.* Deixar de cuidar da própria aparência ou daquilo que faz ou daquilo que possui: *Entrou em depressão e desmazelou-se completamente.* [▶ 1 desmazelar-se] [F.: *des-* + *mazela* + *-ar*² + *se*¹.]

desmazelo (des.ma.*ze*.lo) [ê] *sm.* 1 Ação de desmazelar-se, falta de cuidado, de zelo; DESCUIDO; DESLEIXO; RELAXAMENTO *sm.* 2 Condição ou característica de quem é desmazelado; DESLEIXO; RELAXAMENTO; DESMAZELAMENTO 3 *MG* Alfinete com fecho de segurança [F.: Dev. de *desmazelar*. Ant.: *desvelo, cuidado.*]

desmazorrar (des.ma.zor.*rar*) *Antq. v.* Fazer perder o aspecto amazorrado, triste, sorumbático; ALEGRAR; ANIMAR; DIVERTIR [*td.*: "O entrudo desmazorrara a alma dos comensais e a do anfitrião, que estava naquele dia contente de si e do mundo..." (Monteiro Lobato, *Urupês*)] [▶ 1 desmazorrar] [F.: *des-* + *mazorro* + *-ar*².]

desmedida (des.me.*di*.da) *sf.* Falta de medida, de comedimento; DESCOMEDIMENTO; EXCESSO; EXORBITÂNCIA: "Trazia ainda d. Maria um penteado de desmedida altura." (Manuel Antônio de Almeida, *Memórias de um sargento de milícias*) [F.: *des-* + *medida*. Ideia de: *mens-*.]

desmedido (des.me.*di*.do) *a.* 1 Que se desmediu; acima das medidas (0 vaidade desmedida); ENORME; IMENSO; INCOMENSURÁVEL 2 De tamanho ou intensidade muito maiores que o habitual: *Uma multidão desmedida o aplaudiu.* [F.: Part. de *desmedir*. Sin. ger.: *desmesurado.*]

desmedir-se (des.me.*dir*-se) *v.* Exceder-se, exagerar, descomedir-se [*tr.* + *em*: *Desmediu-se em elogios ao colega.*] [▶ 44 desmedir-se] [F.: *des-* + *medir* + *se*¹.]

desmembrado (des.mem.*bra*.do) *a.* 1 Que se desmembrou, separou ou desligou; DESAGREGADO; DIVIDIDO; SEPARADO 2 Que foi cortado, mutilado 3 *Her.* Diz-se de animal que é representado sem os membros inferiores 4 *Fig.* Diz-se que quem perdeu ou está sem forças, sem ânimo; ALQUEBRADO; DESFALECIDO; ENFRAQUECIDO; PROSTRADO [F.: Part. de *desmembrar.*]

desmembramento (des.mem.bra.*men*.to) *sm.* 1 Ação ou resultado de desmembrar(-se); DESMEMBRAÇÃO; FRACIONAMENTO 2 Separação ou amputação de membros de um corpo 3 Divisão, em partes, do que compunha unidade; DIVISÃO; LOTEAMENTO; PARTILHA; SEPARAÇÃO 4 *P.ext.* Cada uma dessas partes [F.: *desmembrar* + *-mento.*]

desmembrar (des.mem.*brar*) *v.* 1 Cortar membro(s) de [*td.*: *desmembrar um boneco.*] 2 Separar(-se) em partes; DIVIDIR(-SE) [*td.*: *Resolveram desmembrar a comissão.*] [*tdr.* + *em*: *Vamos desmembrar o texto em parágrafos; A turma desmembrou-se em grupos.*] 3 Retirar de participação em; DESAGREGAR [*tdr.* + *de*: *Decidiu desmembrar sua casa do condomínio; Quatro sócios desmembraram-se do grêmio.*] [▶ 1 desmembrar] [F.: *des-* + *membro* + *-ar*².]

desmemória (des.me.*mó*.ri:a) *sf.* Falta de memória, recordação ou lembrança; DESLEMBRANÇA; DESMEMORIAMENTO; ESQUECIMENTO; OLVIDO [Ant.: *memória.*] [F.: *des-* + *memória.* Hom./Par.: *desmemória* (sf.), *desmemoria* (fl. de *desmemoriar*). Ideia de: *memor-*.]

desmemoriado (des.me.mo.ri.*a*.do) *a.* 1 Que se desmemoriou, que se acha sem memória ou com a memória precária 2 Que sofre de amnésia; AMNÉSICO 3 Que não consegue fixar a atenção; DISTRAÍDO *sm.* 4 Aquele que sofreu perda patológica da memória; AMNÉSICO [F.: Part. de *desmemoriar.*]

desmemoriar (des.me.mo.ri.*ar*) *v.* Fazer perder ou perder a memória [*td.*: *A velhice desmemoriou-o.*] [*int.*: *Com o choque, desmemoriou-se por um tempo.*] [▶ 1 desmemoriar] [F.: *des-* + *memória* + *-ar*².]

desmensurabilidade (des.men.su.ra.bi.li.*da*.de) *sf.* Qualidade ou condição do que é desmensurável, que não pode ser medido; DESMESURABILIDADE [F.: *desmensurável* com o suf. *-vel* sob a f. *-bil(i)-* + *-dade*. Ideia de: *des-* e *mens-*.]

desmensurado (des.men.su.*ra*.do) *a.* 1 Que ultrapassa todas as medidas; DESMEDIDO; DESMESURADO; EXCESSIVO 2 *Fig.* Que maior ou mais intenso do que o normal (sofrimento desmensurado) [F.: Part. de *desmensurar*. Ideia de: *des-* e *mens-*.]

desmensurável (des.men.su.*rá*.vel) *a2g.* Que não é mensurável, que se não pode mensurar, medir; DESMESURÁVEL; INCOMENSURÁVEL; IMENSURÁVEL [Ant.: *mensurável.*] [Pl.: *-veis.*] [F.: *des-* + *mensurável.*]

desmentido (des.men.*ti*.do) *a.* 1 Que se desmentiu (A notícia desmentida) [Ant.: *corroborado.*] 2 Que foi contestado, não confirmado (afirmações desmentidas) [Ant.: *admitido, confirmado.*] 3 *Bras. N Anat.* Diz-se de membro que saiu das juntas, da articulação (joelho desmentido); DESLOCADO; DESTRONCADO *sm.* 4 Ação ou resultado de desmentir(-se) 5 Nota ou declaração em que se desmente algo já divulgado: *O governo mandou publicar um desmentido.* [Ant.: *confirmação.*] [F.: Part. de *desmentir.*]

desmentir (des.men.*tir*) *v.* 1 Afirmar que (alguém) mentiu, não disse a verdade; CONTRADIZER; DESDIZER [*td.*: "Foi ele, sim! - desmentiu-o Florinda." (Machado de Assis, *O alienista*)] 2 Negar (o que foi dito por outrem anteriormente); CONTESTAR; CONTRADIZER [*td.*: *O promotor desmentiu a declaração do réu.*] 3 Negar a veracidade de [*td.*: *desmentir uma notícia.*] 4 Demonstrar o contrário de [*td.*: *Seus atos desmentem suas palavras.*] 5 Afirmar o contrário do que antes afirmara [*int.*: *Pressionado pelo juiz, desmentiu-se várias vezes.*] 6 *N N.E.* Provocar o deslocamento de (uma articulação) ou o traumatismo de (músculo ou tendão); DESARTICULAR; DESLOCAR [▶ 50 desme nt ir] [F.: *des-* + *mentir.*]

desmentível (des.men.*tí*.vel) *a2g.* Que se pode desmentir; REFUTÁVEL [Ant.: *indesmentível*] [Pl.: *-veis.*] [F.: *desmentir* + *-vel.*]

desmerecedor (des.me.re.ce.*dor*) [ô] *a.* 1 Que desmerece, que não é merecedor de algo ou alguém; INDIGNO *sm.* 2 Aquele que desmerece, que não é merecedor, não merece algo ou alguém [F.: *desmerecer* + *-dor*. Ant. ger.: *digno, merecedor.*]

desmerecer (des.me.re.*cer*) *v.* 1 Não merecer ou deixar de merecer; não ser digno de [*td.*: *Nunca desmereceu a confiança do diretor.*] 2 Deixar de merecer reconhecimento de valor; perder o merecimento [*int.*: *Agiu tão mal que acabou desmerecendo.*] 3 Menosprezar, depreciar [*td.*: *Invejoso, desmerece tudo o que não é seu; Vive desmerecendo-se diante de todos.*] [*tr.* + *de*: *Desmerece de todas as regras.*] 4 *P.us.* Fazer perder ou perder a cor, o brilho; DESBOTAR [*td.*] [*int.*] [▶ 33 desmerecer] [F.: *des-* + *merecer.*]

desmerecido (des.me.re.*ci*.do) *a.* 1 Que se desmereceu, que não é merecido (dificuldades desmerecidas) [Ant.: *merecido.*] 2 De que não se é digno, que não merece a honra de (homenagem desmerecida; aumento salarial desmerecido) [Ant.: *merecido.*] 3 Que perdeu a consideração, o reconhecimento de que desfrutava: *Sentiu-se desmerecido e retirou-se da reunião.* 4 *P.us.* Esmaecido, desbotado 5 *Pop.* Debilitado, enfraquecido [F.: Part. de *desmerecer.*]

desmerecimento (des.me.re.ci.*men*.to) *sm.* 1 Ação ou resultado de desmerecer(-se), de perder a confiança dos outros; DEMÉRITO; DESMÉRITO 2 Ausência de qualidade, de mérito [F.: *desmerecer* + *-imento*. Ant. ger.: *merecimento.*]

desmérito (des.*mé*.ri.to) *sm.* 1 Ato ou efeito de desmerecer 2 Aquilo que faz perder a consideração ou a estima em que alguém ou algo era tido [F.: *des-* + *mérito*. Sin. ger.: *demérito; desmerecimento.*]

desmesura (des.me.*su*.ra) *sf.* 1 Ato ou efeito de desmesurar(-se), desmesuramento 2 Falta de mesura, descortesia; INDELICADEZA; INCIVILIDADE [F.: *des-* + *mesura*. Ant. ger.: *mesura.* Hom./Par. *desmesura* (fl. de *desmesurar*).]

desmesurado (des.me.su.*ra*.do) *a.* 1 Que se desmesurou; além das medidas habituais; DESCOMEDIDO; DESCOMUNAL; DESMEDIDO; ENORME; IMENSO: *Quedou-se pequeno e tímido, ante a montanha desmesurada.* 2 *Fig.* De intensidade incomum; EXTRAORDINÁRIO; NOTÁVEL: *A cólera desmesurada o lançou contra o invasor.* [F.: Part. de *desmesurar*. Ant.: *comedido.*]

desmesurar (des.me.su.*rar*) *v.* 1 Expandir(-se), estender(-se), alargar(-se) demasiadamente [*td.*: "E foi lá, (...) que ele recebeu a mais dolorosa decepção da sua vida – contava Castagneto, desmesurando, imaginariamente, o fato." (Gonzaga Duque, "Castagneto", *in Graves e frívolos*)] [*int.*: *Seus olhos se desmesuravam de espanto.*] 2 Agir ou falar sem moderação; DESCOMEDIR-SE; DESREGRAR-SE; EXCEDER-SE [*int.*] [▶ 1 desmesurar] [F.: *des-* + *mesurar*. Hom./Par.: *desmesura(s)* (sf e pl), *desmesura, desmesuras* (fl. de *desmesurar*). Sin. ger.: *mesurar.*]

desmielinização (des.mi:e.li.ni.za.*ção*) *sf. Pat.* Ato ou efeito de desmielinizar(-se), perder a bainha de mielina que cobre os nervos; DESMIELINAÇÃO [Ant.: *mielinização.*] [Pl.: *-ões.*] [F.: *desmielinizar* + *-ção.*]

desmielinizante (des.mi:e.li.ni.*zan*.te) *a2g. Pat.* Que desmieliniza, que faz perder a mielina [Ant.: *mielinizante.*] [F.: De *desmielinizar.*]

desmilinguido (des.mi.lin.*gui*.do) *a.* 1 *Bras. Pop.* Que se desmilinguiu, se desfez, se desmanchou 2 Que se enfraqueceu, se alquebrou; DEBILITADO *sm.* 3 Indivíduo que se desmilinguiu [F.: Part. de *desmilinguir.*]

desmilinguir-se (des.mi.lin.*guir*-se) *Bras. Gír. v. int.* 1 Desfazer-se, desmanchar-se: *O velho mapa desmilinguiu-se com o tempo.* 2 Ficar fraco; perder o vigor; ENFRAQUECER-SE; DEBILITAR-SE: *Desmilinguiu-se de tanto rir.* [▶ 3 desmilinguir-se. O *i* de *lin* recebe acento agudo sempre que esta sílaba é tônica (desmi*lín*guo-me, desmi*lín*guem-se etc.).] [F.: Voc. expressivo, posv.]

desmilitarização (des.mi.li.ta.ri.za.*ção*) *sf.* 1 Ação ou resultado de desmilitarizar(-se), suprimir ou perder o caráter militar 2 Supressão ou redução das forças armadas de um país [Pl.: *-ções.*] [F.: *desmilitarizar* + *-ção*. Ant. ger.: *militarização.*]

desmilitarizado (des.mi.li.ta.ri.*za*.do) *a.* 1 Que se desmilitarizou, perdeu o caráter militar [Ant.: *militarizado*] 2 Que teve a supressão de suas forças armadas [F.: Part. de *desmilitarizar.*]

desmilitarizar (des.mi.li.ta.ri.*zar*) *v.* 1 Fazer perder ou perder o caráter militar [*td.*: *O governador decidiu desmilitarizar a polícia.*] [*int.*: *Faz décadas que a disciplina do colégio desmilitarizou-se.*] 2 Privar(-se) (uma região, um país, ou um grupo) de forças armadas ou de armamentos [*td.*: *A missão de paz desmilitarizou os guerrilheiros; A guerrilha compromete-se a desmilitarizar-se num prazo de noventa dias.*] [▶ 1 desmilitarizar] [F.: *des-* + *militarizar.*]

desmineralização (des.mi.ne.ra.li.za.*ção*) *sf.* 1 Ato ou efeito de desmineralizar(-se) 2 *Bioq.* Perda de minerais em um organismo ou substância 3 *Pat.* Perda de sais minerais de um organismo vivo, esp. o corpo humano, seja por excesso de atividade ou por alguma patologia [Pl.: *-ões.*] [F.: *desmineralizar* + *-ção*. Ant. ger.: *mineralização.*]

desmineralizado (des.mi.ne.ra.li.*za*.do) 1 Que perdeu minerais, que sofreu desmineralização *a.* 2 Que se desmineralizou, sofreu grande perda de sais minerais [F.: Part. de *desmineralizar*. Ant. ger.: *mineralizado.*]

desmineralizar (des.mi.ne.ra.li.*zar*) *v.* 1 Tirar substâncias minerais de [*td.*: *desmineralizar a água.*] 2 Perder (o organismo) sais minerais em excesso [*int.*: *Seus ossos desmineralizaram-se por causa da doença crônica.*] [▶ 1 desmineralizar] [F.: *des-* + *mineralizar.*]

desmiolado (des.mi:o.*la*.do) *a.* 1 Que se desmiolou, perdeu os miolos 2 *Fig.* Que perdeu o juízo, o bom-senso (sujeito desmiolado); AMALUCADO 3 *Fig.* Que contraria o bom-senso (atitude desmiolada) 4 *Fig.* Que age de modo imprudente ou irresponsável 5 *Fig.* Que está com a memória ruim; DESMEMORIADO; ESQUECIDO *sm.* 6 *Fig.* Aquele que contraria o bom-senso, que demonstra falta de juízo 7 *Fig.* Aquele que age com imprudência ou irresponsabilidade 8 *Fig.* Aquele que está ruim de memória [F.: Part. de *desmiolar*. Sin. ger.: *esmiolado.*]

desmiolar (des.mi.o.*lar*) *v.* 1 Tirar o(s) miolo(s) de [*td.*: *desmiolar o pão.*] 2 *Fig.* Fazer perder ou perder o juízo; ENDOIDAR; ENLOUQUECER [*int.*: *O rei desmiolou quando a princesa morreu.*] [*td.*: *Tantos acidentes e infortúnios acabarão por desmiolar o coitado!*] [▶ 1 desmiolar] [F.: *des-* + *miolo* + *-ar*².]

desmistificação (des.mis.ti.fi.ca.*ção*) *sf.* 1 Ação ou resultado de desmistificar, dissipar o sentido místico de algo: *desmistificação da existência.* 2 Ação ou resultado de revelar a mistificação ou o embuste de algo: *desmistificação de dada prática.* [Pl.: *-ções.*] [F.: *desmistificar* + *-ção*. Ant. ger.: *mistificação*. Cf. *mitificação.*]

desmistificado (des.mis.ti.fi.*ca*.do) *a.* 1 Que se desmistificou, que perdeu (ou a que se fez perder) o caráter místico, ou misterioso 2 Desmascarado, denunciado por enganar com falsos mistérios ou por prática mística fraudulenta [F.: Part. de *desmistificar*. Ant. ger.: *mistificado*. Cf.: *desmitificado.*]

desmistificador (des.mis.ti.fi.ca.*dor*) [ô] *a.* 1 Que desmistifica, que faz perder o caráter místico, misterioso, a mistificação (processo desmistificador) 2 Que denuncia, desmascara, revela o enganosamente místico *sm.* 3 Aquele ou aquilo que desmistifica: *O padre Quevedo é um temido desmistificador.* [F.: *desmistificar* + *-dor*. Ant. ger.: *mistificador.*]

desmistificar (des.mis.ti.fi.*car*) *v. td.* 1 Eliminar o caráter místico de: "...no que desmistifico mais um pouco a suposta possessão dos escritores pelas musas..." (João Ubaldo Ribeiro, *Diário do farol*) 2 Despojar (alguém ou algo) do que mistifica ou engana; DESMASCARAR: *desmistificar um curandeiro.* [▶ 11 desmistificar] [F.: *des-* + *mistificar*. Cf. *desmitificar.*]

desmitificação (des.mi.ti.fi.ca.*ção*) *sf.* 1 Ato ou efeito de desmitificar(-se), desfazer o caráter mítico, a tendência a tornar mito algo ou alguém. **2** Ato ou efeito de desprover de encanto, banalizar [Pl.: *-ões.*] [F.: *desmitificar* + *-ção.* Ant. ger.: *mitificador.* Cf.: *desmistificador.*]

desmitificado (des.mi.ti.fi.*ca*.do) *a.* **1** Que se desmitificou, que perdeu o caráter de mito, de lenda **2** *P.ext.* Que não apresenta atrativos; que se revela banal [F.: Part. de *desmitificar.* Ant. ger.: *mitificado.* Cf. *desmistificado.*]

desmitificador (des.mi.ti.fi.ca.*dor*) [ô] *a.* **1** Que desmitifica (reportagem desmitificadora) *sm.* **2** Aquele que desmitifica [Pl.: *-ores.*] [F.: *desmitificar* + *-dor.* Cf.: *desmistificador.*]

desmitificar (des.mi.ti.fi.*car*) *v. td.* **1** Tirar o caráter de mito de pessoa, personagem, acontecimento, entidade etc; fazer cessar a mitificação de: *As revelações dos horrores do período stalinista vieram desmitificar a figura de Stalin.* **2** *P.ext.* Privar (algo ou alguém) de supostas qualidades excepcionais; tornar comum, banal; BANALIZAR; DESMASCARAR: *Desmitificar os roqueiros endeusados pela imprensa.* [▶ 11 desmitificar] [F.: *des-* + *mitificar.* Cf.: *desmistificar.*]

desmitizar (des.mi.ti.*zar*) *v.* **1** Despojar do caráter de mito ou perdê-lo [*td.*: *Por que desmitizar Papai-Noel?*] [*int.*: *A atriz desmitizou-se depois do escândalo.*] **2** Despojar(-se) de mitos [*td.*: *É preciso desmitizar a história.*] [*int.*: *É ilusão pensar que a era tecnológica desmitiza.*] [▶ 1 desmitizar] [F.: *des-* + *mito* + *-izar.* Sing. ger.: *desmitificar.*]

desmitologizar (des.mi.to.lo.gi.*zar*) *v. td.* Tirar o caráter de mito de; DESMISTIFICAR: *O autor da peça teatral desmitologizou um personagem histórico.* [▶ 1 desmitologizar] [F.: *des-* + *mitologizar.*]

◎ **-desm(o)-** *el. comp.* Ver *desm(o)-*

◎ **-desmo** *el. comp.* Ver *desm(o)-*

◎ **desm(o)-** (des.mo) *el. comp.* = 'ligamento'; 'tecido conjuntivo': *desmócito, desmopatia, desmopexia, desmossomo, desmossoma; polidesmoideo* (< lat. cient.); *peridesmo, plasmodesmo; plasmodesma* [F.: Do gr. *desmós, oû,* 'ligação'; 'ligadura'; 'liame'.]

desmobilhar (des.mo.bi.*lhar*) *v.* Ver *desmobiliar*

desmobiliar (des.mo.bi.li.*ar*) *Bras. v. td.* Retirar a mobília de (casa, cômodo etc.) [Ant.: *mobiliar, mobilhar.*] [▶ 1 desmobiliar Em *desmobiliar*, é tônica a sílaba '*bi*' em todas as pessoas do sing. e na 3ª pess. do pl. dos seguintes tempos: pres. do ind. e do subj. e imper. afirm. e neg. (desmo*bí* lio, desmo*bí* lie, não desmo*bí* liem etc.).] [F.: *des-* + *mobiliar.* Tb. *desmobilhar.*]

desmobilização (des.mo.bi.li.za.*ção*) *sf.* **1** Ação ou resultado de desmobilizar(-se), regressar à vida civil (desmobilização de tropa) **2** *Fig.* Dispersão de esforços ou recursos [Pl.: *-ções.*] [F.: *desmobilizar* + *-ção.* Ant. ger.: *mobilização.*]

desmobilizado (des.mo.bi.li.*za*.do) *a.* **1** Que se desmobilizou, deixou de ser reunido e movimentado para uma guerra ou grande atividade **2** Que voltou à vida civil **3** Que serenou, deixou de estar à espera de um combate ou grande atividade [F.: Part. de *desmobilizar.* Ant. ger.: *mobilizado.*]

desmobilizador (des.mo.bi.li.za.*dor*) [ô] *a.* **1** Que desmobiliza, que é capaz de desmobilizar *sm.* **2** Aquele ou aquilo que desmobiliza, que é capaz de desmobilizar [F.: *desmobilizar* + *-dor.* Ant. ger.: *mobilizador.*]

desmobilizar (des.mo.bi.li.*zar*) *v.* Desfazer a mobilização de (exército, tropa, grupo etc.) [*td.*: *desmobilizar uma esquadra.*] [*int.*: *Os grevistas já se desmobilizaram.* Ant.: *mobilizar.*] [▶ 1 desmobilizar] [F.: *des-* + *mobilizar.*]

desmolase (des.mo.*la*.se) *sf. Bioq.* Enzima que catalisa a clivagem de um elo de carbono com carbono em substrato de dois produtos, por meio de processo que não seja hidrolítico (desmolase mitocondrial; colesterol desmolase) [F.: Do ing. *desmolase.*]

desmoldagem (des.mol.*da*.gem) *sf.* **1** Ação ou resultado de desmoldar; DESMOLDE *sf.* **2** Ação de desmontar os moldes de sustentação do concreto armado durante o processo de secagem [F.: *desmoldar* + *-agem.* Ant. ger.: *moldagem.*]

desmoldar (des.mol.*dar*) *v. td.* **1** Desfazer o molde de: *O dentista desmoldou os moldes das próteses.* **2** Retirar do molde: *As crianças desmoldaram os pirulitos das formas.* [▶ 1 desmoldar] [F.: *des-* + *molde* + *-ar*[2]. Ant. ger.: *moldar.* Hom./Par.: *desmolde(s)* (fl.), *desmolde(s)* (sm.[pl.]).]

desmonetizado (des.mo.ne.ti.*za*.do) *sf.* Que se desmonetizou, que se acha (sociedade, comunidade, país etc.) sem dinheiro circulante ou com este reduzido [Ant.: *monetizado.*] [F.: Part. de *desmonetizar.*]

desmontado (des.mon.*ta*.do) *a.* **1** Que se desmontou, se descavalgou **2** Que se desfez ou dividiu em partes (relógio desmontado); DESARMADO; DESMANTELADO **3** *Fig.* Destruído, desmantelado: *A quadrilha já estava desmontada pela polícia.* **4** *S.* Vencido totalmente (inimigo desmontado) [F.: Part. de *desmontar.*]

desmontagem (des.mon.*ta*.gem) *sf.* Ação ou resultado de desmontar(-se); DESMONTE [Ant.: *montagem*] [Pl.: *-gens.*] [F.: *desmontar* + *-agem*[2].]

desmontar (des.mon.*tar*) *v.* **1** Separar as partes ou peças de (um objeto, um aparelho, um dispositivo etc.) [*td.*: *desmontar um armário/uma barraca/um relógio.*] **2** Retirar os enfeites, as decorações de [*td.*: *desmontar uma árvore de Natal.*] **3** Fazer descer ou descer do dorso de (um animal); APEAR(-SE) [*td.*: *Ajudei-o a desmontar a senhora.*] [*tdr.* + *de*: *Desmontou a criança do pônei; desmontar-se de um cavalo.*] [*tr.* + *de*: *Foi difícil desmontar do camelo.*] **4** Fazer descer ou descer (de um veículo, ger. de duas rodas) [*td.*: *Parou a moto e desmontou a criança; Encostei a bicicleta e desmontei-me.*] [*tdr.* + *de*: *Desmontei do velocípede a menina assustada; Desmontei-me da vespa.*] [*tr.* + *de*: *desmontar da lambreta.*] **5** Desfazer (um grupo, uma organização) [*td.*: "Polícia de SP desmonta quadrilha de policiais civis" (*O Dia*, 27.11.2003)] **6** Desvendar (esquema, estratégia, plano etc.) [*td.*] **7** Acabar com, destruir [*td.*: *É preciso desmontar as raízes da corrupção.*] **8** Privar do poder ou de uma situação vantajosa; DEMITIR; DEPOR [*td.*: *O objetivo da conspiração era desmontar o ditador.*] [*tdr.* + *de*: *O parlamento desmontou do gabinete todos os ministros.*] **9** *Fig.* Desconcertar, desnortear [*td.*: *Desmontou-o a inquirição dos policiais.*] **10** Tirar (pedras preciosas) do engaste [*td.*] **11** *Mil.* Neutralizar o poder de fogo de (uma bateria) [*td.*] **12** *Venat.* Quebrar a asa de (uma ave) com um tiro [*td.*] [▶ 1 desmontar] [F.: *des-* + *montar.* Ant. ger.: *montar.* Hom./Par.: *desmontáveis* (fl. de *desmontar*), *desmontáveis* (pl.); *desmonte* (fl. de *desmontar*), *desmonte* (sm.); *desmontes* (fl. de *desmontar*), *desmontes* (pl.).]

desmontável (des.mon.*tá*.vel) *a2g.* Que se pode desmontar [Ant.: *indesmontável.*] [Pl.: *-veis.*] [F.: *desmontar* + *-vel.* Hom./Par.: *desmontáveis* (pl.), *desmontáveis* (fl. de *desmontar*).]

desmonte (des.*mon*.te) *sm.* **1** Ação ou resultado de desmontar; DESMONTA **2** Ação de desmontar, apear de uma montaria; DESCAVALGAMENTO; DESMONTADA **3** Ação ou resultado de separar as peças componentes de uma máquina ou equipamento; DESMANCHO; DESMANTELAMENTO; DESMONTAGEM **4** Ação ou resultado de destruir, desmantelar organização criminosa **5** Ação ou resultado de desfazer monte, penhasco etc; DEMOLIÇÃO; DESATERRO; DESMORONAMENTO **6** Retirada de minérios das jazidas **7** Acumulação de fragmentos de rocha e areia [F.: Dev. de *desmontar.* Hom./Par.: *desmonte* (sm.), *desmonte* (fl. de *desmontar*); *desmontes* (pl.), *desmontes* (fl. do v.).] ▪ **~ a ferro** Desmonte de rochas com uso de ferramentas manuais como alavancas, cunhas etc. **~ a fogo** Desmonte de rochas com uso de explosivos **~ hidráulico** Desmonte de morros e barreiras (de argila, terra etc.) com uso de fortes jatos de água

desmopatia (des.mo.pa.*ti*:a) *sf. Pat.* Doença dos ligamentos [F.: *desm(o)-* + *-patia.*]

desmoralização (des.mo.ra.li.za.*ção*) *sf.* **1** Ação ou resultado de desmoralizar(-se), supressão ou redução da consciência moral **2** Falta de força moral, desalento; DESÂNIMO; DESENCORAJAMENTO: *a desmoralização do time derrotado.* **3** Depreciação da imagem, do bom nome; DESCRÉDITO; DESONRA: *a desmoralização do legislativo.* [Pl.: *-ções.*] [F.: *desmoralizar* + *-ção.*]

desmoralizado (des.mo.ra.li.*za*.do) *a.* **1** Diz-se de indivíduo ou de instituição que perdeu a credibilidade e o respeito (jornal desmoralizado) **2** Que se desmoralizou, que teve suprimida ou reduzida a consciência moral **3** Que está desmotivado, sem ânimo *sm.* **4** Indivíduo ou instituição que perdeu credibilidade e boa reputação, ou cuja imagem foi depreciada **5** Aquele a que falta força moral **6** Aquele que está desmotivado e sem ânimo [F.: Part. de *desmoralizar.*]

desmoralizador (des.mo.ra.li.za.*dor*) [ô] *a.* **1** Que desmoraliza, capaz de desmoralizar; DESMORALIZANTE *sm.* **2** Aquele ou aquilo que desmoraliza, que é capaz de desmoralizar [F.: *desmoralizar* + *-dor.* Ant. ger.: *moralizador.*]

desmoralizante (des.mo.ra.li.*zan*.te) *a2g.* Que desmoraliza, que causa ou provoca desmoralização; DESMORALIZADOR [F.: *desmoralizar* + *-nte.*]

desmoralizar (des.mo.ra.li.*zar*) *v.* **1** Fazer perder ou perder o senso moral; CORROMPER(-SE); PERVERTER(-SE) [*td.*: *Os vícios desmoralizam a sociedade.*] [*int.*: *Desmoralizou-se, passando a aceitar subornos.*] **2** Fazer perder ou perder a boa reputação; DESONRAR(-SE); DESACREDITAR(-SE) [*td.*: *fatos que desmoralizam o serviço público.*] [*int.*: *Mentiu tanto, que se desmoralizou.*] **3** Fazer perder ou perder o ânimo, a força moral [*td.*: *O bombardeio aéreo desmoralizou o inimigo.*] [*int.*: "Ali, entre guerras civis, desmoralizou-se o sultanato que fora o grande adversário da Etiópia cristã." (Alberto da Costa e Silva, *A manilha e o libambo*)] [▶ 1 desmoralizar] [F.: *des-* + *moralizar.*]

desmoronado (des.mo.ro.*na*.do) *a.* Que se desmoronou, que veio abaixo, aluiu; DESABADO [F.: Part. de *desmoronar.*]

desmoronamento (des.mo.ro.na.*men*.to) *sm.* Ação ou resultado de desmoronar(-se); DESABAMENTO; DESMORONAÇÃO [F.: *desmoronar* + *-mento.*]

desmoronar (des.mo.ro.*nar*) *v.* Fazer vir ou vir abaixo; fazer ruir ou ruir (tb. *Fig.*) [*td.*: *A enxurrada desmoronou o muro; A crise econômica desmoronou seus planos.*] [*int.*: *A explosão fez o prédio desmoronar; A casa desmoronou-se por causa do forte tremor.*] [▶ 1 desmoronar] [F.: Do espn. *desmoronar.*]

desmossoma (des.mos.*so*.ma) *sm.* Ver *desmossomo*

desmossomo (des.mos.*so*.mo) *sm. Cit.* Estrutura existente na membrana plasmática destinada a conservar unidas as células epiteliais [F.: *desm(o)-* + *-somo.* Tb. *desmossoma.*]

desmotivação (des.mo.ti.va.*ção*) *sf.* **1** Ação ou resultado de desmotivar(-se), de se ver sem motivo ou fundamento **2** Perda ou falta de motivação ou interesse pelas coisas; DESESTÍMULO: *A desmotivação no trabalho o arruinou.* [Pl.: *-ções.*] [F.: *desmotivar* + *-ção.* Ant. ger.: *motivação.*]

desmotivado (des.mo.ti.*va*.do) *a.* **1** Que se desmotivou, que se viu sem motivo ou fundamento **2** Que perdeu o estímulo, o interesse; DESANIMADO; DESESTIMULADO; DESINTERESSADO **3** Que não se pode justificar [F.: Part. de *desmotivar.* Ant. ger.: *motivado.*]

desmotivar (des.mo.ti.*var*) *v.* Fazer perder ou perder a motivação, o estímulo; DESESTIMULAR(-SE) [*td.*: *As dificuldades nunca o desmotivam.*] [*int.*: *Desmotivei-me com tantos obstáculos.*] [▶ 1 desmotivar] [F.: *des-* + *motivar.* Ant. ger.: *motivar.*]

desmunhecada (des.mu.nhe.*ca*.da) *sf. Pej.* Ação ou resultado de desmunhecar, de gesticular (o homossexual) como mulher um tanto afetada: *Deu uma desmunhecada natural, inconfundível, e proposital.* [F.: *desmunhecar* + *-ada*[1].]

desmunhecado (des.mu.nhe.*ca*.do) *a.* **1** *Bras. Gír.* Diz-se de homem que desmunheca, que é efeminado **2** Que teve a munheca fraturada ou decepada *sm.* **3** Homem que desmunheca; EFEMINADO; HOMOSSEXUAL **4** Aquele que teve a munheca fraturada ou decepada [F.: Part. de *desmunhecar.*]

desmunhecar (des.mu.nhe.*car*) *Bras. v.* **1** *Pop.* Comportar-se (um homem) com atitudes ou gestos de mulher [*int.*] **2** Quebrar o pulso ou a mão de [*td.*] [▶ 11 desmunhecar] [F.: *des-* + *munheca* + *-ar*[2].]

desmuniciado (des.mu.ni.ci:*a*.do) *a.* Que se desmuniciou, que ficou sem munição; DESMUNIDO [F.: part. de *desmuniciar.*]

desmuniciar (des.mu.ni.ci.*ar*) *v.* Tirar ou perder a munição (de); DESMUNICIONAR(-SE) [*td.*: *Desmuniciou a arma antes de guardá-la.*] [*int.*: *O bandido desmuniciou- se.*] [▶ 1 desmuniciar] [F.: *des-* + *municiar.*]

desmunicionar (des.mu.ni.ci.o.*nar*) *v.* O mesmo que *desmuniciar* [▶ 1 desmunicionar] [F.: *des-* + *municionar.*]

desnacionalização (des.na.ci:o.na.li.za.*ção*) *sf.* **1** Ação ou resultado de desnacionalizar(-se), de perder as características, a identidade nacional: *A desnacionalização acaba com o país.* **2** *Jur.* Anulação da nacionalidade real ou adquirida de alguém **3** *Econ.* Alienação a grupos estrangeiros de empresas ou setores da economia de um país [Pl.: *-ções.*] [F.: *desnacionalizar* + *-ção.* Ant. ger.: *nacionalização.*]

desnacionalizante (des.na.ci:o.na.li.*zan*.te) *a2g.* Que desnacionaliza, que leva à desnacionalização; DESNACIONALIZADOR [Ant.: *nacionalizante.*] [F.: *desnacionalizar* + *-nte.*]

desnacionalizar (des.na.ci:o.na.li.*zar*) *v.* **1** Fazer perder ou perder o caráter nacional [*td.*: *desnacionalizar a economia.*] [*int.*: *Com a globalização, algumas culturas desnacionalizaram-se.*] **2** Passar (empresa ou atividade estatal) para o setor privado [*td.*] **3** *Jur.* Punir com a perda de nacionalidade (real ou adquirida); DESNATURALIZAR [▶ 1 desnacionalizar] [F.: *des-* + *nacionalizar.* Ant. ger.: *nacionalizar.*]

desnalgado (des.nal.*ga*.do) *a.* **1** Que se desnalgou, que mostrou ou agitou demais as nalgas (nádegas), que se rebolou **2** De ancas magras e pequenas **3** Esgalgado, magrelo [F.: Part. de *desnalgar.*]

desnasalizar (des.na.sa.li.*zar*) *v.* Tirar ou perder o som nasal (de); DESNASALAR [*td.*: *O caipira diz bença, desnasalizando a sílaba final de bênção.*] [*int.*: *A sílaba final da palavra homem se desnasaliza na fala popular.*] [▶ 1 desnasalizar] [F.: *des-* + *nasal* + *-ar*[2].]

desnastrar (des.nas.*trar*) *v. td.* Tirar ou desfazer o(s) nastro(s) de; DESENASTRAR; DESTRANÇAR: *desnastrar a cabeleira.* [▶ 1 desnastrar] [F.: *des-* + *nastro* + *-ar*[2]. Tb. *desenastrar.*]

desnatadeira (des.na.ta.*dei*.ra) *sf. Emec.* Máquina que separa a gordura do leite, em forma de nata, para a feitura da manteiga; DESNATADORA [F.: *desnatar* + *-deira.*]

desnatado (des.na.*ta*.do) *a.* Que se desnatou, a que se retirou a nata, a gordura: *Só compra leite desnatado.* [F.: Part. de *desnatar.*]

desnatamento (des.na.ta.*men*.to) *sm.* Ação, processo ou resultado de desnatar, de tirar a nata ou gordura do leite; DESNATE [F.: *desnatar* + *-mento.*]

desnatar (des.na.*tar*) *v. td.* Tirar a nata de (leite) [▶ 1 desnatar] [F.: *des-* + *nata* + *-ar*[2]. Hom./Par.: *desnate* (fl.), *desnate* (sm.).]

desnaturação (des.na.tu.ra.*ção*) *sf.* **1** Ação ou resultado de desnaturar(-se) **2** Perda do que é próprio, da natureza de algo ou alguém; DESCARACTERIZAÇÃO; DESFIGURAÇÃO **3** O mesmo que *desnaturalização.* **4** *Quím.* Adulteração dos traços básicos de um produto ou substância com a adição de outros componentes [Pl.: *-ões.*] [F.: *desnaturar* + *-ção.*]

desnaturado (des.na.tu.*ra*.do) *a.* **1** Que se desnaturou, que sofreu profundas alterações em sua natureza **2** *Quím.* Diz-se de algo seriamente modificado em suas propriedades **3** Diz-se de algo ou alguém que contraria a natureza, que é desumano ou perverso *sm.* **4** Aquele que não tem ou parece não ter sentimentos supostamente naturais ao ser humano: *Só um desnaturado faria isso contra a mãe.* [F.: Part. de *desnaturar.*]

desnatural (des.na.tu.*ral*) *a.* **1** Que contraria a ordem natural **2** Sem naturalidade, contrafeito, constrangido **3** Que não é da natureza própria de algo ou alguém, afetado, falso **4** Extraordinário, sobrenatural [Pl.: *-ais.*] [F.: *des-* + *natural.*]

desnaturalização (des.na.tu.ra.li.za.*ção*) *sf.* Ação ou resultado de desnaturalizar(-se), de renunciar a sua naturalização ou de vê-la revogada, com a perda da nacionalidade e dos direitos dela decorrentes; DESNATURAÇÃO [Pl.: *-ções.*] [F.: *desnaturalizar* + *-ção.*]

desnaturalizado (des.na.tu.ra.li.*za*.do) *a.* **1** Que se desnaturalizou, que foi privado da nacionalidade e dos direitos dela decorrentes [Ant.: *naturalizado.*] **2** Que não tem mais naturalidade e passou a se mostrar afetado **3** Que foi adulterado ou teve sua natureza corrompida (visão desnaturalizada) [F.: Part. de *desnaturalizar.*]

desnaturalizar (des.na.tu.ra.li.*zar*) *v.* **1** Privar ou abrir mão de nacionalidade ou de cidadania; DESNATURAR(-SE) [*td.*: *desnaturalizar imigrantes.*] [*int.*: *Insatisfeitos com o país, desnaturalizaram-se e emigraram.*] **2** Adulterar o caráter ou a natureza de; DESNATURAR [*td.*: *Os retoques desnaturalizaram a obra.*] [▶ 1 desnaturalizar] [F.: *des-* + *naturalizar.*]

desnaturar (des.na.tu.*rar*) *v.* **1** O mesmo que *desnaturalizar* [*td.*] [*int.*] **2** Tornar(-se) contrário aos sentimentos naturais do ser humano; DESUMANIZAR(-SE) [*td.*: *O ódio desnatura o homem.*] [*int.*: *Seu filho desnaturou-se.*] **3** Adulterar, deturpar [*td.*: *Desnaturou as palavras do comandante.*] **4** *Quím.* Adicionar a (açúcar, álcool etc.) substâncias que alterem as suas propriedades naturais ou o seu emprego rotineiro [*td.*] **5** *Fís. Gen.* Modificar a estrutura de (uma proteína, uma molécula de ADN), ger. expondo-a ao calor, a substâncias ácidas ou básicas, ou à radiação ultravioleta **6** *Fís.nu.* Adulterar (material físsil), tornando-o inapropriado para o uso em artefatos nucleares [*td.*] [▶ 1 desnaturar] [F.: *des-* + *natura* + *-ar*[2].]

desnazificação (des.na.zi.fi.ca.*ção*) *sf.* Ação ou resultado de desnazificar, de suprimir a submissão à ideologia ou ao regime nazista [Pl.: *-ões.*] [F.: *desnazificar + -ção.*]

desnazificar (des.na.zi.fi.*car*) *v. td. Pol.* Anular, eliminar o caráter nazista de (alguém, algo ou si mesmo); deixar de submeter-se ao caráter nazista de: *A Alemanha desnazificou a mentalidade nacional-socialista; A crueldade nos campos de concentração desnazificou muitas pessoas.* [▶ 11 desnazificar] [F.: *des- + nazificar.*]

desnecessário (des.ne.ces.*sá*.ri:o) *a.* Que não é necessário, que é dispensável (preocupação desnecessária); INÚTIL; PRESCINDÍVEL; SUPÉRFLUO; VÃO [F.: *des- + necessário.*]

desnecessidade (des.ne.ces.si.*da*.de) *sf.* Falta de necessidade, inutilidade: *Todos entenderam a desnecessidade de tais despesas.* [F.: *des- + necessidade.*]

desniquelamento (des.ni.que.la.*men*.to) *sm.* **1** Ação ou resultado de desniquelar(-se); desniquelagem: *O desniquelamento do guidom enfeara a bicicleta.* **2** Processo pelo qual se elimina o níquel com que se revestiu um metal [F.: *desniquelar + -mento.*]

desniquelar (des.ni.que.*lar*) *v. td. int.* Separar ou tirar o níquel de, perder o revestimento de níquel [▶ 1 desniquelar] [F.: *des- + níquel + -ar².*]

desnitração (des.ni.tra.*ção*) *sf.* Ação ou resultado de desnitrar, o mesmo que *desnitrificação* [F.: *desnitrar + ção.*]

desnitrificação (des.ni.tri.fi.ca.*ção*) *sf.* **1** Ação ou resultado de desnitrificar(-se), perda ou retirada de nitrato ou nitrogênio; DESNITRAÇÃO **2** *Ecol.* Ação pela qual as bactérias eliminam o nitrogênio contido em substâncias nutrientes [Pl.: *-ões.*] [F.: *desnitrificar + -ção.*]

desnível (des.*ní*.vel) *sm.* **1** Diferença de nível numa superfície qualquer **2** *Fig.* Desigualdade em relação a determinado parâmetro: *Era pequeno o desnível intelectual dos professores.* [Pl.: *-veis.*] [F.: *des- + nível.*]

desnivelado (des.ni.ve.*la*.do) *a.* **1** Que se desnivelou, que saiu ou está fora do nível: "Estrada larga, desnivelada e putada pelo rodar contínuo dos carros..." (Xavier Marques, *Volta da estrada*) **2** Que não apresenta o mesmo nível que os demais: *De idades e condições físicas diferentes, estavam desnivelados dos demais competidores.* [F.: Part. de *desnivelar.*]

desnivelamento (des.ni.ve.la.*men*.to) *sm.* **1** Ação ou resultado de desnivelar, ficar sem nivelamento **2** Diversidade de nível; DESIGUALDADE [F.: *desnivelar + -mento.*]

desnivelar (des.ni.ve.*lar*) *v. td.* **1** Tirar o nivelamento de: *O calor desnivelou o asfalto.* **2** Causar desnível, diferença de nível entre: *O grau de educação desnivelava os candidatos.* [▶ 1 desnivelar] [F.: *des- + nivelar.*]

desnodoar (des.no.do.*ar*) *v.* **1** Tirar ou perder as nódoas ou manchas (de) [*td.*: *desnodoar a camisa.*] [*int.*: *O vestido desnodou-se com o tira-manchas.*] **2** *Fig.* Reabilitar ou recuperar o crédito, a honra (de) [*td. int.*] [▶ 16 desnodoar] [F.: *des- + enodoar.* Sin. ger.: *desenodoar.*]

desnorteado (des.nor.te.*a*.do) *a.* **1** Que se desnorteou, perdeu o norte, o senso de direção; DESENCAMINHADO **2** *Fig.* Que ficou inseguro, confuso; DESORIENTADO *sm.* **3** Aquele que ficou inseguro, confuso [F.: Part. de *desnortear.*]

desnorteador (des.nor.te.a.*dor*) [ô] *a.* **1** Que desnorteia, que é capaz de desnortear; DESORIENTADOR; PERTURBADOR *sm.* **2** Aquilo ou aquele que desnorteia [F.: *desnortear + -dor.*]

desnorteamento (des.nor.te.a.*men*.to) *sm.* Ação ou resultado de desnortear(-se), perder o rumo ou a orientação; DESNORTEAÇÃO; DESNORTEIO; DESORIENTAÇÃO [F.: *desnortear + -mento.*]

desnorteante (des.nor.te.*an*.te) *a2g.* Que desnorteia, que chega a desnortear, desorientar; DESORIENTADOR: "Tinha ali, diante de si, um desnorteante problema" (Abel Botelho, *Próspero Fortuna*) [F.: *desnortear + -nte.*]

desnortear (des.nor.te.*ar*) *v.* **1** Fazer perder ou perder o norte, a direção, o rumo [*td.*: *A escuridão desnorteou a ciclista.*] [*int.*: *Chegada a noite, desnortearam-se na floresta; O motorista desnorteou em meio à neblina.*] **2** *Fig.* Perturbar(-se), aturdir(-se) [*td.*: "...a pergunta da baronesa desnorteou-a um pouco." (Machado de Assis, *A mão e a luva*)] [*int.*: *A revelação a fez desnortear-se; A família desnorteou quando soube do diagnóstico.*] [▶ 13 desnortear] [F.: *des- + nortear.*]

desnorteio (des.nor.*tei*.o) *sm.* Ação ou resultado de desnortear(-se), de perder o norte, o rumo; DESNORTEAMENTO; DESNORTEAÇÃO; DESORIENTAÇÃO [F.: Dev. de *desnortear.*]

desnovelar (des.no.ve.*lar*) *v.* **1** Desfazer, desenrolar (um novelo); DESDOBAR [*td.*] **2** *Fig.* Resolver(-se) (conflito, intriga etc.) ou colaborar (alguém) para sua solução [*td.*: "...sugeriu a reestruturação da ONU para conferir-lhe plena autoridade a fim de desnovelar conflitos e instaurar políticas de paz." (Leonardo Boff, *JB Online*, 10.07.2006)] [*int.*: *O projeto polêmico está por desnovelar-se.*] **3** Estender(-se), desenvolver(-se) [*td.*: *Quero tempo para desnovelar meus pensamentos; Ele desnovelou bem o relato futebolístico.*] [*int.*: *As nuvens se desnovelaram sobre o vale.* Ant.: *estacionar, estagnar, parar.*] [▶ 1 desnovelar] [F.: *des- + novelo + -ar².* Sin. ger.: *enovelar.*]

desnucar (des.nu.*car*) *v.* **1** Desarticular (as vértebras cervicais) de [*td.*: *Não peguei o bebê porque temi desnucá-lo; Desnucou o adversário com uma pernada.*] **2** *S.* Matar (a rês), cravando-lhe na nuca instrumento perfurante [*td.*] [▶ 11 desnucar] [F.: *des- + nuca + -ar².*]

desnuclearizado (des.nu.cle.a.ri.*za*.do) *a.* **1** Que se desnuclearizou **2** Que substituiu a energia nuclear por outra fonte de energia: *Os ecologistas mais radicais propõem uma matriz energética desnuclearizada.* **3** Que trocou as armas nucleares por armas tradicionais: *A guerra clássica só seria possível se as potências nucleares fossem desnuclearizadas.* [F.: Part. de *desnuclearizar.*]

desnudado (des.nu.*da*.do) *a.* **1** Que se desnudou, se despiu, ficou nu; DESNUDO; DESPIDO **2** *P.ext.* Sem proteção ou cobertura (cabeça desnudada, solo desnudado) **3** *Fig.* Que se tornou manifesto, revelado **4** *Fig.* Despojado, abandonado [F.: Part. de *desnudar.*]

desnudamento (des.nu.da.*men*.to) *sm.* **1** Ação ou resultado de desnudar(-se), ficar total ou parcialmente sem roupa **2** *P.ext.* Perda de cobertura ou proteção **3** *Fig.* Manifestação, revelação **4** *Fig.* Despojamento, abandono [F.: *desnudar + -mento.* Sin. ger.: *denudação, desnudação.*]

desnudar (des.nu.*dar*) *v. td.* **1** Fazer ficar ou ficar nu; DESPIR(-SE): *Os ladrões o desnudaram completamente; Sozinha na praia, desnudou-se.* **2** Privar (algo) do que o cobre: *O vendaval desnudou as amendoeiras.* **3** *Fig.* Pôr a nu; MOSTRAR; REVELAR: *Desnudei as suas verdadeiras intenções.* [▶ 1 desnudar] [F.: *desnudo + -ar²*, posv. Hom./Par.: *desnudo* (fl.), *desnudo* (a.); *desnuda* (fl.), *desnuda* (fem. de *desnudo*); *desnudas* (fl.), *desnudas* (fem. e pl. de *desnudo*).]

desnudez (des.nu.dez) [ê] *sf.* **1** Ação ou resultado de se desnudar, de tirar a roupa, ficar despido; desnudamento; nudez **2** *Fig.* Estado de uma coisa que carece de adornos ou que deles foi despida: *A desnudez das paredes e colunas contrasta com a abundância de ornatos das estátuas.* [F.: *des- + nudez.*]

desnudo (des.*nu*.do) *a.* Que não está coberto; DESPIDO; NU: "No desnudo mármore, o tempo/deixa o rosto perseverante." (Cecília Meireles, *Retrato natural*) [F.: Do lat. *desnudus, a, um.*]

desnutrição (des.nu.tri.*ção*) *sf.* **1** Ação ou resultado de desnutrir **2** Nutrição em nível muito abaixo do necessário ou ausência de nutrição **3** *P.ext.* Emagrecimento e debilitação por carência alimentar; ENFRAQUECIMENTO [Pl.: *-ções.*] [F.: *desnutrir + -ção.* Ant.: *nutrição.*]

desnutrido (des.nu.*tri*.do) *a.* **1** Que se desnutriu, não se nutriu ou o fez precariamente *sm.* **2** Aquele que não está devidamente nutrido, que apresenta carência alimentar; emagrecido, definhado [F.: Part. de *desnutrir.*]

desobedecer (de.so.be.de.*cer*) *v.* **1** Não obedecer; não acatar ordens ou a autoridade de [*ti.* + *a*: *Nunca desobedece ao pai.*] [*int.*: *É uma criança que nunca desobedece.*] **2** Infringir, transgredir [*ti.* + *a*: *desobedecer a uma lei de trânsito.*] [▶ 33 desobedecer No português do Brasil é comum, na fala e na escrita, o emprego deste verbo como *td.*, sem preposição (p.ex.: *desobedecer os pais; desobedecer leis*).] [F.: *des- + obedecer.* Ant. ger.: *obedecer.*]

desobediência (de.so.be.di.*ên*.ci:a) *sf.* Ação ou resultado de desobedecer, de não prestar obediência; INOBEDIÊNCIA; INSUBMISSÃO; INSUBORDINAÇÃO [F.: *des- + obediência.*] ■ **~ civil** *Pol.* Ação, ger. coletiva e não violenta, de não obedecer à autoridade governamental ou a suas disposições, como forma de pressão política para a modificação de medidas ou para obter concessões do poder público

desobediente (de.so.be.di.*en*.te) *a2g.* **1** Que desobedece, não obedece, não acata ordens, mandos, prescrições; INOBEDIENTE *s2g.* **2** Aquele que desobedece [F.: *des- + obediente.*]

desobliteração (de.so.bli.te.ra.*ção*) *sf.* **1** Ação ou resultado de desobliterar(-se), de suspender a obliteração **2** Reavivamento na memória de algo que havia sido esquecido ou refugado [Pl.: *-ões.*] [F.: *desobliterar + -ção.*]

desobriga (de.so.*bri*.ga) *sf.* **1** Ação ou resultado de desobrigar(-se); DESOBRIGAÇÃO **2** Quitação de conta, desobrigação **3** *Rel.* Cumprimento do preceito quaresmal: "... Tia Cló exclamava, que aviso de Deus era: 'Porque, de hoje a semana é Ramos, daí a Páscoa, e estou vendo que não se vai à Vila, na desobriga de confessar...'" (Guimarães Rosa, "Buriti", *in Noites do sertão*) **4** *Bras. Rel.* Ato de o vigário percorrer periodicamente a sua freguesia para ministrar os sacramentos [F.: Dev. de *desobrigar.* Hom./Par.: *desobriga* (sf.), *desobriga* (fl. de *desobrigar*).]

desobrigação (de.so.bri.ga.*ção*) *sf.* **1** Ação ou resultado de desobrigar(-se); DESOBRIGA **2** *Jur.* Quitação de conta, esp. penhores, hipotecas **3** Isenção de um dever: *Por ser arrimo de família, conseguiu a desobrigação do serviço militar.* **4** Liberação de compromisso moral [Pl.: *-ções.*] [F.: *desobrigar + -ção.*]

desobrigada (de.so.bri.*ga*.da) *sf. Lus.* No Minho, laranja comida antes do nono dia da Quaresma, e que se acredita ser nociva [F.: Fem. substantivado de *desobrigado.*]

desobrigado (de.so.bri.*ga*.do) *a.* **1** Que se desobrigou, que se desembaraçou; quite **2** Desimpedido, livre, sem dependências: "Se falta a mulher à sua palavra, creem-se os homens desobrigados da sua." (Mário Barreto, *Cartas persas*) **3** *Bras. S.* Diz-se da montaria que não precisa de esporas, que tem boa andadura [F.: Part. de *desobrigar.*]

desobrigar (de.so.bri.*gar*) *v.* **1** Livrar(-se) ou isentar(-se) (de obrigação) [*tdr.* + *de*: *A greve na universidade desobrigou-o da palestra.*] [*tr.* + *de*: *Não tendo recebido o livro, desobrigamo-nos do pagamento.*] **2** Cumprir um dever, uma obrigação [*tr.* + *de*: *Vai à igreja desobrigar-se das esmolas.*] **3** *Rel.* Confessar-se e comungar pelo menos uma vez por ano, ger. na Páscoa [*int.*: *Durante a Semana Santa, os templos transbordavam de devotos que iam desobrigar-se.*] [▶ 14 desobrigar] [F.: *des- + obrigar.*]

desobstrução (de.sobs.tru.*ção*) *sf.* Ação ou resultado de desobstruir(-se), livrar(-se) de obstáculo, entrave; DESENTUPIMENTO; DESIMPEDIMENTO; DESOBSTRUÊNCIA; DESOBSTRUIMENTO [Pl.: *-ções.*] [F.: *des- + obstrução.*]

desobstruído (de.sobs.tru.*í*.do) *a.* Que se desobstruiu, que se desentupiu; DESIMPEDIDO [F.: Part. de *desobstruir.*]

desobstruinte (de.sobs.tru:*in*.te) *a2g.* **1** Que desobstrui; tb. *desobstruente, desobstruidor*; o mesmo que *desobstrutivo.* **2** *Med.* Diz-se do medicamento que desobstrui as vias respiratórias *sm.* **3** Esse medicamento [F.: *des- + obstruinte.*]

desobstruir (de.sobs.tru.*ir*) *v.* Livrar(-se) do que obstrui; DESIMPEDIR(-SE) [*td.*: *desobstruir uma artéria/uma passagem.*] [*int.*: *Com o aumento da pressão, o cano desobstruiu-se.*] [▶ 56 desobstruir] [F.: *des- + obstruir.* Ant. ger.: *obstruir.*]

desobstrutivo (de.sobs.tru.*ti*.vo) *a.* Que desobstrui, que desentope; desobstruinte [F.: *desobstruir + -tivo.*]

desocupação (de.so.cu.pa.*ção*) *sf.* **1** Ação ou resultado de desocupar(-se), sair de lugar que se ocupava: *A desocupação das terras foi imediata.* **2** Falta de emprego, de ocupação, de trabalho; DESEMPREGO; OCIOSIDADE: *A desocupação abrange a maioria dos moradores.* **3** Afastamento ou abandono de uma função ou atividade: *desocupação do posto de ministro.* **4** Estado ou condição do que não está ocupado [Pl.: *-ções.*] [F.: *desocupar + -ção.* Ant.: *ocupação.*]

desocupado (de.so.cu.*pa*.do) *a.* **1** Que se desocupou, que não tem ocupação, trabalho **2** Que se desocupou, ficou ou está vazio, vago (estante desocupada, casa desocupada) **3** Disponível, livre (linha desocupada) *sm.* **4** Aquele que não tem e não quer ter ocupação, trabalho: *Enrola, finge, mas é um desocupado.* [F.: Part. de *desocupar.* Ant. ger.: *ocupado.*]

desocupar (de.so.cu.*par*) *v.* **1** Deixar, sair de (o lugar que se ocupava) [*td.*: *desocupar uma cadeira.*] **2** Deixar (função que se cumpria em dado lugar) [*td.*: *Desocupou o posto na embaixada.*] **3** Livrar(-se) de ou terminar (trabalho, serviço etc.) [*tdr.* + *de*: *desocupar alguém de sua tarefa.*] [*int.*: *Viajo assim que me desocupar.*] **4** Deixar vazio; ESVAZIAR [*td.*: *desocupar um cômodo/um armário.*] **5** Deixar de usar (algo) [*td.*: *desocupar o telefone/o computador.*] [▶ 1 desocupar] [F.: *des- + ocupar.* Ant. ger.: *ocupar.*]

desodorante (de.so.do.*ran*.te) *a2g.* **1** Que desodora ou desodoriza, combate ou previne odores desagradáveis (substância desodorante); DESODORIZANTE [Ant.: *odorante.*] *sm.* **2** Produto de perfumaria ou cosmética us. para eliminar ou prevenir odores desagradáveis do corpo (esp. das axilas, dos pés) [F.: *desodorar + -nte.*]

desodorar (de.so.do.*rar*) *v. td.* O mesmo que *desodorizar.* [Ant.: *odorar, odorizar.*] [▶ 1 desodorar] [F.: *des- + odorar.*]

desodorizado (de.so.dori.*za*.do) *a.* Que se desodorizou, que perdeu o odor; DESODORADO [F.: part. de *desodorizar.*]

desodorizador (de.so.do.ri.za.*dor*) [ô] *a.* **1** Que desodoriza, que é capaz de desodorizar; desodorador, desodorizante *sm.* **2** Substância ou processo capaz de desodorizar um ambiente; desodorador, desodorizante [F.: *desodorizar + -dor.*]

desodorizante (de.so.do.ri.*zan*.te) *a2g.* **1** Que desodoriza, que é capaz de desodorizar; desorador, desodorizador *sm.* **2** Substância ou processo que desodoriza; desodorador, desodorizador [F.: *desodorizar + -nte.*]

desodorizar (de.so.do.ri.*zar*) *v. td.* Eliminar o odor (esp. o mau odor) de local ou ambiente; DESODORAR: *desodorizar um ambiente.* [Ant.: *odorizar, odorar*] [▶ 1 desodorizar] [F.: *des- + odor + -izar.*]

desoficialização (de.so.fi.ci:a.li.za.*ção*) *sf.* Ação ou resultado de desoficializar, suprimir o caráter oficial de algo [Pl.: *-ções.*] [F.: *desoficializar + -ção.*]

desoficializar (de.so.fi.ci:a.li.*zar*) *v. td.* Tirar o caráter oficial de: *O governo desoficializou a instituição.* [Ant.: *oficializar.*] [▶ 1 desoficializar] [F.: *des- + oficial + -izar.*]

desogestrel (de.so.ges.*trel*) *sm.* Progestógeno sintético semelhante aos progestógenos naturais, largamente us. como anticoncepcional [F.: Do ing. *desogestrel.*]

desolação (de.so.la.*ção*) *sf.* **1** Ação ou resultado de desolar(-se) **2** Devastação de um lugar; RUÍNA **3** Condição de lugar arruinado, despovoado **4** *P.ext.* Abandono, desamparo, solidão: *Impressionou-os a desolação do lugar.* **5** *Fig.* Infortúnio, tristeza profunda ou grande aflição: *A desolação tomou toda a família.* [Pl.: *-ções.*] [F.: *desolar + -ção.* Sin. ger., p.us.: *desolamento.*]

desolado (de.so.*la*.do) *a.* **1** Que se desolou, que foi arruinado e abandonado (diz-se de região, lugar) **2** Que mostra grande aflição e desamparo; AFLITO; CONSTERNADO; DESCONSOLADO: *Os parentes estavam desolados.* [F.: Part. de *desolar.*]

desolador (de.so.la.*dor*) [ô] *a.* **1** Que desola, que suscita desolação: *O maremoto deixou marcas desoladoras.* *sm.* **2** Aquele ou aquilo que desola, que suscita desolação [F.: *desolar + -dor.*]

desolamento (de.so.la.*men*.to) *sm.* **1** Ação ou resultado de desolar(-se); DESOLAÇÃO **2** *Dem.* Despovoamento de uma cidade ou região **3** *Ecol.* Perde de massa verde, desertificação **4** *Fig.* Grande tristeza, consternação; DESOLAÇÃO [F.: *desolar + -mento.*]

desolar (de.so.*lar*) *v.* **1** Transformar(-se) em deserto; DESPOVOAR(-SE); DEVASTAR(-SE) [*td.*: *Os invasores desolaram o país.*] [*int.*: *Abandonada, a região desola-se pouco a pouco.*] **2** Consternar, afligir, entristecer [*td.*: *A tragédia desolou toda a população.*] [▶ 1 desolar] [F.: Do v.lat. *desolare.*]

desoneração (de.so.ne.ra.*ção*) *sf.* Ação ou resultado de desonerar(-se); DESOBRIGAÇÃO; EXONERAÇÃO [Pl.: *-ção.*] [F.: *desonerar + -ção.*]

desonerar (de.so.ne.*rar*) *v.* **1** Livrar(-se) de ônus, dever ou encargo; DESOBRIGAR(-SE); ISENTAR(-SE) [*td.*: *desonerar um devedor.*] [*tdr.* + *de*: *Desonerei-o da tarefa; Desonerou-se da dívida.*] **2** *Fig.* Desvencilhar, desembaraçar (algo) de [*tdr.* + *de*: *Desoneraram a empresa dos projetos deficitários.*] [▶ 1 desonerar] [F.: *des- + onerar.* Ant. ger.: *onerar.* Hom./Par.: *desoneráveis* (fl.), *desoneráveis* (pl. de *desonerável* [a2g.]).]

desonerável (de.so.ne.*rá*.vel) *a2g.* **1** Que se pode desonerar, livrar de ônus, obrigações **2** *Bras. N.E.* Que pode desonerar, ficar sem consistência, estragar [Pl.: *-veis.*] [F.: *desonerar + -vel.* Hom./Par.: *desoneráveis* (pl.), *desoneráveis* (fl. de *desonerar* [v.]).]

desonestidade (de.so.nes.ti.*da*.de) *sf.* **1** Falta de honestidade, de probidade ou de sinceridade; qualidade ou característica de desonesto; MÁ-FÉ; FALSIFICAÇÃO: *Morderam a isca de sua* desonestidade. 2 *P.ext.* Ato desonesto, enganador: *O carreirismo é uma sucessão de desonestidades.* 3 Traição, deslealdade [F.: *des-* + (*h*)*onestidade.*]

desonesto (de.so.*nes*.to) *a.* 1 Que não é honesto, que se mostra insincero, enganador 2 Que não se mostra íntegro, probo com as pessoas (comércio desonesto); TRAPACEIRO 3 Traiçoeiro, desleal (colega desonesto) 4 Que não é decente ou decoroso 5 Que revela ou encerra desonestidade (atitude desonesta) *sm.* 6 Aquele que é desonesto [F.: *des-* + (*h*)*onesto.*]

desonra (de.*son*.ra) *sf.* 1 Ausência ou perda da honra, da dignidade, do respeito dos outros; DESLUSTRE; IMPUDOR; INDIGNIDADE; OPRÓBRIO; VERGONHA: *agir com desonra.* [Ant.: *glória, honra.*] 2 *Fig.* O que ou quem é motivo de desonra, vergonha ou humilhação: *Fazer parte daquela corporação era uma desonra.* [F.: *des-* + (*h*)*onra.*]

desonrado (de.son.*ra*.do) *a.* 1 Que se desonrou, que perdeu a dignidade e o respeito dos outros; DESACREDITADO; DESLUSTRADO; INFAMADO 2 Vítima de descrédito, de infâmia 3 Diz-se de moça desvirginada, deflorada [F.: Part. de *desonrar.* Ant. nas acp. 1 e 2: *honrado.*]

desonrar (de.son.*rar*) *v. td.* 1 Ferir a honra de (algo, alguém ou si mesmo); DESACREDITAR(-SE): *O escândalo desonrou a família; Nada o faria desonrar-se.* [Ant.: *honrar*] 2 *Pus.* Fazer perder ou perder a virgindade (mulher ou moça solteira) [▶ 1 desonrar] [F.: *des-* + (*h*)*onrar.*]

desonroso (de.son.*ro*.so) [ô] *a.* 1 Que desonra, que ofende ou aniquila a honra; AVILTANTE; DEGRADANTE; HUMILHANTE 2 Que envolve desonra (comportamento desonroso, gesto desonroso) [F.: *des-* + (*h*)*onroso.*]

desopilar (de.so.pi.*lar*) *v.* 1 *Pop.* Aliviar o estresse (de), tornar(-se) mais tranquilo, relaxado [*td.*: *Saiu de férias para desopilar a mente; Quando está tenso, toca violão para desopilar-se.*] [*int.*: *Exercícios físicos ajudam a desopilar.*] 2 *Hist. Med.* Desobstruir a opilação, a obstrução de um duto natural de (ger. do fígado, para permitir que o excesso de bile negra fluísse, a qual, cria-se, tornava o indivíduo irascível e melancólico) [*td.*] [▶ 1 desopilar] [F.: *des-* + *opilar.* Ant. ger.: *opilar.*]

desoportuno (de.so.por.*tu*.no) *a.* Que não é oportuno; inoportuno; INTEMPESTIVO [F.: *des-* + *oportuno.*]

desopressão (de.so.pres.*são*) *sf.* 1 Ação ou resultado de desoprimir(-se), livrar(-se) de algo ou alguém que oprime 2 Alívio do estado de opressão; DESAFOGO: *A desopressão a fez cantar.* [Pl.: *-sões.*] [F.: *des-* + *opressão.*]

desoprimido (de.so.pri.*mi*.do) *a.* Que se desoprimiu; livre de opressão; ALIVIADO; DESOPRESSO: "Sentiu-se ela desoprimida do remorso..." (Camilo Castelo Branco, *A enjeitada*) [F.: Part. de *desoprimir.*]

desoprimir (de.so.pri.*mir*) *v. td.* 1 Livrar(-se) de (aquilo que oprime, angustia): *As boas notícias o desoprimiram; Confessar o erro a fez desoprimir-se.* 2 Libertar de opressão, tirania ou jugo: *desoprimir povos escravizados.* [▶ 3 desoprimir] [F.: *des-* + *oprimir.* Ant. ger.: *oprimir.*]

desoras (de.*so*.ras) *sfpl.* Horas avançadas da noite ou da madrugada; altas horas da noite [Us. na loc. *A desoras.*] [F.: *des-* + pl. de *hora.*] ■ **A/por ~** 1 Fora da hora normal, ger. muito tarde, a altas horas da noite 2 Inoportunamente

desordeiro (de.sor.*dei*.ro) *a.* 1 Que gosta de desordens e as provoca (indivíduo desordeiro); ARRUACEIRO; BADERNEIRO *sm.* 2 Aquele que gosta de desordens e as provoca; ARRUACEIRO; BADERNEIRO [Col.: *corja, súcia.*] [F.: *des-* + *ordeiro.* Ant.: *ordeiro.*]

desordem (de.*sor*.dem) *sf.* 1 Falta de ordem, de arrumação, de organização: *Havia desordem no arquivo, e desordem administrativa.* 2 Tumulto, distúrbio de rua: *Com a desordem crescente, ele fechou o bar.* 3 Briga, rixa, confusão 4 Incoerência, falta de lógica: *Com a memória em desordem, cambaleou.* [Pl.: *-dens.*] [F.: *des-* + *ordem.*]

desordenação (de.sor.de.na.*ção*) *sf.* Ação ou resultado de desordenar(-se); ausência de ordem ou de ordenação; DESARRUMAÇÃO; DESORDEM; DESORDENAMENTO [Pl.: *-ções.*] [F.: *desordenar* + *-ção.* Ant.: *ordenação.*]

desordenado (de.sor.de.*na*.do) *a.* 1 Que se desordenou, que está fora de ordem ou sem a ordenação habitual (escritos desordenados); DESARRUMADO; DESORGANIZADO 2 Que é irregular, sem harmonia, tumultuado ou desregrado: *Seus gestos desordenados confundiram a plateia; As leoas se dispersaram com a fuga desordenada dos búfalos.* [F.: Part. de *desordenar.* Ant.: *ordenado.*]

desordenança (de.sor.de.*nan*.ça) *sf.* Falta de ordenança, regulamento, ordem; DESORGANIZAÇÃO: "A desordenança dos estoriadores nos põem sobrelo em fadigoso cuidado" (Fernão Lopes, *Crônica de D. João I*) [F.: *des-* + *ordenança.*]

desordenar (de.sor.de.*nar*) *v.* 1 Pôr ou ficar em desordem, em desalinho [*td.*: *Os ladrões reviraram e desordenaram a casa inteira; O desfile desordenou-se por falta de ensaio.*] 2 Alterar(-se), perturbar(-se) [*td.*: *No início dos anos 70, a crise do petróleo desordenou o setor energético do país; Com o gol dos adversários, o time desordenou-se.*] 3 Confundir(-se), embaralhar(-se) [*td.*: *desordenar os pensamentos; Suas ideias desordenaram-se com tanta informação.*] 4 Dispersar(se), desbaratar(-se) [*td.*: *desordenar o exército inimigo; O rebanho desordenou-se.*] 5 Exceder-se, descomedir-se [*tdr.* + *em*: *Desordenaram-se nos gastos.*] 6 Causar desordem ou revolta; SUBLEVAR [*td.*: *O assassinato do líder religioso desordenou a capital do país.*] [▶ 1 desordenar] [F.: *des-* + *ordenar.* Ant. ger.: *ordenar.*]

desorganização (de.sor.ga.ni.za.*ção*) *sf.* 1 Ação ou resultado de desorganizar(-se); falta de organização; CONFUSÃO; DESORDEM 2 Alteração ou extinção da organização de sociedades, instituições, órgãos etc; DISSOLUÇÃO: *desorganização do sistema educacional do país.* 3 Grande mudança ou até mesmo destruição da estrutura ou do funcionamento de um corpo animal ou vegetal [Pl.: *-ções.*] [F.: *desorganizar* + *-ção.* Ant.: *organização.*]

desorganizado (de.sor.ga.ni.*za*.do) *a.* Que se desorganizou, que não tem ordem; CONFUSO; DESORDENADO [F.: Part. de *desorganizar.* Ant.: *ordeiro, organizado.*]

desorganizador (de.sor.ga.ni.za.*dor*) [ô] *a.* 1 Que desorganiza, que é capaz de desorganizar: "O começo de certas moléstias profundamente desorganizadoras..." (Teixeira de Queirós, *Comédia do campo*) *sm.* 2 Aquele ou aquilo que desorganiza [F.: *desorganizar* + *-dor.*]

desorganizar (de.sor.ga.ni.*zar*) *v. td.* 1 Fazer perder ou perder a organização, a estrutura (de); DESESTRUTURAR(-SE) [*td.*: *A perda do emprego desorganizou sua vida.*] [*int.*: *Foi o crime que se organizou ou a sociedade se desorganizou?*] 2 Tirar da ordem; alterar o arranjo de; DESARRUMAR [*td.*: *desorganizar um arquivo.*] [▶ 1 desorganizar] [F.: *des-* + *organizar.* Ant. ger.: *organizar.*]

desorientação (de.so.ri:en.ta.*ção*) *sf.* 1 Ação ou resultado de desorientar(-se), perda de rumo, de norte, de direção; DESORIENTAMENTO; DESNORTEAMENTO 2 *Fig.* Insegurança, perplexidade; DESCONCERTO; HESITAÇÃO: *A crise lhe trouxe uma completa desorientação.* 3 *Med.* Estado de confusão mental que se caracteriza pela perda das noções de espaço, tempo e, em casos mais graves, de identidade pessoal [Pl.: *-ções.*] [F.: *desorientar* + *-ção.*]

desorientado (de.so.ri:en.*ta*.do) *a.* 1 Que se desorientou, perdeu o rumo, o norte, a direção certa; DESNORTEADO 2 *Fig.* Que se sente perplexo, perdido: *O novo imposto os deixou desorientados.* 3 Que apresenta certo desequilíbrio emocional *sm.* 4 Aquele que está desorientado [F.: Part. de *desorientar.*]

desorientador (de.so.ri.en.ta.*dor*) [ô] *a.* 1 Que desorienta, que é capaz de desorientar; DESNORTEANTE *sm.* 2 Aquele ou aquilo que desorienta [F.: *desorientar* + *-dor.*]

desorientar (de.so.ri:en.*tar*) *v.* 1 Fazer perder ou perder a orientação ou o rumo; DESNORTEAR(-SE) [*td.*: *A luz ofuscante o desorientou.*] [*int.*: *Perdi o retorno e desorientei-me.* Ant.: *nortear, orientar.*] 2 Deixar ou ficar confuso, perplexo, hesitante; DESCONCERTAR(-SE); DESNORTEAR(-SE); PERTURBAR(-SE) [*td.*: *Seu comportamento estranho me desorientou.*] [*int.*: *Ouvindo tais revelações, sua mente desorientou-se.*] [▶ 1 desorientar] [F.: *des-* + *orientar.*]

de soslaio (de sos.*lai*:o) *loc.adv.* Sem encarar, sem voltar o rosto na direção da pessoa ou coisa para a qual se olha; de lado; OBLIQUAMENTE: *Olhava de frente o mar e de soslaio as moças.* [F.: *de* + *soslaio* (< espn. *soslayo*).]

desospitalização (de.sos.pi.ta.li.za.*ção*) *sf.* Ação ou resultado de desospitalizar(-se), de deixar de estar hospitalizado, de receber alta do hospital [Pl.: *-ões.*] [F.: *des-* + (*h*)*ospitalização.*]

desospitalizar (de.sos.pi.ta.li.*zar*) *Pus. v.* 1 Ser liberado ou dispensar-se (esp. paciente psiquiátrico) de internação hospitalar, passando a receber assistência ambulatorial multidisciplinar e/ou domiciliar, visando a sua reintegração à sociedade [*td.*: *desospitalizar pacientes psiquiátricos.*] 2 Extinguir organizações manicomiais e hospitalares [*int.*] 3 Tirar do âmbito hospitalar [*td.*: *desospitalizar as políticas de saúde / o tratamento do paciente.*] [▶ 1 desospitalizar] [F.: *des-* + *hospital* + *-izar.* Ant. ger.: *hospitalizar.* Ver tb.: *institucionalização, institucionalizar.*]

desossa (de.*sos*.sa) *sf.* Ação ou resultado de retirar os ossos; DESOSSAMENTO [F.: dev. de *desossar.*]

desossado (de.sos.*sa*.do) *a.* 1 Que se desossou, que teve os ossos retirados (diz-se de ave e outros animais us. na indústria alimentar) 2 *Fig.* Enfraquecido, extenuado: "Muito fraco, sentindo as pernas frouxas, moles, como desossadas..." (Coelho Neto, *Miragem*) [F.: Part. de *desossar.*]

desossar (de.sos.*sar*) *v. td.* Retirar os ossos de: *desossar um frango.* [▶ 1 desossar] [F.: *des-* + *osso* + *-ar*².]

desova (de.*so*.va) *sf.* 1 Ação ou resultado de desovar, de botar ovos (peixes e répteis); DESOVAÇÃO; DESOVAMENTO 2 *P.ext.* A época de tal postura: *Na desova, subiram o rio.* 3 *Fig.* Escoamento, esp. de produtos estocados: *Com a desova das sacas, sossegaram.* 4 *Bras. Gír.* Ação ou resultado de jogar cadáveres ou veículos roubados num ou outro ponto da cidade (local de desova) 5 *Bras. Pop. Lud.* Em jogos de azar, perda de fichas que se ganhou anteriormente [F.: Dev. de *desovar.* Hom./Par.: *desova* (sf.), *desova* (fl. de *desovar*); *desovas* (pl.), *desovas* (fl. do v.).]

desovar (de.so.*var*) *v.* 1 Pôr ovos (o peixe, a tartaruga etc.) [*int.*] 2 *P.ext. Pop.* Parir [*int.*] 3 Prover em grande quantidade [*td.*: *Acabaram de desovar os estoques de grãos.*] 4 *Bras. Gír.* Largar em algum lugar (cadáver ou carro roubado) [*td.*] [▶ 1 desovar] [F.: *des-* + *ovo* + *-ar*². Hom./Par.: *desova* (fl.), *desova* (sf.); *desovas* (fl.), *desovas* (pl. do sf.).]

◎ **desoxi-** *Pref. Quím.* = Substituição de um grupo OH por um átomo de H (*desoxibenzoína*) ou remoção do oxigênio: *desoxidação, desoxidante, desoxigenação.*

desoxidação (de.so.xi.da.*ção*) *sf.* 1 Ação ou resultado de desoxidar, de retirar o óxido ou a ferrugem de algo, desoxigenação 2 *Metal.* Redução dos óxidos existentes em um banho de metal líquido [Pl.: *-ões.*] [F.: *desoxidar* + *-ção.*]

desoxigenação (de.so.xi.ge.na.*ção*) *sf.* Ação ou resultado de desoxigenar, de retirar o oxigênio de; desoxidação [Pl.: *-ões.*] [F.: *desoxigenar* + *-ção.*]

desoxirribonucleico (de.so.xir.ri.bo.nu.*clei*.co) [cs] *a. Bioq.* Diz-se de ácido (ADN) que, em combinação com o ácido ribonucleico forma os reservatórios moleculares da informação genética dos seres vivos [F.: *desoxi-* + *ribonucleico.*]

despachado (des.pa.*cha*.do) *a.* 1 Que se despachou, que ganhou despacho 2 Que foi dispensado, despedido: *Despachado da firma, não saía do boteco.* 3 Que se expediu, remeteu (encomenda despachada); AVIADO; ENVIADO; REMETIDO 4 *Fig. Pop.* Assassinado, mandado para o outro mundo 5 Que é expedito, desenvolto para resolver as coisas 6 *Bras. Pop.* Que não faz cerimônia, que é sincero e espontâneo 7 Que foi nomeado para cargo público, emprego, atividade etc. *sm.* 8 Aquele que é expedito, desenvolto para resolver as coisas 9 *Bras. Pop.* Aquele que não faz cerimônia, que é sincero e espontâneo [F.: Part. de *despachar.*]

despachador (des.pa.cha.*dor*) [ô] *a.* 1 Que despacha, que é capaz de despachar [Pl.: *-ores.*] *sm.* 2 Profissional que cuida de desembaraçar documentos e processos burocráticos, o mesmo que *despachante* 3 Aquele que dá despachos: "Por dar exemplo aos outros despachadores, dava audiência a todas as pessoas a todas as horas" (Francisco de Andrada, *Crônica de D. João III*) 4 Homem expedito, rápido na execução de qualquer trabalho [F.: *despachar* + *-dor.*]

despachante (des.pa.*chan*.te) *a2g.* 1 Que despacha, desembaraça; DESPACHADOR 2 Que tem a ocupação de encaminhar documentos ou processos junto a cartórios e repartições públicas, para conseguir as licenças, escrituras, certidões ou registros solicitados 3 Que tem a ocupação de despachar cargas e mercadorias *s2g.* 4 Profissional autônomo que encaminha documentos e processos em cartórios e repartições públicas 5 Pessoa responsável por despachar cargas e mercadorias [F.: *despachar* + *-nte.*]

despachar (des.pa.*char*) *v.* 1 Expedir, enviar, remeter [*td.*: *despachar uma encomenda.*] 2 Dispensar, despedir, mandar embora [*td.*: *despachar um funcionário/uma visita inoportuna.*] 3 Deliberar, decidir, resolver [*td.*: *despachar uma petição inicial.*] [*tdr.* + *com*: *Despachará a questão com o secretário-geral.*] [*int.*: *Sempre despacha no palácio.*] 4 *Jur.* Pôr despacho ou decisão em; DESEMBARGAR; SENTENCIAR [*td.*: *O juiz despachou a petição, deferindo-a.*] 5 Incumbir de missão ou serviço [*td.*: *despachar um emissário.*] 6 Proceder rápida ou prontamente [*int.*: *Vamos, despachem-se!*] 7 Dar atenção a (cliente, freguês etc.); ATENDER; SERVIR [*td.*: *O balconista demorou a nos despachar.*] 8 *Gír.* Matar [*td.*] 9 *Bras. Rel.* Fazer despacho (3) a [*td.*] [▶ 1 despachar] [F.: Do provç. ant. *despachar.* Hom./Par.: *despacho* (fl.), *despacho* (sm.).]

despacho (des.*pa*.cho) *sm.* 1 Ação ou resultado de despachar, de apor (a autoridade pública) sua decisão ao final dos requerimentos que lhe são encaminhados 2 Expedição, remessa (despacho de malote, despacho de correspondência) 3 *Bras. Rel.* Em cultos afro-brasileiros, oferenda a Exu (depositada em cachoeira, encruzilhada), ger. para que obtenha dos orixás um malefício para alguém; EBÓ [F.: Dev. de *despachar.* Hom./Par.: *despacho* (sm.), *despacho* (fl. de *despachar.*)] ■ **~ decisório** *Jur.* Aquele que dá fim a incidente ou estorvo em meio a uma causa **~ de Exu** *Bras. Umb.* Em cerimônias de umbanda e de candomblé, oferenda a Exu, para que não perturbe a festa e para que consiga as boas graças dos orixás **~ interlocutório** *Jur.* Aquele no qual o juiz não toma decisão final sobre o processo, mas determina medidas sobre questões que influem em seu andamento **~ saneador** *Jur.* Aquele em que o juiz, antes da sentença final, se pronuncia sobre irregularidades, nulidades ou ilegitimidade das partes, a serem sanadas

despalatizar (des.pa.la.ti.*zar*) *Fon. v. td.* Fazer com que (um som pronunciado) deixe de ter caráter de palatal; tb. *despalatalizar.* [▶ 1 despalatizar] [F.: *des-* + *palato* + *-izar.*]

desparafusar (des.pa.ra.fu.*sar*) *v. td. int.* O mesmo que *desaparafusar* [▶ 1 desparafusar] [F.: *des-* + *parafusar.*]

desparalelismo (des.pa.ra.le.*lis*.mo) 1 Falta de paralelismo, de semelhança ou correspondência entre duas coisas, ideias, concepções etc. *sm.* 2 *Anat.* Presença de irregularidades provenientes da falta de paralelismo; ASSIMETRIA [F.: *des-* + *paralelismo.*]

desparamentar (des.pa.ra.men.*tar*) *v.* Despir dos paramentos [*td.*: *A equipe cirúrgica foi desparamentar-se.*: "Estava a desparamentar-se na sacristia." (Camilo Castelo Branco, *O judeu*) Ant.: *paramentar.*] [▶ 1 desparamentar]

desparramado (des.par.ra.*ma*.do) *a.* Que se desparramou, o mesmo que *esparramado* [F.: Part. de *desparramar.*]

desparramar (des.par.ra.*mar*) *v.* O mesmo que *esparramar.* [▶ 1 desparramar]

despautério (des.pau.*té*.ri:o) *sm.* Dito ou ato despropositado, grande disparate; ASNEIRA; DESCONCHAVO; TOLICE [F.: Do antr. J. van Pauteren, pelo fr. *Despautère.*]

despedaçado (des.pe.da.*ça*.do) *a.* 1 Que se despedaçou, se fez em pedaços (O móvel despedaçado, casaco despedaçado); DILACERADO 2 *Fig.* Que é vítima de grande aflição ou desespero (coração despedaçado); AFLITO; ATORMENTADO 3 *Fig.* Que se dispersou, que perdeu a unidade 4 *Fig.* Que se interrompeu ou perdeu a continuidade [F.: Part. de *despedaçar.* Sin. ger.: *espedaçado.*]

despedaçamento (des.pe.da.ça.*men*.to) *sm.* Ação ou resultado de despedaçar(-se); DILACERAÇÃO; ESFACELAMENTO

despedaçar *v.* 1 Fazer(-se) em pedaços; PARTIR(-SE); QUEBRAR(-SE) [*td.*: *despedaçar uma janela, um copo.*] [*ta.*: *O bibelô d espedaçou-se no chão.*] [*int.*: *A xícara despedaçou-se.*] 2 *Fig.* Afligir(-se), atormentar(-se) [*td.*: *As notícias da guerra a despedaçam.*] [*int.*: *Meu coração despedaçou-se.*] [▶ 12 despedaçar] [F.: *des-* + *pedaço* + *-ar*².]

despedida (des.pe.*di*.da) *sf.* 1 Ação ou resultado de despedir(-se); ADEUS; PARTIDA 2 *P.ext.* Remate, encerramento, conclusão 3 *Bras. Etnog.* Em algumas festas folclóricas, como o bumba meu boi, toada com que o cantador se despede [F.: *despedir* + *-ida*¹.] ■ **~ de solteiro** Festa na qual noivo prestes a se casar se reúne com amigos para, em graus variáveis entre a formalidade e a libertinagem, despedir-se da vida de solteiro **Por ~** Por último, por fim

despedidas (des.pe.di.*das*) *sfpl.* Mesuras e expressões cordiais de quem se despede: *Apresentou suas despedidas.* [F.: Pl. de *despedida.*]

despedido (des.pe.*di*.do) *a.* 1 Que se despediu, que foi mandado embora: *Os funcionários despedidos não puderam voltar ao local de trabalho.* 2 Que foi atirado, arremessado: *As flechas despedidas das seteiras formavam uma chuva sobre suas cabeças.* 3 Que se exalou, que se soltou: *As fagulhas despedidas pela fogueira.* [F.: Part. de *despedir*.]

despedir (des.pe.*dir*) *v.* 1 Mandar ir ou ir-se embora de emprego ou serviço; DEMITIR(-SE); EXONERAR(-SE) [*td.*: *A fábrica despediu 100 operários; Despediu-se antes do fim do mês.*] 2 Mandar que se retire, ou retirar-se [*td.*: *Recebeu a encomenda e despediu o carteiro.*] [*int.*: *Despedi-me assim que lhe dei o recado.*] 3 Cumprimentar em despedida [*int.*: *Despediu-se e foi para casa.*] 4 Ver ou contatar pela última vez antes de uma separação [*tr.* + *de*: *Despediu-se do amigo por telefone.*] 5 *Pop.* Morrer [*int.*] 6 Acabar-se, findar-se [*int.*: *O ano despediu-se com fogos e chuva.*] 7 Atirar, arremessar, lançar [*td.*: *despedir flechas.*] 8 Enviar, expedir [*td.*: *Despediram um navio com suprimentos.*] 9 Aviar, despachar [*tdr.* + *com*: *Deixaram a sala após despedirem seus assuntos com o presidente.*] 10 Exalar, soltar [*td.*: *As rosas despedem um cheiro agradável.*] 11 Cessar, terminar [*int.*] 12 Desferir (golpe, soco etc.) [*td.*] 13 *Turfe* Distanciar-se dos demais competidores [▶ 44 despe**dir**] [F.: Do port. arc. *espedir* (do lat. *expetere*, no séc. XIII), com mudança de pref; ver *des-*.]

despegar (des.pe.*gar*) *v.* 1 Descolar(-se), despregar(-se) [*td. tda.*: *Conseguiu despegar o selo (do envelope).*] [*int.*: *A etiqueta despegou-se.*] 2 Sair de junto de; AFASTAR(-SE); APARTAR(-SE); SEPARAR(-SE) [*tdr.* + *de*: *Não pude despegá-lo dos livros; A ovelha despegou-se do rebanho.*] 3 *Fig.* Tornar(-se) menos afeiçoado ou interessado [*tdr.* + *de*: *A idade o despegou dos antigos prazeres; Despegaram-se de seus ideais.*] [▶ 14 despe**gar**] [F.: *des-* + *pegar*.]

despeitado (des.pei.*ta*.do) *a.* 1 Que mostra ressentimento contra uma pessoa por se ver preterido em benefício dela 2 Que se indispõe com os outros; DESACORDE; DESAVINDO 3 Que está irritado ou zangado *sm.* 4 Aquele que se mostra ressentido, que sente inveja por ter sido preterido [F.: Part. de *despeitar*.]

despeitar (des.pei.*tar*) *v.* Provocar despeito em, ou sentir despeito de [*td.*: *Suas críticas despeitaram o colega.*] [*tr.* + *com*: *Despeitou-se com a conquista do desafeto.*] [▶ 1 despei**tar**] [F.: *despeito* + *-ar*²; Hom./Par.: *despeito* (fl.), *despeito* (sm.).]

despeito (des.*pei*.to) *sm.* 1 Ressentimento contra uma pessoa por parte de alguém que se vê preterido ou desprezado em benefício dela 2 Sentimento misto de rancor e inveja por não se ter ou se conseguir a coisa ou pessoa desejada [F.: Do lat. *despectus, us.* Sin., p.us.: *despeitamento*.] ■ **A ~ de** Apesar de, não obstante: *Acho-a uma boa amiga, a despeito do que dizem dela.*

despeitorar (des.pei.to.*rar*) *v.* 1 Apresentar-se com o(s) peito(s) muito descoberto(s); despir os peitos (de), decotar-se [*td.*: "Despeitorou-lhe o vestido já quando ela não podia defender-se dos olhares do cínico verdugo." (Camilo Castelo Branco, *A freira no subterrâneo*) Ant.: *cobrir(-se), compor(-se), vestir(-se)*.] 2 Expelir do peito (mucosidade ou outra matéria que obstrua os pulmões); ESCARRAR; EXPECTORAR [*td.*: *Ele despeitorou um muco escuro.*] [*int.*: *A febre baixou e está despeitorando; melhorou.*] 3 *Fig.* Manifestar(-se) com muita franqueza; ABRIR-SE; EXPOR(-SE); REVELAR(-SE) [*td.*: *Lavou a alma, despeitorou tudo que a fazia sofrer.*] [*int.*: *Mantém segredo sobre os fatos, não despeitora.* Ant.: *calar(-se), fechar(-se)*.] 4 *Antq.* Dizer com ira e violência; BRAMAR; VOCIFERAR [*td.*: *despeitorar impropérios / blasfêmias.*] [▶ 1 despeito**rar**] [F.: *des-* + *peito* + *(r)-ar*².]

despejado (des.pe.*ja*.do) *a.* 1 Que se despejou, se esvaziou; DERRAMADO; ENTORNADO 2 *Jur.* Que é expulso de sua moradia sob uma ação de despejo, por não pagar o aluguel ou se recusar a sair após a solicitação do proprietário 3 Que foi desocupado, que está livre de impedimentos; DESIMPEDIDO; DESOBSTRUÍDO; DESVENCILHADO 4 Que deixou de ser ocupado; DESOCUPADO; EVACUADO 5 Que não tem ou deixou de ter vergonha; DESAVERGONHADO; DESCARADO; IMPUDENTE *sm.* 6 Aquele que sofreu ação de despejo [F.: Part. de *despejar*.]

despejar (des.pe.*jar*) *v.* 1 Verter o conteúdo de; ENTORNAR; VAZAR [*td.*: *despejar o café.*] [*tda.*: *despejar a água na pia.*] 2 *Jur.* Fazer (alguém) sair do imóvel que ocupa, por ordem judicial [*td.*: *Quer despejar o inquilino.*] 3 *Fig.* Aplicar com energia [*tdr.* + *em*: *Despejou todas as suas forças na tarefa.*] 4 *Pop.* Esvaziar o conteúdo de, bebendo [*td.*: *Despejou uma garrafa de refrigerante inteira.*] 5 Tirar o pejo, a vergonha a, ou perder o pejo [*td.*] 6 Livrar de estorvo ou obstáculo; DESOBSTRUIR [*td.*: *A câmara mandou remover as ruínas para despejar a rua.*] 7 Deixar vazio, desocupar [*td.*: *despejar um cômodo.*] [▶ 1 despe**jar**] [F.: *des-* + *pejar*. Hom./Par.: *despejo* [ê] (fl.), *despejo* [ê] (sm.).]

despejo (des.*pe*.jo) [ê] *sm.* 1 Ação ou resultado de despejar(-se); DESPEJAMENTO 2 *Jur.* Ato ou efeito de um locatário ser obrigado a desocupar o imóvel em obediência à sentença judicial correspondente 3 Tudo o que se joga fora 4 Falta de pejo, de pudor 5 *Fig.* Falta de temor; AUDÁCIA; OUSADIA 6 *Fig.* Desenvoltura, desembaraço [F.: Dev. de *despejar.* Hom./Par.: *despejo* (sm.), *despejo* (fl. de *despejar*).]

despencado (des.pen.*ca*.do) *a.* 1 Que se despencou, que caiu da penca ou do cacho (diz-se esp. da banana) 2 Que se desprendeu ou foi arrancado de onde estava 3 Que caiu de muito alto: *Despencado das alturas, não conseguia andar.* 4 *Bras.* Apressado: *Correu despencado atrás do ônibus.* [F.: Part. de *despencar*.]

despencar (des.pen.*car*) *v.* 1 *Bras.* Cair de muito alto [*ta.*: *O caminhão despencou da ponte.*] [*int.*: *A corda do varal arrebentou e as roupas despencaram.*] 2 *Bras. Fig.* Diminuir muito, e rapidamente [*int.*: *Os preços despencaram; A inflação despencou.*] 3 *Bras.* Correr precipitadamente [*int.*: *Despenquei-me atrás do ônibus.*] 4 Soltar(-se) da penca ou do cacho (esp. banana) [*td.*] [*int.*] 5 Desprender(-se) de onde estava preso [*td.*: *O tufão despencou telhas e janelas.*] [*int.*: *As goiabas já despencam.*] 6 *Bras.* Vir de ou ir para lugar muito distante ou de difícil acesso [*ta.*: *No feriadão despencamos para o litoral.*] [*tda.*: *Eles se despencaram de lá do Maranhão, para tentar a vida na cidade grande.*] [▶ 11 despen**car**] [F.: *des-* + *penca* + *-ar*².]

despendedor (des.pen.de.*dor*) [ô] *a.* 1 Que despende, que gasta *sm.* 2 Indivíduo gastador, esbanjador [F.: *despender* + *-dor*.]

despender (des.pen.*der*) *v.* 1 Ter despesa ou dispêndio; GASTAR [*td.*: *Despenderam todo o salário.*] [*tdr.* + *em*, *com*: *Despendeu a mesada em livros.*] 2 Dar com liberalidade; DISTRIBUIR; PRODIGALIZAR [*td.*: *Passa o dia despendendo esmolas.*] [*tdi.* + *a*: *Despende benefícios a quem não necessita.*] 3 Empregar, aplicar, gastar (energia, força etc.) [*tdr.* + *para*, *em*: *Despendemos muitos esforços para a/na solução do problema.*] [▶ 2 despen**der**] [F.: Do v.lat. *dispendere*, 'empregar'; 'gastar'.]

despendido (des.pen.*di*.do) *a.* 1 Que se despendeu, que se gastou: "E certa mulher... que havia padecido muito, com muitos médicos, e despendido tudo quanto tinha..." (João Ferreira de Almeida (trad.), *O Evangelho segundo são Marcos*) 2 Prodigalizado, distribuído com grande fartura: *Muito dinheiro tem sido despendido com joias e luxos despropositados.* [F.: Part. de *despender*.]

despendurado (des.pen.du.*ra*.do) *a.* Retirado do lugar em que estava pendurado (calça despendurada) [F.: Part. de *despendurar*.]

despendurar (des.pen.du.*rar*) *v.* Tirar do lugar (algo ou alguém que estava pendurado) [*td.*: *despendurar as roupas.*] [*tda.*: *despendurar um quadro da parede.* Ant.: *pendurar*.] [▶ 1 despendu**rar**] [F.: *des-* + *pendurar*.]

despenhadeiro (des.pe.nha.*dei*.ro) *sm.* 1 Escarpa rochosa alta, de difícil acesso; PRECIPÍCIO; ALCANTIL; ABISMO 2 *Fig.* Situação de grande perigo ou de desgraça: *Com a morte do marido, ela caiu no despenhadeiro.* [F.: *despenhar* + *-deiro*.]

despenhado (des.pe.*nha*.do) *a.* 1 Que se despenhou, que se lançou do alto; DESPENCADO [+ *de*, *em*, *sobre*: "As primeiras bátegas despenhadas da altura não atingem a terra" (Euclides da Cunha, *Os sertões*); "Suas maneiras inculcavam a mediania despenhada no turbilhão da seca" (José Américo de Almeida, *A bagaceira*); *Os vândalos e suevos, despenhados sobre a Espanha nos primeiros anos do século V...*] 2 Derrubado, demolido: *O muro despenhado pelo passar dos anos.* 3 *Fig.* Arruinado, destroçado, caído em desgraça: *Despenhado pelos vícios, acabou por matar-se.* [F.: Part. de *despenhar*.]

despenhar (des.pe.*nhar*) *v.* 1 Lançar ou cair de grande altura [*tda.*: *Despenhou o carro num precipício.*] [*int.*: *Um avião com 47 pessoas despenhou-se essa manhã na China.*] 2 *Fig.* Deixar (em má situação, na ruína etc.) [*tdr.*: *A bebida ainda vai despenhá-lo na indigência.*] [▶ 1 despe**nhar**] [F.: *des-* + *penha* + *-ar*².]

despensa (des.*pen*.sa) *sf.* 1 Divisão da casa, estabelecimento etc. em que se guardam mantimentos 2 Conjunto de mantimentos ali guardados [F.: Do lat. *dispensa, ae*, 'víveres'. Hom./Par.: *despensa* (sf.), *dispensa* (fl. de *dispensar*), *dispensa* (sf.).]

despenseiro (des.pen.*sei*.ro) *sm.* Indivíduo encarregado da despensa; CAMBUSEIRO *ant;* OVENÇAL; ECÔNOMO [F.: *despensa* + *-eiro*.]

despenteado (des.pen.te.*a*.do) *a.* 1 Que se despenteou; que se encontra com os cabelos em desalinho 2 *Fig.* Desleixado, descuidado [F.: Part. de *despentear*.]

despentear (des.pen.te.*ar*) *v.* Desmanchar(-se) o penteado (de); deixar ou ficar com os cabelos em desalinho, desarrumados [*td.*: *Despenteou o irmão de brincadeira.*] [*int.*: *Seus cabelos despentearam-se com o vento.* Ant.: *pentear*.] [▶ 13 despent**ear**] [F.: *des-* + *pentear*.]

desperceber (des.per.ce.*ber*) *v. td.* Não perceber, não notar: *Despercebeu a presença do espião.* [Ant.: *perceber*] [▶ 2 desperce**ber**] [F.: *des-* + *perceber*.]

despercebido (des.per.ce.*bi*.do) *a.* 1 Que não se viu; a que não se prestou atenção: "Passava despercebido o *harmonium* do Sampaio, religioso e bálbuce." (Raul Pompeia, *O Ateneu*) 2 Desatento, distraído, desacautelado: *Anda por aí, despercebido de tudo.* [Embora condenado por puristas, o uso de *desapercebido* (part. de *desaperceber*, de *des-* + *aperceber*, 'aparelhar') como sinônimo de *despercebido* (part. de *desperceber*, de *des-* + *perceber*, 'notar'), na acp. 1, é observado em vários autores de grande expressão, como Castilho etc.] [F.: Part. de *desperceber*.]

desperdiçado (des.per.di.*ça*.do) *a.* 1 Que foi gasto ou usado sem proveito; ESBANJADO; MALBARATADO: *Tanto dinheiro desperdiçado.* 2 Que gasta excessivamente; que desperdiça; ESBANJADOR; GASTADOR; PERDULÁRIO *sm.* 3 Aquele que gasta excessivamente; ESBANJADOR; GASTADOR; PERDULÁRIO [F.: Part. de *desperdiçar*.]

desperdiçador (des.per.di.ça.*dor*) [ô] *a.* 1 Que desperdiça, que é dado a desperdícios; DESPERDIÇANTE; DESPERDIÇADO; GASTADOR; PRÓDIGO *sm.* 2 Aquele que desperdiça; DESPERDIÇADO; GASTADOR; PRÓDIGO [F.: *desperdiçar* + *-dor*.]

desperdiçar (des.per.di.*çar*) *v. td.* Gastar descomedidamente ou sem proveito; DESAPROVEITAR; ESBANJAR; ESPERDIÇAR: *desperdiçar papel/energia.* [▶ 12 desperdi**çar**] [F.: Do espn. *desperdiciar*.]

desperdício (des.per.*dí*.ci:o) *sm.* 1 Ação ou resultado de desperdiçar; ESBANJAMENTO 2 Gasto ou uso excessivo e sem proveito: *O jogo é um desperdício de dinheiro.* 3 Perda, desaproveitamento: *Aquela conversa mole era um desperdício de tempo.* 4 *Bras. PE* Terra removida dos cortes das estradas e não utilizada nos aterros [F.: Do espn. *desperdicio*, do lat. *desperditio, onis*.]

despersonalização (des.per.so.na.li.za.*ção*) *sf.* 1 Ação ou resultado de despersonalizar(-se) [Ant.: *personalização*.] 2 *Psiq.* Fenômeno psíquico em que o indivíduo se sente estranho a si mesmo, e que suas ações parecem ocorrer sem sua participação ativa, estado que pode ser observado na esquizofrenia [Pl.: *-ções*.] [F.: *despersonalizar* + *-ção*.]

despersonalizado (des.per.so.na.li.*za*.do) *a.* 1 Que perdeu as características próprias, a individualidade 2 Que se tornou banal, comum, insignificante 3 Que se tornou impessoal (atendimento despersonalizado) [Ant.: *personalizado*.] [F.: Part. de *despersonalizar*.]

despersonalizar (des.per.so.na.li.*zar*) *v.* Fazer perder ou perder a identidade pessoal (de) [*td.*: *A chamada 'cultura de massas' pode despersonalizar o homem.*] [*int.*: *Num Estado totalitário, o indivíduo se despersonaliza.* Ant.: *personalizar*.] [▶ 1 despersonali**zar**] [F.: *des-* + *personalizar*.]

despersonificar (des.per.so.ni.fi.*car*) *v.* 1 Deixar de personificar (algo, alguém ou a si mesmo) [*td.*] 2 Privar da própria personalidade ou de características individuais [*td.*: "O trabalho mostrou que grande parte dos jogos eletrônicos tende a despersonificar e a homogeneizar valores e comportamentos." (*Observatório da Imprensa*, 13.04.2004)] [▶ 11 despersonifi**car**] [F.: *des-* + *personificar*. Sin. ger.: *despersonalizar*.]

despersuadir (des.per.su.a.*dir*) *v.* Fazer mudar ou mudar de intenção ou de opinião; DISSUADIR(-SE) [*td.*: *Ela parece decidida, mas vou tentar despersuadi-la.*] [*int.*: *Antes convictos quanto ao projeto, em poucos dias despersuadiram-se.*] [*tdr.* + *de*: *Tentamos por todos os meios despersuadi-lo de pedir demissão.* Ant.: *persuadir*.] [▶ 3 despersua**dir**] [F.: *des-* + *persuadir*.]

despersuasão (des.per.su.a.*são*) *sf.* Ação ou resultado de despersuadir(-se), de fazer com que alguém (ou si mesmo) mude de opinião; DISSUASÃO [Ant.: *persuasão*] [Pl.: *-sões*.] [F.: *des-* + *persuasão*.]

despertador (des.per.ta.*dor*) [ô] *a.* 1 Que desperta 2 Diz-se de relógio dotado de mecanismo que o faz emitir um som em hora programada, ger. para acordar alguém *sm.* 3 O relógio dotado desse mecanismo 4 O que desperta [F.: *despertar* + *-dor*.]

despertar (des.per.*tar*) *v.* 1 Fazer sair ou sair do sono; ACORDAR [*td.*: *A buzina despertou o bebê.*] [*int.*: *Bebe água assim que desperta.*] 2 Fazer sair ou sair de (ilusão, inércia, distração, ignorância etc.) [*tdr.* + *de*: *Os deveres familiares o despertaram do devaneio.*] [*tr.* + *de*: *Despertou do sonho de enriquecer.*] [*int.*: *A festa despertou com a chegada da banda.*] 3 Provocar, estimular [*tdr.* + *de*: "A presença do infeliz despertara a piedade de quase todos..." (Franklin Távora, *O cabeleira*)] [*tdi.* + *em*: *A palestra despertou nele a vontade de voltar a estudar.*] 4 Dar origem a [*td.*: *Saiu sem despertar suspeitas.*] 5 Acordar ou amanhecer (em certo estado) [*tp.*: *Hoje despertei alegre.*] 6 Surgir, manifestar-se [*int.*: *O interesse pelo outro sexo despertava aos poucos.*] [▶ 1 desper**tar** Part.: *despertado* e *desperto*.] *sm.* 7 Ação ou resultado de despertar (tb. *Fig.*): *um despertar tranquilo; o despertar de uma vocação.* [F.: De *espertar*, com mudança de pref.]

desperto (des.*per*.to) *a.* Que despertou; que se encontra acordado [F.: Part. irregular de *despertar*. Hom./Par.: *desperto* (a.), *desperto* (fl. de *despertar*).]

despesa (des.*pe*.sa) [ê] *sf.* 1 Ação ou resultado de despender 2 Gasto financeiro: *A despesa do almoço foi alta.* 3 Uso, aplicação, emprego (despesa de tempo) [F.: Do lat. *dispensa, ae*, por via pop.] ■ **~ fluvial** Ver *Descarga fluvial* no verbete *descarga*

despetalar (des.pe.ta.*lar*) *v.* 1 Arrancar as pétalas de [*td.*: *despetalar uma rosa.*] 2 Perder as pétalas [*int.*: *A margarida despetalou-se.*] [▶ 1 despeta**lar**] [F.: *des-* + *pétala* + *-ar*².]

despicar (des.pi.*car*) *v.* Obter vingança (de); DESFORRAR(-SE); VINGAR-SE [*td.*: *Viveria para despicar o inimigo.*] [*tdr.* + *de*: *despicar-se de uma afronta.*] [▶ 11 despi**car**] [F.: *des-* + *picar*.]

despiciendo (des.pi.ci.*en*.do) *a.* Que merece ser tratado com desdém, com desprezo [F.: Do lat. *despiciendus, a, um*.]

despido (des.*pi*.do) *a.* 1 Desprovido de roupa; DESNUDO; NU [Ant.: *vestido*.] 2 Que não se encontra mais vestido ou calçado (camisa despida) 3 *Fig.* Desprovido de folhas (árvores despidas) 4 *Fig.* Que se mostra despojado, desprovido: *mulher despida de preconceitos; canteiro despido de flores.* [F.: Part. de *despir*.]

despigmentação (des.pig.men.ta.*ção*) *sf.* 1 Ação ou resultado de despigmentar(-se) 2 Perda ou ausência de pigmentação: *O vitiligo é uma afecção cutânea que se caracteriza pela despigmentação localizada da pele.* [Pl.: *-ões*.] [F.: *despigmentar* + *-ção*.]

despintar (des.pin.*tar*) *v.* 1 Desfazer(-se), apagar(-se), borrar(-se) a pintura de [*td.*: *O sol despintou o quadro.*] [*int.*: *O vestido despintou(-se) de tão velho.* Ant.: *avivar(-se), colorir(-se)*.] 2 *Fig.* Deturpar, adulterar, desvirtuar os fatos de [*td.*: "Olhai como referiu a história! Olhai como despintou a ação! Olhai como enfeitou o pecado!" (Padre Vieira, *Sermão do terceiro domingo da Quaresma*) Ant.: *conservar, manter*.] 3 *Bras. Gír.* Ir-se embora (alguém) ou deixar de ocorrer (algo); ACABAR; AUSENTAR-SE; DESAPARECER [*int.*: *O Jorge pintou e despintou sem deixar saudade*: "Foi quando despintou o sucesso, lá na Itália eu não era ninguém, evidentemente. Cheguei lá e depois de dois meses eu era nada." (Chico Buarque) Ant.: *aparecer, chegar, pintar, surgir*.] 4 *Fig.* Fazer perder ou perder o brilho, a vivacidade, o fulgor [*td.*: *Preciso despintar essas imagens da memória.*] [*int.*: "Olhe que se não me despinta da imaginação aquela mulher!" (Camilo Castelo Branco, *A mulher fatal*) Ant.: *avivar(-se), fulgurar*.] [▶ 1 despin**tar**] [F.: *des-* + *pintar*.]

despique (des.*pi*.que) *sm.* 1 Ação ou resultado de despicar(-se) 2 Desforra, vingança: *Agrediu o companheiro em despique à sua traição.* [F.: Dev. de *despicar*. Hom./Par.: *despique* (sm.), *despique* (fl. de *despicar*).]

despir (des.*pir*) *v.* **1** Deixar ou ficar nu, sem roupa alguma; DESNUDAR(-SE) [*td.*: *Despi o bebê para banhá-lo; Não suportou o calor e despiu-se.* Ant.: *vestir.*] **2** Tirar do corpo parte do vestuário [*td.*: *despir o paletó.*] [*tdr.* + *de*: *Despiu-se do colete.* Ant.: *vestir.*] **3** Deixar ou ficar sem aquilo que cobre [*td.*: *O vento despiu as árvores.*] [*tdr.* + *de*: *Despiram-se da pesada maquiagem.*] **4** *Fig.* Deixar de lado; ABANDONAR; DESPOJAR-SE [*td.*: *Despiu o orgulho e pediu desculpas.*] [*tdr.* + *de*: *despir-se da vaidade.*] **5** *Fig.* Despojar ilicitamente da posse; ESPOLIAR [*tdr.* + *de*: *Despiu-a de sua parte nos lucros.*] [▶ **50 despir**] [F.: Do port. arc. *espir (Do v.lat. *expedire*), com mudança de pref; ver *des-*.]

despirocado (des.pi.ro.*ca*.do) *a.* **1** *Gír.* Que se despirocou, que endoidou, pirou **2** *Gír.* Que passou a se julgar inútil, impotente, incapacitado: *Apareceu deprimido, despirocado, incapaz de trabalhar.* [F.: Part. de *despirocar.*]

despirocar (des.pi.ro.*car*) *Bras. Gír. v.* **1** Tornar(-se) maluco, doido, pirado; AMALUCAR; ENDOIDAR *Bras. Gír.*; PIRAR [*int.*] **2** Fazer agir ou agir de modo estranho, inusitado, anormal *Bras. Gír.*; BARATINAR(-SE); DESNORTEAR(-SE); DESORIENTAR(-SE) [*td.*: *O ímã despirocou a bússola.*] [*int.*: *O roqueiro despirocou de vez e compôs uns sambas; O velocímetro despirocou e só marcava 100 km.*] [▶ **11 despirocar**] [F.: *des-* *piroca* + *-ar*².]

despistamento (des.pis.ta.*men*.to) *sm.* **1** Ação ou resultado de despistar, de ocultar ou apagar pistas; DESORIENTAÇÃO; DESPISTE **2** Ação ou resultado de iludir, de ludibriar [F.: *despistar* + *-mento.*]

despistar (des.pis.*tar*) *v. td.* **1** Fazer perder a pista, o rastro: *Conseguimos despistar o cão farejador.* **2** *Fig.* Iludir, ludibriar: *Despistou-o quanto à situação da firma.* [▶ **1 despistar**] [F.: *des-* + *pista* + *-ar*².]

despiste (des.*pis*.te) *sm.* **1** Ação ou resultado de despistar, o mesmo que *despistamento.* **2** *Lus.* Ação ou resultado de fazer derrapar o carro e sair da pista [F.: Dev. de *despistar.* Hom./Par.: *despiste* (sm.), *despiste* (fl. de *despistar*); *despistes* (pl.), *despistes* (fl. do v.).]

desplante (des.*plan*.te) *sm.* **1** Gesto ou atitude de atrevimento, de insolência: *Teve o desplante de entrar na festa sem convite.* **2** *Esg.* Posição em que o peso do corpo recai sobre a perna esquerda, um tanto curvada e com o pé firmado atrás da perna direita [F.: Dev. de *desplantar.* Hom./Par.: *desplante* (sm.), *desplante* (fl. de *desplantar*).]

desplugado (des.plu.*ga*.do) *a.* **1** Que se desplugou, que foi retirado ou que não está plugado à tomada ou plugue; DESLIGADO **2** *Fig.* Que não está sintonizado com uma ideia, situação etc; DESATENTO [F.: Part. de *desplugar.*]

desplugar (des.plu.*gar*) *v.* **1** Tirar o plugue de (aparelho elétrico ou eletroeletrônico) de (tomada ou do plugue fêmeo de); DESCONECTAR; DESLIGAR [*td.*: *desplugar o computador / o monitor / a geladeira / a guitarra*: "...arrancaram cabos da parede, desplugaram fios e conectores e fecharam um provedor de acesso à Internet, deixando cerca de 900 assinantes fora do ar." (*O Globo*, 21.07.1997) Ant.: *conectar, ligar, plugar.*] [*tda.*: "No show, a banda experimenta desplugar os instrumentos dos amplificadores..." (*Folha de S.Paulo*, 27.05.1997); "Acalmei-a pelo telefone e mandei que ela desplugasse o computador da tomada." (*O Globo*, 17.03.2003)] **2** *Fig.* Afastar(-se), esquecer(-se) de (compromissos e estresse cotidianos); DESLIGAR(-SE); DISTRAIR(-SE); RELAXAR [*td.*] [*tdr.* + *de*: *Saiu de férias e desplugou(-se) de tudo e de todos.*] [*int.*: *Vou meditar e desplugar completamente.*] **3** *Fig.* Tocar (música) com instrumentos desligados e/ou acústicos [*td.*: *Desplugar o hip-hop parece absurdo e impossível, mas o músico fez um CD acústico.*] **4** Parar ou fazer parar de usar o computador [*int.*] [*td.*: *Se ele insistir em ficar horas na internet, vou ter de desplugá-lo.*] [▶ **14 desplugar**] [F.: *des-* + *plugar.* Ant. ger.: *plugar.*]

desplumar (des.plu.*mar*) *v. td.* Tirar as plumas ou penas de (uma ave); DEPENAR [▶ **1 desplumar**] [F.: *des-* + *pluma* + *-ar*².]

despojado (des.po.*ja*.do) *a.* **1** Que se despojou **2** Privado da posse: *Foi despojado de suas terras.* **3** Despido de ambição; DESPRENDIDO **4** Que não apresenta ornamentos ou enfeites vistosos: *Quarto simples, despojado; roupas despojadas.* **5** *Lit.* Diz-se de estilo simples, seco, sem ornamentos [F.: Part. de *despojar.*]

despojamento (des.po.ja.*men*.to) *sm.* Ação ou resultado de despojar(-se); DESPOJO [F.: *despojar* + *-mento.*]

despojar (des.po.*jar*) *v.* **1** Espoliar, roubar, defraudar, saquear [*td.*: *Os piratas despojaram o navio.*] **2** Privar(-se) da posse (de) [*tdr.* + *de*: *Despojou-o de todos os bens; Tive de despojar-me dos imóveis.*] **3** Privar(-se) do que o cobre; DESPIR(-SE); DESNUDAR(-SE) [*tdr.* + *de*: *despojar a ovelha de sua lã; Despojou-se do vestido e foi dormir.*] **4** Deixar de lado; LARGAR [*tdr.* + *de*: *despojar-se de vaidade.*] [▶ **1 despojar**] [F.: Do espn. *despojar.* Hom./Par.: *despojo, despojo* [ô] (sm.).]

despojo (des.*po*.jo) [ô] *sm.* **1** Despojamento **2** O que servia de revestimento, adorno ou cobertura e que caiu ou se arrancou (p. ex., folhas de plantas, pele ou penas de animal etc.) **3** *Mil.* Aquilo que é tomado do inimigo depois de um embate; ESPÓLIO; PRESA [Pl.: [ó].] [F.: Do espn. *despojo.* Hom./Par.: *despojo* (sm.), *despojo* (fl. de *despojar*).] ■ **~s mortais** Restos mortais de uma pessoa, seu corpo morto

despolarização (des.po.la.ri.za.*ção*) *sf.* **1** Ação ou resultado de despolarizar(-se) **2** *Fig.* Desorientação, por falta de polos, de pontos de referência **3** *Elet.* Eliminação ou diminuição da polarização de um dielétrico [Pl.: *-ões.*] [F.: *despolarizar* + *-ção.*]

despolarizar (des.po.la.ri.*zar*) *Elet. Fís.-Quím. v.* **1** Fazer cessar, reduzir ou evitar a polarização de [*td.*: *despolarizar ímã / radiador / bateria / radiação.* Ant.: *polarizar.*] **2** Aumentar ou unificar as opiniões, posições etc., desfazendo polarização a respeito de [*td.*: "Esses grupos vão despolarizar a disputa, tirando votos dos radicais..." (*O Globo*, 26.08.1997)] [*int.*: "Nesse processo [eleitoral], o país se despolarizou e todo o mundo andou mais para o centro." (Sérgio Abranches, *Exame*, 03.11.2003)] [▶ **1 despolarizar**] [F.: *des-* + *polarizar.* Ant. ger.: *polarizar.*]

despolir (des.po.*lir*) *v.* Tirar ou fazer perder o polimento, o lustre, o brilho; DESLUSTRAR(-SE) [*td.*: *despolir uma superfície.*] [*int.*: *A prataria despoliu-se com o tempo.* Ant.: *polir.*] [▶ **52 despolir**] [F.: *des-* + *polir.*]

despolitização (des.po.li.ti.za.*ção*) *sf.* **1** Ação ou resultado de despolitizar(-se) **2** Ausência ou perda da consciência dos fatos políticos: *A barreira educacional manteve a despolitização das periferias.* [F.: *despolitizar* + *-ção.*]

despolitizar (des.po.li.ti.*zar*) *v.* Tirar ou perder preocupação, conteúdo, caráter políticos de [*td.*: *despolitizar arte / debate / jornal / economia*; "Poucas ideias foram mais eficazes para despolitizar a geração do pós-golpe." (*Veja*, 31.03.2004) Ant.: *politizar.*] [▶ **1 despolitizar**] [F.: *des-* + *politizar.*]

despolpado (des.pol.*pa*.do) *a.* **1** Que se despolpou, a que foi extraída a polpa (cacau despolpado) **2** Que perdeu a casca, descascado (café despolpado) [F.: Part. de *despolpar.*]

despolpador (des.pol.pa.*dor*) [ô] *a.* **1** Que despolpa, que foi feito para despolpar (equipamento despolpador) *sm.* **2** Profissional ou máquina que tem como função despolpar [F.: *despolpar* + *-dor.* Cf.: *despolpadeira.*]

despolpar (des.pol.*par*) *v. td.* Tirar a polpa de (fruto) [▶ **1 despolpar**] [F.: *des-* + *polpa* + *-ar*².]

despoluente (des.po.lu.*en*.te) *a2g.* **1** Diz-se de processo ou substância que despolui, que combate a poluição; DESPOLUIDOR *sm.* **2** Profissional, máquina ou substância destinada a despoluir, a combater a poluição: *Usaram o mesmo despoluente e acabaram com o gás.* [F.: *des-* + *poluente.*]

despoluição (des.po.lu:i.*ção*) *sf.* Ação ou resultado de eliminar ou reduzir a poluição [Pl.: *-ções.*] [F.: *despoluir* + *-ção.*]

despoluir (des.po.lu.*ir*) *v.* **1** Acabar com ou reduzir a poluição em [*td.*: *despoluir praias/o meio ambiente; Reatores usam luz solar para despoluir água com resíduos tóxicos.*] **2** *Fig.* Livrar(-se) de (algo nocivo ou corruptor) [*tdr.* + *de*: *Despoluímos o bairro dos delinquentes; despoluir-se de maus pensamentos.*] [▶ **56 despoluir**] [F.: *des-* + *poluir.* Ant. ger.: *poluir.*]

despontado (des.pon.*ta*.do) *a.* **1** Que se despontou, a que se tiraram as pontas, rombudo; ROMBO **2** Revelado, irrompido **3** Lembrado, ocorrido (à lembrança) [F.: Part. de *despontar.*]

despontar (des.pon.*tar*) *v.* **1** Começar a aparecer; SURGIR [*ta.*: "A estrela Dalva no céu desponta..." (Noel Rosa e João de Barro, *As pastorinhas*)] [*int.*: *Vara as noites, indo dormir quando o Sol desponta.*] **2** *Fig.* Nascer [*ta.*: *um novo ser que desponta dentro dela.*] **3** Desfazer(-se) ou gastar(-se) a ponta de [*td.*: *Com uma lixa, despontou as canetas do irmão.*] [*int.*: *O lápis despontou(-se) quando caiu.* Ant.: *apontar.*] **4** Fazer ficar ou ficar sem gume (objeto cortante); EMBOTAR [*td.*/*int.*] **5** Ocorrer ao espírito; LEMBRAR [*ti.* + *a.*: *Despontaram-lhe soluções geniais.*] [▶ **1 despontar**] [F.: *des-* + *ponta* + *-ar*². Hom./Par.: *desponta* (fl.), *desponta* (sf.); *despontas* (fl.), *despontas* (pl.); *desponte* (fl.), *desponte* (sm.); *despontes* (fl.), *despontes* (pl. do sm.).]

desporte (des.*por*.te) *sm.* Ver *esporte* [Pl.: [ó].] [F.: *desporte*, var. (menos recomendada) de *desporto*, e *desporto*, do fr. ant. *déport* 'passatempo', 'recreação', 'lazer'.]

desportismo (des.por.*tis*.mo) *sm.* Gosto e prática do desporto ou esporte; esportismo, desportivismo: "Exercício físico ou desportismo que renega do artifício dos campos de jogos..." (Agostinho de Campos, *Fé no império*) [F.: *desporto* + *-ismo.*]

desportista (des.por.*tis*.ta) *a2g. s2g.* O mesmo que *esportista* [F.: *desporte* + *-ista.*]

desportividade (des.por.ti.vi.*da*.de) *sf.* Qualidade de desportivo, animação descontraída; esportividade; ESPORTIVA [F.: *desportivo* + *-idade.*]

desportivismo (des.por.ti.*vis*.mo) *sm.* Prática de desportos, o mesmo que *desportividade*

desportivo (des.por.*ti*.vo) *a.* O mesmo que *esportivo* [F.: *desporto* + *-ivo.*]

desporto (des.*por*.to) [ô] *sm.* Ver *desporte*

desposado (des.po.*sa*.do) *a.* **1** Que se desposou; esposado, casado **2** Unido, conluiado: "A monarquia, desposada à escravidão, não punha dúvida em embair a Europa..." (Rui Barbosa, *Discursos e conferências*) **3** *Fig.* Abraçado, entrelaçado: *A trepadeira desposada com o roseiral formava como que uma planta única.* *sm.* **4** Pessoa recém-casada, noivo: "...contanto que os manos da desposada... expulsassem o Rola de casa para fora..." (Aquilino Ribeiro, *Terras de Deus*) [F.: Part. de *desposar.*]

desposar (des.po.*sar*) *v.* **1** Contrair matrimônio com; CASAR-SE [*td.*: *Desposou uma rica e jovem viúva.*] [*tr.* + *com*: *Vai desposar-se com o seu primeiro amor.*] **2** Promover o casamento de [*td.*: *Gostariam de desposar logo todos os filhos.*] [*tdr.* + *com*: *Quer desposar a filha com João.*] **3** *Fig.* Unir-se espiritualmente [*tr.* + *com*: *As freiras desposam com Cristo; A alma do religioso desposa-se com Deus.*] [▶ **1 desposar**] [F.: *de-* + *esposar.* Sin. ger.: *esposar.*]

despossuir (des.pos.su.*ir*) *v.* Privar(-se) da posse de; DESAPOSSAR(-SE) [*tdr.* + *de*: *despossuir-se de todos os bens materiais; despossuir de energia vital uma pessoa.* Ant.: *apossar.*] [▶ **56 despossuir**] [F.: *des-* + *possuir.*]

déspota (*dés*.po.ta) *a2g.* **1** Que governa de maneira arbitrária, opressora (imperador déspota); DESPÓTICO **2** Que exerce poder ou autoridade de maneira opressora *s2g.* **3** Governante tirânico: *O déspota foi morto pela multidão.* **4** Pessoa de caráter autoritário, dominador: *Este homem é um déspota.* **5** Dominador absoluto: *Déspota dos mares.* [Sin. ger.: *tirano.*] [F.: Do gr. *despótes, ou*, pelo lat. medv. *despota.*] ■ **~ esclarecido** *Hist. Pol.* Segundo conceito de filósofos racionalistas do séc. XVIII, governante totalitário que usaria o poder absoluto com discernimento, visando ao progresso e ao bem-estar geral

despótico (des.*pó*.ti.co) *a.* **1** Referente a ou próprio de déspota (atitude despótica) **2** Que governa ou comanda como um déspota. [Sin. ger.: *tirânico.*] [F.: *déspota* + *-ico*².]

despotismo (des.po.*tis*.mo) *sm.* **1** O poder absoluto de um déspota **2** Ação característica de déspota **3** *P.ext.* Forma de governo que se funda no uso arbitrário do poder; AUTORITARISMO: "A sua concepção de governo não era o despotismo, nem a democracia, nem a aristocracia; era a de uma tirania doméstica." (Lima Barreto, *O triste fim de Policarpo Quaresma*) **4** *P.ext.* Qualquer manifestação de autoridade arbitrária ou opressora; AUTORITARISMO; TIRANIA: *O despotismo de meu pai mantinha a família submissa.* **5** *Bras. Pop.* Grande quantidade: *Tem um despotismo de dinheiro.* **6** *Bras.* Lugar oculto, inacessível, no mato [F.: *déspota* + *-ismo.*]

despotizar (des.po.ti.*zar*) *v.* Governar ou dominar como um déspota; OPRIMIR; SUBJUGAR; TIRANIZAR [*td.* *int.*: *Supre seu complexo de inferioridade despotizando (os funcionários).* Ant.: *libertar, proteger.*] [▶ **1 despotizar**] [F.: *déspota* + *-izar.*]

despovoação (des.po.vo.a.*ção*) *sf.* Ação ou resultado de despovoar(-se), de ficar desabitado ou menos habitado; DESPOVOAMENTO: "A proibição do divórcio não é a causa única da despovoação dos países cristãos" (Mário Barreto, *Cartas persas*) [F.: *despovoar* + *-ção.*]

despovoado (des.po.vo.*a*.do) *a.* **1** Diz-se de lugar desabitado ou habitado por poucas pessoas; ERMO **2** Diz-se de local parcial ou totalmente desguarnecido (de objetos ou seres): *Casa despovoada de móveis; rio despovoado de peixes.* *sm.* **3** Lugar sem casas ou sem habitantes [F.: Part. de *despovoar.*]

despovoamento (des.po.vo.a.*men*.to) *sm.* Ação ou resultado de despovoar(-se), o mesmo que *despovoação*: "O mal que causou à agricultura continental o sucessivo despovoamento..." (Antero de Figueiredo, *Dom Sebastião*) [F.: *despovoar* + *-mento.*]

despovoar (des.po.vo.*ar*) *v.* Fazer ficar ou ficar com poucos habitantes, ou sem eles [*td.*: *A guerra despovoou muitas aldeias.*] [*int.*: *A fábrica fechou suas portas, e a cidade despovoou-se.*] [▶ **16 despovoar**] [F.: *des-* + *povoar.* Ant. ger.: *povoar.*]

desprazer (des.pra.*zer*) *v.* Desagradar, desaprazer [*ti.* + *a*: *Seus maus modos desprazem a todos.*] [*int.*: *O estado da casa desprazia.*] [▶ **37 desprazer**] [F.: *des-* + *prazer.*]

desprazeroso (des.pra.ze.*ro*.so) [ô] *a.* **1** *Bras.* Em que há desprazer, insatisfação **2** Que causa desagrado, descontentamento (visita desprazerosa; compromisso desprazeroso) [Pl.: [ó]. Fem.: [ó].] [F.: *desprazer* + *-oso.*]

desprecatar-se (des.pre.ca.*tar*-se) *v. tr.* Não se prevenir; DESCUIDAR-SE; DESACAUTELAR-SE: *Desprecataram-se das ameaças.* [▶ **1 desprecatar-se**] [F.: *des-* + *precatar* + *se*¹.]

desprecaver (des.pre.ca.*ver*) *v.* Não se precaver; DESACAUTELAR-SE; DESCUIDAR-SE; RELAXAR [*tdr.* + *de*: *Desprecaveu-se de sua segurança.* Ant.: *acautelar-se, precatar-se, precaver-se.*] [*td.*: *Ele corre o risco de se desprecaver e ser pego de surpresa.* Ant.: *acautelar-se, precatar-se, precaver-se.*] [▶ **2 desprecaver** V. defectivo. Não se conjuga nas f. rizotônicas.] [F.: *des-* + *precaver.*]

despregado[1] (des.pre.*ga*.do) *a.* **1** Que se despregou, desprendeu, soltou (diz-se do que estava preso, pregado ou fixo) **2** *Fig.* Atrevido, insolente [F.: Part. de *despregar*¹.]

despregado[2] (des.pre.*ga*.do) *a.* **1** Desfraldado (bandeiras despregadas) **2** *Fig.* Solto, desenfreado (ventos despregados) [F.: Part. de *despregar*².]

despregar[1] (des.pre.*gar*) *v.* **1** Tirar os pregos, tachas, alfinetes de [*td.*: *Despregue os pregos que entortaram.*] [*tda.*: *Despreguei as tachinhas do quadro de avisos.*] **2** Desunir(-se), soltar(-se) o que estava pregado ou preso [*int.*: *O papel de parede despregou-se.*] [*tdr.*: *Quando o menino adormeceu, despregou devagar sua mão da dele.*] **3** *Fig.* Desviar (a atenção, o olhar etc.) de [*tda.*: *Não despregava o olho da televisão por um só minuto*; "O velho bebeu, sem despregar os olhos do prato" (Aluísio Azevedo, *O cortiço*)] [*tr.* + *de*: *Seu pensamento não se desprega do filho.*] [▶ **14 despregar**] [F.: *des-* + *pregar*¹.]

despregar[2] (des.pre.*gar*) *v.* **1** Abrir(-se), soltar(-se) no ar; DESFRALDAR(-SE) [*td.*: *Todo dia despregam a bandeira nacional.*] [*int.*: *Os lenços despregavam-se no adeus.*] **2** Desenrolar(-se), estender(-se) [*td.*: *despregar uma peça de tecido.*] [*int.*: *Dali via despregar(-se) a planície.*] **3** Levantar, alçar [*td.*: *O avião despregou voo.*] **4** Desfazer(-se) as pregas ou rugas de; ALISAR(-SE); DESENRUGAR(-SE) [*td.*: *despregar uma camisa.*] [*int.*: *Estiquei o lençol sobre a tábua e ele se despregou.*] [▶ **14 despregar**] [F.: *des-* + *prega* + *-ar*².]

despreguiçar (des.pre.gui.*çar*) *v.* O mesmo que *espreguiçar* [*td.*] [*int.*] [▶ **12 despreguiçar**] [F.: *des-* + *preguiça* + *-ar*².]

desprender (des.pren.*der*) *v.* **1** Soltar(-se) (daquilo que prendia ou segurava); DESATAR(-SE); DESAMARRAR(-SE) [*td.*: *Assim que cheguei, desprendi o cachorro.*] [*tdr.* + *de*: *Uma cabine desprendeu-se dos cabos de um teleférico.*] **2** Deixar de estar grudado a ou de ter contato com (uma superfície) [*tda.*: *Cozinhar até que o doce comece a se desprender do fundo da panela.*] **3** Passar a ter desapego por; DESLIGAR-SE [*tdr.* + *de*: *Com a idade, desprendeu-se de certos valores.*] **4** Afastar-se, desviar-se [*tdr.* + *de*: *desprender-se de manias.*] **5** Emitir, soltar (som) [*td.*: *O sabiá desprendeu seu canto.*] **6** Exalar, emanar [*td.*: *desprender um forte odor.*] [*tr.* + *de*: "...o perfume de água-de-colônia a desprender-se de seu corpo..." (Josué Montello, *Um rosto de menina*)] [▶ **2 desprender**] [F.: *des-* + *prender.*]

desprendido (des.pren.*di*.do) *a.* **1** Que se desprendeu; que foi solto **2** Que tem desprendimento; que demonstra abnegação: *Era um homem generoso, desprendido.* [F.: Part. de *desprender.*]

desprendimento (des.pren.di.*men*.to) *sm.* **1** Ação ou resultado de desprender(-se) **2** Qualidade ou atitude de abnegado, de quem não se apega a bens materiais; ABNEGAÇÃO; ALTRUÍSMO; DESAPEGO: *Agia com justiça e desprendimento.* [F.: *desprender* + *-imento*.] ■ **~ de posse** *Jur.* Transferência nominal de um bem do vendedor ao comprador, enquanto aquele continua a deter sua posse efetiva

despreocupação (des.pre:o.cu.pa.*ção*) *sf.* **1** Ação ou resultado de despreocupar **2** Estado de quem está livre de preocupações; TRANQUILIDADE [Ant.: *preocupação*.] [Pl.: *-ções*.] [F.: *despreocupar* + *-ção*.]

despreocupado (des.pre:o.cu.*pa*.do) *a.* Que não tem ou não vive dominado por preocupações; TRANQUILO [Ant.: *preocupado*.] [F.: Part. de *despreocupar*.]

despreocupar (des.pre.:o.cu.*par*) *v.* Livrar(-se) de preocupação; TRANQUILIZAR(-SE) [*td.*: *Ler a sua carta me despreocupou.*] [*tr.* + *de*: *Contrataram uma faxineira e despreocuparam-se da limpeza da casa.*] [▶ 1 despreocupar] [F.: *des-* + *preocupar*.]

despreparado (des.pre.pa.*ra*.do) *a.* Que não se preparou ou não adquiriu o devido preparo para realizar alguma tarefa ou atividade (candidato despreparado, funcionário despreparado) [Ant.: *preparado*.] [F.: Part. de *despreparar*.]

despreparar (des.pre.pa.*rar*) *v. td.* Não (se) preparar, ou fazê-lo inadequada ou incorretamente [▶ 1 despreparar] [F.: *des-* + *preparar*.]

despreparo (des.pre.*pa*.ro) *sm.* **1** Falta de aprendizado ou preparo para alguma tarefa ou atividade profissional: *É impressionante o despreparo de certos estudantes.* **2** Desarranjo, desarrumação [Ant.: *preparo*.] [F.: *des-* + *preparo*.]

despressurização (des.pres.su.ri.za.*ção*) *sf.* Ação ou resultado de despressurizar, de suspender o processo de pressurização (em avião, nave espacial etc.) [Pl.: *-ções*.] [F.: *despressurizar* + *-ção*.]

despressurizar (des.pres.su.ri.*zar*) *v.* Fazer cessar ou cessar a pressurização em [*td.*: *despressurizar a aeronave.*] [*int.*: *Com a explosão, a cabine despressurizou-se.*] [▶ 1 despressurizar] [F.: *des-* + *pressurizar*.]

desprestigiado (des.pres.ti.gi.*a*.do) *a.* Que se desprestigiou, que perdeu prestígio: *Por força de sucessivos escândalos no Parlamento, os políticos ficaram desprestigiados junto à opinião pública.* [F.: Part. de *desprestigiar*.]

desprestigiar (des.pres.ti.gi.*ar*) *v.* Fazer perder ou perder o prestígio; DESACREDITAR(-SE) [*td.*: *A interdição desprestigiou o restaurante.*] [*int.*: *Políticos se desprestigiam quando desrespeitam o eleitor.*] [▶ 1 desprestigiar] [F.: *des-* + *prestigiar*.]

desprestígio (des.pres.*tí*.gi:o) *sm.* **1** Ação ou resultado de desprestigiar(-se) **2** Falta de prestígio; DESCRÉDITO [F.: *des-* + *prestígio*. Hom./Par.: *desprestígio* (sm.), *desprestigio* (fl. de *desprestigiar*).]

despresumido (des.pre.su.*mi*.do) *a.* Desprovido de presunção; DESPRESUNÇOSO; DESPRETENSIOSO [F.: *des-* + *presumido*.]

despretensão (des.pre.ten.*são*) *sf.* Falta de pretensão ou ambição; MODÉSTIA; DESAMBIÇÃO [Pl.: *-sões*.] [F.: *des-* + *pretensão*.]

despretensioso (des.pre.ten.si.*o*.so) [ô] *a.* Que não tem, ou em que não há pretensão ou ambição; MODESTO [Pl.: [ó]. Fem.: [ó].] [F.: *des-* + *pretensioso*.]

desprevenido (des.pre.ve.*ni*.do) *a.* **1** Que não se preveniu; DESACAUTELADO; DESAPERCEBIDO **2** *Pop.* Sem dinheiro disponível ou suficiente: "A moléstia pegou-o desprevenido, sem vintém nem dez-réis, como diz o povo..." (Franklin Távora, *O matuto*) **3** Sem nada com que se defender: *Desprevenido, não teve como reagir à agressão.* **4** Que não se preparou devidamente, que não estava informado: *Chegou desprevenido, sem saber que cogitavam de sua demissão.* **5** *Fig.* Sem prevenção ou preconceito [F.: Part. de *desprevenir*.]

desprevenir (des.pre.ve.*nir*) *v.* Não (se) prevenir [*td.*] [*tr.*] [▶ 49 desprevenir] [F.: *des-* + *prevenir*.]

desprezado (des.pre.*za*.do) *a.* **1** Que se desprezou, que foi desconsiderado; MENOSPREZADO; DESDENHADO; DESESTIMADO; DESCONSIDERADO [+ *de, por, por causa de*: "Homens desprezados de todos..." (Mário Barreto, *Cartas persas*); "Já me julgava desprezado pelos amigos..." (Gastão Cruls, *História puxa história*); "Era um rapaz pobre... carregado de família, tuberculoso, desprezado por causa da cor" (Medeiros e Albuquerque, *Quando eu era vivo*)] **2** Desamparado, abandonado, esquecido: "Foi um pobre folheto inglês que eu encontrei desprezado a um canto da biblioteca" (Pinheiro Guimarães, *Morgadinha de Valflor*) [F.: Part. de *desprezar*.]

desprezar (des.pre.*zar*) *v.* **1** Tratar (alguém ou a si próprio) com desprezo; sentir desprezo por; DESDENHAR(-SE); DESRESPEITAR(-SE) [*td.*: *Despreza os covardes; Despreza-se por julgar-se incompetente.*] **2** Não dar importância a, não levar em conta [*td.*: *Fisiculturistas desprezam riscos à saúde para perseguir corpo idealizado.*] **3** Não atender a; DESATENDER; IGNORAR [*td.*: *desprezar conselhos.*] **4** Não aproveitar, não tirar partido de [*td.*: *O jogador chegou a desprezar uma milionária oferta de um clube.*] **5** Não incluir no cálculo [*td.*: *Despreze os centavos e arredonde esta fatura.*] [▶ 1 desprezar] [F.: *des-* + *prezar*. Hom./Par.: *desprezo* (fl. de *desprezar*), *desprezo* [ê] (sm.).]

desprezível (des.pre.*zí*.vel) *a2g.* Que merece desprezo; digno de ser desprezado; ABJETO; VIL: "A eminência do pai sobre aquele mundozinho desprezível dava-lhe vida à vangloria..." (Raul Pompeia, *O Ateneu*) [Ant.: *respeitável*.] [Pl.: *-veis*.] [F.: *desprezo* + *-ível*, em formação irreg.]

desprezo (des.*pre*.zo) [ê] *sm.* **1** Falta de apreço ou consideração; DESDÉM *ant;* CONTEMPTAMENTO *ant;* CONTEMPTO: *Tratava os subalternos com desprezo.* **2** Desconsideração, descaso, negligência: *O desprezo de um compromisso.* **3** Sentimento de forte repulsa [Pl.: [ê].] [F.: Dev. de *desprezar*. Hom./Par.: *desprezo* (sm.), *desprezo* (fl. de *desprezar*).] ■ **Dar-se ao ~** Tornar-se ou fazer-se vil, digno de desprezo **Ser o ~ de** Ser objeto de desprezo de **Votar ao ~** Não dar atenção a, desprezar, abandonar

desprimor (des.pri.*mor*) [ô] *sm.* **1** Falta de primor, de esmero **2** Falta de cortesia, de delicadeza, de amabilidade; INDELICADEZA; DESCORTESIA [F.: *des-* + *primor*.]

desprimorar (des.pri.mo.*rar*) *v. td.* Fazer perder ou perder o primor ou o mérito; DESLUSTRAR(-SE) [▶ 1 desprimorar] [F.: *des-* + *primor* + *-ar*[2]. Hom./Par.: *desprimores* (fl. de *desprimorar*), *desprimores* [ô] (pl. de *desprimor*).]

desprimoroso (des.pri.mo.*ro*.so) [ô] *a.* **1** Que não tem primor, qualidade; IMPERFEITO **2** Que se mostra descortês; INCIVIL; INDELICADO [Pl.: [ó]. Fem.: [ó].] [F.: *des-* + *primoroso*.]

desprivilegiar (des.pri.vi.le.gi.*ar*) *v. td.* **1** Tirar o(s) privilégio(s) a; DESFAVORECER; PREJUDICAR ["Estaria, então, o governo federal pensando em desprivilegiar o trabalho promovido pelas ONGs?" (*O Globo*, 31.05.2004) Ant.: *favorecer, proteger*.] **2** Tornar comum, banal, corriqueiro; BANALIZAR; TRIVIALIZAR; VULGARIZAR ["Em outras palavras, a imprensa passou a se autorreferenciar, dispensando ou desprivilegiando fontes efetivamente especializadas." (Maurício Tuffani, "Divulgação científica e educação")] [▶ 1 privilegiar] [F.: *des-* + *privilegiar*.]

desproporção (des.pro.por.*ção*) *sf.* **1** Falta de proporção entre duas ou mais coisas; DESIGUALDADE [Ant.: *proporção*.] **2** Desconformidade com as proporções ou dimensões ordinárias; MONSTRUOSIDADE [Pl.: *-ções*.] [F.: *des-* + *proporção*.]

desproporcionado (des.pro.por.ci:o.*na*.do) *a.* **1** Que não é proporcionado; DESIGUAL **2** Que não está em proporção ou em relação; DESCONFORME [F.: *des-* + *proporcionado*.]

desproporcional (des.pro.por.ci:o.*nal*) *a2g.* Que não é proporcional; DESIGUAL; DESPROPORCIONADO [Pl.: *-nais*.] [F.: *des-* + *proporcional*.]

desproporcionalidade (des.pro.por.ci:o.na.li.*da*.de) *sf.* **1** Qualidade, estado ou característica do que é desproporcional *sf.* **2** Ausência de proporcionalidade [F.: *desproporcional* + *-(i)dade*.]

despropositado (des.pro.po.si.*ta*.do) *a.* **1** Que não tem propósito; DESARRAZOADO; DESATINADO [Ant.: *arrazoado, apropositado*.] **2** Que não vem a propósito [Ant.: *oportuno*.] **3** Que revela imprudência; ARREBATADO; ESTOUVADO; IMPRUDENTE [Ant.: *sensato*.] [F.: Part. de *despropositar*.]

despropositar (des.pro.po.si.*tar*) *v. int.* Dizer ou fazer despropósitos ou disparates; DESATINAR: *Desnorteado, passou a despropositar.* [▶ 1 despropositar] [F.: *despropósito* + *-ar*[2]. Hom./Par.: *desproposito* (fl.), *despropósito* (sm.).]

despropósito (des.pro.*pó*.si.to) *sm.* **1** Ação sem propósito; DESATINO; IMPRUDÊNCIA **2** Dito sem propósito; DISPARATE; ABSURDO **3** Ausência de comedimento; DESTEMPERO; ESTOUVAMENTO **4** *Bras. Pop.* Grande quantidade; EXCESSO: *Compraram um despropósito de latas de cerveja.* [F.: *des-* + *propósito*. Hom./Par.: *despropósito* (sm.), *desproposito* (fl. de *despropositar*).]

desproteger (des.pro.te.*ger*) *v. td.* Não dar proteção a; tirar a proteção a, deixar desprotegido: *Desprotegeram a região matando as florestas.* [Ant.: *proteger*.] [▶ 35 desproteger] [F.: *des-* + *proteger*.]

desprotegido (des.pro.te.*gi*.do) *a.* **1** Que não tem ou se encontra sem proteção; DESAMPARADO; DESVALIDO: "O destino que o removera do lar desprotegido fizera-lhe afinal uma concessão: livrara-o da promiscuidade..." (Euclides da Cunha, *Os sertões*) **2** Que se desprotegeu; que está sem resguardo, sem defesa: *Ponto da costa desprotegido.* [F.: Part. de *desproteger*.]

desprotonação (des.pro.to.na.*ção*) *sf. Quím.* Ação ou resultado de desprotonar, de retirar prótons (de uma substância) [Pl.: *-ões*.] [F.: *desprotonar* + *-ção*.]

desprotonar (des.pro.to.*nar*) *Quím. v.* Perder próton(s) (transformando-se em); DESPROTONIZAR [*td. tdr.* + *em*: *desprotonar ciclopentadieno* (*em ciclopentadieneto de potássio*). Ant.: *protonar, protonizar*.] [*int.*: *Moléculas anfóteras protonam(-se) e desprotonam(-se).* Ant.: *protonar(-se), protonizar(-se)*.] [▶ 1 desprotonar V. impess., conjugado somente na 3ª pess. sing.] [F.: *des-* + *protonar*.]

desprotonizar (des.pro.to.ni.*zar*) *P.us. Quím. v.* O mesmo que *desprotonar* [▶ 1 desprotonizar] [F.: *des-* + *protonizar*.]

desproveito (des.pro.*vei*.to) *sm.* **1** Falta de aproveitamento; DESPERDÍCIO **2** Detrimento: *Beneficiou um filho em desproveito dos outros.* [F.: *des-* + *proveito*.]

desprover (des.pro.*ver*) *v.* Privar(-se) de provisões ou do necessário [*td.*: *Desproviu os soldados.*] [*tdr.* + *de*: *Desprovê os empregados de condições adequadas; Desproveem-se de tudo para dar aos outros.*] [▶ 26 desprover] [F.: *des-* + *prover*.]

desprovido (des.pro.*vi*.do) *a.* **1** Que é carente ou necessitado de algo: *Desprovido de força de vontade, de talento, de dinheiro.* **2** Em que não há provisões [Ant.: *abastecido, fornido*.] [F.: Part. de *desprover*.]

despudor (des.pu.*dor*) [ô] *sm.* Falta de pudor; IMPUDOR [Ant.: *decoro, decência*.] [F.: *des-* + *pudor*.]

despudorado (des.pu.do.*ra*.do) *a.* **1** Que não tem pudor (atitude despudorada, pessoa despudorada); IMPUDICO; DESAVERGONHADO *sm.* **2** Indivíduo sem pudor; IMPUDICO; DESAVERGONHADO: *O despudorado insistia em seduzir a vizinha.* [F.: *despudor* + *-ado*[1].]

desqualificação (des.qua.li.fi.ca.*ção*) *sf.* **1** Ação ou resultado de desqualificar(-se) **2** Perda de reputação, de crédito **3** Exclusão de um ou mais concorrentes de torneio, concurso etc; DESCLASSIFICAÇÃO [Pl.: *-ções*.] [F.: *desqualificar* + *-ção*.]

desqualificado (des.qua.li.fi.*ca*.do) *a.* **1** Que perdeu as boas qualidades, a excelência **2** Que perdeu a reputação; que sofreu descrédito **3** Que foi eliminado de torneio, concurso etc; DESCLASSIFICADO **4** Que não é qualificado para dada tarefa, prática, cargo etc. [F.: Part. de *desqualificar*.]

desqualificador (des.qua.li.fi.ca.*dor*) [ô] *a.* **1** Que desqualifica, que é capaz de desqualificar (conduta desqualificadora); DESQUALIFICANTE; DESQUALIFICATIVO *sm.* **2** Aquele ou aquilo (gesto, atitude etc.) que desqualifica [Pl.: *-ores*.] [F.: *desqualificar* + *-dor*.]

desqualificante (des.qua.li.fi.*can*.te) *a2g.* Que desqualifica, que é capaz de desqualificar; DESQUALIFICATIVO; DESQUALIFICADOR [F.: *desqualificar* + *-nte*.]

desqualificar (des.qua.li.fi.*car*) *v.* **1** Fazer perder a boa qualificação [*td.*: *A menina acabou por desqualificá-lo.*] **2** Tornar indigno de respeito, de confiança, de bom conceito; DESACREDITAR [*td.*: "É uma tática muito comum tentar desqualificar as pessoas que estão investigando..." (*FolhaSP*, 07.08.1999.)] **3** Eliminar ou ser eliminado de uma competição, prova, concurso; DESCLASSIFICAR(-SE); INABILITAR(-SE) [*td.*: *A prova de velocidade desqualificou o atleta.*] [*tr.* + *em*: *Desqualificou-se na prova de direção.*] **4** *Jur.* Excluir (de um crime) as circunstâncias que o qualificam [*td.*] [▶ 11 desqualificar] [F.: *des-* + *qualificar*.]

desquerer (des.que.*rer*) *v.* **1** Não querer a; não gostar de; não amar [*ti.* + *a*: "...sendo duas vontades de Rebeca: uma com que queria a Jacó, e outra com que desqueria a Esaú." (Padre Antônio Vieira, *Sermão do terceiro domingo da Quaresma*)] **2** Deixar de querer a; deixar de gostar de; deixar de amar [*td. ti.* + *a*: *Desquis o/ao namorado; abandonou-o.*] **3** Deixar de querer; não querer mais [*td.*: *Estou sempre querendo e desquerendo as coisas.*] [*tr.* + *de*: "Pai já estava encostado nele, como um boi bravo. Miguilim desquis de estremecer, ficou em pau, como estava." (Guimarães Rosa, *Campo geral*)] [▶ 27 desquerer] [F.: *des-* + *querer*. Sin. ger.: *querer*.]

desquitado (des.qui.*ta*.do) *a.* **1** Que se separou do cônjuge por meio de desquite: *Era uma mulher desquitada.* **2** Que está livre de (dada) obrigação **3** *Lus. Pop.* Desmamado *sm.* **4** Indivíduo desquitado: *Os desquitados ficavam mais tempo na praia.* **5** Aquele que está livre de (dada) obrigação [F.: Part. de *desquitar*.]

desquitar (des.qui.*tar*) *v.* **1** Separar(-se) (um cônjuge do outro) mediante desquite [*td.*: *O juiz vai desquitá-los hoje.*] [*int.*: *Desquitaram-se há muito tempo.*] [*tr.* + *de*: *Desquitou-se do marido há dois anos.*] **2** Livrar de obrigação; LIBERTAR [*tdr.* + *de*: *Desquitou-a do compromisso.*] **3** *Fig.* Renunciar, deixar [*tdr.* + *de*: *Desquitou-se da sociedade.*] **4** Tornar quite [*td.*: *Desistiu do processo e desquitou o inquilino.*] **5** *Lus. Pop.* Desmamar, destetar [*td.*] [▶ 1 desquitar] [F.: *des-* + *quitar*. Hom./Par.: *desquite* (fl.), *desquite* (sm.); *desquites* (fl.), *desquites* (pl. do sm.).]

desquite (des.*qui*.te) *sf.* **1** Ação ou resultado de desquitar(-se): "O judeu que se fazia cristão era obrigado a dar, no fim de um ano... carta de desquite a sua mulher" (Arnaldo Gama, *Última Dona*) *sf.* **2** *Jur.* Dissolução da sociedade conjugal com a separação dos cônjuges e seus bens, sem rompimento do vínculo matrimonial **3** Renúncia: "O Plácido, com um gesto... ao mesmo tempo de desespero e desquite, pretendeu declarar que era tudo quanto tinha" (Aquilino Ribeiro, *Aldeia*) [F.: Dev. de *desquitar*. Cf.: *divórcio*.]

desraigar (des.rai.*gar*) [a-i] *P.us. v.* O mesmo que *desarraigar* [▶ 14 desraigar]

desrama (des.*ra*.ma) *sm.* Ação ou resultado de desramar, de aparar os ramos de uma árvore etc., *desramação* [F.: Dev. de *desramar*.]

desramar (des.ra.*mar*) *v.* Tirar ou cortar os ramos de (árvore): *Só desrame árvores até um terço da altura.* [▶ 1 desramar] [F.: *des-* + *ramo* + *-ar*[2].]

desratização (des.ra.ti.za.*ção*) *sf.* Ação ou resultado de desratizar, de acabar com os ratos de um lugar: *Autorizou a desratização do mercado.* [Pl.: *-ções*.] [F.: *desratizar* + *-ção*.]

desratizar (des.ra.ti.*zar*) *v. td.* Eliminar os ratos de (local) por meio, esp., de aplicação de substância nociva a tais roedores: *desratizar o porão.* [▶ 1 desratizar] [F.: *des-* + *rato* + *-izar*.]

desregrado (des.re.*gra*.do) *a.* **1** Que não tem regra, não segue nenhuma norma ou padrão **2** Que não tem ordem **3** Que não demonstra controle, esp. com dinheiro ou bebida alcoólica **4** Que não tem moral, decência, pudor [F.: Part. de *desregrar*.]

desregramento (des.re.gra.*men*.to) *sm.* **1** Ação ou resultado de desregrar(-se) **2** Falta de regra, de norma; DESCONTROLE: *Rimbaud pregou o desregramento de todos os sentidos.* **3** Ausência de ordem, de arrumação **4** Devassidão, libertinagem; DEPRAVAÇÃO; DEGENERESCÊNCIA: *Entregou-se ao desregramento sexual.* [F.: *desregrar* + *-mento*.]

desregrar (des.re.*grar*) *v.* Fazer perder ou perder a regra, a ordem, o comedimento [*td.*: *Alguns poucos alunos conseguiram desregrar toda a classe.*] [*int.*: *A classe se desregrou sob a influência de uns poucos alunos.*] [▶ 1 desregrar] [F.: *des-* + *regrar*.]

desregulação (des.re.gu.la.*ção*) *sf.* **1** Ação ou resultado de desregular(-se), de não manter algo regulado ou ajustado; DESREGULAMENTAÇÃO; DESREGULAGEM **2** *Econ.* Redução da participação do Estado na economia; DESREGULAMENTAÇÃO [Pl.: *-ções*.] [F.: *desregular* + *-ção*.]

desregulado (des.re.gu.*la*.do) *a.* **1** Que se desregulou, não se manteve regulado **2** Falto de ajuste; que não está regulado (fotômetro desregulado); DESAJUSTADO [F.: Part. de *desregular*. Ant. ger.: *regulado*.]

desregulagem (des.re.gu.*la*.gem) *sf.* Ação ou resultado de desregular(-se), não (se) manter regulado ou ajustado (desregulagem da injeção eletrônica); DESREGULAÇÃO [Ant.: *regulagem*.] [F.: *desregular* + *-agem*[2].]

desregulamentação (des.re.gu.la.men.ta.*ção*) *sf.* **1** Ação ou resultado de desregulamentar, anular regulamento, esp. o instituído por um governo ou órgão administrativo **2** *Econ.* O mesmo que *desregulação*. (2) [Pl.: *-ções*.] [F.: *desregulamentar* + *-ção*.]

desregulamentar (des.re.gu.la.men.*tar*) *v. td.* **1** Anular regras ou normas de **2** *Econ.* Reduzir (o Estado) sua participação na economia; DESREGULAR [▶ 1 desregulamen**tar**] [F.: *des-* + *regulamentar*².]

desregular (des.re.gu.*lar*) *v.* **1** Fazer perder ou perder regulagem ou ajuste que permite funcionar bem; tornar(-se) desregulado, desajustado, impreciso [*td.*: *desregular televisão / monitor / câmera / relógio.*] [*int.*: *O motor do carro desregulou-se completamente.*] **2** Fazer perder ou perder a regularidade, a constância, a assiduidade [*td.*: *desregular a menstruação / o metabolismo / o horário / a respiração.*] [*int.*: *O ciclo produtivo da planta desregulou- se.*] **3** *Econ.* Desviar(-se) das regras ou normas legais ou regulamentares; DESREGULAMENTAR [*td.*: *desregular o câmbio.*] [*int.*: "No caso do programa Renda Média, por causa de vários planos econômicos, a maioria dos contratos se desregulou, passando a ter prestações altas demais e amortização pequena." (*Folha de S.Paulo*, 26.07.2001)] **4** *Econ.* O mesmo que *desregulamentar.* (2) [*td.*: *desregular a economia.*] [▶ 1 desregu**lar**] [F.: *des-* + *regular*. Ant. ger.: *regular.*]

desregularizar (des.re.gu.la.ri.*zar*) *v. td.* O mesmo que *desregular* (3) [▶ 1 desregulari**zar**] [F.: *des-* + *regularizar.*]

desrespeitado (des.res.pei.*ta*.do) *a.* Que se desrespeitou ou desacatou; que não encontrou ou inspirou respeito [Ant.: *respeitado.*] [F.: Part. de *desrespeitar.*]

desrespeitador (des.res.pei.ta.*dor*) [ô] *a.* **1** Que desrespeita, que costuma desrespeitar; DESRESPEITOSO *sm.* **2** Aquele que desrespeita, que costuma desrespeitar [F.: *desrespeitar* + *-dor*. Ant. ger.: *respeitador.*]

desrespeitar (des.res.pei.*tar*) *v. td.* **1** Faltar com o respeito a; DESACATAR: *Educado, não desrespeitava ninguém.* **2** Violar, infringir, transgredir: *desrespeitar as leis de trânsito.* [▶ 1 desrespei**tar**] [F.: *des-* + *respeitar.* Ant. ger.: *respeitar.*]

desrespeito (des.res.*pei*.to) *sm.* Ação ou resultado de desrespeitar, faltar com o respeito; DESACATO; DESCONSIDERAÇÃO: "Olha que isso é um desrespeito ao visconde!" (Adolfo Caminha, *Tentação*) [F.: *des-* + *respeito.*]

desrespeitoso (des.res.pei.*to*.so) [ô] *a.* Que não é respeitoso, em que há falta de respeito (tratamento desrespeitoso); DESRESPEITADOR [Ant.: *respeitoso*] [Pl.: [ó]. Fem.: [ó].] [F.: *desrespeito* + *-oso.*]

desresponsabilizar (des.res.pon.sa.bi.li.*zar*) *P.us. v.* Tirar a responsabilidade de (si próprio ou outrem) [*tdr.* + *de, por*: *Schumacher desresponsabilizou o compatriota do /pelo acidente; A família desresponsabilizou-se da /pela educação da criança.* Ant.: *responsabilizar.*] [▶ 1 desresponsabili**zar**] [F.: *des-* + *responsabilizar.*]

desrumar (des.ru.*mar*) *v. int.* Fazer perder ou perder o rumo: *Preocupado, o rapaz desrumou.* [▶ 1 desru**mar**] [F.: *des-* + *rumar.*]

dessaborido (des.sa.bo.*ri*.do) *a.* **1** Desprovido de sabor, insípido; INSULSO [Ant.: *sápido*] **2** De mau sabor, de gosto desagradável [F.: *des-* + *saborido*. Ant. ger.: *saboroso.*]

dessacralização (des.sa.cra.li.za.*ção*) *sf.* Ato ou efeito de dessacralizar, deixar de sacralizar(-se), ter ou atribuir caráter sagrado a; SECULARIZAÇÃO [Ant.: *sacralização.*] [Pl.: *-ões.*] [F.: *dessacralizar* + *-ção.*]

dessacralizar (des.sa.cra.li.*zar*) *v.* Fazer perder ou perder a feição sagrada; DESMISTIFICAR(-SE) [*td.*: *O povo dessacralizou o lugar.*] [*int.*: "Quando o mundo começa a se dessacralizar, a obra de arte vai sendo liberada para a contemplação em que o culto do belo seculariza-se." (Silvia Miranda Boaventura, *A tradição da crítica libertária e as concepções ideológicas hegemônicas*) Ant.: *sacralizar.*] [▶ 1 dessacrali**zar**] [F.: *des-* + *sacralizar.*]

dessalgação (des.sal.ga.*ção*) *sf.* Ação ou resultado de dessalgar, retirar o sal; DESSALGAMENTO: *Dessalgação das carnes para o preparo da feijoada.* [Ant.: *salga; salgação; salgamento.*] [Pl.: *-ões.*] [F.: *dessalgar* + *-ção.*]

dessalgar (des.sal.*gar*) *v.* **1** Tirar o sal de, perder o sal [*td.*: *Dessalgue o bacalhau em água corrente.*] [*int.*: *Pus as carnes de molho para dessalgar.*] **2** *Fig.* Fazer ficar ou ficar sem graça, sem interesse; tornar(-se) insípido, desinteressante [*td.*: *O diretor dessalgou o roteiro da novela.*] [*int.*: *Com a influência estrangeira, o samba dessalgou-se.*] [▶ 14 dessal**gar**] [F.: *des-* + *salgar.*]

dessalinização (des.sa.li.ni.za.*ção*) *sf.* Ação ou resultado de dessalinizar, extrair ou separar o sal contido na água [Pl.: *-ções.*] [F.: *dessalinizar* + *-ção.*]

dessalinizador (des.sa.li.ni.za.*dor*) [ô] *a.* **1** Que dessaliniza, que separa o sal da água do mar *sm.* **2** Aquele ou aquilo que dessaliniza [F.: *dessalinizar* + *-dor.*]

dessalinizar (des.sa.li.ni.*zar*) *v. td.* Extrair o sal de (a água do mar) para se obter água pura ou potável [▶ 1 dessalini**zar**] [F.: *des-* + *salino* + *-izar.*]

dessangrado (des.san.*gra*.do) *a.* **1** Que se dessangrou, que se tirou o sangue a **2** Que se enfraqueceu, se debilitou, se exauriu **3** Que empobreceu, que se privou de recursos [F.: Part. de *dessangrar.*]

dessangrar (des.san.*grar*) *v.* **1** Extrair sangue de ou sofrer perda de sangue; SANGRAR [*td.*: *O médico dessangrou o tumor.*] [*int.*: *Dessangrou-se com o acidente.*] **2** *P.ext.* Ficar mais fraco ou débil [*int.*: *Sentiu desssangrar-se após a longa escalada.*] **3** Retirar o líquido contido em um recipiente por meio de passagem na parte inferior **4** Fazer ficar ou ficar sem recursos; DEBILITAR [*td.*: *Dessangrou as economias paternas.*] [*int.*: *As más aplicações fizeram a empresa dessangrar-se.*] [▶ 1 dessan**grar**] [F.: *des-* + *sangrar.*]

desse (*des*.se) [ê] Contr. da prep. *de* com o pron. dem. *esse*: *Estava diante de um desses caprichos da família.* [NOTA: Muito us. para intensificar o sentido de um subst.: *Eu estava precisando desse descanso.*] [F.: *d(e)* + *esse.*]

dessecação (des.se.ca.*ção*) *sf.* Ação ou resultado de dessecar(-se), de retirar a umidade; DESSECAGEM; DESSECAMENTO; EXSICAÇÃO [Pl.: *-ções.*] [F.: Do lat. *desiccatio, onis.* Hom./Par.: *dessecação* (sf.), *dissecação* (sf.), *dissecção* (sf.).]

dessecar (des.se.*car*) *v.* **1** Tornar completamente seco; ENXUGAR; SECAR [*td.*: *dessecar um tanque.*] **2** Tornar(-se) árido [*td.*: *O sol forte e constante dessecou o prado.*] [*int.*: *O terreno atrás da casa dessecou-se.*] **3** *Fig.* Tornar(-se) duro, insensível [*td.*: *A vida difícil dessecou seu coração.*] [*int.*: *Seu coração dessecou-se.*] [▶ 11 desse**car**] [F.: Do v.lat. *desiccare.* Hom./Par.: *dessecar* (v.), *dissecar* (v.).]

dessedentar (des.se.den.*tar*) *v. td.* Matar a sede de (outrem ou si mesmo); SACIAR(-SE): *Um tipo de lagoa utilizado para dessedentar o gado; Dessedentaram-se na fonte.* [▶ 1 desseden**tar**] [F.: *des-* + *sedento* + *-ar*².]

dessemelhança (des.se.me.*lhan*.ça) *sf.* Qualidade ou característica do que não apresenta semelhança, do que é diferente, distinto [Ant.: *semelhança, similitude.*] [F.: *des-* ou *dis-*¹ + *semelhança.*]

dessemelhante (des.se.me.*lhan*.te) *a2g.* Que não apresenta semelhança, que não é parecido; DIFERENTE; DISTINTO [F.: *des-* + *semelhante.*]

dessemelhar (des.se.me.*lhar*) *v.* Tornar(-se) dessemelhante, diferente, desigual (de); DIFERENÇAR(-SE); DISTINGUIR(-SE) [*td.*: *O gosto musical dessemelha o casal de namorados.*] [*tdr.* + *de*: *Poucos detalhes dessemelham um carro do outro.*] [*int.*: *Em tudo eles se dessemelham.* Ant.: *assemelhar, equivaler, identificar.*] [▶ 1 desseme**lhar**] [F.: *des-* + *semelhar*. Tb. *dissemelhar.*]

dessensibilização (des.sen.si.bi.li.za.*ção*) *sf.* **1** Ação ou resultado de dessensibilizar **2** *Imun.* Processo que tem por finalidade a diminuição da sensibilidade alérgica por meio da inoculação de doses crescentes do antígeno que produz a alergia [Pl.: *-ções.*] [F.: *dessensibilizar* + *-ção.* Ant.: *sensibilização.*]

dessensibilizado (des.sen.si.bi.li.*za*.do) *a.* Que se dessensibilizou, que passou por processo de dessensibilização [F.: *dessensibilizar* + *-ado*¹.]

dessensibilizar (des.sen.si.bi.li.*zar*) *v. td.* **1** Tirar a sensibilidade a; fazer perder a sensibilidade (corpo, parte do corpo etc.); ANESTESIAR: *Dessensibilizou-lhe a perna antes da cirurgia.* **2** *Imun.* Efetuar a dessensibilização de: *Dessensibilizou o paciente progressivamente.* **3** *Fig.* Tornar insensível, indiferente: *As calúnias dessensibilizaram-no.* [▶ 1 dessensibili**zar**] [F.: *des-* + *sensibilizar.* Ant. ger.: *sensibilizar.*]

dessentir (des.sen.*tir*) *v. td.* Deixar de sentir ou de perceber [▶ 50 dessen**tir**] [F.: *des-* + *sentir.*]

desserviço (des.ser.*vi*.ço) *sm.* **1** Ação ou resultado de desservir **2** Serviço nocivo, que causa dano ou prejuízo: *O prefeito prestou um desserviço à cidade.* **3** *Fig.* Ação ou atitude de desleal [F.: *des-* + *serviço.*]

desservir (des.ser.*vir*) *v.* **1** Prestar um desserviço, causar prejuízo ou transtorno a [*td.*: *uma política que desserviu o país.*] [*int.*: *Foi um conselho que mais desserviu do que serviu.*] **2** Não servir [*int.*] [▶ 50 desser**vir**] [F.: *des-* + *servir.*]

dessexuado (des.se.xu.*a*.do) [cs] *a.* **1** Privado das características de seu sexo; ASSEXUADO **2** *Fig.* Que é desprovido de apetite sexual [F.: *des-* + *sexuado.*]

dessimetria (des.si.me.*tri*:a) *sf.* O mesmo que *dissimetria*; ASSIMETRIA [Ant.: *simetria.*] [F.: *des-* + *simetria.*]

dessincronizar (des.sin.cro.ni.*zar*) *v.* **1** Fazer perder ou perder a sincronização, a identidade de movimento, de ação [*td.*: *O líder do grupo dessincronizava as tarefas.*] [*int.*: *Por não ter ritmo, dessincroniza-se do grupo de ginástica.*] **2** Desfazer(-se) a sincronização de (certos aparelhos) [*td.*: *Dessincronizaram os sinais de trânsito.*] [*int.*: *Os relógios dessincronizaram-se.*] **3** *Cin. Telv.* Eliminar o sincronismo entre imagem e som [*int.*: *Como cada sinal passa por vários caminhos de processamento, podem se dessincronizar, mas as diferenças serão constantes, e podem ser arrumadas facilmente na captura ou na edição não linear.*] [▶ 1 dessincroni**zar**] [F.: *des-* + *sincronizar.*]

dessintonia (des.sin.to.*ni*:a) *sf.* Falta de sintonia; DISSINTONIA; DESSINTONIA [Ant.: *sintonia*] [F.: *des-* + *sintonia.*]

dessistema (des.sis.*te*.ma) *sm.* **1** Falta de sistema, de método **2** Desorganização, desordem [F.: *des-* + *sistema*. Ant. ger.: *sistema.*]

dessoalhar (des.so.a.*lhar*) *v.* Tirar o assoalho de; DESSOLHAR [*td.*: *dessoalhar a cozinha.* Ant.: *assoalhar, soalhar, solhar.*] [▶ 1 dessoa**lhar**]

dessoldar (des.sol.*dar*) *v.* Fazer perder ou perder a solda [*td.*: *O calor intenso pode dessoldar a peça.*] [*int.*: *O cano dessoldou-se por causa do calor.*] [▶ 1 dessol**dar**] [F.: *des-* + *soldar.*]

dessorado (des.so.*ra*.do) *a.* **1** Que se dessorou, se transformou em soro **2** *Fig.* Enfraquecido, combalido [F.: Part. de *dessorar.*]

dessorar (des.so.*rar*) *v.* **1** Tirar o soro de [*td.*: *dessorar um queijo/o sangue.*] **2** Perder o soro [*int.*: *Deixe a coalhada dessorar até adquirir consistência firme.*] **3** Transformar(-se) em soro [*td. int.*] **4** *Fig.* Debilitar(-se), enfraquecer(-se) [*td.*: *A saudade o dessora.*] [*int.*: *Seu vigor físico dessorava-se a cada dia.*] [▶ 1 desso**rar**] [F.: *des-* + *sorar.*]

dessublimação (des.su.bli.ma.*ção*) *sf.* **1** Ato ou efeito de dessublimar(-se), anular ou reduzir o caráter sublime de algo ou alguém: *Defendeu a dessublimação do patriotismo.* **2** *Psic.* Ato ou efeito de conter ou eliminar a tendência à sublimação [Pl.: *-ões.*] [F.: *dessublimar* + *-ção.*]

dessueto (des.su:*e*.to) [ê] *a.* caído em dessuetude, em desuso, em desábito [Ant.: *consueto.*] [F.: Do lat. *dissuetus,aum.* Cf.: *sueto.*]

destabocado (des.ta.bo.*ca*.do) *Bras. Pop. a.* **1** Que se destabocou, perdeu o acanhamento, a timidez; ATREVIDO **2** *P.ext.* Que não se comporta de acordo com as conveniências; INCONVENIENTE **3** Que fala demais **4** *P.ext.* Que não tem travas na língua, que diz o que quer, inclusive em linguagem considerada obscena **5** Que gosta muito de fazer brincadeiras, pregar peças *sm.* **6** Aquele que é destabocado [F.: Part. de *destabocar.*]

destabocar (des.ta.bo.*car*) *v. Bras. Pop.* Fazer perder ou perder o embaraço, a timidez, a vergonha; tornar(-se) solto, desembaraçado [*td.*: *O contato com os amigos destabocou-o.*] [*int.*: *Logo na primeira semana de aula, destabocou-se.*] [▶ 11 destabo**car**] [F.: *des-* + *taboca* + *-ar*².]

destacado¹ (des.ta.*ca*.do) *a.* **1** Que se destacou, se separou dos demais; APARTADO **2** Que se distingue, sobressai; EMINENTE; RELEVANTE [F.: Part. de *destacar.*]

destacado² (des.ta.*ca*.do) *Mús. sm.* O mesmo que *staccato* [F.: Do it. *staccato*, com mudança de suf; ver *des-*.]

destacamento (des.ta.ca.*men*.to) *sm.* **1** Ação ou resultado de destacar(-se) **2** *Mil.* Parte de uma unidade militar que se destaca da tropa para cumprir missão específica [F.: *destacar* + *-mento.*] ■ **~ precursor** *Mil.* Grupo motorizado de tropa que a precede em operação militar, com a missão de reconhecer o terreno, desobstruir acessos, preparar a ocupação

destacar (des.ta.*car*) *v.* **1** Dar destaque a ou ter destaque; fazer sobressair ou sobressair; DISTINGUIR(-SE) [*td.*: *Seu belo rosto a destacava.*] [*int.*: *Ele se destaca pela simpatia.*] [*tr.* + *de*: "Senhorinha destacava-se do grupo, na sua timidez de menina..." (Aluísio Azevedo, *O cortiço*)] **2** Separar(-se), desligar(-se) [*td.*: *Destaque as páginas antes de ler.*] [*int.*: *As pétalas destacaram-se com a ventania.*] **3** Apontar o que se considera importante; chamar atenção para o fato de; SALIENTAR [*td.*: *Mas destacou que, apesar da heterogeneidade da turma, todos são talentosos.*] [*tdr.*: *Ela destacou também a influência na pintura moderna da técnica da "colagem".*] **4** *Mil.* Enviar ou fazer partir (um destacamento) [*td.*: *destacar um pelotão*; "Destacavam-se piquetes vigilantes, de 20 homens cada um, ao mando da cabecilha de confiança" (Euclides da Cunha, *Os sertões*)] **5** Encarregar (alguém) (de tarefa, de missão especial etc.) [*tdr.* + *para*: *O general destacou alguns homens para sua guarda pessoal.*] **6** Dar destaque às sílabas de (uma palavra) ao pronunciá-las **7** *Mús.* Executar (notas sucessivas) como se fossem separadas por pequenas pausas [*td.*] **8** *Bras. Gír.* Matar, assassinar **9** *Bras. Pop.* Morrer [*int.*] [▶ 11 desta**car**] [F.: Adapt. do fr. *détacher*, com influência de *atacar*, posv. Hom./Par.: *destaque* (fl.), *destaque* (sm.); *destaques* (fl.), *destaques* (pl. do sm.); *destacáveis* (fl.), *destacáveis* (pl. de *destacável* [a2g.]).]

destacável (des.ta.*cá*.vel) *a2g.* **1** Que se pode ser destacar de um conjunto, de um todo **2** Que merece ser destacado [Pl.: *-veis.*] [F.: *destacar* + *-vel.* Hom./Par.: *destacáveis* (pl.), *destacáveis* (fl. de *destacar*).]

destamanho (des.ta.*ma*.nho) *a.* **1** Enorme, muito grande: "Uma vez, no começo, trouxe comigo um desses ativistas orelhudos, de nariz destamanho." (Guimarães Rosa, "São Marcos" *in Sagarana*) **2** Mínimo, muito pequeno: *Um molequinho destamanho.* [Diz-se também *destamanhinho.*] *sm.* **3** Desmesura, tamanhão: *O destamanho do ser.* [NOTA: a palavra é uma forma sincopada da expr. "deste tamanho", com função intensificadora na frase. F: De *deste tamanho.*]

destampado (des.tam.*pa*.do) *a.* **1** Que se destampou, que ficou sem tampa ou tampo: *Cuide para que o açucareiro não fique destampado, por causa das formigas.* [Ant.: *tampado, fechado.*] **2** Despropositado, demasiado [F.: part. de *destampar.*]

destampar (des.tam.*par*) *v.* **1** Tirar a tampa ou o tampo de, ou perder a tampa ou o tampo [*td.*: *destampar uma caixa/ um garrafão.*] [*int.*: *O tonel destampou-se com o sacolejo.* Ant.: *tampar, tapar.*] **2** *Fig.* Dar a conhecer; MOSTRAR; REVELAR [*td.*: *Com suas denúncias, destampou uma prática normal entre empresas e políticos.*] **3** Ter início repentinamente; COMEÇAR [*int.*: *Destampou um pé d'água medonho na região.*] **4** Começar despropositadamente; DESATINAR [*tr.* + *a*: "Destampei a fazer versos como um desalmado" (Almeida Garrett, *Métrope*)] **5** Romper, irromper impetuosamente [*tr.* + *em*: *De repente, destampou em um choro convulsivo.*] **6** *Bras. Pop.* Deflorar, desvirginar [*td.*] [▶ 1 destam**par**] [F.: *des-* + *tampar.*]

destampatório (des.tam.pa.*tó*.ri:o) *sm.* **1** Discussão violenta e ruidosa *sm.* **2** Despropósito, destempero **3** *Pop.* Admoestação ou censura violenta; DESCOMPOSTURA [F.: *destampar* + *-tório.*]

destapar (des.ta.*par*) *v.* **1** Tirar ou sair a tampa, rolha etc. de um recipiente; DESTAMPAR [*td.*: *Destapar um frasco.*] [*int.*: *A lata caiu no chão e se destapou.*] **2** Retirar o que cobre ou veda [*td.*: *destapar os olhos/uma escultura.*] [▶ 1 desta**par**] [F.: *des-* + *tapar.* Ant. ger.: *tapar, tampar.*]

destaque (des.*ta*.que) *sm.* **1** Ação ou resultado de destacar(-se); qualidade do que se destaca, do que sobressai **2** Pessoa, coisa ou assunto relevante: *O destaque, entre as bailarinas, coube a Ulânova; O sermão teve como destaque o encontro com o moço rico.* **3** *Bras. Etnog.* Em desfile de escolas de samba, indivíduo que, vestindo fantasia original ou luxuosa, permanece no alto de um carro alegórico como elemento de realce: *Foi convidada para ser destaque em sua escola.* **4** *Bras. Pol.* Artigo ou parágrafo de um projeto de lei extraído por parlamentar do texto como um todo e reapresentado para votação separada [F.: Dev. de *destacar*. Hom./Par.: *destaque* (sm.), *destaque* (fl. de *destacar*); *destaques* (pl.), *destaques* (fl. do v.).] ■ **Dar um ~ em** *Bras. Gír.* Dar a entender a alguém (falando, gesticulando ou ostentando indiferença) que sua presença não é desejada

destaramelar (des.ta.ra.me.*lar*) *v.* **1** Girar a taramela de (janela, porta, portão), para abri-lo [*td.* Ant.: *taramelar, tramelar.*] **2** *Fig. P.us.* Soltar, destravar (a língua), falando sem parar [*td.*: *destaramelar a língua.*] [*int.*: *Bebeu e destaramelou, falou a noite inteira.* Ant.: *calar, emudecer, silenciar.*] [▶ 1 destarame**lar**] [F.: des- + *taramelar*. Sin. ger.: destramelar.]

destarte (des.*tar*.te) *adv.* Assim sendo, deste modo: "Destarte estava ele senhor dos caminhos e carreiras que iam ter à enco-

berta onde entrava com familiaridade, e donde saía como amigo." (Franklin Távora, *O Cabeleira*) [F.: *desta* + *arte*.]
deste (*des*.te) [ê] Contr. da prep. *de* com o pr. dem. *este*: *Devo viajar no começo deste verão.* [F.: *d(e)* + *este*.]
destelhado (des.te.*lha*.do) *a.* 1 Que se destelhou, que sofreu destelhamento: *O tufão teve como resultado casas destelhadas, árvores arrancadas.* 2 Desprovido de telhas: *Nessa parte o terraço é destelhado, para facilitar a entrada de ar e luz.* [F.: Part. de *destelhar*.]
destelhamento (des.te.lha.*men*.to) *sm.* Ação ou resultado de destelhar(-se), de tirar ou perder telhas [Ant.: *telhamento*.] [F.: *destelhar* + *-mento*.]
destelhar (des.te.*lhar*) *v.* Arrancar ou quebrar telhas de (edificação), ou perdê-las [*td.*] [*int.*] [▶ 1 destelhar] [F.: *des-* + *telhar*.]
destemer (des.te.*mer*) *v. td.* Não ter medo de [▶ 1 destemer] [F.: *des-* + *temer*.]
destemido (des.te.*mi*.do) *a.* 1 Que não tem medo, que nada teme; CORAJOSO; INTRÉPIDO; VALENTE: *Era um homem forte e destemido.* 2 Que demonstra arrojo, intrepidez: *Elas assumiram uma posição destemida.* [F.: Part. de *destemer*.]
destemor (des.te.*mor*) [ô] *sm.* Ação ou resultado de destemer, não manifestar temor; falta de temor; CORAGEM; VALENTIA; ARROJO; INTREPIDEZ [F.: *des-* + *temor*.]
destemperado (des.tem.pe.*ra*.do) *a.* 1 Diz-se de metal que perdeu a têmpera 2 *Fig.* Que se revela imoderado, descomedido 3 Que não tem tempero (sopa destemperada); INSOSSO 4 A que se juntou água para alterar a consistência, o gosto ou a cor (batida/tinta destemperada) 5 Que se revela despropositado, disparatado (discussão destemperada) 6 Diz-se de cavalgadura difícil de lidar 7 Diz-se de voz ou instrumento desafinado 8 Acometido de soltura, diarreia *sm.* 9 Aquele que se mostra descomedido, imoderado: *Os destemperados foram retirados do salão.* [F.: Part. de *destemperar*.]
destemperança (des.tem.pe.*ran*.ça) *sf.* Característica de quem não tem moderação; falta de temperança; INTEMPERANÇA; DESCOMEDIMENTO; IMODERAÇÃO [F.: *des-* + *temperança*.]
destemperar (des.tem.pe.*rar*) *v.* 1 Tornar menos forte o sabor de (comida ou bebida) [*td.*: *Pôs mais água para destemperar o feijão.*] 2 Exceder-se em palavras ou ações; dizer ou praticar despropósitos; DESATINAR; DESVAIRAR [*int.*: *Bebeu um pouco e destemperou; O motorista destemperava-se com o engarrafamento.*] 3 Fazer perder ou perder a têmpera (um metal) [*td.*: *destemperar o aço.*] [*int.*: *O ferro destemperou.*] 4 *Mús.* Desafinar [*td.*: *Um resfriado destemperou sua voz.*] [*int.*: *Com a falta de uso, o piano destemperou-se.*] 5 *Pint.* Esmaecer uma tinta, diluindo-a em água [*td.*] [▶ 1 destemperar] [F.: *des-* + *temperar*. Hom./Par.: *destempero* (fl.), *destempero* [ê] (sm.); *destempera* (fl.), *destêmpera* (sf.); *destemperas* (fl.), *destêmperas* (pl. do sf.).]
destempero (des.tem.*pe*.ro) [ê] *sm.* 1 Ação ou resultado de destemperar 2 Despautério, despropósito: *Ainda é cedo para julgar o destempero da crise.* 3 *Bras. Pop.* Diarreia, soltura [F.: Dev. de *destemperar*. Hom./Par.: *destempero* (sm.), *destempero* (fl. de *destemperar*).]
desterrado (des.ter.*ra*.do) *a.* 1 Que se desterrou, que foi banido de seu país; EXILADO; EXPATRIADO *sm.* 2 Aquele que foi banido [F.: Part. de *desterrar*.]
desterrar (des.ter.*rar*) *v. td.* 1 Obrigar a deixar, ou deixar, a terra natal ou de adoção; EXPATRIAR(-SE); EXILAR(-SE): *A ditadura desterrou os oposicionistas; Desterrou-se voluntariamente.* 2 Manter(-se) afastado, distante; AFASTAR(-SE); DISTANCIAR(-SE) 3 Retirar a terra que cobre; DESENTERRAR 4 *Fig.* Livrar-se de: *desterrar problemas.* [▶ 1 desterrar] [F.: *des-* + *terra* + *-ar*²*.* Hom./Par.: *desterro* (fl.), *desterro* [ê] (sm.).]
desterritorialização (des.ter.ri.to.ri:a.li.za.*ção*) *sf.* Ato ou efeito de desterritorializar, anular ou reduzir os limites territoriais (desterritorialização do capital financeiro/ da luta contra a fome) [Ant.: *territorialização*.] [Pl.: *-ões*.] [F.: *desterritorializar* + *-ção*.]
desterritorializar (des.ter.ri.to.ri:a.li.*zar*) *v. td.* Efetuar a desterritorialização de: "Pode-se conectar, (...) desconectar no sentido de desterritorializar este mesmo território e reconectar, comparado a uma reterritorialização." (Profª. Msc. Michéle Tancman Candido da Silva, *A territorialidade do ciberespaço*) [▶ 1 desterritorializar]
desterro (des.*ter*.ro) [ê] *sm.* 1 Ação ou resultado de desterrar(-se), de sair do próprio domicílio ou do país de origem, por imposição legal ou voluntária 2 Lugar em que vive aquele que foi desterrado 3 *Jur.* Pena que condena alguém ao degredo 4 *P.ext.* Condição de quem vive isolado da sociedade [F.: Dev. de *desterrar*. Hom./Par.: *desterro* [ê] (sm.), *desterro* (fl. de *desterrar*).]
destilação (des.ti.la.*ção*) *sf.* 1 *Quím.* Ação ou resultado de destilar; processo pelo qual, por meio de calor, se passa um líquido para o estado gasoso e, depois, de novo para o estado líquido, só que sem as substâncias indesejáveis que este continha; DESTILAMENTO 2 *P.ext.* Local em que se realizam trabalhos de destilação; DESTILAMENTO [Pl.: *-ções*.] [F.: Do lat. *destillatio, onis*.]
destilado (des.ti.*la*.do) *a.* 1 Que se destilou, que passou por processo de destilação 2 *P.ext.* Diz-se de bebida alcoólica destilada, em oposição à fermentada *sm.* 3 Qualquer produto de destilação 4 *P.ext.* Bebida alcoólica destilada (cachaça, uísque, vodca etc.): *Gostava de cerveja, não de destilados.* [F.: Part. de *destilar*.]
destilador (des.ti.la.*dor*) [ô] *a.* 1 Que destila 2 Diz-se de aparelho us. em destilação *sm.* 3 Aparelho us. em destilação; ALAMBIQUE [F.: *destilar* + *-dor*.]
destilamento (des.ti.la.*men*.to) *sm.* O mesmo que *destilação*. [F.: *destilar* + *-mento*.]
destilar (des.ti.*lar*) *v.* 1 *Quím.* Efetuar a destilação ou separação de (líquidos) por evaporação e condensação de vapores; ESTILAR [*td.*] 2 *Fig.* Deixar perceber; INSINUAR; INSTILAR [*td.*: *Suas palavras destilavam ódio.*] 3 Sair ou deixar que saia em gotas; GOTEJAR; RESSUMAR [*td.*: *A seringueira destila o látex.*] [*ta.*: *O orvalho destilava da planta.*] [*int.*: *O tronco destilava.*] [▶ 1 destilar] [F.: Do v.lat. *destillare*. Hom./Par.: *destilaria* (fl.), *destilaria* (sf.).]
destilaria (des.ti.la.*ri*:a) *sf.* Estabelecimento ou fábrica em que se processa destilação [F.: *destil(ar)* + *-aria*.]
destinação (des.ti.na.*ção*) *sf.* 1 Ação ou resultado de destinar(-se) 2 Lugar ou meta a ser alcançada; DESTINO; DIREÇÃO [Pl.: *-ções*.] [F.: Do lat. *destinatio, onis*.]
destinado (des.ti.*na*.do) *a.* 1 Que se destinou, que se atribuiu ou designou antecipadamente 2 Cujo destino foi traçado por algo ou alguém [F.: Part. de *destinar*.]
destinador (des.ti.na.*dor*) [ô] *a.* 1 Que destina, determina antecipadamente 2 Que emite, que remete algo *sm.* 3 Aquele ou aquilo que destina, determina 4 Aquele ou aquilo que emite, que remete [F.: *destinar* + *-dor*.]
destinar (des.ti.*nar*) *v.* 1 Dar destino a; determinar antecipadamente [*td.*: *Quem destina a vida dos homens?*] 2 Fazer com que se dedique ou dedicar-se a [*tdr.* + *a*: *Destina o filho à advocacia; Destinou-se a cuidar dos pobres.*] 3 Reservar (algo) (para determinado destino ou fim) [*tdr.* + *a*: "O Brasil destinou, no ano passado, cerca de 20% das exportações à Argentina" (*FolhaSP*, 15.07.1999)] 4 Ter como finalidade [*tr.* + *a*: *Este dinheiro destina-se ao pagamento do aluguel.*] [▶ 1 destinar] [F.: Do v.lat. *destinare*. Hom./Par.: *destino* (fl.), *destino* (sm.).]
destinatário (des.ti.na.*tá*.ri:o) *sm.* 1 Aquele a quem se envia ou destina alguma coisa: *Não entregou a carta ao destinatário.* 2 *Fig.* Aquele a quem se dirige algo: *Julgava-se o feliz destinatário dos comentários femininos.* 3 *Ling.* Receptor, ouvinte [F.: *destinar* + *-tário*.]
destingir (des.tin.*gir*) *v.* Fazer perder ou perder a cor ou a tinta; DESBOTAR [*td.*: *Uma só lavagem destingiu a calça.*] [*int.*: *Se ficar no sol, vai destingir; Alguns tecidos destingem-se mais facilmente.*] [▶ 46 destingir] [F.: *des-* + *tingir*. Hom./Par.: *destinto* (part.), *distinto* (a.).]
destino (des.*ti*.no) *sm.* 1 Sequência de acontecimentos e situações pretensamente predeterminados, na existência humana 2 *P.ext.* Força supostamente insuperável que regeria essa predeterminação; FATALIDADE; SORTE: "... agradece ao destino o haveres escapado tão depressa." (Machado de Assis, *A mão e a luva*) 3 Lugar para onde se pretende ir: *Só saía de casa com destino certo; Seu destino era o Porto.* 4 Os dias vindouros, o futuro: *Como adivinharia seu destino?* 5 Fim ou objetivo pretendido: *O destino do dinheiro foi definido.* [F.: Dev. de *destinar*. Hom./Par.: *destino* (sm.), *destino* (fl. de *destinar*).]
destiranizar (des.ti.ra.ni.*zar*) *v.* 1 Libertar da tirania [*td.*: *O povo lutou para destiranizar o governo.*] 2 Deixar de tiranizar [*td.*: *O pai entendeu que era melhor destiranizar os filhos.*] [▶ 1 destiranizar] [F.: *des-* + *tiranizar*. Ant. ger.: *tiranizar*.]
destituição (des.ti.tu.i.*ção*) *sf.* 1 Ação ou resultado de destituir(-se) 2 Demissão, exoneração 3 Falta, privação [Pl.: *-ções*.] [F.: *destituir* + *-ção*.]
destituído (des.ti.tu.*í*.do) *a.* 1 Que foi afastado de um cargo, privado de uma função ou honraria; DEMITIDO; EXONERADO 2 Privado, despojado de algo [F.: Part. de *destituir*.]
destituinte (des.ti.tu.*i n*.te) *a2g.* 1 Que destitui, que despoja ou priva alguém de alguma coisa (proposição/voto destituinte) *s2g.* 2 Aquele, aquela ou aquilo que destitui [F.: *destituir* + *-nte*.]
destituir (des.ti.tu.*ir*) *v.* 1 Demitir de ou renunciar a (cargo, dignidade, emprego); EXONERAR(-SE) [*td.*: *O deputado destituirá o assessor.*] [*tdr.* + *de*: *Destituiu-se da direção.*] 2 Privar (alguém ou si mesmo) da posse de (algo); DESPOJAR(-SE); DESAPOSSAR(-SE) [*tdr.* + *de*: *Vão destituí-lo do imóvel; A freira destituiu-se de seus bens.*] [▶ 56 destituir] [F.: Do v.lat. *destituere*.]
destoado (des.to.*a*.do) *a.* 1 Que destoou, que desentoou; DESAFINADO 2 Que divergiu, que discordou 3 Inadequado, inapropriado [F.: Part. de *destoar*.]
destoante (des.to.*an*.te) *a2g.* 1 Que destoa, que sai do tom: *Havia, na orquestra, um instrumento destoante.* 2 Que não está de acordo, que diverge; DISCORDANTE; DIVERGENTE: *Respeitava as opiniões destoantes.* 3 Que não condiz; que se mostra impróprio, inconveniente: *Sua roupa era destoante, naquele ambiente.* [F.: *destoar* + *-nte*.]
destoar (des.to.*ar*) *v.* 1 Perder o tom ou a afinação; DESAFINAR [*int.*] 2 Soar mal [*int.*: *A junção dois sobrenomes destoa.*] 3 Estar em desarmonia; DISCORDAR; DIVERGIR [*tr.* + *de*: *Nunca destoa dos pais.*] 4 Não combinar com ou não ser próprio de [*tr.* + *de*: *Seus trajes destoavam da ocasião.*] [▶ 16 destoar] [F.: *des-* + *toar*.]
destoca (des.*to*.ca) *sf.* 1 *Bras.* Ato ou efeito de destocar 2 Desmatamento em que os criminosos, após cortarem as árvores, retiram dali primeiro os troncos grandes, deixando para depois os pequenos e os tocos das árvores (destoca mecanizada): *Operações de destoca e subsolagem.* [F.: Dev. de *destocar*.]
destocar¹ (des.to.*car*) *v. td.* 1 Arrancar toco(s) de (árvores) 2 Tirar os tocos de (um terreno), para plantio ou construção 3 *MG* Escanhoar (a barba) [▶ 11 destocar] [F.: *des-* + *toco* + *-ar*².]
destocar² (des.to.*car*) *v. td. Bras.* Expulsar (animais) da toca ou buraco; DESENTOCAR [▶ 11 destocar] [F.: *des-* + *toca* + *-ar*².]
destoldar (des.tol.*dar*) *v.* 1 Fazer tirar ou perder o toldo; DESCOBRIR(-SE) [*td.*: *Destoldou a varanda do apartamento.*] [*int.*: *A marquise destoldou-se com a ventania.*] 2 *Fig.* Tornar(-se) claro, límpido; DESANUVIAR(-SE) [*td.*: *O fim do nevoeiro destoldou o horizonte.*] [*int.*: *O céu destoldou-se logo pela manhã.*] 3 *Fig.* Tornar(-se) livre, puro [*td.*: *A noite de sono destoldou sua mente.*] [*int.*: *Seu espírito afinal destoldou-se.*] [▶ 1 destoldar] [F.: *des-* + *toldar*.]
destombar (des.tom.*bar*) *P.us. v.* 1 Anular (o Estado) o tombamento de [*td.*: "Em Campos dos Goytacazes (RJ), o presidente Jânio Quadros (1917-1992) destombou em 1961 uma casa e uma igreja dos séculos 18 e 19." (*Folha de S.Paulo*, 25.12.2005); "Em 1939, já sob o Estado Novo, Getúlio Vargas resolveu 'destombar' a cidade [São João Marcos], desconsiderando a decisão do SPHAN e as reivindicações da população marcossense." (Dilma Andrade de Paula, *Revista de História Regional*, n. 1, vol. 1, 1996)] 2 Fazer voltar à posição normal (algo que tombou ou foi derrubado) [*td.*: "Segundo a CET (Companhia de Engenharia de Tráfego), um guincho está no local para destombar o caminhão." (*Folha Online*, 07.01.2002)] [▶ 1 destombar] [F.: *des-* + *tombar*. Ant. ger.: *tombar*.]
destorcer (des.tor.*cer*) *v.* 1 Endireitar(-se) (o que estava torcido) [*td.*: *destorcer um fio de arame.*] [*int.*: *A alça destorceu.*] 2 Virar ou torcer para o lado oposto [*td.*] 3 *PE* Torcer (o assunto), fazendo-se de desentendido [*td.*] 4 Dar voltas em sentido contrário a outras [*int.*: *Esperava a namorada contornando o quarteirão, torcendo e destorcendo.*] 5 Desviar com esforço [*tda.*: *Afinal destorceu a derrota do pensamento.*] 6 *S.* Proceder desembaraçada e proveitosamente [*td.*: *As acusações eram sérias, mas ele conseguiu destorcer-se.*] [▶ 33 destorcer] [F.: *des-* + *torcer*. Hom./Par.: *destorcer* (v.), *distorcer* (v.).]
destorcido (des.tor.*ci*.do) *a.* 1 Que se destorceu, que se endireitou (após estar torcido) 2 Aprumado, elegante 3 *Bras.* Desenvolto, despachado 4 O mesmo que *valentão* [F.: Part. de *destorcer*. Hom./Par.: *distorcido* (a.).]
destoxicação (des.to.xi.ca.*ção*) *sf.* O mesmo que *desintoxicação* [Pl.: *-ções*.]
destoxificação (des.to.xi.fi.ca.*ção*) *sf.* O mesmo que *desintoxificação* [Pl.: *-ções*.]
destoxificar (des.to.xi.fi.*car*) [cs.] *v.* O mesmo que *desintoxicar* [*td.*: *O remédio destoxificou-o.*] [*int.*: *O leite serve para destoxificar.*] [▶ 11 destoxificar] [F.: *des-* + *tóxico* sob a f. *toxi-* + *-ificar*.]
destra (*des*.tra) [ê] *sf.* A mão direita [F.: Do lat. *dextera* ou *dextra*. Cf.: *sinistra*.] ■ À ~ Do lado direito
destramar (des.tra.*mar*) *v.* 1 Desfazer a trama de; DESTECER [*td.*: *Destramou o bordado.*] [*int.*: *A costura destramou-se.*] 2 Desvendar (enredo, intriga, trama etc.); dar solução a; DESENREDAR; DESLINDAR [*td.*: *Destramou a intriga com grande facilidade.*] 3 Descobrir e impedir (conluio, conspiração, trama) [*td.*: *Destramou toda a maquinação dos rebelados.*] [▶ 1 destramar] [F.: *des-* + *tramar*.]
destrambelhado (des.tram.be.*lha*.do) *a.* 1 *Fig. Pop.* Que se destrambelhou, que se desordenou ou amalucou 2 *Fig. Pop.* Sem o trambelho, solto, largado *sm.* 3 Aquele que se destrambelhou [F.: Part. de *destrambelhar*.]
destrambelhamento (des.tram.be.lha.*men*.to) *sm.* 1 Ato ou efeito de destrambelhar(-se); DESTRAMBELHO 2 Ação ou resultado de se escangalhar, quebrar; DESCONSERTO; ESTRAGO 3 *Fig. Pop.* Endoidecimento, desatino 4 Devassidão, desregramento [F.: *destrambelhar* + *-mento*.]
destrambelhar (des.tram.be.*lhar*) *v.* 1 *Fig.* Passar a levar vida irregular ou desregrada [*int.*: *Destrambelhou de vez, e já nem trabalha.*] 2 Prejudicar o bom funcionamento de; ESCANGALHAR [*int.*: *Com a queda, meu celular destrambelhou.*] 3 Transtornar ou ficar transtornado; fazer perder ou perder o juízo, a razão [*td.*: *A perda do marido a destrambelhará.*] [*int.*: *É difícil ele destrambelhar.*] [▶ 1 destrambelhar] [F.: *des-* + *trambelho* + *-ar*².]
destrancamento (des.tran.ca.*men*.to) *sm.* Ato ou efeito de destrancar, tirar as trancas, abrir o que se trancara [Ant.: *trancamento*.] [F.: *destrancar* + *-mento*.]
destrancar (des.tran.*car*) *v. td.* Tirar a tranca de; ABRIR: *destrancar um cofre.* [Ant.: *trancar*.] [▶ 11 destrancar] [F.: *des-* + *trancar*.]
destrançar (des.tran.*çar*) *v. td.* 1 Desfazer a trança de: *destrançar o cabelo.* 2 Desenredar (fios) [▶ 12 destrançar] [F.: *des-* + *trançar*.]
destratar (des.tra.*tar*) *v. td. Bras.* Tratar mal; DESRESPEITAR: *Destratava constantemente os funcionários.* [▶ 1 destratar] [F.: *des-* + *tratar*.]
destrato (des.*tra*.to) *sm. Bras.* Ato ou efeito de destratar, atacar oralmente, descompor; DESACATO; DESRESPEITO [F.: Dev. de *destratar*. Hom./Par.: *distrato* (sm.).]
destravado (des.tra.*va*.do) *a.* 1 Que se destravou, de que se soltou a trava ou travão; DESEMBARAÇADO; DESENTRAVADO 2 *Fam.* Amalucado [F.: part. de *destravar*.]
destravamento (des.tra.va.*men*.to) *sm.* Ato ou efeito de destravar(-se), de soltar a trava; DESTRAVAGEM [Ant.: *travamento*.] [F.: *destravar* + *-mento*.]
destravancar (des.tra.van.*car*) *v. td.* O mesmo que *desatravancar*: *destravancar um caminho.* [Ant.: *atravancar*.] [▶ 11 destravancar] [F.: *des-* + *travanca* + *-ar*².]
destravar (des.tra.*var*) *v.* 1 Soltar(-se) (o que estava travado) [*td.*: *destravar um mecanismo.*] [*int.*: *A porta da garagem destravou-se.*] 2 Desprender das peias; soltar as peias de [*td.*: *destravar um cavalo.*] 3 *Fig.* Libertar(-se) daquilo que impede a expressão, a emissão etc. (de); SOLTAR(-SE) [*td.*: *destravar a voz/a fala.*] [*int.*: *De repente sumia a sua gagueira, a língua se destravava.*] 4 *Pop.* Evacuar excrementos (falando de animal) [*int.*] [▶ 1 destravar] [F.: *des-* + *travar*. Ant. ger.: *travar*.]
destreinado (des.trei.*na*.do) *a.* 1 Que se destreinou, ficou sem treino: *Era o único jogador destreinado.* 2 Que está sem prática em algo [F.: Part. de *destreinar*.]

destreinar (des.trei.*nar*) *v.* Tirar ou perder o treino, o adestramento [*td.*: *O longo afastamento dos gramados destreinou o goleiro.*] [*int.*: *O atleta destreinou-se.* Ant.: *treinar*] [▶ 1 destreinar] [F.: *des-* + *treinar*.]

destreza (des.*tre*.za) [ê] *sf.* **1** Qualidade de quem é destro, de quem usa mais a mão direita **2** *P.ext.* Agilidade física ou habilidade manual: *A destreza do tenista nos impressionou.* **3** *Fig.* Qualidade de quem é engenhoso, hábil **4** *Fig.* Qualidade de astuto, sagaz [F.: *destro* + *-eza*.]

◎ **destr(i)-** *el. comp.* = 'direito'; 'que se acha à direita'; 'lado direito'; 'mão direita': *destrímano*; *adestrar*; *ambidestro* (< lat.), *manidestro* [F.: Do lat. *dexter, tra, trum*, 'direito'; 'que está à direita'. Outra f.: *dextr(o)-*.]

destribalização (des.tri.ba.li.za.*ção*) *sf.* *Antr.* Ato ou efeito de destribalizar(-se), perder ou fazer perder o caráter, a organização tribal [Ant.: *tribalização*] [Pl.: *-ões*.] [F.: *destribalizar* + *-ção*.]

destribalizar (des.tri.ba.li.*zar*) *v. td.* **1** Tirar (alguém) de sua tribo: *Destribalizou dois índios xavantes.* **2** *P.ext. Pop.* Tirar (alguém) do grupo ou meio a que tradicionalmente pertence: *O diretor destribalizou a atriz.* [▶ 1 destribalizar] [F.: *des-* + *tribalizar*.]

destrinçado (des.trin.*ça*.do) *a.* **1** Que se destrinçou, que se procedeu à separação dos fios de; DESENLEADO; DESENREDADO **2** *Fig.* Que foi solucionado, esclarecido, resolvido **3** Que se esmiuçou, se particularizou: *A lição já estava destrinçada.* [F.: Part. de *destrinçar*. Tb. *destrinchado*.]

destrinçar (des.trin.*çar*) *v. td.* **1** Analisar ou expor pormenorizadamente; ESMIUÇAR: *destrinçar um texto/uma história.* **2** Encontrar solução para; RESOLVER: *destrinçar uma equação/um mistério/uma questão.* **3** Separar fios ou fibras ou as partes de: *destrinçar um peru.* **4** Dividir um foro (ô) ou logradouro proporcionalmente aos prédios ou a seus proprietários [▶ 12 destrinçar] [F.: De or. incerta; posv. do lat. **strictiare*; existe a var. *destrinchar* posv. por infl. de *trinchar*. Hom./Par.: *destrinça* (fl.), *destrinça* (sf.); *destrinças* (fl.), *destrinças* (pl. do sf.). Tb. *destrinchar*.]

destrinchado (des.trin.*cha*.do) *a.* Ver *destrinçado*

destrinchar (des.trin.*char*) *v.* Ver *destrinçar*

destripar (des.tri.*par*) *v. td.* Tirar as tripas de; ESTRIPAR [▶ 1 destripar] [F.: *des-* + *tripa* + *-ar*[2].]

◎ **-destr(o)-** *el. comp.* Ver *destr(i)-*

◎ **-destro** *el. comp.* Ver *destr(i)-*

destro (*des*.tro) [ê] [é] *a.* **1** Diz-se daquele que usa mais a mão direita; DIREITO [Cf.: *sinistro*.] **2** Que fica do lado direito **3** Dotado de especial habilidade; PERITO **4** *Fig.* Que demonstra agilidade, desembaraço **5** *Fig.* Dotado de astúcia, esperteza [F.: Do lat. *dexter, era, erum* ou *dexter, tra, tum*. Cf.: *sinistro*.]

destroçado (des.tro.*ça*.do) *a.* **1** Que se destroçou; reduzido a destroços, destruído: *O barco foi destroçado pela tempestade.* **2** *Fig.* Que foi abatido, derrotado, arruinado: *Foi destroçado pela perda da mulher.* [F.: Part. de *destroçar*.]

destroçamento (des.tro.ça.*men*.to) *sm.* Ato ou efeito de destroçar [F.: *destroçar* + *-mento*.]

destrocar (des.tro.*car*) *v. td.* Desfazer a troca de [▶ 11 destrocar] [F.: *des-* + *trocar*. Hom./Par.: *destroca* (fl.), *destroça* (sf.); *destrocas* (fl.), *destrocas* (pl. do sf).]

destroçar (des.tro.*çar*) *v. td.* **1** Fazer em pedaços; DESPEDAÇAR: *Destroçou o copo.* **2** Arruinar, destruir, devastar: *destroçar uma cidade.* **3** Derrotar, desbaratar: *Destroçaram o exército inimigo.* **4** Dar cabo de; ESBANJAR: *destroçar uma herança.* **5** Pôr em fuga desordenada; DEBANDAR; DISPERSAR: *destroçar um batalhão.* [▶ 12 destroçar] [F.: *des-* + *troço* [ô] + *-ar*[2].]

destroços (des.*tro*.ços) [ó] *smpl.* **1** Restos do que sobrou de um desastre, de um processo de destruição: *Os destroços do ônibus atravancaram a estrada.* **2** *Fig.* O que restou de uma pessoa arruinada, destruída: *A bebida o transformou em destroços.* [F.: Pl. de *destroço*, dev. de *destroçar*.]

destróier (des.*troi*.er) *sm. Bras. Mar.* O mesmo que *contratorpedeiro*. [Pl.: *-eres*.] [F.: Do ingl. *destroyer*.]

destronado (des.tro.*na*.do) *a.* **1** Que se destronou, perdeu o trono ou deste foi derrubado **2** *Fig.* Que perdeu prestígio; PRETERIDO: *O sambista se viu destronado pelo roqueiro.* [F.: Part. de *destronar*.]

destronador (des.tro.na.*dor*) [ô] *a.* **1** Que destrona, que tem poder de destronar, de destituir do trono *sm.* **2** Aquele ou aquilo que destrona, que destituí do trono [Pl.: *-ores*.] [F.: *destronar* + *-dor*. Ant. ger.: *entronador*.]

destronamento (des.tro.na.*men*.to) *sm.* **1** Ação ou resultado de destronar(-se) **2** Ato de abdicar; RENÚNCIA **3** Perda de prestígio [F.: *destronar* + *-mento*.]

destronar (des.tro.*nar*) *v. td.* **1** Derrubar (um soberano) do trono; DESTITUIR; DESTRONIZAR **2** *Fig.* Fazer perder a liderança, o prestígio etc.: *A jovem atriz destronou a antiga diva.* [▶ 1 destronar] [F.: *des-* + *trono* + *-ar*[2].]

destroncado (des.tron.*ca*.do) *a.* **1** Que se destroncou; separado ou arrancado do tronco **2** Que se desmembrou ou mutilou (corpo *destroncado*) **3** Que saiu da junta ou articulação; LUXADO; DESLOCADO [F.: Part. de *destroncar*.]

destroncar (des.tron.*car*) *v.* **1** Fazer sair ou sair de articulação ou junta; DESLOCAR [*td.*: *Destronquei o tornozelo.*] [*int.*: *Seu braço destroncou.*] **2** Separar do tronco; DESGALHAR; ESGALHAR [*td.*] [▶ 11 destroncar] [F.: *des-* + *tronco* + *-ar*[2].]

destruição (des.tru:i.*ção*) *sf.* **1** Ação ou resultado de destruir(-se) **2** Ação ou resultado de demolir ou derrubar o que estava construído; DEMOLIÇÃO **3** Ação ou resultado de tirar a vida, matar; EXTERMINAÇÃO; EXTERMÍNIO: *Houve, no parque, uma grande destruição da vida animal.* **4** Devastação, ruína: *A tempestade causou uma destruição geral.* **5** Fim, término: *A competitividade levou à destruição da amizade entre os colegas de empresa.* [Pl.: *-ções*.] [F.: Do lat. *destructio, onis*.]

destruído (des.tru.*í*.do) *a.* Que se destruiu; DESTROÇADO; ARRUINADO [Ant.: *construído*] [F.: Part. de *destruir*.]

destruidor (des.tru:i.*dor*) [ô] *a.* **1** Que destrói; DESTRUTOR; ANIQUILADOR: *Sua crítica era totalmente destruidora.* *sm.* **2** Aquele ou aquilo que destrói [F.: *destruir* + *-dor*.]

destruir (des.tru.*ir*) *v.* **1** Arruinar, aniquilar, devastar (algo, alguém ou si mesmo) [*td.*: *O terremoto destruiu a catedral; Entregou-se à bebida e destruiu-se.*] **2** Matar(-se), exterminar(-se) [*td.*] **3** Ter efeito deletério; reduzir a nada [*td.*: *Este escândalo destruirá sua boa reputação.*] **4** *Fig.* Fazer desaparecer; EXTINGUIR; EXTERMINAR [*td.*: *destruir uma ilusão/um sonho.*] **5** *Bras. Gír.* Ter grande sucesso ou ótimo desempenho [*int.*: *Entrou em campo no segundo tempo e destruiu.*] **6** Desfazer, desarranjar [*td.*: *A chuva destruiu nossos planos.*] [▶ 56 destruir] [F.: Do v.lat. *destruere*.]

destruível (des.tru.*í*.vel) *a2g.* O mesmo que *destrutível* [Pl.: *-veis*.] [F.: *destruir* + *-vel*.]

destrutibilidade (des.tru.ti.bi.li.*da*.de) *sf.* Qualidade, condição ou característica do que é destrutível [Ant.: *indestrutibilidade*.] [F.: *destrutível*, sob a f. *destrutibil-*, + *-(i)dade*, seg. o mod. erudito.]

destrutível (des.tru.*tí*.vel) *a2g.* Que se pode destruir [Pl.: *-veis*.] [F.: Do lat. *destructibilis, e*.]

destrutividade (des.tru.ti.vi.*da*.de) *sf.* **1** Qualidade ou característica do que é destrutível, destruidor **2** Poder ou capacidade de destruição **3** *Psi.* Distúrbio que leva a manifestar agressividade, seja em termos materiais (quebrando coisas, destruindo objetos, p.ex.), seja em termos psicológicos e emocionais [F.: *destrutivo* + *-(i)dade*. Ant.: *construtividade*.]

destrutivo (des.tru.*ti*.vo) *a.* Diz-se do que destrói ou leva à destruição, ou pode ser us. para destruir (temperamento *destrutivo*): *Bomba de alto poder destrutivo.* [F.: Do lat. *destructivus, a, um*.]

desturvar (des.tur.*var*) *v.* Tirar a turvação; ACLARAR [*td.*: *desturvar a mente.*] [*int.*: *A mistura deve desturvar antes de acrescentarmos novo ingrediente.*] [▶ 1 desturvar] [F.: *des-* + *turvar*.]

desumanidade (de.su.ma.ni.*da*.de) *sf.* **1** Falta de humanidade **2** Atitude bárbara, violenta; SELVAGERIA [F.: *des-* + *humanidade*.]

desumanização (de.su.ma.ni.za.*ção*) *sf.* Ação ou resultado de desumanizar(-se), tornar-se desumano ou menos humano [Ant.: *humanização*] [Pl.: *-ções*.] [F.: *desumanizar* + *-ção*.]

desumanizado (de.su.ma.ni.*za*.do) *a.* Que se desumanizou, que se tornou desumano ou menos humano [Ant.: *humanizado*.] [F.: Part. de *desumanizar*.]

desumanizador (de.su.ma.ni.za.*dor*) [ô] *a.* **1** Que desumaniza, que contribui para desumanizar (regime *desumanizador*; prática *desumanizadora*) *sm.* **2** Aquele ou aquilo que desumaniza: *O desumanizador da África "negra" é o branco.* [F.: *desumanizar* + *-dor*. Ant. ger.: *humanizador*.]

desumanizante (de.su.ma.ni.*zan*.te) *a2g.* O mesmo que *desumanizador* [Ant.: *humanizante*] [F.: *desumanizar* + *-nte*.]

desumanizar (de.su.ma.ni.*zar*) *v.* Tirar ou perder a condição ou a característica humana; tornar(-se) desumano [*td.*: *A má-educação desumanizou o garoto.*] [*int.*: *As tristezas da vida fê-lo desumanizar-se, tornar-se frio.* Ant.: *humanizar*.] [▶ 1 desumanizar] [F.: *des-* + *humanizar*.]

desumano (de.su.*ma*.no) *a.* **1** Que não tem humanidade; CRUEL; BÁRBARO **2** Que revela desumanidade, crueldade (gesto *desumano*); ATROZ [F.: *des-* + *humano*.]

desumidificação (de.su.mi.di.fi.ca.*ção*) *sf.* **1** Ato ou efeito de desumidificar, suprimir ou reduzir a umidade do ar [Ant.: *umidificação*.] **2** Processo pelo qual se retira a umidade (vapor d'água) de uma mistura gasosa [Pl.: *-ões*.] [F.: *desumidificar* + *-ção*.]

desumidificador (de.su.mi.di.fi.ca.*dor*) [ô] *a.* **1** Que desumidifica **2** *Tec.* Diz-se de aparelho que remove o excesso de água presente no ar e mantém a umidade relativa do ambiente em porcentagens ideais para evitar o surgimento de mofo, fungos, odores, oxidação etc. *sm.* **3** Aquilo que desumidifica **4** *Tec.* Aparelho desumidificador (1) [F.: *desumidificar* + *-dor*. Ant. ger.: *umidificador*.]

desumidificar (de.su.mi.di.fi.*car*) *v. td.* Tirar a umidificação, a umidade de: *desumidificar o ar.* [▶ 11 desumidificar] [F.: *des-* + *umidificar*.]

desunião (de.su.ni.*ão*) *sf.* **1** Separação, afastamento [+ *de*, *entre*: *Desunião das vontades e das ideias; Há uma profunda desunião entre eles.*] **2** Desavença, discórdia (*desunião* familiar) [Pl.: *-ões*.] [F.: *des-* + *união*. Ant. ger.: *união*.]

desunidade (de.su.ni.*da*.de) *sf.* Falta de unidade, de coesão, esp. de ideias ou opiniões; DISCORDÂNCIA; DESAVENÇA [Ant.: *unidade*.] [F.: *des-* + *unidade*.]

desunido (de.su.*ni*.do) *a.* **1** Não unido (tábuas *desunidas*); SEPARADO: *tábuas desunidas.* **2** *Fig.* Em desacordo, em desinteligência (irmãos *desunidos*) [F.: Part. de *desunir*. Ant. ger.: *unido*.]

desuniforme (de.su.ni.*for*.me) *a2g.* Não uniforme; IRREGULAR: "Como a barra de corte da colhedeira deve trabalhar o mais próximo possível do solo, desníveis do terreno provocam corte *desuniforme*..." (*Folha de S.Paulo*, 11.01.2004) [Ant.: *uniforme*.] [F.: *des-* + *uniforme*.]

desuniformidade (de.su.ni.for.mi.*da*.de) *sf.* Falta de uniformidade: "E como o desequilíbrio não cessa, não cessam essas terríveis *desuniformidades*." (Eça de Queirós, *Prosas bárbaras*) [Ant.: *uniformidade*.] [F.: *des-* + *uniformidade*.]

desunir (de.su.*nir*) *v. td.* **1** Desfazer(-se) ou desmembrar(-se) o que estava unido ou unificado: *desunir fios; Os sócios acabaram por desunir-se.* **2** Pôr(-se) em desacordo; DESARMONIZAR(-SE); DESAVIR(-SE): *O dinheiro desune os homens; O ciúme fez os irmãos desunirem-se.* [▶ 3 desunir] [F.: *des-* + *unir*. Ant. ger.: *unir*.]

desusado (de.su.*sa*.do) *a.* **1** Que não está em uso, em circulação (palavra *desusada*); ANTIQUADO **2** Que não costuma ocorrer; ANORMAL; INCOMUM; INUSITADO: *Havia no aeroporto um movimento desusado.* [F.: Part. de *desusar*.]

desusar (de.su.*sar*) *v.* Não mais usar (algo) ou cair em desuso [*td.*] [*int.*] [▶ 1 desusar] [F.: *des-* + *usar*.]

desuso (de.*su*.so) *sm.* **1** Falta de uso ou de emprego: *palavras em desuso.* **2** Falta de hábito, de costume [F.: *des-* + *uso*.]

desvairado (des.vai.*ra*.do) *a.* **1** Que perdeu o equilíbrio emocional; fora de si: *Apareceu diante dele desvairada, com a tesoura na mão.* **2** Que perdeu a orientação; DESNORTEADO **3** Que exprime o desvairo ou desvario, a loucura (olhar *desvairado*) **4** Falto de coerência, lógica, adequação: *Saiu-se com um discurso desvairado.* **5** Vário, variado **6** *Fig.* Diz-se de algo tão extremo que leva ao desatino (dor *desvairada*, paixão *desvairada*) **7** Extravagante, excêntrico *sm.* **8** Aquele que se acha dominado pelo desvario: *O desvairado jogou o carro contra a murada da ponte.* **9** Indivíduo de vida desregrada, que age com desvario [F.: Part. de *desvairar*.]

desvairamento (des.vai.ra.*men*.to) *sm.* **1** Ação ou resultado de desvairar; DESVAIRO; DESVARIO **2** Condição de desvairado, de louco, alucinado **3** Falta de tino, sensatez; DISPARATE [F.: *desvairar* + *-mento*.]

desvairar (des.vai.*rar*) *v.* **1** Fazer cair ou cair em desvario ou alucinação [*td.*: *Uma ambição sem medida a desvairou.*] [*int.*: *Com a miragem da riqueza, desvairaram.*] **2** Tornar enfurecido, exaltado [*td.*: *Os comentários da família o desvairaram.*] **3** Apresentar discordância; DISCREPAR [*tr.* + *de*: *Minha moral desvaira da sua.*] **4** Andar sem destino; ERRAR; VAGAR; VAGUEAR [*int.*: *Levou um fora e desvairou-se.*] [▶ 1 desvairar] [F.: Do espn. *desvariar*, com metátese. Hom./Par.: *desvairo* (fl.), *desvairo* (sm.).]

desvairo (des.*vai*.ro) *sm.* **1** Ação ou resultado de desvairar; DESVARIO; DESVAIRAMENTO **2** Estado de insanidade ou de alucinação; DESVARIO; DESVAIRAMENTO **3** Comportamento ou procedimento enlouquecido, insensato; DESVARIO; DESVAIRAMENTO [F.: Dev. de *desvairar*. Hom./Par.: *desvairo* (sm.), *desvairo* (fl. de *desvairar*).]

desvalia (des.va.*li*:a) *sf.* **1** Falta ou perda de valia, valor, serventia; DESVALOR **2** Falta de amparo, de proteção; DESAMPARO [F.: *des-* + *valia*.]

desvaliar (des.va.li.*ar*) *v. td.* Perder ou tirar a valia; DEPRECIAR(-SE); DESVALORIZAR(-SE): *Procurava desvaliar o gesto de seu protetor; Desvaliava-se diante de seu chefe.* [▶ 1 desvaliar] [F.: *desvalia* + *-ar*[2].]

desvalido (des.va.*li*.do) *a.* **1** Que não tem valia, valimento **2** Que se acha sem proteção; DESAMPARADO; DESPROTEGIDO: *Queria cuidar das crianças desvalidas.* **3** Que vive na pobreza, na miséria: *O menino, desvalido, pedia esmolas.* **4** Aquele que é pobre demais, miserável: *Os desvalidos dormiam sob o viaduto.* [F.: Part. de *desvaler*.]

desvalimento (des.va.li.*men*.to) *sm.* **1** Falta ou perda de valimento; DESVALIA **2** Falta ou perda de favor, de proteção: "A visão dos filhinhos alanceados por saudade, pobreza e *desvalimento*..." (Camilo Castelo Branco, *Mulher fatal*) [F.: *desvaler* + *-imento*. Ant. ger.: *valimento*.]

desvalor (des.va.*lor*) [ô] *sm.* **1** Falta ou perda de valor; DESVALIA **2** Falta de aceitação, de afeto; DESESTIMA: "E, no entanto, ela cada dia para com ele mais se abranda, apiedada de seu *desvalor*." (Guimarães Rosa, *Primeiras estórias*) [F.: *des-* + *valor*.]

desvalorização (des.va.lo.ri.za.*ção*) *sf.* **1** Ação ou resultado de desvalorizar(-se) **2** *Econ.* Perda do valor de troca de uma moeda em relação ao ouro ou a outra moeda mais forte no mercado (*desvalorização* cambial) **3** Diminuição do valor de alguma coisa ou de alguém: *desvalorização do projeto; desvalorização do trabalhador braçal.* [Ant.: *apreciação, enaltecimento*.] [Pl.: *-ções*.] [F.: *desvalorizar* + *-ção*. Sin. ger.: *depreciação*. Ant. ger.: *valorização*.]

desvalorizado (des.va.lo.ri.*za*.do) *a.* Que se desvalorizou, que perdeu o valor: "Custos de produção elevados, dólar *desvalorizado* e queda na produção criaram um cenário desfavorável para os produtores" (*Correio Braziliense*, 06.01.2006) [Ant.: *valorizado*.] [F.: Part. de *desvalorizar*.]

desvalorizar (des.va.lo.ri.*zar*) *v.* **1** Fazer perder ou perder o valor [*td.*: *Tinha o péssimo hábito de desvalorizar os inimigos.*] [*int.*: *Com a construção do presídio, as casas do bairro desvalorizaram-se.*] **2** *Econ.* Promover ou sofrer desvalorização [*td.*: *Naquele ano o Brasil desvalorizou sua moeda, que estava fixa ao dólar.*] [*int.*: *O ouro desvalorizou-se.*] **3** *Fig.* Fazer perder ou perder a reputação, o crédito; DESACREDITAR(-SE) [*td.*: *A má-fé dos amigos o desvalorizou; Agindo assim, desvaloriza-se.*] [▶ 1 desvalorizar] [F.: *des-* + *valorizar*. Ant. ger.: *valorizar*.]

desvanecedor (des.va.ne.ce.*dor*) [ô] *a.* **1** Que desvanece *sm.* **2** Aquele ou aquilo que desvanece [F.: Part. de *desvanecer*.]

desvanecer (des.va.ne.*cer*) *v.* **1** Fazer desaparecer ou desaparecer; EXTINGUIR(-SE); DISSIPAR(-SE) [*td.*: *O vento desvaneceu a tempestade.*] [*int.*: *As nuvens começaram a desvanecer; A antiga desavença se desvaneceu.*] **2** Perder a cor; DESBOTAR-SE [*int.*: *A blusa desvaneceu-se muito rapidamente.*] **3** Aliviar, lenir (dores, males) [*td.*] **4** Frustrar, malograr [*td.*: *O comportamento da sogra desvanecerá a reconciliação do casal.*] **5** Encher(-se) de orgulho, vaidade ou presunção; ENVAIDECER(-SE); UFANAR(-SE) [*td.*: *Honras não desvanecem uma pessoa segura.*] [*tr.* + *com*: *Desvaneciam-se com o talento do filho.*] [▶ 33 desvanecer] [F.: Do espn. *desvanecer*.]

desvanecido (des.va.ne.*ci*.do) *a.* **1** Que desapareceu (lembrança *desvanecida*); DISSIPADO **2** Sem vivacidade, cor; APA-

GADO; DESBOTADO; PÁLIDO: *estampa desvanecida pelo tempo.* [Ant.: *vibrante, vivo.*] 3 *Fig.* Que se encheu de vaidade [+ *com, por*: *O orador agradeceu, desvanecido pelos /com os aplausos.* Ant.: *humilde.*] 4 *N.E. Fam.* Que tem modos exagerados; DESCOMEDIDO [Ant.: *comedido.*] [F.: Part. de *desvanecer.*]

desvanecimento (des.va.ne.ci.*men*.to) *sm.* 1 Ação ou resultado de desvanecer(-se), extinguir-se, apagar-se 2 Sentimento de orgulho, vaidade; PRESUNÇÃO [+ *com, por*: *desvanecimento pela/com a vitória.* Ant.: *humildade.*] 3 *Fig.* Sensação de satisfação, de prazer; CONTENTAMENTO: "Era de ver-se o desvanecimento com que se fizera assíduo nos leilões dos antiquários..." (Josué Montello, *Sempre serás lembrada*) [Ant.: *desprazer, insatisfação.*] 4 Desbotamento (de cor); PALIDEZ [Ant.: *avivamento.*] 5 *N.E. Fam.* Descomedimento, saliência [F.: *desvanecer* + *-imento.* Sin. de 1 a 4: *esvanecimento.*]

desvantagem (des.van.*ta*.gem) *sf.* 1 Falta de vantagem ou prejuízo [+ *para, em*: *desvantagem para os mais velhos; desvantagem na pouca instrução.* Ant.: *vantagem.*] 2 Situação ou condição de pessoa ou grupo que se encontra em posição (lit. ou fig.) abaixo (aquém) de ou posterior à de outrem (desvantagem social): *A desvantagem do time ficou clara após a derrota; No quadro de medalhas, o país ficou na desvantagem em relação a Cuba.* [Us. esp. em situação de comparação, confronto ou disputa.] [Pl.: *-gens.*] [F.: *des-* + *vantagem.*] ■ **Em ~** Em menor número: *Estávamos em desvantagem na hora da discussão.* [Esp. em situação de confronto ou competição em que a quantidade de partícipes seja algo relevante.]

desvantajoso (des.van.ta.*jo*.so) [ô] *a.* Em que há prejuízo ou desvantagem (negócio desvantajoso); DESFAVORÁVEL; INCONVENIENTE [+ *para, a*: *O acordo foi desvantajoso para os grevistas.* Ant.: *conveniente, vantajoso.*] [Pl.: [ó]. Fem.: [ó].] [F.: *des-* + *vantajoso.*]

desvão (des.*vão*) *sm.* 1 Recanto escondido: "Explorar sua casa, seu quarto, suas coisas, sua alma, desvãos..." (Chico Buarque, *Futuros amantes.*) 2 *Arq.* Parte superior da casa entre o forro e o telhado; SÓTÃO 3 *Arq.* Espaço sob escadas onde ger. se guardam coisas 4 *Arq.* Mansarda, água-furtada [Pl.: *-vãos.*] [F.: *des-* + *vão.*]

desvario (des.va.*ri*.o) *sm.* 1 Procedimento enlouquecido ou insensato; DESATINO; INSENSATEZ: *Cometeu o desvario de dar-lhe um tapa.* 2 Insanidade mental; DEMÊNCIA 3 Grande disparate: "...o Brasil agora cede à China por afinidades que não existem no plano econômico – a China é também um fantástico concorrente do Brasil – e soam como desvario no plano geopolítico" (*Valor Econômico*, 17.11.2004) 4 Desacerto, erro: "Nunca, porém, eu notei no seu espírito a menor vacilação, e muito menos um desvario" (José de Alencar, *Encarnação*) 5 Coisa ou feito extravagante: "Os seus desvarios de três anos arruinaram a sua fortuna" (José de Alencar, *A viuvinha*) 6 Entusiasmo extremo; DELÍRIO; EXALTAÇÃO: "O egresso veio a uma janela que abria sobre o átrio, e tentou dissuadi-los do desvario que mais parecia um excesso de vinho que de patriotismo..." (Camilo Castelo Branco, *A brasileira de Prazins*) 7 Imaginação incontrolável, grande devaneio ou fantasia: "... um estudo infinito das aptidões do sujeito reformado, da natureza do mal, da manipulação do remédio, das circunstâncias da aplicação; matéria, enfim, para todo um andaime de palavras, conceitos, e desvarios" (Machado de Assis, "Teoria do Medalhão" *in Papéis avulsos*) [F.: Do espn. *desvario.* Hom./Par.: *desvario* (sm.), *desvario* (fl. de *desvariar*).]

desvascularização (des.vas.cu.la.ri.za.*ção*) *sf.* 1 *Med.* Ação ou resultado de desvascularizar [Ant.: *vascularização.*] 2 Eliminação dos vasos sanguíneos [Pl.: *-ções.*] [F.: *des-* + *vascularização.*]

desvelado[1] (des.ve.*la*.do) *a.* Que demonstra cuidado, atenção; ATENCIOSO; CUIDADOSO: "...assistida pelo permanente e desvelado carinho dos plantadores..." (Marques Rebelo, "A árvore" *in Contos reunidos*) [+ (*para*) *com*: *desvelado (para) com os idosos.* Ant.: *descuidado, negligente.*] [F.: Part. de *desvelar[1]*.]

desvelado[2] (des.ve.*la*.do) *a.* 1 De que se retirou o véu (rosto desvelado); DESCOBERTO; DESTAPADO [Ant.: *coberto, velado.*] 2 *Fig.* Que se descobriu; REVELADO: *Segredos desvelados não são mais segredos.* [Ant.: *escondido, oculto.*] 3 *Fig.* Claro, transparente, límpido (céu desvelado) [Ant.: *encoberto, nublado, turvo.*] [F.: Part. de *desvelar[2]*.]

desvelamento (des.ve.la.*men*.to) *sm.* Ação ou resultado de desvelar(-se) [F.: *desvelar[1]* + *-mento.*]

desvelar[1] (des.ve.*lar*) *v.* 1 Tirar o sono de [*td.*: *Os problemas financeiros a desvelam.*] 2 Passar (a noite) em claro, sem dormir; VELAR [*td.*: *Não havia remorso que desvelasse suas noites.*] 3 Atuar, agir diligentemente; APLICAR-SE; EMPENHAR-SE [*tr.* + *por*: *desvelar-se por um ideal.*] [▶ 1 desvelar] [F.: Do espn. *desvelar*. Hom./Par.: *desvelo* (fl.), *desvelo* [ê] (sm.).]

desvelar[2] (des.ve.*lar*) *v. td.* 1 Pôr(-se) à vista, tirando o véu: *desvelar o rosto.* 2 *Fig.* Dar a conhecer, revelar: *desvelar um crime/um mistério.* 3 *Fig.* Limpar, aclarar, elucidar: *desvelar comentários enigmáticos.* [▶ 1 desvelar] [F.: *des-* + *velar[2]*. Hom./Par.: *desvelo* (fl.), *desvelo* [ê] (sm.).]

desvelo (des.*ve*.lo) [ê] *sm.* 1 Cuidado extremo, dedicação [+ (*para*) *com, em*: *Era um pai cheio de desvelos (para) com os filhos; Desvelo em manter a casa limpa.* Ant.: *descaso, negligência.*] 2 Objeto do desvelo (1): *Seu desvelo era a gata malhada.* [F.: Dev. de *desvelar[1]*. Hom./Par.: *desvelo* (sm.), *desvelo* (fl. de *desvelar*).]

desvencilhado (des.ven.ci.*lha*.do) *a.* Que se desvencilhou, soltou ou desprendeu [F.: Part. de *desvencilhar.*]

desvencilhar (des.ven.ci.*lhar*) *v.* 1 Desprender(-se), desembaraçar(-se), livrar(-se) [*tdr.* + *de*: *desvencilhar os pulsos das algemas; O antílope desvencilhou-se do leão.*] 2 Desmanchar (nó, liame); DESENREDAR [*td.*: *desvencilhar uma meada.*] 3 *Fig.* Resolver, solucionar (mistério, problema, caso); DESLINDAR [▶ 1 desvencilhar] [F.: *des-* + *vencilho* + *-ar[2]*.]

desvendado (des.ven.*da*.do) *a.* 1 Que teve a venda retirada (olhos desvendados) [Ant.: *vendado.*] 2 *Fig.* Que foi revelado, resolvido, esclarecido (segredo desvendado) [F.: Part. de *desvendar.*]

desvendamento (des.ven.da.*men*.to) *sm.* 1 Ação ou resultado de desvendar(-se) 2 Descoberta, revelação: "...a apuração de um delito penal não se esgota no desvendamento do ato em si: o que vem depois também interessa..." (*O Estado de S. Paulo*, 12.04.2006) [F.: *desvendar* + *-mento.*]

desvendar (des.ven.*dar*) *v.* 1 Tirar a venda dos olhos de [*td.*: *O policial a desvendou.*] 2 *Fig.* Dar(-se) a conhecer; MANIFESTAR(-SE); REVELAR(-SE) [*td.*: *Busca desvendar o segredo de seu desaparecimento.*] [*tdi.* + *a*: *Desvendou a ela a razão de sua indignação.*] [*int.*: *O mistério enfim desvendou-se.*] [▶ 1 desvendar] [F.: *des-* + *venda[2]* + *-ar[2]*.]

desventura (des.ven.*tu*.ra) *sf.* Infortúnio, má sorte, desdita: *Teve a desventura de se associar a um homem desonesto e incompetente.* [Ant.: *êxito, sorte, ventura.*] [F.: *des-* + *ventura*. Hom./Par.: *desventura* (sf.), *desventura* (fl. de *desventurar*).]

desventurado (des.ven.tu.*ra*.do) *a.* 1 Que sofreu ou sofre desventura(s), desdita(s), que teve ou tem má sorte; DESDITOSO; INFELIZ; MISERÁVEL; DESAFORTUNADO: "Quando virá Deus em auxílio desse tão fraco e desventurado coração..." (Camilo Castelo Branco, *Amor de salvação*) [Ant.: *bem-aventurado, ditoso, feliz.*] *sm.* 2 Aquele que sofreu ou sofre desventura(s); MISERÁVEL; DESFORTUNADO [F.: Part. de *desventurar.*]

desventuroso (des.ven.tu.*ro*.so) [ô] *a.* O mesmo que *desventurado* (1): "É mui desventurosa a minha sorte, mui triste e sem remédio" (Teixeira de Vasconcelos, *O prato de arroz-doce*) [Ant.: *venturoso.*] [F.: *desventura* + *-oso.*]

desvergonha (des.ver.*go*.nha) *sf.* Falta de vergonha; DESCARAMENTO; IMPUDOR [Ant.: *vergonha.*] [F.: *des-* + *vergonha*. Hom./Par.: *desvergonha* (sf.), *desvergonha* (fl. de *desvergonhar*).]

desvergonhado (des.ver.go.*nha*.do) *a. sm.* O mesmo que *desavergonhado.* [Ant.: *vergonhado.*] [F.: Part. de *desvergonhar.*]

desvestido (des.ves.*ti*.do) *a.* Que se desvestiu; DESPIDO [Ant.: *vestido.*] [F.: Part. de *desvestir.*]

desvestir (des.ves.*tir*) *v. td.* 1 Tirar as roupas de (alguém ou si mesmo); DESNUDAR(-SE); DESPIR(-SE): *Antes do banho, desvestiu a criança; Assim que chegou em casa, desvestiu-se.* 2 Tirar do corpo: *Desvestiu a toga ao terminar a cerimônia.* [▶ 50 desvestir] [F.: *des-* + *vestir.*]

desviacionismo (des.vi:a.ci:o.*nis*.mo) *sm. Pol.* Atitude pela qual uma pessoa se desvia da linha política estabelecida pelo partido do qual é membro [F.: *desviação* + *-ismo*, seg. o mod. erudito.]

desviacionista (des.vi:a.ci:o.*nis*.ta) *Pol. a2g.* 1 Que se desvia da linha política estabelecida pelo partido a que pertence *s2g.* 2 Indivíduo que assim procede [F.: *desviacionismo* + *-ista.*]

desviado (des.vi.*a*.do) *a.* 1 Que mudou de direção; TRANSFERIDO: *Sua vigilância foi desviada para outro objeto.* 2 Que foi deslocado; AFASTADO [+ *para*: *O trânsito foi desviado para outra pista.*] 3 Que foi subtraído de maneira ilegal (verbas desviadas); DESENCAMINHADO 4 Que foi dissuadido, demovido: *Ele foi desviado do seu intento.* [F.: Part. de *desviar.*]

desviante (des.vi.*an*.te) *a2g.* Que desvia ou diverge; DESVIADOR: "Não atribuímos este fato, muito sintomático (...) ao efeito desviante da suspicácia política" (José Pereira de Sampaio Bruno, *A ideia de Deus*) [F.: *desviar* + *-nte.*]

desviar (des.vi.*ar*) *v.* 1 Mudar a direção de (algo, alguém ou si mesmo) [*td.*: *desviar a atenção.*] [*tdr.* + *de*: *Desviou-se do caminho de sempre.*] 2 Mudar o local, a posição de; ARREDAR; DESLOCAR [*td.*: *desviar uma cadeira; desviar a cabeça.*] 3 Evitar, rechaçando [*td.*: *Desviou o soco.*] 4 Alterar o destino ou a aplicação de; EXTRAVIAR [*td.*: *Desviaram as verbas do orçamento.*] 5 Subtrair fraudulentamente [*td.*: *O funcionário desviou documentos do processo.*] 6 Dissuadir(-se), demover(-se) [*tdr.* + *de*: *A lição o desviou do mau caminho; Não me desvio do meu objetivo.*] 7 Diferenciar-se, destoar [*tr.* + *de*: *Desviavam-se dos demais alunos graças a boa educação.*] 8 Fazer sair do eixo, encurvar, entortar (desviar a espinha, a coluna vertebral) [▶ 1 desviar] [F.: Do v.lat. *deviare*, com alter. de pref.]

desvincar (des.vin.*car*) *v. td.* Tirar o vinco de; ALISAR: *desvincar uma calça.* [▶ 11 desvincar] [F.: *des-* + *vincar.*]

desvinculação (des.vin.cu.la.*ção*) *sf.* Ação ou resultado de desvincular(-se): *desvinculação de verbas.* [Ant.: *ligação, vinculação.*] [Pl.: *-ções.*] [F.: *desvincular* + *-ção.*]

desvinculado (des.vin.cu.*la*.do) *a.* Que se desvinculou, que não tem (mais) vínculo(s) com algo ou alguém; DESLIGADO; LIVRE [Ant.: *ligado, vinculado.*] [F.: Part. de *desvincular.*]

desvinculamento (des.vin.cu.la.*men*.to) *sf.* O mesmo que *desvinculação*: "Os organizadores enfatizam o desvinculamento do projeto de qualquer instituição governamental." (*Folha de S.Paulo*, 02.04.1994) [Ant.: *vinculamento; vinculação.*] [F.: *desvincular* + *-mento.*]

desvincular (des.vin.cu.*lar*) *v.* 1 Livrar(-se) de vínculos; fazer desligar(-se) ou desligar(-se) de [*tdr.* + *de*: *Desvincularam da escola os alunos desordeiros; desvincular-se de um partido.*] 2 *Jur.* Tornar alienável (bens vinculados) [*td.*] [▶ 1 desvincular] [F.: *des-* + *vincular.*]

desvio (des.*vi*:o) *sm.* 1 Ação ou resultado de desviar(-se) do caminho ou posição inicial: *Houve um desvio na rota do avião; desvio do septo nasal.* 2 Caminho ou passagem alternativos (em estrada, ferrovia etc.): *Entrou com o carro em um desvio.* 3 Chave que permite ao trem passar de uma linha da ferrovia a outra 4 Sinuosidade, curva: *Cuidado com o desvio na estrada.* 5 Lugar afastado, escondido; RECANTO: *Construiu a cabana num desvio em plena mata.* 6 *Jur.* O mesmo que *concussão* (4) 7 Subtração fraudulenta de valores; DESCAMINHO; DESFALQUE; EXTRAVIO: *A empresa descobriu um desvio de milhões em seus cofres.* 8 Afastamento de um padrão de conduta, de normas etc. (desvio de comportamento) 9 Erro, diferença (desvio de cálculo) [F.: Dev. de *desviar*. Hom./Par.: *desvio* (sm.), *desvio* (fl. de *desviar*).] ■ **~ à direita** *Hem.* Ausência de formas jovens ou imaturas no sangue **~ à esquerda** *Hem.* Aumento anormal de formas jovens ou imaturas no sangue **~ da agulha** *Geof.* Ver *Desvio da bússola* **~ da bússola** *Geof.* Desvio da orientação da agulha na bússola, devido à influência de campo magnético local **~ da vertical** *Geof.* Em um certo ponto da superfície terrestre, ângulo entre a direção da gravidade e a perpendicular, nesse ponto, à superfície do elipsoide terrestre **~ de frequência** *Eletrôn.* Em modulação de frequência, variação momentânea da frequência da onda portadora em relação a seu valor nominal **~ mínimo** *Ópt.* Na refração de um raio luminoso num prisma, o menor ângulo entre o raio incidente e o mesmo raio refratado pelo prisma **~ padrão** *Est.* Medida de dispersão de uma variável em torno de seu valor médio, expressa pela raiz quadrada da variância **~ para o azul** *Cosm.* Desvio das linhas do espectro de uma fonte de radiação em direção aos comprimentos de onda mais curtos, à medida que se aproxima do observador **~ para o vermelho** *Cosm.* Desvio das linhas do espectro de uma fonte de radiação em direção aos comprimentos de onda mais longos, à medida que se afasta do observador **~ no desvio** *Pop.* Estar desempregado [No *N.E.* diz-se também *trabalhar na companhia do desvio.*]

desvirar (des.vi.*rar*) *v. td.* Fazer voltar ou voltar ao normal (aquilo que estava virado ou dobrado ou aquele que estava virado): *Desvire a bainha da calça.* [▶ 1 desvirar] [F.: *des-* + *virar.*]

desvirginação (des.vir.gi.na.*ção*) *sf.* O mesmo que *desvirginamento* [Pl.: *-ções.*] [F.: *desvirginar* + *-ção.*]

desvirginamento (des.vir.gi.na.*men*.to) *sm.* Ação ou resultado de desvirginar; DEFLORAÇÃO; DEFLORAMENTO; DESFLORAÇÃO; DESFLORAMENTO [F.: *desvirginar* + *-mento.*]

desvirginar (des.vir.gi.*nar*) *v. td.* Fazer perder a virgindade; DEFLORAR [▶ 1 desvirginar] [F.: *des-* + *virgem*, sob a f. *virgin-*, + *-ar[2]*, seg. o mod. erudito.]

desvirilizar (des.vi.ri.li.*zar*) *v.* 1 Tirar a virilidade a; CASTRAR; CAPAR; EMASCULAR [*td.*: *Desvirilizavam alguns homens que atuavam como eunucos.*] 2 Fazer perder ou perder o caráter e o vigor viril, másculo [*td.*: *A caridade em alguns casos desviriliza um homem.*] [*tr.* + *em*: "Nunca – para Oliveira Lima – o genuíno intelectual deveria desvirilizar-se num Maria vai com as outras." (Gilberto Freyre, *Oliveira Lima, Don Quixote gordo*)] [*int.*: *Ele revela uma certa fragilidade, mas não se desviriliza.*] 3 Enfraquecer(-se), debilitar(-se) [*td.*: *Uma lavagem cerebral que desviriliza a juventude.* Ant.: *fortalecer(-se), revigorar(-se).*] [*int.*: *Os povos se desvirilizam com a miséria.*] [▶ 1 desvirilizar] [F.: *des-* + *viril* + *-izar*. Ant. Gen. *virilizar.*]

desvirtuação (des.vir.tu:a.*ção*) *sf.* O mesmo que *desvirtuamento*: "O perigo, no limite, é acontecer uma desvirtuação do que era um programa de adesão voluntária a um novo regime monetário..." (*Folha de S.Paulo*, 11.02.1994) [Pl.: *-ções.*] [F.: *desvirtuar* + *-ção.*]

desvirtuado (des.vir.tu.*a*.do) *a.* 1 Que foi desacreditado (valor desvirtuado); DESABONADO [Ant.: *enaltecido, valorizado.*] 2 Que foi deturpado (declarações desvirtuadas); ALTERADO; DESFIGURADO; FALSEADO 3 Diminuído na virtude ou no mérito; DESPRESTIGIADO: *talento injustamente desvirtuado.* [Ant.: *consagrado, reconhecido.*] [F.: Part. de *desvirtuar.*]

desvirtuamento (des.vir.tu:a.*men*.to) *sm.* Ação ou resultado de desvirtuar(-se): *desvirtuamento do programa partidário.* [F.: *desvirtuar* + *-mento.*]

desvirtuar (des.vir.tu.*ar*) *v. td.* 1 Dar má interpretação a; DETURPAR [*td.*: *O jornalista desvirtuou as declarações do candidato.*] 2 Desviar(-se), adulterar(-se) [*int.*: *Ali todos os costumes desvirtuam-se.*] 3 Depreciar ou tirar a virtude ou o merecimento de; DESPRESTIGIAR [▶ 1 desvirtuar] [F.: *des-* + do nom. do lat. *virtus, utis* (> *virtude*) + *-uar.*]

desvitalização (des.vi.ta.li.za.*ção*) *sf.* Ação ou resultado de desvitalizar, de retirar a vitalidade, o vigor; ENFRAQUECIMENTO [Ant.: *vitalização.*] [Pl.: *-ções.*] [F.: *desvitalizar* + *-ção.*]

desvitalizar (des.vi.ta.li.*zar*) *v.* 1 Tirar ou fazer diminuir a vitalidade de (ser, pessoa, bicho, planta etc.), ou perdê-la; DEBILITAR; ENFRAQUECER [*td.*: *O esforço extremo o desvitalizou.*] [*int.*: *Após semanas de estiagem a mata desvitalizou-se.*] 2 *Fig.* Fazer perder ou perder a força, o ânimo, a energia, o estímulo, o vigor, a essência, a característica ou elemento vital [*td.*: *A saída do pesquisador desvitalizou o projeto.*] [*int.*: *O projeto desvitalizou-se após a mudança de diretoria.*] [▶ 1 desvitalizar] [F.: *des-* + *vitalizar.*]

desvitaminização (des.vi.ta.mi.ni.za.*ção*) *sf.* O mesmo que *desvitaminação* [Ant.: *vitaminização*] [Pl.: *-ções.*] [F.: *desvitaminizar* + *-ção.*]

desvitrificar (des.vi.tri.fi.*car*) *v. td.* Tirar a vitrificação de; DEVITRIFICAR: *A temperatura alta desvitrificou a mesa de vidro.* [Ant.: *vitrificar*] [▶ 11 desvitrificar] [F.: *des-* + *vitrificar.*]

detalhado (de.ta.*lha*.do) *a.* 1 Que se detalhou 2 Exposto minuciosamente; PORMENORIZADO [F.: Part. de *detalhar.*]

detalhamento (de.ta.lha.*men*.to) *sm.* Ação ou resultado de detalhar: "...as empresas serão obrigadas a fornecer o detalhamento de todas as chamadas, a exemplo do que ocorre com os serviços de telefones celulares." (*Folha de S.Paulo*, 24.11.2005) [F.: *detalhar* + *-mento.*]

detalhar (de.ta.*lhar*) *v. td.* 1 Expor ou narrar com detalhes; PORMENORIZAR: *detalhar um acontecimento.* 2 *Mil.* Distribuir pelos serviços 3 *Arq.* Desenhar os detalhes de (uma obra) 4

Fig. Relatar ou listar os elementos constitutivos de; especificar [▶ 1 detalhar] [F.: *detalhe* + *-ar*². Hom./Par.: *detalhe* (fl.), *detalhe* (sm.).]

detalhe (de.*ta*.lhe) *sm.* **1** Ação ou resultado de detalhar **2** Pequeno elemento que constitui um todo; cada mínima parte de um todo ou conjunto; MINÚCIA; PORMENOR: *Ficou observando os detalhes da decoração.* **3** *Fig. Pej.* Aquilo (coisa, pessoa ou fato) que não tem importância ou que é tido como desimportante: *Disse que o encontro com a ex-namorada foi um detalhe, apenas um detalhe.* **4** Narrativa ou exposição pormenorizada, feita minuciosamente **5** Objeto dessa narrativa; PARTICULARIDADE **6** *Arq.* No projeto de uma obra, desenho de uma parte elaborado separadamente, em escala maior **7** *Fig.* Aquilo que é objeto de observação, enfoque ou relato específico, ger. exposto de modo mais abrangente: *O detalhe do jogo foi a incrível cesta de uma ponta a outra da quadra.* **8** *Fig.* Ação de pôr dado objeto em evidência, ger. por ampliação, aproximação ou enfoque: *Durante a transmissão do desfile, o apresentador disse que iriam mostrar a passista da escola no detalhe.* **9** *Vest.* Qualquer pequeno adorno ou enfeite feito à roupa (ou tecido) para diferenciá-la das demais: *detalhe bordado à mão.* **10** *Fig.* Elemento distintivo, algo diferencial: *Laptop azul com detalhe laranja.* [F.: Do fr. *détail*. Hom./Par.: *detalhe* (sm.), *detalhe* (fl. de *detalhar*); *detalhes* (pl.), *detalhes* (fl. do v.).]

detalhismo (de.ta.*lhis*.mo) *sm.* **1** Preocupação em expor algo minuciosamente: "...tudo – os nomes, os valores, as referências – está no seu devido lugar, com um detalhismo tão caprichoso que, em vez de convencer, provoca a suspeita de que tenha sido feita sob encomenda..." (*Veja*, 08.02.2006) **2** Reprodução de detalhes em pintura, escultura, desenho, projeto etc. [F.: *detalhe* + *-ismo*.]

detalhista (de.ta.*lhis*.ta) *a2g.* **1** Ref. a detalhismo: *olhar detalhista sobre a cidade.* **2** Que cuida muito dos detalhes: "Pelas anotações, percebe-se que Naya é um homem detalhista. Ele anotava tudo na agenda..." (*O Globo*, 29.03.2004) **3** Diz-se de desenhista que projeta os detalhes originais de uma obra ou objeto *s2g.* **4** Indivíduo que cuida esp. de detalhes **5** Desenhista responsável pelo detalhamento de uma obra ou objeto [F.: *detalhe* + *-ista*.]

detecção (de.tec.*ção*) *sf.* **1** Ação ou resultado de detectar, de perceber algo ou de captar sinais (detecção de doenças, detecção de erros, detecção de fraudes); CONSTATAÇÃO; DESCOBERTA **2** *Mar.G.* Identificação e localização de alvo, por meio de radar, sonar etc. **3** *Eletrôn.* O mesmo que *demodulação* [Pl.: *-ções*.] [F.: Do ingl. *detection*.]

detectado (de.tec.*ta*.do) *a.* Que se detectou; DESCOBERTO; PERCEBIDO: "Motivo detectado: estoques acima do ideal projetando freio na produção..." (*Gazeta Mercantil*, 22.11.2005) [F.: Part. de *detectar*. Tb. *detetado*.]

detectar (de.tec.*tar*) *v. td.* **1** Perceber, notar: *Ninguém detectou suas segundas intenções.* **2** Localizar (o que se procura) com o auxílio de radar, sonar, instrumento específico etc.: *detetar uma mina; detectar um submarino.* [▶ 1 detectar, 1 detetar] [F.: Adapt. do ingl. *(to) detect*; ver *-ar*². Hom./Par.: *detectáveis* ou *detetáveis* (fl.), *detectáveis* ou *detetáveis* (pl. de *detectável* ou *detetável* [a2g.]).]

detectável (de.tec.*tá*.vel) *a2g.* Que pode ser detectado: "...dotado de identificação interna detectável apenas por meio de lâmpadas UV." (*O Estado de S.Paulo*, 03.08.2005) [Pl.: *-veis*.] [F.: *detectar* + *-vel*. Hom./Par.: *detectáveis* (pl.), *detectáveis* (fl. de *detectar*l [v.]). Tb. *detetável*.]

detector (de.tec.*tor*) [ô] *sm.* **1** Aparelho que detecta ou revela variações de alguma natureza (sonora, elétrica etc.) (detector de metais) **2** *Eletrôn.* O mesmo que *demodulador* **3** *Jur.* Aparelhagem que registra reações fisiológicas de pessoas investigadas criminalmente; POLÍGRAFO [Tb. *detector de mentiras*.] *a.* **4** Que serve para detectar [F.: Do lat. *detector, oris*. Tb. *detetor*.] ■ **~ de mentira(s)** Aparelho us., mediante autorização da Justiça, em interrogatórios, e que, ao detectar em determinada resposta mudanças nos padrões respiratórios, de batimentos cardíacos etc. do interrogado, indica a probabilidade de que aquela resposta seja falsa; polígrafo **~ de partículas** *Fís.* Sistema de dispositivos us. em experiências físicas para determinar os elementos básicos constituintes da matéria us. no experimento e suas propriedades

detenção (de.ten.*ção*) *sf.* **1** Ação ou resultado de deter **2** Prisão provisória: *O delegado ordenou a detenção do suspeito.* **3** *Jur.* Pena menos rigorosa que a reclusão **4** *Jur.* Retenção ou posse ilegítima de bem alheio **5** O local de detenção (2); casa de detenção **6** Estado ou condição de quem ou do que se acha detido [Pl.: *-ções*.] [F.: Do lat. *detentio, onis*.]

⊕ **détente** (*Fr./detant/*) *sf.* Relaxamento de tensões entre nações ou governos: "No começo da 'détente' entre EUA e União Soviética, Richard Nixon e Henry Kissinger, quando estavam em Moscou, tinham suas reuniões mais sigilosas a bordo da limusine..." (*Folha de S.Paulo*, 12.10.1997)

detento (de.*ten*.to) *Bras. sm.* **1** Aquele que se encontra detido; PRESO; PRISIONEIRO **2** *Jur.* Aquele que cumpre pena de detenção [F.: Do lat. *detentus, a, um*.]

detentor (de.ten.*tor*) [ô] *a.* **1** Que detém *sm.* **2** Aquele que detém: *o detentor do recorde mundial.* [F.: Do lat. *detentor, oris*.]

deter (de.*ter*) *v.* **1** Fazer parar ou parar [*td.*: *deter uma epidemia; Deteve-se na esquina, sem saber que caminho pegar.*] **2** Manter(-se) sob controle; CONTER(-SE); REPRIMIR(-SE) [*td.*: *Não pôde deter o grito de susto; Ia dizer umas verdades ao patrão, mas deteve-se.*] **3** Ter ou manter em seu poder [*td.*: *deter uma escritura.*] **4** Fazer demorar ou demorar(-se) [*tda.*: *Detive-a em casa, até que você chegasse; Detêm-se sempre nas livrarias.*] **5** Fixar-se demoradamente (em algo) [*tr.* + *em*: *O professor de história tende a deter-se em datas.*] **6** Suspender, postergando [*td.*: *deter uma investigação.*] [▶ **7** deter Acento agudo no *e* das desinências nas 2ª e 3ª pess. sing. do pres. do ind. e 2ª pess. sing. do imper. afirm.] [F.: Do v.lat. *detinere*.]

detergente (de.ter.*gen*.te) *a2g.* **1** Que limpa, purifica (diz-se de substância ou agente químico) *sm.* **2** Produto destinado à limpeza doméstica [F.: Do lat. *detergens, entis*.]

detergir (de.ter.*gir*) *v. td.* Limpar com substância ou agente químico: *detergir um recipiente.* [▶ 45 detergir. NOTA.: Defec. ger. impess.] [F.: Do v.lat. *detergere*.]

deterioração (de.te.ri:o.ra.*ção*) *sf.* **1** Ação, processo ou resultado de deteriorar(-se) **2** Danificação, estrago, apodrecimento: *deterioração de substâncias perecíveis.* **3** *Fig.* Estado do que está decadente; DECLÍNIO; RUÍNA: *deterioração de uma sociedade.* [Pl.: *-ções*.] [F.: *deteriorar* + *-ção*.]

deteriorado (de.te.ri:o.*ra*.do) *a.* **1** Que se deteriorou; que está em estado de decomposição ou decadência; PODRE: "Um desdém compassivo por estas raças inferiores e deterioradas..." (Eça de Queirós, *Os Maias*) **2** *Fig.* Que se corrompeu; estragado moralmente: "O amante casara meses antes, para desempenhar o vínculo deteriorado..." (Camilo Castelo Branco, *Coração, cabeça e estômago*) [F.: Part. de *deteriorar*.]

deteriorador (de.te.ri:o.ra.*dor*) [ô] *a.* **1** Que deteriora: *efeito nocivo e deteriorador. sm.* **2** Aquele ou aquilo que deteriora: *O transporte individual é considerado um grande deteriorador da qualidade de vida nas cidades.* [F.: *deteriorar* + *-dor*.]

deterioramento (de.te.ri:o.ra.*men*.to) *sm.* O mesmo que *deterioração*: "...estas empresas estão interessadas no deterioramento do sistema público de saúde..." (*Folha de S.Paulo*, 12.06.1994) [F.: *deteriorar* + *-mento*.]

deteriorar (de.te.ri:o.*rar*) *v.* **1** Tornar(-se) pior; fazer sofrer ou sofrer transformação que corrompa a qualidade original de (algo); ESTRAGAR [*td.*: *A maresia deteriora os metais.*] [*int.*: *Mesmo sob refrigeração a carne se deteriorou.*] **2** *Fig.* Piorar, agravar(-se) [*td.*: *O desemprego deteriorou a vida do trabalhador.*] [*int.*: *O relacionamento entre o técnico e os jogadores se deteriorou.*] [▶ 1 deteriorar] [F.: Do fr. *détériorer*. Hom./Par.: *deterioráveis* (fl.), *deterioráveis* (pl. de *deteriorável* [a2g.]).]

deteriorável (de.te.ri:o.*rá*.vel) *a2g.* Que está sujeito à deterioração (produto deteriorável) [Pl.: *-veis*.] [F.: *deteriorar* + *-vel*. Hom./Par.: *deterioráveis* (pl.), *deterioráveis* (fl. de *deteriorar*).]

determinação (de.ter.mi.na.*ção*) *sf.* **1** Ação ou resultado de determinar(-se) **2** Indicação precisa; DEFINIÇÃO: *Exigiu a determinação das causas do acidente.* [Ant.: *indeterminação*.] **3** Resolução, decisão: *Acatou a determinação do chefe.* **4** Capacidade de ser firme, decidido, persistente; ÂNIMO; FIRMEZA: *Agiu com determinação para conseguir vencer.* [Ant.: *hesitação, indecisão*.] **5** Ordem ou prescrição superior; MANDADO: *Por determinação ministerial as multas foram suspensas.* **6** *Biol.* Identificação do gênero, família e/ou espécie a que pertence uma planta, animal ou microrganismo; ESPECIFICAÇÃO **7** *Quím.* Verificação da quantidade ou concentração de uma substância em uma amostra; CONTAGEM [Pl.: *-ções*.] [F.: *determinar* + *-ção*.]

determinado (de.ter.mi.*na*.do) *a.* **1** Que se determinou, particularizou ou estabeleceu; APRAZADO; ESTIPULADO; MARCADO: *O encontro ocorreu no dia determinado.* [Ant.: *indeterminado*.] **2** Que revela decisão, resolução; DECIDIDO; RESOLUTO [Ant.: *indeciso, irresoluto*.] *sm.* **3** *Ling.* Numa construção sintática, o núcleo principal a que se subordinam os outros termos (p.ex.: na oração 'as flores amarelas abriram', o sujeito *'as flores amarelas'* é o determinado; já na construção nominal 'as flores amarelas', o determinado é o subst. *'flores'*); SUBORDINANTE [Ver tb. *determinante, núcleo* e *subordinação*.] *pr.indef.* **4** Anteposto a um subst., acrescenta-lhe sentido não identificável, indefinido; ALGUM; CERTO: *Em determinados pontos, o vapor transformou-se em líquido.* [F.: Do lat. *determinatus,a,um*.]

determinador (de.ter.mi.na.*dor*) [ô] *a.* **1** Que determina, define, ocasiona (elemento determinador); DETERMINANTE *sm.* **2** O que determina, define, ocasiona: *O forte calor foi o determinador de seu desmaio.* [F.: Do lat. *determinator, oris*. Sin. ger.: *causador*.]

determinante (de.ter.mi.*nan*.te) *a2g.* **1** Que determina ou provoca algo (fator determinante); DETERMINADOR **2** Que decide; DECISIVO: *elemento determinante da culpabilidade do réu. sm.* **3** Aquilo que determina ou provoca algo **4** *Ling.* Elemento que qualifica outro, formando com este uma unidade de significado (p.ex., na palavra composta 'banana-prata', *prata* é o determinante) [Cf. *determinado*.] **5** *Ling.* Função semântica das palavras gramaticais (artigos, pr. poss. etc.) que em geral precedem o subst **6** *Mat.* Função algébrica que soma produtos que contêm um elemento de cada linha e cada coluna de uma matriz [F.: Do lat. *determinans,antis*.] ■ **~ antigênico** *Imun.* Componente da estrutura de um antígeno que realiza sua interação com o anticorpo que irá combatê-lo **~ antissimétrico** *Álg.* Determinante no qual os termos que são simétricos em relação à diagonal principal têm sinais contrários, sendo portanto nulo; determinante hemissimétrico **~ específico** *Gram.* Substantivo que adjetiva outro substantivo ao definir-lhe sua finalidade, tipo etc. [Ex.: *aeródromo*, em *navio-aeródromo*; ou, som o hífen, *ofício*, em *papel-ofício*.] **~ hemissimétrico** *Álg.* Ver *Determinante antissimétrico* **~ menor** *Álg.* O que resulta da eliminação, em outro determinante, de um igual número de linhas e de colunas **~ principal** *Álg.* O determinante não nulo e de maior ordem que se pode formar com os coeficientes das incógnitas de um sistema de equações lineares, sendo que em cada coluna dispõem-se os coeficientes de um só das incógnitas, e em cada linha dispõe-se os coeficientes das incógnitas de uma mesma equação do sistema **~ simétrico** *Álg.* Aquele em que os termos que ocupam posições simétricas em relação à diagonal principal são iguais

determinar (de.ter.mi.*nar*) *v.* **1** Indicar com exatidão; PRECISAR; DEFINIR [*td.*: *Ainda não se conseguiu determinar a origem do vírus.*] **2** Ordenar, prescrever, decretar [*td.*: *O juiz determinou a prisão preventiva do corrupto.*] [*tdi.* + *a*: *Eles determinaram à filha que não voltasse depois da meia-noite.*] **3** Dar motivo a, ser causa de; CAUSAR; OCASIONAR [*td.*: *Uma briga entre os herdeiros determinou a venda da casa.*] **4** Estabelecer, marcar (dia, hora, prazo), fixar [*td.*: *Acabaram de determinar o horário da partida.*] **5** Tomar ou fazer tomar decisão, resolução; RESOLVER(-SE); DECIDIR(-SE) [*td.*: *O chefe não determinou quem ficaria de guarda.*] [*tdr.* + *a*: *Determinou-se a voltar a estudar.*] **6** Estabelecer o(s) limite(s) de; DEMARCAR [*td.*: *A guerra determinou a nova fronteira entre os países.*] [▶ 1 determinar] [F.: Do lat. *determinare*.]

determinável (de.ter.mi.*ná*.vel) *a2g.* Que pode ser determinado [Ant.: *indeterminável*.] [Pl.: *-veis*.] [F.: Do lat. *determinabilis, e*.]

determinismo (de.ter.mi.*nis*.mo) *sm.* *Fil.* Sistema de ideias segundo o qual cada fenômeno é rigorosamente condicionado pelos que o antecederam e dos quais é consequência [F.: Do fr. *déterminisme*.]

determinista (de.ter.mi.*nis*.ta) *a2g.* **1** Ref. a determinismo **2** Diz-se de pessoa adepta ou seguidora do determinismo *s2g.* **3** Essa pessoa: "Provou que o livre-arbítrio é a maior das verdades absolutas e os deterministas uns cavalos inimigos da religião." (Monteiro Lobato, *Cidades mortas*) [F.: Do fr. *déterministe*.]

determinístico (de.ter.mi.*nís*.ti.co) *a.* **1** Ref. ou pertencente ao determinismo **2** Próprio de determinista [F.: *determinista* + *-ico*².]

deterrência (de.ter.*rên*.ci:a) *sf.* **1** *Pol.* Medida adotada por um país, ou por uma aliança, para impedir a ação hostil de um outro país: "Washington e as outras potências tentam impedir que o discurso cívico que fervilha nas ruas de Teerã seja percebido como arma de deterrência eficaz nos países emergentes..." (*Jornal do Brasil*, 24.10.2004) **2** *Mil.* Fortalecimento militar para impedir o ataque de um possível agressor devido a intimidação ou retaliação: "A deterrência drenaria 25% das dotações para Exército e Marinha a partir dessa época..." (*Jornal do Brasil*, 06.10.2005) **3** *Ecol.* Mecanismo de defesa contra predadores [F.: Do ing. *deterrence*.]

deterrente (de.ter.*ren*.te) *a2g.* **1** Que detém, retarda ou impede temporariamente *s2g.* **2** Aquilo que detém, retarda ou impede temporariamente [F.: Do lat. *deterrens, tis*.]

detestação (de.tes.ta.*ção*) *sf.* **1** Ação ou resultado de detestar **2** Sentimento de ódio ou de grande antipatia [Pl.: *-ções*.] [F.: *detestatio, onis*.]

detestado (de.tes.*ta*.do) *a.* **1** Odiado, abominado: "...pancadas, ferimentos, um crime e o meu nome detestado passando de boca em boca..." (Domingos Olímpio, *Luzia-Homem*) *sm.* **2** Aquele ou aquilo que é detestado, a que se tem aversão ou ódio [F.: Do lat. *detestatus, a, um*. Ant. ger.: *amado*.]

detestar (de.tes.*tar*) *v. td.* Sentir ódio, aversão ou horror a: *Detesto injustiça; Os dois detestam-se há anos.* [▶ 1 detestar] [F.: Do v.lat. **detestare*, por *detestari*. Hom./Par.: *detestáveis* (fl.), *detestáveis* (pl. de *detestável* [a2g.]).]

detestável (de.tes.*tá*.vel) *a2g.* **1** Que desperta aversão, repulsa, indignação (ato detestável, pessoa detestável); ABOMINÁVEL; EXECRÁVEL [Ant.: *admirável, adorável*.] **2** Extremamente desagradável (dias detestáveis) [Pl.: *-veis*.] [F.: Do lat. *detestabilis, e*. Hom./Par.: *detestáveis* (pl.), *detestáveis* (fl. de *detestar*).]

detetado (de.te.*ta*.do) *a.* Ver *detectado*

detetar (de.te.*tar*) v. Ver *detectar*

detetável (de.te.*tá*.vel) *s2g.* Ver *detectável*

detetive (de.te.*ti*.ve) *sm.* **1** Agente policial que trabalha em investigações **2** Investigador particular [F.: Do ingl. *detective*.]

detetor (de.te.*tor*) (ô) *a.sm.* Ver *detector*

detidamente (de.ti.da.*men*.te) *adv.* **1** Com vagar, sem pressa **2** De maneira minuciosa; DETALHADAMENTE: "A irmã do Dr. Valença, de quem não falei detidamente por ser uma das figuras insignificantes que jamais produziu a raça de Eva..." (Machado de Assis, "As bodas de Luís Duarte" *in Histórias da meia-noite*) [F.: Do fem. de *detido* + *-mente*.]

detido (de.*ti*.do) *a.* **1** Que foi impedido (de prosseguir, de fazer algo): *veículo detido ao cruzar a fronteira.* **2** Que demorou, foi retardado: *carros detidos por um acidente.* **3** Preso temporariamente: *suspeito detido para averiguações. sm.* **4** Indivíduo que sofreu detenção provisória; PRESO; PRISIONEIRO: *Os detidos estavam no pátio.* [Part. de *deter*.]

detonação (de.to.na.*ção*) *sf.* **1** Ação ou resultado de detonar **2** Barulho causado por explosão [Pl.: *-ções*.] [F.: *detonar* + *-ção*.]

detonado (de.to.*na*.do) *a.* Que se detonou (bomba detonada) [F.: Part. de *detonar*.]

detonador (de.to.na.*dor*) [ô] *a.* **1** Que detona, faz explodir; DETONANTE *sm.* **2** Dispositivo destinado a provocar a detonação de uma carga explosiva [F.: *detonar* + *-dor*.]

detonante (de.to.*nan*.te) *a2g.* Que detona (substância detonante, cordel detonante) [F.: *detonar* + *-nte*.]

detonar (de.to.*nar*) *v.* **1** Fazer explodir, provocar a explosão de (bomba, granada, dinamite) [*td.*: *Detonou a bomba de longe.*] **2** Explodir, ou fazer estrondo de explosão [*int.*: *A granada detonou.*] **3** Disparar (arma de fogo) [*td.*: *O soldado detonou a carabina antes de ser atingido.*] [*Sacou a arma e detonou.*] **4** *Fig.* Desencadear, deflagrar [*td.*: *Os escândalos detonaram grave crise política.*] **5** *Bras. Fig.* Interromper ou dar fim a [*td.*: *A chuva forte detonou nosso passeio.*] **6** *Fig.* Devorar ou beber totalmente [*td.*: *Detonou a feijoada/ a caipirinha.*] [▶ 1 detonar] [F.: Do v.lat. *detonare*, 'trovejar muito'.]

detração (de.tra.*ção*) *sf.* **1** Ação ou resultado de detrair, de detratar **2** Maledicência, calúnia, difamação **3** Depreciação do valor de alguém; MENOSPREZO [Ant.: *consideração, valorização.*] **4** *Jur.* Abatimento do tempo de prisão provisória na pena definitiva [Pl.: *-ções.*] [F.: Do lat. *detractio, onis.*]

detrair (de.tra.*ir*) *v.* **1** Diminuir ou menosprezar o mérito, a reputação, a fama de; DEPRECIAR; DIFAMAR [*td.*: *Detraía as pessoas sem mais nem menos.*] **2** Dizer mal de; MALDIZER [*tr. + de*: *Detraía do caráter da advogada.*] **3** *Jur.* Abater (o tempo da prisão provisória) do tempo da prisão definitiva (pena) [*tdr. + de*] [▶ 43 detrair] [F.: Do v.lat. *detrahere.*]

⊠ **Detran** Sigla de Departamento Estadual de Trânsito

detrás (de.*trás*) *adv.* **1** Na parte posterior ou oposta à parte principal: *A casa da prefeitura é aquela, a que está detrás abriga uma secretaria.* **2** Depois, em seguida: *Ele sempre vem detrás dos outros.* [F.: *de- + trás.*] **∷ ~ de/Por ~ de** Na parte posterior de; atrás de: *Ele se escondeu detrás do muro; Por detrás disso há muita malandragem.*

detratar (de.tra.*tar*) *v. td.* Detrair (1) [▶ 1 detratar] [F.: Do v.lat. *detractare.*]

detrator (de.tra.*tor*) [ô] *a.* **1** Diz-se daquele que detrata *sm.* **2** Esse indivíduo: "Que fez aquele homem para ser visconde? – ousam perguntar os detratores e os ociosos." (Camilo Castelo Branco, *Noites de Lamego*) [F.: Do lat. *detractor, oris.*]

detrimento (de.tri.*men*.to) *sm.* Qualquer prejuízo ou dano material ou moral sofrido por alguém ou algo [Ant.: *ganho, lucro, vantagem.*] [Us. ger. na loc. *em detrimento de.*] [F.: Do lat. *detrimentum, i.*] **∷ em ~ de** Em consequência ou em virtude do prejuízo ou dano causado a alguém ou a algo: *Enriqueceu bastante, mas em detrimento dos sócios.*

detrítico (de.*trí*.ti.co) *a.* **1** Relativo a detritos **2** *Geol.* Diz-se de rocha constituída predominantemente por fragmentos de outras rochas [F.: *detrito + -ico²*.]

detritívoro (de.tri.*tí*.vo.ro) *Biol. Ecol. a.* **1** Diz-se de organismo que se alimenta de detritos ou partículas residuais de origem orgânica, eventualmente contribuindo para a limpeza do meio ambiente *sm.* **2** Organismo detritívoro [F.: *detrito + -i- + -voro.*]

detrito (de.*tri*.to) *sm.* **1** Resíduo, resto de alguma substância: *Retirou todos os detritos dos pratos antes de colocá-los na lavadora.* **2** *Geol.* Conjunto de fragmentos soltos de rocha, constituintes de depósitos sedimentares [F.: Do lat. *detritus, a, um,* 'rejeitado'.]

detumescência (de.tu.mes.*cên*.ci:a) *sf.* **1** Ação ou resultado de detumescer(-se); DESINCHAÇÃO **2** *Fisl.* Esvaziamento dos corpos cavernosos e retorno do pênis, após a ereção, à sua posição habitual de repouso [F.: Do lat. *detumescentia.* Ant. ger.: *inchação, intumescência.*]

detumescente (de.tu.mes.*cen*.te) *a2g.* Que desincha ou se esvazia [Ant.: *intumescente, tumescente.*] [F.: *detumescer + -nte.*]

detumescer (de.tu.mes.*cer*) *v.* Passar por redução de volume; reduzir de volume; DESINCHAR(-SE) [*td.*: *O remédio detumesceu a perna contundida.*] [*int.*: *O inchaço do braço detumesceu.*] [▶ 33 detumescer] [F.: Do lat. *detumescere.*]

deturpação (de.tur.pa.*ção*) *sf.* Ação ou resultado de deturpar: *deturpação de declarações de entrevistados ou de documentos.* [Pl.: *-ções.*] [F.: *deturpar + -ção.*]

deturpado (de.tur.*pa*.do) *a.* **1** Que se deturpou, a que infligiram deturpação **2** Interpretado equivocadamente: "Na informação é que reside o perigo de os autores do texto, dramaturgos que são, transmitirem noções históricas deturpadas." (*Correio Braziliense*, 13.07.2004) **3** Que se corrompeu: "Quem mata é o criminoso, é o ser humano com valores deturpados." (*O Globo*, 27.04.2005) [F.: Part. de *deturpar.*]

deturpador (de.tur.pa.*dor*) [ô] *a.* **1** Que deturpa (fins deturpadores) *sm.* **2** O que deturpa (deturpadores do idioma) [F.: *deturpar + -dor.*]

deturpar (de.tur.*par*) *v. td.* **1** Interpretar equivocadamente; deformar o sentido de; ADULTERAR: *Deturpava tudo o que dizíamos.* **2** Tornar feio; DESFIGURAR; ENFEAR: *A fachada do novo prédio deturpou a paisagem.* **3** Macular, manchar, conspurcar: *deturpar a honra / o nome.* [▶ 1 deturpar] [F.: Do v.lat. *deturpare.*]

deus *sm.* **1** *Rel Teol.* O ser supremo e perfeito, criador de todas as coisas **2** *Rel. Teol.* Ente infinito e existente por si mesmo; a causa necessária e fim de tudo que existe **3** *Rel.* No catolicismo, cada uma das pessoas da trindade cristã (Pai, Filho e Espírito Santo) [Nas acp. 1 a 3, inicial maiúsc.] **4** *Rel.* Divindade masculina em religiões politeístas **5** *Fig.* Aquilo que se cultua ou se deseja com muita intensidade: *Seu deus era o sucesso, a fama.* **6** *Fig.* Indivíduo considerado muito belo, ou bom, talentoso, exímio naquilo que faz, a ponto de ser considerado excepcional, uma referência: *Ela é uma deusa; Pelé foi um deus do futebol.* [F.: Do lat. *deus,dei.* Ideia de 'deus', usar pref. *te (o)-.*]

deusa (*deu*.sa) *sf.* **1** *Rel.* Divindade feminina das religiões politeístas **2** *Fig.* Mulher de grande beleza: *Aquela atriz é uma deusa.* **3** *Fig.* Mulher que é alvo de grande admiração, de adoração: "A deusa da minha rua..." (Jorge Faraj e Newton Teixeira, *Deusa da minha rua*) [F.: Fem. de *deus.*]

deus-dará (deus-da.*rá*) *sm2n.* Acaso, sorte [Us. apenas na loc. *ao deus-dará.*] [F.: *deus + dar* (na 3ª pess. sing. fut. pres. ind.).] **∷ Ao ~** À toa, ao acaso, à sorte; a Deus e à ventura

⊕ ***deus ex machina*** (*lat. /deus ex máquina/*) ***loc.subst.*** **1** *Teat.* No teatro da antiguidade greco-latina, personagem que interpretava um deus e era introduzido em cena por meio de um mecanismo **2** *P.ext. Teat.* Solução artificial e forçada, criada para resolver um problema cênico ou dramático **3** *Fig.* Em ficção, personagem criado de maneira artificiosa, forçada, ger. inverossímil, que surge de repente para resolver um problema ou conflito dramático

deus me livre (deus-me-*li*.vre) *sm2n. RJ* Lugar distante, de difícil acesso; CAFUNDÓ

deus nos acuda (deus nos a.*cu*.da) *sm2n.* Grande confusão ou desordem; TUMULTO: "Jornal dinamarquês publicou charge do profeta Maomé com turbante em forma de bomba. Espalhada a notícia, foi um deus nos acuda." (*Correio Braziliense*, 09.02.2006) [Us. sempre antecedido do artigo *um.*]

deuteranopia (deu.te.ra.no.*pi*.a) *Oft. sf.* Diminuição da reação da retina a estímulos de cor verde [F.: *deuter(o)- + an- + -opia.*]

deuteranópico (deu.te.ra.*nó*.pi.co) *a.* **1** Ref. a deuteranopia **2** Que tem deuteranopia [F.: *deuteranopia + -ico²*.]

deutério (deu.*té*.ri:o) *sm. Quím.* Elemento químico, isótopo de hidrogênio gasoso e incolor, com número de massa igual a 2 e núcleo formado por um próton e um nêutron, e us. nos processos de fusão nuclear [Símb.: *D*] [F.: Do gr. *deutérios.*]

◎ **deuter(o)-** *el. comp.* = 'segundo'; 'o segundo de uma série'; 'que vem depois': *deuteranopia, deuterogamia* (< gr.), *deuterógamo, deuteromiceto* (< lat. cient.) [F.: Do gr. *deúteros, a, on.*]

deuteromiceto (deu.te.ro.mi.*ce*.to) *sm. Desus. Micbiol.* Espécime dos deuteromicetos, designação comum aos fungos da classe dos *Deuteromycetes* [F.: Do lat. cient. *Deuteromycetes*; ver *deuter(o)-* e *-miceto.*]

dêuteron (*dêu*.te.ron) *sm. Quím.* Núcleo do átomo de deutério, formado por um próton e um nêutron; DÊUTON [Símb.: *d*] [Pl.: *-rons.*] [F.: *deuter(o)- + -on.*]

deuterostômio (deu.te.ros.*tô*.mi:o) *Zool. sm.* **1** Espécime dos deuterostômios, superfilo de animais bilaterais que compreende os filos equinodermos, hemicordados e cordados, caracterizados pelo desenvolvimento do ânus, na área do blastóporo embrionário, e clivagem inicial radial e indeterminada *a.* **2** Ref. aos deuterostômios [F.: Do lat. cient. *Deuterostomia.* Cf.: *protostômio.*]

deva (*de*.va) [ê] *Rel. sm.* **1** Cada um dos deuses da teogonia bramânica **2** Na mitologia budista, espírito invisível não eterno e ger. benigno [Fem.: *devi.*] [F.: Do sânscr. *devas*, 'brilhante'. Hom./Par.: *deva* (fl. de *dever*).]

devagar (de.va.*gar*) *adv.* **1** Lentamente, suavemente: *Esse rio corre devagar.* **2** Sem pressa: *Tinha tempo, arrumaria a mala devagar.* [Us. tb. no diminutivo, expressando 'muito lentamente': *Abriu a porta devagarinho para não acordá-lo.*] *a2g.* **3** Que é ou está lento, mole: *Hoje estou devagar....* **4** Com pouca aptidão para aprender ou executar tarefas; sem expediente: *Esse garoto é meio devagar.* *interj.* **5** Us. para pedir calma ou comportamento educado: *Devagar! A pipoca não vai fugir.* [F.: *de- + vagar.*] **∷ ~ quase parando** *Pop.* Muito lento, muito mole (diz-se de pessoa)

devanágari (de.va.*ná*.ga.ri) *sm.* **1** Alfabeto deriv. do brami, us. na escrita de muitas línguas da Índia, como o hindi, o sânscrito, o marati etc. *a2g.* **2** Diz-se desse alfabeto [F.: Do sânscr. *devanagari* < *deva* 'deus' + *nagari* 'urbano'.]

devanagárico (de.va.na.*gá*.ri.co) *a.* Que diz respeito ao devanágari (alfabeto devanagárico) [F.: *devanágari + -ico²*.]

devanear (de.va.ne.*ar*) *v.* **1** Cogitar na imaginação; SONHAR; FANTASIAR [*td.*: *Devaneou longa viagem pelo Oriente.*] [*int.*: *Conversou pouco com a moça, mas depois ficou devaneando.*] **2** Dizer disparates; DELIRAR; DESVAIRAR [*int.*: *O arrependimento o fazia devanear.*] **3** Distrair-se, divagar [*int.*: *Depois de tudo, só lhe restou devanear.*] [*tr. + em*: *Saiu e devaneou tranquilamente naquelas coisas.*] [▶ 13 devanear] [F.: Do espn. *devanear.*]

devaneio (de.va.*nei*.o) *sm.* **1** Ação ou resultado de devanear **2** Produto da imaginação; SONHO; FANTASIA; QUIMERA: *Ficou deitada na cama perdida em devaneios.* **3** *Psic.* História criada por alguém em estado de vigília **4** Divagação, delírio **5** Esperança vã [F.: Dev. de *devanear* ou do espn. *devaneo.* Hom./Par.: *devaneio* (sm.), *devaneio* (fl. de *devanear*).]

devassa (de.*vas*.sa) *sf.* **1** Ação ou resultado de devassar **2** *Jur.* Investigação e apuração rigorosa de ato(s) criminoso(s) **3** *Jur.* Processo em que constam os resultados de tal investigação **4** *P.ext.* Sindicância para averiguar possíveis irregularidades: *Foi feita uma devassa na empresa.* [F.: Dev. de *devassar.* Hom./Par.: *devassa* (sf.), *devassa* (fl. de *devassar*), *devassa* (fem. de *devasso* [a.]); *devassas* (pl.), *devassas* (fl. do v.), *devassas* (pl. do fem. do a.).]

devassado (de.vas.*sa*.do) *a.* **1** Que foi alvo de devassa; INVESTIGADO: *O político foi perseguido e teve a vida devassada.* **2** Diz-se de propriedade particular acessível ou exposta à vista do público (terraço devassado) [F.: Part. de *devassar.*]

devassador (de.vas.sa.*dor*) [ô] *a.* **1** Que devassa **2** Que divulga ou propaga algo *sm.* **3** Aquele que devassa: "Não deixa, contudo, de ser expressiva a sua função histórica, entre devassadores de sertão, distintos por opostos intuitos e desunidos por três séculos..." (Euclides da Cunha, *Os sertões*) **4** Indivíduo que divulga ou propaga algo [F.: *devassar + -dor.*]

devassar (de.vas.*sar*) *v.* **1** Invadir; penetrar para descobrir (o que está vedado) [*td.*: *Devassava o escritório do marido.*] **2** Penetrar na intimidade ou essência de [*td.*: *Devassou a vida da atriz.*] **3** Ter vista para dentro de um espaço ou moradia [*td.*: *O prédio recém-construído devassa a sala dos Fonsecas.*] **4** Tornar objeto de devassa [*td.*: *Devassavam todo os antecedentes dos associados.*] **5** Acompanhar de perto; observar atentamente; PERSCRUTAR; ESQUADRINHAR [*td.*: *De seu quarto, devassava com binóculo a intimidade da mulher.*] **6** *P.us.* Tornar(-se) devasso, corromper(-se) [*td.*: *Os maus parceiros devassaram-na.*] **7** Indagar, informar-se, inquirir [*tr. + de*: *Devassar das vidas alheias.*] **8** Fazer(-se) conhecer; PUBLICAR(-SE); DIVULGAR(-SE) [*td.*: *Devassar um plano.*] **9** Vulgarizar(-se) (hábito, costume etc.) [*td.*] [*int.*] [▶ 1 devassar] [F.: De or. contrv. Hom./Par.: *devasso* (fl.), *devasso* (a.sm.); *devassa* (fl.), *devassa* (sf.), *devassa* (fem. do a.); *devassas* (fl.), *devassas* (pl. do sf.), *devassas* (pl. do fem. do a.).]

devassável (de.vas.*sá*.vel) *a2g.* Que pode ser devassado [Ant.: *indevassável.*] [Pl.: *-veis.*] [F.: *devassar + -vel.* Hom./Par.: *devassáveis* (pl.), *devassáveis* (fl. de *devassar*).]

devassidão (de.vas.si.*dão*) *sf.* **1** Depravação de costumes; LIBERTINAGEM: "...olheiras de quem perde a noite em devassidões inconfessáveis." (Fialho de Almeida, *Vida irônica*) **2** Qualidade, caráter, ação ou comportamento de devasso [Pl.: *-dões.*] [F.: *devasso + -(i)dão.*]

devasso (de.*vas*.so) *a.* **1** Diz-se daquele que é imoral, depravado; LIBERTINO; OBSCENO: "Quando o romance chegou às livrarias, foi chamado de gênio, depravado e devasso." (*Folha de S.Paulo*, 08.02.1997) *sm.* **2** Esse indivíduo [F.: Posv. dev. de *devassar.* Hom./Par.: *devasso* (a.sm.), *devasso* (fl. de *devassar*).]

devastação (de.vas.ta.*ção*) *sf.* **1** Ação ou resultado de devastar **2** Grande destruição; ASSOLAÇÃO: *O bombardeio causou devastação na cidade.* **3** Ruína proveniente de acontecimento desastroso: *Uma epidemia trouxe devastação ao campo.* **4** *Fig.* Infelicidade, desgraça extrema: *O divórcio causou uma devastação em sua vida.* [Pl.: *-ções.*] [F.: Do lat. *devastatio, onis.*]

devastado (de.vas.*ta*.do) *a.* **1** Que se devastou, se esbulhou; PILHADO; SAQUEADO: *cidade inimiga devastada pelos vencedores.* **2** Completamente destruído; ASSOLADO: *uma floresta devastada.* **3** Despovoado, desabitado, ermo: "Portugal era até aí um país devastado; era quase um deserto, por onde corriam à rédea solta os almogaures mouriscos: hoje os campos estão cultivados..." (Alexandre Herculano, *O bobo*) [Ant.: *habitado, povoado.*] **4** *Fig.* Que sofreu ou foi objeto de uma grande perturbação ou dissabor: "...os olhos quase cerrados à imortal saudade do primeiro amor, sempre vivo no inquieto coração devastado..." (Domingos Olímpio, *Luzia-Homem*) [F.: Part. de *devastar.*]

devastador (de.vas.ta.*dor*) [ô] *a.* **1** Que devasta (terremoto devastador) *sm.* **2** Aquele ou aquilo que devasta [F.: Do lat. *devastator, oris.*]

devastamento (de.vas.ta.*men*.to) *sm.* O mesmo que *devastação* [F.: *devastar + -mento.*]

devastar (de.vas.*tar*) *v. td.* **1** Destruir violentamente; causar grande ruína a; ARRASAR; ASSOLAR: *O furacão devastou os trigais.* **2** Tornar desabitado; DESPOVOAR: *A miséria devastara as aldeias.* **3** Causar grande dano a: *Os cupins devastaram os móveis do casal.* **4** Pilhar, saquear: *Os vândalos devastaram a cidade.* [▶ 1 devastar] [F.: Do v.lat. *devastare.*]

deve (*de*.ve) [é] *Cont. sm.* **1** Débito lançado em livro comercial, chamado *razão* **2** A coluna desse livro em que se registram os débitos [F.: Dev. de *dever.* Hom./Par.: *deve* (fl. de *dever*).]

devedor (de.ve.*dor*) [ô] *a.* **1** Que deve (empresa devedora) [+ *de* (...a): *João é devedor de um empréstimo ao banco.*] [+ *para com*: *contribuinte devedor para com o fisco.*] **2** Que apresenta débito (saldo devedor) *sm.* **3** Indivíduo que tem dívidas: *os devedores do imposto de renda.* **4** Quem reconhece ou agradece um favor ou benefício recebido: *Seremos sempre devedores desse apoio.* **5** *Cont.* Titular de conta devedora [F.: Do lat. *debitor, oris.*]

devenir (de.ve.*nir*) **1** *Fil.* O mesmo que *devir* **2** *Fil.* Numa visão filosófica simbólica, o fluir dos fatos e das transformações que vão criando e mudando a realidade [F.: Do lat. *devenire*, pelo fr. *devenir.*]

dever (de.*ver*) *v.* **1** Ter algo (bem, dinheiro) de outrem a devolver [*td.*: *Está devendo até a roupa do corpo.*] [*tdi. + a*: *Devia uma dinheirama ao armazém.*] [*int.*: *Ele deve muito.*] **2** Ter a obrigação ou a responsabilidade de ([fazer] algo) [*td.*: *A polícia deve proteger a população.*] **3** Estar em dívida (de gratidão) com alguém (por favor ou bem contraído); estar obrigado por [*tdi. + a*: *Devia muitos favores aos parentes; Deve o caráter ao pai.*] **4** Ter ou desfrutar de (algo) graças a (dado fator ou causa determinante) [*tdr.*: *Deve o bom desempenho à afetividade; Deve sua fortuna à sorte.*] **5** Estar em falta, em dívida com alguém (esp. por tarefa ou compromisso assumido) [*tdi.*: *Ele nos devia uma posição, uma resposta.*] **6** Terem (duas ou mais pessoas) dada obrigação mútua [*tdi.*: *Os amigos devem-se lealdade.*] **7** Ter o compromisso moral de consagrar-se, dedicar-se a (algo ou alguém); CONSAGRAR-SE; DEVOTAR-SE [*tdi.*: *Deve-se à esposa e aos filhos; Deve-se à família.*] [▶ 2 dever. NOTA.: Us. como verbo auxiliar modal, seguido de infinit., para indicar: a) obrigação: *Você deve respeitar os mais jovens;* b) necessidade: *Não devia tomar nenhum remédio para estar bem;* c) probabilidade e/ou futuro próximo: *Amanhã deve fazer calor. Ela deve* (ou *deve de*) estar feliz; d) algo inevitável: *Todos devem morrer*; e) intenção de fazer algo: *Ela disse que deve estudar francês e não inglês;* f) procedimento adequado, conveniente ou correto: *Você deve ler o manual antes de fazer a instalação*; g) estágio, etapa natural, previsível ou comprovada em dada época, fase etc.: *Aos doze anos, a criança deve pensar logicamente e formular hipóteses;*.] *sm.* **8** A obrigação de fazer ou deixar de fazer alguma coisa imposta por lei, pela moral, pelos usos sociais ou pela conveniência legítima do agente: *No Brasil, votar é dever de todo cidadão; Era seu dever avisar a família sobre o acontecido; Eleger os membros do poder legislador é direito e dever de um povo livre.* **9** *Restr.* Aquilo que se tornou obrigação moral ou responsabilidade de alguém: *É seu dever zelar pelo bem-estar da família.* **10** Conjunto das obrigações de alguém: *Ser fiel ao dever.* **11** Ato de consideração ou deferência: *Era seu dever retribuir a cortesia.* **12** Atividade ou exercício passados pelo professor para seu(s) aluno(s) **13** *Fil.* Obrigação de ordem moral **14** *Fil.* Na filosofia kantiana, obrigação de proceder conforme uma lei moral ditada somente pela pura razão, sem qualquer influência, portanto, de valores religiosos ou políticos, inclinações afetivas etc. [F.: Do v.lat. *debere.*]

deveras (de.*ve*.ras) [é] *adv.* Na verdade, realmente, de fato: *Merecia deveras um severo castigo.* [Us. para destacar ou reafirmar a veracidade do que se diz ou para enfatizar a relevância de algo.] [F.: *de* + *veras*, do ac. fem. pl. lat. *veras*, 'verdadeiras (palavras)', do adj. *verus, a, um.*]

deverbal (de.ver.*bal*) *Ling. a2g.* **1** Diz-se de substantivo cuja origem é um verbo: *'Casamento' é um substantivo deverbal de 'casar'.* **2** Diz-se de substantivo formado de um verbo por derivação regressiva (p.ex.: *corte*, de *cortar*) *sm.* **3** Qualquer desses substantivos [Pl.: *-bais.*] [F.: Do fr. *déverbal.*]

devesa (de.*ve*.sa) [ê] *sf.* **1** Tapada, mata ou arvoredo em quinta (1) ou cerrado: "Ladeava ele um campo, cingido de altas silvas, a procurar saída para a devesa, da qual um fundo valado o separava..." (Júlio Dinis, *A morgadinha dos canaviais*) **2** Terreno cercado ou murado [F.: Do lat. *defensa,ae.*]

devido (de.*vi*.do) *a.* **1** Que se deve (diz-se de obrigação ou dívida): *devido respeito. sm.* **2** O que toca a alguém por direito ou por dever **3** O que se deve **4** *RS Etnog. Rel.* Promessa paga com vela, orações ou penitência [F.: Part. de *dever.*] ■ **~ a** Em razão de, por causa de: *O jogo foi adiado devido ao mau tempo.*

devir (de.*vir*) *v. int.* **1** Vir a ser; passar a ser; tornar-se [▶ 42 devir] *sm.* **2** *Fil.* O mesmo que *devenir* [F.: Do lat. *devenire.*]

devoção (de.vo.*ção*) *sf.* **1** Ação ou resultado de devotar(-se), de dedicar-se a alguém ou a algo [+ *a*: *Sua devoção à causa é entusiasmante.*] **2** Forte sentimento religioso [+ *a*: *Tem extrema devoção a são Jorge.*] **3** Forte sentimento de veneração, de admiração, de amor [+ *a*, *por*: *devoção ao/pelo pai.*] [Pl.: *-ções.*] [F.: Do lat. *devotio, onis.*]

devocional (de.vo.ci:o.*nal*) *a2g.* **1** Relativo a devoção **2** Em que há ou que expressa devoção: "...um sertanejo letrado, cujas concepções políticas e religiosas se vinculavam a um catolicismo devocional..." (*Folha de S.Paulo*, 21.09.1997) **3** Ref. a devocional (4) *sm.* **4** Livro de oração e de meditação nas comunidades evangélicas> [Pl.: *-nais.*] *sm.* **3** Livro de meditação nas Escrituras, às vezes com inclusão de orações, direcionado a fiéis de igrejas evangélicas [Pl.: *-nais.*] [F.: *devoção* + *-al*[1], seg. o mod. erudito.]

devocionista (de.vo.ci:o.*nis*.ta) *a2g.* **1** Ref. a devoção **2** Diz-se de indivíduo que é muito devoto, esp. de uma religião *s2g.* **3** Esse indivíduo [F.: *devoção* (f. *devocion-*) + *-ista.*]

devolução (de.vo.lu.*ção*) *sf.* **1** Ação ou resultado de devolver; RESTITUIÇÃO [+ *de* (...*a*): *devolução do empréstimo ao amigo.*] **2** *Jur.* Obtenção de bem ou direito por transferência **3** *Com.* Ação ou resultado de devolver algo para troca (algo similar, diferente ou por dinheiro) [Pl.: *-ções.*] [F.: Do lat. *devolutio, onis.*]

devolutivo (de.vo.lu.*ti*.vo) *a.* **1** Que estabelece ou determina devolução; DEVOLUTÓRIO **2** *Jur.* Diz-se de efeito de um recurso que, sem a suspensão do andamento do processo, devolve a matéria recorrida para uma nova análise em instância superior [F.: *devoluto* + *-ivo.*]

devoluto (de.vo.*lu*.to) *a.* **1** Que está desocupado, livre (terras devolutas) **2** *Jur.* Obtido por devolução [F.: Do lat. *devolutus, a, um.*]

devolver (de.vol.*ver*) *v.* **1** Dar ou mandar de volta (o que foi recebido, entregue, esquecido); RESTITUIR [*td.*: *Devolveu o guarda-chuva do amigo.*] [*tdi.* + *a*: *Devolveu à irmã a batedeira.*] **2** *Com.* Entregar de volta (algo) para ser trocado por outro similar (em melhor estado ou em condição adequada) ou para ser substituído por algo de igual natureza ou do mesmo valor, ou para que sua venda seja desfeita [*td.*: *Devolvi a blusa com defeito; O armazém devolveu a mercadoria.*] [*tdi.* + + *a*: *Devolveu à loja o aparelho com defeito; O comerciante devolveu o carregamento ao distribuidor.*] **3** Retorquir, retrucar [*td.*: *Sempre devolve as ofensas.*] [*tdi.* + *a*: *Devolveu ao adversário a acusação.*] **4** Não aceitar; RECUSAR; REJEITAR [*td.*: *Devolver o encargo.*] **5** Recompensar, corresponder (atitude, gesto, sentimento) [*tdi.* + *a*: *Que Deus lhe devolva em dobro sua generosidade.*] **6** Trazer de volta (estado, condição, sentimento); RESTITUIR [*tdi.* + *a*: *A viagem devolveu-lhe a paz de espírito.*] **7** *Bras. Pop.* Vomitar [*td.*] [▶ 2 devolver] [F.: Do v.lat. *devolvere.*]

devoniano (de.vo.ni:*a*.no) *Geol. sm.* **1** Quarto período da era paleozoica, entre o Carbonífero e o Siluriano, equivalente ao tempo geológico situado aprox. entre 400 e 360 milhões de anos [Com inicial maiúsc. nesta acp.] *a.* **2** Do ou ref. ao Devoniano (período devoniano) [F.: Do ing. *devonian.*]

devoração (de.vo.ra.*ção*) *sf.* Ação ou resultado de devorar; DEVORAMENTO [Pl.: *-ções.*] [F.: Do lat. *devoratio, onis.*]

devorador (de.vo.ra.*dor*) [ô] *a.* **1** Diz-se do que devora (apetite devorador) *sm.* **2** O que devora [F.: Do lat. *devorator, oris.*]

devoramento (de.vo.ra.*men*.to) *sm.* O mesmo que *devoração* [F.: *devorar* + *-mento.*]

devorar (de.vo.*rar*) *v.* **1** Comer com sofreguidão, engolir [*td.*: *A onça devorou a presa em minutos.*] **2** Consumir, destruir rápida e inteiramente (tb. *Fig.*) [*td.*: *Os gafanhotos devoram as plantações; Um incêndio devorou a cidade.*] **3** *Fig.* Absorver (escrito, livro) com avidez e em pouco tempo [*td.*: *Devorara a carta do filho; Devorava um livro após outro.*] **4** *Fig.* Afligir(-se), atormentar(-se) lenta e longamente [*td.*: "Vem matar esta paixão/ que [me] devora o coração..." (Pixinguinha e João de Barro, *Carinhoso*)] [*tr.* + *em*: *Devorava-se em ciúme insano.*] [▶ 1 devorar] [F.: Do v.lat. *devorare.*]

devotado (de.vo.*ta*.do) *a.* **1** Que foi oferecido em voto, promessa **2** Muito dedicado a alguma coisa [+ *a*: *pesquisador devotado à ciência.*] [F.: Do lat. *devotatus, a, um.*]

devotamento (de.vo.ta.*men*.to) *sm.* Ação ou resultado de devotar(-se); DEVOTAÇÃO: "E eu achava toda aquela dissertação tão intelectual, tão balda de comunicação, tão incapaz de erguer dentro de mim o devotamento, o altruísmo..." (Lima Barreto, *Recordações do escrivão Isaías Caminha*) [F.: *devotar* + *-mento.*]

devotar (de.vo.*tar*) *v. tdr.* **1** Dedicar(-se), consagrar(-se): *Devotou a vida à aviação; Ela devota-se à caridade.* **2** Ofertar em voto; DEDICAR: *Devotou sua juventude à Igreja.* [▶ 1 devotar] [F.: Do v.lat. *devotare.*]

devoto (de.*vo*.to) [ó] *a.* **1** Que tem ou manifesta devoção (católico devoto) **2** Que se dedica ou consagra (filho devoto) *sm.* **3** Indivíduo devoto: *devoto de santa Luzia.* **4** Amigo, apreciador (devoto da arte) [F.: Do lat. *devotus, a, um.* Hom./Par.: *devoto* (a.sm.), *devoto* (fl. de *devotar*).]

dextralidade (dex.tra.li.*da*.de) [es] *sf.* Tendência espontânea a utilizar o elemento direito dos órgãos ou membros dúplices do corpo (mãos, pés, olhos etc.) [F.: Adapt. do ing. *dextrality.*]

dextrina (dex.*tri*.na) [es] *sf. Quím.* Substância gomosa, solúvel na água, resultante da hidrólise do amido, us. como adesivo na preparação de papéis gomados, selos postais etc. [F.: Do fr. *dextrine*; ver *dextr(o)-* e *-ina*[2].]

◎ **dextr(o)-** *el. comp.* = 'direito'; 'que está à direita': *dextrina, dextrocardia, dextrogiro, dextroposição* [F.: Do lat. *dexter, tra, trum.* Outra f.: *destr(i)-.*]

dextrocardia (dex.tro.car.*di*.a) [es] *sf. Med.* Desvio ou deslocamento anômalo do coração para o lado direito do corpo [F.: *dextr(o)-* + *-cardia.*]

dextrogiro (dex.tro.*gi*.ro) [es] *a.* **1** Que gira ou se direciona para a direita [Ant.: *sinistrogiro.*] **2** *Quím.* Diz-se de composto que tem a propriedade de desviar o plano de polarização da luz para a direita: *A glicose natural é dextrogira assim como a frutose comum é levogira.* [Nesta acp., p. opos. a *levogiro.*] **3** Em grafologia, diz-se da escrita voltada para o lado direito [Ant.: *sinistrogiro.*] [F.: *dextr(o)-* + *-giro.* F. preferencial à (mais us.) *destrógiro.*]

dextroposição (dex.tro.po.si.*ção*) [es] *sf. Pat.* Desvio ou deslocamento de uma artéria ou de um órgão para o lado direito do corpo [Pl.: *-ções.*] [F.: *dextr(o)-* + *posição.*]

dextrose (dex.*tro*.se) [es] *sf. Quím.* O mesmo que *glicose*: *A dextrose é um suplemento energético de alto índice glicêmico.* [F.: *dextr(ina)* + *-ose*[2].]

dez *num.* **1** Quantidade correspondente a nove unidades mais uma **2** Identificado com o número 10 (camisa dez) *sm2n.* **3** Número que representa essa quantidade (arábico: 10; romano: X) **4** Quem ou o que numa série de dez ocupa o último lugar [F.: Do lat. *decem* (indeclinável).] ■ **Dar de ~ em** *Bras. Pop.* Ser muito superior a: *Esta proposta dá de dez em todas as outras.* **Ser ~** *Bras. Pop.* Ser muito bom, de alta qualidade, praticamente perfeito; ser tudo de bom: *Deus é dez.*

dezembro (de.*zem*.bro) *sm. Cron.* O décimo segundo (e último) mês do ano. (Com 31 dias.) [F.: Do lat. *december, bris.*]

dezena (de.*ze*.na) *sf.* **1** Conjunto de dez unidades **2** Período de dez dias; DECÊNDIO **3** *Mat.* No sistema decimal de numeração, a unidade da segunda ordem **4** *Bras. Lud.* Em alguns jogos ou loterias, número de dois algarismos [F.: Do lat. *decena.*]

dezenove (de.ze.*no*.ve) *num.* **1** Quantidade correspondente a 18 unidades mais uma *sm2n.* **2** Número que representa essa quantidade (arábico: 19; romano: XIX) **3** O décimo nono elemento de uma série [F.: Do lat. *decem et novem.*]

dezesseis (de.zes.*seis*) *num.* **1** Quantidade correspondente a 15 unidades mais uma *sm.* **2** Número que representa essa quantidade (arábico: 16; romano: XVI) **3** O décimo sexto elemento de uma série [F.: Do lat. *decem et sex.*] ■ **~ milímetros** *Cin.* Filme cinematográfico com bitola de dezesseis milímetros: *Muitos cineastas participaram do concurso de dezesseis milímetros patrocinado pela Secretaria de Cultura.* [Cf.: *Oito milímetros* e *Trinta e cinco milímetros.*]

dezessete (de.zes.*se*.te) *num.* **1** Quantidade correspondente a 16 unidades mais uma *sm.* **2** Número que representa essa quantidade (arábico: 17; romano XVII) **3** O décimo sétimo elemento de uma série [F.: Do lat. *decem et septem.*]

dezoito (de.*zoi*.to) *num.* **1** Quantidade correspondente a 17 unidades mais uma *sm.* **2** Número correspondente a essa quantidade (arábico: 18; romano: XVIII) **3** O décimo oitavo elemento de uma série [F.: Do lat. *decem et octo.*]

⊠ **DF** Sigla de *Distrito Federal*

⊠ **DFA** Sigla de *difosfato de adenosina.* [A sigla *ADP*, do inglês, é mais us. em português.]

⊠ **dg** *Met.* Símbolo de *decigrama*

⊠ **Di** *Antq. Quím.* Símb. de *didímio*

◎ **di-**[1] *pref.* = 'duas vezes'; 'dois'; '(*quím.*) duas moléculas, dois átomos': *diandro, diarquia* (< gr.), *dicetona, dicroico, diedro.* [F.: Do pref. gr. *di-*, do gr. *dís*, 'duas vezes'.]

◎ **di-**[2] *pref.* Em vocábulos tomados do latim, com as noções em geral de 'divisão', 'separação' e 'negação': *diverso, difícil, divórcio* [F.: Do lat. *dis* ou *di* (à frente de certas consoantes), sob as formas *di-* (ex., *digerere; digestio, onis*), *dif-* (ex., lat. *differens, entis*) e *dis-* (ex., *discordare; dissolutio, onis*).]

◎ **di(a)-** *pref.* = separação; atravessamento; relação: *dialética, diáfano, dialogar*

dia (*di*.a) *sm.* **1** O período de tempo que vai do começo da manhã ao pôr do sol (por oposição a *noite*): *Vou trabalhar durante o dia.* **2** O período de tempo que, aproximadamente, dura a rotação da Terra em torno do seu eixo, e que, incluindo o dia e a noite, é dividido em 24 horas: *Seu plantão dura um dia inteiro.* **3** Marcação convencional de um dia (2) no calendário, começando na hora zero e terminando na hora zero do dia seguinte: *o dia 7 de setembro.* **4** Momento propício, ocasião: *Chegara o dia de iniciar seu novo projeto.* **5** As condições atmosféricas; o tempo: *dia quente e úmido.* **6** As horas ou o tempo diário estabelecido pela lei ou costume para o trabalho: *O dia da telefonista é de no máximo 6 horas.* **7** Tempo presente; ATUALIDADE: *a novidade do dia; o personagem do dia.* [Ver tb. *dias.*] [F.: Do lat. *dia.*] ■ **De ~** Durante o período em que há luz solar **~ a ~ 1** Sistematicamente todo dia, diariamente: *Atualizava o cronograma de tarefas dia a dia.* **2** À medida que passam os dias: *Ia convalescendo e melhorando dia a dia.* **De ~s** Que nasceu ou surgiu há pouco tempo: *um bebê de dias.* **De um ~ para outro** De repente, subitamente, inesperadamente **~ artificial** *Cron.* Dia solar médio **~ cheio** Dia repleto de ocupações e atividades **~ D 1** *Mil.* Dia decisivo de início de operação (militar, de negócios etc.) **2** *P.ext.* Qualquer dia predeterminado para realização de um plano, atividade, etc. **~ da ficada** Ver *Dia do fico* **~ de ano-bom** O primeiro dia do ano; dia de Ano-Novo; o 1º de janeiro **~ de anos** Dia de aniversário **~ de branco** *Bras. Fam.* Ver *Dia útil* **~ de dar o nome** *Bras. Rel.* Cerimônia de iniciação no candomblé, na qual se anuncia o nome do orixá da iniciada **~ de finados** Dia dedicado à memória dos finados; no Brasil é o dia 2 de novembro **~ de Reis** *Rel.* Dia em que se comemora a adoração de Jesus pelos reis magos; é o dia 6 de janeiro **~ de rosas** *Fig.* Dia claro, sem vento e sem nuvens **~ de São Nunca** Dia que jamais chegará, referindo-se àquele em que terá lugar acontecimento ou situação impossíveis ou de que não se tem qualquer esperança **~ de São Nunca, de tarde** Ver *Dia de São Nunca* **~ de semana** Qualquer dia, salvo os domingos e, muitas vezes, o sábado; dia útil **~ do fico** Dia (9 de janeiro de 1822) em que o príncipe regente do Brasil, d. Pedro, atendendo aos apelos de brasileiros, recusou-se a obedecer ordem da corte portuguesa para que voltasse a Portugal; dia da ficada [Tb. apenas *fico.*] **~ do juízo 1** *Rel.* Segundo a escatologia, dia do julgamento final **2** *Fig.* Grande confusão; tragédia; pancadaria **~ enforcado** *Bras.* Dia de semana em que, não sendo feriado, mas estando entre um feriado e o sábado, ou entre o domingo e um feriado, não se trabalha ou estuda, emendando-se assim os dias feriados no chamado *feriadão* **~ epagômeno** *Cron.* A quele que, sem pertencer a um determinado mês, é acrescentado num calendário para completar um ano de 365 dias **~ feriado** Aquele em que, por determinação de governo (municipal, estadual ou federal), em comemoração a sua data, não funcionam escolas, comércio, certos serviços etc. [Cf., p.opos.: *dia útil.*] **~ gordo** *Rel.* Dia em que a abstinência de carne não é prescrita por razões religiosas **~ imprensado** *Bras.* Ver *Dia enforcado* **~ judicial** Período diurno entre as 6 horas e as 18 horas; dia legal **~ legal 1** *Cronol.* Ver *Dia judicial* **2** Dia solar médio, a partir da zero hora (meia-noite) num meridiano de referência, podendo se estender por lei a toda uma região ou país; dia oficial **~ letivo** Dia no qual há aula [Cf.: *Dia feriado* e *Dia útil.*] **~ magro** *Rel.* Dia em que se prescreve a abstinência de carne por motivos religiosos **~ mais, ~ menos** Ver *Mais dia, menos dia* **~ morto** *Bras.* Dia em que quase não se trabalha, ou não se trabalha de todo [Cf., p.opos.: *Dia útil.*] **~ oficial** *Cron.* Ver *Dia legal* (2) **~ profesto** Entre os antigos romanos, dia útil **~ santificado** *Rel.* Ver *Dia santo* **~ santo** *Rel.* Dia feriado por motivos religiosos, e consagrado ao culto; dia santificado; dia santo de guarda **~ santo de guarda** *Rel.* Ver *Dia santo* **~ santo dispensado** *Rel.* Dia em que se realizam certas solenidades religiosas, mas no qual o trabalho não é vedado por motivos religiosos **~s decretórios** *Med.* Dias em que os sintomas de uma doença tornam-se claros e decretam sua definição **~ de data** *Com.* Prazo do vencimento de um título, contado a partir da data de sua emissão **~ de vista** Ver *Dias de data* **~s gordos** Os três dias do carnaval e os três que o antecedem **~ solar** *Cron.* Período de tempo entre duas passagens consecutivas do Sol pelo meridiano tomado como referência **~ solar médio** *Cron.* Período de tempo entre duas passagens consecutivas do Sol médio (ver *Sol médio* no verbete *sol*) pelo meridiano tomado como referência **~ solar verdadeiro** *Cron.* Período de tempo entre duas passagens consecutivas do Sol verdadeiro (ver *Sol verdadeiro* no verbete *sol*) pelo meridiano tomado como referência **~ útil** Dia normal de trabalho [Cf., p.opos.: *Dia morto* e *Dia feriado.*] **Do ~ para a noite** Rapidamente, em pouquíssimo tempo: *Amadureceu do dia para a noite.* **Em ~ (com) 1** Sem atraso (no cumprimento de tarefas, no pagamento de dívidas etc.): *Ele fez todas as tarefas pendentes, agora está em dia; Ela está em dia com as prestações.* **2** Atualizado, a par das últimas informações **Estar com/ter os ~s contados** Ter pouco tempo de vida restante **Estar contando os ~s 1** Estar ansioso, na expectativa de algo bom **Estar por ~s 1** Ver *Estar com/ter os dias contados* **2** Estar (mulher, animal fêmea) nos últimos dias de gravidez, preste a dar à luz (a parir) **3** Estar na iminência de acabar: *Todos se esforçaram, e hoje essa tarefa está por dias.* **Foi um ~ 1** Acabou-se, foi-se: *Perspectiva de aumento: foi um dia.* **2** Não durou muito: *Foi um dia a liderança do campeonato; hoje é o lanterninha.* **Hoje em ~** Nos dias de hoje, atualmente **Mais ~, menos ~** Dentro em breve, com certeza; dia mais, dia menos: *Mais dia, menos dia eles vão acabar se casando.* **Olhar para o ~ de amanhã** Ser previdente hoje (economizando, tomando medidas preventivas etc.) para garantir um futuro tranquilo **Pensar no ~ de amanhã** Ver *Olhar para o dia de amanhã* **Só ter de seu o ~ e a noite** *Fig.* Nada ter, ser muito pobre **Ter os ~s contados** Ver *Estar com/ter os dias contados* **Todo santo ~** Todos os dias, sem exceção; diariamente **Um belo ~** Certo dia, certa vez (começando um relato): *Um belo dia ela resolveu fazer-lhe uma surpresa.* **Um ~** Num dia ou ocasião indeterminados: *Um dia ainda vou contar tudo que sei sobre isso.* **Ver o ~ 1** Nascer **2** Vir a lume, ser criado, ser publicado etc.

dia a dia (di.a a *di*.a) *sm.* O cotidiano; o conjunto de atividades desenvolvidas no correr dos dias: *Essas são as tarefas do meu dia a dia.* [Não confundir com a loc. dia a dia: *Dia a dia ele foi construindo sua casa.*] [Pl.: *dia a dias.*]

diábase (di:*á*.ba.se) *sf. Geol.* Rocha de composição basáltica, formada essencialmente de aluminossilicatos naturais de sódio e cálcio, piroxênios e magnetita e caracterizada por textura microgranular; DIABÁSIO [F.: Do fr. *diabase*, do gr. *diá* 'através de' + v. gr. *baíno* 'andar'.]

diabásio (di:a.*bá*.si:o) *sm. Geol.* O mesmo que *diábase* [F.: Ver em *diábase.*]

diabete (di.a.*be*.te) [é] *s2g.* Ver *diabetes*

diabetes (di:a.*be*.tes) [é] *s2g2n. Med.* Problema no metabolismo causado por insuficiência de insulina no organismo e caracterizado esp. pela presença de glicose na urina [F.: Do gr. *diabetes, ou.* Tb. *diabete* (não pref.).] ■ **~ açucarada/o** *Med.* Teor de açúcar na urina **~ insípida/o** *Med.* Distúrbio no metabolismo causado por produção baixa de hormônio antiurético, tendo como sintomas uma sede persistente, secreção de urina acima do normal, muito apetite e fraqueza **~ melito** *Med.* Distúrbio no metabolismo em que está comprometida a metabolização de glicídios, o que leva a elevado teor de glicose no sangue e sua presença na urina, urina excessiva, e sintomas como sede e fome constantes, fraqueza etc; diabetes sacarina/o [Tb. apenas *diabetes.*] **~ sacarina/o** *Med.* Ver *Diabetes melito*

📖 A diabete, ou diabetes, é uma doença que se caracteriza pela incapacidade de o organismo assimilar a glicose dos alimentos, o que resulta em aumento do teor de açúcar no sangue, com consequências que podem ser graves. Na diabetes de tipo *melito*, a dificuldade de metabolizar o açúcar provém da baixa produção de insulina pelo pâncreas (a insulina é um hormônio que reduz o teor de glicose no sangue). Seus sintomas iniciais são sede e fome constantes, excesso de urina, emagrecimento. Se não for controlada, poderá comprometer as paredes dos vasos sanguíneos e a retina, inclusive causando cegueira. O tratamento consiste em reduzir os níveis de glicose no sangue, por meio de aplicação de insulina, ou outros medicamentos. Na diabetes tipo *insípido* não há aumento de glicose por carência de insulina, mas sim carência de ADH, hormônio produzido no hipotálamo que reduz a eliminação de água pela urina. Em consequência há grande aumento na eliminação de urina, causando desidratação. O tratamento consiste em ministrar hormônios de ação inversa.

diabético (di:a.*bé*.ti.co) *a.* **1** Ref. ao diabetes **2** Diz-se daquele que sofre de diabetes, esp. de *diabetes melito sm.* **3** Esse indivíduo [F.: *diabete(s)* + *-ico²*.]

diabétide (di:a.*bé*.ti.de) *sf. Pat.* Dermatose devida à eliminação de açúcar pela pele, em portadores de diabetes melito [F.: *diabete(s)* + *-ide.*]

diabetologista (di:a.be.to.lo.*gis*.ta) *s2g.* **1** Médico que se especializou em diabetologia *a2g.* **2** Diz-se de médico com essa especialidade [F.: *diabetologia* + *-ista.*]

diabo (di:*a*.bo) *sm.* **1** *Rel. Teol.* Espírito do mal; DEMÔNIO **2** *Rel. Teol.* Para a religião cristã, o anjo rebelde expulso do céu e precipitado no inferno; LÚCIFER; SATÃ; SATANÁS [NOTA: Nas acp. 1 e 2, ger. com inicial maiúsc.] **3** *Fig.* Indivíduo perverso; DEMÔNIO **4** *Fig.* Pessoa esperta ou travessa; DEMÔNIO: *É um diabo, dá jeito em tudo.* **5** Us. genericamente para intensificar uma ideia de quantidade, afeto etc.: *Falou o diabo; Fez o diabo para conquistar a moça.* **6** Us. como reforço após pronome interrogativo: *Que diabo foi fazer naquele lugar?* [Dim.: *diabrete*] *interj.* **7** Exprime raiva, impaciência etc.: *Que diabo, o trem atrasou outra vez!* [NOTA: *Tb. us. no pl.*] [F.: Do lat. ecles. *diabolus,i.* Sin. ger.: *diacho.*] ■ **Comer o (pão) que o ~ amassou** Passar por muitas dificuldades, muito sofrimento; comer o que o diabo enjeitou **Comer o que o ~ enjeitou** *CE Pop.* Ver *Comer o (pão) que o diabo amassou* **Como (o) ~** Muito, intensamente: *Ela corre como o diabo; No trabalho ele se dedica como o diabo.* **Como o ~ gosta** Muito bom ou muito bem; ótimo, otimamente [Usa-se com conotação irreverente, ou como sugestão de desregramento, sensualidade, preguiça, gula, ausência de disciplina etc.] **Com os ~s!** *Pop.* Expressão interjetiva que denota espanto, ou irritação; com os demônios **De todos os ~** Ver *Do(s) diabo(s) Pop.* **Dizer o ~ (de algo, alguém)** *Pop.* Dizer coisas desabonadoras (de algo, alguém), criticar violentamente **Do(s) ~(s)** *Pop.* Excessivo (ger. em sentido negativo), infernal: *Era um barulho dos diabos!* **Dos seiscentos ~s** *Fam.* Ver *Do(s) diabo(s)* **Enquanto o ~ esfrega um olho** Num átimo, mun instante; num abrir e fechar de olhos **Estar com/ter o ~ no corpo** Estar irrequieto, travesso, assanhado **Fazer o ~** **1** *Pop.* Fazer façanhas, coisas inacreditáveis: *Este jogador é um malabarista, faz o diabo com a bola.* **2** Fazer travessuras, fazer coisas do arco-da-velha: *A garotada fez o diabo na festa, só faltou derrubarem a casa....* **Levado do(s) ~(s)** Muito levado, levado da breca **Levar o ~** **1** *Pop.* Deteriorar-se, perder-se; levar a breca **2** Sumir, acabar-se **O ~ a quatro** **1** *Pop.* Coisas espantosas, aventurescas: *Fez coisas incríveis e arriscadas, o diabo a quatro.* **2** Grande confusão, balbúrdia: *Encontrou a casa virada, os móveis quebrados, o diabo a quatro.* **O ~ que carregue** *Pop.* Exclamação que expressa irritação para com algo ou alguém; que se dane **O ~ seja surdo** Que o diabo não ouça, para que não lhe ocorra intervir **Para mandar para o ~** *CE Pop.* Em grande quantidade **Passar o que o ~ enjeitou** *Bras. CE Pop.* Ver *Comer o (pão) que o diabo amassou* **Para/pra ~** *Pop.* Muito, demais: *É desconfiado pra diabo.* **Pintar o ~** *Pop.* Fazer travessuras; pintar o sete **Se o ~ der licença** *Pop.* Se nada houver ou acontecer em contrário **Ser o ~** Ser inconveniente, um transtorno: *Se adiarem de novo o julgamento, vai ser o diabo.* **Ser o ~ em pessoa** **1** Ser muito feio, horroroso **2** Ser muito mau **Ter/estar com o ~ no corpo** *Pop.* Ver *Estar com/ter o diabo no corpo* **Ter o ~ no couro** Ver *Estar com/ter o diabo no corpo.* **Ter o ~ nos chifres** Ser muito travesso, ou endiabrado

diabo-da-tasmânia (di:a.bo-da-tas.*mâ*.ni:a) *sm. Zool.* Mamífero (*Sarcophilus laniarius*), da fam. dos dasiurídeos, endêmico da Tasmânia, considerado o mais feroz e carniceiro de todos os marsupiais; de pelagem marrom-escura com uma faixa branca na região do peito, possui aparência robusta, cauda, cabeça grande com olhos pequenos, orelhas arredondadas e nariz afilado, os músculos fortes das mandíbulas e os dentes adaptados permitem esmagar ossos de vertebrados de pequeno porte; pode pesar 12 kg e medir 80 cm de comprimento [Pl.: *diabos-da-tasmânia.*]

diabolepsia (di:a.bo.lep.*si*:a) *sf. Psiq.* Estado patológico em que o paciente acredita estar possuído por um demônio ou que possui poderes sobrenaturais [F.: Do gr. *diábolos, oû,* 'diabo', + *-lepsia*, com haplologia]

diabólico (di:a.*bó*.li.co) *a.* **1** Ref. a, do ou próprio do diabo; DEMONÍACO **2** *Fig.* Que é atroz, terrível, funesto, como algo inspirado pelo diabo (plano diabólico) **3** Difícil de entender (problema diabólico); COMPLICADO; INTRICADO [F.: Do lat. ecles. *diabolicus, a, um.*]

diabolô (di:a.bo.*lô*) *sm. Lud.* Brinquedo composto por um cordão preso pelas pontas a dois bastões e uma espécie de carretel formado por dois cones unidos pela base mais fina; a brincadeira consiste em manejar os bastões com as mãos para que o carretel gire, vá para o alto e sempre volte a se encaixar no cordão [F.: Do fr. *diabolo.*]

diabo-marinho (di:a.bo-ma.*ri*.nho) *sm. Ict.* Peixe (*Lophius gastrophysus*) da fam. dos lofiídeos, encontrado nos fundos macios do Atlântico ocidental; com até 60cm de comprimento, possui corpo achatado de coloração cinza-amarronzada, boca grande e um pedúnculo sobre o focinho terminado em dilatação foliácea, us. para atrair outros peixes e capturá-los para sua alimentação; LÓFIO; PEIXE-DIABO; PEIXE-PESCADOR; PEIXE-SAPO [Pl.: *diabos-marinhos.*]

diabrete (di:a.*bre*.te) [ê] *sm.* **1** Diabo pequeno **2** *Fig.* Criança inquieta, travessa **3** *P.ext.* Animal de estimação muito buliçoso [F.: *diabro* (ant.) + *-ete.*]

diabrura (di:a.*bru*.ra) *sf.* **1** Ação ou feito próprio do diabo **2** *Fig.* Traquinagem, esp. a infantil: "Assisti a todas as suas diabruras, suas birras, suas gazetas... Não vale nada..." (Cecília Meireles, "O mal de ter sido criança" *in Diário de Notícias*, 22.02.1931) [F.: *diabro* (ant.) + *-ura.*]

diacho (di.*a*.cho) *sm. Pop.* Ver *diabo* [Por eufemismo.]

diácido (di.*á*.ci.do) *Quím. a.* **1** Diz-se de ácido que contém dois hidrogênios ionizáveis *sm.* **2** Esse ácido [F.: *di-* + *ácido.*]

diacinese (di:a.ci.*ne*.se) *sf. Gen.* Fase da meiose na qual os cromossomos atingem a condensação máxima [F.: *di(a)-* + *cinese.*]

diáclase (di:*á*.cla.se) *sf. Geol.* Fratura que divide em duas partes uma rocha sem que as paredes se afastem horizontalmente uma da outra [F.: Do gr. *diáklasis.*] ■ **~ de estratificação** *Geol.* Aquela duja direção e orientação são iguais às do acamamento das rochas em que ocorre

diaconado (di:a.co.*na*.do) *sm.* Ver *diaconato*

diaconato (di:a.co.*na*.to) *sm.* Dignidade ou função de diácono [F.: Do lat. ecl. *diaconatus, us*, por via erudita; Tb. *diaconado* (este, por via vulg.).]

diácono (di.*á*.co.no) *sm.* **1** Clérigo da segunda ordem, imediatamente inferior ao padre, e que o ajuda no altar durante a missa **2** Entre os protestantes, oficial eleito pela igreja e ordenado pelo conselho da congregação para realização de tarefas organizacionais, caritativas etc. [F.: Do lat. ecl. *diaconus, i*, do gr. *diákonos, ou.*]

diacrítico (di:a.*crí*.ti.co) *Gram. a.* **1** Diz-se de sinal gráfico que confere novo valor fonético e/ou fonológico a uma letra [No português os sinais diacríticos são os acentos agudo, grave e circunflexo, a cedilha, o trema e o til.] **2** *Med.* O mesmo que *patognomônico sm.* **3** *Gram.* Qualquer diacrítico (1) [F.: Do gr. *diakritikós, é, ón,* 'que distingue, separa'.]

diacronia (di:a.cro.*ni*:a) *sf.* **1** *Ling.* Evolução de uma língua através do tempo **2** *Ling.* O estudo ou descrição dessa evolução **3** *Antr.* Conjunto dos fenômenos sociais e culturais em função de sua evolução no tempo **4** *Antr.* Acompanhamento e estudo desses fenômenos [F.: Do fr. *diachronie.* Cf.: *sincronia.*]

diacrônico (di:a.*crô*.ni.co) *a.* **1** *Ling.* Ref. ou pertencente a diacronia, ao desenvolvimento de uma língua ao longo do tempo [P. opos. a *sincrônico.*] **2** *P.ext.* Diz-se de fato considerado do ponto de vista dinâmico da sucessão no tempo [F.: *diacronia* + *-ico².*]

diacústica (di:a.*cús*.ti.ca) *sf. Acús. Fís.* Ramo da física que estuda a refração dos sons [F.: *di(a)-* + *acústica.*]

díade (*dí*.a.de) *sf.* **1** Grupo de dois; DÍADA; PAR: "... outros países da Europa permitem a união civil entre lésbicas e entre *gays* – o que não deve ser confundido com casamento –, conferindo benefícios e responsabilidades aos membros da díade..." (*Jornal de Brasília*, 25.02.2005) **2** *Bot.* Par de partes ou de órgãos em certos vegetais **3** *Gen.* Cromossomo com duas cromátides ligadas pelo centrômero e presente durante a mitose e a meiose **4** *Fís.-quím.* Par de átomos, elementos ou radicais [F.: Do gr. *dyás,ádos*, pelo lat. tardio *dyade.*]

diadema (di:a.*de*.ma) [ê] *sm.* **1** Ornamento circular de metal sobre a cabeça de soberanos; COROA: "Qual régio diadema valia essa auréola de entusiasmo..." (José de Alencar, *Como e por que sou romancista*) **2** Enfeite ou joia semicircular que esp. as mulheres usam sobre a testa ou nos cabelos **3** O mesmo que *grinalda* **4** Qualquer coisa na forma desse enfeite: "(É Cunhambebe.) Sob o diadema de penas, cansado e triste, reflete..." (Cecília Meireles, *Cronica trovada da cidade de San Sebastian*) [F.: Do lat. *diadema, atis.*]

◎ **diadoc(o)-** *el. comp.* = 'que sucede a'; 'sucessor'; (*p.ext.*) 'sucessivo': *diadococinese, diadococinesia* [F.: Do gr. *diádokhos, os, on.*]

diadococinese (di:a.do.co.ci.*ne*.se) *sf. Med.* Capacidade de fazer movimentos alternantes de modo rápido e sucessivo; DIADOCOCINESIA [F.: *diadoc(o)-* + *-cinese.*]

diafa (di:*a*.fa) *sf.* **1** O mesmo que *adiafa* **2** *Cver. Mús.* Canto popular de homens e mulheres, acompanhado de instrumentos musicais [F.: F. aferética de *adiafa.*]

diafaneidade (di:a.fa.ne:i.*da*.de) *sf.* Propriedade do que é diáfano; DIAFANIDADE; TRANSLUCIDEZ; TRANSPARÊNCIA [Ant.: *opacidade.*] [F.: Do fr. *diaphaneité.*]

diáfano (di.*á*.fa.no) *a.* **1** Que deixa passar a luminosidade, sem ser transparente (cortina diáfana): "Sobre a nudez forte da fantasia, o manto diáfano da verdade..." (José Saramago, *O ano da morte de Ricardo Reis*) **2** *Fig.* Excessivamente magro [F.: Do gr. *diaphanés*, pelo lat.medv. *diaphanes.*]

diafanômetro (di:a.fa.*nô*.me.tro) *sm.* Instrumento us. para avaliar as variações de diafaneidade atmosférica [F.: *diáfano* + *-metro.*]

diafilme (di:a.*fil*.me) *sm.* Tira de filme de 35mm que contém uma série de fotogramas em positivo e é destinada à projeção de imagens fixas [F.: *di(a)-* + *filme.*]

diafisário (di:a.fi.*sá*.ri:o) *a.* Relativo a diáfise [F.: *diáfise* + *-ário.*]

diáfise (di:*á*.fi.se) *sf. Anat.* Parte média estreitada de um osso longo [F.: Do fr. *diaphyse.*]

diafonia (di:a.fo.*ni*.a) *sf.* **1** *Mús.* Intervalo dissonante **2** *Mús.* Polifonia a duas vozes; ÓRGANO **3** *Rád.* Em radiocomunicação, interferência de um único canal em um ponto de outro canal [F.: Do it. *diafonia.*]

diaforese (di:a.fo.*re*.se) *sf. Med.* Transpiração excessiva [Ant.: *adiaforese.*] [F.: Do lat. tard. *diaphoresis, is.*]

diaforético (di:a.fo.*ré*.ti.co) *a.* **1** Ref. a ou em que há diaforese [Ant.: *adiaforético.*] **2** *Farm.* Diz-se de medicamento que faz suar intensamente *sm.* **3** *Farm.* Esse medicamento [Nas acp. 2 e 3, sin.: *sudorífero.*] [F.: Do gr. *diaphoretikós.*]

diafragma (di:a.*frag*.ma) *sm.* **1** *Anat.* Músculo que separa a cavidade torácica da abdominal **2** *Anat.* Qualquer divisória ou membrana entre duas cavidades ou duas partes da mesma cavidade **3** Dispositivo elástico, resistente, us. como contraceptivo pelas mulheres **4** *Cin. Fot. Telv.* Dispositivo que regula a entrada da luz na câmara **5** *Mec.* Membrana da bomba injetora de combustível nos veículos automotores **6** *Bot.* Divisão de qualquer fruto capsular **7** *Fís.* Membrana flexível que possibilita a transmissão de forças ou a passagem de algumas substâncias **8** *Ópt.* Abertura que controla a seção reta de um feixe luminoso, regulando sua intensidade [F.: Do lat. tardio *diaphragma, atis.*] ■ **~ de campo** *Ópt.* Aquele que restringe o campo coberto por um instrumento óptico **~ íris** *Ópt.* Aquele que tem abertura circular (por onde passam os raios luminosos), de diâmetro regulável [Tb. apenas *íris.*]

diafragmático (di:a.frag.*má*.ti.co) *a.* Concernente ou pertencente ao diafragma (movimento/tecido diafragmático) [F.: *diafragma* + *-ico².*]

diagnose (di:a.*gno*.se) [ó] *sf.* **1** *Med.* V. *diagnóstico* **2** *Biol.* Descrição minuciosa de uma família, gênero ou espécie [Ver *taxonomia.*] **3** *Fig.* Identificação das causas de um problema ou determinada situação [F.: Do gr. *diagnosis.*]

diagnosticado (di:a.gnos.ti.*ca*.do) *a.* Submetido a diagnóstico (doença diagnosticada); IDENTIFICADO; RECONHECIDO [F.: Part. de *diagnosticar.*]

diagnosticador (di:a.gnos.ti.ca.*dor*) *a.* **1** Diz-se de profissional que sabe diagnosticar, que se ocupa de diagnósticos *sm.* **2** Esse profissional [F.: *diagnosticar* + *-dor.*]

diagnosticar (di:ag.nos.ti.*car*) *v. td.* Fazer o diagnóstico de (uma enfermidade): *O médico diagnosticou-lhe uma virose.* [▶ 11 diagnosticar] [F.: Do fr. *diagnostiquer.*]

diagnóstico (di:ag.*nós*.ti.co) *sm.* **1** *Med.* Reconhecimento e determinação de uma doença por meio da observação de seus sintomas e de exames diversos *a.* **2** Ref. a diagnose [F.: Do gr. *diagnostikós, é, on.* Hom./Par.: *diagnóstico* (sm.a.), *diagnostico* (fl. de *diagnosticar*).] ■ **~ diferencial** *Med.* Eliminação, pelo médico, de certos diagnósticos a que poderia chegar a partir de sintomas comuns aos da enfermidade que realmente acomete seu paciente

diagonal (di:a.go.*nal*) *a2g.* **1** Que é oblíquo, transversal **2** Diz-se de tecido sulcado no sentido transversal da peça *sf.* **3** Direção, sentido oblíquo: *Essa rua vai em diagonal até a praça.* **4** *Geom.* Segmento de reta que une vértices não adjacentes de um polígono **5** *Geom.* Segmento de reta que, num poliedro, une dois vértices não pertencentes à mesma face **6** *Fer.* Comunicação entre vias férreas paralelas **7** *Astr.* Pequeno espelho que reflete a luz da objetiva para a ocular em refletores astronômicos do tipo newtoniano **8** *Art.gr.* Em diagramação, reta que liga os ângulos opostos de uma ilustração e que serve como referencial para sua redução ou ampliação **9** *Esp.* No voleibol, cortada no sentido oblíquo [Pl.: *-nais.*] [F.: Do lat. *diagonalis, e.*] ■ **~ principal** *Álg.* Numa matriz quadrada (como, p.ex., um determinante), o conjunto dos elementos que têm iguais os números-índice que representam a coluna e a linha [Tb. se diz apenas *diagonal.*]

diagrama (di:a.*gra*.ma) *sm.* **1** Representação gráfica esboçada de alguma coisa; DELINEAÇÃO; ESBOÇO: *diagrama de conexão dos cabos.* **2** Representação gráfica de um fenômeno por meio de linhas, pontos etc. [F.: Do lat. *diagramma, atis.* Sin. ger.: *esquema.* Hom./Par.: *diagrama* (sm.), *diagrama* (fl. de *diagramar*).] ■ **~ de Argand** *Mat.* Aquele no qual, num sistema de coordenadas cartesianas, a abscissa representa a parte real de um complexo e a ordenada, a parte imaginária **~ de barras** *Est.* Diagrama que representa uma distribuição de frequências de casos, em que essas frequências são representadas por retângulos, ou 'barras', cujas áreas, ou alturas, são proporcionais às frequências dos casos que representam **~ de fluxo** *Inf.* Fluxograma

diagramação (di:a.gra.ma.*ção*) *sf. Art.gr.* Ação ou resultado de diagramar: *diagramação de um jornal.* [Pl.: *-ções.*] [F.: *diagramar* + *-ção.*]

diagramado (di:a.gra.ma.*do*) *a.* **1** Que se diagramou *a.* **2** *Art. gr. Des. Publ.* Disposto em diagrama (1): *A página já foi diagramada.* [F.: Part. de *diagramar.*]

diagramador (di:a.gra.ma.*dor*) [ô] *a.* **1** Diz-se de quem ou do que diagrama (*software diagramador*) *sm.* **2** Profissional encarregado da diagramação em jornal, gráfica etc. [F.: *diagramar* + *-dor.*]

diagramar (di:a.gra.*mar*) *v. td. Art.gr.* Dispor graficamente o que fará parte de uma publicação (texto, ilustrações, legendas etc.), tomando por base a programação visual: *Diagramar um livro/um jornal.* [▶ 1 diagramar] [F.: *diagrama* + *-ar*².]

dial (di.*al*) *Radt. sm.* **1** Indicador de sintonia (p.ex., de receptor de rádio) **2** Dispositivo que altera a sintonia e sua marcação nesse indicador [Pl.: *-ais.*] [F.: Do ingl. *dial.*]

diálcool (di.*ál*.co.ol) *sm. Quím.* Composto com presença de dois átomos de álcool [Pl.: *-óis.*] [F.: *di-* + *álcool.*]

dialdeído (di.al.*de.í*.do) *sm. Quím.* Composto orgânico que contém dois grupos de aldeído [F.: *di-* + *aldeído.*]

dialeta (di:a.*le*.ta) [é] *s2g.* Pessoa que argumenta com categoria e propriedade: *O promotor mostrou-se um exímio dialeta.* [F.: Do gr. *diálektos,ou.*]

dialetal (di:a.le.*tal*) *a2g.* Relativo ou pertencente à variedade regional de uma língua: *expressão dialetal.* [F.: *dialet(o)* + *-al.*]

dialética (di:a.*lé*.tica) *Fil. sf.* **1** Processo e arte de se buscar a verdade pelo diálogo e pela discussão **2** Tipo de lógica que interpreta os processos (históricos, p.ex.) como oposição de forças (antítese) que tendem a se resolver numa solução (síntese) [F.: Do lat. *dialectica, ae.*] ■ **~ ascendente** *Fil.* Segundo Platão, elevação da alma do mundo concreto a um mundo intangível, onde está o conceito do Bem **~ descendente** *Fil.* Segundo Platão, o caminho inverso da dialética ascendente, e no qual o filósofo parte da ideia do Bem, no mundo intangível, para aplicá-la à realidade do mundo concreto **~ transcendental** *Fil.* Segundo Kant, crítica à ideia, ilusória, de que a razão possa antecipar-se à experiência sensível, para estabelecer, antes de vivê-la, os conceitos de Deus, do mundo e da alma

dialético (di:a.*lé*.ti.co) *a.* **1** Ref. à dialética **2** Que se realiza pela dialética (processo dialético) [F.: Do lat. *dialecticus, a, um.*]

dialetizar¹ (di.a.le.ti.*zar*) *v. Ling.* Transformar (linguagem, forma de expressão) em dialeto; expressar-se em dialeto; DIALETAR [*td.*: *Os blogs dialetizaram sua linguagem.*] [*int.*: *Torna-se difícil compreender os que dialetizam.*] [▶ 1 dialetizar] [F.: *dialeto* + *-izar.*]

dialetizar² (di:a.le.ti.*zar*) *v.* Usar dialética em (argumentação, discurso, discussão etc.) [*td.*: *Dialetizou seus argumentos, buscando dar coerência a suas contradições.*] [*int.*: *Pelo seu discurso, vejo que você resolveu dialetizar.*] [▶ 1 dialetizar] [F.: *dialét(ica)* + *-izar.*]

dialeto (di:a.*le*.to) [é] *sm.* **1** *Ling.* Variante de uma língua restrita a uma comunidade inserida em uma comunidade maior de mesma língua [Divide-se em dialeto social e geográfico.] **2** *Ling.* Qualquer variedade linguística coexistente com outra e que não pode ser considerada uma língua (dialeto caipira) [Cf. *falar* (subst.).] **3** *P.ext.* Modo de falar ou escrever; LINGUAJAR [F.: Do lat. *dialectus,i.*] ■ **~ social** *Ling.* Aquele que se define por critérios de pertinência a classe, cultura, profissão, posição social etc.

dialetologia (di:a.le.to.lo.*gi*.a) *Ling. sf.* **1** *Ling.* Estudo dos dialetos a partir do levamento dos traços de comunicação oral e escrita dos moradores de uma região **2** Estudo conjunto da geografia linguística e de diferenças dialetais capazes de introduzir mudanças em uma língua [F.: *dialeto* + *-logia.*] ■ **~ social** *Ling. E. ling.* Ver *sociolinguística* **~ urbana** *E. ling.* Ver *sociolinguística*

◎ **diali-** *el. comp.* = separado, desagregado: *dialipétalo.*

dialisador (di:a.li.sa.*dor*) [ô] *a.* **1** Que dialisa, que promove a diálise (líquido dialisador) *sm.* **2** Aparelho próprio para dialisar: *A hemodiálise usa um dialisador, filtro especial para limpar o sangue.* [F.: *dialisar* + *-dor.*]

diálise (di.*á*.li.se) *sf.* **1** *Quím.* Método us. para separar, através do uso de uma membrana semipermeável, substâncias que se encontram dissolvidas em solução coloidal **2** *Med.* Tratamento que tem por objetivo suplementar o mau funcionamento dos rins, podendo ser feito por hemodiálise ou por diálise peritonial [F.: Do gr. *diálysis, eos.*] ■ **~ peritonial** *Med.* Diálise na qual a solução a ser dialisada é introduzida e removida através do peritônio

dialogante (di:a.lo.*gan*.te) *s2g.* **1** Um e cada um dos que participam de um diálogo *a2g.* **2** Que tende a dialogar (democracia dialogante) [F.: *dialogar* + *-nte.*]

dialogar (di:a.lo.*gar*) *v.* **1** Manter diálogo, trocar ideias com; CONVERSAR [*tr.* + *com*: *Dialoga muito com o filho.*] [*int.*: *Alguns irmãos dialogam sempre.*] **2** Tentar entender-se com [*tr.* + *com*: *Não quer dialogar com o adversário.*] [*int.*: *Dialogaram para superar as divergências.*] [▶ 14 dialogar] [F.: Do fr. *dialoguer.*]

dialogismo (di:a.lo.*gis*.mo) *sm.* **1** *Liter.* Arte ou gênero de expressão em diálogo **2** *Ant. Liter. Ret.* Modo de apresentar em forma de diálogo as ideias e os sentimentos dos personagens: "Quanto ao nome, chamem-no drama, dialogismo, não importa." (Álvares de Azevedo, *Noite na taverna*) [F.: Do lat. tar. *dialogismus*, adp. do gr. *dialogismós* 'conversação'.]

dialogita (di:a.lo.*gi*.ta) *sf. Min.* O mesmo que *rodocrosita* [F.: Do al. *Dialogit.*]

diálogo (di.*á*.lo.go) *sm.* **1** Conversação entre duas ou mais pessoas; COLÓQUIO; CONVERSA: *Entabularam um animado diálogo.* [+ *entre, com...sobre*: *diálogo entre amigos; diálogo com os filhos sobre vários assuntos.*] **2** Troca de ideias opiniões etc.: *diálogo em sala de aula.* **3** *Liter. Teat. Telv.* Fala atribuída por um autor a cada um de seus personagens **4** *Liter.* Obra literária, científica etc. sob a forma de conversação: *Os "diálogos" de Platão.* **5** *Inf.* Interação entre sistema de um computador ou entre os computadores de uma rede [F.: Do lat. *dialogus, i.* Hom./Par.: *dialogo* (fl. de *dialogar*).] ■ **~ de surdos** *Fig.* Aquele em que os que o mantêm não prestam atenção aos argumentos do outro

diamagnetismo (di:a.mag.ne.*tis*.mo) *sm. Fís.* Suscetibilidade magnética negativa, no sentido contrário ao da força magnética [F.: *dia-* + *magnetismo.*]

diamante (di:a.*man*.te) *sm.* **1** *Min.* Mineral constituído de carbono puro, duríssimo e muito brilhante, valioso como pedra preciosa (mina de diamantes) **2** *Min.* A gema obtida desse metal lapidado, de alto valor comercial **3** Joia feita com essa gema: *Usa um diamante enorme no dedo.* **4** Qualquer coisa que tenha muito brilho: "A água é diamante em seus olhos parados." (Cecília Meireles, "Dia submarino" *in Retrato natural*) **5** Objeto us. para cortar vidro, em cuja ponta há um fragmento de diamante (1) **6** *Bras.* Ferramenta para tornear metais **7** *Bras.* Formão próprio para tornear madeira, com bisel dos dois lados [F.: Do lat.vulg. *diamas, antis.*] ■ **~ bruto 1** *Gem.* Aquele que não foi lapidado **2** *Fig.* Coisa cujo valor ainda não foi aproveitado ou percebido, ou pessoa cujo talento incomum ainda não foi aprimorado por algum motivo **~ refugo** *Gem.* Aquele que não pode ser lapidado, podendo por isso ser aproveitado como instrumento de corte de vidraceiros

> 🕮 Mineral composto exclusivamente de carbono, o diamante, por sua dureza, tem ampla utilização industrial, mas, com seu alto índice de refração e de reflexão internas, é como gema, após a lapidação, que o diamante é altamente valorizado. Origina-se em rochas vulcânicas antigas, podendo ser encontrado em leitos de rios que o arrastaram de sua locação primitiva, ou em minas. Os maiores produtores atuais de diamante são Federação Russa, Congo, Botsuana Austrália, Angola, Canadá. O Brasil concorre com c. 0,2% da produção mundial.

diamantífero (di:a.man.*ti*.fe.ro) *a.* Diz-se de solo, terreno etc. em que há diamantes (região diamantífera) [F.: *diamante* + *-ifero.*]

diamantino (di.a.man.*ti*.no) *a.* **1** Ref. a diamante **2** Semelhante a diamante no brilho, dureza etc. **3** *Fig.* Que é puro e perfeito (caráter diamantino, poema diamantino); PRECIOSO [F.: *diamante* + *-ino*¹.]

diamba (di.*am*.ba) *sf. Gír.* O mesmo que *maconha* [F.: Do quicg. *ly-amba* 'cânhamo-indiano'.]

diambeiro (di:am.*bei*.ro) *sm. Gír.* O traficante ou o consumidor habitual de maconha [F.: *diamba* + *-eiro.*]

diametral (di:a.me.*tral*) *a2g.* **1** Ref. a diâmetro **2** Que divide uma superfície em duas partes equivalentes; TRANSVERSAL: *ensaio de compressão diametral.* [Pl.: *-ais.*] [F.: *diâmetro* + *-al*².]

diâmetro (di.*â*.me.tro) *sm.* **1** *Geom.* Linha reta que liga dois pontos de uma circunferência, passando pelo centro **2** Medida dessa linha (diâmetro de 1 m) **3** *Mat.* Supremo das distâncias entre dois pontos de um subconjunto de um espaço métrico [F.: Do lat. *diametros, i.*] ■ **~ angular** *Astron.* Ângulo de um cone imaginário circunscrito ao diâmetro de um astro e que tem como vértice o ponto onde está o observador **~s conjugados** *Geom.* Em uma curva, par de diâmetros paralelos, cada um deles, às cordas que definem o outro

diamina (di:a.*mi*.na) *Quím. sf.* **1** Amina derivada de duas moléculas de amoníaco condensadas **2** Qualquer composto que contenha dois grupos amina [F.: *di-* + *amina.*]

diandria (di:an.*dri*:a) *sf. Bot.* Ocorrência de dois estames livres e iguais em planta, flor etc. [F.: *di-* + *-andria.*]

diandro (di:*an*.dro) *Bot.* Diz-se de planta, flor etc. que apresenta diandria [F.: *di-* + *-andro.*]

dianho (di.*a*.nho) *sm. Pop.* Nome usado, por eufemismo, para se referir ao diabo; CAPETA; COISA-RUIM; DIACHO; TINHOSO: "Esse dianho de moleque é assim mesmo!" (Inglês de Sousa, *O missionário*) [F.: Alt. de *diabo.*]

dianoético (di:a.no.*é*.ti.co) *a. Fil.* Ref. ao pensamento discursivo [F.: Do gr. *dianoetikós, é, ón.*]

diante (di:*an*.te) *prep. P.us.* Serve para relacionar palavras por subordinação, dando ideia de tempo, espaço etc; DIANTE DE [NOTA: Us. esp. em locuções (*diante de, em diante, por diante* etc.).] [F.: *de* + lat. (*in*)*ante.* Ideia de 'diante de', usar pref. *cata-* e *pró-*.] ■ **~ de 1** Em frente a: *Perdeu a chance diante do gol.* **2** Ante, em presença de: *Prestou depoimento diante do juiz.* **3** Em consequência de: *Diante de tais argumentos, acabou concordando.* **Em ~** Para a frente (posição mais adiantada, no tempo ou no espaço): *De agora em diante valem as novas regras; Deste ponto em diante a estrada tem muitas curvas.* **Por ~** Para a frente (posição mais adiantada no tempo): *Daqui por diante valem as novas regras.*

dianteira (di:an.*tei*.ra) *sf.* **1** Parte ou ponto mais avançado; FRENTE: *Tomou a dianteira na corrida.* [Ant.: *traseira.*] **2** Corte de abertura de um livro, pelo qual este se abre **3** Peça colocada na frente de algo (dianteira da cama) [F.: Fem. substv. de *dianteiro.*] ■ **Tomar a ~(de) 1** Adiantar-se aos demais; passar adiante, ger. distanciando-se **2** Liderar empreendimento, levar à frente

dianteiro (di:an.*tei*.ro) *a.* **1** Que está na frente: *para-lama dianteiro do carro.* [Ant.: *traseiro.*] **2** *N.E. Pop.* Diz-se de mulher com as partes genitais proeminentes *sm.* **3** Quem ou o que vem na frente **4** *Fut.* Jogador do ataque; ATACANTE [F.: *diante* + *-eiro.*]

diapasão (di:a.pa.*são*) *sm.* **1** *Mús.* Nota de referência (ger. o lá) para afinar instrumentos e vozes **2** *Mús.* Pequeno instrumento metálico que, ao vibrar, emite essa nota [É us. tb. no diagnóstico da surdez e problemas neurológicos.] **3** *Mús.* Alcance, extensão atingida por voz ou instrumento musical; REGISTRO **4** *Mús.* Posição ocupada por uma voz ou instrumento na escala geral dos sons **5** *Fig.* Nível, estado comparativo us. como padrão: "No mesmo diapasão erótico, o paulista Mário de Andrade..." (*O Globo*, 06.03.2005) **6** *Bras. Fig.* Ritmo de vida, de trabalho etc. muito intenso; ROJÃO **7** *RJ Fig. Gír.* Arma branca [Pl.: *-sões.*] [F.: Do lat. *diapason, i.*]

diapausa (di:a.*pau*.sa) *sf. Zool. Fisl.* Redução do crescimento e do desenvolvimento de insetos e outros animais, que se observa em determinadas estações do ano ou por condições adversas [F.: *dia-* + *pausa.*]

diapedese (di:a.pe.*de*.se) [dé] *sf. Med.* Passagem de células sanguíneas, esp. de leucócitos, através das paredes dos vasos, que permanecem intactos: *A diapedese e a fagocitose fazem dos neutrófilos a linha de frente no combate às infecções.* [F.: Do lat. cient. *diapedesis.*]

diapositivo (di:a.po.si.*ti*.vo) *sm.* **1** *Fot.* Fotografia em material transparente, para ser projetada em tela ou similar **2** O mesmo que *slide* **3** *Art. gr.* Espaço não impresso que corresponde à forma de letra, fio, ilustração etc. dentro de área impressa maior [F.: *di(a)-* + *positivo.*]

diarca (di:*ar*.ca) *sm.* Cada um dos dois reis ou soberanos de uma diarquia [F.: *di-*¹ + *-arca*¹.]

diária (di.*á*.ri:a) *sf.* **1** Preço cobrado por dia em hotel, hospital etc.: *A diária desse hotel é muito cara.* **2** Quantia cobrada por um dia de trabalho: *A diária da faxineira aumentou.* **3** Valor relativo a gastos diários pagos com ajuda de custo a funcionários públicos ou particulares em viagem: *O valor das diárias foi reajustado.* **4** Ração ou despesa de cada dia [F.: Fem. substv. de *diário.*]

diariamente (di:a.ri:a.*men*.te) *adv.* Todos os dias; cada dia: *A entrega do material ocorre diariamente.* [F.: Fem. *diário* + *-mente.*]

diário (di.*á*.ri:o) *a.* **1** Que se faz ou ocorre diariamente (jornal diário, tarefas diárias) *sm.* **2** Caderno, livro etc. em que alguém registra diária ou quase diariamente os acontecimentos de sua vida, seus pensamentos etc. **3** Registro dos acontecimentos do dia a dia de uma atividade, instituição, profissão etc. (diário de classe/de bordo) **4** Jornal publicado diariamente **5** *Pop.* Despesa ou gasto de cada dia [F.: Do lat. *diarius, a, um,* 'do dia', e do lat. *diarium, ii,* 'pagamento de um dia de trabalho'; 'registro feito a cada dia', substv. do neutro do adj.]

diarista¹ (di:a.*ris*.ta) *Bras. a2g.* **1** Diz-se de pessoa especializada em prestar serviços domésticos em várias residências em dias variados **2** Que presta serviço e recebe por dia trabalhado (enfermeira diarista) *s2g.* **3** Empregado doméstico que recebe por dia trabalhado [F.: *diária* + *-ista.*]

diarista² (di.a.*ris*.ta) *a2g.* **1** Diz-se de jornalista que trabalha na redação de diário (4) *s2g.* **2** Esse jornalista [F.: *diário* + *-ista.*]

diarquia (di:ar.*qui*.a) *sf.* Forma de governo em que o poder é exercido simultaneamente por dois soberanos [F.: Do gr. *diarkhía, as.*]

diarreia (di:ar.*rei*.a) *sf. Med.* Evacuação de fezes líquidas e abundantes, ger. por repetidas vezes em dado espaço de tempo, ou com frequência (4) acima do normal [F.: Do gr. *diárrhoia, as.*]

diarreico (di:ar.*rei*.co) *a.* **1** Ref. a diarreia **2** Diz-se de pessoa que sofre de diarreia *sm.* **3** *Med.* Aquele que é frequentemente acometido de diarreia [F.: *diarreia* + *-ico*².]

diartrose (di:ar.*tro*.se) *sf. Ort.* Articulação que permite o movimento dos ossos em todos os sentidos; ABARTICULAÇÃO; ABARTROSE [F.: Do gr. *diarthrosis.*]

dias (*di*.as) *smpl.* Tempo de existência, de vida: *Estava com os dias contados.* [F.: Pl. de *dia.*]

diáspora (di.*ás*.po.ra) *Hist. sf.* **1** A dispersão dos judeus pelo mundo a partir do séc. I **2** *P.ext.* Dispersão de um povo ou de uma classe pelo mundo ao longo dos anos ou dos séculos, por perseguição política, religiosa ou étnica: *diáspora das tribos africanas pelas Américas.* [F.: Do gr. *diasporá,* 'dispersão'.]

diásporo (di:*ás*.po.ro) *sm. Biol.* Parte reprodutiva de um organismo (como semente, frutos, bolbilhos), que dá origem a novo indivíduo igual ao que o gerou; diaspório; tb. *diáspora* [F.: Do fr. *diaspore.*]

diástase (di:*ás*.ta.se) *sf.* **1** *Ort.* Deslocamento ou disfunção acidental de dois ossos articulados **2** *Pat.* Afastamento de duas estruturas que normalmente se apresentam em contato imediato ou mediato: *diástase dos músculos retos abdominais.* **3** *Bioq.* Catalisador de origem orgânica, fermento solúvel ou conjunto de enzimas que convertem amido em maltose [F.: *di(a)-* + *-stase.*] ■ **~ óssea** *Ort.* Afastamento entre dois ossos antes próximos ou contíguos, sem ser por efeito de trauma, luxação etc.

diastema (di:as.*te*.ma) *sm.* **1** *Od.* Espaço sem dentes na mandíbula dos vertebrados, anormal no homem mas normal no cão e em outros vertebrados **2** *Pat.* Cavidade anormal em qualquer parte do corpo, esp. quando congênita **3** *Anat.* Poro pequeno, invisível a olho nu **4** *Geol.* Descontinuidade nas rochas sedimentares **5** *Mús.* Intervalo simples [F.: Do lat. *diastema, atis.*]

diástole (di.*ás*.to.le) *sf.* **1** *Fisl.* Pausa muito breve do batimento do coração, na qual esse órgão se descontrai e os ventrículos se enchem de sangue [Cf. *sístole.*] **2** *Gram.* Prolongamento de uma sílaba breve **3** *Fon.* Avanço do acento tônico para a sílaba seguinte [Ocorrência frequente na passagem do latim clássico para o vulgar.] [F.: Do fr. *diastole,* 'separação', do lat. *diastole, es.*]

diastólico (di:as.*tó*.li.co) **1** *Bioq. Med.* Ref. a diástole (volume diastólico) **2** *Med.* Que ocorre durante a diástole [F.: *diástole + -ico*².]

diastrofia (di:as.tro.*fi*.a) *sf. Anat.* Deslocamento ou luxação de ossos, músculos ou tendões [F.: *dia- + -strofia* (do gr. *strophé, és* 'ação de virar').]

diatermia (di:a.ter.*mi*:a) *sf.* **1** *Med.* Qualidade do que é diatérmico **2** Método terapêutico que consiste na elevação da temperatura no interior dos tecidos mediante o uso de radiação eletromagnética, corrente elétrica ou ondas ultrassônicas [F.: *dia- + -termia.*] ■ **~ cirúrgica** *Cir.* Elevação terapêutica da temperatura interna de tecidos (mediante radiações de alta frequência) para destruí-los ou provocar coagulação **~ médica** *Med.* Elevação terapêutica da temperatura dos tecidos sem a sua destruição

diatérmico (di:a.*tér*.mi.co) *a.* **1** Ref. a diatermia **2** Que faculta, ou não impede a transmissão de calor (material diatérmico) [F.: *diatermia + -ico*².]

diátese (di:*á*.te.se) *sf.* **1** *Med.* Predisposição do organismo para ser atacado por afecções locais mais ou menos variadas, mas sempre sintomáticas, de uma doença geral da mesma natureza **2** *Fig.* Disposição moral mórbida: "Todos os que o conheceram moço sabiam-no de sobra possuidor de diátese de loucura." (Lima Barreto, *Clara dos Anjos*) [F.: Do gr. *diathesis.*]

diatomácea (di:a.to.*má*.ce:a) *Bot. sf.* **1** Espécime das diatomáceas, fam. de algas microscópicas, da classe das bacilariofíceas, que vivem na água e em terra úmida, formando muitas vezes uma lama gelatinosa **2** *P.ext.* Qualquer alga da classe das bacilariofíceas [F.: Adapt. do lat. cient. *Diatomaceae.*]

diatômica (di:a.*tô*.mi.ca) *sf. Quím.* Molécula formada por dois átomos, do mesmo elemento ou de elementos diferentes [F.: *di- + atômica.*]

diatômico (di:a.*tô*.mi.co) *a. Fís.* Que possui dois átomos (molécula diatômica, gás diatômico) [F.: *di-*¹ *+ atômico.*]

diatônico (di:a.*tô*.ni.co) *a. Mús.* Que procede segundo a sequência natural de tons e semitons (escala diatônica, acorde diatônico) [F.: Do lat. *diatonicus, a, um.*]

diatonismo (di:a.to.*nis*.mo) *sm.* **1** *Mús.* Condição ou qualidade de diatônico **2** Emprego da harmonia diatônica [Cf. *cromatismo.*] [F.: *diaton(ico) + -ismo.*]

diatribe (di:a.*tri*.be) *sf.* **1** *Hist. Fil.* Na antiga Grécia, exposição crítica que os filósofos (cínicos e estoicos) faziam a respeito de alguma obra [Os cínicos e estoicos tinham o costume de pregar em tom violento e provocativo.] **2** Discurso oral ou escrito, violento e ger. injurioso [+ *contra*: *O deputado lançou da tribuna veemente diatribe contra o projeto de lei.*] **3** Crítica amarga e áspera [F.: Do gr. *diatribé*, pelo lat. tard. *diatriba* e pelo fr. *diatribe.*]

diazepam (di:a.ze.*pam*) *sf. Farm.* Substância cristalina do grupo dos benzodiazepínicos, us. como medicamento anticonvulsivo e tranquilizante [Fórm.: $C_{16}H_{13}ClN_2O$] [F.: Do ing. *diazepan.*]

dibrânquio (di.*brân*.qui:o) *sm.* **1** *Zool.* Espécime dos dibrânquios, subclasse de moluscos cefalópodes, com concha interna ou ausente, com brânquias em par, oito a dez tentáculos, ger. providos de ventosas, entre os quais estão lulas e polvos *a.* **2** *Zool.* Ref. ou pertencente aos dibrânquios [F.: Adapt. do lat. cient. *Dibranchia.*]

◎ **dic(a)-** *el. comp.* = 'em dois'; 'dividido, separado em dois'; 'separadamente': *dicapetalácea* (< lat. cient.), *dicotomia* (< gr.), *dicótomo* (< gr.), *dicogamia, dicógamo, dicopétalo* [F.: Do adv. gr. *díkha*, 'em dois'; 'separadamente'.]

dica (*di*.ca) *Bras. Pop. sf.* **1** Informação útil, proveitosa, ger. pouco conhecida; PLÁ; PALA [+ *sobre, de*: *dica de viagem.*: "... uma dica sobre como criar atalhos para mensagens de correio eletrônico..." (*O Globo*, 07.03.2005)] **2** Indicação, orientação ou pista: *Se eu der uma dica você decifra o enigma.* [F.: Por *indica, dev. de *indicar*, ou red. de *indicação*.] ■ **À ~ 1** *Lus.* Perto **2** De atalaia, à espreita

dicarboxílico (di.car.bo.*xí*.li.co) *a. Quím.* Diz-se de ácido que tem duas carboxilas por molécula; DIOICO [F.: *di- + carboxílico.*]

dicásio (di.*cá*.si:o) *sm. Bot.* Inflorescência em que, sob a flor terminal do eixo principal, apresentam-se dois ramos laterais floríferos [F.: Do gr. *dichasis* 'divisão'.]

dicastério (di.cas.*té*.ri:o) *sm.* **1** Tribunal da antiga Atenas, com dez varas **2** Certo tribunal do antigo reino de Nápoles **3** Tribunal da cúria romana **4** Subdivisão de governo em algumas comunas suíças [F.: Do gr. *dikastérion, ou.*]

dicaz (di.*caz*) *a2g.* Impiedoso, mordaz, severo na crítica: *habilidade para questionar de forma irônica e dicaz.* [Superl.: *dicacíssimo.*] [F.: Do lat. *dicax,acis.*]

dicção (dic.*ção*) *sf.* **1** Maneira de pronunciar ou articular as palavras quando se fala; PRONÚNCIA: *Para ser bom locutor deve melhorar sua dicção.* **2** Arte de se expressar, de combinar palavras e expressões com vistas à correção e clareza do texto; ESTILO **3** Palavra, vocábulo [Pl.: *-ções.*] [F.: Do lat. *dictio,onis.*]

dícero (*dí*.ce.ro) *a.* **1** *Zool.* Diz-se de animal provido de um par de antenas ou chifres *sm.* **2** Esse animal [F.: *di- + -cero.*]

dicetona (di.ce.*to*.na) *sf. Quím.* Composto que contém dois grupos funcionais de cetona [F.: *di- + cetona.*]

dichote (di.*cho*.te) *sm. Pop.* Dito picante ou chistoso; GRACEJO; REMOQUE; ZOMBARIA: "Desabou em todo o bairro um aguaceiro de motes e dichotes." (Machado de Assis, *Várias histórias*) [F.: Do espn. *dichote.*]

dicionário (di.ci:o.*ná*.ri:o) *sm.* **1** Obra que reúne, em ordem alfabética, as palavras de uma língua ou termos referentes a uma matéria específica, e descreve seu significado, uso, etimologia etc., na mesma língua ou em outra (dicionário de cinema/de inglês) **2** O conjunto das palavras ou termos reunidos nessa obra **3** Livro ou outro suporte que contém tais informações (dicionário eletrônico) **4** Pessoa de extensos conhecimentos; dicionário ambulante [F.: Do lat. medv. *dictionarium*. Cf.: *glossário.*] ■ **~ analógico** *Lex.* Aquele que apresenta as palavras em grupos que têm em comum certa afinidade de significados, ou de usos, ou de contextos de uso; dicionário de ideias afins; dicionário ideológico **~ bilíngue** *Lex.* Aquele que apresenta os significados de palavras de uma língua em uma outra língua **~ de ideias afins** *Lex.* Ver *Dicionário analógico* **~ eletrônico** *Inf.* Versão de dicionário criada para ser us. em computador, com várias modalidades de acesso e de pesquisa das palavas **~ enciclopédico** *Lex.* Obra de referência que usa a técnica dos dicionários para dar (também) informações enciclopédicas sobre nomes comuns e nomes próprios, tais como as de caráter histórico, geográfico, científico, cultural etc.

📖 Um dos fatores mais diferenciadores do ser humano é sua imensa (quando comparada à das outras espécies) capacidade de se comunicar e de trocar, armazenar e resgatar informações (ou seja, de construir e transmitir conhecimento). Isso advém, por sua vez, de sua capacidade de apreender, processar e utilizar um sistema praticamente inesgotável de signos que representam os significados das coisas que percebe, e cuja combinação estruturada representa ideias, conceitos, descrições baseados nessas coisas, sejam elas concretas ou abstratas. Esses signos de linguagem, comunicados através do aparelho fonador ou de sua representação gráfica, são as palavras, e suas estruturações lógicas que formam significados são as frases, e o tipo de linguagem que eles constituem é uma língua, ou idioma. A eficácia da língua como sistema de comunicação e armazenamento de informações, em forma de mensagens, exige sintonia entre o emissor e o receptor dessas mensagens, ou seja, os significados dos signos (palavras) e da estrutura lógica em que estão montados para formarem ideias, conceitos etc. devem ser os mesmos para emissor e receptor, ou não haverá comunicação, nem formação ou resgate de conhecimento. O eixo, a referência nesse processo de comunicação é o acervo das palavras com todos os seus significados possíveis e das informações necessárias para determinar os contextos de cada significado e a forma de montar as estruturas lógicas em que eles formarão ideias, mensagens, conhecimento. Este acervo se organiza em um dicionário, conjunto das palavras de uma língua com seus significados e informações necessárias e suficientes para seu uso nos vários contextos em que se aplicam.

dicionarista (di.ci:o.na.*ris*.ta) *s2g.* **1** Pessoa especializada em elaborar dicionários; LEXICÓGRAFO *a2g.* **2** Diz-se dessa pessoa [F.: *dicionário + -ista.*]

dicionarístico (di.ci:o.na.*rís*.ti.co) *a.* Do ou ref. ao dicionário ou ao dicionarista (texto dicionarístico) [F.: *dicionarista + -ico*².]

dicionarização (di.ci:o.na.ri.za.*ção*) *sf.* Ação ou resultado de dicionarizar (dicionarização de verbos) [Pl.: *-ções.*] [F.: *dicionarizar + -ção.*]

dicionarizado (di.ci:o.na.ri.*za*.do) *a.* **1** Que foi registrado, incluído em dicionário (palavra dicionarizada) **2** Que se organizou como um dicionário [F.: Part. de *dicionarizar.*]

dicionarizar (di.ci:o.na.ri.*zar*) *v.* **1** Registrar em dicionário [*td.*: *Dicionarizar novos usos de palavras existentes.*] **2** Organizar em forma de dicionário [*td.*: *Dicionarizar as dificuldades da língua portuguesa.*] **3** Elaborar ou escrever dicionário [*int.*: *Passam o dia dicionarizando.*] [▶ **1** dicionarizar] [F.: *dicionário + -izar.* Hom./Par.: *dicionarizáveis* (fl.), *dicionarizáveis* (fl. de *dicionarizável* [a2g.]).]

dicionarizável (di.ci:o.na.ri.*zá*.vel) *a2g.* Que se pode dicionarizar; próprio para ser incluído em dicionário (neologismo dicionarizável) [Pl.: *-veis.*] [F.: *dicionarizar + -vel.* Hom./Par.: *dicionarizáveis* (pl.), *dicionarizáveis* (fl. de *dicionarizar*).]

dicloridrato (di.clo.ri.*dra*.to) *Quím. a.* **1** Diz-se de composto que possui duas moléculas de ácido clorídrico *sm.* **2** Esse composto [F.: *di- + cloridrato.*]

◎ **diclor(o)-** *el. comp. Quím.* = 'dois átomos de cloro na molécula de um composto orgânico': *diclorobenzeno, diclorodifeniltricloroetano, diclorometano* [F.: *di-*¹ *+ cloro.*]

diclorobenzeno (di.clo.ro.ben.*ze*.no) *sm. Quím.* Derivado diclorado do benzeno, constituído de três isômeros, us. como inseticida, solvente de ceras e resinas e como intermediário na fabricação de corantes [Fórm.: $C_6H_4Cl_2$] [F.: *diclor(o)- + benzeno.*]

diclorodifeniltricloroetano (di.clo.ro.di.fe.nil.tri.clo.ro:e.*ta*.no) *sm. Quím.* Inseticida mais conhecido por sua sigla, DDT [Fórm.: $C_{14}H_9Cl_5$] [F.: *diclor(o)- + difenil + tricloro + etano.*]

◎ **dico-** *el. comp.* Indica possibilidade de praticar ou sofrer uma ação; relação: *alagadiço; movediço.* [F.: Adapt. pop. do lat *-icius, a, um.* Ver *-(t)ício.*]

dicotilédone (di.co.ti.*lé*.do.ne) *a2g. Bot.* Provido de dois cotilédones; DICOTILEDÔNEO [F.: *di-*¹ *+ cotilédone.*]

dicotiledônea (di.co.ti.le.*dô*.ne:a) *sf. Bot.* Espécime das dicotiledôneas, classe de angiospermas que se caracterizam pelo embrião freq. com dois cotilédones, pelo crescimento em espessura dos caules, ramos e raízes, pela nervação ger. reticulada das folhas etc. [F.: Adapt. do lat.cient. *Dicotyledoneae.*]

dicotiledôneo (di.co.ti.le.*dô*.ne:o) *Bot. a2g.* **1** Ref. ou pertencente às dicotiledôneas: *caule dicotiledôneo.* **2** O mesmo que *dicotilédone* [F.: De *dicotiledônea*, com var. suf. (ver *-eo*).]

dicotomia (di.co.to.*mi*.a) *sf.* **1** Método de classificação em que cada divisão inclui, no máximo, dois elementos **2** Divisão não ética de honorários entre profissionais (p.ex, entre dois médicos, quando um deles remete o cliente ao outro) **3** *Astr.* Aspecto de um planeta ou satélite quando está metade claro, metade escuro **4** *Lóg.* Qualquer divisão de um conceito em apenas dois componentes, ger. opostos, em algum aspecto (p.ex.: *democracia/ditadura; amadorismo/profissionalismo*) **5** *Bot.* Divisão em duas partes iguais **6** *Teol.* Princípio que afirma a existência única, no ser humano, de corpo e alma [F.: Do gr. *dikhotomia, as.*]

dicotômico (di.co.*tô*.mi.co) *a.* **1** Ref. a, ou em que há dicotomia (pensamento dicotômico) **2** Dividido em dois (caule dicotômico); BIFURCADO **3** *Bot.* Diz-se de ramificação na qual o eixo vegetal se bifurca sucessivamente [F.: Do fr. *dichotomique.*]

dicotomizar (di.co.to.mi.*zar*) *v. td.* **1** Classificar por meio de método dicotômico: "Pretende-se não dicotomizar a educação popular da educação escolar e do conhecimento educacional elaborado." (BAGETTI, Vilmar & BASTOS, Fábio da Purificação de, *Revista do Centro de Educação*) **2** Dividir em dois ou em duas partes: *O professor dicotomizou o poema.* [▶ **1** dicotomizar] [F.: *dicotomia + -izar.*]

dicroico (di.*croi*.co) *a.* **1** Que tem a propriedade de refletir certas cores e de desviar outras (refletor dicroico) **2** Que tem a propriedade de desviar parte do calor, reduzindo a radiação térmica (lâmpada dicroica) **3** *Ópt.* Que tem dicroísmo (cristal dicroico) [F.: *di-*¹ *+ -croico.*]

dicroísmo (di.cro.*ís*.mo) *sm. Ópt.* Propriedade dos cristais transparentes de apresentar colorações variáveis, conforme a direção em que são observados [F.: *di-*¹ *+ -croísmo.*]

dicromático (di.cro.*má*.ti.co) *a.* Que pode apresentar duas cores (indicador dicromático); DICRÓMICO: *espelho dicromático para separação espectral entre câmeras.* [F.: *di- + cromático.*]

dicromatismo (di.cro.ma.*tis*.mo) *sm. Oft.* Cegueira parcial para as cores, na qual a percepção se baseia em apenas duas cores e não nas três primárias da visão normal [F.: *dicromato + -ismo.*]

dicrômico (di.*crô*.mi.co) *a.* O mesmo que *dicromático* [F.: *di- + crômico.*]

dictério (dic.*té*.ri:o) *sm.* Gozação ou zombaria dirigida a alguém; GRACEJO; PILHÉRIA [F.: Do lat. *dicterium* (tb. pl. *dicteria, orum*).]

díctico (*díc*.ti.co) *a. sm. Ling.* Ver *dêitico*

didanosina (di.da.no.*si*.na) *sm. Farm.* Medicamento empregado no tratamento de indivíduos em estado avançado de infecção por HIV, causador da aids

didascália (di.das.*cá*.li:a) *sf.* **1** *Teat.* Conjunto de indicações e instruções que na Grécia antiga os autores dramáticos inscreviam nos manuscritos dados aos atores, para bem representarem suas obras **2** Representação cênica **3** Qualquer crítica de obra teatral [F.: Do gr. *didaskalia.*]

didata (di.*da*.ta) *s2g.* **1** Pessoa que domina os (bons) métodos de ensino **2** Quem escreve livros de ensino [F.: Do ing. *didact.*]

didática (di.*dá*.ti.ca) *sf.* **1** A (boa) técnica de ensinar **2** Conjunto de conhecimentos relativos ao processo de ensinar [F.: Do fr. *didactique.*]

didático (di.*dá*.ti.co) *a.* **1** Ref. a didática **2** Que facilita a aprendizagem (meios didáticos) **3** Próprio para ensinar (material didático) **4** Próprio de quem ensina (discurso didático) [F.: Do gr. *didaktikós.*]

didatismo (di.da.*tis*.mo) *sm.* **1** Qualidade ou característica do que é didático **2** *Pej.* Maneira afetada de ser didático: *É um bom professor, mas a aula fica prejudicada por seu didatismo insuportável.* [F.: Do fr. *didactisme.*]

didatização (di.da.ti.za.*ção*) *sf.* Maneira ou processo de tornar mais facilmente compreensível um determinado assunto [Pl.: *-ções.*] [F.: *didatizar + -ção.*]

didatizar (di.da.ti.*zar*) *v. td.* Tornar didático: *Sempre procurava didatizar seus textos.* [▶ **1** didatizar] [F.: *didática + -izar.*]

didelfo (di.*del*.fo) *a. Zool.* Diz-se do mamífero cuja fêmea tem útero duplo e placenta ausente, como é o caso dos marsupiais [F.: *di- + -delfo.*]

didérmico (di.*dér*.mi.co) *a. Biol.* Que tem duas camadas de tecido: *formação do disco embrionário didérmico e tridérmico.* [F.: *di- + dérmico.*]

◎ **didim(o)-** *el. comp.* = 'duplo'; 'gêmeo'; 'testículo': *didimodinia; perididimo* [F.: Do gr. *dídymos, e,* ou *dídymos, os, on.*]

◎ **-dídimo** *el. comp.* Ver *didim(o)-*

dídimo (*dí*.di.mo) *a.* **1** Dividido em duas porções simétricas *sm.* **2** Termo que exprime a ideia de duplo, gêmeo **3** *Astron.* Antigo nome da constelação de Gêmeos [F.: Do gr. *didumos, os, on.*]

didimodinia (di.di.mo.di.*ni*.a) *sf. Med.* Dor nos testículos; o mesmo que *orquialgia* [F.: *didim(o)- + -dino + -ia*¹.]

diécio (di:*é*.ci:o) *a.* **1** *Biol.* Diz-se de espécie que comporta indivíduos de sexos diferentes [Cf. *monoico.*] **2** *Bot.* Que apresenta espécimes com flores masculinas e femininas em pés diferentes; DIECO; DIOICO [m Cf. *monoico.*] [F.: *di- + -écio* (do lat. cient. *oecium*).]

dieco (di:*e*.co) *a. Biol.* O mesmo que *diécio* [F.: Alt. de *diécio.*]

diedro (di.*e*.dro) [é] *sm.* **1** *Geom.* Ângulo formado por dois planos a partir de uma mesma aresta de origem *a.* **2** Ref. a esse ângulo [F.: *di-*¹ *+ -edro.*] ■ **~ retângulo** *Geom.* Diedro cujo ângulo plano mede 90º (ou seja, os planos que o determinam são perpendiculares)

⊠ **Dieese** *sm.* Sigla de Departamento Intersindical de Estatística e Estudos Socioeconômicos, organismo criado em 1955 pelo movimento sindical brasileiro para prestar-lhe assessoria técnica

diefa (di:*e*.fa) *sf.* Em algumas regiões de Portugal, gratificação em dinheiro, roupas ou alimentos dada aos trabalhadores ao fim de qualquer tarefa agrícola importante, como ceifa, colheita etc; ADIAFA [F.: Do ár. *adh-dhiafa.*]

diegese (di:e.*ge*.se) *sf.* Em obras de ficção (literárias, teatrais, cinematográficas, televisivas etc.), a realidade interna da obra, como criada pelo autor, independentemente da realidade não ficcional do 'mundo real' [F.: Do gr. *diegésis*.]

📖 O tempo da diegese, ou *diegético* (que transcorre na trama de uma peça, filme, novela etc.), pode ser de muitos anos, enquanto o tempo 'real' paralelo pode ser de menos de duas horas. Uma música é diegética se ela faz parte da história, se seus personagens a estão ouvindo, mas não é diegética se for parte de uma trilha sonora que dramatiza a ação, sendo externa a ela, não percebida pelos personagens. O cineasta Mel Brooks ironiza essa distinção em seu filme *Alta ansiedade*, quando o protagonista 'ouve' espantado a música da trilha sonora que realça o suspense ou a dramaticidade, e a trilha musical torna-se diegética, quando, no filme, passa um ônibus no qual uma orquestra a está executando.

diegético (di:e.*gé*.ti.co) *a.* Ref. a diegese, que tem as características da diegese [F.: *dieg(ese)* + *-ético*.]

dielétrico (di.e.*lé*.tri.co) *a.* **1** *Elet.* Diz-se de objeto ou substância que não conduz eletricidade *sm.* **2** Esse objeto ou substância [F.: *di(a)-* + *elétrico*.]

diencéfalo (di:en.*cé*.fa.lo) *sm.* **1** *Anat.* Parte do eixo nervoso situado entre o mesencéfalo e o telencéfalo **2** Região central do cérebro recoberta pelos dois hemisférios e cortada pelo terceiro ventrículo, que contém o tálamo e o hipotálamo [F.: Do lat.cien. *diencephalon*.]

dieno (di.*e*.no) *Quím.* Qualquer composto orgânico que contenha duas ligações duplas em sua molécula; DIOLEFINA [F.: *di-* + *-eno*.]

🌐 **diesel** (*Ingl.* /*disel*/) *Quím.* ***a2g.*** **1** Diz-se de produto líquido do petróleo, substância incolor us. em motores de combustão interna, como p.ex. os de barcos ou caminhões (óleo diesel) *sm.* **2** *Quím.* Esse produto [F.: Do antr. (*Rudolf*) *Diesel* (1858-1913), inventor alemão.]

diéster (di.*és*.ter) *sm.* *Quím.* Qualquer composto cuja molécula contenha duas funções éster [F.: *di-* + *éster*.]

🌐 **diet** (*Ingl.* /*dáiet*/) ***a2g2n.*** Que tem baixo teor calórico: *Só toma refrigerantes diet.*

dieta (di.*e*.ta) *sf.* **1** *Med.* Regime alimentar que contempla dosagens de substâncias nutritivas, de acordo com condições específicas: *dieta rica em proteínas.* **2** Tipo de alimentação usualmente consumida por um indivíduo, um grupo, uma cultura: *A dieta dos índios brasileiros é baseada em mandioca e milho.* **3** Regime alimentar prescrito por médico, com privação total ou parcial de alimento (dieta zero): *Faz dieta para emagrecer.* **4** Regime alimentar em que predomina um determinado tipo de alimento (dieta de carboidratos) **5** *Pol.* Assembleia política ou legislativa (em alguns Estados, esp. na Europa) **6** Pavilhão para recreação construído em parque ou jardim **7** *Ecles.* Assembleia dos religiosos dos conventos [F.: Do gr. *díaita, es*, 'modo de viver', pelo lat. *diaeta, ae*, 'regime'; 'pavilhão' etc.] ■ **~ balanceada** *Med.* Dieta montada de tal forma que o organismo receba em boa proporção todos os componentes de que necessita para uma vida saudável **~ láctea** Aquela que se baseia no consumo de leite e seus derivados [Tb. apenas *macrobiótica*.] **~ macrobiótica** Dieta baseada no consumo de cereais e grãos integrais **~zero** *Med.* Privação total de alimentos imposta a paciente, por motivos médicos

dietética (di:e.*té*.ti.ca) *sf.* *Med.* Ramo da medicina que estuda as dietas: *curso de nutrição e dietética.* [F.: Do gr. *diaitetiké*, fem. substv. do a. *diaitetikós, é, ón*, 'relativo a dieta', pelo lat. *diaetetica, ae*.]

dietético (di:e.*té*.ti.co) *a.* **1** Ref. ou inerente a dieta: *Segue os conselhos dietéticos do nutricionista.* **2** Ref. à dietética (pesquisas dietéticas) **3** Diz-se de alimento ou produto especialmente recomendado para uma dieta específica [F.: Do gr. *diaitetikós, é, ón*, pelo lat. *diaeteticus, a um*.]

dietilestilbestrol (di:e.til.es.til.bes.*trol*) *sm.* *Bioq. Farm.* Estrogênio sintético derivado do estibeno, us. como substituto para hormônios estrogênicos naturais [F.: Do ing. *diethylstibestrol*.]

dietista (di:e.*tis*.ta) ***a2g.*** **1** Diz-se de especialista em dietética ***s2g.*** **2** Esse especialista [F.: *dieta* + *-ista*.]

dietólogo (di:e.*tó*.lo.go) *sm.* Profissional da área médica especializado em nutrição e educação alimentar; NUTRÓLOGO [F.: Do it. *dietologo*.]

difamação (di.fa.ma.*ção*) *sf.* **1** Ação ou resultado de difamar(-se); DESONRA **2** Perda da boa fama; DESCRÉDITO **3** *Jur.* Imputação que se faz a alguém de um fato ofensivo a sua honra e reputação, com a intenção de torná-lo passível de descrédito na opinião pública; CALÚNIA [Pl.: *-ções*.] [F.: Do lat. *diffamatio, onis*.]

difamado (di.fa.*ma*.do) *a.* Que foi objeto de difamação; DESABONADO; DESACREDITADO; INFAMADO: *Político difamado não conseguiu reeleger-se.* [Ant.: *abonado, prestigiado*.] [F.: Part. de *difamar*.]

difamador (di.fa.ma.*dor*) [ô] *a.* **1** Que difama; DIFAMATÓRIO; DIFAMANTE *sm.* **2** Aquele que difama [F.: *difamar* + *-dor*.]

difamante (di.fa.*man*.te) ***a2g.*** Que difama, calunia, desacredita, ofende uma pessoa, grupo ou instituição (notícia difamante) [F.: Do lat. *diffamans, antis*.]

difamar (di.fa.*mar*) *v.* **1** Perder ou fazer perder a reputação, a boa fama; DETRATAR(-SE); INFAMAR(-SE) [***td.***: *Enciumado, tentou difamar o rival; Difamou o sindicato para os colegas.*] [***int.***: *Só sabia difamar.*] **2** Falar mal, atacar [***tr.*** + *de*: *Difamou da honra da turma.*] [▶ **1 difamar**] [F.: Do v.lat. *diffamare*.]

difamatório (di.fa.ma.*tó*.ri:o) *a.* Que difama; em que há difamação; DIFAMADOR; DIFAMANTE [Ant.: *elogioso*] [F.: *difamar* + *-tório*.]

diferença (di.fe.*ren*.ça) *sf.* **1** Qualidade do que é diferente **2** Falta de igualdade ou de semelhança; DESSEMELHANÇA; DISSIMILITUDE [+ *de, em, entre*: *diferença de idade; diferenças entre a criança e o adulto; diferença em vários aspectos.* Ant.: *semelhança*.] **3** Variedade, diversidade: *a diferença das cores do espectro solar.* **4** Distinção: *Não faz diferença entre ricos e pobres.* **5** Modificação, mudança, alteração [+ *de, em*: *diferença de comportamento; diferença no tom de voz.*] **6** Desavença: *O rapaz tem uma certa diferença com o padrinho.* **7** Divergência: *a diferença de opiniões.* **8** Desproporção, desigualdade: *Há uma nítida diferença no trato do professor aos alunos mais antigos.* **9** Abatimento no preço de um produto; DESCONTO **10** *Mat.* Resultado de uma subtração **11** *Mat.* Conjunto de elementos pertencentes a um conjunto mas não pertencentes a outro nele contido [F.: Do lat. *diferentia, ae*.] ■ **À ~ de** Diferentemente de; ao contrário de **~ de potencial** *Elet.* Num circuito elétrico ou no espaço a medida de trabalho necessária para levar de um ponto a outro uma unidade de carga elétrica [Símb.: *d.d.p.*] **~ específica** *Lóg.* O conjunto de características específicas que diferenciam duas espécies de mesmo gênero **Fazer ~ 1** Ser muito diferente (uma coisa de outra): *Faz diferença correr antes e depois de comer.* **2** Ser a causa de uma situação sensivelmente diferente (em relação a outra): *Ligar o ar-condicionado fez a maior diferença.* **Fazer ~ entre 1** Distinguir a diferença que existe entre coisas **2** Tratar diferentemente, julgar com parcialidade: *É uma pessoa preconceituosa, faz diferença entre ricos e pobres.*

diferençado (di.fe.ren.*ça*.do) *a.* **1** Em que há diferença (tratamento diferençado) [Ant.: *igual, similar*.] **2** Que se diferençou, que se tornou distinto: "Mirava o quê: sem açamouco, diferençado, vistoso, o pé-direito de moda." (Guimarães Rosa, *Tutameia*.) [Ant.: *comum, indiferençado*.] [F.: Part. de *diferençar*. Sin. ger.: *diferenciado*.]

diferençar (di.fe.ren.*çar*) *v.* **1** Estabelecer diferença ou distinção entre [***td.***: *Eram gêmeos, mas muitas coisas os diferençavam.*] [***tdr.*** + *de*: *Sabia diferençar um bom filme de um mau filme.*] [***tr.*** + *de, em*: *Diferençava-se de seus irmãos; Diferençavam-se em muitos aspectos.*] **2** Ter percepção clara de; DISTINGUIR; RECONHECER [***td.***: *Sem os óculos, não diferençava bem as coisas.*] **3** *Mat.* Avaliar, calcular as diferenças finitas de (função ou sequência) [***td.***: *diferençar uma função.*] [▶ **12 diferençar**] [F.: *diferença* + *-ar*². Tb. *diferenciar*.]

diferenças (di.fe.*ren*.ças) ***sfpl.*** Discordância de ideias, conceitos, comportamentos etc.: *Nossas diferenças impediram a assinatura do contrato.* [F.: Pl. de *diferença*.]

diferenciação (di.fe.ren.ci:a.*ção*) *sf.* **1** Ação ou resultado de diferenciar(-se) [+ *de, em, entre*: *diferenciação de raças; diferenciação nas atividades; diferenciação entre o pensar e o agir; diferenciação entre coisas distintas.*] **2** *Mat.* Operação por meio da qual se calcula a diferencial de uma função **3** *Biol.* Formação de células modificadas, mais especializadas, a partir de outras mais simples **4** *Publ.* Desenvolvimento de características que tornam uma empresa, produto ou serviço diferente das demais empresas, produtos ou serviços concorrentes, ampliando suas vantagens competitivas **5** *Fon.* Alteração que torna diferentes fonemas contíguos iguais ou com traços em comum. [Cf. nesta acp.: *dissimilação*.] [Pl.: *-ções*] [F.: *diferenciar* + *-ção*.] ■ **~ celular** *Cit.* Processo no qual células ou tecidos inicialmente iguais ou semelhantes vão adquirindo características próprias e específicas para as funções a que se destinam

diferenciado (di.fe.ren.ci.*a*.do) *a.* **1** Que se diferenciou ou se diferencia; distinto, diferente; DIFERENÇADO: *Esse professor defende um ensino diferenciado para os alunos da zona rural.* [+ *de, em, por*: *diferenciado do outro; diferenciados nos seus costumes; diferenciados pela cor.*] **2** *Biol.* Diz-se de célula ou tecido que sofreu diferenciação. [Ant.: *indiferenciado*.] [F.: Part. de *diferenciar*.]

diferenciador (di.fe.ren.ci:a.*dor*) [ô] *a.* **1** Que diferencia ou que produz diferenciação (elemento diferenciador) **2** *Eletrôn.* Diz-se de circuito de tensão de saída diretamente proporcional à derivada da tensão de entrada *sm.* **3** O que diferencia ou produz diferenciação **4** *Eletrôn.* Circuito diferenciador [F.: *diferenciar* + *-dor*.]

diferencial (di.fe.ren.ci:*al*) ***a2g.*** **1** Ref. ou inerente a diferença **2** Que indica diferença *sm.* **3** *Mec* Dispositivo de veículos automotivos que permite que as rodas motrizes direita e esquerda tenham rotações diferentes (nas curvas), mantendo o equilíbrio do veículo **4** *Publ.* Conjunto de características que tornam uma empresa, produto ou serviço mais competitivos em relação aos seus concorrentes *sf.* **5** *Mat.* Produto da derivada de uma função pela variação infinitesimal da variável [Pl.: *-ais*.] [F.: Posv. do fr. *différentiel* < lat. *differentia* + suf. fr. *-el*.] ■ **~ parcial** *Mat.* Produto da derivada parcial de uma função pela variação infinitesimal da variável em relação à qual foi derivada **~ total** *Mat.* Em uma função com diversas variáveis, somatório de todas as diferenciais parciais dessa função [Tb. apenas *diferencial*.]

diferenciar (di.fe.ren.ci.*ar*) *v.* **1** Mostrar ou apontar diferença, dessemelhança; DISTINGUIR; DIFERENÇAR [***tdi.*** + *de, entre*: *Não conseguia diferenciar uma vaca de um pardal/entre as rosas e as camélias.*: "...a gente se diferenciava dos outros, porque jagunço não é muito de conversa..." (Guimarães Rosa, *Grande sertão: veredas*)] [***td.***: *Seus cabelos muito pretos diferenciavam-na logo.*] **2** Perceber claramente, distinguir, discriminar; DIFERENÇAR [***td.***: *Fica difícil, aqui, diferenciar os caracteres gregos.*] **3** Marcar, acentuar a diferença; DIFERENÇAR [***td.***: *Fazia questão de diferenciar sua maldade, torná-la motivo de apreensão.*] [***tdi.*** + *de*: *Queria diferenciar sua virtude das gabadas pelos outros.*] **4** *Mat.* Calcular ou achar a diferencial de (uma função) [***td.***] [▶ **1 diferenciar**] [F.: Posv. do fr. *différencier*. Hom./Par.: *diferenciáveis* (fl.), *diferenciáveis* (pl. de *diferenciar*). Tb. *diferençar*.]

diferenciável (di.fe.ren.ci.*á*.vel) ***a2g.*** **1** Que pode ser diferenciado **2** *Mat.* Diz-se de função cuja diferencial pode ser calculada [Ant.: *indiferenciável*.] [Pl.: *-veis*.] [F.: *diferenciar* + *-vel*. Hom./Par.: *diferenciáveis* (pl.), *diferenciáveis* (fl. de *diferenciar*).]

diferente (di.fe.*ren*.te) ***a2g.*** **1** Que difere, que se distingue; DESIGUAL; DIVERSO: *Esta praia é muito diferente da outra.* **2** Que não é o mesmo nem parecido, que é diverso, não semelhante (conceitos diferentes); DESSEMELHANTE **3** Em que houve uma mudança ou alteração: *Olhou-me de um jeito diferente.* **4** Fora do comum; especial (uma aula diferente) **5** Variegado, variado: *Existem diferentes maneiras de jogar ioiô.* **6** *Pop.* De relações estremecidas: *Estão diferentes um com o outro.* [F.: Do lat. *differens,entis.* Hom./Par.: *diferente* (a2g.), *deferente* (a2g.).]

diferido (di.fe.*ri*.do) *a.* **1** Que se diferiu; ADIADO; PROCRASTINADO; PROTELADO: *sessão diferida por motivo de força maior.* [Ant.: *adiantado, antecipado*.] **2** *Com.* Diz-se de despesa ou renda cujo pagamento anual começa no final de um determinado prazo [Cf. *deferido*.] **3** *Pext.* Diz-se de tal pagamento [F.: Part. de *diferir*.]

diferimento (di.fe.ri.*men*.to) *sm.* **1** Ação ou resultado de diferir **2** Adiamento **3** Demora [F.: *diferir* + *-mento*. Hom./Par.: *diferimento* (sm.) *deferimento* (sm.).]

diferir (di.fe.*rir*) *v.* **1** Apresentar-se diferente; DISTINGUIR-SE [***tr.*** + *de*: *Difere de todos os parentes.*] [***int.***: *É difícil dois irmãos diferirem tanto.*] **2** Não concordar; DISCORDAR; DIVERGIR [***tr.*** + *de, entre*: *Diferiam entre si, mas conversavam muito.*] [***int.***: *Tentam chegar a um acordo, mas ainda diferem bastante.*] **3** Adiar, postergar [***td.***: *Diferiu a data do casamento.*] [▶ **50 diferir**] [F.: Do v.lat. **differire*, por *differre*.]

difícil (di.*fí*.cil) ***a2g.*** **1** Que é complicado, trabalhoso,custoso (trabalho difícil) **2** Pouco provável: *É difícil aprovarem tal proposta.* **3** Pouco amistoso ou sociável (pessoa difícil) **4** Embaraçoso, delicado (situação difícil, pergunta difícil) **5** Penoso, infausto (vida difícil) **6** Custoso de compreender; INTRICADO; OBSCURO: *É um texto difícil.* **7** Que dificulta o convívio (gênio difícil) [Pl.: *-ceis.* Superl.: *dificílimo; dificilíssimo*] *sm.* **8** Coisa complicada, intricada, embaraçosa; DIFICULDADE: *O difícil é conseguir financiamento.* ***adv.*** **9** De maneira difícil: *Ele fala difícil.* [F.: Do lat. *difficilis, e*. Ant. ger.: *fácil*.] ■ **Bancar o ~ 1** Assumir ares de importância, atitude de suposta superioridade, fazendo-se de difícil acesso **2** Tentar (alguém) demonstrar que não se deixa convencer ou conquistar facilmente **Fazer-se de ~** Ver *Bancar o difícil.*

dificilmente (di.fi.cil.*men*.te) ***adv.*** **1** Com dificuldade, a custo: *Depois da queda, conseguia caminhar dificilmente, mesmo apoiado em muletas.* **2** De maneira difícil, improvável: *Sem dedicação, dificilmente conseguiria vencer.* [F.: *difícil* + *-mente*. Ant. ger.: *facilmente*.]

dificuldade (di.fi.cul.*da*.de) *sf.* **1** Qualidade ou caráter de difícil **2** Aquilo que é difícil: *Encontrou dificuldades ao longo do projeto.* **3** Obstáculo, impedimento, estorvo **4** Coisa complicada, intricada, complexa: *a dificuldade de um texto.* **5** Situação aflitiva; APERTO; APURO: *Nunca passou dificuldade.* **6** Relutância, escrúpulo: *Não tem dificuldade em dizer o que pensa.* **7** Objeção, oposição: *Não opôs nenhuma dificuldade à realização do projeto.* [Ant.: *facilidade*] [F.: Do lat. *difficultas,atis.* Ideia de 'dificuldade': *dis-*², *dislexia*.]

dificultação (di.fi.cul.ta.*ção*) *sf.* Ato ou efeito de dificultar: "A legislação estabelece como infração qualquer ação de que decorra embaraço, dificultação ou impedimento à fiscalização do imposto." (receita.rj.gov.br, *Acórdãos da Junta de Revisão Fiscal*.) [Ant.: *facilitação*.] [Pl.: *-ções*.] [F.: *dificultar* + *-ção*.]

dificultar (di.fi.cul.*tar*) *v.* **1** Tornar difícil, penoso ou complicado [***td.***: *Sua teimosia dificultará o entendimento.*] [***tdi.*** + *a*: *Seu sotaque dificultou a todos a compreensão do discurso.*] **2** Pôr obstáculos, empecilhos, dificuldades à realização, concretização ou continuidade de (algo) [***td.***: *As exigências e regras do pai dificultaram o namoro.*] [▶ **1 dificultar**] [F.: Do v.lat. tard. *difficultare*.]

dificultoso (di.fi.cul.*to*.so) [ô] *a.* Que oferece ou em que há dificuldade (exercício dificultoso, tarefa dificultosa); DIFÍCIL [Pl.: [ó]. Fem.: *ó*] [F.: De *dificult-*, como em *dificultar* + *-oso*.]

difonia (di.fo.*ni*.a) *sf.* **1** *Mús.* Harmonia resultante de duas partes **2** *Fon.* Produção de dois sons em uma só emissão de voz [F.: *di-*¹ + *-fon(o)-* + *-ia*¹.]

difosfato (di.fos.*fa*.to) *sm.* *Quím.* Fosfato (sal ou éster do ácido fosfórico) no qual dois dos três átomos de hidrogênio do ácido fosfórico são substituídos [F.: *di-*¹ + *fosfato*.]

difração (di.fra.*ção*) *sf.* *Fís.* Conjunto de efeitos produzidos quando uma onda (de luz, de som ou de eletricidade) esbarra em algum obstáculo [Pl.: *-ções*.] [F.: Do lat. cient. *diffractio, onis*.]

difratado (di.fra.*ta*.do) *a.* Que se difratou; desviado por meio de difração: *um feixe de luz difratado.* [F.: Part. de *difratar*.]

difteria (dif.te.*ri*.a) *sf.* *Med* Doença infectocontagiosa, causada pela bactéria *Corynebacterium diphtheriae* e por sua toxina, que provoca inflamação e formação de um revestimento membranoso na mucosa da faringe, do nariz e, em alguns casos, da traqueia e dos brônquios [F.: Do fr. *diphtérie*, do gr. *diphtéra, as*, 'membrana'.] ■ **~ laríngea** *Med.* Obstrução na laringe por infecção pelo *Corynenbacterium diphtheriae*; crupe diftérico **~ laringotraqueal** *Med.* Forma grave de difteria, na laringe e na traqueia, com formação de pseudomembrana e possível sufocação

diftérico (dif.*té*.ri.co) *a. Med.* Ref. à ou próprio da difteria [F.: *difteria* + *-ico*².]

difundido (di.fun.*di*.do) *a.* Que se difundiu, disseminou, divulgou, espalhou: *O respeito às individualidades deve ser amplamente difundido nas escolas.* [F.: Part. de *difundir*.]

difundir (di.fun.*dir*) *v.* **1** Tornar(-se) amplamente conhecido (fato cultural, notícia, ideia, influência); PROPAGAR(-SE); DIVULGAR(-SE); DISSEMINAR(-SE) [*td.*: *Eles difundiram o folclore nordestino.*] [*int.*: *O boato difundiu-se rapidamente.*] **2** Disseminar(-se), espargir(-se), irradiar(-se) [*td.*: *As flores difundiam um perfume insuportável.*] [*int.*: *À noite, a luz da lamparina difundiu-se.*] **3** *P.us.* Espalhar vertendo ou derretendo [*td.*: *O calor do sol difunde as neves.*] **4** Transmitir por meio de ondas radioelétricas [*td.*] [▶ **3 difundir**] [F.: Do v.lat. *diffundere.*]

difusão (di.fu.*são*) *sf.* **1** Ação ou resultado de difundir(-se) **2** Estado ou condição do que se difundiu: *difusão de partículas no ar.* **3** *Fig.* Divulgação para o público (difusão de informações) **4** Falta de concisão; PROLIXIDADE: *A difusão do estilo.* **5** *Ópt.* Dispersão de raios luminosos após passarem por meio óptico que apresenta pequenas partículas ou irregularidades na superfície **6** *Antr.* Processo de transmissão de elementos e características de uma sociedade a outra(s), por meio de contato ou migração **7** *Quím.* Mistura de gases de diferentes densidades **8** *Fís.nu.* O mesmo que *espalhamento* (2) **9** *Telc.* Transmissão radiofônica [Pl.: *-sões.*] [F.: Do lat. *diffusio, onis.*] ▪ **~ acústica** *Acús.* Distribuição de ondas acústicas em várias direções **~ de luz** *Ópt.* Redirecionamento da luz por refração ao atravessar um meio, ou por reflexão, espalhando-se de forma irregular

difusibilidade (di.fu.si.bi.li.da.*de*) *sf.* Qualidade do que é difusível [F.: *difusível* (*-vel* > *bil(i)-*) + *-dade.*]

difusionismo (di.fu.si:o.*nis*.mo) *Antr. sm.* **1** Transmissão ou troca de elementos culturais (objetos, costumes, linguagens) entre povos diferentes (difusionismo artístico, difusionismo tecnológico) **2** Teoria que procura explicar o desenvolvimento cultural como processo de difusão de elementos culturais que se comunicariam de um povo a outro ou de centros de determinadas áreas [F.: *difusão* + *-ismo*, seg. o mod. erudito.]

difusível (di.fu.*sí*.vel) *a2g.* Que pode ser difundido; que tem a propriedade de se difundir; DIFUSIVO: *O óxido nítrico (NO) é um gás altamente difusível.* [Voc. us. esp. na linguagem cient.] [Pl.: *-veis.*] [F.: *difuso* + *-i-* + *-vel.*]

difuso (di.*fu*.so) *a.* **1** Que se difundiu, propagou, disseminou **2** Que se estende ou espalha por todas as direções; DISSEMINADO **3** Prolixo, redundante (texto difuso, oratória difusa) [Ant.: *conciso*] **4** Cujos contornos não estão bem definidos (fisionomia difusa) **5** Cujos raios não incidem diretamente e, por isso, não projetam sombras definidas (luz difusa) **6** *Med.* Não concentrado em um só ponto ou órgão (infecção difusa) [F.: Do lat. *diffusus, a, um.*]

difusor (di.fu.*sor*) *a.* **1** Que difunde (agente difusor) **2** *Acús.* Diz-se de painel acústico us. em certos ambientes para produzir reverberação **3** *Cin. Telv.* Diz-se de tela translúcida us. para amenizar a luz dos refletores e produzir efeitos de meia-luz **4** *Elet.* Diz-se de aparelho destinado a difundir ondas sonoras, eletromagnéticas etc. **5** Diz-se de local ou compartimento reservado para a lavagem e secagem da pasta de celulose após o cozimento desta *sm.* **6** Aquele ou aquilo que difunde, dissemina, propaga ou divulga algo **7** Local ou compartimento difusor (5) [F.: Do lat. *diffusor, oris.*] ▪ **~ perfeito** *Ópt.* Corpo óptico que não absorve luz, e que difunde a luz sobre ele incidente em todas as direções e com a mesma luminância, independentemente da direção ou ângulo de incidência

digamia (di.ga.*mi*.a) *sf.* **1** A realização de um segundo casamento, em virtude do fim do primeiro por morte ou separação de um dos cônjuges **2** A condição de dígamo [F.: *di-*¹ + *-gamia.*]

digâmico (di.*gâ*.mi.co) *a.* Ref. a digamia [F.: *digamia* + *-ico*².]

digástrico (di.*gás*.tri.co) *Anat. a.* **1** Diz-se de músculo formado por duas porções carnosas (ou ventres) reunidas por um tendão comum **2** Diz-se de cada um de dois músculos da região cervical que servem para abaixar o maxilar inferior e conjuntamente para elevar o osso hioide *sm.* **3** Cada um desses músculos [F.: *di-*¹ + *-gastr(o)-* + *-ico*².]

digeribilidade (di.ge.ri.bi.li.*da*.de) *sf.* Qualidade ou característica do que é digerível: *O arroz é um alimento de fácil digeribilidade.* [F.: *digerível* (*-vel* > *bil(i)-*) + *-dade.*]

digerido (di.ge.*ri*.do) *a.* **1** Que se digeriu (refeição digerida) **2** Transformado pela digestão: *O alimento parcialmente digerido no estômago passa para o duodeno, deste para o intestino delgado e depois para o intestino grosso em forma semilíquida.* **3** *Fig.* Que se estuda com atenção, se entende ao ler: *Leitura digerida em uma única noite.* **4** *Fig.* Que suporta, aguenta, sofre com resignação: *uma ofensa digerida rapidamente.* [F.: Part. de *digerir.*]

digerir (di.ge.*rir*) *v.* **1** Fazer a digestão de [*td.*: *Digere mal os alimentos.*] [*int.*: *Comeu rápido e ainda não digeriu.*] **2** *Fig.* Absorver alguma coisa, intelectual ou moralmente [*td.*: *Já digerimos a agressão; Custaram a digerir o sermão.*] [*int.*: *Lê muito, mas não digere.*] **3** Cozer em fogo lento; macerar em líquido fervente [*td.*] [▶ **50 digerir**] [F.: Do v.lat. *digerere.*]

digerível (di.ge.*rí*.vel) *a2g.* Que pode ser digerido; que se digere facilmente; DIGESTÍVEL: *As carnes são alimentos facilmente digeríveis.* [Ant.: *indigerível.*] [Pl.: *-veis.*] [F.: *digerir* + *-vel.*]

digestão (di.ges.*tão*) *sf.* **1** *Fisl.* Processo de transformação dos alimentos em substâncias absorvíveis e assimiláveis [Ver *digestório.*] **2** *Fig.* Ação ou resultado de assimilar por esforço intelectual: *obra de fácil digestão.* **3** Sujeição, resignação a uma injúria ou a um sofrimento causado por outrem **4** *Pap.* Tratamento a quente da madeira fragmentada para obtenção da pasta com a qual se fará papel; COZIMENTO [Pl.: *-tões.*] [F.: Do lat. *digestio, onis.*]

digestibilidade (di.ges.ti.bi.li.*da*.de) *sf.* Qualidade ou característica do que é digestível: *Fez-se uma análise da digestibilidade das rações animais.* [Pl.: *-veis.*] [F.: *digestível* (*-vel* > *bil(i)-*) + *-dade.*]

digestível (di.ges.*tí*.vel) *a2g.* O mesmo que *digerível*: *A clara de ovo é altamente digestível.* [Pl.: *-veis.*] [F.: Do lat. *digestibilis,e.*]

digestivo (di.ges.*ti*.vo) *a.* **1** Ref. ou inerente à digestão (processo digestivo) **2** O mesmo que *digestório* (2) *a.* **3** Que facilita a digestão (chá digestivo); DIGESTOR **4** *Fig.* Assimilável com facilidade (filme digestivo) [Ant.: *denso.*] *sm.* **5** O que facilita a digestão (esp. chá, medicamento etc.) [F.: Do lat. *digestivus, a, um.*]

digesto¹ (di.*ges*.to) *a.* **1** Digerido *sm.* **2** *Farm.* Forma farmacêutica resultante do contato de substância medicinal com líquido que, a uma determinada temperatura, extrai dela princípios medicamentosos [F.: Do lat. *digestus, a, um.*]

digesto² (di.*ges*.to) *sm.* **1** Obra ou conjunto de obras que reúne regras e leis (digesto romano, digesto presbiteriano) **2** Compilação das decisões dos jurisconsultos romanos mais célebres, transformadas em lei por decisão do imperador Justiniano (c. 483-565), e que representa uma das quatro partes do *Corpus Juris Civilis*; PANDECTAS [Nesta acp., com inicial maiúsc.] **3** Publicação que reúne textos condensados de artigos, reportagens, livros etc. [F.: Adapt. do lat. *digesta, orum*, 'na antiga Roma, nome que se dava à coleção de obras com as decisões dos jurisconsultos'.]

digestor (di.ges.*tor*) [ô] *a.* **1** Que serve para digerir; DIGESTIVO **2** Diz-se de aparelho destinado a cozer e macerar certas substâncias *sm.* **3** Esse aparelho **4** Grande vaso metálico, de paredes muito grossas e hermeticamente fechado, próprio para cozer madeira para fabricar pasta química [F.: Do lat. *digestor, oris.*]

digestório (di.ges.*tó*.ri:o) *a.* **1** Que tem a propriedade de digerir **2** *Anat.* Diz-se de sistema formado por órgãos cuja função é fazer a digestão dos alimentos; DIGESTIVO [F.: Do lat. *digestorius, a, um.*]

📖 O sistema digestório de animais superiores é composto de órgãos que, num processo sequencial denominado *digestão*, recebem os alimentos por via oral, absorvem as substâncias nutrientes e eliminam os resíduos. A digestão começa já na *boca*, com a mastigação e a salivação; a *faringe* é a via de acesso ao *esôfago*, e como ela é comum aos sistemas digestório e respiratório, a passagem do alimento para este último é bloqueada pela *epiglote*. O esôfago é um tubo que atravessa o *diafragma* e leva o alimento ao *estômago*, onde os ácidos do suco gástrico atuam quimicamente sobre ele, preparando-o para digestão completa. O alimento passa então aos *intestinos*. No intestino delgado ocorre a fase principal da digestão, com a absorção dos nutrientes. Os resíduos são impelidos para o intestino grosso, de onde são eliminados através do *reto* e do *ânus*. Órgãos acessórios do sistema digestório são o *fígado*, o *pâncreas* e a *vesícula biliar*, contribuindo esta para a absorção das gorduras, a eliminação de toxinas e a antissepsia dos intestinos.

digitação (di.gi.ta.*ção*) *sf.* **1** *Inf.* Ação ou resultado de digitar, de inserir dados, senhas, num computador usando os dedos e o teclado **2** Processo ou técnica de digitar textos etc. (serviços de digitação) **3** Movimento de exercício dos dedos **4** *Pat.* Protuberância semelhante a um dedo **5** *Bot.* Recorte semelhante aos dedos de uma mão espalmada, que pode ocorrer em vários órgãos vegetais, esp. nas folhas [Pl.: *-ções*.] [F.: *digitar* + *-ção.*]

digitado (di.gi.*ta*.do) *a.* **1** *Inf.* Introduzido no computador por digitação (texto digitado) **2** Digitiforme **3** *Bot.* Cujas divisões ou apêndices se assemelham aos dedos da mão [F.: Do lat. *digitatus, a, um.*]

digitador (di.gi.ta.*dor*) [ô] *a.* **1** Que digita *sm.* **2** *Inf.* Aquele que tem por ofício a digitação [F.: *digitar* + *-dor.*]

digital (di.gi.*tal*) *a2g.* **1** Ref., inerente ou pertencente aos dedos (impressão digital) **2** Ref. a dígito, que se apresenta em dígitos (mostrador digital) **3** *Inf.* Que é processado na forma de dígitos (algarismos) por microcomputador (biblioteca digital) **4** *Inf.* Que tem o intervalo entre dois valores dividido num número finito de divisões. [Cf. nesta acp.: *analógico.*] *sf.* **5** *Bot.* Planta da fam. das acantáceas (*Sanchezia nobilis*), nativa do Equador, cujas flores são us. em rituais indígenas na Amazônia **6** *Bot.* V. *dedaleira* [Pl.: *-tais.*] [F.: Do lat. *digitalis,e* 'ref. ou semelhante aos dedos da mão'; origina as acps. adjetivas e o tax. *Digitalis*, étimo dos sentidos botânicos. Cf.: *analógico.*]

digitalina (di.gi.ta.*li*.na) *sf. Farm.* Substância tóxica extraída da dedaleira (*Digitalis purpurea*) e empregada em doses mínimas como medicamento cardíaco tônico e diurético [Fórm.: $C_{36}H_{56}O_{14}$] [F.: *digitális* + *-ina.*]

digitalização¹ (di.gi.ta.li.za.*ção*) *sf. Inf.* Ação ou resultado de digitalizar¹ (digitalização de textos) [Pl.: *-ções.*] [F.: *digitalizar*¹ + *-ção.*]

digitalização² (di.gi.ta.li.za.*ção*) *Med. sf.* **1** Ação ou resultado de ministrar digitalina ou composto similar para diminuir o ritmo das batidas do coração e tonificar o miocárdio **2** Estado orgânico que decorre da ingestão de digitalina [Pl.: *-ções.*] [F.: *digitalizar*² + *-ção.*]

digitalizador (di.gi.ta.li.za.*dor*) *Inf. a.* **1** Que digitaliza; que é us. em digitalização¹ *sm.* **2** *Inf.* Aquele ou aquilo que digitaliza **3** *Inf.* Equipamento que lê texto, imagem ou voz, transformando-os em linguagem digital [F.: *digitalizar*¹ + *-dor.*]

digitalizar¹ (di.gi.ta.li.*zar*) *v. td. Inf.* Converter (informação em formato analógico) em formato digital, para que se possa processar por computador e armazenar em arquivo: *Digitalizar imagens.* [▶ **1 digitalizar**] [F.: *digital* + *-izar.*]

digitalizar² (di.gi.ta.li.*zar*) *v. td. Med.* Ministrar digitalina ou digitálicos em [▶ **1 digitalizar**] [F.: Por *digitalinizar*, de *digitalina* + *-izar.*]

digitar (di.gi.*tar*) *v.* **1** *Inf.* Escrever ou copiar texto pressionando com os dedos o teclado de um computador [*td.*: *Digitou apenas o primeiro capítulo.*] [*int.*: *Cansou de digitar.*] **2** *Inf.* Registrar dados em computador, pressionando- -lhe as teclas do teclado com os dedos [*td.*] **3** Dar forma de dedos a [*td.*] **4** Dotar de dedos [*td.*] [▶ **1 digitar**] [F.: *digit(i)-* + *-ar*².]

digitável (di.gi.*tá*.vel) *a2g.* Que se pode digitar: *A linha digitável é a representação numérica do código de barras.* [F.: Do lat. *digitabilis,e.* Hom./Par.: (pl.) *digitáveis, digitáveis* (fl. de *digitar*).]

◎ **-digit(i)-** *el. comp.* Ver *digit(i)-*

◎ **digit(i)-** *el. comp.* = 'dedo','dígito': *digitiforme, digitígrado; digitoplastia; sexdigitário.* [F.: Do lat. *digitus, i.*]

digitiforme (di.gi.ti.*for*.me) *a2g.* Cuja forma se assemelha a dedos; DIGITADO [F.: *digit(i)-* + *-forme.*]

digitígrado (di.gi.*tí*.gra.do) *Zool. a.* **1** Diz-se de animal que anda apoiado nas pontas dos dedos *sm.* **2** Ref. aos digitígrados **3** Espécime dos digitígrados, ordem de mamíferos carnívoros que andam sobre as pontas dos dedos, como, p.ex., os gatos e os cachorros [F.: Do tax. *Digitigrada.*]

◎ **digito-** *el. comp.* Ver *digit(i)-*

dígito (*dí*.gi.to) *sm.* **1** *Arit.* Qualquer algarismo de 0 a 9: *Preencha o ano de nascimento com quatro dígitos.* **2** *Inf.* Elemento de um conjunto de símbolos numéricos **3** Elemento que se segue a um número de código, separado deste por traço, para efeito de verificação ou controle: *conta 0000, dígito -0.* [Tb. se diz dígito de verificação ou dígito de controle.] **4** *Poét.* Dedo **5** *Astr.* Qualquer das doze partes iguais em que se divide o diâmetro aparente do Sol ou da Lua, para o cálculo dos eclipses [F.: Do lat. *digitus,i.*] ▪ **~ binário** **1** *Inf.* No sistema de notação numérica binária, qualquer dos dois dígitos nele usados: 0 (zero) ou 1 (um) **2** *Bit.* Um dos dois dígitos binários em sua posição num *byte* **~ de controle** *Inf.* Ver *Dígito de verificação* **~ de verificação** *Inf.* Dígito(s) que se acrescenta(m) ao final de um código para checar sua validade e verificar se houve erro de digitação; dígito de controle [O valor do dígito é obtido por um algoritmo que atua sobre o código. A cada vez que este é digitado o algoritmo é aplicado e o resultado comparado com o dígito de verificação.]

digitoplastia (di.gi.to.plas.*ti*.a) *sf. Cir.* Cirurgia plástica para restauração de um ou mais dedos [F.: *digito-* + *-plastia.*]

digladiador (di.gla.di:a.*dor*) [ô] *a.* **1** Que digladia; ESGRIMIDOR; GLADIADOR **2** *Fig.* Argumentador, contendor, discutidor: "Admire e venere de fora os famosos digladiadores que... pelejam contra si mesmos." (Manoel Bernardes, *Estímulo prático.*) *sm.* **3** Aquele que digladia **4** *Fig.* Pessoa que argumenta, discute, debate por uma causa: *um digladiador na tribuna pelos projetos sociais.* [F.: Do lat. *digladiator,oris.*]

digladiar (di.gla.di.*ar*) *v.* **1** Bater-se corpo a corpo a gládio (ou a espada) [*int.*: *Recrutavam escravos para digladiar.*] [*tr.* + *com, contra*: *Entrou na arena para digladiar(-se) com o líder dos prisioneiros.*] **2** *Fig.* Argumentar ou discutir calorosamente [*tr.* + *por, com, contra*: *Digladiar(-se) pela liberdade; Pretendia digladiar(-se) contra um adversário mais hábil.*] [▶ **1 digladiar**] [F.: Do lat. *digladiari.*]

diglossia (di.glos.*si*.a) *sf. Ling.* Existência de dois falares ou dois dialetos distintos em uma mesma comunidade, esp. por razões de estratificação social, em que uma das formas se sobrepõe à outra; BILINGUISMO [F.: *di-* + *-gloss(o)-* + *-ia*¹.]

diglóssico (di.*glós*.si.co) *a.* Que diz respeito a diglossia: *conflito diglóssico dentro de um grupo linguístico.* [F.: *diglossia* + *-ico*².]

dignar-se (dig.*nar*-se) *v.* Ter a bondade, a condescendência de [*tr.* + *a, de*: *Não se dignou a atender o pedido.*] [▶ **1 dignar-se**] [F.: Do lat. *dignare.*]

dignatário (dig.na.*tá*.ri:o) *sm.* Pessoa que exerce um cargo elevado ou tem um título proeminente; DIGNITÁRIO: *os altos dignatários do Estado.* [F.: Rad. do part. do v.lat. *dignare* sob a forma *dignat(us)-* + *-ário.*]

dignidade (dig.ni.*da*.de) *sf.* **1** Qualidade moral que infunde respeito; HONRA; AUTORIDADE **2** Modo de proceder ou de se apresentar, que infunde respeito; BRIO; MAJESTADE **3** Decência, decoro **4** Função, cargo ou título de alta graduação (dignidade de reitor) **5** *Ecles.* Eclesiástico que exerce funções elevadas ou tem título proeminente em um cabido [F.: Do lat. *dignitas, atis.* Ideia de 'dignidade': *-ato, bacharelato.*]

dignificação (dig.ni.fi.ca.*ção*) *sf.* Ação ou resultado de dignificar(-se) [Pl.: *-ções.*] [F.: *dignificar* + *-ção.*]

dignificado (dig.ni.fi.*ca*.do) *a.* **1** Que se tornou digno; HONRADO; NOBILITADO [Ant.: *aviltado, desonrado.*] **2** Que foi elevado a um alto cargo; PROMOVIDO: *dignificado com a patente de general.* [Ant.: *rebaixado.*] [F.: Do lat. *dignificatus,a,um.*]

dignificador (dig.ni.fi.ca.*dor*) [ô] *a.* **1** Que dignifica; DIGNIFICANTE: "Porque a mocidade é um desejo grandioso de dar, de servir, o mais amplamente possível, e da maneira mais dignificadora." (Cecília Meireles, "O espírito da mocidade" *in Crônicas de educação*) [Ant.: *afrontoso, ultrajante.*] *sm.* **2** Aquele que dignifica [Pl.: *-ores.*] [F.: *dignificar* + *-dor.*]

dignificante (dig.ni.fi.*can*.te) *a2g.* Que dignifica; dignificador (gesto dignificante, medida dignificante) [Ant.: *desonrante, desonroso.*] [F.: Do lat. *dignificans,antis.*]

dignificar (dig.ni.fi.*car*) *v. td.* **1** Tornar(-se) digno; ENGRANDECER(-SE): *O amor dignifica o homem; Estudar é dignificar-se pelo conhecimento.* **2** Cobrir de honras; DISTINGUIR; ENOBRECER: *Precisava dignificar a sua terra natal.* **3** Elevar a uma determinada dignidade (4): *Dignificou-o com* *uma embaixada na Europa.* [▶ 11 significar] [F.: Do lat. *dignificare.*]

dignitário (dig.ni.*tá*.ri:o) *sm.* Aquele que ocupa cargo elevado, ou que tem alta graduação honorífica; DIGNATÁRIO [F.: Rad. do lat. *dignit(as, atis)-* + *-ário.*]

digno (*dig*.no) *a.* 1 Que tem, ou em que há dignidade (homem digno; atitude digna) [Ant.: *ignóbil*] 2 Merecedor: *livro digno de ser lido; país digno de melhor governo.* 3 Apropriado, adequado: *Recebeu um prêmio digno do seu merecimento.* 4 Habilitado, capaz: *um empregado muito digno.* 5 Honesto, decente: *trabalho digno e qualificado.* [F.: Do lat. *dignus,a,um.* Ant. ger.: *indigno.*]

dígrafo (*dí*.gra.fo) *sm. Ling.* Duas letras escritas em sequência, representando um único som ou articulação (p.ex.: *rr, ss, nh* etc.); DIGRAMA [F.: *di-* + *-grafo*, posv. do ing. *digraph.*]

digressão (di.gres.*são*) *sf.* 1 Ação ou resultado de se desviar do assunto tratado: *um discurso cheio de digressões.* 2 Desvio, afastamento de um objetivo (digressão de rota) [Ant.: *aproximação*] 3 Viagem, passeio; excursão 4 Evasiva, pretexto; subterfúgio 5 *Liter.* Recurso literário us. para esclarecer, detalhar, ilustrar ou criticar um assunto 6 *Astr.* V. *elongação* (1) [Pl.: *-sões.*] [F.: Do lat. *digressio, onis.*]

digressivo (di.gres.*si*.vo) *a.* 1 Que faz ou em que há digressão; que se afasta, vai para longe 2 *Fig.* Que se desvia de um assunto; que divaga, devaneia: *Quando tentava me aprofundar na conversa, tornava-se digressivo.* [F.: Part.pas. lat. *digressus* (f. *digress-*) + *-ivo.*]

dilação (di.la.*ção*) *sf.* 1 Adiamento, prorrogação (dilação de prazo) [Ant.: *antecipação*] 2 Demora, delonga: *Cumpra a tarefa sem dilação.* [Ant.: *urgência*] 3 Tempo de espera; PRAZO: *teve uma dilação de sete dias para apresentar provas.* 4 *Fon.* Propagação de traços de um fonema sobre outro não contíguo [Pl.: *-ções.*] [F.: Do lat. *dilatio, onis.* Hom./Par.: *dilação* (sf.), *delação* (sf.).]

dilaceração (di.la.ce.ra.*ção*) *sf.* 1 A ação de dilacerar; DESPEDAÇAMENTO; LACERAÇÃO: "Nos sonhos há confusões dessas... misturas de coisas opostas, dilacerações, desdobramentos inexplicáveis." (Machado de Assis, *Páginas recolhidas.*) 2 O estado do que foi dilacerado: *Os músculos deste cadáver acham-se num estado horrível de dilaceração.* [Pl.: *-ções.*] [F.: Do lat. *dilaceratio,onis.*]

dilacerado (di.la.ce.*ra*.do) 1 Que se dilacerou; FERIDO; LACERADO: *O acidente deixou o corpo dilacerado.* 2 *Fig.* Que se encontra atormentado, angustiado (alma dilacerada); AFLITO; MORTIFICADO [Ant.: *tranquilo.*] 3 *Fig.* Devastado, maltratado: *Um país dilacerado pela guerra.* [F.: Part. de *dilacerar.*]

dilaceramento (di.la.ce.ra.*men*.to) *sf.* Ação ou resultado de dilacerar(-se); DILACERAÇÃO [F.: *dilacerar* + *-mento.*]

dilacerante (di.la.ce.*ran*.te) *a2g.* 1 Que dilacera; que parte em pedaços (mordida dilacerante) 2 *Fig.* Que tortura e faz sofrer (grito dilacerante, tristeza dilacerante); AFLITIVO; TORTURANTE [Sin. ger.: dilacerador, lacerante.] [F.: *dilacerar* + *-nte.*]

dilacerar (di.la.ce.*rar*) *v.* 1 Rasgar com violência; LACERAR; DESPEDAÇAR [*td.*: *A leoa dilacerou o gnu em pouco tempo.*] 2 *Fig.* Afligir(-se), mortificar(-se) [*td.*: *A saudade a dilacera.*] [*int.*: *Seu coração dilacerava-se de ciúme.*] [▶ 1 dilacerar] [F.: Do lat. *dilacerare.*]

dilapidação (di.la.pi.da.*ção*) *sf.* 1 Ação ou resultado de dilapidar; ESBANJAMENTO; DESPERDÍCIO: *dilapidação de bens públicos.* 2 Estrago, destruição [Pl.: *-ções.*] [F.: Do lat. *dilapidatio, onis.*]

dilapidado (di.la.pi.*da*.do) *a.* 1 Que se dilapidou, arruinou, estragou: *Suas obras estavam maltratadas, mas não totalmente dilapidadas.* 2 *Fig.* Que foi gasto desmedidamente; DESPERDIÇADO; ESBANJADO: *dinheiro público dilapidado.* [Ant.: *economizado, poupado.*] [F.: Part. de *dilapidar.*]

dilapidador (di.la.pi.da.*dor*) [ô] *a.* 1 Que dilapida, arruína, destrói; DESTRUIDOR: *o caráter dilapidador dos desmatamentos irresponsáveis.* 2 *Fig.* Que gasta excessivamente; ESBANJADOR; GASTADOR: *filho dilapidador da fortuna da família.* [Ant.: *poupador.*] *sm.* 3 Aquele que estraga, destrói; ESBANJADOR; PERDULÁRIO: *O viciado em drogas é um dilapidador de si próprio.* 4 *Fig.* O que esbanja, desperdiça; ESBANJADOR; GASTADOR: *um dilapidador do capital da empresa.* [Ant.: *poupador.*] [Pl.: *-ores.*] [F.: *dilapidar* + *-dor.*]

dilapidar (di.la.pi.*dar*) *v. td.* 1 Arruinar, destruir, estragar: *Dilapidaram a antiga sede da Prefeitura.* 2 Extinguir, dissipar gastando em excesso: *Dilapidou toda a fortuna.* [▶ 1 dilapidar] [F.: Do lat. *dilapidare.*]

dilatação (di.la.ta.*ção*) *sf.* 1 Ação ou resultado de dilatar-se *sf.* 2 *Fís.* Aumento do volume de um corpo pela ação do calor: *a dilatação dos sólidos, dos líquidos e dos gases.* 3 Alargamento, ampliação 4 *Fig.* Incremento, expansão 5 *Fig.* Aumento de tempo ou prazo; DILAÇÃO; PRORROGAÇÃO 6 *Cir.* Alargamento no diâmetro de um canal [F.: Do lat. *dilatatio, onis.* Ideia de 'dilatação': *-ectasia, atelectasia.*] ■ **~ do tempo** *Fís.* Efeito relacionado com a teoria da relatividade, no qual o tempo medido por um relógio que se desloca, em relação a um sistema fixo de referência, com velocidade próxima à da luz, parece mais lento que o tempo medido por um relógio no sistema fixo

dilatado (di.la.*ta*.do) *a.* 1 Que se dilatou; que aumentou de volume (pupilas dilatadas) 2 Amplo, largo, extenso 3 Que se postergou (prazo dilatado) 4 Desenvolvido, propagado, aumentado 5 Duradouro: *Viver felizes e dilatados anos.* [F.: Do lat. *dilatātus, a, um.*]

dilatador (di.la.ta.*dor*) [ô] *a.* 1 Que serve ou é próprio para dilatar 2 Diz-se de músculo que abre um canal, um orifício (músculos dilatadores) 3 Diz-se de instrumento que serve para alargar um canal, uma abertura natural, um hiato (aparelho dilatador) 4 Diz-se de substância utilizada para dilatar um órgão, um canal condutor etc.: *medicação dilatadora dos vasos sanguíneos.* *sm.* 5 O que faz ou provoca a dilatação 6 *Anat.* Músculo cuja função é abrir, distender qualquer orifício do corpo 7 *Cir.* Instrumento us. para alargar um canal, um vaso etc. 8 *Farm.* Substância que provoca a dilatação de um vaso sanguíneo, de um órgão etc. (dilatador de pupila) [F.: Do lat. *dilatator,oris.*]

dilatar (di.la.*tar*) *v.* 1 Aumentar ou fazer aumentar de volume, diâmetro, extensão ou duração [*td.*: *Dilatou as narinas, respirando com ânsia e excitação.*] [*int.*: *Com o tratamento, sua perspectiva de vida dilatou-se.*] 2 Alargar, estender [*td.*: *Dilatar as fronteiras/os horizontes.*] 3 Fazer durar mais, ampliar no tempo [*td.*: *Dilatou o encontro/o horário do passeio.*] 4 Adiar, transferir [*td.*: *Dilataram o início das obras.*] 5 Demorar-se, alongar-se [*tr.* + *em*: *Dilataram-se na visita ao museu.*] 6 Propagar, divulgar [*td.*: *Dilatar uma doutrina/uma ideologia.*] [▶ 1 dilatar] [F.: Do lat. *dilatare.*]

dilatável (di.la.*tá*.vel) *a2g.* Que é suscetível de dilatação: *A pele das serpentes é altamente dilatável.* [Pl.: *-veis.*] [F.: *dilatar* + *-vel.* Hom./Par.: (pl.) *dilatáveis, dilatáveis* (fl. de *dilatar*).]

dileção (di.le.*ção*) *sf.* Afeição ou carinho especial, preferência por alguém ou por alguma coisa; ESTIMA [Ant.: *desafeição*] [Pl.: *-ções.*] [F.: Do lat. *dilectio, onis.*]

dilema (di.*le*.ma) *sm.* 1 *Lóg.* Raciocínio de premissas alternativas, contraditórias e mutuamente excludentes, mas que fundamentam uma mesma conclusão 2 *Pext.* Situação problemática para a qual há duas saídas, contraditórias e igualmente insatisfatórias, gerando indecisão; escolha difícil. [Cf. nesta acp.: *trilema.*] [F.: Posv. do fr. *dilemme*, do lat. *dilemma, atis* (< gr. *dillemma, atos*).]

dilemático (di.le.*má*.ti.co) *a.* Que diz respeito a dilema ou que o envolve: *um argumento dilemático.* [F.: Do gr. *díllemma,atos* sob a f. rad. *dilemat-* + *-ico*[2].]

diletante (di.le.*tan*.te) *a2g.* 1 Que exerce uma atividade por prazer, e não por obrigação (esp. no que se refere a arte e cultura) 2 *Pej.* Que manifesta atitude imatura, de amador, em questões de ordem intelectual ou espiritual 3 Que é apreciador apaixonado de música *s2g.* 4 Pessoa diletante [F.: Do it. *dilettante*, part. pres. de *dilettare*, do lat. *delectare.*]

diletantismo (di.le.tan.*tis*.mo) *sm.* 1 Característica, qualidade, modos, procedimento de diletante 2 Interesse e dedicação a uma arte ou ofício exclusivamente por prazer: *diletantismo no aprendizado da alquimia.* [F.: *diletante* + *-ismo*, posv. por infl. do fr. *dilettantisme.*]

dileto (di.*le*.to) [é] *a.* Que é preferido na estima, na afeição (amigo dileto, autor dileto); QUERIDO [Ant.: *odiado.*] [F.: Do lat. *dilectus,a,um.*]

diligência[1] (di.li.*gên*.ci:a) *sf.* 1 Cuidado, zelo; APLICAÇÃO: *Embrulhou o presente com diligência.* [Ant.: *negligência*] 2 Rapidez, presteza: "...até os próprios vadios desempregados aparentavam diligência e prontidão." (Aluísio Azevedo, *O mulato*) 3 Medida, providência: *Este caso requer diligências urgentes.* 4 Investigação, busca [+ *sobre, para*: *diligência sobre o caso; diligência para captura do fugitivo.*] 5 *Jur.* Ato judicial executado fora do cartório ou auditório 6 *Mil.* Serviço urgente executado fora do quartel [F.: Do lat. *diligentia,ae.* Hom./Par.: *diligência* (sf.), *diligencia* (fl. de *diligenciar*).]

diligência[2] (di.li.*gên*.ci:a) *sf.* Veículo puxado a cavalos, us. antigamente para transportar pessoas, bagagens e correspondências, percorrendo longas distâncias [F.: Do fr. *diligence*, f. red. de *voiture de diligence.*]

diligenciar (di.li.gen.ci.*ar*) *v.* Resolver com diligência, esforçar-se, empenhar-se por [*td.*: *Diligenciamos concluir o projeto dentro do prazo.*] [*tr.* + *para, por*: *Diligenciou por satisfazer a cobrança do eleitorado.*] [▶ 1 diligenciar] [F.: *diligênc(i)a*[1] + *-ar*[2].]

diligente (di.li.*gen*.te) *a2g.* 1 Que é cuidadoso e dedicado; ZELOSO: *O enfermeiro prestou assistência diligente.* [Ant.: *negligente.*] 2 Que é rápido, ligeiro; EXPEDITO: *Um funcionário diligente.* [Ant.: *moroso, indolente.*] [F.: Do lat. *diligens, entis.*]

dilúculo (di.*lú*.cu.lo) *sm.* 1 Diz-se do despertar da manhã, da alvorada: "A chuva tudo afogando no mesmo tom cor de cinza, num dilúculo lençol embrulhando este arremedo burocrático de alegria." (Abel Botelho, *Barão de Lavos*) *sm.* 2 *Poét.* O despontar ou o primeiro alvor do dia; o crepúsculo matutino; ALBA; ALVORADA: "No dia seguinte, pelo dilúculo da manhã, à hora clássica de caçador da trama, lá estava." (Aquilino Ribeiro, *Aldeia*) [F.: Do lat. *diluculum, i.*]

diluente (di.lu:*en*.te) *a2g.* 1 Que dilui (solução diluente) *s2g.* 2 Aquilo que dilui [F.: Do lat. *diluens, entis.*]

diluição (di.lu:i.*ção*) *sf.* 1 Ação ou resultado de diluir(-se); DILUIMENTO 2 *Fig.* Enfraquecimento paulatino de certas características ou elementos essenciais: *A diluição da sociedade.* [Pl.: *-ções.*] [F.: *diluir* + *-ção.*]

diluído (di.lu.*í*.do) *a.* 1 Diz-se de líquido ou substância que, misturados a outro líquido, têm diminuído o seu poder de concentração, em virtude de compor, a partir daí, uma outra formulação (álcool diluído); DESFEITO; DESMANCHADO [Ant.: *concentrado.*] 2 *Fig.* Misturado a outras formas ou coisas para se desfazer ou passar despercebido: *Remessa de contrabando diluída em diversas formas de transporte.* 3 *Fig.* Diz-se daquilo que se tornou pouco perceptível: *ódio diluído ao longo dos anos.* [F.: Part. de *diluir.*]

diluidor (di.lu:i.*dor*) [ô] *a.* 1 Que dilui (líquido diluidor) *sm.* 2 O que dilui (diluidor de tintas) [F.: *diluir* + *-dor.*]

diluir (di.lu.*ir*) *v.* 1 Deixar menos densa uma solução, lhe acrescentando líquido [*td.*: *Diluiu o molho, demasiadamente concentrado.*] 2 Dissolver(-se) uma substância qualquer em líquido [*td.*: *Diluir um medicamento.*] [*int.*: *O preparado custou a se diluir.*] 3 *Fig.* Desvanecer(-se) ou enfraquecer(-se) [*td.*: *As boas notícias diluíram-lhe a tristeza.*] [*int.*: "...Mas logo o nervosismo se diluiu..." (João Ubaldo Ribeiro, *Diário do farol.*)] [▶ 56 diluir] [F.: Do lat. *diluere.*]

diluviano (di.lu.vi.*a*.no) *a.* 1 Ref. ou inerente a dilúvio, esp. o universal: *período diluviano da Terra.* 2 *Geol.* Ref. aos aluviões do Pleistoceno 3 *Fig.* Copioso, abundante, torrencial (discurso diluviano, chuva diluviana). [Sin. ger.: *diluvial.*] [F.: *dilúvio* + *-ano.*]

dilúvio (di.*lú*.vi:o) *sm.* 1 Segundo a Bíblia, inundação total da Terra que ocorreu como castigo de Deus 2 Chuva muito forte e duradoura que provoca inundação; CATACLISMO 3 *Fig.* Montão, enxurrada; abundância: *um dilúvio de palavras.* [Ant. nesta acp.: *escassez.*] [F.: Do lat. *diluvium, ii.*]

dimanador (di.ma.na.*dor*) [ô] *a.* 1 Que dimana, flui, corre serenamente: *um riacho dimanador das montanhas da região.* 2 *Fig.* Que resulta, procede, deriva: *um gesto de fraternidade dimanador da vontade de Deus.* [F.: *dimanar* + *-dor.* Sin. ger.: *dimanante.*]

dimanar (di.ma.*nar*) *v.* 1 Fluir, correr serenamente; BROTAR; MANAR [*ta.*: *O rio dimanava do alto da montanha/por entre pedras.*] 2 *Fig.* Provir, originar-se [*tr.* + *de*: *A justiça, no Brasil, ainda não dimana de ninguém.*] [▶ 1 dimanar] [F.: Do lat. *dimanare.*]

dimensão (di.men.*são*) *sf.* 1 Extensão de uma porção do espaço que se pode medir em todos os sentidos (convencionados como três); PROPORÇÃO 2 Cada um dos três sentidos que configuram essa extensão mensurável (altura, largura e profundidade ou espessura) 3 Tamanho, volume: *Não faço ideia da dimensão do espaço.* 4 *Fig.* Importância, valor: *O fato ganhou dimensão de tragédia; a dimensão artística da obra de Machado de Assis.* 5 *Fig.* Aspecto significativo de algo (dimensão psicológica) 6 *Cálc.vet.* Num espaço vetorial, o número de vetores de sua base 7 *Geom.an.* Número mínimo de coordenadas necessárias para a determinação unívoca de ponto(s) num espaço 8 *Mat.* A ordem das matrizes na representação matricial de um grupo; GRAU [Pl.: *-sões.*] [F.: Do lat. *dimensio,onis.*] ■ **~ fractal** *Mat.* Número (fracionário ou irracional) que expressa a geometria de um fractal **~ topológica** *Mat.* Número inteiro que expressa a geometria de um elemento da geometria euclidiana (p.ex., o 0 expressa um ponto, o 1 expressa uma linha etc.) **Quarta ~** *Fís.* No sistema de quatro dimensões (o complexo espaço-tempo), a dimensão tempo

dimensionado (di.men.si:o.*na*.do) *a.* 1 Que se dimensionou; a que se deram dimensões determinadas e adequadas: *um móvel dimensionado para o espaço em que seria colocado; um aparelho elétrico dimensionado para suportar fortes alterações de tensão.* 2 Que teve calculadas suas dimensões ou proporções: *casa bem dimensionada.* [F.: Part. de *dimensionar.*]

dimensional (di.men.si:o.*nal*) *a2g.* 1 Ref. ou inerente a dimensão (cálculo dimensional) 2 *Fís.* Diz-se de grandeza que apresenta dimensão [P. opos. a *adimensional*, nesta acp.] [Pl.: *-nais.*] [F.: *dimensão* + *-al*[1], seg. o modelo erudito.]

dimensionalidade (di.men.si:o.na.li.*da*.de) *sf.* 1 Característica ou qualidade do que tem dimensão 2 Conjunto de dimensões de um espaço 3 *Mat.* Número de dimensões de uma grandeza [F.: *dimensional* + *-(i)dade.*]

dimensionamento (di.men.si:o.na.*men*.to) *sm.* 1 Ação ou resultado de dimensionar 2 Indicação das dimensões de algo (dimensionamento do terreno) 3 *Fig.* Indicação da dimensão ou importância de algo (dimensionamento econômico) [F.: *dimensionar* + *-mento.*]

dimensionar (di.men.si:o.*nar*) *v. td.* 1 Calcular as dimensões ou proporções de algo: *Dimensionar os custos/a tragédia.* 2 *Fig.* Conferir significado especial a: *Não dimensionara suficientemente a engenharia.* [▶ 1 dimensionar] [F.: *dimension-* (rad. do lat. *dimensionis*) + *-ar*[2].]

dimensionável (di.men.si:o.*ná*.vel) *a2g.* Que se pode dimensionar (área dimensionável); DIMENSÍVEL [Ant.: *desmensurável, imensurável, incomensurável.*] [F.: *dimensionar* + *-vel.*]

dímer (*dí*.mer) *sm. Elet.* Aparelho que permite regular a intensidade de um feixe luminoso [F.: Do ing. *dimmer.*]

dímero (*dí*.me.ro) *a.* 1 *Biol.* Formado de dois segmentos 2 *Zool.* Diz-se de animal cujo tarso tem dois segmentos *sm.* 3 *Quím.* Molécula formada pela união de dois monômeros: *O ácido benzoico possui em sua forma cristalina o dímero cíclico.* [F.: Do ing. *dimer.*]

dimetila (di.me.*ti*.la) *sf. Quím.* Composto orgânico que resulta da ligação de dois grupos metila [F.: *di-* + *metila.*]

diminuendo[1] (di.mi.nu.*en*.do) *sm. Arit.* Numa subtração, número de que se subtrai outro; *Bras.* MINUENDO [F.: Do lat. *diminuendus,a,um.*]

diminuendo[2] (di.mi.nu.*en*.do) *Mús. sm.* 1 Trecho musical em que as notas vão perdendo gradativamente sua intensidade sonora 2 Sequência de notas assim executadas *adv.* 3 Com redução significativa da intensidade sonora: *Este trecho toca-se diminuendo.* [F.: Do lat. *diminuendus,a,um.* Sin. ger.: *decrescendo, diminuindo.* Ant. ger.: *crescendo.*]

diminuente (di.mi.nu.*en*.te) *a2g.* Que diminui; DIMINUIDOR [F.: Do lat. *diminuens,entis.*]

diminuição (di.mi.nu:i.*ção*) *sf.* 1 Ação ou resultado de diminuir: *diminuição do número de vagas de um concurso.* [Ant.: *aumento.*] 2 Redução de grau, intensidade ou extensão de algo (diminuição do interesse) 3 *Arit.* Operação de subtrair quantidades; SUBTRAÇÃO 4 Perda parcial: *Diminuição do potencial hídrico.* [Pl.: *-ções.*] [F.: Do lat. *diminutio,onis.* Ver *menos-, menoscabar.*]

diminuído (di.mi.nu.*í*.do) *a.* 1 Que foi reduzido em quantidade, tamanho etc; APOUCADO; DECRESCIDO; MINGUADO: *volume diminuído para caber no recipiente.* [Ant.: *alongado, ampliado, aumentado.*] 2 Que se subtraiu, abateu; DEDUZIDO; DESCONTADO: *parcelas pagas diminuídas do total devido.* [Ant.:

adicionado, somado.] 3 Que se acalmou, abrandou, atenuou (tensão diminuída); AMENIZADO; MODERADO; SUAVIZADO [Ant.: *agravado, intensificado.*] 4 Que se moderou, conteve, reduziu: *apetite diminuído com o auxílio de medicamentos.* [Ant.: *exacerbado, intensificado.*] 5 Que foi humilhado, menosprezado, aviltado: *funcionário diminuído diante dos colegas.* [Ant.: *enaltecido, engrandecido.*] 6 Degradado hierarquicamente; DESTITUÍDO; REBAIXADO: *oficial diminuído por sua má conduta.* [Ant.: *elevado, promovido.*] [F.: Part. de *diminuir.* Ant. nas acp. 1 a 4: *aumentado.*]

diminuidor (di.mi.nu:i.*dor*) *a.* 1 Que diminui; DIMINUENTE: *esforço diminuidor da violência.* *sm.* 2 *Arit.* Numa subtração, número ou parcela que se subtrai do diminuendo; SUBTRAENDO 3 O que diminui. [Sin. nas acps. 1 e 3: *redutor.*] [F.: *diminuir* + *-dor.*]

diminuir (di.mi.nu.*ir*) *v.* 1 Fazer ficar menor a medida, intensidade ou duração de [*td.*: *Diminuir a largura da estrada/a dor/o tempo de espera.*] [*int.*: *Com a economia, os gastos diminuíram; Antes de começar o filme, o barulho diminuiu.*] 2 Fazer ficar menor em quantidade; ESCASSEAR; RAREAR [*td.*: *A poluição fez diminuir a fauna e a flora locais.*] [*int.*: *Até os insetos diminuíram.*] 3 Fazer parecer menor [*td.*: *A altura diminuiu tudo lá embaixo.*] [*int.*: *Com a distância, o que viam diminuiu.*] 4 Ver ou apresentar como menor; DEPRECIAR(-SE) [*td.*: *Diminuía as iniciativas do outro; Vivia diminuindo-se.*] 5 *Arit.* Deduzir (número, valor, parcela) de; SUBTRAIR [*tdr.* + *de*: *É preciso diminuir o preço da madeira do total das despesas.*] 6 Aviltar, desvalorizar [*td.*: *A leviandade diminuiu-lhe o caráter diante de nós.*] 7 Moderar(-se), conter(-se) [*tr.* + *em*: *Elas precisavam de diminuir na vaidade.*] [▶ 56 diminuir] [F.: Do lat. *diminuere.*]

diminutivo (di.mi.nu.*ti.*vo) *a.* 1 Que diminui 2 *Gram.* Que expressa ideia de diminuição, afetividade ou apoucamento (diz-se da categoria grau) [Ant.: *aumentativo.*] 3 *Gram.* Diz-se da palavra modificada ou do sufixo que a modifica para indicar diminuição de tamanho ou intensidade, envolvimento afetivo ou intenção depreciativa [Ant.: *aumentativo.*] *sm.* 4 *Gram.* Palavra diminutiva [Ant.: *aumentativo.*] 5 *Gram.* Sufixo diminutivo 6 Objeto semelhante a outro mas de proporções bem mais reduzidas [F.: Do lat. *diminutivus, a, um.*] ■ **~ analítico** *Ling.* Diminutivo formado por locução [Ex.: *cavalo pequeno.*] **~ sintético** *Ling.* Diminutivo formado por derivação [Ex.: *cavalinho.*]

diminuto (di.mi.*nu.*to) *a.* 1 De tamanho muito pequeno (jardim diminuto) 2 Em quantidade muito menor do que a necessária ou a esperada (plateia diminuta) 3 Pouco, apoucado, insuficiente 4 Pequeno, breve: "Júlia, a mais diminuta e delicada de quantas fadas bonitas e graciosas têm trazido varinha de condão..." (Almeida Garrett 5 Deficiente, omisso 6 *Mús.* Intervalo musical que possui um semiton a menos que um justo 7 *Mús.* Diz-se de acorde que possui um intervalo diminuto [F.: Do lat. *diminutus*, part. pass. de *diminuere.*]

⊕ **dimmer** (*Ing./dimer/*) *sm. Elet.* Mecanismo elétrico us. para controlar a intensidade da luz emitida por uma lâmpada

dimorfia (di.mor.*fi.*a) *sf. Gen.* Propriedade ou característica do que é dimorfo; DIMORFISMO [F.: *di-* + *-morfia.*]

dimórfico (di.*mór.*fi.co) *a.* Que apresenta dimorfismo (fungo dimórfico) [F.: *dimorfo* + *-ico*[2].]

dimorfismo (di.mor.*fis.*mo) *sm.* 1 Característica, propriedade ou condição de existir em duas formas distintas 2 *Gen.* Existência de dois tipos distintos de indivíduos no interior de uma mesma espécie (dimorfismo sexual) 3 *Min.* Ocorrência de duas formas distintas de cristalização de um mineral, sem alteração de sua composição química 4 *Biol.* Presença de duas formas distintas do mesmo elemento (folha, apêndice, membro etc.) numa espécie [F.: Do lat. cient. *dimorphismus.*] ■ **~ sexual** *Zool.* Fenômeno de se apresentarem, macho e fêmea da mesma espécie, com formas diferentes (tamanho, cor, aspectos anatômicos etc.) [Mais comum em insetos e aves.]

dimorfo (di.*mor.*fo) *a.* 1 Que apresenta duas formas diferentes: *tipo dimorfo da hanseníase.* 2 *Min.* Diz-se de corpo que cristaliza em duas formas incompatíveis ou pertencentes a sistemas diversos [F.: *di-* + *-morfo.*]

dinamarquês (di.na.mar.*quês*) *a.* 1 Da Dinamarca (Europa); típico desse país ou de seu povo (futebol dinamarquês) 2 *Zool.* Ref. a certa raça de cães grandes com pelo curto, de uma cor só ou manchado 3 *Gloss.* Ref. ou pertencente à língua falada na Dinamarca *sm.* 4 Indivíduo nascido ou que vive na Dinamarca 5 *Zool.* Cão da raça dinamarquesa 6 *Gloss.* A língua falada na Dinamarca [F.: Do top *Dinamarca* + *-ês.*]

dinamelétrico (di.na.me.*lé.*tri.co) *a. Fís.* O mesmo que *dinamoelétrico*

◎ **-dinamia** *el. comp.* = 'força'; 'energia': *adinamia* (< gr.), *isodinamia* [F.: Do gr. *-dynamía, as,* do gr. *dýnamis, eos,* 'poder; 'potência'; 'força'. F. conexa: *dinam(o)-.*]

dinâmica (di.*nâ.*mi.ca) *sf.* 1 *Fís.* Parte da mecânica que trata dos movimentos dos corpos e de seu relacionamento com as forças que produzem esses movimentos [Cf.: *cinemática* e *estática.*] 2 *Fig. Pext.* O potencial ou o movimento de alterações em situação, processo, desenvolvimento etc., por ação das forças ou energias que neles atuam: *a dinâmica do desenvolvimento sustentável; a dinâmica da economia.* 3 *Mús.* Variação, gradual ou repentina, ou combinação destas, na intensidade do som e sua graduação, do fortíssimo ao pianíssimo, na execução de um trecho musical [F.: Fem. substv. do adj. gr. *dynamikós,* pelo fr. *dynamique.* Ideia de 'dinâmica', usar suf. *-dinia.*] ■ **~ de grupo** A técnica, e sua implementação em grupo, de melhorar o nível de relacionamento, interação e desempenho das pessoas de um grupo social, profissional etc.

dinamicidade (di.na.mi.ci.*da.*de) *sf.* Caráter ou qualidade de dinâmico: *a dinamicidade do mercado de investimentos.* [F.: *dinâmico* + *-i-* + *-dade.*]

dinâmico (di.*nâ.*mi.co) *a.* 1 Ref. ou inerente à dinâmica, ao movimento dos corpos e/ou às forças que o produzem [Ant.: *estático.*] 2 Que é ativo, movimentado, empreendedor; ENÉRGICO: *funcionário dinâmico e competente.* [Ant.: *acomodado, apático, inativo.*] 3 Que está em constante movimentação ou alteração (mercado dinâmico) [Ant.: *estático, parado.*] 4 Que exige ou envolve grande motilidade, agilidade de adaptação, mudança de métodos e técnicas quando necessário etc.: *Tomar decisões é um processo dinâmico, que exige atenção permanente e todos os fatores.* 5 *Psi.* Diz-se da abordagem de processos psíquicos que os vê como resultantes da ação de pulsões e de conflitos entre elas [F.: Do gr. *dynamikós.*]

dinamismo (di.na.*mis.*mo) *sm.* 1 Característica, qualidade, condição, estado de quem ou daquilo que é ou se apresenta dinâmico, enérgico, movimentado, ativo; ENERGIA; VITALIDADE 2 Índole empreendedora, entusiasta, enérgica; ENERGIA; VITALIDADE: *O dinamismo do novo administrador reacendeu o entusiasmo em sua equipe.* 3 *Fil.* Pensamento que considera o movimento como a origem do universo, a fonte criadora da matéria [F.: *dínam (o)-* + *-ismo*, ou do fr. *dynamisme.*]

dinamitação (di.na.mi.ta.*ção*) *sf.* 1 Ação ou resultado de dinamitar, de explodir por meio de dinamite: *dinamitação de uma pedreira.* 2 *Fig.* Ação de destruir, desmontar, desfazer ideias, conceitos, costumes: *a dinamitação das comunidades indígenas.* [Pl.: *-ções.*] [F.: *dinamitar* + *-ção.*]

dinamitador (di.na.mi.ta.*dor*) [ô] *a.* 1 Que dinamita ou provoca explosão com o uso de dinamite (criminoso dinamitador) 2 *Fig.* Que destrói, arrasa, desmonta (discurso dinamitador) *sm.* 3 Aquele que trabalha usando dinamite: *dinamitador de construções antigas.* 4 *Fig.* O que aniquila, extermina, extingue: "Alongando um pouco essa ardente questão, repito que o crítico deve ser sincero e enérgico, mas na hora de expressar o que pensa, tem que ser altamente caridoso e incentivador, jamais acidamente um dinamitador." (Eurípedes Kühl, Entrevista ao Canal Aberto, 2005.) [F.: *dinamitar* + *-dor.*]

dinamitar (di.na.mi.*tar*) *v. td.* 1 Fazer explodir, destruir ou danificar por meio de dinamite: *Dinamitar um prédio / uma pedreira.* 2 *Fig.* Destruir, tornar inviável ou demonstrar a inviabilidade de (ideia, projeto, propósito etc.) [▶ 1 dinamitar] [F.: *dinamite* + *-ar*[2].]

dinamite (di.na.*mi.*te) *sf.* 1 *Quím.* Material explosivo à base de nitroglicerina, misturada a uma substância inerte [Inventada pelo sueco Alfred Nobel em 1867.] 2 Ocorrência, fato, processo etc. que causa ou pode causar impacto, reação violenta etc; BOMBA: *O discurso dele foi pura dinamite.* *s2g.* 3 *Fig.* Pessoa ativa, muito enérgica 4 *Fig.* Pessoa de temperamento explosivo, irascível, briguenta 5 *Fig.* Pessoa que chama muito a atenção (por sua beleza, excentricidade, genialidade etc.) e que por isso pode causar celeuma ou agitação em torno de si [F.: Palavra do Vocabulário Científico Internacional, do fr. *dynamite,* prov. do gr. *dynamis.* Hom./Par.: *dinamite* (fl. de *dinamitar*).]

dinamização (di.na.mi.za.*ção*) *sf.* 1 Ação ou resultado de dinamizar (dinamização do processo) 2 *Med.* Na homeopatia, (grau de) liberação da energia terapêutica de um medicamento por meio de diluição ou trituração [Pl.: *-ções.*] [F.: *dinamizar* + *-ção.*]

dinamizado (di.na.mi.*za.*do) *a.* 1 Que teve aumentada a capacidade de construir, produzir, desenvolver: *área industrial dinamizada para atender a demanda.* 2 *Farm.* Diz-se de medicamento em que foram aplicados os princípios de dinamização e que teve seus princípios ativos concentrados [F.: Part. de *dinamizar.*]

dinamizador (di.na.mi.za.*dor*) [ô] *a.* 1 Que provoca a dinamização; ANIMADOR; INCENTIVADOR: *programa dinamizador das boas relações no ambiente de trabalho.* *sm.* 2 O que dinamiza, incentiva, anima: *um dinamizador das práticas pedagógicas.* [F.: *dinamizar* + *-dor.*]

dinamizar (di.na.mi.*zar*) *v. td.* 1 Insuflar energia e dinamismo em; dar caráter dinâmico a: *dinamizar uma atuação, um processo, uma medida etc.* 2 *Farm.* Aplicar processos da dinamização (diluição e trituração) a (medicamento, para aumentar-lhe a eficácia): *dinamizar um medicamento.* [▶ 1 dinamizar] [F.: *dinam(o)-* + *-izar.*]

◎ **dinam(o)-** *el. comp.* = 'força'; 'energia', 'potência'; 'valor energético'; (*Bot.*) 'que possui estames maiores que os demais': *dinamoelétrico, dinamelétrico, dinamogenia, dinamômetro* (< fr.); *adínamo* (< gr.), *amplidínamo, didínamo, tetradínamo* [F.: Do gr. *dýnamis, eos,* 'poder; 'potência'; 'força'. F. conexas: *-dinamia* e *-dino.*]

◎ **-dínamo** *el. comp.* Ver *dinam(o)-*

dínamo (*dí.*na.mo) *sm.* 1 *Elet.* Aparelho que transforma energia mecânica em elétrica 2 *Fig.* Aquele ou aquilo que, com seu dinamismo, é fator importante na geração de trabalho, resultados, mudanças, desenvolvimento etc.: *Esse diretor é o dínamo da empresa, dele vêm todas as iniciativas de mudança; Ele é o dínamo do time, joga com entusiasmo e comanda os companheiros.* [F.: Da (red. da) loc fr. *(machine) dynamo(-électrique).*]

dinamoelétrico (di.na.mo:e.*lé.*tri.co) *a.* Diz-se de aparelho ou máquina que transforma a energia mecânica em elétrica, ou vice-versa [F.: *dinam(o)-* + *elétrico.* Tb. *dinamelétrico.*]

dinamogenia (di.na.mo.ge.*ni.*a) *sf. Fisl.* Exaltação funcional de um órgão sob a influência de uma excitação; DINAMOGENESE [F.: *dinam(o)-* + *-genia.*]

dinamogênico (di.na.mo.*gê.*ni.co) *a. Fisl.* Que diz respeito a dinamogenia [F.: *dinamogenia* + *-ico*[2].]

dinamômetro (di.na.*mô.*me.tro) *sm.* 1 *Fís.* Aparelho que mede a intensidade de uma força mecânica, baseado na deformação causada pela aplicação dessa força sobre um sistema elástico 2 *Mec.* Aparelho que mede a potência de um motor elétrico 3 *Med.* Aparelho que mede o trabalho muscular; ERGÔMETRO [F.: Do fr. *dynamomètre;* ver *dinam(o)-* e *-metro.*]

dinar (di.*nar*) *sm.* 1 Denominação do dinheiro us. em vários países (ger. árabes), entre eles Argélia, Bahrein, Irã, Iraque, Jordânia, Kuwait, Líbia, Sudão, Macedônia, Tunísia 2 Unidade dos valores em dinar, us. em notas e moedas: *uma nota de cem dinares.* 3 Antiga moeda de ouro dos árabes, cunhada por califas 4 Antiga unidade de peso e moeda árabes (equivalente a 1,5 dracma) 5 Moeda equivalente a um centésimo da unidade monetária do Irã, o *rial* [F.: Do ár. *dínár.*]

dinastia (di.nas.*ti.*a) *sf.* 1 Sucessão, sequência de soberanos de uma mesma família: *Os dois imperadores do Brasil foram da dinastia dos Braganças.* 2 *Pext.* Sucessão de pessoas da mesma família ou com afinidade ideológica, numa mesma atividade profissional: *dinastia de sambistas; dinastia de diplomatas.* [F.: Do gr. *dynasteía,* pelo fr. *dynastie.*]

dinástico (di.*nás.*ti.co) *a.* 1 Que diz respeito a uma dinastia ou a governo hereditário: "Dessa bastardia se origina depois um tronco dinástico importante." (Júlio Dantas, *Outros tempos*) 2 Partidário de uma dinastia 3 Partidário do governo hereditário [Nas duas últimas acps. tb. us. como subst.] [F.: Do gr. *dunastikós, é, ón.*]

dinda (*din.*da) *sf. Infan.* Madrinha, dindinha: "Faz de conta que sou sua fada madrinha/Me chamem dinda ou dindinha tudo bem..." (Osmar Osman e Hélio Makumba, "Dinda ou Dindinha") [F.: Red. de *dindinha.*]

dindinho (din.*di.*nho) *sm. Fam.* Padrinho, em tratamento carinhoso [Fem.: *dindinha,* ref. a madrinha.] [F.: Hipoc. de *padrinho.*]

dinheirada (di.nhei.*ra.*da) *sf.* 1 Quantidade grande de dinheiro (em espécie): *Guardava uma dinheirada embaixo do colchão;.* 2 Alta soma em dinheiro: *Gastou uma dinheirada com a mansão.* [F.: *dinheiro* + *-ada*[1]. Sin. ger.: *bolada, dinheirama, dinheirão.*]

dinheirama (di.nhei.*ra.*ma) *sf.* O mesmo que *dinheirada* [F.: *dinheiro* + *-ama.*]

dinheirão (di.nhei.*rão*) *sm.* 1 Valor muito alto: *Paguei um dinheirão pelo aparelho, que não funciona bem.* [Ant.: *ninharia.*] 2 O mesmo que *dinheirada* 3 Grande acúmulo de dinheiro; FORTUNA; RIQUEZA: *Deu-se bem nos negócios e fez um dinheirão.* [Pl.: *-rões.* Não se usa no pl.] [F.: *dinheiro* + *-ão*[1].]

dinheiro (di.*nhei.*ro) *sm.* 1 Representação de valor material por um sistema de unidades convencionado: *O dinheiro brasileiro é o real.* 2 Objeto (ger. cédula de papel ou moeda de metal) us. como dinheiro (1): *O caixa eletrônico está sem dinheiro.* 3 Qualquer soma (definida ou não) de valores em forma de dinheiro (2) ou nele conversível: *Ganharei muito dinheiro com esse trabalho.* 4 Qualquer representação de valor (coisas valiosas, créditos, cheques etc.) que pode ser convertida em dinheiro: *Ele tem muito dinheiro em joias.* 5 *Pop.* Riqueza, fortuna: *Começou pobre, e hoje tem muito dinheiro.* 6 *Ant.* Antiga moeda romana, de baixo valor 7 Antiga moeda de cobre de Portugal [F.: Do lat.vulg. *dinarius.*] ■ **~ de botija** *Bras.* Dinheiro enterrado, como forma de protegê-lo **~ de contado** Quantia paga à vista, em moeda corrente **~ de plástico** *Pop.* Cartão de crédito **~ de S. Pedro** Contribuição de fiéis ao papa **~ em espécie** Ver *Dinheiro vivo* **~ miúdo** Dinheiro em unidades de pouco valor, esp. moedas; dinheiro trocado **~ sujo** *Pop.* O que é obtido por meios desonestos, com atividade criminosa **~ trocado** Dinheiro vivo em notas de pouco valor e/ou em moedas **~ vivo** Dinheiro em moeda ou cédula, dinheiro em espécie **Fazer ~** 1 Ganhar dinheiro 2 *Pop. Econ.* Tornar legal (por meio de documentação forjada de empresas-fantasmas, transações fictícias, superfaturamento etc.) dinheiro ganho ilegal ou fraudulentamente **Nadar em ~** *Fig.* Ter muito dinheiro, ser muito rico **Ter ~ como bagaço** Ter muito dinheiro, ser rico **Trocar ~** 1 Trocar uma quantia em notas de muito valor pela mesma quantia em notas menores ou moedas 2 Trocar uma quantia em determinada moeda por quantia correspondente (segundo a taxa de câmbio) em outra moeda

📖 O dinheiro é a representação física de um valor econômico, como um bem material, um serviço, até mesmo uma expectativa futura de bem material ou serviço. No complexo sistema de trocas necessárias para a satisfação das necessidades de uma sociedade o dinheiro substitui a troca direta, ou escambo. Para isso, é necessário que o valor representado pelo dinheiro realmente exista, em forma de bem ou serviço. Hoje, o próprio dinheiro tem sua representação em outras formas, evitando que seja necessário dispor dele, fisicamente, a cada momento: cheque, título, cartão de crédito etc.

dinheiro-em-penca (di.nhei.ro-em-*pen.*ca) *Bras. Bot. sm.* 1 Erva ornamental (*Parietaria officinalis*), da família das urticárias, de ramos pendentes e folhas circulares 2 Erva rastejante (*Pilea nummularifolia*) da fam. das urticáceas, das regiões tropicais das Américas, com pequenas folhas verde-claras e ger. cultivada em vasos [Pl.: *dinheiros-em-penca.*]

dinheiro-papel (di.nhei.ro-pa.*pel*) *sm. Econ.* O mesmo que *papel-moeda* [Pl.: *dinheiros-papéis e dinheiros-papel.*]

◎ **-dinia** *suf.* Ver *-odinia*

◎ **-dino** (di.no) *el. comp.* = 'poder'; 'força'; 'energia', 'potência'; 'frequência': *aeródino, heteródino, neutródino* (marca registrada: *Neutrodyne*) [F.: Do rad. *dyn-*, do gr. *dýnamis, eos,* 'poder; 'potência'; 'força' F. conexa: *dinam(o)-*. Cf. *din(o)-* e *dino-.*]

◎ **din(o)-** *el. comp.* = 'que causa assombro, terror, medo; terrível, temível'; 'assustador'; 'espantoso': *dinodonte, dinodontossauro, dinomiídeo, dínomis, dinórnis, dinossauro, dinotério* [Em termos de paleontologia forjados no lat. a partir em geral do séc. XIX.] [F.: Do gr. *deinós, é, ón.* Ocorre tb. a f. menos pref. *deino-.*]

◎ **dino-**[1] *el. comp.* = 'rotação'; 'espiral'; 'turbilhão'; 'vertigem': *dinofícea* (< lat.cient.), *dinoflagelado* (< lat.cient.), *dinofobia, dinomania* [F.: Do gr. *díne, es* ou *dínos, ou*, 'movimento em rotação espiral'; 'turbilhão'; 'vertigem'.]
◎ **dino-**[2] *el. comp.* = 'terrível', 'poderoso', 'assustador': *dinossauro, dinotério* [F.: Do gr. *deinós*.]
dinossauro (di.nos.*sau*.ro) *sm.* **1** *Pal.* Denominação comum a diversos répteis diapsidas, muitos de proporções gigantescas, que viveram durante o período Mesozoico e se extinguiram há cerca de 65 milhões de anos **2** Animal pertencente a esse grupo **3** *Fig. Pej.* Indivíduo ou coisa que se considera anacrônica, ultrapassada: *Esses dinossauros têm de se aposentar.* [F.: Do gr. *deinós* + *sauro*, pelo lat. cient. *dinossauros*, ou *dino-*[2] + *-sauro*.]

📖 Os dinossauros (nome genérico para vários tipos de répteis fósseis, que abrangiam várias ordens e gêneros) nem sempre foram gigantescos, como ger. são representados. Seu tamanho variava, de acordo com a espécie, desde o de um gato até o dos brontossauros, que pesavam 50 toneladas. Podiam ser herbívoros (braquiossauro, brontossauro, iguanodonte etc.) ou carnívoros (tiranossauro, tricerátpor etc.). Desapareceram da Terra no fim da era geológica chamada Cretáceo.

dinotério (di.no.*té*.ri:o) *sm. Pal.* Mamífero antepassado do elefante, já extinto, pertencente ao gên. *Deinotherium* [F.: Do lat. cient. gên. *Deinotherium*.]
dintel (din.*tel*) *sm.* **1** *Cons.* Verga ou barfra que forma a parte superior de portas e janelas **2** Suporte lateral para prateleiras de estantes [Pl.: *-téis*.] [F.: Do fr. med. *lintel*, pelo espn. *dintel*. Sin. ger.: *lintel*.]
◎ **-dio** Partícula pospositiva, do latim *dies, dei*: dia
diocesano (di:o.ce.*sa*.no) *a.* **1** Ref. ou pertencente a diocese (seminário diocesano) *sm.* **2** Aquele que habita em ou é fiel a uma diocese [F.: *diocese* + *-ano*[1].]
diocese (di:o.*ce*.se) [é] *sf.* **1** Território eclesiástico administrado por um bispo ou arcebispo, ou por um patriarca; BISPADO; EPISCOPADO; PRELAZIA **2** *Hist.* Antiga região administrativa em província romana [F.: Do gr. *dioikê sis*, pelo lat. *diocesis*.]
diocleína (di:o.*cle.í*.na) *sf.* Flavonoide extraído do vegetal *Dioclea lasiphilla*, com potente atividade vasodilatadora e hipertensiva [F.: *diocleia* + *-ina*.]
diodo (di:*o*.do) [ô] *sm. Eletrôn* Dispositivo eletrônico, em forma de válvula, com apenas dois eletrodos (o catodo e a placa), que só permite a passagem da corrente elétrica em uma direção; DÍODO [Mais us. que a f. preferível *díodo*.] [F.: Do gr. *díodos*, pelo ing. *diode*.]
dioense (di:o.*en*.se) *s2g.* **1** Aquele ou aquela que nasceu ou que vive em Dio (Índia) *a2g.* **2** De Dio; típico dessa cidade ou de seu povo [F.: Do top. *Dio* + *-ense*.]
dioico (di.*oi*.co) *a.* **1** *Biol.* Diz-se de espécie cujos indivíduos têm ou órgãos sexuais masculinos ou órgãos sexuais femininos; DIECO; DIÉCIO; UNISSEXUAL **2** *Bot.* Diz-se de espécie cujos espécimes têm ou flores masculinas ou flores femininas [F.: Do gr. *di-*, 'dois' + *oîkos* 'casa', pelo lat. *dioicus* (criado por Lineu), pelo fr. *dioïque*.]
diol (di.*ol*) *sm. Quím.* Qualquer substância com dois grupos hidroxila de álcool; GLICOL [Pl.: *-óis*.] [F.: Do ing. *diol*.]
diolefina (di:o.le.*fi*.na) *sf. Quím* Classe dos compostos orgânicos com duas ligações duplas; DIALCENO; DIENO [F.: *di-* + *olefina*. Ideia de: *ole(i)-* e *faz-*.]
dionísia (di:o.*ní*.si:a) *sf.* Ver *dionisíaca*
dionisíaca (di:o.ni.*sí*.a.ca) *sf.* Na Grécia antiga, homenagem ao deus Dioniso, na forma de festas, rituais, recitativos, cantos e danças e representações teatrais [Mais us. no pl.] [F.: Fem. subst. de *dionisíaco*.]
dionisíaco (di:o.ni.*sí*.a.co) *a.* **1** Ref. a Dioniso, divindade grega (entre os romanos, Baco) dos ciclos vitais, da alegria e do vinho **2** De natureza agitada e desinibida (como a de Dioniso); ESPONTÂNEO; NATURAL **3** *P.ext.* De caráter vibrante, entusiasmado **4** *P.ext.* Que é anárquico, confuso; DESORDENADO **5** *P.ext.* Que tem caráter criativo, inspirado **6** *P.ext.* Ref. ao campo, à terra; CAMPESTRE **7** *Teat.* Ref. a espetáculo teatral ou coreográfico (esp. o que é alusivo a dionisíaca) **8** *Hist.* Ref. a d. Dinis (rei de Portugal, sécs. XIII-XIV) ou a sua época **9** *Med.* Diz-se de quem tem saliência córnea na testa [F. Do gr. *dionysiakós*, pelo lat. *dionysiacus* e pelo fr. *dionysiaque*.]
dioptria (di.op.*tri*.a) *sf. Ópt.* Unidade de medida da potência de refração de lente ou sistema óptico, equivalente ao inverso da distância focal dada em metros [Símb.: *dptr.*] [F. Do rad. gr. *dioptr* (de *dioptriké*), pelo fr. *dioptrie*.]
dióptrica (di:*óp*.tri.ca) *sf. Fís.* Estudo da refração da luz em diferentes meios, esp. lentes [F.: Do gr. *dioptrikós, é, ón*, pelo fr. *dioptrique*.]
dióptrico (di.*óp*.tri.co) *a. Fís.* Ref. a dioptria ou a dióptrica [F.: Do gr. *dioptrikós*, pelo fr. *dioptrique*.]
dioptro (di:*op*.tro) *sm.* **1** *Astron.* Instrumento us. para medir, por meio de alinhamento óptico, o diâmetro aparente do Sol ou da Lua, ou ainda para calcular altura e tamanho de objetos distantes **2** Aparelho dotado de pínulas, com as quais se miram objetos utilizados no cálculo de ângulos **3** *Mar.* Haste móvel encontrada no centro dos astrolábios **4** *Ant. Med.* Ver *espéculo* **5** *Ópt.* Sistema óptico que se serve de lentes com índices de refração diversos; DIÓPTRICO [F.: Do fr. *dioptre*. Sin. das acps. 1, 2 e 3: *alidada, alidade, declina, dioptra, medeclina, medeclínio*.]
dioscoreácea (di.os.co.re.*á*.ce:a) *sf. Bot.* Espécime das dioscoreáceas, fam. de plantas nativas em toda a América do Sul, com raízes carnosas ou tuberosas ricas em amido, folhas em espiral, flores pequenas e frutos capsulares, e próprias para usos medicinais, principalmente como depurativo sanguíneo. Em muitos casos, também suas folhas são comestíveis [F.: Adapt. do lat. cient. *Dioscoreaceae*.]
dioscoreáceo (di.os.co.re.*á*.ce:o) *a. Bot.* Ref. ou pertencente às dioscoreáceas [F.: De *dioscoreácea*, com var. suf; ver *-áceo*.]
dióxido (di:*ó*.xi.do) [cs] *sm. Quím.* Óxido em cuja molécula há dois átomos de oxigênio (dióxido de carbono); BIÓXIDO [F.: *di-*[1] + *óxido*.] ▪▪ **~ de carbono** *Quím.* Gás carbônico [Fórm.: CO_2]
dioxina (di:o.*xi*.na) [cs] *sf. Quím.* Substância altamente tóxica e teratogênica, subproduto da fabricação do desfolhante "agente laranja", usado como arma química pelas forças norte-americanas na guerra do Vietnã [F.: *di-* + *oxina*.]
dipirona (di.pi.*ro*.na) [ô] *sf. Farm.* Substância ($C_{13}H_{16}N_3SO_4Na$) de uso farmacológico, de aplicação controversa, com ação antipirética, analgésica e anti-inflamatória [F.: *dipiro* + *-ona*. Ideia de: *pir(i/o)-*.]
diplegia (di.ple.*gi*.a) *sf. Neurol.* Paralisia que acomete partes simétricas dos dois lados do corpo; PARALISIA BILATERAL [F.: Do lat. cient. *diplégia*. Ideia de: *-plegia*.]
◎ **-dipl(o)-** *el. comp.* Ver *dipl(o)-*
◎ **dipl(o)-** *el. comp.* = 'duplo': *diplobionte, diploblástico, diplococo* (< lat. cient.), *diplofonia, diploma* (< lat. < gr.), *diplonte, diplópode* (< lat. cient.); *anadiplose* (< lat. < gr.) [F.: Do gr. *diplóos -oûs, óe -ê, óon -oûn*.]
diplobionte (di.plo.bi.*on*.te) *sm. Biol.* Organismo cujo ciclo de vida é composto por uma fase haploide e outra diploide; DIPLOAPLONTE; HAPLODIPLOBIONTE [P.opos. a *haplobionte*.] [F.: *dipl(o)-* + *-bionte*.]
diploblástico (di.plo.*blás*.ti.co) *a. Zool.* Diz-se do animal que no estado de embrião não desenvolve o mesoderma [F.: *dipl(o)-* + *-blast(o)-* + *-ico*[2].]
diplococo (di.plo.*co*.co) [ó] *sm. Bac.* Bactéria esférica, em forma de coco, que se apresenta aos pares [F.: Do lat. cient. *diplococcus*.]
diplofonia (di.plo.fo.*ni*.a) *sf. Otor.* Disfunção da voz que se caracteriza pela emissão simultânea de dois sons, na laringe [F.: *dipl(o)-* + *-fonia*.]
diplofônico (di.plo.*fô*.ni.co) *Otor. a.* **1** Ref. a diplofonia **2** Diz-se de indivíduo que apresenta diplofonia *sm.* **3** Esse indivíduo [F.: *diplofonia* + *-ico*[2].]
diploide (di.*ploi*.de) *a2g. Gen.* Que tem dois conjuntos de cromossomos, ou seja, o dobro do haploide [F.: Do al. *diploid* (ingl. *diploid*), cunhado pelo cientista alemão Eduard Adolf Strasburger (1844-1912), por volta de 1905/1907; ver *-ploide*. Cf.: *haploide, hexaploide, monoploide, poliploide*.]
diploidia (di.ploi.*di*.a) *sf. Biol.* Qualidade de diploide [F.: *diploide* + *-ia*[1].]
diploma (di.*plo*.ma) [ô] *sm.* **1** Certificado de conclusão de um curso, que atesta as habilitações de alguém e tb. pode conferir um título a quem o recebe: *diploma de bacharel em Letras.* **2** Documento de procedência oficial que confere um título, cargo etc. a alguém (diploma imperial) **3** Declaração ou atestado ger. em papel de qualidade e em letras ornamentadas, em que se presta homenagem a alguém ou se lhe reconhecem méritos, destaque ou trabalho meritório etc. **4** Qualquer documento público **5** Lei, decreto [F.: Do gr. *diploma*, 'papel dobrado', pelo lat. *diploma*, 'permissão por escrito' e pelo fr. *diplome*. Hom./Par.: *diploma* (fl. de *diplomar*).] ▪▪ **Tirar ~ (de)** Diplomar-se
diplomação (di.plo.ma.*ção*) *sf. Bras.* Ação ou resultado de diplomar(-se), de conferir ou receber diploma: *diplomação em direito.* [Pl.: *-ções*.] [F.: *diplomar-* + *-ção*.]
diplomacia (di.plo.ma.*ci*.a) *sf.* **1** Ciência que trata das relações entre Estados: *A crise será resolvida pela diplomacia latino-americana.* **2** Arte, técnica, métodos e ação de conduzir as relações e os negócios internacionais por governantes de um Estado ou seus representantes em países estrangeiros **3** Carreira de diplomata: *Abandonou a diplomacia para ser escritor.* **4** O conjunto dos representantes legalmente credenciados por um país junto a outro: *A atuação da diplomacia brasileira foi muito elogiada.* **5** *Fig.* Habilidade para lidar com pessoas e resolver impasses; FINURA; JEITO; TATO: *O mediador da reunião terá de usar de muita diplomacia.* **6** Qualidade de quem tem essa habilidade, de quem é fino, jeitoso no trato **7** *Fig.* Qualidade de quem é grave, circunspeto, respeitador de convenções e de normas; CERIMÔNIA [Ant.: *descontração, informalidade*.] **8** Delicadeza, gentileza no trato **9** Habilidade na condução de negócios; ASTÚCIA; ESPERTEZA [F.: Do fr. *diplomatie*.]
diplomado (di.plo.*ma*.do) [á] *a.* **1** Que se diplomou, que recebeu diploma ou título que confere ou reconhece habilitações; GRADUADO [+ *com, em, por*: *diplomado com mérito; diplomado em ciências; diplomado por correspondência.*] *sm.* **2** Pessoa que tem diploma ou título [F.: Part. de *diplomar*.]
diplomar (di.plo.*mar*) *v.* **1** Conferir diploma a [*td.*: *A faculdade diplomou 150 alunos.*] **2** Receber diploma, concluir curso (de), formar-se (em) [*int.*: *Depois de muito esforço, conseguiu diplomar-se.*] [*tr.* + *em*: *A filha dela diplomou-se em medicina.*] [▶ 1 diplomar] [F.: *diploma* + *-ar*[2].]
diplomata (di.plo.*ma*.ta) *s2g.* **1** Indivíduo cuja profissão é a diplomacia **2** Profissional que representa oficialmente um país junto ao governo de outro **3** Funcionário do corpo diplomático de um país **4** *Fig.* Quem é habilidoso no trato com outras pessoas, ou astuto em negociações **5** *Fig.* Indivíduo educado, de aspecto fino, porte e modos distintos [Ant.: *grosseiro*.] **6** Indivíduo circunspeto, observante de convenções e normas sociais [F.: Do fr. *diplomate*.]
diplomática (di.plo.*má*.ti.ca) *sf.* **1** Ciência que tem por finalidade o estudo de antigos diplomas, cartas e outros documentos oficiais, com vistas a verificar sua autenticidade, época em que foram produzidos etc. **2** Arte de decifrar e explicar o significado de documentos antigos **3** Estudo da história e do significado de antigos documentos legais e administrativos [F.: Do lat. mediev. *diplomatica*.]
diplomático (di.plo.*má*.ti.co) *a.* : Ref. ou inerente a diplomacia ou a diplomata (imunidade diplomática) **2** Que expressa ou manifesta diplomacia (resposta diplomática) **3** *Fig.* Que denota habilidade no trato com pessoas ou para resolver situações difíceis: *O talento diplomático dele prevaleceu, e conseguiram chegar a um acordo.* **4** *Fig.* Que tem atitude discreta e reservada **5** *Fig.* Que se mostra gentil, fino, cortês: *Num gesto diplomático, cedeu-lhe o lugar.* **6** Ref. a diploma *sm.* **7** Quem é versado ou especialista em diplomática, na ciência que estuda diplomas [F.: Do fr. *diplomatique*.]
diplonte (di.*plon*.te) *sm. Biol.* Organismo cujas células reprodutoras são haploides e cujas células somáticas são diploides [F.: *dipl(o)-* + *-onte*.]
diplópode (di.*pló*.po.de) *sm.* **1** *Zool.* Espécime dos diplópodes, classe de artrópodes, subclasse de miriápodes; animal semelhante à lacraia, com o corpo dividido em várias partes, cada uma delas com um par de patas [P.us. *diplópodo*.] *a2g.* **2** *Zool.* Ref. a diplópode (1) [F.: *dipl(o)-* + *-pode*, ou do lat. cient. classe *Diplopoda*.]
dipolo (di.*po*.lo) [ó] *sm. Fís.* Par com duas cargas elétricas iguais e de sinais contrários, dispostas a pequena distância uma da outra [Tb. (menos us.) *dípolo*. Tb. *dipolo elétrico*.] [F.: *di-*[1] + *-polo*.] ▪▪ **~ elétrico** **1** *Fís.* Sistema formado por dois pontos a pequena distância, carregados eletricamente com cargas de mesmo valor mas de sinais opostos [Tb. simplesmente *dipolo*.] **2** *Eletrôn.* Pequena antena linear que irradia ondas esféricas **~ magnético** **1** *Fís.* Sistema formado por dois polos magnéticos a pequena distância um do outro, de mesmo valor e de sinais opostos **2** *Eletrôn.* Antena formada por uma bobina que é alimentada por uma tensão variável **~ oscilante** **1** *Fís.* Dipolo no qual há uma variação periódica da distância que separa as duas cargas **2** *Eletrôn.* Antena formada por um condutor metálico, ou por uma pequena bobina, ligados a um circuito oscilante (no qual a direção da corrente oscila, num sentido e no outro)
dipsético (dip.*sé*.ti.co) *a. Med.* Que provoca sede (medicamento dipsético) [F.: Do gr. *dipsetikós, é, ón*, pelo lat. *dipseticus, a, um*.]
◎ **-dipsia** *el. comp.* = 'sede (característica de doença ou disfunção)': *adipsia, polidipsia* [F.: Do gr. *dípsa, es*, 'sede', + *-ia*[1]. Em vocábulos da terminologia médica do séc.XIX em diante.]
◎ **dips(o)-** *el. comp.* = 'sede': *dipsético* (< lat. < gr.), *dipsomania, dipsômano* [F.: Do gr. *dípsa, es.* F. conexa: *-dipsia*.]
dipsomania (dip.so.ma.*ni*.a) *sf. Psiq.* Tendência doentia e incontrolável de ingerir bebidas alcoólicas [F.: *dips(o)-* + *-mania*. Cf.: *alcoolismo*.]
dipsomaníaco (dip.so.ma.*ní*.a.co) *Psiq. a.* **1** Ref. a dipsomania **2** Diz-se de indivíduo que sofre de dipsomania; DIPSÔMANO; ALCOÓLATRA *sm.* **3** Esse indivíduo; DIPSÔMANO; ALCOÓLATRA *Pop;* BEBERRÃO [F.: *dipsoman(ia)* + *-íaco*.]
dipsômano (dip.*sô*.ma.no) *Psiq. a. sm.* O mesmo que *dipsomaníaco* (1 e 2) [F.: *dips(o)-* + *-mano*[1].]
díptero (*díp*.te.ro) *a.* **1** *Zool.* Que tem duas asas ou apêndices a elas semelhantes; BIALADO **2** *Zool.* Ref. a díptero (3) *sm.* **3** *Zool.* Espécime dos dípteros, grande ordem de insetos artrópodes que têm apenas um par de asas e aparelho bucal sugador, com c. de 150.000 espécies nas quais se incluem moscas e mosquitos **4** *Arq.* Construção de estilo grego, com duas séries de colunas no perímetro [F.: Do a. gr. *dípteros*, 'de duas asas', 'com duas fileiras de colunas', pelo lat. cient. ordem *Diptera*.]
dique (*di*.que) *sm.* **1** *Cons.* Construção que serve para impedir a passagem da água de rio ou mar; BARRAGEM **2** Essa construção, dotada de comportas para controlar as águas **3** *Geol.* Massa rochosa que preenche uma fenda aberta em outra rocha **4** *Fig.* Empecilho, obstáculo, impedimento: *Interpôs um dique às suas pretensões.* **5** *Cnav.* Reservatório circundado de paredes sólidas, em comunicação com mar ou rio, no qual pode-se regular por uma porta a entrada e saída das águas, para nele se introduzir embarcações, pô-las em seco para reparos no casco e de novo alagá-la para a saída da embarcação [Ver tb. *dique flutuante* e *dique seco*.] [F.: Posv. do neerlandês *dijk*, pelo fr. *dique*, depois *digue*.] ▪▪ **~ flutuante** *Bras. Mar.* Grande plataforma flutuante, que se pode encher e esvaziar de água, destinada a receber navios cujo casco deva ser conservado ou reparado **~ seco** *Mar.* Dique em terra firme, que se pode encher e esvaziar de água, destinado a receber navios cujo casco deva ser conservado ou reparado
direção (di.re.*ção*) *sf.* **1** Ação ou resultado de dirigir(-se) **2** Administração, comando, esp. em relação a negócios; GERENCIAMENTO **3** O cargo, a função de quem exerce esse comando: *Começou como mensageiro; agora está na direção.* **4** A pessoa ou equipe que ocupa esse cargo: *A direção da empresa estava toda presente.* **5** Local de uma empresa onde trabalham os diretores: *Vamos reclamar na direção.* **6** Orientação de um deslocamento ou posicionamento; RUMO; SENTIDO: *Começou a andar em direção às escadas.*: "...para as preces coletivas, na direção de Meca." (Alberto da Costa e Silva, *A manilha e o libambo*) **7** *Fig.* O sentido do progresso de uma ação: *As pesquisas continuam em direção à ansiada descoberta.* **8** A pessoa ou equipe que ocupa esse cargo: *Siga dois quilômetros na direção norte, e chegará lá.* **9** *Fig.* Tendência, instrução ou orientação a ser seguida, diretriz: *O partido indica uma nova direção política.* **10** Ação ou resultado de conduzir, guiar um veículo; CONDUÇÃO: *Não peça nada a seu pai agora, ele está na direção.* **11** *Mec.* A parte de um veículo que orienta o seu deslocamento: *automóvel com problemas de direção.* **12** O volante de um veículo **13** *Cin. Teat. Telv.* Orientação artística na produção de um filme, montagem de peça teatral ou *show* musical etc. **14** *Mús.* Regência (de orquestra, coro etc.) **15** Indicação de rumo a seguir ou de localização de algo

(que se dá a alguém para que chegue a algum lugar): *Atrasei porque me deram uma direção errada.* **16** *Geom.an.* Cada um dos ângulos que determinam a inclinação de uma reta em relação a eixos ou planos coordenados **17** *Geom.* Propriedade que é comum às retas paralelas **18** *Geom.* Num ponto de uma curva, orientação da tangente em relação à curva no ponto **19** Posição de um ponto no espaço em relação a outro ponto: *Para ver o Cruzeiro do Sul, olhe nessa direção.* **20** *Lus.* Em Portugal, endereço [Pl.: *-ções.*] [F.: Do lat. *directio, onis*, pelo fr. *direction.*] ▪ **~ assistida** *Mec.* Ver *Direção hidráulica* **~ hidráulica** *Mec.* Em veículo automotivo, sistema de direção no qual a força do motor aciona um fluido que movimenta as rodas de acordo com a manobra do motorista, diminuindo o esforço deste para rodar o volante **~ negativa** *Geom.an.* Ao se percorrer uma curva, direção contrária à direção positiva **~ positiva** *Geom.an.* Ao se percorrer uma curva, direção à qual se atribui o sinal positivo **Em ~ a/de** Para o lado de, no rumo de: *Foi em direção à saída, mas desistiu e voltou.*

direcionado (di.re.ci:o.*na*.do) *a.* **1** Que se direcionou, a que se deu rumo, direção; ENDEREÇADO; ORIENTADO: *palestra direcionada aos interessados na arte cinematográfica.* **2** Concentrado, convergido, reunido: *forças direcionadas no sentido de conquistar o campeonato.* [Ant.: *disperso.*] [F.: Part. de *direcionar.*]

direcionador (di.re.ci:o.na.*dor*) [ô] *a.* **1** Que direciona ou indica a direção (sinal de trânsito direcionador) **2** *Fig.* Que serve como inspirador para uma conscientização política, econômica, literária etc; que tem o poder de influir em determinadas opiniões ou modificá-las: *um político direcionador das decisões do seu partido.* *sm.* **3** O que determina a direção a ser seguida (direcionador de fluxo de ar) **4** *Fig.* Aquele que inspira ou influi em uma opinião: *Seus exemplos constituem um direcionador de comportamento para os mais jovens.* [F.: *direcionar* + *-dor.*]

direcional (di.re.ci:o.*nal*) *a2g.* **1** Ref. ou inerente a direção (controle direcional) **2** Que é passível de ser dirigido, orientado em certa direção (antena direcional, microfone direcional); DIRECIONÁVEL **3** Que indica a direção de um deslocamento: *lanternas direcionais de um veículo.* **4** *Ling.* Ver *caso direcional*, no verbete *caso* [Pl.: *-nais.*] [F.: *direção* + *-al*[1], segundo o modelo erudito, ou do fr. *directionel.*]

direcionamento (di.re.ci:o.na.*men*.to) *sm.* Ação ou resultado de direcionar, de orientar ou encaminhar numa certa direção; ORIENTAÇÃO [F.: *direcionar* + *-mento.*]

direcionar (di.re.ci:o.*nar*) *v.* Dar direção, rumo, orientação a (tb. *Fig.*); concentrar numa certa direção; DIRIGIR; ORIENTAR [*td.*: *Você precisa direcionar melhor seu estudo.*] [*tdr.* + *a, para*: *Direcionou a campanha para o combate à especulação; Direcione o saque para o fundo da quadra; Direcionou seus passos ao salão de festas.*] [▶ 1 direcionar] [F.: *direção* + *-ar*[2], segundo o modelo erudito.]

direcionável (di.re.ci:o.*ná*.vel) *a2g.* Que pode ser direcionado; DIRIGÍVEL; ORIENTÁVEL: *O cabeçote deste tripé é direcionável em 180 graus.* [Pl.: *-veis.*] [F.: *direcionar* + *-vel.*]

direita (di.*rei*.ta) *sf.* **1** A mão direita; DESTRA: *Deve-se sempre benzer com a direita.* **2** Considerando uma linha vertical imaginária que dividisse o corpo humano ao meio, o lado oposto (inclusive fora do corpo) àquele em que, no peito, fica a maior parte do coração, e onde fica o fígado, o apêndice cecal etc. **3** A direção que fica desse mesmo lado, mesmo fora do corpo: *Siga e vire à direita na esquina.* **4** Espaço da metade longitudinal de uma rua, estrada etc. que fica à direita (3), quando se olha na direção do movimento dos veículos, e no qual, em ruas e estradas de mão dupla (nas quais os veículos podem transitar em ambos os sentidos) por convenção, na maioria dos países, devem transitar os veículos: *Dirija sempre na direita, e não corra demais.* **5** Espaço que fica à direita (2, 3) de qualquer coisa: *Não se deve ultrapassar pela direita.* **6** *Pol.* Postura política de orientação ger. conservadora (bancada de direita) [Por analogia com o lado (em relação ao lugar do rei) em que ficava a nobreza nas reuniões dos Estados-Gerais, na França antes da Revolução de 1789, e em que ficavam, depois, os conservadores nas assembleias de parlamentares.] **7** Os partidários dessa postura política, organizados ou não: *A direita não se manifestou sobre essa questão.* **8** *Fut.* A perna direita; jogada feita com essa perna: *Ele chuta bem com a direita; Sua direita é mortal.* **9** *Esp.* No boxe, soco desferido com a direita (1) [F.: Fem. subst. de *direito*. Ant. ger.: *esquerda.*] ▪ **À ~** Do lado direito **Às ~** **1** Pelo lado direito **2** De maneira justa, honesta, conveniente **De ~** *Pol.* Diz-se de pessoa, instituição etc. simpatizante ou adepta de conceitos políticos (e suas práticas) conservadores **~ alta** *Teat.* O lado direito e ao fundo do palco **~ baixa** *Teat.* O lado direito e à frente do palco

direiteza (di.rei.*te*.za) [ê] *sf.* *P.us.* O mesmo que *direitura* [F.: *direito* + *-eza.*]

direitinho (di.rei.*ti*.nho) *Pop. adv.* **1** *Bras.* Com perfeição: *Fiz o que você mandou direitinho.* **2** De modo adequado; BEM; CORRETAMENTE: *Comporte-se direitinho, por favor.* **3** Sem errar: *Os alunos resolvem equações direitinho.* **4** Completamente, totalmente: *Enganou os amigos direitinho com seus disfarces.* **5** Sem nenhum desvio; DIRETO: *Quando morrer, vai direitinho para o céu.* [F.: *direito* + *-inho*[1], formando diminutivo.]

direitismo (di.rei.*tis*.mo) *Pol. sm.* **1** Opção política dos seguidores das doutrinas dos partidos de direita, tradicionalmente conservadores; CONSERVADORISMO; REACIONARISMO: "A sucessão quase inacreditável de fracassos estratégicos da direita no mundo deve-se, no fundo, a uma limitação estrutural do direitismo..." (Olavo de Carvalho, "Direita e esquerda, origem e fim" *in olavodecarvalho.org*, 01.11.2005.) **2** O grupo direitista [F.: *direita* + *-ismo.*]

direitista (di.rei.*tis*.ta) *a2g.* **1** *Pol.* Que tem ou apoia postura de direita (5) na política *s2g.* **2** Pessoa direitista (1) [F.: *direita* + *-ista.*]

direitizar (di.rei.ti.*zar*) *v. td.* Tornar (alguém ou algo) politicamente de direita: *A educação rigidamente moralista direitizou os rapazes.* [▶ 1 direitizar] [F.: *direita-* + *-izar.*]

direito (di.*rei*.to) *a.* **1** Que fica à direita de quem está olhando de frente (braço direito; olho direito) [Ant.: *esquerdo.*] **2** Que é mais hábil com a mão, pé ou perna direitos; DESTRO [Ant.: *canhoto, esquerdo, sinistro.*] **3** Que é reto, linear; DIRETO [Ant.: *curvo, torto, tortuoso.*] **4** Cujo comportamento é considerado honrado, louvável etc. (rapaz direito); CORRETO; HONESTO [Ant.: *deonesto, improbo.*] **5** Que é justo, correto; CERTO: *Não foi uma atitude direita, mas ainda dá para corrigir.* [Ant.: *errado, incorreto.*] **6** Com boa aparência; ARRUMADO; COMPOSTO: *Seu cabelo não está direito.* *sm.* **7** Aquilo que é justo e certo **8** O que deve ser possível a cada um na vida em sociedade, e de acordo com suas leis, sua ética etc.: *O direito é todos terem acesso à saúde e a uma boa educação.* **9** Poder, prerrogativa legal: *Ter acesso à educação e à saúde são direitos do cidadão.* **10** Autoridade ou prerrogativa de cobrar algo para si: *Ela chegou primeiro, tem o direito de escolher o lugar.* **11** Autorização de poder superior (ger. para o exercício de uma atividade): *Com o diploma adquiriu o direito de advogar.* **12** Ciência das normas e leis que regulam a vida em sociedade, ou um de seus aspectos (direito comercial; direito penal) **13** Ciência que estuda as leis das sociedades, individual ou comparativamente: *Formou-se em direito.* **14** O lado de um tecido, roupa, colcha etc. que foi feito para ficar exposto [Ant.: *avesso.*] *adv.* **15** Bem, corretamente, normalmente: *Fez a tarefa direito, com atenção e capricho; Ande direito, não arraste os pés!* [F.: Do lat. *directus*. Ideia de 'direito', usar pref. *ort(o)-*.] ▪ **A ~** **1** *Lus.* De frente: *Olhe para mim a direito, quando fala comigo.* **2** Sempre em frente: *Siga a direito por esta rua até o segundo semáforo.* **Cortar ~** Agir com justiça **Cortar pelo ~** *N.E. Pop.* Ver *Cortar direito.* **~ adjetivo** *Jur.* Conjunto de leis que estipulam a forma de estabelecimento e implementação dos direitos; conjunto de leis que regulam os atos da Justiça; direito processual, direito judiciário **~ administrativo** *Jur.* Conjunto de normas que orientam a organização e o funcionamento dos serviços públicos **~ adquirido** *Jur.* Aquele que se definiu e se incorporou irreversivelmente ao acervo de direitos do seu titular **~ aéreo** *Jur.* Conjunto de normas e princípios internacionais que regulam a navegação aérea e tudo que diz respeito ao uso do espaço aéreo **~ agrário** *Jur.* Conjunto de normas jurídicas que regulam as atividades do homem sobre a terra e as relações delas oriundas, segundo princípios que atendem à produtividade e à justiça social **~ assistencial** *Jur.* Conjunto de normas que regulam o provimento das necessidades gerais do trabalhador pelo Estado, através da assistência e da previdência social **~ autoral** *Jur.* Direito assegurado ao autor de obra e a seus descendentes quanto à publicação, venda de suas obras etc., e quanto aos proventos daí auferidos [Tb. simplesmente *direitos* (us. no pl.).] **~ cambiário** *Jur.* Conjunto de normas que regulamentam as operações cambiais e as relações e elas ligadas e delas provenientes **~ canônico** *Jur.* Conjunto de disposições que configuram a estrutura jurídica da Igreja Católica Apostólica Romana **~ civil** *Jur.* Conjunto de normas que regulam os direitos e as obrigações privados relativos às pessoas, a seus bens e às relações entre eles **~ clássico** *Jur.* Ver *Direito romano* **~ comercial** *Jur.* Conjunto de normas que regulam as operações comerciais e estipulam os direitos e obrigações de quem exerce o comércio **~ constitucional** *Jur.* Conjunto de normas e princípios básicos que regem a organização política do Estado, suas leis, sua forma de governo, o funcionamento dos poderes políticos, os direitos individuais e a participação do Estado nos vários aspectos da sociedade, o social, o econômico, o cultural etc. **~ consuetudinário** *Jur.* Conjunto de normas não escritas baseadas nos usos e costumes de um povo; direito costumeiro **~ costumeiro** *Jur.* Ver *Direito consuetudinário* **~ criminal** *Jur.* Ver *Direito penal* **~ das gentes** *Jur.* Ver *Direito internacional público* **~ de arena** *Jur.* Aquele que regula os direitos usufruídos por artistas, esportistas etc., no tocante à transmissão e retransmissão de espetáculos públicos **~ de fundo** **1** *Jur.* Conjunto de princípios que definem a natureza ou a matéria do direito objetivo **2** Conjunto de normas jurídicas abstratas, como origem das disposições concretas (aquelas do direito civil, comercial, penal etc.); direito substantivo **~ de imagem** *Jur.* Aquele de que dispõe uma pessoa para proteger o uso não autorizado de sua imagem em qualquer manifestação pública **~ de insalubridade** *Jur.* Ver *insalubridade* (3) **~ de petição** *Jur.* Direito que tem um cidadão de requerer a poder público medidas de interesse do país, ou de denunciar abusos ou violações éticas de autoridades públicas **~ de preferência** *Jur.* Direito de prioridade assegurado a titulares de certos créditos, em relação aos outros titulares **~ de regresso** **1** *Jur.* Direito de credor de título cambiário de exigir seu pagamento pelo sacado, ou, em sua inadimplência, por endossadores, avalistas etc. **2** Direito que tem aquele que resgatou – como endossador, avalista etc. – a dívida de outrem, de obter ressarcimento do devedor e/ou demais endossadores e avalistas daquela dívida **~ de reprodução** *Jur.* Copirraite **~ de resposta** *Jur.* Direito que tem pessoa física ou jurídica de veicular resposta a matéria caluniosa ou enganosa no mesmo jornal ou emissora que a veiculou **~ de retorno** Ver *Direito de regresso* **~ de sangue** *Jur.* Qualquer direito inato, que se adquire automaticamente ao nascer **~ do trabalho** *Jur.* Conjunto de normas que regulam as relações de trabalho entre empregados e empregadores e os direitos dos trabalhadores advindos juridicamente dessa condição **~ escrito** Aquele que tem expressão na lei **~ falencial** Conjunto de normas que regulam a falência e a concordata, assim como a responsabilidade e as obrigações do falido ou concordatário, e os direitos de seus credores; direito falimentar **~ falimentar** Ver *Direito falencial* **~ financeiro** Conjunto de disposições que regulam a economia do Estado, inclusive as normas para aplicação de dinheiro público de acordo com a necessidade da administração **~ fiscal** *Jur.* Conjunto de normas e princípios que regem a arrecadação de impostos, regulamentando as obrigações dos tributários, as atribuições e o funcionamento dos órgãos arrecadadores e fiscalizadores etc; direito tributário **~ individual** *Jur.* Aquele que diz respeito à dignidade da pessoa e a seu direito à vida, liberdade, segurança, etc., tal como expresso na Constituição **~ industrial** *Jur.* Conjunto de leis que regulamentam marcas de fábrica e de comércio, privilégios de propriedade e de trabalho industrial, patentes de invenções etc. **~ internacional privado** *Jur.* Conjunto de normas e princípios que, em situação conflitante entre leis de direito privado de dois ou mais países, serve para estabelecer quais são as aplicáveis àquela determinada situação jurídica **~ internacional público** *Jur.* Complexo de normas, princípios e doutrinas aceitos pelos Estados, para regular as suas relações recíprocas em situação conflitante entre eles, referente ao direito público; direito das gentes **~ judiciário** *Jur.* Ver *Direito adjetivo* **~ líquido e certo** *Jur.* Aquele que prescinde de demonstração, por ser admitido sem contestação possível **~ marítimo** *Jur.* Conjunto de princípios e leis que regulam a navegação em geral, e as relações jurídicas dela originárias [Tb. *jusnaturalismo.*] **~ natural** *Jur.* Conjunto de regras e doutrinas fundamentadas no bom-senso, na sensibilidade humana para com a natureza humana, na equidade, e, portanto, não dependente de circunstâncias em sua adequação e sua prevalência em sistemas jurídicos **~ normativo** *Jur.* Conjunto de normas obrigatórias impostas pelo Estado, que inclui o direito escrito e o consuetudinário; direito positivo, direito objetivo **~ objetivo** *Jur.* Ver *Direito normativo* **~ penal** *Jur.* Conjunto de preceitos e leis que definem o que é crime e estipulam as penas aplicáveis, em cada caso, a criminosos e delinquentes; direito criminal **~ personalíssimo** *Jur.* O que é atinente exclusivamente a seu beneficiário, sendo portanto intransferível e inalienável **~ pessoal** *Jur.* Aquele que faculta a uma pessoa exigir de outra determinada atitude ou ação **~ positivo** Ver *Direito normativo* **~ privado** Conjunto de normas e leis que regem os aspectos civis de pessoas físicas e jurídicas, inclusive o Estado e as autarquias, e os processos que envolvem aquisição e transmissão de bens **~ processual** Ver *Direito adjetivo* **~ público** **1** Conjunto de normas que regulam a constituição e as competências de órgãos do Estado, os direitos, poderes e obrigações políticas dos cidadãos, inclusive sua fruição dos serviços públicos e dos bens do domínio público **2** Aquele que versa sobre os interesses da comunidade (como os direitos constitucional, administrativo, penal, processual etc.) **~ real** O domínio e as prerrogativas que uma pessoa tem em relação a coisa específica, ao vincular essa coisa direta e inequivocamente a essa pessoa (expressos, p.ex., em direito de propriedade, usufruto, hipoteca etc.) **~ regressivo de recurso** Ver *Direito de regresso* **~ romano** Conjunto de regras e princípios jurídicos adotados na Roma antiga, entre os séculos VIII a.C. e VI d.C; direito clássico [São os intérpretes, produtores, estações de rádio e TV etc.] **~s conexos** O conjunto dos direitos por aqueles que, não sendo autores, levam ao público obras musicais, literárias etc. **~s de estola** Contribuições que os habitantes de freguesias faziam aos vigários; direitos de pé de altar; dízimos diretos **~s de mercê** Direitos pagos pelo recebimento de título honorífico ou pela nomeação para certos cargos públicos **~s de pé de altar** Ver *Direitos de estola* **~s do homem** **1** *Hist.* Conceito de que existem direitos naturalmente inerentes a qualquer ser humano, iguais para todos, independentemente de etnia, sexo, idade, religião, condição social etc., e que é o fundamento, ao menos nominal, das democracias liberais modernas **2** Fundamentos das reivindicações de igualdade e liberdade para todos os homens conforme publicadas, pela primeira vez (1776), na Declaração de Independência dos EUA **3** Os direitos fundamentais dos seres humanos tais como aprovados pela ONU em 1948 **4** Os direitos do ser humano aprovados pelas assembleias constituintes francesas após a Revolução (1798, 1793, 1795) **~s políticos** *Pol.* Os direitos inerentes à condição de cidadão de uma democracia, como o de eleger e ser eleito, ocupar cargos públicos etc. **~ substantivo** Ver *Direito de fundo* (2) **~ tributário** Ver *Direito fiscal*

direito-dever (di.rei.to-de.*ver*) *sm.* Associação da prerrogativa de ter o direito com a obrigação e a necessidade de exercer esse poder: "Indiscutível, atualmente, a necessidade de os jornalistas (...) refletirem até que ponto suas informações e opiniões afetam as pessoas na sua imagem e direitos, sempre pautando-se pelos limites constitucionais e legais do direito-dever de informar." (Larissa Savadintzky, "Informação e privacidade") [Pl.: *direitos-deveres.*]

direitura (di.rei.*tu*.ra) *sf.* **1** Característica, condição ou qualidade do que é direito, reto (direitura da estrada, direitura da régua) **2** Direção reta, ou alinhamento reto, sem desvios ou irregularidades **3** *Fig.* Qualidade de quem é considerado honesto, digno; RETIDÃO [F.: Do lat. *directura*. Sin. ger.: *direiteza.*] ▪ **Em ~ a** Em direção a, na direção de **Na ~ de** Ver *Em direitura a*

direme (di.*re*.me) *sm.* **1** *Ant. Com.* Peso de aproximadamente 2g, que equivalia a dracma ou meia oitava **2** *Arm.* Calibre de algumas armas de fogo **3** *Fig.* Algo insignificante, de pouco valor [F.: Do ár. *dirham*. Sin. ger.: *adarme.*]

diretiva (di.re.*ti*.va) *sf.* **1** Linha, orientação de um caminho, negócio, política etc; DIRETRIZ *diretivas de uma empresa.* **2** Instrução ou conjunto de instruções a serem seguidas para uma ação, tarefa, medida, empreendimento etc.: *A CBF recebe diretivas da FIFA.* **3** Norma de conduta ou de procedimento: *Leia o manual da empresa, as diretivas aqui são rigorosas.* [F.: Do fr. *directive*, fem. subst. de *directif*.]

diretivo (di.re.*ti*.vo) *a.* Que dirige, que dá orientação, imprime uma direção (plano diretivo, regras diretivas); DIRETOR [F.: Do fr. *directif*.]

direto (di.*re*.to) *a.* **1** Que segue em linha reta: *Foi um chute violento e direto, que entrou no canto esquerdo.* **2** Que segue diretamente a determinado lugar, sem desvios, mudança de rumo ou de meio de transporte etc.: *Daqui não há um caminho direto até lá.* **3** Sem paradas intermediárias (ônibus direto, voo direto); EXPRESSO [Ant.: *parador.*] **4** Sem intermediários: *venda direta do produtor ao consumidor.* [Ant.: *indireto.*] **5** *Elet. Eletrôn.* Que une a fonte de energia ao dispositivo que a consome, ou possibilita conexão, sem passar por dispositivos intermediários (ligação direta) **6** *Gram.* Que completa o sentido de um verbo transitivo sem uso de preposição (objeto direto) **7** *Gram.* Diz-se da ordem de elementos numa frase que expressam a ideia sem inversão estilística, ou seja, pela ordem, o sujeito (e seus adjuntos), o verbo e o complemento do verbo (objeto), se houver **8** Claro, franco, sem subterfúgios ou rodeios (resposta direta) [Ant.: *indireto, velado.*] **9** *Lit.* Diz-se de discurso, frase etc. em que se reproduz na íntegra a fala do personagem **10** *Antr.* Diz-se de parentesco em linha reta (ascendente direto, descendente direto) **11** *Pol.* Diz-se de eleição, voto etc. em que o eleitor elege diretamente governante ou representante *sm.* **12** Tipo de soco desferido, ger. no boxe, em movimento perpendicular ao corpo **13** Soco, murro violento que atinge o contendor em cheio *adv.* **14** Sem fazer desvios, escalas ou interrupções: *Foi direto da escola para casa.* **15** Sem parar: *Passou direto, deixando os passageiros a ver navios.* **16** Imediatamente: *Vá direto lavar as mãos para almoçar!* **17** Ininterruptamente: *Cansado, dormiu 12 horas direto.* [F.: Do lat. *directus*. Ideia de 'direto', usar pref. *ort(o)-*.]

diretor (di.re.*tor*) [ô] *a.* **1** Que dirige, orienta (plano diretor) **2** Que exerce função de dirigir, administrar, estabelecer metas e estratégias etc. (em empresa, instituição etc.) (conselho diretor) [Fem.: *diretora, diretriz.*] *sm.* **3** Aquele que dirige ou toma parte na direção de instituição, projeto, empresa, departamento, atividade etc. (diretor de arte, diretor de escola, diretor de empresa) **4** Guia, mentor **5** *Cin. Mús. Teat. Telv.* Aquele que é responsável pela direção artística de filme, peça teatral, novela etc. **6** *Hist.* Cada membro de um diretório (esp. o de cinco membros que governou a França de 1795 a 1799) [F.: Do lat. tard. *director*, pelo fr. *directeur*. Ideia de 'diretor', usar suf. *-agogo.*] ▪ **~ artístico** *Rád. Telv.* O responsável geral pela produção e transmissão de um programa **~ de arte 1** *Edit. Publ.* O responsável pela concepção e realização gráfica de anúncios e de publicações, como revistas, livros, folhetos, etc. **2** *Cin. Telv.* O responsável pela escolha das locações e da cenografia para a composição da atmosfera do filme **~ de cena** *Teat.* Responsável por todas as providências e material necessários ao bom andamento de cada cena no palco; contrarregra **~ de criação** *Publ.* O responsável pela concepção e realização de uma mensagem publicitária, em todos os seus elementos e fases **~ de fotografia** *Cin.* O responsável pela composição e qualidade das imagens de um filme, ao usar a iluminação, as tomadas de cena, efeitos fotográficos em cena e no laboratório etc. [Cf.: *Diretor de imagem.*] **~ de imagem** *Telv.* O responsável, entre as diferentes imagens obtidas simultaneamente por várias câmeras, pela seleção da imagem a ser transmitida, pelo uso de efeitos especiais, pelos ângulos de tomada de cena etc. [Cf.: *Diretor de fotografia.*] **~ de produção** *Rád. Telv.* Ver *Diretor artístico* **~ de programa** *Rád. Telv.* O responsável pela boa execução de um programa, subordinado ao diretor artístico **~ de programação** *Rád. Telv.* O responsável pela boa transmissão de programas, nos horários adequados e previstos

diretor-geral (di.re.tor-ge.*ral*) *sm.* Principal administrador de empresa, instituição etc. [Pl.: *diretores-gerais.*]

diretoria (di.re.to.*ri*.a) *sf.* **1** Ação e resultado de dirigir: *Dedicou-se à diretoria da escola, e não se arrependeu.* **2** Cargo de diretor: *Foi indicado para a diretoria.* **3** Equipe que dirige uma instituição, chefiada por um diretor: *reunião de diretoria.* **4** Período de permanência de um diretor nesse cargo: *As últimas diretorias tiveram problemas parecidos.* [F.: *diretor* + *-ia*¹.]

diretório (di.re.*tó*.ri.o) *sm.* **1** Equipe com função de direção ou de representação de um grupo, partido, instituição etc. (diretório do partido, diretório estudantil) **2** *Hist.* Especificamente, o conselho de cinco membros que dirigiu a França de 1795 a 1799 [Com inicial maiúscula.] **3** *Inf.* Subdivisão de um disco ou de outro suporte físico na qual se armazenam organizadamente arquivos, programas etc.: *Abra o diretório principal e crie um arquivo novo.* **4** *Inf.* A lista dos arquivos contidos nessa subdivisão: *Aquele arquivo não aparece no diretório.* **5** Livro ou papel com instruções ou orientação para a condução de determinado assunto ou negócio **6** *Litu.* Livro com os ofícios de cada dia litúrgico, indicação dos paramentos cabíveis em cada um etc. *a.* **7** Que tem função de direção (conselho diretório) **8** Próprio, no estilo do período do Diretório (2) francês (mesa Diretório) [Com inicial maiúscula.] [F.: Do lat. tar. ecls. *directorium*, 'regras de procedimento etc.', pelo fr. *directoire.*] ▪ **~ acadêmico 1** Órgão formado por estudantes universitários eleitos por seus colegas para defender seus interesses e representar suas posições **2** Local onde funciona esse órgão

diretriz (di.re.*triz*) *sf.* **1** *Gram.* Esboço, linha geral de projeto, plano etc., em relação a sua finalidade (diretriz de governo) **2** Linha básica sobre a qual se projeta o traçado de uma via **3** *Fig.* O mesmo que *diretiva* (1); orientação, conjunto de instruções, norma de procedimento para determinado fim **4** *Geom.* Linha sobre a qual se faz correr outra linha ou superfície, na geração de figura plana ou sólida: *a diretriz de uma parábola.* **5** *Geom.* Reta cuja distância aos pontos de uma parábola é igual à distância desses pontos ao foco da parábola **6** *Geom.* Curva que intercepta a geratriz de uma superfície regrada **7** *Geom.* Numa cônica, reta cuja distância a qualquer ponto da cônica está numa razão constante com a distância desse ponto ao foco da cônica [Tb. us. como adj., fem. de *diretor* 'que dirige, orienta'.] [F.: Do lat. med. *directrix.*]

dirigente (di.ri.*gen*.te) *a2g.* **1** Que dirige (classe dirigente) **2** *Mús.* Que dirige orquestra, coro etc; REGENTE *s2g.* **3** Aquele que dirige (dirigente de clube); DIRETOR **4** Regente de coro, orquestra etc; MAESTRO [F.: Do lat. *dirigens, entis*, ou *dirigir* + *-ente*, segundo o modelo erudito.]

dirigibilidade (di.ri.gi.bi.li.*da*.de) *sf.* Qualidade do que é dirigível, do que se pode dirigir: *a dirigibilidade dos balões.* [F.: *dirigível* (*-vel* > *bil(i)-*) + *-dade.*]

dirigido (di.ri.*gi*.do) *a.* **1** Que obedece a um comando, segue um planejamento; ADMINISTRADO: *Nota-se que são procedimentos dirigidos, e não casuais.* **2** A que é dada direção (documento dirigido, luz dirigida); DIRECIONADO; ENCAMINHADO **3** Que é orientado, guiado: *Esse robô faz um percurso dirigido, e passa por todas as estações da linha de montagem.* [F.: Part. de *dirigir.*]

dirigir (di.ri.*gir*) *v.* **1** Manter algo ou alguém sob direção; GOVERNAR; ADMINISTRAR; COMANDAR [*td.*: *Dirigir uma fábrica/ um país.*] **2** Guiar, conduzir (veículo) [*td.*: *Não sei dirigir caminhão.*] [*int.*: *O rapazote ainda não dirige.*] **3** Tomar ou fazer tomar certo rumo; ENCAMINHAR(-SE) [*tdi.* + *a, para*: *Dirigiu um requerimento ao chefe.*] [*ta.*: *Dirigiram-se à saída antes de terminar o espetáculo.*] [*tda.*: *Dirigiu os convidados ao salão de festas.*] **4** Fazer convergir, concentrar (pensamento, atenção, ação, olhos etc.) [*tdi.* + *para, contra*: *Dirigiu a atenção para o navio; Dirigia todas as suas forças contra o inimigo; Dirigiu o olhar para o fundo da sala e avistou-a.*] **5** Fazer chegar (palavras, informação etc.) (a); falar, dizer, comunicar-se (com) [*tdi.* + *a*: *Dirigiu ao irmão palavras duras e uma crítica rigorosa.*] [*ti.* + *a*: *Ressentido, não se dirigia ao amigo nem para cumprimentar.*] **6** *Cin. Teat. Telv.* Planejar e coordenar a realização de filme, peça teatral ou programa de tevê [*td.*] **7** *Mús.* Conduzir (orquestra, conjunto musical, banda de música); REGER [*td.*] [▶ **46 dirigir**] [F.: Do lat. *dirigere.*]

dirigismo (di.ri.*gis*.mo) *sm.* Teoria e prática relativas às atividades econômica e financeira, que preconizam a direção pelo Estado de tudo que diz respeito ao setor, por intervenção direta ou indireta: "Desanimados pela persistência dos desequilíbrios que se manifestam em regime de liberalismo, e pela ineficácia, para não dizer mais, do dirigismo estadista..." (M. B. Amzalak, *História das doutrinas econômicas*, em tradução.) [F.: *dirig(ir)* + *-ismo.*]

dirigível (di.ri.*gí*.vel) *a2g.* **1** Que se pode dirigir (veículo dirigível, empresa dirigível) [Ant.: *indirigível.*] *sm.* **2** *Aer.* Aeronave, ger. com um grande reservatório em forma de charuto cheio de gás mais leve que o ar (que a faz flutuar), impulsionada por hélices e dotada de lemes que lhe dão direção; AERÓSTATO [Pl.: *-veis.*] [F.: *dirigir* + *-vel.*]

dirimente (di.ri.*men*.te) *a2g.* **1** Que dirime, que resolve (extinguindo dúvida, controvérsia etc.); CONCLUSIVO; DECISIVO **2** *Jur.* Que dirime, impede, anula ou faz cessar questão, litígio etc. (parecer dirimente, sentença dirimente) **3** *Jur.* Que isenta de pena autor de ato criminoso por não ser este a ele imputável (por ser menor de idade, doente mental etc.) **4** Que impede matrimônio ou anula matrimônio já realizado *sf.* **5** *Jur.* Causa de anulação de sentença, pena etc., de isenção de pena ou de exclusão de culpabilidade **6** *Jur.* Impedimento irremediável que anula o matrimônio celebrado [F.: Do lat. *dirimens, entis.*]

dirimir (di.ri.*mir*) *v. td.* **1** Anular, suprimir; extinguir: *O conselho administrativo dirimirá as punições injustas.* **2** Impedir de maneira total e absoluta: *Aquela decisão dirimiu qualquer possibilidade de mudança no estatuto.* **3** Fazer cessar, resolvendo; DECIDIR: *O livro dirimiu-lhe as dúvidas.* [▶ **3 dirimir**] [F.: Do lat. *dirimere.*]

dirrã (dir.*rã*) *sm.* **1** *Ant.* Antiga moeda de prata cunhada pelos sultões islâmicos e califas **2** *Econ.* Moeda ou unidade monetária com que se efetuam as transações financeiras em Marrocos e nos Emirados Árabes **3** *Econ.* Moeda divisionária no Catar, Iraque e Líbia [F.: Do ár. *dirham* 'dinheiro'.]

dirupção (di.rup.*ção*) *sf.* **1** Ação ou resultado de diruir **2** Desabamento, desmoronamento, ruína: *Chuvas fortes causaram a dirupção da encosta.* **3** *P.ext.* Rasgamento, rompimento: *a dirupção no relacionamento de um casal.* [Pl.: *-ções.*] [F.: Do lat. *diruptio, onis.*]

◎ **dis-¹** *pref.* **1** = separação: *dissidência, dissolver.* **2** = negação, oposição: *difícil, discordar.* **3** = dispersão: *difundir, dimanar.* **4** = intensidade, aumento, reforço: *dissimular, distenso.* **5** = ordem, arranjo: *distribuir.* [Tb. *di-*².]

◎ **dis-²** *pref.* **1** = defeito, dificuldade: *dislalia, dislexia, dispneia.* **2** = enfraquecimento: *disopia, distaxia.* **3** = falta, privação: *disbulia, dissimetria.*

◎ **dis-³** *pref.* = em dois, duas vezes, dois: *dispermo, dissubstituído.*

disacusia (di.sa.cu.*si*.a) *sf.* *Otor.* Distúrbio auditivo em que há uma percepção alterada da intensidade e da frequência sonora, provocando sensível desconforto no indivíduo e até, dependendo do grau, perda da audição [F.: *dis-*² + *-acusia.*]

disartria (di.sar.*tri*.a) *sf.* *Neur.* Dificuldade na articulação das palavras causada por paralisia de órgãos da fonação [F.: *dis-*² + *-artria.*]

disbulia (dis.bu.*li*.a) *sm.* *Pat.* O mesmo que *abulia* [F.: Do gr. *dysboulia.*]

discado (dis.*ca*.do) *a.* **1** *Antq.* Que se discou; que foi marcado girando-se o disco telefônico: *O número discado só dá sinal de ocupado.* **2** Diz-se de número pressionado em um teclado de aparelho telefônico: *Para repetir o último número discado é só apertar a tecla "send".* [F.: Part. de *discar.*]

discagem (dis.ca.*gem*) *sf.* **1** *Telc.* Ação ou resultado de discar; **2** *Bras. Telc.* Possibilidade de discar (discagem direta) [Pl.: *-gens.*] [F.: *discar* + *-agem*².] ▪ **~ direta a cobrar** *Telc.* Chamada que será cobrada da conta do telefone receptor, caso quem atenda, informado sobre isso, concorde [No Brasil, faz-se por meio da discagem do prefixo 9 antes dos demais prefixos e do número do telefone. Sigla: *DDC*] **~ direta a distância** *Telc.* Chamada telefônica interurbana diretamente de telefone a telefone, que passa por uma empresa operadora, mas sem auxílio de telefonista [Sigla: *DDD*] **~ direta internacional** Chamada de um telefone situado num país diretamente a telefone situado em outro país, que passa por uma empresa operadora, mas sem auxílio de telefonista [Sigla: *DDI*]

discal (dis.*cal*) *a2g.* Concernente a disco (hérnia discal) [F.: *disco* + *-al*¹.]

discar (dis.*car*) *v.* **1** *Bras.* Numa chamada telefônica com antigos aparelhos, girar com o dedo o disco para registrar cada algarismo do número do telefone que se queria chamar [*td.*: *Levantou o fone e discou o número.*] [*int.*: *Discou a manhã toda, mas não conseguiu os contatos necessários.*] **2** *P.ext.* Fazer chamada telefônica, por qualquer método; LIGAR; TELEFONAR [*ti.* + *para*: *Discou para o amigo, mas a linha estava ocupada.*] **3** *P.ext.* Digitar número de telefone, usando teclado, monitor de computador etc; DIGITAR; MARCAR [*td.*: *Discou o número certo no Skype, mas a conexão caiu.*] [▶ **11 discar**] [F.: *disco* + *-ar*². Hom./Par.: *disco* (fl.), *disco* (sm.).]

discartrose (dis.car.*tro*.se) *sf.* *Ort.* Desgaste em disco(s) da coluna vertebral, causando uma degeneração discal (discartrose da coluna lombar); DISCOPATIA [F.: *disco* + *-artrose.*]

discência (dis.*cên*.ci:a) *sf.* **1** Ação de aprender (discência de matemática); APRENDIZAGEM **2** Estado, condição ou característica do que é discente, do que é próprio de aluno [F.: Do lat. *discentia*. Hom./Par.: *decência, deiscência*. Em oposição a *docência*, que se refere a professor.]

discente (dis.*cen*.te) *a2g.* **1** Ref. ao conjunto ou à condição de alunos **2** Que aprende; que estuda (corpo discente); ESTUDANTIL [F.: Do lat. *discens, entis*. Hom./Par.: *decente, descente*. Em op. a *docente*, que se refere a professor.]

discernimento (dis.cer.ni.*men*.to) *sm.* **1** Capacidade de perceber, compreender com facilidade; PERSPICÁCIA **2** Capacidade de julgar, de distinguir valores com clareza; CRITÉRIO; JUÍZO; TINO **3** Apreciação, avaliação, análise: *Envio-lhe o contrato para seu discernimento.* [F.: *discernir* + *-mento.*]

discernir (dis.cer.*nir*) *v.* **1** Perceber com clareza (características, diferenças); DISTINGUIR [*td.*: *Não sabe discernir a decisão mais adequada.*] [*tr.* + *entre*: *Já consegue discernir entre o trigo e o joio.*] [*tdr.* + *de*: *Aprendeu a discernir o azedo do amargo.*] **2** Apreender o sentido de (conceito, condição, situação etc.); COMPREENDER; ENTENDER; PERCEBER [*td.*: *Leu a carta e logo discerniu o sofrimento do amigo; Felizmente ela discerniu a tempo os riscos que corria, e desistiu do projeto.*] **3** Fazer julgamento; APRECIAR; AVALIAR; JULGAR [*int.*: *Ainda é muito jovem, não é capaz de discernir.*] [*td.*: *Ajude-me a discernir o que essa proposta tem de vantajoso.*] [▶ **50 discernir**] [F.: Do lat. *discernere.*]

discernível (dis.cer.*ní*.vel) *a2g.* Que se pode discernir: *imitação discernível por meio de minuciosa investigação.* [Ant.: *indiscernível.*] [Pl.: *-veis.*] [F.: Do lat. *discernibilis,e.*]

◎ **disci-** *el. comp.* Ver *disc(o)-*

disciforme (dis.ci.*for*.me) *a2g.* Que tem forma de disco; ver *discoide* [F.: *disci-* (var. de *disc(o)-*) + *-forme.*]

discinesia (dis.ci.ne.*si*.a) *sf.* *Pat.* Diminuição ou abolição dos movimentos voluntários [F.: Do gr. *duskinesía, as.*]

discinésico (dis.ci.*né*.si.co) *a.* Ref. a discinesia; DISCINÉTICO [F.: *discinesia* + *-ico*².]

discinético (dis.ci.*né*.ti.co) *a.* O mesmo que *discinésico* [F.: *discin(esia)* + *-ético.*]

disciplina (dis.ci.*pli*.na) *sf.* **1** *Ant.* Instrução, ensino dado por um mestre a seu discípulo **2** *Ant.* Submissão do discípulo à instrução e orientação do mestre **3** Respeito e obediência a regras, métodos, autoridade superior etc. **4** Conjunto de princípios e métodos estabelecidos para o funcionamento adequado de qualquer instituição, atividade etc. (disciplina militar) [Ant.: *indisciplina.*] **5** Sujeição a esses princípios e sua observância, espontânea ou imposta: *O atleta deve ter disciplina rigorosa.* **6** Disposição e constância para realizar algo; DETERMINAÇÃO: *É preciso muita disciplina para manter essa dieta.* [Ant.: *desleixo, inconstância.*] **7** Ordem, arrumação, organização: *Onde não há disciplina não há progresso.* [Ant.: *desordem, desorganização.*] **8** Área do conhecimento humano, esp. aquela que constitui matéria de ensino escolar: *Leciona duas disciplinas.* [F.: Do lat. *disciplina*. Hom./Par.: *disciplina* (fl. de *disciplinar*).]

disciplinação (dis.ci.pli.na.*ção*) *sf.* **1** Ação ou resultado de disciplinar(-se): "Saliente-se que um dos fins do casamento é a disciplinação das relações sexuais entre os cônjuges..." (Otávio Augusto Reis de Sousa, "Débito conjugal e suas vicissitudes") **2** Fustigação com disciplinas: "Tinha o peito e as costas cobertas de sangue... que espirrava do furor da disciplinação." (Arnaldo de Sousa Dantas da Gama, *O balio de Leça*) [Pl.: *-ções.*] [F.: *disciplinar* + *-ção.*]

disciplinado (dis.ci.pli.*na*.do) *a.* **1** Que se disciplinou, que obedece a normas, regulamentos, ordens (soldado disciplinado); OBEDIENTE; SUBMISSO [Ant.: *desobediente, insubmisso.*] **2**

Que é metódico, que segue regras estritas (funcionário disciplinado); ORGANIZADO; REGRADO; SISTEMÁTICO [Ant.: *desordenado, desregrado.*] [F.: Do lat. *disciplinatus.* Ant. ger.: *indisciplinado.*]

disciplinador (dis.ci.pli.na.*dor*) [ô] *a.* **1** Que impõe disciplina (código disciplinador, medidas disciplinadoras) **2** Que atenta para que haja disciplina *sm.* **3** Aquele ou aquilo que impõe disciplina, ou que a mantém [F.: *disciplinar* + *-dor.*]

disciplinamento (dis.ci.pli.na.*men*.to) *sm.* **1** Ação ou resultado de disciplinar(-se) **2** *Rel.* Autoflagelação por meio de disciplinas; AUTOPUNIÇÃO [F.: *disciplinar* + *-mento.*]

disciplinar¹ (dis.ci.pli.*nar*) *a2g.* **1** Ref. à ordem, à disciplina **2** Que estabelece a disciplina ou que cuida para que haja disciplina (medidas disciplinares; conselho disciplinar) **3** Que pune, disciplina (ação disciplinar); PUNITIVO [F.: Do adj.lat. *disciplinaris, e.*]

disciplinar² (dis.ci.pli.*nar*) *v.* **1** Impor disciplina ou regulamento a, ou sujeitar-se a eles; CORRIGIR: *disciplinar os filhos.* [*td.*: *disciplinar os filhos.*] [*int.*: *Era muito malcomportado, mas cresceu e disciplinou-se.*] **2** Refrear, manter sob controle [*td.*: *Disciplinou seus impulsos.*] **3** Infligir punição, castigo a [*td.*: *Resolveu disciplinar os mais bagunceiros, e suspendeu-os por três dias.*] **4** Castigar(-se) com disciplinas [▶ 1 disciplinar] [F.: Do lat. *disciplinare.*]

disciplinas (dis.ci.*pli*.nas) *sfpl. Rel.* Chicotes, correias, correntes etc. com os quais frades e devotos se açoitam por penitência [F.: Pl. de *disciplina.* Hom./Par.: *disciplinas* (fl. de *disciplinar*).]

disciplinatório (dis.ci.pli.na.*tó*.ri:o) *a.* Ref. a disciplina ou que serve para disciplinar (medida disciplinatória); DISCIPLINADOR; DISCIPLINANTE [F.: *disciplinar* + *-tório.*]

disciplinável (dis.ci.pli.*ná*.vel) *a2g.* Que se pode disciplinar, que é passível de ser disciplinado (estudante disciplinável, fraqueza disciplinável) [Pl.: *-veis.*] [F.: Do lat. *disciplinabilis.* Hom./Par.: *disciplináveis* (fl. de *disciplinar*).]

discípulo (dis.*cí*.pu.lo) *sm.* **1** Indivíduo que recebe ensinamentos ou segue as ideias de um mestre **2** Aquele que aprende, que estuda (qualquer disciplina); ALUNO **3** *Rel.* Segundo os Evangelhos, cada um dos seguidores próximos de Jesus, a quem transmitiu seus ensinamentos; APRENDIZ; ALUNO **4** Seguidor e continuador do trabalho de alguém; EPÍGONO: *discípulos de Kant.* **5** Seguidor de um ideal, de uma filosofia, de uma virtude: *discípulos da fé.* [F.: Do lat. *discipulus.*]

⊕ **disc-jockey** (*Ing. /disc djóqui/*) *s2g.* **1** Indivíduo que seleciona e toca-discos ou fitas em festas, danceterias etc., profissionalmente ou não; DISCOTECÁRIO [Abrev. pop.: *DJ.*] **2** Profissional que escolhe e apresenta músicas gravadas em programa de rádio

⊕ **disc-laser** (*Ing./disk-leizer/*) *sm.* Disco compacto para gravação e reprodução de áudio e vídeo com tecnologia a *laser*

⊕ **disc-man** (*Ing./disk-mã/*) *sm.* Aparelho de som portátil para reprodução e gravação de CDs

disco (*dis*.co) *sm.* **1** Peça, objeto circular e achatado de qualquer material: *O menino fez um disco de massinha.* **2** Qualquer coisa que se apresente com esse aspecto (esp. as imagens do Sol e da Lua, tais como são vistas da Terra): *A Lua era um disco prateado no céu.* **3** Disco (1) de tamanhos e materiais diversos, no qual se gravam sons para posterior reprodução **4** Esse objeto, com músicas gravadas: *um disco de forró; um disco de sonatas.* **5** *Anat.* Designação genérica de qualquer formação arredondada e chata, no corpo de homens e de animais (disco intervertebral) **6** *Zool.* Parte central da asa de insetos **7** *Bot.* Saliência em forma de anel, ger. glandulífera, localizada sobre o receptáculo, dentro da flor **8** *Bot.* Parte central do capítulo de uma flor da fam. das compostas **9** *Bot.* Nos bulbos, porção diferenciada, maciça **10** *Inf.* Meio de armazenamento de dados recoberto de material magnético **11** *Joc. Pop.* Indivíduo que repete seguidamente as mesmas coisas: *Chega, rapaz, pare de reclamar, vire esse disco.* [F.: Do gr. *diskos*, pelo lat. *discus.* Hom./Par.: *disco* (sm.), *disco* (fl. de *discar*).] ■ **~ compacto** Ver *CD* **~ a laser** Disco com revestimento de uma camada de prata, no qual se podem armazenar dados, som, imagem etc. em formato digital, recuperáveis por leitura óptica, por meio de raio *laser* **~ blu-ray** *Tec.* Disco óptico projetado para armazenar vídeos de alta definição (HD), por sua alta capacidade de armazenamento, e que utiliza um laser azul, mais curto que o vermelho em 1/3 **~ de acreação** *Astron.* Disco constituído de matéria que orbita em volta de um buraco negro **~ de áudio** *Eletrôn.* Ver *Disco de áudio digital* **~ de áudio digital** *Eletrôn.* Disco no qual foram gravados sinais sonoros na forma de pulsos digitais (numéricos) que são lidos opticamente por um raio *laser* [Tb. apenas *disco de áudio.* Sigla: *DAD*] **~ de boot** *Inf.* Disco cuja execução dá início ao sistema operacional de um computador; disco de inicialização **~ de inicialização** *Inf.* Disco óptico ou magnético que contém o sistema operacional, e que ao ser executado dá início ao funcionamento de um computador; disco de *boot* **~ de Newton** *Ópt.* Disco (de papelão, madeira etc.) dividido em muito setores circulares pintados com todas as cores básicas do espectro, e que, ao girar em velocidade, produz a impressão visual da cor branca, como demonstração de que essa cor é na verdade a soma de todas as cores **~ de vinil** Disco de áudio de material plástico em que os sons são registrados analogicamente, com sulcos gravados sobre a superfície [Termo us. para distinguir esse tipo de disco do CD, que é um disco óptico com registro digital.] **~ embrionário** *Emb.* Embrião em estágio inicial, em forma de disco com duas camadas de células (endoderma e ectoderma), e a partir do qual formar-se-ão os elementos constituintes do embrião **~ embrionário didérmico** *Emb.* Estágio inicial do embrião, na forma de dois folhetos (epiblasto e hipoblasto) que irão formar as duas camadas do disco embrionário **~ embrionário tridérmico** *Emb.* Estágio do embrião na forma de três folhetos sobrepostos (endoderma, mesoderma e ectoderma) **~ epifisário** *Histl.* Disco de cartilagem situado em osso longo e que age sobre o crescimento em extensão desse osso **~ final** *Antq. Turfe* O disco que, nos hipódromos, sinalizava a linha de chegada das corridas de cavalos **~ fixo** *Inf.* Ver *Disco rígido* **~ flexível** *Inf.* Disco de plástico flexível revestido de camada magnética, que gira num estojo de plástico duro, us. para armazenar dados e programas de computador; disquete [Devido a sua baixa capacidade de armazenamento (1,44Mb), é us. cada vez menos.] **~ galáctico** *Astron.* Região que concentra, numa galáxia em forma de disco, a maior parte de sua matéria **~ imaginal** *Zool.* Em larva de díptero, célula da qual se originará, depois da metamorfose, a estrutura adulta **~ intercalar** *Histl.* Cada uma das linhas transversais irregularmente distribuídas que ocorrem no músculo cardíaco **~ intervertebral** *Anat.* Cada um dos discos existentes entre duas vértebras contíguas, feitos de camadas de cartilagem fibrosa **~ lunar** *Astron.* A imagem da Lua projetada na esfera celeste, como vista da Terra, formada pelo reflexo da luz do Sol em sua superfície **~ magnético** *Inf.* Disco, rígido ou flexível, fixo ou removível, revestido de camada na qual se podem gravar sinais magnéticos, us. para armazenar dados e programas de computador [Cf.: *Disco flexível* e *Disco rígido.*] **~ óptico** Disco, como CD, DVD, *blu-ray*, em que informações são registradas digitalmente e podem ser recuperadas por dispositivo de leitura que emprega luz (esp. *laser*) **~ planetário** *Astron.* A imagem de um planeta projetada sobre a esfera celeste, como vista da Terra e observável por meio de um telescópio **~ rígido** *Inf.* Disco magnético no interior de um computador, não removível, com grande capacidade de armazenamento e velocidade de acesso; disco fixo [Tb. (ingl.) *HD* (de *hard disk*), *HDD* (de *hard disk drive*) e *winchester.*] **~ solar** *Astron.* A imagem do Sol projetada sobre a esfera celeste, como vista da Terra **~ voador** *Pop. Ufo.* Termo popular us. para designar objetos vistos no céu que, supostamente, seriam aeronaves vindas de outros planetas ou galáxias; objeto voador não identificado (OVNI) **Engolir um ~** *Pop.* Falar muito, tagarelar; falar pelos cotovelos **Mudar o ~** *Pop.* Ver *Virar o disco* (1) **Virar o ~** **1** *Pop.* Mudar de assunto **2** Tornar-se homossexual

◎ **disc(o)-** *el. comp.* = 'disco': *discóbolo* (< gr.), *discocarpo, discodáctilo, discoide; disciforme* [F.: Do gr. *dískos, ou*, fonte do lat. *discus, i.*]

discóbolo (dis.*có*.bo.lo) *sm.* Ver *discóbulo*

discóbulo (dis.*có*.bu.lo) *sm.* Nos antigos jogos gregos, atleta que arremessava o disco [F.: Do gr. *diskóbolos.* Tb. *discóbolo.*]

discófilo (dis.*có*.fi.lo) *a.* **1** Que é amante de discos de música ou os coleciona *sm.* **2** Indivíduo discófilo [F.: *disco* + *-filo.*]

discografia (dis.co.gra.*fi*.a) *sf.* **1** O conjunto dos discos (4) produzidos por artista, conjunto etc. **2** Relação organizada desses discos **3** *Rlog.* Radiografia de disco intervertebral [F.: *disc(o)-* + *grafia.*]

discográfico (dis.co.*grá*.fi.co) *a.* Ref. a discografia [F.: *discografi(a)* + *-ico².*]

discoide (dis.*coi*.de) *a2g.* Que tem forma de disco; DISCIFORME; DISCOIDAL [F.: Do gr. *diskoeidé*, ou *disc(o)-* + *-oide.*]

díscolo (*dís*.co.lo) *a.* **1** De mau gênio; INTRATÁVEL **2** Que é brigão, desordeiro, turbulento **3** Dissidente, descontente *sm.* **4** Indivíduo díscolo [F.: Do lat. *dyscolus, a, um.*]

discolor (dis.co.*lor*) [ô] *a2g.* **1** *Bot.* Que tem cores ou tonalidades de cor diferentes em cada lado (folha discolor) **2** *Zool.* Diz-se de animal que apresenta mais de uma cor em seu corpo (esp. no ventre e no dorso) [F.: *dis-²* + *-color.* Hom./Par.: *descolores* (fl. de *descolorar* e *descolorir*).]

discondroplasia (dis.con.dro.pla.*si*.a) *sf. Med.* Irregularidade da ossificação junto das cartilagens, esp. nas falanges [F.: *dis-²* + *condr(o)-* + *-plasia.*]

discordância (dis.cor.*dân*.ci:a) *sf.* **1** Ação ou resultado de discordar **2** Divergência de opiniões ou posições em relação a um ponto ou assunto; DIVERGÊNCIA; DESACORDO; DESINTELIGÊNCIA **3** Ponto ou assunto em que há essa diferença: *Qual é afinal a discordância entre vocês?* **4** Má combinação, incompatibilidade, desproporção: *Há uma grande discordância nos móveis da casa.* **5** Contradição; DISCREPÂNCIA; DISPARIDADE: *A grande discordância que há na própria vida.* **6** *Mús.* Falta de harmonia entre os sons; DISSONÂNCIA; DESARMONIA; DESAFINAÇÃO [F.: *discordar* + *-ância.*] ■ **~ angular** *Geol.* Situação na qual a obliquidade de uma camada geológica apresenta um ângulo em relação à da camada contígua **~ de camadas** *Geol.* Situação de camadas geológicas formadas em diferentes épocas, por isso sem apresentar paralelismo ou composições análogas

discordante (dis.cor.*dan*.te) *a2g.* **1** Que discorda, que está em desacordo; DISCORDE: "...E a esta ordem formal, nem uma voz discordante a pedir substituição ou misericórdia..." (Fialho de Almeida, *Vida irônica*) [Ant.: *concordante, concorde.*] **2** Desarmônico, desproporcionado **3** Divergente *s2g.* **4** Pessoa discordante: *Os discordantes permaneçam sentados.* [Ant.: *concordante.*] [F.: Do lat. *discordans, antis*, ou *discordar* + *-nte.*]

discordar (dis.cor.*dar*) *v.* **1** Não concordar com algo ou alguém; DIVERGIR; DISCREPAR [*tr.* + *de*: *Discordou da opinião do sábio.*] [*int.*: *Discutiam sempre mas raramente discordavam.*] **2** Não combinar harmonicamente (com); CONFLITAR; DESTOAR [*int.*: *Essa camisa e essa gravata discordam totalmente.*] [*tr.* + *com*: *Essa camisa discorda com essa gravata.*] **3** *Mús.* Apresentar (dois ou mais sons, vozes etc.) desarmonia, dissonância; soar desarmonicamente; DESAFINAR; DESTOAR [*int.*: *Aquele dueto foi um suplício, as vozes discordavam.*] [▶ 1 discordar] [F.: Do lat. *discordare.*]

discorde (dis.*cor*.de) [ó] *a2g.* **1** Que não concorda, que discorda; DISCORDANTE; DIVERGENTE: *Era uma opinião discorde das outras.* **2** Que se opõe a algo (voto discorde); CONTRÁRIO; DISCORDANTE **3** Que não é compatível (com outra coisa), que não combina (temperamentos discordes); INCOMPATÍVEL **4** *Mús.* Em que não há harmonia, desarmônico, dissonante (sons discordes); DISSONANTE [F.: Do lat. *discors -dis.* Ant. ger.: *concorde.*]

discórdia (dis.*cór*.di:a) *sf.* **1** Convivência desarmônica ou conflituosa; DESINTELIGÊNCIA; DISSENSÃO: *O diálogo e o respeito às opiniões alheias são antídotos da discórdia.* **2** Convivência desarmônica ou conflituosa; CIZÂNIA; DESAVENÇA: *Usou de intrigas para semear a discórdia no departamento.* [Ant.: *concórdia.*] **3** *P.ext.* Estado de beligerância entre pessoas ou nações criado por algum desacordo [Ant.: *concórdia.*] [F.: Do lat. *discordia.*]

discorrer (dis.cor.*rer*) *v.* **1** Falar, pronunciar-se, discursar (sobre) [*tr.* + *sobre*: *Discorreu sobre os danos do aquecimento global.*] [*int.*: *O orador foi impiedoso, discorreu durante duas horas.*] **2** Percorrer com a mente ideias, pensamentos etc; MEDITAR [*int.*: *Passou a noite em claro, a discorrer.*] [*tr.* + *em, sobre*: *Distraído, discorria em tudo que lhe acontecera na viagem.*] **3** Andar sem rumo, ou sem destino certo; VAGAR; VAGUEAR [*td.*] **4** Passar por, andar por (lugar ou lugares); ATRAVESSAR; PERCORRER [*td.*: *Discorreu todo o Nordeste em suas férias.*] **5** *Desus.* Correr de um lugar para outro, em várias direções [*int.*] **6** Examinar atentamente, analisando [*td.*: *O professor discorreu as causas da Revolução de 1930.*] [▶2 discorrer] [F.: Do lat. *discurrere.*]

discoteca (dis.co.*te*.ca) *sf.* **1** Tipo de casa noturna em que se vai para dançar, ger. ao som de gravações; DANCETERIA **2** Coleção de discos ou CDs; FONOTECA: *Este CD não pode faltar na sua discoteca.* **3** Móvel onde se guarda essa coleção **4** Espaço destinado à guarda dessa coleção **5** Sala dotada de cabines com fone de ouvido onde se pode ouvir sons gravados em discos ou fitas [F.: *disco* + *-teca.*]

discotecagem (dis.co.te.*ca*.gem) *sf.* Ação ou ofício daquele que seleciona as músicas que devem ser tocadas em casas noturnas, bailes, festas etc. [F.: *discoteca* + *-agem².*]

discotecar (dis.co.te.*car*) *v. int.* Fazer discotecagem; selecionar músicas para um baile, uma festa: *Aquele rapaz foi quem discotecou na minha festa.* [▶ 13 discote**car**] [F.: *discoteca* + *-ar².* Hom./Par.: *discoteca(s)* (fl.), *discoteca(s)* (sf.[pl.]).]

discotecário (dis.co.te.*cá*.ri:o) *Bras. sm.* **1** O mesmo que *disc-jockey* **2** Pessoa responsável por uma discoteca (2) [F.: *discotec(a)* + *-ário.*]

⊕ **disc-player** (*Ing. /disc-plêier/*) *sm.* Aparelho reprodutor de sons gravados em CDs; *CD player*

discrasia (dis.cra.*si*.a) *Pat. sf.* **1** Alteração nas qualidades do sangue ou na proporção de seus elementos constituintes [Tb. apenas *discrasia.*] **2** Mau temperamento; IRRITABILIDADE [F.: Do gr. *dyskrasia.*] ■ **~ sanguínea** *Pat.* O mesmo que *discrasia* (1)

discrásico (dis.*crá*.si.co) *a.* **1** Referente a ou que sofre de discrasia *sm.* **2** Aquele que sofre de discrasia [F.: *discrasi(a)* + *-ico².*]

discrepância (dis.cre.*pân*.ci:a) *sf.* **1** Característica ou condição do que discrepa, do que apresenta desacordo ou diferença em relação a outra coisa, ou de coisas reciprocamente em desacordo; DESIGUALDADE; DIFERENÇA: *Havia uma discrepância entre nosso consumo efetivo e a conta trazida pelo garçom.* **2** Desacordo ou diferença entre opiniões, atitudes etc; DISCORDÂNCIA; DIVERGÊNCIA: *Havia enorme discrepância entre suas propostas.* [F.: Do lat. *discrepantia.*]

discrepante (dis.cre.*pan*.te) *a2g.* **1** Que discrepa, diverge (contas discrepantes, opiniões discrepantes); DISCORDANTE; DIVERGENTE **2** Que se notabiliza por divergir claramente dos demais; DESTOANTE: *Naquela aula para iniciantes, seus conhecimentos eram discrepantes.* [F.: Do lat. *discrepans,-antis.*]

discrepar (dis.cre.*par*) *v.* **1** Discordar de, estar em divergência com; DISCORDAR; DISSENTIR; DIVERGIR [*int.*: "As moças apenas ordenam aos homens o que devem fazer; e o homem que está no seu papel obedece sem discrepar." (Machado de Assis, "A chave" in *Outros contos*)] [*tr.* + *com, de*: *Suas opiniões discrepam das do mestre.*] **2** Ser ou estar diferente, diverso; DIFERIR [*tr.* + *com, de, em*: *Sua alegria discrepa da tristeza geral.*] [*int.*: *Apesar de gêmeos, suas personalidades discrepam.*] [▶ 1 discrepar] [F.: Do lat. *discrepare.*]

discreto (dis.*cre*.to) *a.* **1** Que não chama a atenção; SÓBRIO: *Ele usava uma gravata discreta.* [Ant.: *espalhafatoso, vistoso.*] **2** Comedido e reservado, que não chama a atenção em seu comportamento, seus gestos, suas palavras etc. **3** Que resguarda seus sentimentos e sua privacidade (vizinho discreto); FECHADO; INTROVERTIDO; RESERVADO [Ant.: *expansivo, extrovertido.*] **4** Que sabe guardar segredos; CONFIÁVEL; RESERVADO: *Pode-se contar tudo para um amigo discreto.* [Ant.: *boquirroto, indiscreto.*] **5** Que não é muito intenso; AMENO; FRACO: *Sinto uma dor discreta.* [Ant.: *forte, intenso.*] **6** Que não é muito grande; PEQUENO: *Você está com uma mancha discreta no paletó.* [Ant.: *enorme, grande.*] **7** *Fís. Mat.* Diz-se de grandeza descontínua (unidades discretas) **8** *Inf.* Diz-se de valor que pode variar descontinuamente, e que só assume valores inteiros [F.: Do lat. *discretus.*]

discrição (dis.cri.*ção*) *sf.* **1** Qualidade de quem ou do que é discreto, de quem ou do que não chama a atenção; CIRCUNSPEÇÃO; SOBRIEDADE **2** Qualidade de quem é discreto, de quem sabe guardar segredo, não repassa informações **3** Qualidade de quem é comedido nos gestos, no falar, no comportamento etc. **4** *Jur.* Prerrogativa ou poder (de autoridades constituídas) de agir de acordo com seu próprio critério, nos limites da lei e no interesse público [Pl.: *-ções.*] [F.: Do lat. *discretio, onis.* Hom./

Par.: *discrição* (sf.), *descrição* (sf.).] ▪▪ **À ~ (de)** 1 À vontade, à disposição: *Pôs toda sua biblioteca à discrição do amigo.* 2 Sem condições: *Submeteu-se à discrição ao julgamento do chefe.*

discricionário (dis.cri.ci:o.*ná*.ri:o) *a.* 1 Deixado à discrição, ao discernimento de alguém (portanto livre de regras ou condições preestabelecidas) 2 *P.ext.* Que não possui regulação ou limite; IRRESTRITO; ARBITRÁRIO: *Os poderes discricionários de um ditador.* 3 *Jur.* Que depende de decisão de autoridade [F.: Do fr. *discrétionnaire*.]

discriminação (dis.cri.mi.na.*ção*) *sf.* 1 Ação ou resultado de discriminar 2 Capacidade de discernir, de notar ou fazer distinção entre coisas 3 O conceito ou o ato de separar (por algum critério), isolar, segregar; SEGREGAÇÃO 4 *P.ext. Soc.* Tratamento desigual, favorável ou desfavorável, dado às pessoas em função de suas características raciais, sociais, religiosas, de gênero etc. 5 *Jur.* Essa prática, como fato jurídico, contrário à lei 6 *Eletrôn.* Filtragem, eliminação, num circuito, de sinais que não atendam a certos critérios preestabelecidos (em fase, frequência ou amplitude) [Pl.: *-ções*.] [F.: Do lat. *discriminatio, onis*, pelo fr. *discrimination*. Cf.: *Descriminação*.] ▪▪ **~ de preços** *Econ.* Atribuição de diferentes preços para compradores diferentes de um mesmo produto **~ genética** *Soc.* Atitude discriminatória para com candidato a algo com base em informações de caráter genético sobre mesmo **~ positiva** *Pol. Soc.* Conceito ou ação, medida, política etc., oficial ou particular, genérica ou específica, que visa a criar uma discriminação (desigualdade de tratamento, de oportunidades, de acesso a direitos e benefícios etc.) entre grupos econômicos, sociais, étnicos, culturais etc., de modo a beneficiar grupo que tenha sido ou esteja sendo prejudicado por sistemas ou situações de desigualdade, ou restrições discriminatórias anteriores [Diferente de *ação afirmativa*, que visa apenas à eliminação dos fatores discriminatórios negativos. Ex. de discriminação positiva é o sistema de quotas étnicas no acesso a universidades.] **~ racial** Atitude e política de isolar, numa sociedade, os elementos pertencentes a uma minoria étnica

discriminado (dis.cri.mi.*na*.do) *a.* 1 Que se discriminou, se separou algum contexto por algum critério 2 Que foi vítima de discriminação: *Os alunos discriminados entraram com um processo contra a professora.* 3 Que se arrolou item por item: *Todas as despesas vieram discriminadas na nota.* 4 Que é nítido, que se evidencia contra um fundo: *Os uniformes azuis discriminados contra a parede amarela.* [F.: Part. de *discriminar*. Cf.: *descriminado*.]

discriminador (dis.cri.mi.na.*dor*) [ô] *a.* 1 Que discrimina; DISCRIMINANTE; DISCRIMINATIVO 2 *Eletrôn.* Diz-se do circuito com capacidade de transformar a frequência ou fase de outro *sm.* 3 Indivíduo discriminador (1) 4 *Eletrôn.* Circuito discriminador (2) [F.: Do lat. *discriminator, oris*. Cf.: *descriminador*.]

discriminante (dis.cri.mi.*nan*.te) *a2g.* 1 Ver *discriminador* (1) *sm.* 2 *Álg.* Na fórmula de resolução de uma equação de segundo grau com uma variável *x*, termo atribuído à quantidade b^2 *4ac*, em função de sua capacidade de discriminar, discernir, de acordo com seu resultado, a natureza das raízes da equação [Quando b^2 *-4ac* é maior que 0, as raízes de *x* são reais e desiguais; quando é igual a 0, as raízes são reais e iguais; quando é menor que 0, as raízes são complexas.] [F.: Do lat. *discriminans, ntis*.]

discriminar (dis.cri.mi.*nar*) *v.* 1 Perceber distinções em alguma coisa ou entre coisas diversas; DIFERENÇAR; DISCERNIR; DISTINGUIR [*td.*: *Discrimina toda a escala cromática.*] [*tr.* + *entre*: *Discriminou entre o coelho e a lebre, mas comeu gato.*] [*tdr.* + *de*: *Discriminar o certo do errado.*] [Ant.: *confundir, misturar.*] 2 Separar (de um contexto) de acordo com certo critério [*td.*: *Os diretores discriminaram as expectativas de lucro numa lista, os riscos em outra.*] 3 Manter grupo ou pessoa (inclusive si mesmo) à parte, por preconceito étnico, religioso, ideológico etc. [*td.*: *Este clube discrimina os negros e os judeus; Alguns imigrantes se discriminam por não quererem se aculturar.*] 4 Tratar de modo injusto, diferente, por preconceito étnico, social, religioso [*td.*: *O estatuto dessa agremiação, por si só, discrimina os mais pobres.*] 5 Descrever, caracterizar ou listar com minúcia; ESPECIFICAR [*td.*: *É preciso discriminar as armas que serão empregadas.*] [▶ 1 discriminar] [F.: Do lat. *discriminare*. Hom./Par.: *discriminar, descriminar* (em todas as fl.).]

discriminativo (dis.cri.mi.na.*ti*.vo) *a.* Que discrimina [F.: *discriminar* + *-tivo*.]

discriminatório (dis.cri.mi.na.*tó*.ri:o) *a.* Que gera ou implica ou manifesta discriminação (regras discriminatórias, comportamento discriminatório) [F.: *discriminar* + *-tório*.]

discriminável (dis.cri.mi.*ná*.vel) *a2g.* Que se pode discriminar [Ant.: *indiscriminável*.] [Pl.: *veis*.] [F.: *discriminar* + *-vel*. Hom./Par.: *discrimináveis* (pl.), *discrimináveis* (fl. de *discriminar*); *discriminável* (a2g.), *descriminável* (a2g.).]

discromatopsia (dis.cro.ma.to.*psi*.a) *sf. Oft.* Estado em que a vista não distingue bem as cores [F.: *dis-*² + *cromat(o)-* + *-opsia*. Cf.: *daltonismo*.]

discromatópsico (dis.cro.ma.*tó*.psi.co) *a.* O mesmo que *discromatóptico* [F.: *discromatopsia* + *ico*².]

discromia (dis.cro.*mi*.a) *sf. Med.* Nome genérico das anormalidades na pigmentação da pele [F.: *dis-*² + *crom(o)* + *-ia*¹.]

discursador (dis.cur.sa.*dor*) [ô] *a.* 1 Que discursa *sm.* 2 Aquele que discursa [F.: Do lat. *discursator, oris*.]

discursar (dis.cur.*sar*) *v.* 1 Proferir discurso, ger. em público, para uma plateia [*int.*: *Não perde uma ocasião para discursar.*] 2 Expor verbalmente, discorrer sobre (um assunto, um fato, um conceito etc.) [*tr.* + *acerca de, sobre*: *Ela discursou uma hora sobre a ética na medicina.*] 3 Trocar ideias, apresentar (mais de uma pessoa) reciprocamente argumentos; DEBATER; DISCUTIR [*tr.* + *entre*: *Discursavam entre eles, tentando chegar a alguma conclusão.*] 4 Discorrer mentalmente (sobre algo); MEDITAR; REFLETIR [*tr.* + *sobre*: *Aproveitou a solidão daquele fim de semana para discursar sobre suas alternativas.*] 5 Tratar metodicamente de, explicar; ESMIUÇAR [*td.*: *O texto discursava todos os argumentos a favor e contra a medida proposta.*] [▶ 1 discursar] [F.: Do lat. *discursare*.]

discurseira (dis.cur.*sei*.ra) *sf.* 1 *Pej.* Discurso longo e maçante, sem interesse nem valor 2 Grande quantidade de discursos 3 Falação, verborreia [F.: *discurs(o)* + *-eira*.]

discursivo (dis.cur.*si*.vo) *a.* 1 Ref. a discurso: *Ela é famosa por sua verve discursiva.* 2 Em forma de texto dissertativo (prova discursiva) 3 *Lóg.* Ref. à argumentação silogística, que procede ou se infere por meio de raciocínio dedutivo 4 Que gosta de ou costuma discursar; FALADOR; PALAVROSO: "...A falta de energia e o platonismo discursivo dos considerados eivam de enfado a prosa..." (Fialho de Almeida, *Vida irônica*) [F.: Do lat. medv. *discursivus*.]

discurso (dis.*cur*.so) *sm.* 1 Exposição oral feita em público ou preparada para ser lida em público, pelo próprio orador ou não: *Preparou um discurso especial para a cerimônia.* 2 Ação ou modo de expressar oralmente pensamentos, opiniões: *Tinha um discurso convincente.* 3 Conjunto de sentenças que constituem uma disciplina, teoria etc. (discurso psicanalítico) 4 *Ling.* Unidade da língua maior que a frase; ENUNCIADO 5 *Ling.* Qualquer instância autêntica de uso da língua em todas as suas manifestações, nas modalidades escrita ou falada, incluindo o contexto de sua produção 6 *Ling.* Qualquer enunciado, oral ou escrito, que estabelece uma comunicação entre seu emissor (locutor) e seu receptor (interlocutor) 7 *Fil.* Encadeamento lógico de enunciados, um levando sequencialmente ao outro 8 *Depr. Pop.* Fala longa e entediante, visando dar lição de moral: *Não me venha com esse discurso, pois já corrigi meu erro.* [F.: Do lat. *discursus*. Hom./Par.: *discurso* (fl. de *discursar*).] ▪▪ **~ direto** *Liter.* Texto no qual o narrador, escritor etc. reproduz as palavras de alguém ou de um personagem exatamente como foram ou teriam sido ditas [Nota-se a presença dos chamados verbos *dicendi* (como dizer, afirmar, asseverar etc.): Exs.: *Então ele disse: – É melhor deixar o menino entrar; – Ela está muito enganada – asseverou, indignado, o marquês; "Quer entrar?", – perguntou o rapaz; Trata-se de uma fraude, garantiu Pedro, depois de examinar longamente o documento.*] **~ indireto** *Liter.* Texto no qual o narrador, escritor etc. reproduz as palavras de alguém citando-as em orações subordinadas com os conectivos *que* e *se*, ou em orações reduzidas de infinitivo, seguindo-se a um verbo *dicendi*, ou descrevendo-as em suas próprias palavras [Exs.: *Então ele disse que era melhor deixar o menino entrar; Indignado, o marquês asseverou que ela estava muito enganada; O rapaz perguntou se ele queria entrar; Depois de examinar longamente o documento, Pedro garantiu tratar-se de uma fraude.*] **~ indireto aparente** *Liter.* Ver *Discurso indireto livre* **~ indireto livre** *Liter.* Forma de narrativa que concilia os discursos direto e indireto, com ausência de verbos *dicendi* e dos conectivos subordinantes *que* e *se*, e no qual também se inserem falas diretas de personagens

discursório (dis.cur.*só*.ri:o) *sm. Bras.* O mesmo que *discurseira* [F.: *discurs(o)* + *-ório*.]

discussão (dis.cus.*são*) *sf.* 1 Ação ou resultado de discutir, de debater sobre um assunto ou tema [+ *sobre*: "...anedotas hilares ou então alentadas discussões sobre política geral..." (Euclides da Cunha, *Os sertões*)] [+ *com*: "...O pintor Rogério, depois daquela discussão com o Pe. Silveira..." (Antero de Figueiredo, *Amor supremo*)] [+ *a propósito de*: "...tremendas discussões a propósito do meu nascimento..." (Coelho Neto, *A cidade maravilhosa*)] [+ *de*: "...deixando aos órgãos da opinião a discussão dos seus direitos..." (Rui Barbosa, *Colunas de fogo*)] [+ *entre*: *Foi uma discussão amigável entre dois velhos companheiros.*] 2 Disputa verbal violenta e ruidosa; ALTERCAÇÃO: *A discussão dos deputados sobre questões de orçamento terminou em briga.* 3 Exame verbal de um assunto por meio de análise dos fatores positivos e negativos (discussão de um projeto de lei) [Pl.: *-sões*.] [F.: Do lat. *discussio, onis*.]

discutidor (dis.cu.ti.*dor*) [ô] *a.* 1 Que discute ou gosta de discutir *sm.* 2 Aquele que discute ou gosta de discutir [F.: *discutir* + *-dor*.]

discutir (dis.cu.*tir*) *v.* 1 Trocar ideias sobre; DEBATER [*td.*: *Discutiram o projeto.*] [*tr.* + *acerca de, sobre*: *Discutimos longamente sobre a estratégia a ser adotada.*] 2 Examinar, analisando [*td.*: *Vamos discutir todos os detalhes da operação.*] 3 Pôr em dúvida, questionar (algo ou alguém) [*td.*: *Não discuto suas boas intenções.*] 4 Conversar com alguém de maneira exaltada, trocando argumentos, opiniões, declarações etc. ger. conflituosos, contraditórios; ALTERCAR; DESENTENDER-SE [*int.*: *Discutem sempre por ninharias.*] [*tr.* + *com*: *Não quero discutir com você.*] 5 Apresentar reciprocamente (mais de uma pessoa) propostas e contrapropostas sobre (algo), visando a chegar a um acordo [*td.*: *Discutiram o orçamento da reforma da casa, e não chegaram a um valor acordado.*] [*tdr.* + *com*: *Discuti com ele o preço para o conserto do carro, e consegui um bom desconto.*] [▶ 3 discutir] [F.: Do lat. *discutere*.]

discutível (dis.cu.*tí*.vel) *a2g.* 1 Que não é necessariamente verdadeiro, que suscita dúvidas quanto à validade (argumento discutível); DUVIDOSO; QUESTIONÁVEL 2 Que se pode discutir: *O aumento salarial é ainda discutível.* [Pl.: *-veis*.] [F.: *discutir* + *-vel*.]

disenteria (di.sen.te.*ri*.a) *sf. Med.* Síndrome de inflamação intestinal que causa dores abdominais, cólicas, e evacuação de fezes purulentas ou hemorrágicas [F.: Do gr. *dysenteria*, pelo lat. *dysenteria*.]

disentérico (di.sen.*té*.ri.co) *a.* 1 Ref. a ou que apresenta disenteria *sm.* 2 Doente de disenteria [F.: Do gr. *dysenterikós*, pelo lat. *dysentericus*.]

diseritropoese (di.se.ri.tro.po:*e*.se) *Hem. sf.* 1 Desordem na produção ou na formação de eritrócitos, de hemácias 2 Certo grupo de anemias congênitas [F.: *dis-*² + *-eritr(o)-* + *-poese*. Tb. *diseritropoiese*.]

diseritropoiese (di.se.ri.tro.poi.e.se) *sf.* Ver *diseritropoese*

diserto (di.*ser*.to) *a.* Que se exprime com clareza, facilidade e elegância, que é bem-falante [F.: Do lat. *disertus, a, um*. Hom./Par.: *diserto* (a.), *deserto* (a.sm. e fl. de *desertar*).]

disfagia (dis.fa.*gi*.a) *sf. Med.* Dificuldade na deglutição [F.: *dis-*² + *-fagia*.]

disfarçado (dis.far.*ça*.do) *a.* 1 Que se disfarça ou usa disfarce: *Havia estudantes disfarçados de servidores na assembleia.* 2 Que assume uma aparência distinta do que realmente é com o objetivo de induzir ao erro, simulando, fingindo: *Atendi o telefone com voz disfarçada.* 3 Que dissimula suas verdadeiras intenções ou sentimentos: *Que pessoa mais disfarçada, não dá para saber sua verdadeira intenção.* [F.: Part. de *disfarçar*.]

disfarçar (dis.far.*çar*) *v.* 1 Ocultar um fato ou emoção para que não se os perceba; ESCONDER; DISSIMULAR [*td.*: *Tentou disfarçar sua emoção, gracejando.*] [*tr.* + *com*: *Disfarçou seu tédio com um ar de falso interesse.*] 2 Vestir(-se) ou caracterizar(-se) de modo diferente, para não ser reconhecido [*tdp.* + *de*: *Disfarçou o amigo de baiana, para passar pela sentinela; Disfarçou-se de pirata no baile a fantasia.*] 3 Fazer ficar menos visível ou perceptível (algo) usando algum artifício [*td.*: *Disfarçou o rasgão na saia vestindo um avental.*] [*tdr.* + *com*: *É melhor disfarçar esse hematoma com um tapa-olho.*] 4 Tornar algo menos reconhecível usando de algum artifício [*td.*: *Disfarçou a voz para não ser reconhecido.*] [▶ 12 disfarçar] [F.: Posv. do lat. *fricare*, através do cat. *disfressar* ou do cast. ant. *defrezar*.]

disfarçável (dis.far.*çá*.vel) *a2g.* Que se pode disfarçar [Pl.: *-veis*.] [F.: *disfarçar* + *-vel*.]

disfarce (dis.*far*.ce) *sm.* 1 Ação ou resultado de disfarçar(-se) 2 O que serve para disfarçar, para esconder ou dissimular o verdadeiro aspecto de algo ou alguém: *Este chapéu será meu único disfarce.* 3 *Fig.* Dissimulação, fingimento, falsa aparência assumida intencionalmente: "...Não vim socolor de disfarces, com escondidos e logro..." (Guimarães Rosa, *Grande sertão: veredas*) 4 *Lus.* Característica ou condição de quem é excessivamente suscetível a se ofender, melindrar [F.: Dev. de *disfarçar*.] ▪▪ **Ao ~** Com desprezo, com escárnio

disfasia (dis.fa.*si*.a) *sf. Med.* Distúrbio da fala, com dificuldade ou incapacidade de ordenar ou estruturar frases, devido a lesão cortical [F.: *dis-*² + *-fasia*.]

disfásico (dis.*fá*.si.co) *a.* 1 Ref. a disfasia 2 Que tem disfasia (paciente disfásico) *sm.* 3 Indivíduo com disfasia [F.: *disfasia* + *-ico*².]

disfêmico (dis.*fê*.mi.co) *a.* Ref. a disfemismo [Ant.: *eufêmico*.] [F.: *disfemism(o)* + *-ico*².]

disfemismo (dis.fe.*mis*.mo) *sm. Ling.* Uso de palavra ou expressão grosseira ou desagradável em vez de outra mais branda ou neutra (p.ex.: *rabo* em vez de *nádegas*) [Ant.: *eufemismo*] [F.: *dis-*² + *-femismo*, a exemplo de *eufemismo*.]

disfonia (dis.fo.*ni*.a) *sf. Med.* Alteração ou enfraquecimento da voz [F.: *dis-*² + *-fonia*.]

disfônico (dis.*fô*.ni.co) *a.* 1 Ref. a ou que tem disfonia *sm.* 2 Aquele quem tem disfonia [F.: *disfoni(a)* + *-ico*².]

disforia (dis.fo.*ri*.a) *sf. Med.* Mal-estar; estado de depressão [Ant.: *euforia*.] [F.: Do gr. *dysphoría*.]

disforme (dis.*for*.me) *a2g.* 1 Com forma alterada ou anormal, diferente de um certo padrão; DESCONFORME; DESPROPORCIONADO: *Ele apanhou tanto, que ficou com o rosto disforme.* 2 Sem forma ou com forma irregular, desagradável; GROTESCO: *Ao fim do dia o escultor, perturbado, só conseguira modelar uma massa disforme.* [F.: *dis-*¹ + *-forme*.]

disformidade (dis.for.mi.*da*.de) *sf.* Qualidade de disforme [F.: *disform(e)* + *-(i)dade*.]

disfrasia (dis.fra.*si*.a) *sf. Med.* O mesmo que *disfasia* [F.: *dis-*² + *frase-* + *-ia*¹.]

disfunção (dis.fun.*ção*) *sf. Med.* Anomalia na função de um órgão, uma glândula etc. [Pl.: *-ções*.] [F.: *dis-*² + *função*.]

disgenesia (dis.ge.ne.*si*.a) *sf. Med.* Distúrbio da função reprodutora [F.: *dis-*² + *-gênes(e)* + *-ia*¹.]

disgenésico (dis.ge.*né*.si.co) *a.* Ref. a ou que tem disgenesia [F.: *disgenesi(a)* + *-ico*².]

disgênico (dis.*gê*.ni.co) *a.* Prejudicial ao patrimônio genético de gerações futuras (diz-se de característica) [F.: *disgeni(a)* + *-ico*².]

disglobulinemia (dis.glo.bu.li.ne.*mi*:a) *Pat. sf.* Perturbação dos níveis de globulina do plasma sanguíneo no decorrer de algumas afecções [F.: *dis-*² + *globulinemia*.]

disgrafia (dis.gra.*fi*.a) *sf. Med.* Perturbação na escrita, causada por distúrbio neurológico [F.: *dis-*² + *-grafia*.]

disgráfico (dis.*grá*.fi.co) *a.* Ref. a ou que apresenta disgrafia [F.: *disgrafi(a)* + *-ico*².]

disidrose (de.si.dro.se) *Med. sf.* 1 Erupção de bolhas nos dedos dos pés ou das mãos, com sensação de queimadura 2 Alteração do suor ou dificuldade em suar [F.: *dis-*² + *hidr(o)-*² + *-ose*².]

disjunção (dis.jun.*ção*) *sf.* 1 Ação ou resultado de disjungir, separar, desunir 2 *Gen.* Separação dos pares de cromossomos homólogos durante a meiose 3 *Geol.* Separação natural de partes de uma rocha 4 *Gram.* Inexistência de conectivos entre palavras ou orações coordenadas: "...Bebeu/ cantou/ dançou/ depois se atirou na lagoa Rodrigo de Freitas..." (Manuel Bandeira, 'Poema tirado de uma notícia de jornal' *in Libertinagem*) 5 *Gram.* Período composto por duas ou mais orações coordenadas ligadas entre si pelo conectivo "ou", das quais uma exclui a outra: *Irá à aula, ou ficará em casa, ou levará o cachorro ao veterinário.* 6 *Ling.* Separação dos termos que constituem um grupo sintático pela intercalação de termo pertencente a outro grupo sintático: "Mas com tão doce gesto, irado e brando,/ o sentimento e a vida me enlevou,/ que a pena lhe agradeço..." (Luís de Camões, *Canção*) 7 *Lóg.* Conectivo que liga duas proposições, sendo verdadeiro o produto dessa ligação caso ao menos uma dessas proposições seja verdadeira 8 *Lóg.* A proposição complexa que contém esse conectivo [Pl.: *-ções.*] [F.: Do lat. *disjunctio, onis.*] ■ **~ exclusiva** *Lóg.* Operação lógica na qual se relacionam duas proposições, e cujo resultado será verdadeiro quando uma (e não mais que uma) das proposições é verdadeira **~ inclusiva** *Lóg.* Operação lógica na qual se relacionam proposições, e cujo resultado será verdadeiro quando uma das proposições é verdadeira, independentemente da veracidade ou não das demais

disjungir (dis.jun.*gir*) *v. td.* 1 Soltar do jugo ou canga, desprender: *Disjungiu a parelha de bois.* 2 *Fig.* Separar, desunir: "... rochas expostas às soalheiras... e daí um jogar de dilatações e contrações que as disjunge..." (Euclides da Cunha, *Os sertões*) [▶ 3 disjungir NOTA.: Embora considerado tradicionalmente um verbo defectivo, a que faltariam a 1ª pess. do pres. do ind., e todo o pres. do subj., tem sido, entretanto, tratado como verbo regular, seguindo, por sua irregularidade apenas gráfica, o paradigma 58.] [F.: Do lat. *disjungere.* Ant. ger.: *jungir.* Hom./Par.: *desjungir* (v.).]

disjunto (dis.*jun*.to) *a.* 1 Que não está junto; SEPARADO [Ant.: *junto, unido.*] 2 *Mat.* Diz-se de conjunto que não possui elementos em comum com outro 3 *Gram.* Diz-se de pronome pessoal tônico (*mim, ti, si, ele, ela, nós, vós, eles, elas*) quando não ligado a verbo [Emprega-se depois de preposição (a mim, por ti, com eles etc.).] 4 *Mús.* Diz-se de grau de uma escala musical que não sucede imediatamente a outro 5 *Ecol.* Diz-se da distribuição de uma espécie em ambientes ecológicos separados por grandes distâncias [F.: Do lat. *disjunctus.*]

disjuntor (dis.jun.*tor*) [ô] *sm. Elet.* Dispositivo que, por segurança, desliga automaticamente um circuito elétrico quando ele fica sobrecarregado [F.: Do lat. *disjunctus* 'separado' + *-or.*]

dislalia (dis.la.*li*.a) *sf. Med.* Distúrbio na articulação e pronúncia de palavras devido a lesão num órgão fonador [F.: *dis-*² + *-lalia.*]

dislálico (dis.*lá*.li.co) *a.* 1 Ref. a dislalia 2 Que tem dislalia (aluno dislálico) *sm.* 3 Quem sofre de dislalia [F.: *dislalia* + *-ico*².]

dislate (dis.*la*.te) *sm.* Dito ou ação estúpida, tola; DISPARATE; ASNEIRA; ESTUPIDEZ: "...e o dislate da resposta toara não a insensatez nem motejo..." (Guimarães Rosa, 'O dar das pedras brilhantes' *in Estas estórias*) [F.: Posv. do cast. *dislate.*]

dislexia (dis.le.*xi*.a) [cs] *sf.* 1 *Neur.* Distúrbio na capacidade de leitura ou de seu aprendizado pela dificuldade de interpretar os signos escritos como fonemas, devido a disfunção cerebral que dificulta a correlação entre sons e signos gráficos 2 Essa perturbação, quando resultante de lesão no sistema nervoso central em pessoa que já sabia ler [F.: *dis-*² + *lexia.*]

disléxico (dis.*lé*.xi.co) *a.* 1 Ref. a dislexia 2 Que tem dislexia (criança disléxica) *sm.* 3 Quem sofre de dislexia [F.: *dislexia* + *-ico*². Sin. ger.: *dislético.*]

dismenorreia (dis.me.nor.*rei*.a) *sf. Ginec.* Menstruação dolorosa ou dificuldade da menstruação [F.: *dis-*² + *men(o)-* + *-reia.*]

dismenorreico (dis.me.nor.rei.co) *a.* Ref. a dismenorreia [F.: *dismenorrei(a)* + *-ico*².]

dismetabolismo (dis.me.ta.bo.*lis*.mo) *sm. Med.* Alteração do metabolismo (dismetabolismo glicídico) [F.: *dis-* + *metabolismo.*]

dismetria (dis.me.*tri*.a) *sf. Ginec.* Distúrbio da função uterina [F.: *dis-*² + *-métri(o)* + *-ia*¹.]

dismorfia (dis.mor.*fi*.a) *sf. Med.* Má conformação de um órgão ou de parte do corpo [F.: *dis-*² + *-morf(o)* + *-ia*¹.]

◎ **dismorfo-** *el. comp.* = 'disforme'; 'deformidade': *dismorfofobia, dismorfófobo* [F.: Do gr. *dýsmorphos, os, on,* 'disforme'; 'feio à vista'.]

dismorfofobia (dis.mor.fo.fo.*bi*.a) *sf. Psiq.* Medo mórbido de ser ou vir a ser disforme [F.: *dismorfo-* + *fobia.*]

dismorfofóbico (dis.mor.fo.*fó*.bi.co) *Psiq. a.* 1 Ref. a ou que sofre de dismorfofobia *sm.* 2 Aquele que sofre de dismorfofobia [F.: *dismorfofobia* + *-ico*².]

disodia (di.so.*di*.a) *sf. Med.* Odor fétido das secreções [F.: Do gr. *dysodía.*]

disortografia (dis.or.to.gra.*fi*.a) *sf. Med.* Dificuldade especial no aprendizado da ortografia, sem estar associada a deficiência intelectual [F.: *dis-*² + *ortografia.*]

disostose (dis.os.*to*.se) *sf. Med.* Ossificação incompleta com deformação [F.: *dis-*² + *ost(e/o)-* + *-ose*².]

disovulação (dis.o.vu.la.*ção*) *sf. Med.* Atraso, precocidade ou ausência de ovulação no decorrer do ciclo menstrual [Pl.: *-ções.*] [F.: *dis-*² + *ovulação.*]

díspar (*dís*.par) *a2g.* Que não é igual; DESIGUAL; DIFERENTE: *Os dois administradores tinham conceitos díspares acerca do empreendimento.* [F.: Do lat. *dispar.*]

disparada (dis.pa.*ra*.da) *sf.* 1 Ação ou resultado de disparar 2 Corrida desenfreada: *O cavalo saiu em disparada apesar do esforço do jóquei para freá-lo.* 3 Estouro (6) (de boiada) 4 *Fig. P.ext.* Corrida súbita e impetuosa: *Ao ouvir o estrondo, apavorado, saiu em disparada.* [F.: F. subst. de *disparado.*] ■ **À ~** A toda velocidade, a toda a brida **Em ~** Ver *À disparada*

disparado (dis.pa.*ra*.do) *a.* 1 Que se disparou 2 *Bras.* Desembestado, desabalado 3 Arrojado, destemido, ousado *adv.* 4 Em alta velocidade; à toda 5 *Bras.* Com grande vantagem sobre os demais: *O alazão ganhou disparado; Ela é disparada a melhor jogadora.* [F.: Do lat. *disparatus, a, um.*]

disparador (dis.pa.ra.*dor*) [ô] *sm.* 1 *Fot.* Dispositivo que aciona o obturador de uma câmara fotográfica, expondo o filme 2 Gatilho *a.* 3 Que dispara 4 *Bras.* Diz-se do cavalo que tem o hábito de disparar, não obedecendo às rédeas [F.: *disparar* + *-dor.*]

disparar (dis.pa.*rar*) *v.* 1 Dar tiro com (arma de fogo); desfechar (tiro) acionando arma de fogo; dar (arma de fogo) tiro [*td.*: *Assustado disparou o revólver várias vezes; Disparou vários tiros para o alto.*] [*tdr.* + *contra, em*: *Disparou um tiro no invasor; O almirante disparou seus canhões contra a fragata inimiga.*] [*int.*: *O revólver caiu e disparou; Levou o fuzil ao ombro, apontou e disparou.*] 2 Fazer (algo) ir parar longe, arremessar (com as próprias forças ou usando arma, instrumento etc.); ATIRAR; JOGAR [*td.*: *Disparou uma flecha.*] [*tdr.* + *contra, em*: *Dispararam pedradas contra o bando rival; Disparou a lança bem no centro do alvo.*] 3 *Com.* Aumentar ou fazer aumentar subitamente (preço, cotação, vendas etc.) [*tdr.* + *contra*: *Disparou ofensas/ olhares furibundos contra todos.*] [*td.*: *Seus olhos chispavam, disparavam insultos.*] 4 Correr ou pôr-se a correr desabaladamente [*int.*: *Dada a partida, os cavalos dispararam.*] 5 *Fig.* Partir apressadamente [*ta.*: *Atrasado, disparou para o trabalho.*] 6 *Eletrôn.* Acionar ou fazer funcionar (circuito, dispositivo) [*int.*: *O alarme do carro disparou.*] [*td.*: *O objeto de metal disparou a trava de segurança.*] 7 *Com.* Aumentar subitamente (preço, cotação, vendas etc.) [*int.*: *Os preços dispararam.*] [*td.*: *Os boatos fizeram disparar a cotação.*] 8 Estourar a tropa, a boiada; dispersar-se o gado [*int.*: *A boiada disparou pelo pasto.*] 9 *Inf.* Fazer iniciar um processo; enviar (arquivo, mensagem) [*td.*: *Esse comando dispara a impressora.*] [*tdi.* + *para*: *Disparou um e-mail para a lista de discussão.*] [▶ 1 disparar NOTA.: Us. tb. como auxiliar, seguido pela prep. *a* + verbo principal no infinitivo, indicando "início de ação": *Disparou a falar sem parar.*] [F.: Do lat. *disparare.*]

disparatado (dis.pa.ra.*ta*.do) *a.* 1 Em que há disparate, despropósito; que não tem nexo (ideias disparatadas) 2 Que diz ou faz disparates (pessoa disparatada) 3 Díspar, desigual: "... Ali se confederavam as mais variadas índoles e os mais disparatados nascimentos..." (Mendes Leal, *Mosqueteiros da África*) [F.: Part. de *disparatar.*]

disparatar (dis.pa.ra.*tar*) *v.* 1 Cometer disparate(s) [*int.*: *Perdeu a cabeça e começou a disparatar.*] 2 *Ang.* Dirigir insultos a; INSULTAR; OFENDER [*td.*: *A torcida começou a disparatar o jogador.*] [▶ 1 disparatar] [F.: *disparate* + *-ar*². Hom./Par.: *disparate(s)* (fl.), *disparate(s)* (sm.[pl.]).]

disparate (dis.pa.*ra*.te) *sm.* 1 Ação, ideia ou dito desarrazoado, sem nexo ou coerência; CONTRASSENSO; DESPROPÓSITO 2 Asneira, bobagem, tolice 3 *Bras. Pop.* Grande quantidade: *Que festa, havia um disparate de comida e de bebida!* 4 Brincadeira de salão em que cada pessoa faz uma pergunta a um vizinho de um lado e a responde ao vizinho do outro, e assim cada pessoa ouve uma pergunta de um vizinho e uma resposta de outro, que nada tem a ver com pergunta, criando perguntas-respostas disparatadas e muitas vezes engraçadas *interj.* 5 *Lus.* Exclamação que denota espanto com algo que se tem como absurdo, como tolice [F.: Do espn. *disparate.* Hom./Par.: *disparate* (fl. de *disparatar*).]

dispareunia (dis.pa.re:u.*ni*.a) *sf. Ginec.* Coito doloroso para a mulher, por distúrbio anatômico ou por condição psíquica alterada [F.: *dis-*² + gr. *páreunos* + *-ia*¹.]

disparidade (dis.pa.ri.*da*.de) *sf.* 1 Qualidade ou condição do que é díspar, desigual; DESIGUALDADE; DIFERENÇA: *Há atualmente uma grande disparidade entre a oferta e a procura de imóveis.* 2 *S.* Dito insensato ou tolo; DESPROPÓSITO: *Ele dizia disparidades que faziam rir a todos.* [F.: *díspar* + *-(i)dade.*]

disparo (dis.*pa*.ro) *sm.* 1 Ação ou resultado de disparar 2 Detonação de arma de fogo; TIRO: *Foram vários disparos, mas nenhum atingiu o alvo.* 3 O barulho dessa detonação: *Ouviram-se disparos durante a noite toda.* 4 *RS* Estouro de boiada 5 *Astr.* Primeiro momento do lançamento de um foguete, com sua ignição 6 *Inf.* Acionamento automático de uma função ou procedimento (ger. em banco de dados) quando certa condição se realiza ou é satisfeita [F.: Dev. de *disparar.*]

dispartir (dis.par.*tir*) *v.* 1 Distribuir em partes; REPARTIR [*td.*: *Dispartiu com sensatez sua jornada de trabalho.*] [*tdr.* + *entre*: *Dispartiu seu prêmio entre os amigos.*] 2 Segmentar (algo) em partes; DIVIDIR [*td.*: *Dispartiu os alimentos que recebera.*] 3 Movimentar-se (pessoas ou coisas) em direções diferentes; DISPERSAR-SE [*td.*: *No fim do jogo, a torcida dispartiu-se.*] [▶ 3 dispartir] [F.: Do lat. *dispartire* ou *dispertire.* Hom./Par.: *dispartir, despartir* (em todas as fl.).]

dispêndio (dis.*pên*.di:o) *sm.* 1 Montante do que se gasta ou se consome; CONSUMO; GASTO: *dispêndio de verba, dispêndio de tempo.* 2 *P.ext.* Despesa excessiva 3 *Fig.* Prejuízo, perda: "...O homem, porque foi formado de terra, ainda que seja com dispêndio da própria vida, sempre vai buscar a terra..." (Antônio Vieira, *Sermões*) [F.: Do lat. *dispendium.*]

dispendioso (dis.pen.di:*o*.so) [ô] *a.* 1 Que acarreta grandes despesas (mudança dispendiosa); CARO 2 Que impõe consumo elevado, que gasta muito: *O ferro elétrico é muito dispendioso, aumenta o consumo e energia.* [Fem. e pl.: [ó].] [F.: Do lat. *dispendiosus.*]

dispensa (dis.*pen*.sa) *sf.* 1 Ação ou resultado de dispensar 2 Permissão para não realizar ou cumprir um dever ou obrigação; DESOBRIGAÇÃO: *Pediu e obteve dispensa do serviço.* 3 Dispensa (2) de obrigação legal, concedida por autoridade: *dispensa de serviço militar.* 4 Documento pelo qual se pede dispensa (2, 3) 5 Documento pelo qual se concede dispensa (2, 3) 6 Rescisão de contrato de trabalho por decisão do empregador; DEMISSÃO: *Houve dispensa de metade do efetivo da fábrica.* [Ant.: *admissão, contratação.*] [F.: Dev. de *dispensar.* Hom./Par.: *dispensa* (fl. de *dispensar*); *despensa* (sf.).] ■ **~ de idade** Permissão para que se pratiquem atos ou se exerçam atividades por pessoas cuja idade, por lei, é proibitiva para esses atos ou essas atividades

dispensado (dis.pen.*sa*.do) *a.* 1 Que obteve dispensa; LIBERADO 2 *Rel.* Diz-se do dia santificado em que o trabalho é permitido [F.: Part. de *dispensar.*]

dispensar (dis.pen.*sar*) *v.* 1 Não precisar de, prescindir [*td.*: *Este texto é tão claro que dispensa maiores explicações; Essa tinta dispensa o uso de solventes.*] 2 Recusar, abrir mão de [*td.*: *Dispenso seus conselhos, sou capaz de me orientar sozinho.*] 3 Demitir, despedir [*td.*: *A empresa dispensou diversos funcionários.*] 4 Conceder dispensa a, desobrigar de [*td.*: *Dispensou o empregado mais cedo.*] [*tdr.* + *de*: *O médico dispensou-o da fisioterapia.*] 5 Dar, conferir, distribuir [*tdi.* + *a*: "Os jovens não lhe dispensaram a menor confiança." (Marques Rebelo, *Contos reunidos.*)] [*td.*: *dispensar mercês.*] 6 *P.us.* Emprestar [*tdi.* + *a, para*: *Peço-lhe que me dispense um lápis por um instante.*] 7 Conceder [*tdi.* + *a*: *Sempre dispensava aos clientes a maior atenção.*] [▶ 1 dispensar] [F.: Do lat. *dispensare.*]

dispensário (dis.pen.*sá*.ri:o) *sm.* Estabelecimento beneficente que oferece atendimento médico e remédios a pessoas pobres e as assiste com remédios, alimentos, roupas etc. [F.: Do lat. med. *dispensarius,* pelo ing. *dispensary,* pelo fr. *dispensaire.*]

dispensável (dis.pen.*sá*.vel) *a2g.* 1 Que pode ser dispensado: *Nenhum desses recursos é dispensável.* 2 Que é prescindível, que não faz falta: *Esse frio torna o ar-condicionado dispensável.* 3 Inoportuno, desnecessário: *Sua intervenção era perfeitamente dispensável.* [Pl.: *-veis.*] [F.: *dispensar* + *-vel.*]

dispepsia (dis.pep.*si*.a) *sf. Med.* Dificuldade na digestão; sensação desagradável (de peso no estômago, azia etc.) daí decorrente; INDIGESTÃO: "...Todas as semanas vinha ali fazer a fastidiosa crônica de sua dispepsia..." (Eça de Queirós, *Os Maias*) [F.: Do gr. *dyspepsía,* pelo fr. *dyspepsie.*]

dispéptico (dis.*pép*.ti.co) *a.* 1 Ref. a dispepsia 2 Que sofre de dispepsia *sm.* 3 Quem sofre de dispepsia [F.: *dispepsia* + *-ico*².]

dispermia (dis.per.*mi*.a) *sf. Biol.* Penetração de dois espermatozoides em um óvulo [F.: *di-* + *-sperm(a)* + *-ia*¹.]

dispersante (dis.per.*san*.te) *a.* Que dispersa; DISPERSADOR [F.: *dispersar* + *-nte.*]

dispersão (dis.per.*são*) *sf.* 1 Ação ou resultado de dispersar(-se) 2 Afastamento de pessoas ou de coisas em diferentes direções; DEBANDADA: *A dispersão da escola ocorrerá ao final do desfile.* 3 Estado do que está espalhado, disperso: *dispersão dos poluentes na atmosfera.* 4 *Ecol.* Distribuição de determinado tipo de indivíduos numa população 5 *Fís.* Disseminação de uma substância em líquido no qual não é solúvel 6 *Psic.* Desatenção, alheamento: *O professor chamou a atenção do aluno por sua dispersão na aula.* [Ant.: *concentração, interesse.*] 7 *Est.* Variação nas subsequentes medições de uma variável aleatória 8 *Ópt.* Separação dos raios de um feixe luminoso devido a desigualdade de refração [Pl.: *-sões.*] [F.: Do lat. *dispersio, onis.*]

dispersar (dis.per.*sar*) *v.* 1 Separar(-se) (o que está junto) fazendo ir ou indo para diferentes partes ou direções; DEBANDAR; ESPALHAR [*td.*: *A polícia dispersou os manifestantes.*] [*int.*: *O bloco se dispersou após o desfile.*] 2 Afastar(-se) para longe, dissipando(-se); ESPALHAR; DISSEMINAR [*td.*: *A brisa dispersou a fumaça.*] [*int.*: *A cerração já se dispersou.*] 3 *Fig.* Desviar a atenção de ou tê-la desviada; desconcentrar(-se), distrair(-se) [*td.*: *Nem o alarido dos cães dispersava os fiéis durante o culto.*] [*int.*: *Depois de ouvir os primeiros acordes, seus pensamentos se dispersaram.*] [▶ 1 dispersar] [F.: *disperso* + *-ar*².]

dispersividade (dis.per.si.vi.*da*.de) *sf.* Qualidade do que é dispersivo [F.: *dispersiv(o)* + *-(i)dade.*]

dispersivo (dis.per.*si*.vo) *a.* 1 Que provoca dispersão (substância dispersiva) 2 Que se dispersa (3); que não consegue se concentrar no que faz: *É um aluno muito dispersivo.* [F.: Do fr. *dispersif.*]

disperso (dis.*per*.so) *a.* 1 Que se encontra espalhado, separado (família dispersa; povo disperso) 2 Posto em debandada, posto em fuga em várias direções (exército disperso) 3 Que está fora de ordem (folhas dispersas); DESARRUMADO; DESORDENADO; ESPALHADO [Ant.: *arrumado, ordenado.*] 4 *Psic.* Dispersivo (2), desatento, alheio, distraído [Ant.: *atento, concentrado.*] [F.: Do lat. *dispersus.* Hom./Par.: *disperso* (fl. de *dispersar*).]

displasia (dis.pla.*si*.a) *sf. Med.* Crescimento ou desenvolvimento anormal de tecido ou órgão [F.: *dis-*² + *-plasia.*]

displásico (dis.*plá*.si.co) *Med. a.* 1 Ref. a displasia 2 Que apresenta displasia [F.: *displasia* + *-ico*².]

⊕ ***display*** (*Ing.* /displêi/) *sm.* 1 *Publ.* Peça de publicidade estruturada, colocada em ponto de venda (balcão, vitrine, o chão etc.) e destinada a promover um produto ou linha de produtos 2 Estrutura concebida para, em ponto de venda, nela se colocar e expor com destaque o produto; EXPOSITOR 3 Dispositivo em aparelhos elétricos ou eletrônicos, de telefonia, informática etc., para apresentação visual de informações; MOSTRADOR 4 *Zool.* Comportamento ritualizado por meio do qual um animal transmite informação específica a outros, geralmente da mesma espécie

displicência (dis.pli.*cên*.ci:a) *sf.* 1 Falta de empenho ou de cuidado na realização de uma tarefa ou atividade: *A displicência do médico revoltou a família do paciente.* [+ (*para*) *com, em*: *displicência (para) com os alunos; displicência nas tarefas.*] 2 *Bras.* Descuido ou desleixo com a própria aparência; DESMAZELO: *Ela se vestia com grande displicência.* 3 Inclinação para a tristeza, ou o tédio 4 Aborrecimento, desgosto, dissabor [F.: Do lat. *displicentia,* 'desprazer, descontentamento'.]

displicente (dis.pli.*cen*.te) *a2g.* 1 Que demonstra displicência, negligência, descaso; DESCUIDADO: "...Seu Marra foi muito displicente no final..." (Guimarães Rosa, "A volta do marido pródigo", *in Sagarana*) 2 *Bras.* Que se mostra desmazelado, descuidado com a própria aparência 3 Que causa displicência, aborrecimento, desgosto: "...Nada mais displicente que os olhos azuis..." (Camilo Castelo Branco, *A filha do arcedigo*) **s2g.** **4** Pessoa displicente: *Os displicentes nunca obtêm vitória.* [F.: Do lat. *displicens, entis.*]

dispneia (disp.*nei*.a) **sf.** *Med.* Dificuldade respiratória: "... estreitavam-me em madeira e metal a dispneia, chegava a asfixia..." (Guimarães Rosa, "Páramo" *in Estas estórias*) [F.: Do gr. *dýspnoia*, pelo lat. *dyspnoea.*]

dispneico (disp.*nei*.co) **a.** **1** Ref. a ou que tem dispneia **sm.** **2** Aquele que tem dispneia [F.: Do gr. *dyspnoikós.*]

disponente (dis.po.*nen*.te) **a2g.** **1** Que dispõe, que prepara **s2g.** **2** *Jur.* Aquele que faz uma disposição de bens em favor de outrem [F.: Do lat. *disponens, entis.*]

disponibilidade (dis.po.ni.bi.li.*da*.de) **sf.** **1** Qualidade ou condição daquilo que se encontra disponível [+ *de, para: disponibilidade para o trabalho; disponibilidade de tempo.*] **2** *Jur.* Condição de bens alienáveis: *disponibilidade de imóveis de um espólio.* **3** Predisposição para oportunidades e solicitações vindas do mundo exterior: *Está muito preocupado, sem disponibilidade para mais problemas....* **4** Situação de funcionário público afastado temporariamente de suas funções **5** *P.ext.* Condição de quem está sem emprego **6** *Econ.* Situação dos valores e títulos integrantes de um ativo comercial que podem ser prontamente convertidos em numerário **7** *Jur.* Capacidade ou faculdade de dispor de seus próprios bens **8** *Fís.* Função termodinâmica que expressa relação entre volume, energia interna e entropia de um sistema com a temperatura e a pressão externas [F.: *disponível* + *-(i)dade*, segundo o modelo erudito.] ■ **~ de caixa** Condição da existência, em caixa, de dinheiro disponível para ser gasto; esse dinheiro

disponibilização (dis.po.ni.bi.li.za.*ção*) **sf.** Ação ou resultado de disponibilizar(-se) [Pl.: *-ções.*] [F.: *disponibilizar* + *-ção.*]

disponibilizado (dis.po.ni.bi.li.*za*.do) **a.** Que se tornou disponível, que foi colocado à disposição (recursos disponibilizados) [F.: Part. de *disponibilizar.*]

disponibilizar (dis.po.ni.bi.li.*zar*) **v.** *Bras.* Tornar disponível ou acessível; oferecer acesso a (serviço, informação, etc.), inclusive através da internet [**td.**: "...o *site* disponibiliza 2.520 oportunidades de emprego..." (*O Dia*, 24.02.2000)] [**tdr.** + *para: Prometeu disponibilizar mais recursos para a saúde.*] [▶ **1** disponibilizar] [F.: *disponível* (sob o rad. *disponibil-*) + *-izar*, seg. o mod. erudito. Há quem considere que este verbo inexiste na língua, embora seja de uso frequente.]

disponível (dis.po.*ní*.vel) **a2g.** **1** Que está à disposição, de que se pode dispor: *Quanto dinheiro você tem disponível para a festa?* **2** Que está livre, não tendo tarefa nem compromisso imediatos (pessoa disponível); DESIMPEDIDO **3** *Jur.* Diz-se de bem do qual se pode dispor livremente, que se pode negociar etc. **4** *Mil.* Diz-se do militar que terminou o serviço ativo e encontra-se em disponibilidade **5** *Cont.* Diz-se dos fundos líquidos de uma empresa em caixa e em bancos **6** *Com. Econ.* Diz-se do conjunto de bens ou mercadorias que podem ser entregues imediatamente ao comprador **7** *Ling.* Diz-se do vocábulo que o falante tem à disposição na memória mas que usa raramente [F.: Do lat. med. *disponibilis.*]

dispor (dis.*por*) **v.** **1** Ter, possuir (tb. instalações, edificações etc.), podendo, portanto, fazer uso de [**tr.** + *de: O local não dispõe de saneamento básico; Ela dispõe de recursos suficientes para financiar o projeto*: "...Dispunha apenas de espingarda e faca, o revólver botara fora..." (Guimarães Rosa, *Tutameia*)] **2** Colocar ou distribuir (algo) em ou por algum lugar [**tda.** + *em, por, sobre: Dispor arranjos de flores nas mesas; Dispor cartazes pelo bairro; Dispor velas sobre o altar.*] [**td.**: *Dispôs os lugares dos convidados.*] **3** Colocar em ordem certa, adequada ou simétrica; ARRUMAR [**tda.** + *em, sobre, por: Dispor quadros na galeria; Dispor produtos pelas prateleiras; Dispor objetos sobre a mesa.*] [**td.**: *Dispôs a vitrina para a inauguração da loja.*] **4** Colocar em ordem por classes, grupos, subdivisões etc. [**tdr.** + *em, por: O instrutor dispôs os recrutas por altura; Dispôs o texto em capítulos e subcapítulos; Dispôs as turmas por idade.*] **5** Marcar, traçar, organizar, planejar [**td.**: *Dispôs o itinerário da viagem; Dispôs o plano de trabalho; Dispôs o programa de compras da empresa.*] **6** Delinear, arquitetar, conceber [**td.**: *Dispôs as cenas dos capítulos finais da novela; Dispôs os locais onde ficarão as luminárias.*] **7** Proporcionar ou permitir o uso de [**tdi.** + *a, para: Dispunha a casa aos hóspedes; Dispôs o automóvel para os filhos.*] **8** Usar, usufruir, ou poder usar, usufruir, por concessão ou pela força [**tr.** + *de: Precisando, disponha de nós; Posso dispor de seu carro hoje?; Dispunha de seus empregados como se escravos fossem.*] **9** Induzir, incitar, predispor a [**tdr.** + *a, para: Seu discurso dispôs o povo à revolta; A notícia dispôs os funcionários contra a direção.*] [**tdr.** + *a, para*] **10** *Jur.* Regular legislativamente, prescrever, regulamentar [**td.**: *A legislação dispõe prazos para o pagamento da dívida.*] [**tr.** + *sobre: Uma lei complementar disporá sobre os casos omissos.*] **11** Estabelecer regras, preceitos [**td.**: *Sua religião dispõe o jejum em dias sagrados.*] **12** Estatuir ou deixar estatuída uma decisão, vontade [**td.**: *Dispôs seus bens em testamento.*] **13** Decidir algo de forma absoluta, irreversível, ou ter o poder de fazê-lo [**int.**: *O homem põe e Deus dispõe.*] **14** Apossar-se ou fazer uso de algo que não lhe pertence [**tr.** + *de: Dispôs de dinheiro que não lhe pertencia.*] **15** Dar, ceder, desfazer-se de algo, vender [**tr.** + *de: Não disponhas de nada sem me consultares.*] **16** Resolver, decidir, determinar algo [**tr.** + *a, de, sobre: Está nas mãos do júri dispor da sorte do réu; Ninguém dispõe sobre minha vida; Depois de muito considerar, dispôs-se a aceitar a oferta.*] [**td.**: *O especialista disporá o tratamento adequado.*] **17** Preparar-se para, estar prestes a [**tdr.** + *a, para: O leão dispunha-se a/para atacar.*] **18** Ter a intenção ou projeto de [**tr.** + *a: Dispunha-se a partir imediatamente.*] **19** Sujeitar-se, resignar-se a, aceitar [**tr.** + *a, para: Disponho-me ao que der e vier; Dispôs-se para a morte.*] **20** Pôr, assentar (algo) de forma a que fique em ordem e estável [**td.**: *O mestre de obras dispôs os caibros do telhado de acordo com o plano do arquiteto.*] **21** Adequar (alguma coisa) a (outra coisa), tornando-as compatíveis, harmônicas [**tdr.** + *com: Para o jantar, quero dispor os guardanapos com o padrão da toalha.*] **22** Ser ou atuar como origem, desencadeador de; ACARRETAR; SUSCITAR [**td.**: *Uma ação violenta geralmente dispõe mais violência.*] **23** Apresentar, expressar (ideias, conceitos, informações, opiniões etc.) [**tr.** + *sobre: Seu relatório dispõe sobre os resultados do semestre.*] **24** Fazer transplante de (plantas) [**td.**] **25** Erguer, levantar, erigir [**td.**: *dispor um monumento.*] **26** Armar, engendrar [**td.**: *dispor uma cilada, uma armadilha.*] **27** Fazer ficar em bom estado, bom funcionamento etc. [**td.**: *Faz ginástica mais para dispor a mente do que o corpo.*] **28** Harmonizar, apaziguar [**td.**: *dispor ânimos exaltados.*] **29** Convencer (alguém) de (algo) [**tdr.** + *a: Finalmente consegui dispô-lo a participar do torneio.*] **30** Estar ou ficar decidido a, ou preparado para [**tr.** + *a: Depois de muito hesitar, dispôs-se a enfrentar o vestibular.*] [▶ **60** **dispor**] **sm.** **31** Disposição, estado do que está acessível, do que se pode usar: *O dinheiro está a seu dispor; Estou a seu dispor para o que for necessário.* **32** Escolha, alvitre: *Deixo a seu dispor a escolha da mobília.* [F.: Do lat. *disponere.*]

disposição (dis.po.si.*ção*) **sf.** **1** Ação ou resultado de dispor **2** Arrumação segundo certa ordem; ARRANJO; DISTRIBUIÇÃO: *a disposição das carteiras na sala de aula.* **3** Posição de algo em relação ao contexto, ao lugar em que está situado; LOCALIZAÇÃO; SITUAÇÃO: *A disposição das janelas aumenta a claridade da sala.* **4** Humor, ânimo, estado de espírito: *Acorda sempre com boa disposição.* **5** Estado de espírito favorável para algo; ENTUSIASMO; VONTADE: *Estava com muita disposição para o trabalho.* **6** Estado de saúde, condição física (excelente disposição); ENERGIA; VIGOR **7** Objetivo a que alguém se propõe, a vontade de alcançá-lo; INTENTO; PROPÓSITO: *Sua disposição era de encerrar imediatamente a reunião, mas conteve-se.* **8** Tendência, inclinação, vocação para algo: *Desde pequeno, exibia disposição para a poesia.* **9** *Jur.* Determinação, prescrição legal: *Revogam-se as disposições em contrário.* **10** *Jur.* Item condicionante, cláusula de contrato **11** Uso, emprego: *Fez um disposição justa de seus bens.* **12** Estado ou condição daquilo ou daquele que se põe disponível para uso ou serviço de algo ou alguém: *Toda a minha equipe está à sua disposição.* [Pl.: *-ções.*] [F.: Do lat. *dispositio, onis.*]

dispositivo (dis.po.si.*ti*.vo) **a.** **1** Ref. a ou que envolve disposição, prescrição, cláusula etc. **sm.** **2** Peça ou conjunto de peças que aciona um mecanismo ou realiza uma função: *Este dispositivo reduz o consumo de gasolina.* **3** Conjunto de meios combinados com o propósito de atingir certo fim: *dispositivos para conter a escalada dos preços.* **4** Norma, preceito (dispositivo legal) **5** *Jur.* Trecho de lei, declaração ou sentença que, em oposição ao preâmbulo e à exposição de motivos, enuncia a matéria legislada ou a decisão tomada; DECISÓRIO: *Há na lei um dispositivo que obriga o uso do cinto de segurança.* **6** *Inf.* Conjunto ou sistema de componentes físicos (*hardware*) ou lógicos (*software*) ligados a computador, capaz de processar, transferir ou armazenar informação, dados, rotinas etc. [F.: Do rad. lat. *dispositus* + *-ivo*, ou pelo fr. *dispositif.*] ■ **~ cênico** *Teat.* Cenário

disposto (dis.*pos*.to) [ô] **a.** **1** Que se encontra posto, ordenado, organizado, arrumado de certa maneira: *CDs dispostos em ordem alfabética.* **2** Que está arrumado, organizado, preparado: *Deixou todo o material disposto para a aula do dia seguinte.* **3** Que tende, está inclinado, propenso a algo: *Ela está disposta a atravessar o rio a nado.* [Ant.: *avesso, contrário.*] **4** Que está determinado, que foi prescrito por sentença: *Conforme cláusula disposta no testamento, a viúva não herdará nada.* **5** Que tem bom ânimo ou disposição física ou mental: *Vovó acordou disposta hoje.* [Ant.: *desanimado, indisposto.*] **6** Que tem coragem, energia, disposição para enfrentar dificuldades, tarefas etc; ARROJADO; VALENTE: *Turma disposta, enfrenta serena a luta.* [Ant.: *covarde, medroso.*] [Fem. e pl.: [ó].] **sm.** **7** O que está determinado em regra, regulamento ou lei: *conforme o disposto no art. 256 da Lei nº 6.* [F.: Do lat. *dispositus.*] ■ **Bem/mal ~** Com boa/má disposição: *Acordou bem /mal disposto (para trabalhar).*

disprósio (dis.*pró*.si:o) **sm.** *Quím.* Elemento metálico de número atômico 66 [Simb.: *Dy.*] [F.: Do lat. cient. *dysprosium.*]

disputa (dis.*pu*.ta) **sf.** **1** Ação ou resultado de disputar **2** Concorrência, competição entre duas ou mais pessoas por algo desejado por elas: *A disputa por uma das vagas vai começar.* **3** Confrontação verbal entre duas ou mais pessoas; ALTERCAÇÃO; CONTENDA; DISCUSSÃO: *A discordância entre eles culminou em disputa feroz.* **4** Embate corpo a corpo entre dois ou mais adversários; BRIGA; RIXA **5** *P.ext. Esp.* Partida, jogo entre dois adversários: *Ao final da disputa as duas equipes estavam extenuadas.* [F.: Dev. de *disputar.*]

disputado (dis.pu.*ta*.do) **a.** **1** Que se disputa ou disputou, que é ou foi objeto de disputa: *Esta é uma taça muito disputada, doze concorrentes já se inscreveram.* **2** Que envolveu (jogo, contenda, disputa etc.) muito esforço e entusiasmo; RENHIDO: *Foi a partida mais disputada da Copa.* [F.: Part. de *disputar.*]

disputante (dis.pu.*tan*.te) **a2g.** **1** Que disputa **s2g.** **2** Aquele que disputa [F.: Do lat. *disputans, antis.* Sin. ger.: *disputador.*]

disputar (dis.pu.*tar*) **v.** **1** Empenhar-se para obter (algo desejado tb. por outrem), concorrer a [**td.**: *Disputa uma vaga na universidade.*] [**tdr.** + *a, com, entre: Disputa o cargo de chefia com o colega; Os dois estão sempre disputando entre si a atenção da mãe; Resolveu disputar ao colega a indicação para o cargo.*] [**tr.** + *por: Disputam pelo cargo.*] **2** Lutar, pelejar para obter [**td.**: *As tropas disputaram o domínio do território até o último homem.*] [**tr.** + *por: Disputava por sua liberdade.*] **3** Sustentar discutindo ou lutando [**td.**: *Disputar uma causa judicial.*] **4** Rivalizar ou competir com [**tr.** + *com: Este produto disputa com as melhores marcas do mundo.*] **5** *Esp.* Jogar ou participar de (partida, competição esportiva etc.) [**td.**: *O tenista vai disputar o campeonato.*] [**tr.** + *com, contra: Disputa com/contra o time da casa.*] [**tdr.** + *com, contra: Disputou a corrida com/contra o favorito.*] **6** Discutir, sustentar opiniões [**tr.** + *com: Não vamos disputar com ele sobre política.*] [▶ **1** **disputar**] [F.: Do lat. *disputare.*]

disputável (dis.pu.*tá*.vel) **a2g.** **1** Que pode ser disputado **2** Contestável, discutível [Pl.: *-veis.*] [F.: Do lat. *disputabilis, e.* Hom./Par.: *disputáveis* (pl.), *disputáveis* (fl. de *disputar*).]

disquete (dis.*que*.te) [é] **sm.** **1** *Inf.* Pequeno disco plástico flexível e fino revestido de material magnético, condicionado em estojo plástico que se insere em e remove de computador, em que se gravam arquivos e programas **2** *Inf.* O conteúdo gravado nesse disco [F.: Do ingl. *diskette*, pelo fr. *disquette.*]

disritmia (dis.rit.*mi*.a) **sf.** **1** *Med.* Ritmo anormal ou alterado (do coração, cérebro, pulso etc.) **2** Qualquer alteração de ritmo [F.: *dis-*[2] + *ritmo* + *-ia*[1].]

disrítmico (dis.*rít*.mi.co) **a.** **1** Ref. a ou que sofre de disritmia **sm.** **2** Aquele que sofre de disritmia [F.: *disritm(ia)* + *-ico*[2].]

disrupção (dis.rup.*ção*) **sf.** **1** Ruptura, rompimento, dirupção **2** *Elet.* Restabelecimento súbito de uma corrente elétrica [Pl.: *-ções.*] [F.: Do lat. *disruptio, onis.*]

disruptivo (dis.rup.*ti*.vo) **a.** Que causa ou tende a causar disrupção [F.: Do fr. *disruptif.*]

disruptor (dis.rup.*tor*) **sm.** O mesmo que *disruptivo* [F.: *disrup-*, rad. de *disrupção*, + *-tor.*]

dissabor (dis.sa.*bor*) [ô] **sm.** **1** Sentimento de mágoa ou de tristeza ocasionado por algum fato ocorrido; AFLIÇÃO; DESGOSTO: *Passou pelo dissabor de se ver reprovado no vestibular.* **2** Sentimento de desprazer, amolação; ABORRECIMENTO; CONTRARIEDADE: *o dissabor de morar ao lado de um prédio em construção.* **3** Ausência de sabor, sensaboria; INSIPIDEZ [F.: *dis-*[1] + *sabor.*]

dissacarídeo (dis.sa.ca.*rí*.de:o) **sm.** *Quím.* Açúcar natural, como o de cana, de leite etc. [F.: *di-*[1] + *sacarídeo.*]

dissecação (dis.se.ca.*ção*) **sf.** **1** Ação ou resultado de dissecar; DISSECÇÃO **2** *Anat. Cir.* Secionamento de tecidos orgânicos, órgãos etc., para fins cirúrgicos ou para análise patológica **3** *Fig. P.ext.* Análise ou exame acurado de alguma coisa: *A banca fez uma verdadeira dissecação de minha dissertação de mestrado.* [Pl.: *-ções.*] [F.: *dissecar* + *ção.*]

dissecador (dis.se.ca.*dor*) **sm.** **1** Que disseca **sm.** **2** O que disseca [F.: *dessecar* + *-dor.* Hom./Par.: *dissecador* (a.sm.), *dessecador* (a.sm.).]

dissecamento (dis.se.ca.*men*.to) **sm.** *Anat.* O mesmo que *dissecação* (tb. *Fig.*) [F.: *dissecar* + *-mento.*]

dissecar (dis.se.*car*) **v.** **td.** **1** *Anat.* Cortar e separar metodicamente, por meio de escalpelo, bisturi ou instrumento análogo (órgãos, tecidos ou partes de órgãos ou tecidos de animal ou de pessoa morta, para estudar sua anatomia ou para análise patológica): *dissecar um cadáver.* **2** *Cir.* Separar cirurgicamente (órgão afetado por alguma enfermidade, um neoplasma etc.) ou expor (parte de órgão ou tecido): *dissecar a glândula mamária; dissecar uma veia para dela colher sangue para exame.* **3** *Bot.* Secionar com instrumento cortante (partes do organismo vegetal, para estudo): *dissecar as raízes da planta.* **4** *Fig.* Analisar, examinar minuciosamente (algo): *dissecar uma obra de arte; dissecar a vida de alguém.* [▶ **11** disse**car**] [F.: Do lat. *dissecare.*]

disse me disse (dis.se me *dis*.se) **sm2n.** Mexerico, intriga, diz que diz

dissemelhança (dis.se.me.*lhan*.ça) **sf.** Condição do que é dissemelhante, diferente; o mesmo que *dessemelhança* [F.: *dis-*[1] + *semelhança.*]

dissemelhante (dis.se.me.*lhan*.te) **a2g.** Que não tem semelhança, que apresenta dissemelhança; o mesmo que *dessemelhante* [F.: *dis-*[1] + *semelhante.*]

dissemelhar (dis.se.me.*lhar*) **v.** O mesmo que *dessemelhar* [▶ **1** dissemelhar]

disseminação (dis.se.mi.na.*ção*) **sf.** **1** Ação ou resultado de disseminar(-se) **2** Espalhamento de substância, elemento etc. em espaço fechado ou aberto (disseminação do pólen); DISPERSÃO **3** *Fig.* Difusão, propagação, vulgarização de ideologia, teoria, visão de mundo etc.: *Dedica-se à disseminação de seus ideais.* **4** *Bot.* Dispersão natural dos diásporos das plantas [Pl.: *-ções.*] [F.: Do lat. *disseminatio, onis.*]

disseminado (dis.se.mi.*na*.do) **a.** **1** Que se disseminou, que foi espalhado em várias direções **2** Que se tornou amplamente conhecido; DIVULGADO; PROPAGADO: *No primeiro século, as ideias mais disseminadas entre os gregos foram as do Cristianismo.* [F.: Part. de *disseminar.*]

disseminador (dis.se.mi.na.*dor*) [ô] **a.** **1** Que dissemina algo; DISPERSOR: *A brusca ruptura de certos frutos tem um efeito disseminador para as sementes.* **sm.** **2** Pessoa, animal ou coisa que dissemina: *Os disseminadores naturais das sementes são os pássaros, as aves e o próprio vento.* **3** *Fig. P.ext.* Aquele que propaga, dissemina, divulga ideias, processos, conceitos etc. [F.: *disseminar* + *-dor.*]

disseminar (dis.se.mi.*nar*) **v.** **1** Semear, espalhar por muitas partes, derramar [**td.**: *Animais ajudam a disseminar o pólen.*] [**tda.** + *em, por: Disseminou os grãos pelo campo.*] **2** Espalhar(-se), difundir(-se), propagar(-se) [**td.**: *A ventania disseminou a poeira.*] [**ta.** + *em, por: A doença disseminou-se por todo o corpo.*] **3** *Fig.* Divulgar, propagar [**int.**: *A nova moda disseminou-se rapidamente.*] [**tda.** + *em, por: Disseminou suas ideias pelo mundo.*] [▶ **1** disseminar] [F.: Do lat. *disseminare.*]

dissensão (dis.sen.*são*) **sf.** **1** Divergência, desacordo de ideias, opiniões, posições, interesses; DISSÍDIO; DISSIDÊNCIA: *A* *dissensão entre os membros do tribunal atrasou a sentença.* 2 Estado de litígio, de confronto; dissidência; DESAVENÇA; DISCÓRDIA: *As dissensões entre situação e oposição prejudicam a governabilidade.* 3 *Fig.* Característica ou situação do que diverge, contrasta, se opõe, discrepa [Pl.: *-sões.*] [F.: Do lat. *dissensio, onis.*]

dissenso (dis.*sen*.so) *sm.* 1 O mesmo que *dissensão* 2 *Jur.* Desistência de um dos contratantes antes de vencido o contrato [F.: Do lat. *dissensus, us.* Hom./Par: *dissenso* (sm.), *descenso* (sm.).]

dissentimento (dis.sen.ti.*men*.to) *sm.* O mesmo que *dissensão* [F.: *dissentir* + *-mento.*]

dissentir (dis.sen.*tir*) *v.* 1 Estar ou ficar em desacordo ou divergência com algo ou alguém; DISCORDAR; DISCREPAR; DIVERGIR [*tr.* + *de, em, sobre: Dissentiu da decisão; Os membros da comissão dissentiram entre si; Dissentiram sobre a questão.*] [*int.*: *Sabe quando escutar e quando dissentir.*] 2 Não combinar, diferir, estar em desarmonia [*tr.* + *de*: *Seus atos dissentem de suas opiniões.*] [▶ 50 **dissentir**] [F.: Do lat. *dissentire.*]

dissertação (dis.ser.ta.*ção*) *sf.* 1 Ação ou resultado de dissertar 2 Texto escrito em que se expõe um assunto (científico, artístico, conceitual, doutrinário etc.) de forma sistemática e abrangente 3 Exposição oral sobre um tema; discurso, preleção 4 Trabalho escrito que o mestrando deve apresentar e defender diante de banca competente para a obtenção do título de mestre [Pl.: *-ções.*] [F.: Do lat. *dissertatio, onis.*]

dissertar (dis.ser.*tar*) *v.* 1 Discorrer (oralmente ou por escrito) sobre um assunto de forma metódica e abrangente [*tr.* + *sobre*: "...Dissertava largamente sobre a sua roça..." (Aloísio Azevedo, *O mulato*)] 2 Fazer dissertação (2, 4) [*tr.* + *sobre*: *Disserte sobre o tema estudado.*] [*int.*: *O tema está dado, podem dissertar.*] [▶ 1 **dissertar**] [F.: Do lat. *dissertare.*]

dissertativo (dis.ser.ta.*ti*.vo) *a.* 1 Que é característico ou próprio de dissertação 2 Que deve ser respondido ou apresentado por escrito, em texto explicativo do tema proposto (prova dissertativa), questão dissertativa) [F.: *dissertar* (no rad. do part. pass. lat. *dissertat*) + *-ivo.*]

dissidência (dis.si.*dên*.ci:a) *sf.* 1 Desacordo, divergência de opiniões, princípios, objetivos, métodos etc; DESAVENÇA; DISSENSÃO 2 Afastamento de parte dos membros de um grupo, organização, partido ou seita devido a divergência de interesses, opiniões, princípios, métodos etc; CISÃO 3 O grupo dissidente de uma organização, partido ou seita [F.: Do lat. *dissidentia.*]

dissidente (dis.si.*den*.te) *s2g.* 1 Pessoa que diverge de opinião, princípios, crenças etc.: *Os dissidentes foram expulsos do partido.* 2 Indivíduo que se afasta de um grupo, partido ou seita por não concordar com suas ideias, princípios, métodos etc. *a2g.* 3 Que dissente, que discorda das ideias, princípios, conduta etc. de um grupo, organização, partido ou seita: *Foi libertada em Havana a líder dissidente cubana.* 4 Que se separa de grupo, corporação etc. por divergir de seus objetivos, métodos etc. [F.: Do lat. *dissidens, entis.*]

dissídio (dis.*sí*.di:o) *sm.* 1 Ação ou resultado de dissidiar 2 O mesmo que *dissensão* 3 *Jur.* Conflito entre empregador e empregado, ou empregados (ger. ref. a questão de reajuste salarial), submetido à Justiça do Trabalho (dissídio coletivo) [F.: Do lat. *dissidium.* Hom./Par.: *dissídio* (sm.), *dissidio* (fl. de *dissidiar*).]

dissilábico (dis.si.*lá*.bi.co) *a.* 1 *Gram.* Dissílabo 2 *Ling.* Diz-se das línguas da Oceania cujas palavras têm apenas duas sílabas [F.: *dissilab(o)* + *-ico*[2].]

dissílabo (dis.*sí*.la.bo) *Gram. a.* 1 Que é composto de duas sílabas (vocábulo dissílabo); DISSILÁBICO; BISSÍLABO *sm.* 2 Vocábulo dissílabo (1) [F.: Do gr. *disýllabos*, pelo lat. *disyllabus*, e pelo fr. *dissylabe.* Cf.: *monossílabo, trissílabo, polissílabo.*]

dissimetria (dis.si.me.*tri*.a) *sf.* Falta de simetria; ASSIMETRIA [Ant.: *simetria.*] [F.: *dis-*[2] + *simetria.*]

dissimétrico (dis.si.*mé*.tri.co) *a.* Que não é simétrico; ASSIMÉTRICO [Ant.: *simétrico.*] [F.: *dissimetri(a)* + *-ico*[2].]

dissimilar (dis.si.mi.*lar*.) *a2g.* Que é de diferente gênero, espécie, tipo etc; HETEROGÊNEO [F.: *dissímil* + *-ar*[1].]

dissimulação (dis.si.mu.la.*ção*) *sf.* 1 Ação ou artifício de dissimular 2 Atitude ou ato de encobrir as próprias intenções 3 Fingimento, disfarce, falsa aparência, hipocrisia [Pl.: *-ções.*] [F.: Do lat. *dissimulatio,-onis.*]

dissimulado (dis.si.mu.*la*.do) *a.* 1 Diz-se de quem tem por costume dissimular, esconder seus sentimentos ou intenções; FINGIDO 2 Que está encoberto, oculto, que pouco se nota (falando de coisas) *sm.* 3 Indivíduo dissimulado (1) [F.: Do lat. *dissimulatus.*]

dissimulador (dis.si.mu.la.*dor*) *a.* 1 Que dissimula; DISSIMULATIVO *sm.* 2 Aquele que dissimula [F.: Do lat. *dissimulator, oris.*]

dissimular (dis.si.mu.*lar*) *v.* 1 Encobrir ou disfarçar propositadamente situação ou condição, erro, falha, defeito etc. [*td.*: *Nem tentou dissimular seu erro; Dissimulava a idade, mas não enganava a si mesmo.*] 2 Não deixar perceber, ocultar (algo) [*td.*: *Usava máscara para dissimular sua identidade.*] [*int.*: "...Se olhara para ele, era prova exatamente de não haver nada entre ambos; se houvesse, era natural dissimular..." (Machado de Assis, *Dom Casmurro*)] 3 Esconder, ocultar (inclusive si mesmo) [*td.*: *O perseguidor dissimulou sua presença habilidosamente; Dissimulou-se entre os arbustos para não ser visto.*] 4 Fingir não perceber ou não ouvir [*int.*: *Resolveu dissimular para não ter de responder.*] 5 Atenuar o efeito de, tornar pouco sensível ou notável [*td.*: *Dissimulou o constrangimento causado pelo amigo contando algumas anedotas.*] [▶ 1 **dissimular**] [F.: Do lat. *dissimulare.*]

dissintonia (dis.sin.to.*ni*.a) *sf.* Falta ou perda de sintonia [F.: *dis-*[2] + *sintonia.*]

dissipação (dis.si.pa.*ção*) *sf.* 1 Ação ou resultado de dissipar(-se) 2 Gasto desmedido ou total, ger. de dinheiro ou de outros bens materiais; ESBANJAMENTO: *Levava uma vida de jogatina e dissipação.* 3 Processo de desaparecimento (de algo) por dispersão, evaporação etc.: *dissipação da neblina/poeira/fumaça.* 4 *Fís.* Perda ou transmissão de calor ou energia de um sistema; ver *dissipação de energia*: *As frestas no vidro da cabine auxiliam a dissipação de calor.* 5 Vida desregrada, devassa, libertina; DEVASSIDÃO [Pl.: *-ções.*] [F.: Do lat. *dissipatio,-onis.*] ■ ~ **de energia** *Fís.* Perda de energia de um sistema pela transferência irreversível de calor

dissipador (dis.si.pa.*dor*) [ô] *a.* 1 Que dissipa; ESBANJADOR; PERDULÁRIO *sm.* 2 Aquele que dissipa [F.: Do lat. *dissipator, oris.*]

dissipar (dis.si.*par*) *v.* 1 Fazer dispersar ou dispersar-se; espalhar(-se), desfazer(-se) [*td.*: *O vento dissipou as nuvens.*] [*int.*: *A fumaça se dissipou.*] 2 Fazer desaparecer ou cessar [*td.*: *O temporal dissipou o calor.*: "...Talvez fosse também um excesso de confiança na abstenção das armas por parte dos dragões; confiança que o capitão dissipou logo..." (Machado de Assis, *O alienista*)] 3 Desgastar, estragar, arruinar [*td.*: *Dissipou a pouca saúde que tinha em noitadas de bebedeira.*] 4 Desperdiçar, esbanjar, dilapidar (recursos, bens, dinheiro) [*td.*: *Dissipou a herança rapidamente.*] 5 *Fig.* Destruir, desperdiçar [*td.*: *Dissipou sua vida na bebida.*] [▶ 1 **dissipar**] [F.: Do lat. *dissipare.*]

dissipativo (dis.si.pa.*ti*.vo) *a.* 1 Que dissipa ou causa dissipação 2 *Fís.* Em que há dissipação (de energia) [F.: *dissipar* + *-tivo.*]

disso (*dis*.so) Contr. da prep. *de* com o pr. dem. *isso*: *Você já sabia disso?; Preciso disso mais do que você.*

dissociação (dis.so.ci:a.*ção*) *sf.* 1 Ação ou resultado de dissociar(-se); DESAGREGAÇÃO; SEPARAÇÃO 2 *Fís.* Desagregação de moléculas (em átomos, íons, radicais) 3 *Quím.* Decomposição parcial dos corpos em duas ou mais porções que podem depois, combinando-se, reproduzir o corpo primitivo 4 *Psiq.* Desintegração dos elementos de estrutura psíquica (pensamentos, comportamentos, limitações etc.) que pode acarretar a perda do controle sobre eles [Pl.: *-ções.*] [F.: Do lat. *dissociatio,-onis*, pelo fr. *dissociation.*] ■ ~ **atrioventricular** *Card.* Diferença de ritmo entre as contrações de um átrio (aurícula) e um ventrículo cardíacos, ger. devida ao ritmo lento de um marca-passo auricular, ou ao ritmo rápido de um marca-passo ventricular

dissociado (dis.so.ci.*a*.do) *a.* 1 Que se dissociou, separou 2 *Quím.* Que se dissociou, fragmentou (molécula) em átomos, íons ou radicais 3 *Psiq.* Diz-se de pensamento que passou por dissociação ou que manifesta dissociação (4) [F.: Part. de *dissociar.*]

dissociar (dis.so.ci.*ar*) *v.* 1 Separar (o que estava associado, inclusive si mesmo, tb. *Fig.*) ou sofrer separação; DESUNIR; DESAGREGAR [*td.*: *É impossível dissociar essas ideias.*] [*tdr.* + *de*: *Não se pode dissociar um fato de outro; Dissociou-se de clubes e de agremiações; Resolveu dissociar sua imagem da do líder do partido.*] [*int.*: *Suas ideias dissociavam-se, à medida que a doença avançava.*] 2 *Quím.* Decompor elementos químicos [*tdr.* + *de, em*: *A água tem a propriedade de dissociar o ácido sulfúrico em íons.*] [▶ 1 **dissociar**] [F.: Do lat. *dissociare.* Ant. ger.: *associar.*]

dissociativo (dis.so.*cia*.ti.vo) *a.* Que dissocia [F.: *dissociar* + *-tivo.*]

dissociável (dis.so.ci:*á*.vel) *a2g.* Que se pode ou deve dissociar [Pl.: *-veis.*] [F.: Do lat. *dissociabilis, e.* Hom./Par.: *dissociáveis* (pl.), *dissociáveis* (fl. de *dissociar*).]

dissódico (dis.*só*.di.co) *a.* *Quím.* Que tem dois átomos de sódio na molécula [F.: *di-*[1] + *sódi(o)* + *-ico*[2].]

dissolução (dis.so.lu.*ção*) *sf.* 1 Ação ou resultado de dissolver(-se) 2 Rompimento ou anulação de um contrato: *a dissolução de um casamento/uma sociedade.* 3 Decomposição de algo, substância, matéria, corpo etc., pela desagregação de partes, moléculas etc. 4 Extinção de uma assembleia, corporação ou grupo; dispersão, separação dos seus membros ou anulação dos poderes que lhe tinham sido conferidos: *A dissolução do Império Romano/de uma empresa.* 5 *Fís. Quím.* Liquefação de um sólido em contato com um líquido: *A dissolução do açúcar na água.* 6 *Fís. Quím.* O líquido em que se acha dissolvida alguma substância sólida; SOLUÇÃO: *beber uma dissolução de citrato de magnésia.* 7 Depravação de costumes; DEVASSIDÃO [Pl.: *-ções.*] [F.: Do lat. *dissolutio,-oni.*]

dissolutor (dis.so.lu.*tor*) *a.* O mesmo que *dissolutivo* [F.: *dissolut(o)* + *-or.*]

dissolúvel (dis.so.*lú*.vel) *a2g.* 1 Que se pode dissolver 2 Que se pode anular ou tornar extinto (contrato dissolúvel) 3 Que pode ser desagregado num líquido em que se disseminem as suas moléculas; SOLÚVEL: *Segundo a especialista, a vitamina B contida nos vegetais é facilmente dissolúvel em água.* [Pl.: *-veis.*] [F.: Do lat. *dissolubilis.*]

dissolvente (dis.sol.*ven*.te) *a2g.* 1 Que tem a propriedade de dissolver (falando de um líquido) 2 *Fig.* Desorganizador, corruptor: "Tínhamos (...) um idealismo doentio e dissolvente." (Eça de Queirós, *Prosas bárbaras*) *sm.* 3 Aquilo que dissolve; SOLVENTE [F.: *dissolver* + *-ente*, ou do lat. *dissolvens, entis.*]

dissolver (dis.sol.*ver*) *v.* 1 Desfazer substância em líquido, desagregar, dispersar [*td.*: *Dissolveu o comprimido na água.*] 2 Desfazer(-se), desagregar(-se), liquefazer(-se), derreter [*td.*: *O medicamento dissolve os coágulos; A chuva dissolveu a escultura de areia.*] [*int.*: *O chocolate dissolveu-se com o calor.*] 3 Dissipar(-se), evaporar ou fazer evaporar [*int.*: *A neblina já se dissolveu.*] [*td.*: *O sol dissolveu a neblina pela manhã.*] 4 Desfazer ou romper (laços, contrato, vínculo etc.) [*td.*: *Dissolver um casamento; Dissolver um contrato; Dissolver uma sociedade.*] 5 Extinguir(-se), desmembrar(-se), destituir(-se) (uma assembleia, corporação, grupo) [*td.*: *O decreto dissolveu o Congresso.*] [*int.*: *A banda se dissolveu.*] 6 Desfazer, dissipar [*td.*: *O depoimento da testemunha dissolveu todas as dúvidas.*] [*int.*: *Aos poucos o impacto da tragédia se dissolveu.*] 7 Dispersar ou fazer dispersar (grupo de pessoas) [*td.*: *A polícia foi acionada para dissolver a manifestação.*] 8 *Fig.* Corromper moralmente ou provocar mudança moral, ideológica etc. [*td.*: *A realidade tratou de dissolver suas crenças.*] [*int.*: *Sem sólidos princípios éticos, dissolvem-se valores e costumes.*] [▶ 2 **dissolver**] [F.: Do lat. *dissolvere.*]

dissolvido (dis.sol.*vi*.do) *a.* 1 Que se dissolveu ou diluiu: *mel dissolvido em leite.* 2 Desfeito, extinto [F.: Part. de *dissolver.*]

dissonância (dis.so.*nân*.ci:a) *sf.* 1 Som ou conjunto de sons que destoam, que não soam agradavelmente; DESAFINAÇÃO; DESENTOAÇÃO [Ant.: *afinação*] 2 Qualidade de uma relação entre sons musicais (intervalo) que denota irresolução harmônica 3 *Mús.* Acorde, combinação simultânea de sons que não soam harmonicamente 4 *Ling.* Junção de sílabas ou palavras que soam mal; CACOFONIA 5 Má combinação de cores; falta de proporção nas formas; desarmonia entre as partes [Ant.: *harmonia.*] 6 Falta de coerência entre duas ou mais coisas; falta de harmonia numa combinação de elementos (cores, opiniões, figuras, estilos etc.): *Há uma dissonância entre as ideias que ele defende e a sua atitude.* [F.: Do lat. *dissonantia.* Sin. ger.: *absonância, desarmonia.* Ant. ger.: *assonância, consonância, harmonia.*] ■ ~ **cognitiva** *Psi.* Situação conflitante e aflitiva resultante de ideias ou atitudes simultâneas e incompatíveis, como ao mesmo tempo querer algo e temê-lo, amar alguém e detestar seus hábitos etc.

dissonante (dis.so.*nan*.te) *a2g.* 1 *Mús.* Que produz ou apresenta dissonância (1, 2, 3) acorde dissonante; tons dissonantes); DESARMÔNICO 2 Mal combinado; não proporcionado 3 Que não condiz, que destoa, que discorda; DISCORDANTE; CONTRÁRIO: *Uma lei dissonante de anseios sociais mais prioritários.* [F.: Do lat. *dissonans, antis.* Sin. ger.: *dessoante, díssono, dissonoro, desarmonioso.* Ant. ger.: *consonante, harmonioso.*]

dissuadir (dis.su:a.*dir*) *v.* Fazer (alguém, inclusive si mesmo) mudar de ideia ou intenção, aconselhando, convencendo [*td.*: *Queria fazer a viagem, mas a mulher o dissuadiu.*] [*tdr.* + *de*: *O pai dissuadiu o filho de trancar a matrícula; Pensou melhor, e dissuadiu-se de pedir demissão.*] [▶ 3 **dissuadir**] [F.: Do lat. *dissuadere.* Ant.: *persuadir.*]

dissuasão (dis.su:a.*são*) *sf.* 1 Ação ou resultado de dissuadir, de convencer alguém a mudar de opinião ou desistir de uma intenção; DESPERSUASÃO: *Nada conseguiu com admoestações e ameaças, mas a dissuasão funcionou, e convenceu o colega a mudar de atitude.* [Ant.: *persuasão.*] 2 Situação na qual o temor de uma retaliação de adversário impede que uma divergência ou conflito evolua para enfrentamento, guerra etc; DETERRÊNCIA [Pl.: *-sões.*] [F.: Do lat. *dissuasio-onis.*] ■ ~ **pelo medo** A que recorre à intimidação, que provoca em alguém receio ou temor de que um ato seu receba represália violenta

dissuasivo (dis.su:a.*si*.vo) *a.* Que dissuade, que é próprio para dissuadir, que funciona como dissuasão; DISSUASÓRIO: *Homem de espírito dissuasivo; Seus argumentos foram convincentes e dissuasivos.* [Ant.: *estimulante, persuasivo.*] [F.: *dissuas(ão)* + *-ivo.*]

dissuasório (dis.su:a.*só*.ri:o) *a.* O mesmo que *dissuasivo* [F.: *dissuas(ão)* + *-ório.*]

distal (dis.*tal*) *a2g.* 1 Que se encontra distante do centro ou da origem; REMOTO 2 Que se encontra longe; DISTANTE 3 *Anat.* Diz-se de órgão ou parte do corpo distantes do tronco 4 *Anat.* Que se encontra voltado para direção oposta à da cabeça 5 *Anat.* Diz-se de nervo ou vaso sanguíneo distantes de seu ponto de origem 6 *Od.* Que está mais distante do meio do arco dentário [Nas acp. *Anat.* e *Od.*, por oposição a *proximal.*] [Pl.: *-tais.*] [F.: *dist(ar)* + *-al*, ou do ing. *distal.* Antenor Nascentes vê sua origem no lat. *distans* 'distância'.]

distanásia (dis.ta.*ná*.si:a) *sf.* *Med.* Morte lenta, angustiada e dolorosa: "...aquele esqueleto animado que, na sua distanásia, parecia convidá-lo para um passeio ao cemitério." (Aluísio Azevedo, *Casa de pensão*) [P.opos. a *eutanásia.*] [F.: *dis-*[2] + *-tanásia*, de *eutanásia.*]

distância (dis.*tân*.ci:a) *sf.* 1 Espaço existente entre dois pontos ou lugares, entre duas pessoas, duas coisas etc. 2 A medida desse espaço: *Qual é a distância daqui até sua casa?* 3 Intervalo de tempo entre duas ocorrências: *Houve uma certa distância entre as duas explosões.* 4 Afastamento, separação: *Aquela briga criou uma distância entre eles.* 5 Grande afastamento no tempo ou no espaço; LONJURA 6 *Soc.* Separação entre indivíduos ou grupos segundo critérios socioeconômicos, níveis sociais etc. 7 *Soc. Ling.* Essa separação como expressa na forma de expressão linguística de indivíduo ou grupo em relação a seus interlocutores [F.: Do lat. *distantia.*] ■ **À ~** 1 Não perto: *A distância, ouvia-se o trovão.* 2 Sem comunicação ou interação com outras pessoas; sem intimidade ou companheirismo: *Tímido, mantinha-se a distância do grupo.* **À ~** O mesmo que *a distância*: *Este cão é feroz, convém manter-se à distância.* ~ **angular** *Geom.* Ângulo entre duas retas que se cortam ~ **focal** *Ópt.* Numa lente fina, distância entre o foco principal e o centro óptico da lente **Opt.** 1 *Ópt.* Distância entre os planos focal e principal num sistema óptico [Simb.: *f*] 2 *Geom.an.* Distância entre os (2) focos de uma curva cônica central ~ **geodésica** Distância entre dois pontos de uma superfície, medida sobre uma geodésica que passa por eles ~ **hiperfocal** *Fot.* Estando a lente de uma máquina fotográfica focalizada em infinito, distância entre ela e um objeto que forma uma imagem nítida no filme ~ **periélia** *Astron.* Distância entre o Sol e um planeta quando este passa em seu periélio ~ **social** *Soc.* Numa sociedade, diferença entre as condições (econômica, de nível de vida, cultural etc.) entre grupos, classes, etnias etc., expressa ger. em termos de superioridade e inferioridade **Tomar ~ de** Distanciar-se

distanciado (dis.tan.ci.*a*.do) ***a.*** **1** Afastado, distante, longe no tempo ou no espaço **2** Que deixou, parcialmente ou completamente, de ter relacionamento próximo com outrem [F.: Part. de *distanciar.*]

distanciamento (dis.tan.ci:a.*men*.to) ***sm.*** **1** Ação ou resultado de distanciar(-se); AFASTAMENTO **2** *Fig.* Posição ou atitude de indiferença, não participação, não envolvimento, em relação ao contexto ou aos fatos que ocorrem **3** *Teat.* Conceito de apresentação (criado pelo dramaturgo Bertolt Brecht) que visa ao não envolvimento emocional e sim uma atitude analítica e crítica da plateia em relação ao conteúdo teatral, usando como técnica a ausência de cenários ou figurinos, interrupções, uma sóbria entonação dramática etc; ESTRANHAMENTO [F.: *distanciar* + *-mento.*]

distanciar (dis.tan.ci.*ar*) ***v.*** **1** Mover (algo ou alguém, inclusive si mesmo) para longe, afastar(-se) de, tornar(-se) distante no espaço; espaçar por intervalos [***td.***: *Distanciou-se para fotografar a paisagem; A cerca não está boa, vamos distanciar mais os mourões.*] [***tdr.*** + *de*: *Não se distancie de sua mãe.*] **2** Ficar ou fazer ficar (mais) afastado no tempo [***tr.*** + *de*: *Com a maturidade, distanciou-se de seus sonhos juvenis.*] [***tdr.*** + *de*: *As vivências, mais do que o tempo, nos distanciam da juventude.*] **3** Afastar-se do convívio de [***tdr.*** + *de*: *O trabalho distanciou-o da família.*] **4** *Fig.* Tornar-se indiferente a; afastar-se emocionalmente de [***tdr.*** + *de*: *Distanciou-se do problema.*] [▶ 1 distanciar] [F.: *distância* + *-ar*².]

distanciômetro (dis.tan.ci:ô.me.tro) ***sm.*** *Ópt.* Instrumento para medir distâncias [F.: *distânci(a)* + *-o-* + *-metro.*]

distante (dis.*tan*.te) ***a2g.*** **1** Que está longe no espaço ou no tempo; AFASTADO; LONGÍNQUO: *um bairro distante do centro; Isso acontecia em épocas distantes.* [Ant.: *próximo.*] **2** Que dista, que está a certa distância: *Comprei numa loja cem metros distante daqui.* **3** Que tem relação de parentesco afastada (parentes distantes) **4** Que não apresenta semelhança (com algo); DIFERENTE: *Meu conceito de liberdade é muito distante do seu.* **5** Frio, desapegado, indiferente: *Sinto-me distante de mim.* **6** Absorto, distanciado, alheio: *Tinha o olhar distante.* ***adv.*** **7** Longe: *Eles moram distante daqui.* [Ant.: *perto, próximo.*] **8** Ao longe, à distância: *Ouvia-se distante o canto dos pássaros.* [F.: Do lat. *distans, antis.*]

distar (dis.*tar*) ***v.*** **1** Ser ou estar à distância [***tr.*** + *de*: *Nossa casa dista muito do centro.*] [***int.***: *O clube não dista muito, podemos ir a pé.*] **2** Estar a certa distância de [***tdr.*** + *de*: *Nossa casa dista dez quilômetros do centro.*] **3** Diferençar-se, divergir (de) [***tr.*** + *de*: *Sua atuação dista muito daquela que o público conhecia.*] **4** Ficar em plano de inferioridade; ser inferior a; estar abaixo de [***tr.*** + *de*: *O talento de Leopoldo distava muito do de seu filho Wofgang.*] [▶ 1 distar] [F.: Do lat. *distare.*]

distasia (dis.ta.*si*.a) ***sf.*** *Neur.* Dificuldade em manter o corpo ereto [F.: *dis-*² + *-stas(e)* + *-ia*¹.]

distender (dis.ten.*der*) ***v.*** **1** Estender(-se), esticar(-se), retesar(-se) [***td.***: *Distender um fio de arame; Distendeu-se todo para alcançar a prateleira superior.*] **2** Dilatar(-se), aumentar de volume [***td.***: *O sol forte distendeu o vidro da claraboia.*] [***int.***: *O abdômen distendeu-se.*] **3** Relaxar(-se), afrouxar [***int.***: *Com o calmante, seus nervos se distenderam.*] [***td.***: *Tente distender todos os músculos, deixe-os bem relaxados.*] **4** *Med.* Sofrer distensão (em) [***td.***: *Distendeu o músculo da coxa durante o jogo.*] [***int.***: *O músculo da coxa distendeu-se com o esforço.*] **5** Alargar, dilatar (prazos) [***td.***: *O advogado conseguiu distender os prazos para recurso.*] [▶ 2 distender] [F.: Do lat. *distendere.*]

distendido (dis.ten.*di*.do) ***a.*** **1** Que se distendeu; ESTICADO **2** Dilatado, inchado ***a.*** **3** *Med.* Que sofreu distenção ou estiramento [F.: Part. de *distender.* Sin. ger.: *distenso.*]

distensão (dis.ten.*são*) ***sf.*** **1** Ação ou resultado de distender(-se) **2** *Med.* Tensão excessiva ou forçada, que pode provocar dores, deslocamento ou entorses (distensão muscular); ESTIRAMENTO **3** Posição de repouso dos músculos ou dos nervos; AFROUXAMENTO; RELAXAMENTO **4** *Pol.* Diminuição ou término das tensões entre países, ou entre população e governo, ou entre grupos sociais etc. **5** Extensão, prolongamento: *distensão de prazo.* **6** *Fon.* A terceira e última das três fases na articulação de um fonema pelo aparelho fonador, na qual este volta à posição de repouso ou se prepara para a emissão do fonema seguinte; EXPLOSÃO; METÁSTESE [Pl.: *-sões.*] [F.: Do lat. *distensio,-onis.*] ■ **~ abdominal** *Med.* Dilatação do abdome, na gravidez ou causada por doença **~ muscular** *Med.* Estiramento ou ruptura de tendões ou fibras de um músculo, ger. por esforço excessivo ao esticá-lo violentamente

distensionar (dis.ten.sio.*nar*) ***v. td.*** **1** Tirar ou anular a tensão; tornar frouxo; AFROUXAR: *Distensionou o arco para colocar a flecha em posição.* **2** Tornar mais suave ou anular a tensão muscular; RELAXAR: *Fez massagem para distensionar a musculatura dos ombros.* [▶ 1 distensionar] [F.: *distensão* sob a f. distension- + *-ar*².]

distensível (dis.ten.*sí*.vel) ***a.*** Que se pode distender [Pl.: *-veis.*] [F.: *distens(o)* + *-ível.*]

distenso (dis.ten.so) ***a.*** O mesmo que *distendido* [F.: Do lat. *distensus, a, um.*]

dístico (*dís*.ti.co) ***sm.*** **1** *Poét.* Estrofe de dois versos **2** Frase, máxima, sentença ou conceito expresso em dois versos **3** Sinal, figura ou conjunto de palavras inscritas numa superfície ou local, com informações sobre o que aquilo é; LETREIRO; RÓTULO **4** *Her.* A divisa de um escudo ***a.*** **5** *Bot.* Que, num vegetal, está disposto em séries opostas ao longo de um só eixo comum [F.: Do gr. *dístichos*, pelo lat. *distichus*, e pelo fr. *distique.*]

distilo (dis.*ti*.lo) ***a.*** **1** *Bot.* Que tem dois estiletes **2** *Arq.* Diz-se de edifício com duas colunas na fachada [F.: *di-* + *-stilo.* Hom./Par.: *distilo* (a.), *destilo* (fl. de *destilar*).]

distimbria (dis.tim.*bri*.a) ***sf.*** *Med.* Insuficiência do timbre da voz [F.: *dis-*² + *timbr(e)* + *-ia*¹.]

distimia (dis.ti.*mi*.a) ***sf.*** *Med.* Estado geral de abatimento e depressão [F.: *dis-*² + *tim(o)*, do gr. *thymós*, 'espírito', + *-ia*¹.]

distímico (dis.*tí*.mi.co) ***a.*** Ref. a ou que tem distimia [F.: *distimi(a)* + *-ico*².]

distinção (dis.tin.*ção*) ***sf.*** **1** Ação ou resultado de distinguir(-se); DIFERENCIAÇÃO: *Não fazemos distinção de credo.* **2** Qualidade ou característica pelas quais uma pessoa ou coisa difere de outra; DIFERENÇA; PECULIARIDADE: *Não vejo distinção entre as duas propostas.* **3** Tratamento especial, prêmio, homenagem etc. que demonstram respeito, consideração; HONRARIA; PRIVILÉGIO **4** Modos que demonstram polidez, elegância e educação apurada: *Todos apreciam a sua distinção.* **5** Classificação de grau excelente em provas ou exames: *Obteve distinção em quase todas as matérias.* [Pl.: *-ções.*] [F.: Do lat. *distinctio,-onis.*]

distinguido (dis.tin.*gui*.do) ***a.*** **1** Que se distinguiu; DIFERENÇADO; DISTINTO **2** Percebido pelos sentidos **3** Agraciado, condecorado [F.: Part. de *distinguir.*]

distinguir (dis.tin.*guir*) ***v.*** **1** Perceber diferença entre; perceber qualidade, fazer distinção; DISCERNIR [***td.***: *Não sabe distinguir boa poesia.*] [***tdr.*** + *de, entre*: *Não sabe distinguir o bem do mal.* Ant.: *confundir.*] [***tr.*** + *entre*: *As bênçãos de Deus não distinguem entre os homens.*] **2** Perceber por um dos sentidos [***td.***: *Distinguir um som/um cheiro.*] **3** Perceber por meio da visão; ver com acuidade; ENXERGAR [***td.***: *Não é possível distingui-lo no meio da multidão.*] **4** Ser ou mostrar-se diferente, distinto [***int.***: *Esse pintor distingue-se por suas cores brilhantes.*] **5** Ser o traço distintivo de; CARACTERIZAR [***td.***: *A juba distingue o leão.* Ant.: *generalizar.*] **6** Dar destaque a ou ter destaque em relação a algo ou alguém, fazer sobressair ou sobressair; DESTACAR(-SE) [***td.***: *Seu porte altivo o distingue na multidão.*] [***int.***: "...no meio do rumor distinguia-se a voz de falsete do Couto..." (Aluísio Azevedo, *O mulato*)] **7** Outorgar (prêmio, condecoração, honraria) a [***td.***: *A Legião o distinguiu com a sua comenda.*] **8** Mostrar consideração ou admiração especial por; CONSIDERAR; REVERENCIAR [***td.***: *Na faculdade, todos os distinguem.* Ant.: *desconsiderar, depreciar.*] **9** Divisar, avistar [***td.***: *Quando chegou ao curral, distinguiu uns vultos pros lados da porteira.*] [▶ 47 distinguir] [F.: Do lat. *distinguere.*]

distintivo (dis.tin.*ti*.vo) ***a.*** **1** Que é característico (de algo ou alguém) de modo a distingui-lo, que distingue, que mostra a diferença, que marca a divergência: *as características distintivas da poesia medieval.* **2** *Fon.* Diz-se de traço característico de um fonema (na articulação ou no som) que faculta sua diferenciação em relação a outro ***sm.*** **3** Sinal característico, objeto ou coisa que distingue, identifica, sinaliza; INSÍGNIA; EMBLEMA **4** Aquilo que distingue, marca, diferencia [F.: Posv. do lat. *distinctivus* pelo fr. *distinctif.*]

distinto (dis.*tin*.to) ***a.*** **1** Que não se confunde com outro; DIVERSO; DIFERENTE: *dois estilos distintos.* **2** Que não faz parte de outro; SEPARADO: *No curso, essa é uma disciplina distinta.* **3** Que tem fim diverso, aplicação diversa: *O estabelecimento acumula as três distintas funções de hotel, restaurante e café.* **4** Claro, inteligível: *Respondeu com voz fraca porém distinta.* **5** Que revela fina educação, distinção (4), polidez (pessoa distinta, maneiras distintas) **6** Singular, preeminente pelas suas faculdades, sentimentos, modos (orador distinto); ILUSTRE; NOTÁVEL ***sm.*** **7** *Pop.* Forma de tratamento bajulatória com um quê de ironia: *O distinto pode me dar licença que eu quero passar? Obrigado.* [F.: Do lat. *distinctus.*]

distireoidismo (dis.ti.re:oi.*dis*.mo) ***sf.*** *Med.* Alteração do funcionamento da glândula tireoide [F.: *dis-*² + *tireoid(e)* + *-ismo.*]

distiroidismo (dis.ti.roi.*dis*.mo) ***sf.*** *Med.* O mesmo que *distireoidismo* [F.: *dis-*² + *tiroid(e)* + *-ismo.*]

disto (*dis*.to) Contr. da prep. *de* com o pr. dem. *isto*; ref. a, de ou proveniente de algo que está próximo de quem fala ou que foi por ele recém-mencionado: *Não gostei nada disto.*

distocia (dis.to.*ci*.a) ***sf.*** *Obst.* Parto difícil e anormal [F.: *dis-*² + *toc(o)-*, do gr. *tokós, ou*, 'parto', + *-ia*¹.]

distócico (dis.*tó*.ci.co) ***a.*** Ref. a distocia (parto distócico) [F.: *distoc(ia)* + *-ico*².]

distomatose (dis.to.ma.*to*.se) ***sf.*** *Med.* O mesmo que *distomíase* [F.: Do fr. *distomatose.*]

distomíase (dis.to.*mí*:a.se) ***sf.*** *Med.* Afecção produzida por vermes trematódeos anteriormente incluídos no gên. *Distoma* [F.: Do lat. cient. *Distoma* + *-íase.*]

distonia (dis.to.*ni*.a) *Med.* ***sf.*** **1** Perturbação do funcionamento normal do aparelho digestivo e/ou do aparelho circulatório, cuja causa ger. é de natureza psicológica **2** Síndrome caracterizada pela ocorrência de contrações musculares involuntárias, prolongadas e, por vezes, dolorosas, que provocam movimentos espasmódicos repetitivos de torsão ou posturas anormais [São ger. provocadas como reação a movimento voluntário ou a permanência prolongada numa mesma posição.] [F.: *dis-*² + *-tonia.*] ■ **~ muscular** *Med.* Alteração no tônus muscular **~ neurovegetativa** *Neur.* Alteração no equilíbrio de funcionamento dos sistemas simpático (que controla a liberação de energia no organismo) e parassimpático (que controla o estado de relaxamento do organismo)

distônico (dis.*tô*.ni.co) ***a.*** **1** Ref. a distonia ou próprio dela ***sm.*** **2** *Med.* Indivíduo que sofre de distonia [F.: *distonia* + *-ico*².]

distopia (dis.to.*pi*.a) ***sf.*** *Anat.* Disposição anômala de um órgão [F.: *dis-*² + *-topia.*]

distópico (dis.*tó*.pi.co) ***a.*** Ref. a distopia [F.: *distopi(a)* + *-ico*².]

distorção (dis.tor.*ção*) ***sf.*** **1** Ato de distorcer ***sf.*** **2** Desvio, deturpação, adulteração (distorções de comportamento) **3** Alteração de características estruturais; DEFORMAÇÃO **4** *Ópt.* Adulteração de imagem em um sistema óptico, causada por variações na ampliação em razão do tamanho do objeto **5** *Eletrôn.* Deformação de um campo elétrico ou magnético sob a ação de outro campo **6** *Radt.* Falta de fidelidade na reprodução dos sons; deformação de ondas sonoras **7** *Telv.* Reprodução alterada das imagens [Pl.: *-ções.*] [F.: Do lat. *distortio-onis.* Ideia de 'distorção', usar pospos. *-strofia.*]

distorcedor (dis.tor.ce.*dor*) [ô] ***a.*** **1** Que distorce **2** Diz-se de dispositivo adaptável a instrumento musical, us. para distorcer o seu som ***sm.*** **3** Alguém ou algo que distorce [F.: *distorcer* + *-dor.*]

distorcer (dis.tor.*cer*) ***v. td.*** **1** Alterar a forma ou a posição normal de (algo): *O mágico distorceu o cabo da colher.* **2** Desvirtuar a intenção ou o sentido de (algo): *O jornalista distorceu a declaração do prefeito.* **3** *Med.* Sofrer distensão em; DISTENDER; TORCER: *O atleta distorceu o tornozelo.* **4** *Mús.* Fazer alteração no curso de (um som): *O alto-falante está distorcendo o som.* [▶ 33 distorcer] [F.: Do lat. vulgar **distorcere.* Hom./Par.: *distorcer, destorcer* (em todas as fl.).]

distorcido (dis.tor.*ci*.do) ***a.*** **1** Que se distorceu ou deturpou (declaração distorcida); DESVIRTUADO **2** Que sofreu distorção (sonoridade/imagem distorcida); DEFORMADO [F.: Part. de *destorcer*. Hom./Par.: *distorcido* (a.), *destorcido* (a.).]

distorcivo (dis.tor.*ci*.vo) ***a.*** **1** Que causa distorção (fator distorcivo) **2** Em que há distorção: *um sistema tributário distorcivo.* [F.: *distorcer* + *-ivo.*]

distração (dis.tra.*ção*) ***sf.*** **1** Falta de atenção ou de concentração; ALHEAMENTO; BOBEADA; DESATENÇÃO; DESCONCENTRAÇÃO: *Você errou essa resposta por pura distração.* [Ant.: *atenção, concentração.*] **2** Aquilo que distrai, que afasta a atenção de alguém: *Uso do celular é uma das distrações que mais resultam em acidentes de carro.* **3** Ato ou palavra irrefletido; DESCUIDO; IRREFLEXÃO: *Tropecei e caí por distração; Mencionei o nome dele? Não devia, foi distração minha.* **4** O que descansa a mente e recreia o espírito; DIVERSÃO; DIVERTIMENTO; ENTRETENIMENTO; RECREAÇÃO: *Jardinagem é uma distração para ela.* [Ant.: *aborrecimento, preocupação.*] **5** Desvio (de dinheiro, de fundos etc.) [Pl.: *-ções.*] [F.: Do lat. *distractio,-onis.*]

distraimento (dis.tra:i.*men*.to) ***sm.*** O mesmo que *distração*: "O doce distraimento de quem tem a vida pela frente..." (Lygia Fagundes Telles, *A mão no ombro*) [F.: *distrair* + *-mento.*]

distrair (dis.tra.*ir*) ***v.*** **1** Desviar ou ter desviada (a atenção, a concentração) [***td.***: *A beleza da morena distraiu a sua atenção.*] [***tdr.*** + *de*: *A música o distrai dos estudos.*] [***int.***: *A passadeira distraiu-se e queimou a calça.* Ant.: *concentrar.*] **2** Fazer esquecer ou esquecer (preocupação, trabalho, tristeza) [***td.***: *Conversava com o amigo para distraí-lo; Vou passear para me distrair.*] [***tdr.*** + *de*: *Contava piadas na tentativa de distraír-nos das preocupações.*] **3** Ocupar(-se) prazerosamente; DIVERTIR; RECREAR [***td.***: *O parque distrai as crianças; Gosta de se distrair praticando esportes.*] **4** Atrair a um ponto diverso; DIVIDIR; SEPARAR [***td.***: *distrair as forças do inimigo.*] **5** *P.ext.* Desviar o curso de (córrego, riacho) [***td.***: *distrair um curso de água.*] **6** Dar destino, emprego ou aplicação diferente; DESENCAMINHAR [***td.***: *distrair uma porção de dinheiro.*] [▶ 43 distrair] [F.: Do lat. *distrahere* 'puxar em diferentes sentidos'.]

distratar (dis.tra.*tar*) ***v. td.*** Desfazer, anular ou rescindir (um pacto, um trato, um contrato etc.): *Distratar um negócio.* [▶ 1 distratar] [F.: *distrato* + *-ar*².]

distrato (dis.*tra*.to) ***sm.*** **1** Ação ou resultado de distratar, de resilir bilateralmente trato, contrato etc. **2** *Jur.* Acordo entre signatários de um contrato pelo qual este se extingue [F.: Do lat. *distractus.* Hom./Par.: *distrato* (sm.), *destrato* (fl. de *destratar*).]

distribucional (dis.tri.bu.ci:o.*nal*) ***a2g.*** Ref. a distribuição [Pl.: *-ais.*] [F.: *distribuição* + *-al*, seg. o mod. erudito.]

distribuição (dis.tri.bu:i.*ção*) ***sf.*** **1** Ação ou resultado de distribuir **2** Modo como algo é disposto, organizado; DISPOSIÇÃO: *Ela cuidou da distribuição dos convidados nas mesas.* **3** Ação ou resultado de repartir, doar (por solidariedade, caridade, participação social etc.) **4** Serviço de entrega em correspondência postal **5** Qualquer serviço de entrega em domicílio (jornal, alimentos etc.) **6** *Arq.* Arranjo interior de uma casa, residência, em função da disposição de espaços, iluminação, comunicação entre aposentos etc. **7** *P.ext. Arq.* Designação do conjunto de aposentos (como corredores, passagens, vestíbulos etc.) que servem para comunicar outros aposentos e espaços num projeto de arquitetura **8** *Jur.* Ação de distribuir processos jurídicos entre tribunais, juízes etc. **9** *Com.* Operação de distribuir produtos a partir do fabricante para pontos de venda; conjunto de meios, estrutura que atendem a esse fim **10** Ver *distribuição de renda* **11** *Ecol.* Região ou conjunto de regiões em que habita uma espécie **12** *Ling.* Contexto ou conjunto de contextos nos quais ocorre uma unidade linguística **13** *Mec.* Em motores a explosão, repartição da corrente elétrica que gera a faísca detonadora entre os cilindros [Pl.: *-ções.*] [F.: *distribuir* + *-ção.*] ■ **~ de frequência** *Est.* Quando uma variável aleatória assume vários valores num universo de eventos, o conjunto das quantidades (ou de sua proporção no total de eventos) de eventos para cada variação de valor da variável **~ de frequência acumulada** *Est.* Representação de todas as frequências (número total de eventos que ocorrem em todas as variações da variável) **~ de frequência relativa** *Est.* Relação entre o número de eventos para um valor assumido pela variável e o número total de eventos para todas as variações da variável **~ de probabilidade** *Est.* A distribuição de frequência relativa num universo que contém elevado número de indivíduos [Tb. apenas *distribuição.*] **~ de renda** *Econ. Soc.* O rateio da renda nacional (considerada quantitativamente) entre os diversos grupos e segmentos da sociedade (considerados qualitativamente)

distribuído (dis.tri.bu.*í*.do) *a.* **1** Que se distribuiu; REPARTIDO: *O pão distribuído foi pouco.* **2** Disposto, ordenado, arranjado **3** Espalhado, disseminado [F.: Part. de *distribuir*.]

distribuidor (dis.tri.bu:i.*dor*) [ô] *sm.* **1** Quem ou o que (serviço, empresa etc.) está encarregado da distribuição, repartição ou entrega de um produto para diferentes pessoas e lugares (distribuidor de bebidas) **2** *Mec.* Dispositivo que distribui a centelha elétrica para os cilindros em motor de explosão *a.* **3** Que distribui [F.: *distribuir* + *-dor*.]

distribuir (dis.tri.bu.*ir*) *v.* **1** Dar, fornecer, repartir amplamente fazendo chegar a vários lugares [*td.*: *A escola voltou a distribuir merenda; Consertaram os canos que distribuem água na cidade.*] [*tdr.* + *entre, por*: *distribuir pão entre/pelos pobres.*] [*tdi.* + *a, para*: *A jovem fazia caridade, distribuindo alimentos aos/para os pobres.*] **2** Enviar para diversas direções; ESPALHAR [*td.*: *Distribuía sorrisos e abraços durante a carreata.*] [*tdi.* + *a, para*: *O cantor distribuiu acenos para o público.*] **3** Lançar em várias direções; DESFERIR [*td.*: *Distribuiu murros e cotoveladas.*] **4** Dispor (coisas ou pessoas) espacialmente ou em categorias [*td.*: *Distribuiu os artigos por assunto.*] **5** Atribuir, conferir (papel, trabalho etc.) a alguém [*td.*: *O diretor da novela distribuiu os papéis.*] [*tdr.* + *entre*: *O mestre de obras distribuiu as tarefas entre os empregados.*] **6** Abastecer, fazendo fluir (líquido, fluido) por meio de canais [*td.*: *distribuir gás.*] [*tdi.* + *a, para*: *O caminhão distribui água para a população.*] **7** Desempenhar o papel de juiz; aplicar (justiça) [*td.*: *distribuir justiça.*] [*tdi.* + *a, para*: *O deputado distribuía justiça aos/para os pobres.*] **8** *Jur.* Designar o encarregado de julgar (um processo) [*td.*: *Já distribuíram o nosso processo.*] [*tdr.* + *a*: *Distribuíram o processo à 4ª vara de família.*] **9** *Mkt.* Ser responsável pela ou proceder à distribuição de (mercadorias, serviços etc.) [*td.*: *Ele distribui prospectos de imóveis nas ruas.*] **10** *Tip.* Devolver (matrizes de linotipo) a seus canais depois de usadas na fundição de uma linha; devolver tipos a suas caixas depois de us. na impressão [▶ **56 distribuir**] [F.: Do lat. *distribuere*.]

distribuível (dis.tri.bu:*í*.vel) *a2g.* Que se pode ou se deve distribuir (dividendo distribuível) [Pl.: *-veis*.] [F.: *distribuir* + *-vel*.]

distributividade (dis.tri.bu.ti.vi.*da*.de) *sf.* Qualidade de distributivo [F.: *distributiv(o)* + *-(i)dade*.]

distributivismo (dis.tri.bu.ti.*vis*.mo) *sm. Econ. Pol.* Teoria ou prática de política econômica segundo a qual a propriedade privada é um bem a que deve ter acesso senão a totalidade ao menos a maioria dos agentes sociais [F.: *distributiv(o)* + *-ismo*, por infl. do ing. *distributivism* ou *distributism*.]

distributivista (dis.tri.bu.ti.*vis*.ta) *a2g.* Do ou ref. ao distributivismo [F.: *distributiv (o)* + *-ista*.]

distributivo (dis.tri.bu.*ti*.vo) *a.* **1** Ref. a distribuição (esp. de renda ou riqueza) **2** Que distribui (meios distributivos) **3** Que se faz por distribuição, em que há divisão equitativa (justiça distributiva) **4** *Gram.* Diz-se de função de palavras que indicam distribuição, repartição (como, p.ex., o pronome *cada*, ou *tanto...quanto* etc.) *sm.* **5** *Gram.* Palavra distributiva (4) [F.: Do lat. *distributivus*.]

distrital (dis.tri.*tal*) *a2g.* Pertencente ou concernente a distrito [Pl.: *-ais*.] [F.: *distrit(o)* + *-al*[1].]

distrito (dis.*tri*.to) *sm.* **1** Divisão territorial em que se exerce o governo ou a jurisdição ou a inspeção de certa autoridade administrativa, judicial ou fiscal **2** Subdivisão administrativa de um município, província ou cidade, que ger. abrange mais de um bairro **3** Subdivisão administrativa de corporação pública (distrito policial): *O objetivo do novo distrito naval na Amazônia é ampliar presença do governo na região.* [F.: Do lat. *districtus*.] ■ **~ da culpa** *Jur.* Lugar onde ocorre um delito ou a ação final de perpetrá-lo **~ federal** A cidade ou o território de uma república federativa onde fica sua capital e/ou a sede de seu governo federal **~ naval** *Mar.* No Brasil, cada divisão administrativa do litoral ou de águas interiores, ger. comandada por almirante **~ policial 1** Delegacia de polícia [Tb. apenas *distrito*.] **2** Área de jurisdição de autoridade policial

distrofia (dis.tro.*fi*.a) *Med. sf.* **1** Desenvolvimento insuficiente ou degenerescência de um órgão ou de uma estrutura anatômica (distrofia muscular) **2** Perturbação da nutrição e estado daí decorrente [F.: *dis-*[2] + *-trofia*.]

disturbar (dis.tur.*bar*) *v. td.* Causar distúrbio, perturbação, alteração a; ESTORVAR; PERTURBAR: *O acidente disturbou o tráfego de trens.* [▶ **1 disturbar**] [F.: Do lat. *disturbare* 'demolir'; 'destruir'.]

distúrbio (dis.*túr*.bi:o) *sm.* **1** Ação ou resultado de disturbar **2** Algo que perturba, interfere atrapalhando; PERTURBAÇÃO **3** Perturbação da ordem: *Distúrbios no Sudão deixam 42 mortos*; AGITAÇÃO; TUMULTO **4** *Med.* Funcionamento inadequado de órgão, função do organismo etc. (distúrbio cardíaco): *distúrbio da função renal.* [F.: Do lat. med. *disturbium*.] ■ **~ esquizotípico** *Psiq.* Termo genérico para vários tipos de comportamento observáveis na esquizofrenia, mas sem as alucinações e os delírios comuns dessa doença **~ neurovegetativo** *Med.* Somatização de problemas psíquicos em sintomas físicos, como palpitação, vômitos etc.

dita[1] (*di*.ta) *sf.* **1** Felicidade, sorte, ventura [Ant.: *desdita, infelicidade, má sorte*.] **2** Destino; FADO; SINA **3** *Desus.* O que se diz, dito [F.: Do lat. *dicta*.]

dita[2] (*di*.ta) *sf. Bras. Gír.* O mesmo que *cadeia* (3); PRESÍDIO; PENITENCIÁRIA [F.: De or. incerta; f. substv. de *dito*, ou f. aferética de *maldita*, posv.]

ditado (di.*ta*.do) *sm.* **1** Ação de ditar algo para que outro escreva **2** O texto que se dita; a escrita feita por ditado (1) **3** Frase popular cujo conteúdo encerra um ensinamento; PROVÉRBIO *a.* **4** Lido ou dito em voz alta para ser escrito **5** Que é prescrito: *regras ditadas pelo Ministério da Saúde.* **6** Sugerido ou inspirado por alguém ou por algo: *normas ditadas pelo bom-senso.* [F.: Do lat. *dictatum*.]

ditador (di.ta.*dor*) [ô] *sm.* **1** Aquele que exerce autoridade máxima numa ditadura, que concentra em si o poder absoluto **2** *Fig.* Pessoa autoritária, despótica **3** *Hist.* Magistrado supremo na república romana e em outros estados da Itália, eleito em ocasiões de perigo para exercer, temporariamente, o poder absoluto [F.: Do lat. *dictator*.]

ditadura (di.ta.*du*.ra) *sf.* **1** Forma de governo em que o Poder Executivo é soberano sobre o Legislativo e o Judiciário, e é detido por um grupo que se perpetua autoritariamente no poder **2** *Fig.* Qualquer forma de poder exercido arbitrariamente: *A ditadura da moda.* [F.: Do lat. *dictatura*.] ■ **~ do proletariado** Segundo Lenin, líder da revolução comunista de 1917, sistema (social, político e econômico) totalmente dominado pela classe operária, por intermédio do Partido Comunista

ditafone (di.ta.*fo*.ne) *sm.* Aparelho fonográfico que grava textos ditados para posterior transcrição [F.: Do ing. *Dictaphone*, marca registrada.]

ditame (di.*ta*.me) *sm.* **1** O que se dita, aquilo que é ditado **2** Aviso, conselho, preceito (esp. de ordem moral): *os ditames da consciência.* **3** Aquilo que constitui dever ou obrigação, ger. oriundo de autoridade; ORDEM; REGRA: *Os ditames do Código Civil.* [F.: Do lat. *dictamen, -inis*.]

ditar (di.*tar*) *v.* **1** Pronunciar em voz alta para que outrem escreva [*td.*: *O diretor ditou um memorando.*] [*tdi.* + *a, para*: *O professor ditou o exercício para a turma.*] **2** Sugerir, inspirar [*td.*: *Seu patriotismo ditou seus gestos heroicos.*] [*tdi.* + *a*: *Seus ideais lhe ditaram textos entusiastas e otimistas.*] **3** Prescrever, impor [*td.*: *Ditar leis; Ditar ordens.*] [*tdi.* + *a*: *O novo governante ditou ao povo leis severas.*] [▶ **1 ditar**] [F.: Do lat. *dictare*.]

ditatorial (di.ta.to.ri:*al*) *a2g.* **1** Ref. a ou próprio da ditadura (regime ditatorial) **2** Que provém da ditadura, que nela é criado, promulgado etc. (decreto ditatorial) **3** *P.ext.* Autoritário, despótico: *Este diretor tem métodos ditatoriais.* [Pl.: *-ais*.] [F.: Do lat. *dictatorius* + *-al*[1].]

dítico (*dí*.ti.co) *Zool. a.* **1** Que tem o hábito de mergulhar (diz-se esp. de ave) *sm.* **2** Espécie de coleóptero anfíbio (*Dyticus marginalis*) **3** Gênero de aves mergulhadoras [F.: Do gr. *dytikós*.]

ditirambo (di.ti.*ram*.bo) *sm.* **1** Poema lírico de estrofes irregulares que exprime o delírio do entusiasmo, da alegria: "Aqui há oito anos eras um madrigal; depois passaste a elegia, hoje és um ditirambo!" (Camilo Castelo Branco, *Mulher fatal*) **2** *Ant.* Hino em honra do deus grego Dioniso (ou Baco, entre os romanos) [F.: Do gr. *dithyrambos*, pelo lat. *dithyrambus*.]

dito (*di*.to) *a.* **1** Que se disse, que foi mencionado, referido, aludido: *Quis proteger o sobrinho, mas o dito sobrinho não queria proteção.* **2** Conhecido como: *Edson Arantes do Nascimento, dito Pelé. sm.* **3** Aquilo que foi mencionado, referido, aludido: *Fica o dito por não dito.* **4** Provérbio (tb. *dito popular*) **5** Qualquer palavra, expressão, frase etc. [F.: Do lat. *dictus*.] ■ **Dar o ~ por não ~ 1** Desconsiderar promessa feita, ou recuar de compromisso assumido **2** Desdizer-se, negar o que dissera antes **~ popular** Provérbio **Dizer ~s** Falar coisas obscenas, ou expressar com palavras chulas

dito-cujo (di.to-*cu*.jo) *sm. Bras. Joc.* Forma de se referir a pessoa desconhecida ou de quem não se quer mencionar o nome; FULANO; INDIVÍDUO; SUJEITO [Pl.: *ditos-cujos*. Fem.: *dita-cuja*.]

ditongar (di.ton.*gar*) *v.* Dar ou adquirir forma de ditongo; transformar(-se) em ditongo [*td.*: *Algumas pessoas costumam ditongar a conjunção "mas" e a confundem com o advérbio "mais".*] [*int.*: *É comum palavras terminadas em "s" antecedido de vogal ditongarem-se.*] [▶ **14 ditongar**] [F.: *ditongo* + *-ar*[2]. Hom./Par.: *ditongo* (fl.), *ditongo* (sm.).]

ditongo (di.*ton*.go) *sm. Gram.* Grupo constituído de duas vogais (vogal + semivogal) pronunciadas na mesma sílaba (p.ex.: pau, cárie) [F.: Do gr. *diphthoggos*, pelo lat. *diphthongus*. Ver tb. *vogal, semivogal* e *hiato*.] ■ **~ crescente** *Ling.* Aquele cujo primeiro som é o da semivogal [Ex.: os ditongos *ia* e *io* nas palavras *família* e *império*.] **~ decrescente** *Ling.* Aquele em que a semivogal vem depois da vogal [Ex.: os ditongos *ai, au, ei, éi, eu, éu oi, ói, ou, ui* nas palavras *cais, sarau, meia, plateia, fleugma, céu, boiada, boia, touro, cuia*.]

ditoso (di.*to*.so) [ô] *a.* Que tem (boa) dita; afortunado; FELIZ; VENTUROSO [Fem. e pl.: [ó].] [F.: *dita* + *-oso*.]

⊕ **ditto** (*It.* /dito/) *sm.* **1** O que se disse antes ou acima **2** Sinal us. para substituir palavra(s) idêntica(s) disposta(s) em linhas sucessivas [F.: Substv. do part. pass. do v. it. *dire*, Do v.lat. *dicere*, 'dizer'.]

⊠ **DIU** *sm. Med.* Sigla de *dispositivo intrauterino* (dispositivo contraceptivo colocado no útero)

diurese (di:u.*re*.se) *sf.* **1** *Med.* Secreção de urina **2** *Med.* Secreção abundante de urina [F.: Do gr. *dioúresis*, pelo lat. *diuresis*.]

diurético (di:u.*ré*.ti.co) *a.* **1** Que aumenta ou facilita a excreção de urina (medicamento diurético; alimentos diuréticos) *sm.* **2** Medicamento diurético [F.: Do gr. *diouretikós*, pelo lat. *diureticus*.]

diurno (di.*ur*.no) *a.* **1** Que se passa ou se faz ou sucede de dia, na parte clara do dia **2** Cuja atividade é durante o dia (vigia diurno) [Ant.: *nas acps. 1 e 2*: *noturno*.] **3** Que dura um dia ou vinte e quatro horas: *o movimento diurno da Terra.* **4** *Bot.* Ref. à flor que só se abre durante o dia **5** *Zool.* Ref. ao animal que só fica ativo durante o dia *sm.* **6** Livro de orações com as horas menores do breviário [F.: Do lat. *diurnus*.]

diuturnidade (di:u.tur.ni.*da*.de) *sf.* **1** Longa duração, longo período de tempo: *diuturnidade de uma guerra.* **2** *Lus.* Determinado tempo de serviço, que confere a um funcionário o direito de ter seus vencimentos aumentados [F.: Do lat. *diuturnitas, atis*.]

diuturno (di:u.*tur*.no) *a.* **1** Que tem longa duração; que se prolonga no tempo (missão diuturna; trabalho diuturno) **2** Que vive ou subsiste por muito tempo **3** Que foi analisado, considerado, refletido durante muito tempo [F.: Do lat. *diuturnus*.]

⊠ **div** *Cálc.vet.* Abrev. de *divergência* (4)

diva (*di*.va) *sf.* **1** Divindade feminina; DEUSA **2** *Fig. Pop.* Cantora ou atriz notável **3** *Fig.* Mulher bela **4** Mulher em relação a alguém que a adotou como sua musa [F.: Do lat. *diva*, pelo it. *diva*.]

divã (di.*vã*) *sm.* **1** Sofá sem braços nem encosto **2** Espécie de canapé que se pode utilizar como cama **3** *Hist.* Na Turquia otomana, o Conselho de Estado, e a sala ou o prédio onde se reunia **4** *P.ext.* Sala de estar em casas turcas **5** Grande almofada us. como assento entre os turcos **6** Cancioneiro oriental, coleção de obras literárias islâmicas **7** *Fig.* Sessão de psicanálise, ou qualquer coisa que faça alusão a ela: *Ele é um amigo compreensivo e atento a meus problemas, nossas conversas são meu divã.* [F.: Do turco *divan*.]

divagação (di.va.ga.*ção*) *sf.* **1** Ação ou resultado de divagar, perambular, andar sem rumo certo **2** O percurso sinuoso de quem ou do que divaga, anda sem rumo certo, muda de direção **3** Ação de se desviar do assunto de que se trata; DIGRESSÃO **4** Ação ou resultado de divagar, de pensar ou dizer coisas sem nexo; pensamento, raciocínio, dito sem concatenação lógica, ao sabor das ideias ou fantasias que ocorrem [Pl.: *-ções*.] [F.: *divagar* + *-ção*.]

divagador (di.va.ga.*dor*) [ô] *sm.* **1** Aquele que divaga, vagueia *sm.* **2** Aquele que tem por hábito estender-se em considerações alheias ao assunto em questão [F.: *divagar* + *-dor*.]

divagante (di.va.*gan*.te) *a2g.* Que divaga; DIVAGATÓRIO [F.: Do lat. *divagans, antis*.]

divagar (di.va.*gar*) *v.* **1** Abandonar o assunto de que se tratava, falando ou pensando sobre outra coisa; DESCONVERSAR [*int.*: *No meio da conversa, começou a divagar.*] **2** Desviar-se do assunto principal; fazer digressões [*int.*: *O professor divagou tanto que não cumpriu o programa.*] **3** Dizer coisas sem sentido; DESVAIRAR [*int.*: *Parecia sensato, mas, de repente, começava a divagar.*] **4** Fantasiar, devanear, sonhar [*int.*: *Após a leitura, ela fica a divagar.*] **5** Andar sem direção certa; ERRAR; VAGUEAR [*int.*: *Saiu a cavalo, queria divagar como se fora Dom Quixote.*] **6** Andar ao longo; PERCORRER [*td.*: *Na infância, divagávamos as trilhas do parque.*] [▶ **14 divagar**] [F.: Do lat. **divagare*, por *divagari*. Hom./Par.: *divagar* (v.), *devagar* (adv.).]

divalência (di.va.*lên*.ci:a) *sf.* O mesmo que *bivalência* [F.: *di-*[1] + *valência*.]

divalente (di.va.*len*.te) *a2g. Quím.* O mesmo que *bivalente* [F.: *di-*[1] + *valente*.]

divergência (di.ver.*gên*.ci:a) *sf.* **1** Ação ou resultado de divergir **2** Afastamento gradativo de duas linhas, dois percursos, duas direções não paralelas [Ant.: *convergência*.] **3** Discordância, desacordo: "...na harmonia exemplar de muitos anos de convívio, sem uma divergência..." (Josué Montello, *Sempre serás lembrada*) [Ant.: *concordância*.] **4** *Mat.* Num campo vetorial, escalar que mede a dispersão dos vetores num ponto determinado **5** *Bot.* Ângulo médio formado por folhas alternas consecutivas **6** *Mec.* Anomalia no alinhamento das rodas direcionais de um veículo, na qual as duas rodas estão mais afastadas na parte dianteira do que na traseira, acarretando desgaste anormal das bandas de rodagem [F.: *divergir* + *-ência*.]

divergente (di.ver.*gen*.te) *a2g.* **1** Que diverge, se afasta (rumos divergentes) **2** Em que há divergência, discordância (interesses divergentes); DISCORDANTE; DISCREPANTE **3** *Mat.* Diz-se de série, sucessão etc. não convergente [F.: *divergir* + *-ente*. Ant. ger.: *convergente*.]

divergir (di.ver.*gir*) *v.* **1** Estar ou entrar em desacordo ou dissensão; DISCORDAR [*tr.* + *de*: *Sempre divergem do ministro.*] [*int.*: *As opiniões acadêmicas divergem.* Ant.: *concordar*.] **2** Estar em desarmonia; DISCREPAR [*tr.* + *de*: *Sua vida diverge da filosofia que apregoa.*] **3** Afastar-se progressivamente (uma coisa de outra); APARTAR-SE; DESVIAR-SE; SEPARAR-SE [*int.*: *Nesse ponto nossos caminhos divergem.* Ant.: *convergir*.] [▶ **46 divergir**] [F.: Do lat. medv. **divergere*, pelo fr. *diverger*.]

diversão (di.ver.*são*) *sf.* **1** Ação ou resultado de divertir(-se) **2** O que serve para divertir, distrair; DIVERTIMENTO; ENTRETENIMENTO: *Cinema é a melhor diversão para mim.* **3** Desvio da atenção para algo diferente daquilo em que se está concentrado **4** Ação ou resultado de divergir, de mudar de rumo ou direção; DESVIO **5** *Mil.* Operação militar (e seu efeito) que visa a desviar a atenção do inimigo da ação principal [Pl.: *-sões*.] [F.: Do lat. *diversio,-onis*.]

diversidade (di.ver.si.*da*.de) *sf.* **1** Qualidade ou estado do que é diverso, diferente **2** Conjunto que apresenta qualidades, aspectos ou tipos diferentes: *a diversidade de opiniões sobre o referendo.* **3** Divergência, oposição: *A diversidade de suas posições impediu um acordo.* **4** Multiplicidade: *preservar a diversidade das espécies.* [Ver tb. *biodiversidade*.] [F.: Do lat. *diversitas,-atis*. Ant. ger.: *homogeneidade*. Ver tb. *biodiversidade*.] ■ **~ biológica** *Ecol.* Biodiversidade

diversificação (di.ver.si.fi.ca.*ção*) *sf.* Ação ou resultado de diversificar [Pl.: *-ções*.] [F.: *diversificar* + *-ção*.]

diversificado (di.ver.si.fi.*ca*.do) *a.* Tornado diverso (cardápio diversificado; produção diversificada); VARIADO [F.: Part. de *diversificar*.]

diversificar (di.ver.si.fi.*car*) *v.* **1** Fazer ficar ou ficar, tornar(-se) diverso, variado [*td.*: *Por segurança, diversificou seus investimentos.*] [*int.*: *Os meios de comunicação diversificaram-se muito.*] [*tr.* + *de*: *Seu comportamento diversifica do de seus familiares.*] **2** Ser ou tornar-se diferente, apresentar diferença (em relação a outrem ou outra coisa); VARIAR [*int.*: *A ideia* *de conforto diversifica de acordo com a classe social.*] [▶ 11 diversificar] [F.: Do lat. medv. **diversificare.*]

diversionismo (di.ver.si:o.*nis*.mo) *sm.* **1** Manobra us. nos órgãos legislativos ou deliberativos, consistente em desviar a atenção de seus membros para assunto diverso daquele que se discute, a fim de impedir-lhe a aprovação **2** *P.ext.* Qualquer recurso us. para despistamento; cortina de fumaça [F.: *diversão* + *-ismo*, seg. o mod. erudito.]

diversionista (di.ver.si:o.*nis*.ta) *a2g.* **1** Ref. a diversionismo ou que o pratica *s2g.* **2** Aquele que pratica o diversionismo [F.: *diversão* + *-ista*, seg. o mod. erudito.]

diverso (di.*ver*.so) [é] *a.* **1** Que é diferente, distinto: *Preparou duas propostas diversas.* **2** Vário, variado: *Este problema tem diversas soluções possíveis.* **3** Modificado, alterado: *Apresentou uma análise diversa da que fizera antes.* **4** Que diverge, discorda; DISCORDANTE: *Minha opinião é diversa da dele.* **5** Que apresenta múltiplos aspectos, facetas, características: *Sua obra é rica e diversa em seus vários temas e estilos.* [F.: Do lat. *diversus*. Ant. ger.: *igual, semelhante.*]

diversos (di.*ver*.sos) *pr.indef.* Vários, alguns: *Diversos alunos compareceram hoje.* [Us. no pl.]

diverticulite (di.ver.ti.cu.*li*.te) *sf. Med.* Inflamação de algum divertículo [F.: *divertícul(o)* + *-ite.*]

divertículo (di.ver.*tí*.cu.lo) *sm. Anat. Med.* Apêndice normal ou patológico, em forma de pequeno saco, em órgão tubular (divertículo do esôfago/do cólon) [F.: Do lat. *diverticulum*, posv. adapt. do fr. *diverticule.*]

diverticulose (di.ver.ti.cu.*lo*.se) *sf. Med.* Presença de vários divertículos, esp. no intestino [F.: *divertícul(o)* + *-ose.*]

divertido (di.ver.*ti*.do) *a.* **1** Que diverte, que alegra, que faz rir (diz-se de pessoa ou coisa): *Achamos o filme muito divertido.* **2** Que tem boa disposição e gosta de se divertir: *É um cara alegre, divertido.* **3** Que ocorre(u) de forma alegre e prazerosa (férias divertidas) [F.: Part. de *divertir.*]

divertimento (di.ver.ti.*men*.to) *sm.* **1** O que diverte, entretém, distrai; DISTRAÇÃO; DIVERSÃO; ENTRETENIMENTO **2** *Mús.* Certo tipo de composição musical, pequena e leve **3** *Mús.* Seção de uma composição onde há transição de tom; passagem modulante **4** *Mús.* Espécie de ópera coreografada, nos séculos XVII e XVIII [F.: *divertir* + *-mento.*]

divertir (di.ver.*tir*) *v.* **1** Entreter (inclusive a si mesmo) com brincadeiras, coisas agradáveis, engraçadas etc; DISTRAIR(-SE) [*td.*: *A leitura também nos diverte; Diverte-se jogando videogame.*] **2** Fazer rir ou rir; ALEGRAR(-SE) [*td.*: *Os palhaços divertem as crianças; Divertia-se com os filmes de Mazzaropi.* Ant.: *nas acp. 1 e 2: amofinar, enfadar, entediar.*] **3** Desviar de certo fim, de objeto de atenção, de hábito etc; fazer esquecer ou esquecer; DISTRAIR [*td.*: *As mensagens publicitárias divertem a atenção dos motoristas.*] [*tdr.* + *de*: *O cinema vai diverti-lo das preocupações; Você precisa divertir-se dos sofrimentos familiares.*] **4** Buscar para (si mesmo) ambiente, atividade etc. onde há diversão (cinema, praia, teatro etc.) [*td.*: *Não estuda, só pensa em divertir-se.*] **5** Convencer ou tentar convencer (alguém) a mudar de ideia (em relação a algo), desistir etc; DISSUADIR [*tdr.* + *de*: *Resolveu divertir o amigo de fazer a viagem.*] [▶ 50 divertir] [F.: Do lat. *divertere.*]

dívida (*dí*.vi.da) *sf.* **1** O que se deve: *Tenho uma dívida de mil reais.* **2** Obrigação moral, dever [+ (*para*) *com*: *Tinha uma dívida (para) com o colega que o ajudara.*] **3** Situação de não cumprimento de uma promessa, de uma obrigação (inclusive moral), de não pagamento de uma dívida (1): *Estou em dívida com você, não fiz o que combinamos, mas vou fazer agora.* [F.: Do lat. *debita.*] ∎ **~ ativa** *Econ. Jur.* Quantia (em dinheiro) a receber de um devedor; dívida inscrita **~ certa** *Econ. Jur.* Dívida comprovada em documento **~ consolidada** *Econ. Jur.* Conjunto de débitos que constituem empréstimo tomado a longo prazo ou com prazos determinados; dívida fundada **~ de gratidão** Sentimento moral de obrigação para com alguém por dele ter recebido favores **~ de honra** Dívida que tem como garantia a ética, a integridade e a probidade do devedor **~ externa** *Econ.* O total da dívida de um país com credores do exterior **~ flutuante** *Econ.* Dívida contraída por empréstimo temporário **~ fundada** *Econ.* Ver *Dívida consolidada* **~ inscrita** *Econ.* Ver *Dívida ativa* **~ interna** *Econ.* O total da dívida pública contraída dentro do país **~ mobiliária** *Econ.* Dívida pública para resgate de títulos emitidos pelo Governo **~ privilegiada** *Jur.* Aquela que tem preferência (para ser saldada) em relação a outras dívidas do mesmo devedor **~ pública** *Econ.* A quantia total devida por órgãos públicos federais, estaduais e municipais **~ quirografária** *Econ. Jur.* Dívida sem preferências ou privilégios **~ solidária** Dívida assumida ou garantida por vários devedores ou avalistas solidários, e que pode ser totalmente cobrada de um deles

dividendo (di.vi.*den*.do) *sm.* **1** *Arit.* Na operação de divisão, o número dado para se dividir **2** *Econ.* Parte do lucro de uma empresa ou sociedade que cabe a cada um dos acionistas ou sócio **3** *Com.* Na liquidação de uma empresa, ou numa falência comercial, quantia que cabe a cada um dos sócios, ou a cada um dos credores *a.* **4** Que se pode dividir; que se há de dividir **5** *Fig.* Vantagem, benefício (mesmo não financeiro) advindos de uma atividade, uma participação, uma atitude etc.: *Sua participação nas questões comunitárias lhe renderam bons dividendos políticos.* [Us. no pl.] [F.: Do lat. *dividendus*, pelo fr. *dividende*. Cf.: *divisor.*]

dividido (di.vi.*di*.do) *a.* **1** Que se dividiu; separado em partes ou pedaços **2** Repartido, rateado **3** Em que há divergência, discórdia; DESUNIDO **4** *Bras.* Que está indeciso (entre duas alternativas) [F.: Part. de *dividir.*]

dividir (di.vi.*dir*) *v.* **1** Partir(-se), separar(-se) (um todo) em partes [*td.*: *Pegou a faca e dividiu o bolo.*] [*tdr.* + *em*: *Dividiu os recrutas em dois grupos.*] [*int.*: *A turma dividiu-se em dois grupos para fazer o passeio.* Ant.: *juntar, unir.*] **2** Separar-se (quem ou o que é inteiro ou coeso) em mais de uma posição, atitude, intenção etc., em relação a ideia, conceito, alternativas de ação etc. [*int.*: *A diretoria dividiu-se quanto à questão de aumento de capital.*] [*tr.* + *entre*: *Ela se dividia entre a família e a carreira.*] **3** Fazer repartição de; RATEAR; REPARTIR [*td.*: *dividir as despesas de casa.*] [*tdr.* + *com, entre, por*: *A empresa divide parte dos lucros com os operários.*] **4** Delimitar, demarcar separando [*td.*: *Uma cerca divide as duas propriedades.*] [*tdr.* + *de*: *O rio divide uma cidade da outra.*] **5** Separar para classificar, catalogar [*tdr.* + *em*: *A taxonomia divide os organismos em espécies.*] [*tr.* + *em*: *Os animais dividem-se em várias classes.*] **6** *Fig.* Repartir (algo) com (outrem); COMPARTILHAR; COMPARTIR [*td.*: *As irmãs dividem um apartamento na capital.*] [*tdr.* + *com*: "Pela primeira vez a cantora vai dividir o palco com o filho..." (*O Dia*, 23.03.2003)] **7** *Fig.* Causar ou entrar em desentendimento [*td.*: *Quando acabará o ódio que divide as nações?*] [*int.*: *Os parlamentares dividiram-se quanto ao projeto de lei.* Ant.: *conciliar.*] **8** *Fig.* Dispersar esforços, enfraquecendo grupo, equipe ou prejudicando interesse comum [*int.*: *Para vencermos o jogo, precisamos somar e não dividir.*] **9** *Arit.* Efetuar operação de divisão [*tdr.* + *por*: *dividir quinze por três.*] [*int.*: *Rogério já sabe dividir e multiplicar.* Ant.: *multiplicar.*] **10** *Fut.* Disputar (a bola, uma jogada) [*td.*: *Dividiu o lance.*] [*tdr.* + *com*: *Dividir a bola com o zagueiro.*] **11** Cortar, sulcar [*td.*: *A proa seguia dividindo a espuma dos mares.*] **12** *Gram.* Separar os elementos que compõem uma estrutura sintática ou mórfica [*tdr.* + *em*: *A professora dividiu o vocábulo em seus elementos formadores.*] [▶ 3 dividir] [F.: Do lat. *dividere*. Hom./Par.: *divida(s)* (fl.), *dívida(s)* (sf.[pl.]); *divido* (fl.), *devido* (part. de *dever* a.sm.).]

divinal (di.vi.*nal*) *a2g.* Ver *divino* [Pl.: *-nais.*] [F.: Do lat. *divinalis.*]

divinatório (di.vi.na.*tó*.ri:o) *a.* **1** Ref. a divinação, a adivinhação **2** Que se crê ser capaz de adivinhar: *O tarô é uma arte divinatória.* [F.: Do lat. *divinatus* + *-ório*, ou pelo fr. *divinatoire.*]

divindade (di.vin.*da*.de) *sf.* **1** Qualidade ou condição de divino: *religiões que negam a divindade de Jesus.* **2** O ser divino, Deus **3** Qualquer deus ou deusa do paganismo; DEIDADE **4** Pessoa ou coisa divinizada **5** *Fig. P.us.* Mulher belíssima; DEIDADE [F.: Do lat. *divinitas, atis.*]

divinização (di.vi.ni.za.*ção*) *sf.* **1** Ação ou resultado de divinizar(-se) **2** Engrandecimento dos atributos e importância de alguém ou algo: *a divinização dos ídolos do esporte.* [Pl.: *-ções.*] [F.: *divinizar* + *-ção.*]

divinizar (di.vi.ni.*zar*) *v. td.* **1** Tornar(-se) ou considerar(-se) divino: *Os gregos divinizavam seus heróis; Em sua loucura, Nero divinizou-se.* **2** *Fig.* Atribuir suma importância a (coisas materiais); IDOLATRAR: *divinizar a beleza; divinizar o poder; divinizar o dinheiro.* **3** *Fig.* Considerar (algo, alguém ou si mesmo) como sublime, superior aos outros; ENGRANDECER; EXALTAR: *Os portugueses divinizam Camões; Divinizava-se apenas por ter ficado rico.* **4** *P.ext.* Assumir postura distante, inacessível, como que divina [*int.*: *Orgulhoso e prepotente, divinizou-se e deixou de receber os amigos.*] [▶ 1 divinizar] [F.: *divino* + *-izar.*]

divino (di.*vi*.no) *a.* **1** Ref. a, de ou próprio de Deus ou de divindade (3, 4) (mandamentos divinos; misericórdia divina); DIVINAL **2** Ref. ao culto a Deus, ou a culto religioso (serviço divino) **3** Excelente, maravilhoso, divinal, sublime: *um coral de vozes divinas; Seu jantar estava divino!* **4** Muito bonito, lindo (dia divino) *sm.* **5** *Bras. Rel.* Nome do Espírito Santo, em certas festas populares [Nesta acp., com inicial maiúsc.] [F.: Do lat. *divinus.*]

divisa (di.*vi*.sa) *sf.* **1** Sinal ou marco que divide ou separa; LINDE; MARCO: *a divisa do Rio de Janeiro com Minas Gerais.* **2** Linha (tb. imaginária) que divide, separa duas terras, terrenos etc; FRONTEIRA; LIMITE **3** Sentença que representa um lema, um princípio, uma norma etc., ger. incluída em emblemas, bandeiras, brasões etc.: *A divisa de JK era '50 anos em 5'.* **4** Esse emblema, brasão etc. **5** Cada um dos galões ou insígnias que representam patentes nas fardas militares: *Tinha as divisas de tenente.* **6** *Econ.* Toda representação de valor (dinheiro, cheque, letra, título etc.) que se pode converter em moeda estrangeira [Us. no pl.] **7** *Bras.* Marca feita com metal em brasa no couro de reses para marcar seu proprietário [F.: Do fr. *devise*, ou fem. subst. de *diviso.*]

divisão (di.vi.*são*) *sf.* **1** Ação ou resultado de dividir **2** Separação, segmentação, partição: *Propôs a divisão do Estado em dois novos Estados.* **3** Partilha (de algo) entre pessoas, instituições etc.: *divisão de bens segundo um testamento.* **4** Linha ou marco que divide, demarca; DIVISA; DIVISÓRIA **5** Separação por determinado critério (tipo, classe, categoria, tamanho etc.) **6** Cada uma das partes que constituem um todo: *O tronco é uma das divisões do corpo humano.* **7** Compartimento, espaço ou nicho dentro de um espaço maior: *Este armário tem três divisões.* **8** Divergência, discórdia: *Não chegaram a um acordo, havia muita divisão entre eles.* **9** *Arit.* Operação aritmética que consiste em determinar quantas parcelas (quociente) de uma certa quantidade (divisor) somadas, formam um número (dividendo) [Ex.: para determinar quantas parcelas da quantidade representada pelo número 2 (divisor), somadas, dão o total 10 (dividendo), faz-se a divisão do dividendo 10 pelo divisor 2, e o resultado (5 parcelas) é o quociente.] **10** *Gram.* Ação de separar uma palavra em sílabas **11** Grande unidade organizacional de instituição, associação, liga etc.: *as divisões de uma empresa; os clubes da primeira divisão.* **12** Unidade do Exército que reúne efetivos e recursos de todas as armas **13** *Mar. G.* Parte de uma esquadra (ger. constituída de navios do mesmo tipo) **14** *Zool.* Grupo taxonômico intermediário entre reino e família **15** Grande grupo taxonômico de classificação de plantas e bactérias [Pl.: *-sões.*] [F.: Do lat. *divisio,-onis.*] ∎ **~ celular** *Biol.* Processo pelo qual uma célula duplica seus componentes (ger. a começar do núcleo) para depois se dividir em duas novas células [Ver *meiose* e *mitose.*] **~ de acesso** *Esp.* Em qualquer esporte, grupo de equipes que disputam acesso (limitado a certo número das primeiras colocadas) a divisão superior **~ do trabalho** *Soc.* Distribuição de tipos de trabalho ou de tarefas entre grupos profissionais, sociais, nacionais etc., de acordo com o universo tomado como referência **~ exata** *Mat.* Divisão cujo resto é igual a zero **~ geodésica** *Jur.* Processo de divisão, entre herdeiros, de terras em condomínio por estipulação da partilha **~ harmônica** *Geom.* Divisão de um segmento de reta orientado, na mesma razão, por um ponto interno e um ponto externo **~ lógica** *Lóg.* Decomposição de uma categoria em subcategorias tendo como critério as diferenças, ou seja, as características que diferem cada grupo dos outros

divisar (di.vi.*sar*) *v. td.* **1** Avistar, enxergar, distinguir (ger. ao longe ou sem muita nitidez): *Ao longe já divisávamos a Serra dos Órgãos.* **2** Dar-se conta de algo; NOTAR; OBSERVAR; PERCEBER: *Divisamos sua real intenção.* **3** Estabelecer marca divisória de (terreno, propriedade etc.); DELIMITAR: *Divisaram os lotes antes de encerrarem o inventário.* [▶ 1 divisar] [F.: Do lat. tard. *divisare*. Hom./Par.: *divisa(s)* (fl.), *divisa(s)* (sf. [pl.]); *divisar* (v.), *devisar* (todas as fl.).]

divisas (di.*vi*.sas) *sfpl.* Reservas em moeda estrangeira de que dispõe uma nação [F.: Pl. de *divisa.*]

divisibilidade (di.vi.si.bi.li.*da*.de) *sf.* Qualidade do que pode ser dividido [F.: *divisível* + *-(i)dade*, seg. o mod. erudito.]

divisionário (di.vi.si:o.*ná*.ri:o) *a.* **1** Ref. a divisão **2** *Econ.* Que corresponde a uma subdivisão da unidade monetária **3** *Mil.* Ref. a divisão (unidade militar) (infantaria divisionária) [F.: Do fr. *divisionnaire.*]

divisionismo (di.vi.si:o.*nis*.mo) *sm.* **1** Prática de causar desunião dentro de um grupo, partido, instituição etc. **2** *Art.pl.* O mesmo que *pontilhismo* [F.: Do fr. *divisionnisme.*]

divisionista (di.vi.si:o.*nis*.ta) *a2g.* **1** Ref. a divisionismo (1) ou que o pratica **2** *Art.pl.* Ref. a divisionismo (2) ou que adota essa técnica *s2g.* **3** Aquele que pratica o divisionismo (1) **4** *Art.pl.* Artista que adota o divisionismo (2) [F.: *divisionis(mo)* + *-ista.*]

divisível (di.vi.*sí*.vel) *a2g.* **1** Que se pode dividir; que se pode separar em partes (bens divisíveis) **2** *Mat.* Que se pode dividir exatamente: *Oito é divisível por dois.* [Ou seja, diz-se de número que é a soma de um número exato de parcelas formadas por outro número. P.ex.: O número 15 é divisível por 5 e por 3 porque é a soma de cinco parcelas exatas de três unidades cada uma (3 + 3 + 3 + 3 + 3) e de três parcelas exatas de cinco unidades cada uma (5 + 5 + 5).] [Pl.: *-veis.*] [F.: Do lat. *divisibilis -e*. Ant. ger.: *indivisível.*]

divisor (di.vi.*sor*) [ô] *a.* **1** Que divide *sm.* **2** Aquilo ou aquele que divide **3** *Arit.* Na operação de divisão, número pelo qual se divide outro [Ver tb. *dividendo* (1).] [F.: Do lat. *divisor*, pelo fr. *diviseur.*] ∎ **~ comum** *Mat.* Em relação a um grupo de números, número que divide cada um deles sem deixar resto **~ de águas** **1** *Geog.* Linha imaginária que limita as áreas irrigadas por uma determinada bacia fluvial, separando-as de áreas irrigadas por outra bacia **2** *Fig.* Evento, época etc. que representa uma mudança no curso dos acontecimentos (históricos, sociais, culturais etc.) **~ de frequência** *Eletrôn.* Dispositivo que, ao receber um sinal de entrada, produz um sinal de saída cuja frequência é um submúltiplo da frequência do sinal de entrada **~ de zero** *Álg.* Elemento diferente de zero, que multiplicado por outro elemento diferente de zero tem como produto zero **~ próprio** *Mat.* Todo divisor de um número que seja menor do que ele **Máximo ~ comum** *Mat.* Para um grupo de números inteiros, o maior dos números que são divisores de todos os números do grupo [Símb.: *MDC*]

divisória (di.vi.*só*.ri:a) *sf.* **1** Linha, limite, divisão: "Enfileiradas metodicamente nas divisórias dos campos e nos lados das estradas tortuosas, viam-se as árvores." (Teixeira de Queirós, *Comédia do campo*) **2** Parede, biombo, tabique etc., que separa ou fecha áreas contíguas dentro de um mesmo espaço **3** Em cadernos e pastas folha mais grossa que separa grupos de folhas em seções distintas [F.: Fem. subst. de *divisório.*]

divorciado (di.vor.ci.*a*.do) *a.* **1** Diz-se de quem se divorciou **2** *Fig.* Diz-se do que está separado, afastado, desunido [Ant.: *ligado, unido.*] *sm.* **3** Pessoa que obteve o divórcio legalmente [F.: Part. de *divorciar.*]

divorciar (di.vor.ci.*ar*) *v.* **1** Decretar o divórcio de [*td.*: *O juiz vai divorciá-los hoje.*] **2** Desfazer os laços conjugais com; separar-se por divórcio [*td.*: *Divorciaram-se há pouco tempo.*] [*tdr.* + *de*: *Pedro divorciou-se de Andreia.*] **3** *Fig.* Romper laços morais, relações sociais, afinidades entre (pessoas ou coisas); SEPARAR(-SE); DESUNIR(-SE) [*td.*: *A competição divorcia os amigos*: "Ciência e arte nasceram para viver juntas (...) Quando se divorciam, a verdade fica desarmônica." (Monteiro Lobato, *Cidades mortas*)] [*tdr.* + *de*: *A bebida divorciava-o da família; divorciar-se da política.* Ant.: *conciliar, reconciliar, unir.*] [▶ 1 divorciar] [F.: *divórcio* + *-ar²*. Hom./Par.: *divorcio* (fl.), *divórcio* (sm.).]

divórcio (di.*vór*.ci:o) *sm.* **1** *Jur.* Dissolução legal do casamento, ante um juiz **2** *Fig.* Separação, rompimento [F.: Do lat. *divortium*. Hom./Par.: *divorcio* (fl. de *divorciar*).]

divorcista (di.vor.*cis*.ta) *a2g.* **1** Que é a favor da instituição do divórcio *s2g.* **2** Quem é a favor da instituição do divórcio [F.: *divórc(io)* + *-ista.*]

divulgação (di.vul.ga.*ção*) *sf.* Ação ou resultado de tornar público, de divulgar (algo); DIFUSÃO; PROPAGAÇÃO [Pl.: *-ções.*] [F.: Do lat. *divulgatio, onis.*]

divulgado (di.vul.*ga*.do) *a.* Que se divulgou; PUBLICADO; DIFUNDIDO [F.: Do lat. *divulgatus, a, um.*]

divulgador (di.vul.ga.*dor*) [ô] *a.* **1** Que divulga *sm.* **2** Aquele ou aquilo (órgão, empresa etc.) que faz divulgação [F.: Do lat. *divulgator.*]

divulgar (di.vul.*gar*) *v. td.* **1** Fazer divulgação de, tornar público, fazer com que (algo) seja do conhecimento de muita gente; DIFUNDIR; PROPAGAR; PUBLICAR: *O jornal divulgou detalhes da reunião.* **2** Fazer conhecer (inclusive a si mesmo), almejando publicidade; PROMOVER: *Divulgava-se sem nenhum pudor.* [▶ 14 divulgar] [F.: Do lat. *divulgare.*]

divulgativo (di.vul.*ga*.ti.vo) *a.* Que divulga ou serve para divulgar; DIVULGADOR [F.: *divulgar* + *-tivo.*]

divulsão (di.vul.*são*) *sf.* Ação de arrancar à força, dilacerando ou rompendo: "Tudo quanto os (...) martirizantes e os carrascos inventaram na laceração e divulsão dos corpos vivos..." (Ricardo Jorge, *Sermões de um leigo*) [F.: Do lat. *divulsio, onis.*]

⊕ ***dixieland*** (*Ing.* /*diksiland*/) *sm.* Estilo de jazz originado em Nova Orleães (EUA) que se caracteriza por um ritmo acelerado em compasso quaternário e por improvisações

díxis (*dí*.xis) [cs] *sf2n. Ling.* Ver *dêixis*

dizer (di.*zer*) *v.* **1** Exprimir por meio de palavras (falando, escrevendo, sinalizando etc.) ou por outros meios [*td.*: *Falou pouco, mas disse o que sentia; Disse, com os olhos, como estava irritado.*] [*tdi.* + *a, para*: *Dizia ao dentista, por gestos, que estava doendo.*] **2** Pronunciar [*td.*: *Disse 'poblema' em vez de 'problema'.*] **3** Fazer a narração de; CONTAR; NARRAR [*td.*: *Disse maravilhas de sua viagem.*] [*tr.* + *de*: *Na crônica, diz de suas angústias.*] [*tdi.* + *a*: *Disse a todos o que fizera.* Ant.: *calar, omitir.*] **4** Celebrar, rezar (missa) [*td.*: *Dizer uma missa em ação de graças.*] **5** Recitar (oração, verso) [*td.*: *Diga o pai-nosso comigo.*] **6** Afirmar oralmente ou por escrito; DECLARAR; DETERMINAR; ORDENAR [*td.*: *A lei diz que isso é proibido.*] [*tdi.* + *a*: *Disse -lhe que se retirasse.*] **7** Discorrer sobre (algo); falar de [*tr.* + *de*: *Podem dizer de tudo sobre nós, mas de nada vale sem testemunhas.*] **8** Ter um significado; DENOTAR; INDICAR; SIGNIFICAR [*td.*: *A palidez de seu rosto diz o muito que tem padecido.* Ant.: *dissimular, ocultar.*] **9** Explicar, decifrar [*td.*: *Você não vai mesmo dizer como se faz isso?*] [*tdi.* + *a, para*: *Você não vai me dizer como se resolve isso?*] **10** Adequar-se a (algo); COMBINAR; CONDIZER; CORRESPONDER [*tr.* + *com*: *O azul diz bem com o branco; Suas palavras não dizem com suas ações.*] **11** Provocar interesse, atração; ter significação para (alguém) [*tdi.* + *a, para*: *Esse lugar lhe diz alguma coisa?*] **12** Pensar, opinar, julgar sobre [*tdr.* + *de, sobre*: *O que diz do resultado das eleições?*] **13** Considerar(-se), julgar(-se) [*tdp.*: *Ele o diz bondoso;* "...a rapariga chorava quase sempre, dizia-se infeliz..." (Aluísio Azevedo, *Casa de pensão*)] **14** Ter saída ou vista para; comunicar-se com [*ta.*: *As salas e os quartos dizem para um pátio interno.*] **15** Dar (conselho, orientação) a (alguém); ACONSELHAR; ORIENTAR [*tdi.* + *a, para*: *O pai disse -lhes que obedecessem à governanta.*] **16** Dar (algo) como desculpa, justificativa, pretexto [*tdp.*: *Diz-se muito cansada para ir à festa.*] **17** Prestar declarações em investigação oficial; DEPOR; TESTEMUNHAR [*td.*: *A testemunha disse reconhecer o culpado.*] [▶ 20 dizer Part. irreg.: *dito.*] *sm.* **18** Palavra ou sentença proferida ou escrita: *São belos os dizeres daquela inscrição.* [F.: Do lat. *dicere.* Hom./Par.: *digamos* (fl.), *dígamos* (pl. de *dígamo* [adj.]).] ▪▪ **A bem ~** Na realidade, na verdade, a bem da verdade (us. para confirmar ou esclarecer o que se acaba de dizer): *Ele mora longe, a bem dizer, muitíssimo longe.* **Até ~ basta** *Bras. Pop.* Ver *Até dizer chega* **Até ~ chega** *Bras. Pop.* Em grande quantidade ou intensidade; excessivamente: *Comeu até dizer chega.* **Como diz o outro** *Pop.* Referência à opinião ou à dito de terceiro: *Os times entraram em campo, ou, como diz o outro, adentraram o gramado.* **~ basta/chega 1** Não deixar prosseguir (ação, situação ou processo que chegou ao extremo, que não é aceitável) **2** Manifestar oposição; pedir ou exigir o fim ou interrupção de algo **~ com** Condizer com: *Esse despacho diz com o disposto no art. 18.* **~/não ~ ao que veio** Atuar/não atuar bem, fazer/não fazer aquém o que dele se espera: *É bom atacante, mas naquele jogo não disse ao que veio.* **Por assim ~** Digamos assim, pode-se dizer que (antes de uma definição não muito precisa, ou de caráter eufemístico): *Ela não era, por assim dizer, uma miss Universo.* **Que dirá** Quanto mais/menos, ainda mais/menos: *Se ele, gordo, já era ágil, que dirá agora, depois que emagreceu; Ela já come naturalmente pouco, que dirá quando faz dieta.*

dizigótico (di.zi.*gó*.ti.co) *a.* Ref. a ou gerado de dois zigotos diferentes; BIVITELINO [F.: *di-*² + *zigot* (*o*) *-ico*².]

dízima (*dí*.zi.ma) *sf.* Imposto que equivale à décima parte de um rendimento; DÉCIMA; DÍZIMO [F.: Fem. substv. de *dízimo.*] ▪▪ **~ periódica** *Mat.* Notação decimal de um número em que, a partir de certa ordem decimal um algarismo ou um mesmo grupo de algarismos se repete indefinidamente [Tb. apenas *dízima.*] **~ periódica composta** *Mat.* Dízima periódica cujo período (algarismo ou grupo de algarismos que se repete) não começa logo após a vírgula decimal **~ periódica simples** *Mat.* Dízima periódica cujo período (algarismo ou grupo de algarismos que se repete) começa logo após a vírgula decimal

dizimação (di.zi.ma.*ção*) *sf.* **1** Ação ou resultado de dizimar **2** Aniquilamento, extermínio [Pl.: *-ções.*] [F.: *dizimar* + *-ção.*]

dizimado (di.zi.*ma*.do) *a.* **1** Destruído, arrasado **2** Que sofreu destruição em massa, que foi exterminado (população dizimada pelo bombardeio) [F.: Part. de *dizimar.*]

dizimar (di.zi.*mar*) *v.* **1** Causar a morte de um grande número de pessoas (de) [um conjunto, uma população etc.]; ANIQUILAR; EXTERMINAR [*td.*: *As guerras modernas dizimam cidades e civis; A peste dizimou a Europa na Idade Média.*] **2** *Fig.* Destruir, devastar (alguma coisa); ASSOLAR [*td.*: *A seca dizimou o Nordeste.*] [*int.*: *A fome dizima terrivelmente.*] **3** Diminuir muito o número de; tornar raro; DISSIPAR; RAREAR [*td.*: *dizimar uma herança; A falta de leitura dizima o conhecimento.*] **4** *Ant. Mil.* Matar (um soldado) ger. a cada dez, como punição à tropa por sublevação ou outro crime militar [*td.*: *Mandaram dizimar uma parte da tropa.*] **5** *Ant. Desus.* Impor ou cobrar o pagamento de dízima [*int.*] [▶ 1 dizimar] [F.: Do lat. ecl. *decimare.* Hom./Par.: *dizima(s)* (fl.), *dízima(s)* (sf.[pl.]); *dizimo* (fl.), *dízimo* (sm.).]

dízimo (*dí*.zi.mo) *sm.* **1** Tributo pago pelos fiéis à Igreja, em algumas religiões [Correspondendo à décima parte de colheita, renda, salário etc.] **2** A décima parte; DÍZIMA [F.: Do lat. *decimus.*] ▪▪ **~ direto** Ver *Direitos de estola* no verbete *direito*

dizível (di.*zí*.vel) *a2g.* **1** Que se pode ou se tem capacidade de dizer *sm.* **2** Coisa que se pode ou se tem capacidade de dizer (limites do dizível) [Pl.: *-veis.*] [F.: De *diz* (*er*) + *-ível.*]

diz que diz (diz que *diz*) *sm2n. Pop.* Mexerico, falatório, disse me disse [Tb. *diz que diz que.*]

diz que diz que (diz que diz *que*) *sm2n.* O mesmo que *diz que diz*

diz que me diz que (diz que me *diz* que) *sm2n.* Diz que diz que

⊕ ⊠ ***DJ*** (*Ing.* /*di djêi*/) *s2g.* Abrev. de *disk-jockey*, programador(a) de músicas em danceterias etc.

djibutiano (dji.bu.ti.*a*.no) *sm. a.* O mesmo que *djibutiense* [F.: Do top. *Djibuti* + *-ano*¹.]

djibutiense (dji.bu.ti.*en*.se) *s2g.* **1** Aquele ou aquela que nasceu ou que vive na República do Djibuti *a2g.* **2** Da República do Djibuti; típico desse país ou do seu povo [F.: Do top. *Djibuti* + *-ense.* Tb. *djibutiano.*]

⊠ **dl** Símb. de *decilitro*

⊠ **dm** Símb. de *decímetro*

⊠ **DNA** *sm. Gen.* Sigla do inglês *desoxyribonucleic acid* (ácido desoxirribonucleico) [Ver *ADN*]

⊠ **DNER** Sigla do *Departamento Nacional de Estradas de Rodagem*, órgão em extinção do Ministério dos Transportes

⊠ **DNOCS** Sigla do *Departamento Nacional de Obras contra a Seca*, órgão do Ministério da Integração Nacional

⊠ **DNPM** Sigla do *Departamento Nacional de Produção Mineral*, órgão do Ministério de Minas e Energia

◎ **-do** *suf. nom.* Formador de part. pass: *falado, bebido, sumido* [F.: Do lat. *-tu s, a, um.*]

do¹ **1** Contr. da prep. *de* com o art.def. *o* (casa do Pedro) **2** Contr. da prep. *de* com o pr.dem. *o* (aquele, aquilo): *Lembra do que eu lhe disse?* [Hom./Par.: *dó* (sm.).]

do² *prep.* Contração da preposição *de* e do pron. demonstrativo *o* (aquele, aquilo); daquele, daquilo: *O carro não é deste rapaz, mas do outro; Lembra do que eu lhe disse?*

dó¹ *sm.* **1** Sentimento de comiseração, piedade em relação a alguém (inclusive a si mesmo) ou algo; COMPAIXÃO; PENA: *Não tinha dó de ninguém.* **2** Sentimento ou expressão de mágoa, tristeza por algo ou alguém (inclusive a si mesmo): *Era um filme triste, de causar dó.* **3** Roupa preta que se usa como expressão de luto; luto **4** *Antq. Vest.* Mantilha ou capuz pretos [F.: Do baixo-lat. *dolus.* Hom./Par.: *do* (contr. *de* + *o*); *dó*² (nota musical).]

dó² *Mús. sm.* **1** A primeira nota da escala natural em modo maior **2** Sinal que a representa na pauta [F.: Do it. *do.*]

doação (do:a.*ção*) *sf.* **1** Ação ou resultado de doar(-se) **2** Aquilo que foi doado: *A doação em dinheiro foi bem recebida.* **3** *Jur.* Transferência de bens e/ou vantagens do patrimônio do doador ao donatário; o documento referente a essa transferência **4** Entrega, dedicação: *Sua doação à música era comovente.* [Pl.: *-ções.*] [F.: Do lat. *donatio, onis.*] ▪▪ **~ inoficiosa** *Jur.* Aquela que favorece um dos herdeiros, em detrimento da legítima dos demais

doado (do:a.do) *a.* **1** Que se doou, dado, oferecido, ofertado *sm.* **2** *Rel.* Pessoa sem ordem religiosa que se retira num mosteiro ou convento para ali, por devoção, exercer os misteres de serviçal: *Entrou no convento na qualidade de doado.* [F.: Do lat. *donatus, a, um*, part. passado de *donare* 'doar'.]

doador (do:a.*dor*) [ô] *a.* **1** Diz-se de pessoa ou entidade que faz doação ou doações **2** Diz-se de pessoa que doa sangue para transfusões, ou órgão, tecidos etc. para transplantes **3** *Fís. Quím.* Diz-se de partícula (átomo, molécula etc.) capaz de ceder elétrons à banda de condução, neste caso o *aceitador sm.* **4** A pessoa ou entidade que faz doação ou doações **5** A pessoa que doa sangue, órgão, tecidos etc. **6** Átomo (ou outro tipo de partícula) doador (3) [F.: Do lat. *donator, oris.*]

doar (do.*ar*) *v.* **1** Ceder gratuitamente (algo que se possui); fazer doação de [*td.*: *Doou todos os seus bens.*] [*tdi.* + *a, para*: *Sem herdeiros, doou seus livros aos alunos.*] **2** *Fig.* Dedicar(-se), devotar(-se), consagrar(-se), entregar(-se) a [*tdi.* + *a*: *A mãe doa sua vida aos filhos.*] [*tdi.* + *a*: *Doou sua vida à caridade; Doou-se inteiramente ao estudo.*] [▶ 16 doar] [F.: Do lat. *donare.* Hom./Par.: *doem* (3ª (fl.), *doem* (fl. de *doer*).]

dobale (do.*ba*.le) *sm.* Cumprimento que, nos cultos afro- -brasileiros, o filho de santo faz a sua orixá protetora diante do altar (peji), do chefe do terreiro e de visitantes de alta hierarquia religiosa e que consiste em deitar-se de bruços com a cabeça tocando o chão e depois virar-se ligeiramente para um e outro lado [F.: Do ioruba *dòbàlè* 'estender-se de bruços no solo'.]

dobar (do.*bar*) *v.* **1** Enrolar (fio de meada) em novelo; ENOVELAR [*td.*: *A moça dobava a lã.* Ant.: *desdobar.*] [*int.*: *A mulher dobava enquanto ouvia a novela.*] **2** Mover (algo ou si mesmo) dando voltas; VOLTEAR; REVOLUTEAR [*td.*: *Tinha o tique de dobar o polegar direito quando meditava.*] [*int.*: *Bêbado, parecia-lhe que as palmeiras dobavam.*] **3** *Fig.* Passar (tempo); DECORRER [*int.*: *Não se dava conta de que o dia dobava.*] **4** *Fig.* Andar ocupado com tarefas [*int.*: *Atarefado, dobava incansável o dia inteiro.*] [▶ 1 dobar] [F.: De or. obsc. Para alguns, do lat. *depanare.*]

⊕ ***dobby*** (*Ing.* /*dóbi*/) *sm.* Pequenas peças com motivos geométricos ou florais produzidas numa maquineta anexada ao tear para servir de amostra: *Os desenhos ou imagens digitalizadas são facilmente convertidos em desenhos de dobby maquineta.*

⊕ ***dobermann*** (*Al.* /*dóberman*/) *sm.* Raça de cão original da Alemanha de grande porte, pelo curto e liso, de cor preta ou marrom. A raça foi criada a partir do cruzamento do Pinscher alemão, o *manchester terrier*, o galgo e o pastor de Beauce [Com inicial maiúscula em alemão.] [F.: Do al. *Dobermann.*]

dobra¹ (*do*.bra) [ó] *sf.* **1** Parte de material ou objeto ger. plano e flexível que se virou ao longo de uma linha e que ficou sobreposta a outra parte do mesmo material ou objeto (dobras de papel): *Cartão decorado com uma dobra.* **2** Essa linha ou o lugar dessa linha, ou a aresta resultante, que coincide com a linha; DOBRADIÇA: *a dobra do cotovelo; Dobre o papel e risque uma linha paralela à dobra, a 1 cm dela.* **3** Marca longitudinal que uma dobra (1) deixa no material ou objeto; PREGA; VINCO: *as dobras da pele.* **4** *Geol.* Curvatura de rochas devido a causas tectônicas ou não; PREGA [F.: Dev. de *dobrar*. Hom./Par.: *dobra* (fl. de *dobrar*).] ▪▪ **~ seca** *Art.gr.* Sulco (em cartão, cartolina etc.) feito por impressão seca ou algum instrumento para facilitar a dobragem

dobra² (*do*.bra) *sf.* **1** *Econ.* Unidade monetária, divisível em cem unidades menores (cêntimos), de São Tomé e Príncipe **2** Cédula ou moeda dessa unidade **3** *Lus. Num.* Nome comum a moedas portuguesas e estrangeiras de circulação em Portugal, esp. do séc. XII ao séc. XIV [F.: De or. contrv; posv. ligado ao espn. *doblo.*]

dobrada (do.*bra*.da) *sf.* **1** *RS* Ponto em que do alto de uma elevação se começa descer **2** *RS* Ondulação ou depressão de terreno **3** *Lus.* O conjunto dos buchos do boi ou vaca **4** *Lus.* Prato feito com estas entranhas (dobrada à moda do Porto) [F.: Fem. substv. de *dobrado.*]

dobradeira *sf.* **1** Espécie de máquina que processa dobraduras em papéis, metais, plásticos etc. (dobradeira de papéis/de chapas/de fórmica) **2** Mulher empregada no serviço de dobrar roupas ou outras peças [F.: De *dobrad(o)* + *-eira.*]

dobradiça (do.bra.*di*.ça) *sf.* **1** Peça metálica formada por duas chapas articuladas em torno de um pino, em torno do qual podem girar, e que presa a folhas de porta, janela, tampa etc. permite abri-las ou fechá-las; BORBOLETA; GONZO **2** Aresta resultante de algo que se dobrou; dobra (2); DOBRA **3** *PE Dnç.* Passo de frevo em que o homem gira, tendo uma dama em cada braço **4** Assento extra, ger. dobrável, em salas de espetáculo [F.: Fem. substv. de *dobradiço.*]

dobradiço (do.bra.*di*.ço) *a.* Que se dobra; FLEXÍVEL; MALEÁVEL [F.: De *dobrad(o)* + *-iço.*]

dobradinha (do.bra.*di*.nha) *sf.* **1** *Bras.* A parte do intestino do boi us. na alimentação **2** *Cul.* Prato preparado com esta parte das vísceras bovinas **3** Dupla de competidores, ger. em esporte, que obtêm primeiro e segundo lugares e pertencem ao mesmo time ou grupo: *NO GP do Brasil de Fórmula 1 deu a dobradinha da Ferrari.* **4** Dupla de pessoas que, em certa atividade, atua sempre junta **5** No turfe, dupla de cavalos competindo no mesmo páreo com numeração idêntica [F.: *dobrada* (fem. de *dobrado*) + *-inha.*]

dobrado (do.*bra*.do) *a.* **1** Que se dobrou, que teve uma parte voltada sobre si mesma (uma ou mais vezes) (lençol dobrado) [Ant.: *desdobrado.*] **2** Que está curvado, inclinado; ARQUEADO; FLEXIONADO: *Pálido, seu corpo dobrado, aparentava grande cansaço.* [Ant.: *aprumado, desencurvado, endireitado.*] **3** Que foi duplicado: *Com as horas extras, ganhou salário dobrado.* **4** *Fig. Pext.* Múltiplo, aumentado, intensificado; REDOBRADO: *Essa tarefa vai exigir dedicação dobrada.* **5** *Bras. Pop.* Muito vigoroso, forte (homem dobrado) **6** *Bot.* Diz-se de flor cujo cálice ou estames e pistilos se transformam em pétalas (rosa dobrada) [Cf. *simples.*] **7** *Geol.* Diz-se de terreno com ondulações na superfície *sm.* **8** *Bras. Mús.* Música de marcha militar; essa marcha **9** *Ornit.* Repetição da parte final do canto de uma ave canora [F.: Part. de *dobrar.*] ▪▪ **Cortar um ~** *Pop.* Enfrentar dificuldades, trabalhar muito para certo fim

dobrador (do.bra.*dor*) [ô] *sm.* **1** O que dobra **2** *Art.gr.* Profissional encarregado da dobragem em oficina de artes gráficas **3** Especialista em dobrar paraquedas: *Ao escolher seu dobrador de reserva, o paraquedista deve tomar certos cuidados.* **4** Instrumento que o cirurgião-dentista utiliza e que serve para dobrar a placa de sustentação de implante, adaptando-a à mandíbula **5** *Bras. Ornit.* Diz-se de pássaro que, ao cantar, executa dobrados (9) **6** *Lus.* O mesmo que *dublador a.* **7** Ref. ao que dobra ou faz dobrar (operário, máquina etc.) [F.: De *dobra(r)* + *-dor.*]

dobradura (do.bra.*du*.ra) *sf.* **1** Ação ou resultado de dobrar; DOBRAMENTO **2** *Desus.* Fingimento, falsidade; DOBREZ [F.: *dobrar* + *-dura.* Ideia de 'dobradura': suf. *-flexão.*]

dobragem (do.*bra*.gem) *sf.* **1** Ação ou resultado de dobrar; DOBRAMENTO **2** *Lus. Cin. Telv.* O mesmo que *dublagem* [F.: *dobra(r)* + *-gem.*]

dobramento (do.bra.*men*.to) *sm.* Ação de dobrar, dobradura, dobragem [F.: De *dobra(r)* + *-mento.*]

dobrão (do.*brão*) *sm.* **1** *Hist.* Antiga moeda do Reino Português com 58,78 gramas de ouro de 22 quilates cunhada entre 1724/1727 por ordem de D. João V **2** Antiga moeda de ouro espanhola **3** Antiga moeda de cobre us. no norte e no nordeste do Brasil, que valia 40 réis **4** Moeda de cobre ou algo semelhante us. para tocar berimbau, e que serve para variar as notas musicais mediante o tipo de pressão que se faz com ela na corda desse instrumento [Pl.: *-ões.*] [F.: Aumentativo de *dobra* 'antiga moeda'.]

dobrar (do.*brar*) *v.* **1** Fazer ficar ou ficar duas vezes maior; multiplicar(-se) por dois; DUPLICAR [*td.*: *O diretor dobrará* *nosso salário.*] [*int.*: *As nossas despesas dobraram.*] **2** *P.ext.* Aumentar muito [*td.*: *O chefe dobrou minhas tarefas.*] [*int.*: *Suas preocupações dobraram.*] **3** *P.ext.* Tornar (algo) mais forte, mais intenso; AUMENTAR [*td.*: *O amor dobrou sua felicidade.*] [*int.*: *Suas angústias dobravam diariamente.*] **4** Virar parte(s) de algo sobre ele próprio, fazendo-lhe dobras [*td.*: *Dobre a roupa passada!* Ant.: *desdobrar.*] **5** Fazer vergar ou vergar; CURVAR(-SE) [*td.*: *dobrar os joelhos; dobrar-se em reverência.* Ant.: *endireitar, erguer.*] **6** *Fig.* Vencer a resistência de ou ter vencida a própria resistência; ABATER(-SE) [*td.*: *A doença acabou por dobrá-lo; Dobrei-me diante dos argumentos*: "...foi ele quem conseguiu dobrar o pai da Carminha, que não queria concordar com o casamento..." (Josué Montello, *Um rosto de menina*)] [*int.*: *O gerente acabou dobrando ante tanta insistência dos hóspedes.*] **7** *Fig.* Demover, modificar [*td.*: *Inutilmente tentava dobrar as inclinações do filho.*] **8** Fazer ceder, obrigar, coagir (alguém) [*td.*: *É muito convicto e teimoso, ninguém conseguirá dobrá-lo.*] **9** *Fig.* Passar por (lugar) dando-lhe volta, mudando de direção; ANGULAR; VIRAR [*td.*: *dobrar uma esquina/o cabo da Boa Esperança.*] **10** Ir para outra direção, mudando da direção em que estava [*int.*: *Andei 2 km em linha reta, depois dobrei e andei mais 1 km.*] [*ta.*: *Andei 2 km em linha reta, depois dobrei à direita.*] **11** Soar (um sino) [*int.*: *Os sinos dobram anunciando a vitória.*] **12** *Bras.* Executar dobrado (pássaro); CANTAR [*int.*: *O pássaro dobrava belamente.*] **13** *Teat.* Atuar em dois ou mais papéis em peça teatral [*int.*: *Por ser muito boa, aquela atriz sempre dobrava.*] **14** Trabalhar dois turnos seguidos [*int.*: *Julieta está dobrando para cobrir a folga da colega.*] **15** Ocultar-se no horizonte; pôr-se (o Sol) [*int.*: *O Sol está quase a se dobrar.*] **16** *Lus.* O mesmo que *dublar* [▶ 1 dobrar] [F.: Do lat. tard. *duplare.* Hom./Par.: *dobre(s)* (fl.), *dobre(s)* [ô] (a2g.sm.[pl.]); *dobro* (fl.), *dobro* [ô] (sm.); *dobráveis* (fl.), *dobráveis* (pl. de *dobrável*).]

dobrável (do.*brá*.vel) *a2g.* Que se pode dobrar (cama dobrável) [Pl.: *-veis.*] [F.: *dobrar* + *-vel.* Hom./Par. (pl.) *dobráveis*, *dobráveis* (fl. de *dobrar*).]

dobre (*do*.bre) [ó] *sm.* **1** Ação ou resultado de dobrar; DUPLICAÇÃO; REPETIÇÃO **2** Toque de sino em atos litúrgicos **3** Ato de cantar (a ave) **4** *Poét.* Repetição de palavra em versos de uma mesma estrofe *a.* **5** Fingido, que, como intermediário, ilude as duas partes; DÚPLICE; FALSO [F.: De *dobro*, com posv. alter. do espn *doble.* Hom./Par.: *dobre* (fl. de *dobrar*).]

dobro (*do*.bro) [ô] *sm.* **1** Quantidade (ou sua medida) duas vezes maior que outra, à qual se refere: *Ela tem o dobro da sua idade.* **2** Duplicação, repetição: *Faça um relatório sintético, evite o dobro das informações.* **3** Quantidade bem maior: *Desde a maratona, meu joelho requer o dobro de cuidados.* **4** *S.* Pequeno volume que se põe na carga dos tropeiros [F.: Do lat. *duplus.*]

doca[1] (*do*.ca) *sf.* **1** Setor de um porto, dique onde os navios atracam para se abrigarem, para conserto ou para carga e descarga [Mais us. no pl.] **2** Série de construções no porto para armazenamento de mercadorias desembarcadas [Mais us. no pl.] [F.: Do hol. ant. *docke* (hoje *dok*), pelo ing. *dock.*] ▪ **~ flutuante** Ver *Dique flutuante* **~ seca** Ver *Dique seco.*

doca[2] (*do*.ca) *a2g. Bras. Pop.* Cego de um dos olhos [F.: De or. banta, posv.]

doce (*do*.ce) [ô] *s2g.* **1** Que tem o sabor semelhante ao do açúcar ou do mel **2** Diz-se de alimento preparado com ou ao qual se acrescentou açúcar ou adoçante: *Este café está doce demais, quantas colheres de açúcar você pôs?* **3** *Fig.* Que é brando, suave, ameno: *Tem uma voz doce de contralto; Soprava uma doce brisa.* **4** *Fig.* Meigo, carinhoso (uma pessoa doce) **5** *Fig.* Agradável, tranquilo, sem preocupações (momento, situação etc.): *Amava o doce entardecer na montanha; Lembrava os doces dias da juventude.* **6** Diz-se de água não salgada (como a de rios e lagos) **7** Diz-se de maquinismo ou dispositivo (como engrenagem, fechadura etc.) que não emperra [Superl.: *docíssimo, dulcíssimo.*] *sm.* **8** *Cul.* Alimento ou iguaria em que entra açúcar ou outro adoçante: *Foi comprar um doce na confeitaria; Ela adora doce de abóbora.* **9** *Lus. BA MG MT* O mesmo que *açúcar* [F.: Do lat. *dulcis.*] ▪ **Dar um ~ a** **1** Dar um prêmio, uma prenda a: *Dou um doce a quem me conseguir o jornal de anteontem.* **2** *Irôn.* Desafiar alguém a algo, duvidando amistosamente de que consiga: *Dou um doce a quem conseguir convencer-me a sair hoje de casa.* **Fazer ~** **1** Fingir desinteresse, ou fazer-se de rogado **2** Ficar melindrado, amuado **Um ~** Ver *Um amor* (1), no verbete *amor*

doce de coco (do.ce de *co*.co) [ô] *sm.* **1** Doce feito à base de coco-ralado, açúcar e outros ingredientes variáveis como gema de ovo, farinha de trigo etc. **2** *Bras. Pop.* Pessoa amável, de bom temperamento [Pl.: *doces de coco.*] ▪ **Um ~** *Bras.* Ver *Um amor* (1), no verbete *amor*

doceiro (do.*cei*.ro) *sm.* **1** Indivíduo que faz e/ou comercializa doces **2** Quem gosta muito de doces [F.: *doce* + *-eiro.*]

docência (do.*cên*.ci:a) *sf.* **1** Qualidade de docente [Cf. *discência.*] **2** O exercício do ensino, do magistério [F.: Do rad. *doc* - (Do v.lat. docere 'ensinar') + *-ência.*]

docente (do.*cen*.te) *a2g.* **1** Que ensina **2** Diz-se da categoria da Igreja que compreende os que atuam no ensino da doutrina **3** Ref. a quem ensina, a professor ou ao professorado (corpo docente); PROFESSORAL [Cf. *discente.*] *s2g.* **4** Professor, mestre, educador [F.: Do lat. *docens, entis.*]

doceria (do.ce.*ri*.a) *sf.* Estabelecimento onde se confeccionam e/ou se vendem doces [F.: De *doc(e)* + *-eria.*]

dócil (*dó*.cil) *a2g.* **1** Fácil de lidar, conduzir, ensinar (cavalo dócil) [Ant.: *bravo, selvagem.*] **2** Que aceita facilmente comando, conselho, orientação; OBEDIENTE: *Um de seus filhos era rebelde; o outro, extremamente dócil.* [Ant.: *rebelde, teimoso.*] **3** *P.us.* Que aprende ou é ensinado com facilidade [Pl.: *-ceis.* Superl.: *docílimo, docilíssimo.*] [F.: Do lat. *docilis.*]

docilidade (do.ci.li.*da*.de) *sf.* Qualidade de dócil; BRANDURA; OBEDIÊNCIA [F.: Do lat. *docilitas,atis.*]

docimasia (do.ci.ma.*si*.a) *sf.* **1** *Hist.* Na Grécia antiga, investigação da vida pregressa de candidato eleito para cargo público para constatar sua idoneidade **2** *Quím.* Ramo da química que trata dos procedimentos para determinar a proporção de metal existente em seus minérios **3** *Med.* Exame nos pulmões de um recém-nascido morto para determinar, pela presença ou não de ar, se ele nasceu vivo ou morto [F.: Do gr. *dokimásia* 'prova', pelo fr. *docimasie.*]

🌐 **dockside** (*Ing.* /dócsaid/) *sm.* Sapato unissex de modelo esportivo, geralmente com costuras aparentes que lembra um mocassim: *Meu dockside já está meio surrado.*

doctiloquente (doc.ti.lo.*quen*.te) *a2g.* Diz-se de quem é eloquente, fala com erudição, se expressa doutamente [F.: De *docti-* + *-loquente.*]

docudrama (do.cu.*dra*.ma) *sm.* Drama ficcionalizado baseado em acontecimentos reais: *"Ismael & Adalgisa" é um docudrama sobre o pintor Ismael Nery e a escritora Adalgisa Nery.* [F.: Do ing. *docudrama* 'id', de *docu* (*mentary*) + *drama.*]

documentação (do.cu.men.ta.*ção*) *sf.* **1** Ação ou resultado de documentar: *Passou horas fazendo a documentação do projeto.* **2** Conjunto de documentos que demonstram ou atestam algo ou identificam algo ou alguém: *Traga toda a sua documentação.* **3** Acervo organizado de uma instituição: *documentação de obras da Biblioteca Central.* **4** O conhecimento, o processo, a técnica de obter, selecionar e organizar informações documentais sobre algo [Pl.: *-ções.*] [F.: *documentar* + *-ção.*]

documentado (do.cu.men.*ta*.do) *a.* Que se documentou ou está fundamentado em documento: *Exige-se curriculum vitae documentado.* [F.: Part. de *documentar.*]

documental (do.cu.men.*tal*) *a2g.* Ref. a documento, ou que é fundado em documento (provas documentais) [Pl.: *-tais.*] [F.: *documento* + *-al[1]*. Hom./Par.: (pl.) *documentais*; *documentais* (fl. de *documentar*).]

documentar (do.cu.men.*tar*) *v. td.* **1** Prover de documentos, juntar documentos a (como prova, confirmação); provar com documento(s): *documentar uma acusação.* **2** Registrar (acontecimento, episódio) mediante documentos: *Documentei toda a minha estada na Espanha.* **3** *Inf.* Registrar por escrito todas as informações e considerações em que se baseou o desenvolvimento de (programa de computador) [▶ 1 documentar] [F.: *documento* + *-ar[2]*. Hom./Par.: *documentaria(s)* (fl.), *documentária(s)* (fem. de *documentário* [pl.]); *documentáveis* (fl.), *documentáveis* (pl. de *documentável*); *documento* (fl.), *documento* (sm.).]

documentário (do.cu.men.*tá*.ri:o) *a.* **1** Ref. a documento; que tem valor de documento *sm.* **2** *Cin. Telv.* Filme ou vídeo que registra aspectos históricos, científicos etc. da realidade **3** Tudo que vale como documento [F.: *documento* + *-ário.* Hom./Par.: (f.) *documentária*, *documentaria* (fl. de *documentar*).]

documentarismo (do.cu.men.ta.*ris*.mo) *sm.* Prática de fazer documentário: *Seminário sobre o documentarismo brasileiro.* [F.: De *documentár(io)* + *-ismo.*]

documentarista (do.cu.men.ta.*ris*.ta) *s2g.* **1** *Cin. Telv.* Cineasta que faz documentários *a2g.* **2** Que faz documentários [F.: *documentário* + *-ista.*]

documentável (do.cu.men.*tá*.vel) *a2g.* Que pode ser documentado [Pl.: *-veis.*] [F.: De *documenta(r)* + *-vel.*]

documento (do.cu.*men*.to) *sm.* **1** Qualquer produto de uma sociedade considerado como testemunho de uma época: *A Muralha da China é um documento da inteligência e da cultura daquele povo.* **2** Declaração escrita para servir de prova ou título (documento de identidade); CERTIDÃO; CERTIFICADO **3** Qualquer texto de caráter público ou privado que preceitue, discuta, delibere ou solicite algo: *Trata-se de um documento sobre o currículo do ensino secundário.* **4** *P.ext.* Qualquer objeto que tenha valor documental (desenhos, escritos, fotografias, gravações, filmes etc.), que sirva para comprovar algum acontecimento, fato, algo que foi dito etc. **5** *Inf.* Arquivo com dados criado por programa, esp. os gerados por editores de textos [F.: Do lat. *documentum, i* 'ensino' 'lição'.]

doçura (do.*çu*.ra) *sf.* **1** Característica do que é doce; DULÇOR: *a doçura do açúcar.* [Ant.: *acidez, amargor, azedume.*] **2** O gosto de algo doce **3** *Fig.* Qualidade de quem é meigo, terno; MEIGUICE; TERNURA **4** *Fig.* Suavidade, brandura **5** *Fig.* O que é agradável, prazeroso; DELEITE; DELÍCIA: *a doçura de um sorriso infantil.* [F.: *doce* + *-ura.*]

◎ **dodec(a)-** *el. comp.* = 'doze': *dodecaedro, dodecafonia, dodecandro, dodecágono* [F.: Do gr. *dódeka.*]

dodecaédrico (do.de.ca.*é*.dri.co) *a.* **1** Ref. a dodecaedro **2** Que tem a forma ou o número de faces de um dodecaedro [F.: *dodecaedro* + *-ico[2]*.]

dodecaedro (do.de.ca.*e*.dro) *sm. Geom.* Poliedro de 12 faces [F.: Do gr. *dodekáedros, os, on*, 'que tem doze faces'.]

dodecafonia (do.de.ca.fo.*ni*.a) *sf. Mús.* O mesmo que *dodecafonismo* [F.: *dodec(a)-* + *-fonia.*]

dodecafônico (do.de.ca.*fô*.ni.co) *a. Mús.* Ref. a dodecafonia ou a dodecafonismo [F.: *dodecafonia* + *-ico[2]*.]

dodecafonismo (do.de.ca.fo.*nis*.mo) *sm. Mús.* Técnica de composição em que se usam 12 tons das escalas diatônica e cromática [Ver tb. *atonalismo.*] [F.: *dodec(a)-* + *-fon(o)-* + *-ismo.*]

dodecagonal (do.de.ca.go.*nal*) *a2g.* Ref. a dodecágono [Pl.: *-nais.*] [F.: *dodecágono* + *-al[1]*.]

dodecágono (do.de.*cá*.go.no) *sm. Geom.* Polígono composto por 12 lados [F.: Do gr. *dodekágonon, ou*; ver *dodec(a)-* e *-gono.*]

dodecassilábico (do.de.cas.si.*lá*.bi.co) *a.* Ref. a dodecassílabo [F.: *dodecassílabo* + *-ico[2]*.]

dodecassílabo (do.de.cas.*si*.la.bo) *a.* **1** Que tem 12 sílabas (diz-se de vocábulo ou verso) *sm.* **2** Vocábulo ou verso com 12 sílabas [F.: *dodec(a)-* + *-sílabo.* Cf.: *alexandrino.*]

dodói (do.*dói*) *Infan. a2g.* **1** Doente, enfermo: *Papai está dodói. sm.* **2** Doença, dor, machucado [F.: Onom. com repetição de *dói*, 3ª p. sing. do pres.ind. do v. *doer.*] ▪ **Ser cheio de ~s** *Turfe* Ter (o cavalo) dores pelo corpo

doença (do.*en*.ça) *sf.* **1** Perturbação da saúde, que se manifesta em sintoma(s) que podem ou não ser perceptíveis; ENFERMIDADE; MOLÉSTIA **2** *Fig.* Obsessão, mania, vício [F.: Do lat. *dolentia.*] ▪ **~ autoimune** *Med.* A que é causada por agressão do sistema imunológico do paciente **~ da vaca louca** *Vet.* Doença do encéfalo que ocorre em gado bovino, transmissível pela ingestão da carne **~ de Adams-Stoke** *Card. Neur.* Mal resultante de passagem deficiente de sangue no encéfalo, devido a bloqueio cardíaco, e que se manifesta por sintomas neurológicos **~ de Addison** *End.* Doença causada por lesão ou anomalia no funcionamento da glândula suprarrenal, e que se manifesta em hipotensão, emagrecimento e outros sintomas **~ de Alzheimer** *Ger.* Doença neurológica crônica, progressiva e irreversível, que ocorre ger. em pessoas idosas, manifestando-se em crescente perda de memória, afasia, alheamento etc., e que, após alguns anos, leva ger. à morte **~ de Basedow** *End.* Doença da glândula tireoide, autoimune, que se manifesta principalmente na presença de bócio **~ de Besnier-Boeck-Schaumann** *Med.* O mesmo que *sarcoidose* **~ de Bright** *Patol.* Glomerulonefrite crônica **~ de Carrion** *Med.* Doença infecciosa causada pela *Bartonella bacilliformis*, em que se manifestam na primeira fase, aguda (a *febre de Oroya*), anemia e febre, e na segunda fase (*verruga-peruana* ou *verruga do peru*), uma erupção cutânea nodular [Sin.: *bartonelose.*] **~ de Chagas** *Bras. Med.* Doença descoberta pelo médico brasileiro Carlos Chagas, causada por protozoários *Trypanosoma cruzi* e transmitida por mosquito conhecido por 'barbeiro', cujos sintomas na forma aguda são febre, dor de cabeça e redução no teor de oxigênio no sangue **~ de Creutzfeldt-Jakob** *Neur.* Doença infecciosa rara do cérebro, uma forma da doença da vaca louca com sintomas neurológicos graves, como paralisia, cegueira, convulsões, e que pode levar em alguns meses à morte **~ de descompressão** *Med.* Conjunto de distúrbios patológicos e suas manifestações, que ocorrem em pessoas submetidas a mudanças súbitas de pressão, como aviadores e mergulhadores **~ de Dukes** *Med.* Quarta-moléstia **~ de Filatow-Dukes** *Med.* Quarta-moléstia **~ de Heine-Medin** *Med.* Paralisia infantil (ver no verbete *paralisia*) **~ de Hodgkin** *Patol.* Forma de linfoma maligno (câncer do sistema linfático), com alterações patológicas dos nodos linfáticos, do baço e do tecido linfoide [Sin.: *linfogranuloma maligno.*] **~ de inclusão citomegálica** *Med.* Doença infecciosa (congênita, atingindo o fígado e o baço, ou adquirida, com sintomas semelhantes aos da mononucleose infecciosa) causada por citomegalovírus **~ de Marie** *End.* O mesmo que *acromegalia* **~ de Menière** *Otor.* Afecção do labirinto, que provoca perda de audição, tinido ou zumbido, tonteira **~ de Nicolas-Favre** *Med.* Ver *Linfogranuloma venéreo* **~ de Paget** *Ort.* Doença crônica e deformante dos ossos **~ de Parkinson** *Neur.* Doença neurológica causada por arteriosclerose encefálica e deficiência de dopamina, cujos sintomas são tremores rítmicos, dificuldade motora e no andar, rigidez facial [Tb. *mal de Parkinson, parkinsonismo.*] **~ do peito** *Pop.* Tuberculose pulmonar **~ do sono** Doença infecciosa originária da África equatorial, transmitida pela mosca tsé-tsé, que, com sua picada, introduz na corrente sanguínea o *Trypanosoma gambiensis.* Seus sintomas são febre, tremores, vômitos e muito sono **~ do soro** *Imun.* Reação alérgica causada por hipersensibilidade ao recebimento de soro de origem animal e outros antígenos **~ emergente** *Med.* Aquela que, além das causas de natureza médica, sofre a influência de fatores de natureza econômica, ecológica, epidemiológica, social, climática etc. **~ endêmica** *Med.* Doença de manifestação continuada em certo lugar **~ epidêmica** *Med.* Aquela que, mesmo sem manifestar-se continuadamente em certo lugar, acomete grande número de pessoas nesse lugar **~ fibrocística das mamas** *Ginec.* Doença benigna das mamas, que se manifesta na formação de cistos, fibrose e hiperplasia de tecidos que podem ser pré-malignas **~ fibrocística do pâncreas** *Patol.* Afecção no pâncreas que causa alteração na viscosidade da secreção pancreática **~ profissional** *Med.* Aquela causada pelas condições específicas do exercício de certa profissão **~ psicossomática** *Med.* Doença causada pela conversão de uma perturbação psíquica em física **~ ruim** *Bras. Pop.* Eufemismo para doenças de difícil ou impossível cura, como o câncer **~ terminal** *Med.* Termo us. impropriamente para designar a fase final de uma doença, que leva à morte **~ sexualmente transmissível** *Med.* Termo genérico para as doenças infectocontagiosas transmissíveis por contato sexual, como a gonorreia (blenorragia), a sífilis etc; doença venérea **~ tropical** *Med.* Termo que era us. para denominar doenças impropriamente atribuídas ao clima tropical, como o beribéri, a malária, a febre amarela etc. **~ venérea** *Med.* Ver *Doença sexualmente transmissível*

doença do sono (do:en.ça do *so*.no) *sf. Med.* Doença advinda da picada da mosca africana tsé-tsé, caracterizada por febre, vômitos, tremores e forte sono [Pl.: *doenças do sono.*]

doente (do:*en*.te) *a2g.* **1** Que tem doença, enfermidade; ENFERMO [Ant.: *bom, curado, saudável.*] **2** *Fig.* Dominado por paixão, mania etc; OBCECADO; VICIADO [+ *por*: *doente por esporte.* Ant.: *avesso, indiferente.*] *s2g.* **3** Indivíduo doente (1 e 2): *Os doentes foram atendidos primeiro.* [F.: Do lat. *dolens, -entis.*] ▪ **~ terminal** *Med.* Denominação impropriamente us. para pessoa enferma em fase final da doença, já próxima da morte

doentio (do:en.*ti*:o) *a.* **1** Que adoece com facilidade, que tem pouca saúde; ENFERMIÇO; FRACO [Ant.: *forte, sadio, saudável.*]

2 Que faz mal à saúde; INSALUBRE; MOLESTO: *Dormir pouco é um hábito doentio.* [Ant.: *sadio, salubre, salutar.*] 3 Que tem caráter de doença, por ser obsessivo, exagerado etc; MÓRBIDO: "Ela contou ainda que fez tudo em nome do amor doentio que sentia..." (*O Dia*, 17.10.2003) [F.: *doente* + *-io*².]

doer (do.*er*) *v.* 1 Estar dolorido [*int.*: *Minhas pernas doem.*] 2 *Fig.* Experimentar dor moral; CONDOER-SE; PENALIZAR-SE [*int.*: *Meu coração dói ao ver tanta miséria.*] [*tr.* + *de*: *Como não se doer dos enfermos?*] 3 Provocar dor física ou moral (em) [*ti.* + *a*: *Doeu-me ver tamanha miséria.*: "Amor (...) é ferida que *dói*, e não se sente" (Camões, "Amor é um fogo que arde sem se ver", *Lírica*)] [*int.*: *Esta injeção doeu.*: "Amor (...) é ferida que dói e não se sente..." (Camões, "Amor é um fogo que arde sem se ver" *in Lírica*)] 4 Ressentir-se com (alguém ou algo) [*tr.* + *com*: *Doeu-se com o descaso do marido.*] 5 Arrepender-se de algum ato ou fato passado [*tr.* + *de*: *Mesmo velho, doía-se das irresponsabilidades juvenis.*] [▶ 36 **doer** *Doer* só se conjuga em todas as pessoas quando acompanhado de pron. refl. Caso contrário, conjuga-se apenas nas 3ª pess. do sing. e do pl.] [F.: Do lat. *dolere*. Hom./Par.: *doem* (fl.), *doem* [ô] (fl. *doar*); *doído* (part.), *doido* (a.sm.).] ■ **De ~** 1 *Pej.* Extremamente; em excesso (ref. a qualidade negativa): *burro de doer.* 2 Grande (algo ruim, negativo), a ponto de ser lamentável, desastroso: *Meteu-se numa enrascada de doer; A burrice dele é de doer.*

doesto (do:*es*.to.) [é] *sm.* Ação ou efeito de doestar, de injuriar; INJÚRIA; INSULTO; VITUPÉRIO: "Padecer o travo de um doesto injusto/ Só um dissabor/ Ai, como pode tanto amor vivido/ Merecer o olvido, suportar o agravo/ Do teu desamor." (Toquinho, *Modinha nº 1*) [F.: Do lat. *dehonestus,a,um* 'indecente, indecoroso'.]

doge (*do*.ge) [ó] *sm. Hist.* Magistrado supremo responsável pela administração das antigas repúblicas de Gênova e de Veneza, eleito em caráter vitalício, instituição que vigorou do século VII (em Veneza) e do XIV (em Gênova) ao século XVIII, com a conquista da Itália por Napoleão: *Com Inocêncio III, Enrico Dandolo, doge de Veneza, de 1192 a 1205, organizou a 4ª cruzada.* [F.: Do it. de Veneza *doge* 'id' e este, do lat. *dux,cis* 'comandante'.]

dogma (*dog*.ma) *sm.* 1 *Rel.* Ponto básico de doutrina religiosa, considerado certo e indiscutível: *o dogma da Santíssima Trindade.* 2 *Fig.* Qualquer doutrina que se apresenta como verdade indiscutível e portanto deve ser aceita sem contestação 3 Ideia ou preceito apresentados como irrefutáveis 4 Em religiões, doutrina que se apoia na autoridade de sua fonte, que deve prevalecer sobre qualquer dúvida dos fiéis 5 *Hist.* Na Grécia antiga, decisão de autoridade, o soberano ou assembleia [F.: Do gr. *dógma*, pelo lat. *dogma.*]

dogmático (dog.*má*.ti.co) *a.* 1 Ref. a dogma, que é próprio de dogma, que se apresenta como incontestável, como verdade absoluta 2 Que se expressa de forma sentenciosa, autoritária, doutoral (tom dogmático; pessoa dogmática) 3 Que é adepto do dogmatismo *sm.* 4 Indivíduo dogmático (2, 3) [F.: Do gr. *dogmatikós*, pelo lat. *dogmaticus.*]

dogmatismo (dog.ma.*tis*.mo) *sm.* 1 Convicção absoluta, sem abertura à crítica, da verdade de dogmas religiosos ou ideológicos 2 Ação ou pensamento de quem se guia por princípios considerados incontestáveis 3 *Fig.* Atitude arrogante de quem se julga dono da verdade: *Seu dogmatismo é irritante!* 4 *Fil. Rel.* Doutrina que admite a existência de verdades certas e irrefutáveis, que podem servir de base a sistemas religiosos ou filosóficos 5 *Fil.* Para Kant, doutrina de que é possível haver sistema de pensamento aceitável sem crítica 6 Na história da medicina, sistema que se baseava rigidamente na doutrina do mestre [F.: *dogmat-* (do lat. *dogma,atis*) + *-ismo.*]

dogmatista (dog.ma.*tis*.ta) *a2g.* 1 Que diz respeito a dogmatismo: *O ceticismo decorrente da reação contra o abuso dogmatista enregelou a alma das pessoas.* 2 Ref. ao que ensina ou estabelece dogmas *s2g.* 3 Pessoa dada a dogmatismos (dogmatista xiita) 4 Responsável pelo estabelecimento e/ou propagação de dogmas [F.: De *dogma*, sob a f. radical *dogmat-* + *-ista.*]

dogmatizar (dog.ma.ti.*zar*) *v.* 1 Estabelecer, pregar dogma [*td.*: *Gosta muito de dogmatizar suas opiniões.*] [*int.*: *As igrejas costumam dogmatizar.*] 2 Erigir como dogma [*td.*: *A Igreja católica dogmatizou uma série de princípios cristãos.*] 3 Impor (ideia, doutrina etc.) de maneira autoritária, como um dogma [*td.*: *O professor quer dogmatizar as ideias desse historiador.*] 4 Falar ou escrever de modo dogmático, assertivo, autoritário [*td.*: *Aquele é um repórter que dogmatiza todas as suas matérias.*] [*int.*: *Dogmatiza sempre em seus discursos.*] [▶ 1 dogmatizar] [F.: Do gr. *dogmatízein*, pelo lat. *dogmatizare.*]

doidão (doi.*dão*) *Gír. a.* 1 Muito louco, completamente desnorteado 2 *Gír.* Embriagado, drogado *sm.* 3 Indivíduo muito doido 4 *Gír.* Pessoa embriagada, que está sob o efeito de drogas; BÊBADO [Pl.: *-dões*. Fem.: *-dona.*] [F.: Aum. de *doido.*]

doideira (doi.*dei*.ra) *sf.* 1 Ato ou comportamento insensato, inconsequente; DESATINO; DESVARIO: *Que doideira, ele gastou todo o salário nas compras.* [Ant.: *sensatez, tino.*] 2 Ato, palavra, comportamento de doido; DOIDICE; LOUCURA; MALUQUICE [Ant.: *lucidez, sanidade.*] [F.: *doido* + *-eira.*]

doidejar (doi.de.*jar*) *v.* 1 Comportar-se como um doido [*int.*: *Bebeu um pouco e começou a doidejar.*] 2 Dizer impropérios, proferir coisas sem sentido [*td.*: *Entrou na sala e doidejou meia dúzia de besteiras.*] 3 Fazer farra ou diabruras; BRINCAR; FOLIAR [*int.*: *Sempre que está com os filhos, doideja sem parar.*] 4 Andar sem rumo, para passar o tempo; VAGUEAR [*int.*: *Nos fins de tarde, ficava doidejando pelo shopping.*] [▶ 1 doidejar] [F.: *doido* + *-ejar*. Sin. ger.: *doudejar*. Hom./Par.: *doidejo* (fl.), *doidejo* [ê] (sm.).]

doidice (doi.*di*.ce) *sf.* O mesmo que *doideira* [F.: de *doido* + *-eira.*]

doidivanas (doi.di.*va*.nas) *s2g2n.* 1 *Pop.* Indivíduo inconsequente, extravagante, leviano 2 Indivíduo gastador, perdulário [F.: De or. contrv., posv. de *doido.*]

doido (*doi*.do) *a.* 1 Louco, demente: *Ele é doido, e precisa ser internado.* 2 Que se comporta como doido (1), diz-se de quem não é sensato; INSENSATO; IMPRUDENTE: *Que sujeito mais doido, se arrisca sem necessidade.* [Ant.: *cauteloso, sensato.*] 3 Oposto à razão, à prudência, à sensatez (diz-se de coisa); INSENSATO: *Que ideia mais doida essa de escalar à noite sem guia.* 4 Obcecado, arrebatado [+ *para*, *por*: *Está doida para casar*: "...Américo vive doido por ser ministro..." (Joaquim Manuel de Macedo, *A luneta mágica*)] 5 Muito feliz; ARREBATADO; EMPOLGADO: *Ficou doido com o nascimento do primeiro filho.* [Ant.: *indiferente.*] *sm.* 6 Indivíduo doido [F.: De or. contrv. Tb. *doudo.*]

doído (do.*í*.do) *a.* 1 Que dói ou que manifesta dor, inclusive moral (braço doído, grito doído); DOLORIDO 2 Que sente mágoa; MAGOADO; RESSENTIDO: *Estava doído com aquela rejeição.* 3 Que causa dor; DOLOROSO; PENOSO [Ant.: *indolor.*] 4 Angustiante, aflitivo, cruciante: *A morte do pai foi um momento doído em sua vida.* [Ant.: *feliz, prazeroso.*] 5 *Bras. Turfe* Que não é ou não está são (cavalo); BALEADO [F.: Part. de *doer.*]

do-in (do-*in*) *sm.* Técnica de massagem de origem chinesa, que consiste na pressão com o polegar sobre determinados pontos de energia distribuídos pelo corpo, com o objetivo de regular o fluxo energético que circula nos meridianos vitais [F.: Empréstimo do chinês de *do* 'caminho' + *in* '(de) casa', entendendo-se como 'casa' o corpo, moradia da energia vital.]

◎ **-doiro**¹ *suf.* Ver *-douro*¹

◎ **-doiro**² *suf.* Ver *-douro*²

dois *num.* 1 Quantidade correspondente a uma unidade mais uma 2 Diz-se desse número (o número dois) 3 Diz-se de pessoa ou coisa que ocupa o segundo lugar numa série: *a dia dois do mês; o candidato dois.* 4 Que está marcado com o número dois: *cadeira dois.* 5 Cuja quantidade se mede com duas unidades de medida: *dois quilos de carne; duas garrafas de água.* [Fem.: *duas.*] *sm2n.* 6 A representação gráfica, em algarismo, do número dois (arábico: 2; romano: II) 7 Peça ou elemento de jogo (carta de baralho, face de dado, pedra de dominó, setor de roleta etc.) identificada com o número dois: *o dois de copas.* 8 A nota dois em prova, concurso, teste etc.: *Foi mal no exame, tirou um dois.* [F.: Do lat. *duo, duae*, acusativo *duos, duas.*]

dois de paus (dois de *paus*) *sm2n.* 1 *Pop. Pej.* Indivíduo insignificante, que não merece atenção nem consideração 2 *Pej.* Pessoa sem préstimo, que não tem iniciativa: *Ficou parado que nem um dois de paus.* 3 Certa carta de baralho com esse número e naipe

dois-pontos (dois-*pon*.tos) *sm2n.* 1 Sinal de pontuação (:) us. na escrita antes de fala direta, citação, enumeração, exemplo ou esclarecimento (p.ex., *Duração*: *1h.*), ou depois do vocativo em cartas, requerimentos etc. 2 *Joc.* Expressão us. em linguagem oral para enfatizar uma declaração que se lhe segue: *Que fique claro e cristalino, dois-pontos, não haverá prorrogação.*

dólar (*dó*.lar) *sm.* 1 Nome do dinheiro e unidade monetária em vários países, como os Estados Unidos da América, Canadá, Austrália, Nova Zelândia, Anguilla, Antígua e Barbuda, Bahamas, Barbados, Belize, Bermudas, Brunei, Cingapura, Dominica, E.U. da Micronésia, Fiji, Granada, Guam, Guiana, Hong-Kong, Jamaica, ilhas Cayman, ilhas Cook, ilhas Marianas, ilhas Marshall, ilhas Natal, ilha Norfolk, ilhas Salomão, ilhas Turks e Caicos, ilhas Virgens, Kiribati, Libéria, Malásia, Montserrat, Namíbia, Nauru, Palau, Santa Lúcia, São Cristóvão e Névis, São Vicente e Granadinas, Trinidad e Tobago, Tuvalu, Zimbábue 2 Unidade dos valores em dólar (símb.: $), us. em notas e moedas (1 dólar = 100 *cents*): *uma nota de dez dólares.* [Ger. a não menção de país significa que se está referindo ao dólar norte-americano.] 3 *Bot.* Planta da fam. das labiadas (*Plectranthus coleoides* var. *marginatus*), nativa da Índia, de flores delicadas, brancas ou arroxeadas, em espigas pequenas, cultivada como ornamental 4 *Bras.* Porção de maconha enrolada em papel, como um cigarro [F.: Do ing. *dollar.*]

dolarização (do.la.ri.za.*ção*) *sf.* 1 *Econ.* Processo monetário de substituição da moeda nacional de um país pelo dólar norte-americano como medida de valor ou meio de pagamento 2 Vinculação do valor de uma moeda e de ativos financeiros ao valor do dólar por meio de uma taxa de câmbio fixa, que se mantém por ser cada emissão condicionada à existência de reservas correspondentes em dólar [Pl.: *-ções.*] [F.: *dolarizar* + *-ção.*]

dolarizado (do.la.ri.*za*.do) 1 Diz-se de economia em cujas transações comerciais a moeda nacional é substituída pelo dólar americano (economia dolarizada) 2 Indexado ao dólar (aluguel dolarizado) [F.: Part. de *dolarizar.*]

dolarizar (do.la.ri.*zar*) *v. Econ.* Efetuar dolarização em (medidas econômicas, transações comerciais etc.) [*td.*: *As financeiras dolarizam os valores de imóveis.*] [*int.*: *A venda de imóveis continua a dolarizar-se.*] [▶ 1 dolarizar] [F.: *dólar* + *-izar.*]

⊕ **dolce far niente** (*It.* /dôltche fár niénte/) *sm.* Ócio prazeroso: *As regiões litorâneas propiciam um revigorante dolce far niente.*

⊕ **dolcemente** (*It.*/doltchemente/) *adv. Mús.* De modo suave

dolce stil nuovo (*It.* /dôltche stil nuôvo/) *sm.* Estilo de poesia cujo grande tema é o amor cortês, surgido na Itália do século XIII e que teve como expoentes Guido Guinizelli e Guido Cavalcanti, mestres de Dante

⊕ **dolce vita** (*It.* /dôltche víta/) *sf.* Vida em meio a prazeres e autoindulgências

⊕ **dolcíssimo** (*It.*/doltchíssimo/) *a. Mús.* Bastante suave

doleiro (do.*lei*.ro) *a.* 1 Diz-se de indivíduo que compra e vende dólares no mercado paralelo *sm.* 2 Esse indivíduo [F.: *dólar* + *-eiro.*]

dolência (do.*lên*.ci:a) *sf.* Aflição, lástima, mágoa; LÁSTIMA; MÁGOA; SOFRIMENTO [F.: Do lat. *dolentia.*]

dolente (do.*len*.te) *a2g.* 1 Que sente ou manifesta, expressa dor; LASTIMOSO; QUEIXOSO: "Os cantos dolentes dos padres..." (Eça de Queirós, *Prosas bárbaras*) 2 *Fig.* Que lembra a expressão de dor (música dolente) [F.: Do lat. *dolens, entis*. Ant. ger.: *alegre, contente, jubiloso, prazenteiro.*]

◎ **dolico-** *el. comp.* = 'longo'; 'comprido': *dolicocefalia, dolicocéfalo, dolicópode* [F.: Do gr. *dolikhós, é, ón.*]

dolicocefalia (do.li.co.ce.fa.*li*.a) *sf.* Estado ou condição de dolicocéfalo [F.: *dolico-* + *-cefalia* ou *dolicocéfalo* + *-ia*¹.]

dolicocéfalo (do.li.co.*cé*.fa.lo) *a.* 1 *Antr.* Que tem o crânio oval, com o diâmetro transversal um quarto menor que o longitudinal *sm.* 2 Indivíduo ou animal que tem esse tipo de crânio oval [F.: *dolico-* + *-céfalo*. Cf.: *braquicéfalo.*]

dólmã (*dól*.mã) *Vest. sm.* 1 Capa curta (até os joelhos), abotoada na frente de cima a baixo, us. pelos hussardos 2 Espécie de casaco militar justo na cintura, todo abotoado, com ou sem alamares 3 *P.ext.* Modelo de roupa inspirado nesse casaco [F.: Do turco *dolama*, pelo húng. *dolmany*, pelo al. *Dolman* e o fr. *dolman.*]

dólmen (*dól*.men) [ó] *sm. Arqueol.* Monumento neolítico constituído de uma grande pedra chata sobre outras verticais; DÓLMIN [Pl.: *dólmenes; dolmens.*] [F.: Do fr. *dolmen*, do bretão *tol-* + *-mean.*]

dolo¹ (*do*.lo) [ó] *sm.* 1 Ação fraudulenta de alguém para com outrem; FRAUDE; LOGRO; MÁ-FÉ 2 *Jur.* Intenção consciente de induzir alguém a cometer ou manter erro, com prejuízo para ele [Ant.: *boa-fé, correção.*] 3 *Jur.* Intenção consciente de cometer ou assumir o risco de ato criminoso [F.: Do lat. *dolus.*]

dolo² (*do*.lo) *sm. Ant.* Punhal comprido, com bainha de madeira, us. antigamente na península Ibérica [F.: De or. obsc.]

dolomita (do.lo.*mi*.ta) *sf. Min.* Mineral constituído de carbonato duplo de cálcio e magnésio; DOLOMIA [Fórm.: $CaMg(CO_3)_2$] [F.: Do fr. *dolomite*; *séc. XIX.* Tb. *dolomite.*]

dolomite (do.lo.*mi*.te) *sf.* Ver *dolomita*

dolorido (do.lo.*ri*.do) *a.* 1 Em que há dor; que provoca dor (ferimento dolorido); DOÍDO; DORIDO [Ant.: *indolor.*] 2 Próprio de quem se lastima; LAMENTOSO; LASTIMOSO: *um tom de voz dolorido.* [F.: *dolor* + *-ido.*]

dolorífero (do.lo.*rí*.fe.ro) *a.* Que tem ou provoca dor; DOLOROSO [Ant.: *indolorífero.*] [F.: Do lat. *dolus, i-*, der. gr. *dólos-* + lat. *-ferό, fers, tetùli.*]

dolorimento (do.lo.ri.*men*.to) *sm.* Estado ou condição de dolorido: *A ferida provocava um dolorimento insuportável.* [F.: rad. de *dolor-*, f. ant. de *dor-* + *-ir* + lat. vulgar *-mentu.*]

dolorosa (do.lo.*ro*.sa) *sf.* 1 *Bras. Gír.* Conta a ser paga (esp. em restaurante): *O garçom trouxe a dolorosa e o cliente quase desmaiou.* 2 *Lus.* Espetáculo que não agrada ao público 3 *Lus.* Embriaguez, bebedeira [F.: Fem. subst. de *doloroso.*]

doloroso (do.lo.*ro*.so) [ô] *a.* 1 Que causa dor, física ou moral; DOÍDO; DOLORIDO: *O ferimento do braço era doloroso; O divórcio foi traumático e doloroso.* [Ant.: *indolor.*] 2 Que causa ou exprime sofrimento; AFLITIVO; TORTURANTE: *A dolorosa notícia pegou-os desprevenidos.* [Ant.: *gostoso, prazeroso.*] 3 *Fig.* Lamuriento, lamentoso, triste (suspiro doloroso) [Ant.: *alegre, animado, divertido.*] [Fem. e pl.: [ó].] [F.: Do lat. *dolorosus.*]

doloso (do.*lo*.so) [ô] *a.* 1 *Jur.* Em que há dolo ou que foi causado por dolo (ação dolosa; contrato doloso) [Cf.: *culposo.*] 2 *Fig.* Que age com dolo, que usa de dolo (vendedor doloso); ENGANADOR; PÉRFIDO [Ant.: *honesto.*] [Fem. e pl.: [ó].] [F.: Do lat. *dolosus.*]

dom¹ *sm.* 1 Qualidade inata: *Tinha o dom da oratória.* 2 *P.ext.* Poder, virtude, condão (dom de irritar) [Tb. *Irôn.*] 3 Dádiva, presente: *Parecia ter recebido um dom divino.* 4 Mérito, aptidão, talento, vantagem naturais, inatos: *A genialidade é um dom com que poucos são agraciados.* 5 Capacidade, poder de fazer algo bom, ou, ironicamente, de fazer algo mau: *Ela tem o dom de pacificar litígios; Ele tem o dom de criar confusão.* [Pl.: *dons.*] [F.: Do lat. *donum.*]

dom² *sm.* 1 Denominação ou forma de tratamento de alguns cargos importantes da Igreja (Dom Eugênio Salles; Dom Marcos Barbosa) 2 Título de honra que precede o nome de batismo de monarcas e altos nobres, de Espanha e Portugal, e no Brasil antes da República (Dom Pedro I; Dom Fernando VII) 3 *Hist.* Título honorífico concedido àqueles que prestaram importantes serviços à corte 4 *P.ext.* Para espanhóis e hispano-americanos, título e forma de tratamento que exprime homenagem, respeito, deferência etc. [F.: Do lat. *dominus, i*, 'senhor de'. Com inicial maiúsc.]

doma (*do*.ma) [ó] *sf. Bras.* Ação ou resultado de domar (especialista em doma de cavalos) [F.: Dev. de *domar*. Hom./Par.: *doma* (sm.), *doma* (fl. de domar) e *dama* (sf.).]

domação (do.ma.*ção*) *sf. Bras.* Ação de domar, domesticar, amansar; DOMA [Pl.: *-ções.*] [F.: *domar* + *-ção.*]

domado (do.*ma*.do) *a.* 1 Que se domou, que se amansou, que se tornou dócil (animal domado); DOMESTICADO [Ant.: *indomado.*] 2 Subjugado pela força ou por persuasão; (impulsos domados; rebeldia domada); REFREADO [F.: Do lat. *domatus, a, um*; séc. XV, *domado.*]

domador (do.ma.*dor*) [ô] *a.* 1 Que doma ou amansa *sm.* 2 Aquele que doma ou amansa [F.: Do lat. *domator, oris.*]

domadora (do.ma.*do*.ra) [ô] *sf.* 1 Aquela que amansa animais 2 Mulher que integra o *International Association of Lions Clubs* [F.: Fem. de *domador*; ver *domar* e *-dora.*]

domar (do.*mar*) *v. td.* 1 Submeter (animal), ensinando-o a obedecer, tornando-o obediente, por meio de enfrentamento, técnicas de exercício e condicionamento; AMANSAR; DOMESTICAR: *domar o potro.* 2 *Fig.* Submeter, fazer ceder (um adversário); SUBJUGAR; SUJEITAR: *Acabarão por domar os presos rebelados.* 3 Submeter ao domínio (forças naturais): *domar as águas do mar.* 4 *Fig.* Reprimir, conter (inclusive a si mesmo): *domar a raiva; Precisava domar-se para não gritar com os funcionários.* [▶ 1 domar] [F.: Do lat. *domare.* Hom./Par.: *doma(s)* (fl.), *doma(s)* (sf.[pl.]); *domáveis* (fl.), *domáveis* (pl. de *domável*); *domo* (fl.), *domo* (sm.).]

◎ **domato-** *el. comp.* = 'casa'; 'morada': *domatofobia, domatófobo* [F.: Do gr. *dômas, atos,* 'construção'; (*p.ext.*) 'casa'; 'morada'.]

domatofobia (do.ma.to.fo.*bi*.a) *sf. Psiq.* Medo excessivo e patológico de estar dentro de casa [F.: *domato-* + *-fobia.* Cf.: *claustrofobia.*]

domatofóbico (do.ma.to.*fó*.bi.co) *Psiq. a.* 1 Ref. ou inerente à domatofobia (surto domatofóbico) 2 Diz-se de indivíduo que sofre de domatofobia; DOMATÓFOBO *sm.* 3 Esse indivíduo; DOMATÓFOBO [F.: *domatofobia* + *-ico*². Cf.: *claustrofóbico.*]

domatófobo (do.ma.*tó*.fo.bo) *a. sm. Psiq.* O mesmo que *domatofóbico* (2 e 3); DOMATOFÓBICO [F.: *domato-* + *-fobo.* Cf.: *claustrófobo.*]

domável (do.*má*.vel) *a2g.* Que se pode domar; DOMESTICÁVEL [Ant.: *indomável.*] [Pl.: *-veis.*] [F.: Do lat. *domabilis, e.* Hom./Par.: *domáveis* (pl.), *domáveis* (fl. de *domar*).]

doméstica (do.*més*.ti.ca) *sf.* Mulher que tem como profissão prestar serviços domésticos em casas de família; CRIADA [F.: Fem. de *doméstico (5).*]

domesticação (do.mes.ti.ca.*ção*) *sf.* Ação ou resultado de domesticar(-se) [Pl.: *-ções.*] [F.: Do fr. *domestication.*]

domesticado (do.mes.ti.*ca*.do) *a.* 1 Que recebeu domesticação; AMANSADO; DOMADO [Ant.: *asselvajado; indomesticado.*] 2 Tornado civilizado, colonizado 3 *Antr.* Diz-se de animal ou planta adaptado à vida em comum com seres humanos e/ou outras espécies [F.: Do fr. *domestiquer-*, der. lat. *domesticus, a, um-* + lat. *-átu-, -áta* > *-ado.*]

domesticar (do.mes.ti.*car*) *v.* 1 Tornar ou ficar doméstico (animal); AMANSAR; DOMAR [*td.*: *domesticar um cavalo.*] [*int.*: *Era um pônei xucro e selvagem, mas domesticou-se aos poucos.*] 2 *Antr.* Afazer, habituar (animal ou planta) ao contato com o homem e/ou com espécies diferentes da do seu hábitat, alterando-lhe as características originais [*td.*] 3 *Fig.* Tornar(-se) cortês, apto ao convívio social; CIVILIZAR [*td.*: "...sem que a sua influência se estendesse a domesticar o espírito inquieto do sobrinho." (Latino Coelho, *Camões*)] [*int.*: *Era um menino rude e esquivo, mas com o convívio domesticou-se.*] 4 Submeter (ger. força da natureza) ao controle do homem [*td.*: *domesticar o mar.*] [▶ 11 domesticar] [F.: *doméstico* + *-ar*² ou do fr. *domestiquer* (do lat. *domesticus*). Hom./Par.: *domestica(s)* (fl.), *doméstica(s)* (sf. e fem. de *doméstico* [pl.]); *domesticáveis* (fl.), *domesticáveis* (pl. de *domesticável*); *domestico* (fl.), *doméstico* (a.).]

domesticável (do.mes.ti.*cá*.vel) *a2g.* Que pode ser domesticado [Ant.: *indomesticável.*] [Pl.: *-veis.*] [F.: *domesticar* + *-vel.* Hom./Par.: (pl.) *domesticáveis, domesticáveis* (fl. de *domesticar*).]

doméstico (do.*més*.ti.co) *a.* 1 Ref. à casa, ou à vida familiar (serviços domésticos) 2 Que se cria ou que vive em casa ou perto do homem (animais domésticos) 3 Que se realiza dentro de um país: *Aumenta o número de voos domésticos.* 4 Que se dedica ao lar e aos afazeres da casa *sm.* 5 Empregado contratado para fazer serviços domésticos 6 *N.* Tecido grosseiro de algodão [F.: Do lat. *domesticus.*]

domiciliar¹ (do.mi.ci.li.*ar*) *a2g.* Ref. a domicílio, ou que ocorre ou é feito em domicílio (atendimento domiciliar); DOMICILIÁRIO [F.: *domicílio* + *-ar*¹.]

domiciliar² (do.mi.ci.li.*ar*) *v.* 1 Receber em seu domicílio; dar domicílio a [*td.*: *domiciliar desabrigados.*] 2 Fixar(-se) em domicílio, residência ou sede [*td.*: *A prefeitura domiciliou os imigrantes.*] [*ta.*: *A montadora domiciliou-se em Contagem.*] [▶ 1 domiciliar] [F.: *domicílio* + *-ar*². Hom./Par.: *domiciliaria(s)* (fl.), *domiciliária(s)* (fem. de *domiciliário* [pl.]); *domicilio* (fl.), *domicílio* (sm.).]

domiciliário (do.mi.ci.li.*á*.ri:o) *a.* 1 Ref. ou inerente a domicílio; DOMICILIAR 2 Que acontece ou é feito em domicílio (empresa domiciliária) [F.: *domicílio* + *-ário.* Hom./Par.: *domiciliária* (sf.), *domiciliárias* (pl.) *domiciliaria* (fl. de domiciliar), *domiciliarias* (fl. de domiciliar).]

domicílio (do.mi.*cí*.li:o) *sm.* 1 Casa ou apartamento em que se reside; RESIDÊNCIA 2 Bairro, cidade, região etc. onde fica essa residência: *Brasília é meu domicílio.* 3 *Jur.* Lugar em que uma pessoa reside com a disposição de lá permanecer 4 *Jur.* Lugar onde se considera, para efeitos legais, que uma pessoa física reside, mesmo que ali ela não tenha residência permanente 5 *Jur.* Lugar em que presumidamente funciona a diretoria e a administração de uma pessoa jurídica 6 *Astrol.* Casa solar ou lunar dos sete astros que completam pelo menos uma revolução durante a vida de uma pessoa [F.: Do lat. *domicilium.*] ■ **A/em ~** No lugar de residência [NOTA: Us. ger. na loc. 'entrega a/em domicílio'. *A domicílio* é us. quando o verbo pede a preposição *a*: *Leva-se gelo a domicílio.* (Leva-se algo *a* algum lugar). *Em domicílio* é us. se o verbo pede e preposição *em*: *Dá-se aula de piano em domicílio.* (Faz-se algo *em* algum lugar).] **~ convencional** *Jur.* Ver *Domicílio eletivo* **~ eletivo** *Jur.* O domicílio estipulado em contrato escrito, por vontade das partes; domicílio convencional, domicílio especial **~ especial** *Jur.* Ver *Domicílio eletivo* **~ necessário** *Jur.* Domicílio imposto por lei a pessoa, devido a uma situação legal ou jurídica

dominação (do.mi.na.*ção*) *sf.* Ação ou resultado de dominar, soberania, poder absoluto: *Os rapazes aceitavam a dominação do pai; Na época do colonialismo era grande a dominação da Europa sobre os povos africanos.* [Pl.: *-ções.*] [F.: Do lat. *dominatio, onis.*]

dominado (do.mi.*na*.do) *a.* 1 Que se dominou [+ *por*: *dominado pela força; dominado por obsessões.* Ant.: *indominado.*] 2 Sobre quem ou que se tem domínio 3 Sobre quem se tem autoridade, poder ou influência (filho dominado pelo pai); SUBJUGADO 4 Contido, controlado, reprimido (sofrimento dominado) 5 Caracterizado por uma tendência, em que existe uma disposição: *Enredo dominado por situações de violência.* [Superl.: *dominadíssimo/a.*] [F.: Do lat. *dominatus, a, um*; séc. XVIII, *dominado.*]

dominador (do.mi.na.*dor*) [ô] *a.* 1 Que domina; que exerce poder, autoridade ou domínio sobre; OPRESSOR: *A força dominadora dos colonialistas.* 2 Que tem caráter autoritário ou infunde respeito: *Exibia um olhar dominador. sm.* 3 Aquele que exerce qualquer tipo de dominação: *Os dominadores conquistavam terras produtivas.* 4 Senhor absoluto: *Na próxima guerra, o vencedor será o dominador do mundo.* [F.: Do lat. *dominator, oris.*]

dominância (do.mi.*nân*.ci:a) *sf.* 1 Qualidade ou condição de dominante: *Era poderosa sua dominância sobre os rivais.* 2 Predomínio sobre algo, pessoa ou grupo de pessoas 3 *Biol.* Grau de influência exercida por uma espécie sobre a comunidade 4 *Biol.* Presença, no híbrido, de um caráter dominante 5 *Fisl.* Dissimetria funcional entre dois órgãos pares, em que um tem superioridade sobre o outro 6 *Gen.* Relação entre os genes alelos que se verifica quando os dois primeiros genótipos têm o mesmo fenótipo 7 *Neur.* Propriedade do cérebro humano pela qual um dos hemisférios cerebrais domina o outro 8 *Met.* Condição em que um vento sopra com mais frequência em uma região a ponto de determinar-lhe o clima 9 *Zool.* Situação em que um indivíduo exerce poder e goza de privilégios sobre os demais pelo uso da força 10 *Psi.* Condição de uma determinada reação ou comportamento que tende a verificar-se mais amiúde como resposta a uma situação dada 11 *Jur.* Situação em que um prédio torna-se beneficiário de encargos impostos a outro [F.: Posv. do fr. *dominance.*] ■ **~ ecológica** *Ecol.* A característica ou a condição de espécie ou grupo mais abundante ou presente em certo meio ambiente

dominante (do.mi.*nan*.te) *a2g.* 1 Que domina, que tem autoridade, que detém o poder; DOMINADOR; PODEROSO: *As classes dominantes geralmente são conservadoras.* [Ant.: *dependente, subordinado.*] 2 Que tem predominância, que é mais difundido; GERAL; IMPERANTE; PREDOMINANTE: *O jeans é a roupa dominante.* 3 Que prevalece, que influi de maneira decisiva; INFLUENTE; PREVALECENTE: *Valores morais dominantes.* 4 *Psi.* Diz-se da reação que ocorre com maior frequência; PRINCIPAL: *O traço dominante do paciente era a agressividade.* [Ant.: *secundário.*] 5 *Ecol.* Diz-se de espécie em maior número em uma comunidade 6 *Biol. Gen.* Diz-se do alelo que determina o fenótipo [Ant.: *recessivo.*] 7 *Poét.* Diz-se da sílaba tônica, em uma rima 8 *Med.* Em um órgão ou estrutura par, diz-se do que atua mais eficazmente ou é us. preferencialmente (olho dominante) 9 *Art.Pl.* Diz-se de cor, tema etc. que sobressai no conjunto de uma obra de arte *sf.* 10 *Poét.* A sílaba tônica de uma rima 11 Traço marcante: *A dominante em seu trabalho é a busca pela originalidade.* 12 *Mús.* Quinto grau da escala tonal maior ou menor, o mais importante depois da tônica [F.: Do lat. *dominans, antis.*] ■ **~ ecológico** *Ecol.* A espécie ou grupo que tem dominância ecológica

dominar (do.mi.*nar*) *v.* 1 Exercer domínio, autoridade (sobre) [*td.*: *Um pequeno grupo dominava toda a empresa.*] [*int.*: *Já nasceu com a ânsia de dominar.*] 2 Exercer grande influência sobre [*td.*: *Seu pensamento dominou as artes por muito tempo.*] 3 Conter (esp. as próprias paixões ou inclinações); REFREAR(-SE) [*td.*: *O segurança dominou o tumulto*; "... apertou-me o coração (...), mas dominei-me e fui." (Machado de Assis, "O enfermeiro" *in Novas Seletas*)] 4 Ter domínio perfeito de [*td.*: *dominar um idioma.*] 5 Sobressair, prevalecer, preponderar em [*td.*: *Os livros de autoajuda dominam as vitrines das livrarias.*] [*int.*: *Na escola de samba, o verde dominava.*] 6 Ocupar (algo) inteiramente; TOMAR [*td.*: *O incêndio domina todo o prédio.*] 7 Ser ou estar sobranceiro a; elevar-se acima de [*td.*: *O pico Itacolomi domina o município de Ouro Preto.*] [▶ 1 dominar] [F.: Do lat. *dominare, por *dominari.* Hom./Par.: *domináveis* (fl.), *domináveis* (pl. de *dominável* [a2g.]).]

domingar (do.min.*gar*) *v. int.* Passar o domingo: "...eu liquidei / a prestação do paletó, do meu sapato, da camisa / que eu comprei pra domingar com meu amor..." (Raul Seixas, *É fim do mês*) [▶ 14 domingar] [F.: *domingo* + *-ar*². Hom./Par.: *domingo* (fl.), *domingo* (sm.).]

domingo (do.*min*.go) *sm.* 1 Primeiro dia da semana, depois do sábado e antes da segunda-feira 2 *Rel.* Entre os cristãos, dia da semana consagrado ao louvor, às orações e ao descanso [F.: Do lat. *dies dominicus.*] ■ **~ da rosa** *Rel.* O primeiro domingo após a oitava da Assunção **~ de Páscoa** *Litu.* O domingo no qual os cristãos celebram a ressurreição de Jesus **~ de Ramos** *Litu.* Domingo antes da Páscoa, no qual os cristãos celebram a entrada de Jesus em Jerusalém **~ gordo** O domingo de carnaval, que antecede a quarta-feira de cinzas

domingueira (do.min.*guei*.ra) *Bras. sf.* Qualquer festividade, evento recreativo, dançante ou esportivo que se realiza aos domingos [F.: Fem. substv. de *domingueiro.*]

dominical (do.mi.ni.*cal*) *a2g.* 1 Ref. a domingo (almoço dominical) 2 *Jur.* Ref. a quem mantém o domínio 3 *Rel.* Que concerne a Deus [Pl.: *cais.*] *sm.* 4 Tecido us. antigamente para acondicionar hóstias destinadas às mulheres [Pl.: *-cais.*] [F.: Do lat. tard. *dominicalis.*]

dominicano¹ (do.mi.ni.*ca*.no) *a.* 1 Ref. ou pertencente à Ordem de São Domingos (frades dominicanos) *sm.* 2 Religioso que pertence a essa Ordem [F.: Do antr. lat. *Sanctus Dominicus*, 'São Domingos', + *-ano*¹.]

dominicano² (do.mi.ni.*ca*.no) *sm.* 1 Indivíduo nascido ou que vive na República Dominicana *a.* 2 De República Dominicana; típico desse país ou de seu povo [F.: Do top. (República) *Dominicana*, com var. de suf; ver *-ano*¹.]

domínio (do.*mí*.ni:o) *sm.* 1 Ação ou resultado de dominar: *O domínio dos mais fortes.* 2 Dominação, autoridade, poder: *As terras ficaram sob seu domínio.* 3 Posse, poder, propriedade: *Os domínios do fazendeiro iam além do rio.* 4 Extensão de terras sob a posse ou dominação de uma ou mais pessoas [Mais us. no pl.] 5 Possessão de território: *A Argentina retomou o domínio das Malvinas.* 6 Âmbito de uma arte ou ciência: *o domínio do cubismo no início do séc XX.* 7 Grande conhecimento: *O seu domínio das ciências era impressionante.* 8 Soberania, supremacia, poder: *o domínio das elites sobre os mais pobres.* 9 Alçada, competência, atribuição: *Era uma questão que pertencia aos domínios daquele tribunal.* [Mais us. no pl.] 10 *Inf.* Segmento final de um endereço eletrônico que identifica a entidade proprietária do endereço (no Brasil, p.ex.: *br, org, gov*) [F.: Do lat. *dominium.*] ■ **~ direto** *Jur.* Numa *enfiteuse*, seu domínio pelo senhorio, em forma de pensão anual fixa e perpétua, que recebe do enfiteuta **~ público** Conjunto das criações culturais (folclóricas, artísticas, intelectuais, científicas) que pertencem à comunidade em geral, que são transmitidas ou podem ser difundidas livremente entre a população **~ útil** *Jur.* Numa *enfiteuse*, aproveitamento da coisa aforada e de seus frutos **De ~ público** *Edit* Diz-se de canções, músicas, narrativas, obras literárias, etc., que podem ser reproduzidas e difundidas livremente, seja por não terem autoria conhecida (como no caso de criações do folclore), seja por ter expirado o prazo de proteção legal (no caso de obras com autor conhecido)

dominiquês (do.mi.ni.*quês*) *a.sm.* 1 Ref. ou pertencente a Domínica, nas Antilhas 2 Natural ou hab. da Domínica; DOMINIQUENSE [F.: Do top. *Domínica-* + *-ês.*]

dominó (do.mi.*nó*) *sm.* 1 Fantasia us.no carnaval ou em bailes de máscara, que consiste em uma túnica longa, de mangas largas e capuz, ger. de cor negra 2 Indivíduo que usa essa fantasia: *Na entrada do baile, havia dois piratas e três dominós.* 3 *Lud.* Jogo que utiliza um conjunto de 28 peças retangulares marcadas em cada uma de suas metades com pontos cujo número varia de zero a seis, em todas as combinações possíveis, e com as quais se formam séries juntando números iguais de duas peças, saindo vitorioso o jogador que primeiro descartar todas as suas peças 4 Esse conjunto de peças [F.: Posv. do lat., da expr. *benedicamus domino*, pelo fr. *domino.*] ■ **Efeito ~** Circunstância na qual a consequência de determinado fato torna-se a causa de novo fato, e assim por diante **Teoria do ~** *Pol.* Teoria pela qual se deve evitar a concretização de um fato ou evento considerado indesejável porque este poderia, em analogia com a derrubada em série de pedras de dominó, desencadear em consequência uma série de outros fatos indesejáveis [Foi us. politicamente para justificar intervenções em sistemas antagônicos ao interventor, e que, segundo estes, poderiam desencadear o surgimento de novos sistemas antagônicos.]

⊕ **dom-juan** (dom-*ju*.an) (*Espn/donrruan*) *sm.* Indivíduo libertino, sedutor de mulheres; CONQUISTADOR; MULHERENGO [f. aport.: dom-joão.] [Cf.: *dom-juanismo; dom-juanesco.*]

dom-juanesco (dom-ju:a.*nes*.co) *a.* 1 Ref. ao personagem espanhol Don Juan (Dom João), próprio de suas façanhas 2 Característico de ou que se comporta como um Don Juan (arroubo dom-juanesco; insinuação dom-juanesca) [Pl.: *dom-juanescos.*] [F.: Do espn. *Don Juan-* + lat. *-iscus*, der. gr. *-ískos*, no port. e esp. *-isco*, it. *-esco.*]

dom-juanismo (dom-ju:a.*nis*.mo) *sm.* 1 Maneira de ser de um dom-juan, de um sedutor 2 Características de um dom-juan, de comportamento masculino mulherengo, libertino e inconsequente [Pl.: *dom-juanismos.*] [F.: Do espn. *Don Juan-* + *-ismo.*]

domo (do.mo) *sm.* 1 *Arq.* Cobertura convexa, ger. hemisférica, de grandes construções, esp. igrejas, que corresponde à superfície externa de uma cúpula; ZIMBÓRIO 2 *Pext.* Qualquer forma que se assemelhe a um domo: *O grupo de arbustos formava um domo.* 3 *Geol.* Elevação do solo com essa forma 4 A principal igreja de um bispado, ou arcebispado; CATEDRAL 5 *Mar.G.* Cobertura esférica do transdutor de um sonar, saliente do constado de uma embarcação, que reduz ruídos provocados pelo turbilhonamento da água [F.: Do lat. *domus*, pelo it. *duomo.* Hom./Par.: *domo* (fl.de *domar*).]

dona (do.na) *sf.* 1 Proprietária de algum bem concreto ou algo abstrato: *dona da rede de padarias; dona do próprio destino.* 2 Tratamento respeitoso, formal, dado às mulheres, us. antes do nome próprio (dona Célia) 3 Tratamento honorífico que se dava a mulheres de famílias nobres, a rainhas e princesas 4 *Bras. Pop.* Mulher, moça: *Ficou olhando por trás quando a dona passou.* [NOTA: Ver *dona de casa.*] 5 Mulher casada, ou que vive maritalmente; ESPOSA [F.: Do lat. *domina.*] ■ **~ das Folhas** *Bras. Rel.* Denominação cabocla (ref. a entidade sobrenatural indígena) de Oçânhim **~ de casa** Mulher que cuida dos afazeres domésticos e os administra; tb. *dona* **~ do Mato** *Bras. Rel.* Ver *Dona das Folhas* **~ Janaína** *Bras. Rel.* Denominação cabocla (ref. a entidade sobrenatural indígena) de Iemanjá **~ Maria** *Bras. Rel.* Denominação cabloca (ref. a entidade sobrenatural indígena) de Oçânhim

donaire (do.*nai*.re) *sm.* 1 Graça, garbo, elegância no andar, nas maneiras etc. 2 Gesto gracioso, distinto 3 Chiste, graça, gracejo, pilhéria 4 Qualquer adorno us. por mulheres [F.: Do lat. medv. *donarium* (no lat. láss. *donaira*), pelo cast. *donaire.*]

donairoso (do.nai.*ro*.so) *a.* 1 Que apresenta donaire, que tem graça no manejo do corpo, no andar etc. (gesto donairoso); GRACIOSO; GARBOSO 2 *Fig.* Que gosta de fazer gracejo, pilhéria (hábito donairoso; natureza donairosa) [Superl.: *donairosíssimo, donairíssimo.* Fem.: [ó], Pl.: [ó.] [F.: Do cast. *donaire-*, do lat. tar. *donarium-*, séc. XIV *donayro-* + lat. *-ósus,a,um*, esp. *-oso/-osa*, fr. *-ose*, it. *-oso/-osa.*]

donataria (do.na.ta.*ri*.a) *sf.* 1 Jurisdição de donatário 2 *Hist.* Designação de posse de capitanias hereditárias do Brasil, concedidas pelo rei português D. João III [F.: Do lat. *donatarius,ii-* + *-ia*. Hom./Par.: *donatária* (fem. *donatário*).]

donatário (do.na.*tá*.ri:o) *sm.* **1** Indivíduo a quem se fez um dom ou uma doação **2** *Hist.* No Brasil colonial, senhor de capitania hereditária, a ele doada por D. João III [F.: Do lat. *donatariusi*.]

donativo (do.na.*ti*.vo) *sm.* **1** Algo que se doa, se oferece; OFERTA **2** Contribuição pecuniária, ger. de caráter beneficente, que se faz voluntariamente a uma pessoa ou instituição [F.: Do lat. *donativum*.]

donde (*don*.de) **1** Contr. da prep. *de* com o adv. *onde* **2** Termo indicativo de origem, de precedência: *Donde surgiu essa garota?* [Mais us. como locução: *de onde*.] **3** Indica causa, motivo: *Donde toda essa preocupação?* **4** Indica conclusão: daí, por consequência: *Ela passa as noites fora de casa, donde se conclui que não leva vida regular.* [F.: *de* + *onde*.]

dondoca (don.*do*.ca) [ó] *sf.* **1** *Bras. Pop.* Mulher de boa situação financeira que, além de não trabalhar, é fútil *a.* **2** *Bras. Pop.* Diz-se de mulher enfeitada demais: *Por que está vestida assim, toda dondoca?* [F.: Posv. repetição da palavra *dona*.]

doninha (do.*ni*.nha) *Zool. sf.* **1** Nome de diversos mamíferos carnívoros de corpo esguio e longo, e com patas curtas, pertencentes ao gên. *Mustela*, da fam. dos mustelídeos **2** Mamífero carnívoro mustelídeo (*Mustela africana*) de ocorrência rara (tb. no norte do Brasil), dorso castanho com uma faixa mais escura; FURÃO [F.: *dona* + *-inha*.]

⊕ ***donjuán*** (don.ju.*án*) (*Espn. /donrruán/*) *sm.* Dom-juan; dom-joão [F.: Do espn. *Don Juan*.]

dono (*do*.no) *sm.* **1** Aquele a quem pertence algo; proprietário ou possuidor de alguma coisa: *dono da loja; do carro; do cachorro.* **2** Chefe de família; chefe da casa: *"Eu sou o dono da casa", disse meu pai.* **3** *Fig.* Aquele que tem controle sobre algo: *Ele era o dono da situação.* **4** O homem em relação a sua esposa; marido **5** *Lus.* Em Cabo Verde, avô [F.: Do lat. *dominus*.] ■ **O ~ da bola** **1** *Bras. Fig.* Em jogo de bola, jogador que, de posse da bola, vence todas ou a maioria das jogadas **2** Em jogo de crianças, aquele que, por ser realmente o dono da bola, aufere vantagens e impõe condições **3** Pessoa que centraliza atividades, controla a situação **~ da cabeça** *Bras. Rel.* Orixá pessoal, que acompanha uma pessoa e cuja identidade pode ser determinada por adivinhação **~ das Folhas** *Bras. Rel.* Denominação às vezes atribuída a Oxoce **~ da verdade** *Irôn.* Pessoa que pretende ser o único a ter razão e a conhecer a verdade dos fatos **~ do Mato** *Bras. Rel.* Oxoce **Ser ~ do seu nariz** Ter autonomia, ter as próprias opiniões, ou ser responsável pelas próprias ações

donzel (don.*zel*) *a.* **1** Diz-se de que ou quem é puro, sem mácula **2** *P.us.* Ref. ao que apresenta brandura (aluno donzel); DÓCIL; SUAVE **3** Simples, que não possui complexidade ou sofisticação (vinho donzel) *sm.* **4** Designação, na Idade Média, de jovem filho de reis e fidalgos ou moço que ainda não era armado cavaleiro; PAJEM: "Seguiam-no donzéis, falcoeiros e moços de monte." (Alexandre Herculano, *Lendas*) **5** *P.ext.* Qualquer jovem nobre e bem aparentado, em idade de casamento [F.: Do lat. *dominicellu*. Cf.: *donzelo*.]

donzela (don.*ze*.la) [é] *sf.* **1** *P.us.* Mulher virgem **2** Na Idade Média, moça solteira de origem nobre **3** Redoma transparente para proteção de castiçais **4** *Ant.* Pequena banca que se punha à cabeceira da cama, para sobre ela se pôr uma luz e para guardar o urinol **5** *Ant.* Criada, aia **6** *Zool.* Denominação comum a diversos pequenos peixes da fam. dos pomacentrídeos, encontrados em águas tropicais do Atlântico *a.* **7** Diz-se de mulher virgem (mulher donzela) [F.: Do lat vulg. *domnicilla*, dim. de *domna* 'senhora'.]

donzelice (don.ze.*li*.ce) *sf.* **1** Condição ou estado de donzela **2** Qualidade ou virtude de donzela **3** *Fig.* Ingenuidade, inocência (donzelice no amor) [F.: Do lat. *dom(i)nicèlla-*, provç.ant. *donsela-*, séc. XIV *dõnzella-* + *-ice*.]

donzelo (don.*ze*.lo) *Bras. Pop. sm.* **1** Homem virgem, que não teve relações sexuais; CASTO *a.* **2** Diz-se de homem que não teve relações sexuais: "Nesse mundo velhaco a gente econtra de tudo, até padre donzelo." (Jorge Amado, *Tereza Batista cansada de guerra*) [Cf.: *donzel*.]

dopa (*do*.pa) [ó] *sf. Farm.* Aminoácido us. em medicina no tratamento do mal de Parkinson; DIIDROXIFENILALANINA [Fórm.: $C_9H_{11}NO_4$] [F.: red. do ing. *dihydroxy-* + *-phenylalanine*.]

dopado (do.*pa*.do) *Bras. a.* **1** Diz-se de cavalo inoculado com substância estimulante, para que possa correr mais **2** Diz-se de atleta que tem seu rendimento atlético aumentado por ação de droga estimulante **3** *Med.* Diz-se de pessoa que se encontra sob a ação de substância narcótica ou estimulante **4** *P.ext.* Diz-se de quem, por qualquer razão, mostra-se alterado em sua percepção ou ação, como sob efeito de alguma droga [F.: Part. de *dopar*.]

dopagem (do.*pa*.gem) *sf.* **1** *Eletrôn.* Processo de introdução, num semicondutor, de pequenas quantidades de impurezas doadoras e/ou aceitadoras (dopagem tipo N/tipo P) **2** Ação ou resultado de dopar pessoa ou animal com substâncias que alterem funções orgânicas [Pl.: *-gens*.] [F.: Do ing. (*to*) *dope-*, der. hol. *doop, dopen-* + fr. *-age*,der.lat. *-aticu*.]

dopamina (do.pa.*mi*.na) *sf. Quim.* Mediador químico de uso terapêutico, indispensável para atividade normal do cérebro (sua ausência provoca o mal de Parkinson) [Fórm.: $C_8H_{11}NO_2$] [F.: Do ing. (*to*) *dope-*, der. hol. *doop, dopen-* + séc. XX, *-amine*.]

dopante (do.*pan*.te) *a2g.* **1** Ref. ao que dopa (medicamento/substância dopante) **2** *Eletrôn.* Diz-se de impureza que altera as propriedades de uma substância pura *sm.* **3** Que dopa **4** Impureza que altera as propriedades de uma substância pura [F.: Do ing. (*to*) *dope-*, der. hol. *doop, dopen-* + lat. *-(a)ns,(a)ntis*> *-(e)ns,(e)ntis*> *-(i)(e)ns, (i)(e)ntis*.]

dopar (do.*par*) *v. td.* **1** *Bras. Esp.* Ministrar ilegalmente estimulante a (atleta ou animal) para melhorar seu rendimento: *dopar um cavalo de corrida.* **2** *Bras.* Fazer tomar, ministrar (medicamentos) com efeito terapêutico, tranquilizante etc.: *O médico teve que dopá-lo para acalmar a dor.* **3** Causar, por efeito de droga, estado mental confuso em (alguém ou si mesmo): *Para dormir, ela se dopa todas as noites.* [▶ 1 dopar] [F.: Do ing. (*to*) *dope* + *-ar*[2].]

⊕ ***doping*** (*Ing. /dópin/*) *sm.* **1** Aplicação ilegal de substância estimulante para aumentar o rendimento de pessoa ou animal, ger. em competições esportivas **2** *Fís.* Adição de algo (substância, impureza) a material ou substância para conferir-lhe determinada propriedade

dor[1] [ô] *sf.* **1** *Med.* Sensação dolorosa, de maior ou menor intensidade, em qualquer parte do corpo; ALGIA **2** Sofrimento moral ou psicológico causado por amargura, agonia, perda etc; DESGOSTO; MÁGOA; TRISTEZA: *Sentiu grande dor pela perda do marido.* [Ant.: *contentamento, gosto, gozo*.] **3** Arrependimento, remorso **4** Pena, compaixão: *Dava-lhe grande dor ver as crianças abandonadas.* [Ant.: *indiferença*.] **5** *Fig.* Expressão de sofrimento físico ou moral: *Era um texto confessional cheio de dor.* **6** Dor (1) do parto: *Já sentia as dores, e o marido levou-a para o hospital.* [Us. no pl.] [F.: Do lat. *dolor, oris*.] ■ **~ cansada** Ver *Dor surda* **~ ciática** *Med.* Dor ao longo do nervo ciático e suas ramificações, de causas diversas (lesão, reumatismo, hérnia de disco etc.), que se manifesta por dor lombar que pode se irradiar para o quadril e a coxa, a perna e o pé [Tb. apenas *ciática*.] **~ de barriga** *Fig.* Sensação angustiosa, causada por ansiedade, medo, nervosismo etc. **~ de cabeça** **1** Sensação dolorosa na cabeça; ver *cefaleia* **2** *Fig.* Qualquer preocupação ou problema difícil, situação complicada de resolver **~ de cotovelo** **1** *Pop.* Sensação dolorida no cotovelo, semelhante a um choque elétrico, resultante de pancada seca **2** *Pop.* Arrependimento, frustração, decepção **3** *Pop.* Despeito ou ciúme por motivo de amor **~ fulgurante** Termo que designa uma dor intensa e rápida **~ referida** *Med.* A que se sente em local diverso ao daquele em que realmente ocorre **~ surda** Dor não forte, nem aguda; dor cansada

◎ **-dor** *suf. nom.* Formador de subst. e adj. ou no próprio latim (a partir do part. pass. ou do sup. lat. + suf. lat. *-or, oris*), ou no vernáculo (de radicais verbais), com a noção geral de 'que (ou aquele que) faz certa coisa': *ameaçador* ('que ameaça'), *arrasador* ('que arrasa'), *acusador* ('que ou aquele que acusa'), *aborrecedor* ('que aborrece'), *aliciador* ('que ou aquele que alicia'). Ger. com as seguintes noções a partir dessa ideia: **a)** 'agente de uma ação': *comprador, criador, devedor, elaborador, divulgador*; **b)** 'profissional ou aquele que tem certo ofício': *administrador, adestrador, carregador, contador, educador, encanador, entregador*; **c)** 'aquele que faz certa coisa, ou é dado a certa prática (que pode caracterizá-lo moralmente)': *aproveitador, engambelador, enganador*; **d)** 'utensílio, instrumento, aparelho, peça, máquina, ou móvel (que faz algo ou que se usa para fazer algo)': *abanador, abridor, aquecedor, aspirador, afogador, amortecedor, apanhador, aparador* [F.: Do suf. lat. *-t* (*us, a, um*), de part. pass. e sup., + suf. lat. *-or, oris* (ver *-or*). Ver tb. *-tor* e *-sor*.]

dor[2] (*dor*) *sm. Rel.* A oração feita pelos parses ao meio-dia [F.: De or. incerta.]

◎ **-dora** *suf. nom.* Formador de substantivos que podem ser a forma feminina de subst. em *-dor* (*apresentadora, embaixadora, governadora, procuradora*) ou apresentar noções de: **a)** 'aparelho, instrumento, peça, máquina que faz ou que se usa para fazer certa coisa': *aplanadora, arrochadora, biseladora, calculadora, copiadora, debulhadora, empacotadora, etiquetadora, incubadora, lavadora, metralhadora, niveladora*; **b)** 'firma, empresa, indústria': *distribuidora, fornecedora, gravadora, locadora, montadora, panificadora, transportadora* [F.: Fem. de *-dor* (ver).]

◎ **dora-** *el. comp.* = 'pele ou couro de animal': *dorafobia, doráfobo*. [F.: Do gr. *dorá, âs*.]

doradídeo (do.ra.*dí*.de:o) *Ict. sm.* **1** Espécime dos doradídeos, fam. de peixes teleósteos siluriformes representados pelos bacus dos rios da América do Sul *a.* **2** Ref. ou pertencente aos doradídeos [F.: Adapt. do lat. cient. *Doradidae*.]

dorafobia (do.ra.fo.*bi*.a) *sf. Psiq.* Medo patológico de pele ou pelo de animal [F.: *dora-* + *-fobia*.]

dorafóbico (do.ra.*fó*.bi.co) *Psiq. a.* **1** Ref. ou inerente a dorafobia (surto dorafóbico) **2** Diz-se de indivíduo que sofre de dorafobia; DORÁFOBO *sm.* **3** Esse indivíduo; DORÁFOBO [F.: *dorafobia* + *-ico*[2].]

doráfobo (do.*rá*.fo.bo) *a. sm. Psiq.* O mesmo que *dorafóbico* (2 e 3) [F.: *dora-* + *-fobo*.]

doravante (do.ra.*van*.te) *adv.* De agora em diante [F.: Contr. da prep. *de* + adv. *ora* (red. de *agora*) + adv. *avante*.]

dor de corno (dor de *cor*.no) *Bras. Pop. sf.* **1** Arrependimento por deixar de fazer algo ou não tomar certa atitude, ou perder oportunidade **2** Ressentimento ger. causado por ciúme e traição amorosa [Pl.: *dores de corno*.] [Cf.: *dor de cotovelo*.]

dor-d'olhos (dor-d'*o*.lhos) [ó] *Bras. Pop. sf.* Qualquer afecção ocular infecciosa, como a conjuntivite, a blefarite etc; DOR DE OLHOS [Pl.: *dores de olhos*.] [F.: Do lat. *dolor,óris-*, séc. XIV *dor-* + *-de-* + lat. *-ocŭlus, i*, séc. XV *-oulhos*.]

dórico (*dó*.ri.co) *a.sm.* **1** Ref. ou inerente aos dórios, ou o indivíduo do grupo grego dório; DÓRIO **2** *Arq.* Ref. a, ou o estilo e forma de, ou o mais antigo tipo de arquitetura grega, que se distingue das outras pela solidez e por as colunas não terem base (arco dórico,coluna dórica) **3** *Ling.* Ref. a, ou o grupo de dialetos do grego antigo, us. pelos primeiros poetas bucólicos (Cf.: *zacônio*) **4** *Lit.* Ref. a, ou o estilo e forma de poema orig. dos poetas bucólicos gregos (verso dórico) [F.: Do lat. *doricus,a,um*,der. gr. *dórikós,ê,ón*.]

dorido (do.*ri*.do) *a.* **1** Em que há dor (lábios doridos); DOLORIDO **2** Que demonstra dor (voz dorida); CHOROSO; LAMENTOSO [Ant.: *alegre, divertido*.] **3** Que sente a dor de desgosto, perda etc; MAGOADO; TRISTE: "Na floresta dos sonhos, dia a dia, / Se interna meu dorido pensamento..." (Antero de Quental, *Elogio da morte*) **4** Sensível à dor; ABALÁVEL; SUSCEPTÍVEL [Ant.: *inabalável, insensível*.] *sm.* **5** Aquele que sofre pela perda de ente querido [F.: De *dolorido*.]

dormência (dor.*mên*.ci:a) *sf.* **1** Estado de quem dorme ou de sonolência; MODORRA **2** *Med.* Insensibilidade que ocorre esp. em algumas partes do corpo, caracterizada por sensação de formigamento **3** *Fig.* Estado de inércia, apatia, inação, de dificuldade em agir etc; MARASMO: *O país parecia viver em estado de dormência.* **4** *Fig.* Estado de insensibilidade de uma pessoa diante da realidade **5** *Biol.* Longo período de inatividade devido a fatores ambientais [F.: *dormir* + *-ência*.]

dormente (dor.*men*.te) *a2g.* **1** Que dorme ou está adormecido **2** *Fig.* Que revela calmaria, pela quietude e pelo silêncio **3** *Fig.* Diz-se do que tem aspecto sonolento, entorpecido (olhar dormente) **4** *Fig.* Estagnado, parado, sem evolução ou movimento (nação dormente) **5** Que apresenta formigamento e privação da sensibilidade, ger. por má circulação sanguínea (mãos e pés dormentes) **6** *N.E.* Que não aceita, que rejeita, é insensível a crítica, conselho, sugestão etc. **7** *Arq.* Diz-se de ponte fixa numa fortificação **8** *Biol.* Diz-se do ser vivo em estado de dormência *sm.* **9** *Carp.* Cada uma das peças de madeira com que se fixa o assoalho **10** Cada um das peças de madeira ou metal que, postas espacejadamente lado a lado, atravessam o leito de uma estrada de ferro e sobre as quais se fixam os trilhos **11** *Mar.* Cada uma das grandes vigas que correm de proa à popa, nos navios de madeira **12** *Mar.* Nas embarcações de pequeno porte, cada uma das pequenas vigas longitudinais sobre as quais se fixam as bancadas para os remadores [F.: Do lat. *dorm(i)ens, entis* (part.pres. Do v.lat. *dormire*), ou de *dormir* + *-ente*.]

dormida (dor.*mi*.da) *sf.* **1** Ação ou resultado de dormir **2** Estado de quem está dormindo **3** Período de sono: *Foi uma dormida breve, mas reparadora.* **4** Hospedagem ou pousada em que se dorme **5** *Ornit.* Lugar de pouso noturno de uma ave **6** *Zool.* Local onde um animal se recolhe para dormir **7** *Gír.* Cópula [F.: Fem. substv. de *dormido*.]

dormideira (dor.mi.*dei*.ra) *sf.* **1** *Bot.* Designação comum a várias plantas da fam. das leguminosas, cujas folhas se fecham à noite ou ao serem tocadas, como, p.ex., *Mimosa pudica*, nativa do Brasil e das Guianas, de flores róseas em cachos esféricos; SENSITIVA **2** Condição de quem está muito sonolento; PASMACEIRA **3** *Bras. Infrm.* Qualquer bebida calmante que favorece o sono **4** Estado de sonolência; MODORRA **5** *Bras. Zool.* Designação comum a várias espécies de serpentes arborícolas de pequeno tamanho e olhos grandes **6** *Bras. Infrm.* Cachaça [F.: *dormir* + *-deira*.]

dormido (dor.*mi*.do) *a.* **1** Que dormiu ou adormeceu **2** Que, por meio de um bom sono, teve efeito reparador: *Foi uma noite bem dormida.* **3** *Fig. Pop.* Diz-se de alimento, esp. pão, que é de véspera **4** *Cul.* Diz-se de massa ou qualquer outro ingrediente que ficou em repouso por algum tempo antes de ser usado [F.: Part. de *dormir*.]

dorminhoco (dor.mi.*nho*.co) [ô] *a.* **1** Diz-se de indivíduo que dorme muito, que gosta de dormir: *Aquele sujeito dorminhoco não pode ser vigia noturno.* [Fem.: [ó].] *sm.* **2** Essa indivíduo: *Era um dorminhoco que mal saía da cama.* **3** *CE Zool.* Nome também atribuído aos peixes *apaiari* e *prejereba* **4** *Zool.* Nome tb. atribuído às aves *sabacu* (ou *savacu*) ou *sabacu-de-coroa* e *joão-bobo* [F.: Rad. de *dorminhar* + *-oco* [ô].]

dormir (dor.*mir*) *v.* **1** Repousar no sono, estar entregue ao sono, a estado natural de torpor e inação orgânica [*int.*: *O neném dorme bastante.*] **2** Pegar no sono; ADORMECER [*int.*: *Está tão cansado que vai dormir logo.* Ant.: *acordar*.] **3** Dedicar parte do tempo ao sono [*td.*: *Está dormindo a sesta; Dormiu dois dias seguidos.*] **4** Experimentar (sono de certo tipo) [*td.*: *Está dormindo o sono dos justos.*] **5** *Fig.* Ter relação sexual com [*tr.* + *com*: "...ele nunca dormiu com uma mulher." (Kurban Said, *Ali e Nino*)] [*int.*: *Só dormiram juntos na noite de núpcias.*] **6** *Fig.* Ser constante companhia, constante preocupação de (alguém) [*tr.* + *com*: *Esses cuidados dormem comigo.*] **7** Passar a noite em (algum lugar) (falando-se de algo) [*ta.*: *O carro dormiu na rua.*] **8** *Bras. Fig.* Estar ou ficar latente [*int.*: *Vamos deixar essa ideia dormir por um tempo; O fogo dorme debaixo das cinzas.*] **9** *Fig.* Estar morto; JAZER [*int.*: *Nossos antepassados dormem sob um mesmo mausoléu.*] **10** *Fig.* Estar tranquilo, sossegado, em repouso [*int.*: *Na calmaria, os ventos dormem.*] **11** *Bras. Fig. Pop.* Agir sem a atenção devida; revelar-se ineficaz; DISTRAIR-SE [*int.*: *O professor dormiu na correção desta questão, dando ponto a mais.*] **12** *Bras. Fig.* Ficar (parte do corpo) dormente [*int.*: *Minha perna dormiu, não consigo andar.*] **13** Ser esquecido em; ser posto de lado [*int.*: *Os pedidos ao governo dormem nas gavetas.*] **14** Parecer imóvel (objeto em movimento) devido à rapidez com que se move [*int.*: *O pião dormiu no mesmo ponto, até perder velocidade.*] [▶ 51 do rmir] [F.: Do lat. *dormire*.] ■ **~ com as galinhas** *Pop.* Ir dormir muito cedo **~ com um olho aberto e o outro fechado** Ter um sono leve, por estar atento que possa estar se passando **~ no ponto** *Pop.* Por descuido ou distração, não agir com a devida atenção ou presteza; perder a vez, uma oportunidade etc., ou deixar de fazer uma tarefa, obrigação etc. **~ sobre** **1** Pensar por mais tempo ou sem muita pressa sobre (determinado assunto complicado ou duvidoso, antes de formar opinião ou tomar decisão, ger. adiando-as até o dia seguinte): *Obrigado pela sugestão, vou dormir sobre o assunto e decido amanhã.* **2** Deixar de cumprir o prazo para agir ou decidir a respeito de (um assunto ou problema): *Hesitante acabou dormindo sobre a exigência e perdeu o prazo legal.* **3** Contentar-se com algo (aquilo que se obteve) e deixar de continuar o trabalho ou esforço, arriscando-se a perder o que fora alcançado: *Depois de todo o sucesso, não dormiu sobre os louros e continuou batalhando.*

dormitar (dor.mi.*tar*) *v.* **1** Dormir um sono leve, ou estar sonolento, meio adormecido; COCHILAR [*int.*: *Após o almoço, gostava de dormitar.*] **2** Em estado de sonolência, adormecer e acordar intermitentemente [*int.*: *Quando fui a Portugal, dormitei durante a viagem.*] **3** Dormir (um sono, uma sesta) por um curto período [*td.*: *dormitar um bom sono.*] **4** Estar sereno, tranquilo [*int.*: *O bairro dormitava na quietude da noite.*] [▶ 1 dormitar] [F.: Do lat. *dormitare.*]

dormitório (dor.mi.*tó*.ri:o) *sm.* **1** Aposento de dormir com muitas camas, destinado a abrigar um grupo de pessoas, como em enfermarias, hotéis, internatos etc. **2** *P.ext.* Num edifício, ala ou divisão que abriga um ou mais dormitórios **3** *Bras.* Quarto de dormir **4** *Bras.* O conjunto de móveis de um quarto de dormir **5** *Bras.* Lugar reservado para o descanso e sono de animais, esp. aves; DORMIDA [F.: Do lat. *dormitorium.*]

dorna (*dor*.na) [ó] *sf.* **1** *Enol.* Vasilha grande formada de aduelas, sem tampa, de boca mais larga que o fundo, onde se pisa a uva e conserva o mosto para fermentar; ADORNA **2** Recipiente grande e de uso doméstico para tomar banho, lavar roupa etc. **3** *Lus. Pop.* Mulher baixa e gorda [Aum.: *dornaça.* Dim.: *dornacho.*] [F.: De origem contrv., prov. céltica *dornas*; séc. XIII, *dorna.*]

dorsal (dor.*sal*) *a2g.* **1** Ref. a dorso **2** *Anat.* Ref. à parte posterior do tronco, oposta ao ventre: "Por que osso da espinha dorsal começa a Ressureição?.." (Eça de Queirós, *A relíquia*) [Ant.: *ventral.*] **3** *Zool.* Diz-se de estrutura ou apêndice localizado sobre o dorso (nadadeira dorsal) **4** *Bot.* Ref. à parte de cima de estruturas laminares (como as folhas) **5** *Met.* Ref. a região de altas pressões entre duas depressões, e onde os ventos são fracos [Pl.: *-sais.*] [F.: Do lat.medv. *dorsalis.*] ▪ **~ oceânica** *Oc.* Cadeia de montanhas no fundo do oceano, cujos picos, quando emersos, formam ilhas vulcânicas

dorsalgia (dor.sal.*gi*.a) *sf. Med.* Dor na região dorsal; NOTALGIA [F.: *dors(i)-* + *-algia.*]

◎ **dors(i)-** *el. comp.* = 'as costas de uma pessoa ou de um animal': *dorsal* (< lat.medv.), *dorsalgia, dorsilateral; dorsolombar* [F.: Do lat. *dorsum, i,* 'costa(s)'; 'cume'; 'cabeço', 'cimo'.]

dorsilateral (dor.si.la.te.*ral*) *a2g. Anat. Med.* Situado na região lateral do dorso (órgão/ferida dorsilateral) [Pl.: *-rais.*] [F.: *dors(i)-* + *lateral.*]

dorso (*dor*.so) [ô] *sm.* **1** *Anat.* Parte posterior do corpo que se estende do pescoço à bacia; COSTAS: "Os frangos de pernas para trás, sobre o dorso, cabeça escondida na asa, pareciam dormir sonhando..." (Raul Pompeia, *O Ateneu*) **2** Lado superior ou posterior de qualquer parte do corpo ou de qualquer objeto: *dorso do pé; dorso da gravura.* **3** Parte, lado ou face superior ou inferior de um objeto **4** *Enc.* Parte do livro oposta ao corte das folhas e onde geralmente se gravam o nome do autor e o título da obra; LOMBADA [F.: Do lat. *dorsum, i.*]

◎ **dorso-** *el. comp.* Ver *dors(i)-*.

dorsolombar (dor.so.*lom*.bar) *Anat. Med. a2g.* **1** Ref. ou inerente à região em que estão as vértebras dorsais ou lombares (formação dorsolombar) **2** Diz-se do que afeta ou está localizado em estruturas da região lombar (ferimento dorsolombar) [F.: *dorso-* + *lombar.*]

⊠ **DOS** *sm. Inf.* Sigla (em inglês) de sistema operacional de disco, nome genérico de alguns sistemas operacionais que dispõem de recursos para gerenciar arquivos em discos [F.: Do ing. *Disk Operanting System.*]

dosagem (do.*sa*.gem) *sf.* **1** *Quím.* Ação ou resultado de dosar, de determinar e controlar pesos ou quantidades de componentes de uma substância **2** *Fig.* Ação de controlar e medir aquilo que se diz, o que se faz etc. para com isso ter também o controle de sua consequências **3** *Gen.* Ver *dose* **4** *Gen.* Quantidade de cópias de um gene [Pl.: *-gens.*] [F.: *dosar* + *-agem*[2].]

dosar (do.*sar*) *v.* **1** Fixar a medida certa de (medicamento, poção, bebida etc.) [*td.*: *Dosei cuidadosamente o remédio.*] [*tdi.* + *a, para*: *Ela dosou o remédio para o filho.*] **2** Ministrar ou combinar nas proporções devidas [*td.*: *É preciso dosar os exercícios físicos.*] [*tdr.* + *com*: *Ele sabe dosar o rigor com a bondade.*] [▶ 1 dosar] [F.: *dose* + *-ar*[2]. Hom./Par.: *dose(s)* (fl.), *dose(s)* (sf.[pl.]); *dose* (fl.), *doze* [ô] (num.).]

dose (*do*.se) *sf.* **1** Quantidade de bebida ou remédio que se ingere em medida predeterminada **2** Porção determinada de uma ou mais substâncias que entra(m) na composição de combinação química, remédio etc. **3** *Fig.* Quantidade, porção: *Sem uma boa dose de paciência é impossível aturar esse chefe.* **4** *Gen.* Total de cópias de um gene determinado existente em um genoma; DOSAGEM [F.: Do gr. *dósis*, pelo lat. tard. *dosis* e pelo fr. *dose.*] ▪ **~ efetiva** *Med.* A quantidade de medicação, ou de radiação terapêutica, considerada necessária e suficiente para o efeito terapêutico visado **~ máxima permitida** *Med. Fís.nu* A quantidade máxima de medicamento ou radiação que um organismo pode absorver sem sofrer com isso algum tipo de dano **Ser ~ (para elefante/leão)** *Fam.* Ser (trabalho, preocupação, encargo etc.) mais que o esperado, cansativo, árduo, tedioso etc.

doseamento (do.se.a.*men*.to) *sm.* Ação ou resultado de dosar, de controlar e distribuir dose (doseamento de medidas/de esforço); DOSAGEM [F.: Do gr. *dósis, eós-*, séc. XVIII *dosis-* + *-ar*+ lat. vulgar *-mentu.*]

◎ **dosi-** *el. comp.* = 'dose'; 'quantidade', 'porção': *dosificar, dosimetria, dosimetro* [F.: Do gr. *dósis, eos,* 'ação de dar'; 'ação de dar e receber, de trocar ou comerciar'; 'aquilo que é dado'; 'porção'; 'parte'.]

dosímetro (do.*sí*.me.tro) *sm. Fís.nu.* Qualquer aparato utilizado na dosimetria, como medidor de radioatividade [F.: *dosi-* + *-metro.*]

dossel (dos.*sel*) *sm.* **1** Cobertura ornamental, de madeira ou tecido, sustentada por colunas, que se estende sobre cama, trono, altar, leito, liteira etc. **2** *Fig.* Cobertura formada pelo encontro de copas de árvores em florestas, alamedas etc. **3** *Arq.* Cobertura ornamental; BALDAQUIM; SOBRECÉU **4** *Arq.* Cobertura sobre estátuas colocadas a céu aberto ou para proteger o púlpito [Pl.: *-séis.*] [F.: Posv. do lat. *dorsum*, pelo cat. *dosser* e pelo espn. *dosser* (hoje *dossel*).]

dossiê (dos.si:*ê*) *sm.* **1** Conjunto de documentos referentes a um processo, uma empresa, pessoa etc. **2** *P.ext.* Arquivo ou pasta que contém esses documentos [F.: Do fr. *dossier.*]

dostoievskiano (dos.toi:evs.ki:*a*.no) *a.* **1** *Liter.* Ref. ou pertencente ao escritor russo Fyodor M. Dostoievski (1821-1881), ou característico de suas obras **2** Diz-se do que é típico e próprio do estilo de Dostoievski (romance dostoievskiano) *sm.* **3** Aquele que é admirador, estudioso e profundo conhecedor de Dostoievski [F.: Do antr. F.M. Dostoyevsky + *-iano.*]

dotação (do.ta.*ção*) *sf.* **1** Ação ou resultado de dotar **2** Verba que se destina à manutenção de uma instituição, entidade, pessoa etc. **3** Importância que, proveniente do orçamento nacional ou de crédito adicional, é destinada pelo governo a cobrir certas despesas **4** Bem concedido a pessoa ou instituição; DÁDIVA; DOTE **5** *Turfe* Em corrida de cavalos, prêmio que se paga aos proprietários de cavalos vencedores **6** *Mil.* Quantidade de víveres e munições entregue a um soldado ou a uma unidade militar [Pl.: *-ções.*] [F.: *dotar* + *-ção.*]

dotado (do.*ta*.do) *a.* **1** Que tem ou recebeu dote **2** *Fig.* Que tem algum dote natural, como grande força, extraordinária beleza, talento etc; PRENDADO: *um homem dotado de extrema sensibilidade.* **3** Que dispõe de, munido de; EQUIPADO; MUNIDO: *cinema dotado dos melhores equipamentos.* [F.: Part. de *dotar*, ou do lat. *dotatus.*]

dotar (do.*tar*) *v.* **1** Dar dote a [*td.*: *Ele dotou as filhas prodigamente, mas ainda não casaram.*] **2** Atribuir, conceder (dote, dom, qualidade) [*td.*: *A Providência não o dotou prodigamente.*] [*tdr.* + *com, de*: *A natureza dotou-a de grande beleza.*] **3** Prover (alguém ou algo) de (poder, recursos etc.) [*tdr.* + *com, de*: *Dotaram a faculdade com / de uma grande biblioteca.*] **4** Prover(-se), munir(-se) de (algo) [*tdr.* + *com, de*: *Dotou-se de paciência antes de conversar com a mãe.*] **5** Dar (algo) como dote a (alguém) [*td.*: *Dotou sobrinhos e irmãos.*] [*tdr.* + *com, de, em*: *Dotou sobrinhos e irmãos com livros e mapas antigos.*] [▶ 1 dotar] [F.: Do lat. *dotare*. Hom./Par.: *dotais* (fl.), *dotais* (pl. de *dotal* [a2g.]); *dote(s)* (fl.), *dote(s)* (sm.[pl.]).]

dote (*do*.te) *sm.* **1** Conjunto de bens que se dá a quem vai se casar, ger. concedido por algum ascendente **2** Bem ou conjunto de bens que uma religiosa doa ao convento do qual vai fazer parte **3** *Fig.* Qualidade física, intelectual ou moral; DOM: *Era dono de dotes invejáveis.* [Mais us. no pl.] **4** *Jur.* Conjunto dos bens que a esposa transfere ao marido para sustento do lar e que deve ser devolvido uma vez desfeita a união conjugal [F.: Do lat. *dos, dotis.*] ▪ **~ inoficioso** *Jur.* Dote cujo valor excede a legítima e mais a metade disponível de uma herança **~ profetício** *Jur.* Dote concedido pelo pai, pela mãe ou qualquer outro ascendente da noiva **Vender por um ~** *Bras.* Vender (algo) por preço elevado

⊕ ***doublé*** (dou.*blé*) [ê] (*dûblê*) *s2g.* **1** Indivíduo que é parecido com outro, que passa por este em certas oportunidades **2** *Cin.Telv.* Profissional especializado, que toma o lugar de ator ou atriz em certas cenas; DUPLO **3** *Bras.* Indivíduo com duas atividades simultâneas (doublé de artista e contador) *sm.* **4** *Art.Graf.* Impressão de uma estampa sobre fundo uniforme de outra cor; BICROMIA [F.: Do fr. *double*,der. lat. *duplus,a,um.*]

⊕ ***double-face*** (dou.ble-*fa*.ce) (*Fr./dubl fas*) *a.* Diz-se de peça de vestuário, tecido, roupa, etc. sem avesso, que pode ser us. dos dois lados [Cf.: *reversível.*]

doudo (*dou*.do) *a.sm.* Ver *doido*

doula (*dou*.la) *sf.* Mulher que dá aconselhamento e assistência não médica (física, emocional, informativa etc.) a parturientes, antes, durante e depois do parto [F.: Do gr. *doule.*]

douração (dou.ra.*ção*) *sf.* **1** Ação ou resultado de dourar; DOURADURA **2** Arte e técnica de aplicação ou pulverização de ouro em alguns objetos **3** Decoração de capas de livros com utilização de ouro fino **4** Revestimento feito de ouro ou de material dourado **5** *Enc.* Impressão do título e do autor de uma obra na lombada e/ou na capa do livro, ger. com pigmento dourado [Pl.: *-ções.*] [F.: *dourar* + *-ção.*]

dourado (dou.*ra*.do) *a.* **1** Que tem ou adquiriu a cor ou tonalidade do ouro: *Expôs-se ao sol e ficou com a pele dourada.* **2** Que foi banhado em ou revestido de ouro: *Ganhou uma pulseira de metal dourado.* **3** *Fig.* Que evoca felicidade ou tempos felizes: *Viajara muito naqueles anos dourados.* **4** *Fig.* Que é idealizado, fantasiado: *Perdia-se em em sonhos dourados.* *sm.* **5** A cor amarelo-cobre do ouro: *O dourado daquela bela manhã.* **6** Joia de metal folheado a ouro: *Pendurou seus dourados para ir à festa.* **7** *Zool.* Denominação comum aos peixes do gên. *Salminus*, da fam. dos caracídeos, como o *S. brevidens* e o *S. maxillosus*, de grande porte e carne muito apreciada, encontrados em diversos rios brasileiros; PIRAJU; PIRAJUBA **8** *Zool.* Grande peixe da fam. dos corifenídeos (*Coryphaena hippurus*), com até 2m de comprimento e carne muito apreciada, encontrado em todos os mares tropicais e subtropicais do mundo; DOURADO-DO-MAR [F.: Part. de *dourar*, ou do lat. *deauratus.*]

dourado-do-mar (dou.ra.do-do-*mar*) *sm. Zool.* Peixe marinho corifenídeo (*Coryphaena hippurus*) de mares tropicais, comum no litoral N. e N.E. do Brasil, procurado para pesca submarina [Tb. apenas *dourado.*] [Pl.: *dourados-do-mar.*]

dourador (dou.ra.*dor*) [ô] *sm.* **1** Profissional que se dedica a douração *a.* **2** Que doura, que confere às coisas o tom amarelo acobreado do ouro [F.: *dourar* + *-dor*, ou do lat. *deaurator.*]

douradura (dou.ra.*du*.ra) *sf.* **1** Ação ou resultado de dourar; DOURAÇÃO **2** A arte e a técnica de dourar **3** Revestimento de ouro de um objeto **4** Objeto dourado [F.: *dourar* + *-dura.* SIn. ger.: *douração.*]

dourar (dou.*rar*) *v.* **1** Revestir com camada de ouro (em folha, em pó) ou de cor dourada [*td.*: *dourar uma pulseira / uma moldura.*] **2** Iluminar, tornar resplandecente como o ouro [*td.*: *A luz do sol dourava a cúpula da igreja.* Ant.: *nas acp.* 1 e 2: *desdourar.*] **3** Dar cor do ouro a [*td.*: *O sol doura a seara.*] **4** *Fig.* Dar brilho, realce a; ABRILHANTAR; EMBELEZAR; REALÇAR [*td.*: *A caridade e a abnegação douram o nosso espírito.* Ant.: *desdourar, deslustrar, desonrar.*] **5** Enfeitar com elementos dourados [*td.*] **6** *Fig.* Disfarçar com mostras ou aparências agradáveis, com razões plausíveis; DISFARÇAR [*td.*: *O discurso populista doura a incompetência administrativa.* Ant.: *desmascarar, expor.*] **7** *Fig.* Tornar feliz; ALEGRAR [*td.*: *Aquela jovem doura a minha vida.*] **8** *Cul.* Fritar ou assar (batata, frango, peixe etc.) até adquirir mais cor; CORAR [*td.*: *Doure o peito de frango e regue com o molho.*] [*int.*: *Deixe a batata dourar.*] **9** *Art.Gr.* Estampar com ouro (capa, lombada etc.) [*td.*: *A gráfica dourou o título do livro.*] [▶ 1 dourar] [F.: Do lat. *deaurare.*]

◎ **-douro**[1] *suf. nom.* Registra-se em voc. originalmente lat. ou formados no vernáculo, em geral com as seguintes ideias: **a)** 'lugar em que determinada ação é realizada': *abatedouro, abicadouro, abrigadouro, absorvedouro, acarradouro, achadouro, acostadouro, ajuntadouro, amarradouro, ancoradouro, apeadouro, atoladouro, atracadouro, atravessadouro, boiadouro, cevadouro, cingidouro, comedouro*[1], *criadouro*[1], *escoadouro, germinadouro, lavadouro* (< lat.), *logradouro, matadouro, nascedouro*[1], *passadouro, passeadouro, peadouro, respiradouro, vazadouro*; **b)** 'recipiente em que se faz (o que expressa o rad. original)': *amassadouro*; **c)** 'aquilo (instrumento, objeto, mecanismo etc.) com o qual se realiza dada ação': *alevadouro, apertadouro, batedouro, bebedouro, cerradouro, liadouro, esfriadouro, resfriadouro, varredouro, vertedouro*; **d)** 'ação (ger. continuada ou frequente)': *ajudadouro, calcadouro, chupadouro, coradouro, corredouro, suadouro* [As formas em *-doiro* foram as primeiras na língua, mas atualmente são mais us. as em *-douro*: *sorvedoiro/sorvedouro, sumidoiro/sumidouro.*] [F.: Do suf. lat. *-torius, a, um* (= *-t-*, do part. pass. ou do sup. lat., + suf. lat. *-orius, a, um*), de adj., e de seu correspondente para substv. *-torium, ii*, por via popular. Outra f.: *-tório.*]

◎ **-douro**[2] *suf. nom.* Formador de adj. (e daí substv.), inicialmente com noção de futuro, que posteriormente passa, também, em alguns casos, à de tempo presente; us. para caracterizar algo como passível de certa condição futura (expressa pelo rad. verbal do qual deriva), registra-se normalmente com as seguintes ideias: **a)** 'que deverá (cometer ou sofrer dada ação indicada pelo rad. original)': *nascedouro*[2], *pagadouro, vindouro* (< lat.), *excomungadouro, pagadouro*; **b)** 'que é passível de (sofrer dada ação)': *comedouro, imperecedouro*; **c)** 'que está apto, preparado ou propenso a (cometer dada ação ou passar por certo processo)': *casadouro, criadouro*[2]; **d)** 'que leva a (dada ação)': *perdedouro*; **e)** 'que há de (ação expressa pelo rad. verbal), ou que já o faz no presente (com noção afirmativa ou de tempo muito próximo)': *passadouro, rendedouro*[2] [As formas em *-doiro* foram as primeiras na língua, mas atualmente são mais us. as em *-douro*: *vindoiro/vindouro, perdedoiro/perdedouro.*] [F.: Do suf.lat. *-turus, a, um*, do particípio futuro.]

douto (*dou*.to) *a.* **1** Que demonstra erudição, grandes conhecimentos; CULTO; ERUDITO: *O douto conferencista esbanjava sabedoria*: "O douto Lopes Matoso não foi precisamente o que se pode chamar um homem feliz" (Júlio Ribeiro, *A carne*) *sm.* **2** Aquele que possui grandes conhecimentos, que é altamente instruído [F.: Do lat. *doctus.*]

doutor (dou.*tor*) [ô] *sm.* **1** Aquele que se formou em medicina; MÉDICO **2** Aquele que completou o doutorado **3** Aquele que se formou numa universidade **4** *Fig.* Homem muito douto, culto, erudito **5** *Joc.* Indivíduo que tem a facilidade e o costume de praticar certos atos, ter certo procedimento (ger. negativos): *Ele é doutor em colar na prova sem que ninguém perceba.* **6** Título conferido a magistrado judiciário **7** *Pop.* Forma de tratamento que denota respeito a pessoa supostamente superior na hierarquia social [F.: Do lat. *doctor, oris.*] ▪ **~ da Igreja** Designação de teólogo de grande autoridade e saber **~ da mula ruça** **1** *Pop.* Pessoa diplomada mas com poucos conhecimentos da matéria na qual se diplomou **2** Charlatão **~ de (borla e) capelo** Aquele que realmente se doutorou após se ter diplomado em curso superior **~ honoris causa** Pessoa homenageada com esse título por estabelecimento superior de ensino, sem ter feito curso ou prestado exame

doutorado (dou.to.*ra*.do) *a.* **1** Que recebeu o grau de doutor (professor doutorado) *sm.* **2** Exame a que alguém se submete para obter esse título **3** Curso de pós-graduação posterior ao mestrado e que confere o título de doutor, com o qual o graduado torna-se capacitado a executar e orientar pesquisas em uma área do conhecimento; DOUTORAMENTO **4** Graduação de doutor [F.: Do lat. *doctoratus.*]

doutoral (dou.to.*ral*) *a2g.* **1** Ref. a ou próprio de doutor **2** *Pej.* Que revela pretensão, pedantismo, pretensos conhecimentos ou superioridade intelectual; PEDANTE; SENTENCIOSO [Pl.: *-rais.*] [F.: Do fr. *doctoral.*]

doutoramento (dou.to.ra.*men*.to) *sm.* **1** Ação e resultado de doutorar(-se) **2** O mesmo que *doutorado* (2, 3, 4); DOUTORADO [F.: *doutorar* + *-mento.*]

doutorando (dou.to.*ran*.do) *sm.* Aquele que está prestes a doutorar-se, que está se preparando para defender a tese que lhe dará o grau de doutor [F.: *doutorar* + *-ndo.*]

doutorar (dou.to.*rar*) *v.* Conferir ou receber grau de doutor [*td.*: *A banca examinadora não o doutorou.*] [*tr.* + *em*: *Douto-*

rou-se em medicina.] [*int.*: *Vai doutorar-se na França.*] [▶ 1 doutorar] [F.: *doutor* + *-ar*[2]. Hom./Par.: *doutora(s)* (fl.), *doutora(s)* [ô] (fem. de *doutor* [pl.]); *doutorais* (fl.), *doutorais* (pl. *doutoral* [a2g.]); *doutores* (fl.), *doutores* [ô] (pl. de *doutor*).]

doutrina (dou.*tri*.na) *sf.* **1** Conjunto de dogmas e princípios que fundamentam um sistema ideológico, filosófico, político, religioso etc. (doutrina marxista, doutrina cristã): *A doutrina de Descartes.* **2** Crença ou conjunto de crenças que são vistas como verdades absolutas pelos que nelas acreditam: *a doutrina da reencarnação.* **3** *Pol.* Conjunto de princípios que um governo toma como base para sua ação no campo político e social **4** Sistema adotado por cada pessoa para pautar seu procedimento, comportamento etc; NORMA; REGRA: *Sua grosseira doutrina de vida resume-se à frase 'cada um por si'*; "Indo aos sítios mesmos, estudando ali os antigos exemplares, que é minha doutrina." (Garret, *Viagens II*) **5** Tudo que é objeto de ensino; disciplina: *A doutrina da imortalidade da alma.* **6** Instrução, ciência, erudição **7** *Bras. Etnol.* Cântico ritual em terreiros de Rondônia [F.: Do lat. *doctrina, ae*, 'instrução dada ou recebida'; 'ensino'; 'arte', 'ciência'. Hom./Par.: *doutrina* (sf.), *doutrina* (fl. de *doutrinar* [v.]).]

doutrinação (dou.tri.na.*ção*) *sf.* Ação ou resultado de doutrinar, de instruir em uma doutrina; CATEQUESE; DOUTRINAMENTO; PRÉDICA [Pl.: *-ções.*] [F.: *doutrinar* + *-ção.*]

doutrinado (dou.tri.*na*.do) *a.* **1** Que se doutrinou; ADOUTRINADO [Ant.: *desdoutrinado.*] **2** Que recebeu doutrinação ou instrução; INSTRUÍDO **3** *Ant.* Que foi domesticado ou amestrado [F.: Do lat. *doctrina, ae-*, séc. XVI *doctrina-* + -ar + lat. *áta-, -átu->-ádo.*]

doutrinador (dou.tri.na.*dor*) *a.* **1** Diz-se de que ou quem doutrina; DOUTRINANTE *sm.* **2** Quem ou que doutrina, instrui, ensina [F.: Do lat. *doctrína,ae-*, séc. XVI *doctrina-* + -ar + -dor.]

doutrinal (dou.tri.*nal*) *a2g.* **1** Ref. ou inerente a doutrina; DOUTRINÁRIO **2** Que contém ou encerra doutrina *sm.* **3** Livro que contém a doutrina cristã; CATECISMO; DOUTRINÁRIO [Pl.: *-ais.*] [F.: Do lat. *doctrinális,e.*]

doutrinar (dou.tri.*nar*) *v.* **1** Instruir (alguém) em (doutrina, ideia etc.); ENSINAR [*td.*: *doutrinar o discípulo.*] [*tdr.* + *em*: *doutrinar o discípulo em filosofia.* Ant.: *desdoutrinar.*] **2** Pregar doutrina [*int.*: *O velho mestre vivia a doutrinar.*] **3** Incutir ideia em (alguém), para que proceda de certa maneira [*td.*: *Doutrinava o filho.*] [*tdr.* + *a*: *Doutrinava o filho a dar valor ao trabalho.*] **4** *Ant.* Tornar treinado e/ou manso; ADESTRAR; AMESTRAR [*td.*: *doutrinar o cão.*] [▶ 1 doutrinar] [F.: *doutrina* + *-ar*[2]. Hom./Par.: *doutrina(s)* (fl.), *doutrina(s)* (sf. [pl.]); *doutrinais* (fl), *doutrinais* (pl. de *doutrinal* [a2g.]); *doutrináveis* (fl.), *doutrináveis* (pl. de *doutrinável* [a2g.]); *doutrinária(s)* (fl.), *doutrinária(s)* (adj. fem. de *doutrinário* sm. [pl.]).]

doutrinário (dou.tri.*ná*.ri:o) *a.* **1** Que se refere a doutrina ou que contém doutrina **2** Que se mostra rigidamente condicionado a uma doutrina e à aplicação de seus princípios básicos **3** *P.ext.* Que se exprime de maneira doutoral, sentenciosa: *Falava sempre em tom doutrinário. sm.* **4** Indivíduo que se prende estreitamente a uma doutrina **5** Pessoa que elabora e divulga uma doutrina **6** Conjunto de ideias, teses, conhecimentos etc. **7** *Hist.* Na França, na época da Restauração, partidário de uma política moderada ou de meio-termo entre a democracia pura e a tradição monárquica [F.: *doutrina* + *-ário.*]

doutrinarismo (dou.tri.na.*ris*.mo) *sm.* **1** Característica ou próprio do que é doutrinário **2** *Hist.* Teoria de Estado e ação política dos doutrinários franceses na primeira metade do séc. XIX [F.: Do fr. *doctrinairisme*, der. lat. *doctrína,ae-*, séc. XVI *doctrina-* + lat. *-arius,ii* + -ismo.]

doutro (*dou*.tro) [ô] *conj.* **1** *Gram.* Contração da prep. *de* com o pron. indef. *outro* **2** Ref. ou pertencente a elemento diverso (doutro tempo/lugar; doutra espécie) [Pl.: *doutros, doutras.* Fem.: *doutra.*] [F.: contr. da prep. *de-* + pron.indef. *-outro*; séc. XIII, *doutro.*]

⊕ **down** (*Ing. /dáun/*) *sm. Fís.* Partícula subatômica elementar com carga elétrica fracionária [Símb.: *d.*] [F.: Do ing. *down.*]

downiano (dow.ni:*a*.no) *sm.* Indivíduo portador da Síndrome de Down [F.: De antr. *Down-* + -iano.]

⊕ **download** (*Ing. /dáunloud/*) *Inf. sm.* **1** Transferência de cópia de arquivos de um servidor ou computador para outro, por meio de rede ou de *modem* **2** Transferência de dados armazenados em disco para a memória da impressora [F.: Do ing. *to download.*] ■ **Fazer (um) ~** *Inf.* Gravar no computador (ger. pela internet) arquivo, programa etc. obtido em outro computador

⊕ **downtime** (down.*ti*.me) (*Ing./dáuntáime/*) *sm. Inf.* Duração de tempo em que um sistema de computador, ou um de seus componentes, permanece inativo por problema inesperado ou manutenção, operação específica, etc. [F.: Do ing. *downtime*, de *down-* + *-time.*]

◎ **-dox(o)-** *el. comp.* Ver *dox(o)-*

◎ **-doxo** *el. comp.* Ver *dox(o)-*

◎ **dox(o)-** [cs] *el. comp.* = 'glória'; 'juízo'; 'crença', 'opinião'; 'doutrina': *doxografia, doxógrafo, doxomania* (< gr.), *doxômano*; *filodoxia*; *ortodoxo* (< lat. < gr.) [F.: Do gr. *dóksa, es.*]

doxomania (do.xo.ma.*ni*.a) *sf. Psiq.* Paixão obsessiva por atingir a glória [F.: Do gr. *doksomanía, as.*]

doxomaníaco (do.xo.ma.*ní*.a.co) [cs] *Psiq. a.* **1** Ref. à doxomania **2** Diz-se de indivíduo que tem doxomania; DOXÔMANO *sm.* **3** Esse indivíduo; DOXÔMANO [F.: *doxomania* + *-iaco*, seg. o mod. gr.]

doxômano (do.*xô*.ma.no) *Psi. Psiq. a. sm.* O mesmo que *doxomaníaco* (2 e 3) [F.: *dox(o)-* + *-mano*[1].]

doze (*do*.ze) [ô] *num.* **1** Quantidade correspondente a 11 unidades mais uma **2** Número que representa essa quantidade (arábico: 12; romano: XII) [F.: Do lat. vulg. *dodece*, do lat. clássico *duodecim*. Hom./Par.: *doze* (num.), *dose* (fl. de *dosar* e sf.).] ■ **Cortar um ~** *S. C.O. Pop.* Enfrentar dificuldade, ter de fazer esforços para conseguir algo

DPI *Edit.Inf.* Em editoração, medida eletrônica que indica a escala de resolução de imagem impressa ou a capacidade de um equipamento reproduzir imagem com determinada resolução (impressora de 500 dpi) [Abrev. do inglês 'dots per inch', forma menos us. que *ppp* 'pontos por polegada quadrada'.]

⊠ **dptr** *sf. Ópt.* Símb.de *dioptria*, unidade de medida de potência equivalente ao inverso da distância focal em metros

Dr (dr) *sm.* Abrev. de doutor

dracena (dra.*ce*.na) *sf. Bot.* Designação comum aos arbustos e árvores pequenas do gên. dracaena, da fam. das dracenáceas, de folhas variegadas, flores alvas, frutos em baga, com diversas espécies nativas da América Central, África tropical e do sudeste do Brasil [F.: Do lat.cien. gên. *Dracaena*, der. gr. *drákaina,és.*]

dracma (*drac*.ma) *sf.* **1** Nome do dinheiro us. na Grécia antes da adoção do euro **2** Moeda e peso na antiga Grécia **3** Unidade de peso em alguns países (dracma inglesa) **4** Antiga unidade de peso para metais preciosos [F.: Do gr. *drakhmé, ês.*] ■ **~ inglesa** Medida de peso, equivalente a 1/6 da onça inglesa [Equivale a 1,772g.]

draconiano (dra.co.ni:*a*.no) *a.* **1** Ref. a Drácon, legislador ateniense do séc. VII a.C. **2** Ref. ao severo código de leis atribuído a Drácon **3** *P.ext.* Diz-se de pessoa ou medida demasiado rigorosa, severa, inflexível: *A chefia implantou um regime draconiano na redação.* [F.: Do fr. *draconien.*]

dracunculose (dra.cun.cu.*lo*.se) *sf. Med.Pat.* Infecção causada pela filária-de-medina, nematódeo do gênero *Dracunculus*; DRACONTÍASE; DRACUNCULÍASE [F.: De *dracuncul-* + -ose.]

⊕ **draft** (*Ing./dréft/*) *sm.* **1** Desenho, plano ou esboço de trabalho (draft de projeto) **2** *P.ext.* Rascunho de um documento (draft de cronograma) **3** *Ant. Art.Graf.* Papel para escrever ou para desenhar, que mede 16 x 20 polegadas [F.: Do ing. *draft.*]

draga (*dra*.ga) *sf.* **1** Embarcação dotada de aparelhagem destinada a retirar areia ou lama do fundo do mar, de rios, canais, lagos etc. **2** *P.ext.* Aparelho para dragar **3** *Oc.* Nos navios oceanográficos, aparelho que retira, do fundo do mar, amostras de material geológico ou biológico **4** *Bras. Gír.* Revólver ou pistola: *Puxou uma draga e atirou cinco vezes.* **5** *S.E. Gír.* Pessoa que come exageradamente **6** *Pej.* Veículo muito velho e em mau estado [F.: Do ing. *drag.*] ■ **Na ~** Sem dinheiro, na miséria

dragado (dra.*ga*.do) *a.* Limpo, removido ou desobstruído por draga [F.: Do ing. to *drag->* it. *dragare-* + lat. *-ata-, -atu->-ado.*]

dragagem (dra.*ga*.gem) *sf.* Ação ou resultado de dragar, de limpar, desobstruir ou retirar material do fundo do mar ou de um rio por meio de draga [Pl.: *-gens.*] [F.: *dragar* + *-agem*[2].]

dragão (dra.*gão*) *sm.* **1** Monstro imaginário ger. representado como uma espécie de serpente recoberta de escamas, com asas de morcego, garras de leão, cauda comprida e boca que expele fogo **2** *P.ext.* Emblema que representa um dragão **3** *Hist. Mil.* Soldado de infantaria que por vezes combatia a pé **4** *Rel.* Ser que simboliza o mal ou o demônio **5** *Bras. Pej. Pop.* Pessoa muito feia **6** *Bras. Zool.* Nome de um pássaro (*Pseudoleistes virescens*) que vive em bandos, presente no S. do Brasil **7** *Zool.* Pequeno réptil da ordem dos sáurios, que pode distender membranas que lhe permitem planar **8** *Bras. Gír.* Comprador de objetos roubados; RECEPTADOR **9** *Astron.* Certa constelação do hemisfério boreal [Pl.: *-gões.*] [F.: Do gr. *drákon*, pelo lat. *draco, onis.*]

dragar (dra.*gar*) *v. td.* **1** Limpar ou desobstruir (canal, rio etc.) com draga: *dragar um rio.* **2** *Mar.* Procurar (objeto perdido) no fundo de rio, lagoa, mar, arrastando rocega, ou vara; ROCEGAR [▶ 14 dragar] [F.: Do ing. (*to*) *drag*, posv. pelo it. *dragare.* Hom./Par.: *draga(s)* (fl.), *draga(s)* (sf.[pl.]); *drago* (fl.), *drago* (sm.).]

drágea (*drá*.ge:a) *sf.* **1** *Farm.* Medicamento em forma de comprimido ou pílula recobertos de substância endurecida, que lhe protege o conteúdo ou ameniza o gosto **2** Guloseima feita de amêndoa recoberta com uma camada de açúcar endurecido [F.: Do fr. *dragée.*]

⊕ **drag queen** (*Ing./dré quin/*) *loc.subst.* Homem vestido e produzido como uma mulher, com maquiagem bastante expressiva e gestual e voz tipicamente femininos, que participa de festas, shows, eventos etc. ou que neles se apresenta; TRANSFORMISTA [F.: Do ing. *drag*, 'roupas femininas usadas por um homem', + *queen*, 'rainha'.]

drama (*dra*.ma) *sm.* **1** *Cin. Liter. Teat. Telv.* Texto de ficção, peça teatral ou filme de caráter sério, que apresenta um desenvolvimento de fatos e circunstâncias compatíveis com os da vida real **2** *Teat.* Texto ou peça teatral **3** *Teat.* O gênero teatral; TEATRO **4** *Fig.* Conjunto de acontecimentos complicados, difíceis ou tumultuosos: *A vida desse casal é um drama.* **5** Acontecimento que causa dano, sofrimento, dor; CATÁSTROFE: *O drama dos refugiados de guerra.* **6** Exagero na expressão de algo (fato, sentimento etc.): *Vivia fazendo drama por qualquer coisa.* [F.: Do gr. *drama,atos*, pelo lat. *drama, atis.*] ■ **~ lacrimoso** *Pej. Teat.* Peça teatral com excesso de elementos dramáticos ou sentimentais **~ lírico** *Mús. Teat.* Modernamente, ópera com expressão menos grandiosa que o da ópera tradicional **~ litúrgico** *Teat.* Representação dramática acrescentada à liturgia da missa **~ musical** *Teat. Mús.* Ópera **~ sacro** *Teat.* Drama inspirado em temas bíblicos ou na vida de santos, de caráter religioso ou moral **~ satírico** *Teat.* Drama burlesco e licencioso, que no teatro grego antigo servia de alívio às tensões dramáticas da chamada trilogia clássica, e no qual sátiros (daí o nome) enfrentavam semideuses e heróis **~ semilitúrgico** *Teat.* Drama dos primeiros tempos do teatro medieval, formado tanto de elementos litúrgicos quanto de seculares **~ sentimental** *Teat.* Ver *Drama lacrimoso* **Fazer ~ (de)** Exagerar os aspectos dramáticos ou a gravidade de uma situação, ao mencioná-la ou reagir a ela **Sentir o ~** *Pop.* Dar-se conta da gravidade de uma situação

dramalhão (dra.ma.*lhão*) *sm.* **1** *Pej. Cin. Teat. Telv.* Drama (em cinema, teatro, literatura etc.) de pouco valor, abundante em formas banais de sentimentalismo e dramaticidade **2** *Pej.* Qualquer apresentação ou descrição de fato ou situação na qual se exageram conflitos, tragédias, sofrimentos etc. [Pl.: *-lhões.*] [F.: *darma* + *-alhão* (aum. deprec.).]

dramaticidade (dra.ma.ti.ci.*da*.de) *sf.* **1** *Bras.* Qualidade de dramático **2** Propriedade ou atributo típicos do drama [F.: *dramático* + *-(i)dade.*]

dramático (dra.*má*.ti.co) **1** Ref. ao drama, gênero literário (segundo Aristóteles) no qual se apresenta a ação e os diálogos diretamente, como se estivessem acontecendo **2** Que possui as características do drama, próprio do drama **3** Que é do gênero do drama **4** Que se refere ao teatro **5** Que se caracteriza por conter muitos diálogos, como ocorre no teatro: *Esse romance, pela torrente de diálogos, tem evidente caráter dramático.* **6** Que comove ou emociona: *Era dramático ver aquelas crianças chorando.* **7** Que é grave, terrível: *Presenciou uma batida de carros de consequências dramáticas.* **8** Diz-se do ator ou da atriz que atua em dramas (atriz dramática) **9** Diz-se de cantor de ópera que tem papéis mais difíceis e com representação fortemente expressiva (tenor dramático; soprano dramática) [F.: Do gr. *dramatikós*, 'teatral', pelo lat. *dramaticus.*]

dramatização (dra.ma.ti.za.*ção*) *sf.* **1** Ação ou resultado de dramatizar, de dar caráter de ação dramática, de tornar dramático ou teatral **2** *P.ext.* Adaptação de uma obra literária ou musical para a representação em um teatro: *Assistimos à dramatização de um conto de Clarice Lispector.* **3** *Psi.* Expressão de sentimentos e desejos ocultos ou reprimidos feita através de símbolos: *O sonho utiliza a dramatização e não a fala.* [Pl.: *-ções.*] [F.: *dramatizar* + *-ção.*]

dramatizar (dra.ma.ti.*zar*) *v.* **1** Tornar dramático; fazer drama (de) [*td.*: *Dramatiza tudo que lhe acontece.*] [*int.*: *Vive dramatizando, para convencer o chefe.*] **2** Dar forma de drama ou de peça teatral a (texto) [*td.*: *dramatizar um poema.*] **3** *Pej.* Dar importância acima do cabível ou normal a (estados, fatos, situações etc.) [*td.*: *Ela sempre dramatiza os efeitos do divórcio dos pais.*] [▶ 1 dramatizar] [F.: Do fr. *dramatiser*; ver *dramat(o)-* e *-izar.*]

◎ **dramat(o)-** *el. comp.* = 'peça de teatro'; 'ação ou história que se desenrola num palco'; 'acontecimento trágico': *dramático* (< gr.), *dramatizar* (< fr.), *dramatologia, dramaturgia* (< gr.), *dramaturgo* (< gr.) [F.: Do gr. *drama, atos*, 'ação'; 'ação teatral'; 'peça de teatro, tragédia', fonte do lat. *drama, atis.*]

dramaturgia (dra.ma.tur.*gi*.a) *sf.* **1** *Teat.* Arte e técnica de escrever peças teatrais **2** *Teat.* Conjunto de peças teatrais de um autor ou de determinada época ou escola: *a dramaturgia de Ibsen.* **3** *P.ext. Cin. Liter. Telv.* A arte e a técnica de escrever textos de ficção, roteiros de cinema, histórias para a televisão etc. **4** *P.ext. Cin.Teat. Telv.* A arte de atuar em peças teatrais, filmes, novelas etc. [F.: Do gr. *dramatourgía, as*, pelo fr. *dramaturgie.*]

dramatúrgico (dra.ma.*túr*.gi.co) *a.* Ref. à ou próprio da dramaturgia [F.: *dramaturgia* + *-ico*[2].]

dramaturgo (dra.ma.*tur*.go) *sm.* **1** Autor de peças de teatro; TEATRÓLOGO **2** Autor de dramas [F.: Do gr. *dramatourgós, oû.*]

drapeado (dra.pe.*a*.do) *a.* **1** Que foi adornado com dobras, pregas ou ondulações (diz-se de tecido, peça de vestuário etc.); DRAPEJADO; DRAPÊ *sm.* **2** Conjunto de dobras pregas ou ondulações dispostas em um tecido como adorno; DRAPEAMENTO; DRAPEJAMENTO; DRAPEJADO; DRAPÊ: *O drapeado deu um ar nobre ao vestido.* [F.: part. de *drapear.*]

drapeamento *sm.* **1** Ação ou resultado de drapear **3** Disposição decorativa de dobras, pregas ou ondulações em um tecido *sm.* **4** Disposição decorativa de dobras, pregas ou ondulações em um tecido [F.: *drapear* + *mento.*]

drapejado (dra.pe.*ja*.do) *a.* **1** Que se drapejou; m.q. *drapeado sm.* **2** Conjunto de dobras em um tecido [F.: part. de *drapejar.*]

drapejamento (dra.pe.ja.*men*.to) *sm.* Ação ou resultado de drapejar; m.q. *drapeamento* [F.: *drapejar* + *mento.*]

drapejar (dra.pe.*jar*) *v.* **1** Arrumar, dispor (tecido, roupa) em dobras, ondulações [*td.*: *O costureiro drapejou a seda.*] **2** *Art. Pl.* Dispor harmonicamente os panos que vestem as figuras pintadas ou esculpidas, a fim de obter efeitos plásticos [*td.*: *O escultor drapejou as vestes da pequena escultura.*] **3** Mover-se com ondulações; AGITAR-SE; ONDULAR [*int.*: *A bandeira drapejava ao vento.*] [▶ 1 drapejar] [F.: Do lat. tard. *drappus*, pelo it. *drappeggiare.*]

◎ **drapeto-** *el. comp.* = 'que foge'; 'fugitivo': *drapetomania, drapetômano* [F.: Do gr. *drapétes, ou.*]

drapetomania (dra.pe.to.ma.*ni*.a) *sf. Psiq.* Impulso incontrolável de vagar, de andar sem destino [F.: *drapeto-* + *-mania.*]

drapetomaníaco (dra.pe.to.ma.*ní*:a.co) *Psiq. a.* **1** Ref. ou inerente a drapetomania (surto drapetomaníaco) **2** Diz-se de indivíduo que sofre de drapetomania; DRAPETÔMANO *sm.* **3** Esse indivíduo; DRAPETÔMANO [F.: *drapetomania* + *-aco.*]

drapetômano (dra.pe.*tô*.ma.no) *a. sm. Psiq.* O mesmo que *drapetomaníaco* (2 e 3) [F.: *drapeto-* + *-mano*[1].]

drástico (*drás*.ti.co) *a.* **1** Que é enérgico, rigoroso, severo, radical (atitude drástica) **2** Diz-se de purgante enérgico, de grande efetividade *sm.* **3** Purgante de efeito poderoso e que produz evacuações intensas e frequentes [F.: Do gr. *drastikós* 'eficaz'.]

drávida (*drá*.vi.da) *a2g.* **1** *Etnog. Ling.* Ref. ou pertencente aos grupos étnicos que habitavam o N. da Índia e aos idiomas falados por eles; DRAVIDIANO; DRAVÍDICO *s2g.* **2** *Etnog.* Indivíduo dos drávidas [F.: Do sânsc. *drávida*; séc. XIX, *Drávidas.*]

dravídico (dra.*ví*.di.co) *a.* **1** Ref. ou pertencente a drávida ou dravidiano (manuscrito/tradição dravídica) *sm.* **2** O mesmo que *drávida* (2) [F.: Do sânsc. *drávida-*, séc. XIX *Drávidas-* + gr. *-ikós,ê,ón*.]

⊕ **drawback** (*Ing./dróbéq*) *sm. Com.Econ.* Restituição de impostos alfandegários cobrados na importação, no caso de a mercadoria ser reexportada ou us. na manufatura de produto exportado [Pl.: (*ing.*) *drawbacks*.] [F.: Do ing. *drawback*,de *draw-* + *-back*.]

drenado (dre.*na*.do) *a.* **1** Que se drenou, em que foi feita drenagem (gramado drenado); ESCOADO **2** *Cir.* Em que se aplicou dreno (sangramento drenado) [F.: Do ingl. (*to*) *drain-*, pelo fr. *drainer-* + lat. *-áta, -átu->-ado*.]

drenagem (dre.*na*.gem) *sf.* **1** Ação ou resultado de drenar **2** Escoamento das águas de terreno alagado ou muito úmido por meio de aparelhos e operações específicas **3** *Med.* Retirada de líquidos e gases retidos no organismo por meio de dreno **4** Procedimento realizado, por vezes, com movimento das mãos e que visa a auxiliar o sistema linfático a escoar líquidos retidos no organismo (drenagem linfática manual) [Pl.: *-gens*.] [F.: Do ing. *drainage* e do fr. *drainage*.] ■ **~ subterrânea** Drenagem do solo por meio de drenos ou rede de drenos em camadas subterrâneas

drenar (dre.*nar*) *v. td.* **1** Fazer a drenagem, o escoamento das águas de (terreno, gramado etc.): *Para a realização dos jogos, foi necessário drenar o campo.* **2** *Med.* Retirar líquido, secreção etc. de (organismo ou parte dele) com dreno: *drenar um cisto.* [▶ 1 drenar] [F.: Do fr. *drainer*, adaptado do ing. (*to*) *drain* 'escoar, tirar águas'. Hom./Par.: *dreno* (fl.), *dreno* (sm.).]

dreno (*dre*.no) *sm.* **1** Vala, fosso, tubo ou canal próprio para o escoamento de líquidos em terrenos alagados ou úmidos **2** Esp. tubo (de barro, amianto etc.) feito para drenar **3** *Med.* Tubo de borracha ou outro material para conduzir líquidos e secreções (sangue, urina etc.) para fora do corpo [F.: Do ing. *drain*.]

drepanócito (dre.pa.*nó*.ci.to) *sm. Biol.* Espécie de hemácia falciforme [F.: Do gr *drepáne-* + gr. *-skútos,eos-ous* ou *kútos,eos-ous*.]

drepanocitose (dre.pa.no.ci.*to*.se) *sf. Med.* Anemia das células falciformes [F.: Do gr. *drepane-* + *-cytos*.]

dresdense (dres.*den*.se) *s2g.* **1** Aquele ou aquela que nasceu ou que vive em Dresden (Alemanha) *a2g.* **2** De Dresden; típico dessa cidade ou de seu povo [F.: Do top. *Dresden* + *-ense*.]

driblador (dri.bla.*dor*) [ô] *a.sm.* **1** *Fut.* Diz-se de quem dribla adversário(s) com facilidade; FINTADOR **2** *Bras. Fig.* Fingidor, dissimulado; CALOTEIRO [Pl.: *-dores*.] [F.: Do ing. (*to*) *dribble-* + lat. *-áta-,-átu>-ádo* + *-dor*.]

driblar (dri.*blar*) *v.* **1** *Esp.* Enganar (o adversário) com jogo de corpo para ultrapassá-lo com a bola [*td.*: *Ao driblar o zagueiro, sofreu um pênalti.*] [*int.*: *Saiu driblando e fez um gol.*] **2** *Basq.* Quicar a bola [*int.*: *Para fugir da marcação, o pivô driblava e corria.*] **3** *Fig. Pop.* Ultrapassar, superar (dificuldades, tristezas etc.) [*td.*: "...levou na bagagem opções para driblar a solidão..." (*O Dia*, 27.03.2003)] **4** *Fig. Pop.* Tentar enganar; ILUDIR [*td.*: *Driblava a esposa dizendo que precisava de fazer horas extras.*] [▶ 1 driblar] [F.: Adaptado do ing. (*to*) *dribble*. Hom./Par.: *drible(s)* (fl.), *drible(s)* (sm.[pl.]).]

drible (*dri*.ble) *sm.* **1** *Esp.* Ação ou resultado de driblar; FINTA **2** *Pop.* Ação de fugir, evitar ou enganar alguém ou algo: *Os bandidos deram um drible na polícia.* [F.: Do ing. *dribble*.]

driça (*dri*.ça) *sf.* **1** *Mar.* Cabo ou corda us. para içar velas, vergas, bandeiras, roupas etc. [menos us. que adriça.] **2** *Fig.* Embriaguês, bebedeira [F.: Do it. *drizza* < lat. *directius*.]

⊕ **drink** (*Ing.: /drinq/*) *sm.* Bebida alcoólica, que se toma ger. antes das refeições; APERITIVO; TRAGO [f. aport.: drinque.] [Pl.: (*ing.*) *drinks*.] [F.: Do ing. *drink*.]

drinque (*drin*.que) *sm.* Bebida alcoólica que se toma como aperitivo ou fora das refeições; TRAGO [F.: Do ing. *drink*.]

⊕ **drive** (*Ing. /dráiv/*) *sm.* **1** *Inf.* Dispositivo eletromecânico de entrada e saída, capaz de ler e gravar informações em discos, disquetes ou fitas: *Introduzir o disco no drive de CD.* **2** No sistema operacional *Windows*, parte do disco rígido de um computador onde se armazenam dados e que é designada por uma letra do alfabeto seguida do sinal de dois-pontos: *Você deve copiar o arquivo do drive F: para o drive C:.* **3** *Esp.* No golfe, a longa tacada inicial que o jogador dá com o taco denominado *driver* **4** No tênis, o golpe com a bola que atinge o fundo da quadra do adversário [F.: Do ing. *drive*.]

⊕ **drive-in** (*Ing. /dráiv-in/*) *sm.* **1** Estabelecimento comercial (lanchonete, banco etc.) em que o cliente é atendido dentro do próprio carro **2** Cinema (geralmente ao ar livre) em que o espectador entra com seu carro e dentro dele assiste ao filme [F.: Do ing. *drive-in*.]

⊕ **driver** (*Ing. /dráiver/*) *sm.* **1** *Inf.* Programa que permite ao sistema operacional reconhecer corretamente um dispositivo e enviar-lhe ordens ou tarefas (driver de impressora, driver de *scanner*) **2** *Esp.* Taco de madeira us. em golfe [Cf. *drive*; F.: Do ing. *driver*.]

droga (*dro*.ga) *sf.* **1** Qualquer substância que se emprega como ingrediente em farmácia, tinturaria, laboratórios químicos etc. **2** *Med.* Qualquer substância que possa ser utilizada em seres humanos ou animais com o fim de tratar uma doença; FÁRMACO **3** Substância alucinógena, entorpecente ou excitante (maconha, cocaína etc.) cujo consumo pode causar dependência química **4** *Pop.* Coisa ruim, de má qualidade, de pouco valor: *Esse livro é uma droga!* **5** *Fig.* Algo a que se está fortemente ligado, do qual se tem uma acentuada dependência e de onde se obtém um prazer especial: *A leitura é a minha droga.* ***Interj.*** **6** Exprime descontentamento ou irritação: *Droga! O pneu do carro furou.* [F.: Posv. do hol. *drooge*, pelo fr. *drogue*.] ■ **boa ~** Coisa muito ruim, de péssima qualidade: *Esse livro é uma boa droga.* **Dar em ~ 1** *Bras.* Ter mau resultado, fracassar, malograr **2** *Lus.* Prostituir-se **~s do sertão** Termo que designava produtos do extrativismo no Brasil colonial (canela, cravo, pimenta etc.)

🕮 O consumo de drogas, ou tóxicos, assumiu no mundo inteiro proporções alarmantes, por seu efeito devastador na saúde física e mental de um número cada vez maior de usuários, e pelas consequências sociais e criminológicas de sua difusão e comercialização. Enquanto o fumo e o álcool são socialmente aceitos há séculos, o consumo e o comércio de alucinógenos, por seus efeitos mais rápidos e mais nocivos, são criminalizados, o que fez surgir o crime do tráfico e a consequente violência de seu confronto com a lei e com a sociedade. LSD, heroína, ópio, haxixe, maconha, cocaína, anfetaminas e tóxicos 'improvisados' de produtos farmacêuticos e industriais (como cola e verniz), ou variantes, como o *crack*, têm cada vez mais causado dependência, causa direta da degradação física e moral dos usuários e do tecido social em que ela se manifesta. O combate à droga, em níveis locais e mundiais, revela-se complexo, envolvendo fatores policiais, políticos e sociais, médicos, educacionais e legais de repressão, prevenção e reabilitação.

drogadição (dro.ga.di.*ção*) *sf.* Dependência de drogas, vício em drogas [Pl.: *-ções*.] [F.: *droga* + *adição*.]

drogadicção (dro.ga.dic.*ção*) *sf.* Ver *drogadição* [Pl.: *-ções*.]

drogadicto (dro.ga.*dic*.to) *sm.* Pessoa viciada em drogas [F.: *droga* + *adicto*. Tb. *drogadito*.]

drogadito (dro.ga.*di*.to) *sm.* Ver *drogadicto*

drogado (dro.*ga*.do) *a.* **1** Que está sob o efeito de droga tóxica: *Os rapazes drogados foram levados ao hospital.* ***sm.*** **2** Indivíduo que é viciado em drogas e as consome regularmente: *Os drogados foram tratados com desprezo.* [F.: Part. de *drogar*.]

drogar (dro.*gar*) *v.* **1** Fazer ingerir ou ingerir, fazer inocular ou inocular entorpecente, alucinógeno etc. [*td.*: *Drogava as meninas antes de maltratá-las; Droga-se há muito tempo.*] **2** Administrar droga, medicamento em (alguém, inclusive si mesmo); MEDICAR [*td.*: *O médico drogava o paciente de oito em oito horas; Não procurou um médico, preferiu drogar-se.*] [▶ 14 drogar] [F.: *droga* + *-ar*[2]. Hom./Par.: *droga(s)* (fl.), *droga(s)* (sf. [pl.]); drogaria(s) (fl.), drogaria(s) (sf.[pl.]); *drogáveis* (fl.), *drogáveis* (pl. de *drogável* [a2g.]).]

drogaria (dro.ga.*ri*.a) *sf.* **1** Comércio de drogas **2** Estabelecimento comercial que vende medicamentos, produtos de cosmética e higiene etc; FARMÁCIA **3** Quantidade de drogas [F.: *droga* + *-aria*.]

droguista (dro.*guis*.ta) *a2g.* **1** Ref. ou inerente a droga (comércio droguista) **2** Que diz respeito ao que manipula ou vende droga; DROGUEIRO *s2g.* **3** Proprietário de drogaria **4** Indivíduo que manipula ou vende droga **5** *AM. Ant.* Batedor e guia que procurava as chamadas drogas do sertão [F.: *droga-* + gr. *-ismós,oû*, donde gr. *-isto,as*.]

dromedário (dro.me.*dá*.ri:o) *sm. Zool.* Mamífero da família dos camelídeos (*Camelus dromedarius*), dotado de uma só corcova e de pernas mais longas que as do camelo, us. como animal de carga [F.: Do lat. *dromedarius*.]

◎ **-dromia** *el. comp.* = 'ação de correr'; 'corrida'; 'curso'; 'caminho'; 'condução': *adromia, hipodromia* (< gr.), *histiodromia, lampadedromia* (< gr.), *loxodromia, ortodromia, palindromia* (< gr.) [F.: Do gr. *-dromía, as*, do gr. *dromós, ou*, 'ação de correr'; 'corrida'.]

◎ **-drom(o)-** *el. comp.* Ver *drom(o)-*

◎ **-dromo** *el. comp.* Ver *drom(o)-*

◎ **drom(o)-** *el. comp.* = 'ação de correr ou de andar'; 'corrida'; 'lugar ou pista de corrida (daquilo que é expresso pela palavra base ou pelo rad. nom.); 'lugar ou local de'; 'viagem'; 'direção'; (*Bot.*) 'nervura ou nervação que parte ou se estende de certa forma ou em dada direção': *dromomania, dromoterapia; aerodromofobia, antidrômico; autódromo, cinódromo, hipódromo, kartódromo, velódromo; camelódromo, sambódromo; acródromo, actinódromo, campilódromo* [F.: Do gr. *drómos, ou*, 'ação de correr', 'corrida'; 'lugar para corrida'.]

dromomania (dro.mo.ma.*ni*.a) *Psiq. sf.* **1** Automatismo ambulatório, vontade intensa de perambular; DROMOPATIA **2** Impulsão à fuga, esp. de lugares de onde não se guardam boas lembranças **3** Desejo mórbido de abandonar o lar [F.: *drom(o)-* + *-mania*.]

dromomaníaco (dro.mo.ma.*ní*.a.co) *Psiq. a.* **1** Ref. à dromomania **2** Diz-se de indivíduo que sofre de dromomania; DROMÓMANO *sm.* **3** Esse indivíduo; DROMÔMANO [F.: *dromomania* + *-ico*[2], seg. o mod. gr.]

dromômano (dro.*mô*.ma.no) *a. sm. Psiq.* O mesmo que *dromomaníaco* (2 e 3) [F.: *drom(o)-* + *-mano*[1].]

dromórnito (dro.*mór*.ni.to) *sm. Zool.* Designação comum às aves que não voam mas correm, como o avestruz e a ema [F.: *drom(o)-* + *-órnito*.]

dromoterapia (dro.mo.te.ra.*pi*.a) *sf. Med.* Emprego terapêutico da marcha ou caminhada, ger. associada a flexões respiratórias e circulatórias [F.: *drom(o)-* + *terapia*.]

dromotrópico (dro.mo.*tró*.pi.co) *a.* **1** *Fisiol.Med.* Ref. ou inerente à condutividade da excitação de um fibra nervosa ou muscular **2** *Restr. Med.* Diz-se da ação que modifica a condutibilidade das fibras do miocárdio [F.: *drom(o)-* + *-trop(o)-* + *-ico*[2].]

dropar (dro.*par*) *v.* **1** *Esp.* Começar o surfista a descer, em sua prancha, sobre (uma onda) [*td.*: *Ele dropou a onda no momento exato.*] [*int.*: *Perdeu o tempo e nem tentou dropar.*] **2** *Esp.* Começar, o esqueitista, a descer (uma rampa) com o esqueite [*td.*: *Dropou a rampa de costas.*] [*int.*: *No alto da rampa, preparava-se para dropar.*] [▶ 1 dropar] [F.: Do ingl. (*to*) *drop* + *-ar*[2].]

drope (*dro*.pe) [ó] *sm.* **1** Tipo de confeito ou bala, ger. em forma de disco [Mais us. no pl.] **2** Descida vertical em uma onda, rampa de *skate* ou de bicicleta, duna etc. [F.: Do ing. *drop*.]

dropear (dro.pe.*ar*) *v. td. int. Esp.* O mesmo que *dropar* [▶ 1 dropar] [F.: Do ingl. (*to*) *drop* + *-ear*[2].]

⊕ **drops** (*Ing./dróps/*) *sm2n.* **1** Espécie de bala ou pastilha, ger. em forma de disco [F. aport.: dropes; f. menos us.: drope.] **2** *Bras. Jorn.* Notícia curta, ger. de duas frases, em bloco **3** No surfe, ação ou resultado de descer verticalmente numa onda [F.: Do ing. (*to*)*drop-* + *-s*.]

drosófila (dro.*só*.fi.la) *sf. Zool.* Designação comum aos insetos dípteros do gên. *Drosophila*, da fam. dos drosofilídeos, como a *Drosophila melanogaster*, muito us. em experimentos genéticos [F.: Do lat.cient. *Drosophila*.]

⊕ **drugstore** (*Ing./drôgstór/*) *sm.* Tipo de loja de conveniência, de padrão norte-americano, que vende produtos farmacêuticos, artigos e alimentos diversos [Pl.: (*ingl.*) *drugstores*.] [F.: Do ingl. *drug-store*, de *drug* + *store*.]

druida (*drui*.da) *sm. Hist.* Antigo sacerdote dos povos gauleses e bretões [Fem.: *-desa e -disa*.] [F.: Do lat. *druida*.]

drumete (dru.*me*.te) [é] *sm.* Alimento que consiste na parte mais carnuda da asa de frango (tb. chamado *coxinha da asa*), ger. servido assado na brasa, como churrasco [F.: De or. obsc.]

drummondiano (drum.mon.di.*a*.no) *a.* **1** *Liter.* Ref. ou pertencente ao escritor e poeta brasileiro Carlos Drummond de Andrade (1902-1987), ou próprio de sua obra [tb. us. drummoniano.] **2** *Liter.* Diz-se de escritor ou texto que tem o estilo de Drummond (poema drummondiano; escrita drummondiana) **3** Diz-se de quem é seu admirador e/ou profundo conhecedor de Drummond e de sua obra *sm.* **4** Indivíduo admirador e/ou profundo conhecedor da obra de Carlos Drummond de Andrade [F.: Do antr. (Carlos) Drummond (de Andrade) + *-iano*.]

drupa (*dru*.pa) *sf. Bot.* Fruto carnoso que tem em seu interior um caroço duro, com uma única semente, como o pêssego, a ameixa, a azeitona, a manga etc. [F.: Do gr. *drýppa*, pelo lat. cient. *drupa*.]

drupáceo (dru.*pá*.ce:o) *a. Bot.* Que tem as características e elementos da drupa (fruto drupáceo; espécie drupácea) [F.: Do lat.cien. gên. *Drupa* + lat. *-aceus,-acea,-aceum*.]

drusa (*dru*.sa) *sf.* **1** *Bot.* Massa globular formada por cristais em forma de agulha, encontrada em muitas células vegetais **2** *Geol.* Incrustação formada na superfície ou interior de um mineral pela agregação de cristais de outra natureza [F.: Do al. *Drüse*.]

druso (*dru*.so) *a.* **1** *Hist.* Ref. ou pertencente à seita maometana extremista, fundada no Líbano no séc. XI *sm.* **2** Seguidor dessa seita [F.: Do ár. *Durûz*, do antr. Muhammed ibn-Ism'aiilal-Daraziiy.]

⊕ **dry** (*Ing./drái/*) *a2g2n.* **1** Diz-se de aperitivo, coquetel, vinho ou champanhe seco *sm.* **2** Espécie de coquetel preparado com gim e vermute [F.: Do ing. *dry*, do ant.ing. *drýge*.]

⊠ **D.S.** *Mús.* Abrev. que indica *repetição* (a partir de determinado ponto)

⊠ **D.Sc.** Abrev. em inglês do título universitário *Doutor em Ciências* (*Doctor of Science*)

⊠ **DST** *sf. Med.* Sigla de *doença sexualmente transmissível*

DSV *sf.* Sigla de Departamento de Operações do Sistema Viário, órgão federal do Ministério dos Transportes

⊠ **DTP** *sf. Inf.* Sigla do termo ing. desk-top publishing, que, em editoração eletrônica, designa o processo de montagem e a impressão final da publicação

dual (du.*al*) *a2g.* **1** Que é formado por duas partes **2** Que se refere a dois [Pl.: *-ais*.] **3** *Gram.* Categoria gramatical de número existente em certas línguas (p. ex. grego clássico, árabe, hebraico), distinto do singular e do plural, e que designa a quantidade "dois" ou um par de coisas: *Como esse substantivo se declina no singular, no plural e no dual?* [Usado não só para indicar o número daquelas partes do corpo que existem ao pares (olhos, pés, mãos), mas também o número de todo e qualquer substantivo contável e de tudo que com ele concorda na oração (adjetivo, verbo, pronome).] [F.: Do lat. *dualis,e*.]

dualidade (du:a.li.*da*.de) *sf.* Característica do que é dual ou duplo, ou do que contém em si duas naturezas, duas substâncias, dois princípios (dualidade humana/linguística/matemática); DUALISMO: "A criatura que foi expulsa do Paraíso tornou-se esta flagrante dualidade com tudo em si, guerra e paz, luz e sombra, brancura e negror, bem e mal, Deus e diabo." (Aquilino Ribeiro, *Aldeia*) [F.: Do lat. *dualitas,átis*.]

dualismo (du.a.*lis*.mo) *sm.* **1** *Rel. Fil.* Doutrina segundo a qual a realidade e a natureza humana estão divididas em dois princípios fundamentais e antagônicos, como bem e mal, essência e existência, matéria e forma, corpo e espírito etc. **2** Característica do que é dual ou duplo; DUALIDADE **3** *Econ.* Sistema econômico segundo o qual os preços internos dos produtos de um país devem ser superiores aos preços desses produtos exportados, como medida de incentivar a exportação **4** *Econ.* Oferta (por uma indústria, um comerciante etc.) de produtos a preços muito baixos, como forma de inviabilizar concorrentes e afastá-los do mercado **5** *Fil.* Para Descartes, ideia de que pensamento e matéria são constituídos de substâncias incompatíveis [F.: *dual* + *-ismo*, ou do fr. *dualisme*.] ■ **~ onda-partícula** *Fís.* Termo que designa a existência de duas teorias físicas para os fenômenos radioativos (como os luminosos), uma de que seriam causados por ondas, outra de que seriam produzidos por partículas

dualista (du.a.*lis*.ta) *a2g.* **1** Que apresenta dualismo *s2g.* **2** Adepto do dualismo [F.: *dual* + *-ista*.]

dualístico (du:a.*lís*.ti.co) *a.* **1** Ref. ou inerente ao dualismo e à dualidade; DUALISTA **2** Que tem as características do dualismo, ou próprio de dualista [F.: Do lat. *duális, e-* + -ista, do gr. *-ismós,oû* + gr. *-ikós, ê, ón.*]

dualizar (du.a.li.*zar*) *v.* **1** Tornar(-se) dual [*td.*: *Suas críticas dualizaram o grupo.*] [*int.*: *O grupo dualizou-se.*] **2** Abordar dois assuntos ou temas num mesmo conjunto (discurso, conferência etc.) [*td.*: *O professor vai dualizar sua conferência falando de história antiga e moderna.*] **3** Separar (alguma coisa) em duas alternativas opostas [*td.*: *Em sua tese, dualizou a obra de Machado.*] [▶ 1 dualizar] [F.: *dual* + *-izar.*]

duas (*du*.as) *num.* Feminino de dois; cuja quantidade (substantivos femininos) é dois (duas mulheres, duas casas) [F.: Do lat. *duas.*]

dubiedade (du.bi:e.*da*.de) *sf.* Qualidade do que é dúbio; AMBIGUIDADE; DUBIEZ; DUBIEZA [F.: Do lat. *dubietas, atis.*]

dúbio (*dú*.bi:o) *a.* **1** Duvidoso, incerto; INDEFINIDO [Ant.: *claro; exato*] **2** Sujeito a diferentes interpretações (significado dúbio); AMBÍGUO **3** Vacilante, indeciso, vago (atitude dúbia); IRRESOLUTO: "Neste dúbio, confuso e brando estado de esquecimento..." (Almeida Garrett, *Memórias biográficas*) [Ant.: *decidido.*] **4** Quase indefinido, pouco explicável (olhar dúbio) [Superl.: *dubiíssimo.*] [F.: Do lat. *dubius,a,um*. Cf.: *dubitável.*]

dubitativo (du.bi.ta.*ti*.vo) *a.* Que expressa dúvida ou em que há dúvida, cético [F.: Do lat. *dubitativus.*]

dubitável (du.bi.*tá*.vel) *a2g.* **1** De que se pode duvidar [Ant.: *indubitável.*] **2** Ambíguo, impreciso, incerto [Pl.: *-eis.*] [F.: Do lat. *dubitabilis,e.*]

dublado (du.*bla*.do) *a. Bras. Cin.Telv.* Que se dublou, em que se fez dublagem (filme dublado; atriz dublada) [F.: Do fr. *doubler* + lat. *-áta-, -átu>-ádo.*]

dublador (du.bla.*dor*) [ô] *a.* **1** *Bras. Cin.Telv.* Que diz respeito a que ou quem dubla *sm.* **2** Profissional especializado em dublagem **3** *Lus.* O mesmo que *dobrador* [F.: Do fr. *doubler* + lat. *-áta-, -átu>-ádo* + *-or.*]

dublagem (du.*bla*.gem) *Bras. sf.* **1** Substituição feita em estúdio das falas no idioma original de um filme por outras para atender o público que prefere ver um filme em seu próprio idioma ou para quem não consegue ler ou não gosta de ler as legendas traduzidas **2** *Cin. Telv.* Gravação de falas ou partes cantadas feita depois das filmagens ou da gravação de imagens **3** Interpretação mímica que um cantor faz com a utilização de *playback* [Pl.: *-gens.*] [F.: Do fr. *doublage*. Lus.: *dobragem.*]

dublar (du.*blar*) *v.* **1** *Bras. Cin. Telv.* Fazer dublagem de (personagem, filme, fala, música etc.) [*td.*: *A jovem dublou a música "Immortality".*] [*int.*: *Ele sabe dublar com perfeição.*] **2** *P.ext.* Substituir (ator, atriz) esp. em cenas arriscadas [*td.*: *Para realizar a cena de risco, um sósia dublou o ator principal.*] [▶ 1 dublar] [F.: Do lat *duplare*, pelo fr. *doubler*. Hom./Par.: *duble(s)* (fl.), *dublê(s)* (s2g.[pl.]).]

dublê (du.*blê*) *s2g.* **1** *Bras. Cin. Telv.* Profissional que substitui o ator ou a atriz em cenas perigosas ou de realização complicada (p. ex. em cenas de nudez) **2** Pessoa fisicamente semelhante a outra (celebridade, autoridade etc.), a quem substitui, por motivos de segurança, em aparições públicas, lugares perigosos etc. **3** Indivíduo que exerce diversas atividades paralelas: *João é dublê de professor e poeta.* **4** *Art.gr.* Impressão em duas cores, a partir de dois clichês ou dois fotolitos, para obtenção de um tom (ger. monocromático) especial [F.: Do fr. *double.*]

dublinense (du.bli.*nen*.se) *s2g.* **1** Aquele ou aquela que nasceu em Dublin, capital da Irlanda *a2g* **2** De Dublin; típico dessa cidade ou de seu povo [F.: Do top. *Dublin* + *-ense.*]

ducado (du.*ca*.do) *sm.* **1** Título ou dignidade de duque **2** Conjunto de terras ou propriedades que formam o domínio de um duque **3** Estado que tem um duque como soberano **4** Moeda de ouro ou de prata, de diferentes países, em diferentes épocas [F.: Do lat. *ducatus.*]

ducal (du.*cal*) *a2g.* Ref. ou pertencente a duque ou ducado [Pl.: *-cais.*] [F.: Do lat. *ducalis.*]

ducentenário (du.cen.te.*ná*.ri:o) *a.* **1** *Mat.* Ref. a duas vezes centenário **2** Duas vezes multiplicado por cem; DUCÊNTUPLO; DUCENTUPLICADO *sm.* **3** O que tem duzentos anos (casarão ducentenário); entidade ducentenária) [F.: Do lat. *duo,ae,o* + lat. *centenarius,a,um.*]

ducentésimo (du.cen.*té*.si.mo) *num.* **1** Ordinal que, em uma sequência, corresponde ao número 200: *Ficou em ducentésimo lugar na classificação final do concurso.* *a.* **2** Que é 200 vezes menor do que a unidade ou um todo (diz-se de parte): *A ducentésima parte de 2.000 é 10.* [Us. tb. como subst.: o *ducentésimo de 2.000 é 10.*] *sm.* **3** Aquele ou aquilo que ocupa a posição de número 200: *Ele era o ducentésimo em uma lista de 1.000.* [F.: Do lat. *ducentesimu.*]

ducha (*du*.cha) *sf.* **1** Jato de água lançado sobre o corpo de alguém para limpeza, massagem ou terapia **2** Local para banho de ducha ou de chuveiro **3** Banho de chuveiro com jato de água forte **4** Censura ou repreensão áspera: *Recebeu uma ducha do professor pela má prova.* **5** Grande quantidade de algo: *O juiz recebeu uma ducha de ofensas.* [F.: Do it. *doccia*, pelo do fr. *douche.*] ∎ **~ de água fria** Circunstância que causa decepção, abala o entusiasmo, desestimula: *A lista de exigências foi uma ducha de água fria em suas pretensões.*

dúctil (*dúc*.til) *a2g.* **1** Que se pode distender ou comprimir sem provocar rompimento (metal dúctil); FLEXÍVEL **2** Que se pode guiar, conduzir **3** Que se pode amoldar ou adaptar às circunstâncias: *gente doce e dúctil.* [Pl.: *-teis*. Superl.: *ductilíssimo* e *ductilimo.*] [F.: Do lat. *ductilis.*]

ductilidade (duc.ti.li.*da*.de) *sf.* Propriedade ou qualidade do que é dúctil; DUCTIBILIDADE [Ant.: *inductilidade.*] [F.: Do lat. *ductilis,e* < lat. *ducère* + -i- + -dade.]

ducto (*duc*.to) *sm.* **1** Qualquer coisa que possa servir como meio de conduzir algo, de por ela fazer passar algo; CANAL; CONDUTOR: *Aquela conta bancária servia como um ducto para pagamento de propinas; Vou instalar um ducto para esta fiação elétrica.* **2** *Cons.* Qualquer tubulação que conduz fluidos, líquidos ou gases diversos a grandes distâncias, como os oleodutos, gasodutos, aquedutos etc. **3** *Anat.* Estrutura tubular por onde passam os fluidos e excreções do corpo animal [*Ducto* substituiu *canal* na nova terminologia anatômica.] **4** *Litu.* Cada um dos movimentos do turíbulo quando us. para incensar [F.: Do lat. *ductus*. Tb. *duto.*]

duelar¹ (du:e.*lar*) *a2g.* Ref. ou próprio de duelo(s) [F.: *duelo* + *-ar¹.*]

duelar² (du:e.*lar*) *v.* **1** Travar duelo, enfrentar(-se), bater-se em duelo [*int.*: *Duelaram à moda antiga.*] [*tr.* + *com*: *Duelou com seu professor de esgrima e venceu.*] **2** Opor, confrontar (ideias, posições, forças etc.); BATER-SE [*int.*: *Duelariam no tribunal por conta de um carro.*] [*tr.* + *com.*: *Não duelaria com o colega numa mesa-redonda.*] [▶ 1 duelar] [F.: Do lat. *duellare*. Hom./Par.: *duelo* (fl.), *duelo* (sm.).]

duelista (du:e.*lis*.ta) *a2g.* **1** Que duela: *dois soldados duelistas.* **2** Que costuma enfrentar adversários em duelos *s2g.* **3** Aquele que duela: *Os duelistas se enfrentaram várias vezes.* [F.: *duelo* + *-ista.*]

duelo (du:e.lo) *sm.* **1** Combate entre duas pessoas, com dia e hora previamente marcados, na presença de testemunhas e com armas iguais escolhidas pelo desafiante ofendido, e cujo objetivo é restaurar ou limpar a honra deste **2** *Fig.* Qualquer forma de combate ou enfrentamento entre duas pessoas, duas equipes etc: *Foi um incrível duelo entre o destróier e o submarino*; "Entrei, sentei-me e fiquei calado, assistindo ao duelo fantástico de um romancista com a sua personagem revoltada." (Júlia Lopes de Almeida, *A intrusa*) **3** *Fig.* Qualquer forma de oposição entre pessoas, grupos, ideias, forças etc.: *O enfrentamento começou com um duelo verbal.* [F.: Do lat. *duellum.*]

duende (du:*en*.de) *sm.* Pequeno ser imaginário, de aspecto humano, orelhas pontudas e dotado de poderes mágicos, que penetraria à noite nas casas para fazer travessuras e amedrontar os moradores [F.: Do espn. *duende.*]

duetista (du:e.*tis*.ta) *a2g.* **1** *Mus.* Diz-se do que canta, dança ou toca em dueto (concerto duetista) *s2g.* **2** Indivíduo que canta, dança ou toca com outro (duetistas famosos) [F.: Do it. *duetto*, dim. lat. *duo* + -ista.]

dueto (du:e.to) [ê] *sm.* **1** *Mús.* Composição musical para duas vozes ou dois instrumentos **2** *Mús.* Conjunto formado por dois cantores ou dois instrumentistas **3** Passo de dança realizado por um conjunto de dois dançarinos **4** *Pop.* Qualquer atividade realizada por duas pessoas [F.: Do it. *duetto.*]

◎ **dulc(i)-** *el. comp.* = 'doce'; (*fig.*) 'suave': *dulciaquícola, dulcícola, dulcificar* (< lat.), *dulcilucente* [F.: Do lat. *dulcis, e.*]

dulciaquícola (dul.ci:a.*quí*.co.la) *a2g. sm. Biol.* O mesmo que *dulcícola* (1 e 2) [F.: *dulc(i)-* + *aquícola.*]

dulcícola (dul.*cí*.co.la) *Biol. a2g.* **1** Ref. ao que vive em água-doce (animal/espécie dulcícola); DULCIAQUÍCOLA *sm.* **2** Ser vivo cujo hábitat é a água-doce (dulcícola selvagem); DULCIAQUÍCOLA [F.: *dulc(i)-* + *-cola¹.*]

dulcificar (dul.ci.fi.*car*) *v.* **1** Tornar doce; ADOÇAR [*td.*: *dulcificar o suco.*] **2** *Fig.* Suavizar(-se), abrandar(-se); minorar sofrimento de (esforço, dificuldade) [*td.*: *A conquista de um corpo bonito dulcifica os exercícios físicos.*] [*int.*: *A falta do pai dulcificou-se com o tempo.*] **3** *Fig.* Tornar alegre, agradável [*td.*: *A amizade dulcifica a vida.* Ant.: *amargurar, entristecer.*] [▶ 11 dulcificar] [F.: Do lat. *dulcificare*. Hom./Par.: *dulcifica(s)* (fl.), *dulcífica(s)* (fem. de *dulcífico* [pl.]); *dulcifico* (fl.), *dulcífico* (a.).]

dulcineia (dul.ci.*nei*.a) *sf.* **1** Mulher que é galanteada; NAMORADA **2** Mulher idealizada [Por alusão à personagem *Dulcinea del Toboso*, singela camponesa transformada em dama ideal, na obra *Don Quixote de la Mancha* (1605) do escritor espanhol Miguel de Cervantes (1547-1616).] [F.: Do espn. *dulcinea*, do ant. Dulcinea del Toboso.]

dulçor (dul.*çor*) [ô] *sm.* Ver *doçura* [F.: Do espn. *dulzor.*]

dulçoroso (dul.ço.*ro*.so) [ô] *a.* Que tem dulçor, que tem doçura [Fem. e pl.: [ó].] [F.: *dulçor* + *-oso.*]

dum **1** *Gram.* Contração da prep. de com art. *um* (esboço dum romance) **2** De um único (homem dum pé só) **3** Ref. a algo ou alguém indefinido, ou não definido antes (falara dum lugar; olhara dum jeito) [Pl.: *duns; dumas*. Fem.: *duma*] [F.: contr. prep. de com o art. indef. *um.*]

dum-dum (dum-*dum*) *sm. Mil.* O mesmo que *dundum* [Pl.: *dum-duns.*] [F.: Do ing. *dumdum* < top. Dum-Dum (Índia); ou hind. *dämdamä* > port. *damedame.*]

⊕ ***dumping*** (*Ing. /dâmpin/*) *sm.* **1** *Com.* Expediente de venda de produtos a preço inferior ao do mercado para se desfazer de produção excedente, conquistar novos mercados ou derrotar a concorrência: *Produtores americanos registraram queixa de dumping contra o Brasil.* **2** *Com.* Título que compromete comprador de mercadoria a pagar por ela em data pré-determinada [F.: Do ing. *dumping.*]

duna (*du*.na) *sf. Geol.* Monte ou colina de areia que adquire formas variáveis de acordo com a ação do vento [F.: Do lat. (na Gália) *dunum*, pelo hol. *dunen*, pelo fr. *dune.*]

dundum (dun.*dum*) *sf. Mil.* Projétil de cápsula modificada, capaz de provocar ferimentos sempre muito graves; DUM-DUM [Pl.: *dunduns.*] [F.: Do ing. *dumdum* < top. Dum-Dum (Índia).]

dunga (*dun*.ga) *a2g.* **1** *Bras. Pop.* Diz-se de que ou quem é excepcional; INCOMPARÁVEL *sm.* **2** *Bras.* Indivíduo corajoso, arrojado, sem igual; EXÍMIO **3** *NE.* Homem bravo, valente; VALENTÃO; MAIORAL **4** *NE.* O dois de paus, em jogos de carta; CURINGA [F.: Do quicg. *ndunga.*]

dunquerque (dun.*quer*.que) [é] *sm.* Pequeno armário de prateleiras e ger. de portas envidraçadas, para exposição ou guarda de objetos; ESCAPARATE; VITRINA [F.: Do top. Dunquerque (França).]

duo (*du*.o) *sm.* **1** *Mús.* Composição para duas vozes ou dois instrumentos (duo de violões) **2** *Mús.* Conjunto formado por dois músicos: *um duo de piano e contrabaixo.* **3** Bailado executado por duas pessoas; DUETO [F.: Do lat. *duo.*]

duodecimal (du:o.de.ci.*mal*) *a2g.* **1** *Mat.* Ref. ou inerente a duodécimo, que se constitui de duodécimos ou se baseia em duodécimos (sistema/tabela duodecimal) **2** *Mat.* Que se divide ou se conta por séries de 12 **3** Que tem por base o número 12 [Pl.: *-mais.*] [F.: Do lat. *duodecimus,a,um-*, séc. XV *duodicimo* + suf.lat. *-ális,-ále.*]

duodécimo (du:o.*dé*.ci.mo) *num.* **1** Ordinal que, em uma sequência, corresponde ao número 12: *Foi o duodécimo colocado na corrida.* *a.* **2** Que é 12 vezes menor do que a unidade ou um todo (diz-se de parte): *Essa é a duodécima parte do que lhe devo.* [Us. tb. como subst.: Isso corresponde a um duodécimo dos seus ganhos.] *sm.* **3** Aquele que ocupa a posição número 12: *Dificilmente ele será convocado, visto que é o duodécimo de um total de 30 aprovados.* [F.: Do lat. *duodecimus.*]

duodenal (du:o.de.*nal*) [á] *a2g. Anat.* Ref. a ou do duodeno (cálculo/cirurgia duodenal) [Pl.: *-nais.*] [F.: Do lat.medv. *duodenum*, abrev. de *duodenum digitorum* + suf. lat. *-ális,-ále.*]

duodenite (du:o.de.*ni*.te) *sf. Gast.* Inflamação do duodeno [F.: Do lat.medv. *duodenum-*, abrev. de *duodenum digitorum* + suf. gr. *-ités* ou *-itis* >*-ita,-ito.*]

duodeno (du:o.*de*.no) [ê] *sm. Anat.* A primeira porção do intestino delgado, que vai do piloro ao jejuno [F.: Do lat. *duodenum.*]

dupla (*du*.pla) *sf.* **1** Conjunto de duas pessoas que atuam juntas em qualquer atividade: *a dupla formada por Tonico e Tinoco.* **2** *Esp.* Equipe formada por dois jogadores **3** *Esp.* Jogo em que dois pares de jogadores se enfrentam: *O tenista foi bem individualmente, mas perdeu nas duplas.* **4** *Pop.* Combinação ou ligação de duas coisas: *Dirigir carro e bebida alcoólica é dupla que não dá certo.* **5** *Turfe* No turfe, tipo de aposta em que se indicam os cavalos que chegarão em primeiro e em segundo lugar, independentemente da ordem de chegada **6** *Turfe* Os dois primeiros colocados em um páreo **7** *P.ext. Turfe* O segundo colocado em um páreo: *Tufik deixou Dubai Free na dupla a dois corpos.* [F.: Fem. substv. de *duplo.*]

duplex (du.*plex*) [cs] *Num.* **1** Que é multiplicado por dois; DÚPLICE *a2g2n.* **2** Que foi construído em dois pavimentos ou dois níveis distintos (apartamento duplex, armário duplex) *sm2n.* **3** Apartamento de dois pavimentos [Cf. triplex] **4** *Rel.* Na liturgia católica, parte do ofício eclesiástico em que, nas horas vésperas, matinas e laudes, se repetem as antífonas inteiras no princípio e no fim dos salmos [Antes do *Concílio Vaticano II*, havia dois tipos de *duplex*, o de primeira classe, nas festas mais solenes (Natal, Páscoa, *Corpus Christi*), e o de segunda classe, nas festas menos solenes (Circuncisão, Anunciação).] [F.: Do lat. *duplex*. Tb. *dúplex.*]

duplicação (du.pli.ca.*ção*) *sf.* **1** Ação ou resultado de duplicar(-se), de multiplicar(-se) por dois; DOBRO; REPETIÇÃO **2** *Art. Gr.* Reprodução gráfica feita por meio de equipamento apropriado [Pl.: *-ções.*] [F.: Do lat. *duplicatio, onis.*]

duplicado (du.pli.*ca*.do) *a.* **1** Que se duplicou; que se encontra em dobro *sm.* **2** Cópia, reprodução, duplicata **3** Qualquer dos exemplares reproduzidos de um documento escrito: *O duplicado de um libelo.* [F.: Part. de *duplicar.*]

duplicador (du.pli.ca.*dor*) [ô] *a.* **1** Que duplica; DUPLICANTE **2** *Art.Graf.* Ref. ao aparelho que, manual ou eletricamente, multiplica textos, desenhos etc. a partir de uma matriz especial, como o mimeógrafo ou o hectógrafo *sm.* **3** O que duplica **4** Aparelho que faz cópias, esp. de textos, a partir de uma matriz: *Certos duplicadores, como o mimeógrafo, estão ultrapassados.* [F.: Do lat. *duplicator, oris.*]

duplicadora (du.pli.ca.do.*ra*) [ô] *sf. Art.Graf.* Aparelho ou máquina para fazer duplicação (duplicadora de documentos) [F.: Fem. substv. de *duplicador.*]

duplicar (du.pli.*car*) *v.* **1** Tornar(-se) duas vezes maior; DOBRAR [*td.*: *Preciso duplicar minha renda.*] [*int.*: *Nossa população duplicou(-se) em pouco tempo.*] **2** Fazer aumentar ou aumentar muito [*td.*: *Os filhos duplicam as responsabilidades dos pais.*] [*int.*: *Por causa dos furtos, a vigilância duplicou(-se).*] **3** *Mat.* Multiplicar (uma quantidade) por dois [*td.*: *Duplique 35 e encontrará os setenta.*] **4** Fazer (algo) duas vezes; REPETIR [*td.*: *Muito cuidadosa, duplicava a revisão.*] **5** *Art.Gr.* Fazer cópia de (documento) por meio de xerox, mimeógrafo etc. [*td.*: *Pode duplicar esse documento para mim?*] [▶ 11 duplicar] [F.: Do v.lat. *duplicare*. Hom./Par.: *duplicáveis* (fl.), *duplicáveis* (pl. de *duplicável* [a2g.]).]

duplicata (du.pli.*ca*.ta) *sf.* **1** Qualquer objeto ou ser que se pareça, represente ou tenha a mesma função de outro; CÓPIA **2** Cópia de exemplar (livro, selo, moeda etc.) que já exista em uma coleção **3** Cópia de um objeto ou obra de arte **4** *Econ.* Título de crédito que obriga o comprador a pagar, em data preestabelecida, a quantia correspondente ao valor da mercadoria adquirida [F.: Do lat. medv. (*littera*) *duplicata*, pelo fr. *duplicata.*]

dúplice (*dú*.pli.ce) *a2g.* **1** Que é duplo **2** Que revela falsidade, dissimulação; FALSO; FINGIDO: *Esse homem se caracteriza pelas atitudes dúplices.* **3** Diz-se de papel composto por duas camadas *num.* **4** Multiplicado por dois; DÚPLEX [F.: Do lat. *duplex, icis.*]

duplicidade (du.pli.ci.*da*.de) *sf.* **1** Qualidade ou condição do que é dúplice, do que se apresenta com dois aspectos distintos, do que tem duas características, duas funções etc. **2** *Pext.* Traço característico daquele que tem caráter dúbio, que demonstra ser diferente do que realmente é; DISSIMULAÇÃO; FALSIDADE; FINGIMENTO: *Sua duplicidade era desconcertante*: "Os sintomas de duplicidade e descaramento deste barbeiro são positivos." (Machado de Assis, *O alienista*) [F.: Do lat. *duplicitas, atis.*]

duplista (du.*plis*.ta) *a.* **1** Diz-se de quem participa de uma dupla em jogo, interpretação musical ou cênica etc. (tenista duplista; cantores duplistas) *s2g.* **2** Um dos dois indivíduos que compõem uma dupla (duplista de vôlei de praia) [F.: Do lat. *duplus, a, um* + *-ista*.]

duplo (*du*.plo) *num.* **1** Que tem duas vezes a quantidade ou o tamanho de um: *Quero um espresso duplo, por favor. a.* **2** Que envolve duas pessoas ou que é destinado a duas pessoas (duplo assassinato; cama dupla) **3** Que contém duas partes, dois elementos, duas características etc. (espelho duplo; dupla personalidade) **4** Que tem dois aspectos ou significados: *Levava uma vida dupla; Suas frases sempre tinham duplo sentido. sm.* **5** Indivíduo muito parecido com outro; SÓSIA; DUBLÊ: *Era um verdadeiro duplo do ministro.* **6** Quantidade, altura ou tamanho duas vezes maior; DOBRO [F.: Do lat. *duplus*.]

duque¹ (*du*.que) *sm.* **1** Título de nobreza concedido ao soberano de um ducado **2** *Hist.* A partir da Idade Média, título de nobreza que, numa escala hierárquica, fica acima de marquês e imediatamente abaixo da condição de príncipe **3** *Hist.* Nos últimos tempos do império romano da Antiguidade, comandante militar das províncias romanas [F.: Do lat. *dux, ducis*.]

duque² (*du*.que) *sm.* **1** *Lud.* Pedra de dominó ou de víspora, carta de baralho etc. que valem ou com as quais se marcam dois pontos **2** *Lud.* No jogo de gamão, marcação do mesmo número de pontos em cada um dos dois dados **3** *N. N.E.* Roupa masculina (terno) na qual o paletó e a calça são feitos da mesma fazenda e com a mesma cor **4** *Bras. Desus.* Antiga nota de dez cruzeiros [F.: De or. obsc.]

duquesa (du.*que*.sa) [ê] *sf.* **1** A mulher do duque **2** Mulher que tem título de nobreza correspondente ao duque **3** Soberana de um ducado **4** Tipo de poltrona com assento longo us. para descansar as pernas esticadas **5** Espécie de cetim de seda [F.: Do lat. *dux,ducis*-, séc. XV *ducque*- + -es(s)a, da form. vern. lat. *ex-*; fr. *duchesse*, séc. XV, *ducqueza*.]

◎ **-dura** *suf. nom.* Formador de subst. fem., a partir de radicais verbais, conexo com o suf. *-ura* (ver), este esp. de subst. abstratos; o suf. *-dura* é a forma popular de *-tura* (ver), e apresenta além do sentido de 'ação de (rad. verbal)' (*abaladura, varredura, carpidura*), as seguintes noções: **a)** 'instrumento, objeto, peça (ou animal) para (se fazer) algo': *abotoadura, atadura, cavalgadura, fechadura, ferradura, tornadura*; **b)** 'conjunto de coisas que servem para fazer algo ou que resultam desta ação': *encorreadura, moedura, tecedura*; **c)** 'lugar, local ou ponto em que certa ação se dá, ou em que algo é feito': *embocadura, empunhadura, encapeladura, estremadura, telhadura*; **d)** 'lesão, ferimento, ferida, escoriação, tumor, ou vestígio destes (resultantes ger. de certa ação)': *arranhadura, assadura, geladura, gretadura, machucadura, mordedura, pisadura, queimadura, roedura, soldadura, tomadura* [F.: Do suf. lat. *-tura, ae*, do suf. lat. *-tus, a, um*, ou *-tum*, de part. pass. e sup., + suf. lat. *-ura, ae*.]

dura¹ (*du*.ra) *sf.* Característica ou condição daquilo que dura no tempo; permanência, persistência, conservação; DURAÇÃO: *Foi um amor de pouca dura.* [F.: Dev. de *durar*.]

dura² (*du*.ra) *sf. Gír.* Ação ou resultado de endurecer (com alguém), de tratar com rigor, de repreender ou achacar alguém; repreensão, reprimenda: *tomar uma dura / levar uma dura / dar uma dura.* [F.: Fem. substv. de *duro*.] ∷ **Dar uma ~** *Bras.* Fazer pressão sobre alguém, ger. para obter informações

durabilidade (du.ra.bi.li.*da*.de) *sf.* Qualidade do que dura, do que é (mais ou menos) durável; DURAÇÃO: *produto de muita/pouca durabilidade.* [F.: Do lat. *durabilitas,atis*.]

duração (du.ra.*ção*) *sf.* **1** Ação ou resultado de durar **2** Espaço de tempo não previamente definido em que algo existe, ocorre, transcorre, perdura: *duração da vida.* **3** Espaço de tempo definido para que alguma coisa dure: *a duração das férias.* **4** Qualidade do que é mais ou menos resistente ou duradouro; DURABILIDADE: *A duração desse material é maior do que a do outro.* **5** *Fon.* Tempo de emissão de um som ou sílaba [Em certas línguas, a duração de um som ou de uma sílaba tem a função de distinguir vocábulos.] **6** *Fil.* Para Henri Bergson, o transcorrer do tempo real, tal como percebido pela consciência e pela intuição, não divisível nem mensurável, que dá origem ao tempo dividido e medido cientificamente em unidades [Pl.: *-ções*.] [F.: *durar* + *-ção*.]

duradoiro (du.ra.*doi*.ro) *a.* Ver *duradouro*

duradouro (du.ra.*dou*.ro) *a.* Que dura muito tempo ou pode durar (amor duradouro); DURÁVEL: "Mas entre nós estes transes tão profundamente dramáticos não deixam traços duradouros." (Euclides da Cunha, *Contrastes e confrontos*) [F.: *durar* + *-douro*².Tb. *duradoiro*.]

dural (du.*ral*) *sm. Quím.* Forma red. de *duralumínio* [F.: rad. *dure-*, do top. Düren (Alemanha) + suf.lat. *-ális,-ále*.]

⊕ **dura lex sed lex** (*Lat./dura lécs séd lécs/*) *loc.adv.* **1** Literalmente, 'a lei é dura mas é lei' **2** *Jur.* Princípio que norteia o uso da lei, pressupondo que ela deva ser aplicada ainda que pareça imoral ou injusta [F.: Do lat. *dura*, nom. fem. de *durus, a, um* + *lex*, nom. sing. de *lex, legis* + *sed* + *lex*, nom. sing. de *lex,gis*.]

duralumínio (du.ra.lu.*mí*.ni:o) *sm. Quím.* Liga metálica de alumínio, magnésio, manganês e cobre, que se caracteriza por ser resistente a ácidos diluídos e água salgada [F.: Do al. *Duraluminium*, do top. *Düren* + lat. cient. *aluminium*. Tb. apenas *dural*.]

dura-máter (du.ra-*má*.ter) *sf. Anat.* A membrana mais externa e espessa das três que envolvem o encéfalo e a medula espinhal [Pl.: *duras-máteres*.] [F.: Do lat. *dura mater*.]

durante¹ (du.*ran*.te) *prep.* **1** No decorrer de determinado período de tempo: *Viajei muito durante o verão.* **2** Em determinado momento, em um período de tempo: *Só sai de casa durante a noite.* **3** Pelo período de: *Dançou durante meia hora. a2g.* **4** *Desus.* Que dura [F.: Do lat. *durans, antis*.]

durante² (du.*ran*.te) *sm.* Tecido de lã muito brilhante, lembrando o cetim [F.: Do it. ant. *durante*.]

durão (du.*rão*) *a.* **1** Muito duro **2** *Bras. Pop.* Ref. ao que possui grande resistência física, moral etc. *sm.* **3** Homem forte e bravo; VALENTÃO [F.: Do lat. *dúrus, a, um* + *-ão*.]

duraque (du.*ra*.que) *sm.* Tecido de lã ou algodão semelhante ao cetim, porém mais consistente, us. esp. em calçados femininos (botas de duraque) [F.: De top. Durak (Turquia).]

durar (du.*rar*) *v. int.* **1** Perdurar, prolongar-se: *A chuva já dura nove dias; Este frio está durando muito.* **2** Continuar a existir ou viver: *Doente, não vai durar muito.* **3** Manter-se em bom estado, em condições de uso: *Os eletrodomésticos tendem a durar só três anos.* [▶ 1 durar] [F.: Do lat. *durare*. Hom./Par.: *dura(s)* (fl.), *dura(s)* (fem. de *duro* [pl.]); *durais* (fl.), *durais* (pl. de *dural* [a2g.sm.]; *duráveis* (fl.), *duráveis* (pl. de *durável* [a2g.]); *duro* (fl.), *duro* (a.sm.adv.).]

durativo (du.ra.*ti*.vo) *a.* **1** Que dura, próprio para durar; DURÁVEL; DURADOURO **2** *Ling.* Diz-se de aspecto que corresponde a uma ação prolongada; CONTÍNUO [F.: Do lat. *durátus*,sob f. *durat-* + lat. *-ívus,a,um*, f. vulg., *-io*.]

durável (du.*rá*.vel) *a2g.* Que dura, que tem resistência (mesa durável); DURADOURO [Pl.: *-veis*. Cf. duráveis, do v. durar.] [F.: Do lat. *durabilis*. Hom./Par.: *duráveis* (pl.); *duráveis* (fl. de *durar*).]

durex (du.*rex*) [cs] *sm2n. Bras.* Fita adesiva [F.: De *Durex*, marca registrada.]

dureza (du.*re*.za) [ê] *sf.* **1** Qualidade ou estado do que é duro **2** Característica do que é difícil ou doloroso de suportar: *A dureza da vida no deserto.* **3** Severidade, inflexibilidade, rigor: *O pai o tratava com extrema dureza.* **4** Crueldade, desumanidade: *a dureza da guerra.* **5** Expressão rígida ou que denota aspereza, secura: *A dureza de sua fisionomia dava calafrios.* **6** *Bras. Gír.* Estado de quem está com pouco ou nenhum dinheiro: *Ele vive na maior dureza.* **7** *Min.* Resistência apresentada pela superfície de um mineral a uma tentativa de riscá-lo **8** *Bras.* Aumento ou inchaço de um órgão interno, especialmente o baço **9** *Fís.quânt.* Capacidade de penetração da radiação; a energia ou intensidade dos raios [Quanto maior a dureza, mais fortes são os raios.] **10** *Quím.* Qualidade da água que tem, em dissolução, excesso de sais de cálcio **11** *Art.pl.* Em pintura ou em desenho, falta de suavidade ou de harmonia no traço; demasiado contraste entre cores [F.: Do lat. *duritia*.]

duriense (du.ri.*en*.se) *s2g.* **1** Aquele ou aquela que nasceu ou que vive em Douro (Portugal) *a2g.* **2** De Douro; típico dessa cidade ou de seu povo [F.: Do lat. *duriensis, e*.]

duro¹ (*du*.ro) *a.* **1** Diz-se de material ou objeto rígido, sólido, sem maciez e sem flexibilidade: *Prefiro colchão duro, os macios dão-me dor nas costas; Este bife está muito duro.* **2** Que é difícil de penetrar, riscar, quebrar, desgastar etc.: *Esta madeira é muito dura, quase não consegui aparafusar a dobradiça.* **3** Que é difícil de suportar; ÁRDUO; PENOSO: *Tinha uma vida dura.* **4** Que demonstra severidade ou que é implacável, insensível: *Não havia coração mais duro que o dele.* **5** Que tem dificuldade para entender: *Naquela cabeça dura não entrava nada.* **6** Que se caracteriza pelo rigor: *Nosso novo chefe é duro demais.* **7** Diz-se de quem é forte, resistente, valente: *Era uma tribo de duros guerreiros.* **8** Que é difícil: *duro de matar; duro de aturar; duro de engolir; duro de entender.* **9** *Bras. Gír.* Que está sem dinheiro, desprovido de recursos financeiros: *Queria ir ao cinema, mas estava duro.* **10** Desconfortável, incômodo (cama dura; cadeira dura) **11** Pouco harmonioso, sem fluidez: *Tem um estilo muito duro.* **12** Sem talento, sem graciosidade, sem agilidade: *O sujeito joga mal, é todo duro.* **13** Que envelheceu e se tornou rígido (pão duro; juntas duras) **14** *Art.pl.* Sem delicadeza, sem graça, com traços, cores ou formas pouco harmoniosos (quadro duro) **15** *Quím.* Diz-se do ácido ou da base que é pouco polarizável: *As espécies duras, tanto ácidos como bases, são geralmente pouco polarizáveis.* [Ant.: *mole*] *sm.* **16** Indivíduo sem dinheiro, pobre: *Não tem dinheiro nem para almoçar, é um duro.* **17** Indivíduo forte, resistente, difícil de dobrar ou derrotar: *Os duros agem com inflexibilidade.* **18** *BA* Lugar submerso arenoso, em contraste com o fundo lamacento que o cerca *adv.* **19** Com ardor, com afinco, com dedicação: *Trabalhou duro a vida toda.* **20** Com muita firmeza ou dureza: *Falou duro com o subalterno; O time do Palmeiras jogou duro.* **21** Sem flexibilidade ou graciosidade: *Ela dança muito duro, precisa se soltar mais.* [F.: Do lat. *durus*.] ∷ **Dar um ~** *Bras.* Esforçar-se muito, trabalhar muito **~ na queda** Difícil de derrotar, de cansar, dobrar, de fazer desistir ou desanimar etc. **No ~** De verdade, com certeza

duro² (*du*.ro) *Num. sm.* **1** Antiga moeda espanhola, cunhada em prata, que valia oito reais fortes **2** Antiga moeda espanhola, cunhada em prata, que valia cinco pesetas [F.: Do espn. *duro*.]

durômetro (du.*rô*.me.tro) *sm. Fís.* Instrumento us. para medir a resistência de sólidos e a dureza de materiais [F.: *duro* + *-metro*.]

dussineca (dus.si.*ne*.ca) [é] *sf.* Tipo de bico curvo, similar ao pescoço de ganso, us. nos extintores de incêndio [F.: Do ingl. *gooseneck*.]

dutar (du.*tar*) *v. td.* Prover (equipamento, ambiente etc.) de duto(s), ger. para escoamento de ar: *Para uma distribuição uniforme do ar-condicionado, convém dutar o apartamento.* [F.: *duto* + *-ar*². Tb. *ductar.* Par.: *duto* (fl.), *duto* (sm.).]

◎ **-duto** *el. comp.* = 'transporte'; 'passagem'; 'canal de transporte'; 'canalização ou sistema constituído por tubulações para transporte ou transmissão de algo': *aeroduto, aqueduto* (< lat.), *etanoduto, gasoduto, mineroduto, nerviduto, oleoduto, oviduto, viaduto* (< ingl.) [Us. tb., de modo fig. e irôn., com referência a esquemas duradouros de desvio de grandes somas de dinheiro, como em *propinoduto* e *dinheiroduto*.] [F.: Do lat. *-ductus, us*, do lat. *ductus, us*, 'ação de conduzir, transportar, levar ou trazer'; 'governo'.]

duto (*du*.to) *sm.* Ver *ducto*

dutoviário (du.to.vi.*á*.ri:o) *a.* Que é conduzido através de dutos (sistema dutoviário) [F.: Do lat. *ductus,us-* + lat. *viarius,a,um*.]

dúvida (*dú*.vi.da) *sf.* **1** Ausência de certeza quanto a um fato, informação, ideia etc.: *Estava em dúvida quanto à veracidade da notícia*: "Nada sabia, nada conjeturava; eram tudo dúvidas e oscilações." (Machado de Assis, *Helena*) **2** Hesitação da inteligência ou da vontade diante de opiniões, opções ou possibilidades diversas ou contraditórias: *Tenho dúvida se devo ou não fazer este curso.* **3** Incerteza, ceticismo ou descrença: *Tinha dúvidas a respeito da existência de Deus.* **4** Sentimento de desconfiança, de suspeita: *Não acreditou de imediato no réu, pois ficou em dúvida.* **5** Temor ou receio de fazer algo: *Na dúvida, deixou que a companheira desse o primeiro passo.* **6** Problema ou dificuldade: *No exame, recorreu ao professor para tirar dúvidas.* **7** *Ret.* Figura pela qual o orador, fazendo-se de ignorante, pergunta ao público qual é a resposta para um determinado problema ou como há de sair de alguma dificuldade, atraindo assim a atenção dos ouvintes, conquistando a simpatia destes e reforçando a credibilidade de sua argumentação **8** *Fil.* Estado no qual o intelecto flutua entre duas partes contraditórias e não se inclina a uma mais do que a outra [F.: Dev. de *duvidar*.] ∷ **~ hiperbólica** *Hist. Fil.* No pensamento de Descartes a dúvida sobre tudo, como início da investigação sobre a verdade, para admitir como verdadeiro somente aquilo que fica isento, pela razão, de qualquer dúvida **~ metódica** *Filos.* No método de Descartes, a dúvida que deve ser aplicada a cada proposição de verdade para que, ao seu exame e à resposta da razão, uma verdade 'natural' se transforme numa 'verdade científica' **Em ~** Que não está pronto para tomar uma decisão: *Às vésperas da eleição, muitos eleitores ainda estavam em dúvida.* **Por sem ~** Ver *Sem dúvida* **Sem ~** Com certeza; por sem dúvida

duvidar (du.vi.*dar*) *v.* **1** Ter dúvida ou suspeita a respeito de [*td.*: *Duvida que o irmão volte.*] [*tr.* + *de*: *Sempre duvidei da amizade dela.*] **2** Estar descrente; considerar (algo) improvável ou impossível; DESCRER [*td.*: *Duvido que ele consiga chegar a tempo.*] [*tr.* + *de*: *Após tantas derrotas, duvido da capacidade do seu time.*] [*int.*: *Uma pessoa de fé, às vezes duvida.* Ant.: *acreditar.*] **3** Expressar dúvida, descrença, suspeita ou objeção a respeito de algo, de sua validade, correção, possibilidade ou existência etc. [*tr.*: *No debate, duvidou dos argumentos dos colegas.*] **4** Não fazer ou não decidir com segurança; ter pouca vontade ou certeza de fazer (algo); HESITAR [*tr.* + *em*: *Duvidou em cumprimentar o ex-marido.*] [▶ 1 duvidar] [F.: Do lat. *dubitare* 'duvidar, hesitar, vacilar'. Hom./Par.: *duvida(s)* (fl.), *dúvida(s)* (sf.[pl.]; *duvidáveis* (fl.), *duvidáveis* (pl. de *duvidável* [a2g.]).]

duvidoso (du.vi.*do*.so) [ô] *a.* **1** Que provoca ou inspira dúvida(s): *O advogado considerou duvidoso o testemunho.* **2** Que não é comprovadamente correto ou verdadeiro; IMPRECISO; INCERTO **3** Que não inspira confiança (ofertas duvidosas) **4** Que deixa dúvidas quanto à adequação, à qualidade; cuja qualidade não é assegurada, ou não parece boa, etc.: *Era uma decoração de gosto duvidoso; Ganhamos de presente um licor de sabor duvidoso.* [Us. tb. para expressar desaprovação, desagrado etc. moderados, ou como eufemismo de *ruim*, *reprovável* etc.] **5** Que não pode ser determinado ou imaginado com certeza, com precisão: *Esse rapaz tem um futuro duvidoso.* **6** Diz-se daquilo sobre cuja existência ou validade há controvérsias, discordâncias **7** Que demonstra indecisão; HESITANTE: *Fiquei um pouco duvidoso sobre a negociação.* **8** *Fig.* De pouca intensidade (claridade duvidosa) **9** *Fil.* Em ética, diz-se daquela consciência que não adere a um juízo nem a seu oposto pelo temor de que o que ela venha a escolher possa não ser verdadeiro (consciência duvidosa) [Pl.: [ó]. Fem.: [ó].] [F.: *dúvida* + *-oso*.]

duzentos (du.*zen*.tos) *num.* **1** Quantidade correspondente a 199 unidades mais uma; duas centenas **2** Número que representa essa quantidade (em números arábicos: 200; em números romanos: CC): *Contou até duzentos, antes de ir embora.* **3** Que está identificado com esse número, ducentésimo (cadeira duzentos) *sm.* **4** Representação gráfica ou por escrito do numeral duzentos: *Ele sublinhou o duzentos do número de registro para indicar que se tratava de um erro de impressão.* [F.: Do lat. *ducenti, ae, a*.]

dúzia (*dú*.zi:a) *sf.* **1** Conjunto de doze elementos ou coisas da mesma natureza: *uma dúzia de ovos.* **2** Quantidade insignificante, inexpressiva; alguns, poucos: *Nosso amigo passou a vida agarrado a uma dúzia de ideias sem importância; O candidato não recebeu mais que uma dúzia de votos.* [F.: Do lat. **duocina*.] ∷ **~ de frade** Ver *Dúzia de treze* **Às ~s** Em grande quantidade **Das ~s** *Depr.* De pouco ou nenhum valor ou mérito: *É um poeta das dúzias, só se preocupa em rimar.* **~ de treze** Uma dúzia mais uma unidade de sobra, ger. de coisas de mesmo tipo, vendidas, promocionalmente ou como cortesia, ao preço de uma dúzia; dúzia de frade **Meia ~** **1** Metade de uma dúzia **2** *Fig.* Pequena quantidade: "...alguns olhares ternos, meia dúzia de apertos de mão significativos..." (Machado de Assis, *A mão e a luva*)

⊠ **DVD** *sm.* **1** *Tec.* Sigla do inglês *digital video disk* (disco digital de vídeo), que dá nome a um tipo de disco óptico que armazena digitalmente filmes, arquivos de imagens, sons, textos, dados etc.: *Comprei um DVD com um filme ótimo.* **2** *P.ext.* O leitor óptico desse tipo de discos: *Vendi meu videocassete e comprei um DVD.*

⊠ **Dy** *sm. Quím.* Simb. do *disprósio*, elemento de número atômico 66, da família dos lantanídeos, us. em aparelhos de TV e reatores nucleares [F.: Do lat.cien. *dysprosium*, do rad. *dusprós-* + *-io*.]

⊠ **Dyn** *Fís.* Símb. de *dina*

dzeta (*dze*.ta) *sm.* Nome da sexta letra do alfabeto grego, correspondente ao z latino [F.: Do gr. *zêta*.]

◎ **-e-** Vogal de ligação, ver *-eada, -eado, -eal, -eano* etc.
⊠ **E**[1] Abrev. de *este*
e[2] *sm.* 1 A quinta letra do alfabeto 2 A segunda vogal do alfabeto 3 Representação dessa letra (gráfica, pronúncia etc.) 4 *Mat.* O mesmo que *número e* (ver no verbete *número*) *num.* 5 O quinto em uma série (grupo E) [Hom./Par.: *e* (sm.), *e* (conj.), *é* (fl. de *ser*), *eh* (interj.).]
e[3] *conj.* Partícula que, ligando vocábulos do mesmo valor sintático, indica conexão [conj. aditiva] (*eu e você*), ou ideia contrária a que foi expressa [conj. adversativa] (*bonita, e burra*) [F.: Do lat. *et*. Hom./Par.: *eh* (interj); *é* (fl ser e sm.).]
◎ **e-**[1] *Pref.* = em-[1]
◎ **e-**[2] *pref.* = movimento para fora; ausência: *emigrar, evadir; edentia* [F.: Do lat. *ex*.]
◎ **e-**[3] *pref.* O mesmo que *em-*[2]
◎ **-eada** *suf. nom.* Ver *-ada*[1]: *cumeada* [F.: *-e-* + *-ada*[1].]
◎ **-eado** *suf. nom.* Ver *-ado*[1]: *acobreado, agulheado, alambreado, bodeado*. [F.: *-e-* + *-ado*[1].]
◎ **-eal** *suf. nom.* Ver *-al*[1]: *gaseal* [F.: *-e-* + *-al*[1].]
◎ **-eano** *suf. nom.* Ver *-ano*[1]: *egeano, lineano, daomeano; nazareano; pecioliano, renascenciano* [F.: *-e-* + *-ano*[1]. Us., mormente, nas palavras em que a sílaba tônica apresenta *-e-* tônico ou ditongo tônico baseado em *-e-* ou quando o *-e-* for átono e seguido de vogal átona.]
◎ **-ear**[1] *suf. nom.* Ver *-ar*[1]: *folhear*[1], *milhear* [F.: *-e-* + *-ar*[1]. Suf. pouco comum na língua, registrado em duas formas, em princípio, irregulares.]
◎ **-ear**[2] *suf. v.* De grande expressividade na língua, formador de verbos, a maior parte frequentativos, ger. com as noções de 'ação que se estende por dado tempo ou que se repete continuamente ou com dada frequência'; 'transformação', 'mudança de estado': *abrasear, acarear, acarrear, aformosear, aguerrear, alardear, altear, balancear, bandear, barbear, bobear, borboletear, cabecear, cachear, campear, capitanear, casear, chicotear, ciceronear, cornear, custear, estapear, falsear, golpear, lotear, nortear, patentear, presentear, ricochetear, rodear, sapatear, torpedear, voltear* [F.: Do lat. vulg *-idiare*, posv. Ver *-ar*[2] e *-ejar*.]
⊠ **EB** 1 *Lus. Ant. Mar.* Abrev. de *estibordo* 2 *Teat.* Abrev. de *esquerda baixa*
ebanista (e.ba.*nis*.ta) *Marc. s2g.* 1 Aquele que trabalha em ébano e outras madeiras nobres 2 Marceneiro ensamblador ou entalhador [F.: *ébano* + *-ista*.]
ebanistaria (e.ba.nis.ta.*ri*.a) *Marc. sf.* 1 Trabalho de marcenaria em ébano 2 Arte ou técnica de ebanista 3 *Fig.* Marcenaria onde trabalham os ebanistas [F.: *ebanista* + *-aria*. Tb. *ebanisteria*.]
ebanisteria (e.ba.nis.te.*ri*.a) *sf.* Ver *ebanistaria*
ébano (*é*.ba.no) *sm.* 1 *Bot.* Nome comum a certas árvores da fam. das ebenáceas (gên. *Diospyros*), de madeira muito escura e resistente, esp. *Diospyros ebenum*, espécie nativa da Índia e do Sri Lanka; ÉBANO-DA-ÍNDIA; ÉBANO-VERDADEIRO 2 *Bot.* A madeira dessas árvores 3 *Fig.* De cor muito escura, negro como o ébano [F.: Do gr. *ébenos* pelo lat. *ebenus*.]
ébia (*é*.bi:a) *sf.* Engano bobo, disparate, bobagem [F.: De or. obsc.] ⊞ **Cair na ~** Cometer um engano, fazer uma tolice
ebó (e.*bó*) *sm. Bras. Rel.* 1 No candomblé e seitas semelhantes, sacrifício ou oferenda de animal votivo a um orixá 2 *Rest.* Oferenda a Exu ger. depositada em encruzilhada, por agradecimento ou convocação; DESPACHO 3 Oferenda de intenção maléfica [F.: Do ior. *e' bo*.]
ebola (e.*bo*.la) *sm. Vir.* Vírus altamente letal que provoca hemorragia interna nas pessoas por ele infectadas
ebonite (e.bo.*ni*.te) *sf. Quím.* Material duro e negro, feito de borracha vulcanizada com alto teor de enxofre, muito us. como isolante elétrico [F.: Do ing. *ebonite*.]
⊕ ***e-book*** (*Ing. /ibúque/*) *Inf. sm.* 1 Livro virtual para ser distribuído pela internet, concebido originalmente ou vertido para o meio eletrônico 2 Equipamento portátil, próprio para receber, armazenar e visualizar livros transmitidos pela internet ou por outros meios, como disquetes e CD-ROM
eborense (e.bo.*ren*.se) *s2g.* 1 Indivíduo nascido ou que vive em Évora (Portugal) *a2g.* 2 De Évora; típico dessa cidade ou de seu povo [F.: Do lat. *eborensis*.]
ebriedade (e.bri:e.*da*.de) *sf.* Ver *embriaguez* [Ant.: *sobriedade*.] [F.: Do lat. *ebrietas, atis*.]
ébrio (*é*.bri:o) *a.* 1 Que está embriagado; BÊBADO 2 Que tem o costume, o vício de beber muito frequentemente; BEBERRÃO 3 *Fig.* Que se encontra arrebatado, encantado por algo (ébrio de paixão) 4 *Fig.* Que deseja algo avidamente, sedento, ávido (ébrio de glória) *sm.* 5 Pessoa que está embriagada; BÊBADO 6 Indivíduo ébrio (2); BEBERRÃO [F.: Do lat. *ebrius*.]
ebulição (e.bu.li.*ção*) *sf.* 1 *Fís.* Transformação de um líquido em vapor, com formação de bolhas; FERVURA 2 Efervescência provocada por fermentação 3 *Fig.* Estado ou situação de agitação, de euforia; EFERVESCÊNCIA: *A cidade fica em ebulição no Carnaval.* [Pl.: *-ções*.] [F.: Do lat. *ebullitio, onis*.] ⊞ **~ normal** *Fís.* A que ocorre sob pressão constante de uma atmosfera
ebuliente (e.bu.li:*en*.te) *a2g.* Que ferve; FERVENTE [F.: Do lat. *ebulliens, entis*.]
◎ **ebuli(o)-** *el. comp.* = '(ponto de) ebulição': *ebuliometria, ebuliômetro, ebulioscopia, ebulioscópio* [F.: Do lat. *ebulio*, 1ª pess. do sing. do ind. do v.lat. *ebullire*, 'ferver'.]
ebuliometria (e.bu.li:o.me.*tri*.a) *sf. Fís-quím.* O mesmo que *ebulioscopia* [F.: *ebuli(o)-* + *-metria*[1].]
ebuliométrico (e.bu.li:o.*mé*.tri.co) *a. Fís.-quím.* Ref. a ebuliometria; EBULIOSCÓPICO [F.: *ebuliometria* + *-ico*[2].]

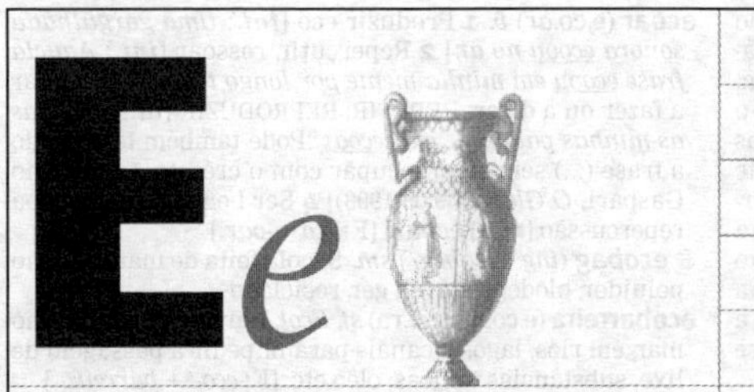

A letra fenícia *he*, que representava aproximadamente um som de *h* aspirado, foi o provável ancestral do nosso *e*. Quando os gregos adotaram o alfabeto fenício, tiveram dificuldade em pronunciar a primeira parte do nome desse caractere e a abandonaram, conservando apenas o som de *e*. A esta letra os gregos deram o nome de *epsílon*. Com o tempo, simplificaram seu desenho virando os traços horizontais para a direita.

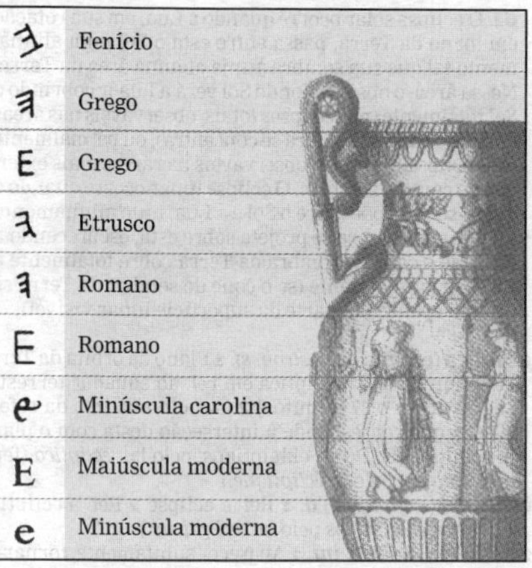

Fenício
Grego
Grego
Etrusco
Romano
Romano
Minúscula carolina
Maiúscula moderna
Minúscula moderna

ebuliômetro (e.bu.li:ô.me.tro) *sm. Fís-quím.* Aparelho próprio para estudar a variação do ponto de ebulição de um líquido puro e determinar a sua massa molecular; EBULIOSCÓPIO [F.: *ebuli(o)-* + *-metro*.]
ebulioscopia (e.bu.li:os.co.*pi*.a) *sf. Fís.quím.* Técnica que se aplica no estudo das alterações do ponto de ebulição de um líquido puro; EBULIOMETRIA [F.: *ebuli(o)-* + *-scopia*.]
ebulioscópico (e.bu.li:os.*có*.pi.co) *a. Fís.-quím.* Ref. a ebulioscopia ou a ebulioscópio [F.: *ebulioscopia* + *-ico*[2].]
ebulioscópio (e.bu.li:os.*có*.pi.o) *sm. Fís-quím.* O mesmo que *ebuliômetro* [F.: *ebuli(o)-* + *-scópio*.]
ebúrneo (e.*búr*.ne:o) *a.* 1 Ref. a ou que é feito de marfim; ELEFANTINO; EBÓREO 2 Que é branco e/ou liso como o marfim; EBÓREO [F.: Do lat. *eburneus*.]
◎ **ec-** *pref.* = movimento para fora: *ecdêmico, eclipse, ecliptico*. [*Ec-* é us. diante de consoante, e *ex-* diante de vogal.] [F.: Do gr. *ek*.]
◎ **-eca** *suf. nom.* = 'de pequeno tamanho ou de pouco valor'; 'curto, breve' (*soneca*): *cueca, folheca, lojeca* [Com acentuado valor pejorativo em algumas formações (*jornaleca, padreca, revisteca*)] [F.: De or. express., posv. F. conexa: *-eco*.]
ecbólico (ec.*bó*.li.co) *Med. a.* 1 Que provoca evacuação; EVACUANTE 2 Que produz aborto; ABORTIVO 3 Que apressa o parto [F.: Do gr. *ekbol (ê)* 'aborto, expulsão' + *-ico*[2].]
⊕ ***ecce homo*** (*Lat. /éche ômo/*) *loc.subst.* 1 Eis aqui o homem [Frase proferida por Pilatos, ao apresentar Jesus Cristo com a cabeça coroada de espinhos.] *sm2n.* 2 *Art. pl.* Representação artística dessa cena: *Admirava um magnífico Ecce Homo da escola flamenga.* [Nesta acp. com iniciais maiúsculas.]
ecdêmico (ec.*dê*.mi.co) *a. Med.* Diz-se de enfermidade não endêmica e não epidêmica, causada por agente patogênico oriundo de local diferente daquele em que a doença ocorre [Cf.: *endêmico*.] [F.: Do gr. *ékdemos* + *-ico*[2].]
ecdise (ec.*di*.se) *sf. Zool.* Mudança periódica da pele de certos répteis e larvas de insetos, e do exoesqueleto de determinados crustáceos [F.: Do gr. *ékdysis, eos, e*, 'ação de se despir'.]
ecdótica (ec.*dó*.ti.ca) *sf. Filol.* Matéria que trata de restabelecer a forma mais aproximada do que seria a edição original de um texto; crítica textual: *A lírica de Camões deve ser publicada após um minucioso trabalho de ecdótica.* [F.: Fem. substv. de *ecdótico*.]
ecdótico (ec.*dó*.ti.co) *a. Filol.* Ref. ou próprio da ecdótica [F.: Do rad. gr. *ekdotos* + *-ico*[2].]
◎ **-ecer** *suf. v.* = ação, mudança de estado: *anoitecer, amanhecer* etc. [Suf. v. de 2a. conj., similar a *-escer*: *florescer*.]
⊠ **ECG** *Card.* Abrev. de *eletrocardiograma*
echarpe (e.*char*.pe) *sf.* Faixa de tecido que se usa em volta do pescoço ou da cabeça, como enfeite ou agasalho [F.: Do fr. *écharpe*.]
◎ **-ecia** *el. comp.* = casa, habitação: *monecia, triecia etc.* [El. comp. do lat. cient. *-oecia* (us. em voc. da Bot. e criado por Lineu (1707-1778), com a var. *-écia*: *monécia, triécia*.]
eciano (e.ci:*a*.no) *a.* 1 Ref. ao escritor português Eça de Queirós ou à sua obra: *O universo feminino eciano é fascinante.* 2 Que é admirador da obra de Eça de Queirós *sm.* 3 Admirador ou conhecedor da obra de Eça de Queirós [F.: Do antr. *Eça* (de Queirós) + *-iano*. Sin. ger.: *queirosiano*.]
eclampse (e.*clam*.pse) *sf. Obst.* Ver *eclampsia*
eclâmpsia (e.*clâmp*.si:a) *sf. Med.* Doença que pode ocorrer no final da gravidez, caracterizada por grande aumento da pressão arterial e convulsão [F.: Do gr. *éklampsis* pelo fr. *éclampsie*. Tb. *eclampsia*, mas a f. mais comum no Brasil é *eclâmpsia*.]
eclâmptico (e.*clâmp*.ti.co) *a. Obst.* Ref. a eclâmpsia [F.: *eclâmpsia* + *-ico*[2].]
ecler (e.*cler*) *sm. Cul.* Doce cilíndrico de massa cozida, com diferentes possibilidades de sabor de seu recheio cremoso e da cobertura; BOMBA [F.: Do fr. *éclair*.]
eclesial (e.cle.si:*al*) *a2g.* Ref. à igreja (obrigações eclesiais); ECLESIÁSTICO [Pl.: *-ais*.] [F.: Do lat. *ecclesia*, 'igreja' + *-al*[1].]
eclesiástico (e.cle.si:*ás*.ti.co) *a.* 1 Ref. ou pertencente à Igreja ou a seus sacerdotes (doutrina eclesiástica; vestes eclesiásticas) 2 *Mús.* Diz-se do conjunto de modos da música sacra ocidental *sm.* 3 Membro do clero; SACERDOTE; PADRE [Col.: *clerezia*.] [F.: Do gr. *ekklesiastikós*, pelo lat. *ecclesiaticus*.]
eclético (e.*clé*.ti.co) *a.* 1 Que inclui uma mistura de elementos selecionados em várias fontes: *Ele tem um gosto eclético para música.* 2 Que adota o que acha melhor de diferentes ideias, tendências, estilos etc., em vez de seguir uma só linha *sm.* 3 Pessoa que pratica o ecletismo [F.: Do gr. *eklektikós* pelo fr. *éclectique*.]
ecletismo (e.cle.*tis*.mo) *sm.* 1 *Fil.* Postura que se caracteriza pela aceitação de teses e doutrinas oriundas dos mais diversos sistemas filosóficos, formando um sistema diversificado e plural [Cf.: *sincretismo*.] 2 Reunião de diferentes correntes de pensamento, arte etc.: *O ecletismo é o mote da nova exposição individual desse artista.* 3 Qualidade de quem é eclético [F.: Do gr. *eklektismós* pelo fr. *écletisme*.]
eclipsado (e.clip.*sa*.do) *a.* 1 *Astron.* Obscurecido por eclipse (astro eclipsado) 2 *Fig.* Que perdeu o destaque, o prestígio, o valor etc. (artista eclipsado); OFUSCADO 3 *Fig.* Que deixou de estar presente ou de existir (império eclipsado); DESAPARECIDO [F.: Part. de *eclipsar*.]
eclipsar (e.clip.*sar*) *v.* 1 *Astron.* Tornar obscuro por eclipse, interceptar a luz de [*td.*: *A Terra eclipsou a Lua.*] 2 *Fig.* Ao se impor por suas qualidades, obscurecer ou diminuir o destaque, o brilho, o prestígio, o valor de; sobrepujar, ser superior a; OFUSCAR; OBSCURECER [*td.*: *O chef pretende eclipsar os concorrentes com suas novas receitas.* Ant.: *realçar*.] 3 *Fig.* Ocultar, esconder (a si mesmo), não se deixar ver, não se deixar estar à vista [*td.*: *Por medo da fama, preferiu eclipsar-se.*] 4 *Fig.* Perder o próprio destaque, o prestígio, o valor etc.; DESAPARECER [*int.*: *A civilização clássica greco-romana então já eclipsara(-se).*] 5 *Astron.* Esconder-se (astro) ao ser encoberto pela sombra de outro [*int.*] [▶ 1 eclipsar] [F.: *eclipse* + *-ar*[2].]
eclipse (e.*clip*.se) *sm.* 1 *Astron.* Fenômeno em que um astro fica total ou parcialmente obscurecido, quer pela interposição de um outro astro entre ele e um observador, quer por entrar no cone de sombra de outro astro [Ger. esse termo é us. em referência ao eclipse do Sol pela Lua, ou da Lua pela Terra.] 2 *Fig.* Forte declínio de natureza intelectual ou moral (eclipse da razão) 3 *Fig.* Desaparecimento, sumiço 4 *Mar.* Intervalo de obscuridade entre os lampejos intermitentes de um farol de navegação [F.: Do gr. *ékleipsis* pelo lat. *eclipsis, is*. Hom./Par.: *eclipse* (sm.), *eclipse* (fl. de *eclipsar*).] ⊞ **~ anular** *Astr.* Eclipse solar no qual, devido ao afastamento relativo da Lua em relação à Terra, o disco lunar não cobre totalmente a imagem do Sol vista da Terra, restando visível um anel luminoso do Sol **~ da Lua** *Astr.* Aquele em que a imagem da Lua vista da Terra fica encoberta pelo cone de sombra da Terra, quando esta se interpõe entre a Lua e o Sol, deixando a Lua de ser visível, parcial ou totalmente por observadores terrestres **~ do primeiro gênero** *Astron.* Aquele em que um astro se interpõe entre o astro eclipsado e o do observador, projetando sobre este sua sombra [Como o eclipse do Sol para os observadores terrestres.] **~ do segundo gênero** *Astron.* Aquele em que o astro do observador projeta sua sombra sobre o astro eclipsado [Como o eclipse da Lua para os observadores terrestres] **~ do Sol** *Astron.* Aquele em que a imagem do Sol vista da Terra fica encoberta pelo cone de sombra da Lua, quando esta se interpõe entre o Sol e a Terra, deixando o Sol de ser visível, parcial ou totalmente por observadores terrestres que estejam na área de projeção do cone de sombra **~ lunar** *Astron.* Ver *Eclipse da Lua* **~ parcial** *Astron.* Aquele no qual a imagem do astro eclipsado não fica totalmente oculta **~ penumbral** *Astron.* Eclipse da Lua, quando sobre esta se projeta apenas um cone de penumbra da Terra, não ocorrendo ocultamento de parte da imagem da Lua, e sim uma diminuição da luminosidade de seu reflexo **~ solar** *Astron.* Ver *Eclipse do Sol*. **~ total** *Astron.* Aquele em que a imagem do astro eclipsado fica totalmente oculta

📖 O eclipse solar ocorre quando a Lua, em sua rotação em torno da Terra, passa entre esta o Sol num alinhamento tal que sua sombra atinja alguma área na Terra. Nessa área, o observador do Sol verá a Lua ir cobrindo o Sol totalmente (nos eclipses totais, observáveis nas áreas em que o cone da sombra se concentra), ou parcialmente (nos eclipses parciais, observáveis nas áreas mais externas do cone de sombra). O eclipse lunar ocorre quando a Terra se interpõe entre o Sol e a Lua, num alinhamento tal que sua sombra se projeta sobre esta, escurecendo-a total (se o cone de sombra da Terra cobre totalmente a Lua) ou parcialmente (se o cone de sombra da Terra se projeta apenas em parte da superfície lunar visível).

eclíptica (e.*clíp*.ti.ca) *Astron. sf.* **1** Plano da órbita da Terra [A obliquidade da eclíptica em rel. ao equador terrestre é de 23 graus e 27 minutos] **2** Círculo máximo da esfera celeste, que corresponde à interseção desta com o plano da eclíptica [F.: Do gr. ekleiptikós, pelo lat. *ecliptica* (fem. de *eclipticus*) pelo fr. *écliptique*.]

eclíptico (e.*clíp*.ti.co) *a.* **1** Ref. a eclipse **2** Ref. a eclíptica [F.: Do gr. *ekleiptikós* pelo lat. *eclipticus*.]

eclodir (e.clo.*dir*) *v. int.* **1** Aparecer subitamente, tornar-se de repente visível; SURGIR: *Ao dissipar-se a neblina, a beleza da paisagem eclodiu em cores vivas.* **2** Abrir-se, desabrochar: *As flores eclodiram no jardim.* **3** Sair da casca do ovo, da carapaça da pupa etc. [▶ **58 eclodir** Assim como *explodir*, este v. é considerado defec., só se conjuga nas formas em que ao 'd' se segue 'i' ou 'e'. Usos menos formais da língua, no entanto, já abonam formas como *eclodo* [ô].] [F.: De *eclosão*, por analogia com o par *erodir/erosão*.]

écloga (*é*.clo.ga) *Liter. sf.* Poesia pastoril, esp. quando dialogada: "Aí dando um passo lento depois outro, o poeta murmurou a sua écloga." (Eça de Queirós, *Os Maias*) [F.: Do gr. *eklogé* pelo lat. *ecloga*. Tb. *égloga*.]

eclosão (e.clo.*são*) *sf.* **1** Ação ou resultado de eclodir, de surgir; APARECIMENTO: *a eclosão de novas tecnologias.* **2** Abertura daquilo que estava fechado, voltado sobre si; DESABROCHAMENTO **3** Desenvolvimento, crescimento **4** *Ent. Zool.* Saída de um inseto adulto do casulo, ou de um filhote do ovo [Pl.: *-sões*.] [F.: Do lat. *excludere*, pelo fr. *éclosion*.]

eclusa (e.*clu*.sa) *sf.* Dique destinado a comunicar dois cursos de água com desnível entre seus leitos, possibilitando a subida ou a descida de embarcações de um nível de água para outro [F.: Do lat. *exclusa* (de *excludere*) pelo fr. *écluse*.]

◎ **-eco¹** *suf. nom.* = 'de tamanho pequeno'; (*pej.*) 'de pouco valor'; (*pej.*) 'de má qualidade': *andareco, baileco, bondeco, boteco, brilhareco, clubeco, livreco, padreco, potreco, teatreco* [Como outros sufixos formadores de diminutivos, apresenta em alguns casos valor afetivo (*amoreco*) e, em outros, noção pejorativa (*jornaleco, literateco*)] [F.: De or. express., posv. F. conexa: *-eca*.]

◎ **-eco²** *el. comp.* Ver *eco-¹*

◎ **eco-¹** *el. comp.* = 'casa'; 'hábitat'; 'meio ambiente'; (*p. ext.*) ecológico': *ecobarreira, ecodesenvolvimento, ecologia* (< fr. < al.), *ecólogo, economia* (< lat. < gr.), *ecônomo* (< lat. < gr.), *ecosfera, ecossistema, ecossociológico, ecotoxicologia, ecoturismo, ecoturista; diécio, zoécio; meteco* (< gr.) [F.: Do gr. *oíkos, ou*, 'casa'; 'habitação'; 'residência'; 'bens'; 'propriedade'; 'família'.]

◎ **eco-²** *el. comp.* = 'som'; 'eco'; (*p.ext.*) 'repetição': *ecobatimetria, ecocardiografia, ecocardiograma, ecoencefalografia, ecolalia, ecometria, ecopatia, ecossonda* [F.: Do gr. *ekhós, oûs*, 'ruído'; 'som'; 'som que repercute, eco'.]

eco (*e*.co) *sm.* **1** *Fís.* Fenômeno físico em que se observa a repetição de um som devido à reflexão das ondas sonoras **2** O som assim refletido **3** *P.ext.* Som, ruído, rumor **4** Repetição, imitação do que outrem diz, pensa ou faz: *Sua opinião, nesse caso, é o eco da do presidente.* **5** Aquele que repete o que outrem diz **6** *Fig.* Boa aceitação ou repercussão de algo: *Suas palavras não encontraram eco no público.* **7** *Fig.* Notícia ou rumor ou repercussão (que podem ser infundados) relativos a algum fato ou acontecimento: *Os ecos de sua conquista chegaram a todas as regiões da Terra.* **8** Série de palavras (ou palavras próximas) que rimam num texto, discurso etc. **9** Fama: *O eco de sua carreira o antecedia.* **10** *Astron.* Técnica e método de medição de distâncias entre astros por reflexão de radiofrequências **11** Reflexão de onda eletromagnética, que pode gerar repetição de sinais de áudio ou de vídeo **12** Vestígio, recordação, memória: *Suas cartas eram o eco de um passado feliz.* **13** *Mús.* Teclado manual nom grande órgão **14** *Poét.* Curto verso que repete o som da(s) última(s) sílaba(s) do verso anterior **15** Repetição interrogativa de enunciado anterior para esclarecer uma parte do mesmo que não foi compreendida [Ex.: Ontem eu fui ao cinema ver *Blade Runner*. Ontem você foi ao cinema ver o quê?.] [F.: Do gr. *ekhó* pelo lat. *echo*.] ∎ **Abrir o ~** *N.E. Pop.* Gritar, berrar, fazer estardalhaço; botar a boca no mundo **(Não) encontrar ~** (Não) despertar interesse ou apoio (proposta, ideia etc.)

ecoado (e.co:*a*.do) *a.* **1** Que produziu eco (grito ecoado) **2** Que repercutiu, que causou impressão: "É uma pena que as comemorações cívicas (...) não tenham ecoado no Rio." (*Jornal do Brasil*, 17.08.2005) **3** Que foi dito ou feito outra vez; REPETIDO; REPRODUZIDO: *Ficaram no ar brados de guerra ecoados, rumor de batalha, gemidos e gritos de socorro.* [F.: Part. de *ecoar*.]

ecoante (e.co:*an*.te) *a2g.* Que ecoa, que ressoa (voz ecoante) [F.: *ecoar* + *-nte*.]

ecoar (e.co.*ar*) *v.* **1** Produzir eco [*int.*: *Uma gargalhada sonora ecoou no ar.*] **2** Repercutir, ressoar [*int.*: *Aquela frase ecoou em minha mente por longo tempo.*] **3** Tornar a fazer ou a dizer; REPETIR; REPRODUZIR [*td.*: *Fez suas as minhas palavras, e as ecoa*: "Pode também ter ecoado a frase (...) sem se preocupar com o crédito, (...)." (Elio Gaspari, *O Globo*, 09.08.1998)] **4** Ser bem aceito, ter boa repercussão [▶ **16 ecoar**] [F.: *eco* + *-oar*.]

⊕ **ecobag** (*ing.* /écobég/) *sm.* Sacola feita de material não poluidor, biodegradável, ger. reciclado

ecobarreira (e.co.bar.*rei*.ra) *sf. Ecol.* Barreira instalada no mar, em rios, lagos e canais para impedir a passagem de lixo, substâncias tóxicas, óleo etc. [F.: *eco-¹* + *barreira*.]

ecobatimetria (e.co.ba.ti.me.*tri*.a) *sf. Mar.* Medição da profundidade da água com o uso do ecobatímetro; ECOSSONDAGEM [F.: *eco-²* + *batimetria*.]

ecobatímetro (e.co.ba.*tí*.me.tro) *sm. Mar.* Aparelho para medição da profundidade do mar que toma como base de cálculo o tempo decorrido entre a emissão de um pulso sonoro e a recepção do eco refletido pelo fundo do mar; ECOSSONDADOR [F.: *eco-²* + *batímetro*.]

ecocardiografia (e.co.car.di:o.gra.*fi*.a) *sf. Card.* Exame da estrutura e funcionamento do coração feito a partir do eco gerado pelas ondas ultrassônicas nele aplicadas [F.: *eco-²* + *-cardi(o)-* + *-grafia*.]

ecocardiográfico (e.co.car.di:o.*grá*.fi.co) *Card. a.* **1** Ref. a ecocardiografia **2** *P.ext.* Ref. a ecocardiograma [F.: *ecocardiografia* + *-ico²*.]

ecocardiógrafo (e.co.car.di.*ó*.gra.fo) *sm. Card.* Aparelho que registra o ecocardiograma [F.: *eco-²* + *-cardi(o)-* + *-grafo*.]

ecocardiograma (e.co.car.di:o.*gra*.ma) *sm. Card.* Registro gráfico de ecocardiografia [F.: *eco-²* + *-cardi(o)-* + *-grama*.]

ecocídio (e.co.*cí*.di:o) *sm.* Destruição de um ecossistema, seja por ação intencional e irresponsável, seja por ignorância, inadvertência, desconhecimento das consequências danosas [F.: *eco-* + *-cídio*.]

ecodesenvolvimento (e.co.de.sen.vol.vi.*men*.to) *sm. Biol. Ecol.* Processo de desenvolvimento durável com harmonização de objetivos sociais, ambientais e econômicos; desenvolvimento sustentável [F.: *eco-¹* + *desenvolvimento*.]

ecoencefalografia (e.co:en.ce.fa.lo.gra.*fi*.a) *sf. Neur.* Método de exame encefálico que consiste na emissão de ondas ultrassônicas dos dois lados da cabeça, obtendo-se o registro gráfico dos ecos oriundos das estruturas localizadas na linha média [F.: *eco-²* + *-encefal(o)-* + *-grafia*.]

ecoencefalógrafo (e.co:en.ce.fa.*ló*.gra.fo) *sm. Med. Neur.* Aparelho próprio para fazer ecoencefalografia [F.: *eco-²* + *-encefal(o)-* + *-grafo*.]

ecoencefalograma (e.co:en.ce.fa.lo.*gra*.ma) *sm. Neur.* Registro gráfico resultante de uma ecoencefalografia [F.: *eco-²* + *-encefal(o)-* + *-grama*.]

ecografar (e.co.gra.*far*) *v. td. Med.* Fazer ecografia (ultrassonografia) de [▶ **1 ecografar**] [F.: *ecografia* + *-ar²*.]

ecograma (e.co.*gra*.ma) *sm. Med.* Registro gráfico resultante de uma ecografia [F.: *eco-²* + *-grama*.]

ecoico (e.*coi*.co) *a.* **1** *Poét.* Diz-se de versos concluídos com a mesma vogal **2** *Med.* Ref. ao eco produzido durante a ecografia [F.: Do lat. *echoicus, a, um*, 'que reflete a voz'.]

ecolalia (e.co.la.*li*.a) *sf.* **1** *Psiq.* Logastenia na qual o indivíduo reproduz mecanicamente palavras ou frases recém escutadas **2** *Ling.* Duplicação do final dos vocábulos, criando ecos intencionais [Ex. de ecolalia: "- A minha / –Que...inha?/ –Cala a boca!" (João Guimarães Rosa, "Corpo fechado", *in Sagarana*)] [F.: Do lat. cient. *echolalia*, pelo fr. *écholalie*; ver *eco-²* e *-lalia*.]

ecolálico (e.co.*lá*.li.co) *a.* Que diz respeito à ecolalia [F.: *ecolalia* + *-ico²*.]

ecologia (e.co.lo.*gi*.a) *sf.* **1** *Biol.* Ramo da biologia que estuda as relações dos seres vivos entre si e com o meio em que vivem; MESOLOGIA **2** Estudo das formas de interação das comunidades humanas e meio ambiente **3** Conjunto de ideias ou movimento em defesa da preservação do meio ambiente **4** *Fig. Pop.* A natureza, o meio ambiente em equilíbrio; os elementos (montanhas, mares, rios, flora, fauna etc.) da natureza sem interferência humana [F.: Do fr. *écologie*, do ing. *oecology*, do al. *Ökologie* (criado em 1866 pelo biólogo e zoólogo alemão E. H. Haeckel [1834-1919]); ver *eco-²* e *-logia*] ∎ **~ cultural** *Antrop.* Corrente cujo foco principal de investigação é a relação, nas diversas sociedades, entre características socioculturais (comportamentos, organização) e modos de aproveitamento e adaptação ao ambiente **~ humana** Parte da ecologia que trata das relações entre as sociedades humanas e o meio ambiente **~ vegetal** Parte da ecologia que trata das relações entre as plantas e o ambiente em que vivem

📖 O termo e o conceito de ecologia já existem desde meados do séc. XIX., mas sua importância e aplicação prática ganharam vulto mais recentemente, com o agravamento das más condições do meio ambiente (poluição, extinção de espécies, efeito estufa, aquecimento global etc.) resultante em grande parte da ação do homem sobre ele. A preservação dos ciclos básicos da natureza, da diversidade das espécies e do equilíbrio do ecossistema tornaram-se questões urgentes, mobilizando governos e órgãos não governamentais na busca de medidas que reduzam, neutralizem ou eliminem os efeitos nocivos da ação do homem sobre a biosfera (como o uso excessivo de combustíveis fósseis, de gases que destroem a camada de ozônio da atmosfera, de agrotóxicos, o desflorestamento, o uso inadequado do solo etc.).

ecológico (e.co.*ló*.gi.co) *a.* **1** *Biol.* Ref. ou pertencente a ecologia (conceito ecológico) **2** Que diz respeito à natureza e ao meio ambiente ou visa a preservá-los (desequilíbrio ecológico; grupo ecológico) [F.: *ecologia* + *-ico²*.]

ecologismo (e.co.lo.*gis*.mo) *sm.* **1** Movimento que busca melhorar as condições de equilíbrio entre o homem e o meio natural em que vive, bem como proteger esse meio de ação predatória **2** Corrente política que defende essas ideias **3** Movimento que atua em defesa das causas ambientalistas e as patrocina [F.: *ecologia* + *-ismo*, seg. o mod. gr.]

ecologista (e.co.lo.*gis*.ta) *s2g.* **1** Aquele que se especializou em ecologia; ECÓLOGO **2** Aquele que luta pela preservação da natureza *a2g.* **3** Diz-se desse indivíduo [F.: *ecologia* + *-ista*, seg. o mod. gr.]

ecologizar (e.co.lo.gi.*zar*) *v. td.* Conscientizar para a importância dos princípios ecológicos [▶ **1 ecologizar**] [F.: *ecologia* + *-izar*, seg. o mod. gr.]

ecólogo (e.*có*.lo.go) *sm.* Aquele que se especializou em ecologia; ECOLOGISTA; BIOECOLOGISTA [F.: *eco-¹* + *-logo*.]

ecometria (e.co.me.*tri*.a) *sf.* Cálculo e medição de distâncias e posições a partir da análise do eco [F.: *eco-²* + *-metria¹*.]

ecométrico (e.co.*mé*.tri.co) *a.* Ref. a ou próprio da ecometria [F.: *ecometria* + *-ico²*.]

ecômetro (e.*cô*.me.tro) *sm.* **1** Régua graduada empregada em ecometria **2** Aparelho que mede o intervalo entre a emissão de um som e a recepção do seu eco [F.: *eco-²* + *-metro*.]

economês (e.co.no.*mês*) *sm. Bras. Gír. Joc.* Linguagem repleta de termos técnicos us. por economistas e só compreensível para quem é da área: "Em bom economês, significa dizer que produz sob concorrência perfeita." (*O Globo*, 07.06.2005) [F.: *economia* + *-ês*.]

econometria (e.co.no.me.*tri*.a) *Econ. sf.* **1** Método para desenvolver modelos de previsões econômicas baseado na unificação de teoria e estatística econômicas, técnicas matemáticas e tecnologia computacional **2** Aplicação técnica desse método [F.: *econo(mia)* + *-metria¹*. Hom./Par.: *econometria* (sf.), *ecometria* (sf.).]

econométrico (e.co.no.*mé*.tri.co) *a. Econ.* Ref. a econometria (modelo econométrico) [F.: *econometria* + *-ico²*. Hom./Par.: *econométrico* (a.), *ecométrico* (a.).]

econometrista (e.co.no.me.*tris*.ta) *s2g. Econ.* Aquele que se especializou em econometria [F.: *econometria* + *-ista*, seg. o mod. gr.]

economia (e.co.no.*mi*.a) *sf.* **1** *Econ.* Ciência que estuda a produção, distribuição e consumo de bens e serviços **2** Sistema produtivo de um país, região, estado ou cidade: *crescimento da economia brasileira.* **3** Controle ou moderação nos gastos **4** Uso eficiente de quaisquer recursos em uma atividade produtiva **5** *Fig.* Moderação em qualquer atividade (economia de gestos) **6** *Fig.* Bom uso que se faz de qualquer coisa **7** Estruturação dos elementos em um todo: *a economia de um romance.* **8** O conjunto de disciplinas do curso de graduação ou pós-graduação em economia (1); esse curso [F.: Do lat. *oeconomia, ae*, 'disposição', do gr. *oikonomía, as*, 'direção, administração de uma casa'; 'governo'; 'organização'; 'distribuição'.] ∎ **~ de escala** *Econ.* Otimização de produtividade e custos graças à produção de bens em grande quantidade, diminuindo os custos por unidade **~ de guerra** *Econ.* Implementação de medidas de controle da produção e do consumo de bens (orientação da produção, restrição do consumo etc.) em tempo de guerra **~ de mercado** *Econ.* Sistema econômico em que as decisões relativas a produção, preços, salários, etc. são tomadas pelos agentes econômicos, com pouca intervenção do Estado **~ de subsistência** *Econ.* Conjunto de atividades econômicas de uma sociedade, em que a produção está quase inteiramente voltada para as necessidades de consumo dos próprios produtores, com poucos excedentes direcionados para a troca ou comércio **~ dirigida** *Econ.* Sistema pelo qual grande parte das atividades econômicas estão sujeitas a decisões tomadas por um organismo planejador; economia planificada **~ doméstica** O conjunto das atividades relacionadas à manutenção do lar, e a arte ou técnica de administrar essas tarefas e seu orçamento **~ informal** *Econ.* Setor ou conceito de atividade econômica em que não há emprego formal com registro de empregados, documentação das atividades e das transações, recolhimento de impostos, como a dos biscates, camelôs etc. **~ invisível** Ver *Economia informal* **~ mista** *Econ.* Sistema pelo qual o capital de uma empresa tem uma parcela pública (administrada pelo Estado) e outra privada (pertencente a empresários particulares) **~ planificada** *Econ.* Ver *Economia dirigida* **~ política** *P. us. Econ.* A ciência econômica ou teoria econômica, esp. sob os aspectos histórico, político e social [Designação muito us. no séc.XIX.] **~ popular** Conjunto de medidas do Estado em defesa dos interesses econômicos do povo **~ subterrânea** *Econ.* Ver *Economia informal* **~ nova** *Econ.* Aquela que diz respeito a negócios relacionados com a informática **~ velha** *Econ.* Aquela que diz respeito a negócios (indústria, comércio e serviços tradicionais) anteriores à era da informática

economiário (e.co.no.mi.*á*.ri:o) *Bras. a.* **1** Ref. a ou próprio da Caixa Econômica Federal *sm.* **2** Funcionário dessa instituição [F.: *(Caixa) Econôm(ica) (Federal)* + *-ário*.]

economias (e.co.no.*mi*.as) *sfpl.* Quantia que se conseguiu juntar por efeito de contenção de despesas; POUPANÇA: *Recorreu às suas economias para comprar uma moto.* [F.: Pl. de *economia*.]

economicidade (e.co.mi.ci.*da*.de) *sf.* **1** Qualidade ou característica do que é econômico **2** *Econ.* Relação entre custo e benefício de uma determinada atividade: *É preciso avaliar a economicidade dos sistemas de produção.* [F.: *econômico + -(i)dade.*]

economicismo (e.co.no.mi.*cis*.mo) *sm. Econ. Pol.* Corrente de pensamento que dá prioridade à economia em detrimento dos aspectos sociais, ambientais, políticos etc.: "No Congresso predomina o economicismo a qualquer custo, que trata as exigências ambientais como entrave ao progresso." (*O Globo*, 21.10.2003) [F.: *econômico + -ismo*, seg. o mod. vern.]

economicista (e.co.no.mi.*cis*.ta) *Econ. Pol.* **a2g.** **1** Ref. ao economicismo (visão economicista) **2** Que é adepto do economicismo (político economicista) **s2g.** **3** Indivíduo que é adepto do economicismo [F.: *econômico + -ista*, seg. o mod. vern.]

econômico (e.co.*nô*.mi.co) **a.** **1** Ref. a economia (1) (teorias/variáveis econômicas) **2** Ref. ao sistema produtivo de um país, de uma região etc. (desenvolvimento econômico) **3** Diz-se de pessoa que gasta pouco, que controla os gastos [Ant.: *perdulário*.] **4** Que não acarreta muitos gastos ou que tem baixo custo (carro econômico; tarifa econômica) **5** *P.ext.* De baixo consumo (esp. de combustível): *Era um carro econômico, bebia bem menos gasolina que o novo.* **6** Que diz respeito ao uso eficiente de recursos em uma atividade produtiva **7** *Fig.* Moderado (ao agir, ao falar etc.) [F.: Do lat. *oeconomicus, a, um*, do gr. *oikonomikós, é, ón*.]

econômico-financeiro (e.co.nô.mi.co-fi.nan.*cei*.ro) **a.** Que se refere simultaneamente à economia e às finanças (medidas econômico-financeiras) [Pl.: *econômico-financeiros*.]

econômico-social (e.co.nô.mi.co-so.ci:*al*) **a2g.** Relacionado simultaneamente a aspectos econômicos e sociais; SOCIOECONÔMICO [Pl.: *econômico-sociais*.]

economismo (e.co.no.*mis*.mo) *sm. Pej. Pol.* Visão superficial da ciência econômica, entendida apenas como crescimento do volume de produção de bens materiais, sem uma correlação com outras atividades [F.: *economia + -ismo*.]

economista (e.co.no.*mis*.ta) *s2g.* Indivíduo formado em economia; o especialista em economia [F.: *economia + -ista*, seg. o mod. gr.]

economizado (e.co.no.mi.*za*.do) **a.** **1** Que foi objeto de economia; que se economizou **2** Juntado, poupado: *Com o dinheiro economizado durante o ano, pude comprar uma televisão.* **3** Que deixou de ser gasto: *O valor economizado no corte de despesas equilibrou o orçamento familiar.* **4** Gerido com economia; gasto com moderação (água economizada) [F.: Part. de *economizar*.]

economizar (e.co.no.mi.*zar*) *v.* **1** Juntar (dinheiro); POUPAR [*td.*: *Economizou o suficiente para comprar uma bicicleta.*] **2** Gastar com parcimônia (dinheiro, tempo ou qualquer outra coisa); POUPAR [*td.*: *Economizei bem o salário do mês; Economize. suas forças para a subida.*] [*int.*: *Ela sabe economizar.* Ant.: *consumir, desperdiçar.*] **3** Deixar de ter despesa com [*tr. + em*: *Vamos economizar nos supérfluos.*] [▶ 1 economizar] [F.: *economia + -izar*. Ant. ger.: *dispender, gastar*.]

ecônomo (e.*cô*.no.mo) *sm.* **1** Indivíduo encarregado de administrar uma casa ou uma instituição qualquer; MORDOMO **2** Eclesiástico encarregado de administrar as rendas de uma abadia, um benefício etc. **3** Despenseiro [F.: Do lat. *oeconomus, i*, do gr. *oikonómos, os, on*.]

ecopatia (e.co.pa.*ti*.a) *sf. Pat.* Distúrbio nervoso no qual o indivíduo repete automaticamente os movimentos e as palavras que os outros fazem [F.: *eco-[2] + -patia*.]

ecopático (e.co.*pá*.ti.co) **a.** *Pat.* Ref. à ou próprio da ecopatia [F.: *ecopatia + -ico[2]*.]

ecosfera (e.cos.*fe*.ra) *sf.* **1** *Ecol.* Conjunto de todos os ecossistemas que existem no planeta Terra; BIOSFERA **2** *Geof.* As regiões no universo nas quais se considera possível existir vida [F.: *eco-[1] + -sfera*.]

ecossistema (e.cos.sis.*te*.ma) *sm. Ecol.* Conjunto das relações de interdependência dos seres vivos entre si e com seu meio ambiente; BIOGEOCENOSE [F.: *eco-[1] + sistema*.]

📖 A percepção da natureza como provedor praticamente inesgotável das necessidades do homem tem sofrido contínua e acelerada revisão, motivada não só pela evolução dos conceitos a partir de avanços nas ciências e seus métodos de prospecção e análise, mas também pela constatação factual, cada vez mais evidente, dos danos que a exploração descontrolada de recursos e a intervenção predatória do homem nos sistemas naturais têm causado (mudanças climáticas, extinção de espécies, poluição, desertificação etc.). A natureza passou a ser vista não como um acúmulo aleatório de potenciais recursos para o homem, mas como uma estrutura (na verdade muitas estruturas regionais), organizada a partir das relações entre seus diversos elementos, dando-lhe estabilidade e continuidade. Essa estrutura é o ecossistema, ou seja, o sistema integrado de elementos da natureza (terreno, minerais, vegetação, recursos hídricos, clima, animais etc.) num certo espaço geográfico que, através das relações entre esses elementos (como, por exemplo, as da cadeia alimentar nesse espaço), se mantém e se renova. Qualquer alteração dessa estrutura além de um nível por ela aceitável pode determinar sua falência completa. Dessa comprovada percepção adveio a importância dos estudos e práticas que visam à conservação, preservação da biodiversidade etc., no sentido de proteger ecossistemas em benefício da natureza, e do próprio homem.

ecossistêmico (e.cos.sis.*tê*.mi.co) **a.** *Ecol.* Que diz respeito ao ecossistema (enfoque ecossistêmico) [F.: *ecossistema + -ico[2]*.]

ecossociológico (e.cos.so.ci:o.*ló*.gi.co) **a.** *Ecol.* Relativo simultaneamente à área ecológica e à social (quadro ecossociológico) [F.: *eco-[1] + sociológico*.]

ecossonda (e.cos.*son*.da) *sf. Mar.* Instrumento que determina a profundidade da água com base no tempo que um sinal sonoro emitido pelo navio leva para alcançar o fundo do mar e retornar [F.: *eco-[2] + sonda*.]

ecossondagem (e.cos.son.*da*.gem) *sf. Mar.* Medição da profundidade da água por meio do de uma ecossonda instalada no navio [Pl.: *-gens*.] [F.: *eco-[2] + sondagem*.]

ecoterapia (e.co.te.ra.*pi*.a) *sf. Ter.* Ver *equoterapia*

ecótipo (e.*có*.ti.po) *sm. Biol. Ecol.* Variação genética de uma espécie que se adaptou a uma zona geográfica específica [F.: *eco-[1] + -tipo*.]

ecótono (e.*có*.to.no) *sm. Ecol.* Região de transição entre duas comunidades ou dois ecossistemas onde vivem espécies das comunidades limítrofes e espécies peculiares da região (ecótono floresta-cerrado) [F.: *eco-[1] + -tono*.]

ecotoxicologia (e.co.to.xi.co.lo.*gi*.a) [cs] *sf. Biol. Ecol. Quím.* Estudo sobre os efeitos dos agentes físicos, químicos e biológicos sobre os organismos vivos, esp. sobre populações e comunidades em seus ecossistemas [F.: *eco-[1] + toxicologia*.]

ecotoxicológico (e.co.to.xi.co.*ló*.gi.co) [cs] **a.** *Biol. Ecol. Quím.* Ref. a ecotoxicologia [F.: *ecotoxicologia + -ico[2]*.]

ecoturismo (e.co.tu.*ris*.mo) *sm. Ecol. Econ.* Atividade turística que incentiva a conservação do meio ambiente e promove a educação ambiental; TURISMO ECOLÓGICO [F.: *eco-[1] + turismo*.]

ecoturista (e.co.tu.*ris*.ta) *Ecol.* **a2g.** **1** Que pratica o ecoturismo **s2g.** **2** Indivíduo que pratica o ecoturismo, priorizando em suas viagens a visita a ecossistemas [F.: *eco-[1] + turista*.]

⊕ **écran** (*Fr.: /êcrã/*) *sm.* **1** Quadro (ger. branco) sobre o qual se projeta uma imagem; TELA **2** Tela para projeção cinematográfica; tela de cinema **3** Chapa de vidro de diversas cores com a qual se selecionam os raios luminosos de fotografia em cores

⊕ **ecstasy** (*Ing. /êcstazi/*) *sm. Quím.* Droga sintética ilegal derivada das anfetaminas que tem ação alucinógena, euforizante e estimulante, ger. consumida por via oral [Nome cient. Metileno Dioxi Anfetamina – MDMA] [F.: Ing. *ecstasy* 'privação da razão e do controle'.]

◎ **-ectasia** *el. comp.* = 'dilatação'; 'extensão', 'expansão'; 'distensão': *angiectasia, aortectasia, atelectasia, bronquiectasia, cardiectasia, enterectasia, gastrectasia, metrectasia, nefrectasia, tiflectasia* [F.: Do gr. *éktasis, eos*, 'ação de estender, de alongar'; 'alongamento', *+ -ia[1]*.]

ectasia (ec.ta.*si*.a) *sf. Pat.* Dilatação anormal de uma estrutura orgânica oca, como um órgão, vaso ou canal [F.: Do lat. cient. *ectasis*, deriv. do gr. *éktasis + -ia*.]

ectásico (ec.*tá*.si.co) **a.** *Pat.* Ref. a ectasia [F.: *ectasia + -ico[2]*.]

ectima (ec.*ti*.ma) *sf. Derm.* Doença de pele de origem bacteriana caracterizada por pústulas largas e arredondadas, ger. localizadas nas pernas e nos pés [F.: Do gr. *ekthyma*.]

ectipografia (ec.ti.po.gra.*fi*.a) *sf. Art.Gr.* Impressão tipográfica com caracteres em relevo, para ser lida por pessoas cegas [F.: Do gr. *éktypos + -grafia*.]

◎ **ecto-** *pref.* = 'fora'; 'fora de'; 'por fora'; 'de fora'; 'exterior': *ectoderma, ectomorfo, ectoparasitário, ectoplasma* [F.: Do adv. prep. gr. *ektós*.]

ectoderma (ec.to.*der*.ma) *sm.* **1** *Emb.* Camada germinal primária do disco embrionário, de que derivam a epiderme e os tecidos epidérmicos (unhas, cabelos e glândulas da pele), o sistema nervoso, os órgãos dos sentidos olfativo, ocular e auditivo, o esmalte dentário, as glândulas mamárias, a membrana mucosa da boca e do ânus etc.; ECTODERME **2** *Bot.* Camada externa que substitui a epiderme na região pilífera das raízes primárias, constituída pelas células do parênquima cortical externo; EXODERMA [F.: *ecto- + -derma*.]

ectoderme (ec.to.*der*.me) *sf. Emb.* O mesmo que *ectoderma* (1) [F.: *ecto- + -derme*.]

ectodérmico (ec.to.*dér*.mi.co) **a.** *Bot. Emb.* Ref. a ectoderma (folheto ectodérmico; camada ectodérmica) [F.: *ectoderma + -ico[2]*.]

◎ **-ectomia** *el. comp.* = 'corte cirúrgico em, e/ou extirpação, parcial ou total, de dado órgão ou de certa estrutura ou parte do corpo': *adenectomia, amigdalectomia, antrectomia, aortectomia, apendicectomia, bursectomia, cardiectomia, cistectomia, esofagectomia, faringectomia, gangliectomia, histerectomia, iridectomia, lobectomia, mastectomia, nefrectomia, ooforectomia, postectomia, retectomia, salpingectomia, tiflectomia, uvulectomia, vasectomia* [F.: Do gr. *ektomé, ês*, 'incisão', 'corte', 'castração', *+ -ia[1]*.]

ectomorfo (ec.to.*mor*.fo) **a.** *Biol.* Diz-se de indivíduo de constituição corporal com predominância de tecidos de origem ectodérmica [F.: *ecto(derma) + -morfo*.]

ectoparasitário (ec.to.pa.ra.si.*tá*.ri:o) **a.** *Biol.* Ref., inerente ou causado por ectoparasita ou ectoparasito (processo ectoparasitário) [F.: *ectoparasito* ou *ectoparasita + -ário*.]

ectoparasiticida (ec.to.pa.ra.si.ti.*ci*.da) *Biol. Med. Vet.* **a2g.** **1** Diz-se de substância que elimina ectoparasitas **sm.** **2** Produto, substância etc. que elimina ectoparasitas [F.: *ectoparasito* ou *ectoparasita + -cida*.]

ectoparasito (ec.to.pa.ra.*si*.to) *sm. Biol.* Parasita que vive sobre a superfície do hospedeiro [F.: *ecto- + parasito*. Tb. *ectoparasita*.]

ectoparasitose (ec.to.pa.ra.si.*to*.se) [ó] *sf. Pat.* Moléstia causada por ectoparasitos [F.: *ectoparasito* ou *ectoparasita + -ose[1]*.]

◎ **-ectopia** *el. comp.* = 'posição ou localização anômala de (certa estrutura ou órgão)'; 'trajeto anômalo'; 'deslocamento': *adenectopia, angiectopia, esplenectopia, flebectopia, iridectopia, metrectopia* [F.: De *ectopia*, do gr. *éktopos, os, on*, 'fora de lugar'; 'estrangeiro', *+ -ia[1]*.]

ectopia (ec.to.*pi*.a) *sf. Med.* Situação anômala de posição ou de localização de órgão, por luxação ou deslocamento; HETEROTOPIA [F.: Do lat.cien. *ectopia-*, deriv. do gr. *éktopos- + -ia[2]*.]

ectópico (ec.*tó*.pi.co) *Med.* **a.** **1** Ref. ou inerente a ectopia **2** Diz-se de órgão que se localiza fora da posição normal [F.: ectopia- *+ -ico[2]*.]

ectoplasma (ec.to.*plas*.ma) *sm.* **1** *Biol.* A parte mais externa do citoplasma, formada pelo líquido citoplasmático, de consistência gelatinosa **2** *Espt. Parap.* Substância visível que flui do corpo de certos médiuns, por meio da qual os espíritos agem no mundo material [F.: *ecto- + -plasma*.]

ectoplasmático (ec.to.plas.*má*.ti.co) **a.** **1** *Biol.* Ref., inerente ou próprio do ectoplasma; ECTOPLÁSMICO **2** *Espt. Parap.* Ref. à substância emanada do corpo de médiuns; ECTOPLÁSMICO [F.: *ectoplasma*, sob a f. *ectoplasmat-, + -ico[2]*, seg. o mod. gr.]

ectotérmico (ec.to.*tér*.mi.co) **a.** *Zool.* Diz-se de animal (peixe, anfíbio e réptil) cuja temperatura corpórea se eleva por assimilação de calor de uma fonte externa; ECTOTERMO [Ant.: *endotérmico*.] [F.: *ecto- + térmico*.]

ectozoico (ec.to.*zoi*.co) **a.** Que é externo, exterior (ação ectozoica; fatores ectozoico) [F.: *ecto- + -zoico*.]

ecúleo (e.*cú*.leo) *sm.* **1** Cavalete de madeira us. como instrumento de tortura **2** *Fig. Poét.* Tormento, flagelo: *Viver é o ecúleo da alma.* [F.: Do lat. *equuleus* ou *eculeus, i*.]

ecumenal (e.cu.me.*nal*) **a.** *Geof.* Ref. ou inerente a ou próprio de ecúmeno (extensão ecumenal; amplitude ecumenal) [Pl.: *-nais*.] [F.: *ecúmeno* (do gr. *oikouméne*, 'a terra habitada') *+ -al*.]

ecumênico (e.cu.*mê*.ni.co) **a.** **1** De todo o mundo habitado; UNIVERSAL **2** Que reúne, congrega pessoas de diferentes religiões (culto ecumênico) **3** Ref. ao ecumenismo **4** Diz-se de concílio convocado e presidido pelo papa, com a participação de todos os prelados católicos [F.: Do gr. *oikoumenikós* pelo lat. *oecumenicus*.]

ecumenismo (e.cu.me.*nis*.mo) *sm.* **1** *Rel.* Movimento que prega a unificação das igrejas cristãs **2** Ideal da unidade de todos os povos, expresso no Evangelho [F.: *ecumênico + -ismo*, segundo o modelo erudito.]

ecúmeno (e.*cú*.me.no) *sm.* **1** O conjunto das áreas habitadas ou habitáveis da Terra [Ant.: *anecúmeno*.] **2** O todo, o geral, o universal (em contraposição ao que é parcial) [F.: Do gr. *oikoumenos*.]

eczema (ec.*ze*.ma) *sm. Derm.* Afecção cutânea aguda ou crônica que se caracteriza por reação alérgica inflamatória, com formação de vesículas e crostas, causando prurido [F.: Do gr. *ékzema*.]

eczemátide (ec.ze.*má*.ti.de) *sf. Derm.* O mesmo que *pitiríase* (1) [F.: *eczema + -t- + -ide*.]

eczematoso (ec.ze.ma.*to*.so) [ô] **a.** **1** *Derm. Med.* Que tem o caráter de eczema **2** Afetado de eczema **sm.** **3** *Derm. Med.* Indivíduo atacado de eczema [Fem. e Pl. [ó]; F.: *eczem(at)- + -oso*.]

edacidade (e.da.ci.*da*.de) *sf.* Característica ou qualidade do que edaz, do que come com voracidade [F.: Do lat. *edacitas, atis*.]

◎ **-edade** *suf. nom.* Ver *-(i)dade*: *arbitrariedade, contrariedade* (< lat.), *obrigatoriedade, propriedade* (< lat.), *piedade* (< lat.), *solidariedade*. [Formador de substv. abstratos conexos com adj. terminados em *-io*.] [F.: Do lat. *-etas, -etatis* < lat. *-ius, -ia, -ium* (> *-io*) + lat. *-(i)tas, -(i)tatis* (> *-(i)dade*). No vernáculo, esse padrão formacional corresponde ao encontro do suf. de adj. *-io* (lat. *-ius, -ia, -ium*) – do final do voc. primitivo – com suf. *-dade* (lat. *-tas, -tatis*), a exemplo do modelo latino, em voc. como *contrarietas, atis* (< *contrarius, a, um*), *proprietas, atis* (< lat. *proprius, a, um*) e *pietas, atis* (< *pius, a, um*), em que a vogal final (*-o*) do voc. primitivo passa a *e*. Ver *-eidade*.]

edáfico (e.*dá*.fi.co) **a.** **1** Pertencente ou ref. ao solo (geografia edáfica) **2** Que está contido no solo (diz-se de água) **3** *Biol.* Diz-se de organismo (esp. vegetal) que sofre mais influência do solo que do clima [F.: *edaf(o)- + -ico[2]*.]

◎ **edaf(o)-** *el. comp.* = 'solo': *edáfico, edafoclimático, edafologia* [F.: Do gr. *édaphos, eos, ous*, 'solo'; 'pavimento'; 'fundo do mar, de um rio'.]

edafoclimático (e.da.fo.cli.*má*.ti.co) [ê] **a.** *Clim.* Ref. ou inerente ao clima do solo terrestre (temperatura edafoclimática; zoneamento edafoclimático) [F.: *edaf(o)- + -climat(o)- + -ico[2]*.]

edaz (e.*daz*) **a2g.** Que come muito, que come com avidez, que devora; GLUTÃO; VORAZ [Superl.: *edacíssimo*.] [F.: Do lat. *edax, acis*.]

edema (e.*de*.ma) *Pat. sm.* Inchaço de tecido ou órgão por acúmulo anormal de líquido no organismo [F.: Do gr. *oidema* pelo lat. cient. *edema*, e pelo fr. *oedème*.] ◼◼ **~ agudo do pulmão** *Card.* Infiltração de plasma sanguíneo nos alvéolos pulmonares, com consequentes problemas respiratórios, devido a insuficiência cardíaca **~ angioneurótico** *Med.* Edema subcutâneo de causa alérgica, como reação a certos alimentos ou remédios, ou a picada de insetos; edema de Quincke ~ **cerebral** *Neur.* Aumento da quantidade de água nos tecidos cerebrais, com consequente aumento de volume do cérebro, por causas diversas: tumor, infecção, traumatismo, acidente vascular cerebral ~ **de córnea** *Oft.* Infiltração de líquido na córnea, ger. dolorosa, devido a inflamação, traumatismo etc. ~ **de glote** *Med.* Edema angioneurótico na garganta, que pode agravar-se e provocar sufocação e morte por asfixia ~ **de Quincke** *Med.* Ver *Edema angioneurótico* ~ **linfático** *Med* Edema provocado por estagnação da linfa nos canais linfáticos ~ **palpebral** *Oft.* Edema sob a pálpebra, ger. causado por traumatismo, inflamação ou alergia

edemaciado *a. Med.* Em que se formou edema (órgão edemaciado; tecido edemaciado) [F.: Part. de *edemaciar.*]

edemaciar (e.de.man.ci:*ar*) *v. td.* Provocar edema em [▶ 15 emanciar] [F.: *edema + -c- + -iar.*]

edematoso (e.de.ma.*to*.so) [ô] *a.* **1** *Med.* Que é da natureza do edema (formação edematosa) **2** Que tem edema (órgão edematoso); EDEMÁTICO [Fem. e pl.: [ó].] [F.: *edem(at)-+ -oso.*]

éden (*é*.den) *sm.* **1** *Rel.* Jardim onde, segundo a Bíblia, viveram Adão e Eva [Com inic. maiúsc. nesta acp.] *sm.* **2** *Fig.* Lugar muito bonito e tranquilo; PARAÍSO: *Estou morando em um éden.* [F.: Do hebr. *eden,* pelo fr. *éden.*]

edênico (e.*dê*.ni.co) *a.* Ref. ou inerente a, ou próprio de Éden; paradisíaco (prazeres edênicos; origem edênica do homem); EDÊNEO [Superl.: *edenicíssimo.*] [F.: De *Éden* (paraíso terrestre onde habitaram Adão e Eva, segundo a Bíblia)- + *-ico*².]

edenizar (e.de.ni.*zar*) *v. td.* Tornar(-se) edênico; fazer entrar ou entrar em estado edênico [▶ 1 edenizar] [F.: *éden + -izar.*]

edentia (e.den.*t* i.a) *sf. Od.* Ausência de dentes na boca [F.: *e-*² *+ dente + -ia*¹.]

edêntulo (e.*dên*.tu.lo) *a.* Que não tem dentes; desprovido de dentes; EDENTADO [F.: Do lat. *edentulus.*]

◎ **edeo-** *el. comp.* = 'partes pudendas'; 'órgãos genitais': *edeomania, edeômano* [F.: Do gr. *aidoîon, ou,* 'órgãos genitais', do gr. *aidoîos, a, on,* 'digno de respeito', do gr. *aidós, óos-oûs,* 'honra'; 'pudor'; 'vergonha'; 'temor respeitoso'.]

edeomania (e.de:o.ma.*ni*.a) [ô] *sf. Psiq.* Designação genérica de anomalias sexuais; desejo sexual patológico [F.: *edeo- + -mania.*]

edeomaníaco (e.de:o.ma.*ní*.a.co) [ô] *Psiq. a.* **1** Ref. ou inerente a edeomania **2** Diz-se de indivíduo que sofre de edeomania; EDEÔMANO *sm.* **3** Esse indivíduo; EDEÔMANO [F.: *edeoman(ia) + -íaco.*]

edeômano (e.de.*ô*.ma.no) *a. sm. Psiq.* O mesmo que *edeomaníaco* (2 e 3) [F.: *edeo- + -mano*¹.]

edesseno (e.des.*se*.no) *sm.* **1** Indivíduo nascido ou que vive em Edessa (Ásia) *a.* **2** De Edessa; típico dessa cidade ou de seu povo [F.: Do top. *Edessa + -eno*¹.]

⊠ **EDI** *sm. Inf.* Sigla do ing. *eletronic data interchange* (intercâmbio eletrônico de dados)

ediacarano (e.di:a.ca.*ra*.no) *Geol. a.* **1** Diz-se do período da era neoproterozoica compreendido entre 630 e 542 milhões de anos atrás, no qual as formas de vida multicelulares começaram a tomar conta do planeta *sm.* **2** O período ediacarano (1) [Nesta acp., com inicial maiúsc.] [F.: *Ediacara* (Austrália) *+ -ano.*]

edição (e.di.*ção*) *sf.* **1** Ação ou resultado de editar **2** Atividade, negócio de editor **3** Publicação de uma obra (livro, revista etc.), inédita ou não **4** *Art.Gr.* Conjunto dos exemplares de uma obra, impressos em uma ou mais tiragens, mas que preservam exatamente o mesmo texto e a mesma formatação **5** A obra editada **6** *Jorn.* Conjunto dos exemplares de um periódico impressos em uma só tiragem **7** *Cin. Rád. Telv.* Seleção e montagem de diferentes cenas filmadas ou gravadas para dar forma final a filme, programa etc. (edição de videoclipes) **8** *Rád. Telv.* Cada uma das transmissões de um telejornal **9** *Fig.* Cada uma das vezes em que se repete um evento cultural, esportivo etc.: *a 80ª edição da Corrida de São Silvestre.* [Pl.: *-ções.*] [F.: Do lat. *editio, onis.*] ▪ ~ **anotada** *Edit.* Aquela na qual se incluem comentários ou notas de esclarecimento ou atualização do texto; edição comentada ~ **autorizada** *Edit.* A que tem aprovação expressa do autor ou do detentor de direitos do texto [Cf.: *Edição fraudulenta* e *Edição definitiva.*] ~ **clássica** *Edit.* Aquela que é aceita como modelar para o texto em questão [Cf.: *Edição definitiva.*] ~ **comentada** *Edit.* Ver *Edição anotada* ~ **corrente** *Edit.* Edição destinada ao público em geral, da qual consta apenas o texto da obra, não acompanhado de notas, explicações, etc. ~ **crítica** *Edit.* Aquela em que se procura expurgar quaisquer elementos que tenham alterado o texto do autor, visando a recuperá-lo em sua forma original ~ **de bolso** *Edit.* Publicação de uma obra em formato pequeno, portátil, que caiba em bolso ou pequena bolsa ~ **definitiva** *Edit.* Aquela cujo texto foi definitivamente aprovado pelo autor; edição *ne varietur* [Cf.: *Edição clássica* e *Edição autorizada.*] ~ **de VT** *Telv.* Montagem das cenas de um programa em videoteipe ~ **diamante** *Edit.* Edição em formato muito reduzido, impressa em corpo muito pequeno ~ **digital** *Cin. Telv. Rád.* Edição de programas (de imagem e/ou som) por meio de computador ~ **diplomática** *Edit.* Aquela que é fiel ao texto original ~ **documentária** *Edit.* A que procura conferir fidedignidade ao texto editado, com referência para especialistas ~ **eletrônica** *Cin. Rád. Telv.* Edição (7) em que se utilizam equipamentos eletrônicos para manipulação dos sinais de sons e imagens, sem manuseio, corte ou emendas diretas sobre o suporte físico (fitas, etc.) [Cf.: *Edição digital; Editoração eletrônica.*] ~ **especial** **1** *Edit.* A que apresenta melhorias em relação à edição básica **2** *Edit.* Determinada edição de uma publicação periódica (jornal, revista etc.) dedicada a tema ou temas específicos **3** *Jorn.* Ver *Edição extra* ~ **expurgada** *Edit.* Edição de texto com corte de temas ou passagens considerados indesejáveis pelo editor ~ **extra** *Jorn.* Edição de um periódico ou de informativo de rádio ou televisão, em horário e/ou formato diferente do habitual, para informar sobre algo muito recente ou urgente ~ **extraordinária** Ver *Edição extra* ~ **fac-similar** *Edit.* Aquela que reproduz fielmente o original, inclusive na forma, por meio de processo de cópia mecânico ou fotomecânico ~ **integral** *Edit.* Edição não abreviada e não expurgada de um texto, ou seja, mantendo sua integridade original ~ **limitada** *Edit.* A que se reduz a número limitado de exemplares, ger. numerados ~ **princeps** (î) *Edit.* A primeira edição de um livro; edição príncipe ~ **ne varietur** *Edit.* Ver *Edição definitiva* ~ **príncipe** *Edit.* Ver *Edição* princeps **Segunda** ~ **1** *Fig.* Pessoa muito parecida com outra **2** Segunda ocorrência de um evento, repetição de um fato, nova versão de algo

edícula (e.*dí*.cu.la) *sf.* **1** Construção pequena, casa pequena **2** *SP* Pequena casa, anexa a uma construção principal **3** Nicho us. para abrigar imagens de santos; ORATÓRIO [F.: Do do lat. *aedicula.* pelo fr. *édicule.*]

edificação (e.di.fi.ca.*ção*) *sf.* **1** Ação ou resultado de edificar(-se) **2** Construção de um edifício **3** Casa, prédio, edifício **4** Ação ou exortação que visam ao aprimoramento moral ou religioso: *O padre fez um longo sermão para edificação dos jovens.* **5** Instrução ou esclarecimento de qualquer natureza **6** Criação, instauração (edificação da paz); CONSTRUÇÃO [Pl.: *-ções.*] [F.: Do lat. *aedificatio, onis.*]

edificante (e.di.fi.*can*.te) *a2g.* **1** Que leva ao aperfeiçoamento moral, à virtude; EDIFICADOR [Ant.: *desedificante.*] **2** Que instrui, esclarece [F.: Do lat. *aedificans, antis.*]

edificar (e.di.fi.*car*) *v.* **1** Construir, erguer, levantar (prédio, cidade, igreja etc.) [*td.*: *edificar um prédio*] **2** Instituir, fundar (doutrina, teoria etc.) [*td.*: *Maomé edificou o islamismo.*] **3** Levar à virtude, com palavras, ações, exemplos etc.; inspirar sentimentos edificantes [*td.*: *Seu exemplo edificou todo um povo*] [*int.*: *As artes edificam.*] [▶ 11 edificar] [F.: Do lat. *aedificare.*]

edificatório (e.di.fi.ca.*tó*.ri.o) *a. Arq. Cons.* Ref. ou inerente a edificação (2) (projeto edificatório; normas edificatórias) [F.: *edificar- + -tório.*]

edificável (e.di.fi.*cá*.vel) *a.* **1** Que se pode edificar, construir [+ *com, em*: *edificável com esforço; edificável em louvor ao estadista.* Ant.: *desedificável.*] **2** Que se pode edificar, instituir **3** Que se pode edificar, levar à virtude, fazer inspirar sentimentos edificantes [Pl.: *-veis.* Superl.: *edificabilíssimo.*] [F.: *edificar- + -vel.*]

edifício (e.di.*fí*.ci:o) *sm.* **1** Prédio de vários andares **2** Qualquer construção, ger. de certa importância, destinada a habitação, trabalho ou outros fins; EDIFICAÇÃO; PRÉDIO **3** *Fig.* Coisa executada, disposta, arrumada com arte **4** *Fig.* Estrutura ou combinação de planos ou projetos em que se está empenhado: *Viu ruir o edifício de suas esperanças.* [F.: Do lat. *aedificium.*]

edifício-garagem (e.di.fi.ci:o-ga.*ra*.gem) *sm.* Edifício com mais de um andar, destinado exclusivamente ao estacionamento de veículos [Pl.: *edifícios-garagens e edifícios-garagem.*]

edil (e.*dil*) *sm.* **1** O mesmo que *vereador* [Col.: *edilidade.*] **2** *Hist.* Na antiga Roma, magistrado responsável pela inspeção de bens e serviços públicos [Pl.: *edis.*] [F.: Do lat. *aedilis.*]

edílico (e.*dí*.li.co) *Pol. a.* Ref. ou inerente a, ou pertencente a edil; edilício (voto edílico; proposta edílica) [Hom./Par. *idílico; edípico.* F.: *edil* -,do lat. *aedilis, is + -ico*².]

edilidade (e.di.li.*da*.de) *Pol. sf.* **1** Exercício das funções de edil **2** Dignidade, cargo de edil; vereança **3** Conjunto de vereadores; assembleia legislativa municipal, câmara municipal; VEREAÇÃO; VEREANÇA: "A essa palavra abismal, o lojista moderou a sua crítica e passou a desfiar as culpas da edilidade." (Xavier Marques, *Feiticeiro*) [F.: Do lat. *aedilitas, atis; edil- + -idade.*]

edipiano (e.di.pi:*a*.no) *a.* **1** Ref. a Édipo, personagem principal da tragédia grega *Édipo Rei*; EDÍPICO **2** *Psic.* Ref. ao complexo de Édipo, i.e., atração erótica que, segundo a teoria psicanalítica de Freud, o filho sente pela mãe (paixão edipiana); EDÍPICO *sm.* **3** *Psic.* Indivíduo com complexo de Édipo [F.: Do antr. *Édipo + -iano.*]

edípico *a.* **1** *Mit. Psig.* Ref. ou inerente ao complexo de Édipo e/ou a edipismo (lenda edípica; complexo edípico, traumatização edípica); EDIPIANO **2** *Lud.* Ref. ou inerente à aptidão em decifrar enigmas e charadas (desafio edípico) [Superl.: *edipicíssimo.*] [F.: Do mit. gr. *Édipo* < gr. *Oidípous* (herói da tragédia grega,decifrador do enigma da Esfinge e que matou o pai e se casou com a mãe) *+ -ico*².]

édipo (*é*.di.po) *sm.* **1** *Lud.* Aquele que facilmente descobre ou explica um enigma, ou esclarece um ponto obscuro **2** *Psic.* Indivíduo portador do complexo de Édipo [F.: Do mit. gr. *Édipo* < gr. *Oidípous,* herói tebano decifrador do enigma da Esfinge, e que matou o pai e se casou com a mãe.]

editado (e.di.*ta*.do) *a.* **1** *Edit.* Que se editou, que foi objeto de edição (romance editado; poemas editados; partitura editada); EDITORADO **2** Diz-se de escritor cujas obras foram ou são publicadas por uma editora (escritor editado; compositor editado) *sm.* **3** Aquele que tem ou teve suas obras publicadas por uma editora: *A editora tem um catálogo com a relação de todos os seus editados.* [F.: Part. de *editar.*]

edital¹ (e.di.*tal*) *sm.* **1** Aviso oficial ref. a concurso, exame de seleção, tomada de preços, concorrência etc., afixado em locais públicos ou publicado na imprensa [Pl.: *-tais.*] *a2g.* **2** Que se faz público por meio de editais **3** Ref. a édito [Cf.: *edital*², que é ref. a edito (e não édito).] [Pl.: *-tais.*] [F.: Do lat. tard. *edictalis, e.*] ▪ ~ **de citação** *Jur.* Aquele em que se convoca réu de processo a apresentar sua contestação do mesmo ~ **de praça** *Jur.* Aquele no qual o juiz especifica as condições de um leilão (lugar, dia, hora, descrição e avaliação de valor da coisa leiloada)

edital² (e.di.*tal*) *a2g.* Ref. a ou próprio de edito [Cf.: *edital*¹, que é ref. a édito, não edito.] [Pl.: *-tais.*] [F.: *edito + -al*¹.]

editar (e.di.*tar*) *v. td.* **1** Fazer edição (3) de, publicar (obra) (por impressão ou qualquer outro meio) **2** Preparar (texto, imagem etc.) para publicação, verificando conteúdo, erros, aprimorando a linguagem **3** *Cin. Rád. Telv.* Fazer a edição (7) ou a montagem de (filme, programa de TV ou de rádio, etc.) **4** *Inf.* Redigir ou organizar (texto) a partir de algo já escrito, utilizando processador de textos [▶ 1 editar] [F.: Do fr. *éditer.* Hom./Par.: *edito* (fl.), *édito* (sm.). Cf.: *editorar.*]

editável (e.di.*tá*.vel) *a. Edit.* Que pode ser editado; que se pode editar (livro editável; composição editável); EDITORÁVEL [Ant.: *ineditável.*] [Pl.: *-veis.* Superl.: *editabilíssimo.*] [F.: *edita(r)- + -vel.*]

edito (e.*di*.to) *sm. Jur.* Parte de lei em que se estabelece alguma disposição, se preceitua algo; DECRETO; MANDADO [F.: Do lat. *edictum, i.* Hom./Par.: *edito* (sm.), *edito* (fl. de *editar*), *édito.*(sm.).]

édito (*é*.di.to) *sm. Jur.* Ordem, mandado de autoridade ou citação de juiz que, para conhecimento geral, se afixa em lugares públicos ou se divulga em publicações por meio de anúncio chamado *edital* [F.: Ver *edito.* Hom./Par.: *édito* (sm.), *edito* (sm.), *edito* (fl. de *editar*).]

editor (e.di.*tor*) [ô] *a.* **1** Que edita *sm.* **2** Aquele que edita (como empresário) **3** Indivíduo responsável pela publicação de uma obra (livro, revista, *software* etc.) **4** Aquele que, de acordo com determinada orientação editorial, normas, estilo etc., prepara textos para publicação ou que supervisiona esse trabalho **5** Em jornal ou revista, profissional responsável pela seleção das matérias a serem publicadas e pelas diretrizes gerais da publicação [F.: Do lat. *editor,* pelo fr. *éditeur.* Hom./Par.: *editores* (pl.), *editores* (fl. de *editorar*); *editora* (fem.), *editora* (fl. de *editorar*).] ▪ ~ **crítico** Pessoa que organiza e realiza a edição crítica de um texto ~ **de arte** O responsável pela concepção visual e pelos recursos gráficos a serem us. em uma publicação ~ **de som** O responsável pela montagem e edição dos elementos sonoros de um filme, programa de televisão ou de rádio, espetáculo teatral etc. ~ **de texto** **1** *Edit.* O responsável pela organização e revisão dos textos a serem publicados **2** Ver *Editor literário* **3** *Inf.* Programa de computador com recursos para escrever, editar textos etc. [Cf.: *Processador de texto.*] ~ **de VT** *Telv.* O responsável pela edição de VT (ver em *Edição de VT*) ~ **literário** Editor que seleciona, organiza, fixa textos de um ou de vários autores para publicação; editor de texto (2)

editora (e.di.*to*.ra) [ô] *sf.* **1** Organização, empresa ou Instituição que publica livros, revistas etc. *Lus.*; EDITORIAL **2** O local, prédio, as instalações em que opera uma editora (1) [Pl.: [ô].] [F.: Fem. substv. de *editor.* Hom./Par.: *editora* (sf.), *editora* (fl. de *editar*); *editoras* (pl.), *editoras* (fl. de *editorar*).]

editoração (e.di.to.ra.*ção*) *sf.* **1** Ação ou resultado de editorar **2** Revisão e organização de textos e imagens para publicação **3** Conjunto das atividades realizadas por um editor para possibilitar a publicação de livro, revista, jornal etc. **4** *Art.Gr. Inf.* Conjunto das atividades relacionadas com a preparação, diagramação e formatação das informações constantes de um *site,* uma *home page* etc., utilizando os recursos da informática [Tb. se diz *editoração eletrônica.*] [Pl.: *-ções.*] [F.: *editorar + -ção.*] ▪ ~ **eletrônica** *Edit. Inf.* Conjunto de meios, processos e atividades de editoração (entrada do texto, revisão, pesquisa, organização, diagramação, inserção de elementos gráficos, saída de arquivo para impressão) por meio de equipamentos e programas de computador

editorador (e.di.to.ra.*dor*) [ô] *sm. Art.Gr. Inf.* Profissional especializado em editoração (4) [F.: *editorar + -dor.*]

editorar (e.di.to.*rar*) *v. td.* **1** *Art.gr. Inf.* Diagramar, formatar, paginar (originais, *home page* etc.), segundo as linhas de um projeto gráfico **2** *Edit.* Reunir (textos de um ou mais autores) e fazer revisão, prefácio, notas para que seja publicado **3** *P.us.* Editar [▶ 1 editorar] [F.: *editor + -ar*². Hom./Par.: *editora* (fl.), *editora* (sf.); *editores* (fl.), *editores* (pl. de *editor*). Cf.: *editar.*]

editoria (e.di.to.*ri*.a) *sf.* **1** Cada uma das seções (esportes, política, economia etc.) de um jornal, revista etc., que fica sob a responsabilidade de um editor (editoria de moda) **2** A responsabilidade editorial por alguma obra coletiva: *Ainda não se resolveu quem ficará com a editoria da enciclopédia.* [F.: *editor + -ia*¹.] ▪ ~ **de arte** *Edit. Jorn.* Editoria responsável pela concepção visual, pela estética e pelos recursos gráficos a serem us. em uma publicação [Tb. apenas *arte.*]

editorial (e.di.to.ri:*al*) *a2g.* **1** Ref. a editor, editora ou edição *sm.* **2** *Jorn.* Artigo que exprime a opinião do próprio jornal, revista etc. **3** *Rád. Telv.* Texto lido em programa jornalístico televisivo ou radiofônico que expressa a opinião da própria emissora acerca de algum tema [Pl.: *-ais.*] *sf.* **4** *Lus.* Editora [F.: Do ing. *editorial*, pelo fr. *éditorial.*]

editorialesco (e.di.to.ri:a.*les*.co) [ê] *Comun. Jorn. a.* **1** Ref. ou inerente a editorial (2) **2** Diz-se de texto ou matéria que indevidamente apresenta características e forma de editorial (2): *O tom editorialesco do artigo não agradou aos leitores; Os telespectadores surpreenderam-se com a fala editorialesca do locutor.* [F.: *editorial + -esco.*]

editorialismo (e.di.to.ri:a.*lis*.mo) *sm.* **1** Característica e conotação de editorial (2) [Cf.: *editorialesco*]: "Um jornalismo investigativo, não partidário, independente, sem editorialismo na informação e fiel à verdade dos fatos: estes são os pilares do bom jornalismo, com a firmeza de sólidos fundamentos." (Carlos Alberto Di Franco, *Vale Paraibano*, 06.01.2002) **2** Atividade inerente a editorial (2, 3); conjunto de funções e tarefas peculiares à produção de editoriais [F.: *editorial- + -ismo.*]

editorialista (e.di.to.ri:a.*lis*.ta) *s2g.* Em jornal ou revista, profissional responsável pela redação de editoriais [F.: *editorial + -ista.*]

editorializar (e.di.to.ri:a.li.*zar*) *v. td. Jorn.* Fazer editorial ou dar caráter de editorial a [F.: *editorial + -izar.*]

◎ **-edo** *suf.* = 'plantação'; 'coletivo'; 'de tamanho ou forma acentuados': *arvoredo, vinhedo; passaredo; penedo* etc. [F.: Do lat. *-etum, i.*]

edredão (e.dre.*dão*) *sm.* Ver *edredom* [Pl.: *-dões.*]

edredom (e.dre.*dom*) *sm.* Coberta acolchoada com pluma, algodão etc., para forrar camas ou para ser us. como cobertor [Pl.: *-dons.*] [F.: Do al. (de or. escandinava) *Eiderdun*, pelo fr. *édredon*. Tb. *edredão.*]

◎ **-edro** *suf.* = Face (em geometria): *dodecaedro, poliedro.*

educação (e.du.ca.*ção*) *sf.* **1** Ação ou resultado de educar(-se) [Ant.: *deseducação.*] **2** Processo formal de transmissão de conhecimentos em escolas, cursos, universidades etc.: *A educação é a alavanca do progresso da nação.* **3** Formação e desenvolvimento da capacidade física, moral e intelectual do ser humano **4** Conjunto de teorias e métodos relativos ao ensino e à aprendizagem; DIDÁTICA; PEDAGOGIA **5** Cultivo e desenvolvimento de alguma capacidade perceptiva, sensorial ou fisiológica (educação do paladar) **6** Comportamento em consonância com as regras sociais de etiqueta e de boa convivência; CIVILIDADE; POLIDEZ: *Meu vizinho não tem nenhuma educação.* **7** Arte de adestrar animais **8** Arte de cultivar plantas e de fazê-las reproduzir em condições que deem bons resultados [Pl.: *-ções.*] [F.: Do lat. *educatio, onis.*] ▪ **~ a distância** Processo educacional e de ensino no qual não existe proximidade física entre aluno e a fonte de ensino, sendo realizado por meio de programas de televisão ou de rádio, correspondência postal etc. **~ ambiental** Processo educacional que visa a criar consciência da importância do meio ambiente e da necessidade de preservá-lo, pela utilização racional e sustentável de seus recursos **~ especial** Tipo de educação escolar – e os recursos por ele acionados –, ger. na rede regular de ensino, para alunos portadores de necessidades especiais, seja por apresentarem alguma deficiência, seja por serem superdotados

educacional (e.du.ca.ci:o.*nal*) *a2g.* Ref. à educação; EDUCATIVO: *sistema educacional brasileiro.* [Pl.: *-nais.*] [F.: *educação + -al¹*, seg. o mod. erudito.]

educado (e.du.ca.do) *a.* **1** Que se educou, que recebeu educação, instrução **2** Que tem ou manifesta alto nível de instrução, conhecimento etc.; CULTO; PREPARADO **3** Que se comporta de maneira polida, cortês; BEM-EDUCADO; CORTÊS [F.: Part. de *educar*. Ant. ger.: *deseducado.*]

educador (e.du.ca.*dor*) [ô] *a.* **1** Que educa, que promove a educação: *Tinha métodos educadores excelentes.* [Ant.: *deseducador.*] *sm.* **2** Aquele que educa; profissional da área de educação; PEDAGOGO: *O método utilizado é o do educador Paulo Freire.* [F.: Do lat. *educator.*]

educandário (e.du.can.*dá*.ri:o) *sm.* Estabelecimento onde se educa, se ensina, se instrui (educandos) [F.: *educando + -ário.*]

educando (e.du.*can*.do) *sm.* Indivíduo que se encontra em processo de educação, de formação; ALUNO [F.: Do lat. *educandus.*]

educar (e.du.*car*) *v. td.* **1** Promover o desenvolvimento moral, intelectual e físico de; ensinar boas maneiras a: *Cabe aos pais educar os filhos.* **2** Transmitir conhecimentos a; INSTRUIR **3** Cultivar-se, aperfeiçoar-se: *Nunca é tarde para que a pessoa se eduque.* **4** Fazer com que (o animal) obedeça; DOMESTICAR **5** Buscar bom nível de desenvolvimento espiritual, moral etc. para (si mesmo): *Educou-se na melhor tradição da família.* **6** Aclimar, adaptar (planta) [▶ **11** educar] [F.: Do lat. *educare*. Hom./Par.: *educáveis* (fl.), *educáveis* (pl. de *educável* [a2g.]). Ant. ger.: *deseducar.*]

educativo (e.du.ca.*ti*.vo) *a.* **1** Que educa, que visa e promove o desenvolvimento intelectual e moral (jogos educativos) [Ant.: *deseducativo.*] **2** Educacional [F.: *educar + -tivo.*]

educável (e.du.*cá*.vel) *a2g.* Que se pode educar; que pode ser educado [+ *em, para*: *educável em artes; educável para a vida.* Ant.: *ineducável.*] [Pl.: *-veis*. Superl.: *educabilíssimo.*] [F.: *educar- + vel*. Hom./Par.: *educáveis* (pl.); *educáveis* (fl. de *educar*).]

edulcoração (e.dul.co.ra.*ção*) *sf.* **1** Ação ou resultado de edulcorar; ADOÇAMENTO; DULCIFICAÇÃO **2** *Quím.* Mistura de substância adoçante a uma solução manipulada ou a um alimento **3** *Fig.* Ação ou resultado de tornar algo (um discurso, uma declaração) mais leve, mais palatável pelo público a que destina: *Teve de impor uma edulcoração aos seus pronunciamentos para não irritar mais a oposição.* [Pl.: *-ções.*] [F.: *edulcorar- + -ção.*]

edulcorante (e.dul.co.*ran*.te) *a2g.* **1** Diz-se de substância que edulcora ou adoça; ADOÇANTE *sm.* **2** Substância edulcorante (1); ADOÇANTE: *produtos dietéticos com edulcorantes artificiais.* [F.: *edulcorar + -nte.*]

edulcorar (e.dul.co.*rar*) *v. td.* **1** Tornar doce ao paladar, adicionando açúcar, mel ou outra substância adoçante: *edulcorar o mingau.* **2** *Fig.* Tornar suave, abrandar, amenizar, suavizar: *Tentava edulcorar a voz ao fazer um pedido.* [▶ **1** edulcorar] [F.: Do lat. tard. *edulcorare*. Sin. ger.: *adoçar.*]

⊠ **EEG** *sf. Neur.* Sigla de eletrencefalograma (traçado ou registro obtido pelo eletrencefalógrafo)

efe (e.fe) [é] *sm.* Nome da letra F; fê [Pl.: *efes ou ff.*] [F.: sexta letra do alfabeto lat.,vigésima primeira letra do alfabeto gr.] ▪ **Com todos os ~s e erres** Ver *Com todos os efes e erres*, no verbete *efes e erres*

efebia (e.fe.*bi*.a) [ê; fê] *sf.* **1** A adolescência; a juventude, os moços **2** Antigo colégio de efebos para habilitar-se ao título de cidadão, em Atenas **3** Sistema de educação dos jovens na Grécia antiga em que o Estado se responsabilizava pela transição dos jovens para a idade adulta [F.: *efebo- + -ia¹.*]

efebo (e.*fe*.bo) [ê] *sm.* **1** Rapaz jovem; MANCEBO **2** Aquele que chegou à puberdade [F.: Do gr. *éphebos*, pelo lat. *ephebus.*]

efedrina (e.fe.*dri*.na) [ê] *sf. Farm. Quím.* Alcaloide em forma de substância cristalina, extraído das plantas do gênero *Ephedra*, us. como medicamento contra asma, sinusite etc. [fórmula $C_{10}H_{15}ON$] [F.: Do lat. cient. *Ephedra + -ina.*]

efeito (e.*fei*.to) *sm.* **1** Evento, fenômeno, estado ou condição que ocorre em consequência de uma ação ou de outro evento: *As queimadas têm como efeito a destruição de ecossistemas.* **2** Resultado obtido por algum meio: *O efeito desta poção mágica acaba à meia-noite.* **3** Impressão, sensação produzida por algo: *Suas palavras causaram forte efeito em todos.* **4** Finalidade ou propósito de algo: *Usava roupa cáqui para efeito de camuflagem.* **5** Poder de ação, eficácia: *O governo tomou medidas de grande efeito na economia.* **6** Realização, concretização, efetivação de algo: *A diretoria resolveu levar a efeito o projeto.* **7** Impressão, sensação: *Aquele discurso causou grande efeito e mudou o rumo da campanha.* **8** Aplicação, resultado prático: *Habilitou-se como herdeiro para os efeitos da lei.* **9** *Esp.* Maneira de chutar, arremessar ou bater em uma bola de forma a fazê-la também girar sobre si mesma, o que torna sua trajetória quase imprevisível: *O tenista sacou com efeito.* [F.: Do lat. *effectum.*] ▪ **Armar ao ~** **1** Organizar e executar tarefas, trabalho etc. visando a obter excelente resultado **2** Tentar impressionar, impactar pela aparência **Com ~** Sem dúvida (confirmando consequência verdadeira de fato ou ideia anterior): *Disseram que ela é eficiente. Com efeito, seu trabalho o demonstra.* **~ a pagar** *Com.* Título ou obrigação a ser pago **~ a receber** *Com.* Título ou obrigação a ser cobrado **~ avalancha** *Eletrôn. Fís.* Processo sequencial desencadeado quando uma partícula carregada e acelerada choca-se com moléculas de gás, ionizando-as e liberando novas partículas, que por sua vez se chocam, continuando e ampliando o processo **~ azimutal** *Geof.* Desvio dos raios cósmicos por influência da atração magnética da Terra **~ borboleta** *Fís.* Ocorrência de fenômenos ou modificações importantes, de grande magnitude, por influência de pequenas variações das condições iniciais ou de fatos precedentes [A expressão sugere que o movimento de uma borboleta em determinado lugar do planeta tem influência sobre o surgimento, ou não, de um furacão em outro lugar, muito afastado. Essa sensibilidade a variações é característica de várias equações ou modelos matemáticos, como por exemplo o das mudanças climáticas.] **~ cascata** Série de fenômenos ou modificações que se dão quando, num conjunto de elementos ligados entre si, ou com dependência de uns em relação a outros, um evento inicial tem efeitos que são por sua vez causa de outras modificações em outros elementos, e assim por diante **~ Doppler (-Fizeau)** *Fís.* Aparente variação na frequência de um movimento ondulatório, observável devido ao movimento do observador em relação à fonte geradora da onda **~ estufa** *Met.* O que resulta da absorção e retenção na atmosfera do calor dos raios solares irradiados da superfície terrestre, favorecido pela poluição com gás carbônico e outros poluentes [Sin.: *Lus. Pop. capacete.*] **~ fotelétrico/fotoelétrico** *Fís.* Emissão de elétrons por substâncias expostas a radiação **~ fotovoltaico** *Elet.* Formação de diferença de potencial elétrico (tensão) entre duas camadas de materiais diferentes sobrepostas, quando submetidas a radiação eletromagnética **~ Joule** *Elet. Fís.* Formação de energia térmica (aquecimento) pela passagem de uma corrente elétrica por um condutor **~ Kirlian** Registro, em forma de imagem em superfície fotossensível (fotografia), da ação de um campo elétrico de alta frequência sobre um corpo **~ nocebo** *Farmac.* Piora real ou imaginária no estado de um indivíduo por ação de substância inócua, mas que se crê prejudicial, e motivada principalmente por fatores psicológicos **~ piezoelétrico** **1** *Elet.* Polarização elétrica em certos cristais dielétricos devido à aplicação sobre eles de energia mecânica **2** Diferença de potencial criada entre faces opostas de certos cristais por efeito de sua compressão **~ placebo** Suposta ou real melhora de paciente que tomou placebo, substância inócua mas que se crê tenha efeito terapêutico **~ Sabatier** *Fot.* Aumento da exposição de filme fotográfico à luz para obtenção de certos efeitos; solarização **~s bancários** *Com.* Títulos e/ou valores negociáveis nos bancos **~s especiais** **1** *Cin. Telv.* Truques us. no cinema e na televisão para criar cenas de impacto visual difíceis ou impossíveis de se obter na realidade **2** Esses efeitos, tais como aparecem nas cenas **3** Esses efeitos, tais como percebidos pelos espectadores **~ sobre o estrangeiro** *Com.* Títulos e/ou valores negociáveis em praças estrangeiras **~ túnel** *Eletrôn. Fís.* Passagem de uma partícula (que não teria energia cinética suficiente para isso) por uma barreira de potencial, abrindo nela um 'túnel' **Fazer ~** Ter (aplicação de remédio, ação determinada etc.) resultado, ger. o esperado **Levar a ~** Realizar, pôr em prática; levar a cabo **Para todos os ~s** Para que se tenha um fim desejado, mesmo não sendo a suposta causa verdadeira: *Eles vão anotar minha presença (mesmo não tendo eu ido); para todos os efeitos estive lá.*

efélide (e.*fé*.li.de) *sf. Derm.* Mancha na pele, pardacenta e pigmentada, causada pelo sol; SARDA [F.: Do lat. *ephelis, idis*, 'mancha na pele proveniente do calor',deriv. do gr. *éphelis, ídos* 'sarda'.]

efemérida (e.fe.*mé*.ri.da) *sf. Zool.* Ver *efemeróptero*

efemeridade (e.fe.me.ri.*da*.de) *sf.* Qualidade de efêmero [F.: *efêmero + -(i)dade.*]

efeméride (e.fe.*mé*.ride) *sf.* **1** Acontecimento importante, em certa data **2** Sua comemoração, nessa data **3** *Astron.* Tabela astronômica que registra a posição relativa de um astro ao longo de intervalos regulares de tempo [F.: Do gr. *ephemerís, ídos*, pelo lat. *ephemeris, idis*. Hom./Par.: *efeméride* (sf.), *efemérida* (sf.).]

efemérides (e.fe.*mé*.ri.des) *sfpl.* **1** Diário, Livro, agenda ou caderno em que se registram os acontecimentos de cada dia; DIÁRIO **2** Livro que registra os fatos que ocorreram no mesmo dia do ano em diferentes épocas **3** Obra que enumera os acontecimentos sujeitos a cálculo e previsão durante o ano **4** *Ant.* Título que se dava na Antiguidade a obras que relatam dia por dia a vida de um(a) personagem [F.: Pl. de *efeméride.*]

efêmero (e.*fê*.me.ro) *a.* **1** Que dura pouco (glória efêmera); TRANSITÓRIO [Ant.: *perene.*] **2** Que dura um dia **3** *Bot.* Diz-se da flor que murcha no mesmo dia em que desabrocha **4** *Bot.* Diz-se de planta cujo ciclo de vida é tão curto que pode se repetir algumas vezes num mesmo ano *sm.* **5** Aquilo que dura pouco, que é passageiro, transitório [F.: Do gr. *ephémeros*. Em Bot, pelo lat. cient. *ephemeron.*]

efemeróptero (e.fe.me.*róp*.te.ro) *Zool. a.* **1** Ref. aos efemerópteros *sm.* **2** Espécime dos efemerópteros, ordem de insetos pterigotos de tamanho variado, duas ou três caudas filiformes e asas membranosas; os adultos sobrevivem de horas a uma semana, quando, após anos em forma larvar, emergem de lagos e rios [F.: Do lat. cient. *Ephemeroptera.*]

efeminação (e.fe.mi.na.*ção*) *sf.* **1** Ação ou resultado de efeminar(-se); AFEMEAÇÃO; AFEMINAÇÃO; AFEMINAMENTO **2** Aparência ou modos femininos, ou próprios de mulher: "A delicadeza com que vos acolhe chega a ser carinho, sem efeminação." (Camilo Castelo Branco, *Duas horas de leitura*) **3** *Fig.* Enfraquecimento, debilidade [Ant.: *fortalecimento*] [Pl.: *-ções.*] [F.: *effeminati o, o nis.*]

efeminado (e.fe.mi.*na*.do) *a.* Var. menos us. de *afeminado* [F.: Part. de *efeminar.*]

efeminar (e.fe.mi.*nar*) *v. td.* **1** Tornar(-se) feminino; dar ou adquirir feição, caráter ou aparência feminina; AFEMINAR; FEMINILIZAR: *O excesso de companhia feminina efeminou o garoto; O rapaz efeminou-se.* **2** Tornar(-se) fraco, frágil, nervoso [▶ **1** efeminar] [F.: Do lat. *effeminare.*]

efêndi (e.*fên*.di) *sm.* Senhor entre os turcos, título aplicado primeiramente ao sultão, depois aos altos dignatários, sábios e sacerdotes, posposto ao nome próprio [oposto a *agá*, reservado aos militares.] [F.: Do turco *efendi* < gr. mod. *aphentés* < gr. *authéntes*, 'dono absoluto, mestre, senhor'.]

eferência (e.fe.*rên*.ci.a) *sf.* **1** Característica ou qualidade de eferente **2** Ação ou resultado de transporte ou movimento de dentro para fora **3** *Med.* Condução de sangue, secreção ou impulso do centro para a periferia do corpo (eferência nervular) [F.: Do lat. *efferens, ntis*, part.pres. do v. *effèrre*, 'carregar para fora'; de *ex- + -fero + -ência.*]

eferente (e.fe.*ren*.te) *a2g.* **1** Que conduz, que transporta **2** Que tira e conduz de dentro para fora **3** *Fisl.* No corpo humano, diz-se de canal, vaso, nervo etc. que conduza material ou impulso do centro, ou de um órgão, para a periferia (vaso/nervo eferente) [Popos. a *aferente*.] [F.: Do lat. *efferens, entis*. Hom./Par.: *eferente* (a2g.), *aferente* (a2g.).]

efervescência (e.fer.ves.*cên*.ci:a) *sf.* **1** Evolução de um gás em bolhas no seio de um líquido, quer por diminuição da pressão, como na cerveja e no champanha, quer pela decomposição de um carbonato, como na água de soda **2** Ebulição, fervura **3** *Fig.* Estado de excitação, agitação, comoção (efervescência cultural) [F.: Do lat. *effervescentia*, ou *efervescer + -ência.*]

efervescente (e.fer.ves.*cen*.te) *a2g.* **1** Que apresenta ou produz efervescência (comprimido efervescente) **2** *Fig.* Que apresenta excitação, agitação: *vida social efervescente.* **3** *Fig.* Buliçoso, irascível (gênio efervescente) **4** Agitado, excitado, convulso: *Foi uma sessão efervescente da Assembleia.* [F.: Do lat. *effervescens, entis*, ou *efervescer + -nte.*]

efervescer (e.fer.ves.*cer*) *v. int.* **1** Ficar efervescente (a água efervesceu) **2** *Fig.* Agitar-se, excitar-se, ficar irrequieto: *A torcida efervescia na arquibancada.* [▶ **33** efervescer] [F.: Do lat. *effervescere.*]

efes e erres (e.fes-e-*er*-res) *smpl.* Minúcias, detalhes ▪ **Com todos os ~** **1** De maneira completa e exata **Com** todo o capricho e apuro

efésio (e.fé.si:o) *sm.* **1** Indivíduo nascido ou que vive em Éfeso (Grécia) *a.* **2** De Éfeso; típico dessa cidade ou de seu povo [F.: Do gr. *ephésios*, pelo lat. *ephesius*.]

efetivação (e.fe.ti.va.*ção*) *sf.* Ação ou resultado de efetivar(-se) [+ *como, em*: *Confirmada sua efetivação como gerente; Conseguiu a efetivação no time principal.*] [Pl.: *-ções*.] [F.: *efetivar-* + *-ção*.]

efetivado (e.fe.ti.*va*.do) *a.* Que se tornou efetivo (professores efetivados) [F.: Part. de *efetivar*.]

efetivamente (e.fe.ti.va.*men*.te) *adv.* De modo efetivo, verdadeiramente, de fato; com efeito, realmente [F.: *efetiva* (fem. de *efetivo*) + *-mente*.]

efetivar (e.fe.ti.*var*) *v.* **1** Tornar(-se) efetivo, permanente; dar ou adquirir estabilidade [*td.*: *O jornal efetivará os estagiários.*] [*int.*: *Depois de seis meses os estagiários efetivaram-se.*] **2** Levar a efeito, tornar efetivo: *efetivar medidas; efetivar soluções*. [▶ 1 efetiv**ar**] [F.: *efetivo* + *-ar*². Hom./Par.: *efetivo* (fl.), *efetivo* (a.).]

efetividade (e.fe.ti.vi.*da*.de) *sf.* **1** Qualidade ou estado do que é efetivo; estado ativo de fato (efetividade profissional) **2** Capacidade de produzir um efeito real (efetividade mecânica) **3** Resultado ou efeito verdadeiro; realidade, existência **4** Capacidade ou possibilidade de ser us. para um objetivo (efetividade dos recursos) [Hom./Par. *afetividade*. F.: *efetivo-* + *-(i)dade*.]

efetivo (e.fe.*ti*.vo) *a.* **1** Que é real, verdadeiro, que está em efeito: *Há uma melhora efetiva da educação.* **2** Permanente, fixo (cargo efetivo) **3** Que produz efeito, que tem a capacidade de produzir o efeito desejado, ou programado, ou já habitual; EFICAZ: *A empresa adota medidas efetivas de controle de estoque.* **4** Que realmente está disponível para a função a que se propõe: *Este caminhão tem uma capacidade efetiva de carga de cinco toneladas.* **5** Que realmente funciona, atua, se exerce: *Temos três diretores, mas a direção efetiva cabe ao superintendente. sm.* **6** O que é real, o que existe **7** *Mil.* Número de militares ou de policiais numa unidade, numa formação etc.: *um efetivo de cem soldados.* **8** *Cont.* O ativo líquido de uma empresa **9** *Mil.* O número de militares de que deve, por regulamento, dispor uma formação **10** Número de pessoas que compõem determinado conjunto ou grupo [F.: Do lat. *effectivus*. Hom./Par.: *efetivo* (a.sm.), *efetivo* (fl. de *efetivar*); *efetiva* (fem.), *efetiva* (fl. de *efetivar*).]

efetuação (e.fe.tu.a.*ção*) *sf.* **1** Ação ou resultado de efetuar(-se) **2** Execução, realização; efeituação [Pl.: *-ções*.] [F.: *efetuar-* + *-ção*.]

efetuado (e.fe.tu:*a*.do) *a.* **1** Levado a efeito; realizado, cumprido, executado (acordo efetuado); CONCLUÍDO; PRODUZIDO [Ant.: *iniciado*] **2** Efetivado,consumado (negócio efetuado) **3** Diz-se de operação matemática executada. [F. Part. de *efetuar*.]

efetuar (e.fe.tu.*ar*) *v.* **1** Realizar, levar a efeito; CUMPRIR; EFETIVAR; EXECUTAR [*td.*: *efetuar um pagamento pela internet.*] **2** *Restr.* Fazer (operação matemática) [*td.*: *Arme e efetue as contas.*] **3** Dar-se, cumprir-se, acontecer, transcorrer [*int.*: *Embora houvesse muitos convidados, a cerimônia efetuou-se normalmente.*] **4** Completar, perfazer, atingir (quantia) [*td.*: *Próximo de efetuar o valor do carro, perdeu tudo no jogo.* Ant.: *desfalcar, desinteirar.*] [▶ 1 efetu**ar**] [F.: Do lat. medv. *effectuare*.]

eficácia (e.fi.*cá*.ci:a) *sf.* **1** Qualidade do que é eficaz, capacidade de produzir o efeito desejado ou esperado [Ant.: *ineficácia*.] **2** Capacidade de realização de tarefas com eficiência, com bons resultados [F.: Do lat. *efficacia*.]

eficaz (e.fi.*caz*) *a2g.* **1** Que produz ou realiza aquilo a que se destina (vacina eficaz) [Ant.: *ineficaz*.] **2** Que realiza bem e com eficiência as tarefas que lhe cabem (secretária eficaz); CAPAZ; PRODUTIVO **3** Que contribui, que é útil para que se atinja certo resultado,: *Sua orientação e seus conselhos foram muito eficazes e eu fiz uma boa prova.* [Superl.: *eficacíssimo*.] [F.: Do lat. *efficax, acis*. Sin. ger.: *eficiente*.]

eficiência (e.fi.ci:*ên*.ci:a) *sf.* **1** Ação, força ou capacidade de produzir bem o efeito desejado ou realizar bem tarefas; EFICÁCIA [Ant.: *ineficiência*.] **2** Qualidade ou capacidade (de alguém, um dispositivo, um método etc.) de ter um bom rendimento em tarefas ou trabalhos com um mínimo de dispêndio (de tempo, recursos, energia etc.); PRODUTIVIDADE **3** *Est.* Numa amostra, medida da significação da estimativa de um parâmetro (obtida com divisão da variância da estimativa pela variância de um estimador de máxima eficiência) **4** *Psi.* Relação entre o rendimento e o esforço (quanto maior o rendimento para o menor esforço, maior a eficiência) [F.: Do lat. *efficientia*.] ∎ **~ térmica/termodinâmica** *Fís.* Relação entre o trabalho feito por uma máquina térmica e o calor que ela absorve **~ visual** *Ópt.* Medida us. como referência para compensar lesão ocular, e que considera como parâmetros a acuidade central, o campo visual e a motricidade do globo ocular

eficiente (e.fi.ci:*en*.te) *a2g.* **1** Que consegue o efeito esperado **2** Que realiza bem tarefa, trabalho etc., obtendo bons resultados com um mínimo de dispêndio (tempo, recursos, energia etc.), ou dentro dos padrões aceitáveis **3** Que dispõe de qualidades, recursos, equipamento etc. para realizar certa tarefa ou obter certo resultado em boas condições (com um mínimo de erro, dispêndio, risco etc.) **4** Que, em geral, desempenha suas funções com produtividade e dentro dos padrões e normas exigidos [F.: Do lat. *efficiens, entis*. Sin. ger.: *eficaz*. Ant. ger.: *ineficiente*.]

efígie (e.*fí*.gi:e) *sf.* **1** Representação, ger. em relevo, da imagem de um personagem real ou imaginário ou de uma divindade: *uma moeda com a efígie da República.* **2** Figura, representação de uma pessoa [F.: Do lat. *effigiesi*. Hom./Par.: *efígie* (sf.), *efigie* (fl. de *efigiar*); *efígies* (pl.), *efigies* (fl. de *efigiar*).]

eflorescência (e.flo.res.*cên*.ci:a) *sf.* **1** Formação e surgimento de flor(es) **2** *Bot.* Camada muito fina de cera que reveste certos ramos, folhas e esp. frutos, ger. lhes conferindo um aspecto esbranquiçado, muito comum nas ameixas e uvas; PRUÍNA **3** *Med.* Erupção na pele, exantema **4** *Fig.* Aparecimento, nascimento **5** *Quím.* Processo em que um composto hidratado cristalino perde água formando um depósito em pó nos cristais **6** *Geol.* Depósito cristalino acumulado na superfície do solo ou das rochas por efeito da evaporação das águas [F.: Do lat. *efflorescentia*.]

efluente (e.flu.*en*.te) *a2g.* **1** Que eflui ou emana de algum corpo, de forma imperceptível (energia efluente) **2** Resíduo, rejeito ou corrente de fluido que sai de um motor, equipamento etc. ou de esgotos sanitários: *A Prefeitura obrigará as empresas a fazer o tratamento de seus efluentes.* [F.: Do lat. *effluens,entis*. Hom./Par.: *afluente* (a2g.sm.).]

eflúvio (e.*flú*.vi:o) *sm.* **1** Emanação imperceptível que se desprende de substâncias líquidas ou gasosas; EXALAÇÃO **2** Emanação muito sutil que exalam os corpos organizados **3** *Poét.* Cheiro agradável; AROMA; PERFUME **4** *Oct.* Emanação de energia ou de matéria [F.: Do lat. *effluvium*, pelo fr. *effluve*.]

efluxo (e.*flu*.xo) [cs] *sm.* Corrimento de um líquido para fora de uma cavidade [F.: Do lat. *effluxus*. Hom./Par.: *efluxo* (sm.), *afluxo* (sm.).]

efó (e.*fó*) *sm.* *BA Cul.* Prato típico da culinária baiana, de consistência pastosa, feito à base de taioba e outras verduras, camarão seco, peixe e azeite de dendê [F.: De or. africana.]

éfode (*é*.fo.de) *Rel. sm.* **1** Veste semelhante a um avental, feita de lã azul, roxa e vermelha, linho e fios de ouro, que era us. pelo sumo sacerdote hebreu, e que dava a ele o poder e o direito de falar com Deus e ser ouvido por Ele **2** Placa que se pendurava sobre o peito, us. pelo sumo sacerdote hebreu em cerimônias religiosas, e que continha doze pedras semipreciosas, de cores diferentes, representando as doze tribos de Israel [F.: Do hebr. *aphad*, 'vestir'.]

efusão (e.fu.*são*) *sf.* **1** Ação ou resultado de efundir(-se) **2** *Med.* Escoamento de um líquido ou gás para uma cavidade ou para tecidos do corpo; DERRAMAMENTO **3** *Fig.* Expressão espontânea de sentimentos como afeto, alegria etc.; EXPANSÃO **4** *Fís.* Saída de um gás, através de um pequeno orifício em chapa de metal, quando se separam os constituintes de uma matéria gasosa **5** *Geol.* Escoamento de lava na superfície terrestre [Pl.: *-sões*.] [F.: Do lat. *effusio, onis*, pelo fr. *effusion*.]

efusividade (e.fu.si.vi.*da*.de) *sf.* Característica, qualidade ou condição do que é efusivo, do que é expansivo, espontâneo; EXTROVERSÃO; ESPONTANEIDADE: *a efusividade dos abraços entre os dois amigos.* [F.: *efusivo-* + *-(i)dade*.]

efusivo (e.fu.*si*.vo) *a.* **1** Que manifesta efusão (3) (pessoa efusiva; cumprimento efusivo) **2** Em que há efusão (1, 2) **3** Que se relaciona ou se comunica com naturalidade; COMUNICATIVO; SOCIÁVEL **4** Que se mostra ardoroso, entusiasta, veemente [F.: *efusão* + *-ivo*.]

egéria (e.*gé*.ri:a) *sf.* **1** Mulher que inspira, que aconselha um homem **2** *Fig.* Inspiração [F.: Posv. do lat. *egeria*, pelo fr. *égérie*.]

egesta (e.*ges*.ta) [ê; gé] *sf.* **1** *Fisl. Med.* Matéria não digerida e eliminada do corpo; dejeto, excreto **2** Qualquer substância desnecessária, eliminada pelo organismo [F.: Do lat. *egesta*, pl. neutro de *egestus*, part. de *egerere*, 'lançar para fora'.]

egestão (e.ges.*tão*) [ê; gé] *sf.* **1** *Fisl. Med.* Ação de excretar; excreção, dejeção **2** *Fis. Med.* Eliminação de egesta [Pl.: *-tões*.] [F.: Do lat. *egestionis,e*; *egesta-* + *-ão*³.]

égide (*é*.gi.de) *sf.* **1** *Fig.* Escudo (esp. o de Palas Atenas, deusa grega) **2** *Fig.* O que serve de amparo, defesa, proteção: *Estamos sob a égide da lei.* [F.: Do gr. *aigís, ídos*, pelo lat. *aegis, idis*.]

egípcio (e.*gíp*.ci:o) *sm.* **1** Pessoa nascida ou que vive no Egito (África) **2** *Gloss.* Língua falada no Egito antigo *a.* **3** Do Egito; típico desse país ou de seu povo **4** Do ou ref. ao egípcio (2) **5** *Art.Gr.* Diz-se de certo tipo de letra com traços da mesma espessura e serifas retas [F.: Do gr. *aigyptiakós*, pelo lat. *aegyptiacus*. Sin. (acps. 1 e 3): *egipciaco, egipciano*.]

egiptologia (e.gip.to.lo.*gi*.a) *sf.* Ciência do estudo do Egito antigo e de tudo que é relativo a ele [F.: Do fr. *égyptologie*.]

egiptologista (e.gip.to.lo.*gis*.ta.) *sm.* Especialista ou estudioso de egiptologia [F.: *egiptologia* (do gr. *Aígyptos*, 'Egito' + *-logia*) + *-ista*.]

egiptólogo (e.gip.*tó*.lo.go) *sm.* Indivíduo especializado em egiptologia [F.: Do fr. *égyptologue*.]

eglantina (e.glan.*ti*.na) [ê] *sf.* *BOT.* Designação comum a espécies de roseiras silvestres, do gênero *Rosa*, da ordem das rosales, de flores muito perfumadas, de cabo reto e duro [F.: Do fr. *eglantine*.]

égloga (*é*.glo.ga) *sf.* *Liter.* Ver *écloga*

◎ **-ego** *suf.* = origem, procedência; relação; diminuição (com sentido pej.): *galego, ninhego, burrego* etc. [F.: Do lat. *-aecus, a, um*.]

ego (*e*.go) *sm.* **1** *Psi.* A parte central da personalidade de uma pessoa **2** *Psic.* De acordo com a segunda formulação da teoria psicanalítica freudiana, dimensão do aparelho psíquico humano, constituída a partir das experiências do indivíduo, que exerce a função de seleção e controle dos impulsos e desejos que têm sua origem no id, a dimensão mais profunda e inconsciente da psique humana [Os três formadores da psique são o *id*, o *ego* e o *superego*.] **3** *Fig.* Apreço excessivo pela própria pessoa, ger. associado a uma imagem exageradamente favorável de si mesmo; EGOTISMO [F.: Do lat. *ego*.] ∎ **Massagear o ~ de (alguém)** Fazer (alguém) sentir-se importante, elogiando-o, bajulando-o, mostrando-lhe deferência etc.

◎ **ego-** *el. comp.* = 'eu'; 'ego': *egocentrado, egocêntrico, egodistonia, egofilia, egoico* (< fr.) [F.: Do lat. *ego*, 'eu'.]

egocentrado (e.go.cen.*tra*.do) *a.* **1** *Psi.* O mesmo que *egocêntrico* (1) **2** *Antr.* Diz-se de um sistema de classificação no qual a posição de um indivíduo considerado como referência básica determina diferentes representações do universo social *sm.* **3** O mesmo que *egocêntrico* (3) [F.: *ego-* + *centrado*.]

egocêntrico (e.go.*cên*.tri.co) *a.* **1** Diz-se daquele que toma a si próprio como referência para tudo ou que se preocupa unicamente consigo mesmo; EGOCENTRADO **2** Que denota egocentrismo (comportamento egocêntrico) *sm.* **3** Indivíduo egocêntrico (1); EGOCENTRADO [F.: *ego-* + *-centr(o)-* + *-ico*². Sin. ger.: *egoísta*.]

egocentrismo (e.go.cen.*tris*.mo) *sm.* **1** Qualidade ou característica de egocêntrico; EGOÍSMO **2** Comportamento ou procedimento próprio de indivíduo egocêntrico; EGOÍSMO [F.: *egocêntrico* + *-ismo*, seg. o mod. gr.]

egocentrista (e.go.cen.*tris*.ta) *a2g. s2g.* *Psi.* O mesmo que *egocêntrico* (1 e 3) [F.: *egocentrismo* + *-ista*, seg. o mod. gr.]

egodistonia (e.go.dis.to.*ni*.a) *sf.* *Psi. Psiq.* Perturbação da identidade na qual os desejos ou impulsos de um indivíduo não correspondem à concepção que ele tem de si mesmo [F.: *ego-* + *-dis-* + *(sin)tonia*.]

egodistônico (e.go.dis.*tô*.ni.co) *Psi. Psiq. a.* **1** Ref. a egodistonia *a.* **2** Diz-se de indivíduo que sofre de egodistonia *sm.* **3** Esse indivíduo [F.: *egodistonia* + *-ico*².]

egofilia (e.go.fi.*li*.a) *sf.* *Psi.* Amor egoico; tendência patológica de culto a si mesmo [F.: *ego-* + *-filia*¹.]

egoico (e.*goi*.co) *a.* *Psi.* Ref. ou inerente a ou próprio do ego (estrutura egoica; culto egoico) [Superl.: *egoicíssimo*.] [F.: Do fr. *égoïque*.]

egoísmo (e.go.*ís*.mo) *sm.* **1** Dedicação excessiva que uma pessoa tem por si própria, esquecendo-se de considerar as necessidades e o bem dos outros **2** Exclusivismo de quem toma a si próprio como referência para tudo; EGOCENTRISMO **3** *Fil.* Tendência presente nos seres humanos de levar em conta exclusivamente os próprios interesses em detrimento do cumprimento dos deveres morais para com os outros [F.: Do fr. *e goïsme*; ver *ego* e *-ismo*. Ant. ger.: *altruísmo*. Hom./Par.: *egoísmo* (sm.), *egotismo* (sm.).]

egoísta (e.go.*ís*.ta) *a2g.* **1** Que só pensa em si mesmo **2** Que demonstra ou revela egoísmo (atitude egoísta) *s2g.* **3** Indivíduo egoísta **4** *Bras.* Fone de ouvido [F.: Do fr. *égoïste*. Sin. de 1 a 3: *egocêntrico*. Ant. de 1 a 3: *altruísta*. Hom./Par.: *egoísta* (a2g.s2g.), *egotista* (a2g.s2g.).]

egoístico (e.go.*ís*.ti.co) *a.* **1** Ref. ou inerente a egoísmo **2** Diz-se de quem revela egoísmo ou em quem se manifesta egoísmo **3** Caracterizado pelo egoísmo (postura egoística): "...para se converterem da poesia individual, egoística e estéril, para estoutra poesia mais sólida." (Antônio Feliciano de Castilho, *Outono*) [F.: *egoísta* + *-ico*². Ideia de 'eu': *ego-* (*egolatria*).]

ególatra (e.*gó*.la.tra) *Psi. a2g.* **1** Diz-se daquele que pratica a egolatria *s2g.* **2** Aquele que cultua o próprio eu; praticante da egolatria [F.: *ego-* + *-latra*.]

egolatria (e.go.la.*tri*.a) *sf.* *Psi.* Adoração do próprio eu; amor exagerado por si mesmo; EGOTISMO [F.: *ego-* + *-latria*.]

egomania (e.go.ma.*ni*.a) *sf.* *Psi.* Egoísmo mórbido; excesso patológico de autoestima [F.: *ego-* + *-mania*.]

egomaníaco (e.go.ma.*ní*:a.co) *Psi. a.* **1** Relativo a egomania **2** Diz-se de quem é extremamente egocêntrico; EGÔMANO; EGÓLATRA *sm.* **3** Aquele que é egocêntrico; EGÔMANO; EGÓLATRA [F.: *egomania* + *-aco*.]

egômano (e.*gô*.ma.no) *Psi. a.* **1** Que sofre de egomania; EGÓLATRA; EGOMANÍACO *sm.* **2** Aquele que sofre de egomania; EGÓLATRA; EGOMANÍACO [F.: *ego-* + *-mano*¹.]

egotismo (e.go.*tis*.mo) *sm.* **1** Excesso de apreço, de amor por si mesmo; EGOLATRIA; EGOMANIA **2** Sentimento exagerado da própria personalidade, com escassa consideração pelos sentimentos e opiniões alheias: "... despidos de todo o egotismo, por mais legítimo ou natural que seja..." (Agostinho de Campos, *Fé no Império*) **3** *Lit.* Método literário em que predomina o próprio eu, que é o ponto de referência das reflexões do escritor [F.: Do ing. *egotism*. Hom./Par.: *egoísmo* (s.m.).]

egotista (e.go.*tis*.ta) *a.* **1** Relativo ao egotismo **2** Que tem excesso de apreço pela própria personalidade, que seria o ponto em torno do qual girariam as demais coisas; EGOÍSTA; EGÓLATRA [F.: Do ing. *egotist*. Hom./Par.: *egoísta* (adj.s.2g.).]

egrégio (e.*gré*.gi:o) *a.* **1** Que é muito importante, distinto, insigne; ILUSTRE; INSIGNE: *egrégia instituição de ensino.* [Diz- especialmente de tribunais superiores e de seus juízes.] **2** Admirável, notável [F.: Do lat. *egregius*.]

egrégora (e.*gré*.go.ra) *sf.* Para espiritualistas e afins, força espiritual resultante da soma das energias (físicas, mentais emocionais etc.) de duas ou mais pessoas que se reúnem para obter esse efeito [F.: De or. obsc. posv. do gr.]

egressão (e.gres.*são*) *sf.* Ação ou resultado de sair, de afastar-se [; F.: Do lat. *egressio, onis;* Hom./Par.: *agressão.*]
egressivo (e.gres.*si*.vo) *a.* **1** Que sai, que se afasta **2** *Fon.* Diz-se de som produzido com a corrente de ar expirado [Hom./Par.: *agressivo;* F.: Do lat. *egressus, a, um* + *-ivo.*]
egresso (e.*gres*.so) *a.* **1** Que saiu, que se afastou **2** Que deixou de pertencer a um grupo *sm.* **3** Quem deixou convento ou prisão (após cumprir pena) **4** Saída, retirada [F.: Do lat. *egressus.*]
égua (*é*.gua) *sf.* **1** *Zool.* A fêmea do cavalo [Col.: Col.: *eguada, manada.*] **2** *Fig. Pej.* Pessoa ignorante e/ou grosseira **3** *Bras. Vulg.* Mulher que se prostitui *interj.* **4** *MA PA* Exprime espanto [F.: Do lat. *equa, ae.*] ■ **~ madrinha** **1** *Bras. S.* Égua junto da qual uma manada de cavalos é habituada a pastar, e que ger. tem um cincerro pendurado no pescoço para servir-lhes de guia e referência **2** *Fig.* Pessoa que tem a sua volta outras, das quais é guia e conselheiro **Lavar a ~** **1** *Bras. Esp.* Vencer competição, jogo etc. com grande vantagem **2** Ter grande sucesso em algo, ganhar muito dinheiro **3** Aproveitar ao máximo (situação, oportunidade etc.); saciar-se
eguariço (e.gua.*ri*.ço) *a.* **1** Relativo a égua **2** Muar resultante do cruzamento de égua com burro: "Um burrinho migrou... próprio um asneiro, sem o encorpo rústico dos eguariços" (Guimarães Rosa, *Estas estórias*) **3** *RS* Diz-se de cavalo que na manada segue as éguas **4** *RS* Diz-se de homem mulherengo; FEMEEIRO **5** Diz-se de tratador de éguas e cavalos *sm.* **6** Esse tratador: "Ninguém ignora... a sua predileção pela gente baixa, campinos, eguariços, mendigos" (Júlio Dantas, *Arte de amar*) [F.: Do espn. *yeguarizo.*]
eh *interj.* **1** Us. para animar, estimular alguém: *Eh! Vamos em frente.* **2** Expressa dúvida, indecisão, protesto, prevenção ou admiração: "Eh!... Monjolo mesmo!... Branco não conhece este negrinho da carepa, não!" (José Alencar, *Til*) **3** Us. para fazer andar ou parar os animais: "Dá vontade de os espicaçar como aos bois: Eh! Ruço para diante! Eh! Malhado!" (Eça de Queirós, *Alves & Companhia*) [F.: Do lat. *ehe.* Hom./Par.: *eh* (interj.), *e* [ê] (conj.), *e* (sm.); *é* (fl. de *ser*).] ■ **~ puxa** *RS* Expressão de espanto, decepção, admiração etc.
⊠ **EHF** *Eletrôn.* Sigla do ing. *extremely high frequence* (frequência extremamente elevada)
ei *interj.* **1** Us. para chamar a atenção de alguém: *Ei! Venha aqui!* **2** *MG* Usa-se como cumprimento [F.: De or. expressiva. Hom./Par.: *ei* (interj.), *hei* (fl. de *haver*).]
◎ **-eia** *suf.* = fem. do suf. -eu: *europeia, hebreia etc.*
eia (*ei*.a) *interj.* **1** Us. para estimular, animar, excitar **2** Expressa admiração, espanto, surpresa [F.: Do lat. *eia.*]
◎ **-eidade** *suf. nom.* Ver *-(i)dade: corporeidade, espontaneidade, homogeneidade, idoneidade* (< lat.), *simultaneidade, temporaneidade* [Formador de substv. abstratos conexos com adj. terminados em *-eo.*] [F.: Do suf.lat. *-eitas, -eitatis* < lat. *-eus, -ea, -eum* + lat. *-itas, -itatis.* No vernáculo, esse padrão formacional corresponde ao encontro do suf. de adj. *-eo* (lat. *-eus, -ea, -eum*) – do final do voc. primitivo – com a vogal de ligação lat. *-i-* (= ditongo *-ei-*) mais o suf. *-dade* (lat. *-tas, -tatis*). Ver *-edade.*]
eidética (ei.*dé*.ti.ca) *sf. Fil.* Segundo o filósofo alemão Edmund Husserl (1859-1938), conhecimento filosófico relativo à forma ou à essência das coisas, e não à sua função ou existência empírica, que são estudadas pelas ciências [Hom./Par.: *aidética* (sf. e a.); F.: Do gr. *eidetikós, e, ón.*]
eidético (ei.*dé*.ti.co) *a.* **1** *Fil.* Relativo a essência das coisas, conforme a visão da filosofia fenomenológica **2** Diz-se da imagem que revive uma determinada percepção após um período de latência **3** Diz-se da redução efetuada pela consciência para transformar o percebido ou experimentado em um objeto essencial, qualificado de essência [F.: Do gr. *eidetikós, e,ó n.* Hom./Par.: *aidético* (adj.s.m.).]
◎ **-eima** *suf.* = formador de subst. com valor pej. ou infan: *guleima, toleima etc.*
◎ **-eína** *suf. Quím.* =anidrido em composto orgânico: *fenolftaleína.* [F. variante do suf. *-ina.*]
einstênio (eins.*tê*.ni:o) [ains] *sm. Quím.* Elemento químico artificial de número atômico 99 [Símb.: *Es.*] [F.: Do lat. cient. *einsteinium,* pelo antr. Albert *Einstein.*]
einstênio (eins.*tê*.ni:o) [ains] *sm. Quím.* Elemento químico artificial, o mesmo que *einstêinio* [F.: De (*Albert*) *Einstein* + *-io.*]
◎ **-eira** *suf.* nom. = fem. do suf. *-eiro* [F.: Do lat. *-aria,* mas.: *-arius.*]
eira (*ei*.ra) *sf.* **1** Terreno liso e duro us. para debulhar, trilhar, secar e limpar legumes e cereais **2** Lugar próximo das marinhas onde se junta o sal **3** *Bras.* Pátio contíguo às fábricas de açúcar onde se armazena a cana [F.: Do lat. *area.*] ■ **Sem ~ nem beira** Na miséria
eirada (ei.*ra*.da) *sf.* **1** A quantidade de cereais debulhados na eira por vez: "A partir da segunda eirada, a febre tomara-lhes a gorja..." (Aquilino Ribeiro, *Terras do demo*) **2** Quantidade de cereais ou legumes postos na eira [F.: *eira* + *-ada.*]
eirado (ei.*ra*.do) *sm.* **1** *p.us.* Terraço, cobertura **2** Terreno aberto junto a uma casa de moradia: "As vacas fogem para os fundos do eirado, com os bezerrinhos aos pinotes..." (Guimarães Rosa, *Sagarana*) *a.* **3** *Bras.* Diz-se de suíno em fase de engorda **4** *Lus.* Diz-se do vegetal ressequido por ter ficado muito tempo exposto na eira (1) (castanhas eiradas) [F.: *eira* + *-ado.*]
◎ **-eirão** *suf. nom.* = 'bem grande'; 'que é muito ou extremamente (o que diz a palavra base)'; 'que é dado a fazer (o que diz o rad. v.): *boqueirão, capeirão, espadeirão, lingueirão, poceirão; asneirão, bonacheirão, fraqueirão, largueirão, longueirão, madraceirão, moleirão, parveirão, toleirão; zombeirão* [F.: *-eiro* + *-ão*[1]. A integração de *-eiro* e *-ão* parece ter valor reforçativo, embora o suf. *-eiro* não seja, por natureza, formador de aumentativos (mas, entre outros, de agente); vale notar tb. que em certos casos a integração dos dois suf. parece resultar de um princípio de eufonia.]
◎ **-eiro** *suf.* **1** = 'profissão', 'atividade' (relacionado a tipo de ação, produto, cuidado com animal, meio de transporte etc.): *alcoviteiro, fofoqueiro, relojoeiro, sapateiro, cocheiro, boiadeiro, vaqueiro, ferreiro, gondoleiro* **2** = (que maneja) 'arma', 'instrumento', 'ferramenta' etc.: *torneiro, pistoleiro, fuzileiro* **3** = 'estabelecimento em que trabalha ou do qual é dono': *hoteleiro, estalajadeiro, banqueiro, açougueiro* **4** = 'árvore que dá certo fruto': *abacateiro, limoeiro, pessegueiro*
eis *adv.* Aqui está; olhe aqui: *Eis o troféu que tanto buscavam.* [F.: De or. contrv. Hom./Par.: *eis* (adv.), *heis* (fl. de *haver*).] ■ **~ que/quando** Subitamente: *Mas eis que, para surpresa geral, ele apareceu.* **~ senão quando** De repente, subitamente
eito (*ei*.to) *sm.* **1** *Bras.* Plantação onde os escravos trabalhavam **2** Série de coisas alinhadas **3** *Bras.* Limpeza de roça ou terreno usando enxada, foice etc. **4** *Bras. Fig.* Trabalho intenso [F.: Do lat. *ictus.*] ■ **A ~** Seguidamente, a fio **Tirar de ~** *N.E.* Vencer com grande margem
eiva (*ei*.va) *sf.* **1** Rachadura ou fenda em vidro, porcelana, cerâmica etc. **2** Mancha que indica o início do apodrecimento de um fruto **3** *Fig.* Defeito moral ou físico de uma pessoa **4** *Agr.* Estado do campo molhado que, sendo lavrado, fica coberto de terra seca revolvida pelo arado [F.: De or. obsc. Hom./Par.: *eiva* (sf.), *eiva* (fl. de *eivar*).]
eivado (ei.*va*.do) *a.* Que se encontra contaminado, maculado, infectado: *O relatório estava eivado de falhas.* [F.: Part. de *eivar.*]
eivar (ei.*var*) *v.* **1** Manchar, enodoar, sujar [*td.*: *eivar uma camisa*] **2** *Fig.* Tirar a pureza ou perdê-la; CORROMPER; MACULAR; PERVERTER [*td.*: *A compulsão de mentir eiva o seu caráter.*] [*int.*: *Eiva-se o homem à medida que perde o senso de justiça.*] **3** Começar a apodrecer [*int.*: *As frutas eivaram-se depois de horas no sol.*] **4** Rachar-se (vidro, louça) [*int.*: *Duas taças eivaram-se no transporte.*] [▶ 1 eivar] [F.: *eiva* + *-ar*[2].]
eixo (*ei*.xo) *sm.* **1** Reta imaginária ou haste real que passa pelo centro de um corpo e em torno do qual esse corpo executa movimentos rotatórios: *eixo de rotação da Terra; eixo de uma engrenagem.* **2** Linha imaginária que divide um corpo em partes simétricas ou equilibradas: *o eixo do corpo humano.* **3** *Mec.* Barra longa e cilíndrica, em cujas extremidades se fixam as rodas de um veículo ou máquina **4** *Mec.* Barra de um conjunto mecânico à qual se articulam peças que giram ou se movimentam impelidas por sua rotação **5** Reta imaginária entre dois pontos geográficos que serve de referência às áreas a ela vizinhas (eixo Rio-São Paulo) **6** *Fig.* Aliança formal ou informal entre nações que comungam dos mesmos propósitos ou interesses: *O eixo Paris-Berlim determina os rumos da União Europeia.* **7** *Fig.* A ideia central, o ponto mais importante: *Esse conceito é o eixo de sua filosofia.* **8** *Fig.* Apoio, suporte, esteio **9** *Geom.* Reta comum a planos de um feixe que se entrecortam **10** *Bot.* A parte do vegetal em que se desenvolvem os órgãos apendiculares **11** *Hist.* Aliança estabelecida entre a Alemanha (no regime nazista) e a Itália (no regime fascista) [Nesta acp. com inicial maiúscula.] **12** *Hist.* Essa aliança com a adesão do Japão, durante a Segunda Guerra Mundial [Nesta acp. com inicial maiúscula.] [Dim.: *axículo.*] [F.: Do gr. *axon,* pelo lat. *axis.* Ideia de 'eixo': *axi-* (*axial*).] ■ **~ cartesiano** **1** *Geom.an* Qualquer das duas retas perpendiculares que formam o sistema cartesiano no plano, no qual a posição de um ponto é representada por um par de números reais que expressam a sua distância a cada uma dessas duas retas [A distância do ponto ao eixo horizontal chama-se ordenada, e a distância ao eixo vertical chama-se abscissa. O eixo vertical, onde se projeta a ordenada, chama-se eixo das ordenadas, ou dos *y*, e o eixo horizontal eixo das abscissas, ou dos *x.*] **2** Qualquer das três retas formadas pela interseção de três planos perpendiculares, e que formam o sistema cartesiano tridimensional, no qual a posição de um ponto no espaço é expresso pela distância do ponto no espaço a cada um dos três planos [Além da distância aos eixos cartesianos dos *x* e dos *y* no sistema plano, acrescenta-se a distância ao terceiro plano, que é projetada no eixo dos *z.*] **~ coordenado** *Geom.an.* Qualquer eixo us. na representação de um ponto por sistema de coordenadas; eixo de coordenadas **~ cristalográfico** *Min.* Linha imaginária que atravessa um cristal passando pelo centro, em coincidência ou não com o eixo de simetria **~ da esfera celeste** *Astron.* Ver *Eixo do mundo* **~ de coordenadas** *Geom.an.* Ver *Eixo coordenado* **~ de simetria** *Geom.* Reta imaginária em relação à qual para cada ponto de uma figura geométrica existe um ponto simétrico na mesma figura **~ do equador** *Astron.* Reta perpendicular ao plano do equador, e que passa por um ponto que é origem de um sistema de coordenadas equatoriais **~ do mundo** *Astron.* Reta imaginária paralela ao eixo de rotação da Terra, e que passa por um observador na superfície da Terra, em torno da qual a esfera celeste parece executar o movimento de rotação diurno; eixo da esfera celeste **~ geomagnético** *Geof.* Eixo imaginário que passa pelo centro da Terra, perpendicularmente ao plano médio dos pontos do equador magnético **~ óptico** **1** *Ópt.* Reta que passa nos pontos principais e centros ópticos dos componentes de um instrumento óptico **2** Num cristal birrefringente, direção na qual um raio luminoso que incide sobre ele não se divide em dois no processo de refração **~ transverso** *Astr.* Distância máxima possível entre duas posições de um astro em sua órbita (apsides), equivalente ao semieixo maior nas órbitas elípticas **Entrar nos ~s** **1** *Fig.* Voltar/passar a comportar-se ajuizadamente, de acordo com as normas etc.: *Depois de um período de muita indisciplina, ele entrou de novo nos eixos.* **2** Normalizar-se, voltar ao normal: *A confusão era grande, mas com as medidas adotadas tudo entrou nos eixos.* **Fora dos ~s** *Fig.* Fora do estado normal, descontrolado, desequilibrado **Pôr/botar nos ~s** *Fig.* Regularizar, pôr em ordem (negócio, projeto, assunto etc.) **Sair dos ~s** *Fig.* Deixar de comportar-se ajuizadamente, de acordo com as normas etc.
ejaculação (e.ja.cu.la.*ção*) *sf.* **1** Ação de ejacular **2** *Fisl.* Emissão de esperma no orgasmo masculino **3** Emissão, derramamento com força (de qualquer líquido); JATO **4** Emissão, jato (de qualquer coisa, como luz, pólen etc.) **5** *Fig.* Abundância de palavras; ARRAZOADO [Pl.: *-ções.*] [F.: Do fr. *éjaculation.*] ■ **~ precoce** *Urol. Psiq* Ejaculação do sêmen pelo homem logo após o início da relação sexual **~ tardia** *Urol. Psiq.* Ejaculação do sêmen pelo homem muito além do tempo considerado normal
ejacular (e.ja.cu.*lar*) *v.* **1** Lançar esperma [*int.*] **2** Lançar (líquido) de si [*td.*] **3** *Fig.* Proferir, emitir (palavras, impropérios) [*td.*: *ejacular insultos.*] [*tdi.* + *a*: *ejacular insultos ao auditório.*] [▶ 1 ejacular] [F.: Do lat. *ejaculare,* pelo fr. *éjaculer.*]
ejaculatório (e.ja.cu.la.*tó*.ri:o) *a.* **1** Ref. à ejaculação **2** Que contribui para a ejaculação (músculos ejaculatórios) [F.: Do fr. *éjaculatoire.*]
◎ **-ejar** *el. comp.* = -ear [Term. us. em v. da 1ª. conj.: a) v. de f. distintas: *azulejar, desejar* etc.; b) v. de cunho frequentativo: *alvejar, farejar, velejar* etc.]
ejeção (e.je.*ção*) *sf.* Ação ou resultado de ejetar, expelir, expulsar [Pl.: *-ções.*] [F.: Do lat. *ejectio, onis.* Tb. *ejecção.*]
ejecção (e.jec.*ção*) *sf.* Ver *ejeção*
ejectado (e.jec.*ta*.do) *a.* Ver *ejetado*
ejectável (e.jec.*tá*.vel) *a2g.* Ver *ejetável*
ejector (e.jec.*tor*) [ô] *a.sm.* Ver *ejetor*
ejetado (e.je.*ta*.do) *a.* Que foi expelido, jogado para fora [F.: Part. de *ejetar.* Tb. *ejectado.*]
ejetar (e.je.*tar*) *v. td.* Fazer a ejeção ou expulsão de; EXPULSAR; EXPELIR: *Antes da explosão, o piloto conseguiu ejetar-se e caiu no mar:* "Os olhos parece que de um instante para o outro iam ser ejetados das órbitas." (Aquilino Ribeiro, *D. Sebastião*) [▶ 1 ejetar] [F.: Do lat. *ejectare.*]
ejetável (e.je.*tá*.vel) *a2g.* Que pode ser ejetado: *O piloto escapou da morte graças ao assento ejetável.* [Pl.: *-veis.*] [F.: *ejetar* + *-vel.* Tb. *ejectável.*]
ejetor (e.je.*tor*) [ô] *a.* **1** Que ejeta (canal ejetor; mola ejetora) *sm.* **2** *Arm.* Mecanismo das armas de fogo que faz saltar os cartuchos detonados **3** *Mec.* Mecanismo para retirar sob pressão a água de um reservatório, um fluido de um compartimento **4** *Tip.* Expulsor (2) [F.: Do fr. *éjecteur.* Tb. *ejector.*]
◎ **-ejo** *suf.* = pequeno, diminuto; tb. us. em alguns gentílicos: *lugarejo, vilarejo etc.; colarejo.* [Form. de subst. com valor dim.]
◎ **-ela** *suf.* = pequeno; rápido: *ruela, viela; escovadela etc.* [Formador de subst. com valor dim. ou indicando ação superficial.]
ela (*e*.la) *pr.pess.* **1** Fem. de *ele sf.* **2** *Bras. Pop.* Aguardente de cana; CACHAÇA [F.: Do lat. *illa.*] ■ **~(s) por ~(s)** **1** *Bras. Pop.* Expressa alternativa de escolha entre coisas iguais **2** Expressa retribuição de favor, dano, ato amigo ou não, na mesma moeda, na mesma medida **Agora/aí é que são ~s** Aí é que está o problema, agora é que a coisa se complica
elã (e.*lã*) *sm.* **1** Energia, entusiasmo com que alguém realiza uma certa atividade: *Ela discursou com um tal elã, que convenceu a todos.* **2** Arrebatamento repentino; IMPULSO **3** Rasgo de imaginação; INSPIRAÇÃO [F.: Do fr. *élan.* Muitos consideram o termo um galicismo, perfeitamente substituível por 'arrebatamento', 'entusiasmo', 'impulso' etc.]
elaboração (e.la.bo.ra.*ção*) *sf.* **1** Ação ou resultado de elaborar, produzir **2** Preparação lenta e minuciosa de algo **3** Processo de formulação e concepção de ideias que levam a produzir livro, teoria, obra de arte etc.: *A elaboração do sistema custou-lhe várias décadas.* **4** *Fisl.* Preparação vital de substâncias necessárias ao organismo a partir de outras substâncias (como alimento, p.ex.) [Pl.: *-ções.*] [F.: Do lat. *elaboratio, onis.*] ■ **~ psíquica** *Psic.* Ordenação em estrutura lógica das excitações que agem sobre a psique. **~ secundária** Ordenação dos elementos de um sonho para dar-lhe um sentido compreensível
elaborado (e.la.bo.*ra*.do) *a.* **1** Que foi feito com cuidado, com esmero (sobremesa elaborada) *a.* **2** Que apresenta alto grau de sofisticação ou complexidade (melodia elaborada, pensamento elaborado) **3** Concebido ou criado (conceito, ideia, produto etc.) a partir de elementos mais simples [F.: Part. de *elaborar.*]
elaborar (e.la.bo.*rar*) *v.* **1** Preparar gradual e cuidadosamente [*td.*: *elaborar um plano.*] **2** Tornar mais complexo ou profundo [*td.*: *Preciso elaborar mais minha redação.*] **3** Fazer passar (alimento) por modificação, de modo a ser

assimilado pelo organismo [*td.*: *O estômago elabora os alimentos.*] **4** Ser formado, criado [*Int.*: *A seiva elabora-se nas folhas.*] [▶ 1 elaborar] [F.: Do lat. *elaborare*. Hom./Par.: *elaboráveis* (fl.), *elaboráveis* (pl. de *elaborável* [a2g.]).]

elaborável (e.la.bo.*rá*.vel) ***a2g.*** Que se pode elaborar [Pl.: *-veis.*] [F.: *elaborar* + *-vel*. Hom./Par.: *elaboráveis* (pl.), *elaboráveis* (fl. de *elaborar* [v.]).]

◎ **elaf(o)-** ***el. comp.*** = 'veado'; 'cervo': *elafoglosso* (< lat. cient.), *elafografia* [F.: Do gr. *élaphos, ou.*]

◎ **elai(o)-** ***el. comp.*** Ver *ele(o)-*. ⊕ **élan** (*elã*) ***sm.*** Ver *elã*

◎ **-elasma** ***el. comp.*** Ver *elasm(o)-*

◎ **elasm(o)-** ***el. comp.*** = 'lâmina'; 'placa': *elasmobrânquio* (< lat. cient.), *elasmossauro* (< lat. cient.), *elasmotério* (< lat. cient.); *xantelasma* [F.: Do gr. *élasma, atos*, ou de *elasmós, oû.*]

elasmobrânquio (e.las.mo.*brân*.qui:o) *Zool.* ***sm.*** **1** Espécime dos elasmobrânquios, subclasse dos peixes condrictes, que inclui tubarões, cações e raias ***a.*** **2** Ref. ou pertencente aos elasmobrânquios [F.: Adaptç. do lat. cient. *Elasmobranchii*; ver *elasm(o)-* e *-brânquio.*]

elasmossauro (e.las.mos.*sau*.ro) ***sm.*** *Pal.* Nome comum a dinossauros marinhos do gên. *Elasmosaurus*, de até 13 m. de altura, que habitaram a costa da América do Norte durante o cretáceo [F.: Do lat. cient. *Elasmosaurus*; ver *elasm(o)-* e *-sauro.*]

elasmotério (e.las.mo.*té*.ri:o) ***sm.*** *Pal.* Nome comum aos mamíferos do gên. *Elasmotherium*, de grandes rinocerontes extintos do plistoceno da Sibéria e da Rússia meridional [F.: Do lat. cient. *Elasmotherium*; ver *elasm(o)-* e *-tério*[2].]

elastano (e.las.*ta*.no) ***sm.*** **1** Fibra sintética extremamente elástica **2** O tecido feito com esse tipo de fibra [F.: *elast(o)-* + *-ano*[1].]

elastecer (e.las.te.*cer*) ***v.*** *Bras. N.E.* Estender(-se), esticar(-se), como se tivesse elasticidade [*td.*: *A aplicação constante do ferro elétrico elasteceu o lençol; O lenço elasteceu-se.*] [*int.*: *A camisa elasteceu.*] [▶ 33 elastecer] [F.: *elast(o)-* + *-ecer.*]

elastecimento (e.las.te.ci.*men*.to) ***sm.*** *Bras.* Ação ou resultado de elastecer(-se), de distender(-se) ou dilatar(-se) [F.: *elastecer* + *-imento.*]

elastério (e.las.*té*.ri:o) ***sm.*** **1** *Fís.* O mesmo que *elasticidade* **2** *Fig.* Energia ou força moral [F.: *elast(o)-* + *-ério.*]

elasticidade (e.las.ti.ci.*da*.de) ***sf.*** **1** *Fís.* Propriedade que um corpo tem de se deformar e voltar à sua forma original **2** Qualidade ou característica própria de quem tem os membros do corpo especialmente flexíveis: *Os ginastas olímpicos têm muita elasticidade.* **3** *Fig.* Falta de senso moral; DOBLEZ **4** *Econ.* Relação de flexibilidade, para mais ou para menos, entre o percentual de oferta e o percentual do preço estipulado para certo produto ou serviço [F.: Do fr. *élasticité*, do lat. cient. *elasticitas, atis*, forjado a partir do lat. cient. *elasticus.*]

elástico (e.*lás*.ti.co) ***a.*** **1** Que pode ser esticado, comprimido ou curvado, e retorna à forma primitiva após cessação da força que deforma (corda elástica) **2** *Fig.* Que possui flexibilidade, agilidade **3** *Fig.* Que é flexível a ponto de se alterar de acordo com as circunstâncias: *Suas ideias são elásticas.* **4** *Fig.* Que é condescendente (temperamento elástico) ***sm.*** **5** Anel fino de borracha, us. para envolver objetos **6** Tecido feito com fios emborrachados, us. na fabricação de cintas, suspensórios, ligas etc. **7** *Bras. Fut.* Drible em que o jogador leva a bola com o lado externo do pé e a traz de volta, num movimento rapidíssimo [F.: Do fr. *élastique*, do lat. cient. *elasticus*, forjado a partir do gr. *élastos*, ver *elast(o)-*.]

elastina (e.las.*ti*.na) ***sf.*** *Bioq.* Proteína fibrosa, principal constituinte do tecido conjuntivo elástico [F.: *elast(o)-* + *-ina*[2].]

◎ **elast(o)-** ***el. comp.*** = 'que tem a capacidade ou propriedade de retornar à forma primitiva depois de comprimido ou estirado'; 'essa capacidade ou propriedade': *elastano, elastecer, elástico* (< lat. cient.), *elastina, elastômero* [F.: Do gr. tard. *elastés* ou *elastós*, var. de *elatós, é, ón*, 'que se pode estirar sem se romper'; 'flexível'.]

elastômero (e.las.*tô*.me.ro) ***sm.*** *Quím.* Polímero, natural ou sintético, de propriedades físicas semelhantes às da borracha, como extensibilidade e recuperação elástica [F.: *elast(o)-* + *-mero.*]

elaterídeo (e.la.te.*rí*.de:o) *Zool.* ***sm.*** **1** Espécime dos elaterídeos, fam. de besouros com cerca de 7.000 espécies, ger. de cor negra ou marrom, entre os quais se encontram os vagalumes e os besouros saltadores ***a.*** **2** Ref. ou pertencente aos elaterídeos [F.: Adaptç. do lat. cient. *Elateridae.*]

eldorado (el.do.*ra*.do) ***sm.*** **1** Local fictício, de riquezas abundantes, que alguns exploradores acreditavam existir na América do Sul **2** *Fig.* Lugar que oferece muitas oportunidades de prosperidade [F.: Do espn. *el dorado*, top. cunhado por Orellana.]

ele[1] (*e*.le) [ê] ***pr.pess.*** **1** Indica a pessoa ou assunto de que se fala e funciona como sujeito: *Ele mora longe.* **2** Us. em complementos preposicionados: *Você conversou com ele?* **3** *Pop.* Us. no lugar dos pronomes *o* e *lhe*: *Diga a ele que chego às cinco; Traga ele aqui.* [Este uso pertence mais a uma fase já ultrapassada da língua, sendo considerado não culto, a não ser em determinados casos, com o uso da preposição *a* (objeto direto preposicionado: *ele não me quer, nem eu a ele.*) Tb. se usa (raramente) como sujeito imaginário de um verbo impessoal: *O dia hoje está péssimo, ele chove sem parar.*] [F.: Do lat. *ille.*] ▪ **Como ~ só** Usa-se para dar ênfase ao que se diz de algo ou alguém, ou para expressar (com ou sem exagero) que alguém ou algo é único, singular quanto a certa característica, ação, comportamento, etc.; que só ele: *É preguiçoso como ele só.* **Que só ~** Ver *Como ele só*: *É ingênuo que só ele, acredita em tudo que lhe dizem.* [Us. com sentido equivalente a 'muito', para reforçar o adjetivo usado para se referir a alguém ou algo.]

ele[2] (*e*.le) [é] ***sm.*** O nome da letra *L* ou *l*, ou do sinal gráfico que representa essa letra [Pl.: *eles*. Há tb. o plural *ll*, gráfico.]

eleata (e.le.*a*.ta) ***s2g.*** **1** Pessoa nascida ou que viveu em Eleia, antiga cidade grega situada na Itália meridional (Magna Grécia), eleate **2** *Fil.* Seguidor ou partidário do eleatismo ***a2g.*** **3** Relativo a Eleia (Magna Grécia); ELEÁTICO **4** *Fil.* Relativo ao eleatismo ou que é seu seguidor [F.: Do fr. *éléate*, deriv. do lat. *eleates, ae*, e este do gr. *eleátes.*]

eleate (e.le.*a*.te) ***a2g.*** **1** Relativo a Eleia ***s2g.*** **2** Aquele que habitou a Eleia, eleata [F.: Ver *eleata.*]

electrão (e.lec.*trão*) ***sm.*** *Lus. Fís.* Ver *elétron* [Pl.: *-trões.*]

◎ **electri-** ***el. comp.*** Ver *eletr(o)-*

◎ **electr(o)-** ***el. comp.*** Ver *eletr(o)-*

electro[1] (e.*lec*.tro) ***sm.*** *Med.* Ver *eletro*[1]

electro[2] (e.*lec*.tro) ***sm.*** *Med.* Ver *eletro*[2]

electro[3] (e.*lec*.tro) ***sm.*** Ver *eletro*[3]

elefante (e.le.*fan*.te) ***sm.*** **1** *Zool.* Denominação comum aos mamíferos de grande porte, da fam. dos elefantídeos com tromba e longas presas de marfim, grandes orelhas, com duas spp. encontradas uma na Ásia (*Elephas maximus*), outra na África (*Loxodonta africana*) **2** *Bras. Pej.* Pessoa obesa [F.: Do gr. *eléphas -antos*, pelo lat. *elephas -antis. Denota preconceito.*] ▪ **~ branco** Coisa que traz problemas ou dá trabalho, sem ter grande utilidade ou importância prática

elefante-marinho (e.le.fan.te-ma.*ri*.nho) ***sm.*** *Zool.* Nome comum a duas espécies de focas de grande porte (gên. Mirounga), ambas dotadas de focinho que se alonga numa espécie de tromba e membros posteriores em forma de remo; ELEFANTE-DO-MAR [Pl.: *elefantes-marinhos.*]

elefantíaco (e.le.fan.*tí*:a.co) ***a.*** **1** *Med.* Que contraiu elefantíase ***sm.*** **2** Portador dessa enfermidade [F.: *elefantíase* + *-ico.*]

elefantíase (e.le.fan.*tí*.a.se) ***sf.*** **1** *Med.* Doença crônica causada por falta de circulação linfática, com grande hipertrofia da pele e do tecido celular adiposo, especialmente nas pernas (o que aumenta sua espessura) e na genitália externa **2** *Med.* Espessamento e hipertrofia de tecido, esp. da pele [F.: Do gr. *elephantíasis*, pelo lat. *elephantiasis.*]

elefântico (e.le.*fân*.ti.co) ***a.*** Ref. a elefante, elefantino [F.: *elefante* + *-ico.*]

elefantino (e.le.fan.*ti*.no) ***a.*** **1** Ref. a ou próprio de elefante (paciência elefantina) **2** Ref. a elefantíase **3** Que é de marfim, ou comparável ao marfim (liso e banco); EBÚRNEO [F.: Do lat. *elephantinus*, deriv. do gr. *elephántinos.*]

elegância (e.le.*gân*.ci:a) ***sf.*** **1** Qualidade de quem revela graça na maneira de ser, no porte, no trajar etc.: *Ela mantém a elegância em qualquer situação.* **2** Bom gosto na escolha da roupa e no modo de usá-la **3** Demonstração de cortesia: *Trata as mulheres com muita elegância.* **4** Gosto estético apurado: *A decoração da casa revela a elegância da anfitriã.* **5** Fineza e graça na escolha de palavras e expressões: *Suas cartas demonstram uma inigualável elegância de estilo.* [F.: Do lat. *elegantia.*]

elegante (e.le.*gan*.te) ***a2g.*** **1** Que se veste com bom gosto (professor elegante) **2** Que se movimenta ou se comporta de maneira graciosa, harmônica (dançarino elegante) **3** Que revela requinte, gosto estético apurado: "A sala da casinha era simples e pequena, mas muito elegante..." (Aluísio Azevedo, *O cortiço*) **4** Que demonstra ter boa educação, distinção, correção em suas atitudes **5** Diz-se de local frequentado por pessoas requintadas: *Fomos a um restaurante elegante.* **6** Que realiza sua função ou resolve um problema de maneira simples, jeitosa, estética etc.: *Achou uma solução elegante para o projeto gráfico.* [F.: Do lat. *elegans, antis.*]

eleger (e.le.*ger*) ***v.*** **1** Escolher mediante votação [*td.*: *O povo elegerá hoje os novos governadores.*] [*tdp.*: *Os associados o elegeram presidente do clube.*] **2** Manifestar preferência por (algo ou alguém, entre dois ou mais); ESCOLHER [*td.*: *A revista elegeu as melhores músicas do ano.*] [*tdp.*: "...quando o capiau faz para si a casinha, terra a terra, elege como sítio o batido limpo dos malhadores..." (João Guimarães Rosa, *Ave palavra*)] **3** Mudar de (cidade, residência) [*td.*] [▶ 35 eleger Part.: *elegido, eleito.*] [F.: Do lat. *eligere.*]

elegia (e.le.*gi*.a) ***sf.*** **1** *Poét.* Poema grego ou latino composto de hexâmetros e pentâmetros alternados **2** Pequeno poema lírico, ger. de tom melancólico **3** *Mús.* Canção triste, lamentosa [F.: Do lat. *elegia* ou *elegea*. Hom./Par.: *elegia* (fl. de *eleger.*).]

elegíaco (e.le.*gí*:a.co) ***a.*** **1** Rel. a elegia **2** Que expressa lamento, tristeza: "Maior dever me corre de ser sisudo, elegíaco e espantador de paixões." (Camilo Castelo Branco, *Mulher fatal*) **3** Que chora muito ***sm.*** **4** Que chora muito, chorão [F.: Do lat. *elegiacus, a, um.*]

elegibilidade (e.le.gi.bi.li.*da*.de) ***sf.*** Qualidade ou condição do que ou de quem é elegível, que pode ser eleito [F.: Do fr. *éligibilité.*]

elegível (e.le.*gí*.vel) ***a2g.*** Que pode ser eleito [Pl.: *-veis.*] [F.: Do lat. *eligibilis*, pelo fr. *éligible.*]

eleição (e.lei.*ção*) ***sf.*** **1** Ação ou resultado de eleger **2** *Pol.* Escolha, por meio de votos, de pessoa para ocupar um cargo, público ou privado (eleição presidencial): *Hoje é a eleição para a diretoria do clube.* **3** Preferência, escolha, predileção [Pl.: *-ções.*] [F.: Do lat. *electio, onis.*] ▪ **~ direta** Forma de eleição na qual o eleitor vota diretamente num candidato [Tb. apenas *direta.*] **~ indireta** Forma de eleição na qual os votos aos candidatos (ger. à presidência e vice-presidência da República) são dados por um Colégio Eleitoral [Tb. apenas *indireta.*]

📖 A eleição pelos cidadãos de seus representantes é a forma elementar de realização da democracia. Basicamente, de acordo com regulamentações específicas de cada país, estado, associação etc., todo cidadão é um eleitor e pode ser eleito. No Brasil, na área pública, realizam-se eleições periódicas (ger. de 4 em 4 anos) para os legislativos municipal (câmaras de vereadores), estadual (assembleias legislativas) e federal (câmara de deputados e senado) e para os executivos municipal (prefeitura), estadual (governo do estado) e federal (presidência da República). Um setor específico do judiciário, a justiça eleitoral, cujo órgão máximo federal é o Tribunal Superior Eleitoral, organiza e controla as eleições, realizadas em quase todo o país por meio de urnas eletrônicas.

eleito (e.*lei*.to) ***a.*** **1** Que foi escolhido por meio de eleição: *O prefeito eleito saudou a multidão.* **2** Que foi escolhido, preferido ***sm.*** **3** Pessoa que ganhou uma eleição: *Os eleitos deram-se as mãos e cantaram o hino.* **4** *Fig.* Aquele que é o preferido: *O caçula é o eleito da mãe.* [F.: Do lat. *electus.*]

eleitor (e.lei.*tor*) [ô] ***a.*** **1** Que elege ou que tem o direito de eleger (cidadãos eleitores) ***sm.*** **2** Pessoa que elege ou que tem o direito de eleger: *Os eleitores expressaram sua indignação.* [F.: Do lat. *elector, oris.*] ▪ **~ de cabresto** Aquele que, numa eleição, vota segundo a orientação de outrem, de quem depende economicamente, ou por outro tipo de vínculo de interesses, por submissão, ou por medo

eleitorado (e.lei.to.*ra*.do) ***sm.*** **1** Conjunto formado pelos eleitores de uma região, cidade, estado, país etc. **2** O direito de eleger, dignidade de eleitor [F.: *eleitor* + *-ado*[2].] ▪ **Conhecer o seu ~** *Fam.* Conhecer (características, qualidades, defeitos etc.) da(s) pessoa(s) com quem se está lidando: *Não levo a sério as promessas dele, conheço o meu eleitorado.*

eleitoral (e.lei.to.*ral*) ***a2g.*** **1** Ref. a eleição (regras eleitorais) **2** Ref. a eleitor ou a seu direito de eleger (curral eleitoral) [Pl.: *-rais.*] [F.: *eleitor* + *-al*[1].]

eleitoralismo (e.lei.to.ra.*lis*.mo) ***sm.*** Orientação de programa e posições políticas segundo considerações puramente eleitoreiras (de partido político, governo etc.) [F.: *eleitoral* + *-ismo.*]

eleitoralista (e.lei.to.ra.*lis*.ta) ***a2g.*** Rel. a ou que atua segundo as práticas do eleitoralismo, eleitoreiro [F.: *eleitoral* + *-ista.*]

eleitoreiro (e.lei.to.*rei*.ro) ***a.*** *Pej.* Que visa a atrair votos do eleitorado, sem preocupação com os reais interesses da sociedade (discurso eleitoreiro) [F.: *eleitor* + *-eiro.*]

elementais (e.le.men.*ta*.is) *Oct.* ***smpl.*** **1** Espíritos que supostamente habitam os quatro elementos, e que podem exercer boa ou má sorte sobre os seres vivos **2** Supostos agentes astrais que fixam imagens errantes, dando vida às coisas imaginadas [F.: Do fr. *élémentals* ou *élémentaux.*]

elementar (e.le.men.*tar*) ***a2g.*** **1** Que é simples em sua composição ou funcionamento (operação elementar) **2** Ref. às noções primárias de qualquer forma de conhecimento: *lei elementar da mecânica.* **3** *Pedag.* Ref. ao ensino básico ministrado nas escolas públicas e particulares que desenvolve noções de escrita e leitura (alfabetização) e noções de matemática e ciências sociais **4** Que é de fácil entendimento (fato elementar) **5** Ref. a ou pertencente a elemento ***sf.*** **6** *Jur.* Fato, pormenor, circunstância etc. que integra a definição legal de um crime [F.: *elemento* + *-ar*[1].]

elementaridade (e.le.men.ta.ri.*da*.de) ***sf.*** Qualidade do que é elementar; ELEMENTARISMO: "Estabelecendo uma elementaridade das ciências acessível a todas as classes..." (Teófilo Braga, *Sistema de sociologia*) [F.: *elementar* + *-(i)dade.*]

elementarismo (e.le.men.ta.*ris*.mo) ***sm.*** **1** Qualidade de elementar, o mesmo que *elementaridade* **2** *Art.pl.* Movimento do neoplasticismo, fundado pelo pintor holandês Theo van Doesburg, em 1926 [F.: *elementar* + *-ismo.*]

elemento (e.le.*men*.to) ***sm.*** **1** Cada parte identificável que compõe um todo: *os elementos de um projeto paisagístico.* **2** Cada uma das quatro substâncias (água, ar, terra e fogo) que compõem o universo físico, segundo a ciência antiga **3** Subsídio, informe, recurso: *A polícia não dispõe de elementos para desvendar o crime.* **4** *Quím.* Substância composta de átomos de mesmo número atômico, com propriedades e características únicas, e que não pode ser decomposta em outra mais simples **5** Sujeito, indivíduo, como parte, componente do meio social em que vive: *É um mau elemento.* **6** Ambiente natural: *É um bom nadador, a água é o seu elemento.* **7** Meio social; AMBIENTE; CÍRCULO: *Estava deslocado, fora de seu elemento.* **8** *Ling.* Componente de um todo linguístico (fonema, morfema, palavra, sintagma, frase etc.) que se pode separar ou tratar fora deste por meio de análise **9** *Elet.* Qualquer parte constituinte de um dispositivo elétrico **10** Designação genérica, não identificadora, de pessoa (esp. em linguagem militar ou da polícia): *Guarda, vigie aqueles elementos e faça um relatório.* **11** *Fís.-Quím.* Componentes (placas, chapas etc.) de uma pilha ou de uma bateria elétrica **12** *Mús.* Em música concreta, cada componente identificável de um som [F.: Do lat. *elementum.*] ▪▪ ~ **causativo** *Ling.* Numa frase, o elemento que expressa uma relação de causa (ger. os chamados verbos *causativos*, como *deixar, mandar, fazer* etc.) ~ **conjugado 1** *Álg.* Num corpo ou grupo, elemento obtido de outro, tendo este se transformado por similaridade **2** Em matriz, ou determinante, elemento simétrico de outro em relação à diagonal principal [Tb. apenas *conjugado.*] ~ **de arco** *Geom.* Comprimento da corda que liga dois pontos infinitamente próximos de uma curva; arco elementar ~ **de circuito** *Eletrôn.* Circuito elétrico que permite à corrente um percurso contínuo ~ **de composição** *Ling.* Morfema que entra na formação de palavras sem ter ele mesmo, isoladamente, existência própria na língua; são os radicais, associados a prefixos, sufixos, elementos de ligação etc.; elemento mórfico ~ **de transição** *Quím.* Qualquer elemento dos grupos 3 a 12 (IB a VIIIB) da tabela periódica ~ **de transposição** *Gen.* Fragmento de ADN ou gene que é capaz de se reposicionar em seu ou em outro cromossomo, mudando assim as características genéticas ~ **essencial** *Biol.* Cada um dos elementos (não dissociáveis em outros) necessários à vida de um organismo, e por este obtido do ambiente ou do alimento ~ **geométrico 1** *Geom.* Qualquer dos elementos geométricos simples (ponto, reta, plano) [Tb. apenas *elemento.*] **2** Todo elemento que participa na constituição de uma figura geométrica [Tb. apenas *identidade.*] ~ **identidade** *Álg.* Elemento de um conjunto que, numa operação com outro elemento, seja qual for, reproduz este; elemento neutro [Tb. apenas *identidade.*] ~ **neutro** *Álg.* Ver *Elemento identidade* ~ **mórfico** *Ling.* Ver *Elemento de composição* ~ **principal** *Mat.* Qualquer elemento da diagonal principal de matriz ou determinante **Estar no seu** ~ **1** Estar no meio que lhe convém **2** Estar à vontade, como quer, na situação, tarefa, lugar etc. em que se está **Quatro ~s** *Hist. Fil.* Na filosofia grega antiga (Empédocles, filósofo siciliano do séc. V a.C.) as quatro substâncias primárias, eternas e imutáveis que formavam todas as coisas do mundo: terra, água, fogo e ar

📖 Para os filósofos da Grécia Antiga, a partir de Empédocles (séc. V a.C.), e até o fim da Idade Média, os elementos da natureza eram quatro: ar, água, terra e fogo. Os alquimistas (Paracelso) e depois os cientistas, ao estudarem o 'interior da matéria' e chegarem a sua estrutura atômica, identificaram os elementos, ou seja, cada diferente tipo de matéria existente, em função da diferente constituição do átomo de cada um deles. Na primeira visão (Boyle, Dalton) cada tipo de matéria tinha seu tipo de átomo (com peso atômico próprio), que era inalterável. A classificação dos elementos era feita na ordem crescente de suas massas atômicas. Mas no séc. XX constatou-se que num mesmo elemento pode haver átomos de massa diferente, e o parâmetro de classificação adotado passou a ser o número de prótons contidos no átomo, ou número atômico, que é diferente em cada elemento. Assim, um elemento é um conjunto de átomos que têm o mesmo número atômico. Aos poucos foi-se descobrindo que na classificação dos elementos havia grupos com padrões bem-definidos, em função dos números e massas atômicas. A mais moderna, usada até hoje, é a do russo Mendeleiev, que montou uma tabela de elementos (chamada tabela periódica), por ordem de número atômico, em cuja estrutura (linhas e colunas) se verifica uma repetição periódica de propriedades e características, ou seja, os elementos na mesma coluna (grupo) têm certas características comuns, o mesmo acontecendo com os de cada linha (período). Dos c. 100 elementos naturais, 8 deles representam 99% da massa terrestre: alumínio, cálcio, ferro, magnésio, oxigênio, potássio, silício e sódio. Na atmosfera, 99% são hidrogênio e oxigênio.

elementos (e.le.*men*.tos) *smpl.* Rudimentos, noções elementares (elementos de álgebra) [F.: Pl. de *elemento.*]

elencado (e.len.*ca*.do) *a.* Que se elencou, que passou a fazer parte de uma relação de itens (relacionado) [F.: part. de *elencar.*]

elencar (e.len.*car*) *v. td.* Acrescentar (questão, problema, assunto etc.) em meio a outros, para ser considerado ou discutido [▶ **11 elencar**] [F.: *elenco* + *-ar.* Hom./Par.: *elenco* (1ªps.)/ *elenco* (sm.).]

elenco (e.*len*.co) *sm.* **1** Relação, lista, rol, catálogo: *um elenco de providências a tomar.* **2** *Cin. Rád. Teat. Telv.* Conjunto de atores, cantores, músicos etc. ligados a um espetáculo ou empresa: *Ela vai ser a atriz principal do elenco da novela das oito; Esse cantor integra o elenco da gravadora.* [F.: Do gr. *élenchos*, pelo lat. *elenchu*, 'índice de livro'.]

◎ **ele(o)-** *el. comp.* = 'azeite'; 'óleo': *eleoplasto, eleoterapia* [F.: Do gr. *élaion, ou*, 'óleo da oliveira, azeite'; 'matéria graxa'. Embora comum, a f. ▪▪ *elai(o)-* é menos pref.: *elaioplasto.*]

elepê (e.le.*pê*) *sm. Mús.* Disco fonográfico, ger. de vinil, gravado em sulcos e tocado na velocidade de 33 1/3 rotações por minuto [F.: Das iniciais *LP* do ing. *long play.*]

eletividade (e.le.ti.vi.*da*.de) *sf.* Qualidade do que é eletivo, do que se realiza ou alcança mediante eleição [F.: *eletivo* + *(i)dade.*]

eletivo (e.le.*ti*.vo) *a.* **1** Ref. a ou próprio de eleição (sistema eletivo, mandato eletivo) **2** Que se pode escolher, por não ser obrigatório (matérias eletivas); OPTATIVO **3** Diz-se de cargo preenchido por meio de eleição **4** *Med.* Diz-se de tratamento, cirurgia etc. que, mesmo indicados, não são urgentes, sujeitos à decisão de médico ou de paciente [F.: Do lat. tard. *electivus.*]

eletracústica (e.le.tra.*cús*.ti.ca) *sf. Fís.* Ver *eletroacústica*

eletracústico (e.le.tra.*cús*.ti.co) *a. Fís. Mús.* Ver *eletroacústico*

eletrencefalografia (e.le.tren.ce.fa.lo.gra.*fi*.a) *sf.* Ver *eletroencefalografia*

eletrencefalograma (e.le.tren.ce.fa.lo.*gra*.ma) *sm.* Ver *eletroencefalograma*

eletreto (e.le.*tre*.to) [ê] *sm. Fís.* Corpo dielétrico sólido cuja polarização elétrica se mantém mesmo após a remoção do campo elétrico [F.: Do ing. *electret.*]

◎ **eletri-** *el. comp.* Ver *eletr(o)-*

eletricidade (e.le.tri.ci.*da*.de) *sf.* **1** *Elet. Fís.* Forma de energia baseada na capacidade de atração e repulsão de partículas, e que pode ser aproveitada de diversas maneiras **2** *Fís.* Especialidade da física que estuda essa forma de energia [F.: Posv. do lat.cient. *electricitas, atis* ou do ing. *electricity* (1646), ambos do gr. *élektron, ou*, 'âmbar amarelo'. Ideia de 'eletricidade': *eletr(o)-* (*eletrocardiograma*).]

📖 O fenômeno elétrico baseia-se na movimentação de elétrons (elementos atômicos de carga negativa) que 'escapam' de sua órbita em torno dos prótons (elementos atômicos de carta positiva), e são atraídos pelos prótons de outros átomos. Com isso quebram o equilíbrio atômico, pois seu átomo original adquire carga positiva e o átomo a que são atraídos adquirem carga negativa. A busca de equilíbrio resulta numa *corrente elétrica*, movimento de átomos que gera energia, transformável por equipamentos específicos em outras formas de energia e de trabalho (mecânica, química, luminosa, térmica etc.). As principais formas de geração de energia elétrica utilizadas são a *hidrelétrica*, que usa a energia mecânica do deslocamento de massas de água (captadas de rios em represas) para acionar geradores, a *termelétrica*, que aciona os geradores com a energia gerada pela queima de combustíveis fósseis, e a *nuclear*, que transforma a energia libertada de fissão de átomos. No Brasil, quase a totalidade da eletricidade é gerada em usinas hidrelétricas.

eletricista (e.le.tri.*cis*.ta) *s2g.* **1** Aquele que trabalha com aparelhos elétricos ou em instalações elétricas **2** *Cin. Teat. Telv.* Especialista em eletricidade e iluminação, encarregado dos efeitos de luz; ILUMINADOR *a2g.* **3** Diz-se desse especialista [F.: *elétrico* + *-ista.*]

eletricitário (e.le.tri.ci.*tá*.ri:o) *a.* **1** Diz-se de indivíduo que trabalha na área ou em empresa de geração ou transmissão de energia elétrica *sm.* **2** Esse indivíduo [F.: *eletricidade*, sob a f. lat. (ou latinizante) *eletricit(as)-*, + *-ário*, seg. o mod. erudito.]

elétrico (e.*lé*.tri.co) *a.* **1** Ref. a eletricidade (carga elétrica) **2** Que funciona por meio de eletricidade (ferro elétrico) **3** *Fig.* Cheio de energia; que é ou está muito agitado: *O menino está elétrico hoje.* **4** *Fig.* De brilho intenso [F.: *eletr(o)-* + *-ico*². Ideia de 'elétrico': *eletr(o)-* (*eletrochoque*).]

eletrificação (e.le.tri.fi.ca.*ção*) *sf.* **1** *Elet.* Ação ou resultado de dotar um corpo material de propriedades elétricas: *Processou-se a eletrificação de um instrumento metálico.* **2** Instalação de dispositivos, de instrumentos elétricos para fornecimento de energia elétrica em determinada área: *O Brasil desenvolve um programa de eletrificação rural.* [Pl.: *-ções.*] [F.: *eletrificar* + *-ção.*]

eletrificado (e.le.tri.fi.*ca*.do) *a.* **1** Dotado de propriedades elétricas (teclado eletrificado) **2** Que recebeu eletricidade (cercas eletrificadas) [F.: Part. de *eletrificar.*]

eletrificar (e.le.tri.fi.*car*) *v. td.* **1** *Elet.* Dotar de propriedades elétricas; ELETRIZAR: *Muitas pessoas eletrificaram as cercas de suas casas.* **2** Levar a eletricidade a: *O candidato promete eletrificar a região.* [▶ **11 eletrificar**] [F.: *eletri-* + *-ficar*. Hom./Par.: *eletrificáveis* (fl.), *eletrificáveis* (pl. de *eletrificável* [a2g.]).]

eletrização (e.le.tri.za.*ção*) *sf. Fís.* Ação ou resultado de eletrizar [Pl.: *-ções.*] [F.: *eletrizar* + *-ção.*]

eletrizado (e.le.tri.*za*.do) *a.* **1** Que foi submetido a eletrização *a.* **2** *Fís.* Diz-se de corpo que possui propriedades elétricas atuantes **3** *Fís.* Diz-se de corpo eletricamente carregado; ELETRIFICADO **4** *Fig.* Tomado por um sentimento, misto de encanto, êxtase e atração, arrebatador: *Ficou eletrizado com a presença da dançarina.* [F.: Part. de *eletrizar.*]

eletrizante (e.le.tri.*zan*.te) *a2g.* **1** Que eletriza **2** *Fig.* Que extasia, que encanta; que prende a atenção e causa forte emoção; ARREBATADOR: *Assistimos a um espetáculo eletrizante.* [F.: *eletrizar* + *-nte.*]

eletrizar (e.le.tri.*zar*) *v.* **1** *Fig.* Extasiar, maravilhar ou entrar em êxtase, ficar maravilhado [*td.*: *A cantora eletrizou o público.*] [*int.*: *Eletrizou-se ao ver o espetáculo.*] **2** *Fís.* Criar propriedades elétricas em [*td.*] **3** *Fís.* Carregar de eletricidade; ELETRIFICAR [*td.*] [▶ **1 eletrizar**] [F.: *eletr(o)-* + *-izar.*]

◎ **-eletr(o)-** *el. comp.* Ver *eletr(o)-*

◎ **eletr(o)-** *el. comp.* = 'elétrico'; 'eletricidade'; 'elétron': *eletreto* (< ing.), *eletrificar, eletroacupuntura, eletrocapilar, eletrocardiografia, eletrochoque, eletrodoméstico, eletroencefalografia, eletrofísica, eletrólise, eletrologia, eletromagnético, eletromiografia, eletronegativo; termoeletromotriz* [Atualmente, no Brasil, as formas etimológicas com *-c-*, como *electricidade, eléctrico, electrônica* etc., são muito pouco usadas; em Portugal, porém, são correntes na língua escrita] [F.: Do gr. *élektron, ou*, 'âmbar amarelo'. Tb.: *electr(o)-, electri-* (cujas formas atualmente são muito pouco us. no Brasil).]

eletro¹ (e.*le*.tro) *sm. Med.* F. red. de *eletrocardiograma*

eletro² (e.*le*.tro) *sm. Med.* F. red. de *eletroencefalograma*

eletro³ (e.*le*.tro) *sm.* **1** *Ant.* Âmbar amarelo **2** Liga metálica de ouro e prata [F.: Do gr. *élektron, ou*; ver *eletr(o)-*.]

eletroacupuntura (e.le.tro:a.cu.pun.*tu*.ra) *sf.* Método de acupuntura que utiliza carga elétrica em certos pontos do corpo como estímulo terapêutico para reequilíbrio energético do organismo [F.: *eletr(o)-* + *acupuntura.*]

eletroacústica (e.le.tro:a.*cús*.ti.ca) *sf. Fís.* Ramo da física que estuda a conversão da energia elétrica em energia sonora e vice-versa [F.: *eletr(o)-* + *acústica.* Tb. *eletracústica.*]

eletroacústico (e.le.tro:a.*cús*.ti.co) *a.* **1** *Fís.* Ref. a eletroacústica **2** *Fís.* Ref. a transformação de sinais elétricos em acústicos e vice-versa **3** *Mús.* Diz-se de música feita de sons produzidos ou controlados por meios eletrônicos [F.: *eletr(o)-* + *acústico.* Tb. *eletracústico.*]

⊠ **Eletrobras** Sigla de *Centrais Elétricas Brasileiras*

eletrocapilar (e.le.tro.ca.pi.*lar*) *a2g. Fís.* Diz-se de fenômeno que envolve as cargas elétricas absorvidas por superfícies em contato [F.: *eletr(o)-* + *capilar.*]

eletrocapilaridade (e.le.tro.ca.pi.la.ri.*da*.de) *sf. Fís.* Alteração na tensão superficial da interface de dois líquidos imiscíveis, no interior de um tubo capilar, ao ser a interface atravessada por corrente elétrica [F.: *eletrocapilar* + *-(i)dade.*]

eletrocardiografia (e.le.tro.car.di:o.gra.*fi*.a) *sf. Card.* Análise do registro gráfico das variações elétricas relacionadas com a atividade do coração [F.: *eletr(o)-* + *-cardi(o)-* + *-grafia.*]

eletrocardiográfico (e.le.tro.car.di:o.*grá*.fi.co) *a. Card.* Ref. a eletrocardiografia [F.: *eletrocardiografia* + *-ico*².]

eletrocardiógrafo (e.le.tro.car.di.*ó*.gra.fo) *sm. Card.* Aparelho com que se faz um eletrocardiograma [F.: *eletr(o)-* + *cardiógrafo.*]

eletrocardiograma (e.le.tro.car.di:o.*gra*.ma) *sm. Card.* Registro gráfico do ritmo cardíaco [Abrev.: *ECG.*] [F.: *eletr(o)-* + *-cardi(o)-* + *-grama.* Tb.: *eletro.*]

eletrocautério (e.le.tro.cau.*té*.ri:o) *sm. Med.* Instrumento metálico us. para cauterizar por meio de corrente elétrica [F.: *eletr(o)-* + *cautério.*]

eletrochoque (e.le.tro.*cho*.que) *sm. Psiq.* Método outrora us. no tratamento de certos distúrbios mentais e que consistia na aplicação de corrente elétrica através do encéfalo, provocando perda de consciência e convulsões [F.: *eletr(o)-* + *choque.*]

eletrocinética (e.le.tro.ci.*né*.ti.ca) *sf. Fís-quím.* Conjunto de fenômenos relacionados com o deslocamento de uma fase e campos elétricos existentes na superfície dessa fase [F.: *eletr(o)-* + *cinética.*]

eletrocinético (e.le.tro.ci.*né*.ti.co) *a. Fís-quím.* Da ou ref. à eletrocinética [F.: *eletr(o)-* + *cinético.*]

eletrocoagulação (e.le.tro.co:a.gu.la.*ção*) *sf. Med.* Coagulação de vasos sanguíneos por meio de corrente elétrica de alta frequência [Pl.: *-ções.*] [F.: *eletr(o)-* + *coagulação.*]

eletroconvulsivo (e.le.tro.con.vul.*si*.vo) *a. Desus. Psiq.* Diz-se de choque us. em tratamento de doenças mentais [F.: *eletr(o)-* + *convulsivo.*]

eletrocução (e.le.tro.cu.*ção*) *sf.* **1** Ação ou resultado de eletrocutar **2** *Restr.* Assassínio por descarga elétrica aplicado em alguns países como pena de morte; ELETROCUSSÃO [Pl.: *-ções.*] [F.: Do ing. *electrocution*, do v.ing. *(to) electrocute* (> port. *eletrocutar*), de *electro-*, por *electricity*, + *-cute*, como em *(to) execute*. *Eletrocução* liga-se, portanto, ao mod. de *execução* (< lat. *executio, onis*) e *consecução* (< lat. *consecutio, onis*), formas conexas com o v. (depoente) lat. *sequor, eris, secutus sum, sequi*, 'seguir'; 'andar na direção de'; 'ligar-se a'; 'perseguir', o que explica a grafia em *-cução* (< *[se]cutus* + *-io, onis*); a f. *eletrocussão*, porém, advém do v. *eletrocutir* (q.v.), cuja origem liga-se ao v.lat. *quatio, is, cussi* (em compostos), *quassum, quatere*, 'sacudir', fonte do mod. em *-cussão* (q.v.), como em *discussão, percussão* e *repercussão*, dos v. *discutir, percutir* e *repercutir.*]

eletrocussão (e.le.tro.cus.*são*) *sf.* **1** Ação ou resultado de eletrocutir **2** Morte por descarga elétrica como aplicação de pena de morte; ELETROCUÇÃO [Pl.: *-sões.*] [F.: *eletro(cutir)* + *-cussão*; ver a etim. de *eletrocução, eletrocutar* e *eletrocutir.*]

eletrocutado (e.le.tro.cu.*ta*.do) *a.* Que se eletrocutou; morto por eletrocução [F.: Part. de *eletrocutar.*]

eletrocutar (e.le.tro.cu.*tar*) *v. td.* **1** Matar com choque elétrico **2** *Restr. Jur.* Executar (condenado) em cadeira elétrica; ELETROCUTIR [▶ **1 eletrocutar**] [F.: Adaptç. do ing. *(to) electrocute*, de *electro-*, por *electricity* 'eletricidade', + ingl. *-cute*, como em *(to) execute*, 'executar', este do ingl. médio *executen*, do v.fr. (médio) *exécuter* (1282), na acepç. de 'matar conforme decisão da justiça' (1391), o voc. fr. foi deduzido de *exécuteur* e de *exécution*, do lat. *exsecutor, oris* e do lat. *exsecutio, onis*, respectivamente; as f. lat. *exsecutor, oris* (> port. *executor*) e *exsecutio, onis* (> port. *execução*) vêm do v.lat. *exsequi*, 'seguir até o fim'; 'acompanhar'; 'participar de cortejo (esp. fúnebre)'; 'cumprir', 'concluir', 'levar a cabo'; 'perseguir judicialmente'; 'demandar'; 'punir'.]

eletrocutir (e.le.tro.cu.*tir*) *v. td.* O mesmo que *eletrocutar* [▶ **3 eletrocutir**] [F.: *eletr(o)-* + *-cutir.*]

eletrodiagnóstico (e.le.tro.di:ag.*nós*.ti.co) *Med. sm.* **1** Diagnóstico baseado no registro da resposta a estimulação elétrica ou das variações da atividade elétrica espontânea de uma parte ou função do corpo **2** Localização de desequilíbrios energéticos ao longo dos meridianos da acupuntura por meio de equipamento eletrônico [F.: *eletr(o)- + diagnóstico.*]

eletrodinâmica (e.le.tro.di.*nâ*.mi.ca) *sf. Fís.* Estudo das cargas elétricas em movimento e dos campos eletromagnéticos [F.: *eletr(o)- + dinâmica.*]

eletrodinâmico (e.le.tro.di.*nâ*.mi.co) *a. Fís.* Ref. a eletrodinâmica (sistema eletrodinâmico, equilíbrio eletrodinâmico) [F.: *eletr(o)- + dinâmico.*]

eletrodinamômetro (e.le.tro.di.na.*mô*.me.tro) *Elet. sm.* Instrumento que mede a corrente, tensão ou potência em circuitos de corrente alternada ou contínua, usando a interação dos campos magnéticos de uma bobina fixa e outra móvel [F.: *eletr(o)- + dinamômetro.*]

eletrodo (e.le.*tro*.do) [ô] *Elet. Fís. sm.* **1** Condutor ger. metálico através do qual a corrente elétrica entra e sai de um sistema **2** Cada uma das placas de um capacitor; PLACA [F.: Do ing. *electrode*; ver *eletr(o)-* e *-odo*. A melhor f. é *elétrodo*, *eletrodo*, porém, é mais us.]

elétrodo (e.*lé*.tro.do) *sm.* F. melhor e menos us. que *eletrodo*

eletrodoméstico (e.le.tro.do.*més*.ti.co) *sm.* Qualquer aparelho elétrico de uso doméstico (p.ex.: *geladeira*) [F.: *eletr(o)- + doméstico.*]

eletroduto (e.le.tro.*du*.to) *sm. Cons. Elet.* O mesmo que *conduíte* [F.: *eletr(o)- + -duto.*]

eletroeletrônica (e.le.tro:e.le.*trô*.ni.ca) *Eng.ind. sf.* **1** Ramo da engenharia industrial especializado na produção de aparelhos eletroeletrônicos **2** Estabelecimento onde se consertam esses aparelhos [F.: *eletr(o)- + eletrônica.*]

eletroeletrônico (e.le.tro:e.le.*trô*.ni.co) *Elet. Eletrôn. a.* **1** Ref. a eletroeletrônica (indústria eletroeletrônica) **2** Diz-se do aparelho que é ao mesmo tempo elétrico e eletrônico *sm.* **3** Aparelho eletroeletrônico (2) [F.: *eletr(o)- + eletrônico.*]

eletroencefalografia (e.le.tro:en.ce.fa.lo.gra.*fi*.a) *sf. Med.* Análise do registro gráfico das correntes elétricas que têm origem no encéfalo, a partir de eletrodos colocados no couro cabeludo, na superfície encefálica ou no interior da substância encefálica [F.: *eletr(o)- + -encefal(o)- + -grafia*. Tb. *eletrencefalografia.*]

eletroencefalógrafo (e.le.tro:en.ce.fa.*ló*.gra.fo) *sm. Med.* Aparelho com que se faz um eletroencefalograma [F.: *eletr(o)- + -encefal(o)- + -grafo.*]

eletroencefalograma (e.le.tro:en.ce.fa.lo.*gra*.ma) *sm. Med.* Registro gráfico das correntes elétricas no encéfalo [Abrev.: *EEG.*] [F.: *eletr(o)- + -encefal(o)- + -grama*. Tb.: *eletro*. Cf.: *encefalograma*. Tb. *eletrencefalograma.*]

eletroendosmose (e.le.tro.en.dos.*mo*.se) *sf. Fís.-quím.* O mesmo que *eletrosmose* [F.: *eletr(o)- + endosmose.*]

eletrofísica (e.le.tro.*fí*.si.ca) *sf. Fís.* Parte da física que estuda os fenômenos das ondas gravitacionais, das ondas eletromagnéticas, seus efeitos e a atividade e intensidade produzida por cargas elétricas em diferentes corpos e órgãos [F.: *eletr(o)- + física.*]

eletrofisiologia (e.le.tro.fi.si:o.lo.*gi*.a) *Fisl. sf.* **1** Ramo da fisiologia que estuda os fenômenos elétricos produzidos pelos organismos vivos **2** Estudo da atividade elétrica espontânea de uma parte ou função de um organismo vivo [F.: *eletr(o)- + fisiologia.*]

eletrofisiológico (e.le.tro.fi.si:o.*ló*.gi.co) *a. Fisl.* Ref. a eletrofisiologia [F.: *eletrofisiologia + -ico*[2].]

eletrofone (e.le.tro.*fo*.ne) *Mús. sm.* Qualquer instrumento que produz som por vibrações elétricas (p.ex.: guitarra elétrica) [F.: *eletr(o)- + -fone.*]

eletrofônico (e.le.tro.*fô*.ni.co) *a. Mús.* Ref. a eletrofone [F.: *eletrofone + -ico*[2].]

eletroforese (e.le.tro.fo.*re*.se) *sf. Fís-quím.* Migração de partículas ou suspensões coloidais sob a ação de um campo elétrico [F.: *eletr(o)- + -forese.*]

eletroforético (e.le.tro.fo.*ré*.ti.co) *a. Fís-quím.* Ref. a eletroforese [F.: *eletrofor(ese) + -ético*, seg. o mod. gr.]

eletróforo (e.le.*tró*.fo.ro) *Elet. sm.* Aparelho outrora us. para gerar eletricidade estática [F.: *eletr(o)- + -foro.*]

eletrofusão (e.le.tro.fu.*são*) *sf.* **1** *Eng.gen.* Em clonagem, processo de formação do embrião que consiste em colocar o núcleo e o óvulo enucleado num meio próprio para que se fundam em decorrência da formação de um campo elétrico **2** *Metal.* Processo de fusão ou soldagem por meio de um equipamento que fornece tensão elétrica controlada por tempo suficiente para fundir os materiais, sem solda [Pl.: *-sões.*] [F.: *eletr(o)- + fusão.*]

eletroímã (e.le.tro.*í*.mã) *sm. Fís.* Ímã formado por material com alto índice de magnetismo (ger. ferro), envolto por fio isolado em espiral pelo qual se faz passar corrente elétrica; ELETROMAGNETO [F.: *eletr(o)- + ímã.*]

eletrola (e.le.*tro*.la) *sf. Antq.* O mesmo que *vitrola* (1) [F.: *eletr(o)- + -ola*, a exemplo de *vitrola.*]

eletrolipoforese (e.le.tro.li.po.fo.*re*.se) *sf.* Tratamento us. no combate à celulite em que agulhas são colocadas sob a pele e ligadas a um aparelho que emite corrente elétrica [F.: *eletr(o)- + -lip(o)- + -forese.*]

eletrólise (e.le.*tró*.li.se) *sf. Quím.* Conjunto de reações químicas (decomposição, ou deposição, ou oxidação etc.) provocadas pela passagem de corrente elétrica numa solução condutora [F.: *eletr(o)- + -lise.*]

eletrolítico (e.le.tro.*lí*.ti.co) *Quím. a.* **1** Ref. a eletrólise (processo eletrolítico) **2** Ref. a eletrólito (equilíbrio eletrolítico) [F.: *eletró(lise) + -lítico*[2].]

eletrólito (e.le.*tró*.li.to) *sm.* **1** *Elet.* Condutor elétrico que transporta cargas por meio de íons **2** *Quím.* Substância (ácido, base ou sal) com propriedade de conduzir corrente elétrica [F.: *eletr(o)- + -lito*[2].]

eletrologia (e.le.tro.lo.*gi*.a) *sf. Fís.* Estudo dos fenômenos eletromagnéticos [F.: *eletr(o)- + -logia.*]

eletroluminescência (e.le.tro.lu.mi.nes.*cên*.ci:a) *Fís. sf.* Luminescência produzida num corpo sob a ação de um campo elétrico [F.: *eletr(o)- + luminescência.*]

eletromagnético (e.le.tro.mag.*né*.ti.co) *Fís. a.* Ref. ao eletromagnetismo ou que é decorrente ou próprio dele [F.: *eletr(o)- + magnético.*]

eletromagnetismo (e.le.tro.mag.ne.*tis*.mo) *sm. Fís.* Ramo da física que estuda os fenômenos próprios dos campos elétricos e magnéticos ou resultantes da interação destes [F.: *eletr(o)- + magnetismo.*]

eletromagneto (e.le.tro.mag.*ne*.to) *sm. Fís.* O mesmo que *eletroímã* [F.: *eletr(o)- + magneto.*]

eletromanômetro (e.le.tro.ma.*nô*.me.tro) *sm. Fís.* Instrumento us. na medição de fluidos [F.: *eletr(o)- + manômetro.*]

eletromecânico (e.le.tro.me.*câ*.ni.co) *a.* Diz-se de aparelho que funciona por meio de efeitos elétricos e mecânicos, simultaneamente [Refere-se esp. a instrumento mecânico acionado ou comandado eletricamente.] [F.: *eletr(o)- + mecânico.*]

eletromedicina (e.le.tro.me.di.*ci*.na) *Med. sf.* **1** Ramo da medicina que se ocupa dos equipamentos elétricos us. para diagnóstico, tratamento ou monitoração **2** *Restr.* Forma de medicina alternativa que emprega campos eletromagnéticos e segundo a qual todo organismo vivo é controlado por campos eletrodinâmicos [F.: *eletr(o)- + medicina.*]

eletromicroscopia (e.le.tro.mi.cros.co.*pi*.a) *sf.* Microscopia por meio de microscópio eletrônico [F.: *eletr(o)- + microscopia.*]

eletromiografia (e.le.tro.mi:o.gra.*fi*.a) *Fisl. Neur. sf.* Estudo ou método para registro das correntes elétricas produzidas pelos músculos quando ativos [F.: *eletr(o)- + -mi(o)- + -grafia.*]

eletromiograma (e.le.tro.mi:o.*gra*.ma) *sm. Fisl. Neur.* Registro gráfico das correntes elétricas produzidas pelos músculos [F.: *eletr(o)- + -mi(o)- + -grama.*]

eletromotor (e.le.tro.mo.*tor*) [ô] *a.* **1** Que produz eletricidade por ação mecânica ou química [Fem.: *eletromotora, eletromotriz.*] *sm.* **2** *Elet.* Aparelho que transforma energia elétrica em energia mecânica [F.: *eletr(o)- + motor.*]

eletromotriz (e.le.tro.mo.*triz*) *a.* **1** *Elet.* Diz-se de força ou energia que pode produzir corrente em um circuito elétrico **2** Fem. de eletromotor [Forma fem. de adj. que constitui uma exceção morfológica.] [F.: *eletr(o)- + motriz.*]

elétron (e.*lé*.tron) *sm. Fís.* Partícula elementar do átomo com carga elétrica negativa [Símb.: *e.*] [Pl.: *elétrons* e (*p.us.*) *elétrones.*] [F.: Do ing. *electron*, do gr. *élektron, ou*, 'âmbar amarelo'. Em Portugal, a f. corrente é *electrão*, adaptada ao port.] ■ **~ de valência** *Fís.-quím.* Elétron (ger. da camada mais externa de elétrons de um átomo) que participa nas ligações com outros átomos e na determinação das propriedades da substância (ópticas, químicas etc.); elétron óptico **~ óptico** *Fís.-quím.* Ver *Elétron de valência* **~ positivo** *Fís.nu.* Antipartícula de um elétron, com massa e *spin* iguais, e carga igual mas de sinal contrário; pósitron

eletronegatividade (e.le.tro.ne.ga.ti.vi.*da*.de) *sf. Fís.-quím.* Tendência de um átomo ou radical para atrair elétrons, originando íons negativos [F.: *eletronegativo + -(i)dade.*]

eletronegativo (e.le.tro.ne.ga.*ti*.vo) *a.* **1** *Fís. Elet.* Que tem carga elétrica negativa e, por isso, tende a mover-se em direção ao polo elétrico positivo **2** *Fís.-quím.* Que tende a atrair elétrons para formar ligação numa reação química (diz-se de elemento) [F.: *eletr(o)- + negativo.*]

eletrônica (e.le.*trô*.ni.ca) *sf. Fís.* Ciência que estuda as propriedades e aplicações de circuitos baseados no movimento de elétrons [F.: Adaptç. do ing. *eletronics.*]

📖 A eletrônica é a parte da física que estuda os elétrons (cargas elétricas negativas do átomo), suas propriedades e comportamentos, tanto nos fenômenos elétricos quanto nas reações químicas. A eletrônica é também a parte da engenharia que se utiliza dessas propriedades e comportamentos para criar dispositivos (alguns de alta complexidade) na transformação de energia elétrica em energia acústica e/ou visual, e vice-versa (através dos circuitos eletrônicos e de componentes como transistores, circuitos integrados, válvulas etc.), fundamentos da alta tecnologia que caracteriza sistemas de informação, telecomunicações e informática. Um dos pontos de partida para o uso das propriedades dos elétrons foi a descoberta de que um eletrodo negativo aquecido produzia corrente para o polo positivo, mas não o contrário. Esses dispositivos que transmitem corrente numa única direção são os diodos (quando têm dois eletrodos) e os tríodos (quando têm três). A invenção do circuito impresso, no qual todos os componentes são fixos numa placa semicondutora e as ligações entre eles são feitas por trilhas condutoras impressas (ao invés de fios conectados um a um), permitiu sua produção em série e as miniaturizações que levaram a *chips* minúsculos e potentes. Outra descoberta fundamental foi a dos semicondutores, materiais que a baixas temperaturas são isolantes, e a altas temperaturas são condutores.

eletrônico (e.le.*trô*.ni.co) *a.* **1** Ref. a eletrônica **2** Diz-se de aparelho ou equipamento que funciona por meio de circuitos eletrônicos (microscópio eletrônico) **3** Diz-se de serviço que pode ser feito ou utilizado via *internet*: *preenchimento de formulário eletrônico; consulta a banco de dados eletrônico.* [F.: De *eletrônica*, com var. suf; ver *-ico*[2].]

eletronuclear (e.le.tro.nu.cle.*ar*) *Fís.nu. a2g.* **1** Que produz energia elétrica a partir da energia nuclear (usina eletronuclear) **2** Diz-se de suposta força criada pela unificação das forças nuclear forte, nuclear fraca e eletromagnética, segundos após o *big bang* [F.: *eletr(o)- + nuclear.*]

elétron-volt (e.lé.tron-*volt*) *sm. Fís.* Unidade de medida de energia equivalente à energia necessária para acelerar um elétron por uma diferença de potencial de um volt [Símb.: *eV.*] [Pl.: *elétrons-volts e elétrons-volt.*]

eletro-óptica (e.le.tro-*óp*.ti.ca) *sf. Fís.* Ramo da física que estuda a influência ou ação dos campos elétricos sobre a emissão, absorção, refração etc. da luz [F.: *eletr(o)- + óptica.*]

eletro-óptico (e.le.tro-*óp*.ti.co) *a. Fís.* Ref. a eletro-óptica [F.: De *eletroóptica*, com var. suf; ver *-ico*[2].]

eletropneumático (e.le.tro.pneu.*má*.ti.co) *a.* Diz-se aparelho ou equipamento que funciona por meio de força elétrica e força pneumática simultaneamente [F.: *eletr(o)- + pneumático.*]

eletroportátil (e.le.tro.por.*tá*.til) *sm.* Qualquer eletrodoméstico portátil (p.ex., liquidificador) [F.: *eletr(o)- + portátil.*]

eletropositividade (e.le.tro.po.si.ti.vi.*da*.de) *sf. Fís.-quím.* Tendência de um átomo ou radical para liberar elétrons, originando íons positivos [F.: *eletropositivo + -(i)dade.*]

eletropositivo (e.le.tro.po.si.*ti*.vo) *a.* **1** *Fís. Elet.* Que tem carga elétrica positiva e, por isso, tende a mover-se em direção ao polo elétrico negativo **2** *Fís.-quím.* Que tende a liberar elétrons para formar ligação numa reação química (diz-se de elemento) [F.: *eletr(o)- + positivo.*]

eletroquímica (e.le.tro.*quí*.mi.ca) *sf. Fís. Quím.* Ramo da físico-química que estuda as reações provocadas pela passagem de corrente elétrica em um meio e as transformações das energias elétrica e química [F.: *eletr(o)- + química.*]

eletroquímico (e.le.tro.*quí*.mi.co) *Fís.-quím. a.* **1** Ref. a eletroquímica **2** Característico de ou inerente a fenômeno estudado pela eletroquímica (sistema eletroquímico) [F.: De *eletroquímica*, com var. suf; ver *-ico*[2].]

eletroscópio (e.le.tros.*có*.pi:o) *sm. Fís.* Aparelho que detecta a presença, o tipo e, em algumas configurações, a magnitude da carga elétrica de um corpo [F.: Do fr. *électroscope*; ver *eletr(o)-* e *-scópio.*]

eletrosfera (e.le.tros.*fe*.ra) *Fís. sf.* Região do átomo onde se encontram os elétrons; coroa eletrônica [Divide-se em sete camadas: K, L, M, N, O, P e Q.] [F.: *eletr(o)- + -sfera.*]

eletrosmose (e.le.tros.*mo*.se) *sf. Fís-quím.* Passagem de um líquido através de uma membrana porosa sob a ação de um campo elétrico; ELETROENDOSMOSE [F.: *eletr(o)- + osmose.*]

eletrostática (e.le.tros.*tá*.ti.ca) *sf. Fís.* Estudo das propriedades e do comportamento de cargas elétricas em repouso [F.: *eletr(o)- + estática.*]

eletrostático (e.le.tros.*tá*.ti.co) *Fís. a.* **1** Ref. a eletrostática **2** Característico ou próprio de cargas elétricas em repouso (equilíbrio eletrostático) [F.: *eletr(o)- + estático.*]

eletrotecnia (e.le.tro.tec.*ni*.a) *sf. Elet.* O mesmo que *eletrotécnica* (1) [F.: *eletr(o)- + -tecnia.*]

eletrotécnica (e.le.tro.*téc*.ni.ca) *sf.* **1** *Elet.* Ciência que estuda as aplicações técnicas da eletricidade; ELETROTECNIA **2** Oficina para conserto de aparelhos elétricos e eletrônicos [F.: *eletr(o)- + técnica.*]

eletrotécnico (e.le.tro.*téc*.ni.co) *Elet. a.* **1** Ref. a eletrotécnica (1) (desenho eletrotécnico) **2** Diz-se do especialista em eletrotécnica (1) *sm.* **3** Esse especialista [F.: *eletr(o)- + técnico.*]

eletroterapeuta (e.le.tro.te.ra.*peu*.ta) *s2g. Ter.* Aquele que se especializou em eletroterapia [F.: *eletr(o)- + terapeuta.*]

eletroterapia (e.le.tro.te.ra.*pi*.a) *sf. Ter.* Técnica ou prática terapêutica em que se tratam certas doenças pelo uso da eletricidade [F.: *eletr(o)- + -terapia.*]

eletroterápico (e.le.tro.te.*rá*.pi.co) *a. Ter.* Ref. a eletroterapia [F.: *eletroterapia + -ico*[2].]

eletrotermia (e.le.tro.ter.*mi*.a) *sf.* **1** Produção de calor por meio de eletricidade **2** *Ter.* Aplicação desse calor junto ao corpo para aliviar dores **3** *Fís. Quím.* Técnica us. para obter substâncias abrasivas (p.ex., carbeto de silício) em forno elétrico, com temperatura elevada [F.: *eletr(o)- + -termia.*]

eletrotônus (e.le.tro.*tô*.nus) *sm2n. Fisl.* Alteração do estado elétrico de um nervo ou músculo produzida pela passagem de uma corrente elétrica [F.: Do ing. *electrotonus.*]

eleúria (e.le.*ú*.ri:a) *sf. Pat.* Urina com aspecto oleoso [F.: *ele(o)- + -úria*. Tb. *eleuria.*]

eleutério (e.leu.*té*.ri:o) *a.* Libertador (cognomes de Júpiter e de Baco) [F.: Do gr. *eleútheros, a, on.*]

eleuteromania (e.leu.te.ro.ma.*ni*.a) *sf. Psiq.* Obsessão pela liberdade [F.: Do gr. *eleutero-* (< gr. *eleútheros, a, on*, 'livre'), + *mania.*]

eleuteromaníaco (e.leu.te.ro.ma.*ní*.a.co) *a.* **1** Ref. a ou que tem eleuteromania *sm.* **2** Pessoa que tem eleuteromania; ELEUTERÔMANO [F.: *eleuteromani(a) + -íaco.*]

eleuterômano (e.leu.te.*rô*.ma.no) *sm.* Eleuteromaníaco (2) [F.: *eleuteromania + -mano*[1].]

elevação (e.le.va.*ção*) *sf.* **1** Ação ou resultado de elevar(-se) (elevação da Lua, de halteres, de um muro) [+ *a*: *elevação ao trono*. Ant.: *descida.*] **2** Altura atingida por algo que se eleva: *O balão chegou a uma elevação de 800 m.* **3** Subida, aumento (elevação de salários, elevação de impostos) [Ant.: *decréscimo, diminuição.*] **4** Ascensão a posto ou cargo mais alto; PROMOÇÃO: *Comemorou sua elevação a gerente.* [Ant.: *rebaixamento.*] **5** Ponto elevado (ger. de terreno): *A capela fica numa elevação junto ao mar.* **6** Qualidade do que é distinto, superior, nobre (elevação espiritual) [Ant.: *baixeza.*] **7** *Litu.* O momento e o ato de o sacerdote, durante a missa, elevar a hóstia e o vinho para consagrá-los **8** *Mat.* Ato de elevar a determinada potência: *elevação de um número ao cubo.* **9** *Arq.* Representação em desenho de uma edificação vista de frente **10** *Arm.* Movimento ascendente de uma boca de fogo (p.ex., um canhão) no momento do tiro [Pl.: *-ções.*] [F.: Do lat. *elevatio, onis.*]

elevadiço (e.le.va.*di*.ço) *Bras. Pop.* ***a.*** O mesmo que *levadiço* [F.: *elevad(o)* + *-iço.*]

elevado (e.le.*va*.do) ***a.*** **1** Que se elevou, que tem elevação (balão elevado; teto elevado) [+ *a, para*: *O secretário foi elevado a ministro; Olhar elevado para o céu.*] **2** De grande altura, nível ou intensidade (temperaturas elevadas) [Ant.: *baixo.*] **3** Que é superior, transcendente (inteligência elevada) [Ant.: *inferior.*] **4** *Tip.* Diz-se de ou letra, número ou outro sinal, menor que os demais de sua fonte, que se grafa acima do alinhamento do tipo, us. esp. em abreviaturas ou como expoente matemático; ALCEADO; SOBRESCRITO; SUBIDO **5** Diz-se de nível de linguagem gramaticalmente correto **6** Nobre, grande, superior (moral elevada; sentimentos elevados) ***sm.*** **7** Via para tráfego de automóveis, trens etc. acima do nível do solo: *Construíram um elevado para melhorar o trânsito na área.* [F.: Do lat. *elevatus*, part. *de elevare*. Ideia de 'elevado', usar pref. *hips(o)-*.]

elevador (e.le.va.*dor*) [ô] ***sm.*** **1** Cabine acionada por máquina, que transporta verticalmente pessoas ou cargas; ASCENSOR **2** *Tip.* Cada uma de duas peças móveis da linotipo **3** *Teat.* Cada uma das partes móveis do palco, que se acionam a partir do porão **4** *Avi.* Aleta móvel no estabilizador horizontal de aeronave, cuja posição determina o ângulo desta em relação a seu eixo lateral; PROFUNDOR ***a.*** **5** Que eleva, que transporta para cima ou para baixo [F.: Do lat. *elevator.*]

elevar (e.le.*var*) ***v.*** **1** Pôr num plano mais alto; ALÇAR; ERGUER; LEVANTAR [***td.***: *Eleve a cabeça e estique as costas.*] **2** Dirigir(-se) para cima; ERGUER; LEVANTAR [***td.***: *elevar os olhos.* Ant.: *abaixar.*] [***int.***: *Seus olhos se elevaram, interrogativos.*] **3** Aumentar em número, nível, custo etc. [***td.***: *O governo elevou os impostos.*] [***Int.***: "A febre se elevou um pouco mais..." (Marques Rebelo, *Contos reunidos*)] **4** Aparecer em destaque (em altura) [***int.***: *A casa fica num morro que se eleva no meio de uma planície.*] **5** *Fig.* Colocar em condição elevada, superior; DIGNIFICAR [***td.***: *Eleve os pensamentos.*] [***tdr.*** + *a*: *Eleve os pensamentos a Deus.*] [***tda.***: *Elevou-se acima da mesquinharia alheia.*] **6** *Fig.* Fazer passar a cargo ou a categoria superior; PROMOVER [***td.***: *A direção o elevou.*] [***tdr.*** + *a*: *Elevou-se a líder do movimento.*] **7** Intensificar o tom de; ALTEAR [***td.***: *elevar a voz*: "Da que alonga o pescoço e arranca de si um clangor teúdo; da que baixa e eleva o tom, num ritmo soluçado..." (João Guimarães Rosa, *Ave palavra*)] **8** Construir (muro, parede, prédio); ERIGIR [***td.***: *Em poucos dias elevaram o muro da igreja.* Ant.: *derrubar.*] **9** Sair de um lugar, de um plano, passando a outro(s), esp. acima [***int.***: *Um perfume suave se elevava pelo ar.*] [▶ 1 elevar] [F.: Do lat. *elevare.*]

elevatória (e.le.va.*tó*.ri:a) *Bras.* ***sf.*** Num sistema de esgotos ou de abastecimento de água, estação de onde se bombeia o líquido para um reservatório situado mais acima; estação elevatória [F.: Fem. substv. de *elevatório.*]

elevatório (e.le.va.*tó*.ri:o) ***a.*** **1** Que serve para elevar (braço elevatório) **2** Ref. a elevação [F.: *elevar* + *-tório.*]

elfo (*el*.fo) *Mit.* ***sm.*** **1** Criatura mítica, originária do folclore germânico, ger. representada como uma pessoa diminuta, dotada de poderes mágicos, que pode ser amigável ou maligna **2** Na mitologia escandinava, gênio que simboliza os fenômenos atmosféricos [F.: Do ing. *elf.*]

◎ **-elha** ***suf.*** = -elho [F. fem. do suf. nom. *-elho.*]

◎ **-elho** ***suf.*** = diminuição: *fedelho, grupelho, rapazelho* etc. [Suf. nom. formador de subst. com noção dim. e pej.]

eliciar (e.li.ci.*ar*) ***v. td.*** **1** Fazer com que vá para fora; fazer sair; expulsar **2** Exorcizar, esconjurar, afugentar **3** Conseguir obter resposta ou reação de **4** *Ling.* Extrair enunciado linguístico de (informante) [▶ 15 eliciar] [F.: Do lat. *elicere.* Tb. *elicitar.*]

elicitar (e.li.ci.*tar*) ***v.*** Ver *eliciar*

elidir (e.li.*dir*) ***v. td.*** Fazer elisão de; ELIMINAR; SUPRIMIR: *elidir irregularidades; elidir impostos*: "Seja se capaz de elidir-se, largar-se e se levar do diabo." (João Guimarães Rosa, *Ave, palavra*) [▶ 3 elidir] [F.: Do lat. *elidere.* Hom./Par.: *elidir* (v.), *ilidir* (v.).]

eliminação (e.li.mi.na.*ção*) ***sf.*** **1** Ação ou resultado de eliminar(-se); SUPRESSÃO **2** *Álg.* Num sistema de equações, supressão de uma ou mais incógnitas em processo que leva à obtenção do resultado do sistema **3** *Quím.* Reação na qual de uma molécula se desprendem dois átomos ou dois grupamentos [Pl.: *-ções.*] [F.: *eliminar* + *-ção.*]

eliminado (e.li.mi.*na*.do) ***a.*** **1** Que se eliminou; EXCLUÍDO; EXPELIDO; EXTINTO: *Os candidatos eliminados terão outra oportunidade.* **2** Morto, exterminado: *bandido eliminado em confronto com a polícia.* [F.: Part. de *eliminar.*]

eliminador (e.li.mi.na.*dor*) [ô] ***a.*** **1** Que elimina (filtro eliminador) ***sm.*** **2** Produto ou aparelho para eliminar algo (eliminador de formigas) [F.: *eliminar* + *-dor.*]

eliminar (e.li.mi.*nar*) ***v.*** **1** Fazer sair (de um conjunto, contexto etc.), pôr fora; CORTAR; EXCLUIR; SUBTRAIR [***td.***: *Quando revia os textos, eliminava todos os verbos no gerúndio.*] [***tdr.*** + *de*: *Eliminei doces da minha dieta; Eliminaram seu nome da lista.*] **2** Fazer desaparecer; EXTINGUIR [***td.***: *É preciso eliminar a pobreza.*] [***tdr.*** + *de*: *Eliminamos da cabeça esta preocupação.*] **3** Expelir (elemento) de organismo vivo [***td.***: *eliminar toxinas.*] [***tdr.*** + *de*: *eliminar toxinas do organismo.*] **4** Matar [***td.***: *Tiveram de eliminar o cão raivoso.*] **5** Recusar, desconsiderar, descartar (algo ou alguém) [***td.***: *Eliminou metade das requisições dos funcionários; Resolveram eliminar os candidatos de outros estados.*] [▶ 1 eliminar] [F.: Do lat. *eliminare.* Hom./Par.: *elimináveis* (fl.), *elimináveis* (pl. de *eliminável*).]

eliminatória (e.li.mi.na.*tó*.ri:a) ***sf.*** Prova ou competição que visa a eliminar parte dos competidores (idealmente, os menos aptos): *A seleção estreará nas eliminatórias da Copa.* [Ger. us. no pl.] [F.: Fem. substv. de *eliminatório.*]

eliminatório (e.li.mi.na.*tó*.ri:o) ***a.*** **1** Que elimina, exclui: *No exame médico para pilotos baixa acuidade visual é item eliminatório.* **2** Diz-se de prova, concurso etc. que elimina quem não alcançar índice preestabelecido: *A prova de desenho no vestibular de arquitetura é eliminatória.* **3** Diz-se de competição, prova etc. que visa a eliminar parte dos concorrentes, selecionando assim os mais aptos para as finais [F.: *eliminar* + *-tório.*]

eliminável (e.li.mi.*ná*.vel) ***a.*** Que se pode eliminar [Ant.: *ineliminável.*] [Pl.: *-veis.*] [F.: *eliminar* + *-vel.* Hom./Par.: *elimináveis* (pl.), *elimináveis* (fl. de *eliminar*).]

elipse (e.*lip*.se) ***sf.*** **1** *Geom.* Figura num plano em que a soma das distâncias de qualquer de seus pontos a dois pontos fixos (focos) é constante [Ou seja, na ilustração, a + b = c + d.] **2** *Gram.* Figura de linguagem que consiste na omissão, em uma frase, de uma palavra que se subentende (p.ex.: em *saímos ontem* há elipse do sujeito *nós*) [Cf. *zeugma.*] [F.: Do gr. *élleipsis*, pelo lat. *ellipsis* 'supressão'.]

◎ **elips(o)-** ***el. comp.*** = 'elipse': *elipsoidal, elipsoide* [F.: Do lat. *ellipsis, is*, do gr. *élleipsis, eos.*]

elipsoidal (e.lip.soi.*dal*) ***a2g.*** Que tem forma de elipse; ELIPSOIDE [F.: *elipsoid(e)* + *-al.*]

elipsoide (e.lip.*soi*.de) ***a2g.*** **1** Elipsoidal ***sm.*** **2** *Geom.* Superfície de segundo grau cuja seção plana é sempre uma elipse [F.: *elips(o)-* + *-oide.*] ■ **~achatado** *Geom.* O mesmo que *elipsoide oblato* **~de revolução** *Geom.* Elipsoide (2) resultante da rotação de uma elipse em torno de um dos seus eixos [Sin.: *esferoide.*] **~oblato** *Geom.* Elipsoide de revolução formado pela rotação de uma elipse em torno do seu eixo menor; elipsoide achatado **~oblongo** *Geom.* O mesmo que *elipsoide prolato* **~prolato** *Geom.* Elipsoide de revolução formado pela rotação de uma elipse em torno do seu eixo maior; elipsoide oblongo

elíptico (e.*líp*.ti.co) ***a.*** **1** *Geom.* Ref. a elipse; que tem forma de elipse (1) (figura elíptica) **2** *Gram.* Que foi suprimido por elipse (2) **3** *Gram.* Diz-se de enunciado em que ocorre elipse (2) (frase elíptica) **4** Diz-se de obra, estilo, autor etc. nos quais ocorre com frequência elipse (2) [F.: Do gr. *elleiptikós.* Tb. *elítico.*]

elisão (e.li.*são*) ***sf.*** **1** Ação ou resultado de elidir, de suprimir; ELIMINAÇÃO; SUPRESSÃO **2** *Fon. Gram.* No encontro de duas palavras, supressão da vogal átona final de uma delas ao contato da vogal inicial da outra (p. ex.: *dali* [de + ali]) **3** *Mús.* Contiguidade entre o tempo forte final de um segmento rítmico e o tempo forte inicial do segmento rítmico que se lhe segue [Pl.: *-sões.*] [F.: Do lat. *elisio, onis*, pelo *fr. élision.*]

elite (e.*li*.te) ***sf.*** **1** O que é ou o que se considera o melhor ou o que tem mais valor em um grupo, em uma sociedade etc.; ESCOL; (FINA) FLOR; NATA **2** Grupo de pessoas influentes numa sociedade, por estarem em posição de poder ou por serem altamente competentes em determinada área: *Os times que formam a elite do futebol brasileiro.* [F.: Do fr. *élite.*]

elítico (e.*li*.ti.co) ***a.*** Ver *elíptico*

elitismo (e.li.*tis*.mo) ***sm.*** **1** Sistema que privilegia as elites e lhes atribui maior poder e influência que o da maioria da sociedade: "A legislação urbana do Rio de Janeiro sempre se caracterizou por um elitismo absurdo..." (*O Globo*, 12.07.2004) **2** Atitude, concepção, opinião favorável a esse sistema **3** Crença na superioridade das elites **4** Convicção de pertencer à elite e comportamento daí decorrente [F.: *elite* + *-ismo.*]

elitista (e.li.*tis*.ta) ***a2g.*** **1** Ref. a ou próprio do elitismo (grupo elitista, preconceito elitista) **2** Diz-se de pessoa adepta do elitismo ***s2g.*** **3** Essa pessoa **4** Pessoa que se considera parte de uma elite [F.: *elite* + *-ista.*]

elitização (e.li.ti.za.*ção*) ***sf.*** Ação ou resultado de elitizar(-se): *elitização dos desfiles das escolas de samba.* [Pl.: *-ções.*] [F.: *elitizar* + *-ção.*]

elitizado (e.li.ti.*za*.do) ***a.*** **1** Diz-se de quem se tornou parte da elite **2** Que se elitizou, sofisticou, que encareceu, que passou a ser acessível somente às elites, ou que só a elas é destinado (produto elitizado) [F.: Part. de *elitizar.*]

elitizante (e.li.ti.*zan*.te) ***a2g.*** Que elitiza ou pode elitizar (educação elitizante) [F.: *elitizar* + *-nte.*]

elitizar (e.li.ti.*zar*) ***v. td.*** Tornar elitista, destinar a uma elite, fazer ficar próprio para a elite: *O preço alto dos ingressos elitiza o teatro* [Ant.: *deselitizar.*] [▶ 1 elitizar] [F.: *elite* + *-izar.*]

◎ **elitr(o)-** ***el. comp.*** = 'bainha'; 'invólucro'; 'estojo'; 'vagina': *elitroide; elitrocele, elitroplastia, elitrorragia* [F.: Do gr. *élytron, ou.*]

élitro (*é*.li.tro) ***sm.*** *Anat. Zool.* Asa superior espessa, ou córnea, que cobre como um estojo a asa inferior de várias spp. de insetos, como p. ex. os besouros [F.: Do gr. *élytron* 'estojo'.]

elixir (e.li.*xir*) ***sm.*** **1** Bebida medicamentosa de sabor agradável, que contém substâncias balsâmicas e/ou relaxantes, diluídas em álcool, vinho etc. **2** Qualquer bebida de sabor agradável e propriedades balsâmicas **3** *Fig.* Bebida com suposto efeito mágico ou milagroso **4** *Fig.* Aquilo que produz efeitos milagrosos, mágicos; FILTRO **5** *Bras. Pop.* Aguardente de cana-de-açúcar; CACHAÇA [F.: Do gr. *kseron*, pelo ár. *al-iksîr* e pelo fr. *élixir.*] ■ **~ da longa vida** Beberagem que, segundo crença medieval, teria o poder de rejuvenescer ou de dar longa vida a quem a tomasse, e cuja fórmula foi buscada, sem sucesso, pelos alquimistas **~ paregórico** *Farm.* Sedativo intestinal feito de tintura de ópio, cânfora e outras substâncias

elmo (*el*.mo) ***sm.*** **1** Capacete, peça de armadura que protegia a cabeça **2** *Fig.* Crosta que se forma no couro cabeludo das crianças por falta de limpeza [Dim.irreg.: *elmete.*] [F.: Do germânico ocidental *helm* 'capacete'.]

⊕ ***el niño*** Correntes de águas marinhas quentes que por vezes ocorrem em certos pontos da costa da América do Sul, provocando alterações no clima e na ecologia [F.: Do espn. *el niño*, referente a menino (*niño*) Jesus, pelo fato de o fenômeno ocorrer na época do Natal.]

◎ **-elo** ***suf.*** = 'diminuição' ou 'outra coisa': *cerebelo; castelo, pesadelo etc.* [F.: Do lat. *-ellu, -ella.* Suf. nom. formador de dim. e de outras formas afins da normal.]

elo (*e*.lo) ***sm.*** **1** Cada uma das argolas de uma corrente **2** *Fig.* Ligação ou relação que existe entre pessoas ou coisas; CONEXÃO; UNIÃO: *O elo entre eles era forte; Apesar da distância não perdeu o elo com a família.* **3** *Inf.* Num hipertexto, ponto num documento (palava, ícone, sinal) a partir do qual se pode acessar outro (ger. com clique do *mouse*) [F.: Do lat. *annellus*, pela forma *aelo.*] ■ **~ perdido** **1** Designação dada ao espécime (ou espécie correspondente) suposto pela teoria evolucionista como intermediário da evolução do macaco ao homem. (Posteriormente identificado como o pitecantropo, ou *Pithecantropus erectus.*) **2** *Pext.* Qualquer elemento (espécime, espécie, gênero, etc.) que se supõe fazer parte de uma série evolutiva (e, correspondentemente, de uma classificação biológica), mas que não é conhecido ou observado **3** *Pext. Fig.* Elemento não observado ou já desaparecido, que faz ou já fez parte de uma série de conexões causais, e cuja existência é deduzida ou suposta, numa teoria

elocução (e.lo.cu.*ção*) ***sf.*** **1** Modo de expressão oral ou escrito **2** Escolha e arranjo de palavras ou frases; a parte da retórica que contempla essa escolha; ESTILO [Pl.: *-ções.*] [F.: Do lat. *elocutio, onis.* Ideia de 'elocução', usar pref. *fras(e)-* e suf. *-frase, -loquia,-loquente.*]

elocucional (e.lo.cu.ci:o.*nal*) ***a2g.*** Ref. à elocução: "Há, portanto, o saber falar universal, ou o saber elocucional, isto é, a capacidade de o homem expressar-se através do sistema denominado língua." (Horácio Rolim de Freitas, *Uma visão filológica*) [Pl.: *-nais.*] [F.: *elocução* + *al*, seg. o mod. erudito.]

elogiado (e.lo.gi.*a*.do) ***a.*** Que recebeu elogio; ENALTECIDO; LOUVADO [F.: part. de *elogiar.*]

elogiar (e.lo.gi.*ar*) ***v. td.*** Fazer elogio(s) a; ENALTECER; LOUVAR: "Toda a gente me elogiava a dedicação e a paciência." (Machado de Assis, *Novas seletas*) [Ant.: *desmerecer.*] [▶ 1 elogiar] [F.: *elogio* + *-ar²*, ou do lat. *elogiare.* Hom./Par.: *elogiáveis* (fl.), *elogiáveis* (fl. de *elogiável*).]

elogiativo (e.lo.gi:a.*ti*.vo) ***a.*** Que contém elogio; ELOGIOSO; ELOGIADOR [F.: *elogiar* + *-tivo.*]

elogiável (e.lo.gi.*á*.*vel*) ***a.*** Que pode ser elogiado; digno de elogio (atitude elogiável); LOUVÁVEL [Pl.: *-veis.*] [F.: *elogiar* + *-vel.* Hom./Par.: *elogiáveis* (pl.), *elogiáveis* (fl. de *elogiar*).]

elogio (e.lo.*gi*:o) ***sm.*** **1** Enunciação que exprime admiração, aprovação [+ *a*: *Fez um elogio ao professor.* Ant.: *censura, crítica.*] **2** Discurso em favor ou em louvor de alguém [+ *de*: *O Elogio da Loucura.*] [F.: Do lat. *elogium* 'epitáfio'. Hom./Par.: *elogio* (fl. de *elogiar*).] ■ **~ de corpo presente** Elogio que se faz a alguém em sua presença **~ fúnebre** Discurso em que se louva a memória de pessoa falecida

elogioso (e.lo.gi:*o*.so) [ô] ***a.*** Que envolve ou apresenta elogio: *Fez um relatório elogioso do trabalho da equipe.* [Fem. e pl.: [ó].] [F.: *elogio* + *-oso.*]

elongação (e.lon.ga.*ção*) ***sf.*** **1** *Astron.* Ângulo formado pela distância entre um astro, ou qualquer corpo, e o Sol, vistos da Terra: *Em 2005, a elongação máxima de Vênus ocorreu no dia 3 de novembro.* **2** *Fís.* Percentual de aumento máximo do comprimento de um material submetido a tração, antes da ruptura, e que, nos metais, é uma medida da ductilidade **3** *Fís.* Distância entre uma posição determinada e a posição de equilíbrio de um mesmo corpo submetido a um movimento periódico **4** *Med.* Estiramento, distensão [Pl.: *-ções.*] [F.: Do lat. *elongatio, onis.*] ■ **~ geocêntrica** *Astron.* Elongação (1) em relação ao centro da esfera terrestre **~ topocêntrica** *Astron.* Elongação (1) em relação a um observador na superfície terrestre

elongar (e.lon.*gar*) ***v.*** **1** Aumentar o comprimento de; ALONGAR; ESTENDER [***td.***] **2** Aumentar no comprimento, tornar-se mais longo ou esguio [***int.***: *Como esse menino elongou-se ultimamente!*] [▶ 14 elongar] [F.: Do lat. *elongare.*]

eloquência (e.lo.*quên*.ci:a) ***sf.*** **1** Capacidade de expressar-se facilmente **2** Arte ou poder de persuadir pelo discurso: "Eustáquio a interpelá-lo, com humildade mas com a eloquência que o caso requeria." (Antônio Callado, *Bar Don

Juan) **3** *Fig.* Expressividade convincente da fisionomia e dos gestos: *a eloquência do silêncio.* [F.: Do lat. *eloquentia.* Sin.ger.: *magniloquência*. ant. ger.: *ineloquência.*]

eloquente (e.lo.*quen*.te) *a2g.* **1** Que é dotado de eloquência, que se exprime bem ao falar (orador eloquente) **2** *Fig.* Que é expressivo, convincente (sorriso eloquente); PERSUASIVO [Ant.: *inconvincente, inexpressivo.*] [F.: Do lat. *eloquens, entis.* Sin.ger.: *magniloquente*. ant. ger.: *ineloquente.*]

el-rei *sm.* O rei: "Entrou por uma porta, saiu por outra, manda el-rei nosso senhor que nos conte outra." (Machado de Assis, *Esaú e Jacó*) [F.: f. ant. do art. def. *o*, us. apenas neste subst. e na ant. exclamação *aqui del-rei!*.]

elução (e.lu.*ção*) *sf. Fís. Quím.* Ação ou resultado de eluir; ELUIÇÃO [Pl.: *-ções.*] [F.: Do lat. *elutio,onis.*]

elucidação (e.lu.ci.da.*ção*) *sf.* Ação ou resultado de elucidar(-se); ESCLARECIMENTO: *elucidação de um mistério.* [Pl.: *-ções.*] [F.: *elucidar* + *-ção.*]

elucidado (e.lu.ci.*da*.do) *a.* Que se elucidou; ESCLARECIDO; EXPLICADO [F.: Part. de *elucidar.*]

elucidar (e.lu.ci.*dar*) *v.* **1** Tornar compreensível, claro (o que estava obscuro, ou misterioso); ESCLARECER [*td.*: *elucidar um crime; elucidar uma questão.*] **2** Fazer (alguém) conhecer ou saber [*tda.*: *É preciso elucidar os pesquisadores sobre a falta de verbas.*] **3** Adquirir informação, conhecimento (a respeito de algo) [*int.*: *Elucidou-se sobre as mudanças no regulamento.*] [▶ **1** elucidar] [F.: Do lat. *elucidare.*]

elucidário (e.lu.ci.*dá*.ri:o) *sm.* Publicação (livro, glossário, separata etc.) que esclarece ou explica conceitos, termos, palavras, expressões etc. obscuros ou ininteligíveis [F.: *elucidar* + *-ário*, ou do lat. med. *elucidarium.*]

elucidativo (e.lu.ci.da.*ti*.vo) *a.* Que elucida, esclarece, explica, comenta; ESCLARECEDOR; EXPLICATIVO: "... estendia-lhe o documento elucidativo ou a palavra iluminada, a ajudá-lo!" (Miguel Torga, "O charlatão" *in Rua* (*contos*)) [+ *de*: *um pôster elucidativo do trabalho realizado.*] [F.: *elucidar* + *-ivo.*]

elucubração (e.lu.cu.bra.*ção*) *sf.* O mesmo que *lucubração* [+ *sobre*: *elucubração sobre os mistérios da ciência.*] [Pl.: *-ções.*] [F.: Do lat. *elucubratio, onis.*]

elucubrar (e.lu.cu.*brar*) *v.* O mesmo que *lucubrar* [▶ **1** elucubrar] [F.: Do lat. *elucubrare.*]

eludir (e.lu.*dir*) *v. td.* Descartar-se habilmente do poder ou da influência de: *Sempre eludia as normas estabelecidas.* [▶ **3** eludir] [F.: Do lat. *eludere.* Hom./Par.: *iludir* (todos os tempos do verbo).]

eluição (e.lu:i.*ção*) *Fís.-quím. sf.* Separação, fracionamento de uma mistura de partículas [Pl.: *-ções.*] [F.: *eluir* + *-ção.*]

eluir (e.lu.*ir*) *v. Fís.quím.* Fazer a eluição de (mistura de partículas) [▶ **56** eluir] [F.: Do lat. *eluere.*]

◎ **elur(o)-** *el. comp.* = 'gato': *elurofilia, elurófilo, elurofobia, eluromania, eluropsia* [F.: Do gr. *aílouros, ou.* Há registros na língua de f. em *ailuro-* (*ailurofilia, ailuropsia* etc.), é preferível, porém, a grafia com *eluro-*.]

elurofilia (e.lu.ro.fi.*li*.a) *Psiq. sf.* Afinidade mórbida por gatos; ELUROMANIA [Ant.: *elurofobia.*] [F.: *elur(o)-* + *-filia*[1].]

elurofílico (e.lu.ro.*fi*.li.co) *Psiq. a.* **1** Ref. a elurofilia **2** Diz-se de indivíduo que tem elurofilia; ELURÓFILO *sm.* **3** Esse indivíduo; ELURÓFILO [F.: *elurofilia* + *-ico*[2]. Sin. ger.: *eluromaníaco*. Ant. ger.: *elurofóbico.*]

elurófilo (e.lu.*ró*.fi.lo) *Psiq. a. sm.* O mesmo que *elurofílico* (2 e 3) [F.: *elur(o)-* + *-filo*[1]. Ant. ger.: *elurófobo.*]

elurofobia (e.lu.ro.fo.*bi*.a) *Psiq. sf.* Aversão mórbida a gatos [Ant.: *elurofilia, eluromania.*] [F.: *elur(o)-* + *-fobia.*]

elurofóbico (e.lu.ro.*fó*.bi.co) *Psiq. a.* **1** Ref. a elurofobia **2** Diz-se de indivíduo que tem elurofobia; ELURÓFOBO *sm.* **3** Esse indivíduo; ELURÓFOBO [F.: *elurofobia* + *-ico*[2]. Ant. ger.: *elurofílico.*]

elurófobo (e.lu.*ró*.fo.bo) *Psiq. a. sm.* O mesmo que *elurofóbico* (2 e 3) [F.: *elur(o)-* + *-fobo*. Ant. ger.: *elurófilo, eluromaníaco, elurômano.*]

eluromania (e.lu.ro.ma.*ni*.a) *Psiq. sf.* O mesmo que *elurofilia* [F.: *elur(o)-* + *-mania.*]

eluromaníaco (e.lu.ro.ma.*ní*.a.co) *Psiq. a.* **1** Ref. a eluromania **2** Diz-se de indivíduo que tem eluromania; ELURÔMANO *sm.* **3** Esse indivíduo; ELURÔMANO [F.: *eluroman(ia)* + *-íaco*. Sin. ger.: *elurofílico*. Ant. ger.: *elurofóbico.*]

elurômano (e.lu.*rô*.ma.no) *Psiq. a. sm.* O mesmo que *eluromaníaco* (2 e 3) [F.: *elur(o)-* + *-mano*[1].]

eluropsia (e.lu.rop.*si*.a) *Anat. sf.* Fenda palpebral oblíqua, como a dos gatos [F.: *elur(o)-* + *-opsia.*]

elusivo (e.lu.*si*.vo) *a.* **1** Que tende a escapar; ESQUIVO; FUGIDIO **2** Difícil de explicar ou de entender; IMPRECISO; VAGO: "O estudo da evolução por meio de fósseis é como a montagem de um elusivo quebra-cabeça." (*IstoÉ*, 28.04.1999) [F.: Do ing. *elusive*, posv. Hom./Par.: *ilusivo* (a.).]

eluviação (e.lu.vi:a.*ção*) *Geol. sf.* Movimento descendente de material dissolvido ou em suspensão num solo, quando a chuva excede a evaporação [Pl.: *-ções.*] [F.: De or. incerta. Hom./Par.: *eluviação* (sf.), *iluviação* (sf.).]

elvense (el.*ven*.se) *s2g.* **1** Indivíduo nascido ou que vive em Elvas (Portugal) *a2g.* **2** De Elvas; típico dessa cidade ou de seu povo [F.: Do top. *Elvas* + *-ense.*]

◎ **em-**[1] *pref.* = dentro: *embutido.*

◎ **em-**[2] *pref.* = para dentro; aproximação; transformação: *embarcar, embolsar, empanar; embicar; embelezar.*

em *prep.* **1** Dentro de: *Leve a merenda na mochila.* **2** Diante de, perante, ante: *Só era extrovertido em família.* **3** Indica: a) lugar; b) tempo; c) modo, estado; d) meio, instrumento; e) finalidade; f) direção; g) distribuição; h) equivalência e valor: *Minha avó mora no centro; em dez minutos será atendido; ela estava em pânico; disputaram nos dados; pediu-a em casamento; finalmente chegou em casa; obra em dois volumes; o preço da casa foi estimado em 20 mil reais.* **4** Introduz complemento: *Penso sempre em você.* **5** Compõe locuções adverbiais: de tempo (em breve), causa (em razão de), modo (em paz), lugar (em torno de) **6** Compõe adjunto adnominal que especifica qualidade, estado etc. do substantivo: *água em ebulição; dinheiro em espécie.* [Contrai-se com artigos: *na(s), no(s), num(ns), numa(s)*; pron. pessoais: *nele(s), nela(s)*; pron. demonstrativos: *nesse(s), nessa(s), nisso, neste(s), nesta(s), nisto, naquele(s), naquela(s), naquilo*; pron. indefinidos: *nalgum, nalguma, noutro(s), noutra(s).*] [F.: Do lat. *in.* Ideia de 'em', usar pref. *in-*.]

◎ **-ema** *suf.* nom. = 'elemento'; 'unidade de estrutura significativamente distinta, de qualidade específica': *edema, enfisema; fonema, morfema, semantema* etc. [F.: Do gr. *-ema, -ematos.* Suf. nom. bastante produtivo na área científica contemporânea.]

ema (*e*.ma) *sf.* **1** *Zool.* Ave da fam. dos reídeos (*Rhea americana*), semelhante ao avestruz, considerada a maior ave brasileira, que pode atingir 1,70m e vive em áreas campestres e de cerrado; NHANDU [O macho choca os ovos postos por várias fêmeas num ninho cavado no solo.] **2** *N.N.E.* Masca de tabaco [F.: De or. contrv.] ▪ **Montado na ~** *N. N.E.* Bêbado, embriagado

emaciação (e.ma.ci:a.*ção*) *sf. Med.* Emagrecimento extremo [Pl.: *-ções.*] [F.: *emaciar* + *-ção.*]

emaciado (e.ma.ci:*a*.do) *a.* Excessivamente emagrecido; MACILENTO: "Ela estava abatida (...), as faces emaciadas, o pescoço mais mole e pelancoso." (Júlia Lopes de Almeida, *A intrusa*) [F.: Do lat. *emaciatus, a, um.*]

emaciar (e.ma.ci.*ar*) *v. td.* Tornar(-se) muito magro, extenuado, com perda de massa muscular e adiposa; EMAGRECER; EXTENUAR(-SE) [*td.*: *Os exercícios puxados emaciaram o rapaz; O rapaz amaciou-se.*] [*int.*: *A moça emaciou.*] [▶ **15** emaciar] [F.: Do lat. *emaciare.* Hom./Par.: *amaciar* (todos os tempos do v.).]

emagrecedor (e.ma.gre.ce.*dor*) [ô] *a.* **1** Que emagrece (remédio emagrecedor) *sm.* **2** Aquilo que emagrece [F.: *emagrecer* + *-dor.*]

emagrecer (e.ma.gre.*cer*) *v.* **1** Tornar(-se) magro ou mais magro [*td.*: *Os exercícios o emagreceram.*] [*int.*: *Estou tentando emagrecer.*] **2** *Fig.* Fazer diminuir ou diminuir de importância, de riqueza, de valor [*td.*: *A União emagreceu o orçamento para a pesquisa nuclear.*] [*int.*: *O orçamento para as universidades emagreceu.*] [▶ **33** emagrecer] [F.: Do lat. tard. *emacrescere.* Ant. ger: *engordar.*]

emagrecido (e.ma.gre.*ci*.do) *a.* Que emagreceu; DEFINHADO [F.: Part. de *emagrecer.*]

emagrecimento (e.ma.gre.ci.*men*.to) *sm.* **1** Ação ou resultado de emagrecer(-se) **2** Definhamento [F.: *emagrecer* + *-imento.*]

⊕ **e-mail** (*Ing.* /*i-mêiou*/) *sm.* **1** *Inf.* Sistema que possibilita o envio e recebimento de mensagens pelo computador **2** Mensagem enviada ou recebida através desse sistema: *Recebi um e-mail dela ontem.* **3** Notação que identifica um usuário de rede de computadores e que serve de endereço para envio e recebimento de mensagens: *Anote o meu e-mail.* [Pl.: *e-mails.*] [F.: Do ing. *e-mail*, abr. de *e(lectronic)* + *mail.*]

emanação (e.ma.na.*ção*) *sf.* **1** Ação ou resultado de emanar **2** Origem, procedência: *emanação do poder.* **3** Cheiro proveniente de certas substâncias ou locais (emanações salinas); EXALAÇÃO **4** *Fil.* Processo no qual o ser supremo e divino faz sair de si um prolongamento de sua própria substância e natureza, a partir do qual se cria o universo e todos os seus seres [F.: Do lat. *emanatio, onis.*]

emanado (e.ma.*na*.do) *a.* **1** Que vem ou se origina de; PROVENIENTE: *poder emanado do povo.* **2** Lançado de si; EMITIDO; EXALADO [F.: Part. de *emanar*. Hom./Par.: *emanado* (a.), *imanado* (a.).]

emanante (e.ma.*nan*.te) *a.* Que emana [F.: Do lat. *emanens, entis*, part. pres. de *emanare*. Tb. *emanente.*]

emanar (e.ma.*nar*) *v.* **1** Ter origem em, originar-se, provir, manar: *Esse conceito emana da filosofia grega.* [*tr.* + *de*: *o calor que emana do sol:* "Ali, há apenas a referência de que o poder emana do povo, que o exerce através de seus representantes eleitos" (*O Globo*, 25.01.2005)] **2** Disseminar-se na forma de partículas sutis; exalar-se, soltar-se [*tr.* + *de*: *Um doce perfume emanava do jardim.*] [▶ **1** emanar] [F.: Do lat. *emanare*. Hom./Par.: *emanar* (v.), *imanar* (v.).]

emanatismo (e.ma.na.*tis*.mo) *sm.* *Fil.* Doutrina panteísta, segundo a qual todas as coisas procedem de Deus por emanação [F.: Do lat. *emanat (io)*, 'emanação', + *-ismo.*]

emanatório (e.ma.na.*tó*.ri:o) *sm.* Em termas, instalação onde há emanação de substâncias próprias para tratamento de doenças respiratórias [F.: Do lat. *emanat(io)*, 'emanação', + *-ório.*]

emancipação (e.man.ci.pa.*ção*) *sf.* **1** Ação ou resultado de emancipar(-se) **2** Libertação, independência **3** *Jur.* Instituto que, no Brasil, concedia direitos civis aos maiores de 18 anos e menores de 21, quando a legislação estabelecia a maioridade a partir dos 21 anos [Pl.: *-ções.*] [F.: Do lat. *emancipatio, onis.*]

emancipacionismo (e.man.ci.pa.ci:o.*nis*.mo) *Bras. sm.* **1** *Hist.* Doutrina do séc. XIX que defendia a extinção lenta e gradual da escravidão por meio de medidas legais, respeitando o direito e a ordem pública **2** *Soc.* Doutrina que defende a ampliação e o aprimoramento dos direitos das mulheres na sociedade **3** *Pol.* Movimento que defende a transformação de pequenas cidades em municípios independentes [F.: *emancipação* (rad. *emancipacion-*) + *-ismo.*]

emancipacionista (e.man.ci.pa.ci:o.*nis*.ta) *a2g.* **1** Ref. a emancipacionismo **2** Que é adepto do emancipacionismo *s2g.* **3** Adepto do emancipacionismo [F.: *emancipação* + *-ista*, seg. o mod. erudito.]

emancipado (e.man.ci.*pa*.do) *a.* **1** Que se emancipou; LIVRE; INDEPENDENTE **2** *Jur.* Que se tornou civilmente capaz, por emancipação [F.: Do lat. *emancipatus, a, um.*]

emancipador (e.man.ci.pa.*dor*) [ô] *a.* **1** Que emancipa *sm.* **2** Aquele que emancipa [F.: *emancipar* + *-dor.*]

emancipar (e.man.ci.*par*) *v.* **1** Tornar(-se) livre ou independente [*td.*: *A princesa Isabel emancipou os escravos:* "Houve uma imprudência nacional e uma ilusão dos líderes locais ao se emancipar muitos municípios no Brasil" (*O Globo*, 25.04.2004)] [*tdr.* + *de*: *O amor o emancipou da tristeza; Mesquita emancipou-se do Rio de Janeiro.*] **2** Dar a ou ter emancipação (quem está sujeito a pátrio poder ou autoridade similar); eximir(-se) do pátrio poder, de tutoria, curadoria etc. [*td.*: *Os pais dele o emanciparam quando tinha dezesseis anos.*] [*tdr.* + *de*: *O juiz emancipou-o da tutela do tio.*] [*int.*: *Emancipou-se muito cedo.*] [*tr.* + *de*: *Emancipou-se muito cedo do pátrio poder.*] [▶ **1** emancipar] [F.: Do lat. *emancipare*. Hom./Par.: *emancipáveis* (fl.), *emancipáveis* (pl. de *emancipável*).]

emancipatório (e.man.ci.pa.*tó*.ri:o) *a.* Que emancipa; EMANCIPADOR [F.: *emancipar* + *-ório*, seg. o mod. erudito.]

emancipável (e.man.ci.*pá*.vel) *a2g.* Que se pode emancipar [Pl.: *-veis.*] [F.: *emancipar* + *-vel*. Hom./Par.: *emancipáveis* (pl.), *emancipáveis* (fl. de *emancipar*).]

emanente (e.ma.*nan*.te) *a2g.* Que emana [F.: Do lat. *emanens, entis.* Tb. *amanante.*]

emaranhado (e.ma.ra.*nha*.do) *a.* **1** Que está embaralhado, enredado, confusamente misturado ou embaraçado (linhas emaranhadas, pensamentos emaranhados) [Tb. fig.] **2** Sem ordem, sem clareza (texto emaranhado); CONFUSO; INTRINCADO [Ant.: *claro, compreensível.*] *sm.* **3** Aquilo que está misturado confusamente: *um emaranhado de fios.* [F.: Part. de *emaranhar.*]

emaranhamento (e.ma.ra.nha.*men*.to) *sm.* Ação ou resultado de emaranhar(-se) [Ant.: *desemaranhamento.*] [F.: *emaranhar* + *-mento.*]

emaranhar (e.ma.ra.*nhar*) *v.* **1** Fazer ficar ou ficar emaranhado, embaraçado, enredado; EMBARAÇAR; ENREDAR: *Sem querer, emaranhou as fitas.* [*td.*: *O vento emaranhou seus cabelos.*] [*int.*: *Com o vento, seus cabelos emaranharam-se.*] **2** Tornar ou ficar confuso, complicado [*td.*: *Um novo dado emaranhou a questão.*] [*int.*: *Com a declaração dele, o debate emaranhou-se todo de novo.*] [▶ **1** emaranhar] [F.: *e-*[3] + *maranha* + *-ar*[2]. Sin. ger.: *embaralhar*. Ant. ger.: *desemaranhar, desembaraçar, desembaralhar.*]

emasculação (e.mas.cu.la.*ção*) *sf.* Ação ou resultado de emascular(-se); CASTRAÇÃO [Pl.: *-ções.*] [F.: *emascular* + *-ção.*]

emasculado (e.mas.cu.*la*.do) *a.* **1** Que se emasculou; CASTRADO **2** *Fig.* Sem virilidade; EFEMINADO **3** *Fig.* Tornado fraco; DEBILITADO [F.: Do lat. *emasculatus, a, um.*]

emasculador (e.mas.cu.la.*dor*) [ô] *sm.* Instrumento próprio para castrar animais [F.: *emascular* + *-dor.*]

emascular (e.mas.cu.*lar*) *v.* **1** Tirar a virilidade, a masculinidade a, ou perder a virilidade, a masculinidade; CASTRAR [*td.*] [*int.*] **2** *Fig.* Fazer perder ou perder o vigor, a energia; DEBILITAR: *A cobiça emascula o caráter.* [*td.*: *A depressão emasculou-o.*] [*int.*: *Com a depressão, emasculou-se.*] [▶ **1** emascular] [F.: Do lat. *emasculare.*]

emassado (e.mas.*sa*.do) *a.* **1** *Bras.* Revestido, coberto com massa (parede emassada) **2** Reduzido a massa; EMPASTADO [F.: Part. de *emassar.*]

emassar (e.mas.*sar*) *v. td.* **1** Transformar em massa **2** *Bras.* Revestir (superfície) com massa: *emassar a parede antes de pintar.* **3** *Bras.* Pôr massa de vidraceiro em: *emassar o basculante.* [▶ **1** emassar] [F.: *e-*[3] + *massa* + *-ar*[2]. Hom./Par.: *emassar* (v.), *emaçar* (v.).]

embaçado (em.ba.*ça*.do) *a.* **1** Que perdeu a transparência ou o brilho (espelho embaçado) **2** Diz-se de vidro, espelho, metal polido etc., cuja superfície está coberta de gotinhas de vapor, e por isso perdeu a transparência ou o brilho **3** Estupefato, assombrado, perplexo **4** Pálido, sem cor, devido susto, medo etc. **5** Diz-se de som abafado, surdo **6** *Gír.* Atrapalhado, enrolado, confuso [F.: Part. de *embaçar*. Sin. ger.: *embaciado, baço.*]

embaçamento (em.ba.ça.*men*.to) *sm.* **1** Ação ou resultado de embaçar (1, 2): *embaçamento dos vidros.* **2** *Fig.* Assombro, admiração; ESTUPEFAÇÃO; SURPRESA **3** Intrujice, logro, fraude [F.: *embaçar* + *-mento.*]

embaçar (em.ba.*çar*) *v.* **1** Fazer ficar ou ficar baço, embaçado, embaciado; EMBACIAR [*td.*: *O vapor embaçou os óculos.*] [*int.*: *Abriu a janela do carro quando o para-brisa embaçou-se.*] **2** *Fig.* Retirar o brilho ou o prestígio de, ou perdê-los; OFUSCAR [*td.*: *Receava que o show embaçasse a sua festa:* "E isso não embaça, de jeito nenhum, o desempenho que ela tem tido no ministério." (*O Globo*, 21.10.2003)] [*int.*: *Quando a orquestra parou, a festa embaçou-se.*] **3** *Fig.* Fazer perder ou perder a fala; deixar ou ficar mudo, perplexo; EMBATUCAR [*td.*: *Tantas perguntas embaçariam qualquer candidato.*] [*int.*: *O candidato embaçou.*] **4** *Fig.* Iludir, enganar [*td.*: *Vivia de embaçar os retirantes.* Ant.: *esclarecer.*] [▶ **12** embaçar] [F.: *em-*[1] + *baço* + *-ar*[2]. Ant. ger.: *desembaçar.*]

embaciado (em.ba.ci:*a*.do) ***a.*** Sem brilho; BAÇO; EMBAÇADO [F.: Part. de *embaciar*.]

embaciar (em.ba.ci.*ar*) ***v.*** **1** Perder o brilho ou a transparência; EMBAÇAR [***td.***: *A chuvinha embaciou os vidros do carro.*] [***int.***: *O copo embaciou.*] **2** Tirar o valor de, denegrir (alguém, algo) [***td.***: *O escândalo embaciou seu bom nome.*] [▶ **15 embaciar**] [F.: *em-* + *baço* + *-iar*.]

embagulhar (em.ba.gu.*lhar*) ***v.*** *Bras. Pej.* Ficar um bagulho; ficar velho, murcho ou feio (uma pessoa) [***td.***: *A velhice embagulhou esse homem.*] [***int.***: *Depois do casamento a mulher embagulhou.*] [▶ **1 embagulhar**] [F.: *em-(-en)* + *bagulho* + *-ar*.]

embainhado (em.ba.:*i*.nha.do) ***a.*** **1** Que está em bainha (2), que se embainhou (punhal embainhado) [Ant.: *desembainhado.*] **2** Que tem bainha (1) feita, cosida (lençol embainhado) [F.: Part. de *embainhar.*]

embainhar (em.ba:i.*nhar*) ***v.*** **1** *Vest.* Fazer bainha (1) (em) [***td.***: *embainhar a calça.*] [***int.***: *Nunca aprendeu a embainhar.*] **2** Introduzir em bainha (2) [***td.***: *embainhar a espada*. Ant.: *desembainhar.*] **3** *Fig.* Introduzir (arma branca) como se fosse em bainha (2) [***tda.***: *Embainhou o punhal no ventre do adversário.*] [▶ **1 embainhar**] [F.: *em-*[2] + *bainha* + *-ar*[2].]

embair (em.ba.*ir*) ***v. td.*** Levar ou conduzir (alguém) a um erro; ENGANAR; ILUDIR: *O espertalhão embaiu todo mundo.* [▶ **43 embair**] [F.: Do lat. *invadere*.]

embaixada (em.bai.*xa*.da) ***sf.*** **1** Cargo ou função de embaixador **2** Missão diplomática do governo de um Estado junto ao governo de outro **3** Habitação ou local de trabalho de embaixador: *embaixada junto à Santa Sé.* **4** A comitiva de um embaixador **5** *Fig.* Grupo representativo de pessoas com certa incumbência; COMISSÃO; DELEGAÇÃO: *Uma embaixada de empresários discutiu com o ministro a redução de impostos.* **6** Aviso, mensagem entre particulares **7** *Fut.* Ação de controlar a bola com um ou dois pés, chutando-a repetidas vezes para cima, levemente, sem deixar que caia no chão [F.: Do gótico *andbahti*, pelo lat. tard. *ambactia*, pelo fr. *ambassade*.]

embaixador (em.bai.xa.*dor*) [ô] ***sm.*** **1** O mais alto posto de representação diplomática de um Estado junto a outro ou a uma organização internacional: *embaixador junto à ONU.* **2** Qualquer indivíduo incumbido de uma missão; EMISSÁRIO: *embaixador da paz.* [Fem.: *embaixadora, embaixatriz.*] [F.: Do fr. *ambassadeur.*]

embaixadora (em.bai.xa.*do*.ra) [ô] ***sf.*** **1** Mulher que exerce a função de embaixador **2** *Pop.* Mulher encarregada de missão particular: *embaixadora dos desabrigados.* [F.: Fem. de *embaixador*. Cf.: *embaixatriz.*]

embaixatriz (em.bai.xa.*triz*) ***sf.*** Mulher de embaixador [F.: Do fr. *ambassatrice*. Cf.: *embaixadora.*]

embaixo (em.*bai*.xo) ***adv.*** **1** Em posição, localização inferior (no espaço): *A oficina fica embaixo, no porão.* **2** *Fig.* Em posição de inferioridade; sem recursos e/ou prestígio; por baixo: *Foi uma atriz famosa, atualmente está bem embaixo.* [F.: *em* + *baixo*. Ideia de 'embaixo', usar pref. *cata-* e *infra-*.] **■ ~ de** Em posição física inferior a (alguém, algo), ou submetido a (algo); sob: *A bicicleta está embaixo da escada; Bateram em retirada embaixo do fogo inimigo.*

embalado[1] (em.ba.*la*.do) ***adv.*** **1** Em alta velocidade: *O carro vinha embalado quando bateu.* **2** Às pressas, apressadamente: *O garoto passou embalado pela porta do colégio.* [Nas acp. 1 e 2, ant.: *devagar, lentamente.*] ***a.*** **3** Ninado, acalentado: *O bebê embalado adormeceu antes dos outros.* **4** Estimulado, impulsionado: *O que se viu foi um time embalado e vibrante.* **5** *Gír.* Sob efeito de entorpecente [F.: Part. de *embalar*[1].]

embalado[2] (em.ba.*la*.do) ***a.*** **1** Que se embalou (2); ACONDICIONADO; EMBRULHADO; EMPACOTADO: *presentes embalados com papel de seda.* [Ant.: *desembrulhado.*] **2** Provido de bala (armas embaladas); CARREGADO [Ant.: *descarregado.*] [F.: Part. de *embalar*[2]. Ant. ger.: *desembalado.*]

embalador[1] (em.ba.la.*dor*) [ô] ***a.*** **1** Que embala[1], acalenta (cantiga embaladora) **2** Enganador ***sm.*** **3** O que embala[1] [F.: *embalar*[1] + *-dor*.]

embalador[2] (em.ba.la.*dor*) [ô] ***a.*** **1** Que faz embalagens[2] ***sm.*** **2** Aquele que faz embalagens[2] [F.: *embalar*[2] + *-dor*.]

embalagem[1] (em.ba.*la*.gem) ***sf.*** **1** Aumento gradativo de velocidade: *O trem ganhou embalagem na descida.* **2** Impulso, ímpeto, seguimento vigoroso [Pl.: *-gens*.] [F.: *embalar*[1] + *-agem*.] **■ Pegar ~** Correr mais rápido, acelerar na corrida

embalagem[2] (em.ba.la.*gem*) ***sf.*** **1** Ação ou resultado de embalar[2], de acondicionar (seção de embalagem) **2** Invólucro utilizado para embalar[2] (embalagem de plástico) [Pl.: *-gens*.] [F.: Do fr. *emballage*.]

embalançar (em.ba.lan.*çar*) ***v. td.*** Pender ou mover-se de um lado para outro, como num movimento de balanço; BALANÇAR-SE: *Embalançou o corpo antes de sentar-se; Os galhos embalançavam-se ao vento.* [▶ **1 embalançar**] [F.: *em-* + *balanço* + *-ar*.]

embalar[1] (em.ba.*lar*) ***v.*** **1** Ninar, acalentar (uma criança) [***td.***] **2** Mover ritmadamente (berço, rede etc.); BALANÇAR [***td.***: *Embalou a rede para que ele dormisse:* "... e agora repousa embalando-se na macia e cômoda rede." (José de Alencar, *Novas seletas*)] **3** Acelerar [***td.***: *embalar a moto.*] [***int.***: *Na ladeira, o caminhão embalou*. Ant.: *desacelerar, desembalar.*] **4** *Fig.* Provocar sensação agradável, de tranquilidade ou de relaxamento [***td.***: *A música embala nossa alma.*] **5** *Fig.* Trazer alento ou estímulo a; ALIMENTAR; NUTRIR [***td.***: *Tanto carinho embalava os dias da avó.*] [***tda.***: *Embala em seus sonhos a esperança de dias melhores.*] **6** *Fig.* Entreter, iludir [***td.***: *As promessas do diretor embalavam os candidatos.*] [***tdr.*** + *com, em*: *Embalava-me nas palavras do diretor.*] [▶ **1 embalar**] [F.: De or. contrv., posv. relacionado com *abalar*.]

embalar[2] (em.ba.*lar*) ***v. td.*** Acondicionar (mercadoria) em caixa, pacote etc.; EMPACOTAR [Ant.: *desembalar.*] [▶ **1 embalar**] [F.: Do fr. *emballer*.]

embalar[3] (em.ba.*lar*) ***v. td.*** *Bras.* Meter bala (2) em, carregar (arma) com bala (2) [Ant.: *desembalar.*] [▶ **1 embalar**] [F.: *em-*[2] + *bala* + *-ar*[2].]

embalo (em.*ba*.lo) ***sm.*** **1** Movimento de vaivém de um corpo que oscila, balança; BALANÇO; BALOUÇO **2** *Bras.* Movimento repentino e impetuoso (tb. como continuação inercial de um impulso); ÍMPETO; IMPULSO: *Subiu a ladeira no embalo.* **3** *Bras. Gír.* Animação, agitação intensa (festa de embalo) **4** *Bras. Gír.* Festa muito animada: *Ia aos embalos de fim de semana.* **5** *Mús.* Acalanto **6** *Lus.* Brinquedo para se balançar, ger. uma tábua que serve de assento, suspensa por duas cordas em suas extremidades, que pendem de uma trave horizontal; BALANÇO; BALOUÇO **7** *Bras. Pop.* Hábito, vício de se drogar com estimulantes ou entorpecentes [F.: Dev. de *embalar*[1]. Hom./Par.: *embalo* (fl. de *embalar*).] **■ Entrar no ~** *Pop.* Viciar-se em drogas **Pegar no ~** *Pop.* Começar a funcionar (motor de veículo) por ação inversa, o movimento das rodas a acionar os pistões nos cilindros, quando se desembreia o veículo ao ser este empurrado ou a descer em declive

embalsamado (em.bal.sa.*ma*.do) ***a.*** **1** Diz-se do cadáver em que foram aplicadas substâncias que impedem sua decomposição **2** Impregnado de bálsamos, de fragrâncias; PERFUMADO: "... o ar puro dos campos, embalsamado pelo perfume suave das flores..." (França Júnior, *Dois proveitos em um saco*) [F.: Part. de *embalsamar*.]

embalsamador (em.bal.sa.ma.*dor*) [ô] ***a.*** **1** Que embalsama **2** O que embalsama [F.: *embalsamar* + *-dor*.]

embalsamamento (em.bal.sa.ma.*men*.to) ***sm.*** Ação ou resultado de embalsamar [F.: *embalsamar* + *-mento*.]

embalsamar (em.bal.sa.*mar*) ***v. td.*** **1** Introduzir em (cadáver) substâncias balsâmicas ou outros preparados que impedem sua decomposição; MUMIFICAR: *Alguns povos antigos embalsamavam seus mortos.* **2** Impregnar de bálsamo, de aroma; PERFUMAR: *Os limoeiros em flor embalsamam o ar.* [▶ **1 embalsamar**] [F.: *em-*[2] + *bálsamo* + *-ar*[2].]

embananado (em.ba.na.*na*.do) *Bras. Gír.* ***a.*** **1** Que se embananou, que está enredado em problemas ou dificuldades: *Gastou mais do que podia e agora está embananado.* **2** Diz-se de quem é ou está confuso, atrapalhado, embaraçado: *Ele é todo embananado, sempre mete os pés pelas mãos.* [F.: Part. de *embananar.*]

embananamento (em.ba.na.na.*men*.to) ***sm.*** *Bras. Gír.* Situação de quem está embananado, de quem está confuso ou metido em complicações; BANANOSA: "...ficou cada vez mais distante, sobretudo pelo embananamento em que a esquerda mergulhou..." (*Jornal do Brasil*, 20.06.2002) [F.: *embananar* + *-mento*.]

embananar (em.ba.na.*nar*) *Bras. Gír.* ***v.*** **1** Fazer ficar ou ficar atrapalhado, confuso, complicado; COMPLICAR [***td.***: *Embananei a cabeça dele com minhas perguntas.*] [***int.***: "...se o processo embananar, se a traição fizer brotar dois chifres vermelhos na minha testa, adoto aquela primeira alternativa." (Antônio Callado, *Bar Don Juan*)] **2** Meter(-se) em dificuldades, bananosas, problemas, complicações; EMBARAÇAR [***td.***: *O divórcio o embananou financeira e emocionalmente.*] [***int.***: *Estava indo bem, mas investiu demais e embananou-se.*] [▶ **1 embananar**] [F.: *em-*[2] + *banana* + *-ar*[2].]

embandeirado (em.ban.dei.*ra*.do) ***a.*** **1** Adornado com bandeiras (estádio embandeirado, navio embandeirado) **2** *Bras. Gír.* Muito alegre e animado: *Chegou à festa todo embandeirado.* **3** *RJ Gír.* Ligeiramente bêbedo; ALEGRE **4** *Bras. Pop.* Um tanto agressivo para com alguém [F.: Part. de *embandeirar.*]

embandeiramento (em.ban.dei.ra.*men*.to) ***sm.*** Ação ou resultado de embandeirar(-se) [F.: *embandeirar* + *-mento*.]

embandeirar (em.ban.dei.*rar*) ***v. td.*** **1** Adornar com bandeiras (inclusive a si mesmo): *O clube embandeirou-se para receber o time campeão.* **2** *Bras. Pop.* Enfeitar (inclusive a si mesmo), apresentar(-se) ou vestir(-se) com apuro, às vezes com exagero **3** *Bras. Fig.* Exaltar, enaltecer, lisonjear: *Embandeirava a atuação do filho para todos os amigos.* **4** *Bras. Pop.* Ficar entusiasmado: *Embandeirou-se com as novas perspectivas* **5** *Bras. Pop.* Ser ríspido, rude com alguém [***int.***: *Irritado, embandeirou-se e destratou o amigo.*] **6** *BA* Reunir cacau colhido em montículos, ou bandeiras (28) [▶ **1 embandeirar**] [F.: *em-*[2] + *bandeira* + *-ar*[2].]

embaraçado (em.ba.ra.*ça*.do) ***a.*** **1** Que se embaraçou (1), se misturou desordenadamente (cabelos embaraçados) **2** Que se mostra complicado, difícil (tarefa embaraçada) [Ant.: *descomplicado, simplificado.*] **3** Que está incomodado, constrangido, um tanto envergonhado; ACANHADO: "Amaro, embaraçado, curvou-se logo para um canto do sofá..." (Eça de Queirós, *O crime do padre Amaro*) [+ *com*: *Ficou embaraçado com o que viu.* Ant.: *desencabulado, desinibido.*] [F.: Part. de *embaraçar*. Ant. ger.: *desembaraçado.*]

embaraçante (em.ba.ra.*çan*.te) ***a2g.*** Que causa embaraço (pergunta embaraçante); EMBARAÇADOR [F.: *embaraçar* + *-nte*.]

embaraçar (em.ba.ra.*çar*) ***v.*** **1** Fazer ficar ou ficar desordenadamente misturado, enredado, emaranhado [***td.***: *O gatinho embaraçou o novelo de lã.*] [***int.***: *Meu cabelo embaraçou-se com o vento.*] **2** Causar a, criar ou enfrentar embaraço, dificuldade, estorvo; ATRAPALHAR; CONFUNDIR [***td.***: *A nova ortografia vai embaraçar por algum tempo os estudantes.*] [***int.***: *O contador embaraçou-se com as novas regras fiscais*. Ant.: *descomplicar, facilitar, simplificar.*] **3** Criar obstáculo, embaraço a (trânsito, rua, estrada etc.); IMPEDIR; OBSTRUIR [***td.***: *A pane nos semáforos embaraçou o trânsito*. Ant.: *desobstruir.*] **4** *Fig.* Causar ou sentir embaraço, constrangimento; CONSTRANGER [***td.***: *O mau comportamento do filho embaraçou seus pais.*] [***int.***: *Cometeu uma rata e embaraçou-se todo.*] [▶ **12 embaraçar**] [F.: *em-*[2] + *baraço* + *-ar*[2]. Ant. ger.: *desembaraçar.*]

embaraço (em.ba.*ra*.ço) ***sm.*** **1** Aquilo que atrapalha, dificulta ou impede; EMPECILHO; ESTORVO; IMPEDIMENTO; OBSTÁCULO: *O orçamento apertado é um embaraço ao projeto.* **2** Perturbação, constrangimento: "A cada momento os embaraços deste forneciam motivo para risos..." (Júlio Dinis, *A morgadinha dos canaviais*) **3** *Pus. Pop.* Ver *gravidez* **4** *Pop.* Menstruação [F.: Dev. de *embaraçar.* Hom./Par.: *embaraço* (fl. de *embaraçar*).] **■ ~ gástrico** Perturbação no funcionamento do sistema digestório **~ jurídico** *Jur.* Situação, fato ou circunstância que impede a execução de um ato judicial

embaraçoso (em.ba.ra.*ço*.so) [ô] ***a.*** Que causa ou em que há embaraço (situação embaraçosa) [Fem. e pl.: [ó].] [F.: *embaraço* + *-oso*.]

embarafustar (em.ba.ra.fus.*tar*) ***v. ta.*** *Bras.* Entrar impetuosamente, atropeladamente; BARAFUSTAR: *O jogador embarafustou-se pelo meio da defesa adversária.* [▶ **1 embarafustar**] [F.: *em-*[2] + *barafustar*.]

embaralhado (em.ba.ra.*lha*.do) ***a.*** Que se embaralhou ou misturou (letras/ideias embaralhadas); DESORDENADO; BARALHADO [F.: Part. de *embaralhar.*]

embaralhamento (em.ba.ra.lha.*men*.to) ***sm.*** Ação ou resultado de embaralhar(-se); BARALHAMENTO [F.: *embaralhar* + *-mento*.]

embaralhar (em.ba.ra.*lhar*) ***v.*** **1** Misturar (cartas do baralho); BARALHAR [***td.***: *Embaralhe as cartas sem amassá-las.*] [***int.***: *Gostava de jogar pôquer, mas não sabia embaralhar.*] **2** Pôr ou ficar em desordem; DESARRUMAR; BARALHAR [***td.***: *Não embaralhe os documentos.*] [***int.***: *Com o vento, os papéis embaralharam-se todos*. Ant.: *arrumar, ordenar.*] **3** *Fig.* Fazer ficar ou ficar misturado, confuso, embolado; CONFUNDIR; EMBOLAR; MISTURAR [***int.***: *Deixou cair o envelope e os documentos embaralharam-se no chão.*] [***td.***: *O choque embaralhou suas ideias.*] **4** *Fig.* Fazer confusão entre coisas distintas, a respeito de ou ao fazer algo; ATRAPALHAR-SE; CONFUNDIR-SE; EQUIVOCAR-SE [***int.***: *Embaralhou-se ao cumprimentar as gêmeas; Embaralhou-se ao contar o dinheiro.*] [▶ **1 embaralhar**] [F.: *em-*[2] + *baralhar*. Ant. de 1 a 3: *desembaralhar.*]

embarcação (em.bar.ca.*ção*) ***sf.*** **1** Qualquer construção flutuante destinada a navegar (para levar pessoas ou carga, rebocar etc.) **2** *Lus.* Embarcação (1) pequena **3** *Desus.* Ação ou resultado de embarcar; EMBARQUE [Pl.: *-ções*.] [F.: *embarcar* + *-ção*. Ideia de 'embarcação', usar pref. *escaf(o)-* e suf. *-nave* e *-scafo*.]

embarcadiço (em.bar.ca.*di*.ço) ***sm.*** Indivíduo que anda ou costuma andar embarcado; MARINHEIRO; MARÍTIMO [F.: *embarcado* + *-iço*.]

embarcado (em.bar.*ca*.do) ***a.*** Que embarcou, que entrou em embarcação, avião, trem etc. para viajar (passageiros embarcados) [Ant.: *desembarcado.*] [F.: Part. de *embarcar.*]

embarcadouro (em.bar.ca.*dou*.ro) ***sm.*** Lugar de embarque de passageiros e/ou carga em embarcações; CAIS [F.: *embarcar* + *-douro*. Ideia de 'embarcadouro', usar suf. *-porto*.]

embarcar (em.bar.*car*) ***v.*** **1** Pôr ou entrar em embarcação, avião etc., para seguir viagem [***td.***: *Embarcou o filho e voltou para o trabalho.*] [***tda.***: *Embarcou o filho no navio e voltou para o trabalho.*] [***int.***: *Estava ansioso para embarcar.*] [***ta.***: "...aconselhou-o que, logo que estivesse capaz, fizesse a cura verdadeira embarcando para uma estação de águas" (Marques Rebelo, *Contos reunidos*)] **2** *Bras. Pop.* Cair (em logro ou ardil); deixar-se levar por (tentação, embuste) [***ti.*** + *em*: *Como pude embarcar naquela mentira toda?*: "...na escolha consciente de embarcar na pele macia e cheirosa daquele belo homem a seu lado..." (Ana Maria Machado, *A audácia dessa mulher*)] **3** *Bras. Pop.* Morrer [***int.***] [▶ **11 embarcar**] [F.: *em-*[2] + *barca* + *-ar*[2]. Hom./Par.: *embarque* (fl.), *embarque* (sm.); *embarques* (fl.), *embarques* (pl. de *embarque* [sm.]).]

embargado (em.bar.*ga*.do) ***a.*** **1** Que foi impedido por embargo (obra embargada) ***a.*** **2** Impedido de se expressar (voz embargada); CONTIDO; REPRIMIDO **3** *Jur.* Que sofreu embargo(s) ***sm.*** **4** Quem ou o que sofreu embargo [F.: Part. de *embargar.*]

embargador (em.bar.ga.*dor*) [ô] ***a.*** **1** Que embarga; EMBARGANTE ***sm.*** **2** Aquele ou aquilo que embarga [F.: *embargar* + *-dor*. Ant. ger.: *desembargador.*]

embargamento (em.bar.ga.*men*.to) ***sm.*** Ação ou resultado de embargar; EMBARGO; IMPEDIMENTO [F.: *embargar* + *-mento*.]

embargante (em.bar.*gan*.te) ***a2g.s2g.*** Ver *embargador* [F.: *embargar* + *-nte*.]

embargar (em.bar.*gar*) ***v.*** **1** Opor embargo ou obstáculo a; DIFICULTAR; IMPEDIR [***td.***: *Os credores embargaram a venda da firma.*] [***tdi.*** + *a*: *Embargaram ao armazém a venda de cereais.*] **2** Impedir, conter, refrear [***td.***: *A forte emoção embargou sua voz.*] **3** *Jur.* Opor obstáculo a, valendo-se de embargo [***td.***: *embargar uma obra.*] [▶ **14**

embargar] [F.: Do lat. *imbarricare. Hom./Par.: *embargo* (fl.), *embargo* (sm); *embargáveis* (fl.), *embargáveis* (pl. de *embargável* [a2g.]).]
embargo (em.*bar*.go) *sm.* **1** Qualquer coisa que represente um obstáculo; EMPECILHO; IMPEDIMENTO [+ *a*: *embargo à presença de menores.*] **2** *Jur.* Instituto jurídico que tem várias aplicações, visando a aplicação de uma ação em defesa de um direito que pode ser prejudicado por ação em curso [Ver adiante as diferentes modalidades de embargos.] [F.: Dev. de *embargar*. Hom./Par.: *embargo* (fl. de *embargar*).] **~s à execução** *Jur.* Ação autônoma contra execução fiscal **~s de declaração** *Jur.* De natureza *sui generis*, para esclarecer contradição, omissão ou falta de clareza em decisão judicial **~s de divergência** *Jur.* Visa à uniformização de decisões judiciais de um mesmo tribunal **~s de terceiros** *Jur.* Ação defensiva de pessoa não envolvida em um processo, por se julgar prejudicada por atos deste consequentes, como apreensão de bens, ou sua penhora, sequestro etc. **~s do devedor** *Jur.* Ação autônoma no decorrer de processo de execução **~s infringentes** *Jur.* Com natureza de recurso em relação a acórdão não unânime que tenha reformado, por apelação, sentença de mérito, ou tenha julgado procedente ação rescisória **Sem ~** Não obstante; entretanto
embarque (em.*bar*.que) *sm.* Ação ou resultado de embarcar(-se): *Havia muitos passageiros e o embarque foi demorado.* [Ant.: *desembarque*.] [F.: Dev. de *embarcar*. Hom./Par.: *embarque* (fl. de *embarcar*).]
embarrado¹ (em.bar.*ra*.do) *a.* **1** Revestido com barro; REBOCADO; EMBOÇADO **2** Sujo de barro (sapato embarrado); ENLAMEADO [F.: Part. de *embarrar¹*.]
embarrado² (em.bar.*ra*.do) *a. Bras.* Provido de barra (1) [F.: Part. de *embarrar²*.]
embarrar¹ (em.bar.*rar*) *v. td.* **1** Cobrir com barro; EMBOÇAR; REBOCAR **2** Criar manchas ou sujeiras com barro **3** *Bras.* Completar com barro (as partes vazias de uma parede de taipa) [▶ 1 embarrar] [F.: em (*en-*) + *barro* + *-ar*.]
embarrar² (em.bar.*rar*) *v. td.* **1** Ir de encontro a; ESBARRAR **2** *Bras.* Colocar barra em (alguma coisa ou lugar) [▶ 1 embarrar] [F.: *en-* + *barra* + *-ar*.]
embarricar (em.bar.ri.*car*) *v. td.* **1** Colocar em barrica: *Embarricar um líquido.* **2** *Fig.* Defender-se de ataque utilizando barricada: *Embarricou a entrada da fazenda.* **3** *Fig.* Esconder, ocultar: *Embarricou o dinheiro que roubara.* [▶ 11 embarricar] [F.: *em* (*en-*) + *barricar*.]
embarrigar (em.bar.ri.*gar*) *v. int.* **1** *Bras. S.* Ficar (o cavalo) barrigudo por comer bem **2** *Bras. Pop.* Emprenhar, engravidar: *A mulher embarrigou novamente.* **3** Ficar rico à custa dos outros: *Embarrigou com o trabalho dos escravos.* [▶ 14 embarrigar] [F.: *em* (*en-*) + *barriga* + *-ar*.]
embarrilar (em.bar.ri.*lar*) *v. td.* **1** Colocar em barril: *Embarrilou a farinha.* **2** *Pop.* Enganar, iludir: *Embarrilou meia dúzia de otários.* [▶ 1 embarrilar] [F.: *em* (*en-*) + *barril* + *-ar*.]
embasado (em.ba.*sa*.do) *a. Fig.* Que tem como base ou fundamento: "...precisa tomar uma decisão embasado por uma resposta jurídica e política..." (*O Globo*, 02.03.2005) [F.: Part. de *embasar*.]
embasamento (em.ba.sa.*men*.to) *sm.* **1** *Arq.* Base que sustenta uma construção; ALICERCE **2** *Arq.* Base que serve de apoio a pedestais de colunas, estátuas etc. **3** *Fig.* Qualquer coisa que sirva de base; FUNDAMENTO: "...as denúncias foram consideradas sem embasamento e não geraram inquérito policial." (*Folha de S.Paulo*, 28.02.1999) [F.: *embasar* + *-mento*.]
embasar (em.ba.*sar*) *v.* **1** *Fig.* Usar como base ou fundamento a; BASEAR; FUNDAR [*tdr.* + *em*: *Embasa seu pensamento na filosofia grega.*] **2** *Arq.* Fazer a base de uma construção [*td.*: *Em poucas semanas embasaram o prédio.*] [▶ 1 embasar] [F.: *em-²* + *base* + *-ar²*.]
embasbacado (em.bas.ba.*ca*.do) *a.* Tomado de surpresa, admiração ou espanto; PASMADO [F.: Part. de *embasbacar*.]
embasbacamento (em.bas.ba.ca.*men*.to) *sm.* Ação ou resultado de embasbacar(-se); ESPANTO; PASMO: "...já tinham passado da fase do embasbacamento reverencial..." (Luís Fernando Veríssimo, *in Jornal do Brasil*, 11.06.1998) [F.: *embasbacar* + *-mento*.]
embasbacante (em.bas.ba.*can*.te) *a2g.* Que embasbaca (proeza embasbacante) [F.: *embasbacar* + *-nte*.]
embasbacar (em.bas.ba.*car*) *v.* Fazer ficar ou ficar pasmo, surpreso; PASMAR [*td.*: *Embasbacou todos com sua bela voz.*] [*int.*: *Os turistas embasbacaram(-se) ao chegar às cataratas do Iguaçu.*] [▶ 11 embasbacar] [F.: *em-¹* + *basbaque* + *-ar²*, posv.]
embastilhar (em.bas.ti.*lhar*) *v. td.* Colocar na Bastilha, antiga prisão parisiense [▶ 1 embastilhar] [F.: *em* (*en-*) + antrp. *Bastilha* + *-ar*.]
embate (em.*ba*.te) *sm.* **1** Encontro, choque impetuoso [+ *com*: *o embate com a morte.*] [+ *em*: *embate no Congresso.* Tb. fig.] **2** *Fig.* Oposição, resistência, ou suas manifestações; OPOSIÇÃO; REAÇÃO: *O embate da oposição no Congresso dificultou a aprovação da emenda.* **3** *Fig.* Acontecimento adverso que abala, perturba; ABALO: *A reprovação no vestibular foi um embate que o abalou.* [F.: Dev. de *embater*. Hom./Par.: *embate* (fl. de *embater*).]
embater (em.ba.*ter*) *v.* Chocar(-se), encontrar(-se) [*int.*: *Os duelistas embateram no bosque.*] [*td.*: *Embateram-se no jardim.*] [▶ 2 embater] [F.: Talvez do fr. *embattre*.]
embatucado (em.ba.tu.*ca*.do) *a.* **1** Sem palavras ou sem ação: *O convite inesperado deixou-o embatucado.* **2** Confuso, intrincado **3** Cismado, intrigado, preocupado **4** Enleado; embaraçado; tb. *embatocado*, tapado com batoque [F.: Part. de *embatucar*.]
embatucar (em.ba.tu.*car*) *v.* **1** *Fig.* Fazer ficar ou ficar sem palavras ou sem ação [*td.*: *As respostas contundentes a embatucaram.*] [*int.*: *Pego em flagrante, embatucou.*] **2** *Fig. Pop.* Ficar cismado, preocupado; CISMAR [*tr.* + *com*: *Embatuquei com seu comportamento estranho.*] **3** Vedar com batoque; tb. *embatocar* [*td.*] [▶ 11 embatucar] [F.: Var. de *embatocar*, de *em-¹* + *batoque* + *-ar²*.]
embatumar (em.ba.tu.*mar*) *v. td.* **1** Mesmo que *betumar* **2** *Bras.* Tornar demasiadamente cheio; ACUMULAR; EMBETUMAR [▶ 1 embatumar] [F.: *em-* + *batume* + *-ar*.]
embaúba (em.ba.*ú*.ba) *sf. Bras. Bot.* Nome comum a várias árvores do gên. *Cecropia*, originárias da zona tropical do continente americano [F.: Do tupi *amba'ïua*. Tb. *imbaúba*.]
embaubeira (em.ba:u.*bei*.ra) *sf.* O mesmo que *embaúba* ou *imbaúba* [F.: *embaúb(a)* + *-eira*.]
embebedado (em.be.be.*da*.do) *a.* Que se embebedou; BÊBADO; EMBRIAGADO [F.: Part. de *embebedar*.]
embebedamento (em.be.be.da.*men*.to) *sm.* **1** Ação ou resultado de embebedar(-se); EMBRIAGUEZ **2** *Fig.* Estado de quem está inebriado, arrebatado [F.: *embebedar* + *-mento*.]
embebedar (em.be.be.*dar*) *v.* **1** Fazer ficar bêbedo (inclusive a si mesmo); EMBRIAGAR [*td.*: *Embebedou-o para tentar saber o seu segredo; Embebeda-se toda noite.*] **2** *Fig.* Causar enlevo, perturbação (em alguém); ALUCINAR; INEBRIAR [*td.*: *A presença do ídolo a embebedava.*] [*int.*: *beleza que embebeda.*] [▶ 1 embebedar] [F.: *em-²* + *bêbedo* + *-ar²*.]
embeber (em.be.*ber*) *v.* **1** Absorver ou fazer absorver (líquido) [*tr.* + *de*: *Com a chuva, a terra seca embebeu-se de água.*] [*tdr.* + *de*: *embeber de água uma esponja.*] **2** Absorver (líquido) por poros ou interstícios [*td.*: *O solo embebeu a água da chuva.*] **3** Ensopar, empapar, encharcar [*td.*: "...embeber um pano e aplicar a compressa quente sobre o ventre..." (*Isto É*)] [*tdr.* + *de, em*: *Embebi a camisa de suor; embeber o biscoito no chá.* Ant.: *secar*.] **4** *Fig.* Infiltrar ou ter infiltrado na mente [*tdr.* + *de, em*: *Embebeu-se das doutrinas realistas; Embebe nos alunos ideias elevadas.*] **5** *Fig.* Deixar-se penetrar por; absorver-se ou afundar em; IMPREGNAR [*tdr.* + *de, em*: *embeber-se em preocupações.*] **6** Fazer penetrar ou penetrar, enfiar(-se); ENCRAVAR; FINCAR [*tdr.* + *em*: *Embebeu a espada no peito do pirata.*] [*tr.* + *em*: *Estava descalça, e um caco de vidro embebeu-se em seu pé.*] **7** *Fig.* Dedicar-se completamente a algo, ficar absorvido em algo [*tr.* + *em*: *Embebeu-se nos estudos.*] **8** *Fig.* Ficar em êxtase, enlevo, deixar-se arrebatar [*int.*: *Embebia-se cada vez que ouvia aquela sonata.*] **9** *Fig.* Deixar-se possuir, penetrar por um sentimento, uma sensação; IMPREGNAR-SE [*tr.* + *em*: *Embebeu-se na tristeza e na melancolia.*] [▶ 2 embeber] [F.: Do lat. *imbibere*.]
embebição (em.be.bi.*ção*) *sf.* Ação ou resultado de embeber(-se) [Pl.: *-ções*.] [F.: *embeber* + *-i-* + *-ção*.]
embebido (em.be.*bi*.do) *a.* **1** Que se embebeu; ENSOPADO; INFILTRADO **2** *Fig.* Absorto, enlevado: "Sentava-se no chão diante da lareira aos pés do pai, embebido no espanto, na admiração daquela força." (Eça de Queiroz, *Últimas páginas*) [F.: Part. de *embeber*.]
embebimento (em.be.bi.*men*.to) *sm.* O mesmo que *embebição* [F.: *embeber* + *-imento*.]
embecado (em.be.*ca*.do) *a.* Vestido com roupa nova e/ou elegante; ENFATIOTADO: "Embecado numa rica batina na porta da igreja o vigário ficava, / rezando bem alto..." (Bezerra da Silva, *Canudo de ouro*) [F.: *em-²* + *beca* + *-ado²*.]
embeiçado (em.bei.*ça*.do) *a.* **1** *Gír.* Cativo de amor ou paixão; apaixonado, encantado **2** *Bras. Pop.* Que tem as bordas deformadas (gola embeiçada, punho embeiçado) [F.: Part. de *embeiçar*.]
embeiçar (em.bei.*çar*) *v.* **1** Encantar ou ser encantado; APAIXONAR(-SE); ENAMORAR(-SE) [*td.*: *A garçonete embeiçou o comerciante; Embeiçou-se pela cabeleireira.*] **2** Causar encanto, enlevo [*td.*: *O quadro de Renoir embeiçou os visitantes.*] **3** Unir, tocar [*tr.* + *com*: "O portal da quinta quase embeiçava com o sopé do outeirinho" (Camilo Castelo Branco, *Mulher fatal*)] [▶ 12 embeiçar] [F.: *em²* + *beiço* + *-ar²*.]
embelecador (em.be.le.ca.*dor*) [ô] *a.* **1** Que embeleca; ENGANADOR *sm.* **2** Aquele que embeleca; ENGANADOR [F.: *embelecar* + *-dor*.]
embelecar (em.be.le.*car*) *v. td.* Cativar ou enganar com embelecos; ENGODAR: *Embelecava as moças com promessas de casamento.* [▶ 11 embelecar] [F.: orig. obsc. Hom./Par.: *embeleco* (fl.) / *embeleco* /ê/ (sm.).]
embelecer (em.be.le.*cer*) *v. td.* Tornar bonito, belo, formoso; EMBELEZAR [▶ 33 embelecer] [F.: *em* (*en-*) + *belo* + *-ecer*.]
embelezado (em.be.le.*za*.do) *a.* Tornado belo; adornado com gosto e esmero [Ant.: *afeado*.] [F.: Part. de *embelezar*.]
embelezador (em.be.le.za.*dor*) [ô] *a.* **1** Diz-se daquilo que serve para embelezar (produto embelezador) *sm.* **2** Produto, substância que embeleza (embelezador natural) [F.: *embelezar* + *-dor*.]
embelezamento (em.be.le.za.*men*.to) *sm.* Ação ou resultado de embelezar(-se): *A prefeitura trabalha para o embelezamento da cidade.* [F.: *embelezar* + *-mento*.]
embelezar (em.be.le.*zar*) *v.* **1** Tornar belo, atraente; AFORMOSEAR [*td.*: *A síndica quer embelezar a fachada do prédio; Embelezou-se toda para a festa.*] [*int.*: *O jardim embelezou-se com o novo canteiro.* Ant.: *afear*.] **2** *Fig.* Atrair, por sua beleza, a atenção de; ENCANTAR; ENLEVAR: [*td.*] *A pintura o embeleza, especialmente os impressionistas.*] [▶ 1 embelezar] [F.: *em-²* + *beleza* + *-ar²*.]
emberizídeo (em.be.ri.*zí*.de:o) *sm. Zool.* Espécime dos emberizídeos, família de aves passeriformes com várias subfamílias, e espécimes comuns no Brasil, como os chupins, corrupiões, jaús, saíras, sanhaços, tiês etc. [F.: Do lat. cient. *Emberizidae*.]
embernar (em.ber.*nar*) *v. int.* Criar berne (larva) [▶ 1 embernar] [F.: *em* (*en-*) + *berne* + *-ar*.]
embevecer (em.be.ve.*cer*) *v.* Fazer ficar ou ficar extasiado, enlevado, arrebatado [*td.*: *Com sua poesia, ela embeveceu os ouvintes*: "Ainda vai embevecer as ouvintes do noticiário do Senado com seus pronunciamentos" (*Correio Braziliense*, 10.10.2000)] [*int.*: *Embevecia-se sempre que ouvia aquele concerto.*] [▶ 33 embevecer] [F.: *embeber* + *-ecer*.]
embevecido (em.be.ve.*ci*.do) *a.* Que se embeveceu, enlevou; ENCANTADO; ENLEVADO; EXTASIADO [+ *com, por*: *embevecido com a/pela beleza da moça.*] [F.: Part. de *embevecer*.]
embevecimento (em.be.ve.ci.*men*.to) *sm.* Ação ou resultado de embevecer(-se); ENLEVO; ÊXTASE: "Com tanto embevecimento fala desse inédito Brasil..." (Afrânio Peixoto, *Maias e Estevas*) [F.: *embevecer* + *mento*.]
embezerrar (em.be.zer.*rar*) *v.* **1** Demonstrar desagrado, exibindo fisionomia carregada [*int.*: *Embezerrou ao ser desconsiderado.*] [*td.*: *Embezerrou-se com o colega.*] **2** Obstinar-se na defesa de (causa, ideia, parecer etc.) [*int.*] [*td.*] [▶ 1 embezerrar] [F.: *em* (*en-*) + *bezerro* + *-ar*.]
embicado (em.bi.*ca*.do) *a.* **1** Que embicou **2** Que forma bico ou termina em bico (chapéu embicado) [F.: Part. de *embicar*.]
embicar (em.bi.*car*) *v.* **1** Fazer mergulhar de bico [*td.*: *embicar uma canoa.*] **2** Tomar a direção, o rumo de; ENCAMINHAR [*ta.* + *para, por*: *O ciclista embicou para o atalho.*] **3** Esbarrar em, deparar com (obstáculo, impedimento) [*tr.* + *em*: *Pedalou com vontade, até embicar numa barreira.*] **4** Demonstrar antipatia ou ter implicância com (alguém); IMPLICAR; EMBIRRAR [*tr.* + *com*: *Embicou com a nova aluna.*] **5** *Fig.* Parar, por estar indeciso ou com dificuldade; ESTACAR; HESITAR [*tr.* + *em*: *Sabia que ia embicar no cálculo da percentagem.*] **6** Dar a forma de bico a [*td.*] **7** *N.E.* Beber [*td.*: *Embicou um copo de aguardente.*] **8** *Fig.* Ter continuidade, prosseguir (um negócio) [*int.*] [▶ 11 embicar] [F.: *em²-* + *bico* + *-ar²*. Hom./Par.: *embicar, imbicar* (em todas as fl.).]
embigodado (em.bi.go.*da*.do) *a.* Que tem bigode; BIGODUDO [F.: *em-¹* + *bigode* + *-ado²*.]
embiocado (em.bi:o.*ca*.do) *a.* **1** Envolto em biocos; DISFARÇADO **2** *Fig.* Oculto, escondido, recôndito (paixões embiocadas); ESCONDIDO; RECÔNDITO [F.: Part. de *embiocar*.]
embiocar (em.bi.o.*car*) *v.* **1** Vestir(-se) com bioco [*td.*] **2** Dar feição de bioco a (manto, xale etc.) [*td.*] **3** *Fig.* Esconder, ocultar [*td.*: *Embiocava sua boa vontade.*] **4** *Fig.* Conferir aparência de recato a si mesmo [*td.*] **5** Recolher-se em bioco [*int.*] [▶ 11 embiocar] [F.: *em* (*en-*) + *bioco* + *-ar*.]
embira (em.*bi*.ra) *sf.* **1** *Bot.* Nome dado a várias espécies de árvores e arbustos da fam. das timeleáceas, esp. as do gên. *Daphnopsis*, de cujas cascas se extraem fibras para confecção de cordas e estopas **2** A fibra dessas plantas **3** Nome comum a numerosas árvores de diferentes gêneros e famílias que fornecem fibra ou madeira [F.: Do tupi. Hom./Par.: *embira* (fl. de *embirar*).] **Lamber ~** *Bras.* Não ter o que comer; roer embira **Meter/passar nas ~s** *S.* Prender; amarrar prisioneiro **Roer ~** *Bras.* Ver *Lamber embira*.
embirado (em.bi.*ra*.do) *a. N.E.* Atado ou ligado com embira [F.: Part. de *embirar*.]
embirar (em.bi.*rar*) *N.E. v. td.* **1** Atar ou ligar com embira **2** *P.ext.* Ligar, atar com nó, laçada etc. **3** Unir (inclusive a si mesmo) pelo casamento; CASAR **4** *Fig.* Ligar pelo casamento [▶ 1 embirar] [F.: *embira* + *-ar²*.]
embirra (em.*bir*.ra) *sf.* O mesmo que *embirração* [F.: Dev. de *embirrar*. Hom./Par.: *embirra* (sf.), *embirra* (fl. de *embirrar*).]
embirração *sf.* **1** Ação ou resultado de embirrar; IMPLICÂNCIA; AVERSÃO **2** Teima, obstinação [Pl.: *-ções*.] [F.: *embirrar* + *-ção*. Sin. ger.: *embirra, embirrância*.]
embirrado (em.bir.*ra*.do) *a.* Que embirrou; AMUADO; ZANGADO [F.: Part. de *embirrar*.]
embirrar (em.bir.*rar*) *v.* **1** Ter implicância ou má vontade com; IMPLICAR [*tr.* + *com*: *Embirra com todo mundo.*] **2** Ficar ou mostrar-se birrento, facilmente amuado [*int.*: *Ele embirra por qualquer coisa.*] **3** Obstinar-se, teimar [*tr.* + *em*: *A menina embirrou em não comer.*] [▶ 1 embirrar] [F.: *em-¹* + *birra* + *-ar²*.]
embirutar (em.bi.ru.*tar*) *v. int. Bras. Pop.* Ficar doido, maluco [▶ 1 embirutar] [F.: *em* (*en-*) + *biruta* (doido) + *-ar*.]
emblema (em.*ble*.ma) *sm.* **1** Imagem ou sinal representativo de ideia, instituição, associação etc.; DISTINTIVO; INSÍGNIA: *A pomba branca é o emblema da paz*: "A lanterna fazia parte longa a gente, tal era a lindeza da cor e a originalidade dos emblemas." (Machado de Assis, *Quincas Borba*) **2** Objeto na forma de emblema: *Levava no peito o emblema do seu time.* **3** Frase, mote, sentença que expressa um princípio moral, associados a uma figura, imagem etc. [F.: Do lat. *emblema, atis* 'obra de relevo, figura', pelo fr. *emblème*.]

emblemático (em.ble.*má*.ti.co) *a.* **1** Ref. a emblema (1), ou que serve de emblema: *selo emblemático do papado.* **2** Que representa simbolicamente a essência de algo: *Einstein é o gênio emblemático da física.* [F.: Do gr. *émbléma, atos* 'ornamento em relevo', pelo lat. *emblematicus.*]

emboaba (em.bo:*a*.ba) *s2g.* **1** *Bras. Hist.* Alcunha dada, na época colonial do Brasil, por descendentes de bandeirantes paulistas aos portugueses que chegavam às minas para buscar ouro **2** *P.ext.* Alcunha que, nos tempos coloniais, se dava aos portugueses em geral **3** *P.ext.* Alcunha dada a forasteiros e estrangeiros [F.: De or. contrv.]

emboança (em.bo:*an*.ça) *Bras. N.E. Pop. sf.* **1** Conversa fiada; LOROTA **2** Fanfarrice **3** Confusão: "...se você examinar os demais campeonatos dificilmente encontrará um outro tão cheio de emboança..." (*Diário do Nordeste*, 23.08.2005) [F.: De or. incerta.]

emboçado (em.bo.*ça*.do) *a.* **1** Que recebeu emboço (parede emboçada) **2** Diz-se de telhado que tem as telhas unidas por meio de argamassa [F.: Part. de *emboçar.*]

embocadura (em.bo.ca.*du*.ra) *sf.* **1** Ação ou resultado de embocar **2** Parte do freio que entra pela boca da cavalgadura **3** *Oc.* A foz de um rio **4** Entrada para uma rua, estrada etc. **5** *Mús.* Modo de posicionar os lábios nos instrumentos de sopro **6** *Mús.* A parte superior dos instrumentos de sopro, por onde se sopra; BOQUILHA **7** *Fig.* Tendência especial para um certa atividade; INCLINAÇÃO; PROPENSÃO: *Ela tem embocadura para o teatro.* [F.: *embocar* + *-dura.*]

embocamento (em.bo.ca.*men*.to) *sm.* Ação ou resultado de embocar; EMBOCADURA [F.: *embocar* + *-mento.*]

embocar (em.bo.*car*) *v.* **1** Fazer entrar (por lugar ou abertura estreita) [*td.*: "...embocar a bola com o menor número de tacadas..." (*Correio Braziliense*, 24.04.2005)] [*tda.*: *embocar a bola em buracos na grama.*] **2** *Mar.* Entrar por foz ou embocadura (de rio) [*td.*] **3** Penetrar, entrar [*int.*: *Dirigiu-se ao salão e embocou sem hesitar.*] [*ta.*: *Embocou pelos corredores da repartição.*] **4** Aplicar a boca em (instrumento de sopro), para tocá-lo [*td.*: *embocar a flauta.*] **5** Colocar o freio na boca de (cavalgadura) [*td.*] **6** Beber todo o conteúdo de [*td.*: *Com muita sede, embocou uma garrafa de refrigerante.*] [▶ **11** embo**car**] [F.: *em-*[2] + *boca* + *-ar*[2].]

emboçar (em.bo.*çar*) *v. td.* **1** Aplicar emboço, ou base do reboco, em: *emboçar uma parede.* **2** Fixar, assentar peças (telhas, placas etc.) com emboço ou argamassa [▶ **12** embo**çar**] [F.: De or. contrv. Hom./Par.: *emboço* (fl.), *emboço* (sm.); *embuçar* (v.).]

embocetar (em.bo.ce.*tar*) *v.* **1** *Bras. Tabu.* Penetrar sexualmente (na boceta) [*td.*] [*int.*] **2** Chocar-se com [*ta.* + *em*: *O carro embocetou no poste.*] [*tda.* + *em*: *O ônibus embocetou-se na árvore.*] [▶ **1** embo**cetar**] [F.: *em* (*en-*) + *boceta* + *-ar.*]

emboço (em.*bo*.ço) [ô] *sm.* **1** *Cons.* A primeira camada de cal ou argamassa que se aplica em parede, muro etc., para sobre ela se aplicar o reboco **2** *Cons.* O mesmo que *emboçamento* [F.: Dev. de *emboçar.* Hom./Par.: *emboço* (sm.), *emboço* (fl. de *emboçar*).]

embodocar (em.bo.do.*car*) *RS v.* **1** Encurvar (algo) ou encurvar-se em formato que lembra o do arco do bodoque [*td.*: *Embodocou o galho e firmou o elástico.*] [*int.*: *Fletiu o ramo com cuidado para que (se) embodocasse, sem quebrar.*] **2** Ficar (o cavalo) de lombo enrijecido, para corcovear [*int.*: *A égua embodocou, mas não chegou a corcovear.*] [▶ **11** embodo**car**] [F.: *em* (*en-*) + *bodoque* + *-ar*[2].]

embolada (em.bo.*la*.da) *sf. NE. Mús.* Forma poético-musical em compasso binário, com texto declamado em andamento rápido numa base musical de notas repetidas, que ocorre em danças (como no *coco*) e diálogos cantados (como no *desafio*) [F.: Fem. substv. de *embolado*, part. de *embolar*[1].]

embolado[1] (em.bo.*la*.do) *a.* Diz-se de bovino bravo cujos chifres são cobertos com bolas (de couro, metal, madeira etc.) para não ferirem pessoas ou animais [F.: Part. de *embolar*[1]. Hom./Par.: *embolado* (a.), *embolado* (fl. de *embolar*).]

embolado[2] (em.bo.*la*.do) *a.* **1** Que tem ou adquiriu forma de bolo ou rolo (roupa embolada) **2** Embaraçado, emaranhado **3** Misturado, confundido (pensamentos embolados) **4** Apinhado, aglomerado: *um grupo de pessoas embolado na porta do tribunal.* [F.: Part. de *embolar*[2]. Hom./Par.: *embolado*[2] (a.), *embolado* (fl. de *embolar*).]

embolar[1] (em.bo.*lar*) *v.* **1** Atracar-se (com alguém), rolando pelo chão; ENGALFINHAR [*tr.* + *com*: *Embolou com o adversário e o dominou; Embolaram(-se) (= um com o outro) até serem apartados.*] **2** Cair com estrondo, rolando como uma bola [*int.*] **3** *Bras. Fam.* Encaroçar, embolotar [*int.*: *A massa embolou.*] **4** Aplicar bolas nas pontas dos chifres de (bovinos), para que não firam [*td.*] [▶ **1** embo**lar**] [F.: *em-*[2] + *bola* + *-ar*[2]. Hom./Par.: *embolo* (fl.), *êmbolo* (sm.).]

embolar[2] (em.bo.*lar*) *v.* **1** Dar feição de bolo ou rolo a, ou adquiri-la; ENROLAR; EMARANHAR [*td.*: *Embolou a roupa e guardou-a assim mesmo.*] [*int.*: *A linha da pipa embolou.*] **2** *Fig.* Dobrar-se, curvar-se, formando como que um bolo, um rolo [*int.*: "Luís Fernando Veríssimo faz qualquer um embolar de tanto rir com as crônicas desse livro" (*Jornal do Commercio*, 19.03.2003)] **3** Misturar(-se), embaralhar(-se), confundir(-se) [*td.*: *Cansado, o orador já embolava as ideias.*] [*int.*: *Na arrumação a papelada embolou.*] **4** Formar como que um bolo (no [estômago]) [*td.*: *Aquela feijoada embolou meu estômago.*] [*int.*: *Aquela feijoada embolou no meu estômago.*] **5** Misturar, envolver (inclusive a si mesmo) com algo, como que formando um bolo ou rolo [*tdr.* + *com, em*: *Embolou-se com/no paquedas e quase virou notícia trágica.*] [▶ **1** embo**lar**] [F.: *em-*[2] + *bolo* + *-ar*[2].]

embolectomia (em.bo.lec.to.*mi*.a) *sf. Cir.* Cirurgia para remover um êmbolo que obstrui um vaso sanguíneo [F.: *embol(o)-* + *-ectomia.*]

embolia (em.bo.*li*.a) *sf. Pat.* Bloqueio da passagem do sangue por algum vaso, causado por êmbolo (2), fragmento de algo ou coágulo sanguíneo (embolia cerebral) [F.: Do gr. *embolé*, pelo fr. *embolie*. Sin. menos us.: *embolismo.*] ■ **~ gasosa** *Med.* Aquela provocada por bolha de ar numa veia

embólico (em.*bó*.li.co) *a.* **1** Ref. a êmbolo **2** Ref. a embolia [F.: *emboli(a)* + *-ico*[2].]

embolísmico (em.bo.*lís*.mi.co) *a.* Diz-se do ano lunar que foi acrescido de dias para se ajustar ao ano solar [F.: *embolism(o)* + *-ico*[2].]

embolismo (em.bo.*lis*.mo) *sm.* **1** *Cron.* Acréscimo de dias ao ano lunar para ajustá-lo ao ano solar **2** *P.us. Med.* Ver embolia [F.: Do fr. *embolisme*, do lat. tardio *embolismus, i.*]

embolização (em.bo.li.za.*ção*) *sf. Med.* Técnica terapêutica que consiste na introdução de uma substância em vaso sanguíneo com o propósito de obstruí-lo, us. no tratamento de hemorragias ou de tumores [Pl.: *-ções.*] [F.: *êmbol(o)* + *-izar-* + *-ção.*]

◎**embol(o)-** *el. comp.* = 'obstrução': *embolia, embolectomia* [F.: Do gr. *embolé, ês*, 'ataque'; 'invasão'; 'obstrução'.]

êmbolo (*êm*.bo.lo) *sm.* **1** Cilindro ou disco que se move em vaivém dentro de seringas, bombas, cilindros de motor a explosão etc.; PISTOM **2** *Pat.* Coágulo sanguíneo ou qualquer fragmento que, ao passar por um vaso, acaba por obstruí-lo, causando embolia **3** *Zool.* Nas aranhas-machos, prolongamento do bulbo copulador [F.: Do gr. *émbolo*, pelo lat. *embolus*. Hom./Par.: *êmbolo* (sm.), *embolo* (fl. de *embolar*).]

embolorado (em.bo.lo.*ra*.do) *a.* **1** Que criou bolor ou mofo **2** *Fig.* Que deixou de ser atual; que caiu em desuso [F.: Part. de *embolorar.*]

emboloramento (em.bo.lo.ra.*men*.to) *sm.* Ação ou resultado de embolorar [F.: *embolorar* + *-mento.*]

embolorar (em.bo.lo.*rar*) *v.* **1** Cobrir ou cobrir-se de bolor ou mofo; MOFAR [*td.*: *A umidade embolora a madeira.*] [*int.*: *O pão embolorou.*] **2** *Fig.* Tornar ou tornar-se obsoleto, desusado [*td.*: *Muitas vezes os fatos emboloram as teorias.*] [*int.*: *Muitas teorias emboloraram ante os fatos.*] [▶ **1** embolo**rar**] [F.: *em-*[2] + *bolor* + *-ar*[2].]

embolorecer (em.bo.lo.re.*cer*) *v.* Criar bolor, embolar; tb. *abolorecer.* [*td.*] [*int.*] [▶ **33** emboloreс**er**] [F.: *em* (*en-*) + *bolorecer.*]

embolotar (em.bo.lo.*tar*) *v.* **1** *Bras. Pop.* Ficar cheio de caroços [*td.*] [*int.*] **2** *Lus.* Sujar com lama; ENLAMEAR [*td.*] [▶ **1** embolo**tar**] [F.: *em* (*en-*) + *bolota* + *-ar.*]

embolsado (em.bol.*sa*.do) *a.* **1** Que se embolsou; que foi introduzido no bolso ou na bolsa [Ant.: *desembolsado.*] **2** Ganhado, recebido (herança embolsada) **3** *Fig.* Diz de dinheiro, bem material etc. que é ilegalmente desviado [F.: Part. de *embolsar.*]

embolsador (em.bol.sa.*dor*) [ô] *a.* **1** Que embolsa *sm.* **2** Aquele que embolsa [F.: *embolsar* + *-dor.*]

embolsar (em.bol.*sar*) *v. td.* **1** Pôr no bolso ou na bolsa [Ant.: *desembolsar.*] **2** Ganhar, receber: *embolsar uma bolada*: "Quem conseguir uma vaga para procurador vai embolsar R$ 5.541,14 mensais." (*Correio Braziliense*, 26.09.2004) [Ant.: *desembolsar.*] **3** Pagar (o que se deve) a; REEMBOLSAR: *Pagou pelo amigo, e este o embolsou.* [▶ **1** embol**sar**] [F.: *em-*[2] + *bolsa* + *-ar*[2]. Hom./Par.: *embolso* (fl.), *embolso* (sm.).]

embolso (em.*bol*.so) [ô] *sm.* **1** Ação ou resultado de embolsar **2** A quantia que se paga ou que se recebe; PAGAMENTO; RECEBIMENTO: *O embolso mensal obtido dos devedores foi de 120 mil reais.* [F.: Dev. de *embolsar*. Ant. ger.: *desembolso.* Hom./Par.: *embolso* (sm.), *embolso* (fl. de *embolsar*).]

embondo (em.*bon*.do) *sm. MG RJ* Dificuldade, embaraço: "E depois, esses espanhóis são gente boa, já me compraram o carro grande, os bezerros (...). Não quero saber de embondo." (Guimarães Rosa, "A volta do marido pródigo", *in Sagarana*) [F.: De or. controv.; posv. do banto.]

embonecado (em.bo.ne.*ca*.do) *a.* **1** Que se embonecou; enfeitado com exagero **2** *Bras. Agr.* Diz-se de milho que produziu bonecas (espigas antes de criar grãos) [F.: Part. de *embonecar.*]

embonecamento (em.bo.ne.ca.*men*.to) *sm.* **1** Ação ou resultado de embonecar(-se), de enfeitar(-se) em excesso, com exagero **2** *Bras. Agr.* Aparecimento de bonecas ou espigas no milho [F.: *embonecar* + *-mento.*]

embonecar (em.bo.ne.*car*) *v.* **1** Enfeitar algo, alguém ou a si mesmo com algum exagero; EMPETECAR [*td.*: *Vive embonecando a filha; Embonecou-se todo para a cerimônia; Embonecou a casa para a festa.*] **2** *Bras. Agr.* Criar (o milho) bonecas (4) ou espigas [*int.*: *O milharal já começou a embonecar.*] [▶ **11** embone**car**] [F.: *em-*[2] + *boneca* + *-ar*[2].]

emboque (em.*bo*.que) *sm.* **1** Ação ou resultado de embocar; EMBOCAMENTO *s2g.* **2** *N.E. Pop.* Penetra, furão [F.: Dev. de *embocar*. Hom./Par.: *emboque* (sm.), *emboque* (fl. de *embocar*).]

embora (em.*bo*.ra) *conj.conces.* **1** Ainda que; posto que; apesar de que: *Embora soubesse do perigo, não tomou precauções.* [Pode ser intensificado por 'muito': *Muito embora soubesse do perigo, não se precaveu.*] *adv.* **2** Expressa ideia de partida, afastamento: "Vou-me embora p'ra Pasárgada!" (Manuel Bandeira, *Antologia*) **3** *Antq.* Em boa hora *interj.* **4** Seja assim; não me importa *smpl.* **5** *P.us.* Parabéns, felicitações: *Dar os emboras do seu feliz regresso.* [F.: Contr. de *em boa hora.*]

emborcado (em.bor.*ca*.do) *a.* **1** Diz-se de canoa, vasilha, calçado etc. que estão virados de borco, de boca ou cabeça para baixo (sapato emborcado) **2** Despejado: *cerveja emborcada no copo.* **3** *Fig.* Deitado, sentado ou jogado de borco: *Ele estava emborcado na mesa.* [F.: Part. de *emborcar.*]

emborcar (em.bor.*car*) *v.* **1** Fazer virar ou virar de borco, de boca ou cabeça para baixo [*td.*: *emborcar um copo.*] [*int.*: *O barquinho emborcou.* Ant.: *desemborcar.*] **2** *Bras. Pop.* Sofrer uma queda; CAIR [*int.*: *Tropeçou e acabou emborcando na rua.*] **3** Beber avidamente todo o conteúdo de (copo, garrafa) [*td.*: *O sujeito emborcava garrafas de rum.*] **4** Derramar (o que estava em vasilha, cuia, copo etc. virando-os de boca para baixo); DESPEJAR [*td.*: *Abriu a geladeira com cuidado, mas acabou emborcando o leite.*] **5** *Gír.* Morrer [*int.*] [▶ **11** embor**car**] [F.: *em-*[2] + port. ant. *borcar.*]

embornal[1] (em.bor.*nal*) *sm.* **1** Saco com ração que se prende ao focinho de animal para que dele coma **2** *Bras.* Pequena bolsa ou saco, ger. a tiracolo, para transporte de alimentos, ferramentas etc. [Pl.: *-nais.*] [F.: *em-*[2] + *bornal*, posv. Sin. ger.: *bornal.*]

embornal[2] (em.bor.*nal*) *sm. Cnav.* Abertura em costado de embarcação, rente à junção com o convés, para escoamento das águas (da chuva ou da baldeação) [Pl.: *-nais.*] [F.: Do it. *imbrunale*, ou do cat. ant. *embrunal.*]

emborrachado[1] (em.bor.ra.*cha*.do) *a.* Tratado (couro, tecido etc.) de forma a se assemelhar a borracha [F.: Part. de *emborrachar*[1].]

emborrachado[2] (em.bor.ra.*cha*.do) *a.* Bêbedo, embriagado [F.: Part. de *emborrachar*[2].]

emborrachamento (em.bor.ra.cha.*men*.to) *sm.* Ação ou resultado de emborrachar (emborrachamento de tecidos) [F.: *emborrachar* + *-mento.*]

emborrachar[1] (em.bor.ra.*char*) *v. td.* Tratar (tecido, couro) para que se assemelhe a borracha [▶ **1** emborra**char**] [F.: *em-*[1] + *borracha* + *-ar*[2].]

emborrachar[2] (em.bor.ra.*char*) *v.* **1** Embriagar(-se), embebedar(-se) [*td.*: *Emborrachou o amigo com uma garrafa de vodka; Emborracha-se com dois copos de vinho.*] **2** *Agr.* Tornar-se encorpado, engrossar, antes de dar espiga (falando do trigo ou do centeio) [*int.*] [▶ **1** emborra**char**] [F.: *em-*[2] + *borracho* (*1, 3*) + *-ar*[2].]

emborrascado (em.bor.ras.*ca*.do) *a.* Diz-se de céu, tempo, mar etc. que se mostram tempestuosos, com aspecto de borrasca; TEMPESTUOSO [F.: Part. de *emborrascar.*]

emborrascar (em.bor.ras.*car*) *v.* **1** Tornar ou ficar (céu, mar) fechado, com borrasca [*td.*: *Pesadas nuvens emborrascavam o céu.*] [*int.*: *De manhã o tempo estava bom, mas de tarde emborrascou(-se).*] **2** *Fig.* Perturbar muito, tirar o sossego de [*td.*: *A separação emborrascou sua rotina.*] **3** *Fig.* Fazer ficar zangado; ENCOLERIZAR; IRRITAR [*td.*: *Era preciso pouca coisa para emborrascar o genro.* Ant.: *serenar.*] [▶ **11** emborras**car**] [F.: *em-*[2] + *borrasca* + *-ar*[2].]

emboscada (em.bos.*ca*.da) *sf.* **1** Espera, às ocultas, do inimigo para atacá-lo **2** Ação que visa enganar, trair [F.: Do it. *imboscata.*]

emboscado (em.bos.*ca*.do) *a.* **1** Metido em bosque ou em lugar próprio para emboscadas; escondido para cair de assalto sobre alguém: *Os soldados emboscados entre as árvores esperavam a tropa inimiga.* **2** *Fig.* Que sofreu emboscada: *O comerciante emboscado desviou o seu carro e feriu o pistoleiro. sm.* **3** Indivíduo que se esconde para cair de assalto sobre alguém [F.: Part. de *emboscar.*]

emboscar (em.bos.*car*) *v. td.* **1** Pôr de emboscada, ocultar para atacar de repente: *O comandante emboscou alguns homens atrás do muro e aguardou a passagem do inimigo; Emboscou-se atrás de uns arbustos e esperou.* **2** Pôr (algo, alguém ou a si mesmo) em lugar oculto; ESCONDER: *O matagal emboscava o casebre:* "O padre, rápido, magro como se a se emboscar, meteu-se lá dentro." (João Guimarães Rosa, *Ave, palavra*) [▶ **11** embos**car**] [F.: Do it. *imboscare.*]

embotado (em.bo.*ta*.do) *a.* **1** Diz-se de instrumento de corte que perdeu o gume (facão embotado) **2** *Fig.* Que perdeu a força, o vigor, a sensibilidade, a percepção (raciocínio embotado): "Já não havia golpe capaz de ferir a embotada sensibilidade do seu coração." (Bulhão Pato, *Digressões*) [F.: Part. de *embotar.*]

embotamento (em.bo.ta.*men*.to) *sm.* **1** Ação ou resultado de embotar(-se) **2** *Med.* Enfraquecimento ou diminuição na energia de certas funções (embotamento mental) [F.: *embotar* + *-mento.*]

embotar (em.bo.*tar*) *v.* **1** Fazer perder ou perder o gume; CEGAR [*td.*: *embotar uma faca.*] [*int.*: *Esta tesoura já embotou.* Ant.: *afiar, aguçar, desembotar.*] **2** *Fig.* Fazer perder ou perder a força, o vigor; DEBILITAR; ENFRAQUECER [*td.*: *A idade embotou seus reflexos.*] [*int.*: *Seu raciocínio embotou-se* Ant.: *fortalecer.*] **3** *Fig.* Fazer perder a sensibilidade [*td.*: "... a presença do açúcar tira o apetite, embota o paladar para os pratos que virão a seguir." (*Jornal do Commercio*, 09.08.2002) Ant.: *sensibilizar.*] [*int.*: *Os homens embotam-se na guerra.*] [▶ **1** embo**tar**.] [F.: *em-*[2] + *boto*[2] + *-ar*[2].]

embrabecer (em.bra.be.*cer*) *v.* Ficar brabo, zangado, furioso [*td.*] [*int.*] [▶ **33** embrabe**cer**] [F.: *em* (*en-*) + *brabo* + *-ecer.*]

embranquecer (em.bran.que.*cer*) *v.* Tornar(-se) branco; fazer ficar ou ficar branco [*td.*: *Centenas de gaivotas embranqueciam o céu.*] [*int.*: *Sua cabeça embranqueceu* *totalmente; Embranqueceu-se de susto.*] [▶ 33 embranquecer] [F.: *em-*² + *branco* + *-ecer.*]

embranquecido (em.bran.que.*ci*.do) *a.* Que se tornou branco (cabelos embranquecidos) [F.: Part de *embranquecer.*]

embranquecimento (em.bran.que.ci.*men*.to) *sm.* Ação ou resultado de embranquecer(-se) [F.: *embranquecer* + *-imento.*]

⊠ **Embrapa** Sigla de Empresa Brasileira de Pesquisa Agropecuária

⊠ **Embratur** Sigla de *Empresa Brasileira de Turismo*

embravecer (em.bra.ve.*cer*) *v.* **1** Fazer ficar ou ficar bravo, feroz, furioso; ENFURECER [*td.*: *Sua irresponsabilidade embraveceu o pai.*] [*int.*: *Embraveci ante tanta maldade.* Ant.: *acalmar, serenar.*] **2** Fazer ficar ou ficar (o mar) tempestuoso, agitado; ENCAPELAR; ENCRESPAR [*int.*: *Com a tormenta, o mar embraveceu(-se).*] [▶ 33 embravecer] [F.: *em-*² + *bravo* + *-ecer.*]

embravecido (em.bra.ve.*ci*.do) *a.* **1** Que se embraveceu; BRAVO; ENFURECIDO; FURIOSO **2** *Fig.* Diz-se de mar muito agitado, violento [F.: Part. de *embravecer.*]

embravecimento (em.bra.ve.ci.*men*.to) *sm.* Ação ou resultado de embravecer(-se) [F.: *embravecer* + *-imento.*]

embreado (em.bre.*a*.do) *a.* Que se embreou; que teve a embreagem acionada (carro embreado); DEBREADO [Ant.: *desembreado.*] [F.: Part. de *embrear.*]

embreagem (em.bre:*a*.gem) *sf.* **1** *Mec.* Mecanismo instalado entre o motor e a caixa de mudanças de um veículo terrestre que, por meio de discos de fricção, conecta e desconecta a transmissão do motor **2** *Mec.* O pedal que aciona a embreagem (1) **3** *Ling.* No nível discursivo, dispositivo que procura simular a proximidade e a identificação do sujeito, tempo e/ou espaço com o texto [P. opos. a *debreagem.*] [Pl.: *-gens.*] [F.: Do fr. *embrayage.*]

embrear¹ (em.bre.*ar*) *v.* Acionar a embreagem (de) [*td.*: *embrear o carro.*] [*int.*: *É preciso embrear antes de passar a marcha.* Ant.: *desembrear.*] [▶ 13 embrear Acento no *e* do rad. quando antes do *i.*] [F.: Do fr. *embrayer.*]

embrear² (em.bre.*ar*) *v. td.* Revestir ou cobrir de breu: *embrear um barco.* [▶ 13 embrear] [F.: *em*² + *brear.*]

embrechado (em.bre.*cha*.do) *sm.* **1** Incrustação de conchas, pedras, pedaços de louca etc., com que se enfeitam paredes ou muros, esp. de jardins **2** *Fig.* Conjunto de coisas ligadas; colcha de retalhos **3** Visita ou hóspede importuno, desagradável [F.: Part. de *embrechar.*]

embrechar (em.bre.*char*) *v.* **1** Ornar com embrechado [*td.*] **2** Introduzir, meter (algo) em brecha, fresta, espaço reduzido [*tda.* + *em*: *Embrechou o calço no vão da porta.*] [▶ 1 embrechar] [F.: *em (en-)* + *brechar.*]

embrejado (em.bre.*ja*.do) *a.* **1** Alagadiço, pantanoso **2** Em que há brejo ou pântano *sm.* **3** Brejo [F.: *em-*² + *brejo* + *-ado*¹.]

embrenhado (em.bre.*nha*.do) *a.* Que se embrenhou; que se escondeu ou se meteu em brenha, mato etc. [F.: Part. de *embrenhar.*]

embrenhar (em.bre.*nhar*) *v. tda.* Internar ou ocultar (alguém, inclusive a si mesmo) em (brenha, mato): *O sargento embrenhou seus homens na selva:* "O polvo se embrenha em seu despenteado." (João Guimarães Rosa, *Ave, palavra*) [▶ 1 embrenhar] [F.: *em-*¹ + *brenha* + *-ar*².]

embretada (em.bre.*ta*.da) *Bras. S. sf.* **1** Ação ou resultado de embretar **2** Dificuldade, complicação, enrascada: *meter-se numa embretada.* [F.: *embretar* + *-ada*¹.]

embretar (em.bre.*tar*) *v. td.* **1** *S.* Acomodar (animais) em brete, em curral **2** Encurralar, sitiar (o inimigo) **3** Meter-se em negócios complicados, difíceis; ENROLAR-SE [▶ 1 embretar] [F.: *em (en-)* + *brete* + *-ar.*]

embriagado (em.bri:a.*ga*.do) *a.* **1** Que se embriagou; que ingeriu grande quantidade de bebida alcoólica **2** *Fig.* Que se encantou; EXTASIADO: *Ficou embriagado com a beleza da moça.* **3** *Fig.* Que está com a mente ou os sentidos perturbados (embriagado de sono) *sm.* **4** Indivíduo embriagado [F.: Part. de *embriagar.* Bras. Pop. *chumbado, pinguço.* Ant. nas acps. 1 e 4: *sóbrio.*]

embriagador (em.bri:a.ga.*dor*) [ô] *a.* **1** Que embriaga, enleva, inebria; EMBRIAGADOR *sm.* **2** Aquele ou aquilo que embriaga, enleva, inebria [F.: *embriagar* + *-dor.*]

embriagante (em.bri:a.*gan*.te) *a2g.* O mesmo que *embriagador* (1) [F.: *embriagar* + *-nte.*]

embriagar (em.bri:a.*gar*) *v.* **1** Fazer ficar ou ficar embriagado, bêbado; EMBEBEDAR [*td.*: *Poucos goles bastaram para embriagá-lo:* "... se o Cesarino jamais se embriagava, nem mesmo recorria com frequência à bebida." (João Guimarães Rosa, *Ave, palavra*) Ant.: *desembebedar, desembriagar.*] **2** *Fig.* Causar embriaguez, enlevo (a); ARREBATAR; INEBRIAR [*td.*: *Seu perfume me embriaga:* "...deixei embriagar-me pelo sucesso..." (João Ubaldo Ribeiro, *O conselheiro come*)] [*int.*: *Esta paixão embriaga mais que o álcool.*] [▶ 14 embriagar] [F.: Do lat. vulg. *embriacare* e *embriacus* 'bêbedo', pelo port., ant. *embriago* + *-ar*².]

embriaguez (em.bri:a.*guez*) [ê] *sf.* **1** Estado, condição de quem se embriagou; perturbação dos sentidos causada pela ingestão excessiva de bebida alcoólica **2** *Fig.* Arrebatamento, inebriamento, exaltação, êxtase; ÊXTASE [F.: Adaptç. do it. *ubriachezza*, ou do port. ant. *embriago* (conexo com *embriagar*) + *-ez.*]

embrião (em.bri:*ão*) *sm.* **1** *Biol.* Qualquer organismo em seu estágio inicial de desenvolvimento, desde o zigoto até o nascimento **2** *Med.* Na espécie humana, nome dado ao ovo a partir do momento em que começa a sua segmentação na tuba uterina ou na proveta (nos casos de fecundação *in vitro*) e que depois se desenvolve dentro do útero até a oitava semana de gestação [Há aqueles que somente denominam de embrião o ser a partir do período em que se fixa à parede uterina (após quatro a seis dias da fecundação) e o seu desenvolvimento até a oitava semana.] **3** *Bot.* Rudimento de planta que se desenvolve no interior da semente **4** *Fig.* Qualquer coisa que dá origem a outra, ou que está em seu estágio inicial: *Esta ideia é o embrião de todos os futuros projetos.* [Pl.: *-ões.*] [F.: Do gr. *émbryon, ou.* Ideia de 'embrião': embri(o)- (embriologia).]

◎ **embri(o)-** *el. comp.* = 'embrião', 'feto': *embriocardia, embriologia* [F.: Do gr. *émbryon.*]

embriocardia (em.bri:o.car.*di*.a) *sf. Card.* Batimento cardíaco acelerado, semelhante ao ritmo do coração do feto [F.: *embri (o)-* + *-cardia.*]

embriófita (em.bri:*ó*.fi.ta) *sf. Bot.* Espécime das embriófitas [F.: Do lat. cient. *Embryophyta.*]

embriófitas (em.bri:*ó*.fi.tas) *sfpl. Bot.* Em alguns sistemas de classificação, divisão de plantas que, quando fecundadas, desenvolvem um embrião [F.: Do lat.cient. *Embryophyta.*]

embriogênese (em.bri:o.*gê*.ne.se) *sf. Emb.* Formação e desenvolvimento do embrião; EMBRIOGENIA [F.: *embri(o)-* + *-gênese.*]

embriogênico (em.bri:o.*gê*.ni.co) *a.* Ref. a embriogenia [F.: *embriogeni(a)* + *-ico*².]

embriologia (em.bri:o.lo.*gi*.a) *sf. Biol. Med.* Ciência que estuda a formação e o desenvolvimento do embrião, até o fim da fase embrionária [F.: *embri(o)-* + *-logia.*]

embriológico (em.bri:o.*ló*.gi.co) *a. Biol. Med.* Ref. a embriologia (processo embriológico) [F.: *embriologia* + *-ico*².]

embriologista (em.bri:o.lo.*gis*.ta) *a2g.* **1** *Biol. Med.* Que é especialista em embriologia *s2g.* **2** *Biol. Med.* Indivíduo que se especializou em embriologia [F.: *embriologia* + *-ista.*]

embrioma (em.bri:o.ma) *sm. Med.* Tipo de tumor derivado de células ou de tecidos embrionários [F.: *embri(o)-* + *-oma.*]

embrionado (em.bri.o.*na*.do) *a. Biol.* Que tem embrião [F.: *embrião* + *-ado*², seg. o mod. erudito.]

embrionário (em.bri:o.*ná*.ri:o) *a.* **1** *Biol. Med.* Ref. a embrião **2** Que constitui embrião **3** *Fig.* Que está por se formar (projeto embrionário) [F.: *embrião* + *-ário*, seg. o mod. erudito (ver *embri(o)-*).]

embrionia (em.bri:o.*ni*:a) *sf. Biol.* Formação do embrião; embriogênese [F.: *embrião* + *-ia*¹, seg. o mod. erudito.]

embriônico (em.bri:*ô*.ni.co) *a.* Ref. a embrião [F.: *embrião* + *-ico*², seg. o mod. erudito.]

embriopatia (em.bri:o.pa.*ti*:a) *sf. Pat.* Afecção resultante de desenvolvimento anormal do embrião [F.: *embri(o)-* + *-patia.*]

embrocação (em.bro.ca.*ção*) *sf.* **1** *Med.* Aplicação por fricção de medicamento líquido em parte do corpo **2** Líquido utilizado para esse fim [Pl.: *-ções.*] [F.: Do gr. *embrokhé*, pelo lat. medv. *embrocatio, onis*, pelo fr. *embrocation.*]

embromação (em.bro.ma.*ção*) *Bras. sf.* **1** Ação ou resultado de embromar **2** Ação de usar artifícios e ardis para protelar ou evitar a realização de tarefa, compromisso etc. **3** Cada um desses ardis, que podem ser mentiras, fingimentos, pretextos etc. [Pl.: *-ções.*] [F.: *embromar* + *-ção.*]

embromador (em.bro.ma.*dor*) [ô] *Bras. a.* **1** Que embroma *sm.* **2** Aquele que embroma [F.: *embromar* + *-dor.*]

embromar (em.bro.*mar*) *v.* **1** *Bras.* Esquivar-se de fazer algo, com pretextos ou fingindo fazê-lo; ENROLAR; REMANCHAR [*int.*: *Embromou o dia inteiro e não fez nada.*] **2** *Bras.* Enganar (alguém) com pretextos etc., protelando ou evitando a realização de tarefa, compromisso etc.; ENROLAR; TAPEAR [*td.*: *Embromou o cliente e acabou não consertando a TV.*] **3** *Bras.* Enganar, disfarçar, ludibriar [*int.*: "...conservo alguns resquícios capilares que, fotografados de frente com a cumplicidade do fotógrafo, ainda dão para embromar." (*O Globo*, 27.09.1998)] **4** *Bras.* Enaltecer as suas próprias qualidades; contar vantagem; GABAR-SE; JACTAR-SE [*int.*: *Embroma dizendo ser fazendeiro em Goiás.*] **5** *S.* Andar vagarosamente, displicentemente [*int.*] **6** *S* Fazer brincadeiras, zombar, gracejar (de) [*int.*: *Gostava de zombar de tudo e de todos, de embromar.*] [*td.*: *Brincalhão, embromava o amigo, que nem ligava.*] **7** Prometer algo, sem pensar em cumprir [*int.*] [▶ 1 embromar] [F.: Do espn. *embromar.* Hom./Par.: *embromar, embrumar* (em todas as fl.).]

embrulhada (em.bru.*lha*.da) *sf.* **1** Situação complicada, criada por desorganização, confusão, atrapalhação, malentendido etc.; CONFUSÃO; TRAPALHADA: *Fizeram uma embrulhada com esses papéis.* **2** Acontecimento ou coisa que dificulta ou impede; EMBARAÇO; ESTORVO: *Uma embrulhada no trânsito nos fez perder o avião.* [F.: Fem. substv. de *embrulhado.*]

embrulhado (em.bru.*lha*.do) *a.* **1** Envolvido em papel ou em outro invólucro (presente embrulhado); EMPACOTADO **2** Vestido, agasalhado: "Entraram com ela duas senhoras idosas, embrulhadas nas suas capas" (Camilo Castelo Branco, *A mulher fatal*) **3** *Fig.* Confuso, embaraçado (negócio embrulhado) **4** *Bras. Fig.* Enganado, logrado: "...via-se logrado, tungado, embrulhado, furtado pelos 'passadores de perna'." (Monteiro Lobato, *O rapto*) **5** *Fig.* Enjoado, nauseado (estômago embrulhado) **6** *Fig. P.us.* Diz-se de tempo encoberto ou nublado [F.: Part. de *embrulhar.*]

embrulhão (em.bru.*lhão*) *a.* **1** Que faz embrulhadas; TRAPALHÃO *sm.* **2** Aquele que faz embrulhadas; TRAPALHÃO [Pl.: *-ões.*] [F.: *embrulhar* + *-ão.*]

embrulhar (em.bru.*lhar*) *v.* **1** Envolver em papel, pano etc., ou pôr em invólucro, para formar pacote; EMBALAR [*td.*: "... o jornal de ontem serve para embrulhar o peixe..." (*O Globo*, 17.05.2005)] [*tda.*: *Embrulhe este livro com papel de presente.* Ant.: *desembrulhar, desembalar, desempacotar.*] **2** *Fig.* Complicar(-se), atrapalhar(-se), enrolar(-se) [*td.*: *Ao passar a informação, embrulhou tudo.*] [*int.*: *Ao tentar mentir, embrulhou-se todo.* Ant.: *desembrulhar.*] **3** *Fig.* Misturar-se com outras coisas, ger. em confusão, problema, mistério [*tdr.* + *em*: *Embrulhou-se nas confusões do marido.*] **4** *Fig.* Enganar, enrolar, tapear [*td.*: *Tenta sempre embrulhar o patrão.*] [*tda.*: *Tenta sempre embrulhar o patrão com desculpas esfarrapadas.*] **5** *Fig.* Revirar (o estômago), provocando náusea ou mal-estar [*td.*: "... um filme de embrulhar o estômago." (*O Globo*, 09.06.1997)] **6** *Fig.* Pronunciar mal, sem clareza; ENGROLAR [*td.*: *Embrulhou a resposta, tentando enganar o professor.*] [▶ 1 embrulhar] [F.: Do lat. vulg. **involucrare.*]

embrulho (em.*bru*.lho) *sm.* **1** Conjunto de coisa embrulhada ou em invólucro com o papel de embrulho ou o invólucro; PACOTE **2** *Fig.* Situação confusa, complicada; EMBRULHADA: *Nosso sócio meteu-nos num embrulho.* **3** *Fig.* Desordem, desarrumação, confusão, situação difícil ou complicada **4** *Bras. Fig.* Artifício us. para enganar alguém em uma negociação; LOGRO [F.: Dev. de *embrulhar.* Hom./Par.: *embrulho* (sm.), *embrulho* (fl. de *embrulhar*).]

embrutecedor (em.bru.te.ce.*dor*) [ô] *a.* **1** Que embrutece *sm.* **2** O que embrutece: "...o sofrimento é um extraordinário embrutecedor de almas." (Aquilino Ribeiro, *São Banaboião*) [F.: *embrutecer* + *-dor.*]

embrutecer (em.bru.te.*cer*) *v.* Fazer ficar ou ficar bruto, estúpido, tosco [*td.*: *Os anos de combate o embruteceram:* "A violência (...) não conseguiu embrutecer por completo os cariocas." (*O Globo*, 06.10.2002)] [*int.*: *Sofreram maustratos e embruteceram(-se)*] [▶ 33 embrutecer] [F.: *em-*² + *bruto* + *-ecer.*]

embrutecido (em.bru.te.*ci*.do) *a.* **1** Que embruteceu(-se); que tornou(-se) estúpido (homem embrutecido) **2** *Fig.* Que perdeu a ingenuidade, a sensibilidade, a amabilidade ou a doçura (olhar embrutecido) [F.: Part. de *embrutecer.*]

embrutecimento (em.bru.te.ci.*men*.to) *sm.* Ação ou resultado de embrutecer(-se) [F.: *embrutecer* + *-imento.* Ant.: *desembrutecimento.*]

embruxar (em.bru.*xar*) *v. td.* Fazer bruxaria, feitiço; ENFEITIÇAR: *A megera embruxou toda a família.* [▶ 1 embruxar] [F.: *em (en-)* + *bruxa* + *-ar.*]

embuçado (em.bu.*ça*.do) *a.* **1** Disfarçado, dissimulado, escondido **2** Que tem o rosto tapado pela capa ou capote [F.: Part. de *embuçar.* Ant. ger.: *desembuçado.*]

embuçalado (em.bu.ça.*la*.do) *a.* Que foi enganado, ludibriado [F.: Part. de *embuçalar.*]

embuçalar (em.bu.ça.*lar*) *v. td.* **1** *RS* Mesmo que *buçalar* **2** *Fig.* Enganar, iludir, lograr [▶ 1 embuçalar] [F.: Do espn. plat. *embozalar.*]

embuçar (em.bu.*çar*) *v. td.* **1** Encobrir (o rosto), deixando pequena abertura para os olhos **2** Disfarçar(-se), encobrir(-se) **3** Cobrir o corpo com casaco, capote etc. [▶ 12 embuçar] [F.: *em (en-)* + *buço* + *-ar.*]

embuchado (em.bu.*cha*.do) *a.* **1** Que tem o estômago demasiadamente cheio; EMPANTURRADO **2** Que se cala por não poder desabafar o que sente ou por não ter o que dizer [F.: Part. de *embuchar.*]

embuchar (em.bu.*char*) *v.* **1** Colocar muita comida no bucho, no estômago [*td.*: *No almoço, a mãe embuchou a criançada.*] **2** Matar a fome [*td.*] **3** Engasgar-se ao comer alguma coisa [*int.*] **4** *Bras.* Ficar em silêncio por não saber ou não ter como responder; embatucar [*int.*: *Ia falar, mas acabou embuchando.*] **5** Viver descontente, aborrecido, mal-humorado [*int.*] **6** Enfear [*int.*: *Ela era uma linda moça mas descuidou-se e embuchou.*] **7** *Carp.* Por bucha em [*td.*: *embuchar um prego.*] [*tda.* + *em*: *embuchar um prego na parede.*] [▶ 1 embuchar] [F.: *em (en-)* + *bucho* + *-ar.*]

embuço (em.*bu*.ço) *sm.* **1** Ação ou resultado de embuçar(-se); DISFARCE **2** Parte da capa ou do manto com que se pode cobrir a face **3** *Fig.* Modo de falar ou agir com que se dá a entender um pensamento sem o declarar expressamente; DISSIMULAÇÃO [F.: Dev. de *embuçar.* Ant. ger.: *desembuço.* Hom./Par.: *embuço* (sm.), *embuço* (fl. de *embuçar*).]

embudar (em.bu.*dar*) *v.* **1** Usar embude para adormentar (peixe) [*td.*] **2** *Lus.* Ficar sem falar ou sem se mover; ficar sem ação [*int.*] **3** Prender pela boca (o peixe) a uma pedra [*int.*] [▶ 1 embudar] [F.: *embude* + *-ar.*]

embude¹ (em.*bu*.de) *sm.* **1** Funil **2** Feição ou forma afunilada [F.: Posv. do fr. *embut*, do lat. *imbutus.* Hom./Par.: *embude* (sm.), *embude* (fl. de *embudar*).]

embude² (em.*bu*.de) *sm.* **1** *Bot.* O mesmo que *cicuta* **2** Substância que se lança na água para entontecer o peixe, que se apanha depois com a mão [F.: De or. obsc.]

embudo (em.*bu*.do) *sm.* Utensílio em forma de cone, us. para despejar líquidos, grãos etc. em recipientes com aberturas estreitas; EMBUDE; FUNIL [F.: De or. contrv; poss. do lat. *imbutus*, pelo fr. *embut.*]

emburacar (em.bu.ra.*car*) *v.* **1** *N.* Meter-se em buraco [*td.*] [*int.*] **2** *Bras.* Desaparecer, sumir [*td.*] [*int.*] **3** *S.* Sofrer graves prejuízos [▶ 11 emburacar] [F.: *em (en-)* + *buraco* + *-ar.*]

emburrado (em.bur.*ra*.do) *a.* **1** Que ficou aborrecido e calado; AMOLADO; AMUADO [Ant.: *desemburrado.*] **2** Mal-humorado, carrancudo *sm.* **3** *Bras. Gar.* Nas regiões de garimpo (ger. de diamantes), lugar com grandes pedras roladas e descobertas **4** *Bras. Gar.* Um dos satélites (minerais que ocorrem associados ao diamante) que denuncia a possível existência de diamantes nas proximidades [F.: Part. de *emburrar*.]

emburrar (em.bur.*rar*) *v.* **1** Tornar burro, estúpido; EMBRUTECER; EMBURRECER [*td.*: *A desinformação pode emburrar qualquer um.*] **2** Ficar aborrecido e calado; AMUAR; EMBIRRAR [*int.*: *O pai ralhou com ela, e ela emburrou.*] **3** Não se mover (de uma ideia, opinião, posição etc.), empacar, como um burro [*int.*: *Tentaram convencê-lo, mas ele emburrou e não cedeu.*] [▶ 1 emburrar] [F.: *em-*² + *burro* + *-ar*². Hom./Par.: *emburrar, emborrar* (em várias fl.).]

emburrecedor (em.bur.re.ce.*dor*) [ô] *a.* Que emburrece, que torna estúpido: *Certas leituras são emburrecedoras.* [F.: *emburrecer* + *-dor.*]

emburrecer (em.bur.re.*cer*) *v.* Fazer perder ou perder conhecimento ou inteligência, fazer ficar ou ficar burro, estúpido; EMBURRAR [*td.*: *Certos programas de televisão emburrecem as crianças.*] [*int.*: *Com o tempo, algumas pessoas emburrecem.*] [▶ 33 emburrecer] [F.: *em-*² + *burro* + *-ecer.*]

emburrecido (em.bur.re.*ci*.do) *a.* Que emburreceu [F.: Part. de *emburrecer.*]

emburrecimento (em.bur.re.ci.*men*.to) *sm.* Ação ou resultado de emburrecer [F.: *emburrecer* + *-mento.*]

embuste (em.*bus*.te) *sm.* **1** Mentira astuciosa us. para enganar ou enredar alguém; ENGODO **2** Armadilha (Fig.), esparrela, situação armada intencionalmente para lograr alguém [F.: De or. incerta.]

embusteiro (em.bus.*tei*.ro) *a.* **1** Que faz uso de embustes, mentiras *sm.* **2** Aquele que faz uso de embustes, mentiras [F.: *embuste* + *-eiro.* Sin. ger.: *impostor.*]

embutido (em.bu.*ti*.do) *a.* **1** Que foi inserido, construído ou feito dentro de vão ou de outra coisa, ger. sem ressaltos ou inadequações (armário embutido) **2** *Fig.* Encaixado, inserido discretamente: *novos conceitos embutidos num projeto.* **3** Que se introduziu à força **4** Diz-se de objeto incrustado com pedaços de madeiras, pedras, metais, pérolas etc. *sm.* **5** *Bras.* Denominação dada aos alimentos constituídos de carne moída e metida em tripas, como o paio, a linguiça, a salsicha etc.; ENCHIDO **6** Pedaço de madeira, pedra, metal etc. us. para incrustar um objeto [F.: Part. de *embutir.*]

embutir (em.bu.*tir*) *v.* **1** Introduzir, incluir, integrar (alguma coisa) (em algo) [*td.*: *Embutiu todos os armários:* "...a promoção também embute um bônus de 100 torpedos..." (*Jornal do Commercio*, 30.05.2005)] [*tda.*: *O comércio embute os impostos nos preços.*] **2** Introduzir (pedra, madeira, metal etc.) em (joia, obra de marcenaria etc.) esp. para ornamentar; ENTALHAR; MARCHETAR; TAUXIAR [*td.*: *O seu trabalho é embutir ladrilhos.*] [*tda.*: *Embutiu pedras semipreciosas nos brincos.*] **3** *Fig.* Levar (alguém) a acreditar em (algo que pode ser mentira); IMPINGIR [*tdi.* + *a*: *Embutiu-lhe uma explicação meio duvidosa.*] [▶ 3 embutir] [F.: Do fr. *emboutir.*]

eme (*e*.me) [ê] *sm.* **1** Nome da letra *m.* **2** *Art.gr.* Medida equivalente a um quadratim no sistema anglo-americano

emenagogo (e.me.na.*go*.go) [ô] *a.* **1** Diz-se de medicamento que provoca ou restabelece a menstruação *sm.* **2** Esse medicamento [F.: *emen (o)-* + *-agogo.*]

emenda (e.*men*.da) *sf.* **1** Ação ou resultado de emendar(-se), de corrigir erro, falta ou defeito; CORREÇÃO **2** Ação ou resultado de corrigir-se moralmente, de modificar-se para melhor; REGENERAÇÃO **3** Ação ou resultado de unir uma peça a outra: *A costureira fez uma emenda na camisa.* **4** Objeto que se junta a outro para corrigir algum defeito ou aumentar o tamanho: *O fio precisa de uma emenda para chegar até a tomada.* **5** *P.ext.* Lugar onde se unem duas peças: *A corda arrebentou na emenda.* **6** *Jur.* Alteração proposta para modificar um projeto de lei (emenda constitucional) **7** *Art.gr.* Cada uma das correções indicadas na prova pelo revisor: *O revisor fez várias emendas no texto.* **8** *Art.gr.* Aquilo que constitui a correção do erro, falta ou defeito apontados na revisão: *O diagramador fez as emendas.* [F.: Dev. de *emendar*. Hom./Par.: *emenda* (sf.), *emenda* (fl. de *emendar*), *ementa* (sf.).] ■ **Sob ~** A depender de emenda

emendado (e.men.*da*.do) *a.* **1** Que se emendou, corrigiu, modificou (texto emendado) **2** Em que se pôs emenda ou remendo (fios/panos emendados) [F.: Part. de *emendar.*]

emendar (e.men.*dar*) *v.* **1** Pôr emenda ou remendo em [*td.*: *Já emendei o fio (com fita isolante).* Ant.: *desemendar.*] **2** Suprimir ou reparar erros, defeitos de; CORRIGIR [*td.*: *Ainda está emendando a tradução.*] **3** Alterar, modificar [*td.*: *O Congresso vai emendar a legislação fiscal.*] **4** Ligar (fragmentos ou experiências sucessivas), ger. para formar um todo [*td.*: *emendar fios:* "Depois de emendar relações longas desde os 17 anos (...) Juliana ficou um ano solteira." (*O Dia*, 24.11.2004)] [*tdr.* + *com, em*: *emendar um trapo com outro.*] **5** Corrigir (si mesmo) moralmente; REGENERAR-SE [*td.*: "Ouviam (...) os conselhos, mas não se emendavam." (Marques Rebelo, *Marafa*) Ant.: *corromper, degenerar.*] **6** *Fut.* Chutar a bola (com ela em movimento) [*int.*: *Emendou de primeira e quase fez um gol.*] [▶ 1 emendar] [F.: Do lat. *emendare.* Ant. ger.: *desemendar*. Hom./Par.: *emendar, ementar* (em todas as fl.); *emendáveis* (fl.), *emendáveis* (pl. de *emendável* [a2g.]).]

⊛ **emen(o)-** *el. comp.* = 'menstruação': *emenagogo, emenalogia* [F.: Do gr. *émenna, es.*]

ementa (e.*men*.ta) *sf.* **1** Nota, apontamento [Coletivo: ementário.] **2** Texto resumido a sua essência, aos pontos essenciais; SINOPSE; SÍNTESE **3** *Jur.* Conclusão que contém o resumo do que diz o enunciado de uma decisão do judiciário ou do texto de uma lei **4** *Lus.* O mesmo que *cardápio* [F.: Do lat. *ementa* (pl. de *ementum*), tomado como se no sing. Hom./Par.: *ementa* (sf.), *ementa* (fl. de *ementar*), *emenda* (sf.).]

ementário (e.men.*tá*.ri.o) *sm.* Caderno de ementas ou apontamentos; AGENDA [F.: *ement(a)* + *-ário.*]

emergência (e.mer.*gên*.ci:a) *sf.* **1** Ação ou resultado de emergir [Ant.: *imergência.*] **2** Situação ou momento crítico, grave, perigoso: *A cidade está em estado de emergência por causa das fortes chuvas.* **3** *Med.* Caso de urgência e que requer atendimento ou tratamento imediato (emergência cirúrgica) **4** *Fig.* Setor que atende, trata ou encaminha os casos de urgência: *O acidentado foi encaminhado para a emergência do hospital.* **5** *N.E. Pop.* Discussão intensa; altercação **6** *Astron.* Aparecimento ou nascimento de um astro (emergência do Sol) **7** *Ent.* O mesmo que *eclosão* (4) **8** *Bot.* Pequena saliência da epiderme de folhas ou caules [F.: Do lat. med. *emergentia*, neutro pl. de *emergens, entis.* Hom./Par.: *emergência* (sf.), *imergência* (sf.).]

emergencial (e.mer.gen.ci.*al*) *a2g.* **1** Ref. a emergência **2** Feito ou tomado em caráter de emergência (medida emergencial) [Pl.: *-ais.*] [F.: *emergência* + *-al*¹.]

emergente (e.mer.*gen*.te) *a2g.* **1** Que emerge [Ant.: *imergente.*] **2** Que sai de, se origina em, é consequência de [+ *de*: *problema emergente do caos administrativo.*] **3** Que está ascendendo socialmente (família emergente) **4** *Econ.* Que está no rumo do desenvolvimento (países emergentes) *s2g.* **5** Pessoa em ascensão econômica e social *sm.* **6** País ou nação emergente (3) [F.: Do lat. *emergens, entis*, pelo fr. *émergent*. Hom./Par.: *emergente* (a2g.s2g.), *imergente* (a2g.).]

emergir (e.mer.*gir*) *v.* **1** Fazer vir ou vir à tona (o que estava submerso) [*td.*: *O salva-vidas conseguiu emergir o afogado.*] [*int.*: *O submarino emergiu junto à costa.*] **2** *Fig.* Aparecer, manifestar-se [*int.*: *Um dia ainda emergirão os motivos dessa atitude.* Ant.: *desaparecer, ocultar-se.*] **3** Aparecer, elevando-se, como se estivesse saindo da água [*int.*: *O Sol emergiu tingindo as nuvens de vermelho.*] [▶ 58 emergir Part.: *emergido* e *emerso.*] [F.: Do lat. *emergere*. Hom./Par.: *emergir, imergir* (em todas as fl.).]

emeritense (e.me.ri.*ten*.se) *s2g.* **1** Indivíduo nascido ou que vive em Mérida (Espanha) *a2g.* **2** De Mérida; típico dessa cidade ou de seu povo [F.: Do lat. *emeritensis.*]

emérito (e.*mé*.ri.to) *a.* **1** Que se destacou em atividade profissional, ciência, arte etc., ou que é de notório saber ou competência (jurista emérito) **2** Diz-se (como título universitário) de docente de notório saber que se destacou no ministrar de sua matéria (professor emérito) **3** Que se aposentou e goza os rendimentos e honras do emprego **4** *Fig.* Que tem longa e ininterrupta prática de um hábito (leitor emérito) [F.: Do lat. *emeritus*. Hom./Par.: *emérito* (a.), *imérito* (a.).]

⊛ **-êmero** Ver *hemero-*

emersão (e.mer.*são*) *sf.* **1** Ação ou resultado de emergir (emersão do submarino) [Ant.: *imersão.*] **2** *Astron.* Reaparecimento de um astro depois de um eclipse, quando foi oculto pela sombra ou interposição (em relação ao Sol) de um outro [Pl.: *-sões.*] [F.: Do lat. *emersus*, pelo fr. *émersion*. Hom./Par.: *emersão* (sf.), *imersão* (sf.).]

emerso (e.*mer*.so) *a.* Que emergiu (submarino emerso) [Ant.: *imerso.*] [F.: Do lat. *emersus*. Hom./Par.: *emerso* (a.), *imerso* (a.).]

⊛ **-êmese** *el. comp.* = 'vômito': *blenêmese, hematêmese, piêmese; autemesia* [F.: Do gr. *émesis, eos.*]

⊛ **-emes(i)-** *el. comp.* Ver *-êmese*

emético (e.*mé*.ti.co) *Farm.* *a.* **1** Que provoca vômito (substância emética) *sm.* **2** Aquilo que provoca vômito [F.: Do gr. *emetikós*, pelo lat. *emeticus* e pelo fr. *émétique*. Sin. ger.: *vomitório, vomitivo.*]

emeticologia (e.me.ti.co.lo.*gi*.a) *sf.* O conjunto dos conhecimentos ou o estudo sobre os eméticos [F.: *emético* + *-logia.*]

emeticológico (e.me.ti.co.*ló*.gi.co) *a.* Ref. ou pertencente à emeticologia; EMETOLÓGICO [F.: *emeticologia* + *-ico*².]

emeticologista (e.me.ti.co.lo.*gis*.ta) *a2g.* **1** Que se especializou em emetologia, ou emeticologia; EMETOLOGISTA; EMETICÓLOGO; EMETÓLOGO *s2g.* **2** Esse especialista [F.: *emeticologia* + *-ista.*]

emeticólogo (e.me.ti.*có*.lo.go) *sm.* Especialista em emeticologia; EMETICOLOGISTA; EMETOLOGISTA; EMETÓLOGO [F.: *emético* + *-logo.*]

emetina (e.me.*ti*.na) *sf.* *Quím.* Alcaloide ($C_{29}H_{40}N_2O_4$) extraído da ipecacuanha, us. como emético e antiamebiano [F.: Do fr. *émétine.*]

⊛ **emet(o)-** *el. comp.* = 'vômito': *emetofobia, emetologia* [F.: Do gr. *émetos, ou.*]

emetofobia (e.me.to.fo.*bi*.a) *sf.* *Psiq.* Aversão patológica ao vômito [F.: *emet (o)-* + *-fobia.*]

emetofóbico (e.me.to.*fó*.bi.co) *Psiq.* *a.* **1** Ref. a emetofobia **2** Que sofre de emetofobia; HEMETÓFOBO *sm.* **3** Pessoa que sofre de emetofobia; HEMETÓFOBO [F.: *emetofobi(a)* + *-ico*².]

emetófobo (e.me.*tó*.fo.bo) *Psiq.* *a.* **1** Hemetofóbico (2) *sm.* **2** Hemetofóbico (3) [F.: *emet (o)-* + *-fobo.*]

emetologia (e.me.to.lo.*gi*.a) *sf.* Estudo dos, ou reunião dos conhecimentos sobre os eméticos; EMETICOLOGIA [F.: *emet(o)-* + *-logia.*]

emetológico (e.me.to.*ló*.gi.co) *a.* O mesmo que *emeticológico* [F.: *emetologia* + *-ico*².]

emetologista (e.me.to.lo.*gis*.ta) *a2g.* *s2g.* O mesmo que *emeticologista* [F.: *emetologia* + *-ista.*]

emetólogo (e.me.*tó*.lo.go) *sm.* O mesmo que *emeticólogo* [F.: *emet(o)-* + *-logo.*]

emétrope (e.*mé*.tro.pe) *sf.* *Oft.* Que tem a visão no que se refere à refração do olho [F.: Do fr. *emmétrope.*]

☒ **Emfa** Sigla de *Estado-Maior das Forças Armadas*

⊛ **-emia** *el. comp.* = 'sangue'; 'estado ou condição patológica do sangue'; 'presença ou teor, irregular ou não, de (algo) no sangue': *albuminemia, alcalemia, alcoolemia, anemia* (< gr.), *anidremia, anoxemia, bacteremia, bacteriemia, caliemia, clamidemia, colemia, eritremia, galactosemia, hiperemia, leucemia* (< fr. < al.), *lipemia, micetemia, piemia, septicemia, toxemia, uremia, viremia* [F.: Do gr. *-aimía, as*, do gr. *haîma, atos*, 'sangue', + *-ía, as* (ver *-ia*¹). F. conexa: *hemat(o)-*.]

êmico (*ê*.mi.co) *a.* *Ling.* Ref. ao estudo das unidades linguísticas do ponto de vista de sua função dentro do sistema a que pertencem [F.: Do ing. *emic.*]

emigração (e.mi.gra.*ção*) *sf.* **1** Ação ou resultado de emigrar [Cf.: *migração* e *imigração.*] **2** Saída voluntária de um país; EXPATRIAÇÃO **3** Partida de uma para outra região de um mesmo país **4** *P.ext.* Conjunto de pessoas que emigram **5** *Ecol.* Saída periódica de um grupo de animais de uma para outra região [Pl.: *-ções.*] [F.: Do lat. *emigratio, onis.* Hom./Par.: *emigração* (sf.), *imigração* (sf.).]

emigrado (e.mi.*gra*.do) *a.* **1** Que emigrou [Cf.: *migrado* e *imigrado.*] *sm.* **2** Aquele que emigrou [F.: Do lat. *emigratus*. Sin. ger.: *emigrante*. Hom./Par.: *emigrado* (a.sm.), *imigrado* (a.sm.).]

emigrante (e.mi.*gran*.te) *a2g.* **1** Que emigra; que sai voluntariamente do país ou da região natal para viver em outro lugar [Cf.: *migrante* e *imigrante.*] *s2g.* **2** Aquele que emigra [F.: Do lat. *emigrans, antis.* Sin. ger.: *emigrado*. Hom./Par.: *emigrante* (a2g.s2g.), *imigrante* (a2g.s2g.).]

emigrar (e.mi.*grar*) *v.* **1** Deixar um país para viver em outro [*tr.* + *de, para*: *Muitos emigraram do Japão; Emigrou para a Espanha.*] [*int.*: *Sem perspectivas em seu país, emigrou.*] **2** Mudar regularmente de hábitat (diz-se de animal) [*int.*: *As andorinhas emigram no inverno.*] [▶ 1 emigrar] [F.: Do lat. *emigrare*. Hom./Par.: *emigrar, imigrar* (em todas as fl.). Cf.: *migrar.*]

emigratório (e.mi.gra.*tó*.ri:o) *a.* Ref. a emigração (movimento emigratório; tradição emigratória) [F.: *emigrar* + *-tório*. Cf.: *migratório* e *imigratório.*]

eminência (e.mi.*nên*.ci:a) *sf.* **1** Condição ou qualidade do que é eminente; proeminência [Cf.: *iminência.*] **2** O que aparece em relevo; SALIÊNCIA **3** *Fig.* Superioridade moral, profissional ou intelectual: *A eminência daquele médico é incontestável.* **4** Aquele que tem eminência (3): *Aquele médico é uma eminência na sua especialidade.* **5** Tratamento dado aos cardeais [No discurso direto, usa-se a forma de tratamento 'Sua/Vossa Eminência' ou 'Sua/Vossa Eminência Reverendíssima'. Abrev.: Em.ª.] **6** *Anat.* Elevação ou protuberância em uma superfície, esp. na de um osso [F.: Do lat. *eminentia*. Hom./Par.: *eminência* (sf.) *iminência* (sf.).] ■ **~ parda** Pessoa que, sem fazer alarde e sem aparecer, tem grande influência em decisões, condução de processos, políticas etc.

eminente (e.mi.*nen*.te) *a2g.* **1** Que ocupa ou está em posição elevada (lugar eminente; igreja eminente) [Cf.: *iminente.*] **2** Que supera os demais; insigne (deputado eminente); EXCELENTE [F.: Do lat. *eminens, entis*. Hom./Par.: *eminente* (a2g.), *iminente* (a2g.).]

emir (e.*mir*) *sm.* **1** Título de governadores de certas tribos ou províncias muçulmanas **2** Título dos descendentes de Maomé [F.: Do ár. *amir*, pelo fr. *émir.*]

emiradense (e.mi.ra.*den*.se) *a.* De ou ref. a emirado (1) [F.: *emirad(o)* + *-ense.*]

emirado (e.mi.*ra*.do) *sm.* **1** Estado, província ou região governada por emir **2** Cargo ou dignidade de emir [F.: *emir* + *-ado*².]

emissão (e.mis.*são*) *sf.* **1** Ação ou resultado de emitir, de expelir, de projetar (emissão de gases; emissão de som) **2** Expedição de um documento (emissão de ordem de pagamento) **3** *Econ.* Ação ou resultado de pôr em circulação uma nova moeda ou papel de crédito **4** *Fisl.* Ação ou resultado de expelir de si os excrementos do corpo (emissão de urina) **5** *Med.* Redução de qualquer substância armazenada no corpo: *tosse com emissão de sangue.* **6** *Fís.* Libertação de energia sob forma de ondas ou de partículas **7** Em comunicação, ação de emitir a mensagem para um receptor [P.ops. a *recepção.*] [Pl.: *-sões.*] [F.: Do lat. *emissio, onis.* Hom./Par.: *emissão* (sf.), *imissão* (sf.).] ■ **~ atmosférica** *Astron.* Luminosidade atmosférica imperceptível ao olho humano, provocada pela ionização de partículas pela radiação solar [Tb. (ing.) *airglow.*]

emissário (e.mis.*sá*.ri:o) *a.* **1** Que é enviado ou sai em missão *sm.* **2** Indivíduo que é enviado ou sai em missão; MENSAGEIRO: *O emissário do governador cumpriu sua tarefa.* **3** *Bras.* Parte de uma rede sanitária e/ou pluvial que conduz o material recolhido ao local de lançamento (ger. mar aberto) [F.: Do lat. *emissarius.*] ■ **~ lacustre** Escoadouro (das águas) de um lago

emissividade (e.mis.si.vi.*da*.de) *sf.* *Fís. Ópt.* Relação, ou quociente, entre a energia radiante emitida por um radiador por unidade de superfície e unidade de tempo e a emitida, em condições idênticas, por um radiador perfeito, sendo, portanto, o valor máximo possível de emissividade, um [F.: *emissivo* + *-(i)dade.*]

emissivo (e.mis.*si*.vo) *a.* **1** Que tem a faculdade de emitir **2** Que pode ser emitido [F.: Do lat. *emissus.*]

emissor (e.mis.*sor*) [ô] *a.* **1** Que emite, que é capaz de emitir algo; EMITENTE **2** *Telc.* Que é responsável pela codificação e transmissão de uma mensagem ao receptor, através de um canal de comunicação **3** *Econ.* Diz-se de instituição bancária ou estabelecimento de crédito que emite moeda-papel [No Brasil, esp. o Banco Central.] *sm.* **4** Aquele que emite algo: *emissor de passagens/de formulários.* **5** *Telc.* Aquele que é responsável pela transmissão de uma mensagem ao receptor, através de um canal de comunicação **6** *Econ.* Instituição bancária ou estabelecimento de crédito que emite moeda-papel [F.: Do lat. *emissor, oris.*]

emissora (e.mis.*so*.ra) [ô] *sf.* **1** *Rád. Telv.* Estação que transmite sinais de rádio **2** Estação que transmite sinais de televisão, ou de rádio e televisão **3** Empresa ou entidade que produz e transmite programas de rádio, de televisão, ou desses dois veículos [F.: Fem. de *emissor*, do lat. *emissor, oris.*] ▪▪ **~ afiliada** *Rád. Telv.* Emissora local independente que transmite programas em cadeia com rede mais ampla **~ associada** *Rád. Telv.* Emissora que pertence ao mesmo proprietário de outra(s), com a(s) qual(is) transmite em rede ou cadeia **~ local** *Rád. Telv.* Aquela cujo alcance cobre apenas a localidade a que serve **~ nacional** *Rád. Telv.* Aquela cujo alcance e serviços cobrem todo o país, ou mais de uma região **~ regional** *Rád. Telv.* Aquela cujo alcance e serviços cobrem toda uma região ou várias localidades de uma mesma região

emitente (e.mi.*ten*.te) *a2g.* **1** Que emite cheque, nota promissória, duplicata ou qualquer outro título que represente valor financeiro **2** Ver *emissor* *s2g.* **3** Aquele que emite cheque, nota promissória, duplicata ou qualquer outro título que represente valor financeiro **4** Ver *emissor* [F.: Do lat. *emittens, entis.*]

emitir (e.mi.*tir*) *v.* **1** Lançar de si (luz, som, cheiro, sinal etc.) [*td.*: *As estrelas emitem raios luminosos.*] **2** Manifestar, exprimir algo oralmente ou por escrito [*td.*: *emitir um parecer:* "...os revoltosos emitiram uma proclamação..." (Alberto da Costa e Silva, *A manilha e o libambo*)] [*tdi.* + *a*: *Emitiu-lhe um aviso.*] **3** *Econ.* Fazer circular (dinheiro) [*td.*: *O governo emitiu as novas moedas.*] [*int.*: *Emitir pode causar inflação:* "...autorizou o governo a dar a garantia nacional ao banco estrangeiro – nenhum outro poderia emitir na Europa – que emprestasse dinheiro à lavoura..." (Joaquim Nabuco, *O abolicionismo*)] [▶ 3 emitir] [F.: Do lat. *emittere.* Hom./Par.: *emitir, imitir* (em todas as fl.).]

⊕ **emmenthal** (*Fr.* /ementaI/) *sm.* Queijo feito de leite de vaca, de massa cozida e consistência elástica, com buracos de vários tamanhos

emoção (e.mo.*ção*) *sf.* **1** Reação tanto psíquica como física ante um fato, uma situação, uma percepção, uma notícia etc., que se manifesta, subjetivamente, como sensação intensa (p. ex., de medo ou raiva, alegria ou tristeza etc.) e, fisiologicamente, com alterações que levam o corpo a agir de acordo com esse estímulo; COMOÇÃO **2** Ação de mover (em sentido moral) [Pl.: *-ções.*] [F.: Do fr. *émotion*, a partir de *motion*, do lat. *motio, onis.*]

emocionado (e.mo.ci:o.*na*.do) *a.* Que manifesta emoção; em que há ou que denota emoção (discurso emocionado, plateia emocionada); COMOVIDO [F.: Part. de *emocionar.*]

emocional (e.mo.ci:o.*nal*) *a2g.* **1** Ref. a emoção ou próprio de suas manifestações (estado emocional, instabilidade emocional); EMOTIVO **2** Em que há emoção, ou que a provoca (apelo emocional) [Pl.: *-nais.*] [F.: *emoção* + *-al*[1], segundo o modelo erudito.]

emocionalidade (e.mo.ci:o.na.li.*da*.de) *sf.* **1** Qualidade do que é emocional **2** *Psi.* Afetividade [F.: *emocional* + *-(i)dade.*]

emocionalista (e.mo.ci:o.na.*lis*.ta) *a2g.* Ref. ao ou próprio do emocionalismo [F.: *emocional* + *-ista.*]

emocionante (e.mo.ci:o.*nan*.te) *a2g.* Que emociona, que causa emoção; COMOVENTE; COMOVEDOR [F.: *emocionar* + *-nte.*]

emocionar (e.mo.ci:o.*nar*) *v.* Causar ou sentir emoção; COMOVER [*td.*: *A história emocionou os ouvintes; Emocionou-se com o filme.*] [*int.*: *Alguns espetáculos emocionam.*] [▶ 1 emocionar] [F.: Do fr. *émotionner.* Hom./Par.: *emocionais* (fl.), *emocionais* (pl. de *emocional* (a2g.).]

emoldurado (e.mol.du.*ra*.do) *a.* Que se emoldurou, que se pôs em moldura; moldurado; amoldurado (retrato emoldurado, gravura emoldurada); ENQUADRADO [F.: Part. de *emoldurar.*]

emoldurar (e.mol.du.*rar*) *v. td.* **1** Pôr em moldura (1): *emoldurar um retrato.* [Ant.: *desemoldurar.*] **2** Envolver, enfeitando; ornar em volta de: *Os cabelos emolduram seu rosto; Uma trepadeira em arco emoldurava o portão.* [▶ 1 emoldurar] [F.: *e-*[3] + *moldura* + *-ar*[2]. Sin. ger.: *moldurar.*]

emoliente (e.mo.li:*en*.te) *a2g.* **1** *Med.* Diz-se de substância que amolece, que abranda (creme/sabonete emoliente); DEMULCENTE *sm.* **2** *Med.* Substância que amolece, que abranda; DEMULCENTE [F.: Do lat. *emolliens, entis.*]

emolumento (e.mo.lu.*men*.to) *sm.* **1** Lucro ou vantagem financeira que se obtêm **2** Dinheiro ou objeto de valor oferecido como recompensa **3** Rendimento, vantagem, benefício além do salário fixo; BENESSE [F.: Do lat. *emolumentum*, pelo fr. *émolument.*]

emotividade (e.mo.ti.vi.*da*.de) *sf.* **1** Qualidade ou estado de emotivo **2** Capacidade de reagir por meio de emoções **3** Caráter de pessoa emotiva [F.: *emotivo* + *-(i)dade.* Ideia de *'emotividade'*, usar pospos. *-timia.*]

emotivo (e.mo.*ti*.vo) *a.* **1** Que tende a se emocionar facilmente; SENSÍVEL: *A postura firme escondia uma pessoa emotiva.* **2** Próprio de quem se emociona com facilidade (comportamento emotivo) [Ant.: *frio, insensível.*] **3** Ver *emocional*: *Todas as suas reações emotivas eram intensas.* *sm.* **4** Aquele que se emociona com facilidade [F.: Do lat. *emotus*, part. de *emovere*, pelo fr. *émotif.*]

empacado (em.pa.*ca*.do) *Bras.* *a.* **1** Que empacou, que não foi adiante (diz-se esp. de mulas e cavalos) **2** Que não teve prosseguimento, que ficou parado: *As obras da prefeitura estão empacadas.* **3** *S.* Tartamudear, gaguejar, ter dificuldade ao falar [F.: *empacar* + *-ado.*]

empacamento (em.pa.ca.*men*.to) *sm.* Ação ou resultado de empacar [F.: *empacar* + *-mento.* Ant. ger.: *desempacamento.*]

empacar[1] (em.pa.*car*) *Bras.* *v. int.* **1** Emperrar, estacar, parar (burro, cavalo), recusando-se teimosamente a sair do lugar, mesmo espicaçado pelo cavaleiro ou condutor **2** *Pop.* Não prosseguir, não ir adiante: *O aluno empacou e não completou a resposta.* **3** *S.* Balbuciar, gaguejar, tartamudear [▶ 11 empacar] [F.: Do espn. *empacarse.* Ant. ger.: *desempacar, prosseguir.*]

empacar[2] (em.pa.*car*) *v. td.* *P.us.* Pôr em pacote, embrulhar; f. red. de *empacotar* [▶ 11 empacar] [F.: *em-*[2] + *paca* ('pacote', *p.us.*) + *-ar*[2].]

empachado (em.pa.*cha*.do) *a.* **1** Que se empachou, se encheu demais (depósito empachado); ATULHADO; SOBRECARREGADO **2** *Bras. Gír.* Que comeu demais, que está com empacho (estômago empachado); EMPANTURRADO; EMPANZINADO [F.: Part. de *empachar.*]

empachamento (em.pa.cha.*men*.to) *sm.* Mesmo que *empacho* [F.: *empachar* + *-mento.* Ant. ger.: *desempachamento.*]

empachar (em.pa.*char*) *v.* **1** Encher em demasia [*td.*: *Empachou a mala e não conseguiu fechá-la.*] **2** Empanturrar de comida (o estômago [de alguém, inclusive si mesmo]); EMPANTURRAR; EMPANZINAR [*td.*: *empanzinar o estômago; Resolveu empachar o amigo, e serviu-lhe um banquete de cinco pratos; Faminto, comeu até empachar-se.*] [▶ 1 empachar] [F.: Do lat. tard. *impedicare*, pelo fr. ant. *empeechier* (hoje *empêcher*).]

empacho (em.*pa*.cho) *sm.* **1** Ação ou resultado de empachar(-se); EMBARAÇO; OBSTÁCULO; ESTORVO **2** Sensação de desconforto provocada por excesso de comida no estômago; EMPACHE [F.: regr. de *empachar.* Hom./Par.: *empacho* (fl. *empachar*). Ant. ger.: *desempacho.*]

empaçocado (em.pa.ço.*ca*.do) *a.* Que apresenta aspecto ou consistência de paçoca: *A cozinheira fez um feijão grosso, empaçocado.* [F.: *empaçocar* + *-ado.*]

empaçocar (em.pa.ço.*car*) *v. td.* **1** *Bras.* Conferir aspecto de paçoca a **2** *Fig.* Tornar amarfanhado, amarrotado; ENRUGAR **3** *Fig.* Misturar de maneira desordenada; tornar emaranhado [▶ 11 empaçocar] [F.: *em (en-)* + *paçoca* + *-ar.*]

empacotadeira (em.pa.co.ta.*dei*.ra) *sf.* Máquina agrícola que serve para empacotar, fazer pacotes, fardos regulares (de feno, alfafa, palha); EMPACOTADORA [F.: *empacotar* + *-deira.*]

empacotado (em.pa.co.*ta*.do) *a.* **1** Que se empacotou; EMBALADO; EMBRULHADO: *Os instrumentos foram todos empacotados.* **2** *Bras. Gír.* Que está ou foi morto: *Foi empacotado pelos bandidos.* [F.: Part. de *empacotar.* Ant. ger.: *desempacotado.*]

empacotador (em.pa.co.ta.*dor*) [ô] *a.* **1** Que empacota, embala ou embrulha *sm.* **2** Aquele que empacota [F.: rad. de *empacotado* + *-or.* Ant. ger.: *desempacotador.*]

empacotadora (em.pa.co.ta.*do*.ra) *sf.* *Mec.* Máquina ou mecanismo agrícola que se destina a empacotar palha, feno etc.; EMPACOTADEIRA [F.: Fem. de *empacotador.*]

empacotamento (em.pa.co.ta.*men*.to) *sm.* Ação ou resultado de empacotar; ACONDICIONAMENTO [F.: *empacotar* + *-mento.*]

empacotar (em.pa.co.*tar*) *v.* **1** Pôr em pacote(s); EMBALAR; EMBRULHAR [*td.*: *Empacotei os livros.* Ant.: *desempacotar.*] **2** *Pop.* Morrer, falecer [*int.*] [▶ 1 empacotar] [F.: *em-*[2] + *pacote* + *-ar*[2].]

empada (em.*pa*.da) *sf.* **1** *Cul.* Iguaria feita de massa fina, quebradiça, com recheios variados como carne, frango, camarão, palmito, e assada em pequenas formas redondas ao forno [A empada pode ser grande (empadão), ou pequena, como salgadinho (empadinha)] **2** *Fig. Pop.* Pessoa que incomoda, causa estorvo, desagradável [F.: Do port. ant. *empanada.*]

empadão (em.pa.*dão*) *sm.* **1** Empada grande **2** *Cul.* Empada de grande tamanho feita de carne, frango, legumes etc., assada em forno e servida em pedaços ou fatias; PASTELÃO **3** *Lus. Cul.* Prato que, preparado no forno, inclui arroz ou purê de batatas com recheio de carne, legumes, frutos do mar etc. [F.: *empada* + *-ão.*]

empáfia (em.*pá*.fi:a) *sf.* Orgulho afetado, manifestação ou atitude de suposta superioridade; ARROGÂNCIA; INSOLÊNCIA; SOBERBA: "...Oh! e disse depois com empáfia: – Houvesse mais cem quartos que estariam cheios!..." (Aluísio Azevedo, *O cortiço*) [Ant.: *humildade.*] [F.: De or. duvidosa, posv. onomatopaica.]

empafiado (em.pa.fi.*a*.do) *a.* Que é cheio de empáfia, de soberba [F.: *empáfia* + *-ado.*]

empaiolar (em.pai:o.*lar*) *Bras. v. td.* *RS* Mesmo que *apaiolar* [▶ 1 empaiolar] [F.: *em (en-)* + *paiol* + *-ar.*]

empalação (em.pa.la.*ção*) *sf.* **1** Ação ou resultado de empalar **2** Antiga punição em que se enfiava uma estaca no ânus de um condenado, para causar-lhe morte lenta e dolorosa; EMPALAMENTO [F.: *empalar* + *-ção.* Ant. ger.: *desempalação.*]

empalado (em.pa.*la*.do) *a.* Que foi submetido a processo de empalação [F.: Part. de *empalar.*]

empalador (em.pa.la.*dor*) [ô] *a.* **1** Que empala (carrasco empalador) *sm.* **2** Aquele que empalava condenados [F.: *empalado* + *-or.*]

empalamado (em.pa.la.*ma*.do) *a.* **1** Que está coberto de edemas, de emplastros **2** *P.ext.* Diz-se de quem está enfermo, atacado por doença **3** *Bras.* Diz-se de quem tem gordura flácida [F.: Part. de *empalamar.*]

empalamento (em.pa.la.*men*.to) *sm.* **1** Ação ou resultado de empalar [Ant.: *desempalamento.*] **2** Antigo suplício infligido a condenado que consistia em espetá-lo em uma estaca aguda, pelo ânus, deixando-o assim até morrer; EMPALAÇÃO [F.: *empalar-* + *-mento.*]

empalar (em.pa.*lar*) *v. td.* **1** Aplicar o suplício da empalação a **2** *P.ext.* Enfiar, cravar, espetar [▶ 1 empalar] [F.: Prov. do espn. *empalar.*]

empalatório (em.pa.la.*tó*.ri.o) *a.* **1** Ref. ou inerente a empalação (suplício empalatório) **2** Diz-se do que é us. na empalação (estaca empalatória) [F.: Do espn. *empalar-* + *-t-* + *-ório.*]

empalhação (em.pa.lha.*ção*) *sf.* **1** Ação ou resultado de empalhar **2** *Mob.* Trançado de vime, palha ou de palhinha us. em forração de assentos e encostos de móveis como cadeiras, sofás etc. **3** Recheio de palha us. para conservação de animal morto **4** *Bras. Fig. Pop.* Subterfúgio, pretexto us. para ganhar tempo, enbromação; falsas promessas **5** *Fig.* Embaraçamento, estorvo, atrapalhação **6** *Fig.* Retardamento, demora, atraso [Pl.: *-ções.*] [F.: *empalhar-* + *-ção.* Sin. ger.: *empalhamento.* Ant. ger.: *desempalhação.*]

empalhado (em.pa.*lha*.do) *a.* **1** Que se empalhou, se encheu de palha e conservantes (pássaro empalhado) **2** Que se acondicionou com palha, para não estragar ou quebrar (frutas, louça, vidro, objetos delicados) **3** Diz-se de móvel que recebeu assento ou espaldar de palhinha trançada (cadeira empalhada) [F.: Part. de *empalhar.*]

empalhador (em.pa.lha.*dor*) [ô] *sm.* **1** Aquele que empalha animais; TAXIDERMISTA **2** Aquele que trabalha com palhinha, que empalha móveis **3** *S. Fig.* Que custa a acabar um trabalho; ENROLADOR [F.: *empalhar* + *-dor.*]

empalhamento (em.pa.lha.*men*.to) *sm.* Ver *empalhação.* [F.: *empalhar-* + *-mento.* Ant.: *desempalhamento.*]

empalhar (em.pa.*lhar*) *v. td.* **1** Encher de palha (forro, para dar forma ou volume, ou pele de animal morto, para conservar sua forma original etc.): *Empalhavam as aves mais ágeis e luminosas.* **2** Completar com palha tecida: *empalhar uma cadeira.* **3** Forrar, cobrir com palha, vime ou assemelhado: *Achava bonito quando empalhavam os garrafões de vinho.* **4** Acondicionar com palha, para evitar que quebre: *empalhar a louça para a mudança.* **5** *Fig. Pop.* Demorar com promessas e enganos; PALIAR; ENROLAR: *Empalharia a noiva durante décadas.* [▶ 1 empalhar] [F.: *em-*[2] + *palha* + *-ar*[2]. Ant. (de 1 a 4): *desempalhar.*]

empalidecer (em.pa.li.de.*cer*) *v.* **1** Tornar(-se) pálido, sem cor, sem viço; DESCORAR [*td.*: *O esforço a empalideceu.*] [*int.*: "...desviou a cara, e penso que empalideceu." (Machado de Assis, *Novas seletas*) Ant.: *corar.*] **2** *Fig.* Fazer perder ou perder a intensidade, a importância, o valor [*td.*: *Uma sequência de adversidades empalideceu sua fé.*] [*int.*: *Foi um menino prodígio, mas com o tempo seu talento empalideceu.*] [▶ 33 empalidecer] [F.: *em-*[2] + *pálido* + *-ecer.*]

empalidecido (em.pa.li.de.*ci*.do) *a.* **1** Diz-se de que se faz ou fez pálido **2** Que perdeu a cor ou o brilho [Ant.: *brilhante; viçoso; valioso.*] **3** Que perde ou perdeu a intensidade **4** Que perde ou perdeu a importância ou valor **5** *Fig.* Desmerecido, deslustrado (prestígio empalidecido) [+ *ante, com, por*: *empalidecido ante a autoridade; empalidecido com o susto; empalidecido pelo nervosismo.*] [F.: Part. de *empalidecer.* Sin.: *desbotado*; (p. us) *empalecido.*]

empalmado (em.pal.*ma*.do) *a.* **1** Ocultado na palma da mão **2** *P.ext.* Escondido, escamoteado **3** *Fig.* Furtado, roubado com discrição, surrupiado (dinheiro empalmado) [F.: Part. de *empalmar.* Ant. ger.: *desempalmado; espalmado.*]

empalmador (em.pal.ma.*dor*) [ô] *a.* **1** Diz-se de que ou quem empalma, ou furta *sm.* **2** Indivíduo que empalma ou furta [F.: *em-*[2] + *-palma* + *-ar*[2]- + *-dor.*]

empalmar (em.pal.*mar*) *v. td.* **1** Esconder na palma da mão; ESCAMOTEAR: *Esse mágico empalma qualquer coisa.* **2** *Fig. Pop.* Passar a mão em, roubando, furtando; SURRIPIAR; AFANAR: *Empalmaram-lhe a carteira.* **3** *Pop.* Tomar para si, apoderar-se de, apossar-se de: *Meu irmão empalmou meu celular e sumiu com ele.* [▶ 1 empalmar] [F.: *em-*[2] + *palma*[1] + *-ar*[2].]

empanada (em.pa.*na*.da) *sf.* **1** *Cul.* Empada assada em forma grande e servida em pedaços cortados; EMPADÃO **2** Pano esticado em caixilho ou moldura que se punha diante de janela para filtrar a luz, ou que substituía o vidro na esquadria da janela **3** *N.E.* Toldo de estabelecimento comercial [F.: Do espn. *empanada.*]

empanado[1] (em.pa.*na*.do) *a.* **1** Que se empanou, que se cobriu de pano **2** Que está encoberto: *panorama empanado pela neblina.* **3** Que não tem brilho (vidro empanado); EMBAÇADO; EMBACIADO **4** *N.E.* Que veste roupa de pano, ao contrário do encourado, que a tem de couro, própria do vaqueiro *sm.* **5** *N.E.* Aquele que veste roupa de pano, ao contrário do encourado, que a tem de couro, própria do vaqueiro [F.: Part. de *empanar*[1].]

empanado[2] (em.pa.*na*.do) *a.* **1** *Cul.* Diz-se de alimento passado no ovo e na farinha de trigo antes de ser frito (peixe empanado) *sm.* **2** *Cul.* Qualquer tipo de alimento frito depois de passado em ovo e farinha de trigo: *Gostava de empanados, mas estava de dieta.* [F.: Part. de *empanar*[2].]

empanado[3] (em.pa.*na*.do) *a. Lus.* Que entrou em pane, que enguiçou: *Chamou o guincho para rebocar o carro empanado.* [F.: Part. de *empanar*[3].]

empanar[1] (em.pa.*nar*) *v.* **1** Fazer ficar ou ficar oculto, encoberto [*td.*: *Nuvens carregadas empanavam o céu.*] [*int.*: *O tempo fechou e o céu empanou-se.*] *v.* **2** Fazer perder ou perder brilho, transparência ou reflexão; EMBAÇAR(-SE) [*td.*: *O vapor empanou as lentes dos óculos.*] [*int.*: *Os vidros do carro se empanaram.* Ant.: *desembaçar.*] **3** *Fig.* Macular(-se), conspurcar(-se), desonrar(-se) [*td.*: *As denúncias empanaram o seu mandato:* "Pelo visto, os ciúmes continuavam. Mas não empanavam os dias amenos de doçura doméstica..." (Ana Maria Machado, *A audácia dessa mulher*)] [*td.*: *Sua reputação empanou-se da noite para o dia.*] **4** *P.us.* Cobrir de pano(s) [*td.*] [▶ 1 empanar] [F.: *em-*[2] + *pano* + *-ar*[2].]

empanar[2] (em.pa.*nar*) *v. td. Cul.* Mergulhar (peixe, frango etc.) em ovo batido, envolvê-lo em farinha de trigo ou de rosca, e fritá-lo [▶ 1 empanar] [F.: *em-*[2] + lat. *pane*, 'pão', + *-ar*[2].]

empanar[3] (em.pa.*nar*) *v. int. Lus.* Entrar (motor, máquina, mecanismo, veículo etc.) em pane, deixar de funcionar ou funcionar mal; ENGUIÇAR [▶ 1 empanar. Normalmente, só se conjuga nas 3as pessoas.] [F.: *em-*[2] + *pane* + *-ar*[2].]

empantanar (em.pan.ta.*nar*) *v. td.* **1** Converter(-se) em pântano; alagar(-se) um terreno **2** Meter(-se), atolar(-se) em pântano, em atoleiro [▶ 1 empantanar] [F.: *em (en-)* + *pântano* + *-ar*.]

empantufar-se (em.pan.tu.*far*-se) *Bras. v. td.* **1** Calçar pantufas **2** *Fig.* Mostrar-se vaidoso, orgulhoso; EMPAVONAR-SE; PAVONEAR-SE [▶ 1 empatufar-se] [F.: *em-* + *pantufa* + *-ar*.]

empanturrado (em.pan.tur.*ra*.do) *a.* Abarrotado de comida; EMPANZINADO; EMPACHADO: *Saiu do restaurante empanturrado.* [F.: Part. de *empanturrar.*]

empanturramento (em.pan.tur.ra.*men*.to) *sm.* **1** Ação ou resultado de empanturrar(-se); empanzinamento (empanturramento de comida).[Cf.: *indigestão*] **2** *Fig.* Enchimento, atulhamento (empanturramento de papéis) **3** *Fig.* envaidecimento, orgulho, vaidade [F.: *empanturrar-* + *-mento.*]

empanturrar (em.pan.tur.*rar*) *v.* **1** Abarrotar, fartar de comida a panturra (pança) de (alguém, inclusive si mesmo); EMPANZINAR(-SE) [*td.*: *Estão gordos porque a mãe os empantura; E eles se empanturram com muito gosto.*] [*tdr.* + *de*: *O noivo a empanturrou de doces; Empanturrei-me de queijos.*] **2** *Fig.* Envaidecer-se, orgulhar-se em demasia [*int.*: *Empanturra-se toda vez que recebe elogios.*] [▶ 1 empanturrar] [F.: *em-*[2] + *pantura* + *-ar*[2].]

empanzinado (em.pan.zi.*na*.do) *a.* **1** Que se empanzinou, que se encheu em demasia; EMPACHADO **2** Repleto de comida; EMPANTURRADO [F.: Part. de *empanzinar.*]

empanzinar (em.pan.zi.*nar*) *v.* **1** Encher(-se) de comida; EMPANTURRAR [*td.*: *Empanzinava os filhos e depois reclamava de serem gordos.*] [*int.*: *Este é um prato que empanzina.*] **2** *P.ext.* Encher muito, até o limite ou quase; ABARROTAR [*td.*: *Empazinou todas as malas e teve de pagar excesso.*] **3** *Fig.* Surpreender com má notícia, ou com uma pancada nas costas ou na barriga [*td.*] **4** *Fig.* Enganar com truques ou artifícios; LUDIBRIAR [*td.*] [▶ 1 empanzinar] [F.: *em-*[2] + espn. *panza* + *-inar.*]

empapado (em.pa.*pa*.do) *a.* **1** Que se empapou; muito molhado **2** Transformado em papa, com a consistência da papa: *O asfalto derretido era uma massa empapada e viscosa.* [F.: Part. de *empapar.*]

empapar[1] (em.pa.*par*) *v.* **1** Molhar(-se) demais ou deixar muito molhado, saturado de líquido; EMBEBER; ENCHARCAR; ENSOPAR [*td.*: *empapar uma esponja; empapou-se no temporal.*] [*tdr.* + *de*: *empapar a camisa de suor.*] **2** Dar consistência de papa a [*td.*: *A chuva empapou a terra.*] **3** *Tec.* Na indústria de cerveja, desmanchar na água quente (a farinha do malte) [*td.*] **4** Atenuar o impacto de (golpe, pancada) [*td.*] **5** *Fig.* Levar (alguém) na conversa; ENGODAR; SEDUZIR **6** Suscitar, fazer penetrar (ideia, conceito, argumento etc.) no pensamento de alguém; IMBUIR; INCUTIR [*td.*] [▶ 1 empapar] [F.: *em-*[2] + *papa*[2] + *-ar*[2].]

empapar[2] (em.pa.*par*) *v. td.* Encher o papo de: *Empapam os gansos à força, para inchar-lhes o fígado.* [▶ 1 empapar] [F.: *em-*[2] + *papo (1)* + *-ar*[2].]

empapelado (em.pa.pe.*la*.do) *a.* **1** Embrulhado em papel **2** Revestido, forrado de papel **3** *Fig.* Resguardado com cuidado em excesso **4** Excessivamente agasalhado **5** *Bras. Turfe* Diz-se de cavalo prejudicado por excesso de cuidados higiênicos **6** Diz-se de cavalo não totalmente recuperado de um tratamento, mas que mesmo assim volta a correr por força da apresentação de atestados falsos que indicam sua cura [F.: Part. de *empapelar*; *em-*[2] + *-papel* + *-ado*[1].]

empapelar (em.pa.pe.*lar*) *v. td.* **1** Envolver em papel; EMBRULHAR **2** Forrar com papel (parede, armário, caderno etc.) **3** *Fig.* Guardar com muito cuidado **4** *Fig.* Proteger com muito zelo [▶ 1 empapelar] [F.: *em (en-)* + *papel* + *-ar*.]

empapuçado (em.pa.pu.*ça*.do) *a.* **1** Cheio de papos, de pregas: *A costura ficou defeituosa, empapuçada.* **2** Inchado, intumescido; OPADO: *A noite em claro deixou-lhe o rosto empapuçado.* [F.: Part. de *empapuçar.*]

empapuçamento (em.pa.pu.ça.*men*.to) *sm.* Ação ou resultado de empapuçar(-se); INCHAÇO [F.: *empapuçar* + *-mento.*]

empapuçar (em.pa.pu.*çar*) *v.* **1** Fazer inchar ou inchar; OPAR [*td.*: *O choro empapuçou-lhe os olhos.*] [*int.*: *Seus olhos se empapuçaram de tanto chorar.*] **2** Fazer ficar ou ficar cheio de papos, de pregas [*td.*: *A costura mal feita empapuçou a saia.*] [*int.*: *Com o cós mal ajustado, a calça empapuçou-se.*] **3** *Gír.* Encher-(se) de droga, remédio [*int.*: *Viciado, não resistia e se empapuçava toda noite.*] [▶ 12 empapuçar] [F.: *em-*[2] + **papuço* (de *papo*) + *-ar*[2].]

emparceirado (em.par.cei.*ra*.do) *a.* **1** Que (se) emparceirou **2** *Esp. Lud.* Tornado parceiro, unido em parceria (jogador emparceirado) **3** Associado, juntado, unido (empresários emparceirados) [F.: Part. de *emparceirar*; *em*[2]- + *-parceir(o)* + *-ado*[1].]

emparceiramento (em.par.cei.ra.*men*.to) *sm.* **1** Ação ou resultado de emparceirar, de unir(-se) em parceria **2** *Esp. Lud.* Escolha dos parceiros para um jogo, uma competição esportiva etc. [F.: *em-*[2] + *-parceir(o)* + *-ar*[2] + *-mento.*]

emparceirar (em.par.cei.*rar*) *v. td.* Juntar como parceiro ou unir-se em parceria; LIGAR(-SE): *Emparceirou os rapazes dois a dois; A moça emparceirou-se com o novo colega.* [▶ 1 emparceirar] [F.: *em (en-)* + *parceiro* + *-ar*.]

emparedado (em.pa.re.*da*.do) *a.* **1** Que se emparedou; encerrado numa parede, embutido entre suas pedras ou seus tijolos: *Este conto de terror de Poe é sobre um gato emparedado.* **2** Enclausurado, trancado entre quatro paredes: *Tem vivido emparedada, estudando sem parar.* **3** Limitado, cercado por paredes (quintal emparedado, horta emparedada) *sm.* **4** *BA* Garganta entre rochas a pique, desfiladeiro, ger. atravessado por rios, com grotas [F.: Part. de *emparedar.*]

emparedamento (em.pa.re.da.*men*.to) *sm.* **1** Ação ou resultado de emparedar **2** Ato ou efeito de encerrar em parede, cercar, limitar com paredes **3** *Fig.* Encerramento, clausura; APRISIONAMENTO: "Não havia desafogo, nem logradouro para atenuar os rigores do emparedamento." (Manuel Ribeiro, *Mariana Alcoforado*) [F.: *em-*[2] + *-parede* + *-ar*[2] + *-mento.*]

emparedar (em.pa.re.*dar*) *v.* **1** Encerrar numa parede [*td.*: *Emparedou as joias para escondê-las.*] **2** *Fig.* Confinar (alguém, inclusive si mesmo) entre paredes ou muros; ENCLAUSURAR [*td.*: *O delegado emparedou os suspeitos, e convocou-os um a um para depor; Assustados com os distúrbios na rua, emparedaram-se e trancaram a porta.*] **3** Cercar com muros ou paredes [*td.*] **4** Obstruir a passagem; BLOQUEAR [*td.*: *Um desbarrancamento emparedou a estrada.* Ant.: *desbloquear.*] **5** *Fig.* Levantar-se e ficar aprumado (perpendicular ao chão) como uma parede [*int.*: *Ao ser chamado, o soldado emparedou-se e ficou firme, aguardando as ordens.*] [▶ 1 emparedar] [F.: *em-*[2] + *parede* + *-ar*[2].]

emparelhado (em.pa.re.*lha*.do) *a.* **1** Que faz parelha, que vai a par (com algo, com animal ou pessoa); LIGADO; JUNGIDO **2** Similar a, à altura de, comparável a: *Não perdia em nada, estava emparelhado com os melhores.* **3** *Poét.* Diz-se de verso que rima aos pares, e desse tipo de rima [F.: Part. de *emparelhar.*]

emparelhamento (em.pa.re.lha.*men*.to) *sm.* Ação ou resultado de emparelhar(-se) [F.: *emparelhar* + *-mento.*]

emparelhar (em.pa.re.*lhar*) *v.* **1** Pôr (algo ou alguém, inclusive si mesmo) em parelha, lado a lado (com outrem ou outra coisa) [*td.*: *A decoradora emparelhou as jarras.*] [*tr.* + *com*: *A tartaruga emparelhou com a lebre, no final.*] [*tdr.* + *a*, *com*: *Tartaruga e lebre se emparelharam (cada uma emparelhou a si mesma com a outra)*: "...emparelha o seu cavalo com o meu, para me fazer companhia..." (Guimarães Rosa, *Sagarana*)] **2** Mostrar(-se), ser, considerar(-se) ou tornar(-se) parelho, igual; EQUIPARAR; OMBREAR [*tdr.* + *a*, *com*: *O exportador emparelhou seus produtos com os demais.*] [*tr.* + *a*, *com*: *Seus produtos emparelhavam(-se) aos [ou com os] melhores do mercado.*] **3** Estar ao mesmo nível, ser compatível; CONDIZER [*tr.* + *com*: *Seu comportamento emparelha com a formação que teve.* Ant.: *destoar.*] **4** *Fig.* Colocar junto, juntar; LIGAR [*td.*: *Emparelhou os soldados para o reconhecimento.*] [▶ 1 emparelhar] [F.: *em-*[2] + *parelha* + *-ar*[2].]

emparreirar (em.par.rei.*rar*) *v. td.* **1** Cobrir de parreiras ou de videiras **2** Sustentar com estacas, em forma de parreira [▶ 1 emparreirar] [F.: *em (en-)* + *parreira* + *-ar*.]

empastado (em.pas.*ta*.do) *a.* **1** Que se empastou, se cobriu de pasta (piso empastado) **2** Que forma pasta **3** Diz-se de cabelo muito colado ao couro cabeludo, ger. por causa de oleosidade em demasia **4** *Pint.* Diz-se de figura ou motivo de contornos pouco nítidos **5** *Fig.* Diz-se de voz ou fala imprecisa, titubeante, esp. de quem bebeu [F.: Part. de *empastar.*]

empastamento (em.pas.ta.*men*.to) *sm.* **1** Ação ou resultado de empastar(-se) **2** Colocação em pasta (5, 6) (empastamento dos papéis) **3** *Art.gr.* Fixação das pastas (10) de um livro, na encadernação; EMPASTE **4** *Pint.* Nos quadros a óleo, camada mais espessa de tinta us. para ressaltar o volume e brilho dos pontos mais iluminados; PASTA **5** *Med.* Intumescimento não inflamatório, análogo a edema, que, ao ser tocado, lembra a consistência de pasta (2) [F.: *empastar* + *-mento.*]

empastar (em.pas.*tar*) *v.* **1** Transformar(-se) em pasta [*td.*: *A chuva empastou o solo arenoso.*] [*int.*: *Encharcado, o terreno empastou-se e virou lama.*] **2** Cobrir(-se) de pasta [*td.*: *A brincadeira preferida no verão era empastar os colegas.*] [*tdr.* + *com*, *de*: *Empastou o cabelo com/de gel.*] [*int.*: *Exagerou na cera e o assoalho empastou-se.*] [*tr.* + *de*: *Quando percebeu era tarde: o assoalho empastara-se de cera.*] **3** *Pint.* Aplicar (tinta) com pinceladas grossas e bastante pigmento [*td.*] **4** *Art.gr.* Fixar (as pastas do livro) na encadernação [*td.*] **5** Tornar(-se) (a fala, a voz) alterada, confusa, pastosa, ger. pela bebida [*td.*: *Depois de duas doses, empastou a voz; Sua voz empastou-se com a vodca.*] [▶ 1 empastar] [F.: *em-*[2] + *pasta* + *-ar*[2].]

empastelado (em.pas.te.*la*.do) *a.* **1** Que se empastelou, em que se deu empastelamento **2** Diz-se de oficina gráfica, instalações de jornal ou revista inutilizadas, ger. por vandalismo **3** *Art.gr.* Diz-se do conjunto de caracteres tipográficos misturados ou fora de ordem [F.: Part. de *empastelar.*]

empastelamento (em.pas.te.la.*men*.to) *sm. Art.gr.* Ação ou resultado de empastelar(-se) (empastelamento de jornal/ de caracteres tipográficos) [F.: *empastelar* + *-mento.*]

empastelar (em.pas.te.*lar*) *v. td.* **1** *Art.gr.* Misturar ou tirar da ordem (caracteres tipográficos, matrizes, linhas, colunas etc.) **2** *Art.gr.* Inutilizar temporariamente (oficina gráfica, redação de jornal, revista), danificando-lhe o equipamento, misturando ou separando tipos e matrizes etc.: "Empastelam-se os jornais..." (Rui Barbosa, *Ruínas de um governo*) **3** Causar dano (material, físico) a, destruindo, estragando, machucando etc. [▶ 1 empastelar] [F.: *em-*[2] + *pastel* + *-ar*[2].]

empata (em.*pa*.ta) *sf.* **1** *Pej.* Aquele que embaraça propositadamente o regular andamento dos negócios, em especial os das repartições públicas: "Pois não ia privar-se do amigo de tantos anos durante a estadia do empata?" (Monteiro Lobato, *Cidades mortas*) **2** *Bras. Pej. Pop.* Indivíduo impertinente, cuja presença atrapalha algo (namoro, negócio, trabalho, divertimento) ou alguém; EMPATA-FODA [F.: Dev. de *empatar.*]

empatado (em.pa.*ta*.do) *a.* **1** *Esp.* Que empatou, em que houve empate (em disputa, competição, concurso etc.) (jogo empatado) **2** Investido, aplicado sem a espera de retorno imediato (dinheiro empatado) **3** Suspenso, interrompido: *obra empatada devido ao corte da verba.* **4** Confiscado, embargado [F.: Part. de *empatar.*]

empata-foda (em.pa.ta-*fo*.da) [ó] *s2g.* **1** *Bras. Tabu.* Pessoa que atrapalha a realização de qualquer intento alheio ou o andamento de algum processo; EMPATA **2** *SP Pej.* Pessoa medrosa [Pl.: *empata-fodas.*]

empatar (em.pa.*tar*) *v.* **1** Obter resultado igual (em jogo, competição, disputa) ao de outro competidor; igualar(-se) na preferência ou na escolha [*td.*: *O time já empatou três jogos.*] [*tr.* + *com*, *em*: *O Íbis empatou com o Milan; Brasil e Argentina empataram em 0 x 0.*] [*int.*: "Brasil e Uruguai empatam no Estádio Centenário..." (*O Globo*, 01.04.2005)] **2** Investir tempo ou dinheiro, sem vantagem certa; EMBARAÇAR [*td.*: *A falta de dados empata o nosso trabalho; Empatou as economias e viajou.*] [*tdr.* + *em*: *Empatou todo o seu tempo naquele namoro.*] **3** Tomar, ocupar (tempo) [*td.*: *Aquela tarefa empatou todo o seu tempo livre.*] [▶ 1 empatar] [F.: Do it. *impattare.* Ant. ger.: *desempatar.* Hom./ Par.: *empate* (fl.), *empate* (sm.); *empates* (fl.), *empates* (pl. de *empate*).]

empate (em.*pa*.te) *sm.* **1** Ação ou resultado de empatar **2** *Esp.* Numa disputa qualquer, resultado ou situação em que não há vencedor **3** Falta de determinação ou decisão; IRRESOLUÇÃO **4** Aplicação, investimento; emprego de recursos, tempo etc. [+ *de*, *em*: *empate de capital; empate em zero a zero.*] **5** *Bras.* Obstrução do tubo gastrintestinal por falta de digestão dos alimentos [F.: Dev. de *empatar.*]

empatia (em.pa.*ti*.a) *sf.* **1** *Psi.* Experiência pela qual uma pessoa se identifica com outra, tendendo a compreender o que ela pensa e a sentir o que ela sente, ainda que nenhum dos dois o expressem de modo explícito ou objetivo **2** Capacidade de compreensão emocional e estética de um objeto, ger. de arte (um quadro, livro, filme, p. ex.) **3** Nas inter-relações pessoais e sociais, capacidade de alguém de se ver como os outros o veem, de ver outrem como os outros o veem e também como ele mesmo se vê [F.: Do gr. *empátheia*, pelo ing. *empathy.* Cf.: *simpatia* e *antipatia.*]

empático (em.*pá*.ti.co) *a.* Ref. a, ou próprio da, ou em que há empatia (sentimento empático) [F.: *empatia* + *-ico*[2].]

empatizar (em.pa.ti.*zar*) *v.* Sentir empatia por [*tr.* + *com*: *Foi aquele gesto que me fez empatizar com ela.*] [▶ 1 empatizar] [F.: *empatia* + *-izar.*]

empavonado (em.pa.vo.*na*.do) *a. Bras. Gír.* Que se empavona ou empavonou; cheio de vaidade [F.: Part. de *empavonar.*]

empavonar (em.pa.vo.*nar*) *v.* Tornar(-se) vaidoso ao extremo; pavonear(-se) [*td.*: *O prêmio empavonou o rapaz.*] [*int.*: "E porque desde os primeiros dias da História se empavonou" (Eça de Queirós, *Cartas familiares*)] [▶ 1 empavonar] [F.: *em-*[2] + *pavão* + *-ar*, seg. o mod. erudito.]

empecer (em.pe.*cer*) *v.* **1** Causar dano ou prejuízo a [*td.*: *Excesso de zelo empece qualquer um*] **2** Causar ou encontrar dificuldade, estorvo [*td.*: *Aquela intervenção empeçou meu projeto.*] [*tdr.* + *de*: *Espero que ele não empece a moça de prosseguir.*] [▶ 33 empecer] [F.: Do lat. **impediscere.* Hom./ Par.: *empeço* (fl.), *empeço* /ê/ (sm.); *empeçar* (v.), *impedir* (em várias fl. do v.).]

empecilho (em.pe.*ci*.lho) *sm.* **1** O que empece; o que dificulta ou impede algo; OBSTÁCULO; ESTORVO **2** Indivíduo que estorva, empece [F.: *empeço*[1] + *-ilho.*]

empeço[1] (em.*pe*.ço) [ê] *sm.* Aquilo que empece; EMPECILHO; ESTORVO; OBSTÁCULO [F.: Dev. de *empecer.* Hom./ Par.: *empeço* [ê] (sm.), *empeço* (fl. de *empeçar*); *impeço* (fl. de *impedir*).]

empeço[2] (em.*pe*.ço) [ê] *sm. RS* Começo, início, primórdios (empeço da história) [F.: Do espn. *empiezo.* Hom./ Par.: *empeço* [ê] (sm.), *empeço* (fl. de *empeçar*) *impeço* (fl. de *impedir*).]

empeçonhado (em.pe.ço.*nha*.do) *a.* **1** Diz-se de que ou quem tem peçonha; APEÇONHADO; ENVENENADO; PEÇONHENTO **2** *Fig.* Corrompido, pervertido (empeçonhado por maus hábitos) [F.: Part. de *empeçonhar*; *em-*[2] + *-peçonha* + *-ado*[1].]

empeçonhar (em.pe.ço.*nhar*) *v. td.* **1** Lançar, dar ou pôr peçonha; ENVENENAR; APEÇONHAR: *empeçonhar uma fonte* **2** *Fig.* Corromper, perverter: "Sejam malditas a casa onde nasceu e a terra que empeçonhar com o seu sangue" (R.da Silva, *Ódio velho*) [▶ 1 empeçonhar] [F.: *em-* + *peçonha* + *-ar*[2]. Sin. ger.: *empeçonhentar*.]

empedernido (em.pe.der.*ni*.do) *a.* **1** Que se empederniu, petrificou; que é ou ficou duro como pedra **2** *Fig.* Que não se deixa comover ou convencer; que é ou se mostra insensível, inflexível, frio, duro (coração empedernido) [Ant.: *sensível*.] [F.: Part. de *empedernir*.]

empedernir (em.pe.der.*nir*) *v.* **1** Converter em pedra ou fazer ficar duro como pedra; EMPEDRAR; PETRIFICAR [*td.*] **2** *Fig.* Tornar ou ficar duro, insensível, desumano [*td.*: *As decepções e a incompreensão a empederniram.*] [*int.*: *Para se defender do sofrimento, seu coração empederniu-se.*] [▶ 59 empedernir] [F.: Do lat. *impetrinire*.]

empedrado (em.pe.*dra*.do) *a.* **1** Que se empedrou; que recebeu pedra ou foi pavimentado com pedra (rua empedrada) **2** *Fig.* Que tem a dura consistência da pedra (barro empedrado) [Ant.: *amolecido*.] **3** Cheio de concreções calcárias (vesícula empedrada) **4** Que se tornou duro (tb. *Fig.*), ou encaroçado (mel empedrado, sensibilidade empedrada) *sm.* **5** Calçamento de um chão, rua ou estrada que levou pedra britada [F.: Part. de *empedrar*.]

empedramento (em.pe.dra.*men*.to) *sm.* **1** Ação ou resultado de empedrar(-se); EMPEDRADURA **2** Característica, qualidade ou estado do que é empedrado **3** Ação ou resultado de adquirir consistência ou dureza semelhante à da pedra; ENDURECIMENTO; PETRIFICAÇÃO [Ant.: *amolecimento*.] **4** Calçamento, pavimentação (empedramento da rua) [F.: *em-*[2] + *-pedra* + *-ar*[2] + *-mento*.]

empedrar (em.pe.*drar*) *v.* **1** Tornar(-se) parcial ou totalmente duro, ou encaroçado [*td.*: *A umidade do porão empedrou o cimento.*] [*int.*: *O leite da mãe empedrou.*] **2** *Fig.* Tornar(-se) duro, frio, insensível, desumano; EMPEDERNIR [*td.*: *A inveja empedrou seu coração.*] [*int.*: *De tanto sofrer, seu coração empedrou-se.*] **3** Calçar ou revestir com pedras; encher com camada de pedras [*td.*: *empedrar a estrada.*] [▶ 1 empedrar] [F.: *em-*[2] + *pedra* + *-ar*[2].]

empeiticar (em.pei.ti.*car*) *Bras. v. N.E.* Teimar de maneira insistente; EMBIRRAR [*tr.* + *com*: *Está sempre a empeiticar com a vizinha.*] [▶ 11 empeiticar] [F.: *em-* + *peitica* + *-ar*[2]. Hom./Par.: *empeiticar*, *impeticar* (em todas as fl.).]

empelicado (em.pe.li.*ca*.do) *a.* **1** Coberto de pelica, revestido por pelica **2** *Pop. Obst.* Diz-se da criança que nasce com a cabeça envolta na bolsa âmnica, e que por isso terá boa sorte na vida (nascer empelicado) **3** *P.ext.* Favorecido pela sorte (jogador empelicado); AFORTUNADO; DITOSO [Ant.: *azarado*; *desditoso*.] [F.: Part. de *empelicar*; *em-*[2] + *-pelica* + *-ado*[1].]

empelicar (em.pe.li.*car*) *v. td.* **1** Preparar (peles) para transformar em pelica **2** Cobrir com pelica **3** Preparar como pelica, curtir [▶ 11 empelicar] [F.: *em-* + *pelica* + *-ar*[2].]

empelotado (em.pe.lo.*ta*.do) *a.* Que se empelotou, formou caroços, bolotas; EMBOLOTADO [F.: Part. de *empelotar*.]

empelotar (em.pe.lo.*tar*) *v. int.* Formar caroços, bolotas; EMBOLOTAR: *Adicione a farinha aos poucos, para ela não empelotar; Com a picada das formigas, empelotou-se.* [▶ 1 empelotar] [F.: *em-*[2] + *pelota* + *-ar*[2].]

empena (em.*pe*.na) *sf.* **1** Deformação sofrida pela madeira, em função do calor ou da umidade **2** *Cons.* Em telhados de duas águas, parte superior das paredes menores, em forma de triângulo; OITÃO **3** *Arq.* Cada um dos lados inclinados que vão da cumeeira até a beirada do telhado **4** *Bras. Cons.* Parede lateral da casa que se encontre na divisa do terreno [F.: Dev. de *empenar*.]

empenachado (em.pe.na.*cha*.do) *a.* **1** Diz-se de que ou quem se empenachou; ADORNADO; EMBELEZADO **2** Que tem penacho, que está enfeitado com penacho [F.: Part de *empenachar*; *em-*[2] + *-penacho* + *-ado*[1].]

empenado[1] (em.pe.*na*.do) *a.* Ornado ou guarnecido de penas; EMPLUMADO [F.: Part. de *empenar*.]

empenado[2] (em.pe.*na*.do) *a.* **1** Que se empenou, se deformou, encurvando (madeira/porta empenada) **2** Que está fora de prumo, desaprumado (muro empenado) [+ *com*, *por*: *empenado com o calor; empenado pela umidade.*] **3** *Art.gr.* Clichê cuja madeira de base empenou, o que o faz ficar desalinhado com a superfície de impressão [F.: Part. de *empenar*.]

empenagem (em.pe.*na*.gem) *sf.* **1** Ação ou resultado de empenar, de guarnecer de penas **2** *Aer.* Conjunto dos lemes de uma aeronave (empenagem horizontal/vertical) [Pl.: *-gens*.] [F.: Do fr. *empennage*; *em-*[2] + *-pena* + *-agem*[1].]

empenamento (em.pe.na.*men*.to) *sm.* **1** Ação ou resultado de empenar(-se); EMPENO **2** *Geol.* O mesmo que *arqueamento*; EPIROGÊNESE [F.: em[2]- + *-pena* + *-mento*. Ant.: *desempenamento*.]

empenar[1] (em.pe.*nar*) *v.* **1** Cobrir-se de penas ou plumas; criar penas [*int.*: *Muitos filhotes de aves morrem antes de empenar(-se).*] **2** Encher, enfeitar de penas [*td.*] [▶ 1 empenar] [F.: *em-*[2] + *pena*[1] + *-ar*[2]. Sin. ger.: *emplumar*. Hom./Par.: *empenar*, *empinar* (em várias fl.); *empena* (fl.), *empena* (sf.); *empenas* (fl.), *empenas* (pl. de *empena*); *empeno* (fl.), *empeno* (sm.).]

empenar[2] (em.pe.*nar*) *v.* Entortar(-se) devido ao calor, umidade ou choque [*td.*: *O sol empenou o disco.*] [*int.*: *Com a batida, as rodas empenaram.* Ant.: *desempenar*.] [▶ 1 empenar] [F.: *em-*[2] + lat. *pinu(s)* + *-ar*[2]. Hom./Par.: *empenar*, *empinar* (em várias fl.); *empena* (fl.), *empena* (sf.); *empenas* (fl.), *empenas* (pl. de *empena*); *empeno* (fl.), *empeno* (sm.).]

empenhado (em.pe.*nha*.do) *a.* **1** Que se empenhou **2** Dado em penhor; PENHORADO; HIPOTECADO **3** Que tem empenho ou interesse em conseguir alguma coisa **4** Vinculado a um compromisso; COMPROMETIDO; OBRIGADO **5** Endividado [F.: Part. de *empenhar*; *em-*[2] + *-penha* + *-ado*[1].]

empenhar (em.pe.*nhar*) *v.* **1** Empregar diligentemente (conhecimento, esforço etc.) (para determinado fim) [*td.*: *A tarefa exigia que empenhasse todas as suas forças.*] [*tdr.* + *em*, *para*: *Empenhou todo o esforço nos estudos; Empenhou todas as suas energias para sair da crise.*] **2** Dedicar (a si mesmo) com afinco (a alguma tarefa, para conseguir algo) [*td.*: *Todo esse esforço não basta, você tem de se empenhar mais.*] [*tdr.* + *em*, *para*: *Empenhou-se na/para a renovação do contrato.*] **3** Pegar empréstimo, dando algo como garantia, como penhor; PENHORAR [*td.*: *empenhar joias.* Ant.: *desempenhar*, *resgatar*.] **4** *Adm.* Reservar dinheiro para um gasto específico [*td.*: *A prefeitura empenhou 30% de sua verba para as creches.*] **5** Mover pela força, impelir (a alguma ação, situação etc.); FORÇAR; OBRIGAR [*tdr.* + *a*: *A idade nos empenha a agir com responsabilidade.*] **6** Obrigar (a si mesmo) a algo, assumindo compromisso moral; oferecer como garantia moral do cumprimento de compromisso [*td.*: *Prometeu resolver o problema, e empenhou-se publicamente; Para convencer quanto à seriedade de sua promessa, empenhou sua palavra e seu prestígio.*] [▶ 1 empenhar] [F.: Do lat. tard. *impignare*. Hom./Par.: *empenho* (fl.), *empenho* (sm.).] ■ **~ a palavra em** Prometer, comprometer-se a: *Ela empenhou a palavra em nos ajudar, se for preciso.*

empenho (em.*pe*.nho) *sm.* **1** Ação ou resultado de empenhar(-se) **2** Grande comprometimento ou interesse, envolvimento em alguma coisa **3** Dedicação diligente para a obtenção de algo, de certo resultado **4** Exercício de influência, poder, para obtenção de algo **5** Ação de oferecer a palavra, o prestígio etc. como garantia de cumprimento de compromisso ou promessa **6** Ação ou resultado de empenhar meios materiais, destinar dinheiro (empenho de recursos financeiros), ou a verba assim obtida **7** *Bras. Adm.* Em finanças públicas, ato pelo qual um administrador vincula determinada despesa a determinado recurso orçamentário [F.: Dev. de *empenhar*.]

empeno (em.*pe*.no) *sm.* **1** Ação ou resultado de empenar; EMPENA; EMPENAMENTO **2** Deformação causada naquilo que empenou **3** *Fig.* Tudo o que impõe dificuldade, embaraço; ESTORVO; ÓBICE **4** *Pop.* Inexatidão em cálculos, diferença nas contas [F.: Dev. de *empenar*.]

emperiquitado (em.pe.ri.qui.*ta*.do) *a.* **1** *Bras. Pop.* Enfeitado demais, adornado em excesso (sala/artista emperiquitado); EMPETECADO; PEREQUETÉ **2** Afetado, exagerado no vestir [F.: Part. de *emperiquitar*; *em*[2]- + *-periquito* + *-ado*[1].]

emperiquitar (em.pe.ri.qui.*tar*) *v. td. Bras. Pop.* Enfeitar ou vestir (alguém, inclusive si mesmo) com cuidado ou exagero; EMBONECAR; EMPETECAR: *Ela se emperiquitou toda para ir ao baile.* [▶ 1 emperiquitar] [F.: *em-*[2] + *periquito* + *-ar*[2].]

empernado (em.per.*na*.do) *a.* De pernas cruzadas [F.: *em-*[2] + *-perna* + *-ado*[1].]

empernar (em.per.*nar*) *v. int.* **1** Entrelaçar as pernas **2** *Tabu.* Praticar o coito [▶ 1 empernar] [F.: *em-* + *perna* + *-ar*[2].]

emperrado (em.per.*ra*.do) *a.* **1** Que se emperrou; entravado (negócio emperrado, votação emperrada) **2** Que tem os movimentos ou o funcionamento entravado (motor emperrado) **3** *Fig.* Tolhido mental e psicologicamente por preocupações, temores, detalhes obsessivos [F.: Part. de *emperrar*.]

emperramento (em.per.ra.*men*.to) *sm.* **1** Ação ou resultado de emperrar(-se), ficar entravado (emperramento da janela/das negociações) **2** Teimosia, insistência demasiada [F.: *emperrar* + *-mento*.]

emperrar (em.per.*rar*) *v.* **1** Tornar(-se) difícil de mover; TRAVAR [*td.*: *A falta de óleo emperrou as engrenagens.*] [*int.*: *Essa gaveta sempre emperra.*] **2** *Fig.* Dificultar a realização ou o progresso de; não progredir [*td.*: *A oposição ameaça emperrar a votação das reformas.*] [*int.*: *As negociações emperraram.*] **3** *Fig.* Provocar limitação moral ou intelectual em [*td.*: *A educação muito rígida emperrou o pedagogo.*] **4** *Fig.* Fazer ficar ou ficar calado; EMBATUCAR [*td.*: *A surpresa o emperrou.*] [*int.*: *A menina emperrou durante uma semana.*] **5** Tornar perro (2), provocar teima ou obstinação em (alguém) [*td.*: *O primeiro insucesso não o desanimou, ao contrário, emperrou-o, e ele insistiu nas tentativas.*] [▶ 1 emperrar] [F.: *em-*[2] + *perro* + *-ar*[2]. Ant. ger.: *desemperrar*.]

empertigado (em.per.ti.*ga*.do) *a.* **1** Que se empertigou, se colocou em posição ereta: *Surgiu na portaria todo empertigado para receber o coronel.* **2** *Fig.* Que demonstra altivez, orgulho (comportamento empertigado) [F.: Part. de *empertigar*.]

empertigamento (em.per.ti.ga.*men*.to) *sm.* **1** Ação ou resultado de empertigar(-se) **2** Posição ereta; APRUMO **3** *Fig.* Postura altiva; SOBERBA [F.: em[2]- + *-pertiga(r)* + *-mento*.]

empertigar (em.per.ti.*gar*) *v. td.* **1** Fazer ficar ou ficar teso, ereto; esticar (a coluna, o corpo); APRUMAR: *Empertigou o corpo, depois de horas sentado; O rapaz empertigou-se e discursou.* **2** *Fig.* Encher (a si mesmo) de ou manifestar, ou comportar-se com vaidade, altivez, soberba: *Ante a ofensa, empertigou-se e respondeu à altura.* [▶ 14 empertigar] [F.: *em-*[2] + *pértiga* + *-ar*[2].]

emperuado (em.pe.ru:*a*.do) *a. Bras. Pop.* Diz-se de que ou quem se enfeita ou é enfeitado com exagero; emperequetado demais (atriz emperuada; camarim emperuado) [F.: *em-*[2] + *-peru* + *-ado*[1].]

empestado (em.pes.*ta*.do) *a.* **1** Que se empestou ou empesteou; empesteado **2** Infestado de peste; PESTILENTO; PESTÍFERO; PESTILENCIAL **3** Diz-se do que (ambiente, local, corpo) se acha em condições insalubres ou apresenta mau cheiro **4** *Fig.* Corrompido, depravado, de péssimos costumes [F.: Part. de *empestar*.]

empestar (em.pes.*tar*) *v.* **1** Trazer peste a ou contrair peste, infectar(-se) de ou com peste; empestear(-se); apestar(-se) [*td.*: *A proliferação de ratos empestou a aldeia.*] [*int.*: *A aldeia empestou-se quando os ratos a invadiram.*] **2** Fazer contrair ou contrair infecção, doença; CONTAMINAR; INFECTAR [*td.*] [*int.*] **3** *Fig.* Fazer ficar ou ficar insalubre, fétido (um ambiente) com substâncias tóxicas ou nocivas [*td.*: *A fábrica trouxe empregos, mas empestou a cidade.*] [*int.*: *A cidade empestou-se quando a fábrica começou a funcionar.*] **4** *Fig.* Corromper moralmente, perverter [*td.*] [▶ 1 empestar] [F.: *em-*[2] + *peste* + *-ar*[2].]

empesteado (em.pes.te:*a*.do) *a.* **1** Que se empesteou; EMPESTADO; PESTILENTO; PESTÍFERO **2** Vitimado pela peste **3** Que tem cheiro pútrido (atmosfera empesteada) [F.: Part. de *empestear*.]

empestear (em.pes.te.*ar*) *v. td. tdr.* Mesmo que *empestar*: *Empesteou a sala com um cheiro horrível.* [▶ 13 empestear] [F.: *em-* + *peste* + *-ear*[2].]

empetecado (em.pe.te.*ca*.do) *a. Bras.* Que se empetecou; vestido ou arrumado com exagero, nos enfeites ou acabamentos; EMPERIQUITADO: *Saiu bastante empetecado para a festa.* [F.: Part. de *empetecar*.]

empetecar (em.pe.te.*car*) *v. td. Bras.* Arrumar, enfeitar ou vestir com exagero (inclusive si mesmo): *Empetecava o cãozinho antes de sair com ele; Empetecou-se toda para o encontro.* [▶ 11 empetecar] [F.: *em-*[2] + *peteca* + *-ar*[2].]

empiema (em.pi.*e*.ma) [ê] *sm. Med.* Ajuntamento de pus em cavidade natural do organismo, esp.na cavidade pleural, vesícula biliar, apêndice vermiforme, antro maxilar [F.: Do gr. *empyema*,*atos* 'abscesso interior purulento'.]

empilhadeira (em.pi.lha.*dei*.ra) *sf.* Máquina automotora us. para empilhar e arrumar carga ou mercadorias em depósitos, armazéns, fábricas, portos etc. [F.: *empilhar* + *-deira*.]

empilhado (em.pi.*lha*.do) *a.* Que se empilhou, que se amontoou em pilha (madeira empilhada); AMONTOADO [F.: Part. de *empilhar*.]

empilhamento (em.pi.lha.*men*.to) *sm.* **1** Ação ou resultado de empilhar(-se), de colocar em pilhas **2** Modo ou método de empilhar(-se): *Este empilhamento não está bom, vamos estudar outra forma.* [F.: *empilhar* + *-mento*.]

empilhar (em.pi.*lhar*) *v.* Colocar ou estar em pilha; AMONTOAR(-SE) [*td.*: *Empilharam as cadeiras para abrir espaço.*] [*int.*: "Na minha escrivaninha se empilhavam cartas, relatórios e memorandos." (Kurban Said, *Ali e Nino*)] [▶ 1 empilhar] [F.: *em-*[2] + *pilha* + *-ar*[2].]

empilhável (em.pi.*lhá*.vel) *a.* Que se pode empilhar, que se pode dispor em pilhas [Ant.: *desempilhável*] [Pl.: *-veis*.] [F.: *em-*[2] + *-pilha* + *-ar*[2]- + *-vel*.]

empinada (em.pi.*na*.da) *sf.* **1** Deslocamento ou salto para posição mais elevada: *O menino deu uma empinada em seu papagaio de papel.* **2** Ato de o equino se erguer sobre as patas de trás: *O cavalo deu uma empinada e derrubou o cavaleiro.* **3** *Fig.* Ato de erguer, tornando proeminente e ressaltado (parte do corpo): *Uma empinada no nariz mostrou todo o seu desprezo.* [F.: Part. de *empinar*.]

empinado (em.pi.*na*.do) *a.* **1** Em posição ereta; ERGUIDO; LEVANTADO [Ant.: *abaixado*.] **2** Erguido (corpo e patas dianteiras) sobre as patas traseiras (diz-se de cavalgadura) [F.: Part. de *empinar*.]

empinar (em.pi.*nar*) *v.* **1** Pôr ou pôr-se a pino, fazer ficar ou ficar elevado, erguido [*td.*: *Empinou as costas, corrigindo a postura; Empinou-se antes de entrar.*] **2** Fazer ressaltar, erguendo [*td.*: *Passou empinando o peito.*] **3** Fazer subir, levar aos ares [*td.*: *empinar uma pipa.*] **4** Levantar as patas da frente e o corpo, apoiando-se nas patas traseiras (cavalgadura) [*int.*: *Assustada, a égua empinou-se:* "O cavalo empinou e continuou em disparada..." (Kurban Said, *Ali e Nino*)] **5** Beber de (copo, garrafa etc.); EMBORCAR [*td.*: *Empinou o copo de vinho e o esvaziou de uma só vez.*] **6** Ficar orgulhoso, cheio de vaidade, de soberba; ENFATUAR; ENSOBERBECER [*int.*] [▶ 1 empinar] [F.: *em-*[2] + *pino* + *-ar*[2]. Hom./Par.: *empinar*, *empenar* (em várias fl.); *empino* (fl.), *empino* (sm.).]

empino (em.*pi*.no) *sm.* **1** Ação ou resultado de empinar(-se); ELEVAÇÃO; EMPINAMENTO [Ant.: *abaixamento*.] **2** *Fig.* Soberba, altivez, orgulho ostensivo; PRESUNÇÃO [Ant.: *humildade*.] [F.: Dev. de *empinar*.]

empiorar (em.pi.o.*rar*) *v.* Ficar pior, agravar [*td.*: *A bebida empiorou sua tosse.*] [*int.*: *Sua gripe empiorou.*] [▶ 1 empiorar] [F.: *em-* + *pior* + *-ar*[2].]

empipocado (em.pi.po.*ca*.do) *a.* Que se empipocou, se encheu de pipocas (2) ou borbulhas [F.: Part. de *empipocar*.]

empipocamento (em.pi.po.ca.*men*.to) *sm.* Ação ou resultado de empipocar(-se) [F.: *empipocar* + *-mento.*]

empipocar (em.pi.po.*car*) *v. Bras.* Fazer criar ou criar pipocas (2), bolhas [*td.*: *As picadas de insetos empipocaram sua mão.*] [*int.*: *Exagerou no chocolate e empipocou(-se) todo.*] [▶ 11 empipo**car**] [F.: *em-*² + *pipoca (2)* + *-ar*².]

empiquetar (em.pi.que.*tar*) *v. td.* Pôr piquetes ou estacas em [▶ 1 empique**tar**] [F.: *em-* + *piquete* + *-ar*².]

empíreo (em.*pí*.reo) *sm.* **1** *Ant. Astr.* A mais alta das quatro esferas celestes, e a que continha todos os astros **2** *Ant.* O céu das estrelas fixas, com exclusão do céu dos planetas **3** *Teol.* A morada dos bem-aventurados e dos santos **4** *Mit.* Habitação dos deuses, morada de delícias **5** *Poét.* O céu, o firmamento *a.* **6** Ref., inerente ou pertencente ao céu; CELESTIAL **7** Que se coloca acima de tudo; SUPREMO; SUPERIOR [F.: Do lat. ecles. *empyriu, empyreu* '(céu) empíreo', deriv. do gr. *émpyros* ou *empyrios*, 'em fogo', 'de fogo.]

empiria (em.pi.*ri*.a) *sf. Fil.* Doutrina que pressupõe o conhecimento de dados, elementos e acontecimentos com base exclusiva na experiência, por meio unicamente das faculdades sensitivas (em opos. ao que é conhecido por intermédio da lógica e da racionalidade) [F.: Do gr. *empeiria,as* 'experiência'.]

empiricismo (em.pi.ri.*cis*.mo) *sm.* **1** *Fil.* Doutrina segundo a qual o conhecimento se origina exclusivamente da experiência, negando a existência de princípios racionais.[Cf.: empiria]; EMPIRISMO **2** *Med.* Medicina que não se baseia em métodos científicos, guiando-se exclusivamente pela experiência **3** *P.ext.* Charlatanismo [F.: Do ing. *empiricism*; *empírico-* + *-ismo.*]

empírico (em.*pí*.ri.co) *a.* **1** Ref. ao empirismo ou próprio dele (raciocínio empírico) **2** Fundado na experiência direta e na observação; sem comprovação científica [Ant.: *teórico; conceitual.*] **3** Que provém de experiência prática ou de observação, e não de conhecimento teórico *sm.* **4** Aquele que, com base em conhecimento empírico, sem formação adequada, assume tarefas ou funções para as quais não está legalmente capacitado; CHARLATÃO [F.: Do gr. *empeirikós*, pelo lat. *empiricus.*]

empirismo (em.pi.*ris*.mo) *sm.* **1** *Fil.* Toda doutrina (mas esp. as dos ingleses Locke e Hume) para a qual o conhecimento só pode ser alcançado mediante a experiência sensorial, opondo-se assim a todo racionalismo e a toda transcendência metafísica **2** *Pej. Med.* Prática médica que descarta a metodologia e a formação sistemática, baseando-se apenas na experiência imediata; CHARLATANISMO [F.: Do fr. *empirisme.*] ■ **~ científico** *Fil.* Movimento filosófico doutrinário do chamado Círculo de Viena (1924) [Ver *Positivismo lógico*, no verbete *positivismo.*] **~ lógico** *Fil.* Movimento filosófico doutrinário de pensadores ingleses e norte-americanos no início do século XX [Ver *Positivismo lógico*, no verbete *positivismo.*]

empirista (em.pi.*ris*.ta) *a2g.* **1** *Fil.* Ref. ou inerente a, ou pertencente ao empirismo (doutrina empirista) **2** Diz-se de que ou quem é adepto, partidário ou praticante do empirismo; EMPIRICISTA *s2g.* **3** Partidário do empirismo [F.: *empirismo*, pela troca do suf. *-ismo* por *-ista.*]

empistolado (em.pis.to.*la*.do) *Bras. Pop. a.* **1** Diz-se de quem é ou foi favorecido por alguém influente; RECOMENDADO *sm.* **2** Aquele que tem pistolão [F.: Part. de *empistolar*; *em-*² + *-pistol(ão)* + *-ado*¹.]

emplacado (em.pla.*ca*.do) *a.* **1** Que se emplacou; em que se colocou placa, registro (carro emplacado) **2** *Fig.* Que obteve êxito, sucesso: *Pelo menos uma de suas canções está emplacada.* **3** Concretizado, convertido em realidade (lei emplacada) [F.: Part. de *emplacar.*]

emplacamento (em.pla.ca.*men*.to) *sm. Bras.* Ação ou resultado de emplacar [F.: *emplacar* + *-mento.*]

emplacar (em.pla.*car*) *v.* **1** Colocar placa em (veículo) [*td.*: *Mal emplacou o carro, viajou nele para o Tocantins.*] **2** *Pop.* Obter êxito (com) [*td.*: *O conjunto emplacou três sucessos seguidos.*] [*int.*: *É um bom escritor, mas não emplacou.*] **3** Atingir um número significativo (inclusive de anos de idade) [*td.*: *A empresa de celulares emplacou um milhão de telefones vendidos; Já emplacou 95 anos e ainda tem ótima saúde.*] **4** Ter efeito, concretizar-se [*int.*: *O novo regulamento da empresa ainda não emplacou.*] [▶ 11 empla**car**] [F.: *em-*² + *placa* + *-ar*².]

emplastrado (em.plas.*tra*.do) *a.* **1** Coberto com um ou mais emplastros **2** Que tem forma achatada, que cobre algo achatadamente, como um emplastro [F.: Part. de *emplastrar.*]

emplastrar (em.plas.*trar*) *v. td.* **1** Aplicar emplastro a/em **2** Cobrir com (pasta, massa, tinta, cosmético etc.): *Preparou a massa para emplastrar a parede.* **3** Aplicar (algo) em camada rasa, como um emplastro: *Emplastrou a massa numa camada fina sobre a porta.* [▶ 1 emplas**trar**] [F.: Do lat. *emplastare.*]

emplastro (em.*plas*.tro) *sm.* **1** *Med.* Medicamento que ao calor amolece e adere à pele; CURATIVO; PARCHE: "...tratando o machucado com emplastros de raízes e folhas..." (Guimarães Rosa, *Grande sertão: veredas*) **2** Produto que consiste num pedaço de tecido adesivo que se aplica na pele e que contém emplastro (1) **3** *Fig.* Trabalho ou tarefa malfeita **4** *Fig.* Pessoa imprestável, inútil: *Não conte com esse sujeito, é um emplastro.* **5** *Fig.* Pessoa entediante, maçante [F.: Do lat. *emplastrum*, pelo fr. *amplastre*, hoje *emplâtre.*]

emplumado (em.plu.*ma*.do) *a.* **1** Que se emplumou **2** Coberto, revestido ou ornado de plumas ou de penas; EMPENADO [F.: Part. de *emplumar*; *em-*² + *-pluma* + *-ado*¹.]

emplumar (em.plu.*mar*) *v. td.* **1** Enfeitar(-se) com plumas ou penas: *Emplumou o vestido; O carnavalesco emplumou-se da cabeça aos pés.* **2** *Fig.* Demonstrar ostentação, vaidade: *Emplumou-se todo com o prêmio.* **3** Chegar à idade adulta: *Os garotos se emplumaram rapidamente.* [▶ 1 emplu**mar**] [F.: *em (en-)* + *plumar.*]

empoado (em.po.*a*.do) *a.* **1** Recoberto de pó de arroz ou talco: *Ela saiu do quarto toda cheirosa, o rosto empoado.* **2** Sujo de pó: *Suarento e empoado, caminhava pela estrada de terra. sm.* **3** *Lus.* Cabeleira empoada (1) [F.: Part. de *empoar.*]

empoar (em.po.*ar*) *v.* **1** Cobrir (inclusive si mesmo) de pó de arroz, talco etc.; POLVILHAR [*td.*: *Empoou o rosto e penteou o cabelo; Empoou-se antes de entrar em cena.*] **2** Cobrir(-se) de poeira; EMPOEIRAR [*td.*: *O vento soprou forte, e o empoou todo.*] [*int.*: *Quando o Flu entrou em campo todos se empoaram.*] [▶ 16 empo**ar**] [F.: *em-*² + *pó* + *-ar*².]

empobrecedor (em.po.bre.ce.*dor*) [ô] *a.* Que empobrece: *Foi uma experiência empobrecedora.* [F.: *empobrecer* + *-dor.* Ant. ger.: *enriquecedor.*]

empobrecer (em.po.bre.*cer*) *v.* **1** Fazer ficar ou ficar pobre ou mais pobre [*td.*: *A inflação empobreceu a maioria da população.*] [*int.*: *Muitos empobreceram apesar do crescimento da economia.*] **2** Tornar(-se) pouco produtivo, menos fértil; ESGOTAR(-SE) [*td.*: *Uma agricultura não planejada pode empobrecer o solo.*] [*int.*: *Com os desmatamentos, muitas florestas empobreceram.*] **3** *Fig.* Fazer encolher ou encolher, reduzir(-se) [*td.*: *A falta do hábito da leitura empobrece o vocabulário.* Ant.: *enriquecer.*] [*int.*: *O vocabulário empobrece quando se lê pouco.*] [▶ 33 empobre**cer**] [F.: *em-*² + *pobre* + *-ecer.*]

empobrecido (em.po.bre.*ci*.do) *a.* Que ficou pobre, material ou moralmente: *Sem trabalho, empobrecido, foi morar no interior; Ficou espiritualmente empobrecido com aquela relação.* [F.: Part. de *empobrecer.* Ant. ger.: *enriquecido.*]

empobrecimento (em.po.bre.ci.*men*.to) *sm.* Ação ou resultado de empobrecer(-se) [Ant.: *enriquecimento, prosperidade.*] [F.: *empobrecer* + *-imento.*]

empoçado (em.po.*ça*.do) *a.* **1** Que está metido em poça ou poço: *Tentou desatolar a roda empoçada.* **2** Que formou poça: *A água empoçada logo virou lama.* [F.: Part. de *empoçar.* Hom./Par.: *empossado* (part. de *empossar* e adj.).]

empoçamento (em.po.ça.*men*.to) *sm.* Ação ou resultado de empoçar(-se), de estar em poço ou poça [Ant.: *desempoçamento*] [F.: em-² + *poça* + *-mento.*]

empoçar (em.po.*çar*) *v.* **1** Fazer acumular ou acumular-se (líquido) sobre o solo ou outra superfície, formando poças [*td.*: *A forte chuva empoçou a estrada de terra.*] [*int.*: *Não deixe a água empoçar no quintal.*] **2** Enfiar em poço ou poça [*td.*: *Distraído, empoçou os pés na lama.*] [▶ 12 empo**çar**] [F.: *em-*² + *poço* + *-ar*². Hom./Par.: *empoçar, empossar* (em todas as fl.).]

empoeirado (em.po.ei.*ra*.do) *a.* Que se cobriu de poeira (móveis empoeirados) [F.: Part. de *empoeirar.*]

empoeirar (em.po:ei.*rar*) *v.* **1** Cobrir(-se) de poeira ou pó [*td.*: *A varredura do tapete empoeirou toda a sala.*] [*int.*: *Deixou a janela aberta e os móveis empoeiraram.*] **2** *Fig.* Tornar obscuro, tirar o brilho; OBSCURECER; EMBAÇAR [*td.*: *A falta de sono empoeirou seu raciocínio.*] [▶ 1 empoei**rar**] [F.: *em-*² + *poeira* + *-ar*².]

empola (em.*po*.la) *sf.* **1** *Med.* Bolha que se forma na pele e que contém líquido seroso; VESÍCULA **2** Bolha de água fervente **3** Ressalto na superfície pintada de tela ou painel [F.: Do lat. *ampulla.* Hom./Par.: *empola* (fl. de *empolar*).]

empolação (em.po.la.*ção*) *sf.* **1** Ação ou resultado de empolar, de fazer ou causar empolas em (empolação das mãos) **2** *Fig.* Pomposidade, soberba, ostentação (empolação de estilo/da fala) **3** *Fig.* Avolumação, encapelação (empolação das ondas) [Pl.: *-ções.*] [F.: *em-*² + *-pol-* + *-ar*³- + *-ção.*]

empolado (em.po.*la*.do) *a.* **1** Que se cobriu de empolas ou bolhas: *A doença deixou-o empolado.* **2** Que demonstra pouca naturalidade, afetação; que se mostra pomposo; AFETADO; PEDANTE: *Era todo empolado para falar.* [Ant.: *desafetado, simples.*] **3** *Fig.* Diz-se de discurso com palavras complicadas e ideias mal expostas [Ant.: *claro, explícito.*] [F.: Part. de *empolar.*]

empolamento (em.po.la.*men*.to) *sm.* **1** Ação ou resultado de empolar(-se) **2** Em trabalhos de terraplenagem, aumento de volume dos materiais escavados **3** *Pint.* Formação de empolas em superfície pintada [F.: *empolar* + *-mento.*]

empolar¹ (em.po.*lar*) *a2g.* Semelhante a ou que tem forma de empola ou ampola; EMPOLÁCEO [F.: *empola* + *-ar*¹.]

empolar² (em.po.*lar*) *v.* **1** Fazer surgir ou surgir empolas em, encher(-se) de empolas, de bolhas [*td.*: *Ficou tempo demais na praia e o sol o empolou todo.*] [*int.*: *Ficou tempo demais na praia, e suas costas empolaram.*] **2** *Fig.* Tornar(-se) pomposo ou afetado [*td.*: *empolar a fala.*] [*int.*: *A atriz empola-se toda nas entrevistas.*] **3** Encapelar-se, encrespar-se, agitar-se (mar, ondas) [*int.*] [▶ 1 empo**lar**] [F.: *empola* + *-ar*². Hom./Par.: *empola* (fl.), *empola* (sf.).]

empoleirado (em.po.lei.*ra*.do) *a.* **1** Colocado, pousado (gerr. diz-se de ave) em poleiro ou lugar elevado **2** *Fig.* Que se investiu de prestígio, de autoridade [F.: Part. de *empoleirar.*]

empoleirar (em.po.lei.*rar*) *v.* **1** Colocar(-se) sobre um poleiro ou local elevado [*td.*: *João empoleirou o papagaio.*] [*ta.*: *O moleque tem mania de empoleirar-se no telhado.*] **2** *Fig.* Nomear ou ser nomeado para emprego ou cargo de alto nível ou vantajoso [*td. tda.*: *Empoleirou o amigo (numa alta função gerencial).*] [*int.*: *Muito recomendado, mal admitido já se empoleirava em alto cargo.*] [▶ 1 empolei**rar**] [F.: *em-*² + *poleiro* + *-ar*².]

empolgação (em.pol.ga.*ção*) *sf.* **1** Ação ou resultado de empolgar(-se) **2** Sentimento e expressão de entusiasmo, envolvimento, animação com algo: *Havia grande empolgação nas arquibancadas.* [Ant.: *desânimo.*] [Pl.: *-ções.*] [F.: *empolgar* + *-ção.*]

empolgado (em.pol.*ga*.do) *a.* **1** Que se empolgou; que está cheio de entusiasmo, de animação, de arrebatamento com algo; ANIMADO; ARREBATADO: *Estava empolgado com o desfile.* [Ant.: *desanimado.*] **2** Segurado com as mãos ou com as garras; AGARRADO [Ant.: *largado, solto.*] [F.: Part. de *empolgar.*]

empolgante (em.pol.*gan*.te) *a2g.* Que empolga, que faz vibrar de entusiasmo: *um final de jogo empolgante.* [F.: *empolgar* + *-nte.*]

empolgar (em.pol.*gar*) *v.* **1** Causar admiração e interesse (em), ou senti-los; ENTUSIASMAR(-SE) [*td.*: *A banda empolgou a plateia.*] [*int.*: *Mesmo sem empolgar, o Corinthians venceu o Grêmio; empolgar-se com a viagem.*] **2** Apanhar com as mãos, ou agarrar (prender com garras) [*td.*: *Numa fração de segundo, o gavião empolgou a codorna.*] **3** Apropriar-se rapidamente, apossar-se ardilosamente de [*td.*: *Empolgou a herança toda, ludibriando os irmãos.*] [*tdr.* + *a*: *Empolgou a herança aos irmãos.*] [▶ 14 empol**gar**] [F.: Do lat. **empollicare.*]

empombar (em.pom.*bar*) *v. Bras. Pop.* Ficar zangado e/ou reclamar com certa agressividade [*td.*: *Empombava-se com facilidade.*] [*tr.* + *com*: *Empombou com o garçom e saiu do bar.*] [▶ 1 empom**bar**] [F.: De or. incerta.]

emporcalhado (em.por.ca.*lha*.do) *a.* Que se emporcalhou, que se sujou muito; IMUNDO; SUJO: *Chegou do jogo todo emporcalhado.* [F.: Part. de *emporcalhar.*]

emporcalhamento (em.por.ca.lha.*men*.to) *sm.* **1** Ação ou resultado de emporcalhar(-se), de sujar(-se) [Ant.: *asseamento*] **2** *Fig.* Aviltamento, degradação [F.: *em-*² + *porco* + *-alho* + *-ar*² + *-mento.*]

emporcalhar (em.por.ca.*lhar*) *v.* **1** Tornar(-se) sujo, imundo como o porco; SUJAR [*td.*: *Não emporcalhe a rua com papéis de bala.*] [*int.*: *O garoto se emporcalhou todo.*] **2** *Fig.* Tornar (inclusive si mesmo) desprezível, vil, por agir contra a lei, a moral, a ética etc.; AVILTAR; DEGRADAR [*td.*: *Com aquela decisão, emporcalharam seu mandato; Ao se corromper, emporcalharam-se irremediavelmente.*] [▶ 1 emporca**lhar**] [F.: *em-*² + *porco* + *-alhar.*]

empório (em.*pó*.ri:o) *sm.* **1** Local de grande atividade comercial; centro de comércio em porto, cidade, país etc. **2** Estabelecimento comercial onde se vendem vários tipos de produtos e mercadorias **3** *Bras.* Armazém de secos e molhados; MERCEARIA [F.: Do lat. *emporium.*]

empós (em.*pós*) *prep.* **1** Após, depois de (caminhada empós o jantar): "De almoço, empós, me remitia, em rede, em quarto. Questão de idade, digestões e saúde." (Guimarães Rosa, "Luas de mel" *in Primeiras estórias*) **2** Em busca de, atrás de (diligências empós as provas): "Era por essas espingardas que se interessava o Benim. E também pelos canhões. Deve ter sido empós das armas de fogo que o obá... mandou, em 1514, uma nova embaixada a Portugal." (Alberto da Costa e Silva, *A manilha e o libambo*) [F.: Do lat *in post*; *em-*² + *-pós.*] ■ **~ de** **1** Após, depois de **2** Atrás de, no encalço de

empossado (em.pos.*sa*.do) *a.* Que tomou posse; investido na posse de (cargo, título etc.) [F.: Part. de *empossar.* Hom./Par.: *empoçado* (part. de *empoçar* e adj.).]

empossar (em.pos.*sar*) *v.* **1** Dar posse a, investir num cargo [*td.*: *A diretoria empossou o novo presidente.*] [*tdr.* + *em*: *Os moradores empossaram o sr. Ari no cargo de síndico.* Ant.: *desempossar.*] **2** Assumir oficialmente um cargo, tomar posse [*int.*: *Ele não se empossou no prazo, e acabou perdendo o cargo.*] **3** *Fig.* Apoderar-se psicologicamente, influenciar, dominar [*tr.* + *de*: *A ambição empossou-se do governador.*] [▶ 1 empos**sar**] [F.: *em-*² + *posse* + *-ar*². Hom./Par.: *empossar, empoçar* (em todas as fl.).]

empostação (em.pos.ta.*ção*) *sf.* **1** Ação ou resultado de empostar; IMPOSTAÇÃO **2** *Fon. Ret. Teat.* Técnica de colocação e projeção da voz para melhor emissão, usada por oradores, palestrantes, locutores, cantores, atores etc. **3** *Lus.* Ação ou resultado de empostar, de dispor (o trigo, o mato cortado) em postas ou paveias para facilitar seu carregamento [Pl.: *-ções.*] [F.: Para as duas primeiras acepções, do it. *impostazione*; para a terceira, *em-*² + *post-* + *-ar*³ + *-ção.*]

empostado (em.pos.*ta*.do) *a.* **1** Diz-se da voz modulada para o canto ou a fala, emitida corretamente; IMPOSTADO **2** Diz-se de estilo ou forma de representação dado pelo ator ou atriz **3** *Lus.* Que se fez em postas [F.: Part de *empostar*; *em-*² + *-post-* + *-ar*³ + *-ado*¹.]

empostamento (em.pos.ta.*men*.to) *sm.* Ação ou resultado de empostar; EMPOSTAÇÃO [F.: *em-*² + *-post-* + *-ar*³- + *-mento.*]

empostar (em.pos.*tar*) *v. td.* Ver *impostar* [▶ 1 empos**tar**] [F.: Hom./Par.: *emposta (fl.), emposta* (sf.); *empostas* (fl.), *empostas* (pl. do sf.).]

emprateleirar (em.pra.te.lei.*rar*) *v. td.* Organizar, arrumar em prateleira(s): *Emprateleirou as compras assim que chegou do mercado.* [▶ 1 emprateleirar] [F.: *em-* + *prateleira* + *-ar*².]

emprazar (em.pra.*zar*) *v.* **1** *Jur.* Citar (alguém) para comparecer em juízo ou perante uma autoridade em dia determinado: *O juiz emprazou o acusado.* [*td.*: *O juiz emprazou duas testemunhas.*] **2** *Jur.* Ceder por contrato de enfiteuse [*td.*] **3** *Fig.* Combinar data e local para um encontro [*tr.* + *para*: *Emprazaram-se para o encontro.*] **4** Desafiar, reptar,

instigar [*tdr.*: *Emprazou o rival para um encontro decisivo.*] [▶ 1 emprazar] [F.: *em-* + *prazo* + *-ar*[2].]
emprazo (em.*pra*.zo) *sm.* **1** Convite ou convocação para comparecer em determinado tempo a um lugar, entidade, obrigação, etc. (emprazo do concurso/da audiência) **2** *Jur.* Convocação para comparecimento em juízo ou diante de autoridade em prazo determinado **3** *Jur.* Cessão por meio de contrato de enfiteuse; AFORAMENTO **4** Provocação; DESAFIO; INTIMIDAÇÃO [F.: *em-*[2] + *-prazo*.]
empreendedor (em.pre.en.de.*dor*) [ô] *a.* **1** Que empreende, que se mostra ativo, dinâmico; ARROJADO; DILIGENTE: "Marcelina não ficava aí, levava ainda além o seu espírito empreendedor, a sua notabilíssima vocação para o pequeno comércio." (Franklin Távora, *O matuto*) [Ant.: *inativo, indolente*.] *sm.* **2** Quem ou o que empreende [F.: *empreender* + *-dor*.]
empreender (em.pre.en.*der*) *v.* **1** Pôr em prática; REALIZAR [*td.*: *Empreendeu uma viagem de estudos à Amazônia.*] **2** Decidir ou tentar realizar tarefa difícil, laboriosa, demorada etc. [*td.*: *Ela empreendeu o reflorestamento da região.*] **3** Experimentar, procurar fazer, tomar iniciativa de ação, tarefa, realização etc. [*int.*: *Não é preciso esperança para empreender, nem sucesso para perseverar* (*Guilherme de Orange, dito o Taciturno*).] [▶ 2 empreender] [F.: Do lat. *imprehendere*.]
empreendimento (em.pre.en.di.*men*.to) *sm.* **1** Ação ou resultado de empreender, de tomar a iniciativa de um projeto, uma realização; EMPRESA **2** Aquilo que se empreendeu ou vai empreender; esse projeto, essa realização; EMPRESA; FIRMA; NEGÓCIO: *Nosso empreendimento exige a alocação de muitos recursos humanos e financeiros.* **3** Organização, entidade, firma etc. montada para levar avante empreendimento (2) [F.: *empreender* + *-imento*.]
empreendorismo (em.pre:en.do.*ris*.mo) *sm.* **1** Estudo das qualidades, dos métodos, do perfil do empreendedor **2** A qualidade, tendência, visão que prioriza a iniciativa de empreender, de criar ativos, empresas, atividades etc. [F.: *empreendedor* + *-ismo*.]
empregado (em.pre.*ga*.do) *a.* **1** Que se empregou, utilizou **2** Que foi colocado em uso, aplicado: *Contabilizou os lucros empregados no projeto como investimento.* **3** Que foi admitido em emprego [Ant.: *desempregado, demitido*.] *sm.* **4** Aquele que tem função ou emprego remunerado em firma, empresa etc.; FUNCIONÁRIO: *Era empregado de uma editora.* **5** Profissional do sexo masculino que presta serviços domésticos [F.: Part. de *empregar*.] ■ **~ de mesa** *Lus.* Garçom **~ doméstico** Pessoa que trabalha para outrem fazendo os serviços domésticos [Tb. apenas *doméstico*.]
empregador (em.pre.ga.*dor*) [ô] *a.* **1** Que dá emprego, emprega, contrata para trabalho (agência empregadora) *sm.* **2** *Jur.* Indivíduo ou empresa que emprega por contrato uma ou mais pessoas para serviços ou funções diversas: *Seus empregadores eram pessoas decentes.* **3** Aquele que tem função superior (na hierarquia de firma, empresa) em relação a seus subordinados; PATRÃO [F.: *empregar* + *-dor*.]
empregar (em.pre.*gar*) *v.* **1** Admitir (alguém) num emprego [*td.*: *As lojas empregam mais gente no Natal.* Ant.: *demitir*.] **2** Engajar (a si mesmo) num trabalho como assalariado [*td.*: *Aos 17 anos, empreguei-me como auxiliar de projetista.*] **3** Utilizar, usar, servir-se de [*td.*: *empregar um recurso; empregar uma ferramenta.*] [*tdr.* + *em*: *Emprega diversos materiais na construção do edifício.*] **4** Aplicar (recursos, tempo etc.) [*tdr.* + *em*: *Certas empresas empregam parte de seus rendimentos em obras sociais; Gosta de empregar seu tempo livre na leitura dos clássicos.*] [▶ 14 empregar] [F.: Do lat. *implicare*. Hom./Par.: *emprego* (fl.), *emprego* (sm.); *empregáveis* (fl.), *empregáveis* (pl. de *empregável* [a2g.]).]
empregatício (em.pre.ga.*tí*.ci:o) *a.* Ref. a emprego: *Era trabalhador autônomo, mas queria ter vínculo empregatício.* [F.: *empregado* (sob a f. rad. *empregat-*) + *-ício*.]
empregável (em.pre.*gá*.vel) *a2g.* **1** Que se pode empregar (recurso/método empregável) **2** *Restr.* Ref. a pessoa apta e qualificada para ingressar e manter-se no mercado de trabalho. [Pl.: *-veis*. Superl.: *-gabilíssimo*] [F.: *em-*[2] + *-preg-* + *-ar*[3]- + *-vel*.]
emprego (em.*pre*.go) [ê] *sm.* **1** Aplicação, utilização, uso: *O emprego de cores fortes melhorou a decoração.* **2** Ocupação ou trabalho assalariado em empresa pública ou privada: *Queria um emprego no ramo imobiliário.* **3** Lugar em que se exerce essa atividade: *Ele nunca brincava no emprego.* **4** *Econ.* A utilização da força de trabalho no mercado produtivo: *O nível de emprego ameaça cair.* **5** *Ling.* Uso de palavra ou elemento gramatical na fala ou na escrita: *Há no português vários empregos da palavra 'que'.* [F.: Dev. de *empregar*. Hom./Par.: *emprego* (fl. de *empregar*).] ■ **Agradecer o ~** Exonerar-se, pedir demissão **Pleno ~** *Econ.* Utilização de todos os recursos de força de trabalho e capital nas atividades econômicas
empreguismo (em.pre.*guis*.mo) *sm. Bras.* Propensão a contratar pessoas para cargos públicos por motivos políticos [F.: *emprego* + *-ismo*.]
empreguista (em.pre.*guis*.ta) *a2g.* **1** *BRAS.* Ref. ou inerente a, ou próprio do empreguismo (programa econômico empreguista) **2** Diz-se de quem ou que é adepto ou partidário do empreguismo *s2g.* **3** *Bras.* Pessoa partidária ou defensora do empreguismo [F.: *em-*[2] + *-preg-* + *-u-* + *-ista*.]
empreita[1] (em.*prei*.ta) *sf.* Sistema de trabalho em empreitada, de empreiteiro, com tarefa e valor previamente estipulados: *Construiu a casa por empreita.* [F.: Dev. de *empreitar*. Hom./Par.: *empreita* (fl. de *empreitar*).]
empreita[2] (em.*prei*.ta) *sf.* Trança de esparto que se cose com outras para fazer esteiras, capachos etc. [F.: De orig. contrv. Hom./Par.: ver *empreita*[1].]
empreitada (em.prei.*ta*.da) *sf.* **1** Tarefa ou trabalho contratado a terceiros, com pagamento combinado antecipadamente e só efetuado ao final **2** Esse sistema de trabalho **3** *P.ext.* Trabalho ou tarefa árdua, demorada: *Fazer essa mudança foi uma empreitada exaustiva.* [F.: Fem.substv. do part. de *empreitar*.]
empreitado (em.prei.*ta*.do) *a.* Feito ou ajustado por empreitada [F.: Part de *empreitar*; *em*[2]- + *-preito* + *-ado*[1].]
empreitar (em.prei.*tar*) *v. td.* Fazer ou contratar (obra ou serviço) por empreitada: *O diretor decidiu empreitar a reforma do prédio.* [▶ 1 empreitar] [F.: *em-*[2] + *preito* + *-ar*[2].]
empreiteira (em.prei.*tei*.ra) *sf. Bras.* Empresa que realiza obras por empreitada [F.: Fem. substv. de *empreiteiro*.]
empreiteiro (em.prei.*tei*.ro) *a.* **1** Que faz obras de empreitada (firma empreiteira) *sm.* **2** Aquele que faz obras de empreitada: *Os empreiteiros queriam um reajuste.* [F.: *empreitar* (pelo rad. *empreit*) + *-eiro*.]
empreito (em.*prei*.to) [ê] *sm. Bras.* Ação ou resultado de empreitar, de fazer por empreitada [F.: Dev. de *empreitar*. Hom./Par.: *empreito* (fl. de *empreitar*).]
emprenhado (em.pre.*nha*.do) *a.* **1** Que ficou prenhe (mulher ou fêmea) **2** Concebido, engravidado [F.: Do lat. *impraegnátus, a, um*, part.pas. de *impraegnáre*, 'fecundar'; *em-*[2] + *-prenhe* + *-ado*[1]. Ant. ger.: *desemprenhado*.]
emprenhar (em.pre.*nhar*) *v.* Fazer ficar ou ficar prenhe (mulher, fêmea); ENGRAVIDAR [*td.*: *Emprenhou a moça.*] [*ti.* + *de*: *Ela emprenhou do marido.*] [*int.*: *Não esperava emprenhar.*] [F.: *em-*[2] + *prenhe* + *-ar*[2], ou do lat. *impraegnare*.]
empresa (em.*pre*.sa) [ê] *sf.* **1** Qualquer coisa que se empreende, que se tem a iniciativa de realizar; EMPREENDIMENTO: *Dragar aquele valão era uma empresa difícil.* **2** Qualquer organização que produz e/ou vende bens ou serviços; FIRMA **3** Firma organizada juridicamente [F.: Do lat. *imprehensus*, pelo it. *impresa*. Hom./Par.: *empresa* (fl. de *empresar*).] ■ **~ aberta** *Econ.* Ver *Empresa de capital aberto* **~ de capital aberto** *Econ.* Empresa que tem ações negociadas em bolsas de valores; empresa aberta **~ de capital fechado** *Econ.* Empresa com número limitado de sócios, e que não tem ações negociadas em bolsas de valores; empresa fechada **~ de economia mista** *Econ.* Ver *Empresa estatal* **~ estatal** *Econ.* Empresa cujo controle (pela posse da maioria das ações com direito a voto) é detido pelo poder público; sociedade de economia mista [Tb. apenas *estatal*.] **~ fechada** *Econ.* Ver *Empresa de capital fechado* **~ multinacional** *Econ. Pol.* Empresa cujo capital e atividades ultrapassam as fronteiras de um país [Tb. apenas *multinacional*.] **~ pública** *Econ.* Empresa mercantil no âmbito do direito privado, mas cujos patrimônio e capital pertencem exclusivamente ao poder público
empresar (em.pre.*sar*) *v. td.* O mesmo que *empresariar* [▶ 1 empresar] [F.: *empres(a)* + *-ar*[2]. Hom./Par.: *empresa* (fl.), *empresa* (sf.); *empresas* (fl.), *empresas* (pl. de *empresa*); *empresaria* (fl.), *empresária* (fem. de *empresário*).]
empresariado (em.pre.sa.ri:*a*.do) *sm.* O conjunto ou a classe dos empresários: *O empresariado reclamava mais crédito.* [F.: *empresário* + *-ado*[2].]
empresarial (em.pre.sa.ri.*al*) *a2g.* Ref. a empresa ou empresário [Pl.: *-ais*.] [F.: *empresário* + *-al*[1]. Hom./Par.: pl. *empresariais* (fl. de *empresariar*).]
empresariar (em.pre.sa.ri.*ar*) *v. td.* **1** Cuidar dos compromissos e negócios de (artistas, atletas etc.): *Só precisa de quem o empresarie.* **2** Realizar ou financiar um empreendimento ou projeto; PRODUZIR: *Resolveu empresariar seus próprios espetáculos.* [▶ 1 empresariar] [F.: *empresário* + *-iar*. Sin. ger.: *empresar*. Hom./Par.: *empresario* (fl.), *empresário* (sm.); *empresaria* (fl.), *empresária* (fem. de *empresário*); *empresariais* (fl.), *empresariais* (pl. de *empresarial* [a2g.]).]
empresário (em.pre.*sá*.ri:o) *sm.* **1** Proprietário ou administrador de empresa, organização industrial, comercial etc. **2** Aquele que cuida dos interesses comerciais de pessoas com carreira pública: *empresário de músicos, jogadores de futebol* etc. *a.* **3** Que se refere a empresa; EMPRESARIAL [F.: Do it. *impresario*. Hom./Par.: *empresario* (fl. de *empresariar*).]
emprestado (em.pres.*ta*.do) *a.* Que foi tomado por empréstimo (dinheiro emprestado) [F.: Part. de *emprestar*.]
emprestar (em.pres.*tar*) *v.* **1** Ceder temporariamente (dinheiro, objetos, mantimentos a serem restituídos posteriormente) [*td.*: *Não gosto de emprestar minhas coisas.*] [*tdi.* + *a, para*: "D. Úrsula emprestara-lhe um vestido de amazona..." (Machado de Assis, *Helena*)] **2** Ceder dinheiro, para recebê-lo de volta com juros [*td.*: *Este banco empresta grandes quantias.*] [*tdi* + *a, para*: *A financeira emprestou cinco mil reais ao meu pai.*] [*ti.* + *a, para*: *Os países ricos deveriam emprestar mais aos países pobres.*] **3** Dar, transmitir, conferir [*tdi.* + *a, para*: *Sua atitude emprestou seriedade à negociação*: "...não consegue emprestar significação maior às panes..." (Antonio Callado, *Bar Don Juan*)] **4** *S.* Tomar por empréstimo [*tdr.* + *de*: *Emprestou mil reais do amigo.*] [▶ 1 emprestar] [F.: *em-*[2] + *prestar*.]
empréstimo (em.*prés*.ti.mo) *sm.* **1** Ação ou resultado de emprestar: *Precisava de um empréstimo de 20 mil reais.* **2** Aquilo que foi emprestado, que foi cedido por tempo determinado: *Esse carro eu não ganhei, foi um empréstimo.* **3** *Econ.* Valor em dinheiro que se empresta ou toma, para ser devolvido no prazo estipulado, ger. com juros: *O banco concedeu-lhe um empréstimo para comprar a casa.* **4** *Ling.* Inclusão de vocábulo de outra língua no vocabulário da língua vernácula (p.ex.: *checkup, shopping, download* etc.) [Ver tb. *empréstimo lexical*.] **5** *Cons.* Terra retirada de escavação para com ela fazer aterro **6** *Fut.* Cessão temporária de um jogador a outro clube [F.: Do port. arc. *empréstido* (por sua vez do lat. *praestitus*), com infl. de *préstimo*.] ■ **~ compulsório** *Econ.* Empréstimo obrigatório imposto pela União, por meio de lei complementar, para custear despesas urgentes e/ou extraordinárias **~ de consolidação** *Econ.* Empréstimo (ger. externo) tomado para saldar pagamentos de empréstimos anteriores [O termo (em inglês) mais us. é *funding loan*.] **~ lexical** *Ling.* Formação de palavra num léxico por adoção de palavra de léxico estrangeiro, que pode ser na forma da palavra ou expressão em seu formato e significado originais (como *ace, know-how, déja vu, blitzkrieg*), como adaptação fonética e gráfica, mantendo o significado (como futebol, abajur), como uma tradução calcada no termo estrangeiro (como 'salvar' no sentido de 'gravar', de *save*), ou como deturpação de significado, por proximidade fonética com palavra estrangeira (como a atribuição do sentido de 'constatar', 'perceber', 'dar-se conta' ao verbo *realizar*, por influência do inglês *realize*)
empretecer (em.pre.te.*cer*) *v.* **1** Tornar(-se) preto, (muito) escuro; ESCURECER [*td.*: *Rapidamente as labaredas e a fumaça empreteceram o teto.*] [*int.*: *De repente o tempo foi mudando e o céu empreteceu.*] **2** Bronzear [*td.*: *Queria ficar no Sol, empretecer um pouco a pele pálida.*] **3** Tornar-se anuviado, obscurecido; turvar-se [*int.*: *De repente a vista empreteceu; quando voltei a mim, estava caída sendo socorrida.*] [▶ 33 empretecer] [F.: *em-* + *preto* + *-cer*.]
empretejar (em.pre.te.*jar*) *v. td. int.* Mesmo que *pretejar* [▶ 1 empretejar] [F.: *em-* + *preto* + *-ejar*.]
emproado (em.pro.*a*.do) *a.* Que tem atitude, gestos, aparência etc. que denotam soberba, afetação, altivez, petulância, vaidade etc.; ORGULHOSO; PRESUMIDO; PRETENSIOSO [Ant.: *desafetado, desemproado*.] [F.: Part. de *emproar*.]
emproamento (em.pro.a.*men*.to) [ô] *sm.* **1** Ação ou resultado de emproar(-se) **2** Modo emproado; SOBERBA: "... vaidade que sobressaía de sob que lhe revelava no repuxado do emproamento do pescoço." (Arnaldo Gama, *Sargento-mor*) [F.: *em-*[2] + *-proa* + *-mento*.]
emproar (em.pro.*ar*) *v.* **1** Fazer ficar ou ficar orgulhoso, cheio de si [*td.*: *Os elogios o emproaram; Ao ser elogiado, emproou-se todo.*] **2** *AM Mar.* Estar a proa de embarcação mais baixa que a popa, por efeito da distribuição de carga [*int.*: *Com excesso de carga à frente, o barco emproou(-se).*] **3** *Mar.* Orientar para certa direção a proa de (embarcação) [*tdr.* + *a, para*: *Emproou o barco ao porto.*] [▶ 16 emproar] [F.: *em-*[2] + *proa* + *-ar*[2].]
empubescer (em.pu.bes.*cer*) *v. int.* **1** Criar pelos, cobrir-se de pelos **2** Entrar na adolescência, na puberdade **3** *Fig.* Crescer, desenvolver-se [▶ 33 empubescer] [F.: *em-* + *pubescer*.]
empulhação (em.pu.lha.*ção*) *sf.* **1** Ação ou resultado de empulhar **2** *Bras. Pop.* Logro, embuste, mentira, tapeação: *Seus argumentos de defesa eram pura empulhação.* [Pl.: *-ções*.] [F.: *empulhar* + *-ção*.]
empulhar (em.pu.*lhar*) *v. td.* **1** Enganar, ludibriar: *Um vigarista empulhou a mulher; Esse deputado só empulha o povo.* **2** Dizer pulhas, gracejos maldosos a (alguém); ESCARNECER; ZOMBAR [▶ 1 empulhar] [F.: *em-*[2] + *pulha* + *-ar*[2].]
empunhada (em.pu.*nha*.da) *sf. Esg.* Punho de espada ou sabre, ou semelhante [F.: *em-*[2] + *punho* + *-ada*[1].]
empunhadeira (em.pu.nha.*dei*.ra) *sf. Esg.* Peça protetora do punho de espada ou sabre, ou semelhante [F.: *em*[1]- + *-punh(a)* + *-deira*.]
empunhado (em.pu.*nha*.do) *a.* **1** Apertado, preso, seguro pelo punho (espada empunhada; bastão empunhado) **2** Que tem punho ou empunhadura [F.: Part. de *empunhar*; *em*[2]- + *-punh(o)* + *-ado*[1].]
empunhadura (em.pu.nha.*du*.ra) *sf.* **1** Parte por onde se empunha uma espada, um sabre, remo, arma; PUNHO **2** Ação ou modo de pegar ou empunhar algo **3** Punho de escada; CORRIMÃO [F.: *em*[2]- + *-punh(a)* + *-dura*.]
empunhar (em.pu.*nhar*) *v. td.* **1** Segurar (instrumento, arma), pela empunhadura, pelo punho, pelo cabo, pela coronha: *empunhar uma espada; empunhar um revólver.* **2** Pegar em, segurar, tomar: *Empunhou a caneta como se fosse assinar.* [▶ 1 empunhar] [F.: *em-*[2] + *punho* + *-ar*[2]. Hom./Par.: *empunhar, impor* (em várias fl.).]
empurra-empurra (em.pur.ra-em.*pur*.ra) *sm. Bras.* Aglomeração confusa de pessoas que se empurram umas às outras: *Era grande o empurra-empurra na entrada do estádio.* [Pl.: *empurra-empurras*.]
empurrão (em.pur.*rão*) *sm.* **1** Ação de empurrar **2** Impulso violento; EMPURRO; EMPUXÃO **3** Impulso para afastar alguma coisa de si, para fazê-la cair ou para movê-la: "Deu um empurrão à porta." (Machado de Assis, *Páginas escolhidas*) **4** *Geol.* Deslocamento inverso de um bloco de terreno gerado por ação tectônica [Pl.: *-rões*.] [F. *em*[2]- + *-purr(a)* + *-ão*[3].]
empurrar (em.pur.*rar*) *v.* **1** Impelir algo ou alguém [*td.*: *O carro enguiçou e tive de empurrá-lo.*] **2** Dar encontrões em [*td.*: *Empurrava quem lhe estivesse à frente; Na briga, os moleques se empurraram.*] **3** *Fig.* Persuadir a aceitar; IMPINGIR [*tdi.* + *a, para*: *Com muita conversa, o vendedor empurrou a mercadoria ao cliente.*] **4** *Fig.* Dar rumo ou

incentivo a (alguém ou algo); INCENTIVAR; CONDUZIR [*td.*: "A curiosidade a empurrava." (Ana Maria Machado, *A audácia dessa mulher*)] [▶ 1 empurrar] [F.: Posv. do cast. *empujar*.]

emputecer (em.pu.te.*cer*) *v. td. Bras. Tabu.* Ficar puto, zangado, danado da vida: *Aquele fracasso o emputeceu; Emputeceu-se com o filho.* [▶ 33 emputecer] [F.: *em-* + *puto* + *-ecer*.]

emputecido (em.pu.te.*ci*.do) *Tabu. a.* **1** Que se emputeceu **2** Muito aborrecido; COLÉRICO; FURIBUNDO; FURIOSO [Ant.: *tranquilo*.] [F.: Part. de *emputecer*; *em*^{2}*-* + *-put(o)* + *-ecer* + *-ido*.]

empuxar (em.pu.*xar*) *v.* **1** Empurrar com energia, com força [*td.*] **2** *Fig.* Dar sacudidelas; SACUDIR [*td.*: *Empuxou-o até fazê-lo falar.*] **3** Levar a; INDUZIR [*tdi.* + *a*: *A ofensa o empuxou à agressão.*] [▶ 1 empuxar] [F.: *em-* + *puxar*.]

empuxo (em.*pu*.xo) *sm.* **1** Ação ou resultado de empuxar **2** *Cons.* Pressão de uma abóbada ou de um arco sobre seus suportes ou de terra sobre um muro de arrimo que a suporta **3** *Fís.* Num corpo imerso em fluido, a força que o impulsiona para cima [Ver tb. *empuxo arquimediano*.] **4** *Astnáut.* Força de aceleração exercida em um veículo à reação pela ejeção de gases de íons ou fótons [F.: Dev. de *empuxar*. Hom./Par.: *empuxo* (fl. de *empuxar*).] ▪ **~ arquimediano** *Fís.* O impulso para cima aplicado a corpo imerso em um fluido, cuja medida equivale ao peso do volume de fluido deslocada pela parte imersa do corpo, e cujo ponto de aplicação é o centro de gravidade dessa parte imersa [Tb. apenas *empuxo*.] **~ específico** *Astnáut.* Grandeza que expressa a capacidade de empuxo de um combustível de foguete, equivalente à relação entre o empuxo e a quantidade de combustível consumida a cada segundo para produzi-lo

emu (e.*mu*) *sm. Zool.* Representante único das aves da fam. dos dromatídeos (*Dromaius novaehollandiae*) de grande porte, encontrada na Austrália, com asas muito pequenas, que não lhe permitem o voo, e cuja altura chega a 1,5 m [F.: Posv. alt. de *ema*.]

emudecedor (e.mu.de.ce.*dor*) [ô] *a.* **1** Diz-se de que ou quem emudece, que cala ou faz calar; que torna silencioso (faringite emudecedora; dispositivo emudecedor) *sm.* **2** Aquele ou aquilo que emudece, que faz calar, que torna silencioso [F.: *em*^{2}*-* + *-mud(e)* + *-ecer-* + *-dor*.]

emudecer (e.mu.de.*cer*) *v.* Fazer ficar ou ficar mudo, silencioso ou calado [*td.*: *A emoção da despedida a emudeceu.*] [*int.*: *Com a chuva, os telefones emudeceram:* "...emudecia de emoção diante de *O harmônio e o retrato*." (Manual Bandeira, *Prosa esparsa*)] [▶ 33 emudecer] [F.: Do lat. *immutescere* (*in* + *mutescere*).]

emudecido (e.mu.de.*ci*.do) *a.* Que emudeceu, que não fala, que se fez ou está mudo, silencioso [F.: Part. de *emudecer*.]

emudecimento (e.mu.de.ci.*men*.to) *sm.* Ação ou resultado de emudecer, de perder a capacidade de falar, ou de permanecer silencioso, ou de não ter o que dizer: *Diante daquele emudecimento, desistiu de conversar.* [F.: *emudecer* + *-mento*.]

emulação (e.mu.la.*ção*) *sf.* **1** Ação ou resultado de emular(-se) **2** Sentimento de competição em elevado nível ético, que leva alguém a tentar igualar-se a outrem ou superá-lo em mérito **3** Competição, concorrência em elevado nível de ética, de comportamento etc. **4** *Jur.* Sentimento de rivalidade (ou de ciúme, inveja etc.) que leva alguém a recorrer à justiça, sabendo-se sem razão jurídica, só para causar dissabor a outrem **5** *Inf.* Ação e resultado de um programa, um *software*, emular outro, levar aos mesmos resultados deste, ou similares, por caminhos diferentes [Pl.: *-ções*.] [F.: Do lat. *aemulatio, onis*, pelo fr. *émulation*.]

emulador (e.mu.la.*dor*) [ô] *a.* **1** Que emula, que se empenha para igualar ou superar algo ou alguém **2** *Inf.* Diz-se de programa ou dispositivo capaz de emular (3) outro *sm.* **3** Aquilo ou aquele que emula; ADVERSÁRIO; COMPETIDOR **4** *Inf.* Dispositivo, programa etc. designado para fazer com que um computador, programa, sistema etc. emule (3) outro, ou seja, admita as mesmas solicitações e dê os mesmos resultados, ou similares [F.: Do lat. *aemulator*.]

emular (e.mu.*lar*) *v.* **1** Competir ou rivalizar com [*td.*: *Resolveu emular o colega que o desafiou.*] [*tr.* + *com, em*: *Admirador do irmão, emula com ele (em tudo).*] **2** Trabalhar ou contribuir para (objetivo comum) [*tdr.* + *em, por*: *Todos emulam(-se) em ajudar os desabrigados.*] **3** Tomar (algo ou alguém) como exemplo, procurando igualar-se, imitar etc. [*td.*: *Emulava o irmão mais velho, que admirava sem restrições.*] **4** *Inf.* Atuar, desempenhar-se (*software, hardware*) de forma idêntica ou similar a (outros), o que permite sua utilização em lugar deles [*td.*: *Esta planilha emula perfeitamente a sua, e é bem mais barata.*] [▶ 1 emular] [F.: Do lat. *aemulare*. Hom./Par.: *emulo* (fl.), *êmulo* (sm.); *emula* (fl.), *êmula* (fem. de *êmulo*).]

emulatório (e.mu.la.*tó*.ri.o) *a.* **1** Ref. ou inerente a, ou próprio de emulação, de rivalidade (espírito emulatório; ação emulatória); COMPETITIVO; COMPETIDOR **2** *Bras. Inf.* Que serve para emular, que substitui ou se comporta como um determinado programa ou dispositivo [F.: Do lat. *aemulo, āre*, 'imitar'- + *-t-* + *-ório*.]

emulgente (e.mul.*gen*.te) *a2g.* **1** *Med.* Ref. ao que efetua um processo purificante, filtrante ou esvaziador **2** *Anat.* Diz-se dos vasos que pertencem ou levam o sangue aos rins *sm.* **3** *Med.* Agente que aumenta a secreção urinária e a biliar [F.: Do lat. *emulgentis, e*, part.pres.de *emulgē re* 'tirar, extrair'.]

êmulo (*ê*.mu.lo) *a.* **1** Diz-se de quem desenvolve sentimento de emulação por outrem; ANTAGONISTA; COMPETIDOR; RIVAL *sm.* **2** Indivíduo dominado por esse sentimento [F.: Do lat. *aemulus*, pelo fr. *émule*. Hom./Par.: *emulo* (fl. de *emular*).]

emulsão (e.mul.*são*) *sf.* **1** *Quím.* Substância coloidal na qual tanto a substância dispersa (em glóbulos) quanto a dispersora são líquidas **2** Preparado farmacêutico, ger. de uso interno, que contém líquidos de densidades diferentes, um em suspensão no outro **3** Suspensão de halogenetos de prata e outras substâncias em gelatina, numa camada sobre suporte sólido, formando uma superfície impressionável pela luz, base de filmes e chapas fotográficos [Tb. *emulsão fotográfica*.] [Pl.: *-sões*.] [F.: Do lat. *emulsus*, pelo fr. *émulsion*.] ▪ **~ fotográfica** *Fot.* Camada de gelatina com suspensão de halogenetos de prata, impressionável por raios luminosos, que reveste filmes e chapas fotográficos [Tb. apenas *emulsão*.]

emulsificação (e.mul.si.fi.ca.*ção*) *sf. Fís. Quím.* Ação, processo ou resultado de emulsificar, de formar emulsão [Ant.: *desemulsificação*.] [Pl.: *-ções*.] [F.: *emuls(ão)-* + *-ificar* + *-ção*.]

emulsificador (e.mul.si.fi.ca.*dor*) [ô] *Fís. Quím. a.* **1** Emulsificante *sm.* **2** Substância us. para estabilizar uma emulsão [F.: *emuls(ão)-* + *-ificar* + *-dor*.]

emulsificante (e.mul.si.fi.*can*.te) *a2g.* **1** *Fís. Quím.* Diz-se do que emulsifica; EMULSIFICADOR; EMULSIONANTE *s2g.* **2** O que emulsifica [F.: *emulsificar-* + *-nte*. Ideia de 'adj. com noção de agente de ação, estado': *-nte* (*abrangente, ouvinte, seguinte*).]

emulsificar (e.mul.si.fi.*car*) *v. td. Fís. Quím.* Fazer emulsão; EMULSIONAR: *emulsificar óleo.* [▶ 11 emulsificar] [F.: *emuls(ão)-* + *-ificar*.]

emulsionado (e.mul.si:o.*na*.do) *a. Fís. Quím.* Que se emulsionou, que é ou foi objeto de emulsão [F.: *emulsão* + *-ado*^{1}.]

emulsionar (e.mul.si:o.*nar*) *v. td. Fís.Quím.* O mesmo que *emulsificar*: *emulsionar líquidos.* [▶ 1 emulsionar] [F.: *emulsão* (sob o rad. *emulsion-*) + *-ar*^{2}, seg. o mod. erudito.]

emunctório (e.munc.*tó*.rio) *sm. Anat.* Qualquer conduto, abertura ou órgão excretório do organismo animal (intestinos, rins, pulmões etc.), destinado à evacuação de excreções ou humores [F.: Do lat. *emunctus*, part. pass. de *emungere*, 'assoar, despojar, limpar' + *-ório*.]

emurchecer (e.mur.che.*cer*) *v.* Fazer perder ou perder o viço, o frescor; MURCHAR [*td.*: *A seca emurcheceu as plantas.*] [*int.*: *Foi perdendo o ímpeto e afinal emurcheceu; A flor emurcheceu-se.*] [▶ 33 emurchecer] [F.: *em-* + *murcho* + *-ecer*.]

emurchecido (e.mur.che.*ci*.do) *a.* **1** Que emurcheceu; MURCHO **2** Desprovido de viço [F.: Part. de *emurchecer*; *em*^{2}*-* + *-murch(o)* + *-ecer* + *-ido*.]

◎ **en-**^{1} *pref.* = *em-*^{1}: *ensimesmar-se*

◎ **en-**^{2} *pref.* = *em-*^{2}: *engavetar; encestar; ensandecer; encostar*

◎ **-ena** *suf.* = conjunto, intervalo: *quinzena, centena*

enaltação (e.nal.ta.*ção*) *sf.* Ação ou resultado de enaltar [Pl.: *-ções*.] [F.: *enaltar* + *-ção*.]

enaltar (e.nal.*tar*) *v. td. Pus.* Mesmo que *enaltecer*: *Sua história de vida enalta todos nós.* [▶ 1 enaltar] [F.: *en-* + *alto*^{1} + *-ar*^{2}.]

enaltecedor (e.nal.te.ce.*dor*) [ô] *a.* **1** Que enaltece, elogia, exalta: *Deu um parecer enaltecedor. sm.* **2** O que enaltece: *Não se envaideça demais com os elogios dela; é uma enaltecedora incorrigível.* [F.: *enaltecer* + *-dor*. Sin. ger.: *elogiador*. Ant. ger.: *aviltante, insultuoso*.]

enaltecer (e.nal.te.*cer*) *v. td.* **1** Elevar, tornar alto, elevado: *O professor enalteceu a aplicação da turma.* **2** Tornar sublime, admirável; ENGRANDECER; EXALTAR: *A solidariedade enaltece o homem.* [▶ 33 enaltecer] [F.: Do espn. *enaltecer*. Ant.: *desmerecer, desvalorizar*.]

enaltecido (e.nal.te.*ci*.do) *a.* Que se enalteceu; EXALTADO; GLORIFICADO: *Teve sua bondade reconhecida e enaltecida.* [F.: *en*-^{2} + *-alto* + *-ecer* + *-ido*.]

enaltecimento (e.nal.te.ci.*men*.to) *sm.* Ação ou resultado de enaltecer [F.: *enaltecer* + *-mento*.]

enamorado (e.na.mo.*ra*.do) *a.* **1** Que se enamorou, que se apaixonou: "...ele parecia enamorado da voz e das falas da donzela..." (Machado de Assis, *Helena*) [Ant.: *desenamorado*.] *sm.* **2** Aquele que se enamorou [F.: Part. de *enamorar*. Sin. ger.: *apaixonado*.]

enamorar (e.na.mo.*rar*) *v.* **1** Despertar amor (por si mesmo) em, deixar apaixonado; ENCANTAR; ENLEVAR; APAIXONAR [*td.*: *Qualquer coisa enamora os jovens.*] [*tr.* + *de*: *Enamorou-se da vizinha assim que a viu.*] **2** Ficar apaixonado, encantado por (algo ou alguém); APAIXONAR-SE [*int.*: *Assim que a viu, enamorou-se.*] [*tr.* + *de*: *Enamorou-se dele à primeira vista.*] [▶ 1 enamorar] [F.: *en-*^{2} + *amor* + *-ar*^{2}.]

enantina (e.nan.*ti*.na) *sf. Enol.* Substância viscosa a que se atribui o aroma dos vinhos de Bordéus [F.: Rad. do lat. *oenanthe,es* 'cacho ou flor de videira silvestre' < do gr. *oinanthé, és*, 'broto de uva'- + *-ina*.]

◎ **enanti(o)-** *el. comp.* = 'contrário'; 'oposto'; 'inverso': *enantiômero, enantiopatia* [F.: Do gr. *enántios, a, on*.]

enantiômero (e.nan.ti:*ô*.me.ro) *a.* **1** *Quím.* Diz-se de estereoisômero cujas moléculas não se encontram superpostas [Tb. subst.] *sm.* **2** Esse estereoisômero; isômero óptico [F.: *enantio-* + *-mero*.]

enantiopatia (e.nan.ti.o.pa.*ti*.a) *Med. sf.* **1** Método de tratamento que emprega substâncias que produzem sintomas opostos aos da doença **2** Cura de uma doença por indução de outra antagônica a ela [F.: *enanti-* + *-patia*. Cf.: *alopatia* e *homeopatia*.]

enantiopático (e.nan.ti.o.*pá*.ti.co) *a.* **1** *Med.* Ref. ou inerente a, ou próprio de enantiopatia (tratamente enantiopático) **2** Diz-se do agente que atua contrariamente à doença **3** *Fig.* Diz-se do que induz a sensações ou emoções opostas [F.: *enanti-* + *-patia* + *-ico*^{2}.]

enarmonia (e.nar.mo.*ni*.a) *Mús. sf.* **1** Em sistema temperado, relação entre duas notas de som igual e nomes diferentes (como p. ex. o sol sustenido e o lá bemol) **2** Em sistemas não temperados, relação entre duas notas consecutivas diferenciadas entre si apenas por uma coma [F.: Rad. do lat. *enharmonì os,on* ou *enharmonì cus,a,um* 'enarmônico + *-ia*^{1}. Ideia de 'condição ou estado': -ia^1 (*alegria, euforia*). Par.: *inarmonia* (sf.).]

enarmônico (e.nar.*mô*.ni.co) *Mús. a.* **1** Ref. ou inerente à enarmonia **2** Que apresenta enarmonia (escala enarmônica) [F.: Do lat. *enharmonì cus,a,um* ou *enharmonì os,on* 'enarmônico; *en*^{2} + *-harmonia* + *-ico*^{2}. Cf.: *inarmônico*.]

enartrose (e.nar.*tro*.se) *sf. Anat.* Articulação móvel, esférica, constituída por uma eminência óssea arredondada que se encaixa numa cavidade, permitindo movimento em qualquer direção [F.: Do lat. cient. *enarthrosis* < gr. *enárthrosis, eos*, 'ação de articular'; *en-*^{2} + *-artro* + *-ose*^{1}.]

enastrado (e.nas.*tra*.do) *a.* **1** Que se enastrou, que se ornou com fitas ou nastros **2** Entrançado, entrelaçado *sm.* **3** Obra feita com nastros [F.: Part. de *enastrar*; *e*^{2}*-* + *-nastro* + *-ado*^{1}.]

◎ **-ença** *suf.* = ação, condição, estado: *crença, doença, nascença etc.* [F.: Do lat. *-entia*, por via popular. Suf. nom. formador de subst. abstratos a partir de verbos.]

encabar (en.ca.*bar*) *v. td.* **1** Colocar cabo em (algum instrumento): *Encabar um martelo/ uma enxada.* **2** *Fig.* Meter, introduzir (unindo e ajuntando) uma coisa na outra, para formar encaixe **3** *Lus.* Enganar, ludibriar [▶ 1 encabar] [F.: *en-* + *cabo*^{1} + *-ar*^{2}.]

encabeçado (en.ca.be.*ça*.do) *a.* **1** Que está chefiado, liderado, orientado por alguém: *Esta greve não é espontânea, é encabeçada, mas não sabemos quem são os cabeças.* **2** Diz-se de quem lavra por sua conta e risco e se mantém com o fruto de seu trabalho (lavrador encabeçado): *lista encabeçada pelos mais velhos.* **3** *Carp.* Diz-se de tábua cuja extremidade se encaixa em outra, atravessada [F.: Part. de *encabeçar*.]

encabeçamento (en.ca.be.ça.*men*.to) *sm.* **1** Ação ou resultado de encabeçar **2** *Art.gr.* Ornato gráfico (vinheta, gravura) em página inicial de livro (frontispício) ou de capítulo; CABECEL [F.: *encabeçar* + *-mento*.]

encabeçar (en.ca.be.*çar*) *v.* **1** Ser o cabeça, o chefe de (movimento, tarefa, missão, empreendimento etc.); LIDERAR [*td.*: *Mário de Andrade encabeçou o movimento modernista.*] **2** Estar à frente, à testa de [*td.*: *A delegação da Grécia sempre encabeça o desfile inaugural da Olimpíada:* "A região da Barra encabeça a estatística..." (*Jornal do Commercio*, 19.06.2005)] **3** Principiar, abrir, dar início a (conversa, discurso, discussão) [*td.*: *Encabeçou seu discurso citando Shakespeare.*] **4** Introduzir, dar entrada a (livro, texto etc.), com o título, uma ilustração etc. [*td.*: "Os desenhos que encabeçam os capítulos do livro são de Pacheco..." (Manuel Bandeira, *Prosa esparsa*)] **5** Convencer, persuadir [*tdr.* + *a*: *Encabeçou a família a comprar um carro.*] **6** Unir (duas coisas) pelo topo [*td.*: *encabeçar pastas.*] **7** Remendar com pedaços novos na parte superior ou nos extremos [*td.*: *encabeçar meias.*] **8** Determinar o valor e/ou o credor de (um tributo) [*td.*] [▶ 12 encabeçar] [F.: *en-*^{2} + *cabeça* + *-ar*^{2}.]

encabelar (en.ca.be.*lar*) *v.* **1** Criar cabelo [*int.*: *A criança encabelou cedo.*] **2** Cobrir-se de pelo novo [*int.*] [▶ 1 encabelar] [F.: *en-* + *cabelo* + *-ar*^{2}.]

encabrestado (en.ca.bres.*ta*.do) *a.* **1** Diz-se do que tem cabresto **2** Diz-se de animal colocado, preso no cabresto **3** *Fig.* Que está subjugado, submetido (voto encabrestrado) [F.: Part de *encabrestar*; *en*^{2}*-* + *-cabresto* + *-ado*^{1}. Ant. ger.: *desencabestrado*.]

encabrestar (en.ca.bres.*tar*) *v.* **1** Pôr cabresto em (cavalgadura) [*td.*] **2** *Fig.* Exercer domínio sobre ou sofrer domínio, dominação; subjugar ou ser subjugado; DOMINAR [*td.*: *encabrestar o eleitor; encabrestar o voto:* "... o verbo é esse, encabrestar. Encabrestar significa dominar. Por que o nosso país está encabrestado?" (José Alencar Gomes da Silva – Vice-Presidente da República, "Discurso" *in bndes.gov.br*)] [*int.*: *Encabrestou-se ao aceitar o apoio do seu desafeto.*] [▶ 1 encabrestar] [F.: *en-* + *cabresto* + *-ar*^{2}.]

encabulação (en.ca.bu.la.*ção*) *sf.* **1** Ação ou resultado de encabular(-se); ACANHAMENTO; ENCABULAMENTO; TIMIDEZ [Ant.: *desembaraço, desencabulação*.] **2** Sentimento de vergonha, constrangimento etc., associado a timidez [Pl.: *-ções*.] [F.: *encabular* + *-ção*.]

encabulado (en.ca.bu.*la*.do) *a. Bras.* Que se encabulou; que ficou acanhado, com vergonha; ENVERGONHADO; INIBIDO; TÍMIDO [Ant.: *descontraído, desinibido*.] [F.: Part. de *encabular*.]

encabulamento (en.ca.bu.la.*men*.to) *sm.* **1** Ação ou resultado de encabular(-se) **2** Falta de desembaraço; TIMIDEZ [F.: *en*-^{2} + *cábula* + *-ar*^{2} + *-mento*.]

encabular (en.ca.bu.*lar*) *v.* **1** Fazer ficar ou ficar envergonhado, acanhado, sem jeito; ACANHAR; ENVERGONHAR [*td.*: *A pergunta indiscreta encabulou a moça.*] [*int.*: *Ao* *ser elogiado, o menino encabulou(-se).* Ant.: *desencabular.*] **2** Trazer má sorte a; AZARAR; ENCAIPORAR [**td.**] **3** Deixar preocupado, intrigado, inquieto; INQUIETAR [**td.**: *O comportamento da menina encabulava os pais.*] **4** Causar ou sentir aborrecimento, irritação; ABORRECER; AGASTAR; IRRITAR [**td.**: *O repórter encabulou o deputado com perguntas provocadoras.*] [**int.**: *Na terceira provocação, o entrevistado encabulou(-se) e saiu da sala.*] [▶ 1 encabular] [F.: *en-*[2] *+ cábula (3) + -ar*[2].]

encaçapado (en.ca.ça.*pa*.do) ***a.*** **1** Que foi colocado em caçapa (diz-se de bola de sinuca) **2** *Bras. Fig. Pop.* Que foi surrado, espancado [F.: Part. de *encaçapar.*]

encaçapar (en.ca.ça.*par*) ***v. td.*** **1** Fazer com que (bola de sinuca) caia na caçapa; MATAR **2** *Bras. Pop.* Bater, dar surra, coça em: *Irritou-se, perdeu o controle e encaçapou o primo.* [▶ 1 encaçapar] [F.: *en-*[2] *+ caçapa + -ar*[2].]

encachaçado (en.ca.cha.*ça*.do) ***a.*** **1** *Bras.* Embriagado com cachaça; BÊBADO; ÉBRIO [Ant.: *sóbrio*] **2** *Bras. Fig.* Apaixonado, enfeitiçado, enrabichado [F.: Part. de *encachaçar*(-se); *en-*[2] *+ -cachaç(a) + -ado*[1].]

encachaçar (en.ca.cha.*çar*) ***v. td.*** **1** *Bras.* Embriagar(-se) com cachaça: *Encachaçou o amigo; Entrou no botequim para encachaçar-se.* **2** *Fig.* Enfeitiçar-se, enrabichar-se: *Encachaçou-se pela morena.* [▶ 12 encachaçar] [F.: *en- + cachaça + -ar.*]

encachoeirado (en.ca.cho.ei.*ra*.do) ***a.*** **1** Que tem cachoeiras, ou quedas d'água (rio encachoeirado) **2** *P.ext.* Similar a cachoeira: *O líquido jorrava encachoeirado do tonel.* [F.: *en-*[2] *+ -cachoeir(a) + -ado*[1].]

encachoeirar (en.ca.cho.ei.*rar*) ***v.*** Converter(-se) em cachoeira [**td.**] [**int.**] [▶ 1 encachoeirar] [F.: *en- + cachoeira + -ar*[2].]

encachorrado (en.ca.chor.*ra*.do) ***a.*** **1** *Bras. Pop.* Diz-se de quem 'solta os cachorros', que é ou está enfurecido; ENCOLERIZADO; RAIVOSO **2** Que manifesta agressividade [F.: *en-*[2] *+ -cachorro + -ado*[2].]

encachorrar (en.ca.chor.*rar*) ***v. td.*** Manter (um peixe fisgado dentro da água), para que os demais peixes do cardume não se afastem, e se possa, desta forma, tentar capturar outros espécimes do mesmo cardume [▶ 1 encachorrar] [F.: *en- + cachorro + -ar*[2].]

encadeado (en.ca.de.*a*.do) ***a.*** **1** Preso, ligado por cadeia(s); AGRILHOADO **2** Preso, cativado, sujeitado **3** Diz de elemento(s) de um conjunto de elementos em série, cada um ligado a outro como os elos de uma cadeia (pensamentos encadeados) [F.: Part. de *encadear.* Sin. ger.: *desencadeado.*]

encadeamento (en.ca.de.a.*men*.to) ***sm.*** **1** Ação ou resultado de encadear **2** Disposição de coisas ou fatos de forma sequencial, encadeada ou conexa; SEQUÊNCIA; SÉRIE: *Naquele domingo, houve um encadeamento de acasos maléficos.* **3** Dependência ou relação entre duas coisas homogêneas ou conexas; CONCATENAÇÃO; CONEXÃO **4** *Liter.* Em poesia, recurso que consiste em fazer aparecer uma rima, palavra ou fonema de um verso ou estrofe no verso ou estrofe seguinte [F.: *encadear + -mento.*]

encadear (en.ca.de.*ar*) ***v.*** **1** *Fig.* Ligar(-se) ordenadamente, em série, cada ocorrência ou elemento ao seguinte, como os elos de uma cadeia [**td.**: *encadear os pensamentos.*] [**tr. + a, com**: *As músicas encadeavam-se às lembranças.*] [**int.**: "E tantos erros, somados, terminam se encadeando" (*Jornal do Commercio, 22.04.2005*)] **2** Prender com cadeia, corrente; AGRILHOAR; ACORRENTAR [**td.**: *encadear os fugitivos.*] [**tdr. + a, em**: *encadear ao muro os criminosos.* Ant.: *desacorrentar, desencadear.*] **3** Limitar ou impedir o movimento de, prender, sujeitar [**td.**] [▶ 13 encadear] [F.: *en-*[2] *+ cadeia + -ar*[2].]

encadernação (en.ca.der.na.*ção*) ***sf.*** **1** Ação ou resultado de encadernar **2** *Enc.* Fase de acabamento que consiste na operação de revestir com capa (dura ou flexível) o conjunto de folhas ou de cadernos que constitui um livro **3** *P.ext.* Cobertura formada por dois pedaços de papelão, uma lombada e pelo material de revestimento (tecido, couro, papel etc.) posta em livros; a capa de livro encadernado (encadernação luxuosa) **4** *P.ext.* Livro encadernado: *O peso das grossas encadernações envergou a prateleira da estante.* **5** *P.ext.* Oficina, lugar ou setor de encadernação (2) **6** *Fig. Pop. P.us.* Vestuário: *Anda com encadernação nova.* [Pl.: *-ções.*] [F.: *encadernar + -ção.*]

encadernado (en.ca.der.*na*.do) ***a.*** **1** Que se encadernou (livro encadernado) **2** Diz-se de exemplares (revistas, papéis, folhetos etc.) reunidos em um volume que se encaderna (1, 2) com uma capa ger. dura (revistas encadernadas) ***sm.*** **3** Livro que agrupa alguns exemplares de um periódico: *O encadernado reúne oito números da revista do Super-Homem.* [F.: Part. de *encadernar.*]

encadernador (en.ca.der.na.*dor*) [ô] ***a.*** **1** Que encaderna (máquina encadernadora) [Ant.: *desencadernador.*] ***sm.*** **2** Indivíduo que trabalha em oficina encadernação **3** Quem faz artesanalmente encadernações, inclusive artísticas [F.: *encadernar + -dor.*]

encadernar (en.ca.der.*nar*) ***v. td.*** **1** Reunir (folhas, papéis, impressos etc.) formando caderno(s): *Encadernou e encapou todas as suas provas escritas.* **2** *Art.gr.* Reunir folhas impressas ou desenhadas, ger. dispostas em cadernos, enfeixando-as pelo dorso e recobrindo-as com capa [Ant.: *desencadernar.*] **3** Revestir (às vezes, artisticamente) livro ou brochura com capa rígida revestida de couro, pano ou material sintético, para melhor manuseio e maior duração **4** *Fig. Pop.* Vestir (inclusive si mesmo) com roupa nova ou vistosa, chique: *Encadernou-se para ir à festa.* [▶ 1 encadernar] [F.: *en-*[2] *+ caderno + -ar*[2].]

encafifado (en.ca.fi.*fa*.do) ***a.*** **1** Encabulado, envergonhado; INTROVERTIDO; TÍMIDO **2** Diz-se de quem demonstra aborrecimento; DESGOSTOSO **3** Fracassado, que não obteve sucesso [F.: Part. de *encafifar; en-*[2] *+ -cafife + -ado*[1+].]

encafifar (en.ca.fi.*far*) *Bras. Pop.* ***v.*** **1** Fazer ficar ou ficar intrigado, preocupado, cismado; INTRIGAR(-SE) [**td.**: *As suspeitas encafifaram o comerciante.*] [**int.**: *Ao ler o memorando, encafifou(-se), pensando nas possíveis consequências.*] **2** Fazer ficar ou ficar envergonhado, acanhado, encabulado; ENCABULAR(-SE) [**td.**: *O berreiro da filha no restaurante encafifou a mãe.*] [**int.**: *Muito tímido, no jantar encafifou(-se) e emudeceu.*] **3** Fazer sentir ou sentir desgosto, contrariedade, aborrecimento; ABORRECER; MORTIFICAR [**td.**: *As más notícias a encafifaram.*] [**int.**: *Ao ler o péssimo relatório do semestre, encafifou(-se).*] **4** Meter teimosamente na cabeça (ideia, projeto etc.); CISMAR; ENCASQUETAR [**int.**: *Encafifou que queria comprar um sítio, e comprou.*] **5** Não ter ou obter êxito [**int.**] [▶ 1 encafifar] [F.: *en-*[2] *+ cafife + -ar*[2].]

encafuado (en.ca.fu.*a*.do) ***a.*** **1** Metido em cafua **2** Escondido, oculto [F.: Part. de *encafuar; en-*[2] *+ -cafu(a) + -ado*[1].]

encafuar (en.ca.fu.*ar*) ***v. td.*** **1** Entrar ou meter em cafua, caverna, buraco etc.; ENCAFURNAR [**td.**] [**int.**] **2** Esconder(-se), ocultar(-se) [**td.**: *Encafuou o livro e agora não o encontra; Encafuou-se para fugir do irmão.*] [**tda.**: *Encafuou o dinheiro em lugar inacessível; Encafuou-se dentro do armário.*] [▶ 1 encafuar] [F.: *en- + cafua + -ar*[2].]

encaibrar (en.cai.*brar*) ***v. td.*** Colocar caibros em (construção): *encaibrar uma edificação.* [▶ 1 encaibrar] [F.: *en- + caibro + -ar*[2].]

encaiporar (en.cai.po.*rar*) *Bras.* ***v.*** **1** Tornar(-se) caipora, azarado [**td.**: *Dizem que certos malefícios podem encaiporar uma pessoa.*] [**int.**: *Segundo ele, teria se encaiporado ao passar debaixo da escada.*] **2** Ficar chateado [**int.**: *Encaiporou-se ao vê-la com outro.*] [**tr. + com**: *Encaiporou-se com a notícia ruim.*] [▶ 1 encaiporar] [F.: *en- + caipora + -ar*[2].]

encaixado (en.cai.*xa*.do) ***a.*** **1** Que se encaixou **2** Metido ou recolhido em caixa ou encaixe **3** *Mec. Tec.* Diz-se de peça metida em outra apta a recebê-la (engrenagem encaixada) **4** *Ling.* Diz-se de elemento que foi incluído em outro numa determinada estrutura sintática (palavra/frase encaixada; raciocínio encaixado) **5** *Fig.* Colocado entre outras coisas ou pessoas (encaixado no conjunto/no curso); INTERCALADO; INSERIDO; INCLUÍDO **6** *Com.* Diz-se de dinheiro colocado em caixa [F.: Part. de *encaixar; en-*[2] *+ -caix(a) + -ado*[1]. Ant. ger.: *desencaixado.*]

encaixamento (en.cai.xa.*men*.to) ***sm.*** **1** Ação ou resultado de encaixar(-se) **2** Operação de encaixar ou de meter em caixas **3** *Mec. Tec.* Operação de meter uma peça em outra **4** *Ling.* Construção gramatical em que um elemento (p. ex. uma oração subordinada) é encaixado em outro (p. ex. uma oração principal) **5** *Fig.* Ação de incluir, de fazer a inserção de pessoas ou coisas **6** *Com.* Entrada de dinheiro em caixa [F.: *en-*[2] *+ -caix(a) + -mento.* Ant. ger.: *desencaixamento.*]

encaixar (en.cai.*xar*) ***v.*** **1** Enfiar uma peça em outra, usando partes que se ajustam de uma na outra; INTRODUZIR [**td.**: *Encaixou bem a tomada e ligou o aparelho.*] [**tdr. + em**: *Encaixou uma peça do quebra-cabeças na outra.*] [**int.**: *Essas peças não (se) encaixam.*] **2** *Fig.* Incluir (algo ou alguém, inclusive si mesmo) em meio a outras coisas ou pessoas; INSERIR [**td.**: *Apesar de a agenda do médico estar cheia, a secretária encaixou o paciente.*] [**tdr. + em**: *Encaixou no discurso a citação de Sartre.*] **3** Ajustar-se perfeitamente (a local, ocasião, oportunidade etc.); AJUSTAR; AMOLDAR [**int.**: *Experimentou no anular a aliança, e ela encaixou facilmente.*] [**tr. + em**: *O aparte encaixou perfeitamente na linha do discurso.*] **4** Ser compatível, consoante, concordante com; ADEQUAR-SE; CALHAR [**tr. + com**: *O tipo físico da atriz encaixa bem com a personagem; Seus argumentos não (se) encaixam (encaixam uns com outros).*] **5** *Pop.* Introduzir (a si mesmo) em algo que não lhe diz respeito; INTROMETER; INTERFERIR [**tr. + em**: *Não fora convidado, mas encaixou-se na excursão.*] **6** *Fut.* Agarrar o goleiro firmemente (a bola), apertando-a contra o corpo [**td.**] [**int.**] **7** Recolher em caixa ou caixote; ENCAIXOTAR [**td.**: *encaixar livros para a mudança.*] [▶ 1 encaixar] [F.: *en-*[2] *+ caixa + -ar*[2]. Hom./Par.: *encaixe* (fl.), *encaixe* (sm.), *encaixes* (fl.), *encaixes* (pl. de *encaixe*, sm.) Ant. ger.: *desencaixe.*]

encaixável (en.cai.*xá*.vel) ***a.*** **1** Que pode ser encaixado **2** Que pode ser metido ou recolhido em caixa ou encaixe **3** *Ling.* Ref. a elemento que pode ser incluído em outro dentro de uma estrutura sintática **4** *Fig.* Que pode ser colocado entre outras coisas ou pessoas; INCLUÍVEL; INSERÍVEL **5** *Com.* Diz-se de dinheiro que pode ser recolhido em caixa [F.: *en-*[2] *+ -caixa + -vel.*]

encaixe[1] (en.*cai*.xe) ***sm.*** **1** Ação ou resultado de encaixar(-se) **2** Cavidade ou vão destinado a receber uma peça esp. moldada ou feita para ocupar esse espaço **3** Ponto onde se faz a junção de duas peças; JUNTURA **4** *Enc.* Ponto de junção entre os papelões da capa e a lombada curva do corpo do livro **5** *Gram.* Inserção de uma frase em outra; ENCAIXAMENTO **6** *Gram.* A frase inserida no encaixe (5) **7** *Esp.* Em futebol, defesa em que o goleiro abraça a bola contra o peito [F.: Dev. de *encaixar.* Hom./Par.: *encaixe* (sm.), *encaixe* (fl. de encaixar), *encache* (fl. de *encachar* e sm.).]

encaixe[2] (en.*cai*.xe) ***sm.*** **1** Disponibilidade em dinheiro; a quantia de que se dispõe; CAIXA **2** *Bras. Econ.* Recurso financeiro existente em bancos, originário de depósitos de correntistas e mantido à disposição para empréstimos ou outras operações [F.: Posv. do ing. (*in*) *cash.* Hom./Par.: *encaixe* (fl. de encaixar); *encache* (fl. de enchachar e sm.). Ant. ger.: *desencaixe.*]

encaixilhado (en.cai.xi.*lha*.do) ***a.*** **1** Metido ou recolhido em caixilho(s) **2** Guarnecido de caixilho(s) (fotografia encaixilhada); ENQUADRADO; EMOLDURADO [F.: Part. de *encaixilhar; en-*[2] *+ -caixilh(o) + -ado*[1].]

encaixilhar (en.cai.xi.*lhar*) ***v. td.*** **1** Colocar (algo) em caixilhos **2** Enquadrar, emoldurar: *encaixilhar desenhos/fotografias.* [▶ 1 encaixilhar] [F.: *en- + caixilho + -ar*[2].]

encaixotado (en.cai.xo.*ta*.do) ***a.*** Metido, guardado, acondicionado ou recolhido em caixote ou caixa [Ant.: *desencaixotado*] [F.: Part. de *encaixotar; en-*[2] *+ -caixot(e) + -ado*[1].]

encaixotador (en.cai.xo.ta.*dor*) ***a.*** **1** Diz-se de que ou quem encaixota ou faz encaixotamento de mercadorias, materiais, coisas, objetos, etc. (máquina encaixotadora; funcionário encaixotador) ***sm.*** **2** Indivíduo que encaixota mercadorias (encaixotador de frutas/de louça) [F.: *en-*[2] *+ -caixot(e) + -ar*[2] *+ -dor.*]

encaixotamento (en.cai.xo.ta.*men*.to) ***sm.*** Ação ou resultado de encaixotar, de pôr algo dentro de caixa ou caixote [F.: *encaixotar + -mento.* Ant.: *desencaixotamento.*]

encaixotar (en.cai.xo.*tar*) ***v. td.*** **1** Colocar dentro de caixa ou caixote; ENCAIXAR: *Encaixotou todas as suas coisas para a mudança.* [Ant.: *desencaixotar.*] **2** *Fig.* Acomodar (a si mesmo) em lugar fechado e estreito, como um caixa: *Correu para a cabine telefônica, encaixotou-se lá e não saiu de lá por meia hora.* [▶ 1 encaixotar] [F.: *en-*[2] *+ caixote + -ar*[2].]

encalacrado (en.ca.la.*cra*.do) ***a.*** Que se encalacrou; que se meteu em situação difícil (ou perigosa), em aperto, esp. financeiro [F.: Part. de *encalacrar.* Ant.: *desencalacrado.*]

encalacramento (en.cra.la.ca.*men*.to) ***sm.*** Ação ou resultado de encalacrar(-se), de meter-se em dificuldades; ENCALACRAÇÃO [F.: *en-*[2] *+ calacre + -ar*[2] *+ -mento.*]

encalacrar (en.ca.la.*crar*) ***v. td.*** *Pop.* Pôr, meter (alguém, inclusive si mesmo) em situação difícil (ger. financeira): *O que o encalacrou foi o cartão de crédito; Viciado em jogo, encalacrava-se mais e mais.* [▶ 1 encalacrar] [F.: *en-*[2] *+ calacre + -ar*[2]. Ant.: *desencalacrar.*]

encalcar (en.cal.*car*) ***v. td.*** **1** Tapar as juntas de (peças metálicas) **2** *N.E. Pop.* Apertar, calcar [▶ 11 encalcar] [F.: *en- + calcar*[1].]

encalçar (en.cal.*çar*) ***v. td.*** Ir no encalço de; perseguir de perto: *A tropa encalçava pistoleiros.* [▶ 12 encalçar] [F.: Do lat. **incalciare.* Hom./Par.: *encalço* (fl.), *encalço* (s.m.).]

encalço (en.*cal*.ço) ***sm.*** **1** Ação de encalçar, de seguir de perto algum indivíduo ou animal (que foge ou que vai adiante) **2** Vestígio, pegada, pista [F.: Dev. de *encalçar.* Hom./Par.: *encalço* (sm.), *encalço* (fl. de *encalçar*).] ■■ **No ~ de 1** Em perseguição a (acompanhando pistas, rastos etc.): *A polícia saiu no encalço do fugitivo.* **2** Em perseguição a (tentando alcançar em competição etc.): *O Milan se mantém no encalço do Juventus.* **Ir ao ~ de** Perseguir, seguindo atrás, seguindo pista: *O guarda foi ao encalço do ladrão.*

encalhado (en.ca.*lha*.do) ***a.*** **1** Que encalhou **2** *Mar.* Diz-se de embarcação varada em lugar de pouca água, à beira-mar ou à margem de um rio (navio encalhado) **3** *P.ext.* Que tem seu deslocamento interrompido por algum obstáculo (baleia encalhada) **4** *Fig.* Embaraçado, empatado, sem solução **5** *Fig.* De andamento, evolução ou resolução morosa, difícil ou complicada (processo encalhado) **6** *Bras. Fig.* Diz-se de mercadoria que não vende bem e que se acumula no estoque, na distribuidora etc. **7** *Bras. Fig. Pop.* Diz-se de pessoa que não se casou ou que há muito tempo não se relaciona emocionalmente com alguém ***sm.*** **8** *Bras. Fig. Pop.* Indivíduo encalhado (7) [F.: Part. de *encalhar.* Ant. nas acps. 1 a 3 e 6: *desencalhado.*]

encalhar (en.ca.*lhar*) ***v.*** **1** Reter ou ficar retido (diz-se de embarcação ou animal marinho) [**td.**: *Mau piloto que era, encalhou o barco.*] [**int.**: *Foi num recife que a baleia encalhou.*] **2** *Fig.* Não progredir ou continuar progredindo [**int.**: *Minha escola de samba encalhou no segundo grupo.*] **3** *Fig.* Não vender de acordo com o previsto ou esperado [**int.**: *A julgar pela crítica, o disco talvez encalhe.*] **4** *Gír.* Não conseguir casar-se; ficar solteiro [**int.**: *Meu tio tanto fez que encalhou.*] [▶ 1 encalhar] [F.: Do espn. *encallar.* Ant. ger.: *desencalhar.* Hom./Par.: *encalhe* (fl.), *encalhe* (sm.).]

encalhe (en.*ca*.lhe) ***sm.*** **1** Ação ou resultado de encalhar **2** Interrupção no andamento de algo **3** Conjunto de mercadorias que não foram vendidas: *O encalhe trouxe prejuízo ao feirante.* [F.: Dev. de *encalhar.* Ant. nas acps. 1 e 2: *desencalhe.* Hom./Par.: *encalhe* (sm.), *encalhe* (fl. de *encalhar*).]

encalistrado (en.ca.lis.*tra*.do) ***a.*** **1** Que (se) encalistrou **2** Que é ou se tornou inibido, envergonhado, encabulado; TÍMIDO [Ant.: *desinibido*] **3** Que é teimoso, birrento [F.: Part. de *encalistrar; en-*[2] *+ -calistr(o) + -ado*[1].]

encalistrar (en.ca.lis.*trar*) ***v.*** **1** *Bras.* Envergonhar(-se), encabular(-se) [**td.**: *Sua indiscrição encalistrou o amigo.*] [**int.**: *Encalistrou-se sem razão.*] **2** *Fig.* Teimar de maneira obstinada [**int.**] [▶ 1 encalistrar] [F.: De *encalistar*, com epêntese.]

encalombado (en.ca.lom.*ba*.do) ***a.*** **1** Que se encheu de calombos (asfalto encalombado) **2** Empolado, inchado (pele encalombada) [F.: Part. de *encalombar; en-*[2] *+ -calomb(o) + -ado*[1].]

encalombar (en.ca.lom.*bar*) ***v. int.*** *Bras.* Criar calombo; EMPOLAR; ENCAROÇAR: *Depois da queda, sua testa encalombou.* [▶ 1 encalombar] [F.: *en- + calombo + -ar*[2].]

encalorado (en.ca.lo.*ra*.do) *a.* Que está com muito calor; ACALORADO; CALORENTO [F.: *en-*[2] + *calor* + *-ado*[1].]

encambitar (en.cam.bi.*tar*) *Bras. v.* **1** Dar giro sobre os cambitos, sobre as pernas; girar o corpo [*int.*] **2** Levantar a cauda (o cavalo) durante a marcha [*int.*: *Durante o passeio a égua encambitou.*] **3** Correr em perseguição de alguém, de um animal, de algo que se movimenta [*int.*] **4** *MG* Erguer (uma rês) pelo rabo [*td.*] [▶ 1 encambit**ar**] [F.: *en-*[1] + *cambito* + *-ar*[2].]

encaminhado (en.ca.mi.*nha*.do) *a.* **1** Que se encaminhou, que se pôs no caminho **2** Que foi conduzido ou levado a algum lugar (encaminhado à escola) **3** Entregue aos trâmites, posto em andamento (processo encaminhado) **4** *Fig.* Conduzido ao melhor, ao bom caminho; ACONSELHADO; GUIADO; ORIENTADO: *Os filhos devem ser encaminhados pelos pais.* **5** Enviado, endereçado (ofício encaminhado) [F.: Part. de *encaminhar; en-*[2] + *-caminh(o)* + *-ado*[1].]

encaminhamento (en.ca.mi.nha.*men*.to) *sm.* **1** Ação ou resultado de encaminhar(-se) **2** *Jur.* Ação de envio e tramitação de processo para seguir seu curso normal [F.: *en-*[2] + *caminh(o)* + *-ar*[2] + *-mento*.]

encaminhar (en.ca.mi.*nhar*) *v.* **1** Ensinar ou mostrar o trajeto a; pôr a caminho; CONDUZIR; GUIAR [*td.*: *Não sabiam a que seção dirigir-se, até que o inspetor os encaminhou.*] [*tda.*: *A aeromoça encaminhou os passageiros ao portão de embarque.*] **2** Providenciar que siga pelos canais competentes (proposta, processo etc.) [*td.*: *A secretária encaminhou o pedido.*] [*tdi.* + *a*: *Os alunos vão encaminhar um abaixo-assinado ao diretor.* Ant.: *desencaminhar, desviar.*] **3** Fazer avançar em certa direção [*td.*: *Soube encaminhar bem a conversa.*] **4** Prover orientação moral a [*td.*: *É tarefa do padre encaminhar os fiéis.* Ant.: *corromper, desencaminhar, perverter.*] **5** *Fig.* Fazer seguir (determinada orientação); INDUZIR; LEVAR [*tdr.* + *a, para*: *Tudo o encaminhava para o crime.*] **6** Dispor-se, determinar-se [*tr.* + *a*: *A assembleia encaminhava-se a votar contra a greve.*] [▶ 1 encaminh**ar**] [F.: *en-*[2] + *caminho* + *-ar*[2].]

encamisado (en.ca.mi.*sa*.do) *a.* **1** Vestido com camisa **2** Revestido interiormente (cilindro de motor, cano de adução etc.) *sm.* **3** *Bras.* Mascarado vestido de uma grande camisa **4** Cavaleiro de uma encamisada (folguedo popular) [F.: Part. de *encamisar.*]

encampação (en.cam.pa.*ção*) *sf.* **1** Ação ou resultado de encampar **2** Apropriação (mediante indenização) de empresa privada pela administração pública **3** *Jur.* Rescisão de um contrato de arrendamento ou concessão, com a volta da coisa arrendada ou concedida a seu proprietário **4** *Jorn.* Uso (em título ou notícia) de ideia, teoria etc. sem atribuir a autoria a alguém e, por esse motivo, a responsabilidade passa a ser da pessoa que escreveu ou da empresa que veiculou a matéria [Pl.: *-ções.*] [F.: *encampar* + *-ção.*]

encampado (en.cam.*pa*.do) *a.* **1** *Jur.* Que teve contrato de arrendamento rescindido, cancelado ou anulado **2** Entregue por lesão de interesse; DEVOLVIDO; RESTITUÍDO **3** Diz-se de empresa tomada pelo Governo por meio de acordo específico, com indenização ao concessionário **4** *Fig.* Encoberto, disfarçado (passado encampado) [Ant.: *revelado*] [F.: Part. de *encampar; en-*[2] + *-camp(o)* + *-ado*[1] Ideia de 'transformação,' en[2]-, em[2]- (*engavetar, encostar, entristecer; embicar, empanar*).]

encampar (en.cam.*par*) *v.* **1** *Bras.* Apropriar-se (a administração pública) de uma empresa privada pagando indenização [*td.*: *O governo deve encampar todas as empresas de ônibus.*] **2** *Fig.* Adotar ou apoiar (ideia, projeto etc.) [*td.*: "Guerra encampou a retomada da ferrovia como um das suas bandeiras." (*Jornal do Commercio, 02.12.2003*)] **3** *Jur.* Anular contrato de arrendamento [*td.*] **4** Passar por venda ou outro ajuste com prejuízo do comprador [*tdi.* + *a*: *Encamparam-lhe um terreno desvalorizado.*] [▶ 1 encamp**ar**] [F.: *en-*[2] + *campo* + *-ar*[2].]

encanação[1] (en.ca.na.*ção*) *sf.* Ação ou resultado de encanar[1], de colocar ou pôr em canos; ENCANAMENTO [Pl.: *-ções.*] [F.: *encanar*[1] + *-ção.*]

encanação[2] (en.ca.na.*ção*) *sf. Bras. Gír.* Ação ou resultado de encanar[3], de preocupar-se ou cismar com algo [Pl.: *ções.*] [F.: *encanar*[3] + *-ção.*]

encanado[1] (en.ca.*na*.do) *a.* **1** Fornecido e distribuído por canos (água encanada; gás encanado); CANALIZADO [Ant.: *desencanado.*] **2** Diz-se do ar circulante entre duas aberturas *sm.* **3** *Bras.* Estreitamento numa correnteza; trecho de um rio onde a largura normal sofre uma grande e repentina redução; ANGUSTURA [F.: Part de *encanar*[1].]

encanado[2] (en.ca.*na*.do) *a.* Diz-se de osso fraturado que, para se soldar, foi colocado entre talas ou gesso: "Cabeças envoltas em tiras sanguinolentas; braços partidos, em tipoias; pernas encanadas, em talas, rigidamente estendidas..." (Euclides da Cunha, *Os sertões*) [F.: Part. de *encanar*[2].]

encanado[3] (en.ca.*na*.do) *Bras. Gír. a.* **1** Que entrou em cana[3]; que foi metido na cadeia; PRESO **2** Que ficou cismado ou preocupado com algo [F.: Part. de *encanar*[3].]

encanador (en.ca.na.*dor*) [ô] *Bras. sm.* Indivíduo que assenta ou conserta os encanamentos de água, esgoto e gás na construção de casas, edifícios etc., ou que instala ou conserta pias, lavatórios, aparelhos sanitários etc. [F.: *encanar*[1] + *-dor*. Sin.: *bombeiro, bombeiro hidráulico. Lus. canalizador.*]

encanamento (en.ca.na.*men*.to) *sm.* **1** Ação ou resultado de encanar[1] **2** Rede de canos para gás, água ou esgoto; TUBULAÇÃO [F.: *encanar*[1] + *-mento.*]

encanar[1] (en.ca.*nar*) *v. td.* Instalar rede de canalização ou tubulação para conduzir água, esgoto, gás etc.; CANALIZAR: *Precisavam encanar a água das chuvas.* [▶ 1 encan**ar**] [F.: *en-*[1] + *cano* + *-ar*[2]. Hom./Par.: *encano* (fl.), *incano* (a.).]

encanar[2] (en.ca.*nar*) *v.* **1** *Med.* Colocar talas em (osso fraturado); ENTALAR [*td.*: *encanar a perna.*] **2** Passar a apresentar forma ou aspecto de cana [*int.*: *O milharal já encanou.*] [▶ 1 encan**ar**] [F.: *en-*[1] + *cana*[1] + *-ar*[2].]

encanar[3] (en.ca.*nar*) *v.* **1** *Bras. Gír.* Pôr na cadeia, na prisão; ENCARCERAR [*td.*: *Já encanaram o trambiqueiro?*] **2** Preocupar-se demais com algo [*tr.* + *com*: *Encanava com as críticas que recebia.*] [*int.*: *Vê se não encana, pois tudo se resolve no final!*] [▶ 1 encan**ar**] [F.: *en-*[1] + *cana*[3] + *-ar*[2].]

encandeado (en.can.de.*a*.do) *a.* **1** Diz-se do peixe ou da caça atraída com o candeio **2** *Fig.* Atraído, deslumbrado, estonteado (encandeado pela alvorada/pelo brilho das estrelas); FASCINADO [F.: Part. de *encandear; en-*[2] + *-candei(o)* + *-ado*[1]. Ideia de 'transformação' *en*[2]*-*, *em*[2]*-* (*engavetar, encostar, entristecer; embicar, empanar*).]

encandear (en.can.de.*ar*) *v.* **1** Cegar (o peixe) para ofuscá-lo e atraí-lo com o candeio [*td.*] **2** Causar turvação, ofuscamento [*td.*: *O clarão provocado pela explosão encandeou todos nós.*] [*int.*: *O sol encandeava.*] **3** *Fig.* Provocar deslumbramento, encantamento ou deslumbrar-se, encantar-se [*td.*: *As palavras do jovem líder encandearam a multidão.*] [*int.*: *Seu talento tinha o poder de encandear.*] [*tr.* + *com*: *A multidão encandeou-se com as palavras da lenda do rock.*] [▶ 13 encand**ear**] [F.: *en-*[1] + *candeio* + *-ar*[2].]

encanecer (en.ca.ne.*cer*) *v.* **1** Tornar(-se) (o cabelo) branco ou grisalho [*td.*: *Os problemas encaneceram os cabelos do operário.*] [*int.*: *Sua pele perdeu o viço e o cabelo encaneceu.*] **2** *Fig.* Fazer perder ou perder, ou reduzir(-se) a vitalidade; debilitar(-se), envelhecer; ENVELHECER [*td.*: *A viuvez encanecera-o.*] [*int.*: *A professora nos disse que sua alma encanecera.*] [▶ 33 encan**ecer**] [F.: Do lat. *incanescere.*]

encanecido (en.ca.ne.*ci*.do) *a.* **1** Que tem cãs; GRISALHO **2** Tornado gradativamente branco (cabelos encanecidos) **3** *P.ext.* Envelhecido (encanecido pelo sofrimento/pelo passar dos anos): *encanecido com o passar dos anos.* [Ant.: *rejuvenescido.*] [F.: Part. de *encanecer*; do lat. *incanescere-* + *-ado*[1].]

encangado (en.can.*ga*.do) *a.* **1** Posto na canga (diz-se de animal de parelha ou carga); JUNGIDO **2** *Fig.* Dominado, oprimido, subjugado [F.: *en-*[2] + *-cang(a)* + *-ado*[1]. Ideia de '*transformação*', *en*[2]*-*, *em*[2]*-* (*engavetar, encostar, entristecer; embicar, empanar*).]

encangalhado (en.can.ga.*lha*.do) *a.* **1** *Bras.* Diz-se de besta de carga em que se pôs cangalhas **2** *Pop.* Preso com outro sem que se possa separar imediatamente; ENCAMBULHADO **3** *Pej.* Ligado, unido, amarrado a alguém **4** *Náut.* Diz-se de embarcação atracada a outra, com os respectivos cabos enroscados [F.: *en-*[2] + *-cangalh(a)* + *-ado*[1]. Ideia de 'transformação' en[2]-, em[2]- (*engavetar, encostar, entristecer; embicar, empanar*).]

encangalhar (en.can.ga.*lhar*) *v. td.* **1** Pôr cangalha em (animal de carga) [*td.*: *Encangalhou a besta e foi a cidade vender parte da colheita.*] **2** Juntar de cambulhada [*td.*] **3** *Pej.* Juntar-se, ligar-se a alguém [*tr.* + *com*: *Encangalhou-se com Maria.*] [▶ 1 encangalh**ar**] [F.: *en-*[1] + *cangalha* + *-ar*[2].]

encangar (en.can.*gar*) *v.* **1** Colocar a canga em; CANGAR [*td.*] **2** Subjugar, submeter [*td.*: "Absurdo seria exonerar-se dessa autoridade em benefício do país, que tão facilmente se lhes encanga as vontades" (Rui Barbosa, *Ruínas de um governo*)] **3** *Pop.* Tornar-se curvado por doença [*int.*] [▶ 14 encan**gar**] [F.: *en-*[1] + *cangar.*]

encanichado (en.ca.ni.*cha*.do) *a.* **1** Engatilhado (arma encanichada) **2** *Fig.* Combinado, articulado, prestes a ocorrer (negócio encanichado) [F.: *en-*[2] + *canicha-* + *-adoen*[2]. Ideia de 'para dentro; transformação': en[2]- (*engavetar, entristecer*) Ideia de 'semelhança, tendência': -ado[2] (*amarelado, efeminado*).]

encantação (en.can.ta.*ção*) *sf.* **1** Ação ou resultado de encantar(-se) [Ant.: *desencantação.*] **2** Encantamento, encanto; SEDUÇÃO: "Quantos haverá iguais a mim, nascidos com semelhante encantação?" (Samuel Mala, *Sexo forte*) **3** Feitiço [Pl.: *-ções.*] [F.: Do lat. *incantátio, ónis*, 'fascínio, charme', de *incantátum*, supn. de *incantáre; en*[2]*-* + *-canto* + *-ção.*]

encantado (en.can.*ta*.do) *a.* **1** Que sofreu encantamento, feitiço; ENFEITIÇADO: *O sapo era na verdade um príncipe encantado.* **2** Que está seduzido pelos encantos de algo ou alguém; FASCINADO; EXTASIADO; ENLEVADO: *A criança admirava o quadro com um olhar encantado.* **3** *Fig.* Misterioso **4** *Bras. Gír.* Diz-se de cofre cujo segredo os ladrões ignoram *sm.* **5** *Bras. Etnog.* Entre indígenas e caboclos, nome dado a alguns seres sobrenaturais invisíveis às pessoas comuns e que ger. habitam o céu ou certas regiões da Terra (a mata, as águas etc.) **6** *Bras. Rel.* Designação genérica de espíritos venerados nos candomblés de caboclo [F.: Do lat. *incantatus*; part. de *encantar*. Ant. nas acps. 1 a 3: *desencantado.*]

encantador (en.can.ta.*dor*) [ô] *a.* **1** Que faz encantamentos, feitiços: *flautista encantador de serpentes.* **2** Diz-se daquele que encanta; que seduz, atrai, arrebata, suscita sentimentos afetuosos (rapaz encantador) **3** Que deleita os sentidos ou causa satisfação (música encantadora; residência encantadora) *sm.* **4** Aquele que faz encantamentos, feitiços: *O encantador imobilizou a serpente com o olhar.* [F.: Do lat. *incantator.*]

encantamento (en.can.ta.*men*.to) *sm.* **1** Ação ou resultado de encantar(-se) **2** Ação ou resultado de enfeitiçar algo ou alguém: *O encantamento transformou o príncipe em uma rã.* **3** Fórmula mágica (gesto, frase, poção etc.) us. para deixar algo ou alguém encantado, enfeitiçado; ENCANTO: *Ao pronunciar o encantamento, o feiticeiro transformou o príncipe num sapo.* **4** Sensação ou estado de quem é tomado por uma grande admiração por algo ou alguém; DESLUMBRAMENTO **5** Fascínio, enlevo, sedução: *Resisti aos encantamentos das vitrines e só comprei o necessário.* [F.: *encantar* + *-mento*. Ou do lat. *incantamentum*. Ant. ger.: *desencantamento.*]

encantar (en.can.*tar*) *v.* **1** Encher(-se) de admiração ou fascínio, às vezes amoroso; DESLUMBRAR; FASCINAR [*td.*: *As histórias orientais encantam o mundo inteiro.*] [*tr.* + *com*: *Pedro encantou-se com a irmã do amigo.*] **2** Deixar muito contente; causar prazer a [*td.*: *A visita dos amigos encanta a velha senhora.*] **3** Lançar feitiço ou magia sobre (algo ou alguém, inclusive si mesmo); ENFEITIÇAR [*td.*: *O mago encantava os pássaros, para que cantassem maviosamente.*] **4** Transformar algo ou alguém em outro ser ou coisa, fazendo uso da magia [*td.*: *Encantou os ratos, transformando-os em cocheiros.*] **5** Tornar(-se) invisível, fazer desaparecer [*td.*: *A garrafa não está mais aqui, encantou.*] [*int.*: *Às vezes, o guri encanta-se, ninguém o encontra.*] [▶ 1 encant**ar**] [F.: Do lat. *incantare*. Ant. ger.: *desencantar*. Hom./Par.: *encanto* (fl.), *encanto* (sm.).]

encantatório (en.can.ta.*tó*.ri.o) *a.* **1** Diz-se do que encanta, fascina, que envolve encantamento, magia (dom encantatório) **2** Maravilhoso, delicioso, fascinante (prazer encantatório) [F.: *en-*[2] + *-canto* + *-ório*[1].]

encanto (en.*can*.to) *sm.* **1** Gesto, frase, poção etc. que é capaz de enfeitiçar algo ou alguém; ENCANTAMENTO: *O encanto fez a princesa cair em um sono profundo.* **2** Quem ou o que desperta grande admiração, atração, fascínio, pela sua perfeição, beleza, realização etc. (os encantos da vida): *A sua casa é um encanto; Os encantos da ilha atraem muitos turistas.* **3** Sentimento de admiração, fascínio, causado por algo ou alguém: *Era visível o encanto dos turistas com a beleza da ilha.* [F.: Dev. de *encantar*. Ant. ger.: *desencanto*. Hom./Par.: *encanto* (sm.), *encanto* (fl. de *encantar*).]

■ Um ~ Ver *Um amor.*

encantoado (en.can.to:*a*.do) *a.* **1** Metido num canto **2** *Fig.* Isolado do convívio social; SEGREGADO **3** Recluso, retirado do mundo; ENCLAUSURADO [F.: *en-*[2] + *-cant(o)* + *-ado*[1]. Sin. ger.: *encantonado.*]

encantoar (en.can.to.*ar*) *v. td.* **1** Meter (alguém ou si mesmo) em um canto ou retiro **2** Encerrar ou apartar da convivência de: "No século XIII a população cristã veio expulsar os judeus do seu bairro primitivo...e os encantoou para a parte sul da catedral" (Herculano, *Monge 1*) [▶ 16 encant**oar**] [F.: *en-*[1] + *cantoar.*]

encanzinado (en.can.zi.*na*.do) *a.* **1** Que se encanzinou **2** Diz-se de quem insiste ou teima; OBSTINADO **3** Enfurecido, colérico, irado, zangado [Ant.: *acalmado*] [F.: *en-*[2] + rad. *canz-* (como em canzarrão)+ *-inar* + *-do*. Ideia de 'transformação' en[2]-, em[2]- (*engavetar, encostar, entristecer; embicar, empanar*). Ideia de 'ação frequentativa': *-inar* (*ajardinar, examinar*).]

encanzinar (en.can.zi.*nar*) *v.* **1** Insistir, teimar de maneira obstinada [*tr.* + *em*: *Homens que se encanzinavam em se fazerem senhores da verdade.*] **2** Tornar(-se) enraivecido, encolerizado [*td.*: *A revelação encanzinou toda a família.*] [*int.*: "Ai da pátria, quando os talentos parlamentares se encanzinam e escarnam nestas pugnas inglórias!" (Camilo Castelo Branco, *A queda de um anjo*)] [▶ 1 encanzin**ar**] [F.: *en-*[1] + *canz-* (como em *canzarrão*) + *-inar*. Sin. ger.: *encanzoar.*]

encapado (en.ca.*pa*.do) *a.* **1** Que se encapou; que foi coberto com capa (fio encapado; caderno encapado): *Naquela chuva, só víamos passar pessoas encapadas e tiritantes de frio. sm.* **2** *Bras.* Mercadoria expedida com um envoltório de aniagem [F.: Part. de *encapar.*]

encapar (en.ca.*par*) *v. td.* Revestir com capa (1 a 5) ou qualquer material protetor: *encapar cadernos/uma poltrona.* [Ant.: *desencapar.*] [▶ 1 encap**ar**] [F.: *en-*[2] + *capa*[1] + *-ar*[2].]

encapelado[1] (en.ca.pe.*la*.do) *a.* Que tem as funções e obrigações de mestre de capela [F.: Part. de *encapelar*[2]. Hom./Par.: *encapelado* (a.), *encapelado* (fl. de *encapelar*).]

encapelado[2] (en.ca.pe.*la*.do) *a.* **1** Diz-se do mar ou das ondas que se agitam, que se encrespam **2** *Ant.* Que usa capelo (um tipo de capuz us. esp. por freiras ou viúvas) [F.: Part. de *encapelar*[1].]

encapelar[1] (en.ca.pe.*lar*) *v.* **1** Tornar(-se) agitado, revolto (o mar); ENCRESPAR [*td.*: *A ventania encapelava o mar, sacudindo os barcos.*] [*int.*: *As ondas encapelaram-se, mas o pescador não se intimidou.* Ant.: *serenar.*] **2** Dar ou receber o capelo de doutor; DOUTORAR(-SE) [*td.*: *Esperavam que o diretor encapelasse todas as turmas.*] [*tr.* + *em*: *encapelar-se em odontologia.*] **3** *Mar.* Introduzir a ponta de um cabo fixo por (mastro, mastaréu ou verga) [*td.*] [▶ 1 encapel**ar**] [F.: *en-*[2] + *capelo* + *-ar*[2].]

encapelar[2] (en.ca.pe.*lar*) *v.* **1** Atribuir o cargo de mestre de capela a [*td.*] **2** Instituir capela em (propriedade rural) e mantê-la com a renda desta [*td.*: *encapelar uma fazenda.*] [▶ 1 encapel**ar**] [F.: *en*[2]*-* + *capela* + *-ar*[2]. Hom./Par.: *encapelar*[1].]

encapetado (en.ca.pe.*ta*.do) *a. Bras.* Que é endiabrado, inquieto, travesso [F.: Part. de *encapetar.*]

encapetar-se (en.ca.pe.*tar*-se) *v. int. Bras.* Tornar-se travesso, fazer diabruras, travessuras; AMOLECAR-SE; ENDIABRAR-SE [F.: *en-* + *capeta* + *-ar.*]

encapoeirado (en.ca.po.ei.*ra*.do) *a.* **1** Meter em capoeira ou gaiola (pássaro encapoeirado); ENGAIOLADO **2** Encafuado, encavernado: "Tinha Ulisses e seus camaradas encapoeirados no antro com os carneiros." (Alexandre Herculano, *Lendas*) [F.: *en-*[2] + *-canpoeira* + *-ado*[1]. Ideia de 'transformação' en[2]-, em[2]- *(engavetar, encostar, entristecer; embicar, empanar)*.]

encapotado (en.ca.po.*ta*.do) *a.* **1** Que está coberto com capote **2** *Fig.* Disfarçado, encoberto (jogo encapotado) **3** Diz-se de cavalo que, ao executar o passo esquipado, encosta a cabeça ao peito *sm.* **4** Indivíduo vestido com capote **5** *SP Cul.* Bolinho de frango feito com farinha de milho [F.: Part. de *encapotar*.]

encapotar (en.ca.po.*tar*) *v.* **1** Proteger (inclusive si mesmo) com capa ou capote; AGASALHAR [*td.*: *Encapotou as crianças com medo da ventania.*] **2** *Fig.* Encobrir, ocultar, disfarçar [*td.*: *Encapotou o trunfo durante todo o jogo.* Ant.: *descobrir, revelar.*] **3** Cobrir-se de nuvens, escurecer (o céu); ANUVIAR; NUBLAR [*int.*: *Em minutos, o dia encapotou.*] **4** *Hip.* Abaixar a cabeça (o cavalo), aproximando-a do peito com elegância [*int.*] **5** *CE Pop.* Abaixar a cabeça por acanhamento [*int.*] [▶ 1 encapotar] [F.: *en-*[2] + *capote*[1] + *-ar*[2].]

encapsulado (en.cap.su.*la*.do) *a.* **1** Que se encapsulou **2** Que foi colocado em cápsula; CAPSULADO [F.: Part. de *encapsular*.]

encapsular (en.cap.su.*lar*) *v. td.* Meter dentro de cápsula ou invólucro protetor: *O laboratório encapsulou o medicamento.* [▶ 1 encapsular] [F.: *en-*[2] + *cápsula* + *-ar*[2].]

encapuchado (en.ca.pu.*cha*.do) *a.* Que se cobriu com capucho ou capucha; ENCAPUZADO [F.: Part. de *encapuchar*.]

encapuchar (en.ca.pu.*char*) *v. td.* Cobrir com capucha ou capucho (espécie de capuz); pôr capucha ou capucho na cabeça; ENCAPUZAR; ENCARAPUÇAR [F.: *en-*[2] + *capucha* + *-ar*[2].]

encapuzado (en.ca.pu.*za*.do) *a.* Que se cobriu com capuz; ENCAPUCHADO [F.: Part. de *encapuzar*.]

encapuzar (en.ca.pu.*zar*) *v.* Cobrir (alguém, inclusive si mesmo) com capuz [*td.*: *O bandido encapuzou o refém.*: "Olhando-o de través por entre a fresta formada pelo capote em que se encapuzava" (Camilo Castelo Branco, *Novelas*)] [▶ 1 encapuzar] [F.: *en-*[2] + *capuz* + *-ar*[2].]

encaracolado (en.ca.ra.co.*la*.do) *a.* **1** Que (se) encaracolou **2** Que tem a forma de caracol (cabelo encaracolado) **3** Torcido em espiral (armação/estrutura encaracolada) [F.: Part. de *encaracolar*.]

encaracolar (en.ca.ra.co.*lar*) *v.* **1** Dar forma de caracola, ou adquiri-la; enrolar(-se) em espiral (esp. os cabelos) [*td.*: *Entrou no salão e pediu que lhe encarolassem os cabelos.*] [*int.*: *Sempre que os molhava, seus cabelos (se) encaracolavam.*] **2** Enroscar-se [*int.*: *A jiboia foi se encaracolando no tronco da árvore; A trepadeira (se) encaracolou no poste.*] [▶ 1 encaracolar] [F.: *en-*[2] + *caracol* + *-ar*[2].]

encaramujar (en.ca.ra.mu.*jar*) *v.* **1** Retrair-se como se fosse caramujo [*td.*] **2** Tornar-se triste, deprimido [*int.*] [▶ 1 encaramujar] [F.: *en-*[1] + *caramujo* + *-ar*[2].]

encarangado (en.ca.ran.*ga*.do) *a.* **1** Que se encarangou **2** Que não tem movimento nas articulações; ENTREVADO: *Encontrava-se encarangado numa cadeira de rodas.* **3** Que sofre de achaques; ADOENTADO: "E quem não fizer isto, neste civismo de terra, morre encarangado." (Monteiro Lobato, *Cidades mortas*) **4** Transido de frio, encolhido (encarangado sob as cobertas) **5** *Bras.* Franzino, raquítico: *Tinha vergonha de sua aparência, pois era encarangado e feio.* [F.: Part. de *encarangar*.]

encarangar (en.ca.ran.*gar*) *v.* **1** Tornar difíceis os movimentos do corpo de (alguém ou si mesmo), ou tê-los dificultados pela ação do frio, do reumatismo etc. [*td.*: *A queda brutal de temperatura encarangou suas pernas.*] [*int.*: *Encarangava-se todo nas noites frias:* "Os anos carregam e o frio entorpece e encaranga" (Castilho, *Colóquios aldeões*)] **2** Tornar(-se) adoentado, achacadiço **3** *Pop.* Fazer ficar ou ficar paralítico, entrevado; encaranguejar(-se), entrevar(-se) [*td.*] [*int.*] [▶ 14 encarangar] [F.: *en-*[1] + *carango* + *-ar*[2].]

encarapinhado (en.ca.ra.pi.*nha*.do) *a.* Diz-se de cabelo ou pelo crespo, frisado [F.: Part. de *encarapinhar*.]

encarapinhar (en.ca.ra.pi.*nhar*) *v.* **1** Fazer ficar ou ficar (o cabelo) muito crespo; FRISAR [*td.*: *Este produto encarapinhou meus cabelos.*] [*int.*: *Parei de usar aquele xampu e o cabelo encarapinhou(-se).*] **2** *Fig.* Começar a congelar(-se) (sorvete) ou a talhar (o leite) [*td.*] [*int.*] [▶ 1 encarapinhar] [F.: *en-*[2] + *carapinha* + *-ar*[2].]

encarapitado (en.ca.ra.pi.*ta*.do) *a.* **1** Que se encarapitou **2** Que foi colocado ou colocou-se no alto, em cima de algo: *O sagui vive encarapitado nos galhos das árvores.* [F.: Part. de *encarapitar*.]

encarapitar (en.ca.ra.pi.*tar*) *v. tda.* Colocar (algo ou alguém, inclusive si mesmo) no alto, em cima (de algo): "Os irmãos Condés encarapitaram-se acima do horizonte visual das escolas e dos grupos." (Manuel Bandeira, *Prosa esparsa*) [▶ 1 encarapitar, encarrapitar] [F.: *en-*[2] + *carrapito* + *-ar*[2].]

encarapuçar (en.ca.ra.pu.*çar*) *v. td.* **1** Pôr carapuça em; ACARAPUÇAR: *Encarapuçou o filho quando o frio aumentou; Encarapuçou-se para sair na neve.* **2** *Lus.* Formar grumos em [▶ 12 encarapuçar] [F.: *en-*[1] + *carapuça* + *-ar*[2].]

encarar (en.ca.*rar*) *v.* **1** Olhar (alguém no rosto) de frente; olhar nos olhos, firmemente [*td.*: *Encarou o amigo, tentando decifrar a expressão de seu rosto:* "Podia encarar a luz da tarde, sem baixar os olhos culpados." (Josué Montello, *Sempre serás lembrada*)] **2** Considerar ou compreender (de determinada forma) [*td.*: *Encare a crise como uma oportunidade de crescer.*] **3** Enfrentar (perigo ou desafio); fazer frente a; AFRONTAR; DEFRONTAR [*td.*: "...envergonhado de si mesmo, sem coragem de encarar o público." (Josué Montello, *Um rosto de menina*)] **4** Ver-se frente a frente com; DEPARAR; TOPAR [*tr.* + *com*: *Andava distraído quando encarou com o amigo que não via há meses.*] [▶ 1 encarar] [F.: *en-*[2] + *cara* + *-ar*[2].]

encarcerado (en.car.ce.*ra*.do) *a.* **1** Que foi preso, metido em cárcere: "...fendas gradeadas de onde vinha um canto triste de escravos encarcerados..." (Eça de Queiroz, *A relíquia*) **2** *Fig.* Que se afastou do convívio social **3** *Fig.* Que está preso por um sentimento (coração encarcerado) **4** *Med.* Diz-se de órgão ou parte do corpo cujo funcionamento ou movimento é interrompido: "O médico, conforme os preceitos da arte, manda que se corte o braço encarcerado..." (Pe. Antônio Vieira, *Sermão da Terceira Dominga do Advento*) [F.: Part. de *encarcerar*.]

encarceramento (en.car.ce.ra.*men*.to) *sm.* **1** Ação ou resultado de encarcerar(-se) **2** Encerramento (legal) em cárcere, prisão; RECLUSÃO **3** Encerramento (ilegal) em cárcere privado **4** Tempo de duração do encarceramento (2 e 3) **5** *Med.* Aprisionamento de um órgão ou parte dele, como em algumas formas de hérnia [F.: *encarcerar* + *-mento*.]

encarcerar (en.car.ce.*rar*) *v. td.* **1** Prender em prisão, cárcere etc.; PRENDER: *O delegado encarcerou os arruaceiros.* [Ant.: *libertar, soltar.*] **2** Afastar (alguém, inclusive si mesmo) do convívio social; ENCLAUSURAR; ISOLAR: *Greta Garbo se encarcerou em casa no fim da vida; Preocupado com as companhias do filho, encarcerou-o em casa durante as férias.* **3** *Med.* Dificultar ou impedir o movimento de (parte do corpo), ger. devido a acidente: *O trauma nos tendões da mão encarcerou os dedos.* [▶ 1 encarcerar] [F.: Do lat. *incarcerare*.]

encardido (en.car.*di*.do) *a.* **1** Que se encardiu, que ficou amarelado ou acinzentado pela ação do tempo ou de lavagens malfeitas (diz-se de tecido, roupa etc.) **2** Sujo, imundo: *a mesa encardida de um bar.* **3** *P.ext.* Diz-se de pele que perdeu a aparência saudável (devido a enfermidade, envelhecimento etc.): *Tinha o rosto encardido e enrugado.* **4** *Fig.* Que não é honesto (negócio, transação, indivíduo etc.) **5** *Bras.* Sombrio, carregado, ameaçador (céu encardido, rosto encardido) **6** *Bras.* Diz-se de situação sobre a qual é difícil opinar **7** *RS* Feio *sm.* **8** A cor amarelada, acinzentada dos efeitos do tempo ou de resquícios de sujeira que fica em peça de roupa mal lavada, ou em qualquer peça de tecido: *O sabão em pó não removeu o encardido.* **9** Essa cor em qualquer superfície clara de móveis e objetos, em virtude dos efeitos do tempo, de limpeza ineficiente ou do uso de algum produto inadequado **10** Indivíduo encardido (2, 3, 4 e 7) [F.: Part. de *encardir*.]

encardimento (en.car.di.*men*.to) *sm.* **1** Estado do que está encardido **2** Acumulação de sujeira, crosta de imundície; o processo que leva a isso: *detergente para remover gorduras e encardimento.* [F.: *encardir* + *-mento*.]

encardir (en.car.*dir*) *v.* **1** Fazer ficar ou ficar com acúmulo de sujeira, cardina, com aspecto amarelado ou acinzentado [*td.*: *A fumaça encardiu a gola e os punhos da camisa.*] [*int.*: *A roupa encardiu na lavagem.*] **2** Não lavar bem (roupa, pano) ou não ficar bem lavado, deixando resíduos de sujeira [*td.*: *A lavadeira não prestou atenção e acabou encardindo o vestido.*] [*int.*: *Esta camisa branca encarde facilmente.*] **3** *Fig.* Fazer perder o brilho, a pureza, a limpeza; MACULAR; CONSPURCAR [*td.*: *As denúncias encardiam a memória do general.*] **4** Fazer (a pele) perder o brilho, o viço, por doença ou envelhecimento [*td.*] [▶ 3 encardir] [F.: *en-*[2] + *cardo* + *-ir*.]

encarecer (en.ca.re.*cer*) *v.* **1** Tornar(-se) caro ou mais caro [*td.*: *O aumento da gasolina encarecerá as passagens.*] [*int.*: *A cesta básica encareceu.* Ant.: *baratear.*] **2** Exagerar na descrição ou na referência (a algo) [*td.*: "...disse-me, para encarecer o mérito do artista: 'É um futuro Rubinstein.'" (Manuel Bandeira, *Prosa esparsa*)] **3** Ressaltar qualidades positivas de; ELOGIAR; ENALTECER; LOUVAR [*td.*: *encarecer a atuação da atriz.* Ant.: *criticar, desmerecer.*] **4** Recomendar com interesse [*td.*: "...encareço alguns minutos para o que está escrito logo abaixo." (*Jornal do Commercio*, 19.06.2005)] [▶ 33 encarecer] [F.: *en-*[2] + *caro* + *-ecer*.]

encarecido (en.ca.re.*ci*.do) *a.* **1** Que encareceu, que se tornou caro: *O valor total do condomínio é encarecido pelo excesso de taxas.* **2** Elogiado, louvado (encarecido pelos mestres) **3** Exagerado, excessivo **4** Com grande interesse, com instância: *Recebeu um pedido encarecido para que se mantivesse no cargo.* [F.: Part. de *encarecer*.]

encarecimento (en.ca.re.ci.*men*.to) *sm.* **1** Ação ou resultado de encarecer **2** Empenho, instância **3** Alta de preço(s); CARESTIA [F.: *encarecer* + *-im ento*.]

encaretar (en.ca.re.*tar*) *Bras. v.* **1** Mascarar-se, disfarçar-se [*td.*: *Encaretou-se para brincar o carnaval.*] **2** *N.E.* Encher-se de manchas de sujeira [*td.*: *Encaretou-se ao consertar o carro.*] **3** Tornar-se careta, preso aos padrões tradicionais de pensar e comportar-se [*int.*: *Depois de casado, ele encaretou de vez.*] [▶ 1 encaretar] [F.: *en-*[1] + *careta* + *-ar*[2].]

encargo (en.*car*.go) *sm.* **1** Obrigação ou compromisso atribuídos a alguém; INCUMBÊNCIA; RESPONSABILIDADE: *Educar crianças é encargo dos pais e da escola.* **2** Cargo, ocupação ou função **3** Tributo, taxa, imposto (encargo fiscal) **4** Condição onerosa, obrigação maçante, não gratificante; FARDO; MAÇADA; ÔNUS **5** *Fig.* Sentimento de culpa, inquietação, arrependimento por alguma ação; REMORSO: *Carregava em seu espírito aquele pesado encargo.* [F.: Do port. ant. *encarrego*, dev. de *encarregar.* Ant. nas acps. 1 e 4: *desencargo*. Hom./Par.: *encargo* (sm.), *encargo* (fl. de *encargar*).] ■ **~ de família** *Jur.* Responsabilidade pela orientação, manutenção e comportamento da família **~s sociais** *Econ.* Obrigações impostas por lei e assumidas pelas empresas para constituir fundos de assistência social e para atender a certas necessidades de seus empregados

encarnação (en.car.na.*ção*) *sf.* **1** Ação ou resultado de encarnar(-se) **2** Ação de fazer ficar ou ficar (algo) semelhante à carne (na cor ou no aspecto) **3** Ação ou resultado de revestir(-se) de carne **4** *Rel.* Materialização de divindade ou espírito, de acordo com certas crenças: *Acreditava ser a encarnação de santo Agostinho.* **5** *Espt.* No espiritismo, cada uma das muitas vidas materiais de um espírito: *Na última encarnação ela foi imperatriz.* **6** *Teol.* Mistério pelo qual o Filho de Deus se fez homem **7** *Fig.* Personificação, representação: *Gandhi foi a encarnação da paz.* **8** *Fig.* Transformação, mudança: "Nessa manhã, em honra da minha nova encarnação..." (Eça de Queirós, *O mandarim*) **9** *Bras. Pop.* Ação de entediar, amolar ou chatear alguém; IMPLICÂNCIA: *Largue-a, para com essa encarnação!* **10** *Art.pl.* Revestimento de imagens e figuras de seres humanos que imita a cor da carne **11** *Ant. Med.* Cicatrização de uma ferida [Pl.: *-ções*.] [F.: Do lat. tard. *incarnatio, onis*.]

encarnado (en.car.*na*.do) *a.* **1** Que encarnou **2** *Rel.* Que se materializou (espírito encarnado) **3** Que é da cor avermelhada da carne ou do sangue: "...lenço de seda encarnado ao pescoço." (Euclides da Cunha, *Os sertões*) **4** Diz-se dessa cor **5** *Fig.* Entranhado (paixão encarnada) **6** *Ant. Med.* Tendente a cicatrizar, que criou carne nova *sm.* **7** *Rel.* Divindade ou espírito corporificado **8** *Art.pl.* Encarnação (de imagens, esculturas, figuras humanas) **9** Cor avermelhada da carne ou do sangue [F.: Do lat. *incarnatus*; ou part. de *encarnar*. Ant. nas acps. 1 e 2: *desencarnado*.]

encarnar (en.car.*nar*) *v.* **1** *Fig. Cin. Teat. Telv.* Representar um personagem [*td.*: *Encarnou Hamlet na peça:* "Pois não é verdade que a nossa querida Tônia estava um doce encarnando a Virgem Maria?" (Manuel Bandeira, *Prosa esparsa*)] **2** Ser um representante típico ou a personificação de [*td.*: *Betinho encarnou a luta contra a fome.*] **3** *Bras. Pop.* Fazer gozações ou implicar (com) [*tr.* + *em*: *Os veteranos sempre encarnam nos novatos.*] **4** *Rel.* Adquirir (o espírito) um corpo de carne; NASCER [*int.*: *Os fiéis esperavam que a santa encarnasse de novo.*] [*tr.* + *em*: "... pois era assim que os espíritos das águas e da terra se encarnavam nos albinos." (Alberto da Costa e Silva, *A manilha e o libambo*) Ant.: *desencarnar, morrer.*] **5** *Rel.* Manifestar-se um espírito, uma entidade através do corpo de um médium; MATERIALIZAR-SE; INCORPORAR [*tr.* + *em*: *Esperavam que Xangô encarnasse na filha de santo.* Ant.: *desincorporar.*] **6** Pintar uma imagem de santo, ou restaurar pintura dando-lhe aspecto de carne: *Mandou encarnar a Virgem, que estava desbotada.* **7** Tomar corpo ou vulto; introduzir-se profundamente; ENRAIZAR; ENTRANHAR [*tdr.* + *em*: *O medo parece ter encarnado na população.*] **8** Fazer (algo ou alguém) ficar avermelhado, como a carne; AVERMELHAR [*td.*] **9** Fazer ficar ou ficar mais encorpado, mais gordo, mais carnudo [*td.*: *A dieta de proteínas encarnou-o um pouco.*] [*int.*: *Encarnou um pouco com a dieta de proteínas.*] **10** Fazer criar em ou criar carne (ferimento, lesão); CICATRIZAR [*td.*] [*int.*] [▶ 1 encarnar] [F.: Do lat. *incarnare*.]

encarne (en.*car*.ne) *sm.* **1** Ação ou resultado de encarnar **2** Carne de caça com que se alimentam cães treinados para caçar, para que se familiarizem com seu gosto e identifiquem seu cheiro [F.: Dev. de *encarnar*.]

encarneirado (en.car.nei.*ra*.do) *a.* **1** Que se encarneirou **2** *Fig.* Diz-se do mar quando se encrespa em pequenas ondas seguidamente repetidas: *O mar encarneirado exigia grande habilidade do timoneiro.* **3** Diz-se do céu quando se apresenta povoado de muitas nuvens pequenas e brancas muito próximas umas das outras em grande quantidade, como velos de carneiro [F.: Part. de *encarneirar*.]

encarneirar (en.car.nei.*rar*) *v.* **1** Encrespar-se (o mar) formando pequenas ondas de cristas que lembram um conjunto de carneiros [*int.*: *Pela manhã o mar encarneirou(-se).*] **2** Encher-se (o céu, a atmosfera) de pequenas nuvens que lembram velos de carneiro [*int.*: *Uma bela tarde, com o céu de um azul suave que aos poucos ia se encarneirando.*] [▶ 1 encarneirar] [F.: *en-*[1] + *carneiro* + *-ar*[2].]

encarniçado (en.car.ni.*ça*.do) *a.* **1** Que se alimenta de carniça *a.* **2** *Fig.* Que anseia por carniça, que é ou se mostra feroz, sanguinário (hienas encarniçadas): "...correu a esconder-se entre os laranjais como lebre medrosa, que ouve ladrarem pelos prados os galgos encarniçados..." (Bernardo Guimarães, *A escrava Isaura*) **3** Que é implacável, cruel (diz-se de embate, luta) (combate encarniçado) **4** Que é intenso, inflamado (debate encarniçado) **5** Obstinado, persistente (adversário encarniçado) **6** Diz-se de olhos avermelhados pelo afluxo de sangue [F.: Part. de *encarniçar*.]

encarniçar (en.car.ni.*çar*) *v.* **1** Dar caça, encarne a (animal), para excitá-lo e torná-lo agressivo **2** Açular (um animal) na briga contra a presa [*td.*: *encarniçar cães de caça.*] [*tdr.*

+ *contra*: *encarniçar cães contra a caça.*] **3** Provocar exasperação, irritação; INCITAR [**td.**: *A falta de água encarniçou os moradores.*] [**tdr.** + *contra*: *A mulher encarniçava o marido contra os guardas.*] **4** Enfurecer-se, irar-se [**int.**: *Os cães se encarniçaram, amedrontando o próprio dono.*] **5** Alimentar (inclusive si mesmo) com carniça [**td.**] [▶ **12** encarniç**ar**] [F.: *en-*^{2} + *carniça* + *-ar*^{2}.]

encaroçado (en.ca.ro.*ça*.do) *Bras. Pop.* **a. 1** Diz-se de molho, mingau, creme etc. que apresenta uma pequena porção endurecida de amido ou de farinha que não foi dissolvida durante o cozimento **2** Que apresenta glândula ou gânglio inflamado ou endurecido (seios encaroçados) **3** Diz-se do que está (esp. pele) coberto de caroços, de tumores ou erupções [F.: Part. de *encaroçar*.]

encaroçamento (en.ca.ro.ça.*men*.to) **sm.** Ação ou resultado de encaroçar(-se): *Para evitar o encaroçamento do creme, mexa sempre ao acrescentar a farinha.* [F.: *Encaroçar* + *-mento*.]

encaroçar (en.ca.ro.*çar*) **v. 1** Criar caroço(s) (4); encher-se de caroços [**int.**: *Cuidado para o creme não encaroçar.*] **2** Cobrir(-se) (a pele) de erupções ou de caroços (3, 8) [**td.**: *As picadas encaroçaram todo o meu braço.*] [**int.**: *Mas as pernas não encaroçaram.*] **3** *Bras. Fig.* Perder a fluência, atrapalhar-se (em discurso) [**int.**: *Na hora de falar com o sogro, encaroçou.*] [▶ **12** encaroç**ar**] [F.: *en-*^{2} + *caroço* + *-ar*^{2}.]

encarquilhado (en.car.qui.*lha*.do) **a. 1** Que está cheio de pregas (rosto encarquilhado, pergaminho encarquilhado); ENRUGADO: "Desleixada no trajo, encarquilhada... havia perdido todos os traços simpáticos da mocidade." (Xavier Marques, *Voltas da estrada*) **2** *P.ext.* Sem vida, murcho, passado, ressequido (fruta encarquilhada) [F.: Part. de *encarquilhar*.]

encarquilhar (en.car.qui.*lhar*) **v.** Fazer ficar ou ficar cheio de rugas, carquilhas; ENGELHAR; ENRUGAR [**td.**: *Sol e vento encarquilharam seu rosto.*] [**int.**: *A pele cedo encarquilha sob o sol forte.* Ant.: *desenrugar*.] [▶ **1** encarquilh**ar**] [F.: *en-*^{2} + *carquilha* + *-ar*^{2}.]

encarrancar (rn.car.ran.*car*) **v. 1** Tornar(-se) carrancudo, de cara fechada, mal-humorada [**td.**: *A resposta rude encarrancou o chefe; Encarrancou-se ao ouvir a resposta.*] **2** *Fig.* Toldar-se, enuviar-se (o tempo) [**int.**: *Ao entardecer, o dia encarrancou tanto que voltamos correndo para o hotel.*] **3** *Fig.* Adornar com carrancas ou objetos similares [**tdr.**: *Encarrancou a sala com várias peças de artesanato em madeira.*] **4** Fazer carranca [**int.**] [▶ **11** encarran**car**] [F.: *en-*^{1} + *carranca* + *-ar*^{2}.]

encarrapitar (en.car.ra.pi.*tar*) **v. tda.** Ver *encarapitar*

encarregado (en.car.re.*ga*.do) **a. 1** Que é responsável por alguma tarefa, trabalho etc. **sm. 2** Aquele que é responsável por alguma tarefa, trabalho etc. **3** Substituto de mestre de obras, incumbido de fiscalizar os operários [F.: Part. de *encarregar*.] ■ **~ de negócios** *Dipl.* Agente diplomático que representa o governo de seu país ante um governo estrangeiro na ausência ou impedimento de embaixador ou ministro

encarregar (en.car.re.*gar*) **v. 1** Dar a (alguém, inclusive si mesmo) incumbência (de); INCUMBIR(-SE) [**tdr.** + *de*: *Encarregaram o arquiteto de realizar o projeto; Encarregou-se de realizar a tarefa*: "...os padres que se encarregariam da catequese." (Alberto da Costa e Silva, *A manilha e o libambo*)] **2** Atribuir (emprego, cargo, ocupação) a (alguém, inclusive si mesmo) [**tdr.** + *de*: *Encarregou o filho da gerência; Encarregou-se da chefia.*] **3** Carregar, oprimir: *Encarregar a consciência com tão feio pecado.* [▶ **14** encarreg**ar** Part.: *encarregado* e *encarregue*.] [F.: *en-*^{2} + *carregar*.]

encarreirado (en.car.rei.*ra*.do) **a. 1** Que (se) encarreirou **2** Que se dispôs em carreira, que se alinhou **3** *Bras.* Que exerce um ofício objetivando fazer ou seguir uma carreira: *Se for bom marceneiro, estará encarreirado.* **4** *Bras.* Que ocupa um emprego no qual está assegurada uma carreira: *Era eficiente e interessado, portanto estava encarreirado.* [F.: Part. de *encarreirar*.]

encarreirar (en.car.rei.*rar*) **v. 1** Dispor em linha, fileira, carreira [**td.**: *O guarda encarreirou os caminhões na única faixa liberada.*] **2** *Fig.* Orientar para um bom caminho, encaminhar bem [**td.**: *Ao sair da prisão, não sabia como encarreirar sua vida.*] **3** Abrir caminho a; ENCAMINHAR; DIRIGIR [**td.**: *encarreirar a tese da aluna.*] [**tdr.** + *para*: *Encarreirou-se para o curso de medicina.*] [▶ **1** encarreir**ar**] [F.: *en-*^{2} + *carreira* + *-ar*^{2}.]

encarrilar (en.car.ri.*lar*) **v. 1** Colocar nos carris, nos trilhos [**td.**: *encarrilar os vagões.*] **2** Fazer seguir ou seguir pelo bom caminho [**td.**: *encarrilar os filhos na vida.*] [**int.**: *Parece que esse moleque nunca vai encarrilar.*] **3** Atinar, acertar com; CAPTAR [**tr.** + *com*: *Não conseguia encarrilar com o palavreado dele.*] [▶ **1** encarril**ar**] [F.: *en-*^{2} + *carril* + *-ar*^{2}, com infl. de *carrilho*. Tb. *encarrilhar*.]

encarrilhar (en.car.ri.*lhar*) **v.** Ver *encarrilar*

encartado (en.car.*ta*.do) **a. 1** Que foi intercalado no caderno de uma revista, de um jornal, de um folheto etc.: *O material publicitário será encartado na próxima edição do livro.* **2** *Ant.* Diz-se de quem tem diploma do ofício ou profissão que exerce (eletricista encartado) **3** *Pop.* Perito no seu ofício ou em algum hábito (bom ou mau) (ladrão encartado) **4** *Lud.* Que, no voltarete, já tem nas mãos as cartas necessárias para a casca (8) [F.: Part. de *encartar*.]

encartar (en.car.*tar*) **v. 1** *Art.gr.* Inserir em uma publicação (material suplementar e avulso) [**td.** *A editora encartou um suplemento para os professores no livro.*] **2** Prover (alguém) com ou adquirir carta, diploma, certificado etc. (para o exercício de certa atividade, profissão etc.) [**tdr.** + *com*: *Encartou-o para que pudesse trabalhar como mecânico profissional.*] [**tdr.** + *com*: *O curso era oficial e encartava os alunos com um certificado de proficiência.*] [**int.**: *Fez o curso e encartou-se como protético.*] **3** *Lud.* Jogar carta sobre outra do mesmo naipe, recolhendo-as como prêmio [**int.**] [▶ **1** encart**ar**] [F.: *en-*^{2} + *carta* + *-ar*^{2}. Hom./Par.: *encarte* (fl.), *encarte* (sm.); *encartes* (fl.), *encartes* (pl. de *encarte*).]

encarte (en.*car*.te) **sm. 1** *Art.gr.* Inserção de suplemento (folheto, revista) avulso em uma publicação (encarte literário) **2** *Art.gr.* O suplemento que foi colocado como encarte **3** Ação de encartar(-se) (de conceder ou receber um diploma, carta ou licença) para exercer um ofício **4** *P.ext.* Importância paga pelos direitos do diploma, carta ou licença **5** Em certos jogos carteados, o direito ou a ação de fazer vaza com a apresentação de carta do mesmo naipe [F.: Dev. de *encartar*. Hom./Par.: *encarte* (sm.), *encarte* (fl. de *encartar*).]

encartolado (en.car.to.*la*.do) **a.** Que está com cartola ou que costumeiramente a usa: *Estava sempre encartolado, fato que contribuía para sua fama de excêntrico.* [F.: Part. de *encartolar*.]

encartuchado (en.car.tu.*cha*.do) **a. 1** Que tem a forma de cartucho: *Usava um vestido encartuchado.* **2** Colocado em cartucho (pólvora encartuchada) [F.: Part. de *encartuchar*.]

encartuchar (en.car.tu.*char*) **v. td. 1** Converter em cartucho ou dar forma de cartucho a **2** Meter em cartucho: *Encartuchou a munição.* [▶ **1** encartuch**ar**] [F.: *en-*^{1} + *cartucho* + *-ar*^{2}.]

encarvoado (en.car.vo:*a*.do) **a. 1** Sujo de carvão (paredes encarvoadas) **2** Reduzido a carvão (árvores encarvoadas) **3** De tonalidade escura semelhante à do carvão (cinza encarvoado) [F.: Part. de *encarvoar*.]

encarvoar (en.car.vo.*ar*) **v. 1** Reduzir-se a carvão; ACARVOAR; ENCARVOEJAR [**int.**] **2** Sujar(-se) de carvão; ACARVOAR; ENCARVOEJAR [**td.**: "Encarvoaram acintosamente a Espanha do passado" (Ricardo Jorge, *Sermões de um leigo*)] [▶ **16** escarv**oar**] [F.: *en-*^{2} + *carv(ão)* + *-ar*^{2}.]

encasacado (en.ca.sa.*ca*.do) **a. 1** Que veste casaco ou casaca: "Dir-se-ia que nasceu encasacado, em grossa armadura de indiferença." (Aloísio Azevedo, *Coruja*) **2** *P. ext. Pop.* Que está bem agasalhado contra o frio: *Com a temperatura baixa, saía sempre encasacado.* [F.: Part. de *encasacar*.]

encasacar (en.ca.sa.*car*) **v. td. 1** Vestir (alguém, inclusive si mesmo) com casaco, para agasalhar: *encasacar uma criança.* **2** *Pop.* Vestir (alguém, inclusive si mesmo) com traje formal (ger. casaca): "Encasaca-se, paramenta-se um homem..." (Júlio Ribeiro, *A carne*) [▶ **11** encasa**car**] [F.: *en-*^{2} + *casaca* ou *casaco* + *-ar*^{2}.]

encasquetado (en.cas.que.*ta*.do) **a. 1** Que encasquetou algo **2** Que tem ideia fixa, cismado, obcecado; ENCAFIFADO: *Estava encasquetado com as atitudes da namorada.* [F.: Part. de *encasquetar*.]

encasquetar (en.cas.que.*tar*) **v. 1** *Fig. Pop.* Meter (ideia, desejo, plano etc.) fixamente na própria cabeça; fixar-se em (ideia, plano etc.); CISMAR [**td.**: *Encasquetou que vai ser astronauta.*] **2** *Fig. Pop.* Tentar convencer, persuadir (alguém, inclusive si mesmo); INDUZIR [**tdr.** + *a, com, em*: *Encasquetava a moça a namorá-lo; Encasquetou-se com vários argumentos para justificar sua decisão*: "O suicida... que se encasquetasse na mania de apressar o desastre." (Rui Barbosa, *Finanças*)] **3** Colocar ou usar (casquete, boné etc.) sobre a cabeça (de alguém, inclusive si mesmo) [**td.**: *Encasquestou o boné e saiu.*] [**tdr.** + *em*: *Como estava frio, a mãe encasquetou o gorro na cabeça da filha.*] [▶ **1** encasquet**ar**] [F.: *en-*^{2} + *casquete* + *-ar*^{2}. Ant. ger.: *desencasquetar*.]

encastelado (en.cas.te.*la*.do) **a. 1** Que está protegido por ou em castelo ou fortificação; ACASTELADO **2** Recolhido em lugar seguro: "D. Antônio de Mariz, encastelado na parte da casa que habitavam..." (José de Alencar, *O guarani*) **3** *P.ext.* Resguardado, protegido, seguro; ACASTELADO **4** *Fig.* Que evita o confronto com a realidade; ALIENADO: "O que pretende o poder central encastelado em Brasília ao bloquear verbas..." (*Jornal do Commercio*, 28.05.1998) **5** Amontoado, empilhado **6** *Vet.* Diz-se do casco de equídeos que se contrai para a parte inferior [F.: Part. de *encastelar*.]

encastelamento (en.cas.te.la.*men*.to) **sm. 1** Ação ou resultado de encastelar(-se) **2** *Vet.* Deformidade do casco de equídeos [F.: *encastelar* + *-mento*.]

encastelar (en.cas.te.*lar*) **v. 1** Proteger dentro de castelo, fortificação ou outro tipo de abrigo [**td.**: *O rei encastelou a família até o perigo passar.*] **2** *Fig.* Esconder (a si mesmo) para evitar o confronto com a realidade; ALIENAR-SE [**td.**: *Encastelou-se, achando que fugiria do sofrimento.*] [**tdr.** + *em*: *Ela encastelava-se num mundo de sonhos.*] **3** Dispor(-se) em forma de montes; AMONTOAR; EMPILHAR [**td.**: *encastelar as roupas usadas.*] [**int.**: *Os rochedos se encastelavam pela serra.*] **4** Dar feição de castelo a (construção) [**td.**] [▶ **1** encastel**ar**] [F.: *en-*^{2} + *castelo* + *-ar*^{2}.]

encastoado (en.cas.to.*a*.do) **a. 1** Engastado, cravado (diz-se de pedras preciosas ou de suas imitações): *Diamante encastoado em anel de ouro.* **2** *Fig.* Embutido, encerrado, metido: "Uma vida encastoada na selva, alheia a todas as inquietações do mundo." (Ferreira de Castro, *Selva*) **3** Que tem castão: *Bengala encastoada de prata.* [F.: Part. de *encastoar*.]

encastoar (en.cas.to.*ar*) **v. td. 1** Pôr castão em (bengala) **2** Embutir ou incrustar (pedras preciosas, ornamentais) em; ENGASTAR **3** Meter, firmar (como que engastando): "E encastoou a luneta no olho direito..." (Camilo Castelo Branco, *Felicidade*) [▶ **16** encast**oar**] [F.: *en-*^{2} + *castão* + *-ar*^{2}. Ant. ger.: *desencastoar*.]

encastoo (en.cas.*to*.o) **sm. 1** Peça de metal colocada na linha de pesca para fixar o anzol **2** Espécie de castão cravado no cabo das bengalas [F.: Dev. de *encastoar*. Hom./Par.: *encastoo* (fl. de *encastoar*).]

encastrado (en.cas.*tra*.do) **a. 1** Encaixado, engrenado (mecanismo encastrado) **2** *Lus.* Que foi embutido, enfiado (máquina encastrada na parede) [F.: Part. de *encastrar*.]

encastrar (en.cas.*trar*) **v. 1** Juntar partes que se encaixam [**td.**: *encastrar as peças de um brinquedo de montar.*] **2** *Lus.* Mesmo que *embutir* [**tdr.** + *em*: *Encastrou o armário num recanto da cozinha.*] [▶ **1** encastr**ar**] [F.: Do fr. *encastrer*.]

encasulado (en.ca.su.*la*.do) **a. 1** Que está envolto em casulo (borboleta encasulada) **2** *Fig.* Que se recolhe ou se cobre para ficar protegido: *É um homem encasulado, não sai daquela cabana.* [F.: Part. de *encasular*.]

encasulamento (en.ca.su.la.*men*.to) **sm.** Ação ou resultado de encasular(-se) [F.: *encasular* + *-mento*.]

encasular (en.ca.su.*lar*) **v. 1** Envolver-se em casulo [**int.**: *A lagarta, quando adulta, encasula.*] **2** *Fig.* Recolher (alguém, inclusive si mesmo) para que tenha proteção, tempo para reflexão etc.; ENCLAUSURAR [**ta.**: "Jinga como que se encasulou na Matamba." (Alberto da Costa e Silva, *A manilha e o libambo*)] [▶ **1** encasul**ar**] [F.: *en-*^{2} + *casulo* + *-ar*^{2}.]

encatarrado (en.ca.tar.*ra*.do) **a.** Cheio de catarro: *Expectorava, mas estava sempre encatarrado.* [F.: Part. de *encatarrar*.]

encatarrar (en.ca.tar.*rar*) **v.** Fazer acumular ou acumular catarro (ger. nas vias respiratórias); ENCATARROAR [**td.**: *O resfriado o encatarrou.*] [**int.**: *Não cuidou do resfriado, e logo encatarrou-se.*] [▶ **1** encatarr**ar**] [F.: *en-*^{2} + *catarro* + *-ar*^{2}.]

encaudilhar (en.cau.di.*lhar*) **v. td.** Exercer forte influência sobre (alguém) [▶ **1** encaudilh**ar**] [F.: *en-*^{2} + *caudilhar*.]

encauma (en.*cau*.ma) **sm. 1** *Oft.* Úlcera profunda da córnea **2** Cicatriz deixada por uma queimadura [F.: Do gr. *égkauma, atos*.]

encáustica (en.*cáus*.ti.ca) **sf. 1** Composição de cera derretida e do dobro de terebintina, fervida até atingir consistência pastosa, us. para polir ou conservar móveis de madeira, tetos etc. **2** *Art.pl.* Camada de cera derretida onde se faz toda a espécie de pintura **3** *Art.pl.* A própria pintura feita sobre essa camada de cera [F.: Do lat. *encaustica, ae*. Hom./Par.: *encaustica* (fl. de *encausticar*).] ■ **~a frio** *Art. Plást.* Aplicação de encáustica fria sobre pintura feita com pigmento (p.ex., guache) para suavizá-la e dar-lhe efeito translúcido

encava (en.*ca*.va) **sf.** *Arq.* Peça com que se unem dois corpos [F.: Dev. de *encavar*.]

encavacado (en.ca.va.*ca*.do) **a. 1** Que está aborrecido, amuado, zangado: "– O senhor terá bastante bom-senso para compreender o que lhe digo: ouça... / – Tenho até para mais... apartou o Borges, encavacado." (Aluísio Azevedo, *Filomena Borges – Flores de laranjeira*) **2** Que está encabulado, envergonhado: *Quando recebia elogios ficava bastante encavacado, não sabia o que dizer.* [F.: Part. de *encavacar*.]

encavacar (en.ca.va.*car*) **v. int. 1** Aborrecer-se, contrariar-se: *Assim que ouviu a troça do amigo, encavacou e não mais falou com ninguém.* **2** Ficar acanhado, envergonhado [▶ **13** encava**car**] [F.: *en-*^{1} + *cavaco* + *-ar*^{2}.]

encavado (en.ca.*va*.do) **a. 1** Que tem cavidade; ENCOVADO **2** Que tem cava **3** Metido em cava; ENCAIXADO [F.: Part. de *encavar*.]

encavalado (en.ca.va.*la*.do) **a. 1** Que está montado em cavalo; ENCAVALGADO **2** Sobreposto (dentes encavalados); ACAVALADO [F.: Part. de *encavalar*.]

encavalar (en.ca.va.*lar*) **v. td. 1** Montar (o cavalo); CAVALGAR **2** Passar por cima de **3** Colocar por cima; ACAVALAR; SOBREPOR [▶ **1** encaval**ar**] [F.: *en-*^{1} + *cavalo* + *-ar*^{2}.]

encavar (en.ca.*var*) **v. td. 1** Colocar numa cava ou em cavidade **2** Abrir buraco ou cava em; ESCAVAR: *encavar o jardim.* [▶ **1** encav**ar**] [F.: *en-*^{1} + *cava* + *-ar*^{2}.]

encaveirado (en.ca.vei.*ra*.do) **a.** Muito magro, esquelético: "E primo Ribeiro, branco, encaveirado, soprando e levantando o queixo a cada ofego..." (Guimarães Rosa, *Sarapalha*) [F.: Part. de *encaveirar*.]

encaveirar (en.ca.vei.*rar*) **v. td.** Fazer a caveira de (alguém); falar mal de ou denunciar (alguém): *Vivia encaveirando os outros.* [▶ **1** encaveir**ar**] [F.: *en-*^{1} + *caveira* + *-ar*^{2}.]

encavernado (en.ca.ver.*na*.do) **a. 1** Metido em caverna: *Na Idade Média, os presos eram encavernados em antros sinistros.* **2** *Fig.* Que está escondido, protegido: *Por sentir-se inseguro nas ruas, vivia em casa, encavernado.* [F.: Part. de *encavernar*.]

encavernar (en.ca.ver.*nar*) **v. tda. 1** Meter em caverna ou lugar semelhante: *Encavernaram-no em lugar sombrio.* **2** *Fig.* Meter-se em esconderijo; esconder-se, ocultar-se: *Encavernou-se no fundo do sótão.* [▶ **1** encavern**ar**] [F.: *en-*^{1} + *caverna* + *-ar*^{2}.]

encavilhar (en.ca.vi.*lhar*) **v. td.** Pregar cavilhas em; segurar com cavilhas. Tb. *cavilhar* [▶ **1** encavilh**ar**] [F.: *en-*^{1} + *cavilhar*.]

encazinar (en.can.zi.*nar*) *Lus.* **v. td. 1** Tornar (alguém ou si mesmo) zangado, encolerizado; ENCANZOAR **2** Demonstrar teimosia, obstinação; ENCANZOAR [▶ 1 encanzinar] [F.: *en-* + *cão* + *-z-* + *-inar*.]

◎ **-encefalia** *el. comp.* = 'cérebro'; 'anomalia cerebral'; (*fig.*) 'intelecto': *anencefalia, bariencefalia, macrencefalia/ macroencefalia* [F.: Do gr. *enképhalos, os, on*, 'que está dentro da cabeça'; 'encéfalo, cérebro', + *-ia*¹ (qv.). F. conexa: *encefal(o)-*. Ver *cefal(o)-* e *acefal(o)-*.]

encefálico (en.ce.*fá*.li.co) *a. Anat.* Rel. ao encéfalo ou que faz parte da sua constituição (troncoencefálico) [F.: *encéfal(o)* + *-ico*.]

encefalina (en.ce.fa.*li*.na) *sf.* Substância azotada, desprovida de fósforo, que se encontra no cérebro [F.: *encéfal(o)-* + *-ina*.]

encefalite (ence.fa.*li*.te) *sf. Med.* Inflamação do encéfalo, causada principalmente por infecção, esp. por vírus [F.: Do lat. cient. *encephalitis*, pelo fr. *encéphalite*. Ou *encefal(o)-* + *-ite*¹.] ▪▪ **~ letárgica** *Neur.* Doença virótica, epidêmica e infecciosa, com manifestação progressiva de apatia, sonolência e letargia

encefalítico (en.ce.fa.*lí*.ti.co) *a. Pat.* Que diz respeito a encefalite [F.: *encefalit(e)* + *-ico*.]

◎ **-encefal(o)-** *el. comp.* Ver *encefal(o)-*

◎ **encefal(o)-** *el. comp.* = 'encéfalo'; 'ref. ao, do ou no encéfalo'; 'que apresenta certa anomalia ou disfunção no encéfalo, no cérebro': *encefalalgia, encefalina, encefalite, encefalocele, encefaloma; ecoencefalograma; anencéfalo, diencéfalo* [F.: Do gr *enképhalos, os, on*, 'que está dentro da cabeça'; 'cérebro'. F. conexa: *-encefalia*. Ver *cefal(o)-* e *acefal(o)-*.]

◎ **-encéfalo** *el. comp.* Ver *encefal(o)-*

encéfalo (en.*cé*.fa.lo) *sm. Anat.* Parte do sistema nervoso central que se encontra alojada na caixa craniana, e que abrange o cérebro (ou córtex cerebral), cerebelo, ponte (ou protuberância) e bulbo raquiano. Inclui ainda o corpo caloso, o tálamo e o hipotálamo [F.: Do gr. *enképhalos*, pelo fr. *encéphale*. Ver *cérebro*. Ideia de 'encéfalo': *cefal(o)-*; (*cefalologia*), *-cefalia* (*macrocefalia*); *-céfalo* (*braquicéfalo*).]

encefalocele (en.ce.fa.lo.*ce*.le) *sf. Pat.* Hérnia encefálica provocada pela protrusão da substância cerebral através de abertura congênita ou traumática do crânio [F.: *encefal(o)-* + *-cele*.]

encefalografia (en.ce.fa.lo.gra.*fi*.a) *sf.* **1** *Med.* Descrição do cérebro **2** *Rlog.* Radiografia do cérebro [F.: *encefal(o)-* + *-grafia*.]

encefalograma (en.ce.fa.lo.*gra*.ma) *sm. Rlog.* Radiografia de contraste das cavidades do encéfalo (com substituição do fluido cerebrospinal por ar, ou por outro fluido) [F.: *encefal(o)-* + *-grama*. Cf.: *eletroencefalograma*.]

encefalomielite (en.ce.fa.lo.mi:e.*li*.te) *sf. Pat.* Inflamação do encéfalo e da medula [F.: *encéfal(o)-* + *mielite*.]

encefalopatia (en.ce.fa.lo.pa.*ti*.a) *sf. Pat.* Nome genérico de doenças e acidentes graves que afetam encéfalo [F.: *encefal(o)-* + *-patia*.] ▪▪ **~ espongiforme** *Neur.* Doença grave, cujo agente é o príon, e que se manifesta em demência e na degeneração progressiva do tecido cerebral, com perda de mielina, transformando-se em tecido esponjoso

encegueirado (en.ce.guei.*ra*.do) *a. CE BA Lus.* Aferrado a uma ideia, a um sentimento, a um vício; OBCECADO: *Estava encegueirado por aquela mulher.* [F.: *en-* + *cegueira* + *-ado*.]

encelado (en.ce.*la*.do) *a.* Colocado em cela; ENCLAUSURADO, PRESO [Ant.: *liberto, solto*.] [F.: Part. de *encelar*.]

encelar (en.ce.*lar*) *v. td.* Colocar em cela; ENCLAUSURAR: *Encelou os dois presos.* [▶ 1 encelar] [F.: *en-*¹ + *cela* + *-ar*².]

enceleirar (en.ce.lei.*rar*) *v. td.* **1** Recolher em celeiro **2** Fazer depósito e provisões de (enceleirar alimentos) **3** *Fig.* Acumular, juntar (enceleirar riquezas) [▶ 1 enceleirar] [F.: *en-*¹ + *celeiro* + *-ar*².]

encenação (en.ce.na.*ção*) *sf.* **1** Ação ou resultado de encenar **2** *Teat.* Montagem de espetáculo teatral; REPRESENTAÇÃO **3** *Teat.* Conjunto dos meios e processos artísticos e técnicos que concorrem para realizar um espetáculo teatral **4** *Teat.* Direção teatral **5** *Fig.* Atitude ou comportamento dissimulado que visa a iludir alguém: "...delatavam demoníaca encenação adrede engenhada pelos jagunços..." (Euclides da Cunha, *Os sertões*) [Pl.: *-ções*.] [F.: *encenar* + *-ção*.]

encenado (en.ce.*na*.do) *a.* **1** Que se encenou **2** Que foi levado à cena; DIRIGIDO: *O Auto da Compadecida foi muito bem encenado pela companhia de amadores.* **3** Que foi mostrado em palco de teatro: *Peça encenada no Teatro Municipal.* **4** *Fig.* Fingido, simulado (desmaio encenado) [F.: Part. de *encenar*.]

encenar (en.ce.*nar*) *v.* **1** *Teat.* Montar e apresentar ao público (peça de teatro) [*td.*: *O grupo encenou a nova peça do dramaturgo.*] **2** *Fig.* Manifestar(-se) de forma insincera ou exagerada para iludir alguém; FINGIR; SIMULAR [*td.*: *encenar um desmaio.*] [*int.*: *Pare de encenar, você não se machucou tanto assim.*] **3** Desempenhar papel em (peça de teatro, filme etc.); REPRESENTAR [*td.*: *Em fim de carreira, encenou Hamlet com grande sucesso.*] [▶ 1 encenar] [F.: *en-*² + *cena* + *-ar*².]

enceradeira (en.ce.ra.*dei*.ra) *sf. Bras.* Aparelho eletrodoméstico us. para encerar pisos, soalhos etc. *Lus.*; ENCERADORA [F.: *encerar* + *-deira*.]

encerado (en.ce.*ra*.do) *a.* **1** Que se encerou (piso encerado) **2** *Bras.* Que adquiriu cor de cera **3** *Bras.* Cujo pelo é baio-escuro (diz-se animal, esp. cavalo) *sm.* **4** Lona impermeabilizada com uma camada de óleo ou de cera; OLEADO **5** *AM* Saco revestido com látex natural, como forma de impermeabilizá-lo [F.: Part. de *encerar*.]

enceramento (en.ce.ra.*men*.to) *sm.* Ação ou resultado de encerar, de passar cera: *O enceramento foi tão bem-feito que o piso parecia um espelho.* [F.: *encerar* + *-mento*.]

encerar (en.ce.*rar*) *v.* **1** Aplicar cera ou substância similar sobre (madeira, couro etc.) [*td*: *É preciso encerar este soalho, está muito surrado; Encerou o cinto até deixá-lo brilhante.*] **2** Misturar com cera [*td.*] **3** Fazer ficar ou ficar cor de cera [*td.*] [*int.*] [▶ 1 encerar] [F.: *en-*² + *cera* + *-ar*². Hom./Par.: *encerar, inserir*, (algumas fl. dos verbos), *encerrar*.]

encerrado (en.cer.*ra*.do) *a.* **1** Que se encerrou: *espetáculo encerrado sob aplausos calorosos.* [Ant.: *aberto, iniciado*.] **2** Que foi colocado em clausura; ENCLAUSURADO: *O prisioneiro foi encerrado após ouvir a condenação.* [Ant.: *liberto, solto*.] **3** Que está escondido, fechado, guardado: *documentos encerrados no cofre.* [Ant.: *exposto*.] [F.: Part. de *encerrar*.]

encerramento (en.cer.ra.*men*.to) *sm.* **1** Ação e efeito de encerrar: *O encerramento da sessão deu-se na hora marcada.* [Ant.: *começo, início*.] **2** *Fig.* Guarda, recolhimento: *encerramento em clausura.* **3** Conclusão, fecho (encerramento do discurso) **4** Apresentação d as mensagens finais de um programa de rádio ou TV [F.: *encerrar* + *-mento*.]

encerrar (en.cer.*rar*) *v.* **1** Concluir(-se), terminar [*td.*: *Encerrou o discurso com um agradecimento:* "...ele almoça com correligionários e encerra sua agenda no Recife com um *show gospel*." (*Jornal do Commercio*, 17.06.2005)] [*int.*: *O dia encerrou com o dólar em queda.* Ant.: *começar, iniciar*.] **2** Trazer em si; CONTER [*td.*: *As palavras do padre encerravam grande indignação:* "Recebe o afeto que se encerra / em nosso peito varonil..." (Olavo Bilac, *Hino à bandeira*)] **3** Manter(-se) (algo, alguém) em local fechado [*tda.*: *Encerrou o prisioneiro na masmorra; Encerrou-se em seu quarto e não saiu mais:* "...encerrava-se naquele asilo e aí vivia." (José de Alencar, *A pata da gazela*)] **4** Resumir-se a; LIMITAR-SE; CIRCUNSCREVER-SE [*tr.* + *em*: *Sua cultura encerrava-se nas conversas de esquina.*] [▶ 1 encerrar] [F.: *en-*² + *cerrar*. Hom./Par.: *encerrar* (todas as fl.).]

encestador (en.ces.ta.*dor*) [ô] *a.* **1** *Basq.* Diz-se de quem acerta a bola na cesta com frequência *sm.* **2** *Basq.* O jogador de basquetebol que é perito em acertar bolas na cesta, que tem a mão certeira: *Quando ninguém mais acreditava, o encestador, com uma linda enterrada, levou o time à vitória.* [F.: *encestar* + *-dor*.]

encestar (en.ces.*tar*) *v.* **1** *Basq.* Jogar (a bola) dentro da cesta [*td.*: *Encestou a bola de primeira.*] [*int.*: "... andaram ensinando aos meninos do time infantil alguns truques para melhor encestar." (*O Globo*, 31.12.2000)] **2** *Bras.* Arremessar (um objeto) em um cesto [*td.*] **3** *Gír.* Agredir com pancadas [*td.*: *Irritado e injuriado, encestou o desafeto.*] **4** Meter, guardar em cesto [*td.*] [▶ 1 encestar] [F.: *en-*² + *cesto* + *-ar*². Hom./Par.: *encestar, incestar* (em todas as fl.); *encesto* (fl.), *incesto* (sm.).]

encetado (en.ce.*ta*.do) *a.* **1** Que se encetou, a que foi dado início; COMEÇADO: *O ataque encetado não teve continuidade.* **2** Que já não está inteiro ou intacto; de que já se tirou parte ou pedaço (queijo encetado) [F.: Part. de *encetar*.]

encetamento (en.ce.ta.*men*.to) *sm.* Ação de encetar, de principiar algo ou de tirar um pedaço de um todo [F.: *encetar* + *-mento*. Hom./Par.: *encetamento* (sm.), *incitamento* (sm.).]

encetar (en.ce.*tar*) *v. td.* **1** Iniciar, começar: *encetar uma tarefa:* "Mas o general redimiu-se de muitos dos seus erros ao encetar corajosamente a trilha da reabertura." (*O Globo*, 24.11.2003) [Ant.: *finalizar*.] **2** Tirar porção de (algo que antes estava inteiro): *encetar o pão.* **3** Fazer ou experimentar (algo) pela primeira vez [*td.*: *Encetou um novo método de fabricação, e logo o aprovou.*] [*int.*: *Naquele espetáculo ela encetou-se como diretora.*] [▶ 1 encetar] [F.: Do lat. *inceptare*. Hom./Par.: *encetar, incitar* (em várias fl.); *enceto* (fl.), *inseto* (sm.).]

enchapelado (en.cha.pe.*la*.do) *a.* Coberto com chapéu: *Senhoras enchapeladas assistiam ao páreo.* [F.: Part. de *enchapelar*.]

encharcado (en.char.*ca*.do) *a.* **1** Que se converteu em charco, em pântano; ALAGADO; INUNDADO **2** Que ficou muito molhado (camisa encharcada); EMPAPADO; ENSOPADO [Ant.: *desensopado, enxuto*.] **3** *Fig.* Que ficou cheio, tomado, repleto de algo: *Estava encharcado de boas intenções.* **4** *Fig.* Que ingeriu bebida alcoólica em demasia; BÊBEDO; EMBRIAGADO: *Bebeu o dia todo, está encharcado.* [Ant.: *sóbrio*.] [F.: Part. de *encharcar*. ant. ger.: *desencharcado*.]

encharcamento (en.char.ca.*men*.to) *sm.* Ação ou resultado de encharcar(-se); ALAGAMENTO; INUNDAÇÃO: *As chuvas fortes provocaram o encharcamento das ruas.* [F.: *encharcar* + *-mento*.]

encharcar (en.char.*car*) *v.* **1** Molhar(-se) muito; ENSOPAR [*td.*: *Suas lágrimas encharcariam um lenço.*] [*int.*: *Suou muito, sua camisa encharcou-(se) (de suor).*] **2** Converter(-se) em charco; encher(-se) de água; ALAGAR; INUNDAR [*td.*: *A chuva encharcou o gramado do estádio.* Ant.: *secar*.] [*int.*: *De tanta chuva, o gramado encharcou(-se).*] **3** Meter-se em charco, atoleiro, lameiro; ATOLAR [*int.* Ant.: *desatolar*.] **4** *Fig. Pop.* Embriagar-se [*tr.* + *de*: *encharcar-se de cachaça.*] [*int.*: *Para desespero da família, encharca-se diariamente.*] **5** Embeber, impregnar [*td.*: "Encharca bem este lenço com água-de-colônia." (Eça de Queirós, *A ilustre casa de Ramires*)] [▶ 11 encharcar] [F.: *en-*² + *charco* + *-ar*².]

encheção (en.che.*ção*) *sf. Bras. Gír.* Ação ou resultado de incomodar, aborrecer alguém; AMOLAÇÃO, CHATEAÇÃO: *Não aguento mais essa encheção do chefe.* [Pl.: *-ções*.] [F.: *encher* + *-ção*.]

enchente (en.*chen*.te) *a2g.* **1** Que (se) enche (maré enchente) [Ant.: *vazante*.] *sf.* **2** Grande volume de água que se acumulou em razão de chuvas, subida de maré, rompimento de condutores de água etc., transcendendo seu nível normal e às vezes submergindo áreas em geral secas, ruas, campos etc.; CHEIA; INUNDAÇÃO [Ant.: *estiagem, seca*.] **3** *Fig.* Quantidade excessiva de algo; ABUNDÂNCIA; EXCESSO: *uma enchente de crianças no parque.* [Ant.: *carência, escassez*.] **4** Comparecimento em massa (de pessoas) a algum lugar: *uma enchente de torcedores no Maracanã.* [Ant.: *ausência, falta*.] [F.: *encher* + *-ente*.] ▪▪ **~ da Lua** *Astron.* Fase lunar entre a lua nova e a lua cheia **~ da maré** *Geof.* Período da maré entre a baixa-mar e a preamar seguinte [Ant.: *vazante da maré*.]

encher (en.*cher*) *v.* **1** Fazer ficar ou ficar cheio (vão, recipiente, espaço, volume, lugar etc.) no máximo de sua capacidade [*td.*: *encher um balde.*] [*tda.*: *encher um balde com água.*] [*int.*: *O cinema encheu.*] [*ta.*: *No primeiro dia de show, o teatro encheu só com convidados.* Ant.: *esvaziar*.] **2** Satisfazer(-se), saciar(-se) [*td.*: *Enchi o estômago.*] [*tda.*: *Parei na sorveteria e me enchi de sorvete.*] **3** Existir ou fazer existir, apresentar-se em grande quantidade; ABUNDAR [*td.*: *Os desocupados enchiam as praças.*] [*tdr.* + *de*: *A fruta encheu o vestido de nódoas; encher-se de alegria.*] **4** Dar ou conceder (algo) em grande quantidade a; CUMULAR [*tdr.* + *com, de*: *O pai encheu o filho de presentes.*] **5** Fazer-se sentir em todo o espaço de; ESPALHAR-SE [*td.*: *O barulho da máquina encheu o ambiente.*] **6** *Bras. Pop.* Causar a ou sentir aborrecimento, chateação etc.; ABORRECER; CHATEAR [*td.*: *Essa história já está me enchendo.*] [*int.*: *Ele reclama sem parar, já (me) enchi:* "Mulher muito apaixonada enche." (Antonio Callado, *Pedro Mico*)] [*tr.* + *de*: *Já (me) enchi de tanta reclamação.*] **7** Ocupar, preencher, tomar [*td.*: *A pintura enchia a sua vida.*] **8** *Bras. Pop.* Emprenhar, engravidar [*td.*] [▶ 2 encher] [F.: Do lat. *implere*.]

enchido (en.*chi*.do) *a.* **1** Que se encheu, que está cheio: *galão enchido até a boca.* *sm.* **2** *Lus. Cul.* Ver *embutido (5)* [F.: Part. de *encher*.]

enchimento (en.chi.*men*.to) *sm.* **1** Ação ou resultado de encher(-se) [Ant.: *esvaziamento*.] **2** Algo com que se enche alguma coisa; RECHEIO: *O enchimento do colchão ficou todo molhado.* **3** *PE* Armazém que compra e vende álcool e aguardente por atacado **4** *AM* O mesmo que *enxameação*, ação ou resultado de *enxamear* [F.: *encher* + *-mento*.]

enchiqueirar (en.chi.quei.*rar*) *v.* **1** Colocar(-se) em chiqueiro [*td.*: *Enchiqueirou os porcos; O porco enchiqueirou-se.*] **2** *RS* Meter (alguém) em situação de difícil saída [*td.*] **3** *Lus.* Ordenhar no curral do chiqueiro [*td.*: "Vai enchiqueirar ou mugir o leite e levá-lo à fábrica" (Raul Brandão, *Ilhas desconhecidas*)] **4** *Bras.* Entrar (o peixe) na parte do curral que tem o nome de chiqueiro [*int.*] [▶ 1 enchiqueirar] [F.: *en-*¹ + *chiqueiro* + *-ar*².]

enchocalhar (en.cho.ca.*lhar*) *v. td.* Pôr chocalho em (um animal [gado ou besta]): *enchocalhar uma vaca leiteira.* [▶ 1 enchocalhar] [F.: *en-*¹ + *chocalho* + *-ar*².]

enchouriçar (en.chou.ri.*çar*) *v.* **1** Dar aspecto de chouriço a **2** Aborrecer, chatear [*td.*: *Pare de enchouriçar os outros!*] **3** *Fig.* Amuar-se, exibir semblante desconfiado, mostrar mau humor [*int.*: "Oh homem! Você enchouriçou-se?" (D. Francisco Manuel, *Feira dos anexins*)] [▶ 12 enchouriçar] [F.: *en-*¹ + *chouriço* + *-ar*².]

enchova (en.*cho*.va) [ô] *sf. Bras. Zool.* Peixe da fam. dos pomatomídeos (*Pomatomus saltator*) de dorso entre o verde e o azul e abdome esbranquiçado, que pode atingir 1 m de comprimento e 12 kg de peso, muito comum nos mares quentes e temperados, e de grande valor comercial, por ser alimento apreciado; ANCHOVA [F.: Do gr. *aphye*, pelo lat. vulg. * *apiúa*, pelo genovês *anciöa* e pelo espn. ant. *anchova*.]

enchumaçar (en.chu.ma.*çar*) *v. td.* **1** Colocar chumaço em; CHUMAÇAR: *enchumaçar um casaco; enchumaçar um sofá.* **2** Acolchoar, estofar: *enchumaçar um tecido.* [▶ 12 enchumaçar] [F.: *en-*¹ + *chumaçar*.]

◎ **-ência** *suf.* = estado, qualidade: *abrangência, aderência, convergência etc.* [Forma culta paralela de *-ença*, como *-ância* é de *-ança*.] [Suf. nom. formador de subst. abstratos deriv. de v.]

encíclica (en.*cí*.cli.ca) *sf.* Carta circular papal sobre algum tema de dogma ou doutrina católica [F.: Do gr. *egkýklios*, pelo lat. tardio *encyclicus*.]

encíclico (en.*cí*.cli.co) *a.* **1** Que tem a forma de círculo; CIRCULAR; ORBICULAR **2** *Rel.* Rel. a encíclica [F.: Do lat. tardio *encyclicus,a,um*.]

enciclopédia (en.ci.clo.*pé*.di:a) *sf.* **1** Conjunto dos conhecimentos humanos **2** Obra de referência e consulta, que reúne vasta soma de conhecimentos humanos ou abrange apenas determinada área desses conhecimentos **3** *P.ext.* Livro que reúne significativa soma de conhecimentos: *Aquele romance era uma verdadeira enciclopédia de cinema.* **4** *Fig.* Indivíduo dotado de amplos conhecimentos gerais ou especialista em uma área específica do conhecimento: *Esse intelectual é uma enciclopédia.* [F.: Do gr. *egkyklopaideia*, pelo fr. *encyclopédie*.] ▪▪ **~ viva** Pessoa com vasto saber e conhecimento diversificado

📖 Populares a partir do séc. XVIII como fontes de conhecimentos gerais organizados e estruturados para responder a consultas por temas – ou palavras – predeterminados, as enciclopédias datam ainda da antiguidade greco-romana, como os trabalhos de Varrão, na Grécia, Plínio, o Velho, em Roma (séc. I) este com uma *História natural* publicada em 37 livros. Bizantinos, chineses e muçulmanos organizaram obras de caráter enciclopédico ao longo da Idade Média. No Renascimento, Lully, Francis Bacon e Comenius deram sua contribuição. Foi no século XVIII que as enciclopédias encontraram o modelo que prevalece até hoje em sua maioria, com a publicação da *Encyclopédie* de Diderot e d' Alembert, em 35 volumes (17 de texto e 11 de lâminas, originais, mais quatro de texto e um de lâminas suplementares, mais dois de índice. A partir de então, dezenas foram publicadas, em várias línguas e com vários enfoques. Entre as mais importantes e conhecidas figuram a *Encyclopaedia Britannica*, em várias edições, a primeira das quais em 1768-1771; a *Brockhaus Konversations-Lexikon*, em 1796; dicionário enciclopédico *Grand dictionnaire universel du XIX siècle*, da Larousse; a *Grande encyclopédie, inventaire raisonée des sciences, des lettres et des arts*, em 31 volumes; a *Groliers Universal Encyclopedia*; a enciclopédia *World Book*; a *Enciclopedia universal ilustrada europeo-americana* da Espasa Calpe; no Brasil, a *Enciclopédia Brasileira Mérito* (1964), a *Grande enciclopédia Delta-Larousse* (1970), a *Enciclopédia Barsa* (1964 e 1997), a *Enciclopédia Mirador internacional* (1975) e a *Enciclopédia Delta universal* (1980).

enciclopédico (en.ci.clo.*pé*.di.co) *a.* **1** Ref. a enciclopédia: *Esta obra é de uma abrangência enciclopédica.* **2** Que inclui todos os campos do conhecimento humano (saber enciclopédico) **3** *Fig.* Que é dono de amplos conhecimentos [F.: *enciclopédia* + *-ico²*.]

enciclopedismo (en.ci.clo.pe.*dis*.mo) *sm.* **1** Sistema dos enciclopedistas do séc. XVIII **2** Conjunto de conhecimentos enciclopédicos: *o enciclopedismo renascentista.* **3** Propensão ao acúmulo de conhecimentos nas diversas áreas do saber: *Seu enciclopedismo fazia-o versátil na discussão de qualquer assunto.* [F.: *enciclopédia* + *-ismo*.]

enciclopedista (en.ci.clo.pe.*dis*.ta) *a2g.* **1** Que pertence ou se refere à escola dos enciclopedistas do séc. XVIII **2** Que é autor ou colaborador em enciclopédia *sm.* **3** Cada um dos escritores e filósofos franceses que participaram da célebre Enciclopédia do séc. XVIII **4** Redator de enciclopédia [F.: *enciclopédia* + *-ista*.]

encilhada (en.ci.*lha*.da) *RS sf.* **1** Ação ou resultado de encilhar e montar uma cavalgadura **2** Porção de erva-mate que se adiciona à cuia, para tornar o mate mais forte [F.: Fem. substv. de *encilhado*, part. de *encilhar*.]

encilhamento (en.ci.lha.*men*.to) *sm.* **1** Ação ou resultado de encilhar **2** *Bras. Hist.* Período de intensa especulação na Bolsa de Valores brasileira após a Proclamação da República (1889-1891), uma agitação financeira que transtornou a economia do país [F.: *encilhar* + *-mento*.]

encilhar (en.ci.*lhar*) *v. td.* **1** Apertar as cilhas de (cavalgadura) [Ant.: *desencilhar*.] **2** Pôr arreios em (cavalgadura) [Ant.: *desencilhar*.] **3** *RS* Deitar porção de erva-mate sobre (outra já usada), para tornar mais forte o mate [▶ 1 encilhar] [F.: *en-²* + *cilha* + *-ar²*. Cf. *ensilar*.]

encimado (en.ci.*ma*.do) *a.* **1** Que foi colocado sobre algo, posto em cima: *Aguardavam o ataque com as armas encimadas nos muros do casario.* **2** Que está no alto; ELEVADO [Ant.: *baixo, rebaixado*.] **3** Coroado, rematado: *monte encimado por uma pujante mata.* *sm.* **4** *Her.* Remate sobre o escudo das armas [F.: Part. de *encimar*.]

encimar (en.ci.*mar*) *v.* **1** Encontrar-se acima de [*td.*: *Densas nuvens encimam a montanha.*] **2** Pôr em cima de [*td.*: *Preciso de um pinguim para encimar a geladeira.*] [*tdr.* + *com*: "Encimar uma geladeira com um elefante ou um leão... seria incompatível com o bom-senso." (*O Globo*, 06.07.1997)] **3** Rematar estando em cima de; COROAR [*td.*: *Uma coroa de flores encimava sua cabeça.*] **4** Pôr em local ou posição elevada [*tdr.* + *a*: *Seu último romance encimou-o ao ápice da glória.*] [▶ 1 encimar] [F.: *en-²* + *cima* + *-ar²*.]

encintar (en.cin.*tar*) *v. td.* **1** Guarnecer de cinta; CINTAR; CINGIR **2** Rodear, circundar [▶ 1 encintar] [F.: *en-* + *cintar*.]

enciumado (en.ci:u.*ma*.do) *a.* Dominado por ciúmes; que sente ciúmes; CIUMENTO [F.: Part. de *enciumar*.]

enciumar (en.ci:u.*mar*) *v.* Encher(-se) de ciúmes [*td.*: *Os elogios que ele recebe do pai enciúmam os irmãos.*] [*int.*: *Enciumou-se ao ver a namorada conversar com o amigo.*] [▶ 1 enciumar. Quanto ao acento do *u*, ver paradigma **18**.] [F.: *en-²* + *ciúme* + *-ar²*.]

enclausurado (en.clau.su.*ra*.do) *a.* **1** Que se enclausurou; ENCLAUSTRADO: *Sentia-se enclausurado pela insegurança reinante na cidade.* [Ant.: *livre, solto*.] *sm.* **2** Aquele que está recolhido, em clausura; PRESO: *O enclausurado clamava por liberdade.* [Ant.: *liberto*.] [F.: Part. de *enclausurar*.]

enclausuramento (en.clau.su.ra.*men*.to) *sm.* Ação ou efeito de enclausurar(-se) [F.: *enclausurar* + *-mento*.]

enclausurar (en.clau.su.*rar*) *v.* **1** Pôr(-se), fechar(-se) em clausura, lugar ou situação fechada [*td.*: *Enclausurava as filhas; Com a depressão, enclausurou-se.*] [*tda.*: *Enclausurou a filha num convento.*] **2** *Fig.* Afastar(-se) da convivência social [*td.*: *O projeto preenchia todo o seu tempo, e o enclausurou por três meses.*] [*int.*: *Assoberbado com o projeto, enclausurou-se por três meses.*] [▶ 1 enclausurar] [F.: *en-²* + *clausura* + *-ar²*. Tb. *clausurar*.]

enclave (en.*cla*.ve) *sm.* **1** Território, região, terreno ou reduto situado em território alheio: *Os aliados tinham enclaves no território inimigo.* **2** *Geol.* Rocha encravada em outra (esta ger. vulcânica, ou plutônica) [F.: Do fr. *enclave*. Sin.ger.: *encrave*.]

enclavinhar (en.cla.vi.*nhar*) *v.* **1** Travar, apertar [*td.*: "No tope enclavinhou as pernas" (Aquilino Ribeiro, *Batalha sem fim*)] **2** Enlaçar, entrelaçar (os dedos das mãos) [*td.*: *Nervoso, enclavinhou os dedos das mãos.*] [*int.*: *Enclavinharam-se os dedos das mãos.*] [▶ 1 enclavinhar] [F.: De or. contrv.]

ênclise (*ên*.cli.se) *sf.* **1** *Gram.* Fenômeno de pronúncia pelo qual se incorpora ao verbo o pronome átono (ger. me, te, se, o, a, lhe etc.) que o sucede (p.ex.: ofereceu-lhe, avistou-nos, intrometeu-se etc.) [Ver *próclise* e *mesóclise*.] **2** *Ling.* Junção de uma palavra átona à palavra precedente (p.ex.: hei de ganhar) [F.: Do gr. *égklisis*, inclinação', pelo lat. *enclisis*; ver *-clise¹*.]

enclítico (en.*clí*.ti.co) *Gram.* *a.* **1** Rel. a ou próprio da ênclise: *No início de períodos, pronomes átonos devem estar enclíticos, p. ex.: fale-me, diga-lhe, sente-se.* **2** Diz-se de palavra átona que se liga foneticamente àquela que a precede: "desejo-lhe contar um segredo" ou" desejo contar-lhe um segredo" [Cf. *mesoclítico* e *proclítico*.] [F.: Do lat. *encliticus, a, um*.]

encobertamento (en.co.ber.ta.*men*.to) *sm.* Ação ou resultado de encobertar(-se); ACOBERTAMENTO [F.: *encobertar* + *-mento*.]

encobertar (en.co.ber.*tar*) *v. td. tdr. tr.* Mesmo que *acobertar* [▶ 1 acobertar] [F.: *en-¹* + *coberta* + *-ar²*.]

encoberto (en.co.*ber*.to) *a.* **1** Diz-se de tempo enevoado, do céu com nuvens [Ant.: *aberto, claro*.] **2** *Fig.* Que está disfarçado; VELADO: *Coração cheio de ódios encobertos.* [Ant.: *franco, manifesto*.] **3** Que foi escondido; OCULTO: *Por razões encobertas desistiu da candidatura.* [Ant.: *descoberto, revelado*.] [F.: Part. de *encobrir*. Hom./Par.: *encoberto* (fl. de *encobertar*).]

encobrimento (en.co.bri.*men*.to) *sm.* Ação ou resultado de encobrir(-se); DISFARCE; OCULTAÇÃO [Ant.: *exposição, ostentação*.] [F.: *encobrir* + *-mento*.]

encobrir (en.co.*brir*) *v.* **1** Impedir que se veja ou ouça; OCULTAR [*td.*: *As nuvens encobriram a aeronave; A barulheira encobriu a música.*] **2** Impedir que se revele; OCULTAR [*td.*: *Não podemos encobrir essas falcatruas.*] [*tdr.* + *a, de, para*: *A família tentou encobrir o escândalo à/ da/para a imprensa.*] **3** Não deixar que se perceba; DISSIMULAR [*td.*: *Tentou encobrir seu constrangimento.*] **4** *Fut.* Arremessar ou passar a bola por cima de [*td.*: *Encobriu o goleiro e fez o gol; A bola encobriu o goleiro e entrou.*] **5** Tapar, cobrir [*td.*: *Uma nuvem de poeira encobriu a cidade.*] **6** Cobrir(-se) o céu de nuvens; NUBLAR [*int.*: *O tempo encobriu.*] [▶ **51** encobrir Part.: *encoberto*.] [F.: *en-²* + *cobrir*.]

encoivaramento (en.coi.va.ra.*men*.to) *sm. Bras.* Ação de encoivarar; ENCOIVARAÇÃO [F.: *encoivarar* + *-mento*.]

encoivarar (en.coi.va.*rar*) *v. td. Bras.* Fazer coivaras em; COIVARAR: "Encoivarava terras para algum novo partido de canas..." (Franklin Távora, *Cabeleira*) [▶ 1 encoivarar] [F.: *en-¹* + *coivara* + *-ar²*.]

encolado (en.co.*la*.do) *a.* Que se encolou; que foi coberto de cola, de goma (papel encolado; taco encolado) [F.: part. de *encolar*.]

encolar (en.co.*lar*) *v. td.* Passar cola em; cobrir de cola: *Encolou o papel de parede antes de aplicá-lo.* [▶ 1 encolar] [F.: *en-¹* + *cola¹* + *-ar²*.]

encolerizado (en.co.le.ri.*za*.do) *a.* Que se encolerizou; que ficou ou está cheio de cólera; FURIOSO; ZANGADO: *Não confie na objetividade de um homem encolerizado.* [Ant.: *manso, plácido*.] [F.: Part. de *encolerizar*.]

encolerizar (en.co.le.ri.*zar*) *v.* Causar a, provocar em ou sentir cólera; IRRITAR; ENFURECER [*td.*: *Sua arrogância encolerizou o juiz.*] [*int.*: *Ao ser destratado, encolerizou-se.*] [▶ 1 encolerizar] [F.: *en-²* + *cólera* + *-izar*.]

encolha (en.*co*.lha) [ô] *sf.* Ação ou resultado de encolher(-se); ENCOLHIMENTO [F.: Dev. de *encolher*. Hom./Par.: *encolha* (sf.), *encolha* (fl. de *encolher*).] ■ **Meter-se nas ~s 1** Omitir-se, retrair-se, não dar sinal de si **2** Ficar calado, não se manifestar, nada dizer

encolher (en.co.*lher*) *v.* **1** Tornar-se menor; DIMINUIR [*int.*: *A roupa encolheu na lavanderia; A paixão encolhera na rotina.*] **2** Retrair(-se), contrair(-se) [*td.*: *Encolha as pernas para eu passar.*] [*int.*: *Sob o sol forte, a flor encolheu(-se) e murchou.*] **3** Contrair a si mesmo por medo, dor etc. [*td.*: "...encolheu-se toda a um canto, a tremer..." (Eça de Queirós, *A relíquia*)] **4** *Fig.* Sentir-se intimidado, acanhado [*int.*: *Sempre se encolhe quando é alvo de atenção.*] [▶ 2 encolher] [F.: *en-²* + *colher*.]

encolhido (en.co.*lhi*.do) *a.* **1** Que encolheu; que diminuiu ou encurtou: *roupa encolhida depois de molhada.* **2** Que se encolhe por medo, timidez, humildade etc.; ACANHADO; RETRAÍDO: *Era um homem aprumado quando comandava, um homem encolhido quando obedecia.* **3** Dobrado ou enroscado sobre si próprio: "O Leonardo estava sentado, ou antes encolhido a seu canto, quieto e silencioso." (Manuel Antônio de Almeida, *Memórias de um sargento de milícias*) [F.: Part. de *encolher*.]

encolpismo (en.col.*pis*.mo) *sm.* **1** *Med.* Processo de introduzir medicação pela vagina **2** Medicação administrada por esse processo [F.: Do gr. *egkolpismós*, pelo lat. tard. *encolpismus*.]

encomenda (en.co.*men*.da) *sf.* **1** Ação de encomendar **2** Pedido de compra, de prestação de serviços etc.: *Fez uma encomenda pelo telefone.* **3** Aquilo que se encomendou: *A encomenda chegou à noite.* **4** *Bras. Pop.* Feitiço, mandinga: *Fez uma encomenda para recuperar o emprego.* **5** *Tabu.* Partes pudendas do homem [F.: Dev. de *encomendar*. Hom./Par.: *encomenda(s)* (fl. de *encomendar*).] ■ **~ das almas** *Bras. Rel.* Ver *Encomendação das almas*, no verbete *encomendação* **Adeus minhas ~s!** *Fam.* Exclamação de frustração ao se constatar que algo deixou de ser, ou acabou-se, ou não se realizou etc.; adeus! já era! babau! **De ~** *Fam.* Em boa hora, a calhar: *Esse prêmio veio de encomenda, estava precisando de grana.* **Sair melhor que a ~** *Irôn.* Sair-se (algo, alguém) pior que o esperado

encomendação (en.co.men.da.*ção*) *sf.* **1** Ação de encomendar, de fazer uma encomenda; ENCOMENDA **2** Advertência, recomendação **3** *Litu.* Oração por um morto, feita diante do corpo exposto **4** Administração de igreja ou paróquia [Pl.: *-ções*.] [F.: *encomendar* + *-ção*,.] ■ **~ das almas** *Bras. Rel.* Procissão de penitentes na Quaresma, na qual os participantes, cobertos de branco, oram pelas almas no purgatório; crê-se que não deve ser assistida por ninguém, sob pena de malefício; encomenda das almas **~ do corpo** *Litu.* Oração por pessoa falecida, antes do sepultamento

encomendado (en.co.men.*da*.do) *a.* **1** Feito de encomenda **2** Que foi recomendado [Ant. nas acp. 1 e 2: *desencomendado*.] *sm.* **3** Pároco por encomendação (4) [F.: Part. de *encomendar*.]

encomendar (en.co.men.*dar*) *v.* **1** Mandar fazer ou mandar entregar (algo) a ser adquirido [*td.*: *Encomendou caças russos para o país; Encomenda livros pela Internet.*] [*tdi.* + *a, para*: *Encomendaram dois tratores à Mercedes.*] **2** Entregar(-se) à proteção de [*tdi.* + *a, para*: *Encomendou a filha ao namorado e partiu; Encomendou-se a Deus e entrou no ônibus.*] **3** Incumbir (alguém) de fazer algo [*tdi.* + *a, para*: *Encomendou ao marceneiro a reforma dos móveis.*] **4** Orar pela salvação de (corpo ou alma de pessoa falecida) [*td.*: *Chamaram o padre para encomendar o corpo.*] [▶ 1 encomendar] [F.: *en-²* + *comendar*, forma antiga deriv. do lat. *commendare*, 'entregar', 'recomendar'.]

encomiar (en.co.mi.*ar*) *v. td.* Louvar, dirigir encômios, discursos elogiosos a; ELOGIAR: *Em sua célebre carta, Caminha encomia as belezas do Brasil.* [▶ 1 encomiar] [F.: *encômio* + *-ar²*. Hom./Par.: *encomio* (fl.), *encômio* (sm.).]

encomiasta (en.co.mi.*as*.ta) *a2g.* **1** Diz-se de pessoa que faz discursos ou escritos laudatórios; PANEGIRISTA *s2g.* **2** Essa pessoa [F.: Do gr. *enkomiastés,ou*.]

encomiástico (en.co.mi.*ás*.tico) *a.* **1** Que louva, que contém louvor **2** Ref. a encômio (discurso encomiástico); LAUDATIVO [Ant.: *afrontoso, agressivo*.] [F.: Do gr. *enkomiastikós, é, on*.]

encômio (en.*cô*.mi:o) *sm.* Elogio ou louvor que se faz a algo ou alguém; APOLOGIA; EXALTAÇÃO [F.: Do gr. *egkómion*, pelo lat. *encomium*. Hom./Par.: *encomio* (fl. de *encomiar*).]

encompridar (en.com.pri.*dar*) *v. td.* **1** Tornar mais comprido, mais longo: *encompridar o vestido.* **2** *PE* Fazer durar; PROLONGAR: *Encompridar a conversa inutilmente.* [▶ 1 encompridar] [F.: *en-²* + *comprido* + *-ar²*.]

enconchado (en.con.*cha*.do) *a.* **1** Que está dentro de conchas **2** Coberto de conchas **3** Que tomou a forma de concha (mão enconchada) **4** *Fig.* Agachado, encolhido [F.: Part. de *encochar*.]

enconchar (en.con.*char*) *v.* **1** Cobrir com concha(s) [*td.*: *enconchar uma peça de artesanato.*] **2** Colocar em concha [*td.*: *enconchar mexilhões cozidos para ornamentar um prato.*] **3** Dar forma de concha a [*td.*: *Enconchou a mão no ouvido.*] **4** Formar concha [*int.*: "Concentro-me... no azul do céu e na onda que enconcha e estoura" (Raul Brandão, *Pescadores*)] **5** Recolher-se na concha [*td.*: *O caracol voltou a enconchar-se.*] **6** *Fig.* Meter-se em lugar aconchegante [*int. tda.*: *A mulher enconchou-se (no sofá da sala).*] **7** *Fig.* Retirar-se da sociedade; buscar o afastamento, a solidão [*int.*: *Abandonou o meio social e enconchou-se para sempre.*] [▶ 1 enconchar] [F.: *en-¹* + *concha* + *-ar²*.]

encondroma (en.con.*dro*.ma) *sf. Med.* Tumor cartilaginoso, ger. originado por má formação do tecido cartilaginoso [F.: *en-* + *condroma*.]

encontradiço (en.con.tra.*di*.ço) *a.* Que é fácil de encontrar; que se encontra com frequência: *animal encontradiço em nossas matas.* [Ant.: *raro, sumidiço*.] [F.: *encontrado* + *-iço*.]

encontrado (en.con.*tra*.do) *a.* **1** Que foi achado; DESCOBERTO: *Ao sair do avião, entregou ao comissário o celular encontrado.* **2** Que se encontra com outro **3** Que se encontra bem perto, unido (sobrancelhas encontradas) **4** *P.us.* Contrário, oposto: *Tinham ideias encontradas sobre a questão.* [F.: Part. de *encontrar*.]

encontrão (en.con.*trão*) *sm.* Choque físico entre coisas, pessoas ou animais; ENCONTRO; ESBARRÃO; TROMBADA: *Deu um encontrão no porteiro.* [Pl.: *-trões*.] [F.: *encontro* + *-ão³*.]

encontrar (en.con.*trar*) *v.* **1** Achar (quem ou o que se procura) [*td.*: *Procurou a amada até encontrá-la.*] **2** Dar com; DEPARAR [*td.*: *Encontrou um erro naquela frase.*] [*tr.* + *com*: "Ao tomar posse do Brasil, encontraram-se os portugueses com os índios..." (Joaquim Nabuco, *A escravidão*)] **3** Ir de encontro a; chocar-se contra; topar com [*td.*: *Encontrou a pedra no caminho e tropeçou; Os dois ônibus encontraram-se violentamente.*] **4** Defrontar-se;

deparar-se e ficar lado a lado [*tr.* + *com*: *No estado do Pará, o rio Amazonas se encontra com o mar; Pedro encontrou com João na encruzilhada, e continuaram a caminhada juntos.*] **5** Achar alguém em determinado estado ou situação [*tdp.*: *Encontrei-a feliz com a boa notícia.*] [*tp.*: *Encontra-se adoentada; Encontra-se bem de saúde.*] **6** Estar localizado; ACHAR-SE [*ta.*: *O fígado encontra-se do lado direito do abdome.*] **7** Ir ter com alguém [*tr.* + *com*: *Maria encontrou(-se) com o namorado na praça.*] **8** Achar casualmente [*td.*: *Encontrei um restaurante novo no centro da cidade.*] **9** Descobrir [*td.*: *Estão longe de encontrar a cura para a AIDS.*] **10** Achar-se realizado ou satisfeito [*int.*: *Encontrou-se no trabalho voluntário.*] **11** Alcançar [*td.*: *Sua teoria encontrou total aceitação no meio científico:* "O Dia da Pizza (...) Uma adoração que só encontra paralelo em Buenos Aires, em Nova York e, obviamente, em Nápoles." (*Estado de S. Paulo*, 08.07.2005)] [▶ **1 encontrar**] [F.: Do lat. **incontrare*.]

encontrável (en.con.*trá*.vel) *a2g.* Que se pode encontrar facilmente; ACHÁVEL; COMUM; ENCONTRADIÇO: *produto encontrável apenas em casas especializadas.* [Ant.: *incomum, raro.*] [Pl.: *-veis.*] [F.: *encontrar* + *-ável.*]

encontro (en.*con*.tro) *sm.* **1** Ação ou resultado de encontrar(-se), de chegar (pessoa ou objeto) diante de outra ou outro: *Nosso encontro foi na praia; o encontro do rio com o mar.* **2** Ação ou resultado de descobrir, de achar; DESCOBRIMENTO: *Os bombeiros notificaram o encontro dos corpos soterrados.* **3** Choque entre dois ou mais seres ou coisas entre si; ENCONTRÃO **4** Reunião de pessoas para a discussão de determinado assunto: *O encontro dos síndicos foi à tarde.* **5** Reunião de especialistas para tratar de temas de sua área profissional ou de saber: *encontro de odontólogos em Brasília.* **6** Enfrentamento entre pessoas ou grupos que buscam um título, uma distinção etc.: *O encontro entre os dois lutadores será amanhã.* **7** Confluência de rios **8** *Eci.* Extremidade de ponte que se encontra com uma estrada e onde ficam suas vigas de sustentação **9** *Anat. Zool.* Nas aves, ponto em que o úmero se articula com o rádio e o cúbito **10** *Zool.* Pássaro (*Icterus cayanensis*) de cor predominante negra, com ampla distribuição por toda a zona tropical sul-americana [F.: Dev. de *encontrar*. Hom./Par.: *encontro* (fl. de *encontrar*).] ∎ **Ao ~ de 1** Em busca de, em direção a: *Podem vir, nós iremos a seu encontro.* **2** Em favor de: *Suas ideias são boas, vêm ao encontro de nossos planos.* [Cf.: *De encontro a.*] **De ~ a 1** No sentido oposto a; na iminência de ou após chocar-se com: *O carro atravessou a pista e foi de encontro a outro que vinha em sentido contrário.* **2** Em oposição a; contra: *Suas ideias não nos servem, vão de encontro a nossos planos.* [Cf.: *Ao encontro de.*] **~ às cegas** Encontro marcado entre duas pessoas que não se conhecem, com finalidade de namoro **~ consonantal** *Ling.* Sequência de duas ou mais consoantes numa mesma palavra, na mesma sílaba ou em sílabas diferentes; grupo consonantal **~ de abóbada** *Arq.* Cada um dos blocos, ou maciços, que neutralizam os empuxos laterais de abóbadas; pé-direito de abóboda **~ de contas 1** *Cont.* Comparação, para fins de apuração, de registros contábeis dos mesmos fatos feitos por pessoas diferentes. **2** Vingança, represália a injúria, mal ou dano sofrido; acerto de contas; ajuste de contas **~ espacial** *Astnáut.* Encontro entre espaçonaves em órbita

encopado (en.co.*pa*.do) *a.* **1** Que se aparou, para que formasse copa (diz-se de árvore) **2** Inflado pelo vento; ENFUNADO [Ant.: *murcho.*] [F.: Part. de *encopar*.]

encorajado (en.co.ra.*ja*.do) *a. Bras.* Estimulado a ser corajoso; ANIMADO; INCENTIVADO [Ant.: *desalentado, desencorajado.*] [F.: Part. de *encorajar*.]

encorajador (en.co.ra.ja.*dor*) [ô] *a.* **1** Que transmite coragem, ânimo; ENCORAJANTE; ESTIMULANTE: *Sua presença era encorajadora.* *sm.* **2** Aquele ou aquilo que transmite coragem [F.: *encorajar* + *-dor*. ant. ger.: *desencorajador*.]

encorajamento (en.co.ra.ja.*men*.to) *sm.* Ação ou resultado de encorajar(-se); ESTÍMULO: *Precisava de encorajamento para continuar.* [Ant.: *desencorajamento, desestímulo.*] [F.: *encorajar* + *-mento*.]

encorajar (en.co.ra.*jar*) *v.* **1** Dar coragem a; INCENTIVAR; ANIMAR [*td.*: *Vendo a hesitação do amigo, resolveu encorajá-lo.*] [*tdr.* + *a*: *Encoraje-o a estudar e ler todos os dias.*] **2** Tomar coragem [*int.*: *Encorajou-se e voltou a tentar.*] [*tdi.* + *a, para*: *Encorajaram-se a pedir um aumento.*] [▶ **1 encorajar**] [F.: Do fr. *encourager*.]

encordoado (en.cor.do.*a*.do) *a.* **1** Provido de cordas (violão encordoado) **2** *Fig.* Zangado, aborrecido **3** *RS* Diz-se de pessoa ou animal em fila [F.: Part. de *encordoar*.]

encordoamento (en.cor.do:a.*men*.to) *sm.* **1** Ação e resultado de encordoar **2** Colocação de cordas em instrumentos musicais, raquetes etc.: *Trabalhava no encordoamento de harpas.* [Ant.: *desencordoamento.*] **3** O conjunto das cordas colocadas: *O encordoamento da raquete está frouxo.* **4** *Fig.* Estado de quem está zangado [F.: *encordoar* + *-mento*.]

encordoar (en.cor.do.*ar*) *v.* **1** Colocar cordas em [*td.*: *Precisou encordoar o contrabaixo.*] **2** *RS* Andar em fila (ger. animais) [*int.*: *Os cavalos encordoaram-se na trilha.*] **3** *Fig.* Ficar ofendido; zangar-se [*int.*: "...Ernesto encordoou. Seus olhares, se fossem punhais, teriam cometido dois assassinatos naquele instante..." (Machado de Assis, "Ernesto de Tal", in *Histórias da meia-noite*)] [▶ **16 encordoar**] [F.: *en-*² + *corda* + *-ar*², seg. o modelo erudito.]

⊕ **encore** (*Fr./ancór/*) *sm.* **1** Solicitação da plateia para repetição de algum número ou para a volta de artista ao palco **2** *Mús.* Peça extra ou repetida que é executada ao final do concerto [Sin.ger.: *bis.*]

encorpado (en.cor.*pa*.do) *a.* **1** Corpulento, grosso: "Era um bichinho... de vinte ou trinta centímetros, e pouco mais encorpado que um lápis" (Eça de Queirós, *Cartas familiares*) [Ant.: *fino.*] **2** Consistente, forte, espesso (diz-se de tecido, papel etc.) [Ant.: *fraco, ralo.*] [F.: Part. de *encorpar*.]

encorpar (en.cor.*par*) *v.* **1** Dar mais corpo ou espessura a; tornar mais grosso [*td.*: *encorpar um tecido.*] **2** Ganhar corpo; ficar mais desenvolvido [*int.*: *O menino encorpou, na escola preparatória; Deixou o molho encorpar; A enxurrada, à noite, encorpou.*] **3** Ampliar, aumentar [*td.*: *Precisaram encorpar o relatório com mais dados e descrições de ocorrências.*] [▶ **1 encorpar**] [F.: *en-*² + *corpo* + *-ar*².]

encortinado (en.cor.ti.*na*.do) *a.* Em que se pôs cortina(s) [F.: Part. de *encortinar*.]

encortinar (en.cor.ti.*nar*) *v. td.* Pôr cortinas em: *Encortinou o quarto.* [▶ **1 encortinar**] [F.: *en-*¹ + *cortina* + *-ar*².]

encorujado (en.co.ru.*ja*.do) *a.* **1** *Bras.* Que se retraiu; ISOLADO; RESERVADO **2** Que se entristeceu; DEPRIMIDO; MACAMBÚZIO; TRISTONHO **3** Que fica triste por causa do frio (diz-se de ave) [F.: Part. de *encorujar-se*.]

encorujar-se (en.co.ru.*jar*-se) *Bras. v. td.* **1** Furtar-se às vistas das pessoas, do público: *Encorujou-se de vez e nunca mais ninguém o viu.* **2** Retrair-se, contrair-se: *O frio o fez encorujar-se.* **3** Entristecer-se, emudecer-se: *Passou a encorujar-se depois que perdeu a garota.* [▶ **1 encorujar-se**] [F.: *en-*¹ + *coruja* + *-ar*² + *se*¹.]

encoscorado (en.cos.co.*ra*.do) *a.* **1** Que se tornou duro como um coscorão; ENRIJECIDO **2** Que se tornou encarquilhado; ENCRESPADO; ENRUGADO [Ant.: *alisado, desenrugado.*] **3** Que encolheu [F.: Part. de *encoscorar*.]

encoscorar (en.cos.co.*rar*) *v.* **1** Endurecer como coscoros [*td.*: "Uma sede que lhe ressequia e encoscorava a boca" (Coelho Neto, *Banzo*)] **2** Criar coscoros, crosta [*int.*: *A massa encoscorou(-se).*] **3** Tornar-se crespo, enrugado, encarquilhado [*int. tr.* + *com*: *Encoscorou-se (com o frio).*] [▶ **1 encoscorar**] [F.: *en-*¹ + *coscoro* + *-ar*².]

encóspias (en.*cós*.pi:as) *sfpl.* Peças de madeira que sapateiros introduzem em calçados para alargá-los [F.: De or. incerta; talvez do lat. *cuspis* 'ponta'.] ∎ **Meter-se nas ~** Calar-se, pôr-se de parte, não dar sinal de si; meter-se nas encolhas

encosta (en.*cos*.ta) *sf.* Declive de morro, monte, montanha etc.; ESCARPA; VERTENTE: *Desceu pela encosta para chegar ao rio.* [F.: Dev. de *encostar*. Hom./Par.: *encosta* (sf.), *encosta* (fl. de *encostar*).] ∎ **A meia ~** Em posição correspondente ao ponto médio de um declive

encostado (en.cos.*ta*.do) *a.* **1** Que se encostou **2** Que se apoia, se arrima em alguém ou algo: *Luisinho, pergunte àquele homem encostado no poste que horas são.* **3** Que está desempregado, sem trabalho: *Perdeu o emprego, está encostado.* **4** Que não tem procura: *Vamos fazer uma promoção para tentar vender a mercadoria encostada.* **5** *Bras. Pop. Pej.* Que não gosta de trabalhar ou não se esforça para arranjar trabalho; PREGUIÇOSO: *Em casa não faz nada, é um encostado.* **6** Situado bem ao lado: *Refiro-me àquela sapataria encostada no armazém.* **7** Que não se casou: *Tem três filhas encostadas.* **8** Que não tem mais uso: *Engordou demais e sua roupa ficou encostada.* *sm.* **9** *Pej.* Aquele que vive às custas dos outros **10** *Bras.* Empregado sem qualificação que faz pequenos serviços esporádicos [F.: Part. de *encostar*.]

encostar (en.cos.*tar*) *v.* **1** Pôr(-se) muito perto, tocando ou quase tocando em algo [*td.*: *Encostaram as cadeiras para conversar.*] [*tda.*: *Encostou o fone ao ouvido.*] [*int.*: *Os dois carros encostaram(-se) perigosamente.*] **2** Apoiar(-se) para firmar(-se) ou para descanso breve [*tda.*: *Encoste a escada no muro; Encostou-se na parede para descansar; Encostou a cabeça no travesseiro e fechou os olhos.*] **3** Pôr de lado; ABANDONAR [*td.*: *Depois de se bacharelar, encostou os livros de direito.*] **4** Fechar (não completamente) porta ou janela [*td.*: *Encostamos a porta do quarto.*] **5** *Bras. Pop.* Tornar-se dependente de [*tr.* + *em*: *Encostou-se no sogro, não procurou mais emprego.*] **6** *Bras.* Alcançar, sobrepujar [*td.*: *Ninguém o encosta em cestas à distância.*] **7** Estacionar (veículo) [*tda.*: "Com dificuldade ele encostou o carro no meio-fio..." (Luís Fernando Veríssimo, *A aliança*)] **8** *Bras.* Bater em alguém [*tr.* + *em*: *Se você encostar nela, vai-se arrepender!*] [*tdr.* + *em*: *Não ouse encostar um dedo nessa menina.*] **9** *Bras.* Cotejar em carreira (cavalos) [*td.*] **10** *S* Aproximar (a fêmea) do reprodutor, para ser coberta [*td.*] [▶ **1 encostar**] [F.: *en-*² + *costa* + *-ar*². Hom./Par.: *encosta(s)* (fl.), *encosta(a)* (sf.[pl.]); *encosto(s)* (fl.), *encosto(s)* (sm. [pl.]).]

encostelado (en.cos.te.*la*.do) *a. RS* Que se emparelhou; EMPARELHADO [F.: Part. de *encostelar*.]

encostelar (en.cos.te.*lar*) *v. Bras. RS* Pôr ou ficar lado a lado, emparelhado, rente, costela a costela (com outro); EMPARELHAR; JUNGIR [*td.*: *Encostelou os bois.*] [*tdr.* + *a, com*: *Encostelou-o com o par.*] [*tr.* + *a, com*: *encostelar a outro animal.*] [▶ **1 encostelar**] [F.: *en-*² + *costela* + *-ar*².]

encosto (en.*cos*.to) [ô] *sm.* **1** Coisa na qual algo ou alguém se apoia, se encosta: *Não apoie a cabeça na parede, use este travesseiro como encosto.* **2** Espaldar de poltrona, cadeira **3** *Fig. Pop.* Aquele ou aquilo que serve de amparo, de proteção: *Sem casa para morar, precisa de um encosto.* **4** *N.E. Pop.* Mulher que se mantém fora do casamento; AMANTE: *É casado, mas tem um encosto.* **5** *Esp.* Espírito desencarnado involuído ou atrasado, que acompanha alguém, para ajudá-lo ou atormentá-lo **6** *Bras.* Trecho de campo cercado de mato **7** *Bras.* Local em que o rio forma poça nas margens **8** *MT* Trecho do campo us. como pastagem durante algum tempo [F.: Dev. de *encostar*. Hom./Par.: *encosto* [ó] (fl. de *encostar*).]

encouraçado (en.cou.ra.*ça*.do) *a.* **1** Que recebeu couraça; COURAÇADO **2** *Fig.* Fortemente protegido contra um perigo, um ataque *sm.* **3** *Mar.G.* Navio de guerra de grande tamanho, dotado de poderosa couraça e artilharia diversificada que pode incluir até mísseis [F.: Part. de *encouraçar*. Tb. *couraçado*.]

encouraçar (en.cou.ra.*çar*) *v.* **1** Revestir de couraça ou chapas de aço (esp. vaso de guerra); BLINDAR [*td.*] **2** *Fig.* Proteger(-se), como que dotando de couraça contra dores, desgraças etc. [*td.*: "Encouraçando-o do fino aço do desprezo contra os dardos da esposa." (Camilo, *Mulher fatal*)] [▶ **12 encouraçar**] [F.: *en-*² + *couraça* + *-ar*².]

encourado (en.cou.*ra*.do) *a.* **1** Coberto de couro **2** *N.E.* Que se veste com roupas de couro, como os vaqueiros do sertão *sm.* **3** *N.E.* O vaqueiro assim vestido [F.: Part. de *encourar*.]

encovado (en.co.*va*.do) *a.* **1** Posto em cova, em buraco; ENTERRADO [Ant.: *desenterrado.*] **2** Que se escondeu; ESCONDIDO; OCULTO [Ant.: *exposto.*] **3** *Fig.* Diz-se de rosto muito magro que apresenta depressões nas faces **4** *Fig.* Diz-se de olho que fica muito dentro das órbitas, como que afundado [Ant.: *ressaltado, saliente.*] [F.: Part. de *encovar*. Ant. ger.: *desencovado*.]

encovar (en.co.*var*) *v.* **1** Ficar ou fazer ficar encovado (3, 4) [*td.*: *O jejum de três dias encovou-lhe os olhos.*] [*int.*: *Depois de cair de cama, seu rosto (se) encovou.*] **2** Pôr em cova; ENTERRAR [*td.*: "Na tarde seguinte, com o pretexto de tirar uma abelha e encovar tatus..." (Franklin Távora, *O cabeleira*)] **3** Forçar (alguém, animal) a refugiar-se em covil; ENCOVILAR [*td.*] **4** Ocultar(-se), esconder(-se) [*td.*: *encovar segredos; Na fuga, encovou-se no bosque.*] **5** Não saber o que responder [*int.*: *Face a tantas perguntas, o depoente hesitou, encovou e não respondeu mais nada.*] [▶ **1 encovar**] [F.: *en-*² + *cova* + *-ar*².]

encravado (en.cra.*va*.do) *a.* **1** Que foi fixado com cravo(s) ou prego(s); CRAVADO; PREGADO [Ant.: *desencravado, despregado.*] **2** Diz-se de cavalgadura que tem cravos (pregos) nos cascos **3** Que foi engastado, embutido: *anel com pedra encravada.* [Ant.: *desengastado.*] **4** *P.ext.* Que teve ação interrompida, travada: *O revólver teve a bala encravada no cano.* **5** Diz-se de construção que fica embutida em outra maior **6** Diz-se de unha cujos cantos cravam-se na pele e na carne [Ant.: *desencravado.*] [F.: Part. de *encravar*.]

encravar (en.cra.*var*) *v.* **1** Fazer penetrar (prego, cravo) [*td.*] **2** Prender com pregos, cravos; CRAVAR; PREGAR [*tda.*: *Encravavam na cruz os condenados.*] **3** Penetrar na carne [*int.*: *Uma das unhas encravou.*] **4** Incrustar, embutir pedraria [*tda.*: *Mandou encravar um rubi no anel.*] **5** Travar [*int.*: *A impressora encravou.*] **6** Inserir, introduzir [*tda.*: *O jornalista encravou na notícia uma crítica às autoridades.*] [*ta.*: *Queria comprar as terras que se encravavam nas suas.*] **7** *Bras. Pop.* Não se casar, ficar solteiro; ENCALHAR [*int.*] [▶ **1 encravar**] [F.: *en-*² + *cravo* + *-ar*². Hom./Par.: *encrave* (fl.), *encrave* (sm.).]

encrave (en.*cra*.ve) *sm.* O mesmo que *enclave* [F.: Dev. de *encravar*. Hom./Par.: *encrave* (fl. de *encravar*).]

encrenca (en.*cren*.ca) *Bras. Pop. sf.* **1** Situação confusa, difícil, esp. quando encerra hostilidade; CONFLITO; CONFUSÃO: "Anda, vai andando, tia, não me arruma encrenca." (Ana Maria Machado, *A audácia dessa mulher*) **2** Desordem, tumulto **3** Intriga, maquinação [F.: Dev. de *encrencar*. Hom./Par.: *encrenca* (fl. de *encrencar*).]

encrencado (en.cren.*ca*.do) *a. Bras. Pop.* **1** Que se meteu em encrencas **2** Que não está funcionando em perfeitas condições; EMPERRADO; ENGUIÇADO [F.: Part. de *encrencar*.]

encrencar (en.cren.*car*) *v.* **1** *Bras. Pop.* Criar encrenca, conflito [*int.*: *O problema encrencou(-se) após a saída do diretor; A saída do diretor encrencou o problema.*] [*tr.* + *com*: *Vive encrencando com todo o mundo.*] **2** Pôr ou ficar em dificuldades; COMPLICAR [*td.*: *A história acabou por encrencar a testemunha; Tentou explicar, mas encrencou-se.*] **3** Parar de funcionar; EMPERRAR; ENGUIÇAR [*int.*: *O motor encrencou.*] [▶ **11 encrencar**] [F.: De or. obsc.]

encrenqueiro (en.cren.*quei*.ro) *Bras. Pop. a.* **1** Diz-se de pessoa que arma encrencas, confusões, brigas (aluno encrenqueiro) *sm.* **2** Essa pessoa: *Os encrenqueiros foram retirados do clube.* [F.: *encrenca* + *-eiro*.]

encrespação (en.cres.pa.*ção*) *sf.* Ação ou resultado de encrespar(-se); ENCRESPAMENTO [F.: *encrespar* + *-ção*.]

encrespado (en.cres.*pa*.do) *a.* **1** Diz-se de cabelo crespo, frisado [Ant.: *alisado, liso.*] **2** Diz-se de superfície de mar, lagoa etc. quando se agita, formando ondas; ONDULADO **3** Que se abespinhou ou irritou; EXACERBADO; IRRITADO: *O sujeito começou a gritar, todo encrespado.* [Ant.: *calmo, tranquilo.*] [F.: Part. de *encrespar*. ant. ger.: *desencrespado*.]

encrespar (en.cres.*par*) *v.* **1** Tornar(-se) crespo, encaracolado [*td.*: *encrespar os cabelos.*] [*int.*: *A franja encrespou-se.*] **2** Agitar(-se), ondular(-se) (o mar, ou a água em geral) [*td.*: *O vento encrespava a face do lago.*] [*int.*: "Vereis este, que agora pressuroso/ Por tantos medos o Indo vai buscando/ Tremer dele Neptuno de medroso/ Sem vento suas águas encrespando." (Luís de Camões, *Os Lusíadas*)] **3** Ficar irritado; IRRITAR(-SE) [*int.*: *Ele se encrespa por qualquer bobagem.*] **4** Arrepiar(-se) (animal) [*int.*: "Em pleno coletivo, um gato se encrespou." (João Bosco e Aldir Blanc, *Siri recheado e o cacete*)] [▶ **1 encrespar**] [F.: *en-*² + *crespo* + *-ar*².]

encriptador (en.crip.ta.*dor*) [ô] *a.* **1** Diz-se de pessoa que coloca em cripta, em túmulo *sm.* **2** Essa pessoa [F.: *encriptar* + *-dor.*]

encriptar (en.crip.*tar*) *v. td. Ant.* Meter em cripta; SEPULTAR; TUMULAR: *Foi naquele mesmo ano que o Conde morreu e encriptaram-no.* [▶ 1 encriptar] [F.: *en-*[1] + *cripta* + *-ar*[2].]

encruado (en.cru.*a*.do) *a.* Que encruou, ficou cru, não teve prosseguidos seu cozimento ou sua digestão: "...ovo encruado, infermentação, que nunca pode assombração." (João Cabral de Melo Neto, "A múmia" *in Crime na Calle Redentor*) [F.: Part. de *encruar.*]

encruar (en.cru.*ar*) *v.* **1** Fazer ficar ou ficar cru o que já estava em processo de cozimento [*int.*: *O fogo apagou e o ovo encruou.*] [*td.*: *O problema no fogão acabou encruando o ovo.*] **2** Perturbar ou retardar o processo de digestão do (estômago) [*td.*] **3** Tornar(-se) cruel, desumano; EMPEDERNIR [*td.*: *A ambição encrua as pessoas.*] [*int.*: *Ao amanhecer, o combate encruou.*] **4** Parar de progredir, de desenvolver-se; EMPACAR; EMPERRAR [*int.*: *As negociações encruaram.*] **5** *N.* Não queimar completamente (um roçado) [*int.*] [▶ 1 encruar] [F.: *en-*[2] + *cru* + *-ar*[2].]

encrudelecer (en.cru.de.le.*cer*) *v. td. int.* **1** Tornar(-se) cruel, mau, perverso **2** Tornar(-se) raivoso, cheio de fúria [▶ 33 encrudelecer] [F.: *en-*[1] + lat. *crudelis, e* + *-ecer.*]

encruzado (en.cru.*za*.do) *a.* Disposto em cruz; CRUZADO [F.: Part. de *encruzar.*]

encruzilhada (en.cru.zi.*lha*.da) *sf.* **1** Lugar em que dois ou mais caminhos, ou estradas, ou ruas se cruzam; CRUZAMENTO **2** *Fig.* Num processo, situação em que mais de uma alternativa de prosseguimento se oferecem; DILEMA: *O partido chegou a uma encruzilhada ao ter de escolher entre dois candidatos.* **3** *Cap.* Rasteira arrematada com um calço no pé do contendor [F.: Fem. substv. de *encruzilhado*, part. de *encruzilhar.*]

encubação (en.cu.ba.*ção*) *sf.* Ação ou resultado de encubar [Pl.: *-ções.*] [F.: *encubar* + *-ção.* Hom./Par.: *incubação* (sf.).]

encubar (en.cu.*bar*) *v. td.* **1** Recolher (vinho ou outro licor) em cubas **2** *Fig.* Meter, guardar ou armazenar: "...sábio e amigo de quem recebera toda formatura imperial que no ânimo encubava" (Samuel Maia, *D. Sebastião*) [▶ 1 encubar] [F.: *en-*[1] + *cuba*[1] + *-ar*[2]. Hom./Par.: *encubar, incubar* (em todas as fl.).]

encucado (en.cu.*ca*.do) *Bras. Gír. a.* Dominado por uma ideia fixa, por uma preocupação; CISMADO; PREOCUPADO: *Era um rapaz encucado, sempre de testa franzida, a se preocupar com tudo.* [F.: Part. de *encucar.*]

encucar (en.cu.*car*) *v.* **1** *Bras. Pop.* Fixar-se (ideia, situação, pensamento) na cuca, na cabeça de (alguém), deixando-o muito preocupado [*td.*: *A ameaça me encucou.*] **2** Ficar muito preocupado ou cismado [*tr.* + *com*: *Encucou com a visão que teve.*] [*int.*: *Ela encuca à toa.*] [▶ 11 encucar] [F.: *en-*[2] + *cuca* + *-ar*[2].]

encurralado (en.cur.ra.*la*.do) *a.* **1** Que está em lugar sem saída ou com a saída bloqueada: *Os bandidos fugiram do carro encurralado e fugiram a pé.* **2** *Fig.* Que se encontra em situação tão difícil que parece não ter solução: *A deserção da família deixou a moça encurralada.* [F.: Part. de *encurralar.*]

encurralamento (en.cur.ra.la.*men*.to) *sm.* Ação ou resultado de encurralar [F.: *encurralar* + *-mento.*]

encurralar (en.cur.ra.*lar*) *v. td.* **1** Meter em curral: *encurralar o gado.* **2** Prender ou refugiar-se em lugar sem saída, ou cuja saída está fechada, bloqueada: *encurralar os fugitivos; O pelotão encurralou-se no desfiladeiro, aguardando reforços.* **3** *Fig.* Cercar, cortando caminhos de fuga a: *A polícia encurralou os bandidos em fuga, e eles se entregaram.* [▶ 1 encurralar] [F.: *en-*[2] + *curral* + *-ar*[2].]

encurtado (en.cur.*ta*.do) *a.* Que se tornou curto ou mais curto: *Preferiu seguir uma rota encurtada, cheia de atalhos.* [F.: Part. de *encurtar.*]

encurtamento (en.cur.ta.*men*.to) *sm.* Ação ou resultado de encurtar; DIMINUIÇÃO [Ant.: *aumento, extensão.*] [F.: *encurtar* + *-mento.*]

encurtar (en.cur.*tar*) *v.* **1** Tornar(-se) curto, reduzir(-se) [*td.*: *A moda agora é mini, vou encurtar a saia.*] [*int.*: *Não sabe se cresceu, ou se a batina encurtou.*] **2** Tornar menor, em tamanho ou duração; REDUZIR [*td.*: *Resolveu encurtar as férias.*] [▶ 1 encurtar] [F.: *en-*[2] + *curto* + *-ar*[2]. Ant. ger.: *encompridar.*]

encurvado (en.cur.*va*.do) *a.* Que é ou se tornou curvo ou arqueado: *Vê aquele homem encurvado ali? Já foi um grande atleta.* [F.: Part. de *encurvar.*]

encurvar (en.cur.*var*) *v.* **1** Tornar(-se) curvo; ARQUEAR; CURVAR; DOBRAR [*td.*: *O vento encurvou a árvore.*] [*int.*: *Com a idade, suas costas (se) encurvaram.*] **2** Dar forma de arco a; ARQUEAR [*td.*: *Encurvou a vara para fazer um arco.*] **3** Ter formato de curva [*int.*: *A pista encurvava para a esquerda.*] **4** Abater(-se) ante uma situação humilhante, opressiva [*int.*: *Insultado e humilhado, encurvou-se, silencioso.*] [▶ 1 encurvar] [F.: Do lat. *incurvare.*]

◎ **-enda** *suf.* = ação (derivada de verbos): *encomenda, merenda, oferenda* etc.

endecha (en.*de*.cha) [ê] *sf.* **1** *Poét.* Composição poética melancólica formada por estâncias de quatro versos de cinco sílabas: "Remeteu endechas dolorosas a um jornal da província." (Eça de Queirós, *Contos*) **2** *P.ext. Poét.* Poesia fúnebre e melancólica **3** *P.ext.* Canção sentimental e lamentosa [F.: Do espn. *endecha.*] ■ **~ real** *Poét.* Aquela em que o quarto verso tem dez sílabas

endemia (en.de.*mi*.a) *sf. Med.* Doença infecciosa que ocorre frequentemente em certas regiões e/ou populações [F.: Do gr. *éndemos*, pelo fr. *endémie.*]

endêmico (en.*dê*.mi.co) *a.* **1** Ref. a endemia (doença endêmica) **2** Peculiar (espécie, população etc.) a determinada região (espécie endêmica) [F.: *endemia* + *-ico*[2].]

endemismo (en.de.*mis*.mo) *sm.* Ocorrência de alguma espécie em apenas um lugar ou região; ENDEMICIDADE [F.: Do gr. *endemos,os,on* 'originário de uma região' + *-ismo.*]

endemoniado (en.de.mo.ni.*a*.do) *a.* **1** Que está possuído pelo demônio **2** Que se revela demoníaco, diabólico: *Era um bandido endemoniado.* **3** Endiabrado, travesso: *Mas que menino endemoniado!* *sm.* **4** Aquele que é ou está endemoniado: *Aquele endemoniado voltou para nos infernizar.* [F.: Part. de *endemoniar*. Tb. *endemoninhado.*]

endemoniar (en.de.mo.ni.*ar*) *v. td.* **1** Fazer entrar o demônio no corpo (de pessoa ou animal) **2** *Fig.* Tornar(-se) enfurecido, raivoso [▶ 1 endemoniar] [F.: Do v.-lat. *endemoniare*. Tb. *endemoninhar.*]

endemoninhado (en.de.mo.ni.*nha*.do) *a.* Ver *endemoniado*

endemoninhamento (en.de.mo.ni.nha.*men*.to) *sm.* Ação ou resultado de endemoninhar(-se) [F.: *endemoninhar* + *-mento.*]

endemoninhar (en.de.mo.ni.*nhar*) *v.* Ver *endemoniar*

endemonização (en.de.mo.ni.za.*ção*) *sf.* Ação ou resultado de dar ou adquirir características demoníacas: "A endemonização do Bin Laden tem em seu alvo a resolução dos problemas estratégicos vinculados à questão palestina e à ofensiva muçulmana nos países do Oriente Médio..." (*Centro de Mídia Independente*, 17.09.2001) [Pl.: *-ções.*] [F.: *en-* + *demonização.*]

endentação (en.den.ta.*ção*) *sf.* **1** Ação ou resultado de endentar **2** Roda dentada de uma engrenagem [Pl.: *-ções.*] [F.: *endentar* + *-ção.*]

endentado (en.den.*ta*.do) *a.* **1** Engrenado pelos dentes; ENGATADO [Ant.: *desencaixado, desengatado.*] **2** Em que houve recuo de alinhamento *sm.* **3** Recuo de alinhamento [F.: Part. de *endentar.*]

endentar (en.den.*tar*) *v.* **1** Ligar ou travar os dentes de (uma roda, [de um mecanismo com] uma peça denteada) com os de outra [*td.*: *Endentou as peças da engrenagem.*] [*tdr.* + *com, a*: *Endentou uma peça com/a outra.*] **2** Fazer o encaixe de; ENCAIXAR [*td.*: *Endentou a tampa.*] [*tdr.* + *em*: *Endentou a tampa na panela de pressão.*] [▶ 1 endentar] [F.: *en-*[1] + *dentar.*]

endereçamento (en.de.re.ça.*men*.to) *sm.* **1** Ação ou resultado de endereçar **2** *Inf.* Processo de atribuir um endereço de memória a uma informação [F.: *endereçar* + *-mento.*]

endereçar (en.de.re.*çar*) *v.* **1** Pôr endereço, sobrescrito em; SOBRESCRITAR [*td.*: *Endereçou a carta ao irmão, colou o selo e levou ao correio.*] **2** Enviar, remeter; ENCAMINHAR [*tdi.* + *a, para*: *Os parentes lhe endereçaram votos de felicidades; Endereçou uma severa crítica ao candidato.*] **3** Dirigir-se a, dirigir a palavra a [*tr.* + *a.*: *Para esse assunto você deve endereçar-se ao diretor.*] **4** *Inf.* Atribuir endereço de memória a uma informação [*td.*] [▶ 12 endereçar] [F.: *en-*[2] + lat. **directiare*. Hom./Par.: *endereço* (fl.), *endereço* [ê] (sm.).]

endereço (en.de.*re*.ço) [ê] *sm.* **1** Conjunto de dados de localização (rua, número, bairro, cidade etc.) que permitem localizar um imóvel **2** Inscrição, em envelope, bilhete, cartão etc. do nome e da residência daquele a quem se endereça alguma coisa; SOBRESCRITO **3** Imóvel em que alguém vive: *Meu cunhado mudou de endereço.* **4** Aquele ou aquilo a quem se destina algo; DESTINATÁRIO: *Ela era o endereço de seus carinhos.* **5** *Inf.* Número que identifica um registro, posição ou dispositivo de memória de um computador [F.: Dev. de *endereçar*. Hom./Par: *endereço* (fl. de *endereçar*).] ■ **~ de memória** *Inf.* Posição em memória de computador (onde se podem gravar dados) identificada por um número hexadecimal **~ de rede** *Inf.* Especificação individualizada de cada computador de uma rede, e que permite o endereçamento de dados e informações para cada um em separado **~ eletrônico** Notação que identifica um usuário de rede de computadores, e que serve de endereço para recebimento e envio de mensagens (*e-mails*) através dessa rede; é formada pelo nome assumido pelo usuário que tem conta de acesso a um servidor de correio eletrônico (*login*), seguido do sinal de arroba (@) e da identificação de servidor e domínio; *e-mail*

endeusado (en.deu.*sa*.do) *a.* **1** Que se tornou divino; DEIFICADO **2** *Fig.* Admirado ou reverenciado como um deus [F.: Part. de *endeusar.*]

endeusamento (en.deu.sa.*men*.to) *sm.* **1** Deificação de um herói ou um monarca; APOTEOSE **2** *Fig.* Dignidade pessoal; ALTIVEZ; ORGULHO **3** *Fig.* Sentimento de enlevo; ARROUBO; ÊXTASE [F.: *endeusar* + *-mento.*]

endeusar (en.deu.*sar*) *v. td.* **1** Considerar (algo ou alguém) um deus, incluir entre os deuses: *Alguns povos antigos endeusavam animais.* **2** Atribuir características divinas a algo ou alguém; DIVINIZAR: *Endeusa um boneco de barro; Endeusava o pai.* **3** Admirar(-se) em demasia: *Endeusa um imbecil; Foi sempre um poço de presunção e se endeusava como ninguém.* [▶ 1 endeusar] [F.: *en-*[2] + *deus* + *-ar*[2].]

endiabrado (en.di:a.*bra*.do) *a.* **1** Que tem caráter ou feição diabólica **2** *Fig.* Que é travesso, traquinas; ENCAPETADO [Ant.: *calmo, dócil.*] **3** *Fig.* Que é muito esperto ou extraordinariamente eficiente naquilo que habitualmente faz: *Era endiabrado com a bola nos pés.* *sm.* **4** Aquele que é muito travesso, moleque [F.: Part. de *endiabrar.*]

endiabrar (en.di.a.*brar*) *v. td.* **1** Tornar(-se) endiabrado, endemoniado: *Endiabrou-se quando foi morar com o tio:* "A superstição popular divinizava ou antes endiabrava a ciência salmantina" (Ric. Jorge, *Sermões de um leigo*) **2** *Fig.* Tornar(-se) furioso [▶ 1 endiabrar] [F.: *en-*[1] + *diabro* (f. arc. de *diabo*) + *-ar*[2].]

endinheirado (en.di.nhei.*ra*.do) *a.* Que tem muito dinheiro; ABASTADO; RICO [Ant.: *miserável, pobre.*] [F.: Part. de *endinheirar.*]

endinheirar (en.di.nhei.*rar*) *v.* Encher(-se) de dinheiro; enriquecer(-se) [*td.*: *Endinheirou o amante.*] [*int.*: *Endinheirou-se ainda muito novo.*] [▶ 1 endinheirar] [F.: *en-*[1] + *dinheiro* + *-ar*[2].]

endireitado (en.di.rei.*ta*.do) *a.* **1** Que se tornou aprumado; EMPERTIGADO **2** Que se tornou íntegro; CORRETO; DIREITO [Ant.: *decaído.*] **3** Que foi consertado (motor endireitado); AJEITADO; CONSERTADO [Ant.: *quebrado.*] [F.: Part. de *endireitar.*]

endireitar (en.di.rei.*tar*) *v.* **1** Pôr(-se) direito o que ou quem estava torto, fora do lugar, errado; AJEITAR(-SE) [*td.*: *endireitar os óculos; Endireitou-se na cadeira; O carro derrapou, mas ele logo o endireitou.*] **2** Fazer ficar ou ficar correto, direito; CORRIGIR; RETIFICAR [*td.*: *Releu o texto e resolveu endireitá-lo.*] [*int.*: *Era um bagunceiro incorrigível, mas depois endireitou.*] **3** Caminhar ou navegar diretamente para algum lugar [*ta.*: "..andei largo espaço, até que me senti sossegar, e endireitei para casa." (Machado de Assis, *Dom Casmurro*)] **4** Atinar, acertar [*tr.* + *com*: *Apesar de novato, endireitou com a namorada.*] **5** Vencer as dificuldades de (negociação, situação etc.) [*td.*: *Uma reunião entre os interessados pode endireitar a situação.*] **6** *Pop.* Consertar, reparar [*td.*: *Tinha acabado de mandar endireitar a televisão.*] [▶ 1 endireitar] [F.: *en-*[2] + *direito* + *-ar*[2].]

endívia (en.*dí*.vi:a) *Bot. sf.* **1** Erva da fam. das compostas (*Cichorium endivia*), nativa da Ásia e Europa, de folhas comestíveis, cruas ou cozidas, de que se produzem muitas variedades, com folhas mais ou menos frisadas e recortadas ou com folhas longas, comprimidas entre si e embranquecidas pelo cultivo na ausência de luz; CHICÓRIA **2** Ver *escarola* [F.: De orig. contrv., posv. do gr. *entýbion*, pelo lat. medv. *endivia.*]

endividado (en.di.vi.*da*.do) *a.* Cheio de dívidas [F.: Part. de *endividar.*]

endividamento (en.di.vida.*men*.to) *sm.* Aumento do volume de dívidas de alguém, de uma empresa etc. [F.: *endividar* + *-mento.*]

endividar (en.di.vi.*dar*) *v.* **1** Contrair ou fazer contrair dívida(s) [*td.*: *A doença endividou toda a família.*] [*int.*: *Endividou-se para dar a festa.*] **2** Dever favores a (alguém) [*tr.* + *com*: *Endividei- me com meu irmão, de tanto que me apoiou.*] [▶ 1 endividar] [F.: *en-*[2] + *dívida* + *-ar*[2].]

◎ **end(o)-** *pref.* = dentro: *endoscopia, endoscópico.*

endoblasto (en.do.*blas*.to) *sm. Anat.* Camada celular interna do blastoderme [F.: *end(o)-* + *-blasto.*]

endocanibal (en.do.ca.ni.*bal*) *s2g.* **1** *Antr.* Indivíduo ou grupo que pratica o endocanibalismo *a2g.* **2** Ref. a ou próprio do endocanibalismo **3** Ref. a ou próprio do indivíduo ou do grupo que pratica o endocanibalismo [Pl.: *-bais.*] [F.: *end(o)-* + *-canibal.*]

endocanibalismo (en.do.ca.ni.ba.*lis*.mo) *sm. Antr.* Canibalismo praticado entre indivíduos do mesmo grupo ou tribo [F.: *end(o)-* + *-canibalismo.*]

endocárdio (en.do.*cár*.di:o) *sm. Anat.* Membrana que reveste a parte interior do coração [F.: *endo-* + *-cárdio.*]

endocardite (en.do.car.*di*.te) *sf. Card.* Inflamação do endocárdio [F.: *endocárdio* + *-ite*[1].]

endocarpo (en.do.*car*.po) *sm. Bot.* Membrana que forra internamente o pericarpo dos frutos, fica em contato com as sementes e tem constituição variada (dura, como no coco e no pêssego, ou macia, como na tangerina e na laranja) [F.: *end(o)-* + *-carpo.*]

endocitose (en.do.ci.*to*.se) *sf. Cit.* Processo de incorporação de matéria extracelular pela célula, por fagocitose ou pinocitose [F.: *end(o)-* + *-citose.*]

endocraniano (en.do.cra.ni:a.no) *a.* Situado na parte interior do crânio [F.: *endocrânio* + *-ano*[1].]

endocrânio (en.do.*crâ*.ni:o) *sm. Anat.* A parte interior do crânio [F.: *end(o)-* + *-crânio.*]

endócrino (en.*dó*.cri.no) *a. Fisl.* Ref. a ou próprio de glândula, esp. de secreção interna [F.: *end(o)-* + *-crino*[2].]

endocrinologia (en.do.cri.no.lo.*gi*.a) *sf.* Ramo da medicina que trata das glândulas endócrinas, produtoras de hormônios [F.: *endócrino* + *-logia.*]

📖 Os hormônios segregados pelas glândulas endócrinas regulam várias funções orgânicas, e muitos distúrbios dessas funções têm origem nos distúrbios hormonais, estudados e tratados pela endocrinologia. As substâncias liberadas pela glândula hipófise, p.ex., regulam o funcionamento de outras glândulas, e alterações em sua normalidade pode provocar o gigantismo, ou a acromegalia (crescimento exagerado das extremidades e/ou de lábio e nariz). O hormônio da tireoide influi diretamente no metabolismo geral, no crescimento, no humor e no nível energético do indivíduo (sua deficiência pode levar à lassidão, cansaço e apatia). As suprarrenais segregam a adrenalina, reguladora da pressão sanguínea e da rapidez de resposta do organismo a diversos estímulos. O pâncreas produz a insulina, fundamental no controle do teor de açúcar no sangue, e cuja deficiência causa a diabetes melito. E os hormônios das glândulas sexuais (ovário na mulher, testículos no homem) determinam as funções sexuais e a predominância dos caracteres sexuais.

endocrinológico (en.do.cri.no.*ló*.gi.co) ***a.*** *Med.* Ref. a endocrinologia [F.: *endrocrinologia* + *-ico*[2].]

endocrinologista (en.do.cri.no.lo.*gis*.ta) *Med.* ***s2g.*** **1** Médico especializado em endocrinologia ***a2g.*** **2** Diz-se desse médico [F.: *endocrinologia* + *-ista*, seg. o mod. gr.]

endocrinopatia (en.do.cri.no.pa.*ti*.a) ***sf.*** *Pat.* Termo geral para doença causada por distúrbios de glândula endócrina [F.: *endócrino* + *-patia*.]

endocruzamento (en.do.cru.za.*men*.to) ***sm.*** *Gen.* Cruzamento entres indivíduos de genética semelhante e de parentesco muito próximo [F.: *end(o)-* + *cruzamento*.]

endoderma (en.do.*der*.ma) ***sf.*** *Med.* Uma das camadas germinativas mais primárias do embrião [F.: *end(o)-* + *-derma*. Tb. *endoderme*.]

endoderme (en.do.*der*.me) ***sf.*** Ver *endoderma*

endodérmico (en.do.*dér*.mi.co) ***a.*** Ref. a endoderma [F.: *endoderma* + *-ico*.]

endodontia (en.do.don.*ti*.a) ***sf.*** *Od.* Parte da odontologia que cuida das lesões da polpa e da raiz dentária e tb. do tecido periapical, em suas causas, seu diagnóstico, sua terapêutica e sua profilaxia [F.: *end(o)-* + *-odontia*.]

endoenças (en.do.*en*.ças) ***sfpl.*** *Litu.* Solenidades e rituais católicos que se realizam na Quinta-Feira Santa [F.: Do lat. *indulgentia, ae*.]

endoesqueleto (en.do:es.que.*le*.to) [ê] ***sm.*** *Anat. Zool.* Esqueleto interno dos animais [F.: *end(o)-* + *esqueleto*. Tb. *endosqueleto*.]

endófito (en.*dó*.fi.to) ***a.*** *Bot.* Diz-se do vegetal que vive dentro de outra planta ou num corpo animal [F.: *end(o)-* + *-fito*.]

endoflora (en.do.*flo*.ra) ***sf.*** *Bot.* A flora submarina que ocorre no corpo do substrato, ou em cavidades, fissuras e interstícios dele [F.: *end(o)-* + *flora*.]

endófora (en.*dó*.fo.ra) ***sf.*** *Ling.* Conjunto de elementos de coesão textual que apontam para algo já expresso ou que virá a ser expresso [F.: *end(o)-* + gr. *-phorá*.]

endofórico (en.do.*fó*.ri.co) ***a.*** Ref. a endófora [F.: *endófora* + *-ico*.]

endogamia (en.do.ga.*mi*.a) ***sf.*** **1** *Antr.* Casamento entre parentes ou entre pessoas da mesma casta, etnia, grupo social etc. **2** *Antr.* O costume ou a prática desse tipo de casamento **3** Condição de endógamo (de indivíduo ou grupo) **4** *Biol.* Processo de reprodução numa população da mesma espécie, que resulta numa frequência de cruzamentos consanguíneos **5** *Biol.* Processo de fecundação de animais parasitos no interior do organismo hospedeiro [F.: *end(o)-* + *-gamia*. Cf.: *exogamia*.]

endogâmico (en.do.*gâ*.mi.co) ***a.*** Ref. a endogamia [Ant.: *exogâmico*.] [F.: *endogamia* + *-ico*.]

endógamo (en.*dó*.ga.mo) ***a.*** **1** Diz-se de pessoa que só contrai casamento com membros do seu próprio grupo ou classe ***sm.*** **2** Essa pessoa [F.: *end(o)-* + *-gamo*. ant. ger.: *exógamo*.]

endogeneidade (en.do.ge.nei.*da*.de) ***sf.*** Qualidade do que é endógeno [F.: *endógen(o)* + *-e-* + *-(i)dade*.]

endogenético (en.do.ge.*né*.ti.co) *Geol.* Ver *endogênico* [F.: *end(o)* + *genético*.]

endogênico (en.do.*gê*.ni.co) *Geol.* ***a.*** Relativo ao processo de transformação que ocorre no interior de um planeta ou um satélite; ENDOGENÉTICO; ENDÓGENO [F.: *endógeno* + *-ico*.]

endógeno (en.*dó*.ge.no) ***a.*** **1** Que tem origem no interior do organismo ou resultante de fatores internos deste **2** *Biol.* Diz-se de órgão o estrutura que tem origem ou se desenvolve na parte interna de outro órgão ou de um organismo **3** *Geol.* Ref. ao processo de metamorfismo observado no interior de um planeta ou de um satélite [F.: *end(o)-* + *-geno*. ant. ger.: *exógeno*.]

endoidado (en.doi.*da*.do) ***a.*** *Pop.* O mesmo que *endoidecido* [F.: Part. de *endoidar*.]

endoidar (en.doi.*dar*) ***v.*** **1** Fazer ficar ou ficar doido, louco [***td.***: *O acontecimento endoidou a professora*.] [***int.***: *Sofreu tanto que acabou endoidando*.] **2** Fazer ficar ou ficar desorientado, desvairado [***td.***: *Os atacantes endoidaram a defesa adversária*.] [***int.***: *O piloto endoidou de vez, atropelando os organizadores*.] **3** Causar grande agitação ou animação a; ALUCINAR; DESVAIRAR [***td.***: *O galã endoidou as espectadoras, mas felizmente ficou calado*.] [▶ 1 endoidar] [F.: *en-*[2] + *doido* + *-ar*[2]. Sin. ger.: *endoidecer*.]

endoidecedor (en.doi.de.ce.*dor*) [ô] ***a.*** Que endoidece ou faz endoidecer; ENLOUQUECEDOR [F.: *endoidecer* + *-dor*.]

endoidecer (en.doi.de.*cer*) ***v.*** Fazer ficar ou ficar doido; o mesmo que *endoidar* [▶ 33 endoide**cer**] [F.: *en-*[2] + *doido* + *-ecer*.]

endoidecido (en.doi.de.*ci*.do) ***a.*** Que endoideceu, que enlouqueceu; ENDOIDADO; ENLOUQUECIDO; ENSANDECIDO [F.: Part. de *endoidecer*.]

endolação (en.do.la.*ção*) ***sf.*** *Gír.* Na gíria de traficantes de drogas, operação de embalar e acondicionar drogas (em pacotes, trouxinhas, etc.), preparando-as para o comércio e o consumo [Pl.: *-ções*.] [F.: De or. obsc., posv. do termo us. por traficantes para 'droga': *dola*.]

endolador (en.do.la.*dor*) [ô] ***sm.*** *Gír.* No tráfico de drogas, aquele que prepara a porção de droga a ser comercializada e a embala [F.: De or. obsc.]

endolinfa (en.do.*lin*.fa) ***sf.*** *Anat.* Líquido que enche completamente o labirinto membranoso auricular [F.: *end(o)-* + *linfa*.]

endometrial (en.do.me.tri.*al*) ***a2g.*** Relativo ao endométrio [F.: *endométrio* + *-al*.]

endométrio (en.do.*mé*.tri:o) ***sm.*** *Anat.* Membrana mucosa que reveste a parte interna da parede do útero [F.: *end(o)-* + *-métrio*.]

endometrioma (en.do.me.tri.*o*.ma) ***sf.*** *Pat.* Tumor formado por vários elementos que reproduzem a estrutura da mucosa uterina e se encontram em vários pontos da cavidade abdominal [F.: *endométrio* + *-oma*.]

endometriose (en.do.me.tri.*o*.se) *Med.* ***sf.*** **1** Presença de tecido endométrico em situações anormais **2** Afecção ginecológica causada por essa patologia [F.: *endométrio* + *-ose*.]

endometrite (en.do.me.*tri*.te) ***sf.*** *Med.* Inflamação da mucosa do útero ocasionada por infecção [F.: *endométrio* + *-ite*.]

endoparasita (en.do.pa.ra.*si*.ta) ***sm.*** Ver *endoparasito*

endoparasito (en.do.pa.ra.*si*.to) ***a2g.*** **1** *Biol.* Diz-se de parasito que vive dentro de outro organismo ***sm.*** **2** Esse parasito [F.: *end(o)-* + *parasito*. Tb. *endoparasita*.]

endoplasma (en.do.*plas*.ma) ***sm.*** *Biol.* Parte interna do citoplasma que envolve o núcleo [F.: *end(o)-* + *plasma*.]

endoplasmático (en.do.plas.*má*.ti.co) ***a.*** *Biol.* Relativo ao endoplasma ou que nele se situa [F.: *endoplasma* + *-ico*.]

endorfina (en.dor.*fi*.na) ***sf.*** *Bioq.* Hormônio neuro-transmissor, presente no cérebro, na hipófise e em outros tecidos dos animais vertebrados, e que tem efeito analgésico semelhante ao da morfina [F.: Do ing. *endorphin, de endogenous + morphine*.]

📖 Produzido na hipófise, este neuro-hormônio atua como analgésico na supressão da dor, e, com isso, suscita sensação de bem-estar e tranquilidade e um efeito antiestresse. Associa-se sua produção incrementada a alguns tipos de exercícios físicos, sejam aeróbios ou anaeróbios, quando se atinge um certo grau de esforço ou continuidade. Aventa-se também a hipótese de que na acupuntura as agulhas excitam terminais neurológicos que emitem neurotransmissores associados ao complexo de combate à dor, tanto em nível cerebral quanto local.

endoscopia (en.dos.co.*pi*.a) ***sf.*** *Med.* Exame visual de cavidade do corpo por meio do endoscópio [F.: *end(o)-* + *-scopia*.]

endoscópico (en.dos.*có*.pi.co) ***a.*** *Med.* Ref. a ou próprio de endoscopia ou de endoscópio [F.: *end(o)-* + *-scópio*.]

endoscópio (en.dos.*có*.pi:o) ***sm.*** *Med.* Aparelho dotado de tubo flexível, provido de iluminação e câmera objetiva, próprio para fazer endoscopia (exame visual de cavidades internas do corpo) ao se introduzi-lo, como em exames de faringe, esôfago e estômago, uretra etc. [F.: *end(o)-* + *-scópio*.]

endosperma (en.dos.*per*.ma) ***sm.*** *Bot.* Tecido que envolve e nutre o embrião nas sementes de certas plantas, fornecendo a esse embrião substâncias nutritivas como celulose, proteína. amido etc. [F.: *end(o)-* + *-sperma*.]

endosqueleto (en.dos.que.*le*.to) [ê] ***sm.*** Ver *endoesqueleto*

endossado (en.dos.*sa*.do) ***a.*** Diz-se de documento (letra bancária, letra de câmbio etc.) que recebeu endosso [F.: Part. de *endossar*.]

endossante (en.dos.*san*.te) ***a2g.*** **1** Que endossa **2** *Jur.* Que assina o verso de um título, documento etc. endossando-o ***s2g.*** **3** Aquele que endossa **4** *Jur.* Indivíduo que assina o verso de um documento, título etc., endossando-o [F.: *endossar* + *-nte*.]

endossar (en.dos.*sar*) ***v.*** **1** Colocar endosso, cessão de recebimento, em verso de cheque, letra de câmbio etc., para que outrem receba o valor correspondente [***td.***: *endossar uma duplicata*.] **2** Transferir a outrem (encargo, responsabilidade etc.) [***tdi.*** + *a, para*: *Endossei-lhe a tarefa desagradável*.] **3** *Fig.* Apoiar uma ideia, decisão, proposta [***td.***: *Todos os presentes endossaram o parecer do relator*.] [▶ 1 endossar] [F.: Do fr. *endosser*. Hom./Par.: *endosso* (fl.), *endosso* [ô] (sm.).]

endossatário (en.dos.sa.*tá*.ri:o) ***sm.*** *Jur.* Aquele em favor de quem se endossa ou avaliza um título; ENDOSSADO [F.: *endossat* + *-ário*.]

endossável (en.dos.*sá*.vel) ***a2g.*** Que pode ser transferido a outrem por meio de endosso: "(...) precisam apresentar o bilhete no balcão da companhia para saber se ele é endossável." (*O Globo*, 04.11.2001) [Pl.: *-veis*.] [F.: *endossar* + *-vel*.]

endosso (en.*dos*.so) [ô] ***sm.*** **1** Declaração que, escrita no dorso de um título nominativo pelo seu beneficiário, transfere a posse desse título para outrem **2** Aditivo a um contrato de seguro [F.: Dev. de *endossar*. Hom./Par.: *endosso* (fl. de *endossar*).] ⁞⁞ **~ completo** *Jur.* Ver *Endosso em preto* **~ em branco** *Jur.* Endosso no qual não é mencionado o nome do beneficiário **~ em caução** *Jur.* Ver *Endosso pignoratício* **~ em garantia** *Jur.* Ver *Endosso pignoratício* **~ em penhor** *Jur.* Ver *Endosso pignoratício* **~ em preto** *Jur.* Aquele que, junto com a assinatura do endossante, menciona o nome do favorecido; endosso completo; endosso nominativo; endosso pleno. **~ mandatício** *Jur.* Ver *Endosso procuratório* **~ nominativo** *Jur.* Ver *Endosso em preto* **~ pignoratício** *Jur.* O que vincula o endossante a outra obrigação, até cujo cumprimento o endossatário tem direito de retenção; endosso em garantia; endosso em penhor **~ pleno** *Jur.* Ver *Endosso em preto* **~ por procuração** *Jur.* O que é feito por procurador do endossante **~ póstumo** *Jur.* Endosso feito depois de vencido ou protestado o título, com efeito restrito ao de uma cessão civil **~ procuratório** *Jur.* O que não transfere ao endossatário a propriedade do título, mas confere-lhe mandato para cobrá-lo do devedor

endotelial (en.do.te.li.*al*) ***a2g.*** *Anat.* Relativo a endotélio (células endoteliais) [Pl.: *-ais*.] [F.: *endotélio* + *-al*.]

endotelina (en.do.te.*li*.na) ***sf.*** *Biol.* Substância produzida pelas células endoteliais dos mamíferos, na parede interna dos vasos sanguíneos

endotélio (en.do.*té*.li:o) ***sm.*** *Anat.* Camada de células epiteliais que reveste internamente as estruturas do sistema circulatório e linfático [F.: Do fr. *endothélium*.]

endotérmico (en.do.*tér*.mi.co) ***a.*** **1** *Fís.Quím.* Diz-se de processo ou reação química em que ocorre absorção de calor do meio externo [Ant.: *exotérmico*] **2** *Zool.* Diz-se de animais de sangue quente, como aves e mamíferos, cuja temperatura corporal aumenta por meio da produção metabólica de calor [F.: *endotermia* + *-ico*. Sin. ger.: *endotermo*.]

endotimpânico (en.do.tim.*pâ*.ni.co) ***a.*** *Anat.* Do interior do tímpano ou relativo a essa área do ouvido (membrana endotimpânica)

endotoxina (en.do.to.*xi*.na) [cs] ***sf.*** *Biol.* Toxina produzida no interior das células de micro-organismos que não se difunde para o meio externo [F.: *end(o)-* + *toxina*.]

endotraqueal (en.do.tra.que:*al*) ***a2g.*** *Anat.* Ref. a, localizado ou realizado na traqueia (tubo endotraqueal) [Pl.: *-ais*.] [F.: *end(o)-* + *traqueal*.]

endovenoso (en.do.ve.*no*.so) [ô] ***a.*** **1** Diz-se daquilo (soro, medicação etc.) que se aplica no interior de veia **2** Que se refere ao interior da veia [Fem. e pl.: [ó].] [F.: *end(o)-* + *venoso*. Sin.ger.: *intravenoso*.]

endozoico (en.do.*zoi*.co) ***a.*** *Biol.* Diz-se da disseminação, por meio das fezes, das sementes de frutos digeridos pelos animais (transporte endozoico) [F.: *end(o)-* + *-zoico*.]

endrão (en.*drão*) ***sm.*** *Bot.* O mesmo que *aneto*; ENDRO [Pl.: *-drões*.] [F.: *endro* + *-ão*[2].]

endurecer (en.du.re.*cer*) ***v.*** **1** Fazer ficar ou ficar duro, rijo; ENRIJECER [***td.***: *O frio endureceu a manteiga*.] [***int.***: *O peixe endureceu no congelador*.] [Ant.: *amolecer*.] **2** Fazer ficar ou ficar resistente, física ou moralmente [***td.***: *O trabalho pesado e o clima agressivo endureceram-no muito*.] [***int.***: *Era uma mulher frágil e vulnerável, mas endureceu com a vida*.] **3** Fortificar, fortalecer [***td.***: *A bicicleta endurece os músculos das pernas*.] **4** Tornar(-se) cruel [***td.***: *As decepções o endureceram*.] [***int.***: *Esse repórter era muito sensível, mas endureceu depois de um ano na cobertura policial*.] **5** Tornar(-se) cruel [***td.***: *A visão de tantos crimes endureceu-lhe o coração*.] [***int.***: *Vendo a guerra de perto, endureceu-se para sempre*.] **6** *Fig.* Tornar mais rígido [***td.***: *O governo endureceu as medidas contra quem dirige embriagado*.] [Ant.: *abrandar*.] [▶ 33 endure**cer**] [F.: Do lat. *indurescere*.]

endurecido (en.du.re.*ci*.do) ***a.*** **1** Que endureceu, que se tornou sólido; SOLIDIFICADO; CONSOLIDADO: *A massa foi endurecida pelo cimento*. **2** Tornado rijo, robusto: *Tinha uma musculatura endurecida em academias*. **3** *Fig.* Tornado insensível, desumano: *A vida os transformou em homens de coração endurecido*. **4** *Fig.* Habituado a grandes esforços, fadiga e provações; CALEJADO: *Era um homem endurecido pela dolorosa vida*. [F.: Part. de *endurecer*. Sin. ger.: *enrijecido*; Ant. ger.: *amolecido*.]

endurecimento (en.du.re.ci.*men*.to) ***sm.*** **1** Ação ou resultado de endurecer(-se); ENRIJECIMENTO [Ant.: *amolecimento*.] **2** Transformação de uma substância gasosa, líquida ou pastosa em sólido **3** Calo, calosidade **4** Mudança para ou atitude rígida, inflexível; DESUMANIZAÇÃO; EMPEDERNIMENTO: *O endurecimento da polícia não surpreendeu ninguém*. [Ant.: *humanização, suavizamento*.] [F.: *endurecer* + *-mento*.]

endurista (en.du.*ris*.ta) ***s2g.*** **1** *Esp.* Indivíduo que compete em enduro ***a2g.*** **2** *Esp.* Competidor de enduro [F.: *enduro* + *-ista*.]

enduro (en.*du*.ro) ***sm.*** *Esp.* Prova de automobilismo ou motociclismo realizada em terreno muito acidentado [F.: Do ing. *enduro*. Cf.: *cross-country*.]

ene (*e*.ne) ***sm.*** **1** Nome da letra *n* **2** *Tip.* Medida tipográfica que representa o meio-quadratim no sistema anglo-americano

⊠ **E.N.E.** Abrev. de *és -nordeste* ou *lés -nordeste*

◎ **ene(a)-** ***pref.*** = nove: *eneágono, eneassílabo*

eneagonal (e.ne:a.go.*nal*) ***a2g.*** *Geom.* Que tem nove lados [Pl.: *-nais*.] [F.: *eneágono* + *-al*[1].]

eneágono (e.ne:*á*.go.no) ***sm.*** *Geom.* Polígono de nove lados; NONÁGONO [F.: *ene(a)-* + *-gono*.]

enéas-marquense (e.né.as-mar.*quen*.se) ***s2g.*** **1** Indivíduo nascido ou que vive em Enéas Marques (PR) [Pl.: *enéas-marquenses*.] ***a2g.*** **2** De Enéas Marques; típico dessa cidade ou de seu povo [Pl.: *enéas-marquenses*.] [F.: Do top. *Enéas Marques* + *-ense*.]

eneassílabo (e.ne:as.*sí*.la.bo) ***a.*** **1** Diz-se de verso ou vocábulo com nove sílabas; ENEASSILÁBICO ***sm.*** **2** Verso ou vocábulo de nove sílabas [F.: Do gr. *enneassúllabos, os, on*.]

enegésimo (e.ne.*gé*.si.mo) ***a.*** Ver *enésimo*

enegrecer (e.ne.gre.*cer*) ***v.*** **1** Tornar(-se) negro, escuro ou mais escuro; ESCURECER [***td.***: *A umidade enegreceu o muro*.] [***int.***: *O céu enegreceu de repente*.] [Ant.: *clarear, embranquecer*.] **2** *Fig.* Difamar, caluniar, denegrir [***td.***: *As notícias enegreceram a imagem do candidato*.] **3** *S.* Encher-se, apinhar-se [***int.***: *Com o concerto gratuito, a rua enegreceu de gente*.] [▶ 33 enegre**cer**] [F.: *e-*[2] + *negro* + *-ecer*.]

enegrecido (e.ne.gre.*ci*.do) ***a.*** Que se enegreceu; ESCURECIDO: *Apareceu com a pele estranhamente enegrecida*. [Ant.: *clareado, desenegrecido*.] [F.: Part. de *enegrecer*.]

enegrecimento (e.ne.gre.ci.*men*.to) ***sm.*** **1** Ação ou resultado de enegrecer(-se) [Ant.: *clareamento, desenegreci-*

mento.] **2** *Fig.* Ação ou resultado de difamar (enegrecimento da honra); CALÚNIA; DIFAMAÇÃO [F.: *enegrecer + -imento.*]

enema (e.*ne*.ma) *sm.* **1** *Med.* Inoculação, pelo reto, de água, medicamentos líquidos ou contraste para exame radiológico; lavagem intestinal; CLISTER **2** *Ant. Farm.* Medicamento tópico de ação secante us. em ferimentos com hemorragia [F.: Do lat. *enema, atis.*]

êneo (*ê*.ne:o) *a.* **1** Que é de bronze ou semelhante ao bronze; BRÔNZEO; ÉREO **2** Ref. ao bronze [F.: Do lat. *aeneus.*]

energética (e.ner.*gé*.ti.ca) *sf.* **1** Parte da ciência que estuda os fenômenos ligados à energia **2** *Fil.* Teoria que consiste na redução de toda a substância do universo ao conceito de energia; DINAMISMO; ENERGETISMO [F.: Fem. substv. de *energético.*]

energético (e.ner.*gé*.ti.co) *a.* **1** Ref. a energia **2** Ref. a energética **3** Diz-se do que transmite energia física, esp. alimento (bebida energética) [F.: Do gr. *energetikós*, pelo fr. *énergétique.*]

energia (e.ner.*gi*.a) *sf.* **1** *Fís.* Capacidade, potencial (que tem um sistema, um corpo, uma substância) de realizar um trabalho **2** *Fig.* Vigor físico, disposição para agir, fazer algo: *Acordou cheio de energia.* **3** *Fig.* Força moral; segurança, firmeza: *Enfrentava os problemas com energia.* **4** Firmeza, rigor: *A polícia precisou agir com energia.* **5** *Fil.* Na filosofia aristotélica, a ação (física ou metafísica) que transforma uma potencialidade numa atividade **6** Fornecimento de eletricidade, de luz: *A empresa cortou a energia por falta de pagamento.* **7** Vigor, arrojo e propriedade da concepção e da execução de uma criação artística: *O discóbulo é uma escultura cheia de energia.* [F.: Do gr. *enérgeia*, pelo lat. tad. *energia* e pelo fr. *énergie.* Ideia de 'energia', usar pref. *dinam(o)-* e suf. *-dinamia, -dinâmica, -dinâmico* e *-dínamo.*] **■ ~ atômica** *Fís.nu.* Ver *Energia nuclear.* **~ calorífica** *Fís.* Ver *Energia térmica* **~ cinética** *Fís.* A energia de um corpo em movimento, definível como aquela consumida no trabalho necessário para levar o corpo ao estado de repouso **~ de ionização** *Quím.* Aquela necessária para separar um elétron de um átomo, de um íon ou de uma molécula **~ de ligação** *Quím.* A energia necessária para separar os elétrons unidos de uma ligação covalente, sem outros efeitos **~ de permuta** *Fís.* A que se relaciona com a troca de partículas de um sistema; energia de troca [$E=mc^2$.] **~ de repouso** *Fís.* Aquela de uma partícula em repouso num certo referencial, e que é igual ao produto da massa em repouso pelo quadrado da velocidade da luz **~ interna** *Fís.* A fração da energia total de um sistema que é determinada apenas por seu estado (é a soma das energias cinética e potencial dos componentes do sistema). Pode-se medir apenas sua variação (e não seu valor absoluto) que é a diferença, num sistema fechado, entre o calor recebido e o calor cedido entre seu estado final e seu estado inicial, tomados como referência **~ magnetizante** *Eng. Elet.* Estágio intermediário de energia em equipamento que transforma energia elétrica em outra forma de energia, na forma de energia armazenada em campo magnético **~ nuclear** *Fís.nu.* A energia que mantém o equilíbrio interno entre o núcleo e os elétrons de um átomo, e que pode ser libertada numa reação nuclear para ser aproveitada para inúmeros fins (transformação em energia elétrica, bombas nucleares etc.) **~ potencial** *Fís.* Energia de um corpo, ou de um sistema físico, que só depende da posição do corpo ou da configuração do sistema **~ radiante** *Fís.* Energia que se transmite por meio de ondas eletromagnéticas **~ térmica** *Fís.* A que acompanha troca de energias e se manifesta na forma de variação térmica **~ vital** Energia ou força (suposta real, ou imaginada figuradamente) própria aos seres vivos (esp. aos animais e, mais ainda, aos seres humanos), associada exclusivamente aos fenômenos da vida e diferente dos tipos de energia do mundo inanimado. (A ideia de uma energia vital é característica do vitalismo.)

📖 Energia é a capacidade, ou potencialidade, de se processar mudança de estado físico. Portanto, energia é a base de tudo que acontece, desde os sofisticados fenômenos biológicos que caracterizam a vida até os sofisticados fenômenos tecnológicos da computação, da cibernética, ou a simples utilização da luz elétrica. Classicamente, são consideradas 4 fontes fundamentais de energia como origem de todas as outras: duas forças (forte e fraca) no interior do átomo, que geram a energia atômica e as reações químicas; a força de gravitação, que rege a mecânica cósmica, as marés etc.; e a força eletromagnética, por sua vez geradora da eletricidade em todas as suas formas. Associa-se toda noção de progresso à possibilidade de se dispor de energia farta e barata. Com o encarecimento e previsível esgotamento das fontes de energia fóssil (petróleo, carvão), com o quase total aproveitamento da energia hidrelétrica, com os problemas e limitações do uso de energia nuclear, pesquisam-se fontes alternativas de energia, como a dos movimentos das marés, do vento (eólica), do calor do Sol (solar), do hidrogênio etc.

enérgico (e.*nér*.gi.co) *a.* **1** Que tem energia, força física, ou que as manifesta; FORTE; POTENTE: *Um puxão enérgico arrancou a porta do armário.* [Ant.: *débil, fraco.*] **2** Que tem a capacidade de produzir força, vigor; ATIVO; EFICAZ: *Descobriu um remédio enérgico que reergueu suas forças.* [Ant.: *ineficaz.*] **3** Que demonstra ou age com rigor, rigidez; SEVERO; RIGOROSO: *Era um treinador enérgico e eficaz.* [Ant.: *brando, complacente.*] [F.: *energia + -ico*[2], ou do fr. *énergique.*]

energização (e.ner.gi.za.*ção*) *sf.* Ação ou resultado de energizar [F.: *energizar + -ção.*]

energizado (e.ner.gi.*za*.do) *a.* **1** *Fig.* Que recebeu energia, que foi objeto de energização: "Sua saúde está ótima e você se sentirá energizado com vontade de realizar coisas (...)." (*O Globo*, 12.09.2005) **2** Que possui e/ou conduz energia: "(...) por mais mais de 72 horas um fio energizado ficou à deriva em via alagada (...)." (*O Globo*, 19.10.2003) [F.: Part. de *energizar.*]

energizante (e.ner.gi.*zan*.te) *a2g.* Que dá energia, ânimo, força (diz-se de bebida, comida, substância etc.); ESTIMULANTE: *terapia energizante, banho energizante.* [F.: *energizar + -nte.*]

energizar (e.ner.gi.*zar*) *v. td.* **1** Transmitir energia a: *Energizaram os trilhos da nova linha.* **2** Transmitir ânimo e vigor a: *Seu entusiasmo energizou o grupo.* [▶ 1 energizar] [F.: *energia + -izar.*]

energúmeno (e.ner.*gú*.me.no) *sm.* **1** *Antq.* Pessoa possuída pelo demônio ou que age como um possesso: "Os sineiros, correndo para as torres, puxavam como energúmenos pelas cordas dos sinos..." (Júlio Dinis, *Os noviços*) **2** *Fig.* Indivíduo não confiável, por ser desprezível e estúpido; BOÇAL [F.: Do gr. *energoúmenos*, pelo lat. *energumenos* e pelo fr. *énergumène.*]

enervação (e.ner.va.*ção*) *Med. sf.* **1** Ação ou resultado de enervar(-se) **2** Esgotamento ou enfraquecimento dos nervos [Ant.: *exaltação, fortalecimento.*] [Pl.: *-ções.*] [F.: Do lat. *enervatio, onis.* Sin. ger.: *enervamento, enervância, irritação.*]

enervado (e.ner.*va*.do) *a.* **1** Que demonstra irritação, impaciência, nervosismo; EXASPERADO: "Acho uma pena que (...) abra espaço de página inteira para o crítico do jornal, enervado, afirmar que a exibição é ruim e desnecessária." (*O Globo*, 24.02.2003) [Ant.: *calmo, tranquilo.*] **2** *P.us.* Enfraquecido nos nervos e no ânimo; PROSTRADO; ABATIDO; DEBILITADO [Ant.: *animado.*] **3** Provido de nervos (região enervada) [F.: Part. de *enervar.*]

enervamento (e.ner.va.*men*.to) *sm.* **1** Ação ou resultado de enervar(-se) **2** Esgotamento nervoso [F.: *enervar + -mento.* Sin. ger.: *enervação, enervância.*]

enervante (e.ner.*van*.te) *a2g.* Que provoca ou pode provocar nervosismo, enervar, irritar (espera enervante) [F.: *enervar + -nte.*]

enervar (e.ner.*var*) *v.* **1** Ficar ou fazer ficar nervoso, irritado; IRRITAR [*td.*: *A teimosia do adulto enervou a criança.*] [*int.*: *Enervou-se e foi embora.*] **2** Tornar(-se) débil, sem vigor (física ou mentalmente) [*td.*: *A ignorância enervou a sociedade.*] [*int.*: *À medida que envelhecia, sua iniciativa e sua disposição se enervavam.*] **3** Tornar (estilo, linguagem) sem vigor ou expressividade [*td.*] **4** Abater (rês, animal de corte) pela secção do bulbo raquiano [*td.*] [▶ 1 enervar] [F.: Do lat. *enervare.* Hom./Par.: *inervar* (em todas as fl.).]

enésimo (e.*né*.si.mo) *num.* **1** Ordinal que, numa sequência, ocupa a posição do número *n sm.* **2** O que é *n* vezes menor que a unidade: *Fez apenas um enésimo do que lhe pediram. a.* **3** Que equivale a um número de ordem indefinidamente grande: *Estava ouvindo aquela música pela enésima vez (ou seja, pela nª vez, sendo n um número relativamente grande).* [F.: *ene + -ésimo.* Tb. *enegésimo.*]

enevoado (e.ne.vo.*a*.do) *a.* Que está nublado, ou coberto de névoa; BRUMOSO; NEVOENTO: *Avançou pela estrada enevoada com todo o cuidado.* [Ant.: *claro, desenevoado.*] [F.: Part. de *enevoar.*]

enevoamento (e.ne.vo.a.*men*.to) *sm.* **1** Ação ou resultado de enevoar(-se) **2** Presença de névoa **3** *Fig.* Abatimento, entristecimento [Ant.: *alegria, contentamento.*] [F.: *enevoar + -mento.* ant. ger.: *desenevoamento.*]

enevoar (e.ne.vo.*ar*) *v.* **1** Envolver(-se) de névoa [*td.*: *A massa de ar frio enevoou a cidade.*] [*int.*: *A estrada enevoou-se.*] **2** *Fig.* Tornar sem brilho, embaciado [*td.*: *As lágrimas enevoaram-lhe os olhos.*] **3** *Fig.* Fazer ficar triste, melancólico [*td.*: *A saudade enevoava sua existência.*] [▶ 16 enevoar] [F.: *e-*[3] *+ névoa + -ar*[2].]

enfadado (en.fa.*da*.do) *a.* Que se enfadou, se entediou [Ant.: *estimulado, interessado.*] [F.: Part. de *enfadar.*]

enfadar (en.fa.*dar*) *v.* **1** Sentir ou fazer sentir enfado, tédio; ABORRECER(-SE); ENTEDIAR(-SE); ENFASTIAR(-SE) [*td.*: *O jogo enfadou as crianças.*] [*int.*: *Costumava enfadar-se muito durante as palestras.*] **2** Incomodar(-se), desgostar(-se) [*td.*: *A incerteza quanto ao emprego o enfadava.*] [*tr.* + *com*: *Jamais me enfado com você.*] [▶ 1 enfadar] [F.: De or. contrv. Hom./Par.: *enfado* (fl.), *enfado* (sm.).]

enfado (en.*fa*.do) *sm.* **1** Sensação de tédio, de mal-estar diante de algo aborrecido, maçante; ENTOJO; FASTIO: *Sentia enorme enfado diante daquela conversa.* [Ant.: *enlevo, prazer.*] **2** Estado de espírito caracterizado por agastamento, mal-estar; AMOFINAÇÃO; DESCONTENTAMENTO [Ant.: *agrado, alegria.*] [F.: Dev. de *enfadar.* Hom./Par.: *enfado* (fl. de *enfadar*).]

enfadonho (en.fa.*do*.nho) *a.* **1** Que causa enfado, tédio; CANSATIVO; FASTIDIOSO; MONÓTONO: *Nada mais enfadonho que ficar de pé numa fila:* "O sr. Assis pratica ainda o esporte enfadonho da caça ao galicismo..." (Manuel Bandeira, "Andorinha" *in Estrela da vida inteira*) [Ant.: *animador, estimulante.*] **2** Que é incômodo, aborrecido, molesto (presença enfadonha) [Ant.: *agradável, confortador.*] [F.: *enfado + -onho.*]

enfaixado (en.fai.*xa*.do) *a.* Que está envolto em faixa: *O golpe atingiu-o bem no braço enfaixado, e ele gemeu de dor.* [Ant.: *desenfaixado.*] [F.: Part. de *enfaixar.*]

enfaixar (en.fai.*xar*) *v. td.* Envolver, cingir ou atar com faixa(s): *Enfaixou o pé machucado.* [▶ 1 enfaixar] [F.: *en-*[2] *+ faixa + -ar*[2].]

enfarado (en.fa.*ra*.do) *a.* Que se enfarou, entediou, enfastiou; ENTEDIADO; ENFASTIADO: "Enfarado de tanta tolice, já há algum tempo deixei de ler suas declarações (...)." (*O Globo*, 23.09.2000) [F.: Part. de *enfarar.*]

enfarar (en.fa.*rar*) *v. td.* Causar enfaro, entediar: *Aquela conversa comprida o enfarava; Enfarou-se com o espetáculo.* [▶ 1 enfarar] [F.: *en- + faro + -ar.* Hom./Par.: *enfaro* (fl.), *enfaro* (sm.).]

enfardadeira (en.far.da.*dei*.ra) *sf. Agr.* Máquina us. na agricultura para juntar porções de cereal, palha, feno etc. em pequenos fardos [F.: *enfardar + -deira.*]

enfardar (en.far.*dar*) *v. td.* **1** Fazer fardo (de roupas, mercadorias etc.): "São horas de enfardar as fazendas" (Mendes Leal, *Amores de Bocage*) **2** Encapar, encobrir (com invólucro) **3** Colocar em algum lugar para guardar: *Quando o verão chegou, enfardou as roupas de frio.* [▶ 1 enfardar] [F.: *en-*[1] *+ fardo + -ar*[2].]

enfarinhado (en.fa.ri.*nha*.do) *a.* **1** Polvilhado ou coberto com farinha (tabuleiro enfarinhado) **2** *P.ext.* Transformado em farinha ou pó; ESFARELADO: *Com o tiro, a estátua virou aquele montinho enfarinhado.* [F.: Part. de *enfarinhar.*]

enfarinhar (en.fa.ri.*nhar*) *v.* **1** Cobrir de farinha; polvilhar com farinha [*td.*: *Enfarinhou a panela para fazer seu novo prato.*] **2** Reduzir (algo) a farinha ou a uma espécie de farinha [*td.*: *Enfarinhou os biscoitos para fazer uma torta.*] **3** *Pint.* Dar cor branca ou mais branca; ESBRANQUIÇAR [*td.*] **4** *P.us.* Cobrir-se de pó; empoar-se; EMPOAR-SE [*td.*: *A garota enfarinhou-se diante do espelho.*] **5** *Fig. P.us.* Ministrar ou receber algumas tinturas de conhecimentos [*tr.*: *Enfarinhou-se em metafísica.*] [*tdr.* + *em*: *O professor enfarinhou o aluno em teologia.*] [▶ 1 enfarinhar] [F.: *en-*[1] *+ farinha + -ar*[2].]

enfaro (en.*fa*.ro) *sm.* **1** Ação ou resultado de enfarar, de sentir enjoo; FASTIO **2** Sensação de tédio, de enfado [Ant.: *deleite, prazer.*] [F.: Dev. de *enfarar.* Hom./Par.: *enfaro* (fl. de *enfarar*).]

enfarpelado (en.far.pe.*la*.do) *a.* Vestido com roupa nova, diferente da us. habitualmente; EMPETECADO; EMBONECADO: "(...) enfarpelado naquele uniforme da Academia de Letras, que tão pouco tinha a ver com a sua informalidade (...)." (*O Globo*, 20.02.1997) [F.: Part. de *enfarpelar.*]

enfarpelar (en.far.pe.*lar*) *v. td.* Vestir (alguém ou a si próprio) com roupa nova ou bonita, ger. para momentos especiais: *Enfarpelou o filho para o baile:* "...hora em que Nazário costumava tomar banho e enfarpelar-se" (Xavier Marques, *Voltas da estrada*) [▶ 1 enfarpelar] [F.: *en-*[1] *+ farpela + -ar*[2].]

enfarruscado (en.far.rus.*ca*.do) *a.* **1** Sujo de farrusca, carvão, fuligem etc.; FARRUSCO; ENCARVOADO: *À distância via-se a pele enfarruscada dos cortadores de cana.* **2** *Fig.* Diz-se do tempo quando está escuro, com nuvens pesadas (céu enfarruscado); NUBLADO; ENEVOADO **3** *Fig.* De aspecto zangado, amuado, carrancudo: "Saramago é um homem enfarruscado, até nos retratos. Primeira vantagem do Nobel: vimo-lo sorrir." (*O Globo*, 26.10.1998) **4** *Fig.* Difamado, enodoado (honra enfarruscada) [F.: Part. de *enfarruscar.* Ant. ger.: *desenfarruscado.*]

enfarruscar (en.far.rus.*car*) *v.* **1** Manchar(-se) de carvão, fuligem etc.; ENEGRECER; ENCARVOAR [*td.*: *Enfarruscaram a cara com cinzas.*] [*int.*: *Ficou o dia inteiro na mina e enfarruscou-se.*] **2** Fazer ficar ou ficar zangado, amuado [*tr.* + *com*: *A desatenção do amigo a enfarruscou bastante.*] [*int.*: *Enfarruscou(-se) com a desatenção do amigo.*] **3** Causar ou apresentar uma aparência amuada [*td.*: *A raiva enfarruscou-lhe a fisionomia.*] [*int.*: *Seu rosto enfarruscou(-se) quando ele ouviu a má notícia.*] **4** *Bras.* Cobrir-se de nuvens escuras; NUBLAR-SE [*int.*: *O céu (se) enfarruscou e uma tempestade caiu.*] [▶ 11 enfarruscar] [F.: *en-*[2] *+ farrusca + -ar*[2].]

enfartado (en.far.*ta*.do) *a.* Ver *infartado, enfartado* [F.: Part. de *enfartar*[1].]

enfartar[1] (en.far.*tar*) *v. int.* Sofrer enfarte[1], ou infarto; INFARTAR [▶ 1 enfartar] [F.: *enfarte + -ar*[2]. Hom./Par.: *enfarte(s)* (fl.), *enfarte(s)* (sm.[pl.]).]

enfartar[2] (en.far.*tar*) *v. td.* **1** Obstruir, entupir **2** Encher, abarrotar de comida; FARTAR [▶ 1 enfartar] [F.: *en-*[2] *+ farto + -ar*[2]. Hom./Par.: *enfarte(s)* (fl.), *enfarte(s)* (sm.[pl.]).]

enfarte[1] (en.*far*.te) *sm.* Ver *infarto*: "Angústia, uma angústia vaga/Me dói... Não é enfarte ou angina: /É inveja do velho Braga." (Manuel Bandeira, "Zeppelin em Santa Teresa" *in Prosa*) [F.: Dev. de *enfartar*[1]. Hom/Par.: *enfarte* (fl. de *enfartar*).]

enfarte[2] (en.*far*.te) *sm.* Sensação de estar farto pelo excesso de alimento; INGURGITAMENTO [F.: Dev. de *enfartar*[2]. Hom./Par.: ver *enfarte*[1].]

ênfase (*ên*.fa.se) *sf.* **1** Valorização de certa parte, aspecto ou elemento de um discurso, narrativa etc.; DESTAQUE; REALCE: *Na crítica ao filme, deu ênfase ao trabalho dos atores.* **2** Entonação ou gesticulação afetada ao se pronunciar uma palavra ou uma frase, para dar-lhe destaque: *Demagogo convicto, sempre dava ênfase à palavra 'povo'.* **3** Excesso de entusiasmo e de eloquência ao falar ou gesticular: *Discursa com muita ênfase.* **4** Ostentação exagerada, no limite da presunção e da arrogância **5** Qualquer recurso na força de expressão verbal (léxico, sintático etc.) para dar relevo a enunciado [F.: Do gr. *émphasis*, pelo lat. *emphasis*.]

enfastiado (en.fas.ti:*a*.do) ***a.*** **1** Que está com fastio, sem apetite; ENJOADO: "Adaptei ingredientes para tornar a comida mais leve. Assim, o cliente não se sente enfastiado com o prato (...)." (*O Globo*, 03.10.1999) **2** Que está com tédio, enfado; ENTEDIADO; ABORRECIDO; ENFADADO; ENFARADO [F.: Part. de *enfastiar*. Ant. ger.: *desenfastiado*.]

enfastiante (en.fas.ti:*an*.te) ***a2g.*** **1** Que causa fastio, tirando o apetite (cheiro enfastiante); ENJOATIVO **2** Que provoca tédio, aborrecimento, enfado (conversa enfastiante); ENTEDIANTE; MAÇANTE [F.: *enfastiar* + *-nte*.]

enfastiar (en.fas.ti.*ar*) ***v.*** **1** Causar fastio, aborrecimento, tédio a; ABORRECER; ENTEDIAR; ENFADAR [***td.***: *A conversa monótona enfastia o ouvinte.*] **2** Sentir-se entediado, enfadado ou aborrecido [***int.***: *Enfastia-se com muita facilidade.*] [***tr.*** + *de*: "...enfastiou-se da vida, e fez viagem para o outro mundo." (José de Alencar, *A viuvinha*)] **3** Causar enjoo ou repugnância (a) (Tb. *Fig.*) [***td.***: *Refeições copiosas me enfastiam.*] [***tr.*** + *de*: *Adorava bombons, mas se enfastiou de chocolate.*] [***int.***: *Aprenda, discursos longos sempre enfastiam.*] [▶ 1 enfastiar] [F.: *en-*^{2} + *fastio* + *-ar*^{2}.]

enfático (en.*fá*.ti.co) ***a.*** Em que há ênfase; ENÉRGICO; VEEMENTE: *Gesto enfático; menção enfática.* [F.: Do gr. *emphatikós*, pelo lat. *emphaticus*.]

enfatiotado (en.fa.ti:o.*ta*.do) ***a.*** *Bras.* Vestido com apuro, requinte: *Saíram enfatiotados como exigia o convite.* [F.: *en-*^{2} + *fatiota* + *-ado*^{2}.]

enfatiotar (en.fa.ti:o.*tar*) ***v. td.*** *Bras.* Envergar fatiota, vestir (alguém, inclusive si mesmo) com apuro: *Enfatiotou a amiga e foram para o baile; Gostava de se enfatiotar para ir ao teatro.* [▶ 1 enfatiotar] [F.: *en-*^{2} + *fatiota* + *-ar*^{2}.]

enfatizado (en.fa.ti.*za*.do) ***a.*** **1** Que se enfatizou **2** Provido de ênfase, de destaque; DESTACADO; SALIENTADO; RESSALTADO: *As condições foram bem enfatizadas desde o início.* [F.: Part. de *enfatizar*.]

enfatizar (en.fa.ti.*zar*) ***v. td.*** **1** Dar ênfase, realce, destaque a; RESSALTAR; SALIENTAR: *Enfatizou o direito da criança à educação.* **2** Comentar ou afirmar com ênfase: *O presidente enfatizou que fará a reforma agrária.* [▶ 1 enfatizar] [F.: *enfático* + *-izar*, segundo o modelo erudito.]

enfatuação (en.fa.tu:a.*ção*) ***sf.*** Ação ou resultado de enfatuar(-se), de vangloriar(-se); PRESUNÇÃO; VAIDADE; IMODÉSTIA; SOBERBA; ENFATUAMENTO [Ant.: *despojamento, humildade*.] [Pl.: *-ções*.] [F.: *enfatuar* + *-ção*.]

enfatuado (en.fa.tu:*a*.do) ***a.*** Cheio de vaidade e pretensão; PEDANTE; AFETADO; CONVENCIDO; ARROGANTE: *Cínico e enfatuado, acabou discursando sozinho.* [Ant.: *modesto*.] [F.: Part. de *enfatuar*.]

enfatuamento (en.fa.tu:a.*men*.to) ***sf.*** Ver *enfatuação* [F.: *enfatuar* + *-mento*.]

enfatuar (en.fa.tu.*ar*) ***v.*** Encher(-se) de vanglória, vaidade ou presunção [***td.***: "Esse caso enfatuou grandemente o governador" (Camilo Castelo Branco, *Luta de gigantes*)] [***tr.*** + *com, de*: *Enfatuava-se com os elogios do público; Não me enfatuo de ter feito o que fiz.*] [▶ 1 enfatuar] [F.: Do lat. *infatuare*.]

enfeado (en.fe:*a*.do) ***a.*** **1** Que se tornou feio; AFEADO: *Tinha um rosto enfeado pelo sofrimento.* [Ant.: *embelezado*.] **2** Tornado indigno, desprezível: *Sua biografia foi enfeada por um único deslize.* [F.: Part. de *enfear*. Hom./Par.: *enfiado* (adj.).]

enfear (en.fe.*ar*) ***v.*** **1** Fazer ficar ou ficar feio, ou mais feio; AFEAR(-SE) [***td.***: *A poluição enfeia e degrada o meio ambiente:* "O entulho ficou lá enfeando a rua..." (José J. Veiga, *Espelho*)] [***int.***: *Ela (se) enfeou com a maquiagem.*] **2** *Fig.* Amesquinhar, tornar baixo; MACULAR [***td.***: *A corrupção enfeou a entidade e quase a destruiu.*] [***int.***: *A situação enfeou quando os dois se acusaram frontalmente.*] [▶ 13 enfear] [F.: *en-*^{2} + *feio* + *-ar*^{2}. Hom./Par.: *enfiar, enfear* (todas as fl.).]

enfebrar (en.fe.*brar*) ***v.*** **1** Passar a sentir febre; apresentar febre [***int.***: *O garoto enfebrou sem motivo aparente.*] **2** Causar febre em [***td.***: *A virose enfebrou a criança.*] [▶ 1 enfebrar] [F.: *en-*^{1} + *febre* + *-ar*^{2}.]

enfeitado (en.fei.*ta*.do) ***a.*** **1** Que se enfeitou: *Avistou uma moça toda enfeitada, coberta de joias e flores.* **2** Que leva adornos, atavios: *vestido de seda enfeitado de rendas.* [F.: Part. de *enfeitar*. ant. ger.: *desenfeitado*.]

enfeitar (en.fei.*tar*) ***v.*** **1** Pôr enfeite em (algo ou alguém, inclusive si mesmo); ADORNAR; ATAVIAR; ORNAR [***td.***: *Enfeitamos o salão com flores; Enfeitou-se toda para ir à festa.*] **2** Passar a ser bonito ou mais bonito [***int.***: *Cíntia enfeitou na adolescência.*] **3** Dar boa aparência a [***td.***: *Enfeitou o relatório para não ficar pessimista demais.*] **4** Adquirir uma aparência agradável [***int.***: *Quando ouviu a boa notícia, seu rosto (se) enfeitou.*] **5** *Fut.* Introduzir manobra de efeito em (jogada), para torná-la mais vistosa [***td.***: *enfeitar um passe.*] [***int.***: *Quis enfeitar demais e acabou falhando.*] **6** Cravar ferros ou farpas em (touro) [***td.***] **7** *RS* Chegar (menina) à puberdade, tornando-se vistosa, quase mulher [***int.***: *Aos treze anos já estava enfeitava, precoce na aparência, mas não no juízo.*] **8** *RS* Ficar adulta (franga), cacarejando para anunciar que vai pôr ovo pela primeira vez **9** Adornar exageradamente o que se fala, se escreve ou se faz, prejudicando o entendimento ou a eficiência [***td.***: *Ele agora já está enfeitando o discurso, e se afastando do principal.*] [***int.***: *Roberwilson, não enfeita, passa logo essa bola!*] [▶ 1 enfeitar] [F.: Do a. port. ant. *afeitar*, a partir do lat. *affactare*. Hom./Par.: *enfeite(s)* (fl.), *enfeite(s)* (sm.[pl.]).]

enfeite (en.*fei*.te) ***sm.*** Aquilo que se usa para enfeitar, para tornar algo ou alguém mais atraente, bonito, vistoso; ADORNO; ORNATO: *Usava enfeites de madrepérola na saia; Queria um enfeite para colocar sobre a mesa.* [F.: Dev. de *enfeitar*. Hom./Par.: *enfeite* (fl. de *enfeitar*).]

enfeitiçado (en.fei.ti.*ça*.do) ***a.*** **1** Que ficou sob o efeito de algum feitiço: *Na torre do castelo dormia uma princesa enfeitiçada.*: "Quem sabe, podia ser, eu estava enfeitiçado?" (João Guimarães Rosa, *Grande sertão: veredas*) **2** *P.ext. Pop.* Que está seduzido, fascinado: *Desde que conheceu a vizinha, é um homem enfeitiçado.* [F.: Part. de *enfeitiçar*.]

enfeitiçamento (en.fei.ti.ça.*men*.to) ***sm.*** **1** Ação ou resultado de enfeitiçar **2** Ação mágica ou supostamente mágica que enfeitiça; FEITIÇO **3** *Fig.* Sensação de encantamento provocada por alguém ou algo muito atraente [F.: *efeitiçar* + *-mento*. ant. ger.: *desenfeitiçamento*.]

enfeitiçante (en.fei.ti.*çan*.te) ***a2g.*** **1** Que enfeitiça (poção enfeitiçante) **2** *Fig.* Que encanta, deslumbra, magnetiza; ENCANTADOR; FASCINANTE: *Seu carisma era enfeitiçante.* [F.: *enfeitiçar* + *-nte*.]

enfeitiçar (en.fei.ti.*çar*) ***v. td.*** **1** Lançar feitiço sobre: *A bruxa enfeitiçou a princesa.* **2** Tentar fazer mal a alguém mediante magia negra: *Tentaram enfeitiçar o casal com um trabalho enfiado no colchão.* **3** Atrair o amor ou interesse de; SEDUZIR; CATIVAR: *O talento, a voz e a beleza de Kathleen Ferrier enfeitiçaram o maestro Bruno Walter.* [▶ 12 enfeitiçar] [F.: *en-*^{2} + *feitiço* + *-ar*^{2}.]

enfeixado (en.fei.*xa*.do) ***a.*** **1** Que se enfeixou, que se transformou em feixe: *varas de marmelo enfeixadas.* **2** Que se juntou, se reuniu: *encartes enfeixados na revista.* **3** Transformado em fardo; EMPACOTADO; ENTROUXADO [F.: Part. de *enfeixar*. ant. ger.: *desenfeixado*.]

enfeixamento (en.fei.xa.*men*.to) ***sm.*** **1** Ação ou resultado de enfeixar **2** Ajuntamento ou amarração em feixe (enfeixamento do trigo); ENFARDAMENTO; EMPACOTAMENTO **3** Junção, agrupamento de coisas esparsas: *Solicitou o enfeixamento dos fascículos em capa dura.* [F.: *enfeixar* + *-mento*. Ant. ger.: *desenfeixamento*.]

enfeixar (en.fei.*xar*) ***v. td.*** **1** Atar, prender em feixe(s): *enfeixar lenha.* **2** Juntar o que estava disperso: *Enfeixou as revistas e as pôs na pasta.* **3** Pôr em trouxa, em embrulho; ENFARDAR [▶ 1 enfeixar] [F.: *en-*^{2} + *feixe* + *-ar*^{2}.]

enfermagem (en.fer.*ma*.gem) ***sf.*** **1** Técnica, função e profissão de cuidar de doentes ou idosos, providenciando curativos, medicações, cuidando da higiene do paciente etc. **2** Corpo de enfermeiros que atuam em hospitais, clínicas, ambulatórios etc. **3** Conjunto de serviços de uma enfermaria [Pl.: *-gens*.] [F.: *enfermar* + *-agem*^{2}.]

enfermar (en.fer.*mar*) ***v.*** **1** Ficar ou fazer ficar enfermo, doente [***td.***: *A umidade os enfermou.*] [***int.***: "...mas enfermou e morreu dias depois..." (Alberto da Costa e Silva, *A manilha e o libambo*)] **2** Causar aborrecimento, desgosto, aflição, mortificação a; AFLIGIR; MORTIFICAR [***td.***: *A saudade o enferma.*] **3** Tirar a energia, a força, o vigor de [***td.***: *A impunidade enferma a vigência da ética e da moral.*] [▶ 1 enfermar] [F.: Do lat. *infirmare*. Hom./Par.: *enferma(s)* (fl.), *enferma(s)* (fem. de *enfermo* [pl.]), *enfermo* (fl.), *enfermo* (a.sm.), *enfermaria(s)* (fl.), *enfermaria(s)* (sf.[pl.]).]

enfermaria (en.fer.ma.*ri*.a) ***sf.*** **1** Local destinado ao tratamento de enfermos, em hospitais, postos de saúde, escolas etc. **2** *P.ext.* Aposento que abriga enfermos em vários leitos (em hospitais, clínicas etc.) **3** Qualquer lugar em que haja pessoas doentes e no qual são tratadas [F.: *enfermo* + *-aria*.]

enfermeira (en.fer.*mei*.ra) ***sf.*** **1** Mulher formada em enfermagem, que cuida ou que é apta a cuidar profissionalmente de pessoas enfermas **2** *P.ext.* Qualquer mulher que cuide de um ou mais doentes [F.: *enfermo* + *-eira*. Sendo um homem a exercer a profissão ou a função: *enfermeiro*.]

enfermiço (en.fer.*mi*.ço) ***a.*** **1** Diz-se de quem ou do que aparenta doença: *A moça era de uma fragilidade enfermiça.* **2** Diz-se de quem adoece com facilidade; VALETUDINÁRIO [F.: *enfermo* + *-iço*. Sin.ger.: *achacadiço, doentio*.]

enfermidade (en.fer.mi.*da*.de) ***sf.*** **1** Distúrbio no estado de saúde de alguém; DOENÇA; MOLÉSTIA: *Foi vítima de uma enfermidade terrível.* **2** *Fig.* Qualquer mania obsessiva ou vício **3** *AL Pop.* Ferida de difícil cicatrização [F.: Do lat. *infirmitas, atis*.]

enfermo (en.*fer*.mo) [ê] ***a.*** **1** Que contraiu alguma doença; DOENTE [Ant.: *sadio, são*.] **2** Que tem funcionamento anormal (coração enfermo); IMPERFEITO [Ant.: *normal, perfeito*.] ***sm.*** **3** Pessoa doente [F.: Do lat. *infirmus*. Hom./Par.: *enfermo* (fl. de *enfermar*).]

enferrujado (en.fer.ru.*ja*.do) ***a.*** **1** Que se enferrujou, criou ferrugem (panela enferrujada); OXIDADO **2** *Fig.* Que perdeu a destreza, a força: *Não é mais o mesmo no esporte, anda enferrujado* **3** *Fig.* Esquecido de algo que sabia: *Não consigo resolver este problema, ando meio enferrujado em matemática.* **4** Sem desenvoltura, por falta de uso, esquecimento etc.: *Ela falava bem francês, mas agora ele está meio enferrujado.* [F.: Part. de *enferrujar*. ant. ger.: *desenferrujado*.]

enferrujamento (en.fer.ru.ja.*men*.to) ***sm.*** **1** Formação de ferrugem; OXIDAÇÃO: *Era visível o enferrujamento nas engrenagens do velho trem.* **2** *Fig.* Perda ou lentidão de movimentos por ausência de exercício físico ou treino **3** *Fig.* Perda de certa habilidade ou capacidade por falta de prática: *A passividade causou enferrujamento em sua capacidade de indignar-se.* [F.: *enferrujar* + *-mento*.]

enferrujar (en.fer.ru.*jar*) ***v.*** **1** Cobrir(-se) de ferrugem; OXIDAR [***td.***: *A maresia enferrujara a geladeira.*] [***int.***: *O serrote enferrujou(-se).*] **2** *Fig.* Perder ou fazer perder a flexibilidade, a agilidade, a mobilidade, o vigor [***td.***: *A inatividade enferruja a musculatura.*] [***int.***: *Se não trabalho todo dia, logo (me) enferrujo.*] **3** *Fig.* Perder ou fazer perder fluência, qualidade [***td.***: *O tempo enferruja a memória.*] [***int.***: *Por falta de prática, seu latim enferrujou(-se).*] **4** Sujar com ferrugem [***td.***: *Encostei a camisa no portão de ferro e enferrujei a manga.*] [▶ 1 enferrujar] [F.: *en-*^{2} + *ferrugem* + *-ar*^{2}.]

enfestado[1] (en.fes.*ta*.do) ***a.*** **1** Diz-se de pano dobrado ao meio no sentido de sua largura e enrolado na peça **2** Diz-se de tecido com dupla largura **3** *Bras. Fig.* Diz-se de pessoa de compleição forte, vigorosa **4** Voltado para cima; EMPINADO [F.: Part. de *enfestar*. Hom./Par.: *infestado* (adj.).]

enfestado[2] (en.fes.*ta*.do) ***a.*** Enfeitado (como que) para uma festa; de aspecto festivo [F.: Part. de *enfestar* (5).]

enfestar (en.fes.*tar*) ***v.*** **1** Fazer festo ou dobra, dobrar pano ou papel pelo meio, na largura [***td.***: *Compraram uma máquina de enfestar tecidos.*] **2** Pôr a mais, aumentar (uma conta ou qualquer outra coisa) [***td.***] **3** *Bras. Pop.* Marcar no jogo mais pontos do que os legalmente obtidos [***int.***] **4** *Bras.* Exagerar, mentir [***int.***] **5** Dar aspecto ou caráter de festa a; ornar (como) para uma festa [***td.***] [▶ 1 enfestar] [F.: *en-*^{2} + *festo* [ê] + *-ar*^{2}. (*en-*^{2} + *festa* + *-ar*^{2} para def. 5) Hom./Par.: *infestar, enfestar* (todas as fl.).]

enfeudado (en.feu.*da*.do) ***a.*** **1** Que se constituiu em feudo **2** *Fig.* Submetido, subjugado, avassalado: *Via-se o povo sem direito à terra, enfeudado pela ganância dos latifundiários.* [F.: Part. de *enfeudar*. Ant. ger.: *desenfeudado*.]

enfeudar (en.feu.*dar*) ***v.*** **1** *Ant.* Formar feudo ou transformar em feudo [***td.***: *Enfeudou todo o conjunto de terras.*] **2** *Fig.* Angariar, conquistar [***td.***: "Assim enfeudou simpatias, dedicações" (Manuel Ribeiro, *Batalha nas sombras*)] **3** *Fig.* Entregar-se, ficar pertencendo a (uma pessoa, partido, opinião etc.) [***tr.*** + *em*: *Enfeudou-se no comunismo e dali não saiu mais.*] [▶ 1 enfeudar] [F.: *en-*^{1} + *feudo* + *-ar*^{2}.]

enfezado (en.fe.*za*.do) ***a.*** **1** Que está zangado, aborrecido; BRAVO; FURIOSO: *Ficou enfezado com a mulher por causa do feijão salgado.* [Ant.: *calmo, tranquilo*.] **2** Que é genioso, irascível: *Era um tipo brigão, enfezado.* [Ant.: *manso, plácido*.] **3** Que se desenvolveu precariamente; FRANZINO; RAQUÍTICO: *Era um garotinho magro, faminto, enfezado.* **4** Que tem dimensões muito pequenas; ACANHADO [Ant.: *grande*.] **5** *Bras.* Diz-se de animal que empaca ou costuma empacar: *Eta bicho enfezado!* [F.: Do lat. *infensatum*.]

enfezamento (en.fe.za.*men*.to) ***sm.*** **1** Ação ou resultado de enfezar(se) **2** Falta de desenvolvimento no crescer; ATROFIAMENTO; RAQUITISMO [Ant.: *robustez, vigor*.] [F.: *enfezar* + *-mento*.]

enfezar (en.fe.*zar*) ***v.*** **1** Enraivecer(-se), irritar(-se) [***td.***: *O barulho enfezou-o.*] [***int.***: *Ele (se) enfeza por qualquer coisa.*] **2** Impedir o crescimento de; ficar raquítico [***td.***: *A miséria, ali, enfezava as crianças.*] [***int.***: *Todas as mudas (se) enfezaram.*] [▶ 1 enfezar] [F.: Do lat. *infensare*.]

enfiada (en.fi.*a*.da) ***sf.*** **1** Ação ou resultado de enfiar **2** Conjunto de objetos enfiados em linha, barbante, metal etc.: *Uma enfiada de corais.* **3** Sequência de objetos dispostos em linha ou fileira: *Uma enfiada de carros sobe o viaduto.* **4** Uma série de ações, fatos, palavras etc.: *O deputado disparou uma enfiada de respostas.* **5** *Bras. Fut.* Passe rápido em direção à área adversária, ger. entre adversários: *Foi uma bela enfiada de bola.* **6** *Esp.* Goleada no futebol ou placar muito alto em relação ao adversário em diversos esportes: *O time levou uma enfiada de seis a zero.* [F.: Fem. substv. de *enfiado*. Hom./Par.: *enfiada* (sf.), *enfeada* (fem. de *enfeado*).]

▪ De ~ 1 Consecutivamente, um após outro: *Eram quinze questões de matemática, e ela resolveu-as de enfiada, sem pestanejar.* **2** *Esp.* Com grande diferença (de pontos, de gols, em um jogo): *Meu time ganhou o jogo de enfiada: 5x0.*

enfiado (en.fi.*a*.do) ***a.*** **1** Que se enfiou; INTRODUZIDO; METIDO: *O dinheiro foi enfiado no bolso.* [Ant.: *retirado, tirado*.] **2** Introduzido em orifício: *fio enfiado no buraco da agulha.* [Ant.: *desenfiado*.] **3** *NE* Que ocorre sem interrupção; CORRIDO; ININTERRUPTO: *viajou por meses enfiados.* [Ant.: *interrompido*.] **4** *NE* Que se mostra encabulado, constrangido; TÍMIDO [Ant.: *atrevido, despachado*.] **5** *BA* Que passou vergonha; ENVERGONHADO; VEXADO ***sm.*** **6** *Folcl. Mús.* Dança do fandango brasileiro em que os dançarinos trocam de pares e formam uma corrente [F.: Part. de *enfiar*.]

enfiar (en.fi.*ar*) ***v.*** **1** Introduzir (fio, linha) em orifício [***tda.***: *Aos 80, enfiava sem óculos uma linha na agulha.*] **2** Pôr em fio (pérolas, contas, sementes) [***td.***: *Enfiava os vidrilhos e o colar ia ficando bonito.*] **3** Meter, introduzir [***tda.***: *Enfiou todas as suas coisas na bolsa.*] **4** Fazer penetrar com força e/ou profundidade; FINCAR; CRAVAR [***tda.***: *Enfiou os dentes no caçador; Enfiara a espada na bainha.*] **5** *Fig.* Vestir ou calçar [***td.***: *Enfiaram a roupa às pressas e saíram.*] **6** *Fig.* Ir, meter-se [***int.***: *Ninguém sabe onde os meninos se enfiaram.*] **7** *Bras.* Contar, narrar várias histórias, uma após outra [***td.***: *Enfiava uma anedota atrás da outra.*] **8** Percorrer ao longo [***td.***: *enfiar uma estrada.*] **9** Beber ou tomar (porções de bebida) consecutivamente [***td.***: *Enfiou quatro doses de cachaça e foi à luta.*] **10** Encaminhar-se para algum lugar [***ta.***: *Enfiou-se para a casa do compadre.*] **11** Entrar [***ta.***: *Enfiou(-se) pela sala adentro.*] **12** *Pop.* Bater ou acertar algo em alguém [***tdr.*** + *em*: *Enfiou a mão na cara do pascácio.*] **13** Passar (a bola) para [***tdi.*** + *a, para*: *Enfiou a bola para o companheiro, na cara do gol.*] **14** Traspassar de um lado a outro [***td.***: *O mosqueteiro enfiou o invasor.*] **15** *N.E.* Mostrar-se confuso, encabulado [***int.***: *Ela enfiou,*

com a amabilidade.] [▶ 1 enfiar] [F.: *en-*^{2} + *fio* + *-ar*^{2}. Hom./Par.: *enfear, enfiar* (todas as fl.).] ■ **~ atrás** Ir atrás, ir no encalço: *Ao vê-lo sair correndo, enfiou atrás dele.*
enfibratura (en.fi.bra.*tu*.ra) *sf.* Firmeza ou solidez de caráter: *Aquele era um homem de enfibratura.* [F.: *en-*^{2} + *fibra* + *-tura.*]
enfileirado (en.fi.lei.*ra*.do) *a.* Que se enfileirou, que foi colocado em fila; ALINHADO: *Soldados enfileirados para a revista da tropa.* [Ant.: *desalinhado, desenfileirado.*] [F.: Part. de *enfileirar.*]
enfileiramento (en.fi.lei.ra.*men*.to) *sm.* Ação ou resultado de enfileirar(se); ALINHAMENTO [Ant.: *desalinhamento, desenfileiramento.*] [F.: *enfileirar* + *-mento.*]
enfileirar (en.fi.lei.*rar*) *v.* Dispor(-se) em fileira ou fila; ALINHAR(-SE) [*td.*: *O menino enfileirou os soldadinhos de chumbo.*] [*int.*: *A tropa enfileirou-se para o desfile.*] [▶ 1 enfileirar] [F.: *en-*^{2} + *fileir(a)* + *-ar*^{2}.]
enfim (en.*fim*) *adv.* **1** Por fim, finalmente: *Enfim, conseguimos vencer.* **2** No discurso, assinala a necessidade de concluir o pensamento: *Mas, enfim, como acaba essa história?* [F.: *em* + *fim.*]
enfisema (en.fi.*se*.ma) *sm. Med.* Infiltração anormal de ar em órgão ou tecido [F.: Do gr. *emphusema, atos.*] ■ **~ pulmonar** *Pneumo.* Aumento dos espaços aéreos dos bronquíolos pulmonares, por sua dilatação ou pela deterioração de suas paredes, com consequentes dificuldades respiratórias
enfiteuse (en.fi.*teu*.se) *sf. Jur.* Taxa, foro ou pensão anual, invariável e perpétua, paga a proprietário para que atribua a outrem o domínio útil do imóvel; AFORAMENTO: "(...) concedia, até fevereiro de 1997, a enfiteuse (uma permissão para uso de imóveis por tempo determinado por meio de pagamento de taxa), para as ocupações existentes." (*O Globo*, 07.04.2005) [Do gr. *emphwteusis*, pelo lat. *emphyteuse.*]
enfiteuta (en.fi.*teu*.ta) *sm.* Pessoa que detém o pleno gozo de um imóvel por meio do pagamento, denominado foro ou cânone, a seu proprietário legal [F.: Do lat. tard. *emphyteuta, ae.*]
enfivelar (en.fi.ve.*lar*) *v. td.* **1** Colocar fivela em **2** Adornar com fivela **3** Prender com fivela; AFIVELAR: *Afivelou a calça e saiu.* [▶ 1 enfivelar] [F.: *en-*^{1} + *fivela* + *-ar*^{2}.]
enflorado (en.flo.*ra*.do) *a.* **1** Cheio de flores (roseira enflorada); FLORESCIDO; ENFLORESCIDO; FLORIDO **2** Enfeitado ou decorado com flores: *A igreja estava enflorada para o casório.* **3** *Fig.* Com ar de felicidade, de alegria: *Seu rosto estava enflorado.* [F.: Part. de *enflorar*. Ant. ger.: *desflorado.*]
enflorar (en.flo.*rar*) *v.* **1** Fazer florescer ou florescer; fazer nascer flores em ou encher-se de flores [*td.*: *A primavera enflora os campos.*] [*int.*: *A azaleia enflorou(-se).*] **2** Guarnecer ou ornar com flores; ENGRINALDAR [*td.*: *Enflorou toda a orla da piscina.*] **3** *Fig.* Tornar próspero, encher de alegria [*td.*: "Quero enflorar sua vida inteira" (Castilho)] **4** Tornar(-se) feliz [*td.*: *O casamento enflorou sua fisionomia.*] [*int.*: *Seu olhar enflorou(-se) ao vê-la passar.*] [▶ 1 enflorar] [F.: *en-*^{1} + *flor* + *-ar*^{2}.]
enfocado (en.fo.*ca*.do) *a.* Que está ou foi posto em foco; FOCALIZADO: *A garota foi enfocada pela máquina do fotógrafo.* [F.: Part. de *enfocar.*]
enfocar (en.fo.*car*) *v. td.* **1** Pôr em foco; FOCALIZAR: *Os astrônomos pretendiam enfocar o centro da galáxia.* **2** *Fig.* Ter por assunto; FOCALIZAR: *O documentário enfoca a pesca no rio Amazonas.* [▶ 11 enfocar] [F.: *en-*^{2} + *foc(o)* + *-ar*^{2}. Hom./Par.: *enfoque(s)* (fl.), *enfoque(s)* (sm.[pl.]).]
enfolhado (en.fo.*lha*.do) *a.* Guarnecido ou recoberto com folhas (chão enfolhado) [Ant.: *desfolhado.*] [F.: Part. de *enfolhar.*]
enfolhar (en.fo.*lhar*) *v.* Revestir-se de folhas; criar folhas [*td.*: *A primavera enfolhou os arbustos.*] [*int.*: "Em 20 anos, enfolha, enflora, fruteia e fenece uma geração" (Camilo, *Mulher fatal*)] [▶ 1 enfolhar] [F.: *en-*^{1} + *folha* + *-ar*^{2}.]
enfoque (en.*fo*.que) *Bras. sm.* **1** Ação ou resultado de enfocar **2** Maneira de abordar ou focalizar um assunto, um tema; PERSPECTIVA; PRISMA: *Gostamos desse enfoque do crítico.* [F.: Dev. de *enfocar*. Hom./Par.: *enfoque* (fl. de *enfocar*).]
enforcado (en.for.*ca*.do) *a.* **1** Que se enforcou ou morreu na forca **2** *Bras.* Que está muito endividado; DURO; QUEBRADO **3** *Bras. Fig.* Diz-se do dia em que não se vai à escola ou ao trabalho, ger. entre fim de semana e feriado ou entre dois feriados **4** *Agr.* Diz-se de cacho de uva suspenso em videira que está presa a uma árvore *sm.* **5** Aquele que morreu na forca ou se enforcou [F.: Part. de *enforcar.*]
enforcamento (en.for.ca.*men*.to) *sm.* **1** Ação de enforcar(-se) **2** Asfixia por constrição do pescoço **3** *Fig. Irôn. Pop.* Casamento [F.: *enforcar* + *-mento.*]
enforcar (en.for.*car*) *v.* **1** Fazer(-se) pender pelo pescoço, com uma corda ou equivalente, ger. causando(-se) a morte por estrangulamento [*td.*: *Enforcaram o homem errado; O fazendeiro enforcou-se no curral.*] **2** Asfixiar(-se), estrangular(-se) [*td.*: *Enforcou o namorado com o lençol.*] [*int.*: *O grileiro enforcou-se na armadilha que cavara.*] **3** *Bras. Fig.* Faltar à aula ou ao trabalho em (ger. dia entre feriado e fim de semana) [*td.*: *Resolveu enforcar a sexta-feira.*] **4** *Gír.* Casar-se [*int.*: *Decidiu enforcar-se e já comprou as alianças.*] **5** Fazer um mau negócio, gastando excesso de dinheiro [*int.*: *Enforcou-se com os bancos, pagando juros altos.*] **6** *Fig.* Renunciar a [*td.*: *enforcar esperanças.*] [▶ 11 enforcar] [F.: *en-*^{2} + *forc(a)* + *-ar*^{2}.]
enfornar (en.for.*nar*) *v. td.* **1** Pôr no forno: *Enfornar as empadas.* **2** *Fig.* Comer (alimento) com muito apetite, muita vontade [▶ 1 enfornar] [F.: *en-*^{1} + *forno* + *-ar*^{2}.]
enforquilhado (en.for.qui.*lha*.do) *a.* **1** Em forma de forquilha (cano enforquilhado); RAMIFICADO; BIFURCADO **2** Atado, preso ou seguro em forquilha (cambão enforquilhado) **3** *S Fig.* Sentado com as pernas separadas, uma para cada lado; ESCANCHADO; ESCARRANCHADO; ESCARRAPACHADO [F.: Part. de *enforquilhar.*]
enforquilhar (en.for.qui.*lhar*) *v. td.* **1** Prender em forquilha **2** *Bras. S.* Dar formato de forquilha a **3** *Bras. S.* Sentar-se desajeitadamente ou sem elegância em um cavalo: *Primeiro pediu que o ajudassem a subir no cavalo, depois enforquilhou-se e sequer saiu do lugar.* [▶ 1 enforquilhar] [F.: *en-*^{1} + *forquilhar.*]
enfraquecer (en.fra.que.*cer*) *v.* **1** Tornar(-se) fraco, sem forças; DEBILITAR(-SE) [*td.*: *A fome o enfraqueceu.*] [*int.*: *Enfraqueceu(-se) com os regimes.*] **2** Perder ou fazer perder o ânimo, a intensidade, a importância (Tb. *Fig.*) [*td.*: *As dificuldades enfraqueceram seus projetos.*] [*int.*: *O governo (se) enfraqueceu depois de tanta denúncia.*] **3** Perder a energia, o vigor, a intensidade (Tb. *Fig.*) [*int.*: *Não (se) enfraquece diante de nada.*] [▶ 33 enfraquecer] [F.: *en-*^{2} + *frac(o)* + *-ecer.*]
enfraquecido (en.fra.que.*ci*.do) *a.* **1** Que perdeu as forças; DEBILITADO; FRACO [Ant.: *forte, vigoroso.*] **2** Sem coragem ou ânimo; DESANIMADO: *espírito enfraquecido pelo sofrimento.* [Ant.: *animado, estimulado.*] [F.: Part. de *enfraquecer.*]
enfraquecimento (en.fra.que.ci.*men*.to) *sm.* **1** Ação ou resultado de enfraquecer; DEBILIDADE; FRAQUEZA [Ant.: *fortalecimento, vigor.*] **2** Desânimo, desalento [Ant.: *ânimo, disposição.*] [F.: *enfraquecer* + *-mento.*]
enfrascar (en.fras.*car*) *v.* **1** Guardar em frasco; ENGARRAFAR [*td.*: *Enfrascou o suco.*] **2** Impregnar(-se) de (substâncias perfumadas) [*td. tdr. int.*] **3** Beber em excesso; embriagar-se **4** Enredar-se, envolver-se, emaranhar-se [*int. tr.*] [▶ 11 enfrascar] [F.: *en-*^{1} + *frasco* + *-ar*^{2}.]
enfreado (en.fre:*a*.do) *a.* **1** Dotado de ou sob ação de freio (cavalo enfreado); FREADO **2** *Fig.* Que foi reprimido (instintos enfreados); CONTIDO; REFREADO [F.: Do lat. *infrenatus, a, um.* Ant. ger.: *desenfreado.*]
enfrear (en.fre.*ar*) *v.* **1** Pôr freio em (animal) [*td.*] **2** Apertar, fazer funcionar o freio (de máquina, veículo etc.); BRECAR; FREAR; TRAVAR [*td.*: *Enfreou a bicicleta.*] [*int.*: *Vinha acelerado, mas de repente enfreou.*] **3** *Fig.* Refrear, reprimir [*td.*: "Aquele grão pastor que o Danúbio em nossos dias enfreia" (Camões)] **4** Moderar, reprimir [*td.*: "Recuando sempre dos campos da batalha, soube enfrear as resistências" (R. da Silva)] **5** *Fig.* Dominar, subjugar [*td.*] [▶ 13 enfrear] [F.: *en-*^{2} + *freio* + *-ar*^{2}.]
enfrenar (en.fre.*nar*) *v.* O mesmo que *enfrear* [F.: Do lat. *infrenare.*]
enfrentado (en.fren.*ta*.do) *a.* **1** Que se enfrentou, encarou (risco enfrentado); DEFRONTADO **2** Desafiado em competição, torneio etc. (time enfrentado) [F.: Part. de *enfrentar.*]
enfrentamento (en.fren.ta.*men*.to) *sm.* **1** Ação ou resultado de enfrentar **2** Luta, embate [F.: *enfrentar* + *-mento.*]
enfrentar (en.fren.*tar*) *v.* **1** Fazer frente a; ENCARAR [*td.*: *É preciso enfrentar a realidade.*] **2** Bater-se com; LUTAR [*td.*: *Os soldados enfrentaram a artilharia inimiga; As tropas enfrentam-se.*] **3** *Esp.* Travar disputa [*td.*: *O Brasil enfrentará a Alemanha nesta Copa; Os melhores times enfrentaram-se.*] **4** Defrontar-se [*tr.* + *com*: *Enfrentou com o inimigo serenamente; A casa dele enfrenta com a minha.*] [▶ 1 enfrentar] [F.: *en-* + *frente* + *-ar.*]
enfrentável (en.fren.*tá*.vel) *a2g.* Que se pode enfrentar, encarar (time enfrentável); CONFRONTÁVEL [Pl.: *-veis.*] [F.: *enfrentar* + *-vel.*]
enfrondar (en.fron.*dar*) *v. td.* Fazer com que fique frondoso: *Chuva e Sol em equilíbrio enfrondam as árvores.* [▶ 1 enfrondar] [F.: *en-*^{1} + *fronde* + *-ar*^{2}.]
enfronhado (en.fro.*nha*.do) *a.* **1** Revestido de fronha (almofada enfronhada) **2** Informado, instruído em algum assunto [F.: Part. de *enfronhar.*]
enfronhar (en.fro.*nhar*) *v.* **1** Pôr fronha em [*td.*: *enfronhar o travesseiro.*] **2** Tornar(-se) informado (sobre); INSTRUIR(-SE) [*tdr.* + *em*: *Procura sempre enfronhar os alunos em temas sociais.*] [*tr.* + *em*: *Precisamos enfronhar-nos melhor nisso.*] **3** Ocupar-se muito de [*tr.* + *em*: *Enfronhou-se no estudo da arqueologia:* "Duarte resignou-se à espera, enfronhou-se no silêncio, derreou o corpo, e deixou correr o carro e a aventura." (Machado de Assis, "A chinela turca", in *Papéis avulsos*)] [▶ 1 enfronhar] [F.: *en-*^{2} + *fronh(a)* + *-ar*^{2}.]
enfumaçado (en.fu.ma.*ça*.do) *a.* Cheio ou coberto de fumaça (bares enfumaçados) [F.: Part. de *enfumaçar.*]
enfumaçar (en.fu.ma.*çar*) *v. td.* **1** Encher ou cobrir de fumaça: *O incêndio na floresta poluiu a cidade e enfumaçou o céu.* **2** *Fig.* Obscurecer (visão, raciocínio etc.): "Súbita tonteira enfumaçou-lhe o cérebro..." (Paulo Setúbal, *O príncipe de Nassau*) [▶ 12 enfumaçar] [F.: *en-*^{2} + *fumaç(a)* + *-ar*^{2}.]
enfunado (en.fu.*na*.do) *a.* **1** Que se enfunou, inflou (vela enfunada) **2** *Fig.* Envaidecido, orgulhoso [F.: Part. de *enfunar*. ant. ger.: *desenfunado.*]
enfunar (en.fu.*nar*) *v.* **1** Inflar(-se) (vela ou pano) com o vento [*td.*: "O navio, com o nome de Vasa, enfunou as velas em 1628 e, sob um vento suave, singrou a baía de Estocolmo." (Claudio de Moura Castro, "Naufrágio curricular", in *Revista Espaço Acadêmico*, 06.2002)] **2** Inchar, inflar [*td.*: *Os sapos enfunam os papos e vigiam.*] [*int.*: "Cai cai balão/.../Subitamente, porém, entesou, enfunou-se e arrancou das mãos que o tenteavam." (Manuel Bandeira, *Na rua do sabão*)] **3** *Fig.* Encher(-se) de vaidade, de orgulho [*td.*: "A imaginação os levou então ao futuro, a um futuro brilhante...Talvez o doge fosse ele mesmo. Esta possibilidade, apesar dos verdes anos, enfunou a alma do moço." (Machado de Assis, *Esaú e Jacó*)] [*int.*: *Enfunou-se quando viu que era um dos ganhadores do prêmio.*] **4** *Pop.* Irritar-se, amuar-se [*int.*: *Enfunou-se ao perceber o erro.*] [▶ 1 enfunar] [F.: Posv. do lat. **infunare.*]
enfurecer (en.fu.re.*cer*) *v.* **1** Ficar ou fazer ficar furioso; ENCOLERIZAR(-SE) [*td.*: *Aquela afronta a enfureceu.*] [*int.*: *Enfureceram(-se) contra a injustiça vigente.*] **2** *Fig.* Tornar-se violento (mar, vento, chama) [*int.*: *O mar se enfureceu e as ondas invadiram a cidade.*] [▶ 33 enfurecer] [F.: *en-*^{2} + *fúr(ia)* + *-ecer.*]
enfurecido (en.fu.re.*ci*.do) *a.* **1** Furioso, enraivecido, raivoso [Ant.: *calmo, imperturbado, tranquilo.*] **2** Muito agitado; BRAVIO; ENCAPELADO [Ant.: *bonançoso, manso.*] [F.: Part. de *enfurecer.*]
enfurecimento (en.fu.re.ci.*men*.to) *sm.* Ação ou resultado de enfurecer(-se); CÓLERA; FÚRIA [Ant.: *desenfurecimento.*] [F.: *enfurecer* + *-mento.*]
enfurnado (en.fur.*na*.do) *a.* Escondido, encafuado [Ant.: *descoberto, exposto.*] [F.: Part. de *enfurnar.*]
enfurnar (en.fur.*nar*) *v.* **1** Ocultar(-se) em furna, toca, covil [*td.*: *Farejando perigo, a loba enfurnou os filhotes; Os fugitivos enfurnaram-se.*] **2** Esconder(-se), isolar(-se) [*tda.*: *Enfurnou as joias no fundo do armário.*] [*int.*: *Quando se chateia, enfurna-se no quarto.*] [▶ 1 enfurnar] [F.: *en-*^{2} + *furn(a)* + *-ar*^{2}.]
engabelação (en.ga.be.la.*ção*) *sf. Bras.* Ação ou resultado de engabelar ou engambelar; ENGABELAMENTO; ENGAMBELAMENTO [Pl.: *-ções.*] [F.: *engabelar* + *-ção*. Tb. *engambelação.*]
engabelado (en.ga.be.*la*.do) *a. Bras.* Que foi enganado, logrado com falsas promessas [F.: Part. de *engabelar*. Tb. *engambelado.*]
engabelamento (en.ga.be.la.*men*.to) *sm.* Ver *engabelação* [F.: *engabelar* + *-mento*. Tb. *engambelamento.*]
engabelar (en.ga.be.*lar*) *v. td.* Enganar, burlar, lograr: "Lá engambelava a doença com um regime ultrametódico..." (Monteiro Lobato, *Urupês*) [▶ 1 engabelar, 1 engambelar] [F.: De or. obsc., posv. do quimb.]
engaiolado (en.ga:io.*la*.do) *a.* **1** Metido em gaiola (passarinho engaiolado) **2** *Fig. Pop.* Que está preso, encarcerado [F.: Part. de *engaiolar*. ant. ger.: *desengaiolado, livre, solto.*]
engaiolamento (en.ga:io.la.*men*.to) *sm.* Ação ou resultado de engaiolar(-se) [F.: *engaiolar* + *-mento.*]
engaiolar (en.gai:o.*lar*) *v. td.* **1** Meter em gaiola ou jaula: *Soltou o passarinho que o colega engaiolara.* **2** *Pop.* Pôr na cadeia; PRENDER: *Em vez de engaiolar, condecoraram os ladrões.* **3** *Bras.* Construir gaiolas (8) ou fogueiras (7) à beira da estrada de ferro [▶ 1 engaiolar] [F.: *en-*^{2} + *gaiola* + *-ar*^{2}.]
engajado (en.ga.*ja*.do) *a.* **1** Diz-se de pessoa que se engajou, que presta serviços por engajamento **2** Diz-se de pessoa que se alistou nas Forças Armadas **3** Diz-se de pessoa que toma posição em questões políticas, sociais etc. *sm.* **4** Qualquer dessas pessoas [F.: Part. de *engajar*. ant. ger.: *desengajado.*]
engajamento (en.ga.ja.*men*.to) *sm.* **1** Ação ou resultado de engajar(-se) **2** Contrato para prestação de certos serviços **3** Envolvimento, participação ativa (engajamento político) **4** Alistamento ou recrutamento para serviço militar [F.: *engajar* + *-mento.*]
engajante (en.ga.*jan*.te) *a2g.* **1** Que desperta simpatia, que atrai; CONTAGIANTE; ATRAENTE: *Tinha um discurso sedutor, engajante.* **2** Que desperta comprometimento voluntário; que provoca engajamento (causa engajante) [F.: *engajar* + *-nte*. Ant. ger.: *desengajante.*]
engajar (en.ga.*jar*) *v.* **1** *Mil.* Comprometer-se a continuar no serviço militar, a fazer carreira (no Exército, Marinha ou Aeronáutica) [*int.*: *Custou, mas se decidiu a engajar.*] **2** *Antq. Mil.* Alistar-se [*int.*: "Esse inglês veio ter à Guiana... engajando-se, como capitão, num corpo de expedicionários..." (Gastão Cruls, *Amazônia que eu vi*)] **3** Atrair para [*td.*: *Um projeto da prefeitura está engajando jovens carentes.*] **4** Aderir a (causa, partido etc.) [*tr.* + *em*: *Os jovens se engajaram no partido.*] **5** *P.ext.* Comprometer-se com uma causa, participar de (convicção, ação etc.) [*tr.* + *em*: *Engajou-se na luta / no anarquismo/ no processo eleitoral; O cientista se engajara na pesquisa de novas fontes de energia.*] [*td.*: *Engajou toda a sua reflexão.*] [*int.*: *Engajou-se, tem uma missão a cumprir.*] [▶ 1 engajar] [F.: Do fr. *engager.*]
engalanado (en.ga.la.*na*.do) *a.* Enfeitado, ornado: *salão engalanado para a festa; discurso engalanado de poesia.* [Nota tb. *fig.* F.: Part. de *engalanar.*]
engalanar (en.ga.la.*nar*) *v. td.* Adornar(-se) com gala, requinte; ENFEITAR(-SE): *Os alunos engalanaram o salão para a festa de formatura; O casal engalanou-se para a solenidade.* [▶ 1 engalanar] [F.: Do espn. *engalanar.*]
engalfinhado (en.gal.fi.*nha*.do) *a.* Que se engalfinhou; ATRACADO [F.: Part. de *engalfinhar.*]
engalfinhamento (en.gal.fi.nha.*men*.to) *sm.* Ação ou resultado de engalfinhar(-se) [F.: *engalfinhar* + *-mento.*]
engalfinhar (en.gal.fi.*nhar*) *v.* **1** Atracar-se em luta corporal [*int.*: *As crianças se engalfinharam por causa da pipa.*] [*tr.* + *com*: *O policial engalfinhou-se com o assaltante.*] **2** Travar discussão veemente [*tr.* + *em*: "Nos anos 40, o empresário Roberto Simonsen e o economista Eugênio Gudin engalfinharam-se em animado debate sobre os rumos da

economia brasileira..." (*Jornal do Brasil*, 22.09.2002)] [▶ 1 engalfinhar-se] [F.: De or. obsc.]

engalhado (en.ga.*lha*.do) *a.* **1** Dotado de galhos (planta engalhada); RAMIFICADO **2** *Fig.* Que se mostra difícil de ser solucionada (situação engalhada); EMARANHADO; EMBARAÇADO [F.: Part. de *engalhar*.]

engalicado (en.ga.li.*ca*.do) *a.* Que contraiu sífilis (mulher engalicada); GALICADO; SIFILÍTICO [F.: Part. de *galicar*.]

engalicar (en.ga.li.*car*) *v. td.* Comunicar gálico, moléstia venérea; tb. *galicar* [▶ 11 engali**car**] [F.: en-^{1} + *galicar*.]

engambelação *sf.* Ação ou resultado de engambelar; ENGAMBELO [F.: *engambelar* + *-ção*. Tb. *engabelação*.]

engambelado (en.gam.be.*la*.do) *a.* Diz-se de pessoa que foi enganada, lograda (marido engambelado) [F.: Part. de *engambelar*. Tb. *engabelado*.]

engambelamento (en.gam.be.la.*men*.to) *sm.* Ação ou resultado de engambelar, de enganar [F.: *engambelar* + *-mento*. Tb. *engabelamento*.]

engambelar (en.gam.be.*lar*) *v.* O mesmo que *engabelar* [▶ 1 engambe**lar**] [F.: Var. de *engabelar*.]

enganação (en.ga.na.*ção*) *sf.* Ação ou resultado de enganar, iludir: *Essa propaganda é pura enganação.* [Pl.: *-ções*.] [F.: *enganar* + *-ção*.]

enganado (en.ga.*na*.do) *a.* **1** Iludido, logrado por mentiras e promessas (eleitores enganados) [Ant.: *desiludido*.] **2** Errado, equivocado: *Eu estava enganado em minha suposição.* [Ant.: *certo, correto*.] **3** Traído pelo cônjuge [F.: Part. de *enganar*.]

enganador (en.ga.na.*dor*) [ô] *a.* **1** Diz-se de pessoa que engana, ilude, trai *sm.* **2** Essa pessoa [Ant.: *confiável, íntegro, leal*.] [F.: *enganar* + *-dor*.]

enganar (en.ga.*nar*) *v.* **1** Impingir a (alguém) algo não verdadeiro; ILUDIR; LOGRAR [*td.*: *Tentou enganar o chefe, mas não conseguiu.*] [*int.*: *Tenta enganar-se quanto à saúde do amigo.*] **2** Causar a (pessoa, grupo) falsa impressão [*td.*: *Sua cara de bonzinho engana muita gente;* (*tb. sem complemento explícito*) *Suas belas palavras enganam.*] **3** Incorrer em erro ou avaliar erroneamente algo [*td.*: *A pouca luz enganou a idosa e ela não viu o buraco no chão.*] [*int.*: "Íamos, se não me engano, pela rua das Mangueiras..." (José de Alencar, *Lucíola*)] **4** Aliviar, mitigar [*td.*: *Enganou a fome tomando um café.*] **5** Trair (cônjuge, namorado) por adultério [*td.*: *Enganava o marido quando ele viajava.*] **6** Cativar com agrados; seduzir [*td.*: *Enganou a moça e depois sumiu.*] [▶ 1 enga**nar**] [F.: Do lat. vulg. *ingannare*. Hom./Par.: *engano* (fl.), *engano* (sm.).]

enganável (en.ga.*ná*.vel) *a2g.* Passível de ser enganado, iludido; ILUDÍVEL; ENGAMBELÁVEL: *Os bons são mais enganáveis que os maus.* [F.: *enganar* + *-vel*.]

enganchado (en.gan.*cha*.do) *a.* Que se enganchou; preso em alguém ou algo [Ant.: *desenganchado*.] [F.: Part. de *enganchar*.]

enganchar (en.gan.*char*) *v.* **1** Prender em gancho, com gancho, ou algo similar [*tda.*: *O bombeiro enganchou a escada no parapeito.*] **2** Grudar(-se) ou prender(-se) [*ta.*: *Minha camisa (se) enganchou num prego.*] **3** *Fig.* Acoplar a [*tda.*: *Enganchou um pedido de desculpas no final da carta.*] [▶ 1 engan**char**] [F.: en-^{2} + *gancho* + *-ar*^{2}.]

engano (en.*ga*.no) *sm.* **1** Erro que se comete ao agir, falar ou pensar, por descuido ou ignorância: *Cometeu um engano ao julgar mal o rapaz.* **2** Logro para induzir ao erro; EMBUSTE **3** Estado de quem foi enganado: *Vive no engano de que ela vai voltar.* **4** Ilusão, devaneio: *Achou que tinham tocado a campainha, mas foi engano.* **5** Ato de descuido; DESATENÇÃO: *Cortou metade do cabelo da irmã por engano.* [Ant.: *atenção, cuidado*.] **6** Ato de traição; DESLEALDADE; INFIDELIDADE: *Só soube do engano após a separação.* [Ant.: *fidelidade, lealdade*.] [F.: Dev. de *enganar*. Hom./Par.: *engano* (fl. de *enganar*).] ∎ **Cair/ir num/no ~ 1** Deixar-se enganar **2** *Antq.* Constatar que cometeu engano **Ledo ~** Engano que se cometeu ou em que se incorreu de boa-fé, sem intenção

enganoso (en.ga.*no*.so) [ô] *a.* **1** Que engana; ENGANADOR; FALSO [Ant.: *autêntico, genuíno*.] **2** Ilusório, falacioso (fantasia enganosa) [Ant.: *real*.] **3** Próprio para enganar (propaganda enganosa); CAPCIOSO [Ant.: *correto*.] [Pl.: [ó]. Fem.: ó] [F.: *engano* + *-oso*.]

engarfar (en.gar.*far*) *v.* Prender-se, ligar-se a; entroncar-se [*tr.* + *em*: *Sua genealogia engarfa(-se) na dos Braganças.*] [▶ 1 engar**far**] [F.: en-^{1} + *garfo* + *-ar*^{2}.]

engarrafado (en.gar.ra.*fa*.do) *a.* **1** Posto em garrafa **2** *Fig.* Congestionado, obstruído (diz-se esp. de trânsito) [Ant.: *descongestionado, desimpedido, livre*.] [F.: Part. de *engarrafar*. ant. ger.: *desengarrafado*.]

engarrafadora (en.gar.ra.fa.*do*.ra) [ô] *sf.* **1** Indústria que engarrafa bebidas industrializadas como refrigerantes, cervejas etc. *a.* **2** Que engarrafa

engarrafamento (en.gar.ra.fa.*men*.to) *sm.* **1** Ação ou resultado de engarrafar (engarrafamento de sucos); ENVASAMENTO; ENVASILHAMENTO **2** Acúmulo de veículos em estrada, rua etc. devido a perturbação no trânsito; CONGESTIONAMENTO; RETENÇÃO [Ant.: *desafogo, descongestionamento, desobstrução*.] [F.: *engarrafar* + *-mento*. Ant. ger.: *desengarrafamento*.]

engarrafar (en.gar.ra.*far*) *v.* **1** Pôr em garrafa [*td.*: *engarrafar bebidas*.] **2** Impedir ou dificultar o trânsito em, ou tê-lo impedido ou dificultado; CONGESTIONAR(-SE) [*td.*: *O ônibus enguiçado engarrafou a avenida.*] [*int.*: *Esta rua nunca engarrafa.*] [▶ 1 engarra**far**] [F.: en-^{2} + *garrafa* + *-ar*^{2}.]

engarranchar (en.gar.ran.*char*) *v. td.* Ficar preso em; emaranhar-se [▶ 1 engarran**char**] [F.: en-^{2} + *garrancho* + *-ar*^{2}, posv.]

engarupado (en.ga.ru.*pa*.do) *a.* Montado em garupa: *Levava os filhinhos engarupados no aro da bicicleta.* [F.: Part. de *engarupar*.]

engasgado (en.gas.*ga*.do) *a.* **1** Que se engasgou; ENTALADO [Ant.: *desentalado*.] **2** *Fig.* Sem fala; EMBATUCADO [F.: Part. de *engasgar*. ant. ger.: *desengasgado*.]

engasgamento (en.gas.ga.*men*.to) *sm.* Obstrução da garganta por corpo estranho, dificultando ou impedindo a entrada do ar; ENGASGO: *A espinha de certos peixes provoca sérios engasgamentos.* [F.: *engasgar* + *-mento*.]

engasgar (en.gas.*gar*) *v.* **1** Causar ou ter engasgo, obstrução na garganta [*td.*: "De repente, um pedaço de carne (...) engasgou-o seriamente." (Aluísio Azevedo, *O cortiço*)] [*int.*: *A menina engasgou(-se) com a espinha.*] **2** Impedir ou dificultar a fala a [*td.*: *A emoção o engasgou no meio do discurso.*] [*int.*: *Emocionado, engasgou(-se) durante a entrevista.*] **3** Causar ou sofrer interrupção ou embaraço em processo, funcionamento etc. [*td.*: *Não sei o que está engasgando a máquina.*] [*int.*: *O motor engasgou.*] [▶ 14 engas**gar**] [F.: De or. obsc., posv. en-^{2} + rad. *-gasg-*. 'garganta' + *-ar*^{2}. Hom./Par.: *engasgo* (fl.), *engasgo* (sm.).]

engasgativo (en.gas.ga.*ti*.vo) *a.* Que pode provocar engasgo: *Fez o pão com uma farinha fina, muito engasgativa.* [F.: *engasgar* + *-tivo*.]

engasgo (en.*gas*.go) *sm.* **1** Ação ou resultado de engasgar(-se) **2** Obstrução na garganta **3** Dificuldade de falar; aquilo que a motiva [F.: Dev. de *engasgar*. Hom./Par.: *engasgo* (fl. de *engasgar*).]

engastado (en.gas.*ta*.do) *a.* **1** Que se engastou; embutido em metal; ENCASTOADO: *pedra preciosa engastada no anel.* **2** *Fig.* Introduzido, enxertado: *termos técnicos engastados no texto.* [F.: Part. de *engastar*.]

engastalhado (en.gas.ta.*lha*.do) *a.* **1** *Carp.* Diz-se de madeira prensada em gastalho **2** *Fig.* Que ficou preso, embaraçado, engastado em: *A noiva ficou com a cauda do vestido engastalhada na cerca.* [F.: Part. de *engastalhar*.]

engastalhar (en.gas.ta.*lhar*) *v.* **1** Apertar, prensar (madeira) com gastalho [*td.*] **2** Prender(-se), embaraçar(-se) [*td.*: *Engastalhou a saia nas pás do ventilador.*] [*int.*: *Sua saia engastalhou-se.*] [▶ 1 engasta**lhar**] [F.: en-^{2} + *gastalho* + *-ar*^{2}.]

engastar (en.gas.*tar*) *v. tda.* **1** Embutir (pedra preciosa, marfim etc.) em; ENCASTOAR: *Mandei engastar a esmeralda no anel.* **2** *Fig.* Embutir, inserir: *O ministro engastou frases de efeito em seu discurso.* [▶ 1 engas**tar**] [F.: Do lat. vulg. **incastrare*. Hom./Par.: *engaste* (fl.), *engaste* (sm.).]

engaste (en.*gas*.te) *sm.* **1** Ação ou resultado de engastar [Ant.: *desengastamento*.] **2** Peça da joia em que se prende a pedra preciosa **3** *Fig.* Inclusão de palavras etc. em texto; INTERCALAÇÃO [F.: Dev. de *engastar*. Hom./Par.: *engaste* (fl. de *engastar*).]

engatado (en.ga.*ta*.do) *a.* **1** Que se engatou; preso por gancho; ENGANCHADO [Ant.: *desenganchado*.] **2** Ligado por engate (vagões engatados) [Ant.: *separado*.] **3** Que está enroscado, preso [Ant.: *desenroscado, solto*.] [F.: Part. de *engatar*.]

engatamento (en.ga.ta.*men*.to) *sm.* Ação ou resultado de engatar; ENGANCHAMENTO; ENGATE; LIGAÇÃO [F.: *engatar* + *-mento*.]

engatar (en.ga.*tar*) *v.* **1** Prender, ligar por meio de engate ou similar; ENGANCHAR [*td.*: *engatar os vagões de um trem.*] [*tdr.* + *a*: *engatar bois a um carro.*] **2** Engrenar (marcha de carro) [*td.*: *engatar a primeira.*] **3** *Fig.* Dar início a; ENCETAR [*td.*: *Engatou uma conversa interminável.*] [*tr.* + *em*: *Depois da aposentadoria, engatou numa nova carreira.*] **4** *Fig.* Juntar em sequência, encadear [*td.*: *A atriz engatou uma novela após a outra.*] [▶ 1 enga**tar**] [F.: en-^{2} + *gato* + *-ar*^{2}. Hom./Par.: *engate* (fl.), *engate* (sm.).]

engate (en.*ga*.te) *sm.* **1** Ação ou resultado de engatar [Ant.: *desengate*.] **2** Peça ou conjunto de peças que permite a ligação de coisas entre si **3** Dispositivo mecânico para atrelar carros, vagões etc. [F.: Dev. de *engatar*. Hom./Par.: *engate* (fl. de *engatar*).] ∎ **Andar/viver no ~ 1** *Lus.* Buscar (vendedor, comerciante) cliente, freguês **2** *Lus.* Buscar (prostituta) cliente **3** *Lus.* Paquerar **4** *Lus.* Viver à custa de alguém

engatilhado (en.ga.ti.*lha*.do) *a.* **1** Com o gatilho armado (revólver engatilhado) **2** *Fig.* Preparado, armado (pedido engatilhado) [F.: Part. de *engatilhar*. Ant. ger.: *desengatilhado*.]

engatilhar (en.ga.ti.*lh ar*) *v. td.* **1** Armar gatilho de (arma de fogo) para disparar: *O caçador engatilhou a espingarda.* **2** *Fig.* Armar (sorriso, resposta etc.) visando certo fim: *Engatilhou um sorriso tranquilizador.* **3** Iniciar e levar a cabo: *O cientista engatilhou um novo projeto de pesquisa.* [▶ 1 engati**lhar**] [F.: en-^{2} + *gatilho* + *-ar*^{2}.]

engatinhar (en.ga.ti.*nh ar*) *v.* **1** Andar de gatinhas ou de quatro [*int.*: *Meu filho começou a engatinhar.*] **2** *Fig.* Estar-se iniciando em (ciência, arte etc.) [*tr.* + *em*: *Ele ainda engatinha em física.*] [▶ 1 engati**nhar**] [F.: en-^{2} + *gatinhar*.]

engavetado (en.ga.ve.*ta*.do) *a.* **1** Que se engavetou, que se guardou em gaveta **2** Cujo encaminhamento foi interrompido ou retardado: "(...) ao filme, que ficou quase três meses engavetado sob a alegação de ferir a moral carioca." (*O Globo*, 19.09.2005) **3** Diz-se de veículo que, ao colidir, fica sob a traseira de outro

engavetamento (en.ga.ve.ta.*men*.to) *sm.* **1** Ação ou resultado de engavetar **2** *Bras. Fig.* Colisão que, pela violência do choque, deixa veículos encaixados uns nos outros **3** *Fig.* Guarda em gaveta; retardamento (de processo, documento etc.) [F.: *engavetar* + *-mento*. ant. ger.: *desengavetamento*.]

engavetar (en.ga.ve.*tar*) *v.* **1** Pôr ou guardar em gaveta [*td.*: *Engavetou as toalhas na cômoda da sala.*] **2** *Bras.* Arquivar ou retardar o trâmite de (petição, processo, requerimento etc.) [*td.*: *Engavetaram o processo do reclamante.*] **3** *Bras. Fig.* Entrar um no outro (vagões ou veículos), ao colidir [*int.*: *Por causa da batida, vários carros engavetaram(-se).*] **4** *Fig.* Deixar de lado; ABANDONAR [*td.*: *Ele engavetou a ideia de abrir uma loja.*] [▶ 1 engave**tar**] [F.: en-^{2} + *gaveta* + *-ar*^{2}.]

engazopamento (en.ga.zo.pa.*men*.to) *sm.* **1** Ação ou resultado de engazopar, enganar, ludibriar; ENGANAÇÃO; ENGODO **2** Prisão, encarceramento [F.: *engazopar* + *-mento*. Sin. ger.: *engazupamento*.]

engazopar (en.ga.zo.*par*) *v. td.* **1** Levar (alguém) a erro, engano **2** Colocar em prisão, em cativeiro [▶ 1 engazo**par**] [F.: De or. obsc.]

engelhado (en.ge.*lha*.do) *a.* **1** Dotado de dobras, pregas (tecido engelhado); PREGUEADO; AMARROTADO; VINCADO **2** Cheio de rugas; ENCARQUILHADO; ENRUGADO; RUGOSO: *Tinha uma pele engelhada pelo sol escaldante.* **3** *Fig.* Enleado, embaraçado [F.: Part. de *engelhar*. Sin. ger.: *engilhado*.]

engelhar (en.ge.*lhar*) *v.* **1** Fazer gelhas em ou criá-las [*td.*: *O sol engelhou o canteiro.*] [*int.*: *Depois de seca, a calça engelhou; O canteiro engelhou-se ao sol.*] **2** Tornar(-se) enrugado, encarquilhado [*td.*: *A idade engelhou seu rosto.*] [*int.*: *Afinal, o rosto da minha tia engelhou; Seu rosto engelhou-se.*] **3** Emurchecer, secar [*td.*: *O clima seco engelhou as folhas.*] [*int.*: *As plantas engelharam; As folhas engelharam-se.*] [▶ 1 enge**lhar**] [F.: en-^{1} + *gelha* + *-ar*^{2}. Hom./Par.: *engelha* (fl.), *engelha* /ê / (sf.); *engelhas* (fl.), *engelhas* /ê / (pl. do sf.).]

engendrado (en.gen.*dra*.do) *a.* **1** Gerado, criado: "...o famoso decreto sobre o ensino religioso, engendrado pela união da sua imaginação católica com o seu misticismo político." (Cecília Meireles, "A confissão do Sr. Francisco Campos...", *in Obra em prosa*) **2** Inventado, imaginado: *plano muito bem engendrado.* [F.: Part. de *engendrar*.]

engendrar (en.gen.*drar*) *v. td.* **1** Dar origem a; GERAR: *engendrar um filho.* **2** Criar, inventar: *engendrar planos/pretextos.* [▶ 1 engen**drar**] [F.: Do lat. *ingenerare*.]

engenhar (en.ge.*nhar*) *v. td.* **1** Criar na imaginação; ENGENDRAR; IMAGINAR: *Engenhou uma história original.* **2** Maquinar, tramar: *Os marinheiros engenharam um motim.* **3** Produzir, fabricar: *Engenhava motores superpoderosos.* [▶ 1 enge**nhar**] [F.: *engenho* + *-ar*^{2}. Hom./Par.: *engenho* (fl.), *engenho* (sm.); *engenharia* (fl.), *engenharia* (sf.); *engenharias* (fl.), *engenharias* (pl. do sf.).]

engenharia (en.ge.nha.*ri*.a) *sf.* **1** Ciência e técnica das construções civis, da fabricação de máquinas e do aproveitamento dos recursos da natureza em benefício do homem e de suas necessidades **2** Formação e ofício de engenheiro **3** *Mil.* Corpo das forças armadas, uma das subdivisões do Exército [F.: *engenho* + *-aria*. Hom./Par.: *engenharia(s)* (sf. [pl.]), *engenharia(s)* (fl. de *engenhar*).] ∎ **~ civil** Ramo da engenharia que se ocupa da construção de prédios, estradas, pontes, complexos urbanos etc. **~ clínica** Setor de hospital que cuida de equipamentos hospitalares, bem como do treinamento de pessoal especializado para operá-los e conservá-los **~ genética** *Bioqu.* Disciplina e conjunto de técnicas que visam à transformação artificial de genes, permitindo a reprodução de organismos com características genéticas programadas (transgênicos, clones etc.)

engenheirado (en.ge.nhei.*ra*.do) *a.* *Quím.* Manipulado em laboratório por meio da engenharia química (microrganismo engenheirado)

engenheirar (en.ge.nhei.*rar*) *v. td. int.* Exercer a profissão de engenheiro, exercer atividade relacionada à engenharia [▶ 1 engenhei**rar**] [F.: *engenheiro* + *-ar*.]

engenheiro (en.ge.*nhei*.ro) *sm.* **1** Pessoa formada em engenharia; profissional que a exerce **2** *Fig.* Criador, construtor: *Ele foi o engenheiro de sua própria felicidade.* [F.: *engenho* + *-eiro*.] ∎ **~ de obras feitas** *Fig. Irôn.* Pessoa que dá palpite sobre assuntos que (já) não carecem de opinião a respeito por estarem resolvidos

engenho (en.*ge*.nho) *sm.* **1** Capacidade de criar, de inventar: *É do engenho e da perseverança que surgem as invenções.*: "...um tesouro de igreja trocado em ovos, em açúcar, em engenho e arte, era a obra-prima da Confeitaria Pascoal." (Antônio Callado, *Reflexos do baile*) **2** Faculdade de quem é hábil; DESTREZA: *Mostrou todo o seu engenho ao consertar o brinquedo.* **3** *P.ext.* Pessoa inteligente e talentosa **4** Astúcia, ardil: *enganado pelo engenho do vigarista.* **5** Qualquer máquina ou aparelho (engenho lúdico) **6** *Bras.* Moenda de cana-de-açúcar **7** *Bras.* Fazenda onde se cultiva cana e fabrica açúcar: "Não bastava conquistar os canaviais e os engenhos baianos..." (Alberto da Costa e Silva, *Entre a manilha e o libambo*) **8** *S* Local de beneficiamento da erva-mate [F.: Do lat. *ingenium, ii*. Hom./Par.: *engenho* (sm.), *engenho* (fl. de *engenhar*).] ∎ **~ banguê** *N.E. Antq.* Engenho de açúcar antigo e em desuso, movido a água ou a tração animal, em que a evaporação da garapa era feita levando as caldeiras ao fogo **~ copeiro** *N.E.* Engenho cuja roda é movida a água, que vai enchendo copos situados no alto, na copa **~ de água** *N.E.* Tipo de engenho antigo, no qual água corrente cai sobre uma roda de madeira dotada de copos, enchendo-os e, com seu peso, fazendo a roda girar e movimentar a moenda; os copos esvaziam-se embaixo e sobem com o giro da roda para de novo se encherem **~ de serra** *S.* Serraria. **~ espacial** *Astron.* Qualquer objeto espacial de origem artificial **~ meio-copeiro/ meeiro** *Bras. N.E.* Engenho cuja roda é movida por água que cai nos copos situados a meia altura, à altura do eixo **~ rasteiro** *N.E.* Engenho cuja roda é movida a água, que empurra palhetas situadas embaixo **Ir para o ~ do Pestana** *N.E. Fam.* Adormecer

engenhoca (en.ge.*nho*.ca) *Pop. sf.* **1** *Pej.* Máquina improvisada, não raro de funcionamento precário **2** *N.E.* Aparelho simples, de fácil invenção **3** *N.E.* Pequeno engenho para fabricar rapadura e aguardente **4** *Fig.* Armadilha para incautos; ARAPUCA [F.: *engenho* + *-oca*.]

engenhosidade (en.ge.nho.si.*da*.de) *sf. Bras.* Qualidade de engenhoso ou inventivo; CRIATIVIDADE; INVENTIVIDADE [F.: *engenhoso* + *-(i)dade*.]

engenhoso (en.ge.*nho*.so) [ô] *a.* **1** Que tem engenho, criatividade (inventor engenhoso); CRIATIVO; HABILIDOSO [Ant.: *canhestro, inábil*.] **2** Feito com engenho, habilidade (maquinismo engenhoso): "...duraria o que dura na mão de uma criança um brinquedo engenhoso." (Antônio Callado, *Bar Don Juan*) [Ant.: *imperfeito*.] **3** Bem-feito, bem-acabado (trabalho engenhoso); CAPRICHADO; ESMERADO [Ant.: *atamancado, mal-acabado*.] [Pl.: [ó]. Fem.: [ó].] [F.: *engenho* + *-oso*.]

engenho-velhense (en.ge.nho-ve.*lhen*.se) *s2g.* **1** Indivíduo nascido ou que vive em Engenho Velho (RS) [Pl.: *engenho-velhenses*.] *a2g.* **2** De Engenho Velho; típico dessa cidade ou de seu povo [Pl.: *engenho-velhenses*.] [F.: Do top. *Engenho Velh(o)* + *-ense*.]

engessado (en.ges.*sa*.do) *a.* **1** Que se engessou; imobilizado com gesso (pé engessado); GESSADO **2** Coberto de gesso (teto engessado); GESSADO [F.: Part. de *engessar*.]

engessamento (en.ges.sa.*men*.to) *sm.* **1** Ação ou resultado de engessar **2** *Med.* Imobilização de alguma parte fraturada do corpo (esp. membros) por meio da aplicação de gesso **3** *Fig.* Estagnação, paralisação: *engessamento do pensamento crítico*. [F.: *engessar* + *-mento*.]

engessar (en.ges.*sar*) *v. td.* **1** Cobrir de gesso; GESSAR: *engessar uma parede*. **2** Pôr gesso sobre (membro do corpo), para sanar fratura; GESSAR: *engessar um braço*. **3** *Fig.* Tirar a flexibilidade de, tornar rígido; RESTRINGIR: *engessar a economia / a administração*. [► 1 engessar] [F.: *en-*[1] + *gesso* + *-ar*[2].]

englobado (en.glo.*ba*.do) *a.* Reunido, incluído num todo; AGLOMERADO; CONGLOMERADO [Ant.: *desenglobado, separado*.] [F.: Part. de *englobar*.]

englobamento (en.glo.ba.*men*.to) *sm.* Ação ou resultado de englobar, juntar, reunir: "Consiste no englobamento do material particulado presente nos alvéolos (...)." (*O Globo*, 12.01.1998) [F.: *englobar* + *-mento*.]

englobar (en.glo.*bar*) *v. td.* Reunir(-se) ou incluir(-se) num todo ou conjunto; ABRANGER: *Este livro engloba todos os seus poemas*. [► 1 englobar] [F.: *en-*[2] + *globo* + *-ar*[2].]

◎ **-engo** *suf.* = relação, pertinência, posse: *avoengo, molengo, mulherengo etc.* [Suf. nom. formador de adj. com valor, por vezes, pej.]

engodar (en.go.*dar*) *v. td.* **1** Atrair, aprisionar (peixe, caça) por meio de engodo: *Engodar uma truta*. **2** *P.ext.* Ludibriar por meio de falsas promessas; ENGANAR; ENGABELAR: *Esse malandro engodou meus funcionários*. [► 1 engodar] [F.: *engodo* + *-ar*[2], posv. Hom./Par.: *engodo* (fl.), *engodo* /ô / (sm.).]

engodo (en.*go*.do) [ô] *sm.* **1** Isca para pegar peixes, pássaros etc. **2** *Fig.* Aquilo que se usa para enganar; CILADA; ENGANO: *A promessa de aumento foi um engodo para interessá-lo no projeto*. **3** *Fig.* Chamariz para atrair alguém [F.: De or. obsc.]

engoiado (en.goi.*a*.do) *Pop. a.* **1** Muito magro, raquítico **2** *Fig.* Muito pequeno, muito insignificante **3** Encolhido em razão frio [F.: Part. de *engoiar*.]

engoiar-se (en.goi.*ar*-se) *v. int.* **1** Tornar-se magro, raquítico; DEFINHAR **2** *Fig.* Tornar-se melancólico, triste [► 1 engoiar-se. O *o* do rad. recebe acento agudo nas f. rizotônicas.] [F.: De or. obsc.]

engoio (en.*goi*:o) *sm.* **1** Ação ou resultado de engoiar(-se) **2** Magreza, raquitismo **3** Grande tristeza; ABATIMENTO [F.: Regress. de *engoiar*. Hom./Par.: *engoio* (fl. de *engoiar-se*).]

engolfado (en.gol.*fa*.do) *a.* **1** Que se engolfou **2** *Mar.* Diz-se de embarcação que se encontra em golfo **3** *P.ext. Mar.* Diz-se de embarcação que penetra em alto mar **4** *Fig.* Que se encontra absorto: *Vivia engolfado por sonhos irrealizáveis*. [F.: Part. de *engolfar*.]

engolfar (en.gol.*far*) *v.* **1** Dirigir(-se) (embarcação) para golfo, enseada etc. [*td.*: *Apesar da tempestade, o comandante não quis engolfar o barco*.] **2** Dirigir(-se) (a embarcação) para ponto distante da costa, para o alto mar [*td.*] **3** *P.ext.* Fazer entrar ou entrar em (abismo, sorvedouro, voragem [*fig.* situação difícil, condição muito ruim, lugar escuro etc.]) [*tda.*: *O desemprego engolfou os rapazes na vida marginal; Os fugitivos engolfaram-se na caverna*.] **4** Enfiar, enterrar, penetrar [*tda.*: *Engolfou as mãos no lamaçal*.] **5** *Fig.* Tornar-se absorvido ou deixar-se dominar por [*tdr.*: *Engolfou-se em pensamentos fantasiosos*.] [► 1 engolfar] [F.: *en-* + *golfo* + *-ar*.]

engolido (en.go.*li*.do) *a.* **1** Que se engoliu; DEGLUTIDO **2** *Fig.* Absorvido sem reação (provocação engolida) [F.: Part. de *engolir*.]

engolidor (en.go.li.*dor*) [ô] *a.* **1** Que engole *sm.* **2** Aquele que engole (engolidor de espadas) [F.: *engoli(r)* + *-dor*.]

engolir (en.go.*li r*) *v. td.* **1** Fazer passar (alimento) da boca para o estômago; DEGLUTIR [Mesmo quando não se menciona o que é engolido, a regência é transitiva direta, porque a ação de engolir presume necessariamente um complemento. Na frase: *A dor de garganta impedia-o de engolir*, existe necessariamente um complemento não mencionado para o verbo *engolir*.] **2** Comer com sofreguidão; DEVORAR: *Engoliu um sanduíche às pressas e voltou para o trabalho*. **3** *Fig.* Aceitar como verdadeiro (o que é falso): *Engoliu a história sem desconfiar de nada*. **4** *Fig.* Sofrer calado ou resignadamente: "...Ronaldo teve que engolir as vaias dirigidas a ele..." (*O Dia*, 10.03.2003) **5** *Fig.* Tornar mais curto; diminuir: *A bicicleta veloz engolia grandes distâncias*. **6** Deixar de dizer, de falar, de revelar (algo): *Engoliu a resposta malcriada que decidira dar*. **7** *Tabu.* Exercer o homossexualismo de maneira passiva **8** *Bras. Fut.* Não conseguir evitar (o goleiro) um gol: *Engoliu uma bola fácil de defender*. **9** *N.E.* Chegar a determinada altura: *As águas da enchente engoliram as casas*. **10** Sofrer em silêncio, sem reclamar: *Tímido, engole seu sofrimento sem dizer nada*. **11** Arrebatar, tomar, roubar: *Os sem-terra invadiram o mercadinho e engoliram todos os produtos*. [► 51 engolir] [F.: prov. do lat. vulg. **ingullare*. Ant. ger.: *desengolir*. Ideia de 'engolir': usar antepos. *beb-*.] ▪ **~ em seco** Suportar estoicamente (injustiça, humilhação, ofensa), reprimindo reação **~ sapo(s)** *Fig. Pop.* Ter de aceitar e suportar situação ou fatos desagradáveis, difíceis etc. **Não ~** *Pop.* Não suportar, não tolerar: *Não engulo esse cara, por mais que ele se esforce em ser simpático*.

engomação (en.go.ma.*ção*) *sf.* Ação ou resultado de engomar [Pl.: *-ções*.] [F.: *engomar* + *-ção*.]

engomadeira (en.go.ma.*dei*.ra) *sf.* **1** Mulher que engoma e passa roupa **2** *Bras.* Máquina us. na indústria têxtil [F.: *engomar* + *-deira*.]

engomadinho (en.go.ma.*di*.nho) *a. Pej.* Que se veste com muito esmero, com muito capricho; ARRUMADINHO [Dim. de *engomado*.] [F.: *engomado* + *-inho*.]

engomado (en.go.*ma*.do) *a.* **1** Coberto de goma e passado a ferro (diz-se de roupa) **2** Que usa roupa engomada (cavalheiro engomado) [F.: Part. de *engomar*.]

engomar (en.go.*m ar*) *v.* **1** Cobrir de goma (roupa, tecido) [*td.*: *A passadeira engomou as camisas de linho*.] **2** Passar (roupa) [*td.*: *Engomou toda a roupa da semana em uma hora*.] [*int.*: *ferro de engomar*.] **3** *Fig.* Engrossar, avolumar [*td.*: *Engomou a voz e iniciou o discurso*.] **4** *Bras.* Caminhar com dificuldade(em virtude da idade) [*int*: *O avô chegou engomando*.] [► 1 engomar] [F.: *en-*[2] + *goma* + *ar*[2].]

engonçado (en.gon.*ça*.do) *a.* Que está preso, enganchado, encaixado [F.: *engonçar* + *-ado*[1].]

engonçar (en.gon.*ç ar*) *v. td.* Prender com engonços; pôr engonços em: *engonçar o portão*. [► 12 engonçar] [F.: *engonço* + *-ar*[2].]

engonço (en.*gon*.ço) *sm.* Encaixe que permite a movimentação de peças interligadas [F.: *en-* + *gonço* (ant.), hoje *gonzo*. Ver tb. *dobradiça* e *gonzo*. Hom./Par.: *engonço* (fl. de *engonçar*).]

engorda (en.*gor*.da) *sf.* **1** Ação ou resultado de engordar; CEVA **2** *Bras.* Pasto destinado a engordar o gado; INVERNADA [F.: Dev. de *engordar*. Hom./Par.: *engorda* (fl. de *engordar*).]

engordar (en.gor.*dar*) *v.* **1** Tornar(-se) gordo ou mais gordo [*td.*: *Vai engordar o porco para o banquete*.] [*int.*: *Ele não faz dieta e não para de engordar*.] **2** *Fig.* Fazer que aumente ou aumentar [*td.*: *Foi com o trabalho que engordou sua fortuna*.] [*int.*: *Aos poucos, seu salário engordou*.] **3** Nutrir(-se), alimentar(-se) [*td.*: *Engordou os filhotes abandonados com mamadeira*.] [*int.*: *A criança, que nasceu prematura, engordou bem com o leite da mãe*.] [► 1 engordar] [F.: *en-*[2] + *gordo* + *-ar*[2].]

engordativo (en.gor.da.*ti*.vo) *a. Pop.* Diz-se de alimento que faz engordar [F.: *engordar* + *-tivo*. Hom./Par.: *engordativo* (adj.).]

engordurado (en.gor.du.*ra*.do) *a.* **1** Que se engordurou (louça engordurada); ENSEBADO; GORDURENTO **2** Gorduroso em excesso (bife engordurado) [F.: Part. de *engordurar*. Ant. ger.: *desengordurado*.]

engordurar (en.gor.du.*rar*) *v.* Cobrir(-se) ou manchar(-se) de gordura [*td.*: *Engordurou o vestido no almoço*.] [*int.*: *A cozinha toda engordurou(-se)*.] [► 1 engordurar] [F.: *en-*[2] + *gordura* + *-ar*[2].]

engraçadinho (en.gra.ça.*di*.nho) *Bras. a.* **1** Diz-se de indivíduo que gosta de fazer graças, que é metido a engraçado **2** Diz-se do que é pequeno e gracioso ou bonito (broche engraçadinho) **3** Diz-se do que é leve, despretensioso, simpático (filme engraçadinho) [Dim. de *engraçado*.] *sm.* **4** *Fig.* Indivíduo metido a engraçado **5** *Fig. Pej.* Indivíduo metido a conquistador, que diz lisonjas ger. vulgares às mulheres [F.: *engraçado* + *-inho*.]

engraçado (en.gra.*ça*.do) *a.* Que tem graça; que faz rir ou diverte; CÔMICO; DIVERTIDO [Ant.: *desenxabido, grave, sério*.] [F.: *en-* + *graça* + *-ado*.]

engraçamento (en.gra.ça.*men*.to) *sm.* **1** Ação ou resultado de engraçar(-se) **2** Simpatia, galantaria **3** *Fam.* Atrevimento, ousadia [F.: *engraçar* + *-mento*.]

engraçar (en.gra.*çar*) *v.* **1** Simpatizar, agradar-se [*tr.* + *com*, *de*: *Engraçou da moça e convidou-a para sair*.] **2** Tomar confiança, ser atrevido [*tr.* + *com*: *Engraçou-se com a prima*.] [*int.*: *Quando viram as moças bonitas, os adolescentes começaram a se engraçar*.] **3** Tornar gracioso, dar graça a; enfeitar [*td.*: *Uma luminária extravagante para engraçar a varanda*.] **4** Colocar(-se) nas boas graças de [*td.*: *O professor engraçou as alunas; Engraçou-se com todas as meninas do salão*.] [*tdr.* + *com*: *A datilógrafa engraçou a companheira com o chefe*.] **5** Adquirir a benevolência de; congraçar-se [*tdr.* + *com*, *em*: *Ele engraçou-se na nova instituição/ com todos*.] **6** Troçar, zombar [*int.*: *Ela está sempre se engraçando*.] [► 12 engraçar] [F.: *en-* + *graça* + *-ar*. Ant. ger.: *desengraçar*.]

engradado (en.gra.*da*.do) *a.* **1** Cercado por grade **2** Que tem forma de grade *sm.* **3** *Bras.* Armação de ripas de madeira, ou outro material, para transporte e proteção de carga (garrafas, animais etc.) [F.: Part. de *engradar*.]

engradamento (en.gra.da.*men*.to) *sm.* **1** Ação ou resultado de engradar **2** O que foi engradado **3** Ver *grade* **4** *Tip.* Guarnecimento de forma tipográfica [F.: *engradar* + *-mento*.]

engradar (en.gra.*dar*) *v. td.* **1** Pôr grade(s) em ou em volta de; GRADEAR: *A prefeitura engradou a praça*. **2** Pôr em engradado, em estrutura que envolve e protege: *Engradou toda a louça para a mudança*. **3** *Arm.* Juntar as peças (de um reparo ou carreta) por meio de cavilhas **4** O mesmo que *gradear* **5** *Agr.* Tornar plano, gradar **6** *Art.gr.* Colocar guarnições e cunhos em (chapa tipográfica colocada na rama); enramar **7** *Pint.* Pôr tela em armação **8** Dar forma de grade a [► 1 engradar] [F.: *en-* + *grade* + *-ar*. Sin. ger.: *engradear*.]

engrama (en.*gra*.ma) *sm.* **1** Marca ou impressão que permanece por muito tempo **2** *Fisl.* Marca permanente deixada em tecido nervoso por ação de um agente estimulante **3** *Psic.* Traço ou marca no comportamento por influência de uma experiência física [F.: *en-* + *-grama*.]

engrampar (en.gram.*par*) *v. td.* Prender com grampos; GRAMPAR; GRAMPEAR: *engrampar as folhas de um trabalho*. [► 1 engrampar] [F.: *en-*[1] + *grampo* + *-ar*[2].]

engrandecedor (en.gran.de.ce.*dor*) [ô] *a.* **1** Que engrandece; ACLAMADOR; ENALTECEDOR; GLORIFICANTE [Ant.: *aviltante, depreciativo, injurioso*.] *sm.* **2** Aquele ou aquilo que engrandece [F.: *engrandecer* + *-dor*.]

engrandecer (en.gran.de.*cer*) *v.* **1** Tornar(-se) grande ou maior do que era (tb. moralmente) [*td.*: *Sua obra engrandeceu a cultura nacional*.] [*int.*: *Com essa atitude, ele se engrandeceu ainda mais*.] **2** *Bras.* Enaltecer(-se), gabar(-se) [*td.*: *Engrandeceu o amigo no discurso de homenagem; Vaidoso e convencido, vive se engrandecendo*.] [► 33 engrandecer] [F.: *en-*[2] + *grande* + *-ecer*.]

engrandecido (en.gran.de.*ci*.do) *a.* **1** Que engrandeceu; que cresceu em poder, dignidade etc.; DIGNIFICADO; VALORIZADO [Ant.: *amesquinhado, desvalorizado*.] **2** Que aumentou de tamanho; AUMENTADO; CRESCIDO [Ant.: *decrescido, diminuído*.] [F.: Part. de *engrandecer*.]

engrandecimento (en.gran.de.ci.*men*.to) *sm.* Ação ou resultado de engrandecer(-se) [Ant.: *apoucamento, diminuição*.] [F.: *engrandec(er)* + *-i-* + *-mento*.]

engranzar (en.gran.*zar*) *v.* **1** Colocar (contas) em fio de metal ou de outro material [*td.*] **2** Encaixar (elos de uma corrente) uns nos outros [*td.*] **3** *Fig.* Ligar entre si (ideias, pensamentos, imagens mentais etc.) como se formassem uma cadeia [*td.*] **4** *Fig.* Induzir a erro; iludir [*td.*] **5** *Mec.* Mesmo que *engrenar* [*td. tdr.*] [► 1 engranzar, engrazar] [F.: *en-*[1] + *grão* (rad. *gran-*) + *-zar*. Tb. *engrazar*.]

engravatado (en.gra.va.*ta*.do) *a.* **1** Que usa gravata (garçons engravatados) **2** *Fig.* Enfatiotado, bem-vestido [F.: Part. de *engravatar*.]

engravatar (en.gra.va.*tar*) *v. td.* **1** Colocar gravata: *Ele não aceitou se engravatar e perdeu o emprego de advogado*. **2** Vestir-se com apuro; ENFATIOTAR-SE: *Tomou um banho, engravatou-se, perfumou-se e foi ver a namorada*. [► 1 engravatar] [F.: *en-*[2] + *gravata* + *-ar*[2].]

engravidar (en.gra.vi.*dar*) *v.* Tornar(-se) grávida, prenhe (de alguém) [*td.*: *Engravidou-a na noite de núpcias*.] [*tr.* + *de*: *Depois do tratamento, engravidou do segundo marido*.] [*int.*: *Engravidou no ano passado*.] [► 1 engravidar] [F.: *en-*[2] + *grávido* + *-ar*[2].]

engraxado (en.gra.*xa*.do) *a.* Que se engraxou (botas engraxadas) [F.: Part. de *engraxar*.]

engraxar (en.gra.*xar*) *v. td.* **1** Passar graxa e dar lustro em: *engraxar calçados/ as rodas de uma engrenagem*. **2** *Fig.* Bajular, lisonjear: *Engraxava o chefe para conseguir vantagens*. [► 1 engraxar] [F.: *en-*[2] + *graxa* + *-ar*[2].]

engraxataria (en.gra.xa.ta.*ri*:a) *sf. Bras.* Lugar onde se engraxam sapatos e peças de couro em geral; ENGRAXATERIA [F.: *engraxate* + *-aria*.]

engraxate (en.gra.*xa*.te) *s2g.* Pessoa que engraxa sapatos como profissão [F.: De or. contrv., posv. de *engraxar*.]

engrazar (en.gra.*zar*) *v. td. tdr.* Ver *engranzar*

engrenado (en.gre.*na*.do) *a.* Que se engrenou (ré engrenada, negócio engrenado) [Tb. fig.] [F.: Part. de *engrenar*.]

engrenagem (en.gre.*na*.gem) *sf.* **1** Conjunto de rodas dentadas que se destinam a transmitir movimento ou força a maquinismos; cada uma dessas rodas **2** *Fig.* Organização, estrutura de funcionamento: *Novo na firma, não conhecia sua engrenagem*. [Pl.: *-gens*.] [F.: Do fr. *engrenage*.]

engrenar (en.gre.*n ar*) *v.* **1** *Aut.* Fazer se acoplarem as engrenagens que acionam as rodas motrizes com as do motor (de veículo automotivo) [*td.*: *engrenar um carro/ um ônibus/ uma moto*.] **2** *Aut.* Fazer se acoplarem as engrenagens do motor de veículo automotivo com as de (determinada marcha) [*td.*: *engrenar a ré*.] **3** *Fig.* Encetar, entabular [*td.*: *Engrenaram uma conversa que durou toda* *a noite.*] 4 Entrar em funcionamento (carro, motor) [*int.*: *Após um empurrãozinho, o carro engrenou.*] 5 *Fig.* Dar certo ou entrar no ritmo esperado [*int.*: *Acho que agora a sociedade deles vai engrenar:* "As aulas já engrenaram de vez, e mais do que nunca é tempo de comidas práticas, especialmente para o lanche da garotada." (*Correio da Bahia*, 19.03.2003)] [▶ 1 engrenar] [F.: Do fr. *engrener.*]

engrifar (en.gri.*far*) *v. td.* 1 Dar forma de grifa, ou garra, a 2 Provocar medo, pavor: *A súbita escuridão engrifou a moça.* 3 Preparar as garras para a o combate [▶ 1 engrifar] [F.: *en-*[1] + *grifa* + *-ar*[2].]

engrinaldado (en.gri.nal.*da*.do) *a.* 1 Diz-se do que se engrinaldou 2 Que tem ou recebeu grinalda 3 Que está enfeitado com flores (palanque engrinaldado); ENFLORADO [F.: Part. de *engrinaldar.*]

engrinaldar (*en.gri.nal.dar*) *v. td.* 1 Pôr grinalda em (alguém ou si próprio): *Engrinaldaram o campeão com uma coroa de louros; A noiva engrinaldou-se com lindas flores.* 2 *Fig.* Adornar(-se), enfeitar(-se), embelezar(-se): *No dia da padroeira, os moradores enfeitam as casas, engrinaldando portas e janelas com flores naturais.* [▶ 1 engrinaldar] [F.: *en-*[2] + *grinalda* + *-ar*[2].]

engripar (en.gri.*par*) *v. int. Bras.* Não funcionar ou deixar de funcionar (engrenagem, motor etc.) por falta de lubrificação ou de reparos, ou por desgaste de peça(s): *O motor engripou(-se).* [▶ 1 engripar] [F.: Alter. de *engrimpar(-se).*]

engrolado (en.gro.*la*.do) *a.* 1 Mal pronunciado: *O gringo respondeu num português engrolado.* 2 Malcozido, mal assado (diz-se de alimento) 3 Diz-se de serviço malfeito 4 Que foi ludibriado [F.: Part. de *engrolar.*]

engrolar (en.gro.*lar*) *v.* 1 Pronunciar indistintamente, confusamente [*td.*: "Gonçalo engrolou um murmúrio risonho." (Eça de Queirós, *A ilustre casa de Ramires*)] 2 *Fig. Fam.* Recitar mal, às pressas, sem pausas [*td.*] 3 *Cul.* Cozer, ferver ou assar parcialmente, de modo que (o alimento) fique meio cru; ficar malcozido [*td.*: *engrolar o peixe.*] [*int.*: *O fogo estava fraco, e a carne engrolou(-se).*] [*int.*] 4 Mastigar de modo rápido e incompleto [*td.*: *Engrolou um pouco de comida e saiu apressado.*] 5 Enganar, ludibriar [*td.*: *Engrolou o chefe e saiu mais cedo.*] 6 Decorar ou reter mal (lição, discurso) [*td.*] 7 Não completar; deixar imperfeito [*td.*] 8 Coaxar (sapo, rã) [*int.*] [▶ 1 engrolar] [F.: De or. contrv.]

engrossado (en.gros.*sa*.do) *a.* 1 Que se tornou grosso, espesso 2 *Pop.* Embriagado, bêbedo [F.: Part. de *engrossar.*]

engrossamento (en.gros.sa.*men*.to) *sm.* 1 Ação ou resultado de engrossar 2 Estado do que engrossou 3 *Bras.* Puxa-saquismo [F.: *engrossar* + *-mento.*]

engrossar (en.gros.*sar*) *v.* 1 Tornar(-se) grosso ou mais grosso, espesso; ESPESSAR [*td.*: *engrossar uma sopa.*] [*int.*: *O livro engrossou(-se) muito com o apêndice.*] 2 Fazer que fique ou ficar mais forte, mais volumoso [*td.*: *O exercício engrossou suas pernas.*] [*int.*: *No período das chuvas o rio engrossa muito e transborda.*] 3 Aumentar em número e força [*td.*: *Com os desastres naturais, milhões de pessoas engrossam a fila dos desabrigados.*] [*int.*: *O coro dos que pedem paz engrossou nos últimos tempos.*] 4 Tornar(-se) (a voz) mais grave ou dura [*td.*: *O pai engrossou a voz para repreendê-lo.*] [*int.*: *A voz dos garotos engrossa(-se) na adolescência.*] 5 *Bras. Fig. Pop.* Agir de forma grosseira ou violenta [*tr.* + *com*: *Não devia ter engrossado com o colega.*] [*int.*: *Mal-educado, engrossa por qualquer coisa.*] 6 Fertilizar, adubar [*td.*: *As cheias engrossaram as terras.*] 7 *Bras. Pop.* Adular, bajular [*td.*] [▶ 1 engrossar] [F.: *en-*[2] + *grosso* + *-ar*[2]. Hom./Par.: *engrossa(s)* (fl.), *engrossa(s)* (s2g.[pl.]).]

engrunhido (en.gru.*nhi*.do) *a.* 1 Que se engrunhiu; que se encolheu; ENCOLHIDO; RETRAÍDO 2 *Fig.* Diz-se de sujeito mole, indolente [F.: Part. de *engrunhir.*]

engrupir (en.gru.*pir*) *v. td. Bras. Gír.* Enganar, iludir; TAPEAR: *Engrupiu todos os seus eleitores.* [▶ 3 engrupir] [F.: De or. obsc.]

engruvinhado (en.gru.vi.*nha*.do) *a.* Diz-se de pessoa cuja pele é enrugada; ENRUGADO; ENCARQUILHADO [F.: *engruvinhar* + *-ado*[1].]

enguia (en.*gui*.a) *sf. Zool.* Denominação comum a diversos peixes marinhos e de água doce, da fam. do anguilídeos, em forma de serpente, com nadadeiras peitorais desenvolvidas [F.: Do lat. *anguila*, dim. de *anguis, is*, 'serpente'.]

enguiçado (en.gui.*ça*.do) *a.* 1 Que enguiçou (elevador enguiçado); QUEBRADO [Ant.: *consertado, desenguiçado.*] 2 Que funciona mal, que está com problemas (automóvel enguiçado); DEFEITUOSO [Ant.: *arranjado, reparado.*] 3 Que não teve bom desenvolvimento (planta enguiçada); ATROFIADO; MIRRADO [Ant.: *crescido, desenvolvido.*] 4 Que não foi em frente, não se concluiu (negócio enguiçado) [Ant.: *concluído, resolvido.*] [F.: Part. de *enguiçar.*]

enguiçar (en.gui.*çar*) *v.* 1 *Bras.* Parar ou fazer parar de funcionar [*td.*: *A ferrugem fez enguiçar o aparelho.*] [*int.*: *Espero que o carro não enguice.*] 2 Jogar enguiço ou mau-olhado, quebranto a [*td.*: *Dizem que as mulheres o enguiçam.*] 3 Impedir que um vegetal se desenvolva [*td.*] 4 *Bras. Lus.* Saltar por cima de [*td.*] 5 *Pop.* Causar malefício ou azar a [*td.*] 6 Implicar com [*tr.* + *com*: *Enguiçou com os hábitos da moça.*] [▶ 12 enguiçar] [F.: De or. contrv.]

enguiço (en.*gui*.ço) *sm.* 1 *Bras.* Desarranjo no funcionamento de máquina, motor etc.; ESTRAGO [Ant.: *arranjo, conserto.*] 2 *Fig.* Mau-olhado 3 Empecilho, estorvo [F.: Dev. de *enguiçar*. Hom./Par.: *enguiço* (fl. de *enguiçar*).] ■ **Causar ~** *Lus.* Dar azar (a alguém), agourar

engulhado (en.gu.*lha*.do) *a.* Que está com engulhos, com náusea; ENJOADO; NAUSEADO [F.: Part. de *engulhar.*]

engulhar (en.gu.*lhar*) *v.* 1 Ter ou provocar engulho(s), ânsia de vômito; NAUSEAR [*td.*: *O perfume excessivo a engulhava.*] [*int.*: *Basta sentir cheiro de gasolina para engulhar.*] 2 Ter ou provocar nojo, asco; ENOJAR(-SE) [*td. int.*] [▶ 1 engulhar] [F.: *engulh(o)* + *-ar*[2]. Hom./Par.: *engulho* (fl.), *engulho* (sm.).]

engulho (en.*gu*.lho) *sm.* 1 Sensação de náusea, ânsia de vômito: *O balanço do barco dava-lhe engulhos.* 2 Nojo, asco: *Banheiro sujo causa engulho.* [F.: Posv. do espanhol *engullir*. Hom./Par.: *engulho* (fl. de *engulhar*).]

engurgitado (en.gur.gi.*ta*.do) *a.* Que está cheio, repleto; que comeu demais [F.: *engurgitar* + *-ado*[1].]

◎ **-enho** *suf.* = natural de; relativo a: *portenho, hondurenho, panamenho; ferrenho, roufenho etc.* [F.: Do lat. *-ignu*. Suf. nom. formador de adj. e de subst. masc.]

enigma (e.*nig*.ma) *sm.* 1 Questão, pergunta, problema difícil de interpretar e resolver 2 Frase ou discurso cujo sentido é incompreensível: *Oráculos manifestavam-se por enigmas.* 3 *P.ext.* Algo misterioso, de difícil compreensão: *A vida daquele rapaz era um enigma para ela.* [F.: Do gr. *ainigma, atos.*] ■ **~ figurado** Forma de adivinhação na qual, num texto, palavras são substituídas por figuras ou combinação de figuras

enigmar (e.nig.*mar*) *v. td.* Tornar de difícil entendimento; tornar obscuro, enigmático [▶ 1 enigmar] [F.: *enigma* + *-ar*[2]. Hom./Par.: *enigma* (fl.), *enigma* (sm.); *enigmas* (fl.), *enigmas* (pl. do sm.).]

enigmático (e.nig.*má*.ti.co) *a.* 1 Ref. a ou que contém enigma 2 De compreensão difícil (texto enigmático); AMBÍGUO; OBSCURO [Ant.: *claro, compreensível.*] 3 Que é misterioso (olhar enigmático); INEXPLICÁVEL [Ant.: *revelador.*] [F.: Do gr. *ainigmatikós.*]

⊕ ***enjambement*** (*Fr.*/*anjambeman*/) *sm. Poét.* Processo poético que consiste em colocar no verso seguinte uma ou mais palavras que completam o sentido do verso anterior da mesma estrofe; CAVALGAMENTO

enjambrado (en.jam.*bra*.do) *a.* 1 Que se enjambrou 2 Diz-se de madeira que se encontra fora de prumo 3 Diz-se de engrenagem que se encontra parcial ou totalmente emperrada, sem movimentos; emperrado 4 *PE* Diz-se de pessoa tímida, envergonhada [F.: Part. de *enjambrar.*]

enjambrar (en.jam.*brar*) *v.* 1 Ficar empenada (a madeira) pela ação do calor ou da umidade [*int.*] 2 Afastar-se da linha de prumo [*int.*: *Havia risco de o parafuso enjambrar.*] 3 Tornar ou ficar emperrado [*td.*: *A ferrugem enjambrou o pedal da bicicleta.*] [*int.*: *O pedal enjambrou.*] 4 *PE* Ficar acanhado, encabulado [*int.*] [▶ 1 ejambrar] [F.: De or. incerta.]

enjaulado (en.jau.*la*.do) *a.* 1 Que se enjaulou (fera enjaulada) 2 *Fig.* Preso, encarcerado [F.: Part. de *enjaular*. ant. ger.: *liberto, livre, solto.*]

enjaular (en.jau.*lar*) *v.* 1 Prender (animal) em jaula [*td.*: *Enjaularam a onça injustamente.*] 2 Pôr(-se) em cadeia (tb. *Fig.*); ENCARCERAR(-SE); ENCLAUSURAR(-SE) [*td.*: *No Eldorado, enjaularam todos os corruptos.*] [*tda.* + *em*: *Após o divórcio, enjaulou-se na casa dos pais.*] [▶ 1 enjaular] [F.: *en-*[2] + *jaul(a)* + *-ar*[2].]

enjeitado (en.jei.*ta*.do) *a.* 1 Rejeitado, recusado (mercadoria enjeitada) [Ant.: *aceito.*] 2 *Jur.* Diz-se de criança que foi abandonada pelos pais ao nascer ou em tenra idade *sm.* 3 Essa criança 4 *P.ext.* Pessoa sem sorte [F.: Part. de *enjeitar.*]

enjeitar (en.jei.*tar*) *v.* 1 Rejeitar, desprezar (algo, alguém ou a si mesmo); não aceitar, recusar (o que se oferece) [*td.*: *Fora irresponsável, e agora enjeitava-se:* "Mas se ela não o enjeitar... que tem agora ocasião de fazer um bom casamento, isso tem." (Júlio Dinis, *As pupilas do senhor reitor*)] [*int.*: "Café é comigo. Não posso enjeitar." (Domingos Olímpio, *Luzia Homem*)] 2 Abandonar, rejeitar (filho recém-nascido ou pequeno) [*td.*: "...no desespero da crise começasse por enjeitar o filho..." (Machado de Assis, "Pai contra mãe" *in Relíquias de casa velha*)] 3 Não admitir; REPROVAR; REPUDIAR [*td.*: *A razão enjeita o seu procedimento.*] [▶ 1 enjeitar] [F.: Do lat. *ejectare*, 'lançar fora'. Hom./Par.: *enjeitado* (fl.), *enjeitado* (a.).]

enjoado (en.jo.*a*.do) *a.* 1 Que tem enjoo (1); ENGULHADO; NAUSEADO: *Ficou enjoado com o sorvete.* 2 Antipático, desagradável: *Que homem enjoado, não para de fazer perguntas!* [Ant.: *agradável, simpático.*] 3 *Fig.* Que aborrece (conversa enjoada); ENFADONHO; ENTEDIANTE 4 *Fig.* Cansado, enfastiado: *já estava enjoado daquela cidade.* [Ant.: *estimulado, satisfeito.*] [F.: Part. de *enjoar.*]

enjoar (en.jo.*ar*) *v.* 1 Provocar ou sentir enjoo [*td.*: *O cheiro da tinta o enjoava muito.*] [*int.*: *Não enjoou durante a gravidez.*] 2 Tomar enjoo por [*tr.* + *de*: *Nunca enjoam de feijão.*] 3 Sentir ou provocar aversão por; REPUGNAR(-SE) [*td.*: *A falsidade a enjoa e revolta.*] [*tr.* + *de*: *Enjoamos das mentiras dele.*] 4 Provocar ou sentir tédio, aborrecimento; ENTEDIAR(-SE); ENFASTIAR(-SE) [*td.*: *As viagens já me enjoaram.*] [*tr.* + *de*, *com*: *Não enjoa de ouvir música; Enjoa-se com a mesmice das telenovelas.*] [▶ 16 enjoar] [F.: De *enojar*. Hom./Par.: *enjoo* (fl.), *enjoo* (sm.).]

enjoativo (en.jo:a.*ti*.vo) *a.* 1 Que causa enjoo (1) (comida enjoativa); NAUSEANTE 2 Que causa tédio, aborrecimento (conversa enjoativa) [Ant.: *estimulante, interessante.*] [F.: *enjoar* + *-tivo.*]

enjoo (en.*jo*.o) *sm.* 1 Sensação de náusea; ânsia de vômito: *Quando a roda-gigante parou, ela sentiu enjoo.* 2 Fastio de alimento ou bebida; ABUSO; ENTOJO 3 Repugnância, asco: *Puxa-saquismo provoca-lhe enjoo.* 4 *Fig.* Enfado, aborrecimento: *conversa de comadres dá enjoo.* [Ant.: *agrado, prazer.*] [F.: Dev. de *enjoar*. Hom./Par.: *enjoo* (fl. de *enjoar*).]

enlaçado (en.la.*ça*.do) *a.* 1 Unido em laço (fitas enlaçadas); ENTRELAÇADO 2 Abraçado, cingido [F.: Part. de *enlaçar.*]

enlaçamento (en.la.ça.*men*.to) *sm.* Ver *enlace* (1) [F.: *enlaçar* + *-mento.*]

enlaçar (en.la.*çar*) *v.* 1 Prender(-se) com laço [*td.*: *enlaçar as tranças.*] [*tdr.* + *a*, *em*: *Enlaçou a flor ao cabelo.*] 2 Prender com laçada; LAÇAR [*td.*: *enlaçar um potro.*] 3 Unir(-se) em abraço; ABRAÇAR(-SE); CINGIR(-SE) [*td.*: *Enlaçou a noiva.*] [*tdr.* + *em*: *Enlaçaram-se em longo abraço.*] 4 Envolver, cingir [*td.*: *A trepadeira enlaçou o tronco da árvore.*] 5 *Fig.* Combinar, aliar, unir [*td.*: *Um objetivo comum os enlaça.*] [*tdr.* + *a*: *Enlaçou seu futuro ao daquela embarcação.*] 6 Exercer atração sobre; ATRAIR; CATIVAR [*td.*: *Há filmes que enlaçam o coração do público.*] 7 Prender-se, ter conexão ou relação [*tr.* + *com*: *Esta teoria enlaça(-se) com a dos conjuntos.*] [▶ 12 enlaçar] [F.: *en-*[2] + *laçar*. Hom./Par.: *enlace* (fl.), *enlace* (sm.).]

enlace (en.*la*.ce) *sm.* 1 Ação ou resultado de enlaçar; ENLAÇAMENTO 2 Casamento, matrimônio [Tb. enlace matrimonial.] 3 *Fig.* Harmonização do que foi enlaçado; COMBINAÇÃO; LIGAÇÃO; UNIÃO [Ant.: *desarmonia, desunião.*] [F.: Dev. de *enlaçar*. Hom./Par.: *enlace* (fl. de *enlaçar*).] ■ **~ matrimonial** Casamento, matrimônio [Tb. apenas *enlace.*]

enladeirado (en.la.dei.*ra*.do) *a.* Que tem inclinação; que forma ladeira ou declive (caminho enladeirado) [F.: Part. de *enladeirar.*]

enlamaçado (en.la.ma.*ça*.do) *a.* 1 Cheio de lama (calça enlamaçada; caminho enlamaçado) 2 *Fig.* Sujo, maculado (vida enlamaçada) [F.: *enlamaçar* + *-ado*[1].]

enlambuzar (en.lam.bu.*zar*) *v. td.* O mesmo que *lambuzar* [▶ 1 lambuzar] [F.: *en-*[2] + *lambuzar.*]

enlameado (en.la.me.*a*.do) *a.* 1 Coberto de lama 2 *Fig.* Aviltado, desmoralizado [Ant.: *dignificado, engrandecido.*] [F.: Part. de *enlamear.*]

enlameadura (en.la.me.a.*du*.ra) *sf.* Ação ou resultado de enlamear(-se) [F.: *enlameado* + *-ura.*]

enlamear (en.la.me.*ar*) *v.* 1 Manchar(-se), cobrir(-se) de lama [*td.*: *O carro passou sobre a poça e nos enlameou.*] [*int.*: *Enlameou-se na caminhada.*] 2 *Fig.* Manchar (alguém ou a si próprio, reputação, honra); AVILTAR(-SE) [*td.*: *O escândalo enlameou-lhe a reputação:* "A mulher pode ser má e intolerável, sem enlamear sua fama." (Camilo Castelo Branco, *Estrelas funestas*)] [*int.*: *Enlameou-se quando aceitou propina.*] [▶ 13 enlamear] [F.: *en-*[2] + *lam(a)*[1] + *-ear*[2].]

enlanguescente (en.lan.gues.*cen*.te) *a2g.* Que torna lânguido, sem forças; ENLANGUESCEDOR; ABATIDO: *Naquela cidade, a atmosfera era morna e enlanguescente.* [F.: *enlanguesce(r)* + *-nte.*]

enlanguescer (en.lan.gues.*cer*) *v.* 1 Ficar sem forças; DEBILITAR(-SE); ENFRAQUECER(-SE) [*int.*: *Enlanguescia(-se) a olhos vistos.*] 2 Entristecer(-se), acabrunhar(-se) [*int.*: *Ela (se) enlanguesce com a brutalidade do marido.*] 3 Ficar lânguido, sensual, suave [*td.*] [▶ 33 enlanguescer] [F.: *en-*[2] + *languescer.*]

enlanguescido (en.lan.gues.*ci*.do) *a.* 1 Que se tornou lânguido, fraco, debilitado [Ant.: *fortalecido.*] 2 Abatido, entristecido [Ant.: *alegre, animado.*] [F.: Part. de *enlanguescer.*]

enlatado (en.la.*ta*.do) *a.* 1 Posto ou conservado em lata *sm.* 2 Comestível enlatado: *Os enlatados estão na despensa.* 3 *Pej. Telv.* Filme importado produzido para a televisão, ger. seriado e de baixo custo [F.: Part. de *enlatar.*]

enlatamento (en.la.ta.*men*.to) *sm.* Ação ou resultado de enlatar, de pôr em lata [F.: *enlatar* + *-mento.*]

enlatar (en.la.*tar*) *v. td.* Pôr ou conservar em lata [▶ 1 enlatar] [F.: *en-*[2] + *lat(a)* + *-ar*[2].]

enleado (en.le.*a*.do) *a.* 1 Atado, emaranhado, enredado (linhas enleadas) [Ant.: *desatado, desembaraçado.*] 2 *Fig.* Confuso, embaraçado: *Enleado, fica mudo na presença da amada.* [Ant.: *descontraído.*] [F.: Part. de *enlear.*]

enleante (en.le.*an*.te) *a2g.* 1 Que enleia, que enreda, enlaça 2 *Fig.* Que causa perplexidade, admiração 3 *Fig.* Que envolve (narrativa enleante) [F.: *enlear* + *-nte.*]

enlear (en.le.*ar*) *v.* 1 Atar com lios, liames; AMARRAR [*td.*: *enlear feixes de espigas.*] 2 *Fig.* Envolver (alguém ou a si mesmo) em algo, ou com alguém [*tdr.* + *com*, *em*: *Enleou o subalterno na conspiração; Enleou-se no movimento de protesto.*] 3 *Fig.* Embaraçar(-se), confundir(-se) [*td.*: *As emoções a enleavam e perturbavam-lhe o julgamento.*] [*tr.* + *com*: *Enleou-se com tantos dados contraditórios.*] [▶ 13 enlear] [F.: Do lat. *illigare.*]

enleio (en.*lei*.o) *sm.* 1 Ação ou resultado de enlear(-se) 2 Liame, atilho 3 *Fig.* Envolvimento, enredamento 4 Confusão, indecisão 5 Embaraço, acanhamento 6 Encanto, deleite, êxtase: *Olhavam-se os namorados em um enleio apaixonado.* [F.: Dev. de *enlear*. Hom./Par.: *enleio* (fl. de *enlear*).]

enlevação (en.le.va.*ção*) *sf.* Ação ou resultado de enlevar(-se); ENLEVO; ENLEVAMENTO [Pl.: *-ções.*] [F.: *enlevar* + *-ção.*]

enlevado (en.le.*va*.do) *a.* 1 Encantado, extasiado, maravilhado: *Deteve-se enlevado ante a bela paisagem.* 2 Absorto, pensativo, abstraído [F.: Part. de *enlevar.*]

enlevamento (en.le.va.*men*.to) *sm.* Ver *enlevação* [F.: *enlevar* + *-mento.*]

enlevante (en.le.*van*.te) *a2g.* Que enleva; EXTASIANTE [F.: *enlevar* + *-nte.*]

enlevar (en.le.*var*) *v.* **1** Sentir ou suscitar enlevo; ENCANTAR(-SE); EXTASIAR(-SE) [*td.*: *O concerto enlevou a plateia.*] [*int.*: *A música enleva; Enleva-se quando ora.*] **2** Absorver, prender a atenção de; CATIVAR [*td.*: *Suas palavras enlevaram-me.*] [▶ **1** enlevar] [F.: *en-*² + *levar.*]

enlevo (en.*le*.vo) [ê] *sm.* Encantamento, êxtase: *Contemplava o filhinho com enlevo.* [Ant.: *desencanto, desgosto.*] [F.: Dev. de *enlevar*. Hom./Par.: *enlevo* (fl. de *enlevar*).]

enliçamento (en.li.ça.*men*.to) *sm.* **1** Ação ou resultado de enliçar(-se) **2** *Fig.* Enredamento, enleamento, envolvimento: *Era fácil notar o enliçamento entre eles.* [F.: *enliçar* + *-mento.*]

enliçar (en.li.*çar*) *v.* **1** Colocar os liços em; fazer trama com o fio da lançadeira; TECER [*td.*] **2** *Fig.* Enlear(-se), envolver(-se), enrolar(-se) em (situação, fato ou circunstância ruim) [*tdr.* + *em*: *Enliçou-me na questão sem me consultar; Enliçaram-se nos problemas que eles próprios criaram.*] **3** *Fig.* Causar ou sentir embaraço, acanhamento [*td.*: *Os elogios enliçaram-no.*] [*int.*: *Enliçou- se ao vê-la chegar.*] **4** *Fig.* Enganar, lograr, ludibriar [*td. tdr.* + *com*: *Enliçou a jovem (com promessas).*] [▶ **12** enliçar] [F.: *en-*¹ + *liço* + *-ar*². Hom./Par.: *enliço* (fl.), *enliço* (sm.).]

enliço (en.*li*.ço) *sm.* **1** Ação ou resultado de enliçar(-se); ENLIÇAMENTO **2** Urdimento malfeito **3** *Fig.* Ver *enliçamento*: "Todos em casa se afinavam pelo propósito de destruir os enliços da sereia." (Xavier Marques, *Voltas da Estrada*, p. 226) **4** *Fig.* Fraude, burla: *Teve a ajuda de funcionários, no enliço em que se envolveu.* **5** *Bot.* Trepadeira [F.: Dev. de *enliçar.* Hom./Par.: *enliço* (sm.), *enliço* (fl. de *enliçar*).]

enlodar (en.lo.*dar*) *v. td.* **1** Manchar(-se) de lodo, de lama; enlamear(-se) **2** *Fig.* Macular a honra, a reputação de (alguém) [▶ **1** enlodar] [F.: *en-*¹ + *lodo* + *-ar*². Ant.: *desenlodar.*]

enlouquecedor (en.lou.que.ce.*dor*) [ô] *a.* Que enlouquece; ENDOIDECEDOR [F.: *enlouquecer* + *-dor.*]

enlouquecer (en.lou.que.*cer*) *v.* Ficar ou fazer ficar louco, incapaz de usar a razão ou manter a calma; ENDOIDECER [*td.*: *O medo o enlouqueceu.*] [*int.*: *Enlouqueceu por solidão e desamor dos seus.*] [▶ **33** enlouquecer] [F.: *en-*² + *louc(o)* (com alter. de *-c-* em *-qu-*) + *-ecer.*]

enlouquecido (en.lou.que.*ci*.do) *a.* Que enlouqueceu; DOIDO; ENDOIDECIDO; MALUCO [Ant.: *ajuizado, sensato.*] [F.: Part. de *enlouquecer.*]

enlouquecimento (en.lou.que.ci.*men*.to) *sm.* **1** Ação ou resultado de enlouquecer **2** Insanidade mental; LOUCURA [F.: *enlouquecer* + *-mento.*]

enluarado (en.lu:a.*ra*.do) *a.* Banhado pela luz da lua (noite enluarada) [F.: Part. de *enluarar.*]

enluarar (en.lu.a.*rar*) *v.* **1** Iluminar-se, clarear-se pela presença do luar [*int.*: *As nuvens se dissiparam e a noite enluarou(-se).*] **2** *P.ext.* Iluminar fracamente como a luz do luar [*td.*: *Luzes longínquas enluaravam a varanda.*] [▶ **1** enluarar] [F.: *en-*¹ + *luar* + *-ar*².]

enlutado (en.lu.*ta*.do) *a.* **1** Diz-se de pessoa que está de luto ou trajando luto *sm.* **2** Essa pessoa [F.: Part. de *enlutar.*]

enlutar (en.lu.*tar*) *v.* **1** Manifestar o luto, em sua emoção e símbolos externos [*td.*: *O desastre enlutou a família toda; Os amigos enlutaram-se nos ritos de despedida.*] **2** Causar ou sofrer grande tristeza; MORTIFICAR(-SE) [*td.*: *Sua decisão enlutou a comunidade.*] [*int.*: *A nação enlutou-se diante da morte da esperança.*] [▶ **1** enlutar] [F.: *en-*² + *lut(o)* + *-ar*².]

enluvado (en.lu.*va*.do) *a.* Que está usando luvas [Ant.: *desenluvado.*] [F.: Part. de *enluvar.*]

enluvar (en.lu.*var*) *v. td.* Colocar luvas em (alguém ou si mesmo): *Enluvou os filhos antes de sair; Com as mãos geladas, a mulher enluvou-se.* [▶ **1** enluvar] [F.: *en-*² + *luva* + *-ar*². Ant.: *desenluvar, desluvar.*]

◎ **-eno¹** *suf. nom.* = 'referência', 'origem': *chileno, romeno* [F.: Do suf.lat. *-enus, a, um.*]

◎ **-en(o)-** Indicativo de substância insaturada (*benzeno, propeno*). Ver tb. *-eno*

◎ **-eno²** *suf. Quím.* Designa substâncias insaturadas, esp. alcenos: *benzeno, propeno*. Ver tb. *-en(o)-* [F.: Do suf. fr. *-ène.*]

◎ **en(o)-** *el. comp.* = 'vinho': *enanto* (< gr.), *enofilia, enófilo, enologia, enólogo* [F.: Do gr. *oinos, ou*, 'vinho'; 'bebida fermentada, vinho de palmeira', 'cerveja'.]

enobrecedor (e.no.bre.ce.*dor*) [ô] *a.* **1** Que enobrece (ato enobrecedor); DIGNIFICANTE; ENALTECEDOR [Ant.: *aviltante, infamante.*] *sm.* **2** O que enobrece [F.: *enobrecer* + *-dor.*]

enobrecer (e.no.bre.*cer*) *v.* **1** Tornar(-se) nobre por carta ou diploma de nobreza; NOBILITAR(-SE) [*td.*: *O casamento com o conde a enobreceu.*] [*int.*: *Aceitou o casamento com o barão para enobrecer-se.*] **2** *Fig.* Dignificar(-se), engrandecer(-se) moralmente [*td.*: *Sua generosidade sempre o enobrecera.*] [*int.*: *A dor, apenas ela enobrece.*] **3** *Fig.* Ornamentar, embelezar [*td.*: *A escultura enobreceu o pátio.*] [▶ **33** enobrecer] [F.: *e-*² + *nobr(e)* + *-ecer.*]

enobrecido (e.no.bre.*ci*.do) *a.* Que se enobreceu; DIGNIFICADO; ENGRANDECIDO; NOBILITADO [Ant.: *desacreditado, desonrado.*] [F.: Part. de *enobrecer.*]

enobrecimento (e.no.bre.ci.*men*.to) *sm.* Ação ou resultado de enobrecer(-se); ENGRANDECIMENTO [Ant.: *degradação, desdouro, desonra.*] [F.: *enobrecer* + *-mento.*]

enodado (e.no.*da*.do) *a.* **1** Que tem muitos nós; ENOGADO; NODOSO **2** Diz-se de pessoa que tem articulações grossas; ENOGADO [F.: Part. de *enodar.*]

enodar (e.no.*dar*) *v. td.* **1** Fazer nó; prender com nó: *enodar um laço.* **2** Encher de nós: *enodar uma corda.* [▶ **1** enodar] [F.: Do lat. *innodare*. Hom./Par.: *enodo* (fl.), *enodo* (a.); *enodar, enodoar* (vários tempos do v.).]

enodoar (e.no.do.*ar*) *v.* **1** Cobrir(-se) de nódoas; MANCHAR(-SE) [*td.*: *Enodoou o vestido com a tinta.*] [*int.*: *Enodoara-se com o verniz.*] **2** Desonrar(-se), difamar(-se), macular(-se) [*td.*: *A falta de ética de diversos integrantes enodoa a instituição como um todo.*] [▶ **16** enodoar] [F.: *e(m)-*² + *nódo(a)* + *-ar*².]

enofilia (e.no.fi.*li*.a) *sf.* **1** Gosto, amor pelo vinho **2** Condição ou qualidade de enófilo [F.: *en(o)-* + *-filia*¹.]

enofílico (e.no.*fí*.li.co) *a.* **1** Ref. ou próprio da enofilia **2** Que se dedica à enofilia; ENÓFILO *sm.* **3** Aquele que cultiva a enofilia; ENÓFILO [F.: *enofilia* + *-ico*².]

enófilo (e.*nó*.fi.lo) *a.* **1** Diz-se de indivíduo que tem grande apreço pelo vinho ou que é um grande conhecedor de vinhos, dado o gosto em ingerir a bebida dionisíaca *sm.* **2** Esse indivíduo [F.: *en(o)-* + *-filo*¹.]

enofobia (e.no.fo.*bi*:a) *sf.* **1** Qualidade ou condição de enófobo **2** Aversão ao vinho [F.: *en(o)-* + *-fobia.*]

enofóbico (e.no.*fó*.bi.co) *a.* **1** Ref. à enofobia **2** Diz-se de quem tem enofobia; ENÓFOBO *sm.* **3** Aquele que tem enofobia; ENÓFOBO [F.: *enofobia* + *-ico.*]

enoftalmia (e.nof.tal.*mi*:a) *sf. Med.* Deslocamento do globo ocular para o interior da órbita [Cf.: *exoftalmia.*] [F.: *en-*² + *-oftalmia.*]

enogastronomia (e.no.gas.tro.no.*mi*:a) *sf. Enol. Gastron.* Conhecimento de vinhos e de comidas [F.: *eno-* + *gastronomia.*]

enogastronômico (e.no.gas.tro.*nô*.mi.co) *Enol. Gastron. a.* **1** Ref. à enogastronomia **2** Diz-se de especialista em vinhos e comidas [F.: *eno-* + *gastronomi(a)* + *-ico.*]

enojado (e.no.*ja*.do) *a.* **1** Que sente nojo ou repulsa **2** Aborrecido, entediado, enfadado [Ant.: *atraído, estimulado, interessado.*] [F.: Part. de *enojar.*]

enojar (e.no.*jar*) *v.* **1** Provocar nojo em alguém ou experimentá-lo; NAUSEAR(-SE) [*td.*: *Enoja-o aquela falta de asseio.*] [*tr.* + *com, de*: *Enojava-se da /com o lixo abandonado na rua.*] **2** Provocar repulsa ou aborrecimento, sentilos; INCOMODAR(-SE); MOLESTAR(-SE) [*td.*: *A corrupção na política o enojou.*] [*tr.* + *com, de*: *Enojaram-se com a hipocrisia da potência estrangeira.*] [▶ **1** enojar] [F.: Do lat. *inodiare.*]

enojo (e.*no*.jo) [ô] *sm.* **1** Ação ou resultado de enojar(-se) **2** Sensação de incômodo físico provocado por enjoo; NÁUSEA **3** Repugnância, repulsa **4** *P.us.* Sentimento de melancolia, de tristeza; LUTO **5** *Fig.* Aborrecimento, chateação [F.: Regress. de *enojar*. Hom./Par.: *enojo* (fl. de *enojar*).]

enóleo (e.*nó*.le:o) *sm. Farm.* Medicação que utiliza o vinho entre seus componentes [F.: *enol* + *-eo.*]

enologia (e.no.lo.*gi*.a) *sf.* Estudo sobre vinhos [F.: *en(o)-* + *-logia.*]

enológico (e.no.*ló*.gi.co) *a. Enol.* Que se refere à enologia [F.: *enologia* + *-ico.*]

enólogo (e.*nó*.lo.go) *a.* **1** Diz-se de indivíduo especializado em enologia *sm.* **2** Esse indivíduo [F.: *en(o)-* + *-logo.*]

enomania (e.no.ma.*ni*:a) *sf. Enol.* Mania ou paixão por vinho [F.: *en(o)-* + *-mania.*]

enomaníaco (e.no.ma.*ní*.a.co) *Enol. a.* **1** Que se refere à enomania **2** Diz-se de indivíduo que tem enomania *sm.* **3** *Enol.* Indivíduo que tem mania por vinho [F.: *enomania* + *-aco*. Tb. *enômano.*]

enômano (e.*nô*.ma.no) *a.sm.* O mesmo que *enomaníaco* [F.: *enomania* + *-ano*¹.]

enomel (e.*no*.mel) *sm.* **1** Xarope feito com vinho e mel **2** Beberagem caseira feita com vinho e açúcar [Pl.: *-méis.*] [F.: Do gr. *oinoméli*, pelo lat. tard. *oenomel.*]

enorme (e.*nor*.me) *a2g.* **1** Muito grande; DESMEDIDO; GIGANTESCO; IMENSO: *Construiu um edifício enorme em pouco tempo.* [Ant.: *diminuto, mínimo.*] **2** De grande gravidade; ATROZ; SÉRIO: *Está com um problema enorme para resolver.* [Ant.: *leve, ligeiro.*] **3** De grande importância; EXCESSIVO; PESADO: *A família é um peso enorme em sua vida.* [Ant.: *insignificante.*] **4** Extraordinário, invulgar, surpreendente: *Tão novo e já com essa bagagem cultural enorme!* [Ant.: *comum, mediano.*] [F.: Do lat. *enormis, e.*]

enormidade (e.nor.mi.*da*.de) *sf.* **1** Qualidade do que é enorme; DESMESURA; EXCESSO: *Falou uma enormidade de bobagens.* **2** Atrocidade, desumanidade: *Foi condenado pela enormidade de seu ato criminoso.* **3** Algo fora do comum: *Gastou mil reais, uma enormidade!* [F.: Do lat. *enormitas, atis.*]

enosimania (e.no.si.ma.*ni*:a) *sf. Psiq.* Distúrbio mental cujo sintoma é uma sensação de grande pavor [F.: *enosi-* + *-mania.*]

enosimaníaco (e.no.si.ma.*ní*:a.co) *Psiq. a.* **1** Ref. à enosimania **2** Diz-se de indivíduo que tem enosimania; ENOSÍMANO *sm.* **3** *Psiq.* Indivíduo portador desse distúrbio; ENOSÍMANO [F.: *enosimani(a)* + *-aco.*]

enosímano (e.no.*sí*.ma.no) *Psiq. a.* **1** Que tem enosimania; ENOSIMANÍACO *sm.* **2** *Psiq.* Aquele que tem enosimania; ENOSIMANÍACO [F.: *enosi-* + *-mano.*]

enoteca (e.no.*te*.ca) [é] *sf.* **1** Coleção de garrafas de vinho, muitas vezes destinada a exposição **2** Negócio em torno da venda de vinhos [F.: *en(i/o)-* + *-teca.*]

enoveladeira (e.no.ve.la.*dei*.ra) *sf. Têxt.* Máquina us. em fiação para formar novelos [F.: *enovelar* + *-deira.*]

enovelado (e.no.ve.*la*.do) *a.* **1** Diz-se de fio enrolado em novelo [Ant.: *desenrolado, estendido.*] **2** *Fig.* Confuso, emaranhado (enredo enovelado) [Ant.: *deslindado, esclarecido, simplificado.*] [F.: Part. de *enovelar.*]

enovelamento (e.no.ve.la.*men*.to) *sm.* Ação ou resultado de enovelar(-se) [F.: *enovelar* + *-mento.*]

enovelar (e.no.ve.*lar*) *v.* **1** Enrolar(-se) (fio de algodão, seda, lã) em novelo; DOBAR [*td.*: *Conseguiu enovelar todas as mechas.*] [*int.*: *O final do fio enovelou-se.*] **2** *Fig.* Tornar confuso, intricado; EMARANHAR [*td.*: *Uma revelação inesperada enovelou o caso.*] [▶ **1** enovelar] [F.: *e(m)-*² + *novel(o)* + *-ar*².]

⊕ ***en passant*** (*Fr.* /an paçan/) *loc.adv.* **1** Literalmente, 'passando, ao passar'; de passagem, acidentalmente: *En passant encontrou a solução.* **2** Superficialmente, ligeiramente: *Abordou en passant a questão.*

enquadrado (en.qua.*dra*.do) *a.* **1** Que se enquadrou **2** Posto em moldura (espelho, foto, diploma, gravura etc.); ENCAIXILHADO **3** Diz-se de pano, papel, plástico etc., que foi cortado em quadrados **4** Diz-se de pessoa ou cena que foi focalizada de determinada maneira pelo visor da máquina fotográfica, da filmadora etc. (paisagem enquadrada) **5** *P.ext. Fig.* Contornado ou envolvido como que por moldura: *Na festa, o portão foi enquadrado por arco de flores.* **6** *Bras. Gír.* Diz-se de pessoa que foi detida ou presa para averiguações **7** *Bras. Pop.* Diz-se de pessoa ou qualquer coisa que foi colocada sob mira (alvo enquadrado) [F.: Part. de *enquadrar.*]

enquadramento (en.qua.dra.*men*.to) *sm.* **1** Ação ou resultado de enquadrar(-se); ENQUADRAÇÃO **2** *Cin. Fot. Telv.* Em cinema, fotografia e televisão, ação ou resultado de enquadrar pessoa ou coisa pelo visor da máquina fotográfica, filmadora etc.: *Fez o enquadramento da garota e mandou filmar.* **3** *Art.gr.* Em impressão ou fotocomposição, estabelecimento das dimensões de documento, fotografia etc. **4** *Art.gr.* Ver *cercadura* **5** Conjunto de orientações que fixam um projeto qualquer: *Produziu um enquadramento dos dados do orçamento.* [F.: *enquadrar* + *-mento.*]

enquadrar (en.qua.*drar*) *v.* **1** Pôr (uma tela, estampa, espelho) em quadro ou moldura; EMOLDURAR [*td.*: *Enquadraram o retrato da matrona.*] **2** Encaixar-se, ser compatível; ADAPTAR-SE [*tdr.* + *a*: *Todos deverão enquadrar-se à nova realidade.*] **3** *Bras.* Colocar no mesmo plano, incluir; INTEGRAR; COMPREENDER [*td.*: *O projeto enquadra todos os itens debatidos.*] [*tr.* + *em*: *Os termos sugeridos se enquadram na nova classificação.*] **4** *Cin. Fot. Telv.* Limitar, na câmara e no olhar, o que se pretende fotografar ou filmar, buscando o ângulo e as condições mais favoráveis [*td.*: *enquadrar um grupo de pessoas/ a chegada de um avião.*] **5** *Bras. Pop.* Fazer que tenha obediência ou disciplina; DISCIPLINAR [*td.*: *Disse que enquadrará o empregado relapso.*] **6** *Bras.* Indiciar alguém por crime ou transgressão [*tdr.* + *em*: *O delegado enquadrou-o em três artigos do código penal.*] **7** Converter em quadrado [*td.*] **8** Cobrir, adornar em volta [*td.*: *A trepadeira enquadrou a janela.*] [▶ **1** enquadrar] [F.: *en-*² + *quadr(o)* + *-ar*².]

enquadrável (en.qua.*drá*.vel) *a.* Que pode ser enquadrado [Pl.: *-veis.*] [F.: *enquadrar* + *-vel.*]

enquanto (en.*quan*.to) *conj.temp.* **1** Durante o tempo em que: *Enquanto estudava, trabalhava na padaria.* **2** No mesmo momento em que; ao mesmo tempo que: *Desfiava a galinha, enquanto ela fazia o molho.* *conj.prop.* **3** Na mesma proporção que; ao passo que: *Enquanto uns se decepcionaram, outros aplaudiram.* *conj.conf.* **4** Como: *Coloca-se bem, enquanto artista.* [F.: em + *quanto.*] ▪ **~ isso** Nesse interim: *Ficaram discutindo sobre a cor do pôr do sol; enquanto isso, o Sol se pôs.* **Por ~** Por ora, por agora: *Por enquanto, vou ficando na casa da minha tia.*

enqueixar (en.quei.*xar*) *v.* **1** *Bras.* Ficar de queixo duro (o animal), negando-se a caminhar; EMPACAR [*int.*: *O animal enqueixou e não saiu de onde estava.*] **2** *P.ext.* Encaminhar-se para [*ta.*: *O animal enqueixava para o lado da igreja.*] [▶ **1** enqueixar] [F.: *en-*² + *queixo* + *-ar*². Ant.: *desenqueixar.*]

enquete (en.*que*.te) [é] *sf.* Pesquisa de opinião (enquete sobre aborto) [F.: Do fr. *enquête.*]

enquetismo (en.que.*tis*.mo) *sm. Jorn. Publ.* Hábito persistente de realizar enquetes [F.: *enquete* + *-ismo.*]

◎ **-ênquima** *el. comp.* = 'tecido celular vegetal (com dada característica)': *aerênquima, colênquima, clorênquima, esclerênquima* [F.: Da term. cient. *-enchyma*, do gr. *parénkhyma, atos* (> *parênquima*) do gr. *énkhyma, atos*, 'infusão'. Segundo o modelo grego, os adj. formados a partir de vocábulos com este elemento devem estar sob a forma *-enquimat-*: *esclerenquimatoso, mesenquimatoso, parenquimatoso.*]

◎ **-enquimat(o)-** *el. comp.* Ver *-ênquima*

enquimose (en.qui.*mo*.se) *sf. Ant. Med.* Afluxo momentâneo de sangue aos vasos da pele, resultante de certos estados emocionais [F.: Do gr. *ekkhúmosis, eos*. Hom./Par.: *equimose* (sf.).]

enquistado (en.quis.*ta*.do) *a.* **1** Transformado em quisto **2** *Fig.* Inserido em algo, como um quisto [F.: Part. de *enquistar.*]

enquistamento (en.quis.ta.*men*.to) *sm.* Ação ou resultado de enquistar(-se) [F.: *enquistar* + *-mento.*]

enquistar (en.quis.*tar*) *v.* **1** Formar ou tornar(-se) quisto [*int.*: *Essa espinha no rosto pode enquistar; O ferimento não foi tratado e enquistou-se.*] **2** Introduzir(-se), incrustar(-se) [*tdr.* + *em*: *Enquistou mais uma pedra no anel.*] [*tda.*: *O grupo estranho enquistou-se no partido.*] **3** Pôr dentro de saco ou cápsula [*td.*] [▶ **1** enquistar] [F.: *en-*² + *quist(o)* + *-ar*².]

enquizilar (en.qui.zi.*lar*) *v.* Mesmo que *quizilar*. [*td.*: *Enquizilava o irmão sempre que podia.*] [*int.*: *Aquele homem* *enquizila por qualquer motivo.*] [► 1 enquizilar] [F.: en-^{2} + *quizilar.*]

enrabar (en.ra.*bar*) *v.* **1** *Tabu.* Fazer coito anal de maneira ativa [*td.*: *Na cadeia, os outros presos enrabaram o estuprador.*] **2** *Tabu.* Causar prejuízo a (alguém); PREJUDICAR [*td.*: *Enrabou o sócio e fugiu da cidade.*] **3** *Tabu.* Levar vantagem sobre algo que caberia a outrem [*td.*: *Enrabou o colega ao dizer que o trabalho era seu.*] **4** *Tabu.* Enganar (alguém); LOGRAR; LUDIBRIAR [*td.*: *Esse comerciante já enrabou uns duzentos fregueses.*] **5** *S* Prender cabresto de (animal) à cauda de outro, para conduzi-lo [*td.*: *enrabar um cavalo.*] **6** *Bras. PA* Atar relho à parte grossa da cauda (de boi, cavalo) para arrastar (canoa etc.) por campo alagado [*td.*: *enrabar um boi.*] **7** *Bras.* Prender veículo à traseira de outro, para rebocá-lo [*td.*: *O reboque enrabou o carro enguiçado.*] **8** *Bras. S* Andar ao encalço de (alguém) [*td.*: *O assaltante enrabava suas vítimas antes de atacar.*] **9** *Bras. S* Correr atrás de; perseguir (alguém) correndo [*tr.* + *com*: *Na brincadeira de pique, enrabava sempre com o colega mais lento.*] [► 1 enrabar] [F.: *en-^{2} + rabo + -ar^2.*]

enrabichado (en.ra.bi.*cha*.do) *a.* **1** Apaixonado, enamorado **2** Que tem forma de rabicho (cabelo enrabichado) [F.: Part. de *enrabichar.*]

enrabichar (en.ra.bi.*char*) *v.* **1** Apaixonar(-se), enamorar(-se) [*td.*: *Mal chegou à cidade, enrabichou a morena.*] [*tr.* + *com, por*: *Ela se enrabichou pelo amigo.*] **2** Originalmente, prender (o cabelo) em forma de rabicho [*td.*] **3** Meter(-se) em dificuldades; ENCALACRAR(-SE) [*td.*: *O próprio colega enrabichou-o.*] [*tr.* + *com*: *Enrabichei-me com as novas diretrizes.*] [► 1 enrabichar] [F.: *en-^{2} + rabich(o) + -ar^2.*]

enraivar (en.rai.*var*) *v.* Mesmo que *enraivecer.* [*td.*: *Enraivou a mulher ao chamá-la de gorda.*] [*int.*: *Esse barulho enraiva profundamente.*] [► 1 enraivar] [F.: *en-^{2} + raiva + -ar^2.* Ant.: *desenraivar.*]

enraivecer (en.rai.ve.*cer*) *v.* Experimentar ou provocar sentimento de raiva; IRAR(-SE); ENCOLERIZAR(-SE) [*td.*: *O ciúme o enraivece.*] [*int.*: *Ouviu o discurso e enraiveceu(-se).*] [► 33 enraivecer] [F.: *en-^{2} + raiv(a) + -ecer.*]

enraivecido (en.rai.ve.*ci*.do) *a.* Irado, encolerizado, raivoso [Ant.: *calmo, tranquilo.*] [F.: Part. de *enraivecer.*]

enraivecimento (en.rai.ve.ci.*men*.to) *sm.* Ação ou resultado de enraivecer(-se); CÓLERA; IRA; RAIVA [Ant.: *calma, serenidade.*] [F.: *enraivecer + -mento.*]

enraizado (en.ra:i.*za*.do) *a.* **1** Que se enraizou (planta enraizada); ARRAIGADO; FIXO [Ant.: *arrancado, desarraigado.*] **2** *Fig.* Estabelecido, fixado: *crenças enraizadas na tradição.* [F.: Part. de *enraizar.*]

enraizamento (en.ra:i.za.*men*.to) *sm.* Ação ou resultado de enraizar(-se); IMPLANTAÇÃO; RADICAÇÃO [Ant.: *desenraizamento.*] [F.: *enraizar + -mento.*]

enraizar (en.ra:i.*zar*) *v.* **1** Fixar(-se) (planta) pela raiz; ARRAIGAR(-SE) [*td.*: *Enraizou facilmente os pés de dália.*] [*int.*: *A maria-sem-vergonha quase não (se) enraíza.*] **2** *Fig.* Criar relações, condições de vida; ESTABELECER(-SE) [*td.*: *O trabalho no campo enraizou muitos imigrantes.*] [*int.*: *Chegou há pouco à cidade, mas já enraizou.*] [*tda.*: *Estas famílias enraizaram-se rapidamente na região.*] [► 1 enraizar. NOTA.: Quanto ao acento do *i*, ver paradigma **18**.] [F.: *en-^{2} + raiz + -ar^2.*]

enramado (en.ra.*ma*.do) *a.* **1** Que se enramou **2** Que se encontra cheio de ramos **3** *Pext.* Enfeitado com ramos **4** *N.E. Rel.* No culto toré, diz-se de quem está em transe [F.: Part. de *enramar.*]

enramar (en.ra.*mar*) *v.* **1** Encher(-se), enfeitar(-se) de ramos; ARRAMAR-SE [*td.*: *Enramou as flores para compor o altar.*] [*int.*: *A pequena árvore enramou-se.*] **2** Formar ramos, conjuntos de ramos [*td.*: *Enramou lírios, rosas e girassóis.*] **3** Atapetar (piso) com ramos [*td.*: *Enramou o caminho dos desfilantes.*] **4** *Art.gr.* Colocar na rama (forma [ô] tipográfica); ENGRADAR [*td.*: *enramar composição tipográfica.*] **5** Unir-se a; juntar-se com; LIGAR-SE [*tr.* + *com*: *Enrama-se com os melhores profissionais.*] [► 1 enramar] [F.: *en-^{2} + ramo + -ar^2.* Ant. *desenramar.*]

enrascada (en.ras.*ca*.da) *sf.* Situação de aperto, de dificuldade; APURO: *meter-se um uma enrascada.* [F.: Fem. substv. de *enrascado.*]

enrascado (en.ras.*ca*.do) *a.* **1** Que se enrascou *a.* **2** Posto em enrascada **3** *Mar.* Diz-se de cabo, amarra etc. que se emaranhou [F.: Part. de *enrascar.*]

enrascar (en.ras.*car*) *v. td.* **1** Pôr (alguém ou a si mesmo) em dificuldade, enrascada; ENROLAR(-SE): *Enrascou a colega involuntariamente; Ela tentou defendê-lo e enrascou-se.* **2** Originalmente, apanhar em rasca ou rede **3** *Mar.* Emaranhar, embaraçar (cabos, velas etc.) [► 11 enrascar] [F.: *en-^{2} + rasc(a) + -ar^2.*]

enredadeira (en.re.da.*dei*.ra) *sf.* **1** Mulher que gosta de enredar, de fazer fuxicos; FUXIQUEIRA **2** *Angios.* Trepadeira da fam. das convolvuláceas (*Polygonum convolvulus*), de caules filiformes, flores brancas e folhas sagitadas, originária do hemisfério norte e encontrada em algumas regiões do Brasil [F.: *enredado + -eira.*]

enredadeiro (en.re.da.*dei*.ro) *sf.* Indivíduo que faz enredos, fuxicos, fofocas; FOFOQUEIRO; FUXIQUEIRO [F.: *enredado + -eiro.*]

enredado (en.re.*da*.do) *a.* **1** Emaranhado, enleado: "A terra, de longe, era toda azul; de perto, enredada de vegetais mofinos e tortuosos, da cor de um triste e aspérrimo faxinal." (Alberto Rangel, *Fura-mundo*) **2** Confuso, complicado **3** Envolvido em enredo ou intriga: *Ele está enredado no escândalo da Câmara.* **4** Que apresenta aspecto de rede: *Os macacos balançavam-se nos cipós enredados entre as árvores.* [F.: Part. de *enredar.*]

enredamento (en.re.da.*men*.to) *sm.* Ação ou resultado de enredar(-se) [F.: *enreda(r) + -mento.*]

enredar (en.re.*dar*) *v.* **1** Prender(-se) em rede; EMARANHAR(-SE) [*td.*: *Capturava os incautos que visitavam a ilha, enredando-os.*] **2** Embaraçar(-se) em lugares ou coisas intricadas [*td.*: *A selva enreda até os exploradores experientes.*] [*tdr.* + *em*: *A vespa enredou-se nos cabelos da garota.*] **3** Atar, ligar, prender [*tdr.* + *a*: *Decisões erradas o enredaram a novos problemas.*] **4** Confundir(-se), complicar(-se) [*td.*: *As novas condições enredaram os planos da conquista.*] [*tr.* + *em*: *Detalharam as normas demais, e se enredaram nelas.*] **5** Armar enredo ou intriga (a, para); INTRIGAR [*td.*: *Logrou enredar o pai.*] [*tdr.* + *com*: *Conseguiu enredar a jovem com o namorado.*] [► 1 enredar] [F.: *en-^{2} + red(e) + -ar^2.* Hom./Par.: *enredo* (fl.), *enredo* [ê] (sm.).]

enrediça (en.re.*di*.ça) *sf.* **1** *Bot.* Tipo de planta de ramos emaranhados **2** *RS* Ação ou resultado de enredar; EMARANHAMENTO; TRAMA [F.: Fem. substv. de *enrediço.*]

enrediço (en.re.*di*.ço) *a.* **1** *Bot.* Diz-se de planta que se emaranha com facilidade **2** Diz-se de indivíduo que é dado a intrigas, fofocas [F.: *enredo + -iço.*]

enredo (en.*re*.do) [ê] *sm.* **1** Ação ou resultado de enredar(-se) **2** Tecido embaraçado como o da rede **3** Linha de ação de uma obra de ficção; INTRIGA; TRAMA **4** Intriga, futrica: *Criou o maior enredo sobre a vida íntima do escritor.* [F.: Dev. de *enredar.*]

enregelado (en.re.ge.*la*.do) *a.* Que se enregelou; CONGELADO; RESFRIADO: "...julgarem vilmente prosaico o não irmos abrasando pelas estradas quando viajamos no verão, nem enregelados quando jornadeamos no inverno." (D. Antônio da Costa, *No Minho*) [F.: Part. de *enregelar.*]

enregelamento (en.re.ge.la.*men*.to) *sm.* Ação ou resultado de enregelar, congelar; CONGELAMENTO [Ant.: *desenregelamento.*] [F.: *enregelar + -mento.*]

enregelante (en.re.ge.*lan*.te) *a2g.* Que enregela, que congela (vento enregelante) [Ant.: *desenregelante.*] [F.: *enregelar + -nte.*]

enregelar (en.re.ge.*lar*) *v.* **1** Tornar(-se) muito gelado; CONGELAR(-SE) [*td.*: *O passeio na neve enregelou-lhe as mãos.*] [*int.*: *A superfície do lago enregelou; O jardim enregelou-se todo.*] **2** *Fig.* Provocar ou sentir grande medo [*td.*: *O som do alarme chegava a enregelá-la.*] [*int.*: *Basta ouvir aquela voz para enregelar; Viram o abismo e enregelaram-se.*] **3** Perder ou fazer perder o entusiasmo [*td.*: *A demissão enregelou-o.*] [*int.*: *Queria falar-lhe, mas ao fim do encontro enregelou-se.*] [► 1 enregelar] [F.: *en-^{2} + regelar.*]

enricado (en.ri.*ca*.do) *a.* Que enricou, que enriqueceu; ENRIQUECIDO; RICO: "A verdade é que Ponciano de Azevedo Furtado era um sujeito enricado." (José Cândido de Carvalho, *O coronel e o lobisomem*) [F.: Part. de *enricar.*]

enricar (en.ri.*car*) *v.* Tornar(-se) rico; ENRIQUECER [*td.*: *A contravenção acabou por enricá-lo.*] [*int.*: *Com a herança e muita malandragem, enricou.*] [► 11 enricar] [F.: *en-^{2} + ric(o) + -ar^2.*]

enrijado (en.ri.*ja*.do) *a.* Que se enrijou; RIJO; DURO: "Vasconcelos, por conseguinte, chegou tarde; encontrou já enrijado e duro o coração do filho." (Aluísio de Azevedo, *Casa de pensão*) [Ant.: *desenrijado.*] [F.: Part. de *enrijar.*]

enrijar (en.ri.*jar*) *v.* O mesmo que *enrijecer* [► 1 enrijar] [F.: *en-^{2} + rij(o) + -ar^2.*]

enrijecer (en.ri.je.*cer*) *v.* Tornar(-se) rijo, duro, ou forte (física ou moralmente); ENDURECER(-SE); FORTALECER(-SE); ENRIJAR(-SE) [*td.*: *A guerra e a morte constante os enrijeceram.*] [*int.*: *Os músculos enrijeceram(-se).*] [► 33 enrijecer] [F.: *en-^{2} + rij(o) + -ecer.*]

enrijecido (en.ri.je.*ci*.do) *a.* Que se enrijeceu, endurecido, fortalecido: "Alma e músculos enrijecidos na aspérrima lida com o mouro..." (Antero de Figueiredo, *Dom Sebastião*) [F.: Part. de *enrijecer.*]

enrijecimento (en.ri.je.ci.*men*.to) *sm.* Ação ou resultado de enrijecer(-se) [F.: *enrijec(er) + -imento.*]

enripar (en.ri.*par*) *v. td.* Colocar ripas em; RIPAR: *Enripou o fundo da estante.* [► 1 enripar] [F.: *en-^{2} + ripa + -ar^2.*]

enriquecedor (en.ri.que.ce.*dor*) [ô] *a.* **1** Que enriquece **2** *Fig.* Que acrescenta algo na cultura ou no saber de alguém: *Ter viajado com pouco dinheiro foi para ele uma experiência enriquecedora.* [F.: *enriquece(r) + -dor.*]

enriquecer (en.ri.que.*cer*) *v.* **1** Tornar(-se) rico; ENRICAR(-SE) [*td.*: *A falta de escrúpulos e a exploração de último grau o enriqueceram.*] [*int.*: *Enriqueceu no cassino.*] **2** *Fig.* Melhorar, embelezar [*td.*: *As rimas internas enriqueceram o poema.*] [*int.*: *Sua experiência enriqueceu(-se) com os anos de prática.*] **3** *Fig.* Ornar, abrilhantar [*td.*: *Os novos móveis enriqueciam a casa.*] [► 33 enriquecer] [F.: *en-^{2} + ric(o) + -ecer.*]

enriquecido (en.ri.que.*ci*.do) *a.* **1** Que se tornou rico; ENRICADO: "Hoje, em Inglaterra, ter um iate é... o primeiro dever social do rico ou do enriquecido." (Eça de Queirós, *Cartas de Inglaterra*) **2** Melhorado: *leite enriquecido com cálcio.* [F.: Part. de *enriquecer.*]

enriquecimento (en.ri.que.ci.*men*.to) *sm.* Ação ou resultado de enriquecer(-se): "Fonseca estava pensando como principiar o prospecto do seu enriquecimento." (Camilo Castelo Branco, *Três irmãs*) [F.: *enriquec(er) + -imento.*]

enristado (en.ris.*ta*.do) *a.* Posto em riste: "Os homens de armas (...) galopavam com as lanças enristadas contra a turba miserável." (Eça de Queirós, *Últimas páginas*) [F.: Part. de *enristar.*]

enristar (en.ris.*tar*) *v.* **1** *Ant.* Acomodar a lança no riste, ou suporte, durante a investida [*td.*] **2** *Pext.* Pôr em riste (espada etc.) [*td.*: *Enristou o florete e esperou o adversário atacar.*] **3** Levantar (algo) para indicar alguma coisa [*td.*: *Enristou a bengala para mostrar a direção ao turista.*] **4** Alçar, levantar [*td.*: *A fera enristou as orelhas e partiu para o ataque.*] **5** Avançar contra (alguém) de arma na mão [*tr.* + *com*: *Enristou com o fugitivo na curva da estrada.*] [► 1 enristar] [F.: *en- + riste.* Hom./Par.: *enriste(s)* (fl.), *enriste* (sm. e pl.); *enrestar-se* (vários tempos do v.).]

enrocamento (en.ro.ca.*men*.to) *Cons. sm.* **1** Conjunto de pedras ou blocos de cimento de grandes dimensões que servem de alicerce em obras hidráulicas ou, quando alcançam a superfície, constituem quebra-mar ou proteção contra a erosão das ondas **2** A técnica us. na construção destes alicerces [F.: *en- + -roca^2 + -mento.*]

enrocar^1 (en.ro.*car*) *v.* **1** *Vest.* Ornamentar um traje com roca (2) (tira) [*td.*: *enrocar um vestido.*] **2** Colocar (estriga) na roca (2), para fiar [*td.*: *enrocar a lã.*] **3** *Mar.* Colocar roca, armação em (mastro danificado) para servir de reforço [*td.*: *enrocar o mastro.*] **4** Dar ou adquirir formato de roca^2 [*td.*: *enrocar madeira.*] [*int.*: *A madeira enrocou-se.*] [► 11 enrocar] [F.: *en-^{2} + roca^x + -ar^2.*]

enrocar^2 (en.ro.*car*) *v.* **1** Colocar rocas^{2}em ou cobrir-se delas [*td.*: *O deslizamento da encosta enrocou o caminho.*] [*int.*: *Com o deslizamento de terra, a estrada enrocou-se.*] **2** Prender-se (anzol, rede de pesca) no fundo de lagoa, mar, rio etc. [*td.*: *enrocar rede de pesca.*] [*int.*: *O anzol enrocou.*] **3** Efetuar enrocamento de [*td.*: *enrocar blocos de cimento.*] [► 11 enrocar] [F.: *en-^{2} + roca + -ar^2.*]

enrocar^3 (en.ro.*car*) *v. int.* O mesmo que *rocar*: *O jogador enrocar.* [► 11 enrocar] [F.: *en-^{2} + roca + -ar^2.*]

enrodilhado (en.ro.di.*lha*.do) *a.* **1** Que tomou a forma de rodilha, enroscado, enrolado **2** Atado, preso: "Quando voltou a si, tinha nos pulsos, enrodilhada, uma corda de couro cru." (Franklin Távora, *O Cabeleira*) **3** *Fig.* Enredado, embaraçado: *Estavam todos enrodilhados em um grande equívoco.* [F.: Part. de *enrodilhar.*]

enrodilhar (en.ro.di.*lhar*) *v.* **1** Dar ou tomar forma de rodilha, rosca; ENROLAR(-SE); ENROSCAR(-SE) [*td.*: *A serpente enrodilhou-se*: "Os vaqueiros (...) enrodilhavam os laços em pequenas voltas..." (Guimarães Rosa, *Noites do sertão*)] [*tdr.* + *a, em*: *A planta enrodilhou-se no tronco da árvore.*] **2** Iludir, enganar, ludibriar [*td.*] **3** *Fig.* Ficar atrapalhado, sem saber como agir; ENROLAR-SE [*td.*] **4** *S.* Acanhar-se, encolher-se, embaraçar-se [*td.*] [► 1 enrodilhar] [F.: *en-^{2} + rodilh(a) + -ar^2.*]

enrolação (en.ro.la.*ção*) *sf. Gír.* Ação ou resultado de enrolar, de tapear: *Essa conversa é uma enrolação, nada disso é verdade.* [Pl.: *-ções.*] [F.: *enrola(r) + -ção.*]

enroladinho (en.ro.la.*di*.nho) *sm. Bras. Cul.* Qualquer prato de carne, peixe, massa etc. em que esses ingredientes são enrolados com recheio no seu interior (enroladinho de frango) [F.: Dim. substv. de *enrolado.*]

enrolado (en.ro.*la*.do) *a.* **1** Que se enrolou ou que tomou a forma de um rolo **2** *Gír.* Que é confuso, complicado: *Essas explicações da teoria psicanalítica são por vezes extremamente enroladas.* **3** *Gír.* Diz-se de pessoa que tem dificuldade em entender ou conduzir os fatos: *Ele é muito enrolado, não consegue nem fazer os deveres de casa.* [F.: Part. de *enrolar.*]

enrolador (en.ro.la.*dor*) [ô] *a.* **1** Que enrola **2** *Gír.* Diz-se de quem engana, tapeia **3** *Gír.* Diz-se de quem complica as coisas *sm.* **4** Aquilo que enrola, que tapeia: *Ele tem uma conversa enroladora, engana todo mundo.* **5** *Gír.* Pessoa que tapeia, que confunde para obter vantagem [F.: *enrola(r) + -dor.*]

enrolamento (en.ro.la.*men*.to) *sm.* **1** Ação ou resultado de enrolar(-se) **2** *Elet.* Conjunto de fios enrolados em bobina ou motor **3** *Tec.* Ação de dispor simetricamente os fios condutores em uma máquina elétrica **4** *Elet.* Certa quantidade de fio isolado e enrolado em volta de um núcleo a fim de criar um campo magnético quando percorrido por corrente elétrica **5** *Arq.* Linha espiral que serve para enrolar os modilhões e outros ornamentos [F.: *enrola(r) + -mento.*] ■ **~ primário** *Elet.* Enrolamento de entrada de um componente de circuito elétrico **~ secundário** *Elet.* Num transformador, enrolamento onde se produz fluxo magnético variável, que dá a tensão de saída do transformador, transformada da tensão de entrada

enrolão (en.ro.*lão*) *Bras. Pop. a.* **1** Que enrola, que embroma *sm.* **2** Indivíduo que costuma enrolar os outros, ludibriando-os [Pl.: *-ões.* Fem.: *-ona.*] [F.: *enrolar + -ão^1.* Sin. ger.: *enrolador.*]

enrolar (en.ro.*lar*) *v.* **1** Dar ou adquirir forma de rolo [*td.*: *enrolar uma peça de tecido.*] [*int.*: *A gravura enrolou-se sozinha diante dele.*] **2** Dar ou adquirir forma de espiral; ESPIRALAR(-SE) [*td.*: *Enrolou os cabelos.*] [*int.*: *Sem serem lavados, seus cabelos (se) enrolaram.*] **3** Embrulhar(-se), circundar(-se) [*td.*: *Pegou um papel e enrolou os pães; Enrolou a cabeça com a toalha.*] [*tdr.* + *em*: *Enrolara-se nua na cortina.*] **4** Envolver(-se) para evitar o frio; AGASALHAR(-SE); ABRIGAR(-SE) [*td.*: *Enrolou a criança e foi dormir.*] [*tdr.* + *em*: *Enrolaram-se na manta.*] **5** *Gír.* Tapear, enganar [*td.*: *Enrolaram a plateia durante todo o espetáculo.*] **6** *Fig.* Embromar, retardar algo [*td.*: *Enrolou o serviço a manhã toda.*] [*int.*: *Ao invés de trabalhar, ficou o tempo todo enrolando.*] **7** *Fig.* Complicar(-se), enredar(-se) [*td.*: *As mentiras o enrolaram ainda mais.*] **8** *CE* Derrubar (a rês), fazendo que dê uma cambalhota [*td.*] [► 1 enrolar] [F.: *en-^{2} + rol(o) + -ar^2.*]

enrolável (en.ro.*lá*.vel.) *a2g.* **1** Que se pode enrolar (persiana enrolável) **2** *Bras. Gír.* Que se pode enganar, ludibriar, enrolar [Pl.: *-veis.*] [F.: *enrolar* + *-vel.*]

enroscado (en.ros.*ca*.do) *a.* **1** Revoluteado em forma de rosca, enrolado, enrodilhado **2** *Fig.* Com o corpo curvado em atitude de descanso: "E confortavelmente enroscada no macio da cadeira, achava-se aí, nesse momento, a famosa cadelinha escocesa." (Eça de Queirós, *Os Maias*) **3** *Her.* Diz-se da cruz cujos braços terminam em dupla volta [F.: Part. de *enroscar.*]

enroscar (en.ros.*car*) *v.* **1** Enrolar(-se), cingir(-se), dando voltas [*td.*: *A jiboia enroscou o boi.*] [*ta.*: *Um pedaço de entulho enroscou nas hélices do motor do barco.*] [*tda.* + *em*: *Enroscou as rédeas na estaca; Tropeçou numa serpente, que se enroscou no seu braço.*] **2** Girar em forma de rosca ou espiral [*td.*: *Falta enroscar um parafuso.*] **3** Abraçar-se, envolver-se [*tdr.* + *em*: *A menina enroscou-se no urso de pelúcia.*] **4** Dobrar-se sobre si mesmo; ENCOLHER-SE [*td.*: *Deitou no sofá e se enroscou.*] [▶ **11** enros**car**] [F.: *en-*² + *rosc(a)* + *-ar*². Ant. ger.: *desenroscar.* Hom./Par.: *enrosco* (fl.), *enrosco* [ô] (sm.), *enrosca* (fl.), *enrosca* (sf.), *enroscas* (fl.), *enroscas* (sfpl.).]

enrosco (en.*ros*.co) [ô] *sm.* **1** Ação ou resultado de enroscar; ENROSCAMENTO: *Queria desatar o enrosco da linha de ioiô.* **2** Qualquer coisa presa na linha de pescar [F.: Dev. de *enroscar.* Hom./Par.: *enrosco* (fl. de *enroscar*).]

enroupado (en.rou.*pa*.do) *a.* Envolvido em roupa, vestido, agasalhado [F.: Part. de *enroupar.*]

enroupar (en.rou.*par*) *v. td.* **1** Cobrir(-se) com roupa; VESTIR(-SE): *enroupar um bebê; Enroupou-se para ir abrir a porta.* **2** Cobrir(-se) com roupa pesada ou cobertores para conservar o calor; AGASALHAR(-SE) [▶ **1** enrou**par**] [F.: *en-*² + *roup(a)* + *-ar*².]

enrouquecer (en.rou.que.*cer*) *v.* Fazer que fique ou ficar rouco [*td.*: *Dar tantas aulas o enrouqueceu.*] [*int.*: *A cantora enrouqueceu.*] [▶ **33** enrouque**cer**] [F.: *en-*² + *rouc(o)* + *-ecer.*]

enrouquecido (en.rou.que.*ci*.do) *a.* Que enrouqueceu; ROUCO: "Palrando incessantemente, numa voz rude e grossa, enrouquecida em geral pelos ventos frios do mar..." (Virgílio Várzea, *Histórias rústicas*) [F.: Part. de *enrouquecer.*]

enrouquecimento (en.rou.que.ci.*men*.to) *sm.* Ação ou resultado de enrouquecer(-se); ROUQUIDÃO [F.: *enrouquec(er)* + *-imento.*]

enrubescer (en.ru.bes.*cer*) *v.* **1** Causar ou apresentar vermelhidão no rosto, devido a fadiga, vergonha, indignação etc.; CORAR; RUBORIZAR(-SE) [*td.*: *A corrida e a excitação a enrubesceram.*] [*int.*: *Riu sem jeito e enrubesceu; enrubescer de raiva.*] [*tr.*: *Edgar enrubesce com a gafe, e tenta disfarçar.*] **2** Tornar-se rubro, avermelhado [*int.*: *O horizonte enrubesceu.*] [▶ **33** enrubes**cer**] [F.: *en-*² + *rubescer.*]

enrubescido (en.ru.bes.*ci*.do) *a.* Que enrubesceu; que ficou avermelhado (rosto enrubescido); CORADO; RUBORIZADO [Ant.: *desenrubescido.*] [F.: Part. de *enrubescer.*]

enrubescimento (en.ru.bes.ci.*men*.to) *sm.* Ação ou resultado de enrubescer(-se); RUBOR [F.: *enrubesc(er)* + *-imento.*]

enrugado (en.ru.*ga*.do) *a.* Que se enrugou, que apresenta muitas rugas (testa enrugada) [F.: Part. de *enrugar.*]

enrugamento (en.ru.ga.*men*.to) *sm.* **1** Ação ou resultado de enrugar(-se) **2** *Geol.* Ação que provoca o aparecimento de rugas ou dobras nas rochas [F.: *enruga(r)* + *-mento.*]

enrugar (en.ru.*gar*) *v.* **1** Encher(-se) de rugas [*td.*: *O sofrimento enrugou seu rosto.*] [*int.*: *Apesar da idade avançada, não (se) enrugou.*] **2** Amassar(-se), amarrotar(-se) [*td.*: *Ao sentar-se, enrugou o vestido.*] [*int.*: *O linho enruga(-se) fácil.*] [▶ **14** enru**gar**] [F.: *en-*² + *ruga* + *-ar*².]

enrustido (en.rus.*ti*.do) *Bras. Pop. a.* **1** Diz-se de quem é muito introvertido **2** Diz-se de quem oculta sua homossexualidade *sm.* **3** Pessoa muito introvertida **4** Pessoa que oculta sua homossexualidade [F.: Part. de *enrustir.*]

enrustir (en.rus.*tir*) *Bras. Pop. v. td.* **1** Enganar (os cúmplices) na partilha de roubo **2** Esconder, tornar oculto: *Enrustiu seu talento musical por toda a vida.* [▶ **3** enrus**tir**] [F.: *en-*² + *rustir.* Hom./Par.: *enruste* (fl.), *enruste* (sm.), *enrustes* (fl.), *enrustes* (smpl.).]

ensaboada (en.sa.bo:*a*.da) *sf.* Ação ou resultado de ensaboar(-se); ENSABOADURA; ENSABOADELA [F.: *ensaboad(o)* + *-a.*]

ensaboado (en.sa.bo.*a*.do) *a.* **1** Lavado ou esfregado com sabão **2** Lavagem feita com sabão **3** Peça de roupa lavada com sabão [F.: Part. de *ensaboar.*]

ensaboar (en.sa.bo.*ar*) *v. td.* **1** Lavar(-se) com sabão: *Ao ensaboar o cabelo do bebê, lave também seu couro cabeludo; Ensaboou-se, sentindo a água no rosto.* **2** *Fig.* Admoestar, castigar, repreender: *Ensaboou a irmã quando viu sua tatuagem.* [▶ **16** ensabo**ar**] [F.: *en-*² + *sabão* (com perda da nasalidade) + *-ar*².]

ensacado (en.sa.*ca*.do) *a.* **1** Metido em saco ou saca (café ensacado) **2** *Fig.* Metido em lugar estreito **3** *Fig.* Diz-se da camisa ou blusa metida para dentro das calças [F.: Part. de *ensacar.*]

ensacador (en.sa.ca.*dor*) [ô] *a.* **1** Que ensaca ou que serve para ensacar *sm.* **2** Aquele que ensaca **3** Equipamento us. para ensacar **4** *Bras.* Atacadista ou exportador de café; ARMAZENÁRIO [F.: *ensacar* + *-dor.*]

ensacadora (en.sa.ca.*do*.ra) [ô] *sf.* Máquina própria para ensacar rapidamente grandes quantidades de produtos (ensacadora de farinha) [F.: Fem. de *ensacador.*]

ensacamento (en.sa.ca.*men*.to) *sm.* Ação ou resultado de ensacar [F.: *ensaca(r)* + *-mento.*]

ensacar (en.sa.*car*) *v. td.* **1** Meter em saco ou saca: *ensacar feijão* **2** *P.ext.* Meter (carne) em tripa preparada para esse fim, para fazer chouriço, linguiça etc. **3** *P.ext.* Guardar em segurança: *Ensacou o dinheiro antes de viajar.* [▶ **11** ensa**car**] [F.: *en-*² + *sac(o)* + *-ar*².]

ensaiado (en.sai.*a*.do) *a.* **1** Que se ensaiou, experimentou ou tentou **2** Treinado, exercitado (jogada ensaiada) [F.: Part. de *ensaiar.*]

ensaiador (en.sai.a.*dor*) [ô] *a.* **1** Que ensaia **2** *Mús. Teat.* Que dirige o ensaio de composições dramáticas, musicais ou coreográficas **3** Que analisa o contraste, o valor e o quilate dos metais *sm.* **4** Aquele que ensaia *sm.* **5** *Mús. Teat.* Aquele que dirige o ensaio de composições dramáticas, musicais ou coreográficas **6** Aquele que analisa o contraste, o valor e o quilate dos metais [F.: *ensaiar* + *-dor.*]

ensaiar (en.sai.*ar*) *v.* **1** Submeter(-se) a ensaio (1, 2) [*td.*: *Ensaiou a orquestra para a estreia.*] [*int.*: *A companhia teatral vai ensaiar hoje.*] **2** Experimentar, tentar, testar [*td.*: *O bebê ensaia seus primeiros passos.*] [*tdr.* + *em*: *Ensaiou o raciocínio dos alunos em diversas situações capciosas.*] **3** Repetir (texto, ação, jogada etc.) para memorizar ou aperfeiçoar(-se); EXERCITAR(-SE); ESTUDAR; TREINAR [*td.*: *Ultimamente ensaia mais o saque do que a defesa; Ensaiamos o diálogo exaustivamente.*] **4** Fazer tenção de, insinuar [*td.*: *Ensaiou uma resposta, mas desistiu.*] [▶ **1** ensai**ar**] [F.: *ensaio*¹ + *-ar*².] ∎ **Não se ~ para** *Lus.* Não desviar-se do principal, nem hesitar; ir direto ao ponto

ensaio¹ (en.*sai*:o) *sm.* **1** Treino para uma atividade ou algum evento: *Assistiu ao ensaio do coral.* **2** Experiência, experimento: *ensaio para o lançamento de um foguete.* **3** Tentativa: *Fez um ensaio de andar sem as muletas, mas ainda era cedo para isso.* **4** *Num.* Cunhagem experimental de moeda **5** *Mec.* Teste de desempenho de material ou equipamento segundo certos padrões e normas técnicas **6** *Lud.* No jogo de xadrez, tentativa de solucionar uma determinada configuração **7** *Filat.* Provas realizadas em diversas cores e tipos de papel antes da impressão definitiva de um selo [F.: Do lat. *exagium, ii.*]

ensaio² (en.*sai*:o) *sm. Liter.* Trabalho literário, artístico ou científico sobre determinado assunto: *Escreveu um ensaio sobre Machado de Assis.* [F.: Do lat. *exagium, ii*, por infl. do ing. *essay.*]

ensaísmo (en.sa.*ís*.mo) *sm. Liter.* Conjunto de textos, produzidos por escritores e/ou críticos literários, que discorrem sobre autores, tendências literárias, obras etc., adotando o ensaio como expressão; ENSAÍSTICA [F.: *ensaio* + *-ismo.*]

ensaísta (en.sa:*ís*.ta) *s2g. Liter.* Pessoa que escreve ensaios: "Malheiro Dias, cuja obra de romancista em Portugal, de ensaísta e periodista no Brasil..." (Afrânio Peixoto, *Maias e Estevas*) [F.: Do ing. *essayist.*]

ensaística (en.sa.*ís*.ti.ca) *sf. Liter.* Ver *ensaísmo* [F.: Fem. substv. de *ensaístico.*]

ensaístico (en.sa.*ís*.ti.co) *a.* Ref. a ensaio ou à ensaística (texto ensaístico) [F.: *ensaísta* + *-ico.*]

ensalmourado (en.sal.mou.*ra*.do) *a.* Conservado na salmoura (pepino ensalmourado) [F.: Part. de *ensalmourar.*]

ensalmourar (en.sal.mou.*rar*) *v. td.* Colocar (alimento) na salmoura; ENSALMOIRAR [▶ **1** ensalmou**rar**] [F.: *en-* + *salmoura* + *-ar.*]

ensamblador (en.sam.bla.*dor*) [ô] *Carp. a.* **1** Que ensambla ou entalha *sm.* **2** Marceneiro que ensambla ou entalha [F.: *ensambla(r)* + *-dor.*]

ensambladura (en.sam.bla.*du*.ra) *sf. Carp.* Ação ou resultado de ensamblar, de encaixar peças de madeira [F.: *ensamblar* + *-dura.*]

ensamblar (en.sam.*blar*) *v. td. Carp.* Ajustar, ligar, unir (peças de madeira); SAMBLAR; ENXAMBLAR [▶ **1** ensam**blar**] [F.: Do espn. *ensamblar.*]

ensancha (en.*san*.chas) *sfpl.* **1** Azo, ensejo, oportunidade: "O Júlio nesse momento... aproveitou a ensancha para um dito..." (Monteiro Lobato, *Cidades mortas*) **2** Porção que se deixa a mais na bainha de uma roupa, para se poder alargá-la quando for preciso [Nesta acp., tb. us. no sing.] [F.: Dev. de *ensanchar.* F. paral.: *ensanche.*]

ensanchar (en.san.*char*) *v. td.* **1** Alargar por meio de ensancha; AMPLIAR: *Ensanchar um vestido* **2** *Fig.* Ampliar(-se), estender(-se): *O acontecimento ensanchou a diferença entre os irmãos.* [▶ **1** ensan**char**] [F.: Do espn. *ensanchar.* Ant.: *reduzir.* Hom./Par.: *ensancha(s)* (fl.), *ensancha* (sf. e pl.); *ensanche* (fl.), *ensanche* (sm. e pl.).]

ensandecer (en.san.de.*cer*) *v.* **1** Enlouquecer, endoidecer [*td.*: *Com seu carisma, o astro ensandeceu a plateia.*] [*int.*: *Ensandeceram de tanto trabalhar.*] **2** Tornar(-se) sandeu, parvo; APATETAR(-SE) [*td.*: *Esta notícia o ensandecerá.*] [*int.*: *Ensandeceu depois da tragédia familiar.*] [▶ **33** ensande**cer**] [F.: *en-*² + *sand(eu)* + *-ecer.*]

ensandecido (en.san.de.*ci*.do) *a.* Que ensandeceu; ENLOUQUECIDO; ENDOIDECIDO; TRESLOUCADO [F.: Part. de *ensandecer.*]

ensanduichado (en.san.du:i.*cha*.do) *a.* **1** Metido entre duas fatias, esp. de pão (pepino ensanduichado) **2** *Fig.* Espremido em espaço apertado: *um carro ensanduichado entre dois ônibus; noticiário ensanduichado entre as novelas.* [F.: Part. de *ensanduichar.*]

ensanduichar (en.san.du.i.*char*) *v.* **1** Fazer sanduíche com [*td.*: *Ensanduichou a carne assada.*] [*tdr.* + *em*: *Ensanduichou o presunto em fatias de pão francês.*] **2** Apertar(-se), espremer(-se) entre duas coisas ou pessoas [*td.*: *Os dois zagueiros ensanduicharam o atacante.*] [*tda.*: *O carro ensanduichou-se entre dois ônibus.*] [▶ **18** ensandui**char**] [F.: *en-* + *sanduíche* + *-ar.* Sin. ger: *sanduichar.*]

ensanguentado (en.san.guen.*ta*.do) *a.* **1** Coberto de sangue: *As mãos ensanguentadas de Jesus.* **2** De onde corre sangue (ferida ensanguentada) **3** Sanguinolento, em que há muitas cenas de sangue: *O drama ensanguentado que está em cartaz no teatro.* [F.: Part. de *ensanguentar.*]

ensanguentar (en.san.guen.*tar*) *v.* **1** Cobrir(-se) ou manchar(-se) de sangue [*td.*: *A ferida abriu e ensanguentou a atadura.*] [*int.*: *Ensanguentou-se na queda.*] **2** *Fig.* Dar cor de sangue a [*td.*: *O sol poente ensanguentava a paisagem.*] **3** *Fig.* Macular, manchar [*td.*: *Os excessos ensanguentaram sua reputação.*] [▶ **1** ensanguen**tar**] [F.: *en-*² + *sangu(e)* + *-entar.*]

ensaque (en.*sa*.que) *sm.* Ação ou resultado de ensacar; ENSACAMENTO [F.: Dev. de *ensacar.* Hom./Par.: *ensaque* (fl. de *ensacar*).]

ensardinhado (en.sar.di.*nha*.do) *a.* **1** Apertado como sardinha dentro de lata: *viajava ensardinhado no vagão do trem.* **2** Que tem gosto de sardinha (anchova ensardinhada) [F.: *en-* + *sardinha* + *-ado*².]

ensarilhado (en.sa.ri.*lha*.do) *a.* **1** Embaraçado, emaranhado: "Ensarilhado e confuso, dobrava sem descanso por becos e travessas imundas." (Rebelo da Silva, *De noite*) **2** Diz-se de armas apoiadas em sarilho (8), i. é, colocadas no chão apoiadas umas às outras pelas varetas **3** *Fig.* Depostas (as armas) em consequência de tratado de paz [F.: Part. de *ensarilhar.*]

ensarilhar (en.sa.ri.*lhar*) *v.* **1** Enrolar (fio) em sarilho (1, 2) [*td.*: *ensarilhar lã.*] **2** Embaraçar, emaranhar [*td.*: *Na confusão, ensarilhou suas linhas de pesca.*] **3** Apoiar em sarilho (8) ou pôr (armas) no chão apoiadas umas nas outras pelos canos ou baionetas [*td.*] **4** *P.ext.* Depor (armas), em sinal de rendição [*td.*] **5** Andar de um lado para o outro, sem descanso [*int.*] **6** *Fig.* Meter (alguém ou a si mesmo) em sarilho (10, 11), confusão [*td.*: *Terminava sempre por ensarilhar os colegas.*] [*int.*: *Bastava beber para ensarilhar-se.*] [▶ **1** ensari**lhar**] [F.: *en-*² + *sarilho* + *-ar*².]

◎ **-ense** *suf. nom.* Formador de adj. e subst., correlato, em port., por via erudita de *-ês* (ver), *-ense* é o grande gerador de gentílicos (a2g. s2g.) da língua. Da noção de 'relação, referência ou pertinência' (ex. *arvense* e *circense*) surgiu já no latim a especialização para a formação de gentílicos (com o sentido de 'referente ou pertencente a, ou típico ou próprio de dado local ou de seus habitantes' e de 'natural ou habitante de dado lugar [esp. cidade, estado ou região, por vezes, país]'), como: *amazonense, ateniense* (< lat.), *cartaginense* (< lat.), *colossense* (< lat.), *constantinense, cristianense, cruzeirense, custodiense, deltense, deodorense, dionisiense, divinense, dom-pedrense, dublinense, dutrense, eldoradense, eloiense, esmeraldense, espinosense, gabrielense, getuliense, gramadense, guaiçarense, ibitinguense, ilha-grandense, inhaumense, ipanemense, jabotiense, jacobinense, jaguarense, jardinense, juazeirense, juremense, lafaietense, lajeadense, leopoldense, lindoiense, macapaense, machadense, mafrense, mato-grossense, mirabelense, miracatuense, mombacense, monte-altense, nanuquense, natalense, niteroiense, nogueirense, oiapoquense, olegariense, olimpiense, olindense, orientense, ouvidorense, paduense, palmeirense, peixe-boiense, pindoramense, porto-alegrense, quintanense, quixadaense, rafaelense, registrense, remansense, ribeirão-clarense, rio-docense, roraimense, rubiacense, são-bentoense, são-borjense, siqueirense, sousense, sul-rio-grandense, tabatinguense, taiuvense, tesourense, tietense, tomarense, torrense, triunfense, uberabense, uchoense, umariense, uruanense, valadarense, valentinense, valparaisense, vera-cruzense, xapuriense, xavantinense, xaxinense, xexeuense, xinguense, zabelense, zacariense, zairense* [F.: Do lat. *-ensis, e* (pl. *-enses, ium*).]

enseada (en.se:*a*.da) *sf.* **1** Pequena baía, capaz de abrigar porto ou ancoradouro; ANGRA **2** *Bras.* Entrada de campo alagadiço **3** *GO* Margens sombrias de rios ou córregos **4** *N.* Campo entre dois igarapés, fechado por mato em todos os lados menos um [F.: *en-*² + *se(io)* + *-ada.*]

ensebado (en.se.*ba*.do) *a.* **1** Untado com sebo **2** Sujo ou engordurado (roupas ensebadas) [F.: Part. de *ensebar.*]

ensebar (en.se.*bar*) *v.* **1** Passar sebo ou óleo em (algo, alguém ou si mesmo) [*td.*: *Ensebei um pouco as pernas antes de vestir o escafandro.*] [*int.*: *Ensebou-se todo consertando o carro.*] **2** Sujar(-se), enodoar(-se) com gordura, ou pelo uso [*td.*: *O manuseio ensebou estes livros.*] [*int.*: *Sem coifa, a cozinha enseba-se.*] [▶ **1** ense**bar**] [F.: *en-*² + *seb(o)* + *-ar*².]

ensejar (en.se.*jar*) *v.* **1** Dar ensejo a, ser motivo de; MOTIVAR; POSSIBILITAR [*td.*: *A vitória do time ensejou uma grande comemoração.*] [*tdi.* + *a*: *O livro ensejou-lhe novas ideias.*] **2** Apresentar-se ocasião de [*ti.* + *a*: *Ensejou-se a João uma ótima oportunidade de trabalho.*] [▶ **1** ense**jar**] [F.: Do lat. *insidiare.* Hom./Par.: *ensejo* (fl.), *ensejo* [ê] (sm.).]

ensejo (en.*se*.jo) [ê] *sm.* Ocasião, oportunidade: "Quando findou o jantar e os cavalheiros foram para a sala dos fumantes, a esperta viúva teve ensejo de ficar com a Lúcia." (Afrânio Peixoto, *A esfinge*) [F.: Dev. de *ensejar.*]

⊕ **ensemble** (*Fr.* /ansamble/) *sm.* **1** *Mús.* Grupo estável de instrumentistas, cantores etc. que se apresentam juntos em público **2** *Vest.* Roupa feminina, ger. de duas peças (p. ex.: saia e casaco), feitos para combinar **3** *Fís.* Conjunto

cujos elementos constituem sistemas de partículas capazes de descrever um único sistema dado
◎ **ensi-** *pref.* = espada: *ensiforme*
ensiforme (en.si.*for*.me) *a2g. Bot.* Que tem forma de espada (folha ensiforme) [F.: *ensi-* + *-forme*.]
ensilado (en.si.*la*.do) *a.* Preparado e guardado em silo (diz-se de cereal, forragem etc.) [F.: Part. de *ensilar*.]
ensiladora (en.si.la.*do*.ra) [ô] *sf.* Ver *ensiladeira*
ensilagem (en.si.*la*.gem) *sf. Bras.* Ação ou resultado de ensilar [Pl.: *-gens*.] [F.: *ensilar* + *-agem*.]
ensilar (en.si.*lar*) *v. td. Bras.* Armazenar em silo: *Ensilou grande quantidade de cereais.* [▶ 1 ensilar] [F.: *en-* + *silo* + *-ar*.]
ensimesmado (en.si.mes.*ma*.do) *a.* Concentrado em si mesmo [F.: Part. de *ensimesmar*.]
ensimesmamento (en.si.mes.ma.*men*.to) *sm.* Ação ou resultado de ensimesmar-se; o estado de quem está ensimesmado; CONCENTRAÇÃO; RECOLHIMENTO: *O desgosto deixou-o num lamentável ensimesmamento.* [Ant.: *dispersão, extroversão*.] [F.: *ensimesmar* + *-mento*.]
ensimesmar-se (en.si.mes.*mar*-se) *v.* Absorver-se em si mesmo, sem interesse pelo que se encontra ao redor; CONCENTRAR-SE [*int.*: *Ensimesmava-se cada vez mais.*] [*tr.* + *em*: *Ensimesmava-se em lembranças de tempos mais felizes.*] [▶ 1 ensimesmar-se] [F.: Do espn. *ensimismarse*.]
ensinado (en.si.*na*.do) *a.* **1** Que se ensinou; que se mostrou com ensinamento **2** Adestrado, domesticado (cão ensinado) [F.: Part. de *ensinar*.]
ensinamento (en.si.na.*men*.to) *sm.* **1** Ação ou resultado de ensinar **2** Conjunto de ideias ou valores que se ensinam: *Os ensinamentos do velho mestre.* **3** Aquilo que serve de exemplo, de lição: *Extraiu um grande ensinamento daquela experiência.* [F.: *ensina(r)* + *-mento*.]
ensinança (en.si.*nan*.ça) *sf. P.us.* Ensino, instrução: *D. Duarte de Avis escreveu o "Livro da ensinança de bem cavalgar toda a sela".* [F.: *ensinar* + *-ança*.]
ensinar (en.si.*nar*) *v.* **1** Dar orientação ou educação a; EDUCAR; ORIENTAR [*td.*: *Uma das missões dos pais é ensinar os filhos.*] **2** Dar aulas (de); LECIONAR [*td.*: *Ensinava matemática e física.*] [*tdi.* + *a*: *Ensinou a turma a nadar.*] [*int.*: *Aposentou-se, mas continuou a ensinar.*] **3** Fazer adquirir ou adotar, por ensinamento ou por experiência [*td.*: *O tempo ensina a paciência.*] [*tdi.* + *a*: "... e ensinava aos homens a prática do bem..." (Cecília Meireles, *Rui*)] **4** Indicar, mostrar [*td.*: *ensinar um truque.*] [*tdi.* + *a*: *Ensinou o caminho aos turistas.*] **5** Adestrar, treinar (animal) [*td.*] [▶ 1 ensinar] [F.: Do lat. vulg. *insignare.* Hom./Par.: *ensino* (fl.), *ensino* (sm.).]
ensino (en.*si*.no) *sm.* **1** Ação, resultado ou processo de ensinar, de transmitir conhecimentos **2** O conjunto de métodos e técnicas utilizados nesse processo **3** Professorado, magistério **4** O mesmo que *educação* [F.: Dev. de *ensinar*.] ∎ **~ a distância** Sistema educacional no qual não há proximidade física entre educador e educando, realizando-se por programas de rádio e televisão, por correspondência postal etc.; teleducação **~ de primeiro grau** *Pedag.* Antiga denominação do período escolar de ensino que, no Brasil, passou a ser designado como *ensino fundamental*, e que compreende, em ambos os casos, do 1º ano ao 9º ano [Tb. apenas *Primeiro grau*. Cf.: *Ensino fundamental*.] **~ de segundo grau** *Pedag.* Antiga denominação do período escolar de ensino que, no Brasil, passou a ser designado como *ensino médio*, e que compreende, em ambos os casos, da 1ª série à 3ª série; seguia-se ao ensino de primeiro grau (hoje *ensino fundamental*) e habilitava para o ingresso em curso superior [Tb. apenas *Segundo grau*. Cf.: *Ensino médio*.] **~ fundamental** *Pedag.* O primeiro período de ensino escolar (anteriormente denominado *de primeiro grau*), ministrado no Brasil em nove anos, e dividido em dois ciclos: o primeiro, do 1º ano ao 5º ano (antigo ensino primário), e o segundo, do 6º ano ao 9º ano (antigo ensino secundário, ou ginasial) **~ médio** O período de ensino escolar que se segue ao fundamental (anteriormente denominado *de segundo grau*), portanto ministrado no Brasil aos alunos a partir do 9º ano do ensino fundamental, durante três anos letivos (1ª série à 3ª série) **~ primário** *Pedag.* Antiga denominação do período de ensino que correspondia ao primeiro ciclo do ensino fundamental (1ª série à 4ª série) **~ secundário** *Pedag.* Antiga denominação o período de ensino que correspondia ao segundo ciclo do ensino fundamental (5ª série à 8ª série) **~ superior** Ensino em nível universitário, ministrado em faculdades, escolas superiores e universidades **~ supletivo** Modalidade de ensino criada no Brasil para suprir escolarização regular aos adolescentes (acima de 18 anos de idade) e adultos que não a tenham completado, ou a aperfeiçoá-la e atualizá-la aos que a tenham completado mas necessitem de reforço; é ministrado em salas de aula ou por meio de ensino a distância, e se conclui com a prestação de exames correspondentes aos de conclusão do ensino fundamental ou do ensino médio [Tb. apenas *supletivo*.]
ensoado (en.so:*a*.do) *a.* **1** Diz-se de fruta que teve o desenvolvimento prejudicado pelo excesso de calor (figos ensoados) **2** Que provoca sensação de abafamento (deserto ensoado) **3** *Fig.* Enfraquecido, extenuado pelo calor [F.: Do lat. *insolatus, a, um*, 'posto ao sol'.]
ensoberbecer (en.so.ber.be.*cer*) *v.* **1** Tornar(-se) soberbo, orgulhoso, vaidoso [*td.*: *O sucesso do filho ensoberbecia o pai.*] [*int.*: *Ensoberbeceu-se com a vitória.* Ant.: *desensoberbecer.*] **2** Ficar agitado (mar, vento) [*int.*] [▶ 33 ensoberbecer] [F.: *en-* + *soberba* + *-ecer*. Sin. ger.: *desensoberbecer*.]
ensolarado (en.so.la.*ra*.do) *a.* Cheio de sol (dia ensolarado); ENSOALHADO [F.: *en-²* + *solar²* + *-ado*.]
ensolarar (en.so.la.*rar*) *v.* **1** Lançar os raios sobre, brilhar (o Sol) [*int.*: *A planície ensolarou-se:* "Se há luar sou sua / Se ensolarar sou do céu" (Fernanda Abreu, *Sol-Lua*)] **2** *P.ext.* Iluminar(-se), tornar(-se) claro, arejado, alegre [*td.*: *A luz da manhã ensolarou a casa.*] [*int.*: *Com a chegada do estrangeiro, o vilarejo ensolarou-se.*] **3** *Fig.* Tornar(-se) revigorado, renovado [*td.*: *A temporada na praia com certeza ensolará a saúde do menino.*] [*int.*: *Depois do longo luto, é bom vê-lo ensolarar-se novamente.*] [▶ 1 ensolarar] [F.: *en-* + *sol* + *-arar*.]
ensombrado (en.som.*bra*.do) *a.* **1** Que se ensombrou; que tem sombra; ENSOMBREADO: *rosto ensombrado pelo chapéu.* **2** Tomado de tristeza; ENTRISTECIDO: "...olho pela janela o rio que desliza lá embaixo, ensombrado de melancolia, cheio de lassidão..." (Lima Barreto, *Memórias do escrivão Isaías Caminha*) [F.: Part. de *ensombrar*. Sin. ger.: *ensombrecido*.]
ensombrar (en.som.*brar*) *v.* **1** Cobrir(-se) de sombra; ENSOMBREAR(-SE); SOMBREAR(-SE) [*td.*: *A falta de luz ensombrou a mansão.*] [*int.*: *O céu ensombrou-se de nuvens escuras.*] **2** Tornar(-se) ou ficar abatido, melancólico, triste [*td.*: *O funesto acontecimento ensombrava sua vida.*] [*int.*: *Ensombrara ao ouvir a notícia.*] [▶ 1 ensombrar] [F.: *en-²* + *sombra* + *-ar²*. Ant. ger.: *desensombrar*. Hom./Par.: *ensombro* (fl.), *ensombro* (sm.).]
ensombrear (en.som.bre.*ar*) *v. td.* Tornar(-se) sombrio, cheio de trevas; ENSOMBRAR(-SE); ENSOMBRECER(-SE) [▶ 13 ensombrear] [F.: *en-* + *sombra* + *-ear*.]
ensombrecer (en.som.bre.*cer*) *v. td. int.* Mesmo que *ensombrar* [▶ 33 ensombrecer] [F.: *en-* + *sombra* + *-ecer*.]
ensombrecido (en.som.bre.*ci*.do) *a.* Que se ensombreceu (campo ensombrecido); ENSOMBRADO [F.: Part. de *ensombrecer*.]
ensopado (en.so.*pa*.do) *a.* **1** Que se ensopou, que está muito molhado; ENCHARCADO: "Flávia lá estava aconchegadinha..., umas vezes tremendo de frio, outras ensopada de chuva." (Camilo Castelo Branco, *A enjeitada*) *sm.* **2** *Cul.* Carne em pequenos pedaços (ou camarão, peixe etc.) cozida em molho, com batatas ou legumes [F.: Part. de *ensopar*.]
ensopar (en.so.*par*) *v.* **1** Encharcar(-se), empapar(-se) [*td.*: *Ensopou o pano com desinfetante; Ensopou-se na chuva.*] **2** Mergulhar em líquido; EMBEBER [*tdr.* + *em*: "...Amélia gostava de ensopar o miolo do pão no molho do guisado..." (Eça de Queirós, *O crime do padre Amaro*)] **3** *Cul.* Preparar ensopado de [*td.*: *ensopar a carne.*] **4** *Cul.* Transformar em sopa [*td.*] **5** *Bras. Esp.* Vencer facilmente, com grande vantagem [*td.*] **6** *Bras. Pop.* Ser íntimo de [*td.*] [▶ 1 ensopar] [F.: *en-* + *sopa* + *-ar*. Hom./Par.: ensopado (fl.), *ensopado* (a.).]
ensurdecedor (en.sur.de.ce.*dor*) [ô] *a.* **1** Que faz ensurdecer (barulho ensurdecedor) **2** Que produz ruído muito alto (buzina ensurdecedora) [F.: *ensurdecer* + *-dor*.]
ensurdecer (en.sur.de.*cer*) *v.* **1** Tornar(-se) surdo ou perder a audição [*td.*: "Eram relâmpagos e trovões de encandear e ensurdecer a gente." (Domingos Olímpio, *Luzia Homem*)] [*int.*: "...e os que deviam ouvir ensurdeceram..." (Cecília Meireles, "Perguntas para o ar", *in Crônicas de educação 2*)] **2** Deixar atordoado; ATORDOAR [*td.*: "...Godard desesperava...falava alto para se ensurdecer..." (João do Rio, *Dentro da noite*)] **3** Abafar (o som de) ou ficar abafado [*td.*: *Fechamos as janelas para ensurdecer as buzinas.*] [*int.*: *Os metais ressoavam, mas não ensurdeciam.*] **4** *Fig.* Não dar atenção ou não fazer caso do que se diz [*tr.* + *a*: *Teimoso, ensurdecia aos pedidos de todos.*] **5** *Fon.* Tornar(-se) surdo, perder a sonoridade [*td.*: *A ausência de vibração das cordas vocais ensurdece as consoantes.*] [*int.*: *Ocorrendo em final de palavra, essas consoantes ensurdecem.*] **6** *Grav.* Abater os reflexos (dos talhos do buril) [*td.*] **7** *Pint.* Diminuir a vivacidade da luz e a precisão dos pormenores (nas meiastintas) [*td.*] [▶ 33 ensurdecer] [F.: *en-²* + *surd(o)* + *-ecer*. Hom./Par.: *ensurdecido* (fl.), *ensurdecido* (a.).]
ensurdecido (en.sur.de.*ci*.do) *a.* Tornado surdo: "Ensurdecido pela clamor das marés..." (Eça de Queirós, *Prosas bárbaras*) [F.: Part. de *ensurdecer*.]
ensurdecimento (en.sur.de.ci.*men*.to) *sm.* **1** Ação ou resultado de ensurdecer **2** *Ling.* Perda da sonoridade em palavra ou frase proferida [F.: *ensurdec(er)* + *-imento*.]
entablamento (en.ta.bla.*men*.to) *Arq. sm.* **1** Na arquitetura clássica, o conjunto constituído pela parte superior de uma construção, formado pela arquitrave, friso e cornija **2** O conjunto de molduras horizontais que constituem o acabamento superior de uma fachada [F.: Do fr. *entablement*.]
entabuado (en.ta.bu.*a*.do) *a.* **1** Que se entabuou **2** Coberto, forrado ou revestido com tábuas **3** *Fig.* Muito duro [Ant.: *amolecido, mole*.] [F.: Part. de *entabuar*.]
entabuar (en.ta.bu.*ar*) *v.* **1** Forrar com tábuas (piso, parede etc.); ENTABULAR [*td.*] **2** Ficar coberto de nuvens [*int.*: *O céu entabuou pela manhã.*] **3** *Fig.* Ficar rijo como uma tábua [*int.*: *Entabuou-se ao ver o severo professor.*] [▶ 1 entabuar] [F.: *en-* + *tábua* + *-ar*. Ant.: *desentabuar*.]
entabulado (en.ta.bu.*la*.do) *a.* Que se entabulou; ENCETADO; EMPREENDIDO: "Contava de negócios entabulados para fornecimento de grande proporção." (Samuel Maia, *Mudança de ares*) [F.: Part. de *entabular*.]
entabular (en.ta.bu.*lar*) *v. td.* **1** Guarnecer ou revestir de tábuas: *Entabulou todo o quarto.* **2** Pôr em ordem (um negócio, uma questão); DISPOR; PREPARAR: *entabular a ação judicial.* **3** Dar início a (conversa, negociação etc.); ENCETAR; INICIAR: "...dirigiu-lhe uma indireta com que se propunha a entabular a conversa..." (José de Alencar, *Senhora*) **4** Pôr em prática (um negócio); EMPREENDER: "Brotou a ideia de entabular comércio..." (Capistrano de Abreu, *Capítulos da história colonial*) **5** Estabelecer relações: *entabular relações com os vizinhos.* **6** Tornar alguém apto a conseguir alguma coisa: *O professor entabula seus alunos para os concursos.* **7** *Bras. RS* Juntar (manada de éguas) acostumando a um mesmo lugar e a um só garanhão [▶ 1 entabular] [F.: Posv. deriv. erudita de *en-²* + *tábula* + *-ar²*.]
entaipado (en.tai.*pa*.do) *a.* **1** Coberto ou envolvido com taipas ou estuque **2** Emparedado **3** *Fig.* Coberto, envolvido: "Cara vermelha como uma malagueta e pescoço entaipado numa disforme gravata branca..." (Bulhão Pato, *Digressões*) [F.: Part. de *entaipar*.]
entaipar (en.tai.*par*) *v. td.* **1** *Cons.* Bater (a terra) entre taipais; ASSENTAR **2** Cercar com taipas: *entaipar o terreno.* **3** *Cons.* Cobrir de taipas ou taipais **4** Erguer paredes de taipas em; EMPAREDAR: *entaipar uma casa.* **5** *Fig.* Fechar(-se) em cárcere; ENCARCERAR; ENCERRAR; ENCLAUSURAR: "Mereciam (...) que lhes queimassem as roupetas na fogueira e os entaipassem vivos." (Rebelo da Silva, *Mocidade*) **6** *Cul.* Assentar bem o açúcar na forma com um pilão [▶ 1 entaipar] [F.: *en-²* + *taipa* + *-ar²*. Ant. ger.: *desentaipar*.]
entalada (en.ta.*la*.da) *sf.* Ver *entaladela* [F.: Fem. substv. de *entalado*.]
entaladela (en.ta.la.*de*.la) *sf.* Situação difícil, complicada; APURO; DIFICULDADE; ENTALADA: "..., tarde me arrependo e não sei como me livre de semelhante entaladela,..." (Joaquim Manuel de Macedo, *A moreninha*) [F.: *entalar* + *-dela*.]
entalado (en.ta.*la*.do) *a.* **1** Apertado entre talas (dedo entalado) **2** *Fig.* Apertado em lugar estreito: *Ficou entalado na roleta do ônibus.* **3** *Fig.* Impossibilitado de sair: *A resposta ficou entalada; Tem uma espinha entalada na garganta.* **4** *Fig.* Envolvido em situação difícil; ENRASCADO: *Está entalado em dívidas.* [F.: Part. de *entalar*.]
entalar (en.ta.*lar*) *v.* **1** Colocar tala(s) em; apertar com tala(s) [*td.*: *Entalou o braço fraturado:* "...uma tiara que amarra nos pulsos feito pulseira de couro de entalar punho que abriu." (Antonio Callado, "O dia da ressaca" *in Reflexos do baile*)] **2** Pôr ou ficar preso em lugar apertado, de difícil saída [*td.*: *Entalou o dedo no bocal da torneira; Entalou-se na cabine telefônica:* "Enquanto entalava a ponta do guardanapo entre o pescoço e o colarinho..." (Miguel Torga, "Um dia triste" *in Rua – Contos*)] [*int.*: *Com aquela mochila enorme, entalou na porta do ônibus.*] **3** Fazer que fique ou ficar com a garganta obstruída; ENGASGAR [*td.*: *A espinha de peixe entalou o menino; Entalou-se com o osso de galinha.*] [*int.*: *Entalou com a farofa.*] **4** *Fig.* Fazer ficar ou ficar sem saber o que fazer ou o que falar; ENCALACRAR(-SE); ENROLAR(-SE) [*td.*: *Entalou o que ia dizer; Entalou-se com a resposta que ia dar.*] [*int.*: *Não estudou e acabou entalando na prova.*] **5** Meter(-se) em situação embaraçosa; embaraçar(-se) [*td.*: *Entalou os alunos com uma pergunta irrespondível; Entalou-se de susto.*] [*int.*: *Entalou de nervosismo.*] **6** *Lus.* Cozinhar rapidamente (alimento) em fogo alto [*td.*] [▶ 1 entalar] [F.: *en-* + *tala* + *-ar*. Ant. ger.: *desentalar*. Hom./Par.: *entalo* (fl.), *entalo* (sm.); *entala(s)* (fl.), *entala* (sf. [e pl.]).]
entalhação (en.ta.lha.*ção*) *sf.* Ação ou resultado de entalhar, entalhadura [Pl.: *-ções*.] [F.: *entalha(r)* + *-ção*.]
entalhado (en.ta.*lha*.do) *a.* **1** Que se entalhou; ESCULPIDO **2** *Arq.* Feito de talhas: "Uma armação rica... realça o primor dos tetos entalhados e enobrecidos de pastas de ouro." (Rebelo da Silva, *De noite*) [F.: Part. de *entalhar*.]
entalhador (en.ta.lha.*dor*) [ô] *a.* **1** Que entalha *sm.* **2** Aquele que entalha, que faz trabalhos, ger. artísticos, em madeira **3** Instrumento próprio para entalhar [F.: *entalha(r)* + *-dor*.]
entalhadura (en.ta.lha.*du*.ra) *sf.* **1** Ação ou resultado de entalhar; ENTALHE; ENTALHAÇÃO **2** Escultura ou gravura entalhada em madeira: "... as caudas terminadas em leque, perfeitamente em harmonia com relevos e entalhaduras da popa." (Virgílio Várzea, *Histórias rústicas*) [F.: *entalha(r)* + *-dura*.]
entalhamento (en.ta.lha.*men*.to) *sm.* Ação ou resultado de entalhar; ENTALHADURA; ENTALHAÇÃO [F.: *entalha(r)* + *-mento*.]
entalhar (en.ta.*lhar*) *v.* **1** Recortar (madeira ou outro material) para fazer escultura, entalhe ou matriz de xilogravura; GRAVAR; ESCULPIR [*td.*] **2** *Carp.* Embutir por meio de entalhe [*int.*] [▶ 1 entalhar] [F.: *en-¹* + *talhar*. Hom./Par.: *entalha* (fl.), *entalha* (sf.); *entalhas* (fl.), *entalhas* (pl. do sf.); *entalhe* (fl.), *entalhe* (sm.); *entalhes* (fl.), *entalhes* (pl. do sm.); *entalho* (fl.), *entalho* (sm.).]
entalhe (en.*ta*.lhe) *sm.* **1** Incisão feita em madeira, ger. por entalhador; ENTALHADURA; ENTALHAÇÃO: *cadeira com delicados entalhes.* **2** Escultura ou gravura em madeira **3** Peça que apresenta figuras entalhadas **4** *Mar.* Corte feito em um mastro para nele ajustar outra peça [F.: Dev. de *entalhar*. Tb. *entalho*.]
entalho (en.*ta*.lho) *sm.* Ver *entalhe*
entalo (en.*ta*.lo) *sm.* **1** *Pop.* Ação ou resultado de entalar **2** Dificuldade em deglutir; ENGASGO [F.: Dev. de *entalar*. Hom./Par.: *entalo* (fl. de *entalar*).]
entalpia (en.tal.*pi*.a) *sf. Fís.* Conteúdo de calor de um sistema que corresponde à soma de sua energia interna com

o produto da pressão pelo volume do sistema [Símb.: *H.*] [F.: *en-*[1] + gr. *thálpos, eos-ous,* 'calor do sol' + *-ia.*] **■ ~ de fusão** *Fís.* Sob pressão constante, a quantidade de calor necessária para fundir uma substância; calor de fusão **~ de sublimação** *Fís.* Sob pressão constante, quantidade de calor necessária para transformar um sólido em vapor sem antes liquefazê-lo; calor de sublimação **~ livre** *Fís.-Quím.* Função expressa pela diferença entre a entalpia e o produto da entropia pela temperatura; função de Gibbs.

entanguido (en.tan.*gui*.do) ***a.*** **1** Tolhido, traspassado de frio; ENREGELADO: "Pelos fins de maio, a entrada do frio, é entanguido como um súdito de Nicolau exilado nas Sibérias..." (Monteiro Lobato, *Urupês*) **2** Encolhido, contraído: "Esfregou-os, arrastou-se pesado e entanguido, mal seguro à bengala..." (Graciliano Ramos, "A última noite de Natal", *in Linhas tortas*) [Ant.: *descontraído, estendido.*] **3** *Fig.* Que não se desenvolveu (menino entanguido); FRANZINO; RAQUÍTICO [Ant.: *desenvolvido, robusto.*] [F.: Part. de *entanguir.*]

entanguir (en.tan.*guir*) ***v. td. int.*** Fazer ficar ou ficar duro de frio; ENREGELAR(SE) [▶ **58 entanguir**] [F.: Possív. de *en-* + *tango* (pau que se fica no chão, em certo jogo) + *-ir.*]

entanto (en.*tan*.to) ***sm.*** **1** Us. na loc. no ~; Entretanto; apesar disso: *O filme é ótimo, no entanto, não fez sucesso.* ***adv.*** **2** Enquanto isso, nesse meio tempo, entretanto [F.: *em* + *tanto.*] **■ No ~ 1** Enquanto isso, nesse meio tempo: *Esperava-o ansiosa, e, no entanto, arrumava o quarto.* **2** Contudo, ainda assim: *Percebia-lhe os defeitos, no entanto simpatizava com ele.*

então (en.*tão*) ***adv.*** **1** Nesse ou naquele momento: *Foi então que percebi como tinha sido ingênua.* **2** Naquela época: *Namorava-se então no portão de casa.* **3** Nesse caso, assim sendo: *Se isso é verdade, então vamos denunciá-lo.* **4** No discurso, com forma interrogativa, reclama continuação do que está sendo contado: *E então? O que ela respondeu?* ***conj.concl.*** **5** Portanto, logo: *Grande parte fizemos juntos, então vamos continuar assim.* [F.: Do lat. *intunc.*]

◎ **-entar** ***suf.*** = ação frequentativa ou motivada: *acalentar, alimentar, frequentar etc.* [Suf. v. da 1.a. conj.]

entardecer (en.tar.de.*cer*) ***sm.*** O cair da tarde; o pôr do sol [F.: *en-*[2] + *tarde* + *-ecer.*]

◎ **-ente** ***suf.*** Ver *-nte*

ente (*en*.te) ***sm.*** **1** O que existe, ou o que se supõe que exista; ser ou coisa **2** Indivíduo, pessoa (ente querido) **3** *Fil.* Tudo que existe de maneira concreta, fática, que faz parte da realidade circundante [F.: Do lat. *ens, entis.*] **■ ~ de Deus** *N.E. Pop.* Criatura, pessoa **~ de razão** Ente imaginário, fantasioso **~ real** Ente de existência real **~ Supremo** Deus

enteado (en.te:*a*.do) ***sm.*** Filho de casamento anterior em relação ao cônjuge atual de alguém [F.: Do adv. lat. *ante,* 'antes', + adj. lat. *natus, a, um,* 'nascido'.] **■ ~ da fortuna/da sorte** Pessoa mal-aventurada, malfadada

entebense (en.te.*ben*.se) ***s2g.*** **1** Indivíduo nascido ou que vive em Entebe (capital de Uganda) ***a2g.*** **2** De Entebe; típico dessa cidade ou de seu povo [F.: Do top. *Entebe* + *-ense.*]

entecado (en.te.*ca*.do) ***a.*** *RS* Fraco, debilitado, doente: "...e o arvoredo do seu plantio crescia entecado e mal floria..." (Simões Lopes Neto, "A salamanca do Jarau", *in Lendas do Sul*) [F.: Part. de *entecar.*]

entecar (en.te.*car*) *RS* ***v. int.*** **1** Perder a ação; ficar imobilizado **2** Perder a saúde; ficar doente [▶ **11 entecar**] [F.: Do espn. plat. *entecarse.* Hom./Par.: *enticar* (vários tempos do v.).]

entediado (en.te.di.*a*.do) ***a.*** **1** Que sente tédio, que se entediou; ENFASTIADO **2** Que revela enfado, aborrecimento ou desânimo [F.: Part. de *entediar.* Sin. ger.: *enfadado.*]

entediante (en.te.di.*an*.te) ***a2g.*** Que provoca tédio (discurso entediante); ENFADONHO; MAÇANTE [Ant.: *deleitante, divertido, interessante.*] [F.: *entediar* + *-nte.*]

entediar (en.te.di.*ar*) ***v.*** **1** Causar ou sentir tédio; ABORRECER; ENFADAR; ENJOAR [***td.***: *Entediava-o a mesmice dos programas musicais.*] [***int.***: *A solidão entedia, deprime; Tirou férias, foi pescar, entediou-se e voltou ao trabalho.*] **2** *Fig.* Fazer ficar ou ficar aborrecido, incomodado; ABORRECER; IRRITAR [***td.***: "...outro problema cuja análise me entediava..." (João Ubaldo Ribeiro, *Diário do farol*)] [***tr.*** + de: *Entediou-se da paisagem vazia, e de seus seres desenxabidos.*] [▶ **1 entediar**] [F.: *en-*[2] + *tédio* + *-ar*[2]. Hom./Par.: *entediado* (fl.), *entediado* (a.).]

enteléquia (en.te.*lé*.qui:a) ***sf.*** **1** *Fil.* De acordo com Aristóteles, a realização completa e perfeita de uma criação ou transformação em seres animados ou inanimados do universo **2** *Pop.* Palavra ou frase difícil de entender [F.: Do lat. *entelechia, ae.* Tb. *entelequia.*]

entelhado (en.te.*lha*.do) ***a.*** **1** Que se entelhou; coberto de telhas (casa entelhada) [Ant.: *descoberto, destelhado.*] **2** Que se sobrepõe como telhas em um telhado; IMBRICADO [F.: Part. de *entelhar.*]

entelhar (en.te.*lhar*) ***v. td.*** **1** *Cons.* Mesmo que *telhar* **2** Colocar (placas, ripas etc.) da maneira como se assentam as telhas [▶ **1 entelhar**] [F.: *en-* + *telha* + *-ar.*]

entendedor (en.ten.de.*dor*) [ô] ***a.*** **1** Que entende; CONHECEDOR: *É um dos políticos mais entendedores das questões internacionais.* ***sm.*** **2** Aquele que entende ou conhece: *Para bom entendedor meia palavra basta.* **3** Aquele que é (muito) versado em algum assunto ou matéria [F.: *entender* + *-dor.*]

entender (en.ten.*der*) ***v.*** **1** Perceber, usando inteligência, memória, intuição etc., captar o significado de (texto, o que foi dito, situação, problema, processo etc.) [***td.***: *Nada foi dito, mas só de olhar as fisionomias ela entendeu que tudo fora resolvido; Não sabia inglês, e não entendeu o que o turista lhe perguntara.*] **2** Ter conhecimento, experiência, sapiência em relação a; CONHECER; SABER [***td.***: *Você entende código Morse?*] [***tr.*** + de: *Pode confiar nele, ele entende de eletrônica.*] **3** Perceber (intenção, situação, motivo), intuir, inferir, deduzir [***td.***: *Pelo rumo da conversa entenderam que era hora de se despedir e ir embora; Examinando a lista dos aprovados, pôde entender o critério da classificação.*] **4** Crer, pensar, achar, ter como verdade, como certo [***td.***: *Entendo que é necessário prorrogar os prazos deste projeto.*] **5** Ter a intenção, ter como objetivo, decidir; PRETENDER [***td.***: *Que medidas você entende adotar?*] [***tr.*** + de: *Ela entendeu de fazer este curso, e nada a demoverá.*] **6** Perceber, captar pela audição; OUVIR [***td.***: *O ar-condicionado fazia tanto barulho que não entendemos o que ele falou.*] **7** Interpretar (significado, mensagem etc.) [***td.***: *É um apelo à solidariedade, assim entendi esse filme.*] **8** Saber por informação, tomar conhecimento de [***td.***: *Assim que entendeu o problema do filho correu para ajudá-lo.*] **9** Concernir a, dizer respeito a, ter relação com [***tr.*** + com: *Esqueça o assunto, esse problema não entende contigo, nem com o regulamento.*] **10** Exercer vigilância ou direção sobre [***tr.*** + em: *Este comitê entende nas questões sociais dentro da empresa.*] **11** Ocupar-se com, distrair-se com [***tr.*** + com: *Passa a tarde entendendo-se com seus poemas, seus contos, sua literatura.*] **12** Saber (alguém) o que está fazendo ou tencionando fazer, fazer uso da lógica ou da razão [***int.***: *Deixe por conta dela, ela se entende muito bem.*] **13** Ter facilidade de ter entendimento com (outrem) por similaridade de atitude, por amizade, por interesse comum etc. [***tr.*** + com: *Ela se entende muito bem com a irmã; As duas irmãs se entendem muito bem (cada uma se entende com a outra).*] **14** Chegar (mais de uma pessoa) a entendimento, acordo [***int.***: *Já se entenderam quanto ao negócio, só falta assinar o contrato.*] [▶ **2 entender**] ***sm.*** **15** Entendimento; juízo, parecer: *No meu entender, esse negócio não tem futuro.* [F.: Do lat. *intendere.* Hom./Par.: *intender* (em todos os tempos).]

entendido (en.ten.*di*.do) ***a.*** **1** Diz-se de quem entende de determinado assunto: *O jornal precisa de um jornalista entendido em economia.* **2** *Bras. Gír.* Diz-se de homossexual ***sm.*** **3** Pessoa entendida (1); ESPECIALISTA: *um entendido em informática.* **4** *Bras. Gír.* Indivíduo homossexual [F.: Part. de *entender.*] **■ Bem ~** Que não suscita dúvida

entendimento (en.ten.di.*men*.to) ***sm.*** **1** Ação ou resultado de entender ***sm.*** **2** Capacidade ou faculdade de entender, de compreender, de pensar, ou de avaliar os seres, os fatos etc.: *Usou todo o seu entendimento para diagnosticar a doença.* **3** Modo de entender, de pensar; julgamento que se tem sobre certa questão, coisa, fato etc.; OPINIÃO; PARECER: *No meu entendimento, este trabalho deve ser refeito.* **4** Combinação que resulta de ideias ou interesses em comum ou da vontade mútua; ajuste entre partes; ACORDO: *Discutiram muito mas não chegaram a um entendimento.* **5** *Fil.* Capacidade de pensar; faculdade da compreensão intelectual; INTELIGÊNCIA [F.: *entender* + *-imento.*]

entendível (en.ten.*dí*.vel) ***a2g.*** **1** Que pode ser entendido; INTELIGÍVEL: "O senhor por ora mal me entende, se é que no fim me entenderá. Mas a vida não é entendível..." (Guimarães Rosa, *Grande sertão: veredas*) **2** Fácil de compreender; CLARO; COMPREENSÍVEL: *Fale em linguagem entendível!* [Ant.: *obscuro.*] [Pl.: *-veis.*] [F.: *entender* + *-ível.*]

entenebrecer (en.te.ne.bre.*cer*) ***v.*** **1** Cobrir ou encher de trevas; tornar(-se) escuro; ENTREVAR; ESCURECER [***td.***: *Nuvens negras entenebreceram a cidade.*] [***int.***: *O céu entenebreceu(-se), anunciando a tempestade.*] **2** *Fig.* Causar tristeza; ENTRISTECER; TURVAR [***td.***: *A saudade do pai entenebrece os filhos.*] [▶ **33 entenebrecer**] [F.: *en-*[2] + *treva* (sob a f. lat. *tenebra*) + *-ecer.* Ant. ger.: *clarear, alegrar.*]

entenebrecido (en.te.ne.bre.*ci*.do) ***a.*** **1** Coberto de trevas **2** *Fig.* Que revela tristeza (olhar entenebrecido) [F.: Part. de *entenebrecer.*]

entenebrecimento (en.te.ne.bre.ci.*men*.to) ***sm.*** Ação ou resultado de entenebrecer(-se); OBSCURECIMENTO [F.: *entenebrecer* + *-imento.*]

⊕ **entente** (*Fr.* /antante/) ***sf.*** Acordo internacional entre dois ou mais países: *Ficou famosa a entente cordiale, firmada entre França e Inglaterra em 1904.*

⊕ **entente cordiale** (*Fr.* /antante cordiale/) ***loc.subst.*** **1** Acordo político internacional entre duas ou mais nações, baseado na confiança mútua **2** *Hist.* Aliança entre a França e a Inglaterra firmada em 1904 **3** *P.ext.* Concórdia, união [Ant.: *discórdia.*]

enteomania (en.te:o.ma.*ni*.a) ***sf.*** *Psiq.* Mania em que o doente se crê inspirado por Deus [F.: *en-*[1] + *teomania.*]

enteomaníaco (en.te:o.ma.*ní*.a.co) ***a.*** **1** Ref. a enteomania **2** Diz-se de pessoa que demonstra enteomania ***sm.*** **3** Essa pessoa [F.: *enteo-* + *maníaco.* Tb. *enteômano.*]

enteômano (en.te:*ô*.ma.no) ***a.sm.*** O mesmo que *enteomaníaco* [F.: *enteomania* + *-ano*[1].]

⊕ **enter** (*Ing.* /ênter/) ***sm.*** *Inf.* Comando (ou a tecla que o executa) que complementa e aciona instrução do usuário ao computador

enteral (en.te.*ral*) ***a2g.*** *Med.* Diz-se de dieta líquida administrada por meio de uma sonda que se introduz no estômago ou no intestino do paciente [Pl.: *-rais.*] [F.: *enter(o)-* + *-al*[1].]

enterectomia (en.te.rec.to.*mi*.a) ***sf.*** *Cir.* Retirada cirúrgica de um segmento do intestino delgado devido a doenças, como inflamações, tumores (benignos ou malignos), traumatismos etc. [F.: *enter(o)-* + *-ectomia.*]

entérico (en.*té*.ri.co) ***a.*** *Anat. Med.* Ref. ao intestino; INTESTINAL [F.: Do gr. *enterikós, é, ón.*]

enterite (en.te.*ri*.te) ***sf.*** *Pat.* Inflamação do intestino (esp. o delgado) [F.: *enter(o)-* + *-ite*[1].]

enternecedor (en.ter.ne.ce.*dor*) [ô] ***a.*** **1** Que enternece **2** Que sensibiliza, que desperta compaixão [F.: *enternecer* + *-dor.*]

enternecer (en.ter.ne.*cer*) ***v.*** **1** Tornar(-se) brando, sensível, terno; despertar, ou ficar sensível a, sentimentos de ternura; ABRANDAR; SUAVIZAR [***td.***: "Estas singelezas do amor são as que mais enternecem as boas almas." (Camilo Castelo Branco, *Coração, cabeça e estômago*)] [***int.***: *O velho carrancudo se enternecia na companhia da netinha:* "...o seu sorriso resignado e bom enternecia..." (Eça de Queirós, *O crime do padre Amaro*)] **2** Despertar ou sentir compaixão por alguém infortúnio ou desgraça alheia; COMOVER(-SE); SENSIBILIZAR(-SE) [***td.***: "O seu pranto me enterneceu; chorei com ela." (José de Alencar, *Lucíola*)] [***int.***: "Pelo dia em fora, ficava num abandono de enternecer." (Lima Barreto, *Contos*)] [▶ **33 enternecer**] [F.: *en-*[2] + *terno* + *-ecer.* Ant. ger.: *desenternecer.*]

enternecido (en.ter.ne.*ci*.do) ***a.*** **1** Que se enterneceu **2** Cheio de ou que manifesta afeição, carinho (saudação enternecida); TERNO; CARINHOSO **3** Que sente ou revela compaixão, comiseração; CONDOÍDO; COMOVIDO [F.: Part. de *enternecer.*]

enternecimento (en.ter.ne.ci.*men*.to) ***sm.*** **1** Ação ou resultado de enternecer(-se) **2** *Fig.* Sentimento de ternura; CARINHO **3** *Fig.* Sentimento de pena, de comiseração; DÓ; COMPAIXÃO [F.: *enternecer* + *-imento.*]

◎ **-enter(o)-** ***el. comp.*** Ver *enter(o)-*

◎ **enter(o)-** ***el. comp.*** = 'o interior (de algo)'; 'intestino'; 'intestinal': *enteral, enterectomia, entérico* (< gr.), *enterite, enterobactéria, enteróclise, enteroclisma, enterococo* (< lat.), *enterocolite, enterogastrona, enterologia, enteropatia, enteropatogênico, enterotoxemia; blenenterite, gastrenterologia; arquêntero, celêntero* [F.: Do gr. *énteron, ou,* 'o interior'; 'intestino'; 'interior de um fruto'; 'ventre'.]

◎ **-êntero** ***el. comp.*** Ver *enter(o)-*

enterobactéria (en.te.ro.bac.*té*.ri:a) ***sf.*** *Bac.* Designação comum às bactérias do gên. *Enterobacteria,* amplamente distribuídas na natureza, tanto no solo como na água, com algumas espécies muito patogênicas para o homem e outros animais [F.: Do lat. cient. *Enterobacteria*; ver *enter(o)-* e *bactéria.*]

enteróclise (en.te.*ró*.cli.se) *Gast.* ***sf.*** **1** *P.us.* Lavagem intestinal; CLISTER; ENEMA; ENTEROCLISMA **2** Injeção de substâncias nutritivas ou medicinais líquidas diretamente no intestino **3** Técnica us. em exames radiológicos que consiste na introdução de bário diretamente no intestino delgado, por meio de sonda nasogástrica [F.: *enter(o)-* + *-clise*[2].]

enteroclisma (en.te.ro.*clis*.ma) *P.us. Gast.* ***sm.*** O mesmo que *enteróclise* (1) [F.: *enter(o)-* + *clisma.*]

enterococo (en.te.ro.*co*.co) ***sm.*** *Bac.* Designação comum às bactérias do gên. *Enterococcus,* encontradas em fezes de vertebrados, cuja virulência é controvertida [F.: Do lat. cient. *Enterococcus*; ver *enter(o)-* e *-coco.*]

enterocolite (en.te.ro.co.*li*.te) ***sf.*** *Gast.* Inflamação do intestino delgado e do cólon que provoca cólicas, diarreia, vômitos, mal-estar e febre [F.: *enter(o)-* + *colite.*]

enterogastrona (en.te.ro.gas.*tro*.na) ***sf.*** *Bioq.* Hormônio secretado pelo intestino delgado que inibe o peristaltismo estomacal e a produção de gastrina [F.: *enter(o)-* + *-gastr(o)-* + *-ona*[2].]

enterologia (en.te.ro.lo.*gi*.a) ***sf.*** *Med.* Estudo ou tratado do intestino e de suas funções [F.: *enter(o)-* + *-logia.*]

enterológico (en.te.ro.*ló*.gi.co) ***a.*** *Med.* Ref. a enterologia, ou dela próprio [F.: *enterologia* + *-ico*[2].]

enterologista (en.te.ro.lo.*gis*.ta) ***s2g.*** *Med.* Médico que se especializou em enterologia [F.: *enterologia* + *-ista.*]

enteropatia (en.te.ro.pa.*ti*.a) ***sf.*** *Gast.* Qualquer doença intestinal [F.: *enter(o)-* + *-patia.*]

enteropatogênico (en.te.ro.pa.to.*gê*.ni.co) ***a.*** *Gast.* Capaz de provocar distúrbios no trato intestinal (agente enteropatogênico) [F.: *enter(o)-* + *patogênico.*]

enterotoxemia (en.te.ro.to.xe.*mi*.a) [cs] ***sf.*** *Vet.* Infecção aguda causada pelas toxinas do *Clostridium perfrigens,* caracterizada por distúrbios gastrintestinais, sintomas nervosos e morte súbita, e que afeta esp. bovinos, caprinos e suínos jovens [F.: *enter(o)-* + *toxemia.*]

enterotoxigênico (en.te.ro.to.xi.*gê*.ni.co) [cs] ***a.*** *Gast.* Diz-se de agente capaz de provocar infecção intestinal (micro-organismo enterotoxigênico) [F.: *enter(o)-* + *-tox(i)-* + *-gen(o)-* + *-ico*[2].]

enterovírus (en.te.ro.*ví*.rus) ***sm2n.*** *Micbiol.* Vírus da família dos picornavirídeos que atua no tubo digestivo e pode causar doenças respiratórias e do tecido nervoso [F.: *enter(o)-* + *vírus.*]

enterozoário (en.te.ro.zo.*á*.ri.o) ***sm.*** *Zool.* O mesmo que *entozoário* [F.: Do lat.cient. *Enterozoa* + *-ário.*]

enterrada (en.ter.*ra*.da) ***sf.*** **1** Ação ou resultado de enterrar ***sf.*** **2** *Basq.* Ação ou resultado de enfiar a bola na cesta com força, de cima para baixo [F.: *enterrar* + *-ada*[1].]

enterrado (en.ter.*ra*.do) ***a.*** **1** Que se enterrou ***a.*** **2** Que se pôs debaixo da terra (para guardar, ocultar, esconder etc.) **3** Que se sepultou (diz-se de cadáver); SEPULTADO; SEPULTO **4** Que se enfiou ou se cravou de modo profundo: *espinho enterrado no dedo.* **5** *Fig. Pop.* Com a atenção totalmente voltada para alguma coisa; concentrado em algo: *Ela está enterrada nos estudos.* 6 *Fig. Pop.* Que quase não sai de determinado lugar, ou que nele passa a maior parte do tempo: *Passa os dias lá, enterrado no escritório.* 7 *Fig. Pop.* Que fracassou; MALSUCEDIDO [F.: Part. de *enterrar*. Ant. de 1 a 5: *desenterrado.*]

enterramento (en.ter.ra.*men*.to) ***sm.*** Ação ou resultado de enterrar(-se); ENTERRO [F.: *enterrar* + *-mento.*]

enterrar (en.ter.*rar*) ***v.*** 1 Pôr debaixo da terra; SOTERRAR [***td.***: *Os piratas enterraram o tesouro.*] 2 Pôr (pessoa falecida) em túmulo; INUMAR; SEPULTAR [***td.***: "Enterra o corpo de tua esposa ao pé do coqueiro que tu amaste." (José de Alencar, *Iracema*)] 3 Comparecer ao ou realizar o enterro de [***td.***: "Tão depressa enterrei o leiloeiro como o esqueci." (Machado de Assis, *Memorial de Aires*)] 4 Sobreviver a (alguém) [***td.***: *Já enterrou todos os amigos de infância.*] 5 *Fig.* Provocar a morte de [***td.***: *Os descaminhos do filho acabarão por enterrá-lo.*] 6 *Fig.* Fazer entrar [***td.***: "Enterrou o chapéu e saiu." (Machado de Assis, *Quincas Borba*)] [***tda.***: "Enterrou a trouxa na prateleira de um armário velho..." (Aluísio Azevedo, *O cortiço*)] 7 *p.ext.* Cravar, enfiar profundamente; ESPETAR [***tda.***: "O homem morrera sufocado, e na agonia me enterrara os dentes pela carne." (Álvares de Azevedo, *Noite na taverna*)] 8 *Fig.* Esconder, ocultar [***td.***: *Enterraram o escândalo entre quatro paredes.*] 9 *Fig.* Retirar do mundo; INTERNAR; ISOLAR [***tda.***: "...há trinta anos que te enterraste aqui e que daqui não tens querido sair para nada..." (Júlia Lopes de Almeida, *A intrusa*)] 10 *Bras. Fig.* Levar ao fracasso de (algo ou alguém); ARRUINAR [***td.***: "Um eventual fracasso... poderá enterrar seus planos futuros." (*O Globo*, 04.01.2004)] 11 *Fig.* Dar fim a; ACABAR; ENCERRAR; FINALIZAR [***td.***: "Era-me preciso enterrar... os meus amores." (Machado de Assis, *Memórias póstumas de Brás Cubas*)] 12 *Fig.* Deitar, refestelar em coisa fofa (cama, poltrona etc.) [***tda.***: "...enterrando-se d'estalo numa poltrona, espetou as pernas... para o ar." (Eça de Queirós, *Os Maias*)] 13 *Fig.* Dedicar-se com paixão a; APLICAR-SE [***tr.*** + *em*: "... Estêvão curava-se... enterrando-se nos volumes à cata de uma verdade científica." (Machado de Assis, "A mulher de preto", *in Contos fluminenses*)] 14 *Basq.* Meter (a bola) na cesta com força, de cima para baixo [***td.***: *Driblou dois adversários e enterrou (a bola).*] 15 *Esp.* Levar (time, grupo etc.) a perder por jogar mal [***td.***: *Desentrosado, o atacante enterrou o time.*] [▶ 1 enterrar *e* aberto [é] nas f. rizotônicas.] [F.: *en-*² + *terra* + *-ar*². Hom./Par.: *enterro* (fl.), *enterro* [ê] (sm.); *enterrado* (fl.), *enterrado* (a.).]

enterro (en.*ter*.ro) [ê] ***sm.*** 1 Ação ou resultado de enterrar; ENTERRAMENTO ***sm.*** 2 Ação de sepultar um defunto: *Providenciaram o enterro da vítima.* 3 Conjunto de atos solenes ou religiosos que antecedem sepultamento; FUNERAL: *Compareceu ao enterro do cantor.* 4 *Fig.* Remedo de cortejo fúnebre para expressar repúdio a ou protesto contra algo ou alguém [F.: Dev. de *enterrar.*]

entesar (en.te.*sar*) ***v.*** 1 Fazer ficar ou ficar tenso, retesado [***td.***: *O barulho no porão entesou o rapaz.*] [***int.***: *Entesou(-se) de medo.*] 2 Tornar reto, estendido, esticado [***td.***: *Entesou os fios de cobre.*] 3 Tornar rijo, entesado [***td.***: *O aguaceiro entesou seu tênis.*] 4 Ficar mais forte, mais intenso (o vento) [***td. int.***] 5 Ficar irritado, áspero, zangado [***tr.*** + *com*: *Entesou-se com a empregada e quase a despediu.*] 6 Demonstrar insistência, obstinação [***tr.*** + *em*: *Entesou em sair no meio da madrugada.*] 7 *Lus. Pop.* Ficar duro, sem dinheiro [***int.***] 8 *Lus. Pop.* Reagir a uma situação [***int.***: *Ao ser ofendido, entesou feio.*] 9 *Lus. Tabu.* Ficar com o pênis ereto; sentir tesão [***int.***] [▶ 1 entesar] [F.: *en-* + *teso* + *-ar*. Ant.: *afrouxar.*]

◎ **-êntese** ***el. comp.*** = 'introdução', 'inserção': *epêntese* (< lat. < gr.), *xenêntese* [F.: Do gr. *énthesis, eos*, 'ação de introduzir, de pôr em'; 'inserção de letra numa palavra', do v. gr. *entíthemi*, 'introduzir'.]

entesourado (en.te.sou.*ra*.do) ***a.*** 1 Que se transformou em tesouro ***a.*** 2 Acumulado (diz-se de dinheiro, bens etc.) 3 *Fig.* Guardado ou conservado como um tesouro [F.: Part. de *entesourar.*]

entesouramento (ente.sou.ra.*men*.to) ***sm.*** Ação ou resultado de entesourar [F.: *entesourar* + *-mento.*]

entesourar (en.te.sou.*rar*) ***v.*** 1 Acumular (dinheiro, bens etc.); AJUNTAR; JUNTAR [***td.***: "...entesourava... o que ilicitamente adquiria." (Franklin Távora, *O Cabeleira*)] [***int.***: "... eu estava pensando em entesourar para minha velhice..." (Antonio Callado, "A noite sem trevas" *in Reflexos do baile*)] 2 *Fig.* Acumular em grande quantidade; guardar em depósito (coisa de alto valor); AMONTOAR; RECOLHER [***td.***: "... entesouram imenso reservatório de motivos, assuntos, situações e desfechos..." (Aurélio Buarque de Holanda e Paulo Rónai, "Prefácio" *in Mar de histórias 1*)] 3 *Fig.* Guardar na lembrança; fixar na memória [***tda.***: "Diz que seu coração é fundo abismo, / Onde entesoura a imagem predilecta / da mulher que há-de vir..." (Camilo Castelo Branco, *Coração, cabeça e estômago*)] [▶ 1 entesourar] [F.: *en-*² + *tesouro* + *-ar*². Ant. ger.: *desentesourar.*]

entestada (en.tes.*ta*.da) ***sf.*** Encontro de enfrentamento; CONFRONTO; EMBATE: *Todos assistiram a entestada dos dois rapazes.* [F.: *entestar* + *-da*. Ideia de: *en-* e *test-*.]

entestar (en.tes.*tar*) ***v.*** 1 Ficar diante de [***tr.*** + *com*: *Sua casa entesta com a biblioteca.*] 2 Limitar-se com [***tr.*** + *com*: *Seu terreno entesta com o da igreja.*] 3 Encostar, tocar, roçar [***tr.*** + *com*: *A cabeça do grandalhão quase entestava com o arco da porta.*] [▶ 1 entestar] [F.: *en-* + *testa* + *-ar.*]

entibiar (en.ti.bi.*ar*) ***v.*** 1 Tornar(-se) tíbio, fraco, frouxo [***td.***: *A presença do lutador entibiou o rapaz.*] [***int.***: *Entibiou(-se) diante da ameaça de pancada.*] 2 Perder as forças, o ânimo, o vigor [***int.***: *Entibiava(-se) em situações que exigiam energia.*] [▶ 1 entibiar] [F.: *en-* + *tíbio* + *-ar*. Ant.: *desentibiar.*]

enticar (en.ti.*car*) ***v.*** 1 *Bras. Lus. Açor.* Mexer com alguém; ATAZANAR; IMPLICAR; PROVOCAR [***tr.*** + *com*: *Esse chato entica com qualquer pessoa.*] 2 *Bras. Lus. Açor.* Teimar, insistir [***tr.*** + *com*: *Enticava(-se) com os irmãos por motivos fúteis.*] 3 *Lus.* Meter-se alguém em conversa que não é de sua conta [***td. int.***] [▶ 11 enticar] [F.: Talvez do lat **intaedicare*. Hom./Par.: *entica(s)* (fl.), *entica* (sf. e pl.); *entecar* (vários tempos do v.).]

entidade (en.ti.*da*.de) ***sf.*** 1 O que constitui a existência de algo ou alguém, real ou imaginário; ESSÊNCIA 2 Essa existência; tudo o que existe ou que se supõe existir; ENTE; SER 3 Organização, instituição ou empresa com fins específicos: *Era uma entidade beneficente, sem fins lucrativos.* 4 *Fig.* Pessoa importante, de valor 5 *Bras. Rel.* Ser espiritual cultuado em ritos afro-brasileiros (p.ex.: caboclo, orixá etc.) [F.: Do lat. escolástico *entitas, atis.*] ▪ **~ mútua** *Jur.* Associação de indivíduos baseada na contribuição de todos para benefício individual de cada participante

entisicar (en.ti.si.*car*) ***v.*** 1 Tornar(-se) tísico [***td.***: *A falta de comida entisicou o menino.*] [***int.***: *A garota entisicou-se por má alimentação; O alcoólatra entisicou rapidamente.*] 2 *P.ext.* Enfraquecer-se pouco a pouco; DEFINHAR [***int.***: *Entisicou no correr de sua adolescência.*] 3 Cansar-se, esgotar-se [***int.***: *Entisicou(-se) por excesso de trabalho.*] 4 *Fig.* Apoquentar, importunar por ninharias [***td.***] [▶ 11 entisicar] [F.: *en-* + *tísico* + *-ar.*]

◎ **-ent(o)** ***suf.*** = com muito, abundante: *fastiento, fumarento, gosmento etc.* [Formador de adj. com ação intensificadora, similar a *-lento.*]

◎ **-ento** ***suf.*** Ver *-lento*

◎ **ent(o)-** ***pref.*** = dentro: *entozoário, entótrofo.* [F.: Do gr. *entós.*]

entoação (en.to:a.*ção*) ***sf.*** 1 *Mús.* Ação ou resultado de entoar 2 *Mús.* Ação ou resultado de dar o tom (em cantochão) 3 Inflexão, modulação na voz, ao se falar ou cantar 4 O tom certo, afinado, de voz ou de instrumento ao executar um trecho musical 5 *Ling.* O mesmo que *entonação* [Pl.: *-ções.*] [F.: *entoar* + *-ção.*]

entoado (en.to.*a*.do) ***a.*** 1 Que se entoou, que se cantou ou recitou 2 Que está no tom certo, ou que tem afinação; AFINADO [F.: Part. de *entoar*, ou do lat. *intonatus.*]

entoalhado (en.to:a.*lha*.do) ***a.*** 1 Guarnecido de tecido de fios largos com textura de toalha 2 Coberto com toalha; ATOALHADO [F.: *en-* + *toalh(a)* + *-ado.*]

entoalhar (en.to:a.*lhar*) ***v. td.*** Prover de toalha: *O garçom entoalhou a mesa.* [▶ 1 entoalhar] [F.: *en-* + *toalha* + *-ar.*]

entoamento (en.to:a.*men*.to) ***sm.*** 1 Ação ou resultado de entoar 2 Inflexão, modulação da voz [F.: *entoar* + *-mento*. Sin. ger.: *entoação*. Ant. ger.: *desentoamento.*]

entoar (en.to.*ar*) ***v.*** 1 Emitir vocalmente uma melodia, canto; cantar [***td.***: "E uma voz entoava um hino melancólico..." (Joaquim Manuel de Macedo, *O moço loiro*)] [***int.***: "Ribas... deixava partir... o precioso som. O colégio entoava depois..." (Raul Pompeia, *O Ateneu*)] 2 Dar o tom de melodia, música, para se cantar [***td.***: *O maestro entoou a ária para a cantora.*] 3 *Mús.* Pôr (trecho musical) no tom certo; emiti-lo de acordo com todas as suas indicações: tom, andamento, ornamentos, dinâmica etc. [***td.***] 4 Começar um canto, iniciá-lo [***td.***: "...a tropa me vê, entoa a canção da entrada..." (João do Rio, *A alma encantadora das ruas*)] 5 Proferir, expressar em voz alta e persuasiva [***td.***: *Entoou logo a sua indignação.*] 6 Dirigir canto(s) a [***tdi.*** + *a, para*: "...dir-se-ia que entoava um hino... a Baco." (Joaquim Manuel de Macedo, *A moreninha*)] 7 *P.ext.* Dirigir, encaminhar (pedidos, exaltações) a [***tdi.*** + *a, para*: "... entoava súplicas à Virgem Santíssima..." (Aluísio Azevedo, *O mulato*)] [***td.***: "...entoando louvores ao trabalho... do velho major Quaresma." (Lima Barreto, *O triste fim de Policarpo Quaresma*) Na abonação acima, note-se que 'ao trabalho' não está relacionado ao verbo 'entoar', mas ao substantivo 'louvores', daí ser a regência transitiva direta.] 8 Declamar, enunciar, recitar [***td.***: "...entoavam os devotos terços e ladainhas..." (Euclides da Cunha, *Os sertões*)] 9 *Fig.* Dar direção a negócio ou qualquer coisa parecida [***td.***: *Entoou seus projetos um a um.*] 10 *Fig.* Perceber o sentido de; ATINAR; ENTENDER(-SE) [***tr.*** + *com*: *Não entoa com as declinações latinas.*] 11 *Bras. Pop.* Causar ou dar boa impressão; AGRADAR [***ti.*** + *a*: *Este assunto não me entoa.*] [▶ 16 entoar] [F.: *en-*² + *tom* + *-ar*², ou do lat. *intonare*. Hom./Par.: *entoar, entonar* (em várias fl.); *entoáveis* (fl.), *entoáveis* (pl. de entoável [a2g.]).]

entocado (en.to.*ca*.do) ***a.*** 1 Que se entocou; ENCAFUADO [Ant.: *desentocado*] 2 *Fig.* Metido em toca, ou em lugar recôndito como uma toca [F.: Part. de *entocar.*]

entocaiar (en.to.cai.*ar*) ***v. td. int.*** Mesmo que *tocaiar* [▶ 1 entocaiar] [F.: *en-* + *tocaiar.*]

entocar (en.to.*car*) ***v. td.*** 1 *Bras.* Meter(-se) ou esconder(-se) em toca; ENCAFUAR [***td.***: *O urso entocou os filhotes para a hibernação.*] 2 *Fig.* Meter(-se), esconder(-se) em lugar recôndito como uma toca; ENCLAUSURAR [***td.***: "A grei revoltosa (...) não se ilhava (...) a cavaleiro dos assaltos. Entocara-se." (Euclides da Cunha, *Os sertões*)] [▶ 11 entocar Apresenta o o aberto [ó] nas f. rizotônicas.] [F.: *en-*² + *toca* + *-ar*². Hom./Par.: *entoco* (v.), *entoucar* (em várias fl.).]

entojado (en.to.*ja*.do) ***a.*** 1 Que se entojou, que está com entojo; ENJOADO; NAUSEADO 2 *MG SP* Diz-se de indivíduo presunçoso, vaidoso; CABOTINO; PRESUMIDO [F.: Part. de *entojar.*]

entojar (en.to.*jar*) ***v. td.*** 1 Causar ou experimentar repugnância, nojo 2 Amolar(-se), chatear(-se) [▶ 1 entojar] [F.: prov. de *entejar*. Hom./Par.: *entojo* (fl.), *entojo* /ô / (sm.).]

entojo (en.*to*.jo) [ô] ***sm.*** 1 Sentimento ou sensação de nojo, repugnância ***sm.*** 2 Enjoo que sente, eventualmente, uma mulher grávida 3 Desejo súbito de algo que acomete, eventualmente, uma mulher grávida 4 Aversão a certo alimento 5 *Fig.* Sensação de enjoo, amolação, tédio [F.: Dev. de *entojar*. Hom./Par.: *entojo* (sm.), *entojo* (fl de *entojar*).]

entômico (en.*tô*.mi.co) ***a.*** Ref. a inseto, ou próprio dele [F.: *entom(o)-* + *-ico*².]

◎ **entom(o)-** ***el. comp.*** = 'dividido', 'inseto': *entomologia* [F.: Do gr. *éntomos*, 'cortado'; no neutro pl. *éntoma*, 'insetos'.]

entomofagia (en.to.mo.fa.*gi*.a) ***sf.*** *Zool.* Qualidade ou característica própria de entomófago [F.: *entom (o)-* + *-fagia.*]

entomófago (en.to.*mó*.fa.go) ***a.*** 1 *Bot. Zool.* Que se alimenta de insetos (diz-se de animais e plantas) ***sm.*** 2 O que se alimenta de insetos [F.: *entom(o)-* + *-fago.*]

entomofilia (en.to.mo.fi.*li*.a) ***sf.*** *Bot.* Transporte do pólen de uma flor para outra por intermédio de insetos; polinização por meio de insetos [F.: *entom(o)-* + *-filia*¹.]

entomófilo (en.to.*mó*.fi.lo) ***a.*** 1 *Bot.* Diz-se de planta polinizada por inseto 2 *Ant.* Que coleciona insetos [F.: *entom(o)-* + *-filo*¹.]

entomologia (en.to.mo.lo.*gi*.a) ***sf.*** *Zool.* Parte da zoologia que trata dos insetos; INSETOLOGIA [F.: *entom(o)-* + *-logia.*]

entomológico (en.to.mo.*ló*.gi.co) ***a.*** Ref. a entomologia; INSETOLÓGICO [F.: *entomologia* + *-ico*².]

entomologista (en.to.mo.lo.*gis*.ta) ***s2g.*** Pessoa que se especializou em entomologia [F.: *entomologia* + *-ista*. Tb. *entomólogo.*]

entomólogo (en.to.*mó*.lo.go) ***sm.*** O mesmo que *entomologista* [F.: *entom(o)-* + *-logo.*]

entonação (en.to.na.*ção*) ***sf.*** 1 Ação ou resultado de entonar 2 *Ling.* Modulação no tom da voz, ou modo de emitir as palavras 3 *Ling.* Entonação (2) na pronúncia de uma frase e que faz dela uma pergunta, uma afirmação, uma demonstração de surpresa etc. [Pl.: *-ções.*] [F.: *entonar*² + *-ção*. Sin. ger.: *entoação.*]

entonado¹ (en.to.*na*.do) ***a.*** Que recebeu entonação; ENTOADO [Ant.: *desentoado.*] [F.: Part. de *entonar*².]

entonado² (en.to.*na*.do) ***a.*** Que se veste com apuro; EMBECADO; ENFATIOTADO [Ant.: *desarrumado, desleixado.*] [F.: Part. de *entonar*¹.]

entonar¹ (en.to.*nar*) ***v.*** 1 Erguer (a fronte) altivamente, de maneira orgulhosa [***td.***: *Entonou a face, orgulhosa de sua vitória.*] 2 *P.ext.* Levantar-se com certa pompa, de maneira majestosa [***td.***: *Entonou-se como uma rainha.*] 3 *Fig.* Demonstrar arrogância, soberba [***td.***: *A aprovação do filho entonou-o.*] [***int.***: *Com o cargo de diretor, entonou-se.*] [▶ 1 entonar] [F.: Do espn. *entonar*. Hom./Par.: *entono* (fl.), *entono* (sm.); *entonáveis* (fl.), *entonáveis* (pl. *entonável* [a2g.]); *entonar, intonar* (em todas as fl.).]

entonar² (en.to.*nar*) ***v.*** 1 *Mús.* Mesmo que *entoar*: *entonar a voz.* 2 *Ling.* Dar entonação a: *entonar uma frase.* [▶ 1 entonar] [F.: Do lat. *intonare*. Hom./Par.: ver *entonar*¹.]

entono (en.*to*.no) [ô] ***sm.*** 1 Sentimento de dignidade pessoal, de valorização da própria pessoa, que se caracteriza muitas vezes por demonstrações de orgulho pessoal; ALTIVEZ 2 Qualidade, caráter ou comportamento de quem se sente ou se acredita superior aos demais, em beleza, inteligência etc.; ARROGÂNCIA; EMPÁFIA; SOBERBA [F.: Do espn. *entono.*]

entonteado (es.ton.te.*a*.do) ***a.*** 1 Que se entonteou, se estonteou; ATURDIDO; DESNORTEADO: *Bebeu demais e ficou entonteado.* 2 Maravilhado, encantado: *Ficou estonteado com a beleza da mulher.* [F.: Part. de *estontear.*]

entontecedor (en.ton.te.ce.*dor*) [ô] ***a.*** 1 Que entontece, causa tonteira; ESTONTEANTE 2 *Fig.* Que deixa alguém confuso, desnorteado, por despertar grande interesse, desejo, paixão etc.; de enlouquecer: *Era de uma beleza entontecedora.* [F.: *entontecer* + *-dor.*]

entontecer (en.ton.te.*cer*) ***v.*** 1 Provocar tonturas em; ficar tonto [***td.***: "...como se um perfume sutil o entontecesse..." (Inglês de Sousa, *O missionário*)] [***int.***: *Entontecia(-se) com o perfume dela:* "...As sebes de encosto / dão madressilvas cheirosas / que entontecem como um mosto." (Cesário Verde, "Provincianas" *in Poesias*)] 2 *Fig.* Fazer ficar ou ficar atordido; PERTURBAR [***td.***: "...ela que o entontecera com os seus olhinhos (...), voltava-lhe as costas..." (Eça de Queirós, *O crime do padre Amaro*)] [***int.***: *Eram tantas as explicações contraditórias que ele entonteceu:* "...o zum-zum aumentava de entontecer..." (Roberto Gomes, *A casa fechada*)] 3 Fazer perder ou perder a razão, a calma; ENLOUQUECER [***td.***: "O desejo fora... muito forte, entontecera-a." (João do Rio, *Dentro da noite*)] [***int.***: *A pressão foi muita, e ele entonteceu, coitado:* "...uma paixão indomável, superior à razão, entontecera e vencera." (Eça de Queirós, *Os Maias*)] [▶ 33 entontecer] [F.: *en-*² + *tonto* + *-ecer.*]

entontecido (en.ton.te.*ci*.do) ***a.*** Que ficou tonto; ATORDOADO [F.: Part. de *entontecer.*]

entontecimento (en.ton.te.ci.*men*.to) ***sm.*** Ação ou resultado de entontecer(-se) [F.: *entontecer* + *-imento.*]

entornado (en.tor.*na*.do) ***a.*** 1 Que se entornou; que foi virado ou derramado: *Ficou olhando o leite entornado.* 2 *Fig.* Transtornado, perturbado [Ant.: *calmo, controlado.*] 3 *Pop.* Embriagado, bêbedo: *Ih, rapaz, o cara está entornado!* [Ant.: *sóbrio.*] [F.: Part. de *entornar.*]

entornar (en.tor.*nar*) *v.* **1** Virar (recipiente), despejando o conteúdo [*td.*: *Entornou a garrafa de cerveja.*] **2** Pôr ou sair para fora, extravasando, transbordando; DERRAMAR; EXTRAVASAR; TRANSBORDAR [*td.*: *Ao encher a xícara, entornou o café:* "... topou com um jarro...entornando água." (Eça de Queirós, *Alves e cia*)] [*int.*: *O leite ferveu na panela e entornou.*] **3** Despejar, derramar espalhando (líquido, grãos, coisas pequenas) [*td.*: "Ia às gavetas, entornava as cartas antigas... e abria-as todas..." (Machado de Assis, *Memórias póstumas de Brás Cubas*)] **4** *Fig.* Espalhar(-se), propagar(-se) (luz, perfume, som etc.) [*td.*: "Os lustres acesos entornaram as torrentes deslumbrantes do gás..." (José de Alencar, *Senhora*)] [*ta.*: *Um raio de luz entornou(-se) pelo salão.*] **5** *Fig.* Repartir amplamente; DISTRIBUIR [*td.*: *entornar favores/bens/benefícios.*] **6** *Fig.* Gastar em demasia; ESBANJAR [*td.*: *Entornou todo o salário.*] **7** *Fig.* Passar por crise, perturbação etc.; abalar-se [*int.*: *Por causa de um gesto precipitado entornou-se a velha amizade.*] **8** *Pop.* Tomar (bebida alcoólica) em excesso; embriagar-se [*td.*: "...o desembaraço de sua gesticulação, sempre que entornava (...) um pouco mais de vinho..." (Aluísio Azevedo, *Casa de pensão*)] [*int.*: *No baile de formatura, entornou a noite toda.*] [▶ 1 entornar] [F.: *en-*[2] + *tornar*. Hom./Par.: *entorno* (fl.), *entorno* [ô] (sm.), *entornado* (fl.), *entornado* (a.).]

entorno (en.*tor*.no) [ô] *sm.* **1** O que está ao redor de uma casa, de um lugar, de uma população etc.; a adjacência, a circunvizinhança **2** *Arq.* Área adjacente a um bem tombado **3** A área em torno de uma edificação **4** *Mat.* Área em torno de um determinado ponto [F.: Do espn. *entorno* ou dev. de *entornar*.]

entorpecedor (en.tor.pe.ce.*dor*) [ô] *a.* **1** Que entorpece, que causa torpor; ENTORPECENTE *sm.* **2** Aquilo que entorpece [F.: *entorpecer* + *-dor*.]

entorpecente (en.tor.pe.*cen*.te) *a2g.* **1** Que entorpece; ENTORPECEDOR *sm.* **2** Substância tóxica que pode causar sensações inebriantes, e age sobre os centros nervosos provocando dependência do usuário à substância e danos físicos e mentais [F.: *entorpecer* + *-nte*. Ver tb. *estupefaciente*.]

entorpecer (en.tor.pe.*cer*) *v.* **1** Causar torpor a ou ficar em torpor [*td.*: "E um verde profundo no olhar / A me entorpecer..." (Djavan, *A ilha*)] [*int.*: *Com a desnutrição o corpo entorpeceu:* "Era baboso, era de entorpecer." (João do Rio, *Dentro da noite*)] **2** Retardar ou suspender o movimento, a ação de [*td.*: "...como a borboleta que o frio entorpeceu..." (José de Alencar, *Senhora*)] [*int.*: "À proporção... que se lhe entorpecem as pernas... tanto mais o coração se enrija e fortifica..." (Aluísio Azevedo, *Girândola de amores*)] **3** *Fig.* Fazer perder ou perder a energia, a força; DEBILITAR; ENFRAQUECER [*td.*: "A dor mais tremenda do espírito... entorpecem-na as lágrimas." (Alexandre Herculano, *Eurico, o presbítero*)] [*int.*: "...o povoamento... se entorpeceu ou retrogradou..." (Euclides da Cunha, *À margem da história*)] **4** *Fig.* Causar a inércia ou suspender a ação de [*td.*: "Se eles fossem patriotas não estariam (...) a entorpecer (...) a ação da autoridade constituída." (Lima Barreto, *O triste fim de Policarpo Quaresma*)] [▶ 33 entorpecer] [F.: *en-*[2] + *torpecer* (do lat. *torpescere* 'tornar inerte'). Ant. ger.: *animar, avivar, excitar*.]

entorpecido (en.tor.pe.*ci*.do) *a.* **1** Que se entorpeceu, caiu em torpor **2** *Fig.* Debilitado, enfraquecido **3** *Fig.* Com a sensibilidade, o movimento e a reação a estímulos diminuídos; ADORMECIDO; DORMENTE: *Mal conseguiu mexer a mão entorpecida.* **4** *Fig.* Sem ânimo; DESALENTADO [F.: Part. de *entorpecer*.]

entorpecimento (en.tor.pe.ci.*men*.to) *sm.* **1** Ação ou resultado de entorpecer(-se) **2** Mal-estar em que são comuns a diminuição da sensibilidade e do movimento e a sensação de debilidade e apatia; TORPOR [F.: *entorpecer* + *-imento*.]

entorse (en.*tor*.se) [ó] *sf. Med.* Lesão dos tendões ou ligamentos de uma articulação, ger. causada por torcedura, sem deslocamento dos ossos articulados [F.: Do fr. *entorse*.]

entortado (en.tor.*ta*.do) *a.* Que se entortou; TORTO [F.: Part. de *entortar*. Ant.: *desentortado*.]

entortamento (en.tor.ta.*men*.to) *sm.* Ação ou resultado de entortar(-se); ENTORTADURA [F.: *entortar* + *-mento*.]

entortar (en.tor.*tar*) *v.* **1** Fazer ficar ou ficar torto; EMPENAR [*td.*: *A umidade entorta a madeira.*] [*int.*: *Com a chuva, o portão entortou.*] **2** Tirar do eixo; ARQUEAR; CURVAR [*td.*: "...mirou-a, entortando a cabeça..." (Júlio Ribeiro, *A carne*)] **3** *Pext.* Desviar(-se) do caminho certo, direito; ARRUINAR(-SE); PERDER(-SE) [*td.*: "Primeiro você me azucrina, me entorta a cabeça..." (Gonzaga Jr., *Grito de alerta*)] [*int.*: *Depois de algum tempo, a conversa entortou.*] **4** *Pop.* Ingerir bebida alcoólica em excesso; EMBRIAGAR-SE [*int.*: *De tanto beber, entortou.*] [▶ 1 entortar] [F.: *en-*[2] + *torto* + *-ar*[2].]

⊕ **entourage** (*Fr.*/anturrage/) *sm.* Grupo social; o conjunto de pessoas com que convivemos habitualmente: *Foi à festa acompanhado por sua entourage.*

entourar (en.tou.*rar*) *v.* **1** *SC* Juntar (touros) em rebanho no período da reprodução [*td.*] **2** *Lus.* Amuar(-se), zangar(-se) [*td. int.*] [▶ 1 entourar] [F.: *en-* + *touro* + *-ar*.]

entrada (en.*tra*.da) *sf.* **1** Ação ou resultado de entrar: *O cantor fez uma entrada triunfal.* **2** Admissão: *Sua entrada no clube não foi permitida.* **3** Ingresso: *A entrada custava dez reais.* **4** Lugar por onde se entra: *A entrada de uma loja.* **5** *Cul.* O primeiro prato servido em almoço, ceia etc. **6** Parte da cabeça, acima das fontes, onde começam a rarear os cabelos **7** Palavra que introduz um verbete em dicionário **8** *Com.* Primeira parcela de pagamento em aquisição ou negócio **9** *Esp.* Investida, ger. com certa violência, de um jogador sobre o adversário, para interromper a jogada **10** *Bras. Hist.* Expedição que, na época colonial, avançava pelo interior do país, para explorar suas potencialidades **11** *Inf.* Transferência de informação para computador (entrada de dados) **12** *Elet. Eletrôn.* Em aparelho ou sistema elétrico ou eletrônico, sinal ou energia que nele se introduz **13** *Elet. Eletrôn.* Terminal no qual se carrega este sinal ou esta energia **14** *Art.gr.* Espaço vazio em abertura de linha, de parágrafo, de capítulo etc. **15** *Inf.* Introdução de informação num processador central de um sistema de computação, ou em seu dispositivo de armazenamento (HD, fita etc.); INPUT **16** *Inf.* Essa informação (dados, instrução, programa etc.) [F.: *entrar* + *-ada*[1].] ■ **Boas ~s** Saudação na entrada do ano-novo **Dar ~ a 1** Encaminhar à seção competente para dar início aos trâmites de (ofício, requerimento, processo etc.) **2** *Mús.* Indicar com gesto (maestro, líder de conjunto musical etc.) a instrumento ou naipe o momento de começar a tocar certo trecho da música **De ~** Antes de qualquer outra coisa: *Foi chegando e dando, de entrada, a boa notícia.* [Curiosamente, também se diz *de saída*.] **~ de área** *Fut.* Zona do campo de futebol adjacente à linha que demarca a grande área paralelamente à linha de fundo **~ de autor 1** *Bibl.* Cabeça de notícia bibliográfica que consiste no nome do autor do livro citado **2** *Biblt.* Cabeçalho que consiste no nome do autor **~ franca** Acesso livre (a espetáculo, jogo etc.), ou seja, sem necessidade de comprar ingresso **~ sem bola** *Fut.* Falta cometida sobre adversário sem haver disputa da bola

entrado (en.*tra*.do) *a.* **1** Que entrou **2** Que começou: "Era noite entrada." (Machado de Assis, *Quincas Borba*) **3** Avançado (em anos); IDOSO **4** Que tem boa aceitação; BEM-ACEITO **5** *Bras. S. Pop.* Que é dado a tomar liberdade indevida com os outros; ABUSADO; ATREVIDO [F.: Part. de *entrar*, ou do lat. *intratus*.]

entrançado (en.tran.*ça*.do) *a.* **1** Que forma trança; ENTRELAÇADO [Ant.: *desentrançado, destrançado*.] *sm.* **2** O mesmo que *entrançamento* [F.: Part. de *entrançar*.]

entrançamento (en.tran.ça.*men*.to) *sm.* Ação ou resultado de entrançar(-se); ENTRANÇADO [F.: *entrançar* + *-mento*.]

entrançar (en.tran.*çar*) *v.* **1** Dispor em trança; fazer trança em; TRANÇAR [*td.*: *entrançar os cabelos.*] **2** Ligar enlaçando (algo ou uma coisa a outra); criar (algo) entrelaçando seus componentes; ENASTRAR(-SE); ENTRELAÇAR(-SE); ENTRETECER [*td.*: "...fiavam, teciam, entrançavam cestas e esteiras..." (Alberto da Costa e Silva, *A manilha e o libambo*)] [*tdr.* + *a, com*: *Cada trepadeira se entrançou com a outra.*] [*int.*: *Estes arbustos se entrançaram.*] [*tda.*] [▶ 12 entrançar] [F.: *en-*[2] + *trança* + *-ar*[2]. Ant. ger.: *desentrançar, destrançar*.]

entrância (en.*trân*.ci:a) *sf.* **1** Condição de ser entrante, principiante **2** Início de um governo, de uma magistratura, do exercício de um emprego ou de uma função **3** *Pext.* Graduação de cargo em qualquer carreira **4** *Jur.* Categoria das comarcas, de acordo com a classificação que se faz delas para certos efeitos legais [F.: *entrar* + *-ância*.]

entranha (en.*tra*.nha) *sf.* **1** Qualquer das vísceras das cavidades abdominal (esp. esta) e torácica **2** O conjunto dessas vísceras, seja do abdome ou do tórax [Mais us. no pl.] **3** *Fig.* O ventre materno; ÚTERO **4** *Fig.* O coração (como o lugar das emoções, do amor, dos afetos) **5** *Fig.* O ponto mais profundo, mais distante, inalcançável (aquele que não se tem como atingir, penetrar) [F.: Do lat. *interanea*, pl. neutro de *interaneum* (por sua vez, de *interaneus*) 'intestino', tomado com fem. sing. Mais us. no pl. nas acps. 2 a 5.]

entranhado (en.tra.*nha*.do) *a.* **1** Que se entranhou **2** Que se introduziu, que penetrou de modo profundo (sujeira entranhada) *a.* **3** Que se arraigou, que se fixou (hábitos entranhados) **4** *Fig.* Que criou raízes no íntimo e ganhou força, intensidade (diz-se de sentimento) (ódio entranhado) **5** *Fig.* Em que há sentimento(s) profundo(s), enraizado(s), persistente(s) (coração entranhado de saudade) [F.: Part. de *entranhar*.]

entranhamento (en.tra.nha.*men*.to) *sm.* Ação ou resultado de entranhar(-se) [F.: *entranhar* + *-mento*.]

entranhar (en.tra.*nhar*) *v.* **1** Fazer penetrar nas entranhas de; CRAVAR; INTRODUZIR [*td.*: *Entranhar a faca, a lança.*] [*tdr.* + *em*: *Entranhou a faca na fera.*] [*tda.*: "Ana Rosa (...) entranhava as unhas na madeira do balcão..." (Aluísio Azevedo, *O mulato*)] **2** Fixar(-se) profundamente; ARRAIGAR(-SE) [*tda.*: *Entranhamos a leitura em nossas vidas.*] [*tr.* + *em*: "...foi-me a ideia entranhando no espírito..." (Machado de Assis, *Memórias póstumas de Brás Cubas*)] [*int.*: "Estes vegetais (...) mostram raízes que se entranham a surpreendente profundura." (Euclides da Cunha, *Os sertões*)] **3** *Fig.* Levar, conduzir para dentro de, fazer entrar profundamente em; EMBRENHAR(-SE); INTERNAR(-SE) [*tda.*: *Entranhou a tropa no sertão.*] [*ta.*: "...cada vez mais nos entranhávamos pelas montanhas..." (Álvares de Azevedo, *Noite na taverna*)] **4** *Fig.* Dedicar-se profundamente a; ser absorvido por; ABSORVER-SE; CONCENTRAR-SE; MERGULHAR [*tr.* + *em*: "...na ocasião em que ele se entranhava (...) na exposição de uma teoria..." (Júlio Dinis, *As pupilas do senhor reitor*)] [▶ 1 entranhar] [F.: *entranha* + *-ar*[2]. Ant. ger.: desentranhar. Hom./Par.: *entranha* (fl.), *entranha(s)* (sf.[pl.]); *entranháveis* (fl.), *entranháveis* (pl. de *entranhável* [a2g.]).]

entranhas (en.*tra*.nhas) *sfpl.* **1** O conjunto dos órgãos do ventre de homens e animais **2** O útero materno: *Sentia a criança se debater em suas entranhas.* **3** *Fig.* A parte mais profunda, mais íntima de algo: *O fogo parecia surgir das entranhas da terra.* [F.: Pl. de *entranha*.]

entrante (en.*tran*.te) *a2g.* **1** Que entra **2** Que já vai entrar, ou começar (mês entrante) [F.: *entrar* + *-nte*.]

entrão (en.*trão*) *Bras. Pop. a.* **1** Que entra, que abre caminho em qualquer situação, de maneira desembaraçada, sem hesitação ou vergonha **2** Que entra em algum lugar sem ser convidado [Pl.: *-trões*.] [F.: *entr(ar)* + *-ão*.]

entrar (en.*trar*) *v.* **1** Ir de fora para dentro (de um lugar, recinto, receptáculo, veículo etc.) [*int.*: "Wicca fez um sinal para que entrasse..." (Paulo Coelho, *Brida*)] [*ta.*: "...subiram a escada e entraram na sala de jantar..." (Machado de Assis, *A mão e a luva*)] **2** Insinuar-se, introduzir-se, penetrar [*ta.* + *por*: *Entrava luz pela janela.*] **3** Começar a exercer (atividade, função etc.) ou a fruir [*tr.* + *de, em, para*: *Entramos de férias:* "...preparatórios que lhe faltavam para entrar na academia de medicina." (Aluizio Azevedo, *O cortiço*)] **4** Ter início; ABRIR; COMEÇAR [*int.*: "Quando entrar setembro..." (Beto Guedes, *Sol de primavera*)] **5** Começar a participar de (instituição, grupo etc.); ser aceito, admitido em [*tr.* + *em, para*: *Entrou na orquestra da escola.*] **6** Passar a (determinado estado, situação, condição etc.) [*tr.* + *em*: *entrar em pânico:* "...ambulantes e guardas também entraram em confronto..." (*Folha de S.Paulo*, 23.12.1999)] **7** Alcançar (certa altura, cifra, idade, período etc.) [*tr.* + *em*: *Já entrei na casa dos quarenta:* "...entrando na idade de aprender..." (Bernardo Guimarães, *A escrava Isaura*)] **8** Apresentar, interpor [*tr.* + *com*: *entrar com uma ação judicial.*] **9** Ter em conta; considerar [*tr.* + *em*: "...entrava em detalhes secretos da vida feminina..." (Lima Barreto, *Clara dos Anjos*)] **10** Envolver-se, intrometer-se, meter-se [*tr.* + *em*: "...antes de entrarmos no assunto..." (Franklin Távora, *O matuto*)] **11** Ser parte componente de ou estar incluído em [*tr.* + *em*: *Essa palavra não entrou no dicionário.*] **12** Concorrer, contribuir (com) [*tr.* + *com*: *Ele entra com o capital; e eu, com o trabalho.*] **13** Dar início a (trabalho, estudo etc.) [*ta.*: "Entrava às nove horas... ignorando as lições..." (Raul Pompeia, *O Ateneu*)] **14** *Bras. Pop.* Comer ou beber demais [*tr.* + *em*: *entrar na feijoada, na cerveja.*] **15** Encarnar, personificar, representar [*tr.* + *em*: *Não precisou fazer laboratório para entrar no personagem.*] **16** *Inf.* Conectar-se com; abrir (programa, sítio) [*tr.* + *em*: *Entrou na internet.*] **17** Caber, ou ter tamanho adequado para caber, vestir, calçar etc. [*tr.* + *em*: *Este sapato não entra no meu pé, preciso de um número maior; Este pacote entra na sua mala?*] [▶ 1 entrar Us. tb. como v. auxiliar, com a prep. *a* e seguido de infinit., para indicar o início de determinada ação: *Entramos a falar sobre receitas.*] [F.: Do lat. *intrare*. Ant. ger.: *sair*. Hom./Par.: *entre* (fl.), *entre* (prep.).] ■ **~ bem** *Irôn.* Fracassar, ficar em má situação, dar-se mal

entravado (en.tra.*va*.do) *a.* **1** Que se entravou **2** A que se colocou entrave, obstrução, dificuldade, obstáculo (negociação entravada); OBSTRUÍDO; TRAVADO **3** Que se tornou irrealizável, impraticável, devido a entraves e obstáculos [F.: Part. de *entravar*.]

entravar (en.tra.*var*) *v. td.* **1** Pôr entrave(s), obstrução, obstáculo em; ATRAVANCAR; OBSTRUIR: *O excesso de papéis entravava a gaveta; Suas exigências absurdas entravaram a negociação.* **2** Tornar impossível ou impraticável; IMPEDIR: *A burocracia está entravando a importação das máquinas.* [▶ 1 entravar] [F.: *en-*[2] + *trave* + *-ar*[2]. Hom./Par.: *entrave(s)* (fl.), *entrave(s)* (sm.[pl.]).]

entrave (en.*tra*.ve) *sm.* **1** Ação ou resultado de entravar *sm.* **2** Obstáculo, empecilho, estorvo [+ *a, para*: *A falta de dinheiro era um entrave aos meus planos.*] **3** Travão, peia [F.: Dev. de *entravar*.]

◎ **entr(e)-** Ver *inter-*

entre (*en*.tre) *prep.* **1** Indica o espaço que separa duas ou mais pessoas ou coisas: *Sentou-se entre nós dois.* **2** Indica o espaço linear, a distância que vai de uma coisa ou pessoa a outra: *Uma estrada entre duas cidades.* **3** Expressa período de tempo que separa dois acontecimentos ou duas épocas: *Morreu entre o fim do Império e o começo da República.* **4** Perto de, cerca de: *Havia entre dez e 12 pessoas na sala.* **5** Dentro de, no interior de; cercado por: *Como aguenta viver entre quatro paredes?* **6** No âmbito de, no convívio de, no meio de: *Passou a virada de ano entre amigos.* **7** Através de, por: *Como água escorrendo entre os dedos.* **8** Em meio a (entre tapas e beijos) **9** Indica alternativas para escolha ou preferência: *Entre o louro e o moreno, escolheu o segundo.* **10** Us. para indicar o âmbito de um povo, população, família etc.: *Entre os capixabas a moqueca de peixe é uma tradição.* **11** Us. para indicar que algo (assunto, segredo etc.) deve ser do conhecimento apenas de certas pessoas: *Que isto fique entre nós!* **12** Us. para indicar uma decisão, uma resolução tomada de comum acordo por um grupo de pessoas: *Precisavam resolver entre os dois a separação do casal.* [F.: Do lat. *inter*. Hom./Par.: *entre* (fl. de *entrar*). Ideia de 'entre', usar pref. *mes(o)-*.] ■ **~ si** Em relação de reciprocidade, reciprocamente: *Discutiram a questão entre si, antes de apresentar proposta.*

entreaberto (en.tre:a.*ber*.to) *a.* **1** Parcial ou ligeiramente aberto **2** *Fig.* Sem nuvens (diz-se do céu, do tempo) **3** *Fig.* Que desabrochou ou está por desabrochar (flor entreaberta) [F.: Part. de *entreabrir*. Hom./Par.: *entreaberta* (fem.), *entreaberta* (sf.).]

entreabrir (en.tre:a.*brir*) *v.* **1** Abrir(-se) um pouco; abrir(-se) parcialmente [*td.*: *Entreabriu a porta para dar uma* *olhada; Os lábios entreabriram-se para receber o beijo.*] **2** Começar a desabrochar [***int.***: *Esta noite as rosas entreabriram; Entreabriram-se as margaridas.*] **3** Ficar (céu, tempo) limpo, sem nebulosidade; ACLARAR; DESANUVIAR [***int.***] [▶ 3 entreabrir] [F.: *entr(e)-* + *abrir*. Hom./Par.: *entreaberto* (fl.), *entreaberto* (a.).]

entreajudar (en.tre.a.ju.*dar*-se) *v.* ***td.*** Prestar ajuda mútua: *Esses dois amigos sempre se entreajudam.* [▶ 1 entreajudar-se] [F.: *entre-* + *ajudar -se.*]

entreato (en.tre:*a*.to) ***sm.*** **1** *Teat.* Intervalo entre os atos de peça teatral, ópera etc. **2** *Teat.* Pequena representação encenada neste intervalo [F.: *entr(e)-* + *ato.*]

entrebater (en.tre.ba.*ter*) *v.* ***td.*** **1** Bater(-se), entrechocar(-se): *Na luta, entrebatiam as cabeças; No jogo, as crianças entrebatiam as bolas de gude.* **2** Entrar em combate, conflito, luta, discussão: *As tropas entrebateram-se violentamente.* [▶ 2 entrebater] [F.: *entre-* + *bater.*]

entrecasca (en.tre.*cas*.ca) ***sf.*** *Bot.* Parte mais interna da casca das árvores; SAMO [F.: *entr(e)-* + *casca.*]

entrecerrado (en.tre.cer.*ra*.do) ***a.*** Que não se encontra inteiramente fechado: *Via tudo pela porta entrecerrada.* [F.: Part. de *entrecerrar.*]

entrecerrar (en.tre.cer.*rar*) *v.* ***td.*** Cerrar ou fechar parcialmente; ENTREFECHAR: "...entrecerrou as persianas, diminuindo a... claridade da tarde..." (Josué Montello, "Para evitar uma tragédia" *in Um rosto de menina*) [▶ 1 entrecerrar] [F.: *entr(e)-* + *cerrar.*]

⊕ ***entrechat*** (*Fr./antrechá/*) ***sm.*** *Dnç.* No balé, salto durante o qual o bailarino cruza os pés rapidamente, um na frente do outro, várias vezes

entrecho (en.*tre*.cho) [ê] ***sm.*** Série de fatos e situações que constituem a história de uma obra de ficção; ENREDO; INTRIGA; TRAMA [F.: Do it. *intreccio*. Hom./Par.: *entrecho* (sm.), *entrecho* (fl. de *entrechar*).]

entrechocante (en.tre.cho.*can*.te) ***a.*** Que se entrechoca [F.: *entrechocar* + *-nte.*]

entrechocar (en.tre.cho.*car*) *v.* **1** Fazer colidir (um contra outro), produzir choque (entre coisas); chocar-se (um contra outro), colidir [***td.***: *Com uma tacada só entrechocou várias bolas de bilhar.*] [***int.***: "...Murta... se controlava para que os dentes não se entrechocassem de frio em sua boca." (Antônio Callado, *Bar Don Juan*)] **2** *Fig.* Estar em contradição com, em oposição a, ou reciprocamente [***int.***: "...todas essas rápidas coisas infinitas que se entrechocam no mundo (...) para fazer nascer os dias novos que virão..." (Cecília Meireles, "A Diretoria de Instrução", *in Crônicas de educação 2*)] [▶ 11 entrechocar] [F.: Do fr. *entrechoquer*. Sin. ger.: *entrebater*. Hom./Par.: *entrechoque* (fl.), *entrechoque* (sm.).]

entrechoque (en.tre.*cho*.que) ***sm.*** **1** Ação ou resultado de entrechocar-se **2** Choque, embate, colisão entre duas ou mais coisas, pessoas etc. **3** Esbarrão **4** *Fig.* Confronto de ideias, planos, conceitos etc. contrários [F.: Dev. de *entrechocar.*]

entrecortado (en.tre.cor.*ta*.do) ***a.*** **1** Que se entrecortou **2** Partido ou dividido em cortes atravessados **3** Cortado em pontos diversos ***a.*** **4** Que é interrompido repetidas vezes, intervaladamente (conversa entrecortada) **5** Convulsivo, espasmódico: *Numa voz entrecortada, a soluçar, contou o que ocorrera.* **6** Ponteado, entremeado de manifestações de permeio: *De seu relato entrecortado, com explosões de choro e de xingamentos a todo instante, pouco se entendeu.* [F.: Part. de *entrecortar.*]

entrecortar (en.tre.cor.*tar*) *v.* **1** Cortar ou dividir em forma de cruz; cruzar cortes em [***td.***: *entrecortar um pano.*] **2** Fazer cortes em diversos lugares de (algo) [***td.***: *Entrecortou a cartolina para fazer uma máscara.*] **3** *Fig.* Interromper de tempo em tempo, a intervalos [***td.***: *Entrecortava o discurso para ilustrá-lo com alegorias e metáforas.*] **4** Formar interseções, cruzando-se reciprocamente; ATRAVESSAR; CRUZAR [***int.***: *Os feixes de luz dos holofotes entrecortavam-se no céu.*] [▶ 1 entrecortar] [F.: *entr(e)-* + *cortar*. Hom./Par.: *entrecorte(s)* (fl.), *entrecorte(s)* (sm.[pl.]).]

entrecosto (en.tre.*cos*.to) [ô] ***sm.*** **1** *Bras.* Carne bovina situada entre as costelas do animal, próximo ao espinhaço **2** *Lus.* A parte mais magra da carne do peito do porco [F.: Do fr. *entrecôte.*]

⊕ ***entrecôte*** (*Fr./antrecôt/*) ***sm.*** *Cul.* Carne bovina de primeira qualidade, que consiste em uma posta de acém retirada de um espaço entre duas costelas [Pl.: *entrecôtes.*]

entrecoxa (en.tre.*co*.xa) [ô] *Anat.* ***sf.*** **1** Em seres humanos, parte interior da coxa ***sf.*** **2** Em aves, parte do corpo que se liga ao alto da coxa: *Comprou entrecoxas de galinha.* [F.: *entre-* + *coxa.*]

entrecruzado (en.tre.cru.*za*.do) ***a.*** Que se entrecruzou; em que houve ou há entrecruzamento [F.: Part. de *entrecruzar.*]

entrecruzamento (en.tre.cru.za.*men*.to) ***sm.*** **1** Ação ou resultado de entrecruzar-se **2** *Gen.* Ver *permutação* [F.: *entrecruzar* + *-mento.*]

entrecruzar (en.tre.cru.*zar*) *v.* **1** Cruzar, entrelaçar [***td.***: *Nervoso, entrecruzava os dedos.*] **2** Atravessar, cruzar reciprocamente [***int.***: "...o inextricável acervo de galhadas, que se entrecruzam à superfície d'água..." (Euclides da Cunha, *À margem da história*)] **3** *P.ext.* Mesclar, misturar [***int.***: "...a conversa continuou... entrecruzando-se as vozes, as opiniões, os ditos espirituosos." (Adolfo Caminha, *Tentação*)] [▶ 1 entrecruzar] [F.: *entr(e)-* + *cruzar.*]

entredentes (en.tre.*den*.tes) ***sm2n.*** **1** Espaço entre os dentes [Tb. usado como adjetivo: *sorriso entredentes.*] ***adv.*** **2** Quase sem abrir a boca (falar entredentes) [F.: *entre-* + *dentes.*]

entredevorar (en.tre.de.vo.*rar*-se) *v.* ***td.*** Devorar-se, aniquilar-se mutuamente: *Os lutadores entredevoravam-se no ringue.* [▶ 1 entredevorar-se] [F.: *entre-* + *devorar.*]

entredizer (en.tre.di.*zer*) *v.* ***td.*** Dizer entre si, ou para si próprio; falar em voz baixa: *Entredisse algumas palavras quase ininteligíveis.* [▶ 20 entredizer] [F.: *entre-* + *dizer.*]

entrefechar (en.tre.fe.*char*) *v.* Fechar(-se) um pouco, parcialmente; ENTRECERRAR [***td.***: *Entrefechou a porta, deixando uma fresta para a luz entrar;*] [***int.***: *Ao entardecer as flores se entrefechavam, como que para dormir.*] [▶ 1 entrefechar] [F.: *entr(e)-* + *fechar*. Hom./Par.: *entrefechado* (part.), *entrefechado* (a.).]

entreferro (en.tre.*fer*.ro) *Elet.* ***sm.*** Num circuito eletromagnético, pequena interrupção da parte ferromagnética [F.: *entre-* + *ferro.*]

entrefolha (en.tre.*fo*.lha) [ô] ***sf.*** *Art.gr.* Folha de papel para anotações ou comentários, que se intercala entre duas folhas de caderno ou livro, ou entre folhas impressas, para evitar que a tinta de uma folha passe para a seguinte [F.: *entre-* + *folha.*]

entrefolho (en.tre.*fo*.lho) [ô] ***sm.*** **1** Escaninho, recanto, esconderijo **2** *Vet.* Perturbação digestiva no folho dos ruminantes [Pl.: [ó].] [F.: *entre-* + *folho.*]

entrega (en.*tre*.ga) ***sf.*** **1** Ação ou resultado de entregar(-se) **2** Aquilo que é entregue: *A entrega chegou em bom estado.* **3** Cessão, concessão ou transferência (entrega do diploma/das chaves) **4** Capitulação, rendição: *A entrega de Saigon aos vietcongues.* **5** Dedicação extrema: *Sua total entrega ao orfanato é comovente.* **6** Traição, deslealdade **7** *Bras. N.E.* Quantidade de gado vacum que está sob a guarda de um vaqueiro [F.: Dev. de *entregar*. Hom./Par.: *entrega* (sf.), *entrega* (fl. de *entregar*).]

entregador (en.tre.ga.*dor*) [ô] ***a.*** **1** Que entrega mercadorias (servente entregador) **2** Que entrega companheiros, correligionários; TRAIDOR ***sm.*** **3** Aquele que entrega mercadorias (entregador de pizza) **4** Aquele que entrega como traidor [F.: *entregar* + *dor.*]

entregar (en.tre.*gar*) *v.* **1** Fazer a entrega de; passar para as mãos ou para a posse de [***td.***: "Ele falava (...) do leiteiro que já estava entregando o leite..." (Paulo Coelho, *Brida*)] [***tdi.*** + *a*: *Assinou o recibo e entregou-o ao mensageiro.*: "Pronta uma carta, sobrescritava-a, entregava-a ao dono" (Aluísio Azevedo, *O cortiço*)] **2** Mandar (algo recebido) de volta; DEVOLVER; RESTITUIR [***td.***: *Entregou os objetos reclamados.*] [***tdi.*** + *a*: *Já entreguei ao João o livro que me emprestou.*] **3** Pôr sob a responsabilidade ou os cuidados de; CONFIAR [***tdi.*** + *a*: "...entregava ele a José César de Meneses... as rédeas do governo de Pernambuco..." (Franklin Távora, *O Cabeleira*)] [***tdi.*** + *a, em*: *Entregou-se às mãos da amada.*] **4** Denunciar, delatar [***td.***: *Vai entregar o cúmplice.*] [***tdi.*** + *a*: *Entregou o assaltante ao delegado.*] **5** Divulgar, revelar [***td.***: "Eu quero entregar suas mentiras..." (Adriana Calcanhoto, *Mentiras*)] **6** Dar-se por vencido; DESISTIR; RENDER-SE [***int.***: "Se o cerco durar mais um mês, a vila entrega-se..." (Franklin Távora, *O matuto*)] **7** Dedicar, consagrar [***tdr.*** + *a*: "...muito tarde pudera entregar-se aos estudos." (Raul Pompeia, *O Ateneu*)] **8** Deixar-se dominar ou subjugar; ABANDONAR-SE [***tr.*** + *a*: "Não se entregue ao desespero..." (Paulo Coelho, *O alquimista*)] **9** Negociar, vender [***tdi.*** + *a, para*: *Entregarei o lote a quem mais der.*] **10** Dar-se sexualmente [***tdi.*** + *a*: "Eu te proponho nós nos amarmos, nos entregarmos..." (Roberto Carlos e Erasmo Carlos, *Proposta*) (Isto é, entregar-se um ao outro, reciprocamente).] [***td.***: *Primeiro resistiu, depois, apaixonada, entregou-se.*] [▶ 14 entregar] [F.: Do lat. *integrare*. Hom./Par.: *entrega* (fl.), *entrega* (sf.), *entregas* (fl.), *entregas* (sfpl.), *entregue* (fl.), *entregue* (a.), *entregues* (fl.), *entregues* (pl.).]

entregue (en.*tre*.gue) ***a.*** **1** Que se entregou; dado, confiado a algo ou alguém: *compras entregues em domicílio.* **2** Que está totalmente dedicado a algo (*entregue à leitura/ao sexo.*) **3** Absorto, perdido em: *entregue a fantasias extravagantes.* **4** *Bras.* Cansado, enfraquecido: *No segundo tempo já era um time entregue, esgotado.* **5** Possuidor [+ *de*: *Estou entregue de tua carta.*] [F.: Deriv. de *entregar.*]

entreguerras (en.tre.*guer*.ras) ***sm.*** **1** *Hist.* Nome dado ao período histórico entre o fim da Primeira Guerra Mundial e o início da Segunda: *Foi no entreguerras que surgiu o fascismo.* ***a2g.*** **2** Ref. a esse período ou desse período (a cultura entreguerras) [F.: *entr(e)-* + *guerras.*]

entreguismo (en.tre.*guis*.mo) ***sm.*** *Bras.* Mentalidade ou prática política de permitir a exploração dos recursos naturais de uma nação por parte de outros países ou empresas de capital estrangeiro [F.: *entrega* + *-ismo.*]

entreguista (en.tre.*guis*.ta) ***a2g.*** **1** Ref. a ou que demonstra entreguismo **2** Diz-se de quem é partidário do entreguismo ***s2g.*** **3** Aquele que é adepto do entreguismo [F.: *entrega* + *-ista.*]

entrelaçado (en.tre.la.*ça*.do) ***a.*** **1** Que se entrelaçou; enlaçado um no outro; ENTRANÇADO **2** Entremeado, mesclado, misturado: *Suas vidas estavam entrelaçadas.* **3** *Her.* Diz-se de cada uma das peças encadeadas num conjunto em que umas passam pelas outras (triângulos, anéis) ***sm.*** **4** *Arq.* Ornato cujos motivos se entrelaçam; ENTRELAÇAMENTO **5** Conjunto de elementos entrelaçados (1): *Pôs a desembaraçar um entrelaçado de fios e linhas.* [F.: Part. de *entrelaçar.*]

entrelaçamento (en.tre.la.ça.*men*.to) ***sm.*** **1** Ação ou resultado de entrelaçar(-se) (O entrelaçamento de corpos/de desenhos); ENLAÇAMENTO **2** Conjunto de coisas, ideias, temas etc. relacionados entre si **3** *Arq.* Entrelaçado (4) **4** Fixação de aplique à raiz dos cabelos, com finalidade estética [F.: *entrelaçar* + *-mento.*]

entrelaçar (en.tre.la.*çar*) *v.* **1** Juntar ou prender (duas ou mais coisas) enlaçando, entrançando, entretecendo (uma na outra) [***td.***: "Eram dois jatobás que nasceram juntos e entrelaçaram os galhos..." (José de Alencar, *Ubirajara*)] [***tdr.*** + *a, com, em*: "...entrelaça as ramas da copa frondosa às grinaldas do cipó florido." (José de Alencar, *Til*): "Alice armara uma cestinha de flores e frutos, entrelaçando-a com umas pontas de renda." (Júlia Lopes de Almeida, *A intrusa*)] **2** Fazer trança em; ENTRANÇAR; TRANÇAR [***td.***: *entrelaçar os cabelos.*] **3** Juntar (as duas mãos, os dedos das duas mãos) passando os dedos de uma das mãos entre os dedos da outra [***td.***: *entrelaçar os dedos/as mãos.*] **4** *Fig.* Confundir, embaralhar, fundir, misturar [***td.***: *entrelaçar sons/cheiros.*] [***tdr.*** + *a, com, em*: "Quebraria o fio dourado dessa aflição, para não entrelaçá-lo à teia negra do seu passado." (José de Alencar, *A viuvinha*): "Há nada mais encantador... do que entrelaçar com as magnificências do luxo as galas inimitáveis da natureza?" (José de Alencar, *Senhora*)] [▶ 12 entrelaçar] [F.: *entr(e)-* + *laçar*. Hom./Par.: *entrelace* (fl.), *entrelace* (sm.), *entrelaces* (fl.), *entrelaces* (smpl.), *entrelaço* (fl.), *entrelaço* (sm.).]

entrelinha (en.tre.*li*.nha) ***sf.*** **1** Espaço entre duas linhas consecutivas de um texto **2** Aquilo que se escreve no espaço entre duas linhas de um texto escrito **3** *Fig.* Comentário ou nota interlinear **4** *Art.gr.* No passado, barra de chumbo que separava as linhas compostas; no presente, espaço entre as linhas fotolitadas **5** *Mús.* Espaço entre as linhas da pauta **6** Entrevia, espaço entre duas vias férreas **7** *Fig.* Sentido não explícito de um texto mas que dele se pode depreender [Us. no pl.] [F.: *entr(e)-* + *linha*. Hom./Par.: *entrelinha* (sf.), *entrelinha* (fl. de *entrelinhar*). Ver tb. *entrelinhas.*] ▪ **Ler nas ~s** *Fig.* Captar (em texto, mensagem etc.) sentidos ou alusões não explícitas, sutis **Nas ~s** *Fig.* De modo indireto, sutil

entrelinhamento (en.tre.li.nha.*men*.to) ***sm.*** **1** Ação ou resultado de entrelinhar [Ant.: *desentrelinhamento.*] **2** *Art. gr.* Distância maior ou menor entre duas linhas consecutivas de composição ou fotolito **3** *Art.gr.* Essa distância como padrão para toda a composição [F.: *entrelinha* + *-mento.*]

entrelinhar (en.tre.li.*nhar*) *v.* **1** Escrever nas entrelinhas (1) [***tdr.*** + *em*: *Entrelinhei várias observações no relatório.*] **2** Pôr entrelinha(s) em [***td.***: *entrelinhar os parágrafos.*] **3** *Tip.* Dar maior espaço entre as linhas de uma composição para torná-la menos compacta e de melhor leitura [***td.***: *entrelinhar o texto.*] [***ta.***: "Se você entrelinhar entre os parágrafos, a leitura aumenta numa média de 12%." (Marco Bechara, "O comportamento mental de internautas em processos de compra e de navegação" *in WideBiz*)] [▶ 1 entrelinhar] [F.: *entrelinha* + *-ar*². Hom./Par.: *entrelinha* (fl.), *entrelinha* (sf.), *entrelinhas* (fl.), *entrelinhas* (sfpl.). Cf. *espacejar.*]

entrelinhas (en.tre.*li*.nhas) ***sfpl.*** O que se acha implícito, sugerido, subentendido em mensagem escrita ou oral: *Seu texto tinha ainda mais força nas entrelinhas.* [F.: Pl. de *entrelinha*. Ver tb. *entrelinha.*]

entreluzir (en.tre.lu.*zir*) *v.* **1** Começar a luzir, a irradiar luz [***int.***: *Entreluzem os primeiros raios do Sol.*] **2** Luzir fraca ou intermitentemente; BRUXULEAR; TREMELUZIR [***int.***: *As estrelas entreluziam ao amanhecer.*] **3** Deixar-se ver através de alguma coisa; ENTREMOSTRAR-SE; TRANSLUZIR [***int.***: "Entreluziam-lhe os olhos nas tabuinhas verdes das persianas." (Camilo Castelo Branco, *Coração, cabeça e estômago*)] **4** Compreender através dos sentidos; PERCEBER [***td.***: *Entreluzira as mentiras não reveladas.*] [▶ 57 entre**luzir** No sentido literal, é unipessoal: só se conjuga nas 3.as pess.] [F.: *entr(e)-* + *luzir.*]

entremanhã (en.tre.ma.*nhã*) ***sf.*** Momento em que surge a primeira claridade do dia; AURORA; MADRUGADA [F.: *entre-* + *manhã.*]

entremeado (en.tre.me.*a*.do) ***a.*** **1** Que se entremeou, que foi posto de permeio em algo; INTERPOSTO; INTERCALADO **2** Que tem coisas de permeio [F.: Part. de *entremear.*]

entremear (en.tre.me.*ar*) *v.* **1** Pôr de permeio (em); estar de permeio (em); ENTREMETER; INTERCALAR [***td.***: "...entremeando o expediente, relativamente fraco, houve um quinhão de salteadas reminiscências e confidências." (Marques Rebelo, *O simples coronel Madureira*)] [***tdr.*** + *com, de*: "...solta o verbo... entremeando-o até com perguntinhas..." (João Ubaldo Ribeiro, *O conselheiro come*)] [***tda.***: *Entremeou suas observações no texto do relatório.*] **2** Colocar entre; MESCLAR; MISTURAR [***tda.***: "Os cavaleiros se entremeiam na manada" (João Guimarães Rosa, *Sagarana*)] [▶ 13 entremear] [F.: *entremeio* + *-ar*². Hom./Par.: *entremeio* (fl.), *entremeio* (sm.).]

entremeio (en.tre.*mei*.o) ***sm.*** **1** Aquilo que se põe ou está de permeio (em algo) **2** Intervalo de espaço (entre dois pontos ou lugares) ou de tempo (entre dois momentos ou eventos) **3** Tira bordada ou renda que se costura entre duas peças lisas de tecido **4** Depósito gorduroso no períneo dos bovinos [F.: *entr(e)-* + *meio*. Hom./Par.: *entremeio* (sm.), *entremeio* (fl. de *entremear*).]

entrementes (en.tre.*men*.tes) ***adv.*** Nesse ínterim, enquanto isso, nesse meio tempo; ENTRETANTO [Us. como subst. nas locuções *no entrementes, neste* ou *nesse entrementes.*] [F.: Cruzamento de *entre-* + port. ant. *dementre* ou *dementes.*]

entremeter (en.tre.me.*ter*) *v.* **1** Ver *entremear* **2** Pôr(-se) de permeio; INTROMETER; INTERPOR [***td.***: *Entremeteu seus comentários no relatório do chefe; Entremeteu-se na fila e conseguiu entrar.*] **3** Incluir (a si mesmo) como participante em tarefa, projeto, debate; INTERFERIR; INTERVIR [***tdr.***

+ *em: Entremeteu-se na discussão com alguns pontos interessantes.*] [*td.*: *Foi aceito como ouvinte na reunião, mas não se conteve e se entremeteu.*] **4** Meter (a si mesmo) em situação, processo, ocasião etc. para os quais não foi convidado ou solicitado; IMISCUIR; INTROMETER [*tdr.* + *em*: *Entremeteu-se na conversa sem constrangimento algum.*] [▶ 2 entremeter] [F.: Do lat. *intermittere.*]

entremez (en.tre.*mez*) [ê] *sm.* **1** *Teat.* Apresentação de jograis ou bufões, realizada nos banquetes da Idade Média **2** *Teat.* Peça curta, ger. burlesca, representada no princípio, entre os atos ou no final de peças teatrais de maior duração, na península Ibérica, do final do séc. XVI ao princípio do séc. XVIII **3** *P.ext.* Intervalo de tempo preenchido por algo **4** *Fig.* Aquilo que preenche esse intervalo **5** Fato ou episódio ridículo, burlesco; PALHAÇADA [F.: Do espn. *entremés.*]

entremostrar (en.tre.mos.*trar*) *v.* Mostrar(-se) parcialmente; deixar(-se) entrever [*td.*: *Pela primeira vez entremostrava um sorriso.*] [*tdi.* + *a*: *Aquele fato já lhe entremostrava a verdade, que mais tarde conheceria inteira.*] [*int.*: *Um casebre em ruínas se entremostrava no meio do bosque.*] [▶ 1 entremostrar] [F.: *entr(e)-* + *mostrar.*]

entrenó (en.tre.*nó*) *sm. Bot.* Parte de caule, de colmo ou de estipe situada entre dois nós; INTERNÓDIO; MERITALO [F.: *entr(e)-* + *nó.*]

entreouvir (en.tre:ou.*vir*) *v. td.* Ouvir (algo) indistintamente ou parcialmente: "...entreouvi uma conversa que me deixou muito agastada." (Ana Maria Machado, "Capitu e A moreninha – diário de uma menina em 1857", *in Texturas sobre leituras e escritos*) [▶ 40 entre**ouvir**] [F.: *entr(e)-* + *ouvir.*]

entreparar (en.tre.pa.*rar*) *v. int.* Abrandar o andamento a ponto de quase parar; deter-se por um instante: *Entreparou na porta do saguão, mas acabou entrando.* [▶ 1 entreparar] [F.: *entre-* + *parar.*]

entrepausa (en.tre.*pau*.sa) *sf.* Parada ou interrupção intermediária; DESCANSO; PAUSA [F.: *entre-* + *pausa.*]

entreperna (en.tre.*per*.na) *sf.* **1** Parte interna das coxas, nas proximidades da junção entre as pernas **2** Parte das calças que cobre a entreperna (1) [Tb. us. no pl.] **3** Porção de tecido com que se reforça a costura das calças nessa parte **4** *Bras.* Peça de carne retirada da região entre as pernas de boi ou porco, muito us. para assado ou churrasco [F.: *entr(e)-* + *perna.* Ver tb. *entrepernas.*]

entrepernas (en.tre.*per*.nas) *adv.* **1** Entre uma e outra perna *sfpl.* **2** Ver *entreperna* [F.: *entreperna* + *-s*, des. de pl.]

entrepico (en.tre.*pi*.co) *sm.* **1** Intervalo mais calmo ou lento situado entre os momentos de pico: *Os motoristas devem procurar sair no entrepico. a.* **2** Diz-se de horário, ponto etc. situado nesse intervalo (horário entrepico) [F.: *entre-* + *pico.* Ideia de: *pic-.*]

entrepisar (en.tre.pi.*sar*) *v. td.* Pisar um no outro: *Os animais se entrepisaram.* [▶ 1 entrepisar] [F.: *entre-* + *pisar.*]

entrepor (en.tre.*por*) *v. td. tdi.* Mesmo que *interpor* [▶ 60 entre**por**] [F.: *entre-* + *por.*]

entreposto (en.tre.*pos*.to) [ô] *sm.* **1** Grande depósito de mercadorias; ARMAZÉM **2** Depósito de mercadorias a serem exportadas ou que esperam liberação alfandegária **3** Armazém onde são negociadas mercadorias pertencentes a uma única companhia privada ou estatal **4** Centro internacional de comércio; EMPÓRIO [Pl.: [ó].] [F.: Do lat. *interpostus*, pelo fr. *entrepôt.*]

entrepresa (en.tre.*pre*.sa) [ê] *sf.* **1** O mesmo que *interpresa* **2** *Ant.* Empreendimento ousado: "Vendo a fraqueza forcejar... e o zelo em nobre entrepresa vão esforços consumir..." (Antônio Feliciano de Castilho, *Noite de S. João*) [F.: *entr(e)-* + *presa.*]

entressachar (en.tres.sa.*char*) *v.* Enfiar(-se) (entre outras pessoas ou coisas); ENTREMEAR(-SE); MISTURAR(-SE) [*tr.* + *de, com*: *Entressachou o discurso com alusões maldosas ao adversário.*] [▶ 1 entressachar] [F.: *entre-* + *sachar.*]

entressafra (en.tres.*sa*.fra) *sf. Agr.* Período entre uma safra e a seguinte de um mesmo produto, em que este, com a redução da oferta, ger. fica mais caro [F.: *entr(e)-* + *safra.*]

entresseio (en.tres.*sei*:o) *sm.* **1** Espaço entre os seios **2** Espaço ou intervalo entre duas elevações; DEPRESSÃO **3** Vão, cavidade [F.: *entre-* + *seio.*]

entressola (en.tres.*so*.la) *sf.* Num calçado, peça entre a palmilha e a sola [F.: *entr(e)-* + *sola.*]

entressonhado (en.tres.so.*nha*.do) *a.* **1** Sentido ou pensado de maneira vaga, imprecisa, como se ocorresse entre o sonho e a vigília **2** Desejado, almejado: "Ei-lo que chega ao porto entressonhado..." (Emílio de Menezes, "Dies irae", *in Versos antigos*) [F.: *entre-* + *sonhado.*]

entressonhar (en.tres.so.*nhar*) *v.* Imaginar de maneira imprecisa; perder-se em devaneios ou divagações [*td.*: *Entressonhava amores impossíveis.*] [*int.*: *Entressonhava, buscando inspiração para seus textos.*] [▶ 1 entresson**har**] [F.: *entre-* + *sonhar.*]

entressonho (en.tres.*so*.nho) *sm.* Ação ou resultado de entressonhar; FANTASIA; IMAGINAÇÃO [F.: *entre-* + *sonho.* Hom./Par.: *entressonho* (fl. de *entressonhar*).]

entressorrir (en.tres.sor.*rir*) *v. int.* Sorrir de maneira muito ligeira, mal movimentando os lábios: *A mulher entressorriu, mas não pareceu concordar.* [▶ 41 entressor**rir**] [F.: *entre-* + *sorrir.*]

entretanto (en.tre.*tan*.to) *conj.advers.* **1** Mas, porém, no entanto: *Bonita aeronave; entretanto, obsoleta. adv.* **2** Nesse ínterim; ENTREMENTES [Us. como subst. nas locs. *no entretanto, neste ou nesse entretanto.*] [F.: *entre* + *tanto.*] ■ **~ que** Enquanto, no momento em que **Nesse/neste/naquele ~** Nesse/neste/naquele ínterim; entretanto **No ~** Ver *No entanto* (1), no verbete *entanto*: *O tempo estava bom; no entretanto, a corrida foi adiada.* [Por analogia com um dos sentidos de 'entretanto', é comum o uso de 'no entretanto' por 'no entanto', no sentido de 'todavia'.]

entretecer (en.tre.te.*cer*) *v.* **1** Tecer, entremeando os elementos usados na tecedura; ENTRELAÇAR; ENTREMEAR [*td.*: "Dessas folhas colheria Estela algumas, entretecera os talos formando uma capela" (Machado de Assis, *Iaiá Garcia*)] [*tr.* + *em*: "...uma grinalda de flores brancas... se entretecia nesse belo tecido de madeixas..." (Joaquim Manuel de Macedo, *O moço loiro*)] **2** Inserir (algo) naquilo que se tece, formando um novo trabalho; SOBRETECER [*tdr.* + *de, em*: *Entretecera fios brancos no painel*; "...sua mão ligeira tramava a teia de uma rede, que entretecia das penas douradas do galo-da-serra." (José de Alencar, *Ubirajara*)] **3** *Fig.* Incluir (palavras, citações, episódios etc.) em uma narração ou escrito; INSERIR; INTERCALAR [*tdr.* + *com, de, em*: *Entretece vários assuntos em seus discursos; Entretece seus discursos com / de vários assuntos.*] **4** *Fig.* Armar, urdir (intriga ou trama de obra ficcional) [*td.*: *entretecer mexericos/enredos.*] [▶ 33 entrete**cer**. Apresenta o *e* aberto [é] no radical das 2.ª e 3.ª pess. do sing. e da 3.ª do pl. do pres. do ind. e 2.ª do sing. do imper. afirm.] [F.: *entr(e)-* + *tecer*. Sin. ger.: *intertecer*. Ant. ger.: *desentretecer.*]

entretecido (en.tre.te.*ci*.do) *a.* Que se entreteceu, entrelaçou; ENTRELAÇADO [F.: Part. de *entretecer.*]

entretecimento (en.tre.te.ci.*men*.to) *sm.* **1** Ação ou resultado de entretecer(-se) **2** *Têxt.* Entrelaçamento resultante do ato de tecer **3** Inclusão de uma coisa em outra; INTERCALAÇÃO; INSERÇÃO **4** Armação de história, trama, enredo (entretecimento literário) [F.: *entretecer* + *-mento.*]

entretela (en.tre.*te*.la) *sf.* **1** Tecido mais espesso que se coloca entre o forro e a fazenda de uma peça de roupa, a fim de deixá-la mais encorpada; ENTREFORRO **2** Contraforte de uma muralha **3** *Pint.* Num quadro pintado, tela que serve de reforço à tela sobre a qual se pintou [F.: *entr(e)-* + *tela.* Hom./Par. *entretela* (sf.), *entretela* (fl. de *entretelar*).]

entretempo (en.tre.*tem*.po) *sm.* Momento ou etapa intermediária, meio-tempo; ÍNTERIM [F.: *entr(e)-* + *tempo.*] ■ **Nesse/neste/naquele ~** Nesse/neste/naquele ínterim

entretenimento (en.tre.te.ni.*men*.to) *sm.* **1** Ação ou resultado de entreter(-se) **2** Aquilo que entretém, distrai; DIVERSÃO; DIVERTIMENTO; RECREAÇÃO: *Seu entretenimento era o xadrez.* [F.: Do espn. *entretenimiento.*]

entreter (en.tre.*ter*) *v.* **1** Desviar a atenção de; DISTRAIR [*td.*: *Entreteve a criança enquanto lhe dava o remédio.*] **2** Proporcionar entretenimento a (alguém, inclusive si mesmo); DISTRAIR(-SE); DIVERTIR(-SE) [*td.*: "...D. Tomásia entreteve uma das visitas..." (Machado de Assis, *Helena*)] [*tdr.* + *com*: *Vamos entreter o público com um número musical*: "Ao jantar e ao café entreteve-se com os filhos..." (Machado de Assis, *Quincas Borba*); "...Aurélia tirou um baralho, com que se entreteve a fazer sortes..." (José de Alencar, *Senhora*)] **3** Ser motivo de entretenimento, de distração prazerosa [*int.*: *Uma boa música sempre entretém.*] **4** Conservar, manter [*td.*: "Procurava o mancebo galhos secos para entreter o fogo." (Franklin Távora, *O cabeleira*)] [*tdp.*: *Entreteve a criança quieta por alguns instantes.*] [*tdr.* + *com*: "Carapicus não podia entreter a mais ligeira amizade com um Cabeça de gato..." (Aluísio Azevedo, *O cortiço*)] **5** Deter(-se), distraindo [*tda.*: *Entretiveram-na em casa enquanto preparavam a festa.*] [*tr.* + *com, em*: *Entreteve-se na conversa e perdeu a hora.*] **6** Fazer com que alguém não pense em ou sinta (algo) [*td.*: "Já tem... o que foi possível arranjar para entreter a barriga." (Domingos Olímpio, *Luzia Homem*)] **7** Preencher, ocupar (espaço de tempo) [*td.*: "Para entreter as noites melancólicas... tentam fazer versos..." (Eça de Queirós, *O crime do padre Amaro*)] [▶ 7 entre**ter**] [F.: *entr(e)-* + *ter*. Hom./Par.: *entretém* (fl.), *entretém* (sm.), *entreténs* (fl.), *entreténs* (pl.).]

entretido (en.tre.*ti*.do) *a.* **1** Que se entreteve ou entretém **2** Alheio, absorto na própria reflexão: *Entretida, não deu por falta dele.* **3** Ocupado com coisas agradáveis: *Vive entretido com as flores.* **4** Que teve a atenção desviada e com isso foi enganado, logrado [F.: Part. de *entreter.*]

entretítulo (en.tre.*tí*.tu.lo) *Jorn. sm.* **1** Cada um dos subtítulos que encabeçam os diversos blocos de uma matéria extensa **2** Nota breve que se insere, entre parênteses e em corpo menor, no título de uma matéria; INTERTÍTULO [F.: *entr(e)-* + *título.* Cf.: *subtítulo.*]

entrevado (en.tre.*va*.do) *a.* **1** Que se entrevou, paralisou, perdeu os movimentos; PARALÍTICO *sm.* **2** Indivíduo entrevado (1); PARALÍTICO [F.: Part. de *entrevar*[1].]

entrevamento (en.tre.va.*men*.to) *sm.* Ação ou resultado de entrevar(-se); ENTREVAÇÃO; PARALISIA [F.: *entrevar* + *-mento.*]

entrevar[1] (en.tre.*var*) *v.* Tornar(-se) paralítico; tolher os movimentos de, ou tê-los tolhidos; ENTREVECER [*td.*: *Um acidente entrevou o rapaz.*] [*int.*: "Iô Nhô se entrevara, por ataques de estupor." (João Guimarães Rosa, "Lá, nas campinas" *in Tutameia*)] [▶ 1 entre**var** Com *e* aberto nas formas rizotônicas.] [F.: Alteração de *entravar.*]

entrevar[2] (en.tre.*var*) *v.* Cobrir(-se) de trevas (tb. *Fig.*); o mesmo que *entenebrecer* [▶ 1 entre**var**] [F.: *en-*[2] + *treva* + *-ar*[2].]

entrever (en.tre.*ver*) *v.* **1** Ver indistinta ou rapidamente; distinguir mal; DIVISAR [*td.*: "Amaro entreviu... um berço coberto com um saiote escarlate." (Eça de Queirós, *O crime do padre Amaro*)] **2** *Fig.* Perceber (coisas) não muito visíveis ou previsíveis, perceber antecipadamente; PRESSENTIR; PREVER [*td.*: "...voltava-se para Jerônimo, fazia-o entrever a possibilidade de vir ele Coelho a casar com Zefinha." (Franklin Távora, *O matuto*)] **3** Ver-se (a si mesmo, ou um ao outro) rapidamente, encontrar-se (um com outro) de passagem; AVISTAR-SE [*td.*: *Entreviu-se rapidamente no espelho; Entreviram-se quando se cruzaram na multidão.*] **4** Ter um encontro ou uma reunião [*td.*: *Os dois amigos entreviram-se no escritório.*] [▶ 32 entre**ver**] [F.: *entr(e)-* + *ver*. Hom./Par.: *entreveres* [ê] (fl.), *entreveres* (fl. de *entreverar*); *entrevia* (fl.), *entrevia* (sf.), *entrevias* (fl.), *entrevias* (sfpl.).]

entreverar (en.tre.ve.*rar*) *v.* **1** *RS* Misturar(-se), confundir(-se) (soldados, pessoas, animais etc.) em desordem, confusão, ou combate, disputa [*td.*: *Os vaqueiros entreveraram os bois; Os soldados se entreveram em combate.*] **2** Entrar em embate (com alguém) numa disputa, entrevero etc. [*tr.* + *com*: *Os assaltantes entreveraram com os policiais.*] [*int.*: *Os bandidos entreveraram pelas ruas.*] [▶ 1 entreve**rar**] [F.: Do espn. platino *entreverar*. Hom./Par.: *entreveres* (fl.), *entreveres* [ê] (fl. *entrever*); *entrevero* (fl.), *entrevero* [ê] (sm.).]

entrevero (en.tre.*ve*.ro) [ê] *sm.* **1** *RS* Ação ou resultado de entreverar(-se) **2** *Bras.* Desencontro ou antagonismo entre ideias, conceitos, posições etc.; DESAVENÇA; DESENTENDIMENTO: *Teve um entrevero com o vizinho.* **3** *RS* Desordem, mistura de pessoas, animais, objetos **4** *RS* Combate no qual as tropas adversárias se misturam e lutam individualmente [F.: Do espn. platense *entrevero*. Hom./Par.: *entrevero* (sm.), *entrevero* (fl. de *entreverar*). Dependendo da região do Brasil, é tb. pronunciado com o terceiro *e* aberto.]

entrevia (en.tre.*vi*.a) *sf. Bras.* Espaço entre duas vias: *Passaram rápido pela entrevia.* [F.: *entre-* + *via.* Hom./Par.: *entrevia* (fl. de *entrever*)]

entrevisão (en.tre.vi.*são*) *sf.* **1** Ação ou resultado de entrever(-se) **2** Visão imprecisa, indistinta ou muito rápida: *Teve apenas uma entrevisão do acontecimento.* [Pl.: *-sões.*] [F.: *entre-* + *visão.*]

entrevista (en.tre.*vis*.ta) *sf.* **1** *Jorn.* Diálogo conduzido por um jornalista com o fim de realizar matéria sobre a pessoa escolhida ou assunto de sua especialidade **2** *Jorn.* A matéria resultante **3** Encontro formal para avaliar uma pessoa profissionalmente ou obter informações, esclarecimentos: *O candidato ao emprego estava seguro na entrevista.* **4** Conversa entre duas ou mais pessoas ger. em lugar, dia e hora pré-determinados [F.: *entr(e)-* + *vista*, sob infl. do ing. *interview* e talvez do fr. *entrevue*. Hom./Par.: *entrevista* (sf.), *entrevista* (fl. de *entrevistar.*] ■ **~ coletiva** *Jorn.* Entrevista, previamente marcada, concedida a um grupo de jornalistas [Tb. apenas *coletiva.*] **~ exclusiva** *Bras. Jorn.* Entrevista concedida com exclusividade a um jornalista ou a órgão ou empresa jornalística [Tb. apenas *exclusiva.*]

entrevistado (en.tre.vis.*ta*.do) *a.* **1** Que se entrevistou, que concedeu entrevista (personalidades entrevistadas) *sm.* **2** Aquele que concedeu entrevista [F.: Part. de *entrevistar.*]

entrevistador (en.tre.vis.ta.*dor*) [ô] *sm.* Aquele que entrevista [F.: *entrevistar* + *dor.*]

entrevistar (en.tre.vis.*tar*) *v.* **1** Fazer entrevista com (figura pública, pessoa célebre etc.) sobre determinado assunto, visando sua publicação ou divulgação nos meios de comunicação [*td.*: *A jornalista já entrevistou grandes nomes do cinema americano.*] [*tdr.* + *sobre*: *O repórter entrevistou o cantor sobre o novo álbum.*] **2** Ter encontro formal com (alguém), para obtenção de informações ou avaliação da pessoa [*td.*: *Capes começa a entrevistar candidatos a doutorado no exterior*; "...à medida que ia avançando na profissão de psiquiatra – e entrevistando seus pacientes..." (Paulo Coelho, *Veronika decide morrer*)] [*tr.* + *com*: *Entrevistou-se com o empresário esta manhã.*] [▶ 1 entrevistar] [F.: *entrevista* + *-ar*[2]. Hom./Par.: *entrevista* (fl.), *entrevista* (sf.), *entrevistas* (fl.), *entrevistas* (sfpl.).]

entrevisto (en.tre.*vis*.to) *a.* **1** Que se entreviu **2** Que se percebe logo **3** Visto de relance [F.: Part. de *entrever.*]

entrincheirado (en.trin.chei.*ra*.do) *a.* **1** Que se entrincheirou; protegido com trincheira ou barricada; FORTIFICADO [Ant.: *desentrincheirado.*] **2** *Fig.* Firme, com bom respaldo: *Um homem entrincheirado em suas convicções.* [F.: Part. de *entrincheirar.*]

entrincheiramento (en.trin.chei.ra.*men*.to) *sm.* **1** Ação ou resultado de entrincheirar(-se) **2** Conjunto de trincheiras, fortificação com trincheiras **3** *Fig.* O que serve de recurso, pretexto, motivo para justificar ou defender uma atitude, um comportamento, uma ideia: *Usava uma brecha no estatuto como seu entrincheiramento.* [F.: *entrincheirar* + *-mento.*]

entrincheirar (en.trin.chei.*rar*) *v.* **1** Fazer trincheiras ou barricadas (em); fortificar(-se) com trincheira(s) ou barricada(s); FORTIFICAR(-SE); PROTEGER(-SE) [*td.*: *As tropas entrincheiraram suas posições*: "Trataram [os franceses] de se entrincheirar" (Capistrano de Abreu, *Capítulos de história colonial*)] **2** Defender, proteger com alguma forma de barreira, obstáculo [*tdr.* + *com*: "... ordenara aos *coolies* que entrincheirassem a porta com os carros das bagagens..." (Eça de Queirós, *O mandarim*)] **3** *Fig.* Buscar refúgio para se defender ou se esquivar de dificuldades; REFUGIAR-SE [*tda.*: *Pouco depois de renunciar ao mandato, entrincheirou-se em sua casa.*] [*tdr.* + *em*] **4** *Taur.* Encostar-se (o touro) à trincheira [*int.*] [▶ 1 entrinchei**rar**] [F.: *en-*[2] + *trincheira* + *-ar*[2]. Ant. ger.: *desentrincheirar.*]

entristar (en.tris.*tar*) *v. td. int.* Mesmo que *entristecer* [▶ 1 entristar] [F.: *en-* + *triste* + *-ar*.]

entristecedor (en.tris.te.ce.*dor*) [ô] *a.* Que entristece; DESOLADOR [F.: *entristecer* + *-dor*.]

entristecer (en.tris.te.*cer*) *v.* **1** Infundir tristeza a (algo ou alguém); AFLIGIR [*td.*: *As marcas do desmatamento entristeciam a paisagem*: "E aquela natureza de Cintra, ao escurecer, começava a entristecê-lo." (Eça de Queirós, *Os Maias*): "Quem dera pudesse,/ A dor que entristece /Fazer compreender." (Ângela Rô-Rô, *Só nos resta viver*) Na música de Ângela Rô-Rô, a não menção do complemento não tira ao verbo a regência transitiva direta.] **2** Ficar triste; sentir pesar, desgosto, aflição íntima [*int.*: *Ao ouvir a notícia, entristeceu(-se) e parou de sorrir;* "E se entristece ao saber como estou..." (Roberto Carlos e Erasmo Carlos, *Por amor*)] [*tr.* + *com*: "...como a mãe entristecesse com aquilo, Guiomar domou o próprio espírito..." (Machado de Assis, *A mão e a luva*)] **3** *Fig.* Fazer ficar ou ficar murcho; ESTIOLAR(-SE) [*td.*: *O vento entristeceu o botão da rosa.*] [*int.*: *Com o vento, a rosa entristeceu.*] **4** *Fig.* Cobrir(-se) de nuvens; ANUVIAR(-SE); NUBLAR(-SE); TOLDAR(-SE) [*td.*: "Quando as sombras da tarde entristeciam o dia, o cristão parou no meio da mata." (José de Alencar, *Iracema*)] [*int.*: *Todo o céu entristeceu.*] [▶ 33 entristecer] [F.: *en-*^{2} + *triste* + *-ecer*.]

entristecido (en.tris.te.*ci*.do) *a.* **1** Que se entristeceu [Ant.: *desentristecido*.] **2** Acometido de tristeza, melancolia; ACABRUNHADO; MELANCÓLICO; TRISTE **3** Que feneceu, murchou, estiolou **4** Coberto de nuvens; ANUVIADO; NUBLADO [F.: Part. de *entristecer*.]

entristecimento (en.tris.te.ci.*men*.to) *sm.* Ação ou resultado de entristecer(-se); TRISTEZA [Ant.: *desentristecimento*.] [F.: *entristecer* + *-mento*.]

entrombado (en.trom.*ba*.do) *a.* Que se entrombou; AGASTADO; AMUADO [F.: Part. de *entrombar*.]

entrombar (en.trom.*bar*) *v. int. Bras.* Ficar de tromba ou de cara feia; ficar macambúzio, amuado; AMUAR [▶ 1 entrombar] [F.: *en-*^{2} + *tromba* + *-ar*^{2}.]

entronado (en.tro.*na*.do) *a.* O mesmo que *entronizado* [F.: Part. de *entronar*.]

entronamento (en.tro.na.*men*.to) *sm.* Ação ou resultado de entronar(-se) [F.: *entrona(r)* + *-mento*.]

entroncado (en.tron.*ca*.do) *a.* **1** Que se entroncou, ganhou ou criou tronco **2** Diz-se de pessoa corpulenta mas de baixa estatura **3** Engrossado, grosso (palmeira entroncada) **4** Ligado a uma árvore de geração: *Fidalgo, entroncado na família real.* [F.: Part. de *entroncar*.]

entroncamento (en.tron.ca.*men*.to) *sm.* **1** Junção de duas ou mais estradas ou vias férreas **2** Ponto onde se encontram duas ou mais coisas **3** Ramificação em tubulações de gás, água etc. [F.: *entroncar* + *-mento*.]

entroncar (en.tron.*car*) *v.* **1** Formar tronco; ENTRONQUECER-SE [*int.*: *A árvore ainda não (se) entroncou.*] **2** *Fig.* Ficar forte, robusto; ROBUSTECER [*int.*: *Malhou tanto que (se) entroncou.*] **3** Ligar-se por parentesco, linhagem ou ascendência; ENGARFAR [*tr.* + *em*: "...entroncou-se na família daquele meu famoso homônimo, o capitão-mor Brás Cubas..." (Machado de Assis, *Memórias póstumas de Brás Cubas*)] [*tdr.* + *em*: "Apareceu em vastas compilações... entroncando as famílias do Brasil na primeira nobreza de Espanha, Itália e Flandres." (Capistrano de Abreu, *Capítulos de história colonial*)] **4** Ir dar (um caminho em outro); DESEMBOCAR [*tr.* + *com, em*: *Esta estrada entronca com a rodovia;* "...o caminho do Rio... em Taubaté entroncava na estrada geral de São Paulo." (Capistrano de Abreu, *Capítulos de história colonial*)] **5** *Fig.* Juntar, reunir (uma coisa com outra) [*tdr.* + *com, em*: "Vou entroncar o nosso Direito administrativo no antigo Direito administrativo português." (Lima Barreto, "Milagre de Natal" *in Contos*)] **6** *Fig.* Incluir, inserir, introduzir [*tdr.* + *em*: *Entroncou críticas em seu discurso.*] [▶ 11 entroncar] [F.: *en-*^{2} + *tronco* + *-ar*^{2}.]

entronchado (en.tron.*cha*.do) *a.* **1** Que se entronchou **2** Tronchudo, repolhudo **3** *Bras.* Tombado para um dos lados [F.: Part. de *entronchar*.]

entronchar (en.tron.*char*) *v.* **1** Ficar tronchudo [*int.*] **2** Tornar(-se) troncho, torto [*td.*] [▶ 1 entronchar] [F.: *en-* + *troncho* + *-ar*.]

entronização (en.tro.ni.za.*ção*) *sf.* **1** Ação ou resultado de entronizar(-se), de elevar ou subir a trono: *Foi quase imediata a entronização de Bento XVI.* [Ant.: *desentronização*.] **2** *Fig.* Ação ou resultado de exaltar, pôr nas alturas, enaltecer **3** Colocação em altar (ou nicho, ou outro lugar apropriado) de (imagem ou quadro de santo) [Pl.: *-ções*.] [F.: *entronizar* + *-ção*.]

entronizado (en.tro.ni.*za*.do) *a.* **1** Que se entronizou, que se elevou ao trono; ENTRONADO [Ant.: *desentronizado*.] **2** *Fig.* Que foi elevado às alturas, elogiado, enaltecido, exaltado **3** Que se colocou em altar, em local de evidência ou destaque etc. [F.: Part de *entronizar*.]

entronizar (en.tro.ni.*zar*) *v.* **1** Elevar ou subir ao trono [*td.*: *entronizar um rei/um papa.*] [*int.*: *O rei abdicou e o príncipe herdeiro se entronizou.*] **2** *P.ext.* Dar posição de poder e prestígio a [*tdr.* + *em*: *Entronizou familiares nos mais altos cargos da República.*] **3** *Fig.* Dar grande relevo a; GLORIFICAR; ENALTECER; ENGRANDECER; EXALTAR [*td.*: *Seus livros entronizam as virtudes morais.*] **4** Pôr (imagem ou quadro de santo) em altar ou em lugar nobre [*tda.*: *Entronizará uma Virgem Maria no oratório.*] **5** *Fig.* Introduzir (algo) [*tdr.* + *em*: *Depois que entronizou a fé em sua vida, passou a viver em paz.*] [▶ 1 entronizar] [F.: Do gr. *enthronízo*, pelo lat. ecles. *inthronizare*.]

entropia (en.tro.*pi*:a) *sf.* **1** *Fís.* Grandeza termodinâmica que expressa o grau de desordem, da agitação térmica de um sistema reversível, portanto uma função de estado; mede a energia do sistema que não pode se transformar em trabalho e se dissipa. Assim, quanto mais desordenada a energia, maior a entropia e menor a quantidade de trabalho obtida [Símb.: *S*.] **2** *Comun.* Na teoria da informação, a entropia expressa o grau de desordem ou de imprevisibilidade da informação; quanto menos informação no sistema, maior a entropia **3** *Biol.* Medida da desordem de um sistema [F.: Do gr. *entropé*, pelo ing. *entropy*.]

entrópico (en.*tró*.pi.co) *a.* Ref. a entropia [F.: *entrop(ia)* + *-ico*^{2}.]

entrópio (en.*tró*.pi:o) *sm.* **1** *Med.* Reviramento para o interior de uma parte anatômica **2** *Oft.* Reviramento da borda interna de uma pálpebra para dentro do olho [F.: Do gr. *entrope, es*, 'dobra'.]

entrosado (en.tro.*sa*.do) *a.* **1** Que se entrosou **2** Que está encaixado, engrenado **3** Que está ajustado, afinado, adaptado (a equipe, grupo, ambiente, situação etc.); cujos componentes estão ajustados uns aos outros: *Os jogadores desse time ainda não estão entrosados; Os resultados são ruins porque ainda não é um time entrosado.* **4** Organizado, bem-estruturado ou bem-disposto **5** Que dispõe de ou adquiriu o ajustamento, os elementos necessários a um bom desempenho: *Depois de muitos ensaios, pode-se dizer que é uma orquestra entrosada.* [F.: Part. de *entrosar*. Ant. ger.: *desentrosado*.]

entrosamento (en.tro.sa.*men*.to) *sm.* **1** Ação ou resultado de entrosar(-se) **2** Adaptação mútua (entre elementos de um todo), entendimento, harmonia: *Foi ótimo o entrosamento dos jogadores.* **3** Adaptação, ajustamento: *Seu entrosamento na turma foi imediato.* [F.: *entrosar* + *-mento*. Ant. ger.: *desentrosamento*.]

entrosar (en.tro.*sar*) *v.* **1** Fazer ficar ou ficar adaptado e à vontade em grupo, ambiente, local ou situação; ADAPTAR; AMBIENTAR [*td.*: *A simples convivência com os colegas entrosará o menino.*] [*tdr.* + *com, em*: *Procurou entrosar o primo com /em seu grupo.*] [*int.*: *Já vive aqui há um tempo, mas ainda não (se) entrosou.*] **2** Pôr em ordem; dar organização a; ORDENAR; ORGANIZAR [*td.*: *entrosar uma equipe de futebol.*] **3** Encaixar as saliências de (uma roda dentada) nos vãos de outra; ENGRANZAR; ENGRENAR [*td.*] [▶ 1 entrosar] [F.: *entrós* + *-ar*^{2}. Ant. ger.: *desentrosar*. Hom./Par.: *entrosa* (fl.), *entrosa* (sf.), *entrosas* (fl.), *entrosas* (sfpl.).]

entrouxado (en.*trou*.xa.do) *a.* **1** Colocado em trouxa ou empacotado; EMBRULHADO **2** *Fig.* Caído, desanimado, prostrado **3** *Fig.* Vestido ou agasalhado com excesso de roupa [F.: Part. de *entrouxar*.]

entrouxar (en.trou.*xar*) *v.* **1** Fazer trouxa de [*td.*: *Entrouxou a roupa de cama e pôs para lavar.*] **2** Guardar em trouxa, pôr em trouxa [*td.*: *Entrouxou os poucos pertences que tinha e saiu para a estrada.*] **3** Envolver (em papel, pano, cartão etc.) formando pacote; EMBRULHAR; EMPACOTAR [*td.*: *Entrouxamos todos os livros e revistas antes de guardá-los no porão.*] **4** Pôr em ordem; ARRUMAR [*td.*: *Menino, você precisa entrouxar seu material escolar, que está espalhado pela casa.*] **5** Juntar determinada quantidade de algo; ARRECADAR; ACUMULAR [*td.*] **6** Vestir(-se) apressadamente, sem cuidar muito de detalhes [*td.*: *Entrouxou-se e saiu porta afora.*] **7** Agasalhar(-se) bem [*td.*: *Entrouxe o bebê, querido, está frio lá fora.*] **8** Largar-se, caindo como uma trouxa; DESABAR [*ta.*: *Chegou exausto e se entrouxou na cama.*] [▶ 1 entrouxar] [F.: *en-*^{2} + *trouxa* + *-ar*^{2}. Hom./Par.: *entrouxo* (fl.), *entrouxo* (sm.).]

entroviscar^1 (en.tro.vis.*car*) *v. int.* **1** Nublar-se (o céu), anunciando tempo chuvoso **2** *Fig.* Tornar-se complicado, perturbado [▶ 11 entroviscar-se] [F.: *enturviscar-se*, com metátese.]

entroviscar^2 (en.tro.vis.*car*) *v. td.* **1** Espalhar trovisco em (ger. [água de] rio, lago, tanque etc., para atordoar os peixes) **2** Atordoar, envenenar, entorpecer (ger. peixes, ao entroviscar (1) a água onde vivem) [▶ 11 entroviscar] [F.: *en-*^{2} + *trovisco* + *-ar*^{2}.]

entrudo (en.*tru*.do) *sm.* **1** *Bras. Hist.* Antiga manifestação carnavalesca em que os foliões atiravam água, farinha, tinta, ovos etc. uns nos outros e, às vezes, se davam vassouradas **2** Carnaval **3** *Lus.* Pessoa de aspecto ridículo **4** *Lus.* Indivíduo muito gordo **5** *Lus.* No carnaval, indivíduo fantasiado [F.: Do lat. *introitus, us.* Hom./Par.: *entrudo* (sm.), *entrudo* (fl. de *entrudar*).]

entubação (en.tu.ba.*ção*) *sf.* **1** Ação ou resultado de entubar **2** *Med.* Introdução de tubo em cavidade do paciente, para exame ou procedimento cirúrgico **3** *Esp.* No surfe, entrar surfando em onda em forma de tubo **4** *Tabu.* Penetração sexual por via anal; ENRABAÇÃO [Pl.: *-ções*.] [F.: *entubar* + *-ção*.]

entubado (en.tu.*ba*.do) *a.* **1** Que recebeu forma de tubo **2** Diz-se de paciente que recebeu um tubo no interior do corpo [F.: Part. de *entubar*.]

entubar (en.tu.*bar*) *v. td.* **1** Introduzir tubo em: *entubar um canal de drenagem.* **2** Dar forma de tubo a: *entubar uma chapa de metal.* **3** *Med.* Inserir um tubo em canal ou cavidade do organismo de (um paciente), para facilitar a passagem de ar, de substâncias químicas etc. **4** *Bras. Esp.* Surfar dentro do tubo formado por (onda), antes de ela arrebentar: *Catarinense revela como foi entubar aquelas ondas gigantes.* **5** *Tabu.* Introduzir o pênis em cavidade anatômica de [*td.*: *Descontrolado, entubou a mulher apesar de seus gritos e apelos.*] [▶ 1 entubar] [F.: *en-*^{2} + *tubo* + *-ar*^{2}.]

entulhado (en.tu.*lha*.do) *a.* **1** Cheio de entulho **2** Muito cheio; ABARROTADO; ATULHADO **3** Que comeu em excesso, abarrotou-se de comida; EMPANTURRADO; EMPANZINADO **4** Guardado em tulha [F.: Part. de *entulhar*. Ant. ger.: *desentulhado*.]

entulhamento (en.tu.lha.*men*.to) *sm.* **1** Ação ou resultado de entulhar(-se) **2** Armazenamento em tulha **3** Enchimento com entulho **4** Atravancamento **5** Amontoamento de coisas [F.: *entulha(r)* + *-mento*.]

entulhar (en.tu.*lhar*) *v.* **1** Encher de entulho [*td.*: *entulhar o quintal.*] **2** Encher demasiadamente; abarrotar (inclusive a si mesmo) [*tdr.* + *de, com*: *Ela entulha a casa de quinquilharias; O menino entulhou-se com biscoitos e não almoçou.*] [*tr.* + *de*: *Com o temporal, as ruas entulharam-se de detritos.*] [*td.*: *Na festa, não resistiu à gula e entulhou-se.*] **3** Pôr (grãos, azeitonas, frutos) em tulha [*td.*] **4** Amontoar, acumular [*td.*] [▶ 1 entulhar] [F.: *en-*^{2} + *tulha* + *-ar*^{2}. Hom./Par.: *entulho* (fl.), *entulho* (sm.).]

entulho (en.*tu*.lho) *sm.* **1** Material sem utilidade restante de construção ou demolição de qualquer obra; CALIÇA **2** Mistura de terra, areia, pedras, caliça etc. us. para aterrar ou nivelar terreno, vala etc. **3** *Fig.* Tudo que não serve mais e que se joga fora; LIXO **4** *P.ext.* O que não tem utilidade, serventia **5** *Bras. Pop.* Qualquer ingrediente us. para rechear ou dar consistência a um prato (sopa de entulho) [F.: Dev. de *entulhar*. Hom./Par.: *entulho* (sm.), *entulho* (fl. de *entulhar*).]

entumescer (en.tu.mes.*cer*) *v.* Mesmo que *intumescer* [*td.*] [*int.*] [▶ 33 entumescer]

entumescimento (en.tu.mes.ci.*men*.to) *sm.* O mesmo que *intumescimento* [F.: *entumesc(er)* + *-imento*.]

entupido (en.tu.*pi*.do) *a.* **1** Que se entupiu; TAPADO; OBSTRUÍDO [Ant.: *desentupido*.] **2** Obstruído (pelo acúmulo de algo) (nariz entupido, cano entupido) **3** Muito cheio, abarrotado, entulhado: *ruas entupidas de gente.* **4** *Fig.* Sem saber o que dizer ou fazer; EMBATUCADO **5** Abarrotado de comida (por ter comido demais); EMPANTURRADO **6** *Pop.* Constipado, com prisão de ventre [F.: Part. de *entupir*.]

entupidor (en.tu.pi.*dor*) [ô] *a.* **1** Que entope, que provoca entupimento *sm.* **2** O que entope [F.: *entupi(r)* + *-dor*.]

entupigaitar (en.tu.pi.gai.*tar*) *v.* Embaraçar(-se), atrapalhar(-se), confundir(-se) [*td.*: *Entupigaitou o amigo com suas perguntas.*] [*int.*: *Entupigaitou-se tentando responder ao entrevistador.*] [▶ 1 entupigaitar] [F.: *entupir* + *gaita* + *-ar*^{2}.]

entupimento (en.tu.pi.*men*.to) *sm.* **1** Ação ou resultado de entupir(-se) [Ant.: *desentupimento*.] **2** Situação, estado ou condição do que está entupido **3** Obstrução, fechamento, congestionamento: *entupimento das artérias coronárias, de um cano, de uma rua.* **4** Estado ou condição do que está muito cheio, abarrotado: *Era uma sessão vespertina, ninguém esperava aquele entupimento do cinema.* **5** *Fig.* Bloqueio (no raciocínio, na sensibilidade, na percepção etc.); EMBOTAMENTO [F.: *entupir* + *-mento*.]

entupir (en.tu.*pir*) *v.* **1** Obstruir(-se) uma passagem, canal, tubulação etc.; VEDAR(-SE); TAPAR(-SE) [*td.*: *A sujeira entupiu o cano.*] [*tdr.* + *de*: *Ela vive entupindo o ralo de cabelos.*] [*tr.* + *com, de*: *O túnel entupiu-se de tanto carro.*] [*int.*: *Chame o bombeiro, pois o ralo entupiu.*] **2** Encher(-se) demasiadamente [*td.*: *Os camelôs entopem as calçadas do Rio.*] [*tdr.* + *com, de*: *Entupiu a garagem com pneus*: "... não quer mais se entupir de analgésicos..." (*Jornal Extra*, 15.09.1998)] **3** Fartar(-se), empanturrar(-se) de [*tdr.* + *com, de*: *A babá entope o menino de doces; Entupi-me de salgadinhos e não quero mais jantar.*] **4** Emudecer-se, calar-se [*int.*: *Surpresa com a repreensão do professor, entupiu(-se).*] [*td.*: *A surpresa daquela revelação entupiu o jornalista.*] [▶ 53 entupir] [F.: De or. obsc., *en-*^{2} + onom. *tup* + *-ir*, posv.]

enturmado (en.tur.*ma*.do) *Bras. a.* **1** *Bras.* Que se enturmou; que pertence ou passou a pertencer a um grupo (de amigos, companheiros de trabalho etc.): *Está enturmado com o pessoal do partido.* **2** Que faz amigos com facilidade, que se adapta bem ao convívio social: *É um rapaz bem enturmado.* [Ant.: *desenturmado*.] [F.: Part. de *enturmar*.]

enturmar (en.tur.*mar*) *v. Bras.* Tornar(-se) parte de, agregar(-se) a turma ou grupo de pessoas; ENTROSAR [*td.*: *Fizeram de tudo para enturmá-lo.*] [*tdr.* + *com, em*: *O primo, que já morava no bairro, enturmou-a com a vizinhança.*] [*int.*: *Mal chegou na cidade, e já se enturmou.*] [▶ 1 enturmar] [F.: *en-*^{2} + *turma* + *-ar*^{2}.]

entusiasmado (en.tu.si:as.*ma*.do) *a.* **1** Cheio de entusiasmo; EMPOLGADO **2** Animado pelo êxito obtido; ESTIMULADO [F.: Part. de *entusiasmar*.]

entusiasmante (en.tu.si:as.*man*.te) *a2g.* Que entusiasma, que é capaz de entusiasmar; EMPOLGANTE [F.: *entusiasmar* + *-nte*.]

entusiasmar (en.tu.si:as.*mar*) *v.* Fazer sentir ou sentir entusiasmo; ARREBATAR [*td.*: "Aquele novo sacrifício do português... entusiasmou-a loucamente." (Aluísio Azevedo, *O cortiço*)] [*tr.* + *com, por*: "E Lenita entusiasmava-se por essa mulher tão estigmatizada" (Júlio Ribeiro, *A carne*)] [*int.*: "Quaresma entusiasmou-se." (Lima Barreto, *O triste fim de Policarpo Quaresma*)] [▶ 1 entusiasmar] [F.: *entusiasmo* + *-ar*^{2}. Hom./Par.: *entusiasmo* (fl.), *entusiasmo* (sm.); *entusiasmado* (fl.), *entusiasmado* (a.).]

entusiasmo (en.tu.si:as.mo) *sm.* **1** Viva demonstração de alegria e animação; EXULTAÇÃO; JÚBILO: *Foi recebido com entusiasmo em sua terra natal.* **2** Fervor, veemência com que se age; ARDOR; PAIXÃO: *entusiasmo por música; dis-*

cursar com entusiasmo; Assumiu a tarefa com entusiasmo. **3** Admiração fervorosa por algo ou alguém; ARREBATAMENTO: *É inegável o entusiasmo do público pela obra desse artista.* **4** *Ant.* Em religiões pagãs da Antiguidade, estado de exaltação emotiva de quem recebia de um deus o dom da profecia **5** Sentimento caloroso de adesão a uma ideia, tarefa, trabalho etc., que leva ao otimismo e a uma atuação enérgica e dedicada [F.: Do gr. *enthousiasmós*, pelo lat. *enthusiasmus* e o fr. *enthousiasme*. Ant. ger. (exceto acp. 4): *desentusiasmo*.]

entusiasta (en.tu.si:*as*.ta) ***a2g.*** **1** Que se entusiasma, que se dedica a ou se arrebata por algo ou alguém de maneira intensa e exaltada ***s2g.*** **2** Pessoa entusiasta (1), ou que manifesta entusiasmo [F.: Do gr. *enthousiastés*. pelo lat. ecl. *enthusiastes* e o fr. *enthousiaste*.]

entusiástico (en.tu.si:*ás*.ti.co) ***a.*** **1** Que tem ou manifesta entusiasmo (plateia entusiástica) **2** Que é acompanhado de manifestações de entusiasmo (recepção entusiástica) [F.: Do gr. *enthousiastikós*.]

enublação (e.nu.bla.*ção*) ***sf.*** **1** Ação ou resultado de enublar(-se) **2** Presença de névoa ou de nuvens; ENEVOAMENTO **3** *Fig.* Entristecimento [Pl.: *-ções*.] [F.: *enubla(r)* + *-ção*.]

enublado (e.nu.*bla*.do) ***a.*** **1** Coberto de nuvens; ANUVIADO; ENEVOADO; NUBLADO **2** *Fig.* Entristecido [F.: Part. de *enublar*.]

enublar (e.nu.*blar*) ***v. td.*** **1** Fazer ficar ou ficar coberto de nuvens **2** *Fig.* Tornar(-se) triste, melancólico; entristecer(-se): "...eternidade, véu que enubla na vida os olhos do homem..." (Almeida Garrett, *Camões*) [▶ 1 enublar] [F.: *en-* + *nublar*.]

enucleação (e.nu.cle.a.*ção*) ***sf.*** **1** Ação de tirar o núcleo ou o caroço de um fruto **2** *Cir.* Retirada integral de um tumor através de uma incisão **3** *Cir.* Retirada do globo ocular **4** *Fig.* Elucidação, esclarecimento [Pl.: *-ções*.] [F.: *enuclea(r)* + *-ção*.]

enuclear (e.nu.cle.*ar*) ***v. td.*** **1** *Cir.* Retirar (um tumor) por enucleação **2** Retirar o núcleo de (algo) **3** *Fig.* Retirar o caroço de (fruta) **4** Dar explicações, esclarecimentos [▶ 13 enuclear] [F.: Do lat. *enucleare*.]

enumeração (e.nu.me.ra.*ção*) ***sf.*** **1** Ação ou resultado de enumerar, de especificar coisas uma a uma: *Fez a enumeração de todos os seus bens.* **2** Relação metódica; LISTAGEM; ROL **3** Conta, contagem, cômputo **4** *Ret.* Revisão de todas as partes e aspectos de uma argumentação ou exposição; APARITMESE [Pl.: *-ções*.] [F.: Do lat. *enumeratio, onis*.]

enumerado (e.nu.me.*ra*.do) ***a.*** Que se enumerou; LISTADO; RELACIONADO [F.: Part. de *enumerar*.]

enumerar (e.nu.me.*rar*) ***v. td.*** **1** Fazer a enumeração de (itens de um conjunto); contar um a um: *A mulher enumerou os produtos que queria comprar; Pediu ao paciente que enumerasse seus problemas.* **2** Designar (componentes de um conjunto) por números; NUMERAR **3** Fazer uma lista especificada, uma relação metódica de; LISTAR; RELACIONAR: *enumerar as tarefas do dia.* [▶ 1 enumerar] [F.: Do lat. *enumerare*. Hom./Par.: *enumeráveis* (fl. de *enumerar*.), *enumeráveis* (pl. do a2g. *enumerável*).]

enumerável (e.nu.me.*rá*.vel) ***a2g.*** Que se pode enumerar [Pl.: *-veis*.] [F.: *enumera(r)* + *-vel*.]

enunciação (e.nun.ci:a.*ção*) ***sf.*** **1** Ação ou resultado de enunciar(-se), exprimir(-se) oralmente ou por escrito **2** Proposição, asserção, tese **3** *Ling.* Utilização individual de um língua pelo falante [Pl.: *-ções*.] [Do lat. *enuntiatio, onis*.]

enunciado (e.nun.ci.*a*.do) ***a.*** **1** Que se enunciou; expresso por palavras: *Ideias enunciadas podem ser discutidas.* ***sm.*** **2** Simples exposição de uma proposição a ser explicada ou demonstrada: *o enunciado de um teorema.* **3** *Ling.* Parte ou todo de um discurso, oral ou escrito, associado a seu contexto **4** *Ling.* Trecho na expressão oral ou escrita de uma língua que, juntamente com suas marcas de expressividade (entonação, pontuação, construção etc.) constitui exemplo válido para a análise dessa língua e de seu uso [F.: Do lat. *enuntiatum, i*.]

enunciar (e.nun.ci.*ar*) ***v.*** **1** Expor com precisão e clareza, oralmente ou por escrito [***td.***: *Descartes enunciou as propriedades fundamentais das equações algébricas.*] [***tdi*** + *a, para*: *Enunciou para o auditório os princípios de sua doutrina.*] **2** Declarar, dizer, expor [***td.***: *"Vou reformular a pergunta", enunciou o mediador; Vamos enunciar os princípios que norteiam nossa política.*] **3** Manifestar-se, fazer saber sua ideia, posição etc. [***int.***: *Enunciou-se a respeito da questão levantada na reunião.*] [▶ 1 enunciar] [F.: Do lat. *enuntiare*. Hom./Par.: *enunciáveis* (fl. de *enunciar*), *enunciáveis* (pl. do a2g. *enunciável*).]

enunciatário (e.nun.ci:a.*tá*.ri:o) ***sm.*** Aquele que recebe (do enunciador) o enunciado (de um texto, um anúncio, uma mensagem etc.) [F.: *enunciar* + *-tário*.]

enunciativo (e.nun.ci:a.*ti*.vo) ***a.*** **1** Que enuncia; ENUNCIADOR **2** Que expõe, que manifesta [F.: Do lat. *enuntiativus, a, um*.]

enurese (e.nu.*re*.se) [é] ***sf.*** *Urol.* Emissão involuntária de urina; incontinência urinária; ENURESIA [F.: *en-²* + *ur(o)-* + *-ese*.]

enurético (e.nu.*ré*.ti.co) *Med.* ***a.*** **1** Ref. a enurese ou enuresia **2** Que sofre de enurese ou enuresia ***sm.*** **3** Aquele que sofre de enurese ou enuresia [F.: *enurese* (com alter. no rad. *ese>et*) + *-ico²*.]

enuviar (e.nu.vi.*ar*) ***v. td.*** Mesmo que *anuviar* [▶ 1 enuviar] [F.: *en-* + *nuvi-* + *-ar*.]

envaidecedor (en.vai.de.ce.*dor*) [ô] ***a.*** Que envaidece [F.: *envaidecer* + *-dor*.]

envaidecer (en.vai.de.*cer*) ***v.*** **1** Fazer sentir ou sentir-se envaidecido; encher(-se) de orgulho [***td.***: *A responsabilidade do cargo o envaideceu.*] [***tr.*** + *com*: *Envaidecia-se com os elogios à filha.*] **2** Tornar(-se) excessivamente orgulhoso; tornar(-se) presunçoso [***td.***: *Suas conquistas o envaideceram.*] [***tr.*** + *com*: *Envaideceu-se com o sucesso na carreira.*] [▶ 33 envaidecer] [F.: *en-²* + *vaidade* + *-ecer*.]

envaidecido (en.vai.de.*ci*.do) ***a.*** Que se envaideceu, ficou vaidoso, orgulhoso; DESVANECIDO [F.: Part. de *envaidecer*.]

envaidecimento (en.vai.de.ci.*men*.to) ***sm.*** Ação ou resultado de envaidecer(-se); DESVANECIMENTO [F.: *envaidecer* + *-imento*.]

envasado¹ (en.va.*sa*.do) ***a.*** **1** Colocado em vaso (líquido envasado) **2** Que é semelhante a vaso ou tem a sua forma: *de aspecto envasado.* **3** Que foi plantado em vaso: *Plantas envasadas individualmente.* [F.: Part. de *envasar¹*.]

envasado² (en.va.*sa*.do) ***a.*** **1** Metido em vasa; sujo de lama, lodo; ATOLADO, ENLAMEADO, ENLODADO **2** *Fig.* Moralmente degradado, depravado [F.: Part. de *envasar²*.]

envasamento¹ (en.va.sa.*men*.to) ***sm.*** **1** Ação ou resultado de envasar, colocar em vaso; ENVASADURA: *O envasamento dos produtos químicos.* **2** Ato ou efeito de plantar em vaso; ENVASADURA: *O envasamento das mudas.* **3** *Arq.* Base de coluna ou pilastra [F.: *envasar¹* + *-mento*.]

envasamento² (en.va.sa.*men*.to) ***sm.*** Ação ou resultado de meter-se em vasa ou sujar-se de lama, lodo [F.: *envasar²* + *-mento*.]

envasar¹ (en.va.*sar*) ***v. td.*** **1** Pôr em vaso; envasilhar **2** Dar formato de vaso a **3** Plantar em vaso [▶ 1 envasar] [F.: *en-²* + *vaso* + *-ar²*.]

envasar² (en.va.*sar*) ***v. td.*** Pôr em, meter em, cobrir com lodo, vasa (algo, alguém, inclusive si mesmo) [▶ 1 envasar] [F.: *en-²* + *vasa* + *-ar²*.]

envasar³ (en.va.*sar*) ***v. td.*** *Arq.* Fazer embasamento de, prover de embasamento [▶ 1 envasar] [F.: Var. de *embasar*.]

envasilhado (en.va.si.*lha*.do) ***a.*** Que se envasilhou, guardou-se em vasilha, garrafa etc.; ENVASADO [F.: Part. de *envasilhar*.]

envasilhamento (en.va.si.lha.*men*.to) ***sm.*** Ação ou resultado de envasilhar, de colocar ou guardar em vasilha, tonel, garrafa etc. [F.: *envasilhar* + *-mento*.]

envasilhar (en.va.si.*lhar*) ***v. td.*** Pôr, guardar em vasilha, tonel, garrafa etc. (envasilhar o vinho) [▶ 1 envasilhar] [F.: *en-²* + *vasilha* + *-ar²*.]

envelhecer (en.ve.lhe.*cer*) ***v.*** **1** Tornar(-se) velho ou mais velho [***td.***: *As atribulações da vida o envelheceram.*] [***int.***: *Envelheceu e ganhou sabedoria.*] **2** Fazer que pareça ou parecer mais velho [***td.***: *envelhecer móveis; Certas roupas nos envelhecem.*] **3** Fazer perder ou perder o frescor [***td.***: *O tempo envelheceu muito aquela mulher.*] [***int.***: *A pele do seu rosto envelheceu.*] **4** Fazer ficar ou ficar fora de moda ou de uso [***td.***: *A moda envelheceu os penteados altos.*] [***int.***: *Este filme envelheceu demais.*] [▶ 33 envelhecer] [F.: *en-²* + *velho* + *-ecer*.]

envelhecido (en.ve.lhe.*ci*.do) ***a.*** **1** Que envelheceu, se tornou velho ou mais velho **2** Que parece velho: *Não tinha 30 anos e estava calvo, envelhecido.* **3** Que aparenta antiguidade (metal envelhecido) **4** *Fig.* Fora de uso (costumes envelhecidos) [F.: Part. de *envelhecer*.]

envelhecimento (en.ve.lhe.ci.*men*.to) ***sm.*** **1** Ação ou resultado de envelhecer **2** Ação ou resultado de dar aparência artificial de velho a algo ou alguém **3** Fermentação de bebida alcoólica em tonéis especiais [F.: *envelhecer* + *-imento*.]

envelopado (en.ve.lo.*pa*.do) ***a.*** Colocado em envelope: *Encaminhou o documento envelopado ao destinatário.* [F.: Part. de *envelopar*.]

envelopamento (en.ve.lo.pa.*men*.to) ***sm.*** *Bras.* Ação ou resultado de envelopar: *O envelopamento do material promocional.* [F.: *envelopar* + *-mento*.]

envelopar (en.ve.lo.*par*) *Bras.* ***v. td.*** *Bras.* Pôr ou guardar em envelope: *Envelopou as contas de gás.* [▶ 1 envelopar] [F.: *envelope* + *-ar²*. Hom./Par.: *envelope* (fl. de *envelopar*), *envelopes* (fl. de *envelopar*), *envelope* (sm.), *envelopes* (pl.).]

envelope (en.ve.*lo*.pe) [ó] ***sm.*** **1** Invólucro, ger. de papel, us. para guardar ou enviar carta, impresso, documento etc.; SOBRECARTA; SOBRESCRITO **2** *Bras.* Placa fina de ferro que forma o revestimento externo das caldeiras das locomotivas [F.: Do fr. *enveloppe*. Hom./Par.: *envelope* (sm.), *envelope* (fl, de *envelopar*).] ■ **~ de janela** Aquele que tem recorte na frente, através do qual se leem os dados do destinatário impressos no documento que ele contém **~ de madeira** *Bras. Pop.* Caixão de defunto; paletó de madeira

envenenado (en.ve.ne.*na*.do) ***a.*** **1** Que se envenenou; misturado com veneno (comida envenenada) **2** Que tomou veneno ou a quem se ministrou veneno **3** Contaminado com substância tóxica; INTOXICADO **4** *Fig.* Corrompido, estragado: *Ideias envenenadas de pessimismo.* **5** *Fig.* Maldoso, malévolo, venenoso (língua envenenada) **6** *Fig.* Amargurado, agoniado: *Bentinho viveu envenenado pela dúvida.* **7** *Bras. Pop. Aut.* Diz-se de carro ou motocicleta (ou de seus motores) mecanicamente modificado para ganhar muito mais potência [F.: Part. de *envenenar*.]

envenenamento (en.ve.ne.na.*men*.to) ***sm.*** **1** Ação ou resultado de envenenar(-se), tomar ou ministrar veneno **2** Contaminação por substância tóxica **3** *Fig.* Corrupção, deterioração: *O envenenamento de uma amizade.* **4** *Fís.nu.* Perda de eficiência do combustível nuclear de um reator [F.: *envenenar* + *-mento*.]

envenenar (en.ve.ne.*nar*) ***v.*** **1** Pôr veneno em [***td.***: *Os índios usavam o látex da planta para envenenar flechas.*] **2** Ministrar veneno a ou tomar veneno [***td.***: *Envenenou os ratos do porão; Envenenou-se bebendo cicuta.*] **3** Contaminar ou poluir [***td.***: *O pesticida envenenou a plantação.*] **4** Intoxicar(-se) [***td.***: *O mercúrio envenenou os animais.*] [***tr.*** + *com*: *Algumas crianças se envenenaram com sanduíches servidos na festa.*] **5** *Fig.* Estragar(-se) ou corromper(-se) [***td.***: "...a corrupção envenena a polícia..." (*Folha de S.Paulo*, 19.06.1999)] [***td.***: "...a corrupção envenena a polícia..." (*Folha de S.Paulo*, 19.06.1999)] **6** *Fig.* Encher de amargura, de desgosto [***td.***: *As disputas envenenaram nossa família.*] **7** Dar mau sentido a (atos, palavras, declarações, intenções etc.), ger. intencional e maldosamente [***td.***: *Por pura intriga, ele envenena tudo que ela diz.*] **8** *Bras. Pop.* Fazer modificações em motor de (veículo), para aumentar seu desempenho [***td.***: *Envenenou o carro para tentar bater um recorde de velocidade.*] [▶ 1 envenenar] [F.: *en-²* + *veneno* + *-ar²*.]

enverdecer (en.ver.de.*cer*) ***v.*** **1** Fazer ficar ou ficar verde; dar a ou adquirir a cor verde; ESVERDEAR [***td.***: *A chuva enverdece as plantações.*] [***int.***: *A grama enverdeceu.*] **2** Cobrir(-se) de verdor, de vegetação verde [***td.***: *A primavera enverdeceu o jardim.*] [***int.***: *O inverno passou e a terra começou a enverdecer.*] **3** Tornar(-se) mais jovem; REJUVENESCER; REMOÇAR [***td.***: *A felicidade enverdeceu-a.*] [***int.***: *Sua esperança enverdeceu novamente; Enverdeceu com o novo estilo de vida.*] [▶ 33 enverdecer] [F.: *en-²* + *verde* + *-ecer*.]

enverdecido (en.ver.de.*ci*.do) ***a.*** **1** Que se enverdeceu, se tornou verde **2** Que ganhou folhas verdes, viço (horta enverdecida) **3** *Fig.* Que rejuvenesceu: *Depois das férias era um homem enverdecido, parecia um garoto.* [F.: Part. de *enverdecer*.]

enveredamento (en.ve.re.da.*men*.to) ***sm.*** **1** Ação de enveredar **2** Ato de seguir para algum lugar determinado [F.: *enveredar* + *-mento*.]

enveredar (en.ve.re.*dar*) ***v.*** **1** Tomar uma certa vereda, um certo caminho; ENCAMINHAR-SE; SEGUIR [***ta.***: *Enveredou por uma estrada de terra batida.*] **2** Tomar certa direção; SEGUIR [***ta.***: *Enveredaram para o sul.*] **3** *Fig.* Seguir determinado rumo [***tr.*** + *para, por*: *A conversa deles sempre enveredava para questões profissionais; Acabou enveredando pela área de publicidade.*] [▶ 1 enveredar] [F.: *en-²* + *vereda* + *-ar²*.]

envergado (en.ver.*ga*.do) ***a.*** **1** Que se envergou, curvou; ARQUEADO; VERGADO **2** Trajado, vestido **3** *Mar.* Preso à verga (diz-se de vela de embarcação): "Uma galera inglesa... e que já de pano envergado, devia partir." (Virgílio Várzea, *Histórias rústicas*) [F.: Part. de *envergar*.]

envergadura (en.ver.ga.*du*.ra) ***sf.*** **1** Ação ou resultado de envergar; ENVERGAMENTO **2** Distância entre as extremidades das asas abertas de uma ave ou de qualquer animal alado **3** Distância máxima entre as extremidades das asas de uma aeronave **4** *Fig.* Capacidade, competência, talento: *São raros os escritores dessa envergadura.* **5** *Fig.* Importância, peso: *plano de grande envergadura.* **6** *Mar.* A parte mais larga das velas de uma embarcação [F.: *envergar* + *-dura*.]

envergamento (en.ver.ga.*men*.to) ***sm.*** O mesmo que *envergadura* (1) [F.: *envergar* + *-mento*.]

envergar (en.ver.*gar*) ***v.*** **1** Tornar(-se) curvo; ARQUEAR(-SE); VERGAR(-SE) [***td.***: *Envergou o arco com facilidade.*] [***int.***: *Com a idade, envergou-se ainda mais.*] **2** Vestir, trajar [***td.***: *Envergou seu melhor terno.*] **3** Cobrir com vergas [***td.***] [▶ 14 envergar] [F.: *en-²* + *verga* + *-ar²*.]

envergonhado (en.ver.go.*nha*.do) ***a.*** **1** Que se envergonhou; cheio de vergonha [Ant.: *desavergonhado*.] **2** Acanhado, tímido **3** Desonrado, aviltado, humilhado [F.: Part. de *envergonhar*.]

envergonhar (en.ver.go.*nhar*) ***v.*** **1** Fazer sentir ou sentir vergonha, vexame; VEXAR [***td.***: *Seu comportamento envergonha os pais.*] [***tr.*** + *de, com*: "...nunca me envergonhei de sentar à mesa de seu pai rico..." (José de Alencar, *A viuvinha*)] **2** Deixar ou ficar acanhado, embaraçado, intimidado; ACANHAR; INTIMIDAR [***td.***: *Os olhares do rapaz a envergonhavam.*] [***int.***: *Envergonha-se quando tem de falar em público.*] **3** Desonrar, aviltar [***td.***: *Uma decisão que envergonha quem a tomou.*] [▶ 1 envergonhar] [F.: *en-²* + *vergonha* + *-ar²*.]

envernizado (en.ver.ni.*za*.do) ***a.*** **1** Que se envernizou, cobriu-se de verniz **2** Lustrado, polido **3** *Pop.* Bêbado, embriagado ***sm.*** **4** *MG Cul.* Rosquinha lisa e brilhante, feita de araruta e ovos [F.: Part. de *envernizar*.]

envernizador (en.ver.ni.za.*dor*) [ô] ***a.*** **1** Que enverniza (líquido envernizador) ***sm.*** **2** Aquele que tem por profissão envernizar, lustrar, polir, ger. móveis de madeira: *Chamei o envernizador para lustrar a mesa da sala.* [F.: *envernizar* + *-dor*.]

envernizamento (en.ver.ni.za.*men*.to) ***sm.*** **1** Ação ou resultado de envernizar, lustrar; ENVERNIZADURA **2** *Fig.* Disfarce, dissimulação, embelezamento [F.: *envernizar* + *-mento*.]

envernizar (en.ver.ni.*zar*) ***v.*** **1** Cobrir (uma superfície) com camada(s) de verniz, para proteger e/ou dar brilho [***td.***: *Envernizar o chão/um móvel; Envernizou as unhas.*] [***int.***: *Envernizou as unhas; A porta já foi colocada, só falta envernizar.*] **2** Polir, lustrar [***td.***: *Passou cera na tela e ficou horas envernizando a obra.*] **3** *Fig.* Embelezar (algo) para disfarçar, dissimular [***td.***: *Envernizou seus modos para causar melhor impressão.*] **4** *Pop.* Beber demais; EMBRIAGAR-SE [***int.***] [▶ 1 envernizar] [F.: *en-²* + *verniz* + *-ar²*.]

enverrugado (en.ver.ru.*ga*.do) *a.* **1** Cheio ou coberto de verrugas **2** Enrugado, engelhado, encarquilhado **3** Amarrotado, amassado (paletó enverrugado) [F.: Part. de *enverrugar.*]

enverrugar (en.ver.ru.*gar*) *v.* **1** Encher(-se) de verrugas [*int.*: *A pele do seu rosto enverrugou(-se).*] **2** Encher(-se) de rugas; enrugar(-se), engelhar(-se) [*td.*: *Usou um produto caseiro que enverrugou sua pele.*] [*int.*: *O rosto de minha avó ainda não (se) enverrugou.*] **3** Tornar-se bichado, cheio de vermes, de insetos (falando de frutos) [*int.*: *A maçã enverrugou(-se).*] **4** Tornar amarrotado, vincado; amarfanhar, amarfalhar [*td.*: *enverrugar o papel/a roupa*] [▶ 14 enverrugar] [F.: *en-* + *verruga* + *-ar.*]

envesgado (en.ves.*ga*.do) *a.* **1** Um tanto vesgo: *Era envesgado quando criança.* **2** Entortado (olhos envesgados) [F.: Part. de *envesgar.*]

envesgar (en.ves.*gar*) *v.* **1** Tornar(-se) vesgo [*td.*: *A doença envesgou o menino.*] [*int.*: *A menina envesgou-se ainda pequena.*] **2** Direcionar (os olhos) para determinado ponto [*tdi.* + *para*: *A mulher envesgou os olhos para o neto.*] [▶ 14 envesgar] [F.: *en-* + *vesgo* + *-ar.*]

enviado (en.vi:*a*.do) *a.* **1** Que se enviou, remeteu; EXPEDIDO; MANDADO *sm.* **2** Aquele que, a pedido de alguém, leva correspondência, encomenda etc.; MENSAGEIRO; PORTADOR **3** Representante credenciado mandado em missão diplomática, jornalística, comercial etc. [F.: Part. de *enviar.*] ▪▪ **~ especial** *Jorn.* Jornalista enviado especialmente para cobrir certo acontecimento

enviar (en.vi.*ar*) *v.* **1** Fazer seguir (para alguém, algum endereço, lugar etc.); DESPACHAR; ENDEREÇAR; EXPEDIR; REMETER [*td.*: *enviar uma carta/um fax/um e-mail/um pacote.*] [*tdi.* + *a, para*: *Enviou o roteiro original ao produtor.*] **2** Fazer (alguém) ir (a algum lugar); MANDAR; ENCAMINHAR [*tda.*: *Enviou o filho para uma universidade europeia.*] [*td.*: *Como não tinha mensageiro disponível, enviou a secretária.*] **3** Mandar (alguém) em missão [*tda.*: "...enviar tropas francesas para o Iraque" (*O Globo*, 19.01.2004)] **4** Fazer seguir em determinada direção; MANDAR [*tda.*: *O papel do coração é enviar sangue a todas as células do nosso organismo.*] **5** Transmitir (sentimentos, saudações etc.) [*tdi.* + *a, para*: *enviar lembranças/pêsames a alguém.*] [▶ 1 enviar] [F.: Do lat. tard. *inviare* (de *via*). Hom./Par.: *envio* (fl. de *enviar*), *envio* (sm.).]

enviçar (en.vi.*çar*) *v.* Dar ou criar viço; VICEJAR [*td.*] [*int.*] [▶ 12 enviçar] [F.: *en-* + *viço* + *-ar.*]

envidar (en.vi.*dar*) *v. td.* **1** Aplicar com afinco ou empenho; EMPREGAR: *Envidaram esforços para implementar o novo programa.* **2** Desafiar, estimular (alguém) para que aceite uma parada num jogo, numa aposta, num confronto etc. [*tdr.* + *a*: *Apostou em seu time e envidou o amigo a apostar no dele.*] **3** Empregar-se com empenho, dedicar-se a (algo) [*tr.* + *em*: *Ante tal desafio, envidou-se em superá-lo, e conseguiu.*] **4** Oferecer (algo) somente como demonstração de gentileza, sem intenção real de que seja aceito [*tdi.* + *a*: *Sabendo que recusaria, envidou ao amigo dividir o apartamento.*] [▶ 1 envidar] [F.: Do lat. *invitare.* Hom./Par.: *envide* (fl.), *envides* (fl.), *envide* (sm.), envides (pl.).]

envide[1] (en.*vi*.de) *sf. Pop.* A parte do cordão umbilical que fica presa à placenta, depois de cortada a comunicação com o feto; VIDE: "Coitadinhas, as minhas filhas ainda têm a envide. Fizeram este ano a primeira comunhão." (Aquilino Ribeiro, *Aldeia*) [F.: *en-* + *vide*[1].]

envide[2] (en.*vi*.de) *sm.* Ação de *envidar* [F.: Dev. de *envidar.*]

envidraçado (en.vi.dra.*ça*.do) *a.* **1** Que se envidraçou; que tem ou que é guarnecido de vidro ou vidraça (armário envidraçado; varanda envidraçada) **2** *Fig.* Sem brilho (olhos envidraçados); BAÇO; EMBAÇADO; EMBACIADO; VIDRADO [F.: Part. de *envidraçar.*]

envidraçamento (en.vi.dra.ça.*men*.to) *sm.* **1** Ação ou resultado de envidraçar(-se) **2** Conjunto das vidraças de um edifício [F.: *envidraçar* + *-mento.*]

envidraçar (en.vi.dra.*çar*) *v. td.* **1** Guarnecer de vidro ou vidraça: *Envidraçou o jardim de inverno.* **2** Colocar em compartimento envidraçado: *envidraçar uma imagem.* **3** Dar aparência de vidro a; tornar vítreo [*td.*] **4** Perder ou fazer perder a nitidez, o brilho; EMBAÇAR; VIDRAR: *As lágrimas envidraçavam seus olhos.* [▶ 1 2 envidraçar] [F.: *en-*[2] + *vidraça* + *-ar*[2].]

enviesado (en.vi:e.*sa*.do) *a.* **1** Que se enviesou **2** Que foi colocado, cortado, dobrado, disposto, jogado ou arremessado de viés, obliquamente (listra enviesada, chute enviesado, corte enviesado) **3** Estrábico, vesgo (olhos enviesados) **4** *Fig.* Conduzido de maneira irregular (transação enviesada) [F.: Part. de *enviesar.*]

enviesamento (en.vi:e.sa.*men*.to) *sm.* Ação ou resultado de enviesar(-se) [F.: *enviesar* + *-mento.*]

enviesar (en.vi.e.*sar*) *v. td.* **1** Pôr, cortar, dispor, arremessar de viés, em linha ou posição oblíqua: *O tenista enviesou o golpe; A costureira enviesou o corte da manga da blusa.* **2** Pôr de esguelha; ENVESGAR: *Enviesou o olhar para vigiar a mulher disfarçadamente.* **3** Conduzir de forma inepta ou desastrosa: *Enviesou todos os seus negócios e foi à falência.* **4** Fazer com que (algo ou si mesmo) fique inclinado, torto: *O acidente enviesou seu pé para o lado esquerdo; Enviesou-se toda na janela para ver o rapaz que passava.* [▶ 1 enviesar] [F.: *en-*[2] + *viés* + *-ar*[2]. Ant. ger.: *desenviesar.*]

envigorar (en.vi.go.*rar*) *v. td.* Mesmo que *revigorar* [▶ 1 envigorar] [F.: *en-* + *vigorar.*]

envilecer (en.vi.le.*cer*) *v.* **1** Tornar(-se) vil ou desprezível; AVILTAR; DESONRAR [*td.*: *A cobiça o envileceu.*] [*int.*: *Ele (se) envilece com essas trapaças.*] **2** Reduzir(-se) (a preço ou valor vil) o valor ou o preço de [*td.*: *A concorrência acabou envilecendo os produtos.*] [*int.*: *O ouro envileceu nos últimos tempos.*] [▶ 33 envilecer] [F.: Do lat. tard. *invilescere.*]

envilecido (en.vi.le.*ci*.do) *a.* **1** Que se envileceu; tornado vil; AVILTADO; DESONRADO **2** Que foi desvalorizado a ou vendido por preço vil [F.: Part. de *envilecer.*]

envilecimento (en.vi.le.ci.*men*.to) *sm.* **1** Ação ou resultado de envilecer(-se); AVILTAMENTO **2** Desvalorização, depreciação, redução a preço vil [F.: *envilecer* + *-mento.*]

envinagrado (en.vi.na.*gra*.do) *a.* **1** Que contém vinagre (arroz envinagrado) **2** Que tem o sabor de vinagre (vinho envinagrado) **3** *Fig.* Irritado, azedo [F.: Part. de *envinagrar.* Sin. ger.: *avinagrado.*]

envinagrar (en.vi.na.*grar*) *v. td.* Mesmo que *avinagrar* [▶ 1 envinagrar] [F.: *en-* + *vinagre* + *-ar.*]

envio (en.*vi*.o) *sm.* **1** Ação ou resultado de enviar (envio de correspondência); REMESSA; EXPEDIÇÃO **2** *Poét.* Estrofe final, ger. com metade dos versos das anteriores, em que se faz a dedicatória do poema; tornada[1] (2) [F.: Dev. de *enviar.* Hom./Par.: *envio* (sm.), *envio* (fl. de *enviar*).]

enviuvar (en.vi:u.*var*) *v.* **1** Tornar(-se) viúvo ou viúva [*td.*: *Trágico acidente enviuvou a jovem mulher.*] [*int.*: *Depois que enviuvou não saiu mais de casa.*] **2** Privar (alguém) de (algo) [*tdr.* + *de*: *A solidão o enviuvou dos amigos.*] [▶ 18 enviuvar] [F.: *en-* + *viúvo* + *-ar.*]

envolta (en.*vol*.ta) [ô] *sf.* **1** Confusão, mixórdia **2** Desordem, tumulto; AUÊ; BAFAFÁ [F.: Fem. substv. de *envolto.* Hom./Par.: *envolta* (sf.), *envolta* (fem. de *envolto*).] ▪▪ **De ~ 1** Confusamente, atropeladamente **2** Simultaneamente, ao mesmo tempo

envolto (en.*vol*.to) [ô] *a.* **1** Que se envolveu **2** Coberto, tapado, embrulhado **3** Cingido, ligado à volta **4** Cercado, rodeado **5** Envolvido, comprometido [F.: Do lat. *involutus.* Hom./Par.: *envolta* (fem.), *envolta* (sf.).]

envoltório (en.vol.*tó*.ri:o) *a.* **1** Que envolve, que serve para envolver (película envoltória) *sm.* **2** Aquilo que envolve, que serve para envolver; COBERTURA; INVÓLUCRO [F.: *envolto* + *-ório.*] ▪▪ **~ nuclear** *Cit.* No núcleo de uma célula, membrana dupla que envolve o fluido e o material genético; membrana nuclear

envoltura (en.vol.*tu*.ra) *sf.* **1** Ação de envolver; ENVOLVIMENTO **2** Mantilha em que se envolvem as crianças; MANTA [F.: *envolt(o)* + *-ura.*]

envolvência (en.vol.*vên*.ci:a) *sf.* Qualidade ou estado de envolvente [F.: *envolver* + *-ência.*]

envolvente (en.vol.*ven*.te) *a2g.* **1** Que cativa, encanta, seduz (sorriso envolvente); ATRAENTE; SEDUTOR **2** Que envolve, abarca, abrange *sf.* **3** *Mat.* Curva que corta as tangentes de outra curva perpendicularmente [F.: *envolver* + *-nte.*]

envolver (en.vol.*ver*) *v.* **1** Cobrir(-se) em toda a volta (tb. *Fig.*); ENROLAR(-SE); CINGIR(-SE) [*td.*: *Apanhou a manta e envolveu a criança; A luz do luar envolvia a aldeia.*] [*tdr.* + *com, em*: *Envolveu-se num cobertor e adormeceu.*] **2** Abranger, conter, encerrar [*td.*: *Seu discurso envolve sérias advertências.*] **3** Estar em volta de ou pôr (algo) em volta de; CERCAR; CIRCUNDAR; RODEAR [*td.*: *Levantaram uma paliçada que envolvia todo o acampamento; Seus braços o envolveram, e assim ficaram alguns momentos.*] [*tdr.* + *com, em*: *Envolveu o amigo num abraço apertado.*] **4** Ter como resultado ou como implicação; IMPLICAR; IMPORTAR; RESULTAR [*td.*: *Seu plano era ambicioso, e envolvia muito investimento e muito risco.*] **5** Atrair, cativar, seduzir [*td.*: *A beleza de Verônica o envolveu.*] [*tdr.* + *com*: *Ele envolve todos com seu saber.*] **6** Ter relação amorosa [*tr.* + *com*: *Envolveu-se com um rapaz de má reputação.*] **7** Tomar conta de; DOMINAR; INVADIR [*td.*: *Grande silêncio envolveu o auditório.*] **8** Implicar(-se), comprometer(-se), enredar(-se) [*td.*: "...a fraude envolvia 11 pessoas..." (*Folha de S.Paulo*, 09.10.1999)] [*tdr.* + *com, em*: *Envolveu a moça num negócio sujo; Jogador se envolve em confusão e vai parar na delegacia.*] **9** Intrometer-se, imiscuir-se [*tr.* + *em*: *Envolvia-se muito na vida alheia.*] **10** Aninhar, proteger [*td.*: *A mãe envolveu a menina com grande desvelo.*] **11** Obscurecer, toldar [*td.*: *Nuvens sombrias envolviam a cidade.*] [▶ 2 envolver Apresenta dois particípios: *envolvido* e *envolto.*] [F.: Do lat. *involvere.*]

envolvido (en.vol.*vi*.do) *a.* Que se envolveu ou deixou envolver; IMPLICADO; COMPROMETIDO: *envolvido em uma conspiração.* [F.: Part. de *envolver.*]

envolvimento (en.vol.vi.*men*.to) *sm.* **1** Ação ou resultado de envolver(-se) **2** Relação amorosa; CASO [F.: *envolver* + *-imento.*]

envultamento (en.vul.ta.*men*.to) *sm. Oct.* Ação ou resultado de envultar, de enfeitiçar alguém ou de transmitir-lhe energias negativas, ger. pela prática do vodu [F.: *envultar* + *-mento.*]

envultar (en.vul.*tar*) *v. td. Oct.* Fazer feitiço para causar mal a uma pessoa, utilizando partes do seu corpo (unhas, cabelos etc.), peças de seu vestuário, fotos suas etc., ou ainda um pequeno boneco para representar seu corpo [▶ 1 envultar] [F.: *en-* + *vulto* + *-ar.*]

enxacoco (en.xa.*co*.co) [ô] *a.* **1** Diz-se de pessoa que fala mal uma língua estrangeira, entremeando-a com palavras da própria língua **2** Que se caracteriza pela estranheza, pelo exotismo *sm.* **3** Indivíduo enxacoco (1) [F.: De orig. obsc.]

enxada (en.*xa*.da) *sf.* **1** Ferramenta de lâmina larga e de aço, com cabo de madeira, para cavar a terra, capinar, misturar argamassa etc. **2** *Fig.* Ofício, ganha-pão **3** *Bras. Ict.* Grande peixe marinho (*Chaetodipterus faber*) [F.: Do lat. *asciata.* Hom./Par.: *enxada* (sf.), *inchada* (fem. de *inchado*).] ▪▪ **Dar de mamar à ~ 1** *PB Pop.* Descansar, apoiando-se no cabo da enxada **2** *SC Pop.* Nada fazer, por preguiça

enxadão (en.xa.*dão*) *sm.* Ferramenta semelhante à enxada, mas de lâmina mais longa e mais estreita, que se prolonga do outro lado numa extensão em forma de bico de picareta; ALVIÃO [Pl.: *-dões.*] [F.: *enxada* + *-ão*[1].]

enxadeiro (en.xa.*dei*.ro) *sm.* **1** Trabalhador de enxada; CAVADOR **2** *Bras.* Bom trabalhador de enxada [F.: *enxad(a)* + *-eiro.*]

enxadrezado (en.xa.dre.*za*.do) *a.* **1** Dividido ou disposto em quadrados, como um tabuleiro de xadrez (tecido enxadrezado, piso enxadrezado); AXADREZADO *Her.*; ENXAQUETADO **2** Que apresenta ornamentos na forma de quadrados dispostos simetricamente [F.: Part. de *enxadrezar.*]

enxadrezar (en.xa.dre.*zar*) *v. td.* Dispor ou elaborar em forma quadrados dispostos como em tabuleiro de xadrez: *Enxadrezou a varanda com azulejos bege e azuis.* [▶ 1 enxadrezar] [F.: *en-*[2] + *xadrez* + *-ar*[2].]

enxadrismo (en.xa.*dris*.mo) *sm.* **1** Técnica ou arte ou prática do jogo de xadrez **2** Gosto por esse jogo [F.: *en-*[2] + *xadrez* + *-ismo.*]

enxadrista (en.xa.*dris*.ta) *a2g.* **1** Ref. ao enxadrismo ou ao xadrez *s2g.* **2** Jogador e estudioso de xadrez [F.: *en-*[2] + *xadrez* + *-ista.* Sin. ger.: *xadrezista.*]

enxadrístico (en.xa.*drís*.ti.co) *a.* Ref. ao enxadrismo [F.: *enxadrist(a)* + *-ico*[2].]

enxaguado (en.xa.*gua*.do) *a.* Que se enxaguou; passado em água para tirar o sabão [F.: Part. de *enxaguar.*]

enxaguante (en.xa.*guan*.te) *a2g.* **1** Que serve para enxaguar (produto enxaguante) *sm.* **2** Produto us. para enxaguar: *enxaguante de cabelo.* **3** Solução us. para fazer bochechos (enxaguante bucal); ENXAGUATÓRIO [F.: *enxagua(r)* + *-nte.*]

enxaguar (en.xa.*guar*) *v. td.* **1** Lavar rápida e superficialmente **2** Passar em água para tirar o sabão: *enxaguar a roupa.* [▶ 17 enxaguar] [F.: Do lat. *exaquare.* Hom./Par.: *enxágue* (fl. de *enxaguar*), *enxágues* (fl. de *enxaguar*), *enxágue* (sm.), *enxágues* (pl.).]

enxaguatório (en.xa.gua.*tó*.ri:o) *sm.* Produto utilizado para o enxágue e complemento da higiene bucal; ENXAGUANTE: *Um bom enxaguatório é um aliado na higiene da boca, mas não deve substituir o fio dental.* [F.: *enxagua(r)* + *-tório.*]

enxágue (en.*xá*.gue) *sm.* Ação ou resultado de enxaguar; ENXAGUADURA [F.: Dev. de *enxaguar.* Hom./Par.: *enxágue* (sm.), *enxágue* (fl. de *enxaguar*).]

enxaimel (en.xai.*mel*) *sm.* **1** *Cons.* Cada um dos caibros ou varas que formam a estrutura (que receberá o barro) de uma taipa **2** *Lus.* Pau, ger. de castanho, mais curto e delgado que o caibro **3** Viga aparente em certas construções típicas alemãs [Pl.: *-méis.*] [F.: De or. obsc.]

enxame (en.*xa*.me) *sm.* **1** Conjunto de abelhas de um cortiço ou colmeia **2** *Fig.* Grande quantidade de animais, pessoas ou coisas; BANDO; MULTIDÃO: *Um enxame de garotos fugiu da escola.* [F.: Do lat. *examen, inis.*] ▪▪ **~ de cometas** *Astron.* Grupo de cometas cujas órbitas são aproximadamente as mesmas **~ de meteoros** *Astron.* Ocorrência de numerosos meteoros no mesmo dia, parecendo provir da mesma região do céu; chuva de estrelas; chuva de meteoros

enxameação[1] (en.xa.me:a.*ção*) *sf.* Ação ou resultado de enxamear[1]; ENXAMEAGEM; ENXAMEAMENTO [Pl.: *-ções.*] [F.: *enxamear*[1] + *-ção.*]

enxameação[2] (en.xa.me:a.*ção*) *sf. Bras.* Ação de enxamear[2], de colocar os enxaiméis [Pl.: *-ções.*] [F.: *enxamear*[2] + *-ção.*]

enxamear (en.xa.me.*ar*) *v.* **1** *Apic.* Juntar (abelhas) em colmeia [*td.*: *O apicultor enxameou as abelhas.*] **2** *Fig.* Povoar (cortiço, colmeia) de abelhas; encher como se fosse enxame, em grande quantidade [*td.*: *O apicultor enxameou suas colmeias; Milhares de formigas enxameavam o jardim.*] **3** Formar enxame [*int.*: *As vespas enxameavam.*] **4** Apresentar-se em grande quantidade; FERVILHAR; PULULAR [*ta.*: *Os peixes enxameiam(-se) no aquário.*] [*int.*: *Revolveu a terra fofa, onde enxameavam formigas e outros insetos.*] [▶ 13 enxamear] [F.: *enxame* + *-ear*[2].]

enxaqueca (en.xa.*que*.ca) [ê] *sf. Med.* Crise de forte cefaleia, por vezes num só lado do crânio e acompanhada de náuseas e vômitos, irritabilidade e aversão à luz e ao barulho; HEMICRANIA [F.: Do ár. *as-saqiqa.*]

enxárcia (en.*xár*.ci:a) *sf. Cnav.* Nas embarcações a vela, conjunto dos cabos fixos que sustentam os mastros e mastaréus e dão acesso às vergas [F.: Posv. do gr. *exártia*, pelo it. *esarcia.* Hom./Par.: *enxárcia* (sf.), *enxarcia* (fl. de *enxarciar*).]

enxaropar (en.xa.ro.*par*) *v.* **1** Tornar doce como o xarope [*td.*] **2** Medicar (alguém) com xarope [*td.*] **3** *Pop.* Ficar bêbedo; EMBRIAGAR-SE [*int.*: *Tomou vinho demais, enxaropou-se tanto que acabou dormindo.*] [▶ 1 enxaropar] [F.: *en-*[2] + *xarope* + *-ar*[2].]

enxerga (en.*xer*.ga) [ê] *sf.* **1** Colchão grosseiro, ger. de palha **2** Cama pobre, tosca; CATRE **3** Almofada cheia de palha que se põe sobre a albarda **4** *Lus.* Tecido rústico de lã [F.: Do lat. *serica.* Hom./Par.: *enxerga* (sf.), *enxerga* (fl. de *enxergar*).]

enxergão (en.xer.*gão*) *sm.* **1** Espécie de colchão grosseiro que se coloca sob o colchão da cama **2** Estrado de cama feito de arame **3** *RS* Suadouro que se põe diretamente sobre o lombo do cavalo, sob os arreios [Pl.: *-gões.*] [F.: *enxerga* + *-ão*[1].]

enxergar (en.xer.*gar*) *v.* 1 Perceber pelo sentido da visão; VER [*td.*: *Não enxergo nada sem óculos.*] 2 Ver o que está distante; ser capaz de avistar; DESCORTINAR; DIVISAR [*td.*: *Conseguimos enxergá-los, apesar da multidão à nossa frente; Do alto do morro enxergava o gado.*] 3 Ter a percepção de (algo); NOTAR; OBSERVAR; PERCEBER [*td.*: *Enxergou uma certa desfaçatez na sua atitude.*] 4 Sentir, ver antecipadamente; PREVER [*td.*: *No começo do jogo, já enxergava a vitória de seu time.*] [*tdr.* + *em*: *Enxergava no filho o futuro arquiteto.*] 5 Ter determinada opinião sobre; CONSIDERAR; JULGAR [*td.*: *Os filhos enxergam o mundo de uma maneira diferente.*] [*tdp.*: *Enxergava-se como um grande vitorioso.*] 6 Ter entendimento ou compreensão de [*td.*: *É difícil para ela enxergar meus motivos; Não consigo enxergar em que eu posso ser útil.*] [▶ 14 enxergar] [F.: De orig. obsc. Hom./Par.: *enxerga* (fl. de *enxergar*), *enxergas* (fl. de *enxergar*), *enxerga* [ê] (sf.), *enxergas* (pl.).] ■ **~ longe** *Fam.* Ser perspicaz, perceber em que direção as coisas estão se desenvolvendo **Não se ~** *Fam.* Não ser capaz de perceber a si mesmo como realmente é (com suas limitações, imperfeições): *Se ele pensa que tem competência para essa função é porque realmente não se enxerga!*

enxerido (en.xe.*ri*.do) *a.* 1 Que se enxeriu, introduziu, meteu 2 *Bras.* Que se mete onde não é chamado ou em assuntos alheios; ABELHUDO; INTROMETIDO 3 *Bras. N. N.E.* Metido a conquistador *sm.* 4 Pessoa enxerida (2) 5 Quem é metido a conquistador [F.: Part. de *enxerir.*]

enxerimento (en.xe.ri.*men*.to) *sm.* 1 Ação de enxerir; INSERÇÃO 2 *Bras. N* Atrevimento, intrometimento, indiscrição: *Seu grande defeito era o enxerimento.* 3 Modos próprios de enxerido [F.: *enxeri(r)* + *-mento.*]

enxerir (en.xe.*rir*) *v.* 1 Cravar (algo) fundo, enfiar, enterrar, meter [*td.*: *Enxeriu as estacas para a cerca.*] 2 Meter (a si mesmo) em assunto alheio; INTROMETER-SE [*tdr.* + *em*: *Vivia se enxerindo nos negócios dos outros.*] 3 *N. N.E.* Insinuar-se buscando flerte ou namoro [*int.*: *Está sempre se enxerindo junto às meninas da turma.*] [▶ 50 enxerir] [F.: Do lat. *inserire.*]

enxertado (en.xer.*ta*.do) *a.* 1 *Bot.* Que se enxertou, que é produto de enxerto (limoeiro enxertado) 2 Que recebeu enxerto (tecido enxertado) 3 *Fig.* Introduzido, acrescentado [F.: Part. de *enxertar.*]

enxertar (en.xer.*tar*) *v.* 1 Fazer enxerto em ou aplicar como enxerto [*td.*: *Enxertar uma árvore.*] [*tdr.* + *em*: *Enxertaram nova pele em seu rosto.*] 2 *Fig.* Introduzir, inserir [*tdr.* + *em, com*: *Sempre enxerta números musicais em suas peças; Enxertou o espetáculo com números de dança.*] 3 Fecundar, inseminar; INSEMINAR [*td.*: *Enxertou a mula com sêmen de outro animal.*] [▶ 1 enxertar] [F.: Do lat. *insertare.* Hom./ Par.: *enxerta* (fl.), *enxertas* (fl.), *enxerta* (sf.), *enxertas* (pl.), *enxerto* (fl.), *enxerto* [ê] (sm.).]

enxertia (en.xer.*ti*.a) *sf. Agr.* Ação ou resultado de enxertar; ENXERTO (1) [F.: *enxertar* + *-ia*[1].]

enxerto (en.*xer*.to) [ê] *sm.* 1 *Agr.* Operação pela qual se introduz broto ou ramo de um vegetal em outro vegetal, para desenvolver-se como na planta de origem 2 *Agr.* A parte viva do vegetal que se introduz em outro vegetal na operação de enxerto (1) 3 *Agr.* O vegetal enxertado 4 *Cir.* Cirurgia em que se transferem células ou tecido de um local para outro do corpo de uma mesma pessoa ou de uma pessoa para outra [F.: Dev. de *enxertar.* Hom./Par.: *enxerto* (sm.), *enxerto* (fl. de *enxertar*).]

enxó (en.*xó*) *sm.* 1 Ferramenta de cabo curvo e lâmina de aço, us. para desbastar madeira em carpintaria e tanoaria 2 *BA Lus.* Buraco encimado por alçapão camuflada, us. como armadilha para preás e outros roedores [F.: Do lat. *asciola.*]

enxodozar-se (en.xo.do.*zar*-se) *v. Bras. Pop.* Ficar apaixonado, cheio de xodó, de amor por alguém; apaixonar-se, enrabichar-se [*int.*: *Bastava olhar para ele, e todas se enxodozavam.*] [*tr.* + *por*: *Ela se enxodozou pelo rapaz, e largou tudo para casar com ele.*] [▶ 1 enxodozar-se] [F.: *en-* + *xodó* + *-z-* + *-ar*[2] + *se*[1].]

enxofre (en.*xo*.fre) [ô] *sm. Quím.* Elemento químico de número atômico 16, amarelado e de cheiro forte, us. na produção de pólvora, ácido sulfúrico, pasta de papel, inseticidas etc. [Símb.: *S*] [F.: Do lat. *sulfur.* Hom./Par.: *enxofre* (sm.), *enxofre* (fl. de *enxofrar*). Ideia de 'enxofre': *sulf(o)-*, *sulfur-* (*sulfato, sulfuroso*).]

enxotado (en.xo.*ta*.do) *a.* Que se enxotou; posto para fora; EXPULSO [F.: Part. de *enxotar.*]

enxotar (en.xo.*tar*) *v.* 1 Fazer (alguém, animal) se afastar ou fugir, por meio de empurrões, gritos, agitação das mãos etc.; AFUGENTAR; ESPANTAR [*td.*: *Enxotou o cachorro a pedradas.*] 2 Botar para fora; EXPULSAR [*tda.*: *O vigia enxotou os garotos do estacionamento.*] [▶ 1 enxotar] [F.: *en-*[2] + interj. *xut!* ou *xuta!*, + *-ar*[2].]

enxoval (en.xo.*val*) *sm.* Conjunto de roupas e acessórios (de vestuário, do serviço de casa) que se prepara para quem se casa, para recém-nascidos, para quem se interna em alguma instituição, para quem viaja por longo período etc. [Pl.: *-vais.*] [F.: Do ár. *as-suuar.*]

enxovalhado (en.xo.va.*lha*.do) *a.* 1 Que se enxovalhou, sujou 2 *Fig.* Desonrado, desacreditado 3 *Fig.* fendido, insultado 4 Amarfanhado, amarrotado [F.: Part. de *enxovalhar.* Ant. ger.: *desenxovalhado.*]

enxovalhamento (en.xo.va.lha.*men*.to) *sm.* Ação ou resultado de enxovalhar(-se); ENXOVALHO [Ant.: *desenxovalhamento.*] [F.: *enxovalhar* + *-mento.*]

enxovalhar (en.xo.va.*lhar*) *v.* 1 Fazer ficar ou ficar sujo, manchado, enodoado; ENODOAR; MANCHAR; SUJAR [*td.*: *O menino enxovalhou as calças brincando na lama.*] [*tdr.* + *de*: *Enxovalhou-se todo de lama.*] 2 *Fig.* Dirigir ofensas, insultos a; DESONRAR; MACULAR [*td.*: *Aqueles mexericos enxovalhavam a memória do senador.*] [*int.*: *Enxovalhou-se, envolvendo-se em corrupção.*] 3 *Fig.* Insultar, ofender; INJURIAR; INSULTAR; OFENDER [*td.*: *Enxovalhou a mulher na frente dos vizinhos.*] 4 Tornar(-se) amarrotado, amarfanhado em virtude do uso [*td.*: *Vestiu a camisa mesmo depois de a enxovalhar.*] [*int.*: *Na longa viagem de trem, seu vestido enxovalhou-se.*] 5 *Mar.* Molhar(-se) pela ação das ondas [*td.*: *A água do mar enxovalhou o convés.*] [*int.*: *Com a ressaca, o deque enxovalhou-se.*] 6 Desarranjar o funcionamento de (algo); ESTRAGAR [*td.*: *A batida enxovalhou o sistema de freio do ônibus.*] [▶1 enxovalhar] [F.: De orig. contrv. Hom./Par.: *enxovalho* (fl. de *enxovalhar*), *enxovalho* (sm.).]

enxovalho (en.xo.*va*.lho) *sm.* 1 O mesmo que *enxovalhamento* 2 *Mar.* A água atirada pelas ondas dentro da embarcação [F.: Dev. de *enxovalhar.* Hom./Par.: *enxovalho* (sm.), *enxovalho* (fl. de *enxovalhar*).]

enxovia (en.xo.*vi*:a) *sf.* 1 Parte subterrânea das antigas cadeias, ger. insalubre, úmida e escura, onde ficavam os prisioneiros mais perigosos 2 Masmorra, calabouço 3 *P.ext.* Qualquer recinto mal-arejado [F.: Do ár. *as-sauia.*]

enxugada (en.xu.*ga*.da) *sf.* 1 Ação de enxugar: *Deu uma enxugada no rosto e continuou o trabalho.* 2 *Fig.* Ação de eliminar de um texto, de um discurso, de um orçamento etc., o que se considera supérfluo, excessivo [F.: Fem. substv. do adj. *enxugado.*]

enxugador (en.xu.ga.*dor*) [ô] *a.* 1 Que enxuga *sm.* 2 O que se usa para enxugar 3 Espécie de estufa para enxugar roupa 4 Rodo 5 *Pop.* Toalha de banho [F.: *enxuga(r)* + *-dor.*]

enxugadouro (en.xu.ga.*dou*.ro) *sm.* 1 Lugar onde se estendem roupas ou objetos para enxugar; ENXUGO 2 Lugar onde se enxambram tijolos antes de irem para o forno [F.: *enxugar* + *-douro*[1].]

enxugamento (en.xu.ga.*men*.to) *sm.* 1 Ação ou resultado de enxugar(-se) 2 Diminuição do líquido ou da umidade em algo; SECAGEM 3 *Fig.* Eliminação do que é excessivo ou desnecessário (enxugamento de pessoal/de despesas) 4 *Econ.* Diminuição da quantidade de moeda, títulos etc. em circulação [F.: *enxugar* + *-mento.*]

enxugar (en.xu.*gar*) *v.* 1 Fazer ficar ou ficar seco, fazer perder ou perder líquido, umidade; SECAR [*td.*: *enxugar os cabelos.*] [*int.*: *Com esse vento a roupa enxuga rápido.*] 2 Não mais verter (lágrimas) ou enxugá-las (1) [*td.*: *Enxugou as lágrimas para não dar vexame.*] 3 *Fig.* Fazer cessar (lágrimas) consolando (alguém) [*td.*: *Enxugou-lhe as lágrimas com palavras de carinho.*] 4 *Fig.* Eliminar ou reduzir o que é excessivo, supérfluo [*td.*: *Enxugar um texto/o quadro de funcionários.*] 5 *Econ.* Reduzir a quantidade de moeda, títulos etc. no mercado [*td.*: *Enxugar a economia/o mercado.*] 6 Conter gastos [*td.*: *Enxugar as despesas.*] 7 *RS* Assassinar, matar [*td.*: *Enxugou o ladrão com uma paulada.*] [▶ 14 enxugar Apresenta dois particípios: *enxugado* e *enxuto.*] [F.: Do lat. *exsucare.* Hom./ Par.: *enxugo* (fl.), *enxugo* (sm.), *enxuga* (fl.), *enxugas* (fl.), *enxuga* (sf.), *enxugas* (pl.).]

enxuí (en.xu.*í*) *sm. Ent.* Vespa nativa das regiões do cerrado brasileiro (*Brachygastra lecheguana*), de natureza agressiva, coloração negra, asas acastanhadas e abdome com extremidade amarelada, e que produz mel de boa qualidade; CABAMIRIM; LECHEGUANA; LECHIGUANA; LICHIGUANA [F.: Do tupi *eixu'í.*]

enxúndia (en.*xún*.di:a) *sf.* 1 Gordura de porco ou de aves 2 *Fig.* Gordura das pessoas; BANHA 3 *Fig.* O que é excessivo e dispensável: *O texto veio repleto de enxúndia.* [F.: Do lat. *axungia.* Hom./Par.: *enxúndia* (sf.), *enxundia* (fl. de *enxundiar*).]

enxundioso (en.xun.di.*o*.so) [ô] *a.* 1 Que tem enxúndias; GORDUROSO, UNTUOSO 2 Excessivamente gordo, obeso 3 *Fig.* Rendoso, vantajoso: *Os jogadores brasileiros fazem contratos enxundiosos com times do exterior.* [Pl.: [ó]. Fem.: ó] [F.: *enxúndi(a)* + *-oso.*]

enxurrada (en.xur.*ra*.da) *sf.* 1 Corrente de água ger. impetuosa que flui depois de chuva demorada ou temporal; ENXURRO 2 Jorro de águas sujas ou de imundícies 3 *Fig.* Grande quantidade; CHORRILHO: *uma enxurrada de tolices.* [F.: *enxurro* + *-ada*[1].]

enxurro (en.*xur*.ro) *sm.* 1 Massa de água que corre com grande força, proveniente de chuvas torrenciais; ENXURRADA 2 *P.ext.* Jorro: "Eu escrevo com facilidade. Não é mérito, e antes um incômodo. As coisas saem-me num enxurro de ideias, de sugestões sonoras..." (Fernando Venâncio, *O romance perdido*) 3 *Pop.* Jorro de águas sujas ou de imundícies: *O enxurro traz epidemias às cidades.* 4 *Fig.* Escória, ralé [F.: Dev. de *enxurrar.* Hom./Par.: *enxurro* (sm.), *enxurro* (fl. de *enxurrar*).]

enxuto (en.*xu*.to) *a.* 1 Que não está molhado nem úmido ou que se secou: *Apesar da chuva, apareceu enxuto.* 2 Não chuvoso (estação enxuta) 3 Não choroso; sem lágrimas 4 *Fig.* De que se eliminou o que é supérfluo ou demasiado (texto enxuto) 5 *Fig.* Diz-se de alguém cujo corpo é bem-conformado, sem gordura demasiada, ou que é de boa aparência (coroa enxuto) 6 *Cul.* Diz-se da iguaria que, após cozimento demorado, ficou com pouco líquido ou pouco molho (arroz enxuto) [F.: Do lat. *exsuctus.*]

enzima (en.*zi*.ma) *sf. Bioq.* Designação de diversas proteínas geradas pelos seres vivos e que catalisam reações químicas vitais sem sofrer modificações na sua composição química [F.: Do gr. *enzyme*, pelo al. *Enzym.*] ■ **~ de restrição** *Bioq.* Nome das enzimas que agem rompendo a dupla cadeia do ADN em pontos específicos no interior da molécula; endonuclease de restrição

> 🕮 As enzimas são formas complexas de proteínas, importantíssimas na grande maioria das funções fisiológicas dentro das células, que elas aceleram agindo como catalisadoras – mediante a simples presença, sem participar diretamente e sem se consumir. Agem, por exemplo, na digestão dos alimentos (que é decomposição de lipídios, proteínas e hidratos de carbono em componentes nutritivos menores), ao levar os elementos nutritivos para a corrente sanguínea, e estão presentes nos processos da respiração, da visão etc. Cada enzima tem uma atuação específica em cada um desses processos, e sua inibição (por substâncias ou condições específicas para cada enzima) causa distúrbios funcionais (p.ex., o albinismo, descoloração do cabelo, da pele e da íris). Enzimas são utilizadas em certos processos industriais, como, p. ex., para melhorar a ação de bactérias na fermentação de pão, cerveja, vinho etc.

enzimático (en.zi.*má*.ti.co) *a.* 1 Ref. a enzima 2 Produzido por enzima [F.: *enzima* + *-ático.* Ver *enzim(o)-*. Sin. ger.: *enzímico.*]

enzimologia (en.zi.mo.lo.*gi*.a) *sf. Bioq.* Estudo das enzimas no campo da bioquímica [F.: *enzim(o)-* + *-logia.*]

enzootia (en.zo.o.*ti*.a) *sf. Vet.* Doença que ataca periodicamente animais de certa raça em determinados países [F.: *en-*[1] + *zo(o)-* + *-t-* + *-ia*[1]. Cf.: *epizootia.*]

enzoótico (en.zo.*ó*.ti.co) *a.* Ref. à ou próprio da enzootia [F.: *enzoot(ia)* + *-ico*[2].]

◎ **-eo** *el. comp.* = da natureza de, próprio de, semelhante a, relativo a: *aéreo, argênteo, balsâmeo, férreo, homogêneo, ósseo, térreo, vítreo* etc. [F.: Do lat. *-eus, ea, eum.* Formador de adj.]

◎ **eo-** *pref.* aurora, princípio: *eocênico; eólico.* [F.: Do gr. *éos.*]

eoceno (e:o.*ce*.no) *Geol. a.* 1 Diz-se da época do período terciário compreendida no intervalo de tempo geológico aprox. entre 55 a 35 milhões de anos *sm.* 2 A época Eoceno. [Nesta acp., com inicial maiúsc.] [F.: *eo-* + *-ceno*[2].]

eólico (e:*ó*.li.co) *a.* 1 Que diz respeito ao vento (energia eólica) 2 Movido ou vibrado pelo vento (motor eólico; harpa eólica) 3 *Mit.* Ref. a Éolo, deus dos ventos na mitologia grega 4 *Geol.* Diz-se de rocha sedimentar constituída de elementos acumulados pela ação do vento [F.: Do gr. *aiolikós*, pelo lat. *aeolicus*, ou de *Éolo* + *-ico*[2].]

eolítico (e:o.*lí*.ti.co) *a.* 1 *Geol.* Diz-se do período mais antigo do Paleolítico *sm.* 2 *Geol.* Esse período [F.: *eo-* + *-lit(o)-* + *-ico*[2].]

éolo (*é*:o.lo) *sm. Fig.* Vento forte [F.: Do gr. *Aíolos* pelo lat. *Aeolus, i* (Éolo, filho de Zeus e de Acesta, deus dos ventos).]

éon (*é*.on) *sm.* 1 Período incomensurável de tempo; a eternidade 2 *Cron.* Período de tempo que corresponde a 1 bilhão de anos 3 *Geol.* A maior divisão de tempo geológico, que pode compreender duas ou mais eras 4 *Hist. Fil.* Para os gnósticos, a energia que flui de um ser supremo em sua influência sobre a humanidade [Pl.: *éones, éons.*] [F.: Do lat. *aeon* < gr. *aión, ônos*, 'tempo', 'duração da vida', 'eternidade'.]

eosinofilia (e:o.si.no.fi.*li*.a) *sf.* 1 Afinidade especial por corantes ácidos, como a eosina 2 *Med.* Aumento da taxa de eosinófilos no sangue que se verifica esp. nas doenças alérgicas e nas infecções por parasitas [F.: *eosinófilo* + *-ia*[1].]

eosinófilo (e:o.si.*nó*.fi.lo) *a.* 1 *Med.* Que se cora facilmente pela eosina *sm.* 2 *Histl.* Variedade de leucócito em cujo citoplasma há granulações grandes e refringentes que se coram pela eosina [F.: *eosina* + *-o-* + *-filo*[1].]

epa (*e*.pa) [ê] *interj.* 1 Us. para incitar os animais no salto; UPA! 2 Usa-se para deter alguém: *Epa! Alto lá!* 3 Para indicar perigo: *Epa! Cuidado com o buraco!* 4 Para se mostrar ofendido: *Epa! Não fale assim comigo!* 5 Para expressar admiração: *Epa! Que linda recepção!* [F.: Voc. expressivo.]

epacta (e.*pac*.ta) *sf. Cron.* Quantidade de dias que se deve acrescentar ao ano lunar para equipará-lo ao ano solar [Equivale à idade da Lua em 31 de dezembro do ano anterior ao contemplado] [F.: Do gr. *epaktaí*, pelo lat. tard. *epactae* e pelo fr. *épacte.*] ■ **~ mensal** *Cron.* Diferença cronológica entre o mês lunar e o mês civil

◎ **-epana** *el. comp.* = 'composto heterocíclico saturado com sete átomos no anel': tiepana: *tiepana.* [Us. em terminologia química.]

epanáfora (e.pa.*ná*.fo.ra) *sf. Ret.* Repetição da mesma palavra no princípio de versos ou frases; ANÁFORA [F.: Do gr. *epanaphorá*, pelo lat. tard. *epanaphora.*]

◎ **-epatia** *el. comp.* = 'anomalia na forma, tamanho ou funcionamento do fígado': *anepatia, disepatia, hipoepatia, megalepatia* [F.: Do gr. *hépar, hépatos*, 'fígado', + *-ia*[1]. F. conexa: *hepat(o)-*.]

◎ **-epat(o)-** *el. comp.* Ver *hepat(o)-*

epêndima (e.*pên*.di.ma) *sm. Anat.* Membrana dos ventrículos do cérebro e do canal central da medula espinhal [F.: Do fr. *épendyme*, der. do lat. cient. *ependyma* (< gr. *epéndyma, atos*).]

◎ **ep(i)-** *pref.* = sobre; a mais, continuação: *epiderme; epígono.* [F.: Do gr. *epí.*]

epibiose (e.pi.bi:*o*.se) *sf. Biol.* Relação não simbiótica entre dois organismos na qual um se prende à superfície do outro sem necessariamente utilizá-lo como seu hospedeiro [F.: *ep(i)-* + *-biose*.]

epibiótico (e.pi.bi.*ó*.ti.co) *a. Biol.* Ref. a epibiose ou que se utiliza dessa relação [F.: *epibi(ose)* + *-ótico*.]

epiblasto (e.pi.*blas*.to) *sm.* **1** *Bot.* Apêndice unguiforme que guarnece o embrião de algumas gramíneas **2** *Emb.* Camada externa do blastoderma que origina o ectoderma [F.: *ep(i)-* + *-blasto*.]

épica (*é*.pi.ca) *sf. Liter.* Composição poética de cunho narrativo em que o autor utiliza como tema as atitudes bélicas e os atos heroicos de personagens extraordinários [F.: Fem. substv. do adj. *épico*.]

epicanto (e.pi.*can*.to) *sm.* **1** *Med.* Dobra congênita produzida por distensão da pele diante do ângulo interno do olho, estendendo-se até a região do nariz **2** *Anat.* Prega de pele que se estende da raiz do nariz até as sobrancelhas, e que é característica de certos povos, como os mongóis [F.: Do lat. cient. *epicanthus* < gr. *epikanthis, idos*.]

epicárdio (e.pi.*cár*.di:o) *sm. Anat.* Lâmina fibrosa de revestimento que se constitui na camada mais externa ou superficial do coração [F.: *ep(i)-* + *-cárdio*.]

epicarpo (e.pi.*car*.po) *sm. Bot.* Película externa que envolve e protege o pericarpo dos frutos [F.: *ep(i)-* + *-carpo*.]

epicaule (e.pi.*cau*.le) *a2g. Bot.* Diz-se de planta epífita ou parasita que se desenvolve sobre o caule de outra planta, como as bromélias e as orquídeas ou as ervas-de-passarinho e os viscos [F.: *ep(i)-* + *-caule*.]

epiceno (e.pi.*ce*.no) *Gram. a.* **1** Diz-se do substantivo designativo de animal que apresenta um só gênero gramatical independentemente do sexo deste (p.ex.: o gavião, o jacaré, a onça) [Em tais casos, não há outra forma para demonstrar a diferença de sexo entre espécimes do sexo masculino e feminino, e, quando se quer explicitar o sexo do animal em questão, acrescentam-se as palavras macho ou fêmea à construção: *cobra macho, cobra fêmea*.] *sm.* **2** Cada um desses substantivos [F.: Do gr. *epíkoinos, on*, pelo lat. *epicoenus, a, um*. Hom./Par.: *epiceno* (a. sm.), *episcênio* (sm.). Cf.: *comum de dois* e *sobrecomum*.]

epicentral (e.pi.cen.*tral*) *a2g.* **1** Ref. a epicentro **2** Que se encontra no epicentro [Pl.: *-trais*.] [F.: *epicentr(o)* + *-al*. Ver *ep(i)-* e *centr(i)-*.]

epicentro (e.pi.*cen*.tro) *sm.* **1** *Geof.* Num tremor de terra, o ponto da superfície terrestre primeiramente e mais intensamente atingido **2** *Fig.* Ponto central, núcleo de um acontecimento: *O epicentro do escândalo estava na Assembleia.* [F.: *ep(i)-* + *-centro*.]

epiciclo (e.pi.*ci*.clo) *sm.* **1** *Astron.* No sistema geocêntrico de Ptolomeu, órbita circular que um planeta descreveria enquanto o centro dessa órbita descreveria outra, tb. circular, ao redor da Terra **2** *Geom.* Círculo menor, cujo centro corresponde ao da circunferência de outro círculo maior [F.: Do gr. *epíkuklos, ou*. Ver *ep(i)-* e *-ciclo*.]

épico (*é*.pi.co) *a.* **1** Que trata, em versos, de heróis e atos heroicos (poema épico) **2** Ref. a epopeia ou a heróis (gênero épico; façanha épica) **3** *Fig.* Digno de epopeia; HEROICO: *A contraofensiva épica dos russos.* **4** *Pop.* Fantástico, monumental, homérico (goleada épica) *sm.* **5** Autor de epopeia: *Camões é o maior épico da língua.* [F.: Do gr. *epikós*, pelo lat. *epicus*.]

epicraniano (e.pi.cra.ni:*a*.no) *a. Anat.* Ref. ou pertence ao epicrânio; EPICRÂNICO [F.: *epicrâni(o)* + *-ano*.]

epicrânio (e.pi.*crâ*.ni:o) *sm.* **1** *Anat.* O couro cabeludo com as partes moles subjacentes **2** *Anat. Zool.* Nos vertebrados, o conjunto das estruturas que revestem o crânio **3** *Zool.* Região situada entre os olhos e a fronte nos insetos [F.: *ep(i)-* + *crânio*.]

epícrise (e.*pí*.cri.se) *Ant. Med. sf.* **1** Juízo crítico acerca das causas, andamento e resultado de uma enfermidade **2** Qualquer fenômeno importante que isoladamente sobrevém a uma crise (no andamento de uma doença) e de certo modo a completa e corrobora **3** Crise suplementar [F.: Do gr. *epíkrisis, eos*.]

epicureu (e.pi.cu.*reu*) *a.* **1** *Fil.* Ref. ao sistema filosófico de Epicuro **2** *P.ext.* Que procura os prazeres sensuais *sm.* **3** *Fil.* Sectário do sistema filosófico de Epicuro (341-270 a.C.), filósofo grego que pregava a indiferença em relação à morte e a busca serena dos prazeres materiais e espirituais; EPICÚRIO **4** *P.ext.* Pessoa dada aos prazeres voluptuosos, à luxúria [Fem.: *-reia*] [F.: Do gr. *epikoúreios*, pelo lat. *epicureus*.]

epicuriano (e.pi.cu.ri:*a*.no) *a.* Que é próprio do epicurismo [F.: Do antr. *Epicur(o)* + *-iano*.]

epicurismo (e.pi.cu.*ris*.mo) *sm.* **1** Doutrina do filósofo materialista grego Epicuro (341-270 a.C.) e de seus discípulos, cuja ética preconiza como bem supremo o prazer tanto físico quanto espiritual, em equilíbrio alcançado pela virtude **2** *P.ext.* Atitude de quem se volta apenas para o prazer sensual **3** *P.ext.* Devassidão de costumes; LIBERTINAGEM [F.: Do antr. *Epicuro* + *-ismo*. Cf.: *hedonismo*.]

epicurista (e.pi.cu.*ris*.ta) *a2g.* **1** Ref. ao epicurismo ou que com ele se identifica **2** Que busca o prazer sensual ou gastronômico *sm.* **3** Aquele que defende ou segue a doutrina do epicurismo **4** Pessoa dada aos prazeres da carne [F.: Do antr. *Epicuro* + *-ista*.]

epidemia (e.pi.de.*mi*:a) *sf.* **1** *Med.* Doença, em geral infecciosa e transitória, que ataca rapidamente, ao mesmo tempo e no mesmo lugar, grande número de indivíduos **2** Agravação de uma endemia **3** *Fig.* Manifestação muito numerosa de qualquer fato ou conduta; proliferação generalizada de algum uso ou comportamento, de um modismo etc.: *verdadeira epidemia de celulares com câmera fotográfica.* [F.: Do gr. *epidemía*, pelo lat. *epidemia*. Cf.: *endemia*.]

epidêmico (e.pi.*dê*.mi.co) *a.* **1** Ref. a epidemia **2** Que tem o caráter (rapidamente contagiante, atingindo grande número de pessoas) de epidemia: *O medo da violência já é epidêmico.* [F.: *epidemia* + *-ico*².]

epidemiologia (e.pi.de.mi:o.lo.*gi*:a) *sf. Med.* Ramo da medicina que se ocupa do estudo das epidemias e das maneiras de evitá-las e de combatê-las [F.: *epidemia* + *-o-* + *-logia*.]

epidemiológico (e.pi.de.mi:o.*ló*.gi.co) *a.* Ref. a epidemiologia [F.: *epidemiologia* + *-ico*².]

epidemiologista (e.pi.de.mi:o.lo.*gis*.ta) *a2g.* **1** *Med.* Diz-se de pessoa (ger. médico) especialista em epidemiologia *s2g.* **2** Essa pessoa; EPIDEMIÓLOGO [F.: *epidemilogia* + *-ista*.]

epidendro (e.pi.*den*.dro) *Bot. sm.* **1** Gênero de plantas orquidáceas, em sua maioria epífitas, de flores carnosas e fruto capsular, com inúmeras espécies, muitas das quais brasileiras **2** Qualquer espécie desse gênero **3** A flor de qualquer dessas espécies [F.: Do tax. *Epidendrum*.]

epiderme (e.pi.*der*.me) *sf.* **1** *Histl.* Camada transparente que cobre a derme, sendo assim a camada mais externa da pele **2** *Bot.* Camada de células que reveste toda a planta no início do seu desenvolvimento [F.: Do gr. *epíderma*, pelo lat. *epidermis* e pelo fr. *èpiderme*.]

epidérmico (e.pi.*dér*.mi.co) *a.* **1** Ref. a epiderme **2** *Fig.* Superficial, só aparente: *Fez uma busca epidérmica e pouco empenhada.* [F.: *epiderme* + *-ico*².]

epidíctico (e.pi.*díc*.ti.co) *a.* **1** *Ret.* Diz-se de discurso aparotoso, ostentoso **2** *Ret.* Diz-se de discurso demonstrativo, exemplificativo [F.: Do gr. *epideiktikós, é, ón*, pelo lat. *epidictus, a, um*. Tb. *epidítico*.]

epidídimo (e.pi.*dí*.di.mo) *sm. Med.* Pequeno corpo oblongo situado no bordo superior do testículo e formado pela reunião dos vasos seminíferos [F.: Do lat. cient. *epididymus*, der. do gr. *epididumís, ídos*.]

epidítico (e.pi.*dí*.ti.co) *a.* Ver *epidíctico*

epidural (e.pi.du.*ral*) *a2g.* **1** *Anat.* Ref. à parte do canal sacro exterior à dura-máter **2** Que se faz em torno da dura-máter (anestesia epidural) [F.: *ep(i)-* + *dura(-máter)* + *-al*.]

epifania (e.pi.fa.*ni*:a) *sf.* **1** *Rel.* No cristianismo, revelação, manifestação de Deus, ou sua encarnação em Jesus **2** *P.ext. Rel.* Manifestação da divindade, em outros cultos **3** *Rel.* Comemoração, a 6 de janeiro, da visita dos reis magos, primeiro sinal da vinda de Cristo **4** *Fig.* Percepção intuitiva da essência, do significado de algo ou da realidade, por meio de algo corriqueiro, inesperado; REVELAÇÃO: *As epifanias de Joyce, fontes de sua arte.* **5** Representação artística de uma epifania [F.: Do gr. *epipháneia*, pelo lat. tard. *epiphania* e pelo fr. *épiphanie*.]

epifânico (e.pi.*fâ*.ni.co) *a. Rel.* Ref. ou inerente a epifania, aparição ou manifestação reveladora de Deus ou de uma divindade (momento epifânico) [F.: Do lat. *epiphania, ae* + *-ico*².]

epifenômeno (e.pi.fe.*nô*.me.no) *sm.* **1** *Fil.* Em um processo, fenômeno secundário a um fenômeno essencial, sobre o qual não tem efeitos próprios **2** *Med.* Sintoma ou complicação excepcional, secundária ou adicional, que se verifica no transcurso de uma doença ou de um surto mórbido [F.: *ep(i)-* + *-fenômeno*.]

epífise (e.*pí*.fi.se) *sf.* **1** *Anat.* Extremidade de osso longo, ger. mais larga que a parte mediana (diáfise), cartilaginosa ou, em fase de crescimento, separada da diáfise por uma parte cartilaginosa **2** *Anat.* O mesmo que *glândula pineal* (ver no verbete *glândula*) **3** *Zool.* Conjunto de prolongamentos da tíbia de insetos [F.: Do gr. *epíphysis*, pelo lat. cient. *epiphyse*.]

epífito (e.*pí*.fi.to) *a.* **1** *Bot.* Diz-se de planta que vive sobre outra planta, usando-a como suporte, mas sem lhe retirar nutrientes *sm.* **2** Vegetal com essas características: *Bromélias e orquídeas são as epífitas mais conhecidas.* [Mais us. no fem.] [F.: *ep(i)-* + *-fito*.]

epífora (e.*pí*.fo.ra) *sf.* **1** *Med. Oft.* Secreção contínua e involuntária de lágrimas, proveniente de alguma doença que obstrui as vias lacrimais [Cf.: *estilicídio* e *dacrioma*.] **2** *Poét. Ret.* Repetição de uma ou várias palavras no final de um verso, de uma estrofe, de uma frase ou um período [Cf.: *anáfora*.] [F.: Do lat. *epiphòra, ae*, 'corrimento líquido, repetição de palavra em final de frase', deriv. do gr. *epiphorá, âs*, 'ação de levar para fora'.]

epigástrico (e.pi.*gás*.tri.co) *a.* Ref. ao ou do epigástrio, parte superior do abdome [F.: *epigástrio* + *-ico*².]

epigênese (e.pi.*gê*.ne.se) *sf.* **1** *Biol.* Processo de geração em que o embrião é constituído por uma série de formações novas ou diferenciações sucessivas do ovo ou espermatozoide, sem a preexistência de elementos ou indícios da futura organização do indivíduo: "Eu, filho do carbono e do amoníaco,/ Monstro de escuridão e rutilância,/ Sofro, desde a epigênese da infância,/ A influência má dos signos do zodíaco." (Augusto dos Anjos, *Psicologia de um vencido*) **2** *Geol. Min.* Alteração dos caracteres minerais de uma rocha, resultante de influências externas por transformação ou penetração de matérias estranhas; EPIGENIA [Tb. *epigênese sedimentar*.] [F.: *ep(i)-* + *-gênese*. Sin. ger.: *epigenesia*.]

epigenia (e.pi.ge.*ni*:a) *sf.* **1** *Min.* Fenômeno no qual um mineral tem transformação química sem perder sua forma cristalina particular **2** *Gen.* Durante o crescimento do embrião, situação na qual o fenótipo se modifica, sem influência do genótipo e sem alteração deste **3** *Geol.* Epigênese [F.: Do gr. *epigenes*, pelo lat. cient. *epigenia*. Hom./Par.: *epiginia* (*sf.*).]

epigênico (e.pi.*gê*.ni.co) *a.* Ref. a epigenia; EPIGENÉTICO [F.: *epigenia* + *-ico*².]

epiglote (e.pi.*glo*.te) *sf. Anat.* Válvula móvel e triangular situada na parte de cima da laringe e que fecha a glote no momento da deglutição, impedindo que o alimento entre nas vias respiratórias, e o consequente engasgo [F.: Do gr. *epiglottís*, pelo lat. cient. *epiglottis* e o fr. *épiglotte*.]

epiglótico (e.pi.*gló*.ti.co) *a. Anat.* Ref. ou inerente a, ou pertencente à epiglote [F.: *epiglote-* + *ico*².]

epigonal (e.pi.go.*nal*) *a2g.* **1** *Biol.* Ref. a, inerente ou pertencente a epígono; DESCENDENTE **2** *Biol.* Diz-se de que ou quem pertence à geração seguinte **3** *P.ext.* Diz-se ger. de discípulo ou continuador de uma escola ou de grande mestre nas letras, artes, ciências, filosofia etc., esp. de geração anterior **4** *Pej.* Que diz respeito ao mero imitador de um artista criador ou pensador notável, esp.de geração anterior [Pl.: *-nais*.] [F.: Do lat. pl. *epigòni, órum* 'descendentes', deriv. do gr. *epígonos, on*, 'nascido depois, descendente'; *ep(i)-* + *-gono* + *-al*. Ant. ger.: *progonal*.]

epigonismo (e.pi.go.*nis*.mo) *sm.* **1** *Biol.* Processo de variação genética que só se completará nos descendentes; FILIAÇÃO **2** *Pej.* Imitação artística, literária, musical ou intelectual, esp. por uma geração posterior ao artista, literato ou pensador original; EPIGONIA [F.: Do lat. pl. *epigòni, órum*, 'descendentes', deriv. do gr. *epígonos, on* 'nascido depois, descendente' + *-ismo*; *ep(i)- gono* + *-ismo*. Ant. ger.: *progonismo*.]

epígono (e.*pí*.go.no) *a.* **1** Que pertence à geração seguinte **2** Que é continuador de um compositor, escritor, artista, filósofo etc. de geração anterior **3** *Pej.* Que se limita a imitar um autor ou filósofo de geração precedente *sm.* **4** Aquele que pertence à geração seguinte **5** Discípulo ou continuador de um grande mestre na literatura, arte ou ciência **6** *Pej.* Aquele que imita alguém de geração precedente [F.: Do gr. *epígonoi*, pelo lat. tard. *epigoni* e pelo fr. *épigone*.]

epigrafar (e.pi.gra.*far*) *v.* **1** Pôr epígrafe em [*td.*: *Epigrafar um romance.*] **2** Denominar, intitular, pôr como epígrafe [*tdp.*: *Epigrafara seu romance (de) Uma História de Amor.*] [*tda.*: *Epigrafou um poema na lápide.*] [▶ 1 epigrafar] [F.: *epígrafe* + *-ar*. Hom./Par.: *epigrafe(s)* (fl), *epígrafe* (sf. e pl.); *epigrafo* (fl.), epígrafo (sm.).]

epígrafe (e.*pí*.gra.fe) *sf.* **1** Palavras ou frase(s) que se gravam em pedestal de estátua, placa, medalha, lápide, fachada de edifício etc. **2** *Liter.* Título, frase, texto etc., no início de um livro, conto, capítulo, poema, para lhe dar apoio temático, ou resumir-lhe o sentido ou a motivação; MOTE **3** *Jur.* Texto que antecede uma lei, esclarecendo-lhe as finalidades e fixando a data de aplicação [F.: Do gr. *epigraphé*, pelo fr. *épigraphe*.]

epigrafia (e.pi.gra.*fi*.a) *sf.* **1** *Pal.* Ciência da composição de epígrafes **2** Parte da paleografia que realiza a decifração, datação e interpretação de inscrições antigas em pedra, metal, argila, cera etc.; LAPIDÁRIA [F.: *ep(i)-* + *-grafia*.]

epigráfico (e.pi.*grá*.fi.co) *a.* Ref. ou inerente à epigrafia ou a epígrafe [F.: *ep(i)-* + *grafo-* + *-ico*².]

epígrafo (e.*pí*.gra.fo) *sm.* Funcionário, entre os antigos atenienses, encarregado da contabilidade das contribuições [F.: Do gr. *epigrapheús* 'o que faz registro de nomes e bens'; *ep(i)-* + *-grafo*. Hom./Par.: *epigrafo* (fl. de *epigrafar*).]

epigrama (e.pi.*gra*.ma) *sm.* **1** *Liter.* Composição poética breve, ger. de fundo irônico ou satírico **2** *P.ext.* Dito sardônico, mordaz, introduzido em poema ou narrativa em prosa **3** *Antq.* Na Grécia antiga, frase gravada em monumento, moeda etc., para evocar fato, pessoa, realização etc. importantes, marcantes; INSCRIÇÃO [F.: Do gr. *epígramma*, pelo lat. *epigramma*.]

epigramático (e.pi.gra.*má*.ti.co) *a.* **1** Ref. ou inerente a, ou próprio de epigrama **2** Que tem caráter de ou que se assemelha a um epigrama (texto epigramático; comédia epigramática) [F.: o lat. *epigrammaticus, a, um* 'relativo a epigrama, a sátira'; *ep(i)-* + *-grama* + *-t-* + *-ico*². Sin. ger.: *satírico*.]

epilação (e.pi.la.*ção*) *sf.* Eliminação de cabelos da cabeça por qualquer processo (químico, físico, radiológico) como meio terapêutico ou profilático de debelar ou evitar doença do couro cabeludo [Pl.: *-ções*.] [F.: Do fr. *épilation*.]

epilepsia (e.pi.lep.*si*:a) *sf. Pat.* Afecção neurológica crônica, caracterizada por súbitas perdas de consciência e de equilíbrio, seguidas de tremores convulsivos, a intervalos irregulares. Atinge também alguns animais; BATEDEIRA; HIERANOSE; MAL DE TERRA [F.: Do gr. *epilepsía*, pelo lat. *epilepsia*.]

epiléptico (e.pi.*lép*.ti.co) *a.sm.* Ver *epilético*

epileptogênico (e.pi.lep.to.*gê*.ni.co) *a. Pat.* Que provoca a epilepsia; EPILEPTÓGENO [Cf.: *epileptógeno*.] [F.: Do lat. cient. *epilept-*, 'epiléptico' < gr. *epíleptos* + *-o-* + *-geno-* + *-ico*².]

epileptoide (e.pi.lep.*toi*.de) *a2g. Pat.* Que tem o caráter e sintomas da epilepsia; EPILEPTIFORME [F.: Do lat. cient. *epilept-*, 'epiléptico' < gr. *epíleptos* + *-oide*.]

epilético (e.pi.*lé*.ti.co) *a.* **1** *Pat.* Ref. a epilepsia (ataque epilético) **2** Diz-se de pessoa que sofre de epilepsia *sm.* **3** Essa pessoa [F.: Do gr. *epileptikós*, pelo lat. *epilepticus*. Tb. *epiléptico*.]

epilogar (e.pi.lo.*gar*) *v.* **1** Fazer resumo de (obra literária, científica etc.); compendiar, recapitular [*td.*] **2** Dar uma conclusão a; concluir, encerrar [*td.*: *Epilogou o conto com uma tirada filosófica.*] [*tr.* + *em*: "No seu ser se epilogavam para mim todas as perfeições" (Antônio Feliciano de Castilho, *Amor e melancolia*)] **3** Resumir(-se) ao básico, ao essencial; CONDENSAR(-SE) [*td.*: *Aquele gesto epilogava toda a sua maneira de ser.*] [*tr.* + *em*: *Sua derrota epilogava-se na* *casa destruída.*] [▶ **14 epilogar**] [F.: *epílogo* + *-ar*. Hom./Par.: *epilogo* (fl), *epílogo* (sm.).]

epílogo (e.*pí*.lo.go) *sm.* 1 *Liter.* Final de uma obra literária, ger. último capítulo de novela ou romance, com recapitulação e resumo da narrativa; FECHO; REMATE [Ant.: *prefácio.*] 2 *Teat.* Após o final de uma narrativa, apresentação teatral etc., capítulo, texto ou cena nos quais se mencionam circunstâncias ou fatos posteriores à trama, completando a compreensão total de seu desenvolvimento e suas consequências [Ant.: *prólogo.*] 3 *P.ext.* Desfecho de qualquer acontecimento ou processo; CONCLUSÃO; FINAL; REMATE: *O conflito teve um epílogo lamentável.* [Ant.: *começo, início.*] [F.: Do gr. *epílogos*, pelo lat. *epilogus*. Ant. ger.: *prólogo.*]

◎ **-epina** *el. comp.* = 'composto heterocíclico formado por sete átomos, no anel': *tiepina* [Us. na terminologia química.]

◎ **epiplo(o)-** *el. comp.* = 'epíploo': *epiplocele, epiploíte.* [F.: Do gr. *epíploos, oon, óou* 'membrana que recobre os intestinos'.]

epiqueia (e.pi.*quei*.a) *sf.* 1 *Jur.* Interpretação razoável da lei ou preceito, segundo intenção do legislador 2 *P.ext.* Moderação, meio-termo, comedimento, equidade [F.: Do gr. *epieíkeia, as* 'equidade, moderação, clemência, bondade'.]

◎ **epir(o)-** *el. comp.* = 'continente': *epirogênese, epirogenia.* [F.: Do gr. *épeiros, ou*, 'terra firme'; 'continente'.]

epirogênese (e.pi.ro.*gê*.ne.se) *sf. Geol.* Processo diastrófico de grande amplitude, caracterizado por movimentos lentos de deformações da crosta terrestre, por meio do qual se formam os continentes, as bacias oceânicas e planaltos grandes; EPIROGENIA [F.: Do gr. *êpeiros* 'continente' + gr. *gênesis*, 'origem, gênese'. Cf.: *orogênese, tectonismo.*]

epirogenético (e.pi.ro.ge.*né*.ti.co) *a. Geol.* Ref. ou inerente a, ou próprio de epirogênese (movimento epirogenético); EPIROGÊNICO [F.: Do gr. *êpeiros* 'continente' + gr. *gênesis*, 'origem, gênese', + *-ético.*]

epirogenia (e.pi.ro.ge.*ni*.a) *sf. Geol.* Deformação da crosta da Terra, pela movimentação vertical, com relação ao nível do mar, do relevo das massas continentais; EPIROGÊNESE [F.: *epir(o)-*, do gr. *êpeiros*, 'continente', + *-genia*. Cf.: *orogenia.*]

epirogênico (e.pi.ro.*gê*.ni.co) *a. Geol.* Ref. ou inerente à epirogenia (evolução epirogênica); EPIROGENÉTICO [F.: *epir(o)-*, do gr. *êpeiros*, 'continente', + *-geno* + *ico*[2]. Cf.: *orogênico.*]

episcênio (e.pis.*cê*.nio) *sm. Teat.* No antigo teatro grego, parte que ficava por cima do palco, destinada aos acessórios e às máquinas, situada no fundo do proscênio [F.: Do lat. *episcenium,ii* ou *episcénis,í*, deriv. do gr. *episkénion* ou *espiskénos*, 'pavimento superior ao da cena, num teatro ou arena'. Hom./Par.: *epiceno* (a. sm.).]

episclerite (e.pis.cle.*ri*.te) *sf.* 1 *Oft.* Inflamação do tecido sobreposto à esclerótica 2 Inflamação das camadas externas da esclerótica [F.: Do lat. cient. *episcleritis*; *ep(i)-* + *-escler(o)-* + *-ite.*]

episcopado (e.pis.co.*pa*.do) *Ecles. sm.* 1 Território eclesiástico no qual se exerce a autoridade espiritual de um bispo; abrange várias paróquias; DIOCESE 2 Função e dignidade de um bispo 3 Período em que essa função é exercida 4 Congregação de bispos [F.: Do lat. *episcopatus*. Sin. ger.: *bispado.*]

episcopal (e.pis.co.*pal*) *a2g.* 1 Ref. a bispo ou que pertence a bispo (traje episcopal) 2 Ref. à Igreja episcopal, ramificação protestante, entre outras, da Igreja anglicana 3 *Rel.* Que é adepto da doutrina protestante segundo a qual o bispo é hierarquicamente superior ao presbítero [Por oposição aos presbiterianos.] 4 *Rel.* Que é adepto da doutrina anglicana segundo a qual a assembleia de bispos (ou de ordem pastoral) tem mais autoridade do que o papa [Em oposição a essa doutrina, o Concílio Vaticano I criou o dogma da infalibilidade do papa.] [Pl.: *-pais.*] *s2g.* 5 Aquele/a que é episcopal (3, 4) [Pl.: *-pais.*] [F.: Do lat. *episcopalis.*]

episcopisa (e.pis.co.*pi*.sa) *sf. Litu. Rel.* Nos primeiros tempos do cristianismo, mulher que tinha certas funções sacerdotais, esp. nos cultos litúrgicos [F.: *epíscopo-*, do gr. *epískopos*, 'bispo', + *-isa.*]

◎ **episio-** *el. comp.* = 'vulva': *episiorrafia, episiotomia* [F.: Do gr. *epísion* ou *epeísion, ou*, 'púbis'.]

episiotomia (e.pi.si:o.to.*mi*.a) *sf. Cir. Obst.* Intervenção cirúrgica que consiste em incisão do orifício vulvar, a fim de aumentá-lo e facilitar a expulsão do feto durante o parto [F.: *episio-* + *-tomia.*]

episiotômico (e.pi.si.o.*tô*.mi.co) *a. Cir. Obst.* Ref. ou inerente à episiotomia (corte episiotômico) [F.: *episiotomia* + *-ico*[2].]

episódico (e.pi.*só*.di.co) *a.* 1 Ref. a episódio ou que tem suas características 2 *P.ext.* Que não é importante para a ação decisiva; ACESSÓRIO; OCASIONAL; SECUNDÁRIO: "... tudo aquilo era episódico, nada tinha tanta importância quanto parecia ter." (João Ubaldo Ribeiro, *Diário do farol*) [Ant.: *essencial.*] 3 Que se incluiu ou acrescentou como um episódio [F.: *episódio*+ *-ico*[2].]

episódio (e.pi.*só*.di:o) *sm.* 1 Ação, fato acessório ou incidente relacionado com a ação principal (de poema, romance, peça teatral, filme, narrativa etc.): "...fez questão de tomar nota do episódio, para não esquecê-lo." (João Ubaldo Ribeiro, *O conselheiro come*) 2 *Liter. Teat.* Passagem ou aspecto incidental, no meio da narrativa, ligada ao tema principal 3 *Cin. Telv.* Cada uma das partes de uma apresentação em série: *Só viu os últimos episódios do seriado.* 4 *Mús.* Composição leve e lúdica; DIVERTIMENTO [F.: Do gr. *epeisódion*, pelo lat. med. *episodium*, e pelo fr. *épisode.*]

epistasia (e.pis.ta.*si*.a) *sf.* 1 *Gen.* Supressão da expressão de um gene por outro gene que não um de seus alelos 2 *Gen.* Dominância de um gene sobre um outro de um par diferente 3 *Gen.* Ocultação de uma característica hereditária por outra que lhe está superposta 4 *Pat.* Alteração funcional nervosa, devido a uma excitação, que produz perturbação em outros órgãos 5 *Med.* O primeiro sintoma de uma doença [F.: Do gr. *epistasía*; *ep(i)-* + *-stase* + *-ia.*]

epistático (e.pis.*tá*.ti.co) *a.* 1 Ref. ou inerente a, ou pertencente à epistasia 2 *Gen.* Diz-se do gene que apresenta epistasia em relação a outro 3 *Gen.* Diz-se da supressão de uma característica hereditária por outra a ela superposta [F.: Do gr *epistatikós*; *ep(i)-* + *-stase* + *-ático.*]

epistaxe (e.pis.*ta*.xe) [cs] *sf. Pat.* Hemorragia nasal; HEMORRINIA [F.: Do gr. *epístaksis* 'ação de instilar, gotejar'.]

episteme (e.pis.*te*.me) [ê] *sf.* 1 *Fil.* Segundo o platonismo, designa o conhecimento verdadeiro, racional e científico, em contrapartida à opinião infundada ou irrefletida 2 Segundo o filósofo francês Michel Foucault (1926-1994), episteme é o paradigma comum aos diversos saberes humanos em uma determinada época que, por se embasarem numa mesma estrutura, compartilham as mesmas características gerais, independentemente de suas diferenças específicas 3 *P.ext.* A base da epistemologia, a teoria e filosofia da ciência [F.: Do gr. *episteme,és* 'ciência, conhecimento'. Sin. ger.: *epistema.*]

epistêmico (e.pis.*tê*.mi.co) *a.* 1 *Fil.* Ref. ou inerente a, ou próprio da episteme e da epistemologia; COGNITIVO 2 Diz-se do que é puramente intelectual (raciocínio epistêmico; dedução epistêmica) [F.: Do gr. *episteme,és* 'ciência, conhecimento' + *-ico*[2]. Sin. ger.: *epistemológico.*]

epistemofilia (e.pis.te.mo.fi.*li*.a) *sf.* Gosto, satisfação, paixão pelo conhecimento, pelo processo de adquirir conhecimento [F.: Do gr. *epistéme*, 'ciência' + *-filia.*]

epistemologia (e.pis.te.mo.lo.*gi*:a) *sf.* 1 *Fil.* Estudo do conhecimento, esp. o conhecimento científico, sua natureza. seu processo de aquisição, seu alcance e seus limites, e das relações entre o objeto do conhecimento e aquele que o busca; a teoria do conhecimento 2 Estudo sobre o conhecimento científico, seus diferentes métodos, suas teorias e práticas, sua evolução na história e no desenvolvimento das sociedades; teoria da ciência [F.: Do gr. *epistéme* + *-logie*, pelo fr. *épistémologie.*]

epistemológico (e.pis.te.mo.*ló*.gi.co) *a. Fil.* Ref. ou inerente à epistemologia, à teoria do conhecimento (concepção epistemológica); EPISTÊMICO [F.: Do gr. *episteme,és* 'ciência, conhecimento' + *-logo* + *-ico*[2].]

epístola (e.*pís*.to.la) *sf.* 1 *Rel.* No Novo Testamento, cada uma das cartas escritas pelos apóstolos às primeiras comunidades cristãs 2 *Litu.* Parte da missa católica, antes do Evangelho, em que se lê trecho dessas cartas 3 *P.ext.* Carta, correspondência qualquer 4 *Liter.* Composição em prosa ou verso em forma de carta 5 O lado do altar (direito) oposto ao do Evangelho, de onde se pronuncia a epístola (2) [F.: Do gr. *epistolé*, pelo lat. *epistula*. Hom./Par.: *epistola* (fl. de *epistolar*).]

epistolar[1] (e.pis.to.*lar*) *a2g.* Ref. a epístola ou próprio de sua forma (estilo epistolar) [F.: Do lat. *epistularis.*]

epistolar[2] (e.pis.to.*lar*) *v.* 1 Narrar (fato, ocorrência) em epístola ou em estilo epistolar [*td.*: *Gostava de epistolar suas aventuras amorosas.*] 2 Escrever e mandar epístolas, cartas; EPISTOLIZAR [*int.*: *Seu maior prazer era epistolar.*] [▶ **1 epistolar**] [F.: *epístola* + *-ar*[2]. Hom./Par.: *epistola(s)* (fl.), *epístola* (sf.[pl.]).]

epistolário (e.pis.to.*lá*.ri.o) *sm.* 1 *Doc. Rel.* Coleção de epístolas (3, 4) 2 Conjunto de epístolas (3, 4) de um autor escritas a diversas pessoas (epistolário de Mário de Andrade) 3 Compilação de epístolas; EPISTOLEIRO 4 *Litu. Rel.* Livro litúrgico contendo as epístolas lidas, recitadas ou cantadas nas missas, conforme o rito tridentino 5 *Doc.* Epistológrafo (2) [F.: Do lat. *epistolarium*; *epístola-* + *-ário.*]

epistolografia (e.pis.to.lo.gra.*fi*.a) *sf.* 1 *Doc. Rel.* Arte de escrever epístolas 2 Arte ou técnica de escrever cartas 3 *Liter.* Gênero literário concernente a cartas; gênero epistolar: "A epistolografia era portanto um modo de amor quase virginal em Carlos" (Camilo Castelo Branco, *Mulher fatal*) 4 *Liter.* Texto literário em verso ou em em prosa na forma de epístola (4) [F.: *epístola-* + *-o-* + *-grafia.*]

epistológrafo (e.pis.to.*ló*.gra.fo) *sm.* 1 *Doc. Rel.* Aquele que escreve epístolas (4), que cultiva a, que é versado em epistolografia 2 *Doc. Liter.* Autor de cartas literárias ou históricas importantes e notáveis; EPISTOLÁRIO [F.: *epístola-* + *-o-* + *-grafo*. Sin. ger.: *epistoleiro.*]

epistótono (e.pis.*tó*.to.no) *sm. Neur.* Tipo de contração espasmódica causada pelo tétano, que se caracteriza pelo retesamento do corpo e curvamento para a frente da cabeça e dos pés; EMPROSTÓTONO [F.: Do gr. *episthótonos, on*, 'puxado para a frente e enrijecido'.]

epístrofe (e.*pís*.tro.fe) *sf.* 1 *Ling. Ret.* Repetição de uma palavra ou expressão no fim de frases ou sentenças seguidas 2 *Liter. Poét.* Figura de linguagem constituída pela repetição de uma palavra ao final de todas as frases ou versos. Ex: "Tudo acaba a *morte*, e tudo se acaba com a *morte*, até a mesma *morte*." (Padre Vieira, *Sermões*) [F.: Do lat. *epistròphe,es* 'repetição de palavras no fim de várias frases', deriv. do gr. *epistrophê,ês* 'ação de voltar, repetir, circuito'. Cf.: *anáfora* e *epífora.*]

epitáfio (e.pi.*tá*.fi:o) *sm.* 1 Inscrição feita em lápide, em pedra tumular 2 *P.ext.* Lápide na qual se gravou epitáfio (1) 3 Elogio a um morto, em cerimônia de despedida 4 *Liter.* Gênero de poesia breve, jocosa, que se refere a alguém vivo como se estivesse morto [F.: Do gr. *epitáphion*, pelo lat. *epitaphius.*]

epitalâmio (e.pi.ta.*lâ*.mi:o) *sm. Liter. Mús.* Canto ou poema breve em que se celebra o casamento [F.: Do gr. *epithalámios*, pelo lat. *epithalamium* e pelo fr. *épithalame.*]

epitálamo (e.pi.*tá*.la.mo) *sm. Anat.* Segmento dorsal do diencéfalo imediatamente superior e posterior ao tálamo, contendo a habênula e a glândula pineal [F.: *ep(i)-* + *-tálamo.*]

epitelial (e.pi.te.li.*al*) *a2g.* 1 *Histl. Bot.* Concernente ou pertencente a epitélio 2 Formado de epitélio (tecido epitelial) [Pl.: *-ais.*] [F.: *epitélio-* + *-al.*]

epitélio (e.pi.*té*.li:o) *sm.* 1 *Histl.* Tecido celular que reveste a parte externa do corpo (pele) e as paredes das cavidades internas (mucosas) 2 *Bot.* Em algumas estruturas ou órgãos de vegetais, epiderme formada por células delicadas [F.: Do fr. *épithélium.*]

epitelioma (e.pi.te.li:o.ma) *sm. Pat.* Qualquer tipo de tumor epitelial [F.: *epitélio-* + *-oma.*]

epitelização (e.pi.te.li.za.*ção*) *sf. Biol. Med.* Ação, processo ou resultado de epitelizar(-se), de revestir(-se) de ou converter(-se) em epitélio [Pl.: *-ções.*] [F.: *epitelizar-* + *-ção.*]

epíteto (e.*pí*.te.to) *sm.* 1 Palavra ou expressão que qualifica um nome ou um pronome: *Batista, epíteto de são João, significa "que ou aquele que batiza".* 2 Palavra ou expressão com que se qualifica alguém, positiva ou negativamente; ALCUNHA; APELIDO; COGNOME: *Não foi à toa que ela ganhou o epíteto de 'fora de hora'; é muito inconveniente.* [F.: Do gr. *epítheton*, pelo lat. *epitheton* e pelo fr. *épithète.*]

epítome (e.*pí*.to.me) *sm.* 1 Resumo de obra literária, histórica ou científica, ger. destinada ao uso didático 2 Resumo ou síntese de qualquer natureza 3 Aquilo que representa o resumo, a síntese, o exemplo, o modelo de algo: *Job foi o epítome da resistência ao sofrimento.* [F.: Do gr. *epitomé*, pelo lat. *epitome* e pelo fr. *épitomé.*]

epizootia (e.pi.zo.o.*ti*.a) *sf. Vet.* Qualquer doença (contagiosa ou não) que afeta ao mesmo tempo e no mesmo lugar um grande número de animais [F.: Do fr. *épizootie.*]

epizoótico (e.pi.zo.*ó*.ti.co) *a.* Ref. a epizootia ou que é próprio dela [F.: *epizootia* + *-ico*[2].]

época (*é*.po.ca) *sf.* 1 Período de tempo histórico que tem como marco um grande acontecimento, um determinado caráter cultural, histórico, ou político-social, o predomínio de uma personalidade etc.: *Na época do Renascimento/ de Mao Tsé-Tung / do cinema mudo.* 2 Qualquer período de tempo (de duração variável), como parte de um período maior, ger. ligado a um determinado fator que lhe serve de referência: *Sua vida teve épocas de prosperidade e épocas de penúria.* 3 *P.ext.* Período de tempo associado a fatos ou situações de interesse de uma pessoa, de um grupo etc.: *Isso é da época em que ele morava no Ceará.* 4 Qualquer período de tempo ou da vida; QUADRA: *a época da adolescência.* 5 Período caracterizado por certas ocorrências naturais, ou a elas propício: *Não está na época das mangas; Esse menino já está na época da mudança de voz; a época das chuvas.* 6 Período no ano em que realizam certas atividades, eventos, etc., ou a eles propício: *Esta época não é boa para visitar o Pantanal; Começa agora a época dos grandes concertos.* 7 *Astron.* Momento de referência (solstício, equinócio) para uma sucessão de estudos e abordagens astronômicas 8 *Geol.* Divisão formal do tempo geológico, ger. menor que período e maior que idade (época miocena/ pliocena) 9 *Fís.* Deslocamento de um corpo, medido em seu movimento harmônico simples a partir do zero, no tempo igual a zero [F.: Do gr. *epoché*, pelo fr. *époque.*] ■ **~ atual** *Geol.* A época geológica em que o gelo se reduziu às calotas polares e durante a qual desenvolveu-se a civilização humana; holoceno **~ diluvial** *Geol.* Ver *Época glacial* **~ glacial** *Geol.* Época geológica glacial, em que o gelo estendeu-se às regiões tropicais e ao fim da qual surgiu o homem; pleistoceno **~ recente** *Geol.* Ver *Época atual* **Fazer ~** Destacar-se, ter atuação marcante em certo campo de atividade: *A seleção de 1958 fez época no futebol mundial.* **Segunda ~** Período suplementar de estudos seguido de nova avaliação, ao fim da época das aulas regulares, para os alunos com nota insuficiente para passar de ano

epodo (e.*po*.do) *Poét. sm.* 1 Originariamente, a terceira estância da ode grega [Cf.: *antístrofe, estrofe.*] 2 Última parte de um canto, ode ou hino 3 Poema lírico latino composto de versos jâmbicos, alternativamente trímetros e dímetros (epodos horacianos) [Cf.: *antístrofe, estrofe.*] 4 *P.ext.* Qualquer poema lírico em que se alternam um verso longo e um breve 5 Máxima ou sentença moral; PROVÉRBIO [F.: Do lat. *epó dos* ou *epódus, í*, 'verso menor que segue um mais longo', deriv. do gr. *epóidós,oû.*]

epônimo (e.*pô*.ni.mo) *a.* 1 Diz-se de que dá ou empresta o nome a alguma coisa ou pessoa 2 Diz-se de nome alcunhado de deuses e deusas, cidades etc. 3 Que recebeu o nome de uma pessoa (doença epônima); EPONÍMICO *sm.* 4 Aquele ou aquilo (personagem mítico ou histórico) que dá o nome a qualquer coisa (país, cidade, povo etc.) ou pessoa, como p. ex. Atena > Atenas, Rômulo> Roma, Bolívar > Bolívia 5 Denominação formada pelo nome de uma pessoa ou que o inclui, p. ex. abreugrafia, mal de Parkinson [F.: Do gr *epónymos*, 'nome de pessoa ou objeto'; *ep(i)-* + *-ônimo.*]

epopeia (e.po.*pei*.a) *sf.* **1** Poema épico ger. extenso, que celebra heróis e feitos heroicos: *Os Lusíadas são uma das mais belas epopeias de todos os tempos.* **2** *Fig. P.ext.* Sequência de fatos e ações tão difíceis ou perigosos que poderiam ser tema de uma epopeia (1): *Chegar a Barcelona, naquele voo, foi uma epopeia.* [F.: Do gr. *epopoiía*, pelo fr. *epopée.*]

epopeico (e.po.*pei*.co) *a.* **1** Ref. ou inerente a, ou próprio de ou da natureza da epopeia **2** *Fig.* Heroico, grandioso, típico dos personagens e situações de uma epopeia [F.: Do gr. *epopoiïkós*; *epopeia-* + *-ico.*]

◎ **epoxi-** (e.*po*.xi-) [cs] *pref. Quím.* = 'designa um grupo epóxido': *epóxi, epoxietano, epoxipropano* [F.: Do ing. *epoxy.*]

epóxi (e.*pó*.xi) [cs] *sm. Quím.* Denominação comum a compostos formados a partir de um grupamento reativo de três átomos (dois de carbono e um de oxigênio), como adesivos, resinas us. em revestimento etc. [F.: Do ing. *epoxy.*]

⊠ **EPROM** *Inf.* Dispositivo de memória (em geral, um *chip*) reprogramável ger. por meio de luz ultravioleta, e cujo conteúdo é us. para armazenar programas de aparelhos digitais, de inicialização de computador etc. [F.: Acrônimo do ing. *erasable programmable read-only-memory* ('memória apagável e programável exclusivamente para leitura').]

épsilo (*ép*.si.lo) *sm.* Quinta letra do alfabeto grego, correspondente a um e breve latino (ε, E) [A acentuação proparoxítona do sing. (*épsilo*) e do plural (*épsilos*) é a consagrada pelo uso no Brasil.]

épsilon (*ép*.si.lon) *sm.* Ver *épsilo*

épura (*é*.pu.ra) *sf.* **1** *Geom.* Representação, no plano, de figura tridimensional, mediante projeções de sua elevação, planta baixa e perfil **2** *Des.* Desenho geométrico que representa o conjunto das projeções de uma figura sobre dois planos perpendiculares [F.: Do fr. *épure.*]

◎ **equ-** *pref.* = unido, plano; igual, justo: *equidistância, equiparável, equitativo, equivalência, equívoco*

equação (e.qua.*ção*) *sf.* **1** *Mat.* Igualdade condicional entre expressões matemáticas, em que pelo menos uma delas contém um termo variável, para o qual um ou mais valores atribuídos satisfazem a igualdade **2** *Fig.* Disposição simples e clara dos dados que constituem um problema difícil: *Encontrei a equação perfeita para meus problemas financeiros.* [Pl.: *-ções.*] [F.: Do lat. *aequatio, onis.*] ■ **~ algébrica** *Álg.* Aquela em que as operações com as incógnitas são todas algébricas **~ algébrica irracional** *Álg.* Equação algébrica que não é racional **~ algébrica linear** *Álg.* Aquela em que todas as incógnitas estão na primeira potência (ou seja, seus expoentes são sempre iguais a 1) **~ algébrica racional** *Álg.* Equação algébrica cujas funções são todas racionais [Tb. apenas *Equação irracional.*] **~ algébrica racional inteira** *Álg.* Aquela que pode ser escrita igualando um polinômio a zero **~ bilinear** *Álg.* A que se expressa igualando a zero uma forma de duas variáveis lineares [Tb. apenas *Equação racional.*] **~ binômia** *Álg.* Equação algébrica que tem como primeiro membro um binômio formado pela variável elevada a n (x^n) e um termo constante **~ biquadrada** *Álg.* Equação algébrica racional inteira do quarto grau (ou seja, na qual a variável aparece elevada à quarta potência) e em que a variável só tem expoentes pares **~ cúbica** *Álg.* Equação algébrica racional inteira do terceiro grau **~ de derivadas** *Mat.* Ver *Equação diferencial* [Ex.: $ax^4 + bx^2 + c = 0$. Tb. apenas *biquadrada.*] **~ derivada** **1** *Álg.* Equação obtida de outra mediante operações algébricas **2** *Mat.* Equação que se obtém de outra derivando seus dois membros **~ diferencial** *Mat.* Equação cuja incógnita é uma função, representada na equação por suas derivadas **~ diferencial homogênea** *Mat.* Equação diferencial em que não há termos independentes da única incógnita ou de suas derivadas; equação diferencial linear homogênea **~ diferencial integrável** **1** *Mat.* Equação diferencial cuja solução pode ser em função de integrais, cujos integrandos são conhecidos **2** *Mat.* Equação diferencial que possui um fator integrante **~ diferencial linear** *Mat.* Equação diferencial cuja variável, dependente, tem derivadas de expoente 1 **~ diferencial linear homogênea** *Mat.* Ver *Equação diferencial homogênea* **~ diferencial ordinária** *Mat.* Equação diferencial que envolve função de uma só variável independente e suas derivadas **~ diferencial ordinária linear** *Mat.* Equação diferencial ordinária em que os expoentes da variável dependente e todas as suas derivadas é sempre 1 [Tb. apenas *Equação diferencial linear.*] **~ diferencial parcial** *Mat.* Equação diferencial que envolve funções de mais de uma variável independente e suas derivadas parciais **~ diferencial parcial linear** *Anál. Mat.* Equação diferencial parcial em que os expoentes de todas as derivadas são sempre iguais a 1 [Tb. apenas *Equação diferencial linear.*] **~ diofantina** *Álg.* Aquela (ger. uma equação algébrica racional com mais de uma variável) que é objeto da análise diofantina (ver no verbete *análise*) para obtenção de soluções inteiras **~ homogênea** *Mat.* A que se forma igualando uma função homogênea a zero **~ integral** *Mat.* A que contém incógnitas submetidas a integração **~ irracional** *Álg.* Ver *Equação algébrica irracional.* **~ linear** *Álg.* Equação que se forma ao se igualar a zero uma forma linear (cujas incógnitas tenham expoentes sejam sempre iguais a 1) **~ paramétrica** *Geom.an.* Equação que expressa a coordenada de uma curva ou de uma superfície em função de um número necessário e suficiente de parâmetros [Para uma curva, um parâmetro é suficiente; para uma superfície, são necessários dois.] **~ racional** *Álg.* Ver *Equação algébrica racional* **~ reduzida** *Geom.an.* A equação de uma reta em coordenadas cartesianas, no formato $y = ax + b$ **~ transcendente** *Mat.* Equação que não é algébrica **~ trinômia** *Álg.* Equação que expressa a igualdade de um trinômio a zero. [Ex.: $ax^2 + bx + c = 0$.]

equacionado (e.qua.ci:o.*na*.do) *a.* **1** Que se equacionou, se dispôs em forma de equação (dados equacionados) **2** *Fig.* Que se dispôs com clareza, para chegar a uma solução (problemas equacionados) [F.: Part. de *equacionar.*]

equacionamento (e.qua.ci:o.na.*men*.to) *sm.* Ação ou resultado de equacionar, de dispor em forma de equação [F.: *equacionar* + *-mento.*]

equacionar (e.qua.ci:o.*nar*) *v. td.* **1** Dispor (dados de um problema, de uma questão, de uma situação que pede solução) em forma de equação, para que sejam relacionados de modo a conduzir a uma solução: *A diretoria equacionou os dados do primeiro semestre para fazer a projeção do segundo.* **2** *Fig.* Tratar um problema, situação etc. analiticamente, dispondo seus elementos de modo a poder operá-los na direção de uma solução, como numa equação: *Vamos ter de equacionar esse aumento no déficit operacional e tomar as medidas necessárias para eliminá-lo.* [▶ 1 equacionar] [F.: *equação* + *ar*², de acordo com o modelo erudito.]

equacionável (e.qua.ci:o.*ná*.vel) *a2g.* **1** Que se pode equacionar (problema equacionável) **2** *ÁLG.* Que pode ser posto em equação (variáveis equacionáveis) **3** *Arit.* Proporcionável, adicionável ou separável (operação equacionável) [Pl.: *-veis.*] [F.: *equação* sob a f. rad. *equacion-* + *-ar*² + *-vel.*]

equador (e.qua.*dor*) [ô] *sm.* **1** *Geog.* Círculo imaginário máximo do globo terrestre, que circunda a Terra num plano perpendicular a seu eixo e a igual distância dos polos Norte e Sul, dividindo o planeta em dois hemisférios. Sua latitude convencionada é 0°; linha equinocial **2** *Geom.* Circunferência que o vértice de uma elipse traça ao gerar um esferoide [F.: Do lat. medv. *aequator.*] ■ **~ celeste** *Astron.* Interseção da esfera celeste com o plano do equador da Terra **~ galáctico** *Astron.* Interseção do plano galáctico (ver no verbete *plano*) com a esfera celeste **~ magnético** *Geof.* Lugar geométrico dos pontos na superfície terrestre nos quais a inclinação magnética é nula

equalitário (e.qua.li.*tá*.ri:o) *a.* **1** Ref. ou inerente, ou próprio de igualdade (programa equalitário) **2** Equânime, justo (decisão equalitária) [F.: *equal-*, do lat *aequu-* + *-t-* + *-ário.*]

equalização (e.qua.li.za.*ção*) *sf. Eletrôn.* Redução da distorção de um sinal, por meio de um dispositivo que amplia a intensidade de algumas frequências e diminui a de outras [Pl.: *-ções.*] [F.: *equalizar* + *-ção.*]

equalizado (e.qua.li.*za*.do) *a.* **1** Diz-se de algo tornado uniforme (modelos equalizados); UNIFORMIZADO; IGUALADO **2** *Elet. Eletrôn.* Que recebeu equalização (som equalizado; potência equalizada) [F.: Adapt. do ing. (to) *equalize-* + *-ado.*]

equalizar (e.qua.li.*zar*) *v. td.* **1** Fazer ficar igual, uniforme; UNIFORMIZAR: *equalizar as taxas dos financiamentos.* **2** *Eletrôn.* Harmonizar a intensidade de diferentes frequências em; fazer equalização de: *equalizar músicas em MP3.* [F.: Do ing. *equalize.*]

equânime (e.*quâ*.ni.me) *a2g.* **1** Que conserva o mesmo ânimo diante de coisas boas ou ruins **2** Que demonstra tranquilidade, serenidade; COMEDIDO; MODERADO [Ant.: *descomedido.*] **3** Diz-se de julgamento imparcial; diz-se de quem age ou julga com imparcialidade, com retidão; ISENTO; JUSTO [Ant.: *injusto, parcial.*] [F.: Do lat. *aequanimis*, calcado no gr. *isópsychos.*]

equanimidade (e.qua.ni.mi.*da*.de) *sf.* **1** Constância e igualdade de temperamento, de ânimo, em qualquer circunstância **2** Serenidade e tranquilidade de espírito; MODERAÇÃO; COMEDIMENTO **3** Imparcialidade, retidão no julgamento e nas ações; NEUTRALIDADE; EQUIDADE [F.: Do lat. *aequanimitas, átis.* Ou *equânime-* + *-(i)dade.*]

equatorial (e.qua.to.ri.*al*) *a2g.* **1** Ref. ou inerente a, ou próprio do equador (clima equatorial) **2** *Geof.* Que está situado ou localizado no equador ou que cresce ao redor do equador (vegetação equatorial) **3** *Astron.* Diz-se de suporte de telescópio ou de qualquer instrumento astronômico com dois eixos de movimento, um paralelo ao eixo de rotação da Terra e outro em ângulo reto a ele facilitando o acompanhamento do movimento diurno dos astros *sm.* **4** *Astron.* Telescópio com suporte equatorial [Pl.: *-ais.*] [F.: Do lat *aequatore*, 'equador', sob a f. rad. *equatori-* + *-al*, seg. o mod. erudito.]

equatoriano¹ (e.qua.to.ri:*a*.no) *sm.* **1** Pessoa nascida ou que vive no Equador (noroeste da América do Sul) *a.* **2** Do Equador, típico desse país ou de seu povo [F.: Do *Equador* (na f. rad. *equator-*) + *-iano.*]

equatoriano² (e.qua.to.ri:*a*.no) *s2g.* **1** Indivíduo nascido ou que vive em Equador (RN) *a2g.* **2** De Equador; típico dessa cidade ou de seu povo [F.: Do top. *Equador* + *-iano.*]

equestre (e.*ques*.tre) *a2g.* **1** Ref. a cavalo, cavalaria ou equitação (estátua equestre/competição equestre) **2** *Esp.* Ref. ao hipismo [F.: Do lat. *equester.*]

equevo (e.*que*.vo) [ê] *a.* **1** *Cron.* Diz-se de que ou quem tem a mesma idade de outro; COEVO; COETÂNEO **2** Que é da mesma época (escritores equevos); CONTEMPORÂNEO [F.: Do lat. *aequaevus, a, um*, 'de idade igual à de outro'.]

◎ **equi-** *pref.* = cavalo: *equestre, equídeo, equino, equitação*

equiângulo (e.qui.*ân*.gu.lo) *a.* Que tem ângulos iguais (triângulo equiângulo); EQUIANGULAR [F.: Do lat. med. *aequiangulus*, calcado no gr. *isógonos.*]

equidade (e.qui.*da*.de) *sf.* **1** Reconhecimento de que os direitos são iguais para todos, expresso em julgamento, ação, atitude etc.; EQUIVALÊNCIA; IGUALDADE [Ant.: *diferenciação, distinção.*] **2** Característica de quem ou do que revela senso de justiça, imparcialidade; ISENÇÃO; NEUTRALIDADE [Ant.: *iniquidade, injustiça.*] **3** *P.ext.* Lisura, correção no modo de agir ou opinar; HONESTIDADE; INTEGRIDADE [Ant.: *desonestidade.*] [F.: Do lat. *aequitas, atis.*]

equídeo (e.*quí*.de:o) *a.* **1** Ref. aos equídeos *sm.* **2** Espécime dos equídeos, família de grandes mamíferos perissodátilos e herbívoros com um gênero apenas (*Equus*), que compreende os cavalos, asnos, onagros, zebras [F.: Do lat. cient. *Equidae.*]

equidistância (e.qui.dis.*tân*.ci:a) *sf.* Condição ou característica do que é equidistante, do que dista igualmente (de dois ou mais pontos de referência) [F.: *equi-* + *distância.*]

equidistante (e.qui.dis.*tan*.te) *a2g.* Que se situa a igual distância (diz-se de uma coisa em relação a outras duas ou mais, ou de mais de uma coisa em relação a outra): *A circunferência tem todos os pontos equidistantes do centro.* [F.: Do lat. *aequidistans, antis.*]

equidistar (e.qui.dis.*tar*) *v.* Distar de maneira idêntica de dois ou mais pontos [*tr.* + *de*: *O equador equidista dos dois polos.*] [*int.*: *Os marcos equidistam de maneira exata.*] [▶ 1 equidistar] [F.: *equi-* + *distar.*]

equidna (e.*quid*.na) *sm. Zool.* nome comum dado aos mamíferos monotremados da fam. dos taquiglossídeos, como o Tachyglossus aculeatus, encontrado na Austrália e na Nova Guiné, de focinho longo e cilíndrico e corpo coberto por espinhos [F.: Do lat. cient. *echidna* < lat. *echidna*, deriv. do gr. *ékhidna*, 'víbora'.]

equilátero (e.qui.*lá*.te.ro) *Geom. a.* **1** Diz-se de figura que tem todos os lados iguais entre si (triângulo equilátero) **2** Diz-se de cone circular cujo diâmetro da base é igual à altura [F.: Do lat. tard. *aequilaterus.* Ant. ger.: *inequilátero.*]

equilibrado (e.qui.li.*bra*.do) *a.* **1** Que se equilibrou, que se acha em equilíbrio: *No alto da pirâmide humana, um jogral equilibrado ainda fazia malabarismos.* **2** Que está bem-balanceado, compensado (gastos equilibrados); CONTRABALANÇADO; ESTABILIZADO **3** *Fig.* Que mostra equilíbrio ou segurança emocional, bom-senso; COMEDIDO; MODERADO; SENSATO: *É um sujeito equilibrado, não dado a euforias nem a depressões.* [Ant.: *aloucado, descompensado.*] [F.: Part. de *equilibrar*. Ant. ger.: *desequilibrado.*]

equilibrar (e.qui.li.*brar*) *v.* **1** Pôr(-se), conservar(-se) em equilíbrio, ou restituir equilíbrio a [*td.*: *O garçom equilibrava bem a bandeja; Não conseguiu equilibrar-se na corda bamba, e caiu.*] **2** Manter no mesmo nível; NIVELAR [*td.*: *equilibrar os pratos de uma balança.*] **3** Manter ou restabelecer o equilíbrio, o controle [*td.*: *mudanças para equilibrar o orçamento.*] **4** Compensar, contrabalançar [*td.*: *Vinhos e comidas: como equilibrar aromas e sabores.*] [*tdr.* + *com*: *equilibrar trabalho com diversão.*] **5** Dar estabilidade a, ou alcançar estabilidade; ESTABILIZAR(-SE) [*td.*: *Ele queria equilibrar sua vida.*] [*int.*: *Desde a demissão, ainda não se equilibrou.*] [▶ 1 equilibrar] [F.: Do fr. *équilibrer*. Hom./Par.: *equilibráveis* (fl. de *equilibrar*), *equilibráveis* (pl. de *equilibrável*).]

equilíbrio (e.qui.*lí*.bri:o) *sm.* **1** *Fís.* Estado ou condição de um sistema sob ação de duas ou mais forças que se anulam entre si, o que resulta em sua estabilidade, se não houver ação de novas forças: *Apesar do vendaval, manteve o veículo em equilíbrio sobre a ponte.* **2** Estabilidade de um corpo em sua postura normal; APRUMO: *É difícil manter o equilíbrio em cima de patins.* [Ant.: *instabilidade.*] **3** Igualdade entre duas ou mais forças opostas; EQUIPARAÇÃO; PROPORCIONALIDADE: *equilíbrio entre competidores.* [Ant.: *diferenciação, disparidade.*] **4** Igualdade entre quantidades: *equilíbrio entre despesas e receita.* [Ant.: *desigualdade, disparidade.*] **5** Estabilidade emocional; AUTODOMÍNIO; COMEDIMENTO; CONTROLE: *Revelou equilíbrio em cada decisão.* [Ant.: *descontrole, instabilidade.*] **6** *Fig.* Relação harmoniosa; justa proporção (equilíbrio de cores) [Ant.: *desarmonia, desproporção.*] **7** *Fig.* Estado do que se mantém constante (equilíbrio financeiro); ESTABILIDADE [Ant.: *desestabilização, instabilidade.*] [F.: Do lat. *aequilibrium*. Ant. ger.: *desequilíbrio.*] ■ **~ de rodas** *Lus. Mec.* Balanceamento de rodas **~ do terror** *Pol.* Situação internacional em que superpotências detêm cada uma armas (esp. nucleares, químicas, biológicas etc.) de grande poder destruidor, daí resultando um equilíbrio baseado no temor de um confronto de consequências terríveis **~ estático** *Fís.* Estado de um sistema de forças no qual a soma vetorial de todos os vetores de força aplicados sobre ele se anula **~ estável** *Fís.* Aquele no qual um corpo ou um sistema volta por si ao estado de equilíbrio inicial após a cessação de um ligeiro e efêmero fator que alterou esse equilíbrio **~ hídrico** *Bot.* A relação entre a quantidade de líquido absorvida por uma planta e a que ela elimina **~ hidrostático** *Fís.* O equilíbrio estático de um corpo imerso num fluido **~ instável** *Fís.* Aquele no qual um corpo ou um sistema não volta por si ao estado de equilíbrio inicial após a cessação de um ligeiro e efêmero fator que alterou esse equilíbrio **~ mecânico** *Fís.* Estado de um sistema (de corpos e das forças que atuam sobre eles) no qual a resultante de todas essas forças é nula **~ químico** *Fís.-quím.* Estado de um sistema no qual não ocorrem mudanças em sua composição, ou porque não se processam reações químicas, ou porque as reações que se processam anulam-se umas às outras **~ térmico** *Fís.* Estado ou condição de um sistema em que há igualdade de temperatura em todos os pontos do sistema e das fontes de calor com que está em contacto [Existe uma troca térmica, transferindo-se calor até todo o sistema ter a temperatura nivelada.] **~ termodinâmico** *Fís.* Estado de um sistema no qual existe ao mesmo tempo equilíbrio mecânico, químico e térmico

📖 O equilíbrio (2) diz-se *estável* quando, aplicada uma força (até certo limite) que tira o corpo de sua situação inicial, ele tende a voltar a ela (ex.: um cone apoiado sobre a base circular); *instável* quando, nesse caso, passa a outra posição (ex.: um cone em equilíbrio apoiado no vértice); e indiferente quando fica na mesma posição inicial (ex.: um cilindro que rola sobre sua superfície cilíndrica).

equilibrismo (e.qui.li.*bris*.mo) ***sm.*** Técnica e arte do equilibrista [F.: *equilíbrio* + *-ismo.*]

equilibrista (e.qui.li.*bris*.ta) ***s2g.*** **1** Acrobata especializado em números de equilíbrio difícil, seja na corda bamba, seja empilhando objetos na cabeça, no queixo etc.; FUNÂMBULO; MALABARISTA **2** *Fig.* Aquele que é capaz de se manter equilibrado nas situações mais difíceis [F.: *equilíbrio* + *-ista.*]

equimolar (e.qui.*mo*.lar) ***a2g.*** *Quím.* Diz-se de solução que, quando comparada com outra, revela idêntica concentração molar: "O cálculo da equação de Mongin é feito em uma relação equimolar." (Elizabeth Gonzales & Cássio Xavier de Mendonça Junior, *Problemas locomotores em frangos de corte*) [F.: *equ-* + *-i-* + *mole* + *-ar²*.]

equimolecular (e.qui.mo.le.cu.*lar*) ***a2g.*** *Fís.-quím.* Diz-se de que tem número igual de moléculas (substâncias equimoleculares) [F.: *equi-* + *-molécula* + *-ar¹*.]

equimose (e.qui.*mo*.se) ***sf.*** *Med.* Mancha na pele, depois de contusão ou impacto, motivada por sangramento interno [F.: Do gr. *ekchýmosis*, pelo fr. *enchymose.*]

◎ **equini-** (e.*qui*.ni-) ***pref.*** = 'ouriço, espinho': *equinípede* [F.: Do lat. *echinus, i,* deriv. do gr. *echinos, ou.*]

◎ **equin(o)-** ***el. comp.*** = ouriço: *equinodermo, equinóforo.*

equino (e.*qui*.no) ***a.*** **1** Ref. a equídeos, esp. ao cavalo (gado equino, beleza/elegância equina) ***sm.*** **2** Espécime dos equídeos, esp. o cavalo [F.: Do lat. *equinus.*]

equinocial (e.qui.no.ci.*al*) ***a2g.*** **1** Ref. ou inerente a, ou pertencente a equinócio **2** *Geog.* Ref. ou inerente a, ou pertencente às regiões ou ao clima da linha do equador; EQUATORIAL **3** *Astrol.* Diz-se de um signo do zodíaco que começa em um dos equinócios **4** *Bot.* Diz-se de flor que se abre e se fecha todos os dias à mesma hora [Pl.: *-ais.*] [F.: Do lat. *aequinoctiális, e,* 'relativo a equinócio'; *equinócio-* + *-al.*]

equinócio (e.qui.*nó*.ci:o) ***sm.*** **1** *Astron.* Cada um dos dois momentos, em dois pontos da órbita da Terra, nos quais o Sol passa pelo equador celeste ao descrever a eclíptica, tornando, por isso, os dias iguais às noites, na Terra inteira **2** *Astron.* Cada uma das duas interseções (que se dão nesses momentos) da eclíptica com o equador celeste: são o equinócio da primavera (20-21 de março no hemisfério norte, 22-23 de setembro no hemisfério sul) e o equinócio de outono (com as datas inversas) [O equinócio da primavera é a 20 ou 21 de março e o do outono a 22 ou 23 de setembro] **3** *p.ext.* Cada um dos temporais comuns em algumas regiões terrestres nas épocas dos equinócios (1, 2) [F.: Do lat. *aequinoctium.*] **■ ~ da primavera** *Astr.* Momento em que, devido à posição da Terra em sua órbita e à inclinação de seu eixo de rotação em relação ao plano da órbita, marca-se a passagem da posição relativa do Sol do hemisfério sul para o hemisfério norte. Então tem início o outono do hemisfério sul e a primavera do hemisfério norte **~ do outono** *Astr.* Momento em que a a posição relativa do Sol passa do hemisfério norte para o hemisfério sul (ver *Equinócio da primavera*). Então tem início o outono do hemisfério norte e a primavera do hemisfério sul

equinococo (e.qui.no.*co*.co) [ó] ***sm.*** *Pat. Vet.* Designação genérica dos vermes cestoides(*Echinococcus granulosus*), da fam. dos Teniídeos, que alternam uma forma larvar que invade tecidos, esp. os do fígado de animais e do homem, causando equinococose ou doença que pode ser letal, ou uma forma adulta que vive como parasita inofensivo no intestino dos cães e de outros carnívoros [F.: Do lat. cien. gên. *Echinococcus*; *equin(o)-* + *-coco.*]

equinococose (e.qui.no.co.*co*.se) [ó] ***sf.*** *Pat. Vet.* Infestação ou doença causada pelo equinococo nos tecidos, esp. do fígado, rins e pulmões, do homem e de alguns mamíferos; HIDATIDOSE [F.: *equinococo-* + *-ose*; *equin(o)-* + *-coco* + *-ose²*.]

equinocultor (e.qui.no.cul.*tor*) [ô] ***a.*** **1** *Hip.* Diz-se daquele que se dedica à equinocultura ***sm.*** **2** *Hip.* Aquele que se ocupa de equinocultura [F.: *equino* + *-cultor.*]

equinocultura (e.qui.no.cul.*tu*.ra) ***sf.*** *Hip.* Criação de cavalos, esp. os de raça [F.: *equino* + *-cultura.*]

equinodermo (e.qui.no.*der*.mo) ***a.*** **1** Ref. aos equinodermos ***sm.*** **2** Espécime dos equinodermos, filo dos animais invertebrados marinhos, de esqueleto interno formado por ossículos calcários, tendo o corpo coberto de espinhos ou tubérculos, como a estrela-do-mar e o ouriço-do-mar [F.: Do lat. cient. *Echinoderma.*]

equinoide (e.qui.*noi*.de) ***sm.*** **1** espécime dos equinoides, classe de equinodermos de corpo globoso ou achatado, constituído por uma carapaça formada por placas grandes e fundidas, dotada de espinhos móveis; são os ouriços-do-mar e bolachas-da-praia ***a.*** **2** ref. aos equinoides [F.: Do lat. cient. *Echinoidea*; *equin(o)-* + *-oide.*]

equinoterapia (e.qui.no.te.ra.*pi*.a) ***sf.*** O mesmo que *hipoterapia* [F.: *equino* + *-terapia.*]

equipa (e.*qui*.pa) ***sf.*** *Lus.* O mesmo que *equipe*

equipado (e.qui.*pa*.do) ***a.*** Que se equipou, que se proveu do necessário; APARELHADO; PREPARADO [F.: Part. de *equipar.*]

equipagem (e.qui.*pa*.gem) ***sf.*** **1** Grupo de pessoas que mantém o funcionamento e os serviços de bordo de navio, avião, trem etc.; TRIPULAÇÃO **2** Ver *bagagem* **3** Séquito, comitiva (equipagem do rei) **4** *Antq. Mil.* Equipamento [Pl.: *-gens.*] [F.: Do fr. *équipage.*]

equipamento (e.qui.pa.*men*.to) ***sm.*** **1** Ação ou resultado de equipar(-se) **2** Conjunto de instalações e apetrechos necessários a uma dada atividade (equipamento cirúrgico/de montanhismo/de som) **3** *Mil.* Material de que precisa um militar para a operação em que tomará parte, exceto armas e fardamento *Antq.*; EQUIPAGEM [F.: *equipar* + *-mento.*]

equipar (e.qui.*par*) ***v.*** **1** Prover(-se) do necessário (para certa ação, atividade, tarefa, missão etc.) [***td.***: *Equipar um navio.*] [***tdr.*** + *de, com*: *O caçador equipou-se de/com uma espingarda.*] **2** Guarnecer (embarcação) do pessoal necessário para viagem, missão etc. [***td.***] [***tdr.*** + *de, com*: *Equipou o navio com pessoal experiente.*] **3** Prover militar, unidade militar etc. do necessário (além de fardamento e armamento) para serviço, missão, etc. [***td.***] [***tdr.*** + *com, de*: *equipar a divisão com novos veículos de transporte.*] [▶ **1** equipar] [F.: Do fr. *équiper.* Hom./Par.: *equipa* (fl. de *equipar*), *equipas* (fl. de *equipar*), *equipa* (sf.), *equipas* (pl.), *equipe* (fl. de *equipar*), *equipes* (fl. de *equipar*), *equipe* (sf.), equipes (pl.), *equipo* (fl. de *equipar*), *equipo* (sm.). Ant. ger.: *desequipar.*]

equiparação (e.qui.pa.ra.*ção*) ***sf.*** Ação ou resultado de equiparar(-se), de igualar(-se): *Os funcionários reivindicam equiparação salarial.* [+ *de, com*: *equiparação com os magistrados; equiparação de salários.*] [Pl.: *-ções.*] [F.: Do lat. *aequiparationis*; *equiparar-* + *-ção.*]

equiparar (e.qui.pa.*rar*) ***v.*** **1** Ao comparar (pessoas, animais, coisas) atribuir a todos o mesmo valor, qualificação, significado etc.; IGUALAR [***td.***: *O crítico equiparou os dois filmes.*] [***tdr.*** + *a, com*: *Eu o equiparo aos maiores arquitetos do século.*] [***tr.*** + *a, com*: *É um bom vinho, mas não se equipara com o da Borgonha; Seus dois últimos livros equipararam-se (cada um se equiparou ao outro).*] **2** Dar igualdade (condições iguais, posições iguais etc.) ou paridade a [***td.***: *O departamento equiparou todos os seus funcionários.*] **3** Atribuir a (pessoas, instituições, equipes, entidades etc.) condições, vantagens, privilégios etc. que já estão ao alcance de (outros) [***tdi.*** + *a*: *Equiparou os técnicos da secretaria aos do ministério.*] [▶ **1** equiparar] [F.: Do lat. *aequiparare.* Hom./Par.: *equiparáveis* (fl. de *equiparar*), *equiparáveis* (pl. de *equiparável*).]

equiparável (e.qui.pa.*rá*.vel) ***a2g.*** Que se pode equiparar, que pode ser comparado (grandezas equiparáveis) [Pl.: *-veis.*] [F.: Do lat. *aequiparabilis,e* 'que torna igual'; *equipara(r)-* + *-vel.* Hom./Par.: *equiparáveis* (pl.), *equiparáveis* (fl. de *equiparar*).]

equipe (e.*qui*.pe) ***sf.*** **1** Grupo de pessoas que se ocupam da realização de um trabalho comum (equipe de aviadores/de lexicógrafos) **2** Grupo de duas ou mais pessoas que se integram na prática de um esporte; TIME: *A equipe holandesa saiu-se vitoriosa.* [F.: Do fr. *équipe.* Hom./Par.: *equipe* (fl. de *equipar*). Var. lus.: *equipa.*]

equipo (e.*qui*.po) ***sm.*** **1** *Radt.* Conjunto de circuitos **2** *Od.* Conjunto dos equipamentos, mobiliário e acessórios dos dentistas [F.: Dev. de *equipar.* Hom./Par.: *equipo* (sm.), *equipo* (fl.de *equipar*). Cf.: *equipe.*]

equipolência (e.qui.po.*lên*.cia) ***sf.*** Característica, qualidade ou condição do que é equipolente; EQUIPOTÊNCIA; EQUIVALÊNCIA [F.: Do lat. *aequipollentia, ae,* 'valor equivalente, igual'; *equ-* + *-i-* + *-pol-* + *-ência.*]

equipolente (e.qui.po.*len*.te) ***a2g.*** **1** Que tem igual poder ou força ou validade; EQUIPOTENTE **2** Que tem o mesmo significado, acepção ou sentido; EQUIVALENTE **3** Que tem igual valor, referência ou relação de identidade; EQUIVALENTE **4** *Geom.* Diz-se de um vetor em relação a outro, quando se pode fazê-los coincidir por movimentos de translação; EQUIPOTENTE ***sm.*** **5** Aquilo que é equipolente [F.: Do lat. *aequipolléns, éntis,* 'equivalente, que tem igual valor'; *equ-* + *-i* + *-pol-* + *-ente.*]

equipotência (e.qui.po.*tên*.cia) ***sf.*** O mesmo que *equipolência* [F.: *equ-* + *-i-* + *-pot-* + *-ência.*]

equipotencial (e.qui.po.ten.ci.*al*) ***a2g.*** **1** *Fís.* Que tem potencial igual ou uniforme (carga equipotencial) **2** Ref. às curvas ou superfícies de uma região em cujos pontos o potencial tem o mesmo valor [Pl.: *-ais.*] [F.: *equ-* + *-i-* + *potênci(a)* + *-al.*]

equipotente (e.qui.po.*ten*.te) ***a2g.*** **1** *Fís.* Que tem efeitos ou capacidades iguais **2** *Mat.* Que tem a mesma potência ou cardinalidade; EQUIPOLENTE **3** *Biol.* Diz-se do protoplasma do ovo potencialmente capaz de desenvolver-se em tecido [F.: *equ-* + *-i-* + *-pot-* + *-ente.*]

equissonância (e.quis.so.*nân*.cia) ***sf.*** *Acús. Mús.* Consonância de sons semelhantes [F.: Do lat. *aequisonántia, ae,*'id.'; *equ-* + *-i-* + *sonância.*]

equissonante (e.quis.so.*nan*.te) ***a2g.*** **1** *Acús. Mús.* Ref. ou inerente a equissonância **2** Em que há ou se nota equissonância (composição/instrumento equissonante) [F.: *equ-* + *-i-* + *sonante.*]

equitação (e.qui.ta.*ção*) ***sf.*** **1** Técnica, arte e exercício de montar a cavalo (exercício de equitação) **2** A prática desse exercício: *Minha filha faz equitação no Sociedade Hípica.* [Pl.: *-ções.*] [F.: Do lat. *equitatio, onis.*]

equitativo (e.qui.ta.*ti*.vo) ***a.*** Em que há equidade, igualdade; IMPARCIAL; JUSTO: *Os filhos fizeram uma divisão equitativa da herança dos pais.* [Ant.: *injusto, parcial.*] [F.: Rad. *equitat* (do lat. *aequitate*) + *-ivo.*]

equivalência (e.qui.va.*lên*.ci:a) ***sf.*** **1** Qualidade ou condição de equivalente **2** *Mat.* Relação entre grandezas que têm o mesmo valor, força, peso etc. **3** *Lóg.* Relação entre duas ou mais proposições que têm o mesmo valor de verdade (ou seja, só existe verdade se todas as proposições forem verdadeiras ou se todas as proposições forem falsas) [F.: *equivaler* + *-ência*, ou do lat. tard. *aequivalentia.*] **■ ~ semântica** *Ling.* Equivalência de significado entre duas frases recíprocas, como a voz ativa e a voz passiva do mesmo enunciado [Ex.: *Pedro escreveu este livro* e *Este livro foi escrito por Pedro.*]

equivalente (e.qui.va.*len*.te) ***a2g.*** **1** Que equivale a, que tem o mesmo valor ou as mesmas dimensões, mesma força, os mesmos atributos, a mesma funcionalidade de (outra coisa): *Este carro pode atingir uma velocidade equivalente à de um pequeno avião.* **2** *Ling.* Diz-se de unidade linguística que, num certo contexto, distribui-se igualmente ***sm.*** **3** *Quím.* Resultado da divisão da massa atômica (ou molecular) de um íon pela valência [Tb. *equivalente-grama.*] **4** Aquilo que (se) equivale a algo: *Pediu como remuneração o equivalente a seu salário de um mês.* [F.: Do lat. *aequivalens, entis.*] **■ ~ eletroquímico** *Quím.* A massa de um íon (medida em gramas) que é transformada por eletrólise pela passagem de uma carga elétrica de um coulomb [símb.: *E.*]

equivaler (e.qui.va.*ler*) ***v.*** Ser igual ou quase igual em valor, peso, força etc., mesmo se expresso em parâmetros ou unidades de medidas diferentes [***tr.*** + *em*: *Os dois times se equivalem em competitividade.*] [***tr.*** + *a*: *Essa moeda equivale a duas daquela; Esta pílula equivale a uma refeição (em valor energético).*] [▶ **31** equivaler] [F.: Do lat. tar. *aequivalere,* calcado no gr. *isodynaméo.*]

equivocação (e.qui.vo.ca.*ção*) ***sf.*** **1** Ação ou resultado de equivocar(-se) **2** Engano em que se toma uma coisa por outra; CONFUSÃO; ERRO **3** *Lóg.* Equívoco (2) que se provoca com a atribuição de significados diferentes a uma mesma palavra dentro da mesma proposição, ou raciocínio [Pl.: *-ções.*] [F.: Do lat. *aequivocatio, onis.*]

equivocado (e.qui.vo.*ca*.do) ***a.*** Que se equivocou, tomou uma coisa por outra; ENGANADO [F.: Part. de *equivocar.*]

equivocar (e.qui.vo.*car*) ***v.*** **1** Enganar-se, confundindo uma pessoa ou coisa com outra [***int.***: *Percebendo a gafe, alegou que se equivocara.*] **2** Ter uma opinião, impressão ou ideia errônea a respeito de alguém ou de algo; interpretar (algo ou alguém) de forma errada [***int.***: *Equivocou-se quando inocentou o colega.*] **3** *Pus.* Confundir (uma coisa ou pessoa com outra) [***tdr.*** + *com, por*: *Equivocou uma história com outra.*] [▶ **11** equivo**car**] [F.: *Do lat. aequivocare*, pelo fr. *équivoquer.* Hom./Par.: *equivoca* (fl.), *equívoca* (fem. de *equívoco* [a.]); *equivocas* (fl.), *equívocas* (pl. do fem.); *equivoco* (fl.), *equívoco* (a.sm.).]

equivocidade (e.qui.vo.ci.*da*.de) ***sf.*** Qualidade ou condição do que é ou está equívoco [F.: *equívoco* + *-idade.*]

equívoco (e.*quí*.vo.co) ***a.*** **1** Que pode ter mais de uma interpretação; que se pode tomar por outra coisa; AMBÍGUO; DÚBIO: *Veio com um papo equívoco sobre suas atividades.* [Ant.: *inequívoco.*] **2** Que levanta suspeita (gesto equívoco) **3** Difícil de identificar (imagem equívoca); INDEFINÍVEL; VAGO [Ant.: *claro, definido.*] ***sm.*** **4** Resultado de equivocar(-se), enganar(-se); ERRO; MAL-ENTENDIDO: *Por um equívoco do guia, foi parar em outra cidade.* **5** *Lóg.* Sofisma verbal que consiste em dar sentidos diferentes a uma palavra dentro de um mesmo raciocínio; EQUIVOCAÇÃO **6** Interpretação dúbia [F.: Do lat. *aequivocus.* Hom./Par.: *equivoco* (flex. de *equivocar*).]

◎ **equo-** ***el. comp.*** = 'cavalo'; 'equitação': *ecoterapeuta, ecoterapia* [F.: Do lat. *equus, i,* da raiz indo-europeia **ekw*, 'cavalo'.]

equoterapeuta (e.quo.te.ra.*peu*.ta) ***s2g.*** *Ter.* Aquele que é especialista em, que ministra equoterapia [F.: *equo-* + *terapeuta.*]

equoterapia (e.quo.te.ra.*pi*.a) ***sf.*** **1** *Ter.* Tipo de fisioterapia em que se utiliza a equitação a fim de melhorar a coordenação motora de deficientes físicos **2** *Med.* O mesmo que *hipoterapia* [F.: *equo-* + *-terapia.* Embora muito usual, a f. *ecoterapia* é impr.]

equoterápico (e.quo.te.*rá*.pi.co) ***a.*** **1** *Ter.* Ref. ou inerente a equoterapia **2** Diz-se da utilização da equitação para fins terapêuticos (tratamento equoterápico) [F.: *equoterapia* + *-ico²*.]

◎ **-er** ***suf.*** = desinência do infinitivo dos verbos de tema em -e: *crer, ler, comer, morder, tecer etc.* [F.: Do lat. *-ere.* Suf. v. dos v. de 2a. conj.]

era (e.ra) ***sf.*** **1** Período histórico que se distingue de outros por fatos muito marcantes, movimentos ou progressos fundamentais (a era do fogo, a era digital) **2** Período que serve de base a um sistema cronológico e principia com uma data memorável (era cristã) **3** Qualquer período de tempo; ÉPOCA **4** *Geol.* Divisão maior do tempo geológico e que abrange diversos períodos (era paleozoica/ mesozoica/ cenozoica) **5** Dezena indicativa de um ano determinado: *Na era de 64 (1964).* **6** Início de uma nova ordem de coisas: *Começou aí uma nova era.* **7** Idade, ano de idade: *Um boi* *de quatro eras.* **8** Marca feita na orelha da rês para assinalar sua idade [F.: Do lat. *aera.* Hom./Par.: *hera* (sf.); *era* (fl. do verbo *ser*).] **■■ ~ agnostozoica** *Antq. Geol.* Antiga denominação da era proterozoica [Tb. apenas *agnostozoico.*] **~ antropozoica** *Geol.* Período quaternário (ver no verbete *período*), no qual surgiu o homem [Tb. apenas *antropozoico.*] **~ arqueozoica** *Antq. Geol.* Antiga denominação da era proterozoica [Tb. apenas *arqueozoico.*] **~ cenozoica** *Geol.* Era geológica na qual desapareceram os dinossauros, desenvolveram-se os vertebrados, surgiram os símios antropomorfos e, no fim, o homem [Tb. apenas *cenozoico.*] **~ cristã** *Cron.* A que se conta a partir do nascimento de Jesus **~ mesozoica** *Geol.* A era geológica dos grandes dinossauros, do surgimento de pássaros, anfíbios e dos primeiros mamíferos [Tb. apenas *mesozoico.*] **~ neozoica** *Antq. Geol.* Antiga denominação da era cenozoica [Tb. apenas *neozoico.*] **~ paleozoica** *Geol.* Era geológica na qual surgem os primeiros e rudimentares animais, desenvolvem-se os invertebrados e aparecem vermes, insetos, batráquios, peixes, reptis [Tb. apenas *paleozoico.*] **~ primária** *Antq. Geol.* Antiga denominação da era paleozoica [Tb. apenas *primário.*] **~ proterozoica** *Geol.* Longa era geológica, desde a solidificação da crosta da Terra até o surgimento das formas mais rudimentares de vida [Tb. apenas *proterozoico.*] **~ secundária** *Antq. Geol.* Antiga denominação da era mesozoica [Tb. apenas *secundário.*] **~ terciária** *Antq. Geol.* Antiga denominação da era cenozoica [Tb. apenas *terciário.*]

erada (e.*ra*.da) *a.* **1** Engorda: *O gado passou dois meses de erada.* **2** Ver *erado.* [F.: Part. de *erar.*]

erado (e.*ra*.do) *Bras. a.* **1** Diz-se de animal adulto, apropriado para reprodução ou corte **2** Diz-se do gado bovino gordo, próprio para reprodução ou corte **3** Diz-se do boi de quatro anos [F.: Part. de *erar.* Sin. ger.: *anafado.*]

erar (e.*rar*) *Bras. v. td.* **1** *MG* Colocar (garrotes jovens) no pasto, para que se desenvolvam e engordem **2** *MT* Comprar (garrotes jovens) para mais tarde revendê-los [▶ 1 erar] [F.: *era* + *-ar.* Hom./Par.: *era(s)* (fl.), *era(s)* (fl. ser); *era* (s.f. e pl.), *hera* (sf. e pl.); *eramos, ereis* (fl.), *éramos, éreis* (fl. ser).]

erário (e.*rá*.ri:o) *sm.* **1** O conjunto dos recursos financeiros do poder público; FAZENDA; TESOURO **2** Órgão governamental responsável pelo erário (1) [F.: Do lat. *aerarium.*]

⊕ **e-reader** (*Ing. /i-rider/*) *sm. Inf.* Dispositivo que armazena arquivos de texto (que podem ser nele copiados de um computador ou baixados diretamente da internet), inclusive livros inteiros, revistas, documentos etc., e que podem ser lidos e operados (buscas, notas, configurações etc.) numa tela especial sem reflexo, por si mesma flexível, já chamada de *e-paper*, ou 'papel eletrônico'. Esse dispositivo desencadeou uma nova modalidade editorial de aquisição e armazenamento de livros, jornais, revistas etc. não impressos

ereção (e.re.*ção*) *sf.* **1** Ação ou resultado de erigir ou erguer(-se) **2** Criação, instituição **3** Endurecimento e elevação do pênis [Pl.: *-ções.*] [F.: Do lat. *erectio, onis.*]

eremita (e.re.*mi*.ta) *s2g.* **1** Pessoa que, como penitência ou por índole, vive solitária em lugar deserto **2** Pessoa solitária, que evita contato ou convívio social *sm.* **3** *Zool.* Denominação comum de várias espécies de crustáceos decápodes marinhos da fam. dos pagurídeos, cuja parte anterior do tronco (e somente ela) é revestida de couraça, e cujo adulto vive dentro de conchas de moluscos gastrópodes para proteção do frágil abdome; há várias espécies no Brasil; BERNARDO-EREMITA; CARANGUEJO-ERMITÃO; ERMITÃO; PAGURO [F.: Do gr. *eremítes,* pelo lat. *eremita.* Sin. ger.: *ermitão, anacoreta.*]

eremitério (e.re.mi.*té*.rio) *sm.* **1** Lugar onde vive um eremita **2** Abrigo, retiro de eremitas: "...aquele duro bolo chato... que... os serventes dos mosteiros... repartiam pelos eremitérios." (Eça de Queirós, *Notas contemporâneas*) **3** *P.ext.* Lugar ermo, solitário, silencioso: *Fez de seu gabinete um eremitério.* [F.: *eremita-* + *-tério.*]

eremítico (e.re.*mí*.ti.co) *a.* **1** Ref. ou inerente a, ou próprio de eremita ou de ermo (hábitos eremíticos; recanto eremítico); ASCÉTICO **2** Característico de eremita **3** *P.ext.* Solitário, ermo, silencioso [F.: Do lat. tard. *eremiticus; eremit(a)-* + *-ico*[2].]

◎ **eremo-** *pref.* = 'deserto; solitário': *eremitério, eremítico, eremofobia, eremófobo* [F.: Do gr. *érēmos, os, on.*]

éreo (*é*.reo) *Metal. a.* **1** Feito de bronze, cobre, ou arame (artefato éreo); BRÔNZEO; ERIL **2** Que tem a cor do bronze; BRÔNZEO *sm.* **3** A cor bronze [F.: Do lat. *aereus, a, um* 'feito de cobre, latão, bronze'. Cf.: *aéreo.*]

erétil (e.*ré*.til) *a2g.* **1** Suscetível de ereção **2** Capaz de manter-se em ereção (1, 2) [Pl.: *-teis.*] [F.: *ereto* + *-il*[1]. Tb. *eréctil.*]

ereto (e.*re*.to) *a.* **1** Levantado, erguido, aprumado (cabeça ereta; postura ereta) **2** De pé e com o tronco e membros retos na vertical: *Depois do susto, mal conseguia ficar ereto.* **3** Endurecido, duro, túrgido (pênis ereto) [F.: Do lat. *erectus.* Tb. *erecto.*]

eretor (e.re.*tor*) [ô] *a.* **1** Diz-se de que ou quem ergue, erige, que causa ereção; ELATOR **2** *Anat.* Diz-se de que levanta ou torna ereto (músculo eretor) *sm.* **3** Aquilo que erige; ELATOR; ELEVADOR **4** *Anat.* Músculo que produz ereções ou que mantém ereta uma parte do corpo (eretor dos pelos) [F.: Do lat. *erector,oris* 'que levanta, ergue, o que eleva'.]

⊠ **erg** *sm.* **1** *Fís.* Unidade de medida de energia e trabalho do sistema CGS, correspondente ao trabalho produzido por uma força de um dina ao impelir um corpo a 1cm de distância [Abrev.: *e.* 10^7 ergs equivalem a 1 joule.] **2** Ver ergônio [F.: Do ing. *erg* < gr. *érgon,ou* 'trabalho, obra, ação'.]

◎ **ergasio-** *el. comp.* = 'trabalho'; 'força ativa': *ergasiofobia, ergasiófobo, ergasiomania, ergasiômano* [F.: Do gr. *ergasía, as,* 'trabalho', + *-o-.*]

ergasiofobia (er.ga.si.o.fo.*bi*.a) *Psiq. sf.* **1** Horror ou aversão patológica ao trabalho; ERGOFOBIA **2** Medo irracional de sofrer intervenção cirúrgica [F.: *ergasio-* + *-fobia.*]

ergasiofóbico (er.ga.si.o.*fó*.bi.co) *Psiq. a.* **1** Ref. ou inerente a ergasiofobia (surto ergasiofóbico) **2** Diz-se de indivíduo que sofre de ergasiofobia; ERGASIÓFOBO *sm.* **3** Esse indivíduo; ERGASIÓFOBO [F.: *ergasiofobia* + *-ico*[2].]

ergasiófobo (er.ga.si.*ó*.fo.bo) *a. sm. Psiq.* O mesmo que *ergasiofóbico* (2 e 3) [F.: *ergasio-* + *-fobo.*]

ergasiomania (er.ga.si.o.ma.*ni*.a) *Psiq. sf.* **1** Mania, desejo permanente de se ocupar com trabalho **2** Aversão a sofrer intervenção cirúrgica [F.: *ergasio-* + *-mania.* Sin. ger.: *ergomania.*]

ergasiomaníaco (er.ga.si.o.ma.*ní*:a.co) *Psiq. a.* **1** Ref. ou inerente a ergasiomania **2** Diz-se de indivíduo que tem ergasiomania; ERGASIÔMANO; ERGÔMANO *sm.* **3** Esse indivíduo; ERGASIÔMANO; ERGÔMANO [F.: *ergasioman(ia)* + *-íaco.* Sin. ger.: *ergomaníaco.* Cf.: *workaholic.*]

ergasiômano (er.ga.si.*ô*.ma.no) *a. sm. Psiq.* O mesmo que *ergasiomaníaco* (2 e 3) [F.: *ergasio-* + *-mano*[1].]

ergastoplasma (er.gas.to.*plas*.ma) *Cit. sm.* **1** Retículo endoplasmático onde se localizam os ribossomas **2** Retículo endoplasmático granular [F.: Do gr. *ergast(ikós)-* + *-plasma.*]

ergástulo (er.*gás*.tu.lo) *sm.* **1** Na Roma antiga, calabouço no qual eram confinados os escravos **2** *P.ext.* Cárcere, enxovia, masmorra, prisão [F.: Do lat. *ergastŭlum, i.* Ideia de: *ergastul-.*]

◎ **-ergia** *el. comp.* = 'reação'; 'sensibilidade'; 'efeito': *anergia*[2], *deutergia, heterergia, hiperergia, homergia* [F.: Do gr. *érgon, ou,* 'trabalho'; 'obra'; 'ação', + *-ia*[1]. F. conexa: *erg(o)-*[1].]

◎ **-ergo** *el. comp.* Ver *erg(o)-*

◎ **-erg(o)-**[2] *el. comp.* Ver *erg(o)-*[1]

◎ **-erg(o)-**[2] *el. comp.* Ver *erg(o)-*[2]

◎ **erg(o)-**[1] *el. comp.* = 'trabalho'; 'ação'; 'atividade'; 'energia'; 'reação'; 'resultado', 'efeito': *ergograma, ergologia, ergometria, ergonomia; adrenérgico; exergônico; exergo* [F.: Do gr. *érgon, ou.* F. conexa: *-ergia.*]

erg(o)-[3] *el. comp.* = 'esporão do centeio', 'cravagem': *ergobasina, ergosterol; ergotismo*[2]*; lisérgico* [F.: Do fr. *ergot.*]

ergograma (er.go.*gra*.ma) *sm. Med.* Registro gráfico da atividade muscular [F.: *erg(o)-*[1] + *-grama.*]

ergologia (er.go.lo.*gi*.a) *sf.* Ramo da etnologia que estuda a cultura material [F.: *erg(o)-*[1] + *-logia.*]

ergomania (er.go.ma.*ni*.a) *sf. Psiq.* O mesmo que *ergasiomania* [F.: *erg(o)-*[1] + *-mania.*]

ergomaníaco (er.go.ma.*ní*.a.co) *Psiq. a. sm.* O mesmo que *ergasiomaníaco* (1 a 3) [F.: *ergoman(ia)* + *-íaco.*]

ergômano (er.*gô*.ma.no) *a. sm. Psiq.* O mesmo que *ergasiomaníaco* (2 e 3) [F.: *erg(o)-*[1] + *-mano*[1].]

ergometria (er.go.me.*tri*.a) *sf.* Medição do trabalho muscular por meio do ergômetro [F.: *erg(o)-* + *-metria.*]

ergométrico (er.go.*mé*.tri.co) *a.* **1** Ref. à ergometria ou ao ergômetro **2** Ref. ou inerente a atividade física muscular, metabólica e respiratória, ou que dela resulta, ou que serve para avaliá-la (esforço ergométrico; bicicleta/esteira ergométrica) [F.: *ergometria* + *-ico*[2].]

ergômetro (er.*gô*.me.tro) *sm.* Aparelho us. para medir o trabalho feito por uma pessoa ou por um animal [F.: *erg(o)-*[1] + *-metro.*]

◎ **-ergon-** *el. comp.* Ver *erg(o)-*

ergonomia (er.go.no.*mi*.a) *sf.* Estudo das relações entre o homem e a máquina, visando melhorar as condições de trabalho e o consequente aumento da produtividade [F.: *erg(o)-* + *-nomia.*]

ergonômico (er.go.*nô*.mi.co) *a.* Ref. à ergonomia [F.: *ergonomia* + *-ico*[2].]

ergonomista (er.go.no.*mis*.ta) *Eng.ind. s2g.* **1** Especialista em ergonomia *a2g.* **2** Diz-se desse especialista [F.: *ergonomia* + *-ista.*]

ergosterol (er.gos.te.*rol*) *sm. Farm. Quím.* Álcool esteroide cristalino que ocorre esp. em fermento, bolores e cravagem do centeio e transforma-se em vitamina D por ação de raios ultravioleta [Fórm.: $C_{28}H_{43}O$] [Pl.: *-róis.*] [F.: *erg(o)-*[2] + *esterol.*]

⊕ **ergot** (*Fr./ergô/*) *sm. Bot.* Doença de certas gramíneas, esp. o centeio, causada pelo fungo *Claviceps purpurea,* que origina o apodrecimento da espiga antes da maturação; CORNICHO; CRAVAGEM; ESPORÃO; FERRAGEM; FUNGÃO

◎ **ergot-** *el. comp.* Ver *erg(o)-*[2]

ergotina (er.go.*ti*.na) *sf. Farm.* Cada um dos extratos do esporão do trigo [Us. em medicina como hemostático.] [F.: Do fr. *ergotine,* ou de *ergot-* + *-ina*[2].]

ergotismo[1] (er.go.*tis*.mo) *sm. Fil.* Mania e gosto exagerado pelo uso de silogismos e sofismas em argumentações [F.: Do ing. *ergotism* < fr. *ergotisme.*]

ergotismo[2] (er.go.*tis*.mo) *sm. Med.* Envenenamento por ergotina [F.: *ergot-* + *-ismo.*]

erguer (er.*guer*) *v.* **1** Colocar em plano alto ou mais alto; ELEVAR; LEVANTAR [*td.*: *erguer o braço.*] **2** Edificar, construir, levantar [*td.*: *Ergueram um monumento em memória dos heróis.*] **3** Pôr em posição vertical, fazer ficar ereto; LEVANTAR [*td.*: *Ergueu a cabeça.*] **4** Fazer ficar de pé (inclusive si mesmo); LEVANTAR [*td.*: *Ergueu-se para cumprimentar os recém-chegados; Ergueu e amparou o amigo atordoado.*] **5** Estar ou mostrar-se em posição sobranceira; tornar sobranceiro, dominante [*int.*: *A torre erguia-se no meio da campina.*] [*td.*: *Erguiam sua vontade acima de tudo.*] **6** Dirigir para cima (os olhos) [*td.*: *Ergueu os olhos para observar o rapaz.*] **7** Aparecer, surgir, à medida que sobe [*int.*: *O sol erguia-se sobre as montanhas.*] **8** Altear, levantar (a voz) [*td.*: *Ergueu a voz para ser melhor ouvido.*] **9** Fazer-se ouvir [*int.*: "...nem uma voz se ergueu em sua defesa..." (Folha de S.Paulo, 22.11.1999)] **10** Dar alento, dar força a [*td.*: *É preciso erguer os ânimos.*] **11** Criar (algo) gradativamente; ERIGIR [*td.*: *O invasor queria erguer um novo império.*] [▶ 21 erguer] [F.: Do lat. vulg. **ergere* (por *erigere*).]

erguido (er.*gui*.do) *a.* **1** Que se ergueu **2** Levantado, elevado (braços erguidos; pescoço erguido) **3** Alto, alteroso, elevado: "Rompem-se as folhas, ferve a serra erguida..." (Luiz de Camões, *Os lusíadas*) **4** Construído, edificado, erigido: "Semelha estátua erguida entre ruínas..." (Gonçalves Dias, *Urge o tempo*) **5** *Fig.* Restabelecido, reestruturado financeira, emocional, moralmente etc., depois de grande perda, de grande baque, ou de grande dificuldade: *Ainda não estava totalmente erguido, quando lhe aplicaram um novo golpe.* [F.: Part. de *erguer.*]

erguimento (er.gui.*men*.to) *sm.* Ação ou resultado de erguer [F.: *erguer* + *-imento.*]

◎ **-eria** *suf. nom.* Equivalente a *-aria* (qv.), formador de substv. em geral com as seguintes noções: **a)** 'local em que se vende ou fabrica (aquilo que expressa o rad. original)': *amideria, bilheteria, cafeteria, charcuteria* (< fr.), *choperia, creperia* (< fr.), *doceria, joalheria* (< fr.), *leiteria, peleria, peleteria* (< fr.), *rotisseria* (< fr.), *sorveteria, uisqueria*; **b)** 'local em que se faz (ação determinada pelo rad. original)': *danceteria, lambateria, lavanderia* (< fr. < lat.); **c)** 'local em que se faz ou produz (algo)': *clicheria* (< fr.), *coqueria*; **d)** 'oficina de (um dado agente, esp. em voc. em *-eiro*) ou local em que se exerce um certo ofício': *engraxateria, serralheria, talabarteria*; **e)** 'ação, dito, qualidade ou modos de (certo indivíduo [esp. de correlatos em *-eiro* com noção de agente])': *bisbilhoteria, carniceria, coqueteria, esnoberia, galanteria, gaucheria, glutoneria, grosseria* (< fr.), *lisonjeria, pedanteria, selvageria*; **f)** 'conjunto de coisas ou grupo de pessoas'; 'algo em grande número': *cavaleria, folheteria, hoteleria, infanteria, paisaneria* (< fr.), *rancheria* (< fr.), *tolderia* (< fr.) [F.: Do fr. *-erie,* do lat. vulgar *-aria,* este, segundo Mattoso Câmara, do suf.lat. *-ariu* (ver *-ário*) + suf.gr. *-ía* (ver *-ia*[1]).]

ericácea (e.ri.*cá*.cea) *sf. Bot.* Espécime das ericáceas, família de plantas lenhosas, árvores e arbustos da ordem das ericales, de vasta distribuição. Algumas espécies são ornamentais, como as do gênero *Rhododendron,* as *azáleas* ou *azaleias.* [F.: Do lat. cient. *Ericaceae.*]

ericáceas (e.ri.*cá*.ce:as) *sfpl. Bot.* Fam. da ordem das ericales, com 107 gên. e 3.400 espécies, habitando sobretudo nos países temperados, a maioria de arbustos e árvores de folhas simples, ericoides, flores ger. hermafroditas, tubulosas e vistosas, frutos capsulares, bacáceos, drupáceos ou raramente nuciformes, muitas cultivadas como ornamentais, esp. as do gên. *Rhododendron* (azáleas) [F.: Do lat.cient. *Ericaceae.* Ideia de: *eric-.*]

eriçado (e.ri.*ça*.do) *a.* Arrepiado, ouriçado (cabelos eriçados; pelos eriçados) [F.: Part. de *eriçar.* Tb. *erriçado.*]

eriçamento (e.ri.ça.*men*.to) *sm.* Ação ou resultado de eriçar(-se) [F.: *eriçar* + *-mento.* Tb. *erriçamento.*]

eriçar (e.ri.*çar*) *v.* **1** Ficar ou fazer ficar arrepiado ou ouriçado [*td.*: *A jovem punk eriçou os cabelos.*] [*int.*: *Os pelos do gato eriçaram-se de pavor.*] **2** Fazer ficar ou ficar incomodado, irritado etc. [*int.*: *O animal eriçou-se ao ser provocado.*] [*td.*: *As críticas injustas o eriçaram.*] **3** Provocar, excitar, despertar [*td.*: *Esse mistério eriçou seu instinto investigativo.*] [▶ 12 eriçar] [F.: do lat. vulg. **ericiare.* Hom./Par.: *erice* (fl. de eriçar), *erices* (fl. de eriçar), *erice* (sf.), *erices* (pl.). Ant. ger.: *desriçar, desenriçar.*]

erigido (e.ri.*gi*.do) *a.* **1** Que se erigiu **2** Posto na vertical; ERETO **3** Erguido, construído [F.: Part. de *erigir.*]

erigir (e.ri.*gir*) *v.* **1** Pôr em posição vertical ou ereta; ERGUER [*td.*: *Os cavaleiros erigiram suas lanças.*] **2** Edificar, construir (obra arquitetônica) [*td.*: *erigir uma catedral/um monumento.*] **3** Formar, fundar, instituir, erguer [*td.*: *Erigir uma nação.*] **4** Conceder(-se), atribuir(-se) qualidade ou atributo alto ou mais alto [*tdp.*: *O povo o erigiu em salvador da pátria; Erigiu-se em guia e orientador dos colegas.*] [▶ 46 erigir] [F.: Do lat. *erigere.*]

érina (*é*.ri.na) *sf. Cir.* Instrumento cirúrgico apreensor, constituído por um gancho de ferro ou aço, us. para prender ou separar tecidos e formações orgânicas [F.: Do fr. *érigne* ou *érine.* Ideia de: *aranh -.*]

◎ **-ério** (-é.ri:o) *suf.* atividade profissional, ofício, colégio; -ÁRIO: *magistério; ministério; refrigério* [F.: Do lat. *-arius, -aria, -arium.*]

éris (*é*.ris) *sm. Astron.* Maior planeta anão do sistema solar [Com inicial maiúsc.] [F.: Éris é o nome da deusa grega da discórdia e do conflito, e foi escolhido como nome deste planeta anão (popularmente conhecido como Xena) por sua descoberta ter estimulado a discórdia entre os astrônomos sobre a definição de planeta. Ver *planeta anão* no verbete *planeta.*]

erisipela (e.ri.si.*pe*.la) *Med. sf.* Doença contagiosa causada por estreptococos, que se caracteriza por inflamação aguda, rubor intenso e inchação da pele, que pode ser acompanhada do aparecimento de pequenas vesículas [F.: Do gr. *erysípelas,* pelo lat. *erysipelas.*]

eritema (e.ri.*te*.ma) *Med. sm.* Rubor inflamatório da pele [F.: Do gr. *erýthema, atos.*] ▪ **~ infeccioso** *Med.* Doença infecciosa infantil (ger. dos quatro aos 12 anos), que se manifesta por erupção em forma de mácula rósea; quinta-doença **~ nodoso** *Derm.* Doença inflamatória da pele (hipoderme) que se manifesta em nódulos macios, resultantes da exsudação de sangue e de soro, com sensação de ardência e prurido

◎ **eritemat(o)-** ***pref.*** eritema, inflamação, rubor: *eritematose; eritematoso.* [F.: Do gr. *erythêma, atos.*]

eritematoso (e.ri.te.ma.*to*.so) [ô] *Med. a.* **1** Que tem o caráter de eritema (ferida eritematosa) **2** Sujeito a eritemas *sm.* **3** *Med.* Pessoa afetada por eritema; pessoa que sofre de eritema [Pl.: [ó]. Fem.: [ó].] [F.: *eritema- + -t- + -oso.*]

eritreu (e.ri.*treu*) *sm.* **1** Pessoa nascida ou que vive na Eritreia *a.* **2** Da República da Eritreia (Nordeste da África); típico desse país ou do seu povo [Fem.: *eritreia.*] [F.: Do lat. *erythraeus, a, um.*]

◎ **-eritr(o)-** ***el. comp.*** Ver *eritr(o)-*

◎ **eritr(o)-** ***el. comp.*** = 'vermelho'; 'glóbulos vermelhos': *eritremia, eritrina* (< lat. cient.), *eritroblasto, eritrócito, eritrodermia, eritromicina; xantoeritrodermia* [F.: Do gr. *erythrós, é, ón.*]

eritroblasto (e.ri.tro.*blas*.to) *sm. Hem.* Célula que contém núcleo, patológico ou não, da qual se origina o eritrócito [F.: *eritr(o)- + -blasto.*]

eritroblastose (e.ri.tro.blas.*to*.se) [ó] *sf. Hem.* Presença de muitos eritroblastos no sangue [F.: *eritroblasto + -ose.* Ideia de: *eritr(o)-* e *-blasto.*]

eritrocítico (e.ri.tro.*ci*.ti.co) *a. Hem. Histl.* Ref. ou inerente a eritrócito(s) (produção eritrocítica; ciclo eritrocítico) [F.: *eritrócito + -ico.* Ideia de: *eritr(o)-* e *-cito.*]

eritrodermia (e.ri.tro.der.*mi*.a) *sf. Derm.* Dermatose caracterizada por vermelhidão mórbida da pele, ger. causada por congestão dos capilares; ERITEMA [F.: *eritr(o)- + -derm(e)- + -ia.*]

eritromicina (e.ri.tro.mi.*ci*.na) *sf. Farm. Quím.* Antibiótico ($C_{37}H_{67}NO_{13}$) cristalino, glicosídeo de or. natural, produzido pelo actinomiceto *Streptomyces erithreus*, de ação antibacterial semelhante à da penicilina [Fórm.: $C_{37}H_{67}NO_{13}$] [F.: *eritr(o)- + -mic- + -ina.*]

eritropoese (e.ri.tro.po:*e*.se) [é] *sf. Histl.* Formação de eritrócitos (hemácias); ERITROGÊNESE [F.: *eritro-* + gr. *poiêsis, eós.*]

eritropoético (e.ri.tro.po.*é*.ti.co) *a. Histl.* Ref. ou inerente a eritropoese ou eritropoiese; ERITROGENÉTICO [F.: *eritropoese + -t- + -ico.*]

eritropoiese (e.ri.tro.poi.*e*.se) *sf.* Ver *eritropoese*

eritropoiético (e.ri.tro.poi.*é*.ti.co) *a.* Ver *eritropoético*

eritroxilácea (e.ri.tro.xi.*lá*.ce:a) [(cs)] *sf.* **1** *Bot.* Espécime das eritroxiláceas; ERITROXÍLEAS **2** *Bot.* Fam. de dicotiledôneas, nativas das regiões tropicais, com árvores e arbustos de folhas simples, flores solitárias e frutos em drupas, utilizadas para extração de alcaloides, entre eles a cocaína [F.: Do lat. cient. *Erythroxylaceae.*]

ermida (er.*mi*.da) *sf.* **1** Capela em lugar ermo ou fora de um povoado **2** *Pext.* Qualquer capela, ou igreja pequena [F.: Do gr. *eremítes*, pelo lat. *eremita*, na acp. tard. de 'pequena igreja em lugar ermo', por via popular.]

ermitão (er.mi.*tão*) *sm.* **1** Ver *eremita* **2** Quem cuida de uma ermida **3** *Zool.* Nome de diversas espécies do gênero do mesmo nome, crustáceo da família dos pagurídeos, cujo ventre não é protegido pela carapaça, o que o faz abrigar-se em conchas de moluscos; tb. bernardo-eremita, caranguejo-ermitão, paguro [Pl.: *-tãos, -tães, -tões.* Fem.: *-tã, -toa.*] [F.: Do lat. **eremitanus*, com síncope.]

ermitério (er.mi.*té*.rio) *sm. Ant.* Ver *eremitério* [F.: Sint. de *eremitério.*]

ermo (*er*.mo) [ê] *sm.* **1** Lugar desabitado ou afastado das grandes povoações: "No ermo em que se achava (...) aproveitava o fato de ser a única dama fidalga daquele lugar" (José de Alencar, *O guarani*) **2** Solidão, isolamento *a.* **3** Desabitado, isolado, abandonado, deserto [F.: Do gr. *éremos*, pelo lat. *eremus.*]

◎ **er(o)-** ***el. comp.*** = 'amor', 'paixão', 'desejo': *erótico, erotismo, erotomania, erotômano.*

erodido (e.ro.*di*.do) *a.* Que sofreu erosão [F.: Part. de *erodir.*]

erodir (e.ro.*dir*) *v.* **1** Provocar ou sofrer erosão [*td.*: *A água estagnada erodiu a parede.*] [*int.*: *Os pilares da ponte estão se erodindo.*] **2** *Geol.* Desgastar (água, vento, chuva e outros agentes erosivos) a superfície da Terra ou remover-lhe elementos (rocha, calcário, areia etc.) transportando-os para outros lugares [*td.*: *As águas do mar erodiram a rocha.*] **3** *Fig.* Desgastar ou acabar com [*td.*: *O consumo descontrolado no mundo desenvolvido erodiu recursos renováveis.*] [▶ 3 erodir] [F.: Do lat. *erodere.*]

erodível (e.ro.*dí*.vel) *a2g. Geol.* Que é passível de erosão; que pode ser erodido (solo erodível; superfície erodível) [Pl.: *-veis.*] [F.: *erodir + -vel.* Ideia de: *ro(d)-.*]

erógeno (e.*ró*.ge.no) *a.* **1** Que causa excitação sexual; ERÓTÓGENO **2** Diz-se de, ou ref. a região do corpo (na sua superfície) em que o contato ou o calor podem provocar sensações ou reações sexuais (zonas erógenas) [F.: *er(o)- + -geno.*]

eros (*e*.ros) [é] *sm.* **1** *Mit.* O deus do amor, na mitologia grega, filho de Afrodite; CUPIDO **2** *Pext.* O deus do desejo sexual **3** *Psi.* Princípio de atração e de reprodução, de união de forças opostas **4** *Psi.* O símbolo do desejo e da libido **5** *Psi.* Na teoria freudiana, princípio que governa as *pulsões de vida*, em opos. às da morte, governadas por Tanatos [Sempre com inic. maiúsc.] [F.: Do gr. *érôs, érótos.* Ideia de: *ero-.*]

erosado (e.ro.*sa*.do) *a.* **1** *Geol.* Corroído pela erosão (terreno erosado); ERODIDO **2** *Fig.* Desgastado pela ação do tempo (cérebro erosado) [F.: *erosão + -ado.* Ideia de: *ro(d)-.*]

erosão (e.ro.*são*) *sf.* **1** Ação ou resultado da ação de erodir, de corroer aos poucos **2** *Geol.* Desgaste ou arrastamento do solo, da superfície terrestre, causado pela ação mecânica das águas dos rios e mares, pela chuva, pelo vento etc. [Pl.: *-sões.*] [F.: Do lat. *erosio, onis.*] ▪ **~ acelerada** *Ecol. Geol.* A que se processa na superfície da Terra pela ação do homem, às vezes de animais, e capaz de provocar alteração e desequilíbrio no meio ambiente; erosão antropogenética [Ex.: desvio de rios, desmatamento, desmonte de morros etc.] **~ antropogenética** *Eco. Geol.* Ver *Erosão acelerada.* **~ eólica** *Geol.* Aquela causada pela ação no vento na superfície terrestre

> 🕮 Durante todas as eras geológicas a superfície terrestre sofreu a ação de vários elementos (água, ar, gelo, ventos, a ação do homem etc.) que desgastaram as rochas e, muitas vezes, transformaram totalmente o aspecto do relevo, dos cortes litorâneos, do curso dos rios etc. Esse fenômeno de desgaste chama-se erosão, e ela pode ser apenas mecânica (fragmentação física dos materiais da superfície e seu transporte) ou química (transformação da composição das substância pela ação de elementos químicos, como a água, ácidos etc.). A erosão pela água é das mais acentuadas, decorrente da ação das chuvas e dos rios que ela forma, que fragmentam a rocha e carregam os fragmentos para depósito em outro lugar. A erosão pelo gelo se dá quando a água penetra nos interstícios da rocha e, ao congelar, a faz fragmentar-se. O vento carrega partículas abrasivas de rocha, poeira etc., que desgastam formações rochosas. O mar, ao bater nas rochas litorâneas, e ao trazer areia para a costa, contribui para mudar-lhe a configuração. Os animais atuam sobre o solo em sua atividade de adaptação, construção de abrigo, alimentação etc. E o homem é um dos mais ativos e constantes agentes de erosão com suas obras de engenharia, demolição de montanhas e encostas, abertura de estradas, desfiladeiros e túneis, desmatamento etc.

erosivo (e.ro.*si*.vo) *a.* **1** Que corrói, desgasta; CORROSIVO; ERODENTE *a.* **2** Que causa erosão: *ação erosiva da enxurrada.* [F.: Do lat. *erosus + -ivo* ou do fr. *érosif.*]

eroticidade (e.ro.ti.ci.*da*.de) *sf.* **1** Característica, qualidade ou estado de quem ou do que é erótico **2** Qualidade ou característica daquele que se revela amoroso **3** Característica ou qualidade de lascivo [F.: *erótico + -(i)dade.* Ideia de: *erot(o)-.*]

erótico (e.*ró*.ti.co) *a.* **1** Ref. ao erotismo, ao amor físico, ao desejo sexual, ao prazer **2** Que causa ou desperta o desejo sexual, que excita **3** *Fig.* Que revela desejo ou sensualidade **4** *Liter. Cin. Teat.* Que mostra, descreve ou envolve cenas sutis de sexo [F.: Do gr. *erotikós*, pelo lat. *eroticus.*]

erotismo (e.ro.*tis*.mo) *sm.* **1** Amor sensual, físico **2** Caráter do que é sensual, do que é erótico **3** Grande gosto pelas coisas referentes ao sexo, ao desejo sexual, ou a tendência a viver a excitação sexual **4** *Fig.* A própria excitação sexual **5** Presença ou prevalência desse aspecto em obra literária, artística, cinematográfica etc. [F.: Do fr. *érotisme.*]

erotizado (e.ro.ti.*za*.do) *a.* **1** Que se erotizou (sociedade erotizada) **2** Que sofreu erotização; excitado sexualmente [F.: Part. de *erotizar.* Ideia de: *erot(o)-.*]

erotizar (e.ro.ti.*zar*) *v.* **1** Provocar sensações eróticas em (alguém ou si mesmo); sentir excitação [*td.*: *A dançarina queria erotizar a plateia masculina.*] [*int.*: *O adolescente erotizava-se às vezes sem querer.*] **2** Dar caráter erótico a [*td.*: *Os autores erotizam as novelas cada vez mais.*] [▶ 1 erotizar] [F.: Rad. *erot-*, deriv. do gr. *éros, érotos + -izar.*]

◎ **erot(o)-** ***el. comp.*** Ver er(o)-

erotofobia (e.ro.to.fo.*bi*.a) *sf. Pat. Psiq.* Medo mórbido, aversão ou horror ao ato sexual [F.: *erot(o)- + -fobia.*]

erotófobo (e.ro.*tó*.fo.bo) *sm.* **1** *Pat. Psiq.* Aquele que sofre de erotofobia; EROTOFÓBICO *a.* **2** Diz-se de quem sofre de erotofobia; quem tem aversão ou horror ao ato sexual; EROTOFÓBICO [F.: *erot(o)- + -fobo.*]

erotologia (e.ro.to.lo.*gi*.a) *sf.* **1** Estudo do amor sexual ou das obras eróticas **2** *Bibl.* Tratado sobre o amor físico [F.: *erot(o)- + -logia.*]

erotomania (e.ro.to.ma.*ni*.a) *sf.* **1** *Pat. Psiq.* Exageração mórbida do sentimento e atividade sexuais **2** *Pat. Psiq.* Obsessão por sexo [F.: Do gr. *erotomanía.* Ideia de: *erot(o)- + -mania.*]

erotomaníaco (e.ro.to.ma.*ní*.a.co) *Pat. Psiq. sm.* **1** Aquele que tem erotomania; EROTÔMANO *a.* **2** Ref. ou inerente a, ou pertencente à erotomania **3** Que sofre de erotomania; EROTÔMANO [F.: *erotomania- + -aco.* Ideia de: *erot(o)-* e *-mania.*]

erotômano (e.ro.*tô*.ma.no) *Pat. Psiq. sm.* **1** Aquele em que se manifesta a erotomania; EROTOMANÍACO *a.* **2** Ver *erotomaníaco* [F.: *erot(o)- + -mano.*]

errada (er.*ra*.da) *sf.* **1** Ação de errar **2** *Bras.* Erro, engano, equívoco [Ant.: *acerto.*] **3** *RS* Desvio de caminho ou encruzilhada que faz o viajante errar ou perder o rumo; PERDIDA [F.: Fem. subst. de *errado.* Ideia de: *err-.*]

erradicação (er.ra.di.ca.*ção*) *sf.* **1** Ação ou resultado de erradicar; DESARRAIGAMENTO **2** Eliminação, extirpação [Pl.: *-ções.*] [F.: Do lat. *eradicatio, onis.*]

erradicado (er.ra.di.*ca*.do) *a.* **1** Que se erradicou **2** Arrancado pela raiz (dente erradicado; vegetal erradicado); DESARRAIGADO **3** Eliminado, extirpado (praga erradicada) [F.: Part. de *erradicar.* Ideia de: *radic(i/o)-.*]

erradicar (er.ra.di.*car*) *v.* **1** Arrancar pela raiz; DESARRAIGAR [*td.*: *Erradicar periodicamente as plantas com tais sintomas.*] [*tda.*: *Deve-se erradicar do jardim as mudas mortas.*] **2** Eliminar através da destruição do agente patológico [*td.*: *Erradicar uma epidemia; Ações para erradicar a febre aftosa.*] **3** *Fig.* Fazer com que deixe de existir; EXTINGUIR [*td.*: *Cuidar do meio ambiente é vital para erradicar a pobreza.*] [*tda.*: *É necessário erradicar a violência nos grandes centros urbanos.*] [▶ 11 erradicar] [F.: Do lat. *eradicare.*]

erradicável (er.ra.di.*cá*.vel) *a2g.* Que se pode erradicar ou extirpar; que pode ou deve ser erradicado (mal erradicável; praga erradicável) [Ant.: *inerradicável.*] [Pl.: *-veis.*] [F.: *erradicar + -vel.* Hom./Par.: *erradicáveis* (pl.), *erradicáveis* (fl. de *erradicar*). Ideia de: *radic(i/o)-.*]

erradio (er.ra.*di*:o) *a.* **1** O mesmo que *errante* **2** *Fig.* Que está desnorteado, perdido *sm.* **3** Indivíduo erradio (1, 2) [F.: Do lat. *errativus* por via popular.]

errado (er.*ra*.do) *a.* **1** Que não está certo, que tem erro(s) (cálculo errado) **2** Inaceitável ou condenável no aspecto moral ou social: *É errado tratar mal as pessoas.* **3** Que não é o certo, o que se devia usar, ou fazer, ou seguir etc.: *Pegamos o ônibus errado; Ele está seguindo um caminho errado.* **4** Que se enganou ou não fez a opção certa: *Julguei-o mal e depois vi que estava errado.* **5** *Gír.* Cheio de defeitos e imperfeições: *Esse cara é todo errado.* **6** Desastrado em tudo o que faz: *Que garçom mais errado, confundiu todos os pedidos...* *sm.* **7** Indivíduo desastrado, que vive cometendo erros, gafes etc.: *Nosso motorista é um errado, mas é de confiança.* *adv.* **8** De maneira errada: "Não pensava errado o fidalgo..." (Camilo Castelo Branco, *Amor de perdição*) [F.: Do lat. *erratus.*]

errância (er.*rân*.ci:a) *sf.* Característica, qualidade, condição ou hábito de errante; ERRANÇA [F.: Do lat. *errantia, ae.* Ideia de: *-ância, -ança.*]

errante (er.*ran*.te) *a2g.* **1** Que erra, anda ao acaso, sem destino certo; ERRADIO; ITINERANTE; VAGABUNDO **2** Sem morada fixa [Ant.: *sedentário.*] **3** *Pext.* Desviado do caminho do bom-senso **4** Ref. à tendência para ser errante: "...o ascetismo inconsciente da sua existência errante." (Domício da Gama, *Maria sem tempo*) [F.: Do lat. *errans, ntis.*]

errar (er.*rar*) *v.* **1** Cometer erro ou engano (em) [*td.*: *Errei várias questões na prova de química.*] [*tr.* + em: *errar em uma conta.*] [*int.*: *Erramos ao recomendá-la.*] **2** Deixar de acertar em (alvo) [*td.*: *Disparou rápido, mas errou o alvo.*] **3** Fazer com deficiência (certa ação que visa a um efeito, deixando de atingi-lo) [*td.*: *errar um tiro/um chute/um passo de dança.*] [*int.*: *Fez um arremesso de três pontos, mas errou.*] **4** Perambular, vaguear [*ta.*: "...errava pelos corredores desertos, como uma alma penada" (Aluísio Azevedo, *Casa de pensão*)] **5** Fazer, pensar ou imaginar algo que resulta em erro, equívoco, culpa etc. [*int.*: *Errou muito, mas agora é mais prudente.*] **6** Espalhar-se [*ta.*: *Um cheiro estranho errava pelos corredores.*] [▶ 1 errar] [F.: Do lat. *errare.* Hom./Par.: *erro* (fl. de *errar*), *erro* [ê] (sm.); *erre* (fl. de *errar*), *erre* (sm.), erres (pl.), *erres* (fl. de *errar*). Ant. ger.: *acertar.*]

errata (er.*ra*.ta) *Tip. sf.* **1** Relação de erros percebidos após impressão de uma obra, com respectivas correções, em folha anexa ou em boxe apropriado de número posterior, no caso de periódicos **2** Cada um dos erros da errata (1) [F.: Do lat. *errata*, pl. neutro do lat. *erratum, i*, 'erro', tomado como se fosse o sing.]

errático (er.*rá*.ti.co) *a.* **1** Que erra; ERRANTE **2** Que não é fixo, que vagueia; VAGABUNDO **3** *Med.* Que passa de um lado a outro, de uma parte para outra (dor errática) **4** *Geol.* Diz-se de blocos de rocha deslocados de longe, não oriundos do terreno em que se encontram [F.: Do lat. *erraticus, a, um.* Ideia de: *-ico².*]

erre (*er*.re) *sm.* Nome da letra R, a décima oitava letra do alfabeto; RÊ [Pl.: *erres* ou *rr.*] [F.: Do port. *erre* ou *rê.* Hom./Par.: *erre* (sm.), *erre* (fl. de *errar*).]

erro (*er*.ro) [ê] *sm.* **1** Ação ou resultado de errar *sm.* **2** Falta de correção, de exatidão, de perfeição etc.; FALHA; DEFEITO; IMPERFEIÇÃO: *Havia um erro na conta;* "E até os erros do meu português ruim" (Roberto Carlos e Erasmo Carlos, *Detalhes*) **3** Conceito, ideia, julgamento ou ação incorretos, impróprios (erro médico) **4** Ato ou procedimento reprovável; FALTA: *Mentir foi um erro.* **5** Ato ou comportamento condenado pela moral familiar, social ou religiosa: *Em algumas comunidades o divórcio é um erro.* **6** Falta passível de condenação (lit. ou fig.); CRIME: *roubar é um erro;* "O meu erro é bem humano/É um crime que não evitamos" (Ataulfo Alves, *Errei, erramos*) **7** Discordância, discrepância, desigualdade **8** *Mat.* Diferença entre o valor aproximado e o valor real de uma função ou grandeza **9** Ato ou comportamento condenado pela moral familiar, social ou religiosa **10** *Fís.* Discrepância entre o valor real de uma dimensão e o resultado observado na medida, por desvio no instrumento de medida ou na ação do medidor [F.: Do lat. *error, oris* ou dev. de *errar*. Hom./Par.: *erro* (sm.), *erro* (fl. de *errar*).] ▪ **~ culposo** *Jur.* Aquele que se comete por negligência, imprudência ou imperícia, sem intenção dolosa por parte de quem comete **~ de aproximação** *Mat.* Erro em número ou expressão matemática devido à eliminação de valores fracionários, termos pequenos etc. **~ de direito** *Jur.* Erro resultante do não respeito à lei, seja intencional seja por desconhecimento da lei, seja por má interpretação da mesma **~ de fato** *Jur.* Aquele que deriva de uma interpretação errônea de circunstância ou fato, mas sem que se configure explicitamente desrespeito à lei **~ de imprensa** *Edit.* Ver *erro tipográfico* **~ de revisão** *Edit.* Ver *Erro tipográfico* **~ tipográfico** *Tip.* Erro cometido por quem compõe, escreve, digita um texto, ao não ser fiel ao texto original, ou a regras ortográficas, ou às indicações de tipo, espaços, diagramação etc.; erro de imprensa; erro de revisão; gato; gralha [Cf.: *piolho*, pequeno erro tipográfico que escapa à revisão.]

errôneo (er.*rô*.ne:o) *a.* **1** Que contém ou constitui erro; ERRADO **2** Que não corresponde à verdade; INCORRETO [F.: Do lat. *erroneus*.]

erro-padrão (er.ro-pa.*drão*) *sm.* **1** *Est. Mat.* Desvio-padrão de uma série de erros acidentais ou de um conjunto de estimativas de erros acidentais, causados por fatores incontroláveis e aleatórios **2** *Est.* Desvio-padrão da média de uma amostra **3** *Mat.* Denominação da raiz quadrada do valor médio do quadrado da variância de uma variável [Pl.: *erros-padrão*.] [F.: *erro* + *padrão*. Ideia de: *err-* e *pater-*.]

eructação (e.ruc.ta.*ção*) *sf.* Ação e resultado de eructar; o mesmo que *arroto* [Pl.: *-ções*.] [F.: Do lat. *eructatio, onis*.]

eructar (e.ruc.*tar*) *v. Int.* O mesmo que *arrotar* [▶ **1** eruc**tar**] [F.: do lat. *eructare*.]

erudição (e.ru.di.*ção*) *sf.* **1** Vasto saber adquirido esp. pela leitura: "...uma pesquisa de Cyro [dos Anjos] no campo da estética... e com uma bibliografia que bem atesta sua erudição..." (*Jornal do Brasil*, 08.09.2004) **2** Qualidade do que ou de quem é erudito [Pl.: *-ções*.] [F.: Do lat. *eruditio, onis*.]

eruditismo (e.ru.di.*tis*.mo) *sm.* **1** Exibição afetada de erudição **2** Apego exagerado à erudição **3** Vocábulo, construção ou qualquer outro componente linguístico que entra numa língua por via erudita, ou seja, por meio da tradição escrita, por meio dos eruditos; CULTISMO [F.: *erudito* + *-ismo*.]

erudito (e.ru.*di*.to) *a.* **1** Ref. a, ou que revela erudição (obra erudita) **2** Que tem erudição (professor erudito) **3** Próprio do meio intelectual, dos estudiosos, dos eruditos (visão erudita) **4** Diz-se da música clássica **5** Da tradição escrita, ou da tradição dos eruditos (por via erudita) **6** *Ling.* Tomado diretamente às línguas clássicas, sem sofrer, portanto, mudança fonética, ou que tem sua formação a partir das regras morfológicas delas (diz-se de vocábulo) **7** *P.ext.* Que respeita ou está de acordo com as regras morfológicas, fonéticas ou gramaticais da língua que lhe deu origem *sm.* **8** Pessoa erudita [F.: Do lat. *eruditus*. Ant. nas acps. 1 a 3: *inerudito*.]

erupção (e.rup.*ção*) *sf.* **1** Ação, resultado ou processo de irromper; surgimento rápido e súbito (erupção de uma espinha, de um dente) **2** *Geol.* Emissão violenta de lavas, cinzas e fumaça pela cratera de um vulcão **3** Estado de um vulcão durante esta emissão **4** *Med.* Aparecimento de manchas ou bolhas na pele **5** *Fig.* Manifestação violenta e súbita (erupção de ira) **6** *Astron.* Intensificação do brilho de uma estrela que se dá muito rapidamente [Pl.: *-ções*.] [F.: Do lat. *eruptio, onis*. Hom./Par.: *erupção* (sf.), *irrupção* (sf.).]

erupcionar (e.rup.ci:o.*nar*) *v. int.* Entrar em erupção; irromper [▶ **1** erupcio**nar**]

eruptivo (e.rup.*ti*.vo) *a.* **1** Ref. a erupção **2** Que provoca ou causa erupção **3** Que resulta do resfriamento do magma ao se mover em direção à superfície (diz-se de rocha ígnea) [F.: Do lat. *eruptivus*. Hom./Par.: *eruptivo* (a.), *irruptivo* (a.).]

erva (*er*.va) *sf.* **1** *Bot.* Planta ger. pequena, anual ou vivaz, de caule não lenhoso, que se reproduz por sementes [Col.: *ervaçal, ervedo*.] **2** *Bras. Bot.* Qualquer planta venenosa que nasce nos pastos **3** *Bras. Bot.* Ver *mate* **4** *Bras. Gír.* Dinheiro **5** *Bras. Gír.* Maconha [F.: Do lat. *herba, ae*.] ▪ **~ daninha 1** *Bot.* Planta que nasce em meio a outras, prejudicando-as **2** *Fig.* Elemento prejudicial num sistema, grupo etc.

erva-cidreira (er.va-ci.*drei*.ra) *Bot. sf.* **1** Erva da fam. das labiadas (*Melissa officinalis*), nativa da região mediterrânea, de uso medicinal, esp. como calmante e digestivo; CITRONELA; MELISSA **2** Ver *capim-limão* **3** Ver *cidrão* [Pl.: *ervas-cidreiras*.]

erva-de-passarinho (er.va-de-pas.sa.*ri*.nho) *Bot. sf.* Nome de várias plantas hemiparasitas, da família das eremolepidáceas, das viscáceas e das lorantáceas, que são disseminadas por pássaros, que comem seus frutos e depositam as sementes, junto com os excrementos, nas árvores; VISGO [Pl.: *ervas-de-passarinho*.]

ervado (er.*va*.do) *a.* **1** Coberto de ervas; relvado **2** Envenenado por ter ingerido (gado ervado) ou por ter sido impregnado por (flecha ervada) erva venenosa **3** *Bras. Gír.* Cheio de erva (4); ENDINHEIRADO **4** *Bras. Gír.* Que ficou alterado pelo consumo de maconha [F.: Part. de *ervar*.]

erva-doce (er.va-*do*.ce) *Bot. sf.* **1** Ver *anis* (1) **2** Ver *funcho* **3** Erva (*Pimpinella vilosa*) da família das umbelíferas, semelhante ao anis **4** Árvore (*Xylopia brasiliensis*) da família das anonáceas, nativa do Brasil, que pode alcançar até 10 m [Pl.: *ervas-doces*.]

erval (er.*val*) *sm. Bras.* Plantação de erva-mate, ou área coberta de ervas entre as quais predomina a erva-mate [Pl.: *-vais*.] [F.: *erva* + *-al*[1]. Hom./Par.: *ervais* (pl.), *ervais* (fl. de *ervar*).]

erva-mate (er.va-*ma*.te) *sf. Bot.* Ver *mate* [Pl.: *ervas-mates, ervas-mate*.]

ervanário (er.va.*ná*.ri:o) *sm.* **1** *Bot.* Aquele que conhece, estuda, coleciona, prepara e vende ervas medicinais; HERBANÁRIO; HERBOLÁRIO; HERBORISTA **2** *Com.* Estabelecimento que vende ervas medicinais; ERVANARIA; HERBANÁRIO *a.* **3** Que conhece, estuda, coleciona ou vende plantas medicinais; HERBANÁRIO; HERBOLÁRIO; HERBORISTA [F.: *erva* + *-n-* + *-ário*. Ideia de: *-herb(i)-*.]

ervar (er.*var*) *v.* **1** Impregnar (algo) do veneno extraído de plantas [*td.*: *Ervou a lança antes da batalha*.] **2** *Bras.* Colher ervas [*int.*: *Passou a tarde a ervar*.] **3** *Bras.* Comer erva que contém veneno [*td.*: *Ervou-se o suficiente para morrer*.] [▶ **1** er**var**] [F.: *ervar* + *-ar*. Hom./Par.: *erva(s)* (fl.), *erva* (sf. e pl.); *ervais(s)* (fl.), *ervais* (pl. erval e sm.).]

erva-santa (er.va-*san*.ta) *Bot. sf.* **1** Arbusto de até 1m (*Baccharis ochracea*), da fam. das compostas, nativo do sul do Brasil, Argentina e Uruguai, de folhas lineares, branco-ferrugíneas de propriedades vulnerárias e digestivas, us. tb. contra a impotência e a esterilidade; CARQUEJA **2** Arbusto (*Baccharis vulneraria*) da fam. das compostas, nativo do RS e da região que vai de MT a MG, de folhas oblongas, us. por suas propriedades cicatrizantes **3** *Bras. Bot.* Arbusto (*Mollinedia brasiliensis*) da fam. das monimiáceas, nativo do Brasil, de folhas ger. ovadas, flores solitárias ou em umbelas e drupas vermelhas, us. para combater cólicas por suas propriedades antiespasmódicas **4** Arbusto (*Mandevilla sancta*) nativo da BA, da fam. das apocináceas, cujos ramos são eretos e as folhas ovadas ou elípticas **5** Ver *cipó-capador* **6** Ver *erva-de-santa-maria* **7** *Lus.* Ver *tabaco* **8** Ver *absinto* **9** Ver *gervão-do-alagadiço* [Pl.: *ervas-santas*.] [F.: *erva* + *santa*. Ideia de: *herb(i)-*.]

ervateiro (er.va.*tei*.ro) *a.* **1** Ref. ao cultivo, ao preparo ou ao comércio de erva-mate *sm.* **2** Aquele que cultiva ou prepara, ou negocia com erva-mate [F.: *erva* + *-t-* + *-eiro*.]

ervilha (er.*vi*.lha) *sf.* **1** *Bot.* Trepadeira da fam. das leguminosas, subfam. papilionóidea (*Pisum sativum*), cujas vagens oblongas contêm sementes globosas comestíveis **2** A vagem dessa planta **3** A semente dessa vagem, que, fresca ou em conserva, é também chamada de *petit-pois* [F.: Do lat. *ervilia*.]

ervilhaca (er.vi.*lha*.ca) *Bot. sf.* **1** *Bot.* Denominação comum a ervas da fam. das leguminosas, do gên. *Vicia* **2** Trepadeira (*Vicia sativa*) leguminosa, nativa da Europa, de grandes flores vermelhas, violáceas ou azuladas, frutos em vagem com sementes de cor azeitonada, us. como forragem e adubo verde **3** Ver *cizirão* [F.: *ervilha* + *-aca*. Ideia de: *herb(i)-*.]

ervilhal (er.vi.*lhal*) *sm.* Plantação de ervilhas, conjunto de numerosos pés de ervilha, próximos um do outro, em área mais ou menos extensa [Pl.: *-lhais*.] [F.: *ervilha* + *-al*[1].]

ES Sigla do Estado do Espírito Santo

es- *pref.* = movimento para fora; extração; transformação; fragmentação: *estender, estripar, estreitar, esquentar, esfiapar*

-ês *suf. nom.* Equivalente popular de *-ense* (ver), formador de gentílicos, esp. de países, donde, também, a extensão como vários idiomas: *português, francês, inglês, polonês* [Fem.: *-esa*.] [F. Do lat. *-ensis, e*.]

esbaforido (es.ba.fo.*ri*.do) *a.* **1** Com a respiração dificultada (por cansaço, grande esforço, pressa etc.) **2** Que se apressou, que tem pressa; APRESSADO; APRESSURADO [F.: Part. de *esbaforir*.]

esbaforir (es.ba.fo.*rir*) *v.* Fazer ficar ou ficar com dificuldade respiratória, anelante, esbofado; ESBOFAR(-SE) [*td.*: *A corrida esbaforiu o menino*.] [*int.*: *Esbaforiu-se de tanto correr*.] [▶ **59** esbafo**rir**] [F.: *es-* + *bafor-* + *-ir*.]

esbagaçado (es.ba.ga.*ça*.do) *a.* Reduzido a bagaços, a pequenos pedaços, a fragmentos; ARREBENTADO; ESTRAÇALHADO [F.: Part. de *esbagaçar*.]

esbagaçar (es.ba.ga.*çar*) *v.* **1** Reduzir(-se) a bagaços, ou a pedaços; DESPEDAÇAR [*td.*: *A máquina esbagaçou a cana; O cachorro esbagaçou o travesseiro*.] [*int.*: *O dicionário está se esbagaçando*.] **2** *Bras.* Dilapidar, dissipar, malbaratar [*td.*: *Esbagaçou sua fortuna em pouco tempo*.] [▶ **12** esba**gaçar**] [F.: *es-* + *bagaço* + *-ar*[2].]

esbagoar (es.ba.go.*ar*) *v.* **1** Tirar o bago de [*td.*: "Colheu uma gorda espiga e esbagoou-a entre as palmas das mãos calosas" (Manuel Ribeiro, *Planície heroica*)] **2** Perder os bagos ou grãos [*int.*: *A vagem esbagoou(-se)*.] [▶ **16** esba**goar**] [F.: *es-* + *bago* + *-oar*.]

esbaldar-se (es.bal.*dar*-se) *v.* **1** *Bras. Pop.* Entregar-se com grande entusiasmo a um divertimento [*int.*: *Esbaldou-se no baile até as quatro da manhã*.] **2** Fazer (algo) com muito esforço, dedicação e energia [*int.*: *Trouxe aqui umas tarefas urgentes para você se esbaldar*.] [*tr.* + *de*: *Esbaldou-se de dançar no baile de formatura*.] [▶ **1** esbal**dar**-se] [F.: *es-* + *balde* + *-ar*[2].]

esbandalhado (es.ban.da.*lha*.do) *a.* **1** Esfarrapado, roto, molambento **2** Desfeito, destruído, escangalhado **3** Desviado do bando (a que pertence ou pertencia); TRESMALHADO [F.: Part. de *esbandalhar*.]

esbandalhar (es.ban.da.*lhar*) *v.* **1** Reduzir(-se) a bandalhos, trapos [*td.*: *As traças esbandalharam o vestido*.] [*int.*: *Os uniformes dos operários se esbandalham com o uso intenso*.] **2** Reduzir(-se) a pedaços, a fragmentos; DESPEDAÇAR; ESFRANGALHAR [*td.*: *O aluno esbandalhou o livro de geografia*.] [*int.*: *O álbum esbandalhou-se ao cair da mesa*.] **3** Tornar-se corrompido; PERVERTER [*int.*: *Esbandalhou-se nas farras noturnas*.] **4** Dispersar(-se) em bandos; pôr(-se) em fuga, desfazendo o conjunto, espalhando(-se) [*td.*: *Nossa tropa esbandalhou a formação inimiga*.] [*int.*: *Sob fogo intenso, o batalhão esbandalhou-se*.] [▶ **1** esbanda**lhar**] [F.: *es-* + *bandalho* + *-ar*[2].]

esbandalho (es.ban.*da*.lho) *sm. Bras. Pop.* Debandada, dispersão: *A polícia promoveu o esbandalho dos manifestantes*. [Ant.: *concentração*.] [F.: *es-* + *-bando* + *-alho*.]

esbandeirar (es.ban.dei.*rar*) *v. td. AL Pop.* Cortar a bandeira de (milho) [▶ **1** esbandei**rar**]

esbanjado (es.ban.*ja*.do) *a.* Que se esbanjou (dinheiro esbanjado); DESPERDIÇADO; DISSIPADO; MALBARATADO [F.: Part. de *esbanjar*.]

esbanjador (es.ban.ja.*dor*) [ô] *a.* **1** Que esbanja; DISSIPADOR; GASTADOR; PERDULÁRIO *sm.* **2** Indivíduo esbanjador [F.: *esbanjar* + *-dor*.]

esbanjamento (es.ban.ja.*men*.to) *sm.* Ação ou resultado de esbanjar; DESPERDÍCIO; DISSIPAÇÃO: "As consequências deste esbanjamento bem sei eu quais são: os parentes que se apertem!" (Aluísio Azevedo, *O coruja*) [F.: *esbanjar* + *-mento*.]

esbanjar (es.ban.*jar*) *v. td.* **1** Gastar excessivamente; DILAPIDAR; DISSIPAR: *Esbanjou o dinheiro em frivolidades*. **2** *Fig.* Ter muito (de alguma qualidade, atitude, sentimento etc.): *A mulher esbanjava alegria*. [▶ **1** esban**jar**] [F.: De orig. obs.]

esbarrada (es.bar.*ra*.da) *sf.* **1** O mesmo que *esbarrão*; ESBARRO **2** Parada brusca do cavalo montado por cavaleiro, que o faz escorregar sobre as patas traseiras [F.: *esbarrar* + *-ada*[1].]

esbarradela (es.bar.ra.*de*.la) *sf.* Pequeno choque físico com alguém ou com alguma coisa; encontrão de leve [F.: *esbarrar* + *-dela*. Ideia de: *bar-*.]

esbarrancado (es.bar.ran.*ca*.do) *sm.* **1** *GO MG RS* Irregularidade de terreno produzida pela água; ESBARRANCADA; QUEBRADA *a.* **2** *Bras.* Em que se fizeram barrancos; cheio de barrancos (terreno esbarrancado) [F.: Part. de *esbarrancar*. Ideia de: *barranc-*.]

esbarrão (es.bar.*rão*) *sm.* **1** Ação ou resultado de esbarrar; ESBARRO **2** Choque brusco, ger. acidental, contra alguém ou algo; ENCONTRÃO; ESBARRADA; ESBARRO [Pl.: *-rões*.] [F.: *esbarro* + *-ão*[3].]

esbarrar (es.bar.*rar*) *v.* **1** Topar com, ir de encontro a (objeto material, alguém ou algo) [*tr.* + *em*: *Esbarrou sem querer na professora*.] **2** Encontrar por acaso, deparar; TOPAR [*tr.* + *com*: *Ao entrar no ônibus, esbarrou com seu desafeto*.] **3** Topar com o pé em (obstáculo); TROPEÇAR [*tr.* + *em*] **4** Deparar com (dificuldade, problema etc.) [*tr.* + *com*, *em*: *Esbarrou com um problema insolúvel*.] **5** Fazer parar, frear (o cavalo) por movimento adequado da rédea [*td.*: *Ao ver a criança, o cavaleiro esbarrou o animal*.] **6** Fazer chocar-se, arremessar, lançar [*tdr.* + *a*, *contra*: *Esbarrou o agressor ao /contra o muro*.] **7** *Bras. Pop.* Confrontar(-se), enfrentar(-se) [*tr.* + *com*: *Esperava uma nova oportunidade de esbarrar com o rival*.] [▶ **1** esbar**rar**] [F.: *es-* + *barra* + *-ar*[2]. Hom./Par.: *esbarro* (fl. de *esbarrar*), *esbarro* (sm.).]

esbarro (es.*bar*.ro) *sm.* **1** Ação ou resultado de esbarrar; CHOQUE; ENCONTRÃO; ESBARRADA **2** *Bras. Gír.* Encontrão proposital, como provocação **3** *Arq. Cons.* Degrau com o piso inclinado e de menor espessura, formado por uma parede **4** *Arq. Cons.* Inclinação dos ressaltos de uma pilastra, ou de uma porta etc. **5** *Hip.* Ação ou resultado de retesar a rédea, para o cavalo sentir o freio **6** *Bras. Fig.* Repreensão ou advertência séria; REPRIMENDA: *Levou um esbarro do pai por seu comportamento*. [F.: Dev. de *esbarrar*. Hom./Par.: *esbarro* (sm.), *esbarro* (fl. de *esbarrar*). Ideia de: *bar-*.] ▪ **Caçar de ~** Método de caça em que o caçador se acerca da presa por uma trilha, procurando não fazer barulho, e assim surpreendê-la

esbarrocar (es.bar.ro.*car*) *v. int.* Tombar formando barroca ou monte de terra após a queda; desmoronar(-se), despenhar(-se): *A torre esbarrocou(-se)*. [▶ **11** esborro**car**] [F.: *es-* + *barroca* + *-ar*.]

esbarrondar (es.bar.ron.*dar*) *v.* **1** Fazer cair ou cair aos pedaços; DESMORONAR(-SE); ESBOROAR(-SE) [*td.*: "Para se apropriar de uma nesga de caminho, esbarrondou em noite inverneira um talhão de muro" (Samuel Maia, *Mudança de ares*)] **2** Ser vítima de queda; DESPENHAR-SE [*ta.*: *Esbarrondou-se do alto da escada*.] **3** Fazer investida impetuosa [*ta.*: *Esbarrondou no salão cheio de gente*.] **4** Passar por experiência de fracasso; MALOGRAR-SE [*int.*: *Esbarrondava-se naquela falência o sonho de anos*.] [▶ **1** esbarron**dar**] [F.: *es-* + *barro* + *-ar*.]

esbater (es.ba.*ter*) *v.* **1** Tornar mais tênues os contrastes por meio da colocação de tons mais suaves entre os mais fortes [*td.*: *O decorador esbateu os pontos azuis de sua decoração*.] **2** Dar ou adquirir tons mais suaves, mais matizados [*ta.*: *O luar esbatia-se pelas paredes da varanda*.] [*td.*: "Os ares bravios tinham-lhe roubado à tez o rubor melindroso de peônia, esbatendo a rede vascular finíssima" (Aquilino Ribeiro, *Volfrâmio*)] **3** *Fig.* Dar destaque a (uma figura) [*td.*] **4** *Pint.* Matizar as cores mais sombrias de (um quadro) [*td.*] [▶ **2** esba**ter**] [F.: Do it. *sbattere*.]

esbatido (es.ba.*ti*.do) *sm.* **1** Resultado de esbater; ESBATIMENTO **2** Sensação de relevo resultante do uso da técnica do claro-escuro *a.* **3** Que tem o tom ou o colorido atenuado, suavizado, pálido: "...como o minarete de um templo muçulmano, destacando-se na meia sombra crepuscular, esbatido pela irradiação do sol que tombava glorioso..." (Adolfo Caminha, *A normalista*) [F.: Part. de *esbater*. Ideia de: *bat-*.]

esbeiçado (es.bei.*ça*.do) *a.* Que se esbeiçou, que tem as bordas ou beiços arrancados, quebrados, estendidos ou descaídos; DESBEIÇADO: "No mais, umas cuias, gamelinhas, um pote esbeiçado, a pichorra e a panela de feijão." (Monteiro Lobato, *Urupês*) [F.: Part. de *esbeiçar*. Ideia de: *beiç-*.]

esbeiçar (es.bei.*çar*) *v.* **1** Encantar ou ficar encantado por amor; trazer ou ficar preso pelo beiço; enamorar(-se), apaixonar(-se) [*td.*: *O bonitão esbeiçou a vizinha.*] [*tr.* + *por*: *Esbeiçou-se pelo rapaz.*] 2 Provocar enlevo, encantamento [*td.*: *A cidade esbeiçou o rapaz.*] [*tr.* + *por*: *Esbeiçou-se pela pintura dos impressionistas.*] 3 Ligar-se, unir-se [*tr.* + *com*: *O chalé esbeiçava com o lago.*] 4 *Bras. Pop.* Dar formato de beiço a [*td.*: *A passadeira passou mal a camisa, esbeiçando os punhos.*] [▶ 12 esbeiçar] [F.: *es-* + *beiço* + *-ar.*]

esbeltez (es.bel.*tez*) [ê] *sf.* Ver *esbelteza* [F.: *esbelto* + *-ez.*]

esbelteza (es.bel.*te*.za) [ê] *sf.* 1 Qualidade do que é esbelto, elegante (aplica-se a pessoas, animais e obras artísticas); DONAIRE; ELEGÂNCIA; ESBELTEZ; GRAÇA: "...cedem lugar ao imediatismo do prazer, da beleza, da juventude, da esbelteza, da força física." (Jurandir Freire Costa, *in Jornal do Brasil*, 24.01.1999) 2 *Cons.* Característica de colunas e pilares que têm seções transversais pequenas em relação à altura [F.: *esbelto* + *-eza.*]

esbelto (es.*bel*.to) [é] *a.* 1 Que é esguio, ereto, de formas harmoniosas, elegantes: "...e desenhava o talhe delgado e esbelto como um junco selvagem." (José de Alencar, *O guarani*) 2 Cujo corpo é esguio, fino, elegante: *Era uma criança gordinha, mas hoje é um rapaz esbelto.* [Ant.: *deselegante, desgracioso.*] [F.: Do it. *svelto.*]

esbirro (es.*bir*.ro) *sm.* 1 *Pej.* Oficial de justiça de baixo nível; empregado de nível inferior em tribunais 2 *Pej.* Agente de polícia; BELEGUIM 3 *Náut.* Escora, esteio (que ajuda a sustentar um travejamento) [F.: Do it. *sbirro.*]

esboçado (es.bo.*ça*.do) *a.* 1 Representado por esboço; DELINEADO; BOSQUEJADO: "Sobre o cavalete estava o meu retrato esboçado..." (Almeida Garret, *Viagens na minha terra*) 2 Apresentado nos aspectos gerais: "Esses traços biográficos, que formam um quadro apenas esboçado, valem ainda assim uma boa introdução." (Sanches de Frias, *Quadros à pena*) 3 Planejado em linhas gerais: *Esta é uma estratégia esboçada, temos agora de detalhá-la.* 4 Ação apenas sinalizada, ou interrompida no começo (um gesto esboçado) [F.: Part. de *esboçar.*]

esboçar (es.bo.*çar*) *v.* 1 Traçar (algo) em linhas gerais, ou apenas o contorno de; fazer esboço de [*td.*: *esboçar um desenho.*] 2 Dar forma inicial a, ou ganhar os primeiros contornos [*td.*: *Esboçou uma reação tardia.*] [*int.*: *A história esboçava-se com rapidez em sua mente.*] 3 Deixar(-se) entrever; ENTREMOSTRAR [*td.*: *Esboçar um sorriso.*] [*int.*: *A alegria esboçou-se em seu rosto.*] 4 Traçar, planejar [*td.*: *Esboçou um plano arriscado.*] [▶ 12 esboçar] [F.: Do it. *sbozzare.* Hom./Par.: *esboço* (fl. de *esboçar*), *esboço* [ô] (sm.).]

esboço (es.*bo*.ço) [ô] *sm.* 1 Primeiros traços, primeiro delineamento que vai dar origem a um desenho ou obra de arte (esboço de quadro, de escultura) 2 Qualquer obra apresentada de forma breve ou em seus traços gerais ou iniciais: *esboço de um filme/de um livro/de uma obra arquitetônica.* 3 Primeiras ideias, noções preliminares, rudimento (de algo): *Já pensava no esboço de seu projeto.* 4 Ação apenas principiada, que não se completa (esboço de reação, de fuga) 5 Figura indistinta de algo ou alguém; VULTO 6 Apresentação resumida, sintética de algo: *Expôs à diretoria um esboço da situação da empresa.* [F.: Do it. *sbozzo.* Hom./Par.: *esboço* (sm.), *esboço* (fl. de *esboçar*), *esbouço* (fl. de *esbouçar*).]

esbodegado (es.bo.de.*ga*.do) *a.* 1 Escangalhado, estragado ou em péssimo estado (de conservação); ESBANDALHADO: "Os sapatos, que traziam nos pés, esbodegados e cheios de lama..." (Aquilino Ribeiro, *O servo de Deus e a casa roubada*) 2 *S.* Muito abatido ou prostrado pelo cansaço; ESFALFADO; EXAUSTO; EXTENUADO [F.: Part. de *esbodegar.*]

esbodegar (es.bo.de.*gar*) *Bras. Pop. v.* 1 Escangalhar, destruir, arruinar [*td.*: *O menino esbodegou o brinquedo.*] 2 Gastar desmedidamente, de forma perdulária; ESBANJAR [*td.*: *Esbodegou o salário numa só noite.*] 3 *Bras.* Não cuidar de si mesmo, da própria aparência; DESLEIXAR; DESMAZELAR [*int.*] 4 *S.E. S.* Fatigar-se, esfalfar-se [*int.*: *Venceu a corrida, mas esbodegou-se de tal forma que não disputou a final.*] 5 *PB* Ficar irritado, impaciente, zangado; AGASTAR [▶ 14 esbodegar] [F.: De orig. obsc.]

esbofar (es.bo.*far*) *v.* 1 Fazer ficar ou ficar cansado, esfalfado [*td.*: *A caminhada esbofou os mais idosos.*] [*int.*: *Esbofava-se quando subia a escadaria da igreja.*] 2 Ter dificuldade para respirar; ofegar [*int.*: *Caminhava lentamente, mas ainda assim esbofava(-se); "Aí é que pulsa* o coração do Brasil, que até hoje se esbofa de encher um pequeno aneurisma" (Gastão Cruls, *Amazônia que eu vi*)] [▶ 1 esbofar] [F.: *es-* + *bofe* + *-ar.*]

esbofeteado (e.bo.fo.te.*a*.do) *a.* Que recebeu bofetada(s): "Eu fiquei hirto e nulo, como um sacerdote esbofeteado pelo seu Deus." (Eça de Queiroz, *Prosas bárbaras*) [F.: Part. de *esbofetear.* Ideia de: *buf-.*]

esbofetear (es.bo.fe.te.*ar*) *v. td.* Dar bofetada em; ABOFETAR; BOFETEAR; ESTAPEAR: *Esbofeteou o rival* [▶ 13 esbofetear] [F.: *es-* + *bofete* + *-ar*².]

esborcinar (es.bor.ci.*nar*) *v. td.* 1 Cortar ou partir pelas bordas 2 Dar golpes em; GOLPEAR [▶ 1 esborcinar] [F.: orig. obsc.]

esbordoar (es.bor.do.*ar*) *v. td.* Bater ou golpear em (ger. com bordão, bastão, cajado etc.); dar bordoadas em: *Esbordoou o cachorro com a bengala.* [▶ 16 esbordoar] [F.: *es-* + *bordão* + *ar*².]

esbórnia (es.*bór*.ni:a) *sf.* 1 Reunião, festa, encontro etc. marcados pela conduta desregrada, não raro a orgia 2 Orgia sexual; FARRA; PÂNDEGA [F.: Do it. *sbornia.*]

esboroamento (es.bo.ro.a.*men*.to) *sm.* Ação ou resultado de esboroar(-se); ESBOROO [F.: *esboroar* + *-mento.* Ideia de: *bro-.*]

esboroar (es.bo.ro.*ar*) *v.* 1 Reduzir(-se) a pó ou a pedaços, a escombros; DESMORONAR [*td.*: *A ação erosiva do mar esboroou a falésia.*] [*int.*: *O prédio esboroou(-se) como se fosse um castelo de cartas.*] 2 *Fig.* Ter fim, ser desfeito, aniquilado [*int.*: *O sonho da paz mundial se esboroou; Com isso, sua credibilidade se esboroou.*] [▶ 16 esboroar] [F.: *es-* + *boroa* [*broa*] + *-ar*².]

esborrachado (es.bor.ra.*cha*.do) *a.* 1 Que se esborrachou 2 Que tomou ou tem forma chata, plana; ACHATADO; ESPALMADO 3 Que se esmagou ou pisou 4 Que se estatelou no chão ou bateu contra uma superfície, ger. de modo brusco, violento [F.: Part. de *esborrachar.*]

esborrachamento (es.bor.ra.cha.*men*.to) *sm.* Ação ou resultado de esborrachar(-se) [F.: *esborrachar* + *-mento.*]

esborrachar (es.bor.ra.*char*) *v.* 1 Atingir, golpear fisicamente [*td.*: *Esborrachou a barata com o pé.*] 2 Danificar(-se) seriamente em decorrência de golpe ou colisão [*td.*: *Esborrachou o nariz na porta de vidro.*] [*int.*: *O carro se esborrachou ao bater no poste.*] 3 Cair no chão, estatelando-se [*ta.*: *Caiu da escada e se esborrachou no chão.*] 4 Agredir (alguém) fisicamente; BATER [*td.*: *O boxeador esborrachou o rosto do adversário.*] [F.: *es-* + *borracha* + *-ar*².]

esborrifar (es.bor.ri.*far*) *v.* Mesmo que *borrifar* [*int.*] [*td.*] [▶ 1 esborrifar] [F.: *es-* + *borrifar.* Hom./Par.: *esborrifo* (fl); *esborrifo* (sm.).]

esbranquiçado (es.bran.qui.*ça*.do) *a.* 1 Quase branco 2 Diz-se da cor quase branca, alvacenta 3 Que perdeu a(s) cor(es) *sm.* 4 O tom quase branco, alvacento [F.: Part. de *esbranquiçar.*]

esbranquiçamento (es.bran.qui.ça.*men*.to) *sm.* Ação ou resultado de esbranquiçar; EMBRANQUECIMENTO: *o esbranquiçamento de um verniz.* [F.: *esbranquiçar* + *-mento.* Ideia de: *branc-.*]

esbranquiçar (es.bran.qui.*çar*) *v. td.* Tornar meio branco ou mais branco; EMBRANQUECER [▶ 12 esbranquiçar] [F.: *es-* + *branco* + *-içar.*]

esbraseado (es.bra.se.*a*.do) *a.* 1 Convertido em brasa: "...ajoelhado diante de uma fogueira aparentemente apagada, procura o graveto esbraseado." (Ledo Ivo, *Ninho de cobras*) 2 Muito aquecido 3 *Fig.* Que se mostra avermelhado; CORADO; ENRUBESCIDO: "E recuou espavorido, ante a fealdade com que ela lhe reaparecia, dura esbraseada de orgulho, toda intumescida de pecado." (Eça de Queiroz, *Últimas páginas*) 4 Dominado pela pressa; APRESSADO; ESFOGUEADO; SÔFREGO [F.: Part. de *esbrasear.* Sin. ger.: *abraseado.* Ideia de: *bras-.*]

esbrasear (es.bra.se.*ar*) *v.* 1 Pôr ou ficar em brasa; ESQUENTAR(-SE) [*td.*: "O meu coração morre de cansaço, a febre esbraseia-me o corpo" (Sanches de Frias, *Quadros à pena*)] 2 Tornar corado, esbraseado; RUBORIZAR [*td.*: *O elogio a queima-roupa esbraseou seu rosto.*] 3 *Fig.* Causar excitação; INFLAMAR [*td.*: *A dança do ventre esbraseava a plateia.*] 4 *Fig.* Fazer-se da cor da brasa [*int.*: *A rocha esbraseava sob a luz do sol.*] [▶ 13 esbrasear] [F.: *es-* + *brasa* + *-ear.*]

esbravejar (es.bra.ve.*jar*) *v.* 1 Falar alto ou aos gritos, com raiva, com animosidade intensa; VOCIFERAR [*td.*: *esbravejar insultos*] [*tr.* + *contra*: *Esbravejava contra a injustiça social.*] [*int.*: *Esbravejava por qualquer motivo.*] 2 *P.ext. Fig.* Mostrar-se bravo, furioso, feroz, tumultuoso; estar ou ficar em grande agitação, ger. com muito ruído; ESBRAVECER [*int.*: *O animal, molestado, esbravejou; A tempestade esbravejou por toda a noite.*] [▶ 1 esbravejar] [F.: *es-* + *bravo* + *-ejar.* Tb. *bravejar.*]

esbregue (es.*bre*.gue) *Bras. Pop. sm.* 1 Repreensão rigorosa; BRONCA; CARÃO; DESCOMPOSTURA; ESCULHAMBAÇÃO: *Recebeu um esbregue do diretor.* 2 Situação tumultuada, confusa; CONFUSÃO; ROLO: *O show acabou em esbregue.* 3 Que é de baixa qualidade; ORDINÁRIO; RELES; VAGABUNDO [F.: De or. obsc.]

esbugalhado (es.bu.ga.*lha*.do) *a.* Diz-se de olho muito saliente ou muito aberto: "Perfeição não era; ao contrário, os olhos saíram esbugalhados..." (Machado de Assis, *Dom Casmurro*) [F.: Part. de *esbugalhar.*]

esbugalhar (es.bu.ga.*lhar*) *v. td.* 1 Tirar os bugalhos de 2 Abrir desmedidamente (os olhos) [▶ 1 esbugalhar] [F.: *es-* + *bugalho* + *-ar*².]

esbulhado (es.bu.*lha*.do) *sm.* 1 Pessoa esbulhada *a.* 2 Privado da posse de algo por logro ou pela força; DESPOJADO; ESPOLIADO [F.: Part. de *esbulhar.* Ideia de: *espoli-.*]

esbulhar (es.bu.*lhar*) *v.* 1 Agir desonestamente, causando a (alguém) a perda de posses, direitos, privilégios etc.; ESPOLIAR; USURPAR [*tdr.* + *de*: *Esbulhou a irmã de sua herança.*] 2 Apossar-se ilegalmente do que não lhe pertence [*td.*: *O advogado esbulhava as pobres viúvas.*] [▶ 1 esbulhar] [F.: Do lat. pop. *spoliare.* Hom./Par.: *esbulho* (fl. de *esbulhar*), *esbulho* (sm.).]

esbulho (es.*bu*.lho) *sm.* 1 *Jur.* Ação de esbulhar, de usurpar alguém de coisa que tenha propriedade ou posse 2 Aquilo que se esbulhou [F.: Dev. de *esbulhar.*]

esburacado (es.bu.ra.*ca*.do) *a.* Cheio de buracos [F.: Part. de *esburacar.*]

esburacamento (es.bu.ra.ca.*men*.to) *sm.* Ação ou resultado de esburacar(-se): *O esburacamento das rodovias exige ação imediata.* [F.: *esburacar* + *-mento.* Ideia de: *burac-.*]

esburacar (es.bu.ra.*car*) *v.* 1 Fazer buracos em; FURAR [*td.*: *As rajadas de tiro esburacaram a lataria do carro.*] 2 Ficar cheio de buracos [*int.*: *Com a chuva de granizo, nossa barraca esburacou-se.*] [▶ 11 esburacar] [F.: *es-* + *buraco* + *-ar*².]

esburgar (es.bur.*gar*) *v. td.* 1 Tirar a casca de; DESCASCAR 2 Tirar a carne (dos ossos); tornar descarnado; DESCARNAR [▶ 14 esburgar] [F.: Do lat. *expúrgo, as, ávi, átum, áre.*]

escabeche (es.ca.*be*.che) [é] *sm.* 1 *Cul.* Molho ou conserva feita com cebolas, tomates, azeite, vinagre etc., para peixe ou carne 2 *Fig.* Ornato para encobrir defeitos; DISFARCE 3 *Pop.* Distúrbio, algazarra, confusão [F.: Do ar. vulg. **iskebedj.*]

escabelado (es.ca.be.*la*.do) *a.* Ver *descabelado* [F.: Part. de *escabelar.* Ideia de: *cabel-.*]

escabelo (es.ca.*be*.lo) [ê] *sm.* 1 Arca ou baú comprido cuja tampa serve de banco, ger. com encosto e braços 2 Banco baixo com um ou mais assentos 3 Pequeno banco ou estrado para descansar os pés [Pl.: *ê.*] [F.: Do lat. *scabellum, i.* Hom./Par.: *escabelo* (sm.), *escabelo* (fl. de *escabelar*).]

escabichar (es.ca.bi.*char*) *v. td.* 1 Investigar, examinar minuciosamente (coisas pequenas); ESCARAFUNCHAR 2 Efetuar sondagens: "Talentos de sociedade, vivezas de lagartixa, não tem, mas quem o escabicha acha-lhe profundidade" (Castilho, *Doente de cisma*) 3 Esgaravatar (os dentes) com palito ou objeto de forma similar [▶ 1 escabichar] [F.: De orig. contrv. Hom./Par.: *escambichar* (todos os tempos do v.).]

escabiose (es.ca.bi.o.se) *Med. sf.* Doença contagiosa, caracterizada por prurido intenso e erupções cutâneas, causada pelo ácaro *Sarcoptes scabiei* em seres humanos e por ácaros diversos em animais; SARNA *Bras. Pop.*; PEREBA; PIRA; JERERÉ [F.: Do lat. *scabies* 'sarna' + *-ose*¹. Hom./Par.: *escabiose* (sf.), *escabiosa* (sf.).]

escabreado (es.ca.bre.*a*.do) *a.* 1 *Bras.* Desconfiado, receoso, esquivo, ressabiado 2 Zangado, mal-humorado, agastado 3 *BA* Encabulado, acanhado [Ant.: *à vontade, desembaraçado.*] 4 *S.* Arrependido, escaldado, escarmentado [F.: Part. de *escabrear.*]

escabrear (es.ca.bre.*ar*) *v.* 1 Tornar(-se) aborrecido, irritado; ENFURECER(-SE); ZANGAR(-SE) [*td.*: *Os tiros do caçador escabrearam o tigre.*] [*int.*: *O cachorro escabreou-se e quase mordeu seu dono.*] 2 *BA* Fazer ficar ou ficar envergonhado, acanhado [*td.*: *A presença da dançarina escabreou o garoto.*] [*int.*: *Ele escabreou-se e ficou encolhido.*] 3 *Bras.* Tornar(-se) desconfiado, retraído, receoso [*td.*: *Escabreou a moça ao tocar-lhe a perna.*] [*int.*: *Escabreou-se quando o homem piscou o olho para ela.*] 4 Desviar-se da manada; fazer-se arredio [*int.*: *O bezerro assustado escabreou.*] [▶ 13 escabrear] [F.: *es-* + *cabra* + *-ear*².]

escabrosidade (es.ca.bro.si.*da*.de) *sf.* 1 Qualidade do que é escabroso; ASPEREZA; INGREMIDADE: *a escabrosidade de um terreno.* 2 *Fig.* Falta de decoro; DESONESTIDADE; INDECÊNCIA: "É uma escabrosidade fazer propaganda travestida de matéria jornalística." (*Observatório da imprensa*, 15.8.2001) 3 *Fig.* Dificuldade, empecilho, obstáculo [F.: *escabroso* + *-(i)dade.*]

escabroso (es.ca.*bro*.so) [ô] *a.* 1 Oposto ao decoro, às conveniências (assunto escabroso); ESCANDALOSO; INDECOROSO [Ant.: *decente, decoroso.*] 2 *Fig.* Difícil, custoso, árduo 3 Que não é liso; ÁSPERO 4 Pedregoso, escarpado: "...lutando com as dificuldades da ascensão do íngreme e escabroso caminho, que torneava o monte..." (Júlio Dinis, *A morgadinha dos canaviais*) [Fem. e pl.: [ó].] [F.: Do lat. *scabrosus.*]

escabujar (es.ca.bu.*jar*) *v. int.* Debater-se, sacudindo os pés e as mãos; ESTREBUCHAR [▶ 1 escabujar] [F.: De orig. contr.]

escachar (es.ca.*char*) *v. td.* 1 Fender, abrir ou rachar pelo meio, à força; FENDER; RACHAR: *Escachou o velho baú com um golpe de machado.* 2 Abrir muito, afastando uma parte da outra: *escachar as pernas.* 3 *Fig.* Meio de alguém se elevar ou obter alguma coisa; CONFUNDIR; EMBATUCAR 4 *BA* Entre os baleeiros, o ventre da baleia [▶ 1 escachar] [F.: De or. contrv., talvez do lat. **exquassiare.*]

escada (es.*ca*.da) *sf.* 1 Obra de alvenaria, madeira, ferro etc., disposta em uma série de degraus, por onde se sobe ou desce para chegar a outros andares de uma construção 2 Estrutura móvel composta de dois banzos (vigas verticais) entre os quais se prendem barras horizontais, a igual distância umas das outras, que constituem os degraus, pelos quais se sobe para alcançar posição elevada (e pelos quais se pode depois descer). Pode ser constituída de uma peça só, que se apoia em algo fixo, ou de peça articulada em V invertido, com apoio no solo 3 *Fig.* Meio do qual alguém se utiliza para conseguir, alcançar algo: *Usou o prestígio do pai como escada para conseguir o emprego.* 4 *BA* Entre os baleeiros, o ventre da baleia 5 No turfe, sistema de aposta no qual se aumenta ou diminui de uma unidade cada aposta em relação à anterior, de acordo com os resultados [F.: Do lat. *scala* pelo baixo lat. *scalata.*] ▪▪ **~ de caracol** Escada na qual os degraus se sucedem num movimento helicoidal, em torno de um eixo imaginário vertical **~ rolante** Escada montada sobre uma esteira, que um mecanismo a motor faz girar num sentido ou no outro, fazendo com que os degraus se movam para cima ou para baixo

escadaria (es.ca.da.*ri*:a) *sf.* 1 Série de escadas em diferentes lances, ger. separados por patamares 2 Escada longa e/ou larga, ger. em ambientes nobres ou suntuosos 3 Sucessão de degraus naturais ou improvisados, ou escavados etc.: *Desceu por uma escadaria aberta na rocha.* [Sin. nas acps. 1 e 2: *escadório.*] [F.: *escada* + *-aria.*]

escadeirar (es.ca.dei.*rar*) *v. td.* Mesmo que *descadeirar* [▶ 1 escadeirar] [F.: *es-* + *cadeira* + *-ar*.]

escafandrista (es.ca.fan.*dris*.ta) *s2g.* Mergulhador que usa escafandro [F.: *escafandro* + *-ista*.]

escafandro (es.ca.*fan*.dro) *sm.* Vestimenta impermeável, provida de aparelho respiratório, us. para trabalhos demorados de mergulhador no fundo da água [F.: Do gr. *skáphe*, 'barco' + *andrós*, 'homem', pelo fr. *scaphandre*.]

escafeder-se (es.ca.fe.*der*-se) *v. int.* **1** *Pop.* Escapar, fugir apressadamente; ESGUEIRAR-SE; SAFAR-SE: *Escafedeu-se para não pagar a conta.* **2** Sumir, desaparecer sem deixar rastro: *Fugiu da prisão e escafedeu-se, ninguém mais o viu.* [▶ 2 escafeder-se] [F.: De orig. obsc.]

◎ **escaf(o)-** *el. comp.* = 'barco': *escafandro, escafoide; aeróscafo, batiscafo, batíscafo, piróscafo* [F.: Do gr. *skáphos, eos, ous*, 'objeto escavado'; 'barco'. A melhor prosódia para voc. com este elemento como pospositivo é a proparoxítona; há, porém, em alguns casos, flutuação da tônica.]

escafoide (es.ca.*foi*.de) *a2g.* **1** Que tem a forma do casco de um barco; NAVICULAR *sm.* **2** *Anat.* Osso da mão, o maior da primeira série do carpo **3** *Anat.* Osso do pé, na parte interna do tarso [F.: Do gr. *skaphoeidés*, pelo fr. *scaphoïde*. Ver *escaf(o)-* e *-oide*.]

escafópode (es.ca.*fó*.po.de) *Zool. sm.* **1** Espécime dos escafópodes, classe de moluscos bentônicos, que apresentam concha tubular semelhante a uma presa de elefante e vivem enterrados na areia, em profundidades de até 1800 m *a2g.* **2** Ref. ou pertencente aos escafópodes [F.: Adaptç. do lat.cient. *Scaphopoda*; ver *escaf(o)-* e *-pode*.]

escala (es.*ca*.la) *sf.* **1** Linha dividida em partes iguais que mostra a relação entre as distâncias ou dimensões reais de objetos, lugares etc. e as distâncias ou dimensões representadas em um plano: *mapa em escala 1/1000, isto é, 1 mm por 1 m.* **2** Local onde param aeronaves ou embarcações em trânsito, entre seu ponto de partida e seu destino, para embarque e desembarque: "Esta ilha pequena, que habitamos,/ É em toda esta terra certa escala / De todos os que as ondas navegamos..." (Camões, *Os lusíadas*) **3** Tempo que dura esta parada **4** Tabela que indica os horários de trabalho de um quadro de empregados: *escala do plantão médico.* **5** *Fig.* Sequência de níveis ou graus em ordem de importância (escala de valores, escala social); HIERARQUIA **6** *Mús.* Sucessão de sons musicais numa oitava, relacionados por intervalos variáveis **7** *Fís.* Graduação de um instrumento de medida que corresponde à grandeza que ele mede **8** Instrumento de medida com escala (7), us. em desenho técnico; ger. em forma de prisma triangular com duas escalas (7) em cada aresta, uma de cada lado **9** *Ant.* Ver *escada* (1, 2) [F.: Do lat. *scala*. Hom./Par.: *escala* (sf.), *escala* (fl. de *escalar*).] ▪ **Em grande ~** Em grande quantidade [Unidade: grau Celsius (°C).] **~ absoluta de temperatura** *Fís.* Ver *Escala internacional de temperatura* **~ Celsius** *Fís.* Escala para a medição de temperatura na qual, à pressão de 1 atm, o ponto de fusão do gelo é marcado como zero grau, e o ponto de ebulição da água como 100 graus; escala centesimal; escala centígrada **~ centesimal** *Fís.* Ver *Escala Celsius* **~ centígrada** Ver *Escala Celsius* **~ cromática** *Mús.* Escala formada por semitons **~ de cor** *Art.gr.* Conjunto das provas de cada cor, com suas gradações, numa impressão policrômica **~ de Beaufort** *Met.* Escala das velocidades do vento **~ de Richter** *Geof.* Escala logarítmica que mede as intensidades de abalos sísmicos **~ diatônica** *Mús.* Escala de sete tons em sua ordem natural (p.ex.: dó, ré, mi, fá, sol, la, si; ou fá, sol, lá, si, do, ré mi etc.) a intervalos de tom e semitom **~ Fahrenheit** *Fís.* Escala para a medição de temperatura na qual, à pressão de 1 atm, o ponto de fusão do gelo é marcado como 32 graus, e o ponto de ebulição da água como 212 graus; escala centesimal; escala centígrada [Unidade: grau Fahrenheit. Tb. apenas *Fahrenheit*.] **~ harmônica** *Mús.* Escala menor na qual a sétima nota é elevada em meio tom **~ internacional de temperatura** *Fís.* Escala de temperatura na qual o ponto em que a pressão do gás ideal é zero é marcado como zero, e o ponto triplo da água (ponto no qual a água em estado líquido, o gelo e o vapor coexistem em equilíbrio) é fixado como 273,16; escala Kelvin [Unidade: kelvin. Símb.: *K*] **~ Kelvin** *Fís.* Ver *Escala internacional de temperatura* **~ maior** *Mús.* Escala que segue os mesmos intervalos da escala dos sons naturais a partir de dó, ou seja, escala diatônica na qual os semitons ocorrem entre a terceira e quarta notas, e entre a sétima e a oitava **~ melódica** *Mús.* Escala formada a partir da escala menor harmônica pela elevação da sexta nota em meio tom na subida, assumindo a tonalidade menor natural na descida **~ menor** *Mús.* Escala diatônica na qual os semitons ocorrem entre a segunda e a terceira e entre a quinta e a sexta notas **~ Réaumur** *Fís.* Escala de temperatura na qual a temperatura de congelamento da água equivale a 0 e a temperatura de ebulição da água equivale 80 [Unidade: *grau Réaumur*. Símb.: *°R*.] **~ técnica** *Avi.* Escala necessária, não para embarque ou desembarque de passageiros **Fazer ~ em** Deter-se (meio de transporte) em ponto intermediário entre o de partida e o de chegada final num roteiro

escalabilidade (es.ca.la.bi.li.*da*.de) *sf.* Propriedade de um sistema qualquer que lhe confere a capacidade de aumentar seu desempenho sob carga, quando mais recursos (esp. *hardware*, no caso de computadores) são acrescentados a esse sistema [F.: *escala* + *-bil-* + *(i)dade*. Ideia de: *e scal(i/o)-*.]

escalação (es.ca.la.*ção*) *sf.* **1** Ação ou resultado de escalar **2** *Esp.* Determinação dos jogadores que irão compor um time: *a escalação da seleção brasileira.* [Pl.: *-ções*.] [F.: *escalar* + *-ção*. Ideia de: *escal(i/o)-*.]

escalada (es.ca.*la*.da) *sf.* **1** Ação de escalar[2]; ESCALAMENTO **2** *Esp.* Atividade esportiva que consiste em subir ao topo de montanhas ou rochas íngremes, usando equipamento adequado; ALPINISMO; MONTANHISMO **3** *Esp.* Esporte que consiste em subir paredes esp. construídas com ressaltos que simulam os das rochas e servem de apoio para mãos e pés **4** *Fig.* Aumento progressivo (escalada de preços): "...buscar soluções para a escalada de criminalidade que o tráfico de drogas patrocina..." (*IstoÉ*, 13.4.2005) **5** Intensificação de conflito ou de embate armado, agravamento de crise **6** Incremento de atividade bélica com envio de mais tropas, armamento, munições etc. [F.: Do it. *scalata*, posv. pelo fr. *escalade*.]

escalado[1] (es.ca.*la*.do) *a.* **1** Que se alcançou por meio de escalada: *O alpinista só havia escalado montanhas mais baixas.* **2** Indicado para determinado posto ou tarefa: *O ministro foi escalado para responder aos jornalistas.* **3** *Esp.* Escolhido para integrar uma equipe esportiva: *O estreante foi escalado para o próximo jogo.* [F.: Part. de *escalar*. Ideia de: *escal(i/o)-*.]

escalado[2] (es.ca.*la*.do) *a.* Diz-se do peixe aberto, limpo e salgado [F.: Part. de *escalar*[2]. Ideia de: *cal-*.]

escalador (es.ca.la.*dor*) [ô] *a.* **1** Que escala montanhas, encostas etc. **2** Que rouba, assalta, saqueia **3** Que escala (limpa, estripa e salga) peixe (esp. em indústria de conservas) *sm.* **4** Indivíduo escalador [F.: *escalar*[2] + *-dor*.]

escalafobético (es.ca.la.fo.*bé*.ti.co) *a.* **1** Esquisito, excêntrico, extravagante [Ant.: *comum, trivial*.] **2** Desajeitado, desengonçado [Ant.: *elegante, gracioso*.] [F.: Palavra expressiva, de or. pop. Ver *-ético*.]

escalão (es.ca.*lão*) *sm.* **1** Cada um dos pontos, graus, posições etc. que se sucedem em uma série progressiva ou hierárquica; GRAU; NÍVEL **2** *Fig.* Conjunto de posições, pontos etc. que ocupam o mesmo grau numa hierarquia: *Pertencia ao segundo escalão do governo.* **3** Plano por onde se sobe ou desce; DEGRAU **4** Cada agrupamento de uma tropa que ocupa certo lugar numa formação diante do inimigo (um mais avançada, outro a segui-lo etc.), de modo a se apoiarem e sustentarem [Pl.: *-lões*.] [F.: *escala* + *-ão*[1].]

escalar[1] (es.ca.*lar*) *v.* **1** Subir (montanha ou elevação íngreme), ger. até o topo [*td.*: *A nossa próxima aventura será escalar o Pão de Açúcar.*] **2** *Esp.* Determinar os jogadores que irão compor (equipe esportiva) [*td.*: *Escalaram um time de primeira linha.*] **3** Designar (pessoas) para realizar tarefas, ger. em horários distintos [*td.*: *O chefe da emergência escalou duas enfermeiras.*] **4** Convocar (alguém) a fazer parte de elenco, grupo de trabalho etc. [*td.*: *O diretor só escalou atores muito experientes.*] **5** Progredir por etapas, de modo a atingir níveis cada vez mais altos [*td.*: *A inflação escalou dois pontos percentuais ao longo dos últimos meses; Escalou altas posições no governo federal.*] **6** *Bras.* Apossar-se de (algo) por meios ilegais; ROUBAR [*td.*] **7** Invadir (lugar fortificado com muros ou muralhas) com auxílio de escadas [*td.*] **8** Fazer escala (2) [*ta.*: *O barco escala em vários portos.*] **9** Desencadear ações que visam destruir (algo); ASSOLAR [*td.*] [▶ 1 escalar] *a2g.* **10** Que se representa por meio de escala (5) (tabela escalar) **11** Que tem uma série de degraus, escalões etc. **12** *Fís.* Diz-se de grandeza que só se apresenta e representa por sua magnitude (por não ter direção, movimento etc.), como temperatura, densidade, massa etc. [F.: *escala* + *-ar*[2] (para defs. de 1 a 9), *escala* + *-ar*[1] (para defs. de 10 a 12). Hom./Par.: *escala* (fl. de *escalar*), *escalas* (fl. de *escalar*), *escala* (sf.), *escalas* (pl.), *escalo* (fl. de *escalar*), *escalo* (sm.).]

escalar[2] (es.ca.*lar*) *v. td.* Limpar, estripar e salgar (um peixe) [▶ 1 escalar] [F.: *es-* + *calar*[3].]

escalar[3] (es.ca.*lar*) *a2g.* **1** Que se representa por ou que se apresenta com escala, com série de níveis, degraus etc. (gráfico escalar) **2** *Fís.* Que se representa (grandeza) ou pode ser representada apenas por um número que representa a magnitude, sem influência de sentido, direção etc. *sf.* **3** *Fís.* Grandeza, quantidade escalar (2) [F.: Do lat. *scalaris*.]

escalável (es.ca.*lá*.vel) *a2g.* **1** Que se pode escalar (montanha escalável) **2** *Inf.* Diz-se de um sistema cujo desempenho aumenta com o acréscimo de *hardware* proporcionalmente à capacidade acrescida: *base de dados escalável.* [Pl.: *-veis*.] [F.: *escalar* + *-vel*. Ideia de: *escal(i/o)-*.]

escalavrado (es.ca.la.*vra*.do) *a.* **1** Esfolado, arranhado (joelho escalavrado) **2** Cuja superfície está arruinada, esburacada (parede escalavrada): "Descomposta, com o escalavrado flanco exposto ao sol, [a pedreira] erguia-se altaneira e desassombrada..." (Aluísio Azevedo, *O cortiço*) **3** Arruinado, deteriorado (fígado escalavrado) [F.: Part. de *escalavrar*.]

escalavrar (es.ca.la.*vrar*) *v. td.* **1** Ferir a pele de; ESCORIAR; ESFOLAR: *Escalavrou os pés nos recifes de coral.* **2** Danificar, esburacar (paredes) **3** Causar a deterioração de; ARRUINAR: *O excesso de sol escalavra a pele.* [▶ 1 escalavrar] [F.: Do espn. *descalabrar*, com mudança do pref. *des-* para *es-*.]

escaldado (es.cal.*da*.do) *a.* **1** Posto em água fervente (bacalhau escaldado) **2** Em que se jogou água fervente (louça escaldada) **3** *Fig.* Que aprendeu uma lição com os reveses e sofrimentos; ESCARMENTADO: *Gato escaldado (até) de água fria tem medo.* *sm.* **4** *Bras. Cul.* Pirão que se faz pondo-se, sem mexer, caldo fervente de peixe ou carne sobre farinha de mandioca [F.: Part. de *escaldar*.]

escaldante (es.cal.*dan*.te) *a2g.* Que escalda, que esquenta demasiadamente (calor escaldante); ESCALDADOR [F.: *escaldar* + *-nte*. Ideia de: *cal-*.]

escalda-pés (es.cal.da-*pés*) *sm2n.* Banho quente, de imersão, nos pés [F.: *escaldar* (na 3ª pess. sing. pres. ind.) + pl. de *pé*.]

escaldar (es.cal.*dar*) *v.* **1** Ficar muito quente ou queimar por ação de líquido ou vapor muito quentes, ou por contato com qualquer coisa muito quente **2** Pôr em água fervente, para limpar, desinfetar etc. [*td.*: *Escaldou a louça da cozinha.*] **3** Tornar(-se) muito quente [*td.*: *O sol escaldava a pele dos banhistas.*] [*int.*: *O solo escaldava sob a lava que escorria.*] **4** *Cul.* Cozinhar um alimento mergulhado em água com temperos; GUISAR [*td.*: *Escaldava as cabeças de peixe para fazer o pirão.*] **5** Tornar seco, ressequido [*td.*: *O sol forte escaldou o piso de cimento.*] **6** Provocar muito calor em [*td.*: *A febre escaldava o rosto do menino.*] **7** *Fig.* Inflamar, inquietar, perturbar [*td.*: *A lembrança da humilhação escaldava sua cabeça.*] **8** Castigar, punir [*td.*: *Escaldou o moleque com umas chineladas.*] **9** Queimar-se [*tdr.* + *em*: *Escaldou-se em água muito quente.*] [▶ 1 escaldar] [F.: Do lat. *excaldare*. Hom./Par.: *escalda* (fl. de *escaldar*), *escaldas* (fl. de *escaldar*), *escalda* (sf.), escaldas (pl.), *escaldo* (fl. de *escaldar*), *escaldo* (sm.).]

escaleno (es.ca.*le*.no) *a.* **1** *Geom.* Diz-se do triângulo que tem todos os ângulos e lados desiguais **2** *Anat.* Diz-se de cada um dos músculos que se inserem nas apófises transversas das vértebras cervicais [F.: Do gr. *skalénos*, pelo lat. tard. *scalenus*.]

escaler (es.ca.*ler*) [é] *sm. Mar.G.* Pequeno barco, movido a remo, a vela ou a motor, us. para transporte e outros serviços de um navio ou repartição marítima [F.: De or. obsc.]

escalonado (es.ca.lo.*na*.do) *a.* **1** Disposto em escalões **2** Em forma de escada **3** Que é objeto de escalonamento [F.: Part. de *escalonar*.]

escalonamento (es.ca.lo.na.*men*.to) *sm.* Ação ou resultado de escalonar(-se) [F.: *escalonar* + *-mento*.]

escalonar (es.ca.lo.*nar*) *v. td.* **1** Distribuir por grupos, categorias ou escalões: *Escalonou os boxeadores.* **2** Criar degraus em, dar forma de escada a: *Escalonou a subida do morro.* **3** Dividir ou espaçar por certo período de tempo: *escalonar uma dívida.* **4** *Mil.* Agrupar (tropas, soldados etc.) por escalão: *O comandante mandou escalonar as tropas.* [▶ 1 escalonar] [F.: Do espn. *escalonar*.]

escalonável (es.ca.lo.*ná*.vel) *a2g.* Que se pode escalonar (investimento escalonável) [Pl.: *-veis*.] [F.: *escalonar* + *-vel*. Ideia de: *escal(i/o)-*.]

escalope (es.ca.*lo*.pe) *sm.* Fatia bem fina e pequena de filé de rês ou de ave, preparada de diversas maneiras [F.: Do fr. *escalope*.]

escalpar (es.cal.*par*) *v. td.* Arrancar a pele que cobre o crânio; ESCALPELAR [▶ 1 escalpar] [F.: *escalpo* + *-ar*. Hom./Par.: *escalpo(s)* (fl.), *escalpo* (sm.); *escalpe(s)* (fl.), *escalpe* (sm. e pl.).]

escalpelado[1] (es.cal.pe.*la*.do) *a.* **1** Dissecado com escalpelo ou bisturi **2** *Fig.* Investigado minuciosamente [F.: Part. de *escalpelar*[1]. Ideia de: *esculp-*.]

escalpelado[2] (es.cal.pe.*la*.do) *a.* Que teve o couro cabeludo retirado; ESCALPAR: *A vítima foi escalpelada.* [F.: Part. de *escalpelar*[2]. Ideia de: *esculp-*.]

escalpelamento[1] (es.cal.pe.la.*men*.to) *sm.* **1** Ação ou resultado de dissecar com o escalpelo ou bisturi **2** *Fig.* Investigação, exame minucioso [F.: *escalpelar*[1] + *-mento*. Ideia de: *esculp-*.]

escalpelamento[2] (es.cal.pe.la.*men*.to) *sm.* Ação ou resultado de retirar o couro cabeludo de alguém (vítima de escalpelamento) [F.: *escalpelar*[2] + *-mento*. Ideia de: *esculp-*.]

escalpelar[1] (es.cal.pe.*lar*) *v. td.* **1** Rasgar ou dissecar com o auxílio de um escalpelo, de um bisturi: *escalpelar um cadáver/animal.* **2** *Fig.* Examinar, analisar, criticar, investigar minuciosamente: *escalpelar documentos; O perito escalpelou o local do crime.* [▶ 1 escalpelar] [F.: *escalpelo* + *-ar*[2]. Hom./Par.: *escalpelo* (fl. de *escalpelizar*), *escalpelo* [ê] (sm.).]

escalpelar[2] (es.cal.pe.*lar*) *v. td.* Tirar o couro cabeludo de; ESCALPAR: *Entre algumas tribos de índios norte-americanos, escalpelar o inimigo era uma prática comum.* [▶ 1 escalpelar] [F.: De orig. duv.]

escalpelo (es.cal.*pe*.lo) [ê] *sm. Cir.* Bisturi de um ou dois gumes, us. para fazer dissecações [Pl.: *ê*.] [F.: Do lat. *scalpellum*. Hom./Par.: *escalpelo* (sm.), *escalpelo* (fl. de *escalpelar*).]

escalpo (es.*cal*.po) *sm.* Couro cabeludo arrancado do crânio, que para algumas tribos de indígenas norte-americanos era um troféu de guerra [F.: Posv. do ing. *scalp*. Hom./Par.: *escalpo* (sm.), *escalpo* (fl. de *escalpar*).]

escalvado (es.cal.*va*.do) *a.* **1** Sem cabelos; CALVO; CARECA [Ant.: *cabeludo*.] **2** *Fig.* Sem vegetação; ÁRIDO; ESTÉRIL: "Feitas de granito e de vales escalvados, elas [as margens do Douro] eram pardacentas ou lívidas." (Eça de Queirós, *Notas contemporâneas*) [Tb. se diz *descalvado*.] *sm.* **3** *PA* Na ilha de Marajó, pastagem de capim, entre dois aningais [F.: Part. de *escalvar*. Sin. ger.: *descalvado*.]

escama (es.*ca*.ma) *sf.* **1** *Anat. Zool.* Cada uma das lâminas delgadas que recobrem o corpo de alguns peixes e répteis **2** *Med.* Partícula de pele que se desprende espontaneamente devido a certas doenças **3** *P.ext.* Qualquer coisa em forma de escama (1): *manto coberto de escamas de ouro.* **4** *Bot.* Qualquer órgão em forma de lâmina, pequenino e similar às escamas dos peixes e répteis, encontrado em várias partes das plantas 5 *Zool.* Cobertura, ger. escamiforme, que reveste o corpo dos insetos homópteros coccídeos, segregada por eles 6 *Pext. Zool.* Ver *cochonilha* 7 *Zool.* Cada uma das placas que recobrem o pé das aves 8 Qualquer coisa parecida com uma escama: *As folhas caídas formavam no chão um tapete de escamas.* [F.: Do lat. *squama.* Hom./Par.: *escama* (sf.), *escama* (fl. de *escamar*). Ideia de 'escama': *escam-*, 'escamiforme', *lepid(o)-* 'lepidóptero'; *-lépide*, 'polilépide'.]

escamação (es.ca.ma.*ção*) *sf.* 1 Ação ou resultado de escamar; DESCAMAÇÃO 2 *Bot.* Doença que ataca certas plantas 3 *Fig.* Zanga, ira, cólera [Pl.: *-ções.*] [F.: *escamar* + *-ção.*]

escamado¹ (es.ca.*ma*.do) *a.* 1 Ref. aos escamados (5) 2 *Fig.* Zangado, irritado 3 *Bras.* Escolado, experiente, escovado 4 *Zool.* Ref. aos escamados *sm.* 5 *Zool.* Espécime dos escamados, ordem de répteis que inclui as serpentes e lagartos, cujos corpos são cobertos ger. por escamas, com ou sem membros, e com órgão copulador duplo [F.: Part. de *escamar.*]

escamado² (es.ca.*ma*.do) *a.* 1 *Fig.* De que se tiraram as escamas (peixe escamado) 2 *Fig.* Que se zangou, encolerizou; QUEIMADO; ESQUENTADO [F.: Part. de *escamar.*]

escamadura (es.ca.ma.*du*.ra) *sf.* Ação ou resultado de escamar; DESCAMAÇÃO; ESCAMAÇÃO [F.: *escama* + *-dura.* Ideia de: *escam-.*]

escamar (es.ca.*mar*) *v.* 1 Retirar as escamas de (ger. peixe); DESCAMAR [*td.*: *Escamou o peixe antes de abri-lo.*] 2 Ficar irritado ou ofendido [*td.*: *Escamou as mãos tentando limpar a sujeira.*] [*int.*: *Suas mãos se escamaram por alergia ao detergente.*] 3 Dar o fora; escapar, fugir [*int.*: *Quando a polícia apareceu, o ladrão escamou(-se).*] 4 *Fig.* Ficar irritado ou ofendido; IRRITAR-SE; OFENDER-SE [*int.*: *Escamou-se com meu comentário.*] [▶ 1 escamar] [F.: *escama* + *-ar²*. Hom./Par.: *escama* (fl. de *escamar*), *escamas* (fl. de *escamar*), *escama* (sf.), *escamas* (pl.).]

escambau (es.cam.*bau*) *sm. Bras. Pop.* Série de coisas ou de outras coisas não citadas: *Na festa vão tocar rock, samba, o escambau.* [F.: De or. obsc.; posv. de *cambada.*] ■ **E o ~** *Bras. Gír.* E ainda mais coisas: *Comprou comida, bebida, artigos de higiene, material de cozinha e o escambau.* **O ~** *Bras. Gír.* Ver *E o escambau.*

escambo (es.*cam*.bo) *sm.* 1 Troca de mercadorias por outras, sem uso de dinheiro: "A Índia era apenas comércio, escambo de mercadoria, ouro contra pimenta." (Afrânio Peixoto, *Maias e Estevas*) 2 *P. ext.* Qualquer troca [F.: Posv. por **escâmbio*, de *es-* + *câmbio.*]

escamiforme (es.ca.mi.*for*.me) *a2g.* 1 Que possui forma de escama 2 *Bot.* Diz-se de folha naturalmente muito pequena e triangular 3 *Fig.* Diz-se do que ou de quem provoca aversão, repugnância, antipatia [F.: *escama* + *-i-* + *-forme.* Ideia de: *escam-.*]

escamoso (es.ca.*mo*.so) [ô] *a.* 1 Cheio, coberto de escamas 2 *Bot.* Provido de escamas; LEPIDOTO [Cf.: *esquarroso.*] 3 *SP Pop.* Diz-se de indivíduo difícil de lidar, inamistoso, desagradável [Sin. nas acps. 1 e 2: *escamento, escamífero, escamígero.*] 4 *Anat.* Diz-se de cada um dos dois ossos posterolaterais do crânio, com os quais se articula a mandíbula [Fem. e pl.: [ó].] [F.: Do lat. *squamosus.*]

escamoteação (es.ca.mo.te.a.*ção*) *sf.* 1 Ação de escamotear 2 Furto hábil, sutil [Pl.: *-ções.*] [F.: *escamotear* + *-ção.*]

escamoteado (es.ca.mo.te.*a*.do) *a.* 1 Que se escamoteou, que se fez desaparecer, a que se deu sumiço 2 Encoberto mediante evasivas e rodeios (diz-se de fato, verdade) 3 Furtado, surrupiado 4 *Pext.* Subtraído (à razão): *Os sofrimentos eram escamoteados.* [F.: Part. de *escamotear.*]

escamoteador (es.ca.mo.te:a.*dor*) [ô] *sm.* 1 Indivíduo escamoteador (4) 2 Pessoa com habilidade na prática de roubos e furtos; LARÁPIO 3 *Vet.* Local próprio para abrigar leitões recém-nascidos *a.* 4 Que escamoteia 5 Diz-se daquele que rouba e furta habilmente; LARÁPIO [F.: *escamotear* + *-dor.*]

escamoteamento (es.ca.mo.te:a.*men*.to) *sm.* Ação ou resultado de escamotear: "Não havia escamoteamento ou maquiagem para esconder lucros ou prejuízos." (*O Globo*, 18.5.1997) [F.: *escamotear* + *-mento.*]

escamotear (es.ca.mo.te.*ar*) *v.* 1 Dar sumiço a, ocultar, fazer desaparecer de vista sem que se perceba como [*td.*: *No carteado, o jogador escamoteou o rei de copas.*] 2 Encobrir, esconder (um fato etc.) com rodeios [*td.*: *Mentiu e escamoteou informações.*] 3 Furtar, roubar [*td.*: *O punguista escamoteou-lhe a carteira.*] 4 Escapar de modo sorrateiro [*int.*: *Aproveitou a confusão para escamotear-se.*] [▶ 13 escamotear] [F.: Do fr. *escamoter.*]

escamoteável (es.ca.mo.te.*á*.vel) *a2g.* Que se pode escamotear: *apoio para pés escamoteável.* [Pl.: *-veis.*] [F.: *escamotear* + *-vel.*]

escampado (es.cam.*pa*.do) *sm.* 1 Lugar desabrigado e desabitado; DESCAMPADO: "Naquele escampado onde não se via ao sol o verde escuro das matas..." (Afonso Arinos, "Assombramento – História do sertão", *in O conto fantástico*) *a.* 2 Desabitado, aberto, sem árvores; DESCAMPADO 3 Diz-se do que é largo, vasto (fronte escampada) 4 Diz-se do tempo estiado depois de um aguaceiro; ESCAMPO [F.: Part. de *escampar.* Ideia de: *camp-.*]

escanção (es.can.*ção*) *sm.* 1 Aquele que serve o vinho aos convidados; DESCANÇÃO 2 *Lus.* Em restaurantes, profissional responsável pelos vinhos e outras bebidas alcoólicas; SOMMELIER 3 *Ant.* Copeiro que servia vinho ao rei [F.: Do fr. ant. *eschanson.*]

escâncara (es.*cân*.ca.ra) *sf.* Estado ou situação do que está à vista, evidente, patente [F.: Dev. de *escancarar.* Hom./Par.: *escâncara* (sf.), *escancara* (fl. de *escancarar*).] ■ **Às ~s** Abertamente, à vista de todos: *Confessou, às escâncaras, que a amava.*

escancarado (es.can.ca.*ra*.do) *a.* 1 Claro, evidente, patente, totalmente perceptível, que não se pretende ou se tenta ocultar: *Era um amor escancarado e ardente.* 2 Totalmente aberto, aberto de par em par (porta escancarada) [F.: Part. de *escancarar.*]

escancaramento (es.can.ca.ra.*men*.to) *sm.* Ação ou resultado de escancarar; ESCANCARAÇÃO; ESCANCARO: "Depois da revolução sexual e do escancaramento da privacidade, nada mais espanta ninguém..." (Luís Fernando Veríssimo, *in O Globo*, 29.6.2003) [F.: *escancarar* + *-mento.*]

escancarar (es.can.ca.*rar*) *v.* 1 Abrir totalmente [*td.*: *Escancarou as janelas para deixar entrar o sol.*] [*int.*: *As janelas escancararam-se com o vento.*] 2 Tornar visível ou perceptível, trazer ao conhecimento de todos; expor abertamente [*td.*: *Pressionado, escancarou suas intenções.*] [▶ 1 escancarar] [F.: De orig. obsc., posv. *es-* + *cancro* (câncaro, peça de metal das portas) + *-ar²*. Hom./Par.: *escancara* (fl. de *escancarar*), *escancaras* (fl. de *escancarar*), *escâncara* (sf.), *escâncaras* (pl.).]

escâncaras (es.*cân*.ca.ras) *sfpl.* Ver *às escâncaras*

escancaro (es.can.*ca*.ro) *sm.* 1 O mesmo que *escancaramento* 2 O que foi escancarado, exposto ou exibido [F.: Dev. de *escancarar.* Hom./Par.: *escancaro* (sm.), *escancaro* (fl. de *escancarar*).]

escancelado (es.can.ce.*la*.do) *a.* Que se escancelou; ESCANCARADO: "Os seus olhos, escancelados e febris, (...) chamejavam." (Gastão Cruls, *Amazônia misteriosa*) [F.: Part. de *escancelar.*]

escancelar (es.can.ce.*lar*) *v. td. Bras.* Abrir em demasia (os olhos, a boca) [▶ 1 escancelar] [F.: *es-* + *cancelo* + *-ar.*]

escanchado (es.can.*cha*.do) *a.* 1 Separado, aberto (pernas escanchadas) 2 Escarranchado: "Daquele passageiro, escanchado placidamente no banco lateral, escorria um fio de água..." (Carlos Drummond de Andrade, "Recalcitrante", *in De notícias e não notícias faz-se a crônica*) [F.: Part. de *escanchar.*]

escanchar (es.can.*char*) *v.* 1 Colocar separadamente, de meio a meio; ESCACHAR [*td.*: *Sentou na cadeira e escanchou as pernas.*] 2 Abrir (as pernas) para montar a cavalo; sentar-(se) em algum lugar como se montasse a cavalo [*tda.*: *escanchar-se num cavalo/numa cadeira.*] [▶ 1 escanchar] [F.: De orig. contr. Hom./Par.: *escancha(s)* (fl); *escancha* (sf. e pl.).]

escandalizado (es.can.da.li.*za*.do) *a.* 1 Que se escandalizou; CHOCADO: *Perante uma audiência escandalizada, ele confessou seus crimes.* 2 Ofendido, melindrado [F.: Part. de *escandalizar.*]

escandalizar (es.can.da.li.*zar*) *v.* 1 Causar escândalo a ou reagir com surpresa e indignação a um escândalo; ferir ou ter ferida a moral, os bons costumes (de); chocar ou ficar chocado [*td.*: *Os trajes do cantor escandalizaram o público.*] [*tr.* + com: *Escandaliza-se com a vida sexual do amigo.*] [*tdr.* + com: *Escandalizou os amigos com seu envolvimento no crime.*] [*int.*: *O único objetivo daquele comportamento era escandalizar; Escandalizou-se quando lhe contaram o caso.*] 2 Causar ou ser alvo de ofensa, melindre etc.; MELINDRAR; OFENDER [*td.*: *As palavras grosseiras escandalizaram a velhinha.*] [*tr.* + com: *Escandalizou-se com as injúrias que lhe foram dirigidas.*] [*int.*: *Depois de todas aquelas calúnias, escandalizou-se e pediu demissão do cargo.*] [▶ 1 escandalizar] [F.: Do lat. *scandalizare.*]

escândalo (es.*cân*.da.lo) *sm.* 1 Fato, situação ou acontecimento que causa perplexidade, indignação e censura públicas por serem contrários às convenções morais, éticas, sociais, religiosas etc.: *o escândalo da compra de votos.* 2 Essa indignação, repulsa etc., causadas pelo escândalo (1); TUMULTO; ESCARCÉU: *A reação do público a suas declarações só poderia mesmo ser de escândalo:* "Viu, num relance, o escândalo, a cidade galhofando, as compaixões, o seu nome pela lama." (Eça de Queirós, *Os Maias*) 3 O que pode ter como consequência um erro, um mau passo, um pecado etc. 4 Pessoa ou coisa escandalosa: *Esse decote é um escândalo!* [F.: Do gr. *skándalon*, pelo lat. *scandalum.*]

escandaloso (es.can.da.*lo*.so) [ô] *a.* 1 Que causa escândalo (comportamento escandaloso) 2 Que envolve escândalo, em que há escândalo: *É um filme escandaloso pela ousadia das cenas.* 3 Que chama atenção pelo exagero, espalhafatoso: *Vestia uma roupa escandalosa.* [Ant.: *discreto, sóbrio.*] 4 Indecente, indecoroso: *Só vestia fantasias escandalosas, que só mostravam, nada escondiam.* [Ant.: *decente, decoroso.*] 5 Condenável, censurável, vergonhoso, indecente [Ant.: *edificante, exemplar.*] 6 Que leva ao erro, ao mau passo, ao pecado 7 Que constitui um mau exemplo [Fem. e pl.: [ó].] [F.: Do lat. *scandalosus.*]

escandecer (es.can.de.*cer*) *v.* 1 Fazer ficar ou ficar em brasa; tornar(-se) muito quente [*td.*: *O fogo escandecia a lenha.*] [*int.*: *As toras de lenha escandeciam(se).*] 2 Fazer ficar ou ficar corado, avermelhado [*td.*: *O sol forte escandecia os banhistas; O mergulhador escandecia-se ao sol.*] 3 Causar ou sentir entusiasmo; inflamar(-se) [*td.*: *A condecoração escandeceu seu orgulho; O ódio escandecia seu coração.*] 4 *Fig.* Provocar revolta, raiva, cólera [*td.*: *A notícia da corrupção escandeceu o povo.*] 5 *MG S.* Causar prisão de ventre [*int.*] [▶ 33 escandecer] [F.: Do lat. *excandescere.* Sin. ger.: *escandescer.*]

escandecido (es.can.de.*ci*.do) *a.* 1 Ardente, inflamado, em brasa: "...havia sempre à noite um cheiro requentado de tijolo escandecido..." (Eça de Queiroz, *O primo Basílio*) 2 *Fig.* Entusiasmado, excitado 3 *Fig.* Enraivecido, irado 4 *Bras. S. MG* Que sofre de prisão de ventre [F.: Part. de *escandecer.*]

escandente (es.can.*den*.te) *a2g. Bot.* Diz-se de planta (ou caule) que para se desenvolver necessita apoiar-se ou prender-se a outra planta ou algum outro suporte, por enrolamento ou por meio apêndices, como gavinhas, raízes aéreas etc.; GRIMPANTE; TREPADOR [F.: Do lat. *scandens, entis.*]

escandido (es.can.*di*.do) *a.* Que se escandiu; pronunciado com destaque, separadamente: "A maneira por que eles falam (...) emitindo sílabas bem escandidas." (Gastão Cruls, *A Amazônia que eu vi*) [F.: Part. de *escandir.*]

escandinavo (es.can.di.*na*.vo) *sm.* 1 Pessoa nascida ou que vive na Escandinávia (região da Europa que abrange Dinamarca, Suécia, Noruega e Islândia) 2 *Ling.* Sub-ramo das línguas do ramo germânico da família indo-europeia, de que fazem parte o antigo nórdico, o sueco, o norueguês, o dinamarquês, o islandês e o feroico *a.* 3 *Ling.* Diz-se desse sub-ramo linguístico 4 Da Escandinávia; típico dessa região ou de seu povo [F.: Do lat. *Scandinavia*, pelo fr. *scandinave.* Sin. ger.: *nórdico.* Cf. nas acps. 2 e 3: *germânico.*]

escândio (es.*cân*.di:o) *sm. Quím.* Elemento metálico de número atômico 21 [Símb.: *Sc.*] [F.: Do ing. *scandium*, do lat. *Scandia*, 'Escandinávia'.]

escandir (es.can.*dir*) *v. td.* 1 Medir (versos) contando suas sílabas ou pés 2 Destacar as sílabas de (palavra) ao pronunciá-la: *Escandia as palavras ao falar, talvez com receio de não ser entendido.* [▶ 3 escandir] [F.: Do lat. *scandere.*]

escaneado (es.ca.ne.*a*.do) *a.* 1 *Inf.* Reproduzido por meio de escâner 2 *Med.* Varrido, esquadrinhado com escâner [F.: Part. de *escanear.*]

escaneadora (es.ca.ne:a.*do*.ra) [ô] *sf. Inf.* O mesmo que *escâner* [F.: *escanear* + *-dora.*]

escaneamento (es.ca.ne:a.*men*.to) *sm. Bras.* Ação ou resultado de escanear texto ou imagem [F.: *escanear* + *-mento.*] ■ **~ cintilográfico** *Med.* Mapeamento da variação da concentração de raios gama ao serem emitidos sobre certo tecido ou órgão para avaliação de possíveis alterações nestes

escanear (es.ca.ne.*ar*) *v. td.* 1 *Bras. Inf.* Reproduzir digitalmente (texto, desenho, gráfico etc.) com uso de um escâner: *escanear uma foto/um documento.* 2 *Med.* Obter informações minuciosas sobre (órgão do corpo) varrendo-o com um escâner: *escanear o fígado/o útero.* [▶ 13 escanear] [F.: *escan-* (do ing. *scanner*, 'pessoa ou objeto que examina, explora') + *-ear²*.]

> 🕮 Embora tecnicamente o termo 'escanear' tenha seu significado limitado à reprodução digital da 'imagem' do documento original, ger. ele abrange também a operação subsequente (ao escaneamento de textos) de OCR (*Optical Character Recognition*), que interpreta a imagem digital dos signos da escrita e os transforma em endereços de memória de um computador correspondentes a esses signos, o que faz com que a imagem óptica escaneada passe a ser um arquivo editável de texto.

escanelado (es.ca.ne.*la*.do) *a.* 1 Que tem as canelas longas e finas 2 Descarnado, escanifrado [F.: *es-* + *-canela²* + *-ado²*.]

escâner (es.*câ*.ner) *sm. Bras. Inf. Med.* Aparelho que transforma dados ou imagens captados por um feixe eletrônico em dados digitais, que podem ser reproduzidos em computador [F.: Do ing. *scanner.*]

escangalhado (es.can.ga.*lha*.do) *a.* 1 Que não está funcionando; DANIFICADO: *O relógio está escangalhado.* 2 Arruinado, destruído (sofá escangalhado) 3 *Fig.* Abalado, estragado: *Após a longa jornada, deixou cair na rede seu corpo escangalhado e adormeceu.* [F.: Part. de *escangalhar.*]

escangalhar (es.can.ga.*lhar*) *v.* Causar a destruição de, estragar(-se), quebrar(-se) [*td.*: *Tome cuidado para não escangalhar a televisão.*] [*int.*: *O brinquedo se escangalhou em poucas horas.*] [▶ 1 escangalhar Usa-se coloquialmente na expressão 'escangalhar-se de rir' para significar excesso e intensidade da ação: *Escangalhou-se de rir com as piadas.*] [F.: *es-* + *cangalho* + *-ar²*. Hom./Par.: *escangalho* (fl.), *escangalho* (sm.).]

escangotar (es.can.go.*tar*) *v. td. Bras. Pop.* Segurar (alguém) pelo cangote, ger. com intenção agressiva [▶ 1 escangotar] [F.: *es-* + *cangote* + *-ar.*]

escanhoado (es.ca.nho.*a*.do) *a.* Que se escanhoou; perfeitamente barbeado [F.: Part. de *escanhoar.*]

escanhoamento (es.ca.nho:a.*men*.to) *sm.* Ação ou resultado de escanhoar(-se) [F.: *escanhoar* + *-mento.*]

escanhoar (es.ca.nho.*ar*) *v. td.* Passar a navalha ou a lâmina em sentido contrário ao dos pelos de (barba, parte do rosto, o próprio rosto), ao se barbear (para a pele ficar bem lisa): *Pedi ao barbeiro para escanhoar o pescoço; Escanhoava-se com muito apuro.* [▶ 16 escanhoar] [F.: *es-* + *canhão* ('cano grosso da barba' sob. a f. *canhon-* com perda de nasalidade) + *-ar²*.]

escanifrado (es.ca.ni.*fra*.do) *a.* 1 *Pop.* Muito magro (corpo escanifrado); DESCARNADO; ESCANZELADO [Ant.: *anafado, gordo.*] 2 Desajeitado, desengonçado [F.: *es-* + *canifraz* + *-ado²*. Ver *can(i)-¹*.]

escanifrar (es.ca.ni.*frar*) *v. td.* Tornar muito magro, escanifrado, descarnado [▶ 1 escanifrar] [F.: *es-* + *canifra (z)* + *-ar.* Hom./Par.: *escanifre(s)* (fl); *escanifre* (s2g.e pl.).]

escaninho (es.ca.*ni*.nho) *sm.* 1 Compartimento pequeno em armários, gavetas, caixas etc. para guardar papéis ou outros objetos 2 *Pext.* Lugar escondido: "Que este mau coração meu/ nos secretos escaninhos / tem venenos tão daninhos..." (Almeida Garrett, *Folhas caídas*) [F.: *escano* + *-inho*[1].]

escansão (es.can.*são*) *sf.* **1** *Poét.* Ação ou resultado de escandir, de decompor um verso em seus componentes métricos **2** *Mús.* Subida de tom **3** *Poét.* Elevação de ritmo [Pl.: *-sões*.] [F.: Do lat. *scansio, onis*. Hom./Par.: *escanção*.]

escantear (es.can.te.*ar*) *v. td. Bras.* Pôr de lado ou de escanteio [▶ 13 escantear] [F.: *escanteio* + *-ar*.]

escanteio (es.can.*tei*.o) *Bras. Fut. sm.* **1** Lance de uma partida que consiste em a bola ser colocada para fora do campo, pela linha de fundo, por jogador que defende essa linha **2** A cobrança dessa falta, com a bola colocada em um dos dois cantos formados pela linha de fundo com as duas linhas laterais do campo [O canto da cobrança deve ser do mesmo lado da linha de fundo (em relação a seu centro) pelo qual saiu a bola.] [F.: Dev. de **escantear*, de *es-* + *canto*[1] + *-ear*[2]. Sin. ger.: *córner*.] ▪ **Chutar para ~** *Fig. Pop.* Abandonar alguém ou algo, desistindo, livrando-se, desfazendo-se etc.

escantilhão (es.can.ti.*lhão*) *sm.* **1** Medida-padrão para regular distâncias em diversos tipos de trabalho **2** Régua com que os pedreiros medem a largura de uma parede em construção **3** *Cnav.* Corte oblíquo feito numa peça de madeira para que nela se possa assentar outra peça; XEURA **4** *Mar.* Espessura da seção transversal das peças que constituem a estrutura do casco de um navio (p.ex., longarina, baliza) [Pl.: *-lhões*.] [F.: Do fr. *échantillon*.] ▪ **De ~** Aos trambolhões **De ~ completo** *Bras. Mar.Merc.* Que tem a espessura de seus elementos estruturais da espessura máxima preconizada pelas especificações técnicas recomendadas (diz-se de navio)

escantilhar (es.can.ti.*lhar*) *v. Bras. Carp.* Cortar (uma peça) de tal forma que os cantos não formem ângulos retos [▶ 1 escantilhar] [F.: *ex-* + *canto* + *ilho-* + *-ar*.]

escanzelado (es.can.ze.*la*.do) *a.* Magro como um cão faminto; ESCANIFRADO [Ant.: *anafado, gordo*.] [F.: *es-* + *canz-*, rad. lat. *can-* acrescido de *-z-*, como em *canzarrão*, + *-ado*[2].]

escapada (es.ca.*pa*.da) *sf.* **1** Ausência por curto período; ESCAPULIDA: *Vou dar uma escapada para tomar um café.* **2** Fuga precipitada, ger. às escondidas; ESCAPULIDA **3** Ação de esquivar-se a uma obrigação que não se quer cumprir **4** Fuga de um problema, de uma situação difícil ou desagradável; ESCAPATÓRIA **5** Ação leviana, inconveniente, contrária às convenções que regem os comportamentos, os padrões éticos, morais etc.: *Em geral é bem comportado, mas às vezes dá suas escapadas e se torna um transgressor.* **6** *Mús.* Nota melódica estranha ao acorde do qual provém [F.: *escapar* + *-ada*[1]. Sin. nas acps. 1 a 5: *escapadela*.]

escapadela (es.ca.pa.*de*.la) *sf.* Ver *escapada* (1 a 5) [F.: *escapada* + *-ela*.]

escapamento (es.ca.pa.*men*.to) *sm.* **1** Ação ou resultado de escapar(-se); ESCAPE **2** Ação ou resultado de vazar; VAZAMENTO **3** Saída de gases resultantes da queima de combustível em motor de explosão, ou de gases sob pressão num recipiente; ESCAPE **4** Tubo por onde saem esses gases; ESCAPE **5** Ver *escapo* (1) [F.: *escapar* + *-mento*.]

escapar (es.ca.*par*) *v.* **1** Fugir de local de confinamento; livrar-se de perseguição; ESCAPULIR [*int.*: *Os prisioneiros escaparam.*] [*ti.* + *de*: *O pilantra escapou da polícia; O pássaro escapara da gaiola.*] **2** Salvar-se (de perigo, acidente etc.) [*int.*: *O barco explodiu mas o piloto escapou.*] [*tr.* + *de*: *Escapei por um triz de ser atropelado!*] **3** Evitar (algo desagradável, indesejável); ESQUIVAR-SE [*tr.* + *a, de*: *Tomou outro caminho para escapar ao/do engarrafamento.*] **4** Sair, vazar (substância) do recipiente que deveria contê-la [*int.*: *Deixaram o gás escapar.*] [*tr.* + *de*: *A gasolina escapou do tanque.*] **5** Fugir ao conhecimento, lembrança, entendimento, percepção ou controle de [*tr.* + *a*: *Na hora do discurso, escaparam ao orador as palavras;* "...via e ouvia tudo (...); não lhe escapava nada." (Aluísio Azevedo, *O mulato*)] **6** Soltar-se ou desprender-se de algum lugar [*ti.* + *de*: *Uma das maçãs escapou de minhas mãos.*] **7** Fugir de compromisso [*ti.* + *de*: *Escapei do dentista.*] **8** Livrar-se, salvar-se [*int.*: *Se ela contrair a doença, não escapa.*] **9** Sair ou ser proferido por descuido [*tr.* + *de*: *Não conseguiu impedir que a verdade escapasse de sua boca.*] **10** Ser aceitável, apesar de não ter muita qualidade, ou de não ser muito adequado às exigências [*int.*: *O trabalho desse pintor não é nada do que pensei, mas escapa.*] **11** Dar uma fugida, uma escapada, livrar-se (de tarefa, trabalho, compromisso etc.) [*int.*: *Escaparam-se no meio da aula e foram jogar bola.*] [*tr.* + *de*: *Escaparam-se da aula para jogar bola.*] **12** *P.us.* Livrar, pôr em liberdade, deixar a salvo [*td.*: *Para escapar o filho detido, assumiu a culpa.*] [▶ 1 escapar] [F.: Do lat. **excappare*. Hom./Par.: *escapo* (fl.)/ *escapo* (sm.); *escape(s)* (fl.) /*escape(s)* (a. e sm. [pl.]).]

escapatória (es.ca.pa.*tó*.ri:a) *sf.* **1** Ação ou resultado de escapar *sf.* **2** Qualquer expediente que sirva como motivo, real ou fictício, para livrar-se de embaraços, compromissos, promessas, encargos; PRETEXTO; SUBTERFÚGIO [F.: Fem. substv. de *escapatório*.] ▪ **Sem ~** Sem possibilidade de livrar-se de algo, de evitar algo; sem saída

escape (es.*ca*.pe) *sm.* **1** Ação ou resultado de escapar(-se); ESCAPAMENTO **2** Fuga, escapada **3** Escapamento de gás (como num motor a explosão) ou de líquido **4** Orifício ou cano por onde se expelem gases ou líquidos; ESCAPAMENTO **5** Escapo (de relógio) **6** Dispositivo que libera a queda da matriz numa linotipo [F.: Dev. de *escapar* (1 a 3); var. de *escapo* (4 e 5). Hom./Par.: *escape* (sm.), *escape* (fl. de *escapar*).]

escapelar[1] (es.ca.pe.*lar*) *v. td.* Tirar o invólucro da maçaroca do (milho); DESFOLHAR; ESCARPELAR [▶ 1 escapelar] [F.: *es-* + *capela* + *-ar*[2]. Hom./Par.: *escalpelar*.]

escapelar[2] (es.ca.pe.*lar*) *v. td.* Tirar a camisa de (milho); DESFOLHAR; ESCARPELAR [▶ 1 escapelar] [F.: *es-* + *capela* (grinalda) + *-ar*[2]. Hom./Par. *escalpelar*.]

escapismo (es.ca.*pis*.mo) *sm.* **1** Tendência para fugir da realidade e seus problemas, voltando a atenção para outras coisas mais prazerosas **2** Comportamento decorrente dessa tendência: "Essa angústia, porém, oferece alguns riscos como o de cair numa espécie de escapismo, de fuga para trás ou para a frente." (Zuenir Ventura, *in O Globo*, 19.3.2005) [F.: *escapar* + *-ismo*, por infl. do ing. *escapism*.]

escapista (es.ca.*pis*.ta) *a2g.* **1** Que tende para o escapismo (literatura escapista) *s2g.* **2** Indivíduo escapista [F.: *escapis(mo)* + *-ista*.]

escapo (es.*ca*.po) *sm.* **1** Peça que regula o movimento dos relógios; ESCAPE **2** *Mús.* No piano, peça que impele o martelo contra a corda e o faz recuar **3** *Bot.* Nas monocotiledôneas, haste sem folhas que tem origem em caule subterrâneo e em cuja extremidade brotam as flores *a.* **4** Que escapou de perigo; ESCÁPOLE; SALVO [F.: Do lat. *scapus*. Na acp. 4: Part. de *escapar*.]

escapula (es.ca.*pu*.la) *sf.* Escape, escapatória, salvação: "Sou eu que lhe peço que dê escapula ao infeliz." (Franklin Távora, *O cabeleira*) [F.: Dev. de *escapulir*. Hom./Par.: *escapula* (sf.), *escapula* (fl. de *escapulir*), *escápula* (sf.).]

escápula (es.*cá*.pu.la) *sf.* **1** Prego de cabeça em ângulo reto ou em curva us. para pendurar objetos **2** *Fig.* Apoio, arrimo, esteio **3** *Anat.* Osso triangular e achatado que faz parte da articulação do ombro [*Escápula* substituiu *omoplata* na nova terminologia anatômica.] **4** *Zool.* Designação comum a certas estruturas anatômicas dos insetos que fazem lembrar a escápula humana [F.: Do lat. *scapula, ae*, mais us. no pl. *scapulae, arum*, 'espáduas'; 'ombros'. Hom./Par.: *escápula* (sf.), *escapula* (fl. de *escapulir* e sf.).]

escapular (es.ca.pu.*lar*) *a2g. Anat.* Relativo a escápula; ESCAPULAL: *As articulações da cintura escapular são muito instáveis.* [F.: Do lat. tardio *scapularis, -e*.]

escapulário (es.ca.pu.*lá*.ri:o) *sm.* **1** Faixa de pano que alguns frades e freiras usam sobre o hábito, pendente do pescoço e cobrindo o peito **2** Objeto composto de dois pequenos pedaços de pano bento, ligados entre si por duas fitas, com uma imagem, relíquia ou oração, us. por devotos; BENTINHO **3** Atadura larga us. para fixar emplastros [F.: Do lat. tard. *scapularium*.]

escapulida (es.ca.pu.*li*.da) *sf.* Ver *escapada* (1 e 2) [F.: *escapulir* + *-ida*[1].]

escapulir (es.ca.pu.*lir*) *v.* **1** Fugir, livrar-se ou soltar-se de; ESCAPAR [*ta.*: *Escapuliu da festa sem ninguém ver.*] [*int.*: *A presa tentou escapulir.*] **2** *Fig.* Sair por descuido, sem intenção, escapar [*int.*: *Deixou escapulir a confissão comprometedora.* Note-se no exemplo que o sujeito da oração, que é objeto direto de 'deixou', tem como sujeito 'a confissão comprometedora' e como predicado 'escapulir', portanto em regência intransitiva.] **3** *P.us.* Deixar que escape, que fuja [*td.*: *A menina escapuliu o canário.*] [▶ 53 escapulir] [F.: De orig. obsc. prov. do lat. vulg. **excapulare*. Hom./Par.: *escapole* (fl. de *escapulir*), *escapoles* (fl. de *escapulir*), *escápole* (a2g.), *escápoles* (pl.), *escapula* (fl. de *escapulir*), *escápula* (sf.), *escápula* (antr.f.), *escapulas* (fl. de *escapulir*) *escápulas* (pl. de *escápula*)]

escápulo-umeral (es.cá.pu.lo-u.me.*ral*) *a2g. Anat.* Ref. à escápula e ao úmero (articulação escápulo-umeral) [Pl.: *escápulo-umerais*.]

escaque (es.*ca*.que) *sm.* **1** *Lud.* Cada um dos quadrados ou casas do tabuleiro de xadrez **2** *Her.* Num escudo, cada uma das divisões quadradas em cores alternadas [F.: Posv. do it. *scacco*, do persa *xah*.]

escara (es.*ca*.ra) *Med. sf.* **1** Crosta escura que surge em certas regiões (ger. dorsais) na pele de pessoas acamadas durante muito tempo, por causa do atrito constante com o colchão **2** Qualquer crosta resultante de necrose de tecido [F.: Do gr. *eskhára* pelo lat. *eschara*. Hom./Par.: *escara* (sf.), *iscara* (fl. de *iscar*).]

escarabeídeos (es.ca.ra.be.*í*.de:os) *smpl. Ent.* Família de insetos coleópteros a que pertencem os escaravelhos [F.: Do lat. cient. *Scarabaeidae*.]

escarabeu (es.ca.*ra*.beu) *sm. Zool.* Ver *escaravelho*

escarafunchar (es.ca.ra.fun.*char*) *v. td.* **1** Investigar ou examinar de forma minuciosa e persistente: *Escarafunchou o passado do noivo.* **2** Revirar, remexer: *Escarafunchou a geladeira atrás de uma salada.* **3** Limpar (com o dedo, palito etc.) [▶ 1 escarafunchar] [F.: Do lat. **scariphunculare*. Hom./Par.: *escarafuncho* (fl. de *escarafunchar*), *escarafuncho* (sm.).]

escaramuça (es.ca.ra.*mu*.ça) *sf.* **1** Combate não muito acirrado, de pouca importância [+ *com, contra*: *escaramuça com/contra o time adversário.*] **2** Briga, conflito **3** *Bras.* Trecho de rio em que há desvio súbito, causado por rochas no trajeto **4** *RS* Gesto que demonstra uma intenção; MENÇÃO: *Fez uma escaramuça para entrar mas desistiu.* **5** *RS.* Movimentação das rédeas para fazer o cavalo mudar de marcha [F.: Do it. *scaramuccia*. Hom./Par.: *escaramuça* (sf.), *escaramuça* (fl. de *escaramuçar*). Sin. ger. (p.us.): *escaramuçada*. Sin. nas acps. 5 e 6: *escaramuceada, escamuceio*.]

escaramuçador (es.ca.ra.mu.ça.*dor*) [ô] *a.* **1** Que entra em escaramuças **2** *RS* Diz-se do cavalo impetuoso que é próprio para escaramuças *sm.* **3** O que entra em escaramuças [F.: *escaramuçar* + *-dor*.]

escaramuçar (es.ca.ra.mu.*çar*) *v.* **1** Travar pequeno combate; BRIGAR; LUTAR [*tr.* + *com*: *Os soldados escaramuçavam com os inimigos.*] [*int.*: *A família vivia escaramuçando.*] **2** *RS* Fazer (o cavalo) dar muitas voltas [*td.*] [▶ 12 escaramuçar] [F.: *escaramuça* + *-ar*[2]. Hom./Par.: *escaramuça* (fl. de *escaramuçar*), *escaramuças* (fl. de *escaramuçar*), *escaramuça* (sf.), *escaramuças* (pl.), *escramuçar* (todos os tempos do v.).]

escarapela (es.ca.ra.*pe*.la) *sf. Pop.* Briga em que os envolvidos se escarapelam ou arranham [F.: Dev. de *escarapelar*. Hom./Par.: *escarapela* (sf.), *escarapela* (fl. de *escarapelar*).]

escarapelar (es.ca.ra.pe.*lar*) *v.* **1** Arranhar ou rasgar com as unhas; AGATANHAR [*td.*] **2** Fazer ficar ou ficar desgrenhado [*td.*: *Com raiva, escarapelou os cabelos do marido; Escarapelou-se histericamente ao negar a acusação.*] **3** Criar confusão, tumulto [*int.*] [▶ 1 escarapelar] [F.: De orig. obsc. Hom./Par.: *escarapela(s)* (fl.), *escarapela* (s.f. e fl.)]

escaravelho (es.ca.ra.*ve*.lho) [ê ou é] *sm.* **1** *Zool.* Designação comum aos besouros da fam. dos escarabeídeos, ordem dos coleópteros, lamelicórneo, de cor muito escura ou negra; BICHO-CARPINTEIRO; ESCARABÉU **2** *Zool.* Denominação comum a diversos besouros dos escarabeídeos, cujas larvas se alimentam de esterco; BOSTEIRO; CAROCHA; ROLA-BOSTA; VIRA-BOSTA **3** Presa de marfim em estado bruto [F.: Do lat. *scarabiclus*, dim. de *scarabeus*.]

escarcela (es.car.*ce*.la) *sf.* **1** Bolsa de couro que se usava presa à cintura: "E junto da sua escarcela soavam as tesouras, as chaves, o dedal, pendentes da cinta." (Eça de Queirós, *Últimas páginas*) **2** Parte da armadura desde a cintura até o joelho **3** *PB* Pasta de cartolina para guarda e transporte de papéis, blocos, cadernos etc.: *Escarcela com elástico plástico (da lista de material escolar da Livraria Nordeste para a Escola Comunitária Ebenézer, PB).* [F.: Do fr. *escarcelle*, do it. *scarsella*.]

escarcéu (es.car.*céu*) *sm.* **1** Grande onda que se forma num mar muito agitado; VAGALHÃO **2** *Fig.* Alvoroço, alarido, gritaria: "Nunca vi escarcéu maior na minha vida. Era feito a gente trancar um temporal num barraco..." (Antonio Callado, *Pedro Mico*) **3** *Fig.* Reação exagerada a coisas não tão importantes; ESCÂNDALO: *Fez tamanho escarcéu, por nada.* [F.: De or. obsc.]

escareado (es.ca.re.*a*.do) *a.* Que se escareou; alargado com o escareador (furo escareado) [F.: Part. de *escarear*.]

escareador (es.ca.re:a.*dor*) [ô] *sm.* Espécie de broca, própria para escarear [F.: *escarear* + *-dor*.]

escarear (es.ca.re.*ar*) *v. td.* Alargar furo onde se vai introduzir prego ou parafuso, de modo que estes fiquem com as cabeças niveladas com a superfície da peça em que se cravam [▶ 13 escarear] [F.: De orig. obsc.]

escargô (es.car.*gô*) *sm. Zool.* Nome comum aos caracóis terrestres do gên. *Helix*, comumente criados para servirem como alimento [F.: Do fr. *escargot* (< fr. médio *escargol*, do provençal *escaragol/caragol*, conexo com o espn. *caracol*.).]

⊕ **escargot** (*Fr. /escargô/*) *sm.* Ver *escargô*.

escarificação (es.ca.ri.fi.ca.*ção*) *sf.* **1** Ação ou resultado de escarificar **2** *Med.* Série de leves incisões feitas na pele com o escarificador (p.ex., na aplicação de uma vacina) [Pl.: *-ções*.] [F.: Do lat. *scarificatio, onis*.]

escarificador (es.ca.ri.fi.ca.*dor*) [ô] *a.* **1** Que escarifica ou serve para escarificar *sm.* **2** *Cir.* Instrumento cirúrgico constituído de várias lancetas movidas por uma mola, us. para fazer pequenas incisões **3** Instrumento agrícola munido de dentes ou discos que, adaptado a um trator, corta e revolve a terra na superfície [F.: *escarificar* + *-or*.]

escarificar (es.ca.ri.fi.*car*) *v. td.* **1** Fazer pequenos cortes em ou arranhar (uma superfície) **2** Revolver ligeiramente (o solo), utilizando um escarificador **3** Desbastar as bordas de (orifício) com a utilização de um escarificador **4** *Ant. Cir.* Efetuar escarificações para escoamento de humores [▶ 11 escarificar] [F.: Do lat. *scarificare*.]

escarioso (es.ca.ri:*o*.so) [ô] *a.* **1** Que tem escaras **2** *Bot.* Diz-se do órgão foliar membranoso, seco e ger. translúcido [Pl.: [ó]. Fem.: [ó].] [F.: *escara* + *-i-* + *-oso*.]

escarlate (es.car.*la*.te) *sm.* **1** Cor vermelha muito viva **2** Certo tecido de lã ou seda dessa cor **3** Substância muito vermelha, us. para preparar pigmentos para pintura e tinturaria *a2g2n.* **4** Que é de cor vermelha muito viva **5** Diz-se dessa cor (cor escarlate) [Do fr. *écarlate*, sob a f. ant. *escarlate*, der. do lat. med. *scarlata*.]

escarlatina (es.car.la.*ti*.na) *Med. sf.* Doença infecciosa e contagiosa causada pelo *Streptococus scarlatinae*, e que se caracteriza por manchas escarlate na pele com posterior descamação, febre alta e dor de garganta [F.: Do fr. *scarlatine*, substv. de *fièvre, 'scarlatine'*, do lat. cien. *scarlatina febris*.]

escarlatinoso (es.car.la.ti.*no*.so) [ô] *a.* **1** Ref. a ou que apresenta escarlatina [Pl.: [ó]. Fem.: [ó].] *sm.* **2** Doente de escarlatina [Pl.: [ó]. Fem.: [ó].] [F.: *escarlatin(a)* + *-oso*.]

escarmentado (es.car.men.*ta*.do) *a.* **1** Que sofreu punição ou repreensão **2** Instruído por experiência dolorosa; ESCALDADO: "Sou (...) indulgente, e mais que tudo escarmentado para não julgar sem muito exame." (Almeida Garrett, *Discursos parlamentares*) **3** Desiludido [F.: Part. de *escarmentar*.]

escarmentar (es.car.men.*tar*) *v.* **1** Aplicar castigo a; CASTIGAR; PUNIR [*td.*] **2** Repreender com rigor, severidade [*td.*] **3** Fazer (alguém) adquirir experiência, ficar atento e advertido quanto a riscos, decepções etc. por meio de escarmento (punição, censura, vivências dolorosas, desilusão etc.) [*td.*: *Essas experiências me escarmentaram.*] 4 Aprender lição de vida, arrepender-se de erros cometidos etc., por ter sofrido punição, repreensão, traumas dolorosos etc. [*int.*: *Afinal, tanto sofrimento não foi inútil, escarmentei-me, sei encarar melhor a vida.*] [▶ 1 escarmentar] [F.: *escarmento* + *-ar²*.]

escarmento (es.car.*men*.to) *sm.* 1 Castigo, punição: *Cumpriu o escarmento na cadeia.* 2 Repreensão, censura 3 Lição aprendida dos fatos da vida, de experiência dolorosa 4 Desengano, decepção, desilusão, frustração [F.: De or. contrv; posv. de **escarnimento (escarnir + -mento)*.]

escarna (es.*car*.na) *sf.* O mesmo que *escarnação* [F.: Dev. de *escarnar.* Hom./Par.: *escarna* (sf.), *escarna* (fl. de *escarnar*).]

escarnação (es.car.na.*ção*) *sf.* Ação ou resultado de escarnar, de retirar a carne de um osso; ESCARNA [Pl.: *-ções.*] [F.: *escarnar* + *-ção.*]

escarnar (es.car.*nar*) *v. td.* 1 Tirar a carne de (osso); DESCARNAR 2 Tirar ou raspar (a pele) para permitir o processo de curtição 3 Fazer exames e investigações minuciosas; PERQUIRIR 4 *N.N.E.* Engatilhar ou desembainhar (arma) para usá-la logo em seguida [▶ 1 escarnar] [F.: *es-* + *carne* + *-ar.*]

escarnecedor (es.car.ne.ce.*dor*) [ô] *a.* 1 Que escarnece ou zomba *sm.* 2 Aquele que escarnece ou zomba [F.: *escarnecer* + *-dor.*]

escarnecer (es.car.ne.*cer*) *v.* Fazer escárnio, troça de; ridicularizar (algo ou alguém); zombar de, mofar de [*td.*: *Venceu com vantagem e escarneceu o time adversário.*] [*tr.* + *de*: *A malvada escarneceu dos meus sentimentos mais puros.*] [▶ 33 escarnecer] [F.: *escarnir* + *-ecer.*]

escarnecido (es.car.ne.*ci*.do) *a.* 1 Que sofreu escárnio ou zombaria 2 Iludido, ludibriado, frustrado [F.: Part. de *escarnecer.*]

escarnecimento (es.car.ne.ci.*men*.to) *sf.* Ação ou resultado de escarnecer; CAÇOADA; ESCÁRNIO; TROÇA [F.: *escarnecer* + *-imento.*]

escarnicar (es.car.ni.*car*) *v. int.* Escarnecer, zombar [▶ 11 escarnicar] [F.: *escarnir* + *-icar.*]

escarninho (es.car.*ni*.nho) *a.* 1 Em que há escárnio (riso escarninho); ESCARNECEDOR; GOZADOR; TROCISTA *sm.* 2 Ato ou atitude de quem escarnece, zomba; ZOMBARIA; CAÇOADA: *Seus escarninhos começaram a incomodar-nos.* [F.: *escárnio* + *-inho¹*.]

escárnio (es.*cár*.ni:o) *sm.* 1 Aquilo que é dito ou feito para caçoar de alguém ou de alguma coisa; CAÇOADA; TROÇA; ZOMBARIA: *Cantigas de escárnio e maldizer.* 2 Atitude, manifestação de desdém, menosprezo, desconsideração: *Olhou com escárnio para aquele que o reprovou.* 3 O que é alvo de ou que expressa desprezo, sarcasmo: *Essa proposta é um escárnio, ele pensa que somos imbecis.* [F.: Posv. deriv. de *escarnir*, com origem no al. *skern.*]

escarola (es.ca.*ro*.la) [ó] *sf.* 1 Variedade cultivada de endívia (*Cichorium endivia*), de folhas muito recortadas, us. em saladas e em ornamentação de pratos, tb. conhecida como escarola-frisada; ALMEIRÃO; CHICÓRIA-CRESPA 2 Variedade cultivada de endívia, da fam. das compostas, de folhas menos onduladas e recortadas, us. em saladas, tb. chamada de escarola-lisa; CHICAROLA [F.: Do lat. tard. *escariola*, dim. de *escarius*, pelo espn. *escarola.*]

escarolado (es.ca.ro.*la*.do) *a.* 1 Diz-se do milho tirado do carolo ou sabugo 2 *Fig. Pop.* Muito limpo, muito asseado 3 *Fig.* Atrevido, descarado [F.: Part. de *escarolar.*]

escarolar (es.ca.ro.*lar*) *v. td.* 1 Limpar o grão (do milho) para retirar-lhe o carolo; DEBULHAR: "Um bando alvoroçado e palreiro de mulheres depenava frangos, batia ovos e escarolava arroz" (Eça de Queirós, *Contos*) 2 *Pop.* Limpar o casco de; ESCASQUEAR 3 *Pop.* Desembolsar (dinheiro) 4 *Pop.* Tirar o chapéu da cabeça 5 Fazer ficar calvo 6 Tornar limpo, asseado [▶ 1 escarolar] [F.: *es-* + *carolo* + *-ar.*]

escarpa (es.*car*.pa) *sf.* 1 Encosta muito íngreme, ger. causada por erosão 2 Em fortificações, talude ou parede muito inclinada de um fosso junto a parapeito ou muralha 3 Aclive abrupto de terreno na base de planalto, serra etc. [F.: Do it. *scarpa.*]

escarpado (es.car.*pa*.do) *a.* Que se escarpou; que tem escarpa, que se apresenta muito íngreme, a prumo (rochedo escarpado); ÍNGREME; ALCANTILADO [F.: Part. de *escarpar.*]

escarpadura (es.car.pa.*du*.ra) *sf.* Corte inclinado de um terreno ou muro; TALUDE [F.: *escarpar* + *-dura.*]

escarpar (es.car.*par*) *v. td.* Fazer ficar (o terreno) em escarpa, tornando-o íngreme [▶ 1 escarpar] [F.: *escarpa* + *-ar.*]

escarpim (es.car.*pim*) *sm.* 1 Sapato feminino que deixa à mostra o peito do pé 2 *Antq.* Calçado de tecido, espécie de pé de meia que se usava por baixo das meias 3 *Ant.* Sapato masculino de entrada baixa e sola fina, muito us. nas cortes do séc. XVIII [Pl.: *-pins.*] [F.: Do it. *scarpino.*]

escarradeira (es.car.ra.*dei*.ra) *sf. Antq.* Recipiente, vaso em que se escarra; CUSPIDEIRA; ESCARRADOR [F.: *escarrar* + *-deira.*]

escarrado (es.car.*ra*.do) *a.* 1 Que se escarrou, que se expeliu, expectorou, cuspiu pela boca; CUSPIDO; EXPECTORADO 2 *Fig.* Reproduzido tal qual; muito parecido com alguém; CUSPIDO: *Aquele menino era o avô escarrado.* [F.: Part. de *escarrar.*] ∎ **~ e cuspido** Ver *Cuspido e escarrado* no verbete *cuspido*

escarradura (es.car.ra.*du*.ra) *sf.* 1 Ação ou resultado de escarrar 2 Escarro (1) [F.: *escarrar* + *-dura.*]

escarranchado (es.car.ran.*cha*.do) *a.* Que se escarranchou; montado ou sentado com as pernas bem abertas; ESCARRAPACHADO: "Então a grande velha descarnada avançou escarranchada sobre a vassoura..." (Eça de Queirós, *Últimas páginas*) [F.: Part. de *escarranchar.*]

escarranchar (es.car.ran.*char*) *v.* 1 Sentar(-se) com as pernas abertas, ou com uma perna de cada lado, como quem monta [*td.*: *Puxou uma cadeira e escarranchou-se.*] [*tda.*: *A criança escarranchou-se no colo da mãe e adormeceu.*] 2 Pôr (inclusive si mesmo) sobre animal, ou sobre algo, com uma perna de cada lado; MONTAR: *Arranjou um cavalo arreado e escarranchou nele a senhora.* [*tda.*: *Escarranchou o filho sobre o/no parapeito e não o largou nem um minuto; Ela se escarranchou no tordilho e saiu a galope.*] 3 Abrir muito (as pernas, como quem monta): *Encostou na cabeceira da cama, escarranchando as pernas* [*td.*: *escarranchou as pernas, puxou uma cadeira e montou nela.*] [▶ 1 escarranchar] [F.: De or. obs.]

escarrapachado (es.car.ra.pa.*cha*.do) *a.* 1 Com o corpo estirado, pernas e braços ger. abertos: *Na penumbra da sala divisou alguns vultos escarrapachados, ocupando todos os sofás e poltronas.* 2 Montado com as pernas muito abertas 3 Estendido no chão; ESTATELADO [F.: Part. de *escarrapachar.*]

escarrapachar (es.car.ra.pa.*char*) *v.* 1 Abrir muito (as pernas) sentando sobre algo [*td.*] 2 Cair deitado (sobre alguma superfície) [*int.*: *Tropeçou e escarrapachou-se na sarjeta.*] 3 Sentar-se sem aprumo, com o corpo estirado, e braços e pernas ger. abertos [*int.*: *Escarrapachou-se no sofá.*] [▶ 1 escarrapachar] [F.: De orig. *obsc.* Hom./Par.: *escarrapichar* (vários tempos do v.).]

escarrar (es.car.*rar*) *v.* Expelir (escarro ou sangue) pela boca; CUSPIR; EXPECTORAR [*td.*: *Escarrou uma massa pastosa.*] [*int.*: *O mendigo grunhiu algo e escarrou quase no meu pé.*] [▶ 1 escarrar] [F.: Do lat. *screare.*]

escarro (es.*car*.ro) *sm.* 1 Secreção expelida pela boca, após expectoração; ESPUTO: "Quero pagar a esse canalha, e, quando o vir, colar-lhe a carta à cara com um escarro..." (Eça de Queirós, *Os Maias*) 2 *Fig. Depr.* Pessoa ou coisa desprezível, sórdida, torpe: *Ele era um escarro que tentava passar-se por pessoa de bem.* [F.: Dev. de *escarrar.*]

escarvado (es.car.*va*.do) *a.* Que se escarvou; cavado no solo; ESCAVADO: "Junto do milho o chão estava escarvado, via-se muito sangue..." (Júlio Ribeiro, *A carne*) [F.: Part. de *escarvar.*]

escarvar (es.car.*var*) *v.* 1 Revolver superficialmente (o solo) [*td.*: *O cavalo escarvava a terra.*] [*ta.*: *O cavalo escarvava na areia da estrada.*] 2 Abrir escarva em (madeira, prancha etc.) [*td.*] 3 Causar desgaste, erosão; CORROER; SOLAPAR [*td.*: *A chuva forte escarvou a encosta do morro.*] [▶ 1 escarvar] [F.: Do gr. *skariphámai*, 'raspar com objeto pontudo', pelo lat. *scarifare.* Hom./Par.: *escarva(s)* (fl.), *escrava(s)* (fem. *de escravo*, a.sf. [pl.]), *escarvo* (fl.), *escravo* (a.sm.).]

escasseado (es.cas.se.*a*.do) *a.* Escasso, minguado [F.: Part. de *escassear.*]

escasseamento (es.cas.se:a.*men*.to) *sm.* Ação ou resultado de escassear [F.: *escassear* + *-mento.*]

escassear (es.cas.se.*ar*) *v.* 1 Tornar(-se) menos abundante ou frequente; RAREAR [*td.*: *O governo escasseou os recursos para a educação.*] [*int.*: *Na seca, a comida escasseia.*] 2 Dar com parcimônia; economizar [*td.*: *O pintor não escasseou a tinta.*] [*tdi.* + *a*: *Não escasseia elogios às mulheres bonitas.*] [▶ 13 escassear] [F.: *escasso* + *-ear²*. Ant. ger.: *abundar.*]

escassez (es.cas.*sez*) *sf.* 1 Condição ou qualidade daquilo que é escasso; EXIGUIDADE: *A escassez de água só tende a aumentar.* 2 Disponibilidade (de produto, serviço etc.) menor do que a necessária para atender à demanda; DESABASTECIMENTO; FALTA; RAREZA: *A família enfrenta tempos de escassez.* [Ant.: *abundância.*] 3 Falta de recursos ou provimentos necessários a um nível razoável de vida; CARÊNCIA; POBREZA; MÍNGUA [F.: *escasso* + *-ez.*]

escasso (es.*cas*.so) *a.* 1 Só disponível em pequena quantidade ou intensidade ou tamanho (dinheiro escasso, iluminação escassa); PARCO; EXÍGUO 2 Que é carente ou desprovido ou provido insuficientemente de algo; FALTO: *país escasso de recursos naturais.* *sm.* 3 Ver *avaro* [F.: Do lat. vulg. *excarpsus*, pelo lat. vulg. *excarsus.*]

◎ **escat(o)-** *el. comp.* = excremento: *escatologia¹*, *escatológico¹*

◎ **escato-** *el. comp.* = último, extremo, final: *escatologia²*, *escatológico²*

escatofilia (es.ca.to.fi.*li*.a) *sf. Psiq.* Gosto patológico por imundície [F.: *escat(o)-* + *-filia*. Cf.: *coprofilia.*]

escatofílico (es.ca.to.*fi*.li.co) *a.* 1 Que vive no meio de excremento 2 *Psiq.* Que sofre de escatofilia [F.: *escatofil(ia)* + *-ico²*. Cf.: *coprofílico.*]

escatol (es.ca.*tol*) *Quím. sm.* Substância (C_9H_9N) de cheiro desagradável, encontrada nas fezes humanas [Pl.: *-tóis.*] [F.: *escat(o)-* + *-ol²*.]

escatologia¹ (es.ca.to.lo.*gi*.a) *sf.* Tratado ou estudo dos excrementos; COPROLOGIA [F.: *escat(o)-* + *-logia.*]

escatologia² (es.ca.to.lo.*gi*.a) *sf.* 1 *Fil.* Doutrina sobre o final dos tempos e da história 2 *Teol.* Doutrina sobre o destino último dos homens e da Terra [F.: *escato-* + *-logia.*]

escatológico¹ (es.ca.to.*ló*.gi.co) *a.* Ref. à escatologia¹ [F.: *escatologia¹* + *-ico²*.]

escatológico² (es.ca.to.*ló*.gi.co) *a.* Ref. à escatologia² [F.: *escatologia²* + *-ico²*.]

escavacado¹ (es.ca.va.*ca*.do) *a.* 1 Que se escavacou, se reduziu a cavacos, fragmentos: *O barco chegou todo escavacado.* 2 *Fig.* Magro, arruinado pela doença ou pela idade; ALQUEBRADO: *Tinha o semblante triste e o corpo escavacado.* [F.: Part. de *escavacar¹*.]

escavacado² (es.ca.va.*ca*.do) *a.* *N.E.* Que se escavacou, que teve a terra retirada (terreno escavacado); ESCAVADO; CAVADO [F.: Part. de *escavacar.*]

escavação (es.ca.va.*ção*) *sf.* 1 Ação ou resultado de escavar; ESCAVADURA 2 Concavidade, cavidade, buraco num terreno 3 Remoção de terra ou entulho de um terreno para limpá-lo, nivelá-lo etc. 4 *Arqueol.* Pesquisa em torno de fósseis e objetos enterrados, para estudar a evolução da espécie humana e de suas culturas ao longo do tempo 5 *Fig.* Investigação, pesquisa em geral [Pl.: *-ções.*] [F.: Do lat. *excavatio, onis.*]

escavacar¹ (es.ca.va.*car*) *v.* 1 Reduzir a cavacos, a pedaços; DESPEDAÇAR [*td.*: *A menina escavacou a boneca, destruindo-a.*] [*int.*: *A boneca se escavacou.*] 2 *Fig.* Arruinar, destruir [*td.*: *O vício da bebida escavacou seu corpo.*] 3 *Fig.* Tornar abatido, magro, fraco [*td.*: *O trabalho nas minas escavaca os mineiros.*] 4 *N.* Remexer em busca de alguma coisa [*td.*: *O gato escavacou a bolsa de compras.*] 5 *N.* Irritar-se, zangar-se [*int.*] [▶ 11 escavacar] [F.: *es-* + *cavaco* + *-ar.*]

escavacar² (es.ca.va.*car*) *v. td.* Remover terra de, cavando [▶ 11 escavacar] [F.: *es-* + *cavacar.*]

escavadeira (es.ca.va.*dei*.ra) *sf.* Nome de vários tipos de máquina us. para escavar, revolver ou retirar terra, como a pá mecânica, a retroescavadeira etc.; ESCAVADOR; ESCAVADORA [F.: *escavar* + *-deira.*]

escavado (es.ca.*va*.do) *a.* 1 Que se escavou: "Quando eu a visitei (a árvore)... era como uma cabana escavada no tronco..." (Camilo Castelo Branco, *Ecos humorísticos do Minho*) 2 Mais baixo no meio que nas bordas; CAVADO; CÔNCAVO [F.: Part. de *escavar.*]

escavador (es.ca.va.*dor*) [ô] *a.* 1 Que escava (instrumento escavador) 2 *Fig.* Que investiga, pesquisa (aluno escavador) *sm.* 3 Aquele que escava; operário que trabalha em escavações 4 *Fig.* Aquele que investiga, pesquisa (escavador de mistérios) 5 Ver *escavadeira* [F.: *escavar* + *-dor.*]

escavar (es.ca.*var*) *v.* 1 Fazer buracos ou cavidades em [*td.*: *O arqueólogo escavou as colinas argilosas do deserto.*] 2 *Fig.* Investigar a fundo; ESQUADRINHAR [*td.*: *Resolveu escavar a história da família.*] 3 Retirar ou ter retiradas terra, areia, argila etc. de terreno, abrindo(-se) escavações [*td.*: *Escavou todo o seu quintal, em busca da chave que perdera.*] [*int.*: *Debaixo de muita chuva, o solo escavou-se e empoçou-se.*] 4 Fazer ficar ou ficar oco, côncavo [*td.*: *Os escoteiros escavaram um tronco para fazer uma canoa.*] [*int.*: *Atacado por cupins, os lambris escavaram-se e começaram a se desfazer.*] 5 *Fig.* Corroer, destruir pouco a pouco [*td.*: *Uma infecção escavou quase todos os seus dentes.*] [▶ 1 escavar] [F.: Do lat. *excavare* ou *es-* + *cavar.*]

escaveirado (es.ca.vei.*ra*.do) *a.* 1 Parecido com uma caveira 2 Que tem o rosto magro e descarnado [F.: Part. de *escaveirar.*]

escaveirar (es.ca.vei.*rar*) *v. td.* Ficar muito magro, descarnado, lembrando uma caveira: *O tempo e trabalho em excesso escaveiraram seu rosto.* [▶ 1 escaveirar] [F.: *es-* + *caveira* + *-ar.*]

◎ **-escer** *suf.* = -ecer: *florescer, crescer* etc. [Suf. v. da 2ª. conj., advindos de cultismos de v.lat., equivalente a *-ecer.*]

◎ **escia-** *el. comp.* Ver *ci(o)-*

esciascopia (es.ci:as.co.*pi*.a) *sf. Oft.* Ver *ciascopia.* [F.: *escia-* + *-scopia.*]

◎ **esci(o)-** *el. comp.* Ver *ci(o)-*.

esciofilia (es.ci:o.fi.*li*.a) *sf. Bot.* Ver *ciofilia* [F.: *esci(o)-* + *-filia¹*.]

esciofílico (es.ci:o.*fi*.li.co) *a. Bot.* Ver *ciofílico* [F.: *esciofilia* + *-ico²*.]

esciófilo (es.ci.*ó*.fi.lo) *a. Bot.* Ver *ciófilo* [F.: *esci(o)-* + *-filo¹*.]

esclarecedor (es.cla.re.ce.*dor*) [ô] *a.* Que esclarece, que faz ficar claro, compreensível (comentário esclarecedor) [F.: *esclarecer* + *-dor.*]

esclarecer (es.cla.re.*cer*) *v.* 1 Fornecer ou obter explicações ou conhecimentos sobre algo [*td.*: *esclarecer dúvidas; Esclareceu-se antes de conversar com a direção.*] [*int.*: *Esclareceu-se quanto ao projeto antes de entrar na reunião.*] 2 Deixar claro, entendido; ELUCIDAR [*td.*: *Ela esclareceu que não é parente de Lúcia.*] [*tdi.* + *a*: *O professor esclareceu aos alunos que o trabalho não valia nota.*] 3 Tornar(-se) instruído; ILUMINAR; ILUSTRAR [*td.*: *esclarecer a mente dos discípulos; Lia muito, na esperança de esclarecer-se com os grandes mestres.*] 4 Tornar(-se) nobre, ilustre [*td.*] 5 Fazer ficar ou ficar iluminado, claro ou mais claro [*td.*: *O sol poente ainda esclarecia uma nesga da areia.*] [*int.*: *A manhã ia (se) esclarecendo aos poucos.* Ant.: *escurecer.*] [▶ 33 esclarecer] [F.: *es-* + *claro* + *-ecer.*]

esclarecido (es.cla.re.*ci*.do) *a.* 1 Que ficou claro, iluminado: *Com o candeeiro, o quarto ficou mais esclarecido.* 2 Que foi desvendado, explicado (crime esclarecido) 3 Que é culto, instruído (déspota esclarecido) 4 *Fig.* Que é distinto, ilustre [F.: Part. de *esclarecer.*]

esclarecimento (es.cla.re.ci.*men*.to) *sm.* 1 Ação ou resultado de esclarecer 2 Aquilo que explica, elucida, torna claro; ACLARAÇÃO; ELUCIDAÇÃO; EXPLICAÇÃO: *Com o esclarecimento dos fatos, acabou o mistério.* 3 Comentário elucidativo: *Leu um esclarecimento no rodapé.* 4 Informação sobre certo assunto: *O redator pediu ao editor um esclarecimento quanto à pauta do dia.* 5 Cultura, cabedal de conhecimentos: *É homem de muito esclarecimento.* 6 *Hist.* Ver *Iluminismo* [Com maiúsc., nesta acp.] [F.: *esclarecer* + *-imento.*]

esclera (es.*cle*.ra) [é] *sf. Anat. Oft.* Camada externa e fibrosa do globo ocular que constitui a parte branca do olho [A palavra substituiu *esclerótica* na nova terminologia.] [F.: Do lat.cient. *sclera*; ver *escler(o)-*.]

escleral (es.cle.*ral*) *a2g.* 1 Endurecido 2 *Biol.* Fibroso (diz-se de tecido orgânico) 3 *Oft.* Ref. a esclera [Pl.: *-rais.*] [F.: *escler(o)-* + *-al*¹.]

escleredema (es.cle.re.*de*.ma) *sm. Med.* Esclerema do adulto [F.: *escler(o)-* + *edema*; ing. *scleredema.*]

esclerema (es.cle.*re*.ma) *Med. sm.* 1 O mesmo que *esclerema adiposo* 2 Endurecimento do tecido subcutâneo dos recém-nascidos que se observa esp. em prematuros [F.: Do lat. cient. *sclerema*, do lat.cient. *sclerema adultorum* e *sclerema neonatorum.*] ▪▪ **~ adiposo** *Med.* Endurecimento de gordura subcutânea, que resulta em perda da mobilidade da pele sobre os planos profundos [Tb. se diz apenas *esclerema.*] **~ do adulto** *Derm.* Doença crônica, de causa desconhecida, em que se observa espessamento progressivo da derme; escleredema [Pode incidir em crianças e em adultos.]

esclerênquima (es.cle.*rên*.qui.ma) *sm. Bot.* Tecido vegetal formado por células de paredes espessas e impregnadas de lignina, que dá sustentação à planta e confere rigidez ao caule, à raiz e à semente [F.: *escler(o)-* + *-ênquima.*]

esclerite (es.cle.*ri*.te) *sf. Oft.* Inflamação da esclera [F.: *escler(o)-* + *-ite*¹.]

esclerito (es.cle.*ri*.to) *sm. Zool.* Placa quitinosa que constitui o esqueleto externo dos artrópodes [F.: *escler(o)-* + *-ito*¹.]

◎ **escler(o)-** *el. comp.* = 'duro'; 'esclerose'; 'esclera': *escleredema, esclerênquima, esclerite, esclerócito, esclerodermia, esclerofilia, esclerófilo, esclerófito, escleroma, escleromorfia, escleroproteína, escleroterapia; megasclero, microsclero* [F.: Do gr. *sklerós, á, ón*, 'duro'; 'seco'.]

esclerócito (es.cle.*ró*.ci.to) *sm.* 1 *Bot.* Célula vegetal de paredes espessas e forma variada 2 *Zool.* Cada uma das células que, nos poríferos, secretam as espículas do esqueleto das esponjas [F.: *escler(o)-* + *-cito.*]

esclerodermia (es.cle.ro.der.*mi*.a) *sf. Derm.* Endurecimento anormal da pele, em que há perda de flexibilidade e de mobilidade [F.: *escler(o)-* + *-dermia.*]

esclerofilia (es.cle.ro.fi.*li*.a) *sf. Bot.* Presença de folhas grossas, coriáceas, em decorrência do desenvolvimento excessivo do esclerênquima [F.: *escler(o)-* + *-filia*².]

esclerofilo (es.cle.ro.*fi*.lo) *sm. Bot.* Planta cujas folhas são duras, coriáceas [F.: *escler(o)-* + *-filo*².]

escleroma (es.cle.*ro*.ma) *sm. Pat.* Endurecimento anormal dos tecidos, esp. os do nariz e da laringe [F.: Do gr. *skléroma, atos*, 'endurecimento'; ver *escler(o)-* e *-oma*¹.]

escleroproteína (es.cle.ro.pro.te.*í*.na) *sf. Bioq.* Proteína fibrosa, muito pouco solúvel, que integra a estrutura dos tecidos conjuntivos e do esqueleto [F.: *escler(o)-* + *proteína.*]

esclerosado (es.cle.ro.*sa*.do) *a.* 1 *Pat.* Que se esclerosou, que é ou foi vítima de alguma(s) das formas de esclerose 2 *Bot.* Que se lignificou 3 *Pej.* Que se mostra decrépito, ou que perdeu o juízo; ABILOLADO; MALUCO 4 *Fig.* Diz-se de algo ou alguém antiquado, ultrapassado *sm.* 5 *Pej.* Indivíduo irritadiço, rabugento [F.: Part. de *esclerosar.*]

esclerosamento (es.cle.ro.sa.*men*.to) *sm.* Ação ou resultado de esclerosar(-se) [F.: *esclerosar* + *-mento.*]

esclerosar (es.cle.ro.*sar*) *v.* 1 Perder a lucidez; ficar caduco [*int.*: *Se ele começar a rasgar dinheiro é porque esclerosou(-se) de vez.*] 2 Fazer contrair ou contrair esclerose [*td.*: *O excesso de gordura tende a esclerosar as artérias.*] [*int.*: *Essas veias não são propensas a esclerosar(-se).*] 3 *Fig. Pop.* Fazer estagnar [*td.*: *A acomodação esclerosa o conhecimento.*] [▶ 1 esclerosar] [F.: *esclerose* + *-ar*².]

esclerose (es.cle.*ro*.se) *sf.* 1 *Pat.* Qualquer endurecimento mórbido da estrutura de um órgão, esp. das células intersticiais, com a hipertrofia do tecido conjuntivo 2 *Bot.* Enrijecimento das paredes celulares de uma planta 3 *Bot.* Endurecimento anormal da polpa de um fruto [F.: Do gr. *sklerósis, eos*, 'endurecimento'; ver *escler(o)-* e *-ose*¹.] ▪▪ **~ arterial** *Pat.* Arteriosclerose **~ múltipla** *Neur.* Doença do sistema nervoso central, causada pela perda de mielina em neurônios, com manifestação de placas de esclerose no cérebro e na medula espinhal e com comprometimento gradativo de funções motoras, da fala etc.

escleroterapia (es.cle.ro.te.ra.*pi*.a) *sf. Ter.* Tratamento em que se injeta substância esclerosante na veia, para ocluí-la [F.: *escler(o)-* + *-terapia.*]

esclerótica (es.cle.*ró*.ti.ca) *sf. Anat. Oft.* O mesmo que *esclera* [F.: Posv. do lat. medv. *sclerotica*, do lat. *scleroticus, a, um*, 'duro'.]

esclerótico (es.cle.*ró*.ti.co) *a. Oft.* Ref. a esclera ou esclerótica [F.: De *esclerótica*, com var. suf. (ver *-ico*²), ou do lat. *scleroticus, a, um*, 'duro'.]

◎ **-esco** *suf.* = relação; referência; qualidade: *romanesco; dantesco, quixotesco; grotesco* etc. [F.: Do gr. *ískos*, lat. *-iscus*. Suf. nom. formador de voc. adj.]

escoado (es.co.*a*.do) *a.* 1 Que escoou ou escorreu 2 Desfeito, esvaecido, dissipado [F.: Part. de *escoar.*]

escoador (es.co:a.*dor*) [ô] *a.* 1 Que escoa ou serve para escoar *sm.* 2 O que escoa ou serve para escoar [F.: *escoar* + *-dor.*]

escoadouro (es.co:a.*dou*.ro) *sm.* 1 Via de saída (orifício, duto, canal, cano, vala) para líquidos ou dejetos; escoadoiro 2 *Fig.* Abertura, local de exportação ou transferência comercial: *O novo porto é um escoadouro da indústria petroquímica.* [F.: *escoar* + *-douro*¹.]

escoamento (es.co:a.*men*.to) *sm.* 1 Ação ou resultado de escoar, vazar um líquido: *O escoamento da caixa-d'água permitiu sua limpeza.* 2 Declive por onde se escoam as águas 3 *Fig.* Comercialização dos bens produzidos por uma indústria (escoamento da produção) 4 As condições e características do fluir de uma corrente, o modo pelo qual ela flui [F.: *escoar* + *-mento.*] ▪▪ **~ forçado** Escoamento de fluido em duto fechado (como tubo, cano etc.), no qual o fluido está em contato com toda a superfície interna do duto, exercendo sobre ela pressão [Cf.: *Escoamento livre*; *Escoamento superficial.*] **~ livre** Escoamento de fluido no qual este se acha, total ou parcialmente, em contato com a atmosfera (como em canais cursos de água naturais), ou, se em duto, sem ser forçado [Cf.: *Escoamento forçado*; *Escoamento superficial.*] **~ superficial** Aquele das águas da chuva que não se infiltram no solo [Cf.: *Escoamento forçado*; *Escoamento livre.*]

escoar (es.co.*ar*) *v.* 1 Escorrer ou fazer escorrer (líquido) lentamente (por orifício, calha, canal etc.) [*int.*: *Com a pia entupida, a água não escoava.*] [*ta.*: *A água não escoava da pia entupida.*] [*td.*: *Construiremos um canal para escoar a água do lago.*] 2 Levar (produtos comerciais) ao mercado consumidor [*td.*: *Planejou escoar a safra de milho pelas rodovias.*] 3 Fluir ou fazer fluir (o trânsito) [*int.*: *O trânsito escoou melhor à tarde.*] [*td.*: *Inverteu a mão da rua para escoar o trânsito.*] 4 Ir se perdendo ou diminuindo a força, a presença, a consistência de; ESVAIR-SE; DISSIPAR-SE [*int.*: *A saúde escoa(-se) à medida que envelhecemos.* Ant.: *fortalecer.*] 5 Decorrer, passar, transcorrer [*int.*: *As férias escoaram(-se) rapidamente.*] 6 Desaparecer das vistas furtivamente; SUMIR [*int.*: *O cobrador escoou(-se) pelo jardim.*] [▶ 16 escoar] [F.: Do lat. *excolare.*]

escocês (es.co.*cês*) *sm.* 1 Pessoa nascida ou que vive na Escócia, no norte da Grã-Bretanha (Europa) 2 Língua céltica falada na Escócia, juntamente com o inglês; ERSE *a.* 3 Da Escócia, típico dela ou de seu povo 4 Diz-se dos tecidos de lã, seda, linho ou algodão de listas cruzadas em cores vivas, como os usa o povo da Escócia [F.: Do top. *Escócia* + *-ês.*]

escoiceante (es.coi.ce:*an*.te) *a2g.* Que escoiceia; ESCOICEADOR [F.: *escoicear* + *-nte.*]

escoicear (es.coi.ce.*ar*) *v.* 1 Dar coices (em) [*td.*: *O animal enfurecido escoiceou o vaqueiro.*] [*int.*: *O burro começou a escoicear.*] 2 *Fig.* Tratar de forma agressiva; INSULTAR [*td.*: *Vive a escoicear seus desafetos.*] [▶ 13 escoicear] [F.: *es-* + *coice* + *-ear*². Tb. *escoucear.*]

escoicinhar (es.coi.ci.*nhar*) *v.* Mesmo que *escoicear* [*td.*] [*int.*] [▶ 1 escoicinhar] [F.: *es-* + *coice* + *-inhar.*]

escoimado (es.coi.*ma*.do) *a.* 1 Que se escoimou, se livrou de coima, impureza, falha (texto escoimado); DEPURADO 2 *Fig.* Livre de culpa, pena, castigo: *Após a confissão, sentiu-se um homem escoimado.* [F.: Part. de *escoimar.*]

escoimar (es.coi.*mar*) *v.* Livrar(-se) (de impurezas, imperfeições, defeitos); DEPURAR; EXPURGAR [*td.*: *Escoimou o texto antes de entregá-lo à editora.*] [*tdr.* + de: *É preciso escoimar o artigo do excesso de adjetivos; Conseguiu finalmente escoimar-se dos vícios.*] [▶ 1 escoimar] [F.: *es-* + *coima* + *-ar*².]

escol (es.*col*) *sm.* O que há de supostamente melhor numa sociedade ou comunidade qualquer; ELITE; FLOR; NATA [Pl.: *-cóis.*] [F.: Dev. de *escolher.*] ▪▪ **De ~** Da melhor qualidade

escola (es.*co*.la) *sf.* 1 Estabelecimento de ensino coletivo, público ou particular (escola primária) 2 *Pext.* Conjunto dos alunos, professores e pessoal de uma escola 3 Prédio no qual funciona a escola (1) 4 Doutrina ou sistema filosófico, teológico, estético, artístico, científico, estilístico etc., de um grande criador ou grupo de autores (escola de Nietzsche/de Jung/de Joyce/ de Viena) 5 Conjunto de pessoas que se filiam a um desses sistemas (escola freudiana) 6 Ideário de princípios adotado por artistas (escola flamenga/expressionista) 7 Conhecimento, aprendizado, saber: *Ele não tem escola, mas é inteligente e aprenderá rápido.* 8 Grupo de imitadores ou seguidores: *Este médico, com seus novos métodos, já criou escola.* 9 Aquilo (atividade, emprego, profissão, ambiente etc.) que se pode usar para aprendizado, instrução, aquisição de experiência etc.: *Para mim, o escotismo foi uma escola de múltiplos aprendizados, de que me valho até hoje.* 10 *RJ Pop.* Casa de jogo, antro de jogo [F.: Do gr. *scholé*, pelo lat. *schola.*] ▪▪ **~ ativa** *Pedag.* Sistema de ensino fundamentado na interação entre o físico e o psíquico e na participação ativa da criança **~ de Frankfurt** *Hist. Fil.* Grupo de filósofos alemães de pensamento marxista (entre os quais Walter Benjamin, Theodor Adorno, Jürgen Habermas, Max Horkheimer) e temática centrada nas ciências sociais **~ de samba** 1 *Bras.* Agremiação recreativa centrada no samba como expressão popular, e cuja principal atividade é criar e organizar um desfile carnavalesco 2 *Bras.* A sede de uma dessas agremiações, geralmente incluindo um grande galpão onde se ensaiam músicas e passos para o desfile, e um 'barracão' onde se montam os carros alegóricos **~ dominical** Curso para ensino religioso aos domingos, ger. protestante **~ especial** *Educ. Esp.* Instituição especializada na educação e ensino de pessoas portadoras de deficiências, ou especialmente dotadas, ou com condutas típicas, mediante métodos e equipamentos específicos para cada caso **~ maternal** Aquela para crianças ger. com menos de 4 anos [Cf.: *jardim de infância*; *pré-escola*. Sin. (*Lus.*): *infantário.*] **~ normal** *Antq.* Escola destinada à preparação de professores **Fazer ~** Criar ou granjear seguidores, adeptos etc.: *uma teoria que fez escola*

escolado (es.co.*la*.do) *a.* 1 *Bras.* Diz-se de quem é sabido, esperto, vivido: *Ele é escolado, não entra numa fria.* 2 Conhecedor, experiente: *É um violonista escolado, conhece os clássicos.* [F.: *escola* + *-ado*¹.]

escolar (es.co.*lar*) *a2g.* 1 Ref. a escola (calendário escolar) 2 Destinado à escola (pesquisa escolar) 3 Utilizado na escola (material escolar) *s2g.* 4 Aquele que estuda na escola; ALUNO; ESTUDANTE [F.: Do lat. *scholaris.*]

escolarca (es.co.*lar*.ca) *sm. Fil.* Na Grécia antiga, fundador ou líder de escola filosófica; DIÁDOCO [F.: Do gr. *scholárches.*]

escolaridade (es.co.la.ri.*da*.de) *sf.* 1 Formação escolar; grau de aprendizado: *Não conseguiu emprego por causa da baixa escolaridade.* 2 Rendimento alcançado na escola: *Os problemas familiares lhe impediam uma escolaridade suficiente.* [F.: *escolar* + *-(i)dade.*]

escolarização (es.co.la.ri.za.*ção*) *sf.* Ação ou resultado de escolarizar(-se) [Pl.: *-ções.*] [F.: *escolarizar* + *-ção.*]

escolarizado (es.co.la.ri.*za*.do) *a.* Que se escolarizou, frequentou escola (povo escolarizado) [F.: Part. de *escolarizar.*]

escolarizar (es.co.la.ri.*zar*) *v. td.* Fazer passar por período de aprendizado na escola [▶ 1 escolarizar] [F.: *escolar* + *-izar*. Ant.: *desescolarizar.*]

escolástica (es.co.*lás*.ti.ca) *sf.* 1 *Fil.* Doutrina e filosofia cristã da Idade Média, que procurou combinar a razão platônica e aristotélica com a fé e a revelação dos Evangelhos, alcançando seu auge com Santo Tomás de Aquino; ESCOLASTICISMO: "Cria (...) uma Universidade de ciências maiores, pedindo ao Pe. Francisco de Borja que lhe mande bons mestres para as cadeiras de teologia, escolástica, positiva, moral..." (Antero de Figueiredo, *D. Sebastião*) 2 *Pext. Teol.* Qualquer doutrina ou filosofia fundamentadas a partir de uma crença religiosa 3 *Pext. Pej.* Qualquer doutrina que pregue o tradicionalismo ou o pensamento ortodoxo [F.: Do lat. *scholastica.*]

escolástico (es.co.*lás*.ti.co) *a.* 1 Ref. à escolástica 2 Que é seguidor da escolástica 3 *Antq.* Ref. a escolas ou a escolares *sm.* 4 Aquele que segue a doutrina da escolástica *sm.* 5 *Antq.* O aluno, o estudante em geral [F.: Do gr. *scholastikós*, pelo lat. *scholasticus.*]

escólex (es.*có*.lex) [cs] *sm2n. Zool.* região anterior dos vermes cestoides, provida de ganchos e ventosas para a fixação no hospedeiro [F.: Do lat. cient. *scolex.*]

escolha (es.*co*.lha) [ô] *sf.* 1 Ação ou resultado de escolher 2 Preferência dada a determinadas pessoas, seres ou coisas de um conjunto: *A escolha do ator passou por longas provas e observações.* 3 Opção entre coisas, pessoas, procedimentos, situações etc. que se oferecem ou estão disponíveis; PREFERÊNCIA 4 Preferência num processo eleitoral; ELEIÇÃO 5 Empatia, simpatia, admiração, amor maiores em relação a algo ou alguém entre outros; FAVORITISMO; PREDILEÇÃO 6 *Bras. Agr.* Parcela dos grãos de qualidade inferior, separada depois de escolhidos os melhores 7 Vantagem outorgada a alguém (em função de idade, estado de saúde, hierarquia etc.) em relação a outro ou outros: *Para serem atendidos hoje pelo médico têm preferência os casos de urgência, idosos e crianças.* [F.: Dev. de *escolher.*] ▪▪ **~ objetal** *Psic.* Aquela que alguém faz de uma pessoa ou modelo de pessoa para ser, irreversivelmente, o objeto de seu amor **Múltipla ~** Sistema de prova ou concurso em que a cada questão se apresentam ao candidato algumas possíveis respostas, sendo ger. uma delas a correta

escolher (es.co.*lher*) *v.* 1 Entre mais de uma opção (de pessoas, coisas, ações etc.), exercer ou manifestar preferência por uma ou mais delas [*td.*: *Entre as várias camisas, escolheu uma azul.*] [*int.*: *Ante tantas ofertas, é preciso saber escolher.*] [*tr.* + *entre*: *Você vai ter de escolher entre mim e ele.*] 2 Ter ou manifestar preferência por (algo, alguém, ação, situação etc.) [*td.*: *Desde criança escolhera a medicina, e nunca considerou outra possibilidade de carreira.*] 3 Selecionar (entre coisas) separando o bom do ruim; CATAR; JOEIRAR [*td.*] [▶ 2 escolher] [F.: Do lat. **excolligere*, posv. Hom./Par.: *escolha* (fl.), *escolha* (sf.); *escolhas* (fl.), *escolhas* (pl. de *escolha*); *escolho* (fl.), *escolho* (sm.).]

escolhido (es.co.*lhi*.do) *a.* 1 Que se escolheu, que foi selecionado, por que ou por quem se optou (candidato escolhido) [Ant.: *desprezado, relegado, rejeitado.*] *sm.* 2 Aquele que foi selecionado 3 O namorado, o noivo, o eleito: *O escolhido reinou na casa de Maria.* 4 Indivíduo que foi escolhido (1 ou 2 de escolher) por entidades superiores para ser o líder, o salvador, o guia de um grupo, ou da humanidade: *No filme Matrix, Neo é o escolhido.* [F.: Part. de *escolher.*]

escolho (es.*co*.lho) [ô] *sm.* 1 Rochedo à superfície da água; RECIFE; ABROLHO; BAIXIO 2 *Pext.* Ilha de rochas escarpadas e de difícil acesso 3 *Fig.* Qualquer tipo de obstáculo, risco moral ou emocional [Pl.: [ó]. Mais us. no pl.] [F.: Do lat. *scopulus*, pelo it. *scoglio.*]

escolinha (es.co.*li*.nha) *sf.* 1 Escola pequena 2 *Bras.* Curso de esportes, artes etc. para crianças ou jovens (escolinha de música) 3 *Bras. Infan.* Tratamento carinhoso ref. à pré-escola: *Ao sair da escolinha, a mãe lhe deu um sorvete.* 4 *Fut.* Em clube no qual se pratica o futebol, departamento para ensino e treinamento de crianças nesse esporte, visando a selecionar e formar jogadores [F.: *escola* + *-inha.*]

escólio (es.*có*.li:o) *sm.* **1** *Liter.* Comentário para servir à compreensão de um autor clássico **2** Nota sobre um texto qualquer, com o objetivo de explicá-lo ou interpretá-lo [F.: Do gr. *schólion*. Hom./Par.: *escólio* (sm.), *escolio* (fl. de *escoliar*).]

escoliose (es.co.li:*o*.se) *sf. Pat. Ort.* Desvio lateral da coluna vertebral, por deformidade (quando é fixa num lugar) ou contração (quando muda de lugar) muscular [F.: Do gr. *skolíosis*, pelo lat. cient. *scoliosis*.]

escoliótico (es.co.li:*ó*.ti.co) *a.* Ref. a escoliose [F.: *escolio(se)* + *-ótico*.]

escolta (es.*col*.ta) [ó] *sf.* **1** *Mil.* Destacamento de qualquer força armada destinado a acompanhar e proteger pessoas ou coisas de grande importância: *A escolta da princesa mal a deixava andar; A transferência do cofre contou com escolta policial.* **2** *Mar.G.* Vasos de guerra que navegam junto dos navios mercantes em tempos de conflito internacional **3** *P.ext.* Qualquer grupo de pessoas que acompanham outras; COMITIVA; SÉQUITO [F.: Do it. *scorta*, pelo espn. *escolta*.]

escoltado (es.col.*ta*.do) *a.* Que se escoltou, que foi acompanhado de escolta (prisioneiro escoltado) [F.: Part. de *escoltar*.]

escoltar (es.col.*tar*) *v. td.* **1** Acompanhar oferecendo proteção (contra perigos): *A Polícia Militar escoltava os carros-fortes.* **2** Manter-se junto de, parado ou se movimentando; ACOMPANHAR: *O secretário escoltou o cônsul durante a recepção.* [▶ 1 escolt**ar**] [F.: *escolta* + *-ar*². Hom./Par.: *escolta(s)* (fl.), *escolta(s)* (sf.[pl.]).]

escombros (es.*com*.bros) *smpl.* Destroços e entulhos que restam de uma construção destruída ou em ruínas: *Só ficaram os escombros das duas torres.* [F.: Do espn. *escombros*.]

esconde-esconde (es.con.de-es.*con*.de) *sm. Infan. Lud.* Brincadeira infantil em que uma criança fica de rosto encoberto por algum tempo e, depois, sai à procura das outras, que se esconderam; a primeira que for encontrada toma o lugar da que a achou; ESCONDIDAS; ESCONDIDO; TEMPO-SERÁ [Pl.: *esconde-escondes; escondes-escondes*.]

esconder (es.con.*der*) *v.* **1** Pôr (algo, animal, alguém, inclusive si mesmo) em algum lugar de modo a ficar oculto; OCULTAR [*td.*: *Escondeu o presente até o aniversário do filho.*] [*tda.*: *O menino escondeu-se atrás da porta.*] **2** Impedir que (algo) venha ao conhecimento (de outrem), não revelar, guardar segredo sobre; OCULTAR [*td.*: *esconder um crime*] [*tdr.* + *a, de*: *O deputado escondeu seu passado dos eleitores.* Ant.: *revelar, expor.*] **3** Não demonstrar; DISFARÇAR; DISSIMULAR [*td.*: "...consciente de sua velhice e não procurava escondê-la." (Kurban Said, *Ali e Nino*)] [*tdr.* + *a, de*: *Escondeu do amigo sua decepção.* Ant.: *revelar, patentear.*] **4** Impedir a visibilidade de; TAPAR [*td.*: *A folhagem escondia o ninho do joão-de-barro.*] [▶ 2 escond**er**] [F.: *esconder*, f. popular de *absconder* (p.us.), do lat. *abscondere*.]

esconderijo (es.con.de.*ri*.jo) *sm.* **1** Lugar onde pessoas ou animais se escondem; COVIL; ESCONDEDOURO; VALHACOUTO **2** Lugar onde se esconde alguma coisa: *O forro da mala era o esconderijo onde guardava as cartas da mulher.* [F.: Do espn. *escondrijo*.]

escondidas (es.con.*di*.das) *sfpl.* **1** Us. na loc. *Às escondidas*: *Saiu às escondidas.* **2** *Lus.* O mesmo que *esconde-esconde*
■ **Às ~** De maneira oculta

escondido (es.con.*di*.do) *a.* **1** Que se escondeu, encoberto; OCULTO; RECÔNDITO [Ant.: *evidente, visível*.] *sm.* **2** Ver *esconde-esconde* **3** *BA* Rio ou riacho subterrâneo em lavras de diamantes; GRUNADO; SUMIDOURO [F.: Part. de *esconder*.]

escondimento (es.con.di.*men*.to) *sm.* Ação ou resultado de esconder [F.: *esconder* + *-mento*.]

esconjuração (es.con.ju.ra.*ção*) *sf.* O mesmo que *esconjuro* [Pl.: *-ções*.] [F.: *esconjurar* + *-ção*.]

esconjurado (es.con.ju.*ra*.do) *a.* **1** Que se esconjurou, se neutralizou com rezas ou passes, se fez desaparecer (demônio esconjurado, mal esconjurado); EXORCIZADO [Ant.: *abençoado*.] **2** Que foi execrado, amaldiçoado: *O prefeito se viu esconjurado pela população.* **3** *P.us.* Que se fez jurar; ajuramentado *sm.* **4** Indivíduo execrado, repelido: *Mal o esconjurado aparecia, todos caíam fora.* [F.: Part. de *esconjurar*.]

esconjurar (es.con.ju.*rar*) *v.* **1** Afastar (demônio, espírito mau) do corpo de alguém, por meio de exorcismo, magia etc.; EXORCISMAR; EXORCIZAR [*td.*: *esconjurar o demônio.*] **2** Afastar, fazer desaparecer (coisa ruim) [*td.*: *Esconjurou seus maus pensamentos.*] **3** Dirigir pragas ou maldições a; AMALDIÇOAR [*td.*: *Irritadíssimo, esconjurava quem lhe surgisse à frente.*] [*int.*: *Nervoso, não parava de esconjurar.*] **4** Fazer juramento para (certa finalidade), jurar que [*td.*: *Esconjurou fidelidade, lealdade e dedicação à causa.*] **5** Ordenar, mandar [*tdi.* + *a*: *Esconjurou às filhas que saíssem da janela.*] **6** Pedir (algo) a (alguém) com insistência, com veemência [*tdi.* + *a, para*: *Esconjurou a todos os cidadãos o respeito à lei e à moralidade.*] [▶ 1 esconjur**ar**] [F.: *es-* + *conjurar*. Sin. ger.: *desconjurar*.]

esconjuro (es.con.*ju*.ro) *sm.* **1** Ação ou resultado de esconjurar, repelir (demônio, influência má), dirigir pragas a; MALDIÇÃO; PRAGA **2** Oração para afastar demônio ou espíritos maus; EXORCISMO: *Com um esconjuro e duas ave-marias, o padre se afastou.* [F.: Dev. de *esconjurar, conjurar*. Tb. *conjuro*.]

esconsa (es.*con*.sa) *sf.* Ação ou resultado de esconder, de ocultar; OCULTAÇÃO [F.: Fem. subst. de *esconso*.]

esconso¹ (es.*con*.so) *a.* **1** Que se acha inclinado, enviesado; OBLÍQUO *sm.* **2** Característica do que é inclinado, ou escorregadio: *O esconso das paredes foi disfarçado pelos armários.* **3** Canto, desvão: *Escondeu-se no esconso sob a escada.* **4** Cômodo, quarto, espaço que se aproveita em desvão inclinado de telhado ou teto [F.: Do fr. antigo *escoinçon*, pelo fr. tb. ant. *escoinz*.] ■ **De ~** De esguelha; de través; de soslaio

esconso² (es.*con*.so) *a.* **1** Que não se acha à mostra, escondido; OCULTO; ESCUSO; ABSCONSO: *Por motivos esconsos, deixou a verdade de lado.* *sm.* **2** Refúgio, retiro; RECESSO: *Escondia-se no esconso do quarto.* **3** *Fig.* Intimidade, íntimo; ÂMAGO: *nos esconsos da alma.* [Nesta acp., mais us. no pl.] [F.: Do lat. *absconsum*.]

escopa (es.*co*.pa) [ô] *sf. MG SP* Certo jogo de cartas [F.: Do it. *scopa*.]

escopeta (es.co.*pe*.ta) [ê] *sf.* **1** *Arm.* Espingarda de recarregamento rápido, de cano curto e de grosso calibre, em geral 12mm **2** *Arm.* Nome de diversas armas de fogo portáteis, de cano curto, us. do séc. XVI ao XVIII [F.: Do espn. *escopeta*.]

escopeteiro (es.co.pe.*tei*.ro) *a.* **1** *Bras. N.E.* Diz-se do atirador que acerta sempre o alvo *sm.* **2** *Ant.* Soldado armado de escopeta [F.: *escopet(a)* + *-eiro*.]

escopo (es.*co*.po) [ô] *sm.* **1** Alvo, ponto que se pretende atingir: *Nosso escopo era a ilha a ser tomada.* **2** Finalidade, objetivo; PROPÓSITO; INTUITO: *O escopo da operação era acabar com os madeireiros.* **3** O espaço, a abrangência da mobilidade e efetividade de algo, de um sistema, de uma atividade, de uma ideia etc. **4** *Inf.* Num programa de informática, área, módulo etc. em que uma rotina, instrução, variável etc. é acessível para execução, edição, correção etc. (não sendo acessível fora deles) [Pl.: [ô].] [F.: Do gr. *skopós*, pelo lat. *scopus*, *i*. Cf. *escopro*.]

◎ **escopo-** *el. comp.* = ver, visão: *escopofilia, escopofobia* [F.: Do gr. *skopós, ou*.]

escopofilia (es.co.po.fi.*li*.a) *Psiq. sf.* **1** Prazer sexual em ver os órgãos genitais **2** Desejo patológico de ser visto [F.: *escopo-* + *-filia*.]

escopofílico (es.co.po.*fí*.li.co) *Psiq. a.* **1** Ref. a escopofilia **2** Que sofre de escopofilia; ESCOPÓFILO *sm.* **3** Pessoa que sofre de escopofilia; ESCOPÓFILO [F.: *escopofili(a)* + *-ico*².]

escopófilo (es.co.*pó*.fi.lo) *Psiq. a.* **1** Escopofílico (2) *sm.* **2** Escopofílico (3) [F.: *escopo-* + *-filo*.]

escopofobia (es.co.po.fo.*bi*.a) *sf. Psiq.* Medo mórbido de ser visto [F.: *escopo-* + *-fobia*.]

escopofóbico (es.co.po.*fó*.bi.co) *Psiq. a.* **1** Ref. a escopofobia **2** Que tem escopofobia; ESCOPÓFOBO *sm.* **3** Aquele que tem escopofobia; ESCOPÓFOBO [F.: *escopofobi(a)* + *-ico*².]

escopófobo (es.co.*pó*.fo.bo) *Psiq. a.* **1** Escopofóbico (2) *sm.* **2** Escopofóbico (3) [F.: *escopo-* + *-fobo*.]

escopolamina (es.co.po.la.*mi*.na) *sf. Farm.* Alcaloide ($C_{17}H_{21}NO_4$) encontrado em várias plantas da fam. das solanáceas, de propriedades sedativas e hipnóticas [F.: Do lat. cient. *Scopolia* + *-amina*.]

escopro (es.*co*.pro) [ô] *sm.* **1** Ferramenta de aço ou calçada de aço, us. para lavrar pedra, madeira ou metal; CINZEL **2** *Cir. Ort.* Instrumento cirúrgico de ponta cortante para operações nos ossos **3** *Zool.* Réptil sáurio anfisbenídeo (família da cobra-de-duas-cabeças), *Blanus cinereus* [F.: Do lat. *scalprum*.]

escora (es.*co*.ra) [ó] *sf.* **1** Peça que serve de apoio, sustentação (de uma estrutura, encosta, parede etc.); ESPEQUE; ESTEIO **2** *Mar.* Peça de madeira ou aço que serve para sustentar uma embarcação em construção ou reparo **3** *Fig.* Amparo, proteção; APOIO; ARRIMO: *Buscava escora em débeis argumentos.* **4** *Bras.* Ato de esperar com o intuito de agredir, atacar; TOCAIA **5** *Arq.* Ver *botaréu*. [F.: Do neerlandês *schore*, pelo fr. ant. *escore*.]

escorado (es.co.*ra*.do) *a.* **1** Que se escorou, se apoiou com escoras; ESPECADO **2** *Fig.* Protegido, sustentado por algo ou alguém: *Ela está bem escorada, na diretoria.* [F.: Part. de *escorar*.]

escoramento (es.co.ra.*men*.to) *sm.* **1** Ação ou resultado de escorar, calçar; APOIO; SUSTENTAÇÃO **2** *Constr.* Conjunto de escoras para sustentar parede, marquise ou telhado que ameaça desmoronar **3** *Arq.* Operação emergencial para impedir o provável desabamento de uma construção [F.: *escorar* + *-mento*.]

escorar (es.co.*rar*) *v.* **1** Colocar escora, esteio em [*td.*] **2** Encostar(-se) para não cair; APOIAR(-SE) [*td.*: *Escore a moto.*] [*tdr.* + *em*: "...veio arrastando os pés, escorando-se em um bordão..." (Júlio Ribeiro, *A carne*)] **3** *Fig.* Buscar sustentação ou proteção (em alguém ou algo); AMPARAR(-SE) [*tr.* + *em*: *Escorar(-se) na religião.*] **4** *Bras.* Espreitar (alguém) para atacá-lo; EMBOSCAR; TOCAIAR [*td.*: "Sabe lá se o cara do bigodinho não está mesmo te escorando aí numa esquina dessas do morro." (Antonio Callado, *Bar Don Juan*)] **5** *Bras.* Resistir a ataque de (alguém) com vantagem; enfrentar e deter [*td.*: *Para o batalhão seria fácil escorar os fugitivos.*] [▶ 1 escor**ar**] [F.: *escora* + *-ar*².]

escorbútico (es.cor.*bú*.ti.co) *a.* **1** Ref. ao escorbuto **2** Que sofre de escorbuto *sm.* **3** Quem sofre de escorbuto [F.: *escorbuto* + *-ico*².]

escorbuto (es.cor.*bu*.to) *sm. Pat.* Doença causada por avitaminose C aguda e caracterizada por hemorragias, ulceração nas gengivas, perda de resistência às infecções, caquexia progressiva [F.: Do fr. *scorbut*.]

escorchado (es.cor.*cha*.do) *a.* **1** Que se escorchou, ficou sem corcha ou casca, revestimento externo (fruto escorchado); DESCASCADO **2** Diz-se do que foi arranhado, esfolado **3** *Fig.* Diz-se de quem foi espoliado, explorado: *O fiscal corrupto tinha até uma lista dos comerciantes escorchados.* [F.: Part. de *escorchar*.]

escorchador (es.cor.cha.*dor*) [ô] *a.* **1** Que escorcha *sm.* **2** Aquele que escorcha [F.: *escorchar* + *-dor*.]

escorchante (es.cor.*chan*.te) *a2g.* **1** Que escorcha, que arranca a corcha ou a pele **2** *Fig.* Diz-se de preço abusivo cobrado por um produto ou serviço (prestação/valor escorchante) [F.: *escorchar* + *-nte*.]

escorchar (es.cor.*char*) *v.* **1** Tirar a pele ou a casca ou a corcha (cortiça) de [*td.*] **2** Tirar o revestimento externo de (animal, planta ou qualquer objeto) [*td.*] **3** *Fig.* Roubar, espoliar [*td.*: *Os vândalos escorcharam a loja.*] [*tdr.* + *de*: *Os vândalos escorcharam a loja de suas mercadorias.*] **4** *Fig.* Cobrar caro de, fazer preço exorbitante para (o comprador); DEPENAR; ESFOLAR; EXPLORAR [*td.*: *Esta casa de espetáculos escorcha seu público.*] **5** *Fig.* Roubar, espoliar [*td.*: *escorchar um poema.*] **6** *Fig.* Estragar, desarranjar, destruir [*td.*: *escorchar um penteado.*] **7** Crestar, queimar (colmeia) **8** Arrancar quantia exorbitante de, onerar muito, impor ônus pesado a (imposto, taxa, juros etc.) [*td.*] [▶ 1 escorch**ar**] [F.: Do lat. vulg. *excorticare*.]

escorço (es.*cor*.ço) [ô] *sm.* **1** *Art.pl.* Desenho ou pintura que reproduz seus motivos em escala menor, segundo as normas da perspectiva **2** *P.ext.* Qualquer figura que se apresenta em proporções menores que o natural **3** *Fig.* Obra condensada; RESUMO; SÍNTESE [F.: Do it. *scorcio*.]

escore (es.*co*.re) *sm. Esp.* Resultado de uma partida, expresso pelo número de pontos alcançados pelos competidores; PLACAR: *Foi uma vitória magra, o escore não passou de 1 X 0.* [F.: Do ing. *score*.]

escória (es.*có*.ri:a) *sf.* **1** *Metal.* Resíduo silicoso que se separa de metais ou minérios em fusão **2** *Fig.* Coisa sem valor, objeto desprezível **3** *Fig. Pej.* Estrato mais baixo da sociedade; CHOLDRA; RALÉ; GENTALHA; PATULEIA: *O lugar era frequentado pela escória do bairro.* [F.: Do gr. *skoría*, pelo lat. *scoria*.] ■ **~ ácida** *Metal.* Escória cujo teor de sílica é alto **~ básica** *Metal.* Escória de forno que apresenta alto teor de óxidos básicos **~ social** *Fig. Pej.* A camada social considerada mais baixa; ralé

escoriação (es.co.ri:a.*ção*) *sf.* Ação ou resultado de escoriar(-se), ferir(-se) superficialmente: *O tombo causou-lhe uma escoriação no joelho.* [Pl.: *-ções*.] [F.: *escoriar* + *-ção*.]

escoriado (es.co.ri.*a*.do) *a.* Que sofreu escoriação; ARRANHADO; ESFOLADO: *Terminada a briga, tinha o corpo todo escoriado.* [F.: Part. de *escoriar*.]

escoriar (es.co.ri.*ar*) *v.* **1** Fazer ficar ou ficar superficialmente ferido, esfolado; ARRANHAR; ESFOLAR [*td.*: *O piso áspero escoriou seu joelho, quando ela caiu.*] [*int.*: *Rolou pela ribanceira pedregosa e escoriou-se.*] **2** Limpar (metal) de escória; ESCORIFICAR; PURIFICAR [▶ 1 escori**ar**] [F.: Do lat. *excoriare*. Hom./Par.: *escoria* (fl.), *escória* (sf.); *escorias* (fl.), *escórias* (pl. de *escória*).]

escorificação (es.co.ri.fi.ca.*ção*) *sf.* Ato de separar as escórias do metal [Pl.: *-ções*.] [F.: *escorificar* + *-ção*.]

escorificar (es.co.ri.fi.*car*) *v. td.* **1** Fazer a limpeza de; LIMPAR **2** Retirar as escórias de (metal fundido) [▶ 11 escorifi**car**] [F.: *escori-* + *-ficar*.]

escornado (es.cor.*na*.do) *a.* **1** *Bras. Pop.* Exausto, moído (por excesso de trabalho, noitadas, falta de sono etc.) **2** Marrado, chifrado **3** Escorraçado [F.: Part. de *escornar*.]

escornar (es.cor.*nar*) *v.* **1** Golpear com os cornos, com os chifres [*td.*: *O touro escornou o espectador; Os touros escornavam-se na arena.*] **2** *Fig.* Demonstrar repúdio ou desprezo por [*td.*] **3** *Bras. Gír.* Ficar sem ação, por não saber o que fazer ou por cansaço [*int.*] [▶ 1 escorn**ar**] [F.: *es-* + *corno* + *-ar*.]

escorneado (es.cor.ne.*a*.do) *a.* Que se escorneou; ESCORNADO; MARRADO [F.: Part. de *escornear*.]

escornear (es.cor.ne.*ar*) *v. int.* Escornar habitualmente; ESCORNICHAR [▶ 13 escorn**ear**] [F.: *es-* + *corno* + *-ear*.]

escorpiano (es.cor.pi:*a*.no) *Astrol. a.* **1** Que nasceu sob o signo de Escorpião **2** Ref. a esse signo ou às qualidades e influências a ele atribuídas, segundo a astrologia *sm.* **3** Aquele que nasceu sob o signo de Escorpião [F.: *escorpi(ão)* + *-ano*¹.]

escorpião (es.cor.pi:*ão*) *sm.* **1** *Zool.* Denominação comum aos aracnídeos da ordem dos *escorpiones*, com até 18cm de comprimento, dotados de pedipalpos em forma de pinça e abdome que se estreita até a cauda recurva para a frente, terminada em aguilhão dotado de veneno; LACRAU **2** *Astron.* Oitava constelação do zodíaco, entre Libra e Sagitário **3** *Astrol.* Oitavo signo do zodíaco, o das pessoas nascidas entre 23 de outubro e 21 de novembro [Pl.: *-ões*.] [F.: Do gr. *skorpíos*, pelo lat. *scorpio, onis*.]

escorpiônico (es.cor.pi:*ô*.ni.co) *a.* Ref. a escorpião [F.: *escorpião* + *-ico*², seg. o mod. erudito.]

escorpionismo (es.cor.pi:o.*nis*.mo) *sm. Med.* Envenenamento causado por ferroada de escorpião [F.: *escorpion-* + *-ismo*, segundo o modelo erudito.]

escorraçado (es.cor.ra.*ça*.do) *a.* **1** Que se escorraçou, que foi rejeitado, expulso com desprezo, ou com violência (adversário escorraçado); ENXOTADO; EXPULSO **2** *MG MT* Arisco, arredio; desconfiado [F.: Part. de *escorraçar*.]

escorraçamento (es.cor.ra.ça.*men*.to) *sm.* Ação ou resultado de escorraçar: *A violência do ataque inimigo não impediu seu escorraçamento.* [F.: *escorraçar* + *-mento*.]

escorraçar (es.cor.ra.*çar*) *v. td.* **1** Mandar embora, expulsar com desprezo, violência ou maus modos; ENXOTAR **2**

Rejeitar, repelir, dispensar: *Escorraçou a fortuna que lhe batia à porta.* [▶ 12 escorraçar] [F.: De or. contrv.]

escorredeira (es.cor.re.*dei*.ra) *sf.* Utensílio cujo fundo deixa passar líquidos, mas não sólidos, us. em cozinha para fazer escorrer a água em que cozinharam certos alimentos [F.: *escorrer* + *-deira*.]

escorredor (es.cor.re.*dor*) [ô] *Bras. sm.* 1 Utensílio us. para secar louças e/ou talheres depois de lavados 2 Utensílio em que se põem certos alimentos para escorrer depois de cozidos (escorredor de macarrão/de legumes) *sm.* 3 *RS* Curral onde se deixa o gado até que lhe escorra do corpo a água do banho carrapaticida [F.: *escorrer* + *-dor*.]

escorrega (es.cor.*re*.ga) *sm.* Ver escorregador (3) [F.: Dev. de *escorregar*.]

escorregadela (es.cor.re.ga.*de*.la) *sf.* 1 Ação ou resultado de escorregar, esp. de maneira branda: "O tombo foi de feitio que fez rir as pessoas mais cordatas, como sucede ao cair por escorregadela..." (Camilo Castelo Branco, *Mulher fatal*) 2 *Fig.* Erro, falha, causados por descuido; DESLIZE: *O intérprete estava distraído, e deu várias escorregadelas.* [F.: *escorregar* + *-dela*.]

escorregadiço (es.cor.re.ga.*di*.ço) *a.* Ver *escorregadio*

escorregadio (es.cor.re.ga.*di*.o) *a.* 1 Em que se pode escorregar facilmente (piso escorregadio, pista escorregadiça) 2 *Fig.* Diz-se de pessoa evasiva, de difícil acesso, ou dada a usar subterfúgios [F.: *escorregar* + *-dio*. Tb. *escorregadiço*.]

escorregador (es.cor.re.ga.*dor*) [ô] *a.* 1 Que escorrega, que costuma escorregar 2 *Bras. Pop.* Diz-se de quem é exagerado ou mentiroso *sm.* 3 Brinquedo infantil com uma escada e uma superfície inclinada por onde as crianças deslizam deitadas ou sentadas; ESCORREGA [F.: *escorregar* + *-dor*.]

escorregamento (es.cor.re.ga.*men*.to) *sm.* O mesmo que *escorregadela* [F.: *escorregar* + *-mento*.]

escorregão (es.cor.re.*gão*) *sm.* Acidente de escorregar, esp. de maneira violenta: *Machucou-se num escorregão na calçada.* [Pl.: *-gões*.] [F.: *escorregar* + *-ão*.]

escorregar (es.cor.re.*gar*) *v.* 1 Deslizar sob a ação do próprio peso, caindo ou não; RESVALAR [*int.*: *Pisou numa casca de banana e escorregou;* "Sombras escuras escorregaram para dentro do rio..." (Antonio Callado, *Bar Don Juan*)] 2 Ser escorregadio [*int.*: *Passou tanta cera que o piso estava escorregando.*] 3 *Fig.* Cair em erro, em contradição etc.; cometer pequenos deslizes [*tr.* + *em*: *Escorregava nas explicações, revelando sua culpa; escorregar na concordância gramatical.*] 4 *Fig.* Deixar-se levar (em vícios, erros); RESVALAR; DESLIZAR [*tr.* + *em*: *Ainda jovem, escorregou na ilusão da jogatina.*] 5 *Bras. Fig.* Exagerar na narrativa de um fato, devido ao entusiasmo [*int.* Ant.: *conter-se*.] 6 Passar, decorrer com velocidade [*int.*: *As horas escorregam despercebidas.*] [▶ 14 escorregar] [F.: Do lat. *excurricare. Hom./Par.: *escorrega* (fl.), *escorrega* (sf.); *escorregas* (fl.), *escorregas* (pl. de *escorrega*).]

escorreito (es.cor.*rei*.to) *a.* 1 Sem defeito ou falha (procedimento escorreito) 2 Apurado, correto: *Escreve em português escorreito.* 3 Que tem boa aparência (jovem escorreito); BEM-APESSOADO [F.: Do lat. *excorrectus*.]

escorrer (es.cor.*rer*) *v.* 1 Fazer correr, verter (líquido) ou tirar líquido de (algo) [*td.*: *escorrer o excesso do molho; escorrer o macarrão.*] 2 Fazer gotejar ou gotejar, fazer correr ou correr (líquido) com mais intensidade; VERTER [*td.*: *As feridas escorriam sangue negro.*] [*int.*: *O suor escorria pelo corpo;* "... o sangue jorraria no cálice antes de escorrer pelas mangas do padre, pelo altar, pela floresta." (Antonio Callado, *Bar Don Juan*) Ant.: *estancar*.] [▶ 2 escorrer] [F.: Do lat. *excurrere*.]

escorrido (es.cor.*ri*.do) *a.* 1 Que escorreu (líquido escorrido) 2 Esgotado, escoado, de que se extraiu o líquido (vaso escorrido) 3 Corredio, muito liso (cabelo escorrido) 4 Que perdeu o brilho, as cores (vermelho escorrido); DESBOTADO 5 *Pop.* Sem dinheiro; LISO; TESO; DURO: *Apostou tudo o que tinha e saiu de bolso escorrido.* 6 *Pop.* Cansado, sem fôlego; EXAURIDO; EXAUSTO [F.: Part. de *escorrer*.]

escorrimento (es.cor.ri.*men*.to) *sm.* 1 Ação ou resultado de escorrer 2 *Bras.* Método e operação para separar o leite da manteiga [F.: *escorrer* + *-imento*.]

escorropichar (es.cor.ro.pi.*char*) *v. td.* 1 Beber até o fim, até a última gota: *Escorropichou todas as garrafas de cerveja.* 2 Beber o que restou numa garrafa, copo, recipiente etc. [▶ 1 escorropichar] [F.: De orig. duv; talvez de *escorrer* + *pichar*.]

escorva (es.*cor*.va) *sf.* 1 *Antq. Mil.* Porção de pólvora que se colocava na caçoleta das antigas armas de pederneira, para levar o fogo à carga 2 *Antq. Mil.* Cilindro de papel ou metal em que se envolvia a pólvora a fim de passar o fogo para a carga (escorva de percussão) 3 Porção de pólvora amassada para comunicar o fogo à carga de um foguete 4 *GO Pop.* Designação vulgar da batata-inglesa [F.: Do it. ant. *scroba*.]

escorvar (es.cor.*var*) *v. td.* Colocar escorva, explosivo em (arma de fogo, foguete) [▶ 1 escorvar] [F.: *escorva* + *-ar²*. Hom./Par.: *escorvar*, *escovar* (em todas as fl.).]

escoteiro¹ (es.co.*tei*.ro) *a.* 1 Que anda sem companhia, sozinho 2 Que viaja sem bagagem (turista escoteiro) 3 *Bras. N.N.E.* Isento de impurezas (arroz escoteiro) *sm.* 4 Aquele que viaja sem bagagem 5 *BA* Tripulante que manobra a baleeira [F.: *escote* + *-eiro*.] ■ **De ~** *Bras.* Sem qualquer bagagem: *Chegou de escoteiro, com uma pasta na mão.*

escoteiro² (es.co.*tei*.ro) *sm.* Praticante do escotismo; membro de uma unidade do corpo de escoteiros [F.: Aport. do ing. *scout*, *escote* + *-eiro*.]

escotilha (es.co.*ti*.lha) *sf.* 1 *Mar.* Abertura nos navios que põe em comunicação entre si as cobertas, o convés e o porão, servindo tb. para iluminar e arejar o interior das embarcações 2 *Lus.* Abertura na parte superior do tonel, para entrada das uvas, limpeza etc. [F.: Posv. do fr. ant. *escoutille*, atualmente *écoutille*.]

escotismo (es.co.*tis*.mo) *sm.* Organização criada pelo general inglês Baden Powell (1857-1941), visando ao aperfeiçoamento físico, moral e comportamental de adolescentes com uma ética paramilitar, exercícios no campo, adaptação à natureza etc. [F.: Aport. do ing. *scout* + *-ismo*.]

escotoma (es.co.*to*.ma) *sm.* *Oft.* Lacuna do campo visual decorrente de patologias oculares [F.: Do gr. *skótoma, atos*.] ■ **~ cintilante** *Med.* Mancha móvel e brilhante que ocorre no campo visual em algumas doenças ou afecções nervosas (esp. na enxaqueca); mosca volante

escotopia (es.co.to.*pi*:a) *sf.* *Fisl.* Ver *adaptação visual*

escoucear (es.cou.ce.*ar*) *v. td. int.* Ver *escoicear*

escova (es.*co*.va) [ô] *sf.* 1 Utensílio que serve ger. para pentear, limpar ou lustrar superfícies etc., que consiste numa placa de plástico, madeira etc., às vezes dotada de cabo, e onde se inserem filamentos mais ou menos flexíveis e de material variável (de cerda, náilon, metal etc.) de acordo com sua aplicação (escovar dentes, cabelos, roupa, calçados, unhas, pelo dos animais etc.) 2 *Bras. Pop.* Pessoa inconveniente, maçante, chata 3 *Elet.* Parte de motor ou gerador elétrico que faz o contato entre o rotor e os condutores de corrente, conduzindo esta para o motor ou captando a que foi produzida no gerador 4 *MT RS Pop.* Jogo de cartas também chamado escopa [F.: Do lat. *scopa*.] ■ **Fazer ~** Modelar o cabelo com escova e secador

escovação (es.co.va.*ção*) *sf.* Ação ou resultado de escovar; ESCOVAGEM; ESCOVADELA [F.: *escovar* + *-ção*.]

escovada (es.co.*va*.da) *sf.* Ação ou resultado de escovar; ESCOVADELA: *Deu uma escovada no casaco.*

escovadela (es.co.va.*de*.la) *sf.* 1 Ação ou resultado de escovar ligeiramente: *Deu uma escovadela no paletó e saiu.* 2 *Fig.* Reprimenda, censura: *Levou uma escovadela por ter-se atrasado.* 3 Castigo, punição: *A escovadela serviu-lhe de lição.* [F.: *escovada* + *-ela*.]

escovado (es.co.*va*.do) *a.* 1 Que se escovou, que foi limpo ou penteado com escova (casaco escovado) 2 *Bras. Pop.* Diz-se de indivíduo bem-arrumado: *Vinha sempre todo escovado.* 3 *Bras. Pop.* Diz-se de quem é astucioso, manhoso, ladino; ESPERTO [F.: Part. de *escovar*.]

escovamento (es.co.va.*men*.to) *sm.* O mesmo que *escovação*

escovão (es.co.*vão*) *sm.* 1 Escova grande 2 Escova pesada e de cabo longo us. para limpar ou encerar pisos [Pl.: *-vões*.] [F.: *escova* + *-ão¹*.]

escovar (es.co.*var*) *v. td.* 1 Alisar ou limpar com escova: *escovar os cabelos; escovar os sapatos:* "... aceitou até um peteleco que lhe dei no dia seguinte, por me não escovar bem as botas..." (Machado de Assis, *Novas seletas*) 2 *Fig. Pop.* Bater muito em (pessoa, animal); ESPANCAR; SURRAR 3 *Fig. Pop.* Repreender, censurar, advertir [▶ 1 escovar] [F.: Do lat. *scopare* ou de *escova* + *-ar²*. Hom./Par.: *escovar*, *escorvar* (em todas as fl.); *escova* (fl.), *escova* (sf.); *escovas* (fl.), *escovas* (pl. de *escova*).]

escovinha (es.co.*vi*.nha) *sf.* 1 Escova pequena 2 *Bot.* Erva da fam. das compostas (*Centaurea cyanus*), de origem europeia, com pelos brancos e flores azuis, de uso ornamental; CENTÁUREA; CENTÁUREA-AZUL; CÍANO [F.: *escova* + *-inha*.] ■ **À ~** Cortado muito rente (cabelo)

escrachado (es.cra.*cha*.do) *a.* 1 *Bras. Gír.* Que se escrachou, que está desmoralizado; ESCULACHADO 2 *Bras. Gír.* Diz-se de quem é fichado na polícia (bandido escrachado) 3 Que está evidente, que não se tem como ocultar, embora muitos se o quisesse 4 Que é depravado, pervertido [Ant.: *decente*.] 5 Que foi repreendido asperamente; ESPINAFRADO 6 Que se veste mal; DESARRUMADO; DESLEIXADO [F.: Part. de *escrachar*.]

escrachante (es.cra.*chan*.te) *a2g.* Ref. a escrachamento ou a escracho

escrachar (es.cra.*char*) *Bras. Pop. v. td.* 1 Desmoralizar, desmascarar, revelar as intenções de alguém que tentava ocultá-las 2 Fotografar e fichar na polícia 3 Repreender asperamente, descompor; ESCULACHAR [▶ 1 escrachar] [F.: *es-* + *crachá* + *-ar²*.]

escracho (es.*cra*.cho) *sm.* 1 Ação ou resultado de escrachar 2 *Gír.* Fotografia tirada em delegacia policial 3 *Fig.* Reprimenda humilhante sofrida por alguém; ESCULACHO; ESCULHAMBAÇÃO: "Me deixa ser teu escracho, capacho, teu cacho, um riacho de amor..." (Chico Buarque e Ruy Guerra, *Não existe pecado ao sul do Equador*) 4 Situação confusa, desordem, bagunça; ESCULHAMBAÇÃO [F.: Dev. de *escrachar*.]

escramuçar (es.cra.mu.*çar*) *Bras. v. int. N.E.* Mesmo que *corcovear* [▶ 12 escramuçar] [F.: talvez de *escaramuçar*. duv. Hom./Par.: *escaramuçar* (todos os tempos do v.).]

escravagismo (es.cra.va.*gis*.mo) *sm.* 1 Ideologia dos adeptos da escravatura 2 Sistema social que tem como base a escravatura 3 A soma dos efeitos desse sistema; ESCRAVISMO [Do fr. *esclavagisme*.]

escravagista (es.cra.va.*gis*.ta) *a2g.* 1 Ref. a ou próprio do escravagismo *s2g.* 2 Aquele que é adepto desse sistema [F.: Do fr. *esclavagiste*.]

escravatura (es.cra.va.*tu*.ra) *sf.* 1 Instituição socioeconômica em que determinadas pessoas são escravas e propriedade de outras, sendo obrigadas a trabalhar para estas: "O Sul queria manter a escravatura: o escravo que trabalhe, que cultive... que morra" (Eça de Queirós, *Prosas bárbaras*) 2 Estado ou condição de escravo: *Não suportava mais sua escravatura, e resolveu fugir.* 3 *Fig.* Qualquer situação de extremo constrangimento e obrigatoriedade [F.: *escravo* + *-tura*, em formação analógica à de *escritura*, p.ex.] ■ **~ branca** Comércio de mulheres para sua prostituição

escravidão (es.cra.vi.*dão*) *sf.* 1 Condição de quem é escravo; CATIVEIRO; ESCRAVATURA; SERVIDÃO 2 Sistema econômico e social baseado na escravização de pessoas e na exploração do trabalho de escravos: "... no panorama das línguas africanas faladas no Brasil à época da escravidão..." (Nei Lopes, "As línguas bantas e o português do Brasil", *in Dicionário banto do Brasil*) 3 Falta de autonomia; DEPENDÊNCIA; SUJEIÇÃO: "A marca porventura vislumbrada nas suas obras é a de Rodin, sem que isso denote absolutamente escravidão ao velho deus barbudo..." (Herman Lima, *Outros céus, outros mares*) 4 Condição de quem é dependente de alguma coisa (paixão, vício etc.): *O fumo era, para ele, uma escravidão.* [Pl.: *-dões*.] [F.: *escravo* + *-idão*.]

A escravidão, sistema e condição social baseados na ideia de que um ser humano pode ser propriedade de outro para servir-lhe, fazer trabalhos pesados sem remuneração, ser por ele totalmente dominado (sendo, assim, privado de ter vontade própria, direitos ou dignidade), foi durante séculos aceita e praticada, mesmo em civilizações consideradas de alto nível cultural e humanístico. Surgiu, com a sedentarização do homem, nas atividades agrícolas e pastorais, que exigiam trabalho pesado, extenso e continuado. Eram arrebanhados como escravos os prisioneiros de guerra, estrangeiros conquistados, devedores insolventes e suas famílias etc. A escravidão foi praticada entre sumérios, assírios, egípcios, gregos e romanos, indianos, chineses e muitos outros. Estendeu-se por toda a Idade Média e início da era mercantilista, quando o comércio de escravos recrudesceu como atividade econômica. O descobrimento e a colonização da América juntou dois fatores: a necessidade de imenso trabalho braçal na colonização, exploração de riquezas e agricultura, e a presença das populações nativas, candidatas naturais à escravização. Mas sua grande resistência a esse processo obrigou os colonizadores das três Américas a trazerem escravos negros da África. Os Estados Unidos foram o primeiro país da América a abolir a escravidão, em 1863. O Brasil, após leis atenuantes do regime escravista (Lei do Ventre-Livre, Lei dos Sexagenários), aboliu a escravidão em 1888.

escravismo (es.cra.*vis*.mo) *sm.* 1 Sistema socioeconômico apoiado na exploração do homem e de sua força de trabalho como propriedade privada de outro homem, de uma instituição etc.; ESCRAVAGISMO; ESCRAVATURA; ESCRAVIDÃO 2 A realidade factual da prática desse sistema [F.: *escravo* + *-ismo*.]

escravista (es.cra.*vis*.ta) *a2g.* 1 Ref. a escravo ou ao escravismo (regime/fazendeiro escravista) *s2g.* 2 Aquele que defende o escravismo, que é dele partidário: *O escravista ainda existe, à margem da lei e da razão.* [F.: *escravo* + *-ista*.]

escravização (es.cra.vi.za.*ção*) *sf.* Ação ou resultado de escravizar(-se); de impor ou se submeter ao estado de escravidão [Pl.: *-ções*.] [F.: *escravizar* + *-ção*.]

escravizado (es.cra.vi.*za*.do) *a.* Que se escravizou, sofreu escravização [F.: Part. de *escravizar*.]

escravizador (es.cra.vi.za.*dor*) [ô] *a.* 1 Que escraviza (trabalho escravizador) *sm.* 2 Aquele que escraviza alguém [F.: Do part. *escravizado* + *-or*.]

escravizante (es.cra.vi.*zan*.te) *a2g.* Que escraviza; ESCRAVIZADOR [F.: *escravizar* + *-nte*.]

escravizar (es.cra.vi.*zar*) *v.* 1 Tornar escravo [*td.*: "Se a raça negra se revoltasse hoje e nos escravizasse..." (Joaquim Nabuco, *O abolicionismo*) Ant.: *alforriar, libertar*.] 2 *Fig.* Tornar(-se) submisso; SUBJUGAR(-SE) [*td.*: "... como a paixão mais violenta escraviza (...) a sua vítima." (Joaquim Manuel de Macedo, *Luneta mágica*)] [*tdr.* + *a*: *Escravizou-se aos caprichos do marido.*] 3 Exercer domínio absoluto sobre [*td.*: *Não age como líder, mas como um capataz, escravizando seus funcionários.*] 4 Cativar, enlevar, encantar [*td.*: *O seu sorriso me escraviza.*] [▶ 1 escravizar] [F.: *escravo* + *-izar*. Hom./Par.: *escravizáveis* (fl.), *escravizáveis* (pl. de *escravizável*).]

escravizável (es.cra.vi.*zá*.vel) *a2g.* Que pode ser escravizado [F.: *escravizar* + *-vel*. Hom./Par.: escravizáveis (pl. de *escravizável*), escravizáveis (fl. de *escravizar*).]

escravo (es.*cra*.vo) *a.* 1 Diz-se de pessoa, ou grupo, ou povo que é considerado propriedade e se acha sob o domínio e na dependência de um senhor, seja este um indivíduo, uma instituição, uma nação etc. 2 *Pext.* Diz-se de pessoa que não é livre ou que vive sob a dependência de outra 3 *Fig.* Diz-se de quem trabalha como criado, serviçal; SERVO 4 *Fig.* Que é amigo incondicional, ou amante fanático e fiel 5 Próprio de escravo (6 a 8), daquele ou daquilo que está dominado, submisso, literal ou figuradamente (trabalho escravo, mentalidade escrava) *sm.* 6 Aquele que está sob o poder de um senhor, como sua propriedade privada 7 *Fig.* Criado, servo 8 *Fig.* Aquele que está submetido a alguém ou a alguma coisa (escravo do trabalho/do vício/da mulher) [F.: Do lat. med. *sclavus*, ou do gr. *sklábos*.]

■ **escrava branca** Mulher levada a outro país para lá ser prostituta

escravocracia (es.cra.vo.cra.*ci*.a) *sf.* Domínio, poder dos escravocratas [F.: *escravo* + *-cracia*.]

escravocrata (es.cra.vo.*cra*.ta) *a2g.* **1** Diz-se de quem é defensor ou partidário da escravatura e de seus princípios **2** Que é senhor de escravos **3** Em que há escravatura (domínio/país escravocrata) *s2g.* **4** Partidário da escravidão; ESCRAVISTA; ESCRAVAGISTA **5** Aquele que possui e utiliza escravos [F.: *escravo* + *-crata*.]

escrete (es.*cre*.te) *sm. Esp.* Ver *seleção* (3, 4) [F.: Do ing. *scratch*.]

escrevente (es.cre.*ven*.te) *a2g.* **1** Diz-se de quem copia o que outro escreve ou dita (funcionário escrevente) *s2g.* **2** Aquele cuja profissão é copiar o que outro escreveu ou ditou (escrevente de polícia); ESCRITURÁRIO (2) [F.: *escrever* + *-nte*. Cf. *escrivão*.] ■ **~ juramentado** Aquele que substitui o titular de cartório, em seus impedimentos

escrever (es.cre.*ver*) *v.* **1** Representar ou exprimir por meio da escrita (letras, caracteres etc.) [***td.***: *Ainda não escreve o próprio nome;* "Eu o escrevi logo depois do nosso casamento..." (José de Alencar, *Novas seletas*)] [***int.***: *Ainda não escreve.*] [***tda.***: *Sua distração era escrever o nome da namorada nos cadernos.*] **2** Relatar, transmitir por meio de escrita [***td.***: *Escreveu um relatório/sua análise sobre a empresa/o que viu na exposição etc.*] [***tdr.*** *+ de, sobre*: *Vou escrever de/sobre minha viagem.*] [***tdi. tdr.*** *+ a, para, de, sobre*: *Vou escrever-lhe sobre minha viagem.*] **3** Compor, redigir, desenvolver (obra literária: conto, romance, novela, livro etc.) [***td.***] **4** Ser escritor [***int.***: "Mas além do senhor, muitos nordestinos escrevem." (João Cabral de Melo Neto, "O exorcismo", *in Poesia*)] **5** Redigir (carta, bilhete etc.) [***td.***: *Costumava escrever cartas à noite.*] [***tdi.*** *+ a, para*: *Costumava escrever cartas para a família à noite.*] **6** Corresponder-se (com alguém) por meio de cartas, bilhetes etc. [***ti.*** *+ a, para*: *Eu costumo escrever para ele, nem sempre ele responde;* "Não me escreva, não me fale, não me procure..." (João Ubaldo Ribeiro, *Diário do farol*)] **7** Colaborar com textos (para a imprensa) [***tr.*** *+ em, para*: *O antropólogo escreve em dois jornais.*] **8** Expressar-se em determinada língua [***tr.*** *+ em*: *escrever em italiano.*] [***tdr.*** *+ em*: *escrever um artigo em inglês.*] **9** Descrever ou contar por escrito [***td.***: *Em seu livro, escreve a vida dos antepassados.*] **10** Rabiscar, garatujar [***ta.***: *Desde os dois anos, escrevia nas paredes.*] **11** Fixar, gravar [***tdr.*** *+ em*: *O pavor estava escrito em seu olhar.*] **12** *Bras. Pop.* Multar (alguém) por infração no trânsito; inscrever na relação dos que foram multados [***td.***: *O guarda escreveu o fusca cinza que avançou o sinal.*] **13** *Inf.* Incluir (informações) em memória, em discos ou em fitas magnéticas [***td.***] **14** *Bras. Pop.* Dirigir ou andar sem controle ou direção; ZIGUEZAGUEAR [***int.***: *Bêbado, o motorista da perua primeiro correu, costurou e escreveu, e só sossegou depois que bateu.*] [▶ 2 escrever Part.: *escrito*.] [F.: Do lat. *scribere*.]

escrevinhação (es.cre.vi.nha.*ção*) *sf.* Ação ou resultado de escrevinhar [F.: *escrevinhar* + *-ção*.]

escrevinhador (es.cre.vi.nha.*dor*) [ô] *a.* **1** *Pej.* Diz-se de quem escrevinha, rabisca (aluno escrevinhador) **2** Diz-se do mau escritor, autor de obras medíocres *sm.* **3** *Pej.* Aquele que escreve com letra ruim; RABISCADOR **4** Autor de obra literária de pouco mérito ou insignificante [F.: *escrevinhar* + *-dor*.]

escrevinhar (es.cre.vi.*nhar*) *v.* **1** Escrever com letra ruim; GARATUJAR; RABISCAR [***td.***: *Escrevinhou uns versos que não conseguimos ler.*] [***int.***: *Pare de escrevinhar e capriche na letra!*] **2** Escrever (futilidades, tolices, ou textos sem qualidade) [***td.***: *Escrevinhava todas as bobagens que ouvia.*] [***int.***: *Pelo que li de sua autoria, ele não escreve, escrevinha.*] [▶ 1 escrevinhar] [F.: *escrever* + *-inhar*.]

escriba (es.*cri*.ba) *sm.* **1** *Hist.* Doutor da lei entre os judeus: "Em Jerusalém, para o doutor do templo, para o escriba da lei (...) Jesus era apenas um insurreto." (Eça de Queiroz, *Cartas de Inglaterra*) **2** Profissional que escrevia à mão o que lhe ditavam, ou passava a limpo escritos alheios *s2g.* **3** *Pej.* Aquele que é mau escritor; ESCREVINHADOR [F.: Do lat. *scriba*.]

escrínio (es.*crí*.ni:o) *sm.* **1** Misto de mesa e armário, com escaninhos para guardar papel, pequenos utensílios de escrita etc.; ESCRIVANINHA **2** Pequeno cofre acolchoado por dentro, para guardar joias; GUARDA-JOIAS [F.: Do lat. *scrinium*.]

escriptologia (es.crip.to.lo.*gi*.a) *sf.* Estudo do material grafemático e da técnica de grafar fonemas, esp. em textos medievais, afim de auxiliar no estudo crítico desses textos [F.: Do fr. *scriptologie*.]

escriptológico (es.crip.to.*ló*.gi.co) *a.* Ref. a escriptologia ou a escriptólogo [F.: *escriptólogo* + *-ico*.]

escrita (es.*cri*.ta) *sf.* **1** Ação ou resultado de escrever; ESCRITURA **2** Representação da língua falada por sinais gráficos **3** Conjunto de símbolos e letras adotado num sistema de registro das palavras (escrita hieroglífica/japonesa) **4** Sistema de sinais gráficos us. para representar outros tipos de linguagem (escrita musical) **5** Modo, técnica ou arte da expressão literária (escrita barroca/dramática); ESTILO: *Sua escrita foi sempre emocionante.* **6** Maneira própria de escrever à mão, traçar os caracteres: *Não se conseguia ler sua escrita.* **7** *Fig.* Fato que se repete como uma rotina ou coisa parecida: *Confirmando uma escrita de 20 anos, não perdeu para o rival.* **8** *Cont.* Escrituração mercantil: *A escrita dos livros da empresa estava em dia.* [F.: Do lat. *scriptus* ou do it. *scritta*. Ideia de 'escrita': graf(o)- (grafologia) e grama(t)- (gramática), -grafia (caligrafia), -grafo (taquígrafo) e -grama (anagrama).] ■ **Acertar a ~** Resolver conflito, ou desavença, ou desacordo **~ alfabética** *Ling.* Modo de representação das palavras em que se faz uso de um conjunto de sinais correspondentes a determinados sons da língua falada (fonemas); escrita fonética **~ analítica** *Ling.* Escrita cujas unidades básicas são palavras, e não letras **~ consonântica** *Ling.* Escrita alfabética em que não há letras correspondentes às vogais, como no árabe e no hebraico **~ cuneiforme** *Hist.* Sistema de escrita em caracteres na forma de cunha, gravados em tabletes de argila, adotado pelas civilizações mesopotâmicas (IV milênio a.C.) **~ demótica** *Hist.* Escrita egípcia, forma simplificada da escrita hierática **~ fonética** *Ling.* Ver *Escrita alfabética* **~ fônica** *Ling.* Ver *Escrita alfabética* [Cf.: *Escrita demótica*.] **~ hierática** *Hist.* Escrita cursiva us. pelos antigos egípcios, baseada inicialmente na escrita hieroglífica, mas que perdeu, com o tempo, as características pictóricas **~ hieroglífica** *Hist.* Escrita que usa elementos pictóricos, figurativos, como, p.ex., a antiga escrita egípcia **~ ideográfica** *Ling.* Escrita na qual cada signo (que pode ou não ser figurativo) representa um conceito exprimível por uma palavra **~ linear** *Mús.* A que representa o desenvolvimento melódico (e não as harmonias) de um trecho musical **~ logográfica** Escrita feita em logogramas **~ ogâmica** *Hist.* Escrita céltica dos séculos V e VI, na qual cada letra é representada por grupos de marcas entalhadas **~ rúnica** *Hist.* Escrita germânica antiga, na forma de entalhes verticais e horizontais ou oblíquos **~ silábica** *Ling.* Aquela em que os sinais gráficos representam sílabas das palavras [Chama-se *silabário* o conjunto dos sinais usados numa escrita desse tipo.]

📖 A escrita – comunicação na forma de registro de objetos, fatos e situações, ideias etc. como sinais visuais representativos que têm o mesmo significado para o comunicador e o comunicado –, já existente em formas rudimentares no quarto milênio a.C., foi adotada como forma de dar à informação acesso amplo (a quantas pessoas alcançasse) e duradouro, e foi, afinal, a base da edificação de conhecimentos e culturas. A partir de sinalizações visuais (ou auditivas) genéricas e efêmeras, como sinais de fumaça e toques de tambor, a montagem de significados por associação de objetos arrumados em certa disposição evoluiu para a representação gráfica de objetos e seres, primeiramente em suportes fixos, como nas gravações rupestres, em paredes de cavernas e depois em suportes móveis, como os tabletes assírios. Era uma forma de escrita *pictográfica*, em que desenhos representavam objetos e ideias, que por sua vez evoluiu para a escrita *ideográfica*, na qual sinais representam palavras e seu arranjo compõe frases e ideias. São os hieróglifos egípcios (cerca de 700), os sinais em forma de cunha gravados em barro da escrita cuneiforme, as escritas chinesa e japonesa (com milhares de ideogramas) etc. Mas, com a urbanização e consequente ampliação das relações sociais e das necessidades de troca de informações, esses sistemas não seriam suficientes para representar acuradamente o número praticamente infinito de situações e ideias expressos em milhares – e cada vez mais – palavras. A solução foi transformar o registro escrito numa representação dos sons fonéticos usados na comunicação oral. Com isso, menos de 30 signos representavam, em diferentes sistemas (mais tarde chamados alfabetos) esses sons, e sua combinação representava palavras, num potencial infinito como os fatos e ideias por eles representados. Os primeiros alfabetos, semíticos, originaram-se na região da Síria e da Fenícia (1500 a.C.) e espalharam-se, com os fenícios, pelo mundo. Os gregos criaram seu alfabeto em 800 a.C. A escrita cursiva, com seu registro contínuo e fácil sobre papel ou pergaminho, data do séc. IV, em Roma.

escrito (es.*cri*.to) *a.* **1** Que se escreveu, que se representou com sinais gráficos (língua escrita) **2** Que está redigido: *A carta era mal escrita e incompreensível.* **3** Igual, idêntico, a cara de outra pessoa; ESCRITINHO: *É o pai dele escrito, sem tirar nem pôr.* *sm.* **4** Aquilo que está representado por signos gráficos em papel, parede, tela ou equivalente **5** Mensagem por escrito; BILHETE **6** Qualquer trabalho literário ou científico depois de redigido: *Trouxe os seus escritos numa pasta.* [F.: Do lat. *scriptus*.]

escritor (es.cri.*tor*) [ô] *sm.* **1** Quem escreve **2** Pessoa que se dedica à criação ou à crítica literária, ou que redige obras científicas, filosóficas, culturais [F.: Do lat. *scriptor, oris*.]

escritório (es.cri.*tó*.ri:o) *sm.* **1** Cômodo de uma casa destinado a leitura, escrita, trabalho intelectual ou profissional, pesquisa etc.; GABINETE **2** Sala ou conjunto de salas onde se desenvolvem trabalhos administrativos, jurídicos, comerciais, de atendimento a clientes etc. **3** Mesa com gavetas e escaninhos us. para guardar documentos ou escrever; ESCRIVANINHA [F.: Do lat. *scriptorium*.]

escritura (es.cri.*tu*.ra) *sf.* **1** Ação ou resultado de escrever; ESCRITA (1) **2** *Jur.* Forma escrita de um ato jurídico, reconhecida por oficial de direito público: *escritura de compra e venda.* **3** O mesmo que *escrita* (5 e 6) **4** *Rel.* O conjunto dos livros canônicos do Antigo e do Novo Testamento; a Bíblia [Muito us. no pl.] [F.: Do lat. *scriptura*.] ■ **Sagrada ~** A Bíblia [Tb. usado no pl.]

escrituração (es.cri.tu.ra.*ção*) *sf.* **1** Ação ou resultado de escriturar, anotar em livros apropriados toda a movimentação administrativa e/ou financeira de uma empresa; CONTABILIDADE **2** O conjunto desses livros **3** A técnica de escriturar [Pl.: *-ções*.] [F.: *escriturar* + *-ção*.] ■ **~ mercantil** Contabilidade de empresas mercantis [Tb. apenas *escrituração*.]

escriturado (es.cri.tu.*ra*.do) *a.* Que resulta de escrituração [F.: Part. de *escriturar*.]

escriturador (es.cri.tu.ra.*dor*) [ô] *sm.* Aquele que escritura

escritural (es.cri.tu.*ral*) *a2g.* **1** Que diz respeito a escritura, a escrito ou escrituração **2** Diz-se do *tipo de ostensão* (ver no verbete *tipo*[1]) que estiliza grafismos clássicos ou cria formas caligráficas livres *sm.* **3** Esse *tipo de ostensão* [Pl.: *-rais*.] [F.: *escritura* + *-al*[1].]

escriturar (es.cri.tu.*rar*) *v.* **1** Anotar (transações comerciais) em livro próprio; CONTABILIZAR [***td.***: *Escriturou o movimento do dia.*] **2** Registrar por escrito (documento reconhecido como legítimo); LAVRAR [***td.***] **3** Contratar ou assumir obrigações para com (alguém, pessoa jurídica etc.) por meio de escritura pública [***td.***] [▶ 1 escriturar] [F.: *escritura* + *-ar*[2]. Hom./Par.: *escrituraria* (fl.), *escriturária* (fem. de *escriturário*).]

escriturário (es.cri.tu.*rá*.ri:o) *a.* **1** Que faz escrituração **2** Diz-se de funcionário burocrático que trabalha em escritório; ESCREVENTE **3** Ref. às Sagradas Escrituras *sm.* **4** Aquele que faz escrituração **5** Funcionário burocrático que trabalha em escritório; ESCREVENTE **6** Aquele que é versado nas Sagradas Escrituras [F.: *escritura* + *-ário*.]

escrivaninha (es.cri.va.*ni*.nha) *sf.* **1** Mesa própria para escritórios, ger. com gavetas e escaninhos, us. para escrita e guarda de documentos; ESCRÍNIO **2** *Antq.* Peça de metal, vidro ou madeira que contém tinteiro e mais utensílios próprios para a escrita [F.: Deriv. de *escrivão*.]

escrivão (es.cri.*vão*) *sm.* **1** Oficial público que escreve documentos legais (autos, atas, termos de processo etc.) junto a diversas autoridades ou tribunais **2** *Ant. Mar.* Oficial encarregado de registrar os fatos ocorridos durante a viagem: *Pero Vaz de Caminha foi o escrivão da frota de Cabral, que descobriu o Brasil.* **3** *Zool.* Peixe teleósteo do gênero *Eucinostomus*; CARAPICU; CARAPICUAÇU; CACUNDO; RISCADOR [Pl.: *-vães*. Fem.: *-vã*.] [F.: Do lat. tar. *scriba, anis*.] ■ **~ da pena larga** *Joc.* Gari

escrófula (es.*cró*.fu.la) *sf.* **1** *Imun.* Afecção inflamatória dos gânglios linfáticos cervicais; tb. se diz *escrofulose, tuberculose linfática* **2** *Med.* Insurgimento de gânglios no pescoço resultante dessa enfermidade, que se manifesta por pequenos tumores ovulares que podem ficar inertes ou estacionários por algum tempo e a até desfazer-se sendo tratados ou, se não, inflamar-se e originar úlceras fistulosas; ALPORCA; ESTRUMA

escrofulose (es.cro.fu.*lo*.se) *sf.* Doença dos que sofrem de escrófula

escroque (es.*cro*.que) *sm.* Indivíduo que age fraudulentamente para se apropriar de bens alheios; TRAPACEIRO; VIGARISTA: *O escroque não merecia a confiança de ninguém.* [F.: Do fr. *escroc*.]

escrotal (es.cro.*tal*) *a2g.* Do ou ref. ao escroto (bolsa escrotal) [Pl.: *-tais*.] [F.: *escroto* + *-al1*.]

escrotidão (es.cro.ti.*dão*) *sf. Bras. Tabu.* Designativo de ato, pensamento ou realização que se caracterizam por qualidades negativas, tais como imoralidade, indignidade, deslealdade, crueldade, traição etc.; CRUELDADE; COVARDIA; VILEZA; TORPEZA: *Esse canalha fez a maior escrotidão com o amigo!*

escroto (es.*cro*.to) [ô] *sm.* **1** *Anat.* Bolsa musculocutânea que contém os testículos **2** *Pej. Vulg.* Indivíduo reles, desonesto e inescrupuloso: *Esses juízes de futebol desonestos são uns escrotos, aceitam fazer qualquer coisa por dinheiro.* *a.* **3** *Bras. Pej. Vulg.* Diz-se de quem ou o que é vulgar, imoral, mesquinho etc. **4** *Vulg.* Que é de má qualidade, malfeito, ordinário: *Entregou um relatório escroto, que não dá para aproveitar.* [F.: Do lat. tard. *scrotum* (bolsa).]

escrúpulo (es.*crú*.pu.lo) *sm.* **1** Preocupação, inquietação de consciência quanto à forma correta de agir, quanto à ética ou a moralidade de algo; HESITAÇÃO; INCERTEZA: "Eu não sou usurário; tenho escrúpulo em receber tanto ouro por tão pouco trabalho." (Camilo Castelo Branco, *Mistérios de Lisboa*) **2** Sensibilidade ao aspecto ético e moral, integridade de caráter: *Agiu sem o menor escrúpulo.* **3** Cuidado extremo; ZELO: *Tudo foi revisado com muito escrúpulo.* [Ant.: *desleixo, negligência*.] **4** Remorso, autocrítica [F.: Do lat *scrupulum*.]

escrupuloso (es.cru.pu.*lo*.so) [ô] *a.* **1** Cheio de escrúpulos: "Nenhum analista mais inteligente e escrupuloso das coisas do nosso idioma conheço eu que Sotero dos Reis." (Rui Barbosa, *Réplica*) **2** Cuidadoso, zeloso: *Presta conta de cada centavo, de tão escrupuloso.* **3** Que age segundo critérios éticos, legais, responsáveis; ÍNTEGRO **4** Diz-se de pessoa cheia de melindres, suscetível de magoar-se por qualquer coisa **5** Que atenta à ordem, aos detalhes; CAPRICHOSO; METICULOSO [Fem. e pl.: [ó].] [F.: *escrúpulo* + *-oso*.]

escrutador (es.cru.ta.*dor*) [ô] *a.* **1** Que escruta; INVESTIGADOR; PESQUISADOR **2** Que recolhe votos **3** *Ant.* Que faz investigações ou indagações em torno do oculto *sm.* **4** Aquele que investiga, pesquisa **5** Aquele que recolhe votos **6** *Ant.* Aquele que faz investigações ou indagações em torno do oculto [F.: Do lat. *scrutator, oris*.]

escrutar (es.cru.*tar*) *v. td.* **1** Procurar informações sobre; SONDAR: *escrutar as testemunhas do crime:* "O rosto do único defunto/que eu ousei escrutar na vida." (João Cabral de Melo Neto, "Máscara mortuária viva", *in Poesia*) **2** Tentar descobrir o que está oculto [▶ 1 escrutar] [F.: Do lat. *scrutare*.]

escrutinação (es.cru.ti.na.*ção*) *sf.* Ação ou resultado de escrutinar [F.: *escrutinar* + *-ção*.]

escrutinado (es.cru.ti.*na*.do) *a.* **1** Que passou por escrutínio **2** Diz-se de votação cujo resultado foi apurado [F.: Part. de *escrutinar*.]

escrutinador (es.cru.ti.na.*dor*) [ô] *a.* **1** Que escrutina *sm.* **2** Aquele que assiste ao escrutínio verificando a relação de votantes e contando o número de votos [F.: *escrutinar* + *-dor*.]

escrutinar (es.cru.ti.*nar*) *v. int.* Contar votos (de uma eleição), conferir o número total com a lista de votantes que compareceram, apurar o resultado; fazer escrutínio [▶ 1 escrutinar] [F.: Do lat. *scrutinare*.]

escrutínio (es.cru.*tí*.ni:o) *sm.* **1** Modo de votação pelo qual se recolhem os votos em uma urna **2** Urna onde os votos são depositados **3** Apuração dos votos contidos em uma urna **4** *Fig.* Exame cuidadoso, detalhado [F.: Do lat. *scrutinium*.]

escrutinizar (es.cru.ti.ni.*zar*) *v. td.* Avaliar, examinar [▶ 1 escrutinizar] [F.: *escrutinar* + *-izar*.]

escudado (es.cu.*da*.do) *a.* **1** Que está defendido, protegido contra qualquer ameaça: *escudado por lei.* **2** *Fig.* Que está apoiado, prestigiado: *governante escudado por seus aliados políticos:* "Se querem fundar a onipotência real do executivo, escudada na aparente onipotência do Congresso..." (Rui Barbosa, *Cartas de Inglaterra*) **3** *Fig.* Cauteloso, discreto: "O ponto está em que o soube, de tal arte: por antipesquisas, acronologia miúda, conversinhas escudadas, remendados testemunhos." (Guimarães Rosa, "Desenredo", *in Tutameia*) [F.: Part. de *escudar*.]

escudar (es.cu.*dar*) *v.* **1** Defender(-se), proteger(-se) (contra alguma ameaça); RESGUARDAR(-SE) [*td.*] [*tdr.* + *contra*. Ant.: *expor*.] **2** *Fig.* Ter como apoio [*tr.* + *em*: *Escudava-se na influência da família.*] **3** Cobrir(-se) com escudo [*td.*: *Não se preocupe com a ira do chefe, vou escudar você.*] [*tdr.* + *contra, de*: *Com seus argumentos, queria escudar o amigo das acusações do chefe.*] [▶ 1 escudar] [F.: *escudo* + *-ar*².

Hom./Par.: *escudo* (fl.), *escudo* (sm.).]

escudeiro (es.cu.*dei*.ro) *sm.* **1** *Antq.* Homem armado de lança e escudo que fazia guarda aos imperadores **2** *Antq.* Na Idade Média, jovem que levava o escudo de um cavaleiro e o acompanhava e servia [Tb. chamado *valete* e *donzel*.] **3** Título honorífico que designa o grau mais inferior da nobreza (fidalgo escudeiro) **4** Criado de graduação superior, que ger. acompanha os amos **5** *Fig.* Pessoa (ou animal) que acompanha outra (ou outro) para apoiar e proteger **6** *Fig.* Quem acompanha alguém, para servi-lo, protegê-lo etc. [F.: De or. contrv., posv. do lat. tardio *scutarius*.]

escudela (es.cu.*de*.la) *sf.* Tigela rasa de madeira, própria para se pôr comida: "Gasalhara Dom Frei Bartolomeu, e lhe dera a beber do seu caldo numa escudela tisnada." (Mário Barreto, *Novíssimos estudos*) [F.: Do lat. *scutella, ae*.]

escuderia (es.cu.de.*ri*.a) *sf.* *Aut.* Companhia proprietária de carros de competição, estruturada em equipes de administradores, projetistas, técnicos, engenheiros, mecânicos e pilotos altamente qualificados para disputa de campeonatos em diversas categorias: *Várias escuderias concorrem na Fórmula Um.* [F.: Do it. *scuderia*.]

escudo (es.*cu*.do) *sm.* **1** Anteparo de defesa contra golpes de espada ou lança, que se prendia ao braço por meio de correias na parte de trás **2** *Fig.* Qualquer coisa que sirva de proteção: *O policial usou o veículo como escudo.* **3** *Fig.* Emblema de time esportivo: *Prendeu na lapela um escudo de seu time.* **4** *Her.* Peça em que se representam as armas do país ou brasões de família **5** *Econ.* Nome da unidade monetária portuguesa até a adoção do euro como moeda nacional **6** *Bot.* Borbulha de árvore para enxerto **7** *Anat. Zool.* Peça triangular córnea dos insetos coleópteros, situada no mesotórax **8** *Bras. Vet.* Certa disposição característica do úbere das vacas **9** *Geol.* Área de um continente ao redor da qual se depositam rochas sedimentares [F.: Do lat. *scutum*.]

esculachado (es.cu.la.*cha*.do) *a.* **1** *Bras. Gír.* Que se esculachou, que foi espancado, surrado **2** Enxovalhado, amarrotado, sujo **3** Bagunçado, desordenado **4** *Bras. Fig.* Que foi repreendido e desmoralizado de maneira afrontosa [F.: Part. de *esculachar*.]

esculachar (es.cu.la.*char*) *Vulg. Pop. v. td.* **1** Repreender ou criticar de modo desrespeitoso, com grosseria; ESCULHAMBAR; DESMORALIZAR [Ant.: *aprovar, elogiar, louvar*.] **2** Surrar, espancar [▶ 1 esculachar] [F.: Do it. *sculacciare*, posv. ou de *colhão*, com formação expressiva.]

esculacho (es.cu.*la*.cho) *sm.* **1** *Bras. Gír.* Ação ou resultado de esculachar: "Quando é lição de esculacho, olha aí, sai de baixo, que eu sou professor..." (Chico Buarque e Ruy Guerra, *Não existe pecado ao sul do Equador*) **2** *Fig.* Esfrega, repreensão: *Chegou atrasado, levou um esculacho do patrão.* **3** Grande bagunça, desordem: *A festa foi o maior esculacho.* [F.: Dev. de *esculachar*.]

esculápio (es.cu.*lá*.pi:o) *sm. Pus.* Médico, cirurgião: "Definhava com um mal sutil e lento, estanho... ao saber dos esculápios e mágicos." (Eça de Queirós, *Contos*) [F.: Do lat. *Aesculapius, ii*.]

esculhambação (es.cu.lham.ba.*ção*) *sf.* **1** *Bras. Vulg.* Ação ou resultado de esculhambar **2** *Bras. Pop.* Grande desordem; AVACALHAÇÃO; CONFUSÃO: *Era impressionante a esculhambação do quarto.* **3** Repreensão áspera e ofensiva; ESCULACHO; ESFREGA: *Levou uma esculhambação do pai por ter sido reprovado.* [Pl.: *-ções*.] [F.: *esculhambar* + *-ção*.]

esculhambar (es.cu.lham.*bar*) *Bras. Vulg. Pop. v. td.* **1** Criticar severamente, sem respeito, com rudeza; DESMORALIZAR; ESCARNECER; ESCULACHAR [Ant.: *aprovar, elogiar, louvar*.] **2** Bagunçar: *O novo secretário esculhambou um arquivo.* **3** Danificar, estragar: *Os baderneiros esculhambaram o jardim.* [▶ 1 esculhambar] [F.: De or. incerta; posv. de *colhão*.]

esculpido (es.cul.*pi*.do) *a.* **1** Que se esculpiu **2** Que recebeu forma a partir de um trabalho realizado com as mãos ou algum instrumento **3** *Esc.* Que recebeu determinada forma depois de ter sido trabalhado por escultor: *A estátua foi esculpida em mármore.* **4** *Fig.* Diz-se do que ficou impresso, gravado: *Embora se alegrasse, no próprio riso trazia esculpida a expressão do trauma recém-vivenciado.* [F.: Part. de *esculpir*.]

esculpir (es.cul.*pir*) *v.* **1** Desbastar terra, pedra, madeira para criar (forma, figura tridimensional) [*td.*: *esculpir uma estátua.*] [*tdr.* + *de, em*: *Esculpia castelos de/na areia.*] **2** Fazer escultura; ser escultor [*int.*: *Passou a esculpir para livrar-se das tensões.*] **3** *Fig.* Imprimir, gravar, deixar marca (em alguém ou em seu corpo) [*tda.*: *O sofrimento esculpiu-lhe no rosto indeléveis traços de melancolia.*] [▶ 3 esculpir] [F.: Do lat. *sculpere*. Ideia de 'esculpido, insculpido, gravado': *glipt(o)-* (*gliptogênese*).]

escultor (es.cul.*tor*) [ô] *sm.* Artista que faz esculturas, que cinzela, esculpe ou lavra estátuas, baixos-relevos, ornamentos etc.: *O Aleijadinho foi um grande escultor.* [F.: Do lat. *sculptor, oris*.]

escultórico (es.cul.*tó*.ri.co) *a.* O mesmo que *escultural*: "É a decoração escultórica... que continua a evolver, livre dos cânones da arquitetura." (Manuel Ribeiro, *Deserto*) [F.: *escultor* + *-ico*.]

escultura (es.cul.*tu*.ra) *sf.* **1** *Art.pl.* Representação estética tridimensional de um objeto em diversos materiais (bronze, madeira, mármore etc.); ESTATUÁRIA **2** A obra de arte como resultado final do processo de esculpir **3** *Fig.* Mulher de formas perfeitas, esculturais: *Sua namorada era uma escultura.* [F.: Do lat. *sculptura, ae*; Hom./Par. *escultura* (flex. de *esculturar*).]

esculturação (es.cul.tu.ra.*ção*) *sf.* Ação ou resultado de esculturar [F.: *esculturar* + *-ção*.]

escultural (es.cul.tu.*ral*) *a2g.* **1** Que diz respeito a escultura (monumento escultural) **2** Digno de ser representado pela escultura ou de servir de modelo à estatuária (corpo escultural) [Pl.: *-rais*.] [F.: *escultura* + *-al*¹.]

escuma (es.*cu*.ma) *sf.* **1** Agrupamento de pequenas bolhas cheias de ar ou de um gás que se forma num líquido quando este é agitado, quando se lança do alto, ou quando ferve ou fermenta; ESPUMA: "Entre nuvens de amor ela dormia!/ Era a virgem do mar! Na escuma fria/ Pela maré das águas embalada!..." (Álvares de Azevedo, *A lira dos vinte anos*) **2** *Pej.* Gente de nível social muito baixo; ESCÓRIA; RALÉ [F.: Do frâncico *skum* pelo lat. med. *schuma*. Hom./Par.: *ascuma* (pequena lança). NOTA: Esta forma é mais us. em Portugal; no Brasil prefere-se *espuma*.]

escumadeira (es.cu.ma.*dei*.ra) *sf.* **1** Utensílio de cozinha (espécie de concha plana com muitos furos, presa a um longo cabo) us. para retirar a espuma que se forma sobre o líquido de alimentos em cocção, ou para retirar certos alimentos da panela (frituras, massas etc.) **2** *Art.gr.* Espécie de colher com furos para retirar as impurezas do chumbo derretido que irá formar a composição; CRIVO [F.: *escumar* + *-deira*.]

escumado (es.cu.*ma*.do) *a.* **1** Diz-se do líquido de que se retirou a escuma ou a espuma (leite batido e escumado) *sm.* **2** Escuma ou espuma que se retira com a escumadeira [F.: Part. de *escumar*.]

escumador (es.cu.ma.*dor*) [ô] *a.* **1** Que tem ou produz escuma; ESCUMOSO **2** Diz-se de utensílio que serve para retirar a escuma ou a espuma *sm.* **3** Esse utensílio; ESCUMADEIRA [F.: Do part. *escumado* + *-or*.]

escumar (es.cu.*mar*) *v. td. int.* O mesmo que *espumar* [▶ 1 escumar] [F.: *escuma* + *-ar*². Hom./Par.: *escuma* (fl.), *escuma* (sf.); *escumas* (fl.), *escumas* (pl. de *escuma*).]

escumilha (es.cu.*mi*.lha) *sf.* **1** Chumbo miúdo próprio para caça de pássaros **2** *Bot.* Planta ornamental arbórea (*Larsgotroemia speciosa*), da família das litráceas, encontrada da China à Austrália e tb. em regiões tropicais, us.como ornamental e medicinal. Sua madeira é nobre **3** Antigo tecido muito fino e transparente, de lã ou de seda: "O vestido era de escumilha rubescente, formando regaços onde brilhavam aljôfares..." (José de Alencar, *A pata da gazela*) [F.: Posv. de *escuma* + *-ilha*.]

escumoso (es.cu.*mo*.so) [ô] *a.* Cheio de escuma, que faz escuma; ESPUMOSO: "Das escumosas bocas com braveza lançam roncos, horríveis e fumosos." (Conte Real, *Naufrágio*) [F.: *escuma* + *-oso*.]

escuna (es.*cu*.na) *sf. Mar.* Embarcação ligeira, de dois mastros, com velas latinas, ger. com vergas mastro dianteiro, chamada *escuna de duas gáveas* quando tem vergas em ambos os mastros [F.: Do ing. *schooner*.]

escuras (es.*cu*.ras) *sfpl.* Us. na loc. adverbial *às escuras*, sem luz [F.: Pl. substv. de *escuro*.] ■ **Às ~ 1** No escuro, sem iluminação: *Ficamos dois dias às escuras lá em casa.* **2** Sem informações precisas, às cegas: *O projeto não poderia ser aprovado às escuras.* **3** Às escondidas: *Não confie nele, costuma agir às escuras.*

escurecedor (es.cu.re.ce.*dor*) [ô] *a.* **1** Que escurece *sm.* **2** Aquilo que escurece

escurecer (es.cu.re.*cer*) *v.* **1** Tornar(-se) escuro, sem luz, brilho ou claridade [*td.*: *O eclipse escureceu o dia.*] [*int.*: *Com as cortinas, a sala escurecera.* Ant.: *iluminar; clarear.*] **2** Dar ou adquirir cor escura; ENEGRECER [*td.*: *Escureça mais este desenho.*] [*int.*: *Seus cabelos escureceram.* Ant.: *aclarar; clarear.*] **3** Anoitecer [*int.*: *No horário de verão escurece mais tarde.* Ant.: *amanhecer; clarear.*] **4** Toldar, anuviar [*td.*: *Sentiu as lágrimas escurecerem-lhe a vista.* Ant.: *clarear.*] **5** *Fig.* Abater(-se), perturbar(-se), turvar(-se) [*td.*: *A partida do filho escurecera sua vida.*] [*int.*: *Ao ouvir a pergunta, o semblante da moça escureceu(-se).*] **6** Apagar ou diminuir o brilho, a fama, a glória; DESLUSTRAR; EMPANAR [*td.*: *O clientelismo escurece qualquer governo.* Ant.: *abrilhantar, engrandecer.*] **7** Tornar obscuro, ininteligível [*td.*: *O excesso de metáforas escurecem o seu discurso.* Ant.: *esclarecer, simplificar.*] [▶ 33 escurecer Part.: *escurecido, escuro*. V. impess. na acp. 3.] [F.: *escuro* + *-ecer*.]

escurecido (es.cu.re.*ci*.do) *a.* Que escureceu: *O ambiente escurecido combinava com a música suave.* [F.: Part. de *escurecer*.]

escurecimento (es.cu.re.ci.*men*.to) *sm.* **1** Ação ou resultado de escurecer(-se) **2** Apagamento progressivo de uma imagem; FADE-OUT [F.: *escurecer* + *-imento*.]

escureza (es.cu.*re*.za) [ê] *sf.* Ver *escuridão* [F.: *escuro* + *-eza*.]

escuridade (es.cu.ri.*da*.de) *sf.* **1** Qualidade do que é escuro **2** O mesmo que *escuridão* **3** *Fig.* Aquilo que oferece dificuldade de compreensão; OBSCURO

escuridão (es.cu.ri.*dão*) *sf.* **1** Ausência de luz; NEGRUME; TREVAS [Ant.: *luz, claridade*.] **2** Estado, qualidade, condição do que é ou está escuro, sem luz: *a escuridão de uma caverna.* **3** *Fig.* Tristeza, melancolia **4** *Fig.* Ausência de conhecimento, de compreensão, de clareza; IGNORÂNCIA; CEGUEIRA [Pl.: *-dões*.] [F.: *escuro* + *-idão* ou do lat. *obscuritudinem*.]

escurinho (es.cu.*ri*.nho) *sm.* Penumbra propícia para se namorar: "No escurinho do cinema/ Chupando drops de aniz/ Longe de qualquer problema..." (Roberto de Carvalho, Rita Lee, *Flagra*)

escuro (es.*cu*.ro) *a.* **1** Que não é claro; que tem pouca ou nenhuma luz, claridade (ambiente escuro) **2** Que tem cor fortemente cinza ou de tonalidade próxima do preto: *Recebeu um envelope escuro.* **3** *Bras.* Diz-se de pessoa negra ou de tez muito amorenada **4** *Fig.* Que é misterioso, que parece muito suspeito; OBSCURO: *Era negócio meio escuro, pouco confiável.* **5** Sem clareza, inteligibilidade; CONFUSO; OBSCURO: *Seu falar era escuro, difícil de entender.* **6** *Fig.* Difícil de ouvir, quase inaudível: *Sua voz escura perdia-se no rumor da festa.* **7** *Fig.* Triste, sombrio, melancólico, monótono: "...meu escuro canto não merece que veja o claro dia..." (Luís Vaz de Camões, *Almeno e Agrário, pastores*) *sm.* **8** Lugar com pouca ou nenhuma luz: *Gostava de namorar no escuro.* **9** *Pop.* Pessoa de pele escura, preta ou quase preta: *Conversei com o escuro e deixei o branco de lado.* **10** *Fig.* Lugar ou situação onde não há liberdade de opinião: "Faz escuro, mas eu canto/ Porque o amanhã vai chegar..." (Tiago de Melo, *Faz escuro mas eu canto*) [F.: Do lat. *obscurus*.] ■ **No ~** Ver *Às escuras* (2)

escusa (es.*cu*.sa) *sf.* **1** Ação ou resultado de escusar(-se) *sf.* **2** Desculpa ou evasiva para algo que se deixou de fazer; PRETEXTO: *Apresentou uma escusa por ter faltado ao encontro.* **3** Dispensa de serviço ou obrigação: *Concedeu-lhe a escusa pedida e ele pôde deixar o trabalho naquele dia.* [F.: Dev. de *escusar*.]

escusado (es.cu.*sa*.do) *a.* **1** Que é dispensável, desnecessário: *É escusado dar mais explicações.* [Ant.: *necessário*.] **2** Desculpado: "E todos a uma começaram a escusar-se. Disse-lhe o primeiro: comprei um campo e preciso ir vê-lo. Peço que me dês por escusado." (João Ferreira de Almeida (trad.), *Bíblia Sagrada* (*Lc 14: 18*)) [F.: Do lat. *excusatus*.]

escusar (es.cu.*sar*) *v.* **1** Perdoar, desculpar (alguém ou algo); perdoar (alguém) por (alguma coisa) [*td.*: *Escusar um erro.*] [*tdi.* + *a*: *Escusou-lhe a indelicadeza.*] **2** Pedir perdão, desculpar-se [*tr.* + *de*: *Escusou-se de não ter lhe dado a devida atenção.*] [*int.*: *Reconheceu o erro, e escusou-se.*] **3** Servir de desculpa, de justificativa a; JUSTIFICAR [*td.*: *O desconhecimento da lei não escusa o seu não cumprimento.*] **4** Dispensar, liberar (alguém ou si mesmo) de (algo) [*tdr.* + *de*: *Escusou-se de lhe dar satisfações; Escusaram o motorista de chegar no horário.* Ant.: *obrigar*.] **5** Não precisar de (alguém ou de algo); DISPENSAR; PRESCINDIR [*td.*: *Escusar a ajuda de alguém.*] [*tr.* + *de*: *A amizade escusa de cobranças.* Ant.: *carecer, necessitar.*] **6** Poupar, evitar [*td.*: *Escusar um desgosto.*] [*tdr.* + *de*: *Escusar alguém de um perigo.* Ant.: *causar, provocar.*] [▶ 1 escusar] [F.: Do lat. *excusare*.]

escusável (es.cu.*sá*.vel) *a2g.* Que é passível de escusa; que se pode escusar, desculpar, dispensar [Ant.: *inescusável*.] [Pl.: *-veis*.] [F.: Do lat. *excusabilis*.]

escuso (es.*cu*.so) *a.* **1** Que é escondido, recôndito, esconso: *Chegava pela primeira vez àquela parte escusa do porão.* **2** Que não é frequentado: *Evitava passar por ruas escusas.* **3** Que é misterioso, obscuro; que não é feito às claras, ou é ilegal (negócios escusos) [F.: Do lat. *absconsu*. Hom./Par.: *escuso* (a.), *escuso* (fl. de *escusar*).]

escuta (es.*cu*.ta) *sf.* **1** Ação ou resultado de ficar a escutar **2** Local onde se escuta **3** Ação ou resultado de ficar a postos para ouvir uma emissão telefônica ou radiofônica (inclusive por interceptação) **4** *Mil.* Detecção de sons e ruídos emitidos pelo inimigo por meio de aparelhos apropriados *s2g.*

5 Pessoa que fica a postos para ouvir conversas de outrem; ESPIÃO [F.: Dev. de *escutar*.] ■ **~ eletrônica** *Telec.* Sistema de escuta com o fim de registrar emissões eletromagnéticas provenientes de radares, de redes de telecomunicações, de navios, de aviões, etc. **À ~** Em posição ou atitude de atenção ou alerta para captar algum som, conversa etc. **~ telefônica** 1 Sistema us. para ouvir e/ou gravar conversas telefônicas de outrem; grampo 2 A circunstância dessa escuta 3 A aparelhagem us. para essa escuta

escutar (es.cu.*tar*) *v.* 1 Ouvir com atenção, tomando conhecimento do que está ouvindo [*td.*: *Ele ouvia o discurso distraído, mas eu o escutava com interesse.*] [*int.*: *Ela falava e ele escutava, calado.*] 2 Captar (som) pela audição; OUVIR [*td.*: *Escutei o telefone tocar;* "...não há um ouvido que escuta a primeira palavra do poema e uma mão que trabalha a segunda." (João Cabral de Melo Neto, *Prosa*)] [*int.*: *Fale mais alto, não estou escutando bem.*] 3 Dar atenção a conselho, advertência de (alguém); OUVIR; ATENDER [*td.*: *Ela só escuta as amigas.*] [*int.*: *Seria mais feliz se não fosse tão teimoso, se aprendesse a escutar.* Ant.: *ignorar, desprezar.*] 4 *Pop.* Auscultar [*td.*] 5 Usar de escuta ou de outro artifício para ouvir de modo clandestino as comunicações de alguém ou o que se passa em uma residência, empresa, instituição, órgão, governo etc.; espionar [*td.*] [▶ 1 escutar] [F.: Do lat. *auscultare*. Hom./Par.: *escuta* (fl.), *escuta* (sf.); *escutas* (fl.), *escutas* (pl. de *escuta*).]

escutiforme (es.cu.ti.*for*.me) *a2g.* Que tem forma de escudo [F.: *escut(i/o)-* + *-forme*.]

esdrúxulo (es.*drú*.xu.lo) *a.* 1 Que é esquisito, estranho, extravagante, fora do comum; EXÓTICO; EXTRAORDINÁRIO: *Nunca ouvira conversa mais esdrúxula do que aquela.* 2 Diz-se de palavra cujo acento recai na antepenúltima sílaba; PROPAROXÍTONO 3 *Poét.* Diz-se de verso que termina em palavra proparoxítona *sm.* 4 *Poét.* Esse verso [F.: Do it. *sdrucciolo*.]

◎ **-ese** *suf.* = estado, condição: *autarcese*. [F.: do gr. *esis*.]

⊠ **E.S.E.** Abrev. de *és -sueste* ou *lés -sudeste*

esfacelado (es.fa.ce.*la*.do) *a.* 1 Que se esfacelou, que se quebrou em pedaços: *Encontrou a estatueta esfacelada.* 2 Que se destruiu ou foi destruído: *O bombardeio deixou o bairro esfacelado.* 3 *Med.* Que foi atingido por esfácelo, por gangrena; GANGRENADO [F.: Part. de *esfacelar*.]

esfacelamento (es.fa.ce.la.*men*.to) *sm.* Ação ou resultado de esfacelar(-se); ESFACELO [F.: *esfacelar* + *-mento*.]

esfacelar (es.fa.ce.*lar*) *v.* 1 Fazer ficar ou ficar (algo, alguém, inclusive si mesmo) em pedaços; DESPEDAÇAR; ESPEDAÇAR [*td.*: *Aquele raio esfacelou a árvore.*] [*int.*: *Com a chuva, os castelos na areia se esfacelaram.*] 2 *Fig.* Arruinar(-se), corromper(-se) (instituições, programas etc.); DESMANTELAR [*td.*: *A ausência de fiscalização esfacelará este serviço.*] [*int.*: *Sem controle e sem cuidados, o serviço esfacelou-se.*] 3 *Fig.* Vencer, destroçar [*td.*: *Esfacelar o inimigo.*] 4 Causar esfácelo a, ou tê-lo; NECROSAR; GANGRENAR [*td.*] [*int.*] [▶ 1 esfacelar] [F.: *esfá(a)celo* + *-ar²*.]

esfaimado (es.fai.*ma*.do) *a.* Que está com muita fome; FAMINTO; ESFOMEADO: *Chegou em casa esfaimado.* [F.: Part. de *esfaimar*.]

esfaimar (es.fai.*mar*) *v. td.* Fazer (alguém) passar fome; causar fome a; ESFOMEAR [▶ 1 esfaimar] [F.: Do port. ant. *esfamear*.]

esfalecer (es.fa.le.*cer*) *v.* Mesmo que *desfalecer* [*td.*] [*int.*] [▶ 33 esfalecer] [F.: *es-* + *falecer*.]

esfalfado (es.fal.*fa*.do) *a.* 1 Que se esfalfou; CANSADO; FATIGADO; EXAUSTO: *Correu tanto que ficou esfalfado;* "... a máquina, esfalfada na prática daquelas maroteiras..." (Eça de Queirós, *Os Maias*) *sm.* 2 *BA Zool.* Nome comum aos peixes do gênero *Ballistis*; tb. *peixe-porco* [F.: Part. de *esfalfar*.]

esfalfamento (es.fal.fa.*men*.to) *sm.* 1 Ação ou resultado de esfalfar(-se); CANSAÇO; EXAUSTÃO 2 *Pop.* Anemia, definhamento [F.: *esfalfar* + *-mento*.]

esfalfante (es.fal.*fan*.te) *a2g.* Que esfalfa, cansa, exaure (trabalho esfalfante): "Depois de um longo dia de fadigas esfalfantes por terrenos areentos... o exército acampa." (Antero de Figueiredo, *D. Sebastião*)

esfalfar (es.fal.*far*) *v.* Fazer ficar (inclusive si mesmo) ou ficar muito cansado em virtude de muito trabalho, excesso de exercícios ou de atividades, ou doença; FATIGAR(-SE); EXTENUAR(-SE) [*td.*: *A faxina esfalfou-a; Esfalfa-se muito para manter a casa limpa.*] [*int.*: *Lembrou-se como a doença o abatera e como esfalfara-se com o longo tratamento.*] [▶ 1 esfalfar] [F.: De or. onom.]

esfaqueado (es.fa.que.*a*.do) *a.* Que foi ferido a facada(s); morto a facada(s): "O Jorge Pinto todo esfaqueado! Mas não morreu! Dizem até que pode escapar!" (Silva Gaio, *Mário*) [F.: Part. de *esfaquear*.]

esfaqueador (es.fa.que.a.*dor*) [ô] *a.* 1 Que esfaqueia *sm.* 2 Aquele que esfaqueia

esfaqueamento (es.fa.que:a.*men*.to) *sm.* Ação ou resultado de esfaquear(-se): *O esfaqueamento da moça deixou todos chocados.* [F.: *esfaquear* + *-mento*.]

esfaquear (es.fa.que.*ar*) *v. td.* 1 Desferir golpes de faca em: *Esfaqueava as almofadas como um louco, só por farra.* 2 Ferir (inclusive si mesmo, ou reciprocamente) ou matar com faca: *Depois de roubar, esfaqueou a vítima e fugiu; Lutaram e esfaquearam-se até perderem as forças.* 3 *Bras. Gír.* Cobrar preços muito altos; ESFOLAR [▶ 13 esfaquear] [F.: *es-* + *faca* + *-ear²*.]

esfarelado (es.fa.re.*la*.do) *a.* 1 Que se esfarelou; que se reduziu a farelo: *Engrossou a sopa com o pão esfarelado.* 2 *Fig.* Que se reduziu a migalhas, ou a pó 3 *Fig.* Que se despedaçou; ESFACELADO: *A batida deixou o carro esfarelado.* [F.: Part. de *esfarelar*.]

esfarelamento (es.fa.re.la.*men*.to) *sm.* Ação ou resultado de esfarelar(-se) [F.: *esfarelar* + *-mento*.]

esfarelar (es.fa.re.*lar*) *v.* 1 Fazer ficar ou ficar reduzido a farelo, migalhas; ESMIGALHAR; ESFARINHAR [*td.*: *Esfarelou o pão para fazer farinha de rosca.*] [*int.*: *O bolo estava tão fofo que se esfarelava na boca.*] 2 *Fig.* Reduzir(-se) a pó, a pequenos pedaços; ESFACELAR [*td.*] [*int.*] 3 *Fig.* Desmoronar(-se) [*int.*: *A velha casa esfarelou-se com o temporal.*] [▶ 1 esfarelar] [F.: *es-* + *farelo* + *-ar²*.]

esfarinhado (es.fa.ri.*nha*.do) *a.* 1 Que se esfarinhou (pão esfarinhado) 2 Que foi reduzido a farinha (milho esfarinhado) 3 *N.E. Pop.* Diz-se de indivíduo sabido, safo [F.: Part. de *esfarinhar*.]

esfarinhamento (es.fa.ri.nha.*men*.to) *sm.* Ação ou resultado de esfarinhar; ESFARELAMENTO: *Não gostou do esfarinhamento do bolo.* [F.: *esfarinhar* + *-ento*.]

esfarinhar (es.fa.ri.*nhar*) *v. td.* Transformar em farinha, ou em matéria que lembra um farináceo: *Esfarinhou o biscoito.* [▶ 1 esfarinhar] [F.: *es-* + *farinha* + *-ar*.]

esfarpar (es.far.*par*) *v. td.* 1 Transformar ou rasgar em farpas 2 Transformar em fios 3 Desfiar(-se) [▶ 1 esfarpar] [F.: *es-* + *farpa* + *-ar*.]

esfarrapado (es.far.ra.*pa*.do) *a.* 1 Que foi reduzido a farrapos (roupa esfarrapada); RASGADO; ROTO 2 Que veste roupa esfarrapada (1): *Um mendigo esfarrapado despertou-lhe compaixão e solidariedade.* 3 *Fig.* Diz-se do que não tem sentido ou coerência (justificativa esfarrapada) 4 Diz-se do que está muito desfeito ou gasto: "A figura e os traços já esfarrapados desse homem causaram grande estranheza..." (Bernardo Guimarães, *O ermitão de Muquém*) *sm.* 5 Aquele cuja roupa está em farrapos; MALTRAPILHO: *O esfarrapado só queria uma esmola.* [F.: Part. de *esfarrapar*.]

esfarrapar (es.far.ra.*par*) *v.* 1 Fazer ficar ou ficar em farrapos [*td.*: *O vento, a chuva e o tempo esfarraparam a roupa do andarilho.*] [*int.*: *Com o tempo, suas roupas se esfarraparam.*] 2 Rasgar, esfrangalhar, dilacerar [*td.*: *O tigre não feriu o domador, mas esfarrapou-lhe a roupa.*] 3 Acabar com, corroer, desgastar; CONSUMIR; ARRUINAR [*td.*] [▶ 1 esfarrapar] [F.: *es-* + *farrapo* + *-ar²*.]

◎ **esfen(o)-** *pref.* = cunha: *esfenoide, esfenose.* [F.: Do gr. *sphén, sphénos*.]

esfenocéfalo (es.fe.no.*cé*.fa.lo) *a.* 1 Que tem a cabeça pontiaguda; ESCAFOCÉFALO *sm.* 2 O ser que apresenta essa característica [F.: Do gr. *sphēnoképhalos*, ou *esfen(o)-* + *-céfalo*.]

esfenoide (es.fe.*noi*.de) *a.* 1 Que apresenta forma de cunha *sm.* 2 *Anat.* Osso que se situa na base do crânio, à frente do osso occipital [F.: Do gr. *sphenoidés*.]

esfera (es.*fe*.ra) *sf.* 1 *Geom.* Superfície geométrica curva em que todos os pontos são equidistantes de um ponto central em seu interior 2 Corpo sólido ou região do espaço limitados por uma esfera (1) 3 *Fig.* Meio social em que uma pessoa tem prestígio ou exerce autoridade, poder etc.: *Ele brilhava na esfera intelectual.* 4 *Fig.* Âmbito: *Ele é um gênio na esfera dos conhecimentos de medicina.* 5 *Astron.* O globo terrestre 6 *Fut.* Bola de futebol 7 Antiga moeda de ouro portuguesa, do tempo de d. Manuel (1469-1521) [F.: Do gr. *sphaîra*, pelo lat. *sphaera* e *sphera*.] ■ **~ armilar** *Astron.* Antigo instrumento astronômico feito de anéis metálicos, que representam círculos imaginários da esfera celeste **~ celeste** *Astron.* O espaço astronômico em torno da Terra, imaginado como uma esfera na qual o observador na Terra está no centro, e em cuja superfície interna visualizam-se os demais astros

esfericidade (es.fe.ri.ci.*da*.de) *sf.* Qualidade, condição ou estado de esférico; REDONDEZA [F.: *esférico* + *-(i)dade*.]

esférico (es.*fé*.ri.co) *a.* 1 Ref. a esfera 2 Que tem forma de esfera 3 Que é semelhante a ou lembra uma esfera 4 Diz-se de indivíduo gordo, balofo: *O médico era baixinho e esférico.* [F.: Do lat. *sphaericus, a, um*.]

◎ **esfer(o)-** *pref.* = esfera: *esferográfica, esferoideo* [F.: Do gr. *sphaîra*, pelo lat. *sphaera* e *sphera*.]

esferográfica (es.fe.ro.*grá*.fi.ca) *a.* 1 *Bras.* Diz-se de caneta dotada na ponta de uma minúscula esfera que, ao rolar, se embebe de tinta no interior da carga de tinta e a transfere ao papel *sf.* 2 *Bras.* O mesmo que *caneta esferográfica* (ver no verbete *caneta*) [F.: *esfer(o)-* + *gráfica*.]

esferoide (es.fe.*roi*.de) *a2g.* 1 Diz-se de objeto que se assemelha a um globo ou a uma esfera: *A terra é um esferoide.* 2 Diz-se de articulação que permite movimentos diversos *sm.* 3 *Geom.* O mesmo que *elipsoide de revolução* 4 Sólido cuja forma se aproxima a de uma esfera: *A terra é um esferoide.* [O esferoide é alongado ou achatado: no primeiro caso o maior diâmetro é o dos polos; no segundo, os polos são achatados, tendo o eixo o menor diâmetro.]

esferômetro (es.fe.*rô*.me.tro) *sm. Eng.ind.* Instrumento para medir a curvatura de superfícies esféricas [F.: *esfer(i/o)-* + *-metro*.]

esférula (es.*fé*.ru.la) *sf.* Esfera pequena

esfiapado (es.fi.a.*pa*.do) *a.* Que se esfiapou; que está ou que ficou em fiapos [F.: Part. de *esfiapar*.]

esfiapar (es.fi:a.*par*) *v. td. int.* Fazer ficar ou ficar em fiapos; DESFIAR(-SE) [▶ 1 esfiapar] [F.: *es-* + *fiapo* + *-ar²*.]

esfígmico (es.*fíg*.mi.co) *a. P.us. Med.* Ref. a pulsação

◎ **esfigm(o)-** *pref.* = palpitação, pulsação: *esfigmômetro*

esfigmomanômetro (es.fig.mo.ma.*nô*.me.tro) *sm. Med.* Instrumento médico para medir a pressão arterial [F.: *esfigmo-* + *-mamômetro*.]

esfigmômetro (es.fig.*mô*.me.tro) *sm. Med.* Instrumento para medir a velocidade e a regularidade do pulso; PULSÍMETRO; PULSÓGRAFO; PULSÔMETRO [F.: *esfigm(o)-* + *-metro*.]

esfiha (es.*fi*.ha) *sf.* Ver *esfirra* [F.: Do ár. *isfiha*.]

esfíncter (es.*fínc*.ter) *sm. Anat.* Músculo circular que, acionado por ação voluntária, abre e fecha orifício ou canal do corpo, (esfíncter anal) [Pl.: *-teres*.] [F.: Do gr. *sphigktér*, pelo lat. tard, *sphincter*. Tb. *esfincter*.]

esfincteriano (es.finc.te.ri.*a*.no) *a. Anat.* Ref. a um esfíncter ou aos esfíncteres do corpo [F.: *esfíncter(o)-* + *-iano*.]

◎ **esfíncter(o)-** *el. comp.* = 'músculo ou estrutura esfincteriana'; 'esfíncter': *esfincterectomia, esfincterotomia, esfincteriano* [F.: Do gr. *sphinktér, êros*, 'ligamento', 'faixa'; 'esfíncter anal'.]

esfincterotomia (es.finc.te.ro.to.*mi*:a) *sm.* 1 *Cir.* Incisão em músculo esfincteriano 2 *Cir.* Ablação de esfíncter [F.: *esfíncter(o)-* + *-tomia*.]

esfinge (es.*fin*.ge) *sf.* 1 *Mit.* Monstro lendário da Grécia antiga, com corpo de leão, busto e cabeça humanos e asas, ou a imagem ou escultura que o reproduzem: *ao lado das pirâmides, em Gizé (Egito), encontra-se a Esfinge.* 2 Pessoa enigmática ou que pouco fala: "Mas as crianças ainda têm essa qualidade que nos falta: olham, observam, sentem, e não dizem. Pequenas esfinges que se movem em redor de nós." (Cecília Meireles, "O ambiente infantil", *in Obra em prosa*) [F.: Do gr. *sphígx* pelo lat. *sphinx*.]

esfíngico (es.*fín*.gi.co) *a.* Que diz respeito a esfinge; ENIGMÁTICO; ESFINGÉTICO: "O caráter da Virgem, álgido, altaneiro, esfíngico como me parece, pouco tem de hispânico." (Aquilino Ribeiro, *O homem que matou o diabo*)

◎ **esfingo-** *el. comp.* = fechar, apertar: *esfingolipídeo*

esfirra (es.*fir*.ra) *sf. Cul.* Espécie de pastel de forno, de origem árabe, com recheio de carne moída, verdura ou queijo, e temperos [F.: Do ár. *isfiha*.]

esfocinhar (es.fo.ci.*nhar*) *v. int.* Jogar-se de rosto; prostrar-se: *Esfocinhava diante do chefe.* [F.: *es-* + *focinhar*.]

esfogueado (es.fo.gue.*a*.do) *a.* 1 O mesmo que *afogueado* 2 *Bras.* Sôfrego, apressado, atarantado [F.: Part. de *esfoguear*.]

esfoguear (es.fo.gue.*ar*) *v. td.* 1 Mesmo que *afoguear* 2 *Bras.* Fazer ficar ou mostrar-se atarantado, desorientado [▶ 13 esfoguear] [F.: *es-* + *fogo* + *-ear*.]

esfolado (es.fo.*la*.do) *a.* 1 Que se esfolou ou se arranhou 2 Que teve a pele arrancada 3 *Fig.* Que perdeu muito dinheiro no jogo 4 *Fig.* Que se zangou, que se encolerizou; IRADO; ZANGADO [F.: Part. de *esfolar*.]

esfolador (es.fo.la.*dor*) [ô] *a.* 1 Que esfola *sm.* 2 Aquilo ou aquele que esfola [F.: Do part. *esfolado* + *-or*.]

esfoladura (es.fo.la.*du*.ra) *sf.* 1 Ação ou resultado de esfolar(-se); ESFOLA; ESFOLAMENTO; ESFOLADELA 2 Arranhão ou escoriação na pele produzida por objeto agudo ou cortante: *O jogador tinha uma esfoladura na pele.* 3 Operação de tirar a pele, esp. de animais [F.: Do part. *esfolado* + *-ura*.]

esfolamento (es.fo.la.*men*.to) *sm.* Ato de esfolar, de tirar a pele; ESFOLADURA [F.: *esfolar* + *-mento*.]

esfolar (es.fo.*lar*) *v.* 1 Ferir ou ferir-se levemente, ger. soltando a pele [*td.*: *esfolar o joelho.*] [*int.*: *Esfolei-me quando caí da bicicleta.*] 2 *Fig. Gír.* Cobrar caro (com preço exorbitante) de; ou ganhar no jogo muito dinheiro de; ESFAQUEAR [*td.*: *Alguns comerciantes costumam esfolar turistas desavisados.*] [▶ 1 esfolar] [F.: Do lat. vulg. **exfollare*.]

esfolhar (es.fo.*lhar*) *v. td.* 1 Tirar as folhas de; DESFOLHAR 2 Descamisar (o milho): "Seguiam logo as cantigas ao desafio, e esfolhado o milho, desatava aquela gente a dançar" (Teixeira de Vasconcelos, *Lição ao mestre*) [▶ 1 esfolhar] [F.: *es-* + *folha* + *-ar*.]

esfoliação (es.fo.li:a.*ção*) *sf.* 1 Ação ou resultado de esfoliar, de desprender fólios ou lâminas de tecidos animais ou vegetais 2 *Med.* Ação de retirar as células mortas e as impurezas da pele 3 *Mil.* Envenenamento da flora de uma área para que perca suas folhas 4 *Geol.* Separação das formas ou camadas de uma rocha provocada por mudanças de temperatura e outras causas [Pl.: *-ções*.] [F.: *esfoliar* + *-ção*.]

esfoliamento (es.fo.li.a.*men*.to) *sm.* Ação ou resultado de esfoliar; ESFOLIAÇÃO [F.: *esfoliar* + *-ento*.]

esfoliante (es.fo.li.*an*.te) *a2g.* 1 Que produz esfoliação *sm.* 2 Aquilo que produz esfoliação [F.: Do lat. *exfolians, antis*.]

esfoliar (es.fo.li.*ar*) *v. td.* Separar em fólios, lâminas etc. (a superfície de tecidos animais ou vegetais) [▶ 1 esfoliar] [F.: do lat. *exfoliare*. Cf.: *esfolhar*.]

esfoliativo (es.fo.li:a.*ti*.vo) *a.* Que pode ser us. para esfoliar

esfomeado (es.fo.me.*a*.do) *a.* 1 Que tem muita fome; FAMINTO; ESFAIMADO: *O que mais impressionou o repórter foram as crianças esfomeadas, muitas já doentes.* *sm.* 2 Aquele que tem muita fome: *Os esfomeados invadiram a despensa.* [F.: Part. de *esfomear*.]

esfomear (es.fo.me.*ar*) *v. td.* 1 Causar fome a, pela privação de alimentos: *Essa medida do governo vai esfomear a população.* 2 Provocar muito apetite em: *A mesa repleta de doces esfomeou a criançada.* [▶ 13 esfomear] [F.: *es-* + *fome* + *-ear*. Hom./Par.: *esfumear* (todos os tempos do v.).]

esforçado (es.for.*ça*.do) *a.* 1 Que tem ou manifesta força, energia, dinamismo: "Em perigos e guerras esforçados / Mais do que prometia a força humana..." (Luís de Camões, *Os lusíadas*) 2 Que demonstra valor, coragem: *Golias fizera tremer os mais esforçados guerreiros hebreus.* 3 Que se dedica a algo com denodo, aplicação, diligência; APLICADO; DENODADO **4** *Pej.* Diz-se de pessoa sem inteligência, talento ou qualificação, mas que trabalha duramente para conseguir o que precisa ou deseja: *O pai é inteligente, mas o filho é apenas esforçado.* ***sm.*** **5** Indivíduo esforçado: *Os esforçados sempre obtêm algum dividendo.* [F.: Part. de *esforçar*.]

esforçar (es.for.*çar*) *v.* **1** Aplicar força, energia, dedicação no cumprimento de tarefa, trabalho, missão etc.; EMPENHAR-SE [*tr.* + *em, para, por*: *Vou me esforçar para tirar notas melhores.*] [***int.***: *Ele se esforçou muito, mas a tarefa estava acima de sua capacidade.*] **2** Dar força, vigor a (algo ou alguém, inclusive si mesmo); ANIMAR; REFORÇAR [***td.***: *As atitudes devem esforçar as palavras; A tarefa era difícil, mas ele se preparou e se esforçou para enfrentá-la.* Ant.: *enfraquecer.*] **3** Imprimir maior volume ou intensidade a [***td.***: *esforçar a voz.*] **4** Corroborar, confirmar, acrescentando argumentos ou provas [***td.***: *Esforçaram seus propósitos com atitudes firmes.*] [▶ 12 esforçar] [F.: *es-* + *força* + *-ar*[2]. Hom./Par.: *esforço* (fl.), *esforço* (sm.).]

esforço (es.*for*.ço) [ô] ***sm.*** **1** Aplicação, mobilização de força (física ou mental ou moral), energia, empenho, pertinácia etc., para realizar ou alcançar um objetivo; essa força, esse empenho etc.: *Fazia grandes esforços para erguer aqueles pesos; Fez considerável esforço para conquistar a moça; Vai ser preciso um grande esforço para você passar no vestibular.* **2** Cuidado, zelo: *Fiquei muito agradecido por seus esforços.* **3** Ânimo, coragem, energia: *Foi admirável seu esforço para reeducar o menino.* **4** Dificuldade: *Aprendeu francês sem esforço.* **5** Energia muscular, contração muscular para vencer resistência, peso etc., ou para dar impulso, obter velocidade, resistir a cansaço etc.: *O halterofilismo exige grandes esforços de todos os músculos do corpo.* [Pl.: [ó].] [F.: Dev. de *esforçar*.] ■ **~ anagógico** *Psi.* Na teoria junguiana, o esforço para a elevação moral do inconsciente

esfrangalhado (es.fran.ga.*lha*.do) *a.* Que ficou em frangalhos; DILACERADO; ESFARRAPADO: *Vestia uma roupa esfrangalhada, mas não perdera a arrogância.* [F.: Part. de *esfrangalhar*.]

esfrangalhamento (es.fran.ga.lha.*men*.to) ***sm.*** Ação ou resultado de esfrangalhar, de reduzir a frangalhos [F.: *esfrangalhar* + *-ento*.]

esfrangalhar (es.fran.ga.*lhar*) *v.* Fazer ficar ou ficar em frangalhos, rasgado, dilacerado; DILACERAR [***td.***: *O atrito com a rocha, na escalada, esfrangalhou suas calças.*] [***int.***: *Suas calças se esfrangalharam na escalada.*] [▶ 1 esfrangalhar] [F.: *es-* + *frangalho* + *-ar*[2].]

esfrega (es.*fre*.ga) *sf.* **1** Ação de esfregar; ESFREGAÇÃO **2** *Pop.* Repreensão, descompostura, reprimenda: *O porteiro embriagado levou uma esfrega do síndico.* **3** *Pop.* Surra, espancamento: *Os policiais deram uma esfrega no punguista.* **4** *Pop.* Trabalho enfadonho ou exaustivo: *Enfrentava uma esfrega da manhã à noite.* [F.: Dev. de *esfregar*.]

esfregação (es.fre.ga.*ção*) *sf.* **1** Ação ou resultado de esfregar; ESFREGA; ESFREGADELA; ESFREGAMENTO **2** Limpeza que se faz esfregando com a mão ou com escova: "Lagarteamos ao sol... esperando que secassem as nossas roupas, bem carentes de prolongada esfregação." (Gastão Cruls, *A Amazônia misteriosa*) **3** *Pop.* Troca de carícias físicas; BOLINAÇÃO; SARRO [Pl.: *-ções*.] [F.: *esfregar* + *-ção*.]

esfregaço (es.fre.*ga*.ço) ***sm.*** **1** *Pat.* Líquido biológico ou conjunto de células de tecidos ou de órgãos colocadas sobre uma lâmina para exame ao microscópio **2** *Pat.* Essa forma ou técnica de exame **3** *Pint.* Camada de tinta colocada sobre camada inferior de pintura, sobre a qual adere de maneira uniforme **4** *Pint.* Essa técnica de pintura [F.: *esfrega* + *-aço*.]

esfregada (es.fre.*ga*.da) *sf.* **1** Ação de esfregar alguma coisa: *Deu uma esfregada na toalha antes de colocá-la para secar.* **2** *Bras. Pop.* Contato voluptuoso, libidinoso: *Ao passar pela garota, deu uma esfregada na perna dela.*

esfregadela (es.fre.ga.*de*.la) *sf.* **1** Ação ou resultado de esfregar; ESFREGAÇÃO **2** Ato de esfregar de leve: *Deu uma esfregadela no lenço para tirar a mancha.* [F.: Do part. *esfregado* + *-ela*.]

esfrega-esfrega (es.fre.ga-es.*fre*.ga) ***sm.*** O mesmo que *esfregação*: *O casal estava no maior esfrega-esfrega.* [Pl.: *esfrega-esfregas*.]

esfregão (es.fre.*gão*) ***sm.*** **1** Pano, flanela ou esponja para limpar algo que está sujo **2** Espécie de vassoura dotada de cerdas duras ou fios de tecido grosso, para esfregar o chão **3** *Bot.* Espécie de trepadeira (*Luffa aegyptiaca*) da fam. das cucurbitáceas, o mesmo que *bucha* [Pl.: *-gões*.] [F.: *esfregar* + *-ão*.]

esfregar (es.fre.*gar*) *v.* **1** Friccionar, roçar várias vezes seguidas superfície ou parte (de [algo, animal, alguém, inclusive si mesmo]) em outra [***td.***: *esfregar as mãos.*] [***tda.***: *Para decalcar, esfregue a unha sobre a figura; O cachorro não para de se esfregar no chão.*] **2** Limpar, fazendo fricção [***td.***: *esfregar o chão; Esfregue-se direito no banho.*] **3** Friccionar (corpo ou parte dele); COÇAR [***td.***: *Pare de esfregar as mordidas de mosquito.*] **4** *Bras. Vulg.* Roçar com fins libidinosos [***tdr.*** + *em*: *Os namorados esfregaram-se (um se esfregou no outro) durante todo o baile.*] [▶ 14 esfregar] [F.: Do lat. *exfricare*. Hom./Par.: *esfrega* (fl.), *esfrega* (sf.); *esfregas* (fl.), *esfregas* (pl. de *esfrega*).]

esfregona (es.fre.*go*.na) *sf.* **1** *Lus.* Pano de esfregar; esfregão **2** *Lus.* Mulher suja, enxovalhada [F.: *esfrega* + *-ona*.]

esfria (es.*fri*.a) *s2g.* **1** *Bras. Gír.* No jargão jornalístico, pessoa que se recusa a passar a um repórter determinada informação ou notícia **2** Maçador, importuno **3** *PE* Pessoa que acompanha sempre outra para lhe prestar serviços; adulador. Tb. *esfria-verruma* [F.: Dev. de *esfriar*.]

esfriada (es.fri:*a*.da) *sf.* *Bras. Pop.* Ação ou resultado de esfriar [F.: *esfriar* + *-ada*.]

esfriado (es.fri:*a*.do) *a.* **1** Que se esfriou, que passou por processo de esfriamento **2** *Fig.* Que perdeu o ânimo, o ímpeto: *Com os ânimos esfriados, o baile recomeçou.*

esfriamento (es.fri.a.*men*.to) ***sm.*** Ação ou resultado de esfriar(-se): "Estamos sempre a sustar as nossas alegrias... para pensarmos aterrados nos esfriamentos lúgubres do túmulo." (Eça de Queirós, *Prosas bárbaras*) [F.: *esfriar* + *-mento*.]

esfriar (es.fri.*ar*) *v.* **1** Fazer ficar ou ficar frio ou mais frio [***td.***: *Preciso esfriar esse café para bebê-lo.*] [***int.***: *Voltou a esfriar na cidade; A parafina derretida solidifica ao (se) esfriar.*] **2** *Fig.* Tornar(-se) distante, indiferente, insensível [***td.***: *A desconfiança esfriou nossa amizade.*] [***int.***: *O namoro esfriou.*] **3** Acalmar(-se), tranquilizar(-se) [***td.***: *Fui caminhar para esfriar a cabeça.*] [***int.***: *Os ânimos esfriaram-se.*] [▶ 1 esfriar] [F.: *es-* + *frio* + *-ar*[2]. Ant. ger.: *aquecer, esquentar*.]

esfrolar (es.fro.*lar*) *v.* ***td.*** **1** Produzir arranhões, esfolamentos: *Esfrolou as pernas jogando futebol.* **2** Tocar de leve; FERIR: *O violonista esfrolou as cordas de seu instrumento.* **3** Fazer ficar agitado, revolto: *A tempestade esfrolava as águas do rio.* [▶ 1 esfrolar] [F.: alt. de *esfolar*.]

esfumaçado (es.fu.ma.*ça*.do) *a.* **1** Que está ou ficou cheio de fumaça; FUMACENTO; FUMARENTO **2** *Bras.* Diz-se de alimento defumado [F.: Part. de *esfumaçar*.]

esfumaçar (es.fu.ma.*çar*) *v.* ***td.*** **1** Encher (ambiente) de fumaça [***td.***: *A fogueira de S. João esfumaçou o alpendre.*] **2** Enegrecer com fumaça **3** *Bras.* Secar (alimento) expondo à fumaça; DEFUMAR **4** *Fig.* Fazer desaparecer; ACABAR; DESTRUIR: *A vida esfumaça muitos ideais da juventude.* [▶ 12 esfumaçar] [F.: *es-* + *fumaça* + *-ar*[2].]

esfumado (es.fu.*ma*.do) *a.* **1** Que foi atenuado (cor esfumada) **2** Que se desfez como se fosse fumo **3** Diz-se de desenho que apresenta sombras esbatidas, traçadas com carvão ou esfuminho: "Os próprios retratos nos aparecem esfumados, envoltos numa cinza esparsa de crepúsculo." (Eça de Queirós, *Notas contemporâneas*) ***sm.*** **4** Esse desenho

esfumar (es.fu.*mar*) *v.* **1** Desenhar com carvão [***td.***: *O jovem pintor esfumava com perfeição.*] **2** *Art.pl.* Sombrear com esfuminho (um desenho) [***td.***: *Esfumou o desenho.*] **3** Enegrecer pela presença de fumo ou fumaça [***td.***: *Ao fazer churrasco, esfumava a casa toda.*] **4** Fazer desaparecer ou esvair aos poucos [***td.***: *Aquele ato traiçoeiro fez esfumar sua dedicação ao amigo.*] [***int.***: *Seu amor esfumava-se lentamente.*] [▶ 1 esfumar] [F.: Do it. *sfumare*.]

esfuminho (es.fu.*mi*.nho) ***sm.*** Pequeno rolo de papel, pelica ou feltro, aparado na ponta, us. para criar degradê ou esbatimento em desenho a carvão, lápis de cor, lápis macio etc. [F.: Do it. *sfumino*.]

esfuziante (es.fu.zi:*an*.te) *a2g.* **1** Que esfuzia ou sibila; que sopra forte ou produz ruído agudo (vento esfuziante, assobio esfuziante): "Zuniam logo as balas esfuziantes, varando os tetos." (Euclides da Cunha, *Os sertões*) **2** Que revela grande alegria; que é muito vivaz, radiante: *Sua alegria esfuziante comunicava-se a todos;* "Ora em dialética cerrada, ilaqueando o contendor nas volutas da argumentação; ora esfuziante de graça, tão peculiar à sua feição." (Ricardo Jorge, *Sermões dum leigo*) **3** Diz-se de quem é alegre, de quem irradia alegria e bom humor; RUIDOSO: *Que menina esfuziante, fica-se alegre só de olhá-la.* [F.: *esfuziar* + *-nte*.]

esfuziar (es.fu.zi.*ar*) *v.* **1** Soprar forte [***int.***: *O vento esfuziava, batendo as janelas.*] **2** Produzir ruído agudo e sibilante, como projéteis ou balas disparados; SIBILAR; ZUNIR [***int.***: *As hélices esfuziavam na cabeceira da pista.*] **3** *Fig.* Lançar (comentários, ditos etc.) como projéteis; DARDEJAR [***td.***] [▶ 1 esfuziar] [F.: De *esfuzilar*, por sua vez de *fuzil*.]

esfuzilar (es.fu.zi.*lar*) *v.* **1** Lançar faíscas, esfuziar, cintilar [***int.***: *Raios esfuzilavam no céu.*] **2** Saltar, sair (como se fossem faíscas) [*tr.* + *de*: *Lampejos de ódio esfuzilavam de seus olhos.*] [▶ 1 esfuzilar] [F.: *es-* + *fuzilar*.]

esfuziote (es.fu.zi:*o*.te) ***sm.*** Saraivada de críticas, repreensões, invectivas [F.: *esfuziar* (subst. para *esfuzio*) + *-ote*.] ■ **De ~** Com muita rapidez, apressuradamente: "E, entrando de esfuziote na... sala, deixou-se cair na rede, a rir" (Coelho Neto, *Livro de prata*)

⊠ **ESG** Sigla de *Escola Superior de Guerra* (centro de altos estudos estratégicos do governo brasileiro)

esgadanhar (es.ga.da.*nhar*) *v. Fig.* Arrepelar, arranhar: *O gato da vizinha me esgadanhou!*: "A fome que lhe esgadanhava as entranhas..." (Henrique Galvão, *Curica*) [F.: *es-* + *gadanho* + *-ar*.]

esgadelhado (es.ga.de.*lha*.do) *a.* Em desalinho; DESPENTEADO; DESGRENHADO: "Vinha amarelo, esgadelhado; bem se conhecia o estado daquela cabeça..." (Júlio Dinis, *Uma família inglesa*) [F.: Part. de *esgadelhar*.]

esgadelhar (es.ga.de.*lhar*) *v.* ***td.*** Mesmo que *desguedelhar* [▶ 1 esgadelhar]

esgalgado (es.gal.*ga*.do) *a.* **1** Que tem feição de galgo, magro e esguio: *Era um rapaz bonito e esgalgado.* **2** *Fig.* Que é estreito e comprido: *Avistava a torre esgalgada à distância.* **3** Cambaleante de fraqueza, fome, sede, doença etc.: "Relincham os cavalos, esgalgados de sede." (Gustavo Barroso, *Terra de sol*) [F.: Part. de *esgalgar*.]

esgalgo (es.*gal*.go) *a.* Que é alto e delgado; ESGALGADO; ESBELTO: "...e é teu vulto triunfal, longo, heráldico, esgalgo,/coleante como um cisne e esbelto como um galgo." (Menotti del Picchia, *Máscaras*)

esgalhado (es.ga.*lha*.do) *a.* **1** Dividido ou separado em galhos ou ramos **2** Que tem galhos ou ramos cortados [F.: Part. de *esgalhar*.]

esgalhamento (es.ga.lha.*men*.to) ***sm.*** **1** Divisão em galhos ou ramos (arbustos com intrincados esgalhamentos) **2** *Fig.* Divisão em partes ou elementos secundários: *Para alguns autores, a criminologia é um esgalhamento da sociologia.*

esgalhar (es.ga.*lhar*) *v.* **1** Estender-se em várias direções (galhos, ramos) [***int.***: *A árvore esgalhava(-se) mais para o lado direito.*] **2** *Fig.* Dividir-se em partes secundárias [***int.***: *O caminho esgalhava(-se) em três direções.*] **3** *Fig.* Expandir-se em várias direções e sentidos [***int.***: *O novo supermercado esgalhou(-se) rápido por toda a região.*] **4** Arrancar, desgalhar (ramos, brotos etc.) de (árvore, planta) [***td.***] **5** *Lus.* Descamisar (o milho); ESFOLHAR [***td.***] **6** *Açor.* Ferir com os cornos; ESCORNAR [***td.***] **7** *Lus.* Trabalhar de maneira rápida [***int.***] **8** *Moç. Pop.* Correr velozmente [***int.***] [▶ 1 esgalhar] [F.: *es-* + *galho* + *-ar*. Hom./Par.: *esgalha*(s) (fl.), *esgalha* (sf. e pl.); *esgalho* (fl.), *esgalho* (sm.).]

esgalho (es.*ga*.lho) ***sm.*** **1** Renovo pouco desenvolvido de uma planta **2** Resto do galho que fica na planta podada **3** Ramificação da galhada do veado **4** *Bot.* Ramo de um cacho de uvas **5** Divisão, ramificação [F.: Forma regr. de *esgalhar*.]

esganação (es.ga.na.*ção*) *sf.* **1** Ação ou resultado de esganar; ESTRANGULAMENTO **2** Sofreguidão, ansiedade: *Comia depressa, com esganação.* **3** Apego exagerado a alguma coisa, esp. dinheiro: *Jamais se vira tamanha esganação por dinheiro.* **4** *Pej.* Gana, avidez: "Mas eu sabia que cigano tem uma esganação medonha, mesmo que doença, pra baldrocar cavalos..." (Guimarães Rosa, "Corpo fechado", *in Sagarana*) **5** Sensação de aperto na garganta [Pl.: *-ções*.] [F.: *esganar* + *-ção*.]

esganado (es.ga.*na*.do) *a.* **1** Que foi submetido a esganação; ESTRANGULADO **2** Cujo pescoço foi apertado; ASFIXIADO; SUFOCADO **3** Que manifesta sofreguidão, avidez: *Que menino esganado, comeu todo o sorvete e não deixou pra ninguém.* **4** Que vive esfomeado, faminto: *Era tão esganado que chegava a esvaziar a geladeira.* **5** Que tem apego excessivo ao dinheiro; AVARO; SOVINA ***sm.*** **6** Indivíduo sôfrego **7** Indivíduo esfomeado [F.: Part. de *esganar*.]

esgana-gato (es.ga.na-*ga*.to) ***sm.*** *Pop.* Situação difícil, perigosa; SUFOCO; APERTO: "Na hora do sufoco, do desespero, do chamado 'esgana-gato', vale tudo." (*Gazeta esportiva*, 09.03.2004) [Pl.: *esgana-gatos*.]

esganar (es.ga.*nar*) *v.* **1** Apertar o pescoço de, provocando asfixia; matar (inclusive a si mesmo) por estrangulamento; ESTRANGULAR [***td.***: *Deprimido e infeliz, esganou-se, sem deixar bilhete.*] **2** Ter muita inveja [***int.***: *Esganava-se, roía as unhas, suspirava, não conseguia aplacar sua inveja, seu ciúme.*] **3** *Fig.* Mostrar-se ávido, sôfrego [***int.***: *Queria tudo que via, esganava-se, sonhava, implorava...*] **4** *Mar.* Dar voltas em cruz em (cabo) comprimindo outras já dadas, ao fazer um botão ou cosedura [***td.***] [▶ 1 esganar] [F.: *es-* + *gana* + *-ar*[2].]

esganiçado (es.ga.ni.*ça*.do) *a.* **1** Diz-se de voz estrídula, aguda, estridente: "Mas a mulher o interrompeu com outra série de idiotas, esganiçados, histéricos." (Monteiro Lobato, *O macaco que se fez homem*) **2** Diz-se de quem tem essa voz: *Era um sujeito falastrão e esganiçado.* [F.: Part. de *esganiçar*.]

esganiçamento (es.ga.ni.ça.*men*.to) ***sm.*** Ação ou resultado de esganiçar(-se) [F.: *esganiçar* + *-mento*.]

esganiçar (es.ga.ni.*çar*) *v.* **1** Fazer (a própria voz) ficar aguda, estridente, parecida com o ganido de um cão [***td.***] **2** Falar ou cantar com voz estridente [***int.***: *Esganiçava-se ao microfone.*] [▶ 12 esganiçar] [F.: De *ganir*, posv.]

esgano (es.*ga*.no) ***sm.*** *Gír.* Situação difícil, que envolve privação de alguma natureza: "Nega dos lábios finos, nariz empinado, bunda de escola de samba e eu no *esgano*, ó, saindo da cadeia depois de tirar dez anos." (Dráuzio Varela, *Carandiru*) [F.: Dev. de *esganar*.]

esgar (es.*gar*) ***sm.*** **1** Jeito peculiar que o rosto pode assumir, como um trejeito ou careta, e que pode ser intencional ou não: *Olhou o rapaz com um esgar de desprezo; Não compreendia aqueles esgares.* **2** Careta intencional, expressando desprezo, escárnio [F.: De or. obsc.]

esgaravatador (es.ga.ra.va.ta.*dor*) [ô] *a.* **1** Que esgaravata ***sm.*** **2** Aquilo ou aquele que esgaravata **3** Palito esgaravatador (1), para limpar dentes **4** Instrumento us. para avivar o ouvido de arma de fogo **5** Instrumento us. para remexer brasas de lareira, forja etc. [F.: *esgaravatar* + *-dor*. Tb. *esgravatador*.]

esgaravatar (es.ga.ra.va.*tar*) *v.* ***td.*** **1** Limpar (nariz, ouvido, dente etc.) catando sujidade com o dedo, palito, cotonete, instrumento esgaravatador etc. **2** Remexer com os dedos, unhas, instrumento, objeto etc., cavucando: *A galinha esgaravatava o chão do terreiro, procurando alimento.* **3** *Fig.* Investigar, remexer (algo), fuçando, procurando: "Esgaravatando na raiz das dores humanas, encontro aí sedimento de perversidade..." (C. Castelo Branco, *Mulher fatal*) **4** Avivar (ouvido de arma de fogo) com esgaravatador **5** Remexer (brasas) com esgaravatador [▶ 1 esgaravatar] [F.: *es-* + *garavato* + *-ar*[2]. Tb. *esgravatar*.]

esgarçado (es.gar.*ça*.do) *a.* **1** Que se esgarçou **2** Diz-se de tecido que tem soltos os fios: *Seu vestido era velho e esgarçado.* **3** *Fig.* Que tem a aparência de algo que se desfiou: "Sobre a fímbria negra e muito esgarçada da mata luzia um grande arco alaranjado." (Henrique Galvão, *Curica*) [F.: Part. de *esgarçar*.]

esgarçamento (es.gar.ça.*men*.to) *sm.* **1** Ato ou efeito de esgarçar(-se) **2** Rompimento de um tecido pelo afastamento dos fios: "...ele é neurótico por meias, ao menor sinal de esgarçamento, joga fora." (Ignácio de Loyola Brandão, "Obscenidades para uma dona de casa", *in Os melhores contos de Ignácio de Loyola Brandão*) **3** *Fig.* Ruptura de uma situação social, econômica, emocional etc.: *O esgarçamento do tecido social; o esgarçamento e a deterioração dos valores éticos.*

esgarçar (es.gar.*çar*) *v.* **1** Dividir(-se) (tecido) afastando(-se) os fios [*td.*: *O atrito acabou esgarçando o pano.*] [*int.*: *Com o atrito, o pano esgarçou(-se).*] **2** Desfazer(-se), fragmentar(-se), tornar(-se) mais ralo, como um pano a se esgarçar (1) [*td.*: "Dentro da noite a vida canta / E esgarça névoas ao luar..." (Manuel Bandeira, *Dentro da noite*)] [*int.*: *A cerração esgarçava-se pelas encostas.*] **3** Romper a casca (da fruta) [*td.*: *A queda esgarçou a manga.*] **4** Machucar, arranhar, lanhar [*td.*: *Esgarçar a perna.*] [▶ 12 esgarçar] [F.: De or. contrv., posv. do lat. vulg. *exquartiare*, 'esquartejar'.]

esgazeado (es.ga.ze.*a*.do) *a.* **1** Diz-se de olhar que expressa desnorteamento, espanto ou ira: *Vagava pelas ruas com um olhar esgazeado:* "Quase não se lembrava das feições do noivo, dos seus olhos esgazeados..." (Lima Barreto, *O triste fim de Policarpo Quaresma*) **2** Diz-se de cor esbranquiçada, desmaiada; ALVACENTO; DESBOTADO [F.: Part. de *esgazear*.]

esgazear (es.ga.ze.*ar*) *v. td.* **1** Revirar (os olhos), como que desnorteado, desvairado, sem fitar nem ver **2** *Pint.* Desmaiar, clarear (a cor de um quadro) por efeito de luz incerta e inconstante [▶ 13 esgazear] [F.: *es-* + *gázeo* + *-ar²*.]

esgoelado (es.go:e.*la*.do) *a.* **1** Que se esgoela ou se esgoelou *a.* **2** Diz-se de fala aos gritos **3** Que foi estrangulado ou teve o pescoço apertado [F.: Part. de *esgoelar*.]

esgoelamento (es.go:e.la.*men*.to) *sm.* Ação ou resultado de esgoelar(-se) [F.: *esgoelar* + *-mento*.]

esgoelar (es.go:e.*lar*) *v.* **1** Falar, dizer (algo) aos gritos, abrindo as goelas [*td.*: *Irritado, esgoelou reclamações e impropérios.*] [*int.*: *Na ânsia de uma solução, esgoelava(-se) sem resultado.*] **2** Estrangular [*td.*] [▶ 1 esgoelar] [F.: *es-* + *goela* + *-ar²*.]

esgotado (es.go.*ta*.do) *a.* **1** Que (se) esgotou: "Parecia que os beijos dele lhe tinham sorvido, esgotado a alma..." (Eça de Queiroz, *O crime do padre Amaro*) *a.* **2** Que terminou (tempo esgotado) **3** *Fig.* Que está muito cansado, exausto; EXTENUADO: *O atleta chegou esgotado ao fim da corrida.* **4** Que foi todo vendido ou completado (estoque esgotado, lotação esgotada) **5** Totalmente desprovido, privado: "E Brás Bueno tartamudeou, esgotado de recursos que lhe atenuassem ou disfarçassem as culpas incontrastáveis." (Alberto Rangel, *Fura-mundo*) [F.: Part. de *esgotar*.]

esgotador (es.go.ta.*dor*) [ô] *a.* **1** Que esgota (filtro esgotador) *sm.* **2** O que esgota (esgotador de água)

esgotamento (es.go.ta.*men*.to) *sm.* **1** Ação ou resultado de esgotar(-se) **2** Cansaço excessivo; EXAUSTÃO; EXTENUAÇÃO: "Só havia um recurso: andar, andar sem descanso até à fadiga total, até ao esgotamento." (Henrique Galvão, *Velo de ouro*) **3** Depauperamento, empobrecimento: *Os cultivos sucessivos e descuidados acabaram por acarretar o esgotamento do solo.* **4** Extração de um líquido até à última gota; ENXUGAMENTO; SECAMENTO: *Tiveram de principiar pelo esgotamento da cisterna, antes de proceder à limpeza.* [F.: *esgotar* + *-mento*.]

esgotante (es.go.*tan*.te) *a2g.* **1** Que esgota, que esvazia (válvula esgotante) **2** Que leva ao cansaço extremo (trabalho esgotante) **3** Que é realizado com obstinação (levantamento esgotante) [F.: *esgotar* + *-nte*.]

esgotar (es.go.*tar*) *v.* **1** Gastar tudo, acabar (com) [*td.*: *A viagem esgotou nossas forças.*] [*int.*: *As reservas de petróleo vão (se) esgotar um dia.*] **2** Acabar (por ter sido vendido) [*int.*: *Os ingressos esgotaram(-se) rapidamente.*] **3** Comprar algo de modo que não reste mais nenhum para ser vendido [*td.*: "Ela e boa parte dos seus amigos ajudaram a esgotar os exemplares das prateleiras." (*O Globo*, 25.06.2005)] **4** Dizer ou estudar tudo sobre (um assunto) [*td.*: *É impossível esgotar esse tema tão fascinante:* "Estas notas estão longe de esgotar tudo o que há de bom..." (Manuel Bandeira, *Prosa esparsa*)] **5** Fazer ficar ou ficar exausto; perder as forças; CANSAR(-SE) [*td.*: *Esgotava-se para sustentar a família;* "... dançar direto por quase duas horas esgota qualquer um..." (*O Dia*, 09.09.2003)] **6** Dar ou fazer o máximo possível [*td.*: *A polícia esgotou os meios de investigação.*] **7** Acabar com a água de; SECAR; EXAURIR [*td.*: *esgotar um poço; esgotar um barril.*] **8** Beber todo o conteúdo de; ESVAZIAR [*td.*: *esgotar uma garrafa de vinho.*] **9** Colocar rede de esgoto em [*td.*: *esgotar todo o município.*] [▶ 1 esgotar] [F.: *es-* + *gota* + *-ar²*. Hom./Par.: *esgoto* [ô] (fl.), *esgoto* [ô] (sm.); *esgotáveis* (fl.), *esgotáveis* (pl. de *esgotável*).]

esgoto (es.*go*.to) [ô] *sm.* **1** Ação ou resultado de esgotar(-se), o mesmo que *esgotamento* **2** Sistema de tubulação subterrâneo através do qual escorrem os dejetos de uma casa, rua, bairro ou cidade e a água das chuvas **3** Cano destinado a dar vazão a líquidos [F.: Dev. de *esgotar*.]

esgravatador (es.gra.va.ta.*dor*) [ô] *a.sm.* Ver *esgaravatador* [F.: *esgravatar* + *-dor*.]

esgravatar (es.gra.va.*tar*) *v. td.* Ver *esgaravatar* [▶ 1 esgravatar] [F.: *es-* + *gravato* + *-ar²*.]

esgrima (es.*gri*.ma) *sf.* **1** *Esp.* Ação de esgrimir; combate entre duas pessoas armadas com florete, espada ou sabre **2** *Esp.* Esporte que regulamenta esse combate como forma de competição **3** Conjunto de técnicas e táticas desse esporte ou luta: "Depois pensou que nunca manejara uma espada. E o Machado tinha dado lições de esgrima." (Eça de Queirós, *Alves e cia*) **4** *Fig.* Arte de combater ofensiva ou defensivamente **5** *Fig.* Ação de usar instrumentos intelectuais, lógicos, retóricos, analíticos etc. para debater ou combater ideia(s) [F.: Do provç. ant. *escrima*.]

📖 A espada é uma arma pré-histórica, cujo uso como tal (e de suas várias derivações) chegou ao limiar da era moderna; como esporte, já registrado em baixos-relevos do séc. XIII a.C., começou a ser difundido na Europa no séc. XVI, e reconhecido e regulamentado oficialmente no séc. XIX como esporte olímpico moderno, tendo sido disputado já nos primeiros jogos, em 1896. A esgrima compreende três modalidades, de acordo com o tipo de arma usado: espada, sabre e florete. Os adversários se enfrentam sobre um 'corredor' constituído de uma passadeira de material antiderrapante com 2m de largura e 14 m de comprimento. O combate entre homens dura no máximo 6 minutos, mas termina se um dos adversários tocar no outro 5 vezes. Entre mulheres a duração é de 5 minutos, ou 4 toques. Os competidores usam roupas acolchoadas (brancas), luvas, e máscara protetora no rosto. Modernamente, nas lutas de espada e florete, um dispositivo eletrônico registra, acendendo uma luz, o toque da arma nos pontos que o regulamento considera 'alvos' válidos.

esgrimir (es.gri.*mir*) *v.* **1** Jogar ou lutar (com [armas brancas]) [*td.*: *Esgrimia sua espada com perfeição.*] [*int.*: "...o profeta Maomé aconselhava os muçulmanos a aprender a nadar, esgrimir e andar a cavalo..." (*O Globo*, 29.10.2002)] **2** *Fig.* Batalhar no combate a; LUTAR [*tr.* + *contra*: *Esgrimir contra as injustiças.*] **3** *Fig.* Discutir, polemizar, usando argumentos, contra-argumentos, artifícios etc. [*int.*: *Os debatedores esgrimiam com habilidade, cada um usando o argumento do outro a seu favor.*] **4** Brandir ameaçadoramente [*td.*: *Reagindo ao assalto, esgrimiu seu canivete como se fosse um punhal.*] **5** Agitar, sacudir, brandir (algo) como se fosse arma branca [*td.*: *Esgrimia sua bengala, ameaçando o pivete.*] [▶ 3 esgrimir] [F.: De *esgrima* + *-ir* ou do occitânico ant. *escremir*, do frâncico * *skermjan*. Hom./Par.: *esgrima* (fl.), *esgrima* (sf.); *esgrimas* (fl.), *esgrimas* (pl. de *esgrima*).]

esgrimista (es.gri.*mis*.ta) *s2g.* **1** Quem esgrime *s2g.* **2** Quem domina a arte da esgrima, quem pratica o esporte da esgrima; ESGRIMIDOR; ESPADACHIM [F.: *esgrima* + *-ista*.]

esgrouvinhado (es.grou.vi.*nha*.do) *a.* **1** Esguio e magro como um grou: "...aparecia Belmiro, sujeito esgrouvinhado e macilento, com corpo desengonçado sobre duas pernas..." (José de Alencar, "O garatuja", *in Alfarrábios*) **2** Que tem o cabelo emaranhado, desalinhado [F.: Part. de *esgrouvinhar*.]

esgrouvinhar (es.grou.vi.*nhar*) *v. td. int.* **1** Tornar(-se) magro, esguio **2** Fazer ficar ou ficar em desalinho [▶ 1 esgrouvinhar] [F.: de orig. obsc. Sin. ger.: *esgrouviar*.]

esguedelhado (es.gue.de.*lha*.do) *a.* Desgrenhado, despenteado: "...depois de uma luta incrível, esguedelhado, ofegante, pálido, embarafusta pela porta de um hotel escorrendo de suor..." (Adolfo Caminha, *No país dos ianques*) [F.: Part. de *esguedelhar*.]

esguedelhar (es.gue.de.*lhar*) *v. td.* Mesmo que *desguedelhar* [▶ 1 esguedelhar] [F.: *es-* + *guedelhar*.]

esgueirar (es.guei.*rar*) *v.* **1** *Antq.* Retirar, subtrair (algo) habilmente, sem ser (ou tentando não ser) percebido [*td.*: *Esgueirou umas amostras do expositor e saiu.*] **2** Dirigir cautelosa e sorrateiramente: *Esgueirava olhares cúmplices para a cozinheira.* [*tdi. tda.* + *a*, *para*: *Esgueirou seu olhar ao filho, interrogativamente.*] [*td.*: *Aproveitou a distração geral e, sobre a mesa, esgueirou o memorando em direção do amigo.*] **3** Retirar-se sorrateiramente, tentando não dar na vista [*int.*: *Esgueirou-se pelo corredor e saiu pela porta dos fundos.*] [▶ 1 esgueirar] [F.: De or. obsc.]

esguelha (es.*gue*.lha) [ê] *sf.* **1** Qualidade ou condição do que é oblíquo; SOSLAIO; VIÉS **2** Fragmento de pano cortado em viés [F.: Posv. do gr. *skoliós*.] ▪▪ **De ~** De soslaio, enviesadamente: "...olhou-o de esguelha, com medo de afastar a vista dos copos." (Aluísio de Azevedo, *Casa de pensão*)

esguelhar (es.gue.*lhar*) *v.* **1** Colocar de esguelha, obliquamente; ENVIESAR [*tda.*: *Esguelhou o olhar para a menina.*] **2** Cortar de esguelha; atravessar de maneira oblíqua [*td.*: "O baixo Cuminá é um dédalo desnorteante... e a cada momento esguelhamos por um canal" (Gastão Cruls, *Amazônia que eu vi*)] [▶ 1 esguelhar] [F.: *esguelha* + *-ar*. Hom./Par.: *esguelha* (s) (fl.), *esguelha* (sf. e pl.).]

esguião (es.gui.*ão*) *sm.* *Têxt.* Tecido fino de linho: "...uma leve camisa de esguião, preciosa relíquia de antiga abastança..." (Domingos Olímpio, *Luzia Homem*)

esguichada (es.gui.*cha*.da) *sf.* Ação ou resultado de esguichar; ESGUICHADELA; ESGUICHO [F.: Fem. substantivado de *esguichado*.]

esguichado (es.gui.*cha*.do) *a.* Que foi lançado em forma de esguicho: *Ao lado do repuxo, pisava descalça sobre a água esguichada.* [F.: Part. de *esguichar*.]

esguichador (es.gui.cha.*dor*) [ô] *a.* **1** Que esguicha *sm.* **2** Dispositivo que faz esguichar (esguichador de água)

esguichar (es.gui.*char*) *v.* **1** Fazer sair ou sair (líquido) em jato, com força [*td.*: *A mangueira esguichava água.*] [*int.*: *O leite esguichava sem parar.*] **2** Jogar (líquido) em jatos (em alguém ou algo) [*tda.*: *esguichar água no canteiro.*] [*tdr.* + *em*: *Esguichou lança-perfume no pescoço da namorada.*] [▶ 1 esguichar] [F.: *esguicho* + *-ar²*. Hom./Par.: *esguicho* (fl.), *esguicho* (sm.).]

esguicho (es.*gui*.cho) *sm.* **1** Ação ou resultado de esguichar; ESGUICHADA; ESGUICHADELA **2** Expulsão de líquido por um cano ou passagem estreita **3** Jato de qualquer líquido **4** Dispositivo que se coloca na extremidade de mangueira ou tubo e que serve para esguichar a água **5** *Ant.* Seringa ou bisnaga que se usava pelo entrudo ou no carnaval para fazer esguichar água sobre as pessoas: "Mocinhos sorridentes afrontam com esguichos de bisnaga as mocinhas." (Monteiro Lobato, *Cidades mortas*) [F.: De or. obsc., posv. onom.]

esguio (es.*gui*:o) *a.* **1** Que é alto e esbelto (moça esguia, árvore esguia) **2** Que é longo, fino, estreito (galho esguio); DELGADO [F.: Do lat. *exiguus*.]

eslaide (es.*lai*.de) *sm.* *Fot.* Aport. de *slide*

eslávico (es.*lá*.vi.co) *a.* Pertencente ou ref. aos eslavos [F.: *eslavo* + *-ico*.]

eslavismo (es.la.*vis*.mo) *sm.* *Pol.* Política que defende a reunião dos povos eslavos em uma única nação e os progressos desta [F.: *eslavo* + *-ismo*.]

eslavo (es.*la*.vo) *sm.* **1** Indivíduo dos eslavos, grupo de povos que falam línguas eslavas (4) e que habitam a Europa central e oriental (Polônia, República Tcheca, Eslováquia, Bulgária, Croácia, Eslovênia, Sérvia, Rússia, Ucrânia) **2** *Gloss.* Grupo linguístico da fam. indo-europeia que compreende três subgrupos: eslavo ocidental, eslavo meridional e eslavo oriental *a.* **3** Dos ou ref. aos eslavos; típico desses povos e de suas culturas **4** *Gloss.* Ref. ao eslavo (2) e a cada língua dele originada [F.: Do eslavo *slovenin*, pelo gr. bizantino *sklábos*, pelo lat. medv. *sclavus*.]

eslavófilo (es.la.*vó*.fi.lo) *a.* **1** Que admira e/ou é partidário dos eslavos *sm.* **2** Indivíduo eslavófilo

eslavônio (es.la.*vô*.ni:o) *sm.* **1** Pessoa nascida ou que vive na Eslavônia (região da Croácia) **2** *Gloss.* Língua litúrgica da Igreja dos eslavos ortodoxos na Idade Média; ESLAVÃO *a.* **3** Da Eslavônia; típico dessa região ou de seu povo [F.: Do top. *Eslavônia*.]

eslética (es.*lé*.ti.ca) *sf.* Processo aberto de raciocínio que busca formar conhecimento a respeito de algo através da convergência de ideias diversas, mesmo conflitantes, com base no princípio de que toda visão é válida

eslovaco (es.lo.*va*.co) *sm.* **1** Pessoa nascida ou que vive na Eslováquia, país da Europa central, antes parte da Tchecoslováquia [Cf.: *tchecoslovaco*.] **2** *Gloss.* Língua eslava falada na Eslováquia *a.* **3** Da Eslováquia (Europa central); típico dessa região ou de seu povo [F.: Do top. República *Eslovaca*.]

esloveno (es.lo.*ve*.no) *sm.* **1** Pessoa nascida ou que vive na Eslovênia (centro-sul da Europa), antes parte da Iugoslávia **2** *Gloss.* Língua falada pelos eslovenos *a.* **3** Da República da Eslovênia; típico dessa república ou de seu povo [F.: Do top. República da *Eslovênia*.]

esmaecer (es.ma:e.*cer*) *v. int.* **1** Perder a cor ou o brilho; DESBOTAR: *Algumas cores (se) esmaecem com facilidade:* "Junto à púrpura os tons mais ricos esmaecem." (Manuel Bandeira, *A ceia*) **2** Perder a importância, a força; ENFRAQUECER: *A saudade da família não esmaecia.* **3** Desmaiar, desfalecer [▶ 33 esma ecer] [F.: De *esmaiar*, com mud. de suf; ver *-ecer*.]

esmaecido (es.ma:e.*ci*.do) *a.* **1** Que esmaeceu; que perdeu a cor ou ficou com pouca nitidez; DESBOTADO: *As velhas fotos esmaecidas.* **2** Destituído de vigor; ENFRAQUECIDO; ESMORECIDO **3** Que perdeu os sentidos; DESFALECIDO; DESMAIADO [F.: Part. de *esmaecer*.]

esmaecimento (es.ma:e.ci.*men*.to) *sm.* Ação ou resultado de esmaecer(-se) [F.: *esmaecer* + *-mento*.]

esmagado (es.ma.*ga*.do) *a.* **1** Que se esmagou (alho esmagado; banana esmagada); ESMIGALHADO; ESFACELADO **2** Destruído ou completamente anulado (revolta esmagada) **3** Derrotado por ampla margem: *O campeão foi esmagado pelo jovem tenista.* [F.: Part. de *esmagar*.]

esmagador (es.ma.ga.*dor*) [ô] *a.* **1** Que esmaga; que comprime até amassar ou despedaçar **2** *Fig.* Que exerce opressão, tirania (domínio esmagador); TIRÂNICO **3** Que não se pode refutar; INDISCUTÍVEL; IRREFUTÁVEL; IRRETORQUÍVEL: *Apresentou um argumento definitivo e esmagador.* *sm.* **4** Qualquer máquina ou aparelho que se destina a esmagar, moer (esmagador de tomates) [F.: *esmagar* + *-dor*.]

esmagamento (es.ma.ga.*men*.to) *sm.* **1** Ação ou resultado de esmagar (esmagamento da soja/do crânio); ESMAGAÇÃO; ESMAGADURA **2** *Fig.* Destruição ou anulação completas (esmagamento do inimigo); ANIQUILAÇÃO [F.: *esmagar* + *-mento*.]

esmagar (es.ma.*gar*) *v. td.* **1** Apertar até que se achate ou se desfaça; ESMIGALHAR: *esmagar frutas.* **2** *Fig.* Acabar com, dar fim a; DESTRUIR: *esmagar uma revolta:* "...a prontidão de esmagar todas as vantagens..." (*O Globo*, 09.05.2005) **3** *Fig.* Vencer com grande vantagem; mostrar-se melhor de forma incontestável e avassaladora: *Vamos esmagar aquele time!* **4** Oprimir, prostrar, abater: *esmagar os opositores.* **5** *Fig.* Causar sofrimento, desgosto, angústia a; AFLIGIR; TORTURAR: *dor que esmaga o peito.* [▶ 14 esmagar] [F.: De um gótico *mago*, pelo lat. vulg. **exmagare*, posv.]

esmagrecer (es.ma.gre.*cer*) *Bras. v. N.E. Pop.* Mesmo que *emagrecer* [*td.*] [*int.*] [▶ 33 emagrecer] [F.: *es-* + *magro* + *-ecer*.]

esmaltação (es.mal.ta.*ção*) *sf.* **1** Ação ou resultado de esmaltar; ESMALTAGEM **2** *Fot.* Tratamento que consiste em cobrir uma cópia fotográfica, durante a secagem, com um produto que lhe dá aspecto brilhante e realça detalhes e contrastes [F.: *esmaltar* + *-ção*.]

esmaltado (es.mal.*ta*.do) *a.* **1** Que recebeu revestimento de esmalte **2** Que brilha como o esmalte **3** Que foi enfeitado [F.: Part. de *esmaltar*.]

esmaltador (es.mal.ta.*dor*) [ô] *a.* **1** Que esmalta *sm.* **2** Aquele que esmalta **3** *Fot.* Produto químico us. para esmaltação de fotografias **4** *Art.gr.* Estufa própria para esmaltagem de clichês [F.: Do part. *esmaltado* + *-or*.]

esmaltadora (es.mal.ta.*do*.ra) [ô] *sf. Fot.* Aparelho próprio para esmaltação de fotografias

esmaltagem (es.mal.*ta*.gem) *sf.* Ação ou resultado de esmaltar; ESMALTAÇÃO [Pl.: *-gens*.] [F.: *esmaltar* + *-agem*².]

esmaltar (es.mal.*tar*) *v.* **1** Revestir com esmalte [*td.*] **2** *Fig.* Enfeitar (inclusive a si mesmo) usando várias cores; revestir de (coisas coloridas); MATIZAR [*td.*: "<u>Esmalta</u> ao fundo a costa a verdura de um parque." (Manuel Bandeira, *Verdes mares*)] [*tdr.* + *de*: *A primavera <u>esmalta</u> o campo <u>de</u> flores.*] **3** *Fig.* Abrilhantar, ilustrar [*td.*: *A honradez <u>esmaltava</u>-lhe a carreira.*] **4** *Fot.* Dar brilho a (fotografia), prensando contra uma superfície muito lisa e polida [▶ 1 esmaltar] [F.: *esmalte* + *-ar*². Hom./Par.: *esmalte* (fl.), *esmalte* (sm.); *esmaltes* (fl.), *esmaltes* (pl. de *esmalte*).]

esmalte (es.*mal*.te) *sm.* **1** Substância líquida, opaca ou transparente, de cores diversas, us. como adorno ou proteção em diversas superfícies, nas quais cria uma película brilhante depois de seca **2** Qualquer trabalho ou objeto que se reveste dessa substância **3** Tinta de cor azul em que entra o cobalto, us. por pintores **4** *Od.* Substância que recobre a coroa do dente [Cf.: *dentina*.] **5** *Her.* Conjunto das cores que aparecem nos brasões de armas **6** *Art.Gr.* Camada de cola de peixe ou goma-laca us. na gravação de um clichê [F.: Do frâncico *smalt*, pelo catalão *esmalt*.] ∎ **~ alveolado** *Art.pl.* Ver *Esmalte* cloisonné **~ cloisonné 1** Técnica de esmaltar na qual se separam as áreas das diferentes cores por filetes de metal **2** Peça assim esmaltada

esmegma (es.*meg*.ma) *sm. Fisl.* Secreção branca e pastosa, ger. malcheirosa, que se encontra esp. na genitália masculina e feminina; SEBO DE VÊNUS [F.: Do lat. *smega, atis*.]

esmerado (es.me.*ra*.do) *a.* Que é feito com esmero, capricho, aplicação; CAPRICHADO: "As prendas da <u>esmerada</u> educação, que muitas vezes recebiam..." (Rebelo da Silva, *Fastos*) [F.: Part. de *esmerar*.]

esmeralda (es.me.*ral*.da) *sf.* **1** *Min.* Pedra preciosa, variedade de berilo, de cor verde **2** A cor verde da esmeralda **3** *Mús.* Dança folclórica oitocentista, semelhante à polca *a2g2n.* **4** Que é da cor da esmeralda ou se parece com ela (blusa <u>esmeralda</u>); ESMERALDINO **5** Diz-se dessa cor: *olhos de cor <u>esmeralda</u>.* [F.: Do gr. *smáragdos*, pelo lat. *smaragdus*.]

esmeraldino (es.me.ral.*di*.no) *a.* Que é da cor da esmeralda [F.: *esmeralda* + *-ino*.]

esmerar (es.me.*rar*) *v.* **1** Fazer algo com esmero, empenhar-se (em realizar algo) da melhor maneira possível; APLICAR-SE [*tr.* + *em*: *<u>Esmerou-se</u> <u>na</u> educação dos filhos.*] **2** Aperfeiçoar, aprimorar, refinar [*td.*: *Ele precisa <u>esmerar</u> seu português antes de fazer o concurso.*] [▶ 1 esmerar] [F.: Do lat. *exmerare*, de *ex-* + (lat.) *merus* 'puro'. Ant. ger.: *descuidar, desleixar*. Hom./Par.: *esmero* (fl.), *esmero* (sm.).]

esmeril (es.me.*ril*) *sm.* **1** Pedra ferruginosa e dura, coberta com mistura abrasiva, que serve para amolar lâminas, facas, ferramentas e utensílios, movida à manivela ou a motor **2** Pó de pedra ferruginosa us. para polir metais, vidros etc. **3** *MA Min.* Mistura de coríndon e magnetita, us. como abrasivo **4** *BA Min.* Resíduo composto de minerais mais pesados que o quartzo e que é encontrado no fundo das bateias **5** *S.* Óxido de ferro que tem origem na decomposição das terras roxas e se assemelha a alguns tipos de areia negra **6** *RS* Mau motorista que, por descuido, danifica os automóveis que usa [Pl.: *-ris*.] [F.: Do lat. med. *smirillus*, pelo it. *smeriglio* e pelo fr. ant. *emeril* (hoje *émeri*).]

esmerilado (es.me.ri.*la*.do) *a.* **1** Que foi polido com esmeril (granito <u>esmerilado</u>) **2** Que se aperfeiçoou; APERFEIÇOADO; APURADO **3** Que foi despolido com esmeril [F.: Part. de *esmerilar*. Tb. *esmerilhado*.]

esmerilamento (es.me.ri.la.*men*.to) *sm.* Ação ou resultado de esmerilar(-se); ESMERILAÇÃO [F.: *esmerilar* + *-mento*. Tb. *esmerilhamento*.]

esmerilar (es.me.ri.*lar*) *v. td.* **1** Lixar ou polir com esmeril: *<u>esmerilar</u> um punhal; <u>esmerilar</u> uma faca.* **2** *Fig.* Investigar, pesquisar minuciosamente; ESQUADRINHAR: *<u>esmerilar</u> o vazamento da informação.* **3** *Fig.* Dedicar excessivo cuidado a (algo ou si mesmo); APERFEIÇOAR; ESMERAR: *Procure <u>esmerilar</u>-se/seu inglês para o concurso.* [▶ 1 esmerilar] [F.: *esmeril* + *-ar*².]

esmerilhado (es.me.ri.*lha*.do) *a.* Ver *esmerilado*

esmerilhamento (es.me.ri.lha.*men*.to) *sm.* Ver *esmerilamento*

esmerilhar (es.me.ri.*lhar*) *v.* O mesmo que *esmerilar* [▶ 1 esmerilhar] [F.: Do it. *smerigliare*.]

esmero (es.*me*.ro) [ê] *sm.* **1** Cuidado extremo na realização de qualquer obra ou tarefa, buscando a perfeição; CAPRICHO: *Os alunos fizeram a pesquisa com <u>esmero</u>.* **2** Apuro, refinamento na realização de uma obra; PERFEIÇÃO; REQUINTE: *Era um marceneiro com <u>esmero</u> de artista.* **3** Apuro e elegância na aparência: "Lamartine lá estava no quarto dela, (...) encadernado com <u>esmero</u>." (Aluísio de Azevedo, *Casa de pensão*) [F.: Dev. de *esmerar*. A pronúncia esmero [é] é muito comum no Brasil.]

esmigalhado (es.mi.ga.*lha*.do) *a.* **1** Que foi reduzido a migalhas; ESFACELADO; ESFARELADO: *No campo, os torrões de terra <u>esmigalhados</u> denunciavam a passagem dos tanques.* **2** Que foi despedaçado, destroçado: *A tropa avançou, deixando atrás de si os restos <u>esmigalhados</u> da divisão.* [F.: Part. de *esmigalhar*.]

esmigalhamento (es.mi.ga.lha.*men*.to) *sm.* **1** Ação ou resultado de esmigalhar (1), de reduzir a migalhas; ESMIGALHADURA **2** Ação ou resultado de destroçar, esfacelar [F.: *esmigalhar* + *-mento*.]

esmigalhar (es.mi.ga.*lhar*) *v. td.* **1** Reduzir a migalhas; ESMAGAR: *<u>esmigalhar</u> grãos.* **2** Reduzir a fragmentos; DESPEDAÇAR; ESFARELAR **3** *Fig.* Machucar com um aperto muito forte; ESMAGAR; COMPRIMIR: *Seu aperto de mão <u>esmigalha</u> os nossos dedos.* [▶ 1 esmigalhar] [F.: *es-* + *migalha* + *-ar*².]

esmiuçado (es.mi:u.*ça*.do) *a.* **1** Que se esmiuçou; que foi transformado em pó **2** Que foi reduzido a fragmentos **3** Que foi examinado em detalhes; ESQUADRINHADO; INVESTIGADO: *Apresentou um plano <u>esmiuçado</u> e cuidadoso.* **4** Que foi explicado detalhadamente: *Leu o relatório <u>esmiuçado</u>, e comparou-o com o mais genérico.* [F.: Part. de *esmiuçar*. Sin. ger.: *desmiuçado, desmiudado, esmiudado*.]

esmiuçar (es.mi:u.*çar*) *v. td.* **1** *Fig.* Examinar em todos os detalhes; ESQUADRINHAR: *Uma nave espacial <u>está</u> <u>esmiuçando</u> o planeta Marte.* **2** *Fig.* Explicar, descrever ou narrar com pormenores; MINUCIAR; PORMENORIZAR: *<u>esmiuçar</u> um texto.* **3** Dividir em partes muito pequenas ou reduzir a pó [▶ 12 esmiuçar Quanto ao acento do *u*, ver paradigma 18.] [F.: *es-* + *miúça* + *-ar*².]

esmo (es.*mo*) [ê] *sm.* Avaliação aproximada; CONJETURA; ESTIMATIVA: *Conforme seu <u>esmo</u>, havia no estádio 50 mil torcedores.* [F.: Dev. de *esmar*.] ∎ **A ~ 1** Sem intenção definida, ao acaso: *Desorientado, andava <u>a esmo</u> pela cidade.* **2** Sem certeza; sem convicção ou fundamento

esmochar (es.mo.*char*) *v. td.* **1** Tirar os cornos de (animal); descornar **2** *Fig.* Tirar os meios de defesa, de governar **3** *Lus.* Esmurrar (o nariz, a testa) [▶ 1 esmochar] [F.: *es-* + *mocho* + *-ar*.]

esmola (es.*mo*.la) *sf.* **1** Aquilo (ger. dinheiro) que se dá a pobres e necessitados por caridade, beneficência; DONATIVO; ESPÓRTULA; ÓBOLO **2** Ação de prestar ajuda, de socorrer **3** Donativo que se dá na igreja, durante a missa **4** *Fig.* Graça, favor: *A comida era de <u>esmola</u>.* **5** *Fig. Pop.* Ação ou resultado de surrar; SURRA [F.: Do lat. *eleemosyna*, por *elmosna, esmolna, esmolla*.] ∎ **Comer de ~** *Pop.* Ocorrer em grande quantidade, a rodo: *Que jogo violento, pontapé <u>comeu de esmola</u>!*

esmolambado (es.mo.lam.*ba*.do) *Bras. a.* **1** Cuja roupa foi reduzida a molambos, a farrapos; AMOLAMBADO; ANDRAJOSO; ESFARRAPADO; MALTRAPILHO; MOLAMBENTO; ROTO: *Viu se aproximar um mendigo <u>esmolambado</u> e, como sempre, se compungiu.* *sm.* **2** Pessoa esmolambada [F.: Part. de *esmolambar*.]

esmolambar (es.mo.lam.*bar*) *Bras. v.* **1** Arrastar molambos [*int.*] **2** Andar roto, esfarrapado, maltrapilho [*int.*] **3** *Fig.* Achincalhar, acanalhar (alguém ou algo) [*td.*] [▶ 1 esmolambar] [F.: *es-* + *molambo* + *-ar*.]

esmolar (es.mo.*lar*) *v.* **1** Pedir (algo) como esmola; pedir esmola; MENDIGAR [*td.*: *<u>esmolar</u> comida.*] [*tdi.* + *a, para*: *<u>esmolar</u> afeto <u>aos</u> próprios pais.*] [*int.*: *O orgulho o impedia de <u>esmolar</u>.*] **2** Dar esmola a, ajudar (alguém) com esmola [*td.*: *Costumava <u>esmolar</u> os mendigos do quarteirão.*] **3** Dar (algo) como esmola [*td.*: *<u>Esmolou</u> metade do que ganhara na loto.*] [*tdi.* + *a, para*: *<u>Esmolava</u> <u>aos</u> pobres parte de sua renda.*] [*int.*: *Caridoso, <u>esmolava</u> sempre que podia.*] [▶ 1 esmolar] [F.: *esmola* + *-ar*². Hom./Par.: *esmola* (fl.), *esmola* (sf.); *esmolas* (fl.), *esmolas* (pl. de *esmola*).]

esmoleiro (es.mo.*lei*.ro) *a.* **1** Diz-se do frade ou leigo que pede esmolas para o convento *sm.* **2** Frade ou leigo esmoleiro **3** Mendigo, pedinte; ESMOLER [F.: *esmola* + *-eiro*.]

esmoler (es.mo.*ler*) [é] *a2g.* **1** Que dá esmolas com frequência; CARIDOSO; CARITATIVO; ESMOLADOR; ESMOLENTO *s2g.* **2** Pessoa que dá esmolas habitualmente **3** Pessoa incumbida de distribuir esmolas **4** *Bras. Pop.* Mendigo, pedinte [F.: De *esmoleiro*.]

esmorecer (es.mo.re.*cer*) *v.* **1** Fazer (alguém) perder, ou perder o ânimo, o entusiasmo; DESANIMAR [*td.*: *A doença o <u>esmoreceu</u>, <u>não</u> parecia o mesmo.*] [*int.*: *Com a doença, <u>esmoreceu</u> e desistiu do projeto.* Ant.: *entusiasmar, estimular.*] **2** Tornar-se menos intenso, menos vivo [*int.*: *O debate <u>foi</u> <u>esmorecendo</u> aos poucos.*] **3** Perder os sentidos; ENFRAQUECER; DESMAIAR; DESFALECER [*int.*] **4** Diminuir de intensidade (claridade, som) [*int.*: *A tarde <u>esmorecia</u> <u>lentamente</u>.*] **5** Querer muito (alguma coisa); morrer por [*tr.* + *por*: *<u>Esmorecia</u> <u>pela</u> felicidade da filha.*] [▶ 33 esmorecer] [F.: Do port. ant. *esmorir* (do lat. *mori* ou do lat. vulg. *morere*, ambos 'morrer'), com mud. de suf; ver *-ecer*.]

esmorecido (es.mo.re.*ci*.do) *a.* **1** Que esmoreceu; que perdeu as forças ou o ânimo; DESALENTADO; DESANIMADO; ENFRAQUECIDO: *No fim da caminhada, estava abatido, <u>esmorecido</u>.* **2** Que se atenuou; que se tornou mais fraco: *O som vinha de longe, <u>esmorecido</u>.* **3** Que se extinguiu ou está prestes a se extinguir (fogo <u>esmorecido</u>) [F.: Part. de *esmorecer*.]

esmorecimento (es.mo.re.ci.*men*.to) *sm.* **1** Qualidade, condição, estado de quem desanima; perda de força, de entusiasmo; ABATIMENTO; DESALENTO; DESÂNIMO **2** Perda progressiva de força, energia, vigor, entusiasmo; ENFRAQUECIMENTO; ENTIBIAMENTO **3** Perda dos sentidos; DESFALECIMENTO; DESMAIO **4** Ausência de luz, de brilho [F.: *esmorecer* + *-mento*.]

esmurrar (es.mur.*rar*) *v. td.* **1** Dar soco(s), murro(s) em (alguém ou algo) **2** *Fig.* Maltratar, machucar, ferir **3** Fazer (objeto cortante) perder o gume; EMBOTAR [▶ 1 esmurrar] [F.: *es-* + *murro* + *-ar*².]

esnobação (es.no.ba.*ção*) *Bras. sf.* Ação ou resultado de esnobar; ESNOBADA: *Essa de recusar o convite do amigo só por ser informal foi pura <u>esnobação</u>.* [Pl.: *-ções*.] [F.: *esnobar* + *-ção*.]

esnobada (es.no.*ba*.da) *Bras. sf.* **1** Ação ou resultado de esnobar **2** Demonstração de desprezo por algo ou alguém; ESNOBAÇÃO [F.: *esnobar* + *-ada*¹.] ∎ **Dar uma ~** *Bras.* Esnobar

esnobado (es.no.*ba*.do) *a. Bras.* Que se esnobou; DESPREZADO: "...sobre a estadia do escritor argentino (...), <u>esnobado</u> pelos jornalistas presentes em Gramado..." (*O Estado de São Paulo*, 31.08.2005) [F.: Part. de *esnobar*.]

esnobar (es.no.*bar*) *v.* **1** Assumir ar supostamente superior, agir como esnobe; OSTENTAR-SE [*int.*: *Depois de ganhar na loteria, vive <u>esnobando</u>.*] **2** Agir como esnobe, com desprezo (para com); não dar atenção a, ou tratar de modo esnobe; MENOSPREZAR [*td.*: *<u>Esnobou</u> a antiga amiga.*] **3** Não aceitar ou não fazer algo que lhe é oferecido, proposto [*td.*: *<u>esnobar</u> um convite; <u>esnobar</u> uma viagem.*] [▶ 1 esnobar] [F.: *esnobe* + *-ar*². Hom./Par.: *esnobe* (fl.), *esnobe* (a.sm.); *esnobes* (fl.), *esnobes* (pl. de *esnobe*).]

esnobe (es.*no*.be) *a2g.* **1** Que revela esnobismo ou é próprio de esnobe (sujeitinho <u>esnobe</u>, comportamento <u>esnobe</u>) *s2g.* **2** Indivíduo que demonstra esnobismo: *Não ligue para esse jeito dela, todo <u>esnobe</u> é assim.* [F.: Do ing. *snob*.]

esnobismo (es.no.*bis*.mo) *sm.* **1** Atitude de quem prefere manter relacionamento com os que têm alta posição social, desprezando pessoas mais humildes **2** Sentimento e atitude exagerados (ger. injustificados) de superioridade; PRESUNÇÃO **3** Gosto afetado pelo que está na moda [F.: *esnobe* + *-ismo*.]

és-nordeste (és-nor.*des*.te) *sm.* **1** *Astron.* Na esfera celeste, ponto intermediário entre as direções Leste e Nordeste [Símb.: *ENE*.] **2** *Met.* Vento que sopra de és-nordeste *a2g.* **3** Ref. a és-nordeste **4** *Met.* Diz-se do vento que sopra entre as direções Leste e Nordeste [F.: *és-* (red. de Este) + *nordeste*. Sin. ger.: *lés-nordeste*.]

◎ **eso-** *pref.* = no interior de; (para) dentro: *esoderma, esogástrico* [F.: Da prep. gr. *éso*.]

esofagectomia (e.so.fa.gec.to.*mi*.a) *sf. Cir.* Retirada de parte do esôfago [F.: *esôfago* + *-ectomia*.]

esofagiano (e.so.fa.gi:*a*.no) *a.* Que se refere ou pertence ao esôfago; ESOFÁGICO [F.: *esôfago* + *-iano*.]

esofágico (e.so.*fá*.gi.co) *a.* O mesmo que *esofagiano* [F.: *esôfago* + *-ico*².]

esofagite (e.so.fa.*gi*.te) *sf. Pat.* Inflamação do esôfago [F.: *esôfago* + *-ite*¹.]

esôfago (e.*sô*.fa.go) *Anat. sm.* **1** Canal musculoso e membranoso que liga a faringe ao estômago *Fam.*; GOLELHA **2** Nos animais invertebrados, parte estreita do canal alimentar que vem logo depois da faringe [F.: Do gr. *oisophágos*, pelo lat. cient. *oesophagus*.]

> 📖 O esôfago tem entre 24 e 28 cm, cerca de 2,5 cm de diâmetro. Sua parede tem três camadas: a muscular, a submucosa e a mucosa. O esôfago humano divide-se, longitudinalmente, em cervical, torácico e abdominal.

esofagocoloplastia (e.so.fa.go.co.lo.plas.*ti*.a) *sf. Cir.* Retirada do colo do esôfago [F.: *esôfago* + *-col(o)-* + *-plastia*.]

esofagogástrico (e.so.fa.go.*gás*.tri.co) *a. Med.* Ref. ao esôfago e ao estômago (anel <u>esofagogástrico</u>) [F.: *esôfago* + *-gástrico*.]

esofagogastroanastomose (e.so.fa.go.gas.tro.a.nas.to.*mo*.se) *sf. Cir.* Cirurgia para restabelecer uma comunicação funcional do esôfago com o estômago [F.: *esôfago* + *-gastr(o)-* + *anastomose*.]

esofagoplastia (e.so.fa.go.plas.*ti*.a) *sf. Cir.* Cirurgia plástica do esôfago para correção de problemas causados por certas patologias, traumatismo etc. [F.: *esôfago* + *-plastia*.]

esotérico (e.so.*té*.ri.co) *a.* **1** Diz-se de doutrina ou sistema de ideias baseados em conhecimentos de caráter sobrenatural **2** *Fil.* Diz-se do ensino que, na Grécia antiga, aprofundava a disciplina estudada, e que se destinava esp. aos discípulos mais qualificados **3** *Fil.* Diz-se de ensinamento ministrado apenas a círculos restritos de estudiosos ou interessados; ACROAMÁTICO **4** *Fig.* Que somente poucas pessoas ou iniciados conseguem entender; HERMÉTICO; OBSCURO: *Era o tipo de obra <u>esotérica</u> que o grande público detesta.* *sm.* **5** Indivíduo que se interessa por coisas místicas e/ou estudos esotéricos (1, 4) [F.: Do gr. *esoterikós*, pelo lat. *esotericus*. Hom./Par.: *exotérico*.]

esoterismo (e.so.te.*ris*.mo) *sm.* **1** Conceito e atitude doutrinários ou pedagógicos que postula serem os ensinamentos de certas áreas do saber (esp. ciência, filosofia e religião) restritos a um número pequeno e seletivo de iniciados **2** Doutrina prática fundamentadas em fenômenos de natureza espiritual e sobrenatural, ligados a ciências ocultas; OCULTISMO **3** Qualidade de obra hermética, de difícil compreensão [F.: *esotérico* (na f. *esoter-*) + *-ismo*, ou do fr. *ésotérisme*. Hom./Par.: *exoterismo*.]

espaçado (es.pa.*ça*.do) *a.* **1** Que se deu ou ocorre em intervalos de tempo ou espaço: *Suas crises de sinusite estão mais <u>espaçadas</u>; Esses mourões da cerca estão muito <u>espaçados</u>.*

2 Que se dá de maneira lenta ou cadenciada: *O ritmo de sua respiração tornou-se mais espaçado.* 3 Que se adia ou prorroga: *O trabalho teve de ser espaçado por falta de verba para o pagamento dos serviços prestados.* [F.: Part. de *espaçar*.]

espaçamento (es.pa.ça.*men*.to) ***sm.*** Ação ou resultado de espaçar [F.: *espaçar* + *-mento*.]

espaçar (es.pa.*çar*) ***v.*** 1 Dar ou ter intervalo de lugar ou de tempo (entre); ESPACEJAR [***td.***: *espaçar os enfeites da árvore de Natal.*] [***int.***: *Os ataques do paciente se espaçavam mais.*] 2 Interromper por tempo variável; ADIAR; PRORROGAR; DILATAR [***td.***: *Espaçaremos a próxima reunião, para dar tempo de reescrevermos os projetos.* Ant.: *abreviar, antecipar.*] 3 Aumentar em extensão; AMPLIAR; ALARGAR [***td.***: *espaçar os limites de um território.* Ant.: *diminuir, estreitar.*] [▶ **12 espaçar**] [F.: *espaço* + *-ar*[2]. Hom./Par.: *espaço* (fl.), *espaço* (sm.).]

espacejado (es.pa.ce.*ja*.do) ***a.*** 1 Ver *espaçado* 2 *Tip.* Diz-se de texto que recebeu determinado espaço entre seus elementos (palavras ou letras) [F.: Part. de *espacejar.*]

espacejamento (es.pa.ce.ja.*men*.to) ***sm.*** Ação ou resultado de espacejar [F.: *espacejar* + *-mento*.]

espacejar (es.pa.ce.*jar*) ***v.*** 1 Deixar ou aumentar espaço de lugar ou de tempo (entre); ESPAÇAR [***td.***: *Ele espacejou demais os mourões da cerca; Você precisa espacejar mais as refeições.*] 2 *Tip.* Deixar intervalo entre elementos do texto [***td.***: *espacejar letras.*] [▶ 1 espacejar] [F.: *espaço* + *-ejar*.]

espacial (es.pa.ci.*al*) ***a2g.*** Ref. ao espaço ou do espaço (viagem espacial, foguete espacial, percepção espacial) [Pl.: *-ais.*] [F.: Do fr. *spatial* ou do ing. *spatial*.]

espacialidade (es.pa.ci:a.li.*da*.de) ***sf.*** Característica do que é espacial: *a espacialidade dos fenômenos geográficos.* [F.: *espacial* + *-(i)dade*.]

espacialismo (es.pa.ci:a.*lis*.mo) ***sm.*** *Art.pl.* Movimento segundo o qual o espaço, o movimento e o tempo são tão importantes quanto a cor, a perspectiva e a forma [F.: *espacial* + *-ismo*.]

espaço (es.*pa*.ço) ***sm.*** 1 Extensão ilimitada, infinita, que contém todos os seres e objetos existentes ou possíveis: *A nave perdeu-se no infinito do espaço.* 2 A região que compreende o sistema solar; o Universo 3 Região do espaço (1) considerada fora do âmbito terrestre, ou do âmbito do sistema solar: *Júlio Verne foi um dos primeiros a conceber uma viagem do homem ao espaço.* 4 Extensão limitada, lugar determinado (inclusive em suas dimensões) que pode conter algo: *Neste espaço dá para construir a sede do clube, com campo de treinamento, quadras de tênis e piscina.* 5 Distância que separa uma coisa de outra; medida da distância entre dois pontos: *Deixou um espaço de 2 metros entre as poltronas.* 6 Duração de tempo: *Esperou por largo espaço de tempo.* 7 *Fig.* Possibilidade de inclusão, cabimento, oportunidade: *O coreógrafo abria espaço para novas bailarinas.* 8 *Mús.* Intervalo entre as linhas na pauta [A pauta tem cinco linhas horizontais paralelas, quatro espaços entre elas, mais um acima da linha superior e um abaixo da linha inferior.] 9 *Publ.* Tempo em rádio ou TV, ou área em jornal, revista etc.: *O crime ocupou muito espaço na mídia.* 10 Extensão abstrata, indefinida, considerada de um ponto de vista subjetivo: *A cena o deixou imóvel, estarrecido, os olhos perdidos no espaço.* 11 Intervalo, claro que separa duas palavras, ou duas letras, num texto escrito ou impresso 12 Área de influência ou atuação de um grupo, uma atividade, conhecimento, arte etc. (espaço literário; espaço das crianças) 13 *Fil.* Segundo Kant, a noção intuitiva que permite ao homem perceber as relações de posição e distância entre objetos ou seres avistados ao mesmo tempo 14 *Tip.* Peça que intercalada entre tipos de composição cria um espaço (11), ou um claro, numa linha ***a.*** 15 *MG* Cujos chifres (diz-se de bovino) são muito espaçados e abertos; ESPÁCIO [F.: Do lat. *spatium*.] ■ **A ~s** De quando em quando, de vez em quando **De ~** Devagar, lentamente **~ aberto** *Cosm.* O espaço cósmico infinito, sem limites **~ aéreo** 1 Aquele que fica acima do território (inclusive marítimo) de país, nação ou Estado, considerado sob sua soberania 2 Aquele que fica acima do terreno de alguém, podendo ser por ele utilizado em seu benefício 3 *Astron.* A atmosfera terrestre e o espaço cósmico **~ alternativo** Termo que designa local us. em eventos culturais de vanguarda, inovadores etc. **~ arquitetônico** *Arq.* Porção do espaço que é limitada ou modificada (de fato ou na percepção de quem aí se encontra) pelas partes de uma construção **~ cósmico** *Astron.* Ver *Espaço exterior* **~ cultural** Espaço arquitetônico us. em eventos culturais e artísticos **~ esférico** *Cosm.* Espaço tridimensional de geometria semelhante à da superfície de uma esfera **~ euclidiano** 1 *Geom.an.* Espaço dos pontos geométricos nos quais se realizam os postulados de Euclides 2 *Álg.* Termo que designa um conjunto em que se processam certas operações **~ exterior** *Astron.* O espaço cósmico, com exceção daquele em que estão a Terra e sua atmosfera **~extra-atmosférico** *Astron.* Ver *Espaço exterior* **~ interno** *Arq.* Espaço interior aos elementos estruturais de uma edificação, como sala, quarto, corredor etc. **~ intracelular** *Fisl.* Espaço interior de célula, cujo limite externo é a membrana celular **~ intravascular** *Fisl.* Espaço limitado externamente por paredes vasculares **~ não euclidiano** *Geom. an.* Qualquer espaço no qual não se realizam os postulados de Euclides **~ n-dimensional** *Mat.* Aquele no qual todo ponto pode ser univocamente caracterizado por um conjunto de *n* números **~ perivitelino** *Biol.* Região que circunda o ovócito, entre sua membrana e a zona pelúcida **~ retroperitonial** *Anat.* Espaço entre a parede abdominal posterior e o peritônio, onde ficam, p. ex., os rins e as suprarrenais **~ superior** *Astron.* Ver *Espaço exterior* **~ tridimensional** *Mat.* Espaço no qual cada ponto é definido por três coordenadas **~ vital** Território que nação ou país considera necessário para suas necessidades econômicas [Em al.: *Lebensraum*.]

espaçonauta (es.pa.ço.*nau*.ta) ***s2g.*** *Astnáut.* Aquele que tripula uma espaçonave [F.: *espaço* + *-nauta*.]

espaçonáutica (es.pa.ço.*náu*.ti.ca) ***sf.*** *Astnáut.* Ciência que trata das viagens espaciais [F.: *espaço* + *-náutica*.]

espaçonave (es.pa.ço.*na*.ve) ***sf.*** *Astnáut.* Nave própria para realizar viagens espaciais; ASTRONAVE; COSMONAVE; NAVE ESPACIAL [F.: *espaço* + *-nave*.]

espaçoso (es.pa.*ço*.so) [ô] ***a.*** 1 Que tem muito espaço; que é amplo (quarto espaçoso) 2 Que é lento, vagaroso 3 *Bras. Pop.* Diz-se de pessoa que não respeita os limites da particularidade alheia invadindo o campo de atuação de alguém, usando sem permissão o que é de outrem etc.; ABUSADO; FOLGADO; INTROMETIDO [Fem. e pl.: [ó].] [F.: *espaço* + *-oso*.]

espaço-tempo (es.pa.ço-*tem*.po) ***sm.*** *Fís.* Segundo a teoria da relatividade de Einstein, espaço de quatro dimensões (sendo a quarta dimensão constituída pelo tempo) [Tb. *contínuo espaço-tempo*.] [Pl.: *espaços-tempos, espaços-tempo*.]

> 📖 Um ponto qualquer desse espaço tem quatro coordenadas, as três já conhecidas do espaço tridimensional mais a temporal c.t, esta produto da velocidade da luz (c) pelo instante (t) em que ocorre um fato nesse espaço. Segundo Einstein, dois acontecimentos ocorridos no mesmo instante são simultâneos do ponto de vista de um observador, mas têm certa distância entre si para um observador que se move em relação ao primeiro. Ou seja, distância espacial entre as duas ocorrências percebida pelo segundo corresponde a um intervalo de tempo, o que prova que espaço e tempo são elementos geometricamente análogos.

espada (es.*pa*.da) ***sf.*** 1 Arma branca dotada de uma lâmina longa, ger. pontiaguda, de um ou dois gumes, e um cabo pelo qual é empunhada 2 *Agr.* Variedade de manga 3 *Fig.* O poder militar [Aum.: *espadão e espadagão*. Dim.: *espadim*.] ***sm.*** 4 *Zool.* Pequeno peixe de água doce, da fam. dos peciliídeos (*Xiphophorus helleri*), comum na aquariofilia, de variadas cores vivas e longo apêndice caudal nos machos 5 *Taur.* O principal toureiro de uma corrida, que tem de matar o touro com uma espada; MATADOR [F.: Do gr. *spáthe*, pelo lat. *spatha*.] ■ **Boa ~** Exímio esgrimista **Entre a ~ e a parede** Em situação difícil, na qual as alternativas são igualmente ruins **~ de Dâmocles** *Fig.* Perigo iminente **Passar à ~** Matar com espada **Ser ~** *Gír.* Ser macho, viril

espadachim (es.pa.da.*chim*) ***sm.*** 1 Aquele que luta ou duela com espada 2 *Fig.* Indivíduo brigão, valentão [Pl.: *-chins*.] [F.: Do it. *spadaccino*.]

espada-de-são-jorge (es.pa.da-de-são-*jor*.ge) ***sf.*** *Bot.* Planta herbácea (*Sanseviera trifasciata*), nativa da África, que se multiplica pela fragmentação do rizoma ou das próprias folhas espessas, verde-escuras com faixas amarelas; us. para fins ornamentais [Pl.: *espadas-de-são-jorge*.] [F.: *espada* + hag. *São Jorge*.]

espadagão (es.pa.da.*gão*) ***sm.*** 1 Grande espada; ESPADÃO 2 Espada velha e enferrujada; CHANFALHO [Pl.: *-gões*.] [F.: *espada* + *-gão*.]

espadana (es.pa.*da*.na) ***sf.*** 1 Qualquer coisa semelhante a uma espada 2 Jato de um líquido que tem ou assume a forma de uma lâmina de espada 3 *Astron.* Cauda de cometa 4 Chama, labareda, língua de fogo 5 Nadadeira de peixe 6 *PA Bot.* Planta herbácea da fam. das alismatáceas (*Sagittaria acutifolia*), aquática ou palustre, com folhas agudas, us. para fins ornamentais [F.: *espada* + *-ana*.]

espadanado (es.pa.da.*na*.do) ***a.*** Diz-se de líquido que cai ou jorra em forma de espadana [F.: *espadana* + *-ado*[1].]

espadanar (es.pa.da.*nar*) ***v.*** 1 Cobrir ou encher de espadanas (a planta) [***td.***] 2 Cair, fazer jorrar ou jorrar em jatos que lembram a forma de uma lâmina ou espada, em borbotões [***int.***: "Viu... cair destroncado o corpo, espadanando sangue." (R. da Silva, *Ódio velho*)] [***tda.***: *O duto rompeu-se e espadanou o óleo por todos os lados.*] [▶ **1 espadanar**] [F.: *espadana* + *-ar*.]

espadarte (es.pa.*dar*.te) ***sm.*** *Zool.* Ver *peixe-espada* [F.: De or. contrv., posv. do fr. ant. *espaart*.]

espadas (es.*pa*.das) ***sfpl.*** Um dos naipes do baralho, de cor preta, com figura em ponta de lança, representando uma espada [F.: Pl. de *espada*.]

espadaúdo (es.pa.da:*ú*.do) ***a.*** Que tem espáduas ou ombros largos: *Era um homem alto, bonito, espadaúdo.* [F.: *espada* + *-udo*.]

espadeirar (es.pa.dei.*rar*) ***v. td.*** Dar espadeiradas em (alguém) [▶ **1 espadeirar**] [F.: *espada* + *-eir(o)-* + *-ar*.]

espadilha (es.pa.*di*.lha) ***sf.*** 1 *Lud.* Em certos jogos de cartas, o ás de espadas 2 Instrumento de madeira com orifícios, us. pelos tecelões ***sm.*** 3 *Fig.* Chefe, capataz [F.: Do espn. *espadilla*.]

espadim (es.pa.*dim*) ***sm.*** 1 Pequena espada 2 Antiga moeda de ouro, no tempo de d. João II, e de prata, no tempo de d. João III [Pl.: *-dins*.] [F.: *espada* + *-im*.]

espádua (es.*pá*.du:a) ***sf.*** 1 *Anat.* Articulação do braço com o tórax, onde se juntam a escápula, o úmero e a clavícula; ESPALDA; OMBRO 2 *Hip.* Área do ombro e da escápula nos cavalos [F.: Do lat. *spathula ou spatula*.]

espagíria (es.pa.*gí*.ri:a) ***sf.*** Ver *alquimia* [Tb. *espagiria*.] [F.: Do gr. *spân* + *ageírein* pelo fr. *spagirie*.]

espagírico (es.pa.*gí*.ri.co) ***a.*** 1 Ref. a espagíria: "O astrólogo venerado... vota toda a sua ciência espagírica, toda a sua experiência dos quatro Elementos, à redação de um Almanaque." (Eça de Queirós, *Notas Contemporâneas*, p. 577) 2 Diz-se do espagirismo; ESPAGIRISTA [F.: *espagíria* + *-ico*[(x)].]

espagirismo (es.pa.gi.*ris*.mo) ***sm.*** Antigo sistema médico que explicava as mudanças orgânicas e mórbidas do mesmo modo que os alquimistas explanavam as do reino inorgânico [F.: *espagíria* + *-ismo*.]

espaguete (es.pa.*gue*.te) ***sm.*** 1 Tipo de pasta alimentícia feita de trigo, no formato de fios delgados 2 *Eletrôn.* Fio de plástico maleável us. para encapar e isolar fios condutores [F.: Do it. *spaghetti*.]

espairecer (es.pai.re.*cer*) ***v.*** Afastar(-se) de problemas, tensão, preocupações etc., por meio de uma atividade recreativa; DISTRAIR-SE; ENTRETER-SE [***td.***: *Alice viajou para espairecer as ideias.*] [***int.***: "...vinha até à loja espairecer..." (Miguel Torga, *O estrela e a mulher*)] [▶ **33 espairecer**] [F.: *es-* + *pairar* + *-ecer*.]

espairecimento (es.pai.re.ci.*men*.to) ***sm.*** Ação ou resultado de espairecer(-se); DISTRAÇÃO; DIVERTIMENTO; ENTRETENIMENTO [F.: *espairecer* + *-mento*.]

espalda (es.*pal*.da) ***sf.*** 1 *Ant.* Ombro, espádua 2 Encosto das cadeiras para as costas; ESPALDAR 3 Parte mais saliente do flanco de um bastião [F.: Do lat. *spaluta*, metátese de *spathula*.]

espaldar (es.pal.*dar*) ***sm.*** 1 Encosto de cadeiras, bancos, camas etc. em que se apoiam as costas; ESPALDA; RESPALDO 2 A parte de cima de um dossel [F.: Do lat. *spalutare*, por sua vez de *spaluta*, metátese de *spathula*; ou *espalda* + *-ar*[1].]

espaldeira (es.pal.*dei*.ra) ***sf.*** 1 Pano que cobre o espaldar de uma cadeira ou as colunas de um dossel 2 *Agr.* Fileira de árvores plantadas junto a uma parede onde seus ramos se prendem [F.: *espalda* + *-eira*.]

espaldeirar (es.pal.dei.*rar*) ***v. td.*** 1 Bater nas espaldas ou espáduas 2 *Bras. Pop.* Mesmo que *espadeirar* 3 *Lus.* Quebrar uma espádua [▶ **1 espaldeirar**] [F.: *espalda* + *-eir(o)-* + *-ar*.]

espalha-brasas (es.pa.lha-*bra*.sas) ***a2g2n.*** 1 Que é barulhento, desordeiro, espalhafatoso: "Continuava a teima dos zombeteiros e dos inimigos do tenente valentão e espalha-brasas em querer chamá-la rua do Amotinado." (Joaquim Manuel de Macedo, "Mas acontecem coisas neste mundo", *in Memórias da rua do Ouvidor*) ***s2g2n.*** 2 Indivíduo espalha-brasas [F.: *espalhar* (na 3ª pess. sing. pres. ind.) + o pl. de *brasa*.]

espalhado (es.pa.*lha*.do) ***a.*** 1 Que se espalhou 2 Que se encontra separado, disperso: *Depois da festa, o caos: garrafas vazias, cadeiras espalhadas, sujeira em toda parte.* 3 Que se derramou, espargiu: *Olhou-se no espelho, o creme espalhado ocultava as rugas.* 4 Que se difundiu ou divulgou: *O boato mais espalhado era o menos crível.* ***sm.*** 5 Ver *espalhafato* (1) [F.: Part de *espalhar*.]

espalhafato (es.pa.lha.*fa*.to) ***sm.*** 1 Situação em que há alvoroço, balbúrdia, barulho; BARULHEIRA; ESPALHADO; ESTARDALHAÇO: *Manifestaram-se aos gritos, com muito espalhafato.* 2 Ostentação ruidosa, luxo exagerado: *Vestia-se com espalhafato, tules e sedas e joias, às dez horas da manhã!* 3 Antiga peça de artilharia [F.: *espalhar* + *fato*[1].]

espalhafatoso[1] (es.pa.lha.fa.*to*.so) [ô] ***a.*** 1 Em que há espalhafato, ostentação exagerada de alguma coisa: *Deu uma espalhafatosa exibição de poder.* 2 Que chama atenção pela extravagância, pela excentricidade: *Usou na decoração cores espalhafatosas.* [Fem. e pl.: [ó].] [F.: *espalhafato* + *-oso*.]

espalhafatoso[2] (es.pa.lha.fa.*to*.so) [ô] ***a.*** Em que há barulho, balbúrdia, confusão: *A orquestra, além de desafinada, só tocava arranjos espalhafatosos.* [Fem. e pl.: [ó].] [F.: *espalhafato* + *-oso*.]

espalhamento (es.pa.lha.*men*.to) ***sm.*** 1 Ação de espalhar(-se) 2 *Fís.nu.* Processo em que ocorre a alteração da trajetória de uma partícula (e, possivelmente, de sua energia e às vezes de sua natureza) quando esta interage com outra(s) ou com um núcleo; DIFUSÃO 3 *Ópt.* Alteração da trajetória de um raio luminoso quando este atravessa um meio que contém partículas capazes de produzir a difração da luz [F.: *espalhar* + *-mento*.]

espalhar (es.pa.*lhar*) ***v.*** 1 Separar sem muita ordem; ESPARRAMAR [***td.***: *Espalhei as fotos sobre a mesa.* Ant.: *juntar, reunir.*] 2 Fazer ir ou ir, lançar(-se), separando-se, para diversas direções; DISPERSAR(-SE) [***td.***: *O vento espalha as sementes das plantas.*] [***tda.***: *Os brasileiros se espalham por todo o mundo;* "...molhando a pena num tinteiro, espalhando um pequeno respingo aqui e ali..." (Ana Maria Machado, *A audácia dessa mulher*) Ant.: *juntar, reunir.*] 3 Tornar(-se) público, disseminando(-se); DIFUNDIR(-SE) [***td.***: *O repórter espalhou boatos.*] [***int.***: *A notícia espalhou-se rapidamente.*] 4 Propagar(-se) (sentimento, doença etc.), alastrar(-se) [***td.***: *Boatos espalharam o medo de uma epidemia.*] [***tr.*** + *entre, por*] [***int.***: *A dengue chegou no verão, e logo se espalhou.*] [***tdr.*** + *entre, por*: *Boatos espalharam o medo de uma epidemia entre a população.*] 5 Dissipar(-se), rarefazer(-se), rarear(-se) [***td.***: *Qualquer brisa ajudaria a espalhar o mau cheiro.*] [***int.***: *A neblina espalhou(-se) de manhã.*] 6 *Bras. Pop.* Sentar ou deitar à vontade, ocupando muito espaço; ESPARRAMAR-SE [*td.*: *espalhar-se no sofá.*] **7** *Fig.* Fazer algo (ger. por diversão) com mostras de entusiasmo [*int.*: *Aos sábados, costumava espalhar-se, entregava-se à orgia.*] **8** *Bras. Pop.* Brigar ou dispor-se a tal [*td.*: *Os capoeiras espalharam-se, apavorando os transeuntes.*] **9** Distribuir à farta [*td.*: *Espalhava seu dinheiro desmedidamente.*] [*tdr.* + *entre, por*] **10** Irradiar(-se), exalar(-se), difundir(-se) [*td.*: *O Sol raiou e espalhou sua luz matinal.*] [*tda.*: *As flores espalharam seu perfume no quarto.*] [*tr. int.* + *em, por*: *O perfume das rosas espalhou-se (pela sala).*] **11** Separar a palha de (cereal) [*td.*] [▶ 1 espalhar] [F.: *es-* + *palha* + *-ar²*.]

espalmado (es.pal.*ma*.do) *a.* **1** Que se abre como a palma da mão: *arbusto de folhas espalmadas.* **2** Diz-se de mão aberta para pegar ou rebater alguma coisa: *Pulou com a mão espalmada para rebater a bola.* **3** *Fut.* Que foi rebatido ou afastado com a mão ou as mãos abertas: *O goleiro fez milagre, e o zagueiro ainda alcançou a bola espalmada e evitou o escanteio.* **4** Que foi reduzido a lâminas (diz-se de metal) [F.: Part. de *espalmar*.]

espalmar (es.pal.*mar*) *v.* **1** Abrir totalmente (a mão), esticando os dedos [*td.*: *Nervoso, espalmou as mãos sobre a mesa.*] **2** *Fut.* Aparar (a bola) com as mãos sem agarrá-la [*td.*: *O goleiro espalmou a bola para escanteio.*] [*int.*: *Ronaldo chutou e o goleiro espalmou.*] **3** Aplanar, alisar, achatar, usando ou não algo para amassar [*td.*: *espalmar a cartolina; espalmar a massa sobre a mesa.*] **4** Transformar (metal) em lâminas ou chapas [*td.*] [▶ 1 espalmar] [F.: *es-* + *palma¹* + *-ar²*.]

espanado (es.pa.*na*.do) *a.* **1** Que teve a poeira eliminada pela ação de espanador: *A sala estava um brinco, com seus móveis espanados, suas poltronas arrumadas e seus quadros perfeitamente distribuídos e alinhados.* **2** *Pop. Fut.* Diz-se de bola rebatida de qualquer maneira, ger. com violência, para evitar situação de perigo: *A bola espanada acabou na arquibancada.* [F.: Part. de *espanar*.]

espanador (es.pa.na.*dor*) [ô] *a.* **1** Que espana **2** Diz-se de utensílio de limpeza constituído de um conjunto de penas ou fios macios presos a um cabo, us. para espanar a poeira das superfícies, ou de qualquer coisa us. para o mesmo fim *sm.* **3** Esse utensílio; ESPANEJADOR: *Usou o espanador para limpar os livros.* [F.: *espanad(o)* + *-or*.] ■ **~ da lua** *Pej.* Pessoa muito alta e magra

espanar¹ (es.pa.*nar*) *v. td.* **1** Limpar a poeira de, ger. com espanador **2** *Fig.* Sacudir, agitar: *espanar os travesseiros.* **3** *Fut.* Rebater violentamente (a bola), sem direção e chegando a assustar o jogador adversário que a controlava [▶ 1 espanar] [F.: *es-* + *pano¹* + *-ar²*.]

espanar² (es.pa.*nar*) *v. td.* Acarretar desgaste a(o filete de uma rosca, de modo que esta não possa mais ser atarraxada) [▶ 1 espanar] [F.: *es-* + *pano* + *-ar²*.]

espancado (es.pan.*ca*.do) *a.* Que sofreu espancamento: *Depois da briga de turma, os alunos espancados foram se queixar ao diretor.* [F.: Part. de *espancar*.]

espancador (es.pan.ca.*dor*) [ô] *a.* **1** Que espanca, surra: "E um garotão esclarecido, que estuda lutas marciais, ao ouvir a história do professor espancador, observou..." (Affonso Romano de Santanna, "Nem com uma flor", *in A mulher madura*) **2** Que é propenso a rixas; valentão, brigão *sm.* **3** Indivíduo espancador [F.: *espancar* + *-dor*.]

espancamento (es.pan.ca.*men*.to) *sm.* Ação ou resultado de espancar; SURRA: *A vítima sofreu covarde espancamento.* [F.: *espancar* + *-mento*.]

espancar (es.pan.*car*) *v. td.* Dar pancada, surra em; SURRAR: *Revoltados, espancaram o assassino.* [▶ 11 espancar] [F.: *es-* + *panca* + *-ar²*.]

espandongado (es.pan.don.*ga*.do) *a.* **1** Descuidado no vestir; DELEIXADO; RELAXADO **2** Vestido com roupa esfarrapada; ROTO; ESFRANGALHADO **3** Amarrotado, desalinhado **4** Que se estragou ou rebentou; ARREBENTADO; QUEBRADO **5** Diz-se de indivíduo de ombros caídos e que anda de modo desengonçado **6** Metido a ou com jeito de valente [F.: Part. de *espandongar*.]

espandongar (es.pan.don.*gar*) *v. td. Bras.* Pôr em desordem; DESMAZELAR [▶ 14 espandongar] [F.: orig. obsc.]

espanejado (es.pa.ne.*ja*.do) *a.* Que foi desempoeirado com o espanador [F.: Part. de *espanejar*.]

espanejar (es.pa.ne.*jar*) *v. td.* **1** Limpar (pó, poeira) com o espanador **2** Sacudir o pó das asas (a galinha) **3** Sacudir (a mulher), enquanto anda, as roupas que está usando **4** *Irôn.* Difundir, espalhar, fazer fofoca [▶ 1 espanejar] [F.: *es-* + *pano* + *-ejar*.]

espanhol (es.pa.*nhol*) *sm.* **1** Pessoa nascida ou que vive na Espanha (Europa) **2** *Gloss.* Língua indo-europeia, do grupo das línguas românicas, falada esp. na Espanha e América Latina [Tb. é chamada de *castelhano*, esp. nos países latino-americanos, por ser continuação histórica do dialeto de Castela.] *a.* **3** Da Espanha; típico desse país ou de seu povo [Pl.: *-nhóis*. Fem.: *-nhola*.] [F.: Do lat. *hispanus* ou (Pop.) *hispaniolus*.]

espanhola (es.pa.*nho*.la) *sf.* **1** *Bras.* Nome da gripe epidêmica de 1918: *A espanhola fez milhões de vítimas no mundo todo.* *a.* **2** *Bras. N.E.* Diz-se de vaca que possui chifres muito grandes e estranhos em seu formato [F.: Fem. de *espanhol*.]

espanholada (es.pa.nho.*la*.da) *sf.* **1** Grande número ou grupo de espanhóis; a totalidade dos espanhóis (esp. num lugar, região) **2** *Fig.* Expressão que contém exagero ou hipérbole **3** *Fig.* Fanfarronice [F.: *espanhol* + *-ada¹*.]

espanholado (es.pa.nho.*la*.do) *a.* **1** Que parece espanhol, pelo jeito de falar, de vestir-se, de comportar-se etc. **2** Diz-se de obra artística ou literária que denota influência de autores espanhóis [F.: *espanhol* + *-ado¹*.]

espanholice (es.pa.nho.*li*.ce) *sf.* **1** Ato, dito, coisa ou modos de Espanha e dos espanhóis **2** Apreço à Espanha ou às coisas espanholas; ESPANHOLISMO [F.: *espanhol* + *-ice*.]

espanholismo (es.pa.nho.*lis*.mo) *sm.* **1** Caráter próprio que distingue os espanhóis ou a Espanha **2** Apreço à Espanha ou aos costumes espanhóis *sm.* **3** Palavra, construção ou locução da língua espanhola us. em outra língua **4** Forma própria de falar ou escrever da língua espanhola [F.: *espanhol* + *-ismo*.]

espantadiço (es.pan.ta.*di*.ço) *a.* Que se espanta ou se assusta facilmente ou com frequência, às vezes por motivos insignificantes [F.: *espantado* + *-iço*.]

espantado (es.pan.*ta*.do) *a.* **1** Que se espantou; que ficou assustado; ATEMORIZADO; INTIMIDADO **2** Que se surpreendeu ou ficou admirado: *Ficou espantado com a beleza da mulher.* **3** Que ficou atônito, pasmo: *A cena sangrenta o deixou espantado.* **4** *Bras. Pop.* Que tem cor ou cores muito vivas, que chama muito a atenção por seus excessos (cor espantada); BERRANTE; CHAMATIVO: *A blusa era de um verde espantado.* [F.: Part. de *espantar*.]

espantador (es.pan.ta.*dor*) [ô] *a.* **1** Que espanta; ESPANTOSO *sm.* **2** Aquele ou aquilo que espanta [F.: *espantar* + *-dor*.]

espantalho (es.pan.*ta*.lho) *sm.* **1** Boneco feito de pano, recheado de palha, ger. em tamanho natural, us. para espantar aves predadoras em plantações **2** *Pej. Fig.* Indivíduo feio ou descuidado com sua aparência *Bras. S.*; ESTANDARTE *Bras. C.O. N.E.*; MARMOTA **3** *Fig. Pej.* Quem é inútil, desastrado, sem préstimo; IMPRESTÁVEL; PASPALHO [F.: *espantar* + *-alho*.]

espantar (es.pan.*tar*) *v.* **1** Causar ou sentir susto, ou medo; ASSUSTAR; APAVORAR [*td.*: *Aquela máscara espantou as crianças.*] [*int.*: *Todos se espantaram com os gritos.* Ant.: *tranquilizar.*] **2** Causar ou sentir surpresa ou admiração; SURPREENDER [*td.*: *Os métodos do professor espantaram os alunos.*] [*int.*: *Espantou-se quando soube minha idade.*] **3** Afugentar, repelir, afastar [*td.*: *Você sabe como espantar os pombos?; espantar o sono;* "...vai falando no escuro para espantar o pavor..." (Cecília Meireles, *Crônicas de educação 4*) Ant.: *atrair, chamar.*] [▶ 1 espantar] [F.: Do lat. vulg. *expaventare, do lat. *expavere*, 'atemorizar-se'. Hom./Par.: *espanto* (fl.), *espanto* (sm.).]

espantável (es.pan.*tá*.vel) *a2g.* Que provoca espanto; ESPANTOSO: *É espantável a facilidade com que uma criança aprende um novo idioma.* [Pl.: *-veis*.] [F.: *espantar* + *-vel*. Hom./Par.: *espantáveis* (pl.), *espantáveis* (fl. de *espantar*).]

espanto (es.*pan*.to) *sm.* **1** Estado de assombro, de medo, terror; SOBRESSALTO; SUSTO: *Teve um momento de espanto ao ver a enorme sombra.* **2** Qualidade do que é surpreendente, do que provoca admiração, pasmo: *Aquela mulher tão forte era um espanto.* **3** Estado de perplexidade, admiração, surpresa: *A moça reagiu com espanto ao elogio exagerado.* **4** Acontecimento imprevisto, surpreendente [F.: Dev. de *espantar*.]

espantoso (es.pan.*to*.so) [ô] *a.* **1** Que causa espanto, susto, perplexidade: "... o refluxo desordenado e em massa de um povo rudemente repelido num final espantoso de batalha..." (Euclides da Cunha, *Contrastes e confrontos*) **2** Que causa espanto por ser muito bom ou agradável; EXTRAORDINÁRIO; FANTÁSTICO: *Era espantoso ver tantas qualidades numa só pessoa.* **3** Que causa repulsa, raiva ou indignação: *Recordava-se do espantoso ato de covardia.* [Fem. e pl.: [ó].] [F.: *espanto* + *-oso*.]

espapaçado (es.pa.pa.*ça*.do) *a.* **1** A que se deu ou que tem a consistência de papa (arroz espapaçado) **2** *Fig.* Que não tem graça; DESENXABIDO: "Ao lado de uma senhora de coxas opulentas, havia um senhor espapaçado, soltando fumaça pela boca e pelo nariz..." (Paulo Mendes Campos, "Sobrevoando Ipanema", *in O amor acaba: crônicas líricas e existenciais*) [F.: Part. de *espapaçar*.]

espapaçar (es.pa.pa.*çar*) *v.* **1** Reduzir (algo) a papa [*td.*] **2** Tornar(-se) insípido, desenxabido; revelar falta de graça [*int.*] [*td.*] **3** Fazer ficar ou ficar mole, indolente [*td.*] [*int.*] **4** Esborrachar-se [*int.*: "O araticum espapaçando-se num baque frouxo." (José Américo de Almeida, *A bagaceira*)] [▶ 12 espapaçar] [F.: *es-* + *papa* + *-açar*.]

esparadrapo (es.pa.ra.*dra*.po) *sm.* Faixa aderente de diversas larguras, us. para fixar curativos em pessoas feridas ou operadas, fazer imobilizações em casos de traumatologia etc. *Lus.*; ADESIVO [F.: Do lat. med. *sparadrapus*, pelo fr. *sparadrap* ou it. *sparadrappo*.]

espargido (es.par.*gi*.do) *a.* **1** Que se espargiu, que foi borrifado: *Secou a cabeça do bebê da água espargida.* **2** Que se espalhou, que se derramou: "...vestida com um ligeiro roupão branco, com seus belos e longos cabelos, ainda molhados, espargidos pela almofada." (J. M. de Macedo, *O moço loiro*) *sm.* **3** *Enc.* No processo de encadernação, técnica para decorar o corte de livros em que se usa uma tela e uma escova encharcada de tinta **4** *Grav.* Em litografia, técnica semelhante para borrifar a pedra com tinta [F.: Part. de *espargir*.]

espargimento (es.par.gi.*men*.to) *sm.* Ação ou resultado de espargir(-se); ASPERSÃO; BORRIFO [F.: *espargir* + *-mento*.]

espargir (es.par.*gir*) *v.* **1** Espalhar (líquido) em borrifos; BORRIFAR; ASPERGIR: *espargir água benta.* [*td.*: *espargir água benta.*] **2** Espalhar(se), derramar(se) [*int.*: *O odor das flores espargiu-se, inebriante.*] [*tr.* + *em, entre, por*: *O odor das flores espargiu-se entre os convidados.*] [*td.*: *O Sol esparge sua luz e seu calor.*] [*tdr.* + *em, entre, por*: *O Sol matinal espargia sua luz pelos caminhos.*] [*tda.*: *A noite, chorosa, espargiu orvalho na cidade inteira.*] **3** *Fig.* Disseminar, difundir, espalhar [*td.*: *Seus discursos espargem confiança e otimismo.*] [▶ **46** espargir Raramente us. na 1ª. pess. do pres. do ind. e no pres. do subj. inteiro. Part.: *espargido, esparso*.] [F.: Do lat. *spargere*.]

esparramado (es.par.ra.*ma*.do) *a.* **1** Que se esparramou: *Havia água esparramada em cima da mesa.* **2** Que está (foi largado) sem cuidado, ficando espalhado, desordenado etc.: *Móveis quebrados, roupa de cama esparramada, cortinas rotas, este era o estado da casa.* **3** Descuidado, desarrumado, desalinhado; DESALINHADO: *Apresentou-se com a roupa amarrotada e o cabelo esparramado na testa.* **4** Cuja atitude, gestual, posição etc. são descuidados, sem aprumo; ESCARRAPACHADO: *O que se viu não foi uma amazona, mas uma mulher esparramada montando um cavalo.* **5** Diz-se de nariz achatado, largo [Part. de *esparramar*.]

esparramar (es.par.ra.*mar*) *v.* **1** Espalhar(-se) completamente e sem muita ordem [*td.*: *Esparramou as gravatas na cama para escolher a que usaria.*] [*int.*: *O gado esparramou-se pelo pasto.* Ant.: *juntar, reunir.*] **2** Derramar, entornar [*td.*: *Ela esparramou o leite todo.*] **3** *Bras. Pop.* Cair estendido; ESTATELAR-SE [*int.*: *Exausto, esparramou-se na cama.*] **4** Estender-se horizontalmente, ocupando muito espaço; ESTATELAR(-SE) [*int.*: "Lembrou que o Centro se esparramava entre morros..." (Ana Maria Machado, *A audácia dessa mulher*)] [*td.*: *Esparramou-se na cama, não deixando espaço para a mulher.*] **5** Crescer ocupando espaço, lançando prolongamentos, ramos etc. [*int.*: *Aos poucos a hera esparramou-se e cobriu o muro.*] **6** *N.* Achatar [*td.*] **7** *SP* Cair de (cavalo) [*tr.* + *de*: *O peão esparramou-se da montaria.*] [▶ 1 esparramar] [F.: De or. incerta; posv. do espn. *esparramar, desparramar*. Hom./Par.: *esparramo* (fl.), *esparramo* (sm.); *esparrame* (fl.), *esparrame* (sm.); *esparrames* (fl.), *esparrames* (pl. de *esparrame*).]

esparrame (es.par.*ra*.me) *Bras. sm.* **1** Ação ou resultado de esparramar(-se) **2** Dispersão, debandada **3** Ostentação, espalhafato, alarde **4** Briga, barulho, agitação [F.: Dev. de *esparramar*. Sin. ger.: *esparramo*.] ■ **Fazer um ~** **1** *S. Gír.* Espantar-se, admirar-se **2** Dar atenção demasiada ao que não a merece, atribuir importância a algo insignificante

esparramo (es.par.*ra*.mo) *sm.* **1** Ação ou resultado de esparramar, mesmo que *esparrame* **2** Debandada, dispersão **3** Ostentação, alarde, espalhafato **4** Rixa, briga, agitação **5** *Gír.* Escândalo, escarcéu [F.: Dev. de *esparramar*. Hom./Par.: *esparramo* (fl.).]

esparrela (es.par.*re*.la) *sf.* **1** *Fig.* Recurso que visa a enganar, iludir, lograr uma pessoa; CILADA: "...A mulher ama sempre de emboscada, armando laços e esparrelas..." (Aluísio de Azevedo, *Livro de uma sogra*) **2** Armadilha de caça **3** *Mar.* Remo comprido usado como leme provisório, como esparrela (4); ESPADELA **4** *Mar.* Mecanismo improvisado que se arma na popa de uma embarcação a fim de substituir o leme que se perdeu ou que quebrou [F.: De or. obsc.] ■ **Cair na ~** Ser logrado, deixar-se enganar

esparro¹ (es.*par*.ro) *sm. Bras. Pop.* Comparsa de punguista que distrai a atenção da vítima enquanto o outro rouba-lhe a carteira [F.: Do lunfardo *esparro*.]

esparro² (es.*par*.ro) *sm.* **1** *Bras. Gír.* Ação ou resultado de esparrar-se, estatelar-se; ESPARRAME **2** Gabolice [F.: do *lunfardo*: Hom./Par.: ver *esparro¹*.]

esparro³ (es.*par*.ro) *sm. Bras. Gír.* Censura violenta; ESTRILO; ESPORRO [F.: De or. duvidosa; posv. de *esporro*.]

esparso (es.*par*.so) *a.* **1** Que não está junto, que está solto (cabelos esparsos); DISPERSO; ESPALHADO **2** Que foi divulgado, vulgarizado (escritos esparsos) **3** Que está disperso, espalhado, ger. escasso: *Buscava na campina uma flor rara, e realmente só encontrou alguns espécimes esparsos.* [F.: Do lat. *sparsus*.]

espartanismo (es.par.ta.*nis*.mo) *sm.* Vida, hábitos ou comportamento de espartano; SOBRIEDADE [F.: *espartano* + *-ismo*.]

espartano (es.par.*ta*.no) *sm.* **1** Pessoa nascida ou que vivia em Esparta (Grécia antiga); ESPARCIATA; LACEDEMÔNIO *a.* **2** De Esparta; típico dessa cidade ou de seu povo; ESPARCIATA; LACEDEMÔNIO **3** *Fig.* Que tem costumes espartanos (2); que demonstra extremo rigor, sobriedade, austeridade naquilo que faz ou em seus hábitos; AUSTERO; RIGOROSO: *Era um homem de disciplina espartana.* [F.: Do lat. *spartanus*.]

espartilhado (es.par.ti.*lha*.do) *a.* **1** Apertado com espartilho (vestido espartilhado) **2** *Fig.* Elegante, esbelto **3** *Lus. Fig.* Apertado, espremido como se usasse espartilho: *Viver espartilhado em horários e esquemas fixos.* [F.: Part. de *espartilhar*.]

espartilhar (es.par.ti.*lhar*) *v. td.* Apertar(-se) com espartilho; colocar espartilho no corpo: *A criada espartilhou a princesa; Espartilhou-se às pressas.* [▶ 1 espartilhar] [F.: *espartilho* + *-ar²*. Hom./Par.: *espartilho* (fl.), *espartilho* (sm.).]

espartilho (es.par.*ti*.lho) *sm. Vest.* Cinta (ger., mas não só, para mulheres) de corte anatômico que vai dos quadris aos seios, estruturada com barbatanas de baleia ou lâminas de aço para dar-lhe rijeza, com que se comprime a cintura (apertando com cadarço passado através de ilhoses) para manter o porte das mulheres, afinando-lhes a cintura e modelando seu corpo segundo antigos padrões de beleza [F.: *esparto* + *-ilho*.]

esparzir (es.par.*zir*) *v. td.* Mesmo que *espargir* [▶ 3 esparzir]

espasmado (es.pas.*ma*.do) *a.* Que sofreu espasmo (músculo espasmado) [F.: Part. de *espasmar.*]

espasmo (es.*pas*.mo) *sm.* **1** *Med.* Contração involuntária e convulsiva de um ou mais músculos, que pode ou não ser dolorosa e pode ou não se repetir seguidamente [Cf.: *convulsão.*] **2** *Fig.* Sensação de arrebatamento, de arroubo: *Teve um espasmo de prazer ao ver a beleza do salão.* **3** *Fig.* Estado que revela espanto, estupefação: *A queda do trapezista provocou um espasmo no público.* **4** *CE Pop.* Ver *meningite* [F.: Do gr. *spasmós.*]

espasmódico (es.pas.*mó*.di.co) *a.* **1** Ref. a espasmo **2** Que se manifesta por espasmos seguidos (contrações espasmódicas) **3** *Fig.* Que tem transformações bruscas e inconstantes: *O discurso evoluía em ritmo espasmódico.* [F.: Do gr. *spasmódes*, pelo lat. *spasmodicus.*]

espasmofilia (es.pas.mo.fi.*li*.a) *sf. Med.* Distúrbio neuromuscular crônico que pode ocasionar espasmos, convulsões, problemas respiratórios etc. [F.: *espasmo* + *-filia.*]

espasmofílico (es.pas.mo.*fí*.li.co) *a.* **1** Ref. a espasmofilia **2** Que apresenta *sm.* **3** Indivíduo espasmofílico (2) [F.: *espasmofilia* + *-ico*².]

espasmogênico (es.pas.mo.*gê*.ni.co) *a.* **1** Que provoca espasmo(s) *sm.* **2** Produto ou substância que provoca espasmo(s) [F.: *espasmo* + *-gênico.*]

espasmolítico (es.pas.mo.*lí*.ti.co) *a.* **1** Que elimina ou alivia espasmos *sm.* **2** Produto ou substância espasmolíticos [F.: *espasmo* + *-lítico*². Sin. ger.: *antiespasmódico.*]

espástico (es.*pás*.ti.co) *a.* **1** Que tem a mesma natureza do espasmo; ESPASMÓDICO **2** *Fisl.* Diz-se do estado em que a musculatura está muito contraída e os movimentos são difíceis; HIPERTÔNICO [F.: Do lat. *spasticus, a, um.*]

espata (es.*pa*.ta) *sf.* **1** *Bot.* Folha modificada, ger. colorida, que envolve a inflorescência de diversas plantas, e que pode ser lenhosa ou membranosa **2** *Ant.* Espada larga e sem ponta, com dois gumes [F.: Do gr. *spáthe*, pelo lat. *spatha.*]

espatifado (es.pa.ti.*fa*.do) *a.* **1** Que se espatifou, que se reduziu a pedaços; DESPEDAÇADO; QUEBRADO: *Com a queda, o vaso ficou espatifado.* **2** Que se rasgou ou retalhou: *Seu casaco estava todo espatifado.* **3** Que foi gasto, dissipado: *Não chorava sua fortuna espatifada, preferia planejar o futuro.* **4** Que está em desordem, espalhado ou esparramado: *Ao entrar no quarto, o primeiro choque: brinquedos espatifados, cortinas rasgadas, berço quebrado.* [F.: Part. de *espatifar.*]

espatifar (es.pa.ti.*far*) *v.* **1** Fazer(-se) em pequenos pedaços [*td.*: *A bola espatifou a vidraça da janela.*] [*int.*: *A menina caiu com o copo, que se espatifou.*] **2** *Pop.* Cair no chão com estardalhaço [*int.*: *Escorregou e se espatifou na calçada.*] **3** Dissipar, esbanjar, consumir (bens) [*td.*] [▶ 1 espatifar] [F.: De or. contrv.]

espatiforme (es.pa.ti.*for*.me) *a2g. Bot.* Que tem a forma de espada; ENSIFORME [F.: *espat(i)-* + *-iforme.*]

espato (es.*pa*.to) *sm. Min.* Nome comum a vários minerais carbonáticos, transparentes ou translúcidos, de fácil clivagem [F.: Do al. *Spat* (ou *Spath*).]

espato-adamantino (es.pa.to-a.da.man.*ti*.no) *sm. Min.* Coríndon marrom, opaco e fosco, utilizado em polimentos [Pl.: *espatos-adamantinos.*]

espato-azul (es.pa.to-a.*zul*) *sm. Min.* Fosfato básico de magnésio e alumínio monoclínico, de cor azul-violeta e brilhante como vidro; LAZULITA [Pl.: *espatos-azuis.*]

espato-calcário (es.pa.to-cal.*cá*.ri:o) *sm. Min.* O mesmo que *calcita* [Pl.: *espatos-calcários.*]

espato da islândia (es.pa.to da is.*lân*.di:a) *sm. Min.* Variedade de calcita incolor, utilizada, por ex., em microscópios [Pl.: *espatos da islândia.*]

espatódea (es.pa.*tó*.*de*:a) *sf. Bot.* **1** Designação comum às plantas do gên. *Spathodea*, da fam. das bigoniáceas que apresenta apenas uma espécie **2** A espécie desse gên; *Spathodea campanulata*, árvore de belas flores cor de abóbora ou vermelhas, nativa da África e bastante cultivada em outras regiões tropicais, esp. na arborização de áreas urbanas; TULIPA-DA-ÁFRICA **3** Qualquer espécime desse gên. ou a sua flor [F.: Do lat. cient. *Spathodea.*]

espato de magnésio (es.pa.to de mag.*né*.si:o) *sm. Min.* O mesmo que *magnesita* [Pl.: *espatos de magnésio.*]

espato de manganês (es.pa.to de man.ga.*nês*) *sm. Min.* O mesmo que *rodocrosita* [Pl.: *espatos de manganês.*]

espátula (es.*pá*.tu.la) *sf.* **1** Instrumento que consiste numa espécie de lâmina sem fio, ger. us. para cortar papéis, abrir folhas de livros, envelopes etc. **2** Instrumento similar, largo e plano, para espalhar substâncias pastosas, us. por pedreiros (para mexer massa de cimento), pintores (para mexer em tinta óleo), cozinheiros (na confecção de bolos e tortas) etc. **3** Instrumento achatado e largo us. por manicures para tirar a cutícula das unhas **4** *Pext.* Qualquer instrumento largo e achatado numa extremidade **5** *Mús.* Parte das chaves dos instrumentos de sopro que recebe a pressão dos dedos do executante **6** *Lus.* No Alentejo (Portugal), ferro com o qual os estucadores retiram o excesso de massa [Dim.: *espatuleta.*] [F.: Do lat. tard. *spathula.*]

espatulado (es.pa.tu.*la*.do) *a.* **1** Que tem forma de espátula (folha espatulada; focinho espatulado) **2** Feito com espátula (óleo espatulado) *sm.* **3** *Art.pl.* Técnica de pintura em que se usam pequenas espátulas para aplicar a tinta sobre a tela, porcelana, tecido etc. [F. *espátula* + *-ado*¹.]

espaventado (es.pa.ven.*ta*.do) *a.* **1** Assustado, amedrontado: "Nem assombrações amedrontam assim! Carlos não acredita em assombração. Carlos espaventado, exausto, antes de morrer!..." (Mário de Andrade, *Amar, verbo intransitivo*) **2** *Fig.* Cheio de presunção pelo luxo que ostenta [F.: Part. de *espaventar.*]

espaventar (es.pa.ven.*tar*) *v.* **1** Causar ou ter espanto; ASSUSTAR; SOBRESSALTAR [*td.*: *Espaventou as galinhas.*] [*int.*: *O rapaz espaventou-se.*] **2** Demonstrar grande orgulho, vaidade [*td.*: *Espaventava-se por seu novo cargo na empresa.*] **3** Exibir luxo, riqueza; OSTENTAR(-SE) [*td.*: *Espaventava sua bela mansão.*] [*int.*: *A princesa não gostava de espaventar.*] [▶ 1 espaventar] [F.: Do it. *spaventare.* Hom./Par.: *espavento* (fl.), *espavento* (sm.).]

espavento (es.pa.*ven*.to) *sm.* **1** Ação ou resultado de espaventar(-se), assustar(-se), de causar ou experimentar um medo repentino; ASSOMBRO; ESPANTO; SUSTO **2** Muito aparato, pompa, estardalhaço etc., para impressionar, para causar assombro: *Anunciou sua vitória com espavento.* [F.: Do it. *spavento.*]

espaventoso (es.pa.ven.*to*.so) [ô] *a.* **1** Que causa assombro ou sobressalto **2** Que chama a atenção pela ostentação, pelo aparato; ESPALHAFATOSO: *Adentrou o salão com roupas espaventosas.* **3** Que se mostra colossal, grandioso, soberbo, inflado: *O desfile espaventoso reuniu milhares de pessoas.* [Fem. e pl.: [ó].] [F.: *espavento* + *-oso.*]

espavorido (es.pa.vo.*ri*.do) *a.* Cheio de, dominado por medo, pavor; AMEDRONTADO; APAVORADO; ATERRORIZADO: *As pessoas corriam espavoridas:* "Atiram-se sobre Serapião e Pantaleão, que dão gritos, espavoridos." (Martins Pena, *As casadas solteiras*) [F.: Part. de *espavorir.*]

espavorir (es.pa.vo.*rir*) *v.* Causar a ou ter medo, susto, pavor; AMEDRONTAR [*td.*: *Suas caretas podem espavorir as crianças.*] [*int.*: *Ao ouvir o barulho espavoriu-se e fugiu.*] [▶ 59 espavorir] [F.: *es-* + *pavor* + *-ir.*]

especar (es.pe.*car*) *v. td.* **1** Suster, sustentar com espeque; ESCORAR: *especar uma barraca.* **2** Deter-se, parar, ficar parado [*int.*: *Ao ver a cobra, o cavalo especou(-se).*] **3** Dar apoio, arrimo a (o próprio corpo ou parte dele) encostando em algo; APOIAR; ENCOSTAR; ESCORAR [*tdr.* + *em*: *Cansado, especou o corpo no poste por um momento.*] [*tr.* + *em*: *Ficou tonto, e se especou no muro para não cair.*] [▶ 11 especar] [F.: *espeque* + *-ar*². Hom./Par.: *espeque* (fl.), *espeque* (sm.); *espeques* (fl.), *espeques* (pl. de *espeque*).]

especiação (es.pe.ci:a.*ção*) *sf.* **1** Formação de espécies **2** *Biol.* Aparecimento de uma nova espécie a partir de uma espécie preexistente **3** *Quím.* Descrição das diferentes formas (espécies) em que um elemento existe num sistema (especiação do mercúrio) [Pl.: *-ções.*] [F.: Do ing. *speciation.*]

especial (es.pe.ci:*al*) *a2g.* **1** Que não é geral, mas específico, particular: *Recebeu instruções especiais para a missão.* **2** Que é exclusivo para uma pessoa ou um grupo de pessoas **3** Que é próprio de uma espécie: *ônibus especial da empresa.* **4** Que tem aplicação específica; ESPECÍFICO; PECULIAR **5** Que é fora do comum: *produto especial para diabéticos.* **6** Que tem um significado particular (para alguém); EXTRAORDINÁRIO: *Foi um domingo especial para o casal.* **7** Que oferece vantagens que não são comuns (cheque especial): *Aquele era um recanto especial para ela.* **8** Diz-se de pessoa com necessidades especiais (2) **9** Diz-se do que é voltado para o estudo de aspectos específicos de uma área de conhecimentos (linguística especial) [P. opos. a *geral.*] *sm.* **10** *Rád. Telv.* Programa, em geral comemorativo ou de homenagem, que não faz parte de programação habitual de uma emissora (especial de Páscoa) **11** *N.E. Pop.* Reprimenda, crítica, admoestação [Pl.: *-ais.*] [F.: Do lat. *specialis.*]

especialidade (es.pe.ci:a.li.*da*.de) *sf.* **1** Qualidade ou condição de especial [Ant.: *generalidade.*] **2** Atividade profissional ou conjunto de conhecimentos específicos que alguém domina: *Cirurgia plástica é sua especialidade.* **3** *Cul.* Prato característico ou de destaque em um restaurante ou região: *Comida nordestina é a especialidade do restaurante.* **4** Aquilo que uma pessoa sabe fazer muito bem: *Sua especialidade eram os pratos de massa.* [F.: Do lat. *specialitas,atis.*] ▪ **~ da casa** Prato exclusivo do cardápio de um determinado restaurante, criado por seu *maître*

especialista (es.pe.ci:a.*lis*.ta) *a2g.* **1** Que se especializou em determinado assunto ou atividade; que tem profundo conhecimento do que faz: *médico especialista em pulmões.* *s2g.* **2** Pessoa especializada em alguma coisa; AUTORIDADE; PERITO: *Especialistas opinaram sobre o assunto.* **3** Pessoa que se especializou em determinado ramo do conhecimento: *especialista em teatro grego.* [Ant.: *amador, leigo.*] **4** *Joc.* Pessoa acostumada a agir de determinada maneira: *Era um especialista em chatear os outros.* **5** *Biol. Ecol.* Organismo que se adapta à vida em um meio ambiente limitado, e cuja alimentação se restringe a uma ou poucas espécies [F.: *especial* + *-ista.*]

especialização (es.pe.ci:a.li.za.*ção*) *sf.* **1** Processo ou resultado de especializar(-se) **2** Atividade ou ramo do conhecimento em que uma pessoa se especializa: *Ourivesaria era sua especialização.* **3** *Soc.* Diferenciação que resulta da divisão do trabalho **4** *Soc.* Processo da divisão do trabalho considerado do ponto de vista individual **5** Curso de pós-graduação pelo qual um estudante se especializa em determinada área do conhecimento **6** *Biol. Ecol.* Adaptação de um organismo a um certo meio ambiente e às condições ali encontradas para seu desenvolvimento, sua reprodução, sua alimentação etc. **7** *Biol.* Alterações anatômicas na estrutura de um órgão, que permitem sua adaptação a uma função particular no organismo **8** *Jur.* Em hipoteca legal ou judicial, o ato preliminar, que estabelece o valor assumido como responsabilidade do devedor e que especifica o imóvel que constituirá garantia [Pl.: *-ções.*] [F.: *especializar* + *-ção.*]

especializado (es.pe.ci:a.li.*za*.do) *a.* **1** Que se especializou em alguma coisa: *mecânico especializado em motores.* **2** Que opera, se dedica com exclusividade para algo: *centro médico especializado em doenças transmissíveis.* **3** Que é individualizado, personalizado **4** *Anat.* Diz-se de órgão, tecido etc. que desempenha função específica no organismo [F.: Part. de *especializar.*]

especializar (es.pe.ci:a.li.*zar*) *v.* **1** Tratar de maneira especial ou particular; PARTICULARIZAR; SINGULARIZAR [*td.*: *Vamos especializar algumas dessas questões.* Ant.: *generalizar.*] **2** Aprimorar(-se) ou formar(-se) em área específica de atividade [*td.*: *A fábrica vai especializar seus operários.*] [*tdr.* + *em*: *especializar profissionais na área ambiental; Especializou-se em fotos de crianças.*] **3** Concentrar a atuação, desempenho, trabalho etc. no mesmo tipo de atividade [*tr.* + *em*: *Esse cozinheiro especializou-se em massas, não faz outra coisa.*] [▶ 1 especializar] [F.: *especial* + *-izar.*]

especiar (es.pe.ci.*ar*) *v. td.* **1** *Biol.* Passar por especiação, diferenciação; estudar tal processo: *Não se sabe exatamente quando as lagartixas especiaram-se* **2** *Quím.* Determinar a forma com que uma substância ou elemento aparece em uma amostra [▶ 1 especiar] [F.: *espécie* + *-ar.*]

especiaria (es.pe.ci:a.*ri*.a) *sf.* **1** *Cul.* Erva ou planta aromática us. para dar sabor e aroma aos alimentos (p.ex.: cravo, canela, noz-moscada, pimenta-do-reino etc.); CONDIMENTO; ESPÉCIA; ESPÉCIE; TEMPERO **2** *Hist.* Designação genérica para os temperos (então considerados exóticos) que se traziam para a Europa da Ásia e da África [Us. no pl. nesta acp.] [F.: *espécie* + *-aria.*]

espécie (es.*pé*.ci:e) *sf.* **1** Aspecto, característica que, comum a certo grupo de indivíduos, serve para caracterizar esse grupo; GÊNERO; NATUREZA; QUALIDADE **2** *Biol.* Grupo de indivíduos, animais ou vegetais assim caracterizados (espécie humana, espécie vegetal) **3** Denominação de algo que, não se sabendo definir com exatidão, compara-se a algo que lhe serve de referência; TIPO: *O sujeito era uma espécie de filósofo de esquina.* **4** Exemplar ou caso específico de uma categoria genérica; TIPO; VARIEDADE: *Um utilitário é uma espécie de jipe, com cara de automóvel de passeio.* **5** *Bibl.* Designativo de entidades bibliológicas (livro, manuscrito etc.) **6** *Antq. Econ.* Dinheiro vivo, moeda: *Recebeu a quantia em espécie.* **7** *Mat.* Quantidade da mesma natureza **8** *Biol.* Categoria taxonômica fundamental, que se encontra abaixo da categoria de gênero, e constituída por indivíduos muito semelhantes entre si [Ver tb. *gênero* (1).] **9** O mesmo que *especiaria* [F.: Do lat. *specie.*] ▪ **~ química** *Quím.* Qualquer íon, molécula, átomo ou arranjo de átomos **Causar ~** Causar estranheza, surpresa **Em ~** **1** *Econ.* Em dinheiro: *Aceitavam cheque, mas ele preferiu pagar em espécie.* **2** Em mercadorias, ou em serviços (como forma de pagamento, em vez de dinheiro) **Fazer ~** Ver *Causar espécie.* **Santas ~s** *Teol.* O aspecto do pão e do vinho depois da transubstanciação

especificação (es.pe.ci.fi.ca.*ção*) *sf.* **1** Ação ou resultado de especificar; PORMENORIZAÇÃO **2** Descrição pormenorizada das características de algo (produto, material etc.) **3** *Pext.* Cada detalhe ou item dessa descrição: *Não gostou de algumas especificações.* **4** *Jur.* Nova forma que, por força de seu trabalho ou indústria de alguém, adquire um bem alheio, que se constitui assim em espécie nova, que não pode voltar ao estado anterior [Pl.: *-ções.*] [F.: *especificar* + *-ção.*]

especificado (es.pe.ci.fi.*ca*.do) *a.* **1** Que se especificou **2** Pormenorizado, individualizado: *Apresentou uma lista de bens especificados.* **3** Assinalado, marcado; determinado: *Responda apenas às questões especificadas.* [F.: Part. de *especificar.*]

especificador (es.pe.ci.fi.ca.*dor*) [ô] *a.* **1** Que especifica; ESPECIFICATIVO *sm.* **2** Aquele ou aquilo que especifica (critério especificador) [F.: *especificar* + *-dor.*]

especificar (es.pe.ci.fi.*car*) *v. td.* **1** Determinar a espécie de; CARACTERIZAR: *O diretor vai especificar a função de cada um.* **2** Dizer qual é (entre dois ou mais elementos similares ou de função semelhante); DISCRIMINAR; APONTAR: *Especificou a louça que deveria ser usada no jantar.* **3** Mostrar individualmente; PARTICULARIZAR: *Especificou a tarefa a ser realizada primeiro.* [Ant.: *generalizar.*] **4** Explicar em detalhes: *Especificou os motivos de sua renúncia.* [▶ 11 especificar] [F.: Do lat. tard. *specificare.* Hom./Par.: *especifico* (fl.), *específico* (a.); *especificas* (fl.), *específicas* (fem. pl. de *específico*).]

especificativo (es.pe.ci.fi.ca.*ti*.vo) *a.* Que especifica; que encerra especificação (complemento especificativo); ESPECIFICADOR; INDICATIVO [F.: *especificar* + *-tivo.*]

especificidade (es.pe.ci.fi.ci.*da*.de) *sf.* **1** Qualidade do que é específico; PARTICULARIDADE: *O diretor chamou a atenção para a especificidade daquela medida, que não devia ser aplicada a não ser na circunstância apontada.* **2** Qualidade peculiar de uma espécie **3** *Med.* Característica de uma doença cujos sintomas são constantes e as causas sempre semelhantes **4** *Imun.* Afinidade de um antígeno com um certo anticorpo **5** *Quím.* Propriedade de participar de apenas uma ou de muito poucas reações químicas (diz-se de enzimas, catalisadores etc.) [F.: *específico* + *-(i)dade.*]

específico (es.pe.*cí*.fi.co) *a.* **1** Exclusivo de uma espécie; PECULIAR: *O senso de humor é uma característica específica do ser humano.* **2** Que é destinado a um propósito, a um indivíduo, a uma situação particular: *exercício específico* *para idosos.* 3 Diz-se de medicamento exclusivo para combater certa doença 4 *Lóg.* O que próprio à espécie [P. opos. a *genérico*.] [F.: Do lat. tard. *specificus*.]

espécime (es.*pé*.ci.me) *sm.* 1 *Bot. Zool.* Qualquer indivíduo de uma espécie: *Era um espécime raro de tartaruga.* 2 Peça ou objeto de uma coleção ou grupo; EXEMPLAR; INDIVÍDUO: *Eis um espécime de minha coleção de colares.* 3 Indivíduo que representa um grupo, uma coleção etc.; AMOSTRA; EXEMPLO [F.: Do lat. *specimen*. Tb. *espécimen*.]

espécimen (es.*pé*.ci.men) *sm.* Ver *espécime*

especioso (es.pe.ci:*o*.so) [ô] *a.* 1 Que é verdadeiro só na aparência e por isso induz ao erro (argumento especioso); ENGANADOR; ENGANOSO; ILUSÓRIO 2 Cuja aparência é ilusória, não correspondente à essência 3 Que tem beleza, delicadeza: *pintura especiosa em seus detalhes.* [Fem.e pl.: [ó].] [F.: Do lat. *speciosus*.]

espectador (es.pec.ta.*dor*) [ô] *sm.* 1 Pessoa que assiste a algum espetáculo (musical, teatral, cinematográfico etc.): *O filme teve milhões de espectadores.* 2 Aquele que presencia uma ocorrência, um fato; TESTEMUNHA: *Foi espectador privilegiado do atentado.* 3 Indivíduo que observa algo; OBSERVADOR [Col.: *assistência, auditório, claque, plateia*.] *a.* 4 Diz-se de quem assiste a, presencia ou observa espetáculo, fato, algo [F.: Do lat. *spectator*. Cf.: *expectador*.]

espectral (es.pec.*tral*) *a2g.* 1 Relativo a, ou parecido com espectro ou fantasma (vulto espectral) 2 *Fís.* Relativo a espectro 3 *Fís.* Diz-se de propriedades, grandezas ou variáveis relacionadas a um nível de energia num espectro [Pl.: *-trais*.] [F.: *espectro* + *-al*.]

espectralidade (es.pec.tra.li.*da*.de) *sf.* Qualidade ou caráter do que é espectral, do que tem aspecto de fantasma ou de espectro [F.: *espectral* + *-(i) dade*.]

espectro (es.*pec*.tro) *sm.* 1 Suposta visão de um morto, de um espírito, com aparência fantasmagórica, ectoplasmática; FANTASMA: *Achava que o casarão estava cheio de espectros.* 2 *Fig.* Aquilo que representa uma ameaça de perigo: *O espectro do exílio habitava seus sonhos.* 3 Evocação ou lembrança que se insinua na mente de maneira insistente: *Perseguia-o o espectro de sua infância infeliz.* 4 Algo vazio, falso, vão, enganoso; ILUSÃO: *o espectro do sucesso.* 5 *Fig. Pej.* Indivíduo esquelético, esquálido 6 *Fís.* Função que investiga e registra em ordem de magnitudes os parâmetros de distribuição de energia numa onda ou num feixe de partículas 7 *Fís.* O registro visual dessa função, em forma de gráfico, fotografia etc. [F.: Do lat. *spectrum*.] ■ **~ antibiótico** *Ter.* A extensão das cepas de germes sobre as quais tem efeito um antibiótico; o antibiótico diz-se de largo espectro se a extensão é grande; de curto espectro se é limitada **~ de banda** *Fís.* Aquele em que se formam faixas estreitas de comprimentos de onda, ger. quando gases moleculares são excitados eletricamente **~ de linhas** *Fís.* Ver *Espectro de raias* **~ de raias** *Fís.* Espectro formado por fótons quando, numa transição quântica, há passagem de um nível de energia para outro; espectro de linhas **~ eletromagnético** *Fís.* Espectro que corresponde a uma faixa de radiação eletromagnética, ordenada de acordo com sua frequência ou seu comprimento de onda **~ solar** *Fís.* O espectro visível formado pela decomposição, em cores, da luz solar, que sofre refração ou difração ao passar por um prisma **~ visível** *Fís.* Região do espectro eletromagnético visível ao olho humano, numa faixa de comprimentos de onda entre o infravermelho e o ultravioleta que formam, com suas gradações: o vermelho, o alaranjado, o amarelo, o verde, o azul, o roxo e o violeta **De curto ~** *Med.* Ver *Espectro antibiótico* **De largo ~** *Med.* Ver *Espectro antibiótico*

espectrofotômetro (es.pec.tro.fo.*tô*.me.tro) *sm. Ópt.* Instrumento us. para registrar e medir espectros originários de fluorescência [F.: *espectr(o)-* + *fotômetro*.]

espectrografia (es.pec.tro.gra.*fi*.a) *sf. Quím.* Processo que usa a fotografia para registrar e analisar os espectros luminosos, esp. de emissão [F.: *espectr(o)-* + *-grafia*.]

espectrográfico (es.pec.tro.*grá*.fi.co) *a.* Ref. a espectrografia, ou a espectrógrafo [F.: *espectrografia* + *-ico*².]

espectrógrafo (es.pec.*tró*.gra.fo) *sm. Ópt.* Equipamento que realiza o registro fotográfico de um espectro luminoso [F.: *espectr(o)-* + *-grafo*.]

espectrometria (es.pec.tro.me.*tri*.a) *sf. Fís-quím.* Conjunto de recursos que permite identificar a estrutura das partículas que constituem as substâncias [F.: *espectr(o)-* + *-metria*.]

espectrômetro (es.pec.*trô*.me.tro) *sm.* 1 *Ópt.* Instrumento que separa os elementos monocromáticos de uma radiação policromática e mede os seus comprimentos de onda 2 *Fís.nu.* Instrumento com o qual se separa, de um feixe de partículas com várias energias, as que têm uma determinada energia, permitindo a análise da sua constituição energética 3 *Fís.nu.* Conjunto de instrumentos capazes de medir o impulso e a energia das partículas geradas numa colisão [F.: *espectr(o)-* + *-metro*.]

espectroscopia (es.pec.tros.co.*pi*.a) *sf. Quím.* Conjunto de técnicas para análise quantitativa de substâncias, com base na produção e observação de espectros de emissão ou absorção de radiações eletromagnéticas [F.: *espectr(o)-* + *-scopia*.] ■ **~ de ressonância magnética nuclear** *Quím. Med.* Técnica que usa a absorção de radiação eletromagnética por núcleos de átomos para determinar a estrutura de moléculas, us. em exames médicos para diagnóstico [Tb. apenas *Ressonância magnética (nuclear)*.] **~ no infravermelho** *Fís.* Técnica que usa a absorção de radiação infravermelha por grupos de átomos, para determinar a estrutura de moléculas **~ no ultravioleta** *Quím.* Técnica que usa a absorção de radiação ultravioleta por grupos de átomos, para determinar a estrutura de moléculas

espectroscópico (es.pec.tros.*có*.pi.co) *a.* Ref. a espectroscopia, ou a espectroscópio [F.: *espectroscopia* + *-ico*².]

espectroscópio (es.pec.tros.*có*.pi:o) *sm. Ópt.* Instrumento que produz e examina espectros de radiação eletromagnética [F.: *espectr(o)-* + *-scópio*.]

especula (es.pe.*cu*.la) *s2g. MG SP Pop.* Pessoa indiscreta nas perguntas; ABELHUDO [F.: Dev. de *especular*.]

especulação (es.pe.cu.la.*ção*) *sf.* 1 Ação ou resultado de especular 2 *Econ.* Operação financeira oportunista, que aproveita as oscilações do mercado para obter lucros elevados: *Ganhou uma fortuna na especulação com o dólar.* 3 *Econ.* Operação financeira em que uma das partes abusa da boa-fé da outra, obtendo com isso lucros acima do razoável 4 *Econ.* Ação comercial que envolve investimento de grande vulto na expectativa de lucros elevados, mas de grande risco, por depender de circunstâncias previstas mas não garantidas 5 Afirmação ou investigação teórica sem fundamento em nenhuma evidência ou apenas com base no raciocínio abstrato (especulações teológicas): *Gostava de fazer especulações sobre o fim do mundo.* 6 Conclusão acerca dessas investigações 7 Suposição maldosa ou sem fundamento: *A notícia sobre a renúncia do presidente era pura especulação.* [Pl.: *-ções*.] [F.: Do lat. *speculatio, onis*.]

especulado (es.pe.cu.*la*.do) *a.* Que se especulou; que foi objeto de especulação [F.: Part. de *especular*.]

especulador (es.pe.cu.la.*dor*) [ô] *sm.* 1 Pessoa que especula, que realiza investigações, estudos 2 Aquele que desenvolve ou esboça teorias em algum campo do conhecimento; PENSADOR; TEÓRICO; TEORIZADOR 3 *Econ.* Indivíduo que desenvolve operações financeiras com o fim de obter grandes lucros a partir das oscilações do mercado 4 Pessoa que age de má-fé em negociações financeiras, a fim de obter um lucro exagerado 5 Aquele que faz especulações teóricas com base no raciocínio abstrato *a.* 6 Que especula, que faz especulações [F.: Do lat. *speculatorôris*.]

especular¹ (es.pe.cu.*lar*) *a2g.* 1 Ref. a espelho, ou que reflete como um espelho 2 Diz-se de superfície que reflete 3 Que é transparente, diáfano 4 Que é invertido como uma imagem de espelho 5 Que tem espelho(s) 6 *Med.* Diz-se de exame feito com espéculo [F.: Do lat. *speculâris*. Hom./Par.: *espicular*.]

especular² (es.pe.cu.*lar*) *v.* 1 Fazer suposições na falta de fatos concretos, levantar hipóteses; CONJETURAR [*tr. + sobre*: "...especularam [...] sobre a veracidade do casamento..." (*Folha de S.Paulo*, 21.07.1999)] [*int.*: *Na falta de informações, só lhes restava especular.*] 2 *Econ.* Fazer transações financeiras para lucrar com flutuações do mercado [*int.*: *Especula para si e para a empresa.*] [*tr. + com*: *Especula com o dólar para si e para a empresa.*] 3 Aproveitar-se (de cargo, situação etc.) para obter vantagens [*tr. + com*: *Especula com seu prestígio junto ao chefe.*] 4 Examinar, pesquisar, observar [*td.*: *O cientista especulava as transformações no clima.*] 5 *Restr.* Indagar com indiscrição; BISBILHOTAR [*int.*: *Pare de especular.*] [*tr. + sobre*: *Pare de especular sobre meu casamento.*] 6 Pensar, refletir [*tr. + sobre*: *Gosta de especular sobre ética e moral.*] [*int.*: *Quanto mais especulava, menos fazia.*] [► 1 especular] [F.: Do lat. *speculare*. Hom./Par.: *especulo* (fl.), *espéculo* (sm.); *especula* (fl.), *especula* (s2g.); *especulas* (fl.), *especulas* (pl. de *especula*); *especular*, *espicular* (em todas as fl.).]

especulativo (es.pe.cu.la.*ti*.vo) *a.* 1 Que busca o conhecimento por meio de teorizações, de indagações (espírito especulativo) 2 Ref. a ou em que há especulação; em que há busca de lucro a partir das oscilações do mercado financeiro (negócio especulativo) 3 Que abusa da boa-fé de outrem ou tira proveito de determinada situação para conseguir altos ganhos financeiros [F.: Do lat. tard. *speculativus*.]

espéculo (es.*pé*.cu.lo) *sm.* 1 *Med.* Instrumento us. para dilatar a entrada certas cavidades do corpo (ânus, vagina etc.) e permitir o exame de seu interior pelo próprio instrumento, por observação direta ou por meio de espelhos de que ele dispõe 2 *Zool.* Mancha clara nas asas de algumas aves e alguns insetos 3 *Zool.* Mancha na região cervical de algumas lagartas [F.: Do lat. *speculum*.]

espedaçado (es.pe.da.*ça*.do) *a.* Que se espedaçou; feito ou partido em pedaços; DESPEDAÇADO [F.: Part. de *espedaçar*.]

espedaçar (es.pe.da.*çar*) *v.* O mesmo que *despedaçar* [*td.*: *O descontrole o fez espedaçar o jarro.*] [*int.*: *O copo espedaçou-se ao ser derrubado.*] [►12 espedaçar] [F.: *es-* + *pedaço* + *-ar*².]

◎ **espele(o)-** *pref.* = caverna, gruta: *espeleologia*

espeleologia (es.pe.le:o.lo.*gi*.a) *sf. Geol.* Ramo da geologia que estuda as grutas e cavernas naturais [F.: *espele(o)-* + *-logia*.]

espeleológico (es.pe.le:o.*ló*.gi.co) *a.* Ref. a espeleologia [F.: *espeleologia* + *-ico*².]

espeleólogo (es.pe.le:*ó*.lo.go) *sm.* O mesmo que *espeleologista* [F.: *espele(o)-* + *-logo*.]

espelhação (es.pe.lha.*ção*) *sf.* Ação ou resultado de espelhar(-se); ESPELHAMENTO [Pl.: *-ções*.] [F.: *espelhar* + *-ção*.]

espelhado (es.pe.*lha*.do) *a.* 1 Que se espelhou 2 Que é polido ou luzidio como um espelho (piso espelhado) 3 Dotado de vidraças que produzem efeito de espelho: *as paredes espelhadas de um edifício.* 4 Que tem espelhos como revestimento: *um quarto todo espelhado.* 5 Que é manifesto, patente: *A verdade está espelhada nesse filme.* 6 Que é refletido, reproduzido: *Na superfície cromada via sua imagem espelhada, e distorcida.* 7 Simetricamente invertido, como se fosse imagem refletida em espelho: *Com ambas as mãos produzia ao mesmo tempo duas escritas espelhadas.* 8 *Jorn. Publ.* Diz-se de anúncio publicado em página dupla de jornal ou revista [F.: Part. de *espelhar*.]

espelhamento (es.pe.lha.*men*.to) *sm.* Ação ou resultado de espelhar; ESPELHAÇÃO [F.: *espelhar* + *-mento*.]

espelhante (es.pe.*lhan*.te) *a2g.* Que tem a reflexão ou o brilho do espelho; que reflete, espelha; ESPELHENTO [F.: *espelhar* + *-nte*.]

espelhar (es.pe.*lhar*) *v.* 1 Refletir(-se) (imagem ou imagem de) como (n)um espelho [*td.*: *O lago espelhava o incêndio no bosque.*] [*ta.*: *As chamas espelhavam-se nas águas do lago.*] 2 *Fig.* Expressar, retratar, reproduzir [*td.*: *A peça espelha os problemas sociais.*] 3 *Fig.* Tomar como modelo [*tr. + em*: *Em sua carreira, espelhou-se no pai.*] 4 *Fig.* Brilhar como um espelho [*int.*: *Uma lágrima discreta espelhou em seu rosto.*] 5 Cobrir de espelhos [*td.*: *Mandei espelhar uma parede do banheiro.*] 6 Transformar (vidro ou cristal) em espelho [*td.*] 7 *Enc.* Reforçar (as margens de página de livro, gravura etc.) emoldurando com uma espécie de *passe-partout* de papel com os mesmos formato e dimensões, de modo que o tema fique exposto e as margens cobertas [► 1 espelhar] [F.: *espelho* + *-ar*². Hom./Par.: *espelho* (fl.), *espelho* (sm.); *espelharia* (fl.), *espelharia* (sf.); *espelharias* (fl.), *espelharias* (pl. de *espelharia*).]

espelharia (es.pe.lha.*ri*.a) *sf.* Fábrica ou loja de espelhos; VIDRAÇARIA [F.: *espelho* + *-aria*.]

espelheiro (es.pe.*lhei*.ro) *sm.* Aquele que faz, vende ou conserta espelhos [F.: *espelho* + *-eiro*.]

espelhismo (es.pe.*lhis*.mo) *sm.* 1 Ação de refletir; REFLEXO 2 Ação de reproduzir, de imitar, consciente ou inconscientemente, o comportamento, a ação ou o modelo de outrem 3 Atitude que faz com que uma pessoa ou instituição observe e atue a partir dos conceitos que tem de si mesmo: "O espelhismo (...) é, sim, triste e trágico, não porque não se possa comparar suas respectivas trajetórias políticas..." (O Estado de S. Paulo, 14.08.2005); "...o ego, ao identificar-se com a imagem do ideal, atribui a si mesmo, atual e efetivamente, qualidades que só lhe pertencem de modo virtual e por espelhismo. É uma forma de autolatria." (Olavo de Carvalho, *O abandono dos ideais*) [F.: *espelho* + *-ismo*.]

espelho (es.*pe*.lho) [ê] *sm.* 1 Superfície metalizada e muito polida que reflete a luz e as imagens por ela iluminadas: *Mirava-se no espelho da garrafa cromada; espelho parabólico.* [Ger. a superfície metalizada reveste vidro.] 2 Objeto ger. plano constituído dessa superfície, que pode ser aplicado em outra superfície (parede, porta etc.) ou ser portátil, com ou sem moldura ou suporte: *o espelho oval do meu quarto.* 3 *Fig.* Exemplo de algo bom, louvável; MODELO: *Ela é um espelho de generosidade.* 4 *Fig.* Imagem, reflexo: *Um romancista é o espelho de sua época.* 5 A parte vertical do degrau de uma escada 6 *Fig.* Qualquer coisa que se pareça com um espelho: *O céu se refletia no espelho do lago.* 7 *Fig.* Parcela que representa algum valor ou qualidade: *Esse rapaz é um espelho do que há de melhor na juventude de hoje.* 8 *Fig.* Marca significativa que deixa transparecer algo: *Essa obra é o espelho de um grande talento.* 9 Chapa que circunda fechadura, interruptor, tomada etc. 10 *Art.gr. Jorn.* Esquema gráfico das matérias que serão paginadas 11 *Mús.* Superfície da haste dos instrumentos musicais (violão, guitarra, violoncelo etc.) sobre a qual correm as cordas 12 *Turfe* Linha de chegada das corridas de cavalo, onde existe realmente um espelho (2) 13 A face externa de uma gaveta 14 Abertura guarnecida de vidraça no frontispício de uma igreja 15 Redemoinho de pelos na parte anterior do peito de cavalo 16 *Arm.* Plano da boca de uma peça de artilharia 17 *Mús.* Abertura no tampo superior de instrumento de corda 18 *Mec.* Parte do cilindro das máquinas a vapor sobre a qual desliza a gaveta 19 *Mec.* Numa caldeira, placa à qual se prendem os cabos [F.: Do lat. *speculum*.] ■ **~ da falha** *Geol.* Numa falha geológica, a face polida pela fricção das faces da rocha que originou a falha **~ de fechadura** Chapa exterior que reveste uma fechadura, com os orifícios da chave e do eixo da maçaneta **~ eletrônico** *Eletrôn.* Campo eletromagnético entre eletrodos, capaz de refletir elétrons que o interceptem **~ magnético** *Fís.* Dispositivo que consiste em campo magnético capaz de refletir e repelir os íons de um plasma resultante de experiência termonuclear **~ parabólico** Espelho cuja superfície refletora é parabólica. Us. no trânsito para permitir uma visão perpendicular, em esquinas ou pontos em que a visão direta é bloqueada **~ retrovisor** *Mec.* Espelho instalado em veículos automotivos para permitir ao motorista, sem movimentar a cabeça, a visão do que está atrás do veículo

espelho-d'água (es.pe.lho-*d'á*.gua) *sm.* Superfície lisa e espelhante de uma grande extensão de água: *o espelho d'água da lagoa.* [Pl.: *espelhos-dágua*.]

espeloteado (es.pe.lo.te:*a*.do) *a.* *S* Que agiu de modo estouvado: "- Pois eu não dizia? Aquilo é assim mesmo, é espeloteado. Não quer, não sabe esperar..." (Julio Ribeiro, *A carne*) [F.: Part. de *espelotear*.]

espelotear (es.pe.lo.te.*ar*) *Bras. v. int.* 1 *S* Agir de maneira estabanada, estouvada 2 Comportar-se de maneira insensata, amalucada [► 13 espelotear] [F.: *es-* + *pelota* + *-ear*. Hom./Par.: *espeloteio* (fl.), *espeloteio* (sm.).]

espelunca (es.pe.*lun*.ca) *sf.* 1 Grande cavidade no solo; ANTRO; CAVERNA; FURNA 2 *Pej.* Local, ger. público, pobremente instalado, sujo ou mal frequentado: "...Era um jirau de pau roliço, desses cujos pés são forquilhas cravadas no chão, naquela espelunca escura e úmida." (Machado de Assis, *O alienista*) 3 Casa de jogo suja e ordinária, de baixo nível, ger. clandestina; BAIUCA [F.: Do gr. *spelugx*, pelo lat. *spelunca*.]

espeque (es.*pe*.que) *sm.* 1 Pau, esteio, estaca de madeira us. como escora; ESCORA; FORÇÃO 2 *Fig.* Arrimo, proteção, amparo, apoio 3 *N.E.* Na proa de jangadas, torno de madeira em que se amarram cordas ou cabos, como a escota da vela e a corda do tauaçu 4 *Bras. CO* Madeira que mantém o carro de boi na horizontal, quando este está parado [F.: Do neerl. ant. *handspaecke*, pelo fr. *anspect*.]

espera (es.*pe*.ra) *sf.* 1 Ação ou resultado de aguardar que um fato ou circunstância ocorra, ou que alguém chegue ou faça algo: *A espera do trem foi cansativa; A espera pela chegada da garota foi maçante.* 2 Esperança, expectativa de que algo aconteça 3 Demora, delonga, tardança 4 Lugar previamente combinado em que se espera ou aguarda por algo ou alguém 5 Emboscada, tocaia: *Foi baleado numa espera armada.* 6 Prazo acordado para a realização de algo 7 *Bras.* Correia da sela em que as cilhas são presas 8 Em rio ou baía, remanso em que se abrigam embarcações que aguardam a chegada do vento para prosseguir viagem 9 *Cons.* Numa parede, ressalto de pedras ou tijolos para que nele se amarre outra parede; DENTE; DENTILHÃO 10 Na bancada de carpinteiro, peça que segura a tábua que está sendo aplainada 11 *Mec.* Num torno mecânico, peça na qual se fixa a ferramenta 12 Modo passivo de pescar, que não requer atenção permanente 13 Armadilha para caça volumosa 14 *Bras. CO* Ver *espeque* [F.: Dev. de *esperar*.]

esperado (es.pe.*ra*.do) *a.* 1 Que se espera (visita esperada) [Ant.: *inopinado, repentino*.] 2 Que se prevê de antemão (resultado esperado) [Ant.: *imprevisível, imprevisto*.] 3 Que se deseja muito; ALMEJADO; ANSIADO: *Enfim conseguira realizar o tão esperado sonho da casa própria! sm.* 4 Aquele ou aquilo que se espera, que se prevê: *Aconteceu o esperado.* [F.: Part. de *esperar*, ou do lat. *speratus*, pat. de *sperare*. ant. ger.: *inesperado*.]

espera-marido (es.pe.ra-ma.*ri*.do) *sm.* 1 *Cul.* Doce de ovos com calda de açúcar queimado *a2g.* 2 Diz-se de certos cursos para moças que se destinam a preencher o tempo daquelas que esperam um pretendente para casar [Pl.: *espera-maridos*.] [F.: *esperar* (na 3ª pess. sing. pres. ind.) + *marido*.]

esperança (es.pe.*ran*.ça) *sf.* 1 Expectativa otimista da realização daquilo que se almeja: *Tinha a esperança de ser o primeiro colocado.* 2 *Fig.* Aquilo ou aquele em que(m) se deposita tal expectativa: *Aquele médico era sua esperança de recuperação.* 3 Expectativa, em geral, espera 4 Aquilo que se espera, que se almeja, mesmo que pouco provável, ilusório, vão: *Desista dessa esperança de ficar milionário!* 5 *Rel.* Juntamente com a fé e a caridade, a segunda das três virtudes básicas do cristão 6 *Zool.* Inseto ortóptero, de antena ger. mais longa que o corpo, pernas espinhosas e cor verde [F.: *esperar* + *-ança*.] ■ **~ de vida** *Dem.* Em certo contexto demográfico, duração média da vida de cada pessoa, com base em dados estatísticos, e que depende de fatores atuantes naquele grupo, como nível econômico, clima, condições de saúde, profilaxia e medicina, nível de qualidade de vida etc.; expectativa de vida **Que ~!** Expressão de convicção ou certeza de que aquilo que foi mencionado não vai acontecer (ainda que se pensasse ou desejasse que sim): *Aumento de salário este mês? Que esperança!*

esperançado (es.pe.ran.*ça*.do) *a.* Que tem esperança ou a mantém (torcedor esperançado) [F.: Part. de *esperançar*.]

esperançar (es.pe.ran.*çar*) *v.* Dar ou alimentar esperança; ANIMAR(-SE) [*td.*: *A notícia esperançou os pais do menino.*] [*int.*: *Após tantas derrotas, não queria mais esperançar.*] [▶ 12 esperan**çar**] [F.: *esperança* + *-ar*².] Hom./Par.: *esperança(s)* (fl.), *esperança(s)* (sf.[pl.]).]

esperançoso (es.pe.ran.*ço*.so) [ô] *a.* 1 Que é cheio de esperança: "...embebido em mil pensamentos, ora risonhos e esperançosos, ora amargos e sombrios." (Bernardo Guimarães, *O garimpeiro*) 2 Que dá esperança; PROMETEDOR: *O país viveu um momento esperançoso.* [Fem. e pl.: [ó].] *sm.* 3 Aquele que dá ou tem esperança [Fem. e pl.: [ó].] [F.: *esperança* + *-oso*.]

esperanto (es.pe.*ran*.to) *sm. Gloss.* Língua artificial concebida pelo polonês Ludwig Lazar Zamenhof (1859-1917) para servir de meio de comunicação internacional [F.: Do pseudônimo *Esperanto*, us. pelo criador dessa língua.]

esperar (es.pe.*rar*) *v.* 1 Estar ou ficar à espera de; AGUARDAR [*td.*: *Esperou a abertura da bilheteria.*] [*tr.* + *por*: *Vera esperou por seu namorado mais de uma hora.*] [*int.*] 2 Desejar, ter esperança (de) [*td.*: *Esperamos que vocês sejam felizes na casa nova.*] [*int.*: *Quem espera sempre alcança.* Ant.: *desesperançar*.] 3 Supor, imaginar [*td.*: *Ninguém esperava que ele chegasse tão cedo.*] 4 Contar com [*td.*: "Aliás não esperava muito que a celebridade me respondesse." (Manuel Bandeira, *Prosa esparsa*)] [*tr.* + *de*: *Ninguém esperava isso de você.*] 5 Ter fé em; ACREDITAR [*tr.* + *em*: *esperar em Nossa Senhora.*] 6 Estar grávida (de) [*td.*: *Ela espera o segundo filho.*] [*int.*: *Soube da novidade? Rosa está esperando, e já está no terceiro mês.*] [▶ 1 esper**ar** Us. como v. auxiliar modal, seguido de v. no infinit., para expressar esperança ou confiança na realização de um fato: *Espero passar no vestibular.*] [F.: Do lat. *sperare*. Hom./Par.: *espera* (fl.), *espera* (sf.); *esperas* (fl.), *esperas* (pl. de *espera*); *esperáveis* (fl.), *esperáveis* (pl. de *esperável* [a2g.]).]

esperável (es.pe.*rá*.vel) *a2g.* Que é possível esperar; ESPERADO; PROVÁVEL [Pl.: *-veis*.] [F.: Do lat. *sperabilis*.]

esperdiçar (es.per.di.*çar*) *v. td.* 1 Mesmo que *desperdiçar* 2 *N.E.* Perder (o gado) na mata [▶ 12 esperdi**çar**] [F.: prov. de *desperdiçar*.]

esperma (es.*per*.ma) *sm. Biol.* Líquido esbranquiçado produzido pelos órgãos genitais masculinos, e que contém os espermatozoides; ESPÉRMIO; ESPORRA; ESPORRO; GALA; PORRA; SÊMEN [F.: Do gr. *spérma, atos*, 'semente', pelo lat. *sperma, atis*.]

espermacete (es.per.ma.*ce*.te) *sm. Quím.* Espécie de gordura retirada da cabeça das baleias e us. na fabricação de velas, ceras, sabões etc. [F.: Do lat.medv. *sperma ceti*, 'sêmen de baleia', pelo it. *spermaceti*.]

espermateca (es.per.ma.*te*.ca) *sf. Zool.* Espécie de bolsa encontrada nas fêmeas de certos invertebrados, na qual ficam guardados os espermatozoides que servirão futuramente para a fecundação [F.: *esperma* + *-teca*.]

espermático (es.per.*má*.ti.co) *Biol. a.* 1 Ref. a esperma 2 Ref. a espermatozoide 3 Ref. a semente [F.: Do lat. *spermaticus, a, um*, do gr. *spermatikós, é, ón*.]

espermátide (es.per.*má*.ti.de) *sf. Cit.* Célula haploide formada durante a espermatogênese e que, ao sofrer diferenciação, se transforma em espermatozoide; ESPERMATÍDEO [F.: *espermat(o)-* + *-ide*¹.]

espermatídio (es.per.ma.*tí*.di:o) *sm. Cit.* O mesmo que *espermátide* [F.: *espermátide* + *-io*³.]

◎ **espermat(o)-** *el. comp.* = 'semente'; 'germe'; 'sêmen': *espermá tico* (< lat. < gr.), *espermatócito, espermatogênese, espermatozoide; espermograma; espermicida* [F.: Do gr. *spérma, atos*. Outras formas: *-spermo, -sperma*.]

espermatócito (es.per.ma.*tó*.ci.to) *sm. Cit.* Célula resultante do desenvolvimento e multiplicação de espermatogônia, e que pode ser de dois tipos: primário e secundário [F.: *espermat(o)-* + *-cito*.] ■ **~ primário** *Biol.* Célula diploide que se origina do desenvolvimento da espermatogônia e que se divide por meiose, para formar dois espermatócitos secundários **~ secundário** *Biol.* Cada uma de duas células haploides que se originam da meiose de espermatócito primário, e que, por sua vez se dividirá por meiose para dar origem a duas espermátides (que se desenvolverão por sua vez, em espermatozoides)

espermatogênese (es.per.ma.to.*gê*.ne.se) *sf. Biol.* Série de processos de divisão e diferenciação celular por meio dos quais os espermatozoides são formados [F.: *espermat(o)-* + *-gênese*.]

espermatogenético (es.per.ma.to.ge.*né*.ti.co) *a. Biol.* Ref. à espermatogênese ou próprio dela [F.: *espermatogên(ese)* + *-ético*, seg. o mod. gr.]

espermatogônia (es.per.ma.to.*gô*.ni:a) *sf. Cit.* Célula germinativa diploide, que sofre sucessivas mitoses produzindo espermatócitos [F.: *espermat(o)-* + *-gon(o)-* + *-ia*¹.]

espermatozoide (es.per.ma.to.*zoi*.de) *sm. Biol.* Célula de reprodução masculina presente no sêmen; GAMETA MASCULINO; MICROGAMETA [F.: *espermat(o)-* + *-zoide*.]

◎ **espermi-** *el. comp.* Ver *espermat(o)-*

espermicida (es.per.mi.*ci*.da) *a2g.* 1 Diz-se de substância química que destrói os espermatozoides e que pode ser us. como contraceptivo; ESPERMATICIDA *sm.* 2 *Farm.* Essa substância; ESPERMATICIDA [F.: *espermi-* + *-cida*.]

espermiogênese (es.per.mi:o.*gê*.ne.se.) *sf. Biol.* O mesmo que *espermatogênese* [F.: *espermi-* + *-o-* + *-gênese*.]

◎ **esperm(o)-** *el. comp.* Ver *espermat(o)-*

espermograma (es.per.mo.*gra*.ma) *sm.* 1 *Med.* Exame do esperma para determinar o número e a mobilidade dos espermatozoides, além do percentual de espermatozoides anormais 2 O resultado desse exame [F.: *espermo-* + *-grama*.]

espernear (es.per.ne.*ar*) *v.* 1 Agitar as pernas com vigor [*int.*: *Sem o brinquedo, a criança começou a espernear.*] 2 *Fig.* Reclamar, protestar; não aceitar ou não se submeter a algo [*tr.* + *contra*: *A população esperneou contra o novo imposto.*] [*int.*: *A atriz esperneou tanto que o diretor adiou a estreia.* Ant.: *acatar, resignar-se*.] [▶ 13 esperne**ar**] [F.: *es-* + *perna* + *-ear*². Hom./Par.: *esperneio* (fl.), *esperneio* (sm.).]

esperneio (es.per.*nei*.o) *sm.* 1 Ação ou resultado de espernear, de agitar as pernas com vigor 2 *Fig.* Reclamação, protesto; resistência, insubordinação [F.: Dev. de *espernear*.]

espertalhão (es.per.ta.*lhão*) *a.* 1 *Pej.* Diz-se de quem tenta ludibriar, enganar os outros *sm.* 2 *Pej.* Indivíduo dado a esse tipo de prática [Pl.: *-lhões*. Fem.: *-lhona*.] [F.: *esperto* + *-alhão*.]

espertar (es.per.*tar*) *v.* 1 Mesmo que *despertar* [*int.*] [*td.*] 2 Mover, excitar, estimular [*td.*: "Quem valorosas obras exercita, louvor alheio muito o esperta e incita" (Camões, *Lusíadas*)] 3 *Mar.* Dar sinal de alerta (tratando-se de sentinelas) [*td.*] 4 Chamar atenção de [*tr.* + *de*: *Espertou o amigo para a importância do acontecimento.*] 5 *Mar.* Esticar, tesar (um cabo) [*td.*] [▶ 1 espert**ar**] [F.: *esperto* + *-ar*. Hom./Par.: *esperta(s)* (fl.), *esperta* (f.esperto[a.sf.] e pl.), *experta* (f.experto[a.sm.] e pl.); *esperto* (fl.), *esperto* (a.sm.) e experto (a.sm.).]

esperteza (es.per.*te*.za) [ê] *sf.* 1 Qualidade de quem é esperto 2 Ação, método de ação, comportamento de quem reúne qualidades como inteligência, rapidez, sagacidade, senso de oportunidade etc.: *Sua esperteza garantiu-lhe o contrato, vencendo todos os concorrentes.* 3 Ação, método, procedimento aéticos, desonestos, para iludir a boa fé de alguém e obter com isso ganhos, vantagens etc.; ARDIL; ASTÚCIA; MALANDRAGEM: *Usa de esperteza para arrancar dinheiro dos outros:* "...faz da política um meio de existência e supre com a esperteza criminosa a superioridade de pensar..." (Euclides da Cunha, *Confrontos e contrastes*) [F.: *esperto* + *-eza*.]

espertinho (es.per.*ti*.nho) *Bras. Pop. a.* 1 Que quer fazer o papel de esperto (2) 2 Que age de modo incorreto para tirar proveito para si, prejudicando os outros *sm.* 3 Indivíduo espertinho (1 e 2) [F.: *esperto* + *-inho*¹.]

esperto (es.*per*.to) *a.* 1 Que está desperto, acordado 2 Que percebe e compreende as coisas com facilidade; que age com presteza e eficiência 3 Que pratica atos desonestos ou imorais para iludir ou lograr os outros; ESPERTALHÃO: *O vendedor esperto tentou me enganar no troco.* 4 Diz-se do que é enérgico, vigoroso ou bem forte e vivo: *Com movimentos espertos, o atleta venceu a luta; Deixe cozinhar em fogo esperto.* 5 Diz-se de banho um pouco quente, morno 6 *Pop.* Ver *bacana sm.* 7 Indivíduo espertalhão: *Os espertos procuram sempre levar vantagem em detrimento dos outros.* [F.: Do lat. vulg. *expertus*. Hom./Par.: *esperto* (fl. de *espertar*); *experto*.]

espessado (es.pes.*sa*.do) *a.* Que se tornou espesso; ENGROSSADO: *alimento espessado com farinha.* [F.: Part. de *espessar*.]

espessamento (es.pes.sa.*men*.to) *sm.* Ação ou resultado de espessar(-se) [F.: *espessar* + *-mento*.] ■ **~ de Caspary** *Bot.* Espessamento na parede radial de raízes novas

espessante (es.pes.*san*.te) *a2g.* 1 Aquilo que tem a possibilidade de espessar (algo) *sm.* 2 *Quím.* Substância capaz de aumentar a viscosidade de soluções, emulsões e suspensões us., p.ex., na indústria de alimentos [F.: *espessar* + *-nte*.]

espessar (es.pes.*sar*) *v.* 1 Fazer ficar ou ficar espesso ou mais espesso, grosso, denso; ENGROSSAR [*td.*: *Espessou o caldo acrescentando farinha; espessar um pontilhado.*] [*int.*: *O mingau espessou-se.*] 2 Fazer ficar ou ficar escuro ou mais escuro, opaco [*td.*: *Usa rímel para espessar e alongar os cílios.*] [▶ 1 espess**ar**] [F.: Do lat. *spissare*. Hom./Par.: *espeçar* (todos os tempos do v.); *espessa(s)* (fl), *espessa* /ê / (f. *espesso* /ê /) e pl., *espeça, espeças* (fl. *expedir*); *espessais* (fl.), *espessam* (fl.), *espessamos* (fl.), *espeçais, espeçam, espeçamos* (fl. *expedir*); *espesso* (fl.), *espesso* /ê / (adj.) e *expeço* (fl. *expedir*).]

espesso (es.*pes*.so) [ê] *a.* 1 Que é grosso (livro espesso) [Ant.: *delgado, fino*.] 2 Diz-se de substância pastosa, cremosa etc. quando densa, consistente (mingau espesso) 3 Que é denso, compacto (nuvens espessas): *espessa camada de folhas.* 4 Que é encorpado: *Cobria-se com um edredom espesso;* "...Sobre as portas desdobram-se espessos reposteiros da cor sombria do papel..." (Raul Pompeia, *As joias da Coroa*) 5 Que é basto, compacto, volumoso: *O rapaz tinha uma cabeleira espessa.* [Ant.: *escasso, ralo*.] 6 Que é turvo, opaco (devido à grande densidade): *A fumaça espessa prejudicava a visão da estrada; A espessa penumbra já beirava a escuridão.* [F.: Do lat. *spissus*.]

espessura (es.pes.*su*.ra) *sf.* 1 Qualidade do que é espesso; GROSSURA: *a espessura de um tronco de árvore.* 2 Grau de consistência, da densidade de algo: *a espessura do xampu.* 3 Medida de grossura: *A espessura da tábua era de 3 cm.* 4 Ajuntamento de elementos que formam um todo compacto: *a espessura de um matagal.* 5 Qualidade, característica, condição do que é basto: *a espessura das sobrancelhas.* 6 Floresta ou bosque com vegetação cerrada 7 *Pap.* Grossura de folha de papel, cartão, cartolina etc. [F.: *espesso* + *-ura*.]

espetacular (es.pe.ta.cu.*lar*) *a2g.* 1 Ref. a ou próprio de espetáculo 2 Que impressiona pela grandiosidade, beleza excepcional, luxo etc. 3 *Bras.* Que é excelente, sensacional, de grande qualidade (filme espetacular) [F.: *espetáculo* + *-ar*¹.]

espetacularidade (es.pe.ta.cu.la.ri.*da*.de) *sf.* Característica ou qualidade do que é espetacular: *a espetacularidade das alegorias das escolas de samba cariocas.* [F.: *espetacular* + *-(i)dade*.]

espetacularismo (es.pe.ta.cu.la.*ris*.mo) *sm.* Condição do que é espetacular: "A consequência é que a informação se reveste cada vez mais do espetacularismo da ficção, e menos do seu caráter de formadora..." (*Observatório da imprensa*, 03.06.2003) [F.: *espetacular* + *-ismo*.]

espetáculo (es.pe.*tá*.cu.lo) *sm.* 1 Aquilo que atrai a atenção, chama e prende o olhar 2 Apresentação pública de teatro, música, dança etc. 3 Aquilo que atrai pela grandiosidade, beleza etc.: *A multidão reunida na praça era um espetáculo.* 4 Qualquer tipo de apresentação em que haja beleza, técnica, brilhantismo etc.: *O desfile de modas foi um espetáculo.* 5 Conjunto de imagens que impressionam a visão: *Era um espetáculo o céu cheio de estrelas.* 6 Algo ou alguém que impressiona pela grande beleza, eficiência, desempenho etc.: *A nova modelo era um espetáculo, e seu carro também.* 7 Cena escandalosa (de amor, briga, discussão etc.): *O casal começou a discutir e deu um espetáculo na porta da casa.* [F.: Do lat. *spectaculum*.] ■ **Dar ~** 1 Ser alvo de zombaria por ter, intencional ou acidentalmente, chamado a atenção por espalhafato, situação ridícula ou engraçada etc. 2 Agir escandalosamente **Servir de ~** Ver *Dar espetáculo* (1) **Um ~** 1 Pessoa ou coisa muito boa, bonita ou vistosa: *– E o filme? – Um espetáculo!* 2 Muito bom, excepcional: *O show foi um espetáculo.*

espetaculosidade (es.pe.ta.cu.lo.si.*da*.de) *sf.* Qualidade do que é espetaculoso; OSTENTAÇÃO; ESTARDALHAÇO: "Ele ainda se refere à intervenção federal como espetaculosidade inútil." (*O Globo*, 11.07.2002) [F.: *espetaculoso* + *-(i)dade*.]

espetaculoso (es.pe.ta.cu.*lo*.so) [ô] *a.* 1 Feito com pompa, ostentação ou luxo: *O desfile real foi espetaculoso.* 2 Que chama muito a atenção; que dá muito na vista: *Entrou no hotel com gestos espetaculosos.* 3 Que é ridículo, escandaloso ou que é dado a fazer escândalos [Fem. e pl.: [ó].] [F.: *espetáculo + -oso.*]

espetada (es.pe.*ta*.da) *sf.* 1 Ação ou resultado de espetar 2 Golpe desferido com espeto ou qualquer objeto perfurante: *Levou uma espetada de canivete.* 3 Conjunto de alimentos enfiados em espeto, para assar 4 *Fig. Pop.* Repreensão ríspida e rápida: *O aluno inquieto levou uma espetada do professor.* [F.: Fem. de *espetado.*]

espetadela (es.pe.ta.*de*.la) *sf.* 1 Ação ou resultado de dar uma espetada leve e/ou rápida 2 *P.ext. Pej.* Dito picante ou ofensivo, ger. de pouca gravidade [Trata-se ger. de alusão ou menção a algo que incomoda, constrange ou desabona o(s) receptor(es).] 3 *Fig.* Logro, engano, tapeação 4 *Fig.* Situação difícil; APERTO; EMBARAÇO; DIFICULDADE [F.: *espetar + -dela.*]

espetado (es.pe.*ta*.do) *a.* 1 Que se espetou 2 Que foi atravessado ou ferido com golpe de espeto ou outro objeto perfurante 3 *Fig.* Ver *empertigado* 4 *Pop.* Que fica em pé, arrepiado: *Usava o cabelo curto e espetado.* 5 Ver *encalacrado* 6 Que ficou um tanto perturbado ou irritado com crítica, repreensão etc.; ESPICAÇADO; MORDIDO [F.: Part. de *espetar.*]

espetar (es.pe.*tar*) *v.* 1 Furar(-se), ferir(-se), atravessar ou cutucar com algo pontudo ou áspero [*td.*: *espetar uma azeitona; Este suéter está me espetando.*] [*int.*: *Espetei-me com um espinho.*] 2 Prender (em algum lugar) com objeto pontiagudo [*tda.*: *Pode espetar o convite no quadro de avisos.*] 3 *Fig.* Criticar sem muita intensidade [*td.*: *Vivia espetando o irmão com suas ironias.*] 4 Fixar (peça, dispositivo) por pressão, no lugar adequado [*td.*: *Vou espetar esta placa e religar o computador.*] 5 *Fig. Pop.* Envolver (alguém) em problema; COMPROMETER; ENCALACRAR; ENCRENCAR [*td.*: *Estar sem os documentos espetou o rapaz.*] [▶ 1 espetar] [F.: *espeto + -ar²*. Hom./Par.: *espeto* (fl.), *espeto* (sm.).]

espetinho (es.pe.*ti*.nho) *sm.* 1 Espeto pequeno 2 *Cul.* Conjunto de pequenos pedaços de carne enfiados no espeto, para assar; BROCHETE; CHURRASQUINHO 3 *Cul.* Tira-gosto constituído de pequenos cubos de linguiça, queijo, salsicha, azeitona etc., enfiados num palito [F.: *espeto + -inho.*]

espeto (es.*pe*.to) [ê] *sm.* 1 Pequena haste de madeira, metal etc. para espetar e assar pedaços de carne, peixe, frango etc., no fogo ou na brasa 2 Qualquer vara ou haste com uma das pontas afiada 3 *Fig.* Pessoa alta e muito magra 4 *Bras. Fig.* Pessoa ou coisa que chateia, aborrece; CHATICE: *Marido reclamador é um espeto.* 5 *Bras. Pop.* Coisa difícil de fazer, inconveniente ou maçante: *Que espeto, vou de ter de fazer meu imposto de renda hoje...* 6 *Bras. Hist.* Alcunha criada pelos republicanos e liberais mineiros para designar os monarquistas conservadores [F.: Do gót. *spitus*. Hom./Par.: *expeto*, fl. do v. *expetar.*]

espevitadeira (es.pe.vi.ta.*dei*.ra) *sf.* Tesoura própria para espevitar pavios [F.: *espevitar + -deira.*]

espevitado (es.pe.vi.*ta*.do) *a.* 1 Diz-se de morrão, pavio, mecha etc. cortados com a espevitadeira 2 *P.ext.* Que foi avivado, incentivado, estimulado: *fogo de chama espevitada.* 3 *Fig.* Que é afetado, presunçoso; PETULANTE: *Suas maneiras espevitadas constrangiam os convidados.* 4 Que é muito animado e desembaraçado no falar e nos gestos; IRREQUIETO: *Era uma moça muito falante e espevitada.* 5 Que se mostra irritado, zangado: *Ficou todo espevitado quando pisaram no seu pé.* [F.: Part. de *espevitar.*]

espevitamento (es.pe.vi.ta.*men*.to) *sm.* 1 Ação ou resultado de espevitar 2 Comportamento ou característica de quem é espevitado [F.: *espevitar + -mento.*]

espevitar (es.pe.vi.*tar*) *v.* 1 Aparar (morrão, mecha, pavio) para tornar a chama mais viva; ESMORRAÇAR; ESMORRAR [*td.*] 2 *P.ext.* Avivar (a chama) por meios diversos [*td.*: *Lançou mais lenha para espevitar a fogueira:* "Na cozinha pobre a mulher espevitava... o fogo" (Antônio Deodato, *Canaviais*)] 3 Produzir estímulo; AVIVAR [*td.*: *Queria espevitar a inteligência das crianças.*] 4 Comportar-se de maneira muito apurada, muito afetada [*td.*: *Espevitava-se toda ao falar do padrinho rico.*] 5 Agastar-se, irritar-se [*td.*: *Espevitou-se todo ao ser censurado.*] 6 Fixar a vista de modo insistente em (algo ou alguém) [*td.*: *Vivia espevitando a garota da casa ao lado.*] [▶ 1 espevitar] [F. orig. obsc.]

espezinhado (es.pe.zi.*nha*.do) *a.* 1 Que se espezinhou 2 Que é amassado, pisado, pisoteado 3 *Fig.* Diz-se de quem é humilhado, ofendido, tratado com menosprezo; REBAIXADO: "...um nervosismo incompreensível fazia-me tremulo os dedos, (...) humilhado, espezinhado, como se fosse responsável por todas as sandices do meu fraco sexo." (João do Rio, *Dentro da noite*) [F.: Part. de *espezinhar.*]

espezinhador (es.pe.zi.nha.*dor*) [ô] *a.* 1 Que espezinha: *Queria livrar-se daquele tipinho espezinhador.* *sm.* 2 Aquele que espezinha: *O menino ingênuo era alvo dos espezinhadores.* [F.: *espezinhar + -dor.*]

espezinhar (es.pe.zi.*nhar*) *v. td.* 1 Tratar com desrespeito ou desdém; HUMILHAR; AVILTAR: *O bom esportista não espezinha os adversários.* [Ant.: *respeitar.*] 2 Tratar com tirania, com opressão; OPRIMIR; PISOTEAR: *espezinhar os subalternos.* [Ant.: *respeitar.*] 3 Pisar com os pés, comprimindo [▶ 1 espezinhar] [F.: *es- + pé + -z- + -inhar.*]

espia¹ (es.*pi*.a) *s2g.* 1 Ver *espião* 2 Pessoa que vigia; SENTINELA 3 *Mil.* Soldado que fica posicionado na vanguarda do exército para observar as ações do inimigo 4 *Bras. Pesc.* Ponto do mar, próximo à costa, em que os pescadores interceptam os cardumes durante suas migrações 5 *Bras. Pesc.* A entrada de um cercado que se constrói para pesca a pequena distância da praia, tb. chamado curral de peixe *sm.* 6 *Bras. Pesc.* Pescador que localiza os cardumes e coloca as redes para pegá-los [F.: Do gót. *spahia*, pelo it. *spia.*]

espia² (es.*pi*.a) *sf.* 1 *Mar.* Cabo para amarrar embarcações ao cais, a uma boia ou a uma outra embarcação 2 Cabo ou corda com uma extremidade amarrada no topo de mastro ou de poste, e a outra ao solo, a fim de mantê-los equilibrados [F.: Dev. de *espiar.*]

espiada (es.pi.*a*.da) *Bras. sf.* 1 Ação ou resultado de espiar, de olhar rápida ou furtivamente; ESPIADELA; OLHADELA: *Deu uma espiada na bolsa da tia.* 2 Ação de olhar só por curiosidade, sem intenção de obter o que se olha: *Deu uma espiada na vitrine e gostou de algumas coisas.* [F.: *espiar + -ada.*]

espiadela (es.pi.a.*de*.la) *sf.* Ato de espiar rapidamente; observação ligeira; ESPIADA; OLHADELA [F.: *espiar¹ + -dela.*]

espiado (es.pi.*a*.do) *a.* 1 Que se espiou 2 Vigiado secretamente 3 Que foi olhado, observado [F.: Part. de *espiar.* Hom./Par.: *espiado* (a.), *expiado* (a.).]

espiantar (es.pi.an.*tar*-se) *v. int. Gír.* Cair fora; ir embora [▶ 1 espiantar]

espião (es.pi:*ão*) *sm.* 1 Agente secreto que se infiltra entre os inimigos para obter informações sigilosas; ESPIA 2 Indivíduo que observa algo ou alguém secretamente 3 *Pej.* Indivíduo que observa o que os outros fazem para depois denunciá-los; DEDO-DURO 4 *Bras. Pop. Esp.* Pessoa que observa atletas para descobrir novas vocações e indicá-las a clubes ou agremiações esportivas, com o intuito de obter lucro em caso de transação comercial; OLHEIRO 5 *Bras. Gír.* Indivíduo que comunica a chegada da polícia a delinquentes ou camelôs, para que estes possam fugir [Pl.: *-ões.*] *a.* 6 Que faz espionagem ou é próprio para fazê-la (nave espia) [Pl.: *-ões.*] [F.: Do it. *spione*, posv. pelo fr. *espion.*]

espiar¹ (es.pi.*ar*) *v.* 1 Espreitar secretamente, para observar as ações e comportamentos de (alguém, grupo, instituição etc.) [*td.*: *Mandou um olheiro para espiar o treino do time adversário.*] 2 Observar sem ser notado; ESPIONAR [*td.*: *Vivia espiando o vizinho;* "... deviam estar a espiá-la por todos os lados." (Pepetela, *A casa*)] 3 *Bras.* Olhar, observar (através de) [*td.*: *Gosta de espiar os pássaros no ninho.*] [*int./ta.*: *A criança subiu no banquinho para espiar (pela janela).*] 4 Dar uma espiada, olhadela em [*td.*: *Espiou rapidamente o catálogo e fez os pedidos.*] [▶ 1 espiar] [F.: Do gótico *spaíhôn*. Hom./Par.: *espia* (fl.), *espia* (sf.); *espias* (fl.), *espias* (pl. de *espia*); *espiar*, *expiar* (em todas as fl.).]

espiar² (es.pi.*ar*) *v. td.* Prender (navio, ferro etc.) com espia (2) [▶ 1 espiar] [F.: De or. contrv.]

espicaçado (es.pi.ca.*ça*.do) *a.* 1 Que se espicaçou 2 Que foi bicado ou picado 3 *Fig.* Que teve seu ânimo, vontade, curiosidade ou agressividade estimulada: *Ao fim do debate, era um homem espicaçado e violento;* "...nos leitos solitários; a morderem-se loucas, bestiais, espicaçadas pelos ferrões do desejo." (Júlio Ribeiro, *A carne*) 4 *Fig.* Que experimenta mágoa, ressentimento: *Cheio de ciúme, o marido espicaçado trancou a mulher no quarto.* [F.: Part. de *espicaçar.*]

espicaçamento (es.pi.ca.ça.*men*.to) *sm.* Ação ou resultado de espicaçar; INSTIGAMENTO: *o espicaçamento dos grupos rivais.* [F.: *espicaçar + -mento.*]

espicaçante (es.pi.ca.*çan*.te) *a2g.* 1 Que espicaça; que fura ou pica (objeto espicaçante) 2 *Fig.* Que estimula; INSTIGANTE: "...só via um caminho coerente – o da contínua experimentação, associada a uma espicaçante lucidez." (*Jornal do Brasil*, 29.09.2001) 3 Que espicaça, aflige, machuca, magoa, perturba, tortura: *Sua ironia foi espicaçante.* [F.: *espicaçar + -nte.*]

espicaçar (es.pi.ca.*çar*) *v. td.* 1 *Fig.* Incitar, instigar: *Suas aulas espicaçam o interesse dos alunos.* 2 *Fig.* Magoar, torturar, afligir: *O remorso espicaçava-o.* 3 Ferir com o bico (3) ou com objeto pontiagudo 4 *Fig.* Humilhar, vexar [*td.*: *Espicaçou-o na frente do irmão.*] [▶ 12 espicaçar] [F.: *es- + pico¹ + -açar.*]

espichada (es.pi.*cha*.da) *Bras. sf.* 1 Crescimento rápido: *Em pouco tempo, o menino deu uma espichada e ficou bem alto.* 2 Ação de ir a outros lugares, além daquele(s) programado(s); prolongamento de uma viagem: *Além de visitar a família, deu uma espichada aos dois países que ainda não conhecia.* [F.: *espichar + -ada¹.*]

espichado (es.pi.*cha*.do) *a.* 1 Que se espichou; ESTICADO: *Cabelo espichado; couro espichado.* 2 Que está deitado ou estirado ao comprido: *Passou o dia lendo na cama, o corpo mole e espichado.* 3 Muito crescido para a idade: *Era um menino magro mas espichado.* [F.: Part. de *espichar.*]

espichamento (es.pi.cha.*men*.to) *sm.* 1 Ação ou resultado de espichar, esticar (espichamento do couro); ESTICAMENTO 2 Ação ou resultado de alisar (espichamento do cabelo); ALISAMENTO 3 Ação ou resultado de alongar ou prolongar (espichamento da novela); ALONGAMENTO; PROLONGAMENTO [F.: *espichar + -mento.*]

espichar (es.pi.*char*) *v.* 1 Esticar(-se), estender(-se) [*td.*: *Os meninos espicharam o pescoço para ver a moça passar; Espichou-se para limpar a janela.*] 2 Crescer, ficar mais alto [*int.*: *Nossa, como esse menino espichou!*] 3 Deitar-se, esticando-se [*td.*: *Espichou-se à sombra de uma árvore.*] 4 *Fig.* Fazer ficar ou ficar mais comprido; fazer durar ou durar mais tempo; ALONGAR(-SE); ENCOMPRIDAR(-SE); ESTENDER(-SE); PROLONGAR(-SE) [*td.*: *Espichou a história até que os filhos adormecessem.*] [*int.*: *A conversa espichou-se por toda a noite.*] 5 *Fig.* Economizar (dinheiro, recursos) ou obter acréscimo ou suplemento (ao dinheiro ou aos recursos que já havia) [*td.*: "Resmungava, rezingava, numa aflição, tentando espichar os recursos minguados" (Graciliano Ramos, *Vidas Secas*); "Di [Cavalcanti], para espichar os cobres magros que lhe mandava o"Correio da Manhã", trabalhava como desenhista de modas." (*Folha de S.Paulo*, 13.02.1982] [▶ 1 espichar] [F.: *espicho + -ar²*. Hom./Par.: *espicho* (fl.), *espicho* (sm.); *espicha(s)* (fl.), *espicha(s)* (sf.[pl.]); *espiche(s)* (fl.), *espiche(s)* (sm.[pl.]).]

espiciforme (es.pi.ci.*for*.me) *a2g. Bot.* Semelhante a espiga; ESPIGOSO [Do lat. *spica*, na forma *espici + -forme.*]

espícula (es.*pí*.cu.la) *sf.* 1 Pequena espiga 2 *Bot.* O mesmo que *espigueta* (2) 3 *Bot.* Espinho pequeno 4 *Zool.* Qualquer uma das pequenas partes do esqueleto calcário ou silicoso dos espongiários 5 *Zool.* Cada uma das saliências espinhosas que aparecem nas nadadeiras de diversos tipos de peixes 6 *Astron.* Ponto que brilha na superfície do Sol [F.: Do lat. *spicula, ae.*]

espiculado (es.pi.cu.*la*.do) *a. Bot.* Diz-se de inflorescência formada por espículas [F.: *espícula + -ado¹.*]

espicular¹ (es.pi.cu.*lar*) *v.* 1 Tornar aguçado como a ponta do dardo [*td.*] 2 Prover de espiga, dar ou adquirir formato de espícula, de espiga [*td.*: *O bom clima espiculou cedo o milharal.*] [*int.*: *Os brotos espicularam(-se) cedo no milharal.*] 3 Tornar agudo; AGUÇAR [*td.*] [▶ 1 espicular] [F.: *espícula + -ar².*]

espicular² (es.pi.cu.*lar*) *a2g.* Relativo a espícula ou a espiga [F.: *espícula + -ar¹.*]

espiga (es.*pi*.ga) *sf.* 1 *Bot.* Tipo de inflorescência em que as flores sésseis estão dispostas ao longo de um eixo central 2 *Bot.* Haste terminal de algumas gramíneas, como o trigo e o milho, onde se situam os grãos 3 Pequena raiz ou pele que se levanta junto à raiz das unhas 4 Parte de uma peça que se encaixa no furo de outra (esp. parte afilada da haste de chave de fenda, lima etc. que penetra no cabo dessas ferramentas) 5 *Tec.* A parte situada entre a cabeça e a ponta de pregos, parafusos, rebites etc. 6 *Astron.* Tradicional designação dada à estrela alfa da constelação de Virgem. [Com inicial maiúsc. nesta acp.] 7 *P.ext. Fig. Pop.* Contratempo, trabalho enfadonho, maçada: *Que espiga! Eu não queria encontrar esse cara!* 8 *MA Pop. Pej.* Apelido que os maranhenses dão aos piauienses [Dim.: *espícula.*] [F.: Do lat. *spica*. Hom./Par.: *espiga* (sf.), *espiga* (fl. de *espigar*). Col.: *atilho, espigame, paveia.*]

espigado (es.pi.*ga*.do) *a.* 1 Que lançou ou criou espiga 2 Que semelha uma espiga 3 *P.ext. Fig.* Diz-se de pessoa alta, crescida, de porte ereto 4 *Fig. Pop.* Diz-se de cabelo seco e quebradiço; ARREPIADO 5 *Fig. Pop.* Que sofreu logro; ENGANADO; LOGRADO; PREJUDICADO [F.: Do lat. *spicatus.*]

espigamento (es.pi.ga.*men*.to) *sm.* Ação ou resultado de espigar, de criar espiga [F.: *espigar + -mento.*]

espigão (es.pi.*gão*) *sm.* 1 Espiga grande 2 O ponto mais alto de uma serra, monte ou rochedo 3 Haste de madeira ou ferro com uma extremidade aguçada, para ser cravada em parede, chão, ou qualquer lugar; PUA 4 *Pej.* Edifício muito alto, que contrasta com os que estão a seu redor e perturba o conjunto em sua concepção arquitetônica e urbanística 5 *Cons.* Obra para reforçar e dar mais solidez às colunas dos arcos de pontes; BOTARÉU 6 *Arq.* Ângulo formado pelo encontro das águas dos telhados sobre as tacaniças 7 Remate anguloso; CUMEEIRA 8 *Eng.* Espécie de dique construído nas margens de um rio ou mar, obliquamente ao movimento das águas para contê-las, mudar sua direção e prevenir inundações 9 *Geog.* Cordilheira que separa cursos de água 10 *Mús.* Ponta de metal ou madeira sobre a qual se apoiam instrumentos como os contrabaixos e violoncelos 11 *Mar.* Ferro pontiagudo que, em lugar de borla, se crava no topo de mastaréus 12 *Od.* Pino que se crava em canal de dente e no qual se fixa prótese dentária [Pl.: *-gões.*] [F.: *espiga + -ão¹.*] ■ **~ mestre** O pico mais elevado de uma cadeia de montanhas

espigar (es.pi.*gar*) *v.* 1 *Agr.* Botar espiga (o trigo, o milho etc.) [*int.*: *O trigo cresceu e começou a espigar.*] 2 *Fig. Pop.* Crescer [*int.*: *A menina espigou da noite para o dia.*] 3 *Agr.* Deitar rebento; GERMINAR; GRELAR [*int.*: *As hortaliças espigaram graças às chuvas.*] 4 *Fig. Pop.* Causar prejuízo a (alguém ou si mesmo), ger. por meio de logro [*td.*] [▶ 14 espigar] [F.: Do lat. *spicare*. Hom./Par.: *espiga* (fl.), *espiga* (sf.); *espigas* (fl.), *espigas* (pl. de *espiga*); *espigo* (fl.), *espigo* (sm.).]

espigoso (es.pi.*go*.so) [ô] *a.* 1 Que tem espigas 2 *Bot.* O mesmo que *espiciforme* [Fem. e pl.: [ó].] [F.: *espiga + -oso.*]

espigueta (es.pi.*gue*.ta) [ê] *sf.* 1 Pequena espiga 2 *Bot.* Tipo de inflorescência formada por espiga muito curta, com uma ou poucas flores, várias brácteas e bractéolas, de aspecto seco, característica da fam. das gramíneas e tb. encontrada em certas ciperáceas; ESPÍCULA [F.: *espiga + -eta.*]

espiguilha (es.pi.*gui*.lha) *sf.* Renda estreita de bicos para guarnições; PONTILHA: "... e o leve roçar da espiguilha do vestido no seu colo aveludado causava-lhe sensações voluptuosas." (José de Alencar, *O guarani*) [F.: *espiga + -ilha.*]

espinafração (es.pi.na.fra.*ção*) *sf.* 1 Ação ou resultado de espinafrar 2 *Bras. Pop.* Repreensão dura, severa; DESCOMPOSTURA; REPRIMENDA; SABÃO [Pl.: *-ções.*] [F.: *espinafrar + -ção.*]

espinafrar (es.pi.na.*frar*) *Bras. Pop. v. td.* 1 Passar um pito em; criticar duramente; REPREENDER: *A imprensa espina-*

frou o técnico da seleção. 2 Falar muito mal de, apresentar como ridículo, desprezível, arrasar com (alguém ou algo); DESMORALIZAR; RIDICULARIZAR: Espinafrar o trabalho de alguém. [▶ 1 espinafrar] [F.: espinafre + -ar². Ant. ger.: elogiar, enaltecer. Hom./Par.: espinafre (fl.), espinafre (sm.); espinafres (fl.), espinafres (pl. de espinafre).]

espinafre (es.pi.na.fre) sm. 1 Bot. Planta da fam. das quenopodiáceas (Spinacea oleracea), procedente da Ásia, de folhas sagitadas, comestíveis, e flores esverdeadas 2 Fig. Indivíduo muito alto e magro [F.: Do persa ispanah ou aspanakh, pelo ár. hisp. isbanah ou isfanah ou isfanadj.]

◎ **-(e)spinal** el. comp. = 'da espinha dorsal'; 'medula espinhal'; 'espinha': acromiospinal, cerebrospinal, corticoespinal, corticospinal, genitoespinal, genitoespinal [F.: Do lat. spinalis, e, 'da espinha dorsal'.]

espinal (es.pi.nal) a2g. Ver espinhal [Pl.: -nais.] [F.: Do lat. spinalis.]

espinel (es.pi.nel) sm. Mar. Artefato de pesca composto de uma linha forte e comprida da qual saem várias linhas secundárias em cujas pontas há um anzol [Pl.: -néis.] [F.: Do fr. ant. ou provç. espinel. Tb. espinhel.]

espinélio (es.pi.né.li:o) sm. Min. Denom. comum aos minerais do grupo dos espinélios, constituídos basicamente de aluminatos de magnésio, mas podendo ainda conter ferro, manganês, zinco ou cromo [F.: Do it. spinello.]

espinescência (es.pi.nes.cên.ci:a) sf. 1 Bot. Distribuição de espinhos na superfície de um vegetal 2 Qualidade do que é espinescente [F.: De espinescente + -ia², por anal. com voc. lat. em -ntia, ae (< suf. lat. -ns, -ntis + suf. lat. -ia, ae) na passagem para o port.]

espinescente (es.pi.nes.cen.te) a2g. 1 Bot. Que está cheio de pequenos espinhos 2 Que toma a forma de espinho ou se torna espinhoso [F.: Do lat. tard. spinescens, entis.]

espineta (es.pi.ne.ta) [ê] sf. Mús. Antigo instrumento de teclado e cordas percutíveis, semelhante ao cravo, mas de época anterior [F.: Do it. spinetta.]

espingarda (es.pin.gar.da) sf. 1 Arm. Arma de fogo portátil, de cano longo, que ger. se dispara apoiando sua coronha no ombro: "Ao saltar do barranco, a espingarda disparase-lhe, e a carga, zás vae cravar-se no napolitano!" (Eça de Queirós, Os Maias) 2 N.E. Bras. Concubina, amante [F.: Do fr. ant. espringarde, espringale, do ant. v. espringuer, proveniente do frânc. springan 'saltar', pelo it. spingarda.]

espinha (es.pi.nha) sf. 1 Pop. Anat. Série de apófises da coluna vertebral 2 Pop. Anat. A coluna vertebral 3 Zool. Nos animais, a coluna vertebral 4 Osso do esqueleto de peixe, esp. cada um dos finos ossos que se dispõem bilateralmente ao longo desse esqueleto 5 Med. Certa erupção da pele, ger. no rosto; ACNE 6 Conjunto dos pontos mais altos de uma cadeia de montes ou montanhas; CRISTA; ESPINHAÇO 7 Fig. Dificuldade, embaraço, espinho 8 Instrumento us. nas fundições para abrir, na fornalha, passagem para o metal em fusão [Aum.: espinhaço.] [F.: Do lat. spina. Hom./Par.: espinha (sf.), espinha (fl. de espinhar). Ideia de 'espinha': acant(o)-.] ■ **~ bífida** Neur. Designação de certa malformação da coluna vertebral, que se manifesta com a presença de brechas ao longo do arco vertebral, pelas quais podem-se formar hérnias da medula espinhal ou de suas meninges **~ dorsal** 1 Pop. Anat. A coluna vertebral 2 Fig. O sustentáculo de algo: Este departamento é a espinha dorsal da empresa. **~ na garganta** Fig. Coisa, pessoa ou situação que incomoda, molesta **Dar à ~** Ver morrer (1) **Estar na ~** 1 Estar muito magro 2 Estar ou ser muito pobre

espinhaço (es.pi.nha.ço) sm. 1 Espinha grande 2 Pop. Coluna vertebral; ESPINHA 3 Pop. A parte superior e posterior do corpo humano; ESPÁDUAS; COSTAS 4 S. Cul. Cozido de parte do espinhaço (2) de rês, ovelha, porco, boi etc., com a carne nela aderida 5 Geog. Cordilheira, cadeia de montanhas [F.: espinha + -aço.]

espinhado (es.pi.nha.do) a. 1 Ferido ou espetado com espinho 2 Cheio de espinhos; ESPINHOSO 3 Pop. Que se irrita, que se zanga: Esse sujeito só vive espinhado! 4 Cuja disposição parece uma espinha de peixe: "O enorme Arraiolos verde que cobria o chão espinhado de tijolo encerado" (Júlio Dantas, Arte de amar) [F.: Part. de espinhar.]

espinhal¹ (es.pi.nhal) a2g. 1 Anat. Ref. à, ou da espinha dorsal; ESPINAL 2 Semelhante a espinha de peixe [Pl.: -nhais.] [F.: espinha + -al¹. Hom./Par.: espinhais (pl.), espinhais (fl. de espinhar).]

espinhal² (es.pi.nhal) sm. 1 Mato de espinheiros; ESPINHEIRAL 2 Que se assemelha à espinha [Pl.: -nhais.] [F.: espinho + -al¹.]

espinhar (es.pi.nhar) v. 1 Fig. Pop. Irritar(-se), aborrecer(-se) [td.: Pequenas coisas não mais o espinhariam.] [int.: Espinhou-se com o deboche do menino.] 2 Picar(-se) ou ferir(-se) com espinho ou similar [td.: Brandiu o buquê de rosas, e com ele espinhou sua cara.] [int.: Adentrou a mata cerrada e espinhou-se todo.] [▶ 1 espinhar] [F.: espinho + -ar². Hom./Par.: espinho (fl.), espinho (sm.); espinheis (fl.), espinhéis (pl. de espinhel).]

espinheiral (es.pi.nhei.ral) sm. Grande conjunto de espinheiros que crescem em determinada área [Pl.: -rais.] [F.: espinheiro + -al¹.]

espinheira-santa (es.pi.nhei.ra-san.ta) Bot. sf. 1 Mesmo que mata-olho (Pachystroma longifolium) 2 Mesmo que sombra-de-touro (Maytenus ilicifolia) [Pl.: espinheiras-santas.] [F.: espinheira + o fem. de santo.]

espinheiro (es.pi.nhei.ro) sm. Bras. Bot. Arbusto ou arvoreta da fam. das rutáceas (Zanthoxylum pterota), de ramos com espinhos e cuja casca, frutos e folhas têm uso medicinal e como condimento; ARRANHA-GATO [F.: espinho + -eiro.]

espinhela (es.pi.nhe.la) sf. Pop. Nome vulgar do apêndice cartilagíneo na extremidade inferior do esterno, o apêndice xifoide [F.: espinha + -ela.] ■ **~ caída** 1 Bras. Antq. Pop. Termo us. popularmente para designar dores ou problemas na região do osso esterno 2 Pop. Doença que abate, debilita

espinhento (es.pi.nhen.to) a. 1 Que tem espinhos; ESPINHOSO 2 Que é cheio de espinhas (rosto espinhento) 3 Que espeta [F.: espinho + -ento (acps. 1 e 3), espinha + -ento (acp. 2).]

espinho (es.pi.nho) sm. 1 Bot. Órgão duro e pontiagudo encontrado em certas plantas [Cf.: acúleo. O espinho se desenvolve do lenho, e não se desprende facilmente, ao contrário do acúleo, que se desenvolve da epiderme.] 2 Pop. [Uso impróprio] Designação dada ao acúleo de certas plantas, como a roseira 3 Zool. Cada uma das partes pontiagudas do tegumento externo dos ouriços-do-mar 4 Zool. Ver acúleo (2), parte pontuda e dura da nadadeira de alguns animais aquáticos 5 Zool. Cada um dos pelos pontiagudos que revestem o corpo de certos animais, como o ouriço-cacheiro 6 Bot. Árvore ramnácea (Carmonema spinosum), de casca escura, espinhos grossos, flores alvas e axilares, madeira elástica e leve 7 Anat. Lâmina óssea que, situada na parte dorsal ou ventral de uma vértebra, serve de ponto de ligação para músculos e ligamentos 8 Qualquer objeto que se caracteriza por ser fino e pontiagudo 9 Pop. Situação difícil; APERTO; DIFICULDADE 10 Bras. S Faca de ponta; LAMBEDEIRA [F.: Do lat. spinus. Hom./Par.: espinho (sm.), espinho (fl. de espinhar). Ideia de 'espinho': acant(o)-, -acanto.]

espinho-de-cristo (es.pi.nho-de-cris.to) Bot. sm. 1 Árvore (Gleditsia amorphodes) da fam. das leguminosas, originária do Brasil, de caule cilíndrico, espinhos escuros e avermelhados, de flores esverdeadas e vagens grossas, com madeira de grande qualidade us. em carpintaria e da qual se extrai a saponina, us. como sabão 2 O mesmo que coroa-de-cristo (Paliurus aculeatus) [Pl.: espinhos-de-cristo.] [F.: espinho + de + (Jesus) Cristo.]

espinhoso (es.pi.nho.so) [ô] a. 1 Que é cheio ou coberto de espinhos; ESPINHENTO; ESPINHADO: "...avultam palmeiras muitas delas espinhosas..." (Capistrano de Abreu, Capítulos de história colonial) 2 Fig. Cheio de dificuldades; ATRIBULADO: Trabalho espinhoso. 3 Fig. Que é embaraçoso, constrangedor: Situação delicada, espinhosa. [Fem. e pl.: [ó].] [F.: espinho + -oso.]

espinhudo (es.pi.nhu.do) a. 1 Que tem espinho grande ou muitos espinhos 2 Pop. Mal-humorado, irritadiço [F.: espinho + -udo.]

espiniforme (es.pi.ni.for.me) a2g. Que tem o formato de espinho ou de espinha [F.: Do lat. spina, ae, 'espinha, espinho', + -iforme.]

espinocelular (es.pi.no.ce.lu.lar) a2g. Ref. a células da espinha dorsal (vacina espinocelular) [F.: espin(i/o)- + celular.]

espinoteado (es.pi.no.te:a.do) a. Bras. Diz-se de indivíduo leviano, estouvado, adoidado [F.: Part. de espinotear.]

espinotear (es.pi.no.te.ar) v. int. 1 Dar pinotes: "O primeiro veadinho [...] espinoteou e partiu em carreira desabrida, tão depressa nos pressentiu" (Gastão Cruls, Amazônia que eu vi) 2 Agitar-se, mover desordenadamente braços e/ou pernas; ESPERNEAR 3 Fig. Ficar bravo, brigar; encolerizar-se e demonstrá-lo agitadamente; ESBRAVEJAR: Não adianta espinotear, hoje não vamos ao cinema. [▶ 13 espinotear] [F.: es- + pinote + -ear². Hom./Par.: espinoteio (fl.), espinoteio (sm.).]

espiolhar (es.pi:o.lhar) v. td. 1 Mesmo que despiolhar 2 Fig. Investigar com rigor; ESQUADRINHAR; PERQUIRIR [▶ 1 espiolhar] [F.: es- + piolho + -ar.]

espionagem (es.pi:o.na.gem) sf. 1 Ação ou resultado de espionar: "Não tires as visitas de Clara. É uma espionagem necessária e para o bem dela..." (Júlio Diniz, As pupilas do senhor reitor) 2 Atividade própria de espião, essa profissão ou função 3 Serviço ou organização que se destina a fazer trabalhos de espionagem (2) para um país, uma empresa ou um indivíduo 4 Conjunto de espiões [Pl.: -gens.] [F.: Do fr. espionnage.] ■ **~ industrial** Ação de tentar obter, por espionagem, segredos industriais de empresa concorrente, sem o consentimento desta

espionar (es.pi:o.nar) v. 1 Observar, investigar secretamente, como espião [td.: Espionava os treinos do time adversário.] 2 Espiar, procurando não ser visto [td.: Espionava o vizinho, para saber como ele tratava o jardim.] 3 Ter como atividade investigar secretamente; ESPIAR [int.: Foi despedido porque espionava para os concorrentes.] [▶ 1 espionar] [F.: Do fr. espionner.]

espique (es.pi.que) sm. 1 Bot. Caule lenhoso de plantas monocotiledôneas, esp. palmeiras [Cf.: estipe.] 2 Ant. Cravo (especiaria) [F.: De or. obsc., posv. de espeque.]

espira (es.pi.ra) sf. 1 Cada uma das voltas completas (360°) de espiral ou hélice 2 Volta completa do filete, ou rosca, parafuso 3 Bot. Volta em espiral de qualquer parte de um vegetal 4 Zool. Parte posterior, em forma de espiral, da concha de um molusco gastrópode 5 Geom. Arco de espiral, ou hélice, compreendido entre dois pontos consecutivos nos quais intercepta a geratriz do cilindro ao qual está circunscrita [F.: Do gr. speira, pelo lat. spira. Hom./Par.: espira (sf.), espira (fl. de espirar), expira (fl. de expirar).]

espiráculo (es.pi.rá.cu.lo) sm. 1 Abertura em que o ar circula; RESPIRADOURO 2 P.ext. Abertura estreita 3 P.ext. Ação ou resultado de respirar; RESPIRAÇÃO 4 Zool. Orifício externo do aparelho respiratório de diversas espécies de vertebrados e invertebrados; AERIDUTO 5 Zool. Orifício externo da traqueia de antrópedes; ESTIGMA 6 Ant. Ânimo, alento [F.: Do lat. spiraculum, i.]

espiral (es.pi.ral) sf. 1 Geom. Num plano, curva gerada por um ponto móvel que vai circulando um ponto fixo e dele se afastando gradualmente; no espaço, curva gerada por um ponto que vai circundando um eixo sempre à mesma distância dele, deslocando-se continuamente na direção do eixo 2 Qualquer coisa que tenha essa forma ou a lembre (escada em espiral) 3 Cada uma das voltas da espiral ou de qualquer objeto com essa forma 4 Fig. Processo ascendente, que ganha força à medida que avança, difícil, portanto, de ser controlado (espiral inflacionária) 5 Bot. Denominação frequente clássica, porém imprópria, us. em lugar de helicoidal, com referência à disposição de folhas ou de peças florais a2g. 6 Que tem forma semelhante a uma espiral; ESPIRALADO [Pl.: -rais.] [F.: Do lat. med. spiralis. Hom./Par.: espirais (pl.), espirais (fl. de espirar), expirais (fl. de expirar).] ■ **~ de Arquimedes** Geom. Lugar geométrico plano gerado por um ponto que se desloca com velocidade constante ao longo de uma reta que gira com velocidade angular uniforme em volta de um ponto fixo **~ de Cornu** Geom.an. Curva plana transcendente de raio R e comprimento de arco s, cuja fórmula é 2Rs=1 **~ de Fermat** Geom. Lugar geométrico plano gerado por um ponto que se desloca com velocidade constante ao longo de uma reta que gira com velocidade angular uniformemente acelerada em torno de um ponto fixo; espiral parabólica **~ inflacionária** Econ. Processo inflacionário no qual o aumento de preços gera novos aumentos, em sucessão **~ parabólica** Geom. Ver Espiral de Fermat. **~ preços/salários** Econ. Processo em situação inflacionária, no qual aumentos de preço geram demanda de aumentos salariais, os quais, concedidos, aumentam os custos de produção e geram novo aumento de preços, e assim continuamente **Em ~** Em forma de espiral: escada em espiral.

espiralado (es.pi.ra.la.do) a. 1 Que tem forma de espiral; ESPIROIDE 2 Que tem espiral (ger. arame ou fio de plástico espiralado (1)) como meio de juntar folhas de papel em caderno, livro, caderneta etc. [F.: espiral + -ado¹.]

espiralar (es.pi.ra.lar) v. 1 Dar forma de espiral a, ou adquiri-la [td.: Espiralou o arame à guisa de mola.] [int.: A fumaça subia, espiralando-se.] 2 Tornar espiralado (2) [td.: espiralar um trabalho escolar.] [▶ 1 espiralar] [F.: espiral + -ar².]

espiralizado (es.pi.ra.li.za.do) a. Que passou por espiralização [F.: Part. de espiralizar.]

espirar (es.pi.rar) v. 1 Bafejar, soprar [int.: Uma leve brisa espirava naquela tarde.] 2 Exalar, desprender [td.: Aquelas flores espiravam um perfume algo doce e suave.] 3 Fig. Estar vivo [Int.: Apesar da gravidade do acidente, ele ainda espirava.] [F.: Do lat. spirare. Hom./Par.: espira (fl.), espira (sf.); espiras (fl.), espiras (pl. de sf.); espirais (fl.), espirais (pl. de espiral [sf. a2g.]); espirar, expirar (em todas as fl.).]

◎ **espiri-** el. comp. Ver espir(o)-

espírita (es.pí.ri.ta) Rel. a2g. 1 Ref. ao espiritismo (crença espírita) 2 Que acredita no espiritismo 3 Que pratica o espiritismo s2g. 4 Aquele que acredita no espiritismo ou que o pratica [Var. pros.: espirita; sin. ger.: espiritista.] [F.: Do ing. spirit, pelo fr. spirite. Hom./Par.: espírita (a2g. s2g.), espirita (fl. de espiritar).]

espiritar (es.pi.ri.tar) v. td. 1 Meter o demônio no corpo; ficar endemoniado 2 Fig. Tornar agitado endiabrado, inquieto 3 P.us. Transformar(-se) em espírito 4 Fig. Provocar estímulo, excitação 5 Provocar estado de transe [▶ 1 espiritar] [F.: espírito + -ar². Hom./Par.: espírita (fl.), espírita (a2g. s2g.); espiritas (fl.), espíritas (pl. do a2g. s2g.); espirito (fl.), espírito (sm.).]

espiriteira (es.pi.ri.tei.ra) sf. Bras. Tipo de lampião em que se coloca álcool ou espírito de vinho para queimar [F.: espírito + -eira.]

espiritismo (es.pi.ri.tis.mo) Rel. sm. 1 Doutrina que busca o aperfeiçoamento moral dos homens por meio da crença na sobrevivência da alma e na existência de formas de comunicação entre vivos e mortos, o que supostamente ocorre pela intervenência dos chamados médiuns 2 Prática dessa doutrina [F.: Do fr. spiritisme.]

espiritista (es.pi.ri.tis.ta) Rel. a2g. 1 O mesmo que espírita s2g. 2 O mesmo que espírita [F.: Do fr. spiritiste.]

espírito (es.pí.ri.to) sm. 1 Componente não corporal de ser humano vivo, que segundo crenças religiosas ou de outra natureza sobrevive à morte do corpo; ALMA 2 O conjunto de atributos, funcionalidades e características não materiais do ser humano; ALMA 3 Rel. Suposta entidade imaterial, superior às coisas terrenas 4 Rel. Para os espíritas, a alma dos mortos desencarnados 5 Rel. Qualquer entidade sobrenatural, seja do bem, seja do mal (espírito demoníaco, espírito iluminado) 6 Princípio vital, que existe à parte da matéria e que insufla vida aos seres e coisas materiais; SOPRO 7 Pessoa de muitas qualidades intelectuais, culturais, morais etc.: Os grandes espíritos da época. 8 Pensamento, memória, mente: Não se me tira essa ideia do espírito. 9 Inteligência aguda, brilhante: É uma pessoa de espírito. 10 Intenção com que se concebeu algo: O espírito do poema, do texto etc. 11 Caráter ou traço característico de algo: O espírito da cultura grega. 12 Disposição, tendência: espírito de liderança. 13 Sentido, significado: Ela não entendeu o espírito da campanha. 14 Caráter, índole: É um povo de espírito belicoso. 15 Fil.

Campo da subjetividade e da consciência, em oposição ao das coisas corpóreas ou materiais **16** *Ant.* Líquido que se obtém pela destilação **17** *Bras. Pop.* Aguardente de cana; CACHAÇA **18** *Pext.* Qualquer bebida alcoólica **19** *Gram.* Grau de intensidade na aspiração das vogais iniciais em grego **20** Sinal diacrítico próprio da língua grega que é colocado sobre ditongos ou vogais iniciais, indicando se são ou não aspirados, e sobre a consoante inicial *rô* [F.: Do lat. *spiritus*, 'sopro' 'exalação' 'sopro vital' 'alma' 'espírito'. Hom./Par.: *espírito* (sm.), *espirito* (fl. de *espiritar*). Ideia de 'espírito': *psic(o)-, psiqu(e)-, psicanálise, psiquiatria.*] **Abrir o ~** Aceitar ideias novas; aceitar diálogo com antagonista; ficar receptivo às ideias de outrem **Em ~** Sem a presença física, em pensamento, pela lembrança: *Estava longe de nós naquele dia, mas presente em espírito.* **~ brando** *Fon.* **1** Em grego, emissão de som sem aspiração **2** O sinal gráfico que a indica **~ da lei** *Jur.* A intenção, o conceito por trás de um texto de lei **~ das trevas** O demônio **~ de aventura** Disposição para empreendimentos arriscados e perigosos **~ de contradição** Tendência ou índole de contradizer, de polemizar, de contestar **~ de porco** *Bras.* Pessoa que costuma contrariar, interferir negativamente, criar problemas ou embaraços (em negócio, assunto, atividade etc.) **~ de sistema** Tendência ou índole de interpretar situações específicas como parte de sistema, com suas regras preestabelecidas **~ engarrafado** *Irôn.* Falta de graça, de humor **~ esportivo** Qualidade de quem saber perder e ganhar com elegância em competições, sem apelar, num caso, ou tripudiar sobre o adversário, no outro **~ forte** **1** Pessoa que não se deixa influenciar por opiniões ou preconceitos **2** Pessoa que não se abate ante dificuldades, tristezas e dramas pessoais, frustrações etc. **3** *Ling.* No grego, sinal diacrítico que indica aspiração **~ fraco** **1** Pessoa que se deixa influenciar pelos outros, por maus exemplos etc. **2** *Ling.* No grego, sinal diacrítico que indica ausência de aspiração **~ gaulês** Tendência a uma alegria libertina **~ maligno** O demônio **~s animais** Segundo os filósofos Descartes e Malebranche, substâncias leves e sutis que levavam a vida a todo o corpo, a partir do cérebro e do coração; espíritos vitais **~ Santo** *Teol.* No cristianismo, a terceira pessoa da Santíssima Trindade **~s vitais** Ver *Espíritos animais* **Fazer ~** Dizer coisas sutilmente engraçadas, comentar algo com graça e humor **Levantar o ~** Animar(-se), estimular(-se) **Render o ~** Morrer **Ter ~** **1** Ser interessante, engraçado, dotado de senso de humor **2** Ser inteligente, perspicaz

espírito de corpo (es.pí.ri.to de *cor*.po) *sm.* Qualidade que consiste em demonstrar solidariedade e lealdade ao corpo ou grupo de pessoas a que se pertence ou está ligado de algum modo (us. esp. em relação a militares): *Um verdadeiro soldado tem espírito de corpo.* [Pl.: *espíritos de corpo.*]

espírito santo de orelha (es.pí.ri.to-san.to de o.*re*.lha) *sm. MG Pop. Joc.* Pessoa que, por se encontrar nas proximidades, ouve a conversa dos outros [Pl.: *espíritos-santos de orelha.*]

espiritual (es.pi.ri.tu.*al*) *a2g.* **1** Ref. ou pertencente a espírito, ou dele próprio (por oposição a matéria) (vida espiritual) **2** Desprovido de corpo, de matéria; INCORPÓREO **3** Ref. à ou próprio da religião: "...resignando em suas mãos primeiro a direção espiritual de minhas irmãs." (Aluísio de Azevedo, *Girândola de amores*) **4** Ref. ao sobrenatural; MÍSTICO: *Tinha visões espirituais.* *sm.* **5** Tudo aquilo que não é material; o que só diz respeito ao espírito, à alma, à religião: *Queria esquecer da vida e só se dedicar ao espiritual.* [Pl.: *-ais.*] [F.: Do lat. *spiritualis.*]

espiritualidade (es.pi.ri.tu.a.li.*da*.de) *sf.* **1** Qualidade ou caráter do que é espiritual **2** *Rel.* Doutrina que estuda o progresso da vida espiritual **3** O que tem por fim a vida do espírito, da alma: *Era um poema de intensa espiritualidade.* **4** Elevação do espírito, sublimidade: *Com sua sinfonia, queria atingir a mais alta espiritualidade.* [Ant. nas acps. 1 e 3: *carnalidade, materialidade.*] [F.: *espiritual + -(i)dade.*]

espiritualismo (es.pi.ri.tu.a.*lis*.mo) *sm.* **1** *Fil. Rel.* Doutrina que, baseada na existência e na realidade do espírito, afirma sua autonomia substancial e a preponderância que tem sobre as coisas materiais **2** *Fil.* Sistema de ideias segundo o qual a consciência e seus atributos, como o pensamento e a liberdade, não se condicionam ao caráter da matéria exterior, pois a alma não pode ser reduzida a simples manifestação do corpo [F.: *espiritual + -ismo.*]

espiritualista (es.pi.ri.tu:a.*lis*.ta) *a2g.* **1** Ref. ao espírito ou ao espiritualismo *a2g.* **2** Que é adepto ou seguidor do espiritualismo *s2g.* **3** Aquele que acredita no espiritualismo ou é seu seguidor [F.: *espiritual + -ista.*]

espiritualização (es.pi.ri.tu:a.li.za.*ção*) *sf.* Ação ou resultado de espiritualizar(se) [Pl.: *-ções.*] [F.: *espiritualizar + -ção.*]

espiritualizado (es.pi.ri.tu:a.li.*za*.do) *a.* **1** Que se espiritualizou **2** Em que se manifesta a graça, o sopro divino: *Para ele, a natureza era toda espiritualizada.* **3** Dedicado às coisas da alma, do espírito (pessoa espiritualizada) **4** Sublime, elevado (música espiritualizada) **5** Animado, excitado por meio de bebida alcoólica [F.: Part. de *espiritualizar.*]

espiritualizar (es.pi.ri.tu:a.li.*zar*) *v.* **1** Tornar(-se) voltado para coisas não materiais, para as coisas do espírito; despir(-se) das afeições terrenas [*td.*: *espiritualizar a mente; Você precisa espiritualizar-se mais.*] **2** Transformar em espírito [*td.*] **3** Assimilar (alguma coisa, na essência e na forma) ao espírito [*td.*: "A alma do órgão no coro, espiritualizando a própria dor" (Xavier Marques, *Feiticeiro*)] **4** *Fig.* Ganhar ânimo, energia, força, vigor [*int.*: "Os troncos agigantam-se, os ramos espiritualizam-se, as folhas palpitam..." (Miguel Torga, *O estrela e a mulher*)] **5** Converter o sentido literal de (texto, frase etc.) em sentido alegórico [*td.*: *Os teólogos espiritualizaram muitos trechos da Bíblia.*] **6** *Quím.* Extrair a essência a (algo) para produzir bebida alcoólica; DESTILAR [*td.*] **7** *Fig. Pop.* Animar, excitar, tornar falador devido a ingestão de bebida alcoólica [*td.*: *A tequila espiritualizou-a em excesso.*] [▶ 1 espiritualizar] [F.: *espiritual + -izar.*]

espirituosidade (es.pi.ri.tu:o.si.*da*.de) *sf.* Qualidade de espirituoso [F.: *espirituoso + -(i) dade.*]

espirituoso (es.pi.ri.tu:*o*.so) [ô] *a.* **1** Que tem inteligência viva, sutil, e sabe provocar o riso: "...um desses mancebos, o mais alegre, espirituoso e folgazão, era um homem imoral." (Joaquim Manuel de Macedo, *Luneta mágica*) **2** Que denota espírito, graça, vivacidade (dito espirituoso) **3** Que contém álcool [Sin. nas acps. 1 e 2: *engraçado, vivaz.*] [Pl.: [ó]. Fem.: [ó].] [F.: *espírito* (sob a f. *espiritu-*) + *-oso.*]

◎ **espir(o)-** *el. comp.* = espira; espiral: *espiroqueta, espirotrompa; espiriforme, espirignato* [F.: Do lat. *spira, ae,* do gr. *speîra, as.*]

◎ **espiro-** *pref.* = respiração; capacidade respiratória: *espirometria, espirógrafo.* [F.: Do rad. *spir-* do lat. *spirare,* 'respirar', + *-o-.*]

espirômetro (es.pi.*rô*.me.tro) *sm.* Aparelho que se destina a fazer a espirometria [F.: *espirar + -o- + -metro.*]

espiroqueta (es.pi.ro.*que*.ta) [ê] *sm. Bac.* Nome comum às bactérias do gên. *Spirochaeta*, da fam. das espiroquetáceas, que têm o corpo em forma de espiral e são encontradas na água, salgada ou doce, e em locais lamacentos [F.: Adaptç. do lat. cient. *Spirochaeta. Tb. espiroqueto.*]

espirrada (es.pi.*rra*.da) *sf.* O mesmo que *espirro*: *Deu uma espirrada forte* [F.: *espirrar + -ada*[1].]

espirradeira (es.pi.rra.*dei*.ra) *sf. Bot.* Arbusto tóxico da fam. das apocináceas (*Nerium oleander*), nativo de Cabo Verde e do Mediterrâneo ao Japão, de flores ger. róseas e vistosas, muito cultivado como ornamental e de cujas folhas se extrai uma substância cardiotônica e diurética; ALOENDRO; ELOENDRO; LOENDRO; LOUREIRO-ROSA; OLEANDRO [F.: *espirrar + -deira.*]

espirrado (es.pir.*ra*.do) *a.* **1** Que se espirrou **2** Que se lançou ou jorrou com força, ou por meio de espirro: *O sangue espirrado sujou-lhe toda a blusa.* **3** Que tomou direção diferente por haver esbarrado ou desviado em algum obstáculo (bola espirrada) [F.: Part. de *espirrar.*]

espirrar (es.pir.*rar*) *v.* **1** Soltar espirro [*int.*: *Não parei de espirrar o dia inteiro.*] **2** Expelir ou ser expelido com força; ESGUICHAR [*td.*: *Cuidado para não espirrar água.*] [*int.*: *Ao abrir a caixa, o leite espirrou por todo lado.*] **3** Crepitar (o lume) [*int.*: *Dormimos ao som da lenha que espirrava na lareira.*] **4** Sair ou irromper às pressas (esp. animais) [*ta.*: *Dezenas de ratos espirravam das tocas.*] **5** *Bras. Pop.* Irromper inesperadamente de um esconderijo ou do meio da multidão (esp. pessoas) [*int.*] **6** Agastar-se, ofender-se, encolerizar-se [*int.*: *O tom de voz do gerente fê-lo espirrar.*] **7** *Fut.* Seguir (a bola) direção indesejada por ter tocado em algo ou alguém, ou sido mal chutada [*int.*: *Tentou encobrir o goleiro, mas a bola bateu na trave e espirrou.*] **8** Em bilhar, sinuca etc., resvalar (o taco) na bola, não atingindo-a adequadamente, com isso estragando a jogada [*int.*] [▶ 1 espirrar] [F.: Do lat. *exspirare.*]

espirro (es.*pir*.ro) *sm.* **1** *Fisl.* Expiração reflexa, súbita e violenta, provocada pela irritação da mucosa nasal; ESTERNUTAÇÃO **2** Esguicho: *Ao molhar as plantas, levou um espirro de água nas pernas.* [F.: Dev. de *espirrar*. Hom./Par.: *espirro* (sm.), *espirro* (fl. de *espirrar*).]

esplanada (es.pla.*na*.da) *sf.* **1** Terreno plano, largo, de grande extensão, em frente de um prédio importante; LARGO; PRAÇA: *Esplanada dos ministérios.* **2** Lugar elevado e aberto de onde se tem boa visão do que está em volta; ALTIPLANO; PLATÔ **3** *Lus.* Terraço ao ar livre, à porta ou junto de café, bar etc., com mesas e cadeiras para a freguesia [F.: Do it. *spianata*, posv. pelo fr. *esplanade.*]

esplâncnico (es.*plânc*.ni.co) *a.* Relativo a víscera(s); VISCERAL; VISCEROSO [F.: Do gr. *splanchnikós, é, ón.*]

esplandecer (es.plan.de.*cer*) *v. int.* Mesmo que *resplandecer* [▶ 33 esplandecer] [F.: prov. var. de *esplendecer.*]

esplendente (es.plen.*den*.te) *a2g.* Que esplende; RESPLANDECENTE; BRILHANTE [F.: Do lat. *splendens, entis.*]

esplender (es.plen.*der*) *v. int.* Mesmo que *resplandecer* [▶ 2 esplender] [F.: do lat. *splendere.*]

esplendidez (es.plen.di.*dez*) *sf.* **1** Qualidade ou característica do que é brilhante, do que tem muita luminosidade **2** *Fig.* Qualidade ou caráter do que é esplêndido, excelente; EXCELÊNCIA [F.: *esplêndido + -ez.*]

esplêndido (es.*plên*.di.do) *a.* **1** Que é ou está cheio de esplendor; BRILHANTE; LUZENTE: *Surgiu no céu a mais esplêndida aurora.* **2** Que deslumbra; MARAVILHOSO; DESLUMBRANTE: *Vestia um esplêndido Chanel.* **3** Que é grandioso, suntuoso: "...a vida, suntuosa dos palácios esplêndidos, e das aclamações de fama." (Álvares de Azevedo, *Macário*) **4** Que é excelente, de alta qualidade: *Não fazia fé no pianista, mas teve de reconhecer que o recital fora esplêndido.* [Superl.: *esplendíssimo e esplendidíssimo.*] [F.: Do lat. *splendidus.*]

esplendor (es.plen.*dor*) [ô] *sm.* **1** Brilho ou luminosidade intensa, forte; FULGOR; RESPLANDECÊNCIA; RESPLENDOR: "...deu-nos a claridade duvidosa e romanesca que procede ao esplendor do sol." (Joaquim Manuel de Macedo, *Luneta mágica*) **2** *Fig.* Suntuosidade, magnificência, luxo: *O esplendor da corte.* **3** *Fig.* Qualidade do que é grandioso: *O esplendor da natureza.* [F.: Do lat. *splendor*. Hom./Par.: *esplendores* (ô) (pl.), *esplendores* (fl. de *esplendorar*).]

esplendoroso (es.plen.do.*ro*.so) [ô] *a.* **1** Cheio de esplendor; REFULGENTE; RESPLANDECENTE: *Uma esplendorosa luz refulge pela nave da igreja.* **2** Que é magnífico, maravilhoso, que impressiona pela qualidade, luxo, magnificência etc.: *A performance da cantora foi esplendorosa.* [Sin. ger.: *esplêndido.*] [Fem. e pl.: [ó].] [F.: *esplendor + -oso.*]

esplenectomia (es.ple.nec.to.*mi*.a) *sf. Cir.* Cirurgia para retirada do baço ou parte dele [F.: *esplen(o)- + -ectomia.*]

esplenético (es.ple.*né*.ti.co) *a.* **1** Ref. ao baço ou dele próprio; ESPLÊNICO **2** Que sofre de esplenopatia *sm.* **3** Aquele que sofre dessa enfermidade [F.: Do lat. *spleneticus, a, um.*]

◎ **-(e)splenia** *el. comp.* = 'anomalia ou irregularidade do baço': *anesplenia, megalosplenia* [F.: Do gr. *splén, splenós*, 'baço', + *-ia*[1]. F. conexa: *esplen(o)-.*]

esplênio (es.*plê*.ni:o) *Anat. sm.* **1** Qualquer órgão ou formação anatômica em forma de faixa **2** Nome de cada um de dois músculos que vão da coluna cervical ao osso occipital, na nuca [F.: Do gr. *splenion*, pelo lat. cient. *splenius* e pelo lat. *splenium.*]

esplenite (es.ple.*ni*.te) *sf. Med.* Inflamação do baço [F.: *esplen(o)- + -ite*[1].]

◎ **-(e)splen(o)-** *el. comp.* Ver *esplen(o)-*

◎ **esplen(o)-** *el. comp.* = 'baço': *esplenectomia, esplenite, esplenopatia; hiperesplenismo* [F.: Do gr. *splén, splenós.* F. conexa: *-(e)splenia.*]

esplenomegalia (es.ple.no.me.ga.*li*.a) *sf. Pat.* Aumento anormal do tamanho do baço; MEGALOSPLENIA [F.: *esplen(o)- + -megalia.*]

espleno-renal (es.ple.no-re.*nal*) *a2g. Med.* Do baço e dos rins, ou que se refere a esses dois órgãos simultaneamente (cirurgia espleno-renal) [Pl.: *-nais.*] [F.: *espleno- + renal.*]

espocar (es.po.*car*) *v. int.* **1** *Bras.* Estourar como a pipoca, com som de estalo; PIPOCAR: *Mal o ator apareceu, os flashes começaram a espocar.* **2** *Fig.* Irromper, aparecer, desabrochar saltar etc. subitamente, com ímpeto, estourando [▶ 11 espocar] [F.: De or. contrv; posv. voc. onom.]

espodumênio (es.po.du.*mê*.ni:o) *sm. Min.* Silicato de lítio e alumínio, do grupo dos piroxênios monoclínicos, transparente e de cores variadas, us. em joalheria e cerâmica [F.: Do gr. *spodoúmenos* 'que está coberto de cinzas'.]

espojadouro (es.po.ja.*dou*.ro) *sm.* Lugar em que certos animais se espojam; ESPOJADOIRO; ESPOJEIRO [F.: *espojado + -ouro.*]

espojadura (es.po.ja.*du*.ra) *sf.* Ação de espojar-se; ESPOJO [F.: *espojado + -ura.*]

espojar (es.po.*jar*-se) *v.* **1** Deitar-se rolando e agitando o corpo: *Ficou vendo-os brincar juntos, espojando-se na areia.* [*ta.*: *Brincavam juntos, espojando-se na areia.*] **2** Fazer cair (derrubando) ou cair no chão, na terra [*td. + de, em*: *Espojou-se do balanço e se arranhou todo.*] [*tda.*: *O novilho corcoveou e espojou o vaqueiro no pó da arena.*] **3** Fazer virar pó; PULVERIZAR [*td.*] [▶ 1 espojar-se] [F.: De or. incerta; talvez de *pó.*]

espoleta (es.po.*le*.ta) [ê] *sf.* **1** *Arm.* Artefato de armas de fogo que, percutido pela agulha, dispara a faísca que inflama a pólvora dos projéteis; ESTOPILHA **2** *Bras. Fig.* Pessoa irrequieta, agitada, ativa: *A garotinha era uma espoleta.* *s2g.* **3** *Bras. Pop.* Pessoa intrigante, fofoqueira, mexeriqueira **4** *Bras. Pop.* Indivíduo que presta serviço de leva e traz para uma pessoa poderosa **5** *Bras. Pop.* Pessoa serviçal, bajuladora **6** *Bras. Pop.* Indivíduo sem expressão, insignificante *sm.* **7** *Bras. Pop.* Indivíduo que trabalha como capanga ou guarda-costas [F.: Do it. *spoletta.* Hom./Par.: *espoleta* (sf., s2g., sm.), *espoleta* (fl. de *espoletar*).]

espoletado (es.po.le.*ta*.do) *a. Bras. N.E.* Que se irrita com facilidade; ESTOURADO [F.: Part. de *espoletar.*]

espoliação (es.po.li:a.*ção*) *sf.* **1** Ação ou resultado de espoliar **2** *Jur.* Ação de tirar de alguém, por fraude ou violência, algo que lhe pertence de direito; ESBULHO [Pl.: *-ções.*] [F.: Do lat. *spoliatio, onis.*]

espoliado (es.po.li:*a*.do) *a.* **1** Que foi vítima de espoliação; DESPOJADO; ESBULHADO: *Os camponeses espoliados organizaram uma marcha de protesto.* **2** Que se espoliou; que foi desapoderado; ESBULHADO; USURPADO: *Restituiu aos filhos os bens espoliados.* [F.: Part. de *espoliar*; ou do lat. *spoliatus.*]

espoliador (es.po.li.a.*dor*) [ô] *a.* **1** Que espolia, saqueia, usurpa; ESPOLIANTE; ESPOLIATIVO *sm.* **2** Aquele que espolia [F.: Do lat. *spoliator, oris.*]

espoliante (es.po.li.*an*.te) *a2g.* Que espolia; que se mostra adequado para espoliar; ESPOLIADOR [F.: Do lat. *spolians,antis.*]

espoliar (es.po.li.*ar*) *v.* Esbulhar, privar (alguém) da posse de, violenta ou fraudulentamente; DESPOJAR [*td.*: *Os ladrões espoliavam os camponeses.*] [*tdr. + de*: *O desvio de dinheiro espoliou os investidores de seus lucros.*] [▶ 1 espoliar] [F.: Do lat. *spoliare.*]

espoliativo (es.po.li.a.*ti*.vo) *a.* **1** Relativo a espoliação **2** Diz-se de quem espolia; ESPOLIANTE **3** Em que ocorre espoliação **4** Diz-se de produto que descama a pele *sm.* **5** Esse produto [F.: *espoliar + -ivo.*]

espólio (es.*pó*.li:o) *sm.* **1** Numa guerra, conjunto de coisas que são tomadas ao inimigo; DESPOJO **2** Conjunto de bens deixados por alguém que morreu **3** *Jur.* Esse conjunto (ou parte dele) quando arrolado no inventário a ser partilhado entre os herdeiros; HERANÇA 4 Ação ou resultado de roubo, pilhagem, espoliação: *O espólio apreendido pela polícia valia milhões.* 5 O conjunto dos despojos, dos restos: *A mansão em ruínas era o único espólio do que fora um império.* [F.: Do lat. *spolium.* Hom./Par.: *espólio* (sm.), *espolio* (fl. de *espoliar*).]

espondeu (es.pon.*deu*) *Poét. a.* 1 Que tem (pé métrico greco-latino) duas sílabas longas, formando quatro tempos *sm.* 2 Esse pé métrico [F.: Do lat. *spondeus, i.*]

espondilite (es.pon.di.*li*.te) *sf. Reum.* Inflamação de uma ou mais vértebras da coluna espinhal [F.: *espondil (o)-* + *-ite.*]

◎ **espondil(o)-** *pref.* = vértebra: *espondilite, espôndilo* [F.: Do gr. *spondylos.*]

espôndilo (es.*pôn*.di.lo) *sm.* 1 *Anat.* Denominação que foi substituída pelo vocábulo *vértebra* 2 A segunda vértebra do pescoço [F.: Do gr. *spondulos, ou.*]

espondilodiscite (es.pon.di.lo.dis.*ci*.te) *sf. Pat.* Osteíte vertebral que atinge os discos e corpos vertebrais que lhe são adjacentes [F.: *espondil(o)-* + *discite.*]

espondilose (es.pon.di.*lo*.se) *sf. Reum.* Lesão na coluna vertebral, resultante de processo degenerativo [F.: *espodil(o)-* + *-ose.*] ■ **~ anquilosante** *Reum. Pat.* Afecção da coluna vertebral, a partir de artrite, que pode causar consolidação de uma articulação intervertebral e sua consequente imobilização

◎ **espong(i)-** *el. comp.* = 'esponja': *espongiforme, espongina, espongiário* [F.: Do gr. *spongia.*]

espongiário (es.pon.gi:*á*.ri:o) *sm.* 1 *Zool.* Espécime dos espongiários, filo de animais invertebrados, de estrutura rudimentar, cujo tipo é a esponja *a.* 2 *Zool.* Dos ou ref. aos espongiários [F.: *spong(i)-* + *-ário*, ou do lat. cient. *Spongiaria.* Tb. *porífero.*]

espongina (es.pon.*gi*.na) *sf. Zool.* Substância formada por fibras de colágeno, que constitui, total ou parcialmente, o esqueleto de alguns poríferos [F.: *espong(i/o)-* + *-ina.*]

◎ **(e)spongi(o)-** *el. comp.* Ver *espong(i)-*

esponja (es.*pon*.ja) *sf.* 1 *Zool.* Designação comum aos animais invertebrados do filo dos poríferos ou espongiários, ger. marinhos, que têm o corpo provido de poros, canais e câmaras por onde a água penetra e sai 2 O esqueleto macio de alguns desses animais, us. para esfregar o corpo durante o banho 3 Qualquer objeto constituído de material macio, poroso e absorvente (esponja de cozinha) 4 *Fig.* Aquilo que explora ou suga uma ou mais pessoas; PARASITO: *Aquele filho desempregado está sendo uma esponja do dinheiro da família.* 5 *Fig. Pop.* Pessoa que vive sustentada por outra 6 *Fig. Pop.* Pessoa que bebe em demasia; BEBERRÃO 7 *Vet.* Epizootia que acomete os equídeos, caracterizada pelo aparecimento de um tumor esponjoso 8 *Bras. Bot.* Ver *esponjeira* (3) [F.: Do gr. *spoggiá*, pelo lat. *spongia.* Hom./Par.: *esponja* (sf.), *esponja* (fl. de *esponjar*). Ideia de esponja: *espong(i/o)-.*] ■ **Passar uma ~ em/sobre** 1 Esquecer 2 Perdoar, relevar

esponjar (es.pon.*jar*) *v.* 1 Apagar com esponja [*td.*: *Esponjou mancha da camisa.*] 2 Embeber-se, impregnar-se [*td.*: *A terra esponjou a água da chuva.*] 3 *Fig.* Eliminar da memória, deixar cair no esquecimento [*td.*: *Queria esponjar aquelas lembranças.*] 4 Absorver (como se fosse uma esponja) [*td.*: *A toalha esponjou toda a água;* "...que não esponjassem... sobre os muros... o sulco fumarento das lâmpadas" (Eça de Queirós, *Últimas páginas*)] [*int.*: *Essa toalha esponja muito mal.*] 5 Dar ou tomar aspecto de esponja [*td. int.*] 6 *Fig.* Explorar, surrupiar [*td.*: *A empresa esponjou o dinheiro dos operários.*] 7 Passar gota a gota através de (algo); ressudar, ressumar [*td. int.*] [▶ 1 esponjar] [F.: do lat. *spongiare.* Hom./Par.: *esponja(s)* (fl.), *esponja* (sf.[e pl.]).]

esponjeira (es.pon.*jei*.ra) *sf.* 1 Grande quantidade de esponjas 2 Lugar para guardar esponjas 3 *Bot.* Arbusto da fam. das leguminosas, subfam. mimosoídea (*Acacia farnesiana*), de madeira dura e casca tanífera, cujas flores pequeninas, amarelas e aromáticas, dispostas em capítulos globosos, são us. em perfumaria; COROA-CRÍSTI; CORONÁCRIS; CORONHA; ESPONJA; ESPINILHO [F.: *esponja* + *-eira.*]

esponjoso (es.pon.*jo*.so) [ô] *a.* 1 Que é poroso e macio como esponja, que tem estrutura semelhante à da esponja (1); ESPONGIFORME 2 Que é absorvente como esponja (material esponjoso) 3 Que tem aparência de esponja: *A ferida profunda exibia carnes esponjosas.* [Fem. e pl.: [ó].] [F.: Do lat.*spongiosus.*]

esponsais (es.pon.*sa*.is.) *smpl.* 1 Promessa ou contrato de casamento; NOIVADO 2 Cerimônias e convenções antenupciais [F.: Do lat. *sponsales*, por *sponsalia*, acus. pl. neutro de *sponsalis.*]

esponsal (es.pon.*sal*) *a2g.* 1 Ref. a ou pertencente a esposos [Pl.: *-sais.*] *sm.* 2 O mesmo que *esponsais* [F.: Do lat. *sponsalis.*]

esponsalício (es.pon.sa.*lí*.ci:o) *a.* 1 Relativo a esponsálias *sm.* 2 O mesmo que *esponsais* [F.: Do lat. tard. *sponsalicius, a, um.*]

espontaneidade (es.pon.ta.nei.*da*.de) *sf.* Caráter ou qualidade do que é espontâneo, natural, sem afetação; NATURALIDADE: *Esboçou um sorriso forçado, sem espontaneidade.* [Ant.: *afetação.*] [F.: *espontâneo* + *-eidade.*]

espontaneísmo (es.pon.ta.ne:*ís*.mo) *sm.* Maneira de pensar, doutrina ou opinião daqueles que acreditam nas ações praticadas de maneira espontânea, natural, sem a determinação de elaborações prévias [F.: *espontâneo* + *-ismo.* Cf.: *espontaneidade.*]

espontâneo (es.pon.*tâ*.ne:o) *a.* 1 Que ocorre ou se manifesta voluntariamente, sem constrangimento ou suscitação externa; SINCERO: *Foi um gesto espontâneo, veio do fundo do coração.* 2 Que ocorre ou se manifesta com naturalidade, sem artificialismo ou afetação: "Todo ele era ação, falava com desembaraço, tinha os gestos naturais e espontâneos." (Machado de Assis, "O diplomático" *in Contos*) 3 Que se realiza sem premeditação, como que por instinto, como que por si mesmo: *Num arroubo espontâneo, deu-lhe de esmola todo o dinheiro que tinha.* 4 *Bot.* Que se desenvolve e medra naturalmente, sem intervenção humana (vegetação espontânea); SILVESTRE; SELVAGEM [P. opos. a *cultivado.* Cf.: *subespontâneo.*] 5 Que tem princípio em si mesmo, ou que se produz de per si (geração espontânea, combustão espontânea) [F.: Do lat. *spontaneus.*]

espontar (es.pon.*tar*) *v.* 1 Tirar ou aparar as pontas de [*td.*: *Ela espontava os cabelos; Espontou os galhos menores.*] 2 Começar a mostrar-se, despontar [*int.*: *As flores já estão espontando.*] 3 *Art.gr.* Mesmo que *aparar* [*td.*: *Espontar um livro.*] 4 Espocar, surgir [*int.*: *Começaram a espontar vaias na arquibancada.*] [▶ 1 espontar] [F.: *es-* + *ponta* + *-ar.* Hom./Par.: *esponto* (fl.), *esponto* (sm.).]

espora (es.*po*.ra) *sf.* 1 Artefato de metal para espicaçar montaria, que se fixa com um arco no tacão ou salto da bota do cavaleiro, e ao qual se prende uma haste terminada numa roseta dotadas de ponta(s); BUTUCA 2 *Fig. P.ext.* Aquilo que serve de estímulo, que instiga 3 *Zool.* Esporão de galináceos 4 *Zool.* Osso do peito de aves 5 *Bot.* Nome comum de vários arbustos ranunculáceos do gên. *Delphinium*, de flores azuis dispostas em grandes espigas e muito us. com finalidades ornamentais; a flor dessa planta; ESPOREIRA *a2g.* 6 *Pop. Bras.* Que não vale nada; ORDINÁRIO; RELES 7 *RS Pop.* Mal vestido, mal trajado 8 *RS Pop.* Intrometido, enxerido 9 *Bot.* Sépala ou pétala que formam um apêndice em corola ou cálice de certas flores [F.: Do gót. *spaúra.* Hom./Par.: *espora* (sf. a2g.), *espora* (fl. de *esporar*).] ■ **Chamar nas ~s** 1 *Bras.* Esporear (a cavalgadura) 2 *Bras. S. Fig.* Repreender (alguém); procurar nas esporas **Lamber as ~s de** *BA* Submeter-se a, ser submisso a **Procurar nas ~s** Ver *Chamar nas esporas.*

esporada (es.po.*ra*.da) *sf.* 1 Golpe que se dá com espora: *Com a esporada, o cavalo disparou.* 2 *Fig.* Incitamento, estimulação, empurrão: *A esporada dos amigos o ajudou a sair daquela situação.* 3 *Pop.* Descompostura, reprimenda, repreensão [F.: Fem. substv. de *esporado* (part. de *esporar*). Tb. *esporeada.*]

esporádico (es.po.*rá*.di.co) *a.* 1 Que não é frequente, que ocorre pouco, sem proximidade de ocorrências, no tempo ou no espaço; DISPERSO; ESPARSO: *Recebia visitas esporádicas do amante.* 2 Cuja ocorrência não é vinculada a causas previsíveis, estruturadas, regulares; CASUAL; EVENTUAL; FORTUITO: *Encontram-se registros esporádicos de uso desse vocábulo.* 3 *Med.* Diz-se de doenças que não são endêmicas nem epidêmicas, que aparecem eventualmente [F.: Do gr. *sporadikós*, pelo lat. med. *sporadicus.*]

esporângio (es.po.*rân*.gi:o) *sm. Biol.* Célula ou estrutura em que se formam esporos [F.: Do lat. med. *sporangium.* Ou de *espor(o)-* + *-ângio.*]

esporão (es.po.*rão*) *sm.* 1 Espora grande 2 *Zool.* Protuberância córnea e pontuda na parte traseira do tarso de galináceos machos, como galos, perus etc.: "Vi os dois contendores, dois galos de esporão agudo, olho de fogo e bico afiado." (Machado de Assis, *Memórias póstumas de Brás Cubas*) 3 Excrescência óssea 4 *Zool.* Saliência pontuda no formato de espinho no segmento tarsal de alguns insetos 5 *Arq.* Contraforte que se constrói na parte externa de uma parede, muro etc., para dar maior resistência à estrutura 6 *Bot.* Doença de certas gramíneas, o mesmo que *cravagem* 7 *RJ* O mesmo que *bicho-de-pé* 8 *Eng.* Ver *espigão* (8) 9 *Mar.* Ver *aríete* 10 *Mar.G.* Em navios de guerra antigos, sólida protuberância na proa, para abalroar e abrir brechas no costado de navio inimigo; ARÍETE [Pl.: *-rões.*] [F.: Do provç. ant. *esporon.*] ■ **~ calcâneo** *Med.* Saliência óssea do calcâneo, que pode ser dolorosa

esporeada (es.po.re:*a*.da) *sf.* Ação ou resultado de esporear [F.: *esporear* + *-ada.* Tb. *esporada.*]

esporear (es.po.re.*ar*) *v.* 1 Cutucar com a espora [*td.*: *Esporeou o cavalo para que ele andasse*] 2 *Fig.* Fazer (alguém) trabalhar, ou trabalhar mais, ou se entusiasmar com algo; ESTIMULAR; EXCITAR; INCITAR; INSTIGAR [*td.*: *A perspectiva da gratificação esporeou-o, e ele redobrou os esforços.*] [*tdr.* + *a*: *Ia desistir, mas a visão ao longe da linha de chegada esporeou o atleta a continuar.*] 3 Agitar, sacudir violentamente [*td.*: *A tempestade esporeava o pequeno veleiro.*] [▶ 13 esporear] [F.: *espora* + *-ear*^{2}.]

esporeira (es.po.*rei*.ra) *sf. Bot.* Ver *espora* (5) [F.: *espora* + *-eira.*]

esporífero (es.po.*rí*.fe.ro) *a. Biol.* Que tem esporos, que desenvolve esporos; ESPORÍGENO [F.: *esporo* + *-ífero.*]

esporim (es.po.*rim*) *sm.* 1 Pequena espora sem roseta e ger. sem arco, que se encaixa no tacão das botas para proteger contra a lama ou impedir que a ponta da calça seja esgarçada pelos tacões 2 Pequena espora sem arco, com ou sem roseta, us. pelas crianças quando montam a cavalo [Pl.: *-rins.*] [F.: *espora* + *-im.*]

◎ **espor(o)-** *el. comp.* Do gr. *sporá, âs* 'broto, semente'. Ocorre em voc. de várias áreas das ciências, esp. a botânica: *esporífero, esporângio.* Ver *-sporo*

esporo (es.*po*.ro) [ó] *sm.* 1 *Biol.* Célula reprodutora capaz de, ao germinar, reproduzir o espécime no qual se originou 2 *Zool.* Célula que resulta da divisão múltipla dos protozoários 3 *Micbiol.* Forma resistente de certas espécies de bactérias, constituída principalmente de material genético concentrado e metabolicamente inativo, contido em um envoltório capaz de protegê-lo durante anos contra a dessecação, agentes químicos etc. [Dim.: *espórulo*] [F.: Do gr. *sporá*, pelo lat. med. *spora.*]

esporocisto (es.po.ro.*cis*.to) *Biol. sm.* 1 Estrutura unicelular que produz esporos assexuados 2 Estágio embrionário dos vermes trematódeos, que ocorre depois da entrada do hospedeiro intermediário 3 Nos seres protistas, invólucro que protege os esporozoítos [F.: *espor (o)-* + *-cisto.*]

esporófito (es.po.*ró*.fi.to) *sm. Bot.* Espécime ou fase diploide de planta que produz esporos [Quando há alternância de gerações, a o esorófito é a geração assexuada.] [F.: *espor(o)-* + *-fito.*]

esporozoários (es.po.ro.zo:*á*.ri.os) *smpl. Biol.* Ver *apicomplexos* [F.: Do lat. cient. *Sporozoa.*]

esporozoíto (es.po.ro.zo:*í*.to) *sm. Pat.* Esporo que é liberado pelo processo de dissolução da membrana do esporocisto; EXOTÓSPORO [F.: Do ing. *sporozoite.*]

esporrar (es.por.*rar*) *v. int. Bras. Tabu.* Emitir sêmen; EJACULAR: *Ele esporrava muito depressa.* [▶ 1 esporrar] [F.: *es-* *porra* + *-ar.*]

esporrento (es.por.*ren*.to) *a.* 1 *Vulg.* Em que há muito barulho; ruidoso em excesso: *Era um conjunto de rock esporrento.* 2 Diz-se de indivíduo que gosta de dar esporro, bronca: *É um sujeito esporrento, só fala aos berros!* [F.: *esporro* + *-ento.*]

esporro (es.*por*.ro) [ô] *Bras. sm.* 1 *Tabu.* Esperma, sêmen; PORRA 2 *Tabu.* Ejaculação de esperma 3 *Fig.* Reprimenda violenta, ger. grosseira: *O marido levou um esporro da mulher.* 4 *Bras. Fig.* Grande barulho, ruído de vozes, confusão; ALGAZARRA: *Fizeram um esporro danado na porta do bar.* [Pl.: [ô].] [F.: Dev. de *esporrar.* Hom./Par.: *esporro* (sm.), *esporro* (fl.de *esporrar*).]

esporte (es.*por*.te) *sm.* 1 Atividade física regular e metódica, como recreação competitiva ou como forma de manter o condicionamento físico, que envolve exercícios de vários tipos, praticados individualmente ou em equipes; DESPORTE; DESPORTO: *Dedicava-se aos esportes.* 2 Cada uma dessas atividades; DESPORTE; DESPORTO: *Seu esporte preferido era o vôlei.* 3 *Fig.* Entretenimento, recreação: *Trabalha por esporte.* *a2g2n.* 4 Que é simples, leve, sem formalidade: *Só gosta de roupas esporte.* 5 Diz-se de automóvel de duas portas, às vezes conversível, quase sempre de cores leves, de motor muito potente, us. para passeios, não para eventos formais [F.: Do fr. ant. *desport*, pelo ing. *sport.*] ■ **~ fino** Referência a traje exigido em certos eventos, informal mas de qualidade **Por ~** *Fig.* Sem visar vantagem ou remuneração, pela coisa em si

esportista (es.por.*tis*.ta) *a2g.* 1 Diz-se de quem pratica ou aprecia esporte: *Era um padre esportista.* *s2g.* 2 Pessoa esportista: *Os esportistas chegaram antes.* [F.: *esporte* + *-ista.* Sin. ger.: *desportista.*]

esportiva (es.por.*ti*.va) *sf. Pop. Bras.* Característica ou atitude de quem, em atividades esportivas ou não, sabe manter a tranquilidade diante da derrota e de situações adversas ou constrangedoras, sem perder o equilíbrio e o bom humor; espírito esportivo: *Enfrentou a situação sem perder a esportiva.* [F.: Fem. substv. de *esportivo.*] ■ **Perder a ~** Perder a calma ao reagir a contrariedade, irritar-se, brigar

esportividade (es.por.ti.vi.*da*.de) *sf.* 1 Qualidade do que ou de quem é esportivo 2 Gosto pelo esporte 3 Dedicação ao esporte 4 Espírito esportivo; ESPORTIVA [F.: *esportivo* + *-(i)dade.*]

esportivo (es.por.*ti*.vo) *a.* 1 Referente a esporte (evento esportivo); DESPORTIVO 2 Que não tem formalidade; que é simples, descontraído (roupa esportiva) 3 Que aceita as regras do jogo; que mantém o equilíbrio e o bom humor em situações difíceis e/ou adversas (pessoa esportiva) 4 Próprio de quem é esportivo, de quem tem esportividade (espírito esportivo) [F.: *esporte* + *-ivo.*]

espórtula (es.*pór*.tu.la) *sf.* 1 Doação de dinheiro a quem está necessitado; ESMOLA 2 Importância em dinheiro, além do devido, que se dá a alguém por serviço prestado: "Dobrei a espórtula do padre, e distribuí esmolas à porta, tudo por intenção do finado." (Machado de Assis, "O enfermeiro" *in Contos*) 3 *Hist.* Doação em gêneros ou em dinheiro que os imperadores e nobres da antiga Roma mandavam distribuir pelo povo, em cestas também chamadas espórtulas [F.: Do lat. *sportula.* Hom./Par.: *espórtula* (sf.), *esportula* (fl. de *esportular*).]

esporulação (es.po.ru.la.*ção*) *sf. Biol.* Ação ou resultado de esporular; formação de esporos [Pl.: *-ções.*] [F.: *esporular* + *-ção*; ou do ing. *sporulation.*]

esporulado (es.po.ru.*la*.do) *a.* Que contém esporos ou espórulos [F.: Part. de *esporular.*]

esporular (es.po.ru.*lar*) *v. int. Biol.* Produzir esporos ou espórulos [▶ 1 esporular] [F.: *espórulo* + *-ar*^{2}.]

esposa (es.*po*.sa) [ô] *sf.* 1 Aquela com a qual um homem é casado, em relação a este 2 Mulher prometida para o casamento; NOIVA [F.: Do lat. *sponsa.* Hom./Par.: *esposa* (sf.), *esposa* (fl. de *esposar*); *esposas* (sfpl.), *esposas* (fl. de *esposar*). Ideia de 'esposa': *uxori-.*]

esposar (es.po.*sar*) *v.* 1 Unir(-se) em matrimônio; CASAR(-SE) [*td.*: *Luís irá esposar Ana; O juiz esposou-os numa cerimônia simples; Esposaram-se (um esposou o outro) em maio.*] [*tdr.* + *com*: *Padre Sérgio esposou Rosa com Joaquim.*] 2 Aderir a, defender (uma causa, ideia, opinião etc.) [*td.*: *A ideologia que dirigentes brasileiros esposaram* *no séc. XIX era o liberalismo.*] 3 Amparar, suster [*td.*] [▶ 1 esposar] [F.: Do lat. *sponsare.* Hom./Par.: *esposo* (fl. de *esposar*), *esposo* [ô] (sm.); *esposa* (fl. de *esposar*), *esposa* [ô] (sf.).]

esposo (es.*po*.so) [ô] *sm.* 1 Homem com o qual uma mulher é casada, em relação a esta; MARIDO 2 Homem prometido para o casamento; NOIVO [F.: Do lat. *sponsus.* Hom./Par.: *esposo* (sm.), *esposo* (fl. de *esposar*).]

espostejado (es.pos.te.*ja*.do) *a.* Que foi ou está cortado em postas (corpos espostejados); ESQUARTEJADO; FATIADO; RETALHADO [F.: Part. de *espostejar.* Ideia de: *-por.*]

espostejar (es.pos.te.*jar*) *v. td.* 1 Cortar em postas; FATIAR: *Limpou e espostejou o robalo.* 2 Fazer em pedaços; ESTRAÇALHAR: *Espostejaram os soldados inimigos.* [▶ 1 espostejar] [F.: *es-* + *posta* + *-ejar.*]

espoucar (es.pou.*car*) *v. td. int.* Mesmo que *espocar* [▶ 11 espoucar]

espraiado (es.prai.*a*.do) *a.* 1 Que se espraiou 2 Que se derramou ou se estendeu sobre uma superfície (líquido espraiado) 3 Que se espalhou em direções diversas (ondas eletromagnéticas espraiadas) 4 *Fig.* Que foi disseminado, espalhado, propagado; DIFUNDIDO; DIVULGADO: *Teve suas ideias espraiadas de norte a sul.* 5 Que foi desenhado, gravado: *Viu desenhos espraiados no piso arenoso. sm.* 6 Espaço liberado pela maré vazante 7 *AM* Alargamento do leito de um rio 8 *SP* Rio raso que tem o leito arenoso [F.: Part. de *espraiar.*]

espraiamento (es.prai.a.*men*.to) *sm.* 1 Ação ou resultado de espraiar(-se); ESPALHAMENTO; DISSEMINAÇÃO 2 *Geog.* Alagamento da praia pelas grandes marés 3 *Fig.* Prolixidade no dizer ou escrever [F.: *espraiar* + *-mento.*]

espraiar (es.prai.*ar*) *v.* 1 Lançar (água) ou espalhar(-se), como a da praia [*td.*: *A explosão espraiou as águas da represa.*] [*int.*: *A água da adutora espraiou(-se), inundando o bairro.*] 2 Espalhar(-se) em todas as direções; DERRAMAR(-SE) [*td.*: *O aquecedor espraiava doce calor.*] [*int.*: *A luz do sol espraiava- se cintilante.*] [*ta.*: *A luz do sol espraiava(-se) pelo vale.*] 3 *Fig.* Alongar(-se), expandir(-se) [*td.*: *O ator espraiou longamente seus agradecimentos; Espraia-se demais em seus sermões.*] 4 Fugir a preocupações; DISTRAIR; ESPAIRECER [*td.*: *Procuravas espraiar as más lembranças.*] 5 Alastrar-se, propagar-se [*td.*: *A chegada do roqueiro espraiou a alegria.*] [*int.*: *A febre do frango ameaçava espraiar-se.*] 6 Exibir-se de maneira completa [*ta.*: *A felicidade espraiava-se em seus olhos.*] 7 Demonstrar fervor exagerado em (elogios, louvores etc.) [*tr.* + *em*: *Espraiava-se em mil agrados.*] 8 *Fig.* Olhar demoradamente para [*tda.*: *Espraiou um olhar lânguido pela plateia.*] 9 Recuar (mar, rio) deixando descoberta a areia da praia ou das margens [*td.*] [▶ 1 espraiar] [F.: *es-* + *praia* + *-ar.*]

espreguiçadeira (es.pre.gui.ça.*dei*.ra) *Mob. sf.* 1 Cadeira confortável, ger. com encosto reclinável e com apoio para as pernas 2 Móvel (cama, canapé etc.), ou qualquer local com encosto, próprio para repouso, descanso [F.: *espreguiçar* + *-deira.*]

espreguiçado (es.pre.gui.*ça*.do) *a.* 1 Que se espreguiçou 2 Que se encontra deitado ou recostado em espreguiçadeira [F.: *espreguiçar* + *-ado.*]

espreguiçamento (es.pre.gui.ça.*men*.to) *sm.* Ação ou resultado de espreguiçar(-se) [F.: *espreguiçar* + *-mento.*]

espreguiçar (es.pre.gui.*çar*) *v.* 1 Mover(-se) lentamente, esticando (os membros, o corpo) para aliviar o retraimento muscular, ger. após período de sono ou por cansaço [*td.*: *espreguiçar as pernas.*] [*int.*: *Cansado, passou o dia espreguiçando(-se).*] 2 Tirar a preguiça de; DESPERTAR; ESPERTAR [*td.*] [▶ 12 espreguiçar] [F.: *es-* + *preguiça* + *-ar².*]

espreita (es.*prei*.ta) *sf.* 1 Ação ou resultado de espreitar 2 Ação ou resultado de esconder-se para atacar alguém; TOCAIA [F.: Dev. de *espreitar.*] ▪ **À ~ (de)** 1 De vigia, a observar (algo ou alguém) para descobrir algo 2 A pesquisar, a investigar, a buscar informações (sobre algo ou alguém)

espreitamento (es.prei.ta.*men*.to) *sm.* Ação ou resultado de espreitar; ESPREITADA; ESPREITANÇA [F.: *espreitar* + *-mento.*]

espreitar (es.prei.*tar*) *v.* 1 Estar à espreita de; observar sem ser visto; ESPIAR; ESPIONAR [*td.*: *O gerente se achou no direito de espreitar os funcionários.*] [*int.*: *Sentava no fundo da sala e espreitava.*] 2 Espiar através de uma pequena abertura [*tda.*: *Tentava espreitá-los pelo buraco da fechadura.*] [*ta.*: *espreitar pela porta entreaberta.*] 3 Olhar atentamente; CONTEMPLAR [*td.*: *Passou a manhã espreitando o mar.*] 4 Ficar atento à espera de (ocasião propícia, oportunidade etc.) [*td.*: *espreitar uma oportunidade/a ocasião adequada.*] 5 Perscrutar, indagar, investigar [*td.*: *Conversou com o grupo para espreitar as rixas e divergências.*] 6 Prever por intuição; ADIVINHAR [*td.*: *Espreitara as consequências daquela medida, mas nada fez.*] 7 Analisar, estudar [*td.*] [▶ 1 espreitar] [F.: Talvez do lat. *explicitare.* Hom./Par.: *espreita* (fl. de *espreitar*), *espreita* (sf.).]

espremeção (es.pre.me.*ção*) *sf.* 1 Ação ou resultado de espremer(-se); ESPREMEDURA 2 *Pop.* Certa quantidade de pessoas se espremendo num local 3 *Bras. Gír.* Agarração amorosa; RALA-RALA [Pl.: *-ções.*] [F.: *espremer* + *-ção.*]

espremedor (es.pre.me.*dor*) [ô] *a.* 1 Que espreme (equipamento espremedor) *sm.* 2 Utensílio, máquina etc. que serve para espremer algo (espremedor de alho) 3 Aquele ou aquilo que espreme [F.: *espremer* + *-dor.*]

espremer (es.pre.*mer*) *v.* 1 Extrair por compressão, ou torção o suco ou o líquido de [*td.*: *espremer limões.*] 2 Comprimir(-se), apertar(-se), pressionar [*td.*: *Espremeu os demais para entrar no elevador; A multidão se espremia para entrar no estádio.*] 3 *Fig.* Oprimir, impor duras medidas a [*td.*: *Espremem o povo, exigindo-lhe onerosos tributos.*] 4 *Fig. Pop.* Interrogar insistentemente, tb. usando de coação [*td.*: *Tanto o espremeram, que afinal disse tudo.*] 5 Fazer brotar (tb. *Fig.*) [*td.*: *espremer lágrimas, alegria.*] 6 Apertar (algo) para fazer sair; EXPELIR [*td.*: *Pode espremer os cravos, mas não toque nas espinhas.*] 7 Fazer força para expulsar, para lançar de si alguma coisa [*td.*: *Espremeu-se por horas antes de tomar o laxante.*] 8 Reduzir (tamanho de letra, espaço entre letras, entrelinha etc. de) um texto para que caiba em espaço menor [*td.*] [▶ 2 espremer] [F.: Do lat. *exprimere.*]

espremido (es.pre.*mi*.do) *a.* 1 Que se espremeu; que sofreu ação de espremer (limão espremido) 2 Diz-se dos líquidos que se extraem por espremeção (suco de laranja espremido) 3 *Fig.* Que se conseguiu a grande custo (vitória espremida); APERTADO 4 Imprensado, apertado: *Viajou espremido no ônibus.* 5 *Fig.* Diz-se de indivíduo afetado, presumido [F.: Part. de *espremer.* Hom./Par.: *exprimido* (fl. de *exprimir*).]

espritado (es.pri.*ta*.do) *N.E. Pop. a.* 1 Diz-se de sujeito valentão, audacioso, briguento 2 Diz-se de indivíduo raivoso, enfurecido [F.: Part. de *espritar.*]

⊕ **esprit de corps** (*Fr./espri de cór/*) *loc.subst.* Ver *espírito de corpo*

espulgar (es.pul.*gar*) *v.* 1 Livrar(-se) de pulgas: *Expulgar os animais; Lavou os cabelos para espulgar-se.* [*td.*: *espulgar animais.*] [*int.*: *O sabão não servia para espulgar.*] 2 *Fig.* Furtar, roubar (alguma coisa) [*td.*: *Espulgava flores do jardim da vizinha.*] [*int.*: *Ele tinha o hábito de espulgar.*] [▶ 14 espulgar] [F.: *es-* + *pulga* + *-ar².*]

espuma (es.*pu*.ma) *sf.* 1 Conjunto de bolhas pequenas que se formam ao redor de substâncias viscosas ou saponáceas, como sabão, xampu etc., ou à superfície de um líquido, quando agitado, fervido ou fermentado (espuma de sabão; espuma do mar; espuma da cerveja); ESCUMA 2 Baba com aparência de espuma (1) 3 Material sintético, poroso e macio (colchão de espuma) 4 Forma de espuma (1) consistente e cremosa que serve como emoliente para a barba ou pelos do corpo, antes de raspá-los [F.: Do lat. *spuma.* Hom./Par.: *espuma* (sf.), *espuma* (fl. de *espumar*).] ▪ **~ de borracha** *Quím.* Termo que designa substância sintética, muito porosa e plástica, com diversos usos (isolantes elétricos e térmicos, colchões etc.)

espumadeira (es.pu.ma.*dei*.ra) *sf.* O mesmo que *escumadeira* [F.: *espumar* + *-deira.*]

espumante (es.pu.*man*.te) *a2g.* 1 Que forma espuma; ESPUMOSO: *Este sabonete é bem espumante.* 2 Que lança ou levanta espuma: "Dos espumantes vasos se derrama / O licor que Noé mostrara à gente" (Camões, *Os Lusíadas*) 3 *Fig. P.ext.* Que está com muita raiva, furioso, irado *sm.* 4 Tipo de vinho que produz espuma, como o champanhe [F.: Do lat. *spumans, antis.*]

espumar (es.pu.*mar*) *v.* 1 Fazer ou soltar espuma [*int.*: *O mar espuma em dias de ressaca; O cão rosnava e espumava.*] 2 Recobrir de espuma; ENSABOAR [*td.*] 3 *Fig.* Demonstrar emoção forte [*td.*: *Espumava ressentimento.*] [*tr.* + *de*: *Espumou de ódio com aquela crítica.*] [*int.*: *Esbravejava, espumava, não escondendo sua cólera.*] 4 Tirar a espuma de; ESCUMAR [*td.*: *É preciso espumar a geleia enquanto ferve.*] [▶ 1 espumar] [F.: Do lat. *spumare.*]

espumarada (es.pu.ma.*ra*.da) *sf.* Grande quantidade de espuma; ESPUMEIRO; ESCUMEIRO; ESCUMARADA [F.: *espuma* + *-r-* + *-ada.*]

espumarento (es.pu.ma.*ren*.to) *a.* 1 Que contém espuma ou que facilmente se reduz a espuma (líquido espumarento); ESPUMOSO 2 Que produz muita espuma [F.: *espumar* + *-ento.*]

espumejante (es.pu.me.*jan*.te) *a.* Que espumeja; que emite ou contém espuma: *Trouxe um copo de cerveja espumejante.* [F.: *espumejar* + *-ante.*]

espumejar (es.pu.me.*jar*) *v.* 1 Produzir ou lançar espuma; ESPUMAR [*int.*: *O cachorro espumejava.*] 2 Lançar (gritos, admoestações, ofensas etc.) [*td.*: *Espumejou os piores palavrões.*] 3 Ficar com muita raiva [*int.*] [▶ 1 espumejar] [F.: *espuma* + *-ejar.*]

espumento (es.pu.*men*.to) *a. Bras.* Ver *espumoso* [F.: *espuma* + *-mento.*]

espúmeo (es.*pú*.me:o) *a.* 1 Que traz espuma; tb. *espumífero* 2 *Poét.* Espumoso, espumante: "O espúmeo chifre as faces dos convivas acendia." (Olavo Bilac, *Poesias*) [F.: Do lat. *spumeus,a,um.*]

espumoso (es.pu.*mo*.so) [ô] *a.* 1 Que forma muita espuma; ESPUMANTE 2 Que está coberto de espuma (mar espumoso) 3 Diz-se de algo com consistência que se assemelha à da espuma (bolo espumoso) [Pl. e fem.: [ó].] [F.: Do lat. *spumosus.*]

espúrio (es.*pú*.ri:o) *a.* 1 Que é ilegítimo (comércio espúrio) [Ant.: *legítimo*] 2 Diz-se de filho concebido fora do casamento; BASTARDO 3 Que não segue os princípios da lei, de hábitos e costumes, da gramática etc. (comportamento espúrio) 4 Falsificado, adulterado: *Enriqueceu comerciando produtos espúrios.* 5 Que não é da pessoa a quem se atribui a autoria (obra espúria) 6 Suposto, hipotético 7 *Med.* Diz-se de enfermidade a que faltam os sintomas característicos da doença verdadeira (diarreia espúria) [F.: Do lat. tard. *spurius.*]

esputar (es.pu.*tar*) *v. int.* Salivar em demasia; cuspir a todo momento [▶ 1 esputar] [F.: do lat. *sputare.*]

esputo (es.*pu*.to) *sm.* 1 Ação ou resultado de esputar 2 *P.ext.* Saliva, cuspe [F.: Do lat. *sputum, i.* Hom./Par.: *esputo* (fl. de *esputar*).]

esquadra (es.*qua*.dra) *sf.* 1 *Mar.G.* O conjunto de todos os navios de guerra de um país 2 *Mar.G.* Parte de uma força naval, conjunto de navios de guerra sob o comando de um oficial-general (almirante, vice-almirante, contra-almirante) 3 *Fig. Esp.* Equipe tida por forte, de boa qualidade (esquadra argentina); ESQUADRÃO 4 *Lus.* Posto policial; delegacia (de polícia civil) ou quartel (de polícia militar) [F.: Do it. *squadra.*]

esquadrão (es.qua.*drão*) *sm.* 1 *Mil.* Unidade de um corpo de cavalaria, subdivisão de um regimento 2 Unidade militar de navios de guerra, ou de aeronaves, ger. do mesmo tipo e classe 3 *Exérc.* Unidade de tropa composta de infantaria e cavalaria 4 *Fig.* Grupo de pessoas reunidas por algo em comum (esquadrão da moda; esquadrão da morte) 5 *Esp.* Equipe [Pl.: *-drões.*] [F.: Do it. *squadrone.*]

esquadrejadeira (es.qua.dre.ja.*dei*.ra) *sf.* 1 Máquina que corta madeira e outros materiais em ângulo reto *a.* 2 Diz-se dessa máquina [F.: *esquedrejar* + *-eira.* Ideia de: *quatr-.*]

esquadrejado (es.qua.dre.*ja*.do) *a.* Diz-se de madeira, vidro etc. cortado ou serrado em formato de esquadria [F.: Part. de *esquadrejar.*]

esquadrejar (es.qua.dre.*jar*) *v. td.* Cortar (madeira, vidro etc.) em forma de esquadria: *Esquadrejou a moldura do painel.* [▶ 1 esquadrejar] [F.: *esquadro* + *-ejar.*]

esquadria (es.qua.*dri*.a) *sf.* 1 *Geom.* Ângulo reto; ângulo de 90 graus 2 Corte ou estrutura com essa medida angular 3 Instrumento para traçar ângulos retos ou para verificar se um ângulo é reto; ACUTA; ESQUADRO 4 *Cons.* Armação em que se fixam portas e janelas. Tb. *caixilho* 5 *Cons.* Pedra esquadrejada us. em construções; CANTARIA 6 *Fig.* Regularidade, boa ordem: "Não se ideara justapor ao áspero teatro da guerra a esquadria das formaturas, ou a retitude de planos preconcebidos" (Euclides da Cunha, *Os sertões*) [F.: *esquadro* + *-ia¹.* Hom./Par.: *esquadria* (sf.), *esquadria* (fl. de *esquadriar*); *esquadrias* (sfpl.), *esquadrias* (fl. de *esquadriar*).]

esquadrilha (es.qua.*dri*.lha) *sf.* 1 *Avi.* Agrupamento de dois a quatro aviões, ger. militares 2 *Mar.G.* Esquadra composta de navios de guerra de pequeno porte; FLOTILHA [F.: Do espn. *escuadrilla.* Hom./Par.: *esquadrilha* (sf.), *esquadrilha* (fl. de *esquadrilhar*).]

esquadrilhar¹ (es.qua.dri.*lhar*) *v. td.* Expulsar da quadrilha [▶ 1 esquadrilhar] [F.: *es-* + *quadrilha* + *-ar².* Hom./Par.: *esquadrilha* (fl. de *esquadrilhar*), *esquadrilha* (sf.).]

esquadrilhar² (es.qua.dri.*lhar*) *v. td.* Quebrar os quadris ou as ancas de; DESANCAR; DESCADEIRAR; DERREAR [▶ 1 esquadrilhar] [F.: *es-* + *quadril* + *-ar²*, com palatalização.]

esquadrinhado (es.qua.dri.*nha*.do) *a.* 1 Que se esquadrinhou 2 Investigado detalhadamente (episódio esquadrinhado) [F.: Part. de *esquadrinhar.*]

esquadrinhador (es.qua.dri.nha.*dor*) [ô] *a.* 1 Diz-se de indivíduo que tem o hábito de esquadrinhar, bisbilhotar, investigar, escarafunchar *sm.* 2 Esse indivíduo [F.: *esquadrinhado* + *-or.*]

esquadrinhamento (es.qua.dri.nha.*men*.to) *sm.* 1 Ação ou resultado de esquadrinhar 2 Investigação, pesquisa [F.: *esquadrinhar* + *-mento.*]

esquadrinhar (es.qua.dri.*nhar*) *v.* 1 Examinar atenta e minuciosamente; INVESTIGAR; PESQUISAR; VASCULHAR [*td.*: "Raulino... esquadrinhou o terreno, buscando... o criminoso." (Domingos Olímpio, *Luzia Homem*)] [*int.*: "Mas o melhor é cada um esquadrinhar, escavar..." (Eça de Queirós, *A relíquia*)] 2 Analisar, estudar (a Terra, os astros, os segredos da natureza etc.) [*td.*] [▶ 1 esquadrinhar] [F.: Do lat. vulg. **scrutiniare* 'ação de sondar'.]

esquadro (es.*qua*.dro) *sm.* 1 *Des. Geom.* Instrumento de desenho ger. de acrílico transparente, com ou sem graduação, com a forma de triângulo retângulo us. para traçar ângulos retos e linhas perpendiculares ou paralelas (neste caso, com um dos catetos deslizando sobre uma régua); pode ter o formato de um triângulo isósceles ou escaleno; CORTA-MÃO 2 *Cons. Marc.* Instrumento em forma de um L em ângulo reto us. para guiar o corte de esquadrias, ou para verificá-las, conferi-las; ACUTA 3 *Art. gr.* Barra móvel us. para regular a posição do papel em máquinas de cortar, de picotar etc. 4 *Cnav.* Peça de chapa, em forma de esquadro, que liga dois perfis, duas peças ou duas superfícies que fazem ângulo entre si, e que mantém fixo este ângulo [F.: Do it. *squadro.* Hom./Par.: *esquadro* (sm.), *esquadro* (fl. de *esquadrar*).] ▪ **Em/no ~** *Carp.* Em ângulo de 90 graus

esqualidez (es.qua.li.*dez*) [ê] *sf.* 1 Qualidade de esquálido 2 Que é magro, depauperado; que aparenta ser desnutrido 3 Falta de higiene, arrumação, ordem [F.: *esquálido* + *-ez.*]

esquálido (es.*quá*.li.do) *a.* 1 Que é muito magro; MACILENTO: "Co'um sorriso infernal no rosto esquálido, / Com fome e frio a tiritar demente" (Gonçalves Dias, *Primeiros cantos*) 2 *Fig.* Muito sujo ou desarrumado: "O rosto carregado, a barba esquálida" (Camões, *Os Lusíadas*) 3 *Fig.* Muito pequeno ou muito pobre (casa esquálida) 4 *Fig.* Que tem pouco valor (mundo esquálido); VIL [F.: Do lat. *squalidus.*]

esquartejado (es.quar.te.*ja*.do) *a.* 1 Diz-se de corpo (de pessoa ou de animal) cortado em pedaços; RETALHADO 2 *Fig.* Difamado, desacreditado (partido esquartejado) *sm.* 3 Indivíduo que morreu esquartejado (1) [F.: Part. de *esquartejar*.]

esquartejador (es.quar.te.ja.*dor*) [ô] *a.* 1 Que esquarteja; que pratica o esquartejamento *sm.* 2 Aquele que esquarteja [F.: *esquartejado* + *-or*.]

esquartejamento (es.quar.te.ja.*men*.to) *sm.* 1 Ação ou resultado de esquartejar 2 Antigo suplício: o condenado tinha cada um dos seus pés e dos seus braços amarrados a um cavalo e depois estes eram obrigados a puxar em direções opostas, até que os membros do condenado se separassem do tronco 3 *Fig.* Crítica avassaladora, que leva à desonra, ao opróbio do criticado [F.: *esquartejar* + *-mento*.]

esquartejar (es.quar.te.*jar*) *v. td.* 1 Cortar (um corpo) em pedaços, em postas; RETALHAR: *Relatou friamente como esquartejou a vítima; esquartejar um animal.* 2 Dividir (um todo) em quatro partes 3 Aplicar o suplício do esquartejamento (2) 4 *Fig.* Desacreditar, difamar [▶ 1 esquartejar] [F.: *es-* + *quarto* + *-ejar*.]

esquartelar (es.quar.te.*lar*) *v. td.* 1 Dividir em quatro partes ou porções iguais 2 Separar em quartos 3 *Her.* Dividir (escudo) em quartéis [▶ 1 esquartelar] [F.: *es-* + *quartel* + *-ar*.]

esquecedor (es.que.ce.*dor*) [ô] *a.* 1 Que esquece com frequência; ESQUECIDO; ESQUECIDIÇO *sm.* 2 Pessoa que frequentemente esquece [F.: *esquecer* + *-dor*.]

esquecer (es.que.*cer*) *v.* 1 Perder da memória, da lembrança (alguém ou algo); não (se) lembrar; OLVIDAR [*td.*: *Nunca esqueci o meu primeiro amor;* "Nunca me esquecerei que no meio do caminho tinha uma pedra" (Carlos Drummond de Andrade, *No meio do caminho*)] [*int.*: *Viajou para esquecer.*] [*tr.* + *de*: *Não (me) esqueço da minha primeira boneca.*] 2 Distrair-se de; ignorar temporariamente, não atentar para [*td.*: *O presidente esqueceu o protocolo e aproximou-se da multidão.*] 3 Ser omitido; não ser mencionado por descuido ou por falta de atenção [*int.*: *Esqueceram muitos nomes da lista.*] 4 Descuidar(-se), distrair(-se) [*tr.* + *de*: *Andava rápido, sem (se) esquecer de sorrir para os conhecidos.*] 5 Perder a ciência, o conhecimento ou a habilidade adquiridos [*td.*: *Esqueceram a própria língua.*] [*td.* + *de*: *Esqueceu-se do piano.*] 6 Não pensar em, não se ligar em (algo, ou o que quer que seja) por estar absorto, embevecido etc., ou por não querer se aborrecer [*td.*: *Começa a ler e esquece tudo.*] [*tr.* + *de*: *Ficou olhando a paisagem e (se) esqueceu até de comer; Esqueceu(-se) de fazer o dever de casa.*] 7 *P.us.* Ficar dormente; perder a sensibilidade [*int.*] 8 Deixar (algo) em algum lugar por desatenção [*td. tda.*: *Foi almoçar em casa e esqueceu o guarda-chuva (no escritório).*] 9 Não levar em consideração, desprezar [*td.*: *Esqueceu os conselhos do pai e acabou se dando mal.*] 10 Desistir, ou nem tentar [*int.*: *Empregar o Mário? Esquece, ele só vai lhe dar aborrecimentos.*] [▶ 33 esquecer] [F.: Do lat. *excadescere*, frequentativo de *excadere*.]

esquecidiço (es.que.ci.*di*.ço) *a.* 1 Que é dado a esquecer; que se esquece das coisas com facilidade; DESLEMBRADO 2 Que tem fraca memória; DESMEMORIADO [F.: *esquecido* + *-iço*.]

esquecido (es.que.*ci*.do) *a.* 1 Que se esqueceu, que não foi lembrado (documento esquecido) 2 Abandonado, desprezado: "O arco pende-lhe ao ombro, esquecido e inútil" (José de Alencar, *Ubirajara*) 3 Diz-se de pessoa que esquece das coisas com frequência; DESMEMORIADO 4 Diz-se de galo que não tem esporões ou os tem atrofiados 5 *Pop.* Diz-se de parte do corpo que perdeu (permanente ou momentaneamente) a sensibilidade, a capacidade de movimentar-se etc. 6 *RS* Diz-se de cavalo que não desenvolveu colmilhos, os dentes caninos 7 Que está absorto em pensamentos, meditação: "Ficou calada, com o olhar esquecido no tapete, movendo languidamente o leque..." (Eça de Queirós, *Os Maias*) *sm.* 8 Indivíduo que não tem boa memória 9 Aquilo ou aquele que existe em um lugar e de que as pessoas não se lembram (por desinteresse ou pela pouca importância): *os esquecidos da sociedade.* [F.: Part. de *esquecer*.]

esquecimento (es.que.ci.*men*.to) *sm.* 1 Ação ou resultado de esquecer(-se) 2 Falta de lembrança, de memória; OLVIDO: "Pelas águas do eterno esquecimento/ Segura passará a minha lembrança" (Camões, *Sonetos*) 3 Desconsideração da importância de algo ou alguém: *Grandes homens não podem cair no esquecimento.* 4 Omissão, descuido: *Não paguei a conta por puro esquecimento.* [F.: *esquecer* + *-imento*. Ant. ger.: *lembrança*.] ■ **Cair no ~** Ser esquecido, sair da lembrança ou memória

esquecível (es.que.*cí*.vel) *a2g.* 1 Que pode ser esquecido 2 Que não vale a pena ser lembrado [Pl.: *-veis*.] [F.: *esquecer* + *-ível*. Ant. ger.: *inesquecível*.]

esqueite (es.*quei*.te) [ê] *sm.* Ver *skate* [F.: F. aport. e red. do ing. *skateboard*.]

esqueitista (es.quei.*tis*.ta) *a2g.* 1 Ref. a esqueite ou à prática do esqueite *s2g.* 2 Aquele que anda de esqueite 3 Aquele que pratica o esporte do esqueite (*skate*) [F.: *esqueite* + *-ista*.]

esquelético (es.que.*lé*.ti.co) *a.* 1 Ref. ou semelhante a esqueleto (perfil esquelético) 2 *Fig.* Que é extremamente magro (modelos esqueléticas) [F.: *esqueleto* + *-ico*².]

esqueleto (es.que.*le*.to) [ê] *sm.* 1 *Anat.* Estrutura de ossos que sustenta o corpo dos vertebrados (esqueleto humano) 2 *Zool.* Estrutura de sustentação do corpo dos invertebrados 3 Essa estrutura quando exposta, depois da morte de um animal ou ser humano: *Achamos um esqueleto de sapo.* 4 Conjunto de ossos de um corpo de vertebrado morto encontrado em uma cova, uma escavação etc. 5 Conjunto de ossos naturais ou imitações artificiais, humanos ou de animais, presos por arame ou outros materiais e montado em sua conformação anatômica para estudo de anatomia 6 *Anat. Zool.* Conjunto das partes mais rígidas, esp. as de sustentação ou proteção, de qualquer animal [Ver *exoesqueleto* e *endoesqueleto*.] 7 *Fig.* Pessoa muito magra: "...o homem chegara a parecer um esqueleto, e a mulher uma pipa..." (Eça de Queirós, *Os Maias*) 8 *Gír.* O corpo: *sacolejar o esqueleto.* 9 *Fig.* Estrutura básica de algo: *o esqueleto de um prédio.* 10 *Fig.* Esboço, ensaio, esquema: *o esqueleto de um livro.* 11 *Cons.* Estrutura que dá sustentação a uma construção 12 Carcaça de máquina, automóvel etc. 13 *Cnav.* Estrutura do casco do navio constituída por vigas (longitudinais e transversais) e reforços locais [F.: Do gr. *skeletón*, neutro substv. de *skeletós, é, ón*, 'dessecado'. Sin. nas acps. 1 a 3 e 11: *ossada*.] ■ **~ axial** *Anat. Zool.* O conjunto dos ossos do crânio, da coluna vertebral e da caixa torácica (esterno e costelas), eixo de sustentação dos vertebrados

> O esqueleto é a estrutura interna que sustenta todos os tecidos do corpo dos vertebrados – músculos, órgãos, pele, gordura etc. – e onde se inserem, nos ossos de cada parte, os músculos locomotores que o fazem movimentar-se. A constituição do esqueleto humano, juntamente com a dos músculos, propicia as posturas e movimentos do ser humano, desde a típica e diferenciada posição ereta parada ou ao caminhar, as flexões e rotações, até os delicados movimentos manuais de precisão. A coluna vertebral é o eixo desse sistema, formada por 33 vértebras sobrepostas de tal forma que provêm a sustentação vertical de todos os componentes do corpo, e uma certa flexibilidade, principalmente para a frente, além de formarem e protegerem o canal por onde passa a medula espinhal e as inserções nervosas que ligam todo o corpo ao cérebro. São 206 ossos no esqueleto, que basicamente compõem três partes: cabeça, tronco e membros. Alguns não articulados, como os que formam a caixa craniana e a face (21 ossos, sem contar a mandíbula), alguns não articulados mas com certa flexibilidade de movimento, como os que constituem a caixa torácica, que se expande e contrai com a respiração (esterno e 12 pares de costelas), e muitos articulados, permitindo os movimentos em várias direções e sentidos, como a mandíbula, os ossos do complexo ombro-braços-mãos-dedos (escápula, clavícula [estes com movimentos limitados], úmero, ulna, rádio, carpo, metacarpo e dedos) e do complexo bacia-pernas-pés-dedos (ilíacos, sacro [estes com movimentos limitados], fêmur, fíbula, tíbia, tarso, metatarso e dedos).

esquema (es.*que*.ma) *sm.* 1 Conjunto de figuras que representa de forma simplificada as relações e funções de um objeto, aparelho etc. (esquema do computador; esquema do aparelho respiratório) 2 Representação de algo, ger. por meio de figura ou diagrama: *o esquema da órbita de um planeta.* 3 Esboço da estrutura de algo: *o esquema da planta de um prédio.* 4 Plano, programa: *Já foi definido o esquema de segurança para o carnaval.* 5 Resumo, síntese: *o esquema de um curso.* 6 *Bras. Pop.* Modo escuso de obter vantagens: *O esquema desmoronou e os corruptos foram desmascarados.* 7 *Bras. Pop.* Modo como algo está organizado ou ajustado, esp. para funcionar; MÉTODO; ORGANIZAÇÃO; SISTEMA: *esquema de produção.* 8 *Inf.* Em uma rede, descrição das classes e dos atributos de objeto, armazenados no serviço de diretório que disponibiliza essas informações a usuários e administradores: *O programador criou um esquema para o usuário do sistema.* 9 *Esp.* Estratégia de jogo (esquema tático) [F.: Do gr. *schêma, atos*, pelo lat. *schema*.] ■ **Armar um ~** *Bras. Pop.* Planejar algo, tramar algo

esquemático (es.que.*má*.ti.co) *a.* 1 Ref. a esquema 2 Elaborado segundo um esquema: *diagrama esquemático das frentes frias.* 3 Resumido, muito simplificado; SINTÉTICO: *quadro esquemático das ciências.* [F.: *esquema* + *-ático*.]

esquematismo (es.que.ma.*tis*.mo) *sm.* 1 Caráter do que é esquemático 2 Tendência para esquematizar as coisas 3 *Fil.* Resultado da aplicação das formas do entendimento puro às da intuição [F.: *esquem(at)-* + *-ismo*.]

esquematização (es.que.ma.ti.za.*ção*) *sf.* 1 Ação ou resultado de esquematizar 2 Planejamento, programação (esquematização da obra) [Pl.: *-ções*.] [F.: *esquematizar* + *-ção*.]

esquematizado (es.que.ma.ti.*za*.do) *a.* 1 Representado por meio de esquema (projeto esquematizado) 2 Planejado, esboçado: *O escritor entregou o romance esquematizado ao editor, para uma avaliação inicial.* [F.: Part. de *esquematizar*.]

esquematizante (es.que.ma.ti.*zan*.te) *a2g.* Que conduz a algum processo de esquematização [F.: *esquematizar* + *-ante*.]

esquematizar (es.que.ma.ti.*zar*) *v. td.* 1 Representar graficamente ou por meio de esquema: *Esquematizou a evolução do consumo de energia.* 2 Fazer um esboço genérico de: *esquematizar um plano de ação.* 3 Apresentar (obra, texto etc.) em forma esquemática, resumindo em tópicos [▶ 1 esquematizar] [F.: Do gr. *schematízein*, ou de *esquema* + *t* + *-izar*.]

esquentação (es.quen.ta.*ção*) *sf.* 1 Ação ou resultado de esquentar(-se); AQUECIMENTO 2 *Fig.* Discussão ardente, quente; ALTERCAÇÃO [Pl.: *-ções*.] [F.: *esquentar* + *-ção*.]

esquentado (es.quen.*ta*.do) *a.* 1 Que se esquentou [Ant.: *esfriado*.] 2 Aquecido, requentado (almoço esquentado) 3 *Fig.* Que está irritado ou tende a se irritar, ou a se aborrecer; EXALTADO; IRRITADIÇO: *Um temperamento esquentado induz a decisões precipitadas.* 4 *P.ext.* Que é dado a puxar briga por muito pouco [F.: Part. de *esquentar*.]

esquentamento (es.quen.ta.*men*.to) *sm.* 1 Ação ou resultado de esquentar(-se) [Ant.: *esfriamento*.] 2 *Fig.* Irritação, raiva 3 Excitamento, aumento de intensidade de uma situação, emoção, de um sentimento, de uma relação, inclusive sexual 4 *Bras. Fig.* Ação de elaborar uma documentação forjada para transportar e comercializar algo obtido ilegalmente: *Notas fiscais foram falsificadas para o esquentamento da madeira ilegal.* 5 *Tabu.* O mesmo que *gonorreia* [F.: *esquentar* + *-mento*.]

esquentar (es.quen.*tar*) *v.* 1 Elevar(-se) a temperatura de; AQUECER(-SE) [*td.*: *Já esquentei o jantar; Tomou um chocolate quente para se esquentar.*] [*int.*: *A calota polar está esquentando e derretendo.*] 2 *Fig.* Animar(-se), agitar(-se) [*td.*: *O entrevistador tentou esquentar o debate.*] [*int.*: *Agora a temporada musical vai esquentar!*] 3 *Fig. Pop.* Irritar(-se), preocupar(-se) [*td.*: *A expulsão do jogador esquentou os ânimos.*] [*int.*: *Não esquente, isso passa!; Você se esquentou à toa!*] 4 *Fig.* Preparar (instrumento, dispositivo etc.) para o uso, aquecendo, fazendo funcionar um pouco antes [*td.*: *esquentar o motor.*] [▶ 1 esquentar] [F.: Do lat. *excalentare*.] ■ **~ a cabeça** *Bras. Pop.* Preocupar-se **~ a cadeira** Ficar muito tempo num lugar, ou num cargo, função etc.: *Não esquenta cadeira, está sempre mudando de emprego.*

esquerda (es.*quer*.da) *sf.* 1 O lado do corpo (considerando que uma linha imaginária vertical divide o corpo em dois lados) em que se situa a maior parte do coração, o pâncreas 2 Aplicando a mesma referência a qualquer objeto, o lado correspondente ao esquerdo (1) 3 A direção ou o espaço que fica desse lado: *Ultrapasse os carros somente pela esquerda.* 4 A mão esquerda; CANHOTA; SINISTRA [P. opos. a *destra*.] 5 *Pol.* O grupo de pessoas ou de partidos que defendem os ideais do socialismo, em oposição ao capitalismo e a regimes de direita (bancada de esquerda) 6 *Pol.* A ideologia (ideias, valores, crenças) dessas pessoas, grupos ou partidos (jornal de esquerda.) [P. opos. a *direita*.] 7 Ideologia, política, e o conjunto de pessoas ou grupos que as adotam que estão mais próximos aos princípios da esquerda (4) que aos mais conservadores [P. opos. a *direita*.] 8 *Esp.* A mão ou a perna esquerda: *O jogador fez um gol com um chute de esquerda; Deu uma cortada violenta com a esquerda.* [P. ops. a *direita*.] 9 *Esp.* O golpe deferido com a mão esquerda: *A esquerda do campeão mundial de boxe é mortal no ringue.* [p. opos.. a *direita*.] 10 *Esp.* No surfe, onda que quebra da esquerda para a direita, do ponto de vista de quem está na praia [F.: Fem. substv. de *esquerdo*.] ■ **~ alta** *Teat.* O lado esquerdo da parte posterior do palco (de quem assiste da plateia) **~ baixa** *Teat.* O lado esquerdo da parte anterior do palco (de quem assiste da plateia) **~ festiva** *Pej. Pol.* Termo que designa grupos de militantes de esquerda, caracterizado por mais falar e confraternizar socialmente do que por atuar seriamente de acordo com sua posição política **De ~** Que tem convicções políticas contrárias a um regime conservador e simpáticas a ideias anticapitalistas, ou socialistas, ou comunistas

esquerdinha (es.quer.*di*.nha) *sm.* 1 Dim. de *esquerda* 2 *Pej. Pop. Pol.* Diz-se, depreciativamente, de indivíduo com tendências políticas de esquerda, mas inexpressivo ou inconsequente [F.: *esquerda* + *-inha*.]

esquerdismo (es.quer.*dis*.mo) *sm.* 1 *Pol.* Militância ou posicionamento de esquerda 2 O conjunto das pessoas que pertencem à esquerda política; COMUNISMO; SOCIALISMO [Tb. us. de maneira depreciativa.] [F.: *esquerda* + *-ismo*.]

esquerdista (es.quer.*dis*.ta) *a2g.* 1 *Pol.* Que tem postura política de esquerda (retórica esquerdista; grupo esquerdista) *s2g.* 2 Indivíduo esquerdista [F.: *esquerda* + *-ista*. P.opos. a *direitista*.]

esquerdizante (es.quer.di.*zan*.te) *Pol. a2g.* 1 Que é simpatizante das ideias e doutrinas políticas de esquerda 2 Que leva ao ou favorece o esquerdismo 3 Que conduz ao socialismo ou ao comunismo 4 *Bras.* Que defende o estatismo na economia [F.: *esquerdizar* + *-nte*.]

esquerdizar (es.quer.di.*zar*) *v. td. Pol.* Tornar(-se) de esquerda; assumir ideias ou posição política de esquerda [*td.*: *Esquerdizava todos os artigos escritos nesse período.*] [*int.*: *Esquerdizou-se no convívio com velhos revolucionários.*] [▶ 1 esquerdizar] [F.: *esquerda* + *-izar*.]

esquerdo (es.*quer*.do) [ê] *a.* 1 Ref. ao lado do corpo (considerando uma linha imaginária longitudinal que divide o corpo em duas metades) onde fica a maior parte do coração, o pâncreas 2 Aplicando a qualquer objeto a mesma linha imaginária, o lado correspondente ao lado esquerdo (1) do corpo 3 Situado na direção ou no espaço que fica ao lado esquerdo (1) do observador (margem esquerda) 4 Diz-se de indivíduo canhoto [P.opos. a *destro*.] 5 *Fig.* Oblíquo, torto 6 *Fig.* Desastrado, desajeitado; CANHESTRO 7 *Fig.* Sinistro, de mau agouro 8 Diz-se de situação constrangedora, desconfortável, difícil 9 Não direto, não sincero, de viés (olhar esquerdo); ENVIESADO; OBLÍQUO [F.: De or. incerta; prov. de uma língua pré-romântica dos Pireneus, fonte tb. do espn. *izquierdo*.]

esquete (es.*que*.te) [é] *sf. Rád. Teat. Telv.* Encenação curta (peça teatral, programa de rádio ou televisão), ger. cômica [F.: Do ing. *sketc.h*.]

esqui (es.*qui*) *sm.* 1 *Esp.* Cada uma das pranchas finas e alongadas que se calçam uma em cada pé para deslizar na neve ou sobre a água 2 *Esp.* Esporte ou atividade praticados com esquis (1) (pista de esqui; esqui aquático) [F.: Do nor. *ski*, pelo fr. *ski*.] ▪ **~ aquático** *Esp.* Esporte aquático no qual o praticante desliza na água sobre esquis, puxado por uma lancha

esquiação (es.qui:a.*ção*) *sf.* Ação, atividade de esquiar; prática do esqui (esquiação na neve; esquiação aquática) [Pl.: *-ções*.] [F.: *esquiar* + *-ção*.]

esquiador (es.qui:a.*dor*) [ô] *a.* 1 Que esquia *sm.* 2 Aquele que esquia [F.: *esquiar* + *-dor*.]

esquiar (es.qui.*ar*) *v. int.* 1 Deslizar sobre a neve ou sobre a água usando esquis 2 *Esp.* Praticar o esqui (2) [▶ 1 esquiar] [F.: *esqui* + *-ar*².]

esquiável (es.qui:*á*.vel) *a2g.* Em que se pode esquiar [Pl.: *-veis*.] [F.: *esquiar* + *-ável*.]

esquife (es.*qui*.fe) *sm.* 1 Caixão de defunto: "Nos fosse dado o esquife que te encerra" (Machado de Assis, *Elegia*) 2 *Ant. Náut.* Pequena embarcação, a remo ou à vela, us. nos serviços de caravelas, galeões etc.: "...fomos de longo da costa, com os batéis e esquifes amarrados na popa..." (Pero Vaz de Caminha, *A carta*) [F.: Do lombardo *skif*, pelo it. *schifo*.]

esquilo (es.*qui*.lo) *sm. Zool.* Denominação comum aos roedores da fam. dos ciurídeos (*Ciurus vulgaris*), arborícolas, de porte pequeno a médio e cauda longa e muito peluda [F.: Do gr. *skíouros, ou*, pela f. **squirus*, posv. Hom./Par.: *esquilo* (sm.), *esquilo* (fl. de *esquilar*).]

esquimó (es.qui.*mó*) *s2g.* 1 Indivíduo dos esquimós, povo que vive nas regiões geladas próximas ao Ártico (Groenlândia, Alasca, norte do Canadá e da Sibéria, ilhas árticas) *a2g.* 2 Das regiões geladas próximas ao Ártico; típico dessa região ou de seu povo 3 Ref. aos esquimós ou a suas línguas, típico desse povo, de sua cultura, de seus hábitos *sm.* 4 *Gloss.* Cada uma das duas línguas faladas por esse povo [F.: Do fr. *esquimau*.]

esquina (es.*qui*.na.) *sf.* 1 Um dos cantos do cruzamento de duas ou mais vias (ruas, avenidas etc.): "Às cinco horas sai da rua da Saúde sem máscara; chega à esquina da rua do Rosário..." (Machado de Assis, *Balas de estalo*) 2 Lugar próximo a esse cruzamento: *carros estacionados na esquina*. 3 *Fig.* Ponto de encontro de pessoas que comentam qualquer assunto, ger. de maneira superficial (papo de esquina) 4 Ângulo formado pelo encontro de duas paredes; QUINA; CANTO: "Cada passo do soldado fora do ângulo de uma esquina era a morte..." (Euclides da Cunha, *Os sertões*) 5 Ângulo formado por dois planos que se cortam; ARESTA [F.: Do germ. **skina*.] ▪ **De ~** Localizado em uma esquina: *É um desses barezinhos de esquina, comuns no bairro.*

esquinar (es.qui.*nar*) *v. td.* 1 Dar formato de esquina a 2 Colocar de maneira oblíqua 3 Efetuar cortes que formam ângulos; FACETAR [▶ 1 esquin**ar**] [F.: *esquina* + *-ar*.]

esquinência (es.qui.*nên*.ci:a) *sf. Ant. Otor.* O mesmo que *angina* [F.: Do gr. *kunánkhe*.]

esquipado (es.qui.*pa*.do) *a.* 1 Que se esquipou; APETRECHADO; APARELHADO 2 Que recebeu adorno, para ficar enfeitado 3 Ligeiro, rápido; VELOZ 4 *Fig.* Diz-se de vestuário justo, apertado (roupões esquipados) 5 *Dnç.* Uma das modalidades da dança do fandango, cujos passos lembram o andar de um cavalo 6 *Bras. Hip.* Diz-se da andadura do cavalo em que o animal levanta, ao mesmo tempo, uma pata dianteira e uma traseira *sm.* 7 Essa andadura [F.: Part. de *esquipar*.]

esquipar (es.qui.*par*) *v.* 1 Equipar(-se) com tudo o que é preciso para (fazer algo) [*td.*: *Esquipar uma aeronave; Esquipou-se para a excursão.*] 2 Escalar tripulantes para [*td.*: *Esquipou o iate com os melhores velejadores.*] 3 Prover de [*td.*: *Precisava esquipar os caçadores.*] [*tdr.* + *com*: *Esquipou os caçadores com as melhores armas; Esquipou-se com roupas adequadas.*] 4 Colocar atavios, enfeites em (alguém ou si mesmo) [*td.*] 5 Sair apressadamente; escapar [*int.*] 6 Executar (o cavalo) o tipo de andadura a que se chama esquipado [*int.*] [▶ 1 esquipar] [F.: Do ant. fr. *eschiper*.]

esquipático (es.qui.*pá*.ti.co) *a. Pop.* Que é extravagante, incomum, esquisito; ESTAPAFÚRDIO: *Só tinha ideias esquipáticas.* [F.: De or. contrv.]

esquírola (es.*quí*.ro.la) *sf.* 1 *Med.* Fragmento muito pequeno de osso, que aparece ger. em decorrência de fratura: "Os caroços das azeitonas podiam ser cuspidos na mesa, bem como as esquírolas do pernil de porco..." (Afrânio Peixoto, *Maias e Estevas*) 2 Pequeno pedaço, ger. laminar, de qualquer coisa; LASCA [F.: Do fr. *esquilie*.]

esquisitão (es.qui.si.*tão*) *a.* 1 Diz-se de indivíduo muito esquisito, estranho, ger. pouco sociável *sm.* 2 Esse indivíduo [Pl.: *-tões*.] [F.: *esquisito* + *-ão*.]

esquisitice (es.qui.si.*ti*.ce) *sf.* 1 Característica do que ou de quem é esquisito; EXTRAVAGÂNCIA; EXCENTRICIDADE: "Não faças caso. São as minhas esquisitices..." (Mário de Sá-Carneiro, *A confissão de Lúcio*) 2 Comportamento, ação, mania etc. de quem é esquisito: "...então vingava-se da esquisitice, morrendo ainda mais, e dizendo dele por toda a parte..." (Machado de Assis, *Papéis avulsos*) 3 Algo estranho que causa espanto, estranheza (ou admiração) por ser diferente ou, em alguns casos, inadequado: *Outra esquisitice é esse critério de desempate que a federação adotou.* [F.: *esquisito* + *-ice*.]

esquisito (es.qui.*si*.to) *a.* 1 Não usual, fora do comum (pensamentos esquisitos) 2 Que causa estranheza por ser desconhecido, exótico (dança esquisita) 3 Que é difícil de entender ou explicar (comportamento esquisito); ESTRANHO 4 Singular, original; EXTRAVAGANTE; EXCÊNTRICO: "...embora fosse cortês com os vizinhos que o julgavam esquisito e misantropo..." (Lima Barreto, *Triste fim de Policarpo Quaresma*) 5 Que pela raridade é considerado refinado ou delicioso (especiarias esquisitas) 6 *Fig. Pop.* Impertinente, inoportuno (pergunta esquisita) 7 *Bras.* Feio (de mau aspecto ou malvestido) (bicho esquisito; vestido esquisito) *sm.* 8 *Bras.* Lugar deserto, ermo 9 *PR* Caminho difícil e escabroso [F.: Do lat. *exquisitus*.]

◎**esquist(o)-** *pref.* Expressa noção de 'fendido', 'separado': *esquitossomo, esquistossomose* [F.: Do gr. *schistós*.]

esquistossomíase (es.quis.tos.so.*mí*:a.se) *sf. P.us. Pat.* O mesmo que *esquistossomose* [F.: Do lat. cient. *Schistosomiasis*.]

esquistossomídeo (es.quis.tos.so.*mí*.de:o) *Zool. sm.* 1 Espécime dos esquistossomídeos (família de vermes platelmintos) *a.* 2 Ref. aos esquistossomídeos [F.: Do lat. cient. *Schistosomidae*. Ver *esquistossomo*.]

esquistossomo (es.quis.tos.*so*.mo) [ô] *Zool. sm.* Denominação comum dos vermes trematódeos, parasitas, do gên. *Schistosoma*, causadores da esquistossomose, ao penetrar pela pele e ser levado pelo sangue [Tb. *esquistossoma*.] [F.: Do lat. cient. *Schistosoma*.]

esquistossomose (es.quis.tos.so.*mo*.se) *Med. sf.* Infecção causada por três espécies de esquistossomo, o *Schistossoma mansoni* (que ocorre no Brasil), o *S. haematobium* e o *S. japonicum*, e que ataca os intestinos e o fígado do ser humano; no estágio avançado da doença o fígado inflama, endurece e aumenta de tamanho e o enfermo, além de fraco, fica com o abdome dilatado [F.: *esquistossomo* + *-ose*.]

esquiva (es.*qui*.va) *sf.* 1 Ação de esquivar-se movimentando o corpo ou parte dele, ger. para evitar um golpe ou o impacto de algo 2 *Fig.* Ação de evitar alguém ou algo desagradável; ESQUIVANÇA 3 *Bras. Cap.* Movimento defensivo de deslocamento do jogador, em posição agachada e com pés e mãos apoiados no chão, para evitar um golpe [F.: Dev. de *esquivar*. Hom./Par.: *esquiva* (sf.), *esquiva* (fl. de *esquivar*).]

esquivança (es.qui.*van*.ça) *sf.* 1 Pouca disposição para o trato, para a convivência; INSOCIABILIDADE 2 Descaso, desdém 3 Aspereza no trato 4 Negativa, recusa [F.: *esquivar* + *-ança*.]

esquivar (es.qui.*var*) *v.* 1 Evitar, fugir (de alguém ou algo que nos desagrada ou ameaça) [*td.*: *esquivar o castigo/o encontro/a tarefa*.] [*tdr.* + *de*: *O boxeador esquivou-se do golpe.*] 2 Tratar com desprezo [*td.*: *Não entendo por que o esquivam.*] 3 Desviar, afastar [*td.*: *Comportava-se discretamente para esquivar a maledicência.*] [*tdr.* + *de*: *O otimismo esquivou-o de desistir.*] 4 Deixar de fazer, recusar fazer algo; EXIMIR-SE; FURTAR-SE [*int.*: *Apesar de todos os pedidos, esquivou-se sempre.*] [*tdr.* + *de*: *Não se esquivam de suas obrigações.*] 5 Escapar [*tr.* + *a*, *de*: *Por fim, esquivou-se às/das más influências.*] 6 Ser irrelevante, desnecessário [*int.*: *Esquiva apresentar novas justificativas.*] [▶ 1 esquivar] [F.: *esquivo* + *-ar*². Hom./Par.: *esquivo* (fl.), *esquivo* (a.).]

esquivo (es.*qui*.vo) *a.* 1 Que evita o trato, a convivência; ARREDIO: *Era um rapaz esquivo, mal cumprimentava as pessoas.* 2 Que evita ou não aceita, que se furta a manifestações de carinho de outrem 3 Intratável, arisco (menino esquivo, animal esquivo) 4 Difícil de tratar, de abordar (assunto esquivo) [F.: De or. contrv., posv. de origem germânica, do gót. **skiuhs*.]

◎**esquiz(o)-** *El. comp.* Registra-se em diversos vocábulos introduzidos na linguagem científica internacional, a partir do séc. XIX: *esquizofrenia, esquizofrênico, esquizogênese, esquizotímico* etc. [F.: Do gr. *skhízo*, 'dividir, fender'.]

esquizofrenia (es.qui.zo.fre.*ni*.a) *sf. Psiq.* Termo que engloba várias e graves afecções mentais crônicas, de etiologia desconhecida, caracterizadas por uma dissociação entre o pensamento e a ação, e que provocam a perda do contato com a realidade e a desagregação da personalidade [F.: *esquiz(o)-* + *-frenia*.] ▪ **~ hebefrênica** *Psiq.* Tipo de esquizofrenia que se manifesta em adolescentes, com perturbação da fala e do comportamento **~ paranoide** *Psiq.* Aquela que se manifesta em alucinações delirantes (mania de grandeza, de perseguição), mas sem alteração permanente do comportamento afetivo ou intelectual

esquizofrênico (es.qui.zo.*frê*.ni.co) *Psiq. a.* 1 Ref. à ou próprio da esquizofrenia (surto esquizofrênico) 2 Que sofre de esquizofrenia *sm.* 3 Aquele que sofre de esquizofrenia [F.: *esquizofrenia-* + *-ico*². Ver *esquiz(o)-*.]

esquizogênese (es.qui.zo.*gê*.ne.se) *sf. Biol.* Ver *divisão binária* [F.: *esquiz(o)-* + *-gênese*.]

esquizoide (es.qui.*zoi*.de) *Psiq. a2g.* 1 Diz-se de quem apresenta esquizoidia *a.* 2 Relativo a esquizoidia *s2g.* 3 Aquele que apresenta essa doença [F.: *esquiz(o)-* + *-oide*.]

esquizoidia (es.qui.zoi.*di*:a) *Psiq. sf.* Conjunto de sintomas que predispõem à esquizofrenia, como o desejo de estar só, dificuldade de adaptação à realidade, devaneios, autismo etc. [F.: *esquizoide* + *-ia*.]

esquizoparanoide (es.qui.zo.pa.ra.*noi*.de) *Psiq. a2g.* 1 Diz-se de indivíduo que apresenta sintomas característicos de esquizofrenia e paranoia *s2g.* 2 Esse indivíduo

esquizotímico (es.qui.zo.*tí*.mi.co) *Psiq. a.* 1 Que apresenta sintomas de esquizotimia 2 Relativo à esquizotimia *sm.* 3 Aquele que apresenta essa enfermidade [F.: *esquizotimia* + *-ico*.]

essa (*es*.sa) [é] *sf.* 1 *Litu.* Estrado armado em igreja, sobre o qual se põe o caixão com o defunto, em cerimônias fúnebres; CATAFALCO 2 Túmulo vazio erigido no templo, em memória de um defunto cujo cadáver não está presente; CENOTÁFIO [F.: De or. obsc.]

esse¹ (*es*.se) [é] *sm.* 1 A 18ª letra do nosso alfabeto, o *s*. 2 Qualquer coisa que tenha formato de *s* 3 *Amaz.* Gancho avulso em forma de *s*, usado para pendurar redes alongando-lhes o comprimento 4 *Bras.* Em facão, parte em forma de *s*, situada entre o cabo e a lâmina [Pl.: *esses*[é].] [F.: Do port. *esse* ou *si*. Hom./Par.: *esse(s)* [é] (sm.[pl.]), *esse(s)* [ê] (pron.[pl.]).]

esse² (*es*.se) [ê] *pr.dem.* 1 Indica pessoa ou coisa próxima do ouvinte ou com ele relacionada: *Maria, esses seus brincos são grandes demais!* 2 Refere-se a tempo meio afastado do momento presente: *Por esse período eu morava no interior.* 3 Refere-se a algo distante ou desconhecido: *Que barulho foi esse?* 4 Emprega-se determinando um aposto: *Cândido, esse jovem de raros talentos, também comete deslizes.* 5 Designa, com função anafórica, o que foi mencionado antes: *Paz e sossego, esse é o segredo da longevidade.* [No Brasil, é frequente o emprego de *esse* em lugar de *este*, e vice-versa.] [Fem.: *essa*.] [F.: Do lat. *ipse*.] ▪ **~ ou aquele** Algum ou alguns entre muitos outros: *Não vou repetir tudo, esse ou aquele aluno pode não ter entendido.* **Sem essa** *Gír.* Não me venha com isso; não vou aceitar isso

essência (es.*sên*.ci:a) *sf.* 1 O traço fundamental de uma pessoa ou coisa, a sua natureza íntima (essência humana, essência da arte); ÂMAGO; SUBSTÂNCIA 2 Ideia ou ponto principal: *a essência de um livro.* 3 A intenção (de algo), razão ou propósito de sua existência, significação especial; ESPÍRITO: *A essência de uma lei.* 4 A existência 5 Qualidade no grau mais elevado: *F. é a essência da delicadeza.* 6 Óleo perfumado extraído de uma planta ou flor (essência de eucalipto) 7 *Lóg.* A natureza, o cerne de algo, aquilo sem o qual ele não poderia ser o que é 8 *Fil.* Na escolástica, a conceituação universal, assimilável apenas pelo pensamento, e separada da realidade existencial, concreta [F.: Do lat. *essentia*.] ▪ **Em ~** Basicamente, naquilo que realmente conta **Por ~** Por natureza, por conceito

essencial (es.sen.ci:*al*) *a2g.* 1 Que constitui a essência de alguma coisa; BÁSICO; FUNDAMENTAL: *A razão é essencial ao homem.* 2 Indispensável, imprescindível: *O cálcio é essencial para a formação dos ossos e dentes.* [Ant.: *acessório, prescindível*.] 3 Inerente a alguém ou alguma coisa; CARACTERÍSTICO; PECULIAR; PRÓPRIO: *A justiça deve ser a virtude essencial de um magistrado.* 4 *Med.* Diz-se de doença que existe por si mesma e não é originada pela coexistência de outras, nem depende de outras 5 *Bioq.* Diz-se de aminoácido que, por não ser sintetizado pelo organismo, deve-se obter dos alimentos 6 Ref. a essência vegetal (óleos essenciais) [Pl.: *-ais*.] *sm.* 7 A coisa principal; o indispensável; o fundamental: *Quando acampa, leva somente o essencial; O essencial é ser ético.* [Pl.: *-ais*.] [F.: Do lat. tard. *essentialis*.]

essencialidade (es.sen.ci.a.li.*da*.de) *sf.* Qualidade do que é essencial [F.: *essencial* + *-(i)dade*.]

essencialismo (es.sen.ci:a.*lis*.mo) *sm. Fil.* Teoria filosófica segundo a qual a essência precede a existência: *O essencialismo da filosofia platônica.* [F.: *essencial* + *-ismo*.]

essencialista (es.sen.ci:a.*lis*.ta) *a2g.* 1 Que tem o caráter do essencialismo 2 Que é adepto do essencialismo [F.: *essencial* + *-ista*.]

essênio (es.*sê*.ni:o) *sf.* 1 Seita do judaísmo palestinense que floresceu à época de Jesus Cristo, estabelecida às margens do mar Morto, cujos membros, só admitidos após longo período probatório, levavam vida ascética e dedicada à oração 2 Membro dessa seita *a.* 3 Referente a essa seita [F.: Do lat. *esseni, orum* < gr. *essenoi*.]

és-sudeste (és-su.*des*.te) *sm.* 1 *Astron.* Na esfera celeste, ponto intermediário entre as direções Leste e Sudeste [Símb.: *ESE*.] 2 *Met.* Vento que sopra de és-sudeste *a2g.* 3 Ref. a és-sudeste 4 *Met.* Diz-se do vento que sopra entre as direções Leste e Sudeste [Pl.: *és-sudestes*.] [F.: *és-* (red. de Este) + *sudeste*. Sin. ger.: *lés-sudeste, és-sueste, lés-sueste*.]

és-sueste (és-su.*es*.te) *sm. a2g. Astron. Met.* Ver *és-sudeste* [Pl.: *és-suestes*.] [F.: *és-* (red. de Este) + *sueste*.]

estabacar-se (es.ta.ba.*car*-se) *v.* 1 Cair (ger. no chão) com todo o corpo, com todo o peso; estatelar-se [*int.*: *Escorregou no piso molhado e estabacou-se.*] 2 Chocar-se com violência contra algo, ir de encontro a [*tr.* + *contra*: *Corria olhando para trás, e estabacou-se contra um poste.*] [▶ 11 estaba**car**-se] [F.: De or. obsc.]

estabanamento (es.ta.ba.na.*men*.to) *sm.* Qualidade de quem é estabanado [Em Portugal usa-se mais *estavanamento*.] [F.: *estabanar* + *-mento*.]

estabelecer (es.ta.be.le.*cer*) *v.* 1 Assentar, determinar [*td.*: *Vamos estabelecer as regras do jogo.*] 2 Criar, dar início a; INSTAURAR [*td.*: *Os gregos estabeleceram as bases da filosofia ocidental; estabelecer contato.*] 3 Organizar, instituir, dar uma forma estável e regular a [*td.*: *estabelecer a disciplina militar; estabelecer a ordem; estabelecer a harmonia.*] 4 Fixar de modo permanente [*td.*: *estabelecer residência.*] [*tda.*: *Estabeleceram a sede na capital.*] 5 Fixar moradia; ALOJAR(-SE); INSTALAR(-SE) [*tda.* + *em*: "Estabeleceu-se Guiomar (...) em casa da madrinha..." (Machado de Assis, *A mão e a luva*)] 6 Abrir (loja, estabelecimento etc.) [*tda.* + *em*: *Uma locadora de vídeos estabeleceu-se no bairro.*] [*td.*: *Estabeleceu-se vantajosamente.*] 7 Fixar, promover [*td.*: *estabelecer um acordo.*] 8 Tornar(-se) estável, firme [*td.*: *estabelecer a riqueza; estabelecer a reputação.*] [*tdr.* + *em*:

A reputação deste homem estabeleceu-se em bases sólidas.] 9 Dar a (alguém) um modo de vida estável e independente [td.: Lutou para estabelecer o filho.] 10 Pôr em vigor; CRIAR [td.: estabelecer regras; estabelecer prazos; estabelecer uma teoria.] [▶ 33 estabelecer] [F.: Do lat. stabiliscere.]

estabelecido (es.ta.be.le.ci.do) a. 1 Que se estabeleceu, instituiu (regulamento estabelecido); INSTITUÍDO 2 Que foi resolvido e está em vigor (regras estabelecidas, horário estabelecido) 3 Que tem seu próprio estabelecimento industrial ou comercial (comerciante estabelecido) 4 Que tem moradia permanente: Neste condomínio temos muitos moradores estabelecidos, e poucos são temporários. sm. 5 Aquilo que se estabeleceu, que foi resolvido, instituído, posto em vigor: O estabelecido é que não haverá distribuição de dividendos este ano. 6 Que tem moradia permanente: Neste condomínio temos muitos moradores estabelecidos, poucos são temporários. [F.: Part. de estabelecer.]

estabelecimento (es.ta.be.le.ci.men.to) sm. 1 Ação ou resultado de estabelecer(-se) 2 Fundação, abertura: O estabelecimento de uma escola. 3 Instituição (ação e resultado de instituir): O estabelecimento de um regime, de um imposto. 4 Casa comercial; LOJA 5 Instituição (entidade, o lugar em que funciona) pública ou privada (estabelecimento de ensino) [F.: estabelecer- + -imento.]

estabilidade (es.ta.bi.li.da.de) sf. 1 Característica, qualidade ou condição do que é ou está estável: A estabilidade do clima é afetada pelo aquecimento global. 2 Firmeza, equilíbrio: a estabilidade de um andaime. 3 Solidez, segurança (estabilidade familiar) 4 Jur. Situação profissional segura, sem risco de demissão [Garantia apenas para o funcionário público concursado, depois de dois anos em cargo efetivo, demissível só por sentença judicial ou processo administrativo.] 5 Fís. Propriedade pela qual um sistema (mecânico, elétrico, aerodinâmico) retorna ao estado de equilíbrio depois de sofrer alguma perturbação 6 Condição econômica (de um setor, de um país etc.) na qual não há muitas oscilações ou mudanças drásticas de parâmetros em função de ocorrências transitórias ou cíclicas [F.: Do lat. stabilitas, atis. Ideia de 'estabilidade': -stase.]

estabilização (es.ta.bi.li.za.ção) sf. 1 Ação ou resultado de estabilizar(-se) 2 Conjunto de medidas, de caráter permanente, aplicáveis em diversos setores e atividades, com objetivo de corrigir desequilíbrios e dar estabilidade (estabilização econômica, estabilização de edificação, estabilização do solo) [Pl.: -ções.] [F.: estabilizar- + -ção. Ant. ger.: desestabilização.] ■ ~ **mecânica** Método de estabilização de solo sem uso de material outro que não tipos diferentes de solo em mistura e em condições adequadas

estabilizado (es.ta.bi.li.za.do) a. Que se estabilizou; consolidado [Ant.: desestabilizado.] [F.: Part. de estabilizar.]

estabilizador (es.ta.bi.li.za.dor) [ô] a. 1 Que estabiliza sm. 2 Aquele ou aquilo que estabiliza 3 Quím. Substância que se acrescenta a outra, instável, e cujo efeito é impedir que esta se modifique ou decomponha espontaneamente 4 Elet. Peça ou mecanismo que regulariza a tensão de uma corrente elétrica 5 Mec. Peça que diminui as vibrações da suspensão de um veículo 6 Aer. Qualquer plano de sustentação destinado a aumentar a estabilidade de uma aeronave [F.: estabilizar- + -dor.]

estabilizante (es.ta.bi.li.zan.te) a2g. Que estabiliza; que tem a propriedade de estabilizar; ESTABILIZADOR [F.: estabilizar + -nte.]

estabilizar (es.ta.bi.li.zar) v. Fazer ficar ou ficar estável, dar ou adquirir estabilidade; ESTABILIZAR(-SE) [td.: As medidas econômicas estabilizaram o câmbio.] [int.: Mudou várias vezes de emprego mas, por fim, estabilizou-se.] [▶ 1 estabilizar] [F.: estável + -izar, segundo o modelo erudito.]

🌐 **establishment** (Ing./istáblissmen/) sm. 1 Ordem ideológica, econômica, política e social que determina o caráter de uma sociedade, de um Estado: Os conservadores defendem o establishment. 2 O grupo que representa a classe social e política de poder em um país 3 Grupo de pessoas com maior poder de decisão em qualquer campo de atividade: Os cartolas formam o establishment do futebol no Brasil.

estabulação (es.ta.bu.la.ção) sf. Pec. Ação ou resultado de estabular, de criar e engordar animal em estábulo; ESTABULAMENTO [Pl.: -ções.] [F.: Do lat. stabulatio, onis.]

estabulado (es.ta.bu.la.do) a. Pec. Diz-se do gado criado em estábulo [F.: Part. de estabular.]

estabulamento (es.ta.bu.la.men.to) sm. Pec. O mesmo que estabulação [F.: estabular + -mento.]

estabular[1] (es.ta.bu.lar) a2g. Ref. a estábulo ou próprio dele [F.: estábulo + -ar¹.]

estabular[2] (es.ta.bu.lar) a2g. Ref. a ou de estábulo [F.: estábulo + -ar¹.]

estábulo (es.tá.bu.lo) sm. Lugar coberto onde se abriga o gado [F.: Do lat. stabulum.]

estaca (es.ta.ca) sf. 1 Peça alongada, de madeira, concreto ou aço, que se enfia no solo para demarcar limites, sustentar uma estrutura etc. 2 Bot. Fragmento de um ramo que, posto na terra, serve para reproduzir a planta de origem 3 Topogr. Pau que se crava no terreno a fim de suster, marcar etc. 4 Lasca de madeira que se crava acidentalmente na pele 5 Membro aprumado do cavalo [F.: Do gót. *stakka. Hom./Par.: estaca (sf.), estaca (fl. de estacar). Col.: estacada, estacaria.] ■ ~ **flutuante** Eng. Estaca de fundação que prescinde de atingir em profundidade camada resistente, por transferir o peso das estruturas que sustenta usando o atrito lateral com o solo ~ **inteira** Em topografia, estaca que marca um ponto situado a um múltiplo exato de 20 m a partir da origem da marcação topográfica ~ **intermediária** Em topografia, estaca que marca um ponto intermediário entre duas estacas inteiras consecutivas ~ **zero** Em topografia, a estaca inicial de uma marcação topográfica **Voltar à ~ zero** Bras. Voltar ao início ou recomeçar do início

estacada (es.ta.ca.da) sf. 1 Fileira de estacas próximas umas das outras; ESTACARIA; PALIÇADA 2 Mil. Lugar ou espaço defendido por estacada (1) 3 Curral, estábulo 4 Espécie de dique formado por estacas 5 Campo fechado onde se travavam justas ou torneios; LIÇA [F.: estaca- + -ada¹.]

estacado (es.ta.ca.do) a. 1 Que se estacou 2 Que se apoia em estacas (cerca estacada) 3 Parado, imobilizado: Depois de estacado, o carro continuou fazendo barulho. 4 Fig. Perplexo, confuso: Ficou estacado, sem saber o que fazer [F.: Part. de estacar.]

estacamento (es.ta.ca.men.to) sm. Fadiga, cansaço, esfalfamento (falando de animais e principalmente do cavalo). Tb. estazamento [F.: estacar + -mento.]

estação (es.ta.ção) sf. 1 Lugar de parada em meio a jornada, estada em algum lugar 2 Ponto de parada de trens ou ônibus, para embarque ou desembarque de passageiros; a construção, as instalações desse ponto (estação de metrô, estação de trem) 3 Cada uma das quatro partes do ano (primavera, verão, outono e inverno), compostas de três meses cada, duas com início nos solstícios, e duas nos equinócios 4 Período do ano caracterizado por condições ou eventos próprios (estação das chuvas, estação de caça); TEMPORADA 5 Período em que são feitas determinadas culturas ou colheitas (estação da manga) 6 Lugar destinado a uma atividade específica (lazer, tratamento de saúde etc.) (estação de esqui, estação de águas) 7 Rád. Telv. Lugar de onde se irradiam programas de rádio e televisão; EMISSORA 8 Repartição ou local destinado a determinado serviço ou pesquisa: estação de tratamento de água. 9 Mús. Teat. Época de atividade artística dos grupos de teatro, dança, ópera, conjuntos orquestrais etc. 10 Repartição administradora e executora de certos serviços públicos ou de certas atividades determinadas pela lei (estação telefônica, estação aduaneira) 11 Paragem em um lugar; ESTADA; ESTÂNCIA 12 Posto policial 13 Mar. Recinto, a bordo de um navio de guerra, destinado a uma função específica 14 Rel. Cada uma das 14 pausas na via-sacra 15 Art.pl. Representação artística, pictórica ou escultural, de uma dessas pausas 16 Rel. Parada de procissão para reza ou cantoria 17 Rel. Sequência de sermões sobre determinado acontecimento litúrgico 18 Conjunto de dez padre-nossos e ave-marias que se rezam em igreja como cumprimento de promessa, invocação de graça, pedido de indulgência etc. [Pl.: -ções.] [F.: Do lat. statio, onis.] ■ **Alta/Baixa** ~ Época em que a estação do ano ou o período de concertos e espetáculos, da moda etc. está no auge/no declínio de suas características e atividades ~ **de águas** 1 Lugar (cidade, vila, distrito etc.) em que há fontes de águas ricas em substâncias minerais ou radioativas de efeito medicinal, e por isso ger. muito visitado; estância hidromineral 2 Temporada em tal lugar, ger. para aproveitamento das qualidade medicinais de suas águas ~ **de monta** Lugar onde são mantidos animais de raça machos reprodutores, para cruzamento com fêmeas, visando à qualidade genética dos rebanhos ~ **de serviço** Lus. Posto de gasolina ~ **do ano** Cada um dos quatro períodos anuais de três meses cada um, que vão de equinócio a solstício ou vice-versa, com características climáticas próprias [São o verão, o outono, o inverno e a primavera.] ~ **elevatória** Estação em sistema de esgoto ou de distribuição de água, com motores que permitem a elevação da água a reservatório altos para escoamento por gravidade ~ **espacial/orbital** Astnáut. Nave espacial tripulada que permanece em órbita por longo tempo, para realizar missão de pesquisa e estudo ~ **meteorológica** Lugar onde há instrumentos de observação e medição meteorológicas, para estudos climáticos e previsão do tempo; posto meteorológico ~ **orbital** Astnáut. Ver Estação espacial/orbital ~ **retransmissora** Rád. Telv. Aquela que retransmite programas gerados por outra estação, para que possam ser captados em determinada região ~ **rodoviária** Estação de embarque e desembarque de passageiros de ônibus regionais, interurbanos, interestaduais ou internacionais

estacar (es.ta.car) v. 1 Fazer parar ou parar, imobilizar(-se) [td.: Estacou a montaria na beira do lago.] [int.: Assustado, o animal estacou.] 2 Interromper subitamente, sustar [td.: Sentiu cãibras e estacou sua corrida imediatamente.] 3 Colocar estacas em, para escorar [td.: Estacaram o muro para que não desabasse.] [▶ 11 estacar] [F.: estaca + -ar². Hom./Par.: estaca (fl. de estacar), estaca (sf.).]

estacaria (es.ta.ca.ri.a) sf. 1 Grande quantidade de estacas; ESTACADA 2 Conjunto de estacas que servem de base para uma construção 3 Lugar onde se colocam ou se juntam muitas estacas 4 Represa ou dique formado por estacas [F.: estaca- + -aria. Hom./Par.: estacaria (sf.), estacaria (fl. de estacar).]

estacionado (es.ta.ci:o.na.do) sm. 1 Que se estacionou (falando-se de veículo) em algum lugar: O carro está estacionado em frente ao prédio. 2 Fig. Que não se desenvolveu, não progrediu: O placar ficou estacionado no empate de 2x2. 3 Med. Diz-se de doença que não evoluiu ou agravou-se [F.: estacionar + -ado.]

estacional (es.ta.ci:o.nal) a2g. 1 Referente a estação; SAZONAL 2 Que fica imóvel, que não progride; ESTACIONÁRIO 3 Ecol. Sujeito a mudanças conforme as estações do ano; SAZONAL [Pl.: -nais.] [F.: estacion- + -al.]

estacionamento (es.ta.ci:o.na.men.to) sm. 1 Ação ou resultado de estacionar 2 Área com vagas demarcadas para veículos; PARQUEAMENTO 3 Vaga para guardar um veículo: O ingresso dá direito a estacionamento. 4 Mil. Permanência provisória de uma tropa em certo lugar [F.: estacionar- + -mento.] ■ ~ **rotativo** Aquele em que os veículos ficam por tempo determinado, o que acarreta movimento contínuo de entradas e saídas

estacionar (es.ta.ci:o.nar) v. 1 Fazer ficar ou ficar parado (veículo) em determinado lugar, por um certo tempo [td.: estacionar a motocicleta.] [tda.: Aqui todos estacionam seus carros na calçada.] [int.: Este caminhão estacionou já faz meia hora.] [ta.: O caminhão estacionou na calçada há meia hora.] 2 Manobrar (veículo, carrinho etc.) para estacioná-lo (1) em certo lugar, numa vaga etc. [td.: Estacionou o carro naquela vaga com dificuldade.] [int.: Ele dirige bem, mas não sabe estacionar.] [tda.: Precisou usar toda sua habilidade ao volante para estacionar o furgão num espaço mínimo.] 3 Deter-se, manter-se (em certo lugar) [ta.: Uma frente fria estacionou sobre a cidade nos últimos dias.] 4 Impedir ou deixar de evoluir, ou de crescer, se espalhar; ESTABILIZAR(-SE) [td.: As medidas adotadas estacionaram a propagação da doença.] [ta.: A taxa de desemprego estacionou no índice atual.] [int.: Com essas medidas, o surto da doença estacionou.] 5 Ser frequentador assíduo [ta.: Sempre estaciona naquele restaurante.] [▶ 1 estacionar] [F.: estação + -ar², segundo o modelo erudito.]

estacionário (es.ta.ci:o.ná.ri:o) a. 1 Que está estacionado, parado; ESTACIONAL; IMÓVEL 2 Que não se desenvolve, não progride nem retrocede; ESTACIONAL 3 Que não se agrava nem melhora (doença estacionária) 4 Diz-se da maré, quando se acaba o seu movimento e está na ocasião de inércia, ao passar do fluxo ao refluxo e vice-versa 5 Astr. Diz-se de planeta que parece estar em estação, sem avançar ou recuar no Zodíaco 6 Fís. Diz-se de processo em que não há alteração nas variáveis macroscópicas do sistema em que ele ocorre, apesar da existência de certos fenômenos sm. 7 Bras. Encarregado de estação, em certas repartições, esp. estação meteorológica [F.: Do lat. tard. stationarius. Hom./Par.: estacionária (fem.), estacionaria (fl. de estacionar).]

estada (es.ta.da) sf. Ação de estar, permanecer (num lugar); PERMANÊNCIA; DEMORA; ESTÂNCIA: Sua estada aqui foi bem proveitosa [F.: estar + -ada¹.]

estadeado (es.ta.de:a.do) a. 1 Que mostra ostentação, pompa 2 Diz-se de quem vive alardeando grandeza [F.: estadear + -ado.]

estadear (es.ta.de.ar) v. td. 1 Mostrar com orgulho, com alarde; OSTENTAR: Gostava de estadear seu talento. 2 Anunciar, alardear: Estadeava seus sucessos de maneira retumbante. 3 Dar demonstração de: Estadeou sua gratidão ao reitor. 4 Exibir magnificência, ostentação, pompa; ALARDEAR: Estadeava suas riquezas. [▶ 13 estadear] [F.: estado + -ear.]

estadia (es.ta.di.a) sf. 1 Permanência, estada temporária em um lugar: Durante a estadia em Natal comemos muito peixe. 2 Hot. O tempo de duração dessa permanência: pacote turístico com estadia de cinco dias. [Há quem afirme que o termo correto para esta acp. é estada, nunca estadia.] 3 Mar.Merc. Prazo para carga e descarga de um navio ancorado [F.: estada + -ia¹.]

estádio (es.tá.di:o) sm. 1 Esp. Lugar destinado à realização de jogos e disputas esportivas, com arquibancadas e instalações para o público (estádio de futebol, estádio aquático) 2 Medida itinerária dos antigos gregos, equivalente a 125 passos, ou seja, 206,25 m 3 Época, período, fase, estação 4 Biol. Fase no ciclo vital de animais ou plantas; ESTÁGIO 5 Antq. Med. Cada fase da evolução de uma doença [F.: Do gr. stádion, pelo lat. stadium.]

estadismo (es.ta.dis.mo) sm. Pol. Sistema político em que as formas de controle político e econômico são dominadas por um Estado fortemente centralizador; ESTATISMO [F.: estado + -ismo.]

estadista (es.ta.dis.ta) s2g. Pol. Líder de um país que governa com conhecimento, competência e habilidade; homem ou mulher de Estado [F.: estado + -ista.]

estado (es.ta.do) sm. 1 Condição de uma pessoa ou coisa em determinado momento: A menina ficou em estado de choque; A bicicleta está em bom estado de conservação. 2 Modo de ser ou estar: estado de calamidade pública 3 Modo de existir na sociedade (estado civil, estado de direito); CONDIÇÃO; SITUAÇÃO 4 As condições físicas e psicológicas de uma pessoa (estado de saúde, estado mental) 5 Situação de um grupo numa sociedade ou da sociedade em geral: Abolicionistas combatiam o estado de escravidão. 6 Cada uma das divisões político-geográficas de uma nação: O Amazonas é o maior estado brasileiro. 7 Nação com estrutura própria e organização política [Com inicial maiúsc. nesta acp.] 8 O conjunto das instituições (governo, congresso, forças armadas, poder judiciário etc.) que administram uma nação: A máquina administrativa do Estado. [Com inicial maiúsc. nesta acp.] 9 Regime político (estado democrático) 10 Luxo, pompa, fausto: Levava a vida em alto estado, quando os pais eram vivos. 11 Fís. Forma de apresentação da matéria, de acordo com a sua estrutura molecular: A água encontra-se na natureza em três estados: sólido, líquido e gasoso. 12 Grav. Cada uma das fases da execução de uma gravura 13 Mús. Classificação de um acorde a partir da nota que ocupa o baixo 14 Inventário, rol (de bens, despesas etc.): *O estado dos bens da família.* [F.: Do lat. *status,us.*] ▪▪ **~ assistencial** O Estado (organismo político e administrativo) visto como provedor do mínimo necessário ao bem-estar do cidadão (alimentação, saúde, habitação, transporte, habitação etc.), de modo a compensar lacunas e carências geradas por desigualdade social [Com inicial maiúsc.] **~ civil** Condição de uma pessoa em relação a possível cônjuge (solteiro, casado, desquitado, divorciado ou viúvo) **~ coloidal** *Fís.-quím.* Estado de dispersão de uma matéria em partículas que medem entre 1 e 100 nanômetros [Tb. apenas *estado.*] **~ de agregação** *Fís.* Uma das formas possíveis de agregação entre as moléculas (sólida, líquida ou gasosa) de uma substância **~ de bem-estar (social)** *Econ. Pol.* Ver *Estado assistencial* **~ de choque** *Psiq.* Condição ou situação de depressão, imobilidade, perda de autodomínio etc. por que passa alguém abalado por trauma emocional ou psíquico **~ de coisas** Circunstâncias, conjunturas **~ de coma** *Med.* Estado, reversível ou não, caracterizado pela manutenção das funções vitais, mas com perda, por causas várias, das funções cerebrais que regulam a consciência, os movimentos voluntários e a sensibilidade **~ de direito** *Pol.* O que é regulado por uma constituição, que prevê órgãos distintos com competências determinadas **~ de graça** 1 *Rel.* Condição de inocência, p.opos. à de pecado 2 Condição de quem recebeu graça divina **~ de guerra** Situação de conflito entre Estados, independentemente de ter sido formalmente declarada guerra **~ de língua** *Ling.* Estado de uma língua (o léxico, a gramática etc.) em um dado momento **~ de natureza** *Fil.* Segundo alguns filósofos, estado anterior ao de uma sociedade politicamente organizada por contrato social, no qual o comportamento do ser humano é regido mais por impulsos instintivos e só leva em conta os próprios interesses e necessidades **~ de necessidade** *Jur.* Situação em que se admite prejuízo de direito alheio para preservar direito (próprio ou alheio) de perigo que não se causou nem se pôde evitar **~ de sítio** Suspensão temporária, parcial ou total, das garantias constitucionais, para se combater ameaça interna ou externa ao país **~ de transição** *Quím.* Arranjo atômico que se forma no curso de uma reação, quando a energia chega a um valor máximo [Tanto as ligações que se rompem quanto as que se formam na reação estão distendidas.] **~ estacionário** *Quím.* Estado de uma substância que se forma e se consome simultaneamente, sem variar sua concentração **~ excitado** *Fís.* Estado de um sistema quântico cuja energia é superior à do estado fundamental **~ fundamental** *Fís.* Estado de sistema quântico (núcleo, átomo, molécula) com o menor nível de energia possível que lhe garante estabilidade **~ gasoso** *Fís.* Estado de matéria no qual a fraca coesão das moléculas e átomos lhe permite ocupar totalmente o volume do recipiente que a contém **~ interessante** *Pop.* Gravidez **~ ligado** *Fís.* Estado da matéria, no qual duas ou mais partículas mantêm-se coesas por ação de energia de ligação **~ líquido** *Fís.* Estado de uma substância no qual o afastamento e a coesão entre moléculas e átomos é intermediário entre os dos estados gasoso e sólido, tendendo aquela, por ação da gravidade, a tomar a forma do recipiente que a contém **~ metaestável** 1 *Fís.* Condição na qual o estado de um sistema ou uma substância pode perder a estabilidade com uma pequena perturbação 2 *Fís.nu.* Estado de energia de núcleo ou de átomo superior ao fundamental, e estável por mais tempo que o de suas outras excitações **~ sólido** *Fís.* Estado de uma substância cujas partículas (moléculas, íons, átomos) apresentam proximidade, coesão e organização que a fazem resistir a alteração de forma ou volume, e ter uma forma estável de ocupação de espaço **No ~** Na estado em que está (objeto, bem), sem conserto ou aprimoramento (us. ger. para descrever objeto de venda ou negociação) **Terceiro ~** *Hist.* Termo que designava o povo, sendo os outros dois estados o clero e a nobreza **Tomar ~** 1 Casar-se 2 Adotar um estilo de vida 3 *S.* Ficar em bom estado, em condições adequadas (esp. cavalo de corrida ou galo de briga, para suas respectivas competições)

estado da arte (es.ta.do da *ar.*te) *sm.* Nível de desenvolvimento em que se encontra, em um momento determinado, uma técnica, uma ciência etc.: *Cada dia evolui mais rapidamente o estado da arte na informática.* [Pl.: *estados da arte.*] [F.: Do ing. *state of the art.*]

estado-maior (es.ta.do-mai.*or*) *sm.* 1 *Mil.* Grupo de oficiais que, mesmo sem exercer comando de tropa, auxiliam um comandante de operações militares no planejamento estratégico e tático e na condução das operações 2 Órgão composto por esses oficiais. [Com inicial maiúsc. nesta acp.] 3 *Fig.* Grupo de personalidades notáveis e eminentes de um grupo ou de uma classe, de uma profissão, de um segmento (estado-maior da economia, estado-maior da ciência) 4 *Fig.* Grupo de indivíduos que formam cortejo, séquito de uma personalidade de destaque [Pl.: *estados-maiores.*]

estado-nação (es.ta.do-na.*ção*) *sm.* Comunidade política cujos membros têm vínculos históricos, sociais, econômicos e linguísticos [Pl.: *estados-nações.*]

estado-novismo (es.ta.do-no.*vis*.mo) *sm.* Concepção de Estado e de forma de governo autoritária, ditatorial e nacionalista, que teve sua expressão no chamado de Estado Novo, movimento político-social de que foi chefe o presidente Getúlio Vargas (1883-1945) [Pl.: *estado-novismos.*]

estado-novista (es.ta.do-no.*vis*.ta) *a2g.* 1 Relativo ao estado-novismo 2 Que está de acordo com ou é adepto das ideias político-sociais do Estado-Novo [Pl.: *estado-novistas.*]

estados-gerais (es.ta.dos-ge.*ra*.is) *smpl. Hist.* No antigo regime político francês, assembleia que reunia representantes do povo, da nobreza e do clero

estado-tampão (es.ta.do-tam.*pão*) *sm. Pol.* Estado criado por países rivais em área objeto de suas políticas expansionistas, com o fim de evitar guerra entre eles [Pl.: *estados-tampões* e *estados-tampão.*]

estadual (es.ta.du:*al*) *a2g.* Ref. ou pertencente a qualquer estado de uma república federativa, esp. do Brasil (governo estadual, campeonato estadual) [Pl.: *-ais.*] [F.: *estado* + *-ual.* Cf.: *federal, estatal.*]

estadualização (es.ta.du:a.li.za.*ção*) *sf.* 1 Ação ou resultado de estadualizar 2 Política e ação destinada a transferir os bens, atividades e serviços para a esfera do Estado; ESTATIZAÇÃO [Pl.: *-ções.*] [F.: *estadualizar* + *-ção.* Cf.: *federalização.*]

estadualizado (es.ta.du:a.li.*za*.do) *a.* Que se estadualizou; que passou por processo de estadualização, que foi transferido para a esfera do Estado (hospital estadualizado; colégio estadualizado) [F.: *estadualizar* + *-ado.*]

estadunidense (es.ta.du.ni.*den*.se) *a2g.* 1 Ref., inerente ou pertencente aos Estados Unidos da América (governo estadunidense, arte estadunidense); AMERICANO; NORTE-AMERICANO; IANQUE 2 Típico dos Estados Unidos da América ou de seu povo *s2g.* 3 Indivíduo natural dos Estados Unidos da América [F.: Do top. *Estados Unidos (da América)* + *-ense.*]

estafa (es.*ta*.fa) *sf.* 1 Cansaço extremo; ESGOTAMENTO; FADIGA; EXAUSTÃO 2 Trabalho fatigante e/ou maçante 3 *Pop.* Roubo astucioso [F.: Dev. de *estafar.* Hom./Par.: *estafa* (sf.), *estafa* (fl. de *estafar*).]

estafado (es.ta.*fa*.do) *a.* 1 Que se estafou, que se encontra em estado de estafa 2 Que está cansado, fatigado, exausto; DERREADO: *Terminou a maratona estafado.* 3 Diz-se do que é muito visto, ouvido ou lido; do que é muito repetido ou batido (pensamento estafado; concepção estafada) 4 Que está desatualizado: *Esta é uma teoria superada, estafada.* 5 Que se estragou: *O terno foi tão usado que ficou estafado.* 6 *Pop.* Assassinado, morto: *Fora estafado pelo tiro de um traficante.* [F.: Part. de *estafar.*]

estafante (es.ta.*fan*.te) *a2g.* Que é causa de estafa, fadiga; CANSATIVO; FATIGANTE [F.: *estafar-* + *-nte.*]

estafar (es.ta.*far*) *v.* 1 Fazer ficar ou ficar exausto; cansar(-se) em demasia [*td.*: *Engarrafamentos estafam os motoristas.*] [*int.*: *Antes do tratamento, ele se estafava à toa.*] 2 Causar tédio, fastio, chateação; CHATEAR; ENFASTIAR; ENTEDIAR [*td.*: *Suas longas histórias estafaram os convidados.*] 3 *Pop.* Gastar, dilapidar, esbanjar [*td.*: *Estafou todo o dinheiro da família.*] 4 Roubar (alguém) por meio de trapaça [*td.*: *Estafou os colegas na mesa de pôquer.*] 5 Moer de pancadas; ESPANCAR; SURRAR [*td.*: *Estafou o assaltante e o pôs para correr.*] [▶ 1 estafar] [F.: Do it. *staffare.* Hom./Par.: *estafa* (fl. de *estafar*), *estafa* (sf.).]

estafe (es.*ta*.fe) *sm.* Forma aportuguesada de *staff* (equipe, grupo) [F.: Do ing. *staff.*]

estafermo (es.ta.*fer*.mo) [ê] *sm.* 1 *Pop.* Pessoa parada e embasbacada; BASBAQUE 2 *Pop.* O que dificulta a realização de algo; ESTORVO 3 *Pop.* Pessoa sem préstimo, e que ainda dificulta a ação, atividade, tarefa de outrem; INÚTIL 4 Indivíduo malconformado, de mau aspecto 5 Boneco móvel em torno de um eixo vertical, com um açoite em uma das mãos e escudo na outra, us. antigamente nos exercícios de cavalaria [F.: Do it. *stà fermo*, 'está firme'.]

estafeta (es.ta.*fe*.ta) [ê] *sm.* 1 Indivíduo que faz serviço de correio (transporte ou entrega de cartas, encomendas etc.) ger. a cavalo 2 *Bras* Entregador de cartas, telegramas etc; MENSAGEIRO 3 Correio a cavalo 4 *Lus. Esp.* Corrida de revezamento 5 *Lus. Esp.* Atleta que participa dessa corrida [F.: Do it. *staffetta.*]

estafilino (es.ta.fi.*li*.no) *a.* Ref. ou pertencente à úvula, ou campainha; UVULAR [F.: *estafil(o)-* + *-ino.*]

◎ **estafil(o)-** *el. comp.* Registra-se em vocábulos, esp. da terminologia médica, introduzidos na linguagem científica internacional a partir do séc. XIX: *estafilococo, estafilino* etc. [F.: Do gr. *staphylé*, 'úvula', 'cacho'.]

estafilococcia (es.ta.fi.lo.coc.*ci*:a) *Imun. sf.* Infecção causada por estafilococos [F.: *estafil(o)-* + *-coccia.*]

estafilocócico (es.ta.fi.lo.*có*.ci.co) *a.* Relativo a estafilococo [F.: *estafilococo* + *-ico.*]

estafilococo (es.ta.fi.lo.*co*.co) [ó] *sm. Bac.* Denominação comum a bactérias gram-positivas, arredondadas, esp. as do gênero *Staphylococcus*, que formam estruturas em forma de cachos e causam doenças infecciosas, como a septicemia e a furunculose [F.: *estafil(o)-* + *-coco*; lat. cient. *Staphylococcus.*]

estagflação (es.tag.fla.*ção*) *sf. Econ.* Associação simultânea de estagnação econômica (caracterizada por crescimento zero ou quase zero e aumento do desemprego) com inflação (caracterizada por aumento de preços) [Pl.: *-ções.*] [F.: Do ing. *stagflation*, de *stag(nation)*, 'estagnação', + *(in) flation*, 'inflação'.]

estagiado (es.ta.gi:*a*.do) *a.* Que estagiou; que se encontra em um período de estágio [F.: *estágio* + *-ado.*]

estagiar (es.ta.gi.*ar*) *v.* Fazer estágio, trabalhar como aprendiz, para se aprimorar, como treinamento profissional [*ta.*: *Estagiou na empresa e depois foi efetivado.*] [*int.*: *Até o ano passado, apenas estagiava.*] [▶ 1 estagiar] [F.: *estágio* + *-ar*[2]. Hom./Par.: *estagio* (fl. de *estagiar*), *estágio* (sm.), *estagiaria* (fl. de *estagiar*), *estagiária* (sf.).]

estagiário (es.ta.gi:*á*.ri:o) *a.* 1 Ref. a estágio (treinamento estagiário, rotina estagiária) 2 Que faz estágio (estudante estagiário) *sm.* 3 Aquele que faz estágio (estagiário de medicina) [F.: *estágio* + *-ário.* Hom./Par.: *estagiária* (fem.), *estagiaria* (fl. de *estagiar*).]

estágio (es.*tá*.gi:o) *sm.* 1 O período de aprendizado prático de um médico, advogado etc., durante o qual ele se habilita a exercer, proficientemente, a sua profissão *sm.* 2 Permanência temporária numa empresa, posto ou serviço para aprimoramento profissional: *Cumpriu estágio numa firma de publicidade.* 3 Cada uma das etapas de um processo; FASE; ESTÁDIO 4 Situação transitória, de preparação 5 *Biol.* Fase no ciclo vital de animais ou plantas; ESTÁDIO 6 *Astr.* Cada seção de um veículo espacial dotada de motor próprio 7 *Elet.* Parte de um circuito eletrônico com uma função determinada; ETAPA [F.: Do lat. med. *stagium*, pelo fr. *stage.* Hom./Par.: *estágio* (sm.), *estagio* (fl. de *estagiar*).]

estagnação (es.tag.na.*ção*) *sf.* 1 Estado ou situação do que está estagnado, sem fluir, sem evoluir, sem progredir, sem se mover: *estagnação das águas de um lago; estagnação do processo de erosão.* 2 *Fig.* Falta de atividade, de progresso (estagnação das vendas) 3 *Econ.* Situação em que não há crescimento do produto nacional [Pl.: *-ções.*] [F.: *estagnar* + *-ção.*]

estagnado (es.tag.*na*.do) *a.* 1 Que não flui (água estagnada); PARADO 2 *Fig.* Que não progride (projeto estagnado) 3 *Fig.* Inerte, paralisado (raciocínio estagnado) [F.: Part. de *estagnar.*]

estagnante (es.tag.*nan*.te) *a2g.* Que produz estagnação; ESTAGNADOR [F.: Do lat. *stagnans, antis.*]

estagnar (es.tag.*nar*) *v.* 1 Interromper(-se) o fluxo de (um líquido); ESTANCAR [*td.*: *O fechamento das comportas estagnou a água do reservatório.*] [*int.*: *A água estagnou(-se) e formou uma poça.*] 2 *Fig.* Deter ou ter detidos o progresso, a evolução de [*td.*: *A crise estagnou o crescimento econômico.*] [*int.*: *Os salários estagnaram.*] [▶ 1 estagnar] [F.: Do lat. *stagnare.*]

estai (es.*tai*) *sm.* 1 *Mar.* Cabo de aço que serve para sustentar e firmar a mastreação para vante 2 *Mar.* Qualquer cabo que mantém na vertical uma peça de embarcação 3 *Bras. Cnav.* Haste metálica us. para manter na posição qualquer parte ou peça da embarcação [F.: Do fr. ant. *estaie*, hoje *étai.*]

◎ **estalact-** *el. comp.* = 'gotejamento'; 'estalactite': *estalactite, estalactiforme, estalactífero* [F.: Do gr. *stalaktós, é, ón*, 'que goteja, que pinga'.]

estalactite (es.ta.lac.*ti*.te) *sf. Min.* Estrutura pontiaguda no teto de cavernas, formada a partir da acumulação de sedimentos minerais dissolvidos na água [F.: *estalact-* + *-ite*[2]. Cf.: *estalagmite.*]

estalada (es.ta.*la*.da) *sf.* 1 Ação ou resultado de estalar 2 Som produzido por objeto que estala: *Ouviu a estalada e assustou-se.* 3 *Fig.* Desordem, briga: *Quando começou a estalada, correu para não apanhar.* 4 *Pop.* Bofetada, tapa na cara: *Levou uma estalada tão forte que foi cair na rua.* 5 *MA* Grupo ou mutirão que se organiza para o trabalho de cobertura de uma casa com folhas de babaçu [F.: *estalar* + *-ada.*]

estalado (es.ta.*la*.do) *a.* 1 Que estalou(-se) (esmalte estalado), o mesmo que *estralado*; ARREBENTADO; FENDIDO; RACHADO 2 Que faz o ruído seco de estalo (som estalado) 3 Quebrado, fraturado (ossos estalados; vidro estalado) 4 Estourado, explodido (fogos estalados; lenha estalada); CREPITADO 5 Diz-se do ovo frito com a clara e a gema juntas e inteiriças; ESTRELADO [a forma correta é 'ovos estrelados', em vez do comumente dito 'estalados'.] 6 *Fig.* Deflagrado, irrompido, manifestado repentinamente (conflito estalado) [F.: Part. de *estalar*; Hom./Par. *instalado.*]

estalador (es.ta.la.*dor*) [ô] *a.* 1 Diz-se de que ou quem estala; ESTALANTE; ESTRALADOR *sm.* 2 Aquilo ou aquele que estala; ESTRALADOR 3 *Bot.* Arbusto ou árvore pequena (*Casearia inaequilatera*), de folhas inequiláteras flores melíferas, apétalas, hermafroditas; GUAÇATUNGA [F.: Rad. de *estalar-* + *-dor.*]

estalagem (es.ta.la.*gem*) *sf.* 1 Local onde se alojam viajantes, mediante remuneração; HOSPEDARIA; ALBERGUE 2 *Bras.* Conjunto de casas modestas, ger. com uma saída comum para a rua; CORTIÇO [Pl.: *-gens.*] [F.: Do provenç. ant. *ostalatge.*]

estalagmite (es.ta.lag.*mi*.te) *sf. Min.* Estrutura pontiaguda no chão de cavernas, formada pela acumulação de sedimentos minerais contidos em pingos d'água que caem do teto [F.: Do fr. *stalagmite*, der. do gr. *stalagmós.* Cf.: *estalactite.*]

◎ **estalagm(o)-** *el. comp.* Ocorre em vocábulos como *estalagmite, estalagmômetro* etc. [F.: Do gr. *stalagmós*, 'gotejamento', 'destilação', 'filtragem'.]

estalagmômetro (es.ta.lag.*mô*.me.tro) *sm. Fís.* Instrumento constituído por um tubo capilar, de ponta achatada, us. para determinar a tensão superficial de fluidos, pelo número de gotas em um dado volume, ou pelo peso das gotas [F.: *estalagm(o)-* + *-metro.*]

estalajadeiro (es.ta.la.ja.*dei*.ro) *sm.* Dono ou gerente de estalagem [F.: *estalagem* + *-deiro*, por assimilação.]

estalão (es.ta.*lão*) *sm.* Padrão adotado como base de medida ou de valor (físico, estético, monetário etc.) (estalão de beleza; estalão moral); CRAVEIRA: "Comia por si e por dois iguais a ele, cotados pelo estalão normal." (Aquilino Ribeiro, *Volfrâmio*) [Pl.: *-lões.*] [F.: Do fr. ant. *estalon* 'estalão, padrão, aferidor de pesos e medidas', deriv. do lat. *stallonem*, der. de *stallum*.]

estalar (es.ta.*lar*) *v.* **1** Produzir ruído seco ou estalido (com) [*td.*: *estalar os dedos.*] [*int.*: *As folhas secas estalavam quando pisadas; Ao longe, uma gargalhada estalou.*] **2** Rachar (vidro, gelo etc.) produzindo ruído [*int.*: *O copo do liquidificador estalou.*] **3** Partir, quebrar, fazer rachar (ger. revestimento duro, com estalo característico) [*td.*: *Vamos estalar algumas nozes?*] [*int.*: *O coco estalou ao cair.*] **4** *Bras.* Fritar (ovo) sem misturar a gema com a clara; ESTRELAR [*td.*] **5** Latejar, palpitar, pulsar [*int.*: *A dor era tão forte que sua cabeça estalava.*] **6** Apresentar um certo estado com intensidade [*int.*: *As notas estalavam de novas.*] **7** Manifestar-se com estrondo; ESTOURAR [*int.*: *Assustou-se quando o relâmpago estalou.*] [▶ 1 estal**ar**] [F.: De or. incerta, talvez de um lat. *astella*. Hom./Par.: *estalo* (fl. de *estalar*), *estalo* (sm.).]

estaleiro (es.ta.*lei*.ro) *sm.* **1** Lugar, ger. próximo ao mar, onde se constroem ou consertam navios **2** *NE.* Armação de madeira us. para secar cereais, carnes etc. [F.: Do fr. ant. *astelier*, hoje *atelle*, der. do lat. *astù la* ou *assù la*, 'pedaço de madeira'.]

estalido (es.ta.*li*.do) *sm.* **1** Som semelhante ao estalo, mas de menor intensidade: *O estalido de um graveto se partindo.* **2** Sequência de estalos **3** Crepitação, estalo: *O estalido do fogo.* **4** Ruído estridente e repentino; ESTRONDO; ESTALO: *O estalido do chicote, do trovão.* [F.: *estalo* + *-ido*[1].]

estalinismo (es.ta.li.*nis*.mo) *Pol. sm.* Ver *stalinismo*

estalinista (es.ta.li.*nis*.ta) *a2g.* **1** Ref. ou inerente a, ou pertencente a (Joseph) Stalin, ou ao estalinismo (doutrina estalinista; métodos estalinistas) **2** *Pol.* Diz-se de que ou quem é partidário do estalinismo, ou que o aplica (movimento estalinista; facção estalinista) *s2g.* **3** *Pol.* Adepto, partidário ou seguidor do estalinismo; indivíduo estalinista [F.: Do antr. (Joseph) *Stálin-* + *-ista*.]

estalo (es.*ta*.lo) *sm.* **1** Som seco e breve produzido ger. por algo que racha ou se parte, ou vibra, ou se choca ou atrita com outra coisa; ESTALIDO: *o estalo do vidro ao rachar/da bandeira desfraldada ao vento/dos dedos/da madeira ao dilatar-se* etc. **2** Som produzido por madeira ou carvão queimando; CREPITAÇÃO; ESTALIDO **3** Ruído forte e repentino; ESTRONDO; ESTALIDO **4** *Bras. Fig.* Ideia ou percepção repentina; LUZ: *Tive um estalo e descobri como resolver o problema.* **5** *RJ SP* Pequeno artefato pirotécnico (um pouco de pólvora num pequeno pacote) que dá um estalo quando é arremessado contra uma superfície dura **6** Ruído produzido pelo atrito de uma articulação no corpo: *Sentiu uma dor repentina e um estalo no joelho.* **7** *Pop.* Bofetada [F.: Dev. de *estalar*. Tb. *estralo*.] ■ **Cantar de ~** *Bras.* Cantar (canário-da-terra) a seu modo característico **De ~** **1** De repente, subitamente **2** Muito bom, excelente: *um programa de estalo.*

estame (es.*ta*.me) *sm.* **1** *Bot.* Órgão masculino da flor, composto do filete e da antera, na qual se formam os grãos de pólen [Cf.: *pistilo*.] **2** *Têxt.* Fio ou linha de tecelagem; ESTAMBRE **3** *P.ext. Fig.* Fio da existência; ESTAMBRE: *o estame da vida.* [Dim.: *estaminulo*.] [F.: Do lat. *stamen*, 'fio'.]

estamental (es.ta.men.*tal*) *a2g.* Ref. ou inerente a, ou pertencente a estamento (classificação estamental; modelos estamentais) [Pl.: *-tais*.] [F.: Do espn. *estamento-* + *-al*.]

estamentário (es.ta.men.*tá*.ri:o) *a. Soc.* Ref. ou inerente, ou próprio de divisão em estamentos (classes estamentárias; privilégios estamentários) [F.: Do espn. *estamento-* + *-ário*.]

estamento (es.ta.*men*.to) *sm.* **1** Estado ou condição em que cada um pode subsistir ou permanecer **2** Assembleia política ou legislativa; CONGRESSO; PARLAMENTO **3** *Soc.* Grupo de pessoas que desempenham a mesma função ou exercem influência em um determinado campo da vida social (estamento militar) [F.: Do espn. *estamento*.]

estamina (es.*ta*.mi.na) *sf.* Vigor, energia extensa; capacidade vital de resistência, por longo tempo: *Ficou sem estamina para continuar o trabalho; Perdeu a competição do falta de estamina.* [F.: Do ing. *stamina*, deriv. do lat. *stamina*, pl. de *stámen, inis*, 'fibra' + *-ina*.]

estaminado (es.ta.mi.*na*.do) *a.* **1** *Bot.* Que apresenta estames; ESTAMINÍFERO **2** Torcido ou retorcido até se tornar estame; reduzido a fio estame [F.: Part. de *estaminar*.]

◎ **estamin(i)-** *pref.* = 'estame': *estaminal, estaminífero* [F.: Do lat. *stâmen, ìnis*, 'fio, filamento, fibra, estame'.]

estampa (es.*tam*.pa) *sf.* **1** *Art.gr. Grav.* Imagem, figura impressa em papel, tecido, couro etc., por meio de chapa gravada de metal, madeira ou outro material **2** Qualquer ilustração, imagem, desenho etc. **3** *Fig.* Aparência física: *moça de bela estampa.* **4** Perfeição, beleza de formas: *Essa mulher é uma estampa!* **5** Vestígio, impressão (do pé, do sinete etc.) **6** *Fig.* Cópia, reprodução de algo, espelho: *É curioso, a filha é a estampa do pai, o filho é a cara da mãe.* **7** *Bibl.* Ilustração separada do texto, fora da paginação sequencial, ger. impressa de um lado só em papel especial [Dim.: *estampilha*.] [F.: Do it. *stampa*. Hom./Par.: *estampa* (sf.), *estampa* (fl. de *estampar*). Col.: *atlas, iconoteca*.] ■ **Dar à ~** Publicar

estampado *a.* **1** Que se estampou: *Gravura estampada em pergaminho.* **2** Que se publicou: *Notícia estampada nos jornais.* **3** *Fig.* Facilmente perceptível; VISÍVEL: *alegria estampada no rosto.* **4** Que tem estampas (vestido estampado) *sm.* **5** *Bras.* Tecido com estampas: *Comprou alguns metros de estampado.* **6** *Bras* Conjunto de estampas ou motivos impressos ou gravados numa superfície; ESTAMPARIA: *O lençol tinha um estampado infantil.* [F.: Part. de *estampar*.]

estampador (es.tam.pa.*dor*) [ô] *a.* **1** Diz-se de que ou quem estampa, que faz estampagem de gravuras, tecidos, porcelanas etc. *sm.* **2** Aquele que estampa; ESTAMPEIRO **3** *Tec.* Aparelho us. para estampar coroas, pela contraposição de cunhos [F.: Rad. de *estampar-* + *-dor*.]

estampagem (es.tam.*pa*.gem) *sf.* **1** Ação ou resultado de estampar **2** Arte ou técnica de imprimir letras, figuras e ornatos em papel, tecido, plástico etc; ESTAMPARIA **3** Impressão, nas massas cerâmicas ainda moles, dos ornamentos com que se pretende adorná-las **4** Processo de formar uma imagem em relevo, com matizes, por meio de deformação plástica a frio, ger. feita pela pressão de uma matriz **5** *Metal.* Ação e processo de modelar objetos, peças etc. a frio usando matriz(es) ou molde(s) por pressão a frio [Pl.: *-gens*.] [F.: *estampa* + *-agem*[2].]

estampar (es.tam.*par*) *v.* **1** Imprimir (figura, desenho) em tecido, papel etc. [*td.*: *estampar rótulos.*] [*tda.*: *O fabricante estampou o símbolo do clube nas camisas.*] **2** Demonstrar, fazer perceber [*td.*: *Sua fisionomia estampava alegria.*] [*tdr.* + *em*: *Estampava no rosto a alegria da conquista.*] **3** Mostrar com destaque (em jornal, revista, vitrine etc.) [*td.*: *O jornal de ontem estampava a fotografia dele.*] **4** Deixar vestígio de; IMPRIMIR(-SE); GRAVAR(-SE) [*tda.*: *estampar o sinete no lacre; estampar a mão no vidro.*] [*ta.*: *A imagem estampou-se em minha memória.*] **5** Imprimir, insculpir, lavrar, fazer desenho de [*td.*] [▶ 1 estamp**ar**] [F.: *estampa* + *-ar*[2]. Hom./Par.: *estampa* (fl. de *estampar*), *estampa* (sf.).] ■ **~ a frio/seco** *Enc.* Marcar por pressão, em baixo-relevo, sem tinta ou outro material, letras, símbolos, figuras etc. em capa ou lombada de livro

estamparia (es.tam.pa.*ri*.a) *sf.* **1** Fábrica ou setor de fábrica onde se estampam objetos **2** Oficina onde se imprimem estampas **3** *Com.* Loja na qual se vendem estampas **4** Ver *estampado (sm.)* **5** Ver *estampagem* [F.: *estampa* + *-aria*. Hom./Par.: *estamparia* (sf.), *estamparia* (fl. de *estampar*).]

estampido (es.tam.*pi*.do) *sm.* **1** Som forte, seco e repentino de arma de fogo, trovão etc. **2** *Fig.* Barulho, estrondo, estridor [F.: Do gót. **stampjan*, pelo prov. *estampia* e *estampida*.]

estampilha (es.tam.*pi*.lha) *sf.* **1** Estampa pequena *sf.* **2** *Filat.* Selo postal ou de documentos oficiais (estampilha do Tesouro) **3** *Eng.ind.* Lâmina ou chapa de metal na qual se abrem ou se marcam letras, sinais etc., para estampá-los em papel, tecido etc; CHAPA; ESTÊNCIL **4** Marca estampada ou feita por meio de estampilha **5** *Lus.* Selo postal **6** *Lus.* Em Portugal, tapa, bofetada [F.: Do espn. *estampilla*.]

estampilhar (es.tam.pi.*lhar*) *v. td.* Colocar estampilha(s) em; selar com estampilha(s) [▶ 1 estampilh**ar**] [F.: *estampilha* + *-ar*.]

estancada (es.tan.*ca*.da) *sf.* **1** Ação ou resultado de estancar; ESTANCAMENTO; ESTANCAÇÃO **2** *Lus.* Método de pesca que consiste em fazer vazar completamente a água de poças ou tanques onde o peixe se esconde ou recolhe [F.: Fem. substv. do part. de *estancar*.]

estancado (es.tan.*ca*.do) *a.* **1** Que se estancou; ESTANQUE **2** Diz-se de fluxo ou curso líquido detido, interrompido; ESTAGNADO; PARALISADO **3** Vedado, barrado; ESTANQUE **4** Saciado (fome estancada) **5** *Com.* Açambarcado, monopolizado (mercado estancado) [F.: Part. de *estancar*.]

estancamento (es.tan.ca.*men*.to) *sm.* **1** Ação ou resultado de estancar; ESTANCADA; ESTANCAÇÃO; ESTANCAGEM **2** Interrupção do fluxo de um líquido (estancamento do sangue); ESTAGNAÇÃO; PARALISAÇÃO **3** Vedação, veda: *estancamento da corrente de ar.* **4** Exaurição, esgotamento [F.: *estancar-* + *-mento*.]

estancar (es.tan.*car*) *v.* **1** Fazer parar ou parar de fluir (líquido); ESTAGNAR(-SE) [*td.*: *estancar o vazamento.*] [*int.*: *A hemorragia estancou(-se).*] **2** Aplacar, saciar (a sede, a vontade etc.) [*td.*] **3** *Fig.* Fazer cessar ou cessar; extinguir(-se) [*td.*: *Estancar o aumento da violência.*] [*int.*: *As vendas estancam(-se) depois do Natal.*] **4** Deter-se, parar, interromper caminhada [*int.*: *O guia da excursão estancou subitamente.*] **5** Tornar estanque (embarcação) [*td.*] **6** Monopolizar (gêneros de comércio, produtos industriais) [*td.*] [▶ 11 estanc**ar**] [F.: De or. contrv.]

estância[1] (es.*tân*.ci:a) *sf.* **1** Lugar onde se permanece por algum tempo, esp. em vilegiatura, tratamento de saúde etc; a ação de lá estar **2** *MG* Ver *estância hidromineral* **3** Lugar que serve de moradia; HABITAÇÃO; MORADA **4** *Poét.* Cada um de grupos de versos, com disposição semelhante de rimas, que apresentam sentido completo (são as oitavas, sextinas, os quartetos etc.); ESTROFE: *estâncias de um poema.* **5** Parada em jornada; PARAGEM; ESTAÇÃO **6** *Bras. N.* Habitação coletiva, ger. pobre; ver *cortiço* **7** *Mil.* Baluarte, fortim, reduto com gente e artilharia pouco numerosas **8** Depósito onde se vendem madeira de construção, lenha, carvão etc. [F.: Do it. *stanza*. Hom./Par.: *estância* (sf.), *estancia* (fl. de *estanciar*).] ■ **~ hidromineral** *Bras.* Lugar (cidade, vila, distrito etc.) em que há fontes de águas ricas em substâncias minerais ou radioativas de efeito medicinal, e por isso ger. muito visitado; estação de águas (2) **~ termal** *Lus.* Ver *Estância hidromineral*

estância[2] (es.*tân*.ci:a) *sf. RS* Grande propriedade rural; FAZENDA [Dim.: *estanciola*.] [F.: Do espn. plat. *estancia*. Hom./Par.: *estância* (sf.), *estancia* (fl. de *estanciar*).]

estanciar (es.tan.ci.*ar*) *v.* **1** Habitar, morar, residir [*ta.*: *Esse grupo estancia no fim do bairro;* "Mas onde é que estancia essa gente bravia?" (Antônio Feliciano de Castilho)] **2** Demorar-se em algum lugar durante certo tempo [*ta.*: *Estanciou na fazenda por seis meses.*] **3** Parar de locomover-se (em algum lugar) para ter descanso [*ta.*: *Estanciaram à sombra de uma mangueira.*] **4** *Mar.* Parar num ancoradouro para descansar ou para se abrigar [*int.*] **5** *P.us.* Alojar(-se), instalar(-se) [*td.*] [▶ 1 estanci**ar** 15 estanci**ar** No uso brasileiro, segue o paradigma 1; no uso lusitano, admite também o paradigma 15.] [F.: *estância* + *-ar*. Hom./Par.: *estancia(s)* (fl.), *estância* (s.f. e pl.).]

estancieiro (es.tan.ci:*ei*.ro) *sm. Bras.* Proprietário de *estância*[2] [F.: Do espn. plat. *estanciero*.]

estândar (es.*tân*.dar) *sm. a2g2n. P.us.* F. aport. do ing. *standard*

estandardização (es.tan.dar.di.za.*ção*) *sf.* **1** Ação, processo ou resultado de estandardizar **2** *Metrol.* Uniformização dos elementos de um conjunto ou série a um mesmo tipo ou padrão; PADRONIZAÇÃO; ESTANDARTIZAÇÃO [Pl.: *-ções*.] [F.: *estandardizar-* + *-ção*.]

estandardizado (es.tan.dar.di.*za*.do) *a.* Padronizado (modelos estandardizados) [F.: Part. de *estandardizar*. Ant. ger.: *desestandardizado*.]

estandardizar (es.tan.dar.di.*zar*) *v. td.* Mesmo que *padronizar* [▶ 1 estandardiz**ar**] [F.: Do ing. *to standardize*. Tb. *estandardizar*.]

estandarte (es.tan.*dar*.te) *sm.* **1** Insígnia ou bandeira distintiva de corporação (militar, civil ou religiosa), agremiação, nação etc. (estandarte verde-amarelo, estandarte cruzmaltino); BANDEIRA; PAVILHÃO **2** Bandeira militar, bandeira de guerra **3** Grupo de combatentes que formam a guarda da bandeira **4** *S.* Espantalho, mostrengo **5** *Bot.* O mesmo que *vexilo* (3) **6** *Mús.* Nos instrumentos de arco, peça de madeira, montada sobre a caixa, junto a sua grande curva, e na qual se prendem as cordas depois que estas passam pelo suporte do cavalete **7** *Zool.* Cada uma [F.: Do fr. ant. *estendart*, hoje *étendard*.] ■ **Levantar o ~ (de)** *Fig.* Comportar-se como ou declarar-se líder (de uma causa, de um grupo ou uma facção) **Levantar o ~ da revolta** *Fig.* Conclamar a revolta, motim, sublevação etc.

estandartização (es.tan.dar.ti.za.*ção*) *sf.* Adequação a um modelo; padronização(estandartização linguística; estandartização da moda); ESTANDARDIZAÇÃO; PADRONIZAÇÃO [Pl.: *-ções*.] [F.: Do ing. *standard-* 'padrão, modelo' + *-izar* + *-ção*.]

estandardizar (es.tan.dar.di.*zar*) *v.* Ver *estandardizar*

estande (es.*tan*.de) *sm.* **1** Espaço reservado a cada expositor numa feira, exposição etc; a estrutura e a disposição física desse espaço **2** Lugar fechado equipado para a prática do tiro ao alvo **3** *Bot. Ecol.* Grupo de plantas, setor de vegetação de mesma espécie e idade [F.: Do ing. *stand*.]

estanhação (es.ta.nha.*ção*) *sf.* Ação ou resultado de estanhar (1); ESTANHAGEM; ESTANHADURA [Pl.: *-ções*.] [F.: *estanhar-* + *-ção*.]

estanhado (es.ta.*nha*.do) *a.* **1** *Metal.* Revestido ou coberto de estanho, ou com liga de chumbo e estanho (peça estanhada) **2** Acinzentado, de cor semelhante à do estanho: "E eis, ante nós, o chefe da casa, Takeshi Kumoitsuru – rugoso de cara, estanhada, flexo no certo número de mesuras." (Guimarães Rosa, "Cipango", *in Ave, Palavra*) **3** *Poét.* Luzente e liso, de tom acinzentado (águas estanhadas; céu estanhado) **4** *Pop.* Descarado, desavergonhado **5** *AL PE Fig.* Zangado, chateado, irado **6** *Pop.* Muito aberto (olhos estanhados) [F.: Part. de *estanhar*.]

estanhar (es.ta.*nhar*) *v.* **1** Recobrir com estanho ou liga de estanho e chumbo (objeto de metal) [*td.*: *Mandei estanhar este vaso, e ficou lindo.*] **2** *S.* Atirar contra (alguém); BALEAR [*td.*] **3** *AL PE* Ficar irritado, irritar-se, zangar-se [*int.*: *Está nervoso, estanha-se facilmente.*] [▶ 1 estanh**ar**] [F.: *estanho* + *-ar*[2]. Hom./Par.: *estanho* (fl. de *estanhar*), *estanho* (sm.).]

estanho (es.*ta*.nho) *sm.* **1** *Quím.* Elemento de número atômico 50, branco-prateado, maleável, dúctil, us. na fabricação de ligas metálicas.[Símb.: *Sn*.] **2** Liga metálica cujo elemento principal é o estanho **3** Objeto feito dessa liga [F.: Do lat. *stanneum*. Hom./Par.: *estanho* (sm.), *estanho* (fl. de *estanhar*).]

estânico (es.*tâ*.ni.co) *a.* **1** *Metal.* Ref. ou inerente a, ou próprio de estanho **2** *Quím.* Que contém estanho, esp. como elemento tetravalente **3** *Quím.* Diz-se de um dos ácidos [SnO_2] do estanho, us. como catalisador em cerâmicas, vidros, cosméticos etc. *sm.* **4** Ácido do estanho, us.como catalisador [F.: Rad. *estan-*, do lat *stannu-* + *-ico*[2].]

estanque (es.*tan*.que) *a2g.* **1** Totalmente fechado, tapado, vedado, sem buracos por onde possa entrar ou sair líquido; VEDADO: *embarcação com compartimentos estanques.* **2** Sem interligações; ISOLADO: *Não faz associações; seu raciocínio é estanque.* **3** Que secou ou estancou (poço estanque); SECO **4** Que não flui; PARADO; ESTAGNADO *sm.* **5** Ação ou resultado de estancar; ESTANCAMENTO **6** Loja onde se vendem tabacos; tb. *estanco* **7** *Ant.* Ponto, fim [F.: Dev. de *estancar*.]

estanqueado (es.tan.que:*a*.do) *a.* **1** Sem fenda por onde passe líquido; bem vedado, bem tapado (canais estanqueados) **2** Extinto; estagnado; enxuto (sofrimento estanqueado; lágrimas estanqueadas) [F.: *estanque-* + *-ado*[1]. Sin. ger.: *estanque*.]

estante (es.*tan*.te) *sf.* **1** Móvel com prateleiras, às vezes tb. gavetas e/ou caixas com ou sem portas, onde se guardam ou dispõem livros, discos, objetos de decoração etc. **2** Suporte inclinado de madeira que se usa sobre a mesa para facilitar a leitura de livro ou documento **3** Móvel portátil onde se coloca a partitura musical *a2g.* 4 *Antq.* Que vive, reside; RESIDENTE [F.: Do lat. *stans, antis.*]

estapafúrdio (es.ta.pa.*fúr*.di:o) *a.* 1 Diz-se de pessoa ou coisa muito estranha; fora do comum (raciocínio estapafúrdio, pessoa estapafúrdia); ESQUISITO; ESDRÚXULO 2 Diz-se do que é totalmente ilógico, incoerente; ABSURDO; DISPARATADO [F.: De or. obsc.]

estapear (es.ta.pe.*ar*) *v. td. Bras.* Dar tapas em; ESBOFETEAR [▶ 13 estap**ear**] [F.: *es-* + *tapa²* + *-ear²*.]

◎ **estaped(i)-** *pref.* = 'estribo' ('osso da orelha interna'): *estapédio* [F.: Do lat. cient. *stapedius* < lat. tard. *stapes*, 'estribo'.]

estapédio (es.ta.*pé*.dio) *sm. Ant. Anat.* Ver *estribo* [F.: Do lat. *stapedium, ii,* 'estribo'.]

estaqueado (es.ta.que:*a*.do) *a.* 1 Preso, seguro com estacas 2 Retesado por estacas 3 *Bras.* Diz-se de terreno marcado com estacas; ESTACADO 4 *RS Cut.* Que se estirou por meio de estacas (diz-se de couro) 5 *RS Ant.* Atado a estacas pelos quatro membros, como forma de castigo infligido a bandidos e soldados; ESFALFADO; REBENTADO [F.: Part. de *estaquear.*]

estaqueamento (es.ta.que.a.*men*.to) *sm.* 1 Ação ou resultado de estaquear, de pôr estacas em; ESTAQUEAÇÃO 2 Ação ou resultado de marcar terreno com estacas; ESTAQUEAÇÃO 3 *P.ext. Fig.* O conjunto das estacas de um caminho ou viamento topográfico 4 *RS Cut.* Secagem de couro sobre estacas; ESTAQUEIO 5 *RS Ant.* Ação de prender alguém em estacas, como forma de suplício [F.: *estaquear* + *-mento.*]

estaquear (es.ta.que.*ar*) *v. td.* 1 Segurar, prender com estacas 2 Marcar (terreno) com estacas: *Estaqueou o pasto do gado.* 3 *RS* Prender (um couro) em estacas fincadas no chão para esticá-lo 4 *RS* Prender (indivíduo) pelos quatro membros em estacas, deixando-o suspenso do chão e de rosto voltado para cima, castigo aplicado a quem recebia certo tipo de condenação (ladrões, soldados etc.) 5 *Bras.* Fincar estacas no solo para a construção de (cerca) [▶ 13 estaqu**ear**] [F.: *estaca* + *-ear.*]

estaquia (es.ta.*qui*.a) *Agr. Hort. sf.* Método ou processo de reprodução de plantas, por meio do enraizamento de porções (estacas) de caules e ramos ou esp. de folhas suculentas; ESTACARIA [Cf.: *alporque* e *enxertia.*] [F.: *estaca* + *-ia.*]

estar (es.*tar*) *v.* 1 Encontrar-se em certo estado, condição, ou situação no tempo ou no espaço [*tp.*: *O abacate está maduro?; Estou de malas prontas.*] [*ta.*: *Estive com uns amigos em Belo Horizonte.*] 2 Permanecer, conservar-se (em certa posição) [*tp.*: *estar de plantão.*] 3 Comparecer [*ta.*: *Esteve apenas no início da festa.*] 4 Visitar, ir [*ta.*: *Você esteve na exposição?*] 5 Us. em saudação de cortesia [*tp.*: *Como está? Tudo bem?*] 6 Custar [*tr.* + *a*: *O melão estava a cinco reais o quilo.*] 7 Vestir [*tp.*: *Ele estava de preto.*] 8 Localizar-se, ficar [*ta.*: *A loja está a duas quadras daqui.*] 9 Ter relação afetiva, ou de casamento, com alguém [*ta.*: *Ele está com Helena há uns dois anos.*] 10 Compartilhar ideias, opiniões etc. [*tr.* + *com*: *Tem razão, estou com você.*] 11 Exercer (cargo, função) [*tp.*: *Agora que está de diretor, não tem tempo para nada.*] 12 Seguir (uma carreira, um modo de vida determinado) [*ta.*: *Marcelo está na Marinha.*] 13 Consistir [*tr.* + *com*: *A solução está no investimento em educação.*] [▶ 4 **estar**] Us. como v. auxiliar, vem seguido de gerúndio na indicação de ação em processo: *Estou fazendo um curso de inglês*; vem seguido da prep. 'para' na indicação de fato iminente: *Ela está para ter bebê.* b) Us. tb. como v. impess.: 1) seguido de indicação climática: *Está muito frio.* 2) us. para introduzir estado, condição, circunstância: *Estava bom para ambas as partes*; *Está na hora de ir dormir.*] [F.: Do lat. *stare.*] ■ **~ a fim (de)** 1 *Bras. Pop.* Ter vontade (de), disposição (para) 2 Estar interessado em namorar, ter intenções amorosas (para com) **~ a nenhum** *Pop.* Estar sem dinheiro algum **~ bem/mal** Estar (alguém) em boas/más condições de saúde ou de ânimo, bem/mal disposto, em boas/más condições financeiras **~ bem/mal com** Ver *Estar de bem/de mal* **~ cagando para** *Bras. Tabu.* Não dar a mínima importância a **~ com (alguém) e não abrir** *Bras. Gír.* Apoiar, concordar com, ser solidário a (e ser irredutível nessa atitude) **~ condenado** Ter doença incurável e fatal **~ de bem/de mal** Ter boas relações/relações cortadas com alguém **~ de virar e romper** *RS Gír.* Estar capacitado (a algo), preparado (para algo) **~ em** Depender de: *O sucesso desse projeto está no esforço coletivo.* **~ em si** Estar em seu perfeito juízo **~ em todas** *Irôn.* Frequentar vários círculos ou atuar em várias atividades **~ estribado** *Bras.* Estar bem de finanças, ter muito dinheiro **~ fora de si** Estar irritado, sem autocontrole; estar extasiado **~ frio** *Fam.* Estar longe de uma afirmação da verdade dos fatos, ou uma resposta correta, ou quem procura algo do objeto procurado etc. **~ frito** *Pop.* Estar em péssima situação, sem saída **~ mais pra lá do que pra cá** *Pop.* Estar (doente, acidentado etc.) mais perto da morte do que da cura **~ para** Estar prestes a, na iminência de: *Ela está para ter neném por estes dias.* **~ para nascer** Não existir **~ por** 1 Estar prestes a: *Espere um pouco, estou por terminar este serviço.* 2 Restar (algo) a ser feito: *A pintura da sala ainda está por terminar.* 3 Concordar com, ser a favor de (algo): *Estamos pelo adiamento da prova.* **~ por dentro/fora** Estar inteirado/não inteirado, informado/não informado das coisas **~ por pouco** Estar próximo de ocorrer: *Sua promoção está por pouco.* **~ por tudo** Estar disposto a fazer tudo o que os outros querem **~ pouco somando com** *Bras. Gír.* Dar pouca ou nenhuma importância a **~ pronto** Estar sem dinheiro, estar a nenhum **~ sozinho** Ser o melhor ou o único em algo: *Em matéria de decoração de interiores, ela está sozinha.* **~ sujo com** Não contar com a confiança de (alguém), ger. por tê-lo decepcionado **Não ~ nem aí (para)** *Bras.* Não ligar, não dar importância (a algo, alguém) **Não ~ com nada** 1 Não ter utilidade ou sentido; estar fora de moda: *Esse figurino não está com nada, escolha outra roupa!* 2 Não ter prestígio: *Era todo-poderoso, agora não está com nada.* **Só ~** *N.E. Fam.* Ficar admirado ou surpreso com: *Só estávamos o time jogar tão mal, depois de tanto treino.*

estardalhaço (es.tar.da.*lha*.ço) *sm.* 1 Muito barulho ou gritaria 2 *Fig.* Jactância, ostentação de algo com muita agitação, barulho, propaganda etc.: *Inauguraram a loja com muito estardalhaço.* [F.: De or. controv.]

estarrado (es.tar.*ra*.do) *Bras. Fig. a.* Muito doente [F.: *estarr(o)-* + *-ado²*.]

estarrecedor (es.tar.re.ce.*dor*) [ô] *a.* 1 Que estarrece, que causa espanto (notícia estarrecedora) 2 Assustador, aterrador (estrondo estarrecedor) [F.: *estarrecer* + *-dor.* Sin. ger.: *estarrecente.*]

estarrecente (es.tar.re.*cen*.te) *a2g.* Que estarrece; que assusta; ESTARRECEDOR [F.: *estarrecer* + *-nte.*]

estarrecer (es.tar.re.*cer*) *v.* Fazer ficar ou ficar espantado, perplexo, ou apavorado, aterrorizado [*td.*: *A notícia estarreceu o povo da região.*] [*int.*: *Histórias de vampiros são de estarrecer.*] [*tr.* + *com*: *O delegado estarreceu-se com o depoimento do criminoso.*] [▶ 33 estarre**cer**] [F.: Do lat. *exterrescere*, frequentativo de *exterrere.*]

estarrecido (es.tar.re.*ci*.do) *a.* 1 Que se estarreceu 2 Surpreso, perplexo 3 Horrorizado, apavorado [F.: Part. de *estarrecer.*]

estarrecimento (es.tar.re.ci.*men*.to) *sm.* 1 Ação ou resultado de estarrecer(-se) 2 Perplexidade, susto, assombro: "Vai, calculem meu choque, o soturno estarrecimento em que me debato até hoje." (João Guimarães Rosa, "Fantasma dos vivos", *in Ave, Palavra*) 3 Sentimento de pavor, de grande medo 4 Desfalecimento [F.: *estarrecer* + *-mento.*]

estase (es.*ta*.se) *sf.* 1 *Pat.* Estagnação do sangue ou dos humores, como urina, fezes etc. em qualquer parte do organismo 2 *Pat.* Interrupção de qualquer fluido circulante (estase linfático) 3 *Fig.* Estado de incapacidade ou de impotência; ENTORPECIMENTO; INÉRCIA; PARALISAÇÃO [F.: Do gr. *stásis*, 'parada'. Hom./Par: *êxtase* (sm.).] ■ **~ afetiva** *Psi.* Estado de tensão emocional permanente, durante longo período, que pode levar tanto a sentimentos de satisfação e prazer quanto a súbitas e violentas descargas emocionais, por qualquer motivo

◎ **estasi(o)-** *el. comp.* = parada, detenção; postura ereta; posição: *estasimorfia, estasiomorfia; estasifobia, estasiofobia; estasiado, estasiométrico* etc. [F.: Do do gr. *stásis, e, ós,* 'ação de pôr em pé; estabilidade, fixidez'.]

estatal (es.ta.*tal*) *a2g.* 1 Ref. ou pertencente ao Estado (política estatal, aparato estatal). [Cf.: *estadual.*] [Pl.: *-tais.*] *sf.* 2 Empresa estatal: *Algumas estatais foram privatizadas.* [Pl.: *-tais.*] [F.: *estado* (do lat. *status*) + *-al¹*.]

estatelado (es.ta.te.*la*.do) *a.* 1 Que se estatelou 2 Estirado, estendido ao comprido; ESCARRAPACHADO: *Caiu estatelado no chão.* 3 *Fig.* Parado como estátua, imóvel, hirto; PERPLEXO; ATÔNITO: *A perda do cunhado deixou-o estatelado.* 4 *Fig.* Perplexo, atônito [F.: Part. de *estatelar.*]

estatelar (es.ta.te.*lar*) *v. td.* 1 Fazer cair estendido sobre uma superfície, ou sofrer esse tipo de queda: *Estatelou o adversário com uma rasteira; Foi correr, estatelou-se no meio da rua.* 2 Provocar surpresa, espanto ou admiração em: *A resposta atrevida estatelou a moça; Sua confissão estatelou-me.* 3 Chocar(-se), bater(-se) contra (objeto concreto): *Estava escuro e estatelei-me na porta.* [▶ 1 estate**lar**] [F.: De orig. contr.]

estaticidade (es.ta.ti.ci.*da*.de) *sf.* 1 Característica ou qualidade do que é estático, de que ou de quem está imóvel, parado, sem movimento; IMOBILIDADE 2 *Fís.* Característica ou condição dos corpos em estado de equilíbrio, quando submetidos à ação de forças ou torques [F.: *estático*, do gr. *statikós, ón* + *-(i)dade.* Ant. ger.: *dinamismo.*]

estaticizante (es.ta.ti.ci.*zan*.te) *Econ. Pol. a2g.* 1 Que estatiza, que torna estatal (política estaticizante) 2 Que confere atribuições e responsabilidades excessivas ao Estado (modelo estaticizante) [F.: *estat-*, do lat. *status* + *-ici-* + *-izar* + *-nte.* Sin. ger.: *estatizante.*]

estático (es.*tá*.ti.co) *a.* 1 Sem movimento, parado; HIRTO; IMÓVEL: *Ficou estático diante do perigo.* 2 Sem progredir ou se desenvolver, sem exercer atividade; ESTAGNADO; PARALISADO: *O nível de emprego continuava estático.* 3 *Fís.* Que está no estado de repouso ou equilíbrio [P.op. a *dinâmico*, nesta acp.] [F.: Do gr. *statikós*, pelo lat. *staticus.* Hom./Par.: *extático.*]

estatigrafia (es.ta.ti.gra.*fi*:a) *sf. Fís.* Estudo e conhecimento do campo magnético terrestre (estatigrafia paleomagnética) [F.: *estat-* rad. de *estática*, do gr. *statiké* + *-i-* + *-grafia.*]

estatina (es.ta.*ti*.na) *sf. Mit.* Na Antiguidade, divindade feminina protetora dos primeiros períodos da infância humana [Com inicial ger. maiúsc.] [F.: Do lat. *statina, ae.*]

estatismo¹ (es.ta.*tis*.mo) *Econ. Pol. sm.* Doutrina, prática e sistema de intervenção e atuação intensas do Estado no campo econômico, atuando como empresário em diversos setores [Cf.: *estadismo.*] [F.: Do lat. *status*, 'estado' + *-ismo.*]

estatismo² (es.ta.*tis*.mo) *sm.* 1 Característica, condição ou estado do que é ou se apresenta estático, imóvel 2 *P.ext.* Falta de iniciativa, de movimento, de ação; IMOBILISMO; INATIVIDADE; INÉRCIA [F.: *estático*, na f. rad. *estat-* + *-ismo*, seg. o padrão erudito. Ant. ger.: *dinamismo.*]

estatista (es.ta.*tis*.ta) *s2g.* Profissional especializado na área de estatística [F.: Voc. deduzido de *estatística.*]

estatística (es.ta.*tís*.ti.ca) *sf.* 1 *Est.* Ciência e técnica de captação de dados numéricos para sua análise, comparação e interpretação 2 Essa captação e os resultados numéricos desse tipo de estudo: *As estatísticas sinalizam quem vencerá a eleição.* [F.: Do al. *Statistik*, pelo fr. *statistique.*]

estatístico (es.ta.*tís*.ti.co) *a.* 1 Ref. ou inerente a estatística (processamento estatístico, aplicação estatística) *sm.* 2 Indivíduo formado em estatística, ou que trabalha com estatística [F.: De *estatística.*]

estatização (es.ta.ti.za.*ção*) *sf.* Ação ou resultado de estatizar: *estatização dos serviços de saúde.* [Ant.: *desestatização, privatização.*] [Pl.: *-ções.*] [F.: *estatizar* + *-ção.*]

estatizado (es.ta.ti.*za*.do) *a.* Que se estatizou; que sofreu estatização (setor estatizado, economia estatizada) [Ant.: *desestatizado, privatizado.*] [F.: Part. de *estatizar.*]

estatizante (es.ta.ti.*zan*.te) *Econ. Pol. a2g.* 1 Diz-se de que ou de quem estatiza ou realiza estatização 2 Que preconiza e prega o controle estatal nas atividades econômicas, políticas e sociais (modelo estatizante; prática estatizante) [F.: *estatizar* + *-nte.*]

estatizar (es.ta.ti.*zar*) *v. td.* 1 Tornar estatal; passar a posse, o controle ou a exploração de (algo) para o Estado; NACIONALIZAR: *estatizar um banco/ as fontes de gás e petróleo.* 2 Tornar estadual; passar o controle de (algo) para um estado-membro da federação; ESTADUALIZAR [▶ 1 estati**zar**] [F.: *estado* (lat. *status*) + *-izar.* Ant. ger.: *privatizar.*]

estatocrata (es.ta.to.*cra*.ta) *s2g.* 1 Funcionário do Estado; pessoa que exerce atividade no Estado *a2g.* 2 Que tem cargo ou função no Estado [F.: Do lat. *status*, 'estado' + *-crata.*]

estatocrático (es.ta.to.*crá*.ti.co) *Pol. a.* 1 Ref. ou inerente a, ou próprio de estatocrata 2 Que concede poderes em excesso ao Estado (política estatocrática; regime estatocrático) [F.: *estato-*, do lat. *status* + *-crata* + *-ico²*.]

estatófilo (es.ta.*tó*.fi.lo) *Pol. a.* 1 Que ou quem cultua o estatismo e a estatolatria *sm.* 2 Aquele que cultua o estatismo e a estatolatria; cultuador do Estado e do estatismo [F.: Do lat. *status*, 'estado' + *-filo*, do gr. *philos*, 'amigo'.]

estatólatra (es.ta.*tó*.la.tra) *s2g.* 1 *Pol.* Aquele que cultua, defende e/ou pratica a estatolatria 2 Pessoa que atribui ao Estado o poder e a capacidade única de resolver todas as dificuldades econômicas e sociais *a2g.* 3 *Pol.* Ref. à estatolatria 4 Que defende e/ou pratica a estatolatria [F.: Do lat. *status*, 'estado' + *-latra.*]

estatolatria (es.ta.to.la.*tri*.a) *Econ. Pol. sf.* Doutrina ou sistema que confere ao Estado o poder e a prerrogativa absolutos de resolver todas as dificuldades econômicas e sociais [Cf.: *estatismo¹*.] [F.: Do lat. *status*, 'estado' + *-latria.* Ideia de 'adoração, culto': *-latria.*]

estator (es.ta.*tor*) [ô] *sm. Elet.* A parte de uma máquina elétrica rotativa (motor, gerador etc.) que é estática, e cujas bobinas geram um campo magnético que induz o rotor à rotação ou transforma a energia cinética por este criada [F.: Do ing. *stator.*]

estátua (es.*tá*.tu:a) *sf.* 1 *Arq. Esc.* Figura (humana, de animal, de divindade etc.) em três dimensões, esculpida em pedra, mármore etc., ou fundida em metal 2 Pessoa dotada de formas harmoniosas, conforme os padrões de beleza 3 *Fig.* Indivíduo impassível, incapaz de decisão ou arbítrio: *As amarguras fizeram dele uma estátua.* 4 Imagem, representação 5 *Fig.* Pessoa apática, sem expressão, lenta de reação, que por tudo embasbaca [Dim.: *estatueta.*] [F.: Do lat. *statua.* Hom./Par.: *estátua* (sf.), *estatua* (fl. de *estatuar* e *estatuir*). Col.: *estatuaria.*] ■ **~ equestre** *Esc.* Aquela que representa pessoa montada a cavalo **~ icônica** *Ant. Esc.* Aquela que representava um vencedor por três vezes de jogos sagrados **~ jacente** *Esc.* Aquela que representa pessoa deitada **~ pedestre** *Esc.* Aquela que representa pessoa de pé **~ sedestre** *Esc.* Aquela que representa pessoa sentada

estatuaria (es.ta.tu:a.*ri*.a) *sf.* Coleção de estátuas [F.: *estátua* + *-aria.* Hom./Par.: *estatuaria* (sf.), *estatuária* (sf. e fem. de *estatuário*).]

estatuária (es.ta.tu.*á*.ri:a) *sf. Esc.* Arte de esculpir estátuas; escultura [Do lat. *statuaria.* Hom./Par.: *estatuária* (sf.), *estatuaria* (sf. e fl. de *estatuar*).]

estatuário (es.ta.tu.*á*.ri:o) *a.* 1 Ref. a estátuas ou à estatuária 2 Próprio para estátuas (mármore estatuário) 3 Semelhante a estátua *sm.* 4 Artista que faz estátuas; ESCULTOR [F.: Do lat. *statuari, us.* Hom./Par.: *estatuária* (fem.), *estatuária* (sf.), *estatuaria* (sf. e fl. de *estatuar*).]

estatuesco (es.ta.tu.*es*.co) [ê] *a.* 1 *Esc.* Ref., inerente a, ou próprio de estátua (projeto estatuesco) 2 Que tem forma e aparência de estátua; semelhante a estátua (postura estatuesca; perfil estatuesco) [F.: *estátua*, do lat. *statua* + *-esco.*]

estatueta (es.ta.tu:*e*.ta) [ê] *sf.* Estátua pequena, ger. us. como objeto decorativo [F.: *estátua* + *-eta.*]

estatuído (es.ta.tu:*í*.do) *a.* 1 *Jur.* Determinado por estatuto, decreto, lei etc. 2 Que se pôs em vigor [F.: Part. de *estatuir.*]

estatuir (es.ta.tu.*ir*) *v. td.* 1 Estabelecer, determinar por meio de estatuto, lei, decreto: *O decreto estatui a cobrança desse imposto.* 2 Expor como regra, norma ou disciplina, estabelecer como preceito: *O diretor estatuirá novas regras de comportamento na empresa.* [▶ 56 estatuir] [F.: Do lat. *statuere.*]

estatura (es.ta.*tu*.ra) *sf.* **1** A medida vertical do corpo de alguém em posição ereta; ALTURA **2** *Fig.* Importância, magnitude: *Ele é um escritor de estatura internacional.* [F.: Do lat. *statura.*] ▪ **~ alta** Altura corporal maior que a da maioria das pessoas (ger. acima de 1,80 m) **~ baixa** Altura corporal inferior à da maioria das pessoas (ger. abaixo de 1,70 m ou 1,60 m) **~ mediana** Altura corporal próxima à da maioria das pessoas (em geral, ou das pessoas de determinado país, sexo, idade etc.)

estatural (es.ta.tu.*ral*) *a2g.* **1** *Anat.* Ref., inerente a, ou próprio de estatura, como elemento de medida, tamanho, dimensão anatômica de um ser (desenvolvimento estatural; hipertrofia estatural) **2** *Fig.* Que tem grandeza moral, social, profissional etc; que demonstra dignidade, caráter [Pl.: *-rais.*] [F.: *estatura*, do lat. *statura* + *-al.* Ideia de 'alto, elevado': *acr(o)-*; *alti-*.]

estatutário (es.ta.tu.*tá*.ri:o) *a.* **1** Ref. a ou que está disposto em estatuto **2** Que se resolve em face da letra do estatuto **3** Diz-se de funcionário que tem a situação trabalhista regulada por um estatuto específico *sm.* **4** Funcionário estatutário [Ver *celetista.*] [F.: *estatuto-* + *-ário.* Cf.: *celetista.*]

estatuto (es.ta.*tu*.to) *sm.* **1** *Jur.* Lei orgânica que estabelece os princípios de funcionamento de uma instituição, empresa, entidade, associação etc., ou de um setor, segmento etc. (estatuto do clube, estatuto previdenciário); REGULAMENTO; REGIMENTO **2** *P.ext.* Regulamento ou código com significado e valor de lei ou de norma: *estatuto da criança e do adolescente.* **3** Condição ou *status* de alguém num grupo, numa hierarquia **4** *CE* Uso, hábito, costume [F.: Do lat. *statutus*, part. de *statuere.*]

estauricossauro (es.tau.ri.cos.*sau*.ro) *sm. Pal.* Espécie do gên. de dinossauros da América do Sul, com 2 m de comprimento, corpo ágil, de patas traseiras longas e patas dianteiras curtas, todas dotadas de cinco dedos [Com inicial ger. maiúsc.] [F.: Do tax. *Staurikosaurus.* Ideia de 'lagarto': *-sauro.*]

◎ **estauro-** *el. comp.* = cruz: *estaurofilo, estaurolatria, estauroscopia* etc. [F.: Do gr. *staurós, oû,* 'cruz'.]

estável (es.*tá*.vel) *a2g.* **1** Sem variações ou alterações: *Quadro de saúde estável.* **2** Que está bem assente; FIRME; SEGURO **3** Que perdura (emprego estável, relação estável); DURADOURO; PERDURÁVEL [Ant.: *temporário, transitório.*] **4** Que não corre risco de demissão; que obteve estabilidade (funcionário estável); EFETIVO **5** *Fís.* Diz-se de sistema que tende a voltar às condições iniciais depois de passar por uma perturbação dessas condições [Pl.: *-veis.*] [F.: Do lat. *stabilis.* Hom./Par.: (pl.) *estáveis, estáveis* (fl. de *estar*). Ant. ger.: *instável.*]

este¹ (es.te) [é] *sm.* **1** *Astron.* Direção na esfera celeste ou no horizonte, relativa a um observador na Terra, onde nascem os astros, e que fica à direita de quem olha para o norte; LESTE; LEVANTE; NASCENTE; ORIENTE **2** *Geog.* O ponto cardeal que indica a direção este (1) [Abrev. nas acps. 1 e 2: *E.*] **3** Região ou ponto situado a este **4** O vento que sopra do este ***a2g2n.*** **5** Ref. ao ou que vem do este (latitude este; vento este) **6** Que se situa a este [F.: Do ing. *east* pelo fr. *est.* Hom./Par.: *este* (sm.), *este* (pron.dem.). Var.: *leste.*]

◎ **-este** [é] *suf.* Indicador de situação, relação: *agreste, celeste, nordeste, noroeste.*

este² (es.te) [ê] ***pr.dem.*** **1** Indica pessoa ou coisa presente ou próxima do falante ou com ele relacionada: *Este boné me agrada mais que aquele.* **2** Refere-se a algo ou alguém que acabou de ser mencionado: *Procurava esmeraldas porque estas eram as pedras mais cobiçadas.* **3** Indica o lugar onde se está, onde se vive (este departamento, esta rua) **4** Indica espaço de tempo ou circunstância na qual se inclui o momento em que se fala (este ano, este verão) **5** Emprega-se para chamar atenção sobre algo que se pretende enfatizar: *Que bela jogada esta!* [F.: Do lat. *istud.*]

estear (es.te.*ar*) *v.* **1** Fundamentar(-se), basear(-se) [***tdr.*** + *em*: *Esteava seus pontos de vista na filosofia positivista; Raramente se esteia em argumentos convincentes.*] **2** Sustentar com esteios ou escoras; ESCORAR [***td.***] **3** Proporcionar ajuda, amparo, arrimo a [***td.***: *Esteou o filho num momento de necessidade.*] [▶ 13 estear]

◎ **estear-** *pref.* = gordura: *esteárico, estearina.* [F.: Do gr. *stéar, stéatos,* 'sebo, gordura'.]

esteárico (es.te:*á*.ri.co) *a.* **1** *Quím.* Ref. a, ou próprio da estearina (ácido esteárico) **2** Que é feito de estearina (sabonete esteárico) *sm.* **3** *Quím.* O mais comum entre os ácidos graxos, us. em lubrificantes, sabões, cosméticos, fármacos, estabilizantes de alimentos etc. [Fórm.: $C_{18}H_{36}O_2$] [F.: Do gr. *stéar-* + *-ico²*. Ideia de 'pertinência, referência': *-ico²* (*aeróbico, metálico, típico*).]

estearina (es.te.a.*ri*.na) *sf.* **1** *Quím.* Éster de glicerina e ácido esteárico, encontrado em gorduras animais e vegetais como o sebo e a manteiga de cacau **2** *Ind.* A porção sólida de qualquer gordura, mistura de ácidos esteárico e palmítico, us. em impermeabilizações, na fabricação de sabões e velas, em polimento de metais etc. [P. opos. a oleína. Fórm. $C_{57}H_{110}O_6$] [F.: Do gr. *stéar-* + *-ina.*]

◎ **esteat(o)-** *el. comp.* = 'gordura': *esteatite, esteatose* etc. [Registra-se em vocábulos já formados no próprio grego, como *esteatoma*, e em outros introduzidos na linguagem científica internacional, esp. na área da medicina, a partir do séc. XIX.] [F.: Do gr. *stéar, stéatos.*]

esteatopigia (es.te:a.to.pi.*gi*.a) *sf. Med.* Desenvolvimento excessivo e hipertrofia das partes adiposas das nádegas por acúmulo de gordura, esp. de mulheres entre os hotentotes, pigmeus e algumas tribos de negros [F.: *esteat(o)-* + *-pig(o)-* + *-ia¹*. Ideia de 'gordura': *esteat(o)-*. Ideia de 'afecção ou doença ou deformação': *-ia¹*.]

esteatose (es.te:a.*to*.se) [ó] *sf. Pat.* Degenerescência gordurosa de um tecido; doença das glândulas sebáceas [F.: *esteat(o)-* + *-ose²*. Ideia de 'gordura': *esteat(o)-*. Ideia de 'doença': *-ose²*.]

◎ **estegan(o)-** *el. comp.* = oculto, coberto, impenetrável: *estégano, esteganografia* etc. [F.: Do gr. *steganós, ê, ón* 'que cobre, que recobre hermeticamente'.]

◎ **estegn(o)-** *el. comp.* = que cobre, que recobre: *estegnose, estegnóstico, estegnótico* etc. [F.: Do gr. *stegnós, ê, ón,* 'que cobre, que recobre, que fecha'.]

◎ **estego-** *el. comp.* = 'teto', 'cobertura': *estegocarpo* [Ocorre em vocábulos científicos formados a partir do séc. XIX, como *estegodonte, estegossauro* etc.] [F.: Do gr. *stégos,* 'abrigo', 'teto', 'telhado'.]

estegodonte (es.te.go.*don*.te) *sm. Pal.* Espécie de elefante já extinto, mamífero fóssil proboscídeo, da fam. dos elefantídeos, de grande porte e com enormes dentes molares [F.: *estego-*, do gr. *stégos, ous* + *-donte*, do gr. *odoús, odóntos.* Ideia de 'dente': *-odonte, -odonto.*]

estegossauro (es.te.gos.*sau*.ro) *sm. Pal.* Espécime dos estegossauros, subordem de dinossauros ornitísquios, répteis herbívoros, hab. das margens de rios, lagos e charcos na atual região de Wyoming (EUA) há 155 milhões de anos, de corpo volumoso com até 4 m e peso de 3t, couraça de placas ou de espículos ósseos no dorso, dois pares de espículos corniformes na cauda [F.: Do lat. *Stegosaurus* < gr. *stégos* + *-sauro*; *estego-* + *-sauro.* Ideia de 'cobertura, telhado': *estego-*. Ideia de 'lagarto': *-sauro.*]

esteio (es.*tei*:o) *sm.* **1** Peça que serve para escorar algo; ESCORA **2** *Fig.* Amparo, proteção arrimo [F.: De or. obsc.]

esteira¹ (es.*tei*.ra) *sf.* **1** Tecido feito de material fibroso (junco, palha etc.) em tiras entrelaçadas, ger. us. para forrar o chão **2** Espécie de tapete, ger. de material sintético, ligado a um mecanismo que o faz se deslocar, us. para transporte de objetos e pessoas, exercícios de caminhada ou corrida etc. (esteira rolante) **3** *Mar.* A parte inferior de uma vela **4** *Bras.* Espécie de albardão de junco, em que se prende a cangalha [F.: Do lat. *storea*, com troca de sufixo. Hom./Par.: *esteira* (sf.), *esteira* (fl. de *esteirar*). Col.: *esteirame.*] ▪ **~ ergométrica** Esteira rolante sobre a qual se caminha, us. para medir o comportamento fisiológico, esp. o cardíaco, durante o esforço **~ rolante** Espécie de tapete móvel (ger. de borracha) movido a motor, que percorre ciclicamente um leito que lhe serve de base, us. para transportar objetos ou pessoas, ou para forçar a caminhada sobre ela, em sentido contrário ao de seu movimento, como forma de exercício **Fazer ~** Emparelhar com rês, montado a cavalo para que seja derrubada por outro cavaleiro

esteira² (es.*tei*.ra) *sf.* **1** *Mar.* Rastro de água agitada e espumante deixado pela embarcação que se desloca; SULCO **2** *Fig* Vestígio deixado por algo (animal, veículo etc.); TRILHA; RASTRO **3** *Bras.* Ravina de praia **4** *Mil.* Dispositivo com o qual se reveste, se capeia um terreno para a passagem de tropa, de equipamento etc. **5** *Fig.* Exemplo, lição, modelo: *Trilhou a esteira dos mais experientes.* *sm.* **6** Vaqueiro que segue atrás dos cabeceiras, tangendo a boiada [F.: Do lat. *aestuarii*, a, pl. do neutro *aestuari, um.*] ▪ **~ meteórica** *Astron.* Rastro de duração efêmera, quase sempre inferior a um segundo **Ir na ~ de** Seguir de perto, ir no encalço de

esteirada (es.tei.*ra*.da) *sf.* **1** Quantidade muito grande de alguma coisa, que se estende e alastra como uma esteira (esteirada de palmeiras; esteirada de montanhas) **2** *Lus.* Bordoada em cheio nas costas **3** *Lus.* Queda do corpo no chão [F.: *esteira-* do espn. *estera* + *-ada²*.]

esteiro (es.*tei*.ro) *sm.* **1** *Hidrog.* Braço de rio ou de mar que se estende pela terra; ESTUÁRIO **2** *S. Geog.* Terreno baixo, alagadiço e pantanoso, junto aos rios, lagos e lagoas, coberto de plantas aquáticas [F.: Do lat. *aestuarium, ii,* 'espaço que o mar deixa descoberto na vazante; charco; braço de mar'. Sin. ger.: *estero.* Hom./Par.: *esteiro* (fl. de *esteirar*).]

estelar (es.te.*lar*) *a2g.* **1** Ref. a, de ou próprio de estrela (brilho estelar) **2** *Cin. Teat. Telv.* Composto por estrelas (6, 7): *elenco estelar de uma peça.* [F.: Do lat. *stellaris.*]

◎ **estel(i)-** *pref.* = 'estrela': *estelar, esteliforme* [F.: Do lat. *stella*, pelo lat. *stelli.*]

◎ **esteli-** *Pref.* = estrela: *estelar, esteliforme*

esteliforme (es.te.li.*for*.me) *a2g.* Que tem forma de estrela [F.: *estel(i)-* + *-forme.*]

estelionatário (es.te.li:o.na.*tá*.ri:o) *sm. Jur.* Pessoa que pratica estelionato *Pop;* VIGARISTA [F.: *estelionato* + *-ário.*]

estelionato (es.te.li:o.*na*.to) *sm. Jur.* Crime caracterizado por cometer fraude em contrato, documento, convenção etc., induzindo em erro a outra parte para com isso obter vantagem ilícita (ger. financeira); FRAUDE: *Vender produtos falsificados como autênticos é estelionato.* [Exemplos: especificação enganosa de bem ou propriedade, falsa autoatribuição de propriedade de um bem (na venda de algo que não lhe pertence), cheque sem fundos etc.] [F.: Do lat. *stellionatus.*]

estema (es.*te*.ma) *sm.* **1** Adorno circular de cabeça, ricamente enfeitado com pedrarias, flores, ramos etc; COROA; DIADEMA; GRINALDA **2** Árvore genealógica; ESTIRPE; LINHAGEM **3** *Zool.* Olho simples dos invertebrados; OCELO **4** *Zool.* Cada uma das partes constituintes do olho composto dos artrópodes; FACETA; LATÚSCULO; OMATÍDIO **5** *Ling.* Representação gráfica das relações entre as cópias de um texto, apresentando esquematicamente, a linha essencial de sua transmissão [F.: Do lat. *stemma, àtis.* Ideia de: *estema(to)-*.]

estêncil (es.*tên*.cil) *sm.* **1** *Art.Gr.* Folha de papel parafinado que, depois de perfurada (pelos tipos de uma máquina de escrever, ou por um estilete) e fixada num mimeógrafo, tinge outras folhas (ao deixar passar a tinta apenas pelas perfurações), fazendo cópias do que nela se escreveu ou desenhou: *Preparou os panfletos no estêncil e fez mil cópias.* **2** Qualquer material (metal, tecido, plástico etc.) no qual se fazem perfurações que formam texto ou desenho, que, aplicada sobre uma superfície (papel, p.ex.), ao receber tinta ao longo de sua superfície (pressionada por cilindro, rolo etc.) deixa passar a tinta apenas pelas perfurações, imprimindo o texto ou desenho na superfície sob ela **3** *P.ext.* Folha de papel especial onde se escreve ou desenha, e que, em contato com álcool numa duplicadora, imprime texto ou desenho num papel [Pl.: *-ceis.*] [F.: Do ing. *stencil.* Ver tb. *mimeógrafo.*]

estendal (es.ten.*dal*) *sm.* **1** Lugar onde se estendem coisas para secar; ESTENDEDOURO; TENDAL; VARAL **2** Quantidade excessiva de coisas estendidas ou espalhadas em algum lugar **3** *Fig.* Área extensa, ampla; DESCAMPADO: *Era um grande estendal que só se podia percorrer motorizado.* **4** *Fig. Pej.* Explanação ou exposição longa e ger. enfadonha de algo: *Entediou-o com um estendal de suas agruras.* [Pl.: *-dais.* Dim.: *estenderete.*] [F.: Rad. de *estender*, sob f. *estend-* + *-al.* Hom./Par.: *estendais* (pl.), *estendais* (fl. de *estender*). Ideia de 'coletivo': *-al.*]

estendedor (es.ten.de.*dor*) [ô] *a.* **1** Que estende (mecanismo estendedor) *sm.* **2** Aquilo que estende (estendedor de roupa) [F.: *estender* + *-dor.* Ideia de 'agente que pratica ação; instrumento': *-dor.*]

estendedouro (es.ten.de.*dou*.ro) *sm.* **1** Lugar em que se estende alguma coisa (roupa, fruta, rede etc.) para enxugar, secar etc; VARAL; ESTENDAL; ESTENDEDOR; SECADOR; TENDAL **2** Varal onde se estende o charque ou o peixe para secar **3** Lugar de exposição da carne dos animais abatidos no matadouro, para ser vendida aos açougueiros **4** *P.ext.* Grande quantidade e acúmulo de animais mortos [Dim.: *estenderete.*] [F.: *estender* + *-douro²*. Sin. ger.: *estendedoiro.* Ideia de 'local de ação': *-douro2.*]

estender (es.ten.*der*) *v.* **1** Tornar mais extenso [***td.***] [***td.***: *Estendeu a sala, retirando a divisória.*] [***int.***: *Removeu o sofá e a sala estendeu.*] **2** Aumentar (duração); PROLONGAR [***td.***] [***td.***: *A pesquisa genética estenderá a expectativa de vida.*] [***int.***: *A consulta estendeu-se mais do que o esperado.*] **3** Espichar, esticar [***td.***] [***td.***: *Dá para estender mais o fio?*] [***int.***: *Os braços estenderam-se, acenando.*] **4** *Fig.* Alargar, dirigir para longe; ALONGAR [***td.***: *estender os olhos/a vista.*] **5** Ocupar área extensa, espalhar-se, alastrar-se [***tda.***: *O milharal se estende por vários hectares.*] **6** Pôr(-se) deitado; DEITAR(-SE) [***tda.***: *Chegou cansado e se estendeu no chão frio.*] **7** Pendurar para secar [***td.***: *estender roupas.*] **8** Desdobrar, esticar [***td.***: *Estendeu a rede no quintal.*] **9** Fazer abranger; DESTINAR [***tdi.*** + *a*: *Estenda meus pêsames aos seus familiares.*] **10** Tornar(-se) público; DIVULGAR(-SE) [***td.***] [***td.***: *estender rumores/boatos.*] [***int.***: *Os boatos se estenderam.*] **11** Apresentar, oferecer [***tdi.*** + *a*: *Gentilmente, estendi-lhe a mão.*] **12** *Bras. Hip.* Preparar cavalo para corrida longa [***td.***] **13** *CO* Lançar (o laço) para capturar a rês [***td.***] [▶ 2 estender] [F.: Do lat. *extendere.*]

estenderete (es.ten.de.*re*.te) [ê] *sm.* **1** Pequeno estendedouro ou estendal [Dim. irreg. de *estendedouro* e *estendal.*] **2** *S.* Pequeno estendedouro us. para secar a roupa lavada **3** *Lud.* Jogo de cartas em que o jogador mostra seu jogo quando este é diferente das cartas abertas na mesa **4** *Fam.* Fiasco ou deslize cometido em público; GAFE **5** *Fig.* Pergunta capciosa feita para confundir, embaraçar ou prejudicar alguém **6** *Fig.* Resposta errada, mal formulada ou inadequada, dada em aula, exame ou diante de um público [F.: *estender* + *-ete.*]

estendido (es.ten.*di*.do) *a.* **1** Que se estendeu, abriu, esticou (braço estendido, tapete estendido, corda estendida) **2** Que se deitou, estirou; com o corpo (de gente, animal ou objeto) em posição horizontal e estirado **3** Que teve a duração prolongada (horário estendido) **4** Que se tornou mais abrangente **5** *Fig.* Que não tem vida: "Tá lá o corpo estendido no chão/Em vez do rosto uma foto de um gol..." (João Bosco, *De frente pro crime*) **6** Diz-se de mão levada aberta à frente do corpo, para receber um cumprimento (aperto de mão) ou para receber algo (esmola, p.ex.) **7** *Her.* Diz-se de ave (em brasão, escudo etc.) cujas asas estão totalmente abertas, com as pontas erguidas [F.: Part. de *estender.*]

estenia (es.te.*ni*.a) *sf. Med.* Estado orgânico num momento de atividade e esforço físico [Ant.: *astenia.*] [F.: *esten(o)-²* + *-ia¹*.]

estênico (es.*tê*.ni.co) *a.* **1** Ref. a estenia [Ant.: *astênico.*] **2** *Psic.* Que manifesta violência, excitação, agressividade etc. (diz-se de sentimento, atitude etc.) [F.: *estenia* + *-ico²*.]

estênio (es.*tê*.ni.o) *sm. Fís.* Unidade de medida de força, igual a 103N [F.: De or. incerta.]

◎ **esten(o)-¹** *Pref.* = apertado, estreito: *estenose*; curto, breve: *estenografia*

◎ **esten(o)-²** *Pref.* = força, vigor: *estenia*

estenodatilografia (es.te.no.da.ti.lo.gra.*fi*.a) *sf.* **1** Sistema de escrita combinando a estenografia e a datilografia, por meio de máquina datilográfica especial com sinais estenográficos; ESTENODACTILOGRAFIA **2** Ensino ou conhecimento integrado da estenografia e da datilografia [F.: *esteno-* + *datilo-* + *-grafia*. Ideia de 'força, vigor': *esten(o)*[2]. Ideia de 'dedo': *da(c)til(o)-*. Ideia de 'escrita, registro': *-grafia; graf(o)-*.]

estenoécio (es.te.no:*é*.ci.o) *a. Ecol.* Diz-se de que é capaz de sobreviver a grandes variações climáticas e ecológicas (espécie estenoécia) [F.: *esten(o)-* + *-oécio*. Cf.: *estenotópico*.]

estenografar (es.te.no.gra.*far*) *v.* Transcrever (fala, ditado etc.) por meio de abreviações ou caracteres estenográficos; TAQUIGRAFAR [**td.**: *Ela estenografa os discursos na câmara.*] [**int.**: *Ela estenografa muito bem; Sua única tarefa é estenografar.*] [▶ 1 estenografar] [F.: *estenografia* + *-ar*[2]. Hom./Par.: *estenografa* (fl. de *estenografar*), *estenógrafa* (sf.), *estenografas* (fl. de *estenografar*), *estenógrafas* (pl.), *estenografo* (fl. de *estenografar*), *estenógrafo* (sm.).]

estenografia (es.te.no.gra.*fi*.a) *sf. Taq.* Técnica de escrita abreviada que possibilita uma grande velocidade nas anotações, e com isso fazê-las no mesmo ritmo de um ditado, ou de uma fala; TAQUIGRAFIA [F.: *esten(o)-*[1] + *-grafia*.]

estenográfico (es.te.no.*grá*.fi.co) *a.* Ref. a estenografia; TAQUIGRÁFICO [F.: *estenografia* + *-ico*[2].]

estenógrafo (es.te.*nó*.gra.fo) *sm. Taq.* Pessoa que conhece os sinais da estenografia e é treinado para usá-los com rapidez no registro de ditado, fala etc., ger. por profissão; TAQUÍGRAFO [F.: *esten(o)-*[1] + *-grafo*. Hom./Par.: *estenografo* (fl. *estenografar*).]

estenose (es.te.*no*.se) [ó] *sf. Med.* Estreitamento anormal de um canal ou orifício corporal [F.: Do gr. *sténosis*.]

estenotermia (es.te.no.ter.*mi*.a) *Biol. Fís. sf.* **1** Característica, qualidade ou estado de ser estenotermo **2** Resistência somente a pequenas variações de temperatura [F.: *esten(o)-* + *-term(o)* + *-ia*[1]. Ideia de 'força, vigor': *esten(o)*[2]. Ideia de 'quente; calor': *term(o)-*; *-termia*. Ideia de 'condição ou estado': *-ia*[1].]

estenotérmico (es.te.no.*tér*.mi.co) *Biol. Fís. a.* **1** Ref. ou inerente a, ou próprio de estenotermia **2** Diz-se de elemento, corpo ou organismo que tolera apenas pequenas variações na temperatura ambiente [F.: *esten(o)-* + *-term(o)* + *-ico*[2]. Ideia de 'força, vigor': *esten(o)-*[2] (*estenia, estenotópico*). Ideia de 'quente; calor': *term(o)-*; *-termia* (*termas, termômetro; hipotermia*). Ideia de 'pertinência, referência': *-ico*[2] (*aeróbico, metálico, típico*).]

estenótipo (es.te.*nó*.ti.po) *sm.* **1** Máquina de estenografar, com teclas semelhantes a uma máquina de escrever, destinada à estenotipia e transcrição estenográfica de palavras [Cf.: *taquigrafia*.] **2** Designação dos caracteres da máquina de estenografar [F.: *esteno-* + *-tipo*. Hom./Par.: *estenótipo* (sm.), *estenotipo* (fl. de *estenotipar*). Ideia de 'força, vigor': *esten(o)-*[2] (*estenia, estenotópico*). Ideia de 'marca, tipo': *-tipo*; *tip(i/o)-* (*arquétipo, linotipo; tipografia*).]

estenotópico (es.te.no.*tó*.pi.co) *a. Ecol.* Que é ou está situado em lugar de pequena variação climática (vegetação estenotópica; animal estenotópico) [Cf.: *estenoécio*.] [F.: *esteno-* + *-topo* + *-ico*[2].]

estentor (es.ten.*tor*) [ô] *sm.* **1** Indivíduo que tem voz muito potente **2** *P.ext.* Voz muito forte [F.: Do gr. *Sténtor*, herói grego, personagem da *Ilíada*. Ideia de 'força, vigor': *esten(o)-*[2].]

estentóreo (es.ten.*tó*.re:o) *a.* **1** Que é muito forte (diz-se de som); RETUMBANTE **2** Que tem grande potência de voz **3** Diz-se de voz ou som muito forte, possante; RETUMBANTE; TONITRUANTE [F.: Do lat. *stentoreu*. Tb. *estentórico*.]

estentórico (es.ten.*tó*.ri.co) *a.* Ver *estentóreo*

estepe[1] (es.*te*.pe) [é] *sf.* **1** *Bot.* Vegetação pouco densa, esparsa, caracterizada por tufos de plantas pequenas, ger. rasteiras, xerófilas, em que predominam as gramíneas **2** *Geog.* Região onde ocorre esse tipo de vegetação, esp. no S. da antiga União Soviética, no N. da Europa e na Ásia, com ocorrência também na África e nos pampas sul-americanos [F.: Do russo *step*, pelo fr. *steppe*.]

estepe[2] (es.*te*.pe) [é] *sm.* Pneu reserva de veículos terrestres [F.: Prov. do ing. *step*, ou *spare tire*, 'pneu sobressalente'.]

estépico (es.*té*.pi.co) *a.* **1** *Bot.* Ref. à vegetação herbácea e rasteira, encontrada em certas regiões áridas **2** *Geog.* Ref., inerente a, ou próprio da região das estepes ou que contém estepe (país estépico; natureza estépica) [F.: *estepe* + *-ico*[2]. Ideia de 'pertinência, referência': *-ico*[2].]

éster (*és*.ter) *sm. Quím.* Tipo de composto orgânico líquido ou sólido produzido a partir da combinação (e condensação) de um ácido orgânico com um álcool [F.: Do al. *Ester*, deriv. do al. *Essigäther*, 'ácido acético', pelo fr. *ester*.]

esterase (es.te.*ra*.se) *sf. Bioq.* Nome comum que se dá às enzimas que catalisam a interconversão de éster em álcool [F.: *éster* + *-ase; estérase* é a melhor f., porém menos us.]

estercado (es.ter.*ca*.do) *a.* Que está cheio de esterco; ADUBADO; ESTRUMADO: *Antes de começar a plantação, o terreno foi estercado.* [F.: Part. de *estercar*.]

esterçamento (es.ter.ça.*men*.to) *sm.* Ação ou resultado de esterçar, de manejar o volante do automóvel para a esquerda ou para a direita [F.: *esterçar* + *-mento*.]

esterçante (es.ter.*çan*.te) *a2g.* Que esterça, que move o volante do automóvel de um lado para outro [F.: *esterçar* + *-nte*.]

estercar (es.ter.*car*) *v.* **1** Colocar (adubo animal, esterco) em solo, terra; adubar com esterco, estrume; ESTRUMAR [**td.**: *estercar o jardim*] **2** Defecar (animal) [**int.**: *Esses animais escolhem um cantinho para estercar.*] [▶ 11 estercar] [F.: *esterc(o)* + *-ar*[2]. Hom./Par.: *esterco* (fl. de *estercar*), *esterco* [ê] (sm.).]

esterçar (es.ter.*çar*) *v. td.* Girar (o volante de um veículo) [▶ 12 esterçar] [F.: Do it. *sterzare*.]

esterco (es.*ter*.co) [ê] *sm.* **1** Excremento de animal **2** Matéria orgânica, como excrementos animais e pedaços de vegetais, us. para adubar a terra; ESTRUME **3** Grande sujeira, imundície **4** *Vulg.* Pessoa ou coisa imunda, vil, desprezível, abjeta **5** *Lus.* No Minho, desordem, barulho [F.: Do lat. *stercus*. Hom./Par.: *esterco* (fl. *estercar*).]

estercoral (es.ter.co.*ral*) *a2g.* Ref. a esterco; que diz respeito à matéria fecal [Pl.: *-rais*.] [F.: *esterco*, sob a f. rad. *estercor-* + *-al*.]

estercorário (es.ter.co.*rá*.ri:o) *a.* **1** Ref. a esterco (resíduos estercorários) **2** Que cresce ou vive no esterco (insetos estercorários) [F.: Do lat. *stercorareus*.]

esterculiácea (es.ter.cu.li:*á*.ce.a) *sf. Bot.* Espécime das esterculiáceas, fam. da ordem das malvales que reúne 67 gên. e 1.500 spp. de árvores e arbustos, algumas ervas e lianas, encontradas nas regiões tropicais e subtropicais; de folhas simples, flores pentâmeras e frutos carnosos, de alguns dos quais se extraem sementes que produzem fibras, inclusive para o fabrico de papel [F.: Do lat. cient. *Sterculiaceae*.]

◎ **estereo-** *el. comp.* = 'sólido'; 'tridimensional': *estereofonia, estereoscópio, estereotipia, estereótipo, estereotomia*

estéreo[1] (es.*té*.re:o) *Acús. a2g.* **1** Diz-se de gravação e/ou reprodução de som em dois canais diferentes, que capta na gravação os sons diferenciados (ou suas repercussões) de duas localizações diferentes e que os reproduz replicando esse efeito de localização, dando volume tridimensional semelhante ao do ambiente de; ESTEREOFÔNICO **2** Diz-se de equipamento capaz de realizar gravação ou reprodução estéreo (1): *Comprei um TV estéreo.* *sm.* **3** Aparelho de som que funciona dessa forma [F.: Red. de *estereofônico*.]

estéreo[2] (es.*té*.re:o) *sm. Metrol.* Medida de volume de madeira correspondente a um metro cúbico [F.: Do gr. *stereós*, pelo fr. *stère*.]

estéreo[3] (es.*té*.re:o) *sm. Tip.* Ver *estereótipo*

estereofonia (es.te.re:o.fo.*ni*.a) *sf.* **1** *Acús.* Técnica da gravação e reprodução estéreo. **2** Qualidade do que é estereofônico [F.: *estéreo* + *-fonia*.]

estereofônico (es.te.re:o.*fô*.ni.co) *a. Acús.* Ver *estéreo* [F.: *estereofonia* + *-ico*[2].]

estereofono (es.te.re:o.*fo*.no) *sm.* O que emite som utilizando a técnica da estereofonia (toca-discos estereofono) [F.: *estéreo-* + *-fon(o)*.]

estereognosia (es.te.re.og.no.*si*.a) *sf.* Faculdade de reconhecer forma, textura, natureza de corpos por meio do tato [Tb. *estereognose*.] [F.: *estereo-* + *-gnosia*.]

estereograma (es.te.re:o.*gra*.ma) *Fot. sm.* **1** *Fot.* Conjunto de duas fotografias que se obtém com um estereoscópio ou com câmera de dupla objetiva **2** *Fot.* Imagem que, embora bidimensional, provoca a ilusão de tridimensionalidade se observada, a olho nu, no ângulo correto de convergência **3** *Art.pl. Fot.* Qualquer imagem de duas dimensões que provoca a ilusão de profundidade [F.: *estereo-* + *-grama*.]

estereolitografia (es.te.re:o.li.to.gra.*fi*.a) *sf.* Técnica utilizada para a fabricação de objetos tridimensionais através da fotopolimerização de uma resina pela incidência de luz ultravioleta [F.: *estéreo-* + *litografia*.]

estereoma (es.te.re:*o*.ma) *sm. Bot.* Estrutura composta por tecidos e células vegetais, que tem a função mecânica de dar suporte físico e sustentação à planta [F.: Do gr. *stereóma*, 'fundamento, apoio'.]

estereômetro (es.te.re.*ô*.me.tro) *sm. Geom.* Instrumento próprio para medir o volume dos sólidos [F.: *estereo-* + *-metro*.]

estereoscopia (es.te.re:os.co.*pi*.a) *Cin. Fot. sf.* **1** Processo de fotografia que capta e/ou reproduz a impressão tridimensional de um objeto, através de duas objetivas diferentes, à distância aproximada à da existente entre os dois olhos, assim registrando a imagem a partir de perspectivas diferentes, o que lhe confere um efeito de profundidade quando observada na reprodução, que superpõe as duas imagens diferentes **2** A visão tridimensional assim obtida [F.: *estereo-* + *-scopia*.]

estereoscópico (es.te.re:os.*có*.pi.co) *a. Ópt.* Ref. a estereoscópio [F.: *estereoscópio* + *-ico*[2].]

estereoscópio (es.te.re:os.*có*.pi:o) *sm.* **1** *Ópt.* Aparelho binocular pelo qual se podem observar objetos microscópicos de dois ângulos diferentes, o que permite percepção tridimensional **2** *Fot.* Visor binocular, no qual cada olho vê a reprodução de uma imagem captada por uma de duas lentes estereoscópicas (o olho direito vê a imagem registrada pela lente direita, o esquerdo pela lente esquerda) produzindo, pela superposição visual das duas imagens, a perspectiva tridimensional [F.: *estereo-* + *-scópio*.]

estereotáctico (es.te.re:o.*tác*.ti.co) *a.* Ver *estereotático*

estereotático (es.te.re:o.*tá*.ti.co) *a. Biol. Cir.* Ref. à ou próprio da estereotaxia; ESTEREOTÁXICO [F.: *estereo(taxia)* + *-tático*, seg. o mod. gr. Tb. *estereotáctico*.]

estereotaxia (es.te.re:o.ta.*xi*.a) [cs] *sf.* **1** *Biol.* Propriedade que têm as trepadeiras de enroscarem as suas hastes e elos nos objetos com que entram em contato; tb. *tigmotaxia* **2** *Cir.* Técnica de cirurgia que orienta, de modo tridimensional, o avanço de um instrumento delicado no interior do corpo humano, como, p.ex., uma agulha que penetra as estruturas cerebrais [F.: *estereo-* + *-taxia*.]

estereotipado (es.te.re:o.ti.*pa*.do) *a.* **1** *Art.gr.* Que se estereotipou; que é feito ou apresentado por meio de estereótipos **2** *Fig.* Que não tem autenticidade, originalidade (filme estereotipado) **3** *Fig.* Que se baseia em falsas generalizações, em julgamentos preconcebidos (opinião estereotipada; ideias estereotipadas) [F.: Part. de *estereotipar*.]

estereotipagem (es.te.re:o.ti.*pa*.gem) *Tip. sf.* **1** Ação ou resultado de estereotipar **2** Técnica ou arte de estereotipar **3** Obra impressa estereotipada [F.: *estereotipar* + *-agem*[2].]

estereotipar (es.te.re:o.ti.*par*) *v. td.* **1** Dar feição, imagem a (algo ou alguém, inclusive si mesmo) de acordo com com um padrão fixo, típico, inalterável; PADRONIZAR(-SE): *O cinema estereotipou a personagem do mocinho; De tanto fazer o mesmo papel, aquele ator estereotipou-se.* **2** Reproduzir com fidelidade **3** *Art.gr.* Processar (texto, desenho etc.) de modo a converter em estereótipo **4** *Art.gr.* Imprimir usando estereótipo **5** *Art.gr.* Imprimir por estereotipia **6** *Fig.* Atribuir qualidades, defeitos, características etc. a (algo ou alguém) de acordo com conceitos preconcebidos, ou classificações esquemáticas fixas, generalizações inexatas ou inadequadas etc. [**tdp.**: *Aquele crítico estereotipa os jogadores como craques ou pernas de pau.*] [▶ 1 estereotipar] [F.: *estereótipo* + *-ar*[2]. Hom./Par.: *estereotipo* (fl. de *estereotipar*), *estereótipo* (sm.).]

estereotipia (es.te.re:o.ti.*pi*.a) *sf.* **1** *Art.gr.* Técnica e processo de reprodução de uma composição tipográfica em uma chapa a partir da moldagem de uma matriz sólida (de gesso, cartão etc.) **2** *P.ext. Art.gr.* A chapa que se obtém a partir desta reprodução; ESTEREÓTIPO **3** *Art.gr.* Seção de uma oficina tipográfica onde esse tipo de reprodução é feito **4** *Psiq.* Comportamento motor ou verbal repetitivo e automático, desligado da realidade [F.: *estereo-* + *-tip* (i/o)- + *-ia*[1].] ▪▪ **~ curva 1** *Tip.* Processo de estereotipagem no qual os clichês são curvos, semicilíndricos, para encaixe nos cilindros de prensa rotativa; estereotipia rotativa **2** O clichê assim obtido **~ rotativa** *Tip.* Ver *Estereotipia curva* (1) **~ tubular** *Tip.* Estereotipia curva na qual os clichês são inteiramente cilíndricos, envolvendo totalmente os cilindros da prensa rotativa

estereótipo (es.te.re:*ó*.ti.po) *sm.* **1** Visão ou compreensão (de algo ou alguém) muito generalizada, formada somente na comparação com padrões fixos e preconcebidos, sem nuanças, sem distinção de caraterísticas próprias, mais sutis **2** Esse padrão, formado a partir de uma imagem alimentada mais por conceitos fixos e preconcebidos do que pela própria realidade **3** *Fig.* Ideia repetitiva, sem originalidade; LUGAR-COMUM **4** *Tip.* Chapa de reprodução de caracteres tipográficos obtida pelo processo de estereotipia; ESTEREOTIPIA [F.: *estereo-* + *-tipo*, ou do fr. *stéréotype*.]

estereotomia (es.te.re:o.to.*mi*:a) *sf. Geom.* Técnica científica de dividir, de modo regular, materiais de construção, como pedras, madeiras etc. [F.: *estereo-* + *-tomia*.]

◎ **ester(i)-** *el. comp. Quím.* = éster: *esterase, esterificar* etc.

esterificação (es.te.ri.fi.ca.*ção*) *sf. Quím.* Reação que provoca a formação de ésteres [Pl.: *-ções*.] [F.: *esterificar* + *-ção*.]

esterificante (es.te.ri.fi.*can*.te) *a2g. Quím.* Que esterifica, que forma ésteres [F.: *esterificar* + *-nte*.]

esterificar (es.te.ri.fi.*car*) *v. Quím.* Produzir (éster) em laboratório, na indústria etc. [▶ 1 esterificar] [F.: *ester(e)-* + *-ificar*.]

estéril (es.*té*.ril) *a2g.* **1** *Biol. Gen.* Impossibilitado de procriar (homem estéril) [Ant.: *fértil, fecundo*.] **2** Incapaz de dar frutos, de produzir ou criar (terras estéreis, escritor estéril) [Ant.: *produtivo, fértil*.] **3** Não infectado **4** Não infectado: *Em cirurgia se usam instrumentos estéreis.* **5** *Fig.* Desprovido de algo; FALTO; CARENTE [Pl.: *-reis*.] *s2g.* **6** Pessoa incapaz de procriar, de gerar filhos *sm.* **7** Parte de minério cujo valor comercial não compensa os custos de sua exploração [Pl.: *-reis*.] [F.: Do lat. *sterilis*.]

esterileuta (es.te.ri.*leu*.ta) *Med. s2g.* **1** Especialista que cuida da infertilidade masculina ou feminina *a2g.* **2** Que trata de assuntos relativos à infertilidade humana (médico esterileuta) [F.: *esteril(i)-* + *-euta*.]

esterilidade (es.te.ri.li.*da*.de) *sf.* **1** *Biol. Gen.* Qualidade ou condição de estéril, de quem ou do que é incapaz de reproduzir(-se), gerar fruto; INFERTILIDADE [Ant.: *fecundidade, fertilidade*. Refere-se tb. à incapacidade (de uma mulher) de conceber ou (de um homem) de fecundar.] **2** *Fig.* Incapacidade criativa [Ant.: *produtividade, criatividade*.] **3** *Fig.* Ausência de ação, de iniciativa: "(...) o balanço das realizações educativas é um atestado tremendo da esterilidade dos estadistas revolucionários!" (Cecília Meireles, *Obra em prosa*) **4** Exiguidade, escassez de algo [Ant.: *fertilidade, fecundidade*.] [F.: Do lat. *sterilitas, atis*.]

esterilização (es.te.ri.li.za.*ção*) *sf.* **1** Ação ou resultado de esterilizar(-se) [Ant.: *fertilização*] **2** *Cir.* Cirurgia que torna estéreis pessoas ou animais **3** Eliminação de microorganismos em ambientes, objetos etc; DESINFECÇÃO [Pl.: *-ções*.] [F.: *esterilizar* + *-ção*.]

esterilizado (es.te.ri.li.*za*.do) *a.* **1** Tornado estéril, infértil (animal esterilizado) **2** Submetido à esterilização, à assepsia (mamadeira esterilizada) [F.: Part. de *esterilizar*.]

esterilizante (es.te.ri.li.*zan*.te) *a2g.* **1** Que esteriliza, que torna estéril **2** Que elimina os germes, bactérias etc. **3** *Fig.* Que não produz resultado; que é infértil, improdutivo (trabalho esterilizante) [F.: *esterilizar* + *-nte*. Sin. ger.: *esterilizador*.]

esterilizar (es.te.ri.li.*zar*) *v.* **1** Eliminar (micróbios, bactérias etc.) (de); DESINFETAR [**td.**: *O enfermeiro esterilizou as mãos antes de fazer o curativo.*] [**int.**: *Na mamadeira, utilize* *água fervente para esterilizar.*] **2** Tornar(-se) estéril; realizar procedimento para impedir a procriação [*td.*: *Depois da ninhada, decidiu esterilizar a gata.*] [*int.*: *É mais frequente as mulheres esterilizarem-se.*] **3** *Fig.* Extinguir(-se) o interesse, a utilidade, o desenvolvimento de (algo); BALDAR; INUTILIZAR [*td.*: *A pressão da sobrevivência esterilizou sua vocação para a escultura.*] [*int.*: *Suas boas intenções esterilizaram-se ante a incompreensão dos colegas.*] [▶ 1 esterilizar] [F.: Do fr. *stériliser.*]

esterlino (es.ter.*li*.no) *a.* **1** Ref. a libra, dinheiro us. na Grã-Bretanha *sm.* **2** *Econ.* Ver *libra esterlina* em *libra* **3** Padrão da liga metálica (de ouro ou de prata) das moedas inglesas [F.: Do ing. *sterling.*]

esternal (es.ter.*nal*) *Anat.* *a2g.* **1** Ref. ao esterno **2** Que forma articulação com o esterno [Pl.: *-nais.*] [F.: *esterno* + *-al.* Hom./Par.: *esternais* (pl.), *externais* (fl. de *externar*).]

◎ **estern(o)-** *el. comp.* = 'peito'; 'esterno': *esternal, esternalgia, esternoclavicular, esternocleidomastóideo, esternoclidomastoideo, esternocostal, esternodinia; clavisternal, condrosternal; anoplosterno* (< lat.cient.), *episterno, mesosterno* [F.: Do gr. *stérnon, ou.*]

esterno (es.*ter*.no) *sm.* *Anat.* Osso achatado, situado no tórax dos vertebrados, e que, no homem, se articula com as sete primeiras costelas e as duas clavículas [F.: Do gr. *stérnon*, pelo lat. *sternum*. Hom./Par.: *externo* (fl. *externar*).]

esternocleidomastoideo (es.ter.no.clei.do.mas.*toi*.de:o) *Anat.* *sm.* **1** Músculo que se situa obliquamente de cada lado do pescoço, e que se insere no esterno, na clavícula e na apófise mastoidea *a.* **2** Que diz respeito a esse músculo [A forma *esternoclidomastoideo* é mais correta.] [F.: *estern(o)-* + *-clid(o)-* + *mastoideo.*]

esteroide (es.te.*roi*.de) *sm.* **1** *Quím.* Composto orgânico que tem função metabólica e hormonal no corpo humano (*esteroide* anabolizante) *a2g.* **2** Diz-se de qualquer um desses compostos [F.: *ester(ol)-* + *-oide.*] ∷ **~ anabólico** *Bioq.* Ver *Esteroide anabolizante* **~ anabolizante** *Bioq.* Derivados sintético da testosterona, us. esp. como estimulante de restauração de tecidos em idosos e convalescentes; esteroide anabólico

◎ **ester(ol)-** *el. comp.* Expressa noção de 'esterol': *esteroide, esterol* [F.: Do ing. *sterol*, f. red. de *cholesterol.*]

esterol (es.te.*rol*) *sm.* *Bioq.* Qualquer álcool com esqueleto tetracíclico predominante na estrutura molecular, e que se encontra em vários organismos, vegetais e animais [Pl.: *-róis.*] [F.: Do ing. *sterol.*]

esterqueira (es.ter.*quei*.ra) *sf.* Ver *estrumeira* [F.: *esterco* + *-eira.*]

esterqueiro (es.ter.*quei*.ro) *a.* **1** Ref. a esterco; ESTERCORÁRIO **2** Que vive em meio ao esterco e dele se alimenta; ESTERCORÁRIO **3** *Fig.* Que se caracteriza pela imundície, pela sujeira; IMUNDO *sm.* **4** Lugar em que se amontoa esterco; ESTERQUEIRA; ESTERQUILÍNIO [F.: *esterco* + *-eiro.*]

esterquilínio (es.ter.qui.*lí*.ni:o) *sm.* Lugar em que se amontoa esterco; ESTERQUEIRA; ESTERQUEIRO [F.: Do lat. *sterquilinum, i.*]

estertor (es.ter.*tor*) [ô] *sm.* **1** Respiração rouca de pessoa que está agonizando, ou em coma, ou em sono profundo, ger. causada pela passagem do ar por mucosidades acumuladas na traqueia e nos brônquios **2** *Med.* Ruído respiratório anormal auscultado através de estetoscópio [F.: Do lat. *stertorem.*]

estertorado (es.ter.to.*ra*.do) *a.* Que respira com estertor, com ruído [F.: *estertorar* + *-ado.*]

estertorante (es.ter.to.*ran*.te) *a2g.* **1** Que estertora, que arqueja (respiração *estertorante*) **2** *Pext.* Que se encontra à morte; que agoniza; AGONIZANTE [F.: *estertorar* + *-nte.*]

estertorar (es.ter.to.*rar*) *v. int.* **1** Respirar com estertor; ARQUEJAR; AGONIZAR: *O moribundo estertorava.* **2** *Fig.* Extinguir(-se), apagar(-se): *O chama do isqueiro estertorava.* [▶ 1 estertorar] [F.: *estertor* + *-ar.* Hom./Par.: *estertores* (fl.), *estertores* (pl. de *estertor* [sm.]).]

estertoroso (es.ter.to.*ro*.so) [ô] *a.* Diz-se da respiração que apresenta estertor, que se mostra ruidosa, dificultosa; ESTERTORANTE [Pl.: [ó]. Fem.: [ó]] [F.: *estertor* + *-oso.*]

◎ **-estesia** *el. comp.* = 'sentido'; 'percepção sensorial'; 'sensibilidade (a dada coisa ou com certa característica)'; 'distúrbio de sensibilidade': *acantestesia, acenestesia, acmestesia, barestesia, cinestesia, disestesia, hiperestesia, hipoestesia, macroestesia, parestesia, radioestesia, sinestesia, termestesia, termoestesia* [F.: Do gr. *aisthesía, as*, conexo com o gr. *aísthesis, eos*, 'faculdade de perceber pelos sentidos'; 'ação de perceber', ambos do v. gr. *aisthánomai*, 'perceber pelos sentidos'; 'perceber pela inteligência'. F. conexa: *estesio-*.]

estesia (es.te.*si*:a) *sf.* **1** Percepção de sensações; SENSIBILIDADE **2** *Est.* Capacidade de perceber, de experimentar o sentimento da beleza [F.: Do gr. *aísthesis* ou *aisthesíe*. Sin. ger.: *estese.*]

◎ **estesio-** *el. comp.* = 'percepção pelos sentidos'; 'sensibilidade'; 'sensação': *estesiogenia, estesiologia, estesiomania, estesiômano* [F.: Do gr. *aísthesis, eos*, 'faculdade de perceber pelos sentidos'; 'ação de perceber', do v.gr. *aisthánomai*, 'perceber pelos sentidos'; 'perceber pela inteligência'. F. conexa: *-estesia.*]

estesiogenia (es.te.si:o.ge.*ni*.a) *sf.* *Med.* Recuperação da sensibilidade perdida com auxílio de medicação estesiogênica [F.: *estesio-* + *-genia.*]

estesiogênico (es.te.si:o.*gê*.ni.co) *a.* *Med.* Que desperta ou torna mais forte a sensibilidade; capaz de estimular a sensibilidade [F.: *estesiogenia* + *-ico*[2].]

estesiologia (es.te.si:o.lo.*gi*.a) *sf.* *Neur.* Parte da neurologia que estuda os sentidos e a sensibilidade [F.: *estesio-* + *-logia.*]

estesiomania (es.te.si:o.ma.*ni*.a) *sf.* *Psiq.* Distúrbio mental em que ocorre perversão dos sentidos [F.: *estesio-* + *-mania.*]

estesiomaníaco (es.te.si:o.ma.*ní*:a.co) *Psiq.* *a.* **1** Ref. a estesiomania **2** Diz-se de indivíduo que tem estesiomania; ESTESIÔMANO *sm.* **3** Esse indivíduo; ESTESIÔMANO [F.: *estesioman(ia)* + *-íaco.*]

estesiômano (es.te.si.*ô*.ma.no) *a.* *sm.* *Psiq.* O mesmo que *estesiomaníaco* (2 e 3) [F.: *estesio-* + *-mano*[1].]

esteta (es.*te*.ta) [é] *s2g.* **1** Pessoa que cultua a estética e o belo acima de outros valores, que vê na arte uma concepção sublime **2** *Fil.* Especialista em ou estudioso da estética [F.: Do gr. *aisthetés*, 'que percebe pelos sentidos', pelo fr. *esthéte.*]

estética (es.*té*.ti.ca) *sf.* **1** Caráter ou concepção do que é belo; BELEZA **2** *Pop.* Beleza física, esp. do corpo **3** Ramo ou atividade do esteticista (clínica de *estética*) **4** *Fil.* Estudo do belo, seu conceito e suas propriedades **5** *Fil.* Estudo sobre a beleza e seus reflexos na criação artística **6** Aparência física, em função da harmonia de linhas, equilíbrio de formas, agradabilidade etc. [F.: Do gr. *aisthetiké*, pelo fr. *esthétique.*]

esteticismo (es.te.ti.*cis*.mo) *sm.* **1** *Fil.* Doutrina que vê na fruição do belo uma das experiências fundamentais do ser humano, as quais orientariam e determinariam os processos do conhecimento, os julgamentos morais e as reflexões filosóficas em geral; ESTETISMO **2** Devoção ao que é belo e ao cultivo das artes **3** *Art.pl.* *Liter.* Tendência artística, do fim do séc. XIX, que defendia o culto à arte e sua superioridade sobre todas as coisas, afirmando sua superficialidade, extravagância e sua desvinculação de qualquer propósito social, opondo-se desse modo ao racionalismo burguês e ao cientificismo da época [Cf.: *Decadentismo.*] [F.: *estético* + *-ismo.*]

esteticista (es.te.ti.*cis*.ta) *a2g.* **1** Ref. ao esteticismo **2** Que se especializou em tratamentos de beleza *s2g.* **3** Aquele que é adepto do esteticismo **4** Profissional especializado em tratamentos de beleza [F.: *estético* + *-ista.*]

estético (es.*té*.ti.co) *a.* **1** Ref. a estética, à percepção e sentimento do que é belo **2** Que revela bom gosto: *Essa decoração é bem estética, fina e sem exageros.* **3** Ref. a beleza física, esp. a do corpo (cirurgia *estética*) **4** Que busca a perfeição da beleza (diz-se esp. de criação artística): "(...) a literatura, por fazer um uso *estético* da palavra, experimenta o que ainda não foi dito, (...)" (Ana Maria Machado, *Texturas*) **5** Que diz respeito à atividade do esteticista (trabalho *estético*) **6** *Fil.* Ref. ao estudo do belo e de suas propriedades (categorias *estéticas*) [F.: Do gr. *aisthetike.*]

estetismo (es.te.*tis*.mo) *sm.* **1** *Hist.* Qualquer doutrina que se fundamenta na estética, esp. aquela que, em voga no séc. XIX, reuniu estetas de orientações diversas e propôs como modelo artístico uma Idade Média idealizada **2** *Art. pl. Estét.* Dedicação apaixonada ao culto do belo e às artes **3** *Fil.* Ver *esteticismo* [F.: *esteta* + *-ismo.*]

estetização (es.te.ti.za.*ção*) *sf.* Ação ou resultado de estetizar [Pl.: *-ções.*] [F.: *estetizar* + *-ção.*]

estetizante (es.te.ti.*zan*.te) *a2g.* **1** Que estetiza, que torna estético, buscando o belo **2** *Pej.* Que dá demasiada importância ao aspecto estético das coisas, às vezes com prejuízo de seu sentido, de seu significado: *Costumam dar tratamento estetizante a assuntos como miséria e crime.* [F.: *estetizar* + *-nte.*]

estetizar (es.te.ti.*zar*) *v. td.* **1** Tornar estético: *Sempre procurou estetizar a educação do filho.* **2** Analisar ou considerar (algo) do ponto de vista estético: *Certos críticos estetizam todas as obras que analisam.* **3** Criar discussão ou polêmica exagerada, complicada e/ou pretensiosa sobre (algo) [*td.*] [▶ 1 estetizar] [F.: *esteta* + *-izar.*]

◎ **estet(o)-** *Pref.* = perceptível, sensível: *estética, esteticista*

◎ **esteto-** *el. comp.* = peito, esterno: *estetoscopia, estetoscópio* etc.

estetoscópio (es.te.tos.*có*.pi:o) *sm.* *Med.* Instrumento para auscultar os sons produzidos por órgãos internos do organismo animal ou humano, para analisar seu funcionamento e possíveis anomalias [F.: *estet(o)-* + *-scópio.*]

estevão (es.te.*vão*) *sm.* **1** *Bot.* Variedade de arbusto (*Cistus populifolius*), da fam. das cistáceas, nativo da Europa, que possui flores brancas em corimbo, e fruto capsular; tb. *esteva*; LADA; LADÃO. Tb. *esteva* **2** *Bras. Ornit.* O mesmo que *trinca-ferro* (*Saltator similis*) [Pl.: *-vões.*] [F.: *esteva* + *-ão*[1].]

estévia (es.*té*.vi:a) *sf.* **1** *Bot.* Nome comum às plantas do gên. *Stevia*, da fam. das compostas, nativas das Américas, como, p. ex., *Stevia rebaudiana*, arbusto nativo do Paraguai e do Brasil, do qual se extrai adoçante **2** O adoçante (glicosídeo) extraído dessa planta [F.: Do lat. cient., gên. *Stevia.*]

esteviosídeo (es.te.vi:o.*sí*.de:o) *sm.* *Quím.* Substância cristalina ($C3_{8}H_{60}O_{18}$) que se retira da estévia e que é trezentas vezes mais doce que o açúcar de cana [F.: Do tax. *Stevia* + *-ídeo.*]

estiada (es.ti:*a*.da) *sf.* **1** *Met.* Tempo seco de curta duração entre dois períodos chuvosos **2** *Met.* Ver *estiagem*. [F.: *estiar* + *-ada*[1].]

estiado (es.ti.*a*.do) *a.* Diz-se de tempo calmo e sem chuvas [F.: Part. de *estiar*. Hom./Par.: *estiado* (a.), *esteado* (part. de *estear*).]

estiagem (es.ti:*a*.gem) *sf.* **1** Período longo sem chuvas; SECA **2** Tempo seco que se segue a chuvas ou tempestades **3** Período de cessação das chuvas **4** Redução das águas de rios, canais etc. ao seu nível mais baixo [Pl.: *-gens.*] [F.: *estiar* + *-agem*[2]. Sin.ger.: *estiada.*]

estiar (es.ti.*ar*) *v. int.* Parar de chover; parar (a chuva): *Aproveite para sair agora, que (a chuva) estiou.* [▶ 1 estiar] [F.: *estio* + *-ar*[2].]

◎ **estib(o)-** *el. comp.* = antimônio: *estibina* [F.: Do lat. *stibium, ii.*]

estibordo (es.ti.*bor*.do) [ó] *sm.* *Lus. Mar.* Parte direita de uma embarcação para quem está de frente para a proa *Bras;* BORESTE [F.: Do port. arc. *estribordo*. Cf.: *bombordo.*]

estica[1] (es.*ti*.ca) *sf.* *Vit.* Variedade de videira que produz uva muito doce [F.: Do lat. *sticha, ae.* Hom./Par.: *estica* (sf.), *estica* (fl. de *esticar*).]

estica[2] (es.*ti*.ca) *sf.* **1** Debilidade física, saúde precária **2** Estado de extrema magreza **3** Pessoa nesse estado **4** Falta de dinheiro, penúria, miséria **5** *Lus.* Pedaço de madeira us. como bucha para tapar buraco [F.: Regr. de *esticar.*]

esticada (es.ti.*ca*.da) *sf.* **1** Ação ou resultado de esticar; ESTICAMENTO **2** *Fig. Pop.* Prolongamento de um programa social ou viagem, indo de um lugar para outro **3** *Fut.* Passe longo, ger. em profundidade [F.: *esticar* + *-ada*[1].]

esticado (es.ti.*ca*.do) *a.* **1** Que se esticou **2** Sem dobras ou rugas; LISO **3** *Pop.* Bem trajado, bem vestido [F.: Part. de *esticar.*]

esticador (es.ti.ca.*dor*) [ô] *a.* **1** Que estica *sm.* **2** Mecanismo que estica barras ou cabos flexíveis de metal **3** *MG SP* O mourão principal que estica o arame de uma cerca **4** *Pint.* Caixilho que recebe o papel sobre o qual se pinta uma aquarela **5** Qualquer dispositivo ou coisa que se destina a esticar [F.: *esticado* + *-or.*]

esticamento (es.ti.ca.*men*.to) *sm.* Ação ou resultado de esticar(-se); ESTICADA; ESTICADELA [F.: *esticar* + *-mento.*]

2g. Que estica, que é capaz de esticar [F.: *esticar* + *-nte.*]

esticão (es.ti.*cão*) *sm.* Puxão forte com o objetivo de esticar algo [Pl.: *-ções.*] [F.: *esticar* + *-ão.*]

esticar (es.ti.*car*) *v.* **1** Puxar com força (fio, tecido etc.) por extremidades opostas, ou por uma estando a outra fixa, assim retesando, distendendo; DISTENDER; RETESAR [*td.*: *Esticou tanto a linha que ela partiu.*] **2** Ficar mais comprido ou mais largo [*int.*: *A calça está apertada, mas com o uso a fazenda vai esticar.*] **3** Alongar(-se), prolongar(-se) [*td.*: *Esticava a história até o menino dormir.*] [*int.*: *A reunião esticou-se além da hora.*] **4** *Pop.* Prolongar (um programa, uma viagem etc.) [*td.*: *Todo mundo esticou o feriado.*] [*int.*: *Saímos cedo para a praia e ainda esticamos (no bar).*] **5** *Pop.* Alisar (cabelos) [*td.*] **6** Estender, espichar (o próprio corpo, ou parte dele) distendendo os músculos [*td.*: *Esticou os braços, espreguiçando-se; Esticou-se toda para alcançar a prateleira.*] **7** Fazer aumentar ou aumentar a estatura de (alguém) [*td.*: *Os exercícios esticaram esse menino de maneira assombrosa.*] [*int.*: *Meu Deus, como essa menina esticou em menos de um ano!*] [▶ 11 esticar] [F.: De or. obsc.]

estigma (es.*tig*.ma) *sm.* **1** *Fig.* Visão negativa e muito arraigada, numa sociedade, a respeito de determinada prática, comportamento, doença etc. **2** *Fig.* Qualquer marca ou característica considerada negativa, desonrosa **3** Marca deixada por ferida, doença etc. **4** Marca, sinal no corpo **5** Marca infamante feita com ferro em brasa, que antigamente se aplicava nos ombros ou braços dos ladrões, assassinos ou escravos **6** Marca semelhante à das chagas de Cristo, tal como aparecem no corpo de alguns santos [Mais us. no pl.] **7** *Bot.* Extremidade do estilete da flor, cuja função é receber os grãos de pólen que formarão novas sementes **8** *Zool.* Conjunto de orifícios laterais exteriores que constituem os órgãos da respiração nos insetos [F.: Do gr. *stígma*, pelo lat. *stigma*. Hom./Par.: *estigma* (fl. de *estigmar*).]

◎ **estigm(at)-** *Pref.* = marca, sinal: *estigma, estigmatizar*

estigmatismo (es.tig.ma.*tis*.mo) *sm.* *Ópt.* Propriedade ou condição que um sistema óptico apresenta de fazer convergir para um único ponto focal os raios luminosos originados em um mesmo ponto [F.: Do fr. *stigmatisme.*]

estigmatização (es.tig.ma.ti.za.*ção*) *sf.* Ação ou resultado de estigmatizar, de marcar física ou moralmente com estigma [Pl.: *-ções.*] [F.: *estigmatizar* + *-ção.*]

estigmatizado (es.tig.ma.ti.*za*.do) *a.* **1** Que se estigmatizou **2** *Fig.* Rotulado negativamente: *cidade estigmatizada pela violência.* **3** *Fig.* Moralmente condenado; acusado, criticado **4** Que recebeu em seu corpo sinal infamante feito com ferro em brasa (diz-se de escravo, criminoso etc.) **5** Que traz no corpo as marcas das chagas de Jesus *sm.* **6** Aquele que traz no corpo as marcas das chagas de Jesus [F.: Part. de *estigmatizar.*]

estigmatizante (es.tig.ma.ti.*zan*.te) *a2g.* **1** Que estigmatiza; que produz estigma, que marca, mancha **2** Que produz estigma físico ou moral; que marca, que mancha [F.: *estigmatizar* + *-nte.*]

estigmatizar (es.tig.ma.ti.*zar*) *v.* **1** Marcar (alguém) negativamente; condenar moralmente, atribuindo características ou atitude ruins, degradantes, infames [*td.*: *Essa doença, além de tudo, estigmatiza o paciente.*] [*tdr.* + *por*: *Estigmatizou-o por suas decisões impensadas.*] **2** Classificar desaprovadora ou desagradavelmente [*tdp.*: *Estigmatizaram-no de incompetente.*] **3** Marcar (alguém) com estigma, com ferrete, ferro em brasa [*td.*] [▶ 1 estigmatizar] [F.: Do lat. *stigmatizare*, pelo fr. *stigmatiser.*]

estilar (es.ti.*lar*) *v.* **1** *Ant.* Cair gota a gota; DESTILAR; GOTEJAR [**td.**: *estilar gotas de soro.*] [**int.**: *Ficou longo tempo a estilar.*] **2** Separar (líquidos) por processo de evaporação [**td.**] **3** *Fig.* Chorar [**td.**: *Estilava lágrimas amargas.*] [▶ **1** estilar] [F.: Do lat. *stillare*. Hom./Par.: *estila(s)* (fl.), *estila(s)* (sf.[pl.]); *estilo* (fl.), *estilo* (sm.).]

estilema (es.ti.*le*.ma) *sf. Ling.* Termo designativo de uma constante estilística [F.: *estil(i/o)-* + *-ema.*]

estiletada (es.ti.le.*ta*.da) *sf.* Golpe desferido com estilete [F.: *estiletar* + *-ada.*]

estilete (es.ti.*le*.te) [ê] *sm.* **1** Punhal dotado de lâmina fina **2** Lâmina fina em diversos formatos e para diversos usos **3** Instrumento dotado de lâmina móvel embutida numa armação de plástico ou emborrachada, us. para cortar papelão, borracha, couro etc. **4** *Bot.* Parte intermediária do pistilo, freq. alongada, cuja função é conduzir o pólen do estigma (7) até o ovário **5** *Cir.* Instrumento metálico, delgado e comprido us. para sondar feridas **6** *Aut.* Tipo de válvula na tampa do carburador que regula a entrada do combustível na cuba de nível constante **7** *Zool.* Nos vermes nemertinos, apêndice pontudo na parede probóscide que serve para defesa e captura de presas [F.: Do it. *stilleto*, de *stilo* 'punhal', pelo fr. *stylet.*]

estilha (es.*ti*.lha) *sf.* **1** Farpa ou lasca de madeira; ASTILHA **2** Estilhaço, fragmento de qualquer coisa que se partiu, ger. de modo violento; ASTILHA **3** *Gír.* Parte que, num roubo ou numa apropriação indébita, cabe a cada um dos participantes da ação [F.: Do cast. *astilha*, deriv. do lat. tardio *astella*. Hom./Par.: *estilha* (sf.), *estilha* (fl. de *estilhar*).]

estilhaçado (es.ti.lha.*ça*.do) *a.* **1** Que se estilhaçou; reduzido a estilhaços (espelho estilhaçado) **2** *Fig.* Que se destruiu, que se reduziu a pó, a nada (sonhos estilhaçados) [F.: Part. de *estilhaçar*.]

estilhaçamento (es.ti.lha.ça.*men*.to) *sm.* Ação ou resultado de estilhaçar(-se); FRAGMENTAÇÃO [F.: *estilhaçar* + *-mento.*]

estilhaçar (es.ti.lha.*çar*) *v.* **1** Despedaçar(-se), quebrar(-se) em estilhaços [**td.**: *A colisão estilhaçou os faróis do carro.*] [**int.**: *O prato caiu e estilhaçou-se.*] **2** *Fig.* Despedaçar(-se) (o que era ou parecia sólido e inteiro), destruir completamente [**td.**: *A crise estilhaçou seus planos de crescimento da empresa.*] [**int.**: *Seus projetos estilhaçaram-se com a crise.*] [▶ **12** estilhaçar] [F.: *estilhaço* + *-ar*². Hom./Par.: *estilhaço* (fl. de *estilhaçar*), *estilhaço* (sm.).]

estilhaço (es.ti.*lha*.ço) *sm.* **1** Lasca de pedra, madeira ou metal que se estilhaçou (estilhaço de vidraça); FRAGMENTO **2** Estilha grande [Aum. irreg. de *estilha*.] [F.: *estilha* + *-aço.*]

◎**estil(i)-** *el. comp.* = 'ponta', 'haste'; 'estilo (ferrinho pontudo com que se escrevia sobre a cera das tábulas; maneira de escrever ou modo de expressão)': *estilete, estilista, estilística, estilizar*

estiliforme (es.ti.li.*for*.me) *a2g.* **1** Que tem formato de estilete **2** *Anat.* Ref. a ou característico de prolongamento ósseo delgado [F.: *estil (i)-* + *-forme.*]

estilingada (es.ti.lin.*ga*.da) *sf. Bras. Pop.* Arremesso feito com estilingue [F.: *estilingar* + *-ada.*]

estilingue (es.ti.*lin*.gue) *sm. Bras.* Instrumento composto por uma forquilha (de madeira) na qual se amarra uma tira elástica, us. para arremessar objetos (ger. pequenas pedras) a distância; ATIRADEIRA [F.: Prov. do ing. *sling* 'funda', com epêntese.]

estilismo (es.ti.*lis*.mo) *sm.* Refinamento excessivo ou afetado no estilo, na linguagem [F.: *estilo* + *-ismo.*]

estilista (es.ti.*lis*.ta) *a2g.* **1** Que cria modelos originais de roupas, móveis etc. **2** Diz-se de artista apurado, talentoso, de estilo inconfundível **3** Que escreve com perfeição, com requinte, com estilo: *O autor é mais estilista do que pensador. s2g.* **4** Pessoa que trabalha no ramo da moda, da decoração, do mobiliário etc., criando novos e originais modelos **5** Artista dotado de grande estilo, talentoso naquilo que faz **6** Escritor cujo estilo é fluente, requintado, apurado: "Com os matizes da brilhante, fluentíssima e doce locução dos mestres dos ótimos estilistas contemporâneos (...)" (Camilo Castelo Branco, *Apreciações Literárias*) [F.: *estilo* + *-ista.*]

estilística (es.ti.*lís*.ti.ca) *sf.* **1** Arte de bem escrever **2** *Ling.* Ramo da linguística que estuda o estilo, os recursos da linguagem e seus efeitos expressivos **3** *P.ext. Ling.* Tratado das diferentes espécies ou formas de estilo e dos preceitos que lhe concernem [F.: Do al. *Stylistik*, pelo fr. *stylistique.*]

estilístico (es.ti.*lís*.ti.co) *a.* Ref. a estilística ou a estilo [F.: Do fr. *stylistique.*]

estilização (es.ti.li.za.*ção*) *sf.* Ação ou resultado de estilizar(-se) [Pl.: *-ções*.] [F.: *estilizar* + *-ção.*]

estilizado (es.ti.li.*za*.do) *a.* **1** Que se estilizou, que ganhou contorno estético **2** Representado por meio de traços, símbolos, sinais: *desenho do Pão de Açúcar estilizado.* **3** Que foi modificado e aperfeiçoado em seu estilo, ou a que se deu traços característicos, simbólicos: *O filme apresenta uma biografia estilizada do compositor.* [F.: Part. de *estilizar*.]

estilizador (es.ti.li.za.*dor*) [ô] *a.* **1** Que estiliza *sm.* **2** Aquele que estiliza [F.: *estilizado* + *-or.*]

estilizar (es.ti.li.*zar*) *v. td.* **1** Imprimir, dar estilo a; APERFEIÇOAR; APRIMORAR: *Contratou um redator para estilizar suas crônicas.* **2** Modificar, dando estilo ou forma estética a: *A figurinista estilizou os trajes da realeza brasileira; Um escritor que se dedicou a estilizar lendas indígenas.* **3** *Art.pl.* Representar criativamente (alguém ou algo) por meio de desenho, pintura etc. com traços característicos: *O pintor especializou-se em estilizar a figura humana.* [▶ **1** estilizar] [F.: *estilo* + *-izar.*]

estilo (es.*ti*.lo) *sm.* **1** Modo de se expressar de uma pessoa, falando ou escrevendo (estilo simples, estilo elegante) **2** Modo elegante e correto de escrever: *O autor dessa crônica tem estilo.* **3** *Ling.* Conjunto dos recursos expressivos (fônicos, sintáticos, figuras de linguagem etc.) que caracterizam a linguagem de um autor ou de uma época: *O estilo de Jorge Amado.* **4** Modo de escrever que se caracteriza pelo uso de expressões próprias de uma profissão (estilo acadêmico, estilo jornalístico) **5** Forma, tom e direção de um texto ou discurso: *Dirigiu-se aos presentes em estilo protocolar.* **6** *Pej.* Rebuscamento, afetação: "Não creia que esteja fazendo imagens, nem estilo; digo-lhe que eu ouvia distintamente umas vozes que me bradavam: assassino! assassino!" (Machado de Assis, *Novas Seletas*) **7** Elegância, requinte, charme: *Essa roupa tem muito estilo.* **8** Conjunto de tendências, formas de comportamento, preferências etc. próprios de um indivíduo ou grupo: *Essa festa não é do nosso estilo.* **9** Maneira pessoal de dançarino, cantor, jornalista, esportista etc. destacado apresentar o seu trabalho: *o estilo de Tom Jobim.* **10** *Art.pl. Arq. Mús. Liter.* Conjunto de características que identificam e diferenciam uma obra, um artista ou determinada época ou movimento (estilo barroco, estilo machadiano) **11** Conjunto de características que marcam determinada manifestação cultural (estilo *funk*) **12** *Bot.* Parte do pistilo que fica acima do ovário e suporta o estigma **13** *Zool.* Ovopositor dos insetos dípteros **14** *Zool.* Nos insetos, pelo espesso próximo da ponta do terceiro segmento da antena **15** *Antq.* Ponteiro ou haste metálica com que os antigos escreviam em tábuas enceradas, aguçado em uma das extremidades (para escrever), e achatado na outra (para corrigir ou apagar) [F.: Do lat. *stilu.*] ■ **~ asiático** Estilo sem simplicidade, pomposo **~ direto** *Liter.* Ver *Discurso direto* no verbete *discurso*. **~ fraldoso** *Liter.* Estilo prolixo **~ indireto** *Liter.* Ver *Discurso indireto*, no verbete *discurso* **~ indireto livre** *Liter.* Ver *Discurso indireto livre*, no verbete *discurso* **~ manuelino** *Arq. Art.pl.* Estilo artístico português do fim do séc. XV (esp. no reinado de D. Manuel I), com base no gótico, ao qual se acrescentavam elementos inspirados nas explorações marítimas de Portugal [Tb. apenas *manuelino*.] **De ~** Que segue fielmente um estilo já consagrado, e que facilmente se identifica com ele: *móveis de estilo.* **Em grande ~** Com grande pompa e aparato

estiloso (es.ti.*lo*.so) [ô] *a.* **1** Que tem estilo, que demonstra elegância em sua aparência pessoal, modos etc. **2** Que demonstra estilo na escrita, que foge ao padrão encontradiço **3** *Pej.* Que se mostra afetado, pernóstico em seus trajes e/ou modos **4** *Pej.* Diz-se de produção escrita ruim e pretensiosa [Pl.: [ó]. Fem.: [ó]] [F.: *estilo* + *-oso.*]

estima (es.*ti*.ma) *sf.* **1** Sentimento de carinho, afeição para com outrem; AFETO [+ *a, por*: *Tinha grande estima às/pelas irmãs.*] **2** Consideração, respeito: "A galhardia e valor com que se houve nessas conjunturas valeu-lhe a estima de Teófilo." (Aloísio Azevedo, *Coruja*) [+ *de, por*: *Na escola, tinha a estima de todos; Nutria grande estima por seus mestres.*] **3** Apreço em relação a um animal, objeto etc. [+ *por*: *Tenho muito estima pelos livros que ganhei de meu pai.*] [F.: Dev. de *estimar*. Sin.ger.: *estimação*. Hom./Par.: *estima* (fl. *estimar*).]

estimação (es.ti.ma.*ção*) *sf.* **1** Ação ou resultado de estimar, ter carinho, gostar, ter respeito etc; o mesmo que *estima* **2** Cálculo aproximado; ESTIMATIVA: *a estimação de uma joia.* [Pl.: *-ções*.] [F.: *estimar* + *-ção.*] ■ **De ~** A que se tem estima especial, predileção (diz-se de objeto, animal etc.)

estimado (es.ti.*ma*.do) *a.* **1** Que se estima, que é querido e respeitado (colega estimado) **2** Cujo valor, custo etc. foi aproximadamente calculado; PREVISTO: *Os custos estimados desse projeto são altos.* [F.: Part. de *estimar*.]

estimador (es.ti.ma.*dor*) [ô] *a.* **1** Que estima ou avalia **2** *Est.* Diz-se de método que estima a importância de um parâmetro num espaço amostral *sm.* **3** Aquele que estima, que avalia [F.: Do lat. *aestimator, oris*. Ant. ger.: *desestimador.*]

estimar (es.ti.*mar*) *v.* **1** Ter estima, afeição, carinho por; gostar de [**td.**: *Ela estima muito o avô; Estimavam-se muitíssimo.*] **2** Sentir admiração, respeito, apreço por [**td.**: *A comunidade o estima por sua compaixão e senso de justiça.*] **3** Apreciar, prezar [**td.**: *estimar as artes.*] **4** Fazer o cálculo aproximado de; AVALIAR [**td.**: *estimar prejuízos.*] [**tdr.** + *em*: *A prefeitura estimou o custo da obra em dois milhões.*] **5** Fazer votos de; DESEJAR [**td.**: *Estimo suas melhoras.*] **6** Agir como; acreditar-se [**tdp.**: *Estima-se um comerciante nato.*] [▶ **1** estimar] [F.: Do lat. *aestimare.*]

estimativa (es.ti.ma.*ti*.va) *sf.* **1** Cálculo aproximativo que se faz de algo (estimativa de lucros) **2** Avaliação prospectiva (de algo, alguém, processo etc.) que se faz com base nos dados disponíveis no presente: *Pelas minhas estimativas, ele não virá.* [F.: Fem. substv. de *estimativo.*]

estimativo (es.ti.ma.*ti*.vo) *a.* **1** Ref. a estima, afeto: *anel de valor estimativo. a.* **2** Baseado em informações aproximadas ou com base em evidências (cálculo estimativo) **3** Baseado em estimativa (3), em dados prospectivos: *Fez uma análise estimativa do desenvolvimento da crise.* [F.: *estimar* + *-tivo.*]

estimável (es.ti.*má*.vel) *a2g.* **1** Que é digno de estima, de apreço **2** Que se pode calcular, estimar (valores estimáveis) [Pl.: *-veis*.] [F.: Do lat. *aestimabilis, e*. Ant. ger.: *inestimável*. Hom./Par.: *estimáveis* (pl.), *estimáveis* (fl. de *estimar*).]

estimulação (es.ti.mu.la.*ção*) *sf.* Ação ou resultado de estimular(-se); EXCITAMENTO; INCENTIVO; INCITAMENTO [Pl.: *-ções*.] [F.: *estimular* + *-ção.*]

estimulado (es.ti.mu.*la*.do) *a.* Que se estimulou; INCENTIVADO: *trabalho estimulado.* [Ant.: *desestimulado.*] [F. Part. de *estimular*.]

estimulador (es.ti.mu.la.*dor*) [ô] *a.* **1** Que estimula; ESTIMULANTE *sm.* **2** Aquele ou aquilo que estimula [F.: Do lat. *stimulator, oris*. Ant. ger.: *desestimulador.*]

estimulante (es.ti.mu.*lan*.te) *a2g.* **1** Que estimula, incentiva; ANIMADOR: *um fator estimulante para a cultura nacional.* [Ant.: *desestimulante.*] **2** *Pop.* Que acelera a atividade do corpo ou da mente: *O café é uma bebida estimulante.* [Ant.: *calmante.*] *sm.* **3** Substância, medicamento etc. estimulante (1, 2) **4** Tudo aquilo que estimula, incentiva [F.: *estimular* + *-nte.*]

estimular (es.ti.mu.*lar*) *v.* **1** Dar ânimo, estímulo, incentivo a; inculcar coragem, energia em; ANIMAR; ENCORAJAR; INCENTIVAR [**td.**: *Os elogios o estimularam.*] [**tdr.** + *a*: *Sempre estimulou o filho a estudar.*] **2** Provocar, causar (reação) [**td.**: *O remédio estimula a digestão.*] **3** Espicaçar, picar (animal), com aguilhão, espora etc., para induzi-lo a andar, trabalhar etc. [▶ **1** estimular] [F.: Do lat. *stimulare.*]

estimulável (es.ti.mu.*lá*.vel) *a2g.* Que pode ser estimulado, natural ou artificialmente [Pl.: *-veis*.] [F.: *estimular* + *-vel*. Ant. ger.: *inestimulável*. Hom./Par.: *estimuláveis* (pl.), *estimuláveis* (fl. de *estimular*).]

estímulo (es.*tí*.mu.lo) *sm.* **1** *Fig.* O que estimula, anima, incita à ação, ao trabalho etc.: *O time precisa de estímulo para vencer.* [Ant.: *desestímulo.*] **2** *Fisl. Psi.* Fator externo ou interno que provoca uma reação no corpo ou no comportamento de uma pessoa ou animal (estímulo motor, estímulo nervoso) **3** *Fig.* Sentimento de dignidade pessoal: *É um homem sem estímulo nem caráter.* **4** Ponta aguda com que se pica, aguilhoa [F.: Do lat. *stimulus*. Hom./Par.: *estimulo* (fl. *estimular*).] ■ **~ condicionado** *Psi.* Estímulo inicialmente sem resposta, mas que por meio de repetição experimental e condicionante gera a resposta para cuja obtenção foi programado

estio (es.*ti*.o) *sm.* **1** O verão: "É ver o céu se abrir no estio e não me animar (...)" (Skank, *Te ver*) **2** *Fig.* A maturidade *a.* **3** Ver *estival* [F.: Do lat. *aestivus.*]

estiolado (es.ti:o.*la*.do) *a.* Que se estiolou; que sofreu estiolamento; DEBILITADO; ENFRAQUECIDO [F.: Part. de *estiolar*.]

estiolamento (es.ti:o.la.*men*.to) *sm.* **1** *Bot.* Alteração mórbida das plantas que vegetam em lugar escuro ou privadas de luz, caracterizada pelo descoramento e amolecimento dos tecidos, depois de chegarem a um certo grau de crescimento **2** *Fisl.* Descoramento e enfraquecimento dos indivíduos que vivem sem a influência da luz e do ar puro **3** *Fig.* Enfraquecimento, desânimo: "... nesse clima de estiolamento do sentimento nacional..." (*Correio Braziliense*, 11.9.2001) [F.: *estiolar* + *-mento.*]

estiolar (es.ti:o.*lar*) *v.* **1** *Bot.* Causar degeneração a, por insuficiência de luz [**td.**: *Um ambiente escuro pode estiolar as plantas.*] **2** *Fisl.* Enfraquecer(-se) e descorar(-se) por insuficiência de luz ou ar puro [**int.**: *Não sai mais de casa e corre o risco de estiolar-se.*] **3** *P.ext.* Debilitar, enfraquecer [**int.**: "...Sentir a vida convalesce e estiola / E eu vou buscar ao ópio que consola/ Um Oriente ao oriente do Oriente." (Álvaro de Campos, *Opiário*)] [▶ **1** estiolar] [F.: Do fr. *étioler.*]

estipe (es.*ti*.pe) *sm.* **1** *Bot.* Tipo de caule sem divisões e terminado em uma coroa de folhas, característico das palmeiras; ESPIQUE **2** *Bot.* Haste que sustenta o chapéu (píleo) dos cogumelos; PEDÍCULO **3** *Zool.* Espécie de haste de sustentação dos olhos de crustáceos: *a estipe dos crustáceos.* **4** *Zool.* Haste de sustentação dos maxilares dos insetos **5** *Hist.* Entre os antigos romanos, moeda de cobre de pouco valor [F.: Do lat. *stipes.*]

estipendiado (es.ti.pen.di:*a*.do) *a.* Que recebeu estipêndio; REMUNERADO [F.: *estipendiar* + *-ado.*]

estipendiar (es.ti.pen.di.*ar*) *v. td.* **1** Pagar estipêndio a: *O juiz determinou quem deve estipendiar o advogado.* **2** Pagar a, remunerar (alguém) para a realização de algo ilegal; SUBORNAR [▶ **1** estipendiar] [F.: Do lat. *stipendiari*. Hom./Par.: *estipendio* (fl. de *estipendiar*), *estipêndio* (sm.).]

estipêndio (es.ti.*pên*.di:o) *sm.* **1** *Ant.* Remuneração paga a indivíduo que se incorporava ao exército; SOLDO **2** Salário ou pagamento por serviços prestados; HONORÁRIOS; ORDENADO; REMUNERAÇÃO; VENCIMENTOS: *Fez a tarefa sem receber nenhum estipêndio.* **3** *Des.* Tributo, imposto que cabe a alguém pagar [F.: Do lat. *stipendium*. Hom./Par.: *estipendio* (fl. de *estipendiar*).]

estípula (es.*tí*.pu.la) *sf. Bot.* Apêndice ger. pequeno e em número de dois, existente na base das folhas de certas plantas [Dim.: *estipela*.] [F.: Do lat. *stipula, ae*. Hom./Par.: *estípula* (sf.), *estipula* (fl. de *estipular*).]

estipulação (es.ti.pu.la.*ção*) *sf.* **1** Ação ou resultado de estipular **2** *Jur.* Promessa jurídica acertada entre as partes por meio de contrato ou convenção **3** *Jur.* Regra incluída em cláusula contratual [Pl.: *-ções*.] [F.: *estipular* + *-ção.*]

estipulado (es.ti.pu.*la*.do) *a.* **1** Que se estipulou (prazo estipulado); COMBINADO; AJUSTADO *sm.* **2** O que se estipulou: *Isso aconteceu em prejuízo do estipulado.* [F.: Part. de *estipular*.]

estipular¹ (es.ti.pu.*lar*) *v.* **1** *Jur.* Acertar (acordo, negócio etc.) por meio de instrumento jurídico, determinando condições propostas e aceitas pelas partes em questão [**td.**] **2** Definir valor ou custo [**tdr.** + *em*: *A gerência estipulou* *em cinco reais a taxa do estacionamento.*] 3 Estabelecer (regra, prazo etc.) [*td.*: *Na primeira aula já estipulou a data de entrega dos trabalhos.*] [▶ 1 estipul**ar**] [F.: Do lat. *stipulari*. Hom./Par.: *estipula* (fl. de *estipular*), *estipulas* (fl. de *estipular*), *estípula* (sf.), *estípulas* (pl.).]

estipular² (es.ti.pu.*lar*) *a2g. Bot.* Ref. a estípula [F.: *estípula* + *-ar¹*.]

estirada (es.ti.*ra*.da) *sf.* 1 Caminhada longa: *Vamos embora, porque é grande a estirada.* 2 Grande distância separando dois pontos [F.: *estirar* + *-ada¹*. Sin. ger.: *estirão*.] ■ **De uma (só) ~** *Bras.* De uma assentada, de uma vez só, num fôlego só, sem interrupção (ref. a ação, esforço, exercício etc.)

estiradão (es.ti.ra.*dão*) *sm.* Longa caminhada ou extensão de um ponto a outro; ESTIRÃO: *Fez um estiradão para chegar até a casa.* [Pl.: *-dões*. Aum. de *estirada*.] [F.: *estirada* + *-ão*.]

estirado (es.ti.*ra*.do) *a.* 1 Estendido ao comprido; ESTATELADO: *Encontrei-o ferido, estirado no chão.* 2 Tensionado, esticado, puxado com força para estender (fio estirado) 3 Que dura muito: *o estirado curso de um mandato.* 4 Prolixo, enfadonho, que se prolonga demais (discurso estirado) [F.: Part. de *estirar*.]

estiramento (es.ti.ra.*men*.to) *sm.* 1 Ação ou resultado de estirar(-se) 2 *Med.* Ver *distensão* [F.: *estirar* + *-mento*.] ■ **~ muscular** *Med.* Ver *Distensão muscular* no verbete *distensão*

estirão (es.ti.*rão*) *sm.* 1 Ação de estirar puxando; ESTIRAMENTO 2 O mesmo que *estirada*, longa caminhada, grande distância entre dois pontos 3 *Amaz.* Trecho retilíneo no curso de um rio [F.: *estirar* + *-ão²*.]

estirar (es.ti.*rar*) *v.* 1 Esticar, estender puxando; RETESAR [*td.*: *Cuidado para não estirar demais os fios.*] 2 Alongar (o próprio corpo ou parte dele), estendendo os músculos [*td.*: *estirar as pernas/os braços; estirar-se todo.*] 3 *Med.* Ter (alguém) distendido (músculo, ligamento etc.) [*td.*: *Estirou o músculo adutor da coxa durante o jogo.*] 4 Deitar(-se), estender(-se) [*td.*: *Estirou a toalha de mesa.*] [*tda.*: *Estiramos o tapete na entrada; Exausto, estirou-se na cama e dormiu.*] [▶ 1 estir**ar**] [F.: *es-* + *tirar*. Hom./Par.: *estirasse* (fl. de *estirar*), *estirasses* (fl. de *estirar*), *estirace* (fl. de *estiraçar*), *estiraces* (fl. de *estiraçar*).]

estireno (es.ti.*re*.no) *sm. Quím.* Hidrocarboneto não saturado cujo polímero tem grande uso industrial, esp. na fabricação do poliestireno [F.: *estirace* + *-eno²*, ou do ing. *styrene*.]

estirpe (es.*tir*.pe) *sf.* 1 Sequência das gerações anteriores; tronco familiar; GENEALOGIA 2 Origem, família, linhagem (estirpe italiana) 3 *Fig.* Categoria, classe: *cronista da melhor estirpe.* 4 *Bot.* Caule descendente, parte da planta que se desenvolve na terra; RAIZ: *Na política, são de estirpe social-democrata.* [F.: Do lat. *stirps, is*.]

estiva (es.*ti*.va) *sf.* 1 *Bras. Mar.Merc.* Serviço de armazenar ou retirar cargas de navios 2 *Mar.* Todo o fundo interno de um navio, da popa à proa 3 *Bras. P.ext. Mar.Merc.* Equipe de estivadores 4 *Mar.* A primeira camada de carga que se coloca num navio 5 *Mar.* O contrapeso que se põe em um navio para equilibrá-lo 6 *Mar.* Grade de madeira sobre a qual se arruma a primeira carga 7 *Mar.* Maneira de acondicionar a carga no porão do navio para evitar que ela se desloque ou se danifique 9 *N.* Ponte feita de um só pau sustentado por forquilhas, em terreno alagadiço 10 *MG RS* Ponte tosca feita de paus atravessados sobre um córrego 11 Operação que consiste em extrair a gordura das sardinhas por meio de esmagamento ou prensa [F.: Do it. *stiva*. Hom./Par.: *estiva* (fl. de *estivar*).]

estivado (es.ti.*va*.do) *a.* 1 Em que foi feito estiva; que foi carregado ou descarregado (navio estivado) 2 *Bras.* Que se encontra cheio, completo, repleto: *Deixou o celeiro estivado de trigo.* *sm.* 3 *Amaz.* Espécie de estiva, de ponte rústica sobre córrego ou vala 4 Conjunto de paus ou varas que perfazem o revestimento de um terreno cheio de irregularidades [F.: Part. de *estivar*.]

estivador (es.ti.va.*dor*) [ô] *a.* 1 Que trabalha com carga e descarga de navios *sm.* 2 *Mar.Merc.* Pessoa que trabalha com carga e descarga de navios 3 *Bras.* Negociante de estiva, de secos e molhados [F.: *estivar* + *-dor*.]

estivagem (es.ti.*va*.gem) *sf.* 1 Ação ou resultado de estivar 2 Conjunto das operações que movimentam cargas entre os portos e as embarcações ou de uma embarcação para outra [Pl.: *-gens*.] [F.: *estivar* + *-agem*.]

estival (es.ti.*val*) *a2g.* 1 Ref. ao estio, ao verão (período estival) 2 Que aparece ou acontece no verão (flores estivais, calor estival) [Pl.: *-vais*.] [F.: Do lat. *aestivalis*.]

estivar (es.ti.*var*) *v. td.* 1 Levar carga para o interior de (embarcação) 2 Fazer a estiva ou a pesagem de mercadorias 3 Despachar (carga, mercadoria) na alfândega 4 *N.E.* Colocar (estiva ou ponte de paus) em terreno alagado ou pantanoso [▶ 1 estiv**ar**] [F.: Do it. *stivare*. Hom./Par.: *estiva(s)* (fl.), *estiva(s)* (sf.[pl.]); *estivais* (fl.), *estivais* (pl. de *estival* [a2g.]); *estivo* (fl.), *estivo* (a.); *estivar*, *estevar* (vários tempos do v.).]

estocada (es.to.*ca*.da) *sf.* 1 Golpe com estoque, espada, florete ou outra arma perfurante 2 *Fig.* Provocação ou agressão rude e inesperada 3 *Fig.* Acontecimento ou notícia desagradável 4 *Fig.* Astúcia, manha para fazer mal [F.: *estoque* + *-ada¹*.]

estocado (es.to.*ca*.do) *a. Bras.* Que se estocou, de que se fez estoque (produto estocado); ARMAZENADO [F.: Part. de *estocar*.]

estocador (es.to.ca.*dor*) [ô] *a.* 1 Que estoca, que armazena *sm.* 2 Aquele ou aquilo que estoca [F.: *estocar* + *-dor*.]

estocagem (es.to.*ca*.gem) *sf.* Ação ou resultado de estocar, armazenamento [Pl.: *-gens*.] [F.: *estocar* + *-agem²*.]

estocar¹ (es.to.*car*) *v. td.* Dar estocada em [▶ 11 esto**car**] [F.: *estoque¹* + *-ar²*. Hom./Par.: *estoque* (fl. de *estocar*), *estoque* (sm.).]

estocar² (es.to.*car*) *v. td.* Guardar, armazenar; formar estoque de (produtos, mercadorias etc.): *Com medo de racionamento, estocou bastante comida.* [▶ 11 esto**car**] [F.: *estoque²* + *-ar²*. Hom./Par.: *estoque* (fl. de *estocar*), *estoque* (sm.).]

estocástico (es.to.*cás*.ti.co) *a.* 1 *Mat.* Ref. a estocástica 2 *Mat.* Que é determinado pelas leis da probabilidade; ALEATÓRIO 3 *P.ext. Mús.* Diz-se de estilo ou técnica de composição de vanguarda do séc. XX, lançados pelo compositor grego Yannis Xenakis (1922-2001), com base em critérios estatísticos 4 *Ling.* Diz-se de modelo linguístico em que a língua se define como mecanismo produtor de sequências de símbolos [F.: Do gr. *stochastikós*.]

estofa¹ (es.*to*.fa) [ô] *sf.* 1 O mesmo que *estofo* 2 *Fig.* Classe, condição social: *Ela não namora quem não é da sua estofa.* [F.: Do fr. ant. *estofe* (hoje *étoffe*).]

estofa² (es.*to*.fa) [ô] *sf.* Na evolução das marés, período no qual o nível do mar não se altera, entre o fim da enchente e início da vazante, ou vice-versa [F.: Fem. subst. de *estofo*.] ■ **~ de enchente** Estofa² que ocorre entre o fim da preamar e início da vazante **~ de vazante** Estofa² que ocorre entre o fim da vazante e início da preamar

estofado (es.to.*fa*.do) *a.* 1 Recheado ou coberto com estofo (cadeira estofada) *sm.* 2 Sofá, poltrona e/ou cadeira com esse tipo de acabamento: *Comprei estofados novos para a sala.* [Mais us. no pl.] 3 Tecido espesso para revestir móveis [F.: Part. de *estofar*. Hom./Par.: *estufado*.]

estofador (es.to.fa.*dor*) [ô] *a.* 1 Que estofa móveis 2 Que fabrica e/ou vende móveis estofados, cortinas etc. *sm.* 3 Aquele cuja profissão é estofar móveis, revestindo-os, forrando-os ou recheando-os com estofo 4 Aquele que fabrica e/ou vende móveis estofados, cortinas etc. [F.: *estofar* + *-dor*.]

estofamento (es.to.fa.*men*.to) *sm.* 1 Ação ou resultado de estofar 2 Material (algodão, espuma, molas etc.) com que se recheiam assentos estofados; ESTOFO 3 *Lus.* Ação ou resultado de pintar imagens em relevo (esculpidas, moldadas, estátuas) com a cor de carne, aproximando seu aspecto do real; ENCARNAÇÃO [F.: *estofar* + *-mento*.]

estofar (es.to.*far*) *v. td.* 1 Colocar estofo, enchimento: *estofar uma almofada; estofar um colete.* 2 Revestir, guarnecer (móveis) com estofamento: *estofar um sofá.* [▶ 1 estof**ar**] [F.: *estofo* + *-ar²*. Hom./Par.: *estofo* (fl. de *estofar*), *estofo* [ô] (sm.).]

estofaria (es.to.fa.*ri*:a) *sf.* Lugar em que se produz estofos ou estofados [F.: *estofar* + *-ia*. Hom./Par.: *estofaria* (sf.), *estofaria* (fl. de *estofar*).]

estofo (es.*to*.fo) [ô] *sm.* 1 *Têxt.* Tecido decorativo resistente (ger. algodão, gorgorão) us. para cobrir poltronas, cadeiras etc. *a.* 2 Em que há estofa² (maré estofa) [F.: Dev. de *estofar*. Hom./Par.: *estofo* (fl. *estofar*).]

estoicismo (es.toi.*cis*.mo) *sm.* 1 *Fil.* Doutrina filosófica (fundada por Zenão no séc. III a.C.) que prega a rigidez moral e a serenidade diante das dificuldades 2 *P.ext.* Atitude inabalável diante da felicidade ou da tristeza 3 *P.ext.* Aceitação serena dos problemas e do sofrimento [F.: *estoico* + *-ismo*.]

estoico (es.*toi*.co) *a.* 1 *Fil.* Ref. ao estoicismo ou que segue o estoicismo 2 Que não se abala diante do infortúnio, que se mostra firme 3 Resignado, conformado *sm.* 4 *Fil.* Aquele que é adepto do estoicismo 5 *P.ext.* Indivíduo que não se abala ante os infortúnios, as adversidades da vida 6 *P.ext.* Aquele que se mostra conformado com o sofrimento [F.: Do gr. *stoikós*, pelo lat. *stoicus*.]

estoirar (es.toi.*rar*) *v.* Ver *estourar* [▶ 1 estoir**ar**] [F.: De or. onom.]

estojo (es.*to*.jo) [ô] *sm.* 1 Recipiente pequeno, ger. em forma de caixa, us. para guardar certo objeto: *estojo de lápis; estojo de maquiagem.* [Ger. com formatos externo e interno adequados ao objeto.] 2 Qualquer invólucro como capa, bainha de couro, plástico etc., us. para guardar objetos que precisam ser protegidos: *estojo de canivete; estojo de óculos.* [Pl.: [ô].] [F.: Dev. de *estojar*.] ■ **~ peniano** *Etnog.* Protetor do órgão sexual masculino feito de broto de palmeira, us. por certos povos indígenas do Brasil

estol (es.*tol*) *sm. Aer.* Redução da velocidade de um avião além do ponto no qual a diferença de pressão do ar (entre a pressão de baixo para cima e a de cima para baixo na superfície de sustentação [as asas]) não é suficiente para compensar o peso do avião e mantê-lo no ar [Pl.: *-tóis*.] [F.: Do ing. *stall*.]

estola (es.*to*.la) [ó] *sf.* 1 *Vest.* Tira de pano, pele etc., comprida e larga, com que as mulheres envolvem o pescoço como enfeite ou agasalho 2 *Litu.* Paramento sacerdotal que consiste numa tira de pano que os sacerdotes passam por trás do pescoço e que se cruza no peito por cima da alva 3 *Ant.* Vestido talar das matronas romanas [F.: Do gr. *stolé*, pelo lat. *stola*.]

estolar (es.to.*lar*) *v.* 1 *Aer.* Entrar (a aeronave) em estol (ger. por perda de velocidade), perdendo a sustentação do ar [*int.*: *Ao perder velocidade, o avião estolou.*] 2 Fazer (aeronave) entrar em estol [*td.*: *Estolou o avião, numa manobra arriscada.*] [▶ 1 estol**ar**] [F.: *estol* + *-ar²*.]

estolho (es.*to*.lho) [ô] *sm. Bot.* Caule rastejante, superficial ou subterrâneo, do qual saem raízes para baixo e ramos para cima, comum nas monocotiledôneas; ESTOLÃO [F.: Do lat. *stolo, onis*.]

estólido (es.*tó*.li.do) *a.* 1 Desprovido de perspicácia, de discernimento (comentário estólido; indivíduo estólido); ESTULTO; TOLO 2 Que se mostra estabanado, estouvado [F.: Do lat. *stolidus, a, um*.]

◎ **estom-** *el. comp.* Ver *estomat(o)-*

estoma (es.*to*.ma) *sm.* 1 *Anat.* Orifício ou poro diminuto 2 *Cir.* Abertura cirúrgica na parede abdominal 3 *Cir.* Abertura praticada por anastomose entre duas porções do intestino [F.: Do gr. *stóma, atos*. Ocorre tb. *ostoma*, f. irregular em port., com prov. infl. do espn.]

estomacal (es.to.ma.*cal*) *a2g.* 1 Ref. ou pertencente ao estômago (acidez estomacal) 2 Que é bom para o estômago (pílulas estomacais) [Pl.: *-cais*.] [F.: Do lat. *stomachalis*.]

estomagado (es.to.ma.*ga*.do) *a.* 1 Que se estomagou; AGASTADO 2 Que se ofendeu; INDIGNADO; IRRITADO [F.: Do lat. *stomachatus, a, um*.]

estomagar (es.to.ma.*gar*) *v. td.* 1 Agastar(-se), irritar(-se) 2 Tornar(-se) ofendido, indignado [▶ 14 estoma**gar**] [F.: Do lat. **stomachare*, < *stomachari*. Hom./Par.: *estomago* (fl.), *estômago* (sm.).]

estômago (es.*tô*.ma.go) *sm.* 1 *Anat.* Órgão situado na parte superior do abdome, entre o esôfago e o duodeno, responsável por parte da digestão dos alimentos 2 *P.ext.* A parte externa do corpo correspondente à região estomacal: *fazer uma fricção no estômago.* 3 *Fig.* Disposição, ânimo; resistência a situações ou experiências desagradáveis ou capacidade de enfrentá-las: *Não tenho mais estômago para enfrentar filas.* [F.: Do gr. *stómachos*, pelo lat. *stomachus*.] ■ **~ de avestruz** Pessoa que come muito e de tudo sem que, aparentemente, isso lhe traga distúrbios digestivos **Enganar o ~** Comer o suficiente para diminuir a sensação de fome **Forrar o ~** Ingerir alimento em quantidade menor que a de uma refeição habitual **Ter ~ (para)** Ser capaz de enfrentar ou lidar com (situação perigosa, desagradável, repugnante etc.)

estomáquico (es.to.*má*.qui.co) *a.* 1 *Anat.* Ref. ao estômago; ESTOMACAL 2 *Farm.* Diz-se de medicamento para disfunção estomacal *sm.* 3 *Farm.* Remédio utilizado para sanar disfunção estomacal [F.: Do gr. *stomachikós, é, ón*, pelo lat. *stomachicus, a, um*.]

estomaterapeuta (es.to.ma.te.ra.*peu*.ta) *s2g. Med.* O especialista em estomaterapia [F.: *estoma* + *-terapeuta*.]

estomaterapia (es.to.ma.te.ra.*pi*.a) *Med. sf.* 1 *Med.* Ramo da enfermagem que trata de técnicas ou práticas terapêuticas de tratamento, assistência e reabilitação de pacientes com feridas crônicas ou agudas, ou com estomias ou incontinências (urinária ou anal), ou que cuida de fístulas (2), drenos e tubos 2 Especialização de profissionais de enfermagem e de profissionais da área de saúde nesse tipo de terapia [F.: *estoma* + *-terapia*.]

estomático (es.to.*má*.ti.co) *a.* 1 *Anat.* Ref. a estômato 2 *Farm.* Diz-se de medicamento contra afecções bucais [F.: Do gr. *stomatikós, é, ón*, pelo lat. *stomaticus, a, um*.]

estomatite (es.to.ma.*ti*.te) *sf. Pat.* Qualquer inflamação na mucosa da boca [Pode ter vários aspectos, de acordo com as causas: vírus, bactéria, lesão mecânica, câncer etc.] [F.: *estomat(o)-* + *-ite¹*.]

◎ **estomat(o)-** *el. comp.* = 'boca'; 'orifício': *estomatite, estomatologia; estomalgia; histerostomatomia; histerostomótomo; histerostomátomo; aulóstomo; actinóstoma* [F.: Do gr. *stóma, atos*, 'boca'. F. conexa: *-stomia* (q.v.).]

estômato (es.*tô*.ma.to) *sm. Bot.* Estrutura microscópica em forma de orifícios ou poros na epiderme dos órgãos aéreos dos vegetais, por meio da qual se efetua a troca gasosa com o meio [F.: Do gr. *stóma, atos*, pelo fr. *stomate*.]

estomatologia (es.to.ma.to.lo.*gi*:a) *sf. Med.* Ramo da medicina dedicado ao estudo e tratamento das doenças da boca e dos dentes [F.: *estom(at)-* + *-o-* + *-logia*.]

estomatológico (es.to.ma.to.*ló*.gi.co) *a. Med.* Ref. a estomatologia [F.: *estomatologia* + *-ico²*.]

estomatologista (es.to.ma.to.lo.*gis*.ta) *a2g.* 1 *Med.* Que é especialista em ou se dedica à estomatologia *s2g.* 2 *Med.* Profissional especialista em estomatologia [F.: *estomatologia* + *-ista*.]

estomatoterapia (es.to.ma.to.te.ra.*pi*:a) *sf. Med.* Terapia da boca e dos dentes [F.: *estômato* + *terapia*.]

estomia (es.to.*mi*.a) *sf. Cir.* Abertura cirúrgica entre um órgão interno e o meio exterior [F.: *estom-* + *-ia¹*. Ocorre tb. *ostomia*, f. irregular em port., com prov. infl. do espn.]

estomizado (es.to.mi.*za*.do) *Cir. a.* 1 Diz-se daquele que foi submetido a estomia 2 Esse indivíduo: *núcleo de apoio ao estomizado.* [F.: Part. de *estomizar*. Ocorre tb. *ostomizado*, f. irregular em port., com prov. infl. do espn.]

estomizar (es.to.mi.*zar*) *v. td. Cir.* Realizar estomia em [F.: *estomia* + *-izar*. Ocorre tb. *ostomizar*, f. irregular em port., com prov. infl. do espn.]

estonado (es.to.*na*.do) *a.* Que se estonou; que ficou sem casca ou sem pele (frutos estonados; tomates estonados); DESCASCADO [F.: Part. de *estonar*.]

estonar (es.to.*nar*) *v. td.* 1 Tirar a tona ou a casca de; DESCASCAR: *estonar laranjas.* 2 Tirar a pele; PELAR: *A água fervente estonou seu braço.* 3 *P.ext.* Queimar, chamuscar: *Estonou o pé na fogueira.* [▶ 1 eston**ar**] [F.: *es-* + *tona* + *-ar*.]

estoniano (es.to.ni:*a*.no) *sm.* 1 Pessoa nascida ou que vive na Estônia (país da Europa) 2 *Gloss.* Língua falada na Estônia *a.* 3 Da Estônia (Europa); típico desse país ou de seu povo 4 Da ou ref. à língua falada na Estônia [F.: top. *Estonia* + *-ano¹*.]

estonteado (es.ton.te.*a*.do) *a.* 1 Sem orientação, aturdido, desnorteado: *estonteado de sono.* 2 Maravilhado, deslumbrado, fascinado: *Os turistas ficaram estonteados com a vista do Corcovado.* [F.: Part. de *estontear*.]

estonteamento (es.ton.te:a.*men*.to) ***sm.*** **1** Ação ou resultado de estontear(-se); ATORDOAMENTO **2** Estado de pessoa estonteada: "Um estonteamento de embriagado fazia-lhe latejar as fontes..." (Sanches de Frias, *Ercília*) [F.: *estontear* + *-mento*.]

estonteante (es.ton.te.*an*.te) ***a2g.*** **1** Que estonteia, faz ficar tonto, atordoa **2** Que provoca admiração, perplexidade, deslumbramento (beleza estonteante) [F.: *estontear* + *-nte*.]

estontear (es.ton.te.*ar*) ***v.*** **1** Fazer ficar ou ficar tonto, atordoado; ATURDIR [***td.***: *A bebida estonteou o rapaz.*] [***int.***: *Estonteou-se com o foguetório e a iluminação feérica; A confusão no trânsito é tão grande que chega a estontear.*] **2** *Fig.* Maravilhar, deslumbrar [***td.***: *Sua beleza estonteava o público.*] [***int.***: *O espetáculo dos fogos de artifício foi de estontear.*] [▶ **13** estontear] [F.: *es-* + *tonto* + *-ear*².]

estopa (es.*to*.pa) [ô] ***sf.*** **1** *Têxt.* Em tecelagem, resíduo fibroso que resulta do processamento de tecidos (esp. o linho), us. para produzir o fio cardado **2** Tecido grosseiro fabricado com esse fio **3** Resíduo fibroso (estopa [1]) aproveitado como material de limpeza de máquinas, motores, veículos etc. (esp. em oficinas) **4** Filamento interior da noz do coco **5** Material filamentoso us. para calafetar **6** *Bot.* O mesmo que *jequitibá* e *jequitibá-rosa* [F.: Do lat. *stuppa*.]

estopada (es.to.*pa*.da) ***sf.*** **1** *Pop.* Coisa maçante; AMOLAÇÃO; CHATEAÇÃO **2** Porção de estopa para fiar, acolchoar etc. **3** Estopa embebida em algum líquido, ger. medicamentoso, para tratar de lesões, feridas etc. **4** Porção de estopa acesa **5** Remendo para cobrir furo, rasgo etc. [F.: *estopa* + *-ada*¹.]

estopim (es.to.*pim*) ***sm.*** **1** Fio que contém pólvora em seu núcleo ou embebido em substância inflamável, que serve para, nele ateada uma chama na extremidade livre, queimar e fazer a chama chegar a material explosivo ao qual está ligado na outra extremidade: *Acendeu o estopim e esperou pela explosão.* **2** *Fig.* Elemento, ação, circunstância etc. que deflagra um acontecimento ou uma série de acontecimentos: *A suspeita foi o estopim da separação.* [F.: *estopa* + *-im*.]

estoque¹ (es.*to*.que) ***sm.*** **1** Espécie de espada longa, de perfil triangular ou quadrangular, sem fio mas pontiaguda, e que, portanto, só fere com a ponta **2** *Bras.* Faca rudimentar [F.: Do frâncico *stok* pelo fr. ant. *estoc*. Hom./Par.: *estoque* (fl. *estocar*).]

estoque² (es.*to*.que) ***sm.*** **1** Quantidade acumulada de produtos (ger. como reserva para uso futuro): *Lá em casa o estoque de leite é sempre grande.* **2** Quantidade de mercadorias disponível para venda: *O estoque de gasolina só é suficiente para cinco dias de consumo.* **3** *P.ext.* Lugar onde se armazenam essas mercadorias **4** Quantidade acumulada de bens, de valores (estoque de capital, estoque de títulos públicos) [F.: Do ing. *stock*. Hom./Par.: *estoque* (fl. *estocar*).]

estoraque (es.to.*ra*.que) ***sm.*** **1** *Bot.* Arbusto (*Styrax benjoim*) da família das estiráceas, que produz o benjoim; BENJOEIRO **2** *Estét. Farm.* Resina aromática que se extrai do estoraque, us. em farmácia; BENJOIM [F.: Do lat. *storax, acis*.]

estorcer (es.tor.*cer*) ***v.*** **1** Fazer movimentos fortes de torção em [***td.***: *Estorceu a perna para não cair da escada.*] **2** Contorcer(-se) de dor, de aflição [***td.***: *Estorcia-se diante do corpo inanimado do filho.*] **3** Agitar com violência [***td.***: *A ventania estorcia os arbustos do jardim.*] **4** Fazer mudar de direção; DESVIAR [***td.***: *Estorceu os passos para não encontrar o ex-marido.*] **5** Mudar de rumo, de destino [***int.***: *A canoa estorceu com o vento.*] [▶ **33** estorcer] [F.: *es-* + *torcer*. Hom./ Par.: *estorço* (fl.), *estorço* (sm.), *extorso* (sm.).]

estore (es.*to*.re) ***sm.*** Tipo de cortina que se enrola e desenrola por meio de mecanismo próprio: "Ao erguer-se o estore da janela do quarto (...) ele pôde (...) olhar-lhe diretamente para a cama, porém ela não estava lá." (Sherwood Anderson, *A força de Deus*) [F.: Do it. dial. *stora*, pelo fr. *store*.]

estória (es.*tó*.ri:a) ***sf.*** *Bras.* Ver *história* (3) [A palavra foi proposta para designar narrativa de ficção, mas a forma preferencial é *história*.] [F.: Do ing. *story*.]

estoriada (es.to.ri.*a*.da) ***sf.*** **1** *Bras.* Conjunto de vários contos populares, diálogos etc. **2** *Bras.* Narrativa muito longa: *Era uma estoriada que não acabava mais.* **3** *Bras.* Caso complicado, confuso, mentiroso: *Veio com uma estoriada que ninguém acreditou.* [F.: *estória* + *-ada*.]

estoriar (es.to.ri.*ar*) ***v. td.*** *Bras. P.us.* Contar, narrar (ger. história de ficção) [▶ **1** estoriar] [F.: *estória* + *-ar*.]

estornar (es.tor.*nar*) ***v. td.*** **1** *Cont.* Devolver (valor creditado ou debitado) desfazendo a ação (a contábil e a efetiva): *O banco estornou o débito indevido.* **2** Não realizar, invalidar (contrato de seguro) [▶ **1** estornar] [F.: *estorno* + *-ar*². Hom./Par.: *estorno* (fl. de *estornar*), *estorno* [ô] (sm.).]

estorninho (es.tor.*ni*.nho) ***sm.*** **1** *Zool.* Nome que designa os pássaros da família dos esturnídeos, de bico reto e fino, cauda ger. curta e plumagem escura com reflexos esverdeados ou purpúreos; são encontrados na Europa, África e Ásia ***a.*** **2** Diz-se de touro de pelo escuro, lustroso, com pequenas manchas brancas [F.: Do lat. *sturninus, dim. do lat. *sturnus, i*.]

estorno (es.*tor*.no) [ô] ***sm.*** **1** *Cont.* Ação ou resultado de estornar, de corrigir crédito ou débito lançado indevidamente em conta **2** *Cont.* A quantia estornada **3** Rescisão de contrato ou seguro efetuado, esp. marítimo [F.: Do it. *storno*. Hom./Par.: *estorno* (fl. *estornar*).]

estorricado (es.tor.ri.*ca*.do) ***a.*** Muito seco ou torrado pela ação do fogo ou do sol [F.: Part. de *estorricar*. Tb. *esturricado*.]

estorricante (es.tor.ri.*can*.te) ***a2g.*** **1** Que se mostra extremamente quente, abrasante (calor estorricante) **2** Capaz de queimar, de torrar [F.: *estorricar* + *-nte*. Tb. *esturricante*.]

estorricar (es.tor.ri.*car*) ***v.*** **1** Secar muito (ao calor), a ponto de quase queimar(-se); ESTURRICAR [***td.***: *O calor estorricou a horta.*] [***int.***: *A horta estorricou com o calor.*] **2** *Fig.* Queimar muito ou ficar muito queimado [***td.***: *O sol de meio-dia estorricou os turistas suecos.*] [***int.***: *Não passou protetor solar e estorricou-se todo.*] [▶ **11** estorricar] [F.: *es-* + *torrar* + *-icar*.]

estorvação (es.tor.va.*ção*) ***sf.*** Ação ou resultado de estorvar [Pl.: *-ções*.] [F.: *estorvar* + *-ção*.]

estorvado (es.tor.*va*.do) ***a.*** Que se estorvou, embaraçou, atrapalhou [F.: Part de *estorvar*.]

estorvamento (es.tor.va.*men*.to) ***sm.*** Ver *estorvo* [F.: *estorvar* + *-mento*.]

estorvante (es.tor.*van*.te) ***a2g.*** Que estorva, que importuna; ESTORVADOR [F.: *estorva(r)* + *-nte*.]

estorvar (es.tor.*var*) ***v.*** **1** Causar estorvo, transtorno a; ATRAPALHAR [***td.***: *Não quero estorvar seu trabalho.*] **2** Impedir, frustrar, não permitir [***td.***: *A greve estorvará a realização do show.*] [***tdr.*** + ***de***: *Sua criancice estorvou-a de um relacionamento mais sério.*] **3** Servir de obstáculo ao movimento de (alguém ou algo) [***td.***: *estorvar o trânsito/a passagem.*] **4** Causar desagrado; INCOMODAR [***td.***: *A presença dele passou a estorvá-la.*] [▶ **1** estorvar] [F.: Do lat. *exturbare*. Hom./Par.: *estorvo* (fl. de *estorvar*), *estorvo* [ô] (sm.).]

estorvo (es.*tor*.vo) [ô] ***sm.*** **1** Aquilo que impede, dificulta a realização de algo; ESTORVAMENTO: *Foi um estorvo carregar a mala escada acima:* "A pesada estrutura do Estado pode ser mais um estorvo do que uma ajuda." (*O Globo*, 12.12.2004) **2** Pessoa que incomoda, importuna: *Considerava as crianças um estorvo.* **3** Corda com que se reata o anzol para que se não escoe, ou o remo para que não estale [F.: Dev. de *estorvar*. Hom./Par.: *estorvo* (fl. *estorvar*).]

estourado (es.tou.*ra*.do) ***a.*** **1** Que (se) estourou ou rebentou **2** *Fig.* Que atingiu seu limite (tempo estourado) **3** *Fig.* Que se irrita, perde a paciência ou a compostura facilmente (homem estourado) **4** *Bras. Pop.* Muito cansado, esgotado: *Ficou estourado com a caminhada.* **5** Turbulento, estouvado, valentão **6** *Bras. Pop.* Que está sem dinheiro (banca estourada) [F.: Part. de *estourar*.]

estourar (es.tou.*rar*) ***v.*** **1** Rebentar(-se), romper(-se) com ímpeto, ger. com certo estrondo [***td.***: *A força da água estourou os canos.*] [***int.***: *O pneu da bicicleta estourou.*] **2** Explodir ou fazer explodir, com estrondo ou não [***int.***: *A granada estourou antes da hora e feriu o soldado.*] [***td.***: *O sargento estourou cinco granadas na demonstração aos recrutas; Vou estourar essa bolha com uma agulha flambada.*] **3** Soar com estrondo, como que numa explosão [***int.***: *Trovões estouravam ao longe.*] **4** *Fig.* Fazer muito sucesso [***int.***: *Sua música estourou nas paradas.*] **5** *Fig.* Perder as estribeiras, o controle, a contenção; DESCONTROLAR-SE [***tr.*** + ***de***: *estourar de rir.*] [***int.***: *A raiva era tanta que ele quase estourou.*] **6** *Fig.* Aparecer, surgir repentinamente; IRROMPER [***int.***: *Torço para que não estoure mais um escândalo.*] [***ta.*** + ***em***: *Já passava das dez quando ele estourou em minha casa.*] **7** *Fig.* Tornar-se conhecido súbita e surpreendentemente [***int.***: *A notícia estourou como uma bomba.*] **8** Pulsar, latejar de dor [***int.***: *Além da náusea, sentia a cabeça estourar.*] **9** Dispersar-se, debandar imprevistamente [***int.***: *Uma cobra cruzou o caminho e a boiada estourou.*] **10** *Art.gr.* Ultrapassar (texto, ilustração) o espaço previsto na página [***int.***: *As legendas estouraram e tiveram de ser refeitas.*] **11** *Bras.* Estar quase vindo ou chegando [***int.***: *Suas encomendas devem estar estourando.*] **12** *Bras. Fig.* Estar ou ficar além do limite; ultrapassar (o previsto, ou convencionado etc.) [***int.***: *Seu prazo estourou; Esperarei por vocês até meio-dia, estourando.*] [***tr.*** + ***de***: *O estádio estourava de gente.*] [***td.***: *Estes projeto já estourou o orçamento.*] **13** Causar ou sofrer lesão grave [***td.***: *Essa entrada do zagueiro estourou o joelho do atacante.*] [***int.***: *Caiu de mau jeito e o joelho dele estourou.*] **14** *Fut.* Chutar a bola ao mesmo tempo (dois ou mais jogadores) [***int.***: *Os dois estouraram e saíram contundidos.*] [***tr.*** + ***com***: *O goleiro estourou com o atacante e torceu o pé.*] [▶ **1** estourar] [F.: De or. onom. Hom./Par.: *estouro* (fl. de *estourar*), *estouro* (sm.).]

estouro (es.*tou*.ro) ***sm.*** **1** Barulho mais ou menos ruidoso produzido por algo que arrebenta, que explode: *estouro de uma bomba; estouro de uma bola de gás.* **2** *Fig.* Manifestação ruidosa de raiva, de agressividade: "Mas sua entrada (...) seria constrangedora para o coitado do rapaz que ouvia o estouro do outro e agora se defendia." (Ana Maria Machado, *A audácia dessa mulher*) **3** *Fig.* Fato imprevisto de grande repercussão: *O mais recente estouro foi a falência do banco.* **4** *Bras. Pop.* Acontecimento ou pessoa espetacular, sensacional (por parâmetros e critérios diversos): *A festa foi um estouro; Que estouro de mulher!* **5** *Bras. Gír.* Arrombamento de casa, esconderijo etc. (estouro do cativeiro) **6** *Bras. Pop.* Debandada de animais ou de pessoas em pânico (estouro da boiada, estouro da tropa); DISPERSÃO **7** *Bras. Fig.* Algo que supera limites (estouro do orçamento) **8** Repreensão, reprimenda, pito [F.: De or. onom. Hom./Par.: *estouro* (fl. *estourar*).] ■ **~ da boiada** *Bras. Fig.* Situação sem controle, às vezes caótica, em que eventos e circunstâncias se precipitam a partir de pequeno e inesperado fato **Dar um ~ na praça** *Bras.* Falir (ger. fraudulentamente) causando grande prejuízo a terceiros (credores, clientes, fornecedores etc.) **De ~** Ótimo, estupendo

estouvado (es.tou.*va*.do) ***a.*** **1** Que é estabanado, que age sem cuidado, sem refletir, com precipitação; IMPRUDENTE **2** Que é brincalhão, travesso ***sm.*** **3** Indivíduo precipitado, imprudente **4** Aquele que é brincalhão, folgazão [F.: Part. de *estouvar*.]

estouvamento (es.tou.va.*men*.to) ***sm.*** **1** Qualidade, característica de quem é estouvado **2** Ação ou comportamento de pessoa estouvada: "(...) era a única empregada que resistira ao estouvamento e concupiscência juvenil dos rapazes (...)" (Marques Rebelo, *Conto* à la mode) [F.: *estouvar* + *-mento*.]

◎ **estra-** ***el. comp.*** Ver *estr(o)-*

estrábico (es.*trá*.bi.co) ***a.*** **1** Ref. a ou próprio do estrabismo **2** *Fig.* Diz-se de pessoa que sofre de estrabismo; VESGO; ZAROLHO **3** *Fig.* Que não é capaz de perceber, discernir ou interpretar as coisas como elas realmente são ***sm.*** **4** Essa pessoa; VESGO; CAOLHO; ZAROLHO: *O estrábico tem visão dupla.* [F.: *estrab (o)-* + *-ico*².]

estrabismo (es.tra.*bis*.mo) ***sm.*** **1** *Oft.* Desvio ocular que faz com que os dois olhos não consigam fixar um mesmo ponto ao mesmo tempo **2** *Fig.* Maneira distorcida de apreciar, julgar, pensar etc.: *o estrabismo da paixão.* [F.: Do gr. *strabismós*, pelo fr. *strabisme*.] ■ **~ convergente** *Oft.* Estrabismo no qual o eixo visual de um dos olhos se desvia na direção do outro olho, causando visão dupla

◎ **estrab(o)-** ***pref.*** = vesgo: *estrábico, estrabismo, estrabotomia, estrabotômico*

estraçalhado (es.tra.ça.*lha*.do) ***a.*** **1** Que se estraçalhou; DESTRUÍDO; DESPEDAÇADO **2** *Fig.* Emocionalmente abatido, arrasado, destruído: *Após aquele infortúnio, era um sujeito estraçalhado.* [F.: Part. de *estraçalhar*.]

estraçalhamento (es.tra.ça.lha.*men*.to) ***sm.*** Ação ou resultado de estraçalhar; DESPEDAÇAMENTO [F.: *estraçalha(r)* + *-mento*.]

estraçalhante (es.tra.ça.*lhan*.te) ***a2g.*** Que estraçalha [F.: *estraçalha(r)* + *-nte*.]

estraçalhar (es.tra.ça.*lhar*) ***v.*** **1** Destruir, fazendo em pedaços; DESPEDAÇAR [***td.***: *A diversão desse cachorro é estraçalhar as almofadas.*] **2** *Fig. Pop.* Fazer algo muito bem; fazer sucesso; ARREBENTAR [***int.***: *O guitarrista estraçalhou em seu recital.*] **3** *Fig.* Abater muito moral e fisicamente; ARRASAR [***td.***: *Aquela notícia o estraçalhou.*] [▶ **1** estraçalhar] [F.: *es-* + *traçar* [de *traça*] + *-alhar*.]

estrada (es.*tra*.da) ***sf.*** **1** Via pública mais ou menos larga que atravessa um território ou região, com extensão variável, para ser transitada por pessoas, veículos e animais **2** *P.ext.* Qualquer tipo de via que serve para o trânsito de pessoas, animais, veículos; VIA: *O rio São Francisco é uma estrada fluvial que liga o Sudeste ao Nordeste; Esta picada é a melhor estrada para atravessar o morro.* **3** Termo genérico para o conjunto ou rede de vias terrestres de uma determinada área, estado ou país: *No verão, aumenta o número de acidentes na estrada.* **4** *Fig.* Meio de atingir determinado objetivo: *Buscava a estrada da fama.* **5** *Fig.* Caminho, direção, rumo: *Na estrada da vida sempre optou pelo bem; A independência financeira é a estrada para a maturidade.* **6** *Amaz.* Conjunto de 100 a 150 seringueiras que um seringueiro é capaz de entalhar por dia **7** *CE Hip.* Passo curto e confortável dos cavalos quando viajam [F.: Do lat. imperial *strata*, por *via strata*, 'caminho pavimentado'.] ■ **~ carroçável** Estrada ou caminho adequado ao tráfego de carroças, carros de boi etc. **~ de arrasto** *RS* Estrada destinada ao transporte de toros em carretas (chamado 'arrasto'). **~ de ferro** *Bras.* Ferrovia **~ de rodagem** *Bras.* Rodovia **~ de Santiago/São Tiago** *Pop. Astron.* A Via Láctea **~ mestra** *Bras.* Ver *Estrada real* **~ real** *Bras.* A estrada ou via principal de uma região, estado etc; estrada mestra **Comer ~** *Pop.* Andar rapidamente (a pé ou em veículo) **Mandar-se dizer na ~** **1** *RS Pop.* Partir, dar início a viagem ou jornada **2** *Fig* Dar início (a empreendimento, tarefa etc.). **Riscar ~** *RS* Partir a galope **Tomar alguém à ~** *Pop.* Fazer alguém voltar a comportar-se corretamente

estradeiro (es.tra.*dei*.ro) ***a.*** **1** Que ger. está fora de casa, andando pelas estradas, pelos caminhos: *Nunca está em casa, é um sujeito boêmio e estradeiro.* **2** Que demonstra grande ânimo para andar (caminhante estradeiro) **3** Diz-se de equídeo dotado de grande energia para marchar (burro estradeiro) **4** *Fig.* Que sabe agir com astúcia, esperteza (punguista estradeiro); VELHACO ***sm.*** **5** *Fig.* Aquele que sabe agir dessa maneira; VELHACO [F.: *estrada* + *-eiro*.]

estrado (es.*tra*.do) ***sm.*** **1** Estrutura plana, ger. de madeira, formando plataforma mais ou menos alta, sobre a qual se coloca alguém ou algo a que se quer dar destaque **2** Banquinho para descanso dos pés **3** Base, elevada em relação ao chão, sobre a qual se assenta uma cama, um trono, uma tribuna etc; SUPORTE; TABLADO **4** Armação horizontal apoiada nas cabeceiras e laterais de uma cama, sobre a qual se ajusta o colchão **5** *Ant.* Espécie de palanque de pequena altura em que mulheres realizavam certos serviços domésticos **6** *Ant.* Num tribunal, local reservado para os juízes [F.: Do lat. *stratum*, neutro de *stratus*.]

estraga-albarda (es.tra.ga-al.*bar*.das) ***s2g2n.*** **1** Pessoa extravagante, amalucada; DOIDIVANAS **2** Indivíduo dissipador, perdulário [F.: *estragar* (na 3ª pess. sing. pres. ind.) + plural de *albarda*.]

estragado (es.tra.*ga*.do) *a.* **1** Que se estragou, danificou (máquina estragada, brinquedo estragado) **2** Que azedou, que se deteriorou, apodreceu (carne estragada) **3** *Fig.* Prejudicado por excesso de mimos ou de agrados: *caçula mimado e estragado.* **4** *Fig.* Que se corrompeu, viciou (costumes estragados) **5** Que se debilitou, enfraqueceu (saúde estragada) **6** Que não tem mais valor: *É um homem estragado para a sociedade.* **7** Extravagante, perdulário: *É muito estragado, não guarda nada do que ganha.* [F.: Part. de *estragar*.]

estragão (es.tra.*gão*) *sm. Bot.* Planta da fam. das compostas (*Artemisia dracunculus*), nativa da Europa e da Ásia, de folhas carnosas, muito aromáticas, us. como condimento, de sabor forte e picante [F.: Do ár. *tarhun*, pelo lat. bot. tarchon e pelo fr. *stragon*.]

estragar (es.tra.*gar*) *v.* **1** Causar danos, estrago a, ou sofrê-los; DANIFICAR(-SE) [*td.*: *O sol estraga a pele.*] [*int.*: *O celular acabou estragando de tanto cair no chão.*] **2** Fazer ficar ou ficar impróprio para uso ou consumo; APODRECER; DETERIORAR [*td.*: *A geada estragou a plantação.*] [*int.*: *A comida estragou fora da geladeira.*] **3** Causar a ruína de; ARRUINAR; DESTRUIR [*td.*: *As intervenções da família estragaram seu casamento.*] **4** Fazer gorar [*td.*: *Essa chuva vai estragar o passeio.*] **5** Desfazer, ou prejudicar, comprometer o equilíbrio, a estética, a boa apresentação de (algo), ou tê-los desfeitos, comprometidos etc. [*td.*: *A chuva estragou seu elaborado penteado; Resolveu pintar o fundo e isso estragou todo o seu desenho.*] [*int.*: *O penteado não resistiu à chuva e estragou(-se).*] **6** Tornar desagradável, ruim [*td.*: *Essa briga estragou o meu dia.*] **7** Gastar em excesso; fazer mau uso de; DESPERDIÇAR; ESBANJAR [*td.*: *estragar a fortuna; Estragou o material disponível e não concluiu a obra.*] **8** Tornar caprichoso, sem noção de limites, por excesso de mimo [*td.*: *atitudes com que se acaba estragando um filho.*] [▶ 14 **estragar**] [F.: Do lat. vulg. *stragare*. Hom./Par.: *estrago* (fl. de *estragar*), *estrago* (sm.).]

estrago (es.*tra*.go) *sm.* **1** Ação ou resultado de estragar **2** Avaria, dano material: *A batida fez um estrago no carro.* **3** Uso ou consumo exagerado de algo: *As crianças fizeram um estrago nos brigadeiros, não sobrou um.* **4** Dano moral: *Sua bebedeira fez um estrago em sua imagem de bom moço.* **5** Grande profusão de danos materiais, destruição: *O temporal deixou um grande estrago na cidade.* **6** Dilapidação de recursos, gastos exagerados: *A desvalorização cambial fez um grande estrago no orçamento da importação.* **7** Debilitação física, comprometimento da saúde: *Veja o estrago que essa doença fez nele!* [F.: Dev. de *estragar*. Hom./Par.: *estrago* (fl. *estragar*).]

estral (es.*tral*) *a2g.* Ref. a estro [Pl.: *-trais*.] [F.: *estro* + *-al*.]

estralada (es.tra.*la*.da) *Bras. Pop. sf.* **1** Barulheira ou gritaria **2** Confusão, desordem [F.: *estralar* + *-ada*[1].]

estralado (es.tra.*la*.do) *a.* O mesmo que *estalado* [F.: Part. de *estralar*.]

estralar (es.tra.*lar*) *v.* O mesmo que *estalar* [▶ 1 **estralar**] [F.: Var. de *estalar*.]

estralejar (es.tra.le.*jar*) *v. td. int.* Mesmo que *estalejar* [▶ 1 **estralejar**] [F.: *estral(ar)* + *-ejar*.]

estralo (es.*tra*.lo) *sm.* O mesmo que *estalo* [F.: Dev. de *estalar*.]

estrambólico (es.tram.*bó*.li.co) *a.* Ver *estrambótico*

estrambote (es.tram.*bo*.te) *sm.* **1** *Poét.* Acréscimo, ger. de três versos, feito aos 14 de um soneto (soneto de estrambote); ESTRAMBOTO **2** Estrofe acrescida ao vilancico (espécie de composição polifônica espanhola) à maneira de conclusão [F.: Do it. *strambòtto*.]

estrambótico (es.tram.*bó*.ti.co) *a.* **1** Que é diferente, incomum, extravagante (ideias estrambóticas) **2** *Pej.* De mau gosto, esquisito, ridículo (vestuário estrambótico) **3** *Poét.* Diz-se de soneto ao qual se acrescentaram versos, além dos 14 do padrão (ger. três versos) [O acréscimo denomina-se *estrambote*.] [F.: *estrambote* + *-ico*[2]. Tb. *estrambólico*.]

estramônio (es.tra.*mô*.ni.o) *sm. Bot.* Planta da fam. das solanáceas (*Datura stramonium*), originária da América do Norte, de folhas grandes e flores tubulosas, brancas ou azuladas, que encerra alcaloides altamente tóxicos, com uso medicinal; FIGUEIRA-BRAVA; FIGUEIRA-DO-DIABO; FIGUEIRA-DO-INFERNO; MAMONINHO-BRAVO; MAMONINHO-DE-CARNEIRO; ZABUMBA [F.: Do lat. cient. *stramonium*.]

estrangeirado (es.tran.gei.*ra*.do) *a.* **1** Que incorpora modos, comportamento ou maneira de ser ou de falar de um país estrangeiro **2** Que imita ou lembra a maneira de ser de pessoas de um país estrangeiro **3** Que frequentemente dá preferência a coisas características de outro(s) país(es) [F.: *estrangeiro* + *-ado*[2].]

estrangeirice (es.tran.gei.*ri*.ce) *sf.* **1** Aquilo que se faz ou que se diz sob a influência de culturas estrangeiras **2** Simpatia exagerada pelas coisas estrangeiras; ESTRANGEIRISMO [F.: *estrangeiro* + *-ice*.]

estrangeirismo (es.tran.gei.*ris*.mo) *sm.* **1** *Ling.* Emprego de frase, ou palavra, ou construção sintática estrangeira: *Era adepto do estrangeirismo, mais por afetação do que por necessidade.* **2** Ver *estrangeirice* **3** Palavra, expressão ou frase de língua estrangeira us. em texto falado ou escrito em vernáculo [F.: *estrangeiro* + *-ismo*.]

estrangeirizar (es.tran.gei.ri.*zar*) *v. td.* Ver *estrangeirar* [▶ 1 **estrangeirizar**] [F.: *estrangeiro* + *-izar*.]

estrangeiro (es.tran.*gei*.ro) *a.* **1** Que é ou que vem de outro país (roupas estrangeiras) **2** Ref. a ou próprio de estrangeiro (4) (hábitos estrangeiros) **3** Diz-se de país que não é o nosso (estados estrangeiros) *sm.* **4** Indivíduo de outro país **5** O conjunto de países salvo aquele onde nascemos: *Passou a vida trabalhando no estrangeiro.* **6** Quem veio de fora do lugar no qual está; FORASTEIRO: *Parecia um estrangeiro na cidade.* [F.: Do lat. *extraneus*, pelo fr. ant. *estranger*, hoje *étranger*.]

estrangulação (es.tran.gu.la.*ção*) *sf.* **1** Ação ou resultado de estrangular **2** Asfixia por aperto, constrição do pescoço por aperto das mãos (de alguém), ou de um laço, correia etc., por força externa e não pelo peso do próprio corpo do asfixiado (neste caso, enforcamento) **3** *Fig.* Sensação de nó na garganta, sufocação **4** *P.ext.* Constrição, aperto de qualquer coisa: *estrangulação de uma hérnia; estrangulação de carros na rodovia.* **5** Estreitamento de uma passagem, leito de rio, vale etc. [Pl.: *-ções*.] [F.: *estrangular* + *-ção*. Sin. ger.: *estrangulamento*.]

estrangulado (es.tran.gu.*la*.do) *a.* **1** Que se estrangulou **2** Que teve a garganta apertada; ESGANADO **3** Que se engasgou com algo; ENTALADO; ENGASGADO **4** Apertado, estreitado, comprimido (vasos estrangulados) [Ant.: *alargado*.] **5** Sufocado, refreado, contido (choro estrangulado) **6** Reprimido; impedido de exercer alguma ação ou emoção (opiniões estranguladas; protestos estrangulados) *sm.* **7** Aquele que sofreu estrangulamento [F.: Do lat. *strangulatus, a, um*, part. pass. de *strangulare*, 'estrangular'.]

estrangulador (es.tran.gu.la.*dor*) [ô] *a.* **1** Que estrangula **2** *Bot.* Que se desenvolve em torno do caule de uma planta e impede seu crescimento; ESTRANGULANTE *sm.* **3** Aquele que estrangula [F.: Do lat. *strangulator, oris*.]

estrangulamento (es.tran.gu.la.*men*.to) *sm.* Ver *estrangulação* [F.: *estrangular* + *-mento*.]

estrangulante (es.tran.gu.*lan*.te) *a2g. Bot.* Que se desenvolve em torno do caule de uma planta e impede seu crescimento; ESTRANGULADOR [F.: *estrangula(r)* + *-nte*.]

estrangular (es.tran.gu.*lar*) *v. td.* **1** Apertar o pescoço de (alguém ou si próprio) para impedir a respiração; ESGANAR; SUFOCAR: *Foi preso sob a acusação de estrangular uma senhora; Estrangulou-se no presídio.* **2** Causar ou sofrer asfixia, sufocação [*td.*: *O ar viciado da mina começava a estrangular os mineiros.*] [*int.*: *Estrangulou-se com a fumaça da queimada.*] **3** Fazer engasgar ou ficar engasgado, fazer ficar ou ficar (alguém) com a garganta obstruída [*td.*: *O caroço quase estrangulou o menino.*] [*int.*: *Tentou engolir o bombom de uma vez e estrangulou-se.*] **4** Estreitar, comprimir: *A gravata o estrangulava.* **5** Manter sob controle; CONTER; REPRIMIR: *estrangular o choro/um soluço.* **6** Provocar grande congestionamento: *As obras na avenida estrangulam o trânsito.* [▶ 1 **estrangular**] [F.: Do gr. *strangaláo*, pelo lat. *strangulare*.]

estrangúria (es.tran.*gú*.ri:a) *sf.* Micção lenta e dolorosa, em virtude de espasmo da uretra ou da bexiga [F.: Do lat. *stranguria, ae*, der. do gr. *straggouría*. Tb. *estranguria*.]

estranhado (es.tra.*nha*.do) *a.* **1** Que se estranhou **2** Que foi censurado **3** Diz-se de indivíduo que se comporta de maneira tímida ou embaraçada diante de gente desconhecida ou em lugares novos [F.: Part. de *estranhar*.]

estranhador (es.tra.nha.*dor*) [ô] *a.* **1** Que estranha ou causa estranhamento *sm.* **2** O que causa estranhamento [F.: *estranha(r)* + *-dor*.]

estranhamento (es.tra.nha.*men*.to) *sm.* **1** Ação ou resultado de estranhar(-se) **2** Surpresa ou admiração provocada por algo que não se espera ou não se conhece; ESTRANHEZA: "... experimentar ainda agradável estranhamento diante da sensação de respirar os ares da liberdade." (*O Globo*, 09.04.2005) **3** Sentimento de desconforto perante alguém com quem não se simpatizou: *As crianças revelavam estranhamento diante do novo professor.* **4** *Liter.* Técnica narrativa que consiste em se surpreender o leitor, ao se romper com as formas tradicionais da narrativa ficcional **5** *Teat.* No teatro épico ou dialético, efeito que busca causar surpresa no espectador para que ele se sinta compelido a refletir sobre o que está se passando em cena [F.: *estranhar* + *-mento*.]

estranhar (es.tra.*nhar*) *v.* **1** Considerar estranho, incomum ou inexplicável [*td.*: *Estranhamos ela não ter aparecido.*] **2** Não se adaptar a [*td.*: *Creio que eles estranharão o novo país.*] **3** Mostrar-se hostil com [*td.*: *Meu cão estranha todas as visitas; Esses dois vivem se estranhando (um estranha o outro).*] **4** Não se sentir confortável, à vontade com (coisa, situação, relacionamento novos etc.) [*td.*: *Estranhou a cama do hotel e não dormiu a noite toda; Esta criança é muito sociável, não estranha ninguém.*] **5** Achar criticável, censurável [*td.*: *O árbitro estranhou o comportamento do lutador; Você está me estranhando? Diga logo o que pensa.*] [▶ 1 **estranhar**] [F.: *estranho* + *-ar*[2]. Hom./Par.: *estranho* (fl. de *estranhar*), *estranho* (sm.).]

estranhável (es.tra.*nhá*.vel) *a2g.* **1** Que provoca estranheza **2** Censurável [Pl.: *-veis*.] [F.: *estranha(r)* + *-vel*. Hom./Par.: *estranháveis* (pl.), *estranháveis* (fl. de *estranhar*).]

estranheza (es.tra.*nhe*.za) [ê] *sf.* **1** Qualidade do que é estranho, diferente **2** Surpresa, espanto mesclados com certo desconforto ante essa qualidade: *Causou-me estranheza a diferença de costumes que encontrei naquele país.* **3** Esquivamento no trato de pessoas: "(...) Sara fizera um esforço para atirar a estranheza para trás, o certo é que correspondeu aos gestos dele e em breve se enlaçavam de novo." (Pepetela, *A geração da utopia*) **4** *Fís.* Número quântico que caracteriza o comportamento original de certas partículas que possuem, no mínimo, um quark estranho [F.: *estranhar* + *-eza*.]

estranho (es.*tra*.nho) *a.* **1** Que não é comum, que está fora dos padrões usuais (comportamento estranho); DESUSADO; INCOMUM; INUSUAL **2** Que não corresponde àquilo a que se supunha corresponder ou a que devia corresponder, que difere de ou contradiz padrão que deveria seguir: *Esta foi uma atitude estranha a nossos padrões; Propôs uma medida estranha aos estatutos do clube; É um rapaz estranho, na aparência extravagante e no comportamento amalucado.* **3** Que é de fora, de outro lugar: "Devo (...) acentuar que ninguém estranho à companhia, (...) percebeu, sentiu ou tomou o menor conhecimento que fosse da visita que nos fez (...)." (Antônio Callado, *Reflexos do baile*) **4** Que é desconhecido, que denota algum mistério ou parece enigmático: *uma coisa estranha. sm.* **5** Indivíduo estranho (2) [F.: Do lat. *extraneus*. Hom./Par.: *estranho* (fl. *estranhar*).]

estranja (es.*tran*.ja) *Bras. Pop. sf.* **1** O conjunto dos países estrangeiros; EXTERIOR: *Está passeando na estranja. s2g.* **2** Indivíduo de outro país; ESTRANGEIRO: *O cara na esquina certamente era um estranja.* [F.: Der. regress. de *estrangeiro*.]

estransilhar (es.tran.si.*lhar*(-se)) *v.* **1** Deixar (o cavalo) cansado, exaurido, inutilizado [*td.*] **2** Esgotar-se, exaurir-se (o cavalo) [*int.*] [▶ 1 entransilhar(-se)]

estrapada (es.tra.*pa*.da) *sf.* **1** Antiga tortura que consistia em amarrar as mãos do supliciado nas costas, pendurá-lo a um aparelho e depois soltá-lo repentinamente, para deslocar-lhe os membros superiores **2** Tortura semelhante, aplicada em navios, que consistia em mergulhar diversas vezes no mar o punido de mãos atadas **3** Lugar onde se executa o suplício ou o instrumento nele usado [F.: Do it. *strappata*.]

estrasburguês (es.tras.bur.*guês*) *sm.* **1** Indivíduo nascido ou que vive em Estrasburgo (França) [Pl.: *-eses* [ê]. Fem.: *-esa* [ê].] *a.* **2** De Estrasburgo; típico dessa cidade ou de seu povo [Pl.: *-eses* [ê]. Fem.: *-esa* [ê].] [F.: Do top. *Estrasburgo* + *-ês*.]

estrasse (es.*tras*.se) *sm.* Vidro us. para imitações de pedras preciosas; STRASS [F.: Do fr. *strass*.]

estratagema (es.tra.ta.*ge*.ma) *sm.* **1** *Mil.* Operação militar planejada para iludir o inimigo quanto ao verdadeiro objetivo e desenvolvimento da ação **2** Arte de utilizar os meios de que se dispõe para conseguir alcançar determinados objetivos: "A renúncia era o seu estratagema habitual para obter o que queria..." (*O Globo*, 19.06.2004) **3** Qualquer ato astucioso; ARMADILHA: *um estratagema para capturar os assaltantes.* [F.: Do gr. *estratégema*, pelo lat. *strategema* e pelo it. *stratagèmma*.]

estratégia (es.tra.*té*.gi:a) *sf.* **1** *Mil.* Arte militar que consiste em planejar o conjunto das operações de guerra visando ao objetivo final, de ataque ou defesa: "Todos os desdobramentos em que a estratégia desencadeia os exércitos." (Euclides da Cunha, *Os sertões*) **2** Arte de utilizar os meios de que se dispõe para conseguir alcançar certos objetivos: "... que estratégia complicada para evitar o ramo fatídico." (Eça de Queiroz, *Cartas de Inglaterra*) **3** Planejamento de ações, jogadas, medidas etc. visando a um objetivo, e procurando levar em consideração todas as variáveis possíveis: *estratégia ofensiva num jogo de xadrez.* **4** *P.ext.* Artifício habilidoso; SUBTERFÚGIO: *Não use estratégias, fale com franqueza.* [F.: Do gr. *strategía* pelo lat. *strategia*.]

estratégico (es.tra.*té*.gi.co) *a.* **1** Ref. a estratégia (plano estratégico) **2** Em que há estratégia, feito de acordo com certa estratégia (avanço estratégico) **3** Em que há astúcia; ARDILOSO [F.: Do gr. *strategikós*.]

estrategista (es.tra.te.*gis*.ta) *a2g.* **1** Perito em estratégia (técnico estrategista) *s2g.* **2** Pessoa perita em estratégia (militar, comercial etc.): *Na empresa, ele é o estrategista das vendas.* [F.: *estratégia* + *-ista*.]

estratego (es.tra.*te*.go) [ê] *sm.* **1** *Hist.* Na antiga Atenas (Grécia), general eleito magistrado anualmente **2** *Hist.* Na Grécia antiga, cada um dos dez magistrados que, eleitos pelo povo, cuidavam de assuntos de caráter militar **3** O mesmo que *estrategista* [F.: Do gr. *strategós, ou*.]

◎ **estrat(i/o)-** *pref.* = coberta, camada: *estratificação, estratificado, estratificar, estratificável, estratiforme, estratigrafia*

estratificação (es.tra.ti.fi.ca.*ção*) *sf.* **1** Ação ou resultado de estratificar(-se), de dispor(-se) em camadas [Ant.: *desestratificação*] **2** *Geol.* Disposição paralela das camadas ou estratos que formam uma rocha **3** *P.ext.* Qualquer estrutura formada por camadas superpostas **4** *P.ext. Fig.* Processo pelo qual alguma coisa se solidifica ou estabiliza (estratificação de costumes, estratificação de hábitos) **5** *Soc.* Organização da sociedade em estratos ou camadas sociais que se distinguem umas das outras por critérios econômicos e/ou políticos, o que conduz à formação de classes, castas etc. [Pl.: *-ções*.] [F.: *estratificar* + *-ção*.] ■ **~ cruzada** *Geol.* A que apresenta camadas em ângulo em relação a outras, por terem inclinações diferentes **~ eólica** *Geol.* Formação de estratos por partículas trazidas pelo vento, na qual as partes sólidas se separam conforme a espessura e a densidade dos grãos **~ social** *Sociol.* Formação de grupos sociais de acordo com situação econômica, hierárquica, de prestígio e poder etc.

estratificado (es.tra.ti.fi.*ca*.do) *a.* **1** Que se estratificou **2** *Geol.* Que passou por processo de estratificação; ACAMADO **3** *Geol.* Diz-se de rocha que resulta da consolidação de sedimentos que se acumularam em camadas; SEDIMENTAR [F.: Part. de *estratificar*. Ver *estrat(i/o)-*.]

estratificador (es.tra.ti.fi.ca.*dor*) *a.* Que atua no sentido de produzir estratificação [F.: *estratifica(r)* + *-dor*.]

estratificar (es.tra.ti.fi.*car*) *v.* **1** Dispor(-se) em estratos ou camadas [*td.*: *A erosão e movimentos tectônicos estratificaram este terreno.*] [*int.*: *O terreno estratificou-se.*] **2** *Fig.*

Fazer ficar ou ficar imutável, no mesmo estado ou condição; ESTAGNAR [**td.**: *Seu conservadorismo exagerado estratificou suas opiniões.*] [**int.**: *Seus conceitos estratificaram-se com o tempo.*] **3** *Soc.* Dividir (grupos humanos) em níveis ou camadas hierarquicamente organizadas, de acordo com certos critérios [**td.**] [▶ **11 estratificar**] [F.: Do lat. científico *stratificare*.]

estratigrafia (es.tra.ti.gra.*fi*.a) *sf. Geol.* Parte da geologia que estuda a formação e disposição dos terrenos sedimentares ou estratificados [F.: *estrat(i/o)-* + *-grafia*; ing. *stratigraphy*.]

estratigráfico (es.tra.ti.*grá*.fi.co) *a.* Ref. à estratigrafia [F.: *estratigrafia* + *-ico²*.]

estrato (es.*tra*.to) *sm.* **1** *Geol.* Cada uma das camadas em que se dispõem as rochas **2** *Soc.* Grupo ou camada social de uma população, definido em relação ao nível de renda, educação etc. **3** Qualquer camada **4** *Met.* Tipo de nuvem, acinzentada, a uma altura de c. 2.400 m, com base bem definida e camadas horizontais uniformes [F.: Do lat. *stratum*. Hom./Par.: *extrato* (sm. e fl. *extratar*).]

estrato-cirro (es.tra.to-*ci*r.ro) *sm. Met.* Ver *cirro-estrato* [Pl.: *estratos-cirros ou estratos-cirro*.]

estratocracia (es.tra.to.cra.*ci*.a) *sf.* **1** Governo militar **2** Preponderância do elemento militar [F.: *estrato-* + *-cracia*.]

estrato-cúmulo (es.tra.to-*cú*.mu.lo) *sm. Met.* Massa de nuvens escuras, de formas arredondadas, dispostas em grupo e situadas a uma altitude de cerca de 2.000 m ou pouco mais; CÚMULO-ESTRATO [Pl.: *estratos-cúmulos ou estratos-cúmulo*.]

estratosfera (es.tra.tos.*fe*.ra) *sf. Geof.* Parte da atmosfera acima dos 12 mil metros de altitude, situada entre a troposfera e a ionosfera [F.: Do fr. *stratosphère*. Cf. *troposfera* e *ionosfera*.] ▪▪ **Na ~** *Fig.* Alheio, distraído, avoado

estratosférico (es.tra.tos.*fé*.ri.co) *a.* **1** *Geof.* Ref. a estratosfera **2** *Fig.* Que vai muito alto, que atinge altos níveis: *um orçamento estratosférico; som estratosférico* [F.: *estratosfera* + *-ico²*.]

◎ **-estre** *Suf.* relação: *campestre; pedestre; rupestre*. [F.: Do lat. *-ester* ou *-estris, is, e*.]

estreado (es.tre.*a*.do) *a.* Que se estreou; que foi apresentado, exibido ou usado pela primeira vez [F.: Part. de *estrear*.]

estreante (es.tre.*an*.te) *a2g.* **1** Que estreia, que faz algo pela primeira vez (ator estreante) *s2g.* **2** Aquele que estreia: *Os estreantes ganharão menos.* [F.: *estrear* + *-nte*.]

estrear (es.tre.*ar*) *v.* **1** Usar pela primeira vez [**td.**: *Vou estrear meu vestido hoje.*] **2** Apresentar ou ser apresentado ao público pela primeira vez [**td.**: *O Flamengo estreará seu novo ataque no jogo de hoje.*] [**int.**: *O novo filme dos irmãos Coen estreará este mês.*] **3** Desempenhar pela primeira vez uma função, uma profissão etc. [**int.**: *Estreou como ator ao lado de Grande Otelo.*] **4** Iniciar ou ser iniciado; INAUGURAR [**td.**: *Estreou sua carreira no futebol aos 19 anos.*] [**int.**: *Transmissões de TV em alta definição podem estrear ainda este ano.*] **5** Fazer funcionar, pôr em atividade pela primeira vez; INAUGURAR [**td.**: *A rede estreou seu novo cinema no bairro.*] [▶ **13 estrear** Quando tônica, a vogal 'e' tem timbre aberto e grafa-se 'é': *estreiam*.] [F.: *estre(ia)* + *-ar²*. Hom./Par.: *estreia* (fl. de *estrear*), *estreia* (sf.).]

estrebaria (es.tre.ba.*ri*.a) *sf.* Local onde se abrigam animais, esp. cavalos [F.: Do lat. *stabulu* (estábulo) + *-aria*.]

estrebuchar (es.tre.bu.*char*) *v. int.* **1** Estremecer, contorcer-se ou sacudir-se convulsivamente: *O animal acabara de estrebuchar(-se) no chão.* **2** *Fig.* Sofrer ou expressar grande comoção, agitação emocional, trauma moral [**td.**: *Estrebuchava sua indignação.*] [**int.**: *Agitadíssimo com a notícia, estrebuchava, bufava, gemia.*] [**tr.** + *de*: *Estrebuchava de ódio.*] [▶ **1 estrebuchar**] [F.: De or. obsc.]

estreia (es.*trei*.a) *sf.* **1** Ação ou resultado de estrear **2** Acontecimento que marca o início de alguma coisa: *o jogo de estreia do campeonato.* **3** O primeiro uso que se faz de algo: *Foram passear na Barra com estreia do carro novo.* **4** A primeira apresentação de um artista, espetáculo etc. **5** A primeira obra de um escritor, cientista, jornalista, fotógrafo etc.: *Ressurreição é o romance de estreia de Machado de Assis.* **6** O começo de alguma coisa, esp. quando significativa: *O lançamento do primeiro Sputnik foi a estreia da era espacial.* **7** Inauguração de algo [F.: Do lat. *strena*. Hom./Par.: *estreia* (fl. *estrear*).]

estreitado (es.trei.*ta*.do) *a.* **1** Que se estreitou; que se tornou estreito **2** Muito apertado (roupa estreitada) **3** *Fig.* Que foi coagido ou pressionado [F.: Part. de *estreitar*.]

estreitamento (es.trei.ta.*men*.to) *sm.* **1** Ação ou resultado de estreitar **2** Diminuição da espessura de um corpo; APERTO; ESTRANGULAMENTO [Ant.: *expansão*.] **3** Condição de algo que se tornou estreito **4** *Fig.* Diminuição ou redução de alguma coisa: *No aperto, o casal recorreu ao estreitamento de gastos.* [Ant.: *aumento*.] **5** *Fig.* Fortalecimento de um processo iniciado, em andamento: *Foi naquele dia que começou o estreitamento de nossa amizade.* [F.: *estreitar* + *-mento*. Ant. ger. (com exceção da def. 5): *alargamento*.]

estreitar (es.trei.*tar*) *v.* **1** Tornar(-se) estreito ou menor [**td.**: *Pediu à costureira para estreitar o vestido.*] [**int.**: *Com as obras, a rua estreitou(-se).*] **2** Diminuir, reduzir, restringir [**td.**: *estreitar os gastos.*] **3** Tornar mais intenso ou rigoroso [**td.**: *A nova diretoria prometeu estreitar a verificação dos processos.*] **4** Abraçar, apertar contra si [**td.**: *Estreitou sua irmã.*] [**tda.**: *Estreitei-o em meus braços.*] **5** Abraçar, apertar contra si [**td.**: *estreitar um relacionamento.*] [**tdr.** + *com*: *Estreitou os laços de amizade com o vizinho.*] [**int.**: *Nossas relações nunca se estreitaram.*] [▶ **1 estreitar**] [F.: *estreito* + *-ar²*. Hom./Par.: *estreito* (fl. de *estreitar*), *estreito* (a.sm.).]

estreiteza (es.trei.*te*.za) [ê] *sf.* **1** Qualidade do que é estreito, apertado **2** *Fig.* Ausência, carência, escassez de algo: *estreiteza de recursos.* **3** *Fig.* Acanhamento ou reserva excessiva (estreiteza de opiniões) **4** *Fig.* Excesso de rigor, de severidade **5** *Fig.* Situação de pobreza, de penúria **6** *Fig.* Aproximação, intimidade: *estreiteza de relações.* [F.: *estreito* + *-eza*.]

estreito (es.*trei*.to) *a.* **1** Que tem pouco espaço ou largura (rua estreita) **2** Que tem pouca folga (blusa estreita) **3** Que é fino ou delgado (fita estreita) **4** Que revela intimidade (relações estreitas) **5** Que é destituído de grandeza; que revela mesquinhez **6** *Fig.* Pouco inteligente (homem estreito) **7** Que demonstra rigor, precisão; EXATO: "Os políticos (no sentido mais estreito da palavra (...)) são gente como nós." (João Ubaldo Ribeiro, *Coleção Palavra da gente*) **8** Que é reduzido, restrito **9** *Pus.* Árduo, difícil (época estreita) *sm.* **10** *Geog.* Canal natural que liga dois mares **11** *Geog.* Passagem apertada entre montes ou montanhas [F.: Do lat. *strictus*. Hom./Par.: *estreito* (fl. *estreitar*).]

estrela (es.*tre*.la) [ê] *sf.* **1** *Astr.* Corpo celeste que produz energia e tem luz própria, o que o distingue dos planetas **2** *Astr.* Qualquer astro ou corpo luminoso que pode ser visto no céu noturno **3** Figura convencional, ger. de cinco ou seis pontas, que representa uma estrela **4** Suposta influência que um astro ou estrela pode ter sobre a vida de alguém **5** Fortuna, sorte, destino: *Ela tem boa estrela, sempre se sai bem.* **6** Pessoa que se destaca em alguma atividade: *Ele é a estrela do time.* **7** Atriz ou artista renomada e de grande fama em cinema, teatro, televisão etc. **8** Atriz de destaque em um filme, peça de teatro, novela de televisão, *show* musical etc. **9** *Mil.* Insígnia que determina o grau hierárquico no uniforme dos militares **10** Movimento acrobático de ginástica que consiste em fazer um giro de 360 graus no sentido lateral do corpo, com apoio no solo, apoiando sucessivamente no giro uma das mãos (com o braço estendido), depois a outra, depois o pé correspondente a esta (com a perna estendida), depois o outro pé, terminando de pé **11** *Tip.* Peça que, na linotipo, empurra as matrizes, à medida que caem, para a área de composição **12** *Lud.* Espécie de pipa ou papagaio em forma de estrela **13** Unidade de medida de qualidade de hotéis em função de certos critérios convencionados (de uma a cinco estrelas) [F.: Do lat. *stella,ae*. Hom./Par.: *estrela* (fl. *estrelar*).] ▪▪ **~ amarela** *Hist.* Emblema na forma de estrela amarela de seis pontas, cujo uso foi imposto pelos nazistas aos judeus, como forma de identificá-los **~ anã** *Astron.* Estrela de pequena dimensão e fraca luminosidade. As chamadas *anãs brancas* têm massa grande, e as *anãs vermelhas* têm massa pequena [Tb. apenas *anã*.] **~ binária** *Astron.* Imagem formada por duas estrelas muito próximas e ligadas gravitacionalmente, e que a olho nu não se distinguem uma da outra; estrela dupla [Tb. apenas *binária*.] **~ cadente** *Astron.* Visualização da entrada de um meteorito na atmosfera e que provoca incandescência ao se atritar com gases, mostrando-se como o traçado de um risco luminoso no céu noturno **~ circumpolar** *Astron.* Estrela cujo círculo diurno é visível sempre acima ou sempre abaixo da linha do horizonte **~ companheira** *Astron.* Estrela que forma com outra estrela um sistema binário **~ da manhã** *Pop. Astron.* Denominação do planeta Vênus quando visível no céu antes do nascer do sol **~ da tarde** *Pop. Astron.* Denominação do planeta Vênus quando visível no céu após o pôr do sol **~ de Belém** *Rel.* No cristianismo, estrela que teria servido de guia aos reis magos em seu caminho à manjedoura onde nasceu Jesus **~ de nêutrons** *Astron.* Denso corpo estelar, de tamanho pequeno, cujo núcleo é formado por nêutrons compactados, e ger. resultante do gradativo colapso de uma estrela maior **~ de planos** *Geom. Anal.* Conjunto de planos que passam pelo mesmo ponto **~ do pastor** *Pop. Astron.* O planeta Vênus **~ dupla** *Astron.* Ver *Estrela binária* **~ eruptiva** *Astron.* Ver *Estrela nova* **~ explosiva** *Astron.* Ver *Estrela nova* **~ filante** *Astron.* Ver *Estrela cadente* **~ fugaz** *Astron.* Ver *Estrela cadente.* **~ guia** *Rel.* Ver *Estrela de Belém* **~ matutina** *Astron.* Ver *Estrela da manhã* **~ múltipla** *Astron.* Grupo de estrelas ligadas gravitacionalmente entre si e muito próximas, e que não se distinguem umas das outras a olho nu **~ nova** *Astron.* Estrela que, devido a explosão de camadas de superfície, adquire subitamente brilho intenso, que decresce gradativamente (num período que pode variar de dias a anos) até voltar a sua luminosidade normal; estrela eruptiva; estrela explosiva [Tb. apenas *nova*.] **~ Polar** *Astron.* Designação atribuída à estrela alfa da constelação da Ursa Menor, que serve de guia para a localização do polo Norte; Alrucabá; Norte [Tb. apenas *Polar*.] **~ variável** *Astron.* Aquela cujo brilho varia periodicamente [Tb. apenas *variável*.] **~ Vésper** *Astron.* Ver *Estrela da tarde* **~ vespertina** *Astron.* Ver *Estrela da tarde* **Ler nas ~s** Consultar o horóscopo **Levantar-se com as ~s** Acordar e levantar da cama de manhã muito cedo **Pôr entre as ~s** Pôr (alguém ou algo) nas alturas; divinizar **Ver ~s (ao meio-dia)** Ficar atordoado ou com dores devido a pancada, esp. na cabeça

> 🕮 Uma estrela é um astro de luz própria, ou seja, um sol. Sua energia vem do núcleo, onde se verificam reações nucleares, resultante da atração, pelo núcleo, dos gases que o circundam (principalmente o hidrogênio), aumentando a temperatura do núcleo. O nível dessa temperatura determina a luminosidade da estrela, classificada em 6 'grandezas', sendo cada nível de luminosidade 2,5 vezes maior que o anterior. Uma estrela de primeira grandeza é, assim, cerca de 100 vezes mais luminosa que uma de sexta grandeza. Existem bilhões de estrelas, sendo a mais próxima da Terra a Alfa da constelação de Centauro, assim mesmo 300.000 vezes mais distante que o Sol.

estrela-d'alva (es.tre.la-*d'al*.va) *sf. Pop. Astr.* O planeta Vênus; ESTRELA DA MANHÃ; ESTRELA MATUTINA: "A estrela-d'alva/no céu desponta/e a lua anda tonta/com tamanho esplendor..." (Noel Rosa e João de Barro, *As pastorinhas*) [Pl.: *estrelas-d'alva*.]

estrela de rabo (es.tre.la de *ra*.bo) *sf. Bras. Pop.* Ver *cometa* (1) [Pl.: *estrelas de rabo*.]

estrelado (es.tre.*la*.do) *a.* **1** Que está coberto de estrelas (céu estrelado) **2** Bordado ou estampado com estrelas (manto estrelado) **3** Que apresenta ornamentos, enfeites; ATAVIADO; ORNADO [Ant.: *desataviado*.] **4** Frito, estalado (ovo estrelado) **5** Diz-se de boi ou cavalo que tem mancha branca na testa [F.: Part. de *estrelar*.]

estrela-do-mar (es.tre.la-do-*mar*) *sf. Zool.* Denominação comum a diversos invertebrados marinhos, pertencentes ao filo dos equinodermos e à classe dos asteroides, de corpo em forma de disco, de onde se projetam cinco ou mais braços [Pl.: *estrelas-do-mar*.]

estrelar (es.tre.*lar*) *v.* **1** *Bras.* Interpretar o papel principal em (filme, peça, novela etc.); PROTAGONIZAR [**td.**: *Ouvi dizer que ele vai estrelar um filme policial.*] **2** Cobrir(-se) de estrelas ou de algo que as lembre [**td.**: *Segundo a Bíblia, Deus estrelou o céu.*] [**int.**: *O céu estrelou(-se) após a chuva.*] **3** Dar forma de estrela a [**td.**] **4** Adornar, enfeitar [**td.**: *Na primavera, as flores estrelam o jardim.*] **5** Enfeitar com relevos em forma de estrela [**tdr.** + *com*: *Estrelou com miçangas a alça da bolsa.*] **6** Frigir (ovo), sem mexer; ESTALAR [**td.**] [▶ **1 estrelar**] [F.: *estrela* + *-ar²*. Hom./Par.: *estrela* (fl. de *estrelar*), *estrela* [ê] (sf.); *estelar* (a2g.).]

estrelário (es.tre.*lá*.ri:o) *a.* Que tem forma de estrela [F.: *estrela* + *-ário*.]

estrelato (es.tre.*la*.to) *sm.* Situação de prestígio, de fama, desfrutada por profissional que se encontra no auge de sua carreira, esp. na área de cinema, teatro, televisão etc. [F.: *estrela* + *-ato¹*.]

estreleiro (es.tre.*lei*.ro) *a.* Diz-se de cavalo que, sob pressão do freio, levanta muito a cabeça [F.: *estrela* + *-eiro*.]

estrelinha (es.tre.*li*.nha) *sf.* **1** Estrela pequena **2** *Cul.* Massa para sopa em forma de pequenas estrelas **3** Pequeno fogo de artifício de efeito pirotécnico simples, us. principalmente por crianças pequenas **4** *Zool.* Pequeno beija-flor (*Calliphlox amethystina*), encontrado em todo o Brasil, de cauda bifurcada e garganta vermelho-rosada [F.: *estrel(a)* + *-inha*.]

estrelismo (es.tre.*lis*.mo) *sm. Bras. Fig. Pej.* Comportamento altivo, por vezes arrogante, de quem exige tratamento privilegiado, esp. na área de espetáculos [F.: *estrela* + *-ismo*.]

estrelítzia (es.tre.*lít*.zi:a) *sf. Bot.* Gênero de musáceas da África do Sul, cultivadas como ornamentais, que têm certo aspecto de bananeira [F.: Do lat. cient. gên. *Strelitzia*.]

estrelo (es.*tre*.lo) [ê] *a.* **1** *N.E.* Diz-se de boi que tem marca na testa **2** *P.ext.* Diz-se de indivíduo que tem mecha de cabelos brancos na frente da cabeça *sm.* **3** *Bras. Joc.* Ator principal; ASTRO [F.: De *estrela*. Hom./Par.: *estrelo* (a.sm.), *estrelo* (fl. de *estrelar*).]

estremadura (es.tre.ma.*du*.ra) *sf.* **1** Linha divisória de uma região, ou de uma localidade **2** Região que se localiza na extremidade de um país, no confinamento com outro; FRONTEIRA [F.: *estremar* + *-dura*.]

estremar (es.tre.*mar*) *v.* **1** Delimitar, demarcar espaços por meio da escavação de sulcos [**td.**: *Estremou uma faixa de terra.*] **2** Separar, escolher [**td.**: *Estremou os papéis, recolhendo os que lhe convinham.*] [**tr.** + *de*: *Estremava um papel de outro.*] **3** Fazer diferenças, distinções [**td.**: *Era fácil estremar os bons amigos.*] [**tdr.** + *de*: *Estremar o que presta do que não presta.*] **4** Tornar claro (o que antes era confuso) [**td.**: *Depois de muita hesitação, conseguiu estremar sua opinião.*] **5** Diferençar, distinguir [**tdr.** + *de*: *Seu talento o estrema dos demais pintores.*] [**int.**: *Estrema-se pela gentileza.*] **6** Dirigir ou encaminhar (alguém) para (algo) [**tdr.** + *para*: *Seus dotes de imaginação o extremaram para a carreira de escritor.*] **7** Fazer nova compilação de (textos) [**td.**: *Estremou velhas canções mineiras.*] [▶ **1 estremar**] [F.: *estrema* + *-ar*. Hom./Par.: *estremar*, *extremar* (todos os tempos do v.); *estremo* (fl.), *extremo* (a.sm.); *estrema(s)* (fl.), *estrema(s)* (sf.[pl.]).]

estreme (es.*tre*.me) *a2g.* **1** Que não apresenta mistura; PURO **2** *Fig.* Diz-se de língua que não se mistura a outra [F.: Do lat. *extremus*, ou dev. de *estremar*. Hom./Par.: *estreme* (fl. *estremar*) e *extreme* (fl. *extremar*).]

estremeção (es.tre.me.*ção*) *sf.* Tremor breve; ESTREMECIMENTO [F.: *estremecer* + *-ão³*.]

estremecedor (es.tre.me.ce.*dor*) [ô] *a.* **1** Que estremece; que provoca estremecimentos *sm.* **2** Aquilo que estremece [F.: *estremece(r)* + *-dor*.]

estremecente (es.tre.me.*cen*.te) *a2g.* Que estremece [F.: *estremece(r)* + *-nte*.]

estremecer (es.tre.me.*cer*) *v.* **1** Provocar ou sofrer tremor [*td.*: *O terremoto estremeceu a cidade vizinha.*] [*int.*: *Sempre que um caminhão passa, a casa estremece.*] **2** *Fig.* Provocar ou sofrer qualquer abalo [*td.*: *A intriga não estremeceu sua amizade.*] [*int.*: *A credibilidade do diretor estremeceu com o escândalo.*] **3** Fazer tremer ou tremer súbita e passageiramente, por medo, espanto etc; SOBRESSALTAR(-SE) [*td.*: *O susto estremeceu-os por segundos.*] [*int.*: *Estremeceu ao vê-lo aproximar-se furioso.*] [▶ 33 estreme**cer**] [F.: *es-* + lat. *tremiscere* (incoativo de *tremere*).]

estremecido (es.tre.me.*ci*.do) *a.* **1** Que sofreu estremecimento, tremor físico **2** Que ficou abalado, sem firmeza **3** *Fig.* Diz-se de relacionamento humano que sofreu abalo **4** *Fig.* Que se mostra trêmulo, vacilante (voz estremecida, gesto estremecido) **5** Muito querido, amado (filho estremecido) [F.: Part. de *estremecer.*]

estremecimento (es.tre.me.ci.*men*.to) *sm.* **1** Ação ou resultado de estremecer **2** Reação a alteração súbita e rápida da temperatura do corpo, motivada por alteração na temperatura ambiente; ARREPIO **3** Tremor ou sensação de tremor, de origem emocional, provocada por um acontecimento qualquer: "(...) num choro silencioso, que lhe sacudia o corpo todo em estremecimentos nervosos." (Adolfo Caminha, *A normalista*) **4** Abalo, sacudidela **5** *Fig.* Abalo moral ou psíquico, perturbação [F.: *estremecer* + *-mento.*]

estremenho (es.tre.*me*.nho) *a.* **1** Que se situa em uma extremidade de um território, confinante com outro; FRONTEIRIÇO **2** Ref. a ou da Estremadura, província de Portugal **3** Ref. a ou da Estremadura (ou Extremadura), região da Espanha *sm.* **4** Indivíduo nascido ou que vive na Estremadura (Portugal) **5** Indivíduo nascido ou que vive na Estremadura (Espanha) [F.: Do lat. *extremus*, pelo espn. *extremeño.*]

estremunhado (es.tre.mu.*nha*.do) *a.* **1** Que se estremunhou; que acordou meio aturdido: *Levantou de mau humor, estremunhado.* **2** Estonteado [F.: Part. de *estremunhar.*]

estremunhar (es.tre.mu.*nhar*) *v.* **1** Fazer com que (alguém) acorde ou acordar, subitamente [*td.*: *A explosão dos fogos de artifício estremunhou os meninos.*] [*int.*: *Com os fogos de artifício, os meninos estremunharam(-se), tontos de sono.*] **2** *Fig.* Ficar tonto, atarantado, desorientado; ESTONTEAR; ATURDIR: *Alguns alunos estremunharam-se com a classificação dos modelos verbais.* [*int.*: *Assoberbado de tarefas, estremunhava-se, sem saber por onde começar.*] [▶ 1 estremu**nhar**] [F.: De or. obsc.]

estrênuo (es.*trê*.nu:o) *a.* **1** Que demonstra coragem, intrepidez; CORAJOSO; DESTEMIDO; VALENTE **2** Que se revela esforçado, persistente; TENAZ **3** Que se dedica a seu trabalho, atividade etc. com afinco, zelo; DILIGENTE; ZELOSO [F.: Do lat. *strennuus.*]

estrepar (es.tre.*par*) *v.* **1** Ferir(-se) com estrepe [*int.*: *Fez vestibular este ano, mas estrepou-se outra vez.*] **2** Ferir(-se) com estrepe [*td.*: *Estrepou o pé quando brincava no quintal; Pisou descalço nos cacos de vidro e estrepou-se.*] **3** Guarnecer com estrepes, ger. como meio de defesa [*td.*: *Estrepou o muro para afastar os ladrões de frutas do pomar.*] [▶ 1 estre**par**] [F.: *estrepe* + *-ar*[2]. Hom./Par.: *estrepe* (fl. de *estrepar*), *estrepe* (sm.).]

estrepe (es.*tre*.pe) *sm.* **1** Pequeno pedaço de madeira, ou de outro material, em forma de espinho ou pontiagudo; ponta em forma de espinho, ou o próprio espinho **2** *Mil.* Artefato pontiagudo que era cravado no solo, em fossos, valas etc. para dificultar o avanço dos inimigos **3** *Mil.* Qualquer estaca pontuda, de madeira ou de ferro, us. dessa maneira **4** *Fig.* Situação difícil, embaraçosa **5** *Fig.* Pessoa inconveniente, incômoda, desagradável **6** *Bras. Gír.* Pessoa feia, de mau aspecto ou mal-ajambrada **7** Porção de cacos de vidro que encimam os muros de casas, construções etc. a fim de se evitarem invasores [Us. no pl.] [F.: Do lat. *stirps.*]

estrepitar (es.tre.pi.*tar*) *v. int.* Soar com estrépito, com estrondo [▶ 1 estrepi**tar**] [F.: Do lat. *strepitare*. Hom./Par.: *estrepito* (fl. de *estrepitar*), *estrépito* (sm.).]

estrépito (es.*tré*.pi.to) *sm.* **1** Barulho forte, estrondoso; ESTRONDO; FRAGOR: *o estrépito de cavalos a galopar nas pedras do calçamento.* **2** Situação ruidosa de agitação, vozerio, tumulto; ALARIDO **3** Ruidosas ostentação e pompa; ESTARDALHAÇO [F.: Do lat. *strepitus.*]

estrepitoso (es.tre.pi.*to*.so) [ô] *a.* **1** Em que há ou que faz estrépito (1), (aplausos estrepitosos); BARULHENTO; RUIDOSO **2** Notório, que faz sensação: *Foi uma comemoração estrepitosa, sensacional.* [Fem. e pl.: [ó].] [F.: *estrépito* + *-oso.*]

estrepolia (es.tre.po.*li*.a) *Bras. Pop. sm.* **1** Ação de pessoa traquinas, travessa; TRAQUINAGEM; TRAVESSURA **2** Grande confusão, balbúrdia, desordem, rolo; AGITAÇÃO; ALVOROÇO [F.: Posv. de *es-* + *tropelia*, com metátese, para a forma *estrepolia*, da qual deriva *estripulia.*]

◎ **estrept(o)-** *pref.* = torcido, curvo: *estreptobacilo, estreptococo*

estreptocócico (es.trep.to.*có*.ci.co) *a.* **1** Ref. a estreptococo **2** Proveniente dessa bactéria [F.: *estreptococo* + *-ico*[2].]

estreptococo (es.trep.to.*co*.co) [ó] *Bac. sm.* **1** Gênero de bactérias (*Streptococcus*) de forma esférica ou ovoide, que se apresentam em cadeia, são imóveis e parasitas dos vertebrados, localizando-se esp. em suas vias respiratórias superiores, sendo algumas espécies patogênicas para o homem [Dividem-se nos tipos *alfa* (*Streptococcus viridans*) e *beta*, ou *hemolítico.*] **2** Qualquer bactéria desse gênero, como o *Streptococcus a, pneumococo* (que causa pneumonia), o *S. pyogenes* (escarlatina, erisipela), o *S. aureus* e o *S. epidermitis* (meningite, endocardite) [F.: Do gr. *streptós* 'arredondado' + *kokkós* 'grão', pelo fr. *streptocoque.*]

estreptomicina (es.trep.to.mi.*ci*.na) *sf. Farm.* Antibiótico ($C_{21}H_{39}N_7O_{12}$) hidrossolúvel, obtido por S.A. Waksman de cultura de bactérias da espécie *Streptomyces griseus*, de poder bactericida (contra micro-organismos gram-negativos) e de uso fundamental no tratamento da tuberculose [F.: *estrept(o)-* + *-micina.*]

estressado (es.tres.*sa*.do) *a.* **1** Que está (momentânea ou permanentemente) sob estresse, tensão, ânsia *sm.* **2** Aquele que está sob estresse [F.: Part. de *estressar.*]

estressante (es.tres.*san*.te) *a2g.* Que provoca estresse (trabalho estressante) [F.: *estressa(r)* + *-nte.*]

estressar (es.tres.*sar*) *v.* Provocar ou sentir estresse [*td.*: *Os meses sem trabalho estressaram-no muito.*] [*int.*: *Ela tende a se estressar por pouco.*] [*tr.* + *com*: *Procure não se estressar com seus filhos.*] [▶ 1 estres**sar**] [F.: *estresse* + *-ar*[2]. Hom./Par.: *estresse* (fl. de *estressar*), *estresse* (sm.).]

estresse (es.*tres*.se) [é] *sm. Med.* Esgotamento físico ou emocional como reação do organismo a agentes de natureza diversa (trauma, doença, emoção, cansaço, tensão etc.) que alteram a homeostase e aumentam a produção de adrenalina [F.: Do ing. *stress.*]

estressor (es.tres.*sor*) [ô] *a.* **1** Que provoca estresse *sm.* **2** Aquilo que provoca estresse [F.: *estress(e)* + *-or.*]

estria (es.*tri*.a) *sf.* **1** Pequena linha ou ranhura, sulco, aresta etc. que aparece na superfície de um corpo qualquer **2** *Derm.* Linha ou filete que aparece na pele, resultante da hiperextensão desta e de atrofia na derme **3** *Arm.* Cada um dos sulcos em espiral na face interior do cano das armas de fogo, e cuja finalidade é a de dar rotação aos projéteis para aumentar a precisão e o alcance do tiro **4** *Arq.* Sulco em forma de meia-cana ao longo das colunas; CANELURA **5** *Geol.* Sulco ou canelura existente nas rochas [F.: Do lat. *striatus.*]

estriado (es.tri.*a*.do) *a.* **1** Diz-se de superfície ou daquilo cuja superfície contém estrias, sulcos; CANELADO; SULCADO **2** *Bot.* Diz-se de órgão ou parte vegetal que apresenta sulcos em sua superfície [F.: Part. de *estriar.*]

estriamento (es.tri:a.*men*.to) *sm.* **1** Ação ou resultado de estriar **2** *Mil.* Disposição das estrias no interior do cano das armas de fogo [F.: *estria(r)* + *-mento*. Sin. ger.: *estriação.*]

estriar (es.tri.*ar*) *v. td.* **1** Abrir ou formar estrias em; cobrir de estrias **2** *Arq.* Abrir estrias, ou caneluras na superfície de (colunas, pilastras etc.) **3** *P.ext.* Riscar (superfície) com linhas paralelas [▶ 1 estri**ar**] [F.: Do lat. *striare.*]

estrias (es.*tri*.as) *sfpl. Astron.* Estruturas retilíneas que por vezes aparecem na cauda de um cometa [F.: Pl. de *estria.*]

estribado (es.tri.*ba*.do) *a.* **1** Que se estribou **2** Firme em estribo: *O cavaleiro estava bem estribado.* **3** *P.ext.* Que se sustenta em alguém ou alguma coisa (física, moral, intelectualmente etc.): *Estribado num grande pensador, escreveu um ensaio de fôlego.* **4** *Bras. Gír.* Que tem muito dinheiro; RICO [F.: Part. de *estribar.*]

estribar (es.tri.*bar*) *v.* **1** Firmar(-se) (os pés, ou com os pés) em estribo(s) [*td.*: *estribar os pés; Estribou-se bem antes de galopar.*] [*int.*: *Estribou e partiu a galope.*] **2** Dar apoio a, ou ter apoio [*td.*: *estribar uma estátua.*] [*tda.*: *Esta casa estriba em sólidos alicerces; Nosso condomínio estriba-se numa rocha.*] **3** *Fig.* Fundamentar(-se), basear(-se) [*tdr.* + *em*: *Ele estriba sua tese numa antiga teoria; Em seus estudos, estriba-se em extensa bibliografia.*] [*tr.* + *em*: *Sua vida estriba numa rígida moral.*] **4** *Bras. Gír.* Arranjar dinheiro [▶ 1 estri**bar**] [F.: *estribo* + *-ar*[2]. Hom./Par.: *estribo* (fl. de *estribar*), *estribo* (sm.).]

estribeira (es.tri.*bei*.ra) *sf.* **1** Estribo us. pelo cavaleiro que monta à gineta (com estribos curtos, sela e arreios adequados) **2** *Antq.* Estribo de antigas carruagens [F.: *estribo* + *-eira.*] ■ **Perder as ~s** *Fam.* Perder o controle, o comedimento; descomedir-se (por irritação, indignação etc.)

estribeiro (es.tri.*bei*.ro) *sm.* Empregado responsável pela manutenção de cavalariças, arreios, coches etc. [F.: *estribo* + *-eiro.*]

estribilhar (es.tri.bi.*lhar*) *v.* **1** *Bras.* Cantar (ave) repetindo os sons, como se fosse um estribilho [*int.*] **2** Repetir (fala, som) como estribilho [*td.*] [▶ 1 estribi**lhar**] [F.: *estribilho* + *-ar.*]

estribilho (es.tri.*bi*.lho) *sm.* **1** *Liter. Mús.* Verso(s) que se repete(m) ao final de cada estrofe ou em intervalos regulares de uma composição (de música ou poesia); REFRÃO **2** *P.ext.* Palavra ou expressão que se repete muito durante conversação ou texto; BORDÃO [F.: Do espn. *estribillo.*]

estribo (es.*tri*.bo) *sm.* **1** Peça de metal, madeira ou sola em forma de aro, caixa ou sapato, pendurada de cada lado de uma sela de montaria, e na qual o cavaleiro apoia o pé **2** Degrau de carro, ônibus, bonde, vagão de trem etc., onde o passageiro apoia o pé para subir ao veículo ou dele descer **3** *Bras.* Nas ferrovias, pequena plataforma para embarque e desembarque de passageiros **4** Lugar em que o operador de certas máquinas apoia os pés **5** *Mar.* Cabo que passa por baixo da verga e serve de apoio para os pés dos marinheiros **6** *Fig.* O que dá sustentação, segurança; ARRIMO; ESTEIO **7** *Anat.* O menor e mais interno dos ossículos da orelha média [F.: De or. obsc., pelo lat. medv. *strepum.*] ■ **Dar ~** *Bras. Fig.* Dar confiança **Negar (o) ~** **1** *RS* Recusar-se (cavalo) a ser montado, afastando-se de cavaleiro que tenta pôr o pé no estribo para montar **2** *Fig.* Faltar a compromisso **3** *Fig.* Negar apoio, auxílio para algo **4** *Fig.* Evitar alguém ou algo, esquivar-se **Perder os ~s** Ver *Perder as estribeiras*

estricção (es.tric.*ção*) *sf.* **1** Aperto, compressão **2** *Med.* O mesmo que *estrese* **3** *Cons.* Propriedade pela qual certos materiais apresentam deformações plásticas antes de serem rompidos [Pl.: *-ções.*] [F.: estricção, do lat. *strictio, onis*, e estrição, var. de *estricção.*]

estricnina (es.tric.*ni*.na) *sf.* **1** *Quím.* Substância química, alcaloide, extraída da casca e das sementes de plantas do gên. *Strychnos*, esp. da noz-vômica, us. como estimulante do sistema nervoso central; é venenosa [Fórm.: $C_{21}H_{22}N_2$] **2** *Bras. Pop. Joc.* Cachaça [F.: Do fr. *strychinine.*]

estridência (es.tri.*dên*.ci:a) *sf.* Qualidade do que é estridente [F.: *estridente* + *-ia*[2], seg. o mod. erudito.]

estridente (es.tri.*den*.te) *a2g.* **1** Que tem som agudo, áspero, penetrante: "... Embaixo, lá a anta soltara o estridente longo grito..." (João Guimarães Rosa, *Tutameia*) [Ant.: *baixo, fraco, grave.*] **2** Que causa estridor; BARULHENTO; RUIDOSO [Ant.: *silencioso.*] **3** *Fon.* Diz-se de consoante de frequência elevada produzida por corrente de ar mais forte, com som agudo, sibilante, como, em português, as fricativas iniciais *j* e *x*, *z* e *s*, *f* e *v* [F.: Do lat. *stridens, entis.*]

estridor (es.tri.*dor*) [ô] *sm.* **1** Som estrondoso, áspero, incomodativo; ESTRÉPITO; ESTRONDO **2** Zumbido fino, penetrante, como o provocado por sopro de vento ou o zunir de setas; SILVO; ZUNIDO [F.: Do lat. *stridor.*]

estridulante (es.tri.du.*lan*.te) *a2g.* **1** Que estridula; que emite som estridente, penetrante **2** Diz-se de insetos que emitem esse som, como a cigarra *sm.* **3** Inseto estridulante [F.: *estridula(r)* + *-nte.*]

estridular (es.tri.du.*lar*) *v. int.* **1** Emitir (certos insetos, como cigarra e grilo) seu som característico, estridente e agudo: *Na paz do cerrado a cigarra estridula, quebrando o silêncio.* **2** *Fig.* Produzir som similar: *Estridulam os clarins, ruflam os tambores.* **3** Falar ou cantar em tom agudo, estrídulo [▶ 1 estridu**lar**] [F.: *estrídulo* + *-ar*[2]. Hom./Par.: *estridulo* (fl.), *estrídulo* (sm.).]

estrídulo (es.*trí*.du.lo) *a.* **1** Que tem som agudo, forte e penetrante: "E uma risada convulsiva e sinistra (...) reboou pelo lúgubre aposento, como o estrídulo ulular do mocho entre os sepulcros." (Bernardo Guimarães, *A escrava Isaura*); "E uma risada convulsiva e sinistra (...) reboou pelo lúgubre aposento, como o estrídulo ulular do mocho entre os sepulcros." (Bernardo Guimarães, *A escrava Isaura*) *sm.* **2** Qualquer som com essa característica [F.: Do lat. *stridulus.*]

estrige (es.*tri*.ge) *sf.* **1** *Ornit.* Nome comum que se dá às corujas do gênero *Stryx*, da família dos estrigídeos **2** Em lendas originárias do Oriente, vampiro que tem rosto de mulher e de cadela **3** Faixa ou tira; ESTRIGA [F.: Do lat. *strix, igis*, 'ave noturna', 'feiticeira' < gr. *strínx ingós.*]

estrigiforme (es.tri.gi.*for*.me) *sm.* **1** *Zool.* Espécime dos estrigiformes, ordem de aves noturnas que abrange as famílias dos *estrigídeos* e dos *titonídeos*; são os caburés, as corujas, os mochos, as suindaras *a2g.* **2** *Zool.* Dos ou ref. aos estrigiformes (1) [F.: Do lat. cient. *Stringiformes.*]

estrilar (es.tri.*lar*) *v. int.* **1** *Bras. Pop.* Falar muito alto, expressando zanga ou raiva; ESBRAVEJAR; VOCIFERAR **2** *Bras. Pop.* Ficar zangado ou raivoso; ZANGAR-SE; ENFURECER-SE **3** *Bras. Pop.* Protestar com vigor **4** Emitir som muito alto e agudo; CRICRILAR; ESTRIDULAR [▶ 1 estri**lar**] [F.: *estrilo* + *-ar*[2]. Hom./Par.: *estrilo* (fl. de *estrilar*), *estrilo* (sm.).]

estrilo (es.*tri*.lo) *Bras. Pop. sm.* **1** Som, ruído estrídulo, agudo **2** Grito que expressa irritação, reprimenda *sm.* **3** Grito de protesto, de revolta **4** Reclamação severa, áspera [F.: Do it. *strillo*. Hom./Par.: *estrilo* (fl. *estrilar*).] ■ **Dar (um/o) ~** Irritar-se com alvoroço: *O chefe deu um estrilo de meter medo.*

estripação (es.tri.pa.*ção*) *sf.* **1** Ação ou resultado de estripar, de retirar as tripas de **2** *P.ext.* Carnificina, massacre, chacina [Pl.: *-ções.*] [F.: *estripa(r)* + *-ção*. Hom./Par.: *estripação* (sf.), *extirpação* (sf.).]

estripador (es.tri.pa.*dor*) [ô] *a.* **1** Que estripa; que tira as tripas de (animal, pessoa etc.) *sm.* **2** Aquele que estripa [F.: *estripar* + *-dor.*]

estripar (es.tri.*par*) *v.* **1** Retirar as tripas (de); DESTRIPAR [*td.*: "O Torres matava camundongos... estripava-os, para dar aos gatos..." (Lima Barreto, *O cemitério dos vivos*)] [*int.*: "...trouxesse um mocó, por estripar..." (João Guimarães Rosa, "Droenha" in *Tutameia*)] **2** Dilacerar, rasgar o ventre; DESVENTRAR [*td.*: "Os queixadas... estavam enfurecidos e arremeteram estripando os cães." (José de Alencar, *Til*): "...tudo fazia recear que eles acabassem estripando-se um ao outro..." (Machado de Assis, *Esaú e Jacó*)] **3** Fazer matanças, carnificinas [*int.*] [▶ 1 estri**par**] [F.: De or. contrv.: *es-* + *tripa* + *-ar*[2] ou do lat. *exstirpare* 'extirpar, suprimir'. Hom./Par.: *estripar, extirpar* (em várias fl.).]

estripulia (es.tri.pu.*li*.a) *sf. Bras. Pop.* O mesmo que *estrepolia*

estrito (es.*tri*.to) *a.* **1** Que revela exatidão, rigor; PRECISO **2** Que não dá margens a analogias, extensões, ilações etc. **3** Rigoroso, severo no que diz respeito à convenção, norma etc. [F.: Do lat. *strictus.*]

estro (es.tro) [é] *sm.* **1** *Biol.* Ver *cio* **2** Qualidade de quem tem gênio criativo, artístico: *O estro dos grandes poetas.* [F.: Do gr. *oistros*, pelo lat. *oestrus.*]

◎ **estro-** *pref.* = estro, delírio: *estrogênio*

estróbilo (es.*tró*.bi.lo) *sm.* **1** *Zool.* Conjunto de segmentos que formam o corpo das tênias **2** *Bot.* Estrutura florífera e frutífera das coníferas, como, p. ex., a pinha-do-paraná, que se apresenta grande, dura e dotada de brácteas e óvulos; CONE [F.: Do lat. cient. *strobilus* < gr. *stróbilos.*]

estrobo (es.*tro*.bo) [ó] *sm.* **1** Movimento piscante de luzes us. como sinalização de advertência ou em decoração **2**

Ver *estroboscópio* ***a.*** 3 Diz-se da iluminação intermitente de objetos ou pessoas em movimento (lâmpada estrobo) [F.: Red. de *estroboscópio*. Ideia de: estrobo-.]

◎**estrobo-** ***el. comp.*** Registra-se na terminologia científica a partir do séc. XX: *estroboscopia, estroboscópico, estroboscópio* etc. [F.: Do gr. *strόbos, ou*, 'turbilhão, redemoinho'.]

estroboscópico (es.tro.bos.*có*.pi.co) ***a.*** Ref. a estroboscopia ou a estroboscópio [F.: *estroboscópio* + *-ico*[2].]

estroboscópio (es.tro.bos.*có*.pi:o) ***sm.*** 1 Instrumento que se destina a determinar a velocidade do movimento cíclico de um sistema em rotação ou vibração 2 Disco giratório com orifícios em torno da circunferência para se observar um objeto 3 *Med.* Aparelho que permite a visualização e o registro dos movimentos da laringe [F.: *estrobo-* + *-scópio*.]

estrofe (es.*tro*.fe) *Poét.* ***sf.*** 1 Na antiga ode grega, a parte inicial, que o coro cantava girando da direita para a esquerda 2 Cada um dos grupos de versos em que se divide um poema; ESTÂNCIA [F.: Do gr. *strophé*, pelo lat. *stropha*.]

estrófico (es.*tró*.fi.co) ***a.*** Ref. a ou próprio de estrofe [F.: *estrof(e)* + *-ico*[2].]

estrófulo (es.*tró*.fu.lo) ***sm.*** *Derm.* Dermatose comum em recém-nascido na fase de amamentação [F.: Do lat. cient. *strophulus* < gr. *stróphos, ou*, 'corda torcida'.]

estrogênico (es.tro.*gê*.ni.co) ***a.*** *Bioq.* Diz-se de substância que estimula a ovulação [F.: *estro-* + *-gen(o)-* + *ico*[2].]

estrogênio (es.tro.*gê*.ni:o) ***sm.*** *Fisl.* Designação dos hormônios femininos que criam as condições necessárias à fertilização do embrião e determinam os caracteres femininos secundários [F.: *estr(o)-* + *-gênio*.]

estrógeno (es.*tró*.ge.no) ***sm.*** *Bioq.* O mesmo que *estrogênio* [F.: *estro-* + *-geno*.]

estrogonofe (es.tro.go.*no*.fe) ***sm.*** *Cul.* Iguaria que consiste em carne guisada com molho de creme de leite, condimentos (ger. *ketc.hup* e mostarda) e cogumelos [F.: Do ing. *Stroganoff*, do antr. Paulo Stroganov, conde russo.]

estroina (es.*troi*.na) ***a2g.*** 1 Que leva vida boêmia, leviana, e gasta dinheiro em excesso ***s2g.*** 2 Indivíduo leviano e perdulário: "(...) por desgraça minha, fui casada com um estroina, que desbaratou o meu dote, quase a me deixar na miséria." (Josué Montello, *Sempre serás lembrada*) [F.: De or. obsc.]

estroinice (es.troi.*ni*.ce) ***sf.*** Ação ou comportamento de estroina, ou próprios de estroina [F.: *estroina* + *-ice*.]

estroma (es.*tro*.ma) ***sm.*** 1 *Anat.* Tecido conjuntivo que compõe o tecido nutritivo e de sustentação de um órgão, de uma glândula e tb. de certas estruturas patológicas, como tumores 2 *Bot.* Trama que, constituindo o cloroplasto, tem grãos de clorofila sobre suas malhas 3 *Biol.* Massa tecidual de um fungo 4 Trama que formam os fios de um tecido [F.: Do lat. cient. *stroma*, do lat. *stroma, atis* < gr. *strôma, atos*, 'o que cobre', 'tapete'. Sin. ger.: *estrômato*.] ▪▪ **~ ovariano** *Histol.* Tecido conjuntivo existente entre os folículos

estromatólito (es.tro.ma.*tó*.li.to) ***sm.*** *Ecol.* Estrutura sedimentar marinha em forma de cogumelo produzida pelo aprisionamento, retenção e/ou precipitação de sedimentos resultantes do crescimento e da atividade metabólica de microrganismos [F.: Do gr. *strôma, atos* + *-lito*.]

estrompa (es.*trom*.pa) *N.E. Pop.* ***a2g.*** 1 Que é ignorante, rude; BOÇAL; ESTÚPIDO 2 Sem jeito ou habilidade; DESAJEITADO 3 Desagradável [F.: Der. regress. de *estrompado*, posv. Hom./Par.: *estrompa* (a2g.), *estrompa* (fl. de *estrompar*).]

estrompado (es.trom.*pa*.do) *Pop.* ***a.*** 1 Que se estrompou; que se estragou pelo uso 2 Desprovido de força física, de vigor 3 *S.* Bronco, rude, estúpido [F.: Part. de *estrompar*.]

estrompar (es.trom.*par*) ***v.*** 1 Obrigar (alguém ou a si próprio) a trabalho longo e pesado; cansar(-se), fatigar(-se) [***td.***: *A dupla jornada de trabalho estrompava-o; Ao final do dia, invariavelmente, estrompava-se.*] 2 Estragar(-se), arruinar(-se) [***td.***: *A última viagem estrompou minha mochila.*] [***int.***: *Os sapatos estromparam-se.*] 3 *CE* Perturbar (jogo ou negócio) errando de propósito [***td.***] [▶ 1 estrompar] [F.: De or. obsc.]

estrompido (es.trom.*pi*.do) ***sm.*** Barulho muito forte; ESTRONDO; ESTRÉPITO; ESTAMPIDO [F.: De or. incerta; posv. de *estrondo* com *estampido*.]

estroncar (es.tron.*car*) ***v. td.*** Mesmo que *destroncar* [▶ 11 estroncar] [F.: *es-* + *tronco* + *-ar*.]

estrôncio (es.*trôn*.ci:o) ***sm.*** *Quím.* Elemento químico de número atômico 38, pertencente à família dos metais alcalino-terrosos, maleável, branco-prateado [Símb.: *Sr.*] [F.: Do lat. cient. *strontium*, do top. *Strontian* (Escócia).]

estrondar (es.tron.*dar*) ***v. int.*** 1 Mesmo que *estrondear* 2 *Lus.* Escangalhar(-se), desconjuntar(-se) (falando-se de carros) [▶ 1 estrondar] [F.: *estrondo* + *-ar*. Hom./Par.: *estrondo* (sm.).]

estrondear (es.tron.de.*ar*) ***v. int.*** 1 Produzir forte barulho, estrondo; RIBOMBAR: *Os canhões estrondeavam de maneira apavorante.* 2 *Fig.* Provocar sensação: *O roqueiro chegou ao Rio estrondeando.* 3 *Fig.* Falar aos gritos; VOCIFERAR: *A vítima estrondeava na porta da delegacia.* [▶ 13 estrondear] [F.: *estrondo* + *-ear*.]

estrondejar (es.tron.de.*jar*) ***v. int.*** Mesmo que *estrondear* [▶ 1 estrondejar] [F.: *estrondo* + *-ejar*.]

estrondo (es.*tron*.do) ***sm.*** 1 Barulho muito forte, ensurdecedor, ger. rápido 2 Agitação de pessoas em torno de algo 3 Ostentação aparatosa; ALARDE; POMPA 4 Realização, evento etc. de grande efeito ou sucesso: *A festa de fim de ano foi um estrondo.* [F.: De or. contrv.]

estrondoso (es.tron.*do*.so) [ô] ***a.*** 1 Que produz grande barulho, estrondo; ESTREPITOSO 2 Que causa sensação, alarde: *sucesso estrondoso.* 3 Grandioso, luxuoso, pomposo [Fem. e pl.: [ó].] [F.: *estrondo* + *-oso*.]

estrongiloide (es.tron.gi.*loi*.de) *Zool.* ***sm.*** 1 Gênero de vermes nematódeos que apresenta espécies cujos adultos parasitam vertebrados terrestres, enquanto as larvas se desenvolvem ger. em anelídeos e moluscos 2 Qualquer espécie desse gênero, como o *Strongyloides stercoralis*, que parasita o intestino dos vertebrados, especialmente o do homem 3 Qualquer espécime desse gênero [F.: Do tax. *Strongyloides*.]

estrongiloidíase (es.tron.gi.loi.*dí*:a.se) ***sf.*** *Pat.* Doença predominantemente intestinal, causada pelo *Strongyloides stercoralis*, que provoca diarreia e tem no homem seu principal reservatório e foco de infecção [F.: Do tax. *Strongyloides* + *-íase*.]

estropear (es.tro.pe.*ar*) ***v. int.*** 1 Fazer tropel, fazer muito barulho ou confusão 2 *Lus.* No Minho, bater (porta) com força [▶ 13 estropear] [F.: Do it. *stroppiare*. Hom./Par.: *estropear* (v.), *estropiar* (v.).]

estropiado (es.tro.pi:*a*.do) ***a.*** 1 Que perdeu algum membro; MUTILADO; ALEIJADO: *soldados estropiados nos campos de batalha.* 2 *Fig.* Que não tem ordem ou correção (estilo estropiado) 3 *Fig.* Que foi alterado, desfigurado, desvirtuado: "... disse, num inglês propositadamente estropiado, misturado com francês mais estropiado ainda." (*O Estado de São Paulo*, 20.01.2003) 4 Que está muito cansado (cavalo estropiado); FATIGADO ***sm.*** 5 Indivíduo estropiado (1) [F.: Part. de *estropiar*. Hom./Par.: *estropiado* (a.sm.), *estropeado* (part. de *estropear*); *estropiada* (fem.), *estropeada* (sf.).]

estropiar (es.tro.pi.*ar*) ***v.*** 1 Provocar ou sofrer mutilação ou ferimento grave; ALEIJAR(-SE); MUTILAR(-SE) [***td.***: *Estropiou a perna.*] [***int.***: *Estropiou-se ao cair da escada.*] 2 Fazer ficar ou ficar inabilitado, invalidado (para algo) [***td. tdr.*** + *para*: *Sua vida desregrada estropiou-o (para o futebol).*] [***int. tr.*** + *para*: *Abusou da bebida e estropiou-se (para o cargo).*] 3 Cansar muito; ESFALFAR; EXAURIR [***td.***: *A longa viagem nos estropiou.*] 4 *Fig.* Alterar, desvirtuar (o sentido ou a forma de frase, palavra, ideia etc.) ao copiar, repassar, interpretar etc. [***td.***: *estropiar uma notícia.*] 5 *Fig.* Cantar ou tocar mal [***td.***: *Ele estropia qualquer canção.*] [▶ 1 estropiar] [F.: Do it. *stroppiare*. Hom./Par.: *estropiar* (v.), *estropear* (v.).]

estropício (es.tro.*pí*.ci:o) ***sm.*** Dano, estrago, transtorno [F.: Do it. *stropiccio*. Hom./Par.: *estrupício*.]

estrugimento (es.tru.gi.*men*.to) ***sm.*** Ação ou resultado de estrugir; ATORDOAMENTO; ABALO [F.: *estrugir* + *-mento*.]

estrugir (es.tru.*gir*) ***v.*** 1 Fazer vibrar ou vibrar fortemente, ruidosamente [***td.***: *Um som agudo estrugiu meus tímpanos.*] [***int.***: *Com a notícia, um brado de protesto estrugiu na praça apinhada de gente.*] 2 *Lus. Cul.* Refogar (alimento): *estrugir toucinho.* [▶ 46 estrugir] [F.: De or. obsc.]

estruir (es.tru.*ir*) ***v.*** 1 *Ant.* Mesmo que *destruir* [***td. int.***] 2 Causar estrago a; DANIFICAR [***td.***] 3 *N.E. Pop.* Gastar de maneira descontrolada; DESPERDIÇAR [***td.***] 4 *N.E. Pop.* Consumir pouco (alimento), deixando o resto para outrem [***td.***] [▶ 56 estruir] [F.: de *destruir*.]

estrumado (es.tru.*ma*.do) ***a.*** 1 Que foi adubado com estrume (terreno estrumado); ESTERCADO 2 Fertilizado [F.: Part. de *estrumar*.]

estrumar (es.tru.*mar*) ***v.*** 1 Pôr estrume em (terra) para fertilizá-la; ADUBAR [***td.***: *Mandou estrumar o novo lote.*] 2 Fazer estrumeira [***int.***] [▶ 1 estrumar] [F.: *estrume* + *-ar*[2]. Hom./Par.: *estrume* (fl. de *estrumar*), *estrume* (sm.).]

estrumbicar-se (es.trum.bi.*car*-se) ***v.*** *Bras. Pop.* O mesmo que *trumbicar-se* [▶ 11 estrumbicar-se] [F.: *es-* + *trumbicar* + *se*[1].]

estrume (es.*tru*.me) ***sm.*** 1 Mistura de excrementos de animal (ger. bovino ou equino) com a palha com que se forra o estábulo ou a cavalariça, us. como adubo 2 Esse adubo; ESTERCO [F.: Do lat. *strumen*.]

estrumeira (es.tru.*mei*.ra) ***sf.*** 1 Local em que se acumula, prepara e fermenta estrume; ESTERQUEIRA 2 *Pext. Pej.* Lugar muito sujo, imundo 3 *Fig. Pej.* Qualquer coisa repulsiva ou desprezível [F.: *estrume* + *-eira*.]

estrumela (es.tru.*me*.la) ***sf.*** *Bras. Pop.* Coisa complicada, coisa de que não se sabe o nome [F.: De or. incerta; posv. de *estrume*.]

estrunchar (es.trun.*char*) ***v. td.*** Arrebentar, quebrar [▶ 1 estrunchar]

estrupício (es.tru.*pí*.ci:o) *Bras. Pop.* ***sm.*** 1 Situação em que há alvoroço, confusão 2 Problema complicado ou coisa que dá muito trabalho 3 Coisa grande ou despropositada 4 Coisa esquisita, incomum 5 Ato ou comportamento de pessoa estúpida, ignorante; ASNICE; TOLICE [F.: Do it. *stropiccio*. Hom./Par.: *estropício*.]

estrupido (es.tru.*pi*.do) ***sm.*** Ruído causado por tropel de gente ou de animais; ESTRÉPITO: "Como uma tempestade entre as sombras noturnas / O estrupido brutal dessa invasão de feras." (Olavo Bilac, "Primeiras migrações", *in As viagens*) [F.: De *estrompido*, com desnasalização.]

estrutiocultura (es.tru.ti:o.cul.*tu*.ra) ***sf.*** Criação de avestruzes [F.: Do lat. *struthio, onis* 'avestruz' + *cultura*.]

estrutura (es.tru.*tu*.ra) ***sf.*** 1 Modo como se dispõem ou articulam as partes que formam um todo, seja concreto, seja abstrato: *a estrutura de um prédio; a estrutura de um dicionário; a estrutura de um time de futebol.* 2 A parte que constitui o elemento de sustentação de um todo e de sua resistência a cargas, pressões etc. (tb. no sentido figurado): *O esqueleto constitui a estrutura do corpo dos vertebrados; Não tinha estrutura para suportar aquela cena.* 3 Obra construída pela junção ou articulação de partes: *A torre era constituída de uma estrutura de metal.* 4 A forma como as partes que formam um todo se relacionam entre si, determinando o funcionamento desse todo: *Queria uma empresa de estrutura ágil, capaz de dar rapidez aos negócios.* 5 O que é fundamental, essencial: *Mudança de ministros não altera a estrutura do país.* 6 *Fig.* Aquilo que é mais essencial em alguma coisa: *Só lhe interessava a estrutura das coisas, não os detalhes.* 7 O conjunto de elementos básicos que dão sustentação a uma obra (artística, científica etc.): *O filme era bonito, mas de estrutura antiquada.* 8 A maneira como uma área específica da vida social está organizada (estrutura política, estrutura econômica, estrutura jurídica) 9 Conceito teórico das ciências humanas (antropologia, psicologia etc.), baseado na ideia de estrutura como um sistema de relações que forma um todo sólido, inteligível e coerente, e que é subjacente à variedade e mobilidade dos fenômenos empíricos 10 *Cit.* Disposição linear dos genes nos cromossomos 11 *Biol.* Conjunto dos órgãos que formam um organismo 12 *Físquím.* Nas substâncias e compostos químicos, disposição e inter-relacionamento de átomos, moléculas e íons; sua expressão gráfica (fórmula estrutural) 13 *Geol.* Forma de disposição e inter-relacionamento de camadas geológicas e aspectos morfológicos das rochas 14 *Fil.* No marxismo, fundamento econômico de uma sociedade, baseado na relação e interação das forças de produção, como capital e trabalho (infraestrutura), que determinarão as formas sociais e culturais (superestrutura) [F.: Do lat. *structura*.] ▪▪ **~ anômala** *Bot.* Em plantas lenhosas, tipo de lenho diferente do usual **~ colunar** *Geol.* Estrutura na forma de colunas prismáticas na superfície de rocha magmática, formada pela contração da rocha no processo de resfriamento **~ cristalina** 1 *Min.* Agrupamento dos átomos de mineral na disposição espacial regular que constitui substância cristalina 2 *Fís.* A disposição geométrica espacial das partículas (íons, átomos, moléculas) de um cristal **~ da rocha** *Geol.* Designação comum aos caracteres de uma rocha que são visíveis a olho nu (como juntas, porosidades etc.) **~ estaticamente indeterminada** Ver *Estrutura hiperestática*. **~ hiperestática** Estrutura cujas solicitações não podem ser calculadas pelas leis da estática racional; estrutura estaticamente indeterminada **~ isostática** Estrutura cujas solicitações podem ser calculadas pelas leis da estática **~ profunda** *Gram. Ling.* O conteúdo semântico expresso por uma frase, em nível abstrato, do qual derivam diferentes formas lineares de conexão entre os elementos léxicos, todas representando esse mesmo conteúdo semântico [Cf.: *Estrutura superficial*.] **~ social** 1 *Antrop.* Complexo de elementos sociais cujas inter-relações formam uma estrutura empiricamente observável, e no qual a alteração de um deles pode redundar em mudanças nos outros (segundo Claude Lévi-Strauss) 2 *Soc.* Tipo de sistema (social, econômico ou político) de uma sociedade em certo tempo e lugar 3 Qualquer das formas sociais que uma sociedade pode assumir **~ superficial** *Gram. Ling.* Organização linear da frase, tal como se apresenta, para representar uma estrutura profunda [Cf.: *Estrutura profunda*.] **~ xistosa** *Min.* Estrutura presente nos xistos, que se caracteriza pela disposição dos minerais, paralela e em forma de agulhas ou de lâminas **~ zonada** *Min.* Na composição de um cristal, estrutura mineral que varia do centro para a periferia, correspondendo a diferentes fases cristalinas de seu crescimento; estrutura zonar **~ zonar** *Min.* Ver *Estrutura zonada*.

estruturação (es.tru.tu.ra.*ção*) ***sf.*** Ação ou resultado de estruturar, de dar ou adquirir estrutura [Pl.: *-ções*.] [F.: *estruturar* + *-ção*.]

estruturado (es.tru.tu.*ra*.do) ***a.*** 1 Que se assenta em estrutura (prédio estruturado) 2 Que é organizado (clube estruturado) 3 *Fig.* Que é emocionalmente equilibrado e amadurecido: *jovens bem estruturados.* [F.: Part. de *estruturar*. Ant. ger.: *desestruturado*.]

estruturador (es.tru.tu.ra.*dor*) [ô] ***a.*** 1 Que estrutura, organiza (elemento estruturador) ***sm.*** 2 Aquele que estrutura: *Pedro trabalha como estruturador de empresas.* [F.: *estrutura(r)* + *-dor*.]

estrutural (es.tru.tu.*ral*) ***a2g.*** 1 Ref. a estrutura 2 Que ocorre numa estrutura, num conjunto organizado: *O abalo foi estrutural, e ameaça a estabilidade do prédio.* 3 Que se relaciona com a base, com a estrutura de um conceito ou situação, e não com aspectos secundários ou circunstanciais: *Em 1964, o Brasil sofreu grave crise estrutural.* 4 Que envolve o conceito de estrutura elaborado pelo estruturalismo 5 *Econ.* Decorrente das bases ou dos elementos essenciais de uma economia (déficit estrutural) [Neste sentido, opõe-se a "conjuntural".] [Pl.: *-rais*.] [F.: *estrutura* + *-al*[1].]

estruturalismo (es.tru.tu.ra.*lis*.mo) ***sm.*** 1 Termo que abrange diversas correntes de pensamento fundamentadas na ideia de que os fenômenos e fatos culturais podem ser analisados como estruturas, i.e., totalidades constituídas de elementos funcionalmente interligados 2 *Ling.* Conceito linguístico do início do século XX, para o qual a língua é estruturada num sistema de relações não consciente para os falantes e que se expressa em fatos linguísticos cuja observação e generalização poderia levar à identificação dessa estrutura 3 *Antr.* Método de interpretação dos fatos e relações sociais como elementos de estruturas relacionais lógicas e inconscientes, cujas diferentes expressões podem ser permutadas com base em modelos conceituais, para a compreensão do conjunto da sociedade 4 *Antr.* Método de estudo (na antropologia cultural) da incidência, padrões e fundamentos das manifestações recorrentes de ideias, símbolos, comportamentos etc. numa sociedade [F.: *estrutural* + *-ismo*.]

estruturalista (es.tru.tu.ra.*lis*.ta) ***a2g.*** 1 Ref. ao estruturalismo 2 Que segue ou adota as ideias e princípios do estruturalismo ***s2g.*** 3 Adepto do estruturalismo [F.: *estrutural* + *-ista*.]

estruturar (es.tru.tu.*rar*) ***v.*** 1 Prover de estrutura uma construção, um objeto; CONSTRUIR [***td.***: *estruturar um edifício*.] 2 Planejar, elaborar a interligação dos elementos de um projeto, de uma ação, de uma ideia etc. [***td.***: *estruturar uma campanha publicitária; estruturar uma novela*.] 3 *Fig.* Munir (algo ou alguém, inclusive si mesmo) de estabilidade emocional ou financeira [***tdr.*** + *para*: *Estruturou-se para enfrentar a nova situação*.] [▶ 1 estruturar] [F.: Do fr. *structurer*. Hom./Par.: *estrutura* (fl. de *estruturar*), *estrutura* (sf.).]

estuante (es.tu:*an*.te) ***a2g.*** Que estua; ARDENTE; FERVENTE: "... e o único que imprimiu vida estuante própria ao princípio da liberdade igualitária." (Florestan Fernandes, *in Folha de S.Paulo*, 01.01.1984) [F.: Do lat. *aestuans, antis*.]

estuar (es.tu.*ar*) ***v. int.*** 1 Estar muito quente (tb. fig.); FERVER: *A tarde estuava*; "Estuava-lhe a dor no peito aflito" (Gonçalves Dias, *Poesias*) 2 *Pext.* Tornar-se quente demais 3 Agitar-se (o mar) 4 *Fig.* Agitar-se de maneira frenética [▶ 1 estuar] [F.: do lat. *aestuare*.]

estuarino-lagunar (es.tu:a.ri.no-la.gu.*nar*) ***a2g.*** Ref. a, ou próprio de estuário e lagoa (complexo estuarino-lagunar) [Pl.: *estuarino-lagunares*.]

estuário (es.tu:*á*.ri:o) ***sm.*** 1 *Geog.* Tipo de foz em que um rio se alarga e que recebe águas do mar na preamar 2 *Fig.* Lugar para onde convergem grande quantidade de coisas (fatos, palavras, informações, ideias etc.): *O dicionário é um estuário de palavras; A polícia federal é um estuário de informações sigilosas*. [F.: Do lat. *aestuarium*.]

estucado (es.tu.*ca*.do) ***a.*** Revestido de estuque (muro estucado); REBOCADO [F.: Part. de *estucar*. Hom./Par.: *estucado* (a.), *estocado* (a.); *estucada* (fem.), *estocada* (sf.).]

estucador (es.tu.ca.*dor*) [ô] ***a.*** 1 Que estuca ***sm.*** 2 Operário que estuca [F.: *estuca(r)* + *-dor*.]

estucar (es.tu.*car*) ***v.*** 1 Rebocar, revestir com estuque [***td.***: *Pretendia estucar as paredes da garage*.] 2 Fazer um trabalho utilizando estuque [***int.***: *Primeiro vamos estucar, depois pintar*.] [▶ 11 estu**car**] [F.: *estuque* + *-ar*.]

estudado (es.tu.*da*.do) ***a.*** 1 Que se observou, examinou profundamente (fenômeno estudado) 2 *Pej.* Que se caracteriza pela afetação, pela artificialidade (comportamento estudado). [Ant.: *espontâneo, natural*.] 3 Que se alcançou por meio de estudo (técnica estudada) 4 *Bras.* Que tem muito estudo, instrução: *É um jovem simples, mas estudado*. [F.: Part. de *estudar*.]

estudantada (es.tu.dan.*ta*.da) ***sf.*** 1 Quantidade de estudantes 2 Brincadeira típica de estudantes [F.: *estudant(e)* + *-ada*[2].]

estudante (es.tu.*dan*.te) ***a2g.*** 1 Que estuda, que frequenta regularmente um curso de ensino; ALUNO: *Separe os estagiários estudantes dos formados*. [Aum.: *estudantaço*.] ***s2g.*** 2 Aquele que estuda em uma determinada instituição de ensino ou curso: *Os estudantes de engenharia estavam impacientes pelo reinício das aulas*. [F.: *estudar* + *-nte*.]

estudantil (es.tu.dan.*til*) ***a2g.*** Ref. a ou próprio de estudante (movimento estudantil) [Pl.: *-tis*.] [F.: *estudante* + *-il*.]

estudar (es.tu.*dar*) ***v.*** 1 Aplicar o raciocínio, a percepção, a memória etc. para aprender [***td.***: *estudar uma língua/as leis do trânsito*.] [***int.***: *Preciso estudar para o exame*.] 2 Frequentar curso ou ser estudante (de) [***td.***: *Estuda inglês e francês*.] [***int.***: *Trabalha e estuda*.] 3 Dedicar-se aos estudos [***int.***: *Sem estudar não se vai muito longe*.] 4 Decorar, memorizar [***td.***: *O ator estudou sua fala*.] 5 Analisar, refletir a respeito de [***td.***: *A diretoria estudará nossas reivindicações; Estudou a tática do adversário antes de montar a sua*.] 6 Observar (algo, alguém ou si mesmo) detidamente [***td.***: *Estuda o comportamento do filho mas não chega a entendê-lo; Estudou-se procurando um sinal*.] 7 Treinar(-se), exercitar(-se) [***td.***: *estudar a coreografia*.] [***int.***: *Desde que aprendeu os passos, não para de estudar*.] [▶ 1 estudar] [F.: *estudo* + *-ar*[2]. Hom./Par.: *estudo* (fl. de *estudar*), *estudo* (sm.).]

estúdio (es.*tú*.di:o) ***sm.*** 1 Lugar em que um ou mais artistas realizam seus trabalhos; ATELIÊ 2 Qualquer cômodo reservado para trabalho artístico ou intelectual 3 Lugar equipado para trabalhos como revelação de filmes, gravação de discos, transmissão radiofônica etc. 4 *Cin. Telv.* Construção ou conjunto de construções, ger. equipada com cenários, nas quais são filmadas as cenas de um filme, uma novela etc. 5 Apartamento quase sempre pequeno, ger. habitado por pessoa solteira ou casal [F.: Do lat. *studium*, pelo ing. *studio*.]

estudioso (es.tu.di:*o*.so) [ô] ***a.*** 1 Que se aplica no estudo de alguma coisa (moça estudiosa) [Fem. e pl.: [ó].] ***sm.*** 2 Aquele que estuda com afinco determinado assunto: *um estudioso de poesia galega*. [Fem. e pl.: [ó].] [F.: Do lat. *studiosus*.]

estudo (es.*tu*.do) ***sm.*** 1 Ação ou resultado de estudar: *Dedicava as manhãs ao estudo*. 2 Aplicação das faculdades intelectuais com o fim de adquirir conhecimentos: *Aplicava-se no estudo da matemática*. 3 Trabalho ou conjunto de trabalhos que precedem a execução da uma obra e que visam à análise das condições, dos meios, recursos etc. necessários para sua realização: *Os estudos para a construção da ponte foram intensos*. 4 Análise, exame: *Fez um estudo do mercado antes de aplicar o dinheiro*. 5 Trabalho artístico ou científico sobre um assunto: *Escreveu um estudo sobre a decadência da Babilônia*. 6 Atenção especial ou avaliação cuidadosa: *Para dar certo, o plano exigia um estudo prévio*. 7 *Art.pl.* Esboço ou modelo de ensaio na concepção e planejamento de uma obra de arte (pintura, escultura, arquitetura etc.) 8 *Mús.* Peça musical composta para desenvolver apuro técnico ou estético de quem a executa 9 *Fig.* Dissimulação, maneira artificiosa de expressar ou fazer algo: *Afirmava essas coisas com um certo estudo nos gestos*. 10 Cuidado no apuro ou acabamento em um trabalho: *Esse quadro foi feito com muito estudo e detalhamento*. [F.: Do lat. *studium*.] ■ **De ~** 1 Que propicia o estudo: *ambiente de estudo*. 2 De propósito

estufa (es.*tu*.fa) ***sf.*** 1 Aparelho (pequeno fogão a lenha, a gás, elétrico etc.) para aquecer ambientes 2 Parte fechada de fogão, forno para assar 3 Recinto climatizado, com paredes ou telhado de vidro, para manter aquecidas plantas e/ou flores 4 Aparelho de laboratório que esteriliza instrumentos médicos, ou que, na indústria, serve para secar produtos, tintas etc. 5 *Fig.* Casa ou recinto muito quente: *Seu quarto era uma estufa*. [F.: Do it. *stufa*; Hom./Par. flex. de *estufar*.]

estufado (es.tu.*fa*.do) ***a.*** 1 Colocado em estufa 2 Que se estufou, inflou; AVOLUMADO; INFLADO: *Entrou na sala ameaçador, de peito estufado*. 3 Diz-se de alimento que foi cozido ou refogado ***sm.*** 4 Guisado de carne preparado em fogo lento, com a panela tampada [F.: Part. de *estufar*; Hom./Par.: *estofado*.]

estufamento (es.tu.fa.*men*.to) ***sm.*** 1 Ação ou resultado de estufar: *O estufamento da embalagem é sinal de deterioração*. 2 Sensação de inchaço provocada por acúmulo de gases no organismo: *estufamento do abdômen*. [F.: *estufa(r)* + *-mento*.]

estufar[1] (es.tu.*far*) ***v. td.*** 1 Aquecer ou secar em estufa (2) 2 Pôr em estufa (3) 3 *Cul.* Preparar (alimento, ger. carne) refogando e cozinhando em fogo baixo num recipiente tampado [▶ 1 estufar] [F.: Do lat. *stufare*, pelo it. *stufare*. Hom./Par.: *estufa* (fl. de *estufar*), *estufa* (sf.); *estufar* (v.), *estofar* (v.).]

estufar[2] (es.tu.*far*) ***v.*** 1 *Bras.* Inflar(-se) ou tornar(-se) mais volumoso [***td.***: *O vento estufava a vela do barco*.] [***int.***: *Ela estufou-se de tanto doce; Com os exercícios, seus bíceps estufaram*.] 2 *Bras. Fig.* Envaidecer ou ficar envaidecido, tornar ou ficar proeminente, presunçoso; inflar(-se) [***int.***: *Nunca se estufou com o sucesso*.] [***td.***: *Seu rápido sucesso estufou-o além da medida*.] [▶ 1 estu**far**] [F.: *es-* + *tufar*. Hom./Par.: *estufa* (fl. de *estufar*), *estufa* (sf.); *estufar* (v.), *estofar* (v.).]

estugado (es.tu.*ga*.do) ***a.*** Que se estugou (passo estugado); APRESSADO [F.: Part. de *estugar*.]

estugar (es.tu.*gar*) ***v. td.*** 1 Apressar (o passo) 2 Incitar, estimular, instigar; ESPICAÇAR: *estugar uma cavalgadura*. [▶ 14 estu**gar**] [F.: De or. contrv., talvez do lat. *studicare*.]

estultice (es.tul.*ti*.ce) ***sf.*** Ver *estultícia*

estultícia (es.tul.*tí*.ci:a) ***sf.*** Qualidade, ação ou dito de estulto; PARVOÍCE; TOLICE [F.: Do lat. *estultitia*. Tb. *estultice*.]

estulto (es.*tul*.to) ***a.*** Que não tem discernimento; que se mostra insensato, tolo, estúpido; PARVO; IMBECIL; NÉSCIO [Ant.: *perspicaz*.] [F.: Do lat. *stultus*.]

estumar (es.tu.*mar*) ***v.*** *Bras.* Açular ou acirrar (cães) [***td.***: "O padre estumava os cachorros, xingava em alemão." (Mário Palmério, *Vila dos confins*)] [▶ 1 estu**mar**] [F.: alter. de *estimular*.]

estuoso (es.tu:*o*.so) [ô] ***a.*** 1 Que tem grande calor; ARDENTE; ESTUANTE 2 Que jorra impetuosamente, aos borbotões: "E embora caias sobre o chão, fremente, / afogado em teu sangue estuoso e quente..." (Cruz e Souza, "Acrobata da dor", *in Broquéis*) [Pl.: [ó]. Fem.: [ó].] [F.: Do lat. *aestuosus, a, um*.]

estupefação (es.tu.pe.fa.*ção*) ***sf.*** 1 Entorpecimento em alguma parte do corpo 2 *Fig.* Estado de quem está aturdido, assombrado; PERPLEXIDADE: "A um gesto imperativo do pai, Maria das Graças, despertada da estupefação que lhe gelava o sangue nas veias, o ajudou a desatar a troixa de redes..." (Domingos Olímpio, *Luzia Homem*) [Pl.: *-ções*.] [F.: Do lat. *stupefactio, onis*.]

estupefaciente (es.tu.pe.fa.ci.*en*.te) ***a2g.*** 1 Que causa estupefação, que entorpece 2 *Med.* Diz-se de droga estupefaciente (1) 3 *Med.* Diz-se de substância que produz efeito analgésico e euforizante, e que pode provocar intoxicação ou dependência ***s2g.*** 4 A droga ou a substância que causa estupefação; ENTORPECENTE [F.: Do lat. *stupefaciens, entis*.]

estupefacto (es.tu.pe.*fac*.to) ***a.*** Que demonstra grande e paralisante surpresa; tb. *estupefato*: "A alegria dele, me ouvindo, foi estupefacta." (Guimarães Rosa, *Grande Sertão: Veredas*) [F.: Do lat. *stupefactus*.]

estupefato (es.tu.pe.*fa*.to) ***a.*** 1 *Fig.* Que denota grande e paralisante surpresa; ATÔNITO; PASMADO; PERPLEXO: *Ficou estupefato ao ouvir a notícia*. 2 *Med.* Que está imobilizado, entorpecido por ação de medicamento [F.: Do lat. *stupefactus*. Tb. *estupefacto*.]

estupefazer (es.tu.pe.fa.*zer*) ***v. td.*** 1 Mesmo que *estupeficar* 2 Causar pasmo; MARAVILHAR [▶ 22 estupe**fazer**] [F.: do lat. *stupefacere*.]

estupendo (es.tu.*pen*.do) ***a.*** 1 Que é formidável, maravilhoso, extraordinário: *O filme teve um final estupendo*. 2 Que espanta pela enormidade; COLOSSAL; MONSTRUOSO: *Ficou atônito ao ver aquele gorila estupendo*. [F.: Do lat. *stupendus*.]

estupidamente (es.tu.pi.da.*men*.te) ***adv.*** 1 De maneira estúpida: *Acidentou-se estupidamente*. 2 *Bras. Gír.* Excessivamente, exageradamente: *água estupidamente gelada*. [F.: Fem. de *estúpido* + *-mente*.]

estupidez (es.tu.pi.*dez*) ***sf.*** 1 Qualidade de estúpido; falta de discernimento ou de inteligência: *Sua estupidez o fazia perder amigos*. 2 Ação, fala etc. que revelam falta de inteligência: *Saltar do carro em movimento foi uma estupidez*. 3 *Bras.* Atitude ou ação grosseira: *Tratava a mulher com estupidez*. [F.: *estúpido* + *-ez*.]

estupidificar (es.tu.pi.di.fi.*car*) ***v.*** Tornar(-se) estúpido, parvo, idiota [***td.***: *A sífilis estupidificou-o*.] [***int.***: *Após anos de isolamento total, estupidificou-se*.] [▶ 11 estupidifi**car**] [F.: *estúpido* + *-ficar*.]

estúpido (es.*tú*.pi.do) ***a.*** 1 Sem inteligência, sem discernimento (projeto estúpido, indivíduo estúpido) 2 Sem ação, transtornado, atacado de estupor: "Notei o espasmo com que meu pai me ouviu, e fiquei de pedra, estúpido de dor, ao ouvir-lhe esta sentença..." (Camilo Castelo Branco, *As três irmãs*) 3 Que é excessivo ou insuportável: *Um calor estúpido o deixou exausto*. 4 *Bras.* Que demonstra grosseria, brutalidade: *Era muito estúpido com os subordinados*. ***sm.*** 5 Indivíduo grosseiro, brutal: *Estúpido aqui não tem vez, aqui vale a boa educação*. [Aum.: *estupidarrão*.] [F.: Do lat. *stupidus*.]

estupor (es.tu.*por*) [ô] ***sm.*** 1 *Med.* Estado mórbido em que o doente, apesar de consciente, não reage a estímulos externos, permanecendo imóvel, aparentemente sem sensibilidade 2 *Pext. Fig.* Imobilidade súbita provocada por sensação de choque ou espanto: "O asco, pavor e gastura imobilizaram-no, num ricto de estupor" (Guimarães Rosa, *Estas estórias*) 3 *Antq.* Qualquer paralisia 4 *Fig. Pej.* Indivíduo muito feio, de muito mau aspecto ou profundamente desagradável [F.: Do lat. *stupor*. *Ofensivo nesta acp.*] ■ **~ dos dentes** *Od.* Sensação de estarem os dentes embotados, ou seja, sem fio

estuporado (es.tu.po.*ra*.do) ***a.*** 1 Atacado de estupor: "...e com a lista na mão, a olhar de um lado a outro, parecia atordoado, estuporado." (Lima Barreto, "Quase ela deu o 'sim', mas..." *in O homem que sabia javanês e outros contos*) 2 *Fig.* Em más condições; ESTRAGADO; ARRUINADO 3 *Fig.* Muito cansado 4 *Pop.* Muito feio [F.: Do lat. *stuporatus, a, um*.]

estuporamento (es.tu.po.ra.*men*.to) ***sm.*** Ação ou resultado de estuporar(-se): "Enfim, quem come jaca e bebe qualquer espécie de cachaça estupora, mas nas horas antes parece ótimo, até chegar ao estuporamento." (João Ubaldo Ribeiro, *Sargento Getúlio*) [F.: *estuporar* + *-mento*.]

estuporar (es.tu.po.*rar*) ***v.*** 1 Levar ao ou cair em estupor [***td.***: *O excesso de remédios acabou por estuporá-lo*.] [***int.***: *Ficou noites seguidas sem dormir e estuporou-se*.] 2 *Fig.* Deixar ou ficar exausto; ESTAFAR-SE; EXAURIR-SE [***int.***: *Estuporou-se capinando o quintal*.] [***td.***: *Exercícios em demasia acabaram por estuporá-la*.] 3 Causar ou sofrer estrago, estragar(-se), arruinar(-se), deteriorar(-se) [***td.***: *A chuva forte estuporou o canteiro recém-plantado*.] [***int.***: *O solo estuporou-se com a seca*.] 4 Tornar-se desprezível; AVILTAR-SE [***int.***: *Estupora-se a cada nova atitude*.] 5 *Pop.* Arrebentar-se, morrer [***int.***: *Bebeu demais, foi dirigir, bateu com o carro e estuporou-se*.] [▶ 1 estupo**rar**] [F.: *estupor* + *-ar*[2].]

estuprado (es.tu.*pra*.do) ***a.*** 1 Que foi vítima de estupro ***sm.*** 2 Vítima de estupro [F.: Do lat. *stupratus, a, um*.]

estuprador (es.tu.pra.*dor*) [ô] ***a.*** 1 Que estupra ***sm.*** 2 Aquele que estupra [F.: Do lat. *stuprator, oris*.]

estuprar (es.tu.*prar*) ***v. td.*** Cometer estupro contra; forçar (outrem) a ter relações sexuais contra sua vontade; VIOLENTAR [▶ 1 estu**prar**] [F.: Do lat. *stuprare*. Hom./Par.: *estupro* (fl. de *estuprar*), *estupro* (sm.).]

estupro (es.*tu*.pro) ***sm.*** 1 Crime que consiste em obrigar alguém a manter relação sexual mediante ameaça ou violência 2 *Fig.* Violação brutal: "Oh, aquilo horrorizava, parecia uma profanação bestial, parecia um estupro" (Guimarães Rosa, *Noites do sertão*) [F.: Do lat. *stuprum*. Hom./Par.: *estupro* (flex. de *estuprar*).]

estuque (es.*tu*.que) ***sm.*** 1 Massa feita de barro, areia e água, o mesmo que *taipa* 2 Massa de gesso, pó de mármore, cal e areia, us. para revestir paredes, tetos etc. 3 Revestimento feito com essa massa [F.: Do it. *stucco*, pelo fr. *stuc*.]

estúrdia (es.*túr*.di:a) ***sf.*** 1 Vida ou comportamento irresponsável: "...Pertenço à estúrdia e à crápula da noite / Sou só delas, encontro-me disperso..." (Fernando Pessoa, "A falência do prazer e do amor", *in Obras completas*) 2 Gesto, atitude imprudente; ESTROINICE; LEVIANDADE [F.: De or. incerta; posv. do fr. *étourderie*, 'leviandade', 'travessura'. Hom./Par.: *estúrdia* (sf.), *esturdia* (flex. de *esturdiar*).]

estúrdio (es.*túr*.di:o) ***a.*** 1 Que não tem juízo nem consideração; ESTROINA: "Era homem insuportável, estúrdio, exigente, ninguém o aturava, nem os próprios amigos..." (Machado de Assis, "O enfermeiro", *in Obras Completas*) 2 Que revela estranheza; INVULGAR; INCOMUM: "Do que me alembro, ele não figurava mais estúrdio, nem mais triste do que os outros." (João Guimarães Rosa, "A terceira margem do rio", *in Primeiras estórias*) 3 *RS* Diz-se de traje fora de moda 4 *MG SP* Diz-se de coisa esquisita, estapafúrdia ***sm.*** 5 Indivíduo sem juízo [F.: Posv. do fr. *étourdi*, do lat. pop. **exturditus*. Hom./Par.: *estúrdio* (a.sm.), *esturdio* (fl. de *esturdiar*), *estúrdia* (fem.), *estúrdia* (sf.).]

esturjão (es.tur.*jão*) ***sm.*** Denominação comum a diversos peixes do hemisfério norte, da fam. dos acipenserídeos, como o *Acipenser sturio*, encontrado nos mares temperados da Europa, e de cuja ova se faz o caviar [Pl.: *-jões*.] [F.: Do fr. *sturgeon*.]

esturrar (es.tur.*rar*) *v.* 1 Torrar(-se) deixando ou ficando quase queimado (esturrar o café) [*td.*: *A cozinheira esturrou a carne.*] [*int.*: *Esquecido no forno, o pão esturrou(-se)*] 2 Deixar ou ficar exaltado; EXALTAR(-SE) [*td. int.*] 3 *Bras.* Rosnar (animal) [*int.*] 4 *Bras.* Mesmo que *resmungar* [*int.*] 5 Secar a ponto de parecer queimado [*int.*: "Deixa-me ir... que a panela se esturra... por não ser mexida" (D. Francisco de Melo, *Feira dos anexins*)] [▶ 1 esturrar] [F.: *es-* + * *turrar*. Hom./Par.: *esturro* (fl.), *esturro* (sm.).]

esturricado (es.tur.ri.*ca*.do) *a.* 1 Demasiadamente seco, o mesmo que *estorricado* 2 Crestado, torrado, pelo fogo ou pelo sol [F.: Part. de *esturricar*.]

esturricante (es.tur.ri.*can*.te) *a2g.* Ver *estorricante* [F.: *esturricar* + *-nte*.]

esturricar (es.tur.ri.*car*) *v.* Ver *estorricar* [▶ 11 esturricar]

esturro (es.*tur*.ro) *sm.* 1 Estado ou condição de algo que foi queimado 2 A comida ou algo que foi esturrado, queimado: *Só encontrou um esturro dentro da panela.* 3 Cheiro resultante da queima: *A casa toda foi tomada por um esturro enjoativo.* 4 *Fig.* Grande estrondo: *O esturro o deixou momentaneamente surdo.* 5 *Bras.* Urro de onça; BRAMIDO; RUGIDO [F.: Dev. de *esturrar*. Hom./Par.: *esturro* (flex. de *esturrar*).]

esvaecer (es.va:e.*cer*) *v.* 1 Apagar o que se considera indesejável; DESVANECER [*td.*: *O desenhista esvaecia, com cuidado, o excesso de tinta.*] 2 Fazer desaparecer ou desaparecer; DISSIPAR; EXTINGUIR [*td.*: *O tempo esvaeceu as cores do retrato; O sol esvaeceu a neblina.*] [*int.*: *O medo foi se esvaecendo aos poucos.*] 3 Perder o entusiasmo; DESANIMAR; ESMORECER [*int.*: *O soldado esvaeceu, diante do armamento inimigo.*] 4 Desfazer-se, evaporar-se [*int.*: *A fumaça esvaeceu-se no ar.*] 5 Enfraquecer; diminuir a intensidade [*int.*: "... a pergunta não se apagou nem se esvaeceu." (*Jornal do Brasil*, 21.07.2004)] 6 *Fig.* Desconstruir o planejamento ou o que se produziu; DISSIPAR; DESFAZER [*td.*: *Membros do sindicato esvaecem a passeata.*] [▶ 33 esvaecer] [F.: *es-* + *vanu* (lat. vão) + *-ecer*. Provavelmente formado por influência de *evanescer* (do lat. *evanescere*), com substituição dos afixos. Tb. *esvanecer*.]

esvair (es.va.*ir*) *v.* 1 Fazer evaporar ou evaporar-se, dissipar(-se), desvanecer [*td.*: *O sol esvairá toda essa neblina.*] 2 Findar, desaparecer, desvanecer [*int.*: "Mas a esperança logo se esvaiu..." (João Ubaldo Ribeiro, *Diário do farol*)] 3 *Fig.* Exaurir-se, esgotar-se [*tr.* + *em*: *O atleta esvaía-se em suor.*] 4 Passar rapidamente o tempo, uma época etc; ESCOAR-SE [*int.*: *Minha mocidade toda se esvaiu.*] 5 Desmaiar; DESFALECER [*int.*: *O cheiro do éter fê-la esvair-se.*] [▶ 43 esvair] [F.: *es-* + lat. *vanu* + *-ir*.]

esvanecente (es.va.ne.*cen*.te) *a2g.* Que esvanece: "Quando os galos deixam de cantar e as sombras esvanecentes e a friagem lançam sobre as coisas silente e imponderável mortalha..." (Aquilino Ribeiro, *Batalha sem fim*) [F.: *esvanecer* + *-nte*. Tb. *evanescente*.]

esvanecer (es.va.ne.*cer*) *v.* O mesmo que *desvanecer* [▶ 33 esvanecer-se] [F.: *es-* + *van-* + *-ecer*. Tb. *esvaecer*.]

esvão (es.*vão*) *Arq. sm.* 1 Ver *desvão* 2 Abóbada baixa [Pl.: *-vãos*.] [F.: *desvão* com mudança de prefixo.]

esvaziado (es.va.zi.*a*.do) *a.* 1 Que teve o conteúdo despejado (jarro esvaziado; sacola esvaziada) 2 Que foi desocupado (prédio esvaziado) 3 *Fig.* Que perdeu a importância ou a significação (propósito esvaziado) [F.: Part. de *esvaziar*.]

esvaziamento (es.va.zi.a.*men*.to) *sm.* Ação, resultado ou processo de esvaziar(-se) (esvaziamento do reservatório; esvaziamento da política) [F.: *esvaziar* + *-mento*.]

esvaziar (es.va.zi.*ar*) *v.* 1 Fazer ficar o ficar, tornar(-se) vazio [*td.*: *Esvaziar a geladeira.*] [*int.*: *O pneu da bicicleta (se) esvaziou.*] 2 Despejar todo o conteúdo de [*td.*: *Por favor, esvazie essa garrafa.*] 3 Beber ou comer todo o conteúdo de (um recipiente) [*td.*: *Em dois tempos, esvaziou a garrafa/o prato.*] 4 Passar a ficar (lugar, recinto que estava cheio), ou deixar (indo embora) sem nenhuma pessoa; EVACUAR [*td.*: *Com a chegada da polícia, os manifestantes esvaziaram o local.*] [*int.*: *A estádio esvaziou(-se) em poucos minutos.*] 5 *Fig.* Desocupar (a mente) [*td.*: *Foi correr na praia para esvaziar a cabeça.*] 6 Tirar de ou perder (algo ou alguém) a importância, a relevância [*td.*] [*int.*: *O velho discurso de esquerda esvaziou-se.*] [▶ 1 esvaziar] [F.: *es-* + *vazio* + *-ar*[2].]

esvelto (es.*vel*.to) *a.* *P.us.* Ver *esbelto* [F.: Do it. *svèlto*.]

esverdeado (es.ver.de.*a*.do) *a.* 1 Que tem leve coloração verde (olhos esverdeados) 2 Diz-se dessa cor: *A cor esverdeada da cortina.* 3 *Fig.* Que é ou está muito pálido *sm.* 4 A cor esverdeada(1): *Adoro o esverdeado de seus olhos!* [F.: Part. de *esverdear*.]

esverdear (es.ver.de.*ar*) *v.* 1 Dar ou adquirir cor verde ou esverdeada [*td.*: *A irrigação esverdeou o gramado.*] [*int.*: *Os olhos do bebê esverdearam(-se).*] 2 Tornar mais verde, com plantas etc. [*td.*: "Outra dica para 'esverdear' os pequenos espaços..." (*Jornal do Brasil*, 27.10.2002)] [▶ 13 esverdear] [F.: *es-* + *verde* + *-ear*[2].]

esvoaçamento (es.vo.a.ça.*men*.to) *sm.* Ação ou resultado de esvoaçar: *esvoaçamento dos cabelos.* [F.: *esvoaçar* + *-mento*.]

esvoaçante (es.vo:a.*çan*.te) *a2g.* Que esvoaça; que bate as asas para voar ou que se agita ao vento: *O canário esvoaçante bateu na coluna da varanda:* "...valsando ficava outra, tomava um ar de sílfide, de divindade aérea, vaporosa, e adquiria um ar esvoaçante..." (Lima Barreto, *Marginália*) [F.: *esvoaçar* + *-nte*.]

esvoaçar (es.vo:a.*çar*) *v. int.* 1 Bater as asas e alçar voo; ADEJAR: *O sanhaço esvoaça imponente para a umbaúba.* 2 Agitar-se ao vento, voar levado pelo vento; ONDULAR(-SE): "O prédio, pedra e cal, esvoaça / Como um leve papel solto à mercê do vento..." (Adriana Calcanhoto e Waly Salomão, *A fábrica do poema*) 3 *Fig.* Agitar-se, turbilhonar: "São as luzes dos meus sonhos / Que voltem a esvoaçar" (Ivo Rodrigues, *Blindagem*) [▶ 12 esvoaçar] [F.: *es-* + *voo* + *-açar*.]

esvurmar (es.vur.*mar*) *v.* 1 Espremer o pus (de tumor, pústula) [*td.*] 2 *P.ext.* Tirar sair ou sair como pus [*td.*: "Pôs a mesa... tão junto do lume que a chama fazia esvurmar a resina dos nós da madeira" (Aquino Ribeiro, *Volfrâmio*)] [*int.*: *A espuma esvurmava pela boca do cão.*] 3 *Fig.* Retirar de (algo) aquilo que traz prejuízo, dano, que não é saudável [*td.*: *Queria esvurmar aquela tendência ao crime.*] 4 Ressaltar e criticar (algo ou alguém) [*td.*] [▶ 1 esvurmar] [F.: *es-* + *vurmo* + *-ar*.]

ET (e.*tê*) Sigla de *extraterrestre* ('ser')

◎ **et-** *pref. Quím.* Indica cadeia de dois átomos de carbono em radical ou substância: *etano, etanoico, etil.* [F.: F. braquilógica de *éter*, do lat. *aether* < gr. *aithér*.]

◎ **-eta** [ê] *suf.* Indica dim. ou aproximadamente dim; -ITO: *corveta; historieta; luneta* [F.: Fem. de *-eto*.]

eta (ê) (e.ta) *sm.* 1 A sétima letra do alfabeto grego, que corresponde a um *e* longo latino 2 *Fís.nu.* Partícula elementar, méson de *spin* e carga elétricas iguais a zero, e de massa 547,45 MeV/c²

eta (ê) (e.ta) *interj. Bras.* Indica espanto, surpresa, alegria: *Eta, tem salgadinho à beça!*

⊕ **et al** (*Lat.* /ét al/) *loc.conj.* Ver *et alii*

⊕ **et alii** (*Lat.* /ét ali/) *loc.conj.* E outros [Us. em bibliografias, quando, além do autor citado, há coautores.]

etano (e.*ta*.no) *sm. Quím.* Hidrocarboneto saturado, incolor (C_2H_6) encontrado no gás natural [F.: *et-* + *-ano*[2].]

etanol (e.ta.*nol*) *sm. Quím.* Líquido incolor e volátil obtido pela fermentação de substâncias orgânicas, como o açúcar, us. na fabricação de bebidas alcoólicas e como combustível de motor a explosão; o mesmo que *álcool* ou *álcool etílico* [Pl.: *-óis*.] [F.: *etano* + *-ol*[2].]

etapa (e.*ta*.pa) *sf.* 1 Cada período ou parte do desenvolvimento de um processo, negócio, marcha, viagem etc; ESTÁGIO; FASE *sf.* 2 *Mil.* Ração diária de soldados e animais de um exército em marcha ou acampado: "Nutri-me do pão grosseiro do soldado raso, nunca tive outra paga ou outra etapa." (Almeida Garrett, *Discursos parlamentares*) 3 *Mar.* Cada quantia de dinheiro fornecida aos tripulantes de navio de comércio para sua alimentação 4 *Mil.* Acampamento de tropas quando param temporariamente durante a marcha 5 *P.ext.* Distância que se percorre sem parar durante caminhada, avanço, percurso 6 *P.ext.* Distância entre uma parada e outra 7 *Esp.* Numa partida esportiva, cada um dos tempos nos quais é dividida: *Todos os gols foram na segunda etapa.* [F.: Do neerlandês med. *stapel*, pelo fr. *étape*.]

etário (e.*tá*.ri:o) *a.* Ref. a ou próprio de idade: *Qual é sua faixa etária, rapaz?* [F.: Do lat. *aetas, atis*.]

etc. Abrev. de *et cetera*. (Fórmula que substitui as enumerações longas): *Ganhou bonecos, bolas, soldadinhos de chumbo, um jogo de futebol de botões etc.*

⊕ **et caterva** [Lat. /et caterva/] *Pej.* Expressão latina que significa '...e todo o resto da cambada, da súcia, do bando', referindo-se a pessoas ou grupos de mau comportamento

et cetera (et.*ce*.te.ra) *loc.conj.* E as demais coisas [Abrev.: *etc.*]: *Comprei calças, camisas, meias et cetera.* [F.: Do lat. *et coetera*.]

◎ **-ete** *suf.* Indica diminutivos: *artiguete, diabrete, falsete.*

◎ **-etê** *suf.* forte, legítimo, verdadeiro: *abaetê; caetê; tapiretê* [F.: Do tupi *e'te*.]

eteno (e.*te*.no) *sm. Quím.* Hidrocarboneto não saturado, o mesmo que *etileno* [Fórm.: C_2H_4.] [F.: Do ing. *ethene*.]

éter (*é*.ter) *sm.* 1 *Quím.* Classe de compostos orgânicos que têm a fórmula geral R-O-R, na qual R são grupamentos de hidrogênio e carbono ligados ao mesmo átomo de oxigênio 2 *Quím.* O mesmo que *éter etílico* 3 *Quím.* Substância de cheiro muito forte e penetrante us. como antisséptico, solvente e às vezes entorpecente 4 *Fig.* Espaço celeste 5 *P.ext.* O ar atmosférico [F.: Do gr. *aither*, pelo lat. *aether*, *eris*.] ■ **~ de petróleo** *Quím.* Produto leve da destilação do petróleo, constituído de uma mistura de hidrocarbonetos **~ etílico** *Quím.* Substância líquida incolor, volátil, com cheiro característico, us. como solvente, como antisséptico e, antigamente, como anestésico; éter sulfúrico [Fórm.: $C_4H_{10}O$. Tb. apenas *éter*.] **~ sulfúrico** *Quím.* Ver *Éter etílico*

etéreo (e.*té*.re:o) *a.* 1 Da natureza do éter ou a ele referente 2 Volátil como o éter; impalpável 3 *Fig.* De natureza espiritualmente elevada; ELEVADO; SUBLIME 4 *Fig.* Que revela pureza, delicadeza (amor etéreo): *Ela projetava sua silhueta etérea contra o vidro fosco da divisória.* 5 *FIg.* Que é da esfera celestial; CELESTIAL; DIVINO [F.: Do gr. *aithérios*, pelo lat *aethereus*.]

eternidade (e.ter.ni.*da*.de) *sf.* 1 Qualidade do que não tem início nem fim, do que é eterno 2 Para algumas religiões, a vida sem fim que começa depois da morte: "Voltando à pátria da homogeneidade, / Abraçada com a própria Eternidade, / A minha sombra há de ficar aqui." (Augusto dos Anjos, "Debaixo do tamarindo", *in Eu e outras poesias*) 3 *Fig.* Demora longa e indefinida: *Esperou uma eternidade para ser atendido.* [F.: Do lat. *aeternitas, atis*.]

eternização (e.ter.ni.za.*ção*) *sf.* 1 Ação ou resultado de eternizar(-se); ETERNALIZAÇÃO: *Fotografia é a eternização do momento através da tomada de imagens.* 2 Ação ou resultado de tornar permanente (eternização do privilégio); PERPETUAÇÃO [Pl.: *-ções*.] [F.: *eternizar* + *-ção*.]

eternizado (e.ter.ni.*za*.do) *a.* 1 Que se eternizou; IMORTALIZADO: *JK foi eternizado num memorial.* 2 Que se tornou permanente; PERPETUADO: *dirigentes eternizados nos cargos.* [F.: Part. de *eternizar*.]

eternizar (e.ter.ni.*zar*) *v.* 1 Tornar(-se) eterno ou imortal [*td.*: *O desejo do homem é eternizar sua espécie.*] [*int.*: *O mago sabia que era impossível eternizar-se.*] 2 *Fig.* Dar fama duradoura a, ou conquistá-la; tornar(-se) célebre; IMORTALIZAR [*td.*: *A invenção do avião eternizou Santos Dumont.*] [*int.*: *O bairro de Ipanema eternizou-se nos versos de Vinicius de Moraes.*] 3 Delongar(-se) indefinidamente [*td.*: *Seu gênio teimoso eternizava a contenda.*] [*int.*: *A espera parece eternizar-se quando se está impaciente.*] [▶ 1 eternizar] [F.: *eterno* + *-izar*.]

eterno (e.*ter*.no) *a.* 1 Que não tem início nem fim: *Ninguém é eterno* 2 Que tem começo mas não tem fim 3 *Fig.* Que nunca será esquecido (sabedoria eterna) 4 *Fig.* Que parece nunca acabar: *Não se conformava com essas guerras eternas.* 5 Que não se altera; IMUTÁVEL: *Para ele, os padrões de beleza eram eternos.* 6 Que se repete sem cessar: *Lá vinha ele com suas queixas eternas.* *sm.* 7 *Rel.* Deus, conforme as crenças religiosas (inicial maiúsc.): *Pensava sempre no Eterno.* 8 A condição genérica de ser eterno; eternidade: *O eterno é ilusório, o transitório é real.* [F.: Do lat. *aeternus*.]

eteromania (e.te.ro.ma.*ni*.a) *sf. Psiq.* Vício de usar o éter inalado, bebido ou injetado como estimulante [F.: *éter* + *-o-* + *-mania*.]

eterômano (e.te.*rô*.ma.no) *a.* 1 Que sofre de eteromania *sm.* 2 Indivíduo eterômano [F.: *éter* + *-o-* + *-mano*[1]. Sin. ger.: *eteromaníaco*.]

⊕ **ethos** [Gr./étos/] *sm2n.* 1 Conjunto dos hábitos e traços comportamentais característicos de um povo (*ethos* dos brasileiros) 2 Conjunto dos valores que conformam a visão própria de um movimento artístico ou cultural, ou de uma obra de arte 3 Conjunto das características morais, afetivas, sociais e comportamentais de um indivíduo

ética (*é*.ti.ca) *Fil. sf.* 1 Parte da filosofia que trata das questões e dos preceitos que se relacionam aos valores morais e à conduta humana 2 Conjunto de princípios, normas e regras que devem ser seguidos para que se estabeleça um comportamento moral exemplar [F.: Do gr. *ethiké*, pelo lat. *ethica*.]

eticidade (e.ti.ci.*da*.de) *sf.* Qualidade do que é ético, moral: *A comissão analisou a eticidade das pesquisas.* [F.: *ética* + *-(i)dade*.]

ético[1] (*é*.ti.co) *a.* 1 Ref. a ou próprio da ética 2 Que tem ética, que está de acordo com a ética (comportamento ético) *sm.* 3 Aquele que se comporta rigorosamente conforme as normas éticas: *Aos éticos repugna o comportamento leviano de certos políticos.* [F.: Do gr. *ethikós*, pelo lat. *ethicus*.]

◎ **-ético** *suf.* relativo, próprio de, que sofre de: *frenético; morfético.* [F.: Do gr. *-étikos* ou do lat. *-eticu*.]

ético[2] (*é*.ti.co) *a. Antr. Ling.* Diz-se de estudo de elementos linguísticos em seus aspectos físicos e não funcionais no sistema a que pertencem [F.: Do ing. *etic*, de *phonetic*.]

ético-religioso (é.ti.co-re.li.gi:o.so) [ô] *a.* Que diz respeito à ética e à religião (aspecto ético-religioso; ensino ético-religioso) [Pl.: *ético-religiosos* [ó]. Fem.: *ético-religiosa* [ó].]

◎ **etil-** *el. comp. Quím.* Indica um grupo etila: *etileno, etilênico, etílico.* [F.: *et-* + *-il*[2].]

etilênico (e.ti.*lê*.ni.co) *a. Quím.* Ref. a etileno [F.: *etilen(o)* + *-ico*[2].]

etileno (e.ti.*le*.no) *sm. Quím.* Hidrocarboneto insaturado e gasoso (C_2H_4), obtido da nafta ou do etano, esp. us. em petroquímica e na produção de plásticos [F.: *etil* + *-eno*[2].]

etílico (e.*tí*.li.co) *a.* 1 *Quím.* Diz-se de álcool ou éter que contém o radical etila 2 Diz-se de estado causado pelo consumo de álcool (torpor etílico) [F.: Do fr. *éthylique*.]

etilismo (e.ti.*lis*.mo) *sm. Psiq.* O mesmo que *alcoolismo* [F.: Do fr. *éthylisme*.]

étimo (*é*.ti.mo) *sm. Ling.* Palavra ou forma que é a base de formação e evolução de outra palavra na língua [F.: Do gr. *étymon*, pelo lat. *etymon*.]

etimologia (e.ti.mo.lo.*gi*.a) *sf.* 1 Estudo da origem, formação e evolução das palavras e da construção de seus significados a partir dos elementos que as compõem 2 A origem de uma palavra; ÉTIMO [F.: Do gr. *etymología*, pelo lat. *etymologia*.] ■ **~ popular** *Ling.* Falsa atribuição etimológica a palavra, motivada por alguma semelhança com outra; falsa etimologia [P. ex.: atribuir a origem de *forró* ao inglês *for all*, 'para todos', quando é redução de *forrobodó*.] **Falsa ~** *Ling.* Ver *Etimologia popular*

etimológico (e.ti.mo.*ló*.gi.co) *a.* 1 Ref. a etimologia 2 Que se ocupa da etimologia (tratado etimológico) 3 Que se baseia na etimologia (análise etimológica) [F.: Do lat. *etimologicus, a, um*, do gr. *etymologikós, e, on*.]

etimologista (e.ti.mo.lo.*gis*.ta) *a2g.* 1 Que estuda o étimo das palavras *s2g.* 2 Aquele que se dedica aos estudos etimológicos [F.: *etimologia* + *-ista*.]

etiologia (e.ti:o.lo.*gi*.a) *sf.* 1 Campo do conhecimento que estuda as origens e causas das coisas 2 *Med.* Estudo ou pesquisa das causas das doenças 3 A origem de alguma coisa [F.: Do gr. *aitiología*, pelo fr. *étiologie*.]

etiológico (e.ti:o.*ló*.gi.co) ***a.*** Ref. a etiologia; que estuda a causa de algo: *Os fatores* *__etiológicos__* *da gripe.* [F.: *etiologia* + *-ico*[2].]

etiopatogenia (e.ti:o.pa.to.ge.*ni*.a) ***sf.*** *Pat.* Estudo das causas que levam ao desenvolvimento das doenças [F.: *etio-* + *patogenia.*]

etiopatogênico (e.ti:o.pa.to.*gê*.ni.co) ***a.*** Ref. a etiopatogenia (fator __etiopatogênico__) [F.: *etiopatogenia* + *ico*[2].]

etíope (e.*tí*:o.pe) ***s2g.*** **1** Pessoa nascida ou que vive na Etiópia ***sm.*** **2** *Gloss.* A língua falada na Etiópia, que pertence ao ramo meridional da fam. linguística camito-semítica ***a2g.*** **3** Da Etiópia; típico desse país ou de seu povo **4** Ref. à língua falada na Etiópia [F.: Do gr. *Aithíops*, pelo lat. *Aethiops.*]

etiópico (e.ti:*ó*.pi.co) ***a.*** **1** Da Etiópia (África); típico desse país ou de seu povo; ETÍOPE ***sm.*** **2** *Gloss.* Grupo de línguas semíticas faladas na parte central do planalto abissínio, das quais o amárico é a mais conhecida **3** *Gloss.* O amárico [F.: Do lat. *Aetiopicus, a, um*, deriv. do gr. *Aithiopikós.*]

etiqueta (e.ti.*que*.ta) [ê] ***sf.*** **1** Conjunto de regras, de normas de conduta, que devem ser observadas na corte real ou em solenidades e festas oficiais de que participam altas autoridades **2** Conjunto de normas de conduta us. no trato entre particulares, esp. em ocasiões formais **3** Marca ou condição de produto feito ou vendido por fabricante ou lojista de prestígio (roupas de __etiqueta__) **4** Marca, rótulo, adesivo etc. que identificam ou têm informações sobre os produtos que os contém: *__Etiqueta__ de roupa, de livro, de bagagem, de prazo de validade* etc. **5** *Lus.* Frieza de relações pessoais [F.: Do fr. *étiquette.*]

etiquetado (e.ti.que.*ta*.do) ***a.*** **1** Em que se colocou rótulo ou etiqueta (envelope __etiquetado__) **2** *Fig.* Qualificado, rotulado (diálogo __etiquetado__) [F.: Part. de *etiquetar.*]

etiquetadora (e.ti.que.ta.*do*.ra) [ô] ***sf.*** *Bras.* Máquina portátil para fixar etiquetas em série, us. esp. no comércio varejista para informar o preço da mercadoria [F.: *etiquetar* + *-dora.*]

etiquetagem (e.ti.que.*ta*.gem) ***sf.*** Ação ou resultado de etiquetar [Pl.: *-gens.*] [F.: *etiquet(ar)* + *-agem*; fr. *étiquetage.*]

etiquetar (e.ti.que.*tar*) ***v.*** **1** Pôr etiqueta ou rótulo em (mercadorias) [***td.***: *__Etiquetava__, um a um, os frascos de perfume.* Pode ser considerado galicismo.] **2** Determinar a classe de, nomeando [***td.***: *O biólogo __etiquetou__ as bactérias descobertas.*] **3** *Fig.* Qualificar (alguém) de modo simplista; ROTULAR [***tdp.***: *__Etiquetava__-me como arrogante, sem me conhecer.*] [▶ 1 etiquetar] [F.: Do fr. *étiqueter*. Hom./Par.: *etiqueta(s)* (fl.), *etiqueta(s)* (sf.[pl.]).]

etmoidal (et.moi.*dal*) ***a2g.*** *Anat.* Ref. ou pertencente ao etmoide; ETMÓIDEO [Pl.: *-dais.*] [F.: *etmoid(e)* + *al.*]

etmoide (et.*moi*.de) *Anat.* ***a2g.*** **1** Diz-se de osso do crânio situado atrás do nariz e entre os olhos, com orifícios por onde passam filetes dos nervos olfativos ***sm.*** **2** Esse osso [F.: Do gr. *ethmoeidés*, pelo lat. cient. *ethmoides.*]

etnia (et.*ni*.a) ***sf.*** *Antr.* Grupo social diferenciado de outros por laços peculiares de cultura, religião, língua, comportamento etc., e que compartilha origem e história comuns [F.: *etn(o)-* + *ia*[1].]

etnicidade (et.ni.ci.*da*.de) *Antr.* ***sf.*** **1** Condição ou sentimento de pertencer a um determinado grupo étnico **2** Grau de aceitação dos padrões culturais do grupo étnico pelos seus integrantes [F.: *étnico* + *-(i)dade.* Ver *etn(o)-*.]

etnicista (et.ni.*cis*.ta) ***a2g.*** **1** Ref. a etnicismo **2** Concernente às questões étnicas (estudo __etnicista__) [F.: *étnic(o)* + *-ista.*]

étnico (*ét*.ni.co) ***a.*** **1** Ref. a etnia **2** Pertencente ou próprio de um povo ou grupo social, esp. aquele que se caracteriza por uma cultura específica **3** *Ant.* Que tem o paganismo como característica ***sm.*** **4** *Ant.* Pagão, idólatra [F.: Do gr. *ethnikós*, pelo lat. *ethnicus.*]

◎ **etn(o)-** ***pref.*** = raça, nação, povo: *etnia, etnocentrismo, etnografia, etnologia*

etnobiologia (et.no.bi:o.lo.*gi*.a) ***sf.*** Estudo do conhecimento e das conceituações desenvolvidas por comunidades tradicionais a respeito do papel da natureza no sistema de crenças e da adaptação do homem a determinados ambientes [F.: *etn(o)-* + *biologia.*]

etnobiológico (et.no.bi:o.*ló*.gi.co) ***a.*** Ref. à etnobiologia [F.: *etnobiologia* + *-ico*[2].]

etnobiólogo (et.no.bi:*ó*.lo.go) ***sm.*** Pessoa que se dedica ao estudo da etnobiologia [F.: *etn(o)-* + *biólogo.*]

etnobotânica (et.no.bo.*tâ*.ni.ca) *Bot.* ***sf.*** Ramo da botânica que trata dos nomes, dos usos e do folclore das plantas como típicos ou esclarecedores dos costumes de um povo [F.: *etn(o)-* + *botânica.*]

etnobotânico (et.no.bo.*tâ*.ni.co) ***a.*** **1** Ref. à etnobotânica ***sm.*** **2** *Bot.* Especialista em etnobotânica [F.: *etn(o)-* + *botânico.*]

etnocêntrico (et.no.*cên*.tri.co) ***a.*** Ref. a ou próprio do etnocentrismo [F.: *etnocentrismo* + *-ico*[2].]

etnocentrismo (et.no.cen.*tris*.mo) ***sm.*** *Antr.* Concepção do mundo característica de quem considera os valores de sua própria sociedade como os únicos parâmetros válidos para julgar outras culturas e sociedades [F.: *etno-* + *-centr(o)-* + *-ismo.*]

etnocentrista (et.no.cen.*tris*.ta) ***a2g.*** Ref. ao ou próprio do etnocentrismo (doutrina __etnocentrista__, visão __etnocentrista__) [F.: *etnocentrismo* + *-ista.*]

etnocida (et.no.*ci*.da) ***a2g.*** **1** Que contribui direta ou indiretamente para o etnocídio ***s2g.*** **2** Aquele que defende o etnocídio ou para ele contribui [F.: *etn(o)-* + *-cida.*]

etnocídio (et.no.*cí*.di:o) ***sm.*** *Antr.* Destruição sistemática da cultura e dos costumes de uma etnia por grupo étnico de formação diferente [F.: *etn(o)-* + *-cídio.*]

etnociência (et.no.ci.*ên*.ci:a) ***sf.*** **1** O estudo dos sistemas e métodos de conhecimento dos diversos povos e culturas **2** *Antr.* Corrente norte-americana de estudos antropológicos e linguísticos [F.: *etn(o)-* + *ciência*; ing. *ethnoscience.*]

etnocultural (et.no.cul.tu.*ral*) ***a.*** *Soc.* Que se refere simultaneamente a etnia e cultura [Pl.: *-rais.*] [F.: *etno-* + *cultural.*]

etnodesenvolvimento (et.no.de.sen.vol.vi.*men*.to) ***sm.*** Capacidade de sustentação e monitoramento do uso dos recursos naturais visando à melhoria da qualidade de vida de uma população, segundo seus costumes, tradições, habilidades, entendimento e padrão de relacionamento com outros povos [F.: *etn(o)-* + *desenvolvimento.* Ideia de: *vol-*.]

etnoecologia (et.no:e.co.lo.*gi*:a) ***sf.*** Capacidade de entender as maneiras como o homem se relaciona com seu meio natural, incluindo plantas, animais, formas de terrenos, tipos de solo, as águas etc., buscando o equilíbrio essencial para essa convivência [F.: *etn(o)-* + *ecologia.* Ideia de: *ec(o)-* e *-logia.*]

etnofilme (et.no.*fil*.me) ***sm.*** *Cin.* Filme que tem como tema central a origem, a cultura, os costumes, a qualidade de vida de uma raça, de um povo, de uma nação [F.: *etn(o)-* + *filme.*]

etnogênese (et.no.*gê*.ne.se) ***sf.*** *Antr.* Aparecimento de uma nova identidade étnica [F.: *etn(o)-* + *-gênese.*]

etnogenético (et.no.ge.*né*.ti.co) ***a.*** Ref. a etnogênese [F.: *etnogênese* + *-ético.*]

etnogeografia (et.no.ge.o.gra.*fi*.a) ***sf.*** Estudo e exame de como se distribuem geograficamente os povos e etnias, e do modo como se comportam com relação ao ambiente em que vive [F.: *etn(o)-* + *geografia.*]

etnogeográfico (et.no.ge.o.*grá*.fi.co) ***a.*** Ref. à etnogeografia [F.: *etnogeografia* + *-ico*[2].]

etnografia (et.no.gra.*fi*.a) ***sf.*** **1** *Antr.* Estudo e registro descritivo de povos e etnias, suas culturas, características etc. **2** Esse estudo aplicado a um determinado povo [F.: *etn(o)-* + *-grafia.*]

etnográfico (et.no.*grá*.fi.co) ***a.*** Ref. à ou próprio da etnografia [F.: *etnografia* + *-ico*[2].]

etnógrafo (et.*nó*.gra.fo) ***sm.*** Aquele que se especializa em etnografia [F.: *etn(o)-* + *-grafo.*]

etno-história (et.no-his.*tó*.ri:a) ***sf.*** **1** Estudo, com base na análise de tradições orais, restos arqueológicos etc., da história de povos que não têm a escrita como meio de comunicação **2** O conjunto das narrativas, representações etc. que compõem a tradição de um povo ou grupo social [Pl.: *etno-histórias.*] [F.: *etn(o)-* + *história.*]

etno-histórico (et.no-his.*tó*.ri:co) ***a.*** Ref. à etno-história, ou que a ela pertence [Pl.: *etno-históricos.*] [F.: *etno-histórico*]

etnolinguista (et.no.lin.*guis*.ta) ***a2g.*** **1** Que é especialista em etnolinguística ***s2g.*** **2** Pessoa que se especializa em etnolinguística [F.: *etn(o)-* + *linguista.*]

etnolinguística (et.no.lin.*guís*.ti.ca) ***sf.*** *Antr.* ***sf.*** **1** O estudo da linguagem das sociedades que não possuem escrita **2** Estudo das relações entre língua, cultura e sociedade, esp. das relações entre as estruturas linguísticas e as sociais [F.: *etn(o)-* + *linguística.*]

etnolinguístico (et.no.lin.*guís*.ti.co) ***a.*** Relativo a etnolinguística [F.: *etnolinguística* + *-ico*[2].]

etnologia (et.no.lo.*gi*.a) *Antr.* ***sf.*** **1** Parte da antropologia que analisa, interpreta e compara culturas a partir de material etnográfico **2** *Bras.* Estudo dos grupos indígenas [F.: *etn(o)-* + *-logia.*]

etnológico (et.no.*ló*.gi.co) ***a.*** Ref. à, da ou próprio da etnologia [F.: *etn o logia* + *-ico*[2].]

etnólogo (et.*nó*.lo.go) ***sm.*** Especialista em etnologia; ETNOLOGISTA [F.: *etn(o)-* + *-logo.*]

etnomúsica (et.no.*mú*.si.ca) ***sf.*** *Etnog.* Música característica de, ou circunscrita a um certo povo ou etnia [F.: *etn(o)-* + *música.* Ideia de: *mus(a)-*.]

etnomusicologia (et.no.mu.si.co.lo.*gi*.a) ***sf.*** Estudo das formas musicais de uma cultura (em si mesmas e em seus aspectos socioculturais) [F.: *etn(o)-* + *musicologia.*]

etnomusicólogo (et.no.mu.si.*có*.lo.go) ***a.*** **1** Que se dedica ao estudo da musicologia; ETNOMUSICOLOGISTA ***sm.*** **2** Aquele que se dedica a esse estudo; ETNOMUSICOLOGISTA [F.: *etn(o)-* + *musicólogo.*]

etnônimo (et.*nô*.ni.mo) ***sm.*** *Antr.* Palavra que designa o nome de tribo, casta, etnia, nação etc., e, p.ext., nomes de comunidades (políticas, religiosas etc.) que possam ser consideradas num sentido étnico [F.: *etn(o)-* + *-ônimo.*] ■■ **~ brasílico** Cada vocábulo que designa povo, grupo, ou etnia indígena do Brasil, cuja grafia segue regras estabelecidas por antropólogos e linguistas

etnopoesia (et.no.po:e.*si*:a) ***sf.*** Tipo de poesia característica de um povo ou etnia, em que se percebe a busca pelos valores míticos de origem e cultura desse povo [F.: *etn(o)-* + *poesia.* Ideia de: *poet-* e *-poese.*]

etnopolítica (et.no.po.*lí*.ti.ca) ***sf.*** Que envolve questões étnicas e políticas (guerra __etnopolítica__) [F.: *etn(o)-* + *política.* Ideia de: *polit -*.]

etnoturismo (et.no.tu.*ris*.mo) ***sm.*** Turismo voltado para a apreciação das mais variadas manifestações de cultura popular presentes em cada localidade ou região [F.: *etn(o)-* + *turismo.*]

etnozoologia (et.no.zo.o.lo.*gi*.a) ***sf.*** **1** O conhecimento de um povo ou grupo sobre animais **2** Estudo dos conhecimentos zoológicos de um povo ou de uma cultura [F.: *etn(o)-* + *zoologia.*]

etnozoológico (et.no.zo.o.*ló*.gi.co) ***a.*** Referente à etnozoologia [F.: *etnozoologia* + *-ico*[2].]

◎ **-eto** [ê] ***suf.*** **1** Derivado de, formado de: *quarteto, folheto, galeto* **2** Indica dim.: *esboceto; folheto; verseto* **3** *Quím.* Ânion derivado de ácido não oxigenado de elemento que está no seu estado de oxidação mais baixo ou de hidrocarboneto: *iodeto; nitreto; sulfeto.* [F.: Do lat. *-ittum*, pelo it. *-etto.*]

◎ **et(o)-** ***el. comp.*** = 'etil': *etano, etanol*

◎ **eto-** ***el. comp.*** = costume, uso, comportamento: *etocracia, etognosia, etografia, etologia* [F.: Do gr. *ethos.*]

etólio (e.*tó*.li:o) ***sm.*** **1** Indivíduo nascido ou que vivia na Etólia (Grécia antiga) ***a.*** **2** Da Etólia; típico dela ou de seu povo [F.: Do gr. *aitólios*, pelo lat. *aetoliu.*]

etologia (e.to.lo.*gi*.a) ***sf.*** **1** *Biol.* Estudo do comportamento dos animais **2** *P.ext. Antr.* Estudo dos costumes humanos como fatos sociais **3** *P.ext. Psi.* Parte da pesquisa do comportamento humano que estuda a base comportamental inata (como a atávica, as instintiva etc.) [F.: Do gr. *etholo-gía*, pelo lat. *ethologia.*]

etologista (e.to.lo.*gis*.ta) ***a2g.*** **1** Que se dedica ao estudo da etologia ***s2g.*** **2** Aquele que se dedica a esse estudo [F.: *etologia* + *-ista.*]

etopeia (e.to.*pei*:a) ***sf.*** Estudo ou descrição das paixões humanas [F.: Do gr. *ethopoeia.*]

etos (*e*.tos) ***sm2n.*** Forma portuguesa e o mesmo que *ethos* [F.: Do gr. *éthos.*]

◎ **etox(i)-** [cs] ***el. comp.*** *Quím.* Designa grupo de derivados do àlcool etílico (etoxila: C2H5O-): *etoxietano* [F.: *et-* + *-ox(i/o).*]

⊕ ***et pour cause*** (*Fr.* /ê pur côse/) ***loc.prep.*** Não sem motivo; com razão

etrusco (e.*trus*.co) ***a.*** **1** *Hist.* Da Etrúria (atual Toscana, na Itália); típico dessa antiga província ou de seu povo **2** *Gloss.* Diz-se da língua falada na Etrúria ***sm.*** **3** *Hist.* Indivíduo nascido ou que viveu na Etrúria ***sm.*** **4** *Gloss.* A língua falada na Etrúria [F.: Do lat. *etruscus.*]

◎ **-eu** ***suf.*** **1** de determinada consistência, constituição: *androceu, caduceu, gineceu, jubileu.* **2** origem, procedência, relação: *europeu; judeu; pigmeu.* [F.: Do lat. *-aeum.*]

eu ***pr.pess.*** **1** Indica a pessoa que fala e funciona como sujeito da oração: *__Eu__ trabalho muito.* **2** O modo de ser de uma pessoa num momento determinado: *Parece que perdi meu __eu__ de cineasta.* **3** *Psic.* Instância que Freud, em sua segunda teoria sobre o aparelho psíquico, distingue do id e do superego, o mesmo que *ego* [Quando a forma do verbo apresenta desinência de primeira pessoa, o pron. *eu* pode ficar oculto: *Posso dançar com você?*] [F.: Do lat. *ego* pelo lat. vulg. *eo.*] ■■ **~ lírico** *Liter. Poét.* Voz que, na poesia, representa o 'eu' do poeta, ou seja, sua visão e descrição subjetivas da realidade e dos temas que aborda

◎ **eu-** ***pref.*** = noção de bom, bem: *eugenia, euforia*

◎ **-éua** ***el. comp.*** Ver *-peba*

eubactéria (eu.bac.*té*.ri.a) ***sf.*** *Biol.* Bactéria que tem estrutura típica do grupo a que pertence, sem desvio da norma [F.: *eu-* + *bactéria.*]

eubeu (eu.*beu*) ***sm.*** **1** Indivíduo nascido ou que vive na Eubeia (ilha da Grécia) [Fem.: *eubeia.*] ***a.*** **2** Da Eubeia; típico dessa ilha ou de seu povo [Fem.: *eubeia.*] [F.: Do lat. *euboeu.* Sin. ger.: *euboico.*]

eubiose (eu.bi.*o*.se) ***sf.*** Conjunto de preceitos místicos cuja meta principal é a de preparar o homem para uma nova era da vida na Terra a partir de um novo centro civilizatório, supostamente situado no Brasil [Às vezes, com inicial maiúsc.] [F.: *eu-* + *-biose.*]

eubiótico (eu.bi.*ó*.ti.co) ***sm.*** Adepto ou seguidor dos preceitos da eubiose [F.: *eubiose* + *-ótico.*]

eucaína (eu.ca.*í*.na) ***sf.*** *Farm.* Substância ($C_{15}H_{21}NO_2$) que deriva da piperidina, us. como anestésico [F.: Do ing. *eucaine.*]

eucaliptal (eu.ca.lip.*tal*) ***sm.*** Aglomeração ou plantação de eucaliptos [Pl.: *-tais.*] [F.: *eucalipt(o)* + *-al.*]

eucalipto (eu.ca.*lip*.to) ***sm.*** *Bot.* Designativo de arbustos e árvores de grande porte, do gên. *Eucalyptus*, da fam. das mirtáceas, nativos da Austrália e da Malásia, de madeira amarelada ou avermelhada, muito cultivados para reflorestamento e produção de lenha, celulose e óleo aromático: "Só se sabe do vento no balanço dos ramos extremos do __eucalipto__." (Guimarães Rosa, "A volta do marido pródigo", *in Sagarana*) [F.: Do gr. *eu* + *kaliptós*, pelo lat. cient. *Eucalyptus* e pelo fr. eucalyptos.]

eucaliptol (eu.ca.lip.*tol*) ***sm.*** *Quím.* Principal substância do óleo de eucalipto ($C_{10}H_{18}O$), extraído de suas folhas e muito us. no preparo de expectorantes [Pl.: *-óis.*] [F.: *eucalipto-* + *-ol*[2].]

eucarionte (eu.ca.ri.*on*.te) ***a2g.*** **1** *Cit.* Diz-se de organismo composto por células que apresentam no citoplasma organelas com funções diferenciadas e um núcleo individualizado e revestido de membrana nuclear (carioteca), que contém o material cromossômico; o mesmo que *eucarioto* ***sm.*** **2** Esse organismo [F.: Do gr. *eu* + *karyon*, pelo lat. cient. *eukaryota.*]

eucariota (eu.ca.ri.o.ta) ***a2g.*** ***sm.*** *Biol.* O mesmo que *eucarioto*

eucariótico (eu.ca.ri.*ó*.ti.co) ***a.*** *Biol.* Do ou ref. ao eucarioto [F.: *eucarioto* + *-ico*[2].]

eucarioto (eu.ca.ri.o:to) [ô] ***a.*** **1** Diz-se de organismo que tem seu núcleo envolvido por membrana celular ***sm.*** **2** Esse organismo; EUCARIONTE [F.: Do gr. *eu* + *cari(o)-* + *-oto.* Cf.: *procarioto.*]

eucaristia (eu.ca.ris.*ti*.a) ***sf.*** **1** *Litu.* Sacramento católico da comunhão em que o pão e o vinho passam a ser o corpo e o sangue de Jesus **2** *Rel.* Ato principal do culto católico, em que se celebra esse sacramento **3** *Rel.* Para os católicos, a hóstia sagrada [Inicial ger. maiúsc.] **4** *P.us.* Ação de graças [F.: Do gr. ecl. *eucharistia*, pelo lat. *eucharistia* e pelo fr. *eucharistie*.]

eucarístico (eu.ca.*rís*.ti.co) *a.* **1** Ref. a ou pertencente a Eucaristia **2** Em ação de graças (discurso eucarístico, carta eucarística) [F.: *eucaristia* + *-ico*[2].]

eucélula (eu.*cé*.lu.la) *sf.* Célula com padrões e estrutura individualizados ou típicos; CÉLULA EUCARIONTE [F.: *eu-* + *célula*. Ideia de: *cel-*.]

euclásio (eu.*clá*.si:o) *sm. Min.* Mineral monoclínico, silicato de alumínio e berílio, incolor, us. como gema [F.: *eu-* + *-clásio*.]

euclidiano (eu.*cli*.di:a.no) *a.* **1** Do, pertencente ou ref. ao escritor brasileiro Euclides da Cunha (1866-1909): *Um escritor de estilo euclidiano.* **2** Que é admirador, estudioso ou seguidor desse escritor (ensaísta euclidiano) **3** Ref. ao ou próprio do geômetra grego Euclides, que viveu no séc. III em Alexandria (geometria euclidiana) *sm.* **4** O estudioso ou especialista em Euclides da Cunha: *Reunião de euclidianos.* **5** Especialista em Euclides, o geômetra grego [F.: Do antrop. *Euclides* + *-iano*.]

eudemonismo (eu.de.mo.*nis*.mo) *sm. Fil.* Doutrina ética que considera a felicidade (ou sua busca) como o fundamento da moral, considerando que é moralmente justificado o comportamento que conduz a uma existência feliz [F.: Do gr. *eudaimonismós*, posv. pelo fr. *eudémonisme*.]

eudemonista (eu.de.mo.*nis*.ta) *a2g.* **1** Que é adepto do eudemonismo *s2g.* **2** Adepto do eudemonismo [F.: *eudemon(ismo)* + *-ista*.]

eufemismo (eu.fe.*mis*.mo) *sm.* **1** *Ling.* Figura de linguagem baseada na substituição de palavra ou expressão que possa ter sentido triste, grosseiro ou desagradável, por outra de sentido mais suave ou conveniente (p.ex.: *traseiro* no lugar de *bunda*, *esguio* no lugar de *magro*, *descuidado* no lugar de *irresponsável* etc.) **2** Palavra us. como eufemismo (1): *Usou o eufemismo 'forte' para não chamá-la de 'gorda'.* [F.: Do gr. *euphemismós*, pelo lat. *euphemismus* e pelo fr. *euphémisme*.]

eufemístico (eu.fe.*mis*.ti.co) *a.* O mesmo que *eufêmico* [Ant.: *disfêmico*.] [F.: *eufem(ismo)* + *-ist(a)-* + *-ico*[2], seg. o modelo erudito.]

eufonia (eu.fo.*ni*.a) *sf.* **1** Som ou combinação de sons agradável e harmonioso ao ouvido **2** Sucessão harmoniosa de fonemas pelo encadeamento feliz de sons (vogais) e articulações (consoantes), livre de repetições, combinações dissonantes ou desagradáveis etc. **3** Elegância e suavidade no falar, na emissão de palavras [F.: Do gr. *euphonía*, pelo lat. *euphonia*. Ant.: *cacofonia*.]

eufônico (eu.*fô*.ni.co) *a.* **1** Que tem eufonia; que é agradável ao ouvido **2** Capaz de produzir sons agradáveis ao ouvido [F.: *eufonia* + *-ico*[2].]

euforbiácea (eu.for.bi:*á*.ce:a) *sf. Bot.* Espécime das euforbiáceas, fam. de plantas dicotiledôneas, que reúne uma grande diversidade de árvores, arbustos, cipós e ervas, ger. lactescentes, com folhas simples e flores pequenas, muito cultivadas como ornamentais, para extração de tinturas, ceras, óleos e látex, e usadas esp. como medicinais; exemplos dessa fam. são a seringueira, o cansanção, o bico de papagaio, a mamoneira e a mandioca [F.: Do lat cient. *Euphorbiaceae*.]

eufórbio (eu.*fór*.bi:o) *sm.* Resina encontrada em plantas da fam. das euforbiáceas, us. em medicina popular esp. como purgante [F.: Do lat. cient. **euphorbium*.]

euforia (eu.fo.*ri*.a) *sf.* **1** *Psic.* Estado de ânimo que, embora caracterizado por grande e expansiva alegria, não corresponde necessariamente à realidade de quem o experimenta **2** *P.ext.* Estado de alegria intensa e expansiva: "...ele se sobrepunha a ela e falava o tempo todo, cheio de animação e projetos, numa verdadeira euforia." (Manuel Bandeira, *Prosa esparsa*) **3** Sensação de alegria e bem-estar, natural ou provocada (por álcool, droga etc.) [F.: Do gr. *euphoría*, pelo fr. *euphorie*.] ■ **~ do mar** *Pop.* Ver *Doença de descompressão* no verbete *doença*

eufórico (eu.*fó*.ri.co) *a.* **1** *Psi.* Ref. à ou característico da euforia **2** *Psi.* Que experimenta ou manifesta euforia **3** *P.ext.* Alegre, entusiasmado: "Declamara em demorado, quase quite eufórico, enquanto que nas viçosas palmas se retouçando..." (Guimarães Rosa, "Darandina", *in Primeiras estórias*) [F.: *euforia* + *-ico*[2].]

euforizante (eu.fo.ri.*zan*.te) *a2g.* Diz-se de medicamento ou substância que causa sensação de euforia, de bem-estar [F.: **euforizar* (< *euforia* + *-izar*) + *-nte*.]

eugenésico (eu.ge.*né*.si.co) *a.* **1** Ref. a eugenesia; EUGENÉTICO **2** Diz-se de indivíduo que apresenta eugenesia, que é muito fecundo, dotado da capacidade de gerar descendência de boa qualidade; EUGENÉTICO [F.: *eugenesia* + *-ico*[2].]

eugenia (eu.ge.*ni*.a) *sf. Med.* Ciência que pesquisa o aprimoramento genético da espécie humana, esp. por cruzamentos seletivos [F.: Do gr. *eugéneia*, pelo lat. cient. *eugenia* e pelo fr. *eugenie*. Hom./Par.: *eugênia* (*sf.*).]

eugênico (eu.*gê*.ni.co) *a.* **1** Ref. a ou próprio da eugenia **2** Diz-se de indivíduo apto a produzir prole forte e saudável [F.: *eugenia* + *-ico*[2].]

eugenismo (eu.ge.*nis*.mo) *sm.* Sistema de ideias ou doutrina que tem como base a eugenia, o aprimoramento genético do ser humano [F.: *eugen(ia)* + *-ismo*.]

eugenista (eu.ge.*nis*.ta) *a2g.* **1** Diz-se de indivíduo que se dedica ao estudo da eugenia *s2g.* **2** Esse indivíduo [F.: *eugen(ia)* + *-ista*.]

eulalia (eu.la.*li*.a) *sf. Fon.* Modo de falar com perfeita dicção [Ant.: *dislalia*.] [F.: *eu-* + *-lalia*. Hom./Par.: *eulália* (sf.).]

eulogia (eu.lo.*gi*.a) *sf.* **1** Ação, atitude de bendizer, enaltecer, agradecer, louvar a Deus ou aos santos **2** Fala benevolente, respeitosa e prudente da bênção e do louvor **3** Discurso fúnebre [F.: Do gr. *eulogeo*.]

eunomia (eu.no.*mi*.a) *sf.* **1** Igualdade de todos perante a lei: "Vossa Excelência não contribui para a eunomia (...), mas sim para a disnomia..." (*O Globo*, 02.06.2001) **2** *Mit.* Na mitologia grega, Eunomia representa a disciplina, a boa ordem, e nasceu da união de Zeus, o poder, com Têmis, a justiça [F.: Do gr. *eunomía*.]

eunuco (eu.*nu*.co) *sm.* **1** No Oriente, homem castrado a quem era confiada a guarda das mulheres, esp. nos haréns **2** *P.ext. Fig.* Homem impotente física ou espiritualmente *a.* **3** Diz-se de homem impotente, ou que não tem órgãos de reprodução sexual **4** *Bot.* Diz-se de flor cujos pistilo e estames se transformaram em pétalas [F.: Do gr. *eunoûchos*, pelo lat. *eunuchus*.]

eunucoide (eu.nu.*coi*.de) *a2g.* **1** Referente a ou próprio de eunuco **2** Diz-se de voz fina, semelhante à do eunuco [F.: Do gr. *eunuchoeidés*. Ver *-oide*.]

eupátrida (eu.*pá*.tri.da) *a2g.* **1** Diz-se de indivíduo que pertencia a uma das famílias poderosas que formavam a aristocracia da cidade de Atenas, na Antiguidade clássica *s2g.* **2** Indivíduo eupátrida(1) [F.: Do gr. *eupatrídes*, *ou*.]

euploide (eu.*ploi*.de) *Gen. a2g.* **1** Diz-se de célula ou indivíduo que contém o número completo de cromossomos que caracteriza a espécie *sm.* **2** Célula ou indivíduo euploide [F.: *eu-* + *-ploide*.]

euploidia (eu.ploi.*di*.a) *sf. Gen.* Condição de célula ou indivíduo euploide [F.: *euploide* + *-ia*[1].]

eupneia (eup.*ne*:ia) *sf.* Respiração regular, normal [P.op. a *dispneia*.] [F.: Do lat. cient. *eupnea*, *eupnoea* < gr. *eúpnoia*. Ver *eu-* e *-pneia*. Cf.: *bradipneia*, *taquipneia*.]

eupneico (eup.*nei*.co) *a.* Que apresenta eupneia [P.op. a *dispneico*.] [F.: *eu-* + *-pneico*.]

eurasiano (eu.ra.si:*a*.no) *a.* **1** Ref. a terras, países, povos ou coisas da Europa e da Ásia ao mesmo tempo **2** Ref. a quem é descendente de europeu com asiática, ou vice-versa *sm.* **3** Indivíduo eurasiano (2) [F.: Dos tops. *Europa* + *Ásia* + *-ano*[1].]

eurasiático (eu.ra.si:*á*.ti.co) *sm.* **1** Mestiço de europeu com asiática ou vice-versa *a.* **2** Pertencente ou ref. a Eurásia (conjunto de terras da Europa e Ásia) **3** Que é mestiço de europeu com asiática ou vice-versa [F.: *eur(o)-* + *asiático*. Sin. ger.: *eurasiano*.]

eurásico (eu.*rá*.si.co) *a.* **1** Ref., pertencente ou inerente à Europa e à Ásia simultaneamente **2** Ref., pertencente ou inerente à Eurásia (conjunto das terras europeias e asiáticas) [F.: *Eurásia* + *-ico*[2]. Sin. ger.: *eurasiano*.]

eureca (eu.*re*.ca) [é] *interj.* Ver *heureca*

◎ **euri-** *Pref.* = amplo, largo: *euribionte*, *eurioico* [F.: Do gr. *eurýs*.]

euribático (eu.ri.*bá*.ti.co) *a. Zool.* Diz-se de animal marinho que suporta pressões diversas, qualidade que o permite viver em diferentes profundidades; EURÍBATO [F.: *euri-* + *-bat(o)-* + *-ico*[2].]

euribionte (eu.ri.bi:*on*.te) *sm. Ecol.* Espécie capaz de se adaptar a uma grande variedade de ambientes; EURIOICO [F.: *euri-* + *-bionte*.]

eurioico (eu.ri:*oi*.co) *sm. Ecol.* Ver *euribionte* [F.: *euri-* + *-oico*.]

euripidiano (eu.ri.pi.di.*a*.no) *a.* **1** Ref. a ou próprio de Eurípedes (480-406 a.C.), poeta dramático da Grécia antiga, autor de tragédias célebres, como *Medeia* **2** Que é admirador ou estudioso da obra desse poeta dramático *sm.* **3** Admirador ou estudioso da obra de Eurípedes [F.: Do antr. *Eurípedes* + *-iano*.]

euripterídeos (eu.ri.pte.*rí*.de:o) *sm. Pal.* Espécime dos euripterídeos, grupo de artrópodes (situados entre os trilobitas e os escorpiões) que incluía os maiores animais invertebrados do período cambriano, e que chegavam a medir até 3 m de comprimento e possuíam um par de patas dotadas de enormes pinças [F.: Do tax. *Eurypteridae*.]

euritérmico (eu.ri.*tér*.mi.co) *a.* **1** Diz-se de animal, ger. aquático, que suporta mudanças bruscas de temperatura *sm.* **2** Animal euritérmico [F.: *euri-* + *-term(o)-* + *-ico*[2].]

◎ **eur(o)-** *Pref.* = europeu: *eurasiano*, *eurodólar*, *europeísmo*, *europeu* [F.: F. red. de *europeu*.]

euro (*eu*.ro) *Econ. sm.* **1** Nome do dinheiro us. em vários países da União Europeia (a partir de 1999) **2** Unidade dos valores em euro, us. em notas e moedas: *uma nota de um euro.* [F.: F. red. de *europeu*.]

euro-africano (eu.ro-a.fri.*ca*.no) *a.* Mestiço de pai europeu e mãe africana; tb. *eurafricano* [Pl.: *euro-africanos*.]

euro-americano (eu.ro-a.me.ri.*ca*.no) *a.* **1** Ref. ou pertencente à Europa e à América **2** Que é mestiço de pai europeu e mãe americana ou vice-versa [Pl.: *euro-americanos*.] *sm.* **3** Mestiço de pai europeu e mãe americana ou vice-versa [Pl.: *euro-americanos*.]

euro-asiático (eu.ro-a.si:*á*.ti.co) *a.* O mesmo que *eurasiático* [Pl.: *euro-asiáticos*.]

eurobônus (eu.ro.*bô*.nus) *sm2n. Econ.* Bônus emitido para a captação de recursos no mercado financeiro da Europa [F.: *eur(o)-* + *bônus*.]

eurobrasileiro (eu.ro.bra.si.*lei*.ro) *a.* **1** Ref. ou pertencente à Europa e ao Brasil **2** Que é mestiço de europeu com brasileira ou vice-versa *sm.* **3** Mestiço de europeu com brasileira ou vice-versa [F.: *eur(o)-* + *brasileiro*.]

eurocêntrico (eu.ro.*cên*.tri.co) *a.* Que tem como centro a Europa; que refere tudo aos valores da cultura europeia [F.: Do ing. *eurocentric*.]

eurocentrismo (eu.ro.cen.*tris*.mo) *sm.* **1** Qualidade de eurocêntrico **2** Influência (política, cultural etc.) europeia; EUROPEÍSMO [F.: Do ing. *eurocentrism*.]

eurocentrista (eu.ro.cen.*tris*.ta) *a2g.* O mesmo que *eurocêntrico* [F.: *eurocentrismo-* + *ista*.]

eurodólar (eu.ro.*dó*.lar) *sm. Econ.* Dólar norte-americano us. em depósitos e investimentos nos bancos europeus [F.: *eur(o)-* + *dólar*.]

eurofobia (eu.ro.fo.*bi*.a) *sf.* Aversão à Europa e/ou aos europeus [F.: *eur(o)-* + *fobia*.]

euromercado (eu.ro.mer.*ca*.do) *sm. Econ.* O mercado financeiro europeu [F.: *eur(o)-* + *mercado*.]

euromoeda (eu.ro.mo:*e*.da) *sf. Econ.* Moeda de um país depositada e investida em bancos comerciais europeus [F.: *eur(o)-* + *moeda*.]

europeidade (eu.ro.pe:i.*da*.de) *sf.* Qualidade do que ou de quem é europeu; EUROPEÍSMO [F.: *europeu* + *-idade*.]

europeísmo (eu.ro.pe:*ís*.mo) *sm.* **1** Europeidade **2** Admiração pelos europeus ou pelas coisas europeias **3** Influência que a Europa exerce sobre países de outro continentes; EUROCENTRISMO [F.: *europe(u)* + *-ismo*.]

europeísta (eu.ro.pe.*ís*.ta) *a2g.* **1** Que é admirador dos europeus e/ou das coisas europeias *s2g.* **2** Admirador dos europeus e/ou das coisas europeias [F.: *europeu* + *-ista*.]

europeização (eu.ro.pei.za.*ção*) *sf.* Ação ou resultado de europeizar [Pl.: *ções*.] [F.: *europeizar* + *-ção*.]

europeizado (eu.ro.pei.*za*.do) *a.* Que se europeizou [F.: Part. de *europeizar*.]

europeizante (eu.ro.pei.*zan*.te) *a2g.* Que europeíza [F.: *europeizar* + *-nte*.]

europeizar (eu.ro.pei.*zar*) *v.* Dar ou adquirir caráter europeu [*td.*: *Europeizou os costumes.*] [*int.*: *As crianças europeizaram-se.*] [▶ **1** europeizar] [F.: *europeu* + *-izar.* Hom./Par.: *europeizáveis* (fl.), *europeizáveis* (pl. *europeizável* [a2g.]).]

europeu (eu.ro.*peu*) *sm.* **1** Pessoa nascida ou que vive na Europa *a.* **2** Da Europa; típico desse continente ou de seu povo (cultura europeia, mercado europeu) [Fem.: *-peia*.] [F.: Do lat. *europaeus-a*, do gr. *europaîos*.]

eurotúnel (eu.ro.*tú*.nel) *sm.* Túnel ferroviário sob o Canal da Mancha, que liga Paris ou Bruxelas a Londres e vice-versa [Ger. com inicial maiúsc.] [Pl.: *-neis*.] [F.: *eur(o)-* + *túnel*.]

eurritmia (eur.rit.*mi*.a) *sf.* **1** Beleza, harmonia, regularidade nas diferentes partes de um todo **2** *Art.pl.* Harmonia na composição de uma obra de arte **3** *Med.* Frequência normal do pulso [Ant.: *arritmia*. Cf.: *arritmia* e *disritmia*.] **4** *Med.* Harmonia entre as partes de um organismo e no desenvolvimento dos órgãos [Ant.: *arritmia*.] [F.: Do gr. *eúrythmía*, pelo lat. *eurythmia*.]

eussemia (eus.se.*mi*.a) *sf. Med.* Conjunto de sinais ou sintomas favoráveis em determinada doença [F.: Do lat. cient. *eusemia*, do gr. *eusemía*.]

eussêmico (eus.*sê*.mi.co) *a.* Ref. à eussemia [F.: *eussemia* + *-ico*[2].]

eustasia (eus.ta.*si*.a) *sf. Oc.* Variação do nível geral dos mares com relação aos continentes [F.: Do ing. *eustacy*.]

eustático (eus.*tá*.ti.co) *a.* Ref. à eustasia ou por ela caracterizado [F.: Do ing. *eustactic*.]

eustatismo (eus.ta.*tis*.mo) *sm. Oc.* O mesmo que *eustasia* [F.: *eustático* + *-ismo*.]

eutanásia (eu.ta.*ná*.si:a) *sf.* **1** *Med.* Ato de promover morte rápida e indolor a um doente incurável para pôr fim ao seu sofrimento [Cf.: *distanásia*.] **2** *Jur.* Direito de se ter a morte assim abreviada ou de se matar alguém por esta razão [F.: Do gr. *euthanasía*, pelo lat. *euthanasia* e pelo fr. *euthanasie*. Tb. (e mais de acordo com a etimologia) *eutanasia*.]

eutonia (eu.to.*ni*.a) *sf.* Terapia que busca trazer à consciência o funcionamento do corpo, trabalhando o equilíbrio do tônus muscular, da respiração e da circulação, de forma a permitir ao indivíduo uma mudança na maneira de viver, desenvolvendo a autoconfiança, melhorando a postura e a coordenação dos movimentos [F.: *eu-* + *-tonia*; termo criado pela alemã Gerda Alexander (1908-1994), que criou e desenvolveu essa técnica.]

eutonista (eu.to.*nis*.ta) *s2g.* **1** Praticante ou adepto da eutonia *a2g.* **2** Relativo ou pertencente a eutonia [F.: *eutonia* + *-ista*.]

eutroficação (eu.tro.fi.ca.*ção*) *sf. Ecol.* Processo, natural ou provocado por atividades humanas, em que o aumento de nutrientes da água causa um acúmulo de algas e matéria orgânica decomposta [Tb. *eutrofização*.] [Pl.: *-ções*.] [F.: Do ing. *euthrophication*.]

eutrófico (eu.*tró*.fi.co) *Ecol. a.* **1** Diz-se de rios e lagos cujas águas têm pouco oxigênio e nutrientes abundantes **2** Diz-se de solo fértil [F.: *eutrofia* + *-ico*[2]. Ant. ger.: *distrófico*.]

eutrofização (eu.tro.fi.za.*ção*) *sf. Ecol.* O mesmo que *eutroficação* [Pl.: *-ções*.] [F.: *eutrofizar* + *-ção*.]

⊠ **eV** *Fís.* Símb. de *elétron-volt*

◎ **ev-** *Pref.* = eu- = 'bem', 'de boa estrutura': *evangélico* [O pref. equivale ao eu- e sua pronúncia consonântica deriva do gr. bizantino ou moderno, esp. de empréstimos latinos, como *evangelho*.]

evacuação (e.va.cu:a.*ção*) *sf.* **1** Ação ou resultado de evacuar **2** Ação de expelir matéria fecal; DEFECAÇÃO; DEJEÇÃO **3** A matéria evacuada; DEJETO; EXCREMENTO [Pl.: *-ções*.] [F.: Do lat. *evacuatio*, *onis*.]

evacuado (e.va.cu.*a*.do) *a.* **1** Que se evacuou; ESVAZIADO; DESOCUPADO **2** Que foi expelido de um organismo (bílis evacuada) [F.: Do lat. *evacuatus*, *a*, *um*.]

evacuar (e.va.cu:*ar*) *v.* **1** Sair de (um lugar), deixando-o vazio; DESOCUPAR [*td.*: *Quando viram a fumaça, evacuaram o prédio.*] **2** *Mil.* Remover (população, grupo de pessoas etc.) de zona perigosa [*td./ tda.*: *Os policiais evacuaram as pessoas (da rua).*] **3** Fazer (alguém) sair de um lugar; despejar [*td./ tda.*: *O próprio anfitrião evacuou os penetras (da festa).*] **4** Lançar de si, expelir, ou sair espontaneamente [*td.*: *evacuar sangue.*] [*int.*: *Com o tratamento, evacuaram-se os humores.*] **5** Expelir matérias fecais; defecar [*int.*] [▶ 1 evacuar] [F.: Do lat. *evacuare.*]

evadido (e.va.*di*.do) *a.* Que se evadiu; que escapou ou fugiu [F.: Part. de *evadir.*]

evadir (e.va.*dir*) *v.* **1** Escapar de; esquivar-se a; evitar [*td.*: *evadir um encontro.*] [*tr.* + *a*: *evadir-se a uma conversa.*] **2** Escapar sorrateiramente [*tr.* + *de, a*: *Conseguiu evadir-se dos fãs; evadir-se a um castigo.*] **3** Desaparecer; sumir(-se); esvaecer(-se) [*int.*: *Após a ventania, a fumaça evadiu-se.*] **4** *Rest.* Fugir da prisão [*int.*: *Alguns presos evadiram na madrugada de segunda-feira.*] [▶ 3 evadir] [F.: Do lat. *evadere.*]

evaginação (e.va.gi.na.*ção*) *sf. Med.* Deslocamento de um órgão, ou de parte dele, de sua posição normal [Pl.: *-ções.*] [F.: Do lat. *evaginatio, onis.*]

evalve (e.*val*.ve) *a2g. Bot.* Diz-se de fruto que não se abre ao ficar maduro; INDEISCENTE [F.: *e-*² + *-valve.*]

evanescência (e.va.nes.*cên*.ci:a) *sf.* Qualidade do que é evanescente [F.: *evanescer* + *-ência.*]

evanescente (e.va.nes.*cen*.te) *a2g.* **1** Cuja existência é efêmera, de curta duração (glórias *evanescentes*) **2** Que se esvai, se dissipa; que desaparece [F.: *evanescer* + *-nte.* Tb. *esvanecente.*]

evangelho (e.van.*ge*.lho) [é] *sm.* **1** *Rel.* O ensinamento, a palavra de Jesus contida no Novo Testamento **2** *Rel.* Cada um dos quatro livros incluídos no Novo Testamento, que narram a vida, doutrina e ressurreição de Jesus [Nas acps. 1 e 2, com inicial maiúsc.] **3** *Litu.* Trecho do Novo Testamento lido na missa pelo padre **4** *Fig.* Doutrina indiscutível; DOGMA: *A ética médica é seu evangelho.* [F.: Do gr. *euaggélion*, pelo lat. *evangelium.*] ∎ **~ pequenino** *Fam.* Provérbio, máxima, sentença moral

evangélico (e.van.*gé*.li.co) *Rel. a.* **1** Ref. ao Evangelho (1, 2) ou que segue seus princípios (doutrina *evangélica*) **2** Ref. ou pertencente a certas igrejas, criadas a partir da Reforma do séc. XVI, que seguem esp. o Evangelho (1 e 2) (pastor *evangélico*; igreja *evangélica*, ensinamento *evangélico*) *sm.* **3** Membro de uma dessas igrejas: *Cresceu muito o número de evangélicos no Brasil.* [F.: Do lat. *evangelicus.*]

evangelismo (e.van.ge.*lis*.mo) *sm.* **1** *Rel.* Qualquer doutrina ou sistema moral/religioso fundamentado no Evangelho (1 e 2) **2** *Rel.* Característica, fundamento do ensino evangélico **3** *P.ext. Fig.* Grande empenho em defesa de princípios religiosos, morais, políticos etc. [F.: *evangelho* + *-ismo.*]

evangelista (e.van.ge.*lis*.ta) *Rel. sm.* **1** Cada um dos quatro autores dos quatros livros do Evangelho: Mateus, Marcos, Lucas e João *s2g.* **2** *Rel.* Aquele que evangeliza ou divulga uma doutrina em pregações **3** *Rel.* Seguidor de Igreja Evangélica *a2g.* **4** Que evangeliza ou divulga uma doutrina em pregações **5** Que segue os ensinamentos da Igreja Evangélica [F.: Do lat. ecles. *evangelista.*]

evangelização (e.van.ge.li.za.*ção*) *sf.* **1** *Rel.* Ação ou resultado de evangelizar, de pregar o Evangelho **2** *Fig.* Ensino ou divulgação de uma doutrina, de um sistema etc.: *a evangelização das ideias modernas.* [Pl.: *-ções.*] [F.: *evangelizar* + *-ção.*]

evangelizador (e.van.ge.li.za.*dor*) [ô] *a.* **1** Que evangeliza ou difunde uma doutrina *sm.* **2** Aquele que evangeliza ou difunde uma doutrina [F.: Do lat. *evangelizator, oris.* Sin. ger.: *evangelista.*]

evangelizar (e.van.ge.li.*zar*) *v.* **1** Pregar, ensinar (o Evangelho, conteúdo moral e/ou religioso etc.) [*td.*: *evangelizar valores morais e éticos.*] **2** Converter (alguém) ao cristianismo pela pregação do Evangelho [*td.*: *Sua missão era evangelizar os pagãos.* Mesmo quando o objeto direto não é explícito, o verbo, neste sentido, pressupõe sua existência: *Dedicou sua vida a evangelizar.*] [*int.*: *Dedicou sua vida a evangelizar.* Como observado na regência transitiva direta, mesmo quando usado sem complemento está implícita a existência de um complemento direto.] **3** Tornar-se cristão; CRISTIANIZAR-SE [*int.*: *Os judeus expatriados para o Brasil colonial evangelizaram-se por força das circunstâncias.*] **4** Preconizar (ideologia ou doutrina) [*td.*: *O partido evangelizava os ideais marxistas.*] [▶ 1 evangelizar] [F.: Do lat. *evangelizare.*]

evaporação (e.va.po.ra.*ção*) *sf.* **1** Ação, processo ou resultado de evaporar(-se) **2** *Quím.* Passagem gradual do estado líquido ao gasoso, provocada por aumento de temperatura **3** *Fig.* Desaparecimento, sumiço: *Ninguém sabia explicar a evaporação das provas do crime.* [Pl.: *-ções.*] [F.: Do lat. *evaporatio, onis.*]

evaporado (e.va.po.*ra*.do) *a.* **1** Que se evaporou; convertido em vapor **2** *Fig.* De comportamento leviano; DOIDIVANAS [F.: Part. de *evaporar.*]

evaporador (e.va.po.ra.*dor*) [ô] *a.* **1** Que produz evaporação *sm.* **2** Aparelho que produz evaporação [F.: *evaporar* + *-dor.*]

evaporante (e.va.po.*ran*.te) *a2g.* Que evapora; EVAPORADOR [F.: *evaporar* + *-nte.*]

evaporar (e.va.po.*rar*) *v.* **1** Converter(-se) (um líquido) ao estado de vapor ou gás [*td.*: *O calor evaporou a água dos açudes.*] [*int.*: *A cachaça, mal guardada, evaporou.*] **2** Tornar (um líquido) mais denso por meio da evaporação [*td.*: *evaporar uma solução/ um xarope.*] **3** Exalar, emitir (vapores, emanações) [*td.*: *Aquela terra evaporava muita umidade; Seus cabelos evaporavam uma doce fragrância.*] **4** Perder (bebida alcoólico) parte da concentração de álcool devido a sua evaporação [*int.*: *Meu Cointreau evaporou, virou xarope.*] **5** *Fig.* Fazer desaparecer ou desaparecer; dissipar(-se); desfazer(-se) [*int.*: *A testemunha do crime evaporou-se;* "A ilusão evaporou / E nosso amor, enfim, se afogou..." (Arlindo Cruz, Franco e Acyr Marques, *Pranto que chorei*)] [*td.*: *A última pesquisa eleitoral evaporou suas esperanças.*] **6** Consumir-se inutilmente; perder-se [*int.*: *Evaporaram-se seus esforços em baldadas tentativas.*] [▶ 1 evaporar] [F.: Do lat. *evaporare.* Hom./Par.: *evaporáveis* (fl.), *evaporáveis* (pl. de *evaporável*).]

evaporativo (e.va.po.ra.*ti*.vo) *a.* Que facilita a evaporação ou que a produz [F.: Do lat. *evaporativus, a, um.*]

evaporável (e.va.po.*rá*.vel) *a2g.* Que se pode evaporar ou que é suscetível de evaporação [Pl.: *-veis.*] [F.: *evaporar* + *-vel.* Hom./Par.: *evaporáveis* (pl.), *evaporáveis* (fl. de *evaporar*).]

◎ **evapori-** *el. comp.* = evaporação: *evaporímetro* [F.: Do lat. *evaporare* + *-i-*.]

evaporímetro (e.va.po.*rí*.me.tro) *sm. Met.* Aparelho que mede a taxa de evaporação de água na atmosfera [F.: *evapori-* + *-metro.*]

evaporito (e.va.po.*ri*.to) *sm. Geol.* Depósito de sais minerais originado da evaporação de grandes quantidades de água contendo substâncias químicas diluídas [F.: *evapori-* + *-ito.*]

◎ **evaporo-** *el. comp.* = *evapori-*

evapotranspiração (e.va.po.trans.pi.ra.*ção*) *sf. Ecol.* Perda de água de um ecossistema causada por um processo combinado de evaporação da água do solo e transpiração dos vegetais [Pl.: *-ções.*] [F.: *evapo(ração)* + *transpiração.*]

evasão (e.va.*são*) *sf.* **1** Ação ou resultado de evadir(-se); FUGA **2** Desistência, abandono de algo (*evasão* escolar) **3** O mesmo que *evasiva* [Pl.: *-sões.*] [F.: Do lat. *evasio, onis.*] ∎ **~ fiscal** *Econ.* Sonegação ou desvio de tributo, por ocultação de renda ou outro artifício por parte do contribuinte **~ escolar** Diminuição do número de estudantes na escola por abandono do estudo antes de completado o curso

evasê (e.va.*sê*) *a2g. Vest.* Que tem forma de cone, alargando-se para baixo (diz-se esp. de saia) [F.: Do fr. *évasé.*]

evasiva (e.va.*si*.va) *sf.* Resposta intencionalmente vaga, pouco clara; SUBTERFÚGIO: *Reagiu com evasivas ao pedido de esclarecimentos.* [F.: Fem. subst*v.* de *evasivo.*]

evasivo (e.va.*si*.vo) *a.* **1** Que usa pretextos e subterfúgios para não dizer algo claramente (resposta *evasiva*, discurso *evasivo*): "A dobrez é *evasiva* e oblíqua; o riso dele era jovial e franco." (Machado de Assis, "A causa secreta", *in Novas Seletas*) **2** Que serve de subterfúgio para uma evasiva: *Recorreu a comparações e analogias evasivas, e não respondeu à principal questão.* [F.: Do lat. *evasus* (pelo rad. *evas-*) + *-ivo.*]

evasor (e.va.*sor*) [ô] *sm.* **1** Aquele que se evade **2** Contribuinte que desvia ou sonega renda tributária [F.: Do lat. *evasus, a, um*, part. pass. do v.lat. *evadere*, 'sair'; 'atirar-se para fora'; 'escapar' (> *evadir*) + *-or.*]

evento (e.*ven*.to) *sm.* **1** Acontecimento, fenômeno, ocorrência: *Chuva de granizo é evento raro na região.* **2** *P.ext.* Acontecimento social, cultural, artístico etc., como festa, solenidade, espetáculo etc. **3** Qualquer fenômeno natural ou social observável cientificamente **4** *Est.* Acontecimento ou fenômeno probabilístico **5** *Astrfs.* Ponto no espaço de quatro dimensões (o espaço-tempo) **6** Fato inesperado; EVENTUALIDADE **7** *Fís.* Expressão, em forma de um conjunto de dados, de interação entre partículas [F.: Do lat. *eventus.*]

eventração (e.ven.tra.*ção*) *Med. sf.* **1** Hérnia que ocorre em qualquer ponto das paredes abdominais **2** Retirada das vísceras; EVISCERAÇÃO [Pl.: *-ções.*] [F.: Do fr. *éventration.*]

eventrar (e.ven.*trar*) *v. td.* Pôr para fora (as vísceras) do ventre [▶ 1 eventrar] [F.: *e-* + *ventre* + *-ar.*]

eventual (e.ven.tu:*al*) *a2g.* **1** Que é incerto, podendo acontecer ou deixar de acontecer; CASUAL; FORTUITO: *uma eventual mudança de planos.* **2** Que ocorre de vez em quando; OCASIONAL: *Tínhamos encontros eventuais.* [Ant.: *frequente.*] [Pl.: *-ais.*] *sm.* **3** Previsão orçamentária de despesas não especificadas [Us. no pl.: *eventuais.*] [F.: Do lat. med. *eventualis.*]

eventualidade (e.ven.tu:a.li.*da*.de) *sf.* **1** Condição do que é eventual **2** Acontecimento incerto ou imprevisto; ACASO; CONTINGÊNCIA: *Havendo qualquer eventualidade, você sabe a quem recorrer.* [F.: Do lat. *eventualitas-atis.*]

eventualmente (e.ven.tu:al.*men*.te) *adv.* De modo eventual; OCASIONALMENTE [F.: *eventual* + *-mente.*]

eversão (e.ver.*são*) *sf.* **1** Grande destruição; ASSOLAÇÃO; DESMORONAMENTO; RUÍNA **2** *Anat.* Processo em que uma parte do corpo revira-se para fora **3** *Jur.* Ação de privar alguém de posse de algo que lhe pertence [Pl.: *-sões.*] [F.: Do lat. *eversio, onis.* Ideia de: *ver(t/s)-.*]

everter (e.ver.*ter*) *v. td. P.us.* Provocar destruição; ARRUINAR; DESTRUIR [▶ 2 everter] [F.: do lat. *evertere.*]

evicção (e.vic.*ção*) *sf.* **1** Ação, processo ou resultado de evencer **2** *Jur.* Perda, total ou parcial, de um bem por seu adquirente, em consequência de ação judicial feita pelo verdadeiro dono que o reivindica e o recobra [Pl.: *-ções.*] [F.: Do fr. *éviction*, deriv. do lat. *evictio, onis.* Hom./Par.: *evicção* (sf.), *evecção* (sf.). Ideia de: *venc-.*]

evicto (e.*vic*.to) *Jur. sm.* **1** Aquele que é submetido à evicção *a.* **2** Que está sujeito à evicção (diz-se de coisa ou pessoa) [F.: Do lat. *evictus, a, um.* Ideia de: *venc-.*]

evidência (e.vi.*dên*.ci:a) *sf.* **1** Característica do que é evidente, claro **2** O que esclarece, que não deixa dúvida; PROVA: *Não é possível ignorar evidências tão fortes.* **3** Indicação, traço, vestígio que permite induzir fato, ocorrência, processo etc.: *Há evidências de que essa empresa sonegou impostos.* **4** *Fil.* Para Descartes, filósofo francês, verdade indubitável, tal a clareza de sua apresentação ou enunciado **5** Destaque, visibilidade: *estar em evidência*: "(...) quando se favoreciam os amigos e os parentes com vários postos de evidência e responsabilidade (...)." (Cecília Meireles, "O Ministério da Educação", *in Crônicas de educação*) **6** Descrição inequívoca de algo, tal sua minúcia e exatidão na apresentação de suas particularidades, seja qual for sua natureza [F.: Do lat. *evidentia.* Hom./Par.: *evidencia* (fl. *evidenciar*).] ∎ **Pôr em ~** *Mat.* Separar de uma operação coeficiente comum aos fatores ou parcelas [P.ex.: na equação z = ax + ay pode-se pôr a em evidência, na forma z = a(x + y).]

evidenciação (e.vi.den.ci.a.*ção*) *sf.* Ação ou resultado de evidenciar [Pl.: *-ções.*] [F.: *evidenciar* + *-ção.* Ideia de: *vid-.*]

evidenciado (e.vi.den.ci.*a*.do) *a.* Que se evidenciou [F.: Part. de *evidenciar.* Ideia de: *vid-.*]

evidenciar (e.vi.den.ci:*ar*) *v.* **1** Tornar(-se) evidente, patente, manifesto [*td.*: "...o empate em 6 a 6 evidenciava a igualdade entre os times." (*O Globo*, 12.06.2003)] [*int.*: *As causas do acidente não se evidenciaram.*] **2** Ganhar evidência, realce, relevo; aparecer com destaque; SOBRESSAIR-SE [*int.*: *Com o apoio do presidente do partido, o político evidenciou-se.*] [▶ 1 evidenciar] [F.: *evidência* + *-ar*². Hom./Par.: *evidencia(s)* (fl.), *evidência(s)* (sf.[pl.]).]

evidente (e.vi.*den*.te) *a2g.* Que se apresenta de maneira clara, inequívoca; que não pode ser contestado; CLARO; MANIFESTO [Ant.: *duvidoso, inevidente.*] [F.: Do lat. *evidens, entis.*]

evisceração (e.vis.ce.ra.*ção*) *sf.* **1** *Cir.* Ação ou resultado de eviscerar, de expulsar um órgão para fora da cavidade que o continha **2** *Med.leg.* Processo de retirada das vísceras [Pl.: *-ções.*] [F.: *eviscerar* + *-ção.*]

eviscerado (e.vis.ce.*ra*.do) *a.* Do qual se retiraram as vísceras (animal *eviscerado*); DESVISCERADO; ESTRIPADO; ESVISCERADO [F.: Part. de *eviscerar.* Ideia de: *viscer(o)-.*]

eviscerar (e.vis.ce.*rar*) *v. td.* Tirar as vísceras a; DESVISCERAR; ESVISCERAR [▶ 1 eviscerar] [F.: Do lat. *eviscerare* pelo fr. *éviscérer.*]

evitação (e.vi.ta.*ção*) *sf.* **1** *P.us.* Ação de evitar coisas ou pessoas desagradáveis **2** Ver *evasiva* **3** *Pat.* Transtorno de personalidade em que o indivíduo evita qualquer situação em que se sinta exposto e que portanto lhe provoca ansiedade; ANSIEDADE SOCIAL [Pl.: *-ções.*] [F.: Do lat. *evitatio,onis.* Sin. das acps. 1 e 2: *evitamento.* Ideia de: *vita-.*]

evitar (e.vi.*tar*) *v.* **1** Esquivar-se ao encontro, ao trato ou à convivência de (alguém) [*td.*: *Depois da discussão, evitava o vizinho.*] **2** Fugir a (algo nocivo ou desagradável) [*td.*: *evitar um perigo/ engarrafamentos.*] **3** Buscar não praticar determinada ação [*td.*: *Ela evita pegar sol depois das dez horas.*] **4** Não permitir que suceda; IMPEDIR [*td.*: "Evitava gravidez usando a tabela..." (*Folha de S.Paulo*, 11.04.2000)] **5** Escapar a (algo) [*td.*: *Com a fuga repentina, evitou a prisão.*] **6** Impedir que sobrevenha (algo ruim ou desagradável) a (alguém) [*tdi.* + *a*: *Tenta evitar tristezas aos filhos.*] **7** Rejeitar alguém no ato sexual [*td.*: *A mulher já o evita há meses.*] **8** Tomar precauções para que a mulher não engravide [*int.*: *Vocês têm filhos? Não, ainda estamos evitando.*] [▶ 1 evitar] [F.: Do lat. *evitare.* Hom./Par.: *evitáveis* (fl.), *evitáveis* (pl. de *evitável*).]

evitável (e.vi.*tá*.vel) *a2g.* Que se pode ou deve evitar [Pl.: *-veis.*] [F.: Do lat. *evitabilis, -e.* Ant. ger.: *inevitável.* Ideia de: *vita-.*]

◎ **-evo** [é] *suf.* idade, duração do tempo: *coevo; longevo; medievo.* [F.: Do lat. *aevus* ou *aevum, i.* Cf. *ev(i)-, etari-* e *etern-.*]

evocação (e.vo.ca.*ção*) *sf.* **1** Ação de evocar **2** *Jur.* Transferência de um tribunal para outro de uma causa **3** *Fig.* Ação de recordar-se de algo voluntariamente; RECORDAÇÃO **4** Ação de evocar, de fazer aparecer espíritos, demônios, em rituais ou cerimônias [Pl.: *-ções.*] [F.: Do lat. *evocatio, onis.* Ideia de: *voc-.*]

evocado (e.vo.*ca*.do) *a.* Que se evocou [F.: Part. de *evocar.* Ideia de: *voc-.*]

evocador (e.vo.ca.*dor*) [ô] *sm.* **1** Aquele que evoca *a.* **2** Que evoca (imagem *evocadora*; perfume *evocador*) [F.: *evocar* + *-dor.* Ideia de: *voc-.*]

evocar (e.vo.*car*) *v. td.* **1** Invocar ou convocar (esp. algo sobrenatural); fazer aparecer por meio de invocação, esconjuro ou exorcismo: *evocar a ajuda dos santos; Evocar os espíritos.* **2** Fazer presente na lembrança; reproduzir na imaginação, no espírito (uma imagem qualquer): *O pobre sonhador evocava um mundo perfeito; A sua palavra eloquente evocava os grandes vultos da história.* **3** *Jur.* Deslocar (uma causa) de um tribunal a outro: *O presidente poderá evocar o processo e redistribuí-lo.* [▶ 11 evocar] [F.: Do lat. *evocare.* Hom./Par.: *evocáveis* (fl.), *evocáveis* (pl. de *evocável*).]

evocativo (e.vo.ca.*ti*.vo) *a.* Que evoca, que faz vir (algo) à memória; EVOCATÓRIO: *O tom evocativo do discurso a emocionou.* [F.: Do lat. *evocativus.*]

evolar-se (e.vo.*lar*-se) *v. int.* **1** Elevar-se como se fosse voar: *As folhas evolavam-se sobre o arvoredo.* **2** Dissipar-se, desvanecer-se: *Evolara-se o velho amor.* 3 Emanar, exalar (odor): *No jardim, evolava-se o perfume das rosas.* [▶ 1 evolar-se] [F.: do lat. *evolare + se.*]

evolução (e.vo.lu.*ção*) *sf.* 1 Ação, processo ou resultado de evoluir [Ant.: *involução, retrocesso.*] 2 Processo de transformação progressiva e gradual que indica ger. um grau de aperfeiçoamento (evolução tecnológica; evolução científica); PROGRESSO; DESENVOLVIMENTO [Ant.: *retrocesso.*] 3 Desenvolvimento, crescimento: "(...) nos tempos de hoje, em que se insiste na preparação do ambiente e na apresentação das experiências, como suficientes para a evolução da criança." (Cecília Meireles, "Eduquemos a criança", *in Crônicas de educação*) 4 Movimento harmonioso e progressivo: *Os dançarinos fizeram uma bela evolução.* 5 Esse movimento pelo conjunto de uma Escola de Samba, que constitui um dos itens de avaliação da qualidade do desfile 6 *Mil.* Série de movimentos desenvolvidos por soldados das forças armadas para compor desfile militar ou para simular confrontos, batalhas etc. [Mais us. no pl.] 7 *Biol.* Série de transformações por que passam os seres vivos (evolução das espécies) 8 *Biol.* Série de transformações biológicas por que teriam passado os seres vivos, conforme o processo de seleção natural [Cf.: *darwinismo.*] 9 *Astron.* Movimento periódico feito por um corpo celeste em torno de um outro 10 *Ling.* Processo de mudanças numa língua [Pl.: *-ções.*] [F.: Do lat. *evolutio, onis.*] ▪▪ **~ convergente** *Biol.* Desenvolvimento de características similares em espécies que não têm relação de proximidade na classificação taxionômica **~ social** *Antr. Soc.* Processo de desenvolvimento qualitativo de uma sociedade e de suas instituições

evolucional (e.vo.lu.ci:o.*nal*) *a2g.* Ver *evolutivo* [Pl.: *-nais.*] [F.: *evolução + -al[1].*]

evolucionar (e.vo.lu.ci:o.*nar*) *v.* 1 Mesmo que *evoluir* [*tr.* + *para*] [*int.*] 2 Executar evoluções (4, 5) [*int.*: *O trapezista evolucionava em movimentos perfeitos.*] 3 Passar (alguém, algo) por mudanças, alterações [*int.*: *O aluno evolucionou de maneira prodigiosa.*] [▶ 1 evolucion**ar**] [F.: *evolucion- + -ar.* Hom./Par.: *evolucionaria* (fl.), *evolucionária* (f.evolucionário[a.]).]

evolucionário (e.vo.lu.ci:o.*ná*.ri:o) *a.* Ref. a evolução ou evoluções (socialismo evolucionário; eletrônica evolucionária) [F.: *evolução + -ário.* Hom./Par.: *evolucionária* (fem.), *evolucionaria* (fl. de evolucionar). Ideia de: *vol-.*]

evolucionismo (e.vo.lu.ci:o.*nis*.mo) *sm.* 1 *Biol.* Teoria da evolução natural das espécies animais e vegetais [Cf.: *darwinismo.*] 2 *Antr.* Teoria da evolução das sociedades humanas rumo a padrões culturais e comportamentais mais complexos 3 *Fil.* Conjunto de ideias e doutrinas segunda as quais o modelo da evolução (biológica, social etc.) explica as grandes transformações do mundo [F.: Do fr. *évolutionnisme.*] ▪▪ **~ social** *Antr.* Escola antropológica segundo a qual ocorre um desenvolvimento inevitável para estágios mais aperfeiçoados de entidades naturais ou sociais

evolucionista (e.vo.lu.ci:o.*nis*.ta) *Antr. Biol.* *a2g.* 1 Ref. a ou que é seguidor do evolucionismo *s2g.* 2 Seguidor do evolucionismo [F.: Do fr. *évolutionniste.*]

evoluído (e.vo.lu.*í*.do) *a.* 1 Que, por evolução (2, 6), atingiu um estágio avançado 2 *Fig.* Arrojado, aberto para novos valores, para as inovações (diz-se de pessoa); MODERNO: *Teresa é uma mulher evoluída, sem preconceitos.* [F.: Part. de *evoluir.*]

evoluir (e.vo.lu.*ir*) *v.* 1 Executar evoluções ou movimentos sincronizados e harmônicos; EVOLVER; EVOLUCIONAR [*tr.* + *para*: *O latim evoluiu para diversas línguas.*] [*int.*: *Todas as sociedades evoluem; Do ano passado para cá o time evoluiu muito.*] 2 Executar evoluções ou movimentos sincronizados e harmônicos [*ta.*: *O batalhão evoluiu elegantemente na parada.*] 3 *Bras. Pop.* Mudar de configuração à medida que se prolonga [*ta.*: *A fila evoluía para o final do segundo quarteirão.*] [F.: Do fr. *évoluer.* Nota: É considerado galicismo, mas seu uso é corrente.]

evolutivo (e.vo.lu.*ti*.vo) *a.* 1 Ref. a evolução ou desenvolvimento de algo 2 Que evolui ou causa evolução [F.: Do fr. *évolutif.* Sin. ger.: *evolucional.*]

evolver (e.vol.*ver*) *v.* Ter desenvolvimento que se processa de maneira gradual; EVOLUIR [*int.*: *O processo não evolvia como esperávamos; Qualquer língua em uso evolve-se continuamente.*] [*tr.* + *de*, *para*: *Há risco da doença evolver de uma simples infecção para septicemia generalizada.*] [▶ 2 evolv**er**] [F.: do lat. *evolvere.*]

evolvível (en.vol.*ví*.vel) *a2g.* Que é capaz de evolver(-se) [Pl.: *-veis.*] [F.: *evolver + -ível.* Ideia de: *vol-.*]

evulsão (e.vul.*são*) *sf.* *Cir.* Ação de arrancar algo violentamente; ABLAÇÃO; AVULSÃO [Pl.: *-sões.*] [F.: Do lat. *evulsio, ónis.* Ideia de: *vel-.*]

◎ **ex-[1]** = movimento para fora, separação, ausência, exclusão: *expatriado, exportar, expulsão*

ex *s2g2n.* Us. como redução de ex-pessoa com quem se teve relacionamento', como ex-marido, ex-noiva, ex-namorado etc.: *Ela mantém boas relações com seus ex.* [F.: Da prep. lat. *ex.*]

◎ **ex-[2]** *pref.* fora de (externo); EC-: *exarticulação; excarceração.* [F.: Do gr. *ex-*, var. de *ek-* à frente de vogais. Cf. *es-* e *exo-*. NOTA: *ec-* é us. antes de consoantes e *ex-* é us. antes de vogais.]

⊠ **Ex.ª** Abrev. de *excelência* (2)

⊕ ***ex abrupto*** (*Lat./ekx abrupto/*) ***loc.adv.*** De modo súbito; ABRUPTAMENTE; INOPINADAMENTE; INTEMPESTIVAMENTE: *O governante decretou ex abrupto a proibição absoluta da pena de morte.*

exação (e.xa.*ção*) [z] *sf.* 1 Ação ou resultado de exigir 2 *Jur.* Cobrança, arrecadação rigorosa de taxa, dívida etc. 3 Exatidão, correção, regularidade: *O juiz interpretou os autos com exação.* 4 Atenção, desvelo, cuidado, esmero na realização de algo [Pl.: *-ções.*] [F.: Do lat. *exactio, -onis.*]

exacerbação (e.xa.cer.ba.*ção*) [z] *sf.* 1 Ação ou resultado de exacerbar, intensificar, agravar algo: *O pânico é a exacerbação do medo.* 2 Grande irritação, exasperação 3 *Med.* Aumento na intensidade dos sintomas de uma doença [Pl.: *-ções.*] [F.: Do lat. *exacerbatio, -onis.*]

exacerbado (e.xa.cer.*ba*.do) [z] *a.* Que se exacerbou, que se excedeu: "O poeta moderno, que vive no individualismo mais exacerbado, sacrifica ao bem da expressão a intenção de se comunicar." (João Cabral de Melo Neto, "Da função moderna da poesia", *in Prosa*) [F.: Part. de *exacerbar.*]

exacerbamento (e.xa.cer.ba.*men*.to) *sm.* Ver *exacerbação.* [F.: *exarcerbar + -mento.* Ideia de: *ac-.*]

exacerbar (e.xa.cer.*bar*) [z] *v.* 1 Tornar(-se) mais intenso ou grave; AGRAVAR; INTENSIFICAR [*td.*: *O despreparo para a nova situação exacerbou a crise econômica.*] [*int.*: *Suas crises de asma se exacerbaram.*] 2 Fazer ficar ou ficar mais áspero, violento [*td.*: *A disputa eleitoral exacerbou os ânimos.*] [*int.*: *À medida que o jogo se desenrolava, os ânimos das torcidas se exacerbavam.*] 3 Irritar(-se) [*td.*: *A ofensa exacerbou-o ainda mais.*] [▶ 1 exacerb**ar**] [F.: Do lat. *exacerbare.*]

exacional (e.xa.ci:o.*nal*) [z] *a2g.* 1 Ref. a exação 2 *Jur.* Ref. a cobrança de dívida, imposto, taxa etc. [Pl.: *-nais.*] [F.: *exação* (lat. *exactione*) + *-al[1].*]

⊕ ***ex adverso*** (*Lat./eks adverso/*) ***loc.a.*** *Jur.* Relativo ao advogado da parte contrária

⊕ ***ex aequo*** (*Lat./ekx aekwo/*) ***loc.adv.*** *Jur.* Com equidade: *Foram contemplados, em ex aequo, dois dos trabalhos.*

exageração (e.xa.ge.ra.*ção*) [z] *sf.* 1 Ação de exagerar; EXAGERAMENTO; EXAGERO 2 Coisa exagerada ou fora do comum, por suas formas ou dimensões 3 *Ret.* Ver *hipérbole* 4 Atitude excessiva; ABUSO; EXAGERAMENTO; EXAGERO; EXCESSO 5 *Pint.* Formas, expressões, proporções etc. mais pronunciadas do que o real 6 Ostentação enganosa de qualidade, vício ou virtude 7 Falta de naturalidade; PEDANTISMO [Pl.: *-ções.*] [F.: Do lat. *exaggeratio, onis.* Ant.: *atenuação.*]

exagerado (e.xa.ge.*ra*.do) [z] *a.* 1 Em que há exagero; EXCESSIVO; DESMEDIDO: *É de um otimismo exagerado e nunca toma precauções.* 2 Que está além da medida ou intensidade normal; EXCESSIVO: *Este carro tem um consumo exagerado de combustível.* 3 Diz-se de quem tende a exagerar (sujeito exagerado) *sm.* 4 Indivíduo exagerado (3): *Não usa o bom-senso, é um exagerado.* [F.: Do lat. *exaggeratus.*]

exagerar (e.xa.ge.*rar*) [z] *v.* 1 Atribuir a (algo, alguém, fato etc.) valor, peso, importância etc. maior do que a real, ou da que se pode atingir [*td.*: *exagerar as próprias dificuldades; exagerar os defeitos dos outros; Sempre exagera a inteligência da filha.*] [*tr.* + *em*: "...esse valor será revisto pela Fazenda Estadual, que geralmente exagera na avaliação..." (*Jornal do Brasil*, 28.08.2005)] 2 Dimensionar (ação, medida etc.) além do razoável ou necessário [*tr.* + *em*: *Dessa vez o governo exagerou na aplicação de medidas provisórias.*] [*int.*: *Sete medidas provisórias este mês? O governo exagerou.*] 3 Aumentar além do cabível a dose de [*tr.* + *em*: *O dentista exagerou na anestesia, ainda não sinto os lábios.*] 4 Dizer ou fazer algo atribuindo (ao que é dito ou feito) intensidade, valor, medida etc. acima do cabível ou normal [*int.*: *Seria um bom ator se não exagerasse tanto:* "Todo mundo sabe que a fama tem seu preço mas às vezes o público exagera" (*JB*, 07.06.2005)] 5 Elogiar, exaltar, encarecer demais [*td.*: *Não se impressione, ela sempre exagera o talento do filho.*] [*tr.*: *Ele sempre exagera nos elogios e se contém nas críticas.*] [*int.*: *Quando elogia o cinema nacional ele sempre exagera.*] 6 Demonstrar (sentimento, emoção, interesse etc.) mais do que realmente sente [*td.*: *Para impressionar a família do falecido, exagerou sua tristeza.*] [*tr.* + *em*: *Ela sempre exagera em suas manifestações de afeto.*] [*int.*: *Não faça fé nas manifestações de entusiasmo dele, sempre exagera.*] [▶ 1 exager**ar**] [F.: Do lat. *exaggerare.* Hom./Par.: *exagero* (fl.), *exagero* [ê] (sm.).]

exagero (e.xa.*ge*.ro) [z...ê] *sm.* 1 Ação ou resultado de exagerar(-se), exceder(-se) 2 Coisa excessiva, desmedida; EXCESSO 3 O que ultrapassa a medida cabível ou normal de algo: "E, aí, por causa do binco adunco, da extrema elegância e do exagero das garras, notei que o tal frango era mesmo um gavião." (João Guimarães Rosa, *Sagarana*) [F.: Dev. de *exagerar.* Hom./Par.: *exagero* [é] (fl. *exagerar*).]

exalação (e.xa.la.*ção*) [z] *sf.* 1 Ação ou resultado de exalar 2 Emissão de vapores ou odores; EMANAÇÃO: *Sentia a exalação da terra depois da chuva.* 3 Luz rápida produzida por gases que emanam do solo e se inflamam ao contato com o ar 4 *N.E. Pop.* Efeito luminoso (traço luminoso que risca o céu) resultante do atrito de um meteoroide com a atmosfera terrestre; estrela cadente [Pl.: *-ções.*] [F.: Do lat. *exhalatio, -onis.*]

exalado (e.xa.*la*.do) [z] *a.* Que se exalou, lançou; EMITIDO: *fumaça exalada pelo fogão.* [F.: Part. de *exalar.* Ideia de: *hal-.*]

exalante (e.xa.*lan*.te) [z] *a2g.* Que exala, emite (odor exalante) [F.: *exalar + -nte.* Ideia de: *hal-.*]

exalar (e.xa.*lar*) [z] *v.* 1 Lançar, emitir (odor, vapor, gás, sopro etc.), ou emanar, sair [*td.*: "Simplesmente as rosas exalam o perfume que roubam de ti" (Cartola, *As rosas não falam*)] [*int.* *Vimos um vapor exalar(-se) do vulcão.*] 2 *Fig.* Proferir, soltar [*td.*: *exalar suspiros/ queixas/ imprecações.*] 3 *Fig.* Dar livre curso a, ou ter livre curso; manifestar(-se), revelar(-se) [*tr.* + *em*: "...quis soltar um urro que apenas exalou-se num gemido surdo e abafado." (José de Alencar, *O guarani*)] [*td.*: *exalar a ira, a raiva, a cólera.*] 4 *Fig.* Findar-se, dissipar-se, extinguir-se [*int.*: *Exalaram-se os sonhos da juventude.*] 5 Evaporar, dissipar-se volatizando-se [*int.*: *O éter exala-se rapidamente ao ar livre.*] [▶ 1 exal**ar**] [F.: Do lat. *exhalare.*]

exalçar (e.xal.*çar*) [z] *v.* *td.* 1 Dar grandeza a; EXALTAR: "Mas ficará seu nome eternizado e enquanto o veloz tempo vai rodando seu nome a fama irá sempre exalçando" (Corte Real, *Naufrágio*) 2 Levar para o alto; ELEVAR [▶ 12 exal**çar**] [F.: *ex- + alçar.*]

exaltação (e.xal.ta.*ção*) [z] *sf.* 1 Ação ou resultado de exaltar, elogiar, louvar, enaltecer: *exaltação à bandeira.* 2 Estado de euforia, entusiasmo 3 Estado de forte irritação (exaltação dos ânimos) 4 *Rel.* Festa católica (em 14 de setembro) comemorativa da elevação da Santa Cruz, em Jerusalém: *Fez uma verdadeira exaltação à obra.* [Pl.: *-ções.*] [F.: Do lat. *exaltatio,-onis.*]

exaltado (e.xal.*ta*.do) [z] *a.* 1 Diz-se de quem está irritado ou se irrita facilmente 2 Muito agitado; EXCITADO: *Já chegou exaltado, não parou um só instante.* 3 Que expressa euforia, entusiasmo (gritos exaltados) 4 Entusiasmado, ardente, apaixonado: *Tinha um amor exaltado à pátria.* 5 Que se mostra exagerado, excessivo (paixão exaltada); EXACERBADO *sm.* 6 Indivíduo irritado ou facilmente irritável [F.: Part. de *exaltar.*]

exaltador (e.xal.ta.*dor*) [z...ô] *sm.* 1 Aquele que exalta algo ou alguém *a.* 2 Que exalta: "Quando eu era estudante também Coimbra foi visitada por belos gênios, sob o sol exaltador de maio." (Eça de Queirós, *Cartas familiares*) [F.: *exaltar + -dor.* Ideia de: *alt-.*]

exaltante (e.xal.*tan*.te) [z] *a2g.* Que faz exaltações, que exalta; EXALTADOR: *Foi exaltante revê-lo.* [F.: *exaltar + -nte.* Ideia de: *alt-.*]

exaltar (e.xal.*tar*) [z] *v.* 1 Dizer da excelência ou glória de (algo ou alguém) [*td.*: *Exaltou o governo do antecessor.*] 2 Dignificar, enobrecer [*td.*: *O saber exalta o homem:* "...A vida é um combate, / Que os fracos abate, / Que os fortes, os bravos / Só pode exaltar." (Gonçalves Dias, *Canção do tamoio*)] 3 Fazer ficar ou ficar mais intenso, ativo; INTENSIFICAR [*td.*: *A natureza exalta a criatividade do artista.*] [*int.*: *A inspiração de Van Gogh exaltou-se na luz de Arles.*] 4 Provocar entusiasmo, estímulo, excitação em, ou vivenciá-los [*td.*: *A mensagem humanista do filme exaltou a plateia.*] [*int.*: *Emocionado com a cena, o público exaltou-se.*] 5 Irritar(-se), exasperar(-se): *A mentira o exalta:* "...o vereador exaltou-se e chorou três vezes..." (*Folha de S.Paulo*, 05.04.1999) [*td.*: *A mentira o exalta mais do que tudo.*] [*int.*: *Exalta-se e fica intratável toda vez que comete um erro.*] 6 Enaltecer, glorificar: "Buscas o incerto e incógnito perigo, por que a fama te exalte e te lisonje" (Camões, *Os Lusíadas*) [▶ 1 exalt**ar**] [F.: Do lat. *exaltare.*]

exame (e.*xa*.me) [z] *sm.* 1 Ação ou resultado de examinar, de observar algo atentamente: *um exame da situação econômica.* 2 Avaliação ou série de avaliações que buscam medir a capacidade, habilidade ou conhecimento de alguém (exame vestibular); PROVA; TESTE 3 Verificação do funcionamento de equipamento, serviço etc. 4 *Med.* Procedimento médico para observação de aspectos do funcionamento do organismo: *exame de vista; exame de sangue.* [F.: Do lat. *examen, inis,* 'enxame de abelhas'; '(*fig.*) ação de pensar, de avaliar' etc.] ▪▪ **~ antidoping** Exame de urina ou de sangue (ger. de atleta ou animal) para verificar se houve consumo de substâncias proibidas (*doping*) **~ de madureza** Exame de aferição do aproveitamento de aluno nos ciclos básico e médio, para atestar sua capacidade de ingressar em escola superior **~ de maturidade** Ver *Exame de madureza.* **~ pré-nupcial** Exame a que se submetem, antes do casamento, homem e mulher que pretendem casar-se, para confirmar a inexistência de doença que inviabilize o matrimônio **~ psicotécnico** *Psi.* Avaliação psicológica que consiste na utilização de recursos e técnicas de abordagem e levantamento de dados psicológicos de forma sistemática; teste psicotécnico [Dá-se em geral por meio de entrevistas, testes psicológicos, questionários, composição de autobiografia, dinâmicas de grupo etc. e é usado por instituições e órgãos públicos em concursos, na aquisição de carteira de motorista, e também na indústria, para seleção profissional. Tb. se diz apenas *psicotécnico.*] **~ vestibular** Exame de admissão a escola superior, ou faculdade. [Tb. se diz apenas *vestibular.*]

exâmetro (e.*xâ*.me.tro) [z] *sm.* Medida de comprimento que corresponde a um trilhão de metros [Símb.: Em.] [F.: *exa- + metro.*]

examinado (e.xa.mi.*na*.do) [z] *a.* 1 Que foi submetido a exame ou teste (aparelho examinado) 2 Observado minuciosamente (assunto examinado) 3 Que teve de fazer exame médico, laboratorial, escolar etc. (paciente examinado; fezes examinadas; candidatos examinados) [F.: Part. de *examinar.* Ideia de: *exam(in)-.*]

examinador (e.xa.mi.na.*dor*) [z...ô] *sm.* 1 Aquele que examina algo ou alguém *a.* 2 Que examina [F.: Do lat. *examinator, oris.* Ideia de: *exam(in)-.*]

examinando (e.xa.mi.*nan*.do) [z] *sm.* 1 Aquele que vai ser ou está sendo examinado 2 Quem se submete a exame afim de obter grau, licença, título etc.: *O examinando deverá* *responder às questões a lápis.* [F.: *examinar* + *-ando*. Ideia de: *exam(in)-*.]

examinar (e.xa.mi.*nar*) *v. td.* **1** Analisar ou observar atentamente (algo ou alguém); SONDAR; ESQUADRINHAR: *examinar o céu à espera do cometa.* **2** Submeter (algo ou alguém) a exame ou teste: *A banca não examinou adequadamente os candidatos; O médico examinou demoradamente o paciente; O laboratório da polícia examinará os indícios materiais do crime.* **3** Fazer autoexame: *Examinava-se para prevenir o câncer de mama.* **4** Analisar a própria consciência: *Antes da comunhão, sempre examinava-se.* [▶ 1 examinar] [F.: Do lat. *examinare*.]

examinável (e.xa.mi.*ná*.vel) [z] *a2g.* Que se pode examinar (assunto examinável) [Ant.: *inexaminável*.] [Pl.: *-veis*.] [F.: *examinar* + *-vel*. Hom./ Par.: *examináveis* (pl.), *examináveis* (fl. de *examinar*). Ideia de: *exam(in)-*.]

exangue (e.*xan*.gue) [z] *a2g.* **1** Que perdeu todo ou quase todo o sangue **2** *Fig.* Desprovido de forças; EXAUSTO [F.: Do lat. *ex-sanguis*. Ant. ger.: *pletórico*.]

exânime (e.*xâ*.ni.me) [z] *a2g.* **1** Sem sinais de vida; que parece morto **2** *Fig.* Sem disposição para a vida, para fazer as coisas; APÁTICO [F.: Do lat. *exanimis*.]

⊕ ***ex ante*** (*Lat./eks ante/*) *loc.a.* Que é baseado em estimativas, suposições e em aspectos subjetivos (avaliação ex ante) [P.opos. a *ex post*.]

exantema (e.xan.*te*.ma) [z] *sm. Med.* Lesão avermelhada na pele, causada por diferentes doenças infecciosas como sarampo, escarlatina etc. [F.: Do gr. *exánthema*, pelo lat. ant. *exanthema*.] ■ **~ súbito** *Pat.* Tipo de erupção cutânea de origem virótica e de evolução branda, que acomete ger. crianças; sexta-doença

exantemático (e.xan.te.*má*.ti.co) [z] *a. Med.* Da mesma natureza do exantema (febre exantemática); EXANTEMATOSO [F.: *exantema* + *-t-* + *-ico*. Ideia de: *exantem(at)-*.]

exaptação (e.xap.ta.*ção*) [z] *sf. Biol.* Num processo evolutivo de adaptação, acionado por determinadas pressões seletivas (condições funcionais ou de meio ambiente), desvio desse processo devido à prevalência de outras pressões seletivas, ocasionando mudanças no resultado final da adaptação, o que leva a uma estrutura adequada a funções diferentes das inicialmente visadas [Pl.: *-ções*.] [F.: *ex-* + *aptar* + *-ção*.]

exarado (e.xa.*ra*.do) [z] *a.* Que exarou; ENTALHADO; LAVRADO; TALHADO [F.: Part. de *exarar*.]

exarar (e.xa.*rar*) *v.* **1** Fazer sulcos, entalhes para gravar (palavras, desenhos); SULCAR; ENTALHAR; TALHAR; LAVRAR [*tda.*: *Exarar na lápide a frase emblemática.*] [*td.*: *Preparou o pedestal para exarar os dados da estátua.*] **2** Registrar por escrito; CONSIGNAR; LAVRAR [*tda.*: *O diretor exarou na portaria medidas antidemocráticas.*] [*td.*: *O presidente exara a nova medida provisória.*] [▶ 1 exarar] [F.: Do lat. *exarare*.]

exasperação (e.xas.pe.ra.*ção*) [z] *sf.* **1** Ação de exasperar, de irritar alguém ou a si mesmo **2** Condição daquele que está desesperado, irritado ao extremo [Pl.: *-ções*.] [F.: Do lat. *exasperatio, onis*. Sin. ger.: *exaspero*. Ideia de: *asper(i/o)-*.]

exasperado (e.xas.pe.*ra*.do) [z] *a.* Que se exasperou, que se irritou muito; ENCOLERIZADO; ENFURECIDO; EXALTADO; IRRITADO [F.: Part. de *exasperar*. Ideia de: *asper(i/o)-*.]

exasperador (e.xas.pe.ra.*dor*) [z ...ô] *sm.* **1** Aquele ou aquilo que exaspera, irrita, tira do sério *a.* **2** Que faz exasperar; EXASPERANTE [F.: *exasperar* + *-dor*. Ideia de: *asper(i/o)-*.]

exasperante (e.xas.pe.*ran*.te) [z] *a2g.* Que provoca exasperação (situação exasperante); EXASPERADOR [F.: *exasperar* + *-nte*. *Ideia de: asper(i/o)-*.]

exasperar (e.xas.pe.*rar*) *v.* **1** Tornar(-se) muito irritado; IRRITAR(-SE); ENCOLERIZAR(-SE); ENFURECER(-SE) [*td.*: *A incompetência de alguns governantes exaspera-me*; "... as suas exatas consequências não podem ser avaliadas em plena ebulição da crise que exaspera o governo..." (*Jornal do Brasil*, 14.05.2003)] [*int.*: *Ao ver o time rebaixado, o torcedor exasperou-se.*] [*tr.* + *com*: *Exasperava-se com a bagunça dos filhos.*] **2** Tornar(-se) mais intenso; AGRAVAR; INTENSIFICAR; EXACERBAR [*td.*: *Aquele perfume exasperava o seu desejo.*] [*tr.* + *com*: *Os sintomas exasperaram-se com a chegada da minha irmã.*] [*int.*: *Dois anos de convívio, o amor exasperou-se.*] [▶ 1 exasperar] [F.: Do lat. *exasperare*.]

exatamente (e.xa.ta.*men*.te) *adv.* **1** De modo exato: *Cumpri exatamente as ordens recebidas.* **2** Com todo rigor: *Seguir exatamente as prescrições médicas.* **3** Pontualmente: *A decolagem será efetuada exatamente às oito horas.* **4** Sem discrepância, nem a mais nem a menos: *Deve-me exatamente cem reais.* [F.: *exato* + *-mente*. Ideia de: *exat-*.]

exatidão (e.xa.ti.*dão*) [z] *sf.* **1** Qualidade do que é exato: *Podemos confiar na exatidão de suas informações.* **2** Correção absoluta; ESMERO; PERFEIÇÃO: *O pintor retratou o modelo com exatidão.* **3** Determinação ou avaliação rigorosa de algo que se submete a exame ou observação; PRECISÃO; RIGOR: *Determinou com exatidão a trajetória do planeta em torno do Sol.* **4** *Metrol.* Ver acurácia (2, 3) [Pl.: *-dões*.] [F.: *exato* + *-idão*. Ant. ger.: *inexatidão*.]

exatitude (e.xa.ti.*tu*.de) [z] *sf.* Condição ou qualidade do que é exato [F.: *exato* + *-itude*. Ideia de: *exat-*.]

exato (e.*xa*.to) [z] *a.* **1** Totalmente preciso; rigoroso ao máximo em cálculo, medição, definição etc. (cálculo exato) **2** Sem atraso ou adiantamento (hora exata) **3** Perfeitamente adequado; CERTO: *as palavras exatas para expressar uma emoção.* **4** Que demonstra objetividade, precisão: *Deu respostas exatas a todas as perguntas.* **5** Diz-se de reprodução, transcrição etc. totalmente fiel ao modelo original; FIEL **6** Diz-se do que ou de quem executa função, tarefa, trabalho etc. com esmero, perfeição [F.: Do lat. *exactus*. Ant. ger.: *inexato*.]

exator (e.xa.*tor*) [z...ô] *sm.* **1** *P.us.* Cobrador de impostos; COLETOR **2** Aquele que cobra o que lhe é devido **3** Executor de justiça *a.* **4** Que cobra impostos ou tributos; COLETOR **5** Diz-se de quem cobra o que lhe devem **6** Que é executor de justiça [F.: Do lat. *exactor, oris*. Sin. ger.: *exactor*. Ideia de: *exat-*.]

exatoria (e.xa.to.*ri*.a) [z] *sf.* **1** A função do exator **2** Departamento responsável pela cobrança de impostos; COLETORIA [F.: *exator* + *-ia*. Ideia de: *exat-*.]

exaurido (e.xau.*ri*.do) [z] *a.* Que se exauriu, se cansou ao extremo; ESGOTADO; EXAUSTO [F.: Part. de *exaurir*.]

exaurimento (e.xau.ri.*men*.to) [z] *sm.* Ação ou resultado de exaurir-se (exaurimento mental); EXAURIÇÃO [F.: *exaurir* + *-mento*.]

exaurir (e.xau.*rir*) *v.* **1** Despejar(se), esvaziar(-se) (conteúdo de recipiente) até a última gota; ESGOTAR [*td.*: *Exauriram o vinho, esvaziando todas as garrafas em duas horas.*] [*int.*: *O refrigerante e o vinho exauriram-se em pouco tempo.*] **2** Fazer secar ou secar; RESSECAR [*td.*: *A longa estiagem exauriu a represa.*] [*int.*: *O rio exauriu-se com a seca.*] **3** *Fig.* Gastar(-se) por completo; dissipar(-se); CONSUMIR [*td.*: *O calor extremo exauriu as energias dos dois times.*] [*int.*: *A herança exauriu-se rapidamente.*] **4** Esgotar ou ter esgotado o conteúdo (de), ger. por exploração extrativista etc; ESGOTAR(-SE) [*td.*: *Os garimpeiros exauriram as jazidas de diamante.*] [*int.*: *Muitas minas de ouro do país já se exauriram.*] **5** Cansar(-se) em demasia; EXTENUAR(-SE) [*td.*: *O excesso de trabalho o exauriu.*] [*int.*: *Os lavradores exauriam-se sob o sol.*] [▶ 58 exaurir] [F.: Do lat. *exhaurire*.]

exaurível (eu.xa.*rí*.vel) [z] *a2g.* Que pode se exaurir [Ant.: *inexaurível*.] [Pl.: *-veis*.] [F.: *exaurir* + *-vel*.]

exaustão (e.xaus.*tão*) [z] *sf.* **1** Ação ou resultado de exaurir(-se) **2** Esgotamento das forças físicas, mentais etc; EXTENUAÇÃO **3** Situação de quem passou por esse esgotamento **4** Consumo completo de um recurso (exaustão de riquezas) **5** Perda de valor (de jazida, mina, regiões ricas em recursos naturais etc.) devido à exploração e à exaustão (4) **6** Retirada de ar viciado, fumaça, gases etc. de um recinto por equipamento aspirador [Pl.: *-tões*.] [F.: Do lat. *exhaustio,-onis*.]

exaustar (e.xaus.*tar*) [z] *v. td.* Mesmo que *exaurir* [▶ 1 exaustar] [F.: do lat. *exhaustare*.]

exaustividade (e.xaus.ti.vi.*da*.de) [z] *sf.* **1** Condição de que se encontra exausto **2** Condição do que pode ser esgotado, abrangido em sua totalidade: *Essa obra não visa à exaustividade do tema.* [F.: *exaustivo* + *-idade*.]

exaustivo (e.xaus.*ti*.vo) [z] *a.* **1** Que esgota ou que promove esgotamento, exaustão **2** Que esgota, esmiúça; DETALHADO; PORMENORIZADO: *Fez uma análise exaustiva da situação econômica.* **3** Que fatiga em extremo (jornada exaustiva) [F.: *exausto* + *-ivo*.]

exausto (e.*xaus*.to) [z] *a.* **1** Que se exauriu, que se cansou; extremamente cansado **2** Que se exauriu, que se esgotou [F.: Do lat. *exhaustus*. Sin. ger.: *esgotado, exaurido*.]

exaustor (e.xaus.*tor*) [z ... ô] *sm.* **1** Aparelho que faz a remoção do ar viciado, fumaça, vapores etc. de um espaço fechado *a.* **2** Que provoca exaustão (diz-se de aparelho) [F.: *exaustar* + *-or* (*1*).]

⊕ ***ex bona fide*** (*Lat./eks bona fide/*) *loc.adv. Jur.* De boa fé; INOCENTEMENTE

excarcerar (ex.car.ce.*rar*) *v. td.* Livrar ou retirar do cárcere; DESENCARCERAR [▶ 1 excarcerar] [F.: *ex-* + *carcerar*.]

⊕ ***ex cathedra*** (*Lat./eks káthedra/*) *loc.adv.* **1** *Jur.* Com a autoridade e o conhecimento de quem possui um título **2** *Irôn.* De tom arrogante, doutoral

⊕ ***ex causa*** (*Lat./eks kawsa/*) *loc.a. Jur.* Diz-se das custas pagas pelo requerente nos processos a seu favor

exceção (ex.ce.*ção*) *sf.* **1** Ação ou resultado de não incluir, de excetuar, de excluir: *Eles revistam todos os que entram, sem exceção.* **2** Não correspondência a uma regra: *Aqui não se admitem exceções ao regulamento.* **3** O que não confirma uma regra ou generalização: *Seus bolinhos são ótimos; esta fornada insossa é exceção.* **4** Situação privilegiada: *Constituíam um grupo de exceção.* **5** *Jur.* Forma de defesa indireta de réu, na qual não entra no mérito da acusação, mas contesta os direitos do autor da ação ou interpõe um direito seu para paralisar ou retardar a ação [Pl.: *-ções*.] [F.: Do lat. *exceptio, -onis*.]

excedente (ex.ce.*den*.te) *a2g.* **1** Que excede, que extrapola medida ou limite (bagagem excedente) **2** Diz-se de candidato (ger. estudante) aprovado em exame de seleção mas não efetivado ou com direito de matrícula, por ser o número de vagas disponíveis menor que o de candidatos aprovados, classificando-se os primeiros colocados, de acordo com os critérios adotados *sm.* **3** Aquilo que excede, extrapola medida ou limite: *o excedente da produção.* **4** Candidato excedente (2) [F.: *exceder* + *-nte*.]

exceder (ex.ce.*der*) *v.* **1** Ir além de, ser superior a (em extensão, peso, valor etc.); ULTRAPASSAR [*td.*: "Aquilo que em 2002 excedia esse teto deve ser reduzido paulatinamente..." (*Folha de S.Paulo*, 29.06.2004)] [*tdr.* + *de, em*: *Excedo meu irmão em peso*: "...esticou a corda do grande arco, que excedia de um terço a sua altura." (José de Alencar, *O guarani*)] [*tr.* + *a*: *A redação excedia ao número de linhas estabelecido.*] **2** Avantajar-se (em beleza, força, intensidade, talento, tamanho etc.); SUPERAR [*tir.* + *a, em*: *A modelo brasileira excedia-lhes em beleza.*] [*tdr.* + *em*: *Dos filhos, é o que excede os demais em talento.*] **3** Ir além do que é justo, natural ou conveniente [*tr.* + *em*: *exceder-se na bebida/nos elogios/nos gastos.*] **4** Irritar(-se); EXASPERAR(-SE) [*int.*: *Nas reuniões do comitê, cobrava tolerância, mas quase sempre se excedia.*] **5** Fatigar-se ao excesso; EXTENUAR(-SE) [*int.*: *Excede-se de tal modo na lida profissional, que lhe falta tempo para a família.*] **6** Esmerar-se (ger. na criação de algo); APURAR-SE [*int.*: *O compositor carioca se excede nesse último disco.*] [▶ 2 exceder] [F.: Do lat. *excedere*.]

excedido (ex.ce.*di*.do) *a.* Que se excedeu, passou da medida ou foi excedido [F.: Part. de *exceder*. Ideia de: *-ceder*.]

excelência (ex.ce.*lên*.ci:a) *sf.* **1** Qualidade do que ou de quem é excelente, excepcional; PRIMAZIA **2** Tratamento conferido a pessoas de certos cargos política ou socialmente importantes ou que ocupam as camadas sociais mais altas: *Sua Excelência, o nobre deputado, irá proferir seu discurso.* [Nesta acp., com inicial maiúsc. Abrev.: *Ex.a*.] **3** *Mús.* Cantiga cantada em uníssono em velório, sem acompanhamento de instrumentos [F.: Do lat. *excellentia*.] ■ **Por ~** Acima de qualquer outra coisa: *Sua prosa é boa, mas é poeta por excelência.* **Sua ~** Us. como pronome de tratamento respeitoso, para pessoas que exercem cargo de alta hierarquia, ou que têm alta posição social, etc. **Ter ~** Ter (alguém, devido a posição, dignidade ou cargo que ocupa) direito ao tratamento de excelência **Vossa ~** Us. como pronome de tratamento respeitoso (similarmente a *Sua Excelência*)

excelente (ex.ce.*len*.te) *a2g.* **1** De qualidades notáveis (filme excelente) **2** Muito melhor do que os outros; EXCEPCIONAL: *Aqueles restaurantes são bons, mas este é excelente.* [F.: Do lat. *excellens, -ntis*.]

excelentíssimo (ex.ce.len.*tís*.si.mo) *a.* **1** Superlativo absoluto sintético de *excelente*; excelente em grau elevadíssimo **2** Tratamento us. para altas autoridades [Abrev.: *Ex.mo*.] [F.: Do lat. *excellentissimus*.]

exceler (ex.ce.*ler*) *v.* Destacar-se dos demais, demonstrando excelência naquilo que faz; EXCELIR [*tr.* + *em*: *Essa mulher excele em várias formas de arte.*] [*int.*: *Esse pintor excele.*] [▶ 2 exceler] [F.: do lat. *excellere*.]

excelso (ex.*cel*.so) *a.* **1** Muito elevado; SUBLIME: *virtudes excelsas.* **2** Que se mostra superior, notável; EXCELENTE: *um escritor excelso.* [F.: Do lat. *excelsus*.]

excentricidade¹ (ex.cen.tri.ci.*da*.de) *sf.* **1** Qualidade do que é excêntrico¹, do que não está no centro **2** Distância do centro de elipse ou hipérbole a um dos focos **3** *Fís.* Medida da distância entre o centro geométrico de um corpo que gira e seu eixo de rotação **4** *Mat.* O quociente constante entre as distâncias existentes de um ponto de uma cônica em relação a seu foco e em relação à sua reta diretriz **5** *Astron.* Distância existente entre o centro da Terra e o centro do excêntrico de um astro observado, segundo o sistema de Ptolomeu [F.: Do lat. *excentricitas, -atis*.] ■ **~ da órbita** *Astron.* Relação entre a distância dos focos e o eixo maior da órbita de um astro [Tb. apenas *excentricidade*.]

excentricidade² (ex.cen.tri.ci.*da*.de) *sf.* Qualidade do que é excêntrico², estranho, bizarro; EXTRAVAGÂNCIA [F.: *excêntric(o)*² + *-(i)dade*, por infl. do ing. *eccentricity*.]

excêntrico¹ (ex.*cên*.tri.co) *a.* **1** Afastado do centro, ou que se desvia em relação ao centro de um sistema concêntrico (colunas excêntricas) **2** Cujo centro não é o mesmo (de outro sistema, com outro centro) (eclipse excêntrico) *sm.* **3** *Mec.* Dispositivo mecânico que modifica um movimento circular contínuo para um movimento retilíneo alternativo **4** *Mec.* Peça em máquina rotativa que gira em torno de um centro que não é o seu próprio centro geométrico **5** *Astron.* No sistema ptolemaico, o círculo em que o centro descrevia um movimento uniforme por um móvel fictício em torno do qual o planeta realizava sua órbita [F.: Do lat. *eccentricus*.]

excêntrico² (ex.*cên*.tri.co) *a.* **1** Diz-se de quem tem comportamento estranho, incomum (milionário excêntrico); BIZARRO; EXTRAVAGANTE; EXÓTICO **2** Que não é normal (situação excêntrica) *sm.* **3** Indivíduo excêntrico (1) [F.: Do ing. *eccentric*.]

excepcional (ex.cep.ci:o.*nal*) *a2g.* **1** Que constitui exceção, que é raro ou incomum (acontecimento excepcional) **2** Que é muito melhor do que os outros, ou do que a média (desempenho excepcional) **3** Diz-se de quem, por deficiência física, mental etc., precisa de cuidados especiais *s2g.* **4** Indivíduo excepcional (3) [Pl.: *-nais*.] [F.: Do fr. *exceptionnel*.]

excepcionalidade (ex.cep.ci:o.na.li.*da*.de) *sf.* Qualidade ou condição de excepcional [F.: *excepcional* + *-(i)dade*.]

excepcionalizar (ex.cep.ci:o.na.li.*zar*) *v. td. int.* Tornar excepcional [▶ 1 excepcionalizar] [F.: *excepcional* + *-izar*.]

excepcionalmente (ex.cep.ci:o.nal.*men*.te) *adv.* De modo excepcional [F.: *excepcional* + *-mente*. Ideia de: *cap-*.]

excerto (ex.*cer*.to) [ê] *sm.* Trecho de um texto; FRAGMENTO; PASSAGEM: *Li o poema Dois excertos de odes, de Álvaro de Campos.* [F.: Do lat. *excerptus*.]

excessivo (ex.ces.*si*.vo) *a.* **1** Em que há excesso, exagero, desmedida; EXAGERADO: *Fez um esforço excessivo.* **2** Que excede, que sobra [F.: *excesso* + *-ivo*.]

excesso (ex.*ces*.so) [é] *sm.* **1** O que excede o normal ou o desejável (excesso de peso) **2** O que sobra: *Guardou na geladeira o excesso de pudim para o dia seguinte.* **3** Abuso, desmando, violência: *Foi afastado da chefia porque cometeu excessos.* **4** Descomedimento: *Os excessos arruinaram-lhe* *a saúde.* [Nas acps. 3 e 4, mais us. no pl.] 5 Diferença de uma quantidade ou grandeza maior em relação a menor 6 Limite máximo, cúmulo: *excesso de paciência.* [F.: Do lat. *excessus.*] ■ **Em ~** Demais **~ de massa** *Fís.nu.* Num nuclídeo, diferença entre sua massa atômica e seu número de massa

exceto (ex.*ce*.to) [é] *prep.* 1 À exceção de; MENOS: *Faremos tudo, exceto isso.* *a.* 2 *P.us.* Ver *excetuado* *sm.* 3 *Jur.* Aquele contra quem se opôs uma exceção jurídica [F.: Do lat. *exceptus.*]

excetuado (ex.ce.tu.*a*.do) *a.* 1 Que se excetuou 2 Que faz exceção; EXCLUÍDO [F.: Part. de *excetuar.* Ideia de: *exceptuado.* Ideia de: *cap* -.]

excetuar (ex.ce.tu.*ar*) *v.* 1 Excluir(-se) ou isentar(-se) [*td.*: *A partilha dos bens não excetuou ninguém.*] 2 Deixar de lado; LIVRAR [*tdr.* + *de*: *Excetuou dos suspeitos o vizinho; Excetuou-se dos beneficiados.*] 3 *Jur.* Impugnar uma demanda por meio de uma exceção jurídica [*tr. int.*] [▶ 1 excetuar] [F.: *exceto* + *-uar.*]

excipiente (ex.ci.pi.*en*.te) *sm.* 1 *Farm.* Substância neutra que se adiciona a um medicamento para facilitar sua ingestão *s2g.* 2 *Jur.* Numa ação em juízo, parte que alega exceção [F.: Do lat. *excipiens, -entis.*]

excisão (ex.ci.*são*) *sf.* 1 Ação de cortar 2 *Cir.* Operação por meio da qual se tira ou extrai, com objeto cortante, uma parte de órgão ou tumefações; ABLAÇÃO; AMPUTAÇÃO; AVULSÃO 3 *Cir.* Ver *resseção* [Pl.: *-sões.*] [F.: Do lat. *excisio, onis.* Ideia de: *ces-.*]

excisar (ex.ci.*sar*) *v. td.* Fazer excisão em [▶ 1 excisar] [F.: do lat. *excidere.*]

excitabilidade (ex.ci.ta.bi.li.*da*.de) *sf.* 1 Qualidade daquilo que excita 2 Faculdade que possui um ser vivo de desenvolver ação a partir de um estímulo 3 *Med.* Predisposição para reagir relativamente prolongada; INCITABILIDADE 4 *Psi.* Estado de disponibilidade às reações emocionais caracterizado pelo exagero e pela desproporção entre estímulos e situações [F.: *excitável*, com o suf. *-vel* na f. lat. *-bil(i)-* + *-dade.* Ant. ger.: *inexcitabilidade.* Ideia de: *cit-.*]

excitação (ex.ci.ta.*ção*) *sf.* 1 Ação ou resultado de excitar(-se) 2 Alvoroço, agitação: *A descoberta causou excitação.* 3 Desejo ou provocação sexual 4 Incitamento, motivação, estímulo: "(...) são formas em que se anulou, completamente, qualquer excitação ao dinâmico." (João Cabral de Melo Neto, "Juan Miró", *in Prosa*) 5 *Eletrôn.* Aplicação de corrente, tensão ou sinal na entrada de um circuito, equipamento etc. [Pl.: *-ções.*] [F.: Do lat. *excitatio,-onis*, pelo fr. *excitacion.*] ■ **~ psicomotora** *Psiq.* Estado de agitação psicológica que se manifesta em movimentação constante, tensão, nervosismo etc.

excitado (ex.ci.*ta*.do) *a.* 1 Que se excitou ou sofreu excitação 2 Que está agitado, exaltado 3 Que ficou sexualmente excitado 4 Que foi estimulado; ANIMADO; INCITADO 5 Que ficou exaltado, encolerizado [F.: Part. de *excitar.* Ideia de: *cit-.*]

excitador (ex.ci.ta.*dor*) [ô] *sm.* 1 Aquele ou aquilo que excita, provoca ou estimula *a.* 2 Que excita, provoca ou estimula [F.: Do lat. *excitator, oris.* Sin. ger.: *excitante, excitativo.* Ideia de: *cit-.*]

excitamento (ex.ci.ta.*men*.to) *sm.* Ver *excitação* [F.: *excitar* + *-mento.*]

excitante (ex.ci.*tan*.te) *a2g.* 1 Que provoca excitação, entusiasmo, estímulo (aventura excitante) 2 Que desperta desejo, estímulo sexual ou amoroso *sm.* 3 Substância ou droga estimulante [F.: *excitar* + *-nte.*]

excitar (ex.ci.*tar*) *v.* 1 Provocar a ação ou reação de; ESTIMULAR; INSTIGAR [*td.*: *excitar os nervos/a imaginação/o apetite.* Ant.: *desestimular.*] 2 Provocar ou sentir cólera, irritação; EXASPERAR [*td.*: *As provocações do bêbado excitaram o dono do bar.*] [*int.*: *Excitava-se por nada.* Ant.: *acalmar, tranquilizar.*] 3 Provocar desejo sexual em, ou senti-lo [*td.*: *Seu beijo a excitou.*] [*int.*: *Excitou-se ao vê-la dançar.*] 4 Imprimir, estimular (coragem, ânimo, determinação) (a); INSUFLAR; INCITAR [*td. tdr.* + *a*: *O guia excitava os turistas (a andarem mais rápido).* Ant.: *desencorajar, desestimular.*] [▶ 1 excitar] [F.: Do lat. *excitare.* Hom./Par.: *excitáveis* (fl.), *excitáveis* (pl. de *excitável*).]

excitatório (ex.ci.ta.*tó*.ri:o) *a.* *P.us.* Que provoca ou tende a provocar excitação; EXCITANTE [Ant.: *calmante.*] [F.: *excitatar* + *-ório.* Ideia de: *cit-.*]

excitável (ex.ci.*tá*.vel) *a2g.* Que é suscetível de ser excitado; que se excita facilmente [Pl.: *-veis.*] [F.: Do lat. *excitabilis.*]

exclamação (ex.cla.ma.*ção*) *sf.* 1 *Gram* Ação ou resultado de exclamar; grito, palavra ou frase que, pela entonação exprime surpresa, prazer, dor etc. 2 *Ling.* Sinal de pontuação (!) colocado após uma exclamação (1) [Tb. *ponto de exclamação.*] [Pl.: *-ções.*] [F.: Do lat. *exclamatio,-onis.*]

exclamar (ex.cla.*mar*) *v.* Expressar ou bradar (algo) em tom exclamativo [*td.*: *– Como você está bonita! – exclamou ela.*] [*tr.* + *contra*: *A passeata exclamava contra a violência.*] [*int.*: *Meu vizinho nunca fala, só exclama!*] [▶ 1 exclamar] [F.: Do lat. *exclamare.*]

exclamativo (ex.cla.ma.*ti*.vo) *a.* 1 Que exprime exclamação ou admiração 2 Que é próprio de quem exclama: *Começou logo falando em tom exclamativo.* [F.: *exclama(r)* + *-tivo.*]

excludência (ex.clu.*dên*.ci:a) *sf.* Ação ou resultado de excluir [F.: *excluir* + *-d-* + *-ente.* Ideia de: *-clu-.*]

excludente (ex.clu.*den*.te) *a2g.* Que exclui (políticas excludentes) [Ant.: *includente, inclusivo.*] [F.: Do lat. *excludens, entis.*]

excluído (ex.clu.*í*.do) *a.* 1 Que é objeto de exclusão; posto fora ou deixado de fora [Ant.: *incluído.*] *sm.* 2 Indivíduo excluído (1) 3 *Restr.* Indivíduo carente dos direitos básicos da cidadania: *o grito dos excluídos.* [F.: Part. de *excluir.*]

excluir (ex.clu.*ir*) *v.* 1 Não ser compatível com [*td.*: *A simpatia exclui a arrogância.*] 2 Pôr(-se) de lado; DESCARTAR; AFASTAR; RETIRAR [*td.*: *Seus planos excluíam o casamento.*] [*tdr.* + *de*: *excluir o refrigerante da dieta; Excluiu-se da lista de candidatos.*] 3 Pôr fora; EXPULSAR [*tdr.* + *de*: *O seu procedimento fez com que o excluíssem da assembleia.*] 4 Privar (alguém) da posse ou benefício de (algo) [*tdr.* + *de*: *excluir alguém dos bens/da herança.*] [▶ 56 excluir] [F.: Do lat. *excludere.* Ant. ger.: *incluir.* Ant. nas acps. 1 a 3: *admitir.*]

exclusão (ex.clu.*são*) *sf.* 1 Ação ou resultado de excluir, retirar ou de deixar de fora: *a exclusão de um membro do clube.* [Ant.: *inclusão.*] 2 Ação pela qual se priva(m) pessoa(s) de certas funções (exclusão de tutela); EXCLUSIVA 3 *Mat.* Método de resolução de problemas pela eliminação sucessiva de possíveis respostas que não os resolvem, até se chegar à que representa a solução [Pl.: *-sões.*] [F.: Do lat. *exclusio, onis.*]

exclusivamente (ex.clu.si.va.*men*.te) *adv.* De forma exclusiva; EXCLUSIVE: *Dedicar-se exclusivamente à música.* [F.: *exclusivo* + *-mente.* Ideia de: *-clu-.*]

exclusive (ex.clu.*si*.ve) *adv.* Com exclusão de: *Esta é a quantia a pagar, exclusive juros.* [Ant.: *inclusive.*] [F.: Do lat. *exclusivus* + *-e* (que forma advérbio latino).]

exclusividade (ex.clu.si.vi.*da*.de) *sf.* 1 Qualidade do que é exclusivo 2 Direito exclusivo de vender um produto em certa área ou certo período [F.: *exclusivo* + *-(i)dade.* Ideia de: *-clu-.*]

exclusivismo (ex.clu.si.*vis*.mo) *sm.* 1 Espírito de exclusão, de intolerância para com algo ou alguém que não pertença ao próprio círculo de acordo com algum critério (exclusivismo religioso) 2 Atitude de quem quer algo exclusivamente para si [F.: *exclusivo* + *-ismo.*]

exclusivista (ex.clu.si.*vis*.ta) *a2g.* 1 Ref. ao exclusivismo; INTOLERANTE 2 Que é adepto do exclusivismo 3 Que procede com exclusivismo, mostrando-se egoísta para com os demais *s2g.* 4 Pessoa intolerante ou egoísta [F.: *exclusivo* + *-ista.*]

exclusivo (ex.clu.*si*.vo) *a.* 1 Particular ou restrito (uso exclusivo) 2 Que exclui: *A idade não será fator exclusivo na seleção dos candidatos.* [Ant.: *inclusivo.*] 3 *Ling.* Diz-se do *nós* (pronome pessoal da primeira pessoa do plural) que não inclui o ouvinte, referindo-se apenas ao que fala e possivelmente outros [F.: Do lat. med. *exclusivus.*]

excogitação (ex.co.gi.ta.*ção*) *sf.* Ação ou resultado de excogitar [Pl.: *-ções.*] [F.: Do lat. *excogitatio, onis.* Ideia de: *ag-.*]

excogitar (ex.co.gi.*tar*) *v.* 1 Conceber na imaginação; cogitar, imaginar [*td.*: *excogitar um meio de melhorar a vida.*] 2 Investigar, examinar (algo ou alguém) [*td.*: *excogitar uma questão científica.*] 3 Meditar, refletir [*int.*: *Antes de decidir, ficou horas a excogitar.*] [▶ 1 excogitar] [F.: Do lat. *excogitare.* Hom./Par.: *excogitáveis* (fl.), *excogitáveis* (pl. de *excogitável*).]

ex-combatente (ex-com.ba.*ten*.te) *s2g.* Pessoa que lutou em guerra, esp. como membro das Forças Armadas de seu país [Pl.: *ex-combatentes.*] [F.: *ex* -¹ + *combatente.*]

excomungação (ex.co.mun.ga.*ção*) *sf.* *P.us.* *Rel.* Ver *excomunhão* [Pl.: *-ções.*] [F.: *excomungar* + *-ção.*] ■ **Que ~!** Us. como interj. para exprimir contrariedade, impaciência com algo (que é equiparado a excomungação ou praga)

excomungado (ex.co.mun.*ga*.do) *a.* 1 *Rel.* Que sofreu a pena da excomunhão 2 *Fig.* Maldito, amaldiçoado: "Casamentinho excomungado! Eu a pensar que ia buscar a felicidade (...), e sai-me um bilhete branco." (Miguel Torga, *O charlatão*) *sm.* 3 *Rel.* Pessoa que sofreu pena de excomunhão 4 *Fig.* Indivíduo odioso, maldito 5 O diabo [F.: Part. de *excomungar.*]

excomungar (ex.co.mun.*gar*) *v. td.* 1 Afastar (um ou mais membros) da Igreja católica, por excomunhão; ANATEMATIZAR: *Excomungou o padre pedófilo.* 2 *Fig.* Lançar imprecações, tratar como maldito ou tornar maldito; AMALDIÇOAR; ESCONJURAR; EXORCIZAR: *O bêbedo excomungava quem mexesse com ele.* 3 Admoestar vigorosamente; CENSURAR; CONDENAR; REPROVAR: *A Igreja excomungou a maioria dos livros na Idade Média.* 4 *Fig.* Expulsar ou excluir (alguém) de qualquer grupo: *Os pagodeiros excomungaram o roqueiro.* [▶ 14 excomungar] [F.: Do lat. *excommunicare.*]

excomunhão (ex.co.mu.*nhão*) *sf.* 1 Ação ou resultado de excomungar 2 *Rel.* Suspensão de parte da totalidade de bens espirituais de alguém como pena por delito religioso 3 *Fig.* Exclusão de alguém de um grupo, comunidade etc. [Pl.: *-nhões.*] [F.: Do lat. *ex-communione*, ou *ex-* + *comunhão.* Sin. ger.: *excomungação.*]

⊕ ***ex confesso*** (*Lat./eks confesso/*) *loc.adv.* Em resultado de confissão

⊕ ***ex consensu*** (*Lat./eks consensu/*) *loc.adv.* *Jur.* Com consentimento, em virtude de acordo

ex consuetudine (*Lat./eks konsuetudine/*) *loc.adv.* *Jur.* Em conformidade com os costumes

⊕ ***ex contractu*** (*Lat./eks kontraktu/*) *loc.adv.* *Jur.* Em razão de um contrato

excreção (ex.cre.*ção*) *sf.* 1 Ejecção, pelo corpo do homem ou dos animais, dos resíduos desnecessários ao organismo 2 A matéria excretada (p.ex.: urina, suor, fezes etc.); EXCREMENTO [Pl.: *-ções.*] [F.: Do lat. *excretio,-onis.*]

excrementar (ex.cre.men.*tar*) *v. int.* *P.us.* Expulsar dos intestinos os excrementos; DEFECAR [▶ 1 excrementar] [F.: *excremento* + *-ar.*]

excrementício (ex.cre.men.*tí*.ci:o) *a.* Ref. a excremento ou a excreção [F.: *excremento* + *-ício.*]

excremento (ex.cre.*men*.to) *sm.* 1 Matéria fecal; EXCREÇÃO; FEZES 2 Material excretado de organismo (humano ou de animal), como fezes, urina, suor etc.) 3 *Vulg.* Indivíduo ou coisa abjeta, desprezível [F.: Do lat. *excrementum.*]

excrescência (ex.cres.*cên*.ci:a) *sf.* 1 Saliência, elevação acima da superfície (de um corpo, um terreno etc.); PROEMINÊNCIA; PROTUBERÂNCIA 2 *Vulg.* Pessoa ou coisa deformante, feia; ABERRAÇÃO: *O sujeitinho era uma excrescência.* 3 Coisa excessiva, demasiada que agride o equilíbrio, a harmonia de algo: *Aquele trecho da música era uma excrescência completamente desnecessária.* 4 *Pat.* Tumor na superfície de determinado órgão [F.: Do lat. *excrescentia*, pelo fr. *excroissance.*]

excrescente (ex.cres.*cen*.te) *a2g.* 1 Que excresce, sobra; SUPÉRFLUO 2 Que cresceu para fora, muito além do normal (tecido excrescente; carne excrescente) [F.: Do lat. *excrescens, entis.* Ideia de: *cresc-.*]

excreta (ex.*cre*.ta) *sf.* A matéria que se excretou; EXCREÇÃO; EXCRETO [F.: Do lat. *excréta, órum.* Hom./Par.: *excreta* (sf.), *excreta* (fl. de *excretar*). Ideia de: *-cern* -.]

excretado (ex.cre.*ta*.do) *a.* Que sofreu excreção, que se excretou [F.: Part. de *excretar.* Ideia de: *-cern* -.]

excretar (ex.cre.*tar*) *v. td.* Expelir do corpo (excrementos); EVACUAR: *excretar suor/urina.* [▶ 1 excretar] [F.: Do lat. **excretare*, pelo fr. *excréter.*]

excretor (ex.cre.*tor*) [ô] *a.* Que realiza excreção (canal excretor); EXCRETÓRIO [F.: Do rad. do lat. *excretus* + *-or.*]

excretório (ex.cre.*tó*.ri:o) *a.* Ver *excretor* [F.: Do rad. do lat. *excretus* + *-ório.*]

excruciante (ex.cru.ci:*an*.te) *a2g.* Que excrucia, que é aflitivo, lancinante (dor excruciante) [F.: *excruciar* + *-nte.*]

excruciar (ex.cru.ci.*ar*) *v. td.* Atormentar, afligir, martirizar: *O risco de ficar pobre excruciava a viúva.* [▶ 1 excruciar] [F.: do lat. *excruciare.*]

exculpar (ex.cul.*par*-se) *v. td.* Mesmo que *desculpar-se* [▶ 1 exculpar-se] [F.: *ex-* + *culpar* + *-se.*]

exculpatório (ex.cul.pa.*tó*.ri:o) *a.* Que absolve de culpa; DESCULPADOR [F.: Do lat. *exculpatu* + *-ório.* Ideia de: *culp-.*]

excursão (ex.cur.*são*) *sf.* 1 Passeio pelas redondezas com propósitos de estudo ou simples divertimento: *uma excursão ao Jardim Botânico.* 2 Viagem turística, ger. em grupo, com guia e roteiro predeterminado: *uma excursão pelo Nordeste.* 3 *Fig.* Viagem interior: "(...) só a sutil passagem por esses distantes e misteriosos sítios do nosso mundo íntimo constituía uma excursão maravilhosa, (...)" (Cecília Meireles, "Uma recordação da juventude", *in Obra em prosa*) 4 Grupo de pessoas que passeia ou viaja em excursão 5 Afastamento, desvio, intencional ou não, do assunto principal; DIGRESSÃO 6 *Mil.* Invasão de território inimigo [Pl.: *-sões.*] [F.: Do lat. *excursio,-onis.*]

excursionar (ex.cur.si:o.*nar*) *v. int.* Empreender excursão [▶ 1 excursionar] [F.: *excursão* + *-ar*², seg. o mod. erudito.]

excursionismo (ex.cur.si:o.*nis*.mo) *sm.* Gosto e prática das excursões [F.: *excursão* + *-ismo.*]

excursionista (ex.cur.si:o.*nis*.ta) *a2g.* 1 Que faz excursões *s2g.* 2 Pessoa dada a fazer excursões, viagens [F.: Do fr. *excursionniste.*]

excusas (es.*cu*.sas) *sfpl.* Desculpas: *Não aceitou aqueles pedidos de escusas.* [F.: Dev. de *escusar* + *pl.* Hom./Par.: *escusas* (sfpl.), *escusas* (fl. de *escusar*). Ideia de: *caus-.*]

excuso (es.*cu*.so) *a.* 1 Que está escondido; OCULTO; RECÔNDITO: *A casa fica em local escuso, quase sem vista pra rua.* 2 Que é suspeito, misterioso ou que não é feito às claras (manobras escusas); ILÍCITO 3 Que não é frequentado (local escuso) [F.: Do lat. *absconsus, a, um.* Hom./Par.: *escuso* (a.), *escuso* (fl. de *escusar*). Ideia de: *cond-.*]

execrabilidade (e.xe.cra.bi.li.*da*.de) [z] *sf.* Qualidade do que é execrável [F.: Do lat. *exsecrabilitas,áis.* Ideia de: *sac(r)-.*]

execração (e.xe.cra.*ção*) [z] *sf.* 1 Ação ou resultado de execrar, de odiar alguém ou algo; MALDIÇÃO 2 Ódio profundo, abominação: *caso digno de execração pública.* 3 Pessoa ou coisa execrada 4 Imprecação proferida 5 *Rel.* Perda da condição de ungido, de consagrado [Pl.: *-ções.*] [F.: Do lat. *exsecratio,-onis.*]

execrado (e.xe.*cra*.do) [z] *a.* Que sofreu execração [F.: Part. de *execrar.* Ideia de: *sac(r)-.*]

execrando (e.xe.*cran*.do) [z] *a.* Digno de, que merece execração; ver *execrável* [F.: Do lat. *exsecrandus.*]

execrar (e.xe.*crar*) [z] *v. td.* 1 Sentir aversão ou ódio de (alguém, algo ou si mesmo): *execrar a violência; execrava-se por ser covarde.* [Ant.: *adorar, venerar.*] 2 Desejar mal a (alguém); AMALDIÇOAR: *Ao ser ofendido, execrou-o.* [Ant.: *abençoar, bendizer.*] 3 Detestar (algo, alguém) com sentimento profundo de horror religioso: *execrar o sacrilégio/a impiedade.* [▶ 1 execrar] [F.: Do lat. *exsecrare.* Hom./Par.: *execráveis* (fl.), *execráveis* (pl. de *execrável*).]

execrável (e.xe.*crá*.vel) [z] *a2g.* Que é motivo de execração; que merece, deve ser execrado (vício execrável); ABOMINÁVEL; EXECRANDO [Pl.: *-veis.*] [F.: Do lat. *exsecrabilis -e.* Hom./Par.: *execráveis* (fl. do v. *execrar*).]

execução (e.xe.cu.*ção*) [z] *sf.* 1 Ação ou resultado de executar, de realizar algo: *execução de uma ordem.* 2 Interpretação musical: *execução de uma sinfonia.* 3 A maneira de fazer essa interpretação: *A execução da sonata foi magistral.* 4 Cumprimento da pena de morte: *execução de um condenado.* 5 Competência, energia, habilidade na realização de algo: *Um funcionário de execução.* [Pl.: *-ções.*] [F.: Do lat. *exsecutio, -onis.*]

executado (e.xe.cu.*ta*.do) *sm.* 1 *Jur.* O réu num processo judicial 2 Indivíduo que sofreu pena de morte *a.* 3 Que se cumpriu, executou, realizou; CUMPRIDO; REALIZADO 4 *Jur.* Que é réu numa ação judicial 5 Que sofreu pena de morte 6 Que sofreu execução, foi morto sumariamente [F.: Part. de *executar.* Ideia de: *sequ-.*]

executante (e.xe.cu.*tan*.te) [z] *a2g.* 1 Que executa *s2g.* 2 Aquele que executa uma composição musical 3 *Jur.* Pessoa que executa judicialmente outra para pagamento de dívidas [F.: *executar* + *-nte.*]

executar (e.xe.cu.*tar*) [z] *v. td.* 1 Levar a efeito, pôr em prática (o que fora combinado, planejado etc.); EFETUAR; REALIZAR: *executar obra/plano.* 2 Tornar efetivo (prescrição ou ordem); CUMPRIR [Ant.: *descumprir.*] 3 Representar, desempenhar (papel artístico); ATUAR 4 *Mús.* Cantar ou tocar (peça musical) 5 Tirar legalmente a vida a, cumprindo pena de morte; SUPLICIAR 6 *Pop.* Assassinar, matar 7 *Jur.* Obrigar a pagar, mediante ação judicial: *O juiz mandou executar a empresa devedora.* 8 *Inf.* Rodar (tarefa ou programa de computador) [▶ 1 executar] [F.: Do lat. **exsecutare.* Hom./Par.: *executáveis* (fl.), *executáveis* (pl. de *executável*).]

executável (e.xe.cu.*tá*.vel) [z] *a2g.* 1 Que pode ser executado; ver *exequível* 2 *Inf.* Diz-se de programa, arquivo etc. que pode ser executado por computador *sm.* 3 *Inf.* Esse programa, arquivo etc. [Pl.: *-veis.*] [F.: *executar* + *-vel.*]

executiva (e.xe.cu.*ti*.va) [z] *sf.* 1 Fem. de *executivo* 2 *Bras.* Comissão executiva [F.: Fem. substv. de *executivo.*]

executivo (e.xe.cu.*ti*.vo) [z] *a.* 1 Que executa (cargo executivo) 2 *Jur.* Ref. a execução das leis (mandado executivo) *sm.* 3 Pessoa que exerce função de comando numa empresa 4 *Pol.* O Poder Executivo, representado pelo chefe de Estado e por seus ministros [Nesta acp., com inicial maiúsc.] [F.: *executar* + *-ivo.*] ⊞ **~ fiscal** *Jur.* Cobrança pelo fisco de tributo não pago no prazo legal

executor (e.xe.cu.*tor*) [z, ô] *a.* 1 Que executa *sm.* 2 Aquele que executa, que leva a efeito uma ordem, um comando, um plano 3 Aquele que faz a execução de um condenado a morte; CARRASCO; VERDUGO [F.: Do lat. *exsecutor, -oris.*] ⊞ **~ testamentário** Testamenteiro

executoria (e.xe.cu.to.*ri*.a) [z] *sf. Jur.* Repartição que cuida da cobrança dos créditos de uma comunidade [F.: *executor* + *-ia*[1]. Hom./Par.: *executória* (adj.f.).]

executório (e.xe.cu.*tó*.ri:o) [z] *a. Jur.* Que deve ser posto em execução ou que dá o poder de executar (ordem executória) [F.: Do lat. *exsecutorius*, pelo fr. *exécutoire.*]

exegese (e.xe.*ge*.se) [z, gé] *sf.* Explicação ou interpretação cuidadosa de um texto, de uma obra artística etc. [F.: Do gr. *exégesis.*]

exegeta (e.xe.*ge*.ta) [z, gé] *s2g.* Pessoa que faz exegese [F.: Do gr. *exegetés*, prlo fr. *exégète.*]

exegético (e.xe.*gé*.ti.co) *a.* Que se refere à exegese; EXPLICATIVO; EXPOSITIVO [F.: Do lat. *exegeticus*, deriv. do gr. *exegetikos, e, on.* ideia de: *sag-.*]

exemplar[1] (e.xem.*plar*) [z] *a2g.* 1 Que pode ser tomado como exemplo, modelo, ou que serve de exemplo: *Era uma pintura exemplar do impressionismo.* 2 Cuja postura, procedimento é irrepreensível, perfeita, correta (funcionário exemplar) 3 Que serve de ensinamento (punição exemplar) *sm.* 4 Cada unidade de uma edição, coleção etc.: *um exemplar da Bíblia; exemplar da cerâmica grega.* 5 Cada indivíduo de uma mesma espécie animal, vegetal ou mineral: *um exemplar de bananeira.* [F.: Do lat. *exemplare.*]

exemplar[2] (e.xem.*plar*) [z] *v. td.* 1 Castigar (alguém) para que sirva de exemplo 2 *Antq.* Dar exemplo de: *exemplar uma exceção à regra.* 3 *Antq.* Mostrar com ostentação [▶ 1 exemplar] [F.: *exemplo* + *-ar*[2].]

exemplaridade (e.xem.pla.ri.*da*.de) [z] *sf.* Qualidade ou caráter do que é exemplar, do que serve de modelo [F.: *exemplar* + *-(i)dade.* Ideia de: *exempl-.*]

exemplário (e.xem.*plá*.ri:o) [z] *sm.* Coleção ou livro de exemplos [F.: Do lat. *exemplarium,ii.* Ideia de: *exempl-.*]

exemplificação (e.xem.pli.fi.ca.*ção*) [z] *sf.* 1 Ação ou resultado de exemplificar 2 Exemplo ou conjunto de exemplos [Pl.: *-ções.*] [F.: *exemplificar* + *-ção.*]

exemplificado (e.xem.pli.fi.*ca*.do) [z] *a.* Provido de exemplos (orçamento exemplificado) [F.: Part. de *exemplificar.* Ideia de: *exempl-.*]

exemplificar (e.xem.pli.fi.*car*) [z] *v.* Elucidar com exemplo(s) ou dar como exemplo(s) [*td.*: *exemplificar uma tese.*] [*tdr.* + *com*: *exemplificar a evolução linguística com o latim.*] [▶ 11 exemplificar] [F.: *exemplo* + *-i-* + *-ficar.*]

exemplificativo (e.xem.pli.fi.ca.*ti*.vo) [z] *sm.* Que se presta a exemplificação, que exemplifica algo (modelo exemplificativo) [F.: *exemplificar* + *-t-* + *-ivo.* Ideia de: *exempl-.*]

exemplo (e.*xem*.plo) [z] *sm.* 1 Aquilo que deve ser imitado: *Era um exemplo de honestidade.* 2 Fato de que se pode tirar ensinamento; LIÇÃO: *A atitude sábia da avó serviu-lhe de exemplo.* 3 Castigo, punição: *Que isto lhe sirva de exemplo.* 4 Coisa, fato etc. que serve de ilustração, representação ou confirmação daquilo de que se está falando: *Citou o caju como exemplo de fruta tropical.* 5 Texto, frase, construção linguística ou gramatical na qual se emprega um elemento linguístico, gramatical, sintático etc. cujo uso em contexto se quer demonstrar, para melhor compreensão de sua função e maneira de usar [F.: Do lat. *exemplum.* Hom./Par.: *exemplo* (fl. *exemplar*).] ⊞ **A ~ de** 1 Seguindo o exemplo de (alguém); em conformidade com 2 Tomando (o que foi citado anteriormente) como exemplo 3 *Fext.* De modo semelhante a; bem como, assim como 4 Us. impropriamente como equivalente de *por exemplo* **Fazer ~ em** Punir (alguém) para servir de exemplo **Por ~** Segue(m)-se exemplo(s) (do que foi citado anteriormente) **Sem ~** Nunca antes visto; singular, único

ex empto (*Lat./eks empto/*) *loc.adv. Jur.* Relacionado a compra ou dela decorrente

exéquias (e.*xé*.qui:as) [z] *sfpl.* Cerimônias fúnebres; FUNERAIS [F.: Do lat. *exsequiae.*]

exequibilidade (e.xe.qui.bi.li.*da*.de) [z] *sf.* 1 Qualidade de exequível 2 *Jur.* Condição de os títulos líquidos e certos serem objeto de execução [F.: *exequível* + *-idade*, segundo o modelo erudito. Ant. ger.: *inexequibilidade.*]

exequível (e.xe.*quí*.vel) [z] *a2g.* Que se pode executar; EXECUTÁVEL [Ant.: *inexequível*] [Pl.: *-veis*] [F.: Do lat. *exsequibile.*]

exercer (e.xer.*cer*) [z] *v.* 1 Produzir ou fazer sentir (um efeito) [*td. tda.*: *O manifesto exerceu pressão (sobre o governo).*] 2 Desempenhar, cumprir obrigações de (cargo, função, profissão) [*td.*: *exercer o magistério.*] 3 Pôr em ação, em atividade; PRATICAR [*td.*: *exercer a caridade/a virtude.*] 4 Entregar-se habitualmente a [*td.*: *exercer o roubo/a ladroagem.*] [▶ 33 exercer] [F.: Do lat. *exercere.*]

exercício (e.xer.*cí*.ci:o) [z] *sm.* 1 Ação ou resultado de exercer (função, profissão, cargo etc.); desempenho: *o exercício da profissão.* 2 Ação ou resultado de exercitar; atividade física: *Caminhar é um ótimo exercício.* 3 Treinamento regular (exercício militar) 4 Atividade repetitiva que busca aperfeiçoar algo que ainda não se domina completamente (exercício de piano, exercício de balé) 5 A notação escrita do exercício (4): *Pratique o exercício número 2 diariamente.* 6 Trabalho escolar (caderno de exercícios) 7 Período no qual se executa um orçamento [Na administração pública ger. corresponde a um ano civil inteiro.] 8 *Com.* Período entre dois orçamentos ou balanços seguidos de uma empresa [F.: Do lat. *excercitium.*]

exercitado (e.xer.ci.*ta*.do) [z] *a.* Que se exercitou (braços exercitados) [F.: Part. de *exercitar.* Ideia de: *exerc-.*]

exercitar (e.xer.ci.*tar*) [z] *v.* 1 Exercer, fazer valer [*td.*: *exercitar um direito.*] 2 Adestrar(-se), habilitar(-se) [*td.*: *exercitar a inteligência/o corpo; Exercitava-se diariamente.*] [*tdr.* + *em*: *O escultor exercita o discípulo no uso do cinzel; exercitar-se na dança.*] 3 Dedicar-se a; CULTIVAR [*td.*: *exercitar a poesia/a eloquência.*] 4 Exercer, professar, praticar (cargo, emprego, profissão etc.) [*td.*: *exercitar advocacia; exercitar medicina.*] [▶ 1 exercitar] [F.: Do lat. *exercitare.* Hom./Par.: *exercito* (fl.), *exército* (sm.).]

exercitável (e.xer.ci.*tá*.vel) [z] *a2g.* Que pode ser exercitado ou exercido (ação exercitável) [Pl.: *-veis.*] [F.: *exercitar* + *-vel.* Ideia de: *exerc-.*]

exército (e.*xér*.ci.to) [z] *sm.* 1 *Mil.* A força militar terrestre de um país, como instituição nacional responsável pela sua defesa e de sua Constituição, que pode ser subdividida em contingentes regionais, ou especializados [Com inicial maiúsc., nesta acp.] 2 *Mil.* Grande subdivisão dessa força, ger. regional, abrangendo todos os recursos necessários a operações militares 3 *Mil.* Conjunto das tropas em combate 4 *Fig.* Multidão: *Um exército de jornalistas esperava o famoso escritor.* [F.: Do lat. *exercitus.* Hom./Par.: *exercito* (fl. *exercitar*).] ⊞ **~ ativo** *Mil.* Ver *Exército regular* **~ regular** 1 *Mil.* Exército (unidades, instalações, comandos etc.) mantido como instituição de maneira permanente, na guerra e na paz 2 O exército de uma nação, compreendendo todos os seus elementos (pessoal, armamento, comandos etc.), tal como constituído em dado momento

exérese (e.*xé*.re.se) [z] *Cir. sf.* 1 Qualquer operação cirúrgica para extrair um órgão, tumor ou corpo estranho; essa extração 2 Separação agressiva das partes de um órgão em função de lesões traumáticas [F.: Do gr. *exaíresis*, pelo lat cient. *exhaeresis.*]

exergônico (e.xer.*gô*.ni.co) *a. Fís-quím.* Diz-se da reação química que libera energia para o meio externo; EXOÉRGICO [F.: Do ing. *exergonic* ou de *ex(o)-* + *-ergon-* + *-ico*[2].]

exfoliação (ex.fo.li.a.*ção*) *sf. Med.* Escamação da pele [Pl.: *-ções.*] [F.: *exfoliar* + *-ção.* Cf. *esfoliação.* Ideia de: *folh-.*]

exfoliar (ex.fo.li.*ar*) *v. td.* Mesmo que *esfoliar* [▶ 1 exfoliar] [F.: do lat. *exfoliare.*]

exibição (e.xi.bi.*ção*) [z] *sf.* 1 Ação ou resultado de exibir(-se), de mostrar ou demonstrar algo publicamente 2 Apresentação (de um artista, um filme etc.) para um público 3 *Pej.* Demonstração de ostentação: *O aparente interesse dele por arte é pura exibição.* [Pl.: *-ções.*] [F.: Do lat. *exhibitio, -onis.*]

exibicionismo (e.xi.bi.ci:o.*nis*.mo) [z] *sm.* 1 Tendência ou mania de se exibir, esp. quando ostentatória ou vulgar 2 *Psiq.* Impulso doentio de exibir as partes sexuais [F.: *exibição* + *-ismo*, segundo o modelo erudito.]

exibicionista (e.xi.bi.ci:o.*nis*.ta) [z] *a2g.* 1 Que tem a tendência ou a mania de se exibir 2 *Psiq.* Que tem a mania de exibir as partes sexuais *s2g.* 3 Indivíduo que tem a tendência ou a mania de se exibir 4 *Psiq.* Pessoa que demonstra prazer em exibir suas partes sexuais [F.: *exibição* + *-ista*, segundo o modelo erudito.]

exibido (e.xi.*bi*.do) [z] *a.* 1 Que se exibiu, que foi mostrado (filme exibido) 2 *Fam.* Diz-se de quem gosta de exibir-se, de se mostrar *sm.* 3 *Fam.* Aquele que gosta de se exibir, de se mostrar [F.: Part. de *exibir.*]

exibidor (e.xi.bi.*dor*) [z, ô] *a.* 1 Que exibe, que expõe alguém ou alguma coisa *sm.* 2 Aquele que exibe alguém ou alguma coisa 3 *Bras.* Proprietário de cinema [F.: Do lat. *exhibitor.*]

exibir (e.xi.*bir*) [z] *v.* 1 Fazer com que (algo ou alguém ou animal) seja visto por outrem; APRESENTAR; MOSTRAR [*td.*: *Exibiu os documentos quando o guarda solicitou.*] [*tdi.* + *a, para*: *Exibiu os documentos ao guarda.*] 2 Pôr(-se) em exposição, em evidência; EXPOR(-SE); MOSTRAR(-SE) [*td.*: *exibir um filme/talento/roupas na vitrine; O pianista vai exibir-se este fim de semana.*] [*tdi.* + *a, para*: *Montou a exposição para poder exibir-se ao grande público.*] 3 Mostrar(-se) com ostentação; OSTENTAR(-SE) [*td.*: *Vicente exibe erudição só para impressionar; Modesto, não gosta de exibir-se.*] [▶ 3 exibir] [F.: Do lat. *exhibere.* Ant. ger.: *esconder, ocultar.*]

exibitório (e.xi.bi.*tó*.ri:o) [z] *a.* 1 Que se refere à exibição 2 *Jur.* Que faz representação em juízo [F.: Do lat. *exhibitorius, a, um.* Ideia de: *-ib-.*]

exigência (e.xi.*gên*.ci:a) [z] *sf.* 1 Ação ou resultado de exigir 2 Reclamação, reivindicação de alguma coisa; aquilo que se reivindica: *A empresa satisfez às exigências dos clientes.* 3 Imposição, determinação; aquilo que se impõe ou determina: *as exigências de um contrato; O cinto de segurança é uma exigência da Lei do Trânsito.* 4 Pedido ou solicitação impertinente: *Vive fazendo exigências.* 5 Necessidade básica para um fim: *A criatividade é uma exigência da arte.* [F.: Do lat. tard. *exigentia.*]

exigente (e.xi.*gen*.te) [z] *a2g.* 1 Que exige (chefe exigente) 2 Que dificilmente se satisfaz, que exige muito (de outrem, de si mesmo, de algo) (artista exigente; professor exigente) [F.: Do lat. *exigentem.*]

exigibilidade (e.xi.gi.bi.li.*da*.de) [z] *sf.* Qualidade do que pode ser ou é exigido [Ant.: *inexigibilidade.*] [F.: *exigível* com o suf. *-vel* na f. lat. *-bil(i)-* + *-dade.* Ideia de: *ag-.*]

exigido (e.xi.*gi*.do) [z] *a.* Que se cobrou, exigiu ou reclamou [F.: Part. de *exigir.* Ideia de: *ag-.*]

exigir (e.xi.*gir*) [z] *v.* 1 Requerer (algo) em função de direito fundado ou suposto; REIVINDICAR [*td.*: *exigir obediência.*] [*tdr.* + *a, de*: *Todo professor deve exigir aos/dos alunos respeito.*] 2 Impor (algo) a (alguém), usando autoridade ou direito; IMPOR; ORDENAR [*td.*: *O presidente da sessão exigiu que se cumprisse a ordem do dia.*] [*tdr.* + *a, de*: *Injuriado pela petulância do filho, o pai exigiu-lhe respeito.*] 3 Estipular por meio de regras, normas; ESTABELECER; PRECEITUAR [*td.*: *O regulamento exige que assinemos o ponto diariamente.*] 4 Ter necessidade de; PRECISAR; REQUERER [*td.*: *Toda criança exige cuidados especiais.* Ant.: *prescindir.*] 5 Solicitar de modo exigente, autoritário; ORDENAR [*tdr.* + *de*: *Exigiu do filho uma explicação.*] [▶ 46 exigir] [F.: Do lat. *exigere.*]

exigível (e.xi.*gí*.vel) [z] *a2g.* 1 Que se pode ou se deve exigir 2 *Jur.* Diz-se da dívida que, ao chegar seu vencimento, pode ser reclamada em juízo [Ant.: *inexigível.*] [Pl.: *-veis.*] [F.: *exigir* + *-vel.* Ideia de: *ag-.*]

exiguidade (e.xi.gui.*da*.de) [z] *sf.* Qualidade do que é exíguo [F.: Do lat. *exiguitas, -atis.*]

exíguo (e.*xí*.gu:o) [z] *a.* 1 Muito pequeno (espaço exíguo) 2 Escasso, parco, insuficiente (prazo exíguo) [F.: Do lat. *exiguus.*]

◎ **-exil(a)-** [z] *el. comp.* O mesmo que *hexil-*: *cicloexilamina.* [F.: Do ing. *hexyl.*]

exilado (e.xi.*la*.do) [z] *a.* 1 Que foi para o exílio, voluntária ou compulsoriamente; DESTERRADO; EXPATRIADO *sm.* 2 Indivíduo exilado, esp. por razões políticas [F.: Part. de *exilar.* Cf.: *asilado.*]

exilar (e.xi.*lar*) [z] *v.* 1 Mandar, fazer ir (inclusive si mesmo) para o exílio, para o degredo; DESTERRAR; EXPATRIAR [*td.*: *Regimes autoritários às vezes exilam opositores do governo; Muitos políticos se exilaram durante o regime militar.*] [*tda.*: *Após o golpe, exilou-se no país vizinho.* Ant.: *repatriar.*] 2 *Fig.* Afastar (alguém, inclusive si mesmo) do trato ou da convivência social; isolar(-se) [*tdr.* + *de*: *Sua crise pessoal o exilou dos amigos.*] [*td.* / *tda.*: *Depois que ficou doente se exilou (no campo).*] 3 *Fig.* Expulsar (alguém) de casa [*td.*] [▶ 1 exilar] [F.: *exíl(io)* + *ar*[2].]

exílio (e.*xí*.li:o) [z] *sm.* 1 Ação ou resultado de (se) exilar 2 Expatriação, compulsória ou voluntária; DEGREDO; DESTERRO 3 Lugar onde vive o exilado: "(...) foi defender os que o governo mandara para o exílio ou para a prisão." (Cecília Meireles, "Desilusões", *in Obra em prosa*) 4 *Fig.* Lugar solitário, retirado [F.: Do lat. *exilium.*]

eximido (e.xi.*mi*.do) [z] *a.* 1 Que se eximiu de algo 2 Que está liberto [F.: Part. de *eximir.* Ideia de: *-empt-.*]

exímio (e.*xí*.mi:o) [z] *a.* Excelente naquilo que faz (exímio pintor) [F.: Do lat. *eximius.*]

eximir (e.xi.*mir*) [z] *v.* 1 Tornar (alguém, inclusive si mesmo) isento (de algo); isentar(-se), desobrigar(-se) [*td.*: *Essa lei não exime ninguém.*] [*tdr.* + *de*: *A lei exime os idosos de pagarem passagem de ônibus;* "As obrigações e respeitos (...) não me eximi de cumpri-los..." (José de Alencar, *Senhora*) Ant.: *obrigar, sujeitar.*] 2 Livrar, pôr a salvo, preservar (alguém, inclusive si mesmo) de [*tdr.* + *de*: *Com seu conselho, eximiu o amigo de um fracasso retumbante; Ao abster-se de votar a medida, eximia-se de toda responsabilidade.*] 3 Esquivar-se, furtar-se a (fazer algo) [*tr.* + *a*: *Eximia-se a comparecer nas reuniões.*] 4 Escapar ou livrar-se de [*td.* + *de*: *Como perdeu o voo, eximiu-se do acidente com o avião.*] [▶ 3 eximir] [F.: Do lat. *eximere.* Hom./Par.: *eximia(s)* (fl.), *exímia(s)* (fem. de *exímio*).]

existência (e.xis.*tên*.ci:a) [z] *sf.* 1 Condição ou estado de alguém ou algo que existe, que tem vida; o fato de existir

2 Vida, maneira de viver: *Em toda sua existência, nunca se deparara com um situação como aquela.* **3** Duração de algo: *civilização com milênios de existência.* **4** Fato de pertencer ao mundo objetivo ou subjetivo ou ao mundo criado pela inteligência ou imaginação do homem: *existência de uma doença, existência de duendes, existência de sonhos.* **5** Presença, aparição: *O laboratório constatou a existência de focos do mosquito em áreas urbanas.* **6** *Fil.* Na concepção aristotélica, o ser concreto, individual, particular, tal como é na realidade, e não fruto de uma conceituação genérica e universal: *Enfim teve um filho, e àquela existência dedicou o resto de seus dias.* [F.: Do lat. *existentia.* Ant. ger.: *inexistência.*]

existencial (e.xis.ten.ci:*al*) [z] ***a2g.*** **1** Ref. à existência **2** *Fil.* Que se refere ao existencialismo; EXISTENCIALISTA **3** *Gram.* Diz-se de verbo que designa a existência de algo [Pl.: *-ais.*] [F.: Do lat. tard. *existentialis.*]

existencialismo (e.xis.ten.ci:a.*lis*.mo) [z] ***sm.*** *Fil.* Corrente de pensamento que destaca a importância filosófica da existência individual como o foco da conceituação filosófica (e não os sistemas e conceitos abstratos) e segundo a qual o homem é livre e responsável por seu destino [F.: Do fr. *existentialisme.*]

existencialista (e.xis.ten.ci:a.*lis*.ta) [z] *Fil.* ***a2g.*** **1** Ref. a, ou que é adepto do existencialismo ***s2g.*** **2** Adepto do existencialismo [F.: Do fr. *existentialiste.*]

existente (e.xis.*ten*.te) [z] ***a2g.*** **1** Que existe **2** Que é dotado de vida, que vive; VIVENTE ***s2g.*** **3** Aquilo que tem existência, que existe, ou que vive [F.: *existir* + *-nte.* Ant. ger.: *inexistente.*]

existir (e.xis.*tir*) [z] ***v. int.*** **1** Ter existência ou realidade (material, psicológica, emocional, conceitual etc.); haver: *Fantasmas não existem; Para tudo existe uma explicação.* **2** Viver, estar, permanecer: *Nossos pais existirão para sempre na lembrança.* **3** Haver: *Existe felicidade nesse casamento.* **4** Permanecer, continuar: *Sua imagem existe consoladora e incentivadora em nossa lembrança.* [▶ **3 existir**] [F.: Do lat. *existere.* Ant. ger.: *inexistir.*] ▪ **Não ~** *Bras. Pop.* Ter muitas qualidades, ser excepcional: *-Você é maravilhosa, você não existe!*

êxito (ê.xi.to) [z] ***sm.*** **1** Bom resultado; SUCESSO [Ant.: *fracasso*] **2** Resultado, efeito final, consequência: *mau êxito nos negócios.* [F.: Do lat. *exitus.* Hom./Par.: *hesito* (fl. *hesitar*); *excito* (fl. *excitar*).]

exitoso (e.xi.*to*.so) [ô] ***a.*** Que têm êxito, sucesso; que tem bom resultado [Fem. e *pl.* [ó]] [F.: *êxito* + *-oso.*]

⊕ ***ex jure*** (*Lat./eks jure/*) ***loc.adv.*** *Jur.* Por direito ou de direito

⊕ ***ex lege*** (*Lat./eks lege/*) ***loc.adv.*** *Jur.* Por lei ou de acordo com ela [Pl.: *ex legibus.*]

ex-líbris (ex-*lí*.bris) [cs] ***sm2n.*** Ornamento tipográfico que os bibliófilos costumam colar na contracapa dos livros, no qual constam o seu nome ou divisa, de modo que sirva para identificá-lo como dono da peça [F.: Do lat. *ex libris.*]

⊕ ***ex mandato*** (*Lat./eks mandato/*) ***loc.adv.*** *Jur.* Em consequência de mandato

⊠ **Ex.mo** Abrev. de *excelentíssimo* (2)

⊕ ***ex more*** (*Lat./eks more/*) ***loc.adv.*** *Jur.* De acordo com os costumes

⊕ ***ex necessitate*** (*Lat./eks necessitate/*) ***loc.adv.*** *Jur.* Por necessidade

⊕ ***ex nihilo*** (*Lat./eks niilo/*) ***loc.adv.*** A partir de nada: *Discutiam a criação ex nihilo do universo.*

ex nunc (*Lat./eks nunc/*) ***loc.adv.*** *Jur.* A partir de agora, do presente, sem efeito retroativo: *decisão ex nunc do Supremo Tribunal Federal.*

◎ **ex(o)-** ***pref.*** = 'fora'; 'fora de'; 'por fora'; 'exterior': *exobiologia, exocarpo, exócrino, exoesqueleto, exógeno* [F.: Do gr. *ekso-*, do gr. *ékso*, adv. e prep. Ver *ex-*¹ e *ec-, ex-*².]

exobiologia (e.xo.bi.o.lo.*gi*.a) [z] ***sf.*** *Biol.* Ciência que se dedica ao estudo das possibilidades de vida fora da Terra; ASTROBIOLOGIA [F.: *ex(o)-* + *biologia.*]

exocarpo (e.xo.*car*.po) [z] ***sm.*** *Bot.* Camada exterior do pericarpo; EPICARPO [F.: *ex(o)-* + *-carpo.*]

exocrínico (e.xo.*crí*.ni.co) [z] ***a.*** *Fisl.* O mesmo que *exócrino* [F.: *ex(o)-* + *-crin(o)-* + *-ico*².]

exócrino (e.*xó*.cri.no) [z] ***a.*** *Fisl.* Diz-se de glândula de secreção externa, ou seja, cuja secreção é lançada, através de canais, para o exterior do órgão que a produz; EXOCRÍNICO [F.: *ex(o)-* + *-crino*².]

êxodo (*ê*.xo.do) [z] ***sm.*** **1** Emigração em massa, esp. a de um povo **2** *Rel.* O livro da Bíblia em que é narrada a saída dos hebreus do Egito [Com inicial maiúsc., nesta acp.] **3** *Teat.* O episódio que encerra a tragédia grega clássica [F.: Do lat. *exodus, i*, do gr. *éksodos, ou*, 'saída'; 'marcha'; 'expedição'; 'saída do coro em uma tragédia'.]

exodontia (e.xo.don.*ti*.a) [z] ***sf.*** *Od.* Parte da odontologia que se dedica à extração de dentes e suas raízes [F.: *ex-*¹ + *-odontia.*]

exoesqueleto (e.xo:es.que.*le*.to) [z, lê] ***sm.*** *Anat. Zool.* Esqueleto externo (de aracnídeos, insetos, crustáceos etc.) [F.: *ex(o)-* + *esqueleto.* Tb. *exosqueleto.*]

ex officio (*Lat./eks oficio/*) ***loc.a.*** **1** *Jur.* Diz-se de ato realizado por imposição legal, por dever de um cargo ou de uma função **2** Por obrigação

exoftalmia (e.xof.tal.*mi*.a) [z] ***sf.*** *Med.* Projeção exagerada do globo ocular; PROPTOSE [P.opos. a *enoftalmia.*] [F.: Do lat. cient. *exophthalmia*, do gr. *eksóphthalmos*, 'de olhos salientes'.]

exoftálmico (e.xof.*tál*.mi.co) [z] ***a.*** *Med.* Ref. a exoftalmia [P.opos. a *enoftálmico.*] [F.: *exoftalmia* + *-ico*².]

exogamia (e.xo.ga.*mi*.a) [z] ***sf.*** *Antr.* Sistema social em que os casamentos se realizam entre indivíduos pertencentes a grupos distintos [F.: *ex(o)-* + *-gamia.* Opõe-se a *endogamia.*]

exogâmico (e.xo.*gâ*.mi.co) [z] ***a.*** Que se caracteriza pela exogamia ou se refere a ela; EXÓGAMO [F.: *exogamia* + *-ico*².]

exógamo (e.*xó*.ga.mo) [z] *Antr.* ***sm.*** **1** Indivíduo que contrai núpcias com alguém que não faz parte de seu clã, sua família ou sua aldeia ***a.*** **2** Ref. a exogamia; EXOGÂMICO **3** Diz-se de quem contrai núpcias fora de seu clã, de sua família ou de sua aldeia [F.: *ex(o)-* + *-gamo.* Opõe-se a *endógamo.*]

exogeneidade (e.xo.ge.nei.*da*.de) [z] ***sf.*** Caráter do que é exógeno ou exogêneo [F.: *exogên(eo)* + *-eidade.*]

exogêneo (e.xo.*gê*.ne:o) [z] ***a.*** O mesmo que *exógeno* [F.: *ex(o)-* + *-gen(o)-* + *-eo.*]

exógeno (e.*xó*.ge.no) [z] ***a.*** **1** Que tem causas externas: *Fatores exógenos contribuíram para a crise econômica.* **2** Que cresce para fora ou exteriormente **3** *Biol.* Desenvolvido ou reproduzido a partir da membrana celular que encobre um órgão ou organismo (estrutura *exógena*; esporo *exógeno*) **4** *Geog.* Diz-se do processo geológico que se origina ou ocorre na superfície terrestre [F.: *ex(o)-* + *-geno.* Sin. ger.: *exogêneo.* Opõe-se a *endógeno.*]

exometria (e.xo.me.*tri*.a) [z] ***sf.*** *Med.* Deslocamento do útero, de modo a invertê-lo [F.: *ex(o)-* + *-metria*².]

exoneração (e.xo.ne.ra.*ção*) [z] ***sf.*** **1** Ação ou resultado de exonerar alguém ou de se exonerar; DESOBRIGAÇÃO; ISENÇÃO **2** Dispensa do emprego; DEMISSÃO **3** Ação de cumprir um compromisso ou obrigação [Pl.: *-ções.*] [F.: Do lat. *exoneratio, onis.*]

exonerado (e.xo.ne.*ra*.do) [z] ***a.*** Que sofreu exoneração (funcionário *exonerado*) [F.: Part. de *exonerar.*]

exonerar (e.xo.ne.*rar*) [z] ***v.*** **1** Tirar (ônus) a, ou ficar sem (ônus); DESOBRIGAR; EXIMIR; ISENTAR [***tdr.*** + *de*: *O credor nos exonerou dos juros; exonerar-se de uma responsabilidade, um serviço etc.*] **2** Demitir(-se), destituir(-se) [***td.***: "...a governadora poderia exonerar os maus policiais." (*O Globo*, 24.12.2003)] [***tdr.*** + *de*: *O governo o exonerou do cargo; exonerar-se de uma função.* Ant.: *admitir, contratar.*] [▶ **1 exonerar**] [F.: Do lat. *exonerare.* Hom./Par.: *exoneráveis* (fl.), *exoneráveis* (pl. de *exonerável*).]

exonerável (e.xo.ne.*rá*.vel) [z] ***a2g.*** Que pode ser exonerado [F.: *exonerar* + *-vel.*]

exopaleontologia (e.xo.pa.le:on.to.lo.*gi*.a) [z] ***sf.*** Estudo ou pesquisa de fósseis em outros planetas [F.: *ex(o)-* + *paleontologia.*]

exopaleontologista (e.xo.pa.le.on.to.lo.*gis*.ta) [z] ***s2g.*** **1** Indivíduo que se especializou em exopaleontologia; EXOPALEONTÓLOGO ***a2g.*** **2** Diz-se desse especialista [F.: *ex(o)-* + *paleontologista.*]

exopaleontólogo (e.xo.pa.le:on.*tó*.lo.go) [z] ***sm.*** O mesmo que *exopaleontologista* (1) [F.: *ex(o)-* + *paleontólogo.*]

exorar (e.xo.*rar*) [z] ***v.*** Pedir (algo) (a alguém) ansiosamente, com empenho e submissão; IMPLORAR; SUPLICAR [***td.***: *exorar um gesto de boa vontade.*] [***tdi.*** + *a, para*: *Exorava compreensão aos filhos.*] [▶ **1 exorar**] [F.: Do lat. *exorare.* Hom./Par.: *exoráveis* (fl.), *exoráveis* (pl. de *exorável*).]

exorbitado (e.xor.bi.*ta*.do) [z] ***a.*** Que está fora de órbita; DESORBITADO [F.: Do lat. *exorbitatus, a, um.* Ideia de: *orb(i)-.*]

exorbitância (e.xor.bi.*tân*.ci:a) [z] ***sf.*** **1** Excesso, exagero num preço, na atribuição de um valor: *Este aluguel é uma exorbitância.* **2** Exagero, excesso em relação ao que seria normal, em qualquer coisa: *Era de pasmar a exorbitância daquela decoração.* **3** Ação ou resultado de exorbitar: *exorbitância no exercício de um cargo.* **4** Condição do que exorbita, do que sai ou está fora de órbita **5** Ato arbitrário, autoritário *Pop.*: ABUSO [F.: *exorbitar* + *-ância.*]

exorbitante (e.xor.bi.*tan*.te) [z] ***a2g.*** **1** Que excede os limites do que se considera razoável (dívida *exorbitante*) **2** Que exorbita, que sai ou está fora da órbita [F.: Do lat. *exorbitans-antis*, ou *exorbitar* + *-nte.*]

exorbitar (e.xor.bi.*tar*) [z] ***v.*** **1** Desviar-se de (norma, regra) ou ultrapassar os limites do justo, do razoável; exceder; extrapolar [***tr.*** + *de*: *exorbitar da moral; O funcionário exorbitou das suas funções.*] [***int.***: *Os preços exorbitaram.*] **2** Fazer sair ou sair da órbita [***td.***] [***int.***] [▶ **1 exorbitar**] [F.: Do lat. *exorbitare.*]

exorcismar (e.xor.cis.*mar*) ***v. td.*** **1** Esconjurar, exorcizar (alguém) para expulsar espíritos malignos de seu corpo: *Exorcismar demônios;* "Ó José, eu, como padre, preciso exorcismar-te, pois parece que tu tens pacto com o diabo" (Sanches de Frias, *Ercília*) **2** Afugentar (algo) por meio de conjuras **3** Bradar, gritar, como quem esconjura [▶ **1 exorcismar**] [F.: *exorcismo* + *-ar.*]

exorcismo (e.xor.*cis*.mo) [z] ***sm.*** **1** *Rel.* Ritual religioso que pretende expulsar (inclusive do corpo de alguém) supostos demônios, maus espíritos etc. **2** *Pext.* Qualquer rito, oração etc. para afastar maus augúrios, pragas, moléstias, tempestades etc. [F.: Do gr. *exorkismós*, pelo lat. *exorcismus.* Hom./Par.: *exorcismo* (fl. *exorcismar*).]

exorcista (e.xor.*cis*.ta) [z] ***s2g.*** **1** Pessoa que exorciza ***sm.*** **2** *Teol.* Clérigo que, depois de receber o terceiro grau da hierarquia eclesiástica das ordens menores da Igreja Católica, tem o poder de exorcizar ***a2g.*** **3** Diz-se daquele que exorciza [F.: Do lat. *exorcistes, ae* do gr. *exorkistés, ou.* Sin. ger.: *enxota-diabos, espanca-diabos.* Ideia de: *exorciz-.*]

exorcização (e.xor.ci.za.*ção*) [z] ***sf.*** Ação ou resultado de exorcizar [Pl.: *-ções.*] [F.: *exorciza (r)* + *-ção.* Ideia de: *exorciz-.*]

exorcizado (e.xor.ci.*za*.do) [z] ***a.*** Que passou por processo de exorcização [F.: Part. de *exorcizar.* Ideia de: *exorciz-.*]

exorcizar (e.xor.ci.*zar*) ***v. td.*** **1** Usar de exorcismo para expulsar (espíritos, demônios): "...ouvimo-lo exorcizar em latim os espíritos elementares..." (Joaquim Manuel de Macedo, *Luneta mágica*) **2** Libertar, livrar (algo ou alguém, o corpo de alguém) de espíritos, demônios etc.: "Construíram uma capela mais tarde,/para exorcizar Calvino e o fidalgo." (João Cabral de Melo Neto, *Auto do frade*) **3** Espantar ou afugentar (ger. males) mediante esconjuro: "Paixões medonhas, que tudo fazemos para exorcizar..." (Antonio Callado, "A véspera", *in Reflexos do baile*) **4** *Fig.* Bradar, exclamar como quem esconjura: *Cruzes! – exorcizou a mulher ao ver o vulto.* [▶ **1 exorcizar**] [F.: Do gr. *eksorkízo* 'exorcizar' pelo lat. *exorcizare.* Sin.ger.: *esconjurar, exorcismar.*]

exórdio (e.*xór*.di:o) [z] ***sm.*** **1** A primeira parte de um discurso oratório; PREÂMBULO; PRÓLOGO **2** *Pext.* O início de algo; ORIGEM [F.: Do lat. *exordium.*]

exornar (e.xor.*nar*) [z] ***v. td.*** Colocar enfeites, ornamentos em; ADORNAR; ENFEITAR: "Essa cerâmica de Santarém se caracteriza pela abundância e variedade dos motivos plásticos que a exornam" (Gastão Cruls, *Amazônia*) [▶ **1 exornar**] [F.: Do lat. *exornare.* Hom./Par.: *exornáveis* (fl.), *exornáveis* (pl.exornável [a2g.]).]

exortação (e.xor.ta.*ção*) [z] ***sf.*** **1** Ação ou resultado de exortar; ENCORAJAMENTO; ESTÍMULO; INCITAÇÃO **2** Admoestação, advertência, aviso, conselho **3** *Jur.* Apelo feito pelo juiz aos jurados para que atuem de acordo com os princípios da justiça e com os valores morais que orientam sua consciência [Pl.: *-ções.*] [F.: Do lat. *exhortatio, onis.* Ideia de: *hort-.*]

exortar (e.xor.*tar*) [z] ***v.*** **1** Estimular, animar; incutir coragem a [***td.***: *No campo de batalha, exortava os seus soldados.* Ant.: *desanimar.*] **2** Convencer ou tentar convencer, aconselhar (alguém) a (fazer algo); CONVENCER; INDUZIR; PERSUADIR [***tdr.*** + *a*: *Exortou o cliente a fazer o negócio.* Ant.: *demover, desaconselhar.*] [▶ **1 exortar**] [F.: Do lat. **exhortare*, por *exhortari.*]

exosfera (e.xos.*fe*.ra) [z, é] ***sf.*** *Geof.* Camada superior da atmosfera de um planeta [F.: *ex(o)-* + *-sfera.*]

exosqueleto (e.xos.que.*le*.to) [z, lê] ***sm.*** *Anat. Zool.* Ver *exoesqueleto*

exostose (e.xos.*to*.se) [z] ***sf.*** **1** *Bot.* Protuberância ou excrescência que aparece no tronco de uma árvore **2** *Ort.* Protuberância óssea benigna que aparece na superfície de um osso [F.: Do gr. *eksóstosis, eos*, 'tumor ósseo'.]

exotérico (e.xo.*té*.ri.co) [z] ***a.*** **1** *Fil. Rel.* Que pode ser ensinado em público (diz-se de doutrina filosófica ou religiosa) [Ver tb. *acroamático.*] **2** *P.us.* Que se mostra comum, vulgar [F.: Do lat. *exotericus, a, um*, do gr. *eksoterikós, é, ón.* Hom./Par.: *exotérico* (a.), *esotérico* (a. sm.).]

exoterismo (e.xo.te.*ris*.mo) [z] ***sm.*** Caráter do que é exotérico [F.: *exotérico* + *-ismo.* Hom./Par.: *exoterismo* (sm.), *esoterismo* (sm.).]

exotérmico (e.xo.*tér*.mi.co) [z] ***a.*** *Fís-quím.* Diz-se de processo, físico ou químico, em que ocorre liberação de calor para o meio externo [Ant.: *endotérmico.*] [F.: *ex(o)-* + *-term(o)-* + *-ico*².]

exoticidade (e.xo.ti.ci.*da*.de) [z] ***sf.*** Qualidade do que é exótico; EXOTISMO [F.: *exótico* + *-(i)dade.*]

exótico (e.*xó*.ti.co) [z] ***a.*** **1** Esquisito, extravagante (penteado *exótico*) **2** Que não é nativo do país ou região onde se habita (fauna *exótica*); ESTRANGEIRO **3** *Pop.* Que não tem boa feitura ou bom acabamento; MAL-ACABADO; MALFEITO [F.: Do gr. *exotikós*, pelo lat. *exoticus.*]

exotismo (e.xo.*tis*.mo) [z] ***sm.*** **1** Qualidade de exótico; EXOTICIDADE **2** Aquilo que é alienígena; ESTRANGEIRISMO [F.: *exótico* + *-ismo.*]

exotoxina (e.xo.to.*xi*.na) [z...cs] ***sf.*** *Bac.* Toxina que, embora de origem bacteriana, atua de maneira independente da bactéria [F.: *ex(o)-* + *toxina.*]

expandido (ex.pan.*di*.do) ***a.*** **1** Que se expandiu, que se estendeu, ampliou ou alargou **2** Que foi dilatado, ampliado ou alargado; que passou por processo de expansão: *Suas terras foram expandidas até a margem do rio.* **3** Diz-se de tipo que é alargado na horizontal, mas segue o desenho da família a que pertence; ESTENDIDO [P.opos. a *condensado.*] [F.: Part. de *expandir.* Ideia de: *pass-.*]

expandir (ex.pan.*dir*) ***v.*** **1** Fazer ficar ou ficar mais extenso ou mais amplo; ALARGAR; AMPLIAR; ESTENDER [***td.***: *expandir domínios/fronteiras.*] [***int.***: *A empresa expandiu-se;* "O horizonte, até aí turvo, limitado, indistinto, expande-se ao longe..." (Alexandre Herculano, *O bispo negro e arras por foro de Espanha*) Ant.: *estreitar, reduzir.*] **2** Fazer ficar ou ficar largamente conhecido; DIFUNDIR; DIVULGAR; PROPAGAR [***td.***: *expandir ideias/doutrinas.*] [***int./ ta.***: *A notícia da visita da Família Real expandiu-se rapidamente (por toda a Colônia).*] **3** Expressar-se expansivamente; expor com franqueza (sentimentos, intenções etc.) [***int.***: *É tímido, não costuma expandir-se.*] [***tr.*** + *em*: *expandir-se em sorrisos.* Ant.: *fechar-se, retrair-se.*] [***td.***: *expandir frustrações/ desejos.*] **4** Tornar(-se) pando, inchado ou inflado; INFLAR [***td.***: *O vento expandiu o lençol que estava secando.*] [***int.***: *O parapente expandiu-se no ar.*] **5** *Mat.* Desenvolver (expressão analítica) [***td.***] [▶ **3 expandir**] [F.: Do lat. *expandere.*]

expansão (ex.pan.*são*) ***sf.*** **1** Ação ou resultado de expandir(-se) **2** Manifestação espontânea e comunicativa de sentimentos: *Tem raros momentos de expansão.* **3** Movimento de dilatação de uma matéria por interferência de agentes naturais ou artificiais (*expansão* de um gás) **4** Movimento de ampliação, de alargamento de algo:

expansão do comércio; expansão ultramarina, expansão de territórios. 5 Processo de difusão de algo; PROPAGAÇÃO: *expansão de ideias.* [Pl.: *-sões.*] [F.: Do lat. *expansio, -onis.*] ▪ **~ do Universo** *Astron.* Conceito e teoria de que o universo está em contínua expansão, com o aumento constante das distâncias entre as galáxias

expansibilidade (ex.pan.si.bi.li.*da*.de) *sf.* Qualidade do que é expansível, do que se expande [F.: *expansível*, com suf. *-vel* na f. lat. *-bil(i)-* + *-dade.* Ideia de: *pass-.*]

expansionismo (ex.pan.si:o.*nis*.mo) *sm.* 1 Tendência para a expansão (de país, empresa etc.) 2 *Hist. Pol.* Política de uma nação, região etc. de aquisição de novos territórios aos seus domínios (expansionismo português) [Ver tb. *imperialismo.*] [F.: Do fr. *expansionnisme.*]

expansionista (ex.pan.si:o.*nis*.ta) *a2g.* 1 Ref. a, ou que é adepto do expansionismo (política expansionista) *s2g.* 2 Adepto do expansionismo [F.: Do fr. *expansionniste.*]

expansível (ex.pan.*si*.vel) *a2g.* Que pode ser expandido; EXPANSIVO [Pl.: *-veis.*] [F.: *expansivo* + *-vel.* Ideia de: *pass-.*]

expansividade (ex.pan.si.vi.*da*.de) *sf.* Qualidade ou condição do que é expansivo, do que se expande ou é capaz de se expandir: *Os estrangeiros se admiram em geral com a expansividade dos brasileiros; a expansividade dos gases.* [F.: *expansivo* + *-(i)dade.*]

expansivista (ex.pan.si.*vis*.ta) *s2g.* 1 Em política, o adepto da expansão, da ampliação territorial de seu país, estado etc. *a2g.* 2 Que tem como objetivo a expansão, a ampliação, ger. de territórios (política expansivista) [F.: *expansiv(o)* + *-ista.* Ideia de: *pass-.*]

expansivo (ex.pan.*si*.vo) *a.* 1 *Fig.* Diz-se de quem costuma se expressar e comunicar aberta e facilmente; AFÁVEL; COMUNICATIVO; FRANCO 2 Que se pode expandir; EXPANSÍVEL: *Os gases são expansivos.* [F.: Do fr. *expansif.* Ant. ger.: *inexpansivo.*]

expatriação (ex.pa.tri:a.*ção*) *sf.* 1 Ação ou resultado de expatriar(-se); DESTERRO; EXÍLIO; EXPATRIAMENTO 2 Emigração (2) [Pl.: *-ções.*] [F.: *expatriar* + *-ção.* Ideia de: *pater-.*]

expatriado (ex.pa.tri:*a*.do) *sm.* 1 Pessoa que foi expatriada ou se expatriou, que vive, voluntariamente ou não, fora de seu país *a.* 2 Que se expatriou; que passou por processo de expatriação [F.: Part. de *expatriar.* Sin. ger.: *exilado.* Ideia de: *pater-.*]

expatriamento (ex.pa.tri:a.*men*.to) *sm.* Ver *expatriação* [F.: *expatriar* + *-mento.* Ideia de: *pater-.*]

expatriar (ex.pa.tri.*ar*) *v.* Obrigar (alguém) a sair da pátria, ou sair dela voluntariamente, para ir estabelecer-se em outro país; DESTERRAR; EXILAR [*td.*: *As guerras civis expatriaram muitos cidadãos.* Ant.: *repatriar.*] [*int.*/ *ta.*: *Durante a ditadura militar, expatriou-se (em Paris/ para os Estados Unidos).*] [▶ 1 expatriar] [F.: *ex-*[1] + *pátria* + *-ar*[2].]

expectação (ex.pec.ta.*ção*) *sf.* Ver *expectativa* [Pl.: *-ções.*] [F.: Do lat. *expectatio, onis.* Sin.: *expetação.* Ideia de: *espec-.*]

expectador (ex.pec.ta.*dor*) [ô] *sm.* 1 Aquele que está na expectativa *a.* 2 Diz-se de quem está na expectativa [F.: Do lat. *expectator, oris.* Sin. ger.: *expetador.* Hom./Par.: *expectador* (sm. a.), *espectador* (sm. a.). Ideia de: *espec-.*]

expectância (ex.pec.*tân*.ci:a) *sf.* Condição de expectante

expectante (ex.pec.*tan*.te) *a2g.* Que espera, ansiosa e atentamente; que está na expectativa ou que a demonstra (olhar expectante) [F.: Do lat. *exspectans.*]

expectar (ex.pec.*tar*) *v. int.* Ficar em estado de expectativa [▶ 1 expectar] [F.: do lat. *expectare.* Hom./Par.: *expectáveis* (fl.), *expectáveis* (pl.expectável [a2g.]).]

expectativa (ex.pec.ta.*ti*.va) *sf.* 1 Espera baseada em probabilidade ou promessa de que algo seja feito ou aconteça (expectativa de chuva) 2 *P.ext.* Espera ansiosa de algum acontecimento promissor: *Vivia aqueles dias na maior expectativa.* 3 Atitude de quem espera observando: *Por enquanto, ficaremos na expectativa.* [F.: Do fr. *expectative.*] ▪ **~ de vida** *Dem.* Ver *Esperança de vida* no verbete *esperança*

expectável (ex.pec.*tá*.vel) *a2g.* Que é possível aguardar ou esperar; EXPETÁVEL; PROVÁVEL [Pl.: *-veis.*] [F.: Do lat. *expectabilis, e.* Hom./Par.: *expectável* (a2g.), *expectável* (a.); *expectáveis* (pl.), *expectáveis* (fl. de *expectar*). Ideia de: *espec -.*]

expectoração (ex.pec.to.ra.*ção*) *Med. sf.* 1 Expulsão, por tosse, de matéria produzida nos brônquios e nos pulmões 2 A matéria expectorada; ESCARRO [Pl.: *-ções.*] [F.: *expectorar* + *-ção.*]

expectorado (ex.pec.to.*ra*.do) *a.* Que foi expelido do peito (diz-se de catarro, de escarro) [F.: *expectorar* + *-ado.* Ideia de: *peit-.*]

expectorante (ex.pec.to.*ran*.te) *a2g.* 1 Que facilita ou provoca a expectoração, a expulsão de secreções dos brônquios, das vias respiratórias (diz-se de substância, remédio etc.) *sm.* 2 Aquilo (remédio, substância) que auxilia ou provoca a expectoração [F.: *expectorar* + *-nte.*]

expectorar (ex.pec.to.*rar*) *v.* 1 Expelir pela boca (muco ou quaisquer outras matérias que obstruem os brônquios); ESCARRAR [*int.*/ *td.*: *A criança não sabia expectorar (o catarro).*] 2 *Fig.* Proferir com ira ou violência [*td.*: *expectorar maldições.*] [▶ 1 expectorar] [F.: Do lat. *expectorare*, pelo fr. *expectorer.*]

expedição (ex.pe.di.*ção*) *sf.* 1 Ação ou resultado de expedir alguma coisa, de enviar (encomenda, documento etc.) para algum destino; REMESSA; DESPACHO 2 Viagem em grupo para explorar ou pesquisar uma região: *expedição à Patagônia.* 3 *P.ext. Fig.* O conjunto de pessoas que viaja com este fim: *A expedição chegou ao local de embarque.* 4 *Mil.* Envio de forças militares para determinado fim 5 *P.ext. Fig.* A tropa militar que se desloca em expedição 6 *Bras.* Setor de um estabelecimento que se encarrega de expedir mercadorias, material etc. [Pl.: *-ções.*] [F.: Do lat. *expeditio, -onis.*]

expedicionário (ex.pe.di.ci:o.*ná*.ri:o) *a.* 1 Ref. à expedição ou que faz parte de expedição (2 e 4) *sm.* 2 Aquele que faz parte de expedição (2 e 4) 3 *Bras. Mil.* Combatente da Força Expedicionária Brasileira durante a Segunda Guerra Mundial [F.: Do fr. *expéditionnaire.*]

expedida (ex.pe.*di*.da) *sf.* Licença ou permissão para expedir ou sair [F.: Fem. substv. de *expedido.* Ideia de: *ped-.*]

expedidor (ex.pe.di.*dor*) [ô] *sm.* 1 Aquele que envia ou remete algo *a.* 2 Diz-se de quem expede, de quem envia ou remete algo [F.: *expedir* + *-dor.* Ideia de: *ped-.*]

expediente (ex.pe.di:*en*.te) *a2g.* 1 Que expede, que executa algo ou que facilita sua execução *sm.* 2 Horário de funcionamento ou serviço (meio expediente) 3 Meio para alcançar um fim ou resolver uma dificuldade: *Recorreu a vários expedientes;* "O abolicionismo é um protesto contra essa triste perspectiva, contra o expediente de entregar à morte a solução de um problema (...)." (Joaquim Nabuco, *O abolicionismo*) 4 Requerimento, ofício: *Recebeu um expediente solicitando autorização.* 5 *P.ext. Fig.* O conjunto de requerimentos, ofícios, cartas etc. enviados ou recebidos regularmente por uma empresa, órgão etc.: *O empregado da empresa levou o expediente do dia até o correio.* 6 *Edit.* Seção de jornal ou revista onde constam os nomes do editor, dos colaboradores etc. 7 Tarefa diária ou rotineira: *Atender telefonemas é parte de seu expediente.* 8 *Fig.* Desembaraço, agilidade em resolver ou lidar com algum problema: *Era um sujeito de muito expediente.* [F.: Do lat. *expediens, -entis.*] ▪ **Ter ~** Ser desembaraçado, jeitoso, diligente (esp. ao resolver situações complicadas) **Viver de ~s** Usar de meios improvisados, alternativos, às vezes ilícitos, como recurso para ganhar a vida

expedir (ex.pe.*dir*) *v.* 1 Enviar, remeter, fazer chegar (algo) ao seu destino [*td.*: *expedir carta/encomenda.*] [*tdi.* + *a, para*: *Expediu livros para o amigo.*] [*tda.*: *O advogado já expediu os documentos para Brasília.*] 2 Fazer (alguém) partir com certa finalidade; enviar, mandar (navios, tropas etc.) com determinado fim [*td.*: *O médico expediu um mensageiro com as más notícias; expedir uma armada/ um exército/munições.*] 3 Emitir ou despachar prontamente [*td.*: "Já expediram a ordem de prisão." (Kurban Said, *Ali e Nino*)] 4 *Fig.* Proferir; soltar [*td.*: *expedir queixas, lamentos.*] 5 Livrar (alguém ou a si mesmo) de (problemas, embaraços); DESEMBARAÇAR(-SE) [*tdr.* + *de*: *Foi difícil expedi-lo de tantas confusões.*] 6 Dar solução a; ativar a execução de (algo); DESPACHAR; RESOLVER [*td.*: *O juiz expediu a questão em poucos minutos.*] 7 Publicar (lei, decreto); PROMULGAR [*td.*] 8 Enunciar verbalmente; PROFERIR [*td.*: "Não se expediu ordem para acabar o real estado da casa da rainha." (Rebelo da Silva, *Mocidade de D. João V*)] 9 Expelir, expulsar [*td.*: *expedir fezes.*] [▶ 44 expedir] [F.: Do lat. *expedire.* Hom./Par.: *expedir, espeçar, espessar* (em algumas fl.); *expeça* (fl.), *espessa* (fem. de *espesso*); *expeça* (fl.), *espessa* [ê] (fem. de *expesso*); *expeço* (fl.), *espesso* [ê] (a.).]

expeditar (ex.pe.di.*tar*) *v. td.* Tornar ágil [▶ 1 expeditar] [F.: *expedito* + *-ar*[2].]

expedito (ex.pe.*di*.to) *a.* Que demonstra ter expediente (8), agilidade e empenho na resolução de problemas, cumprimento de tarefas etc; ATIVO; DESPACHADO; DILIGENTE [F.: Do lat. *expeditus.*]

expelido (ex.pe.*li*.do) *a.* Que foi objeto de expelição; que foi lançado para fora ou proferido: *O catarro foi expelido com facilidade; A ofensa foi expelida com grande energia.* [F.: Part. de *expelir.* Ideia de: *-pel-.*]

expelir (ex.pe.*lir*) *v.* 1 Lançar de si; EXPULSAR [*td.*: *expelir catarro; A chaminé expelia uma fumaça negra.*] 2 Pôr para fora, ger. com ímpeto, violentamente; EXPULSAR [*td.*/ *tda.*: *expelir os invasores (do sítio).*] 3 Arremessar à distância (projétil, bala) [*td.*] 4 *Fig.* Proferir com violência [*td.*: *expelir xingamentos.*] [▶ 50 expelir Part.: *expelido, expulso.*] [F.: Do lat. *expellere.*]

expender (ex.pen.*der*) *v.* 1 Apresentar, expor de maneira detalhada [*td.*: *Gostava de expender suas convicções filosóficas.*] [*tdi.* + *a*: *Expendia seus conhecimentos a um grupo de alunos.*] 2 Gastar, despender [*td.*: *Expendeu uma fortuna na compra da fazenda.*] [▶ 2 expender] [F.: do lat. *expendere.*]

expensas (ex.*pen*.sas) *sfpl.* Ver *A/às expensas de* [F.: Do lat. *expensa, ae*, fem. subst. do part.pas. *expensus, a, um.*] ▪ **A/às ~s de** Com as despesas pagas por, à custa de: *Viveu por muito tempo a expensas do pai.*

experiência (ex.pe.ri:*ên*.ci:a) *sf.* 1 Ação ou resultado de experimentar 2 Habilidade ou conhecimento adquiridos com a prática (experiência de vida; experiência profissional) 3 Conhecimento, aprendizado adquirido a partir da vivência de uma situação: "Acabávamos de compartir uma experiência intensa, muito maior do que qualquer palavra." (Ana Maria Machado, *Texturas*) 4 Experimentação, experimento (experiência química) 5 Teste, ensaio, tentativa: *Aquele desfile ia servir-lhe de experiência para saber se teria sucesso.* 6 *Fil.* Conhecimento adquirido através do uso dos sentidos [F.: Do lat. *experientia.* Ant. ger.: *inexperiência.* Hom./Par.: *experiencia* (fl. *experienciar*).]

experiencial (ex.pe.ri.en.ci.*al*) *a2g.* 1 Que diz respeito a experiência; que tem caráter experimental 2 Que é derivado da experiência [Pl.: *-ais.*] [F.: *experiência* + *-al.* Ideia de: *perig-.*]

experienciar (ex.pe.ri.en.ci.*ar*) *v. td.* O mesmo que *experimentar* [F.: *experiência* + *-ar*[2].]

experiente (ex.pe.ri:*en*.te) *s2g.* 1 Pessoa que é experiente, que tem experiência *a2g.* 2 Que tem experiência (2) [F.: Do lat. *experiens, entis.* Sin. ger.: *adestrado, calejado, conhecedor, ensinado, entendido, especialista, experimentado, experto, habilitado, mestre, perito, prático, professo, sarrafaçal, traquejado, treinado, versado.* Ant. ger.: *aprendiz, bisonho, borra-botas, borra-tintas, calouro, desconhecedor, ignorante, imperito, inexperiente, inexperto, leigo, novato, novel, novo, principiante, verde.* Ideia de: *perig -.*]

experimentação (ex.pe.ri.men.ta.*ção*) *sf.* 1 Ação ou resultado de experimentar 2 Experiência, investigação (esp. científica) que, a partir de uma hipótese, busca observar e classificar determinado fenômeno em condições controladas [Pl.: *-ções.*] [F.: *experimenta(r)* + *-ção.* Ideia de: *perig-.*]

experimentado (ex.pe.ri.men.*ta*.do) *sm.* 1 Pessoa experiente, calejada, conhecedora de certo assunto *a.* 2 Que já se testou 3 Que passou por processo de experimentação, que foi submetido a algum tipo de prova [F.: Part. de *experimentar.* Ideia de: *perig -.*]

experimentador (ex.pe.ri.men.ta.*dor*) [ô] *sm.* 1 Aquele que experimenta, que faz experiências *a.* 2 Que experimenta [F.: *experimentar* + *-dor.* Ideia de: *perig-.*]

experimental (ex.pe.ri.men.*tal*) *a2g.* 1 Ref. a, ou baseado em experiência (estágio experimental; ciência experimental); EMPÍRICO 2 Diz-se de pesquisa, observação científica, estudo etc. que se baseia na experimentação 3 Diz-se de produto, método, protótipo etc. ainda em experimentação (modelo experimental) [Pl.: *-tais.*] [F.: Do lat. tard. *experimentalis.*]

experimentalismo (ex.pe.ri.men.ta.*lis*.mo) *sm.* Atitude daquele que adota ou defende procedimentos experimentais ou empíricos em todas as áreas e atividades: *O experimentalismo era a escolha daquele pintor.* [F.: *experimental* + *-ismo.* Ideia de: *perig-.*]

experimentalista (ex.pe.ri.men.ta.*lis*.ta) *s2g.* 1 Aquele que adota o experimentalismo, esp. em formas de arte *a2g.* 2 Em que há experimentalismo ou que se refere a ele (arte experimentalista) [F.: *experimental* + *-ista.* Ideia de: *perig-.*]

experimentar (ex.pe.ri.men.*tar*) *v.* 1 Submeter (algo ou alguém) a experiência ou prova [*td.*: *O capitão experimentou os recrutas com duras provas; experimentar uma receita nova.*] 2 Pôr (roupa, calçado, acessórios etc.) em si, para ver como ficam [*td.*: *experimentar um perfume, anel, sapato etc.*] 3 Conhecer, vivenciar [*td.*: *experimentar o amor.*] 4 Sentir, sofrer, suportar [*td.*: *experimentar a dor de uma traição.*] 5 Testar (algo ou alguém, inclusive si mesmo) avaliando sua capacidade [*td.*: *A menininha experimentava-se para ver se conseguia andar sozinha; Experimentou a resistência do galho pendurando-se nele.*] 6 Analisar, observar ou verificar (algo) por meio da prática ou da experiência [*td.*: *experimentar a ação de um medicamento.*] 7 Pôr em prática; executar [*td.*: *Se o plano A falhar, vamos experimentar o plano B.*] 8 Sujeitar a provas morais [*td.*: *O que fiz foi somente para experimentar-te.*] 9 Tornar-se apto, experiente em; adestrar-se; exercitar-se [*tdr.* + *em*: *Precisava experimentar-se no magistério.*] [▶ 1 experimentar] [F.: *experimento* + *-ar*[2]. Hom./Par.: *experimentais* (fl.), *experimentais* (pl. de *experimental*); *experimento* (fl.), *experimento* (sm.); *experimentáveis* (fl.), *experimentáveis* (pl. de *experimentável*).]

experimento (ex.pe.ri.*men*.to) *sm.* Ver *experimentação* [F.: Do lat. *experimentum.* Hom./Par.: *experimento* (fl. *experimentar*).] ▪ **~ mental** Nas ciências naturais, na filosofia da ciência e, especialmente, na física, experimento que não é realizado na prática, e sim imaginado, como forma de testar ou refutar hipóteses; raciocínio que se baseia em conhecimentos experimentais já consolidados e que é organizado ou desenvolvido na forma da descrição de um experimento novo, que deve ser imaginado e cujos resultados podem, desse modo, ser mais ou menos previstos com base naqueles conhecimentos anteriores [Em al.: *Gedanken experiment*, literalmente 'experimento do pensamento'.]

⊕ **expert** (*Fr.*/ecsper/) *s2g.* Pessoa dotada de conhecimentos profundos sobre determinado assunto ou que tem grande domínio sobre determinada atividade; ESPECIALISTA; EXPERTO; PERITO: *expert em pintura/culinária/mecânica/ história do Brasil.* [F.: Do fr. *expert.* Ideia de: *perig -.*]

⊕ **expertise** (*Fr.*/ecspertiz/) *sf.* 1 Qualidade de *expert*, de conhecedor, de perito, de quem é especialista em alguma coisa 2 Avaliação feita por especialista (expertise tecnológica) [F.: Do fr. *expertise.* Ideia de: *perig-.*]

experto (ex.*per*.to) *a.* 1 Que é especialista, que adquiriu experiência *sm.* 2 Aquele que é especialista, que adquiriu experiência em certo assunto, atividade etc. [F.: Do lat. *expertus.* Hom./Par.: *esperto.*]

expiação (ex.pi:a.*ção*) *sf.* 1 Ação ou resultado de expiar, de remir-se de crime ou falta cometida; PENITÊNCIA; CASTIGO: *a expiação de uma culpa; a expiação de um pecado.* 2 Aquilo que é o meio de expiar (como a contrição, a penitência, o arrependimento, uma boa ação compensatória etc.) 3 *Jur.* Cumprimento de pena a que se foi condenado por prática de delito ou crime [Pl.: *-ções.*] [F.: Do lat. *expiatio, -onis.*] ▪ **~ suprema** A pena de morte

expiado (ex.pi.*a*.do) *a.* Que se expiou; que foi purificado ou que pagou sua culpa [F.: Part. de *expiar.* Ideia de: *pie(d)-.*]

expiar (ex.pi.*ar*) *v.* **1** Remir, reparar (culpa ou falta); purificar-se de (culpa ou falta) [*td.*: *expiar pecados (com penitências).*] [*tr.* + de: *Expiava-se dos desatinos da juventude.*] **2** Padecer as consequências de [*td.*: *Expia na prisão o crime que cometeu.*] [▶ 1 expiar] [F.: Do lat. *expiare.* Hom./Par.: *expiar, espiar* (em todas as fl.); *expia(s)* (fl.), *espia(s)* (s2g.sf.[pl.]).]

expiatório (ex.pi:a.*tó*.ri:o) *a.* **1** Ref. à expiação **2** Que envolve ou serve de expiação (sacrifício expiatório) [F.: Do lat. tard. *expiatorius.*]

expiração (ex.pi.ra.*ção*) *sf.* **1** Ação ou resultado de expirar, de expulsar dos pulmões o ar inspirado [Ant.: *aspiração, inspiração*] **2** Fim, terminação de prazo; VENCIMENTO: *a expiração de um contrato.* [Pl.: *-ções.*] [F.: Do lat. *exspiratio,-onis.*]

expirado (ex.pi.*ra*.do) *a.* Que expirou; que terminou ou foi encerrado (prazo expirado) [F.: Part. de *expirar.* Ideia de: *-spir(o)-.*]

expirar (ex.pi.*rar*) *v.* **1** Expelir (o ar introduzido por inspiração nos pulmões) [*td.* Ant.: *aspirar, inspirar.*] **2** Exalar, bafejar, recender a [*td.*: *expirar perfume de almíscar.*] **3** *Fig.* Deixar sair, revelar, emitir, exalar [*td.*: *expirar insatisfações/lamúrias.*] **4** Morrer [*int.*] **5** *Fig.* Terminar, finalizar, encerrar-se [*int.*: *O prazo ainda não expirou.*] **6** Perder a ação, a força ou a autoridade [*int.*] **7** Extinguir-se, dissipar-se [*int.*: *Expirara o seu prestígio, a sua glória.*] **8** *Fig.* Sumir-se pouco a pouco; cessar de vibrar ou de fazer-se ouvir [*int.*: *A voz lhe expirava na garganta.*] [▶ 1 expirar] [F.: Do lat. *exspirare.* Hom./Par.: *expirar, espirar* (em todas as fl.); *expira(s)* (fl.), *espira(s)* (sf.[pl.]); *expirais* (fl.), *espirais* (pl. de *espiral*).]

expiratório (ex.pi.ra.*tó*.ri:o) *a.* Ref. a expiração ou que serve ou contribui para produzi-la (fluxo expiratório; aparelho expiratório) [F.: *expirar* + *-t-* + *-ório.* Ideia de: *-spir(o)-.*]

explanação (ex.pla.na.*ção*) *sf.* Ação ou resultado de explanar (explanação científica); EXPLICAÇÃO [Pl.: *-ções.*] [F.: Do lat. *explanatio, onis.* Ideia de: *plan-.*]

explanado (ex.pla.*na*.do) *a.* Que foi explicado: *O problema foi devidamente explanado pelo professor.* [F.: Part. de *explanar.* Ideia de: *plan-.*]

explanar (ex.pla.*nar*) *v. td.* **1** Tornar plano, fácil de entender, através de explicação pormenorizada: *Explanar uma teoria.* **2** Expor ou narrar com detalhes, minuciosamente: *Explanar razões/acontecimentos.* **3** Dar (explicação, esclarecimento): *"Não sou o responsável pelo acidente", explanou o réu.* [▶ 1 explanar] [F.: Do lat. *explanare.* Hom./Par.: *explanada* (f. part.), *esplanada* (sf.).]

explanatório (ex.pla.na.*tó*.ri:o) *a.* Que explana, explica ou é próprio para explanar (introdução explanatória); EXPLANATIVO [F.: Do lat. *explanatorius, a, um.* Ideia de: *plan-.*]

explantação (ex.plan.ta.*ção*) *Biol. sf.* **1** Ação ou resultado de explantar **2** Cultura de órgão ou tecido fora do organismo, visando à reprodução e à sobrevivência das células [Pl.: *-ções.*] [F.: *explantar* + *-ção.* Ideia de: *plant-.*]

explantar (ex.plan.*tar*) *v. td. Biol.* Retirar (célula, tecido etc.) de animal ou planta para depois observar seu desenvolvimento *in vitro* [▶ 1 explantar] [F.: *ex-* + *plantar.*]

explante (ex.*plan*.te) *sm. Biol.* Fragmento de órgão ou tecido retirado de um organismo para ser submetido a processo de cultura [F.: Dev. de *explantar.* Ideia de: *plant-.*]

expletivo (ex.ple.*ti*.vo) *Gram. a.* **1** Diz-se de palavra ou expressão que serve para realçar a frase, sem ser necessária ao sentido [A palavra se na construção Foi-se embora é uma palavra expletiva.] **2** Diz-se do que serve para completar (algo) *sm.* **3** Palavra ou expressão expletiva (1) [F.: Do lat. *expletivus.*]

explicação (ex.pli.ca.*ção*) *sf.* **1** Ação de explicar ou fazer entender algo; ESCLARECIMENTO: *explicação de um texto; explicação sobre um assunto.* **2** Aquilo que é explicado de forma sistemática ou naturalmente: *Prestou bastante atenção à explicação da professora; conseguiu achar o endereço certo após a explicação dada pelo motorista.* **3** Causa, motivo, razão: *Não há explicação para tantas mudanças.* **4** Justificativa, desculpa, satisfação: *Ficou devendo uma explicação.* **5** Desagravo, desafronta [Pl.: *-ções.*] [F.: Do lat. *explicatio,onis.*]

explicado (ex.pli.*ca*.do) *a.* Que foi tornado claro, compreensível, inteligível: *O problema foi perfeitamente explicado.* [F.: Part. de *explicar.*]

explicador (ex.pli.ca.*dor*) [ô] *sm.* **1** Aquele que explica, que faz com que algo que era obscuro, ininteligível, seja compreendido **2** Professor que dá aulas particulares, ger. em casa, a fim de reforçar o aprendizado escolar de um aluno *a.* **3** Que explica, que torna algo compreensível [F.: Do lat. *explicator, oris.* Ideia de: *cheg-.*]

explicar (ex.pli.*car*) *v.* **1** Tornar inteligível ou claro (o que é ambíguo ou obscuro); ESCLARECER [*td.*: *explicar um mistério/uma questão.*] [*tdi.* + *a, para*: "Maria explicou ao homem que o velho era seu tio." (França Júnior, *Os dois irmãos*)] **2** Fazer entender o sentido, a mensagem, a intenção de; interpretar [*td.*: *explicar um trecho da Bíblia/um quadro.*] **3** Dar os motivos de (os próprios atos ou palavras) (a); manifestar (os próprios pensamentos) por meio de palavras; fazer-se compreender; JUSTIFICAR(-SE) [*td.*: *explicar uma ausência/uma falha.*] [*int.*: *explicar-se perante a Justiça.*] [*tdi.* + *a, para*: *Explicar seu comportamento no caso ao diretor.*] **4** Manifestar, exprimir (por gestos ou palavras) [*td.*: *Sua atitude já explicava sua intenção.*] **5** Expor, desenvolver, explanar [*td.*: *Aproveitava todos os momentos para explicar a sua doutrina.*] **6** Dar a conhecer a origem ou o motivo (de algo difícil de conceber ou cuja razão ignoramos) [*td.*: *explicar o fenômeno das marés.*] **7** Dar lição particular de; lecionar [*td.*: *Ela explica bem matemática, mas cobra muito caro.*] **8** *Bras. Fig. Fam.* Dar dinheiro; pagar (por serviço prestado, para quitar uma dívida etc.) [*int.*: *Emprestei-lhe dinheiro mas até hoje ele não se explicou.*] [▶ 11 explicar] [F.: Do lat. *explicare.* Hom./Par.: *explicáveis* (fl.), *explicáveis* (pl. de *explicável*).]

explicativo (ex.pli.ca.*ti*.vo) *a.* **1** Que explica ou serve para explicar; ELUCIDATIVO: *um breve texto explicativo.* **2** *Gram.* Diz-se da conjunção coordenativa que expressa explicação (p.ex.: porque) [F.: *explicar* + *-tivo.*]

explicável (ex.pli.*cá*.vel) *a2g.* Que pode ser explicado, tornado claro, compreensível [Ant.: *inexplicável.*] [Pl.: *-veis.*] [F.: Do lat. *explicabilis, e.* Hom./Par.: *explicáveis* (pl.), *explicáveis* (fl. de *explicar*). Ideia de: *cheg-.*]

⊕ **explicit** (*Lat./eksplisit/*) *sm.* Em um manuscrito, grupo de palavras ou fórmula que indica o final do texto e às vezes dá informações sobre o nome do autor e o título da obra [Cf.: *incipit* e *colofão.*]

explicitação (ex.pli.ci.ta.*ção*) *sf.* Ação de explicitar, de fazer algo ficar explícito, claro [Pl.: *-ções.*] [F.: *explicitar* + *-ção.* Ideia de: *cheg-.*]

explicitado (ex.pli.ci.*ta*.do) *a.* Que se explicitou; que foi tornado claro, sem margem para dúvidas [F.: Part. de *explicitar.* Ideia de: *cheg-.*]

explicitador (ex.pli.ci.ta.*dor*) [ô] *a.* **1** Que explicita *sm.* **2** O que explicita [F.: *explicitar* + *-dor.*]

explicitante (ex.pli.ci.*tan*.te) *a2g.* Que explicita ou contribui para explicitar (análise explicitante) [F.: *explicit (ar)* + *-ante.* Ideia de: *cheg-.*]

explicitar (ex.pli.ci.*tar*) *v. td.* Tornar explícito, claro, sem eufemismos, ambiguidades etc; ACLARAR: *explicitar as reais intenções.* [Ant.: *obscurecer.*] [▶ 1 explicitar] [F.: *explícito* + *-ar*[2]. Hom./Par.: *explicita* (fl.), *explícita* (fem. de *explícito*); *explicito* (fl.), *explícito* (a.).]

explícito (ex.*plí*.ci.to) *a.* **1** Expresso com clareza, manifesto, sem eufemismo, ambiguidade etc; que não deixa dúvida (apoio explícito) [Ant.: *implícito.*] **2** Expresso ou descrito ou apresentado tal como é, sem reserva ou restrição (sexo explícito) **3** *Jur.* Em que há rigor interpretativo, precisão, objetividade (cláusulas explícitas); CATEGÓRICO [F.: Do lat. *explicitus*, pelo fr. *explicite.* Hom./Par.: *explícito* (fl. *explicitar*).]

explicitude (ex.pli.ci.*tu*.de) *sf.* Qualidade do que é explícito (explicitude da mensagem) [F.: *explici (tar)* + *-tude.* Ideia de: *cheg-.*]

explodido (ex.plo.*di*.do) *a.* Que se explodiu; que foi alvo de explosão [F.: Part. de *explodir.*]

explodir (ex.plo.*dir*) *v.* **1** Causar ou sofrer explosão; fazer rebentar ou rebentar com estrondo ou estampido; ESTOURAR [*td.*: *Explodiram a mina.*] [*int.*: *A bomba explodiu.*] **2** *Fig.* Manifestar-se com ruído [*int.*: *No meio da aula, explodiu uma gargalhada.*] **3** *Fig.* Surgir de repente, com ímpeto ou violência; IRROMPER [*int.*: *A guerra explodiu no verão europeu.*] **4** Manifestar-se (alguém) com ímpeto, expressando sentimento, emoção, reação a algo etc. [*int.*: *Estava sendo paciente, até não aguentar mais e explodir.* Ant.: *conter-se.*] [*tr.* + *de, em*: *De repente, explodiu numa gargalhada; Conteve-se quanto pôde, até explodir de cólera.*] [▶ 58 explodir Na língua corrente, tanto falada quanto escrita, já é comum o emprego da 1ª pess. sing. do pres. do ind. *explodo* [ô], e das formas do pres. do subj. *exploda* [ô], *explodas* [ô] etc.] [F.: Do lat. *explodere.* Ideia de 'explodir': *fulmin(i)- (fulminante, fulminífero).*]

exploração (ex.plo.ra.*ção*) *sf.* **1** Ação ou resultado de explorar, de descobrir, pesquisar: *a exploração de um território recém-descoberto; a exploração do espaço.* **2** Busca, procura: "(...) vendo o meu livro como uma visão feminina e infantil de uma mesma exploração mágica e poderosa dos vínculos entre as gerações." (Ana Maria Machado, *Outro chamado selvagem*) **3** Extração de algo com fins de aproveitamento, de uso (exploração de jazidas; exploração de petróleo) **4** Desenvolvimento de atividade econômica: *exploração de um negócio; exploração de um serviço.* **5** *Med.* Investigação das possíveis causas de uma doença ou afecção por análise de sintomas, exames de vários tipos, cirurgia etc. **6** Ação de abusar ou tirar proveito de outrem, de coisa alheia, de situação etc.: *Muitas empresas se instalam em países menos desenvolvidos tendo em vista a exploração de mão de obra mais barata.* **7** *Pop.* Prática de preços abusivos; roubo, extorsão: *Mamãe achou o preço dos remédios uma exploração.* [Pl.: *-ções.*] [F.: Do lat. *exploratio, onis*, pelo fr. *exploration.*]

explorado (ex.plo.*ra*.do) *a.* **1** Que se explorou; que foi objeto de exploração **2** Diz-se de indivíduo que é vítima de exploração (trabalhador explorado) **3** *Fig.* Que já foi muito debatido, discutido, visto, lido etc. (assunto explorado) [Ant.: *inexplorado.*] [F.: Do lat. *exploratus, a, um.* Ideia de: *explor-.*]

explorador (ex.plo.ra.*dor*) [ô] *a.* **1** Que explora ou que se refere à exploração *sm.* **2** Pessoa dada a explorar, desvendando, descobrindo regiões, coisas etc. **3** *Pej.* Indivíduo que se aproveita das pessoas e das situações para tirar vantagens [F.: Do lat. *explorator.*]

explorar (ex.plo.*rar*) *v. td.* **1** Percorrer (território, região, lugar, edificação etc.) para conhecer, sondar ou descobrir algo: *explorar o campo inimigo; explorar as ruínas de uma cidade; explorar a mata virgem.* **2** Submeter a análise, pesquisa, testes etc.: *explorar um novo remédio.* **3** Investigar, estudar para conhecer, entender: *explorar os mistérios da mente.* **4** Desenvolver, para extrair resultados econômicos; produzir; cultivar: *explorar uma mina de ouro; explorar uma propriedade agrícola;* "Lançou a vista para Diamantina, que nessa ocasião atraía os curiosos, e lá se foi ele... explorar o diamante." (Aluísio Azevedo, *Coruja*) **5** Tirar partido ou proveito de (algo), ou tentar auferir vantagens abusando da boa fé, da ignorância ou da posição de (alguém): *explorar a caridade pública; Não quero explorar sua boa vontade; O líder do grupo costumava explorar os novatos.* **6** Desenvolver ou aproveitar o potencial ou a possibilidade de: *Com a dança pôde explorar os movimentos do corpo; Explore melhor o seu dom de escrever.* **7** Pagar salário aviltante a (alguém) ou fazê-lo trabalhar excessivamente: *Seu Joaquim explora os empregados com um salário tão baixo.* **8** Vender algo a (alguém) por preço alto, injusto: *A padaria, única no bairro, explora os fregueses.* **9** *Med.* Examinar atentamente os sintomas, o andamento de (doença); reconhecer pelo exame direto o estado de (parte de ou órgão) tateando ou apalpando **10** *Cir.* Sondar (chaga, úlcera) etc. [▶ 1 explorar] [F.: Do lat. *explorare.* Hom./Par.: *exploráveis* (fl.), *exploráveis* (pl. de *explorável*).]

exploratório (ex.plo.ra.*tó*.ri:o) *sm.* **1** *Med.* Ver *algália*[2] *a.* **2** Que serve para exploração ou que se refere a ela; EXPLORATIVO **3** Que oferece possibilidades de acerto, acordo, negociação, conchavo; PRELIMINAR: *Encontros preliminares, exploratórios.* **4** *Med.* Diz-se de uma investigação médica (exame exploratório) [Cf. *cirurgia exploratória.*] [F.: Do lat. *exploratorius, a, um.* Ideia de: *explor-.*]

explorável (ex.plo.*rá*.vel) *a2g.* Que se pode explorar (minérios exploráveis) [Ant.: *inexplorável*] [Pl.: *-veis.*] [F.: *explorar* + *-vel.*]

explosão (ex.plo.*são*) *sf.* **1** Abalo violento, ger. seguido de estrondo, produzidos pela expansão súbita e violenta de uma massa gasosa ou sólida, gerando uma força que pode despedaçar corpos sólidos (explosão atômica) **2** *Fig.* Manifestação repentina e intensa de sentimentos, estados de ânimo etc. (explosão de entusiasmo; explosão de criatividade) **3** *Fig.* Aumento súbito e excessivo (explosão de preços) **4** Manifestação forte, intensa de qualquer coisa: *explosão de ruídos; explosão de cores.* **5** *Fon.* Processo de emissão de uma consoante oclusiva, com abertura brusca do canal bucal [Pl.: *-sões.*] [F.: Do lat. *explosio, onis*, pelo fr. *explosion.*] ▪ **~ demográfica** Crescimento muito rápido da população **~ primordial** *Cosm.* O início da expansão do universo **Grande ~ 1** *Cosm.* Conceito e teoria, aceitos pela ciência, de que o universo teria se originado a partir de uma grande explosão (*big bang*) **2** Termo que designa as condições de temperatura e densidade muito elevadas que deram origem ao universo, segundo essa teoria; *big bang.*

explosivo (ex.plo.*si*.vo) *a.* **1** Capaz de explodir ou provocar explosão (tb. *Fig.*) (artefato explosivo; revelação explosiva) **2** *Fig.* Exaltado, impulsivo (gênio explosivo) **3** *Fon.* Diz-se da consoante que se encontra antes de uma vogal na sílaba por oposição à consoante implosiva encontrada após a vogal **4** *Fon.* Diz-se da consoante oclusiva em razão do ruído que se emite após a oclusão *sm.* **5** Substância que produz explosão [F.: Do fr. *explosif.*]

explotar (ex.plo.*tar*) *v. td. Econ.* Tirar proveito financeiro da exploração de (área, região, terra etc.) por meio de seus recursos naturais [▶ 1 explotar] [F.: Do fr. *exploiter.* Cf. *explorar.*]

expoente (ex.po:*en*.te) *s2g.* **1** Pessoa eminente em área artística, profissional etc. (expoente da música) **2** Aquele que expõe ou alega algo *sm.* **3** *Mat.* Número colocado acima e à direita de outro, indicando a potência a que este é elevado: *Em 12*[3] *o expoente é três.* [F.: Do lat. *exponens, -entis.*]

exponenciação (ex.po.nen.ci:a.*ção*) *sf. Mat.* Processo de elevação de um número a certo expoente, ou potência; o cálculo do valor atingido nesse processo [Pl.: *-ções.*] [F.: *exponenciar* + *-ção.*]

exponencial (ex.po.nen.ci:*al*) *a2g.* **1** Ref. a ou que tem caráter de expoente (1), de grande importância (figura exponencial) **2** *Fig.* De grande medida (na variação de uma grandeza) (aumento exponencial) **3** *Mat.* Ref. a expoente (3) **4** *Mat.* Diz-se de quantidade cujo expoente é variável ou indeterminado [Pl.: *-ais.*] *sf.* **5** Função exponencial (ver no verbete *função*) [F.: Do lat. *exponens, entis*, pelo fr. *exponentiel.*]

exponenciar (ex.po.nen.ci.*ar*) *v. td.* **1** *Mat.* Elevar (número) a um determinado expoente, uma determinada potência **2** *Fig.* Fazer (algo, situação, conceito etc.) recrudescer em sua importância, sua atuação, sua qualidade etc.: *A direção segura exponenciou a qualidade interpretativa dos atores.* [F.: F.: Do lat. *exponens* + *-iar.*]

expor (ex.*por*) *v.* **1** Pôr(-se) em exposição, em exibição ou em evidência [*td. tdi.* + *a, para*: *expor novos carros (ao público); O homem público tem de se expor (para os cidadãos comuns).*] **2** Deixar ou ficar a descoberto, visível [*td.*: *O vento levantou-lhe a saia e expôs suas pernas.*] [*tdi.* + *a, para*: *Seus olhos expunham a todos sua tristeza; expor-se a um médico para exame.*] **3** Pôr(-se) em risco, em perigo; ARRISCAR; DESPROTEGER [*tdr.* + *a*: *A bebida expõe os motoristas a acidentes; Os alpinistas expõem-se ao perigo; O vento derrubou a barraca, expondo-os à chuva e ao frio.*] [*tdi.* + *a, para*: *O boxeador distraiu-se e expôs o rosto ao adversário.*] **4** Revelar, explicar ou narrar [*td.*: *No comunicado, expôs os problemas econômicos.*] [*tdi.* + *a, para*: "...o receio de expor ao pai a sua resolução..." (Marques Rebelo, *Contos reunidos*)] **5** Sujeitar(-se) a (algo, a ação de, ao ridículo, a constrangimento etc.) [*tdr.* + *a, para*: *expor o corpo ao sol; expor-se ao descrédito.*] **6** Fazer exposição (de) [*int. td.*: *Esse pintor expõe (seus quadros) todo ano.*] 7 Colocar à disposição; OFERECER; APRESENTAR [*td.*: *Expôs seu escritório para que os advogados o utilizassem.*] [▶ 60 expor] [F.: Do lat. *exponere*. Part.: *exposto*.]

exportabilidade (ex.por.ta.bi.li.*da*.de) *sf.* Capacidade e possibilidade de exportação (exportabilidade da produção) [Ant.: *importabilidade*.] [F.: *exportar*, com o suf. *-vel* na f. lat. *-bil(i)-* + *-dade*. Ideia de: *port(a)-*.]

exportação (ex.por.ta.*ção*) *sf.* 1 Ação ou resultado de exportar 2 Venda de mercadorias, produtos para outros países, estados, regiões etc. 3 Tudo quanto se exporta, os bens exportados 4 *P.ext. Fig.* Envio de ideias ou de pessoas para outros lugares: *O país vive a exportação de seus melhores craques do futebol.* 5 *Inf.* Transferência de um arquivo de um programa, aplicativo etc. em linguagem legível para outro programa, aplicativo etc. [Pl.: *-ções*.] [F.: Do lat. *exportatio-onis*, pelo fr. *exportation*. Ant. ger.: *importação*.]

exportado (ex.por.*ta*.do) *a.* Que se exportou; que foi vendido para fora do lugar (país, estado, município etc.) em que foi produzido (automóveis exportados) [Ant.: *importado*.] [F.: Part. de *exportar*. Ideia de: *port(a)-*.]

exportador (ex.por.ta.*dor*) [ô] *a.* 1 Que exporta ou que se refere à exportação (fábricas exportadoras) *sm.* 2 Aquele que exporta [F.: Do lat. *exportator,-oris*. Ant. ger.: *importador*.]

exportadora (ex.por.ta.*do*.ra) [ô] *sf.* Empresa que faz exportações [Ant.: *importadora*.] [F.: Fem. substv. de *exportador*. Ideia de: *port(a)-*.]

exportar (ex.por.*tar*) *v.* 1 Vender e remeter, transportar (algo) para outro país, estado ou município [*td.*: *O Brasil exporta produtos agrícolas.*] [*int.*: *A solução para o déficit na balança comercial é exportar mais.*] [*ta.*: *Países subdesenvolvidos costumam exportar para os desenvolvidos.*] [*tda.*: *O Brasil exporta produtos agrícolas para a Europa.*] 2 Enviar (ideias, cultura, cientistas etc.) para (outro país estado ou município) [*td./ta./int.*] 3 *Inf.* Mudar formato de (arquivo, programa etc.) para que possam ser transferidos e lidos por outros aplicativos [*td./ta.*] [▶ 1 exportar] [F.: Do lat. *exportare*. Ant. ger.: *importar*. Hom./Par.: *exportáveis* (fl.), *exportáveis* (pl. de *exportável*).]

exportável (ex.por.*tá*.vel) *a2g.* Diz-se do que pode ser exportado [Ant.: *importável*.] [Pl.: *-veis*.] [F.: *exportar* + *-vel*. Hom./Par.: *exportáveis* (pl.), *exportáveis* (fl. de *exportar*). Ideia de: *port(a)-*.]

exposição (ex.po.si.*ção*) *sf.* 1 Ação ou resultado de expor(-se) 2 Mostra de obras artísticas ou artesanais, produtos industriais ou agrícolas etc.: *exposição de esculturas; exposição de animais domésticos.* 3 O lugar em que estas obras ou produtos ficam expostos à visitação: *Eram muitos os visitantes que percorriam a exposição.* 4 Apresentação ou explanação de assunto; CONFERÊNCIA; PALESTRA; RELATO 5 *Fot.* Tempo durante o qual uma película sensibilizada é exposta à ação da luz 6 Ação ou resultado de colocar em evidência, de expor alguém ou algo aos olhos dos outros: *Mesmo sendo famosa, não aguentou tamanha exposição de sua intimidade nos jornais.* [Pl.: *-ções*.] [F.: Do lat. *expositio-onis*.] ∎ **~ de motivos** Argumentação explicativa de um ofício, projeto de lei etc. **~ universal** Aquela que reúne objetos (produtos, obras de arte etc.) de todos os países

expositivo (ex.po.si.*ti*.vo) *a.* 1 Ref. a, que diz respeito a exposição 2 Que põe em exposição, em evidência; que mostra, explica, descreve (aula expositiva) [F.: Do lat. *expositus* (rad. *exposit*) + *-ivo*.]

expositor (ex.po.si.*tor*) [ô] *a.* 1 Que expõe, que exibe *sm.* 2 Aquele que expõe 3 Aquele que participa (com suas obras, seus produtos, serviços etc.) numa exposição 4 *Fot.* Dispositivo, em câmera fotográfica, que aciona a abertura do obturador 5 Estrutura (de vários tamanhos e formatos) que serve de suporte e vitrina a produtos, material de divulgação etc. em uma exposição; DISPLAY [F.: Do lat. *expositor, -oris*.]

ex post (*Lat./eks post/*) *loc.a.* Baseado em observação e análise objetiva e factual: *controle ex post de gastos públicos.* [P. opos. a *ex ante*.]

exposto (ex.*pos*.to) [ô] *a.* 1 Que se expôs, que se colocou à mostra [Fem. e pl.: [ó].] *sm.* 2 Quem ou aquilo que se expôs [Fem. e pl.: [ó].] [F.: Do lat. *expostus*.]

expressão (ex.pres.*são*) *sf.* 1 Ação ou resultado de expressar(-se), exprimir(-se) 2 Manifestação de pensamento ou sentimento através de palavras, gestos, fisionomia, arte etc. (liberdade de expressão) 3 Ênfase, realce dado a determinada palavra, frase, locução etc. em um discurso: *Imprimiu grande expressão às citações em seu discurso.* 4 Semblante, feição, ar (expressão de enfado; expressão carrancuda) 5 Manifestação intensa de emoção, ideia etc; EXPRESSIVIDADE: *Seus quadros têm muita expressão.* 6 Importância, vulto (músico de expressão) 7 Personificação, encarnação: *Ela é a maior expressão do teatro nacional.* 8 *Gram.* Diz-se de qualquer elemento lexical (palavra, frase, locução, sentença etc.) (expressão chula) 9 Ação pela qual se espreme o suco de uma planta 10 O suco assim espremido 11 *Álg.* Representação algébrica de uma quantidade [Pl.: *-sões*.] [F.: Do lat. *expressio,-onis*.] ∎ **~ corporal** (Conjunto de técnicas ou exercícios que desenvolvem o) uso dos gestos e movimentos como forma de expressão (por exemplo, na representação teatral), sem uso de palavras **~ idiomática** *Ling.* Sequência de palavras com significado próprio, não construído pelo nexo dos significados das palavras que a formam [P.ex., a expressão idiomática *tirar uma casquinha* não significa 'extrair, obter um casca pequena' de algo, e sim 'tirar vantagem' de algo.] **Reduzir à ~ mais simples** 1 Diminuir ao máximo (em tamanho, intensidade, importância); tornar simples ao máximo 2 Rebaixar, humilhar, aviltar (alguém)

expressar (ex.pres.*sar*) *v.* O mesmo que *exprimir* [▶ 1 expressar Part.: *expressado, expresso*.] [F.: *expresso* + *-ar*[2]. Hom./Par.: *expressa* (fl.), *expressa* (fem. de *expresso*); *expresso* (fl.), *expresso* (a.); *expressáveis* (fl.), *expressáveis* (pl. de *expressável*).]

expressional (ex.pres.si.o.*nal*) *a2g.* Relativo a expressividade; EXPRESSIVO: *a força expressional dos traços mestiços.* [Pl.: *-nais*.] [F.: *expressão* sob a f. rad. *expression-* + *-al*. Ideia de: *-prim-*.]

expressionismo (ex.pres.si:o.*nis*.mo) *Art.pl. sm.* 1 Movimento artístico do início do séc. XX em que se procura representar a realidade não como ela é objetivamente, mas como é percebida pela subjetividade do artista, suas emoções, ideias etc. [Seu maior desenvolvimento foi na Alemanha.] 2 Qualquer tendência artística que valorize a intensidade da expressão nas formas artísticas em detrimento da razão ou do que seja convencional 3 *Mús.* Termo que designa a música atonal [F.: Do fr. *expressionnisme*.]

expressionista (ex.pres.si:o.*nis*.ta) *Art.pl. a2g.* 1 Ref. a, ou que é seguidor do expressionismo *s2g.* 2 Seguidor do expressionismo [F.: Do fr. *expressionniste*.]

expressividade (ex.pres.si.vi.*da*.de) *sf.* 1 Qualidade do que é expressivo [Ant.: *inexpressividade*] 2 Intensidade, força da expressão: *É impressionante a expressividade de seu olhar.* 3 *Gen.* Grau em que um gene pode dar expressão às características que ele porta [F.: *expressivo* + *-(i)dade*.]

expressivo (ex.pres.*si*.vo) *a.* 1 Que tem expressão, que tem vivacidade, força (sorriso expressivo; melodia expressiva) 2 Que expressa com viveza ou eficácia: *Adotou o expressivo pseudônimo de Graça Angélica.* 3 Que demonstra algum tipo de importância; SIGNIFICATIVO: *colaboração expressiva de todos os moradores.* 4 *Ling.* Diz-se de palavra com estrutura aparentemente onomatopaica ou imitativa [F.: Do fr. *expressif*. Ant. ger.: *inexpressivo*.]

expresso (ex.*pres*.so) *a.* 1 Que se expressou ou foi manifestado, esp. por palavras 2 Explícito, terminante, sem contestação (proibição expressa) 3 Que é feito ou enviado de maneira rápida (carta expressa) 4 Que circula sem parar ou que não permite parada (ônibus expresso; via expressa) *sm.* 5 Trem, ger. de grande velocidade, que circula de uma localidade a outra, sem parar em estações intermediárias 6 O mesmo que *café expresso* (ver no verbete *café*) [Por *espresso*, do it., (sob pressão).] [F.: Do lat. *expressus*. Na acp. 5: Do ing. *express*. Hom./Par.: *expresso* (fl. *expressar*).]

exprimido (ex.pri.*mi*.do) *a.* Que se exprimiu, que deu a conhecer suas ideias [F.: Part. de *exprimir*. Ideia de: *-prim-*.]

exprimir (ex.pri.*mir*) *v.* 1 Manifestar(-se) (alguém), dar a entender (algo, ou o que pensa, sente etc.) por meio de palavras, gestos, atitudes, ou de forma artística [*td.*: *Tinha dificuldade para exprimir suas ideias; Ele se exprime em seus filmes.*] [*tdi.* + *a, para*: *Exprimiu ao filho o seu amor.*] 2 Dar a conhecer; manifestar, revelar [*td.*: "...seu rosto exprimia grande surpresa..." (José de Alencar, *O guarani*)] 3 Significar, representar [*td.*: *A música exprime a harmonia do universo.*] 4 Fazer conhecer suas ideias; explicar-se, comunicar-se [*int.*: *Apesar da insegurança, soube exprimir-se.*] [▶ 3 exprimir] [Part.: *exprimido* e *expresso*.] [F.: Do lat. *exprimere*. Sin. ger.: *expressar*. Hom./Par.: *exprimido* (part.), *exprimido* (a.part.).]

exprimível (ex.pri.*mí*.vel) *a2g.* 1 Que pode ser exprimido, expresso (sentimento exprimível) 2 Que se pode enunciar: *Palavra complicada, mas exprimível.* [Pl.: *-veis*.] [F.: *exprimir* + *-vel*. Ant. ger.: *inexprimível*. Ideia de: *-prim-*.]

exprobação (ex.pro.ba.*ção*) *sf.* Ver *exprobração* [Pl.: *-ções*.]

exprobar (ex.pro.*bar*) *v.* Ver *exprobrar*

exprobração (ex.pro.bra.*ção*) *sf.* 1 Ação ou resultado de exprobrar 2 Repreensão áspera (exprobração pública) 3 Acusação, incriminação [Pl.: *-ções*.] [F.: Do lat. *exprobratio, onis*. Tb, *exprobação*.]

exprobrar (ex.pro.*brar*) *v.* Criticar, censurar, recriminar; lançar em rosto (censura, acusação, incriminação) [*td.*: *Exprobrava a preguiça do amigo.*] [*tdi.* + *a*: *Exprobrou ao filho a desatenção.* Ant.: *aprovar*.] [▶ 1 exprobrar] [F. F.: Do lat. *exprobrare*. Tb. *exprobar*.]

⊕ ***ex professo*** (*Lat./eks professo/*) *loc.adv.* Com toda a perfeição ou proficiência, com conhecimento de causa; MAGISTRALMENTE: *O assunto é tratado ex professo no artigo.*

expropriação (ex.pro.pri:a.*ção*) *Jur. sf.* 1 Ação ou resultado de expropriar 2 *Jur.* Retirada definitiva e por meios legais de bens particulares da posse de seus proprietários; DESAPROPRIAÇÃO 3 Aquilo que se expropriou [Pl.: *-ções*.] [F.: *expropriar* + *-ção*.]

expropriado (ex.pro.pri.*a*.do) *a.* Que se expropriou, que foi desapossado (terras expropriadas) [F.: Part. de *expropriar*. Ideia de: *propri-*.]

expropriador (ex.pro.pri:a.*dor*) [ô] *sm.* 1 Aquele que expropria *a.* 2 Que expropria [F.: *expropriar* + *-dor*. Ideia de: *propri-*.]

expropriar (ex.pro.pri.*ar*) *v. Jur.* Tirar legalmente (propriedade ou posse) a (alguém); DESAPROPRIAR [*td.*: *O governo já não quer expropriar fazendas.*] [*tdi.* + *a*: *Expropriaram-lhe os terrenos; A Câmara Municipal expropriou-lhe o prédio por utilidade pública.*] [*tdr.* + *de*: *O banco expropriou o devedor de todos os seus imóveis.*] [▶ 1 expropriar] [F.: Do fr. *exproprier*; ou *ex-*[1] + *próprio* + *-ar*[2].]

expropriatório (ex.pro.pri:a.*tó*.ri:o) *a.* Que permite ou legitima a expropriação [F.: *expropria (r)* + *-t-* + *-ório*. Ideia de: *propri-*.]

expugnar (ex.pug.*nar*) *v. td.* 1 Conquistar (base militar, fortificação etc.), tomar pela força das armas 2 *Fig.* Fazer desaparecer; debelar, abater; superar, vencer: *expugnar a altivez e a dureza da jovem.* [▶ 1 expugnar] [F.: Do lat. *expugnare*. Hom./Par.: *expugnáveis* (fl.), *expugnáveis* (pl. de *expugnável*).]

expugnável (ex.pug.*ná*.vel) *a2g.* Diz-se do que pode ser expugnado, derrotado, invadido; CONQUISTÁVEL [Ant.: *inexpugnável*.] [Pl.: *-veis*.] [F.: Do lat. *expugnabilis, e*. Hom./Par.: *expugnáveis* (pl.), *expugnáveis* (fl. de *expugnar*). Ideia de: *pugn-*.]

expulsão (ex.pul.*são*) *sf.* 1 Ação ou resultado de expulsar 2 Saída forçada: *a expulsão dos holandeses do Maranhão.* 3 Ação de expelir, de fazer evacuar, de expulsar do organismo: *expulsão da placenta.* [Pl.: *-sões*.] [F.: Do lat. *expulsio-onis*.]

expulsar (ex.pul.*sar*) *v.* 1 Pôr (alguém) para fora, fazer sair à força de onde está; REPELIR [*td. tda.*: *Os soldados expulsaram os invasores (da fazenda).*] 2 Fazer (alguém) retirar-se de onde está, com autoridade, como castigo ou represália [*td. tda.*: *O professor expulsou os alunos indisciplinados (da sala de aula).*] 3 *Med.* Lançar para fora de si; EXPELIR; EVACUAR [*td.*] [▶ 1 expulsar] [F.: Do lat. *expulsare*. Hom./Par.: *expulsa* (fl.), *expulsa* (fem. de *expulso*); *expulso* (fl.), *expulso* (a.).]

expulso (ex.*pul*.so) *a.* 1 Que foi forçado a se retirar: *lavradores expulsos da região do conflito.* 2 Excluído, eliminado: *atleta expulso (de competição).* [F.: Do lat. *expulsus*. Hom./Par.: *expulso* (fl. *expulsar*).]

expulsor (ex.pul.*sor*) [ô] *sm.* 1 Aquele que expulsa 2 *Art. gr.* Na linotipo, conjunto de lâminas que expele do molde a linha-bloco, passando-a para a galé por meio do bloco de navalhas; EJETOR *a.* 3 Diz-se de quem expulsa [Fem.: *expulsora* e *expultriz*.] [F.: Do lat. *expulsor, oris*. Ideia de: *-pel-*.]

expungir (ex.pun.*gir*) *v.* 1 Apagar (o que está escrito) para colocar outra(s) palavra(s) em seu lugar [*tdr.* + *de*: *Expungiu do texto a palavra ofensiva.*] 2 Limpar, livrar [*tdr.* + *de*: *Expungiu a empresa dos maus funcionários.*] 3 *Fig.* Fazer desaparecer (uma lembrança) [*tdr.* + *de*: *Expungiu de sua mente aquelas sombrias recordações.*] [▶ 46 expungir] [F.: Do lat. *expungere*.]

expurgação (ex.pur.ga.*ção*) *sf.* 1 Ação ou resultado de expurgar(-se) 2 Limpeza, purificação 3 Eliminação do que é nocivo ou prejudicial: *expurgação dos vícios.* 4 Expulsão de um grupo de pessoas tidas por prejudiciais: *expurgação de alguns membros do clube.* [Pl.: *-ções*.] [F.: Do lat. *expurgatio, onis*. Sin. ger.: *expurgo*.]

expurgado (ex.pur.*ga*.do) *a.* 1 Que foi objeto de expurgação 2 Que ficou livre de impurezas ou imperfeições 3 Que foi expulso: *aluno expurgado da escola.* 4 *Econ.* Em cujo cálculo houve exclusão de alguma variável (índice expurgado) [F.: Do lat. *expurgatus*. Part. de *expurgar*.]

expurgador (ex.pur.ga.*dor*) [ô] *sm.* 1 Aquele que expurga *a.* 2 Que expurga [F.: *expurgar* + *-dor*. Ideia de: *purg-*.]

expurgar (ex.pur.*gar*) *v.* 1 Purgar, purificar, limpar [*td.*: *expurgar ferida/o sangue/a água.*] 2 *Fig.* Livrar (algo ou alguém) de (algo pernicioso ou imoral) [*td.*: *É preciso expurgar as campanhas políticas.*] [*tdr.* + *de*: *expurgar a sociedade das drogas.*] 3 Limpar(-se) de (erros ou falhas); APURAR; POLIR [*td.*: *expurgar um texto.*] [*tdr.* + *de*: *O dramaturgo expurgou a peça de seus exageros.*] [*int.*: *Sua linguagem ainda não se expurgou.*] 4 Tirar a casca de; DESCASCAR [*td.*] 5 *Agr.* Tornar (sementes, frutos etc.) imunes a certas doenças [*td.*] [▶ 14 expurgar] [F.: Do lat. *expurgare*. Hom./Par.: *expurgo* (fl.), *expurgo* (sm.).]

expurgatório (ex.pur.ga.*tó*.ri:o) *a.* 1 Que expurga, que tem capacidade de expurgar, limpar, purificar 2 Diz-se de lista, catálogo etc. cuja leitura a Igreja Católica proíbe, até que seus textos sejam expurgados de heresias *sm.* 3 Lista de livros condenados pela Igreja Católica [F.: *expurgar* + *-tório*.]

expurgo (ex.*pur*.go) *Bras. sm.* 1 O mesmo que *expurgação* 2 Afastamento de pessoas por não aceitarem doutrinas políticas ou religiosas de seu grupo: *expurgo dos deputados rebeldes.* [F.: Dev. de *expurgar*. Hom./Par.: *expurgo* (sm.), *expurgo* (fl. de *expurgar*).]

exsicante (ex.si.*can*.te) *a2g.* Que exsica, resseca (agente exsicante) [F.: Do lat. *exsiccans, antis*. Ideia de: *sec-*.]

exsicar (ex.si.*car*) [essi] *v. P.us.* Tornar(-se) muito seco, ressecado(solo, planta etc.); RESSEQUIR(-SE) [*td.*: *Exsicar um terreno.*] [*int.*: *As flores exsicaram-se.*] [▶ 11 exsicar] [F.: Do lat. *exsiccare*.]

exstante (exs.*tan*.te) *a2g.* Que sobreviveu a um processo de eliminação ou destruição; SUBSISTENTE [F.: Do lat. *exstante*.]

exsudação (ex.su.da.*ção*) *sf.* 1 Ação de exsudar, suar; TRANSPIRAÇÃO 2 Líquido que, saindo pelos poros da superfície de um vegetal ou de um animal, torna-se espesso ou viscoso nessa superfície [Pl.: *-ções*.] [F.: Do lat. *exsudatio, onis*.]

exsudar (ex.su.*dar*) [essu] *v.* 1 Destilar, segregar, em forma de suor [*td.*: *No dia seguinte à bebedeira, sua pele parecia exsudar o vinho consumido.*] 2 Sair, gotejar em forma de suor [*int.*: *Pelo talhe no lenho, a seiva exsudava e escorria.*] [▶ 1 exsudar] [F.: Do lat. *exsudare*.]

exsudativo (ex.su.da.*ti*.vo) [essu] *a.* Ref., inerente ou pertencente à exsudação [F.: *exsudar* + *-t-* + *-ivo*. Ideia de: *sudor(i)-*.]

exsudato (ex.su.*da*.to) *sm. Pat.* Líquido resultante de processo inflamatório que se deposita nos tecidos e que contém elevado teor proteico [F.: Do lat. *exsudatus*, pelo fr. *exsudat*.]

êxtase (*êx*.ta.se) *sm.* **1** Estado de arrebatamento causado por um prazer muito forte ou por uma grande admiração; ARROUBO; ENCANTAMENTO: "...cada passo conduzia a um êxtase, e a alma se cobria de um luxo radioso de sensações." (Eça de Queirós, *Primo Basílio*) **2** Estado espiritual de profundo enlevo, esp. na experiência religiosa da contemplação de Deus ou de entidade santa: *os êxtases de Santa Teresa.* **3** *Psic.* Estado particular do espírito em que a pessoa é absorvida de tal maneira por uma ideia fixa que se torna insensível a qualquer estímulo externo [F.: Do gr. *ékstasis*, pelo lat. ecles. *ecstasis*. Hom./Par.: *êxtase* (sm.), *estase* (sf.).]

extasiado (ex.ta.si:*a*.do) *a.* Que está em estado de êxtase; ARREBATADO; ENCANTADO; MARAVILHADO: *A beleza da paisagem deixou todos extasiados.* [F.: Part. de *extasiar*. Hom./Par.: *extasiado* (a.), *estasiado* (a.).]

extasiante (ex.ta.si.*an*.te) *a2g.* Que extasia; que causa ou faz cair em êxtase (emoção extasiante; momento extasiante) [F.: *extasiar* + *-nte*.]

extasiar (ex.ta.si.*ar*) *v.* **1** Provocar ou sentir êxtase ou enlevo; ENLEVAR; MARAVILHAR; ARREBATAR [*td.*: *A música a extasiava.*] [*tr.* + *com*: *Extasiava-se com a poesia.*] [*int.*: *Ficou no concerto até o fim, e extasiou-se.*] **2** Estender (a vista, olhar) em êxtase [*td.*: *Extasiou o olhar sobre o mar.*] [▶ 1 extasiar] [F.: *êxtase* + *-ar*², seg. o mod. erudito.]

extático (ex.*tá*.ti.co) *a.* Absorto em êxtase; que caiu em êxtase; EMBEVECIDO; ENLEVADO [F.: Do gr. *ekstatikós*. Hom./Par.: *extático* (a.), *estático* (a.); *extática* (fem.), *estática* (sf.).]

extemporâneo (ex.tem.po.*râ*.ne:o) *a.* **1** Que acontece ou chega fora da época esperada ou apropriada (frutos extemporâneos) **2** Que ocorre ou é feito em momento inadequado, impróprio (pedido extemporâneo); INOPORTUNO [F.: Do lat. *extemporaneus*. Ant. ger.: oportuno, tempestivo.]

extemporaneidade (ex.tem.po.ra.nei.*da*.de) *sf.* **1** Característica ou qualidade do que é extemporâneo **2** Ato, gesto extemporâneo [F.: *extemporâneo* + *-(i)dade*. Ideia de: *temp(or)-*.]

extensão (ex.ten.*são*) *sf.* **1** Ação ou resultado de estender(-se), no espaço ou no tempo; AMPLIAÇÃO; AUMENTO **2** Medida do espaço ocupado por algo; DIMENSÃO; TAMANHO: *extensão do pátio.* **3** Tempo de duração de algo: *O curso teve a extensão de seis meses.* **4** Ramal telefônico dependente de um aparelho principal **5** Alcance ou dimensão de algo: *Uma tragédia de tal extensão nunca havia acontecido no país.* **6** *Fil.* O conjunto dos objetos aos quais um conceito se aplica **7** Ampliação de conhecimentos ou de estudo numa determinada área: *curso de extensão* **8** *Álg.* Aplicação de uma operação feita entre os elementos de um conjunto aos elementos de outro conjunto que contém o primeiro **9** *Inf.* Grupo de letras que, num documento ou arquivo, identifica seu tipo, e que se segue ao nome do arquivo, dele separado por um ponto. Ex.: *documento.doc*; *planilha.xls* **10** *Mús.* De um instrumento musical, ou da voz de um cantor etc., intervalo entre a nota mais grave e a mais aguda que são capazes de emitir **11** *Anat.* Afastamento de uma parte do corpo, ou de osso de outra da qual estava próxima, porque flexionada **12** *Elet.* Fio ou cabo independente, us. para encompridar o de um aparelho ou dispositivo quando este não alcança a tomada elétrica [Pl.: *-sões*.] [F.: Do lat. *extensio, onis*.] ▪▪ **Em toda a ~ da palavra** Us. para reforçar ou enfatizar aquilo que se disse, observando que não se trata de aproximação ou exagero, e que a palavra foi usada em seu pleno significado: *O furacão foi arrasador, em toda a extensão da palavra.* **Na ~ da palavra** Ver *Em toda a extensão da palavra*

extensibilidade (ex.ten.si.bi.li.*da*.de) *sf.* Qualidade ou condição do que é extensível [Ant.: *inextensibilidade*.] [F.: *extensível* + *-(i)dade*, seg. o mod. erudito.]

extensível (ex.ten.*sí*.vel) *a2g.* Que se pode estender, ampliar; EXTENSIVO [Ant.: *inextensível*.] [Pl.: *-veis*.] [F.: De *extensus* (part. do v.lat. *extendere* 'estender' + *-ível*, posv. pelo fr. *extensible*.]

extensivo (ex.ten.*si*.vo) *a.* **1** Que se estende; EXTENSÍVEL **2** Que se aplica ou se pode aplicar a um número maior de pessoas, coisas ou situações; EXTENSÍVEL: *o benefício é extensivo aos aposentados.* **3** Extenso, amplo, lato: *Termo usado em sentido extensivo.* **4** *Econ.* Diz-se de produção agrícola ou pecuária realizada em grandes áreas e sem a utilização de técnicas modernas de aumento da produtividade: *criação extensiva de gado.* [Por opos. a *intensivo*.] [F.: Do lat. *extensivus*.]

extenso (ex.*ten*.so) *a.* **1** Que tem (grande) extensão (planície extensa); AMPLO; ESPAÇOSO; VASTO **2** Que é muito comprido (caminho extenso); LONGO **3** Prolongado, demorado (palestra extensa) **4** Abrangente (lista extensa) [F.: Do lat. *extensus*. Ideia de 'extenso': *euri-* (*euribático*).] ▪▪ **Por ~** **1** Sem abreviação **2** De maneira extensa, ampla

extensor (ex.ten.*sor*) [ô] *a.* **1** Que estende ou que serve para estender **2** Diz-se do músculo cuja ação produz extensão (11) de órgão, membro do corpo, ou parte deles *sm.* **3** Esse músculo **4** Aparelho de ginástica us. para desenvolver os músculos dos braços **5** *Pint.* Substância us. em tintas para reduzir-lhes o custo [F.: *extens(o)* + *-or*.]

extenuação (ex.te.nu:a.*ção*) *sf.* **1** Estado de grande cansaço, com debilitação de forças e energia; ENFRAQUECIMENTO; EXAUSTÃO; PROSTRAÇÃO **2** *Ret.* Figura pela qual se atenuam as circunstâncias de um fato (extenuação do delito) [P. op. a *hipérbole*.] [Pl.: *-ções*.] [F.: Do lat. *extenuatio, onis*.]

extenuado (ex.te.nu.*a*.do) *a.* Que se extenuou, que se cansou ao extremo; CANSADO; DEBILITADO; ESGOTADO; EXAURIDO; PROSTRADO [F.: Do lat. *extenuá tus, a, um*. Ideia de: *ten-*.]

extenuante (ex.te.nu.*an*.te) *a2g.* Que extenua, que exaure; CANSATIVO; EXTENUADOR; EXTENUATIVO [Ant.: *relaxante*] [F.: Do lat. *extenù ans, antis*. Ideia de: *ten -*.]

extenuar (ex.te.nu.*ar*) *v.* **1** Enfraquecer(-se), debilitar(-se) extremamente; ESGOTAR [*td.*: *O excesso de trabalho a extenuou.*] [*tr.*: *Extenuou-se com o ritmo das gravações.*] [*int.*: *Não parou de trabalhar até extenuar-se e cair sem mais forças para nada.*] **2** *Fig.* Diminuir, gastar, exaurir (bens, dinheiro, poder) [*td.*: *A gastança insensata extenuou todo o seu patrimônio.*] [▶ 1 extenuar] [F.: Do lat. *extenuare*. Sin. ger.: *exaurir*.]

exterior (ex.te.ri:*or*) [ô] *a2g.* **1** Que está na parte externa, na parte de fora, ou voltado para fora: *a parte exterior do corpo.* **2** Que existe ou está fora de nós (mundo exterior) **3** Ref. a países estrangeiros (política exterior; relações exteriores) *sm.* **4** O que se vê pela parte de fora; a parte externa: *o exterior de uma igreja* **5** A área circunvizinha a uma construção: *Os banheiros ficavam no exterior das casas.* **6** *Fig.* A aparência, o aspecto de alguém: *Não sei como ela é por dentro, mas seu exterior me agrada muito.* **7** Qualquer país estrangeiro: *Ela fez seu doutorado no exterior.* **8** *Fís.* A porção do universo que está fora de um determinado sistema **9** *Mat.* Conjunto formado pelos pontos exteriores a um dado conjunto [F.: Do lat. *exterior, oris*. Ant. ger.: *interior*. Ideia de 'exterior': *ecto-* (*ectoparasita*); *exo-* (*exoesqueleto*); *extero-* (*exteroceptivo*).]

exterioridade (ex.te.ri:o.ri.*da*.de) *sf.* **1** Característica ou condição do que é exterior **2** *Fig.* Aparência enganadora; afetação de sentimentos: *Ele fazia muita questão das exterioridades.* [Mais us. no pl.] [F.: *exterior* + *-idade*.]

exteriorização (ex.te.rio.ri.za.*ção*) *sf.* Ação ou resultado de exteriorizar(-se) [Pl.: *-ções*.] [F.: *exteriorizar* + *-ção*.]

exteriorizado (ex.te.ri:o.ri.*za*.do) *a.* **1** Que se exteriorizou **2** Tornado exterior; EXTERNADO **3** Mostrado para o exterior (painel exteriorizado) **4** Manifestado, revelado (emoção exteriorizada); TRANSPARECIDO [F.: Part. de *exteriorizar*. Ant. ger.: *interiorizado*. Ideia de: *exterior-*.]

exteriorizar (ex.te.ri:o.ri.*zar*) *v. td.* Dar a conhecer (inclusive si mesmo); tornar exterior; EXTERNAR; MANIFESTAR: *exteriorizar sentimentos/dúvidas; Tinha facilidade em exteriorizar(-se).* [▶ 1 exteriorizar] [F.: *exterior* + *-izar*.]

exterminação (ex.ter.mi.na.*ção*) *sf.* Ação e resultado de exterminar; o mesmo que *extermínio* [Pl.: *-ções*.] [F.: Do lat. *exterminatio, onis*.]

exterminado (ex.ter.mi.*na*.do) *a.* **1** Eliminado, extinto, extirpado (raça exterminada; vírus exterminado) **2** Aniquilado, abolido (inimigo exterminado; vício exterminado) [F.: Part. de *exterminar*.]

exterminador (ex.ter.mi.na.*dor*) [ô] *sm.* **1** Aquilo ou aquele que extermina algo (exterminador de pragas; exterminador de ilusões) **2** *Teol.* Anjo exterminador **3** Diz-se de que ou quem extermina (agente exterminador; arma exterminadora) **4** *Teol.* Diz-se do anjo incumbido, segundo a Bíblia, de levar a morte aos primogênitos dos egípcios, perseguidores dos hebreus [F.: *exterminar* + *-dor*.]

exterminante (ex.ter.mi.*nan*.te) *a2g.* Que extermina, aniquila, abole, acaba com algo; EXTERMINADOR: *líquido exterminante de pragas; lei exterminante de privilégios.* [F.: *exterminar* + *-nte*.]

exterminar (ex.ter.mi.*nar*) *v.* **1** Destruir eliminando totalmente [*td.*: *exterminar os invasores/os insetos.*] [*tda.*: *Exterminou do jardim os pulgões.*] **2** Da fim a; SUPRIMIR; ELIMINAR; EXTIRPAR [*td.*: *Conseguiste exterminar todos os empecilhos?*] **3** Expulsar dos limites de (cidade, país); BANIR; DESTERRAR [*td. tda.*: *Exterminaram os trabalhadores ilegais (de Buenos Aires).*] [▶ 1 exterminar] [F.: Do lat. *exterminare*. Hom./Par.: *extermináveis* (fl.), *extermináveis* (pl. de *exterminável*).]

exterminativo (ex.ter.mi.na.*ti*.vo) *a.* Diz-se do que extermina, extirpa, destrói, aniquila, expulsa, bane (fungicida exterminativo; ação exterminativa); EXTERMINADOR; EXTERMINATÓRIO [F.: *exterminar* + *-t-* + *-ivo*.]

exterminatório (ex.ter.mi.na.*tó*.ri:o) *a.* Que extermina (processo exterminatório; ofensiva exterminatória); EXTERMINATIVO [F.: *exterminar* + *-t-* + *-ório*.]

extermínio (ex.ter.*mí*.ni:o) *sm.* **1** Ação ou resultado de exterminar; o mesmo que *exterminação* *sm.* **2** Destruição com mortandade; ANIQUILAÇÃO; MASSACRE [F.: Do lat. *exterminium*.]

externa (ex.*ter*.na) *sf. Cin.Telv.* Gravação ou filmagem fora de estúdio: *As externas da novela foram feitas numa praia.* [F.: Fem. subst. de *externo*.]

externalidade (ex.ter.na.li.*da*.de) *sf.* **1** Característica ou qualidade do externo **2** *Econ.* Elemento, ação ou processo externo a uma empresa ou indústria que provoca alterações de custo de produção independentemente de fatores econômicos ou financeiros (externalidade conjuntural) [F.: *extern(o)-* + *-al-* + *-(i)dade*. Ant. ger.: *internalidade*. Cf. *economia externa* e *deseconomia externa*. Ideia de: *extern-*.]

externalizado (ex.ter.na.li.*za*.do) *a.* **1** Tornado externo (efeitos externalizados); EXTERNADO; EXTERIORIZADO **2** Manifestado, revelado, exposto (opinião externalizada; sentimento externalizado) [F.: Part. de *externalizar*. Ant. ger.: *ocultado*. Ideia de: *extern-*.]

externar (ex.ter.*nar*) *v. td.* Tornar externo dar a conhecer (inclusive o próprio íntimo, pensamento, sentimento etc.); EXTERIORIZAR: *externar opiniões/sentimentos; O tímido não consegue externar-se.* [▶ 1 externar] [F.: *externo* + *-ar*². Hom./Par.: *externo* (fl.), *externo* (a.sm), *esterno* (sm.), *hesterno* (sm.); *externa* (fl.), *externa* (fem. de *externo*). Ant.: *fechar-se, interiorizar.*]

externato (ex.ter.*na*.to) *sm.* **1** Estabelecimento educacional onde só estudam alunos externos (3) [Ant.: *internato*.] **2** O conjunto dos alunos desse estabelecimento: *O externato ficou revoltado com a demissão da professora.* [F.: Do fr. *externat*.]

externo (ex.*ter*.no) *a.* **1** Exterior ou de fora (face externa; fatores externos) *a.* **2** Ref. a outros países, em separado ou em conjunto: *A piora do cenário externo fez subir os juros.* **3** Diz-se de aluno que não reside no estabelecimento onde estuda **4** Que é aplicado na parte exterior do corpo (diz-se de medicamento); diz-se do uso de tal medicamento (uso externo) *sm.* **5** Aluno externo (3) [F.: Do lat. *externus*. Ant. ger.: *interno*. Hom./Par.: *externo* (a.sm.), *externo* (fl. de *externar*), *esterno* (sm.), *hesterno* (a.). Ideia de 'externo': *ecto-* (*ectoderma*); *exo-* (*exógeno*); *extero* (*extero-anterior*).]

◎ **extero** [cs] *pref.* 'exterior': *exteroceptivo; exteroceptor* [Ant.: *antero*. F.: Do lat. *exterus, a, um*.]

exteroceptivo (ex.te.ro.cep.*ti*.vo) [cs] *a.* **1** *Biol. Med.* Ref., inerente ou pertencente a estímulos externos, como luminosidade, cheiro, energia, contato etc., que agem sobre um organismo **2** Diz-se de estímulo que ativa os órgãos ou as terminações nervosas [F.: Do ing. *exteroceptive*. Ideia de: *extero-* e *cap-*.]

extinção (ex.tin.*ção*) *sf.* **1** Ação ou resultado de extinguir(-se) **2** Extermínio, aniquilamento **3** Abolição, supressão: *Deve-se lutar pela extinção de toda discriminação étnica, social, religiosa etc.* **4** *Ecol.* Desaparecimento definitivo de uma espécie animal ou vegetal **5** *Quím.* Transformação da cal viva em cal hidratada, por sua mistura com água **6** *Astron.* Absorção não seletiva (de comprimentos de onda) de radiação luminosa de um astro pela atmosfera terrestre [Pl.: *-ções*.] [F.: Do lat. *exstinctio, onis*.]

extinguir (ex.tin.*guir*) *v.* **1** Exterminar, aniquilar [*td.*: *O fazendeiro extinguiu a praga de formigas.*] **2** Dissipar(-se), desvanecer(-se) [*td.*: *Os últimos acontecimentos extinguiram suas esperanças.*] [*int.*: *Seu entusiasmo extinguiu-se logo.* Ant.: *acender, avivar.*] **3** Dissolver(-se), acabar(-se) [*td.*: *extinguir uma agremiação.*] [*int.*: *Alguns partidos extinguem-se rapidamente.*] **4** Abolir, revogar [*td.*: *extinguir um costume/uma lei.*] **5** Fazer desaparecer ou desaparecer (lembrança, cansaço etc.) [*td.*: *Essa meia hora na sombra extinguiu o meu cansaço.*] [*int.*: *Minha memória está se extinguindo.*] **6** Amortecer, diminuir (sentimento, sensação ger. intenso) [*int.*: *Meu amor vai se extinguindo à medida que nos afastamos.*] [*td.*: *A caminhada extinguiu-lhe as forças.*] **7** Fazer cessar a combustão de ou apagar-se (o fogo) [*td.*: *Os bombeiros conseguiram extinguir o incêndio rapidamente.*] [*int.*: *A chama bruxuleante aos poucos ia extinguindo-se.*] **8** Saldar, quitar (débito ou dívida) [*td.*: *Graças a Deus conseguimos extinguir nossas dívidas.*] [▶ 47 extinguir Part.: *extinguido* e *extinto*.] [F.: Do lat. *exstinguere*. Hom./Par.: *extinguir, estingar* (em algumas fl.).]

extinguível (ex.tin.*guí*.vel) *a2g.* Que é passível de extinção [Ant.: *inextinguível*.] [Pl.: *-veis*.] [F.: Do lat. *exstinguibilis, e*.]

extinto (ex.*tin*.to) *a.* **1** Que se extinguiu; ACABADO; SUPRIMIDO [Ant.: *inextinto*.] **2** Que não brilha mais ou já não arde (estrela extinta; fogo extinto) **3** Diz-se de vulcão não ativo *sm.* **4** Pessoa morta; FINADO [F.: Do lat. *exstinctus*.]

extintor (ex.tin.*tor*) [ô] *a.* **1** Que extingue *sm.* **2** Aparelho portátil (e colocado em local acessível) us. para combater o fogo com jatos de água, espuma, substância química, gases etc. (de acordo com o material em combustão) [F.: Do lat. *exstinctor, oris*, pelo fr. *extincteur*.]

extirpação (ex.tir.pa.*ção*) *sf.* **1** Ação ou resultado de extirpar **2** *Agr.* Retirada de algo pela raiz; DESENRAIZAMENTO [Ant.: *arraigamento*.] **3** *Cir.* Extração de elemento, órgão ou membro enfermo (extirpação do cancro); ABLAÇÃO; EXTIRPAMENTO [Pl.: *-ções*.] [F.: Do lat. *exstirpatio, onis*. Hom./Par.: *extirpação* (sf.), *estripação* (sf.). Cf. *erradicação*. Ideia de: *estirp(i)-* e *trip-*.]

extirpado (ex.tir.*pa*.do) *a.* **1** *Agr.* Arrancado pela raiz (plantas extirpadas); DESARRAIGADO; DESENRAIZADO **2** *Cir.* Eliminado, extraído (cisto extirpado; ferida extirpada) **3** Exterminado, extinguido (excesso extirpado) [F.: Part. de *extirpar*. Cf.: *erradicado*. Ideia de: *estirp(i)-* e *trip -*.]

extirpador (ex.tir.pa.*dor*) [ô] *sm.* **1** Aquele ou aquilo que extirpa algo **2** *Agr.* Instrumento agrícola, constituído de cinco ou mais relhas presas a caixilhos horizontais e próximas umas das outras, us. para arrancar do solo ervas ou raízes; CULTIVADOR *a.* **3** Diz-se de que ou quem extirpa [F.: *extirpar* + *-dor*. Cf.: *erradicador*. Ideia de: *estirp(i)-* e *trip-*.]

extirpar (ex.tir.*par*) *v.* **1** *Fig.* Eliminar, extinguir [*td.*: *Extirpar o mal pela raiz.*] [*tda.*: *Extirparam os desordeiros da cidade.*] **2** Arrancar (vegetal) pela raiz; DESARRAIGAR [*td. tda.*: *Não conseguimos extirpar as ervas daninhas (do jar-*

dim).] 3 *Med.* Extrair (tumor, cisto etc.) [**td.**: *Os médicos extirparam o câncer com sucesso.*] [▶ **1** extirp**ar**] [F.: Do lat. *exstirpare.* Hom./Par.: *extirpar*, *estripar* (em todas as fl.); *extirpáveis* (fl.), *extirpáveis* (pl. de *extirpável*); *extirpe* (fl.), *estirpe* (sf.); *extirpes* (fl.), *estirpes* (pl. do sf.).]

extirpável (ex.tir.*pá*.vel) ***a2g.*** 1 Que se pode extirpar; que pode ser extirpado 2 *Agr.* Passível de ser arrancado pela raiz (planta extirpável); DESARRAIGÁVEL [Ant.: *arraigável.*] 3 *Cir.* Que pode ser extraído, cortado, amputado (tumor extirpável) 4 Passível de ser extinguido (influência extirpável); ELIMINÁVEL [Pl.: *-veis.*] [F.: *extirpar* + *-vel.* Ant. ger.: *inextirpável.* Hom./Par.: *extirpáveis* (pl.), *extirpáveis* (fl.de *extirpar*). Cf.: *erradicável*. Ideia de: *estirp(i)-* e *trip-*.]

extorquido (ex.tor.*qui*.do) ***a.*** 1 Que se extorquiu 2 Que é ou foi vítima de extorsão 3 Obtido ou tirado por meio de ameaça ou violência (dinheiro extorquido) 4 Conseguido, obtido por meio de ardil (confissão extorquida) [F.: Part. de *extorquir.* Sin. ger.: *arrancado, arrebatado, esbulhado, usurpado.*]

extorquir (ex.tor.*quir*) ***v.*** Obter (algo) de (alguém) por meio de ameaça, violência, chantagem, ardil [**td.**: *O chantagista vive de extorquir dinheiro.*] [**tdr.** + *de*: *Extorquiu da irmã o segredo do cofre.*] [**tdi.** + *a*: *Extorquiram-lhe os documentos do carro.*] [▶ **58** extorq**uir**] [F.: Do lat. *extorquere.*]

extorsão (ex.tor.*são*) ***sf.*** 1 Ação ou resultado de extorquir 2 Crime caracterizado por obtenção de dinheiro ou valores de uma pessoa por meio de pressão violenta ou ameaça 3 Ação de obrigar (alguém), por meio de violência, ameaça outras formas de constrangimento, a fazer ou não fazer algo 4 *Fig.* Taxa ou imposto cobrados de maneira abusiva: *Essa mensalidade é uma extorsão.* [Pl.: *-ções.*] [F.: Do lat. med. *extorsio, onis.*]

extorsionário (ex.tor.si:o.*ná*.ri:o) ***sm.*** 1 Pessoa que pratica o delito de extorsão ***a.*** 2 Que faz extorsão; EXTORSIVO [F.: *extorsão* + *-ário*, seg. o mod. erudito.]

extorsivo (ex.tor.*si*.vo) ***a.*** 1 Ref. a, que implica ou em que há extorsão; EXTORSIONÁRIO 2 *Bras.* Diz-se de preço, taxa, imposto etc. muito acima do valor justo, da média praticada, ou do poder aquisitivo da maioria dos consumidores ou contribuintes; ESCORCHANTE; EXORBITANTE [F.: Do lat. *extorsum* (port. *extorso*) + *-ivo.*]

extra (*ex*.tra) ***a2g.*** 1 Que é fora do comum; que está além do que foi estabelecido ou previsto: *dose extra de uísque; horas extras de trabalho.* 2 De qualidade superior (açúcar extra) 3 *Míd.* Que é veiculado ou distribuído fora de seu horário costumeiro, ger. em função de acontecimento importante (edição extra); EXTRAORDINÁRIO 4 Diz-se de serviço ou tarefa suplementar: *Arranjou um bico de motorista extra, aos domingos.* 5 Diz-se do dinheiro recebido por esse serviço ou tarefa: *Com o pagamento extra, comprou um som.* 6 Diz-se da pessoa que faz esse trabalho: *Contratou dois funcionários extras durante a liquidação.* ***s2g.*** 7 Esse trabalho, dinheiro ou pessoa 8 Aquele que trabalha suplementar ou acidentalmente, que não faz parte dos trabalhadores efetivos 9 *Cin. Teat. Telv.* Aquele que desempenha um papel secundário, ger. sem fala; FIGURANTE ***sm.*** 10 *Bras. BA* Carbonato de alta densidade [F.: Do lat. *extra.*]

◎ **extra-** *Pref.* = posição exterior, fora de: *extrauterino, extraconjugal, extramuros* [Us. tb. como intensificador: *extrasseco.* Antes *h*, ou de segundo elemento começado por *a* usa-se com hífen.] [Do lat. *extra.*]

extra-acadêmico (ex.tra-a.ca.*dê*.mi.co) ***a.*** 1 não acadêmico (espírito extra-acadêmico) 2 Que não pertence a academia, que está fora da academia (vida extra-acadêmica; currículo extra-acadêmico) 3 *Pedag.* Que está fora de, que se põe à margem de escola, curso, entidade de nível superior 4 *Art.pl. Liter.* Que não se pauta pelos modelos clássicos (arte extra-acadêmica) [Pl.: *extra-acadêmicos.*] [F.: *extra* + *acadêmico.* ideia de: *academ-*.]

extracambial (ex.tra.cam.bi:*al*) ***a2g.*** *Econ.* Que não tem relação com o câmbio ou com a taxa de câmbio (medidas extracambiais) [Pl.: *-ais.*] [F.: *extra-* + *cambial.*]

extracampo (ex.tra.*cam*.po) ***a2g2n.*** *Fut.* Que ocorre fora do campo de futebol; EXTRAGRAMADO: *Fatores extracampo prejudicaram a atuação do goleiro.* [F.: *extra-* + *campo.*]

extração (ex.tra.*ção*) ***sf.*** 1 Ação ou resultado de extrair, retirar (algo, minério, matéria-prima etc.) de dentro do lugar em que está (extração de minérios): *Fez vários cortes para a extração do látex da seringueira.* [Ant.: *inserção.*] 2 Ação ou resultado de arrancar, fazer sair usando força (tb. Fig.): *extração de informações secretas.* 3 *Cir.* Intervenção cirúrgica ou clínica para retirar tecido, órgão ou corpo estranho do organismo; EXCISÃO; RETIRADA 4 Sorteio de bilhetes e jogos de aposta de loteria: *A extração da loteria ocorrerá às 19 horas.* 5 *Mat.* Operação para conhecer ou determinar a raiz de uma potência conhecida: *extração da raiz quadrada de um número.* 6 *Fig.* A origem ou procedência de alguém; ESTIRPE; LINHAGEM; NASCIMENTO: *uma pessoa de extração humilde.* [Pl.: *-ções.*] [F.: Do lat. tard. *extractio, onis*, pelo fr. *extraction.*]

extracarnavalesco (ex.tra.car.na.va.*les*.co) ***a.*** Sem relação com os festejos carnavalescos [F.: *extra-* + *carnavalesco.*]

extracelular (ex.tra.ce.lu.*lar*) ***a2g.*** *Cit.* Que está fora da célula, que não pertence a ela [F.: *extra-* + *celular.*]

extraclasse (ex.tra.*clas*.se) ***a2g2n.*** Que se realiza fora das aulas regulares, mas se relaciona a elas (atividades extraclasse) [F.: *extra-* + *classe.*]

extraconjugal (ex.tra.con.ju.*gal*) ***a2g.*** Que não se enquadra nos direitos e deveres inerentes às relações conjugais; que está ou é feito fora do matrimônio (caso extraconjugal); EXTRAMATRIMONIAL [Pl.: *-gais.*] [F.: *extra-* + *conjugal.*]

extraconstitucional (ex.tra.cons.ti.tu.ci:o.*nal*) ***a2g.*** 1 Não incluído na Constituição de um país 2 Inconstitucional [Pl.: *-nais.*] [F.: *extra-* + *constitucional.*]

extracontinental (ex.tra.con.ti.nen.*tal*) ***a2g.*** Que fica ou se realiza fora do continente: *a política extracontinental dos EUA.* [Pl.: *-tais.*] [F.: *extra-* + *continental.*]

extracontratual (ex.tra.con.tra.tu:*al*) ***a2g.*** Independente de contrato [Pl.: *-ais.*] [F.: *extra-* + *contratual.*]

extracorporal (ex.tra.cor.po.*ral*) ***a2g.*** Que ocorre fora do corpo [Pl.: *-rais.*] [F.: *extra-* + *corporal.*]

extracorpóreo (ex.tra.cor.*pó*.re:o) ***a.*** O mesmo que *extracorporal* [F.: *extra-* + *corpóreo.*]

extracurricular (ex.tra.cur.ri.cu.*lar*) ***a2g.*** Que não pertence ao currículo regular de um curso ou de uma escola (disciplina extracurricular) [F.: *extra-* + *curricular.*]

extradição (ex.tra.di.*ção*) ***sf.*** 1 Ação ou resultado de extraditar 2 Processo judicial de entrega de criminoso ou refugiado a país que o reclama., ger. para neste ser julgado por crime que lá cometeu, ou cumprir pena a que foi condenado [Pl.: *-ções.*] [F.: Do lat *ex-* + *traditio*, pelo fr. *extradition.*]

extraditado (ex.tra.di.*ta*.do) ***sm.*** Aquele cuja extradição foi concedida, que foi extraditado [F.: Part. de *extraditar.*]

extraditar (ex.tra.di.*tar*) ***v. td.*** (O governo de um país) entregar (refugiado, criminoso etc.) ao governo de país que reclama sua extradição [▶ **1** extradit**ar**] [F.: Do fr. *extradition*, pelo ing. (*to*) *extradite*; ou *extradit* (raiz de *extradição*) + *-ar*².]

extraditável (ex.tra.di.*tá*.vel) ***a2g.*** Que se pode extraditar [Pl.: *-veis.*] [F.: *extraditar* + *-vel.* Hom./Par.: *extraditáveis* (pl.), *extraditáveis* (fl. de *extraditar*).]

extraeleitoral (ex.tra.e.lei.to.*ral*) ***a2g.*** Que não se refere a eleições ou ao direito de eleger [Pl.: *extraeleitorais.*]

extraescolar (ex.tra.es.co.*lar*) ***a2g.*** Que não pertence à escola; sem relação com ela [Pl.: *extraescolares.*]

extrafamiliar (ex.tra.fa.mi.li:*ar*) ***a2g.*** De fora da família; estranho à família [F.: *extra-* + *familiar.*]

extrafronteiras (ex.tra.fron.*tei*.ras) ***a2g2n.*** Fora das fronteiras de um país [F.: *extra-* + o pl. de *fronteira.*]

extragaláctico (ex.tra.ga.*lác*.ti.co) *Astron.* ***a.*** 1 Situado fora de uma galáxia (planeta extragaláctico) 2 Proveniente de local exterior à galáxia (cometa extragaláctico) [F.: *extra-* + *galáctico.* Tb. *extragalático.*]

extragalático (ex.tra.ga.*lá*.ti.co) ***a.*** *Astron.* Ver *extragaláctico* [F.: *extra-* + *galático.*]

extragonadal (ex.tra.go.na.*dal*) ***a2g.*** *Anat. Pat.* Sem relação com a gônada [Pl.: *-dais.*] [F.: *extra-* + *gonadal.*]

extragovernamental (ex.tra.go.ver.na.men.*tal*) ***a2g.*** Estranho ao governo, ao poder executivo [Pl.: *-tais.*] [F.: *extra-* + *governamental.*]

extra-hepático (ex.tra-he.*pá*.ti.co) ***a.*** *Anat. Pat.* Situado fora do fígado; sem relação com ele [Pl.: *extra-hepáticos.*]

extra-hospitalar (ex.tra-hos.pi.ta.*lar*) ***a2g.*** 1 Que não pertence a hospital 2 Praticado ou atendido fora de hospital [Pl.: *extra-hospitalares.*]

extra-humano (ex.tra-hu.*ma*.no) ***a.*** O mesmo que *sobre-humano* [Pl.: *extra-humanos.*]

extraído (ex.tra.*í*.do) ***a.*** Que se extraiu [F.: Part. de *extrair.*]

extrainstitucional (ex.tra.ins.ti.tu.ci:o.*nal*) ***a2g.*** Que não pertence a instituição; que não diz respeito a instituição [Pl.: *extrainstitucionais.*]

extraintestinal (ex.tra.in.tes.ti.*nal*) ***a2g.*** *Anat.* Que está situado fora do intestino [Pl.: *extraintestinais.*]

extrair (ex.tra.*ir*) ***v.*** 1 Tirar do interior de onde estava [**td. tda.**: *extrair mel* (*dos favos*).] 2 Extirpar ou arrancar [**td.**: *extrair um dente.*] [**tda.**: *Primeiro extraia os pregos dessa tábua.*] 3 Retirar, tirar [**td. tda.**: *extrair ouro/carvão* (*das minas*).] 4 Copiar ou transcrever (trecho) de (um texto) [**td. tda.**: *Extraiu versos* (*de Os Lusíadas*) *para citar em seu romance.*] 5 Resumir, reescrever de forma sintética; EXTRATAR [**td.**: *Leu o livro do professor e extraiu suas teorias.*] 6 Fazer derivar de, obter, colher; TIRAR [**td. tdr.** + *de*: *extrair sabedoria* (*dos próprios erros*).] 7 *Mat.* Calcular (a raiz de um número) [**td.**: *extrair a raiz quadrada.*] [▶ **43** extra**ir**] [F.: Do lat. *extrahere.*]

extraível (ex.tra:*í*.vel) ***a2g.*** Que se pode extrair [Pl.: *-veis.*] [F.: *extrair* + *-vel.*]

extrajornalístico (ex.tra.jor.na.*lís*.ti.co) ***a.*** Fora do âmbito do jornalismo [F.: *extra-* + *jornalístico.*]

extrajudicial (ex.tra.ju.di.ci:*al*) ***a2g.*** Que ocorre fora dos trâmites judiciais (acordo extrajudicial); EXTRAJUDICIÁRIO [Pl.: *-ais.*] [F.: *extra-* + *judicial.*]

extrajudiciário (ex.tra.ju.di.ci:*á*.ri:o) ***a.*** O mesmo que *extrajudicial* [F.: *extra-* + *judiciário.*]

extralargo (ex.tra.*lar*.go) ***a.*** Muito largo [F.: *extra-* + *largo.*]

extralegal (ex.tra.le.*gal*) ***a2g.*** O mesmo que *ilegal* [Pl.: *-gais.*] [F.: *extra-* + *legal.*]

extralimitar (ex.tra.li.mi.*tar*) ***v.*** Espalhar-se, difundir-se [**tr.** + *de*: *O acontecimento extralimitou do círculo de amigos.*] [▶ **1** extralimit**ar**] [F.: *extra* + *limitar.*]

extralinguístico (ex.tra.lin.*guís*.ti.co) ***a.*** Que não pertence ao campo da língua, da linguagem [F.: *extra-* + *linguístico.*]

extraliterário (ex.tra.li.te.*rá*.ri.o) ***a.*** Que está fora do âmbito da literatura [F.: *extra-* + *literário.*]

extralongo (ex.tra.*lon*.go) ***a.*** Muito longo [F.: *extra-* + *longo.*]

extramacio (ex.tra.ma.*ci*:o) ***a.*** Muito macio [F.: *extra-* + *macio.*]

extramarital (ex.tra.ma.ri.*tal*) ***a2g.*** Estranho ao matrimônio; EXTRAMATRIMONIAL; EXTRACONJUGAL [Pl.: *-tais.*] [F.: *extra-* + *-marital.*]

extramatrimonial (ex.tra.ma.tri.mo.ni:*al*) ***a2g.*** O mesmo que *extraconjugal* [Pl.: *-ais.*] [F.: *extra-* + *matrimonial.*]

extramuros (ex.tra.*mu*.ros) ***a2g2n.*** 1 Que está do lado de fora ou além dos limites de uma cidade, vila, recinto etc. (alojamentos extramuros) ***adv.*** 2 Fora desses limites: *A trégua foi decidida extramuros.* [F.: Do lat. *extra muros.* Ant. ger.: *intramuros.*]

extramusical (ex.tra.mu.si.*cal*) ***a2g.*** Que está fora do âmbito musical [Pl.: *-cais.*] [F.: *extra-* + *musical.*]

extranatural (ex.tra.na.tu.*ral*) ***a2g.*** 1 Que não faz uso de métodos considerados naturais 2 Que não tem explicação fundamentada nas leis naturais (fenômenos extranaturais); SOBRENATURAL [Pl.: *-rais.*] [F.: *extra-* + *natural.*]

extranumerário (ex.tra.nu.me.*rá*.ri:o) ***a.*** 1 Que está ou foi calculado além do número esperado 2 Que não é do quadro regular de funcionários de empresa ou repartição ***sm.*** 3 Aquele que é extranumerário (2) [F.: *extra-* + *numerário.*]

extraoficial (ex.tra.o.fi.ci:*al*) ***a2g.*** 1 Que não provém de fonte oficial, de autoridade oficial, ou que não foi oficialmente confirmado (comunicado extraoficial) 2 Que não tem relação com assuntos públicos: *O político se ausentou para resolver um assunto extraoficial.* [Pl.: *extraoficiais.*]

extraorçamentário (ex.tra.or.ça.men.*tá*.ri:o) ***a.*** Não incluído em orçamento (verba extraorçamentária) [Pl.: *extraorçamentários.*]

extraorçamento (ex.tra.or.ça.*men*.to) ***a2g2n.*** O mesmo que *extraorçamentário*

extraordinário (ex.tra.or.di.*ná*.ri:o) ***a.*** 1 Que é ou está fora do comum, ou que está fora do previsto ou estabelecido (situação extraordinária; despesa extraordinária); EXCEPCIONAL; ANORMAL 2 Digno de ser admirado (artista extraordinária); NOTÁVEL 3 De excelente qualidade (vinho extraordinário); RARO; SINGULAR 4 Desusado, esquisito: *usos, costumes, vestuários extraordinários* 5 Que é encarregado de tarefas ou missões especiais (ministro extraordinário) 6 Muito abundante; mais abundante do que é costume: *Este ano a colheita foi extraordinária; pesca extraordinária.* 7 Extremo, excessivo, em elevado grau: *Tenho-lhe um afeto extraordinário; Devotou-lhe uma aversão extraordinária.* ***sm.*** 8 Acontecimento inesperado ou imprevisto: *Houve um extraordinário que ninguém contava.* 9 Tudo que não é incluído no usual ou de obrigação: *O jantar custa R$ 50,00, mas o café e os extraordinários são pagos à parte.* 10 Noticiário ou informe jornalístico feito fora do horário ou dos dias previstos ou habituais, em virtude, em geral, da excepcionalidade da notícia; EXTRA [F.: Do lat. *extraordinarius, a, um.*]

extrapartidário (ex.tra.par.ti.*dá*.ri:o) ***a.*** Que não pertence a um partido político ou que não tem relação com ele [F.: *extra-* + *partidário.*]

extrapolação (ex.tra.po.la.*ção*) ***sf.*** 1 Ação ou resultado de extrapolar 2 *Mat.* Cálculo dos valores de uma função fora de um intervalo, a partir dos valores que se conhecem dentro desse intervalo [Pl.: *-ções.*] [F.: Adaptç. do al. *Extrapolation.*]

extrapolado (ex.tra.po.*la*.do) ***a.*** 1 *Mat.* De que se fez extrapolação (2) 2 Que extrapolou, ultrapassou os limites [F.: Part. de *extrapolar.*]

extrapolar (ex.tra.po.*lar*) ***v.*** 1 Ir além de; EXCEDER; ULTRAPASSAR [**td.**: *Sua tese extrapolou as expectativas.*] 2 Ir além do que inicialmente pretendia, alcançando outros lugares, objetivos etc. [**tr.** + *a*, *para*: "...estava *extrapolando para* as estantes paternas, lendo *Kim*... e devorando todo o Dickens..." (Ana Maria Machado, "De leitora a escritora", *in Texturas sobre leituras e escritos*)] 3 *Pop.* Ultrapassar os limites do bom-senso; EXCEDER; EXORBITAR [**int.**: *Na discussão, extrapolou e perdeu a razão.*] 4 *Mat.* Calcular os valores de uma função conhecida apenas empiricamente para valores da variante além dos limites em que cessaram as observações [▶ **1** extrapol**ar**] [F.: Do fr. *extrapoler.*]

extraprograma (ex.tra.pro.*gra*.ma) ***a2g2n.*** Que não está no programa [F.: *extra-* + *programa.*]

extraquadra (ex.tra.*qua*.dra) ***a2g2n.*** *Esp.* Que ocorre fora da quadra (de tênis, vôlei, basquete etc.) [F.: *extra-* + *quadra.*]

extrarregional (ex.trar.re.gi:o.*nal*) ***a2g.*** Que fica ou se realiza fora de uma região [Pl.: *extrarregionais.*]

extrassalarial (ex.tras.sa.la.ri:*al*) ***a2g.*** Que está fora ou além do salário (benefícios extrassalariais) [Pl.: *extrassalariais.*]

extrassensorial (ex.tras.sen.so.ri:*al*) ***a2g.*** Que não está ao alcance ou que não se realiza por meio dos sentidos humanos (percepção/fenômeno extrassensorial) [Pl.: *extrassensoriais.*]

extrassístole (ex.tras.*sís*.to.le) ***sf.*** *Med.* Contração cardíaca que se produz antes do tempo normal da sístole, que pode ser seguida de um intervalo mais longo, não intervindo assim na sequência do ritmo cardíaco [Pl.: *extrassístoles.*]

extrassistólico (ex.tras.sis.*tó*.li.co) ***a.*** Ref. a extrassístole [Pl.: *extrassistólicos.*]

extratar (ex.tra.*tar*) ***v. td.*** 1 Fazer resumo de (livro, texto etc.) 2 Tirar texto de (livro, documento, revista etc.) [▶ **1** extrat**ar**] [F.: *extrato* + *-ar.* Hom./Par.: *extrato* (fl.), *estrato* (sm.) e *extrato* (sm.).]

extratemporal (ex.tra.tem.po.*ral*) ***a2g.*** Que está fora ou além do tempo; não temporal [Pl.: *-rais.*] [F.: *extra* + *temporal.*]

extraterráqueo (ex.tra.ter.rá.*que*:o) *a.* **1** Que está ou se produz fora da Terra; EXTRATERRESTRE *sm.* **2** Ser extraterráqueo; EXTRATERRESTRE [F.: *extra-* + *terráqueo*.]

extraterreno (ex.tra.ter.*re*.no) *a.* **1** Que é de fora da Terra, que existe fora do âmbito do planeta Terra (ser extraterreno); EXTRATERRESTRE *sm.* **2** Indivíduo extraterreno; EXTRATERRESTRE [F.: *extra-* + *terreno*.]

extraterrestre (ex.tra.ter.*res*.tre) *a2g.* **1** Que está ou se produz fora da Terra; EXTRATERRENO *s2g.* **2** Ser ou fenômeno supostamente originários de fora da Terra; ET [F.: *extra-* + *terrestre*.]

extraterritorial (ex.tra.ter.ri.to.ri:*al*) *a2g.* Que está fora de um território ou de sua jurisdição (disputa extraterritorial) [Pl.: *-ais*.] [F.: *extra-* + *territorial*.]

extraterritorialidade (ex.tra.ter.ri.to.ri:a.li.*da*.de) *sf.* Qualidade, estado de extraterritorial [F.: *extraterritorial* + *-(i)dade*.]

extrativismo (ex.tra.ti.*vis*.mo) *sm.* **1** Atividade econômica de extração de produtos da natureza, não cultivados **2** Método predador de extração, como o da pesca de alguns mamíferos aquáticos [F.: *extrativo* + *-ismo*.]

extrativista (ex.tra.ti.*vis*.ta) *a2g.* Ref. a extrativismo (economia extrativista) [F.: *extrativo* + *-ista*.]

extrativo (ex.tra.*ti*.vo) *a.* **1** Ref. a extração **2** Que se realiza pela extração (mineração extrativa) **3** Que denota extração [F.: Do lat. *extractivus*.]

extrativo-mineral (ex.tra.ti.vo-mi.ne.*ral*) *a2g.* Ref. à extração de minerais (indústria extrativo-mineral)

extrato (ex.*tra*.to) *sm.* **1** Produto de uma extração, aquilo que se extraiu **2** Substância que apresenta grande concentração de alguma coisa (extrato de tomate/de carne) [Ger. dissolvendo a substância da qual se quer fazer o extrato, e deixando evaporar o solvente até se atingir a concentração desejada.] **3** Essência aromática; PERFUME **4** Pequeno trecho extraído de um texto maior, para ilustração ou exemplificação **5** Registro pormenorizado de operações bancárias realizadas em um determinado período [F.: Do lat. *extractus*. Hom./Par.: *extrato* (sm.), *extrato* (fl. de *extratar*), *estrato* (sm.).] ■ **~ de conta** Relatório do movimento de conta-corrente feito por seu titular **~ tebaico** Extrato de ópio

extrator (ex.tra.*tor*) [ô] *a.* **1** Que extrai *sm.* **2** Aquele ou aquilo que extrai **3** *Arm.* Peça que ejeta os cartuchos deflagrados de uma arma de fogo [F.: *extrato* + *-or*.]

extrauniversitário (ex.tra.u.ni.ver.si.*tá*.ri:o) *a.* De fora da universidade; estranho à universidade [Pl.: *extrauniversitários*.]

extrauterino (ex.tra.u.te.*ri*.no) *a.* Que acontece ou se localiza fora do útero (gravidez extrauterina) [Pl.: *extrauterinos*.]

extravagância (ex.tra.va.*gân*.ci:a) *sf.* **1** Qualidade do que é extravagante **2** Atitude que se afasta do bom-senso; EXCENTRICIDADE: *Que extravagância na maneira de vestir-se!* **3** Esbanjamento, dissipação: *As extravagâncias arruinaram-no.* [F.: Do fr. *extravagance*. Hom./Par.: *extravagância* (sf.), *extravagancia* (fl. de *extravaganciar*).]

extravagante (ex.tra.va.*gan*.te) *a2g.* **1** Que foge aos padrões socialmente aceitos de comportamento, estética etc., que se nota por sua estranheza (ideias extravagantes) **2** Que está fora, que não está incorporado a um acervo: *um dispositivo extravagante do estatuto.* **3** Esbanjador, perdulário *s2g.* **4** Indivíduo extravagante [F.: Do fr. *extravagant*, do lat. medv. *extravagantis*.]

extravagar (ex.tra.va.*gar*) *v. int.* **1** Encontrar-se fora da ordem, do número etc. **2** Apresentar-se solto, separado de um conjunto **3** Deixar-se dominar por divagações: *Deitado na cama, extravagava.* **4** Encontrar-se perdido, sem caminhos ou soluções: *Extravagava sem poder decidir o que fazer.* [▶ 14 extravagar] [F.: *extra-* + *vagar*.]

extravasado (ex.tra.va.*sa*.do) *a.* Que se extravasou, derramou; TRANSBORDADO [F.: Part. de *extravasar*.]

extravasamento (ex.tra.va.sa.*men*.to) *sm.* Ação ou resultado de extravasar(-se) [F.: *extravasar* + *-mento*.]

extravasar (ex.tra.va.*sar*) *v.* **1** Exteriorizar, deixar transparecer, manifestar impetuosamente (emoção, sentimento) [*td.*: *extravasar a raiva*.] [*int.*: *A inveja extravasava-se em suas palavras*.] **2** Fazer transbordar ou transbordar (rio, qualquer líquido) [*td.*: *As chuvas extravasaram o rio*.] [*int.*: *A água da banheira extravasou(-se)*.] [*ta.*: *A água extravasou da banheira*.] **3** Sair do âmbito a que estava restrito [*int. tr.* + *de*: *A lista extravasou (da diretoria)*.] **4** Sair (dos canais naturais) [*ta.*: *O sangue extravasa-se das feridas*.] [▶ 1 extravasar] [F.: *extra-* + *vaso*[1] + *-ar*[2].]

extravasor (ex.tra.va.*sor*) [ô] *a.* **1** Que serve para extravasar ou que faz extravasar, transbordar ou fazer escoar o excesso de líquido num reservatório, recipiente, duto etc.: "Abertura do canal extravasor da Lagoa baixa nível de água" (Catarina Burst, *Notícias* (*site da prefeitura de Macaé*, 30.10.2006) *sm.* **2** *Emec. Hidr.* Dispositivo extravasor (1), que aciona e controla o escoamento de água em represas, barragens, reservatórios, caixas-d'água etc., quando há problemas com o mecanismo que regula a entrada (como a boia numa caixa-d'água) [F.: *extravasar* + *-or*.]

extraviado (ex.tra.vi.*a*.do) *a.* **1** Que se extraviou, perdeu (carta extraviada) **2** Subtraído fraudulentamente; ROUBADO **3** Que se transviou, perverteu **4** *RS* Com a roupa em desalinho ou amarrotada [F.: Part. de *extraviar*.]

extraviador (ex.tra.vi:a.*dor*) [ô] *a.* **1** Que extravia *sm.* **2** O que extravia **3** Aquele que desencaminha ou perverte [F.: *extraviar* + *-dor*.]

extraviar (ex.tra.vi.*ar*) *v.* **1** Perder(-se), não ter mais sob sua guarda ou responsabilidade (algo que devia entregar, transportar etc.); sumir (algo que devia ser guardado, entregue, transportado) [*td.*: *A transportadora extraviou um dos meus quadros*.] [*int.*: "Cartas registradas (...) também se extraviam..." (Josué Montello, *Um rosto de menina*)] **2** Fazer sair ou sair do caminho; DESVIAR; DESENCAMINHAR [*td.*: *O nevoeiro extraviou os caminhantes; Int.*: *Extraviamo-nos depois de Três Rios*.] **3** Apossar-se fraudulentamente de; ROUBAR [*td.*: *extraviar dinheiro/documentos importantes*.] **4** *Fig.* Induzir (alguém) em erro; afastar (alguém ou a si mesmo) do bom caminho; DESENCAMINHAR; PERVERTER [*td.*: *Os maus conselhos e as más companhias hão de extraviá-lo*.] [▶ 1 extraviar] [F.: *extra-* + *via* + *-ar*[2]. Hom./Par.: *extravio* (fl.), *extravio* (sm.).]

extravio (ex.tra.*vi*:o) *sm.* **1** Ação ou resultado de extraviar(-se) **2** Desvio proposital ou involuntário do destino de objetos (extravio de bagagem/da correspondência); DESAPARECIMENTO; SUMIÇO **3** Subtração fraudulenta de algo; DESVIO; ROUBO **4** Perversão moral; DEGRADAÇÃO **5** *RS Pop.* Descuido na aparência; falta de alinho [F.: Dev. de *extraviar*. Hom./Par.: *extravio* (sm.), *extravio* (fl. de *extraviar*).]

extravirgem (ex.tra.*vir*.gem) *a2g.* **1** Diz-se do azeite produzido pela primeira prensagem, a frio, de azeitonas maduras, sem passar por qualquer tipo de mistura ou de refino químico *sm.* **2** Esse azeite [Pl.: *-gens*.] [F.: *extra-* + *virgem*.]

extrema (ex.*tre*.ma) *sf.* **1** *Fut.* A zona de ataque situada na extremidade lateral do campo, à esquerda ou à direita; PONTA *s2g.* **2** *Fut.* Atacante que joga pelas extremas (1); PONTA; PONTEIRO [F.: Fem. substv. de *extremo*.]

extremado (ex.tre.*ma*.do) *a.* **1** Que chega ao extremo; que ultrapassa o comum; EXCEPCIONAL: *gesto extremado de amizade.* **2** Drástico, radical (opiniões extremadas) [F.: Part. de *extremar*. Hom./Par.: *extremado* (a.), *estremado* (a.).]

extremar (ex.tre.*mar*) *v.* Fazer chegar ou chegar ao extremo, ao máximo [*td.*: *Os filmes violentos extremam a prática real da violência*.] [*tr.* + *em*: *Os tiranos extremam-se no uso da violência*.] [*int.*: *O crime e a violência extremam-se nas grandes crises políticas e econômicas*.] [▶ 1 extremar] [F.: *extremo* + *-ar*[2]. Hom./Par.: *extremar*, *estremar* (em todas as fl.); *extremo* (fl.), *extremo* (sm.a.); *extrema* (fl.), *extrema* (fem. de *extremo*), *extrema* (sf.); *estremas* (fl.), *estremas* (pl. do sf.); *estreme* (fl.), *estreme* (a2g.); *estremes* (fl.), *estremes* (pl. do a2g.); *extremáveis* (fl.), *extremáveis* (pl. de *extremável*).]

extrema-unção (ex.tre.ma-un.*ção*) *sf.* *Rel.* Sacramento ministrado por representantes da Igreja Católica a enfermos graves ou moribundos; SANTOS ÓLEOS [Pl.: *extremas-unções* e *extrema-unções*.] [F.: O fem. de *extremo* + *unção*.]

extremidade (ex.tre.mi.*da*.de) *sf.* **1** Em relação a uma dimensão (de um objeto, corpo, superfície etc.) a parte extrema, onde começa ou termina; PONTA: *a extremidade de uma corda.* **2** Beira, borda, orla: *a extremidade da túnica.* **3** O ponto extremo; FIM; LIMITE: *a extremidade sul do lago.* **4** *Anat.* Qualquer um dos quatro membros **5** *Fig.* Estado de extrema aflição ou miséria [F.: Do lat *extremitas, atis*.]

extremismo (ex.tre.*mis*.mo) *sm.* Tendência a, ou doutrina de adotar medidas extremas ou radicais para resolver os problemas sociais, políticos etc; RADICALISMO [Posv. do fr. *extrémisme*.]

extremista (ex.tre.*mis*.ta) *a2g.* **1** Ref. a extremismo (ideias extremistas) **2** Que é adepto do extremismo *s2g.* **3** Adepto do extremismo [F.: Posv. do fr. *extrémiste*.]

extremo (ex.*tre*.mo) *a.* **1** Que, em relação a uma direção ou dimensão, se localiza numa extremidade, no ponto mais distante (de um território, terreno etc.): *O ponto extremo do norte do Brasil é o cabo Orange.* **2** Que se manifesta intensamente (paixão extrema); ARDENTE; FORTE; VEEMENTE [Ant.: *brando, fraco, suave*.] **3** Que está no grau máximo: *Foram encontrados em estado de extrema pobreza.* **4** Que é final, último, derradeiro em uma série: *Ele ainda tentou uma solução extrema.* *sm.* **5** O ponto mais distante do centro de algo; EXTREMIDADE **6** Capacidade máxima, o mais alto nível de intensidade; AUGE: *O atleta chegou ao extremo de sua capacidade.* **7** *Mat.* O máximo ou mínimo de uma função real **8** *Mat.* O supremo ou ínfimo de um conjunto [F.: Do lat. *extremus*.] ■ **~ inferior** *Mat.* Num conjunto de números reais, o maior dos limites inferiores; ínfimo **~ superior** *Mat.* Num conjunto de números reais, o menor dos limites superiores; supremo **Ao ~** Ver *Em extremo*. **Em ~** Em grau muito alto; excessivamente: *Irritava-se em extremo com qualquer demora.*

extremófilo (ex.tre.*mó*.fi.lo) *a.* **1** *Biol.* Diz-se de micro-organismo, ger. bactéria, que vive em ambientes extremamente hostis *sm.* **2** *Biol.* Esse microrganismo [F.: *extremo* + *-filo*[1].]

extremoso (ex.tre.*mo*.so) [ô] *a.* **1** Que chega a extremos em seus gestos, demonstrações e atos de carinho, proteção, dedicação etc.: "...e sua esposa dedicada, extremosa e fiel o faria feliz." (Joaquim Manuel de Macedo, *Luneta mágica*) **2** Que chega a extremos, a atitudes e ações descomedidas; EXAGERADO [Fem. e pl.: [ó].] [F.: *extremo* + *-oso*.]

extrínseco (ex.*trín*.se.co) *a.* Que é de fora, que não é inerente à essência de algo: *argumentos extrínsecos ao debate; causas extrínsecas ao problema.* [Ant.: *intrínseco*.] [F.: Do lat. *extrinsecus*.]

extrofia (ex.tro.*fi*:a) *sf.* *Anat.* Defeito de conformação de um órgão interno, ger. oco, pelo qual este se encontra revirado para fora (extrofia da bexiga) [F.: Do lat. cient. *ecstrophia*, do gr. *ekstrophé*.]

extroversão (ex.tro.ver.*são*) *sf.* **1** Caráter ou qualidade de extrovertido **2** Facilidade ou tendência de (alguém) fazer contato com o meio que circunda, de externar opiniões, sentimentos e de estabelecer relações com as outras pessoas [Como termo da psicologia, introduzido por Carl G. Jung.] [Pl.: *-sões*.] [F.: Do fr. *extroversion*.]

extroverso (ex.tro.*ver*.so) *a.* O mesmo que *extrovertido* [F.: De *extroversão*.]

extroverter (ex.tro.ver.*ter*) *v. int.* Tornar-se extrovertido ou comunicativo: *Nas festinhas, sempre extrovertia-se muito.* [Ant.: *introverter-se*.] [▶ 2 extroverter-se] [F.: Voc. deduz. a partir de *extrovertido*.]

extrovertido (ex.tro.ver.*ti*.do) *a.* **1** Que tem ou demonstra extroversão; EXPANSIVO *sm.* **2** Indivíduo extrovertido; COMUNICATIVO [Ant.: *introvertido*.] [F.: Do lat. *extra-* + *vertere*, pelo fr. *extroverti*.]

extrusão (ex.tru.*são*) *sf.* **1** Saída forçada; EXPULSÃO **2** *Tec.* Passagem forçada de metal ou plástico através de um orifício, para dar-lhe forma filiforme, ou de cilindro estreito e alongado [Pl.: *-sões*.] [F.: Do fr. *extrusion*.] ■ **~ vulcânica** Saída de lava compacta de um vulcão, que, ao consolidar-se, obstrui a cratera

extrusivo (ex.tru.*si*.vo) *a.* Ref. a extrusão; que a provoca [F.: Do fr. *extrusif*.]

extrusor (ex.tru.*sor*) [ô] *sm.* *Emec.* Máquina us. na indústria de plásticos, de borracha etc. para impulsionar a massa contra um molde vazado, colocando-a na configuração desejada [F.: Do lat. *extrusum* (do v. *extrudere*, 'expulsar') + *-or*.]

extrusora (ex.tru.*so*.ra) [ô] *sf.* *Emec.* Máquina em que se faz a extrusão (2) [F.: Fem. de *extrusor*.]

extubar (ex.tu.*bar*) *v. td. int.* *Med.* Retirar (de paciente) o tubo (com que fora entubado) [▶ 1 extubar] [F.: *ex-* + *tubo* + *-ar*.]

⊕ **ex tunc** (*Lat./eks tunk/*) **loc.adv.** *Jur.* Com efeito retroativo, valendo portanto também para o passado: *A revogação em causa produziu efeitos ex tunc.* [Cf. *ex nunc*.]

exu (e.*xu*) *Bras.* *sm.* **1** *Rel.* Entidade de cultos afro-brasileiros, como o candomblé e a umbanda, que é uma espécie de mensageiro que leva os pedidos e oferendas dos homens aos orixás [Com inicial maiúscula.] **2** *Pop.* O diabo [F.: Do ior. *exu*.] ■ **Virar~** **1** *Bras. Rel.* Ser, em transe, a corporificação de Exu [Nesta acp., *Exu* com maiúscula.] **2** *Fig.* Ficar enfurecido; encolerizar-se

exuberância (e.xu.be.*rân*.ci:a) [z] *sf.* **1** Qualidade ou característica do que é exuberante **2** Grande abundância; FARTURA; RIQUEZA: *A exuberância da flora amazônica assombra a todos.* [F.: Do lat. *exuberantia*, de *exuberans, ntis*.]

exuberante (e.xu.be.*ran*.te) [z] *a2g.* **1** Muito abundante (vegetação exuberante); COPIOSO **2** Cheio de vigor e animação (temperamento/estilo exuberante) **3** Que chama atenção pelo viço (beleza exuberante) **4** Cheio, farto, opulento (seios/formas exuberantes) [F.: Do lat. *exuberans, antis*.]

exuberar (e.xu.be.*rar*) [z] *v.* Ter em excesso, existir em abundância; SUPERABUNDAR [*td.*: *As meninas exuberavam vitalidade*.] [*tr.* + *de*: *O jardim exuberava de belas flores*.] [*int.*: *A erva da campina exuberava*.] [▶ 1 exuberar] [F.: do lat. *exuberare*. Hom./Par.: *exubere(s)* (fl.), *exúbere* (a2g. e pl.).]

exultação (e.xul.ta.*ção*) [z] *sf.* **1** Estado ou condição de quem está exultante **2** Grande alegria; JÚBILO; REGOZIJO [Pl.: *-ções*.] [F.: Do lat. *exsultatio, onis*.]

exultante (e.xul.*tan*.te) [z] *a2g.* Que exulta; que sente e/ou expressa grande alegria (olhar exultante); JUBILOSO [F.: Do lat. *exsultans, antis*.]

exultar (e.xul.*tar*) [z] *v. int.* Sentir e/ou expressar grande júbilo e alegria: *Ao final do jogo todos exultavam.* [▶ 1 exultar] [F.: Do lat. *exsultare*.]

exumação (e.xu.ma.*ção*) *sf.* Ação ou resultado de exumar, de desenterrar um cadáver [Ant.: *inumação*.] [Pl.: *-ções*.] [F.: *exumar* + *-ção*.]

exumado (e.xu.*ma*.do) *a.* Que se exumou; DESENTERRADO [F.: Part. de *exumar*.]

exumar (e.xu.*mar*) [z] *v.* **1** Tirar (cadáver, ossada) da sepultura; DESENTERRAR [*td.*: *Exumaram o corpo à revelia da família.* Ant.: *inumar*.] **2** *Fig.* Fazer vir à lembrança (o que estava esquecido); descobrir à custa de investigação [*td.*: *Na conversa, exumou antigas desavenças*.] [*tdr.* + *de*: *Os historiadores exumam dos jornais hábitos há muito esquecidos*.] [▶ 1 exumar] [F.: Do lat. medv. *exhumare*. Ant. ger.: *sepultar*.]

⊕ **ex vano** (*Lat./eks vano/*) **loc.a.** *Jur.* Falta de fundamento (argumentos ex vano)

⊕ **ex vi** (*Lat./eks vi/*) *Jur.* **loc.adv.** **1** Por força ou efeito de **2** Por determinação ou efeito de

⊕ **ex vivo** (*Lat./eks vivo/*) **loc.a.** *Med.* Procedimento cirúrgico, no qual um órgão é trabalhado fora do organismo e depois recolocado em seu local original: *As células seriam tratadas ex vivo e reintroduzidas no paciente.*

⊕ **ex voluntate** (*Lat./eks voluntate/*) **loc.adv.** *Jur.* De acordo com a vontade (obrigações ex voluntate)

ex-voto (ex-*vo*.to) [cs ou és] *sm.* Peça de cera ou madeira (que representa uma parte do corpo ou um objeto), quadro, inscrição etc., posto em uma igreja por fiéis como agradecimento ou pagamento de promessa por graça recebida [Pl.: *ex-votos*.] [F.: Do lat. *ex voto*.]

◎ **-ez** *suf.* formador de substs. abstratos a partir de adjs.: *altivez; estupidez; honradez; mudez* [F.: Do lat. *-ities*. Cf. *-ícia*.]

◎ **-eza** *suf.* formador de substs. abstratos a partir de adjs.: *beleza; esperteza; leveza*

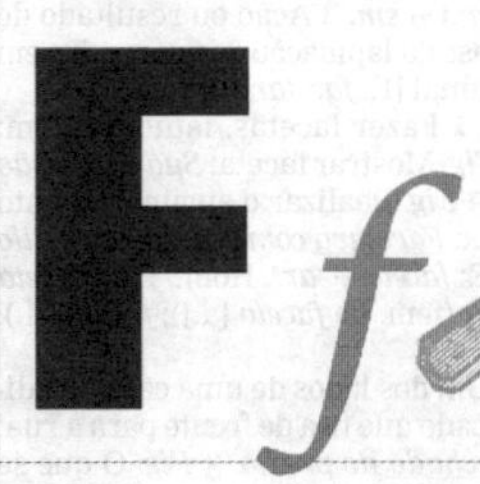

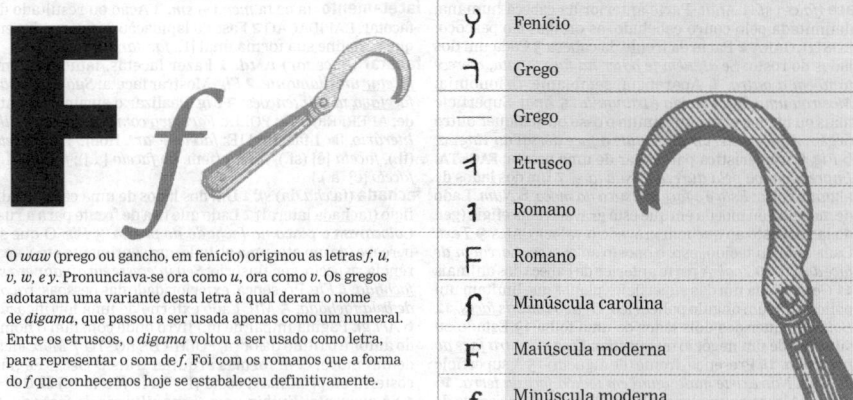

O *waw* (prego ou gancho, em fenício) originou as letras *f, u, v, w,* e *y*. Pronunciava-se ora como *u*, ora como *v*. Os gregos adotaram uma variante desta letra à qual deram o nome de *digama*, que passou a ser usada apenas como um numeral. Entre os etruscos, o *digama* voltou a ser usado como letra, para representar o som de *f*. Foi com os romanos que a forma do *f* que conhecemos hoje se estabeleceu definitivamente.

ϡ	Fenício
ᒣ	Grego
	Grego
	Etrusco
	Romano
F	Romano
ſ	Minúscula carolina
F	Maiúscula moderna
f	Minúscula moderna

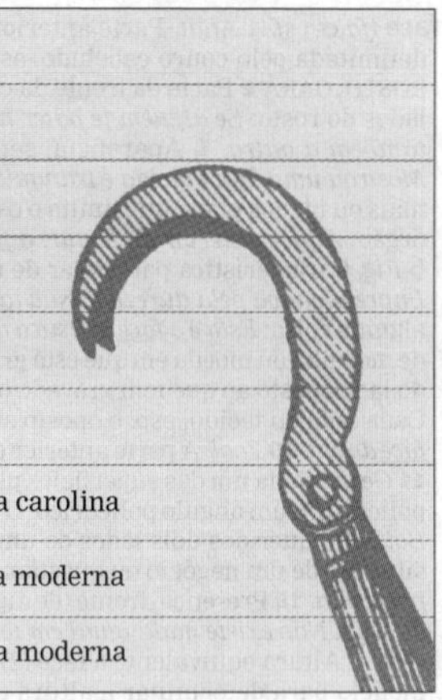

f (*efe, fê*) **sm.** **1** A sexta letra do alfabeto **2** A quarta consoante do alfabeto **3** A representação gráfica dessa letra: *A toalha tem um F bordado.* **4** *Mús.* Na notação alfabética, a nota fá ***num.*** **5** O sexto em uma série (poltrona F) [F.: Da sexta letra do alfabeto latino, correspondente a 21ª do alfabeto grego (phí).]

fá *Mús.* **sm.** **1** A quarta nota da escala de dó **2** *Mús.* Sinal que representa essa nota na pauta [F.: Do it. *fa*, da 1ª sílaba de *famuli*, a 1ª palavra do 4º verso (*/Famuli tuorum/*) de um hino (em latim) da Idade Média a são João Batista.]

fã *Pop.* ***s2g.*** **1** *Pop.* Pessoa que admira (às vezes com exagero) um artista, uma figura pública etc.: "Ela é fã da Emilinha / não sai do César de Alencar..." (Miguel Gustavo, *Fanzoca de rádio*) **2** *P.ext.* Pessoa que cultiva uma grande admiração por alguém ou algo: *fã de um time de futebol/ de uma marca de carro.* [F.: Do ing. *fan*, f. red. de *fanatic*, 'fanático'.]

⊠ **FAB** Sigla de *Força Aérea Brasileira*

fábrica (*fá*.bri.ca) ***sf.*** **1** Ação ou resultado de fabricar **2** Instalação industrial em que se usam máquinas e mão de obra para transformar matéria-prima em produtos (bens de consumo ou de produção) **3** O conjunto de trabalhadores de uma fábrica (2): *A fábrica em peso participou da festa.* **4** *P.ext.* Local onde algo se origina ou se desenvolve; ORIGEM; CAUSA: *Essa escola é uma fábrica de gênios; O lugar é conhecido como fábrica de doenças.* **5** A construção de um edifício, a composição, estrutura, decoração, feitio ou lavor dele: *A laboriosa fábrica de uma catedral gótica.* **6** Mecanismo delicado ou engenhoso (a fábrica do relógio) **7** O fabrico, o lavor de um objeto (tecido de boa fábrica) **8** O pessoal e tudo mais que é necessário para uma obra, empresa ou facção: *Com toda a fábrica de seu exército, foi vitorioso por décadas a fio.* **9** O ato de praticar alguma coisa que exige artifício **10** *Fig.* A composição, índole ou estrutura de qualquer coisa: *A suntuosa fábrica da mente de um rei poderoso.* **11** *Ecles.* Rendimento e capital para as despesas e manutenção de uma igreja **12** *Ecles.* Conjunto de membros do conselho de uma paróquia **13** *BA PI* Auxiliar de vaqueiro **14** *N.E.* Cavalo do serviço de uma fazenda **15** *N.E.* Usina que transforma o caroá em tecido, barbante etc. **16** *Lus.* No Minho, lugar onde são guardados apetrechos marítimos **17** *Pint.* Os edifícios ou ruínas com que os pintores ornam o fundo dos quadros [F.: Do lat. *fabrica*.]

fabricação (fa.bri.ca.*ção*) ***sf.*** **1** Ação ou resultado de fabricar ou criar (objetos, fatos, ideias etc.) (fabricação de sapatos/ de textos); FABRICO **2** Modo ou técnica de fabricar (fabricação em série) **3** O produto fabricado: *Em alguns setores, a fabricação brasileira é de alta qualidade.* **4** Estágio da produção que compreende a realização material do produto, entre a concepção e a comercialização **5** *Fig.* Maquinação, invenção de uma história, de uma intriga etc.; FABULAÇÃO [Pl.: *-ções*.] [F.: Do lat. *fabricatio, onis*.]

fabricado (fa.bri.*ca*.do) ***a.*** **1** Produzido em fábrica (tecidos fabricados) **2** *Fig.* Que se imaginou (história fabricada); IMAGINADO; INVENTADO **3** *Fig.* Criado com dados alterados ou de modo ilícito (estatística fabricada); FORJADO [F.: Do lat. *fabricatus, a, um*.]

fabricador (fa.bri.ca.*dor*) [ô] ***a.*** **1** Que fabrica algo: *Antônio é um excelente fabricador de cestos de bambu.* **2** Que constrói; CONSTRUTOR; EDIFICADOR; OPERÁRIO: "Os fabricadores da Torre de Babel, sendo todos os homens que havia no mundo juntos... o fim... que conseguiram... foi a confusão." (Padre Vieira, *Sermões*) **3** Que cria ou inventa; CRIADOR; INVENTOR: *Aquele músico é um fabricador de baladas.* **4** Que altera os dados ou fatos com objetivos desonestos: *Desenvolveu o estilo fabricador de boatos.* ***sm.*** **5** Indivíduo fabricador (fabricador de sapatos/ de empreendimentos/ de sonhos/de resultados) [F.: Do lat. *fabricator,oris*.]

fabricante (fa.bri.*can*.te) ***a2g.*** **1** Que fabrica ou é responsável pela fabricação de algo: *empresa fabricante de embalagens.* ***s2g.*** **2** Pessoa, estabelecimento, empresa etc. que fabrica ou é responsável pela fabricação de algo: *acordo entre os fabricantes de automóveis.* **3** Pessoa que cria alguma coisa: *fabricante de projetos.* [F.: Do lat. *fabricans, antis*.]

fabricar (fa.bri.*car*) ***v.*** **1** Produzir (artefatos) por processos mecânicos, a partir de matéria-prima, esp. em fábrica; MANUFATURAR [***td.***: *Fabricava bolsas.*] [***int.***: *Com a guerra, as tecelagens pararam de fabricar.*] **2** Criar, construir, edificar [***td.***: *O joão-de-barro usa o barro para fabricar seu ninho.*] **3** *Fig.* Forjar, inventar, maquinar [***td.***: *Era um jornal que fabricava boatos e escândalos.*] **4** Imprimir ou cunhar (dinheiro, moeda) [***td.***] **5** *Fig.* Causar, ocasionar [***td.***: *Fabricou sua própria desgraça.*] **6** Manter uma fábrica [***int.***: *Tem algumas lojas e também fábrica.*] **7** *Fig.* Dar origem a; produzir, gerar [***td.***: *Nosso país sempre fabricou grandes esportistas.*] **8** *Antq.* Trabalhar no cultivo de (terra); AMANHAR; CULTIVAR [***td.***] **9** *Mar.* Fazer consertos em (navio) [***td.***] [▶ **11 fabricar**] [F.: Do lat. *fabricare*. Hom./Par.: *fabrico* (fl.), *fabrico* (sm.); *fábrico* (sm.); *fabrica(s)* (fl.), *fábrica(s)* (sf.sm.[pl.]); *fabricaria* (fl.), *fabricária* (fem. de *fabricário*), *fabricáveis* (fl.), *fabricáveis* (pl. de *fabricável*).]

fabrico (fa.*bri*.co) ***sm.*** **1** Ação ou resultado de fabricar alguma coisa; FABRICAÇÃO: *Dedicava-se ao fabrico de queijo.* **2** Produto que se fabricou: *A tecelagem exporta todo o seu fabrico.* **3** Cultivo, cultura, amanho (o fabrico das terras) **4** *N.E. Mar.* Consertos no navio executados por carpinteiros ou calafates [F.: Dev. de *fabricar*. Hom./Par.: *fabrico* (fl. de fabricar); *fábrico* (sm.).]

fabril (fa.*bril*) ***a2g.*** **1** Ref. a, de ou próprio da atividade e do trabalho do fabricante, da fábrica: *O setor fabril está em franca expansão.* **2** Do ou ref. ao ramo da economia cuja atividade é a fabricação, à indústria [Pl.: *-bris*.] [F.: Do lat. *fabrilis, e*.]

fabriqueta (fa.bri.*que*.ta) [ê] ***sf.*** *Bras.* Pequena fábrica; FABRICO [F.: *fábrica* + *-eta*.]

fábula (*fá*.bu.la) ***sf.*** **1** *Liter.* História curta de onde se tira uma lição ou um preceito moral (fábulas de Esopo) **2** História imaginária, fantástica, ger. mentirosa: *Não acredite, é tudo fábula.* **3** *Bras. Pop.* Muito dinheiro: *Aquele jogador ganha uma fábula.* **4** A história dos deuses e outras personagens do paganismo: *os deuses da fábula.* **5** *Liter.* Conjunto de fatos e aventuras (reais ou imaginários) que servem de base à ação de um drama, romance, epopeia ou conto **6** *Fig.* Coisa ou pessoa de que(m) se fala muito, como objeto de crítica, de zombaria: *As conquistas daquele ator são a fábula do meio artístico.* [Dim.: *fabela*.] [F.: Do lat. *fabula*.]

fabulação (fa.bu.la.*ção*) ***sf.*** **1** Narração fantasiosa e romanceada **2** *Liter.* Ensinamento moral expresso através de uma fábula; AFABULAÇÃO **3** *Psiq.* Narração de eventos ou fatos imaginários como se fossem reais **4** Relato intencionalmente falso; MENTIRA [Pl.: *-ções*.] [F.: Do lat. *fabulatio, onis*.]

fabulador (fa.bu.la.*dor*) [ô] ***a.*** **1** Que fabula, inventa esp. mentiras **2** Que conta, compõe ou escreve fábulas ***sm.*** **3** Indivíduo fabulador [F.: Do lat. *fabulator, oris*.]

fabular¹ (fa.bu.*lar*) ***a.*** **1** Ref. à fábula [***td.***: *Fabulava todas as histórias que contava.*] **2** Que tem o caráter de fábula; FABULOSO; LENDÁRIO [***int.***: *Era um escritor empenhado em fabular.*] [F.: Do lat. *fabularis, e*.]

fabular² (fa.bu.*lar*) ***v.*** **1** Atribuir a (acontecimento, história etc.) o caráter ou o formato de fábula [***td.***: *fabular fatos verídicos.*] **2** Inventar (histórias, casos); falar sem fundamento; mentir [***int.***: *Quando lhe perguntaram sobre a pescaria, começou a fabular.*] **3** Criar fábula(s), contando ou escrevendo [***int.***: *Hoje em dia, poucos escritores fabulam.*] **4** Narrar sem critério, falsamente ou de modo que a verdade seja substituída por fábulas e alegorias [***td.***: *O viajante fabulava suas aventuras.*] [▶ **1 fabular**] [F.: Do lat. *fabulare*. Hom./Par.: *fabula(s)* (fl.), *fábula(s)* (sf. [pl.]).]

fabulário (fa.bu.*lá*.ri:o) ***sm.*** **1** Livro de fábulas **2** Conjunto de fábulas de um autor, de uma época, de um país etc. **3** O mesmo que *fabulista*, em todas as acps [F.: *fábula* + *-ário*.]

fabulista (fa.bu.*lis*.ta) ***a2g.*** **1** *Liter.* Que escreve fábulas (escritora fabulista) **2** Que conta habitualmente mentiras; MENTIROSO ***s2g.*** **3** *Liter.* Escritor de fábulas **4** Indivíduo mentiroso, cujo discurso é pleno de fantasia [F.: *fábula* + *-ista*.]

fabulístico (fa.bu.*lís*.ti.co) ***a.*** Ref. a, ou próprio de fábula ou de fabulista: *O mundo fabulístico de Monteiro Lobato fascina crianças e adultos.* [F.: *fabulista* + *-ico²*.]

fabuloso (fa.bu.*lo*.so) [ô] ***a.*** **1** Que não existe na realidade; IMAGINÁRIO: *O dragão é um personagem fabuloso.* **2** Concernente a fábula **3** Prodigioso, maravilhoso, fantástico: *Comprou um apartamento fabuloso para ela.* **4** Que pertence aos tempos mitológicos, pré-históricos; muito antigo: *as ruínas de uma fabulosa cidade.* **5** Que tem características de fábula; FICTÍCIO: *as histórias fabulosas de Monteiro Lobato.* **6** Que é admirável, incrível: *Itaipu é uma obra fabulosa.* **7** Que é real mas parece imaginário: *ambiente de luxo fabuloso.* **8** Em que a realidade histórica se confunde com a ficção: *A crônica fabulosa dos doze Césares.* [Fem. e pl.: [ó].] [F.: Do lat. *fabulosus*.]

faca (*fa*.ca) ***sf.*** **1** Instrumento cortante composto de uma lâmina e um cabo **2** Instrumento de metal, osso, plástico, madeira etc. com bordas afiadas us. para cortar papel, abrir páginas de livros etc.; ESPÁTULA **3** *Bras. Pop.* Bisturi **4** *Art.gr.* Chapa de corte **5** *Art.gr.* Lâmina do tesourão **6** *Art.gr.* Cada uma das lâminas cortantes da guilhotina ou da linotipo; NAVALHA **7** *Art.gr.* Peça do tinteiro da impressora que regula o fluxo da tinta [Aum.: *facão, facalhão, facalhaz*.] [F.: De or. contrv.] ■ **Chiar na ~ cega** *N.E.* Sofrer por não ter respeitado convenções **Entrar na ~** *Fam.* Passar por cirurgia **Estar com/ter a ~ e o queijo na mão** Dominar uma situação; dispor de todos os instrumentos ou do poder para algo **~ de arrasto** *Bras. N.E.* Ver *Faca de rasto* **Estar com a ~ na garganta** Estar em situação na qual é obrigado a agir de certa maneira, contra a própria vontade **~ de papel** Espátula para cortar papel dobrado pelo vinco, abrir páginas de livro unidas pela dobra, abrir envelopes etc. **~ de rasto** *RS* Facão us. para abrir caminho no mato (cortando arbustos, cipós etc.) **Meter a ~** **1** Cobrar muito caro por algo **2** *Fig.* Suprimir, cortar: *Meteu a faca na verba e reduziu-a à metade.* **Pôr/ encostar a ~ no peito de** *Bras. Fam.* Tentar obrigar alguém a algo com ameaça, chantagem etc. **Ser uma ~** **1** Ser leitor contumaz **2** *MA* Ser habilidoso, destro **Ter a ~ e o queijo na mão** Ver *Estar com/ ter a faca e o queijo na mão*

facada (fa.*ca*.da) ***sf.*** **1** Ação ou resultado de golpear com faca: *Escapou da facada do ladrão.* **2** A lesão resultante da facada (1): *Olha aqui a facada que eu sofri.* **3** *Fig. Pop.* Ação ou resultado de pedir dinheiro a alguém: *Deu uma facada no tio rico.* **4** *Fig. Pop.* Alto preço de produto, serviço etc.: *A conta da reforma foi uma facada.* **5** *Fig.* Surpresa dolorosa; desgosto inesperado [F.: *faca* + *-ada¹*.] ■ **~ nas costas** Ação desleal, traiçoeira para com alguém; traição

façanha (fa.*ça*.nha) ***sf.*** **1** Ato admirável e difícil de realizar; PROEZA: "Vão fazer cantigas, relatando as tantas façanhas "(Guimarães Rosa, *Grande sertão: veredas*) **2** Feito heroico: *façanha que assombrou o mundo.* **3** *Irôn.* Ação perversa, imprudente, escandalosa ou zombeteira: "E depois dizem que moda é só frufru. Nem o Papa conseguiria repetir a façanha." (*O Globo*, 30.04.2005) [F.: Do espn. ant. *fazaña*, 'proeza'.]

façanhoso (fa.ça.*nho*.so) [ô] ***a.*** **1** Que executa façanha; BRAVO; CORAJOSO: "..., o herói consagrado pela posteridade como o façanhoso achador das minas de prata." (Paulo Setúbal, *As minas do prata*) **2** Que provoca pasmo, admiração (ação façanhosa) **3** *Pej.* Aquele que pratica más façanhas: "Tem dó não. São os danados de façanhosos. "(Guimarães Rosa, *Grande sertão: veredas*) [Fem. e pl.: [ó].] [F.: *façanha* + *-oso*.]

façanhudo (fa.ça.*nhu*.do) ***a.*** **1** Que pratica façanhas: "O tal Gonçalo era um valentão; e tinha-se na conta do mais façanhudo espoleta de toda aquela redondeza." (José de Alencar, *Til*) **2** *P.ext.* Que provoca desordem (brutamontes façanhudo); VALENTÃO **3** *Fig.* Mal-encarado, antipático: "Criou-se uma imagem... o soturno, o façanhudo, o homem de feições amarradas também não funciona." (*Folha de S.Paulo*, 02.05.2004) [F.: *façanha* + *-udo*.]

facão (fa.*cão*) ***sm.*** **1** Faca grande de lâmina larga: *Abriu o coco com um facão.* **2** *Enc.* Aparelho para cortar papelão; TESOURÃO **3** *BA* Pescador incumbido de retalhar a baleia **4** *N.* Biscoito grande e malfeito **5** *BA MG MT* Nas estradas não pavimentadas, faixa longitudinal e elevada de terra entre os sulcos cavados por rodas, que dificulta a passagem dos veículos **6** *MG* Solteirona: "e aí, para não ficar facão, preferiu se casar mesmo de qualquer jeito com o feio vaqueiro Leobéu" (Guimarães Rosa, "Buriti", *in Noites do sertão*) **7** *Ict.* Peixe teleósteo (*Hydracinus cuvieri*) encontrado nos rios da Amazônia [Pl.: *-cões*.] [F.: *faca* + *-ão²*.] ■ **Amarrar o ~** *BA Pop.* Chegar ao climatério **~ de rasto** *N.E.* Ver *Faca de rasto*

facção (fac.*ção*) ***sf.*** **1** Grupo de pessoas que age ou pensa diferentemente da maioria ou do grupo ou partido a que pertence **2** Partido político **3** Grupo de dissidentes de um partido político **4** Grupo de pessoas insurretas, inclusive em relação à ordem pública e à lei (facção criminosa) **5** Expedição, feito militar notável [Pl.: *-ções*.] [F.: Do lat. *factio, onis*.]

facciosismo (fac.ci:o.*sis*.mo) ***sm.*** **1** Qualidade ou caráter de faccioso: "A questão foi, por ambas as partes, posta com ódio, com facciosismo, com rancor." (Júlio Dantas, *Eles e elas*) **2** Ação praticada com parcialismo **3** Paixão partidária; SECTARISMO: "...o facciosismo político contra o funcionamento do Estado;..." (*O Globo*, 06.12.2001) [F.: *faccioso* + *-ismo*.]

faccioso (fac.ci:*o*.so) [ô] ***a.*** **1** Que fica do lado de uma facção, de um grupo dissidente ou sectário; cuja opinião e atitude são influenciadas por ele, portanto não objetivas (jornal faccioso); PARCIAL **2** Revoltoso, subversivo (espírito faccioso) [Fem. e pl.: [ó].] [F.: Do lat. *factiosus*.]

face (*fa*.ce) *sf.* 1 *Anat.* Parte anterior da cabeça humana, delimitada pelo couro cabeludo, as orelhas e o pescoço; ROSTO; CARA 2 Parte da frente da cabeça 3 Cada um dos lados do rosto: *Se alguém te bater na face direita, oferece também a outra.* 4 Aparência, semblante, fisionomia: *Mostrou uma face plácida e tranquila.* 5 *Anat.* Superfície mais ou menos plana que limita o osso ou qualquer outro órgão: *A face anterior do fêmur; a face dorsal da língua.* 6 *Fig.* Característica particular de uma pessoa; FACETA: *Impressionava pela dureza de sua face.* 7 Um dos lados de alguma coisa: *Esta é a face artística da moça.* 8 *Num.* Lado de medalha ou moeda em que está gravada uma efígie (ger. do lado oposto ao que tem gravado o valor); CARA 9 *Têxt.* Cada lado do tecido, esp. o oposto ao avesso: *Edredom de face dupla.* 10 *Zool.* A parte anterior da cabeça dos animais 11 *Geom.* Cada um das superfícies planas que limitam um poliedro ou um ângulo poliédrico: *O cubo tem seis faces.* 12 *Bot.* Qualquer dos dois lados de uma folha 13 Estado ou situação de um negócio ou questão: *Essa é a outra face do problema.* 14 Presença, frente (de alguém) 15 A superfície de algo: *Não existe nada igual em toda a face da terra.* 16 *Art.pl.* Altura equivalente à face (2) normal que serve de modelo para determinar a altura da figura humana 17 *Arq.* Lado de uma casa ou edifício em relação aos pontos cardeais: *O sol da tarde incide na face sul do prédio.* 18 *Esg.* Cada um dos lados da lâmina de um florete 19 *Mil.* Lado de um batalhão disposto em quadrado [F.: Do lat. *facies.*] ■ **À ~ da letra** Com significado ou sentido claramente expresso, explícito; inteligivelmente **À ~ de** Ver *Em face de* (1) **À ~ do mundo** À vista de quem quiser ver, abertamente **Dar de ~ (com)** Dar de encontro a; encontrar, deparar **De ~** Em posição que mostra a face ou que deixa que se veja toda a parte da frente; de frente **Em ~ de** 1 Na frente de, na presença de: *Ao entrar, viu-se em face de uma grande plateia.* 2 Devido a, em virtude de: *Em face da situação, mudou de ideia.* **~ a ~** Em frente um do outro, sem nada interposto: *Evitaram-se a noite toda, e de repente estavam face a face.* **~ a ~ com** Diante de, frente a (tb. encarando, enfrentando): *Ao sair da barraca, viu-se face a face com a fera.* **~ distal** *Od.* A face de um dente voltada para fora da boca (mais afastada do ponto médio da arcada dentária) [Opõe-se à *face mesial.*] **~ hipocrática** *Med.* Aspecto da face de doentes em estado grave ou terminal, com palidez, olhos fundos, malares e têmporas salientes etc. **~ incisal** *Od.* A face de um dente incisivo que entra em contato com a de dente incisivo do outro maxilar **~ leonina** *Derm.* Aspecto da face de doentes de lepra, ou sífilis, quando há hipertrofia da pele, o que a assemelha à de um leão **~ mesial** *Od.* A face de um dente voltada para dentro da boca (mais próxima do ponto médio da arcada dentária) [Opõe-se à *face distal.*] **~ oclusal** *Od.* A face de um dente que tem contato com a face oposta de um dente no outro maxilar (ger. a face mesial do maxilar superior em contato com a face distal do maxilar inferior); faze mastigatória **~ mastigatória** *Od.* Ver *Face oclusal* **Fazer ~ a** 1 Ter (uma construção) a parte frontal voltada para (determinado lugar ou direção): *O prédio faz face a uma grande praça.* 2 Estar ou ficar em oposição a algo; resistir a, enfrentar 3 Não desistir, ao encontrar oposição ou obstáculo; procurar resolver uma situação adversa, uma dificuldade; não fugir a (algo perigoso, o inimigo, um problema); encarar, enfrentar; fazer rosto a 4 Dar solução a um problema ou remédio para um inconveniente 5 Pagar, arcar com os custos de; prover a; custear: *Fez face a todas despesas.* **Lançar em ~ (a)** Dizer verdades (a); jogar na cara (de) **Sagrada ~** *Rel.* A suposta impressão das feições de Jesus no sudário (o pano que envolveu no sepulcro), ou na toalha com que enxugou o rosto ao ser levado à cruz

facécia (fa.*cé*.ci:a) *sf.* 1 Qualidade, ânimo ou comportamento de faceto, de brincalhão, piadista 2 Dito zombeteiro: "E servir de piada, de facécia e de chacota para as linguarudas da vizinhança." (Osvaldo Orico, "A troca", *in A vida imita os contos*) [F.: Do lat. *facetia,* prov. pelo fr. *facétie.*]

faceirice (fa.cei.*ri*.ce) *sf.* 1 Qualidade ou comportamento de quem é faceiro: "Todo este furor não é mais do que um assomo de faceirice..." (José de Alencar, *A pata da gazela*) 2 Ostentação de elegância 3 Ar pretensioso 4 Aspecto risonho: "Acenou com faceirice um adeus." (Coelho Neto, *Sertão*) [F.: *faceiro* + *-ice.*]

faceiro (fa.*cei*.ro) *a.* 1 Que gosta de se enfeitar; GARBOSO; JANOTA 2 *Bras.* Risonho, alegre: "Seu Nacib anda triste... Era assim não...Era faceiro, risonho, agora anda triste." (Jorge Amado, *Gabriela, cravo e canela*) 3 *S. Hip.* Diz-se de cavalo garboso que marcha erguendo o pescoço com altivez: "As donzelas punham carmim e chegavam à sacada para vê-lo apear do macho faceiro." (Carlos Drummond de Andrade, *Caminhos de João Brandão*) [F.: *face* + *-eiro.*]

faceta (fa.ce.ta) [ê] *sf.* 1 Pequena superfície ou face (faceta do dado) 2 *P.ext.* Particularidade de alguém ou de alguma coisa: *Não conhecia sua faceta de músico.* 3 *Min.* Cada uma das faces planas e polidas das pedras preciosas que resultam da lapidação: *as facetas do diamante.* 4 *Anat.* Pequena porção circunscrita da superfície de um osso 5 *Od.* Área em que ocorre desgaste de um dente devido à mastigação 6 *Grav.* Rebaixamento na borda do clichê para prendê-lo à base de madeira; BISEL 7 *Zool.* Cada uma das unidades elementares que formam os olhos compostos de insetos e crustáceos [F.: Do fr. *facette.*]

facetado (fa.ce.*ta*.do) *a.* Talhado em facetas (acabamento facetado); LAPIDADO [F.: Part. de *facetar.*]

facetamento (fa.ce.ta.*men*.to) *sm.* 1 Ação ou resultado de facetar; LAPIDAÇÃO 2 Fase da lapidação de uma pedra em que se define sua forma final [F.: *facetar* + *-mento.*]

facetar (fa.ce.*tar*) *v. td.* 1 Fazer facetas, lapidação em: *facetar um diamante.* 2 *Fig.* Mostrar faceta: *Sua expressão facetava más intenções.* 3 *Fig.* Realizar o aprimoramento de; APERFEIÇOAR; POLIR: *Facetava com esmero seu estilo literário.* [▶ 1 facetar] [F.: *faceta* + *-ar²*. Hom./Par.: *faceta* (fl.), *faceta* [ê] (sf.), *faceta* (fem. de *faceto* [a.]); *faceto* (fl.), *faceto* [ê] (a.).]

fachada (fa.*cha*.da) *sf.* 1 Um dos lados de uma casa ou edifício (fachada lateral) 2 Lado que fica de frente para a rua: *Colocaram a placa na fachada do prédio.* 3 *Fig.* O que se percebe (de um ato, uma atitude, um sentimento etc.), aparência, aspecto, ger. ilusório: *Seu interesse em ajudar era só fachada.* 4 *Fig.* Presença, exterioridade das pessoas: *rapaz de bela fachada.* 5 *Mil.* Lado externo de uma fortificação 6 *Art.gr.* Página ímpar de um livro onde constam o nome do autor e o título da obra; FOLHA DE ROSTO 7 *Mob.* Face de um móvel com formas arquiteturais 8 *Geog.* Região costeira ou próxima à costa [F.: Do it. *facciata.*] ■ **De ~** 1 Só aparente: *Exibia uma tranquilidade de fachada.* 2 Feito ou mostrado para impressionar, mas que não tem importância, utilidade, autenticidade: *Seu projeto era só de fachada, nunca pretendeu realizá-lo.*

facheiro (fa.*chei*.ro) *sm.* 1 Aquele que leva o facho ou archote 2 Aquele que está encarregado de fazer sinais com o facho 3 Peça que sustenta o facho (1) 4 *Bras. Bot.* Designação comum a diversas plantas cactáceas us. como fachos, esp. em pescarias noturnas 5 *Bot.* Árvore que pode alcançar 20 m (*Lonchocarpus spruceanus*), da fam. das leguminosas, nativa do Pará 6 *Bot.* Árvore que pode chegar aos 8 m (Xylopia ligustrifolia), da fam. das anonáceas, nativa da Amazônia 7 *Bot.* O mesmo que *mandacaru* (*Cereus jamacaru*) [F.: *facho* + *-eiro.*]

facho (*fa*.cho) *sm.* 1 Qualquer material inflamável preso a uma haste e que se acende para iluminar ou como sinal de aviso; TOCHA; ARCHOTE 2 *Arq.* Pintura ou escultura representando esse objeto 3 Qualquer objeto que emite luz 4 *Fig.* Tudo o que esclarece o intelecto ou serve como orientação: *o facho da civilização.* 5 *Fig.* Tudo que serve como elemento para suscitar, alimentar ou desenvolver qualquer paixão: "Uma palavra inflamada agitava no ânimo da tropa o facho do ódio ao governo." (Rui Barbosa, *Ditadura e república*) 6 *MG SP* Conjunto de vegetais secos facilmente inflamáveis nas queimadas 7 *Her.* Cesto metálico preso a uma haste e do qual saem chamas 8 *NE. Antq. Pop.* Nome pelo qual era popularmente conhecida a nota de mil-réis [F.: Do lat. vulg. **fasculo, de fax, facis,* 'tocha; archote'.] ■ **Abaixar o ~** *Bras. Fam.* Diminuir ou ter diminuído o entusiasmo, a vitalidade; apagar o facho; assentar o facho; sossegar o facho **Apagar o ~** *Bras. Fam.* Ver *Abaixar o facho* **Assentar o facho** *Bras. Fam.* Ver *Abaixar o facho* **De/com o ~ baixo** *Bras. Fam.* Com o entusiasmo ou a vitalidade diminuídos **Sair do ~** *RS* Sair a passeio ao ar livre **Sossegar o ~** *Bras. Fam.* Ver *Abaixar o facho*

facial (fa.ci:*al*) *a2g.* 1 Ref. ou pertencente à face, ao rosto (expressão facial) 2 *Anat.* Diz-se do ângulo formado pelo encontro da linha que passa pelos incisivos superiores com outra que vai do canal auditivo aos dentes 3 *Anat.* Diz-se da artéria que nasce na carótida externa e vai até à parte anterior da face [Pl.: *-ais.*] *sm.* 4 *Anat.* Sétimo par de nervos cranianos [F.: Do fr. *facial.*]

◎**-faciente** *el. comp.* = 'que faz', 'que provoca, que causa': abortifaciente, calefaciente, estupefaciente, putrefaciente [F.: Do lat. *-faciens, entis,* do part. pres. do v.lat. *facere,* 'fazer'.]

fácies (*fá*.ci:es) *sf2n.* 1 O aspecto, a figura de um corpo tal como se apresenta à vista 2 O conjunto de características de forma e configuração que permite um grupo de indivíduos se diferenciar facilmente de outro grupo 3 *Med.* Alteração do aspecto da face em decorrência de certas patologias (fácies hipocrática) 4 *Anat.* Ver *face* 5 *Anat.* Determinada superfície de um órgão ou de uma estrutura do corpo humano 6 *Geol.* Conjunto de características de uma rocha que revela as condições da sua formação [F.: Do lat. *facies, ei.*]

fácil (*fá*.cil) *a2g.* 1 Que se pode fazer sem dificuldade ou esforço (prova fácil) [+ *de*: *questão fácil de resolver.*] 2 Que é claro, simples (texto fácil) 3 Que flui espontaneamente: *Acordo fácil.* 4 *Pej.* Que é superficial, sem profundidade; LEVE: *Hoje vamos ver um filme fácil, nada de Pasolini ou Godard.* 5 Que se compreende sem custo: *um autor fácil.* 6 Que é provável de acontecer ou de se realizar: *É fácil cair quando está se aprendendo a patinar.* 7 Dócil, amável (criança fácil) 8 Espontâneo, natural (sorriso fácil) 9 Que não cria problemas, que se dispõe ao acordo (homem fácil em perdoar) 10 *Pej.* Diz-se de mulher, que se deixa seduzir sem opor resistência [Pl.: *-ceis.* Superl.: *facílimo, facilíssimo.* Ant. ger. do a2g.: *difícil.*] *adv.* 11 Facilmente; com facilidade: *Ele se irrita fácil.* 12 *Pej.* De forma irrefletida ou irresponsável: "Não fala fácil, meu filho!..." (Guimarães Rosa, "A hora e vez de Augusto Matraga", *in Sagarana*) [F.: Do lat. *facilis.*]

facilidade (fa.ci.li.*da*.de) *sf.* 1 Qualidade ou condição do que é fácil: "Com mais necessidade de agradarem, menos facilidade de se unirem." (Mário Barreto, *Cartas persas*) 2 Ausência de dificuldades, impedimentos ou obstáculos: *Escalou a montanha com facilidade.* 3 Propensão, aptidão: *Tenho facilidade para aprender línguas.* 4 Perícia e destreza na realização de alguma coisa: *Conserta aparelhos eletrônicos com notável facilidade.* 5 Ocasião, possibilidade: *Tem muita facilidade para trabalhar em qualquer lugar.* 6 Predisposição do espírito: *Tem muita facilidade em crer nos homens.* 7 *Pej.* Comportamento a que falta seriedade: *Não se pode lidar com o dinheiro público com tanta facilidade.* 8 Atitude exageradamente liberal e condescendente: *Trata os alunos com muita facilidade, por isso não lhe têm respeito.* [F.: Do lat. *facilitas, atis.* Ant. de 1 a 6: *dificuldade.*]

facilidades (fa.ci.li.*da*.des) *sfpl.* 1 Meios para se fazer ou obter algo sem grande esforço ou despesas: *Ofereceram-lhe todas as facilidades para estudar na capital.* 2 Comportamento leviano, ger. caracterizado pelo excesso de liberdade, intimidade etc.: *É moça distinta, com ela não há facilidades.* 3 Benevolência, transigência: *Facilidades em demasia põem os jovens a perder.* [F.: Pl. de *facilidade.*]

facilitação (fa.ci.li.ta.*ção*) *sf.* 1 Ação ou resultado de facilitar, de remover dificuldades, embaraços ou impedimentos: *As novas regras visam à facilitação das exportações.* 2 Desatenção, descuido: *Não fosse tanta facilitação com os infratores, não haveria tanto abuso.* 3 *Fisl.* Processo através do qual são criadas condições para que um ato fisiológico ocorra de forma mais ágil 4 *Jur.* Ajuda dada por alguém que facilita a prática ou execução de um ato: *crime de facilitação ao contrabando.* 5 *Med.* Fenômeno bioelétrico que torna mais eficaz a transmissão das mensagens nervosas [Pl.: *-ções.*] [F.: *facilitar* + *-ção.*]

facilitador (fa.ci.li.ta.*dor*) [ô] *a.* 1 Que facilita, que esclarece as coisas: "Os grandes aparelhos, facilitadores do pensamento –, a máquina de escrever... o fonógrafo, o telefone..." (Eça de Queirós, *Contos*) *sm.* 2 O que facilita: *O computador é, em suma, um facilitador, reunindo em si tarefas que outrora necessitavam diversos aparelhos.* [F.: *facilitar* + *-dor.*]

facilitar (fa.ci.li.*tar*) *v.* 1 Tornar fácil ou mais fácil; auxiliar, eliminando os obstáculos [*td.*: *O uso da internet facilitou a pesquisa; As ilustrações facilitam o aprendizado; O desconto facilita a quitação da dívida.*] [*tdi.* + *a*, *para*: *A bolsa facilitou ao estudante a continuação da pesquisa.* Ant.: *dificultar.*] 2 Agir sem cautela; descuidar-se do perigo; expor-se [*int.*: *Tome precauções, não é bom facilitar.*] 3 Tornar disponível, pôr à disposição de; facultar [*tdi.* + *a*: *Facilitou-me todos os documentos de que precisava.*] 4 Apresentar (algo) como fácil ou mais fácil do que na verdade é [*td.*: *Facilitou os passos do tango para que todos pudessem acompanhar.*] 5 Pôr-se de acordo com; dispor-se, prestar-se [*tr.* + *a*: *Muitos voluntários facilitaram-se a ajudar.*] [▶ 1 facilitar] [F.: Do fr. *faciliter.*]

facilitário (fa.ci.li.*tá*.ri:o) *sm.* *RJ* Ver *crediário* [F.: *facilitar* + *-ário.*]

facínora (fa.*cí*.no.ra) *a2g.* 1 Diz-se de quem comete crimes com grande perversidade; CELERADO; FACINOROSO *s2g.* 2 Pessoa cruel, que comete crimes com perversidade: "Era a derradeira esperança do facínora, seu último cartucho." (Monteiro Lobato, "O engraçado arrependido" *in Urupês*) [F.: Do lat. *facinora,* neutro pl. de *facinus, oris,* 'ação criminosa'.]

facinoroso (fa.ci.no.*ro*.so) [ô] *a.* 1 Que cometeu grande crime (delinquente facinoroso) 2 *Fig.* Que desobedece as regras ou preceitos estabelecidos: *Texto melodioso, porém facinoroso em ortografia.* *sm.* 3 Indivíduo criminoso, malvado; CELERADO: *Restabeleceu a pacatez do povoado eliminando os dois facinorosos;* "..., como dizia ele, o maior facinoroso que pisava em Pernambuco." (Franklin Távora, *O cabeleira*) [Pl.: [ó]. Fem.: [ó].] [F.: *facínora* + *-oso.*]

fã-clube (fã-*clu*.be) *sm.* 1 Grupo organizado de fãs de um artista, jogador famoso etc. 2 Qualquer conjunto de pessoas que tem grande admiração por alguém ou por algo [Pl.: *fã-clubes.*]

facoemulsificação (fa.co:e.mul.si.fi.ca.*ção*) *sf.* *Oft.* Em operação de catarata, retirada do cristalino por aspiração, em dissolução coloidal [F.: Do gr. *phakós* ('lente') + *emulsificação.*]

fac-similar (fac-si.mi.*lar*) *a2g.* 1 Ref. a fac-símile *a2g.* 2 Impresso ou reproduzido exatamente como o original (cópia fac-similar) [F.: *fac-símile* + *-ar¹*.]

fac-símile (fac-*sí*.mi.le) *sm.* 1 Reprodução exata de um texto, desenho etc. por equipamento fotomecânico (foto, *scanner*, xerografia etc.) [Ver tb. fax.] 2 Sistema de radiocomunicação para transmissão e posterior reprodução em papel de textos, fotos, desenhos etc. [Pl.: *fac-símiles.*] [F.: Do lat. *fac simile,* 'fazer semelhante'.]

factibilidade (fa.ti.bi.li.*da*.de) *sf.* Qualidade ou característica do que é factível, do que pode ser realizado: *Estudos para determinar a factibilidade técnico-econômica de um projeto.* [F.: *factível* (na forma do rad. *factibil-*) + *-(i)dade,* seg. o mod. erudito.]

facticidade (fac.ti.ci.*da*.de) *sf.* 1 Característica do que é factual, do que tem relação com os fatos 2 *Fil.* De acordo com Heidegger, a condição da existência humana em relação ao mundo, sujeita às circunstancialidades e necessidades inexoráveis dos fatos [F.: *factício* + *-(i)dade.*]

factício (fa.*tí*.ci:o) *a.* 1 Que é feito ou inventado pela arte e não criado pela natureza; ARTIFICIAL: *Conseguira o efeito desejado: a sala de estar, cheia de objetos afetadamente factícios, inquietava os convidados.* *a.* 2 Criado ou imitado por meio de artifício (vinho factício) 3 Convencional, aconselhado pelas circunstâncias; APARENTE; PROVISÓRIO: "Para principiar, pois, é mister criar um mercado factício..." (Almeida Garrett) 4 Que é proveniente de um hábito ou de um capricho (necessidade factícia) [F.: Do fr. *factice,* do lat. *facticius, a, um.* Hom./Par.: *fictício* (adj.).]

factível (fac.*tí*.vel) *a2g.* Que pode ser feito ou realizado; EXEQUÍVEL: *É uma tarefa difícil, mas perfeitamente factível.* [Pl.: *-veis.*] [F.: De *fato*¹, do lat. *factus* (part. pass. de *facere*, 'fazer') + *-ível*. Tb. *fatível.*]

factoide (fac.*toi*.de) *sm.* Fato real ou fictício apresentado com personalismo, como forma de propaganda política etc.: "Este conselho é só mais um factoide do governo." (*O Globo*, 19.12.2004); "O próprio Mailer definiu 'factoides' como 'fatos que inexistiam antes de aparecerem numa revista ou jornal, criações que são menos mentiras do que um produto destinado a manipular a emoção da Maioria Silenciosa'." (Ivan Lessa, *Fatos & factoides*) [F.: Do ing. *factoid* (< ing. *fact*, 'fato', + suf.ing. *-oid* [*-oide*]), termo cunhado em 1973 pelo escritor norte-americano Norman Kingsley Mailer (1923-2007), em sua peça/livro *Marilyn – uma biografia.*]

⊕ **factoring** (*Ing. /féctering/*) *sm.* **1** *Econ.* Prestação contínua e cumulativa de assessoria mercadológica e creditícia, de seleção de riscos, de gestão de créditos, de acompanhamento de contas a receber e de outros serviços, conjugada com a aquisição de créditos de empresas resultantes de suas vendas mercantis assumindo o adquirente o encargo e os riscos da cobrança **2** *Rest.* Empresa que realiza o *factoring*

factótum (fac.*tó*.tum) *sm.* **1** Indivíduo encarregado de realizar todas as tarefas e obrigações de outrem: *Era o factótum do chefe.* **2** *P.ext.* Pessoa necessária, indispensável, imprescindível **3** *Irôn. Pop.* Pessoa que se julga capaz de fazer ou resolver tudo [Pl.: *-tuns.*] [F.: Do lat. tard. *factotum*, pelo fr. *factotum*, 'faz tudo'.]

factual (fac.tu.*al*) *a2g.* **1** Ref. a, ou que diz respeito a, ou se baseia somente em fato(s): *Fez uma descrição factual da situação.* **2** Que se pode constatar claramente, verificável, palpável **3** Que procura ater-se aos fatos, sem qualquer análise ou interpretação: *Optou por um noticiário meramente factual.* [Pl.: *-ais.*] [F.: *fato*¹, do lat. *factum*, + *-ual*. Tb. *fatual.*]

fácula (*fá*.cu.la) *sf. Astron.* Cada uma das pequenas manchas brilhantes que se observam no disco do Sol, ger. próximas das manchas solares [F.: Do lat. *facula, ae.*]

facular (fa.cu.*lar*) *a2g. Astron.* Ref. a fácula: *Esta foto mostra uma região facular bastante densa e brilhante.* [F.: *fácula* + *-ar*¹.]

faculdade (fa.cul.*da*.de) *sf.* **1** Aptidão, capacidade, possibilidade (inatos, naturais ou adquiridos) de fazer algo: *A faculdade de articular palavras é exclusiva do homem; Os pássaros têm a faculdade de voar.* **2** Estabelecimento de ensino superior: *Quer entrar para a faculdade de medicina.* **3** O prédio em que funciona essa instituição: *Moro perto da faculdade.* **4** Inclinação natural; TALENTO; DOM: *faculdade de se comunicar facilmente.* **5** Poder, meio, direito: *Tenho a faculdade de dispor do que é meu.* **6** Poder, virtude de uma substância: *O ímã tem a faculdade de atrair o ferro.* **7** Reunião das disciplinas relacionadas com cada uma das áreas do ensino superior: *faculdade de ciências biológicas.* **8** O conjunto de professores do ensino superior encarregados de uma área de estudo: *A faculdade de matemática decidiu reprová-lo no exame.* **9** Conjunto de alunos de uma faculdade (2) **10** Licença, permissão concedida a alguém: *O diretor outorgou-lhe a faculdade de auditorar as contas da empresa.* **11** *Ecles.* Autorização que um bispo dá a um sacerdote para que atue em sua diocese [Us. no pl.] **12** *Com.* Mercadorias e objetos que formam a carga de um navio [Us. no pl.] [F.: Do lat. *facultas, atis*, pelo fr. *faculté.*] ■ **~ mental** *Psi. Psiq.* Cada uma das funções e capacidades da mente (a o raciocínio, a memória etc.) [Mais us. no pl.]

facultar (fa.cul.*tar*) *v.* **1** Fazer que ou não impedir que algo se realize, ou que seja possível ou viável; FACILITAR; PERMITIR [*td.*: *O aniversariante facultou a entrada de todos na festa.*] [*tdi.* + *a, para*: *facultar aos mais carentes o acesso à universidade.*] **2** Dar ocasião, ensejo a que se manifeste ou se realize (algo); conceder, oferecer, proporcionar [*td.*: *Bons investimentos facultaram a criação de empregos.*] [*tdi.* + *a*: *Estudar faculta a todos melhores perspectivas de vida; A lei lhe faculta a assistência de um advogado.*] [▶1 facultar] [F.: Do rad. do lat. *facultas, atis*, 'faculdade', 'possibilidade', + *-ar*², em formação incomum. Ant. ger.: *impedir.*]

facultativo (fa.cul.ta.*ti*.vo) *a.* **1** Que faculta, que confere direito ou poder; OPCIONAL [Ant.: *obrigatório.*] **2** Que oferece opção de ser ou não feito ou exercido; não obrigatório (ponto facultativo) *sm.* **3** Médico, aquele que exerce legalmente a medicina [F.: *facultar* + *-tivo.*]

facúndia (fa.*cún*.di:a) *sf.* Facilidade para falar em público, fazer discurso; ELOQUÊNCIA: "...com soberba facúndia discursava na Assembleia dos Reis..." (Eça de Queirós, *A perfeição*); "Álvaro Peres falava então com facúndia, fazendo meiguices à irmã." (Afonso Lopes Vieira, *Pedro, o cru*) [F.: Do lat. *facundia.*]

facundo (fa.*cun*.do) *a.* Que tem facúndia (estilo facundo); ELOQUENTE: "Ulisses é o que faz a santa casa à deusa que lhe dá língua facunda." (Camões, *Os lusíadas, canto V, v. 90*) [F.: Do lat. *facundus, a, um.* Hom./Par. *fecundo* (a.).]

fada (*fa*.da) *sf.* **1** Personagem feminina de histórias, com poderes mágicos us. ger. para o bem: *a fada e a bruxa.* **2** *Fig.* Mulher bondosa e especial: *Minha mãe é uma fada.* **3** *Antq.* Destino, agouro, auspício [F.: Do lat. *fata, ae.*]

fadado (fa.*da*.do) *a.* Destinado a alguma coisa; PREDESTINADO: *fadado ao sucesso.* [F.: Part. de *fadar.*]

fadar (fa.*dar*) *v.* **1** Predizer, determinar o destino, a sorte; PROGNOSTICAR [*tdi.*: *Os pais lhe fadaram um futuro de sucessos.*] **2** Determinar por antecipação; PREDESTINAR [*tdr.* + *a*: *Aquele erro fadou a moça a um destino cruel.*] **3** Conceder benefício, favorecer [*tdr.* + *com*: *O destino o fadou com múltiplos talentos.*] **4** Conduzir, destinar [*tdr.* + *a*: *A morte do filho fadou-a à solidão.*] [▶1 fadar] [F.: *fado* + *-ar*². Hom./Par.: *fada(s)* (fl.) *fada(s)* (sf.[pl.]); *fado* (fl.), *fado* (sm.).]

fadário (fa.*dá*.ri:o) *sm.* **1** Lida incessante, vida difícil e trabalhosa: *o fadário dos tempos de guerra.* **2** Destino inevitável atribuído a um poder sobrenatural; FADO; SINA: "Eu nasci só para penar / É triste o fadário meu" (Cícero Pedro de Assis, *Terrível problema*) **3** Desgostos, pesares, incômodos [F.: *fado* + *-ário.*]

⊕ **fade** (*Ing. /fêid/*) *sm.* **1** *Cin. Rád. Telv.* Ver *fade out* **2** *Cin. Telv.* Desaparecimento gradual de uma imagem que simultaneamente é substituída por outra; FUSÃO

⊕ **fade-in** (*Ing. /feidín/*) *sm.* **1** *Cin. Telv.* Surgimento gradativo de uma imagem; ABERTURA **2** *Rád.* Surgimento gradativo do som nas gravações

⊕ **fade out** (*Ing. /feidáut/*) *sm.* **1** *Cin. Telv.* Escurecimento gradual de uma imagem no final de uma sequência **2** *Rád.* Desaparecimento gradativo do som nas gravações

fadiga (fa.*di*.ga) *sf.* **1** Sensação de cansaço ou perda de energia **2** Trabalho, lida: *depois das fadigas de um dia laborioso.* **3** *Med.* Doença caracterizada por fadiga (1) prolongada e debilitante e outros sintomas como dor de cabeça, sono interrompido etc. **4** *Eng. ind.* Diminuição gradativa da resistência de um material ou da eficiência de um equipamento, decorrente do uso constante [F.: Dev. de *fadigar, fatigar*. Tb. *fatiga.*]

fadigar (fa.di.*gar*) *v. td.* Mesmo que *fatigar* [▶14 fadigar] [F.: Do lat. *fatīgō,ās,āvi,ātum,āre.* Ant. ger.: *desfadigar.* Hom./Par.: *fadiga(s)* (fl.), *fadiga(s)* (sf.[pl.]).]

⊕ **fading** (*Ing. /fêiding/*) *sm. Comun.* Redução transitória de intensidade de sinais radioelétricos, resultante das alterações das condições de propagação

fadista (fa.*dis*.ta) *Lus.* *a2g.* **1** *Pop.* Que compõe ou interpreta fados (cantor fadista) **2** *Pop.* Que conhece muito bem certa matéria ou atividade; FERA *s2g.* **3** Quem compõe ou interpreta fados (fadista famosa) *sm.* **4** *Antq. Des.* Homem de maus costumes, desordeiro: "Vem então o fadista de navalha aberta, e fende o estadista." (Eça de Queirós, *O mandarim*) **5** *Gír.* Homem que vive à custa de mulher pública; FAIA; RUFIÃO [F.: *fado* + *-ista.*]

fado (*fa*.do) *sm.* **1** *Mús.* Canção popular de Portugal, ger. sobre temas tristes **2** Dança que acompanha essa canção **3** Destino, fortuna, sina, sorte: *Cada um tem seu fado.* **4** O que é fatal, o que necessariamente tem de ser; PROFECIA; VATICÍNIO: *É fado, há de cumprir-se!* [F.: Do lat. *fatum.* Hom./Par.: *fado* (*fl. de fadar*).]

⊠ **FAE** Sigla de *Fundação de Assistência ao Estudante*

⊠ **Faep** Sigla de *Fundação de Apoio à Escola Pública*

◎ **-fagia** *el. comp.* = 'ação de alimentar-se'; 'nutrição': *aerofagia, antropofagia, autofagia.* [F.: Do gr. *-phagía, as.*]

◎ **-fágico** *Suf.* = que come: *antropofágico, autofágico, necrofágico, zoofágico.*

◎ **-fag(o)-** *el. comp.* Ver *fag(o)-*

◎ **-fago** *el. comp.* 'Que ou o que come': *antropófago* [Com acento tônico na sílaba anterior.] [F.: Do gr. *-phagos*, de *phagein*, de *esthíein* 'comer'.]

◎ **fag(o)-** *pref.* = 'comer': *fagofobia, fagoinibidor* [F.: Do gr. *phagō.*]

◎ **fago-** *pref.* Ver *fag(o)-*

fago (*fa*.go) *sm. Bot.* Nome comum a árvores do gên. *Fagus*, família das fagáceas, cujas espécies são cultivadas como ornamentais, pelas nozes e pela madeira; são as faias [F.: Do lat. cient. *Fagus.*]

fagocitar (fa.go.ci.*tar*) *v. td. Cit.* Ingerir (o fagócito, como aquele que ingere) e digerir [▶1 fagocitar]

fagocitário (fa.go.ci.*tá*.ri:o) *a. Cit.* Ref. a fagócito ou a fagocitose [F.: *fagócito* + *-ário.*]

fagócito (fa.*gó*.ci.to) *sm. Cit.* Célula capaz de englobar e digerir micro-organismos causadores de doenças, outras células ou partículas estranhas [F.: *fag(o)-* + *-cito.*]

fagocitose (fa.go.ci.*to*.se) *sf. Biol.* Processo pelo qual partículas estranhas ao organismo, como bactérias, partes de tecido necrosado etc. são ingeridas e destruídas por fagócitos [F.: *fagócito* + *-ose.*]

fagofobia (fa.go.fo.*bi*.a) *sf. Psiq.* Aversão patológica a ingerir alimentos [F.: *fag(o)-* + *-fobia*. Cf.: *anorexia.*]

fagofóbico (fa.go.*fó*.bi.co) *Psiq.* *a.* **1** Ref. a fagofobia **2** Que sofre de fagofobia *sm.* **3** Indivíduo fagofóbico [F.: *fagofobia* + *-ico*².]

fagófobo (fa.*gó*.fo.bo) *a.* **1** *Psiq.* Ver *fagofóbico* (2 e 3) *sm.* **2** *Psiq.* Ver *fagofóbico* (3)

fagoinibidor (fa.fo.i.ni.bi.*dor*) [ô] *a.* **1** Diz-se de substância química que causa a inibição alimentar *sm.* **2** Essa substância: *Toma um forte fagoinibidor, mas não emagrece.* [F.: *fag(o)-* + *inibidor.*]

fagomania (fa.go.ma.*ni*.a) *sf. Psiq.* Obsessão por ingerir alimento, vontade insaciável de comer [F.: *fag(o)-* + *-mania.*]

fagomaníaco (fa.go.ma.*ni*.a.co) *sm. Psiq.* Indivíduo que sofre de fagomania [F.: *fagomania* + *-ico*².]

fagômano (fa.*gô*.ma.no) *sm. Psiq.* Ver *fagomaníaco*

fagossomo (fa.gos.*so*.mo) *sm. Cit.* Vacúolo originado da membrana celular, destinado à digestão de material ingerido pelo fagócito [F.: *fag(o)-* + *-somo.*]

fagote (fa.*go*.te) [ó] *sm.* **1** *Mús.* Instrumento de sopro, feito de madeira, com tubo cônico, longo e dobrado, e palheta dupla **2** Pessoa que toca esse instrumento; FAGOTISTA [F.: Do it. *fagotto.*]

fagotista (fa.go.*tis*.ta) *a2g.* **1** Que toca fagote *s2g.* **2** Quem toca fagote [F.: *fagote* + *-ista.*]

fagueiro (fa.*guei*.ro) *a.* **1** Que é carinhoso e meigo **2** Agradável, suave: "Quer amor, que sonhos, que flores/ naquelas tardes fagueiras "(Casimiro de Abreu, *"Meus oito anos", in Primaveras*) **3** *Fig.* Satisfeito, contente: *O jogador reapareceu no clube lépido e fagueiro.*; "Tu está fagueiro... Dormiu mais do que o catre..." (Guimarães Rosa, "A volta do marido pródigo" *in Sagarana*) [F.: De um port. ant. *fago* + *-eiro*, posv.]

fagulha (fa.*gu*.lha) *sf.* **1** Partícula incandescente que se desprende de um objeto que está sendo queimado pelo fogo; CENTELHA; FAÍSCA: "Eu via em roda do barracão errarem tochas, numa dispersão de fagulhas." (Eça de Queirós, *O mandarim*) *sm.* **2** *Gír.* Indivíduo que anda sempre apressado, agitado, falando muito [F.: Do lat. **facucula*, dim. de *facula*, 'pequeno archote'.]

fagulhar (fa.gu.*lhar*) *v. int.* **1** Soltar fagulhas: *A fogueira fagulhava.* **2** Fulgurar, cintilar: *Seu olhar fagulhava; Seus olhos fagulharam ódio.* [▶1 fagulhar] [F.: *fagulha* + *-ar*². Hom./Par.: *fagulha(s)* (fl.), *fagulha(s)* (sf.[pl.]).]

⊕ **fahrenheit** (*Ing. /farenráit/*) *a2g2n.* **1** Ref. a escala de temperatura us. em países anglo-saxões, segunda a qual a temperatura de ebulição da água é 212 graus (100 na escala Celsius, ou centígrados) e de seu congelamento é 32 graus (0 na escala Celsius, ou centígrados) **2** Que usa essa escala ou foi medido de acordo com ela (termômetro fahrenheit, grau fahrenheit) [F.: Do antr. (*Gabriel Daniel*) *Fahrenheit* (1686-1736), físico alemão.]

faia (*fai*.a) *Bot. sf.* **1** *Bot.* Nome comum a diversas árvores da fam. das fagáceas, como p.ex., *Fagus silvatica*, de madeira branca, originária da Europa e cultivada como ornamental e pelas sementes, das quais se extrai um óleo **2** *BA GO PE Bot.* Árvore da fam. das icacináceas (*Emmotum nitens*), de flores amarelas, frutos em drupas lenhosas ou suberosas. Usa-se a madeira para fazer mourões de cerca **3** *Bot.* O mesmo que *carne-de-vaca* *sm.* **4** *Lus.* Aquele que cuidava dos cavalos de uma carruagem enquanto o cocheiro descansava ou comia [F.: Do lat. *fagea*, fem. de *fageus, a, um.*]

faiança (fai.*an*.ça) *sf.* **1** Louça feita de barro esmaltado ou vidrado **2** Louça feita de pó de pedra [F.: Do fr. ant. *faiance* (atual *faïence*).]

faina (*fai*.na) *sf.* **1** *Mar.* Conjunto de tarefas e atividades de trabalho da tripulação de um navio **2** Qualquer trabalho que se tem de fazer, de aturar **3** *Fig. P.ext.* Trabalho ou tarefa que se estende por muito tempo; LIDA: *Olhava as formigas em sua faina.* **4** Trabalho executado pelo toureiro na arena, esp. aqueles em que usa a muleta e a capa [F.: Do lat. *facienda*, neutro pl. de *faciendum*, do lat. *facere*, pelo cat. *fahena* ou *faena* ('fazer'), pelo espn. *faena.*]

⊕ **fair-play** (*Ing. /fér-plei/*) *sm.* **1** Respeito às regras de um esporte, de uma negociação etc. **2** *Fig.* Moderação, elegância, na aceitação de uma situação desfavorável ou complicada: *agir com fair-play.* **3** Imparcialidade, equidade

⊕ **faisandé** (*Fr. /fesandê/*) *a.* Diz-se de carne, esp. de caça, que se deixa propositalmente chegar ao início da decomposição para ser degustada [F.: Do fr. *faisandé.*]

faisão (fai.*são*) *sm. Zool.* Denominação comum a diversas aves da fam. dos fasianídeos, esp. as do gên. *Phasianus*, apreciada pela qualidade da carne e pela beleza da cauda e da plumagem [Pl.: *-sães* e *-sões*. Fem.: *-sã e soa.*] [F.: Do lat. *phasianus*, pelo cat. ant. ou provç. *faisan* e pelo espn. *faisán.*]

faísca (fa.*ís*.ca) *sf.* **1** Partícula que se desprende de um corpo em brasa ou do atrito entre corpos; CENTELHA **2** Lampejo luminoso que acompanha uma descarga elétrica **3** Raio: *Antes da chuva uma faísca cortou o céu.* **4** *Fig.* Brilho espiritual: *Faíscas saíam dos seus olhos.* **5** Lasca de ouro perdida no terreno das minas *a2g.* **6** *Bras. Pop.* Rápido, esperto (pessoa ou animal) [F.: Posv. do cruzamento do lat. *favilla*, 'cinza quente', com o germ. *falaviska*, por um lat. vulg. **favisca.*]

faiscação (fa.is.ca.*ção*) *sf.* **1** Ação ou resultado de faiscar; CINTILAÇÃO; BRILHO **2** *Min.* Garimpagem [Pl.: *-ções.*] [F.: *faiscar* + *-ção.*]

faiscante (fa.is.*can*.te) *a2g.* **1** Que lança faíscas (pedra faiscante) **2** *Fig.* Encantador, fascinante, brilhante: "O momento mais faiscante desse Carnaval..." (*O Globo*, 27.2.1998) [F.: *faiscar* + *-nte.*]

faiscar (fa:is.*car*) *v.* **1** Produzir (faíscas, centelhas, luz, clarões) [*td.*: *O atrito das pedras faiscava centelhas.*] [*int.*: *Aquela estrela brilhava muito, faiscava.*] **2** Ter ou produzir o brilho de faíscas; cintilar [*int.*: "... os olhos de D. Teresa faiscavam de cólera e de indignação." (Alexandre Herculano, *O bobo*)] **3** *Bras.* Procurar em terra ou areia de mina já lavrada faíscas de ouro ou diamantes [*int.*: *Os garimpeiros prosseguiam na tarefa de faiscar*; "Fura aqui, esburaca acolá, faiscando, experimentando, provando, na esperança de achar a mina da sua esperança." (Afrânio Peixoto, *Bugrinha*)] **4** Dardejar, emitir como faísca [*td.*: *Seu olhar faiscava ódio.*] **5** *Fig.* Destacar-se, sobressair-se [*int.*: *A atriz faiscava entre suas colegas.*] [▶11 faiscar Quanto à acentuação da vogal *i* do radical, ver paradigma 18.] [F.: *faísca* + *-ar*². Hom./Par.: *faísca(s)* (fl.), *faísca* (a2g. sf.[pl.]).]

faisoa (fai.*so*.a) [ô] *sf.* Fem. do faisão; FAISÃ

faisqueira (fa:is.*quei*.ra) *sf. Gar.* **1** Lugar onde se encontram faíscas de ouro: "...porque considera este mundo como uma faisqueira, onde todos têm lugar para garimpar." (João Guimarães Rosa, *Ave, palavra*) **2** Pequena mina de ouro 3 *Bras.* Nas catas abandonadas, resto de cascalho ao pé do barranco [F.: *faísca* + *-eira*.]

⊕ **fait divers** (*Fr.* /*fé divér*/) *loc.subst. Jorn. Rád. Telv.* Conjunto de pequenas notícias variadas (seção de fait divers)

faixa (*fai*.xa) *sf.* 1 Tira de pano, elástico etc. mais longa do que larga (faixa de campeão) 2 Intervalo entre dois limites (faixa tributária) 3 *Esp.* Tira de tecido us. na cintura por lutadores e que indica, de acordo com a cor, seu grau de habilidade (faixa preta) 4 Cada uma das músicas de um CD: *Lançou um CD com 11 faixas inéditas.* 5 *Bras.* Parte da rua, transversal, demarcada, destinada à travessia de pedestres 6 *Bras.* Na via urbana, espaço longitudinal destinado ao trânsito específico de cada tipo de veículo (faixa seletiva) 7 Pedaço comprido e estreito de pano, papel etc.; TIRA; BANDA: *Uma pequena faixa de papel dourado enfeitava o embrulho.* 8 Tira de tecido própria para curativos ou para imobilizar uma parte do corpo: *Protegeu o tornozelo machucado com uma faixa.* 9 Tudo o que parece ter a forma de uma tira ou listra (faixa de sombra): *A camisa do uniforme desse time tem uma faixa preta diagonal.* 10 Parte de um todo; PORÇÃO: *O programa se destina à faixa jovem.* 11 *Agr.* Extensão de terra estreita e longa; COURELA 12 *Her.* Linha ou banda transversal sobre o brasão 13 *Astron.* Cintas, zonas que circundam certos planetas 14 *Arq.* Moldura ou friso chato e comprido entre a arquitrave e a cornija *sm.* 15 *Turf.* Cavalo (podem ser até três) que entra no páreo sem o intuito de vencer, mas para ajudar outro que disputa com o mesmo número (Eles se distinguem pela faixa de cor diferente na camisa de cada jóquei.) *s2g.* 16 *Pop.* Amigo muito querido; COMPANHEIRO; CAMARADA [F.: Do lat. *fascia*. Hom./Par.: *faixa* (flex. de *faixar*), *facha* (*sf.*). Ideia de *faixa*, empregar pref. *cingul-*.] ■ **~ de asteroides** *Astron.* Ver *Anel de asteroides* **~ de Caspary** *Bot.* Em células do endoderma, faixa nas paredes radiais ou transversais, resultante de um processo de lignificação (transformação em lenho) ou suberização (transformação em cortiça) **~ de domínio** A faixa de terreno que é necessária para a construção de rodovia (caso em que é incorporada ao domínio público) ou de ferrovia (caso em que é incorporada ao patrimônio da empresa proprietária da ferrovia) **~ de frequência** *Rád.* O conjunto das frequências situadas entre duas frequências tomadas como limites (inferior e superior) **~ de Möbius** *Mat.* Superfície bidimensional que aparenta ter duas faces, mas que na realidade é uma só, gerada ao se torcer uma fita retangular em 180º e juntar suas extremidades [Tb. *Fita de Möbius*.] **~ de pedestres** Faixa pintada no asfalto de rua ou avenida, com listras brancas paralelas às calçadas, que marca o ponto de travessia de pedestres, esteja ou não na vizinhança de sinal de trânsito **~ do cidadão** *Telec.* Faixa de frequências de rádio destinada a operações particulares de transmissão (como o dos radioamadores) **~ equatorial** *Astron.* Conjunto de nuvens que formam uma faixa ao longo do equador de um planeta **Correr de ~** *Turfe* Correr um faixa (cavalo da mesma escuderia e com o mesmo número de outro que corre no mesmo páreo) de modo a beneficiar o faixa, em detrimento da própria vitória

faixa-preta (fai.xa-*pre*.ta) *s2g.* 1 Grau mais alto de lutas marciais como judô, caratê etc.: *O exame para faixa-preta é semana que vem.* 2 Quem obtém essa faixa: *O faixa-preta mais jovem venceu o torneio.* [Pl.: *faixas-pretas*.]

faixa-título (fai.xa-*tí*.tu.lo) *sf. Mús.* Faixa (4) musical que possui o mesmo nome do CD em que é gravada [Pl.: *faixas-título*.]

fajutar (fa.ju.*tar*) *v.* 1 *Bras. Pop.* Realizar, produzir, fazer (algo) de maneira tosca, malfeita, sem cuidados [*td.*: *Essa empresa fajuta todos os seus produtos.*] [*int.*: *Sabem fajutar como ninguém!*] 2 Falsear, falsificar [*td.*] [▶ 1 fajutar] [F.: *fajuto* + *-ar*. Hom./Par.: *fajuto* (fl.), *fajuto* (a.).]

fajutice (fa.ju.*ti*.ce) *Pop. sf.* 1 Próprio do que ou de quem é fajuto 2 Falta de seriedade, de autenticidade e/ou de qualidade; FAJUTAGEM: *Não se deixe enganar pela fajutice das promessinhas e discursinhos baratos de sempre.* [F.: *fajuto* + *-ice*.]

fajuto (fa.*ju*.to) *a.* 1 *Bras. Pop.* De pouca qualidade (poesia fajuta) 2 Que não é original; FALSIFICADO: *Apresentou um diploma fajuto.* 3 Que não é digno de confiança (pessoa fajuta) [F.: De or. obsc. Tb. *farjuto*.]

fala (*fa*.la) *sf.* 1 Ação ou resultado de falar 2 Aptidão ou capacidade de se expressar verbalmente 3 Exposição oral: *Sua fala foi muito convincente.* 4 Maneira de pronunciar (problemas de fala); DICÇÃO 5 O que se exprime pela palavra: *O professor teve uma fala séria com os estudantes.* 6 Cada parte de um texto dita por uma ator, apresentador ou locutor: *Esqueceu sua fala na primeira cena.* 7 Exposição oral dirigida ao público: *A fala do homenageado emocionou os presentes.* 8 Timbre ou tom da voz (fala estridente) 9 O som produzido pelos animais: *Um especialista distingue a fala dos diferentes pássaros.* 10 *Ling.* Qualquer modo de falar us. por uma pessoa ou grupo ou em determinadas circunstâncias 11 *Ling.* Uso da língua visto como interação de um sistema gramatical e fatores determinados por situações diversas 12 *Ling.* Conteúdo fônico de uma língua 13 *Ling.* Uso da língua [F.: Dev. de *falar*. Ideia de 'fala': *-loquia* (*ventriloquia*), *-loquo* (*ventríloquo*).] ■ **boas ~s** Narrativas, notícias, comentários falados agradáveis, bons de se ouvir **~ do trono** *Hist.* Discurso régio (no Brasil e em Portugal) em cerimônia solene **Chamar à ~/às ~s** Chamar alguém para dar explicações, esclarecimento etc. **Ir à ~** Conversar, entrar em acordo, entender-se **Perder a ~** Ficar em silêncio, emudecer (ger. devido a susto, surpresa etc.)

falação (fa.la.*ção*) *sf.* 1 Exposição oral preparada para ser apresentada em público: *a falação do advogado.* 2 *Bras. Pop.* Fala contínua; RECLAMAÇÃO: *Não aguentava mais tanta falação por causa dos atrasos.* 3 Fala de quem não cumpre com o que enuncia: *A promessa de ajuda era só falação.* 4 Rumor produzido por muitas pessoas falando [Pl.: *-ções*.] [F.: *falar* + *-ção*.] ■ **Deitar ~** Falar longamente, discursar (ger. de maneira tediosa): "...e deitaram falação sobre ética e honradez na política." (*O Globo*, 08.03.2001)

falacha (fa.*la*.cha) *s2g.* 1 *Etnôn.* Pessoa pertencente a um grupo judeu negro originário da Etiópia *a2g.* 2 Dos ou ref. a esse grupo [O termo foi abandonado por ser de natureza pejorativa ('estranhos', 'exilados'), substituído por *bet Israel* ('casa de Israel').]

falácia (fa.*lá*.ci:a) *sf.* 1 Raciocínio ou afirmação falsa ou errônea com aparência de verdadeira 2 Qualidade de falaz, falsidade 3 *Lóg.* Raciocínio logicamente plausível, mas enganoso [F.: Do lat. *fallacia*, 'trapaça'. Hom./Par.: *falácia* (sf.), *falacia* (fl. de *falaciar*) e *falácea* (*sf.*).]

falacioso (fa.la.ci.o.so) [ô] *a.* Que é intencionalmente enganador, ardiloso (raciocínio falacioso) [Fem. e pl.: [ó].] [F.: *falácia* + *-oso*.]

falado (fa.*la*.do) *a.* 1 Que está dito: *Falei e está falado.* 2 Expresso oralmente (retrato falado) 3 De de se fala muito; bastante conhecido; FAMOSO: *filme muito falado.* 4 *Bras.* Com má fama: *Mentia muito e ficou falado. sm.* 5 Combinado, tratado: *O falado foi irmos todos a pé.* 6 *Teat.* A parte recitada de uma peça ou falada de um musical [F.: Part. de *falar*.]

falador (fa.la.*dor*) [ô] *a.* 1 Que fala muito (papagaio falador) 2 Que é indiscreto, que não sabe guardar segredo 3 Que costuma falar mal dos outros; MALDIZENTE; MEXERIQUEIRO *sm.* 4 Quem fala muito 5 Quem costuma falar mal dos outros [F.: *falar* + *-dor*.]

faláfel (fa.*lá*.fel) *Cul. sm.* 1 *Cul.* Bolinho frito de grão-de-bico amassado e temperado, típico do Oriente-Médio 2 Espécie de sanduíche feito com alguns desses bolinhos dentro de meia pita (pão árabe) ou pita inteira, a que se acrescentam ingredientes e condimentos como tahine (pasta de gergelim), picles, cebola, pimenta, batata frita etc. [Pl.: *-feis*.] [F.: Do ár. *filfil* 'pimenta'.]

falange (fa.*lan*.ge) *sf.* 1 *Anat.* Cada um dos ossos dos dedos da mão ou do pé 2 Grupo numeroso; MULTIDÃO; LEGIÃO 3 Na Grécia antiga, corpo de infantaria (falange macedônica) 4 Qualquer corpo de tropas 5 *Hist.* Grupo político e paramilitar, esp. da Espanha, inspirado no fascismo italiano 6 *Bras.* Grupo marginal organizado que age dentro da sociedade para fins ilícitos (falange vermelha) 7 *Bras. Rel.* Na umbanda, conjunto de entidades espirituais que constituem uma linha 8 *Gloss.* Língua secreta e de vocabulário reduzido, de origem banta, us. na região do Cafundó (Sorocaba, SP) [F.: Do lat. *phalanx, angis*, do gr. *phálanx, aggos*. Ideia de 'falange': *falang(i)-* (*falangiforme, falangose*).] ■ **~ distal** *Anat.* A terceira falange, na ponta de dedo ou artelho [Antes chamada *falangeta*.] **~ medial** *Anat.* A falange do meio, entre a proximal e a distal [Antes chamada *falanginha*.] **~ proximal** *Anat.* A primeira falange, articulada com o metacarpo na mão e com o metatarso no pé; primeira falange [Antes chamada apenas *falange*.] **Primeira ~** *Anat.* Ver *Falange proximal*

> 🕮 As falanges (ossos dos dedos das mãos e dos pés), na ordem de sua proximidade ao metacarpo ou metatarso, dividem-se em: falange (ou falange proximal), falanginha (ou falange medial) e falangeta (ou falange distal).

falangeta (fa.lan.*ge*.ta) [ê] *sf. Anat.* Parte do dedo em que está a unha: *Tinha um curativo na falangeta do dedo anular da mão esquerda.* [*Termo substituído por* falange distal.] [F.: *falange* + *-eta*.]

falanginha (fa.lan.*gi*.nha) *sf.* A seção intermediária do dedo: *A polegada chinesa equivale ao comprimento da falanginha do dedo medial da mão.* [*Termo substituído por* falange medial.] [F.: *falange* + *-inha*.]

falangista (fa.lan.*gis*.ta) *s2g.* 1 Membro de uma falange: *Ele é um antigo falangista espanhol.* 2 Membro do Partido Falangista do Líbano: *Para o porta-voz dos falangistas, a bomba que explodiu no prédio teria 200 quilos. a2g.* 3 Próprio dos falangistas espanhóis: *No filme, um soldado explode uma ponte falangista.* 4 Pertencente a ou próprio do Partido Falangista do Líbano: *Meu avô pertencia à Milícia Libanesa Falangista Cristã em 1982.* [F.: *falange* + *-ista*.]

falanstério (fa.lans.*té*.ri:o) *sm.* 1 Segundo as ideias do socialista utópico francês Charles Fournier (1772-1837), modelo ideal de convivência social harmônica, no qual casais se agrupam por afinidade de temperamento para morar em colônias onde trabalham no artesanato e na agricultura alternadamente, e desfrutam de plena liberdade sexual: *Em 1841, franceses inspirados em Fournier iniciam a construção de um falanstério.* 2 Lugar onde essa sociedade se estabelece; FALANGE [F.: Do fr. *phalanstère* 'id', cunhado ali por Charles Fournier, baseado em *phalange* 'falange'.]

falante (fa.*lan*.te) *a2g.* 1 Que fala (boneca falante) 2 Que fala em excesso ou é indiscreto 3 *Bras. Pop.* Que gosta muito de falar, que é comunicativo, extrovertido *s2g.* 4 *Ling.* Aquele que fala, o usuário da língua 5 Quem fala em excesso ou é indiscreto 6 *Ling.* Quem sabe falar determinada língua: *Meus filhos são falantes de espanhol.* [F.: *falar* + *-nte*. Ideia de 'falante': *-glota* (*poliglota*), *-loquo* (*ventríloquo*).] ■ **~ nativo** *Ling.* Aquele que aprendeu e usa determinada língua como sua língua materna

falar (fa.*lar*) *v.* 1 Usar a voz para articular palavras [*int.*: *Falou, falou e não disse nada.*] 2 Expressar(-se) por meio de palavras, oralmente ou por escrito [*td.*: *Em seu livro, só falou a verdade.*] [*int.*: *Esse menino tem três anos e ainda não fala*; (*tb. seguido de indicação de modo*) *Falou o tempo todo em alemão.*] [*tdi.* + *a, para*: *Vai falar tudo o que sabe ao/para o delegado.*] 3 *Fig.* Fazer(-se) entender, ser expressivo (de algo) [*td.*: *Seus olhos falavam o que a boca não conseguia expressar.*] [*tr.* + *de, sobre*: *Este livro fala de amor.*] 4 Conversar, comunicar(-se) por meio de palavras [*ti.* + *a*: *Preciso falar-lhe.*] [*tr.* + *com*: *Fala com ela todos os dias.*] 5 Expressar(-se), ou poder expressar(-se) oralmente ou por escrito, por meio de palavras de (uma certa língua) [*td.*: *Ela fala alemão desde criança.*] [*tdr.* + *com*: *Falava italiano com os turistas.*] 6 *Fig.* Manter relacionamento social [*tr.* + *com*: *Fez as pazes e voltou a falar com o amigo.*] 7 Contar, relatar (algo); discorrer ou conversar sobre (algo) [*td.*: *Falou que perdeu o ônibus, por isso se atrasou.*] [*tr.* + *de, em, sobre*: *A reportagem falava sobre as olimpíadas.*] 8 Mencionar [*tr.* + *em*: *Por falar em café, vamos até o bar?; Já que falou nele, tem alguma notícia?*] 9 Dizer coisas ruins sobre (algo ou alguém) [*tr.* + *de*: "Falam de mim, mas eu não ligo / Todo mundo sabe que sempre fui amigo." (Noel Rosa, Édem Silva, Aníbal SIlva, *Falam de mim*)] 10 *Bras.* Declarar [*td.*: *Falou que não iria, e não foi.*] [▶ 1 falar] [F.: Do lat. fam. *fabulare*, por *fabulari*. Hom./Par. *fala(s)* (fl.), *fala(s)* (sf.[pl.]); *falo* (fl.), *falo* (sm.); *falarás* (fl.), *falaraz* (sm.). Ideia de 'falar': *lalo-*, *-femi-*.] ■ **~ de** 1 Falar a respeito de, sobre 2 *Pop.* Falar mal de: *Falam muito dele, mas é tudo fofoca.* **~ grosso** 1 Demonstrar segurança ou autoridade; falar duramente 2 Bancar o corajoso, assumir ares de valente **~ mais alto** Prevalecer, sobrepor-se: *Na dúvida sobre o que fazer, falou mais alto a prudência.* **~ para dentro** 1 Sussurrar, falar baixinho, falar de forma não audível 2 Resmungar **~ sozinho** 1 Falar consigo mesmo 2 Não ser ouvido, não ter quem ouça o que está falando: *Percebeu, durante o debate, que estava falando sozinho.* **Falou!** 1 *Bras. Gír.* Us. como expressão de concordância, equivalente a 'É isso mesmo!'; 'está certo!' 2 Us. para agradecer, ou, por vezes, para responder gentilmente a agradecimento

falaraz (fa.la.*raz*) *sm. RS* Ruído de vozes; FALATÓRIO; FALAÇÃO; VOZERIO: "Começamos a ouvir o falaraz dos homens, assobios, risadas, picamento de lenha, uma rusga de cachorros." (Simões Lopes Neto, *Contos Gauchescos*) [F.: *fala* + *-r-* + *-az*.]

falario (fa.la.*ri*.o) *sm.* Falatório, tagarelice: "[...] com o falario araviado dos palhaços, cabriolando aos trambolhões e taponas, no alto de um estrado [...]." (Coelho Neto, *Vesperal*) [F.: *fala* + *-r-* + *-io*.]

falastrão (fa.las.*trão*) *a.* 1 Que fala muito, muitas vezes sem atentar para possíveis consequências *sm.* 2 Pessoa que fala muito; PROLIXO; VERBORRÁGICO [Pl.: *-ões*. Fem.: *-ona*.] [F.: *falar* + *-astro*² + *-ão*¹.]

falatório (fa.la.*tó*.ri:o) *sm.* 1 Ruído de vozes de várias pessoas falando simultaneamente: *Com esse falatório é impossível estudar.* 2 Boato sem fundamento, maledicência, mexerico: *Decidiu não se preocupar com o falatório sobre o seu casamento.* 3 Fala (4) longa e inoportuna: *Não aguentava mais o falatório da vizinha.* 4 Qualquer conversação sem importância: *Ficaram horas num falatório sobre novelas.* 5 Lugar próprio dele se falar ou para nele pessoas se falarem; LOCUTÓRIO; PARLATÓRIO [F.: *falar* + *-tório*.]

falaz (fa.*laz*) *a2g.* 1 Que engana, mente, frauda: *Deixou-se iludir por um falaz vendedor.* [Ant.: *honesto, sincero*.] 2 Que ilude; ENGANOSO; FALSO: "Mas se ele tinha visto, que diabo!... Pois sim, talvez, mas com os olhos falazes da fantasia" (Eça de Queirós, *Os Maias*) [Superl.: *falacíssimo*.] [F.: Do lat. *fallax, acis*.]

falcão (fal.*cão*) *sm.* 1 *Zool.* Denominação comum a diversas espécies de aves de rapina da família dos falconídeos, esp. aquelas do gên. *Falco*, de asas finas e pontiagudas que proporcionam um voo de velocidade facilitando a caça de suas presas no ar, com suas garras. Vivem geralmente em ambientes abertos [No Brasil, inclui-se o gavião.] 2 Antiga peça de artilharia de cano longo e pequeno calibre 3 *Her.* Móvel de armaria representado por um falcão com as asas levantadas [Pl.: *-cões*.] [F.: Do lat. *falco, onis*.]

falcão-peregrino (fal.cão-pe.re.*gri*.no) *sm.* Ave de rapina (*Falco peregrinus*) de 50 cm de altura com 1,20 m de envergadura, de coloração cinza-azulada em sua parte superior, e na inferior, branca borrada de preto: *O falcão-peregrino provém da América do Norte, de onde foge do inverno boreal.* [Pl.: *falcões-peregrinos*.]

falcatrua (fal.ca.*tru*.a) *sf.* Ação desonesta feita para enganar, iludir, ludibriar alguém: "Rosa era... muito fina; falcatruas arranjadas por ela produziam sempre bom resultado" (Aluísio Azevedo, *Girândola*) [F.: De or. contrv.]

falcatruar (fal.ca.tru.*ar*) *v. td.* Ludibriar (alguém) com falcatrua; fazer falcatrua [▶ 1 falcatruar] [F.: *falcatrua* + *-ar*².]

falcatrueiro (fal.ca.tru:*ei*.ro) *sm.* 1 Pessoa dada a falcatruas; EMBUSTEIRO; IMPOSTOR: "Antes de partir, ao que se sabe, municiou-se o falcatrueiro largamente de dinheiro." (Paulo Setubal, *Os Irmãos Lemes*) *a.* 2 Que é dado a falcatrua: Refiro-me a um exercício de poder intencionalmente falcatrueiro e intencionalmente desonesto, sob a capa da legalidade. [F.: *falcatrua* + *-eiro*.]

◎ **falci-** *el. comp.* = foice: *falcifoliado, falciforme, falcípede*

falciforme (fal.ci.*for*.me) *A2g.* 1 Que tem a forma de foice 2 *Med. Pat.* Próprio de portador de hemoglobina geneticamente determinada em forma de foice e consistência anormalmente rígida, o que dificulta sua circulação pelos vasos sanguíneos (doença/anemia falciforme) [F.: *falci-* + *-forme*.]

falco (*fal*.co) *sm. Zool.* Gênero de falcões entre os quais se insere o falcão-peregrino [F.: Do lat *falco, -onis* 'falcão', pelo nominativo.]

falcoar (fal.co.*ar*) *v. td.* Perseguir (caça) com falcão [▶ 16 falc**oar**] [F.: *falcão* + *-ar²*. Hom./Par.: *falcoaria(s)* (fl), *falcoaria* (sf. e pl.).]

falcoaria (fal.co:a.*ri*.a) *sf.* 1 Conjunto de técnicas sobre o adestramento de falcões para a caça: *Em Portugal, a falcoaria conheceu períodos de grande esplendor durante a Idade Média.* 2 Lugar onde se criam ou se alojam os falcões treinados 3 caçada com falcões [F.: De falcão sob a f. rad. *falco(n)-* (< lat. *falconem*) + *-aria*.]

falcoeiro (fal.co:*ei*.ro) *sm.* Pessoa que cria, trata ou treina falcões: *O falcoeiro escreveu um livro sobre doenças dos falcões e seus respectivos tratamentos.* [F.: De *falcão* sob a f. rad. *falco(n)-* (< lat. *falconem*) + *-eiro*.]

falda (*fal*.da) *sf.* 1 Parte localizada na base da montanha, morro etc.; SOPÉ 2 Parte inferior da peça de vestuário masculino ou feminino; ABA; FRALDA 3 Parte lateral; FLANCO; LADO: "a cabeça furtada, reentrada até o centro dos grossos nós escuros, apoiada numa falda do tronco" (Guimarães Rosa, *"Bicho mau", in Estas estórias*) [F.: Do frânc. **falda*, 'peças de roupa feminina que caem sem encostar no corpo'; 'dobra', posv.]

falecer (fa.le.*cer*) [ê] *v.* 1 Deixar de viver; perder a vida; MORRER [*int.*: *Manuel Bandeira faleceu aos 84 anos.*] 2 Não existir; acabar-se [*int.*: *Naquele trecho falecem as plantas.*] 3 *Ant.* Faltar, escassear; falhar [*ti.* + *a*: "... falece-nos a fúria da erudição." (Alexandre Herculano, *O bobo*)] 4 *Ant.* Não ter; carecer [*tr.* + *de*: *Do que mais faleço agora é de alegria; Seu trabalho falece de eficiência.*] [▶ 33 fale**cer**] [F.: Do lat. vulg. **fallescere*, de *fallere*, 'enganar', 'evitar'; 'faltar'; 'acalmar', 'aliviar'.]

falecido (fa.le.*ci*.do) *a.* 1 Que faleceu, morreu: *Tinha saudades do falecido mestre.* 2 Que precisa de algo: *Um campo ralo, falecido de ervas de bom pasto* ***sm.*** 3 Quem já morreu: *O falecido não deixou herdeiros.* 4 Quem precisa de algo [F.: Part. de *falecer*.]

falecimento (fa.le.ci.*men*.to) *sm.* 1 Ação ou resultado de falecer; MORTE; ÓBITO 2 Falta, carência (falecimento de ânimo, de forças) [F.: *falecer* + *-imento*.]

falência (fa.*lên*.ci:a) *sf.* 1 Perda das condições de continuidade dos negócios de empresa ou pessoa por falta de dinheiro para pagar os credores; QUEBRA: *Sem recursos a firma entrou em falência.* 2 *Jur.* Execução do devedor (pessoa ou empresa) decretada pela justiça para permitir o pagamento das dívidas ou parte delas aos credores: *O juiz decretou a falência da firma.* 3 *Med.* Interrupção do funcionamento normal de um ou vários órgãos (falência renal) 4 *P.ext.* Engano, falha, omissão: *As falências encontradas no livro são fáceis de corrigir.* 5 Falta, carência, falecimento (2) [F.: Do lat. tard. *fallentia*, ou *falir* + *-ência*.] ■ **~ extrajudicial** *Jur.* Processo de liquidação de bancos, requerido ao Banco Central **~ fraudulenta** *Jur.* Tentativa, por meio de fraude, de configurar falência para não ter de pagar a credores **~ póstuma** *Jur.* A que decorre de impossibilidade de liquidação de dívidas de espólio de devedor falecido

falésia (fa.*lé*.si:a) *sf. Geog.* Relevo escarpado à beira-mar constituído por rochas ou terra *Lus;* ARRIBA [F.: Do fr. *falaise*.]

falha (*fa*.lha) *sf.* 1 Imperfeição na realização de algo, ou no resultado dessa realização; DEFEITO; FALTA: "Vivia brigando com o diretor (...) pelas falhas do serviço..." (Marques Rebelo, *Marafa*) 2 Imperfeição física ou moral (falha de caráter) 3 Lasca ou fenda em qualquer objeto (falha na madeira) 4 Falta de algum elemento ou espaço vazio numa sequência ou conjunto: *falha na numeração das páginas.* 5 Omissão, não inclusão do que devia estar incluso (falha na legislação); LACUNA 6 Mau funcionamento: *falha da circulação sanguínea do cérebro.* 7 *Geol.* Fenda, rachadura entre blocos de uma rocha decorrente do seu deslocamento em razão dos movimentos tectônicos 8 *S.* Interrupção de viagem [F.: Do lat. vulg. **fallia*, com prov. influência do fr. *faille*. Hom./Par.: *falha* (sf.), *falha* (fl.de *falhar*).] ■ **Estar de ~** Ser recebido para pernoite na casa de alguém

falhado (fa.*lha*.do) *a.* 1 Que apresenta falhas 2 Que tem fendas, rachaduras (rochas falhadas) 3 Que falhou; que não teve sucesso (ataques falhados); MALOGRADO; FRUSTRADO 4 *Bras.* Que não emprenhou, apesar da cobertura (diz-se de animal fêmea) ***sm.*** 5 *Fig.* Pessoa que não obteve êxito na vida: "Aquilo, que se julgara ser o movimento forte de uma nação, era apenas o despeito ou a manha ou a ilusão de alguns falhados." (Eça de Queirós, *Cartas familiares*) [F.: Part. de *falhar*.]

falhar (fa.*lhar*) *v.* 1 Não dar certo, frustrar-se, malograr-se [*int.*: *Desta vez, o plano dos sertanistas não falhará.*] 2 Deixar de funcionar ou funcionar mal [*int.*: *Minha caneta falhou no momento da assinatura; O motor da geladeira está falhando.*] 3 Não cumprir, não corresponder a (confiança, expectativa etc.) [*ti.* + *a.*, *com*: *Falhou à promessa de sair comigo.*] 4 Deixar de ocorrer, ou não ocorrer como esperado [*int.*: *O tiro falhou.*] 5 Não acertar [*int.*: *As previsões da cartomante falharam.*] [*tr.* + *em*: *A cartomante falhou nas previsões do ano passado.*] 6 Fender, rachar [*td.*: *Falhou a pedra com o martelo.*] 7 Dar em falso [*int.*: *A intuição dela não falha.*] 8 Sofrer quebra no peso ou na medida [*int.*: *A safra de soja falhou.*] 9 Sofrer quebra no peso ou na medida esperados (de um trabalho, uma produção etc.) [*ta.*: *Quando a noite chegou, falharam em uma hospedaria.*] [▶ 1 fal**har**] [F.: *falha* + *-ar²*. Hom./Par.: *falha(s)* (fl.), *falha(s)* (sf.[pl.]); *falho* (fl.), *falho* (a.).]

falho (*fa*.lho) *a.* 1 Que falhou, que não deu certo; FALHADO: *O projeto foi bom, a realização, falha.* 2 Que tem falha ou em que há falha, lacuna, fenda etc. (bigode falho); FALHADO 3 Que é desprovido de algo: *O treinamento foi falho, faltou empenho e constância.* 4 Diz-se de moeda que não tem o peso devido ou está fendida 5 *Lud.* Que tem poucas cartas de um naipe: *Estou muito falho em espadas.* 6 *Psic.* Ver *ato falho*, no verbete *ato* [F.: De *falha*. Hom./Par.: *falho* (a.), *falho* (fl. de *falhar*).]

falibilidade (fa.li.bi.li.*da*.de) *sf.* Qualidade ou condição do que é falível, do que pode falhar (falibilidade humana) [Ant.: *infalibilidade*.] [F.: *falível* (sob o rad. *falibil-*) + *-(i)dade*, seg. o mod. erudito.]

fálico (*fá*.li.co) *a.* 1 Ref. ao falo ou que se assemelha a ele (símbolo fálico; forma fálica) 2 Ref. ao culto do falo como elemento simbólico de poder, potência etc. [F.: Do gr. *phallikós, é, ón*.]

falido (fa.*li*.do) *a.* 1 *Jur.* Que faliu; que abriu falência (comerciante falido) 2 Ref. à falência (massa falida) 3 *Fig.* Que não teve sucesso (casamento falido); FRACASSADO ***sm.*** 4 *Jur.* Quem faliu ou abriu falência: *O falido teve os bens penhorados.* [F.: Part. de *falir*.]

falimentar (fa.li.men.*tar*) *a2g. Jur.* De ou relativo à falência (direito falimentar); FALENCIAL [F.: *falimento* + *-ar¹*.]

falir (fa.*lir*) *v.* 1 *Jur.* Deixar de pagar aos credores, não ter recursos (pessoa ou estabelecimento etc.) para pagar a quem deve; declarar judicialmente falência [*int.*: *Se não der lucro, a empresa logo irá falir.*] 2 *Fig.* Faltar, minguar; FRACASSAR [*int.*: *As conversações de paz faliram.*] 3 *Fig.* Faltar, minguar [*ti.* + *a*: *O fôlego do nadador lhe faliu a poucos metros da praia.*] [*int.*: *A tranquilidade da aeromoça raramente falia.*] 4 *Med.* Deixar de funcionar (órgão do corpo) ou funcionar insuficientemente [*int.*: "...não apenas a morte cerebral já se consumou, mas também os principais órgãos faliram." (*Época on-line*, 01.08.2008)] [▶ 59 fa**lir**] [F.: Do lat. *fallere*.]

falível (fa.*lí*.vel) *a2g.* 1 Que pode falhar ou faltar, deixar de executar uma função ou cumprir uma tarefa: *A memória é falível.* 2 Passível de falha, engano ou erro (análise falível) [Pl.: *-veis*. Superl.: *falibilíssimo*.] [F.: *falir* + *-vel*. Ant. ger.: *infalível*.]

falo (*fa*.lo) *sm.* 1 Representação do pênis como símbolo da fecundidade 2 *Anat.* O pênis 3 *Emb.* O órgão (no feto) ainda não sexualmente diferenciado que dá origem ao pênis ou ao clitóris [F.: Do gr. *phallós*, pelo lat. *phallus*. Hom./Par.: *falo* (sm.), *falo* (fl. de *falar*).]

falocêntrico (fa.lo.*cên*.tri.co) *a.* 1 Que está centrado no falo 2 Em que há convicção da superioridade do sexo masculino: *As pesquisadoras encontraram evidências falocêntricas em discursos tidos como progressistas.* [F.: *falo* + *-cêntrico*.]

falocentrismo (fa.lo.cen.*tris*.mo) *sm.* Postura, convicção ou comportamento baseados na ideia da superioridade masculina, simbolizada no falo [F.: *falo* + *centrismo*.]

falocracia (fa.lo.cra.*ci*.a) *sf.* Doutrina ou crença de que o poder político-econômico é dos homens [F.: *falo* + *-cracia*.]

falocrático (fa.lo.*crá*.ti.co) *a.* De ou pertencente à falocracia [F.: *falo* + *-crático*.]

falou (fa.*lou*) *interj. Pop.* Expressão que indica concordância com opinião expressa pelo interlocutor ou aceitação de ordem dada por este [F.: De *falar* (na 3ª pess. sing. do pret. perf. do ind.).]

falquejar (fal.que.*jar*) *v. td.* 1 Aplainar ou desbastar (madeira) 2 Esquadriar (tronco ou tora de madeira) com enxó ou machado 3 Colocar cunha em [▶ 1 falque**jar**] [F.: *falca* + *-ejar*.]

falsário (fal.*sá*.ri:o) *a.* 1 Que elabora documentos, notas etc. falsos: *Se é escrivão, então é um escrivão falsário.* 2 *Jur.* Que jura em falso, que dá falso-testemunho ***sm.*** 3 Quem elabora documentos, notas etc. falsos: *Um falsário está agindo na cidade.* 4 *Jur.* Indivíduo que falta a juramento ou promessa [F.: Do lat. *falsarius*. Sin. ger.: *falsificador*.]

falseamento (fal.se:a.*men*.to) *sm.* Ação ou resultado de falsear; ADULTERAÇÃO; DISTORÇÃO: *Exemplos do falseamento de informações por parte da mídia.* [F.: *falsear* + *-mento*.]

falsear (fal.se.*ar*) *v.* 1 Tornar falso, criar versão falsa de (algo autêntico, verdadeiro); ADULTERAR; FALSIFICAR [*td.*: *Falseavam quadros famosos; falsear os fatos.*] 2 Adulterar, deturpar [*td.*: *Falseou vários documentos.*] 3 Induzir (alguém) em logro; enganar; atraiçoar [*td.*: *Falseou o próprio amigo.*] 4 Apoiar (o pé) sem firmeza, em falso [*td.*: *Falseou o pé quando subia a escada e caiu.*] 5 Pisar em falso [*int.*: *O pé falseou e ele caiu.*] 6 Tirar a virtude a (algo); desvirtuar [*td.*: *As instituições são muitas vezes boas, os homens é que as falseiam.*] 7 Romper, falsar [*td.*: *falsear um escudo de defesa.*] 8 *Mús.* Dar tom desafinado ou de falsete a (voz emitida) [*td.*] 9 Tornar inútil (ação, esforço, intenção etc.), frustrar, baldar [*td.*] [▶ 13 fals**ear**] [F.: *falso* + *-ear²*.]

falseta (fal.*se*.ta) [ê] *sf. Bras. Pop.* Falsidade, atitude ou ação desleal: *Fez-lhe a falseta de contar a todos o segredo que ele lhe confiara.*: "Só tenho medo de falseta / Mas adoro a Julieta/ Como adoro o papai do céu..." (Geraldo Pereira, *Bolinha de papel*) [F.: *falso* + *-eta* (ê). Hom./Par.: *falseta* (ê) (sf.), *falsete* (ê) (sm.).]

falsete (fal.*se*.te) [ê] *sm.* 1 *Mús.* Voz masculina emitida de modo que as cordas vocais têm a área de vibração reduzida, o que torna a voz mais aguda, próxima dos registros femininos: *Alguns cantores de rock usam o falsete.* 2 Quem tem a voz de falsete ou canta com essa voz 3 Voz fina e esganiçada [F.: Do it. *falsetto*. Hom./Par.: *falsete* (ê) (sm.), *falseta* (ê) (sf.]

falsidade (fal.si.*da*.de) *sf.* 1 Característica, qualidade ou condição do que não é verdadeiro, do que não é autêntico (falsidade do documento) 2 Atitude de fingimento; deslealdade; HIPOCRISIA: *Seu apoio é apenas falsidade.* [Ant.: *lealdade*.] 3 Calúnia, mentira, difamação: "Luís? Eu lhe suplico! Diga que é uma falsidade!" (José de Alencar, "As asas de um anjo", *in Novas Seletas*) [Ant.: *verdade*.] 4 *Jur.* Atitude criminosa diante da fé pública, que visa prejudicar outrem modificando de modo intencional a verdade [F.: Do lat. tard. *falsitas, atis*.] ■ **~ ideológica** *Jur.* Crime de usar de (em declaração, documentação etc.) afirmação falsa, ou de omitir ou adulterar fatos ou dados necessários à idoneidade dos mesmos; falsidade intelectual **~ intelectual** *Jur.* Ver *Falsidade ideológica*

falsificação (fal.si.fi.ca.*ção*) *sf.* 1 Ação ou resultado de falsificar 2 Adulteração de um objeto (falsificação de moedas); FRAUDE 3 Objeto falsificado; IMITAÇÃO: *Esse perfume é uma falsificação.* [Pl.: *-ções*.] [F.: *falsificar* + *-ção*.] ■ **~ retrospectiva** *Psiq.* Lembrança inconscientemente distorcida de fatos passados para que se ajustem às necessidades psíquicas e emocionais do presente

falsificado (fal.si.fi.*ca*.do) *a.* Que é falso ou que se falsificou (dinheiro falsificado); INAUTÊNTICO [F.: Do lat. *falsificatus*, ou part. de *falsificar*.]

falsificador (fal.si.fi.ca.*dor*) [ô] *a.* 1 Que faz falsificação ***sm.*** 2 Quem faz falsificação [F.: *falsificar* + *-dor*. Sin. ger.: *falsário*.]

falsificar (fal.si.fi.*car*) *v. td.* 1 Imitar ou adulterar como fraude; dar aparência de algo bom, legítimo a (o que não o é); FALSEAR: *falsificar um quadro/ um documento/ um anel de brilhantes/uísque.* 2 Dar falsa interpretação a (fato, acontecimento histórico etc.); dar ou referir como verdadeiro (o que não o é): *O livro falsificava os fatos históricos;* "Essa insinuação do meu difamador alude a certa frase de um discurso meu na Bahia, que ele falsifica." (Rui Barbosa, *Esfola da calúnia*) [▶ 11 falsifi**car**] [F.: Do lat. medv. *falsificare*. Hom./Par.: *falsifica* (fl.), *falsífica* (fem. de *falsífico*); *falsificáveis* (fl.), *falsificáveis* (pl. de *falsificável*); *falsifico* (fl.), *falsífico* (a.).]

falsificável (fal.si.fi.*cá*.vel) *a2g.* Que pode ser falsificado; que é passível de falsificação (assinatura falsificável) [Ant.: *infalsificável*] [Pl.: *-veis*.] [F.: *falsificar* + *-vel*. Hom./Par.: *falsificáveis* (pl.), *falsificáveis* (fl. de *falsificar*).]

falso (*fal*.so) *a.* 1 Que não é autêntico (dinheiro falso, falsa autoria) 2 Que não corresponde à verdade ou à realidade: *Era falsa a notícia da separação.* [Ant.: *verdadeiro*.] 3 Que é desleal, fingido: *O falso amigo não demorou a sumir.* 4 Que se faz passar por outrem, que é impostor: *O falso médico atendia em sua casa todos os dias.* 5 Que sofreu falsificação (2); FALSIFICADO: *O documento falso foi aceito como legítimo.* 6 Que é artificial (unhas falsas) 7 Em que há mentira, fingimento, dolo (juramento falso) 8 Que não é exato; ERRADO; INEXATO: *É falso que tenha nascido no Brasil, na verdade chegou aqui ainda criança.* 9 Que parece real mas não é (forro falso, parede falsa); ENGANOSO ***sm.*** 10 O que é falso: *Custa às vezes distinguir o falso do verdadeiro.* 11 Pessoa falsa (3 e 4) 12 *Pop.* Mentira, calúnia, falsidade [F.: Do lat. *falsus*. Ideia de 'falso': *not (o)-³* (*notofago*), *pseud(o)-* (*pseudofruto*).] ■ **Em ~** 1 Equivocado, desastrado (diz-se de *passo*, no sentido de ação, medida): *Essa decisão foi um passo em falso da diretoria.* 2 De maneira falha, de mau jeito, por isso em vão, sem o efeito pretendido: *Pisou em falso e torceu o pé; Na lama, as rodas giravam em falso.* **Envidar de ~** Oferecer algo como cortesia formal, sem real ou sincera intenção

falso-rosto (fal.so-*ros*.to) *Bibl. sm.* 1 A primeira folha de um livro antes da folha de rosto, onde ger. se estampa apenas o título da obra: *O livro tem um carimbo de grande dimensão no falso-rosto e assinatura na folha de rosto.* 2 Informação impressa na primeira página de um livro (via de regra somente o título da obra) [Pl.: *falsos-rostos*.] [Sin. ger.: *anterrosto*.]

falta (*fal*.ta) *sf.* 1 Ação ou resultado de faltar: *Neste bairro há muita falta de água.* 2 O fato de não existir (falta de talento/de conhecimento); INEXISTÊNCIA 3 Falta de comparecimento; o fato ou a condição de (algo ou alguém) não estar onde deveria, ou onde se esperava ou gostaria que estivesse: *Todos sentiram a sua falta.* 4 Carência, privação (falta de vitaminas/de disposição) [Ant.: *excesso, abundância*.] 5 Engano, erro: *Cometi a falta por não ter lido o regulamento.* 6 *P.ext. Esp.* Infração, transgressão à regra, esp. quando se atinge jogador adversário: *O jogador cometeu três faltas.* 7 *Fig. Esp.* Chute, arremesso livre ou outro tipo de jogada que o adversário ganha em decorrência da falta (6) 8 Pecado, culpa: *pedir perdão pelas nossas faltas.* 9 Morte, falecimento: *Apesar do tempo, ainda sente muito a falta dos pais.* 10 Desvio, imperfeição ética: *Entre as suas faltas não consta a desonestidade.* 11 *Jur.* Ação ou omissão, voluntária ou não, que resulta no não cumprimento de uma norma legal ou contratual: *Recebeu a multa por falta prevista no contrato.* [F.: Do lat. *fallita*, de *fallitus*, por *falsus*, part. de *fallere* 'enganar'. Hom./Par.: *falta* (fl. de *faltar*).] ▪▪ **Bater/cobrar ~** *Esp.* Chutar (no futebol) ou lançar (em basquete, andebol etc.) bola parada como penalidade por infração cometida por adversário. **~ de ar** Dificuldade respiratória; dispneia **~ dupla** *Basq.* Falta cometida recíproca e simultaneamente por dois jogadores adversários **~ pessoal** *Basq.* Infração cometida contra um jogador adversário **~ técnica** *Esp.* Falta disciplinar que, a seu critério, o juiz de uma partida pode aplicar a jogador, técnico, ou torcida **Sem ~** Certamente, infalivelmente: *Estarei lá às dez, sem falta.*

faltante (fal.*fan*.te) *a2g.* **1** Que está faltando ou está ausente: *Após a discussão sobre o parágrafo faltante, surgiram novos problemas.* **2** Que ainda resta a cumprir: *Numa rescisão, o empregador paga metade da remuneração do tempo faltante para o término do contrato de trabalho.* *s2g.* **3** Pessoa ou coisa que está faltando: *A falta injustificada sujeitará o faltante à multa fixada* [F.: *faltar* + *-nte*.]

faltar (fal.*tar*) *v.* **1** Ocorrer ausência, necessidade, carência de; deixar de haver; não existir [*ti.* + *a*: *Faltava ânimo ao atleta*] [*int.*: *Na hora de pular, faltou coragem.*] **2** Não comparecer [*tr.* + *a*: *Faltou ao encontro com o sócio.*] [*int.*: *Faltou no dia em que faria a prova.*] **3** *Fig.* Estar ausente; sumir; falecer [*ti.* + *a*: *Faltou-me o pai quando eu mais precisava dele.*] [*int.*: *O pai faltou quando o filho ainda era criança.*] **4** Não cumprir; FALHAR [*tr.* + *a*, *com*: "Mas faltou à promessa e não foi à casa deles..." (França Júnior, *Os dois irmãos*)] [*int.*: *Disse que cumpriria a promessa, e não faltou.*] **5** Não socorrer; deixar de acudir; desamparar [*ti.* + *a*: *Quando precisou, os amigos lhe faltaram.*] **6** Ser preciso e indispensável (para se atingir um ponto, um momento, uma quantidade etc.) [*tr.* + *para*: *Ainda faltam dez minutos para começar o jogo; Faltam três para uma dúzia.*] **7** Ser necessário [*ti.* + *a*: *O que falta a seu irmão é um bom amigo.*] **8** Não dar, não apresentar ou não fazer no momento apropriado [*tir.* + *a*, *com*: *Faltou-lhe com uma explicação convincente.*] **9** Estar ainda por fazer ou acontecer [*int.*: *Falta agora ela querer me abandonar; Ainda falta alguém chegar?*] [*td.*: *Só faltei implorar desculpas.*] [*ti.* + *a*: *Só faltou-me implorar desculpas.* Nesta acp., faltar sempre ocorre combinado com um infinitivo.] **10** Falhar, escapar; não se manifestar [*ti.* + *a*: *De tão emocionada, a voz lhe faltou; As pernas lhe faltaram e ela desmaiou.*] **11** Iludir, enganar, atraiçoar [*ti.* + *a*: *O falso líder faltou aos seus seguidores.*] [▶ 1 faltar] [F.: *falta* + *-ar*². Hom./Par.: *falta(s)* (fl.), *falta(s)* (sf.[pl.]); *falto* (fl.), *falto* (a.).] ▪▪ **~ pouco para** Faltar pouco tempo para; estar a ponto de: *Falta pouco para o trem partir; Fiquei muito irritado, faltou pouco para eu ir embora.*

falto (*fal*.to) *a.* **1** Que precisa, que carece de algo (falto de recursos); CARENTE; NECESSITADO [Ant.: *abundante*, *provido*.] **2** Que não tem, que perdeu ou está privado de alguma coisa (falto da audição, falto de ideais); DESPROVIDO [F.: Forma contrata de *faltado*, part. de *faltar*. Hom./Par.: *falto* (a.), *falto* (fl. de *faltar*).]

faltoso (fal.*to*.so) [ô] *a.* **1** Que faltou, que não compareceu (eleitor faltoso) **2** Que falta com frequência, que nunca ou quase nunca comparece (aluno faltoso) [Ant.: *assíduo*.] **3** Que comete ou cometeu falta (jogador faltoso) **4** *Esp.* Em que há falta (5) (jogada faltosa) [Fem. e pl.: [ó].] [F.: *faltar* + *-oso*.]

falua (fa.*lu*.a) *sf.* **1** Embarcação de duas velas, para águas pouco profundas, das proporções de uma fragata média habitualmente destinada mais ao transporte de mercadorias do que de pessoas [O voc. é mais comum em Portugal do que no Brasil.] **2** Embarcação a velas usada no rio Tejo, que se emprega na descarga dos navios que frequentam o porto [F.: Posv. do espn. *falúa*, este, do árabe *falûwa* 'potranca' p.ext. 'pequena embarcação de carga'.]

fama (*fa*.ma) *sf.* **1** Opinião pública, boa ou má, sobre algo ou alguém; REPUTAÇÃO: *Tinha fama de bom jogador; Era um clube de má fama.* **2** Condição do que é conhecido por muita gente; NOTORIEDADE: *Na carreira buscava o sucesso e a fama.* [F.: Do lat. *fama*.] ▪▪ **De ~** Famoso, célebre, notável; de renome **Levar ~ sem proveito** Levar culpa pelo que não fez

famanaz (fa.ma.*naz*) *a2g.* **1** Muito famoso por seu valor, proezas e influência; FAMIGERADO: "Acabou-se o boi de fama / O corredor famanaz / Outro boi como o Rabicho / Não haverá nunca mais." (José de Alencar, *O cancioneiro popular*): "... sempre havia bandos pastoris, congadas e baiões com violeiros famanazes." (Coelho Neto, *Trova*) **2** Pessoa muito famosa por seu valor, proezas e influência: "E o certo é que o famanaz do pilhante nunca mais logrou volver ao teatro das suas glórias oficiais." (Rui Barbosa, *apud Vocabulário Pernambucano* de Pereira da Costa) [F.: Superl. anômalo de *fama* 'pessoa de grande fama', segundo *Dicionário Pernambucano*, de Pereira da Costa, no verbete *'Fama'*.]

famélico (fa.*mé*.li.co) *a.* **1** Que tem (muita) fome; FAMINTO **2** *Fig.* Que nunca se satisfaz: "...e com a ânsia mais famélica (...) de Angélica (...) amante, marido e escravo." (Antonio Feliciano de Castilho, *Doente de cisma*) [F.: Do lat. *famelicus*.]

famigerado (fa.mi.ge.*ra*.do) *a.* **1** *Pej.* Que tem má fama: *Declarou guerra ao famigerado bandido.* **2** Cuja fama é notável; que tem muita fama; AFAMADO; FAMOSO: "(...) o que eu queria uma hora destas era ser famigerado – bem famigerado, o mais que pudesse!" (João Guimarães Rosa, *Primeiras estórias*) [F.: Do lat. *famigeratus*.]

famígero *a.* Afamado, célebre (famígeras façanhas); FAMIGERADO: "Também te aprompta a montuosa Nersas / Famígero e pugnaz, próspero Ufente" (Virgílio, *Eneida*, trad. de Odorico Mendes) [F.: Do lat. *famiger, eri*.]

família (fa.*mí*.li:a) *sf.* **1** Grupo de pessoas que têm parentesco próximo entre si (esp. pai, mãe e filhos) e que vivem na mesma residência, seu lar **2** Grupo de pessoas que têm relações de parentesco, inclusive as adquiridas (por casamento, adoção etc.) **3** Grupo de pessoas que se originam dos mesmos ascendentes; DESCENDÊNCIA; LINHAGEM **4** *Biol.* Uma das classificações científicas dos organismos animais, vegetais ou minerais, constituída por vários gêneros que possuem muitas características comuns (família das leguminosas) **5** Grupo de pessoas que têm afinidade entre elas por manterem interesses, funções, objetivos etc. comuns (família militar, família vascaína) **6** *Ling.* Conjunto de vocábulos que têm a mesma origem (família de palavras) **7** *Ling.* Grupo de línguas que derivam de um tronco comum (família indo-europeia) **8** Grupo de coisas que têm características comuns: *Esse material é da família dos metais.* **9** *Art. gr.* Conjunto de tipos que apresentam as mesmas características básicas de desenho **10** *Quím.* Ver *grupo* **11** *Soc.* Grupo de indivíduos que são ou se consideram consanguíneos uns dos outros ou por descendência comum ou por adoção [F.: Do lat. *familia*.] ▪▪ **A Santa ~** *Art.pl. Rel.* Representação artística de Maria, José e o menino Jesus; Sagrada Família **Em ~** Na intimidade do grupo familiar, ou em ambiente privado, na companhia de pessoas próximas, entre as quais não há motivos para sentimentos de embaraço, vergonha, constrangimento **~ conjugal** *Antr.* Ver *Família de procriação* **~ de orientação** *Antr.* A família elementar em relação a filho ou filha dessa família **~ de palavras** *Ling.* Ver *Família etimológica* **~ de procriação** *Antr* A família elementar em relação a pai ou mãe dessa família; família conjugal **~ elementar** *Antr.* Núcleo familiar formado pelos pais e pelos filhos; família nuclear **~ etimológica** *Ling.* Grupo de palavras que têm raiz comum; família de palavras; família léxica **~ extensa** *Antr.* Família composta da associação de famílias elementares, segundo determinados critérios em uma sociedade, mas que podem variar de sociedade para sociedade **~ ideológica** *Ling.* Grupo de palavra de mesmo significado ou de significados análogos [Ex.: *abrupto súbito, repentino* e também *abrupto, escarpado, íngreme*.] **~ léxica** *Ling.* Ver *Família de palavras* **~ linguística** *Ling.* Grupo de línguas que derivam de uma língua ancestral comum **~ natal** *Antr.* Ver *Família de orientação* **~ nuclear** *Antr.* Ver *Família elementar* **~ radioativa** *Fís.nu.* Série de nuclídeos radioativos, na qual cada um se forma com a desintegração espontânea do nuclídeo precedente na série **Sagrada ~** Ver *A Santa Família* **Ser ~** Ter comportamento ou temperamento pacato, honesto, recatado: *Comporte-se com ela, ela é muito família*

familial (fa.mi.li:*al*) *a2g.* Ref. a família; FAMILIAR [Pl.: *-ais*.] [F.: *família* + *-al*¹.]

familiar (fa.mi.li:*ar*) *a2g.* **1** Que diz respeito a família **2** Que já é habitual; conhecido, com que já se está habituado: *Encontrou no álbum rostos familiares.* [Ant.: *estranho*.] **3** Que é da família ou é considerado parte dela: "Essa dedicação (...) a um homem que não era familiar da casa, nem velho amigo, nem parente (...) não era explicável." (Machado de Assis, *Quincas Borba*) **4** Que não tem afetação (estilo familiar) **5** Que tem familiaridade; que está acostumado a [+ *a*: *Era familiar às obras de arte.*] **6** *Ling.* Que ocorre em situação de informalidade, entre familiares ou pessoas íntimas, com uso frequente de diminutivos, aumentativos, gírias etc. (diz-se de linguagem, estilo, palavra etc.) *s2g.* **7** Pessoa da família: *Apresento-lhes os meus familiares.* **8** Servo, criado, fâmulo **9** *Rel.* Companheiro de comunidade religiosa [F.: Do lat. *familiaris, e*.] ▪▪ **~ do Santo Ofício** Funcionário em processo da Inquisição

familiaridade (fa.mi.li:a.ri.*da*.de) *sf.* **1** Qualidade, característica ou condição do que é familiar **2** Grande conhecimento sobre algo [+ *com*: *Demonstrou grande familiaridade com os pressupostos lacanianos.*] **3** Experiência hábil; PRÁTICA [+ *com*: *Tem grande familiaridade com o produto.*] **4** Atitude que denota informalidade, intimidade, descontração, falta de cerimônia [+ *com*: *Agradou-lhes a familiaridade com que foram recebidos.*] [F.: Do it. *familiaritate*.]

familiarização (fa.mi.li:a.ri.za.*ção*) *sf.* Ação ou resultado de familiarizar(-se) [Pl.: *-ções*.] [F.: *familiarizar* + *-ção*.]

familiarizado (fa.mi.li:a.ri.*za*.do) *a.* **1** Que se familiarizou; ACOSTUMADO; HABITUADO **2** Tornado comum, divulgado; DIFUNDIDO [F.: Part. de *familiarizar*.]

familiarizar (fa.mi.li:a.ri.*zar*) *v.* **1** Tornar(-se) familiar, íntimo em relação a um grupo, a atividades etc.; introduzir(-se) na familiaridade de (outrem) [*tdr.* + *com*: *O presidente familiarizou o político com o partido.*] [*tr.* + *com*: *Preciso familiarizar-me com meus novos vizinhos.*] **2** *Fig.* Tornar(-se) habituado ou acostumado; ACOSTUMAR(-SE); HABITUAR(-SE) [*tdr.* + *com*: *Só a rotina do trabalho familiariza alguém com suas tarefas.*] [*tr.* + *com*: *Familiarizou-se rapidamente com o novo modelo de fichamento.*] **3** *Fig.* Fazer perder ou perder o medo [*tdr.* + *com*: *O trabalho arriscado do policial familiarizou-o com a morte.*] [*tr.* + *com*: *A veterinária familiarizou-se com animais ferozes.*] **4** *Fig.* Adquirir o conhecimento (de algo) facilmente [*tr.* + *com*: *O turista logo se familiarizou com a língua portuguesa.*] **5** *Fig.* Tornar comum, usual ou conhecido; difundir, propagar [*td.*: *Os jovens familiarizaram o uso de piercings e tatuagens.*] [▶ 1 familiarizar] [F.: *familiar* + *-izar*. Hom./Par.: *familiarizáveis* (fl.), *familiarizáveis* (pl. de *familiarizável*).]

faminto (fa.*min*.to) *a.* **1** Que tem fome; ESFOMEADO **2** *Fig.* Que anseia avidamente por algo; ÁVIDO: *faminto de amor / de glória / de honras.* *sm.* **3** Quem tem fome: *A cidade anda cheia de famintos.* [F.: Do lat. vulg. *faminentus*.]

famoso (fa.*mo*.so) [ô] *a.* **1** Que é muito conhecido, que tem fama (boa ou má) (escritor famoso); CÉLEBRE: *Calígula ficou famoso por sua crueldade.* **2** Excepcional, fora do comum: *Foi naquele famoso jogo que Pelé marcou um gol inesquecível.* [Fem. e pl.: [ó].] [F.: Do lat. *famosus*.]

famulagem (fa.mu.*la*.gem) *sf.* Conjunto dos serviçais de uma instituição ou família; CRIADAGEM: "No ano de 1900 já eram anacrônicos os tipos de senhor e senhora de engenho com [...] os séquitos de lacaios e mucamas que lhe compunham a numerosa famulagem." (Xavier Marques, *A volta da estrada*) [F.: *fâmulo* + *-agem*.]

famulento (fa.mu.*len*.to) *a.* **1** Que está com muita fome; ESFOMEADO; FAMINTO: "Ruges em vão, ó tigre famulento, / Em teu covil infando, / E em teu feroz intento / Insultos e ameaças borbotando, / Movendo às gentes traiçoeira guerra." (Bernardo Guimarães, *A campanha do Paraguai*) **2** *Poét.* Ardente, ávido, cobiçoso: "Com famulentos olhos a devora." (Bocage, *Sonetos*) **3** *Fig.* Voraz, que tudo consome: *Fantásticos troféus, fama ilusória, que a famulenta sepultura come.* [F.: Do lat. vulgar **famulentus, -a, -um* 'faminto, famélico', segundo Meyer-Lüebke.]

fâmulo (*fâ*.mu.lo) *sm.* **1** Criado, serviçal, empregado doméstico: "Um dia, um fâmulo do Neves, andando na rua, viu cair uma carteira do bolso de um homem..." (Machado de Assis, *A ideia de Ezequiel Mota*) **2** Empregado subalterno de comunidade religiosa ou de algum tribunal eclesiástico (os fâmulos do santo ofício) **3** *P.ext.* Homem servil, que não tem originalidade ou que não expressa opinião; CAUDATÁRIO **4** *Antq.* Seminarista que não pagava seus estudos, sendo em compensação obrigado a prestar serviços domésticos para a instituição: *É bem provável que Justiniano tivesse realizado seus estudos na condição de fâmulo.* [F.: Do lat. *famulus,i* 'id'.]

fanado (fa.*na*.do) *a.* Que perdeu o viço; MURCHO: "E, como a rola que perdeu o esposo, / Minh'alma chora as ilusões perdidas, / E no seu livro de fanado gozo / Relê as folhas que já foram lidas." (Casimiro de Abreu, *Minh'alma é triste*) [F.: Part. de *fanar*.]

fanar (fa.*nar*) *v.* **1** Fazer perder ou perder o viço; MURCHAR(-SE) [*td.*: *A seca fanou as flores.*] [*int.*: "Faze com ele o que se faz com uma flor rara a que se aspira o aroma de perto, mas sem tocá-la para que se não fane." (Coelho Neto, *Água de juventa*)] **2** *Des.* Amputar, aparar [*td.*: *fanar as orelhas de um animal.*] [▶ 1 fanar] [F.: Do lat. pop. *fenare*, pelo fr. *faner*. Hom./Par.: *fano* (fl.), *fano* (sm.).]

fanático (fa.*ná*.ti.co) *a.* **1** Que demonstra afeto exagerado, entusiasmo, devoção, apreço etc. por algo ou alguém (torcedor fanático) **2** Que crê cegamente numa doutrina política ou religiosa, e se mostra intolerante com outras crenças ou opiniões: *seguidores fanáticos do Alcorão.* **3** Que se julga inspirado por um ser divino *sm.* **4** Pessoa fanática [F.: Do lat. *fanaticus*.]

fanatismo (fa.na.*tis*.mo) *sm.* **1** Sentimento de admiração cega e obstinada por alguém ou algo ger. de cunho político ou religioso (fanatismo religioso) **2** Admiração, devoção, culto, apego, paixão etc. exagerados, por algo ou alguém [F.: *fanático* (pelo rad. *fanat*) + *-ismo*, ou do fr. *fanatisme*.]

fanatizar (fa.na.ti.*zar*) *v. td.* **1** Tornar(-se) fanático (por religião, crença partido político etc.) **2** Despertar profundo interesse em: "Fanatizava-o o desbravar espíritos incultos pelo emprego dos métodos intuitivos" (D. Antônio da Costa, *No Minho*) [▶ 1 fanatizar] [F.: Do fr. *fanatiser*. Ant. ger.: *desfanatizar*.]

fancaria (fan.ca.*ri*.a) *sf.* **1** Local onde os fanqueiros comercializam sua mercadoria **2** Trabalho de fanqueiro **3** Mercadoria de qualidade inferior, de baixa categoria: "De 'feira dos aflitos',...a Vandoma foi-se transformando...em feira de plástico... Hoje... existem autênticas lojas...com as últimas novidades *'made in Taiwan'*,... porta-chaves, fancaria diversa, tudo novinho em folha." (Helder Pacheco, "Feira da Vandoma", *in Porto: sítios, lembranças, emoções*) **4** Pessoa ou coisa sem autenticidade, falsa: "Implicitamente supomos que se distingam as verdadeiras e as falsas repúblicas, as democracias genuínas e as de fancaria." (Renato Janine Ribeiro, "Democracia versus república", *in Pensar a República*) [F.: De orig. obsc., posv. do antigo *fayanca* 'coisa grosseira' + *-aria*.]

fanchona (fan.*cho*.na) *sf. Pej.* Mulher que mantém relações sexuais e amorosas com outras mulheres; LÉSBICA *Pej.*; SAPATÃO [F.: Fem. de *fanchono*.]

fanchonice (fan.cho.*ni*.ce) *sf.* **1** Qualidade de fanchono ou fanchona **2** Prática homossexual: "Fanchono e fanchonice eram termos utilizados popularmente em Portugal e Brasil, desde o século XVI, para identificar o homossexual que restringia seu homoerotismo à molície, reservando o termo somítigo, somítico ou sodomita, ao praticante da sodomia perfeita." (Luís Mott, *Meu lindo menino: cartas de amor de um frade sodomita*) [F.: *fanchono* + *-ice*.]

fanchono (fan.*cho*.no) *sm. Pej. Tabu.* Homem que mantém relações sexuais e amorosas com outros homens; PEDERASTA *Tabu.*; VEADO [F.: De or. obsc; talvez se relacione com o it. *fanciullo*.]

fandango (fan.*dan*.go) *sm.* **1** *Dnç.* Dança popular espanhola sapateada ao som de guitarra e castanholas **2** *Mús.*

A música para essa dança, ger. cantada **3** Canto popular da Espanha **4** *Dnç.* Dança rural portuguesa em que não há canto **5** *MG SP S.* Baile rural animado **6** *SP S. Dnç.* Cada uma das danças de roda de adultos, nas quais predomina o sapateado e que são acompanhadas de músicas com estrofes e refrões alternados **7** *S.* Qualquer tipo de baile ou divertimento coletivo **8** *N.E. Folc.* Auto ou representação natalina em que personagens vestidos de marinheiros representam, ao som de instrumentos de corda, a chegada de uma embarcação em porto seguro **9** *S.* Qualquer confusão barulhenta [F.: Do espn. *fandango.*] ■ **~ bailado** *SP* Tipo de fandango no qual não se sapateia **~ batido** Tipo de fandango com sapateado obrigatório

◎ **faner(o)-** *el. comp.* = 'visível'; 'aparente'; 'fânero': *fanerocarpo, fanerófitoro, fanerógamo* [F.: Do gr. *pháneros, á, ón.*]

fânero (*fâ*.ne.ro) *sm. Anat.* Qualquer estrutura, diferenciação ou espessamento da camada epidérmica que tenha a função de proteger a região do corpo na qual se encontra [F.: Do fr. *phanère*, do gr. *pháneros, á, ón,* 'aparente, visível'.]

fanerófito (fa.ne.*ró*.fi.to) *sm. Bot.* Em classificação antiga, espécime dos fanerófitos, grupo de plantas cujas gemas (brotos ou botões) se encontram a 25 cm, ou mais, acima do solo [F.: *faner(o)-* + *-fito.*]

fanerógama (fa.ne.*ró*.ga.ma) *Bot. sf.* **1** Espécime das fanerógamas, segundo Lineu (v. lineano), um dos dois grupos em que se divide o reino vegetal [Este grupo que seria, segundo o sistema lineano, formado por dois subgrupos (o das angiospermas e o das gimnospermas), atualmente não é mais considerado como classificação; o termo, porém, subsiste, para designar o vegetal que se reproduz por meio de sementes, em vez de esporos ou gametas.] **2** Vegetal que apresenta fanerogamia [F.: Adaptç. do lat. cient. *Phanerogamae.*]

fanerogamia (fa.ne.ro.ga.*mi*.a) *Bot. sf.* Reprodução vegetal por meio de sementes [F.: *fanerógamo* + *-ia*¹; ver *faner(o)-* e *-gamia.*]

fanerogâmico (fa.ne.ro.*gâ*.mi.co) *Bot. a.* **1** Relativo a fanerogamia ou a fanerógama **2** Diz-se de planta cujos órgãos reprodutores estão expostos; FANERÓGAMO [F.: *fanerógama* ou *fanerogamia* + *-ico*².]

fanerógamo (fa.ne.*ró*.ga.mo) *a. Bot.* Que apresenta fanerogamia (vegetal fanerógamo); FANEROGÂMICO [F.: *faner(o)-* + *-gamo.*]

fanerozoico (fa.ne.ro.*zoi*.co) *Geol. a.* **1** Diz-se do período geológico que se inicia há cerca de 542 milhões de anos e se estende até hoje e é subdividido em três eras: Paleozoico, Mesozoico e Cenozoico *sm.* **2** O período fanerozoico (1) [Nesta acp., com inicial maiúsc.] [F.: *faner(o)-* + *-zoico.*]

fanfarra (fan.*far*.ra) *sf.* **1** *Mús.* Banda de música formada esp. por instrumentos de sopro, de metal, e bateria **2** *Mús.* Música composta para esse tipo de banda **3** *Mús.* Banda de música ligada esp. aos regimentos de cavalaria **4** *Mús.* Na ópera, parte executada exclusivamente por instrumentos de metal **5** *Antq.* Toque conjunto de trompas e clarins, que antigamente marcava as diferentes etapas de uma caçada **6** *Mús.* Conjunto de músicas de caça **7** Toque conjunto de instrumentos de metal em ocasiões festivas **8** Ver *fanfarronice* [F.: Do fr. *fanfare.*]

fanfarrão (fan.far.*rão*) *a.* **1** Que se gaba de fazer o melhor, que faz alarde de sua falsa valentia *sm.* **2** Indivíduo fanfarrão [Pl.: *-rões.*] [F.: Do cast. *fanfarrón.* Sin. ger.: *farofeiro, gabola, gabarola, garganta.*]

fanfarrear (fan.far.re.*ar*) *v.* Mesmo que *fanfarronar* [▶ 13 fanfarrear] [F.: Do espn. *fanfarrear.*]

fanfarrice (fan.far.*ri*.ce) *sf.* **1** Comportamento próprio de fanfarrão **2** Presunção de coragem, alarde de falsa valentia [F.: De *fanfar* (de *fanfarrão*) + *-ice.* Sin. ger.: *gabolice, fanfarronada, fanfarronice, farolagem.*]

fanfarronada (fan.far.ro.*na*.da) *sf.* Ver *fanfarronice* [F.: *fanfarrão* sob. a f. *fanfarron* + *-ada*¹.]

fanfarronar (fan.far.ro.*nar*) *v. int.* Mostrar-se fanfarrão; FANFARREAR [▶ 1 fanfarronar] [F.: *fanfarrão* + *-ar.*]

fanfarronice (fan.far.ro.*ni*.ce) *sf.* **1** Atitude de fanfarrão; a ação (do fanfarrão) de contar supostos atos de coragem que teria praticado **2** Relato de fanfarrão; BRAVATA; FANFARRA; GABOLICE [F.: *fanfarrão* (na forma *fanfarron*) + *-ice.*]

fanho (*fa*.nho) *a. Bras.* Ver *fanhoso* [F.: Voc. de or. talvez onomatopaica.]

fanhoso (fa.*nho*.so) [ô] *a.* **1** Que fala com a voz anasalada, como que passando pelo nariz; FANHO **2** Diz-se da voz de quem fala desse modo [Fem. e pl.: [ó].] [F.: *fanha* + *-oso.*]

◎ **-fania** *el. comp.* = 'aparição'; 'aparecimento'; 'manifestação'; 'revelação': *afania* (< gr.), *cristofania, epifania* (< lat. < gr.), *hierofania, logofania, teofania* (< lat. < gr.) [F.: Do gr. *-pháneia, as,* pelo lat. *-phania, ae.* F. conexa: *faner(o)-*.]

faniquito (fa.ni.*qui*.to) *sm. Pop.* Crise nervosa, curta e sem gravidade *Pop.*; CHILIQUE *Pop.*; FRICOTE [F.: *fanico* "acidente histérico"+ *-ito.*]

◎ **-fano** *el. comp.* = 'que (se) mostra, que aparece'; 'luminoso': *diáfano, hidrófano.* [F.: Do gr. *phanós, ê, ón.*]

fantasia (fan.ta.*si*.a) *sf.* **1** Capacidade de criar pela imaginação; imaginação criadora: *A fantasia do romancista não tem limites.* **2** Coisa criada pela imaginação: "Talvez que o assaltava um pensamento (...) / Já não (...) que na enlutada fantasia." (Gonçalves Dias, *Juca Pirama*) **3** Obra artística (livro, pintura etc.) sem ligação com a realidade: *Aquele painel é uma fantasia pictórica.* **4** Ausência de ligação com a realidade: *Vive no mundo da fantasia.* **5** *Bras. Vest.* Vestimenta que imita traje típico, us. esp. no carnaval **6** *Bras. Pop.* Joia falsa **7** *Fig.* Gosto excêntrico: *Procurava satisfazer as mais absurdas fantasias da filha.* **8** *Fig.* Ideal que se deseja ardentemente alcançar: *A fantasia daquele cantor é ter grande sucesso.* **9** *Mús.* Peça instrumental composta sem muita rigidez formal, em que uma ideia conduz a outra: *Fantasia húngara, de Liszt.* **10** *Bras.* Visão sobrenatural [F.: Do gr. *phantasía*, pelo lat. *phantasia.* Hom./Par.: *fantasia* (fl. de *fantasiar*).] ■ **Rasgar a ~** Mostrar-se como realmente é em personalidade, comportamento etc., depois de tê-los dissimulado

fantasiar (fan.ta.si.*ar*) *v.* **1** Vestir (inclusive a si mesmo) com fantasia [*tdr.* + *de*: *Fantasiou-se de Cleópatra; fantasiar a filha de melindrosa.*] [*td.*: *Não vou me fantasiar neste carnaval.*] **2** Criar na imaginação, na fantasia [*td.*: "... fantasiara a possibilidade de viver com Amâncio..." (Aluísio Azevedo, *Casa de pensão*)] **3** Soltar o pensamento; devanear [*int.*: *Deitada na rede, meditava e fantasiava.*] [▶ 1 fantasiar] [F.: *fantasia* + *-ar*². Hom./Par.: *fantasia(s)* (fl.), *fantasia(s)* (sf.[pl.]).]

fantasioso (fan.ta.si:*o*.so) [ô] *a.* **1** Cheio de fantasia(s), de imaginação (narrativa fantasiosa) **2** Que tem fantasias (adolescente fantasioso) **3** Sem ligação com a realidade: *Ninguém acreditou na história fantasiosa que contou.* [Fem. e pl. [ó].] [F.: *fantasia* + *-oso.*]

fantasista (fan.ta.*sis*.ta) *s2g.* **1** Dado a fantasias; IMAGINOSO; SONHADOR: *Apesar de ser um fantasista, todos sabem que é quem mais trabalha na equipe.* **2** Que privilegia os próprios caprichos, a própria imaginação: *Goya era um fantasista exacerbado. a2g.* **3** Em que há fantasia (versos fantasistas) **4** Que fantasia, que se deixa levar pela imaginação; FANTASIOSO; IMAGINOSO [F.: *fantas(ia)* + *-ista.*]

fantasma (fan.*tas*.ma) *sm.* **1** Suposta aparição de pessoa que já morreu; alma penada; ASSOMBRAÇÃO; ESPECTRO **2** Imagem sobrenatural que alguém julga ver: *As sombras das árvores pareciam fantasmas.* **3** Visão medonha que aterroriza: *Diziam que a casa era habitada por fantasmas assustadores.* **4** *Fig.* Lembrança ou possibilidade de algo ruim que atormenta alguém (fantasma da solidão) **5** *Fig. Joc.* Pessoa muito magra, abatida e macilenta: *A doença tornou-a um fantasma.* **6** *Fig.* Ideia fixa ou obsessão: *Lutava contra seus fantasmas.* **7** *Fig.* Pessoa que apenas aparenta ou representa um papel que deveria ter: *Depositaram o dinheiro ilícito na conta de um fantasma.* [Nesta acp., encontramos tb. o voc. aposto a outro substantivo, assumindo papel de adj.: *funcionário-fantasma; cargo-fantasma; conta-fantasma* etc.] **8** Imagem duplicada que aparece na televisão, decorrente de problemas de recepção **9** *Ict.* Ver *cangulo* (*Balistes carolinenses.*) [Seguindo um subst., ao qual se liga por hífen, tem valor de adjetivo e significa 'não existente, fictício, criado para iludir, esp. com fins fraudulentos': *empresa- -fantasma, conta-fantasma.* O emprego fem. do subst. é antigo e há tempos usa-se somente o masc.] [F.: Do gr. *phántasma*, pelo lat. *phantasma.*] ■ **substantivo-~** Quando us. imediatamente após um substantivo (com hífen, segundo alguns, sem hífen, segundo outros) forma palavra composta (no primeiro caso) ou locução (no segundo) na qual 'fantasma' tem função adjetiva, significando 'fictício', 'suposto', 'fantasmagórico', como em *conta(-)fantasma, firma(-)fantasma, navio(-)fantasma* etc.

fantasmagoria (fan.tas.ma.go.*ri*.a) *sf.* **1** Arte de fazer aparecer figuras luminosas em lugar completamente escuro **2** Aparência falsa ou irreal: "Mas que imaginação de amante se resigna ao efêmero? Afinal, o mundo é acima de tudo fantasmagoria." (Aquilino Ribeiro, *Quando ao gavião cai a pena*) **3** Imagem ou aparição ilusória; FANTASMA: "..., se soube de ouvidos, tarde da noite, diferentes vezes, galopes no ermo da várzea, de cavaleiro saído da porteira da chácara. (...) Então, o homem tanto me enganava, de formar uma fantasmagoria, de lobisomem." (Guimarães Rosa, "O cavalo que bebia cerveja", in *Primeiras estórias*) **4** Expressão ou ideia contrária a tudo o que é racional: *A explicação da suposta testemunha não faz sentido, é pura fantasmagoria.* [F.: Do fr. *fantasmagorie.*]

fantasmagórico (fan.tas.ma.*gó*.ri.co) *a.* **1** Ref. a ou semelhante a fantasma ou a fantasmagoria **2** Que não é real, que é ilusório, imaginário: "Em vez da pintura, a mais arbitrária e fantasmagórica das artes, de que, à semelhança da poesia, se pode dizer todo o bem ou todo o mal (...)." (Aquilino Ribeiro, *O homem que matou o diabo*) [F.: *fantasmagoria* + *-ico*².]

fantasmal (fan.tas.*mal*) *a2g.* **1** Fantasmático: *Segundo Artur Ramos, Xangô é a entidade fantasmal escondida no nosso inconsciente folclórico.* **2** Fantasmagórico (1): "O vento diminui, a chuva escorre prateada no vidro. Nossos olhos escureceram; não escutamos nenhuma mulher abrir sua capa fantasmal." (Virginia Wolf, *Uma casa assombrada (ing. A Haunted House*, trad. de Leonardo V. de Almeida)) **3** De ou própria da realidade virtual: "A tecnologia do vídeo permite que a performance se dê, em tempo quase real, no entanto em presença fantasmal, presença espectral que denominamos telepresença." (Maria Beatriz Ribeiro, *Teleperformance*) [F.: De *fantasma* + *-al*¹, poss. por influência do ing. *phantasmal.*]

fantasmático *a.* **1** *Psic.* De ou pertencente a fantasma ou fantasia: "A vida fantasmática inconsciente é estruturada e estruturante..." (R. Doron & – F. Parot, *Dicionário de Psicologia*, trad. de Odilon S. Leme, adapt. para o port. por Maria Lúcia Homem.) **2** Fantasmagórico (3) [F.: Do gr. *phantasmatikós.*]

fantástico (fan.*tás*.ti.co) *a.* **1** Criado pela imaginação: *Sacis e lobisomens são seres fantásticos.* **2** Que parece inacreditável; EXTRAORDINÁRIO: *As viagens do homem à Lua são fantásticas.* **3** Que se mostra exótico, extravagante: *As fotografias mostravam imagens fantásticas de um lugar estranho.* **4** Simulado, fantasioso, fictício: *Para justificar-se usou apenas argumentos fantásticos.* **5** *Liter.* Diz-se de modalidade de narrativa em que elementos sobrenaturais se misturam à realidade: *Murilo Rubião escreveu contos fantásticos. sm.* **6** O que só existe na imaginação: *O fantástico é o que seduz.* **7** *Liter.* Modalidade de narrativa (romance, conto etc.) em que elementos sobrenaturais se misturam à realidade: *Há tempos resolvera que o objeto de sua tese seria o fantástico na obra de Gabriel García Márquez.* [F.: Do gr. *phantastikós*, pelo lat. *phantasticus.*]

fanti (*fan*.ti) *s2g.* **1** Pessoa nascida ou que vive na antiga Costa do Ouro, República de Gana *sm.* **2** *Ling.* Língua guineo-sudanesa, falada nas regiões da Costa do Cabo, Elmina e Sekondi *a2g.* **3** Relativo ou pertencente aos fantis [F.: (Vocábulo nativo dessa língua).]

fanti-axanti (fan.ti-a.*xan*.ti) *sm2n.* **1** Grupo linguístico e cultural que ocupa, no Golfo da Guiné, a Costa do Ouro (atual República de Gana) *a2g2n.* **2** Relativo a esse agrupamento [Var.: *fante -axanti, fante -axante, fanti -achanti, fante -achanti, fante -achante.*]

fantoche (fan.*to*.che) *sm.* **1** Boneco manipulado por dedos (no indicador se enfia a cabeça de gesso, massa de papel etc., o polegar e o dedo médio fazem de braços em cujas extremidades ficam as mãos também de gesso ou papel, cabeça e mãos presas a um pano que é o corpo do fantoche, e que cobre a mão do manipulador); (teatro de fantoches) **2** Qualquer boneco assim manipulado, ou por meio de fios etc., em representações teatrais num palco especial, atrás do qual ficam os manipuladores, ocultos do público **3** *Fig.* Pessoa que é controlada por outra [F.: Do fr. *fantoche.* Sin. ger.: *bonifrate, marionete, títere.*]

fanzine (fan.*zi*.ne) *sm. Jorn.* Publicação sobre cinema, música ou ficção científica, feita de modo artesanal por fãs [F.: Do ing. (EUA) *fanzine* (*fan* 'fã' + (*maga*)*zine* 'revista').]

fanzineiro (fan.zi.*nei*.ro) *sm.* Pessoa que publica ou aprecia fanzines [F.: *fanzine* + *-eiro.*]

fanzoca (fan.*zo*.ca) *s2g.* Fã apaixonado, exaltado, que idolatra o objeto de sua paixão, ger. atores, cantores, artistas populares (fanzoca de Mick Jagger) [F.: *fan-* + *-z-* + *-oca.*]

⊕ **FAO** Sigla de *Organização das Nações Unidas para a Alimentação e a Agricultura* [F.: Do ing. *Food and Agriculture Organization.*]

fãozense (fão.*zen*.se) *s2g.* **1** Indivíduo nascido ou que vive em Fão (Portugal) *a2g.* **2** De Fão; típico dessa cidade ou de seu povo [F.: Do top. *Fão* + *-zense.*]

⊠ **Faperj** Sigla de *Fundação de Amparo à Pesquisa do Estado do Rio de Janeiro*

⊠ **Fapesp** Sigla de *Fundação de Amparo à Pesquisa do Estado de São Paulo*

⊠ **FAQ** Sigla em ing. de *Frequently Asked Questions* (perguntas mais frequentes), que é um conjunto de perguntas e respostas sobre um tema, apresentadas de antemão, em *sites* de internet

faqueiro (fa.*quei*.ro) *sm.* **1** Jogo de talheres do mesmo material, desenho e marca, ger. vendido em estojo (faqueiro de prata) **2** Estojo para guardar talheres, esp. facas **3** Pessoa que fabrica facas [F.: *faca* + *-eiro.*]

faquir (fa.*quir*) *sm.* **1** *Rel.* Religioso e mendicante que, na Índia, vive uma vida de ascetismo, fazendo jejum, submetendo-se a sofrimentos e privações como forma de adquirir controle espiritual sobre os próprios sentidos **2** Pessoa que fica sem comer e se deixa ferir, exibindo resistência às dores e provações: *Um faquir deitado sobre pregos impressionava turistas.* **3** *Pop.* Pessoa que passa fome: *Alberto é um faquir no meio de glutões.* [F.: Do ár. *faqir.*]

faquirismo (fa.qui.*ris*.mo) *sm.* Condição, estado de faquir; seu modo de viver, seu comportamento [F.: *faquir* + *-ismo.*]

farad (fa.*rad*) *sm. Elet.* Unidade SI de capacitância elétrica (simb.: F) [Pl.: *farads.*] [F.: Do ing. *Farad,* red. do antr. (*Michael*) *Faraday* (1791-1867), físico-químico inglês.]

faraday (fa.ra.*day*) *sm. Fís.quím.* Antiga medida de quantidade de eletricidade, us. em eletroquímica e valendo 96.486,46 coulombs [Símb. F] [F.: do antrp. *Michael Faraday*, físico inglês.]

faradização (fa.ra.di.za.*ção*) *Med. sf.* **1** Ação ou resultado de faradizar **2** Terapêutica em que a corrente elétrica é us. para estimular músculos e nervos [F.: *faradizar* + *-ção.*]

faradizar (fa.ra.di.*zar*) *v. td. Med.* Submeter (doente) a processo de faradização [▶ 1 faradizar] [F.: *farad(ay)* + *-izar.*]

farândola (fa.*rân*.do.la) *sf.* **1** *Dnç.* Dança da Provença, sul da França, em que os pares de mãos dadas, enfileirados, se movimentam animadamente **2** *Fig.* Bando de pessoas mal-afamadas **3** Grupo de pessoas maltrapilhas: "(...) Pombal, Monte Santo, Tucano e outros viram-no chegar acompanhado da farândola de fiéis." (Euclides da Cunha, *Os sertões*) **4** *Teat.* Na Espanha do séc. XVI, pequeno grupo teatral ambulante [F.: Prov. do provençal *farandoulo* pelo fr. *farandole.*]

farandolagem (fa.ran.do.*la*.gem) *sf.* **1** Grupo de desordeiros ou de maltrapilhos; FARÂNDOLA; SÚCIA **2** Coisa sem valor; bugiganga, ninharia **3** Farrapos: "Procurava agora... a sua mala perdida entre a farandolagem dos sacos, paneiros e baús sertanejos." (Ferreira de Castro, *Selva*) [F.: *farândola* + *-agem*.]

farandolar (fa.ran.do.*lar*) *v. int.* **1** Dançar à farândola **2** *P.ext.* Dançar ao som de ritmos sincopados, rápidos, alegres **3** Ficar sem fazer nada; VADIAR [▶ 1 farandolar] [F.: *farândola* + *-ar²*. Hom./Par.: *farandola(s)* (fl.), *farândola(s)* (sf.[pl.]).]

faraó (fa.ra.*ó*) *sm.* **1** Título dos reis do antigo Egito **2** *Lud.* Antigo jogo de cartas [F.: Do egípcio ant. *pera'a*, pelo gr. *pharaó* e pelo lat. *pharao*.]

faraônico (fa.ra.*ô*.ni.co) *a.* **1** Dos ou ref. aos ou próprio dos faraós ou de seu tempo **2** *Fig.* Que é grandioso, monumental, luxuoso (obra faraônica, festa faraônica) [F.: *faraó* (sob a forma *faraon*) + *-ico²*.]

farda (*far*.da) *Mil. Vest. sf.* **1** Traje padronizado de militares, certas profissões, escolares, corporação civil etc.; UNIFORME; FARDAMENTO **2** *Fig.* A vida, o ofício militar: *Decidiu abandonar a farda.* [F.: Do ár. *al-fardâ*, pelo cat. *farda*.] ■ **Despir a ~** *Fig.* Dar baixa do exército, ou ir para a reserva

fardado (far.*da*.do) *a.* Vestido de uniforme ou farda: "Tinha cavalo e lacaio, fardado de azul com guarnições escarlates..." (Camilo Castelo Branco, *Gracejos que matam*) [F.: Part. de *fardar*.]

fardamento (far.da.*men*.to) *Mil. Vest. sm.* **1** Ação ou resultado de fardar(-se) **2** Conjunto de fardas de uma corporação **3** Ver *farda* (1) [F.: *farda* + *-mento*.]

fardão (far.*dão*) *Bras. Vest. sm.* **1** *Mil.* Uniforme de gala dos militares; farda vistosa **2** Traje simbólico dos membros da Academia Brasileira de Letras [Pl.: *-dões*.] [F.: *farda* + *-ão¹*.]

fardar (far.*dar*) *v. td.* Prover de farda; vestir(-se) com farda: *fardar a tropa; Fardou-se para o desfile.* [F.: *farda* + *-ar²*. Hom./Par.: *fardo* (fl.), *fardo* (sm.); *farda(s)* (fl.), *farda(s)* (sf. [pl.]); *fardeis* (fl.), *fardéis* (pl. de *fardel*).]

fardel (far.*del*) *sm. p.us.* Trouxa, saco em que se levam provisões e roupa branca para uma jornada, o mesmo que *farnel*: "A primeira cousa que fizeram... foi lançarem-lhe mão do fardel, para verem a provisão que trazia..." (Frei Luís de Souza, *História de S. Domingos*) [F.: Do fr. ant. *fardel*. Hom./Par.: *fardéis* (pl.), *fardeis* (fl. de *fardar*).]

fardo (*far*.do) *sm.* **1** Pacote, objeto ou conjunto de pacotes ou objetos volumosos e/ou pesados destinados a transporte **2** Qualquer tipo de volume, pacote ou embrulho **3** *Fig. P.ext.* Aquilo que é penoso, difícil de fazer, carregar ou suportar: *o fardo da velhice.* **4** *Fig. P.ext.* O que exige cuidados e responsabilidade [F.: Do it. *fardo*.]

farejador (fa.re.ja.*dor*) [ô] *a.* **1** Que fareja, que procura por meio do olfato (cão farejador) **2** *Fig.* Que investiga, que quer descobrir alguma coisa (repórter farejador) *sm.* **3** Animal que procura por meio do olfato: *Os farejadores buscam a caça.* **4** *Fig.* Quem fareja, investiga para descobrir algo: *A notícia estimulou os farejadores de escândalos.* [F.: *farejar* + *-dor*.]

farejar (fa.re.*jar*) *v.* **1** Localizar ou perseguir (algo, alguém, animal) guiado pelo faro, pelo cheiro [*td.*: *O guepardo farejou e atacou um bando de impalas.*] [*int.*: *O cão passava os dias farejando.*] **2** Inspirar, cheirar, ou tentar sentir (cheiro de algo, alguém etc.) [*td.*: *O menino farejava o cheiro do bolo; farejar o odor da presa.*] **3** Procurar (algo ou alguém) seguindo indícios; seguir a trilha de [*td.*: *O cachorro farejava a pista da raposa.*] **4** Buscar ou descobrir com perspicácia [*td.*: *O ladrão farejou uma saída para escapar à polícia; O experiente empresário farejava bons funcionários; Conseguiu farejar um bom ponto para cair n'água.*] **5** Notar pela intuição; perceber, sentir a presença de (algo distante); pressentir [*td.*: *farejar problemas:* "Farejava uma ironia até no seu próprio desinteresse..." (José de Alencar, *Lucíola*)] **6** Perscrutar (algo) de maneira vaga, procurando antecipar um acontecimento; sondar [*td.*: *Farejou o céu com telescópio para tentar avistar algum asteroide.*] **7** Examinar, esquadrinhar, remexer para ver o que contém [*td.*: *Não fareje gavetas alheias.*] [▶ 1 farejar] [F.: *faro* + *-ejar*.]

farejo (fa.*re*.jo) [ê] *sm.* Ação ou resultado de farejar [F.: Dev. de *farejar*. Hom./Par.: *farejo* (ê) (fl. de *farejar*).]

farelento (fa.re.*len*.to) *a.* **1** Que se assemelha a farelo **2** Que tem ou produz muito farelo **3** Que foi reduzido a farelo [F.: *farelo* + *ento*.]

farelo (fa.*re*.lo) [é] *sm.* **1** A parte mais grossa da farinha de trigo e de outros cereais **2** Porção de migalhas, de restos de cereais moídos **3** Serragem de madeira **4** *Fig.* Conjunto de coisas insignificantes, sem valor; NINHARIA [F.: Do lat. *farellu*, dim. de *far -rris* 'espécie de trigo'.]

farense (fa.*ren*.se) *s2g.* **1** Indivíduo nascido ou que vive em Faro (ilha da Madeira, Portugal) *a2g.* **2** De Faro; típico dessa cidade ou de seu povo [F.: Do top. *Faro* + *-ense*.]

farfalhada (far.fa.*lha*.da) *sf.* **1** Ação ou resultado de farfalhar **2** Barulho de gravetos, aparas, farfalhas; FARFALHA **3** Rumor semelhante a esse ruído, esp. o da folhagem das árvores tocada pelo vento; FARFALHO **4** Conjunto de palavras sem sentido ou ditas sem objetividade ou propósito; PALAVRÓRIO **5** Bazófia, fanfarrice [F.: Fem. subst. de *farfalho*. Sin. ger.: *farfalharia*, *farfalheira*.]

farfalhante (far.fa.*lhan*.te) *a2g.* Que farfalha, que produz som como o do vento em folhas: "(...) elas são silenciosas como a gaze / ou farfalhantes como o tafetá." (Guilherme de Almeida, *A dança das horas*) [F.: *farfalhar* + *-nte*.]

farfalhar (far.fa.*lhar*) *v. int.* **1** Produzir sons rápidos, indefinidos, como o de folhas agitadas pelo vento: "Às vezes as folhas farfalhavam e lagartos fugiam ligeiros, desaparecendo nos matos." (Coelho Neto, *Água de juventa*) **2** Falar exageradamente; palavrear [▶ 1 farfalhar] *sm.* **3** Farfalhada: "O farfalhar medroso das asas de noturna borboleta." (Fagundes Varela, *Obras*, III) [F.: De or. onom. Hom./Par.: *farfalha(s)* (fl.), *farfalha(s)* (sf.[pl.]); *farfalharia(s)* (fl.), *farfalharia(s)* (sf.[pl.]); *farfalho* (fl.), *farfalho* (sm.).]

farfalhas (far.*fa*.lhas) *sfpl.* **1** Aparas ou fragmentos de metal; limalha **2** *Fig.* Coisas sem importância ou valor; insignificâncias, ninharias [F.: De *farfalhar*.]

farfalho (far.*fa*.lho) *sm.* **1** Ação ou resultado de farfalhar; FARFALHADA **2** Espécie de afta que aparece na mucosa bucal, o mesmo que *sapinho* [F.: Regr. de *farfalhar*. Hom./Par.: *farfalho* (fl.farfalhar).]

faringe (fa.*rin*.ge) *sf. Anat.* Conduto músculo-membranoso, atrás das cavidades oral e nasal, em contato com a laringe e o esôfago; por meio de uma válvula (epiglote) regula a passagem de ar para a laringe e os pulmões, e a de bolo alimentar para o esôfago [F.: Do gr. *phárygx -yggos*, pelo lat. cient. *pharynx, yngis*.]

faríngeo (fa.*rín*.ge.o) *a.* Relativo à faringe; FARINGIANO; FARÍNGICO [F.: *faringe* + *-eo*.]

faringite (fa.rin.*gi*.te) *sf. Med.* Inflamação da faringe [F.: *faringe-* + *-ite¹*, ou do fr. *pharyngite*.]

◎ **-faring(o)-** *el. comp.* Ver *faring(o)-*

◎ **faring(o)-** *el. comp.* = 'faringe': *faríngeo, faringite, faringologia, faringotomia* (< gr.); *estafilofaringorrafia* [F.: Do gr. *phárynks, yngos*, 'garganta'; 'goela'; 'faringe'.]

faringologia (fa.rin.go.lo.*gi*.a) *sf. Med.* Parte da medicina que cuida da faringe e de suas doenças [F.: *faring(o)* + *-logia*.]

faringológico (fa.rin.go.*ló*.gi.co) *a.* Referente a faringologia [F.: *faringologia* + *-ico²*.]

faringoscopia (fa.rin.gos.co.*pi*.a) *sf.* Exame visual direto da faringe por meio do faringoscópio [F.: *faring(o)-* + *-scopia*.]

faringoscópio (fa.rin.gos.*có*.pi.o) *sm. Med.* Instrumento com o qual se faz o exame visual da faringe [F.: *faring(o)-* + *-scópio*.]

faringotomia (fa.rin.go.to.*mi*.a) *sf. Cir.* Incisão na faringe para retirada de tumores ou de corpos estranhos [F.: *faring(o)-* + *-tomia*.]

farinha (fa.*ri*.nha) *sf.* **1** Pó que se obtém moendo grãos de cereais (farinha de milho) **2** Pó obtido pela trituração de sementes e raízes (farinha de mandioca) **3** *GO MG MS MT PA SP Bot.* Árvore da fam. das leguminosas (*Dimorphandra mollis*), de casca grossa e rica em tanino, flores amareladas dispostas em espigas, vagens carnudas e polpa rica em rutina; BARBATIMÃO [F.: Do lat. *farina*.] ■ **~ de mesa** *Bras.* Farinha fina de mandioca **~ de pão** Ver *Farinha de rosca* **~ de rosca** Farinha feita de pão torrado, us. em receitas à milanesa, em croquetes etc.; farinha de pão **~ seca** *N.* Ver *Farinha de mesa* **~ suruí** *Amaz.* Ver *Farinha de mesa* **Ser ~ do mesmo saco** *Fig.* Ter (duas ou mais pessoas) os mesmos defeitos de caráter ou o mesmo comportamento **Tirar ~** **1** *Bras. Fig.* Levar vantagem em confronto, briga etc. **2** Cobrar satisfações, exigir explicação **Vender ~** *Bras. Fam.* Andar com a fralda da camisa ou blusa fora da calça ou da saia

farinhada (fa.ri.*nha*.da) *sf.* **1** *N.E.* Fabricação de farinha de mandioca nas casas de farinha: "Por esse tempo de colheita andava naturalmente pela roça arrancando a mandioca ou... nas pagodeiras da *farinhada*." (Viriato Correia, *Contos do sertão*) **2** Grande quantidade de farinha [F.: *farinha* + *-ada*.]

farinha de pau (fa.ri.nha de *pau*) *sf.* Farinha comum de mesa, o mesmo que *farinha de mesa* [Pl.: *farinhas de pau*.]

farinheira (fa.ri.*nhei*.ra) *sf.* **1** Recipiente que vai à mesa com farinha, esp. de mandioca **2** Mulher que vende farinha **3** *Lus. Cul.* Embutido (5) feito de gordura de porco e de farinha ou miolo de pão [F.: *farinha* + *-eira*.]

farinheiro (fa.ri.*nhei*.ro) *a.* **1** Que tem muita farinha ou é semelhante a ela, o mesmo que *farinhento sm.* **2** Negociante que faz comércio com farinha [F.: *farinha* + *-eiro*.]

farinhento (fa.ri.*nhen*.to) *a.* **1** Que é feito com farinha ou muita farinha: *A empada é um alimento farinhento.* **2** Que é semelhante à farinha em aspecto, cor etc. **3** Coberto de farinha **4** Que se esfarela em grânulos, como de farinha [F.: *farinha* + *-ento*.]

farisaico (fa.ri.*sai*.co) *a.* **1** Referente a fariseu **2** *Fig.* Que demonstra hipocrisia (gesto farisaico): "...pousam as suas vastas frontes nas suas vastas mãos e arrancam das concavidades da sua sabedoria farisaica esta resposta." (Eça de Queirós, *Cartas de Inglaterra*) [F.: Do fr. *pharisaïque*.]

farisaísmo (fa.ri.sa.*ís*.mo) *sm.* **1** Doutrina dos fariseus **2** Caráter dos fariseus **3** *Fig.* Hipocrisia, dissimulação, fingimento [F.: Do fr. *pharisaïsme*.]

fariseu (fa.ri.*seu*) *a.* **1** Que aparenta falsa honestidade **2** *Rel.* Ref. a seita judaica existente no séc. II a.C., cuja observância das prescrições religiosas era rigorosa **3** Que segue uma religião de modo formalista **4** *Fig.* Que se mostra ou se comporta de modo orgulhoso ou hipócrita *sm.* **5** Pessoa que procura aparentar uma honestidade que não possui **6** *Rel.* Membro de uma seita judaica do séc. II a.C. que se caracterizava pela rigorosa observância dos prescrições religiosas [Os seguidores desta seita foram acusados pelos evangelistas de serem formalistas e hipócritas.] **7** *P.ext.* Indivíduo que segue uma religião de modo formalista **8** *Fig. P.ext.* Indivíduo orgulhoso ou hipócrita [Fem.: *fariseia*.] [F.: Do aramaico *perisajja*, pelo gr. *pharisaios*, pelo lat. *pharisaeus*.]

farjuto (far.*ju*.to) *a.* Ver *fajuto*

farmacêutico (far.ma.*cêu*.ti.co) *a.* **1** Ref. a farmácia (1, 2 e 5) (produto farmacêutico) *sm.* **2** Indivíduo que se diplomou em farmácia (2); BOTICÁRIO [F.: Do gr. *pharmakeutikós*, pelo lat. tard. *pharmaceuticus*.]

farmácia (far.*má*.ci:a) *sf.* **1** Estabelecimento onde se preparam e/ou vendem medicamentos **2** *Farm.* Parte da farmacologia que se dedica ao preparo e à conservação dos medicamentos: *Formou-se em farmácia.* **3** Conjunto de produtos farmacêuticos mantidos em casa, colégios, empresas etc. us. para primeiros socorros **4** Em hospitais, ambulatórios etc., setor responsável pelo preparo, armazenamento e conservação dos medicamentos **5** *Farm.* Profissão de farmacêutico [F.: Do gr. *pharmakeia*, pelo lat. tard. *pharmacia*.] ■ **~ galênica** *Farm.* Ramo da farmácia (1) que trata dos medicamentos de composição (vegetal) ainda não estabelecida, e da manipulação das formas e receitas farmacêuticas [ver *receita* (4).]

◎ **farmac(o)-** *el. comp. Pref.* = *medicamento: farmacologia* [F.: Do gr. *phármakon, ou*.]

fármaco (*fár*.ma.co) *sm.* Substância química us. como medicamento; produto farmacêutico [F.: Do gr. *phármakon,ou*.]

farmacocinética (far.ma.co.ci.*né*.ti.ca) *sf. Farm.* Estudo dos processos relacionados à ingestão, por um organismo vivo, de um ou vários medicamentos associados [F.: Fem. subst. de *farmacocinético*.]

farmacocinético (far.ma.co.ci.*né*.ti.co) *a.* Referente à farmacocinética [F.: *farmac(o)-* + *-cinético*.]

farmacodependência (far.ma.co.de.pen.*dên*.ci.a) *sf.* Estado físico ou psíquico decorrente do consumo contínuo e exagerado de produtos farmacêuticos (analgésicos, hipnóticos etc.), capaz de criar, no consumidor, uma dependência patológica desses produtos [F.: *farmac(o)-* + *dependência*.]

farmacodependente (far.ma.co.de.pen.*den*.te) *a2g.* **1** Diz-se de pessoa dependente de produtos farmacêuticos *s2g.* **2** Essa pessoa [F.: *farmac(o)-* + *dependente*.]

farmacodinâmico (far.ma.co.di.*nâ*.mi.co) *a. Farm.* Referente a farmacodinâmica [F.: *farmac(o)-* + *dinâmico*.]

farmacognosia (far.ma.co.gno.*si*.a) *sf. Farm.* Parte da farmacologia que se dedica ao estudo e ensino das substâncias medicinais em seu estado natural, antes de passarem por processos de manipulação [F.: *farmac(o)-* + *-gnosia*.]

farmacognóstico (far.ma.cog.*nós*.ti.co) *a. Farm.* Relativo a farmacognosia [F.: *farmac(o)-* + *-gnóstico*.]

farmacologia (far.ma.co.lo.*gi*.a) *sf. Farm.* Estudo dos medicamentos e de sua aplicação [F.: *farmac(o)-* + *-logia*.]

farmacológico (far.ma.co.*ló*.gi.co) *a.* Ref. à farmacologia, que tem a farmacologia como base de referência (pesquisa farmacológica) [F.: *farmacologia* + *-ico²*.]

farmacologista (far.ma.co.lo.*gis*.ta) *Farm. a2g.* **1** Que se especializou em farmacologia *s2g.* **2** Estudioso ou especialista em farmacologia [F.: *farmacologia* + *-ista*.]

farmacomaníaco (far.ma.co.ma.*ní*.a.co) *a.* **1** Diz-se de indivíduo que tem mania de tomar remédios ou de indicá-los a outras pessoas *sm.* **2** Esse indivíduo [F.: *farmac(o)-* + *maníaco*.]

farmacômano (far.ma.*cô*.ma.no) *a.* **1** Diz-se do indivíduo que sente necessidade compulsiva de ingerir remédios, o mesmo que *farmacomaníaco sm.* **2** Esse indivíduo [F.: *farmac(o)-* + *-mano*.]

farmacopeia (far.ma.co.*pei*:a) *sf.* **1** Livro que ensina a arte e a técnica de preparar medicamentos: "Denota constipação do cérebro, ou asma espiritual, e para esse morbo encontro aqui numa velha farmacopeia galênica a mezinha infalível." (Aquilino Ribeiro, *Servo de Deus*) **2** Tratado acerca de medicamentos **3** *Farm.* Repositório de receitas de medicamentos gerais [F.: Do fr. *pharmacopée*.]

farmacopeico (far.ma.co.*pei*.co) *a. Farm.* Relativo a farmacopeia [F.: *farmacopeia* + *-ico²*.]

farmacotécnica (far.ma.co.*téc*.ni.ca) *sf. Farm.* Estudo da extração, síntese e preparação de fármacos [F.: *farmac(o)-* + *técnica*.]

farmacotécnico (far.ma.co.*téc*.ni.co) *a. Farm.* Ref. à farmacotécnica [F.: *farmac(o)-* + *técnico*.]

farmacoterapia (far.ma.co.te.ra.*pi*.a) *sf.* **1** *Farm.* Estudo do emprego terapêutico dos medicamentos sobre o organismo enfermo **2** *Farm.* Modo de dosar e ministrar medicamentos **3** *Farm.* Conhecimento das fórmulas farmacêuticas [F.: *farmac(o)-* + *terapia*.]

farnel (far.*nel*) *sm.* **1** Saco ou recipiente com comida para uma viagem ou piquenique: "Quando amanheceu Blimunda se levantou e pegou a comida para o farnel do marido que ia ao Monte Junto (...)." (José Saramago, *Memorial do convento*) **2** A comida que se leva como alimento para uma jornada, viagem, excursão etc. [Pl.: *-néis*.] [F.: De or. obsc.]

⊕ **far-niente** *sm.* Ócio, estado de descanso e desocupação: *Viviam num doce far-niente.* [F.: Do it. *far-niente* (fazer nada).]

faro (*fa*.ro) *sm.* **1** Olfato dos animais; sua alta sensibilidade para captar aromas, identificá-los, seguir seu rasto etc. **2** *Fig.* Capacidade de perceber, de intuir, pressentir (faro comercial); INSTINTO; INTUIÇÃO: *É um atacante com faro de gol.* **3** O cheiro particular que alguns animais exalam: *o faro do javali.* [F.: De or. obsc.]

faroeste (fa.ro.*es*.te) [és] *sm.* **1** *Cin. Liter. Telv.* Filme, livro ou revista em quadrinhos sobre a colonização do oeste dos Estados Unidos, no séc. XIX, ger. com muitas lutas e tiroteios; BANGUE-BANGUE **2** *Geog.* Região a oeste do Mississipi, nos Estados Unidos da América **3** *Bras. P.ext.* Lugar onde há muitas brigas, tiroteios e crimes **4** *Bras. P.ext.* Acontecimento ou briga violenta, com ou sem armas [F.: Do ing. *far* + *west*.]

farofa (fa.*ro*.fa) *sf.* **1** *Bras. Cul.* Prato (ger. acompanhamento) preparado à base de farinha de mandioca frita em gordura, ger. misturada com outros ingredientes como cebola, ovos, linguiça etc. **2** Alimento, prato que constitui refeição para trabalhadores agrícolas (esp. no N.E.), feito de farinha de mandioca (macaxeira) com tempero **3** *Bras. S.E. Pej.* Piquenique na praia, esp. com farofa e frango assado **4** *Fig.* Bazófia, fanfarronice, farófia **5** *Fig.* Conversa-fiada, sem propósito **6** Coisa insignificante [F.: De or. africana, posv.]

farofeiro (fa.ro.*fei*.ro) ***a.*** **1** Que promove piquenique na praia, esp. com almoço de farofa e frango ***sm.*** **2** *S.E. Pej.* Indivíduo que participa de piquenique na praia, esp. com almoço de farofa e frango [Denota preconceito.] **3** Indivíduo useiro em contar vantagem, se gabar; FANFARRÃO [F.: *farofa + -eiro.*]

farófia (fa.*ró*.fi:a) *sf.* **1** *Cul.* Doce feito de clara de ovo batida em neve, com açúcar e canela **2** Farinha torrada com manteiga e outros ingredientes, o mesmo que *farofa* **3** Jactância, o mesmo que *farofa* [F.: Prov. orig. afr.]

farol (fa.*rol*) *sm.* **1** Torre junto ao mar, numa ilha, ou à entrada de um porto etc., em cuja parte superior há um foco luminoso, ger. giratório, para orientar navegantes **2** Nos veículos automotores, cada uma das lanternas dianteiras que têm luz mais intensa **3** *Fig.* Pessoa ou coisa que serve de guia, de direção **4** *Bras. Pop.* Conversa-fiada de quem quer se vangloriar **5** *SP* Sinal luminoso de trânsito **6** Nas casas de jogos, indivíduo que joga com dinheiro da casa, fingindo-se cliente, para atrair parceiros ou incentivá-los a jogar **7** *Bras. Fig. Pop.* Anel com brilhante muito grande **8** Nos leilões, indivíduo pago para fazer lanços, atraindo assim licitantes [Pl.: *-róis*. Dim.: *farolete, farolim.* As formas irreg. *farolete, farolim* aplicam-se somente às acp. 1 e 2.] [F.: Do gr. *pháros*, pelo cat. *faró*, pelo espn. *farol.*]

faroleiro (fa.ro.*lei*.ro) *sm.* **1** Pessoa encarregada do funcionamento e da manutenção de um farol (1) **2** *Gír.* Indivíduo convencido, que tem por hábito contar vantagens, ***a.*** **3** *Gír.* Que gosta de contar vantagens, fazer farol (4) [F.: *farol + -eiro.*]

farolete (fa.ro.*le*.te) [ê] *sm.* **1** Pequeno farol; FAROLIM [Dim. irreg. de *farol.*] **2** Cada uma das pequenas lanternas dianteiras e traseiras destinadas a assinalar, no escuro, a presença do veículo automotor em movimento [F.: *farol + -ete.*]

farolim (fa.ro.*lim*) *sm.* Farol de pequeno tamanho us. em navegação costeira: "... ficou logo alumiada por uma tênue faixa de luz que jorrava do fundo, do farolim já aceso..." (Virgílio Várzea, *Histórias rústicas*) [Dim.: *irreg. de farol.*] [F.: *farol + -im.*]

farpa (*far*.pa) *sf.* **1** Ponta penetrante, em forma de ângulo agudo, como a do anzol ou da seta **2** Pequena lasca de madeira que, por acidente, se introduz na pele ou na carne **3** *Taur.* Vara com ponta de ferro aguda para picar o touro nas corridas; BANDARILHA **4** *Fig.* Crítica ou comentário ferino, mordaz: "(...) houve troca de farpas entre senadores." (*O Globo*, 06.05.2004) **5** Rasgão, rasgadura: *Ficou com a calça cheia de farpas.* **6** Tira de coisa rasgada; FARRAPO [F.: Do cast. *farpa.*]

farpado (far.*pa*.do) ***a.*** **1** Armado de farpa (arame farpado) **2** Em forma de farpa: *O dardo tinha uma ponta farpada.* **3** Cheio de farpas: "(...) ou se estivesse seu corpo,/ como uma casaca-de-couro,/ dentro de um ninho farpado,/ feito de espinhos e talos; (...)" (João Cabral de Melo Neto, "O automobilista infundioso", *in Serial*) [F.: *farpa + -ado*².]

farpear (far.pe.*ar*) *v. td.* **1** *Fig.* Lançar farpa ou arpão em: *farpear uma baleia* **2** *Fig.* Lançar farpas, censuras, críticas a: *Farpeou o novo livro do escritor.* **3** Fincar bandarilhas em (touro): *O bandarilheiro farpeou o touro.* [▶ **13 farpear**] [F.: *farpa + -ear.*]

farpela (far.*pe*.la) *sf.* **1** Vestimenta, roupa **2** Vestimenta pobre ou rota; ANDRAJO; FARRAPO **3** Pequeno gancho agudo em uma das pontas da agulha de crochê; BARBELA [F.: *farpa + -ela.*]

farra (*far*.ra) *sf.* **1** Diversão animada e ruidosa, ger. reunindo várias pessoas que comemoram algo com bebidas, comidas, música etc.; BEBEDEIRA; PÂNDEGA; PATUSCADA **2** Qualquer festa bastante animada **3** *Bras. Pop.* Gozação, troça: *Menti só por farra.* [F.: De or. obsc.]

farrancho (far.*ran*.cho) *sm.* **1** Reunião de pessoas para romaria **2** Grande farra: "Uma vez por outra, a peonada da fazenda promovia um farrancho. Havia dança e vinho." (Osvaldo Orico, *Terra que treme*) [F.: De or. incerta, posv. deriv. de *farra.*]

farrapo (far.*ra*.po) *sm.* **1** Pedaço de pano rasgado ou gasto pelo uso **2** Peça de roupa muito velha e rasgada **3** *Fig.* Pessoa de aparência pobre e maltrapilha, cujas vestes estão rotas **4** *Bras. Hist.* Apelido que os legalistas davam aos republicanos que se insurgiram no Rio Grande do Sul, em 1835-1845, na Revolução Farroupilha ou Guerra dos Farrapos; FARROUPILHA [F.: Posv. de or. onomatopaica.]

farrear (far.re.*ar*) *v. int. Bras.* Fazer farra ou participar dela; FOLIAR; PANDEGAR; PATUSCAR: *Não queria trabalhar, só queria farrear.* [▶ **13 farrear**] [F.: *farra + -ear*².]

farricoco (far.ri.*co*.co) [ô] *Lus. Ant. sm.* **1** Carregador de ataúdes nos enterros **2** Pessoa que, nas procissões de penitência, veste hábito escuro com capuz, e toca trombeta: "O que em minha ideia se fungia: os que lhe vinham em seguida: o confessor, de lábios finos, a viúva dos malefícios... o farricoco de capuz." (Guimarães Rosa, *Estas estórias*) **3** O capuz que era us. nessas cerimônias [F.: De orig. obs.]

farripas (far.*ri*.pas) *sfpl. Pop.* Cabelos ralos e não muito compridos; FALRIPAS [F.: De or. incerta: posv. de *farrapos* (Corominas).]

farrista (far.*ris*.ta) ***a2g.*** **1** Que gosta de farras, que costuma participar de farras ***s2g.*** **2** Indivíduo dado a farras [F.: *farra + -ista.* Sin. ger.: *boêmio, pândego.*]

farroma (far.*ro*.ma) *sf.* **1** *RS* Relato de atos de coragem, reais ou inventados, com o propósito de causar boa impressão; FANFARRICE; FANFARRONICE; BRAVATA; BAZÓFIA ***sm.*** **2** Indivíduo afeito a relatar acontecimentos, reais ou inventados, nos quais teria demonstrado bravura [F.: Voc. de or. expressiva, posv. Sin. ger.: *farromba.*]

farromba (far.*rom*.ba) *sf.* Ver *farroma* [F.: Posv. var. de *farroma.*]

farromeiro (far.ro.*mei*.ro) ***a.*** **1** *S.* Em que há gabolice, o mesmo que *fanfarrão*: *Lá vem ele com seu ar farromeiro.* ***sm.*** **2** *S.* Jactancioso, gabola, o mesmo que *fanfarrão*: *Não passa de um grande farromeiro.* [F.: *farroma + -eiro.*]

farroupilha (far.rou.*pi*.lha) ***s2g.*** **1** *Bras. Hist.* Ver *farrapo* [Tb. us. como adj.] **2** Pessoa vestida de farrapos, trapos **3** *Pej.* Pessoa desprezível [F.: Posv. deturpação de **farrapilha*, de *farrapo + ilha.*]

📖 A revolução Farroupilha, ou guerra dos Farrapos, antepôs no Rio Grande do Sul, entre 1835 e 1845, de um lado os chimangos, que (inspirados nas ideias de um exilado italiano, Tito Lívio Zambeccari, e chefiados por Bento Gonçalves) lutavam por um estado republicano, portanto separado da monarquia e, de outro, os caramurus, favoráveis à monarquia. De início vitoriosos, os chimangos ocuparam a capital Porto Alegre e proclamaram a República de Piratini, que pretendiam viesse a ser uma federação, à medida que outros estados aderissem ao movimento. Em 1839 chegaram a Santa Catarina, onde proclamaram a efêmera República Juliana. Somente após 1842, com a nomeação do então barão de Caxias como comandante das tropas do império, começou a derrocada dos revoltosos, que afinal, mesmo sem conseguir atingir seu objetivo, obtiveram um armistício honroso, com anistia para todos, incorporação ao Exército (os líderes com patente de oficiais) e liberdade para os escravos que combateram a seu lado. Lutaram com os chimangos o italiano Giuseppe Garibaldi e sua mulher brasileira Anita.

farsa (*far*.sa) *sf.* **1** *Teat.* Peça teatral, ger. de elenco reduzido, de ação trivial ou burlesca, na qual se empregam gracejos, situações cômicas e ridículas etc. **2** Ação que visa iludir, enganar; EMBUSTE; LOGRO: *O depoimento do deputado na CPI foi uma farsa*; "Se o governo não dava verbas, fechassem o hospital logo duma vez. Seria preferível àquela farsa." (Marques Rebelo, *Marafa*) **3** Ação ou narração engraçada, ridícula, burlesca ou risível **4** Comédia ruim, de baixo nível **5** Qualquer coisa que apresente uma natureza burlesca [F.: Do lat. pop. **farsus*, pelo fr. *farce.*]

farsante (far.*san*.te) ***a2g.*** **1** Diz-se de quem, por estar enganando ou costumar enganar outros, não é confiável **2** Que tem por hábito praticar ações burlescas, ridículas **3** Que não leva nada a sério, que graceja de tudo e de todos; FARSISTA ***s2g.*** **4** Pessoa que engana, em quem não se pode confiar; ENGANADOR **5** Pessoa burlesca, ridícula **6** Indivíduo pouco sério; GOZADOR; FARSISTA **7** *Teat.* Ator ou atriz que representa farsas [F.: *farsa + -nte.*]

farsesco (far.*ses*.co) ***a.*** **1** Que se refere a farsa **2** Diz-se do que contém elementos de farsa (espetáculo farsesco) [F.: *farsa + -esco.*]

farsista (far.*sis*.ta) ***s2g.*** **1** Pessoa que vive fazendo graça **2** Pessoa que faz rir, que diverte, às vezes, sem intenção ***a2g.*** **3** Diz-se de atitude, situação etc. cômica, burlesca **4** Que vive fazendo graça ou agindo de modo burlesco [F.: *farsa + -ista.*]

farta (*far*.ta) *sf.* **1** Copiosidade, abundância **2** Us. na loc. *à farta.* [F.: Fem. subst. de *farto.*] ▪ **À ~** Até a saciedade, em abundância, fartamente, com fartura

fartão (far.*tão*) *sm.* **1** Ação ou resultado de fartar; FARTADELA **2** Quantidade (de algo) que satisfaz, que farta **3** Grande quantidade, grande porção de algo [F.: *farto + -ão*¹.] ▪ **Tomar um ~** **1** Fartar-se, comer ou beber até não poder mais **2** *Fig.* Aproveitar algo ao máximo: *No festival, tomei um fartão de cinema.*

fartar (far.*tar*) *v.* **1** Satisfazer o apetite de; saciar (a fome ou a sede) (a alguém, inclusive si mesmo, a animal) [***td.***: *Vinham com fome, mas fartei-os: Alguns goles de água fartaram sua sede.*] [***int.***: *Entrou no restaurante e fartou-se.*] **2** Tornar(-se) cheio; encher(-se), atulhar(-se), abarrotar(-se) [***td.*** / ***tdr.*** *+ de, com*: *O anfitrião fartou os convidados (de petiscos).*] [***tr.*** *+ de, com*: *Seu coração fartou-se com amores passageiros; Fartou-se de pão e vinho.*] **3** *Fig.* Satisfazer (vontade, desejo, sentimento) [***td.***: *A compra de mais um imóvel fartou sua ambição.*] **4** Provocar ou sentir aborrecimento, enfado ou cansaço [***td.***: *O discurso prolixo fartou o público.*] [***tr.*** *+ de*: "...não se fartavam de olhar para eles..." (Ana Maria Machado, *A audácia dessa mulher*)] **5** Ser bastante [***int.***: *Dai ação, mais ação, ação que farte.*] [▶ **1 fartar** Part.: *fartado* e *farto.*] [F.: *farta + -ar*². Hom./ Par.: *farto* (fl.), *farto* (a.sm.); *farta(s)* (fl.), *farta(s)* (sf.[pl.]); *fartáveis* (fl.), *fartáveis* (pl. de *fartável*); *farte(s)* (fl.), *farte(s)* (sm.[pl.]).]

farto (*far*.to) ***a.*** **1** Em que há abundância (cabelos fartos); ABUNDANTE: [*+ de, em*: *Foi um jogo farto de / em violência.* Ant.: *escasso, minguado.*] **2** Satisfeito, saciado: *Comeu até ficar farto.* [Ant.: *faminto.*] **3** Aborrecido, enfastiado, cansado: *Estou farto de promessas.* **4** Abundante em alimentos e provisões: "Campos não apertava a bolsa em questões de comida; queria mesa farta: quatro pratos ao almoço (...)." (Aluísio Azevedo, *Casa de pensão*) **5** Nutrido, gordo, corpulento: "É deveras... Animal de riqueza: graúdo, farto, manteúdo." (João Guimarães Rosa, *Grande sertão: veredas*) [Ant.: *raquítico.*] **6** Que se encontra cheio, abarrotado, atulhado [Ant.: *vazio.*] [F.: lat. *fartus*. Hom./Par.: *farto* (fl. de *fartar*).]

fartum (far.*tum*) *sm.* **1** Cheiro desagradável de ranço **2** Cheiro desagradável de alguns animais **3** Qualquer fedor nauseabundo; FEDOR *Pop.*; FUTUM; INHACA; MORRINHA [Pl.: *-uns.*] [F.: Do lat. *fartum.*]

fartura (far.*tu*.ra) *sf.* **1** Condição do que é farto, abundante **2** Abundância de alimentos, de provisões **3** Grande quantidade de algo: "Porque dá peixes, por aí, com fartura (...)." (Guimarães Rosa, *Grande sertão: veredas*) *sfpl.* **4** Farturas: bolos feitos de farinha e azeite, espécie de filhós, que se vendem em barracas de feira [F.: Do lat. *fartura*. Defs. 1 a 3: Sin. ger.: *abastança, abundância*. Ant. ger.: *carência, escassez.*]

◎ **-fas-** ***el. comp.*** = -fase: *bifásico, trifásico etc.* [F.: Do gr. *phásis, eos.*]

fás *sm.* O que é justo, legítimo [Ant.: *nefas.*] [F.: Do lat. *fas* 'lícito'.] ▪ **Ou por ~ ou por nefas** Ver *Por fás ou por nefas.* **Por ~ ou por nefas** **1** Com ou sem razão, com ou sem legitimidade **2** Por bem ou por mal

fáscia (*fás*.ci:a) *sf. Anat.* Tecido conjuntivo que recobre músculos, fibras musculares e tb. os órgãos viscerais e neurológicos [F.: Do lat. *fascia.*]

fasciculação (fas.ci.cu.la.*ção*) *Fisl. sf.* **1** Formação de fascículos, processo no qual se adquire forma de fascículo **2** Contração parcial e espontânea da musculatura estriada por um filamento nervoso motor, produzindo leves tremores na pele [Pl.: *-ções.*] [F.: *fascicular + -ção.*]

fasciculado (fas.ci.cu.*la*.do) ***a.*** **1** Que se apresenta em fascículos, em feixes **2** Que tem a forma de um feixe [F.: Part. de *fascicular.*]

fascicular¹ (fas.ci.cu.*lar*) ***a2g.*** **1** Referente a fascículo **2** Em forma de fascículos [F.: *fascículo + -ar*¹.]

fascicular² (fas.ci.cu.*lar*) *v.* Causar ou sofrer fasciculação [***td.***] [***int.***] [▶ **1 fascicular**] [F.: *fascículo + -ar*².]

fascículo (fas.*cí*.cu.lo) *sm.* **1** Feixe pequeno; FEIXINHO **2** *Edit.* Cada uma das partes, em forma de cadernos ou partes de caderno impressas, que integram uma obra publicada aos poucos, com intervalos regulares de tempo: *O último fascículo da enciclopédia já está nas bancas.* **3** *Anat.* Pequeno feixe de fibras nervosas, tendinosas etc. **4** *Bot.* Inflorescência em que os pedicelos das flores saem juntos de um mesmo nó do caule **5** A quantidade de ervas ou de varas que se consegue ter sob um dos braços dobrado e apoiado com a mão na cintura **6** Feixe de espigas [F.: Do lat. *fasciculus*, dim. de *fascis.*]

fascinação (fas.ci.na.*ção*) *sf.* **1** Ação ou resultado de fascinar **2** Atração irresistível: "Mulher desquitada era um ser de exceção, algo pecaminoso, perigoso, (...), que exercia sobre ele a mais intensa fascinação." (Marques Rebelo, *O simples coronel Madureira*) [Ant.: *aversão, repulsa*] **3** Enlevo, encanto, deslumbramento [Pl.: *-ções.*] [F.: Do lat. *fascinatio, onis*, pelo fr. *fascination*. Sin. ger.: *fascínio.*]

fascinado (fas.ci.*na*.do) ***a.*** **1** Muito envolvido, encantado **2** Que se encontra atraído, seduzido [F.: Part. de *fascinar.*]

fascinador (fas.ci.na.*dor*) [ô] ***a.*** **1** Que fascina, que provoca fascinação; FASCINANTE: "Estava fascinadora: um leve rubor tingiu suas faces..." (Bulhão Pato, *Digressões e novelas*) ***sm.*** **2** Aquele ou aquilo que fascina **3** Feiticeiro, bruxo [F.: Do lat. *fascinator, oris.*]

fascinante (fas.ci.*nan*.te) ***a2g.*** Que fascina; FASCINADOR: "Tenho visto muita mulher mais bela, algumas mais adoráveis, nenhuma tão fascinante." (Almeida Garrett, *Viagens na minha terra*) [F.: *fascinar + -nte.*]

fascinar (fas.ci.*nar*) *v.* **1** Provocar forte atração em [***td.***: *A vitrine da doceria fascinava as crianças.*] **2** Provocar encantamento (em); DESLUMBRAR; ENCANTAR [***td.***: *A musicalidade brasileira fascinou jazzistas europeus.*] [***int.***: *A dança fascina.*] **3** Exercer domínio ou controle com o olhar [***td.***: *O ilusionista fascinava a jovem com o simples movimento dos olhos.*] **4** Sujeitar à ação de encanto, feitiço; ENFEITIÇAR [***td.***] [▶ **1 fascinar**] [F.: Do fr. *fasciner.*]

fascínio (fas.*cí*.ni:o) *sm.* **1** Ver *fascinação* **2** Encantamento [F.: Do lat. *fascinum.*]

fascismo (fas.*cis*.mo) *sm.* **1** *Pol.* Regime político nacionalista, imperialista, antiliberal e antidemocrático, com base na força, na censura e na supressão violenta da oposição, como o imposto por Benito Mussolini (1883-1945) na Itália em 1922 **2** *P.ext.* Tendência para o autoritarismo e a intolerância **3** Atitude, procedimento de pessoa fascista [F.: Do it. *fascismo.*]

📖 Num sentido mais amplo, o fascismo representou uma reação das forças conservadoras da Europa após a vitória do socialismo na União Soviética, e se baseava em concepções fortemente nacionalistas e no exercício totalitário do poder, portanto contra o sistema democrático e liberal, e repressivo ante as ideias social-democratas, socialistas e comunistas. Com variações, foi a concepção básica do nazismo alemão, do regime de Franco na Espanha e de Salazar em Portugal, além de outras facções menores. Mas foi na Itália que o movimento assumiu o poder explicitamente, sob sua própria denominação e seu próprio símbolo, o fascio, o 'feixe' de varas dos litores romanos. Seu fundador, Benito Mussolini, governou a Itália a partir de 1922, e logo tornou-se um ditador com poderes totais, baniu os partidos e ignorou o rei. Fez com a Alemanha de Hitler e o Japão de Hirohito e Tojo Hideki um pacto (formando o chamado Eixo) que se transformou na frente inimiga das democracias durante a Segunda Guerra Mundial. Com a derrota da Itália, Mussolini foi linchado pelo povo, em 1943. No Brasil, com diferenças significativas no ideário e nas circunstâncias, teve inspiração fascista o integralismo de Plínio Salgado

fascista (fas.*cis*.ta) *a2g.* **1** *Pol.* Ref. a ou próprio do fascismo (discurso fascista) **2** *Pol.* Que é partidário do fascismo (oficiais fascistas) *s2g.* **3** Indivíduo fascista [F.: Do it. *fascista*.]

fascistização (fas.cis.ti.za.*ção*) *sf.* Ação ou resultado de fascistizar(-se), de tornar(-se) fascista [F.: *fascistizar* + *-ção*.]

fascistizante (fas.cis.ti.*zan*.te) *a2g.* Que tende para o fascismo (posição política fascistizante) [F.: *fascistizar* + *-nte*.]

fascistizar (fas.cis.ti.*zar*) *v. td.* **1** *Pol.* Tornar(-se) adepto (alguém, um país, um grupo etc.) aos princípios fascistas: *O governo fascistizou o país.* **2** Dar caráter fascista a: *Na montagem, fascistizou o texto teatral.* [▶ 1 fascistizar] [F.: *fascista* + *-izar*.]

fascistoide (fas.cis.*toi*.de) *Pej. a2g.* **1** Que é partidário ou simpatizante do fascismo, o mesmo que *fascista* (inclinações fascistoides) *s2g.* **2** Partidário do fascismo, o mesmo que *fascista*: *Era um fascistoide de berço.* [F.: *fascista* + *-oide*.]

fascolarctídeo (fas.co.larc.*tí*.de:o) *Zool. sm.* **1** Espécime dos fascolarctídeos, fam. de marsupiais australianos que inclui apenas uma única espécie, a *Phascolarctos cinereus*, a que vulgarmente chamamos *coala*. *a.* **2** Ref. ou pertencente aos fascolarctídeos [F.: Adaptç. do lat.cient. *Phascolarctidae*.]

◎ **-fase** *el. comp.* = 'ação de mostrar-se'; 'fase', 'período': *anáfase, metáfase.* [F.: Do gr. *phásis, eos*.]

fase (*fa*.se) *sf.* **1** Etapa ou estágio de um processo em evolução ou que sofre sucessivas alterações: *A infância é a primeira fase da vida.* **2** Período ou época com características que a distinguem: *a fase azul de Picasso.* **3** Cada um dos diferentes aspectos que apresentam a Lua e outros astros sem luz própria, vistos da Terra, segundo a incidência dos raios solares (fases da Lua) **4** *Elet.* Cada uma das tensões elétricas de uma corrente trifásica **5** *Elet.* Condutor de cada uma dessas tensões **6** *Fís.Quím.* Parte homogênea, que pode ser separada, em um sistema heterogêneo [F.: Do gr. *phásis*, pelo fr. *phase*.] ▪ **~ aberta** *Fís.-quím.* Fase de um sistema físico-químico na qual as fronteiras permitem a passagem de massa de um ou mais componentes do sistema **~ dispersa** *Fís.-quím.* Num sistema coloidal, fase composta de partículas separadas e imersa em outra **~ dispersora** *Fís.-quím.* Num sistema coloidal, a fase contínua na qual está imersa a fase dispersa **~ do espelho** *Psic.* No desenvolvimento da psique de uma criança, a fase (entre os seis e os oito meses de vida) na qual, em seu imaginário, se antecipam a percepção e o domínio do corpo **~ fechada** *Fís.-quím.* Fase de um sistema físico-químico na qual as fronteiras não permitem a passagem de massa de um ou mais componentes do sistema

faseolar (fa.se:o.*lar*) *a2g.* Que tem forma de feijão, como, p. ex., o rim; FASEOLIFORME [F.: *faséolo* + *-ar*[1].]

⊕ ***fashion*** (*Ing. /féchon/*) *a2g2n.* **1** Ref. a moda ou à indústria da moda (mundo fashion): *os eventos do calendário fashion.* **2** Que está na moda (sapatos fashion) **3** Que se veste de acordo com a moda: *Ela é toda fashion.*

fashionista (fa.shi:o.*nis*.ta) *a2g.* **1** Ref. ou pertencente a moda, esp. de vestuário **2** Diz-se de quem entende de moda, segue suas tendências ou cria moda *s2g.* **3** Pessoa fashionista (2) [F.: Do ing. *fashionist*.]

◎ **-fasia** *el. comp.* = 'palavra'; 'fala': *afasia, disfasia* [F.: Do gr. *phásis, eos.* Cf. *-frasia*.]

fásico (*fá*.si.co) *a.* Que ocorre ou se desenvolve por fases [F.: *fase* + *-ico*[2].]

fasquiar (fas.qui.*ar*) *v. td.* **1** Guarnecer, forrar, revestir com ripas, com fasquias **2** Serrar (madeira) no formato de ripas, de fasquias **3** Armar, construir (caixa, p.ex.) usando ripas, fasquias [▶ 1 fasquiar] [F.: *fasquia* + *-ar*[2].]

⊕ ***fast-food*** (*Ing. /fést-fud/*) *sf.* **1** Tipo de comida, como sanduíches, batatas fritas, sorvetes etc., preparada e servida com rapidez em lanchonetes *sm.* **2** Lanchonete que serve esse tipo de comida

fastidioso (fas.ti.di:*o*.so) [ô] *a.* **1** Que causa fastio, tédio; ENFADONHO; MAÇANTE; TEDIOSO [Ant.: *interessante*] **2** Que se mostra irritadiço, ranzinza, rabujento [Fem. e pl.: [ó].] [F.: Do lat. *fastidiosus*.]

fastiento (fas.ti.*en*.to) *a.* **1** Que produz fastio, o mesmo que fastidioso **2** Que se aborrece com tudo, rabugento [F.: *fastio* + *-ento*.]

fastígio (fas.*tí*.gio) *sm.* **1** O ponto mais alto, mais elevado; CUME; PÍNCARO: "Estavam ao pé do Buriti-Grande... e já sobre ele, desde de manhã, mexiam-se as araras no fastígio." (Guimarães Rosa, "Buriti", *in Noites do sertão*) **2** Posição de grande relevo, de alta relevância; APOGEU; AUGE: *Encontrava-se no fastígio de sua carreira.* **3** *Med.* Momento de maior intensidade de uma doença **4** *Med.* Em um estado febril, a mais alta temperatura registrada [F.: Do lat. *fastigium, ii*.]

fastio (fas.*ti*:o) *sm.* **1** Falta de apetite, de fome, de vontade de comer; INAPETÊNCIA [Ant.: *apetite*.] **2** Enfado, tédio, aborrecimento [+ *a, de, por*: *Sentia imenso fastio à/da/pela vida.*] **3** Sentimento de aversão, repugnância para com alguém ou algo [+ *a, de, por*: *Tinha verdadeiro fastio a/de/por aduladores.*] [F.: Do lat. *fastidium*.]

fastos (*fas*.tos) *smpl.* **1** Anais, registros públicos de fatos e obras memoráveis: *Seu nome enobrece os fastos do teatro nacional.* **2** *Hist.* Calendário romano que relacionava os dias fastos (aqueles nos quais se podiam exercer licitamente negócios públicos) e os nefastos (aqueles nos quais não se os podiam realizar, e os consagrados a luto ou lembrança de tragédia) [F.: Do lat. *fastos*, de *fasti dies*.]

fastuoso (fas.tu.*o*.so) [ô] *a.* Que demonstra magnificência, esplendor, fausto; MAGNÍFICO; POMPOSO; LUXUOSO: *Os fastuosos salões do palácio imperial.* [Fem. e pl.: [ó].] [F.: Do baixo lat. *fastuosus*, por *fastosus*, com prov. influência do fr. *fastueux*.]

⊠ **FAT** Sigla de *Fundo de Amparo ao Trabalhador*

fatal (fa.*tal*) *a2g.* **1** Que tem como consequência a morte, que leva à morte (tiro fatal, acidente fatal) **2** A quem sobreveio a morte (vítima fatal) **3** Determinado pelo destino ou fado: "E seu curso fatal seguia o tempo." (Fagundes Varela, *Obras*) **4** Impossível de ser evitado; INEVITÁVEL: *Após tantas brigas veio a fatal separação.* **5** Funesto, desastroso, nocivo: "(...) foi fatal jogar a terceira partida em cinco dias sob sol forte (...)." (*O Globo*, 12.01.2004) [+ *a, para*: *fatal ao/para o ânimo do time.*] **6** Irrevogável, improrrogável, final (prazo fatal) **7** Que pode ou parece levar a um destino funesto (decisão fatal) [Pl.: *-tais*.] [F.: Do lat. *fatalis*.]

fatalidade (fa.ta.li.*da*.de) *sf.* **1** Condição ou caráter do que é fatal **2** Consequência ou influência inevitável do destino ou fado; FATALISMO: *Atribuiu o incêndio a uma fatalidade.* **3** Acontecimento desastroso [F.: Do lat. tard. *fatalitas-atis* pelo fr. *fatalité*.]

fatalismo (fa.ta.*lis*.mo) *sm.* **1** Atitude ou doutrina dos que atribuem todos os acontecimentos ao destino inevitável e prefixado, sem que se possa alterá-los ou preveni-los **2** Ver *fatalidade* (2) [F.: Do fr. *fatalisme*.]

fatalista (fa.ta.*lis*.ta) *a2g.* **1** Ref. a ou próprio do fatalismo: *visão fatalista da História.* **2** Que crê no fatalismo *s2g.* **3** Indivíduo fatalista [F.: Do fr. *fataliste*.]

fata morgana Miragem que, aos olhos de um observador, mostra imagens de objetos invisíveis em posições invertidas [F.: Do it. *fada Morgana* (de uma lenda do Rei Artur).]

fatia (fa.*ti*.a) *sf.* **1** Pedaço de alimento, cortado ao longo de uma superfície, num formato aproximado de lâmina mais ou menos grossa (fatia de pão, fatia de queijo, fatia de bolo) **2** *Fig.* Segmento, parte de um todo, porção de algo: *A empresa busca uma fatia inexplorada de mercado.* **3** *Fig.* Parte que cabe a alguém (do resultado de um negócio, empreendimento etc.); QUINHÃO [F.: Do ar. *fitatâ*. Hom./Par.: *fatia* (fl. de *fatiar*).]

fatiado (fa.ti.*a*.do) *a.* Cortado ou dividido em fatias (bolo fatiado; lucros fatiados) [F.: Part. de *fatiar*.]

fatiar (fa.ti.*ar*) *v.* **1** Cortar ou dividir em fatias; AFATIAR; ESFATIAR [*tdr.* + *em*: *Fatiou o filé em grossos bifes.*] [*td.*: *O garçom fatiou o bolo.*] **2** Reduzir a pedaços; ESPEDAÇAR [*td.*: *O policial fatiou o bichinho de pelúcia procurando drogas.*] [▶ 1 fatiar] [F.: *fatia* + *-ar*[2]. Hom./Par.: *fatia(s)* (fl.), *fatia(s)* (sf. [pl.]).]

fático (*fá*.ti.co) *a.* **1** *Jur.* Relativo ao fato jurídico; tb. *fáctico* **2** *Ling.* Diz-se da função da linguagem que busca assegurar o contato entre falante e destinatário, como no uso de expressões como *Alô? Está me ouvindo?* [F.: Do gr. *phátis* (o que se diz).]

fatídico (fa.*tí*.di.co) *a.* **1** Que causa ou traz desgraça, em que se prevê ou espera desgraça (decisão fatídica, data fatídica) **2** Que revela o destino; PROFÉTICO [F.: Do lat. *fatidicus*.]

fatiga (fa.*ti*.ga) *sf.* Ver *fadiga* [F.: F. regress. de *fatigar*. Hom./Par.: *fatiga* (fl. de *fatigar*).]

fatigado (fa.ti.*ga*.do) *a.* **1** Que tem ou demonstra fadiga, cansaço; CANSADO; EXAUSTO: *Tinha um ar fatigado.* **2** Entediado, desanimado [F.: Part. de *fatigar*.]

fatigante (fa.ti.*gan*.te) *a2g.* **1** Que causa fadiga física ou mental (tarefa fatigante, dia fatigante); FADIGOSO **2** Que provoca enfado, tédio; MAÇANTE; ENFADONHO [F.: Do lat. *fatigans, antis*.]

fatigar (fa.ti.*gar*) *v.* **1** Causar fadiga a, ou sentir fadiga; CANSAR [*td.*: *A longa caminhada fatigou os turistas.*] [*int.*: *Fatigava-se sempre que subia escadas.*] **2** Causar ou sentir fastio, tédio; importunar(-se); enfadar(-se) [*td.*: *Fatigou-o com seus discursos.*] [*tr.* + *de*: *Fatiga-se de ouvir sempre as mesmas histórias.*] [▶ 14 fatigar] [F.: Do lat. *fatigare*. Hom./Par.: *fatiga(s)* (fl.), *fatiga(s)* (sf.[pl.]); *fatigáveis* (fl.), *fatigáveis* (pl. de *fatigável*).]

fatíloquo (fa.*tí*.lo.quo) *a.* Que é capaz de predizer o futuro; tb. *fatiloquente*; PROFÉTICO; FATÍDICO [F.: Do lat. *fatiloquus, a, um*.]

fatiota (fa.ti.*o*.ta) [ó] *sf.* **1** Roupa, vestimenta, traje **2** *Fig.* Aglomeração de farrapos, farraparia [F.: *fato*[2] + *-i-* + *-ota*[1].]

fatível (fa.*tí*.vel) *a2g.* Ver *factível* [Pl.: *-veis*.]

fato[1] (*fa*.to) *sm.* **1** Ato, feito, acontecimento, evento, circunstância: "(...) embora [as secas] sejam o único fato de toda a nossa vida nacional ao qual se possa aplicar o princípio da previsão." (Euclides da Cunha, *Confrontos e contrastes*) **2** O que é real ou verdadeiro; REALIDADE; VERDADE [Ant.: *inverdade, mentira*.] **3** Ocorrência, evento observado objetiva ou cientificamente: *A conquista espacial foi um fato admirável.* [Nestas acps., nos demais países lusófonos, usa-se facto.] [F.: Do lat. *factum*.]

fato[2] (*fa*.to) *sm.* **1** Vestimenta, indumentária, traje **2** *Lus.* Ver *terno*[2] **3** *Lus. N.E.* Vísceras de animal, esp. o intestino [F.: De or. contrv.]

fato[3] (*fa*.to) *sm.* Rebanho pouco numeroso, esp. de cabras [F.: De or. contrv.]

fator (fa.*tor*) [ô] *sm.* **1** Qualquer elemento que contribui para certo resultado: *Dedicação é um fator importante para o sucesso.* **2** *Arit.* Cada um dos termos da multiplicação: *Na multiplicação, a ordem dos fatores não altera o produto.* **3** Aquele que faz, que executa alguma coisa [F.: Do lat. *factor*, pelo fr. *facteur*.] ▪ **~ abiótico** *Ecol.* Fator do ecossistema não relacionado com seres vivos, como os fatores físicos, os químicos etc. (luz, temperatura, substâncias nutrientes etc.) **~ biótico** *Ecol.* Ser vivo como integrante e formador de um ecossistema **~ de crescimento** *Biol.* Molécula de substância que estimula o crescimento de células ou sua diferenciação e especialização. [Ex.: vitaminas, hormônios etc.] **~ de integração** *Mat.* Função que, quando multiplicada por uma diferencial inexata, transforma em exata; fator integrante **~ de proporcionalidade** *Mat.* Quociente de grandezas proporcionais **~ de reflexão** *Fotm.* Num fenômeno de reflexão de luz, relação entre a luminosidade refletida e o fluxo de luz incidente na superfície refletora **~ integrante** *Mat.* Ver *Fator de integração* **~ Rh** *Hem.* Antígeno presente no sangue e us. para classificação de grupos sanguíneos [Tb. apenas *Rh*.]

fatoração (fa.to.ra.*ção*) *Arit. sf.* Operação de fatorar [Pl.: *-ções*.] [F.: *fator* + *-ar*[2].]

fatorar (fa.to.*rar*) *v. td.* **1** *Mat.* Decompor (número) em fatores primos **2** *Mat.* Decompor (um polinômio) em um produto de fatores [▶ 1 fatorar] [F.: *fator* + *-ar*[2]. Hom./Par.: *fatores* (fl.), *fatores* [ô] (pl. de *fator*); *fatorar*, *faturar* (v.).]

fatorexia (fa.to.re.*xi*.a) [cs] *sf.* Distúrbio de comportamento que consiste em pessoas gordas se acharem magras, ou não gordas (por oposição a *anorexia*) [F.: Neologismo formado supostamente pela junção de *fat* ('gordura', em inglês) com *-orexia*.]

fatoréxico (fa.to.*ré*.xi.co) [cs] *a.* **1** Ref. a, ou que tem ou apresenta fatorexia *sm.* **2** Aquele que tem fatorexia [F.: *fatorexia* + *-ico*[2].]

fatorial (fa.to.ri.*al*) *a2g.* **1** Referente a fator **2** *Mat.* Produto dos números naturais de 1 até o inteiro *n* **3** *Med.* Diz-se de testes escolhidos em função dos resultados de análises fatoriais *sm.* **4** *Mat.* Produto cujos fatores estão em progressão aritmética [F.: *fator* + *-i-* + *-al*.]

fatual (fa.tu.*al*) *a2g.* Rel. a fato, o mesmo que *factual* [F.: Do lat. *factus* + *al*[1].]

fatuidade (fa.tu:i.*da*.de) *sf.* **1** Qualidade ou comportamento de quem é fátuo; PRESUNÇÃO; VAIDADE; ESTULTÍCIA **2** Qualidade do que é fugaz, passageiro [F.: Do lat. *fatuitas, atis*.]

fátuo (*fá*.tu:o) *a.* **1** Que demonstra presunção, vaidade extrema; PRESUNÇOSO; PRETENSIOSO: "(...) o monsenhor era fundamentalmente um preguiçoso, carreirista, untuoso, fátuo, corrupto (...)." (João Ubaldo Ribeiro, *Diário do farol*) [Ant.: *modesto, simples*] **2** Desprovido de bom-senso ou de inteligência; TOLO; ESTÚPIDO: "Eugênio (...) olhou para a Marquesa, com um ar ao mesmo tempo fátuo e atoleimado (...)." (Honoré de Balzac, "Estudo de mulher", *in Mar de histórias*) [Ant.: *perspicaz, sagaz*.] **3** De pouca duração; EFÊMERO; FUGAZ; TRANSITÓRIO [Ant.: *duradouro*.] [F.: Do lat. *fatuus*.]

fatura (fa.*tu*.ra) *sf.* **1** *Com.* Relação de mercadorias vendidas com os respectivos preços, ou das diversas notas fiscais emitidas num período, e que o fornecedor remete ao cliente, ger. como documento de cobrança **2** Ação ou resultado de fazer; método ou maneira de fazer; FEITURA [F.: Do lat. *factura*, pelo fr. *facture*. Hom./Par.: *fatura* (fl. de *faturar*).] ▪ **~ consular** Fatura que arrola mercadorias expedidas de um país a outro, visada pelo consulado do país de destino **Liquidar a ~ 1** *Bras. Fam.* Saldar compromisso assumido, obrigação etc. **2** Levar até o fim, pôr um ponto-final em tarefa, pendência, negócio etc.

faturação (fa.tu.ra.*ção*) *sf.* **1** Ação ou resultado de faturar, o mesmo que *faturamento* **2** Serviço encarregado de emitir faturas [Pl.: *-ções*.] [F.: *faturar* + *-ção*.]

faturado (fa.tu.*ra*.do) *a.* Que se faturou; que foi resultado de uma faturação: *O lucro faturado foi bem alto.* [F.: Part. de *faturar*.]

faturamento (fa.tu.ra.*men*.to) *sm.* **1** Ação ou resultado de faturar; FATURAÇÃO **2** *Com.* Total das vendas de uma empresa em dado período [F.: *faturar* + *-mento*.]

faturar (fa.tu.*rar*) *v.* **1** Fazer, em fatura, a relação de (mercadorias vendidas com os respectivos preços) [*td.*: *A secretária faturou todos os pedidos.*] **2** Acrescentar (mercadoria) em fatura [*td.*: *Faturou até mesmo as miudezas.*] **3** *Bras. Pop. Fig.* Ganhar (dinheiro, remuneração); obter (vantagens, benefícios) [*td.*: *Espera faturar um dinheiro extra no final do ano.*] [*int.*: *Na época do Natal o comércio faturou.*] **4** *Bras. Fig. Vulg.* Ter relações sexuais com [*td.*] **5** *Fut.* Marcar (gol) [*td.*: *O lateral faturou seu gol no último minuto de jogo.*] **6** *Fut.* Obter vitória (um time sobre o outro) [*td.*] [▶ 1 faturar] [F.: *fatura* + *-ar*[2]. Hom./Par.: *fatura(s)* (fl.), *fatura(s)* (sf.[pl.]); *faturáveis* (fl.), *faturáveis* (pl. de *faturável*).]

faturável (fa.tu.*rá*.vel) *a2g.* Que se pode faturar [F.: *faturar* + *-vel*. Hom./Par.: *faturáveis* (pl.), *faturáveis* (fl. de faturar).]

faturista (fa.tu.*ris*.ta) *s2g.* Em estabelecimentos comerciais, aquele que é encarregado de emitir ou controlar as faturas [F.: *fatura* + *-ista*.]

fauce (*fau*.ce) *sf.* **1** *Anat.* Porção da garganta localizada entre a boca e a faringe, próxima da base da língua; GOELA **2** Garganta de animal [Mais us. no pl.] **3** Qualquer abertura grande com forma similar a de uma garganta: *a fauce de uma cratera.* **4** *Bot.* Abertura do tubo da corola [F.: Do lat. *fauces*.]

fauna (*fau*.na) *sf.* **1** A vida animal, com exceção do homem **2** Conjunto das espécies animais próprias de uma região, época ou meio ambiente **3** *Bras. Gír. Joc.* Conjunto de pessoas (fauna humana) **4** *Bras. Gír. Joc.* Grupo de indivíduos com características similares; *Gír.* TRIBO [Dim.: *fáunula*.] [F.: Do mitônimo lat. *Fauna*.]

faunístico (fau.*nís*.ti.co) *a.* Relativo a fauna [F.: *fauna* + *-istico*.]

fauno (*fau*.no) *sm. Mit.* Divindade rural romana, com corpo humano peludo e pés e chifres de cabra, protetor dos rebanhos [F.: Do antr. lat. *Faunus*.] **■ ~ dos bosques** *Fig.* O macaco

fausto¹ (*faus*.to) *sm.* Luxo, pompa, ostentação, magnificência: "(...) o que funcionava como show eram os paramentos, o fausto da praça com aquele espaço todo e umas colunas de grossura exagerada (...)" (Pepetela, *A geração da utopia*) [F.: Do lat. *fastus*.]

fausto² (*faus*.to) *a.* Que denota felicidade, prosperidade (notícia fausta); DITOSO; AFORTUNADO; FAUSTOSO [F.: Do lat. *faustus*.]

faustoso (faus.*to*.so) *a.* **1** Que revela pompa, ostentação, magnificência; FAUSTUOSO; FASTOSO: *A coroação de um rei ou rainha é sempre um espetáculo faustoso.* *sm.* **2** Indivíduo que gosta do fausto, do luxo: *Os faustosos jamais se acomodariam à simplicidade quase rústica daquela pousada.* [F.: *fausto* + *-oso*.]

fautor (fau.*tor*) [ô] *a.* **1** Que favorece, fomenta; que é causa: *Sempre portou-se como um político fautor da ascensão de seus apadrinhados.* **2** Que apoia; PARTIDÁRIO *sm.* **3** Aquele ou aquilo que é causa ou inspiração para algo: *Rimbaud foi o fautor de muitos dos versos de Verlaine.* [F.: Do lat. *fautor, oris*. Fem. irreg. *fautriz*. Hom./Par.: *fator* /ô / (s.m.).]

fautoria (fau.to.*ri*.a) *sf.* Ação de prestar auxílio, de dar proteção; AMPARO [F.: *fautor* + *-ia*.]

fauvismo (fau.*vis*.mo) [fô] *sm. Art.Pl.* Escola de pintura que utiliza cores puras, violentas, vibrantes, empregadas em tons justapostos, em movimento que, iniciado por artistas franceses no começo do séc. XX, procurava conduzir a pintura a seus meios mais essenciais de expressão [F.: Do fr. *fauvisme*.]

fauvista (fau.*vis*.ta) [fo] *Art.Pl. a2g.* **1** Diz-se de quem é adepto do fauvismo: *Os pintores fauvistas deram seguimento às pesquisas de Van Gogh e Gauguin.* *s2g.* **2** Artista que segue esse movimento: *Os fauvistas, embora unidos por um projeto comum de expressão, seguiram caminhos individuais.* [F.: Do fr. *fauviste*.]

fava (*fa*.va) *sf.* **1** *Bot.* Nome comum a várias plantas da fam. das leguminosas, esp. *Vicia faba*, da subfam. papilionóidea, nativa do Norte da África e Oeste da Ásia, de caule ereto e vagens e sementes comestíveis quando verdes, com propriedades medicinais **2** *Bot.* A vagem e a semente dessas plantas **3** *Vet.* Doença que ataca o céu da boca dos equídeos **4** *Vet.* Doença que ataca os olhos dos galináceos **5** *Bras.* Pequeno seixo constituído ger. de minerais fosfatados ou de óxido de titânio hidratado e considerado satélite do diamante [F.: Do lat. *faba*.] **■ ~ preta** *Fig.* Voto contrário a proposta, voto de reprovação **~s contadas** Coisa garantida, certa, inevitável: *Pelas pesquisas, a eleição dele já são favas contadas.* **Ir à(s) ~(s)** Cair fora, ir embora **Mandar à(s) ~(s)** Mandar embora, livrar-se de (pessoa ou coisa importuna, desagradável)

favado (fa.*va*.do) *a.* **1** *N.E. PI* Diz-se de indivíduo que não conseguiu sucesso, que malogrou **2** Afofado (terra favada) [F.: *fava* + *-ado*.]

faveiro (fa.*vei*.ro) *Bot. sm.* **1** Nome comum a diversas árvores da fam. das leguminosas **2** Árvore dessa fam., subfam. papilionóidea (*Platypodium elegans*), muito ornamental, nativa do Brasil, de madeira pardo-claro e dura, flores amarelas ou alaranjadas e vagens achatadas; AMENDOIM-BRAVO; IPÊ-BRANCO; JACARANDÁ; JACARANDÁ-BRANCO **3** Árvore da mesma fam., subfam. papilionóidea (*Pterodon emarginatus*), nativa do Brasil, ornamental, madeira de qualidade, resistente, castanho-escura, de cuja casca se extrai óleo essencial aromático; SICUPIRA-BRANCA; SUCUPIRA-BRANCA; SUCUPIRA-LISA **4** Ver *barbatimão* [F.: *fava* + *-eiro*.]

favela (fa.*ve*.la) [é] *sf.* **1** *Bras.* Comunidade de habitações modestas, construídas principalmente nas encostas dos morros das áreas urbanas e ger. desprovida de infraestrutura de urbanização [Esta acp. deriva do top. Morro da Favela, local do morro do Santo Cristo, na cidade do Rio de Janeiro, onde se instalaram, em barracos toscos, soldados retornados da Guerra do Paraguai.] **2** *Bras. P.ext. Pej.* Qualquer local desagradável, de mau aspecto **3** *Bot.* Ver *faveleiro* [F.: *fava* + *-ela*.]

favelado (fa.ve.*la*.do) *Bras. a.* **1** Que mora em favela *sm.* **2** Indivíduo que mora na favela [F.: *favela* + *-ado²*.]

favelização (fa.ve.li.za.*ção*) *sf. Bras.* Ação ou resultado de favelizar(-se), de transformar uma área em favela: *A favelização das cidades brasileiras é uma clara consequência do êxodo rural.* [F.: *favelizar* + *-ção*.]

favelizar (fa.ve.li.*zar*) *v. td. Bras.* Dar aspecto de favela ou de algo semelhante a; tornar pobre, miserável: *Essa política vai favelizar parte da classe média; O bairro favelizou-se.* [► **1** favelizar] [F.: *favela* + *-izar*.]

faviforme (fa.vi.*for*.me) *a2g.* Que tem feitio de favo; ALVEOLADO; FAVEOLADO [F.: *favo* + (*i*) + *-forme*.]

favo (*fa*.vo) *sm.* **1** Alvéolo de cera onde a abelha deposita o mel **2** Um aglomerado desses alvéolos **3** *Fig.* Iguaria doce e apetitosa **4** *Fig.* Aquilo que parece um alvéolo **5** *Med.* Infecção do couro cabeludo e das unhas pelo fungo *Trichophyton schoenleinii*, cuja gravidade depende da higiene; FAVOSA [Nas acps. 1 e 2, col.: *favaria*.] [F.: Do lat. *favus*.]

favor (fa.*vor*) [ô] *sm.* **1** Ajuda que se presta em caráter amistoso e generoso, ger. sem se ter obrigação: "Não aceito um favor que não possa retribuir." (José de Alencar, *A viuvinha*) [Ant.: *obrigação*.] **2** Benefício, proveito que se concede: *Orava em favor do tio doente.* **3** Graça, mercê: *Fazia de tudo por alcançar o favor de São Judas Tadeu.* **4** Simpatia, agrado que se deseja obter: *As duas disputam o favor do professor.* **5** *P.us.* Carta, missiva [F.: Do lat. *favor-oris*. Ideia de: *pró-*.] **■ A ~ de** Favorável a: *Sou a favor dessa campanha; O vento estava a favor, e a regata foi emocionante.* **Em ~ de** Em benefício de, em prol de: *É um líder que sempre trabalhou em favor do povo.* **Fazer (o) ~ (de)** Expressão de cortesia em pedido: *Um pouco de paciência, faz favor; Faça o favor de devolver o livro amanhã.* **Por ~** Expressão de cortesia ao pedir algo (favor, informação etc.): *Por favor, onde fica a estação de metrô mais próxima?*

favorável (fa.vo.*rá*.vel) *a2g.* **1** Que é a favor de, que apoia alguém ou algo: *O candidato já contava com 50 votos favoráveis.* [+ *a*: *Você é favorável à pena de morte?* Ant.: *contrário*] **2** Que favorece, que auxilia; PROPÍCIO; CONVENIENTE [+ *a, para*: *condições favoráveis à / para a navegação.* Ant.: *adverso*] **3** Positivo, bom [+ *a, para*: *resultado favorável ao/para o time.*] [Pl.: *-veis*.] [F.: Do lat. *favorabilis, e*. Ant. ger.: *desfavorável*.]

favorecedor (fa.vo.re.ce.*dor*) [ô] *a.* **1** Que favorece *sm.* **2** Aquele ou aquilo que favorece: "Estava vivendo mais quente, gostava dela todas as vezes. Ela, pondo o tempo, havia de igual querer a ele – saliente gueiro algum dia à testa de boiadas de Seo Drães, seu favorecedor." (Guimarães Rosa, "Vida ensinada", *in Tutameia*) [F.: *favorecer* + *-dor*.]

favorecer (fa.vo.re.*cer*) *v.* **1** Ser favorável a (inclusive dando preferência, com parcialidade); ser benevolente com; proteger; beneficiar [*td.*: *Este estatuto favorece os sócios mais antigos; O comentarista esportivo favoreceu seu time.*] **2** Propiciar (vantagem, benefício etc.) a [*tdr.* + *com*: *Favorecia os netos com gordas mesadas.*] **3** Conferir como dote, dádiva etc. [*td.*: *A natureza favorecera aquela bela mulher.*] [*tdr.* + *com*: *A natureza favoreceu-a com uma bela aparência.*] **4** Dar certeza, fundamento a; confirmar; comprovar [*td.*: *Os sintomas do paciente favoreceram as suspeitas do médico.*] **5** Criar condições propícias para (o surgimento ou a ocorrência de algo); ter participação em determinado resultado [*td.*: *O comércio ilegal de armas favorece a violência; O abacaxi favorece a digestão.*] **6** Obter vantagem para si mesmo [*tr.* + *de*: *O político favoreceu-se da presença de eleitores para fazer um discurso.*] **7** Realçar o mérito de; fazer ficar ou apresentar (algo ou alguém) melhor [*td.*: *O pintor favoreceu-o muito no retrato; Roupas de cores escuras favorecem pessoas gordas.*] **8** Fazer favor a; obsequiar [*td.*: *Favoreça-me com a sua ausência.*] [► 33 favorecer] [F.: *favor* + *-ecer*.]

favorecido (fa.vo.re.*ci*.do) *a.* **1** Que se favoreceu, beneficiou; BENEFICIADO; AUXILIADO [+ *com, em, por*: *Ela era da equipe favorecida pelo sorteio; Este é o candidato mais favorecido nas pesquisas.*] **2** Protegido, ajudado por alguém ou algo **3** Que adquiriu vantagens, favores em detrimento de outrem **4** Beneficiado com conforto material e/ou espiritual: *O governo distribuiu cestas básicas para as famílias menos favorecidas.* **5** Que é beneficiário de algum tipo de assistência material como pensão, seguro etc. contratada por outrem *sm.* **6** Beneficiário de pensão, seguro etc. contratado por outrem [F.: Part. de *favorecer*.]

favorecimento (fa.vo.re.ci.*men*.to) *sm.* **1** Ação ou resultado de favorecer, de beneficiar **2** Concessão de benefícios, privilégios ou facilidades a alguém: *Na decisão final, houve nítido favorecimento daquele concorrente.* [F.: *favorecer* + *-imento*.] **■ ~ real** *Jur.* O crime de auxiliar o autor de um crime a livrar-se da ação da autoridade pública

favorita (fa.vo.*ri*.ta) *sf.* **1** Aquela que é mais querida, aquela a que se prefere em relação a outras **2** A principal mulher do sultão; SULTANA **3** A amante de um rei *af.* **4** Fem. de *favorito* [F.: Do it. *favorita*.]

favoritismo (fa.vo.ri.*tis*.mo) *sm.* **1** Característica ou condição de favorito (1) *sm.* **2** *Pol.* Prática política ou administrativa que consiste na concessão de favores, privilégios, cargos etc. a alguém (ger. pessoa da família ou de relações de amizade) em função de seu prestígio e influência; NEPOTISMO **3** Pressuposição de vitória de que goza uma das partes em uma competição esportiva, política etc.: *A equipe venceu e confirmou o favoritismo.* [F.: *favorito* + *-ismo*. Sin. ger.: *afilhadismo, compadrio*.]

favorito (fa.vo.*ri*.to) *a.* **1** Preferido, predileto: *Cinema é meu divertimento favorito.* **2** Mais cotado para vencer, esp. em competições esportivas (time favorito) **3** Que é protegido por outrem *sm.* **4** Aquele que é mais cotado para vencer, esp. em esportes, competições, lutas etc. **5** Indivíduo que é protegido, apadrinhado por alguém: *Era o favorito do chefe entre os jornalistas da redação.* **6** Aquele que se prefere entre outros [F.: Do it. *favorito*.]

fax [cs] *Telc. sm2n.* **1** Sistema de transmissão, recepção e reprodução de imagem ou texto a distância, por telefone **2** Equipamento que possibilita esse tipo de transmissão **3** Reprodução recebida por esse equipamento [F.: Do ing. *fax*, abrev. do lat. *fac* (fazer) *símile* (semelhante).]

faxina (fa.*xi*.na) *sf.* **1** Limpeza completa que se faz em um local **2** *Fig.* Em roubo ou assalto, ação (dos ladrões) de levar todos os bens de valor: *Os ladrões fizeram verdadeira faxina.* **3** *Mil.* Serviço braçal como o de limpeza ou de condução do rancho, na caserna **4** *Mil.* Feixe de ramos ou de paus us. para entupir fossos, cobrir parapeitos de baterias e outros fins, em campanhas militares **5** Feixe de ramos us. como base de aterro de estradas, quebradas, pântanos etc. **6** *PE* Conjunto de varas finas e flexíveis us. para trançar cercas **7** Lenha miúda **8** *RS* Trecho de um campo que adentra uma área arborizada ou floresta, ou que está cercado por árvores; FAXINAL **9** Unidade de peso para lenha, equivalente a 60 kg *sm.* **10** *Mar.* Cada marinheiro ou grumete de um grupo que tem como tarefa a realização de trabalho braçal, faxina (1) etc. **11** *S.* Faxineiro [F.: Do lat. *fascina*. Hom./Par.: *faxina* (fl. de *faxinar*).]

faxinal (fa.xi.*nal*) *RS sm.* **1** Campo de pasto entremeado de árvores esguias; FAXINA **2** Trecho longo de terra que penetra a floresta; FAXINA [Pl.: *-ais*.] [F.: *faxina* + *-al¹*. Hom./Par.: *faxinais* (pl.), *faxinais* (fl. de *faxinar*).]

faxinar (fa.xi.*nar*) *v. td.* **1** Colocar em feixes; ENFEIXAR **2** Fazer faxina, limpeza em (algum lugar) **3** Entupir fossos, pântanos com faxinas **4** Cercar (quintais, terrenos etc.) com cercas de varas flexíveis [► **1** faxinar] [F.: *faxina* + *-ar²*. Hom./Par.: *faxina(s)* (fl.), *faxina(s)* (sf. e sm.[pl.]); *faxinais* (fl.), *faxinais* (pl. de *faxinal* [sm.]); *faxinaria(s)* (fl.), *faxinaria(s)* (sf.[pl.]).]

faxineiro (fa.xi.*nei*.ro) *sm.* **1** Pessoa que trabalha fazendo limpeza em domicílios ou estabelecimentos **2** *Mil.* Grumete, marinheiro ou cabo encarregado de executar serviço braçal; FAXINA *a.* **3** Que faz faxina (1 e 3) [F.: *faxina* + *-eiro*.]

⊕ **fax-modem** (*Ing. /facs-móudem/*) *Inf. sm.* Dispositivo para computador que realiza funções de modem e de fax e é us. para enviar e receber imagens e textos de um computador para um fax e vice-versa, via internet [Pl.: *fax-modems*.]

faz de conta (faz de *con*.ta) *sm2n.* **1** Fantasia, ficção, imaginação: "Em pouco tempo, meu faz de conta estava se misturando com o contar dela e comecei a fazer meus contos (...)" (Ana Maria Machado, *De leitora a escritora*); "Agora era fatal que o faz de conta terminasse assim" (Chico Buarque e Sivuca, *João e Maria*) **2** *Pej.* Fingimento, simulação, hipocrisia: *Tudo isso é um faz de conta ignóbil.* **3** *Lud.* Brincadeira infantil que consiste em imaginar situações e coisas: *Vamos brincar de faz de conta?* **4** *RS Pop.* Marido traído pela mulher; CORNO *a2g2n.* **5** Diz-se de faz de conta (4); CORNO

fazedor (fa.ze.*dor*) [ô] *a.* **1** Que faz, feitor *a.* **2** Diz-se de quem costuma fazer as coisas, de quem tem capacidade de fazê-las, de realizar tarefas: "...a ser requestada por um Lobo qualquer, fazedor de endechas..." (Afrânio Peixoto, *Maias e Estevas*) **3** Que cumpre seus deveres **4** *Pop.* Diz-se de cavalo birrento **5** *RS* Diz-se de indivíduo que pratica o bem *sm.* **6** Aquele que tem bom desempenho na realização de suas tarefas [F.: *fazer* + *-dor*.] **■ ~ de anjos** *Fig. Pop.* Quem faz abortos (retirada de embrião ou feto) ilegalmente

fazenda (fa.*zen*.da) *sf.* **1** Grande propriedade rural destinada à lavoura ou à criação de gado [Nesta acp. dim. irreg.: *fazendola*.] **2** *P.ext.* Propriedade rural ou reserva aquática onde se criam peixes ou camarões etc. em cativeiro **3** *Econ.* Conjunto de bens e rendas do poder público; ERÁRIO; TESOURO **4** *Econ.* Conjunto dos órgãos públicos responsáveis pela administração financeira e monetária [Nas acp. 3 e 4, tb. se diz *fazenda pública*.] **5** Pano, tecido [Nesta acp., coletivo: *fanca*.] [F.: Do lat. **facenda*, por *facienda*, de *facere* 'fazer'.] **■ ~ marinha** Lugar onde se criam frutos do mar **~ pública** *Econ.* A totalidade dos recursos financeiros e bens do Estado; o conjunto de instituições e órgãos públicos que gerem esses recursos e bens

fazendário (fa.zen.*dá*.ri:o) *Econ. a.* **1** Ref. a fazenda (3 e 4) (política fazendária) **2** Que diz respeito às finanças públicas; FINANCEIRO: *A área fazendária tem de participar da decisão.* *sm.* **3** Servidor público que pertence aos quadros do Ministério da Fazenda ou das secretarias da Fazenda estaduais ou municipais [F.: *fazenda* + *-ário*.]

fazendeiro (fa.zen.*dei*.ro) *sm.* **1** Proprietário de fazenda (1 e 2) ou quem a cultiva (própria ou de outrem) **2** *Bot.* Planta herbácea da fam. das compostas (*Galinsoga parviflora*), considerada daninha; PICÃO-BRANCO **3** Quem trabalha para adquirir e acumular bens *a.* **4** Que possui ou cultiva fazenda (1 e 2) **5** Ref. a ou próprio de fazenda (1 e 2) **6** Que se dedica a adquirir e acumular bens [F.: *fazenda* + *-eiro*.]

fazendola (fa.zen.*do*.la) *sf.* Propriedade rural de pequeno tamanho; pequena fazenda: "Teve o primeiro emprego numa pequena fazendola onde se aceitavam hóspedes, e onde, não sabendo fazer nada, tinha de fazer de tudo." (Aurélio Buarque de Holanda Ferreira e Paulo Rónai, *Mar de histórias*.) [F.: *fazenda* + *-ola*.]

fazer (fa.*zer*) *v.* **1** Criar, elaborar, produzir; dar existência a alguma coisa [*td.*: *Fazer um filme/um vestido/um penteado.*] [*tdi.* + *para*: *Fez um projeto para o governo do Estado;*

Fez um arranjo de flores para a mãe.] **2** Construir, fabricar, manufaturar [**td.**: *O engenheiro fez a torre da igreja.*] **3** Pôr em prática; EXECUTAR; REALIZAR [**td.**: *Fiz tudo o que a garota pediu.*] **4** Dedicar-se a (atividade, esporte etc.); trabalhar em [**td.**: *Largou o boxe e agora faz judô; O que seu pai faz?*] **5** Atuar em ou como; INTERPRETAR [**td.**: *Ficou famoso ao fazer Hamlet.*] **6** Dizer, proferir, expressar [**td.**: *Ela fez que não com a cabeça.*] [**tdi.** + *para*: *Fez um discurso para o pequeno público.*] **7** Deixar, tornar [**td.**: *A idade fez dele uma pessoa séria.*] **8** Causar, provocar [**td.**: *Fazer alvoroço/ barulho/ confusão.*] **9** Cometer [**td.**] **10** Oferecer; conceder [**td.**: *Fazer um favor.*] [**tdi.** + *a, para*: *A empresa fez um donativo para a instituição.*] **11** Completar (idade, aniversário) [**int.**: *Minha irmã fez 20 anos ontem.*] **12** Vender por certo preço ou cobrar um preço [**tdi.** + *para, por*: *Fez a venda para mim por 200 reais; Fez o conserto por 50 reais.*] **13** Percorrer, perfazer [**tdi.** + *em*: *Fez o percurso em meia hora.*] [**int.**: *Faz 6 km a pé todos os dias.*] **14** Fingir-se [**td.**: *Fez que dormia para não falar comigo; Faz-se de bonzinho, mas é um canalha.*] **15** Arrumar, pôr em ordem [**td.**: *Acordava e fazia a cama.*] **16** Tratar ou embelezar (alguma parte do corpo) [**td.**: *Fazer o cabelo/ as unhas/ as mãos.*] **17** Cozinhar [**td.**: *Fez uma excelente macarronada.*] **18** Ir às compras em [**td.**: *Fazia o supermercado na parte da manhã.*] **19** Ingerir alimentos [**td.**: *Fez uma ótima refeição.*] **20** Consagrar-se a (algo) [**td.**: *Já fez teatro, mas hoje faz cinema.*] **21** Tomar nova forma [**td.**: *Naquele ponto a estrada faz uma curva.*] **22** Seguir um curso; fazer uma carreira [**td.**: *Ele faz direito e ela, odontologia.*] **23** Amealhar, economizar [**td.**: *Trabalhou muito e logo fez um pé de meia.*] **24** Realizar obra artística [**td.**: *Fez um disco/ uma sonata/ um filme/ uma escultura.*] **25** Alcançar benefício por meio de influência ou empenho [**td.**: *Fez que nomeassem a mulher para a câmara dos vereadores.*] **26** *Pop.* Expelir, excretar [**td.**: *O menino fez xixi nas calças.*] **27** Inspirar (piedade) [**td.**: *Faz pena ver essa moça desperdiçar seu talento.*] **28** Despertar, provocar [**tdi.** + *a, em*: *A partida da mãe fez-lhe grande mal.*] **29** Causar, ocasionar [**tdi.** + *a*: *Não faça mal aos animais.*] **30** Conceder, prestar [**tdi.** + *a*: *Fez grande favor ao irmão.*] **31** Acarretar transformação, converter em [**tdp.**: *Queria fazê-lo seu sócio.*] [**tip.** + *de*: *Fez do filho um homem de respeito.*] **32** Ter ganho ou vantagem [**tdi.** + *em*: *Fez muitos pontos no concurso do Banco do Brasil.*] **33** Fingir, simular [**ti.** + *de*: *Faz de bonzinho, mas é um crápula.*] **34** Comportar-se, proceder [**int.**: *Faça como seu pai, que trabalhou a vida toda!*] **35** Converter-se, transformar-se [**td.**: *E o diabo fez-se mulher.*] **36** Fingir ser (alguma coisa) [**td.**: *Faz-se de bobo para levar vantagem.*] [**ti.** + *de*] **37** Conduzir-se de certo modo [**tdi.** + *em*: *Ela fez bem em trazer o irmão.*] [**int.**: *Faça como seu pai, passe a acordar cedo.*] [▶ **22 fazer**] [Us. tb. como v. impess.: a) seguido de indicação de tempo decorrido: *Já faz dois anos que me formei.* 2) seguido de indicação de fenômeno atmosférico: *Hoje está fazendo muito calor.* b) us. como v. auxiliar seguido de infinitivo, com o sentido de causa: *a luz fazia brilhar seu cabelo.* c) us. seguido de infinitivo, para realçar a ação expressa pelo infinitivo: *ela só fazia chorar.* d) us. antes de substantivo, como v. suporte, substituindo v. de sentido específico: *fazer anos* (= aniversariar), *fazer drama* (= dramatizar) etc. [F.: Do lat. *facio,is,feci,factum,facere.* Hom./Par.: *faz* (fl.), *fás* (sm. [pl.]); *faze* (fl.), *fazes* (fl.), *fase* (sf. [pl.]); *fez* (fl.), *fez* (sf.), *fês* (sm. [pl.])].] ▪ **~ bem/mal em** Agir bem/mal, corretamente/incorretamente ao: *Você fez bem em convidá-lo, ele anda muito solitário.* **~ com que 1** Causar, deslanchar (ação): *Não queria, mas fiz (com) que terminasse o dever.* **2** Ser a causa de, acarretar: *O feriadão fez com que as vendas caíssem.* **~ de tudo para** Esforçar-se ao máximo em vista de um objetivo; tentar de todas as maneiras; persistir ao máximo: *Fiz de tudo para chegar a tempo.* **~ e acontecer** *Bras.* Fazer (alguém) o que quer, o que bem entende **~ e desfazer** Ter muito poder ou influência pessoais, ou inteira liberdade para decidir e impor sua vontade; mandar e desmandar **~ mal a** *Fig.* Violentar, tirar a virgindade a, deflorar **~ por elas** Merecer (alguém) o que lhe aconteceu (ger. coisa ruim, tomada como castigo) **~ por onde 1** Tentar, procurar maneira de (fazer ou conseguir algo): *Não conseguiu passar, mas também não fez por onde.* **2** Ser causa de, dar motivo a: *Recebeu castigo, sem ter feito por onde.* **~ que 1** Ver *Fazer com que*: *Não queria, mas fiz que ele terminasse o dever* **2** Fingir, simular (ação): *Bem que ouviu chamarem-no, mas fez que dormia.* **~-se rogar/de rogado** Não atender logo a pedido, por não estar disposto ou fingindo não estar disposto a atendê-lo **~ ver 1** Mostrar: *Fez-lhe ver o absurdo da situação.* **2** Advertir **Não ~ por menos** Agir ou reagir, atuar ou revidar rápida e resolutamente: *Provocado, não fez por menos, respondeu à altura.* **Não ~ senão** Não fazer outra coisa além de: *Não faz senão reclamar o tempo todo.* **Tanto faz** Não faz diferença; pouco importa

fazimento (fa.zi.*men*.to) *sm.* Ação ou resultado de fazer(-se); FEITURA [F.: *fazer* + *-mento.* Ant. ger.: *desfazimento.*]

faz-tudo (faz-*tu*.do) *s2g2n.* **1** Indivíduo que vive de consertar objetos domésticos e fazer outros pequenos consertos **2** Loja onde se consertam esses objetos **3** *Pop.* Indivíduo que tem múltiplas habilidades

⊠ **FBCN** Sigla de *Federação Brasileira para a Conservação da Natureza*

⊠ **Fe** *Quím.* Símb. de *ferro*

fé *sf.* **1** Convicção e crença firme e incondicional, alheia a argumentos da razão **2** *Rel.* Conjunto de dogmas e doutrinas que constituem um culto (fé cristã, fé judaica) **3** Confiança, convicção, crédito: *Perdi a fé em você.* **4** *Rel.* A primeira das três virtudes teologais (fé, esperança e caridade) **5** Afirmação, comprovação, asseveração de algum fato **6** Compromisso de fidelidade à palavra dada [F.: Do lat. *fides.* Hom./Par.: *fé* (*sm.*).] ▪ **À falsa ~** Traiçoeiramente, deslealmente **À ~** Por certo, certamente **A la ~** Ver *À fé* **Artigo de ~** *Rel.* Suposta verdade de origem divina, como apresentada numa religião ou culto **Dar ~ a** Dar crédito a, acreditar em, ter fé em **Dar ~ de 1** Assegurar como verdadeiro, testificar **2** Garantir, por encargo legal, a verdade ou a autenticidade do texto de um documento ou de um relato, de uma assinatura, etc. **3** Perceber, aperceber-se de: *Concentrado, não deu fé de que a aula acabara.* **Dar por ~** Ver *Dar fé* (1) e (2) **Fazer ~ 1** Ter credibilidade, ser digno de crédito **2** Prestar testemunho verdadeiro **Fazer/levar ~ em** Ver *Ter fé em*: *Não tenho / levo fé nesse time.* **Fazer uma ~ (em)** Apostar (dinheiro) timidamente (em); fazer uma fezinha (em.) **~ conjugal** *Jur.* Fidelidade conjugal **~ de ofício 1** A que se lastreia na honra e credibilidade de ofício ou cargo de quem atesta algo **2** Registro da vida pública, da folha de serviço de funcionário público ou de militar **~ do carvoeiro** Confiança cega **~ pública** *Jur.* Credibilidade atribuída a documento exarado por autoridade pública em virtude da presunção de veracidade que emana dessa função **~ púnica** Deslealdade, falsidade **Profissão de ~ 1** *Jur.* Declaração pública na qual alguém afirma sua fé **2** *P.ext.* Declaração de princípios **Ter ~ 1** Crer, acreditar **2** Ser digno de crédito **Ter ~ em** Acreditar em, ter confiança em; fazer/levar fé em **Tomar ~** *Cver.* Tomar conhecimento; perceber, notar

fealdade (fe.al.*da*.de) *sf.* **1** Condição ou estado de quem ou do que é feio; FEIURA [Ant.: *beleza, boniteza, formosura.*] **2** *Fig.* Enormidade, monstruosidade: *a fealdade do crime.* [F.: Do lat. **foedalitas, por foeditas -atis.*]

⊠ **FEB** Sigla de *Força Expedicionária Brasileira*

⊠ **Febec** Sigla de *Federação Brasileira dos Exportadores de Café*

⊠ **Febem** Sigla de *Fundação Estadual do Bem-Estar do Menor*

febra (*fe*.bra) [ê] *sf.* **1** Carne sem gordura e sem osso **2** Fibra, músculo, nervo **3** Pedaço ou fibra de madeira **4** *Bot.* Filamento lançado pelas raízes das plantas **5** *Bot.* Cada um dos filamentos que formam o tecido vegetal **6** *Min.* Veio mineral: *O amianto compõe-se de febras brancas e nacaradas.* **7** *Fig.* Vigor, coragem: "Seja como for, além de homem de febra, hábil no ofício de alvenel, é dotado de um espírito atilado." (Aquilino Ribeiro, *Aldeia*) [F.: Do lat. *fibra, ae.*]

⊠ **Febraban** Sigla de *Federação Brasileira das Associações de Bancos*

febrão (fe.*brão*) *sm.* Febre muito forte: "... logo que ele caiu doente; mas quem podia contar com aquilo? De repente um febrão, delírio... Que fazer?" (Aurélio Buarque de Holanda Ferreira e Paulo Rónai, *Mar de Histórias*) [F.: *febre* + *-ão¹*.]

febre (*fe*.bre) *sf.* **1** *Med.* Temperatura do corpo acima do normal devido a alguma infecção [Cf.: *hipertermia.*] **2** *Med.* Doença que causa febre (febre tropical) **3** *Fig.* Estado de agitação, de excitação incomuns **4** *Fig.* Desejo intenso, profundo de obter ou conquistar algo (febre do ouro): "Uma febre de conhecer incendiava-lhe a alma larga de alentejano." (Miguel Torga, *O senhor Ventura*) **5** *Fig.* Comportamento, estilo artístico etc. que desfruta de grande popularidade em um dado momento; MODA; MANIA: *Esse ritmo é a febre do momento.* [Dim.: *febrícula, febrinha.*] [F.: Do lat. *febris -is.*] ▪ **~ aftosa** *Vet.* Doença virótica (de bovinos, suínos e ovinos, que pode se transmitir, embora raramente, ao ser humano). [Tb. apenas *aftosa.*] **~ amarela** *Med.* Doença virótica tropical, ger. epidêmica, transmitida por mosquito (variedade silvestre) ou, por intermédio do mosquito, de homem para homem (variedade urbana) **~ de feno** *Med.* Inflamação da mucosa nasal devido a alergia a pólen; rinite alérgica **~ de Malta** *Med.* Doença bacteriana (bactéria *Brucella*) de bovinos, suínos e caprinos, deles transmissível ao homem, com sintomas de febre, dores em articulações, anemia e sudorese; brucelose; febre do Mediterrâneo; febre ondulante **~ de Oroya** *Med.* Fase aguda da doença de Carrion (ver *doença.*) **~ de sapo** *Pop.* Ligeira elevação da temperatura do corpo, sem configurar febre **~ do Mediterrâneo** *Med.* Ver *Febre de Malta* **~ faringoconjuntival** *Med.* Infecção virótica epidêmica, que acomete ger. crianças em idade escolar, com sintomas de febre, aumento dos gânglios linfáticos cervicais, faringite, rinite e conjuntivite **~ hemitriteia** *Med.* Febre intermitente que se manifesta por um acesso cada dia, ocorrendo de dois em dois dias um acesso mais forte; febre hemitrítica, febre hemitrítia. [Tb. apenas *hemitriteia, hemitrítica* ou *hemitrítia*] **~ hemitrítia** *Med.* Ver *Febre hemitriteia* **~ hemitrítica** *Med.* Ver *Febre hemitriteia* **~ intermitente** *Med.* Aquela na qual se alternam períodos de febre alta e de temperatura normal, como na malária **~ maculosa** Doença bacteriana (bactéria *Rickettsia rickettsii*), hemorrágica, transmitida por carrapato, que em certos casos pode ser mortal **~ miliar** *Med.* Doença infecciosa aguda e epidêmica, que se manifesta em febre súbita, suores, lassidão, erupções na pele na forma de pápulas e de vesículas, eventuais hemorragias **~ octã** *Med.* Aquela que se manifesta de oito em oito dias; febre octana. [Tb. apenas *octana.*] **~ octana** *Med.* Ver *Febre octã* [Tb. apenas *octana.*] **~ ondulante** *Med.* Ver *Febre de Malta* **~ palustre** *Pop.* Malária **~ puerperal** *Obst.* A que se manifesta em casos de infecções do endométrio e septicemia após o parto **~ Q** *Med.* Doença infecciosa causada por micro-organismo *Rickettsia* (o mesmo do tifo), gênero *Coxiella.* É transmitida por via respiratória ou por ingestão de leite contaminado, e manifesta-se com febre, dor lombar e perda de apetite **~ quartã** *Med.* Aquela que se manifesta de quatro em quatro dias. [Tb. apenas *quartã.*] **~ quebra-osso** *Pop.* Dengue **~ quintã** *Med.* Aquela que se manifesta de cinco em cinco dias. [Tb. apenas *quintã.*] **~ reumática** *Med.* Doença generalizada do tecido colágeno, causada por infecção por estreptococo, (ger. em consequência de casos infantis de tonsilite ou faringite não tratados), com inflamação de articulações, alta temperatura, e com possível sequela de lesão cardíaca **~ setena** *Med.* Aquela que se manifesta de sete em sete dias. [Tb. apenas *setena.*] **~ terçã** *Med.* Aquela que se manifesta de três em três dias. [Tb. apenas *terçã.*] **~ tifoide** *Med.* Doença infecciosa causada por bactéria *Salmonella typhii*, transmissível por água ou alimentos contaminados por fezes humanas, e que se manifesta com alta temperatura, dor de cabeça, prostração, diarreia etc. com possibilidade de sequelas digestivas (perfuração do intestino), cardíacas e neurológicas

> 🕮 O funcionamento do corpo humano gera calor, e o corpo tem mecanismos para regular esse calor, como o suor. O aumento da temperatura sinaliza uma anomalia, que pode ser passageira (aquecimento externo, esforço físico), mas pode significar que o corpo está combatendo uma doença, uma infecção etc. Uma elevação de temperatura acima dos 37 ºC é chamada febre, e suas causas devem ser identificadas para permitir um tratamento adequado. Mede-se a febre com um instrumento chamado termômetro, do qual há diversos modelos.

febrento (fe.*bren*.to) *a.* Que tem febre; FEBRIL: "E ia, com os seus famintos, os seus febrentos e os seus variolosos..." (Euclides da Cunha, *À margem da história*) [F.: *febr(e)* + *-ento.*]

◎ **febr(i)-** *el. comp. Pref.* = febre: *febrífugo, febril.*

febricitante (fe.bri.ci.*tan*.te) *a2g.* **1** Diz-se de indivíduo atacado de febre; FEBRIL: "Daí a pouco, Ercília metia-se na cama, febricitante." (Sanches de Frias, *Ercília*) **2** Característico de quem tem febre (tremor febricitante) **3** Diz-se daquilo que faz aumentar a febre: *A bebida gelada, para quem está gripado, pode ter efeito febricitante.* **4** *Fig.* Que se deixa tomar pela paixão, pela exaltação: *Experimentava um sentimento de amor febricitante.* [F.: Do lat. *febricitans, tantis.*]

febricitar (fe.bri.ci.*tar*) *v. int.* Estar ou ficar em estado febril [▶ **1 febricitar**] [F.: Do lat. *febricitare.*]

febrícula (fe.*brí*.cu.la) *sf.* Febre branda, fraca; ponta de febre: "Eu andei muito tempo neste estado de endoença, que tanto pode ser febrícula passageira como verdadeiro mal de amor." (Aquilino Ribeiro, *Gavião*) [Dim.: *irreg. de febre.*] [F.: Do lat. *febricula, ae.*]

febrífugo (fe.*brí*.fu.go) *Farm. sm.* **1** Medicamento que faz cessar a febre: *Receitou um febrífugo e um analgésico.* ***a.*** **2** Que faz cessar a febre (medicamento febrífugo) [F.: *febr(i)-* + *-fugo²*. Sin. ger.: *antifebril, antipirético, antitérmico.*]

febril (fe.*bril*) *a2g.* **1** Que tem febre; *Pus.* FEBRENTO [Ant.: *afebril.*] **2** *Fig.* Tomado pelo ímpeto; ARREBATADO; EXALTADO: "(...) e a praça transbordara, febril, ululante, desafiadora." (Marques Rebelo, *"Conto à la mode", in: Contos reunidos*) **3** Ref. a ou próprio de febre [Pl.: *-bris.*] [F.: Do lat. *febrilis.*]

fecal (fe.*cal*) *a2g.* **1** Ref. a ou que se constitui de fezes (bolo fecal) **2** Que vive nas fezes (coliforme fecal) **3** Cuja causa são as fezes: *contaminação fecal da água.* [Pl.: *-cais.*] [F.: Do lat. *faex -cis*, pelo fr. *fécal.*]

fecaloide (fe.ca.*loi*.de) *a2g.* **1** Que tem cheiro de fezes **2** Que tem a aparência de matéria fecal [F.: *fecal* + *-oide.*]

fecha (*fe*.cha) [ê] *Bras. Pop. sm.* **1** Situação em que ocorre bagunça, desordem **2** Entre os bicheiros, ponto de entrega das listas do jogo de bicho [F.: Regr. de *fechar.* Hom./Par.: *fecha* (fl. de *fechar*).]

fechada (fe.*cha*.da) *sf.* **1** Ação ou resultado de fechar(-se); FECHAMENTO; FECHADURA **2** Ação de um veículo colocar-se à frente de outro para ultrapassá-lo ou impedir sua passagem [F.: Fem.substv. de *fechado.*]

fechado (fe.*cha*.do) *a.* **1** Que não está aberto (boca fechada, portão fechado) **2** Que se terminou; ENCERRADO; CONCLUÍDO: *O período de inscrições está fechado.* **3** Com as atividades interrompidas: *As lojas fechadas são um indicador da crise.* **4** Cuja abertura está cerrada, tapada ou obstruída (bolsa fechada; garrafa fechada) **5** Com o tráfego impedido (túnel fechado; rua fechada) **6** Diz-se de curva cujo raio é curto (grande variação angular numa curta distância) **7** *Fig.* Acordado entre as partes (negócio fechado); AJUSTADO; CONCLUÍDO **8** *Fig.* Diz-se de pessoa pouco comunicativa; RETRAÍDO **9** *Fig.* Cuja fisionomia é carrancuda, sisuda (cara fechada) **10** *Fig.* Que não admite opinião alheia, que se mostra insensível àquilo que se lhe apresenta [+ *a*: *Um sujeito fechado às novas ideias.*] **11** *Fig.* Que não admite o que lhe é estranho (grupo fechado) **12** Escuro, nublado (diz-se do céu, do tempo) **13** Cerrado, compacto, denso (mata fechada, escuridão fechada) **14** Cuja tonalidade é escura ou tirante a escura (cor fechada) **15** Cicatrizado (diz-se de corte, ferida) **16** *Gram.* Diz-se do timbre das vogais [ê], [ô], [i], [u], como em *lê, vovô, mil, sul* **17** *Gram.* Diz-se da consoante articulada com total ou parcial fechamento da boca (p.ex.: [p]) [F.: Part. de *fechar.*]

fechadura (fe.cha.*du*.ra) *sf.* **1** Maquinismo de metal que, por meio de uma ou mais linguetas movidas por chave, fecha porta, gaveta etc. onde está instalado **2** Ação ou resultado de fechar; FECHAMENTO [F.: *fechar* + *-dura*.]

fechamento (fe.cha.*men*.to) *sm.* **1** Ação ou resultado de fechar(-se); *P.us.* FECHADURA [Ant.: *abertura, abrimento*.] **2** *Arq.* A última pedra com que se fecha uma abóbada, um arco etc. **3** *Jorn.* Parte final das tarefas de revisão, montagem e diagramação de um periódico **4** *Fon.* Medida ou grau em que se fecha o canal fonador na emissão dos sons da fala **5** Situação social e política de rígido controle institucional sobre atividades e processos civis, expressa em vigilância policial e política, controle dos meios de comunicação etc. [Por oposição a *abertura* (política).] [F.: *fechar* + *-mento*.]

fechar (fe.*char*) *v.* **1** Tapar, vedar a abertura de ou em [*td.*: *Fechar um quarto, uma caixa etc.; Fechou o buraco com uma pedra.*] **2** Unir as partes (que estavam abertas, separadas) de [*td.*: *fechar um guarda-chuva; fechar um leque.*] **3** Fazer girar ou deslizar peça, para vedar acesso, abertura etc. [*td.*: *Fechar uma porta, uma janela, uma gaveta etc.*] **4** Cicatrizar [*int.*: *A ferida custou a fechar.*] **5** Impedir a passagem ou acesso por; OBSTRUIR [*td.*: *Fecharam o viaduto.*] [*tdr.* + *a*, *para*: *Fecharam este túnel para caminhões.*] **6** Manter(-se) dentro de; TRANCAFIAR(-SE) [*tdr.* + *em*: *À noite, fechavam o gato na saleta; Fechou-se no quarto para descansar.*] **7** Finalizar, concluir [*td.*: *fechar um acordo/uma conta.*] **8** Encerrar ou interromper o expediente ou o funcionamento (de) [*td.*: *Eles fecham a loja às 20h; Cheios de dívidas, resolveram fechar o negócio.*] **9** *Inf.* Remover da tela por meio de comando [*td.*: *fechar um programa / um arquivo.*] **10** *Fig.* Tornar-se retraído, circunspecto, insensível; RETRAIR-SE [*int.*: *Ela se fecha diante de estranhos.*] [*tdi.* + *a*: *Fechou o coração aos problemas dos amigos.*] **11** Tornar-se escuro e/ou chuvoso (o tempo) [*int.*: *O tempo fechou de repente.*] **12** Colocar limites em [*td.*: *Um longo muro fechava a casa.*] **13** Fazer a conta final de [*td.*: *Fechou o balanço do semestre.*] **14** Passar na frente de (pessoa, veículo etc.), prejudicando seu avanço [*td.*: *O ônibus acelerou e fechou o táxi.*] **15** Colocar(algo) em lugar ou recinto fechado [*td.*: *Fechou as joias a sete chaves.*] [*td.*: *Por prevenção, fechou o cão feroz na despensa.*] **16** Cercar, assediar [*tda.*: *As tropas fecharam os guerrilheiros na planície.*] **17** Ser o último evento de (uma série); ENCERRAR [*td.*: *Este concerto fechou a temporada; É um clássico ideal para fechar o campeonato.*] [▶**1** fechar] [F.: *fecho* + *-ar*². Hom./Par.: *fecha* (fl.), *fechas* (fl.), *fecha* (sm. [pl.]); *fechais* (fl.), *fechais* (sm.[pl.]); *fecharia* (fl.), *fecharias* (fl.), *fecharia* (sf. [pl.]); *fecho* (fl.), *fecho* (sm. fl.), *feches* (fl.), *feixe* (sm. [pl.]).]

fecharia (fe.cha.*ri*:a) *sf. Arm.* O conjunto das peças (cão, gatilho etc.) que atuam para produzir o disparo, em armas de fogo portáteis [F.: *fecho* + *-aria*. Hom./Par.: *fecharia* (fl. de *fechar*).]

fecho (*fe*.cho) [ê] *sm.* **1** Peça us. para fechar ou cerrar qualquer coisa: *o fecho de uma pulseira.* **2** Ferrolho ou aldrava de porta, janela etc. **3** *Fig.* Remate, acabamento de algo; ACABAMENTO; ARREMATE **4** *Arq.* A pedra que remata o arco ou abóbada; CHAVE **5** *Vest.* Qualquer tipo de dispositivo que fixa juntas partes separadas de uma vestimenta (como fecho ecler, gancho, presilha etc.) [F.: De or. contrv. Hom./Par.: *fecho* (é) (fl. de *fechar*).] ■ **~ éclair** Ver *Fecho ecler* **~ ecler** *Bras.* Tipo de fecho (us. em roupa, mala, bolsa etc.) em que dentes em ambas as partes que se devem unir ou separar vão se engatando ou desengatando à medida que se passa um cursor sobre eles; zíper **~ pedrês** *Arq.* Fecho de correr, no qual uma haste se embute na soleira ou na verga da porta

fecho-ecler (fe.cho-e.*cler*) *sm. Vest.* Ver *fecho ecler*, no verbete *fecho*; ZÍPER

fécula (*fé*.cu.la) *sf.* Amido de raízes e tubérculos, esp. de batata, na forma de farinha, us. na alimentação [F.: Do lat. *faecula*, pelo fr. *fécule*.]

fecularia (fe.cu.la.*ri*:a) [ê] *sf. SP* Estabelecimento ou lugar em que as féculas são industrializadas [F.: *fécula* + *-aria*.]

feculento (fe.cu.*len*.to) *a.* **1** Que contém fécula **2** Diz-se de líquido que deposita sedimento ou fezes [F.: Do lat. *faeculentus, a, um*.]

fecundação (fe.cun.da.*ção*) *sf.* **1** Ação ou resultado de fecundar(-se) **2** *Biol.* Formação da célula reprodutora resultante da união de dois gametas de sexos opostos; FERTILIZAÇÃO [Pl.: *-ções*.] [F.: *fecundar* + *-ção*.] ■ **~ cruzada** *Bot.* Aquela na qual uma flor é fecundada pelo pólen de outra

fecundado (fe.cun.*da*.do) *a.* **1** Que se fecundou; que passou por processo de fecundação (útero fecundado) **2** *Fig.* Fomentado, tornado produtivo: "Iria dar seu nome à seita destruidora de uma árvore plantada por Jesus Cristo, regada pelo seu sangue, fecundada pela sua onipotência." (Camilo Castelo Branco, *Horas de paz*) [F.: Part. de *fecundar*.]

fecundador (fe.cun.da.*dor*) [ô] *a.* **1** Que fecunda, que fertiliza; FERTILIZADOR; FECUNDANTE *sm.* **2** Aquele que tem essa capacidade; FERTILIZADOR: "Não, não – o que ela pensava: iô Liodoro, só ele, violando, por força e por dever, todas as mocinhas do arredor, iô Liodoro, fecundador majestoso. Assim devia ser. 'Apareceu grávida...'" (João Guimarães Rosa, *Noites do sertão*) [F.: Do lat. tard. *fecundator, oris*.]

fecundante (fe.cun.*dan*.te) *a2g.* **1** Que fecunda, que atua como elemento fecundador; FECUNDATIVO **2** *Bot.* Diz-se do pólen contido na antera [F.: do lat. *fecundans, antis*.]

fecundar (fe.cun.*dar*) *v.* **1** Transformar(-se) em embrião um óvulo (de), possibilitando a geração de um ser [*td.*: *O marido fecundou a mulher.*] [*int.*: *Os óvulos se fecundaram.*] **2** Tornar fértil, produtivo [*td.*: *fecundar a terra.*] **3** *Fig.* Tornar criativo, inventivo [*td.*: *Aquela história fecundou a imaginação do escritor.*] **4** *Fig.* Procurar desenvolver ou fomentar [*td.*: *O governo pretende fecundar as artes.*] [▶**1** fecundar] [F.: Do lat. *fecundare*. Hom./Par.: *fecundo* (fl.), *fecundo* (a.); *fecunda(s)* (fl.), *fecunda* (a. fem *fecundo* [pl.]). Ideia de 'não fecundado': *parten(o)-* (*partenogênese, partenomancia* etc.).]

fecundável (fe.cun.*dá*.vel) *a2g.* Que se pode fecundar [Pl.: *-veis*.] [F.: *fecundar* + *-vel*.]

fecundidade (fe.cun.di.*da*.de) *sf.* **1** Qualidade de quem ou do que é fecundo **2** Capacidade de fecundar(-se) **3** Produtividade, fertilidade **4** *Fig.* Capacidade de imaginação, invenção, criação: *a fecundidade do escritor.* [F.: Do lat. *fecunditas, -atis*. Ant. ger.: *infecundidade*. Ideia de: *uber-*.]

fecundo (fe.*cun*.do) *a.* **1** Capaz de fecundar(-se), de reproduzir(-se); que não é estéril **2** Que gera com abundância (árvore fecunda) **3** *Fig.* Criativo, imaginativo (artista fecundo) **4** *Fig.* Cuja produção é abundante e de boa qualidade [+ *em*: *Fez um governo fecundo em realizações.*] [F.: Do lat. *fecundus*. Ant. ger.: *infecundo*. Hom./Par.: *fecundo* (fl. de *fecundar*). Ideia de 'fecundo': *uber-*.]

fedegoso (fe.de.*go*.so) [ô] *a.* **1** Que exala mau cheiro [Fem. e pl.: [ó].] *sm.* **2** *Bot.* Nome comum a diversas plantas da fam. das leguminosas, subfam. cesalpinioídea, dos gêneros *Cassia*, *Senna* e *Chamaecrista*, ger. fétidas, das quais há espécies forrageiras, medicinais e ornamentais [Nesta acp., coletivo: *fedegosal*.] **3** Ver tb. *caquera, dartrial, fedegoso-verdadeiro* [F.: Do lat. *foetidus* 'fétido', por **foeticus* e **foeticosus*.]

fedelho (fe.*de*.lho) [ê] *sm.* **1** Criança recém-saída da fase das fraldas **2** *Joc.* Menino de pouca idade, esp. quando travesso e abelhudo **3** *Pej.* Rapaz imaturo e atrevido que quer passar por mais velho [F.: Posv. de *fed(er)* + *-elho*. Hom./Par.: *fedelho* (fl. de *fedelhar*).]

fedentina (fe.den.*ti*.na) *sf.* Cheiro repugnante; FEDOR; FETIDEZ [F.: *fed(er)* + *-ent(o)* + *-ina*.]

feder (fe.*der*) *v.* **1** Exalar mau cheiro [*tr.* + *a*: *Esse lugar fede a mofo.*] [*int.*: *O cadáver está começando a feder.*] **2** *Pop.* Causar enfado; ser inoportuno; ENFADAR [*ti.* + *para*: *As discussões familiares começam a feder-lhe.*] **3** *Pop.* Tornar-se desagradável; COMPLICAR [*int.*: *Esta história vai começar a feder.*] **4** Ter jeito, traços ou aparência de [*tr.* + *a*: *Toda essa história fede a confusão.*] [▶**2** feder] [F.: Do lat. *foetere*. Hom./Par.: *federa(s)* (fl.), *federa(s)* (fl. *federar*); *federam* (fl.), *federam* (fl. *federar*); *fedo* (fl.), *fedo* (a.); *fedêramos* (fl.), *federamos* (fl. *federar*); *fedêreis* (fl.), *federeis* (fl. *federar*); *fedia(s)* (fl.), *fédia(s)* (sf. [pl.]).] ■ **Não ~ nem cheirar** Não ter característica marcante, individualidade; ser insignificante: *Este texto não fede nem cheira; Como ator, ele não fede nem cheira.*

federação (fe.de.ra.*ção*) *sf.* **1** União político-econômica soberana entre estados autônomos submetidos a um governo central: *Com a República, os estados brasileiros uniram-se numa federação.* **2** Associação de vários grupos, agremiações, empresas etc. para defender interesses comuns: "...o Brasil ainda não apresentou sua candidatura à Federação Internacional de Ginástica (FIG)." (*O Globo*, 10.05.2005) **3** A federação (1) dos estados do Brasil [Nesta acp., com inicial maiúsc.] [Pl.: *-ções*.] [F.: Do lat. *foederatio, -onis*, pelo fr. *fédération*.]

federado (fe.de.*ra*.do) *a.* **1** Que se federou, que está unido em federação; ASSOCIADO **2** *Jur.* Diz-se de Estado que faz parte de uma federação *sm.* **3** O Estado que pertence a uma federação *sm.* **4** Aquele que é membro de qualquer federação **5** *Hist.* Soldado que pertencia aos rebeldes da Comuna de Paris em 1871 [F.: Part. de *federar*.]

federal (fe.de.*ral*) *a2g.* **1** Ref. ou pertencente a federação (polícia federal, governo federal) **2** *Bras. Fig. Gír.* Fora do comum, intenso ou enorme (tumulto federal) *sm.* **3** Agente da Polícia Federal [Pl.: *-rais*.] [F.: Do fr. *fédéral*, prov. do lat. *foederalis* ('ref. a tratado').]

federalismo (fe.de.ra.*lis*.mo) *sm. Pol.* Forma de governo em que vários estados se reúnem em só corpo nacional e soberano, mantendo cada um deles sua autonomia em tudo que não afete o interesse comum [F.: Do fr. *fédéralisme*, ou *federal* + *-ismo*.]

📖 O federalismo preconiza que um país, como unidade nacional, seja formado pela união, ou federação, de unidades políticas autônomas (estados, departamentos, províncias etc.). Com isso, respeitam-se tradições e perfis sociais, culturais e políticos locais, assumindo a União o papel de poder regulador e unificador nacional nos assuntos externos e de segurança, e, de acordo com o modelo adotado, na manutenção do equilíbrio econômico, social e cultural entre as unidades federadas. Esse sistema difere, assim, dos sistemas de poder centralizado, em que todas as decisões partem de um único centro político. O primeiro país a adotar o federalismo foi a Suíça, mas foram os Estados Unidos da América, em 1787, os primeiros a formular uma constituição federalista. O Brasil adotou o federalismo com a proclamação da República, em 1889, definido na constituição de 1891. Após alguns retrocessos (de 1937 a 1945) as constituições de 1946 e de 1988 reafirmaram o Brasil como República Federativa.

federalista (fe.de.ra.*lis*.ta) *Pol. a2g.* **1** Ref. ou pertencente ao federalismo **2** Que é partidário do federalismo *s2g.* **3** Partidário do federalismo [F.: *federal* + *-ista*.]

federalização (fe.de.ra.li.za.*ção*) *sf.* Ação ou resultado de federalizar(-se) [Pl.: *-ções*.] [F.: *federalizar* + *-ção*.]

federalizar (fe.de.ra.li.*zar*) *v. td.* Tornar(-se) federal, transformar algo em serviço do Estado: *O governo queria federalizar hospitais municipais.* [▶**1** federalizar] [F.: *federal* + *-izar*.]

federar (fe.de.*rar*) *v.* Unir(-se) em federação; CONFEDERAR-SE [*td.*: *federar partidos políticos.*] [*int.*: *Vários estados independentes se federaram.*] [▶**1** federar] [F.: Do lat. *foederare*, 'unir por meio de aliança', pelo fr. *fédérer*. Hom./Par.: *federa(s)* (fl.), *fedêra(s)* [ê] (fl. *feder*); *federam* (fl.), *federam* [ê] (fl. *feder*); *federais* (fl.), *federais* (a2g.pl.); *federamos* (fl.), *fedêramos* (fl. *feder*); *federeis* (fl.), *fedêreis* (fl. *feder*).]

federativo (fe.de.ra.*ti*.vo) *a.* Ref. ou pertencente a uma federação (acordo federativo): *Cada estado é uma unidade federativa.* [F.: Do fr. *fédératif*.]

fedido (fe.*di*.do) *Bras. a.* Que fede, que tem mau cheiro; FEDORENTO; FÉTIDO [Ant.: *cheiroso, oloroso, perfumado*.] [F.: Part. de *feder*.]

fedor (fe.*dor*) [ô] *sm.* **1** Mau cheiro; FEDENTINA; FETIDEZ [Ant.: *aroma, fragrância, perfume*.] **2** *Bras. N.E. Lud.* Jogo de cartas em que os jogadores devem desfazer-se das cartas que têm em mãos o mais rapidamente possível até que fique um único jogador com a última carta (o fedorento), que é o perdedor [F.: Do lat. *foetor, -oris*.]

fedorento (fe.do.*ren*.to) *a.* **1** Que fede; CATINGOSO; FEDIDO; FÉTIDO; MALCHEIROSO [Ant.: *aromático, cheiroso*.] *sm.* **2** *Bras. N.E. Lud.* Carta que resta na mão de um dos jogadores do fedor (2), após terem sido todas descartadas pelos demais **3** *Bras. N.E. Fig. Lud.* Jogador que perde o jogo do fedor (2), ficando com a carta na mão [F.: *fedor* + *-ento*.]

🌐 **feedback** (*Ing.* /fídbec/) *sm.* **1** *Elet.* Ver *retroalimentação* **2** Resposta, à fonte emissora, sobre o resultado de uma ação, mensagem, trabalho etc., o que realimenta o processo; RETORNO **3** Reação, resposta ■ **~ negativo** *Fisl.* Realimentação de um sistema por um produto dele de modo a inibir uma de suas fases, e com isso atenuar seus resultados **~ positivo** *Fisl.* Realimentação de um sistema por um produto dele de modo a estimular uma de suas fases, e com isso incrementar seus resultados

⊠ **Feema** Sigla de *Fundação Estadual de Engenharia do Meio Ambiente*

feérico (fe.*é*.ri.co) *a.* **1** Deslumbrante, maravilhoso, fantástico (iluminação feérica) **2** Que denota magia, que pertence ao mundo das fadas, da fantasia: *o feérico pó dourado de Sininho.* [F.: Do fr. *féerique* 'ref. a fadas e seu mundo', este do fr. *fée* 'fada'.]

feição (fei.*ção*) *sf.* **1** Feitio, configuração que as coisas têm ou adquirem ou aparentam; FIGURA; FORMA **2** Aspecto, aparência: *O caso adquiriu nova feição.* **3** *Fig.* Modo, maneira: *Exigiu que tudo fosse feito à sua feição.* **4** Índole, caráter, temperamento: *Ele mostrou sua feição cínica.* **5** Cunho, natureza, caráter: *poema de feição modernista.* **6** O mesmo que *feições* **7** Cada lado de uma coronha de espingarda [Pl.: *-ções*.] [F.: Do lat. *factio, -onis*.] ■ **À ~ 1** Ao jeito, ao estilo, à moda: *Planejou a festa à sua própria feição.* **2** A contento: *A cerimônia transcorreu à feição.* **3** A favor; de maneira favorável: *As ondas estavam à feição, e ele surfou como nunca.* **Dançar de ~** *N.E.* Dançar a noite toda com o mesmo par **De/por ~ que** De modo que **Estar de ~** Estar de namoro

feições (fei.*ções*) *sfpl.* Traços fisionômicos; ROSTO; SEMBLANTE [F.: Pl. de *feição*.]

feíssimo (fei.*ís*.si.mo) *a.* Exageradamente feio. Superl. abs. sint. de *feio*. [F.: *feio* + *-íssimo*.]

feijão (fei.*jão*) *sm.* **1** *Bot.* Feijoeiro: *plantação de feijão.* **2** *Bot.* A semente ou a vagem do feijoeiro **3** *Cul.* Essa semente cozida, temperada com alho, cebola etc. e, às vezes, junto com carnes salgadas e/ou legumes, e que serve de alimento **4** *Fig.* O alimento, o pão necessário **5** *Bras.* Seixo rolado, tido como satélite do diamante **6** *Enol.* Casta de uva-tinta do norte de Portugal **7** *CE Ict.* Espécie de peixe (*Paprilus paru*) [Pl.: *-jões*.] [F.: Do lat. *faseolus*. Col.: *feijoada, feijoal*.] ■ **Comer ~ de boia** *Bras.* Estar preso **~ dormido** *BA* Restos de feijoada da véspera **Não valer o ~ que come** Não ter (alguém) merecimento ou importância **Pegar o ~ de** *Pop.* Comer (almoço ou jantar) em casa de

📖 O feijão é um dos alimentos básicos do regime alimentar dos brasileiros, e de grande utilização em todo o mundo, inclusive por ser rico em proteínas e em fibras e de fácil adaptação a solos e climas diversos. Cultivado desde a pré-história, o cruzamento de espécies criou centenas de variedades, algumas delas nativas do Brasil. É no Extremo Oriente que se encontra a maior área de cultivo do feijão. Alguns dos pratos mais característicos da culinária brasileira são à base de feijão, como a feijoada de feijão-preto, o feijão-tropeiro, o virado à paulista.

feijão-branco (fei.jão-*bran*.co) *sm.* **1** *Bot.* Espécie de feijoeiro (*Crotylia floribunda*), cuja semente tem a cor branca e cujas folhas servem de alimento para o gado na estação seca **2** O grão dessa espécie [Pl.: *feijões-brancos*.]

feijão com arroz (fei.jão com ar.*roz*) *sm.* **1** *Bras. Pop.* Aquilo que se faz habitualmente, o trivial **2** O que denota simplicidade, o que é comum: *Não se preocupou em estudar o feijão com arroz daquela matéria.* [Pl.: *feijões com arroz*.]

feijão-fradinho (fei.jão-fra.*di*.nho) *Bot. sm.* **1** Planta da fam. das leguminosas (*Vigna unguiculata*), de caule ereto, vagens finas e compridas com sementes miúdas, comestíveis e de cor bege, com hilo branco rodeado de preto **2** A semente dessa planta, us. em saladas, no acarajé etc. [Pl.: *feijões-fradinho, feijões-fradinhos.*] [Sin. ger.: *feijão-careta, feijão-chicote, feijão-de-corda, feijão-de-frade, feijão-frade.*]

feijão-manteiga (fei.jão-man.*tei*.ga) *sm.* **1** *Bot.* Espécie de feijoeiro cuja semente tem cor pardo-clara e é muito macia e saborosa **2** O grão dessa espécie [Pl.: *feijões-manteigas e feijões-manteiga.*]

feijão-mulatinho (fei.jão-mu.la.*ti*.nho) *sm.* **1** *Bot.* Espécie de feijoeiro cuja semente tem cor parda **2** O grão dessa espécie [Pl.: *feijões-mulatinhos.*]

feijão-preto (fei.jão-*pre*.to) *sm.* **1** *Bot.* Espécie de feijoeiro cuja semente tem a cor preta. Originária da América do Sul, e mais provavelmente do Brasil meridional e do Paraguai **2** O grão dessa espécie muito utilizado no preparo de pratos típicos da culinária brasileira, como a feijoada e o tutu **3** *Geol.* Seixo de jaspe-negro **4** *Geol.* Fragmento rolado de turmalina preta; PRETINHA [Pl.: *feijões-pretos.*]

feijão-soja (fei.jão-*so*.ja) *sm.* **1** *Bot.* Planta herbácea, leguminosa-papilionácea (*Glycine hispida*) com muitas variedades e de grande emprego industrial na fabricação de óleos comestíveis etc., tb. chamada *feijão-chinês* ou simplesmente *soja.* **2** O grão dessa espécie [Pl.: *feijões-sojas e feijões-soja.*]

feijão-tropeiro (fei.jão-tro.*pei*.ro) *sm.* *Bras. Cul.* Prato típico da cozinha mineira feito com feijão-mulatinho, roxinho ou carioca, cozido e refogado com cebola, alho e sal, a que em seguida se acrescenta farinha de mandioca, linguiça frita, torresmos, ovos fritos e mexidos e serve-se com arroz branco e couve refogada; FEIJÃO DE TROPEIRO [Pl.: *feijões-tropeiros e feijões-tropeiro.*]

feijoada (fei.jo.*a*.da) *Cul. sf.* **1** *Bras.* Prato típico brasileiro, preparado com feijão (ger. feijão-preto) cozido com carnes salgadas e linguiças e que se serve com arroz branco, couve em tirinhas refogada, farofa, e laranja em pedaços **2** *N.E.* Prato preparado com feijão (ger. feijão-mulatinho) cozido com carnes salgadas e linguiças e hortaliças como chuchu, cenoura, quiabo, maxixe etc. [F.: *feijão* (sob a forma *feijo*) + *-ada*[1].] ▪ **~ de Ogum** *Rel.* Refeição coletiva no encerramento anual de candomblé **Ter muita ~ a comer** *Pop.* Ter pela frente muitos anos de vida

feijoal (fei.jo.*al*) *sm.* **1** *Bot.* Plantação de feijoeiros **2** Denso agrupamento de feijoeiros, numa área mais ou menos extensa [Pl.: *-ais.*] [F.: *feijão* (sob a forma *feijo*) + *-al*[1].]

feijoeiro (fei.jo.*ei*.ro) *Bot. sm.* Planta herbácea anual ou trepadeira da fam. das leguminosas, subfam. papilionoídea, (*Phaseolus vulgaris*) cujo fruto é uma vagem com sementes de cores diversas, conforme as numerosas variedades, sendo a vagem consumida verde após cozimento, e as sementes, ger. secas e ricas em proteínas, consumidas tb. após seu cozimento; FEIJÃO; FEIJÃO-COMUM [F.: *feijão* (sob a forma *feijo*) + *-eiro.* Col.: *feijoal.*]

feio (*fei*.o) *a.* **1** De aparência desagradável, desprovido de beleza [Ant.: *belo, bonito.*] **2** *Fig.* Que revela desconsideração ou má intenção ou que agride a moral, a ética etc. (gesto feio); INDECOROSO; INDECENTE; VERGONHOSO **3** *Fig.* Diz-se de situação ou condição difícil, perigosa etc.: *A confusão estava feia.* **4** *Fig.* Diz-se do tempo nublado ou chuvoso [Aum.: *feiarrão, feianchão.* Superl.: *feiíssimo.*] *sm.* **5** Aquele ou aquilo que é feio (1 e 2): *Quem o feio ama, bonito lhe parece.* **6** Situação, atitude, ação desagradável, indecorosa, não aceitável: *O feio é desobedecer os pais/enganar o cliente* etc.; *adv.* **7** De maneira prejudicial ou imoderada: "...E com os que erram feio e bastante/ Que você consiga ser tolerante..." (Frejat, *Amor pra recomeçar*) [F.: Do lat. *foedus.*] ▪ **~ e forte** Com muita fibra e tenacidade: *Trabalhou feio e forte para levar o projeto avante.* **Fazer ~** Ter mau desempenho: *Não estudou e fez feio no exame.*

feioso (fei.*o*.so) [ô] *Bras. sm.* **1** Indivíduo um tanto feio *a.* **2** Que é um tanto feio, que é desprovido de beleza [Fem. e pl.: [ó].] [F.: *feio* + *-oso.*]

feira (*fei*.ra) *sf.* **1** Mercado em lugar público, ger. ao ar livre, onde são expostas mercadorias para venda **2** *Bras.* Agrupamento de barracas de mercadores de hortaliças, frutas e outros gêneros, em dia de semana e local fixos **3** *Mkt.* Evento, ger. com atrações apropriadas, para apresentação de produtos e serviços a compradores ou ao público em geral (feira de tecnologia, feira de automóveis) **4** *Bras.* Compra ou comércio na feira livre: *Dedicou a manhã à feira.* **5** *Pop.* Confusão de vozes; BALBÚRDIA; VOZERIO: *Após a partida, o local virou uma verdadeira feira.* [F.: Do lat. *feria* 'dia festivo'.] ▪ **~ livre** Lugar, ger. em via pública e em dias fixos, onde se armam barracas e se vendem vários tipos de produto, esp. legumes e frutas. [Tb. apenas *feira.*]

feirante (fei.*ran*.te) *s2g.* **1** Vendedor de feira (2) *a2g.* **2** Ref. a ou próprio de feira (2) [F.: *feira* + *-nte.*]

feita (*fei*.ta) *sf.* **1** Ocasião oportuna; OPORTUNIDADE; VEZ: "Mas desta feita a coisa havia de ser de outra moda." (Franklin Távora, *O Cabeleira*) **2** Obra, ação realizada [F.: Fem. substv. de *feito.*] ▪ **Dessa/desta/daquela ~** Dessa/desta/daquela vez, nessa/nesta/naquela oportunidade **Uma/de uma ~** Uma vez, certa vez: *De uma feita, contrariando seus hábitos, voltou para casa a pé.*

feitiçaria (fei.ti.ça.*ri*.a) *Oct. sf.* **1** Prática de atos de mágica, bruxaria, sortilégio etc., para se obter algo por supostos meios sobrenaturais **2** Obra de feiticeiro [F.: *feitiço* + *-aria.* Sin. ger.: *bruxaria, magia, feitiço, sortilégio.*]

feiticeira (fei.ti.*cei*.ra) *sf.* **1** Mulher que faz feitiços; BRUXA; ESTRIGA; MAGA **2** *Bras.* Espécie de vassoura composta de escovas cilíndricas que, girando em uma caixa, recolhem para dentro desta a sujeira **3** *Bras.* Rede de tresmalho **4** *Bras. Ent.* Espécie de abelha-preta **5** *Fig.* Mulher atraente, encantadora [F.: *feitiç(o)* + *-eira.*]

feiticeiro (fei.ti.*cei*.ro) *sm.* **1** *Oct.* Homem que faz feitiços; BRUXO; MAGO **2** *Fig.* Homem atraente, encantador, irresistível *a.* **3** *Oct.* Que faz feitiços **4** Que exerce atração física, que desperta o desejo; ATRAENTE; ENCANTADOR [F.: *feitiço* + *-eiro.*]

feitiço (fei.*ti*.ço) *sm.* **1** *Oct.* Prática ou resultado de feitiçaria **2** *Oct.* Aquilo que se usa para fazer feitiçaria **3** Encantamento, fascínio, sedução que se exerce sobre alguém **4** Qualidade ou capacidade de encantar, fascinar, atrair *a.* **5** *P.us.* Postiço, falso, artificial: *uma joia feitiço.* [F.: Do lat. *facticius.*] ▪ **Virar/voltar-se o ~ contra o feiticeiro** Voltarem-se contra o alguém as consequências de ação feita por ele para prejudicar outrem

feitio (fei.*ti*.o) *sm.* **1** Forma, figura, configuração de um ser ou objeto: "(...) onde se viam pássaros de várias cores e feitios (...)." (Aluísio Azevedo, *O cortiço*) **2** *Fig.* Maneira de ser; ÍNDOLE; TEMPERAMENTO: *Mentir não era do seu feitio.* **3** Trabalho, obra de artista ou artesão (esp. alfaiate ou costureira) **4** O preço desse trabalho **5** Custo de serviço prestado por servidor de justiça [F.: *feito*[2] + *-io*[2].]

feito[1] (*fei*.to) *sm.* **1** Ação ou resultado de fazer(-se) **2** Acontecimento, fato extraordinário: *A chegada à Lua foi um grande feito.* **3** Aquilo que se fez; OBRA: *Os feitos dos portugueses no século XVI.* **4** *Lud.* No voltarete e jogos semelhantes, jogador que declara ter jogo e desafia os demais [F.: Do lat. *factum.* Hom./Par.: *feito* (Part. de *fazer*).] ▪ **De ~** De fato, com efeito: *Pelas estatísticas, andar armado, de feito, não garante segurança.*

feito[2] (fei.to) *a.* **1** Executado, realizado, pronto: *Já encontramos o jantar feito.* **2** Adulto, amadurecido, maduro (homem feito) **3** Constituído, conformado, proporcionado: *corpo bem feito.* **4** Decidido, resolvido, assentado (negócio feito) **5** Exercitado, adestrado, instruído **6** Afeito, habituado **7** *Bras. Rel.* Que cumpriu o ritual de iniciação (no candomblé, na umbanda etc.) **8** Que está pronto para ser usado, consumido etc. (prato feito) *conj.* **9** *Bras.* Tal qual, como: "Ela torcia-se no chão, feito cobra." (Roberto Gomes, *A casa fechada*) [F.: Do lat. *factus, a, um.*] ▪ **Bem ~** *Irôn.* Expressão com que se expressa ironicamente (e com uma ponta de maldade) que uma consequência ruim de uma ação errada foi merecida: *Você se deu mal na prova? Bem feito, quem mandou colar?* **Estar ~** Estar em boa situação, por ter tido sucesso

feitor (fei.*tor*) [ô] *sm.* **1** *Bras. Hist.* Capataz de fazenda com mão de obra escrava **2** *Pej. P.ext.* Chefe tirânico, autoritário etc. **3** Pessoa que administra bens alheios *a.* **4** Que faz; FAZEDOR [F.: Do lat. *factor,-oris.*]

feitorar (fei.to.*rar*) *Bras. v. td.* **1** Administrar, chefiar, supervisionar como feitor **2** Dirigir ou ter a intendência de um negócio [▶ **1** feitorar] [F.: *feitor* + *-ar*[2]. Hom./Par.: *feitores* (fl.), *feitores* (pl. de *feitor* [ô] [a.sm.]).]

feitoria (fei.to.*ri*.a) *sf.* **1** Administração ou cargo de feitor **2** *Hist.* Nas colônias portuguesas, entreposto onde se guardavam mercadorias que seguiriam para a metrópole **3** *AM* Pesca do pirarucu (em grande escala) **4** *AM* Lugar, à margem de rio ou lago, onde se salga o peixe **5** *AM* Pequena habitação de pescadores à margem de rio ou lago **6** Certo processo empregado na fabricação do vinho; fabricação por esse processo [F.: *feitor* + *-ia*[1].]

feitos (*fei*.tos) *smpl.* Atos ou processos judiciais (fiel dos feitos) [F.: Pl. de *feito*[1].]

feitura (fei.*tu*.ra) *sf.* **1** Ação, processo ou modo de fazer; CONFECÇÃO; EXECUÇÃO **2** O que foi feito; OBRA; TRABALHO **3** Configuração, forma, feitio **4** *Bras. Rel.* Ritual de iniciação (no candomblé, na umbanda etc.) **5** Pessoa que foi treinada, formada por outrem para que o sirva; CRIATURA [F.: Do lat. *factura.*] ▪ **~ do santo** *Rel.* Iniciação ritual do candomblé, na qual um fiel prepara-se para encarnar uma das entidades, como início de seu culto a ela

feiura (fei.*u*.ra) *Bras. sf.* **1** Condição ou estado de quem ou do que é feio; FEALDADE **2** Pessoa ou coisa feia [F.: *feio* + *-ura.* Ant. ger.: *beleza, formosura, lindeza.*]

feixe (*fei*.xe) *sm.* **1** Conjunto de coisas mais ou menos longas e finas, cingidas por cipó, fita, barbante etc. (feixe de capim, feixe de lenha) **2** *P.ext.* Grande porção de qualquer coisa: *Tinha um feixe de perguntas a fazer.* **3** *Anat.* Conjunto de fibras de tendões, nervos ou músculos **4** *Ópt.* Conjunto de raios luminosos paralelos ou quase paralelos, de uma fonte comum **5** *Fís.* Conjunto de partículas em trajetória paralela ou quase paralela **6** *Bot.* Conjunto de cordões vasculares ou fibrosos [Dim.: *fascículo.*] [F.: Do lat. *fascis.* Hom./Par.: *feixe* (sm.), *feche* (fl. de *fechar*).] ▪ **~ colimado** *Fís.* Feixe de radiações ou de trajetórias de partículas paralelas **~ convergente** *Fís.* Feixe de radiações ou de trajetórias de partículas quase paralelas que se aproximam ligeiramente à medida que avançam **~ de nervos** *Fig.* Pessoa irritada ou muito irritadiça **~ de ossos** *Fig.* Pessoa muito magra **~ de planos** *Geom.an.* Conjunto de planos que têm uma reta (que pode ser imprópria, ou seja, estar a uma distância infinita) em comum **~ de retas** *Geom.an.* Conjunto de retas que têm um ponto (que pode ser impróprio, ou seja, estar a uma distância infinita)em comum **~ divergente** *Geom.an.* Feixe de radiações ou de trajetórias de partículas quase paralelas que se afastam ligeiramente à medida que avançam **~ piramidal** *Anat.* Cada um dos feixes de fibras motoras, distribuídos em dois pares a partir da medula espinhal, e que controlam certos movimentos

fel *sm.* **1** *Fisl.* Ver *bílis* **2** *Fisl.* Vesícula biliar: *O fel do baiacu é venenoso.* **3** *Fig.* Manifestação de amargura, azedume, rancor etc.; AZEDUME; RESSENTIMENTO **4** *P.ext.* Qualquer substância amarga; seu sabor amargo [Pl.: *féis e feles.*] [F.: Do lat. *fel, -llis.*]

felá (fe.*lá*) *sm.* **1** Pequeno lavrador, no Egito **2** Qualquer trabalhador ou artífice da classe baixa entre os egípcios *a.* **3** Rel. a esses trabalhadores egípcios [Fem.: *felaína.*] [F.: Do ár. *Fallah* (lavrador).]

felação (fe.la.*ção*) *sf.* Ato de produção de espasmo sexual pela sucção do pênis com a boca: "Cometendo com mulheres a torpeza que em moderna linguagem científica se chama, como nos livros clássicos, de felação." (Gilberto Freyre, *Casa grande e senzala*) [Pl.: *-ções.*] [F.: Do lat. *fellatio, onis.*]

feldspato (felds.*pa*.to) *sm.* *Min. Geol.* Nome comum aos silicatos de alumínio ou de sódio, cálcio, potássio etc., componentes das rochas, esp. das ígneas [F.: Do al. *Feldspath*, pelo fr. *feldspath.*]

felicidade (fe.li.ci.*da*.de) *sf.* **1** Qualidade, condição ou estado de feliz; grande satisfação ou contentamento: "Nem todo choro é de felicidade,/ Nem toda saudade faz um samba bom." (Sidney Miller, *Chorinho do retrato*) [Ant.: *infelicidade, insatisfação.*] **2** Boa sorte [Ant.: *azar, desdita, infelicidade.*] **3** Bom êxito em algo que se fez; SUCESSO [Ant.: *insucesso, fracasso.*] [F.: Do lat. *felicitas, -atis.*]

felicidades (fe.li.ci.*da*.des) *sfpl.* Votos de boa sorte, congratulações [F.: Pl. de *felicidade.*]

felicíssimo (fe.li.*cís*.si.mo) *a.* Muito feliz. Superl. abs. sint. de *feliz.* [F.: Do lat. *felicissimus, a, um.*]

felicitação (fe.li.ci.ta.*ção*) *sf.* Ação ou resultado de felicitar(-se), de desejar bom êxito, sucesso etc. a outrem [Pl.: *-ções.*] [F.: *felicitar* + *-ção.*]

felicitações (fe.li.ci.ta.*ções*) *sfpl.* Cumprimentos por ocasião de acontecimento importante; CONGRATULAÇÕES; PARABÉNS [F.: Pl. de *felicitação.*]

felicitar (fe.li.ci.*tar*) *v.* **1** Dar(-se) felicitações, parabéns; CONGRATULAR(-SE) [*td.*: *Felicitamos o aniversariante; Depois dos resultados do vestibular, os alunos se felicitaram.*] [*tdr.* + *por*: *Felicitamos o professor pelo seu aniversário.*] **2** Tornar (alguém) feliz [*td.*: *Os avós sempre felicitam os netos.*] [▶ **1** felicitar] [F.: Do lat. *felicitare.*]

felídeo (fe.*lí*.de:o) *Zool. a.* **1** Ref. ou pertencente aos felídeos *sm.* **2** Espécime dos felídeos, fam. de mamíferos da ordem dos carnívoros com cabeça grande e arredondada, focinho curto, grandes dentes caninos e constituição óssea adaptada para realizar saltos. Compreende, além do gato doméstico, diversos animais selvagens como o leão, a onça-pintada etc. [F.: Do lat. cient. *Felidae.*]

felino (fe.*li*.no) *a.* **1** *Zool.* Ref. ao ou próprio do gato ou dos demais felídeos **2** Que tem ou revela a agilidade ou a movimentação silenciosa e sinuosa desses animais (movimento felino) **3** *Fig.* Que denota sensualidade **4** *Fig.* Fingido, dissimulado, hipócrita, traiçoeiro [F.: Do lat. *felinus*, pelo fr. *félin.*]

feliz (fe.*liz*) *a2g.* **1** Diz-se de quem desfruta de um constante sentimento de satisfação e plenitude com a própria vida: *É uma mulher feliz, maximiza as alegrias e minimiza as tristezas.* **2** Contente, alegre, satisfeito: *Estão felizes com a vida que levam.* **3** Que tem boa sorte; AFORTUNADO; DITOSO: *Feliz no jogo e no amor.* **4** Que teve resultado satisfatório, que foi bem-sucedido (final feliz; ideia feliz) **5** Abençoado, bendito (feliz inspiração!) **6** Em que há felicidade, alegria (olhares/momentos felizes) [Superl.: *felicíssimo.*] [F.: Do lat. *felix, icis.* Ant. ger.: *infeliz.*]

felizardo (fe.li.*zar*.do) *sm.* Pessoa muito feliz e muito ditosa; AFORTUNADO; SORTUDO [Ant.: *azarado.*] [F.: *feliz* + *-ardo.*]

felizmente (fe.liz.*men*.te) *adv.* **1** Por felicidade, por sorte: *Atravessei a rua sem olhar, mas felizmente não havia trânsito.* **2** De modo feliz, agradável: *Apesar das dificuldades o brasileiro se desenvolve felizmente.* [F.: *feliz* + *-mente.*]

◎ **fel(o)-** *el. comp.* antepositivo, do gr. *phellós,oû* com significado de 'cortiça': *feloderma, felogene, feloide* etc.

felonia (fe.lo.*ni*.a) *sf.* **1** Ato de traição; DESLEALDADE; PERFÍDIA **2** Ação cruel; FEROCIDADE; MALDADE **3** *Hist.* Rebelião do vassalo contra o senhor [F.: Do fr. *félonie.*]

felpa (*fel*.pa) [ê] *sf.* **1** Pelo saliente, perpendicular à urdidura, de certos tecidos; FELPO: *as felpas de uma toalha:* "(...) sobre a felpa macia do tapete (...)." (Aluísio de Azevedo, *Girândola de amores*) **2** Tecido macio formado de felpas, felpudo **3** Penugem das aves, pelo de animais **4** Ver *buço* (1) **5** Lanugem de frutos e folhas **6** Pequena farpa de madeira que acidentalmente se introduz na pele **7** *CE Pop.* Qualidade, estofo, caráter, laia [Pl.: [ê].] [F.: Do fr. antigo *feupe* (*a.*: 'felpudo').]

felpado (fel.*pa*.do) *a.* Que tem pelos salientes, o mesmo que *felpudo* [F.: Part. de *felpar.*]

felpar (fel.*par*) *v. td.* Cobrir de felpa(s) [▶ **1** felpar] [F.: *felpa* + *-ar*[2]. Hom./Par.: *felpa(s)* (fl.), *felpa(s)* [ê] (sf.[pl.]); *felpo* (fl.), *felpo* [ê] (a.sm.).]

felpo (*fel*.po) [ê] *sm.* **1** Ver *felpa* (1) *a.* **2** Macio, felpudo [Pl.: [ê].] [F.: Posv. dev. de *felpar.*]

felpudo (fel.*pu*.do) *a.* Que tem (muita) felpa, que é coberto de felpas; FELPADO; FELPO [F.: *felpa* + *-udo*[2].]

feltro (*fel*.tro) [ê] *sm.* **1** *Têxt.* Espécie de pano não tecido, resultante do empastamento de lã ou de pelos ou materiais sintéticos, mediante calor, pressão, umidade ou agentes químicos **2** Chapéu feito com este pano **3** Na indústria de papel, tira de feltro (1) que leva a folha de papel ao longo dos processos de fabricação **4** *Mec.* Forro de caldeira de vapor, que evita a perda de calor por irradiação [F.: Do fr. *feutre*, de or. germ., pelo it. *feltro*.]

⊠ **f.e.m.** Abrev. de *força eletromotriz*

fêmea (*fê*.me:a) *sf.* **1** *Biol.* Qualquer organismo que, na reprodução, só produz gametas femininos **2** *Zool.* Qualquer animal do sexo feminino **3** Mulher **4** *Pej.* Prostituta **5** *Pej.* Amante, concubina **6** *Vest.* Argola em que se encaixa o colchete macho; COLCHETA **7** *Lus. Pop.* Fechadura **8** *Mec.* Qualquer peça com algum tipo de reentrância na qual se encaixa a parte saliente de outra peça que com ela se une ou articula [F.: Do lat. *femina*.] ■ **~ de governo** *Bras.* Peça de madeira na qual se articula o leme das jangadas **~s do leme** *Mar.* Cada uma das peças que formam a dobradiça em torno da qual gira o leme

femeaço (fe.me.*a*.ço) *sm.* **1** *Pej.* Aglomeração de mulheres; MULHERIO **2** *Pop.* Mulher atraente por sua beleza **3** *Pej.* Meretriz, prostituta **4** *Pej.* Bando de prostitutas; FEMEEIRO [F.: *fêmea* + *-aço*.]

femeeiro (fe.me.*ei*.ro) *a.* **1** Diz-se do homem que vive em busca de mulheres; BORDELEIRO: *Era um incorrigível femeeiro.* **2** *P.ext.* Diz-se do animal que procura constantemente a fêmea (pássaro femeeiro) **3** *Bras.* Diz-se do touro ou garanhão cujos produtos são, na maioria, do sexo feminino *sm.* **4** *Pop.* Homem que é dado a mulheres; MULHERENGO **5** *P.ext.* Animal que busca a fêmea com frequência **6** *Pej.* Bando de prostitutas; FEMEAÇO [F.: *fêmea* + *-eiro*.]

fêmeo (*fê*.me:o) *a.* **1** Ref. a ou característico de fêmea; FEMEAL **2** Que não é macho **3** Diz-se de objeto ou de peça em cuja reentrância se encaixa a saliência de outro ou outra que ele(a) se combina ou articula [F.: Do lat. *feminu*. Sin. ger.: *feminino*.]

feminidade (fe.mi.ni.*da*.de) *sf.* Características próprias da mulher; FEMINILIDADE [F.: *femin-* + *-(i)dade*.]

feminil (fe.mi.*nil*) *a2g.* **1** Rel. ao sexo feminino; próprio de mulher (modos feminis) **2** *Fig.* Extremamente delicado, afeminado, adamado [F.: Do lat. *feminilis, e*.]

feminilidade (fe.mi.ni.li.*da*.de) *sf.* **1** Qualidade, caráter, modo de ser, viver ou pensar próprios da mulher **2** Graça, delicadeza de gestos **3** *Pej.* Atitude, comportamento fútil; FRIVOLIDADE [F.: *feminil* + *-(i)dade*.]

feminilizar (fe.mi.ni.li.*zar*) *v.* Fazer ficar ou ficar com caráter ou modos femininos; EFEMINAR(-SE) [*td.*: *A convivência só com mulheres feminilizou o menino.*] [*int.*: *Os gestos dela eram duros, másculos, mas com o tempo feminilizaram-se.*] [▶ **1** feminilizar] [F.: *feminil* + *-izar*.]

feminino (fe.mi.*ni*.no) *a.* **1** Ref. a ou próprio de mulher: *a curiosidade feminina.* **2** Ref. a ou próprio de fêmea; FÊMEO **3** *Gram.* Diz-se do gênero gramatical que se opõe ao masculino, embora não designe, obrigatoriamente, o sexo feminino *sm.* **4** *Gram.* Gênero feminino (3) [F.: Do lat. *femininus*.]

feminismo (fe.mi.*nis*.mo) *sm.* **1** Conceito, ideia, teoria de que as capacidades e os direitos das mulheres igualam-se aos dos homens **2** Movimento que, de acordo e em consequência dessas ideias, luta pela igualdade de direitos e oportunidades entre mulheres e homens **3** *Med.* Presença, ou influência em um macho, de caracteres sexuais secundários femininos [F.: Do fr. *féminisme*.]

feminista (fe.mi.*nis*.ta) *a2g.* **1** Ref. ao ou próprio do feminismo **2** Que é partidário ou simpatizante do feminismo *s2g.* **3** Partidário ou simpatizante do feminismo [F.: Do fr. *féministe*.]

feminização (fe.mi.ni.za.*ção*) *sf.* Ato ou efeito de feminizar; adquirir ou impor características femininas [Pl.: *-ções*.] [F.: *feminizar* + *-ção*.]

feminizado (fe.mi.ni.*za*.do) *a.* Que se submeteu a feminização: *Quando falava fazia trejeitos feminizados.* [F.: Part. de *feminizar*.]

feminizar (fe.mi.ni.*zar*) *v.* **1** Dar caráter ou feição feminina a [*td.*] **2** *Biol.* Dar ou adquirir características e qualidades femininas (a indivíduo do sexo masculino) [*td.*] [*int.*] **3** Conferir gênero feminino a (palavras) [*td.*] [▶ **1** feminizar] [F.: Do lat. *femina*, 'fêmea', + *-izar*.]

feminoide (fe.mi.*noi*.de) *a2g.* **1** Que tem aspecto ou comportamento semelhante ao das mulheres: *Essa disfunção acarreta uma distribuição feminoide dos pelos pubianos.* [Muitas vezes us. em sentido pejorativo: *rapaz feminoide*.] *s2g.* **2** Indivíduo do sexo masculino com características femininas [F.: *femin-* + *-oide*.]

femoral (fe.mo.*ral*) *a2g.* *Anat.* Ref. ao, do ou próprio do fêmur [Pl.: *-rais*.] [F.: Do lat. *femoralis*.]

femtofarad (fem.to.fa.*rad*) *sm.* *Elet. Fís. Metrol.* Unidade de medida de capacitância, igual a 10-15 farad. [Símb.: fF] [F.: *femto-* + *farad*.]

femtômetro (fem.*tô*.me.tro) *sm.* *Fís. Metrol.* Unidade de medida de comprimento, igual a 10-15 m [Símb.: fm], empregada em física nuclear; FERMI [Forma paral.: *fentômetro*. F.: *femto-* + *-metro*.]

femtowatt (fem.to.*watt*) *sm.* *Elet. Metrol.* Unidade de medida de potência, igual a 10-15 w [Símb.: fw] [F.: *femto-* + *watt*.]

fêmur (*fê*.mur) *sm.* **1** *Anat.* O osso da coxa, que se articula com o ilíaco, no quadril, e com a patela e a tíbia, no joelho **2** *P.ext.* A coxa **3** *Anat. Zool.* O mais longo e robusto segmento da pata dos insetos, aracnídeos e miriápodes [F.: Do lat. *femur,-oris*, pelo fr. *fémur*.]

femural (fe.m.u.*ral*) Ver *femoral*

⊠ **Fenaban** Sigla de *Federação Nacional dos Bancos*

⊠ **Fenamar** Sigla de *Federação Nacional das Agências de Navegação Marítima*

fenantreno (fe.nan.*tre*.no) *sm.* *Quím.* Substância encontrada no alcatrão e que pode ser sintetizada por vários processos; apresenta-se em placas brancas brilhantes, e suas soluções mostram fluorescência azul. [Fórm.: $C_{12}H_{10}$] [F.: *fen(o)-* + *antr(ac)eno*.]

⊠ **Fenap** Sigla de *Federação Nacional dos Publicitários*

fenda (*fen*.da) *sf.* **1** Abertura ou rachadura numa superfície; BRECHA; FRINCHA; GRETA: *fenda na parede.* **2** *Vest.* Corte vertical na barra de saia ou vestido, para permitir passadas largas **3** *Geol.* Qualquer abertura em rocha ou na crosta terrestre **4** *Med.* Abertura alongada, esp. no desenvolvimento embrionário **5** *Ópt.* Abertura, ger. retangular, que regula a entrada de luz em instrumentos ópticos; DIAFRAGMA [F.: Dev. de *fender*. Hom./Par.: *fenda* (sf.), *fenda* (fl. de *fender*).] ■ **~ bucal 1** *Anat.* Nos mamíferos, a abertura da boca, entre os lábios, ou beiços **2** Designação dada à abertura que, no corpo de certos animais, corresponde à boca dos mamíferos **~ palpebral** *Anat.* A abertura entre a pálpebra superior e a inferior do mesmo lado do rosto

fender (fen.*der*) *v.* **1** Abrir fenda ou rachadura em; RACHAR(-SE) [*td.*: *Num só golpe de machado fendeu o tronco.*] [*int.*: *A terra se fendeu.*] **2** *Fig.* Abrir sulco ou caminho em; CRUZAR; VARAR [*td.*: *O barco fendia as ondas.*] [*int.*: *Um pássaro fendeu o espaço.*] **3** Separar(-se) em partes; DIVIDIR(-SE) [*td.*: *Um caminho fendia o bloco de barracos.*] [*int.*: *A grande nuvem fendeu-se de repente.*] [▶ **2** fender] [F.: Do lat. *findere*. Hom./Par.: *fenda(s)* (fl.), *fenda(s)* (sf. [pl.]).]

fendido (fen.*di*.do) *a.* **1** Que se fendeu **2** Desunido, rachado, gretado, aberto: *O muro desabou fendido em milhares de pedaços.* **3** *Fig.* Partido, dividido em pedaços: *com o coração fendido pela traição.* **4** *Bot.* Diz-se de dois órgãos soldados inferiormente e abertos até certa extensão, como o cálice, o lábio superior da corola etc. **5** *Her.* Diz-se da divisão diagonal em duas partes iguais feita em um brasão representativo de armas de nobreza: *Escudo fendido de azul e de vermelho.* *sm.* **6** Ação ou resultado de fender(-se); abertura, fenda, greta, racha: *Um fendido na parede era o refúgio dos insetos.* [F.: Do lat. *finditus, a, um*.]

fendilhado (fen.di.*lha*.do) *a.* Que se fendilhou, que recebeu pequenas fendas em sua estrutura (tijolo fendilhado); FENDIDO [F.: Part. de *fendilhar*.]

fenecer (fe.ne.*cer*) *v. int.* **1** Deixar de viver; MORRER: *Teve uma febre e logo feneceu.* **2** Tornar-se murcho; MURCHAR: *As plantas feneceram.* **3** Tornar-se mais fraca (a cor): *Os tons vermelhos feneceram.* **4** *Fig.* Acabar, terminar, ter fim: *A última esperança também fenece.* [▶ **33** fenecer] [F.: Do lat. *finiscere*, incoativo de *finire*.]

fenecido (fe.ne.*ci*.do) *a.* **1** Que feneceu; ACABADO: *Sentia sua energia fenecida.* **2** De cor desbotada; ESMAECIDO: *um verde fenecido.* **3** Que morreu; FALECIDO: *um jardim de folhagem fenecida.* **4** Que murchou; RESSEQUIDO: *Olhava para as flores fenecidas pelo intenso calor.* [F.: Part. de *fenecer*.]

fenecimento (fe.ne.ci.*men*.to) *sm.* **1** Ação ou resultado de fenecer **2** Morte, falecimento **3** Fim, término [F.: *fenecer* + *-imento*.]

fenestração (fe.nes.tra.*ção*) *sf.* **1** Ação ou resultado de fenestrar; FENESTRAGEM **2** *Cons.* Ação de abrir espaços em uma parede para colocação de janelas ou para outros fins **3** *Ant. Med.* Intervenção cirúrgica para abrir uma via de comunicação entre os ouvidos médio e interno [Pl.: *-ções*.] [F.: *fenestrar* + *-ção*.]

fenestrado (fe.nes.*tra*.do) *a.* **1** Que se fenestrou, furado, esburacado **2** Que tem janela: "...no hálito de incenso de uma nave fenestrada de ogivas e ventanas..." (Guimarães Rosa, *Magma*) **3** Furado, esburacado (atadura fenestrada) **4** *Bot.* Perfurado, cheio de buracos que conduzem a luz, como as dormideiras **5** *Zool.* Que apresenta regiões transparentes, como a asa de muitos insetos [F.: Do lat. *fenestratus, a, um*.]

fenestrar (fe.nes.*trar*) *v. td.* Abrir janelas ou fenestras em [▶ **1** fenestrar] [F.: Do lat. *fenestrare*. Hom./Par.: *fenestra(s)* (fl.), *fenestra(s)* (sf.[pl.]); *fenestrais* (fl.), *fenestrais* (pl. de *fenestral* [a2g.s2g.]).]

🌐 ***feng shui*** (*Chin.* /fen shui/) *sm.* Antiga arte chinesa que busca harmonizar os ambientes (salas, quartos, banheiros etc.) utilizando os cinco elementos da astrologia desse povo (a água, o fogo, a madeira, o metal e a terra) e o equilíbrio do *Yin* e *Yang*, para que a energia vital *Ch'i* possa fluir e ser fortalecida [F.: Do chin. *feng* (vento) *shui* (água).]

fenício (fe.*ní*.ci:o) *sm.* **1** *Hist.* Pessoa nascida ou que vivia na antiga Fenícia (Oriente Médio) **2** *Gloss.* Língua semita falada pelos fenícios, cujo alfabeto é a base de diversos outros alfabetos *a.* **3** Da Fenícia; típico dessa região ou de seu povo **4** *Gloss.* Do ou ref. ao fenício (2) [F.: Do gr. *phoeínikes*, pelo lat. *phoenicius*.]

fênico (*fê*.ni.co) *Quím. a.* Ref. ao fenol [F.: *fen(o)-* + *-ico*[2].]

◎ **fenil-** *el. comp.* Antepositivo que entra na formação do nome de um composto indicando haver neste um radical *fenilo*: *fenilacético, fenilacetileno, fenilalanina, fenilidrazina, fenilsulfúrico* etc. [Ocorre tb. como interpositivo: *etilfenilperóxido*.]

fenilalanina (fe.ni.la.la.*ni*.na) *sf.* *Quím.* Aminoácido existente nas matérias proteicas, urina dos cães, albuminoides vegetais etc. [fórm.: $C_9H_{11}NO_2$] [F.: *fenil-* + *alanina*.]

fenilamina (fe.ni.la.*mi*.na) *sf.* *Quím.* Amanina usada na indústria de corantes, o mesmo que *anilina* [F.: *fenil-* + *amina*.]

fenilcetonúria (fe.nil.ce.to.*nú*.ri:a) *sf.* *Pat.* Doença hereditária grave causada pela ausência ou deficiência de uma enzima que impede a metabolização do aminoácido fenilalanina [F.: *fenil-* + *cetona* + *-uria*.]

fenilidrazina (fe.ni.li.dra.*zi*.na) *sf.* *Quím.* Substância us. para detectar açúcar e aldeído (fórm.: $C_6H_8N_2$) [F.: *fenil-* + *(h)idrazina*.]

fênix (*fê*.nix) [s ou cs] *sf.* **1** *Mit.* Ave fabulosa que vivia muitos séculos e, depois de queimada, renascia das próprias cinzas **2** Pequena constelação austral [Nesta acp., com inicial maiúsc.] **3** *Fig.* Pessoa ou coisa rara, única no seu gênero e superior às outras **4** *Fig.* Pessoa que se recompõe após ser tida como acabada, ou que fica curada depois de gravíssima doença etc. [F.: Do gr. *phôinix, ikos*, pelo lat. *phoenix, icis*.]

◎ **-fen(o)-** *el. comp.* Ver *fen(o)-*

◎ **-feno** indica composto aromático; FEN(O)-: *hexaclorofeno; pentafeno.* [F.: Do gr. *phaínein*.]

◎ **fen(o)-** *el. comp.* *Pref.* = brilhar; tornar visível: *fenomenal, fenótipo.* [F.: Do gr. *phaino*, por *phen(o)-*.]

feno (*fe*.no) *sm.* Erva, ger. gramínea, depois de ceifada e seca, us. para alimentar animais [F.: Do lat. *fenum, i*.]

fenobarbital (fe.no.bar.bi.*tal*) *sm.* *Quím.* Substância sedativa derivada do ácido barbitúrico e utilizada no tratamento de convulsões. [fórm.: $C_{12}H_{12}N_2O_3$] [F.: *fen(o)-* + *barbital*.]

fenol (fe.*nol*) *Quím. sm.* **1** Ácido (C_6H_5OH) us. na fabricação de plásticos, corantes, resinas, solventes, produtos farmacêuticos e, diluído, como desinfetante; ácido fênico **2** Classe de compostos orgânicos com um radical hidroxila ligado a um núcleo de benzeno [Pl.: *-nóis*.] [F.: *fen(o)-* + *-ol*[2].]

fenolftaleína (fe.nol.fta.le.*í*.na) *sf.* *Quím.* Substância solúvel em álcool, incolor e cristalina usada como indicador ácido-base, laxante etc. [fórm.: $C_{20}H_{16}O_4$] [F.: *fenol-* + *ftal-* + *-eína*.]

fenólico (fe.*nó*.li.co) *a.* **1** *Quím.* Rel. ao fenol; FÊNICO **2** Em que há fenol [F.: *fenol-* + *-ico*[2].]

fenologia (fe.no.lo.*gi*.a) *sf.* **1** *Biol.* Ciência que estuda os fenômenos do desenvolvimento vegetal ou animal nas suas relações com o clima **2** *Bot.* Parte da botânica que estuda os fenômenos periódicos das plantas, como brotação, floração etc. [F.: *fen(o)-* + *logia*.]

fenológico (fe.no.*ló*.gi.co) *a.* Ref. a fenologia [F.: *fenologia* + *-ico*[2].]

fenologista (fe.no.lo.*gis*.ta) *a2g.* **1** Que trata de fenologia *s2g.* **2** Pessoa que se dedica à fenologia [F.: *fenologia* + *-ista*.]

fenomenal (fe.no.me.*nal*) *a2g.* **1** Que causa admiração, por ser raro, ou singular, ou admirável etc.; ESPANTOSO; EXTRAORDINÁRIO **2** Ref. a ou que tem as características de um fenômeno (1) [Pl.: *-nais*.] [F.: *fenômeno* + *-al*[1].]

fenomênico (fe.no.*mê*.ni.co) *a.* Que diz respeito a fenômeno; FENOMENAL: "...a viuvinha apenas lhe permitia a contemplação de sua pessoa e pouco mais: *demi bontez*, lhe chama a honesta cronista deste caso fenomênico." (Camilo Castelo Branco, *D. Luís de Portugal*) [F.: *fenômeno* + *-ico*[2].]

fenômeno (fe.*nô*.me.no) *sm.* **1** Fato, acontecimento ou processo que pode ser observado na natureza ou na sociedade: *os fenômenos físicos; o fenômeno da criminalidade.* **2** Tudo o que é raro e surpreendente; PORTENTO; PRODÍGIO **3** Pessoa ou objeto que tem alguma coisa de anormal ou extraordinário **4** Pessoa que tem um talento muito acima do normal **5** *Fil.* No kantismo, a realidade apreendida pelos sentidos, p.opos. à realidade em si mesma, o númeno [F.: Do gr. *phainómenon*, pelo lat. tardio *phaenomenon*.] ■ **~ cooperativo** *Fís.* O que ocorre somente quando interagem simultaneamente os elementos de um sistema **~ de massa** *Fís.* O que ocorre somente quando somam-se muito fenômenos particulares (envolvendo átomos, moléculas, partículas)

fenomenologia (fe.no.me.no.lo.*gi*.a) *sf.* **1** *Fil.* Tratado sobre os fenômenos ou sobre o estudo comparativo dos fenômenos **2** *Fil.* Estudo da consciência e dos seus objetos, ou seja, do processo pelo qual tudo que é informado pelos sentidos é alterado em uma experiência de consciência, segundo o filósofo alemão Edmund Husserl (1859-1938), fundador da fenomenologia [F.: *fenômeno* + *-logia*.]

fenomenológico (fe.no.me.no.*ló*.gi.co) *a.* Rel. a fenomenologia [F.: *fenomenologia* + *-ico*[2].]

fenotípico (fe.no.*tí*.pi.co) *a.* **1** *Bac.* Que tem o mesmo conjunto de caracteres anatômicos, fisiológicos e antigênicos **2** Rel. a fenótipo [F.: *fenótipo* + *-ico*[2].]

fenótipo (fe.*nó*.ti.po) *sm.* **1** *Gen.* Conjunto de caracteres visíveis de um indivíduo ou de um organismo em relação à sua constituição e às condições do meio ambiente **2** *Gen.* Conjunto das características que permitem classificar uma bactéria ou um vírus [F.: *fen(o)-* + *-tipo*.]

feocromocitoma (fe:o.cro.mo.ci.*to*.ma) *sm.* **1** *Med.* Tumor, raramente maligno, de células produtoras de catecolaminas que, em sua maioria, se localiza na suprarrenal e provoca hipertensão arterial **2** *Med.* Paranganglioma que provoca acidentes hipertensivos [F.: Do lat. cient. *pheochromocytoma*.]

◎ **-fera** *el. comp.* Us. em terminologia botânica ('espécime de família de plantas'): *conífera* [Com acento tônico na sílaba anterior.] [F.: Adaptç. do lat. cient. *-ferae*, fem. pl. de *-fer, era, erum*.]

fera (*fe*.ra) *sf.* **1** Animal feroz e carnívoro [Col.: *alcateia*.] **2** *Fig.* Pessoa ríspida, severa, muito irritável: *Toda donzela tem um pai que é uma fera.* **3** *Fig.* Pessoa cruel, de índole violenta *s2g.* **4** *Bras. Fig.* Pessoa muito competente em determinado assunto ou área: *Ele é (uma) fera no volante.* **5** *PE* Pessoa recém-aprovada no vestibular *a2g.* **6** Diz-se de pessoa fera (3 e 4) [F.: Do lat. *fera*, fem. substv. de *ferus*.]

feracidade (fe.ra.ci.*da*.de) *sf.* Característica ou qualidade de feraz; FERTILIDADE; FECUNDIDADE [F.: Do lat. *feracitas, atis*. Hom./Par.: *feracidade* (sf.), *ferocidade* (sf.).]

feraz (fe.*raz*) **a2g.** Muito produtivo (terra feraz); FECUNDO; FÉRTIL [Superl.: *feracíssimo*.] [F.: Do lat. *ferax, acis*. Hom./ Par.: *feraz* (a2g.), *feroz* (a2g.).]

féretro (*fé*.re.tro) **sm. 1** Caixa grande e longa, na qual é colocado o corpo de morto a ser sepultado; CAIXÃO; ATAÚDE; ESQUIFE: *féretro conduzido à cova*. **2** Entre os antigos romanos, padiola em que eram transportados os despojos dos inimigos vencidos [F.: Do lat. *feretrum, i*.]

fereza (fe.*re*.za) [ê] **sf. 1** Característica ou qualidade de fero; BRAVEZA; CRUELDADE **2** O mesmo que *ferocidade* **3** *P.ext. Fig.* Força ou vigor físico [F.: *fero* + *-eza*.]

féria (*fé*.ri:a) **sf. 1** *Bras. Com. Econ.* Dinheiro que um comerciante apura pela venda de seus produtos ou serviços (em um dia, uma semana etc.); LUCRO; RENDA: *Guardou a féria do dia*. **2** *Bras. Econ.* Remuneração (diária) por trabalho realizado: *O taxista conseguiu uma boa féria*. **3** *Bras. Econ.* O conjunto dos salários da semana **4** *Hist.* Na Roma antiga, dia no qual, por determinação religiosa, não se trabalhava **5** *Litu.* No calendário litúrgico, dia em que não se comemora festa especial [F.: Do lat. *feria, ae*, sing. de *feriae, arum*, 'dias de descanso'.]

feriadão (fe.ri:a.*dão*) **sm. 1** *Pop.* Antecipação ou prolongamento de fim de semana quando há um feriado na sexta ou na segunda-feira **2** *Pop.* Prolongamento de um feriado pelo recurso de enforcar(3) o dia útil entre este e o fim de semana, ou entre dois feriados [F.: *feriado* + *-ão*[1].]

feriado (fe.ri:*a*.do) **a. 1** Ref. ou inerente a férias; em que há férias **2** Diz-se de dia em que se comemora uma festa religiosa ou cívica e, por isso, não se trabalha ou estuda **sm. 3** Dia ou período em que se suspende o trabalho, o estudo ou atividades (feriado religioso; feriado de Sete de Setembro) [F.: Do lat. *feriatus, a, um*.]

feriar (fe.ri.*ar*) **v. 1** Dar, ou desfrutar de, férias ou repouso [**td.**] [**int.**] **2** Interromper trabalho, entrar de férias [**int.**] [▶ **1 feriar**] [F.: Do lat. *feriare*. Hom./Par.: *feriais* (fl.), *feriais* (pl. de *ferial* [a2g.]); *feriáveis* (fl.), *feriáveis* (pl. de *feriável* [a2g.]); *feria(s)* (fl.), *féria(s)* (sf.[pl.]).]

férias (*fé*.ri:as) **sfpl.** Dias consecutivos para descanso de trabalhadores e de estudantes, após um período anual ou semestral de atividade (férias regulares; férias de meio de ano) [F.: Pl. de *féria*.]

ferida (fe.*ri*.da) **sf. 1** Ação ou resultado de ferir **2** Lesão, ulceração em parte do corpo causada por doença, pancada, corte etc.; FERIMENTO: "...Pensem nas feridas / Como rosas cálidas..." (Vinicius de Moraes, *Rosa de Hiroshima*) **3** *Fig.* Tudo aquilo que acontece com alguém que o ofende ou faz sofrer, moral ou emocionalmente, ou a dor íntima, a tristeza, a mágoa, a aflição que isto lhe causa; MÁGOA; CHAGA: "...Leva no coração uma ferida acesa..." (Caetano Veloso, *Luz do Sol*); "...Eu sei de tudo na ferida viva do meu coração..." (Belchior, *Como nossos pais*) **4** *Bras. S. Fig.* Indivíduo malvado, perverso **5** *Lus.* Agravo, ofensa, dito ou ação injuriosos **6** Lugar no qual a água, nos açudes, sai para os moinhos **7** *Lus.* Orifício pelo qual as abelhas entram no cortiço [F.: Fem. substv. de *ferido*.] ■ **Estar com ~ na asa 1** *Fig.* Estar apaixonado **2** Estar amuado, ressentido (com alguém) **~ braba 1** *Bras. Pop.* Tumor, ger. maligno **2** Úlcera de rápida ação corrosiva dos tecidos **3** *Fig.* Pessoa de má índole, ruim **~ contusa** *Med.* Aquela em que não há ruptura da pele **~ de sucção** *Cir.* A que é feita na parede do tórax para permitir entrada e saída do ar **~ incisa** *Cir.* Aquela produzida em tecido por instrumento cortante **~ ruim** *Bras. Pop.* Aquela na qual há morte de tecido; gangrena **~ velha** Úlcera resistente a tratamento **Tocar na ~** *Fig.* Lembrar (ou fazer alusão a) situação difícil, dolorosa, sobre a qual não se queria falar

ferido (fe.*ri*.do) **a. 1** Que se feriu **a. 2** Diz-se de que ou quem sofreu um ferimento (animal ferido): *O rapaz ferido foi levado para o hospital*. **3** *Fig.* Que traz em si forte sentimento de tristeza, mágoa, decepção, perda, ou amargura etc., em virtude, ger., de desilusão (esp. a amorosa), traição, ou de acontecimento ruim, traumático; MAGOADO **4** *Fig.* Que sofreu insulto, ofensa, injúria (ferido na sua honra); OFENDIDO; INSULTADO **5** *Fig.* Diz-se de peleja difícil, de embate disputado com ardor; RENHIDO; PORFIADO **sm. 6** Aquele que se feriu, acidental ou propositadamente; aquele que apresenta ferimento(s) ou trauma(s) no corpo: *O furacão deixou centenas de feridos*. [F.: Part. de *ferir*.]

feridor (fe.ri.*dor*) [ô] **a. 1** Que fere ou provoca ferimento (espinho feridor) **sm. 2** Aquele que fere **3** Fuzil que deixa escapar fagulhas **4** *N.E.* Extremidade do cálice que fica por cima das rodas nos engenhos de cana-de-açúcar [F.: *ferir* + *-dor*.]

ferimento (fe.ri.*men*.to) **sm. 1** Ação ou resultado de ferir(-se) **2** Machucado, ferida [F.: *feri(r)* + *-mento*.]

ferino (fe.*ri*.no) **a. 1** Ref., inerente, pertencente ou semelhante a fera (agressividade ferina) **2** *Fig.* Que demonstra ou revela desumanidade, impiedade, crueldade (atitude ferina) **3** *Fig.* Que é dado a ofender ou a magoar os outros (pessoa ferina) **4** *Fig.* Que ofende, magoa, mortifica (comentário ferino) **5** *Fig.* Que tece comentários maldosos, ofensivos (língua ferina) [F.: Do lat. *ferinus*.]

ferir (fe.*rir*) **v. 1** Causar ferimento ou sofrê-lo; CORTAR(-SE); LESIONAR(-SE); MACHUCAR(-SE) [**td.**: *O espinho feriu a menina; Feriu-se com a tesoura*.] [**int.**: *Essa ferramenta fere*.] **2** Causar mágoa ou sentir-se magoado [**td.**: *Feriu a moça com aquela insinuação maldosa*.] [**int.**: *Ela se feria com qualquer crítica*.] **3** Desfechar golpe(s) em; CONTUNDIR [**td.**: *Feriu a porta do armário com poderoso murro*.] **4** Tocar (instrumento); TANGER [**td.**: *Feriu de leve as cordas da viola*.] **5** Ser desagradável ou incômodo à audição [**td.**: *O estampido feriu seus ouvidos; A luz ofuscante feriu sua retina*.] **6** Causar forte impressão ou abalo; ABALAR; IMPRESSIONAR [**td.**: *A triste notícia feriu-lhe o coração*.] **7** Ir de encontro a, transgredir, violar [**td.**: *Aquele comportamento feria as regras da ética*.] **8** Tocar em (algum assunto) [**td.**: *Ao falar no pai, feriu um assunto proibido*.] **9** Produzir por atrito (fogo) [**td.**: *Tentava ferir fogo com as duas pedras*.] **10** Causar dano ou prejuízo a; PREJUDICAR [**td.**: *Aquela manobra feria seus interesses financeiros*.] **11** Causar tristeza, abalo, abatimento em [**td.**: *Tamanha deslealdade feriu fundo o rapaz*.] **12** *Fig.* Cortar, interromper, suspender [**td.**: *A explosão feriu o silêncio da sala*.] **13** Travar (luta, escaramuça, guerra) [**td.**: *ferir uma batalha*.] **14** Aplicar castigo a; CASTIGAR; PUNIR [**td.**: *Por causa de seus crimes, a justiça irá feri-lo*.] [▶ **50 ferir**] [F.: Do lat. *ferire*. Hom./Par.: *firo* (fl.), *firo* (sm.); *feria(s)* (fl.), *féria(s)* (sf. [pl.]).]

fermata (fer.*ma*.ta) *Mús.* **sf. 1** Suspensão, parada do compasso musical, cuja duração é arbitrariamente prolongável pelo executante **2** Sinal que indica essa parada **3** Pausa prolongada: "Discursos curtos, sem tenórios tons, nem fermatas, nem tremulantes vogais..." (Guimarães Rosa, *Ave, palavra!*) [F.: Do it. *fermata*.]

fermentação (fer.men.ta.*ção*) **sf. 1** *Quím.* Reação química em substância, provocada pela presença de fermento vivo **2** A efervescência gasosa provocada por essa reação **3** *Fig.* Agitação e mistura de ideias, conceitos etc.: *período de fermentação política*. **4** *Fig.* Efervescência moral [Pl.: *-ções*.] [F.: Do lat. tard. *fermentatio, onis*, ou *fermentar* + *-ção*.]

fermentado (fer.men.*ta*.do) **a.** Em que se produziu fermentação (massa fermentada); LEVEDADO [F.: Part. de *fermentar*.]

fermentador (fer.men.ta.*dor*) [ô] **a. 1** Que fermenta ou serve para fermentar **sm. 2** Aquilo que produz fermentação; FERMENTATIVO [F.: *fermentar* + *-dor*.]

fermentar (fer.men.*tar*) **v. 1** Levedar ou fazer levedar, produzir ou sofrer fermentação [**td.**: *A levedura fermenta a massa do pão*.] [**int.**: *Ao fermentar, o sumo da uva se transforma em vinho*.] **2** *Fig.* Provocar agitação ou excitação em, ou manifestá-las [**td.**: *Fermentava brigas em sua família*.] [**int.**: *Suas ideias não paravam de fermentar*.] [▶ **1 fermentar**] [F.: Do lat. *fermentare*. Hom./Par.: *fermentáveis* (fl.), *fermentáveis* (a2g.pl.); *fermento* (fl.), *fermento* (sm.).]

fermentável (fer.men.*tá*.vel) **a2g.** Que é capaz de fermentar(-se) (matéria fermentável) [F.: *fermentar* + *-vel*. Hom./Par.: *fermentáveis* (pl.), *fermentáveis* (fl. de *fermentar*).]

fermento (fer.*men*.to) **sm. 1** Substância em que há agentes orgânicos capazes de provocar reações químicas em outras substâncias, us. na fabricação de bebidas alcoólicas (como a cerveja, o vinho), pães, bolos etc. **2** *P.ext.* Massa de farinha azeda que se mistura com outra massa de pão para fermentá-la **3** *Fig.* Aquilo que estimula ou excita os ânimos, o entusiasmo, o espírito [F.: Do lat. *fermentum, i*.] ■ **~ biológico** Fermento resultante da multiplicação de fungo unicelular por fissão, ou brotamento

fermi (*fer*.mi) **sm.** *Fís.nu.* Unidade de medida de comprimento us. em física nuclear que equivale a 10-15 m. [Símb.: *fm*]; FEMTÔMETRO [F.: De Enrico *Fermi*, físico it. (1901-1954).]

férmio (*fér*.mi:o) **sm.** *Quím.* Elemento químico artificial, metálico radioativo, pertencente ao grupo dos actinídeos, de número atômico 100, massa atômica 253. [Símb.: Fm] [F.: De Enrico *Fermi*, físico it. (1901-1954) + *-io*[3].]

◎ **-fero** *el. comp.* Que carrega, contém, leva, transporta; que produz: *aurífero, cerífero, sonífero* [Com acento tônico na sílaba anterior.] [F.: Do lat. *-fer, raiz de ferre*, 'conter', 'levar', 'trazer', 'produzir'.]

fero (*fe*.ro) [ê] **a. 1** Que tem características de fera, que demonstra ferocidade [Ant.: *manso*] **2** *Fig.* De grande vigor e força (vento fero) [Ant.: *fraco*.] **3** *Fig.* Não domesticado (povo fero); SELVAGEM **4** *Fig.* Perverso, cruel **5** *Fig.* Ameaçador, aterrador, temível (olhar fero) **6** *Fig.* Desagradável ao ouvido **7** Sangrento, encarniçado, cruento (feras batalhas) **smpl. 8** Bravata, jactância, fanfarronada (risíveis feros) [F.: Do lat. *ferus*.]

ferocidade (fe.ro.ci.*da*.de) **sf. 1** Característica ou qualidade de feroz; BRAVEZA; FEREZA [Ant.: *mansidão*.] **2** Perversidade, desumanidade; caráter cruel, sanguinário (ferocidade dos selvagens) **3** Violência, ação violenta: *O jogo começou tenso e acabou em ferocidade*. [F.: Do lat. *ferocitas, atis*. Hom./Par.: *ferocidade* (sf.), *feracidade* (sf.).]

ferocíssimo (fe.ro.*cís*.si.mo) **a.** Superl. abs. sint. de *feroz* [F.: Do lat. *ferocissimus, a, um*.]

feroês (fe.ro:*ês*) **sm. 1** Pessoa nascida nas ilhas Féroe, arquipélago do Atlântico Norte pertencente ao Reino da Dinamarca **2** *Gloss.* Língua indo-europeia do ramo germânico falada nessas ilhas; FEROICO **a. 3** Das ilhas Féroe; típico desse lugar ou de seu povo **4** Do ou ref. ao feroês (2) [F.: Do top. *féroe* + *-ês*.]

feroico (fe.*roi*.co) **sm. 1** *Gloss.* Idioma falado no arquipélago das Féroes, o mesmo que *feroês* **a. 2** Rel. a esse idioma [F.: *féroes* + *-ico*[2].]

feromônio (fe.ro.*mô*.ni:o) **sm.** *Biol.* Substância química secretada no ambiente por insetos e mamíferos e que age como atraente sexual ou como marcador de trilhas; FEROMÔNIO [F.: *fer (o)-* + *hormônio*.]

feroz (fe.*roz*) **a2g. 1** Que tem características de fera, de animal bravio; que age por instinto agressivo; SELVAGEM; FERO [Ant.: *manso*.] **2** *Fig.* Perverso, desumano (assassino feroz) **3** *Fig.* Ameaçador, terrível (expressão feroz) **4** *Fig.* Que se move com rapidez e violência (diz-se do mar, do vento etc.); VIOLENTO; IMPETUOSO [Superl.: *ferocíssimo*.] [F.: Do lat. *ferox, ocis*. Hom./Par.: *feroz* (a2g.), *feraz* (a2g.).]

ferrabrás (fer.ra.*brás*) **a2g. 1** Diz-se de quem gosta de se passar por valente **s2g. 2** Indivíduo fanfarrão [Pl.: *-brases*.] [F.: Do fr. *fier-à-bras*, 'fanfarrão', do ficcion. de uma canção de gesta *Fierabras*.]

ferração (fer.ra.*ção*) **sf.** Ação ou resultado de ferrar; FERRAGEM [Pl.: *-ções*.] [F.: *ferrar* + *-ção*.]

ferrada **sf. 1** *N.E. Pop.* Ferimento com arma perfurante **2** *Bras. Pop.* Ato de pedir dinheiro dado ou emprestado; FACADA: *É um picareta, toda vez que me encontra tenta me dar uma ferrada*. **3** Ato de passar a ferro rapidamente uma peça de roupa **4** *Lus.* Recipiente para recolher o leite ordenhado de vacas, ovelhas e cabras [F.: *ferro* + *-ada*.] ■ **Dar uma ~ 1** *Bras. Pop.* Tomar dinheiro emprestado, ou pedir dinheiro **2** *Tabu.* Ter relações sexuais

ferrado (fer.*ra*.do) **a. 1** Que se ferrou **2** Diz-se de cavalo, mula, burro etc. que recebeu ferradura **3** *Bras. Pop. Fig.* Em situação muito difícil (de ordem financeira, moral, emocional etc.); que está com muitos problemas de difícil solução **4** Em péssimo estado (de saúde, de conservação etc.): *Ele estava todo ferrado quando chegou à clínica; Não conseguiu vender o sofá, pois estava muito ferrado*. **sm. 5** Ação ou resultado de ferrar [F.: Part. de *ferrar*.]

ferrador (fer.ra.*dor*) [ô] **a. 1** Que ferra cavalgaduras, que marca animais com ferrete **sm. 2** Indivíduo que tem por ofício a ferragem de animais **3** *Ornit.* Ave cotingídea (*Procnias nudicollis*), das matas e capoeiras do Brasil, da Argentina e Paraguai, cujo canto metálico lembra o som do ferro batendo numa bigorna; ARAPONGA; FERREIRO [F.: *ferrar* + *-dor*.]

ferradura (fer.ra.*du*.ra) **sf. 1** Objeto de ferro semicircular, us. para proteger os cascos de cavalos, burros etc. **2** *P.ext.* Pequena chapa de ferro ou outro metal, semicircular, com que se protegem o salto e/ou a sola dos calçados **3** Qualquer representação de ferradura (1) em material variado e de qualquer tamanho [F.: *ferrar* + *-dura*.]

ferrageiro (fer.ra.*gei*.ro) **sm.** *Com.* Indivíduo que comercializa ferro e peças feitas desse metal; FERREIRO [F.: *ferragem* + *-eiro*, com desnasalação.]

ferragem (fer.*ra*.gem) **sf. 1** *Metal.* Qualquer peça de ferro ou metal us. em construção, artefatos, objetos manufaturados etc.; FERRAÇÃO **2** Ação ou resultado de ferrar (esp. uma cavalgadura) **3** *P.ext.* A ferradura (ou o conjunto de ferraduras) de uma cavalgadura **4** Ação ou resultado de marcar um animal com ferrete **5** *Bras. Min.* Nome atribuído por garimpeiros a alguns minerais, como o rutílio ou rutilo, a hematita, a octaedrita azul [Pl.: *-gens*.] [F.: *ferro* + *-agem*[2].]

ferragista (fer.ra.*gis*.ta) **a2g. 1** *Com.* Que negocia ferro e ferragens **s2g. 2** Comerciante de ferro e ferragens; FERRAGEIRO [F.: *ferragem* + *-ista*, com desnasalação.]

ferramenta (fer.ra.*men*.ta) **sf. 1** Qualquer instrumento ou utensílio, esp. os de ferro ou de metal, us. para executar trabalhos manuais ou mecânicos, em artes e ofícios **2** *Fig.* Conhecimento, habilidade, instrumento de que alguém se serve para trabalhar: *A voz é a ferramenta do cantor*. **3** *Fig.* Meio us. para atingir determinado objetivo **4** *Artesn.* Nas olarias, estilete us. para adornar a louça, para desenhar-lhe a superfície **5** *CE* Espora de vaqueiro **6** *Bras. Gír.* Arma de fogo; FERRO **7** *Tabu.* Órgão sexual masculino [F.: Do lat. *ferramenta* (pl. de *ferramentum* 'utensílio de ferro') tomado como se no sing.]

ferramental (fer.ra.men.*tal*) **a. 1** Conjunto de ferramentas (ferramental de fundição) **2** *Carp.* Peça de madeira, móvel etc. onde se dispõem as ferramentas ao alcance de quem trabalha com elas **3** *Gír.* Conjunto de instrumento de ferro us. em arrombamentos **4** *Fig.* Conjunto de recursos empregados para se alcançar um objetivo; INSTRUMENTO: *A informática é empregada como ferramental no desenvolvimento da educação*. [F.: *ferramenta* + *-al*[1].]

ferramentaria (fer.ra.men.ta.*ri*.a) **sf. 1** Fábrica de ferramentas **2** Loja onde se vendem ferramentas [F.: *ferramenta* + *-aria*.]

ferramenteiro (fer.ra.men.*tei*.ro) **sm. 1** *Metal.* Profissional que fabrica ferramentas, peças, moldes, ou matrizes industriais **2** *Carp.* Nicho ou fenda em bancada de carpintaria, para nela se colocarem ferramentas de cabo como formões, chaves de fenda, puas etc. **3** *Lus.* Guarda ou inspetor de ferramentas do Estado ou de organização particular [F.: Do lat. *ferramentarius, ii*, por via popular.]

ferrão (fer.*rão*) **sm.** *Zool.* **1** Ponta de ferro; AGUILHÃO **sm. 2** *Ent.* Órgão acicular quitinoso da extremidade de certos insetos himenópteros (abelhas, vespas, marimbondos etc.) que serve como instrumento de defesa ou de captura de presas; ACÚLEO; AGUILHÃO **3** Nos escorpiões, a parte final e pontiaguda da cauda, através da qual se dá a inoculação da peçonha; ACÚLEO; AGUILHÃO **4** *Ict.* Espinho denteado da base da nadadeira caudal de certas arraias **5** *Bras. Zool.* Certa avezinha preta; jaçanã **6** *Bot.* Casta de uva preta [Pl.: *-rões*.] [F.: *ferro* + *-ão*[1].]

ferrar (fer.*rar*) **v. 1** Pôr ferro ou chapa de ferro em; CHAPEAR [**td.**: *Ferrou o barco para torná-lo mais resistente*.] **2** Pôr ferradura(s) em [**td.**: *ferrar um cavalo*.] **3** Pôr marca em (animal de carga, cavalgadura etc.) com ferro em brasa ou outro instrumento [**td.**: *Ferrou todo o gado com a marca do rancho*.] [**tdr.** + *em*: *Os biólogos ferraram sua marca nos animais silvestres*.] **4** Penetrar objeto em, enterrar(-se) em; CRAVAR(-SE) [**td.**: *A lança ferrou a onça; O pescador ferrou a baleia com o arpão*.] [**int.**: *A lança ferrou-se no* tronco da árvore.] 5 *Fig.* Entregar-se totalmente a [*tr.* + *em*: *Deitou-se e ferrou no sono.*] 6 *Bras. Gír.* Causar mal ou dano a (alguém ou si mesmo); PREJUDICAR(-SE) [*td.*: *Ferrou seu parceiro de tranca.*] [*int.*: *Foi jogar futebol descalço e ferrou-se.*] 7 Ferir (alguém) com (ferrão ou outro órgão de inseto); PICAR [*tdr.* + *em*: *A abelha ferrou uma picada na criança.*] [*td.*: *O escorpião me ferrou.*] 8 Cravar (os dentes); ENTERRAR; MORDER [*tdr.* + *em*: *O cão ferrou os dentes na perna do vizinho.*] 9 *Bras. Pop.* Obter dinheiro emprestado de (alguém) [*tdr.* + *em*: *Ferrou o amigo em cem reais.*] 10 *Fig.* Obrigar (alguém) a aceitar (algo); IMPOR [*td.*: *ferrar uma mentira.*] [*tdi.*: *O pastor aproveitou para lhe ferrar uma pregação.*] 11 *Bras. Gír.* Dar-se mal; levar ferro [*tr.* + *em*: *Ferrou-se na prova de matemática.*] 12 *Fut.* Disputar bola, avançando sobre (alguém) com violência [*td.*: *Entrou no jogo para ferrar o adversário.*] 13 *Bras. Pop.* Deixar (alguém) em má situação, ou ficar sem saída [*td.*: *Na divisão do dinheiro, ele ferrou o sócio.*] [*int.*: *O comerciante se ferrou.*] 14 *Bras. Pop.* Arremessar com força; atirar, jogar [*tr.* + *com*: *Ferrou com o embrulho.*] 15 *Fig.* Introduzir-se nas entranhas de; ARRAIGAR(-SE); ENTRANHAR(-SE) [*tr.* + *em*: *A febre ferrou-se no garoto.*] 16 *Mar.* Colher (vela ou toldo), segurando-os com cabos a uma verga [*td.*: *ferrar as velas do barco.*] 17 *Mar.* Arremessar, lançar âncora, ferros de [*td.*: *O marinheiro ferrou a embarcação perto da praia.*] [▶ 1 ferrar] [F.: *ferro* + *-ar*[2]. Hom./Par.: *ferra(s)* (fl.), *ferra(s)* (sf. [pl.]); *ferraria(s)* (fl.), *ferraria(s)* (sf. [pl.]); *ferro* (fl.), *ferro* (sm.); *ferraria(s)* (fl.), *ferrária(s)* (sf. [pl.]). Ant. ger.: *desferrar*.]

ferraria (fer.ra.*ri*.a) *sf.* 1 *Metal.* Lugar onde se fabricam ou se vendem ferragens 2 Grande quantidade de ferro 3 *Pej.* Conjunto de peças ou objetos de ferro imprestáveis [F.: *ferro* + *-aria*. Hom./Par.: *ferraria* (sf.), *ferraria* (fl. de *ferrar*).]

ferreiro (fer.*rei*.ro) *sm.* 1 Artesão que trabalha com ferro, que produz peças de ferro ou que as repara, conserta *sm.* 2 O mesmo que *ferrageiro*; FERRAGISTA 3 *Zool.* Anfíbio hilídeo (*Hyla faber*), do Brasil, Paraguai e Argentina, com cerca de 10 cm., cor amarelo-amarronzada, e canto grave, bem forte 4 *Ornit.* O mesmo que *ferrador* (*Procnias nudicollis*); ARAPONGA 5 *Ict.* Peixe hemulídeo (*Conodon nobilis*), do Atlântico ocidental, com cerca de 30 cm, que emite roncos ao ser capturado 6 *Ict.* Peixe cianídeo (*Paralonchurus brasiliensis*), do Atlântico ocidental, com cerca de 30 cm, corpo amarelado e o dorso mais escuro *a.* 7 Diz-se do animal que tem o pelo cor de rato (gado ferreiro) [F.: *ferr(i/o)-* + *-eiro*.]

ferrenho (fer.*re*.nho) [ê] *a.* 1 *Fig.* Que age ou procede com grande empenho, determinação, obstinação etc.; que luta incansavelmente por um propósito, por um intento, que não desiste nem deixa de lutar pelo que acredita; IMPLACÁVEL; INCANSÁVEL: *Era um defensor ferrenho do irmão; Ele é ferrenho na luta pela justiça.* 2 Ref. a ferro; FÉRREO 3 Semelhante ao ferro; que tem a cor e a dureza do ferro 4 *Fig.* Tão forte e resistente quanto o ferro; que se mantém inabalável (vontade ferrenha) 5 *P.ext. Fig.* Que persiste ou que revela obstinação; OBSTINADO: "...Alguém que tinha [...] um desejo ferrenho de magoar Carlos..." (Eça de Queirós, *Os Maias*) [F.: *ferro* + *-enho*.]

férreo (*fér*.re:o) *a.* 1 Ref. a, ou feito de ferro (suporte férreo) 2 Em que há ferro ou sais de ferro (águas férreas); FERRUGINOSO 3 *Fig.* Que se mantém, que não se altera, nem cede a pressões (vontade férrea); INFLEXÍVEL; FERRENHO [Ant.: *flexível*.] 4 Que não se pode aplacar, nem fazer ceder (férrea determinação); IMPLACÁVEL 5 *Fig.* Insensível, frio, cruel (vingança férrea) [F.: Do lat. *ferr e us, a, um*.]

ferrete (fer.*re*.te) [ê] *a2g.* 1 Diz-se de uma cor azul chegada ao preto: *O uniforme de gala é azul ferrete.* *sm.* 2 Ferro que, em brasa, era usado para marcar escravos e criminosos, e que é usado para marcar animais (gado, cavalos) para identificá-los 3 A marca feita com esse ferro 4 *Bras. Fig.* Estigma, mácula (ferrete de trapaceiro) [F.: Do fr. *ferret*.]

ferretear (fer.re.te.*ar*) *v. td.* 1 Marcar com ferrete (gado, escravo etc.) 2 *Fig.* Desonrar, estigmatizar: *Ferreteava os inimigos impiedosamente.* [▶ 13 ferretear] [F.: *ferrete* + *-ear*[2].]

férrico (*fér*.ri.co) *a.* 1 Ref. ao ferro (estado férrico) 2 *Quím.* Diz-se de composto que contém ferro trivalente (cloreto férrico); FERRÍFERO [F.: *ferr(i/o)-* + *-ico*[2].]

ferrífero (fer.*rí*.fe.ro) *a.* Que é composto de ferro ou de sais de ferro; FÉRREO [F.: *ferr(i/o)-* + *-fero*.]

◎ **ferr(i/o)-** *el. comp.* Ferro: *ferreiro, ferrolho, ferrovia, ferroviário, ferrugem.* [F.: Do lat. *ferrum, i*.]

ferro (*fer*.ro) *sm.* 1 *Quím.* Elemento, de número atômico 26, metálico, branco-acinzentado, duro e maleável, mas sem elasticidade, que forma ligas com diversas aplicações [Símb.: *Fe*.] 2 *Metal.* Metal cinza ou preto, maleável, facilmente oxidável, cuja principal liga é o aço 3 Designação de instrumentos, utensílios, artefatos, ferramentas, compostos, entre outras coisas, desse metal (ferro de passar) 4 *Bras. Gír.* Arma de fogo, esp. a de pequeno calibre 5 A parte perfurante ou cortante de certas ferramentas 6 O mesmo que *ferrete* (2 e 3) 7 Marca ou sinal feito com ferrete 8 *Gír.* Dinheiro 9 *Bras. Tabu.* O pênis 10 Arma como a espada, o florete, o sabre 11 *Bras. Pop.* Cachaça 12 *Mar.* Âncora, ou o conjunto de âncora e amarra 13 *Pop.* Aborrecimento, chateação 14 *Lus.* Em São Tomé e Príncipe, peça que se fixa na extremidade de uma longa vara para colher frutos de árvores 15 Conjunto de argolas e correntes para prender alguém; GRILHÕES [Us. no pl.] 16 *Enc.* Conjunto de instrumentos de encadernação, que servem para estampar a douração [Us. no pl.] 17 *Cir.* Conjunto de instrumentos cirúrgicos [Us. no pl.] [F.: Do lat. *ferrum, i*. Hom./Par.: *ferro* (sm.), *ferro* (fl. de *ferrar*).]
▪ **A ~ e (a) fogo** De todas as formas ou por todos os meios possíveis: *Está difícil, mas vou terminar essa tarefa a ferro e (a) fogo.* **A ~s** Preso **Baralhar o ~** *RS Pop.* Lutar com arma branca **De ~** *Fig.* Duro, forte, resistente, firme (como ferro) **~ alfa** *Metal.* Variedade de ferro, estável até 770 °C **~ batido** Ferro fundido e trabalhado em forja **~ beta** *Metal.* Variedade de ferro, estável entre 770 e 900 °C **~ delta** *Metal.* Variedade de ferro, estável acima de 1.410 °C **~ de engomar/passar** Instrumento de ferro ou aço, com uma superfície inferior bem lisa, e que é aquecido (com corrente elétrica ou, antigamente, com brasas em seu interior) para alisar pano ou roupa amarrotados, fazendo-o deslizar sobre eles **~ de soldar** *Radt.* Ferramenta que consiste numa ponta de metal que se aquece por resistência elétrica, para derreter solda us. para ligar fios e componentes de circuitos eletrônicos **~ de ventana** *Gír.* Na gíria de ladrões, arame enrolado em tecido (para abafar ruído) com o qual se abrem fechos de porta, janela etc. **~ dobrado** *Cons.* Barra de ferro que estrutura concreto armado, com dobra de 45 graus **~ doce** *Metal.* Ferro puro, maleável e resistente à corrosão, de fácil magnetização e desmagnetização **~ elétrico** O mesmo que *Ferro de engomar/passar* **~ forjado** 1 *Metal.* Ferro oriundo de resíduos de escória, resistente a esforço e a corrosão 2 Esse ferro trabalhado na bigorna; ferro batido **~ fundido** *Metal.* Liga de ferro e carbono, alto teor deste superior ao do aço **~ galvanizado** *Metal.* Ferro revestido de uma camada de zinco, contra ferrugem **~ gama** *Metal.* Variedade de ferro, estável entre 900 e 1.410 °C **~ laminado** *Metal.* Ferro usinado no formato de finas lâminas, para fins industriais **~ nativo** *Min.* Ferro com teor de carbono muito baixo, encontrado na natureza **Lançar ~** *Mar.* Lançar âncora à água; ancorar **Levantar ~** 1 *Mar.* Içar a âncora (navio) para zarpar 2 Partir (navio) em viagem marítima; zarpar **Levar ~** 1 *Pop.* Dar-se mal, ser malsucedido 2 *Tabu.* Ter (ger. a mulher) relações sexuais **Malhar em ~ frio** *Fig.* Perder tempo em esforço inútil **Não ser de ~** Não ser insensível ou indiferente a algo **Passar a ~** Desamarrotar roupas ou panos, usando ferro de passar: *A blusa estava amarrotada, e teve de passá-la a ferro.* **Perder ~ e sinal** *Bras. CE* Perder o gado, por causa da seca; ficar no casco da situação **Tomar ~** *Fig. Pop.* Frustrar-se, sofrer decepção, dar-se mal

📖 Conhecido desde a pré-história, sendo inclusive referência para uma das eras históricas (a Idade do Ferro), é a partir da Revolução Industrial, no século XVIII, que o ferro ganhou importância econômica fundamental, como insumo obrigatório da indústria siderúrgica e da indústria em geral. Entra em diversas ligas (com manganês, silício, cromo etc.) mas é com o carbono que o ferro vai constituir o aço, em diversos formatos. O Brasil tem a segunda maior reserva de minério de ferro do mundo.

ferroada (fer.ro.*a*.da) *sf.* 1 Ação ou resultado de ferroar *sf.* 2 Picada de inseto com ferrão (abelha, marimbondo etc.) 3 *Fig.* Sensação dolorida como se fosse a da picada com ferrão; PONTADA 4 *Fig.* Crítica muito forte e irônica [Ant.: *elogio*.] [F.: *ferroar* + *-ada*[1].]

ferroar (fer.ro.*ar*) *v.* 1 Dar ferroada(s) (em) [*td.*: *Uma abelha ferroou a menina.*] [*int.*: *Esses marimbondos ferroam quando são incomodados.*] 2 *Fig.* Censurar ou criticar de maneira áspera, aguda; AGUILHOAR; ESPICAÇAR [*td.*: *Esse crítico gostava de ferroar os novos autores.*] 3 Sentir dor como se fosse uma ferroada; LATEJAR [*int.*: *Seu dente ferroava.*] [▶ 16 ferroar] [F.: *ferrão*, sob a f. *ferro-* + *-ar*[2].]

ferro-gusa (fer.ro-*gu*.sa) *sm. Metal.* Ferro tal como obtido no alto-forno, com algumas impurezas e alto teor de carbono, insumo para a produção do aço; GUSA [Pl.: *ferros-gusas* e *ferros-gusa*.] [F.: *ferro* + *gusa*.]

ferrolho (fer.*ro*.lho) [ô] *sm.* 1 Peça de ferro, ger. uma haste de ferro que se faz deslizar para entrar ou sair de um aro, com a qual se fecham portas e janelas; TRINCO; TRANCA 2 *Bras. Fut.* Posicionamento extremamente defensivo de uma equipe; RETRANCA: *O ferrolho rubro-negro foi responsável pelo empate sem gols.* 3 *Lus.* Talo ou outra fibra de vegetal com que se amarram feixes ceifados 4 *PE* Certo passo do frevo, com flexões seguidas dos joelhos [F.: Do lat. *veruculum*, com infl. de *ferro*. Hom./Par.: *ferrolho* (fl. de *ferrolhar*).]

ferromagnético (fer.ro.mag.*né*.ti.co) *a.* 1 Ref. a ferromagnetismo 2 *Quím.* Diz-se de uma substância na qual os spins tendem a alinhar-se na mesma direção e sentido [F.: *ferro-* + *magnético*.]

ferromagnetismo (fer.ro.mag.ne.*tis*.mo) *sm.* Propriedade de certos materiais, esp. o ferro, que apresentam magnetização elevada mesmo sem campo magnético externo [F.: *ferr(i/o)-* + *magnetismo*.]

ferroprivo (fer.ro.*pri*.vo) *a. Med.* Diz-se de anemia caracterizada por uma grande carência de ferro no sangue; HIPOFÉRRICO [F.: *ferro-* + *-privo* (por *privado*).]

ferroso (fer.*ro*.so) [ô] *a.* 1 Que contém ferro; FERRUGINOSO 2 *Quím.* Diz-se de composto que contém ferro divalente [F.: *ferro* + *-oso*.]

ferro-velho (fer.ro-*ve*.lho) *sm.* 1 Qualquer objeto de metal velho; SUCATA 2 Estabelecimento onde se comercializam essas peças: *O carro batido foi vendido a um ferro-velho.* 3 Comerciante de objetos de ferro e metal 4 *Zool.* Ave emberizídea (*Ehphonia pectoralis*), do Brasil e do Paraguai, como o *gaturamo-rei* e o *tietê* [Pl.: *ferros-velhos*.] [F.: *ferro* + *velho*.]

ferrovia (fer.ro.*vi*.a) *sf.* 1 *Fer.* Sistema formado por trilhos metálicos, que inclui outras instalações fixas e equipamentos ferroviários etc. por onde circulam trens; ESTRADA DE FERRO; VIA FÉRREA 2 Empresa responsável por este sistema [F.: Do it. *ferrovia*, ou *ferro* + *-via*.]

📖 O desenvolvimento das ferrovias como meio de transporte terrestre para longas distâncias teve na invenção da locomotiva a vapor seu fator decisivo. A ideia de um transporte sobre rodas em trilhos, ou seja numa trilha fixa e desimpedida, permitindo com isso maior velocidade e segurança, dependia de uma força de tração adequada, cujos primeiros protótipos apareceram em 1681 na China, e em 1789 na França. Em 1804 na Inglaterra, uma locomotiva sobre trilhos tracionou uma carga de 10 t e 70 passageiros distribuídos em 5 vagões, a 8 km/h. As sucessivas versões de locomotiva a vapor de George Stephenson, entre 1814 e 1830 (quando foi inaugurada a ferrovia Manchester-Liverpool, com uma composição trafegando a 32 km/h), estabeleceram o modelo do qual evoluiu o transporte ferroviário. A grande capacidade de transporte de material e gente a grandes distâncias fez a ferrovia crescer em importância e em sistemas instalados. O aperfeiçoamento das máquinas motrizes (diesel, eletricidade etc.) e da infraestrutura (trilhos, controles, sinalização etc.) levou às ferrovias de altíssima velocidade do século XX, como o trem-bala japonês e o TGV francês, que atinge 360 km/h. No Brasil, apesar de um início promissor, por iniciativa do barão de Mauá, o desenvolvimento da rede ferroviária ficou muito aquém do que se poderia esperar num país de dimensões continentais: 30.223 km, dos quais metade em apenas três estados (São Paulo, Minas Gerais e Rio Grande do Sul) e para transporte de carga. Praticamente não existe transporte ferroviário de passageiros a médias e longas distâncias, ficando restrito às linhas suburbanas e de metrô.

ferroviário (fer.ro.vi:*á*.ri:o) *a.* 1 *Fer.* Ref., inerente ou pertencente ferrovia (rede ferroviária) 2 Que trabalha numa ferrovia 3 Que se faz por ferrovia (transporte ferroviário) *sm.* 4 Profissional que trabalha em estrada de ferro [F.: Do it. *ferroviàrio*, ou *ferrovia* + *-ário*.]

ferrugem (fer.*ru*.gem) *sf.* 1 *Quím.* Óxido que se forma na superfície do ferro ou de outros metais, por ação do oxigênio e da umidade; OXIDAÇÃO 2 A cor vermelho-alaranjada da ferrugem (1) 3 *Bot.* Nome comum a doenças causadas por determinados fungos em plantas cultivadas, que passam a apresentar manchas vermelhas, castanhas, pretas ou brancas 4 *Bot.* Alforra 5 *Fig.* Os efeitos da passagem do tempo no corpo humano 6 *Bras. Pop.* Endurecimento das articulações, das juntas 7 *MG Min.* A hematita (minério de ferro) em grânulos ou em pequenos seixos [Pl.: *-gens*.] [F.: Do lat. *ferrugo, inis*.]

ferrugento (fer.ru.*gen*.to) *a.* 1 Que tem ferrugem; ENFERRUJADO; FERRUGINOSO 2 *Fig.* Arcaico, velho, antiquado, obsoleto [Ant.: *moderno*.] [F.: *ferrugem* + *-ento*.]

ferruginoso (fer.ru.gi.*no*.so) [ô] *a.* 1 Ref. ou inerente a ferro ou a ferrugem; FERROSO 2 Que é da natureza do ferro ou da ferrugem 3 O mesmo que *ferrugento* (1) 4 Que lembra o ferro ou a ferrugem, na cor, textura, aspecto etc. (aparência ferruginosa) [Fem. e pl.: [ó].] *sm.* 5 *Med.* Medicamento que contém ferro bivalente: *Tratou-se com um ferruginoso.* [Pl.: [ó].] [F.: Do lat. *ferruginosus, a, um*.]

⊕ **ferry** (*Ing.* /*féri*/) Barco ou aeronave para transporte de passageiros e/ou carga [F.: Red. de *ferryboat*.]

⊕ **ferryboat** (*Ing.* /*férribout*/) *sm.* Espécie de embarcação na qual pessoas e automóveis atravessam canais marítimos, rios, lagos etc.

fértil (*fér*.til) *a2g.* 1 Que tem ou está em boas condições para o plantio (diz-se de terra, esp. a rica em sais minerais); que produz com facilidade (solo fértil); FECUNDO 2 *Biol.* Capaz de reproduzir-se 3 Que tem facilidade para conceber, para engravidar (mulher fértil) 4 *P.ext.* Em que a mulher está em boas condições para procriar (por estar ovulando) (período fértil da mulher) 5 Que produz, gera, cria com facilidade (imaginação fértil) 6 *Fig.* Em grande número, abundante, farto 7 *Fig.* Que possui as características necessárias para dar certo (transação fértil) [Pl.: *-teis*. Superl.: *fertilíssimo, ubérrimo*.] [F.: Do lat. *ferti lis, e*.]

fertilidade (fer.ti.li.*da*.de) *sf.* 1 Característica, qualidade ou condição de fértil (fertilidade da terra; fertilidade feminina); FECUNDIDADE [Ant.: *infertilidade; esterilidade*.] 2 Qualidade do que é abundante, farto, opulento; ABUNDÂNCIA; FARTURA; OPULÊNCIA [Ant.: *escassez*.] 3 *Fig.* Faculdade, qualidade, potencial de ser criativo e produtivo, imaginativo e inovador etc. [F.: Do lat. *fertilitas, atis*.]

fertilização (fer.ti.li.za.*ção*) *sf.* 1 Ação ou resultado de tornar(-se) fértil, de fertilizar(-se); ADUBAÇÃO 2 *Fig.* Ação estimuladora do crescimento da criatividade, da capacidade de criar 3 *Biol.* Fecundação [Pl.: *-ções*.] [F.: *fertilizar* + *-ção*.]

fertilizador (fer.ti.li.za.*dor*) [ô] *a.* 1 Que fertiliza *sm.* 2 Aquele ou aquilo que fertiliza [F.: *fertilizar* + *-dor*. Sin. ger.: *fertilizante*.]

fertilizante (fer.ti.li.*zan*.te) *a2g.* 1 Que fertiliza ou que torna fértil, produtivo *sm.* 2 *Agr.* Substância que se aplica à terra para torná-la mais fértil [F.: *fertilizar* + *-nte*.]

fertilizar (fer.ti.li.*zar*) *v.* Tornar(-se) fértil, ou mais fértil, produtivo; FECUNDAR [*td.*: *O adubo fertiliza o solo.*] [*int.*: *Essas terras fertilizam(-se) com facilidade.*] [▶ 1 fertilizar] [F.: *fértil* + *-izar.* Hom./Par.: *fertilizáveis* (fl.), *fertilizáveis* (a2g. [pl.]). Ideia de 'fertilizar': *adubo-* (*adubagem, adube*).]

fertilizável (fer.ti.li.*zá*.vel) *a2g.* Que pode ser fertilizado (terra fertilizável; óvulo fertilizável) [F.: *fertilizar* + *-vel.* Hom./Par.: *fertilizáveis* (pl.) *fertilizáveis* (fl. de *fertilizar*).]

férula (*fé*.ru.la) *sf.* **1** *Bot.* Nome comum às ervas do gên. *Ferula*, da fam. das umbelíferas, originárias do Mediterrâneo à Ásia central, cultivadas como ornamentais e muitas, também chamadas de assa-fétida, cultivadas pelas raízes, das quais se extrai resina de uso medicinal **2** *Fig.* O mesmo que *palmatória*, instrumento de castigo **3** *Fig.* Rigor, severidade para disciplinar ou comandar alguém **4** Bastão que os bispos usavam **5** *Med.* Tala us. antig. para imobilizar um membro fraturado ou luxado [F.: Do lat. *ferula, ae*; lat. cient. *Ferula.*]

fervedouro (fer.ve.*dou*.ro) *sm.* **1** *Fig.* Movimento ou situação agitados, análogos aos da água em ebulição: *Seu discurso provocou um fervedouro de ideias e discussões.* [Ant.: *sossego.*] **2** Estado daquilo que ferve: *Observe o leite no fervedouro, para ver se ele sobe.* **3** *Fig.* Grande ajuntamento de coisas, animais ou pessoas; ENXAME **4** *Fig.* Sentimento de inquietação, como se as emoções estivessem em ebulição [F.: *ferver* + *-douro*[1].]

ferventado (fer.ven.*ta*.do) *a.* Que sofreu ferventação, o mesmo que *aferventado* [F.: Part. de *ferventar*.]

ferventar (fer.ven.*tar*) *v. td.* Dar ligeira fervura em; AFERVENTAR: *ferventar legumes.* [▶ 1 ferventar] [F.: *ferv(er)* + *-entar.*]

fervente (fer.*ven*.te) *a2g.* **1** Que está em ebulição (água fervente; óleo fervente) **2** *Fig.* Que demonstra fervor, vibração (discurso fervente); CALOROSO; ARDENTE; VEEMENTE; FERVOROSO **3** *Fig.* Que se agita, revolve como a água quando ferve: *Inquieto, agitado, fervente, proclamava sua indignação.* [F.: Do lat. *fervens, entis.*]

ferver (fer.*ver*) *v.* **1** Produzir, fazer ou entrar em fervura ou ebulição (líquido) [*td.*: *É preciso ferver a água.*] [*int.*: *Desligou o fogo quando o leite ferveu.*] **2** Esterilizar com água em ebulição [*td.*: *Mamãe tem o hábito de ferver a mamadeira das crianças.*] **3** Cozinhar (alimento) em água fervente [*td.*: *Antes de misturá-lo com arroz, é preciso ferver o brócolis.*] **4** *Fig.* Agitar-se, como líquido em ebulição [*int.*: *Cheio de ódio, sentia seu sangue ferver.*] **5** *Fig.* Aquecer-se muito; ABRASAR-SE; EXALTAR-SE [*tr.* + *de*: *Fervia de indignação diante daquela cena.*] [*int.*: *O ambiente político fervia*: "...todas as paixões que deviam ferver no coração daquelas mulheres." (José de Alencar, *Lucíola*)] **6** Estar muito quente ou escaldante; ESCALDAR [*int.*: *No calor insuportável, o quarto fervia.*] **7** *Fig.* Existir em grande quantidade, ou ter em si grande quantidade de algo; FERVILHAR; PULULAR [*int.*: *Na mata, os mosquitos ferviam.*] [*tr.* + *de*: *A praia está fervendo de turistas.*] [▶ 2 ferver] [F.: Do lat. *fervere.* Hom./Par.: *fervo* (fl.), *fervo* (sm.). Ant. ger.: *arrefecer.* Ideia de 'ferver': *ebuli(o)-* (*ebulidor* etc.).]

fervida (fer.*vi*.da) *sf.* Ação ou resultado de deixar em ebulição por pouco tempo; FERVURA: *Deu uma fervida nos legumes.* [F.: Fem. substv. de *fervido.*]

fervido (fer.*vi*.do) *a.* **1** Que ferveu (leite fervido; água fervida) *sm.* **2** *RS Cul.* Cozido [F.: Part. de *ferver*. Hom./Par.: *fervido* (a.), *férvido* (a.).]

férvido (*fér*.vi.do) *a.* **1** Que é muito quente (dia férvido; bebida férvida) **2** Cheio de animação, entusiasmo, vibração (discurso férvido) [Ant.: *desanimado.*] **3** Que revela veemência, arrebatamento (paixão férvida); ARDENTE; ARDOROSO **4** Cheio de ímpeto, vigor, turbulência; IMPETUOSO; TURBULENTO: *A canoa enfrentava as águas férvidas do rio.* [Ant.: *frio.*] **5** Que se mostra extremamente zeloso e dedicado; FERVOROSO [F.: Do lat. *fervidus, a, um.* Hom./Par.: *férvido* (a.), *fervido* (a.).]

fervilhamento (fer.vi.lha.*men*.to) *sm.* **1** Ação ou resultado de fervilhar **2** Grande agitação; AZÁFAMA; REBULIÇO: *fervilhamento do momento político.* [F.: *fervilhar* + *-mento.*]

fervilhante (fer.vi.*lhan*.te) *a2g.* Que fervilha, que sofre fervilhamento; que se encontra muito cheio, movimentado: *cidade fervilhante de turistas; mente fervilhante de ideias.* [F.: *fervilhar* + *-nte.*]

fervilhar (fer.vi.*lhar*) *v.* **1** Entrar e continuar em fervura, em ebulição; FERVER [*int.*: *O feijão fervilhava na panela.*] **2** *Fig.* Existir ou possuir em grande quantidade; PULULAR [*int.*: *O insetos fervilham na mata.*] [*tr.* + *de*: *Sua cabeça fervilhava de ideias.*] **3** *Fig.* Entrar em estado de agitação ou excitação [*int.*: *Seu corpo fervilhava diante daquela mulher excitante.*] **4** *Fig.* Deslocar-se agitadamente de um ponto a outro [*int.*: *A multidão inquieta fervilhava nas ruas.*] **5** Tornar-se animado, exaltado [*int.*: *Os debates fervilhavam no parlamento.*] [▶ 1 fervilhar] [F.: *ferver* + *-ilhar.* Hom./Par.: *fervilha(s)* (fl.), *fervilha* (a2g.sf.g.[pl.]).]

fervo (*fer*.vo) [ê] *sm.* *RS* Situação de conflito; TUMULTO; DESORDEM [F.: Dev. de *ferver*. Hom./Par.: *fervo* (fl. de *ferver*).]

fervor (fer.*vor*) [ô] *sm.* **1** Ação ou resultado de ferver **2** Estado do que se submete à fervura **3** Calor intenso **4** *Fig.* Sentimento religioso intenso, misto de grande fé, desejo, esperança, entusiasmo, excitação etc.: *rezar com fervor.* **5** *P.ext.* Grande apego a uma ideia, a uma esperança: "A paz queremos com fervor / a guerra só nos causa dor..." (Alberto Augusto Martins, *Canção do exército*) **6** *Fig.* Grande empenho, dedicação e entusiasmo em conseguir, realizar ou fazer algo: *Treinava com fervor.* [Ant.: *indiferença, desinteresse.*] **7** *Fig.* Zelo, cuidado **8** *Fig.* Violência, ímpeto (típicos das águas quando em abundância e em movimento rápido) **9** *Fig.* Vigor, vivacidade [F.: Do lat. *fervor, oris.*]

fervoroso (fer.vo.*ro*.so) [ô] *a.* **1** *Fig.* Que revela fervor, intensidade de sentimento: "Os renegados são os mais fervorosos na sua nova crença." (Alexandre Herculano, *O bobo*) **2** *Fig.* Que mostra arrebatamento, veemência, ímpeto (paixão fervorosa); ARDOROSO **3** *Fig.* Que mostra empenho, dedicação (trabalhador fervoroso); DILIGENTE **4** *Fig.* Muito zeloso, dedicado (mestre fervoroso); DEVOTADO **5** Que ferve; FERVENTE [F.: *fervor* + *-oso.*]

fervura (fer.*vu*.ra) *sf.* **1** Ação ou resultado de ferver; estado de um líquido em ebulição (fervura da água) **2** *Fig.* Estado de excitação, de exaltação [Ant.: *tranquilidade.*] [F.: Do lat. *fervura, ae.*] ■ **Pôr/botar/deitar água na ~** *Pop.* Arrefecer o ânimo, o entusiasmo (de alguém)

festa (*fes*.ta) *sf.* **1** Reunião de pessoas para fins comemorativos e/ou recreativos (festa de aniversário) **2** Solenidade civil ou religiosa em que se celebra fato ou figura histórica ou religiosa etc. (festa da Independência; festa de São João) **3** *Fig.* Afago, carícia, esp. aqueles que demonstram afeto, carinho, alegria: *Pode fazer festa, que ele não morde.* **4** *Fig.* Movimentação festiva que um animal (esp. o cão) faz à chegada ou na presença de alguém, que revela satisfação, felicidade etc. **5** *Fig.* Alegria, contentamento: *coração em festa.* [Ant.: *tristeza.*] **6** *Fig.* Demonstração de alegria, de felicidade etc. que duas ou mais pessoas fazem ao se reencontrarem, ou o momento em que se dá esse encontro [F.: Do lat. tard. *festa*, pl. do lat. *festus, a, um.* Aum. das acps. 1 e 2: *festança, festão.*] ■ **Fazer a ~** Aproveitar situação ou condição favoráveis para lograr algo normalmente difícil: *O time adversário cansou, e o meu fez a festa: goleou de 5x0.* **Fazer a ~ e soltar os foguetes** Aplaudir a própria atuação **~ da cumeeira** *Bras.* Comemoração da construção do teto de uma casa ou edifício **~ das candeias** *Rel.* Comemoração católica da purificação da Virgem Maria; candelária **~ de arromba** *Bras. Pop.* Festa muito animada, agitada **~ de carregação** *N.E.* Festa com poucos atrativos, pouco animada, sem música etc. **~ de embalo** *Bras. Gír.* Festa animada, agitada **~ imóvel** Festa cuja data de celebração é a mesma todo ano. [Cf.: *Festa móvel.*] **~ móvel** Festa cuja data de celebração pode mudar a cada ano, por estar relacionada com o domingo de Páscoa [Cf.: *Festa imóvel.*] **No melhor da ~** *Pop.* No melhor momento, no auge da animação, na hora mais propícia

festança (fes.*tan*.ça) *sf.* Festa de grandes proporções, muito animada; festa de arromba; FESTÃO [F.: *festa* + *-ança.*]

festão (fes.*tão*) *sm.* **1** Pequeno ramo de flores e folhagens; GRINALDA; GUIRLANDA **2** *P.ext. Arq.* Ornato com a forma de grinalda **3** Faixa bordada us. na extremidade de roupas de cama e mesa **4** Grande festa, ou muito animada; FESTANÇA [Aument. de *festa.*] [Pl.: *-tões.*] [F.: Do it. *festone*, posv. pelo fr. *feston.*]

festar (fes.*tar*) *Bras. v. int.* **1** Fazer, realizar festa **2** Comparecer a festa(s); DIVERTIR-SE [▶ 1 festar] [F.: *festa* + *-ar*[2]. Hom./Par.: *festo* (fl.), *festo* (a.sm.), *festo* [ê] (sm.); *festa(s)* (fl.), *festa(s)* (sf.[pl.]).]

festas (*fes*.tas) *sfpl.* **1** A comemoração pela passagem do Natal e do ano-novo **2** *Fig.* Presentes trocados no Natal **3** *Fig.* O mesmo que *festa* (3) [F.: Pl. de *festa.*]

festeiro (fes.*tei*.ro) *a.* **1** Diz-se de que ou quem frequenta festas; que organiza, realiza e/ou patrocina festas **2** Que faz carinho, que afaga, ou que demonstra afeição, alegria etc. na presença de alguém (cão festeiro) *sm.* **3** Aquele que frequenta, ou dirige, ou organiza ou patrocina festas [F.: *festa* + *-eiro.*]

festejar (fes.te.*jar*) *v. td.* **1** Realizar festas [*int.*: *Os jovens vivem festejando por qualquer motivo.*] **2** Comemorar, celebrar com festa(s) [*td.*: *Festejou seu aniversário com os amigos.*] **3** Fazer agrados a; ACLAMAR; SAUDAR [*td.*: *Após a vitória, a torcida festejou os jogadores com uma salva de palmas.*] **4** Receber com aprovação; APROVAR; LOUVAR [*td.*: *A família festejou a decisão do pai.*] **5** Fazer mimos ou carícias em [*td.*: *Assim que chegou à casa do namorado, festejou o cãozinho.*] **6** Manifestar alegria, satisfação, felicidade [*int.*: *No início do namoro, os jovens só festejam.*] [▶ 1 festejar] [F.: *festa* + *-ejar.* Hom./Par.: *festejo* (fl.), *festejo* (sm.).]

festejo (fes.*te*.jo) [ê] *sm.* **1** Ação ou resultado de festejar **2** Reunião, em espaço privado ou público, com o objetivo de comemoração de data importante, evento etc. **3** Afago, carinho **4** Comentário carinhoso e/ou elogioso que se dirige a alguém; GALANTEIO [F.: Dev. de *festejar*. Hom./Par.: *festejo* (fl. de *festejar*).]

festim[1] (fes.*tim*) *sm.* **1** Pequena festa particular, ou em família **2** Reunião em que são servidas refeições sofisticadas e fartas; BANQUETE [Pl.: *-tins.*] [F.: Do it. *festino* pelo fr. *festin.*]

festim[2] (fes.*tim*) *sm. Mil.* Cartucho sem projétil, us. em manobras militares de treinamento, simulação de tiro etc.: *A polícia usou tiros de festim para conter a torcida.* [Pl.: *-tins.*] [F.: Do it. *festino* pelo fr. *festin.*]

festival (fes.ti.*val*) *sm.* **1** *Cin. Mús. Teat.* Série de eventos ou espetáculos culturais, com diversas apresentações, podendo ocorrer periodicamente (festival de *rock*; festival de curta-metragem; festival de dança) **2** Festival (1) em que há disputa de prêmios entre concorrentes de uma mesma categoria (festival de música; festival de cinema) **3** Festa de grandes dimensões **4** *Fig.* Coisas que se sucedem sem interrupção: *O locutor disse um festival de besteiras.* *a2g.* **5** Ref. a ou característico de festa **6** Que tem feição, jeito, aspecto de festa **7** Que é alegre ou agradável como uma festa **8** Que gosta de festa, que costuma frequentar festas; FESTIVO [Pl.: *-vais.*] [F.: Do ing. *festival.*]

festividade (fes.ti.vi.*da*.de) *sf.* **1** Grande festa, ger. de cunho religioso ou cívico **2** Grande alegria [F.: Do lat. *festivitas, atis.*]

festivo (fes.*ti*.vo) *a.* **1** Ref. ou inerente a festa (dia festivo); FESTIVAL **2** Que é alegre, divertido, ou em que há alegria (ambiente festivo) [Ant.: *triste, taciturno.*] **3** Diz-se de quem gosta de festa(s), de quem vai a muitas festas **4** *Bras. Pop.* Que não tem seriedade, que é mais de badalação e festa do que de pensamento e ação (esquerda festiva) [F.: Do lat. *festivus, a, um.*]

festo[1] *a.* **1** *Poét.* Que é alegre, divertido; FESTIVO *sm.* **2** *RS* Festa grande e animada; FESTANÇA [F.: Do lat. *festus, a, um.* Hom./Par.: *festo* (fl. de *festar*), *festo* [ê] (sm.).]

festo[2] (*fes*.to) [ê] *sm.* **1** Largura de qualquer tecido **2** Dobra feita na metade de um tecido muito largo para que se possa enrolá-lo e formar a peça **3** *Pap.* Dobra de uma folha de papel ou de um caderno, no lado da costura **4** *Lus.* Dobra de uma peça de vestuário [F.: De or. controv. Hom./Par.: *festo* (a.sm.), *festo* (fl. de *festar*).] ■ **Subir a ~** Subir com dificuldade encosta acima

festoado (fes.to:*a*.do) *a.* **1** Adornado com festões ou grinaldas; AFESTOADO; FESTONADO **2** Enfeitado, engalanado [F.: Part. de *festoar.*]

festoar (fes.to.*ar*) *v. td.* **1** Enfeitar com festões **2** Adornar, engalanar, engrinaldar [▶ 16 festoar] [F.: *festão* + *-ar*[2].]

festonado (fes.to.*na*.do) *a.* **1** Adornado com festões; FESTOADO **2** Que tem recorte, desenho ou bordado semelhante a festão [F.: Part. de *festonar.*]

⊠ **FET** *Eletrôn.* Sigla para transistor a efeito de campo [Diz-se também TEC, sigla de transistor a efeito de campo.] [Abrev. do ing. *field-effect transistor.*]

fetal (fe.*tal*) *a2g.* **1** *Obst.* Ref., inerente ou pertencente a feto[1] (desenvolvimento fetal, posição fetal) **2** *Bot.* Ref. a feto[2] [F.: *fet(o)*[1] + *-al*[1].]

fetalização (fe.ta.li.za.*ção*) *sf.* **1** *Biol.* Teoria de Louis Bolk (1866-1930) tendente a apoiar a tese de que o homem descende do macaco por um atraso no acesso à maturidade sexual, o que permitiria um maior desenvolvimento do cérebro **2** *Biol.* Preservação de estágios fetais ancestrais nos descendentes adultos; FETALISMO [F.: *fetal* + *-izar-* + *ção.*]

fetiche (fe.*ti*.che) *sm.* **1** *Mit. Oct.* Objeto material ao qual se presta culto, por se lhe atribuírem poderes sobrenaturais ou mágicos; ÍDOLO; FEITIÇO **2** *Psiq.* Objeto ou parte do corpo humano que desperta interesse sexual ou erótico **3** *Fig.* Pessoa a quem se venera e obedece cegamente [F.: Do fr. *fétiche* (a f. *feitiço*, proposta em lugar deste galicismo, não é us. com tais significados).]

fetichismo (fe.ti.*chis*.mo) *sm.* **1** *Mit. Oct.* Culto de objetos que se presume possuírem poderes mágicos ou sobrenaturais; FEITICISMO **2** Veneração supersticiosa por pessoa ou coisa, além de lógica ou razão **3** Partidarismo faccioso e acrítico **4** *Psiq.* Condição ou desvio em que o interesse sexual por alguém é dirigido a um objeto ou a uma parte do corpo dessa pessoa [F.: Do fr. *fétichisme.*]

fetichista (fe.ti.*chis*.ta) *a2g.* **1** Ref. ou inerente ao, ou próprio do fetiche e do fetichismo (natureza fetichista; hábitos fetichistas) **2** Diz-se de quem cultiva o fetichismo *s2g.* **3** Pessoa que cultiva o fetichismo [F.: Do fr. *fétichiste.* Sin. ger.: *feiticista.*]

fetichizar (fe.ti.chi.*zar*) *v. td.* Transformar em ou tratar como fetiche [▶ 1 fetichizar] [F.: *fetiche* + *-izar.*]

feticida (fe.ti.*ci*.da) *a.* **1** Diz-se de substância ou procedimento capaz de provocar a morte do feto *s2g.* **2** Substância ou procedimento que provoca a morte do feto **3** *Jur.* Pessoa que comete aborto criminoso [F.: *feto* + *-i-* + *-cida.*]

fetidez (fe.ti.*dez*) [ê] *sf.* **1** Característica, qualidade ou estado de fétido (fetidez do lixo; fetidez cadavérica) **2** Odor extremamente desagradável, repugnante; FEDOR; FEDENTINA [F.: *fétido* + *-ez.*]

fétido (*fé*.ti.do) *a.* **1** Que tem odor muito desagradável, repugnante; FEDORENTO; MALCHEIROSO [Ant.: *cheiroso, oloroso.*] **2** *Fig.* Podre, putrefato, corrupto (cheiro fétido); PÚTRIDO [F.: Do lat. *foetidus, a, um.*]

feto[1] (*fe*.to) [é] *sm.* **1** *Fisl.* O ser humano enquanto no útero materno, quando atinge conformação semelhante à de um adulto [Segundo alguns, após a nona semana, segundo outros, após a décima segunda.] **2** *Biol.* Qualquer embrião de animal vivíparo (que pare filhos) após adquirir a forma da espécie a que pertence **3** *Fig. P. ext.* Início de qualquer coisa a se desenvolver [F.: Do lat. *fetus* ou *foetus, us.*]

feto[2] (*fe*.to) [é] *sm. Bot.* Nome comum a certas plantas da divisão das pteridófitas, cujas folhas nascem enroladas sobre seu eixo, formando uma espiral, muitas tb. chamadas de samambaias [F.: Do lat. *filictum,i.*]

fetologia (fe.to.lo.*gi*.a) *sf. Biol. Obst.* Parte da biologia e da obstetrícia que estuda o feto e o seu desenvolvimento [F.: *feto*[1] + *-logia.*]

feudal (feu.*dal*) *a2g.* Ref. ou inerente a feudo e a feudalismo (senhor feudal); FEUDATÁRIO [Pl.: *-dais.*] [F.: Do lat. med. *feodalis* ou *feudalis, e*, ou de *feudo* + *-al*[1].]

feudalidade (feu.da.li.*da*.de) *sf.* Característica ou condição de regime feudal: *o declínio da feudalidade e o nascimento dos estados modernos.* [F. *feudal* + *-(i)dade.*]

feudalismo (feu.da.*lis*.mo) *sm. Hist.* Sistema político, econômico e social que vigorou na Europa durante a Idade

Média e que se baseava na propriedade da terra, cedida pelo senhor feudal ao vassalo em regime de servidão [F.: Do fr. *féodalisme* ou de *feudal* + *-ismo*.]

📖 O feudalismo prevaleceu na Europa entre os séculos IX e XII, consequência da derrocada de Roma sob as invasões bárbaras e de suas lutas internas, com deterioração dos sistemas de relações humanas e econômicas controladas pelo Estado. No fundamento do sistema estava o domínio absoluto do senhor do feudo sobre sua terra e sobre todos que nela trabalhavam para ele como servos, em troca de proteção e de um mínimo necessário à sobrevivência e à continuação desse trabalho. Um proprietário de terras (o rei, ou um nobre), neste caso um suserano, poderia cedê-la, sob determinadas condições a um nobre (neste caso um vassalo) para que este a explorasse com seus servos. Essa rede de concessões cobriu a Europa, suseranos tornando-se vassalos de outros, até o vértice dessa pirâmide, o rei de uma região, de um país. Junto a todo rei, nesse vértice, sempre a figura central da Igreja, o papa; abaixo deles, duques, condes, viscondes, barões, cavaleiros, e o clero. Abaixo desses, os que pagavam os impostos que mantinham aqueles: camponeses (os livres e os servos) e pequenos artesãos.

feudalista (feu.da.*lis*.ta) ***a2g.*** **1** Ref. a feudalismo (período feudalista) **2** Que é adepto do feudalismo ***s2g.*** **3** Indivíduo adepto do feudalismo [F.: *feudal* + *-ista*.]

feudalização (feu.da.li.za.*ção*) ***sf.*** Ação ou resultado de tornar(-se) feudal [F.: *feudal* + *-izar-* + *-ção*.]

feudalizar (feu.da.li.*zar*) ***v. td. int.*** Fazer ficar ou ficar com características semelhantes às do feudalismo [▶ **1** feudalizar] [F.: *feudal* + *izar*.]

feudatário (feu.da.*tá*.ri:o) ***a.*** **1** Ref. ao feudo, *feudal* **2** Que paga feudo: *terra feudatária à Igreja.* ***sm.*** **3** Vassalo de regime feudal (feudatário do rei) [F.: *feudo* + *-t-* + *-ário*.]

feudo (*feu*.do) ***sm.*** **1** *Hist.* No feudalismo, propriedade cedida pelo senhor feudal ao vassalo, mediante a prestação de serviços e rendas; vassalagem feudal **2** Direito ou dignidade feudal **3** *Fig.* Fardo, peso **4** *fig.* Aquilo de que alguém acredita dispor ou de que de fato dispõe de modo total, exclusivo **5** *Fig.* Área de influência ou de domínio de alguém [F.: Do lat. medv. *feudum*.]

fevereiro (fe.ve.*rei*.ro) ***sm.*** **1** *Cron.* O segundo mês do ano. (Com 28 dias, ou 29 nos anos bissextos.) **2** *Bras. Ornit.* O mesmo que *joão-bobo* [F.: Do lat. class. *februarius, ii*, pelo lat. pop. *febrarius*.]

fez ***sf.*** **1** Excrementos humanos, o mesmo que *fezes* **2** Matérias fecais **3** Borra, sedimento dos líquidos: *as fezes do azeite.* **4** A escória dos metais: *as fezes do ouro.* **5** *Fig.* O que há de mais vil e desprezível nas coisas ou pessoas: "Caíram sobre o coração do perjuro, esprememdo-lhe de dentro todas as fezes da maldade." (Aloísio de Azevedo, *Girândola*) [Mais usado no plural. F.: Do lat. *faex, cis.* Hom./Par.: *fez* [ê] (fl. de *fazer*), *fez* [ê] (sm.), *fés* (pl. de *fé*), *fez* [ê] (fl. de *fazer*), *fez* [ê] (sm.).]

fezes (*fe*.zes) ***sfpl.*** **1** Matéria constituída de resíduo de alimento não digerido, excretada pelo organismo através do ânus; matérias fecais; EXCREMENTO; DEJETO **2** *Metal.* Resíduos metálicos, restos da fusão de metais **3** Parte mais degradada de algo, resíduos imprestáveis; ESCÓRIA **4** *Fig. Pej.* Aqueles que formam o segmento mais vil e degradado de uma sociedade ou grupo de pessoas; ESCÓRIA; RALÉ [F.: Pl. de *fez* (f. obsol.). Do lat. *faex, cis*.]

fezinha (fe.*zi*.nha) ***sf.*** **1** Pouca fé **2** *Bras. Pop. Lud.* Aposta de pequeno valor: *Fez uma fezinha no jogo do bicho.* [F.: Dim. de *fé*; *fé-* + *-z-* + *-inha*.] ▪ **Fazer uma ~ (em)** *Pop.* Apostar (dinheiro) timidamente (em); fazer uma fé (em)

⊠ **FGTS** Sigla de *Fundo de Garantia por Tempo de Serviço*, que se refere a depósitos mensais feitos pelas empresas em nome de seus empregados, que deles poderão dispor quando demitidos ou em determinadas circunstâncias (aposentadoria, aquisição de casa própria, tratamento de saúde etc.)

⊠ **FGV** Sigla de *Fundação Getúlio Vargas* (instituição privada brasileira, sem fins lucrativos, que se dedica ao ensino e à pesquisa em ciências sociais, economia e administração.)

fi ***sm.*** A 21ª letra do alfabeto grego, correspondente ao *f* latino [F.: Do gr. *pheî* ou *phî*.]

⊠ **FIA** Sigla de *Federação Internacional de Automobilismo*

fiabilidade (fi:a.bi.li.*da*.de) ***sf.*** Qualidade do que é fiável; CONFIABILIDADE: *a fiabilidade de um sistema de informática.* [F.: *fiável* + *-(i)dade*.]

fiação (fi:a.*ção*) ***sf.*** **1** Ação ou resultado de fiar[2]; FIADURA **2** *Têxt.* Lugar onde se fabricam ou se manuseiam produtos têxteis **3** *Elet.* O conjunto de fios que formam a instalação elétrica: *A fiação da casa foi trocada.* [Pl.: *-ções*.] [F.: *fiar*[2] + *-ção*.]

fiacre (fi:*a*.cre) ***sm.*** Antiga carruagem de aluguel, puxada por um (só) cavalo [F.: Do fr. *fiacre*.]

fiada (fi:*a*.da) ***sf.*** **1** Uma porção de fios (fiada de lã; fiada elétrica) **2** Uma série de coisas enfileiradas, unidas por fios (fiada de bandeirolas; fiada de peixes) **3** Carreira de pedras, tijolos etc., alinhados na altura: *O pedreiro acrescentou uma fiada de tijolos ao muro.* **4** Carreira, fileira de coisas quaisquer alinhadas [F.: *fio* + *-ada*[1].]

fiado[1] (fi:*a*.do) ***a.*** **1** Que se fia em algo ou alguém, que tem confiança; CONFIADO **2** Que se comprou ou vendeu a crédito ***adv.*** **3** *Com.* Fiadamente; comprado ou vendido a crédito, a prazo [Ant.: *à vista*.] [F.: Part. de *fiar*[1].]

fiado[2] (fi:*a*.do) ***a.*** **1** Que foi objeto de fiação **2** *Metal.* Diz-se do metal transformado em fio delgado depois de passar pela fieira ***sm.*** **3** *Têxt.* Filamento ou fibra têxtil reduzida a fio [F.: Part. de *fiar*[2].]

fiador (fi:a.*dor*) [ô] ***sm.*** **1** Aquele que afiança, que se responsabiliza por outrem **2** Aquele que garante o cumprimento de obrigação de outra pessoa, e que a assume caso esta não a cumpra no tempo e sob as condições dispostas em contrato; AVALISTA **3** *Mar.* Amarra da âncora, us. para ligar o navio à boia **4** *Bras.* Correia ou tira de couro que se ata à boca do animal, esp. do cavalo, para freiá-lo **5** Alça de segurança, ger. de couro, em punho de espada, que a prende ao pulso durante seu manejo **6** Descanso de espingarda [F.: *fiar*[1] + *-dor*.]

fiambre (fi:*am*.bre) ***sm.*** **1** *Cul.* Presunto cozido, preparado e condimentado para se comer frio; APRESUNTADO **2** *RS* Provisão de alimentos frios para viagem [F.: Do lat. tard. *frigidamen*, pelo espn. *fiambre*.]

fiança (fi:*an*.ça) ***sf.*** **1** Ação ou resultado de fiar[1] ou abonar obrigação de alguém, de assumir papel de fiador **2** Essa garantia, ou o valor da garantia assumida pelo fiador; AVAL; CAUÇÃO **3** *Jur.* Quantia paga por réu ao tribunal para que possa responder a processo em liberdade **4** *Jur.* Responsabilidade de responder pelas ações de pessoa afiançada **5** Ação ou resultado de empenhar a palavra, de assumir moralmente um compromisso ou responsabilidade **6** *Pext.* Ação ou resultado de ratificar, de reafirmar algo **7** *Lus.* Corda de segurança em volta dos chifres de boi que traciona carreta, arado etc. pela primeira vez **8** *Bras. Antq.* Confiança **9** *RS* Cavalo preferido para montaria e outros usos, por nele se ter confiança [F.: Do fr. ant. *fiance*.]

fiandeira (fi:an.*dei*.ra) ***sf.*** **1** Mulher que realiza fiação **2** *Zool.* cada uma das estruturas abdominais das aranhas de onde saem os fios para a teia [F.: Do espn. *hilandera*.]

fiandeiro (fi:an.*dei*.ro) ***sm.*** Aquele cujo ofício é fiar [F.: *fiand-* (rad. do ger. *filando* do lat. *filare* 'fiar', sob a forma *fiand-*) + *-eiro*.]

fiapo (fi:*a*.po) ***sm.*** Fio muito fino e curto [F.: De *fio*, com provável infl. de *farrapo*.] ▪ **Tirar um ~** *Bras. Pop.* Dar uma espiada, rápida e disfarçadamente

fiar[1] (fi:*ar*) ***v.*** **1** Ser o fiador ou abonador de; ABONAR; AFIANÇAR [***td.***: *Fiou o amigo na compra da casa; Eu fio sua aptidão para o cargo.*] **2** Ter fé ou confiança em; CONFIAR [***td.***: *Todos fiamos que o rapaz não volte ao vício.*] [***tr.*** + *em*: *Fiava em tudo o que o marido dizia; fiar-se em Deus.*] **3** Entregar (algo a alguém) sob confiança [***tdi.*** + *a*: *Fiava todos os seus livros aos seus amigos.*] **4** Vender fiado ou a crédito [***td.***: *Era um comerciante que não fiava nada.*] [***ti.*** + *a*: *O dono da padaria só fia aos parentes.*] [***tdi.*** + *a*: *Fiou ao vizinho alguns quilos de arroz.*] [***int.***: *Se ele fia, é porque confia.*] **5** Deixar por conta do arbítrio; ARBITRAR [***tdi.*** + *a*: *Fiava sua vida aos caprichos do marido.*] **6** Contar com [***tr.*** + *em*: *Fiava completamente em seus pais.*] [▶ **1 fiar**] [F.: Do lat. **fidare por fidere* 'fiar-se, confiar'. Hom./Par.: *fio* (fl.), *fio* (sm.); *fieis* (fl.), *fiéis* (a2g.sm.[pl.]).]

fiar[2] (fi:*ar*) ***v.*** **1** Transformar (matéria têxtil ou filamentosa) em fio [***td.***: *fiar a lã.*] [***int.***: *Ela ainda fia, sabia?*] **2** Urdir (tecido ou trama) com fios; TECER [***td.***: *fiar um pulôver.*] **3** *Zool.* Secretar ou produzir (fios) [***td.***: *A aranha fia a substância com que tece a teia.*] [***int.***: *A larva do bicho-da-seda fia para formar o casulo.*] **4** *Fig.* Urdir trama; ENGENDRAR; MAQUINAR [***td.***: *Vivia de fiar intrigas e mexericos.*] **5** Serrar (madeira etc.) no sentido longitudinal [***td.***: *Usou um serrote para fiar a prancha de ponta a ponta.*] **6** Puxar (metais) à fieira [***td.***: *É preciso adelgaçar o metal para fiá-lo.*] [▶ **1 fiar**] [F.: Do lat. *filare* 'fiar, entrelaçar'. Hom./Par.: Ver *fiar*[1].]

fiasco (fi:*as*.co) ***sm.*** **1** Mau êxito, resultado desfavorável e vergonhoso; FRACASSO; MALOGRO: *Contrariando as expectativas, o show foi um fiasco.* [Ant.: *sucesso*.] **2** *Pop.* Gafe, mancada [F.: Do it. *fiasco*.] ▪ **Fazer ~** Fracassar fragorosamente, vergonhosamente

🌐 **fiat lux** (*Lat. /fiat lucs/*) ***loc.v.*** Haja luz, faça-se a luz (frase latina correspondente ao livro de Gênesis, cap. 1, v. 3, da *Vulgata*)

fiável (fi:*á*.vel) ***a2g.*** Em que ou em quem se pode fiar ou ter confiança (*software* fiável; parceiro fiável); CONFIÁVEL [F.: *fiar* 1 + *-vel*. Hom./Par.: *fiáveis* (pl.), *fiáveis* (fl. de *fiar* 1).]

fibra (*fi*.bra) ***sf.*** **1** *Biol.* Cada um dos filamentos que, dispostos em feixe, constituem tecido animal ou vegetal (fibra muscular): *alimento rico em fibras.* **2** *Bot.* Feixes longos de vasos que constituem as partes lenhosas dos vegetais, ou que formam com tecidos celulosos as redes de parênquima que formam frutos, pétalas, folhas etc. **3** Fio ou filamento de material diverso (fibra de vidro) **4** *Fig.* Força ou capacidade moral que faz o indivíduo superar dificuldades ou injustiças, resolver problemas, tomar decisões difíceis etc. de modo firme, corajoso, digno; firmeza de caráter: *Ela nunca desistiu de lutar, sempre teve muita fibra.* [F.: Do lat. *fibra, ae.* Ideia de 'fibra': *fibr(i)-* (*fibroma*).] ▪ **~ alimentar** Resíduo da digestão, de origem vegetal, feito de celulose, lignina e outras substâncias **~ colágena** *Histl.* Fibra longa e rica em colágeno, que constitui vários tipos de tecido conjuntivo e entra na formação de ossos, ligamentos e tendões **~ cromossômica** *Cit.* Cada fibra que faz a ligação entre um cromossomo e o polo da célula **~ de carbono** *Tec.* Material obtido com a decomposição, em altas temperaturas, de matéria-prima fibrosa, esponjosa ou tecida em carbono **~ de vidro** *Tec.* Filamento obtido ao se fazer passar vidro em fusão por minúsculo orifício; muito us. na indústria **~ elástica** *Histl.* Tipo de fibra rica em certa proteína elástica (elastina), e que entra na constituição de diversos tipos de tecidos conjuntivos **~ muscular** *Histl.* Aquela que constitui a principal estrutura de um músculo, capaz de contrair-se e de relaxar **~ muscular cardíaca** *Histl.* A fibra característica do músculo cardíaco, com estrutura ramificada, estrias transversais, discos intercalares e núcleo central **~ muscular estriada** *Histl.* Fibra de estrutura filamentar, com vários núcleos e com estrias transversais **~ muscular lisa** *Histl.* Fibra com um só núcleo, central, sem estrias transversais **~ nervosa** *Histl.* Conjunto formado pelo prolongamento de um neurônio (axônio), e as bainhas que o envolvem **~ óptica** *Ópt. Telc.* Filamento transparente feito de materiais com diferentes índices de refração, capaz de transportar sinais ópticos a grande distância sem muita perda de intensidade, e por isso muito us. na transmissão de grande quantidade de informações em alta velocidade

◎ **fibr(i/o)-** ***el. comp.*** = fibra, filamento: *fibroma* [F.: Do lat. *fibra, ae*.]

fibrila (fi.*bri*.la) ***sf.*** **1** Fibra muito pequena e tênue **2** *Bot.* Cada uma das últimas ramificações das raízes das plantas: "...e argueiros, crinas, cabelos, fibrilas de musgo..." (Guimarães Rosa, *Ave, palavra!*) **3** Filamento formado pela justaposição de cadeias de celulose [F.: Do fr. *fibrille*. Hom./Par.: *fibrila* (fl. de *fibrilar*).]

fibrilação (fi.bri.la.*ção*) ***sf.*** *Med.* Sequência de contrações rápidas, descoordenadas e involuntárias de fibras musculares, esp. as cardíacas [Pl.: *-ções*.] [F.: *fibrilar*[2] + *-ção*.] ▪ **~ atrial/auricular** *Card.* Alteração no ritmo cardíaco, com contrações rápidas dos átrios (aurículas), que acarretam contrações rápidas e irregulares dos ventrículos **~ ventricular** *Card.* Anomalia grave do ritmo cardíaco, na qual as contrações regulares dos ventrículos são substituídas por fibrilação superficial, incapaz de impulsionar adequadamente o sangue

fibrilar[1] (fi.bri.*lar*) ***a2g.*** **1** Ref. a fibrila ***a2g.*** **2** Disposto em, ou formado por fibrilas; FIBRILHAR [F.: *fibrila* + *-ar*[1].]

fibrilar[2] (fi.bri.*lar*) ***v. int.*** *Med.* Entrar em fibrilação: *Apesar das contrações desordenadas, seus músculos não fibrilam.* [▶ **1 fibrilar**] [F.: *fibrila* + *-ar*[2]. Hom./Par.: *fibrila(s)* (fl.), *fibrila(s)* (sm.[pl.]).]

fibriloso (fi.bri.*lo*.so) [ô] ***a.*** Formado pela reunião de muitas fibras; em que há muito filamentos [F.: *fibrila* + *-oso*.]

fibrina (fi.*bri*.na) ***sf.*** *Bioq. Hem.* Proteína insolúvel que forma fibras no local de uma lesão, dando origem ao coágulo sanguíneo [F.: *fibra* + *-ina*.]

fibrinólise (fi.bri.*nó*.li.se) ***sf.*** *Bioq.* Processo de degradação da fibrina [F.: *fibrina* + *ó* + *-lise*.]

fibrinolítico (fi.bri.no.*lí*.ti.co) ***a.*** **1** Diz-se de enzima que provoca a degradação da fibrina ***sm.*** **2** *Med.* Medicamento com atividade fibrinolítica [F.: *fibrinólise* + *-lítico*.]

fibrinoso (fi.bri.*no*.so) [ô] ***a.*** **1** Ref. a fibrina **2** Que tem as propriedades da fibrina **3** Formado pela fibrina [F.: *fibrina* + *-oso*.]

fibristereoscopia (fi.bris.te.re:os.co.*pi*.a) ***sf.*** *Ginec.* Exame para visualização do interior da cavidade uterina e, em certos casos, ali realizar biópsia ou ato terapêutico com o auxílio do fibristereoscópio [F.: *fibr(i)-* + *-(e)stere(o)-* + *-scop-* + *ia*[1].]

fibristereoscópico (fi.bris.te.re:os.*có*.pi.co) ***a.*** Ref. a, ou próprio de fibristereoscopia ou de fibristereoscópio [F.: *fibristereoscopia* + *-ico*[2].]

fibristereoscópio ***sm.*** *Ginec.* Aparelho dotado de fibra ótica para realizar a fibristereoscopia [F.: *fibr(i)-* + *-(e) stere(o)-* + *-scópio*.]

fibroblástico (fi.bro.*blás*.ti.co) ***a.*** **1** Ref. a fibroblasto **2** Que tem a natureza do fibroblasto **3** Formado por fibroblasto [F.: *fibr(o)-* + *-blasto-* + *-ico*[2].]

fibroblasto (fi.bro.*blas*.to) ***sm.*** *Histl.* Célula longa, achatada, em forma de estrela, que secreta fibras na substância intercelular do tecido conjuntivo [F.: *fibr(o)-* + *-blasto*.]

fibrocartilagem (fi.bro.car.ti.*la*.gem) ***sf.*** *Anat.* Cartilagem que contém feixes de espessas fibras colágenas, presente nos discos intervertebrais e nas articulações dos joelhos [F.: *fibr(o)-* + *cartilagem*.]

fibrocartilaginoso (fi.bro.car.ti.la.gi.*no*.so) [ô] ***a.*** **1** Ref. a fibrocartilagem **2** Constituído de fibrocartilagem [F.: *fibrocartilagem* + *-oso*.]

fibrocimento (fi.bro.ci.*men*.to) ***sm.*** Mistura de fibras de amianto e pasta de cimento Portland que serve como matéria-prima para telhas, canos, caixas-d'água etc.; CIMENTO-AMIANTO [F.: *fibr(o)-* + *cimento*.]

fibrocístico (fi.bro.*cís*.ti.co) ***a.*** **1** Ref. a fibrocisto **2** Que apresenta fibrocisto ***sm.*** **3** *Med.* Portador de fibrose cística tb. chamada mucoviscidose [F.: *fibr(o)-* + *-cist(o)-* + *-ico*[2].]

fibrocisto (fi.bro.*cis*.to) ***sm.*** *Med.* Lesão cística que se localiza no tecido conjuntivo fibroso [F.: *fibr(o)-* + *-cisto*.]

fibrócito (fi.*bró*.ci.to) ***sm.*** *P.us. Histl.* Célula do tecido conjuntivo, o mesmo que *fibroblasto* [F.: *fibra* + *o* + *cito*.]

fibroide (fi.*broi*.de) ***a2g.*** **1** Semelhante a fibra **2** Que contém fibras ou tecido conjuntivo fibroso [F.: *fibr(o)-* + *-oide*.]

fibroma (fi.*bro*.ma) [ô] ***sm.*** *Pat.* Tumor benigno de tecido fibroso [F.: *fibr(i/o)-* + *-oma*[1].]

fibromatose (fi.bro.ma.*to*.se) ***sf.*** *Med.* Doença cuja característica é o aparecimento de numerosos fibromas espalhados ou de uma fibrose disseminada [F.: *fibr(o)-* + *-omat-* + *-ose*[1].]

fibromialgia (fi.bro.mi:al.*gi*.a) ***sf.*** *Med.* Dor muscular e tendinosa difusa e crônica em pontos anatômicos específicos [F.: *fibr(o)-* + *mialgia*.]

fibromuscular (fi.bro.mus.cu.*lar*) ***a.*** *Anat.* Formado por tecido fibroso e muscular (revestimento fibromuscular) [F.: *fibr(o)-* + *muscular*.]

fibrosado (fi.bro.*sa*.do) *a.* Em que existe fibrose [F.: *fibrose* + *-ado*[1].]

fibroscopia (fi.bros.co.*pi*.a) *sf. Med.* Exame realizado com fibroscópio que permite a visualização da superfície interna de um órgão [F.: *fibr(o)-* + *-scop-* + *ia*[1].]

fibroscópico (fi.bros.*có*.pi.co) *sm.* Ref. a ou próprio da fibroscopia ou do fibroscópio [F.: *fibroscópio* + *-ico*[2].]

fibroscópio (fi.bros.*có*.pi:o) *sm. Med. Ópt.* Endoscópio flexível dotado de lentes com fibras óticas que permitem o exame acurado da parte interna de um órgão que se quer pesquisar [F.: *fibr(o)-* + *-scópio.*]

fibrose (fi.*bro*.se) *sf.* **1** *Med.* Aumento patológico do tecido fibroso **2** *Med.* Degenerescência fibroide **3** *Med.* Hiperplasia conjuntiva composta de fibras [F.: *fibr(o)-* + *-ose*[1].]

fibroso (fi.*bro*.so) [ô] *a.* **1** Ref. a fibra ou a ela semelhante (consistência fibrosa) **2** Que tem fibras ou é formado por elas (carne fibrosa) **3** Que se origina de um aglomerado de fibras ou filamentos [Fem. e pl.: [ó].] [F.: *fibr(i/o)-* + *-oso.*]

fibrotuboscopia (fi.bro.tu.bos.co.*pi*.a) *sf. Ginec.* Exame para visualizar o interior da tuba de Falópio, com eventual realização de biópsia ou ato cirúrgico [F.: *fibr(o)-* + *-tub(o)-* + *-scop-* + *-ia*[1].]

fíbula (*fí*.bu.la) *sf.* **1** *Anat.* Osso longo e fino que forma com a tíbia o esqueleto da perna [*Fíbula* substituiu *perônio* na nova terminologia anatômica.] **2** Alfinete ou pequena fivela, ou fecho, ou broche, que na Antiguidade se usava para prender as vestes [F.: Do lat. *fibula, ae.*]

fibular (fi.bu.*lar*) *a2g. Anat.* Relativo a, ou próprio da fíbula (músculo fibular) [F.: *fíbula* + *-ar*[1].]

ficante (fi.*can*.te) *a2g.* **1** Que fica **2** *Pop.* Aquele ou aquela que fica, no sentido de ficar na companhia de alguém do outro sexo, para namorar, transar, ger. sem compromisso

◎ **-ficar** *el. comp.* = 'fazer', 'tornar': *beatificar, edificar, falsificar* [F.: Do lat. *-ficare.*]

ficar (fi.*car*) *v.* **1** Alojar-se, encontrar-se, ou permanecer [*tp.*: *Ficou 15 dias no hospital.*] **2** Tornar-se, fazer-se, ou resultar; sair [*tp.*: *Seus cabelos ficam bonitos cacheados.*] **3** Ser adiado, postergado, ou marcado [*tr.* + *para*: *A viagem ficará para o mês que vem.*] **4** Subsistir, perdurar, ou restar [*ti.*: *Ficaram para mim as boas lembranças; Ainda ficou para o meu pai algum capital.*] [*int.*: *Dos velhos palacetes só ficou um; Ficaram poucos para contar a história.*] **5** Não ir além de; deter-se em [*tr.* + *em*: *A discussão ficou nisso.*] [*ta.*: *Nossos planos ficam por aqui.*] **6** Fazer companhia a [*ta.*: *A mãe ficou com ela na fazenda.*] **7** Apossar-se ou apoderar-se de [*tr.* + *com*: *O ladrão ficou com meu carro.*] **8** Sair por, custar [*tp.*: *O conserto do carro vai ficar muito caro.*] [*tr.* + *em*: *A despesa ficou em mil reais.*] **9** Caber por quinhão, direito ou mérito, ou receber por sorte [*tr.* + *com, para*: *As atletas gêmeas ficaram com o primeiro lugar; Com a morte do pai, a fortuna ficou para ele.*] **10** Comprometer-se a; CONCORDAR [*ti.* + *com*: *Nesse assunto, fico com ele.*] **11** Ser mantido em segredo; PROMETER; COMBINAR [*tdi.* + *entre*: *Que este segredo fique entre nós!*] **12** *Pop.* Namorar sem compromisso [*ti.* + *com*: *Nas festas, sempre ficava com alguém.*] [*int.*: *Esses dois ficaram uma única vez.*] **13** Ser atingido por (um mal) [*td.*: *Ficou doente e faltou ao trabalho.*] **14** Passar a ter (certa qualidade) [*tp.*: *Fica mais bonita quando corta o cabelo.*] **15** Adquirir certa forma ou característica [*td.*: *Quando ri, fica mais interessante!*] [*int.*: *Quanto mais apanha, mais forte fica.*] **16** Converter-se em [*tp.*] **17** Afirmar com certeza ou apenas prometer [*tdi.* + *de*: *Ela ficou de comparecer sem falta.*] **18** Vir a ser [*tp.*: *Depois de tanto esperar, ficou um homem mais paciente.*] **19** Ganhar (algo) por sorte [*tp.*: *Esse conserto vai ficar caro.*] **20** Tomar posse de [*tdi.* + *com*: *Vamos ficar com a maior parte do prêmio.*] **21** Ter direito a (quinhão, herança) [*tdi.* + *com*: *Ficou com a melhor parte da casa.*] **22** Permanecer sem modificações [*ti.* + *com*: *Revelada a herança, viu que não ficara com muita coisa.*] **23** Passar a ser, tornar-se [*tp.*: *Essa história não pode ficar assim.*] **24** Permanecer em determinada situação, em determinado estado de espírito [*tp.*: *Depois da partida do pai, a casa ficou triste.*] **25** Permanecer no lugar de [*tp.*: *Durante dias ficou adoentado e triste.*] **26** Restar, sobrar [*tp.*: *O marido escreveu a peça, mas a mulher ficou como a autora.*] **27** Perdurar, subsistir [*int.*: *Vários conseguiram chegar, mas muitos ficaram.*] **28** Parar de se movimentar; ESTACAR [*int.*: *Comecei a fugir dali, mas ele ficou; Foi-se o escritor, mas suas obras ficaram.*] [▶ **11 ficar**] [F.: Do lat. vulg. *figicare.* Hom./Par.: *fico* (fl.), *fico* (sm.); *fique* (fl.), *fiques* (fl.), *fique* (sf. [pl.]; *ficaria* (fl.), *ficarias* (fl.), *ficária* (sf. [pl.]).] ■ **~ ao pintar** *Antq.* Combinar, ser ou ficar adequado **~ atrás (de)** Ser inferior em qualidade, em desempenho (genericamente ou em relação a determinado atributo): *João é bom nisso, mas Maria não (lhe) fica atrás.* **~ bem/mal (a)** Ser/não ser conveniente, adequado (a alguém): *Essa roupa não lhe fica bem; Ficou mal discutir essa questão em público.* **~ bem/mal com** Combinar/não combinar (harmonizar-se) com: *Este sofá fica bem / mal com os outros móveis.* **~ bonitinho** *Bras. Gír.* Ficar quietinho, sem reagir (maneira de advertir alguém): *Fica bonitinho aí e nada lhe acontecerá.* **~ de** Assumir compromisso de, combinar: *Ele ficou de passar aqui para dar uma ajuda.* **~ de bem/de mal (com)** *Pop.* Reatar/romper relações (com alguém) **~ de fora** Ser excluído; não ser escolhido ou contemplado **~ falando sozinho** Não ter a atenção de outros, não ser ouvido **~ para titio/titia** *Fam.* Não casar, ficar solteirão ou solteirona **~ por dentro/por fora** *Pop.* Tomar/não tomar conhecimento de fatos ou casos; ficar/não ficar a par **~ por isso mesmo** Não ter consequências, não ter punição (ação faltosa ou criminosa): *Desrespeitou os colegas e ficou por isso mesmo.* **~ sobrando** Ser preterido, relegado ou esquecido; não ser atendido: *Todos foram escolhidos para alguma tarefa, só ele ficou sobrando.* **~ sujo** Ficar com mau conceito, desprestigiado

ficção (fic.*ção*) *sf.* **1** Ação ou resultado de fingir: *Esse entusiasmo dele é só ficção.* **2** Criação imaginosa, fantástica: *Os contos de fadas são pura ficção.* [Ant.: *realidade.*] **3** *Cin. Liter. Teat. Telv.* Ramo de criação artística, literária, cinematográfica, teatral, etc. baseado em elementos imaginários (ficção científica; ficção policial) **4** *Liter.* Obra de ficção (3), esp. conto, novela, romance: *Já li muitos ensaios, agora quero ler ficção.* **5** *Liter.* Toda a prosa literária de um autor, de uma época, de um país etc.: *a ficção de Machado de Assis.* [Pl.: *-ções.*] [F.: Do lat. *fictio, onis*, pelo fr. *fiction.*] ■ **~ científica** *Cin. Liter. Telv.* Obra de ficção baseada em parte em conhecimentos científicos ou em imaginárias possíveis consequências da evolução dos mesmos

ficcional (fic.ci:o.*nal*) *a2g.* **1** Ref., inerente ou próprio da ficção, do ficcionismo (literatura ficcional; cinema ficcional) **2** *Cin. Liter. Teat. Telv.* Que pressupõe uma interpretação, criação, ou adaptação imaginária da realidade [Pl.: *-nais.*] [F.: *ficção* + *-al*[1], seg. o mod. erudito.]

ficcionimo (fic.ci:*ô*.ni.mo) *sm.* Designação dada genericamente a subst. e adj. criados a partir de obras literárias de ficção ou de seus personagens (p.ex: *dom juan, cinderela, edipiano, acaciano.*) [F.: Do rad. lat. *fictione* 'ficção' + *-ônimo.*]

ficcionismo (fic.ci:o.*nis*.mo) *sm. Liter.* Prosa literária elaborada a partir de elementos imaginários inspirados na realidade ou de elementos reais introduzidos em enredo inventado; FICÇÃO: *as correntes do ficcionismo brasileiro.* [F.: *ficção* + *-ismo*, seg. padrão erudito.]

ficcionista (fic.ci:o.*nis*.ta) *a2g.* **1** Ref. a ficcionismo ou a ficção; FICCIONAL **2** *Cin. Liter. Teat. Telv.* Diz-se de quem cria obras de ficção *s2g.* **3** Aquele que cria obras de ficção; autor de ficção: *Graciliano Ramos é um grande ficcionista.* [F.: *ficção* + *-ista*, seg. o mod. erudito.]

ficha (*fi*.cha) *sf.* **1** *Lud.* Peça com que se marcam pontos, em certos jogos: *Apostou todas as fichas na roleta.* **2** Qualquer peça semelhante à ficha (1) de material variado (papel, plástico, metal etc.), us. para diversas coisas, às vezes para fazer funcionar uma máquina automática, um telefone público etc. (ficha telefônica) **3** Peça que tem determinado valor de troca por dinheiro: *Comprou uma ficha para o cafezinho.* **4** Pedaço de papel ou cartão que serve para anotações variadas: *O que diz a ficha?* **5** O que está anotado nele; REGISTRO **6** Anotações pessoais que ficam registradas em repartições, bancos, consultórios etc.: *Precisou atualizar sua ficha médica; Teve de fazer nova ficha bancária.* **7** *P.ext. Gír.* Conjunto das informações de natureza pessoal sobre alguém: *Pediu a ficha do rapaz para a amiga.* **8** *Lus. Elet.* A peça, na extremidade de fio elétrico, que se introduz na tomada para fazer a ligação elétrica com um aparelho [F.: Do fr. *fiche.* Hom./Par.: *ficha* (sf.), *ficha* (fl. de *fichar*), *fixa* [cs] (fem. de *fixo*), *fixa* [cs] (fl. de *fixar*).] ■ **Cair a ~.** *Bras. Pop.* De repente, dar-se conta (alguém) de algo; passar a compreender realmente um fato ou uma situação, perceber aquilo a que até então não dera atenção **~ antropométrica** Elenco de dados ou registros (nome, idade, altura, cor dos olhos, impressões digitais, etc.) que permite identificar uma pessoa; ficha de identidade **~ datiloscópica** Cartão onde figuram as impressões digitais de uma pessoa **~ de identidade** Ver *Ficha antropométrica* **~ técnica** *Publ. Rád. Telv.* Relação das pessoas que colaboraram, cada uma em sua área, para a produção de um anúncio, de um filme, de um programa etc. **Meter ~** *Bras. Gír.* Atuar com energia, disposição, entusiasmo; mandar brasa **Na ~** *Bras. Gír.* À vista; a dinheiro **Tacar ~** *Gír.* Ver *Meter ficha*

fichado (fi.*cha*.do) *a.* **1** Que se fichou; posto em fichário; CLASSIFICADO; CATALOGADO: "Ia vendo que as vozes, as expressões captadas, fichadas, abonadas, no registro eram efêmeras." (Afrânio Peixoto, *Maias e Estevas*) **2** *Bras.* Que tem ficha na polícia (assaltante fichado) [F.: Part. de *fichar.*]

fichamento (fi.cha.*men*.to) *sm.* **1** Ação ou resultado de fichar **2** Registro de dados e elementos (de um texto, um fato, um relatório etc.) considerados importantes e relevantes, anotados em fichas [F.: *fichar* + *-mento.*]

fichar (fi.*char*) *v. td.* **1** Anotar em fichas, com fim de classificação, registro ou resumo: *Resolveu fichar toda a papelada do escritório.* **2** Catalogar (em ficha) informações sobre alguém: *A polícia fichou o rapaz sem necessidade.* **3** Resumir (em fichas) dados importantes de (obra, documento, dissertação, tese etc.); SINTETIZAR: *Fichei toda a tese do meu professor.* [▶ **1 fichar**] [F.: *ficha* + *-ar*[2]. Hom./Par.: *ficha(s)* (fl.), *ficha* (sf.[pl.]); *fiche* (fl.), *fixe* (a2g.sm.); *ficha(s)* (fl.), *fixa* (a.sf. [pl.]); *ficho* (fl.), *fixo* (a.sm.); *fichar, fixar* (todas as fl.).]

fichário (fi.*chá*.ri:o) *sm.* **1** Local, peça ou móvel onde se guardam, colecionam ou arquivam fichas, ger. organizadas por algum critério (fichário da repartição; fichário da biblioteca; fichário policial) **2** Caderno de folhas soltas, que fazem uma classificação dos apontamentos por assunto, tema, matéria etc. presas a ganchos que se fecham e abrem para a troca dessas folhas [F.: *ficha* + *-ário.*]

fichinha (fi.*chi*.nha) *a2g.* **1** *Bras. Pop.* Diz-se de algo de menor valor, dificuldade ou importância: *Esse dinheiro é fichinha perto do que já foi arrecadado; Essa corrida é fichinha para um maratonista.* *s2g.* **2** Pessoa que não tem qualquer importância ou influência: *Ele não manda nada aqui, é fichinha.* [F.: *ficha* + *-inha.*]

◎ **fici- Pref.** = figo: *ficiforme*

ficiforme (fi.ci.*for*.me) *a.* Que apresenta forma semelhante à do figo (recipiente ficiforme) [F.: *fici-* + *-forme.*]

◎ **-fício** *el. comp.* = 'ação ou resultado de fazer algo', 'meio ou processo pelo qual se fabrica algo'; 'local em que se fabrica algo': *aramifício, artifício, cotonifício, lanifício, panifício* [F.: Do lat. *-ficium, ii*, do v.lat. *facere*, 'fazer'.]

◎ **-fic(o)-** *el. comp.* = que faz, que apresenta: *honorífico, morbífico* etc.

◎ **-fico** *el. comp.* Que causa, faz, produz: *benéfico, honorífico, pacífico* [Com acento tônico na sílaba anterior.] [F.: Do lat. *-ficus, a, um*, por sua vez de *-ficare.*]

◎ **fic(o)-** *Pref.* = alga: *ficoide, ficologia, ficoterapia*

ficologia (fi.co.lo.*gi*.a) *sf. Bot.* Ramo da botânica que estuda as algas; ALGOLOGIA

ficológico (fi.co.*ló*.gi.co) *a.* Ref. a ficologia; ALGOLÓGICO [F.: *ficologia* + *-ico*[2].]

ficologista (fi.co.lo.*gis*.ta) *s2g.* Botânico especializado em ficologia; ALGOLOGISTA [F.: *ficologia* + *-ista.*]

ficoterapia (fi.co.te.ra.*pi*.a) *sf. Ter.* Tratamento terapêutico à base de algas [F.: *fic(o)-* + *terapia.*]

ficoterápico (fi.co.te.*rá*.pi.co) *a.* Ref. a, ou que emprega a ficoterapia (tratamento ficoterápico) [F.: *ficoterapia* + *-ico*[2].]

fictício (fic.*tí*.ci:o) *a.* **1** Ref., inerente ou pertencente a ficção **2** Que é fruto da imaginação (personagem fictício; história fictícia); IMAGINÁRIO **3** *Fig.* Fingido, simulado (arrependimento fictício) [F.: Do lat. *ficticius, a, um.*]

ficto (*fic*.to) *a.* **1** Em que á falsidade, fingimento, engodo, simulação; FALSO; FINGIDO **2** *Jur.* Supostamente verdadeiro, no entender da justiça (declaração ficta) [F.: Do lat. *fictus*, part. de *fingere.*]

fícus (*fí*.cus) *sm2n. Bot.* Denominação comum às plantas do gên. *Ficus*, da fam. das moráceas, lactescentes, cultivadas para extração de madeira, fibras e resinas, pelo fruto comestível, como medicinais e esp. como ornamentais, muitas são também conhecidas como *figueira* ou *gameleira* [F.: Do lat. *ficus* 'figueira', pelo lat. cient. *Ficus.*]

fícus-benjamim (fi.cus-ben.ja.*mim*) *sm. Bot.* Designação comum a duas árvores ornamentais originárias da Malásia (*Ficus benjamina* e *Ficus retusa*), que alcançam até 16 m, muito cultivadas no Brasil, esp. em parques, jardins e avenidas; FIGUEIRA-BENJAMIM; FIGUEIRA; FÍCUS

fidalgaria (fi.dal.ga.*ri*.a) *sf.* **1** O conjunto ou a classe dos fidalgos **2** Agrupamento de fidalgos **3** Atitude, modos, hábitos ou comportamento característicos dos fidalgos [F.: *fidalgo* + *-aria.*]

fidalgo (fi.*dal*.go) *a.* **1** Diz-se de que ou quem ostenta um título de nobreza [Ant.: *plebeu.*] **2** Que demonstra generosidade: *Ela teve um gesto fidalgo.* [Ant.: *mesquinho.*] *sm.* **3** Indivíduo que tem título de nobreza [Ant.: *plebeu.*] **4** Aquele que demonstra generosidade: *Ele é um verdadeiro fidalgo.* **5** *Pej.* Que se passa por nobre, sem o ser, demonstrando arrogância e soberba **6** *Bras. Zool.* Certo peixe silurídeo de água-doce (*Callophysus macropterus*), do MS, MT PI e AM; piracatinga, piranambu **7** *Bras. Zool.* Espécie de bagre (*Luciopenidodus planatus*, Gunther). Tb. *bagre-d'água-doce* **8** *Bras. Zool.* Tubarão dos carcarrinídeos (*Carcharhinus obscurus*), do Atlântico, Pacífico e mar Mediterrâneo, às vezes agressor do homem [F.: Da loc. *filho de algo*, aglut. em *'filho d'algo'.*] ■ **À ~ a** À maneira ou ao estilo de fidalgo

fidalguesco (fi.dal.*gues*.co) [ê] *a.* Ref. a, próprio de ou concernente a fidalgo ou fidalguia (gesto fidalguesco) [F.: *fidalguia* + *-esco.*]

fidalguia (fi.dal.*gui*.a) *sf.* **1** Característica, qualidade, modos ou ação de fidalgo; condição de fidalgo **2** *Soc.* Grupo social constituído pelos fidalgos; a classe dos fidalgos; FIDALGARIA; ARISTOCRACIA; NOBREZA **3** Generosidade, nobreza de caráter e de comportamento [Ant.: *mesquinhez.*] [F.: *fidalgo* + *-ia*[1].]

fidedignidade (fi.de.dig.ni.*da*.de) *sf.* Característica, qualidade ou condição de fidedigno; AUTENTICIDADE: *fidedignidade da narrativa histórica; fidedignidade dos documentos apresentados.* [Ant.: *infidedignidade; falsidade.*] [F.: *fidedigno* + *-(i)dade.*]

fidedigno (fi.de.*dig*.no) *a.* **1** Que é merecedor de confiança, de crédito, de fé; AUTÊNTICO; VERDADEIRO; REAL: *Fez uma fidedigna exposição dos problemas da firma.* [Ant.: *falso.*] **2** *P.ext. Fig.* Que expressa ou representa a realidade de algo, que não é fraudado ou simulado (retrato fidedigno); AUTÊNTICO [F.: Da loc. lat. *fide dignus*, 'digno de fé'.]

fideicomissário (fi.dei.co.mis.*sá*.ri:o) *Jur.* *a.* **1** Que diz respeito ou tem relação com um fideicomisso (herdeiro fideicomissário) *sm.* **2** O beneficiário de um fideicomisso [F.: *fideicomisso* + *-ário.*]

fideicomisso (fi.dei.co.*mis*.so) *sm. Jur.* Disposição testamentária pela qual algum herdeiro ou legatário é encarregado de conservar e transmitir por sua morte a um terceiro a herança ou legado [F.: Do lat. *fideicomissum*, com provável interferência do fr. *fideicommis.*]

fideísmo (fi.de.*ís*.mo) *sm. Rel.* Doutrina teológica que prega a existência de verdades indiscutíveis baseadas apenas na fé, não levando em conta a razão [F.: Do rad. lat. de *fides* 'fé' + *-ismo*, com provável interferência do fr. *fidéisme.*]

fideísta (fi.de.*ís*.ta) *Rel.* *a2g.* **1** Ref. a fideísmo **2** Que preconiza a superioridade da fé em detrimento da razão **3** Que é adepto do fideísmo *s2g.* **4** Pessoa que preconiza a superioridade da fé em detrimento da razão **5** Pessoa adepta do fideísmo [F.: Do rad. lat. de *fides* 'fé' + *-ista*, com provável interferência do fr. *fidéiste*.]

fidelidade (fi.de.li.*da*.de) *sf.* **1** Qualidade ou atributo de quem é fiel *sf.* **2** Qualidade, atributo ou caráter do que é fiel à veracidade ou à representatividade de algo, ou à verdade dos fatos (fidelidade do resultado): *Contestou a fidelidade da tradução.* **3** Respeito aos compromissos assumidos ou ao vínculo com alguém ou algo (fidelidade à causa; fidelidade partidária): *Sempre acreditou na fidelidade do irmão.* **4** Compromisso ou respeito ao compromisso (assumido com pessoa com a qual se mantém relação amorosa) de sinceridade, reciprocidade e esp. de não envolvimento amoroso ou sexual com outrem (fidelidade do marido; fidelidade da namorada) **5** Constância, firmeza, perseverança [Ant.: *inconstância; volubilidade.*] **6** *Fís.* Capacidade ou propriedade de um sistema acústico reproduzir os sons de todas as frequências dum sinal original **7** *Fís.* Propriedade que uma balança tem de aferir repetidas vezes as mesmas forças e de apresentar sempre a mesma posição ou de lhes atribuir (quando eletrônica) sempre o mesmo valor [F.: Do lat. *fidelĭ tas, a tis*. Ant. nas acps. de 1 a 4: *infidelidade*.]

fidelismo (fi.de.*lis*.mo) *sm. Pol.* Teoria e prática política de Fidel Castro, *castrismo* [F.: Do antrop. *Fidel* + *ismo*.]

fidelista (fi.de.*lis*.ta) *a2g.s2g. Pol.* Partidário das ideias e da política de Fidel Castro, *castrista*

fidelizar (fi.de.li.*zar*) *v. td.* Fazer com que (um cliente) se torne fiel a uma marca, produto etc.: *O bom atendimento fidelizava os clientes.* [▶ 1 fidelizar] [F.: Do lat. *fidelis, -e*, sob a f. *fidel-* + *-izar*.]

fidúcia (fi.*dú*.ci:a) *sf.* **1** Segurança, confiança **2** Gesto ousado que denota confiança e segurança; ATREVIMENTO; AUDÁCIA; OUSADIA [Ant.: *desconfiança*.] **3** *Bras. Pej. Pop.* Comportamento atrevido, presunçoso, petulante; PRESUNÇÃO; PETULÂNCIA **4** *Jur.* Ônus a ser pago por usuário de um bem (outorgado em fideicomisso) que pertence a outrem (o fiduciário) [F.: Do lat. *fiducia, ae*.]

fiducial (fi.du.ci:*al*) *a2g.* Ref. ou inerente a fidúcia ou próprio dela; FIDUCIÁRIO [Pl.: *-ais*.] [F.: *fidúcia* + *-al*[1].]

fiduciário (fi.du.ci:*á*.ri:o) *a.* **1** Ref. ou inerente a confiança, ou que a revela; FIDUCIAL **2** *Econ.* Diz-se de papel-moeda, título etc. cujo valor depende apenas da confiança a ele conferida *sm.* **3** *Jur.* Aquele que recebe herança ou legado em fideicomisso, isto é, com a condição, estabelecida pelo testador, de transferi-los a outrem ou a ele pagar fidúcia [F.: Do lat. *fiduci a rius*, pelo fr. *fiduciaire*.]

fieira (fi:*ei*.ra) *sf.* **1** *Tec.* Aparelho para reduzir os metais a fio **2** *Tec.* Instrumento para medir o diâmetro dos fios ou a espessura das chapas metálicas **3** Fila de pessoas ou coisas (fieira de tijolos); FILEIRA **4** Série de objetos enfiados em linha, fio etc. (fieira de peixes); ENFIADA **5** *Min.* Veio mineral; FILÃO **6** *Lud.* Cordão com que se faz girar o pião **7** *Cons.* Viga sobre a qual se assentam as asnas dos telhados **8** *Fig.* Experiência, prova pela qual alguém passa **9** *Bras.* Linha da vara de pescar onde se prende o anzol [F.: *fio* + *-eira*.]

fiéis (fi:*éis*) *smpl. Rel.* Aqueles que seguem os ensinamentos de uma religião; CRENTES: *A congregação tem 100 mil fiéis.* [F.: Pl. de *fiel*; do lat. *fidelis,e*.]

fiel (fi:*el*) *a2g.* **1** Que mantém lealmente, que não abandona seus compromissos e vínculos: *É uma amiga fiel; um ativista fiel às causas partidárias.* **2** Que não é dado a trair ou que não trai aquele ou aquela com quem mantém relacionamento amoroso, sexual (homem fiel; esposa fiel) **3** Que mantém os mesmos hábitos e atitudes em relação pessoas ou coisas: *É um cliente fiel (desse restaurante).* **4** Conforme com a verdade ou com o padrão: "...fizeram um retrato fiel e realista do futebol do Rio..." (*O Globo*, 12.01.2004) **5** Que não falha, funciona bem, é preciso em sua função (balança fiel) **6** Que segue os princípios de uma religião, uma filosofia etc. [Pl.: *-éis*. Superl.: *fidelíssimo*.] *sm.* **7** Ponteiro indicador de equilíbrio entre os pratos de uma balança **8** *Mar.* Cabo fino com o qual se prende ou fixa algo: *volta de fiel* (*tipo de nó*). **9** Substituto de alguém em suas funções, por ser de sua confiança **10** *RS* Alça de couro na extremidade do cabo de rebenque, ou de copos de espada, na qual se enfia a mão para manejá-los com segurança [Pl.: *-éis*.] *s2g.* **11** Seguidor ou praticante de uma religião **12** Empregado de congregação religiosa ou de tribunal eclesiástico [F.: Do lat. *fidelis, e*. Ant. nas acps. 1 a 4: *infiel*.] ▪▪ **~ da balança** *Fig.* Em meio a alternativas, aquilo que decide, que orienta as ações ou as ideias

⊠ **Fiep** *sf.* Sigla de *Federação das Indústrias do Estado da Paraíba*

⊠ **Fiepe** *sf.* Sigla de *Federação das Indústrias do Estado de Pernambuco*

⊠ **Fiergs** *sf.* Sigla de *Federação das Indústrias do Estado do Rio Grande do Sul*

⊠ **Fierj** Sigla de *Federação das Indústrias do Estado do Rio de Janeiro*

⊠ **Fiesp** *sf.* Sigla de *Federação das Indústrias do Estado de São Paulo*

⊠ **FIFA** *sf.* Sigla de *Federação Internacional de Futebol Associação*

fifó (fi.*fó*) *sm. BA MG* Pequeno lampião a querosene com pavio [F.: Posv. de or. onom.]

figa (*fi*.ga) *sf.* **1** Amuleto na forma de mão fechada, com o dedo polegar entre os dedos indicador e médio, supersticiosamente usado como defesa contra doenças, perigos e malefícios **2** Gesto que imita esse amuleto, feito com a intenção de repelir azar ou desgraça [F.: Do lat. vulg. *fica* 'gesto obsceno', pelo fr. *figue*.] ▪▪ **De uma/duma ~** *Fam. Pop.* Expressão autêntica ou fingida (neste caso, carinhosa) de irritação com alguém ou algo: *Onde estará esse menino de uma figa?* **Fazer ~s a** **1** Amaldiçoar (algo ou alguém) **2** Demonstrar aversão, rancor por **3** Fazer pouco de, zombar de

figadal (fi.ga.*dal*) *a2g.* **1** *Anat.* Ref. ou próprio do fígado; HEPÁTICO **2** *Fig.* Visceral, que vem das vísceras, portanto profundo, intenso, mortal (diz-se de sentimento negativo em relação a algo ou alguém) (ódio figadal) **3** Diz-se do objeto de tal sentimento (inimigo figadal) [Pl.: *-dais*.] [F.: *fígado* + *-al*[1].]

fígado (*fí*.ga.do) *sm.* **1** *Anat.* Grande glândula anexa ao tubo digestório, responsável, entre outras coisas, pela secreção da bile, a fixação de gorduras, tratamento de hemácias etc. **2** Em animais como o boi, a galinha, o ganso etc., o órgão de igual função, utilizado na alimentação humana **3** *Cul.* Prato à base de fígado, esp. o bovino **4** *Bras. Fig.* Coragem, ânimo, ousadia: *É preciso ter fígado para enfrentá-los.* [Ant.: *covardia*.] [F.: Do lat. vulg. **ficatum* (com *a* breve), do lat. clás. *ficatum, i* (com *a* longo).] ▪▪ **De maus ~s** *Pop.* Irritadiço, genioso, vingativo **desopilar o ~** *Fig.* Livrar(-se) (alguém) de mau humor ou tristeza, ficando ou fazendo ficar alegre e bem-disposto **Ter maus ~s** Ser irritadiço, genioso, vingativo

📖 O fígado é uma glândula, a maior do organismo, e tem mais de duzentas funções. Uma das principais é reguladora, que mantém a estabilidade do organismo durante as funções fisiológicas do metabolismo. Produz a bílis (que elimina toxinas, metais, colesterol etc.), filtra as impurezas do sangue, limpa este de hemácias inativas, transformando-as em proteínas, forma a vitamina A, acumula vitaminas, água e ferro, atua na regulação do volume do sangue e tem fundamental ação antitóxica. As doenças mais comuns do fígado são a hepatite e a cirrose, esta grave e irreversível, em geral causada por grande e continuado consumo de bebidas alcoólicas.

fígaro (*fí*.ga.ro) *sm.* Profissional que barbeia e corta o cabelo; BARBEIRO [F.: De *Fígaro*, personagem do *Barbeiro de Sevilha* (1775), do autor fr. P.A. Beaumarchais (1732-1799).]

figo[1] (*fi*.go) *sm.* **1** *Bot.* Fruto da figueira, comestível, doce, com casca fina, ger. arroxeada, e polpa vermelha quando maduro **2** Designação comum a frutos de outras plantas em razão da semelhança com o da figueira **3** *Pop.* Úlcera do ânus **4** *Pop.* Coisa machucada, amarrotada, amassada [F.: Do lat. *ficus*.]

figo[2] (*fi*.go) *sm.* **1** *Bot.* Infrutescência da figueira, fruto comestível de casca fina e polpa carnosa e doce **2** Nome comumente atribuído a frutos de outras plantas, por semelhança com os da figueira **3** *Bot.* Certa árvore da família das sapotáceas (*Pouteria ramiflora*); FRUTA-DE-MANTEIGA **4** *Pop.* Algo amassado, roto, estragado etc. **5** *Pop.* Ulceração no ânus ou em órgão genital **6** *N.E. Pop.* Designação popular do fígado (1) [F.: do lat. *ficu*. Hom./Par.: *figo* (fl.figar). Ideia de. *'figo'*, usar antepos. *fic(i/o)-* e *sic (o)-*.]

figo-da-índia (fi.go-da-*ín*.di:a) *PA Angios. sm.* **1** Mesmo que *guibá* (*Opuntia inamoena*) **2** Mesmo que *figo-da-barbária* [Pl.: *figos-da-índia*.]

figueira (fi.*guei*.ra) *sf. Bot.* Nome comum às árvores do gên. *Ficus*, da fam. das moráceas, como, p. ex., *Ficus carica*, árvore pequena, originária da Ásia Menor, cultivada pelo fruto, o figo, e *Ficus benjamina*, árvore grande, de ramos pêndulos, nativa da Índia à Malásia, muito cultivada como ornamental e para extração de madeira [F.: *figo* + *-eira*.] ▪▪ **Plantar uma ~** *Bras. Pop.* Levar um tombo

figura (fi.*gu*.ra) *sf.* **1** *Art.gr. Art.pl. Des. Edit.* Desenho, pintura, gravura etc. de pessoa, animal ou coisa; ilustração, estampa, imagem: *Decorei a capa com figuras de revistas.* **2** A forma externa de um corpo, seu contorno, seu aspecto formal; sua representação gráfica, em duas ou três dimensões: *Esculpiu a figura de um homem.* **3** Imagem visual de algo: *A figura de um ipê florido contra o céu azul é maravilhosa.* **4** Representação simbólica de algo; SÍMBOLO: *A pomba branca é a própria figura da paz.* **5** Pessoa, celebridade, personagem: *O avô foi uma figura importante na sua vida; Lima Barreto é das maiores figuras da literatura brasileira.* **6** *Geom.* Forma geométrica (p.ex., uma esfera, um triângulo); CONFIGURAÇÃO; FORMATO **7** *Mús.* Representação simbólica da duração de uma nota (figura positiva) ou de uma pausa (figura negativa) [São oito ao todo (pela ordem da figura, com exceção da breve, que não está nela representada): breve, semibreve, mínima, semínima, colcheia, semicolcheia, fusa e semifusa. E cada figura representa a metade do tempo da que a precede e o dobro da que lhe sucede.] **8** *Cin. Teat. Telv.* Personagem de uma peça, um filme, uma novela, uma representação; o ator ou atriz que o representa **9** *Lud.* Representação do rei, da rainha e do valete nas cartas de baralho **10** Imagem indistinta, apenas vislumbrada; VULTO: *No quarto escuro, pareceu-lhe ver a figura de um homem.* **11** Tema central de uma representação (esp. gráfica) em relação ao contexto [Em Gestalt, tema e contexto são chamados de *figura e fundo*.] **12** *Ret.* Recurso linguístico que realça a expressão de certa parte do texto ou enunciado [Esse recurso, ou *figura*, pode ser de *palavras*, de *sintaxe* ou de *pensamento*.] **13** *Fil. Lóg.* Cada uma das (quatro) formas que pode assumir o silogismo de aristóteles **14** *Mús.* Grupo de notas numa composição musical que formam, na melodia e no ritmo, um trecho identificável como um componente estrutural da frase **15** Forma de agir, atuar, se apresentar [V. locs. *fazer boa/má figura* e *fazer figura*.] *sm.* **16** *CE* O diabo, o demônio [F.: Do lat. *figura, ae*. Hom./Par.: *figura* (sf.), *figura* (fl. de *figurar*).] ▪▪ **Fazer boa/má ~** Apresentar-se bem/mal, ter bom/mau desempenho, ser bem-sucedido/malsucedido, sair-se bem/mal em tarefa ou competição **Fazer ~** Chamar a atenção pela beleza, talento, apresentação, elegância etc., ou, ao contrário, pelo ridículo, fracasso etc.: *Que figura ela fez, é para nunca mais esquecer!* **Fazer triste ~** Sair-se vergonhosamente em tarefa, competição etc., ter desempenho abaixo da crítica **~ decorativa** *Fig.* Pessoa que, em certo contexto, não exerce qualquer papel ou função **~ de dança** *Mús.* No balé, ou em dança, cada uma das posições assumidas por um ou mais bailarinos, ou cada sequência de passos que forma dinamicamente uma imagem, ou figura **~ de difração** *Ópt.* Aquela que se forma no espaço, ou por projeção numa tela ou anteparo, de ondas luminosas desviadas por difração **~ de escola** *Esp.* Na patinação, volta realizada na direção do impulso do patim ou na direção contrária a ele **~ de interferência** *Ópt.* Aquela que se forma numa região do espaço na qual ou mais ondas entram em interferência uma(s) à(s) outra(s) **~ de linguagem** *Ling.* Forma simbólica ou elaborada de exprimir ideias, significados, pensamentos etc. de maneira dar-lhes mais expressividade, emoção, simbolismo etc. [Ex.: metáfora, metonímia, eufemismo etc.] **~ de proa** **1** Figura esculpida em proa de embarcação; carranca **2** *Fig.* Líder ou figura principal em empresa, governo, certa área de atividade etc. **~ de ruído** *Eletrôn.* Ruído expresso em decibéis **~ de valor/de ritmo** *Mús.* Cada símbolo que representa a duração, em tempo, de uma nota musical (figura positiva) ou de uma pausa (figura negativa) [São (tomando a semínima como unidade, ou seja, valendo um tempo): *breve* (oito tempos), *semibreve* (quatro tempos), *mínima* (dois tempos), *semínima* (um tempo), *colcheia* (1/2 tempo), *semicolcheia* (1/4 de tempo), *fusa* (1/8 de tempo) *semifusa* (1/16 de tempo).] **~ difícil** *Irôn.* Ver *Figurinha difícil* no verbete *figurinha* **~ dramática** *Teat.* Personagem de filme, peça teatral etc., com seu caráter próprio, seu comportamento etc. **~ geométrica** *Geom.* Conjunto de elementos geométricos (pontos, linhas, planos) que formam figura (como uma linha [uma reta, uma curva], um polígono [um triângulo, um retângulo etc.], um sólido [um cone, uma esfera, um cubo etc.]) **~ negativa** *Mús.* Figura de valor que representa pausa **~ positiva** *Mús.* Figura de valor que representa nota musical **~s congruentes** *Geom.* Aquelas que se pode fazer coincidirem perfeitamente, quando superpostas **~ semelhantes** *Geom.* Aquelas cujas formas são idênticas, mas não o tamanho [Pode-se dizer que uma corresponde à ampliação (ou redução) proporcional da outra.] **Mudar de ~** Mudar de aspecto, ficar diferente **Ser uma ~** Ser uma pessoa diferente, excêntrica ou engraçada: *Seu irmão é uma figura.*

figuração (fi.gu.ra.*ção*) *sf.* **1** Ação ou resultado de figurar, de tornar algo ou alguém visível na forma de figura, usando recursos gráficos, pintura, escultura etc. **2** *Art.gr. Art.pl.* O resultado da figuração (1), a representação, imagem, desenho, contorno, figura de alguém ou de algo **3** *Cin. Teat. Telv.* Papel muito pequeno de ator ou atriz, ger. só para completar cenário ou ação: *Ele só fez uma figuração na novela.* **4** *Cin. Teat. Telv.* O conjunto de atores escalados para fazer *figuração* (3) **5** *Astrol.* Aspecto dos astros do qual se tiram prognósticos **6** *Fig.* Comparecimento de membro de um determinado grupo em reunião ou assembleia deste apenas para constar ou para totalização de *quorum* **7** *P.ext.* Comparecimento de alguém em local ou evento apenas para ser visto [Pl.: *-ções*.] [F.: Do lat. *figuratio, onis*.]

figurado (fi.gu.*ra*.do) *a.* **1** *Art.gr. Art.pl.* Que se figurou; que se tornou figura: *Reconheceu na estátua um Hércules figurado.* **2** Que contém figura(s) ou alegoria(s) **3** *Ling. Ret.* Diz-se do sentido, da linguagem ou do estilo que se valem da metáfora, da metonímia; HIPOTÉTICO; SIMBÓLICO; ALEGÓRICO: *Abismo, em sentido figurado, significa também uma grande distância.* **4** Que tem o caráter de hipótese, suposição, expectativa: *Se a figurada vitória do Brasil se concretizar, ele voltará a liderar o ranking da FIFA.* **5** *Dnç.* Que é formado (tipo de dança popular ou de salão) por passos, marcações ou posições variadas (dança figurada) *sm.* **6** *Dnç.* Dança figurada [F.: Do lat. *figuratus, a,um*.]

figural (fi.gu.*ral*) *a2g.* Que diz respeito a figura [F.: *figura* + *-al*[1]. Hom./Par.: *figurais* (pl.), *figurais* (fl. de *figurar*).]

figuralidade (fi.gu.ra.li.*da*.de) *sf.* **1** Qualidade ou atributo do que pode ser representado por uma figura **2** Propriedade dos corpos de tomarem esta ou aquela forma [F.: Do lat. *figuralitas, atis*.]

figurante (fi.gu.*ran*.te) *a2g.* **1** Que figura *a2g.* **2** *Cin. Teat. Telv.* Diz-se de quem participa em figuração (3) em produções televisivas, teatrais ou cinematográficas (ator figurante); EXTRA **3** *P.ext.* Diz-se de quem tem papel e posição reduzidos ou apenas decorativos, numa reunião ou em sociedade *s2g.* **4** *Cin. Teat. Telv.* Aquele que é figurante (2) em representações no cinema, teatro, televisão etc. [F.: Do lat. *figurans, ntis*.]

figurão (fi.gu.*rão*) *sm.* **1** *Pop.* Pessoa importante no seu meio; MAGNATA; MANDACHUVA: *É um figurão do governo.* **2** *Lus.* Em Portugal, indivíduo ardiloso, astucioso [Pl.: *-rões*. Fem.: *-rona*.] [F.: *figura* + *-ão*[1].]

figurar (fi.gu.*rar*) *v.* **1** Traçar (por meios gráficos ou outros meios) a figura de, ou ter a figura, a forma de [*td.*: *Aque-*

las montanhas figuram um imenso camelo; Pegou do lápis e figurou à mão livre um círculo perfeito.] 2 Simbolizar, representar metaforicamente; SIGNIFICAR [**td.**: *A raposa figura a esperteza; o leão, a valentia.*] 3 Ter o significado de; representar [**td.**: *Para o aluno, o professor figurava a autoridade.*] 4 Estar incluído entre ou tomar parte de [**tr.** + *em*, *entre*: *O filme figura entre os dez melhores do festival.*] 5 Ter existência ou ocorrência; APARECER; OCORRER [**int.**: *Observando o ambiente, vê-se que já figuram aqui novas espécies.*] 6 Aparentar (algo); FINGIR [**td.**: *O atacante figurou uma contusão para abandonar o jogo.*] 7 Imaginar, supor; REPRESENTAR [**td.**: "Se vê que subiram de lá antes dos prazos, figuro que por empreitada de punir os outros..." (Guimarães Rosa, *Grande sertão: veredas*)] [**tdp.**: *Figurou-o mais gentil.*] 8 Conferir aparência de; REPRESENTAR [**td.**: *O escritor figurou a guerra como o apocalipse.*] 9 Criar situações mediante simulação; SIMULAR [**td.**: *Os bombeiros figuravam afogamentos para treinar os salva-vidas.*] 10 Desempenhar papel em; ATUAR [**tr.** + *em*: *Figuram naquele filme alguns dos melhores atores da atualidade.*] [▶ 1 figurar] [F.: Do lat. *figurare*. Hom./Par.: *figura(s)* (fl.), *figura(s)* (sf.sm.[pl.]); *figurais* (fl.), *figurais* (a2g.[pl.]); *figurarias* (fl.), *figurarias* (sf.[pl.]); *figuráveis* (fl.), *figuráveis* (a2g.[pl.]); *figuro* (fl.), *figuro* (sm.).]

figurativo (fi.gu.ra.*ti*.vo) *a.* 1 Que figura 2 Em que há a figura, a representação, a simbologia, de algo ou alguém ou que a denota, a expressa; REPRESENTATIVO; SIMBÓLICO: *Seus desenhos eram expressão figurativa de sua alegria.* 3 *Art.pl.* Diz-se da expressão artística, de diferentes épocas, culturas e correntes estéticas, que busca reproduzir a forma real das coisas (pintura figurativa) [Ant.: *abstrato.*] 4 *Art.pl.* Diz-se de quem é adepto ou praticante do figurativismo *sm.* 5 *Art.pl.* Aquele que faz arte figurativa [F.: Do lat. *figurativus*, pelo fr. *figuratif.*]

figurinha (fi.gu.*ri*.nha) *sf.* 1 Pequena figura 2 *Bras.* Estampa ou cromo colorido para colecionadores (esp. crianças) que ger. se cola em um álbum (figurinhas de jogadores) 3 *Gír.* Pessoa cujas características a tornam diferente: *Esse seu amigo é uma figurinha.* [F.: *figura* + *-inha*.] ▪ **~ carimbada** 1 *Pop.* Alguém ou algo raro, por sua singularidade ou por ser difícil de encontrar 2 *Pop.* Ao contrário da acp. anterior, alguém ou algo que se apresenta com frequência em algum meio ou contexto **~ difícil** 1 *Pej.* Pessoa difícil no trato, ou de difícil convivência 2 *Fig.* Pessoa esquiva, que se faz de difícil, complicada

figurinista (fi.gu.ri.*nis*.ta) *a2g.* 1 Diz-se de quem cria e/ou desenha figurinos, para cinema, teatro, televisão, dança, moda, propaganda etc. 2 *Cin. Dnç. Teat. Telv.* Que é responsável pelo figurino dos personagens *s2g.* 3 Aquele que cria e/ou desenha figurinos [F.: *figurino* + *-ista*.]

figurino (fi.gu.*ri*.no) *sm.* 1 Desenho ou modelo que segue o estilo de roupa da última moda, ger. criado por profissionais da alta-costura 2 *Antq.* Revista de modas: *Comprava todos os figurinos franceses.* 3 *Fig.* O conjunto dos figurinos (1), que estabelece ou acompanha padrão estilístico da última moda 4 Aquele que segue os padrões da última moda [Tb. ironicamente.] 5 Modelo, padrão: *Sua atuação não segue o figurino dos líderes.* 6 *Lus.* Roupa., traje que segue certo figurino (1) [F.: Do it. *figurino*.] ▪ **Como manda o ~** Como deve ser, como é de praxe

figurismo (fi.gu.*ris*.mo) *sm. Rel.* Corrente dos que interpretam os fatos narrados na Bíblia como uma alegoria [F.: *figura* + *-ismo*.]

fijiano (fi.ji.*a*.no) *a.* 1 Ref., inerente ou pertencente a República de Fiji (Oceania) 2 Típico de Fiji ou de seu povo (idioma fijiano; praias fijianas) *sm.* 3 Pessoa nascida ou que vive na República de Fiji 4 *Gloss.* Língua de origem malaio-polinésia falada em Fiji [F.: Do top. *Fiji* + *-ano*[1].]

fila[1] (*fi*.la) *sf.* 1 Alinhamento de indivíduos ou de coisas mais ou menos próximos; FILEIRA; ALA 2 O mesmo que *fila indiana* 3 Sequência alinhada de pessoas que se vão colocando uma atrás da outra, na ordem de chegada, em determinado lugar e para determinado objetivo (fila de ônibus, fila na bilheteria) 4 Em teatro, cinema, auditório, igreja etc., cada fileira (3) de cadeiras, uma ao lado da outra, no sentido da largura (todas voltadas para o palco, ou tela, ou, palanque etc.) [F.: Do fr. *file*. Hom./Par.: *fila* (sf.), *fila* (fl. de *filar*).] ▪ **~ indiana** Fila única, formada por pessoas uma atrás da outra **Furar ~** Não respeitar a ordem em fila (2), entrando à frente de quem chegou antes

fila[2] (*fi*.la) *sf.* 1 Ação ou resultado de filar (3), de agarrar, prender com os dentes 2 *N. N.E.* Ação de, em prova ou exame, copiar as respostas de outrem ou de outra fonte; COLAR *sm.* 3 *Bras. Zool.* Cão de certa raça desenvolvida no Brasil, ger. de índole agressiva (fila brasileiro) [F.: Dev. de *filar* (2) e *filar* (3).] ▪ **~ brasileiro** *Cinol.* Cão de fila de raça originária do Brasil, forte, de faro acurado, pelo curto, e muito agressivo. Tb. apenas *fila*[2] (3)

fila[3] (*fi*.la) *sf. Lus. Gír.* Cara feia [F.: Dev. de *filar* (3).]

filaça (fi.*la*.ça) *sf.* Filamento, fio de cânhamo ou de outra matéria têxtil [F.: Do espn. *filaza*.]

filactério (fi.lac.*té*.ri:o) *sm.* 1 *Rel.* Cada uma de duas caixinhas de couro contendo pergaminho com texto do Pentateuco, presas a correias de couro (sendo uma para cingir à cabeça, outra ao braço esquerdo) us. pelos judeus nas preces matinais dos dias úteis 2 *P.ext.* Qualquer faixa que tenha uma mensagem, legenda, preceito etc. 3 *Ant.* Amuleto, proteção contra a má sorte [F.: Do gr. *phylaktérion, ou*, pelo lat. tard. *phylacterium, ii.*]

◎ **-filá(c)tico** (-fi.*lá*(c).ti.co) = proteção, prevenção; -FILAX-: *profilá(c)tico*. [F.: Do gr. *phylaktikós, e, ón.*]

filáctico (fi.*lá*.ti.co) *a.* 1 Em que há proteção *sm.* 2 Aquilo que protege [F.: Do gr. *phylatikos.*]

filamentar (fi.la.men.*tar*) *a2g.* O mesmo que *filamentoso* [F.: *filamento* + *-ar*[1].]

filamento (fi.la.*men*.to) *sm.* 1 Fio muito fino 2 *Biol.* Estrutura vegetal ou animal composta de uma célula alongada ou de uma série linear de células 3 *Elet.* Em certas lâmpadas, filamento (1) feito de material que se aquece e fica incandescente com a passagem de corrente elétrica 4 *Eletrôn.* Eletrodo de uma válvula eletrônica us. para aquecer o catodo 5 *Eletrôn.* O catodo aquecido (por corrente elétrica) em válvula eletrônica 6 *Astron.* Mancha clara brilhante, que se vê na superfície da Lua 7 *Astron.* Imagem, em forma de listras negras, de protuberâncias solares quando fotografadas [F.: Do lat. medv. **filamentum*, pelo fr. *filament.*]

filamentoso (fi.la.men.*to*.so) [ô] *a.* 1 Formado por filamentos 2 Que tem estrutura fina e longa como a de um filamento [Fem. e pl.: [ó].] [F.: *filamento* + *-oso*. Sin. ger.: *filamentar*.]

filante (fi.*lan*.te) *a2g.* 1 *Bras.* Diz-se de quem tem o hábito de filar[1] 2 *Enol.* Diz-se de vinho que estragou, ficando com textura espessa e viscosa 3 *Astr.* Diz-se de fenômeno luminoso consequente da incandescência de matéria que desloca em velocidade e se atrita com camadas da atmosfera *s2g.* 4 *Bras.* Aquele que costuma filar, que fila (filante de cigarro) [F.: *filar* + *-nte* (acps 1 e 4). Do fr. *filant* (acps. 2 e 3).]

filantropia (fi.lan.tro.*pi*.a) *sf.* 1 Amor e dedicação ao ser humano [Ant.: *misantropia*.] 2 Bondade, generosidade para com o próximo 3 Ação ou prática de contribuir financeira, material ou moralmente (ou através da prestação de algum serviço) para o bem-estar alheio [F.: Do gr. *philanthropía, as*, pelo fr. *philanthropie.*]

filantrópico (fi.lan.*tró*.pi.co) *a.* 1 Ref. ou inerente à filantropia 2 Que é inspirado pela filantropia (sentimento filantrópico) 3 Que faz filantropia (instituição filantrópica); ALTRUÍSTICO; FILANTROPO 4 Dizia-se de um partido político criado no Pará após a abdicação de D. Pedro I, e aos que a ele pertenciam *sm.* 5 Esse partido político [F.: Do fr. *philanthropique*, deriv. gr. *philanthropikós.*]

filantropo (fi.lan.*tro*.po) [ô] *a.* 1 Diz-se de quem tem amor pela humanidade [Ant.: *misantropo*.] 2 Que pratica a filantropia *sm.* 3 Indivíduo filantropo [F.: Do gr. *philánthropos* pelo fr. *philanthrope.*]

filão (fi.*lão*) *sm.* 1 *Geol.* Camada contínua de uma mesma matéria (minério, tipo de rocha etc.) depositada na crosta terrestre 2 *Min.* Em uma mina, o filão (1) explorável do minério; VEIO 3 *Fig.* Fonte de onde se podem extrair coisas valiosas; origem de lucros e vantagens: *Esse negócio é um filão.* 4 *SP Pop.* Pão comprido, de tamanho e peso variados 5 *BA* Surgimento, nas camadas superiores, de rochas auríferas ou diamantíferas [Pl.: *-lões*.] [F.: Do it. *filone*, pelo fr. *filon.*]

filar[1] (fi.*lar*) *a.* 1 Em que há, ou que e feito de fio(s) 2 Diz-se de instrumento (micrômetro, telescópio) que apresenta fios ou traços de extrema finura cruzando seu campo visual, por meios dos quais se podem medir distâncias mínimas [F.: *fil(i)-* + *-ar*[1].]

filar[2] (fi.*lar*) *v.* 1 *Bras. Pop.* Usufruir gratuitamente de, ou pedir de graça [**td.**: *Filar uma refeição.*] [**tdi.** + *de*: *Vive filando cigarros dos outros.*] 2 *N.E.* Matar aula; GAZETEAR [**td.**: *Filou a aula de geometria.*] [**int.**: *Filou, foi passear no porto.*] 3 Agarrar, segurar [**td.**: *Filara-a pela cintura.*] 4 Segurar ou agarrar a presa com os dentes [**td.**] [**int.**] [▶ 1 filar] [F.: Da f. arc. *filhar*, 'pilhar', 'obter', do v.lat. **piliare*. Hom./Par.: *fila* (fl.), *fila* (sf.); *filas* (fl.), *filas* (pl. do sf.).]

filar[3] (fi.*lar*) *v.* 1 Sair em fuga ou debandada; FUGIR [**int.**: *Tão logo ouviu as sirenes, filou.*] 2 *Bras.* Seguir ou observar (alguém) ocultamente [**td.**: *Filara a jovem, antes de atacá-la.*] 3 Chorar (11) [**td.**: *Filou a carta, sem que os outros notassem*] [▶ 1 filar] [F.: Do fr. *filer*, posv.]

filar[4] (fi.*lar*) *v.* **td.** Instigar um cão ao ataque; AÇULAR [▶ 1 filar] [F.: *fila*[2] (f. red. de *cão de fila*) + *-ar*[2].]

filária (fi.*lá*.ri:a) *sf.* 1 *Zool.* Denominação comum a diversos gên. de vermes nematódeos da fam. dos filariídeos, parasitas de aves e mamíferos 2 *Bras. Bot.* Planta oleácea (*Philyrea angustifolia*) [F.: Do lat. cient. *Filaria.*]

filarmônica (fi.lar.*mô*.ni.ca) *sf.* 1 *Mús.* Grupo ou sociedade musical 2 Grande conjunto instrumental de músicos; orquestra filarmônica (3); SINFÔNICA: *a Filarmônica de Berlim.* [F.: Fem. substv. de *filarmônico*.]

filarmônico (fi.lar.*mô*.ni.co) *a.* 1 Que cultiva a música e a harmonia musical *a.* 2 *Mús.* Ref., inerente ou próprio de filarmônica 3 Diz-se de certas sociedades musicais ou grupos, como uma grande orquestra [F.: Do fr. *philharmonique* ou do it. *filarmonico.*]

filatelia (fi.la.te.*li*.a) *sf.* 1 Estudo, análise e pesquisa de selos de correio, dos mais diversos países; FILATELISMO 2 Atividade ou *hobby* de colecionar selos, esp. os raros e valiosos [F.: Do fr. *philatélie* termo criado pelo colecionador francês Herpin, posv. inspirado no gr. *filo-* + *atéleia* 'isento de imposto'.]

filatélico (fi.la.*té*.li.co) *a.* Ref. ou inerente a filatelia [F.: *filatelia* + *-ico*[2].]

filatelista (fi.la.te.*lis*.ta) *s2g.* 1 Pessoa ligada à filatelia; estudioso e/ou colecionador de selos de correio *a2g.* 2 Ref. ao filatelismo [F.: Do fr. *philatéliste*, ou de *filatelia* + *-ista*.]

filáucia (fi.*láu*.ci:a) *sf. Fil.* 1 Para Aristóteles, atributo virtuoso de amar a si mesmo sem exagero nem desapreço, como forma de buscar o bem. 2 Amor exacerbado a si mesmo 3 Manifestação de excessiva autoconfiança, vaidade [F.: Do gr. *philautía* pelo lat. *philautia.*]

◎ **-filax-** *el. com.* proteção, precaução, prevenção; -FILÁ(C)TICO: *anafilaxia*; *profilaxia*. [F.: Do gr. *phýlakis, eós.*]

filé (fi.*lé*) *sm.* 1 Carne retirada da região lombar de bois, porcos e outros animais 2 *Cul.* Bife feito com essa carne 3 *Bras.* Qualquer fatia fina de carne de peito de ave, esp. frango, peru etc. 4 Fatia longitudinal de carne do dorso do peixe, sem espinha 5 Certo trabalho de agulha em forma de rede, ou renda [F.: Do fr. *filet*.] ▪ **~ de borboleta** *Bras. Irôn.* Pessoa muito magra

fileira (fi.*lei*.ra) *sf.* 1 Agrupamento de pessoas, animais ou coisas alinhadas uma após outra ou ao lado de outra (fileira de alunos; fileira de cavalos) 2 *Mil.* Formação militar em que os soldados permanecem parados, um ao lado do outro, simetricamente 3 Série de assentos, um ao lado de outro, todos voltados para o palco, ou local da atração, em teatro, estádio, cinema etc.; FILA [F.: *fila*[1] + *-eira*.]

filé-mignon (fi.lé-mi.*gnon*) [nh] *sm.* 1 O mesmo que *filé* (1) (2), esp. a carne da ponta do lombo 2 *Cul.* Essa carne cortada em partes de espessura média, preparada com temperos 3 *Bras. Fig. Pop.* A melhor parte de algo: *Na partilha dos bens, os filhos ficaram com o filé-mignon.* [Pl.: *filés-mignons*.] [F.: Do fr. *filet mignon.*]

filete (fi.*le*.te) [ê] *sm.* 1 Fio de tamanho reduzido, ou fino; fiozinho: *joia feita de filetes de ouro.* 2 Algo que se assemelhe a um filete (1): *Só um filete de água saía da torneira.* 3 *Fig.* Risco, ranhura 4 *Anat.* Ramificação fina de um nervo 5 *Enc.* Traço fino que serve de vinheta ou moldura, ou que enfeita capa ou lombada de livros, ger. gravada a ouro; FIO 6 *Enc.* O ferro que grava esse traço 7 *Bot.* Porção do estame das flores que serve de suporte à antera 8 *Arq.* Moldura estreita que circunda ou é arrematada por moldura mais larga, a qual arremata 9 *Mús.* Estreito filete (2) de madeira ao longo da borda do tampo de instrumentos de corda [F.: Do fr. *filet*. Hom./Par.: *filete* (sm.), *filete* [é] (fl. de *filetar*).] ▪ **~ inglês** *Tip.* Filete grosso no meio e afinado nas pontas us. para separar matérias em página impressa de livro, jornal, revista, folheto etc.

◎ **fil(h)-** *pref.* = *filhote, filiação, filial* [F.: Do lat. *filius, ii.*]

filha (*fi*.lha) *sf.* Pessoa do sexo feminino em relação a seus pais [F.: Do lat. *filia,ae*. Hom./Par.: *filha* (sf.), *filha* (fl. de *filhar*).] ▪ **~ de Maria** *Ecles.* Mulher pertencente a congregação que pratica devoção a Maria, mãe de Jesus

filha de santo (fi.lha de *san*.to) *Bras. Rel. sf.* 1 Nos candomblés nagô e em alguns outros, mulher que passa por rito de iniciação e se torna a sacerdotisa de um orixá 2 Nos terreiros de umbanda, mulher que faz o papel de médium feminino, servindo de suporte às encarnações das entidades ou espíritos da casa [Pl.: *filhas de santo*.]

filharada (fi.lha.*ra*.da) *sf.* 1 Grande quantidade de filhos: *Chegou, e trouxe toda a filharada.* 2 *Bras. Fam.* Ninhada [F.: *filho* + *-arada*.]

filhinho (fi.*lhi*.nho) *sm.* Filho pequeno ou de pouca idade [F.: *filho* + *-inho*.] ▪ **~ de mamãe** *Irôn. Joc.* Pessoa excessivamente mimada ou superprotegida pela mãe **~ de papai** *Irôn. Joc.* Filho (ger. adulto) de pai rico e/ou superprotetor, que por isso goza de facilidades e confortos; filho de papai

filho (*fi*.lho) *sm.* 1 Indivíduo do sexo masculino em relação a seus pais; REBENTO 2 *Etnog.* Descendente de certo grupo: *os filhos de Israel.* 3 *Fig.* Originário ou oriundo de certo local: *Os beduínos são filhos do deserto.* 4 Indivíduo em relação a Deus ou a quem ou o quê o educou ou influenciou: *Somos todos filhos de Deus:* "Somos os filhos da revolução..." (Renato Russo, *Geração Coca-Cola*) 5 *Rel.* No cristianismo, o segundo componente da Santíssima Trindade; Jesus Cristo [Nesta acp. com inicial maiúsc.] 6 *Fig.* Expressão de carinho: *Desculpe, meu filho, pode me informar a hora?* 7 *Bras. Mús.* Pequeno tambor us. em sambas e batuques [Dim.: *filhote*] [F.: Do lat. *filius*.] ▪ **~ adotivo** 1 Filho de outrem que se adota legalmente 2 *Pop.* Filho de outrem que se toma sob proteção para cuidar, educar etc., sem adoção formal **~ adulterino** *Jur. Antq.* Filho gerado em relação sexual na qual se cometeu adultério **~ bastardo** *Pej.* Ver *Filho ilegítimo* [Como termo jur. não é us. atualmente no Brasil.] **~ de coito danado** *Pej.* Filho gerado em relação sexual banida por lei ou por motivos religiosos (esp. a incestuosa); filho sacrílego **~ de criação** Pessoa criada por pais adotivos, sem adoção formal, em relação a estes **~ de Deus** 1 *Rel.* Jesus, na crença cristã 2 *P. ext.* Todo ser humano **~ de fora** *Cver. Gui.* Ver *Filho ilegítimo* **~ de leite** Criança amamentada por ama de leite, em relação a esta **~ de papai** Ver *Filhinho de papai* **~ de uma quinhenta** *Moç. Pej.* Filho da puta **~ do Sol e neto da Lua** Pessoa que se alega de ascendência nobre ou ilustre **~ espúrio** *Pej.* Ver *Filho ilegítimo* [Como termo jur. não é us. atualmente no Brasil.] **~ ilegítimo** O que é gerado em relação sexual fora do casamento, podendo ser ou não adulterina ou incestuosa [Como termo jur. não é us. atualmente no Brasil.] **~ incestuoso** *Jur.* Filho ilegítimo gerado em relação sexual incestuosa, ou seja, entre pessoas cujo grau de parentesco entre si as impedira legalmente de casar **~ legitimado** Aquele que, não sendo originalmente legítimo, ganha tal condição ao se casarem os pais, ou por escritura ou declaração destes [Como termo jur. não é us. atualmente no Brasil.] **~ legítimo** Filho gerado por casal legalmente casado e na vigência do casamento [Como termo jur. não é us. atualmente no Brasil.] **~ natural** Filho gerado fora do casamento por casal para o qual, nessa ocasião, não havia impedimento legal de casarem-se [Como termo jur. não é us. atualmente no Brasil.] **~ póstumo** *Jur.* Aquele que nasce depois da morte do pai **~ pródigo** Aquele que volta, arrependido, à casa dos pais após dela ter-se afastado por longo tempo para uma vida devassa **~ putativo** **1** *Jur.* Aquele tido como filho de alguém, mas cuja filiação não é comprovável **2** Aquele nascido de casamento putativo, ou seja, contraído de boa-fé mas que na verdade estava legalmente impedido **~ reconhecido** Ver *Filho legitimado* [Como termo jur. não é us. atualmente no Brasil.] **~ sacrílego** *Pej.* Ver *Filho de coito danado* **~ único de mãe viúva** *Pop.* Coisa rara, única, singular **Meu ~** Forma de tratamento que pode manifestar carinho, mas também ser irônica **O ~ do Homem** Ver *Filho de Deus* **Os ~s da Candinha** *Bras. Pop.* As pessoas que falam mal de outras, os maledicentes **Também ser ~ de Deus** Dever ser reconhecido como pessoa que tem direitos iguais aos de outros

filhó (fi.*lhó*) *s2g. Cul.* Espécie de bolinho ou biscoitinho preparado com massa de farinha batida com ovos, frita e coberta com açúcar e canela ou calda doce [F.: De or. contrv. Tb. *filhós.*]

filho da mãe (fi.lho da *mãe*) *sm. Tabu.* Expressão eufemística: mesmo que *filho da puta* [Pl.: *filhos da mãe.*]

filho da puta (fi-lho da *pu*.ta) *Tabu. Pej. sm.* **1** Indivíduo safado, traiçoeiro, mau, de péssimo caráter **2** Também pode ser us. como elogio, embora seja de uso extremamente grosseiro: *Sujeito cheio de talentos, esse filho da puta!* [Pl.: *filhos da puta.*]

filho de santo (fi.lho de *san*.to) *sm. Bras. Rel.* Homem que ocupa a mesma posição das filhas de santo no candomblé, na umbanda e nos terreiros de macumba em geral [Pl.: *filhos de santo.*]

filhós (fi.*lhós*) *sm.* Ver *filhó*

filhote (fi.*lho*.te) [ó] *sm.* **1** Animal recém-nascido; CRIA [Col.: *ninhada.*] **2** *Bras.* Dim. de *filho* [Us. para denotar afeto, carinho, cuidado, seja por um filho ou não.] **3** Natural, oriundo: *É filhote do sertão, cabra-macho sim senhor.* **4** Indivíduo protegido, apaniguado, beneficiário de filhotismo; NEPOTE **5** *Zool.* Nome que se dá ao *piraíba*, peixe silurídeo, quando jovem **6** *Bras. Econ.* Cada uma das ações dadas aos acionistas de uma empresa a título de bonificação [F.: *filho* + *-ote.*]

filhotismo (fi.lho.*tis*.mo) *Bras. sm.* **1** Qualidade de filhote **2** Patronato mais ou menos escandaloso, em que se privilegia aos favoritos; AFILHADAGEM; FAVORITISMO; NEPOTISMO [F.: *filhote* + *-ismo.*]

◎ **fil(i)-** *el. comp.* Ver *fil(h)-*

◎ **fili-** *el. comp.* = fio: *filiforme.* [F.: Do lat. *filum, i.*]

◎ **-filia¹** *el. comp.* Registra-se em vocábulos cultos, de várias épocas, formados no vernáculo ou em outra língua de cultura moderna, em geral com as seguintes noções: **a)** '(grande) amizade, gosto ou apreço por (algo ou alguém); amor ou paixão por': *botanofilia, cinefilia, crisofilia, demofilia, dendrofilia, negrofilia, talassofilia*; **b)** 'amor ou interesse por um dado país, por seu povo e sua cultura': *americanofilia, anglofilia, brasilofilia, francofilia, galofilia, germanofilia, hispanofilia, italianofilia, russofilia, sinofilia*; **c)** 'atração': *aleofilia*; **d)** 'arte de colecionar (aquilo a que se tem grande apreço)': *bibliofilia, discofilia, iconofilia*; **e)** 'dedicação a ou determinada prática ou criação': *aquariofilia, cinofilia, columbofilia*; **f)** (*biol.*) 'tendência ou característica de certos organismos a buscar ou a desenvolver-se (melhor) em (dada condição ou ambiente)': *acrodendrofilia, ciofilia, criofilia, heliofilia, ombrofilia, psamofilia, psicrofilia, termofilia*; **g)** (*bot.*) 'polinização (por meio do referente expresso pelo rad. antecedente)': *anemofilia, entomofilia, ornitofilia, quiropterofilia, zoofilia*; **h)** (*biol.*) 'simbiose ou associação (entre organismos)': *acarofilia, mirmecofilia*; **i)** (*quím., histl.*) 'afinidade por (corante [com dada característica])': *basofilia, cianofilia, cromofilia*; **j)** (*biomédica*) 'propriedade de anticorpo': *homofilia¹*; **l)** (*psiq.*) 'dependência patológica (que leva ao consumo); vício': *alcoolofilia, toxicofilia*; **m)** (*psiq.*) 'desejo, gosto ou atração anormal por': *claustrofilia, ligofilia, misofilia*; **n)** (*psiq.*) 'desejo patológico': *algofilia, escopofilia, nosofilia, saprofilia, tanatofilia*; **o)** (*psiq.*) 'perversão que leva o indivíduo a sentir-se sexualmente atraído pelo (referente expresso pelo rad. que antecede)': *gerontofilia*; **p)** (*psiq., jur.*) 'a prática (criminosa) dessa perversão': *necrofilia, pedofilia* [F.: Do gr. *philía, as*, 'amizade'; 'afeição'; 'amor', do gr. *phílos, e, on*, 'amigo'; 'querido'; 'que ama'. F. conexa: *fil(o)-¹* e *-filo¹.*]

◎ **-filia²** *el. comp.* Registra-se em cientificismos da botânica, em geral com as ideias de: **a)** 'existência ou ocorrência de folhas com dada característica': *anisofilia, antofilia, esclerofilia, heptafilia, heterofilia, homofilia², isofilia, macrofilia, microfilia*; **b)** 'processo foliáceo': *anterofilia, pliofilia* [F.: Do gr. *phýllon, ou*, 'folha'; 'folha de árvore ou de planta'; 'pétala', + *-ia¹*. F. conexa: *fil(o)-².*]

◎ **-filia³** *el. comp.* = 'parentesco': *homofilia³* [F.: Do gr. *-phylía, as*, do gr. *phylé, ês*, 'tribo'; 'raça'. F. conexa: *fil(o)-³.*]

filiação (fi.li:a.*ção*) *sf.* **1** Ação ou resultado de filiar-se (a associação, clube, partido político etc.) **2** Relação de parentesco entre filhos e pais **3** Designativo dos pais de uma pessoa: *Ninguém conhecia sua filiação.* **4** Relação de coisas com uma mesma origem ou inspiração: *Queria conhecer a filiação daquela doutrina extravagante.* **5** Encadeamento de coisas resultantes umas de outras ou que têm alguma conexão **6** Ação de perfilhar [Pl.: *-ções.*] [F.: Do lat. *filiatio, ônis.* Sin. p.us.: *filhação.* Ideia de: *fil(h)-.*]

▪ **~ complementar** *Antr.* Num certo sistema de descendência, filiação oposta à que é padrão no sistema; na descendência matrilinear, portanto, é a filiação paterna, e na descendência patrilinear é a filiação materna **~ fictícia** *Jur.* Vínculo entre pais adotivos e a criança adotada **~ legítima** *Jur.* Vínculo entre pais e filho(s) gerado(s) dentro do casamento **~ natural** *Jur.* Vínculo entre pais e filho(s) gerado(s) fora do casamento **~ trintenária** *Bras. Jur.* Acervo dos documentos que comprovam os processos transmissão de domínio ou propriedade de um imóvel ao longo de 30 anos

filial (fi.li:*al*) *a2g.* **1** Ref. a ou que é próprio de filho (respeito filial) **2** Que tem filiação, dependência, subordinação **3** Diz-se de estabelecimento que é subordinado a outro, a matriz *sf.* **4** Estabelecimento comercial, loja ou escritório de empresa que está subordinado a outro, que é a matriz; SUCURSAL **5** *Com. Jur.* Sociedade comercial que, apesar de estar vinculada a uma matriz em matéria de administração e gestão, tem autonomia para a prática de atos com validade jurídica, e, por esse motivo, não pode ser confundida com agências ou sucursais **6** *Bras. Joc. Pop.* A amante (de homem casado ou comprometido com outra mulher, que seria, então, a matriz): *Saiu para passear com a filial.* **7** *Bras. Pext. Pop.* A casa da amante: *Passava os fins de tarde na filial.* [Pl.: *-ais.*] [F.: Do lat. *filiālis.* Ideia de: *fil(h)-.*]

filiar (fi.li.*ar*) *v.* **1** Integrar, agregar, inscrever em entidade, instituição, grupo, clube etc. [*td.*: *Gostou tanto do clube que filiou o amigo mesmo sem consultá-lo.*] [*tdr.* + *a*, *em*: *Resolvi filiar-me ao/no grêmio da escola.*] **2** Assumir a filiação de; adotar como filho; PERFILHAR [*td.*: *Filiou o sobrinho quando os pais deles morreram.*] **3** Atribuir a uma origem ou fonte, ou ter como origem ou fonte [*tdr.* + *a*: *Os críticos filiaram seu estilo agressivo aos manifestos dos anos 60.*] [*tr.* + *em*: *Todos os seus artigos filiavam-se nos fundamentos da psicanálise lacaniana*] [▶**1** filiar] [F.: *fili-* (do lat. *filius* 'filho') + *-ar².*]

◎ **filic(i)-** *pref.* = feto: *filiciforme* [F.: do lat. *filix, icis.*]

filiciforme (fi.ci.*for*.me) *a2g.* Que apresenta a forma ou lembra o formato de um feto [F.: *filic(i)-* + *-forme.*]

filiforme (fi.li.*for*.me) *a2g.* **1** Que tem forma de fio **2** Que é delgado ou fino como um fio **3** *Bot. Zool.* Diz-se de órgão, animal ou vegetal, que é fino e longo [F.: Do fr. *filiforme*, ou *fili-* + *-forme.* Ideia de: *fili-.*]

filigrana (fi.li.*gra*.na) *sf.* **1** *Our.* Obra de ourivesaria formada por fios de metal (esp. de ouro ou prata) delicadamente entrelaçados e soldados **2** *Art.gr. Pap.* Registro gráfico (figura, traço) feito em tela metálica que atua na pasta de papel em sua fabricação, o que torna o papel mais transparente nas áreas em que recebeu a imagem tornando-a visível quando a luz o atravessa; marca-d'água [Us. com o marca de segurança para papéis de valor (títulos, cédulas etc.).] **3** *Art.gr. Pap.* Em certa qualidade de papel, traço que se percebe através da incidência da luz **4** *Decor.* Adorno que resulta de um entrelaçado de fios de metal, encontrado em móveis e ornamentos de certas igrejas **5** *Fig.* Adorno de estilo em fala ou discurso: *Foi um discurso recheado de frases de efeito, de filigranas.* **6** *Fig.* Detalhe com pouca ou nenhuma relevância: *Atente para o conteúdo, não para as filigranas!* **7** *Fig.* Aquilo que não tem importância, que é insignificante; NINHARIA [F.: Do it. *filigrana.*]

filigranado (fi.li.gra.*na*.do) *a.* **1** Que se filigranou **2** Que contém filigrana(s): "Não via a névoa de graça que nimbava esses filigranados cofres." (Antônio de Figueiredo, *Dom Sebastião*) [F.: Part. de *filigranar.*]

filigranar (fi.li.gra.*nar*) *v. td. int.* **1** Aplicar fios de metal (ouro, prata etc.) sobre uma superfície **2** Fazer filigrana **3** Dar forma de filigrana a **4** Fazer trabalho delicado, minucioso, detalhista [▶**1** filigranar] [F.: *filigrana* + *-ar.* Hom./Par.: *filigrana(s)* (fl.), *filigrana(s)* (sf.[pl.]).]

filipeta (fi.li.*pe*.ta) [ê] *sf.* **1** *Bras. Pop.* Impresso promocional ou de publicidade distribuído nas ruas **2** *Pop.* Letra de câmbio, promissória etc. que não tem liquidez por ser parte de operação ilícita [F.: Do antr. *Filipe* + *-eta.*]

filípica (fi.*lí*.pi.ca) *sf.* **1** *Hist.* Célebre discurso proferido por Demóstenes (384-322 a.C.) contra Filipe, rei da Macedônia **2** *Pext.* Sátira agressiva e cruel que se faz contra alguém [F.: Do lat. *philippica.*]

filipino (fi.li.*pi*.no) *sm.* **1** Pessoa nascida ou que vive nas Filipinas (Ásia) **2** *Gloss.* A língua falada nas Filipinas; PILIPINO; TAGALO *a.* **3** Das ilhas Filipinas; típico desse país ou de seu povo **4** *Gloss.* Relativo à língua falada nas Filipinas **5** Ref. a ou que é próprio da dinastia dos reis espanhóis chamados Filipe, que reinaram em Espanha e Portugal [F.: Do top. *Filipinas* + *-ino* (1 a 4). Do antrop. *Filipe* + *-ino* (5).]

filipluma (fi.li.*plu*.ma) *sf. Anat. Zool.* Pena de ave com haste delgada, filiforme; FILOPLUMA [F.: *fili-* + *pluma.*]

filirrostro (fi.li.*ros*.tro) [rós] *a. Zool.* Diz-se de ave dotada de bico afilado [F.: *fili-* + *-rostro.*]

filisteu (fi.lis.*teu*) *a.* **1** *Hist.* Ref. aos filisteus, povo que habitava o litoral da antiga Palestina; FILISTINO [Fem.: *-teia.*] *sm.* **2** *Hist.* Indivíduo filisteu; FILISTINO **3** *Pej.* Diz-se de pessoa de espírito mesquinho e vulgar, de interesses meramente materiais [Fem.: *-teia.*] [F.: Do heb. *plishti*, pl. *plishtim*, pelo gr. *Philistieim* e pelo lat. *Philistaeus.*]

filistino (fi.lis.*ti*.no) *a.* Mesmo que *filisteu* (tb. subst.) [F.: Do lat. *philistini, orum.*]

filmadora (fil.ma.*do*.ra) [ô] *sf.* Câmera de filmar [F.: *filmar* + *-dora.*]

filmagem (fil.*ma*.gem) *sf. Cin. Telv.* Ação ou resultado de filmar, de registrar cenas em movimento com câmera de filmar, com fins profissionais ou não [Pl.: *-gens.* Aplica-se mais propriamente a cinema; em televisão diz-se *gravação.*] [F.: *filmar* + *-agem².*]

filmar (*fil*.mar) *v.* **1** *Cin. Telv.* Fazer filme(2) de, ou registrar em filme (1), fita de vídeo [*td.*: *Filmaram toda a viagem.*] [*int.*: *Filmou a manhã toda.* No caso de vídeo, diz-se mais *gravar.*] **2** Adaptar (romance, conto, reportagem) para o cinema [*td.*: *Filmara Vidas Secas, de Graciliano Ramos.*] **3** *Fig.* Transpor autor (ou seja, obra sua) para o cinema [*td.*: *No mesmo ano, filmaram Brecht e Peter Weiss.*] **4** Ter fotogenia [*ta.*: *Esse rapaz filma bem.*] [▶**1** filmar] [F.: *filme* + *-ar².* Hom./Par.: *filme* (fl.), *filmes* (fl.), *filme* (sm. [pl.]).]

filme (*fil*.me) *sm.* **1** *Cin. Fot.* Conjunto constituído por uma emulsão fotossensível depositada em base flexível de celuloide, us. para registrar imagens captadas por câmera fotográfica ou de filmar **2** Esse conjunto montado em um suporte (rolo, carretel etc.) adaptável à câmera a que se destina e assim comercializado **3** *Cin. Telv.* Conjunto de sequências filmadas ou gravadas que se projeta numa tela (filme publicitário, filme de suspense); FITA; PELÍCULA **4** *Cin.* Obra cinematográfica contida em filme ou outro suporte: *Os filmes de Ingmar Bergman.* **5** *Art. gr.* Fotolito **6** Folha muito fina de papel, celofane etc. com que se envolve e protege alguma coisa, ger. alimentos [Col.: *cinemateca, cinematografia, filmoteca.*] [F.: Do ing. *film.*] ▪ **~ cinematográfico** Filme us. na tomada e na reprodução de imagens de cinema (que pode ter especificações várias, de acordo com o equipamento e sua bitola, a sensibilidade etc.) **~ colorido** *Fot.* Aquele que registra ou reproduz imagens em cores **~ de curta metragem** *Cin.* Curta-metragem **~ de longa metragem** *Cin.* Longa-metragem **~ de mocinho** Bangue-bangue **~ de traço** *Art.gr. Fot.* Tipo de filme us. para reprodução de arte a traço ou imagem de alto-contraste; filme traço **~ enlatado** *Telv.* Filme ger. de baixa qualidade artística, produzido em lotes industriais, de temática ao gosto do grande público, para transmissão pela televisão. [Tb. apenas *enlatado*] **~ fotográfico** Filme us. na tomada e na reprodução de fotografias (que pode ter especificações várias, de acordo com o equipamento e sua bitola, a sensibilidade etc.) **~ infravermelho** *Fot.* Filme fotográfico cuja emulsão é sensível aos raios infravermelhos **~ negativo** *Fot.* Filme cujas imagens, quando reveladas, aparecem em negativo (claros em vez de escuros nos filmes preto e branco, as cores complementares em vez das naturais, nos filmes coloridos) **~ ortocromático** *Fot.* Filme preto e branco sensível a todas as cores, que reproduz de tons cinzentos ao preto, menos o vermelho **~ pancromático** *Fot.* Filme preto e branco, sensível a todas as cores,que reproduz de tons cinzentos ao preto, inclusive o vermelho **~ positivo** *Fot.* Filme cujas imagens, quando reveladas, aparecem em positivo, ou seja, análogas aos tons e cores da imagens naturais **~ preto e branco** *Fot.* Filme no qual as cores naturais são reproduzidas de tons cinzentos ao preto **~ superficial** *Fís.-quím.* Camada fina de material ou sustância que reveste um sólido ou recobre um líquido **~ traço** *Art.gr. Fot.* Ver *Filme de traço*

filmeco (fil.*me*.co) *sm. Bras. Pej. Cin.* Filme cinematográfico de má qualidade artística [F.: *filme* + *-eco.*]

filmete (fil.*me*.te) [ê] *sm. Cin.* Filme de curta metragem de pouca duração (ger. de 15 a 60 seg.), produzido com fins publicitários, em campanhas políticas etc., exibido na televisão e tb. em cinemas [F.: *filme* + *-ete* /ê/.]

fílmico (*fíl*.mi.co) *a.* Que diz respeito a filme ou é próprio de filme (literatura fílmica) [F.: *filme* + *-ico².*]

◎ **filmo-** *el. comp.* = cinema; filme: *filmografia; filmoteca*

filmografia (fil.mo.gra.*fi*.a) *sf. Cin.* Lista completa dos filmes de acordo com determinado critério: os de um certo diretor, ator, roterista, época, país etc.: *Filmografia de Federico Fellini.* [F.: *filmo-* + *-grafia.*]

filmográfico (fil.mo.*grá*.fi.co) *a.* Ref. a ou próprio de filmografia [F.: *filmografia* + *-ico².* Ideia de: *filmo-.*]

filmologia (fil.mo.lo.*gi*:a) *sm.* Estudo sobre a influência que o cinema exerce em diversos aspectos da sociedade [F.: *filme* + *-o-* + *-logia.*]

filmológico (fil.mo.*ló*.gi.co) *a.* Que se refere a filmologia [F.: *filmolog(ia)* + *-ico².*]

filmoteca (fil.mo.*te*.ca) *sf.* **1** *Cin.* Coleção de filmes; CINEMATECA **2** *Cin.* Lugar onde se colecionam ou guardam filmes; CINEMATECA **3** Parte de uma biblioteca onde se guardam microfilmes de livros e documentos raros **4** *Cin.* Sala de exibição de filmes de grande valor artístico, cultural, científico ou documental, conservados em arquivos ou bibliotecas próprios para esse fim [F.: *filmo-* + *-teca.*]

filmotecário (fil.mo.te.*cá*.ri.o) *Telv. a.* **1** Relativo a filmoteca *sm.* **2** Aquele que administra ou organiza uma filmoteca [F.: *filmoteca* + *-ário.*]

◎ **-filo¹** *el. comp.* Registra-se em voc. de várias épocas, formados no próprio grego, no latim, no vernáculo, ou em outra língua moderna. Como antepositivo (ver *filo-*), ocorre com as noções primevas de 'amigo' e de '(aquele) que ama' (*filósofo* [< gr.]), e de 'amor ou apreço' (*filoginia* [< gr.], *filosofia* [< gr.], *filotecnia* [< gr.], *filotimia* [< gr.]); como pospositivo, ocorre em geral em voc. com as seguintes ideias: **a)** 'que ou aquele que tem amor ou paixão por': *botanófilo, cinéfilo, demófilo*; **b)** 'que ou aquele que tem amor, admiração ou simpatia por um país, seu povo e sua cultura': *americanófilo, anglófilo, francófilo, galófilo, germanófilo, lusófilo*; **c)** 'que ou aquele que coleciona (aquilo a que tem grande apreço)': *bibliófilo, discófilo, iconófilo*; **d)** 'aquele que se dedica à criação de': *aquariófilo, cinófilo,* *columbófilo*; **e)** 'que gosta de': *hematófilo*; **f)** 'que tem atração por': *aleófilo*; **g)** (*biol.*) 'diz-se de ou organismo que vive ou se desenvolve melhor em dada condição ou ambiente': *briófilo, calcífilo, coprófilo, criófilo*; **h)** (*biol.*) 'diz-se de ou vegetal que é polinizado por': *anemófilo, entomófilo*; **i)** (*quím. histl.*) 'que tem afinidade por dado corante': *acidófilo, acromatófilo, anfófilo, basófilo, cromatófilo, eosinófilo*; **j)** (*psiq.*) 'que ou aquele que apresenta dada tendência mórbida ou que sofre de ou tem dada doença, distúrbio etc.': *agoráfilo, algófilo, claustrófilo, escatófilo, ligófilo, nosófilo*; **l)** (*psiq.*) 'que ou aquele que tem dada perversão sexual': *gerontófilo, necrófilo, pedófilo* [Com acento tônico na sílaba anterior.] [F.: Do gr. *phílos, e, on*, 'amigo'; 'que ama', e de seus derivados *philo* –, como no gr. *philólogos, os, on*, 'que ama falar', e *-philos, os, on*, como no gr. *paidóphilos, os, on*, 'que ama as crianças'. F. conexa: *-filia*^{1}.]

◎ **-filo^2** ***el. comp.*** Registra-se em voc. de botânica, formados no próprio grego ou na linguagem científica internacional, com a noção geral de 'folha' (*filocládio, filófago, filógeno, filoide, filotaxia*) e, também, com as seguintes especificações: **a)** 'folha de ou com dada forma': *briofilo, catafilo* (< gr.); **b)** 'que tem x folha(s) ou folhas [com dada característica]': *anisofilo, aclorofilo, adenofilo, afilo* (< gr.), *antofilo, argirofilo, calofilo, crisofilo, difilo, eritrofilo*; **c)** 'diz-se de folha (ou planta com essa folha) que tem x folíolos': *hendecafilo, heptafilo* (< gr.) [F.: Do gr. *phýllon, ou*, 'folha'; 'folha de árvore ou de planta'; 'pétala' (com *y* longo), e de seu derivado *-phyllos, os, on*, formador de adj. F. conexa: *-filia*^{2}.]

◎ **fil(o)-** ***el. comp.*** = 'tribo'; 'raça'; 'família'; 'grupo taxonômico': *filogênese, filogenesia, filogenia*; *alofilo* (< lat. < gr.) [F.: Do gr. *phylé, ês*, 'tribo'; 'raça' (com *y* longo). F. conexa: *-filia*^{3}.]

filo (*fi*.lo) ***sm.*** **1** *Biol.* Na classificação de animais e vegetais, a primeira grande subdivisão, logo abaixo de reino **2** *Ling.* Grande grupo de línguas que, por suposição, teriam uma origem comum [O termo costuma ser associado às classificações das línguas indígenas do continente americano, sendo algumas vezes substituído por *tronco* e *família*.] [F.: Do gr. *phýlon*, pelo lat. cient. *philum*.]

filó (fi.*ló*) ***sm.*** **1** Tecido fino, leve e transparente, em forma de rede, us. em véus, cortinados, acabamento de vestidos, saiotes de balé etc. **2** *Bras. Pop. Fut.* A rede do gol: *O goleiro foi buscar a bola no fundo do filó*; "Para estufar esse filó / Como eu sonhei/ Só/ Se eu fosse o Rei." (Chico Buarque, *O futebol*) [F.: Do lat. *filum, i*.]

filodendro (fi.lo.*den*.dro) ***sm.*** Nome comum às plantas do gên. Philodendron, da fam. das aráceas, com folhas lobadas e cerca de 400 spp., cultivadas pelos frutos comestíveis e como ornamentais, apesar de venenosas para crianças e animais domésticos, e encontradas em regiões tropicais das Américas [F.: Do lat. cient. *Philodendron*.]

filodérmico (fi.lo.*dér*.mi.co) ***a.*** Diz-se de substância us. para manter a frescura e maciez da pele [F.: *fil(o)-* + *-dérmico*.]

filogênese (fi.lo.*gê*.ne.se) ***sf.*** Mesmo que *filogenia* [F.: Do al. *Phylogenese*.]

filogenético (fi.lo.ge.*né*.ti.co) ***a.*** Que se refere à filogenia; FILOGENÉSICO; FILOGÊNICO [F.: *filogênese* + *-i-* + *-ico*^{2}.]

filogenia (fi.lo.ge.*ni*.a) ***sf.*** *Biol.* Evolução das espécies ou das unidades taxonômicas [F.: *fil(o)-* + *-genia*. Hom./Par.: *filoginia* (s.f.). Cf.: *ontogenia*.]

filogênico (fi.lo.*gê*.ni.co) ***a.*** Mesmo que *filogenético* [F.: *filogenia* + *-ico*^{2}. Hom./Par.: *felogênico* (adj.).]

filoide (fi.*loi*.de) ***a2g.*** Que tem a forma de uma folha, que se assemelha a uma folha [F.: *filo-* + *-oide*.]

filologia (fi.lo.lo.*gi*.a) *Filol.* ***sf.*** **1** Estudo de uma língua em todos os seus aspectos e dos escritos que a documentam **2** Estudo científico da evolução de uma língua ou de famílias de línguas; GRAMÁTICA HISTÓRICA **3** Estudo que tem por objetivo a restituição de um texto à sua forma linguística primitiva, retirando-se dele todos os acréscimos que sofreu no decurso de sua transmissão; crítica textual **4** Estudo de sociedades e culturas antigas por meio de textos por elas legados, privilegiando-se para tanto a língua escrita e literária [F.: Do gr. *philología*, pelo lat. *philologia, ae*.]

filológico (fi.lo.*ló*.gi.co) ***a.*** Ref. a filologia [F.: *filologia* + *-ico*^{2}.]

filólogo (fi.*ló*.lo.go) ***sm.*** Aquele que é versado ou especialista em filologia *P.us.*; FILOLOGISTA [F.: Do gr. *philólogos*, pelo lat. *philologus*.]

filoneísmo (fi.lo.ne.*ís*.mo) ***sm.*** Que demonstra gosto excessivo por coisas novas, por novidades [F.: *fil(o)-* + *ne(o)-* + *-ismo*. Ant.: *misoneísmo*.]

filoneísta (fi.lo.ne.*ís*.ta) ***a2g.*** **1** Diz-se de pessoa que gosta excessivamente de coisas novas, de novidades: *Era um jovem filoneísta obsessivo.* ***s2g.*** **2** Essa pessoa: *Meu Deus, casei-me com um filoneísta!* [F.: *fil(o)-* + *ne(o)-* + *-ista*. Ant.: *misoneísta*.]

filopatridomania (fi.lo.pa.tri.do.ma.*ni*.a) ***sf.*** *Psiq.* Desejo irresistível de voltar à terra em que se nasceu [F.: *filopatrid(o)-* + *-mania*.]

filopatridomaníaco (fi.lo.pa.tri.do.ma.*ní*.a.co) *Psiq.* ***a.*** **1** Referente a filopatridomania **2** Que sofre de filopatridomania; FILOPATRIDÔMANO ***sm.*** **3** Aquele que tem filopatridomania; FILOPATRIDÔMINO [F.: *filopatridomania* + *-íaco*.]

filopatridômano (fi.lo.pa.tri.*dô*.ma.no) ***a.*** O mesmo que *filopatridomaníaco* [F.: *filopatrid(o)-* + *-mano*.]

filosofante (fi.lo.so.*fan*.te) ***a2g.*** **1** Que é dado a filosofar **2** *Irôn.* Diz-se de indivíduo que fala de maneira disparatada sobre assunto sério, pretendendo-se sapiente ***s2g.*** **3** Esse indivíduo [F.: *filosofar* + *-nte*.]

filosofar (fi.lo.so.*far*) ***v.*** **1** Pensar, raciocinar sobre temas e questões relacionados com a filosofia [***tr.*** + *sobre*: *Filosofou a vida toda sobre o tempo.*] [***int.***: *Para filosofar à vontade, se fechava a todo convívio social.*] **2** *P.ext.* Cismar, meditar sobre qualquer assunto [***int.***: *Ficou olhando o corre-corre inútil, e filosofando.*] **3** *Fig.* Discutir, conversar, argumentando com sutilezas [***tr.*** + *com*: *Ficou a um canto, filosofando com os amigos.*] **4** Discorrer (oralmente ou por escrito) sobre um assunto, com induções ou deduções de natureza filosófica [***tr.*** + *sobre*: *Seu longo artigo filosofa sobre a questão do criacionismo.*] [***int.***: *Para tratar da interação entre fé e ciência, só filosofando.*] **5** *Pej.* Articular ideias complicadas em torno de coisas simples [***int.***: *Pedi que você me analisasse o jogo, não que filosofasse!*] [▶ **1** filosofar] [F.: Do lat. *philosophare*, por *philosophari*, por via erudita. Hom./Par.: *filosofais* (fl.), *filosofais* (a2g. [pl.]).]

filosofia (fi.lo.so.*fi*.a) ***sf.*** **1** *Fil.* Conjunto de estudos, de sistemas de pensamento e de reflexões intelectuais que visam a compreender a realidade absoluta, as causas elementares, os fundamentos dos valores e das crenças humanas, o sentido da existência **2** *Fil.* Conjunto de estudos que procura reunir um determinado ramo do conhecimento (a história, a sociedade, a natureza etc.) sob um número de princípios que lhe servem de base, de fundamento (filosofia da história/da ciência) **3** *Fil.* Conjunto dos sistemas filosóficos ou doutrinas de uma determinada época ou país, ou sistema filosófico constituído (filosofia francesa/hegeliana) **4** Disciplina que engloba conhecimentos filosóficos ou relativos à filosofia **5** *Fil.* Conjunto de obras de determinado filósofo: *A filosofia de Descartes.* **6** Conjunto de princípios ou normas que se aplicam à vida prática (filosofia de vida/popular); SABEDORIA **7** Estado de espírito sereno, que permite que se mantenha o ânimo elevado e o humor em situações adversas; SABEDORIA **8** O conjunto de ideias de alguém (um psicólogo, um cientista, um artista etc.) (a filosofia de Sigmund Freud/de Darwin/de Vinícius de Moraes) **9** *Bras. Pop.* Maneira própria de pensar (filosofia do morro/dos jogadores de futebol) **10** *Ant. Art.gr.* Tipo de 11 pontos no sistema Didot [F.: Do gr. *philosophía,as*. Ideia de: *fil(o)-* e *-sofia*.] ■ **~ da ação** *Fil.* Doutrina (do francês Maurice Blondel) segundo a qual o anseio do homem pelo divino parte de sua insatisfação com a própria ação humana **~ da história** *Fil.* A que especula sobre um possível sentido da história, a conferir aos eventos empíricos desta um significado ou explicação genéricos **~ da identidade** *Fil.* Doutrina (do alemão Friedrich Wilhelm Joseph Schelling) que identifica, no contexto do absoluto, os conceitos, antes opostos, da natureza (objetiva) e do espírito (consciência subjetiva) **~ da natureza** *Fil.* Na filosofia grega antiga, o acervo de especulações sobre o mundo natural; a partir do século XVIII, o aspecto filosófico e especulativo que se diferencia do desenvolvimento das ciências naturais **~ das luzes** *Fil.* Movimento filosófico e cultural do séc. XVIII fundamentado na prevalência da razão, da ciência e da liberdade intelectual sobre tradições fechadas em torno de dogmatismos e doutrinas, esp. em política e em religião; iluminismo; ilustração [Em al. *Aufklärung*; em ing. *Enlightenment*.] **~ primeira** **1** *Fil.* Segundo Aristóteles, a primeira das duas divisões básicas da filosofia, relativa ao que é divino e imutável [Cf.: *Filosofia segunda*.] **2** Segundo Bacon, o conjunto de todos os princípios formais comuns às diversas ciências **3** Segundo Descartes, a parte da filosofia que trata dos princípios primeiros e fundamentais da realidade (Deus e sua criação, as substâncias etc.) **~s da vida** *Fil.* Segundo Nietzsche, Bergson e outros, abordagens filosóficas das experiências diretas e imediatas da vida tal como se apresentam. e não por meio de especulações intelectuais, racionalistas ou científicas **~ segunda** *Fil.* Segundo Aristóteles, a segunda das duas divisões básicas da filosofia, relativa aos fenômenos da natureza [Cf.: *Filosofia primeira* (1).] **~s existenciais** Aquelas que se centram no homem, como ser individual e singular **~s vitalistas** Ver *Filosofias da vida*

📖 Como reflexão especulativa sobre coisas, fatos e ideias, suas causas, seus significados etc., a filosofia já está presente nos mitos das civilizações orientais mais antigas, em narrativas cheias de símbolos e metáforas de comportamentos e seus fundamentos éticos. Mas foi na antiga Grécia que Aristóteles 'inaugurou' a filosofia ocidental, no conceito de que ela não se bastaria em narrar fatos e eventos, como nas epopeias gregas, mas em elaborar, ou especular sobre, sua explicação e seu sentido. No início confundida com a pesquisa científica da explicação dos fenômenos naturais, a filosofia afinal separou-se das ciências como método (mas não como objeto), firmando-se em terreno próprio. Criaram-se vários sistemas e escolas filosóficos, já na Grécia, como os pré-socráticos Tales, Anaximandro, Empédocles, Parmênides, Zenon, Heráclito e Pitágoras; e os socráticos e pós-socráticos Sócrates, Anaximandro, Platão e Aristóteles. A partir de então, entre muitos outros grandes nomes da filosofia ao longo dos séculos, figuram Abelardo, Alberto Magno, Alfarabius, Tomás de Aquino, Averróes, Avicena, Francis Bacon, Roger Bacon, Isaiah Berlin, Anicius Boethius, Martin Buber, Edmund Burke, Lewis Carroll, Teilhard de Chardin, Auguste Compte, Confúcio, Jean d' Alembert, Jacques Derrida, René Descartes, John Dewey, Denis Diderot, R.W. Emerson, Frederik Engels, Erasmo de Rotterdam, Johann Fichte, Filon de Alexandria, Michel Foucault, Gregório de Nissa, Jürgen Habermas, G.W. F. Hegel, Martin Heidegger, Abraham Yehoshua Heschel, Thomas Hobbes, David Hume, Edmund Husserl, Immanuel Kant, Sören Kierkegaard, Lao-tsé, Gottfried Leibniz, Emanuel Levinas, Alain Locke, John Locke, Georg Lukács, Niccolò Machiavelli, Herbert Marcuse, Karl Marx, John Stuart Mill, Michel de Montaigne, barão de Montesquieu, Thomas More, Nachmanides, Friedrich Nietzsche, Blaise Pascal, Jean-Jacques Rousseau, Bertrand Russell, Jean-Paul Sartre, Arthur Schopenhauer, John Duns Scotus, Lucius Seneca, Adam Smith, Herbert Spencer, Baruch Spinoza, Voltaire, Simone Weil, Ludwig Wittgenstein.

filosofice (fi.lo.so.*fi*.ce) ***sf.*** **1** Qualidade de quem gosta de filosofar superficialmente, de maneira tola, pretensiosa **2** Filosofia superficial, tola, ridícula [F.: *filosofia* + *-ice*.]

filosófico (fi.lo.*só*.fi.co) ***a.*** **1** Ref. a filosofia ou a filósofo **2** Que é próprio da filosofia ou dos filósofos: *Seu livro era repleto de tiradas filosóficas.* **3** Que é marcado pela lógica, pela racionalidade: *Extraiu do incidente uma conclusão filosófica.* **4** *Maçon.* Ref. a qualquer um dos graus entre o19º e o 30º [F.: Do gr. *philosophikós*, pelo lat. *philosophicus*. Sin. ger.: *filosofal*.]

filosofismo (fi.lo.so.*fis*.mo) ***sm.*** **1** Mania de filosofar, de pensar e expressar-se filosoficamente **2** Filosofia barata, destituída de qualquer valor **3** Falsa filosofia [F.: *filosofia* + *-ismo*.]

filósofo (fi.*ló*.so.fo) ***a.*** **1** *Fil.* Que se dedica à filosofia ou é formado nessa área do conhecimento **2** *Fil.* Que cultiva a sabedoria, a reflexão lúcida, a lógica **3** *Fig.* Que sempre procede com comedimento e sabedoria, mesmo em situações adversas **4** *Fig.* Que demonstra indiferença ou superioridade diante de preconceitos, convenções sociais e preocupações materiais **5** *Pop.* Que exibe certo ar de desleixo, excentricidade, de mansa loucura ***sm.*** **6** Pessoa que se dedica à filosofia ou é formada nessa área **7** Pessoa que cultiva a sabedoria, a reflexão, a lógica **8** Indivíduo sábio e comedido **9** Aquele que não faz caso de preconceitos, convenções ou preocupações materiais **10** Pessoa desleixada, um tanto excêntrica [F.: Do gr. *philósophos*, pelo lat. *philosophus, i*. Ideia de: *fil(o)-* e *-sofo*.]

filtração (fil.tra.*ção*) ***sf.*** **1** Ação ou resultado de filtrar(-se); FILTRAGEM; FILTRAMENTO **2** Passagem de calor, luz, ruído etc. por algo que lhe reduz a intensidade; FILTRAGEM **3** *Fig.* Ato de separar de um todo aquilo que é fundamental ou desejado; ESCOLHA; FILTRAGEM; SELEÇÃO **4** *Fig.* Insinuação sutil (nas ideias de alguém); INFILTRAÇÃO [Pl.: *-ções*.] [F.: *filtrar* + *-ção*.] ■ **~ a vácuo** *Quím.* Aquela na qual a pressão sobre a face do filtro por onde escoa o elemento filtrado é menor que a pressão atmosférica **~ glomerular** *Fisl.* A que se realiza no sangue que passa pela rede de capilares de um glomérulo

filtrado (fil.*tra*.do) ***a.*** **1** Que se filtrou, que passou por processo de filtragem (água filtrada) **2** Que teve a intensidade diminuída por obstáculo suavizador: *Luminosidade filtrada pela vidraça da janela.* **3** Retirado de algo ou alguém por processo de seleção: *Suas ideias eram filtradas de antigos filósofos.* [F.: Part. de *filtrar*.]

filtrador (fil.tra.*dor*) [ô] ***a.*** **1** Que filtra; FILTRANTE ***sm.*** **2** Aquele ou aquilo que filtra [F.: *filtrado* + *-or*.]

filtragem (fil.tra.*gem*) ***sf.*** **1** Passagem de matéria líquida ou gasosa, na qual há corpos estranhos, por filtro ou algo que retém esses corpos **2** Passagem de luz, ruído, calor etc. por algo que torne menor sua intensidade **3** *Fig.* Separação, de um todo, daquilo que é essencial ou desejável: *Resolveu fazer uma filtragem em suas amizades.* [Pl.: *-gens*.] [F.: *filtrar* + *-agem*^{2}. Sin. ger.: *filtração*.]

filtrar (fil.*trar*) ***v.*** **1** Fazer passar ou passar por um filtro [***td.***: *Filtrar a água*] [***int.***: *A água ainda não filtrou.*] **2** Impedir que passe inteira ou parcialmente [***td.***: *filtrar raios solares.*] **3** Selecionar ou separar [***td.***: *O jornalista filtrou as informações recebidas.*] [***tdi.*** + *de*: *Filtrei das informações que recebi as que me interessavam.*] **4** Introduzir (algo) ou penetrar lentamente na ideia, na percepção, no sentimento de alguém; INSINUAR; INSTILAR [***tr.*** + *em*: *Essa resposta dela filtrou a dúvida em meu pensamento.*] [***tr.*** + *em*: *Ante a resposta dela, a dúvida filtrou-se em meu pensamento.*] **5** Secretar (humores, líquidos) [***td.***: *Os rins filtram a urina.*] **6** *Fig.* Mostrar-se, tornar-se perceptível, dar-se a conhecer; APARECER; SURGIR [***int.***: *Depois de algum tempo, seus pecados começaram a filtrar- se.*] [▶ **1** filtrar] [F.: *filtro* + *-ar*^{2}, ou do fr. *filtrer*. Hom./Par.: *filtro* (fl.), *filtro* (sm.).]

filtrável (fil.*trá*.vel) ***a2g.*** **1** Diz-se do que pode ser filtrado ***sm.*** **2** Denominação que comumente se dá aos vírus ultramicroscópicos [Pl.: *-veis*.] [F.: *filtrar* + *-vel*.]

filtro^1 (*fil*.tro) ***sm.*** **1** Dispositivo destinado a separar fluidos de substâncias sólidas **2** Dispositivo que purifica a água retendo partículas que ela contém; VELA **3** Pedra porosa que se usa para filtrar a água, tornando-a potável; TALHA **4** Recipiente composto por duas partes, separadas por um disco poroso, que filtra as impurezas da água e a torna potável **5** Tudo que serve para filtrar, reter ou selecionar (filtro solar, filtro de café, filtro de ideias) **6** Substância porosa que, na extremidade de alguns cigarros, supostamente filtram a nicotina e o alcatrão **7** Dispositivo avulso com o mesmo fim, adaptável ao cigarro **8** *Cin. Fot.* Placa ou tela que os fotógrafos usam para amenizar a intensidade luminosa ou com fins estéticos **9** *Fot.* Disco de vidro tratado de diferentes maneiras que se acopla em câmera fotográfica à frente da lente, para, conforme as características do tratamento, filtrar certas frequências de raios luminosos realçando ou atenuando cores e definições na foto, criando efeitos especiais etc. **10** *Ant.* Órgãos responsáveis pela filtragem dos humores do sangue [F.: Do lat. medv. *filtrum*, pelo fr. *filtre.*] ■ **~ acústico** *Acús.* Dispositivo que só permite a passagem de determinada faixa de frequências sonoras. [Tb. apenas *filtro.*] **~ ativo** *Eletrôn.* Aquele que inclui fontes de tensão ou corrente, além de componentes passivos **~ de absorção** *Eletrôn.* Componente em circuito eletrônico que absorve interferências indesejáveis e as envia para a entrada do circuito **~ de ar** *Mec.* Em motor de explosão, dispositivo que retém as impurezas do ar que é e enviado à mistura com o combustível **~ de areia** *Tec.* Aquele cujo elemento filtrador é um leito de areia adequadamente preparado **~ de banda** *Elet. Eletrôn.* Aquele que só permite a passagem de uma determinada banda, ou faixa, de frequências **~ de folhas** *Tec.* Aquele cujo elemento filtrador é constituído por lâminas porosas que são atravessadas pelo meio que se vai filtrar **~ de linha** *Eletrôn.* Dispositivo que elimina ou atenua oscilações da tensão elétrica que alimenta aparelho elétrico **~ de mangas** *Tec.* Aquele cujo elemento filtrador é constituído por sacos de pano que retêm o material indesejável, ao serem atravessados pela suspensão que se quer filtrar **~ de reflexão** *Eletrôn.* Aquele que reflete os sinais indesejáveis de volta para a entrada **~ elétrico** *Eletrôn.* Ver *Circuito filtro* no verbete *circuito* **~ óptico** *Ópt.* Aquele que retém a passagem de determinadas frequências de ondas luminosas **~ passa-altas** *Eletrôn.* Aquele que só permite a passagem de sinais com frequência acima de certo parâmetro, e bloqueia sinais com frequência abaixo desse parâmetro **~ passa-baixas** *Eletrôn.* Aquele que só permite a passagem de sinais com frequência abaixo de certo parâmetro, e bloqueia sinais com frequência acima desse parâmetro **~ passa-tudo** *Eletrôn.* Aquele que permite a passagem de sinais de todas as frequências, aplicando a todas a mesma atenuação **~ passivo** *Eletrôn.* Aquele que só tem componentes passivos, e não inclui fontes de tensão ou corrente **~ RC** *Eletrôn.* Filtro elétrico que combina resistores e capacitores **~ solar** Substância que, aplicada na pele, atenua os efeitos nocivos de certas radiações dos raios solares, principalmente as ultravioleta

filtro² (*fil.*tro) *sm.* Beberagem que supostamente despertava sentimentos de amor ou produzia outros efeitos mágicos; AMADIO; AMAVIA; AMAVIO; ELIXIR; POÇÃO MÁGICA [F.: Do gr. *philtron*, pelo lat. *philtrum, i.*]

fim *sm.* **1** Momento em que um fenômeno ou ação se encerra: *Chegaram ao fim da viagem.* **2** Ponto além do qual não se pode continuar, prosseguir: *O fim da estrada* **3** A última parte de alguma coisa: *Não chegou a ver o fim do filme.* [Ant.: *começo, início.*] **4** Ponto extremo de algum espaço **5** Aquilo que representa um objetivo, uma meta **6** Aquilo que representa uma motivação para determinado fato ou atitude; CAUSA; MOTIVO; RAZÃO **7** Término de alguma coisa, de seu funcionamento, de sua utilidade etc.; DESAPARECIMENTO; QUEDA; RUÍNA **8** Falecimento, morte: *Seu fim foi muito triste.* [Pl.: *fins.*] [F.: Do lat. *finis, is.* Ideia de: *fin-.*] ■ **A ~** Com vontade, com disposição (de fazer algo já mencionado): *Todos foram à praia, mas ela não estava a fim.* **A ~ de** **1** Com o propósito de, para: *Estou a fim de ir ao jogo este domingo.* **2** Atraído (amorosamente) por (alguém), propenso a namorar (alguém): *Ele está a fim da vizinha.* **Ao ~ e ao cabo** No final de tudo **Dar ~ a** **1** Concluir, rematar **2** Dar sumiço a, fazer desaparecer: *A seca deu fim à plantação.* **3** Acabar com, extinguir, liquidar; matar **Estar a ~** *Bras. Gír.* O mesmo que *Estar a fim (de)* **Estar a ~ de** Estar desejoso de (algo ou fazer algo), ou a traído (amorosamente) por (alguém), propenso a namorar (alguém) **~ de/do mundo** **1** *Fig.* Lugar distante e/ou de difícil acesso; cafundó **2** Grande confusão ou transtorno; calamidade, catástrofe **~ de semana** Tempo de lazer após uma semana de trabalho, ger. considerado como aquele entre o início da noite de sexta-feira e o fim da noite de domingo **~ do espinhaço** *Tabu.* Ânus **~ em si** *Fil.* Finalidade, meta, bons em si mesmos como objetivo final geral, e não como etapas intermediárias ou em benefício individual **Por ~** Finalmente, depois de muito tempo ou de muito esforço [Us. tb. como exclamação.] **Pôr ~ a** O mesmo que *Dar fim a* (1) **Que ~ levou?** Onde foi parar (algo ou alguém que estava em certo lugar e não está mais)? **Ser o ~ (da picada)** Ser (algo, alguém ou situação) desagradável, penoso, inconveniente etc. [Us. tb. como exclamação: *É o fim (da picada)! Esqueci o guarda-chuva!*] **Ter ~** Acabar, findar: "Tristeza não tem fim, felicidade sim" (Tom Jobim e Vinícius de Morais, *A felicidade*)

fímbria (*fím*.bri:a) *sf.* **1** Traço, linha que denota algo que se estende longitudinalmente **2** *Fig.* Linha tênue de algo; LAIVO: *um céu claro, sem fímbria de nuvem.* **3** Parte que delimita um espaço, esp. terreno; MARGEM; ORLA **4** Extremidade inferior de manto, vestido, saia etc. **5** Enfeite ger. aplicado na extremidade de um tecido **6** *Anat.* A parte extrema da tuba uterina, junto ao ovário **7** *Zool.* Qualquer estrutura constituída de franjas **8** *Bot.* Qualquer porção de um órgão vegetal que se apresente segmentada em camadas finas [F.: Do lat. *fimbria, ae.*]

fimbriado (fim.bri.*a*.do) *a.* **1** Que se fimbriou, que apresenta fímbria ou franja **2** Que se assemelha a uma franja; RENDILHADO **3** *Bot.* Recortado na fímbria, na margem (diz-se esp. de pétala) [F.: Do lat. *fimbriatus, a, um.*]

fimbriar (fim.bri.*ar*) *v. td.* Enfeitar com fímbria ou algo similar; franjar [F.: *fímbria* + *-ar²*. Hom./Par.: *fimbria(s)* (fl.), *fímbria* (sf.) e pl.]

fim de século (fim de *sé*.cu.lo) *a2g.* **1** Que pertence a ou é próprio do fim do séc. XIX **2** *P.ext.* Que é característico do fim de um século; FINISSECULAR **3** Que é moderno (em relação à sua época)

fimose (fi.*mo*.se) *sf. Med.* Estreitamento da abertura do prepúcio, que impede que a glande passe por ela e se descubra; ACROBISTIA; CAPISTRAÇÃO *BA*; BICO DE CANDEEIRO *MG*; BICO DE LAMPARINA [F.: Do gr. *phimosis*, pelo lat. cient. *phimosis* e pelo fr. *phimosis.*]

finação (fi.na.*ção*) *sf. Mús.* Cantiga de Cabo Verde, África, ger. improvisada, que faz parte do batuque desse país [Pl.: *-ções.*]

finado (fi.*na*.do) *a.* **1** Que se finou *a.* **2** Diz-se de quem morreu ou acabou de morrer *sm.* **3** Morto, defunto [F.: Part. de *finar.*]

finados (fi.*na*.dos) *smpl.* Ver *dia de finados* no verbete *dia*

finais (fi.*nais*) *sfpl. Bibl.* Partes de um livro que quase sempre aparecem ao final do volume, como posfácio, apêndice, índice etc.

final (fi.*nal*) *a2g.* **1** Que está na última parte, no fim [Ant.: *inicial.*] **2** Que é o último, o derradeiro **3** *Gram.* Diz-se de conjunção subordinativa que expressa intenção ou finalidade (p.ex.: *que, para que*) **4** Diz-se do último ponto, o ponto que encerra um texto, um livro, um artigo etc. *sm.* **5** Fim, termo [Ant.: *começo, início.*] **6** Maneira pela qual se chega ao fim de um negócio, narrativa etc. *sf.* **7** *Esp.* Última prova ou jogo (de torneio, competição, campeonato etc.) que indica um vencedor; FINALÍSSIMA: *A final será no Maracanã.* [Pl.: *-nais.*] [F.: Do lat. tar. *finatis,e.*] ■ **~ feliz** Desenlace favorável de uma trama, um enredo, uma situação da vida real

⊕ **finale** (fi.*na*.le) (*It.*) *sm. Mús.* Em música erudita, a última parte ou movimento de uma composição [F.: Do it. *finale.*]

finalidade (fi.na.li.*da*.de) *sf.* **1** Objetivo, propósito, alvo que se pretende alcançar ou para o qual algo se destina: *Sua finalidade era ficar rico; Não entendo a finalidade desse projeto.* **2** *Fil.* Doutrina segundo a qual tudo que acontece tem um fim determinado [F.: Do lat. tardio *finalitâs, atis.*]

finalismo (fi.na.*lis*.mo) *sm. Fil.* Objetivo (de correntes filosóficas) de buscar e identificar a suprema finalidade do homem e da natureza [F.: *final* + *-ismo.*]

finalíssima (fi.na.*lís*.si.m a) *sf. Esp.* A última prova de uma competição, de uma disputa etc.; o mesmo que *final⁷*: *A finalíssima foi entre Flamengo e Corinthians.* [F.: *final* + *-íssimo.* Ideia de: *fin-.*]

finalista (fi.na.*lis*.ta) *a2g.* **1** *Esp.* Diz-se daquele que disputa uma final: *Era um dos clubes finalistas.* **2** Diz-se de alguém que está no último período de um curso **3** Que se refere ao finalismo **4** Que é adepto do finalismo *s2g.* **5** Aquele que disputa uma final ou finalíssima: *Os finalistas estavam bem preparados.* **6** Pessoa que está no último período de um curso **7** O adepto do finalismo [F.: *final* + *-ista.*]

finalístico (fi.na.*lís*.ti.co) *a.* **1** Relativo a final **2** Que tem um fim em si mesmo [F.: *finalista* + *-ico².*]

finalização (fi.na.li.za.*ção*) *sf.* **1** Ação ou resultado de finalizar(-se); CONCLUSÃO; TÉRMINO **2** Conjunto de trabalhos ou arremates que concluem uma obra **3** *Art.gr.* O mesmo que *arte-final* [Pl.: *-ções.*] [F.: *finalizar* + *-ção.*]

finalizado (fi.na.li.*za*.do) *a.* Que se acabou, finalizou, terminou; CONCLUÍDO [F.: Part. de *finalizar.*]

finalizador (fi.na.li.za.*dor*) [ô] *a.* **1** Que finaliza, que termina, que faz acabar *sm.* **2** Aquele ou aquilo que finaliza, que conclui alguma coisa **3** *Fut.* Aquele cuja principal característica é chutar em gol, finalizando uma jogada ou uma série de jogadas [F.: *finalizado* + *-or.*]

finalizar (fi.na.li.*zar*) *v.* **1** Chegar ao final ou provocá-lo; CONCLUIR; REMATAR [*td.*: *Finalizou a obra; Decidiu finalizar a investida.*] [*int.*: *Sua fuga finalizou otimamente.*] **2** Dizer em conclusão [*td.*: *"O caso está encerrado", finalizou o delegado.*] **3** *Fut.* Chutar para o gol; CONCLUIR [*int.*: *O atacante finalizou com força.*] [▶ **1 finalizar**] [F.: *final* + *-izar.*]

finanças (fi.*nan*.ças) *sfpl.* **1** A situação financeira de um país, uma instituição, um indivíduo etc. com relação aos recursos econômicos de que dispõem: *As finanças do governo estadual:* "... Carlos não entendia de finanças: mas parecia-lhe que, desse modo, o pais ia alegremente e lindamente para a bancarrota." (Eça de Queirós, *Os Maias*) **2** Administração dos recursos financeiros (setor de finanças) **3** Sistema financeiro **4** A ciência e a profissão que lidam com recursos financeiros, esp. os do Estado: *Meu tio entende de finanças.* **5** Órgão que administra os recursos financeiros do Estado; o erário, o tesouro público, a fazenda nacional [F.: Pl. de *finança*, este do fr. *finance.*]

financeira (fi.nan.*cei*.ra) *sf. Bras. Econ.* Organização, empresa, instituição de crédito que, autorizadas por seus clientes, trabalham com financiamento e títulos de crédito [F.: Fem. de *financeiro.*]

financeiro (fi.nan.*cei*.ro) *a.* **1** Referente a finanças; FINANCIAL *sm.* **2** Indivíduo ou empresa especialista em finanças; FINANCISTA **3** O setor responsável pelas finanças de uma empresa, instituição, entidade etc. [F.: *finança* + *-eiro.*]

financiado (fi.nan.ci.*a*.do) *a.* Que teve financiamento ou foi custeado: *A compra da casa foi financiada pelo banco.* [F.: Part. de *financiar.*]

financial (fi.nan.*ci*.al) *a2g.* Ver *financeiro* [Pl.: *-ais.*] [F.: *finança* + *-ial.*]

financiamento (fi.nan.ci:a.*men*.to) *sm.* **1** Ação ou resultado de financiar **2** Disponibilização, provisão de capital para financiar a realização de uma empresa, de um projeto; CUSTEIO; SUSTENTO: *Precisava de financiamento para abrir o bar.* **3** Esse capital: *Com tal financiamento a empresa não podia ir longe.* **4** Concessão de crédito para o pagamento de uma dívida, expresso no parcelamento deste ao longo de um prazo [F.: *financiar* + *-mento.*]

financiar (fi.nan.ci.*ar*) *v.* **1** Arcar com as despesas de, prover (alguém, instituição etc.) de recursos financeiros para; CUSTEAR [*td.*: *Financiou os estudos da menina.*] [*tdi.* + *a, para*: *O banco financiou ao casal a construção da casa.*] **2** Disponibilizar, prover (quantia) como financiamento (a) [*tdi.* + *a*: *A firma financiou R$5.000 a cada gerente para aquisição de computadores pessoais.*] [*td.*: *Do total das despesas com a mudança do diretor, a empresa financiou metade.*] [▶ **1 financiar**] [F.: *finança* + *-iar.* Hom./Par.: *financiais* (fl.), *financiais* (a2g. [pl.]), *financiáveis* (fl.), *financiáveis* (a2g. [pl.]).]

financiável (fi.nan.ci.*á*.vel) *a.* Que pode ser financiado [Pl.: *-veis.*] [F.: *financi(ar)* + *-ável.*]

financista (fi.nan.*cis*.ta) *s2g.* **1** Especialista em finanças; FINANCEIRO *a2g.* **2** Ref. a finanças (visão financista) [F.: *finança* + *-ista.*]

finar (fi.*nar*) *v.* **1** Acabar, findar [*td.*: *O doente finou-se muito cedo.*] **2** Perder vitalidade, força; CONSUMIR-SE; DEBILITAR-SE [*td.*: *Finou-se de sofrimento quando o filho partiu.*] **3** *Fig.* Desejar de maneira intensa [*td.*: *Finava-se por comer todo o sorvete.*] **4** Chegar ao final; encerrar atividade, ciclo, existência [*int.*: *Esses velhos costumes finaram.*] [▶ **1 finar**] [F.: *fim* + *-ar²*. Hom./Par.: *finais* (fl.), *finais* (pl.final [a2g]); *fino* (fl.), *fino* (a.sm.adv.); *fenar* (vários tempos do v.).]

fincado (fin.*ca*.do) *a.* **1** Que se fincou: *O rosto dos rivais reflecia-se no aço da faca fincada na árvore.* **2** Que se cravou, pregou ou fixou **3** Que se apoiou de maneira sólida: *Com os cotovelos fincados na mesa, começou a falar* **4** Fortemente estabelecido, arraigado, enraizado: *Sua mente era confusa e fincada em ideais ultrapassados.* [F.: Part. de *fincar.*]

fincão (fin.*cão*) *sm.* **1** *Ent.* Mesmo que *mosquito* **2** *N.E. Ent.* Mesmo que *barbeiro* **3** *Bras.* Mesmo que *finca* (jogo infantil) **4** Haste de pau que, em posição vertical, sustenta uma armadilha [Pl.: *-cões.*] [F.: *finca* + *-ão.*]

finca-pé (fin.ca-*pé*) *sm.* **1** Firmeza ou equilíbrio que se obtém a partir do ato de fincar o pé fortemente **2** *Fig.* Firmeza de atitude, pensamento, opinião etc.: *Fez finca-pé na atitude de não aceitar o rapaz.* **3** O que dá proteção, sustentação: *O dinheiro da mãe era o seu finca-pé.* **4** Apoio, amparo: "Por mim, ouço o que dizem leigos e professores e não arredo deste finca-pé." (Aquilino Ribeiro, *Batalha sem fim*) **5** *Mar.* Pedaço de madeira resistente que se coloca em pequenos barcos para o remador firmar os pés [Pl.: *finca-pés.*] ■ **Fazer ~** Insistir teimosa ou obstinadamente numa opinião, numa decisão etc.

fincar (fin.*car*) *v.* **1** Cravar(-se) firmemente, enterrar(-se) [*tda.*: *Fincou um prego na porta do depósito.*] **2** Firmar(-se), apoiar(-se); estacar [*tda.*: "... fincou a cabeça no travesseiro, e dormiu..." (José de Alencar, *Senhora*)] [*int.*: *Fincara-se horas naquela obsessão.*] **3** *Fig.* Basear de maneira sólida; ARRAIGAR(-SE) [*tdr.* + *em*: *Fincara os projetos em bases sólidas.*] [*tr.* + *em*: *Suas conclusões fincaram-se na experiência.*] **4** Encaixar com força [*tda.* + *em*: *Fincou a cunha de madeira na base da porta.*] **5** Desenvolver movimento impetuoso [*td.*: *Fincou uma carreira do começo ao fim da praia.*] [▶ **11 fincar**] [F.: Do lat. vulg. *figicare* de *figere* 'cravar'. Hom./Par.: *finca* (fl.), *fincas* (fl.), *finca* (sf. [pl.]); *finco* (fl.), *finco* (sm.).]

findar (fin.*dar*) *v.* **1** Acabar ou pôr fim a; TERMINAR(-SE) [*td.*: *Só queria findar a tarefa.*] [*int.*: *Ao (se) findar o ano, foi para a Transilvânia.*] **2** Converter-se, resultar, dar em [*tr.* + *em*: *O namoro findara em casamento; O casamento findou em separação.*] **3** Desaparecer, desvanecer-se [*int.*: *Nossos sonhos findaram.*] [▶ **1 findar**] [F.: Do lat. *finire* de *finitus*. Hom./Par.: *finda* (fl.), *findas* (fl.), *finda* (sf. [pl.]); *findáveis* (fl.), *findáveis* (a2g. [pl.]); *findo* (fl.), *findo* (a.).]

findável (fin.*dá*.vel) *a2g.* Que tem fim; que é transitório, finito, passageiro [Ant.: *contínuo, infindável, permanente.*] [F.: *findar* + *-vel.* Hom./Par.: (pl.) findáveis, *findáveis* (fl. de *findar*).]

findo (*fin*.do) *a.* **1** Que findou, que passou (ano findo) **2** Que foi acabado, concluído, encerrado: *Arquivou o relatório findo e distribuiu os novos.* **3** *P.ext.* Que morreu, faleceu [F.: Do lat. *finitus,a,um.*]

⊠ **Finep** Sigla de Financiadora de Estudos e Projetos, empresa pública vinculada ao Ministério de Ciência e Tecnologia e criada para promover e financiar a inovação e a pesquisa científica e tecnológica em empresas, universidades e outras instituições públicas ou privadas

finês (fi.*nês*) *a2g.* Ver *finlandês* [Tb. s2g.] [F.: De or. contrv. Hom./Par.: *finesa* /ê/ (f.), *fineza* /ê/ (s.f.).]

⊕ **finesse** *sf.* (*Fr.*) **1** Acuidade, finura de espírito: *Quanta finesse nesse jovem escritor!* **2** Refinamento de maneiras, de comportamento: *Todos percebiam sua finesse ao primeiro olhar.*

fineza (fi.*ne*.za) [ê] *sf.* **1** Qualidade de fino, delgado; FINURA: *a fineza de uma lâmina.* **2** *Fig.* Qualidade de quem é gentil, de quem sabe se comportar com boa educação: *Sempre tinha a fineza de ceder lugar aos mais velhos.* **3** Delicadeza, elegância, requinte; atitude ou ato que os denota: *Foi uma recepção marcada em tudo pela fineza:* "... edificou-se um romance, umas finezas namoradas que o alienista outrora dirigira à prima do Costa..." (Machado de Assis, "O alienista" *in Contos*) **4** Favor ou obséquio que se faz a alguém: *Faça-me a fineza de passar a garrafa.* **5** Delicadeza, finura: *Impressionava-me a fineza de seu espírito.* **6** Brandura, suavidade: *O quadro atraía as atenções pela fineza das cores.* **7** Inteligência penetrante, argúcia finura, perspicácia, sagacidade; FINURA; PERSPICÁCIA; SAGACIDADE **8** Inexistência de manchas ou misturas; PUREZA: *a fineza de um cristal.* [F.: *fino* + *-eza*. Cf.: *finesa* (fem. de *finês*).]

finger (*Ing./fínguer/*) *sm.* Parte comprida do terminal do aeroporto que conduz os passageiros até a porta de entrada do avião

fingido (fin.*gi*.do) *a.* **1** Que finge ou simula (rapaz fingido); HIPÓCRITA: *Atitude fingida de generosidade.* **2** Em que há fingimento, que não é verdadeiro ou sincero; ENGANOSO; FALSO; SIMULADO: *É um choro fingido, não lhe dê atenção.* **3** Que se caracteriza pela falsidade, pela hipocrisia (arrependimento fingido) **4** Que foi inventado, imaginado ou fantasiado por alguém **5** Que é falso, de imitação: *Jacarandá? Não, isto é jacarandá fingido.* *sm.* **6** Indivíduo fingido, que age com dissimulação, hipocrisia, falsidade; ENGANADOR; FINGIDOR; SIMULADOR: *Ela é uma fingida, tudo nela é falso, da roupa aos sentimentos.* [F.: Part. de *fingir*. Ant. das acps. 1, 2 e 3: *sincero, verdadeiro*.]

fingidor (fin.gi.*dor*) [ô] *a.* **1** Que finge; FINGIDO *sm.* **2** Aquele que finge; FINGIDO *sm.* **3** Diz-se de pintor que usa a tinta para imitar madeira nobre ou mármore em trabalho sobre madeira ordinária [F.: *fingir* + *-dor*.]

fingimento (fin.gi.*men*.to) *sm.* **1** Ação ou resultado de fingir(-se) **2** Atitude de quem está sendo falso, enganoso: *Seus agrados não passam de puro fingimento:* "...mas meu fingimento não deixou de constituir-se em excelente subsídio para meu treinamento..." (João Ubaldo Ribeiro, *Diário do farol*) **3** Ato enganoso, artifício para enganar ou simular: *Este choro dele é fingimento, não me engana.* **4** Ausência de sinceridade, de veracidade, de autenticidade; FALSIDADE; SIMULAÇÃO: *Todas essas declarações se caracterizam pelo fingimento e pela insinceridade.* [F.: *fingir* + *-mento*.]

fingir (fin.*gir*) *v.* **1** Fazer parecer real emoção ou intenção que não é; SIMULAR; DISSIMULAR [*td.*: "Dizem que finjo ou minto/Tudo que escrevo." (Fernando Pessoa, "Isto", *in Cancioneiro*)] [*int.*: *Finge incessantemente.*] **2** Querer (alguém) passar por (algo que não é) [*td.*: *Finge que é honesto.*] [*tp.*: *Finge-se de inocente.*] **3** Fazer de conta, fazer parecer [*td.*: *Não se pode fingir que a vida é bela.*] **4** Inventar (como fantasia), fantasiar [*td.*: *Fingiu que era um príncipe encantado.*] [▶ 46 fingir] [F.: Do lat. *fingere.*]

finidade (fi.ni.*da*.de) *sf.* Qualidade ou condição do que é finito, do que tem um fim ou um limite: *a finidade da vida.* [F.: *finito* + *-dade*. Tb. *finitude*.]

fininho (fi.*ni*.nho) *a.* **1** Que é muito fino *sm.* **2** *Bras. Gír.* Cigarro de maconha [F.: *fino* + *-inho*.] ▪ **De ~** **1** *Bras. Pop.* Bem devagar, gradativamente e com cuidado; aos pouquinhos **2** Silenciosamente, sem chamar atenção, sorrateiramente; às ocultas: *Saiu de fininho da festa, ninguém notou.*

finítimo (fi.*ní*.ti.mo) *a.* Que é contíguo, fronteiriço, vizinho [Ant.: *afastado, distante.*] [F.: Do lat. *finitimus,a,um.*]

finito (fi.*ni*.to) *a.* **1** Que tem fim ou limite; LIMITADO: *A existência é finita.* **2** *Gram.* Diz-se da forma verbal flexionada (nos modos indicativo, subjuntivo, condicional e imperativo) *sm.* **3** Referência a tudo que tem fim, término: *No mundo terreno lidamos com o finito, o infinito é um conceito.* [Ant.: *infinito*.] [F.: Do lat. *finitus,a,um.*]

finitude (fi.ni.*tu*.de) *sf.* Qualidade ou condição do que é finito, do que tem um fim ou um limite [F.: *finito* + *-tude*. Tb. *finidade*.]

finlandês (fin.lan.*dês*) *sm.* **1** Indivíduo nascido ou que vive na Finlândia (Europa) **2** *Gloss.* Língua uraliana falada na Finlândia, onde tb. se fala sueco: *Falava o finlandês com desembaraço.* *a.* **3** Da Finlândia; típico desse país, de seu povo e de sua língua [F.: Do top. *Finlândia* + *-ês*. Sin. ger.: *finense, finês, fínico, fino*.]

fino (*fi*.no) *a.* **1** Que tem pouca espessura, grossura ou largura (perna fina, livro fino); DELGADO **2** Que tem fio ou ponta aguçados; AFIADO **3** Diz-se de som ou voz aguda, ou de baixa ressonância: *Respondeu-lhe numa voz fina e trêmula.* **4** Que revela boa educação, amabilidade, finura nos modos: *Eram rapazes finos e cultos.* **5** Que revela requinte, critério sofisticado, apuro, acima dos padrões comuns: *Mobiliou a casa com móveis do mais fino gosto.* **6** Que é esbelto, elegante: *Tinha um fino perfil.* **7** Que revela perspicácia, sagacidade: *Era dono de fina inteligência.* **8** Que é de excelente qualidade: *Só gostava de bebidas finas.* **9** Que tem padrão aristocrático ou de grande elegância: *Era obcecado por ambientes finos.* **10** Que foi feito com grande apuro, com preocupações estéticas: *Orgulhava-se de seus móveis finos.* **11** Que causa prazer por sua delicadeza e suavidade: *O aroma fino do licor o deixou inebriado.* **12** Puro, sem mistura, que não é parte de liga: *adereço de ouro fino.* **13** Que é delicado, sensível a emoções; EMOTIVO; SENSÍVEL: *Seu generoso e fino coração estava sempre aberto aos apelos de solidariedade.* **14** Que revela ou denota sutileza; SUTIL: *Seus comentários, de um fina ironia, enriqueceram a resenha.* **15** *Fig.* Que se revela manhoso, astuto, sagaz **16** Que se faz com precisão, acuidade (sintonia fina) **17** *Bras. Pop.* Sem dinheiro ou recursos; LISO; PRONTO *sm.* **18** Aquilo que se destaca pela qualidade, pela excelência; ver *o fino*: *o fino da bossa.* *adv.* **19** Com voz aguda, ou estridente, ou pouco ressonante: *Cantava fino e desafinado.* [F.: Do lat. *finis,is*.] ▪ **Beber do ~** *Pop.* Conhecer segredos dos altos escalões da política ou da sociedade **O ~** **1** A melhor parte, o que há de melhor, a nata: *O fino da bossa(-nova).* **2** *Bras. Pop.* Com grande qualidade, com alto grau de sofisticação: *Meu time está jogando o fino.* **Tirar um ~ (de)** Passar raspando (por), ou fazer (veículo) passar raspando (por): *O carro passou pelo caminhão tirando um fino; Desacelera, você tirou um fino daquela bicicleta!*

fino- *pref.* = finês, finlandês: *fino-russo, fino-úgrico.*

finório (fi.*nó*.ri:o) *a.* **1** Que é astuto, esperto, ladino, manhoso *sm.* **2** Indivíduo finório: *O homem à sua frente, sem dúvida, era um finório.* [F.: *fino* + *-ório*.]

finta¹ (*fin*.ta) *sf.* **1** Ação que tem por finalidade iludir, enganar ou ludibriar; LOGRO **2** *Bras. Esp.* Ver *drible* [F.: Do lat. *finctus*, pelo it. *finta*.]

finta² (*fin*.ta) *sf.* **1** Imposto ou tributo proporcional à renda **2** Contribuição anual que um maçom faz a sua loja [F.: De or. contrv.]

fintar¹ (fin.*tar*) *v. td.* **1** *Bras.* Adotar medida ou atitude que visa a enganar, iludir, lograr (algo ou alguém); LUDIBRIAR **2** *Esp.* Passar pelo adversário enganando-o com um movimento de corpo; DRIBLAR [▶ 1 fintar] [F.: *finta* + *-ar²*. Hom./Par.: *finta* (fl.), *fintas* (fl.), *finta* (sf. [pl.]).]

fintar² (fin.*tar*) *v.* **1** Estabelecer ou impor (finta, imposto, tributo) [*td.*] **2** Contribuir voluntariamente para algo, participar em subscrição etc. [*int.*: *Fintou-se para ajudar seus correligionários.*]

finura (fi.*nu*.ra) *sf.* **1** Qualidade do que é fino, delgado ou tênue (linha fina, tecido fino) **2** Qualidade daquilo que é delicado **3** Sensibilidade para captar ou apreender alguma coisa; ACUIDADE; FINEZA; PENETRAÇÃO: *Sobressaía pela finura de sua inteligência.* **4** Delicadeza de formas ou de materiais: *A finura da louça encantou os convidados.* **5** Cuidado ou requinte na realização de algo: *A finura de um bordado.* **6** Acuidade sensorial: *A finura de seu olfato era conhecida de todos.* **7** *Fig.* Procedimento engenhoso, ardiloso: "Mediante alguns anos de trabalho assíduo e finuras encobertas, viu engrossarem-lhe os cabedais." (Machado de Assis, *Memorial de Aires*) [F.: *fino* + *-ura*.]

fio *sm.* **1** Fibra comprida e delgada de matéria têxtil (fio de algodão) **2** Qualquer porção de material flexível, de diâmetro regular e muito reduzido em relação ao comprimento (fio de arame, fio de cabelo) **3** Gume, corte: *O fio do punhal.* **4** Qualquer coisa tênue ou frágil (tb. *Fig.*) (fio d'água, fio de esperança) **5** O que é colocado em série ou de maneira encadeada (tb. *Fig.*): *Seguia o fio de sua memória* **6** Corrente muito fina de metal precioso: *Penteado ornado com fios de prata.* **7** *Fig.* Que é quase inaudível: *Um fio de voz.* **8** Cabo fino, estreito e maleável, us. em comunicações: *O fio do telefone.* **9** *Tip.* Lâmina metálica com a qual se faz traços; FILETE **10** *Tip.* Traço que se imprime com essa lâmina [F.: Do lat. *fium,i.*] ▪ **a ~** Continuadamente, seguidamente: *Trabalhou sete dias a fio.* **A ~ comprido** Estendido (ou deitado) de costas no chão **A ~ de espada** À força; com violência **Bater um ~** *Fam.* Telefonar, conversar por telefone **De ~ a pavio** Do início ao fim **~ a ~** Um por um, seguidamente; detalhe por detalhe: *Contestou, fio a fio, todas as acusações.* **~ a prumo** Ver *Fio de prumo* **~ de Ariadne** *Fig.* Caminho (método, raciocínio, medida etc.) que leva a uma saída (de lugar, problema, situação difícil etc.) [Alusão ao episódio da mitologia grega no qual Ariadne dá a Teseu um novelo para que desenrole o fio à medida que avança no labirinto do Minotauro, o que lhe permite achar o caminho de volta.] **~ de coluna** *Tip.* Fio fino entre duas colunas em textos de periódicos, livros etc. **~ de Escócia** *Têxt.* Fio algodão muito us. na indústria de meias, por sua resistência **~ de nota** *Tip.* Fio fino horizontal que separa texto de uma nota de rodapé **~ dental** Fio us. para remover restos de alimento de entre os dentes e da gengiva [Cf.: *fio-dental*.] **~ de pedra** Linha que marca a divisibilidade de rochas compactas ou de granulação fina **~ de prumo** **1** *Cons.* Fio com um peso em uma de suas extremidades, us. em construção para conferir a verticalidade de um elemento, como coluna, parede etc. **2** Fio ou cabo, ger. graduado, que tem preso a uma das extremidades um peso, us. para medir a profundidade da água (em fio, lago, represa, mar etc.) **~ de vela** *Marinh.* Fio que se obtém da torção de fios muito finos **~ isolado** *Elet.* Fio elétrico revestido de material isolante **~ nu** *Elet.* Fio elétrico sem revestimento isolante **~ terra** *Elet.* Fio que liga circuito ou aparelho elétrico à terra (às vezes por meio de conexão com materiais condutores que chegam à terra, como canos de água), para desviar para a terra fugas de corrente do circuito ou aparelho (por pico de tensão, curto-circuito etc.), com isso evitando choques e danos **No ~** Gasto pelo uso, surrado (roupa) **Perder o ~ à meada** *Lus.* Ver *Perder o fio da meada* **Perder o ~ da meada** Perder (por desorientação, esquecimento etc.) a sequência ou continuidade de ideia, relato etc. **Por um ~ (de cabelo)** **1** Quase, por um triz (ver em *triz*): *Escapou por um fio.* **2** No limite; próximo de (se romper): *O casamento deles está por um fio.*

Fiocruz Sigla de Fundação Oswaldo Cruz, reputado centro de medicina experimental brasileiro, criada em 25 de maio de 1900, como Instituto Soroterápico Federal, com o objetivo de produzir soros contra a peste bubônica e constituindo-se atualmente na principal instituição ligada à área de saúde da América Latina

fio-dental (fi:o-*den*.tal) *sm. Pop.* Peça inferior do biquíni (1), cuja parte traseira é tão reduzida que expõe completamente as nádegas [Tb. us. como adjetivo (*calcinha fio-dental*).] [Pl.: *fios-dentais*.]

fiofó (fi:o.*fó*) *sm. Bras. Tabu.* Ver *ânus*

fiorde (fi:*or*.de) *sm. Geog.* Golfo profundo, estreito e sinuoso, de margens íngremes, no litoral de certas regiões, como na Noruega, Suécia, Escócia, Groenlândia, Nova Zelândia etc. [F.: Do nor. *fjord*, pelo fr. *fiord*.]

firewall (*Ing. /fáiruol/*) *sm. Inf.* Sistema de segurança que tem por objetivo filtrar o acesso a uma rede

firma¹ (*fir*.ma) *sf.* **1** Assinatura de uma pessoa, por extenso, rubricada ou impressa **2** Carimbo com o nome de uma pessoa gravado [F.: Dev. de *firmar*.]

firma² (*fir*.ma) *sf.* **1** *Jur.* Pessoa física ou jurídica responsável pelo funcionamento e por todas as negociações de estabelecimento comercial, industrial ou de prestação de serviços; RAZÃO SOCIAL **2** *P.ext.* Qualquer estabelecimento com fins lucrativos **3** *P.ext.* Denominação comum às sociedades regidas pelas leis do direito comercial [F.: Dev. de *firmar*.] ▪ **~ fantasma** *Bras.* Firma inexistente na realidade, mas que tem registro, ou que usa registro de outra com o mesmo nome, ger. para encobrir transações ilegais. [Tb. se usa *firma-fantasma*.]

firmação (fir.ma.*ção*) *sm.* **1** Ação ou resultado de firmar(-se) **2** Ação de autenticar um pacto, um acordo: *Esperava pela firmação do contrato.* **3** Ação de dar firmeza ou estabilidade a algo: *A firmação de uma mesa.* [Pl.: *-ções*.] [F.: *firmar* + *-ção*.]

firmado (fir.*ma*.do) *a.* **1** Que tem firmeza, estabilidade; que está bem afixado; FIXO: *O prego estava bem firmado.* [Ant.: *frouxo, instável*.] *a.* **2** Que tem caráter firme, estável, sólido (caráter firmado) [Ant.: *titubeante, vacilante*.] **3** Que está escorado, sustentado: *varal firmado no muro.* **4** Fixo, parado: *Tinha os olhos firmados na garota.* **5** Que se encontra ajustado, acertado (diz-se de contrato, acordo, pacto etc.): *Nossa combinação já está firmada.* [Ant.: *quebrado, rompido*.] **6** *Fig.* Que foi aprovado, sancionado: *Pensou que a lei de liberação do aborto já estivesse firmada.* [Ant.: *vetado*.] **7** Consolidado, fortificado: *Defesas militares bem firmadas.* **8** *Fig.* Que se estabeleceu, que ficou assentado; ASSEGURADO: *Tem posição firmada na empresa.* [Ant.: *desestabilizado*.] **9** Assinado, subscrito: *cheque firmado pelo gerente.* **10** *Her.* Diz-se de peça que alcança um ou mais bordos do escudo [F.: Do lat. *firmatus,a,um*.]

firmador (fir.ma.*dor*) [ô] *a.* **1** Que firma, dá firmeza *sm.* **2** Aquele ou aquilo que firma [F.: Do lat. *firmator,oris*.]

firmamento (fir.ma.*men*.to) *sm.* **1** Ação de firmar **2** O que serve para firmar, o que serve de apoio, sustentáculo; ALICERCE; FUNDAÇÃO **3** Espaço celeste em que se localizam e se divisam os astros; ABÓBODA CELESTE; CÉU; PÁRAMO: *As estrelas brilhavam no firmamento.* **4** *Fig.* Conjunto de celebridades; CONSTELAÇÃO: *Era de uma geração que iluminou o firmamento da cultura nacional.* [F.: Do lat. *firmamentum,i*.]

firmar (fir.*mar*) *v.* **1** Tornar(-se) firme, fixo [*td.*: *Usou um calço para firmar o pé da mesa.*] [*ta.*: *As árvores firmaram-se no solo.*] **2** Dar ou buscar sustentação em algo sólido; AMPARAR(-SE) [*td.*: *Firmou a cerca; O trapezista firmou-se bem para não cair.*] **3** Proporcionar estabilidade, permanência, segurança a (algo ou alguém, inclusive si mesmo) [*td.*: *A luta firmou-lhe os traços do caráter.*] **4** Realizar ou validar acordo, contrato, ger. apondo firma ou assinatura [*td.*: *Firmaram um novo convênio.*] [*tdr.* + *com*: *Os alunos firmaram um trato com o professor.*] **5** Apoiar(-se), fundamentar(-se) [*tdr.* + *em*: *O advogado firmou a defesa nos bons antecedentes do acusado.*] **6** Tornar-se firme, claro, sem chuva (diz-se de tempo) [*int.*: *O tempo firmou(-se).*] **7** Aprovar, estabelecer [*td.*: *A companhia firmara novas normas para o embarque.*] **8** Gravar, imprimir [*tda.*: *Firmou o nome, a faca, na parede da cela.*] **9** Apoiar com firmeza, força [*tda.*: *Firmou a mão no corrimão.*] **10** Dar base, fundamento a [*tdr.* + *em*: *Firmou seu raciocínio na lógica aristotélica.*] **11** Fazer adquirir ou adquirir renome, prestígio, reconhecimento etc. [*td.*: *Sua técnica firmou-o como um dos melhores cirurgiões do país.*] [*tp.*: *Firmou-se como um dos melhores cirurgiões do país.*] [*int.*: *Criativo e versátil, firmou-se em pouco tempo no cenário artístico.*] [▶ 1 firmar] [F.: Do lat. *firmare*. Hom./Par.: *firma* (fl.), *firmas* (fl.), *firma* (sf. [pl.]); *firmais* (fl.), *firmais* (sm. [pl.]); *firme* (fl.), *firme* (a2g. sm.).]

firme (*fir*.me) *a2g.* **1** Que é ou está fixo, sólido, seguro: *Pode subir sem medo, é um corrimão firme.* **2** Que tem consistência e rigidez, que não é flácido: *É um tecido firme, não vai alargar com o uso; Ela tinha um busto firme e empinado.* **3** Que permanece como está, sem alteração visível: *Passou o dia com uma firme expressão de desgosto no semblante.* **4** Que não demonstra vacilação, hesitação: *Suas atitudes eram sempre firmes.* **5** Que mostra determinação, decisão; DETERMINADO; RESOLUTO: *Avançou com passos firmes para enfrentar o agressor.* **6** Teimoso, obstinado: *Seu caráter firme jamais lhe permitiu abandonar uma empreitada.* **7** Que tem estabilidade, constância: *Cansado de bicos, procurava uma ocupação firme.* **8** Que não se deixa perturbar ou abater: *Tinha uma posição firme quanto à matéria, apesar das críticas e dos protestos.* **9** Aprumado, ereto: *Era alta, bonita, de seios firmes.* **10** Que se movimenta com equilíbrio e precisão: *Apesar da idade, seu andar era firme.* **11** Que não se pode alterar, mudar: *Suas decisões, firmes, nunca eram discutidas.* **12** Que tem estabilidade, segurança: *Finalmente, arranjara um trabalho firme.* **13** Diz-se de cor que não desbota *sm.* **14** *AM* Terreno elevado em meio a igapós ou terras alagadiças *adv.* **15** De maneira decidida, estoica: *Aguentou firme a caminhada extenuante.* [F.: Do lat. clás. *firmus*, pelo lat. vulg. *firmis*. Hom./Par.: *firme* (fl. de firmar).]

firmeza (fir.*me*.za) [ê] *sf.* **1** Qualidade ou condição do que é ou do que está firme, seguro, estável (firmeza de uma muralha/de caráter) **2** Estabilidade, segurança: *Não tinha nenhuma firmeza nas pernas.* **3** Qualidade de quem demonstra precisão, coerência: *Suas posições políticas eram de uma firmeza inabalável.* **4** Coragem, determinação: *Sempre agia com firmeza.* **5** Autoridade, poder, rigor: *Carecia de firmeza com seus subordinados.* **6** *Dnç.* Tipo de dança argentina [F.: *firme* + *-eza.*]

firmitude (fir.mi.*tu*.de) *sf.* Caráter de quem ou do que é firme; FIRMEZA [F.: *firme* + *-(t)ude.*]

firula (fi.*ru*.la) *sf.* **1** *Bras. Gír.* Enunciado, descrição ou narração enfeitada, rebuscada além do necessário para exprimir algo; CIRCUNLÓQUIO; FLOREIO; RODEIO **2** *Bras. Fut.* Jogada de efeito, virtuosística, ger. sem objetividade: *Apesar de bom jogador, perdia-se em firulas inúteis.* [F.: Do espn. da América *firulete(s)* 'filigrana'.]

firuleiro (fi.ru.*lei*.ro) *sm.* **1** *Pop.* Indivíduo que é dado a firulas, que faz demasiados floreios, rodeios e circunlóquios, ao invés de ir logo ao ponto principal de um assunto **2** *Fut.* Jogador que se entrega a excesso de firulas ao invés de executar de uma vez a jogada que dele se espera [F.: *firula* + *-eiro.*]

fiscal (*fis*.cal) *a2g.* **1** Que se refere ao fisco (sonegação fiscal); TRIBUTÁRIO [Pl.: *-cais.*] *s2g.* **2** Funcionário encarregado de averiguar se leis ou regulamentos estão sendo cumpridos em estabelecimentos comerciais, industriais etc. **3** Funcionário que verifica se ordens, normas e/ou regulamentos estão sendo cumpridos (fiscal de ônibus/de trânsito); FISCALIZADOR; INSPETOR **4** Funcionário do fisco **5** Funcionário da alfândega **6** *Fig.* Pessoa que monitora, censura ou critica procedimento alheio; CRÍTICO *Pej.*; PATRULHEIRO; CENSOR [Pl.: *-cais.*] [F.: Do lat. *fiscalis*, pelo fr. *fiscal.*] ■ **~ da natureza** *Bras. Joc. Pop.* Pessoa que não trabalha, que vive ociosa, com prazer e sem preocupações **~ de linha** *Bras. Fut.* Auxiliar de juiz que, numa das laterais de um meio-campo, acena com bandeirinha para sinalizar ao juiz infrações cometidas; bandeirinha **~ do meio ambiente** *Joc. Pop.* Ver *Fiscal da natureza*

fiscalismo (fis.ca.*lis*.mo) *sm. Jur.* Busca de equilíbrio fiscal na criação e cobrança de impostos, deixando em plano secundário o lado social e político da tributação [F.: *fiscal* + *-ismo.*]

fiscalização (fis.ca.li.za.*ção*) *sf.* **1** Ação ou resultado de fiscalizar; vigilância atenta sobre alguém ou alguma coisa; CONTROLE **2** Pessoa ou instituição que fiscaliza [Pl.: *-ções.*] [F.: *fiscalizar* + *-ção.*]

fiscalizar (fis.ca.li.*zar*) *v.* **1** Vigiar o funcionamento, uso ou conduta de; SUPERVISIONAR [*td.*: *Fiscalizou as obras; Fiscalizavam o comportamento do prefeito.*] **2** Exercer vigilância sobre [*td.*: *Fiscalizava os gastos do marido.*] **3** Examinar de maneira rigorosa [*td.*: *Fiscalizou as contas/a pavimentação.*] **4** Exercer a função de fiscal [*int.*: *Sua função era fiscalizar.*] [▶ 1 fiscalizar] [F.: *fiscal* + *-izar.*]

fisco (*fis*.co) *Econ. sm.* **1** Setor da administração pública que cuida da arrecadação e fiscalização de impostos; FAZENDA **2** Dinheiro arrecadado com os impostos; ERÁRIO; RECEITA **3** Parte da arrecadação do Estado que era destinada ao sustento do príncipe na Roma imperial [F.: Do lat. *fiscus, i.*]

fisga (*fis*.ga) *sf.* **1** Espécie de arpão destinado à pesca **2** Abertura estreita; FENDA; FRINCHA; GRETA **3** *Lus.* Ver *atiradeira* [F.: Dev. de *fisgar.*]

fisgada (fis.*ga*.da.) *sf.* **1** Dor aguda, repentina, de pouca duração; PONTADA **2** Espetadela (com fisga, faca, garfo etc.) **3** Pesca com fisga **4** Em pescaria, puxão rápido da vara para retirar o peixe da água **5** Puxão sentido pelo pescador quando o peixe abocanha a isca [F.: Fem. substv. de *fisgado.*]

fisgado (fis.*ga*.do) *a.* **1** Que se fisgou; que foi apanhado por fisga ou anzol **2** *P.ext.* Que foi apanhado, preso: *ladrão fisgado ao pular o muro.* **3** *Fig.* Que foi conquistado, seduzido: *É uma moça fisgada, já está apaixonada.* **4** Que foi preparado de antemão: *Trouxe à reunião propostas fisgadas.* [F.: Part. de *fisgar.*]

fisgar (*fis*.gar) *v.* **1** Pescar ou capturar com algum tipo de fisga, como anzol, lança, flecha, arpão; ARPOAR; PESCAR [*td.*: *Fisgou um excelente robalo.*] **2** *Fig.* Capturar, prender fugitivo [*td.*: *Os policiais fisgaram o assaltante.*] **3** *Bras. Fig. Pop.* Conquistar o coração, o afeto de (alguém); CATIVAR; SEDUZIR [*td.*: *Fisgou a primeira moça que viu.*] **4** Perceber com rapidez [*td.*: *Fisgou logo as intenções do visitante.*] **5** Cravar ou enterrar (objeto penetrante) em [*tda.*: *Fisgou a lança no peito do inimigo.*] [▶ 14 fisgar] [F.: Do lat. hisp. *fixicare* pelo lat. *fixare*, 'fixar'. Hom./Par.: *fisga* (fl.), *fisgas* (fl.), *fisga* (sf.[pl]); *fisgo* (fl.), *fisgo* (sm.).]

fisgo (*fis*.go) *sm. Bras.* Ponta do anzol ou do arpão com que se fisga o peixe; BARBELA; FISGA [F.: Alt. de *fisga.* Hom./Par.: *fisgo* (fl. de *fisgar*).]

◎ **fis(i)-** Ver *fisio-*

fisiatra (fi.si.*a*.tra) *s2g. Med.* Profissional especializado em fisiatria [F.: *fisi(o)-* + *-iatra.*]

fisiatria (fi.si:a.*tri*.a) *sf. Med.* Forma de terapia que visa à avaliação, prevenção e reabilitação dos pacientes por meio de medidas fisioterápicas, como utilização de calor, eletricidade, aparelhos mecânicos etc., em lugar de processos radiológicos e cirúrgicos [Cf.: *fisioterapia.*] [F.: *fisi(o)-* + *-iatria.*]

fisiátrico (fi.si.*á*.tri.co) *a.* Relativo a fisiatria [F.: *fisiatria* + *-ico*^{2}.]

física (*fí*.si.ca) *Fís. sf.* **1** Ciência que estuda as propriedades gerais da matéria e da energia e suas leis fundamentais **2** A composição, as propriedades, as características de uma substância no que tange à física (1): *a física dos gases.* **3** Conjunto de conhecimentos referentes à física **4** Compêndio de física [F.: Do lat. *physica, ae.* Ideia de: *fisic(o)-* e *fisi(o)-.*] ■ **~ atômica** *Fís.* Parte da física que estuda o átomo, sua estrutura, suas propriedades, sua interação com outros átomos internos e externos à substância, os níveis e trocas de energia em sistemas atômicos etc. **~ clássica** *Fís.* Parte da física que inclui fatos e teorias conhecidos até os fins do século XIX, não incluindo, portanto, conceitos da mecânica quântica **~ coloidal** *Fís.* Parte da física que trata dos coloides, sua estrutura e suas propriedades **~ de partículas** *Fís.* Parte da física que trata das partículas elementares, sua estrutura e suas propriedades, e suas interações com campos de energia **~ do estado sólido** *Fís.* Parte da física que trata dos sólidos (esp. os cristais) e suas propriedades **~ experimental** *Fís.* Parte da física que trata dos fenômenos físicos por meio de observações experimentais, para comprovar teorias e quantificar valores, obter informações quanto a fenômenos ainda desconhecidos etc. **~ matemática** *Fís.* Parte da física que emprega métodos matemáticos para avaliar as consequências de uma teoria física ou compreender o mecanismo dos fenômenos físicos **~ molecular** *Fís.* Parte da física que estuda as moléculas, suas propriedades gerais, as forças intermoleculares etc. **~ nuclear** *Fís.* Parte da física que investiga o núcleo atômico, suas propriedades, as forças e interações entre núcleos atômicos internos (de uma mesma substância) e externos, e a liberação de energia nas reações de fissão e fusão nucleares **~ ondulatória** *Fís.* Ver *Física quântica* **~ solar** *Astrfs.* Estudo dos fenômenos físicos que têm lugar no Sol **~ teórica** *Fís.* Parte da física que estuda experimentalmente os fenômenos e processos físicos da natureza e os generaliza em forma de teorias em linguagem matemática, que pretendem ser sua explicação conceitual, e com isso, capazes de prever fenômenos ainda não observados **~ terrestre** *Fís.* Parte da física que estuda os fenômenos físicos que ocorrem na Terra e atuam sobre ela, como gravidade, magnetismo, eletricidade etc.; geofísica

fisicismo (fi.si.*cis*.mo) *sm. Fil.* Sistema que procura explicar todos os fenômenos pelas leis da física [F.: Do fr. *physicisme.*]

fisicista (fi.si.*cis*.ta) *a2g.* **1** Relativo ao fisicismo **2** Diz-se de pessoa adepta do fisicismo (pensador fisicista) *sm.* **3** Essa pessoa [F.: *física* + *-ista.*]

físico (*fí*.si.co) *a.* **1** Ref. à física **2** Ref. às leis da natureza **3** Ref. ao corpo (dor física, amor físico); CARNAL; CORPÓREO **4** Que se percebe pelos sentidos; REAL *sm.* **5** Indivíduo formado em física **6** Constituição do corpo: *Era dona de um físico bem proporcionado.* **7** O conjunto das funções fisiológicas: *O físico e a psique formam um conjunto inseparável.* **8** *Antq.* Médico [F.: Do gr. *physikós*, pelo lat. *phisicus.*]

físico-química (fí.si.co-*quí*.mi.ca) *sf. Fís. Quím.* Ciência interdisciplinar, de limites pouco definidos, que estuda as propriedades macroscópicas de um sistema e os coloca em relação com sua estrutura microscópica, ou, agindo de maneira contrária, trabalha a partir de estruturas microscópicas para chegar a propriedades macroscópicas, empregando para isso métodos que pertencem à física e à química; QUÍMICO-FÍSICA [Pl.: *físico-químicas.*] [F.: *física* + *química.*]

físico-químico (fí.si.co-*quí*.mi.co) *a.* **1** Relativo a físico-química *sm.* **2** Profissional especializado nesse ramo científico [Pl.: *do a.: físico-químicos; do subs. físicos-químicos.*] [F.: *físico* + *químico.* Sin.ger.: *químico-físico.*]

fisiculturismo (fi.si.cul.tu.*ris*.mo) *sm.* Conjunto de exercícios que tem a finalidade de fortalecer a massa muscular, muitas vezes para fins competitivos; FISIOCULTURISMO [F.: *físico* + *cultura* + *-ismo.*]

fisiculturista (fi.si.cul.tu.*ris*.ta) *a2g.* **1** Ref. ao fisiculturismo **2** Que pratica o fisiculturismo *s2g.* **3** Aquele que pratica o fisiculturismo [F.: *fisicultur(ismo)* + *-ista.*]

◎ **fisi(o)-** *el. comp.* Registra-se em vocábulos eruditos formados no próprio grego e em outros introduzidos na linguagem científica internacional a partir do séc. XIX: *fisiocracia, fisiologia, fisioterapia* etc. [F.: Do gr. *physis, eos*, 'formação', 'produção', 'natureza', 'caráter'.]

fisiocracia (fi.si:o.cra.*ci*:a) *sf. Econ.* Doutrina econômica e filosófica, em voga na França do séc. XVIII, que procurava se basear no conhecimento das leis da natureza para afirmar que a terra era a única e verdadeira fonte de riqueza para a humanidade, e que, do ponto de vista político, defendia os princípios do liberalismo econômico [F.: Do fr. *physiocratie.*]

fisiocrata (fi.si:o.*cra*.ta) *s2g.* Intelectual (filósofo ou economista) que segue os princípios da fisiocracia [F.: Do fr. *physiocrate.*]

fisioculturismo (fi.si:o.cul.tu.*ris*.mo) *sm.* Ver *fisiculturismo* [F.: *fisiocultura* + *-ismo.*]

fisiognomia (fi.si:o.gno.*mi*.a) *sf.* Ver *fisiognomonia* [F.: Alt. de *fisiognomonia.* Hom./Par.: *fisionomia* (s.f.).]

fisiognomonia (fi.si:o.gno.mo.*ni*.a) *sf.* Dom, habilidade de analisar o caráter de alguém com base em sua fisionomia [F.: Do gr. *physiognomonía* pelo fr. *physiognomonie.*]

fisiografia (fi.si:o.gra.*fi*:a) *sf. Geog.* Ver *geografia física* [F.: *fisi(o)-* + *-grafia.*]

fisiográfico (fi.si:o.*grá*.fi.co) *a.* Relativo a fisiografia [F.: *fisiografia* + *-ico*^{2}.]

fisiógrafo (fi.si.*ó*.gra.fo) *sm.* Especialista em fisiografia [F.: *fisi(o)-* + *-grafo.*]

fisiologia (fi.si:o.lo.*gi*.a) *sf.* **1** *Fisiol. Med.* Ciência que estuda as funções orgânicas e os processos vitais dos seres vivos **2** Compêndio de fisiologia [F.: Do gr. *physiología*, pelo lat. *physiologia,ae.*]

fisiológico (fi.si:o.*ló*.gi.co) *a.* Ref. a fisiologia [F.: Do lat. *physiologicus,a,um.*]

fisiologismo (fi.si:o.lo.*gis*.mo) *sm. Bras. Pej. Pol.* Prática (de certos políticos, funcionários públicos etc.) que se caracteriza pela busca de vantagens pessoais em detrimento do interesse público [F.: *fisiológ(ico)* + *-ismo*, seg. o modelo erudito.]

fisiologista (fi.si:o.lo.*gis*.ta) *a2g.* **1** Que é especialista em fisiologia *s2g.* **2** Especialista em fisiologia [F.: *fisiologia* + *-ista.*]

fisionomia (fi.si:o.no.*mi*.a) *sf.* **1** Feições do rosto, conjunto de traços que caracterizam ou dão expressão a um rosto humano; FEIÇÃO; SEMBLANTE: *Examinou bem a fisionomia do rival.* **2** A expressão que assume esse semblante em determinado momento, ou permanentemente; APARÊNCIA; AR: "... O enfermeiro antigo era humano e bom; o atual é um português (o outro o era) arrogante, com uma fisionomia bragantina e presumida." (Lima Barreto, *O cemitério dos vivos*) **3** *Fig.* Aparência, aspecto, forma particular com que algo se manifesta ou apresenta: *A fisionomia do país está pouco animadora.* **4** *Ecol.* Caráter, aparência, feição que assume uma comunidade vegetal em função da forma biológica de seus componentes [F.: Do gr. *physiognomonía*, pelo lat. *physionomia.* Hom./Par.: *fisionomia* (sf.), *fisiognomia* (sf.).]

fisionômico (fi.si:o.*nô*.mi.co) *a.* Ref. a fisionomia ou próprio dela (traços fisionômicos) [F.: *fisionomia* + *-ico*^{2}.]

fisionomista (fi.si:o.no.*mis*.ta) *a2g.* **1** Que supostamente percebe e identifica a personalidade de outrem pela observação atenta de sua fisionomia *s2g.* **2** Indivíduo supostamente dotado dessa capacidade **3** Pessoa que tem facilidade de memorizar fisionomias [Mais precisamente, *bom fisionomista*, sendo *mau fisionomista* aquele que, ao contrário, tem dificuldade em memorizar as feições de alguém.] [F.: *fisionomia* + *-ista.*]

fisiopatologia (fi.si:o.pa.to.lo.*gi*:a) *sf. Med.* Estudo dos fenômenos que provocam alterações no organismo, com a finalidade de descobrir os processos de formação das doenças e desvendar suas origens [F.: *fisi(o)-* + *patologia.*]

fisiopatológico (fi.si:o.pa.to.*ló*.gi.co) *a.* Referente a fisiopatologia [F.: *fisiopatologia* + *-ico*^{2}.]

fisiopatologista (fi.si:o.pa.to.lo.*gis*.ta) *a2g.* **1** Diz-se de pessoa especializada em fisiopatologia *s2g.* **2** Essa pessoa [F.: *fisiopatologia* + *-ista.*]

fisioterapeuta (fi.si:o.te.ra.*peu*.ta) *s2g.* Profissional especializado em fisioterapia [F.: *fisi(o)-* + *-terapeuta.*]

fisioterapia (fi.si:o.te.ra.*pi*.a) *sf.* **1** *Med. Ter.* Tratamento de doenças por meio da aplicação de agentes físicos (como água, sol, eletricidade, calor etc.), massagens e exercícios **2** A especialidade paramédica desse tipo de tratamento [F.: *fisio-* + *-terapia.* Cf.: *fisiatria.*]

fisioterápico (fi.si:o.te.*rá*.pi.co) *a.* Ref. a fisioterapia [F.: *fisioterapia* + *-ico*^{2}.]

fisioterapista (fi.si:o.te.ra.*pis*.ta) *s2g. Antq.* O mesmo que *fisioterapeuta* [F.: Do ing. *physiotherapist.*]

◎ **fis(o)-** *el. comp.* = vento, ar, bexiga: *fisocele, fisoide.*

fisocele (fi.so.*ce*.le) *Pat. sf.* **1** Hérnia escrotal repleta de gases **2** Tumoração com gases [F.: *fis(o)-* + *-cele.*]

fisoide (fi.*soi*.de) *a2g.* Que se apresenta intumescido ou tem formato de bexiga [F.: Do gr. *phusoidés, és, és.*]

fissão (fis.*são*) *sf.* **1** Ação ou resultado de cindir, de fender; CISÃO **2** *Biol.* Forma de reprodução biológica assexuada que consiste na divisão de um organismo unicelular em dois organismos que têm, cada um, as características do original **3** *Astron.* Segundo algumas teorias cosmológicas, processo que daria origem às estrelas múltiplas e aos sistemas planetários **4** *Fís.nu.* Reação nuclear, espontânea ou não, em que um núcleo atômico se separa em duas partes de massas comparáveis, emitindo nêutrons e liberando energia; o mesmo que *fissão nuclear* [Pl.: *-sões.*] [F.: Do lat. *fissio, onis*, pelo ing. *fission.*] ■ **~ atômica** *Fís.nu.* Ver *Fissão nuclear* **~ em cadeia** *Fís.nu.* Série de reações de fissão, quando as partículas produzidas pela fissão são de mesma espécie das que as produziram, e por isso podem, por sua vez, provocar novas fissões, que se multiplicam em cadeia **~ nuclear** *Fís.nu.* Reação de um núcleo atômico (ger. pesado, como o do urânio 235 ou do plutônio) na qual, de forma espontânea ou provocada, ele se divide em dois, de massas similares, emitindo nêutrons e grande quantidade de energia [Essa energia pode ser us. em reatores nucleares (para produção de eletricidade) ou em armas nucleares.]

◎ **fiss(i)-** *el. comp.* Registra-se em vocábulos eruditos, especialmente na área da biologia: *fissiforme, fissípede* etc. [F.: Do lat. *fissi-*, de *fissus*, part. de *findere*, 'fender', 'rachar'.]

físsil (*fís*.sil) *a.* **1** Que se pode fender **2** *Fís.nu.* Que pode sofrer fissão nuclear (combustíveis físseis; urânio físsil) **3** *Pet.* Que se divide em lâminas delgadas: *O xisto é um exemplo de rocha físsil.* [Pl.: *-seis.*] [F.: Do lat. *fissilis, e.*]

fissionar (fis.si:o.*nar*) *v. td. Fís.nu.* Provocar a fissão de (um núcleo atômico, o núcleo de um átomo de uma certa substância) [▶ 1 fissionar] [F.: *fissão* + *-ar*^{2}, pelo padrão erudito.]

fissionável (fis.si:o.*ná*.vel) *a2g.* Ver *físsil* (2) [Pl.: *-veis.*] [F.: *fissionar* + *-vel.* Hom./Par.: *fissionáveis* (pl.), *fissionáveis* (fl. de *fissionar*).]

fissura (fis.*su*.ra) *sf.* **1** Pequena greta ou fenda; RACHADURA **2** *Geol.* Fenda pouco alargada em terreno, rocha ou mineral **3** *Anat.* Fenda estreita mais ou menos profunda em substância dura, esp. osso (sem chegar a constituir fratura total); CISSURA; INCISURA **4** *Anat.* Sulco profundo na superfície dos hemisférios cerebrais **5** *Med.* Rachadura na pele calosa das mãos ou dos pés, decorrente ger. de esforço contínuo **6** *Od.* Falha em esmalte de dente *sf.* **7** *Bras. Gír.* Desejo extremo, admiração por; apego, culto a, fixação em (algo ou alguém); ÂNSIA; SOFREGUIDÃO [F.: Do lat. *fissura,ae*, pelo fr. *fissure*.]

fissuração (fis.su.ra.*ção*) *sf.* **1** Estado ou condição do que apresenta fissura, do que tem rachadura ou fenda **2** *Anat.* Divisão das vísceras em lóbulos **3** *Bras. Gír.* A atitude de se deixar levar por efeitos de droga, tóxico etc.; CURTIÇÃO **4** *Bras. Pop.* Forte desejo ou apego por qualquer coisa; o mesmo que *fissura* (7); OBSESSÃO: *Tem fissuração por ela.* [Pl.: *-ções*.] [F.: *fissurar* + *-ção*.]

fissurado (fis.su.*ra*.do) *a.* **1** *Bras. Gír.* Que tem obsessão por; VIDRADO [+ *em*, *por*: *O jovem é fissurado em/por futebol.*] *a.* **2** Que se fissurou; FENDIDO; RACHADO [F.: Part. de *fissurar*.]

fissurar (fis.su.*rar*.) *v.* **1** Fazer fissura em; FENDER; RACHAR [*td.*: *O golpe fissurou a perna do rapaz.*] **2** *Bras. Pop.* Ter paixão por; GAMAR [*tr.* + *em*, *por*: *O rapaz fissurou na garota.*] [▶ 1 fissurar] [F.: *fissura* + *-ar*[2].]

fístula (*fís*.tu.la) *sf.* **1** *Med.* Conduto estreito ou comunicação anormal, congênita ou adquirida, entre dois órgãos ocos ou entre uma cavidade e a pele **2** *Cir.* Canal criado cirurgicamente (entre órgãos internos e o exterior) para fins terapêuticos **3** *Poét.* Flauta pastoril vertical **4** *Bras. Pej.* Pessoa de má índole; CANALHA; PÚSTULA **5** *Lus.* Em Trás-os-Montes, marca, sinal numa superfície [F.: Do lat. *fistula,ae*, 'tubo', 'canal'. Hom./Par.: *fístula* (sf.), *fistula* (fl. de *fistular*).]

fistulado (fis.tu.*la*.do) *a.* **1** *Med.* Que apresenta fístula ou que tem aspecto de fístula **2** *Med.* Cortado por tubo ou canal em toda a sua extensão (órgão fistulado) **3** *Fig.* Marcado por marcas, estigmas, feridas morais [F.: Do lat. *fistulatus*.]

fistular[1] (fis.tu.*lar*) *a2g.* **1** Que tem fístula; FISTULOSO **2** De ou ref. a fístula (trajeto fistular) [F.: *fístula* + *-ar*[1].]

fistular[2] (fis.tu.*lar*) *v.* *td.* *int.* Transformar(-se) ferida em fístula (1) [▶ 1 fistular] [F.: *fístula* + *-ar*[2]. Hom./Par.: *fistula(s)* (fl.), *fístula(s)* (sf. [pl.]).]

fistulização (fis.tu.li.za.*ção*) *Cir. Pat. sf.* Ação ou resultado de fistulizar [F.: *fistulizar* + *-ção*.]

fistulizar (fis.tu.li.*zar*) *v. Cir.* Mesmo que *fistular* [▶ 1 fistulizar] [F.: *fístula* + *-izar*.]

fistuloso (fis.tu.*lo*.so) [ô] *a.* **1** Fistular (1) **2** *Bot.* Diz-se de estrutura alongada cujo interior é oco, vazio (caule fistuloso); TUBULOSO [Pl.: [ó]. Fem.: [ó].] [F.: Do lat. *fistulosus,a,um*.]

◎ **-fita** *el. comp.* Ver *fit(o)-*

fita[1] (*fi*.ta) *sf.* **1** Tira estreita de tecido, us., para orlar, guarnecer, amarrar ou enfeitar: "Quando eu morrer/Não quero choro, nem vela/Quero uma fita amarela/gravada com o nome dela" (Noel Rosa, *Fita amarela*) **2** *P.ext.* Tira estreita, de material flexível, com diversas aplicações (fita adesiva, fita isolante) **3** Qualquer coisa que, por ser estreita e comprida, lembra uma fita (1 e 2): *A estrada era uma fita negra cortando o dourado do trigal.* **4** *Cin.* Filme cinematográfico: *Assistimos a uma bela fita italiana.* **5** *Acús. Inf. Telv.* Ver *fita magnética* **6** Insígnia que se usa na lapela: *fita da Ordem do Mérito.* **7** *Bioq.* Sequência de átomos de uma molécula com uma estrutura linear determinada (fita de DNA) [F.: Do lat. *vitta, ae*, 'faixa', posv. Hom./Par.: *fita* (fl. de *fitar*). Ideia de 'fita': *teni (o)-* (*teníase, tenífugo*).] ■ **~ adesiva** Fita (2), de materiais diversos, na qual se aplicou em uma das faces substância adesiva, ger. acondicionada em rolo, us. para colar, fixar, vedar, fechar etc. **~ cassete** Fita magnética us. para gravar ou reproduzir sons e/ou imagens, acondicionada em estojo (cassete) o qual, inserido em equipamento de tipos diversos, a aciona nas diversas funções, como avanço, retrocesso, parada, gravação, reprodução etc. **~ colante** O mesmo que *fita adesiva* **~ DAT** *Inf.* Tipo especial de fita cassete, us., para gravação de *backup* de dados [DAT = *Digital Audio Tape*.] **~ de Caspary** *Bot.* O mesmo que *faixa de Caspary* (ver no verbete *faixa*) **~ de Moebius** Espaço topológico obtido a partir de uma fita (!) (por exemplo, de papel) a que se dá uma torção de 180 graus e depois se colam as extremidades; com isso, as duas faces da fita passam a constituir uma só superfície contínua, que configura o espaço topológico mencionado [Para compreender a natureza desse espaço, pode-se fazer um risco (a lápis ou outro instrumento) a partir de um ponto em uma das faces da fita e ao longo desta, e o risco irá percorrer continuamente e sem interrupção as duas faces da fita, e voltar ao ponto inicial.] **~ fechada** *Ac. Mús.* Fita cassete na qual as extremidades da fita magnética são coladas, o que a faz correr continuamente **~ gomada** *Lus.* O mesmo que *fita adesiva* **~ magnética** Fita de material magnetizável, ger. em rolo ou cassete, us. para gravar e/ou reproduzir som e/ou imagem, mediante sua passagem por um cabeçote (chamado *cabeça*) magnetizador, no qual o sinal é transformado num padrão magnético gravado na fita (na cabeça de gravação), ou o padrão magnetizado nela gravado é lido e transformado em sinal (na cabeça de reprodução) **~ métrica** Fita mais ou menos flexível de material diverso, enrolada num carretel (de metal, plástico etc.), graduada em centímetros e/ou polegadas, us. para tomar medidas para confecção de roupas, em costura, alfaiataria etc. (neste caso, tem entre 1,5 m e 2 m de comprimento) ou medir espaços maiores, inclusive em topometria (neste caso pode ser de metal, ter dezenas de metros de comprimento e ser chamada de *trena*) **~ perfurada** Fita, ger. de papel, perfurada em módulos constituídos cada um de uma matriz de pequenos furos, cuja disposição corresponde a um código de signos decodificável por um leitor especial

fita[2] (*fi*.ta) *sf.* Ação ou resultado de fitar [F.: Dev. de *fitar*.]

fita[3] (*fi*.ta) *sf.* Ação realizada para impressionar, iludindo; cena fingida; ENCENAÇÃO; FINGIMENTO; SIMULAÇÃO: *Esse choro é pura fita.* [F.: Do lat. *ficta*, 'fingimento', fem. substv. de *fictus*, part. pas. de *figere*, 'fingir'.]

fitar (fi.*tar*) *v.* **1** Olhar fixamente para; fixar o olhar em (algo ou alguém, inclusive si mesmo, ou reciprocamente) [*td.*: *Fitava o quadro, embevecido; Ela fitava-se no espelho; Apaixonados, fitavam-se sem parar.*] **2** Fixar, concentrar (olhar, os olhos) em [*tdi.* + *em*: *Fitou longamente o olhar no horizonte; Não parava de fitar os olhos na menina.*] **3** *Fig.* Concentrar a atenção em: *Fitava o passado com tristeza* **4** Erguer e/ou manter erguidas, eretas e imóveis (as orelhas, esp. falando-se de animais) [*td.*: *Ao menor ruído o cão fitava as orelhas.*] [▶ 1 fitar] [F.: Do lat. *fictare*, de *fictus*, part. de *figere*. Hom./Par.: *fita* (fl.), *fitas* (fl.), *fita* (sf. [pl.]); *fitaria* (fl.), *fitarias* (fl.), *fitaria* (sf. [pl.]); *fito* (fl.), *ficto* (a.).]

fiteiro (fi.*tei*.ro) *sm.* **1** Fabricante de fita, de tiras estreitas **2** Quem faz fita[3], quem simula, finge estar sentindo ou agindo de certa forma **3** Quem é pródigo em galanteios e cortesias; quem namora muito **4** *N.E.* Espécie de porta envidraçada para isolar e proteger, em lojas, mercadorias expostas em prateleiras, sem impedir a visão das mesmas; vitrina **5** *PB PE* Barraca onde se vendem produtos como doces, cigarros etc.; quiosque *a.* **6** Diz-se de quem faz fita (3), ou de quem costuma fazê-la: *O juiz ainda não percebeu como este jogador é fiteiro.* [F.: *fita* + *-eiro*.]

fitilho (fi.*ti*.lho) *Vest. sm.* **1** Fita estreita, de tecido ou plástico, ger. us. como adorno em costura ou em artesanato; NASTRO **2** Qualquer fita estreita: *fitilho adesivo para embalagem.* **3** Fita presa à lombada de um livro para marcar a página desejada [F.: *fita* + *-ilho*.]

fito[1] (*fi*.to) *sm.* **1** Aquilo que é objeto de intenções, do desejo, das aspirações de alguém, ou ao que pretende em determinada ação; INTENTO; OBJETIVO: *Seu fito era vencer.* **2** Ponto específico e determinado que se procura atingir com um tiro, uma flechada, uma estilingada etc.; ALVO; MIRA [F.: Dev. de *fitar*. Hom./Par.: *fito* (a.), *fito* (fl. de *fitar*), *ficto* (a.).]

◎ **-fit(o)-** *el. comp.* Ver *fit(o)-*

◎ **-fito** *el. comp.* = 'Planta', 'vegetal': *epífito, esporófito.* Ver *fit(o)-* e *fit(o)-* [Com acento tônico na sílaba anterior.] [F.: Do gr. *phyton*, 'planta'. Ver tb. *fit(o)-*.]

◎ **fit(o)-** *el. comp.* Registra-se em vocábulos eruditos introduzidos na linguagem científica internacional, a partir do séc. XVIII, especialmente na área de botânica: *fitogenia, fitogeografia, fitologia, fitoterapia* etc. [F.: Do gr. *-phyt(o)-*, de *phytón*, 'planta', 'vegetal'.]

fito[2] (*fi*.to) *a.* **1** Que se fitou; CRAVADO; FIXO: *Ficou de olhos fitos no rapaz.* **2** Diz-se de orelha de animal erguida e parada [Neste caso, obviamente, usa-se *fita*, no feminino.] [F.: Do lat. *fictus*, part. de *figere*, 'cravar, fixar'. Hom./Par.: *fito* (a.), *fito* (fl. de *fitar*), *ficto* (a.).] ■ **A ~** Com os olhos fixos; fixamente: *Encarou-o a fito, olhos nos olhos* **De ~** O mesmo que *A fito* **~ a ~** O mesmo que *A fito*

fitófago (fi.*tó*.fa.go) *a.* **1** Diz-se de pessoa que se alimenta de vegetais; VEGETARIANO *sm.* **2** Essa pessoa; VEGETARIANO *a.* **3** *Ent.* Espécime dos fitófagos, subdivisão dos insetos coleópteros que abrange as famílias de besouros cujo quarto tarsômero é diminuto e oculto numa depressão do terceiro [F.: Do lat. cient. subordem *Phytophaga*.]

fitófilo (fi.*tó*.fi.lo) *a.* **1** Que vive nas plantas **2** Que gosta de plantas *sm.* **3** O que vive nas plantas ou gosta delas [F.: *fit(o)-* + *-filo*.]

fitogênese (fi.to.*gê*.ne.se) *sf. Bot.* Origem e desenvolvimento de uma planta, ou, genericamente, de vegetais; FITOGENIA [F.: *fit(o)-* + *gênese*.]

fitogenia (fi.to.ge.*ni*.a) *sf. Bot.* Origem, evolução e desenvolvimento dos vegetais; FITOGÊNESE [F.: *fit(o)-* + *-genia*.]

fitogeografia (fi.to.ge:o.gra.*fi*:a) *Bot. sf.* Estudo da distribuição geográfica das plantas e de sua relação com o meio; GEOBOTÂNICA [F.: *fit(o)-* + *geografia*.]

fitogeográfico (fi.to.ge:o.*grá*.fi.co) *a.* Ref. a fitogeografia; GEOBOTÂNICO [F.: *fitogeografia* + *-ico*[2].]

fitogeógrafo (fi.to.ge.*ó*.gra.fo) *sm.* Botânico que se especializou em fitogeografia; GEOBOTÂNICO [F.: *fit(o)-* + *geógrafo*.]

fitologia (fi.to.lo.*gi*.a) *sf. Bot.* Antiga denominação do ramo da biologia que estuda os vegetais; BOTÂNICA [F.: *fit(o)-* + *-logia*.]

fitoparasita (fi.to.pa.ra.*si*.ta) *Bot. sm.* Vegetal parasita [F.: *fit(o)-* + *parasita*.]

fitopatologia (fi.to.pa.to.lo.*gi*.a) *Bot. sf.* Ramo da botânica que estuda as doenças das plantas [F.: *fit(o)-* + *patologia*.]

fitoplancto (fi.to.*planc*.to) *sm. Bot.* Ver *fitoplâncton* [F.: *fit(o)-* + *plancto*. F. melhor e menos us. que *fitoplâncton*.]

fitoplâncton (fi.to.*plânc*.ton) *sm. Bot.* Conjunto dos organismos vegetais que compõem o plâncton [Pl.: *fitoplânctons, fitoplânctones*.] [F.: *fit(o)-* + *plâncton*. Tb. *fitoplancto*.]

fitormônio (fi.tor.*mô*.ni:o) *Bot. sm.* Qualquer das substâncias sintetizadas pela planta e que, em baixa concentração, influenciam seu crescimento e outras funções (p.ex., auxina e giberelina) [Termo considerado impróprio, porque a característica de atuar distante do local da síntese, própria dos hormônios, não se aplica necessariamente às plantas.] [F.: *fit(o)-* + *hormônio*.]

fitose (fi.*to*.se) *sf. Pat.* Doença causada por fitoparasita [F.: *fit(o)-* + *-ose*[2].]

fitossanitário (fi.tos.sa.ni.*tá*.ri:o) *a.* **1** Ref. à saúde das plantas **2** Que serve para prevenir e combater pragas agrícolas (tratamento fitossanitário; medidas fitossanitárias); AGROTÓXICO [F.: *fit(o)-* + *sanitário*.]

fitossociologia (fi.tos.so.ci:o.lo.*gi*.a) *Bot. sf.* Ramo da botânica que estuda esp. a estrutura, composição e inter-relações das comunidades vegetais [F.: *fit(o)-* + *sociologia*.]

fitoteca[1] (fi.to.*te*.ca) *sf.* **1** Coleção ordenada de plantas dessecadas para fins de pesquisa científica **2** Lugar que abriga essa coleção [F.: *fit(o)-* + *-teca*. Sin.ger.: *ervário, herbário*.]

fitoteca[2] (fi.to.*te*.ca) *sf.* **1** Coleção de fitas magnéticas gravadas, esp. cassetes **2** Local onde essa coleção é guardada [F.: *fita* + *-o-* + *-teca*.]

fitotecnia (fi.to.tec.*ni*.a) *Agr. sf.* Técnica de cultivo e reprodução de plantas [F.: *fit(o)-* + *-tecnia*.]

fitotecnista (fi.to.tec.*nis*.ta) *s2g.* **1** Engenheiro-agrônomo que durante a graduação deu ênfase à área de fitotecnia **2** Especialista em fitotecnia [F.: *fitotecnia* + *-ista*.]

fitoterapeuta (fi.to.te.ra.*peu*.ta) *s2g.* Especialista em fitoterapia [F.: *fit(o)-* + *terapeuta*.]

fitoterapia (fi.to.te.ra.*pi*:a) *sf. Med.* Tratamento de doenças ou sua prevenção por meio do uso de plantas [Por exemplo, a aromaterapia (uso de óleos vegetais essenciais).] [F.: *fit(o)-* + *terapia*.]

fitoterápico (fi.to.te.*rá*.pi.co) *Med. a.* **1** Ref. a fitoterapia **2** Diz-se de fármaco obtido de plantas com finalidade terapêutica [F.: *fitoterapia* + *-ico*[2].]

fitotoxicidade (fi.to.to.xi.ci.*da*.de) [cs] *sf.* **1** Caráter daquilo que tem efeito tóxico sobre plantas: *a fitotoxicidade de certos herbicidas.* **2** Alteração no desenvolvimento de uma planta causada por efeito tóxico de certas substâncias: *cuidados para evitar fitotoxicidade aos frutos.* [F.: *fit(o)-* + *toxicidade*.]

fitotóxico (fi.to.*tó*.xi.co) [cs] *a.* **1** Que tem efeito tóxico sobre plantas (efeito fitotóxico) *sm.* **2** Ver *fitotoxina* [F.: *fit(o)-* + *tóxico*.]

fitotoxina (fi.to.to.xi.na) [cs] *Agr. Bot. sf.* Substância tóxica para as plantas; FITOTÓXICO [F.: *fit(o)-* + *toxina*.]

fitucar (fi.tu.*car*) *v.* *int.* *Ang.* Ficar zangado, irritar-se [▶ 11 fitucar] [F.: Do quimb. *futuluka* + *-ar*[2].]

fiúza (fi.*ú*.za) *sf.* Crença, fé, confiança [Ant.: *descrença, dúvida, insegurança*.] [F.: Do lat. *fiducia, ae.* Ver tb.: *fidúcia*.]

fivela (fi.*ve*.la) *sf.* **1** Peça de materiais diversos, esp. metal, com um ou mais pinos, que servem para fixar correias (cintos, arreios etc.), sapatos etc. **2** *Bras.* Peça semelhante a fivela (1) us. como enfeite; PASSADOR **3** Prendedor de cabelos com formato de fivela (1) [Dim.: *fiveleta, fivelame*.] [F.: Do lat. vulg. **fibella*, por *fibula, ae*.]

fixação (fi.xa.*ção*) [cs] *sf.* **1** Ação ou resultado de fixar(-se) **2** Operação química pela qual se torna fixo um corpo volátil **3** *Fot.* Processo que remove os sais de prata não utilizados de uma emulsão fotográfica depois de revelada **4** *Psic.* Permanência no inconsciente de conteúdos próprios de etapas antigas dos processos emocionais, esp. os da libido **5** *Psic.* Apego doentio a pessoa ou coisa: *Sua fixação paterna era um caso para psicoterapia.* **6** *Bioq.* Processo de transformação de um elemento químico numa forma utilizável por organismo vivo **7** Ação de tornar estável: *Fixação de preços.* **8** Ação de reter na memória **9** *Fig.* Grande atração ou apego extremo (por pessoa, ideia, coisa etc.): *Tinha fixação em filmes antigos.* [Pl.: *-ções*.] [F.: *fixar* + *-ção*.] ■ **~ de nitrogênio** *Quím.* Processo de incorporação do nitrogênio do ar (por bactérias) em moléculas de substâncias nitrogenadas (como a amônia), que serão assimiladas por organismos vivos ou usadas na indústria (como a de fertilizantes)

fixado (fi.*xa*.do) [cs] *a.* **1** Que se fixou; CRAVADO; FIXO; PRESO: *Cravos fixados à cruz.* [Ant.: *desencravado, solto*.] **2** Determinado, estabelecido: *Não respeitaram o prazo fixado.* [Ant.: *impreciso, incerto, indeterminado*.] **3** Colado, afixado: *Cartazes fixados ao muro.* [Ant.: *descolado, despregado*.] **4** Bem guardado na lembrança: *Momentos felizes fixados para sempre.* **5** Dirigido firmemente a alguém ou algo: *Tinha o olhar fixado na bela mulher.* [Ant.: *desviado*.] [F.: Part. de *fixar*.]

fixador (fi.xa.*dor*) [cs, ô] *a.* **1** Que fixa; que torna fixo, firme *sm.* **2** Peça us. para fixar alguma coisa *sm.* **3** Produto para fixar o penteado: *Comprou um fixador para os cabelos.* **4** Substância, ger. aplicada com vaporizador, com que se fixa um desenho (p.ex., feito a carvão ou creiom) em papel **5** *Biol.* Agente químico ou físico que fixa células, tecidos ou organismos **6** *Fot.* Substância us. na revelação de fotos, que interrompe a sensibilização de um papel fotográfico pela luz, com isso fixando a imagem já nele gravada **7** Substância que diminui a volatilidade no ar de essências de perfumes, tornando-as mais duráveis [F.: *fixar* + *-dor*.]

fixar (fi.*xar*) [cs] *v.* **1** Tornar fixo, imóvel; FIRMAR [*td.*: *Fixou os pés da cama que rangia.*] **2** Estabelecer (residência, negócio) [*tda.*: *Fixaram moradia no centro da cidade.*] **3** Passar a ter moradia permanente (em certo lugar) [*ta.*: *Fixou-se em Brasília.*] **4** Reter (olhar, atenção) em [*tdr.* + *em*: *Fixou o olhar na mulher que chegava.*] **5** Concentrar (alguém) a atenção em [*tr.* + *em*: *Fixava-se nos problemas da criança.*] **6** *P.ext.* Reter na memória; MEMORIZAR [*td.*: *Não conseguia fixar o número daquele telefone.*] **7** *P.ext.*

Estabelecer, determinar; DESIGNAR; MARCAR [*td.*: *Custaram a fixar a data do início das operações/a hora da partida.*] **8** Afixar, colar [*tda.*: *Fixou os cartazes na parede.*] **9** Aferrar-se a (algo) com obstinação [*tr.* + *em*: *Fixou-se numa ideia e não queria largá-la.*] **10** Atrair (a atenção [de algo, alguém]) para si [*td.*: *O filme não conseguiu fixar-lhe a atenção.*] **11** Fazer valer, prescrever, implementar (medidas, regulamentos etc.) [*td.*: *Todos os dias fixava novas regras.*] **12** *Psic.* Ligar-se (a libido) ora mais, ora menos a certas fases evolutivas e, de acordo com isso, a determinadas pessoas ou imagos mais (ou menos) do que a outras [*tdi.*] [▶ 1 fixar] [F.: Posv. do fr. *fixer.*]

fixidez (fi.xi.*dez*) [cs] *sf.* Característica do que é ou está fixo; FIRMEZA; FIXIDADE: "Sem descruzar as mãos dos joelhos, nem desviar a fixidez do olhar abstrato, o homem disse..." (Eça de Queirós, *Notas contemporâneas*) [Ant.: *insegurança, instabilidade, oscilação.*] [F.: *fixid(ade)* + *-ez.*]

fixo (*fi*.xo) [cs] *a.* **1** Que está pregado a um corpo imóvel; ESTÁVEL, FIRME: *Prego fixo na parede.* **2** Que está voltado de maneira insistente para algo ou alguém: *Tinha os olhos fixos na paisagem e no rapaz.* **3** Estável, firme (trabalho fixo) **4** Que está perfeitamente determinado (prazo fixo) **5** Que está sempre no mesmo lugar; IMÓVEL: *Olhava um ponto fixo na clareira.* **6** Que não apresenta variação; que se mostra constante: *Vivia dominado por uma ideia fixa.* **7** Diz-se de cor firme, que não desbota *sm.* **8** Salário ou ordenado fixo **9** Peça que não se move **10** *Esp.* No futsal, o jogador de defesa mais recuado; PARADO [F.: Do lat. *fixus, a, um*, 'fincado', 'fixado'.]

flã *sm.* **1** *Cul.* Pudim cremoso feito com leite e ovos, servido com calda caramelada de açúcar **2** *Cul.* Qualquer pudim semelhante **3** *Art.gr.* Cartão maleável para gravação de matrizes de estereotipia, o que se faz prensando-o em calandra contra o relevo a ser moldado [F.: Do fr. *flan.*]

◎ **flabel(i)-** *el. comp.* = leque: *flabelar, flabeliforme.* [F.: Do lat. *flabĕllum, i.*]

flabelo (fla.*be*.lo) *sm.* **1** Leque, ventarola **2** Grande leque, ger. de plumas, com cabo longo, us. para abanar pessoas importantes durante cortejos ou cerimônias: "A núbia, a abanar, plúmeo flabelo levemente agita." (Rosário Congro, *Em Bizâncio*) **3** Essa peça us. como alfaia eclesiástica **4** *PE* Estandarte, ger. em forma de leque, em que consta o nome e o símbolo do bloco carnavalesco **5** *P.ext.* Folha de palmeira [F.: Do lat. *flabellum, i.*]

flacidez (fla.ci.*dez*) [ê] *sf.* **1** Qualidade ou estado de flácido **2** *Fig.* Falta de capacidade de agir, de decidir; ENTORPECIMENTO: "Acabava de ver um tremor agitar os olhos da Emília e a cabeça tombar-lhe para os seios, em toda a flacidez da inércia." (Raul Pompeia, *As joias da Coroa*) **3** *Med.* Doença epidêmica do bicho-da-seda [F.: *flácido* + *-ez.*]

flácido (*flá*.ci.do) *a.* **1** Que não tem firmeza ou elasticidade (seios flácidos); FROUXO; MOLE: **2** *P.ext.* Que se caracteriza pela languidez, pela falta de vigor: *Fez um gesto flácido.* **3** *P.ext.* Que suscita uma percepção ou sensação de doçura, de suavidade: *A brisa flácida acariciava seus cabelos.* [F.: Do lat. *flaccidus, a, um.*]

flaconete (fla.co.*ne*.te) [é] *Farm. sm.* **1** Embalagem plástica em forma de diminuta garrafa cilíndrica, para acondicionar dose única de medicamento líquido **2** Embalagem semelhante para perfumes, de vidro e ger. com aplicador plástico preso ao interior da tampa

flagelação (fla.ge.la.*ção*) *sf.* **1** Ação ou resultado de flagelar(-se); golpe de flagelo: "...mostrava suas faces emagrecidas pelos jejuns, as suas carnes rasgadas pelas flagelações." (Eça de Queirós, *Últimas páginas*) **2** *P.ext.* Sofrimento intenso; AFLIÇÃO; TORMENTO **3** *P.ext.* Suplício, mortificação [Pl.: *-ções.*] [F.: *flagelar* + *-ção.*]

flagelado¹ (fla.ge.*la*.do) *a.* **1** Que foi vítima de flagelo ou calamidade: *Os retirantes flagelados ainda mantinham a esperança.* **2** Que foi submetido a tortura, a suplício: *No calabouço, encontraram prisioneiros flagelados e desesperançados.* **3** Que foi açoitado **4** Aflito, atormentado, torturado *sm.* **5** Indivíduo que sofreu flagelo ou tortura **6** Indivíduo que foi vítima de flagelo ou calamidade [F.: Do lat. *flagellatus*, ou part. de *flagelar.*]

flagelado² (fla.ge.*la*.do) *Biol. a.* **1** Diz-se de célula ou organismo dotado de um ou mais flagelos *sm.* **2** Espécime dos flagelados, seres unicelulares dotados de flagelos **3** *Zool.* Espécime dos flagelados, subfilo de protistas, tb. conhecidos como *mastigóforos* [F.: *flagelo* + *-ado³.*]

flagelador (fla.ge.la.*dor*) [ô] *a.* **1** Que flagela; FLAGELANTE *sm.* **2** Aquele ou aquilo que flagela [F.: *flagelar* + *-dor.*]

flagelante (fla.ge.*lan*.te) *a2g.* Flagelador (1) [F.: *flagelar* + *-nte.*]

flagelar (fla.ge.*lar*) *v. td.* **1** Aplicar(-se) flagelo, bater(-se) com flagelo; CASTIGAR(-SE): *Todas as manhãs, flagelava-se*: "E suas mãos ainda quentes dos canos das armas, flagelaram, a modo de impelidas por oculta e fatal força, as faces há pouco afogueadas, agora pálidas, senão lívidas." (Franklin Távora, *O matuto*) **2** Afetar, atingir; fazer sofrer: *Inesperada epidemia flagelou a tribo.* **3** Incomodar, atormentar; AFLIGIR: *Aquelas lembranças lhe flagelavam o espírito.* [▶ 1 flagelar] [F.: Do lat. *flagellare.* Hom./Par.: *flagelo* (fl.), *flagelo* (sm.).]

◎ **flagel(i)-** *pref.* = flagelo: *flagelado, flagelose.*

flagelo¹ (fla.*ge*.lo) *sm.* **1** Instrumento usado para açoitar, chicotear; AÇOITE; AZORRAGUE; CHICOTE; LÁTEGO **2** Suplício, tortura: *Foi condenado a terrível flagelo.* **3** *Fig.* Grande desgraça; CALAMIDADE: *O flagelo da seca.* **4** *Fig.* Propagação de doença contagiosa em uma região, país etc.; EPIDEMIA; PESTE: *O flagelo da Aids.* **5** *Fig.* Agente desencadeador de desgraças, danos, prejuízos: *A ditadura é um flagelo.* **6** *Fig.* Aquilo que provoca aflição, angústia, sofrimento: *O rapaz viciado era um flagelo para os pais.* [F.: Do lat. *flagellum, i.* Hom./Par.: *flagelo* (sm.), *flagelo* (fl. de *flagelar*).]

flagelo² (fla.ge.lo) *sm. Cit.* Filamento de natureza proteica que constitui o órgão locomotor de vários organismos unicelulares e tb. celulares, como os gametas [F.: Do lat. cient. *flagellum, i.*]

flagra (fla.*gra*) *sf. Bras. Gír.* Ver *flagrante* (5) [F.: Deriv. regress. de *flagrante.* Hom./Par.: *flagra* (sm.), *flagra* (fl. de *flagrar*).] ■ **Dar o ~** *Pop.* Surpreender alguém em ato (ger. embaraçoso ou indecoroso); apanhar em flagrante

flagrância (fla.*grân*.ci:a) *sf.* **1** Condição daquilo que é flagrante **2** Momento em que ocorre um flagrante [F.: Do lat. *flagrantia, ae.* Hom./Par.: *fragrância* (sf.).]

flagrante (fla.*gran*.te) *a2g.* **1** Que é evidente, notório: *Foi uma flagrante demonstração de desrespeito.* **2** Que é constatado ou registrado no momento mesmo em que acontece ou se pratica (flagrante delito) **3** Cheio de ardor, de desejo; ARDENTE; INFLAMADO *Fig.*; RUBRO **4** Muito corado, incendido; ENRUBESCIDO: *O rosto flagrante denunciava seu desejo secreto.* *sm.* **5** Ato ou fato observado ou comprovado no momento mesmo em que ocorre: *A polícia chegou na hora e fez o flagrante.* **6** Documentação que registra o flagrante (5): *O fotógrafo registrou o flagrante da posse.* [F.: Do lat. *flagrans, ntis.* Hom./Par.: *flagrante* (a2g. sm.), *fragrante* (a2g.).] ■ **Em ~** No momento mesmo em que se está fazendo algo, ou praticando um ato, ou realizando um movimento etc.

flagrar¹ (fla.*grar*) *v. td.* **1** *Bras. Pop.* Constatar, surpreender (algo ou alguém) em flagrante (5), em ato ou situação no momento mesmo em que ocorrem: *A mulher flagrou o marido com a outra.* **2** Constatar um flagrante (5), um ato ou situação no momento mesmo em que se realiza ou ocorre: *O fiscal flagrou a adulteração da urna.* [▶ 1 flagrar] [F.: Do lat. *flagrare.*]

flagrar² (fla.*grar*) *v. int. P.us.* Pegar fogo; arder em chamas; QUEIMAR: *O edifício inteiro flagrou.* [▶ 1 flagrar] [F.: Do lat. *flagrare.* Hom./Par.: *flagra* (fl.), *flagras* (fl.), *flagra* (sf. [pl.]).]

flajolé (fla.jo.*lé*) *Mús. sm.* **1** Pequena flauta de madeira com seis orifícios para os dedos, sendo dois na parte inferior, para os polegares **2** Som harmônico dos instrumentos de corda friccionáveis **3** O mais agudo registro do órgão [F.: Do fr. *flageolet.*]

flama (*fla*.ma) *sf.* **1** Chama, labareda: *As flamas do incêndio eram vistas a distância.* **2** *Fig.* Ardor, calor: *A flama da paixão.* **3** *Fig.* Entusiasmo, vivacidade [Dim.: *flâmula*] [F.: Do lat. *flamma, ae.* Hom./Par.: *flama* (sf.), *flama* (fl. de *flamar*).]

flamante (fla.*man*.te) *a2g.* **1** Que flameja, o mesmo que *flamejante* **2** Da cor da brasa: "... os lagostins flamantes,/ camarões excelentes,/ que são dos lagostins pobres parentes..." (Manuel Botelho de Oliveira, *À ilha de Maré*) **3** De cor muito viva e brilhante: "Manhã de um azul flamante." (Lygia Fagundes Telles, *O menino e o velho*) **4** Vívido, inflamado, intenso: "Ecos superficiais dessa conversa se fizeram ouvir na semana passada na flamante troca de farpas sobre a religiosidade do presidente..." (Vinicius Mota, *Folha de S.Paulo*, 10.04.2005): "A entrevista flamante de Tenório, publicada na edição passada desta Revista..." (*O Cruzeiro*, 19.09.1959) [Ant.: *frio, indiferente, monótono.*] [F.: Do lat. *flammans, antis*, part. de *flammare.*]

flamar (fla.*mar*) *v. td.* Como assepsia, passar objeto em chama (ger. de álcool), para desinfetá-lo; FLAMBAR (2); DESINFETAR: *Sem outros recursos de assepsia, teve de flamar a tesoura.* [▶ 1 flamar] [F.: Do lat. *flammare.* Hom./Par.: *flama(s)* (fl.), *flama(s)* (sf.[pl.]).]

flambado (flam.*ba*.do) *a.* **1** Diz-se do alimento que se flambou; FLAMBÊ **2** Diz-se do utensílio ou instrumento de que se fez assepsia por meio de flambagem [F.: Part. de *flambar.*]

flambar (flam.*bar*) *v. td.* **1** *Cul.* Aspergir (alimento, como carne, crepe etc., como arremate de seu preparo) com bebida alcoólica e inflamá-la: *Flambar um assado.* **2** O mesmo que *flamar*: *A enfermeira flambou os instrumentos cirúrgicos.* [▶ 1 flambar] [F.: Do fr. *flamber.*]

flamboaiã (flam.bo:ai.*ã*) *sm. Bot.* Árvore da fam. das leguminosas, subfam. cesalpinioídea (*Delonix regia*), nativa de Madagascar, de flores vermelhas ou alaranjadas, vagens lenhosas com muitas sementes, muito ornamental e us. em arborização de ruas e praças [F.: Do fr. *flamboyant.*]

⊕ ***flamboyant*** (*Fr. /flamboaiã/*) *sm. Bot.* Ver *flamboaiã*

flamejante (fla.me.*jan*.te) *a2g.* **1** Que lança flamas (fogueiras flamejantes); CHAMEJANTE **2** *Fig.* Que é vistoso, que chama a atenção (olhares flamejantes) **3** *Arq.* Denominação do estilo gótico em sua fase final na França, assim chamado porque incluía ornamentos florais representativos do flamboaiã (ou seja, *flamboyant*, que quer dizer 'flamejante') [F.: *flamejar* + *-nte.* Sin. ger.: *flamante, flâmeo.*]

flamejar (fla.me.*jar*) *v.* **1** Produzir, lançar, emitir chamas; ARDER; CHAMEJAR [*int.*: *A pequena fogueira ainda flamejava.*] **2** Emitir raios luminosos com grande intensidade; BRILHAR; CINTILAR; FULGURAR [*int.*: *No alto, as estrelas flamejavam.*] **3** *Fig.* Fazer transparecer, demonstrar (emoção, atitude) como se fossem chamas, chispas, raios etc.; CHAMEJAR [*td.*: *Seus olhos flamejavam ódio e ressentimento.*] [▶ 1 flamejar] [F.: *flama* + *-ejar.*]

⊕ ***flamenco*** (*Esp. /flamênco/*) *Dnç. Mús. sm.* **1** Dança ou música de origem cigana, típicas da Andaluzia (Espanha), ger. acompanhadas de palmas *a.* **2** Diz-se dessa dança ou música

flamengo¹ (fla.*men*.go) *a.* **1** De Flandres (França, Holanda e Bélgica); típico dessa região ou de seu povo *sm.* **2** Pessoa nascida em Flandres **3** *Gloss.* Cada um dos dialetos do neerlandês falados na Bélgica e na região francesa de Dunquerque [F.: Do lat. med. *flamengus*, der. do neerl. *flaming.*]

flamengo² (fla.*men*.go) *sm. Zool.* Ver *flamingo* [F.: Do provç. *flamenc*, 'da cor do fogo', 'brilhante'.]

flamengo³ (fla.*men*.go) *a2g. Esp.* O mesmo que *flamenguista*

flamenguista (fla.men.*guis*.ta) *Bras. s2g.* **1** Sócio, jogador ou torcedor do Clube de Regatas Flamengo, do Rio de Janeiro; RUBRO-NEGRO; URUBU *a2g.* **2** Ref. a esse clube; RUBRO-NEGRO [F.: (Clube de Regatas) *Flamengo* + *-ista.*]

flâmeo (*flâ*.me:o) *a.* **1** Que flameja, mesmo que *flamejante* *sm.* **2** Véu cor de fogo que as recém-casadas usavam para encobrir o rosto na Roma antiga [F.: Do lat. *flammeus, a, um.*]

flamingo (fla.*min*.go) *Zool. sm.* **1** Denominação comum às aves da fam. dos fenicopterídeos (*Phoenicopterus roseus*) de grande porte, plumagem rosada, pernas e pescoço compridos, encontradas em várias partes do mundo; FLAMENGO **2** Espécie desse gênero encontrada na América do Sul (*Phoenicopterus chilensis*); GUANACO **3** Outra espécie dessa ave (*Phoenicopterus ruber*) encontrada nas Américas, em vias de extinção; GANSÃO; GANSO-COR-DE-ROSA; MARANHÃO [F.: Do ing. *flamingo.*]

flâmula (*flâ*.mula) *sf.* **1** Pequena flama **2** Pequena bandeira triangular, us. em embarcações, sinalizações, festividades, ou como enfeite; GALHARDETE **3** Essa bandeira, us. como indicação de pertinência ou homenagem a clube, instituição, agremiação etc.: *Pendurou a flâmula de seu clube na antena do carro.* **4** *P.ext.* Qualquer bandeira [F.: Do lat. *flammula, ae.*]

flanar (fla.*nar*) *v. int.* Andar sem a preocupação de um destino, ociosamente; PERAMBULAR; LARAR; VAGAR: *Passava as manhãs a flanar.* [▶ 1 flanar] [F.: Do fr. *flaner.*]

flanco (*flan*.co) *sm.* **1** *Anat.* Parte lateral do tórax de homem ou de animal **2** Cada um dos lados do corpo, dos quadris aos ombros: "De flanco sobre o lençol, / paisagem já tão marinha,/ a uma onda deitada,/ na praia, te parecias." (João Cabral de Melo Neto, "Imitação da água", *in Poesias*) **3** *Mil.* Lado de um corpo de tropas **4** Parte lateral de qualquer coisa, objeto, terreno, região etc. **5** Espaço entre a cortina e o baluarte, nas fortificações **6** *Mil.* Ponto acessível, que pode ser atravessado ou conquistado **7** *Fut.* Lado do campo, lateral: *O time gostava de atacar pelo flanco esquerdo.* [F.: Do fr. *flanc.*] ■ **De ~** Lateralmente, de lado

flandre (*flan*.dre) *sm. N.E.* Ver *folha de flandres* [F.: Do top. *Flandres.* Tb. *flandres.*]

flandres (*flan*.dres) *smpl.* Ver *flandre, folha de flandres*

flanela (fla.*ne*.la) *sf.* **1** Tecido de lã ou de algodão, macio e ligeiramente felpudo em uma das faces, ou em ambas **2** Pano macio us. para limpar e lustrar móveis, utensílios domésticos, vidro etc. [F.: Do galês *gwlanen*, 'tecido de lã', pelo ing. *flannel* e pelo fr. *flanelle.*]

flanelado (fla.ne.*la*.do) *a.* Que tem um ou ambas as faces com textura de flanela ou semelhante a ela: *toalhas plásticas flaneladas, moletom flanelado.* [F.: *flanela* + *-ado².*]

flanelinha (fla.ne.*li*.nha) *sf.* **1** Pequena flanela *s2g.* **2** *RJ Pop.* Pesssoa que, em troca de dinheiro, vigia veículos estacionados nas ruas [Ger. empunham uma flanela (para limpar para-brisas), espécie de emblema de identificação, de onde sua alcunha.] [F.: *flanela* + *-inha.*]

flanelógrafo (fla.ne.*ló*.gra.fo) *sm.* Quadro revestido de lã ou feltro, no qual se aplicam provisoriamente papéis, fotos, figuras etc., muito us. por professores como recurso didático; FELTRÓGRAFO; QUADRO DE FELTRO [F.: *flanela* + *-o-* + *-grafo.*]

flanqueador (flan.que:a.*dor*) [ô] *a.* **1** Que flanqueia *sm.* **2** Aquele que flanqueia [F.: *flanqueado* + *-or.*]

flanquear (flan.que.*ar*) *v. td.* **1** Caminhar ou estar ao lado de; LADEAR **2** Atacar os flancos, as laterais de: *As tropas flanquearam o inimigo.* **3** Guarnecer de proteção, fortificar, tornar resistente e defensável os flancos, a lateral de uma posição, de um bastião etc. [▶ 13 flanquear] [F.: *flanco* + *-ear².*]

⊕ ***flap*** (*Ing. /flép/*) *Aer. sm.* Parte móvel da asa do avião que se desloca no momento da aterrissagem para aumentar a sustentação do aparelho durante o pouso ou a decolagem; FLAPE

flape (*fla*.pe) *sm.* **1** *Aer.* Dispositivo integrado estruturalmente ao longo do bordo de fuga (posterior) das asas de aeronaves e que, deslocando-se da parte inferior da asa para trás, aumenta a superfície desta e proporciona maior sustentação nas velocidades reduzidas de decolagem e pouso. Girando para baixo sobre eixo ao longo da envergadura da asa, oferece maior resistência ao ar para a frenagem do avião no pouso **2** *P.ext.* Qualquer dispositivo colocado em máquinas, veículos, ou mesmo em partes do corpo humano ou de animais (flape ósseo), que execute funções de mobilidade semelhantes às do flape original **3** *Fon.* O mesmo que *consoante vibrante alveolar simples* [F.: Do ing. *flap.*]

⊕ ***flash*** (*Ing. /flésh/*) *sm.* **1** *Fot.* Clarão intenso e repentino, capaz de produzir iluminação suficiente para se tirar fotografias em ambiente pouco iluminado ou para efeitos especiais de iluminação **2** *Fot.* Lâmpada especial que produz esse clarão; aparelho ou dispositivo que aciona a lâmpada **3** *Cin. Telv.* Cena extremamente curta **4** *Fig.*

Visão ou percepção rapidíssima de algo; ideia súbita 5 *Jorn.* Notícia dada de forma breve, ger. interrompendo a programação normal da emissora que a transmite ▦ **Ter um ~** Ter inspiração, ideia, lembrança repentina

⊕ **flashback** (*Ing. /fléchbec/*) *sm.* 1 *Cin. Liter. Teat. Telv.* Cena, trecho descritivo etc. que evoca ou mostra acontecimentos do passado, interrompendo o fluxo narrativo cronológico 2 *Fig.* O(s) fato(s), acontecimento(s) assim evocado(s) 3 *P.ext.* Lembrança, evocação, recordação

⊕ **flat** (*Ing. /flét/*) *Bras. Moç. sm.* Apartamento (1 e 2)

flato (*fla*.to) *sm.* 1 Ver *flatulência* 2 *Fig.* Desejo intenso; ÂNSIA; GANA 3 *Fig.* Manifestação de descontrole nervoso, ataque de histeria; CHILIQUE; FANIQUITO; PITI [F.: Do lat. *flatus, us* 'sopro', 'bafo', 'hálito'.]

flatulência (fla.tu.*lên*.ci:a) *sf.* 1 *Fis.* Emissão, pelo ânus, de gases acumulados no intestino *Vulg.*; PEIDO; VENTOSIDADE 2 *Fisl.* Acúmulo de gases no trato digestivo; METEORISMO; VENTOSIDADE 3 *Fig.* Jactância, vaidade [F.: Do fr. *flatulence.* Sin. ger.: *flato, flatuosidade.*]

flatulento (fla.tu.*len*.to) *a.* 1 Ref. a flatulência 2 Que provoca flatulência 3 Que é sujeito, suscetível a flatulência; FLATULOSO [F.: Do fr. *flatulent.*]

flatuloso (fla.tu.*lo*.so) [ô] *a.* Sujeito a flatos; que apresenta flatulência; FLATULENTO; FLATUOSO [F.: *flatul*(ento) + *-oso.*]

flatuosidade (fla.tu:o.si.*da*.de) *sf.* O mesmo que *flatulência* [F.: *flatuoso* + *-i-* + *-dade.*]

flaubertiano (flau.ber.ti.*a*.no) *a.* 1 Ref. a Gustave Flaubert (1821-1880), escritor francês, ou a sua obra 2 Que é grande admirador ou conhecedor da vida e/ou da obra desse escritor *sm.* 3 Indivíduo flaubertiano (2) [F.: Do antr. (*Gustave*) *Flaubert* + *-iano.*]

flauta (*flau*.ta) *sf.* 1 *Mús.* Instrumento de sopro que consiste num tubo oco, comprido e fino, com um orifício para soprar e outros, ao longo do tubo, que o músico tapa ou destapa com os dedos para alterar a frequência do som e com isso sua altura 2 *Pop.* Falta de compromisso ou trabalho; FOLGA; VADIAÇÃO *s2g.* 3 Aquele que toca flauta; FLAUTISTA: *Contratou um flauta para compor seu conjunto.* 4 Quem vive na flauta (2) 5 *Bras. Gír.* Charuto bichado, cheio de furos causados por bicho [F.: Do occ. ant. *flauta*, ou *flaüt*, posv., pelo fr. ant. *flaüte.*] ▦ **~ basca** Flauta vertical com três orifícios, us. esp. por pastores da Provença (França); flauta provençal **~ de Pã** *Mús.* Antigo instrumento de sopro, feito de uma série de tubos em feixe, de tamanhos decrescentes; siringe **~ doce** *Mús.* Flauta vertical, de madeira, soprada diretamente numa das extremidades [Ver ilustração junto à definição 1.] **~ provençal** Ver *Flauta basca* **~ transversa** *Mús.* A que é executada horizontalmente, com sopro lateral; pode ser de madeira ou de metal. [É instrumento de orquestra sinfônica] **~ transversal** Ver *Flauta transversa* **~ vertical** *Mús.* A que se segura e se sopra verticalmente **Levar na ~** *Pop.* Não levar muito a sério (responsabilidade, problema, tarefa etc.); não se empenhar muito (em algo): *Levava tudo na flauta, não se aborrecia nem se estressava.*

flautear (flau.te.*ar*) *v.* 1 Tocar flauta [*td.*] [*int.*] 2 *Bras.* Ficar sem fazer nada; andar na flauta; VADIAR [*int.*: *Não tem trabalho, vive flauteando.*] 3 *Fig.* Faltar a compromisso, à responsabilidade assumida [*td.*] 4 *Pop.* Procurar iludir (alguém) com subterfúgios [*td.*] 5 *Bras.* Escarnecer de (algo ou alguém); ZOMBAR; CAÇOAR [*td.*] 6 *Bras. Pop.* Distrair-se [*int.*: *Aproveitou a folga para flautear pelo jardim.*] [▶ 13 flautear] [F.: *flauta* + *-ear.*]

flauteiro (flau.*tei*.ro) *sm. Mús.* Tocador de flauta, mesmo que *flautista* [F.: *flauta* + *-eiro.*]

flautim (flau.*tim*) *sm.* 1 *Mús.* Instrumento musical de sopro, semelhante à flauta, porém menor, mais fino e com registro uma oitava acima 2 Aquele que toca flautim; FLAUTINISTA [Pl.: *-tins.*] [F.: Do it. *flautino.*]

flautista (flau.*tis*.ta) *a2g.* 1 *Mús.* Que toca flauta *s2g.* 2 Indivíduo que toca flauta; FLAUTEIRO; FLAUTA 3 Indivíduo que fabrica flautas [F.: *flauta* + *-ista.*]

◎ **flav(i)-** *el. comp.* = amarelo: *flavo, flavona* [F.: Do lat. *flavus, a, um.*]

flaviense (fla.vi:*en*.se) *s2g.* 1 Indivíduo nascido ou que vive em Chaves (Portugal) *a2g.* 2 De Chaves; típico dessa cidade ou de seu povo [F.: Do lat. *flaviense.*]

flavona (fla.*vo*.na) *sf. Quím.* 1 Cetona ($C_{15}H_{10}O_2$) cristalina, incolor, da qual derivam numerosos corantes vegetais 2 Qualquer dos derivados dessa cetona [F.: *flav(i)-* + *-ona*[2].]

flavonoide (fla.vo.*noi*.de) *sm. Farm.* Qualquer composto aromático de origem vegetal que contém flavona [F.: *flavona* + *-oide.*]

flebite (fle.*bi*.te) *sf. Pat.* Inflamação das paredes de uma veia [F.: *fleb(o)-* + *-ite*[1].]

flebítico (fle.*bí*.ti.co) *a.* Ref. a flebite (processo flebítico) [F.: *flebite* + *-ico*[2].]

◎ **fleb(o)-** *el. comp.* Registra-se em vocábulos formados no próprio grego, como *fleborragia*, e em outros, a partir do séc. XIX, esp. da área da medicina: *flebite, flebopatia* etc. [F.: Do gr. *phleps, phlebós*, 'veia', 'artéria'.]

flebografia (fle.bo.gra.*fi*:a) *sf.* 1 *Med.* Radiografia das veias após injeção de contraste; VENOGRAFIA 2 Registro gráfico do pulso venoso 3 Descrição das veias [F.: *fleb(o)-* + *-grafia.* sin. ger.: *venografia.*]

flebográfico (fle.bo.*grá*.fi.co) *a.* Ref. a flebografia [F.: *flebografia* + *-ico*[2].]

flebologia (fle.bo.lo.*gi*:a) *Anat. sf.* Ramo da anatomia que estuda as veias e trata de suas afecções [F.: *fleb(o)-* + *-logia.*]

flebomalacia (fle.bo.ma.la.*ci*:a) *Pat. sf.* Amolecimento das paredes das veias [F.: *fleb(o)-* + *-malacia.*]

fleborragia (fle.bor.ra.*gi*:a) *Pat. sf.* Hemorragia por ruptura de veia [F.: do gr. *phleborragía, es.*]

fleborrágico (fle.bor.*rá*.gi.co) *a.* Ref. a fleborragia [F.: *fleborragia* + *-ico*[2].]

flebotomia (fle.bo.to.*mi*:a) *Cir. sf.* Incisão cirúrgica numa veia [F.: Do lat. *phlebotomia, ae*, do gr. *phlebotomía, as.*]

flebótomo (fle.*bó*.to.mo) *sm.* 1 *Cir.* Escalpelo usado em flebotomia 2 *Ent.* Designação genérica de diversos mosquitos hematófagos, da família dos psicodídeos, vetores de numerosas doenças, como a leishmaniose [F.: *fleb(o)-* + *-tomo.*]

flecha (*fle*.cha) *sf.* 1 Arma que consiste em uma haste com a ponta afiada e que se arremessa por meio de um arco; FLECHARIA 2 Qualquer objeto de forma semelhante 3 *Bot.* Ponta terminal das árvores 4 *Arq.* Extremidade superior em forma de pirâmide (de base quadrada, hexagonal ou octogonal) que remata uma torre, um campanário etc. 5 *Bot.* Erva aquática da fam. das alismatáceas (*Sagittaria montevidensis*), de folhas sagitadas e flores brancas, encontrada na Argentina, Uruguai e sul do Brasil 6 *Geom.* Numa circunferência, segmento de reta entre o arco dessa circunferência e o ponto médio da corda correspondente, e perpendicular a esta 7 *Geol.* Língua de material aluvional depositado no litoral 8 *Bot.* Rebento terminal de árvores, esp. coníferas 9 *Art.gr.* Sinal gráfico de revisão que indica a troca de posição entre duas palavras ou duas sequências de palavras 10 *Bot.* Inflorescência da cana-de-açúcar [F.: Do fr. *flèche.*]

flechada (fle.*cha*.da) *sf.* 1 Disparo, arremesso de flecha, ou atingimento de algo por flecha arremessada; FLECHAÇO; SETADA 2 Ferimento ou dano causado por esse atingimento [F.: *flecha* + *-ada*[1]. Var.: *frechada.*]

flechar (fle.*char*) *v.* 1 Atingir com flecha [*td.*: *Flechou a mosca do alvo.*] 2 Atirar flecha [*int.*: *Flechava com rapidez e grande pontaria.*] 3 *Fig.* Ridicularizar com palavras cruéis ou irônicas; FERIR [*td.*: *O crítico flechava sem piedade a picaretagem.*] 4 *Fig.* Atravessar velozmente (o espaço, o ar etc.) ou mover-se rapidamente, como uma flecha [*td.*: *O dia amanhecia, quando um pássaro flechou o espaço.*] [*tr.* + *para, sobre*: *A fera deu o bote e flechou sobre a presa.*] 5 *Fig.* Ferir, magoar [*td.*: *Flechava os amigos com observações maldosas.*] [▶ 1 flechar] [F.: *flecha* + *-ar*[2]. Hom./Par.: *flecha* (fl.), *flechas* (fl.), *flecha* (sf. [pl.]).]

flecheiro (fle.*chei*.ro) *sm.* 1 Indivíduo que caça com flecha 2 Indivíduo que arremessa flechas ou setas 3 Nos exércitos antigos, soldado que fazia uso de arco e flecha; ARQUEIRO; FRECHEIRO; SETEIRO [F.: *flecha* + *-eiro.*]

flectir (flec.*tir*) *v.* 1 Pôr (algo) em curva, fazer dobrar-se, flexionar-se, encurvar-se; CURVAR; FLEXIONAR [*td.*: *Flectiu a vara para fazer um arco.*] 2 *Fig.* Perder a rigidez, a resistência; ficar mais frouxo, mais maleável; ceder; DOBRAR-SE [*int.*: *Ante a pressão popular, a Câmara flectiu e mudou o projeto de lei.*] [▶50 flectir] [F.: Do lat. *flectere* 'dobrar, vergar'. Tb. *fletir.*]

flegma (*fleg*.ma) *sf.* 1 Qualidade, caráter ou comportamento de quem não sente nenhuma emoção ou não deixa transparecer sentimentos ou perturbações; m. us que *fleuma* ou *fleugma* 2 Apatia, indolência, indiferença 3 *Ant. Med.* Um dos quatro humores que a medicina antiga supunha ser o causador da indolência e da apatia 4 *P.us.* Produto com impurezas resultantes da primeira destilação do caldo de cana fermentado [F.: Do lat. *flegma, atis.*]

flegmasia (fleg.ma.*si*a) *sf. Ant. Med.* Quadro patológico que apresenta inflamação e febre concomitantes [F.: Do lat. cient. *phlegmasia.*]

fleima (*flei*.ma) *sf. Ant. Med.* Humor tido como causa da apatia, mesmo que *fleuma* [F.: do lat. med. *flegma, atis.*]

fleimão (flei.*mão*) *sm. Pat.* Inflamação do tecido conjuntivo com tendência a progredir em extensão e profundidade; FREIMÃO; FLEGMÃO [Pl.: *mões.*] [F.: Do lat. *phlegmone, es.*]

flertar (fler.*tar*) *v.* 1 Dar a alguém sinais de que quer namorar, fazer a corte de, namorar superficialmente; NAMORICAR; PAQUERAR [*tr.* + *com*: *Flertava com todas as moças.*] [*int.*: *Retraído, nem sequer flertava.*] 2 *Fig.* Fazer agrados, bajular [*tr.* + *com*: *O político do governo gostava de flertar com um partido da oposição/com os jornalistas.*] [*int.*: *Preferia crescer com seus méritos, não flertava.*] 3 *Fig.* Estabelecer contatos mais íntimos ou mais envolventes com [*tr.* + *com*: *Andava flertando com a medicina.*] [▶ 1 flertar] [F.: *flerte* + *-ar*[2]. Hom./Par.: *flerte* (fl.), *flertes* (fl.), *flerte* (sm. [pl.]).]

flerte (*fler*.te) [ê] *sm.* 1 Sinalização sutil de que se tem a intenção de namorar alguém, as atitudes e os atos que a expressam 2 Namorico inconsequente, sem envolvimento profundo 3 Afinidade momentânea entre adversários ou concorrentes políticos, profissionais etc. [F.: Do ing. *flirt.*]

fletir (fle.*tir*) *v.* Ver *flectir*

fleugma (*fleug*.ma) *sf. Ant. Med.* Humor corporal, mesmo que *fleuma* [F.: Do lat. med. *flegma, atis.* Tb. *flegma.*]

fleugmático (fleug.*má*.ti.co) *a.* 1 Rel. a fleugma 2 Que revela certa frieza de ânimo; IMPASSÍVEL 3 Que revela lentidão no que faz; PACHORRENTO [F.: Do lat. *fleugmaticus, a, um.* Tb. *fleumático.*]

fleuma (*fleu*.ma) *sf.* 1 *Hist.Med.* Na antiga medicina, humor que supostamente causava indolência, apatia 2 *Fig.* Qualidade, caráter ou comportamento de quem não deixa transparecer suas emoções; IMPASSIBILIDADE 3 *Fig.* Caráter de quem revela apatia, indiferença; PACHORRA [F.: Do gr. *phlégma*, pelo lat. tard. *phlegma.* Tb. *fleugma.*]

fleumático (fleu.*má*.ti.co) *a.* Ver *fleugmático*

flex [cs] *a2g.* Diz-se de motor, ou de veículo dotado de tal motor, que pode usar alternativamente combustíveis diferentes, como gasolina, óleo diesel, álcool etc.

◎ **-flexão** *el. comp.* = 'Ação de curvar, de dobrar, de vergar, voltar, desviar; encurvar, rodar': *genuflexão, inflexão, retroflexão.* Ver *flex(i)-* [F.: Do lat. *flexio, onis.*]

flexão (fle.*xão*) [cs] *sf.* 1 Ação de flectir, dobrar(-se), curvar(-se) 2 Estado do que pode ser ou está flexionado, curvado; CURVATURA; DOBRADURA: *Observe a flexão daquele galho sob o peso da neve.* 3 Exercício físico em que os braços, apoiados no chão elevam e abaixam o corpo que, esticado, tem o apoio de sua parte inferior nos pés 4 Cada par de movimentos dos braços nesse exercício, um para elevar outro para abaixar o corpo: *Faça vinte flexões para aquecer o corpo.* 5 *Gram.* Variante das vozes ou desinências dos verbos e nomes; a dos verbos chama-se *conjugação* (q.v.) e faz-se por modos, tempos, números e pessoas; a dos nomes chama-se *declinação* (q.v.) e faz-se por números e gêneros 6 *Gram.* O conjunto das formas flexionadas de uma palavra [Pl.: *-xões.*] [F.: Do lat. *flexio, onis.*] ▦ **~ externa** *Gram.* Flexão de uma palavra por acréscimo de afixos [P.ex., acréscimo de *s* para formar o plural.] **~ interna** *Gram.* Flexão de uma palavra por mudança interna no tema [P.ex., a transformação do *a* de fazer em *i*, na flexão fiz.]

flexibilidade (fle.xi.bi.li.*da*.de) [cs] *sf.* 1 Qualidade do que é flexível, maleável 2 Capacidade de ser ágil, de ter ligeireza de movimentos: *Era um jogador de futebol de grande flexibilidade.* 3 Propriedade de ser dócil às manipulações: *Ele tem muita flexibilidade, vai aceitar nossas desculpas.* 4 *Fig.* Capacidade de quem demonstra compreensão, de quem sabe considerar as coisas com espírito maleável: *Sua flexibilidade impediu o conflito que parecia inevitável.* 5 Capacidade para atuar em variadas formas de atividades e estudos: *Sua flexibilidade lhe permite ir da ciência à pintura abstrata.* [F.: De *flexível* com suf. *vel* na forma latina *bil(i)* + *dade.*]

flexibilização (fle.xi.bi.li.za.*ção*) [cs] *sf.* 1 Ação ou resultado de flexibilizar 2 Abrandamento de leis ou regras, ou adaptação destas a uma nova conjuntura: "Combater a informalidade no Brasil, o que implica redução de alguns impostos indiretos, a flexibilização das leis trabalhistas e uma intensiva fiscalização com punições efetivas, compõe uma agenda que ainda não foi atacada com a prioridade que merece." (*O Estado de S.Paulo*, 06.08.2005) [Pl.: *-ções.*] [F.: *flexibilizar* + *-ção.*]

flexibilizar (fle.xi.bi.li.*zar*) [cs] *v.* 1 Ficar flexível ou mais flexível, menos rígido, inclusive em sentido moral [*int.*: *Era muito intransigente, mas com a idade flexilizou-se; As molas eram duras no início, flexibilizaram depois.*] 2 Tornar flexível ou mais flexível, menos rígido [*td.*: *Aplicou um novo produto para flexibilizar o arco; A nova regulamentação flexibilizou a lei.*] [▶ 1 flexibilizar] [F.: *flexível* com f. lat. *bil(i)* + *-izar.*]

fléxil (*flé*.xil) (cs) *a2g. P.us. Poét.* O mesmo que *flexível* [Pl.: *fléxeis* ou *fléxiles.*] [F.: Do lat. *flexiles, e.*]

◎ **flex(i/o)-** *el. comp.* Compõe vocábulos com sentido de 'curvar-se', 'dobrar-se', 'ser flexível': *flexibilidade, flexípede, flexografia, flexório* etc. [F.: Do lat. *flexus, a, um.* Ver tb. *-flexo.*]

flexionado (fle.xi:o.*na*.do) [cs] *a.* 1 Que se flexionou ou se curvou (joelho flexionado) 2 *Gram.* Que sofreu flexão gramatical (infinitivo flexionado) [F.: Part. de *flexionar.*]

flexional (fle.xi:o.*nal*) [cs] *a2g.* 1 Ref. a flexão gramatical, próprio da flexão gramatical: *Padrão flexional dos adjetivos em Português.* 2 Ref. a flexibilidade, a curvatura: *Cálculo de resistência flexional.* [Pl.: *-nais.*] [F.: *flexão* a partir do tema *flexion(e)-* + *-al*[1].]

flexionar (fle.xi:o.*nar*) *v.* 1 Provocar flexão ou curva em (algo flexível ou articulado, como um corpo, um membro articulado do corpo etc.); CURVAR; FLETIR; VERGAR [*td.*: *Costumava flexionar as pernas para dormir; Flexionou o arco ao máximo antes de disparar a seta.*] [*int.*: *Flexionam-se antes de mergulhar na piscina.*] 2 Flexionar o próprio corpo, ou ficar flexionado por ação externa [*int.*: *Flexionava-se antes de cair na piscina; O galho flexionou sob o peso da neve.*] 3 *Ling. Gram.* Dar a flexão ou as flexões de uma palavra, ou assumir esta uma ou mais de suas flexões [*td.*: *Flexionar um verbo, um adjetivo.*] [*int.*: *Os advérbios não se flexionam.*] [▶ 1 flexionar] [F.: Do fr. *flexioner.*]

flexível (fle.*xí*.vel) [cs] *a2g.* 1 Que se pode dobrar ou curvar (metal flexível) 2 *Fig.* Que se mostra compreensivo, tolerante, não rígido: *Ele aceita mudanças, é um sujeito flexível.* 3 *Fig.* Que se adapta às circunstâncias (normas flexíveis) 4 Que tem elasticidade (tecido flexível) [Pl.: *-veis.*] [F.: Do lat. *flexibilis, e.* Ant. ger.: *inflexível, rígido.*]

flexivo (fle.xi.vo) [cs *a2g.* 1 Relativo a flexão 2 *Ling.* Diz-se de língua, como latim ou grego, cujas palavras são dotadas de uma parte variável que se flexiona para indicar diferentes relações lógicas e categorias gramaticais [F.: *flexo* + *-ivo.*]

◎ **-flexo** *el. comp.* que se curva, se dobra; FLEX(I)-; FLEX(O)-: *circunflexo; genuflexo; reflexo.* [F.: Do lat. *flexus, a, um.*]

flexografia (fle.xo.gra.*fia*) (*ecso*) *sf. Art.gr.* Sistema rotativo de impressão que usa clichês de borracha ou plástico e tintas de secagem rápida [F.: *flex(o)-* + *-grafia.*]

flexográfico (fle.xo.*grá*.fi.co) (*ecso*) *a. Art.gr.* Ref. a flexografia [F.: *flexografi(a)* + *-ico*[2].]

flexor (fle.xor) [cs, ô] *Anat. a.* 1 Que faz dobrar ou curvar (diz-se de músculo) *sm.* 2 Músculo flexor [F.: *flex(i/o)-* + *-or.*]

flexuosidade (fle.xu:o.si.*da*.de) (*cs*) *sf.* Qualidade ou estado do que é flexuoso, torcido, sinuoso [F.: *flexuoso* + *-(i)dade.*]

flexuoso (fle.xu:*o*.so) (*cs*) *a.* **1** Sinuoso, tortuoso, torcido, volteado: "Tinha ela a certeza de que o moço a acompanhava enlevado pelo garbo de seu passo, como pelo flexuoso requebro de seu talhe" (José de Alencar, *Til*) **2** Que não é direito ou reto **3** Que serpenteia, oscila [F.: Do lat. *flexuosus, a, um.*]

flexura (fle.*xu*.ra) (*cs*) *sf.* **1** *Anat.* Ponto de articulação dos ossos **2** Ação dos músculos flexores **3** Qualidade do que age com facilidade; DESEMBARAÇO; ELASTICIDADE **4** Movimento feito pelo corpo ou por uma de suas partes; MENEIO **5** *Geol.* Acidente constituído pela descida de uma porção de terreno sem quebra da continuidade com o compartimento vizinho [F.: Do lat. *flexura, ae.*]

flibusteiro (fli.bus.*tei*.ro) *sm.* **1** Assaltante dos mares americanos durante os séculos XVII e XVIII; PIRATA **2** *Fig.* Quem é desonesto, aventureiro **3** Quem trapaceia ou rouba [F.: Do ing. *freeboost* pelo fr. *flibustier.*]

flictena (flic.*te*.na) *sf.* **1** *Derm.* Bolha transparente localizada na pele, geralmente causada por queimadura **2** Pústula intraepidérmica contendo linfa ou líquido seroso [F.: Do fr. *phlyctène.*]

flíper (*fli*.per) *sm.* **1** *Lud.* Jogo eletrônico que consiste na marcação de pontos a cada vez que uma bola de metal toca obstáculos dentro de uma prancha inclinada; FLIPERAMA **2** Casa comercial que oferece jogos elétricos e eletrônicos acionados por fichas ou moedas [F.: Do ing. *flipper.*]

fliperama (fli.pe.*ra*.ma) *sm.* **1** *Lud.* Máquina para jogos eletrônicos **2** Estabelecimento comercial que explora essa modalidade de jogos [F.: Do ing. *flipper* + *-ama*, posv. seg. o mod. de *cinerama.*]

flip-flop (flip-flop) *sm.* **1** *Esp.* Salto para trás com apoio das mãos **2** *Eletrôn.* Circuito digital que alterna seu estado em função dos pulsos que recebe na entrada; BIESTÁVEL [F.: Do ing. *flip-flop.*]

⊕ **float** (*Ing./flout/*) *sm. Econ.* Dinheiro em circulação nos bancos (como impostos pagos pelos contribuintes e ainda não creditados ao governo), que pode ser por estes aplicado

floco (*flo*.co) *sm.* **1** Pequeno amontoado de filamentos leves e sem consistência (floco de neve/de algodão) **2** Conjunto de filamentos que, soprados por uma brisa, se deslocam no ar **3** Produto alimentício à base de cereais ou de chocolate em forma de partículas crocantes **4** Tufo de pelos que alguns animais têm na cauda [Dim.: *flóculo.*] [F.: Do lat. *floccus, i.*]

flocoso (flo.*co*.so) *a.* **1** Que tem ou produz flocos **2** Semelhante a flocos **3** Feito ou disposto em flocos **4** *Bot.* Espécie vegetal que tem pequenos tufos de pelos lanosos dispostos em flocos [F.: Do lat. *floccosus, a, um.*]

floculação (flo.cu.la.*ção*) *sf.* **1** Ação ou resultado de flocular *sf.* **2** *Fís.* Processo de agregação em flocos, das partículas de um precipitado ou de um sistema previamente coloidal **3** O mesmo que *coagulação* [F.: *flocular* + *-ção*; Pl.: *-ções.*]

floculador (flo.cu.la.*dor*) *a.* **1** Que flocula, que tem ação coagulante *sm.* **2** *Fís.* Mesmo que coagulador [F.: *flocular* + *-dor.*]

floculante (flo.cu.*lan*.te) *a2g.* **1** *Farm.* Que flocula, o mesmo que *coagulante sm.* **2** *Farm.* Substância capaz de produzir ou acelerar um processo de coagulação [F.: *flocular* + *-nte.*]

flocular (flo.cu.*lar*) *v.* **1** Sofrer processo de floculação [*int.*: *A substância floculou rapidamente.*] **2** *Fís-quím.* Mesmo que *coagular* [*td.*] [▶ 1 flocular] [F.: *flóculo* + *-ar²*.]

flóculo (*fló*.cu.lo) *sm.* Pequeno floco [F.: Do lat. *flocculus, i.*]

floema (flo.*e*.ma) *sm. Bot.* Líber

flog *sm. Int.* F. red. de *fotolog*

flogístico (flo.*gís*.ti.co) *a.* **1** *Quím.* Diz-se do fluido imaginado por químicos do século XVIII para explicar o fenômeno da combustão **2** *Med.* O mesmo que *inflamatório sm.* **3** No passado, denominação atribuída ao oxigênio [F.: Do lat. cient. *phlogisticum.*]

flogose (flo.*go*.se) (*ó*) *sf.* **1** *Med.* Enrubescimento e calor provenientes de uma inflamação **2** O mesmo que *inflamação* [F.: Do lat. cient. *phlogosis.*]

flor [ô] *sf.* **1** *Bot.* Órgão reprodutor das angiospermas, ger. com cores vivas e odor agradável, constituído por dois conjuntos de folhas (cálice e corola) que protegem as estruturas masculinas (androceu) e/ou femininas (gineceu); uma flor pode ser hermafrodita ou unissexual **2** *Bot.* Qualquer planta cultivada por suas flores (1) **3** *Fig.* A parte mais apreciada de um todo: *A flor da juventude compareceu ao baile.* **4** *Fig.* Conjunto formado pelos mais talentosos, destacados ou importantes de um grupo: *O grupo representava a fina flor do samba.* **5** *Fig.* Estado ou condição do que possui viço, frescor: *A professora ainda estava na flor da mocidade.* **6** *Fig.* Pessoa delicada, afável: *A nova síndica é uma flor.* **7** A superfície externa do couro, oposta ao carnal **8** Bolor que se forma na superfície de vinho, cerveja etc. quando em contato com o ar **9** *Quím.* Substância sólida ou volátil produzida pela sublimação ou pela decomposição [F.: Do lat. *flos -oris.*] ■ **À ~ de** Na superfície de: *à flor d'água*; *à flor da pele.* **Em ~** *Fig.* Jovem, novo, em pleno processo de florescimento, crescimento **Fina ~** Elite, melhor parte: *a fina flor do samba.* **~ da idade** Juventude **~ de estufa** *Fig.* Pessoa criada em condições ideais de conforto e proteção, sem experimentar as dificuldades da vida **~ dos anos** O mesmo que *Flor da idade* **~es de retórica** Figuras ornamentais do discurso, do texto, do estilo **Na ~ do ar** *SE* Com grande agilidade e rapidez **Não ser ~ que se cheire** *Bras. Pop.* Não ser confiável, honesto, bem-intencionado etc.

📖 A flor é, na verdade, o suporte dos órgãos de reprodução de certas plantas. Em algumas dessas plantas cada flor contém tanto os órgãos masculinos quanto os femininos (bissexuais); em outras, há flores com os órgãos masculinos e outras flores com os órgãos femininos (flores unissexuais), e há também plantas em que as flores unissexuais masculinas estão num pé e as femininas estão em outro. Uma flor completa compreende a haste, ou cabo, o perianto (a parte mais vistosa, mas estéril) e, no interior deste, os órgãos de reprodução. Independentemente de sua importância funcional, a flor se destaca por sua beleza, seu colorido e seu perfume, o que faz dela um valorizado e requisitado produto, e de seu cultivo e comercialização uma atividade econômica.

◎ **-flora** *el. comp.* flor, pétala; FLOR(I)-: *passiflora; umbeliflora.* [F.: Do lat. *flos, floris.*]

flora (*flo*.ra) *sf.* **1** *Bot.* Conjunto das espécies vegetais de uma região ou país (flora amazônica; flora argentina) **2** *Bot.* Tratado descritivo dessa vegetação **3** Conjunto de plantas us. para fins específicos (flora medicinal) **4** Loja que vende flores [Dim.: *flórula.*] [F.: Do lat. *Flora* 'deusa das flores'. Hom./Par.: *flora* (sf.), *flora* (fl. de *florar*).] ■ **~ bacteriana** *Bac.* O conjunto das bactérias e fungos existentes num organismo, com funções protetoras (contra agentes de doenças) e sintetizadoras (produção de substâncias necessárias ao processo fisiológico)

floração (flo.ra.*ção*) *sf.* **1** Ação ou resultado de florar **2** *Bot.* Período que vai desde o nascimento das flores nas plantas até a sua queda; FLORADA [Ant.: *desfloração.*] **3** *Fig.* Desabrochamento, desenvolvimento: *a floração de novos talentos.* [Pl.: *-ções.*] [F.: *florar* + *-ção.*]

florada (flo.*ra*.da) *sf.* **1** *Bot.* Floração (1): *A florada do café dá-se na primavera.* **2** Quantidade de flores **3** *Cul.* Doce de ovos, com forma de flor [F.: *flor* + *-ada¹*.]

florado (flo.*ra*.do) *a.* **1** Coberto de flores, florido **2** Ornado, enfeitado, embelezado [F.: Part. de *florar.*]

floral (flo.*ral*) *a2g.* **1** Ref. a flor ou a flora **2** Próprio de flor (aroma floral); FLÓREO **3** Que é feito ou composto apenas de flores [Pl.: *-rais.*] *sm.* **4** Substância, extraída de certas flores, us. na formulação de tratamento alternativo de problemas de saúde [Mais us. no pl.] [Pl.: *-rais.*] [F.: Do lat. *floralis, e.* Hom./Par.: *florais* (pl.), *florais* (fl. de *florar*).]

florão (flo.*rão*) *sm.* **1** *Arq.* Ornamento em forma de flor colocado ger. no centro de um teto, arco, abóbada etc. **2** *Bot.* Inflorescência típica da fam. das compostas **3** *Fig.* Joia, preciosidade **4** *Her.* Ornato de ouro ou pedras preciosas no círculo de uma coroa **5** Pequena carruagem antiga **6** *Lud.* Certo jogo popular **7** *Art.gr.* Vinheta em forma de flor us. esp. em frontispício de livro **8** *Enc.* Ferro us. por douradores, cuja estampa tem forma de folhas ou flores **9** *Fig.* Objeto, bem de grande valor ou qualidade, que por isso valoriza o meio em que está: "Fulguras, ó Brasil, florão da América..." (Osório Duque Estrada, *Hino Nacional Brasileiro*) [Pl.: *-rões.*] [F.: Do it. *fiorone.*]

florar (flo.*rar*) *v.* **1** *N.E.* Dar flores ou cobrir-se delas; FLORIR [*int.*: *As amendoeiras floraram cedo.*] **2** Fazer ficar bonito, enfeitado, com flores ou outros meios; ADORNAR; ENFEITAR; ORNAR [*td.*] [▶ 1 florar] [F.: *flor* + *-ar²*. Hom./Par.: *flora* (fl.), *floras* (fl.), *flora* (sf. [pl.]; *florais* (fl.), *florais* (a2g. sm. [pl.] e smpl.); *flores* (fl.), *flores* (sf. [pl.]).]

flor-da-quaresma (flor-da-qua.*res*.ma) *sf. Bras. Bot.* Nome comum a várias árvores e arbustos do gên. *Tibouchina*, da fam. das melastomatáceas, nativos de regiões tropicais das Américas, esp. do Brasil, e comuns em parques e jardins, de flores gr. roxas; QUARESMA; QUARESMEIRA [Pl.: *flores-da-quaresma.*]

flor-de-coral (flor-de-co.*ral*) *sf.* **1** *Bot.* Nome comum a várias árvores e arbustos de diferentes famílias, cujas flores vistosas têm a cor avermelhada do coral (3) **2** Árvore da fam. das leguminosas, subfam. papilionóidea (*Erythrina corallodendron*), nativa do Brasil, com caule e ramos espinhosos, flores vermelhas e madeira branca, esponjosa e quebradiça; ÁRVORE-DE-CORAL; CORTICEIRA; MOLONGÓ-BRANCO; MULUNGU PAU-CORAL SANANDUÍ; SANANDUVA; SUINÃ **3** Arbusto da fam. das verbenáceas (*Clerodendrum speciosissimum*), originário da Ilha de Java, de folhas em formato de coração, flores vermelhas em cachos e bagas azuis **4** Nome comum a duas espécies de arbustos da fam. das rubiáceas (*Ixora coccinea*, *Ixora stricta*), nativos da Ásia, de flores vermelhas, em cachos e bagas vermelhas **5** Arbusto da fam. das euforbiáceas (*Jatropha multifida*), natural das regiões tropicais das Américas, com flores vermelhas, cápsulas amarelas e cujo látex da casca e as sementes têm uso medicinal; ÁRVORE-DE- -BÁLSAMO; ÁRVORE-DE-CORAL; BÁLSAMO-CORAL; CORAL; CORAL-DOS-JARDINS; FLOR-DE-SANGUE [Pl.: *flores-de-coral.*]

flor-de-lis (flor-de-*lis*) *sf.* **1** *Bot.* Planta bulbosa da fam. das amarilidáceas (*Sprekelia formosissima*), originária do México, de folhas lineares e flores vermelhas **2** *Bot.* A flor dessa planta **3** *Her.* Antigo emblema da realeza francesa [Nesta acp., sem hifens: *flor de lis.*] [Pl.: *flores-de-lis*, *flores de lis.*]

flor-de-maio (flor-de-*mai*.o) *sf.* **1** *Bot.* Planta herbácea (*Convalaria majallis*), da família das liliáceas, medicinal e de flores aromáticas, empregada na fabricação de perfumes **2** *Bot.* Planta cactácea (*Schlumbergera truncata*), epífita ou terrestre, de caule lenhoso e ramos achatados, com flores avermelhadas; FLOR-DE-SEDA [Pl.: *flores-de-maio.*]

flor-de-são-joão (flor-de-são-jo:*ão*) *sf.* **1** *Bot.* Designação comum a várias orquídeas terrestres nativas da Ásia e aclimatadas nas Américas **2** *Bot.* Nome de várias trepadeiras ornamentais de flores avermelhadas; CIPÓ-DE-SÃO-JOÃO [Pl.: *flores-de-são-joão.*]

floreado (flo.re.*a*.do) *a.* **1** Que tem floreio(s) (3) (texto floreado) **2** Coberto ou enfeitado de flores; FLORIDO **3** Adornado, ornado com exagero: *Saiu-se num discurso tão floreado que não se captou o principal.* **4** *RS* Tonto, ligeiramente embriagado *sm.* **5** Adorno, enfeite: *Na capa do livro havia uns floreados.* **6** *Mús.* Variação musical; ORNAMENTO **7** Floreio, requinte (floreados literários) [F.: Part. de *florear.*]

floreal (flo.*re*.al) *sm. Cron.* Oitavo mês do calendário republicano francês, com início em 20 de abril e término em 19 de maio [F.: Do fr. *floréal.* Hom./Par.: *floreais* (pl.), *floreais* (fl. *florear*).]

florear (flo.re.*ar*) *v.* **1** Semear flores; brotar ou fazer brotar flores; FLORESCER [*td.*: *Floreou o canteiro de fora a fora.*] [*int.*: *Todo o jardim estava floreando.*] **2** Enfeitar com flor; ADORNAR [*td.*: *Floreou a cabeceira da cama.*] **3** *Fig.* Enfeitar a escrita ou a fala com floreios, ornatos, imagens [*td.*: *Floreia muito a caligrafia; Floreava os discursos com lembranças extravagantes.*] **4** Contar ou narrar algo com acréscimo de fantasias, digressões [*td.*: *Floreou a história com um comentário picante.*] [*int.*: *Gostava de florear quando contava casos.*] **5** Manejar, brandir destramente arma branca [*td.*: *Floreava a esgrima ante o adversário.*] **6** Mover com agilidade de um lado para o outro [*td.*: *À frente do pelotão, o soldado floreava a bandeira.*] **7** Tornar-se vistoso; fazer figura, demonstrar brilho [*int.*: *Os carros alegóricos floreiam na passarela do samba.*] **8** Ornamentar, na pauta ou de improviso [*td.*] **9** *RS* Ficar levemente embriagado, tonto, floreado [*int.*: *Floreava já no começo da festa.*] [▶ 13 florear] [F.: *flor* + *-ear²*. Hom./Par.: *floreio* (fl.), *floreio* (sm.).]

floreio (flo.*rei*.o) *sm.* **1** Ação ou resultado de florear **2** Ornato, enfeite, floreado **3** Recurso na criação ou execução de texto lilterário, de oratória, musical etc., que procura dar brilho ou virtuosismo à maneira de apresentar o conteúdo da mensagem (texto, discurso, passagem musical etc.); FLOREADO: *Em seu discurso, abusou dos floreios e esqueceu o principal.* **4** *Mús.* Cada uma dessas figuras de virtuosismo, em sua linguagem específica: *O trinado é um floreio musical.* **5** *RS* Destreza no manejo de armas brancas; luta rápida com armas brancas **6** *RS* Treinamento a que se submetem cavalos de corrida ou galos de briga [F.: Dev de *florear.* Hom./Par.: *floreio* (sm.), *floreio* (fl. de *florear*).]

floreira (flo.*rei*.ra) *sf.* **1** Vaso ou qualquer recipiente para flores [Pode ser um vaso ou uma jarra, ou um receptáculo em forma de paralelepípedo vazado, ger. na parte externa do peitoril de uma janela.] **2** Mulher que vende flores; FLORISTA [F.: *flor* + *-eira.*]

florejante (flo.re.*jan*.te) *a2g.* **1** Que floreja, produz flores; FLORESCENTE; FLOREADO; FLORIDO; FLORADO; FLÓREO; FLÓRIDO **2** Viçoso, verdejante, brilhante: "Uma quantidade imensa de árvores de fruta estendendo-se como alcatifa florejante acompanhando o rio." (D. Antônio da Costa, *No Minho*) [F.: *florejar* + *nte.*]

florejar (flo.re.*jar*) *v.* **1** Tornar-se cheio de flores; FLORESCER [*int.*: *Essas plantas florejam em climas amenos.*] **2** Ornamentar com flores [*td.*: *Florejou a varanda da casa.*] **3** *Fig.* Brotar como se fosse uma flor [*td.*: *Ela florejava felicidade.*] [*int.*: *Seu talento afinal florejou.*] **4** *Fig.* Tornar retoricamente florido, rico (discurso, texto) [*td.*] [▶ 1 florejar] [F.: *flor* + *-ejar.*]

florentino (flo.ren.*ti*.no) *a.* **1** Relativo e pertencente à cidade de Florença, Itália; FLORENTIM: *Estilo florentino.* **2** Natural ou habitante dessa cidade **3** Habitante da ilha das Flores, nos Açores; FLORENSE [F.: Do lat. *florentinus, a, um.*]

flóreo (*fló*.re:o) *a.* **1** Relativo a flor **2** Florido, coberto de flores; FLORENTE: "Após o inverno sombrio vem a flórea primavera." (Soares de Passos, *Poesias*) **3** Enfeitado, belo; FLOREADO; FLORIDO; FLÓRIDO [F.: Do lat. *floreus, a, um.*]

florescência (flo.res.*cên*.ci:a) *sf.* **1** Ação de florescer; estado ou momento em que a flor desabrocha; ANTESE; FLORESCIMENTO **2** *Fig.* Força, pujança, brilho [F.: Do lat. cient. *florescentia.* Hom./Par.: *florescência* (sf.), *fluorescência* (sf.).]

florescente (flo.res.*cen*.te) *a2g.* **1** Que está em flor; que floresce (cerejeiras florescentes) **2** *Fig.* Em processo de desenvolvimento (indústria florescente) **3** *Fig.* Brilhante, esplêndido, notável: *Atravessa uma fase florescente na carreira.* **4** *Fig.* Viçoso, vigoroso [F.: Do lat. *florescens, entis.* Hom./Par.: *florescente* (a2g.), *fluorescente* (a2g.).]

florescer (flo.res.*cer*) *v.* **1** Dar, fazer brotar flores, ou cobrir(-se) de flores; FLORIR; ENFLORAR [*int.*: *As laranjeiras floresceram.*] [*td.*: *A primavera floresce os campos.*] **2** *Fig.* Desenvolver-se, prosperar [*int.*: *O comércio floresceu em toda a região.*] **3** Ter distinção ou realce, granjear reconhecimento, renome [*int.*: *Ignorado entre ignorantes, o pianista floresceu na Europa.*] **4** Dar, conferir distinção ou realce, brilho a [*td.*: *Os pintores renascentistas floresceram a Itália no século XVI.*] [▶ 33 florescer] [F.: Do lat. *florescere.*]

florescimento (flo.res.ci.*men*.to) *sm.* **1** Ação ou resultado de florescer, de produzir flores **2** *Bot.* Momento de maturação de uma flor; ANTESE **3** *Fig.* Expansão, desenvolvimento, pujança: *O florescimento das artes no Renascimento.* [F.: *florescer + -mento.*]

floresta (flo.*res*.ta) *sf.* **1** Grande extensão de terreno coberto de densa vegetação arbórea, ger. sombreado pelas copas que se tocam; MATA **2** *Fig.* Grande quantidade de pessoas ou de coisas aglomeradas: *O comício era uma floresta de gente e de bandeiras.* **3** *Fig.* Labirinto, confusão [F.: Do baixo lat. *forestis* pelo fr. ant. *forest.* Ideia de 'floresta': *selv-, silv(i)- (selvagem, silvestre).*]

📖 A importância da floresta está principalmente em ser a base de um ecossistema com grande diversidade de espécies e, pela densa presença de plantas, esp. árvores, que provêm oxigênio em grande quantidade e, retendo umidade, influenciam o clima (temperatura, regime de chuvas etc.). A manutenção do equilíbrio desse ecossistema, em perigo devido à exploração predatória e selvagem, é muito importante para a preservação do papel positivo e necessário das florestas no equilíbrio ambiental de todo o planeta, e por isso a exploração econômica de seus recursos deve ser associada a cuidadoso planejamento e medidas de reposição e reflorestamento. As grandes áreas florestais da Terra distribuem-se entre os cinco continentes, com as florestas tropicais da América do Sul (a Amazônia, cuja maior parte fica no Brasil), da África central e do sudeste asiático; as florestas temperadas do nordeste e noroeste dos Estados Unidos e de todo o Canadá e Alasca, da Europa e da Sibéria asiática, as do leste da Ásia, esp. na China e no Japão, e as da Oceania, no leste da Austrália e na Nova Zelândia.

florestal (flo.res.*tal*) *a2g.* **1** Ref. a floresta ou próprio dela (reserva florestal) **2** Cuja atividade ou trabalho se refere a floresta (engenheiro florestal, guarda florestal) [Pl.: *-tais.*] [F.: *floresta + -al*[1].]

florestamento (flo.res.ta.*men*.to) *sm.* **1** Ação ou resultado de florestar: *As empresas obrigaram-se ao florestamento das áreas devastadas. sm.* **2** Plantação intensiva de árvores, de maneira a dar características de floresta a um local [F.: *florestar + -mento.*]

florestar (flo.res.*tar*) *v. td.* Transformar (algum lugar) em floresta; plantar árvores em: *Florestou uma grande área.* [▶ 1 flores**tar**] [F.: *floresta + -ar*[2].]

florete (flo.*re*.te) [ê] *sm.* **1** Arma branca us. na esgrima e semelhante a uma espada, dotada de um cabo e de uma haste flexível de corte transversal prismático (cuja seção é quadrada ou retangular), com a ponta protegida por um botão de couro **2** *Bras. Ict.* Peixe marinho (*Bathygobius soporator*); BABOSA **3** *RJ Ict.* Peixe da água-doce, da família dos gobiidas (*Chonophorus tajacica*, Licht.); tb. *amoré-guaçu* [F.: Do fr. ant. *floret.*]

◎ **flor(i/o)-** *Pref.* = flor, rebento: *flora, floricultura, florífero* [F.: Do lat. *flos, floris.*]

florianismo (flo.ri:a.*nis*.mo) *sm. Bras. Hist. Pol.* Movimento de apoio ao marechal Floriano Peixoto durante a revolta da Armada, em 1893 [F.: Do antr. *Floriano + -ismo.*]

florianista (flo.ri:a.*nis*.ta) *a2g.* **1** *Bras. Pol.* Rel. a florianismo *s2g.* **2** Sectário, entusiasta, seguidor ou partidário do florianismo [F.: *florianismo + -ista.*]

floricultor (flo.ri.cul.*tor*) [ô] *sm.* **1** Indivíduo que se dedica à floricultura *a.* **2** Que se dedica à floricultura; ref. a floricultura [F.: *flor(i)- + -cultor.*]

floricultura (flo.ri.cul.*tu*.ra) *sf.* **1** Arte, técnica ou atividade de cultivar flores **2** Lugar onde se cultivam e/ou vendem flores [F.: *flor(i)- + -cultura.*]

florido (flo.*ri*.do) *a.* **1** Que está em flor; cheio de flores (canteiro florido) [Ant.: *desflorido.*] **2** Enfeitado com flores: *A sala estava toda florida.* **3** Que apresenta motivos florais (vestido florido) **4** *Fig.* Cheio de viço, de alegria: *uma alma florida.* **5** *Fig.* Floreado (1) (estilo florido) **6** *Mús.* Diz-se de contraponto sofisticado, floreado [F.: Part. de *florir.* Hom./Par.: *florido* (a.), *flórido* (a.).]

florífago (flo.*rí*.fa.go) *a.* **1** Que retira seu alimento das flores **2** Que come flores: *Inseto florífago.* [F.: *flor(i) + -fago.*]

florífero (flo.*ri*.fe.ro) *a.* Que tem ou produz flores; FLORÍGERO: *árvore florífera.* [F.: Do lat. *florifer, era, erum.*]

floriforme (flo.ri.*for*.me) *a2g.* Que tem a forma de flor ou se assemelha a flor: *Desenho com elementos floriformes.* [F.: De *flor(i) + -forme.*]

florilégio (flo.ri.*lé*.gi:o) *sm.* **1** Tratado a respeito de flores **2** Coleção de flores **3** Compilação de trechos literários em prosa e verso; ANTOLOGIA [F.: Do lat. cient. *florilegium.*]

florim (flo.*rim*) *Econ. sm.* **1** Unidade monetária e nome do dinheiro us. em Aruba e no Suriname **2** Unidade monetária e nome do dinheiro que era us. na Holanda antes da adoção do euro **3** Unidade dos valores em florim (1 e 2) us. em notas ou em moedas [Pl.: *-rins.*] [F.: Do it. *fiorino.*]

florir (flo.*rir*) *v.* **1** Cobrir-se de flores; DESABROCHAR; FLORESCER [*int.*: *O jardim floriu.*] **2** Enfeitar com flores [*td.*: *Floriu toda a varanda.*] **3** *Fig.* Desabrochar, brotar [*int.*: *Um tímido sorriso floriu em sua boca.*] **4** *Fig.* Despontar, aparecer; FLORESCER [*tr. + de*: *Floriam apenas, de sua cabeça, ideias sombrias.*] **5** *Fig.* Tornar mais bonito, mais atraente e vistoso [*td.*: *Uma fita vermelha floria-lhe os cabelos.*] [▶ 59 flo**rir**] [F.: Do lat. tard. *florire.* Hom./Par.: *florido* (fl.), *flórido* (a.).]

florista (flo.*ris*.ta) *s2g.* **1** Pessoa que vende flores **2** Quem fabrica flores artificiais **3** Quem é especialista em desenhar ou pintar flores [F.: *flor* (ou *flori-*) + *-ista.*]

florístico (flo.*rís*.ti.co) *a.* **1** Ref. a flora **2** Ref. a florista **3** Ref. a florística [F.: *florist(a) + ico*[2].]

flotel (flo.*tel*) *sm.* **1** *Bras.* Alojamento flutuante destinado a quem trabalha em plataformas petrolíferas em alto-mar **2** Hotel flutuante construído com propósitos turísticos na região amazônica [Pl.: *téis.*] [F.: *fl(utuante) + (h)otel.*]

flotilha (flo.*ti*.lha) *sf.* **1** Pequena frota (de quaisquer veículos) **2** Conjunto de embarcações pequenas, ger. do mesmo tipo [F.: Do espn. *flotilla.*]

⊕ ***flou*** (*fr. /flu/*) *a2g.* **1** *art.pl.* Diz-se de representação de contornos pouco nítidos ou definidos **2** Que se mostra impreciso, incerto, vago **3** Esbatido, esfumado, pouco nítido **4** Artifício fotográfico e cinematográfico conseguido por tomadas fora de foco ou por efeitos de iluminação, de maneira a reduzir a nitidez da imagem e dar-lhe atmosfera brumosa

flozô (flo.*zô*) *sm.* **1** *Bras. Vulg.* Simulação, fingimento **2** Fanfarronice, bazófia **3** Ociosidade, indolência **4** Homem excessivamente delicado, afeminado [F.: De or. contrv.]

fluência (flu:*ên*.ci:a) *sf.* **1** Qualidade de fluente, do que flui ou é capaz de fluir; FLUIDEZ **2** Estado, condição em que algo flui: *Verifique a fluência da água nesse cano.* **3** *Fig.* Espontaneidade, naturalidade com que algo flui, se desenrola, se desenvolve; FLUIDEZ: *a fluência de uma linha melódica.* **4** *Fig.* Facilidade, clareza com que alguém se expressa: *O cargo exige fluência em alemão.* **5** Deformação de um corpo quando submetido a uma tensão constante [F.: Do lat. *fluentia, ae.*]

fluente (flu:*en*.te) *a2g.* **1** Que flui, que corre sem obstáculos (águas fluentes); CORRENTE; FLUIDO **2** *Fig.* Espontâneo, fácil, natural (ideias fluentes) **3** *Fig.* Que tem ou demonstra fluência (3), que se desenrola ou se desempenha naturalmente, com facilidade, espontaneidade: *Ela é fluente em três idiomas; uma tradução fluente.* [F.: Do lat. *fluens, entis.*]

fluidez (flu:i.*dez*) [ê] *sf.* **1** Qualidade do que é fluido ou fluente; FLUÊNCIA: *a fluidez do sangue; a fluidez do tráfego.* **2** *Fig.* Espontaneidade, naturalidade; FLUÊNCIA *sf.* **3** *Fís.* Inverso da viscosidade de um fluido [F.: *fluido + -ez.*]

fluídico (flu:*í*.di.co) *a.* **1** Relativo ou semelhante a fluido **2** Que não se pode apalpar, intangível **3** Segundo a doutrina espírita, diz-se de certos corpos ou sombras imateriais, impalpáveis, que seriam reveláveis por meio de fotografia [F.: *fluido + -ico*[2].]

fluidificação (flu:i.di.fi.ca.*ção*) *sf.* Ação ou resultado de fluidificar(-se) [Pl.: *-ções.*] [F.: *fluidificar + -ção.*]

fluidificado (flu:i.di.fi.*ca*.do) *a.* Que se transformou em fluido [F.: Part. de *fluidificar.*]

fluidificante (flu:i.di.fi.*can*.te) *a2g.* **1** Diz-se de processo ou substância que fluidifica *sm.* **2** Substância fluidificante (1) [F.: *fluidificar + -nte.*]

fluidificar (flu:i.di.fi.*car*) *v.* Transformar(-se) em fluido; LIQUESCER [*td.*: *fluidificar uma substância.*] [*int.*: *A pasta fluidificou-se.*] [▶ 11 fluidifi**car**] [F.: *fluido + -ficar.*]

fluidificável (flu:i.di.fi.*cá*.vel) *a2g.* Que se pode transformar em fluido, fluidificar [Pl.: *-veis.*] [F.: *fluidificar + -vel.* Hom./Par.: *fluidicáveis* (pl.), *fluidificáveis* (fl. de *fluidificar*).]

fluidizar (flu:i.di.*zar*) [u-i] *v. td. Fís.* Tornar fluido (um leito de partículas sólidas) por aplicação de corrente de gás [▶ 1 fluidi**zar**] [F.: *fluido + -izar.*]

fluidizável (flu:i.di.*zá*.vel) *a2g.* **1** Que é suscetível de fluidização, que se pode transformar em fluido *a2g.* **2** *Fís.* Diz-se do leito de partículas sólidas capaz de assumir, pela ação de uma corrente de gás, um estado em que o conjunto de partículas se assemelhe ao conjunto de moléculas de um gás [Pl.: *-áveis.*] [F.: *fluidizar + -vel.*]

fluido (*flui*.do) *a.* **1** Diz-se das substâncias líquidas e gasosas **2** Que corre como qualquer líquido; FLUENTE **3** *Fig.* Leve, suave: *O homem tinha gestos fluidos.* **4** *Fig.* Fácil, espontâneo, fluente (linguagem fluida) *sm.* **5** Corpo líquido ou gasoso que adquire a forma do recipiente que o contém **6** *Bras.* Líquido inflamável utilizado em isqueiros **7** *Fig. Pop.* Influência que um ser, coisa etc. supostamente é capaz de exercer: *trazer bons fluidos.* [Mais us. no pl.] [F.: Do lat. *fluidus, a, um.* Hom./Par.: *fluido* (a.sm), *fluído* (fl. de *fluir*).]

■■ **~ ideal** *Fís.* Aquele cuja viscosidade é nula **~ seminal** *Biol.* Esperma **~ intersticial** *Histl.* Fluido semelhante à linfa, existente nos espaços entre as células dos tecidos **~ supercrítico** *Fís.-quím.* Fluido cujas propriedades são intermediárias entre as de um gás e as de um líquido, existente em condições de pressão e temperatura além do ponto crítico

fluir (flu.*ir*) *v.* **1** Brotar ou correr, escoar (líquido); DERIVAR; MANAR; PROCEDER [*ta.*: *Fluíam do rio águas vivas e límpidas; Fluíam para os rochedos as águas do rio; A água fluía por caminhos estranhos.*] [*int.*: *O riacho fluía calmamente.*] **2** Transcorrer, decorrer, ter curso [*int.*: *Ele só queria que o tempo fluísse e a vida voltasse ao normal.*] [*tp.*: *Os dias fluíam monótonos.*] **3** Ter origem em; DERIVAR [*tr. + de*: *Aquelas invenções fluíam de sua imaginação.*] **4** Avançar contínua e regularmente no espaço ou no tempo; CORRER [*ta.*: *A caneta fluía no papel, enquanto as ideias lhe iam brotando.*] [*int.*: *O tempo passava e novas ideias fluíam.*] [▶ 56 flu**ir**] [F.: Do lat. *fluere.* Hom./Par.: *fluído* (fl.), *fluido* (a. sm.).]

fluminense (flu.mi.*nen*.se) *s2g.* **1** Pessoa nascida ou que vive no Estado do Rio de Janeiro **2** Torcedor, jogador, dirigente do clube esportivo Fluminense Football Club, do Rio de Janeiro, ou de clube homônimo do Brasil *a2g.* **3** Do Rio de Janeiro, típico desse Estado ou de seu povo **4** Ref. a rio; FLUVIAL **5** Que é torcedor, jogador ou dirigente do Fluminense Foot-ball Club do Rio de Janeiro, ou de clube homônimo do Brasil [F.: Do lat. *flumen, inis,* 'rio', + *-ense.*]

◎ **-fluo** *el. comp.* = que flui, que corre: *celífluo, melífluo, lucífluo* etc.

◎ **fluo(r)-** (*flu:o*) Prefixo = indica presença do elemento químico flúor ou propriedade de fluorescência (*fluorescência, fluorescente, fluoreto, fluorímetro*)

flúor (*flú*.or) *sm. Quím.* Elemento de número atômico 9, peso atômico 1900, da família dos halogênios, com utilizações industriais e no tratamento dos dentes [Símb.: *F*] [F.: Do lat. cient. *fluor.* Ideia de 'flúor': *fluor(i/o)- (fluorescência).*]

fluoração (flu:o.ra.*ção*) *sf.* Aplicação de flúor com fins profiláticos (fluoração dos dentes, fluoração da água, fluoração do sal) [Pl.: *-ções.*] [F.: *fluora(r) + -ção.*]

fluorado (flu.o.*ra*.do) *a. Quím.* Que contem flúor, em que existe flúor; FLUORÍTICO [F.: *fluor + -ado.*]

fluorar (flu.o.*rar*) *v. td.* **1** Tratar com flúor; aplicar flúor em **2** *Quím.* Combinar com flúor [▶ 1 fluo**rar**] [F.: *flúor + -ar*[2].]

fluorcarboneto (flu.or.car.bo.*ne*.to) *sm. Quím.* Designação genérica de compostos análogos aos hidrocarbonetos, em que todos ou quase todos os átomos de hidrogênio foram substituídos por flúor [F.: *flúor + carboneto.*]

fluorescência (flu:o.res.*cên*.ci:a) *sf. Fís.* Espécie de luminescência que desaparece quase simultaneamente com a cessação da radiação excitadora que a provoca [F.: Do fr. *fluorescence.* Hom./Par.: *fluorescência* (sf.), *florescência* (sf.).]

fluorescente (flu:o.res.*cen*.te) *a2g.* Que tem ou apresenta a propriedade da fluorescência; que está em estado de fluorescência [F.: Do fr. *fluorescente.* Hom./Par.: *fluorescente* (a2g.), *florescente* (a2g.).]

fluoretação (flu:o.re.ta.*ção*) *sf.* **1** Ação ou resultado de fluoretar *sf.* **2** *Quím.* Adição de flúor à água destinada ao consumo [F.: *fluoret(o) + -ação.*]

fluoreto (flu:o.*re*.to) [ê] *sm. Quím.* Qualquer sal do ácido fluorídrico [F.: *fluor(i/o)- + -eto*[2].]

◎ **fluor(i/o)-** *el. comp.* = flúor: *fluorescente, fluoreto* [F.: Do lat. cient. *fluor.*]

fluorita (flu:o.*ri*.ta) *sf. Min.* Fluoreto de cálcio cristalizado ger. em cubos [F.: Do ing. *fluorite.*]

fluorose (flu:o.*ro*.se) *sf. Med.* Intoxicação por flúor ou por seus derivados [F.: *fluor(i/o)- + -ose*[2].]

⊕ ***flush*** (*Ing./ flâsh/*) *sm. Lud.* No jogo de pôquer, reunião de cinco cartas do mesmo naipe, de quaisquer valores

⊕ ***flûte*** (*Fr. /flút/*) *sf.* Taça comprida e estreita, us. ger. para beber champanhe

◎ **fluti-** *el. comp.* = onda, mar: *flutíssono, fluticolor* [F.: Do lat. *fluctus, us.*]

⊕ ***flutter*** (*Ing. /flâter/*) *sm.* **1** *Acús.* Modulação de frequência decorrente de velocidade irregular durante a gravação ou reprodução de sons, causando distorções; INTERMITÊNCIA **2** *Card.* Batimento cardíaco acelerado

flutuabilidade (flu.tu:a.bi.li.*da*.de) *sf.* Qualidade, característica ou propriedade do que flutua ou que é flutuável [F.: *flutuável + bil(i) + -(i)dade.*]

flutuação (flu.tu:a.*ção*) *sf.* **1** Ato e efeito de flutuar (flutuação do humor/do câmbio); VARIAÇÃO; OSCILAÇÃO; MUDANÇA: *flutuação da pressão arterial.* **2** Manutenção ou estabilidade de um corpo na superfície de meio líquido ou gasoso: *Em meios líquidos e gasosos, a força de empuxo determina a flutuação dos objetos.* **3** Ondulação de um corpo, como a que o vento produz numa bandeira ou flâmula **4** *Fig.* Mudança, variação contínua de opiniões, de ideias; VOLUBILIDADE; INCONSTÂNCIA **5** *Econ.* Movimento de queda ou alta de mercadorias e valores nas bolsas e nos mercados financeiros **6** *Fís.* Afastamento aleatório do valor de uma quantidade física em torno de um valor médio ou de um mais provável **7** *Gen.* Variação que não é determinada geneticamente; modificação somática [Pl.: *-ções.*] [F.: Do lat. *fluctuatio, onis,* 'agitação'; 'tremura'.]

flutuador (flu.tu:a.*dor*) [ô] *a.* **1** Que flutua; FLUTUANTE *sm.* **2** Qualquer dispositivo que flutua **3** Cada uma das peças sobre as quais um hidroavião se apoia quando sobre a água e que o mantém sobre a superfície, sem afundar **4** Plataforma flutuante para embarcações; FLUTUANTE [F.: *flutuar + -dor.*]

flutuante (flu.tu:*an*.te) *a2g.* **1** Que flutua (no líquido ou no ar) (cais flutuante; nuvens flutuantes) **2** *Fig.* Indeciso, irresoluto, hesitante (personalidade flutuante) **3** Oscilante, variável: *cotação flutuante do euro; uma população flutuante. sm.* **4** Flutuador (3) [F.: Do lat. *fluctuans, antis.*]

flutuar (flu.tu.*ar*) *v. int.* **1** Manter-se na superfície de líquido, sem afundar; BOIAR: *O barco flutuava suavemente.* **2** *Fig.* Ficar suspenso no ar; PAIRAR: *As folhas caíam das árvores e flutuavam;* "... flutuávamos / no canto matinal, sobre a treva do vale." (Carlos Drummond de Andrade, "Evocação Mariana" *in Claro Enigma*) **3** Espalhar-se pelo ar: *Um doce aroma flutuava no corredor.* **4** Agitar-se ao impulso do vento; TREMULAR: *Seus cabelos flutuavam ao vento.* **5** *Fig.* Ficar solto, desligado, sem se ater a algo específico: *Enquanto andava, seus pensamentos flutuavam* **6** *Fig.* Agitar-se (o mar) fazendo ondas: *No mar as ondas flutuaram, inquietas.* **7** Mostrar-se indeciso, oscilante, hesitante: *Sua preferência para as férias flutuava entre o mar e a montanha.* [▶ 1 flutu**ar**] [F.: Do lat. *fluctuare.*]

fluvial (flu.vi:*al*) *a2g.* **1** Ref. a rio ou próprio de rio (transporte fluvial) **2** Que vive nos rios [Pl.: *-ais.*] [F.: Do lat. *fluvialis, e.*]

fluviário (flu.vi:*á*.ri:o) *sm. Mar.Merc.* Pessoa que trabalha na navegação fluvial [F.: *fluvi(al)* + *-ário.*]
◎ **fluvio-** *el. comp.* = 'rio'; 'fluvial': *fluviômetro; interflúvio* [F.: Do lat. *fluvius, ii.*]
◎ **-flúvio** *el. comp.* Ver *fluvio-*
fluviométrico (flu.vi:o.mé.tri.co) *a.* Ref. à mensuração das variações do nível das águas de rios e lagos [F.: *fluvio-* + *-metr(o)-* + *-ico²*.]
fluviômetro (flu.vi.*ô*.me.tro) *sm.* Instrumento usado na mensuração das enchentes fluviais [F.: *fluvio-* + *-metro.*]
fluxão (flu.*xão*) [cs] *sf. Med.* Congestão de líquidos em alguma parte do corpo [F.: Do lat. tardio *fluxio, onis.*]
◎ **flux(i/o)-** *el. comp.* = fluxo: fluxograma [F.: Do lat. *fluxus, us.*]
fluxibilidade (flu.xi.bi.li.*da*.de) [cs] *sf.* Qualidade do que é fluxível [F.: *fluxível* + *-(i)dade*, seg. o mod. erudito.]
fluxível (flu.*xí*.vel) [cs] *a2g.* **1** De pouca duração; PASSAGEIRO **2** *Med.* Suscetível de fluxão [Pl.: *-veis.*] [F.: Do lat. *fluxibilis, e.*]
fluxo (*flu*.xo) [cs] *sm.* **1** Ação ou resultado de fluir **2** Movimento incessante de coisas líquidas que escorrem (fluxo sanguíneo) **3** Enchente ou vazante das águas do mar **4** Enchente, transbordamento de um rio **5** *Med.* Extravasamento de material líquido ou quase líquido de um órgão ou cavidade corporal para fora do corpo **6** *Fig.* Sucessão de acontecimentos, de fatos: *o fluxo das notícias.* **7** Movimento intenso de veículos, de pessoas etc. (fluxo do trânsito/de turistas) **8** Abundância, torrente (fluxo de palavras) **9** *Quím.* Substância muito fusível que facilita a fusão de outras, menos fusíveis **10** *Fís.* Num feixe de partículas que se deslocam, o número de partículas por unidade de área da seção transversal desse feixe **11** *Fís.* No escoamento de um fluido, a massa desse fluido que passa pela superfície de um corte transversal do duto, por unidade de tempo [F.: Do lat. *fluxus, us.* Ideia de 'fluxo': *flux(i/o)-* (*fluxograma*).] ■■ **~ da maré** *Geof.* A subida das águas que precede a preamar; maré montante [Tb. apenas *fluxo.*] **~ de caixa** **1** *Econ.* A movimentação dos pagamentos e recebimentos de empresa, instituição etc.; sua previsão no planejamento financeiro **2** A receita líquida de empresa ou instituição, como medida de sua liquidez, e como fundo de recursos para investimentos, aumento do capital de giro etc.; sua utilização como tal **~ de consciência** *Liter.* Representação do monólogo interior de um personagem, supostamente tal como lhe ocorreria sem interferência descritiva explícita do autor, como reflexo (e indicador) de seus processos mentais, psíquicos e emocionais **~ de indução magnética** *Fís.* Ver *Fluxo magnético* **~ de massa** *Fís.* A quantidade de um fluido que escoa por determinada área por unidade de tempo **~ luminoso** *Fotm.* Potência irradiada na forma de ondas eletromagnéticas, na área visível do espectro [Símb.: *F*] **~ magnético** *Fís.* Fluxo cuja grandeza vetorial é a indução magnética; fluxo de indução magnética **~ radiante** *Fís.* Potência irradiada por fonte de energia, na forma de ondas eletromagnéticas
fluxograma (flu.xo.*gra*.ma) [cs] *sm. Inf.* Diagrama que representa a solução algorítmica de um problema, de uma série de operações etc.; diagrama de fluxo [F.: *flux(i/o)-* + *-grama.*]
⊕ **flyback** (*Ing. /flaibék/*) *sm. Eletrôn.* **1** Num tubo de raios catódicos, o intervalo de tempo necessário para que o feixe de elétrons retorne à posição inicial, após atingir o ponto máximo da sua deflexão **2** O mais breve dos dois intervalos de tempo associados a uma onda em forma de dente de serra
⊠ **FM** Sigla de *Frequência Modulada*
⊠ **FMI** Sigla de *Fundo Monetário Internacional*, fundo que presta assistência a economias em dificuldade
⊠ **FMIS** Sigla de *Fundação Museu da Imagem e do Som*
⊠ **f.m.m.** *Elet. Fís.* Abrev. de *força magnetomotriz*
⊠ **FND** Sigla de *Fundo Nacional de Desenvolvimento*
⊠ **FNDE** Sigla de *Fundo Nacional de Desenvolvimento da Educação*
⊠ **FNS** Sigla de *Fundação Nacional de Saúde*
⊠ **f.o.b.** *Com. Jur.* Sigla de uma cláusula de contrato comercial de transporte de mercadoria via marítima ou aérea, pela qual os encargos do vendedor se extinguem com a entrega do material no navio ou avião [F.: Do ing. *free on board*, lit., 'livre a bordo'.]
◎ **-fobia** *el. comp.* = medo, aversão: *acrofobia, claustrofobia, homofobia.* [F.: Do gr. *phóbos.*]
fobia (fo.*bi*.a) *sf.* **1** *Psiq.* Nome genérico de várias espécies de medo mórbido ou patológico de algo específico (escuro, altura, aranhas etc.) **2** Medo intenso (fobia de avião); HORROR; PAVOR **3** Aversão, repulsa, horror a algo [+ *a, de*: *Tinha verdadeira fobia a/de roque pauleira.*] [F.: Do gr. *phóbos*, pelo lat. cient. *phobia*, pelo fr. *phobie.*]
fóbico (*fó*.bi.co) *a.* **1** Ref. a fobia **2** *Psiq.* Que sofre de fobia: "É notável que o fóbico nunca esteja só, sempre encontra um sócio que o obriga a fazer o que ele quer evitar." (*O Globo*, 25.07.2004) *sm.* **3** *Psiq.* Pessoa que sofre de fobia [F.: *fob(o)-* + *-ico²*.]
◎ **-fobo** *el. comp.* = que tem aversão a, medo de: *hidrófobo, homófobo, xenófobo.* [Com acento tônico na sílaba anterior.] [F.: Do gr. *phóbos.*]
◎ **fob(o)-** *el. comp.* = medo: *fóbico* [F.: Do gr. *phóbos, ou.*]
foca¹ (*fo*.ca) *sf.* **1** *Zool.* Denominação comum a diversos mamíferos carnívoros, da fam. dos focídeos, encontrados principalmente nas regiões marinhas mais frias **2** Qualquer das espécies dessa família, como a *Phoca vitulina* [F.: Do gr. *phóke* pelo lat. *phoca.* Hom./Par.: *foca* (sf.), *foca* (fl. de *focar*). É epiceno.]
foca² (*fo*.ca) *s2g.* **1** *Bras. Gír.* Jornalista novato, sem experiência **2** *Gír.* Pessoa sem experiência **3** Avarento, sovina **4** *Lus.* No Minho, o mesmo que *buraco* [F.: De or. contrv. Hom./Par.: *foca 2* (s2g.), *foca* (fl. de *focar*).]
focado (fo.*ca*.do) *a.* **1** *Cin. Fot.* Diz-se de câmera com o foco ajustado à distância do objeto de foto ou filmagem: *Captou os detalhes da flor com uma câmara focada.* **2** *Fig.* Com a atenção, o interesse voltado para: *Todo o grupo está focado num mesmo objetivo.* [+ em: *Ela é focada em moda.*] **3** *Fig.* Diz-se de quem está sempre atento e sintonizado com novas informações, mantém-se interessado em coisas importantes e relevantes no contexto em que atua: *Ele é sem dúvida um jornalista focado.* [F.: Part. de *focar.*]
focagem (fo.ca.*gem*) *sf.* Ação ou resultado de focar, focalizar equipamento óptico adequadamente à distância do objeto; FOCALIZAÇÃO: *Cuidadosamente procedeu à focagem do microscópio; Não está nítido? Corrija a focagem do binóculo.* [Pl.: *-gens.*] [F.: *focar* + *-agem².*]
focal (fo.*cal*) *a2g.* **1** Ref. a foco (distância focal) **2** *Ópt.* Diz-se do segmento de reta que constitui a imagem de um ponto num sistema óptico em que há astigmatismo [Pl.: *-cais.*] *sm.* **3** Este segmento [Pl.: *-cais.*] [F.: Do fr. *focal.* Hom./Par.: *focais* (pl.), *focais* (fl. de *focar*).]
focalização (fo.ca.li.za.*ção*) *sf.* Ação ou resultado de focar, ou focalizar; o mesmo que *focagem* (1) [Pl.: *-ções.*] [F.: *focalizar* + *-ção.*]
focalizado (fo.ca.li.*za*.do) *a.* **1** Que se focalizou: *rosto focalizado em close.* **2** *Fig.* Posto em foco, em destaque (temas focalizados) [F.: Part. de *focalizar.*]
focalizar (fo.ca.li.*zar*) *v.* **1** *Ópt.* Ajustar (lente, sistema óptico) à distância em que está o objeto visado, de maneira que a imagem deste fique nítida; FOCAR [*tdr.* + *em*: *O fotógrafo focalizou a lente no rosto da modelo.*] **2** Fazer convergir ou orientar para um determinado ponto (feixe(s) luminoso(s), sistema(s) óptico(s) etc.) [*tdr.* + *em*: *Focalize os refletores naquela porta.*] [*tr.* + *em*: *Câmeras, focalizem na porta!*] **3** Pôr em foco; dar destaque a [*td.*: *O jornalista focalizou a atuação do técnico naquela vitória.*] **4** *Fig.* Concentrar (a atenção) em algo [*tdr.* + *em*: *Focalizou toda a sua atenção nos gestos do suspeito.*] [*tr.* + *em*: *Senhores jurados, focalizem nesta evidência, ela é decisiva para se tirarem conclusões.*] [▶ 1 focalizar] [F.: *focal* + *-izar.*]
focalizável (fo.ca.li.*zá*.vel) *a2g.* Que se pode focalizar [Pl.: *-veis.*] [F.: *focalizar* + *-vel.* Hom./Par.: *focalizáveis* (pl.), *focalizáveis* (fl. de *focalizar*).]
focar (fo.*car*) *v. td.* O mesmo que *focalizar* [▶ 11 focar]
focídeo (fo.*cí*.de:o) *sm.* **1** *Zool.* Espécime dos focídeos, fam. de mamíferos carnívoros, ger. marinhos (uma única sp. vive em água-doce), que inclui as focas *a.* **2** Ref. aos focídeos [F.: Do lat. cient. *Phocidae.*]
focinhada (fo.ci.*nha*.da) *sf.* **1** Pancada com o focinho ou tromba **2** *Pej.* Pancada com o nariz [F.: *focinh(o)* + *-ada².*]
focinhar (fo.ci.*nhar*) *v.* O mesmo que *afocinhar* [▶ 1 focinhar] [F.: *focinho* + *-ar².* Hom./Par.: *focinho* (fl.), *focinho* (sm.).]
focinheira (fo.ci.*nhei*.ra) *sf.* **1** Correia que se põe na cabeça e no focinho de animais (nos cães, ger. como açaimo, para impedi-los de morder ou comer) **2** Focinho de porco **3** Focinho, em geral; tromba **4** *Pop.* Cara fechada; CARRANCA [F.: *focinho* + *-eira.*]
focinho (fo.*ci*.nho) *sm.* **1** Parte saliente e anterior da cabeça de alguns animais formada pelas ventas, boca e queixo **2** *Pop.* O rosto do homem **3** *Arq.* Saliência, ger. boleada, arredondada, do piso de um degrau **4** *Turfe* Diferença quase imperceptível entre o posicionamento de cavalos na chegada de um páreo, só distinguível no registro do olho mecânico: *Mossoró venceu o segundo páreo por um focinho.* [F.: Do lat. *faucinus.* Hom./Par. *focinho* (sm.), *focinho* (fl. de *focinhar*), *foucinho* (sm.). Ideia de 'focinho': *-rinco* (*ornitorrinco*).] ■■ **~ de cabo** A parte de um cabo² mais próxima da extremidade livre **Meter o ~** *Pop.* Intrometer-se, interferir **Torcer o ~** *Pop.* Demonstrar desagrado, reprovação
focinhudo (fo.ci.*nhu*.do) *a.* **1** Que tem grande focinho **2** *Fig.* Carrancudo, trombudo: "... já te pesa a cabeça antes do tempo, e por isso andas assim focinhudo e cabisbaixo." (Bernardo Guimarães, *O ermitão de Muquém*) **3** *Bras. Ict.* Espécie de cação (*Prionace glauca*), tb. conhecido como tubarão-azul [F.: *focinh(o)* + *-udo.*]
foco (*fo*.co) *sm.* **1** *Ópt.* Ponto para o qual um sistema óptico (lentes etc.) faz convergirem raios luminosos e onde a imagem fica nítida **2** *Ópt.* Ponto para onde convergem ou de onde divergem raios luminosos depois de refletidos por um espelho **3** *Fig.* Ponto central ou principal, de origem ou de principal ação de algo: *O foco da questão; um foco de resistência à ditadura.* **4** *Med.* Ponto (geográfico ou dentro do corpo) de onde se propaga uma doença: *O foco da epidemia estava no norte do município; Ele tem um foco infeccioso na garganta.* **5** Lâmpada que, por meio de um refletor interno, concentra os raios luminosos num feixe estreito; REFLETOR; SPOT **6** Farol, facho **7** *Fig.* Concentração da atenção, da mente, do interesse, num certo aspecto ou assunto: *Não perca o foco, estamos falando de marketing, não de fabricação.* [F.: Do lat. *focus.* Hom./Par.: *foco* (sm.), *foco* (fl. de *focar*).] ■■ **~ imagem** *Ópt.* Ponto para onde convergem os raios luminosos (ou seus prolongamentos, se houver divergência dos raios) de um feixe colimado (de raios paralelos) quando atravessam um sistema óptico **~ objeto** *Ópt.* Ponto tal que raios luminosos originalmente nele convergentes, ao serem refratados por um sistema óptico divergente ficam paralelos ao eixo principal do sistema, formando um feixe colimado (de raios paralelos) **~ sísmico** *Geol.* Num terremoto, ponto de origem das ondas sísmicas
foda (*fo*.da) *Tabu. sf.* **1** Cópula, relação sexual **2** Aquilo que exige sacrifício ou é difícil de suportar: *Aturar um chato é foda.* *s2g.* **3** *Gír.* Pessoa considerada extraordinária, para o bem ou para o mal: *Ele é foda, resolve qualquer parada.* **4** Pessoa durona, exigente, rígida: *Essa professora é foda: quem não sabe não passa.* [F.: Dev. de foder. Hom./Par.: *foda* (sf.), *foda* (fl. de *foder*).] ■■ **Ser ~** *Tabu.* Ser uma situação complicada, difícil, perigosa etc.; ser fogo; ser um pessoa durona, exigente
foder (fo.*der*) *Tabu. v.* **1** *Tabu.* Ter relação sexual com; COPULAR [*tr.* + *com*: *É um don Juan, já fodeu com todas as colegas de turma.*] [*int.*: *Resolveram foder logo no primeiro encontro.*] [*td.*: *Fodeu a menor e acabou preso.*] **2** *Bras. Fig.* Causar mal a (algo ou alguém, inclusive si mesmo), arruinar; sair-se mal em algo; ARRUINAR(-SE) [*td.*: *Vou te foder, vou acabar com tua alegria!; Subiu bêbedo no palco e fodeu o espetáculo.*] [*tr.* + *com*: *Ele fodeu com a carreira do chefe, denunciou todas as mutretas.*] [*int.*: *Exagerou na velocidade e fodeu-se: bateu de frente.*] **3** *Bras.* Não se importar com, não dar a mínima para [*tr.* + *para*: *Estou-me fodendo para seus escrúpulos.*] **4** *Bras.* Ir para o inferno, danar-se [*int.*: *Foda-se tudo!; Ela que se foda, não vou fazer o que quer.*] [▶ 2 foder.] [F.: Do lat. vulg. *futere.* Hom./Par.: *foda* (fl.), *fodas* (fl.), *foda* (sf. [pl.]).]
fofão (fo.*fão*) *sm. BA MG Cul.* Biscoito salgado em forma de palma, feito de mandioca [F.: *fof(o)* + *-ão¹.*]
fofar (fo.*far*) *v.* **1** Pôr fofos, tufos em [*td.*: *fofar uma saia.*] **2** Tornar fofo [*td.*: *fofar um travesseiro*] **3** Tornar(-se) vaidoso [*td.*: *A vitória fofou o rapaz; Fofou-se todo ao ser elogiado.*] **4** *Pop.* Ir para o fofo, para a cama, com alguém; manter relações sexuais [*tr.* + *com*] [*int.*] [▶ 1 fofar] [F.: *fofo* + *-ar².* Hom./Par.: *fofa* (fl.), *fofa* [ô] (s f.), *fofa* [ô] (fem. de *fofo* [a.]); *fofo* (fl.), *fofo* [ô] (a.sm.).]
fofice (fo.*fi*.ce) *sf.* Qualidade do que é fofo [F.: *fof(o)* + *-ice.*]
fofo (*fo*.fo) [ô] *a.* **1** Que, por ser pouco consistente, poroso, arejado etc. é macio, mole ou cede facilmente à pressão (travesseiro fofo; terra fofa) **2** *Bras. Fam.* Que é encantador, bonito, gracioso: *Que gatinho mais fofo!* **3** *Fig.* Vaidoso, enfatuado *sm.* **4** *Bras. Fam.* Aquele que é encantador, bonito, gracioso **5** *Vest.* Espécie de enfeite para vestuário feminino **6** *Pop.* Cama, leito aconchegante [F.: De or. onom. Hom./Par.: *fofo* (a.sm.), *fofo* (fl. de *fofar*).]
fofoca (fo.*fo*.ca) *Bras. Pop. sf.* **1** Comentário sobre a vida alheia; MEXERICO **2** Boato, balela [Col.: *fofocada, fofocagem.*] [F.: Voc. expressivo. Hom./Par.: *fofoca* (sf.), *fofoca* (fl. de *fofocar*).]
fofocagem (fo.fo.*ca*.gem) *Bras. Pop. sf.* **1** Ação ou resultado de fofocar **2** Grande quantidade de fofocas [F.: *fofocar* + *-agem².* Sin. ger.: *fofocada.*]
fofocar (fo.fo.*car*) *v.* **1** *Bras. Pop.* Fazer fofoca, conversar sobre assuntos alheios, divulgar boatos e mexericos etc.; MEXERICAR; BISBILHOTAR [*tr.* + *com*: *A mulher fofocava com a vizinhança.*] [*int.*: *Andava fofocando demais.*] **2** Cometer inconfidência, revelar segredos de outrem [▶ 11 fofocar] [F.: *fofoc(a)* + *-ar².* Hom./Par.: *fofoca* (fl.), *fofocas* (fl.), *fofoca* (sf. [pl.]).]
fofoqueiro (fo.fo.*quei*.ro) *a.* **1** *Bras. Pop.* Que faz fofoca (vizinha fofoqueira); MEXERIQUEIRO *sm.* **2** *Bras. Pop.* Aquele que faz fofoca; MEXERIQUEIRO [F.: *fofoca* + *-qu-* + *-eiro.*]
fofura (fo.*fu*.ra) *sf.* **1** Fofice **2** *Bras. Fam.* Pessoa, animal ou coisa fofa, graciosa [F.: *fof(o)* + *-ura.*]
⊕ **fog** (*Ing. /fóg/*) *sm.* Nevoeiro denso
fogaça (fo.*ga*.ça) *sm.* **1** *Cul.* Pão ou bolo grande **2** *BA* Formação própria dos terrenos diamantinos [F.: Do lat. tardio *focacia.*]
fogacho (fo.*ga*.cho) *sm.* **1** Labareda, chama pequena: "E a vela expirava, como fogachos lívidos..." (Eça de Queirós, *O mandarim*) **2** Fogo, em manifestações várias: archote, tocha, fogueira etc. **3** *Fig.* Sensação de calor que assoma ao rosto, causada por emoção ou distúrbio orgânico **4** *Fig.* Assomo, repente de mau gênio **5** *Fig.* Inspiração súbita; LAMPEJO **6** *Expl.* Explosivo us. para fragmentar ainda mais as pedras já retiradas de uma pedreira; FOGO-SECUNDÁRIO [F.: *fogo* + *-acho.*]
fogão (fo.*gão*) *sm.* **1** Aparelho a gás ou lenha us. para cozinhar ou esquentar alimentos ao fogo **2** Aparelho elétrico us. para o mesmo fim **3** Construção ou nicho em parede, de alvenaria ou tijolos refratários, dotado de chaminé para o exterior, onde se acende fogo para aquecer o recinto; LAREIRA **4** Aparelho para aquecer ambientes, a gás, a querosene, elétrico etc.; ESTUFA **5** *RS* Lugar nos galpões das estâncias onde se faz fogo para o chimarrão e o churrasco **6** *RS* Torrão natal **7** *Bras. S* Terreno mais apropriado para o cultivo que as terras vizinhas **8** *MT* Campo coberto de ipecacuanha [Pl.: *-gões.*] [F.: *fogo* + *-ão¹.*]
fogareiro (fo.ga.*rei*.ro) *sm.* Espécie de fogão portátil de uma ou duas bocas, para cozinhar ou aquecer [F.: Do port. ant. *fogar* ('lar') + *-eiro.*]
fogaréu (fo.ga.*réu*) *sm.* **1** Material inflamável especialmente disposto ou preparado para, ao ser aceso, iluminar, sinalizar, aquecer etc.; ARCHOTE; FOGUEIRA; TOCHA **2** Fogo que se expandiu em muitas labaredas **3** Espécie de tigela onde se acendem matérias oleosas ou inflamáveis **4** O mesmo que *fogo-fátuo* **5** *Arq.* Ornamento de pedra em forma de pira e terminado em labaredas [F.: *fogo* + *-aréu.*]
fogo (*fo*.go) [ô] *sm.* **1** Calor, luz e chama resultantes da combustão de matéria inflamável; LUME **2** Labareda,

língua de fogo **3** Fogaréu, fogueira: *As festas juninas são em torno do fogo.* **4** Fogão, lareira **5** Incêndio: *O fogo espalhou-se pela floresta.* **6** Dispositivo que produz lume; FÓSFORO; ISQUEIRO: *Queria fumar, mas não tinha fogo.* **7** *Pirot.* Artefato pirotécnico para fins de festejo; fogo de artifício (queima de fogos) [Mais us. no pl.] **8** Tiro de artilharia ou de qualquer arma de fogo: *As tropas estão sob fogo inimigo.* **9** *Bras. Pop.* Bebedeira, embriaguez **10** *Fig.* Entusiasmo, vivacidade, energia: *o fogo da mocidade.* **11** *Fig.* Sentimento veemente; ARDOR; PAIXÃO **12** *Fig.* Excitação sexual **13** *Fig.* Brilho, fulgor: *O fogo daquelas pupilas o deslumbrou.* **14** Calor súbito; FOGACHO **15** Casa, lar: *A vila tem mais de mil fogos.* **16** O suplício da fogueira (condenado ao fogo) *interj.* **17** Ordem para disparo de arma de fogo **18** Aviso de incêndio [F.: Do lat. *focus.* Ideia de 'fogo': *igni-* (*ignífero*); *pir(i/o)-* (*pirotecnia*).] ■ **Abrir ~** Começar a atirar **A ~ lento** Pouco a pouco **Atiçar o ~** *Fig.* Fomentar desentendimento ou litígio; acirrar os ânimos **Brincar com ~** Arriscar-se, meter-se afoitamente em situações perigosas ou desagradáveis **Comer ~** *Pop.* Passar dificuldades **Cortar o ~** Impedir a propagação de um incêndio **Cozinhar a ~ brando/lento** *Fig.* Conduzir lentamente, protelando, uma situação, um negócio, uma medida etc. **Cuspir ~** *Bras. Pop.* Estar ou ficar enraivecido, furioso; pegar fogo (4) **De ~ morto** **1** *Bras.* Diz-se de engenho que já não funciona para fabricar açúcar **2** *P. ext.* Diz-se de fábrica, oficina etc. que já não funciona **3** *P. ext.* Diz-se de pessoa que já não é ativa, por depressão, lassidão, velhice etc. **Entre dois ~s** **1** Sob ataque simultâneo de dois flancos inimigos **2** *Fig.* Ameaçado por dois fatores, duas situações, dois perigos simultâneos **Entre o ~ e a frigideira** Em um dilema, numa situação que exige uma decisão difícil de se tomar **Estar de ~** *Gír.* Estar bêbedo, embriagado. **Fazer ~** Disparar arma de fogo, atirar **~ amigo** **1** *Mil.* Em ação militar, tiroteio etc., fogo feito por tropa, polícia, bando etc., sobre membros do mesmo grupo, ou aliados (por engano ou por falha operacional) **2** *Fig.* Crítica ou ataque feitos por correligionário, aliado, amigo, companheiro de partido político etc. **~ cruzado** **1** Situação, num tiroteio, na qual os tiros convergem para um mesmo ponto **2** *Fig.* Situação na qual se é alvo de perguntas, questionamentos, críticas etc. quase simultâneas e provenientes de várias fontes **~ de artifício** **1** Artefato pirotécnico que produz efeitos de luz e cor e, ger., ruído, us. em festejos, comemorações etc.; fogo de vista [Tb. apenas *bilbode.*] **2** *Fig.* Aquilo que procura fazer efeito mais pela aparência do que pelo conteúdo: *Seu discurso foi brilhante mas vazio, puro fogo de artifício.* **~ de bilbode** *Mil* Fogo (disparos) de muitas espingardas em sequência quase simultânea **~ de monturo** **1** Aquele que parece extinto, mas não está **2** *Fig.* Coisa, evento etc. que demora para acabar ou que dificilmente acaba **~ de palha** Entusiasmo que dura pouco **~ de proteção** *Mil.* Conjunto de disparos de artilharia que visa a dar cobertura a ação de tropa amiga **~ de S. João** **1** *Bras.* Qualquer artefato pirotécnico (bombinha, busca-pé, estalo etc.) us. nas festas juninas **2** Fogueira acesa na noite de S. João (24 de junho) **~ de vista** Ver *Fogo de artifício* (1) **~ do céu** Raio, relâmpago **~ eterno** Aquele no qual se acredita irão queimar para sempre as almas dos pecadores; inferno **~ feniano** *Expl.* Dispositivo incendiário no qual uma solução de fósforo em sulfeto de carbono se inflama quando o solvente evapora **~ grego** **1** *Expl.* Composição inventada por monges bizantinos do século XI, que tinha a propriedade de arder na água, us. na guerra para incendiar navios; fogo greguês **2** Composição incendiária de vários combustíveis com salitre bruto **~ greguês** Ver *Fogo grego* (1) **~ lento** Chama ou lume brando, para cozinhar [Cf.: *Fogo secundário.*] **~ posto** *Lus.* Incêndio criminoso **~ primário** *Expl.* Explosivo us. em pedreira para fragmentá-la **~ pulado** *Bras.* Nas queimadas, fogo que é levado de um a outro ponto **~ sagrado** **1** Chama que se mantém sempre acesa em templos ou santuários [Cf.: *Fogo primário.*] **2** *Fig.* Entusiasmo, energia criadora, inspiração **~ secundário** *Expl.* Explosivo us. em pedreiras para quebrar em fragmentos menores pedra já antes fragmentada **~ selvagem** *Bras. Pop.* Designação popular de *pênfigo foliáceo*, dermatose caracterizada pela aparição de bolhas sob a pele, que se rompem e descamam dolorosamente **~ volante** *Ant. Expl.* Fogo grego lançado em foguetes sobre navios ou posições terrestres dos inimigos **Negar/mentir ~** **1** *Bras.* Não disparar quando acionada (arma de fogo) **2** *Fig.* Fracassar, ou deixar de agir no momento em que uma ação era necessária **No ~** *Esp.* Situação na qual um jogador passa a bola a companheiro de maneira imprecisa, deixando-o em situação difícil para alcançá-la antes que um adversário o faça **No ~ de** *Fig.* No ponto mais aceso, inflamado (de briga, discussão, altercação etc.) **Pegar ~** **1** Inflamar-se; incendiar-se **2** *Fam.* Estar com muita febre **3** *Fig.* Ficar agitado, movimentado, entusiasmado: *No segundo dia a reunião pegou fogo.* **4** *MA* Ficar furioso; cuspir fogo **Puxar ~** *N.E. Pop.* Estar ou ficar bêbedo, embriagado [Us. tb. como exclamação: É fogo (na roupa)! O computador congelou de novo!.] **Ser bom para o ~** Não ter valor algum, não prestar para nada **Ser ~ (na roupa)** **1** *Bras. Pop.* Ser complicado, difícil etc. (algo, alguém, situação): *Este trabalho é fogo, vai me tomar horas!; Esse guarda é fogo, multa por qualquer coisinha.* **2** Ser bom, eficiente, adequado etc. (algo ou alguém): *Meu time é fogo, não perde há oito rodadas.* **Tocar ~ na canjica** **1** *N.E. Pop.* Acelerar ação, ser mais expedito no que está a fazer **2** Ficar mais enérgico, entusiasmar-se, animar-se

fogo-apagou (fo.go-a.pa.*gou*) *sf2n. Ornit.* Ave (*Scardafella squammata*) da fam. dos columbídeos cujo canto parece imitar o seu nome

fogo de bengala (fo.go de ben.*ga*.la) *sm. Pirot.* Fogo de artifício que arde sem ruído, produzindo luz de várias cores [Pl.: *fogos de bengala.*]

fogo de santelmo (fo.go de san.*tel*.mo) *sm.* Pequena chama azulada proveniente da descarga da eletricidade atmosférica, que aparece na extremidade dos mastros de navios, torres de igreja etc., esp. durante tempestades [Tb. apenas *santelmo.*] [Pl.: *fogos de santelmo.*]

fogo-fátuo (fo.go-*fá*.tu:o) *sm.* **1** Combustão espontânea de gás emanado de substâncias vegetais e animais em estado de decomposição (ger. em cemitérios, pântanos etc.) **2** *Fig.* Falso brilho; glória, prazer de pouca duração [Pl.: *fogos-fátuos.*]

fogo-selvagem (fo.go-sel.*va*.gem) *sm.* **1** *Bras. Derm.* Designação popular de uma forma tropical (ocorrente só no Brasil) do pênfigo foliáceo, grave doença endêmica **2** *Bras. Ent.* Inseto vesicante, do gên. *Paederus*, tb. conhecido como *potó* [Pl.: *fogos-selvagens.*]

fogoso (fo.*go*.so) [ô] *a.* **1** Cheio de ardor, entusiasmo, arrebatamento (temperamento fogoso); ARDOROSO; ARREBATADO; IMPETUOSO **2** Que tem muito ardor sexual **3** Que tem ou manifesta energia impaciência, vontade própria (corcel fogoso); ÁRDEGO; IMPACIENTE; IRREQUIETO **4** Em que há fogo ou calor; ABRASADO; ARDENTE: *dias fogosos de verão.* **5** Fácil de se irritar, de se enraivecer, encolerizar; IRACUNDO; IRASCÍVEL; IRRITADIÇO [Fem. e pl.: [ó].] [F.: *fogo* + *-oso.*]

foguear (fo.gue.*ar*) *v.* **1** Fazer queimar; ACENDER [*td.*: *Fogueou o charuto.*] **2** Acender fogo [*int.*] **3** Fazer enrubescer [*td.*: *A lisonja fogueou seu rosto.*] **4** Tornar animado; EXCITAR [*td.*: *Aquela ideia fogueou sua ambição.*] **5** *Ant.* Morar, habitar em [*td.*] [▶ **13 foguear**] [F.: *fogo* + *-ear*[2].]

fogueira (fo.*guei*.ra) *sf.* **1** Monte de lenha ou de outro combustível em que se ateia fogo **2** Suplício que consistia em queimar viva uma pessoa: *Giordano Bruno foi condenado à fogueira pela Santa Inquisição.* **3** Fogo, fogaréu **4** *Fig.* Dificuldade, apuro, aperto: *deixar alguém na fogueira.* **5** *Fig.* Exaltação, ardor **6** *Bras. Ict.* Peixe marinho (*Myripristis jacobus*); OLHO-DE-VIDRO **7** Estrutura para prover apoio a algo em ponto acima do chão, e feita de camadas de pares de dormentes paralelos, cada camada perpendicular à que se lhe segue; GAIOLA **8** *Desus.* O domicílio, o lar [F.: Do lat. *focaria.*] ■ **Na ~** Ver *No fogo* no verbete *fogo* **Pular uma ~** *Fig.* Vencer ou contornar dificuldade, obstáculo etc.

foguete (fo.*gue*.te) [ê] *sm.* **1** Elemento de propulsão (de mísseis, projéteis etc.) baseado na reação (em forma de impulso para a frente) ao impulso para trás dos gases resultantes da queima do combustível **2** *Astnáut.* Veículo espacial impulsionado por foguete (1) **3** *Pirot.* Artefato pirotécnico formado por um tubo de papelão com pólvora, pavio e punho, e cuja carga é projetada para o alto, onde estoura com forte estampido; ROJÃO [Col.: *foguetório.*] **4** *Bras.* Pessoa, ger. criança, muito vivaz e ativa: *Esse menino é um foguete.* **5** *Pop.* Descompostura, repreensão **6** *Edit.* Sinal us. em revisão de provas tipográficas que consiste num traço em forma de flecha que vai da parte errada do texto composto até a emenda feita pelo revisor **7** *Publ. Rád. Telv.* Texto publicitário falado, sucinto e incisivo, com duração de cinco a dez segundos [F.: Do lat *coda* 'cauda' pelo cat. *coa* e depois *coet.*] ■ **~ de flecha** *Expl.* Artefato pirotécnico ao qual se fixou uma flecha que lhe dá direção em sua ascensão; foguete voador **~ de lançamento** *Astron.* Foguete guiado que serve de veículo de lançamento de outro foguete ou de colocação em órbita de um satélite artificial **~ de três assobios/respostas** *Expl.* Artefato pirotécnico que estoura três vezes no ar **~ granizífugo** *Expl.* Foguete us. para impedir precipitação atmosférica em forma de granizo **~ voador** *Expl.* Ver *Foguete de flecha.* **Soltar ~s** Comemorar, regozijar-se **Soltar os ~s antes da festa** Comemorar prematuramente sucesso (ou fato auspicioso) duvidoso

foguetear (fo.gue.te.*ar*) *v. int.* Soltar foguete [▶ **13 foguetear**] [F.: *foguete* + *-ear*[2].]

fogueteiro (fo.gue.*tei*.ro) *sm.* **1** Pessoa que fabrica, ou vende ou solta foguetes (3) **2** *Bras. Fig.* Mentiroso, boateiro, garganta (9) [F.: *foguete* + *-eiro.*]

foguetório (fo.gue.*tó*.ri:o) *sm.* Grande quantidade de fogos ou foguetes que espocam ao mesmo tempo [F.: *foguet(e)* + *-ório.*]

foguista (fo.*guis*.ta) *s2g.* Aquele que tem a incumbência de cuidar da fornalha, em máquinas movidas a vapor; FORNALHEIRO [F.: *fogo* + *-ista.*]

foiçada (foi.*ça*.da) *sf.* Golpe de foice [F.: *foic(e)* + *-ada*[2].]

foiçar (foi.*çar*) *v. td.* **1** Cortar com foice; ceifar [*td.*: "Aqui malhavam uma eirada, além foiçavam feno." (Aquilino Ribeiro, *S. Banaboião, Anacoreta e Mártir*)] **2** Desferir golpe(s) de foice [*int.*: *Transtornado, foiçava à direita e à esquerda.*] [▶ **12 foiçar**] [F.: *foice* + *-ar*[2]. Hom./Par.: *foice(s)* (fl.), *foice(s)* (sf.[pl.]).]

foice (*foi*.ce) *sf.* **1** *Agr.* Ferramenta com uma lâmina em forma de gancho presa a um cabo, us. para ceifar [Lâmina e cabo podem ter diversas configurações e tamanhos; alguns tipos de foice se manuseiam com uma só, outros com ambas as mãos.] **2** *Anat.* Qualquer estrutura com formato de foice (1) [F.: Do lat. *falx, falcis.* Hom./Par.: *foice* (sf.), *foice* (fl. de *foiçar*). Ideia de 'foice': *falci-* (*falciforme*).]

foiciforme (foi.ci.*for*.me) *a2g.* Que tem a forma de foice; FALCIFORME [F.: *foice* + *-forme.*]

⊕ **foie gras** (*Fr./fuá grá/*) *loc.subst. Cul.* Fígado de ganso ou de pato esp. cevado, servido ger. como patê

fojo (*fo*.jo) [ô] *sm.* **1** Cova profunda cuja abertura se disfarça com galhos e terra, para apanhar vivos animais ferozes **2** Caverna, gruta **3** Sorvedouro de lama, de água etc. **4** Parte muito funda num rio [Pl.: [ó].] [F.: De or. controv.]

folclore (fol.*clo*.re) [ô, [ó].] *sm.* **1** Conjunto das manifestações da cultura popular e das tradições de um povo: *Músicas, danças, lendas e crenças fazem parte do folclore de uma nação.* **2** Estudo das tradições de um povo através das suas manifestações culturais: *Câmara Cascudo é uma das maiores autoridades em folclore nacional.* **3** *Fig.* Conjunto de fatos pitorescos ou jocosos ligados a uma pessoa, lugar etc.: *o folclore político de Brasília.* **4** *Fig.* Mentira, invenção, lenda [F.: Do ing. *folklore.*]

folclórico (fol.*cló*.ri.co) *a.* **1** Ref. a folclore (dança folclórica) *a.* **2** *Fig.* Divertido, pitoresco: *Todo botequim tem seu personagem folclórico.* **3** *Fig.* Imaginoso, fantasioso (discurso folclórico) [F.: *folclore* + *-ico*[2].]

folclorismo (fol.clo.*ris*.mo) *sm.* **1** Estudo do folclore **2** *Pej.* Tendência a enfatizar os elementos folclóricos ou pitorescos de algo [F.: *folclor(e)* + *-ismo.*]

folclorista (fol.clo.*ris*.ta) *s2g.* **1** Pessoa estudiosa de folclore (1, 2) e nele especializada **2** Pessoa interessada em folclore [F.: *folclore* + *-ista.*]

folclorizar (fol.clo.ri.*zar*) *v. td.* Dar tratamento ou caráter folclórico a; tratar como folclore: *Folclorizou um filme que devia ser político.* [▶ **1 folclorizar**] [F.: *folclore* + *-izar.*]

folcmúsica (folc.*mú*.si.ca) *sf. Folc.* Estudo da música folclórica de determinado lugar ou região [F.: *folc(lore)* + *música.*]

fôlder (*fôl*.der) *sm.* **1** *Edit. Publ.* Impresso que consta de uma única folha dobrada uma ou mais vezes, us. na divulgação de eventos, projetos etc. **2** *Inf.* Pasta virtual para armazenamento de diversos arquivos [F.: Do ing. *folder.*]

fole (*fo*.le) *sm.* **1** Mecanismo ger. feito de papelão grosso dobrado em gomos cujo manuseio pode expandi-los (enchendo-os de ar) ou fechá-los (expelindo o ar), com isso gerando uma corrente de ar que sai por um bico (fole de ferreiro) [Dim.: *folículo.*] **2** Qualquer dispositivo que se expande e contrai como um fole (1), mesmo se com outras funções, como aproximar ou afastar dois elementos dispostos em suas extremidades: *o fole de uma máquina fotográfica.* **3** *N.E.* Sanfona **4** Estômago, papo **5** Saco de couro us. esp. para transportar grãos [F.: Do lat. *follis, is.*]

fôlego (*fô*.le.go) *sm.* **1** Movimento respiratório alternado, de aspiração e expiração do ar; RESPIRAÇÃO: *Correu até ficar sem fôlego.* **2** Capacidade de prender o ar nos pulmões: *Não tem fôlego para mergulhar por muito tempo.* **3** Ânimo, força para continuar qualquer coisa: *A indústria retomou fôlego este ano.* **4** Grande importância ou envergadura: *uma obra de fôlego.* [F.: Dev. do port. ant. *folegar.*] ■ **~ vivo** **1** Ser vivo, criatura viva **2** *Bras.* Escravo **De ~** **1** De grande extensão, de grande desenvolvimento: *uma obra de fôlego.* **2** Diz-se de obra material ou intelectual cuja realização exige ou consome grande esforço, longo tempo, dedicação, aplicação de recursos ou conhecimentos etc. **De um (só) ~** De uma assentada só, sem intervalos: *Realizou sua tarefa de um (só) fôlego.* **Prender o ~** **1** *Bras.* Encher os pulmões de ar e retê-lo; prender a respiração **2** Dificultar ou impedir a respiração; causar dispneia **Sem ~** Respirando rapidamente, ou com dificuldade, por causa de esforço físico ou problema respiratório, ou após prender a respiração ou ter emoção forte **Ter ~ de gato** Ter muita resistência a esforço físico, ter muita disposição

foleiro (fo.*lei*.ro) *sm.* **1** Pessoa que faz ou vende foles (1) **2** *Bras.* Tocador de fole (3) [F.: *fol(e)* + *-eiro.*]

folga (*fol*.ga) *sf.* **1** Interrupção de tarefa ou trabalho para descanso; o espaço de tempo a ele destinado: *Os jogadores tiveram folga de dois dias.* **2** Recreio, divertimento, folguedo **3** Momento de repouso, despreocupação ou alívio: *Os netos não lhe dão folga.* **4** Margem, diferença: *O projeto foi aprovado com folga de votos.* **5** Espaço a mais; falta de aperto: *uma calça com folga na cintura.* **6** *Bras. Pop.* Atrevimento, abuso: *É muita folga sua entrar sem pedir licença.* **7** *Bras. Pop.* Ócio; boa vida: *Está como sempre quis, na maior folga.* **8** Prosperidade financeira: *A família vive com folga.* [F.: Dev. de *folgar.* Hom./Par.: *folga* (sf.), *folga* (fl. de *folgar*).]

folgado (fol.*ga*.do) *a.* **1** Que tem folga ou está de folga: *Hoje estou folgado, podemos ir à praia.* **2** Que não está apertado; que está largo (paletó/sapato folgado) **3** Com grande margem: *O time mantém uma liderança folgada.* **4** Sem preocupação ou aperto: *Leva uma vida folgada.* **5** *Bras. Pop.* Que é atrevido, abusado **6** *Bras. Pop.* Que se esquiva das obrigações ou deveres: *Que sujeito folgado, não quer saber de trabalhar.* *sm.* **7** *Bras. Pop.* Pessoa folgada (5 e 6) [F.: Part. de *folgar.*]

folgador (fol.ga.*dor*) [ô] *a.* **1** O mesmo que *folgazão* *sm.* **2** *PR* Dançador de fandango, esp. nas folgas de sábado e domingo [F.: *folgar* + *-dor.*]

folgança (fol.*gan*.ça) *sf.* **1** Ação ou situação de quem descansa, relaxa após esforço; esse descanso ou relaxamento: *Nas horas de folgança, os marinheiros cantavam.* **2** Ação ou situação de quem se diverte; BRINCADEIRA; DIVERTIMENTO; FOLGUEDO [F.: *folgar* + *-ança.*]

folgar (fol.*gar*) *v.* **1** Dar folga a, ou ter folga; DESCANSAR [*td.*: *Folgou as pernas depois da subida.*] [*int.*: *Em geral, folgam uma vez por semana.*] **2** Tornar mais largo, menos apertado, ou menos tenso [*td.*: *Folgar uma saia/ uma amarra.*] **3** *Bras. Pop.* Abusar da confiança de; ATREVER-SE [*tr.* + *com*: "... se ele folgar com a gente, meto-lhe a mão..." (*O Dia*, 10.03.2003)] **4** Ter satisfação com (ação, situação, atitude próprias); ALEGRAR-SE [*tr.* + *em*: *Folgo em vê-la com saúde.*] **5** Ficar menos atarefado, menos ocupado [*td.*: *Com as novas contratações, o trabalhador folgou mais.*] **6** Deixar passar, não aproveitar (ocasião, oportunidade) [*td.*: *Viciado, não folgava rodinha de jogo, fosse de cartas, dados ou o que calhasse.*] **7** Experimentar alívio, desafogo [*int.*: *Folgou quando seu time chegou ao empate.*] **8** Estar dependurado, solto [*ta.*: *Uma ponta de cabelo folgava em sua testa.*] [▶ **14 folgar**] [F.: Do lat. *follicare* 'respirar como fole'. Hom./Par.: *folga* (fl.), *folgas* (fl.), *folga* (sf. [pl.]); *folgo* (fl.), *folgo* (sm.).]

folgazão (fol.ga.*zão*) *a.* **1** Que gosta de se divertir; BRINCALHÃO **2** Que é alegre, de bom gênio **3** *Bras. N.E.* Que é mulherengo [Pl.: *-zãos, -zões.* Fem.: *-zã, -zona.*] *sm.* **4** Indivíduo folgazão; BRINCALHÃO **5** *Bras. N.E.* Indivíduo mulherengo [Pl.: *-zãos, -zões.* Fem.: *-zã, -zona.*] [F.: *folgaz-* + *-ão*[1].]

folguedo (fol.*gue*.do) [ê] *sm.* **1** Brincadeira, divertimento, folgança **2** Festa ou dança popular com tema tradicional de um povo ou de uma região: *o folguedo do bumba meu boi.* [F.: *folgar* + *-edo.*]

folguista (fol.*guis*.ta) *s2g.* **1** Pessoa que substitui outra no trabalho ou nas tarefas desta, quando esta está de folga *a2g.* **2** Diz-se de quem atua como folguista (1) (empregada folguista) [F.: *folga* + *-ista.*]

◎ **folh-** *el. comp.* = folha: *folhagem, folífago* [F.: Do lat. *folium, ii.*]

folha (*fo*.lha) [ô] *sf.* **1** *Bot.* Estrutura das plantas que lhe serve de órgão de assimilação, e que ger. consiste em uma lâmina freq. verde, o limbo, sustentada por uma haste, o pecíolo, ligada a um caule e que funciona como o principal órgão assimilador [Dim.: *folíolo.* Col.: *folhagem, folhedo.*] **2** Qualquer representação de uma folha (1) (em pintura, escultura etc.) **3** Pedaço de papel, ger. quadrangular, de dimensão, espessura, cor e finalidade variáveis [Col.: *resma.*] **4** Cada um desses pedaços de papel, com suas duas faces, chamadas *páginas*, que formam um caderno, livro, jornal etc. **5** Texto ou figura que consta numa folha (4): *Leu algumas folhas do livro e logo adormeceu.* **6** *P.ext.* Qualquer jornal, publicação periódica etc. **7** Chapa delgada de metal ou de qualquer outro material rígido (folha de zinco, folha de compensado); LÂMINA **8** Lâmina de faca ou de outros objetos cortantes **9** Conjunto de nomes numa relação escrita; LISTA; ROL **10** Relação mensal dos funcionários de uma empresa ou instituição e de seus respectivos cargos e salários: *folha de pagamento.* **11** Parte móvel de porta ou janela [F.: Do lat. *folia.* Hom./Par.: *folha* (sf.), *folha* (fl. de *folhar*). Ideia de 'folha': *folh-, fol(i)- (folhedo, foliáceo); -fólio (aerofólio).*] ▪▪ **~ avulsa** Ver *Folha volante* **~ composta** *Bot.* Folha cujo limbo é subdividido [Cf.: *Folha simples.*] **~ corrida** Certidão solicitada por juiz, em que diferentes escrivães atestam se alguém tem ou não culpa registrada em seus respectivos cartórios **~ de guarda** *Enc.* No processo de encadernação de um livro, cada uma das folhas de papel resistente que, no início e no fim do miolo, se cola à capa, reforçando a junção desta ao miolo [Tb. apenas *guarda.*] **~ de impressão** *Art.gr.* Cada folha retangular de papel na qual se imprimem, na frente e no verso, certo número de páginas de uma publicação (livro, revista etc.) e que, dobrada, constituirá um caderno da mesma **~ de porta** *Arq.* A parte móvel de uma porta, que se faz girar sobre as dobradiças ou se desliza para abri-la ou fechá-la **~ de rosto** *Art.gr.* A folha do livro na qual, no anverso (página de rosto) figura o frontispício, ger. com o nome do autor (e, eventualmente, do tradutor), o título e a editora, e no verso, ger., o copirraite, os créditos, o ISBN e outras informações sobre o livro **~ de serviço** Registro (e a folha na qual figura) de serviço(s) prestado(s) por alguém, por firma etc. **~ de transporte** *Art.gr.* Aquela na qual se decalcou imagem, desenho etc. a serem transferidos para matriz de impressão **~ encasada** *Art.gr.* Folha impressa e dobrada de modo a constituir um caderno que se encarta em outro para completá-lo **~ simples** *Bot.* Folha cujo limbo não é subdividido [Cf.: *Folha composta.*] **~s liminares** Ver *Folhas preliminares* **~s preliminares** *Art.gr.* As folhas iniciais de um livro, que incluem a folha de rosto, agradecimentos, prefácio, introdução, explicações sobre o livro etc. [Ger. são numeradas com algarismos romanos.] **~ volante** Folha impressa, dobrada ou não, que contém anúncio, material promocional, convite, aviso etc., distribuída ao público [Tb. apenas *volante.*] **A ~s tantas 1** Em determinado momento: *O filme estava chato, e a folhas tantas resolvemos ir embora.* **2** Em determinada página: *Lia com atenção, mas a folhas tantas percebeu que não entendera nada.* **Cair nas ~s** *MG Pop.* Fugir **Falsa ~ de rosto** *Art.gr.* Folha que antecede a folha de rosto, em cujo anverso figura apenas o título da obra [Tb. apenas *falso-rosto.*] **Novo em ~ 1** Novíssimo, sem uso **2** Em estado de novo: *O carro saiu da oficina novo em folha.* **3** Totalmente curado ou recuperado (de doença, acidente etc.) (diz-se de pessoa) **Rir com as ~s** Rir sem motivo **Virar a ~** *Fam.* Mudar de assunto, deixar assunto, conversa para trás

folha de flandres (fo.lha de *flan*.dres) *sf.* Laminado de ferro, estanhado para evitar ferrugem, us. na fabricação de latas, embalagens, revestimentos etc.; FLANDRES; LATA [Pl.: *folhas de flandres.*]

folhado (fo.*lha*.do) *a.* **1** Cheio de folhas; FOLHOSO; FOLHUDO **2** Em forma de folha; FOLIFORME *sm.* **3** *Cul.* Folheado[1] **4** Ação ou resultado de folhar **5** Folhagem **6** *Bot.* Pequeno arbusto (*Viburnum tinus*) da fam. das caprifoliáceas, cultivado como ornamental [F.: Do lat. *foliatus.*]

folhagem (fo.*lha*.gem) *sf.* **1** Conjunto de folhas de uma planta: *A jabuticabeira renovou sua folhagem.* **2** Porção de folhas; FOLHAME: *A folhagem entupiu a calha do telhado.* **3** Ramagem das árvores; FOLHAME; FOLHEDO **4** Qualquer planta ornamental de folhas vistosas e ger. sem flores **5** Ornato em forma de ou semelhante a folhagem; FOLHAME; FOLHEDO [Pl.: *-gens.*] [F.: *folh(a)* + *-agem*[2].]

folhame (fo.*lha*.me) *sm.* O mesmo que *folhagem* (3) [F.: *folh(a)* + *-ame.*]

folhar (fo.*lhar*) *v.* **1** Prover ou encher de folhas [*td.*: *A próxima estação folhará todas essas árvores.*] [*int.*: *Finalmente as plantas folharam.*] **2** Ornar com folhagem [*td.*] **3** Enfeitar ou ilustrar com formas que representam ou lembram folhas [*td.*: *Folhou toda a roda da saia.*] **4** *Cul.* Tornar folhado, com aspecto semelhante a folha [*td.*: *Folhou com perfeição a lasanha.*] **5** Desenhar em forma de folha [*td.*] **6** *MG Pop.* Sair às presas; cair fora; FUGIR [*int.*] [▶ **1 folhar**] [F.: *folha* + *-ar*[2]. Hom./Par.: *folha(s)* (fl.), *folha(s)* (sf.[pl.]); *folharia(s)* (fl.), *folharia(s)* (sf.[pl.]); *folho* (fl.), *folho* (sm.).]

folharada (fo.lha.*ra*.da) *sf. Bras.* Grande porção de folhas [F.: *folh(a)* + *-arada.*]

folheação (fo.lhe:a.*ção*) *sf. Bot.* Tempo em que começam a brotar as folhas [Pl.: *-ções.*] [F.: *folhear*[2] + *-ção.*]

folheado[1] (fo.lhe.*a*.do) *a.* **1** Em que há uma ou mais camadas de alguma coisa (doce folheado) **2** Revestido de folha ou lâmina: *cigarreira folheada; mesa folheada de pau-marfim.* **3** Cheio, coberto ou provido de folhas: *Apesar do inverno, só víamos árvores folheadas.* **4** *Geol.* Diz-se de sedimentos dispostos em finas camadas *sm.* **5** Lâmina de madeira ou metal us. para revestir superfícies **6** *Cul.* Doce ou salgado de camadas finas e leves de massa de farinha de trigo; FOLHADO **7** Qualquer estrutura feita de camadas ou lâminas superpostas **8** Imagem, pintura, desenho, fotografia de plantas, árvores, paisagens folheadas (3) [F.: Part. de *folhear*[1] (3, 4).]

folheado[2] (fo.lhe.*a*.do) *a.* Que se folheou; cujas páginas foram viradas ou lidas superficialmente (diz-se de livro, revista etc.) [F.: Part. de *folhear*[1] (1, 2).]

folhear[1] (fo.lhe.*ar*) *v. td.* **1** Virar folhas de livro, caderno etc.: *Folheava o caderno nervosamente.* **2** Manusear, virar folhas (de caderno, livro, revista etc.) lendo por alto, sem atenção: *Apenas folheou o livro, sem ler nada.* **3** Revestir de folha, de lâmina muito fina (esp. de metal precioso): *Mandou folhear o fundo do relógio.* **4** Revestir com folhas de material mais resistente (metal, laminado plástico etc.) [▶ **13 folhear**] [F.: *folha* + *-ear*[2]. Hom./Par.: *folheio* (fl.), *folheio* (sm.).]

folhear[2] (fo.lhe.*ar*) *a2g.* Ref. a folha; FOLIAR; FOLIÁCEO [F.: *folha* + *-ear*[1].]

folhedo (fo.*lhe*.do) [ê] *sm.* **1** Conjunto das folhas que caem da árvore **2** Folhagem: "... e os pássaros cantando nos folhedos da primavera." (Eça de Queirós, *Notas contemporâneas*) [F.: *folh(a)* + *-edo.*]

folheio (fo.*lhei*.o) *sm.* Ato de folhear[2] [F.: Dev. de *folhear*[2].]

folhelho (fo.*lhe*.lho) [ê] *sm.* **1** Película que envolve os legumes, as uvas, a espiga do milho etc. **2** *Geol.* Rocha sedimentar folheada **3** Massa de bagos de uva pisados no lagar [F.: Do lat. *folliculus, i.*]

folhento (fo.*lhen*.to) *a.* **1** Folhoso, folhudo **2** Frondoso, copado [F.: *folh(a)* + *-ento.*]

folheta (fo.*lhe*.ta) [ê] *sf.* Folha ou lâmina fina de metal ou de madeira [F.: *folh(a)* + *-eta* [ê].]

folhetaria (fo.lhe.ta.*ri*.a) *sf.* **1** Desenho ou pintura de folhagem **2** Conjunto, quantidade, reunião de folhetos **3** Estabelecimento, lugar, serviço para impressão ou comercialização de folhetos [F.: *folheto* + *-aria.*]

folheteiro (fo.lhe.*tei*.ro) *Bras. sm.* **1** Dono de folheteria **2** Aquele que faz ou vende folhetos [F.: *folhet(o)* + *-eiro.*]

folheteria (fo.lhe.te.*ri*.a) *sf. Bras. Publ.* Conjunto de folhetos com propaganda de empresa, serviço etc. [F.: *folhet(o)* + *-eria.*]

folhetim (fo.lhe.*tim*) *sm.* **1** *Jorn. Liter.* Novela ou romance, ger. de caráter melodramático, publicado regularmente em capítulos pela imprensa, esp. no séc. XIX **2** *Pej.* Jornal ou obra literária considerada de baixa qualidade **3** Seção de um periódico destinada a artigos sobre literatura e artes, cujo texto é ger. impresso na parte inferior da página; GAZETILHA [Pl.: *-tins.*] [F.: Do fr. *feuilleton*, posv. com influência do espn. *folletín.*]

folhetinesco (fo.lhe.ti.*nes*.co) [ê] *a.* **1** Ref. a ou próprio de folhetim (1) (estilo folhetinesco) **2** Que tem as características de folhetim, que a ele se assemelha **3** *Pej.* De escasso valor literário (diz-se de novela, enredo, estilo etc.), e que busca apenas despertar o interesse do leitor ou espectador por uma dramaticidade forçada, ou outro aspecto superficial da trama [F.: *folhetim* + *-esco*, seg. o mod. erudito.]

folhetinista (fo.lhe.ti.*nis*.ta) *s2g.* Aquele que escreve folhetins; autor de folhetins [F.: *folhetim* + *-ista*, seg. o mod. erudito.]

folheto (fo.*lhe*.to) [ê] *sm.* **1** *Edit. Publ.* Impresso informativo ou publicitário de poucas páginas; PROSPECTO; VOLANTE [Col.: *folheteria.*] **2** Brochura de poucas folhas (folheto de cordel) **3** *Doc.* Publicação não periódica com não mais de 48 páginas, sem contar as capas **4** Folha de papel (duas páginas, frente e verso) que se cola em lugar de outra, com erro(s), num livro já encadernado **5** Qualquer camada de um corpo laminado **6** Qualquer objeto ou corpo em forma de lâmina fina [F.: Do it. *foglietto.*] ▪▪ **~ embrionário/germinativo** *Emb.* Cada uma das três camadas (ectoderma, mesoderma e endoderma) de células de um embrião jovem, que irá os formar tecidos e órgãos do embrião adulto

folhinha (fo.*lhi*.nha) *sf.* **1** Folha ou bloco de folhas destacáveis em que estão impressos os meses e dias do ano **2** Folha pequena [F.: *folha* + *-inha.*]

folho (*fo*.lho) [ô] *sm.* **1** Babado que se coloca em saias, colchas, toalhas etc. **2** Excrescência nos cascos dos animais **3** *Zool.* a terceira divisão do estômago dos ruminantes; FOLHOSO; OMASO [Pl.: [ó].] [F.: Do lat. *folium.* Hom./Par.: *folho* (sm.), *folho* (fl. de *folhar*).]

folhoso (fo.*lho*.so) [ô] *a.* **1** Cheio de folhas; FOLHENTO; FOLHUDO **2** *Zool.* O terceiro estômago dos ruminantes; FOLHO (3); OMASO [F.: Do lat. *foliosus.*]

folhudo[1] (fo.*lhu*.do) *a.* Que tem muitas folhas (1) (árvore/ couve folhuda); FOLHOSO [F.: *folha (1)* + *-udo*[2].]

folhudo[2] (fo.*lhu*.do) *a.* **1** *Pop.* Cheio de folhas (3) (caderno folhudo; livro folhudo) **2** Provido de folhos, babados, tufos etc., **3** *Pej.* Que é pernóstico ou extremamente rebuscado (discurso folhudo) [F.: *folha (3)* + *-udo*[2].]

◎ **fol(i)-**[1] *el. comp.* = invólucro, fole: *foliforme, folículo.* [F.: Do lat. *follis, is.*]

◎ **fol(i)-**[2] *el. comp.* Ver *folh-*

folia (fo.*li*.a) *sf.* **1** Atividade, comemoração, festejo etc. cheios de animação e alegria; BRINCADEIRA; FARRA; PÂNDEGA **2** *Folc. Rel.* Forma tradicional de festejar o dia de Reis (no Brasil e na Beira, Port.), em que moças e rapazes saem cantando de porta em porta, com o que ger. obtêm bebidas e comidas **3** *Ant. Mús.* Dança muito movimentada, ao som do pandeiro, na Espanha e em Portugal **4** *Mús.* Forma melódica, esp. uma melodia específica, da qual se originaram inúmeras variações [F.: Do fr. *folie.*]

foliáceo (fo.li:*á*.ce:o) *a.* **1** Que tem a natureza ou a forma das folhas **2** Formado de folhas [F.: Do lat. *foliaceus.* Sin. ger.: *folhear*[1].]

foliado (fo.li:*a*.do) *a.* **1** Disposto em folhas; FOLIÁCEO **2** *Bot.* Que tem folhas **3** Que tem o aspecto de folhas [F.: Do lat. *foliatus.*]

folião (fo.li:*ão*) *sm.* **1** *Bras.* Aquele que brinca ou pula no carnaval **2** Quem gosta de folias, festas, farras etc. [Pl.: *-ões.* Fem.: *-ona.*] *a.* **3** Diz-se de quem é folião [Pl.: *-ões.* Fem.: *-ona.*] [F.: *foli(a)* + *-ão*[2].]

foliar[1] (fo.li:*ar*) *a2g.* Ref. a folhas; FOLIÁCEO [F.: *fol(i)*[2]- + *-ar*[1].]

foliar[2] (fo.li.*ar*) *v. int.* **1** *Dnç.* Entrar em folias; participar de folias **2** *P.ext.* Viver em festas, em folias: *Só vive foliando, não para em emprego.* [▶ **1 foliar**] [F.: *folia* + *-ar*[2]. Hom./Par.: *foliar, folear* (em várias fl. do v.); *folio* (fl.), *fólio* (sm.).]

folicular[1] (fo.li.cu.*lar*) *a2g.* Ref. a folículo[1], que tem seu aspecto ou sua forma [F.: *folículo*[1] + *-ar*[1].]

folicular[2] (fo.li.cu.*lar*) *a2g.* Ref. a folículo[2], parecido com ele ou que tem sua forma [F.: *folículo*[2] + *-ar*[1].]

foliculite (fo.li.cu.*li*.te) *sf. Med.* Inflamação de um folículo ou dos folículos, esp. dos folículos pilosos [F.: *folícul(o)* + *-ite.*]

folículo (fo.*lí*.cu.lo) *sm.* **1** *Anat.* Qualquer estrutura orgânica pequena e em forma de saco (folículo piloso, folículo ovariano) **2** *Bot.* Fruto seco que se abre por uma só fenda **3** Fole pequeno **4** Lâmina fina e pequena; película, casca [F.: Do lat. *folliculus, i.*] ▪▪ **~ de De Graaf** *Anat.* Folículo maduro do ovário, já contendo o óvulo que irá liberar ao se romper na superfície do ovário; folículo secundário **~ linfático** *Histl.* Agrupamento de células linfáticas no formato de nódulo, encontrado ger. no tecido conjuntivo de vários órgãos; nódulo linfático **~ ovariano** *Anat.* Cavidade no ovário, cercada de células, e que contém um oócito (ou ovócito); quando amadurece é chamado *folículo de Graaf* **~ piloso** *Histl.* Cavidade na pele onde nasce um pelo **~ primário/primordial** *Anat.* Fase inicial de um *folículo ovariano*, até amadurecer no *folículo de Graaf* **~ secundário** *Anat.* Ver *Folículo de De Graaf*

foliculoso (fo.li.cu.*lo*.so) [ô] *a.* **1** Que tem caráter ou forma de folículo **2** Que tem folículos [Pl.: [ó]. Fem.: [ó].] [F.: Do lat. *folliculosus, a, um.*]

folidoto (fo.li.*do*.to) [ô] *Zool. sm.* **1** Espécime dos folídotos *a.* **2** Ref. aos folidotos, ordem de mamíferos africanos e asiáticos que inclui os pangolins [F.: Do lat. cient. ordem *Pholidota.*]

⊕ **folie** (*Fr. /folí/*) *sf.* Ver *psicose*

folífago (fo.*lí*.fa.go) *a. Zool.* Que se alimenta de folhas [F.: *fol(i)*[2]- + *-fago.*]

foliforme[1] (fo.li.*for*.me) *a2g.* Que tem a forma de folha [F.: Do lat. *folium* + *-forme.*]

foliforme[2] (fo.li.*for*.me) *a2g.* Que tem a forma de fole [F.: *fol(i)*[2]- + *-forme.*]

fólio[1] (*fó*.li:o) *Art.Gr. sm.* **1** Livro, registro, manuscrito etc. numerado por folhas e não por páginas **2** A folha de um livro, i.e., as duas páginas de uma folha **3** Número que designa a página de uma publicação impressa **4** Folha de impressão com quatro páginas (duas na frente, duas no verso), dobrada ao meio formando um caderno; QUARTINHO **5** O livro impresso em formato in-fólio [F.: F. red. de *in-fólio.* Hom./Par.: *fólio* (sm.), *folio* (fl. de *foliar*).]

◎ **-fólio** *el. comp.* = folha: *aerofólio, quadrifólio.* [F.: Do lat. *folium, ii.*]

fólio[2] (*fó*.li:o) *sm. Geom.an.* Curva podária obtida das perpendiculares às tangentes de uma tricúspide a partir de qualquer ponto de um dos seus eixos de simetria [F.: Do lat. *folium,ii.*]

folíolo (fo.*lí*:o.lo) *sm.* **1** Folha pequena **2** *Bot.* Cada uma das partes em que se subdivide uma folha composta [F.: Do lat. *foliolum, i.*]

folioscópio (fo.li:os.*có*.pi:o) *sm.* Arranjo de folhas de papel unidas por uma aresta, tendo cada uma dela um desenho, cada um representando uma fase de um movimento, de modo que folheando-se rapidamente tem-se a ilusão do movimento [F.: *fólio* + *-scópio.*]

⊕ **folk** (*Ing.* /*fóuk*/) *sm. Mús.* Música popular tradicional modernizada

fome (*fo*.me) *sf.* **1** Sensação da necessidade de comer; vontade de comer: *Ao meio-dia todos já estão com fome.* **2** Falta, carência, insuficiência de alimento: *A fome ainda é um problema mundial.* **3** *P.ext.* Escassez, miséria, penúria (salário de fome) **4** *Fig.* Vontade intensa, impetuosa por algo; AVIDEZ; GANA; SOFREGUIDÃO: *fome de ganhar dinheiro; fome de (jogar) bola.* **5** *P.ext.* Desejo sexual [F.: Do lat. *fames, is.*] ■ **~ canina 1** *Pop.* Muita fome, muito apetite **2** Bulimia **~ de lobo** Ver *Fome canina.* **Apanhar ~** *Moç.* Ter fome **Enganar a ~** Comer um pouco, ou algo leve, para atenuar a sensação de fome **~ de** *Fig.* Vontade de, desejo intenso de, ambição de: *Em sua fome de glória, ignorou a ética e sacrificou amizades.* **Juntar(-se) a ~ com a vontade de comer** Associar numa formulação única interesses, vontades, solicitações etc. de pessoas diferentes **Matar a ~** *Bras.* Alimentar-se para aplacar a fome **Morrer de ~** *Fig.* Estar com muita fome

fomentação (fo.men.ta.*ção*) *sf.* **1** Ação ou resultado de fomentar **2** *Fig.* Estímulo, incitação **3** Fricção ou compressa medicamentosa **4** Substância ou medicamento us. em fomentação (3) [Pl.: *-ções.*] [F.: Do lat. *fomentatio, onis.*]

fomentador (fo.men.ta.*dor*) [ô] *a.* **1** Que fomenta *sm.* **2** Aquele que fomenta [F.: *fomentar* + *-dor.*]

fomentar (fo.men.*tar*) *v. td.* **1** Criar meios para o crescimento de; ESTIMULAR: "Projeto de governo fomenta distribuição e produção de filmes." (*O Globo*, 18.08.1999) [Ant.: *desestimular.*] **2** Causar, provocar (reação, sentimento); INCITAR: *fomentar a discórdia.* **3** Friccionar com medicamento líquido ou aplicar compressa úmida em (pele, local do corpo, machucado etc.): *fomentar o cotovelo.* **4** Dar-se mal, danar-se, ir para o inferno [*int.*: *Não quer colaborar? Que se fomente!*] [► 1 fomentar] [F.: Do lat. tard. *fomentare.* Hom./Par.: *fomento* (fl.), *fomento* (sm.).]

fomento (fo.*men*.to) *sm.* **1** Ação ou resultado de fomentar **2** Medida que visa a promover o desenvolvimento de algo: *lei de fomento à cultura.* **3** *Fig.* Estímulo, incitação, fomentação: *o fomento da indignação popular.* **4** Medicamento us. para fomentação (3) **5** *Fig.* Alívio, lenitivo, refrigério [F.: Do lat. *fomentum, i.* Hom./Par.: *fomento* (sm.), *fomento* (fl. de *fomentar*).] ■ **~ comercial/mercantil** *Econ.* Prática comercial pela qual uma empresa transfere a outra, nisso especializada, seus créditos, títulos etc., recebendo desta, com deságio, os valores correspondentes, e assumindo esta a cobrança dos mesmos e os riscos de possível inadimplência; *factoring.* **~ de justiça** *Jur.* O que está de acordo com a justiça, com a lei

fominha (fo.*mi*.nha) *a2g.* **1** *Bras. Pop.* Diz-se de quem procura avidamente qualquer oportunidade de ganho; GANANCIOSO **2** *Fut.* Diz-se do jogador que, em situação de gol, prefere arriscar a jogada individual a passar a bola a outro(s) companheiro(s) em melhores condições de marcar **3** Aficionado, fanático: *uma turma fominha de cinema. s2g.* **4** *Bras. Pop.* Pessoa fominha [F.: *fom(e)* + *-inha.*]

fonação (fo.na.*ção*) *sf.* **1** Conjunto dos fenômenos que possibilitam a produção da voz através do aparelho fonador, com a vibração das cordas vocais **2** A produção da voz em suas variadas modulações e articulações, formando os fonemas e construindo a fala [Pl.: *-ções.*] [F.: Do fr. *phonation.*]

fonado (fo.*na*.do) *a.* Transmitido por meio do telefone (telegrama fonado) [ô] [F.: *fone* + *-ado*[1].]

fonador (fo.na.*dor*) [ô] *a.* Que produz voz; diz-se esp. do aparelho formado pelos órgãos da fala [F.: Do fr. *phonateur.*]

⊕ **fondant** (*Fr.* /*fondã*/) *sm. Cul.* Massa de açúcar, us. como cobertura de doces, bolos etc. e tb. como recheio

⊕ **fondue** (*Fr.* /*fondi*/) *s2g. Cul.* Prato típico suíço feito com queijos finos derretidos em vinho branco numa panela que vai à mesa sobre um fogareiro e do qual cada comensal se serve mergulhando cubos de pão na ponta de um espeto ■ **~ bourguignonne** *Fondue* feito com pedaços pequenos de carne crua que cada comensal espeta, um de cada vez, com espeto individual e mergulha numa panela comum (ger. de cobre) com óleo fervente, para comê-lo depois de frito e passado em um dos vários molhos disponíveis em seus recipientes **~ de carne** Ver *Fondue bourguignonne* **~ de chocolate** Fondue feito com chocolate derretido numa panela, na qual os comensais mergulham pedaços de fruta, bolo etc. **~ de queijo** O mesmo que, simplesmente, *fondue*

◎ **-fone** *el. comp.* = som, voz: *megafone, gramofone, telefone* [F.: Do gr. *phoné, ês.*]

fone (*fo*.ne) *sm.* **1** Telefone **2** *Bras.* Parte do telefone que se leva ao ouvido, para se auscultar, e na qual, nos aparelhos modernos, também se inclui o microfone **3** Aparelho que se coloca no ouvido para ouvir som, música com privacidade; fone de ouvido; HEADPHONE **4** *Ling.* Cada som emitido como fonema no ato de falar [Neste caso, formado no gr. *phoné* 'fala'.] [F.: (acps. 1 a 3) red. de *telefone.*] ■ **~ de ouvido** *Eletrôn.* Dispositivo que transforma ondas elétricas em sinais sonoros e que é aplicado diretamente sobre o ouvido ou enfiado no pavilhão auricular

fonema (fo.*ne*.ma) [ê] *sm. Ling.* Menor unidade de som de uma língua, com valor distintivo mas desprovida de significado [Em português, distinguem-se entre si vocábulos como *bata* e *pata* ou *gata* e *cata* pelo traço fônico [sonoro ou não sonoro] contido no primeiro *fonema de cada um dos vocábulos.*] [F.: Do gr. *phónema*, pelo fr. *phonème.*]

fonemático (fo.ne.*má*.ti.co) *a.* **1** O mesmo que *fonêmico* **2** Ref. a fonemática [F.: *fonema* + *-t-* + *-ico*[2].]

fonêmico (fo.*nê*.mi.co) *a.* Ref. a fonema; FONEMÁTICO [F.: *fonema* + *-ico*[2].]

fonética (fo.*né*.ti.ca) *sf.* **1** *Ling.* Área do conhecimento linguístico que estuda e classifica os sons da fala, esp. no que se refere à sua articulação e recepção auditiva **2** Descrição analítica das particularidades dos sons da fala de um determinado sistema linguístico **3** O conjunto de sons, fones, fonemas, característicos de uma língua [F.: Do gr. *phonetikós* pelo fr. *phonètique.*] ■ **~ acústica** *Fon.* Ramo da fonética que trata das propriedades e aspectos físicos dos sons da fala **~ articulatória** *Fon.* Ramo da fonética que trata das disposições, ações e movimentos do aparelho fonador humano na articulação dos sons para formar a fala. [Leva em conta a *sonoridade* obtida na vibração das cordas vocais, o *ponto de articulação* no qual o som emitido é bloqueado ou liberado para caracterizar sons diferentes, e o *modo de articulação*, as diferentes maneiras de fazer fluir o som] **~ auditiva** *Fon.* Ramo da fonética que trata das maneiras pelas quais os sons da fala são percebidos pelo ouvido humano **~ experimental** *Fon.* Ramo da fonética que trata do uso de instrumentos e de técnicas especiais no estudo das propriedades dos sons da fala e de como são formados e percebidos pelo ouvido; fonética instrumental **~ instrumental** *Fon.* Ver *Fonética experimental*

foneticista (fo.ne.ti.*cis*.ta) *s2g.* Linguista, ou pesquisador que se especializou em fonética; FONETISTA [F.: *fonética* + *-ista.*]

fonético (fo.*né*.ti.co) *a.* **1** Ref. à fonética **2** Ref. à voz ou ao som das palavras faladas; VOCAL; FÔNICO **3** Diz-se de sistema de escrita que representa sons de fones e fonemas (ger. aplicável à interpretação da pronúncia de uma palavra escrita numa certa língua ou contexto) (alfabeto fonético) [F.: Do gr. *phonetikós* pelo fr. *fonètique.*]

fonfonar (fon.fo.*nar*) *v. int. Pop.* Tocar buzina [► 1 fonfonar] [F.: *fonfon* + *-ar.*]

◎ **-fonia** *el. comp.* = som, voz: *cacofonia, polifonia, telefonia* [F.: Do gr. *phoné, ês.*]

fonia[1] (fo.*ni*.a) *sf.* O som ou o timbre da voz [F.: *fon(o)-* + *-ia*[1].]

fonia[2] (fo.*ni*.a) *sf. Rád.* F. red. de *radiofonia*

foniatra (fo.ni:*a*.tra) *s2g.* Quem se especializou em foniatria [F.: *fono-* + *-iatra.*]

foniatria (fo.ni:a.*tri*.a) *sf. Med.* Área da medicina que trata dos distúrbios do aparelho fonador ou de anomalias na emissão de voz ou na fala [F.: *fono-* + *-iatria.*]

foniátrico (fo.ni:*á*.tri.co) *a.* Ref. a foniatria ou a foniatra [F.: *foniatria* + *-ico*[2].]

fônico (*fô*.ni.co) *a.* **1** Ref. ao do som da fala, à voz; VOCAL **2** *Ling.* Ref. à sequência sonora do processo da fala **3** Que representa os sons da fala (diz-se de alfabeto ou sinal); FONÉTICO **4** Ref. a som; SONORO **5** *Arq.* Diz-se de abóboda construída de modo que os sons ecoem [F.: *fon(o)-* + *-ico*[2].]

◎ **-fono** *el. comp.* = fala: *lusófono, francófono* [F.: Do gr. *phoné, ês.*]

◎ **fon(o)-** *el. comp.* = som, voz: *foniatra, fonoaudiologia, fonógrafo* [F.: Do gr. *phoné, ês.*]

fonoaudiologia (fo.no:au.di:o.lo.*gi*.a) *sf. Med.* Especialidade médica que trata dos distúrbios relacionados com a fonação e a audição [F.: *fon(o)-* + *-audi(o)-* + *-logia.*]

fonoaudiológico (fo.no:au.di:o.*ló*.gi.co) *a.* Ref. a fonoaudiologia ou a fonoaudiólogo [F.: *fonoaudiologia* + *-ico*[2].]

fonoaudiólogo (fo:no.au.di:*ó*.lo.go) *sm.* Médico que se especializou em fonoaudiologia [F.: *fon(o)-* + *-audi(o)-* + *-logo.*]

fonofobia (fo.no.fo.*bi*.a) *sf. Psiq.* Terror mórbido dos sons, da própria voz; horror de falar [F.: *fon(o)-* + *-fobia.*]

fonofóbico (fo.no.*fó*.bi.co) *Psiq. a.* **1** Ref. a fonofobia **2** Que tem fonofobia; FONÓFOBO *sm.* **3** Aquele que tem fonofobia; FONÓFOBO [F.: *fonofobi(a)* + *-ico*[2].]

fonófobo (fo.*nó*.fo.bo) *Psiq. a.* **1** Fonofóbico (2) *sm.* **2** Fonofóbico (3) [F.: *fon(o)-* + *-fobo.*]

fonografar (fo.no.gra.*far*) *v. td.* Representar (sons) graficamente por meio de aparelho próprio [► 1 fonografar] [F.: *fon(o)-* + *-graf(o)-* + *-ar*[2]. Hom./Par.: *fonografo* (fl.), *fonógrafo* (sm.).]

fonografia (fo.no.gra.*fi*.a) *sf.* **1** *Ling.* Representação gráfica dos sons das palavras **2** *Fís.* Maneira gráfica de representar as vibrações dos corpos sonoros [F.: *fon(o)-* + *-grafia.*]

fonográfico (fo.no.*grá*.fi.co) *a.* Ref. a fonografia ou a fonógrafo [F.: *fonografi(a)* + *-ico*[2].]

fonógrafo (fo.*nó*.gra.fo) *sm. Antq. Acús.* Antigo aparelho que servia para reproduzir os sons gravados em discos [F.: Do fr. *phonographe.* Hom./Par.: *fonógrafo* (sm.), *fonografo* (fl. de *fonografar*). Cf.: *gramofone.*]

fonograma (fo.no.*gra*.ma) *sm.* **1** *Bras.* Telegrama fonado **2** *Acús.* Qualquer registro sonoro em disco, fita, chip etc. **3** *Ling.* Sinal gráfico que, em escrita fonética, representa um ou mais sons da fala [F.: *fon(o)-* + *-grama.*]

fonologia (fo.no.lo.*gi*.a) *sf.* **1** *Ling.* Estudo das características linguísticas do sistema de sons de uma língua ou das línguas em geral; FONÊMICA; FONEMÁTICA **2** *Des. Ling.* Estudo da evolução histórica das letras e suas expressões sonoras [F.: *fon(o)-* + *-logia.*] ■ **~ autossegmental** *Fon.* Teoria segundo a qual acento e entonação são autônomos em relação à estrutura das frases em seus segmentos **~ lexical** *Fon.* Teoria segundo a qual alguns fenômenos fonológicos são parte integrante do léxico **~ métrica** *Fon.* Teoria segundo a qual existe uma organização hierárquica das unidades sonoras (vogais, consoantes) que não depende de suas formação em sílabas, pés e palavras **~ segmental** *Fon.* Análise da fala em seus segmentos, como os fonemas e os fones **~ suprassegmental** *Fon.* Parte da fonologia que estuda os fatores que atuam em âmbitos maiores que os dos segmentos (em palavras, pedaços de frases, frases etc.)

fonológico (fo.no.*ló*.gi.co) *a.* Ref. a fonologia [F.: *fonologia* + *-ico*[2].]

fonologista (fo.no.lo.*gis*.ta) *s2g.* O mesmo que *fonólogo* [F.: *fonologia* + *-ista.*]

fonólogo (fo.*nó*.lo.go) *sm.* Quem se especializou em fonologia [F.: *fon(o)-* + *-logo.*]

fonotática (fo.no.*tá*.ti.ca) *sf. Ling.* Estudo dos elementos fônicos que possam justificar o posicionamento e a emissão de alguns fonemas em uma língua [F.: Do ing. *phonotactics.*]

fonoteca (fo.no.*te*.ca) *sf.* **1** Acervo ou coleção de documentos sonoros, como discos, fitas etc. **2** Local onde se guardam esses documentos, ger. dotado de equipamento que permite escutá-los: *A fonoteca fica no segundo andar.* [F.: *fon(o)-* + *-teca.*]

fontana (fon.*ta*.na) *sf. Ant.* Fonte [F.: Do lat. *fontana, ae.*]

fontanal (fon.ta.*nal*) *a2g.* **1** Ref. a fonte **2** Que é origem ou causa de alguma coisa (princípio fontanal) [F.: Do lat. *fontanalis, e.*]

fontanela (fon.ta.*ne*.la) *sf. Anat.* Espaço ainda não ossificado entre os ossos do crânio do recém-nascido; MOLEIRA [F.: Do it. *fontanella.*]

fonte (*fon*.te) *sf.* **1** Local em que brota a água proveniente do solo; MINA: *fonte de água mineral.* **2** Chafariz, bica: *A fonte da praça está seca.* **3** *Fig.* Aquilo que dá origem; CAUSA; MOTIVO: "A principal fonte de renda local hoje é o turismo..." (*Folha de S.Paulo*, 20.12.1999): "A principal fonte de renda local hoje é o turismo..." (*Folha de S.Paulo*, 20.12.1999) **4** *Fig.* Procedência de uma informação: *O repórter garante que sua fonte é confiável.* **5** *Fís.* Sistema que produz ondas luminosas, elétricas, sonoras etc. (fonte de energia) **6** *Fig.* Texto do qual se extraem informações ou que serve de base para outras obras: *Selecionou as fontes para sua pesquisa.* **7** *Art.Gr.* Conjunto de caracteres tipográficos de mesmo estilo: *O diagramador determinou a fonte a ser usada no livro.* **8** *Anat.* Cada um dos lados da cabeça que formam a região temporal; TÊMPORA [Dim.: *fontainha, fontícula.*] [F.: Do lat. *fons, fontis.*] ■ **De ~ limpa** De origem confiável, insuspeita **~ de alimentação** *Elet.* Circuito que tem a capacidade de fornecer energia elétrica a outro circuito **~ de consulta** Documento, livro, site da internet etc. onde se procura (e eventualmente se acha) informação sobre certo assunto **~ de nêutrons** *Fís.* Sistema físico em que ocorrem reações nucleares com emissão contínua de nêutrons **~ de rádio** *Astron.* Estrela que emite radiações cujas frequências são análogas às de ondas de rádio **~ luminosa 1** Sistema que emite luz **2** Chafariz, ger. em lugar público, que lança jatos de água iluminados à noite por refletores de cores diversas e cambiantes **~ monocromática** *Ópt.* Fonte luminosa (1) cuja luz é irradiada sempre com o mesmo comprimento de onda **~ ortótropa** *Fotm.* Fonte luminosa (1) cuja luz tem a mesma intensidade luminosa em qualquer das direções para as quais é emitida **~ policromática** *Ópt.* Fonte luminosa (1) cuja luz é irradiada com mais de um comprimento de onda **~ pontual** *Ópt.* Fonte luminosa (1) que, sob observação, aparece com dimensões muito pequenas, ou porque é realmente pequena, ou porque a distância ao observador é muito grande **~ primária** Fonte de informação ou consulta (para pesquisa, estudo etc.) constituída por documento original sobre o assunto pesquisado **~ radioativa** *Fís.nu.* Qualquer material ou amostra de material que emite fluxo de partículas radioativas **~ secundária** Fonte de informação ou consulta (para pesquisa, estudo etc.) constituída por texto que refere a outro, original, que constitui a fonte primária **~ térmica 1** *Fís.* Sistema que emite radiação infravermelha **2** Sistema capaz de transmitir ou receber energia térmica sem sofrer variação de temperatura **~s coerentes** *Ópt.* Fontes luminosas (duas ou mais) cujas radiações têm o mesmo comprimento de onda, e cujas fases têm uma relação constante no tempo (isto é, seus picos de amplitude máxima e mínima mantêm em todas espaçamentos iguais) **~s do direito** *Jur.* Os fundamentos do direito, como as leis, os costumes, a jurisprudência etc.

⊕ **footer** (*Ing.* /*fúter*/) *sm. Int.* Parte inferior de uma página, contendo informações como data, título, autoria do documento etc.; RODAPÉ

⊕ **footing** (*Ing.* /*fútin*/) *sm.* **1** Caminhada para se distrair ou exercitar-se fisicamente **2** *Bras. Fig.* Nas cidades, esp. as pequenas, lugar por onde se passeia à procura de alguém para se flertar ou namorar; esse passeio ■ **Fazer ~ 1** Caminhar para distrair-se ou exercitar-se **2** Caminhar, passear desfilar por lugares de *footing* (2) **3** *Tabu.* No exercício de prostituição, desfilar para atrair clientes; o lugar desse desfile

foquista (fo.*quis*.ta) *s2g. Cin. Fot.* Pessoa especializada em marcar os focos em câmara fotográfica ou cinematográfica [F.: *foco* + *-ista.*]

⊠ **f.o.r.** *Com. Jur.* Cláusula de contrato comercial de transporte de mercadorias por via ferroviária, a qual determina que, numa venda, o preço combinado com o comprador do material inclui todas as despesas até o embarque numa composição ferroviária [Abrev. do ing. *free on rail*, 'livre nos trilhos (de uma ferrovia)'.]

for *sm. Ant.* Costume, moda [F.: Red. de *foro*, por apócope.]

◎ **-fora** *el. comp.* = ação de levar, apresentar, carregar: *diáfora, enófora, metáfora, paráfora* etc.

fora (*fo*.ra) *adv.* **1** No exterior de (um recinto, um lugar): *Aqui dentro está abafado, vá brincar lá fora.* [Ant.: *dentro*.] **2** No lado externo ou na face externa (de algo): *Dentro, a penela parecia nova, fora estava descascando toda.* [Ant.: *dentro*.] **3** Em outro país: *Morei fora por dois anos.* **4** Em lugar não atingível, não incluído no âmbito do alcançável: *Não adianta explicar, essa hipótese está fora de questão.* **5** Em algum lugar que não seja em casa (jantar fora) **6** Ao longo de, sempre além; AFORA: *Pelo mundo fora.* **7** No lixo: *Jogou fora o velho retrato.* **8** De forma a destacar ou desligar (algo, ou parte de algo) do todo, ou de onde estava: *Cortou fora o excesso de fazenda; Teve de cortar fora o tecido gangrenado.* ***prep.*** **9** Com exceção de; EXCETO: *Podem entrar todos, fora você, que não tem ingresso.* **10** Além de, afora: *Fora os cabelos negros, a pele sem rugas e o corpo forte davam-lhe um aspecto surpreendentemente jovem; Sustenta dois filhos, fora o enteado.* ***interj.*** **11** Exclamação que expressa ordem para sair ***sm.*** **12** *Pop.* Gafe, mancada: *Ele vive dando fora; Ficou sem graça com o fora que levou.* [F.: Do lat. *foras*. Para a prep., do lat. *afforas*. Hom./Par.: *fora* [ô] (fl. de *ir* e *ser*), *foras* (pl.) e *foras* [ô] (fl. de *ir* e *ser*). Ideia de 'fora': *ecto-* (*ectoplasma*); *exo-* (*exógeno*).] ■ **Dar o ~** **1** *Pop.* Ir-se embora, mandar-se: *Dá o fora daqui antes que eu me irrite.* **2** Fugir **Dar um ~** Cometer uma rata, fazer ou dizer algo inconveniente: *Injuriada, deu no namorado um fora exemplar.* **Dar o/um ~ a/em** **1** Rejeitar namoro, atenção, convite de **2** Romper relacionamento com **De ~** **1** À mostra (pernas de fora) **2** Sem ter participação em, ou conhecimento de (empreendimento, assunto etc.): *Todos estavam informados, mas ele ficou de fora.* **~ de** **1** No lado externo de, não dentro de: *Não deixe os lápis fora do estojo.* **2** Não envolvido em, não incluído em: *O caso é escandaloso, fique fora dele.* **3** Não ao alcance de, não atingido por: *Esse gasto está fora de meu orçamento.* **4** *Fig.* Distante de, alienado de: *Vive fora da realidade.* **5** Estranho, forasteiro: *Não, ele é de fora, não é daqui.* **De ~ a ~** Em toda a extensão de (lugar, algo): *Estendeu uma cerca nos limites da propriedade, de fora a fora.* **Estar ~** **1** Não estar em casa (temporariamente) **2** Não se envolver, não participar: *Drogas? Estou fora!* **Ir para ~** *Pop.* Sair da cidade, ger. para veraneio, casa de campo, fazenda etc. **Levar um ~** *Pop.* Ter recusada proposta de namoro, ou atenção, ou convite (a) **Para ~ (de)** **1** Em direção ao exterior, à parte externa (de algo): *Apontou a arma para fora (do quarto).* **2** No lado externo, não dentro: *A gola da camisa estava para fora do pulôver.* **Para ~ de** *Bras.* Para mais de: *Tinha para fora de uns 90 anos.* **Por ~** *Pop.* Como propina, suborno, gratificação ou doação não contabilizada, ger. ilegal; a própria propina, ou suborno: *Faz isso por mim e dou-lhe um dinheiro por fora; E de quanto é o por fora nesse contrato?* [Tb. se diz *pê-efe*.] **Por ~ (de)** **1** *Pop.* Pela parte exterior (de algo): *A rede de alta-tensão não passa pela fazenda, passa por fora (dela).* **2** Sem conhecimento de ou participação em, sem informação (sobre): *No que diz respeito à moda, ela estava por fora; Notava-se, pela roupa que ela estava por fora da moda.*

fora da lei (fo.ra da *lei*) *a2g2n.* **1** Que cometeu ato não permitido por lei; CRIMINOSO; DELINQUENTE *s2g2n.* **2** Indivíduo fora da lei; CRIMINOSO; DELINQUENTE; MARGINAL

fora de estrada (fo.ra de es.*tra*.da) *a2g2n.* **1** Diz-se do veículo automotor projetado para circular fora das estradas [Ger. com chassis alto, tração nas quatro rodas, relação de marchas especial etc.] *sm2n.* **2** Esse veículo [Tb. *off-road*.]

fora de jogo (fo.ra de *jo*.go) *sm2n. Lus. Fut.* Impedimento de jogador

foragido (fo.ra.*gi*.do) *a.* **1** Que se foragiu, fugiu; que é fugitivo da Justiça **2** Que emigrou, para refugiar-se, escapar à Justiça ou à perseguição *sm.* **3** Pessoa foragida (1 e 2) [F.: Da expr. lat. *foras exitus* 'saído fora', posv. pelo provç. ant. *foreissit*.]

foragir-se (fo.ra.*gir*-se) *v.* **1** Fugir de (algo ou alguém) ou para (algum lugar); homiziar-se [*tr.* + *de*: *foragir-se da polícia; Os ladrões foragiram-se da cadeia.*] [*ta.*: *Foragiu-se em uma fazenda.*] [*int.*: *O assassino foragiu-se, e a polícia não tem pistas.*] **2** Deixar a pátria para estabelecer-se em outro país; expatriar-se; emigrar [*ta.*: *Foragiu-se na Suíça.*] [*int.*: *Os políticos insatisfeitos foragiram-se.*] [▶ **46** foragir-se] [F.: V. der. de *foragido*.]

forame (fo.*ra*.me) *sm.* **1** Reentrância em uma superfície; ABERTURA; BURACO; COVA; FURO **2** *Anat. Biol.* Pequeno orifício que atravessa as membranas do óvulo para permitir a fecundação e a alimentação deste **3** *Anat.* Perfuração em osso ou em uma estrutura membranosa [F.: Do lat. *foramine*. F. par.: *forâmen*.] ■ **~ magno** *Anat.* Orifício anatômico no osso occipital **~ vertebral** *Anat.* Orifício existente em cada vértebra, que forma, com os orifícios das vértebras superpostas, o canal por onde passa a medula

forâmen (fo.*râ*.men) *sm. Anat. Biol.* Ver *forame* [Pl.: *forâmenes* ou *forâmens*.] [F.: Do lat. *foramen,inis*.]

forasteiro (fo.ras.*tei*.ro) *a.* **1** Que é de fora do lugar no qual está ou vive, de outro lugar; ESTRANHO; ESTRANGEIRO **2** *P.us.* Indivíduo forasteiro (1); ALIENÍGENA; ESTRANHO; ESTRANGEIRO *Pop.*; GRINGO [F.: Do cat. *foraster*, pelo cast. forastero.]

forca (*for*.ca) [ô] *sf.* **1** Instrumento para execução de pena capital por estrangulamento, e que consiste num laço corrediço de uma corda pendurada num suporte, que, posta em volta do pescoço do condenado, se aperta subitamente quando se abre um alçapão sob seus pés, provocando sua queda; CADAFALSO; PATÍBULO **2** Pena capital por enforcamento: *Tiradentes foi condenado à forca.* **3** *Fig.* Laço, armadilha **4** *Lud.* Jogo de adivinhação das letras que compõem uma palavra e em que a cada erro é desenhada uma parte do corpo de um enforcado, começando pela cabeça **5** *Art.Gr.* Erro de paginação que consiste em iniciar uma página com linha incompleta **6** *BA Pop.* Botequim [F.: Do lat. *furca, ae*. Hom./Par.: *forca* (sf.), *forca* (fl. de *forcar*).] ■ **~s caudinas** **1** *Hist.* Desfiladeiro do país dos samnitas, onde os antigos romanos tiveram de se render incondicionalmente **2** *P. ext.* Concessão humilhante que vencedor impõe a vencido

força (*for*.ça) [ô] *sf.* **1** *Fís.* Agente físico, ou sua ação, capaz de produzir movimento em um corpo ou de alterá-lo (acelerando, retendo ou fazendo mudar de direção: "... ninguém calcularia que estivesse ali o homem de maior força muscular do Rio de Janeiro." (Aluísio de Azevedo, *Girândola dos amores*); "...o homem fez-se uma componente nefasta entre as forças daquele clima demolidor." (Euclides da Cunha, *Os sertões*) **2** Potência, robustez, rigidez; ESFORÇO: "...a morocha mais linda que tenho visto saltou em cima do Bonifácio, tirou-lhe da mão sem força o facão e vazou os olhos do negro, retalhou-lhe a cara, de ponta e de corte..." (João Simões Lopes Neto, *Contos gauchescos*) **3** Dispêndio de energia: "...tomou-me pelo braço com força, acordou-me e levou-me de rasto ao quarto de Laura." (Álvares de Azevedo, *Noite na taverna*) **4** Violência: "... Por isso uma força me leva a cantar..." (Caetano Veloso, *Força estranha*) **5** Impulso: "É uma alta sociedade muito especial e que só é alta nos subúrbios. Compõe-se em geral de funcionários públicos, de pequenos negociantes, de médicos com alguma clínica, de tenentes de diferentes milícias, nata essa que impa pelas ruas esburacadas daquelas distantes regiões, assim como nas festas e nos bailes, com mais força que a burguesia de Petrópolis e Botafogo." (Lima Barreto, *Triste fim de Policarpo Quaresma*) **6** Vigor, intensidade: "...ele não tinha em si a força indispensável a todo o homem que põe a mira acima do estado em que nasceu." (Machado de Assis, *A mão e a luva*) **7** Determinação, firmeza: "...as palavras dela (...) davam-me força para tentar dominar a situação e desviar o curso dos acontecimentos." (Machado de Assis, *Relíquias da casa velha*) **8** Coragem, ânimo: *a força da terra.* **9** Fertilidade **10** Poderio, capacidade de luta: "O exército sente na própria força, a própria fraqueza." (Euclides da Cunha, *Os sertões*) **11** Autoridade, influência, prestígio: "A força moral de Estela subjugou-o." (Machado de Assis, *Iaiá Garcia*) **12** Valentia, destemor: "...[os sertanejos] tiveram [...] uma rude escola de força e coragem naquelas gerais amplíssimas..." (Euclides da Cunha, *Os sertões*) **13** Capacidade, aptidão, potencial: *O salário é o que se paga ao trabalhador pela venda de sua força de trabalho.* **14** Energia elétrica **15** Destacamento militar: "Ensarilhadas as armas, a força acantonou..." (Euclides da Cunha, *Os sertões*) [F.: Do lat. tard. *fortia,ae*.] ■ **À ~** Com coação, com violência: *Conseguiu, à força, que o obedecessem.* **À ~ de** À custa de; por meio de: *À força de suor e lágrimas chegaram à vitória.* **A toda a ~** Com a máxima capacidade, energia, potência etc.: *Acionou o motor a toda a força.* **Cobrar ~s** Convalescer **Dar ~ (a)** **1** Dar fundamento de credibilidade (a), confirmar: *Seu parecer deu força a nosso relatório.* **2** Tornar viável, alavancar: *A firma resolveu dar força ao projeto.* **3** Incentivar; apoiar: *Obrigado por ter-me dado força quando eu estava inseguro.* **Dar uma ~** *Bras. Pop.* Dar apoio, ajuda (com incentivo, ação, meios etc.): *Sozinho não termino essa tarefa, você me dá uma força?; Ele está nervoso com a entrevista, vou-lhe dar uma força.* **De ~** **1** De valor, de peso: *A opinião dela é de força.* **2** Óbvio, forçosamente dedutível: *É de força que ele está influenciado por ela, nota-se de sua atitude.* **É ~ que** É necessário que, imprescindível que, forçoso que **Fazer ~** Esforçar-se **~ aparente** *Fís.* Ver *Força inercial* **~ bruta** **1** Força física **2** Aquela us. em coação, submissão de algo ou alguém pela força **~ central** *Fís.* Força, exercida sobre um corpo em movimento, cuja direção, qualquer que ela seja, passa sempre por um ponto fixo **~ centrífuga** *Fís.* Num sistema que está em rotação em relação a outro sistema, força inercial percebida por observador presente no primeiro sistema, perpendicular e no sentido contrário ao do eixo da rotação, isto é, que age para afastar desse eixo qualquer componente do sistema em rotação **~ centrípeta** *Fís.* Num corpo ou sistema em movimento de rotação, força que atua sobre ele no sentido de aproximá-lo ao eixo de rotação **~ coerciva** *Fís.* Intensidade de um campo magnética necessária para neutralizar a magnetização de uma substância ferromagnética **~ conservativa** *Fís.* Força necessária para mover um corpo que se encontra num campo conservativo (campo no qual o trabalho realizado quando um corpo se move não depende da trajetória do movimento) **~ contraeletromotriz** *Elet.* Toda tensão elétrica que num gerador de tensão, por indução magnética ou eletroquímica, se oponha à força eletromotriz **~ cortante** *Fís.* Num corpo rígido sujeito à ação de força, componente dessa força cuja direção é paralela a uma seção plana desse corpo **~ de atrito** *Fís.* Força que se opõe ao movimento relativo entre dois corpos sólidos que tenham superfícies em contato uma com a outra [Tb. apenas *atrito*.] **~ de atrito cinético** *Fís.* Força de atrito entre duas superfícies que não impede o movimento **~ de atrito de rolamento** *Fís.* Força de atrito que se opõe ao rolamento de um corpo sobre uma superfície horizontal **~ de atrito inercial** *Fís.* Força de atrito que impede o movimento relativo entre suas superfícies **~ de Coriolis** *Fís.* Força inercial percebida apenas num corpo em movimento num referencial que por sua vez está em movimento de rotação. Num corpo imóvel sobre esse referencial, a força de Coriolis é igual a zero **~ de Coulomb** *Fís.* Força que se manifesta entre duas partículas eletricamente carregada, e cuja magnitude é proporcional ao produto das cargas das duas partículas e inversamente proporcional ao quadrado da distância que as separa **~ de dispersão** *Fís.nu.* Força que se manifesta entre moléculas ou átomos devido ao surgimento momentâneo de dipolos elétricos resultantes do movimento dos elétrons **~ de dissuasão** *Mil.* Capacidade militar de um país (armas nucleares e convencionais, efetivos militares, aviões etc.) que, por seu poder de fogo em eventual reação a ataque inimigo desestimula tal ataque **~ de expressão** Referência inexata a algo, por exagero, estereótipo, generalização etc.: *Eles o chamam de 'chefe', mas é só força de expressão, ele não tem nem o cargo nem a autoridade...* **~ de Einstein** *Fís.* Força inercial existente apenas para observador num referencial com aceleração linear em relação a outro referencial sem aceleração; força de inércia **~ de Euler** *Fís.* Força inercial existente apenas para observador num referencial em rotação, com aceleração angular variável, em relação a outro referencial sem aceleração **~ degenerativa** *Fís.* Ver *Força não conservativa* **~ de inércia** *Fís.* Ver *Força de Einstein*. **~ de Lorentz** *Fís.* A que se exerce sobre partícula carregada em movimento em campo magnético [É proporcional ao produto vetorial entre o campo magnético e a velocidade da partícula.] **~ de permuta** *Fís.* Em situação de interação entre sistemas na qual há uma troca contínua de partículas entre eles, força que se originaria nessa troca de partículas [Sua existência é inferida de um método específico de cálculo de troca de partículas, portanto ainda discutível.] **~ de trabalho** *Econ.* O número total de pessoas num âmbito econômico (sociedade, país etc.) capazes de e disponíveis para fazer trabalhos, exercer funções etc. **~ de troca** *Fís.* Ver *Força de permuta* **~ de Van der Waals** *Fís.* Força de atração resultante da ação de campo elétrico variável de átomos de uma molécula sobre o campo elétrico dos átomos de outra **~ dissipativa** *Fís.* Ver *Força não conservativa* **~ do corpo** *Tip.* Distância, medida em pontos tipográficos, entre a base de uma letra numa linha de composição e a base de outra letra na vertical em linha imediatamente superior ou inferior àquela, com entrelinha normal [Tb. apenas *corpo*.] **~ eletromagnética** *Fís.* Tipo de força que atua num campo eletromagnético **~ eletromotriz** *Elet.* Força capaz de produzir movimentação de elétrons num circuito [Abrev.: *f.e.m.*] **~ eletrostática** *Fís.* Força produzida por interação de cargas estacionárias ou quase estacionárias **~ impulsiva** *Fís.* Força que atua sobre um corpo durante um tempo muito curto **~ inercial** *Fís.* Força que só existe a partir de observação num referencial acelerado em relação a um referencial não acelerado, ou inercial **~ magnetomotriz** *Fís.* Força capaz de produzir um campo magnético [Abrev.: *f.m.m.*] **~ maior** Causa incontrolável e irremediável de uma situação (ger. impeditiva de algo): *Não compareceu por motivos de força maior.* **~ motriz** A que é produzida por um motor **~ não conservativa** *Fís.* Força que não se pode obter a partir de função potencial; força degenerativa; força dissipativa **~ natural** Fenômeno da natureza, como vento, chuva, raio etc. **~ normal** *Fís.* Força perpendicular a uma superfície [É a força que se exerce entre uma superfície e um corpo apoiado sobre ela, a 90° em relação à superfície.] **~ policial/pública** Corporação militar cuja função principal é manter a ordem pública **~s armadas** *Mil.* O conjunto dos militares de um país que servem no Exército, na Marinha, na Força Aérea; essas instituições **~ singular** *Mil.* Cada uma das forças armadas **~s ocultas** Expressão que designa supostos ou reais grupos ou indivíduos que, sem serem identificados, têm grande influência sobre aqueles que estão no poder **~s produtivas** *Econ.* Na teoria econômica marxista, o grupo de elementos (trabalhadores, equipamentos, meios de produção etc.) que efetivamente criam com seu trabalho os bens materiais de uma economia **~ termeletromotriz** *Fís.* Força eletromotriz oriunda de um sistema termelétrico **~ viva** *Fís.* O dobro da energia cinética de um corpo [Tb., em lat., *vis viva*.] **Ter ~** **1** Ser fisicamente forte, ter músculos capazes de grande esforço **2** *Fig.* Ter influência, poder **Tirar a ~ a** Desacreditar, desmentir, contestar a razão ou validade de: *Os fatos tiram a força a seus argumentos.*

forçação (for.ça.*ção*) *sf.* Ação ou resultado de forçar [Pl.: *-ções*.] [F.: *forçar* + *-ção*.] ■ **~ de barra** *Pop.* Manobra, tentativa (com ou sem êxito) para conseguir por imposição, ou meios ilícitos, ou violação de regulamentos, convenções etc., algo que não se conseguiu ou parecia impossível de obter por vias normais

forcado (for.*ca*.do) *sm.* **1** *Agr.* Instrumento agrícola composto de uma longa haste, que tem acoplada em uma das extremidades uma peça de madeira ou de ferro com duas, três ou quatro pontas, e que serve para reunir, transportar, revolver etc. folhagens, feno, ervas ou cereais ceifados etc.; GARFO **2** Porção de palha, feno ou feixe de ervas, plantas ceifadas etc. que se apanha de uma só vez com esse instrumento **3** *Lus. Taur.* Homem que nas touradas pega o touro à unha [F.: *forca* + *-ado¹*.]

forçado (for.*ça*.do) *a.* **1** Feito sob pressão, e não de maneira natural ou espontânea (pouso forçado; casamento forçado); OBRIGADO; COMPELIDO; COMPULSÓRIO **2** Que não pode deixar de ser ou ser feito, dadas as circunstâncias; FORÇOSO; NECESSÁRIO; INEVITÁVEL; OBRIGATÓRIO **3** Sem naturalidade (sorriso forçado); ARTIFICIAL; FINGIDO *sm.* **4** Indivíduo condenado a trabalhos forçados **5** *Ant. Mar.* Forçado (4) que remava nas galés [F.: Part. de *forçar*.]

forçar (for.*çar*) *v.* **1** Abrir ou deslocar (algo) usando a força [*td.*: *forçar a janela; Force mais essa fasquia para entrar no seu lugar.*] **2** Obrigar ou incitar (alguém ou a si mesmo) a (fazer algo contra vontade); CONSTRANGER [*td.*: *Forçaram a contratação do funcionário.*] [*tdr.* + *a*: *Fizeram manifestações para forçar a Justiça a mudar de posição.*] **3** *Fig.* Submeter (algo) a um esforço além do usualmente exercido, e mesmo excessivo [*td.*: *Forçou o joelho contundido; O excesso de roupas nesta mala está forçando o fecho.*] **4** *Fig.* Agir premeditadamente para (que algo ocorra); ARMAR; TRAMAR [*td.*: *forçar um reencontro.*] **5** *Fig.* Fazer (algo) sem naturalidade; FINGIR [*td.*: *forçar um sorriso.*] **6** *Fig.* Torcer o sentido de; DESVIRTUAR; DISTORCER [*td.*: *A argumentação da defesa forçava a lei.*] **7** Obter (algo) pela força; conseguir; conquistar [*td.*: *Posso atendê-los, mas nem tentem forçar o meu respeito.*] **8** *Fig.* Fazer mudar (intenção, convicção etc.); TORCER [*td.*: *Os pais forçaram-lhe a vocação e fizeram dele um mau padre.*] **9** Estuprar; violentar; violar [*td.*] **10** Entrar à força em (algum lugar); INVADIR; TOMAR [*td.*: *Forçou uma fortaleza.*] **11** Vencer, subjugar, desbaratar [*td.*: *forçar o exército inimigo.*] [▶ **12 forçar**] [F.: *força* + *-ar²*. Hom./Par.: *força(s)* (fl.), *força(s)* (ô) (sf.[pl.]).]

força-tarefa (for.ça-ta.*re*.fa) *sf.* **1** *Mar. Mil.* Grupo de operação formado por diferentes unidades, sob comando único mas com certa autonomia, para cumprir missão específica e temporária **2** *P.ext.* Grupo de especialistas de diferentes áreas, relativamente autônomo, criado temporariamente para realizar determinada tarefa: *força-tarefa de combate à dengue.* [Pl.: *forças-tarefas* e *forças-tarefa*.]

forcejar (for.ce.*jar*) *v.* **1** Esforçar-se, pelejar (para conseguir algo) [*tr.* + *por, para*: *Forcejou por conseguir o primeiro lugar; Forcejava para tirar o armário do quarto.*] [*int.*: *Forcejava em vão.*] **2** Opor resistência a, lutar [*tr.* + *com, contra*: *forcejar contra a tormenta/com as ondas.*] [▶ **1 forcejar**] [F.: *força* + *-ejar*. Hom./Par.: *forcejo* (fl.), *forcejo* (sm.).]

forcejo (for.*ce*.jo) [ê] *sm.* Ação ou resultado de forcejar; EMPENHO: *Sem forcejo não conseguirá concluir o curso superior.* [F.: Dev. de *forcejar*. Hom./Par.: *forcejo* (ê) (fl. de *forcejar*).]

fórceps (*fór*.ceps) *sm2n.* **1** *Cir. Obst.* Instrumento cirúrgico, espécie de tenaz, composto de dois braços articulados, com dois ramos em forma de concha, us. para retirar o bebê do útero (ger. cingindo sua cabeça) em casos excepcionais **2** *Cir.* Outro tipo de tenaz, com que se pinçam veias ou artérias para estancar hemorragia **3** *Cir. Od.* Tenaz para extração (de dentes, partes ósseas etc.); BOTICÃO [F.: Do lat. *forceps, ipis*.]

forçoso (for.*ço*.so) [ô] *a.* **1** Que dadas as circunstâncias, não pode ser evitado, que é absolutamente necessário; IMPRESCINDÍVEL; INDISPENSÁVEL: *É forçoso punir o culpado.* **2** Que tem ou manifesta força, energia, vigor; ENÉRGICO; FORTE; VIGOROSO [Fem. e pl.: [ó].] [F.: *força* + *-oso*.]

forçudo (for.*çu*.do) *a. Pop.* Que tem força; FORTE, ROBUSTO: *Geralmente o mocinho é um galã forçudo.* [F.: *forç(a)* + *-udo*.]

forde (*for*.de) [ó] *sm. Ant.* Automóvel da marca Ford, de preço acessível e fabricado em série: *Adorava passear no forde do meu avô.* [F.: Do antr. ing. Henry *Ford* (1863-1947, industrial norte-americano).]

fordeco (for.*de*.co) [é] *Bras. sm.* **1** *Pop.* Automóvel antigo da marca Ford **2** *P.ext. Pej.* Qualquer automóvel velho e mal conservado: "Meu pai, a tia e minha mãe comigo no colo, todos amontoados no tal fordeco meio escangalhado que meu pai ganhou numa rifa." (Lygia Fagundes Telles, *Que se chama solidão*) [F.: *forde* + *-eco*.]

forde de bigode (for.de de bi.*go*.de) [ó] *sm. Bras. Ant.* Automóvel Ford, modelo T, fabricado de 1908 até o final dos anos 20, cujo para-choques frontal assemelhava-se a um bigode [Pl.: *fordes de bigode*.]

fordismo (for.*dis*.mo) *sm. Adm. Ind.* Conjunto de técnicas de produção industrial criadas por Henry Ford (1863-1947, industrial norte-americano) em que todo o processo é planejado, os recursos de produção estão previamente disponíveis e cada operação é aprimorada para melhorar a execução final em linha de produção em série [F.: Do antr. ing. Henry *Ford* + *-ismo*.]

fordista (for.*dis*.ta) *a2g.* **1** *Adm. Ind.* Que se refere ao fordismo: *A fábrica desenvolvia uma estrutura fordista. s2g.* **2** *Adm. Ind.* Indivíduo adepto do fordismo [F.: Do antr. ing. Henry *Ford* + *-ista*.]

⊕ **forehand** (*Ing.* /forhend/) *sm. Esp.* No tênis, golpe de fundo de quadra, após um quique da bola, executado do mesmo lado do corpo em que o tenista segura a raquete, com a palma da mão voltada para frente

foreiro (fo.*rei*.ro) *a.* **1** *Jur.* Que diz respeito ao foro **2** *Jur.* Que paga foro: *Construiu a casa num terreno foreiro à Marinha do Brasil.* **3** Que é obrigado, constrangido a fazer algo: *O presidiário é foreiro a submeter-se à disciplina carcerária.* **4** Que está sujeito, propenso a algo: *região foreira a ventos e tempestades.* **5** *Lus.* Diz-se do rego ou regueira sujeitos à correição municipal **6** *Lus.* Diz-se do rego ou caminho comum de proprietários consortes *sm.* **7** *Jur.* O que tem domínio útil de algum prédio rústico ou urbano por contrato de enfiteuse: "Compete igualmente ao foreiro o direito de preferência no caso de querer o senhorio vender o domínio direto ou dá-lo em pagamento." (*Código Civil Brasileiro*) [F.: *foro* + *-eiro*.]

forense (fo.*ren*.se) *a2g.* **1** Ref. ao ou próprio do foro (termos forenses) **2** Ref. aos tribunais de Justiça; JUDICIAL [F.: Do lat. *forensis, e*.]

◎ **-forese** *el. comp.* = 'transmissão'; 'introdução': *anaforese, eletroforese, iontoforese* [F.: Do lat. cient. *-phoresis*, do gr. *phóresis, eos*, 'ação de levar ou trazer'.]

⊕ **forfait** (*Fr.* /forfé/) *sm.* **1** *Turfe* Ausência de um cavalo em um páreo para o qual estava inscrito por determinação de seu proprietário, tratador ou veterinário; DESERÇÃO **2** *Tur.* Programa turístico estabelecido por uma agência de viagens e exclusivo para um passageiro ou grupo pequeno de turistas ■ **À ~** *Com.* Por estimativa, por combinação prévia **Fazer ~** **1** *Turfe* Não correr num páreo (cavalo nele inscrito) **2** *P.ext.* Não comparecer em encontro, compromisso etc.

forfetário (for.fe.*tá*.ri:o) *a. Econ.* Diz-se (ref. a sistema ou medida ou ativo financeiros, econômicos, fiscais etc.) do que não tem valor fixo, que é contingente, que depende de outros valores ou fatores [F.: Do fr. *forfaitaire*.]

fórfex (*fór*.fex) [cs] *sm2n. Cir.* Instrumento cirúrgico com forma de tesoura ou pinça [Os puristas preferem a forma fórfice.] [F.: Do lat. *forfex,icis*.]

fórfice (*fór*.fi.ce) *sm. Cir.* Ver *fórfex* [F.: Do lat. *forfex, icis*.]

forja (*for*.ja) *sf.* **1** Conjunto dos instrumentos (fornalha, fole, bigorna etc.) us. por aqueles que trabalham com metal **2** Oficina onde se trabalha o metal, ger. o ferro; FUNDIÇÃO; FRÁGUA **3** *Bras.* Cova, fossa, armadilha para caça graúda [F.: Do lat. *fabrica*, pelo fr. *forge*. Hom./Par.: *forja* (sf.), *forja* (fl. de *forjar*).]

forjado (for.*ja*.do) *a.* **1** Saído da forja; fundido ou modelado na forja **2** Diz-se de ferro batido: *O ferro forjado custa mais a enferrujar que outras formas de ferro metálico.* **3** *Fig.* Que é falso, mentiroso: *Era apenas um sequestro forjado.* [F.: Part. de *forjar*.]

forjador (for.ja.*dor*) [ô] *a.* **1** Que forja, que funde ou modela metais, esp. o ferro (ferreiro forjador) **2** *Fig.* Que inventa, que engana: *um redator forjador de notícias. sm.* **3** Mestre de forja; FERREIRO: *um grande forjador de lâminas.* **4** *Fig.* Aquele que promove falsidades ou intrigas [F.: *forjar* + *-dor*.]

forjar (for.*jar*) *v. td.* **1** Fundir ou modelar (metal) na forja **2** Fabricar (arma, ferradura etc.) na forja **3** *Fig.* Criar algo (situação, estado, processo) inautêntica, que visa iludir, enganar ao se fazer passar por verdadeiro; ARMAR; MAQUINAR; SIMULAR: *Forjou uma desculpa para não ir à festa; forjar uma contusão.* **4** Falsificar, adulterar: *forjar um documento/uma assinatura.* **5** Fabricar, construir **6** *Fig.* Tornar forte, resistente, firme (caráter, espírito etc.) [▶ **1 forjar**] [F.: *forja* + *-ar²*. Hom./Par.: *forja(s)* (fl.), *forja(s)* (sf.[pl.]); *forje(s)* (fl.), *forje* (sm.[pl.]).]

forjicar (for.ji.*car*) *v. td.* **1** Imaginar, maquinar, forjar **2** *Pej.* Fazer (algo) defeituosamente; FORJAR **3** Aprimorar (algo) a custa de muito trabalho **4** Falsificar (documento, atestado etc.) [▶ **11 forjicar**] [F.: *forja* + *-icar*.]

◎ **form-¹** *el. comp.* = 'forma, formato, figura externa': *formação, formal, formalidade, fórmula, formulação; deformável, deformação, disforme; inconformismo, informe; reforma, reformista; transformador, transformativo etc.*

◎ **form-²** *el. comp.* = 'medo, temor': *formidante, formidável etc.*

◎ **form-³** *el. comp.* = 'comichão, entorpecimento, formigamento': *fórmico (ácido), formicante, formicar, formigante, formigamento, formílico, formol etc.*

◎ **form** *el. comp.* Relativo a ácido fórmico: *formol, formila, clorofórmio.*

forma (*for*.ma) [ó] *sf.* **1** Aparência externa de uma área claramente definida: "O caixão bateu no fundo com uma pancada surda: o abade espalhou em cima uma pouca de terra em forma de cruz..." (Aluísio de Azevedo, *Casa de pensão*) **2** Aparência ou aspecto que um corpo tem ou sugere; FORMATO: "...uma massa, que se parecia, na forma e no peso, com um tronco de angico anoso..." (Franklin Távora, *O Cabeleira*) **3** Fila, alinhamento, formatura **4** Modo de dispor as ideias [Nesta acp. opõe-se a *conteúdo*.] **5** Manifestação; MODALIDADE; VARIEDADE: "[S. Francisco Xavier, Anchieta e Nóbrega] souberam fazer da humildade a forma mais nobre do heroísmo." (Euclides da Cunha, *Confrontos e contrastes*) **6** Modo; MANEIRA; JEITO: "...evitando-se dessa forma as estéreis controvérsias gramaticais..." (Lima Barreto, *Triste fim de Policarpo Quaresma*) **7** Estado físico saudável: *Mário já está em forma, pronto para outra.* **8** *Ling.* Qualquer segmento fônico de uma língua natural dotado de um significado: *O 's' do vocábulo português 'livros', por indicar a pluralidade, é uma forma linguística. sfpl.* **9** Os contornos do corpo humano, esp. o feminino: "Vestia [D. Ema] cetim preto justo sobre as formas, reluzente como pano molhado; e o cetim vivia com ousada transparência a vida oculta da carne." (Raul Pompeia, *O Ateneu*) [F.: Do lat. *forma,ae*.] ■ **Debaixo de ~** Em fila, em formatura; em forma (1) **De certa ~** Segundo certa interpretação, de certa maneira **De ~ a** Para que, de modo a **De ~ alguma** De maneira nenhuma, em nenhuma hipótese **De ~ que** Resultando (circunstância descrita anteriormente) em que, de modo que **De qualquer ~** **1** Haja o que houver, independentemente das circunstâncias, de qualquer maneira: *Não interessa a previsão do tempo, de qualquer forma tenho de viajar amanhã.* **2** Mesmo assim, apesar de tudo: *Ele não me apoiou, de qualquer forma vou votar nele.* **Em devida ~** Ver *Em forma* (1) **Em ~** **1** Ver *Debaixo de forma.* **2** Em termos adequados (relatório, petição etc.) **3** Em boas condições de saúde, físicas ou atléticas **4** Entrar em forma (1)! (voz de comando) **Fora de ~** Em más condições de saúde, físicas ou atléticas **~ biológica** *Biol.* Ver *Forma de vida* **~ canônica** **1** *Quím.* Estrutura molecular que melhor representa uma substância, na qual os átomos mantêm valência segundo as regras; forma de ressonância **2** *Ecles.* A(s) forma(s) de um ato prescrito pela legislação eclesiástica **~ convergente** *Ling.* Cada uma das formas (como elemento fônico com determinado significado) de uma língua que se transformam para convergir, noutra língua, num elemento só **~ cristalina** *Crist.* Conjunto de faces equivalentes de um cristal dispostas simetricamente **~ de onda** *Fís.* Representação gráfica de um fenômeno ondulatório em função de alguma variável **~ de palavra** *Ling.* Cada uma das variantes fonéticas de uma palavra, de um lexema **~ de ressonância** *Quím.* Ver *Forma canônica* (1) **~ de tratamento** *Gram.* Forma nominal precedida de artigo, us. em substituição a pronomes pessoais de segunda ou terceira pessoa [Ex.: *O freguês vai querer mais café? A senhora deseja alguma coisa? O papai aqui está com fome.*] **~ de vida** *Biol* Grupo de vegetais não necessariamente de mesma classificação taxinômica, com idêntica estrutura orgânica; forma biológica **~ divergente** *Ling.* Forma (como elemento fônico com determinado significado) que, apesar de ter a mesma origem etimológica de outra(s), dela(s) diverge por ter passado por evolução diferente na língua **~ farmacêutica** *Farm.* Configuração de um medicamento (pó, comprimido, drágea, pomada etc.) [Tb. apenas *forma*.] **~ finita** *Ling.* Cada flexão de verbo (modo, tempo, pessoa) us. numa oração **~ funcional** *Lóg.* Série de símbolos na qual há pelo menos uma variável; forma lógica; função lógica **~ lied** *Mús.* Estrutura musical típica do movimento lento da sonata, caracterizada pela apresentação de um tema e sua reapresentação **~ livre** *Ling.* Unidade que representa, ela mesma, um enunciado completo (seja palavra, sintagma, frase etc.) **~ livre mínima** *Ling.* A menor forma livre que, sozinha, representa um enunciado; palavra **~ lógica** *Lóg.* Ver *Forma funcional* **~ nominal do verbo** *Ling.* Forma verbal que se combina com função nominal (adjetivo, advérbio, substantivo); forma verbo-nominal [São formas nominais do verbo o gerúndio, o infinitivo e o particípio passado.] **~ presa** *Ling.* Unidade linguística que, sozinha, não forma enunciado, tendo de se juntar a outra para isso [Ex.: os prefixos, sufixos etc.] **~ primitiva** *Ling.* Aquela da qual se derivam outras, para formar outras palavras **~ reduzida** *Ling.* Aquela que sofreu proveio de outra por redução, por supressão de parte desta **~ sonata** *Mús.* Estrutura musical típica do primeiro movimento de sonatas, sinfonias e concertos, ger. composta da apresentação de um tema, seu desenvolvimento e sua recapitulação **~ substancial** *Filos.* Característica comum aos indivíduos de uma espécie, cuja natureza não depende daquela em que se manifesta em cada indivíduo **~ verbo-nominal** *Ling.* Ver *Forma nominal do verbo* **Manter a ~** Manter boas condições físicas, boa saúde

forma (*fôr*.ma) [ô] *sf.* **1** Molde onde se coloca algo maleável, pastoso, líquido etc. para que tome a forma desejada ao se solidificar **2** Utensílio us. para assar bolos, tortas etc. **3** Peça de madeira com feitio de um pé, us. para fabricar calçados **4** *Tip.* Caixilho onde estão por ordem as letras para se imprimir [F.: Do lat. *forma*. Hom./Par.: *forma* [ô] (sf.), *forma* [ó] (sf.), *forma* (fl. de *formar*).] ■ **~ de gelo** Tipo de bandeja com um extrator que a divide em espaços cúbicos, que se enche de água para que se transforme em gelo em congelador de geladeira **~ de impressão** *Art. gr.* Superfície (de metal, borracha ou plástico) na qual se grava imagem (texto, ilustração etc.) e que, depois de entintada, a imprime em papel, cartão etc. **~ redonda** *Ind.* Na indústria de papel, cilindro de tela que moldam rolha de papel **Ser a ~ para o pé de** *Fam.* Ser adequado, conveniente, sob medida para (alguém)

formação (for.ma.*ção*) *sf.* **1** Ação ou resultado de formar, criar, constituir alguma coisa: *a formação de nuvens no céu; formação de grupos de trabalho.* **2** Educação, instrução (formação profissional) **3** Modo por que se forma um caráter, uma personalidade: *jovens de boa formação.* **4** Disposição, ordenamento, organização: *a formação de uma tropa/de um time.* **5** *Bot.* Conjunto de vegetais de uma região que apresentam características biológicas semelhantes **6** *Geol.* Designação geral das diferentes camadas que constituem o solo (formação quaternária) [Pl.: *-ções*.] [F.: Do lat. *formatio, onis*.] ■ **~ de capital** *Econ.* Crescimento do capital de uma economia **~ de compromisso** *Psic.* Processo pelo qual o consciente distorce, ou camufla, um desejo recalcado para que ele possa ser aceito nesse nível, burlando os mecanismos de defesa **~ de culpa** *Jur.* Em processo criminal, fase de apuração da existência, ou não, de culpa **~ de gemas** *Biol.* Processo reprodutivo de certas espécies, no qual se forma protuberância que dará origem ao novo ser; gemação

formado (for.*ma*.do) *a.* 1 Que se formou 2 Que se formou completamente; COMPLETO; PRONTO 3 Que se encontra postado em fila, em forma: *Os alunos permaneceram formados durante todo o recreio.* 4 Que é constituído, composto por algo: *Os primeiros organismos eram formados apenas por uma única célula.* [+ *com, de, por*: *vocábulos formados por elementos de mais de uma língua.*] 5 Que concluiu curso universitário: *Ele é um engenheiro formado, e não um palpiteiro qualquer.* [+ *em, por*: *indivíduo formado em direito pela Universidade de Coimbra.*] [F.: Part. de *formar*.]

formador (for.ma.*dor*) [ô] *a.* 1 Que organiza, forma ou cria alguma coisa: *centro formador de empresários.* 2 Que dá forma a algo 3 *Gram.* Diz-se do elemento que expressa uma determinada categoria gramatical (p. ex. gênero, número, pessoa, tempo, modo) ou que serve para formar novos vocábulos (elementos formadores do vocábulo) *sm.* 4 Profissional que realiza a atividade de formar pessoas no campo moral ou intelectual; EDUCADOR 5 Pessoa que forma ou produz alguma coisa: *A revista entrevistou alguns formadores de opinião.* [F.: Do lat. *formator, oris.*] ■ **~ de opinião** Pessoa ou elemento transmissor de informação ou opinião (jornal, programa etc.) capaz (por sua função, credibilidade, influência etc.) de influir na opinião do público sobre um assunto, ou qualquer assunto, na formação de critérios, valores etc.

formal (for.*mal*) *a2g.* 1 Ref. a ou próprio de forma, de aspecto, de apresentação exterior 2 Que atende às normas e leis vigentes: *Constatou-se o crescimento do emprego formal no interior.* 3 Que apresenta um estilo cerimonioso, pouco natural ou espontâneo e algo distanciado 4 *P.ext.* Cerimonioso, sério: *Apertou-lhe a mão de modo bem formal.* 5 Que possui caráter oficial: *O diretor é uma pessoa muito formal.* 6 *P.ext.* Explícito, que põe fim a toda e qualquer dúvida, irrefutável (prova formal): *O presidente fez um pronunciamento formal acerca do assunto.* 7 Que satisfaz os princípios da boa educação, mas não é sincero 8 Adequado a situações solenes (traje formal): *Ele fez um convite apenas formal para a festa.* 9 *Ling.* Diz-se da linguagem ou do registro que observa as regras da gramática normativa (registro formal) 10 *Art.pl. Liter.* Que visa primeiramente à forma, que antepõe a forma ao conteúdo 11 *Fil.* Que se refere à forma de um ser em oposição à sua matéria (causa formal, parte formal): *Os sonetos parnasianos são bastante formais.* 12 *Fil.* Diz-se do objeto que constitui o aspecto sob o qual uma ciência considera seu objeto material: *Os atos humanos são o objeto material da Ética e sua reta ordenação a partir da razão constitui seu objeto formal.* 13 *Fil.* Diz-se da ciência lógica que estuda a ordem das proposições que compõem um raciocínio (Lógica Formal) [Pl.: *-mais.*] [F.: Do lat. *formalis.*] ■ **~ de partilha** *Jur.* Documento, em forma de carta do juiz de um inventário aos herdeiros, no qual se enumeram os bens e a distribuição da herança em conformidade com a folha de partilha aprovada pelo juiz

formaldeído (for.mal.de.*í*.do) *Quím. sm.* 1 Substância aquosa antisséptica e bactericida 2 Ver *aldeído fórmico* [F.: *form-²* (de ácido fórmico) + *aldeído.*]

formalidade (for.ma.li.*da*.de) *sf.* 1 Conjunto de regras a serem seguidas para que certos atos sejam válidos, praxe: *A compra de um terreno requer certas formalidades.* 2 Comportamento regido por regras: *Quebrou a formalidade ao beijar o presidente.* 3 Ato de caráter meramente exterior e sem nenhuma importância real: *Assinar o documento é uma mera formalidade.* 4 Cerimônia, etiqueta, modo rígido de conduta social: *O funcionário o tratou com muita formalidade.* 5 *Jur.* Prescrição relativa ao procedimento que se deve observar na realização de um ato jurídico para que ele seja perfeito e, portanto, válido 6 *Quím.* Medida da concentração de uma solução que expressa o número de fórmulas-grama do soluto por litro de solução [F.: Do fr. *formalité.*]

formalina (for.ma.*li*.na) *sf. Quím.* Solução de aldeído fórmico na proporção de 40%, us. como antisséptico e desinfetante [F.: *form-²* (de ácido fórmico) + *-al* deído + *-ina*, pelo ing. *formalin.*]

formalismo (for.ma.*lis*.mo) *sm.* 1 Qualidade, condição ou característica do que é formal 2 Rigor excessivo no cumprimento e cobrança de regras e formalidades: *O formalismo do protocolo caracteriza as solenidades diplomáticas.* 3 Observância de normas no comportamento social: *Muito me desagrada o formalismo desse tipo de festa.* 4 *Art.pl.* Movimento ou tendência que se caracteriza pela valorização dos elementos formais das obras de arte em detrimento daqueles relativos ao conteúdo 5 *Fil.* Sistema metafísico em que se nega a existência da matéria e só se admite realidade da forma [Ant.: *materialismo*] 6 *Fil.* Na Ética, característica própria das doutrinas que consideram a ideia de obediência ao dever como princípio fundamental da moralidade 7 *Rel.* Cumprimento exterior dos preceitos de uma religião em detrimento da vivência interior e sincera dos mesmos [F.: *formal* + *-ismo.*] ■ **~ russo** *Liter.* Movimento do início do século XX, na Rússia, que propunha a análise dos aspectos formais (e não de conteúdo) das obras de literatura, entendendo que neles reside aquilo que é próprio à mensagem literária, em comparação às da linguagem usual

formalista (for.ma.*lis*.ta) *a2g.* 1 Ref. ao formalismo (aspecto formalista) 2 Que observa as formalidades; que é obediente a etiquetas; FORMAL: *Era uma recepção formalista.* 3 *Pej.* Que está sempre submetido a regras; BUROCRÁTICO; TRADICIONAL: *Tem um temperamento formalista.* 4 *Art. pl. Liter.* Que é seguidor do formalismo nas artes, esp. na literatura *s2g.* 5 Indivíduo obediente às formalidades: *O formalista não admite improvisos.* 6 O que está preso mais à forma que ao conteúdo 7 *Art.pl. Liter.* Indivíduo que em sua obra de arte, sem desprezar o conteúdo, sublinha a importância da forma como expressão artística, dando atenção a cada detalhe [F.: *formal* + *-ista.*]

formalístico (for.ma.*lís*.ti.co) *a.* 1 Ref. a formalismo ou a formalista (subst.) 2 *Jur.* Que diz respeito à formalística [F.: *formalista* + *-ico²*.]

formalização (for.ma.li.za.*ção*) *sf.* 1 Ação ou resultado de formalizar(-se): *Esperava a formalização do convite para ser madrinha do casamento de sua melhor amiga.* 2 *Lóg.* Sistema que consiste em substituir enunciados, conclusões e conexões lógicas por letras, diagramas, tabelas e símbolos com o objetivo de tentar evitar as falácias e os sofismas dos silogismos [Pl.: *-ções.*] [F.: *formalizar* + *-ção.*]

formalizado (for.ma.li.*za*.do) *a.* 1 Que se formalizou 2 Tornado oficial; oficializado segundo as regras, normas etc.: *Sua demissão foi formalizada logo após seu desentendimento com os superiores.* 3 Vestido como quem vai a uma solenidade formal 4 Escandalizado, melindrado, ofendido: *Os convidados saíram formalizados da festa.* 5 *Ling. Mat. Lóg.* Expresso em letras, diagramas e símbolos [F.: Part. de *formalizar.*]

formalizar (for.ma.li.*zar*) *v.* 1 Elaborar regras, normas para [*td.*: *Formalizar o atendimento ao público.*] 2 Dar caráter formal a, ou criar, estabelecer (contratos, regulamentos, pedidos, convites etc.) de acordo com regras, cláusulas, leis, formalidades etc.; OFICIALIZAR [*td.*: *formalizar um contrato/ um convite/ a união de um casal.*] 3 Dar forma a, ou ganhar forma [*td.*: *formalizar uma ideia.*] [*int.*: *Neste cenário, a queda do Império formalizou-se.*] 4 Tornar-se formal; guiar-se por formalidades, regras, convenções [*int.*: *O acesso ao prédio da embaixada formalizou-se ainda mais.*] 5 Vestir (inclusive si mesmo) formalmente, como para uma solenidade [*td.*: *Formalizei-me para a formatura.*] 6 Afetar formalidade ou gravidade [*int.*: *Formalizou-se perante os funcionários.*] [▶ 1 formalizar] [F.: *formal* + *-izar.*]

formando (for.*man*.do) *sm.* Estudante próximo da conclusão de curso de formação: *Os formandos estão organizando uma bela festa de formatura.* [F.: *formar* + *-ando.*]

formante (for.*man*.te) *a2g.* 1 Que forma, constitui; CONSTITUINTE: *No laboratório, observava os elementos formantes do produto químico.* *sm.* 2 *Gram.* Elemento linguístico mínimo significativo; MORFEMA [F.: Do lat. *formans,antis.*]

formão (for.*mão*) *sm.* Ferramenta manual de carpintaria feita de metal, de extremidade chata e cortante e cabo ger. de madeira [Serve aos carpinteiros, marceneiros e torneiros para abrir cavidades na madeira ou debastá-la.] [Pl.: *-mões.*] [F.: *formar* + *-ão³*.]

formar (for.*mar*) *v.* 1 Fazer adquirir ou adquirir forma, produzir, ou ir-se desenvolvendo, ir tomando forma [*td.*: *A inundação formou um lago; O vento formou essas dunas.*] [*int.*: *Durante a tempestade, formou-se um tornado.*] 2 Constituir(-se); criar(-se); organizar(-se) [*td.*: *formar uma banda/ uma biblioteca.*] [*int.*: *Formou-se uma aliança para derrotar o país inimigo.*] 3 Fazer adquirir ou adquirir conhecimento ou capacitação em certa área; fazer concluir ou concluir curso, faculdade etc. [*td.*: *A empresa forma os seus técnicos.*] [*int.*: *Formou-se dentro do Exército.*] [*tr.* + *em*: *formar-se em pedagogia.*] 4 Estruturar(-se) moralmente; amoldar(-se); educar(-se), orientar(-se) [*td.*: *Preocupava-se em formar o caráter do filho.*] [*tdr.* + *em*: *Formei-me nestas doutrinas.*] 5 Dispor(-se) em linha, em ordem; ALINHAR; ENFILEIRAR [*td.*: *Formar os soldados para a revista.*] [*int.*: *A divisão formará às três horas.*] 6 Assemelhar-se a; tomar forma (de) [*td.*: *O conjunto de casas formava um triângulo; A disposição das montanhas formava a figura de um homem.*] 7 Conceber, criar (intelectualmente) [*td.*: *Alguns professores formaram o projeto de alfabetizar presidiários.*] 8 *Ling.* A partir de elemento(s) linguístico(s) ou gramatical(ais), dar origem a outro: *Normalmente formamos o plural acrescentando s.* [▶ 1 **formar**] [F.: Do lat. *formare.* Hom./Par.: *forma(s)* (fl.), *forma(s)* (sf.[pl.]), forma(s) [ô] (sf.[pl.]); *formais* (fl.), *formais* (pl. de *formal*); *formaria(s)* (fl.), *formaria(s)* (sf. [pl.]).]

formatação (for.ma.ta.*ção*) *sf.* 1 Ação ou resultado de formatar 2 Adaptação de um conjunto de elementos a um determinado padrão 3 *Inf.* Ação de preparar um disco magnético ou outro meio análogo para o armazenamento de dados 4 *Inf.* Disposição dos elementos visuais em um arquivo gráfico ou de texto 5 *P.ext. Inf.* Conjunto de características visuais aplicadas a um texto (p. ex. itálico, sublinhado, negrito, tamanho de fonte, espaço de linhas etc.) 6 Maneira de apresentar, estrutura, formato de um programa (de rádio, televisão etc.), de um espetáculo ou evento etc. [Pl.: *-ções.*] [F.: *formatar* + *-ção.*]

formatado (for.ma.*ta*.do) *a.* 1 Que se formatou 2 *Inf.* Submetido à formatação 3 *Inf.* Que está apto ou foi preparado para armazenar dados informatizados: *disco rígido formatado.* 4 *Inf.* Diz-se de discos fixos ou removíveis que tiveram seus dados alterados ou apagados para receber novos padrões de gravação [F.: Part. de *formatar.*]

formatador (for.ma.ta.*dor*) [ô] *a.* 1 *Inf.* Que serve para formatar (processo formatador) *sm.* 2 *Inf.* Programa que executa a diagramação e gravação de dados em uma superfície magnética, obedecendo a critérios específicos de disposição de imagens, textos etc. (formatador de textos) [F.: *formatar* + *-dor.*]

formatar (for.ma.*tar*) *v. td.* 1 *Inf.* Preparar (suporte de dados, como disco rígido, disquete) para receber dados 2 *Art.gr. Inf.* Adaptar (texto, arquivo, conjunto de dados) a um padrão 3 Estabelecer o formato de [F.: Do ing. (*to*) *format.* Hom./Par.: *formato* (fl.), *formato* (sm.).]

formativo (for.ma.*ti*.vo) *a.* 1 Que dá forma a algo 2 Que serve para formar ou que contribui para a formação de algo ou alguém: *A escola não deve ser só informativa, mas também formativa.* 3 Ref. a formação: *Período formativo da língua.* *sm.* 4 *Ling.* Qualquer elemento gramatical que, indivisível ele mesmo, participa na formação de unidades mais complexas, como as palavras, as frases e orações etc. [F.: *formar* + *-tivo.*]

formato (for.*ma*.to) *sm.* 1 Forma exterior ou configuração física de um objeto 2 *Edit.* Dimensão, tamanho de livro ou de outra publicação, que no passado era fixado pelo número de páginas em que se dividia a folha de papel na composição: *A editora lançou vários livros em formato 16.* 3 *Edit.* Tamanho, indicado em centímetros, de uma folha de papel us. em impressão 4 *Edit.* Proporção entre as dimensões de um livro, dada pela relação entre suas dimensões vertical e horizontal em centímetros (formato 14 x 21) 5 *Rád. Telv.* Maneira segundo a qual se estrutura um programa de rádio ou de televisão: *O canal vai testar um noticiário com novo formato.* 6 Padrão segundo o qual são gravadas fitas de vídeo (fita formato VHS) 7 *Inf.* Padrão que se cria por quem faz uma formatação (de arquivo, disquete, impressora etc.) 8 Estrutura ou forma de organização de um evento: *Qual será o formato do próximo colóquio?* [F.: Do fr. *format.*] ■ **~ AA** *Art.gr.* Formato de folha de papel com 76 x 112 cm [Lê-se: *formato dois A.*] **~ almaço** *Art.gr.* Formato de papel com 33 x 44 cm, peculiar ao papel almaço [[Dobrado ao meio, é o formato ofício, com 22 x 33 cm].] **~ americano** *Art. gr.* Formato da folha de papel com 87 x 114 cm. e do livro impresso nessa folha, com cerca de 14 x 21 cm **~ A3** *Art. gr.* Formato internacional para papéis de escrita, com 29,7 x 42 cm **~ A4** *Art.gr.* Formato internacional para papéis de escrita, com 21 x 29,7 cm **~ BB** *Art.gr.* Formato da folha de papel com 66 x 96 cm [Lê-se: *formato dois B.*] **~ DIN** Ver *Formato internacional* **~ francês** *Art.gr.* Formato da folha de papel com 76 x 96 cm, e do livro impresso nessa folha, com cerca de 13,5 x 20,5 cm **~ in-fólio** 1 *Edit.* Formato de livro caracterizado por ser este formado por cadernos obtidos com uma única dobra de folha impressa com duas páginas de cada lado, tendo, portanto, cada caderno 4 páginas 2 Livro com esse formato **~ in-oitavo** 1 *Edit.* Formato de livro caracterizado por ser este formado por cadernos obtidos com três dobras de folha impressa com oito páginas de cada lado, tendo, portanto, cada caderno 16 páginas 2 Livro com esse formato **~ in-plano** 1 *Edit.* Formato de livro caracterizado por ser este formado por cadernos obtidos sem qualquer dobra de folha impressa com uma página de cada lado, tendo, portanto, cada caderno 2 páginas 2 Livro com esse formato **~ in-quarto** 1 *Edit.* Formato de livro caracterizado por ser este formado por cadernos obtidos com duas dobras de folha impressa com quatro páginas de cada lado, tendo, portanto, cada caderno 8 páginas 2 Livro com esse formato **~ internacional** *Art. gr.* Sistema padronizado de formatos de papel, segundo o Instituto Alemão de Normalização (Deutsche Industrie-Normen, ou DIN) e recomendado pela Organização Internacional de Normalização (ISO), baseado no sistema métrico decimal, e no qual a proporção entre largura e altura é a mesma (1: 1,414) em todos os formatos; formato DIN **~ italiano** *Art.gr.* Ver *Formato oblongo* **~ magazine** *Telv.* Programa de televisão que combina entrevistas, notícias, comentários, diversão etc. **~ oblongo** *Art. gr.* Todo formato de livro no qual a largura da página é maior que a altura **~ ofício** *Art.gr.* Formato de papel us. em ofício, ger. 22 x 33 cm **~ série A** *Art.gr.* Padrão do formato internacional de papel, cujo formato básico é um retângulo de 84,1 x 118,9 cm **~ série B** *Art.gr.* Padrão do formato internacional de papel, cujo formato básico é um retângulo de 100 x 141,4 cm **~ série C** *Ind.* Padrão do formato internacional de papel, cujo formato básico é um retângulo de 91,7 x 129,7 cm **~ solfa** *P.us. Art.gr.* Ver *Formato oblongo* **~ tabloide** *Art.gr. Edit.* Formato equivalente à metade do formato padrão de um jornal

formatura (for.ma.*tu*.ra) *sf.* 1 Ação ou resultado de formar(-se) 2 Cerimônia, festiva ou não, de graduação ou colação de grau em algum curso: *Minha formatura foi no gabinete do diretor.* 3 *Mil.* Disposição ordenada de tropas, navios de guerra, aeronaves de combate, veículos militares; FORMAÇÃO [F.: Do lat. *formatura, ae.*]

◎ **-forme** *el. comp.* = forma, forma de, que tem forma ou aspecto semelhante a: *disforme, multiforme, cuneiforme, campaniforme, nidiforme* [F.: lat. *-formis, e*, de *forma.*]

fórmica (*fór*.mi.ca) *sf.* Material laminado feito de plástico fenólico aplicado em folhas finas (ger. de madeira) us. para revestir móveis, paredes etc.: *A mesa é revestida de fórmica.* [F.: De *Formica*®, nome comercial.]

formicação (for.mi.ca.*ção*) *sf.* Sensação de coceira no corpo ou em parte dele; FORMIGAMENTO *Pop.*; COMI-

CHÃO: *Quando caminhava mais de meia hora, sentia uma leve formicação nas pernas.* [Pl.: *-ções.*] [F.: Do lat. *formicatio,onis.*]

◎ **formic(i)-** = formiga: *formicida.* [F.: Do lat. *formica, ae.*]

formicíase (for.mi.*cí*.a.se) *sf. Med.* Intoxicação por picada de formiga [F.: *formic(i)- + -íase.*]

formicida (for.mi.*ci*.da) *a2g.* **1** Diz-se de preparado químico venenoso us. para matar formigas (substância formicida) *sm.* **2** Esse preparado: *Um formicida de ação rápida.* [F.: *formic(i) + -cida*, com haplologia.]

fórmico[1] (*fór*.mi.co) *a.* **1** *Quím.* Derivado do ácido fórmico *sm.* **2** *Quím.* Ácido que primariamente era extraído de formigas vermelhas, e que é produzido industrialmente a partir da relação de hidróxido de sódio com monóxido de carbono para ser us. como fixador de corantes em tecidos, como germicida, na coagulação do látex da borracha e, na medicina, para o tratamento do reumatismo [Fórm. molecular: CH_2O_2. Massa molecular: 46 u.] [F.: *form-*[2] + *-ico*[2].]

fórmico[2] (*fór*.mi.co) *a.* **1** Que diz respeito à fórmica **2** Que é revestido ou feito de fórmica (revestimento fórmico) [F.: Adjetivação de *fórmica* (sf.), com alter. do *a* para *o*.]

formidando (for.mi.*dan*.do) *a.* Que provoca medo: "E vi o mar formidando,/ Cheio de mastros e velas,/ Ocultos clarins vibrando/ Pela boca das procelas." (Cruz e Sousa, *Diante do mar*) [F.: Do lat. *formidandus, a, um.*]

formidável (for.mi.*dá*.vel) *a2g.* **1** *Bras.* Digno de admiração em função de sua grande qualidade (ideia formidável, filme formidável); MAGNÍFICO; EXCELENTE **2** Que tem intensidade ou tamanho descomunal: *Hércules tinha uma força formidável.* **3** *P.ext.* Que impressiona, impressionante: *Foi um susto formidável.* **4** *Bras. Fam.* Ótimo, excelente: *Uma história formidável.* **5** *Antq.* Terrível, pavoroso [Pl.: *-veis.*] [F.: Do lat. *formidabilis.*]

formiga (for.*mi*.ga) *sf.* **1** *Zool.* Nome comum a várias espécies de insetos himenópteros da fam. dos formicídeos, que formam sociedade e vivem em colônias organizadas, onde cada tipo de membro (operárias, machos e rainhas) exerce uma função específica **2** *Fig.* Pessoa que tem grande capacidade de trabalho e/ou que economiza muito **3** *Fig.* Pessoa magra e de baixa estatura **4** *Fig.* Pessoa que gosta exageradamente de doces [F.: Do lat. *formica, ae.*] ▪ **Catar ~** *Bras. Pop.* Estatelar-se no chão, ao comprido **Como/que nem ~ 1** Em grande quantidade **2** Com voracidade

formigamento (for.mi.ga.*men*.to) *sm.* **1** Sensação na pele semelhante à que seria de ter formigas andando sobre ela, que ocorre ger. em caso de dormência, cãibra etc.; DORMÊNCIA: *Sentia um formigamento na perna.* **2** *P.ext.* Qualquer sensação desagradável na pele, como prurido, arrepio, calafrio etc. **3** *Fig.* Desejo incontrolável de fazer algo: *Conteve o gesto, apesar do formigamento nos dedos.* [F.: *formigar + -mento.*]

formigar (for.mi.*gar*) *v.* **1** Manifestar formigamento (parte do corpo) [*int.*: *Minha perna parou de formigar.*] **2** Estar cheio de; ter em abundância (como formigas num formigueiro); FERVILHAR; PULULAR [*tr. + de, em*: *As ruas formigam de/em gente.*] **3** Coexistir em grande número [*int.*: *Onde abundam oportunidades formigam os oportunistas.*] **4** Acumular ou juntar, como a formiga; economizar, poupar [*td.*: *O avarento formigava cada mísera moeda.*] [*int.*: *Trabalhou e formigou até acumular fortuna.*] **5** Trabalhar incansavelmente, sem parar [*int.*: *Formigou ano após ano para comprar a casa.*] [▶ 14 formigar] [F.: De *formi-care.* Hom./Par.: *formiga(s)* (fl.), *formiga(s)* (sf.[pl.]).]

formigueiro (for.mi.*guei*.ro) *sm.* **1** Lugar, ger. um buraco na terra ou em um tronco de árvore ou um monte de terra, em que vivem formigas: *O formigueiro era de cor marrom.* **2** O conjunto das formigas que vivem nesse buraco: *O formigueiro defendeu-se do ataque das vespas.* **3** Grande número de formigas **4** *Fig.* Grande quantidade de pessoas concentradas ou em movimento em um lugar: *O centro da cidade era um formigueiro.* **5** Prurido, arrepio, o mesmo que *formigamento* **6** *Fig. P.ext.* Impaciência, falta de tranquilidade **7** *Lus.* Vento sudeste, nos Açores [Sopra do lado da ilhota de Formigas.] **8** *Ant. Pop.* Ladrão que furta objetos de pouco valor *a.* **9** Diz-se de tal ladrão (ladrão formigueiro) [F.: *formiga + -eiro.*] ▪ **~ humano** Muita gente concentrada num lugar; multidão **Sentar em ~** Estar, ficar ou mostrar-se agitado, inquieto

forminha (for.*mi*.nha) [ô] *sf.* Pequena forma (ô) circular, us. pra fazer empadas, doces, bolinhos etc. [F.: Dim. de *forma* (ô).]

◎ **-fórmio** *Quím. el. comp.* = us. em certos compostos químicos: *clorofórmio, iodofórmio.*

formol (for.*mol*) *sm. Quím.* Solução líquida (tendo a água como solvente) de aldeído fórmico, us. como desinfetante e antisséptico [Pl.: *-móis.*] [F.: (aldeído) *fórmico + -ol*[2].]

formolizar (for.mo.li.*zar*) *v. td. Quím.* Desinfetar ou preparar com formol [▶ 1 formolizar] [F.: *formol + -izar.*]

formosino (for.mo.*si*.no) *sm.* **1** Indivíduo nascido ou que vive em Formosa (Taiwan) *a.* **2** De Formosa; típico dessa ilha ou de seu povo [F.: Do top. *Formosa + -ino.*]

formoso (for.*mo*.so) [ô] *a.* **1** Que tem formas ou feições que agradam à visão (mulher formosa); BELO; BONITO **2** Que é agradável, harmonioso (formosa canção) **3** Perfeito, puro (alma formosa) **4** Que dá prazer, que é aprazível, deleitoso, ameno: *formosa tarde de outono.* **5** Maravilhoso, magnífico, grandioso: *Um formoso exemplo de caridade.* [Fem. e pl.: [ó].] [F.: Do lat. *formosus, a, um.*]

formosura (for.mo.*su*.ra) *sf.* **1** Qualidade, condição ou característica do que é formoso, perfeição; BELEZA **2** Pessoa (esp. mulher) ou coisa bonita; LINDEZA; BONITEZA; BELEZURA: *Ela era uma formosura.* [F.: *formoso + -ura.*]

fórmula (*fór*.mu.la) *sf.* **1** Expressão de uma regra, princípio etc. (fórmula de conduta) **2** Modo de ação a ser adotado para se conseguir algo (fórmula do sucesso); CHAVE; SEGREDO **3** Preceito estabelecido para regular qualquer ato **4** Modo ou padrão que se estabelece para declarar, requerer algo etc. **5** Meio de solução de um problema ou dificuldade: *Não tenho uma fórmula mágica para nos tirar da prisão.* **6** *Farm.* Indicação das substâncias que entram na composição de um medicamento (fórmula de remédio) **7** *Quím.* Forma de representação simbólica da molécula de uma substância ou mistura **8** Ideias, frases ou ditos sem originalidade, que não trazem novos conceitos: *Era uma crítica cheia de fórmulas já conhecidas.* **9** *Mat. Fís.* Expressão concisa que define as relações entre os termos e as regras das operações e que serve para resolver todos os casos ou problemas semelhantes ou análogos, substituindo por símbolos os diferentes valores possíveis dos dados utilizados **10** *Rel.* Conjunto de palavras que se devem proferir na celebração de um sacramento e sem as quais este é nulo (fórmula sacramental, fórmula de batismo, fórmula de consagração, fórmula de absolução) **11** *Esp.* No automobilismo, categoria de carros de corrida definida pelas especificações técnicas dos veículos (Fórmula 1, Fórmula 3, Fórmula Indy) [F.: Do lat. *formula, ae.*] ▪ **~ bruta** *Quím.* Fórmula que expressa apenas a proporção dos átomos numa substância; fórmula empírica, fórmula mínima **~ de Fischer** *Quím.* Fórmula que representa a estrutura tridimensional das moléculas, convencionando-se que as quatro ligações de um carbono tetraédrico assimétrico são representadas por quatro traços formando uma cruz com o carbono no centro, sendo os traços horizontais as duas ligações que vêm em direção ao observador, e os verticais as ligações que se afastam do observador **~ dimensional** *Fís.* Fórmula que expressa uma grandeza física na forma do produto de potências de grandezas físicas fundamentais (dimensão linear, massa, tempo etc.) **~ empírica** *Quím.* Ver *Fórmula bruta* **~ estrutural** *Quím.* Fórmula que expressa o número de átomos e suas ligações na molécula de uma substância **~ magistral** *Farm.* Fórmula farmacêutica de medicamento de curta duração efetiva, tendo de ser us. logo após sua criação **~ mínima** *Quím.* Ver *Fórmula bruta* **~ molecular** *Quím.* Fórmula que indica a proporção e o número de átomos que constituem a molécula de uma substância **~ oficinal** *Farm.* Fórmula farmacêutica de remédio de longa duração efetiva, e que pode ser armazenada para uso quando necessário **~ sacramental** *Rel.* O conjunto de expressões (palavras, gestos etc.) de quem celebra ou recebe um sacramento, dando a este significado específico à ocasião **Sagrada ~** *Rel.* A hóstia consagrada

formulação (for.mu.la.*ção*) *sf.* **1** Ação ou resultado de formular **2** Expressão e forma dada a uma ideia ou conjunto de ideias: *A formulação da teoria é pouco clara.* **3** Organização de dados objetivos, elementos etc. através de fórmula(s); criação de fórmula(s): *No laboratório, a pesquisa com os insetos estava em fase de formulação.* **4** *Farm.* Receita médica que contém fórmula com informações sobre nome de substâncias e dosagem, com as quais os farmacêuticos preparam os medicamentos próprios para uma pessoa [Pl.: *-ções.*] [F.: *formula(r) + -ção.*]

formulado (for.mu.*la*.do) *a.* **1** Que se formulou **2** Expresso ou exposto por meio de palavras (pensamento formulado; pergunta formulada); VERBALIZADO [Ant.: *informulado.*] **3** Que foi composto, preparado, produzido com base em formulações: *É uma bebida energética formulada para fornecer grande quantidade de energia a atletas.* **4** *Farm.* Que foi prescrito, receitado em fórmula: *A medicação foi formulada e entregue ao farmacêutico para manipulação.* [F.: Part. de *formular.*]

formulador (for.mu.la.*dor*) [ô] *a.* **1** Que formula (químico formulador) **2** Que origina ou cria alguma coisa; AUTOR, INVENTOR: *Era um artista formulador de personagens.* **3** Que expressa ideias, pensamentos *sm.* **4** Aquele que formula **5** Indivíduo criativo, que produz algo **6** Pessoa que expressa opiniões, orientações: *A imprensa divulgou o nome do formulador das ideias do governo.* **7** Agente que atua no mercado nacional importando gasolina A e diesel para formulação e processamento de acordo com as especificações da ANP [F.: *formular + -dor.*]

formular (for.mu.*lar*) *v.* **1** Conceber e exprimir (ideia, pensamento, conceito etc.) [*td.*: *formular teorias.*] **2** Dar a conhecer; expor claramente; manifestar com precisão; ARTICULAR; EXPRIMIR [*td.*: *formular um protesto; Não perguntam porque não conseguem formular as dúvidas.*] **3** *Med.* Indicar (remédio, fórmula) segundo os preceitos da medicina; AVIAR; PRESCREVER [*td.*] **4** Pôr em fórmula; redigir ou apresentar com precisão de fórmula [*td.*: *Depois de minucioso exame, o médico formulou seu diagnóstico.*] [▶ 1 formular] [F.: *fórmula + -ar*[2]. Hom./Par.: *formula(s)* (fl.), *fórmula(s)* (sf.[pl.]); *formuláveis* (fl.), *formuláveis* (pl. de *formulável*); *formular, formolar* (v.).]

formulário (for.mu.*lá*.ri:o) *sm.* **1** Conjunto de fórmulas **2** Modelo impresso ou digital (formulário eletrônico) que segue um padrão, e no qual são escritas as informações necessárias para fazer pedidos ou declarações, sendo utilizado em repartições, empresas, firmas etc.: *Preencheu um formulário para candidatar-se ao emprego.* **3** *Inf.* Tipo de papel utilizado em impressoras matriciais e que consiste em folhas ligadas umas às outras e destacáveis por meio de picote, providas na lateral de remalina que facilita a alimentação da impressora [F.: Do lat. *formularius, i.*] ▪ **~ contínuo** *Inf.* Papel us. em certo tipo de impressoras (esp. as matriciais), na forma de tira contínua formada por folhas separadas por picotes e com fendas laterais que servem como cremalheira para o transporte, o que permite a impressão contínua das folhas

fornada (for.*na*.da) *sf.* **1** Conjunto de coisas (pães, biscoitos, tijolos etc.) assadas de uma só vez em um forno: *A que horas sai a próxima fornada da padaria da esquina?* **2** *Fig. Pop.* Porção de quaisquer coisas feitas ou lançadas de uma só vez: *Meu livro sairá na próxima fornada da coleção.* **3** *P.ext.* Grupo de alunos que se formam ao mesmo tempo em um estabelecimento de ensino (fornada de bacharéis) **4** *P.ext.* Grupo de pessoas nomeadas ao mesmo tempo para exercer cargos [F.: *forno + -ada*[1].]

fornalha (for.*na*.lha) *sf.* **1** Forno de grande tamanho **2** Parte de máquina ou utensílio onde se queima o combustível necessário para o funcionamento do mecanismo: *fornalha da locomotiva.* **3** Local onde arde o fogo intensamente: *Uma fogueira mal apagada, e logo a mata virou fornalha.* **4** *Fig.* Local muito quente: *A sala de aula estava uma fornalha.* **5** *Fig.* Calor muito forte, intenso [F.: Do lat. *fornacula, ae.*]

fornecedor (for.ne.ce.*dor*) [ô] *a.* **1** Que fornece *sm.* **2** Profissional, empresa ou instituição que fornece produtos, em geral regularmente, aos clientes: *fornecedor de bebidas; fornecedor de congelados.* *sm.* **3** *N.E.* Dono de propriedade produtora de cana-de-açúcar que vende sua produção às usinas de açúcar [F.: *fornecer + -dor.*]

fornecer (for.ne.*cer*) *v.* **1** Tornar disponível; dar, oferecer; OFERECER; PROPORCIONAR [*td.*: *A biblioteca fornece os meios para encontrarmos os livros.*] [*tdi. + a, para*: *Não forneça sua senha a ninguém.*] **2** Prover (algo ou alguém, inclusive si mesmo) do necessário; abastecer(-se) [*tdr. + de*: *A cooperativa fornece os fazendeiros de adubo; Foi ao mercado fornecer-se de mantimentos para o mês.*] [*tdi. + a, para*: *A cooperativa fornece adubo aos fazendeiros.*] **3** Produzir, gerar [*td.*: *A velha usina parou de fornecer energia; A beterraba também fornece açúcar.*] **4** Prover de meios de defesa, armamentos etc.; GUARNECER; MUNIR [*tdr. + de*: *fornecer o destacamento de armas; fornecer a praça de soldados.*] [*td.*: *Um grupo estrangeiro estava fornecendo a quadrilha.*] [▶ 33 fornecer] [F.: Do rad. *forn-*, do fr. ant. *fornir + -ecer.*]

fornecido (for.ne.*ci*.do) *a.* **1** Que se forneceu; ABASTECIDO; PROVIDO: *O advogado estava fornecido das provas que absolveriam seu cliente.* **2** Que foi oferecido, distribuído, disponibilizado: *O manual de instruções foi fornecido com o equipamento.* [F.: Part. de *fornecer.*]

fornecimento (for.ne.ci.*men*.to) *sm.* **1** Ação ou resultado de fornecer(-se) **2** Provisão de alguma coisa; ABASTECIMENTO: *O caminhão que traria o fornecimento de bebidas estava atrasado.* **3** Quantidade de alguma coisa fornecida: *Instalaram um hidrômetro para medir o fornecimento de água.* [F.: *fornec(er) + -mento.*]

forneiro (for.*nei*.ro) *sm.* **1** Profissional que se encarrega do forno (e que tb. pode ser seu proprietário), controlando o ponto certo de cozimento de alimentos, tijolos, telhas etc. **2** *Zool.* O mesmo que *joão-de-barro* (*Furnarius rufus*) [F.: Do lat. tard. *furnarius, i.*]

fornicação (for.ni.ca.*ção*) *sf.* **1** *Vulg.* Ação de fornicar, relação sexual; COITO **2** *Rel.* Ato sexual pecaminoso; o pecado da carne, esp. entre adúlteros **3** *Hist.* Apostasia dos hebreus, que adoraram ídolos de outros povos **4** *Vulg.* Aborrecimento, mortificação [Pl.: *-ções.*] [F.: Do lat. *fornicatio, onis.*]

fornicador (for.ni.ca.*dor*) [ô] *a.* **1** *Vulg.* Que fornica; que tem relações sexuais com muita frequência **2** *Rel.* Que tem relações sexuais pecaminosas *sm.* **3** *Vulg.* Aquele que é dado à fornicação **4** *Rel.* Indivíduo cuja conduta sexual é repreensível [F.: *fornicar + -dor.*]

fornicar (for.ni.*car*) *v.* **1** Ter relação sexual; COPULAR; TRANSAR [*tr. + com*: *Insaciável, fornicava com que lhe aceitasse os avanços.*] [*int.*] **2** *Pop.* Importunar, mortificar, irritar [*td.*: *Deixe de fornicar o rapaz e vá procurar o que fazer.*] **3** *Lus. Vulg.* Fazer ficar ou ficar aborrecido, incomodado; ABORRECER; ATAZANAR; INCOMODAR [*td.*: *Fornicava o amigo com piadinhas e provocações.*] [*int.*: *Ele é muito irritadiço, fornica-se com qualquer provocação.*] **4** *Fig. Rel.* Cultuar deuses estranhos ao(s) de sua religião, cometer heresia [*int.*] [▶ 11 fornicar] [F.: Do lat. *fornicare*, por *fornicari.*]

fornido (for.*ni*.do) *a.* **1** Que foi abastecido (cozinha fornida, despensa fornida) **2** Que tem corpo cheio e arredondado; ROBUSTO; CORPULENTO: *Os homens assobiam para as mulheres fornidas.* **3** *P.ext.* Que, por ser encorpado, é forte e resistente [F.: Part. de *fornir.*]

fornilho (for.*ni*.lho) *sm.* **1** Forno pequeno, fogareiro **2** A parte do cachimbo onde queima o fumo **3** *Mil.* Caixote com pólvora e metralha (pregos, balas) enterrado para explodir em um momento determinado [F.: Do espn. *hornillo.*]

forno (*for*.no) [ô] *sm.* **1** Construção, feita de tijolo, pedra ou ferro que, aquecida com carvão, lenha ou outros combustíveis, armazena o calor para cozer ou assar pães, *pizzas*, tijolos, louças etc. **2** Compartimento fechado, localizado ger. na parte dianteira dos fogões, onde se produz e armazena calor necessário para assar carnes, bolos, *pizzas* etc. **3** Utensílio de cozinha composto unicamente por esse compartimento **4** Forno (1) de grandes dimensões, para uso industrial na produção de materiais ou artefatos que exijam altas temperaturas nesse processo **5** *Fig.* Lugar muito quente; FORNALHA: *A sala de aula estava um forno só.* **6** *Metal.* O mesmo que *alto-forno* **7** *Amaz. Bot.* O mesmo que *vitória-régia* [Pl.: [ó].] [F.: Do lat. *furnus, i.*] ■ **De ~ e fogão** Que sabe preparar pratos sofisticados, seja assados no forno seja cozidos no fogão **~ de arco** *Tec.* Forno aquecido por arco elétrico gerado entre dois eletrodos **~ de cuba** *Tec.* Forno em forma de uma cuba vertical na qual minério e combustível se misturam **~ de escória** *Metal.* Forno do qual se obtém chumbo de escória **~ de indução** *Tec.* Forno no qual uma bobina que o envolve é alimentada por corrente elétrica alternada, gerando o campo magnético que o aquece **~ de micro-ondas** Forno que aquece alimentos com muita rapidez, ao usar irradiação de micro-ondas de hiperfrequência [[Tb. apenas *micro-ondas*].] **~ de mufla** *Tec.* Forno aquecido por radiação térmica das paredes de uma câmara que contém o material a ser fundido **~ de resistência** *Tec.* Forno aquecido pelo efeito de uma corrente elétrica que passa por resistores imersos na carga, ou diretamente pela carga, ou por resistores nas paredes do forno **~ de revérbero** *Tec.* Forno aquecido pelos produtos da combustão do combustível **Saído do ~** *Fig.* Recém-feito, recém-produzido, recém-publicado etc.

forno-d'água (for.no-*d'á*.gua) *sm. Bras. MT Bot.* Ver *vitória-régia* [Pl.: *fornos-dágua*.]

◎ **-for(o)-** O mesmo que *-foro*

◎ **-foro** *el. comp.* = que carrega, transporta, apresenta movimento; -FORA; -FOR(O)-: *andróforo, hidróforo, sinesíforo.* [F.: Do gr. *phorós, ós, ón.*]

foro (*fo*.ro) [ó] *sm.* **1** *Hist.* Praça pública, nas antigas cidades de Roma **2** Centro de atividades, esp. de debates **3** Congresso ou reunião em que se debate um tema de estudo: *Participei do Fórum de Ciências Humanas.* [F.: Do lat. *forum, i.* Tb. *fórum.*]

foro (*fo*.ro) [ô] *sm.* **1** *Jur.* Local em que estão instalados os órgãos do Poder Judiciário, entre eles o Tribunal de Justiça; FÓRUM **2** Uso ou regalia garantida pela lei ou pelo tempo **3** Alçada, campo de competência, de jurisdição (foro eclesiástico) **4** Extensão territorial sob a responsabilidade de um juízo **5** Quantia que o foreiro ou enfiteuta deve pagar ao proprietário de um imóvel pelo domínio útil do mesmo [F.: De *foro*, com mudança de timbre.] ■ **~ especial** *Jur.* Foro no qual são processados e julgados altos funcionários públicos, militares de alta patente, magistrados etc. acusados de delito ou crime exercício da função **~ íntimo** Autojulgamento, de acordo com a própria consciência e os próprios critérios

forqueta (for.*que*.ta) [ê] *sf.* **1** Galho de árvore que tem a extremidade em forma de "V" **2** Pau com a ponta bifurcada; FORQUILHA **3** *Náut.* Peça em forma de forquilha que se coloca na borda das embarcações e onde se move o remo, na remada; TOLETE **4** Ponto de confluência de dois rios, formando ângulo agudo [F.: *forca* (-c- > -qu-) + *-eta.*]

forquilha (for.*qui*.lha) *sf.* **1** Pedaço de pau que se abre em dois ramos assumindo a forma da letra Y **2** Este pau, quando us. na feitura de um estilingue, ou atiradeira; o estilingue **3** Forcado de três pontas agudas com que se remexe a palha e o mato em estabelecimentos agrícolas; GARFO **4** Objeto com a forma da letra Y **5** Estaca em formato de Y com que se ampara os ramos de uma árvore **6** Vara com a ponta em formato de Y usada para apoiar o andor nas procissões **7** Gancho em forma de Y para pendurar qualquer coisa **8** *Zool.* Verme nematódeo (*Syngamus trachea*) que parasita a traqueia de certas aves **9** *Bras.* Pinça formada pelos dedos médio e indicador de que o punguista se serve para furtar objetos no bolso ou na bolsa de suas vítimas **10** *RS* Marca que se faz na orelha do gado com um corte em ângulo agudo **11** *Amaz.* Vara com a ponta bifurcada que serve para impelir a canoa tomando como ponto de apoio as margens do rio **12** *Bot.* Planta gramínea (*Paspallum papillosum*) **13** *Pop. Fut.* Cada ângulo formado pelo travessão e uma das traves, e o espaço a ele adjacente no gol: *Que belo gol, bem na forquilha!* [F.: Do cast. *horquilla*.] ■ **Dar uma ~ em** *Bras. Gír.* Assaltar (alguém) para roubar (dinheiro) [Gír. de ladrões.] **Trabalhar na ~** Ser punguista [[Gír. de ladrões].]

forra (*for*.ra) [ó] *sf. Bras. Pop.* Ação feita com o propósito de obter algum tipo de compensação material ou psicológica de alguma agressão ou ofensa sofrida; DESFORRA; VINGANÇA: *Foi à forra de tudo que lhe haviam feito.* [F.: Fem. substv. de *forro*.] ■ **Ir à ~** *Bras.* Vingar-se, desforrar-se

forração (for.ra.*ção*) *sf.* **1** Ação ou resultado de forrar, de revestir com tecido alguma coisa **2** O tecido us. para forrar algo, ger. móveis estofados (cadeiras, sofás etc.) [Pl.: *-ções.*] [F.: *forra(r)* + *-ção.*]

forrado (for.*ra*.do) *a.* **1** Que tem forro (vestido forrado) **2** *Gír.* Que está repleto, cheio (estômago forrado) **3** *Gír.* Que está com dinheiro: *Hoje recebi meu pagamento e estou forrado.* **4** Que está todo coberto [+ *de*: *chão coberto de folhas de outono.*] [F.: Part. de *forrar*.]

forrageamento (for.ra.ge:a.*men*.to) *sm. Ecol.* Ação ou resultado de forragear; FORRAGEIO [F.: *forragear* + *-mento.*]

forragear (for.ra.ge.*ar*) *v.* **1** Colher, cortar, ceifar forragem (de, em) [*int.* / *td.*: *Os vaqueiros saíram cedo para forragear (o campo perto do rio).*] **2** Cevar ou alimentar (animal) com forragem [*td.*] **3** *Fig.* Procurar, remexendo e destruindo [*td.*: *O ladrão forrageou as gavetas em busca de joias.*] **4** *Fig.* Recolher (ideias, citações, opiniões etc.) em textos alheios; compilando em proveito próprio; RESPIGAR [*td.*: *forragear citações.*] [*ta.*: *forragear na dissertação dos alunos.*] **5** Destroçar, devastar, assolar (esp. região inimiga) [*td.*] [F.: *forragem* + *-ear*[2].]

forrageiro (for.ra.*gei*.ro) *a.* **1** Ref. a forragem **2** Que pode ser us. como forragem (planta forrageira) *sm.* **3** Pessoa que corta e colhe a forragem [F.: *forragem* + *-eiro.*]

forragem (for.*ra*.gem) *sf.* **1** Planta, grão, feno etc. us. na alimentação do gado **2** *Mil.* Provimento do necessário para a sustentação de gado empregado no serviço do exército **3** Quantia que se abona aos militares e outros funcionários do exército para o sustento dos cavalos que lhes pertencem [Pl.: *-gens.*] [F.: Do fr. *fourrage.*]

forra (*for*.ra) [ô] *sf.* **1** Chumaço ou entretela us. para reforçar parte de peça de roupa **2** *Bras. Cons.* Peça de mármore, granito, pedra etc. us. para revestimento de uma construção **3** *Cons.* O revestimento assim feito **4** Pedaço de madeira empregado para preencher um espaço de uma certa espessura **5** *Mar.* Pedaço de lona us. para proteger as velas do navio *a.* **6** Diz-se da ovelha que não está prenhe [F.: Dev. de *forrar.*]

forrar[1] (for.*rar*) *v.* **1** Tornar forro; conceder alforria, liberdade; livrar (de); ALFORRIAR; REDIMIR; RESGATAR [*td.*: *Forrou todos os seus escravos.*] [*tdr.* + *de*: *Forrou dois escravos de seu dono.*] **2** Livrar (algo ou alguém, inclusive si mesmo) (de algo mau); poupar, evitar (algo mau) a alguém (inclusive si mesmo); REVESTIR [*tdr.* + *a*: *Protegeu o amigo, forrando-o a muitos aborrecimentos.*] [*tdi.* + *a*: *Forrou ao amigo muitos aborrecimentos.*] **3** Não deixar acontecer, causar impedimento a; IMPEDIR [*td.*: *Queria forrar aquelas formas de crueldade.*] **4** Ir à forra; DESFORRAR-SE [*int.*: *Cultivou aquela mágoa até forrar-se.*] [*tr.* + *de*: *Finalmente forrou-se de todo o mal que lhe fizeram.*] [▶ 1 forrar] [F.: *forro*[2] + *-ar*[2]. Hom./Par.: *forro* (fl.)/ *forro* /ô / (a. sm.).]

forrar[2] (for.*rar*) *v.* **1** Revestir algo (interna ou externamente) com algum material que serve de forro, para proteger, reforçar, arrematar, enfeitar etc. [*td.*: *Forrou o sofá para proteger o tecido.*] **2** *Pop.* Cobrir a superfície de [*td.*: *Ela prefere forrar as paredes com uma cor suave.*] **3** Ficar coberto de [*tr.* + *de*: *O caminho forrou-se de folhas secas.*] **4** *Fig. Pop.* Ganhar considerável soma de dinheiro [*int.*: *Forrou-se trabalhando na Bolsa.*] [*tr.* + *de*: *Trabalhou muito, mas forrou-se de grana.*] **5** Agasalhar-se [*int.*] [▶ 1 forrar] [F.: Do espn. *forrar* ou *forro*[1] + *-ar*[2].]

forreta (for.*re*.ta) [ê] *s2g. Pop.* Indivíduo que só pensa em poupar dinheiro; SOVINA; AVARENTO: *Tio Patinhas é o forreta mais famoso do mundo.* [F.: *forrar* + *-eta.*]

forro[1] (*for*.ro) [ô] *sm.* **1** Tecido ou enchimento (p. ex. palha) que reveste interna ou externamente peças de vestuário ou mobiliário (forro do paletó, forro do sofá) **2** Revestimento interno do teto de uma construção **3** Qualquer forma de revestimento de parede, casa, edifício etc. **4** *Náut.* Revestimento do fundo do navio pela parte de fora até ao costado [Pl.: *ô ou* [ó].] [F.: Do fr. antigo *feurre*, de or. germânica. Cf.: *forro*, do v. *forrar.*] ■ **~ de macho e fêmea** Forro (revestimento de parede, teto etc.) no qual as peças se encaixam umas nas outras **~ de saia e camisa** Forro (revestimento de parede, teto etc.) em tábuas espaçadas deixam lacunas, cobertas por tábuas que se pregam sobre as bordas das primeiras

forro[2] (*for*.ro) [ô] *a.* **1** Liberto da escravidão (negros forros); ALFORRIADO **2** Isento de algo, livre, desobrigado: *forro de um compromisso.* **3** *Jur.* Que não paga foro ou pensão **4** Que é natural das ilhas de São Tomé e Príncipe **5** Ref. à língua falada pelos habitantes de São Tomé e Príncipe [Pl.: *ô ou* [ó].] *sm.* **6** Habitante de São Tomé e Príncipe **7** Língua falada em São Tomé e Príncipe [F.: Do ár. *hurr.*]

forró (for.*ró*) *sm.* **1** Baile popular com músicas típicas nordestinas, em que se dança aos pares; ARRASTA-PÉ **2** Essa música típica nordestina **3** *P.ext.* Festa animada: *Hoje vai ter o maior forró lá em casa.* [F.: Red. de *forrobodó.*]

forrobodó (for.ro.bo.*dó*) *Bras. Pop. sm.* **1** Baile popular; ARRASTA-PÉ **2** Confusão ou desordem envolvendo muitas pessoas: *O jogo acabou no maior forrobodó.* **3** Farra [F.: Vocábulo de or. expressiva.]

forrozear (for.ro.ze.*ar*) *v. int. Restr.* Dançar o forró, forrozar [▶ 13 forrozear] [F.: *forro* + *-zear.*]

forrozeiro (for.ro.*zei*.ro) [ô] *sm.* Aquele que gosta de dançar forró ou frequentar espaços onde esse tipo de música é apreciado: *Era considerado o maior forrozeiro da região.* [F.: *forró* + *-z-* + *-eiro.*]

fortalecedor (for.ta.le.ce.*dor*) [ô] *a.* **1** Que fortalece, que repara as forças (sono fortalecedor) *sm.* **2** Aquele ou aquilo que repõe as energias, a força: *Os violonistas devem usar um fortalecedor de unhas.* [F.: *fortalecer* + *-dor.*]

fortalecer (for.ta.le.*cer*) *v.* **1** Tornar ou ficar (algo ou alguém, inclusive si mesmo) forte ou mais forte, mais sólido ou mais resistente [*td.*: *Fará exercícios que fortaleçam seus músculos; A obra fortaleceu as paredes da casa.*] [*int.*: *Nossa amizade se fortalecia com o tempo.*] **2** *Fig.* Dar ânimo a, dar encorajamento a, estimular [*td.*: *A fé fortalece o homem; Estava inseguro, mas a conversa com o técnico o fortaleceu.*] **3** Tornar ou ficar mais firme, resistente, defensável [*td.*: *Essas medidas fortaleceram a fronteira.*] [*int.*: *O país se fortaleceu.*] **4** Robustecer(-se) física ou moralmente [*td.*: *A nova alimentação fortaleceu as crianças; Suas palavras nos fortaleceram.*] [*int.*: *Com o tempo, seu caráter fortaleceu-se.*] **5** Guarnecer com tropas e meios de defesa (praça de guerra, cidade etc.) [*td.*] **6** Tornar(-se) (ideia, situação, pretensão etc.) mais poderoso, viável, aceito [*td.*: *As declarações do senador fortaleceram sua candidatura à Presidência.*] [*int.*: *O prestígio da diretora se fortaleceu.*] [▶ 33 fortalecer] [F.: *fortaleza* + *-ecer.*]

fortalecido (for.ta.le.*ci*.do) *a.* Que se fortaleceu, que teve as suas forças (físicas ou morais) renovadas; REVIGORADO: *A série de exercícios tornaram-no um atleta fortalecido; Havendo justiça, o país sairá fortalecido.* [F.: Part. de *fortalecer.*]

fortalecimento (for.ta.le.ci.*men*.to) *sm.* **1** Ação ou resultado de fortalecer [Ant.: *enfraquecimento.*] **2** Revigoramento, fortificação física ou moral (fortalecimento dos músculos; fortalecimento do poder) [Ant.: *enfraquecimento.*] **3** Ação de proteger ou fortificar determinada região; FORTIFICAÇÃO: *O fortalecimento das fronteiras poderá diminuir o tráfico indiscriminado.* [F.: *fortalecer(-e- > -i-)* + *-mento.*]

fortaleza (for.ta.*le*.za) [ê] *sf.* **1** Qualidade de quem é forte: *a fortaleza do lutador.* **2** *Mil.* Construção fortificada para a defesa de uma cidade, uma região etc.; FORTE; FORTIFICAÇÃO **3** *Fig.* Força moral: *Sua fortaleza transparecia no olhar.* **4** Estado ou condição daquilo que é sólido, consistente: *a fortaleza de seus ideais.* **5** *Bras. Inf.* Casa bem defendida onde criminosos se escondem e realizam atividades ilícitas: *A polícia invadiu a fortaleza de um conhecido bicheiro.* **6** *Bot.* Planta da família das urticáceas (*Pellionia daveauana*) cujas flores ainda em botão abrem-se com ímpeto ao serem tocadas, liberando uma nuvem de pólen **7** *Fil.* Na Ética, uma das quatro virtudes cardeais (prudência, justiça, fortaleza e temperança) [F.: Do lat. *fortis* 'forte', pelo fr. ant. *forteresse*, ou do prov. *fortaleza.*]

forte (*for*.te) *a2g.* **1** Que tem força, física ou moral; que tem vigor; VIGOROSO: *Que vença o mais forte.* [Ant.: *fraco, frágil.*] **2** Que é robusto, cheio de corpo; de corpo ou músculos bem desenvolvido(s); CORPULENTO; MUSCULOSO: *O garoto estava crescido, forte.* [Ant.: *franzino, magro, raquítico.*] **3** *Fig. P.ext.* De corpo um tanto avantajado; GORDO; RECHONCHUDO: *Ele tem uma namorada forte, mas elegante.* [Ant.: *esbelto, esguio, magro.*] **4** *Fig.* Resistente (dentes fortes) [Ant.: *frágil, quebradiço.*] **5** Que é feito de material resistente, sólido, que não estraga ou quebra facilmente (mesa forte; cadeira forte; arame forte); COMPACTO; FIRME; MACIÇO [Ant.: *frágil.*] **6** Que revela calor, afeição ou força (um forte aperto de mão); AFETUOSO; CALOROSO; ENTUSIASMADO [Ant.: *fraco, frio, seco.*] **7** Que tem ou revela aptidão, vocação ou talento para algo em especial ou que tem grande conhecimento em determinada matéria, tema etc.; AFIADO; CONHECEDOR; PERITO: *Ele é forte em matemática.* [Ant.: *amador, aprendiz, inexperiente.*] **8** Que tem valor, qualidade (esp. moral); ENÉRGICO; VALENTE; VALOROSO: *Homem de espírito forte.* [Ant.: *fraco, pusilânime.*] **9** Que se impõe pela lógica; que deve ser considerado ou aceito por seu fundamento lógico, racional; CONVINCENTE; INCISIVO: *Ele apresentou um argumento forte.* [Ant.: *discutível, frágil, improcedente.*] **10** Que é intenso; que se evidencia pela intensidade de seu elemento característico ou pela intensidade com que se manifesta (sol forte; vento forte; dor forte); AGUDO; ENÉRGICO; VIOLENTO [Ant.: *ameno, fraco, suave.*] **11** Valente, ousado, corajoso: *Missões perigosas precisam de homens fortes.* [Ant.: *covarde, fraco.*] **12** Que possui bases sólidas (empresa forte; governo forte); ESTÁVEL; FIRME [Ant.: *frágil, instável.*] **13** Que tem consistência, peso, densidade; CARREGADO; IMPRESSIONANTE: *O filme tem uma história forte.* [Ant.: *leve, ligeiro.*] **14** Diz-se de obra que trata de temas adultos com maturidade (livro forte; novela forte); PESADO [Ant.: *leve.*] **15** *P.ext.* Obsceno, imoral (piada forte) [Ant.: *casto, decente, puro.*] **16** Que tem boas possibilidades de sucesso (candidatura forte); PROMISSOR [Ant.: *fraco.*] **17** De cheiro ou sabor marcante (perfume forte; tempero forte) [Ant.: *fraco, leve, suave.*] **18** De alto teor alcoólico (bebida forte); EMBRIAGANTE; INEBRIANTE [Ant.: *fraco, leve, suave.*] **19** Financeiramente sólido (economia forte; moeda forte); ESTÁVEL; FIRME [Ant.: *fluido, instável.*] **20** Diz-se da bebida concentrada, não diluída, em que a substância principal aparece em doses elevadas (café forte; limonada forte; suco forte); CONCENTRADO; DENSO; ESPESSO [Ant.: *fraco, ralo.*] **21** Diz-se de toda porção de água que é abundante e se movimenta com rapidez (chuva forte; correnteza forte); CAUDALOSO; TURBULENTO; VIOLENTO [Ant.: *fraco, ralo.*] **22** Que é enérgico e incisivo em sua apresentação (admoestação forte, crítica forte); ÁSPERO; MORDAZ; VIOLENTO [Ant.: *brando, delicado, suave.*] **23** Diz-se de cor intensa, vibrante (vermelho forte); BERRANTE; VISTOSO; VÍVIDO [Ant.: *apagado, desbotado, pálido, suave.*] **24** Que tem volume alto (som forte); ALTO; ESTRIDENTE; GRITANTE [Ant.: *abafado, baixo, suave.*] **25** Diz-se de mar revolto; AGITADO; TURBULENTO; VIOLENTO [Ant.: *bonançoso, calmo, manso.*] **26** Que denota firmeza, equilíbrio, durabilidade; DURADOURO; FIRME; INTENSO: *O amor do casal era muito forte.* [Ant.: *efêmero, inseguro, instável.*] **27** Diz-se de lente ou grau de lente que com grande poder de refração, que permite a visão clara de pequenos objetos, textos de letras miúdas etc. [Ant.: *fraco.*] *sm.* **28** Construção fortificada para defender cidade, região etc.; BASTIÃO; CIDADELA; FORTALEZA; FORTIFICAÇÃO: *Os índios atacaram o forte.* **29** Aquilo em que alguém é muito bom ou aquilo pelo que alguém revela grande apreço; ÁREA; DOMÍNIO; ESPECIALIDADE: *O seu forte é filosofia.* **30** *Mús.* Trecho de composição musical em que o som é mais intenso **31** Pessoa que tem poder ou força: *Proteger os fracos dos fortes.* ***s2g.*** **32** Pessoa forte, corajosa, valente: *Só os fortes ficaram na linha de frente.* ***adv.*** **33** Com força, com intensidade; FORTEMENTE; INTENSAMENTE; VIGOROSAMENTE: *Saiu nervoso e bateu forte a porta; choveu forte de madrugada.* [Ant.: *fracamente, suavemente.*] [F.: Do lat. *fortis, e.*]

fortidão (for.ti.*dão*) ***sf.*** **1** Característica do que é forte, do que tem força **2** Qualidade do que é resistente, que tem durabilidade: *Era visível a fortidão daquele tecido.* **3** Qualidade que alguns líquidos têm de produzir impressão viva no paladar: *A fortidão do vinho causou-lhe boa impressão.* **4** A solidez de um corpo **5** *Fig.* Tenacidade de espírito, rispidez, aspereza: *Era um simples artista com uma fortidão de gênio.* [Pl.: *-dões.*] [F.: Do lat. *fortitudine.*]

fortificação (for.ti.fi.ca.*ção*) ***sf.*** **1** Ação ou resultado de fortificar(-se) **2** Construção fortificada que defende cidade, região etc.; FORTE; FORTALEZA **3** Parte da arte militar referente ao projeto, traçado, construção, defesa e ataque de praças de guerra e demais pontos fortificados [Pl.: *-ções.*] [F.: Do lat. tard. *fortificatio, onis.*]

fortificante (for.ti.fi.*can*.te) ***a2g.*** **1** Que fortifica **2** Que dá força ou vigor a; que repara as forças (bebida fortificante, sono fortificante, leitura fortificante) ***sm.*** **3** *Farm.* Medicamento empregado para restaurar as forças [F.: Do lat. tard. *fortificans, antis.*]

fortificar (for.ti.fi.*car*) ***v.*** **1** Tornar(-se) forte; fortalecer(-se) [***td.***: *Os exercícios fortificam os músculos.*] [***int.***: *O organismo das crianças fortificou-se com a nova alimentação.*] **2** Tornar mais sólido, mais resistente; REFORÇAR [***td.***: *Adicionou mais cimento para fortificar o alicerce da casa.*] **3** Estabelecer meios de defesa para (alguém, algo ou si mesmo) [***td.***: *Fortificou a tropa com armas mais modernas.*] [***int.***: *Com o circuito interno de TV, a segurança do prédio fortificou-se.*] **4** Confirmar, corroborar, ratificar [***td.***: *Estes fatos fortificam a teoria do cientista político.*] [▶ **11** fortifi**car**] [F.: Do lat. tard. *fortificare.*]

fortim (for.*tim*) ***sm.*** Fortificação de pequeno porte [Pl.: *-tins.*] [F.: Do it. *fortino.*]

⊕ **Fortran** (*Ing. /fortran/*) ***sm.*** *Inf.* Linguagem de programação, desenvolvida pela IBM em 1954, para aplicações numéricas, científicas e técnicas, que permite a decodificação de fórmulas proporcionando a solução de problemas de alta complexidade [F.: Acrônimo da expressão inglesa FORmula TRANslation.]

fortuidade (for.tu:i.*da*.de) ***sf.*** Qualidade do que é fortuito, acidental, eventual, imprevisto, ocasional; FORTUITIDADE: "No caso, não se configura a fortuidade no acidente causado ao passageiro pelo arremesso de pedra por terceiro do lado de fora do trem, visto que a ré tinha ciência dos frequentes apedrejamentos." (Min. Sálvio de Figueiredo, *Ministério Público de Contas do Distrito Federal* – 14.09.1999) [F.: *fortui(to)* + *-(i)dade.* Seguindo a mesma formação de *gratuito > gratuidade.*]

fortuitamente (for.tui.ta.*men*.te) ***adv.*** De modo fortuito, por acaso: *Joias valiosas foram encontradas fortuitamente sob um banco da praça.* [F.: *fortuito* + *-mente.*]

fortuitidade (for.tui.ti.*da*.de) ***sf.*** Qualidade de fortuito, imprevisto, casual; IMPREVISIBILIDADE: "...teremos um Fabrício quase pícaro, vivendo na Itália uma série de aventuras em que ele, o autor e o leitor se comprazem, as quais terminam delineando um trajeto, uma história, mas com muita fragilidade e fortuidade." (*Folha de S.Paulo*, 11.09.1994) [Ant.: *previsibilidade.*] [F.: *fortuit(o)* + *-i-* + *-dade.*]

fortuito (for.*tui*.to) ***a.*** Que acontece sem ter sido planejado, por acaso (encontro fortuito); EVENTUAL; IMPREVISTO; CASUAL [F.: Do lat. *fortuitus.*]

fortuna (for.*tu*.na) ***sf.*** **1** *Bras.* Acúmulo de bens, de riqueza: *Amealhou grande fortuna ao longo da vida.* **2** Evento, condição ou situação que produz felicidade: *Teve a fortuna de ver os filhos regressarem ilesos da guerra.* **3** Pretensa força ou poder que determinaria o curso dos acontecimentos em uma vida; DESTINO; SINA; SORTE: *A fortuna não quis que eu fosse feliz.* **4** Ocorrência de algo sem a intervenção de nenhum sujeito consciente que busque através dele a consecução de algum objetivo; ACASO: *Alcançou o que queria por mera fortuna.* **5** Destino reservado a alguém ou a algo: *Não sei qual será a fortuna desse romance.* **6** *Mit.* Divindade cega, caprichosa na repartição dos dons entre os mortais, e que presidia a todos os fatos da vida humana [F.: Do lat. *fortuna, ae.*] ■ **De ~** Que é feito (objeto, artefato, engenho etc.) às pressas, urgentemente, sem muito cuidado ou apuro **Fazer ~** Acumular bens, dinheiro etc.; enriquecer **~ crítica** *Liter.* O acervo de críticas sobre obra publicada **~ do mar** *Com.* Acontecimento ou circunstância (acidente, tempestade etc.) de que resulta dano ou perda total de navio e/ou sua carga

fórum (*fó*.rum) ***sm.*** Ver *foro* [Pl.: *-runs.*] [F.: Do lat. *forum.*]

◎ **fos-** ***el. comp.*** = 'luz, o que ilumina': *fosfato, fosforação, fosfóreo, fosforecer, fosfina etc.* [Ver tb. *fot(o)-* e *fosf(or)-*.]

foscar (fos.*car*) ***v. td.*** Tornar fosco [▶ **11** fos**car**] [F.: *fosco* + *-ar*[2]. Hom./Par.: *fosca* (fl.), *fosca* [ô] (fem. de *fosco* [a.]); *fosco* (fl.), *fosco* [ô] (a.).]

fosco (*fos*.co) [ô] ***a.*** **1** Que não tem brilho (ouro fosco); BAÇO; EMBAÇADO **2** Que recebeu tratamento para não brilhar, ou que não recebeu tratamento para brilhar (verniz fosco) **3** Que não tem transparência total (vidro, ou qualquer material comumente transparente) (vidro fosco); OPACO; TRANSLÚCIDO **4** *Fig.* Que não prima pela coragem; FRACO; PUSILÂNIME [F.: Do lat. *fuscus, a, um.*]

fosfatado (fos.fa.*ta*.do) *Quím.* ***a.*** **1** Que se acha em estado de fosfato **2** Que tem fosfato (substância fosfatada) **3** Tratado com fosfato [F.: Part. de *fosfatar.*]

fosfatar (fos.fa.*tar*) ***v. td.*** **1** Colocar fosfato em: *Fosfatar uma substância.* **2** Adubar, fertilizar com fosfato: *Fosfatou a área de plantio.* [▶ **1** fosfat**ar**] [F.: *fosfato* + *-ar*[2]. Hom./Par.: *fosfato* (fl.), *fosfato* (sm.).]

fosfatase (fos.fa.*ta*.se) ***sf.*** *Bioq.* Enzima, encontrada esp. nos ossos, que atua sobre os fosfatos orgânicos, liberando, por hidrólise desses fosfatos, os fosfatos anorgânicos insolúveis, sendo de fundamental importância na calcificação ou descalcificação do esqueleto [F.: *fosfato* + *-ase.*]

fosfátase (fos.*fá*.ta.se) ***sf.*** *Bioq.* Enzima catalisadora da hidrólise de ésteres do ácido fosfórico [Usa-se também a forma *fosfatase.*] [F.: *fosfato* + *-ase.*]

fosfático (fos.*fá*.ti.co) *Quím.* ***a.*** **1** Relativo a fosfato **2** Formado de fosfato [F.: *fosfato* + *-ico*[2].]

fosfato (fos.*fa*.to) ***sm.*** *Quím.* Nome genérico dos sais ou ésteres do ácido fosfórico [F.: Do fr. *phosphat.*]

fosfatúria (fos.fa.*tú*.ri:a) ***sf.*** **1** *Med.* Alto teor de fosfatos na urina **2** Eliminação abundante de fosfatos pela urina [F.: Do lat. cient. *Phosphaturia.*]

fosfênio (fos.*fê*.ni:o) ***sm.*** *Med.* Ver *fosfeno* [F.: *fosf(a)-* + *-ênio.*]

fosfeno (fos.*fe*.no) ***sm.*** *Med.* Impressão luminosa que resulta da compressão do olho, estando as pálpebras cerradas; FOSFÊNIO [F.: *fosf(a)-* + *-eno.*]

fosfeto (fos.*fe*.to) [ê] ***sm.*** *Quím.* Fosforeto de hidrogênio [F.: *fosf(a)-* + *-eto.*]

◎ **fosf(o/or/oro)-** ***el. comp.*** = que dá luz, brilho, luminosidade: *fosforescência, fósforo.*

fosfolípase (fos.fo. *li*.pa.se) ***sf.*** *Bioq.* Num grupo de enzimas, cada uma capaz de catalisar a hidrólise de um fosfolipídio [F.: *fosf(o)-* + *-lípase.*]

fosfolipídio (fos.fo.li.*pí*.di:o) ***sm.*** *Bioq.* Lipídio que tem em sua composição grupamento(s) de fosfato [F.: *fosf(o)-* + *-lipídio.*]

fosforado (fos.fo.*ra*.do) ***a.*** *Quím.* Composto ou misturado com fósforo (medicamento fosforado) [F.: Part. de *fosforar.*]

fosforar (fos.fo.*rar*) ***v. td.*** Combinar com fósforo [▶ **1** fosfor**ar**] [F.: *fósforo* + *-ar*. Hom./Par.: *fosforo* (fl.), *fósforo* (sm.).]

fosforejar (fos.fo.re.*jar*) ***v. int.*** Luzir como a chama do fósforo; FOSFOREAR [▶ **1** fosforej**ar**] [F.: *fósforo* + *-ejar.*]

fosfóreo (fos.*fó*.re:o) ***a.*** *Quím.* Que tem fósforo [F.: *fósforo* + *-eo.*]

fosforescência (fos.fo.res.*cên*.ci:a) ***sf.*** **1** Propriedade de certos corpos ou substâncias de emitir luminescência, de brilhar no escuro sem se aquecer **2** Tipo de luminescência (emissão de luz sem emissão de calor) que não se extingue por um certo intervalo de tempo após a remoção da fonte que a gerava **3** Propriedade que certos organismos possuem de emitir luz na escuridão sem produzir calor adicional **4** Luminosidade apresentada, por vezes, pelas águas do mar agitadas por ação dos ventos ou pela proa de embarcações devido à presença de certos animais microscópicos **5** Qualquer luminosidade; BRILHO; CLARÃO [F.: Do fr. *phosphorescence.* Cf.: *fluorescência.*]

fosforescente (fos.fo.res.*cen*.te) ***a2g.*** **1** Que apresenta fosforescência **2** Que brilha na obscuridade sem irradiar calor [F.: Do fr. *phosphorescent.*]

fosforescer (fos.fo.res.*cer*) ***v. int.*** Emitir luminosidade ou brilho fosforescente: *A fantasia fosforescia.* [▶ **33** fosfores**cer**] [F.: *fósforo* + *-escer.*]

◎ **-fosfori** = Ver *fosf(o/or/oro)-*

◎ **fosfori-** Ver *fosf(o/or/oro)-*

fosfórico (fos.*fó*.ri.co) ***a.*** **1** *Quím.* Ref. a fósforo, elemento químico (energia fosfórica) **2** Que contêm fósforo (ácido fosfórico) **3** Que brilha como fósforo em combustão [F.: *fosfor(o)* + *-ico*[2].]

fosforilar (fos.fo.ri.*lar*) ***v. td.*** *Quím.* Fazer transformar-se (substância orgânica) em éster ou anidrido do ácido fosfórico [▶ **1** fosforil**ar**] [F.: *fosforila* + *-ar*[2]. Hom./Par.: *fosforila(s)* (fl.), *fosforila(s)* (sf.[pl.]).]

fosforismo (fos.fo.*ris*.mo) ***sm.*** *Med.* Intoxicação pelo fósforo [F.: *fosf(or)-* + *-ismo.*]

fosforita (fos.fo.*ri*.ta) ***sf.*** **1** *Min.* Tipo de rocha que normalmente contém níveis elevados de elementos radioativos como urânio, rádio e radônio, além de metais pesados **2** Fosfato de ferro natural [F.: *fósforo* + *-ita.*]

fosforito (fos.fo.*ri*.to) *Min.* ***sm.*** **1** *MG* Ver *apatita* **2** Qualquer tipo de fosfato de ferro natural [F.: *fósforo* + *-ito.*]

fósforo (*fós*.fo.ro) ***sm.*** **1** *Quím.* Elemento não metálico, de número atômico 15, cujo símbolo químico é P e que brilha no escuro e arde em contato com o ar [Símb.: P.] **2** Palito com cabeça feita dessa substância, que produz fogo ao entrar em atrito com superfície áspera: *Você tem fósforo para acender a vela?* **3** *Bras. Pop.* Eleitor que vota com título falso **4** *Pop.* Pessoa a quem não se dá nenhum valor ou nenhuma importância **5** *SP Pop.* Indivíduo que entra em uma recepção ou solenidade sem ter sido convidado; PENETRA; INTRUSO **6** *Bras. Pop.* Pessoa fosfórica, ignorante; SUPERFICIAL ***a.*** **7** Que diz respeito à pessoa fosfórica, ignorante, superficial [F.: Do lat. *phosphorus, i*, deriv. do gr. *phosphóros, on.*] ■ **~ branco** *Quím.* Forma venenosa do fósforo, espontaneamente inflamável quando em contato com o ar, devendo por isso ser mantida imersa em água **~ vermelho** *Quím.* Forma comum do fósforo, derivada do fósforo branco quando submetido à luz

fosforoso (fos.fo.*ro*.so) [ô] ***a.*** **1** Que tem fósforo; FOSFÓREO; FOSFÓRICO **2** Diz-se de ácido formado pela combustão lenta do fósforo (ácido fosforoso) ***sm.*** **3** *Quím.* Esse ácido (H3PO3) [Pl.: [ó]. Fem.: ó] [F.: *fósforo* + *-oso.*]

fosquinha (fos.*qui*.nha) ***sf.*** **1** Ação de aparecer e desaparecer repentinamente: *Uma fosquinha aqui, outra ali, ia brincando com a garotada.* **2** Ação de disfarçar, dissimular; FOSCA: *Habituado a fosquinhas, ninguém lhe dava crédito.* **3** Careta, gesto, momice: *Olhou fixamente para ele, fez uma fosquinha de reprovação e retirou-se.* **4** Pequena indireta, provocação, deboche, ofensa: *Um flamenguista outro vascaíno, viviam de fosquinhas recíprocas.* **5** Boato, disse me disse, fofoca, intriga, mexerico: *Adorava fazer fosquinha com as vizinhas.* [F.: *fosca* [ô] *(-c- > -qu-)* + *-inha.*]

fossa (*fos*.sa) ***sf.*** **1** Cavidade aberta no solo, mais ou menos ampla e profunda **2** Buraco aberto no solo, onde se despejam detritos, excrementos etc., e que é encontrado em habitações destituídas de rede de esgoto **3** *Anat.* Depressão ou área oca no corpo (fossas nasais) **4** *Geog.* Depressão na crosta da terra, seja em área terrestre, seja submarina **5** *Astron.* Depressão na superfície de um planeta, de um satélite etc. **6** *Bras. Gír.* Estado de ânimo em que a pessoa se sente triste e sem disposição para nada; ABATIMENTO; DEPRESSÃO: *Perdeu o namorado e ficou na maior fossa.* [Dim.: *fosseta.*] [F.: Do lat. *fossa.*] ■ **~ abissal** *Geog.* Depressão submarina, funda e íngreme; fossa submarina **~ continental** *Geog.* Depressão em terreno emerso, ger. causado de ação tectônica **~ epigástrica** *Anat.* Região no tórax acima do estômago; boca do estômago **~ marginal** *Geog.* Depressão submarina próxima ao litoral **~ nasal** *Anat.* Antiga denominação de cada uma das cavidades que vão das narinas à faringe. [Pela nova nomenclatura anatômica, *cavidade nasal*] **~ navicular** **1** *Anat.* No sistema reprodutor masculino, expansão da uretra no começo do meato urinário. No sistema reprodutor feminino, espessamento na entrada do orifício vaginal **2** Depressão superficial na borda externa de uma orelha **~ séptica** Escavação sanitária na qual dejetos liquefeitos e lá depositados decompõem-se, sob a ação de microrganismos, em minerais inofensivos **~ tectônica** *Geog.* Depressão na crosta terrestre, mais comprida do que larga, entre duas ou mais falhas normais **Na ~** Em estado de depressão ou angústia

fossar (fos.*sar*) ***v.*** **1** Revolver (terra) com focinho ou tromba [***td.***: *Os animais fossavam a lama.*] [***ti.*** + *em*: *Os cães fossavam em todos os cantos.*] [***int.***: *Os porcos fossavam.*] **2** *Fig.* Fuçar à procura de (algo) [***ti.*** + *em*: *Fossou em todas as gavetas à procura do disco.*] **3** Imiscuir-se em (negócios dos outros) [***td.***: *Vivia fossando a vida da mulher.*] [***ti.*** + *em*: *Não parava de fossar na vida da vizinha.*] **4** *Fig.* Realizar trabalhos rudes, pesados [***int.***: *Vive fossando para ganhar a vida.*] [▶ **1** foss**ar**] [F.: De or. obsc. Hom./Par.: *fosse(s)* (fl.), *fosse(s)* [ô] (fl. de *ir* e *ser*); *fossem* (fl.), *fossem* [ô] (fl. de *ir* e *ser*); *fosso* (fl.), *fosso* [ô] (sm.); *fosseis* (fl.), *fósseis* (pl. de *fóssil* [a2g.sm.]); *fossemos* (fl.), *fôssemos* (fl. de *ir* e *ser*).]

fosseta (fos.*se*.ta) [ê] ***sf.*** **1** Pequena fossa **2** *Med.* Depressão ou herniação do tecido neuroectodérmico rudimentar [F.: *fossa* + *-eta.*] ■ **~ loreal/lacrimal** *Zool.* Órgão de serpentes viperídeas, próximo dos olhos e das narinas, que capta a presença de animais de sangue quente

fóssil (*fós*.sil) ***sm.*** **1** *Pal.* Resto ou molde petrificado dos seres vivos (animais, plantas) que habitaram a Terra em épocas remotas e que se formou pela acumulação de sedimentos **2** *P.ext.* Objeto, ser, instituição etc. antigos, oriundos ou remanescentes de épocas anteriores e distantes no tempo **3** *Fig. Pej.* Indivíduo de mentalidade ou hábitos antiquados; RETRÓGRADO; ANTIQUADO; ARCAICO ***a2g.*** **4** Ref. a fóssil (1), ou que é um fóssil (1) (animal fóssil); que é oriundo de eras ou períodos geológicos anteriores (formação fóssil) [Pl.: *-seis.*] [F.: Do lat. *fossilis, e* 'tirado da terra', pelo fr. *fossile.*]

fossilífero (fos.si.*lí*.fe.ro) ***a.*** *Arqueol.* Diz-se de terrenos em que há fósseis animais ou vegetais [F.: *fóssil* + *-i-* + *-fero.*]

fossilização (fos.si.li.za.*ção*) ***sf.*** **1** Ação ou resultado de fossilizar **2** O estado ou qualidade de um corpo fóssil **3** *Pal.* Passagem de um corpo organizado ao estado fóssil; PETRIFICAÇÃO [Pl.: *-ções.*] [F.: *fossilizar* + *-ção.*]

fossilizar (fos.si.li.*zar*) ***v.*** **1** Transformar(-se) em fóssil; petrificar(-se) [***td.***: *As condições ambientais do dilúvio fossilizaram dinossauros.*] [***int.***: *Os organismos levam de cinco a dez milhões de anos para se fossilizar.*] **2** Tornar ou tornar-se atrasado, retrógrado, parado no tempo (pessoa, ideia, instituição etc.) [***td.***: *A ignorância fossiliza o homem.*] [***int.***: *Resistiu às inovações e aos novos conceitos, e fossilizou(-se).*] **3** *Fig.* Impedir a evolução ou a atualização de (alguém), ou mostrar-se retrógrado, antiquado, contrário ou insensível às inovações; ESTAGNAR [***td.***: *A falta de diálogo fossiliza o homem.*] [***int.***: *Se a direção se fossilizar a empresa não cresce.*] [▶ **1** fossiliz**ar**] [F.: *fóssil* + *-izar.*]

fosso (*fos*.so) [ô] ***sm.*** **1** Ver *fossa* (1) **2** Vala extensa feita em volta de fortificação, castelo, trincheiras etc. para dificultar ou impedir ataques inimigos **3** *P.ext.* Qualquer vala ao longo de muro, cerca etc., destinada a proteger terreno, propriedade etc. **4** Valeta ao longo de estradas e caminhos **5** *Fut.* Vala que separa o local onde fica o público e o campo de futebol e que visa a impedir o acesso daquele a este [Pl.: [ó]. Dim.: *fossete.*] [F.: Do it. *fosso.*]

fot ***sm.*** *Fotm.* Unidade de medida de iluminamento, no sistema c.g.s., equivalente a 10.000 lux, ou seja, 1 lúmen por centímetro quadrado [F.: Do gr. *phôs, photós* (luz).]

foteletricidade (fo.te.le.tri.ci.*da*.de) *sf. Fís.* Ver *fotoeletricidade.*
fotelétrico (fo.te.*lé*.tri.co) *a. Fís.* Ver *fotoelétrico*
fotemissão (fo.te.mis.*são*) *sf. Fís.nu.* Ver *fotoemissão* [Pl.: *-sões.*]
fotemissor (fo.te.mis.*sor*) [ô] *a.sm. Fís.nu.* Ver *fotoemissor*
◎ **-fot(o)-** *el. comp.* Ver *fot(o)-*
◎ **-foto¹** *el. comp.* Ver *fot(o)-*
◎ **-foto²** *el. comp.* Ver *foto-*
◎ **fot(o)-** *el. comp.* = 'luz'; 'luminescência'; 'luminância': *fotocélula, fotocolorímetro, fotoelétrico, fotelétrico, fotofobia, fotossensível, fototerapia; afotométrico* [F.: Do gr. *phôs, photós*, 'luz'. Tb. *-foto¹*, pospositivo: *isofoto, isófoto.*]
foto (*fo*.to) *sf.* Ver *fotografia* [F.: *foto-* + *-grafia.*] ■ **Sair bem na ~** *Bras. Pop.* Ter (alguém) apreciação favorável na opinião de outrem, ou do público em geral, no desenvolvimento ou em consequência de algum fato ou circunstância: *Ele foi muito elogiado por seu trabalho, mas eu também saí bem na foto.*
◎ **foto-** *el. comp.* = 'fotografia': *fotocomposição, fotocópia, fotonovela, fotorromance* [F.: F. red. de *fotografia.* Tb. *-foto²*, pospositivo: *telefoto.*]
fotocélula (fo.to.*cé*.lu.la) *sf. Elet.* Dispositivo fotoelétrico que transforma a radiação luminosa em eletricidade (o mesmo que *célula fotoelétrica*) [F.: *fot(o)-* + *célula.*]
fotocelular (fo.to.ce.lu.*lar*) *a2g.* Ref. a fotocélula: *mecanismo de acionamento fotocelular.* [F.: *fot(o)-* + *celular.*]
fotocolorímetro (fo.to.co.lo.*rí*.me.tro) *sm. Fotm.* Dispositivo us. para mensurar o grau de intensidade da cor de uma luz [F.: *fot(o)-* + *colorímetro.*]
fotocomposição (fo.to.com.po.si.*ção*) *Art.gr sf.* **1** Processo de composição (de textos) a frio que utiliza técnicas de fotografia e de eletrônica e que trabalha com letras gravadas em filme ou em suporte magnético (fita, disco etc.) **2** Trabalho que se obtém por esse meio **3** Ação ou resultado de trabalhar em fotocompositora [Pl.: *-ções.*] [F.: *foto-* + *composição.*]
fotocompositor (fo.to.com.po.si.*tor*) [ô] *Art.gr. a.* **1** Ref. a fotocomposição **2** Que trabalha com fotocomposição *sm.* **3** *Art.gr.* Profissional de fotocomposição [F.: *foto-* + *compositor.*]
fotocompositora (fo.to.com.po.si.*to*.ra) [ô] *Art.gr sf.* **1** Equipamento de fotocomposição (1) **2** Estúdio de fotocomposição (1) [F.: *foto-* + *compositora.*]
fotocondução (fo.to.con.du.*ção*) *sf. Fís.* O mesmo que *fotocondutividade* [Pl.: *-ções.*] [F.: *fot(o)-* + *condução.*]
fotocondutividade (fo.to.con.du.ti.vi.*da*.de) *sf. Fís.* Variação da condutividade elétrica da matéria, em razão do movimento de portadores criados por radiação absorvida; FOTOCONDUÇÃO [F.: *fot(o)-* + *condutividade.*]
fotocondutivo (fo.to.con.du.*ti*.vo) *a. Fís.* O mesmo que *fotocondutor* [F.: *fot(o)-* + *condutor.*]
fotocondutor (fo.to.con.du.*tor*) [ô] *Fís. a.* **1** Ref. a fotocondutividade; FOTOCONDUTIVO **2** Diz-se da substância que apresenta fotocondutividade; FOTOCONDUTIVO: *O selênio é fotocondutor. sm.* **3** *Fís.* Essa substância [F.: *fot(o)-* + *condutor.*]
fotocópia (fo.to.*có*.pi:a) *Art.gr. sf.* **1** Processo de reprodução que utiliza a ação da luz ou de outras radiações **2** A cópia obtida por esse meio; XEROGRAFIA; XEROX: *Fiz cinco fotocópias do texto.* [F.: *fot(o)-* + *cópia.*]
fotocopiadora (fo.to.co.pi:a.*do*.ra) [ô] *sf.* **1** Máquina us. para fazer fotocópia de documentos, anotações, obras impressas, imagens etc. **2** *P.ext. Fig.* Local onde se fazem fotocópias [F.: *fot(o)-* + *copiadora.*]
fotocopiar (fo.to.co.pi.*ar*) *v. td. Art.gr.* Reproduzir por fotocópia; fazer fotocópia de [▶ **1** fotocopi**ar**] [F.: *fotocópia* + *-ar²*. Hom./Par.: *fotocopia* (fl.), *fotocópia* (sf.); *fotocopias* (fl.), *fotocópias* (pl. do sf.).]
fotocromático (fo.to.cro.*má*.ti.co) *Fís. Ópt. a.* **1** Que diz respeito à fotocromia **2** Que muda de cor quando é submetido à ação da luz [F.: *fot(o)-* + *cromático.*]
fotodetector (fo.to.de.tec.*tor*) [ô] *a.* **1** *Eletrôn.* Diz-se de dispositivo que é sensível à luz ou a suas radiações *sm.* **2** *Eletrôn.* Instrumento que reage quando submetido a radiações de energia luminosa [F.: *fot(o)-* + *detector* Tb. *fotodetetor.*]
fotodetetor (fo.to.de.te.*tor*) [ô] *a.sm.* Ver *fotodetector*
fotodissociação (fo.to.dis.so.ci:a.*ção*) *sf. Fís.* Fragmentação de moléculas quando submetidas a radiações eletromagnéticas [Pl.: *-ções.*] [F.: *fot(o)-* + *dissociação.*]
fotoeletricidade (fo.to:e.le.tri.ci.*da*.de) *sf. Fís.* Estudo ou aplicação dos fenômenos fotoelétricos [F.: *fot(o)-* + *eletricidade.* Tb. *foteletricidade.*]
fotoelétrico (fo.to:e.*lé*.tri.co) *a. Fís.* Capaz de transformar energia luminosa em elétrica (célula fotoelétrica) [F.: *fot(o)-* + *elétrico.* Tb. *fotelétrico.*]
fotoemissão (fo.to:e.mis.*são*) *sf. Fís.nu.* Emissão de elétrons pela superfície de um metal eletropositivo quando exposto à luz [Pl.: *-sões.*] [F.: *fot(o)-* + *emissão.* Tb. *fotemissão.*]
fotoemissor (fo.to:e.mis.*sor*) [ô] *a.* **1** *Fís.nu.* Relativo a fotoemissão ou que a produz *sm.* **2** *Fís.nu.* Aquilo que produz fotoemissão [F.: *fot(o)-* + *emissor.* Tb. *fotemissor.*]
fotofobia (fo.to.fo.*bi*.a) *sf. Med.* Aversão à luz resultante de dor ou desconforto visual provocado pela sua incidência sobre os olhos [F.: *fot(o)-* + *-fobia.*]
fotofóbico (fo.to.*fó*.bi.co) *Med. a.* **1** Ref. a fotofobia **2** Diz-se de indivíduo que tem ou sofre de fotofobia; FOTÓFOBO *sm.* **3** *Med.* Esse indivíduo; FOTÓFOBO [F.: *fotofobia* + *-ico²*.]
fotófobo (fo.*tó*.fo.bo) *a. sm. Med.* O mesmo que *fotofóbico* (2 e 3) [F.: *fot(o)-* + *-fobo.*]
fotogenia (fo.to.ge.*ni*.a) *sf.* **1** Qualidade ou característica própria de quem ou daquilo que apresenta uma bela imagem ao ser fotografado, filmado etc. **2** Propriedade que a luz tem de produzir efeitos resultantes de reações químicas em certos corpos [F.: *fot(o)-* + *-genia.*]
fotogênico (fo.to.*gê*.ni.co) *a.* **1** Que aparece bonito ou expressivo em fotografias, em filmes ou na televisão: *Ela não é bela, mas é extremamente fotogênica.* **2** Que se refere aos efeitos químicos que a luz produz em certos corpos [F.: *fotogenia* + *-ico²*.]
fotografar (fo.to.gra.*far*) *v.* **1** Tirar fotografia de; RETRATAR [*td.*: *Fotografar uma paisagem.*] **2** Sair (bem ou mal) em fotos [*int.*: *Ela não fotografa bem, apesar de bonita.*] **3** *Fig.* Descrever (situação, cena etc.) com exatidão e escrúpulo; REPRODUZIR; RETRATAR [*td.*: *O texto fotografa o cotidiano dos mineiros de Carajás.*] [▶ **1** fotograf**ar**] [F.: *fot(o)-* + *-graf(o)-* + *-ar²*. Hom./Par.: *fotografo* (fl.), *fotógrafo* (a.sm.); *fotografa* (fl.), *fotógrafa* (fem. de *fotógrafo*).]
fotografia (fo.to.gra.*fi*.a) *sf.* **1** Técnica ou arte de registrar imagens com uma câmera fotográfica por meio da ação da luz sobre um filme, ou eletronicamente como sinais digitais que são gravados num *chip*: *Ele está fazendo um curso de fotografia.* **2** A imagem obtida por uma dessas técnicas; FOTO; RETRATO: *Tirei várias fotografias em minha última viagem.* **3** *Fig.* Reprodução, descrição ou cópia exata e minuciosa de algo ou alguém: *Ele é uma fotografia da mãe quando pequena.* [F.: *fot(o)-* + *-grafia.*] ■ **Ficar fora da ~** *Turfe* Chegar (o cavalo) a grande distância do vencedor, não aparecendo, por isso, nas fotografias automáticas da chegada **~ aérea** A que é tirada (por meio de câmera especial) de aeronave, satélite, foguete etc.) **~ celeste** *Astron.* Técnica fotográfica us. em pesquisa astronômica **~ de cena** Fotografia de cena de filme de cinema tomada ao mesmo tempo em que se a filma **~ digital** *Eletrôn. Fot.* Técnica de fotografia na qual os sinais luminosos são transformados em sinais digitais e gravados num *chip*, para posteriormente serem transformados, deste, de novo em sinais luminosos que compõem a imagem **Tirar ~** **1** Fotografar, acionando uma câmera **2** Ser assunto ou objeto de fotografia tirada por outrem **3** *Turfe* Vencer (cavalo) um páreo com grande vantagem, ficando o segundo colocado fora da fotografia automática da chegada

📖 A técnica e a arte da fotografia têm estado em constante evolução desde seu início, em 1826, quando o francês Niepce, usando a já experimentada propriedade dos sais de prata de escurecerem sob a ação da luz, gravou numa placa uma vaga impressão luminosa, obtida através de uma lente, da vista que tinha de sua janela. Métodos e substâncias variaram ao longo de meio século, sempre tendo como base uma placa de vidro revestido com a substância sensível, até que em 1884 George Eastman apresentou uma câmera recarregável que continha um rolo de negativo à base de celulose, onde se poderiam gravar cem fotos. Era a primeira Kodak. Os materiais, as substâncias e os formatos dos rolos de filme evoluíram até os magazines carregáveis na câmera em plena luz. As câmeras tiveram evolução ainda maior, com aperfeiçoamento das lentes e dos sistemas de lentes, variações de abertura, distância focal e velocidade de tomada de imagem, medições de luz e autorregulagem, e muitos outros recursos de precisão e comodidade, como a visualização da imagem pela mesma tomada de lente que impressiona o filme (reflex). A evolução da eletrônica e dos sistemas digitais chegou à fotografia com as câmeras digitais, que registram a imagem capturada pela lente como bits, que são gravados em arquivos eletrônicos em chips e por sua vez retransformados em imagens em monitores de computador ou de televisão, ou impressos, além de poderem ser transmitidos por correio eletrônico. Tanto como meio de registro de fatos e eventos (no jornalismo) quanto como forma de arte, a fotografia teve como grandes expoentes, entre muitíssimos outros, Alfred Stieglitz, André Kertész, Ansel Adams, Edward Steichen, Edward Weston, Henri Cartier-Bresson, Paul Strand, Robert Capa e, no Brasil, Marc Ferrez e Sebastião Salgado.

fotográfico (fo.to.*grá*.fi.co) *a.* **1** Ref. a fotografia (máquina fotográfica) **2** Que apresenta uma imagem fiel de algo ou alguém (memória fotográfica) [F.: *fotografia* + *-ico²*.]
fotógrafo (fo.*tó*.gra.fo) *sm.* Aquele que faz fotografias, profissionalmente ou como amador [F.: *fot(o)-* + *-grafo.*]
fotograma (fo.to.*gra*.ma) *sm.* **1** *Fot.* Prova fotográfica feita por aplicação de um negativo numa superfície sensível, com intervenção da luz; FOTOCÓPIA **2** *Fot.* Fotografia feita por processo fotogramétrico **3** *Cin.* Cada impressão ou quadro de um filme cinematográfico [Pode-se obter um fotograma sem o auxílio de máquina fotográfica, apenas colocando-se objetos, plantas ou qualquer outra coisa sobre uma folha de papel fotográfico e expondo esse conjunto a uma fonte de luz.] [F.: *foto-* + *grama.*]
fotogravura (fo.to.gra.*vu*.ra) *sf.* **1** *Art.gr.* Processo fotomecânico de produzir formas para impressão **2** Chapa metálica já gravada com esse processo e que é utilizada para imprimir a imagem em um outro suporte **3** Gravura resultante da aplicação desse processo: *Ele foi a uma exposição de fotogravuras.* **4** Oficina onde se realizam trabalhos com essa técnica [F.: *foto-* + *gravura.*] ■ **~ a entalhe** Processo de preparação de chapas e cilindros para heliogravura ou rotogravura, no qual os meios-tons se obtêm de pontos de profundidades variáveis **~ a traço** **1** Processo de fotogravura em que só se gravam traços e áreas lisas e chapadas, que serão tintadas e reproduzidas na impressão, sem meios-tons **2** Clichê assim obtido **~ em plano** **1** Processo fotomecânico do qual resultam superfícies impressoras planas, sem relevo ou entalhe **2** Processo fotomecânico do qual resultam superfícies impressoras em relevo (clichês a traço ou em retícula) **~ linear** Ver *Fotogravura a traço*
fotojornalismo (fo.to.jor.na.*lis*.mo) *Jorn. sm.* **1** Categoria de jornalismo em que a fotografia desempenha papel fundamental na composição da matéria **2** Registro fotográfico feito por jornalista para ilustrar, comprovar ou dar veracidade a textos de reportagens [F.: *foto-* + *jornalismo.*]
fotojornalista (fo.to.jor.na.*lis*.ta) *s2g. Jorn.* Jornalista responsável pelo registro fotográfico de fatos relevantes para comprovação de afirmações [F.: *foto-* + *jornalista.*]
fotojornalístico (fo.to.jor.na.*lís*.ti.co) *a. Jorn.* Que diz respeito ao fotojornalismo (material fotojornalístico) [F.: *fot(o)-* + *jornalístico.*]
fotolegenda (fo.to-le.*gen*.da) *sf. Jorn.* Fotografia, em jornais, revistas etc., acompanhada de legenda explicativa mais extensa que o usual [F.: *foto* + *legenda.*]
fotolitar (fo.to.li.*tar*) *v. td. Art.gr.* Fazer o fotolito de [▶ **1** fotolit**ar**] [F.: *fotolito* + *-ar²*. Hom./Par.: *fotolito* (fl.), *fotolito* (sm.).]
fotolito (fo.to.*li*.to) *sm.* **1** *Art.gr.* Pedra ou placa metálica feita com o processo de fotolitografia para impressão ou gravação de matriz **2** Filme us. para gravar texto ou imagem em fotolito ou chapa para impressão [F.: F. red. de *fotolitografia.*] ■ **~ digital** *Art.gr.* Em editoração eletrônica, aquele obtido diretamente do arquivo digital que contém texto e imagem em arte-final
fotolitografia (fo.to.li.to.gra.*fi*.a) *Art.gr. sf.* **1** Processo de fotogravura em que se utilizam matrizes de pedra ou metal com a imagem a ser impressa gravada **2** Estampa resultante desse processo [F.: *fot(o)-* + *litografia.*]
fotolitográfico (fo.to.li.to.*grá*.fi.co) *Art.gr. a.* **1** Ref. à fotolitografia ou dela próprio **2** Impresso por meio de fotolitografia [F.: *fotolitografia* + *-ico²*.]
fotolog (fo.to.*log*) *Int. sm.* **1** Serviço disponível na internet, gratuitamente ou mediante pagamento, que possibilita a qualquer pessoa criar uma página de fotos, com espaço para comentários de outros usuários ou não, e ter acesso a fotologs de outras pessoas **2** Página de fotos assim criada: *Você já visitou o meu fotolog?* [F.: Do ing. *photolog.*]
fotologia (fo.to.lo.*gi*.a) *Ópt. sf.* **1** Tratado acerca da luz; ÓPTICA **2** Ciência que estuda a luz e os fenômenos por ela originados [F.: *fot(o)-* + *-logia.*]
fotológico (fo.to.*ló*.gi.co) *a. Ópt.* Relativo a fotologia [F.: *fotologia* + *-ico²*.]
fotoluminescência (fo.to.lu.mi.nes.*cên*.ci:a) *sf. Fís.* Luminescência produzida por exposição à ação de ondas luminosas [F.: *fot(o)-* + *luminescência.*]
fotoluminescente (fo.to.lu.mi.nes.*cen*.te) *Fís. a2g.* **1** Luminescente por exposição à ação de ondas luminosas **2** Que diz respeito a fotoluminescência [F.: *fot(o)-* + *luminescente.*]
fotomagnético (fo.to.mag.*né*.ti.co) *a. Fís.* Diz-se de fenômeno magnético originado pela luz ou que dela resulta [F.: *fot(o)-* + *magnético.*]
fotomecânico (fo.to.me.*câ*.ni.co) *a. Grav.* Diz-se de processo de gravura em que a imagem fotográfica se fixa na chapa metálica por ação química [F.: *foto-* + *mecânico.*]
fotometragem (fo.to.me.*tra*.gem) *sf. Ópt.* Processo utilizado para medir a intensidade da luz; FOTOMETRIA [Pl.: *-gens.*] [F.: *fot(o)-* + *metragem.*]
fotometria (fo.to.me.*tri*.a) *Ópt. sf.* **1** Ramo da ciência que trata da medição da intensidade da luz **2** Denominação do processo de medição da intensidade da luz; FOTOMETRAGEM **3** Emprego do fotômetro [F.: *fot(o)-* + *-metria¹*.]
fotômetro (fo.*tô*.me.tro) *sm. Ópt.* Aparelho us. pelos fotógrafos para medir a intensidade da luz de um ambiente ou de uma fonte luminosa [F.: *fot(o)-* + *-metro.*] ■ **~ calorimétrico** *Ópt.* Aquele que mede a intensidade luminosa em cada região do espectro solar, mediante o uso de filtros coloridos que deixam passar apenas os raios luminosos em certa faixa de frequência
fotomicrografia (fo.to.mi.cro.gra.*fi*.a) *sf.* **1** Processo que consiste em fotografar seres ou objetos de minúsculas proporções com a utilização de um microscópio **2** *P.ext.* A fotografia obtida por esse processo [F.: *foto-* + *micrografia.*]
fotomicrográfico (fo.to.mi.cro.*grá*.fi.co) *a.* Ref. a fotomicrografia ou dela próprio. [F.: *fotomicrografia* + *-ico²*.]
fotomontagem (fo.to.mon.*ta*.gem) *sf.* **1** Sobreposição ou combinação de fotografias ou negativos para se obter determinado efeito; arranjo fotográfico; montagem de fotografias **2** O resultado desse trabalho [Pl.: *-gens.*] [F.: *foto-* + *montagem.*]
fóton (*fó*.ton) *sm. Fís.* Partícula com massa em repouso nula constituída por um *quantum* de energia luminosa [Pl.: *fótones e fótons.*] [F.: *fot(o)-* + *-on.*]
fotonovela (fo.to.no.*ve*.la) *sf. Antq.* História em forma de quadrinhos constituídos de fotos, com textos breves em legendas e balões; FOTORROMANCE [F.: *foto-* + *novela.*]
fotonuclear (fo.to.nu.cle.*ar*) *a2g. Fís.nu.* Diz-se de processo que envolve um fóton e um núcleo [F.: *fot(o)-* + *nuclear.*]
fotoperiódico (fo.to.pe.ri.*ó*.di.co) *Biol. a.* **1** Relativo a fotoperíodo ou a fotoperiodismo **2** Que diz respeito ao organismo em que se verifica fotoperiodismo [F.: *fot(o)-* + *periódico.*]

fotoperiodismo (fo.to.pe.ri:o.*dis*.mo) *sm.* **1** *Bot.* Reação da planta ao seu fotoperíodo **2** *Biol.* Reação fotoperiódica [F.: *fotoperíodo* + *-ismo*.]

fotoperíodo (fo.to.pe.*rí*:o.do) *sm.* **1** *Biol.* Período de maior intensidade da luz num ciclo em que se alternam fases de maior e menor luminosidade **2** *Bot.* O fotoperíodo (1) da exposição diária à luz, necessária ao desenvolvimento normal de uma planta [F.: *fot(o)-* + *período*.]

fotoprotetor (fo.to.pro.te.*tor*) [ô] *a.* **1** Que protege contra radiações luminosas (dispositivo fotoprotetor) **2** Diz-se de um composto líquido ou cremoso que se passa sobre a pele para protegê-la dos raios solares (gel fotoprotetor) *sm.* **3** Substância utilizada para proteger a pele contra os raios solares; PROTETOR SOLAR: *A aplicação de um fotoprotetor deve ser feita pelo menos 20 minutos antes da exposição solar.* [F.: *fot(o)-* + *protetor*.]

fotopsia (fo.top.*si*.a) *sf.* *Oft.* Sensação luminosa, como de faíscas ou relâmpagos, proveniente de irritação ou doença da retina; CORUSCAÇÃO [F.: *fot(o)-* + *-opsia*.]

fotóptico (fo.*tóp*.ti.co) *a.* *Oft.* Que diz respeito à fotopsia [F.: *fot(o)-* + *-óptico*.]

fotoquímica (fo.to.*quí*.mi.ca) *sf.* *Quím.* Ramo da Química que estuda as reações provocadas por energia radiante e especialmente pela luz [F.: *fot(o)-* + *química*.]

fotoquímico (fo.to.*quí*.mi.co) *a.* *Quím.* Que diz respeito à fotoquímica [F.: *fot(o)-* + *químico*.]

fotorreceptor (fo.tor.re.*cep*.tor) [ô] *a.* **1** *Biol.* Diz-se de célula sensível à luz *sm.* **2** *Biol.* Órgão terminal que recebe estímulos luminosos [F.: *fot(o)-* + *receptor*.]

fotorromance (fo.tor.ro.*man*.ce) *sm.* O mesmo que *fotonovela* [F.: *foto-* + *romance*.]

fotosfera (fo.tos.*fe*.ra) *sf.* **1** *Astron.* A esfera luminosa do Sol, sua superfície aparente **2** *Astron.* Camada gasosa, parcialmente transparente, de 300 quilômetros de espessura e temperatura de 4.300°, que constitui a atmosfera solar e de onde é emitida a maior parte da luz que chega diretamente à Terra **3** *Fig.* Halo, auréola: "E eu estava ali perplexo, como influenciado pela fotosfera enervante da sua alma." (Fialho de Almeida, *País das uvas*) [F.: *fot(o)-* + *-sfera*.]

fotossensibilidade (fo.tos.sen.si.bi.li.*da*.de) *sf.* **1** Característica de certos materiais, superfícies, órgãos etc. de produzirem reações químicas quando expostos à luz: *fotossensibilidade dos materiais fotográficos.* **2** *Med.* Reação anormal da pele à ação dos raios de sol [F.: *fot(o)-* + *sensibilidade*.]

fotossensibilização (fo.tos.sen.si.bi.li.za.*ção*) *sf.* *Med.* Processo patológico, ger. causado pela ingestão de remédios ou de outras substâncias, caracterizado pelo aumento da sensibilidade da pele aos raios solares, ocasionando erupções cutâneas e, em casos extremos, a morte [Pl.: *-ções*.] [F.: *fot(o)-* + *sensibilização*.]

fotossensibilizador (fo.tos.sen.si.bi.li.za.*dor*) [ô] *a2g.* **1** *Quím.* Que torna algo fotossensível por ação da luz *sm.* **2** *Quím.* Sensibilizador que, por ação da luz, torna fotossensível uma célula, uma substância, um tecido [F.: *fot(o)-* + *sensibilizador*.]

fotossensível (fo.tos.sen.*sí*.vel) *a2g.* **1** Que é sensível à luz (resina fotossensível, papel fotossensível) **2** *Med.* Que sofre de fotossensibilidade (crianças fotossensíveis) [Pl.: *-veis*.] [F.: *fot(o)-* + *sensível*.]

fotossíntese (fo.tos.*sín*.te.se) *sf.* *Biol.* Capacidade que têm os vegetais de sintetizar a matéria orgânica a partir da luz solar captada pela clorofila, utilizando-se de gás carbônico e com desprendimento de oxigênio [F.: *fot(o)-* + *síntese*.]

📖 A fotossíntese é um dos processos básicos da natureza, pois sintetiza substâncias simples em substâncias mais complexas, que vão constituir o alimento. Baseia-se na propriedade de as plantas verdes (e alguns outros organismos, como algas e bactérias) transformarem a energia luminosa (do Sol) em energia química, para sintetizar dióxido de carbono, água e sais minerais em substâncias orgânicas, portanto criando vida. O principal elemento captador da luz é a clorofila, responsável pela cor verde dessas plantas. No processo, além de absorverem dióxido de carbono da atmosfera, liberam oxigênio, e daí a ideia de que as florestas (principalmente a Amazônica) são o pulmão da Terra.

fotossintético (fo.tos.sin.*té*.ti.co) *Biol.* *a.* **1** Que diz respeito à fotossíntese **2** Em que há fotossíntese [F.: *fot(o)-* + *sintético*.]

fotossintetizar (fo.tos.sin.te.ti.*zar*) *v. td.* *Biol.* Passar por processo de fotossíntese [▶ **1 fotossintetizar**] [F.: *fot(o)-* + *sintetizar*.]

fotostática (fo.tos.*tá*.ti.ca) *sf.* *Bras.* Processo de reprodução de imagem ou texto sobre papel ou película plástica por meio da luz e de outras radiações; FOTOCÓPIA [F.: Fem. substv. de *fotostático*.]

fotostático (fo.tos.*tá*.ti.co) *a.* **1** Que diz respeito ao fotóstato **2** Feito por fotóstato (cópia fotostática) [F.: *fotóstato* + *-ico²*.]

fotóstato (fo.*tós*.ta.to) *sm.* Equipamento próprio para a reprodução de documento em papel específico (papel-cópia), sem necessidade do uso de negativo [F.: Do ing. *Photostat*, marca registrada; ver *fot(o)-* e *-stato*.]

fototeca (fo.to.*te*.ca) *Fot.* *sf.* **1** Coleção de fotografias **2** Local onde se guardam essas coleções [F.: *foto-* + *-teca*.]

fototerapia (fo.to.te.ra.*pi*.a) *sf.* *Med.* Tratamento de enfermidades através da exposição do paciente à luz solar ou a luz artificial (p.ex., raios infravermelhos, ultravioleta) [F.: *fot(o)-* + *-terapia*.]

fototerápico (fo.to.te.*rá*.pi.co) *a.* *Med.* Ref. à fototerapia (tratamento fototerápico) [F.: *fototerapia* + *-ico²*.]

fototeste (fo.to.*tes*.te) *sm.* *Fot.* Avaliação de origem e qualidade de uma fotografia [F.: *foto-* + *teste*.]

fototransistor (fo.to.tran.sis.*tor*) [ô] *a.* **1** Diz-se de transistor cuja resistência é passível de ser controlada pela energia luminosa que incide sobre ele *sm.* **2** *Eletrôn.* Dispositivo semicondutor que reage sob a ação da luz, produzindo uma corrente de base [F.: *fot(o)-* + *transistor*.]

fototropia (fo.to.tro.*pi*.a) *sf.* *Biol.* O mesmo que *fototropismo* (1) [F.: *fot(o)-* + *-tropia*.]

fototrópico (fo.to.*tró*.pi.co) *a.* *Biol.* Ref. a fototropia ou fototropismo [F.: *fototropia* + *-ico²*.]

fototropismo (fo.to.tro.*pis*.mo) *sm.* **1** *Biol.* Tropismo em que a luz é o estímulo diretivo, como nos órgãos novos das plantas que se voltam para a luz mais intensa, nos vermes, larvas ou insetos que a procuram ou evitam; FOTOTROPIA [Diz-se, respectivamente, *fototropismo positivo* e *negativo*.] **2** *Fís.-quím.* Alteração reversível na cor de uma substância, quando exposta a energia radiante, e especialmente à luz [F.: *fot(o)-* + *tropismo*. Cf.: *heliotropismo*.]

fotovoltaico (fo.to.vol.*tai*.co) *Fís.* *a.* **1** Referente a certos fenômenos elétricos provocados pela luz **2** Diz-se de dispositivo fotelétrico de Becquerel (pilha fotovoltaica) [F.: *fot(o)-* + *voltaico*.]

⊕ ***foul*** (*Ing.* /fawl/) *sm.* *Esp.* Infração cometida por um jogador ou atleta; FALTA

fouveiro (fou.*vei*.ro) *a.* **1** Castanho-claro, malhado de branco e quase ruivo (diz-se esp. dos cavalos) (garanhão fouveiro) **2** *Bras. BA* Diz-se da pessoa atacada de vitiligo: "Seguiam-se as cabaças vestidas de redes de búzios, prontas a rolar nas mãos fouveiras que as empalmavam." (Xavier Marques, *Feiticeiro*) **3** *Bras. N.E. Pop.* Diz-se de roupa escura desbotada pelo tempo ou pelo uso: *Vestia, frequentemente, aquele paletó fouveiro, surrado...* *sm.* **4** O cavalo dessa cor: *Galopava alegremente em seu majestoso fouveiro.* [F.: Do lat. medv. *falvuarius*.]

fovéola (fo.*vé*:o.la) *sf.* *Anat.* Pequena depressão em um corpo qualquer [F.: Do lat. cient. *foveola*.]

⊕ ***fox terrier*** (*Ing.* /fócs terriê/) *sm.* Raça de cães de caça originária da Inglaterra [F.: Do ing. *fox-terrier*.]

foxtrote (fox.*tro*.te) [cs] *sm.* Música e dança de salão de origem norte-americana, de ritmo saltitante, muito popular nas décadas de 1930 a 1950, e dançada por pares [F.: Do ing. *foxtrot*.]

⊕ ***foyer*** (*Fr.* /foaiê/) *sm.* Recinto, nos teatros, onde os espectadores aguardam o início ou o reinício do espetáculo

foz *sf.* Ponto onde um rio deságua no mar, em um lago ou em outro rio; DESEMBOCADURA [F.: Do lat. vulg. *fox, focis*; do lat. clas. *faux, faucis*.] ■ **De ~ em fora** **1** Pelo mar fora (além da barra) **2** Demasiadamente, em excesso

⊠ **FPE** Sigla de *Fundo de Participação dos Estados e do Distrito Federal.*

⊠ **FPM** Sigla de *Fundo de Participação dos Municípios.*

fracalhão (fra.ca.*lhão*) *Pej.* *a.* **1** Que é muito fraco ou covarde (jogador fracalhão) *sm.* **2** Pessoa muito fraca ou covarde [Pl.: *-lhões*. Fem.: *-lhona*.] [F.: *fraco* + *-alhão*.]

fração (fra.*ção*) *sf.* **1** Parte, porção de um todo: *Apenas uma pequena fração dos estudantes perdeu a prova.* **2** *Arit.* Cada uma das partes iguais em que se dividiu um número ou uma quantidade **3** *Arit.* Número que representa uma ou mais partes de número, grandeza etc. que foi dividido em partes iguais **4** Ação de quebrar, de partir, de romper algo: *Eles realizaram a fração do pão.* **5** *Quím.* Parte de uma mistura que se obtém com o uso de um processo de separação (p. ex. a destilação) **6** *Quím.* Produto obtido dessa parte [Pl.: *-ções*.] [F.: Do lat. *fractio -onis*.] ■ **~ contínua** *Mat.* Número representado pela soma de um número inteiro com uma fração cujo denominador também é um número inteiro mais uma fração, cujo denominador também tem a mesma configuração, numa série infinita **~ decimal** *Mat.* Fração própria cujo denominador é uma potência de dez [Tb. apenas *decimal*.] **~ de compasso** *Mús.* Representação da divisão de tempos nos compassos de uma música, na forma de uma fração cujo numerador é o número de tempos e o denominador representa a figura de valor equivalente a um tempo naquele compasso (2 equivale a mínima, 4 a semínima, 8 a colcheia etc.) [P.ex., o compasso 2/4 é um compasso de dois tempos em que cada tempo é preenchido por uma semínima, ou duas colcheias, ou quatro semicolcheias etc.] **~ do pão** **1** *Rel.* No catolicismo, a missa **2** No catolicismo, a comunhão **~ imprópria** **1** *Mat.* Aquela que expressa um valor igual ou maior do que um **2** Aquela cujo numerador é maior que o denominador **~ molar** *Fís.-Quím.* Numa solução na qual entram vários componentes, medida da concentração de um deles, dada por fração cujo numerador é o número de mols desse componente, e o denominador é o número total de mols de todos os componentes da solução **~ própria** **1** *Mat.* Aquela que expressa um valor menos do que um **2** Aquela cujo numerador é menor que o denominador

fracassado (fra.cas.*sa*.do) *a.* **1** Que foi malsucedido, que não alcançou seus objetivos (casamento fracassado, pintor fracassado) *sm.* **2** Pessoa que não logrou êxito profissional, afetivo ou de outra natureza: *Os fracassados geralmente atribuem seu fracasso a causas exteriores.* [F.: Part. de *fracassar*.]

fracassar (fra.cas.*sar*) *v.* **1** Ser malsucedido, não dar certo; MALOGRAR [*tr.* + *em*: *Se não estudar, fracassará no vestibular.*] [*int.*: *As tentativas de um acordo de paz fracassaram.*] **2** Produzir som estrondoso, estrepitoso [*int.*: *As ondas fracassam durante a tempestade.*] **3** Quebrar com estrépito; DESPEDAÇAR [*td.*: *A força do vento fracassou os vidros da janela.*] [▶ **1 fracassar**] [F.: Do it. *fracassare*. Hom./Par.: *fracasso* (fl.), *fracasso* (sm.).]

fracasso (fra.*cas*.so) *sm.* **1** Falta de êxito, mau êxito em algo específico (como um projeto, uma atuação) ou genérico (como a profissão, o amor ou qualquer outra dimensão da vida); MALOGRO; INSUCESSO: *O concerto foi um fracasso retumbante.* **2** Estrondo produzido por algo que se parte ou cai: *A queda do avião provocou um grande fracasso.* [F.: Do it. *fracasso*.]

fracionado (fra.ci:o.*na*.do) *a.* **1** Dividido em frações (remédio fracionado) **2** Que se efetua por frações ou pequenas cotas **3** Que foi obtido por destilação fracionada [F.: Part. de *fracionar*.]

fracionamento (fra.ci:o.na.*men*.to) *sm.* **1** Ação ou resultado de fracionar(-se); FRAGMENTAÇÃO; DIVISÃO **2** *Ind. Quím.* Em uma mistura, processo de separação de substâncias em seus diversos componentes, utilizando um processo adequado (p.ex., destilação) [F.: *fracionar* + *-mento*.]

fracionar (fra.ci:o.*nar*) *v.* **1** Dividir (algo, conjunto) em frações, em partes; FRAGMENTAR(-SE) [*td.*: *Fracionaram o projeto para viabilizá-lo.*] [*tdr.* + *em*: *Fracionaram o projeto em etapas para viabilizá-lo.*] **2** Separar-se em diversas partes, grupos, facções etc.; CINDIR-SE; FRAGMENTAR-SE [*tr.* + *em*: "... fracionando-se o império nos principados de Fez, Marrocos e de Sidjelmano." (Antero de Figueiredo, *D. Sebastião*)] [*int.*: *Profundamente dividido, o partido fracionou-se.*] [▶ **1 fracionar**] [F.: *fração* + *-ar²*, de acordo com o padrão erudito. Hom./Par.: *fracionaria(s)* (fl.), *fracionária* (fem. *fracionário* adj. sm. [pl.]).]

fracionário (fra.ci:o.*ná*.ri:o) *a.* **1** Em que há fração; que representa uma fração de um todo (número fracionário) **2** *Gram.* Diz-se do numeral fracionário (1), que representa uma fração [F.: *fração* + *-ário*, de acordo com o padrão erudito.]

fraco (*fra*.co) *a.* **1** Falto, carente de força, vigor, energia físicos ou morais (músculo fraco, caráter fraco) **2** Que não tem autoridade, que cede facilmente à vontade alheia, às tentações: *O professor fraco é dominado pelos alunos.* **3** Que não domina os conteúdos de uma disciplina: *Era fraco em matemática.* **4** Que não possui técnica ou habilidade em um esporte ou em atividade de outra natureza (fraco no golfe, fraco em escalada) **5** Que possui escassa qualidade ou interesse (romance fraco, filme fraco, redação fraca, projeto fraco) **6** Que tem baixa concentração do seu elemento principal (café fraco) **7** De pouca intensidade (luz fraca, desejo fraco) **8** Com a carga elétrica baixa (bateria fraca) **9** Que pode cair facilmente em erro: *A carne é fraca, por isso o erro é farto.* **10** Que não possui solidez, rompendo-se ou partindo com facilidade; pouco resistente (tijolo fraco, linha fraca, cadeira fraca); FRÁGIL **11** Que é insuficiente, ineficaz (argumento fraco) **12** Diz-se de bebida de baixa gradação alcoólica (caipirinha fraca) *sm.* **13** Pessoa covarde ou que não possui força suficiente para se defender: *Ele jurou defender os fracos e oprimidos.* **14** Aquilo a que alguém não consegue resistir; QUEDA: *Meu fraco é a bebida.* **15** Preferência ou tendência de alguém: *Tenho um fraco por morenas.* [Aum.: *fracalhão, fraqueirão*. Dim.: *fracote, fraquete*.] [F.: Do lat. *flaccus*.]

fracote (fra.*co*.te) [ó] *a.* **1** *Irôn.* Diz-se de pessoa de físico pouco desenvolvido; FRACO: *Um menino fracote como ele não conseguiria suportar a carga de exercícios.* **2** *Pej.* Que não tem competência, sem brilho: *Em sua estreia, pareceu-me um ator fracote.* *sm.* **3** *Irôn.* Fraco em todos os sentidos: *Um fracote jamais conseguirá vencer aquela disputa.* [Fem.: *fracota*] [F.: Dim. irreg. de *fraco*.]

fractal (frac.*tal*) *s2g.* **1** *Mat.* Estrutura geométrica que, subdividida de maneira indefinida, reduz-se a partes que se apresentam como cópias reduzidas de todo o conjunto **2** *Mat.* Desenho ou objeto que representa essa estrutura *a2g.* **3** *P.ext.* Relativo ao fractal [Pl.: *-tais*.] [F.: Do rad. lat. *fract-* + *-al¹*.]

frade¹ (*fra*.de) *sm.* **1** *Rel.* Indivíduo pertencente a ordem religiosa cujos membros seguem uma regra de vida e vivem separados do mundo social secular; FREI: *Ele quer tornar-se frade franciscano.* **2** *Náut.* Coluna ou antena cilíndrica que em alguns navios se coloca à ré do mastro grande **3** *Art.gr.* Folha mal impressa, com partes que não receberam tinta **4** *Zool.* O mesmo que *paru* (*Pomacantus spp.*) **5** *Zool.* Certo peixe esparídeo marinho (*Archosargus unimaculatus*), tb. chamado *canhanha* **6** *Lus.* No Minho, nome de certo tipo de cogumelo [Fem.: *freira*. Aum.: *fradalhão; fradaço*.] [F.: Do lat. *frater -tris*. Cf. *monge*.]

frade² (*fra*.de) *sm.* *Bras.* Bloco colocado em ruas ou calçadas, ger. para impedir o acesso ou circulação de veículos (freq. *fradinho*) [F.: Eufemismo, por *falo*.]

fraga (*fra*.ga) *sf.* **1** *Geog.* Rocha muito íngreme e escarpada; PENHASCO **2** Pedregulho, grande calhau **3** Brenha, mata cerrada e de difícil acesso [F.: Do lat. medv. *fraga*, deriv. de *fragosus*.]

fragata (fra.*ga*.ta) *sf.* **1** *Mar.* Navio de guerra de tamanho médio (menor que um cruzador), us. ger. para escolta ou para ataque a submarinos **2** *Antq. Mar.* Antigo navio de guerra com três mastros **3** *Zool.* Ave pelicaniforme; o mesmo que *tesourão* ou *alcatraz* (*Fregata magnificens*) **4** *Lus.* Embarcação com a popa chata utilizada no rio Tejo para transporte de mercadorias *sm.* **5** O mesmo que *capi-*

tão de *fragata*, posto na hierarquia militar da Marinha do Brasil, ou o oficial que o exerce [F.: Do it. *fregata.*]
fragatear (fra.ga.te.*ar*) *v. int.* Cair na farra, farrear [▶ 13 fragatear] [F.: *fragata* + *-ear*[2].]
frágil (*frá*.gil) *a2g.* 1 Que é fácil de partir ou quebrar com facilidade (vasos frágeis); QUEBRADIÇO 2 Que deixa de funcionar, que enguiça com facilidade (ventilador frágil) 3 Que é delicado e indefeso: *Ainda se pode dizer que as mulheres são o sexo frágil?* 4 Que tem pouca força física, pouco vigoroso (um bebê frágil) 5 *Fig.* Que é pouco resistente do ponto de vista emocional e psicológico: *Um professor frágil dificilmente controla uma turma rebelde.* 6 *Fig.* Que é instável e de curta duração, efêmero (relacionamento frágil). [Pl.: *-geis.* Superl.: *fragilíssimo, fragílimo.*] [F.: Do lat. *fragilis, e.*]
fragilidade (fra.gi.li.*da*.de) *sf.* Qualidade, condição ou característica do que é frágil, pouco resistente, pouco consistente: *a fragilidade de um cristal; Foi vitória fácil, dada a fragilidade do time adversário; Nem discutiu, tal a fragilidade do argumento adversário.* [F.: Do lat. *fragilitas, atis.*]
fragilização (fra.gi.li.za.*ção*) *sf.* Ação ou resultado de fragilizar(-se) [Pl.: *-ções.*] [F.: *fragilizar* + *-ção.*]
fragilizado (fra.gi.li.*za*.do) *a.* 1 Que se tornou fisicamente fraco e pouco resistente: *Depois da explosão, a estrutura do prédio ficou fragilizada.* 2 Que ficou emocionalmente abalado e vulnerável: *É um homem fragilizado, desde o acidente.* [F.: Part. de *fragilizar.*]
fragilizar (fra.gi.li.*zar*) *v.* Tornar(-se) frágil e/ou inseguro [*td.*: *A dieta para emagrecer fragilizou sua saúde; As críticas à atuação da equipe fragilizaram o técnico.*] [*int.*: *Sem três titulares, a equipe se fragilizou.*] [▶ 1 fragilizar] [F.: *frágil* + *-izar.*]
fragmentação (frag.men.ta.*ção*) *sf.* 1 Ação ou resultado de fragmentar(-se): *Os rebeldes foram atacados com bombas de fragmentação.* 2 *Zool.* Tipo de reprodução assexuada de alguns invertebrados, na qual novos seres são gerados a partir do desenvolvimento de partes que se desprendem do organismo original ou se originam de sua divisão em dois ou mais segmentos [Pl.: *-ções.*] [F.: *fragmentar* + *-ção.*]
fragmentado (frag.men.*ta*.do) *a.* 1 Que se dividiu em várias partes ou pedaços (território fragmentado, sono fragmentado) 2 *Fig.* Que não possui uma verdadeira unidade (discurso fragmentado) [F.: Part. de *fragmentar.*]
fragmentador (frag.men.ta.*dor*) [ô] *a.* 1 Que causa ou provoca divisão, fracionamento, fragmentação: *Detestava esse caráter fragmentador do que se denominava pós-modernismo.* *sm.* 2 Instrumento utilizado para cortar, picar, inutilizar todo tipo de papel a que se quer dar fim; FRAGMENTADORA: *No escritório, tinha ao lado de sua mesa um fragmentador de papéis.* [F.: *fragmentar* + *-dor.*]
fragmentadora (frag.men.ta.*do*.ra) [ô] *sf.* Equipamento us. para cortar em tiras ou picar papéis, cartas ou documentos, esp. os que contenham informações confidenciais; FRAGMENTADOR; PICOTADOR(A) [F.: Fem. de *fragmentador* (sm).]
fragmentar (frag.men.*tar*) *v.* 1 Quebrar(-se) em fragmentos, em pedaços ou em partículas; FRACIONAR; QUEBRAR [*td.*: *Essa técnica fragmentará a pedra que ele tem nos rins.*] [*int.*: *O meteorito se fragmentou ao entrar na atmosfera.*] 2 Acabar com ou perder a unidade; CINDIR; DIVIDIR; FRACIONAR [*td.*: *A proposta de apoiar o governo fragmentou o partido.*] [*int.*: *A família se fragmentou após a morte do patriarca.*] [▶ 1 fragmentar] [F.: *fragmento* + *-ar*[2]. Hom./Par.: *fragmentaria(s)* (fl.), fragmentária (fem. *fragmentário*, a.[pl.]); *fragmento* (fl.), *fragmento* (sm.).]
fragmentário (frag.men.*tá*.ri:o) *a.* 1 Relativo a fragmento 2 Que se manifesta por fragmentos: *Expressava-se num estilo fragmentário e obscuro.* [F.: *fragmento* + *-ário.*]
fragmentável (frag.men.*tá*.vel) *a2g.* Passível de ser fragmentado: *A carne de peixe é facilmente fragmentável.* [Pl.: *-veis.*] [F.: *fragmentar* + *-vel.*]
fragmento (frag.*men*.to) *sm.* 1 Cada pedaço de um objeto que se partiu, quebrou ou explodiu (fragmentos da vidraça, fragmentos de granada, um fragmento de osso); CACO; PEDAÇO 2 Pequena porção ou parte de um todo: *fragmentos de uma paisagem.* 3 Trechos retirados de texto literário ou de outra natureza: *Lerei apenas alguns fragmentos da crônica.* 4 *Fig.* Partes que restam de textos artísticos, filosóficos ou científicos perdidos ou destruídos: *Ele traduziu alguns dos fragmentos dos filósofos pré-socráticos.* [F.: Do lat. *fragmentum -i.*]
◎ **-frago** *el. comp.* = que quebra ou que tem algo quebrado: *náufrago (cujo navio se quebrou), ossífrago* [Com acento tônico na sílaba anterior.] [F.: Do lat. *-fragus, a, um.*]
fragor (fra.*gor*) [ô] *sm.* 1 Ruído estrondoso (fragor da tempestade); ESTRONDO; ESTRÉPITO 2 Ruído que lembra o de algo que se quebra [F.: Do lat. *fragor,-oris.*]
fragoroso (fra.go.*ro*.so) [ô] *a.* 1 Que produz fragor, estrondo, barulho súbito e forte 2 *Fig.* Que tem grande repercussão (fragoroso fracasso) 3 *Fig.* De grandes proporções: *O governo sofreu mais uma derrota fragorosa.* [Fem. e pl.: [ó].] [F.: *fragor* + *-oso.*]
fragoso (fra.*go*.so) [ô] *a.* 1 Cheio de fragas, de penedias (região fragosa); AGRESTE, ÁSPERO 2 De acesso extremamente árduo, difícil: *Era um fragoso mosteiro encravado num altíssimo penhasco.* 3 *Fig.* Difícil de conseguir, de transpor, de vencer (obstáculo fragoso): *O caminho até a deslumbrante cachoeira era fragoso e extenuante.* [Pl.: [ó]. Fem.: ó] [F.: Do lat. *fragosus, a, um.*]
fragrância (fra.*grân*.ci:a) *sf.* 1 Qualidade do que é fragrante, perfumado, oloroso 2 Cheiro agradável das flores, plantas etc. (fragrância de morango, fragrância de rosas); AROMA; PERFUME: *Gosto mais da fragrância da outra colônia.* [F.: Do lat. *fragrantia.* Hom./Par.: *flagrância.*]
fragrante (fra.*gran*.te) *a2g.* Que tem bom odor, que tem cheiro suave (jardim fragrante); CHEIROSO; ODORÍFERO; OLOROSO; PERFUMADO [F.: Do lat. *fragrans, antis.* Hom./Par.: *flagrante.*]
frágua[1] (*frá*.gua) *sf.* 1 Forja, fornalha de ferreiro 2 *Pext.* Fogo vivo, fogueira 3 *Fig.* Adversidade, aflição; PENA 4 *Ant.* Fábrica [F.: Do lat. *fabrica, ae.*]
frágua[2] (*frá*.gua) *sf.* *Geol.* Ver *fraga*
fraguar (fra.*guar*) *v.* 1 Trabalhar (metal) na frágua, na fornalha [*td.*] 2 *Fig.* Afligir, amargurar [*td.*] 3 Produzir estrondo, fragor [*int.*] [▶ 17 fraguar] [F.: *frágua* + *-ar*[2]. Hom./Par.: *fragua(s)* (fl.), *frágua(s)* (sf.[pl.]).]
fragueiro[1] (fra.*guei*.ro) *a.* 1 Que passa a vida trabalhando arduamente nos campos e fragas 2 Que é dado a trabalhos árduos; INCANSÁVEL; INFATIGÁVEL 3 Que não se deixa tomar por qualquer sentimento; INSENSÍVEL; ENDURECIDO 4 Que é levado por impulsos; IMPETUOSO; FOGOSO 5 Que não tem finura; GROSSEIRO; RUDE *sm.* 6 Homem fragueiro (1 a 5) [F.: *fraga* + *-eiro.*]
fragueiro[2] (fra.*guei*.ro) *sm.* 1 *Ant.* Construtor de fragatas 2 *Bras.* Prático de navegação fluvial [F.: *frag(ata)* + *-eiro.*]
fragueiro[3] (fra.*guei*.ro) *sm.* *Bot.* Planta herbácea (*Diodia prostrata*) da fam. das rubiáceas, de caule lenhoso, folhas peludas, flores brancas e frutos em cápsulas, nativa do Brasil [F.: De or. obsc.]
frajola (fra.*jo*.la) *a2g.* 1 *Bras. Pop.* Que se veste com apuro exagerado, com uma elegância faceira e malandra; ALMOFADINHA; JANOTA *s2g.* 2 Pessoa que se veste com tal apuro [F.: De or. contrv.]
fralda (*fral*.da) *sf.* 1 Peça feita de material macio e absorvente, com que se cobrem as nádegas e a região entre as pernas de bebê ou de pessoa, ger. idosa, com o propósito de coletar urina e excrementos (fralda descartável, fralda geriátrica) 2 Parte inferior de montanha, serra etc.; SOPÉ: *Construiu uma casa nas fraldas do monte.* 3 A parte da camisa que fica abaixo da cintura 4 Aba (de chapéu etc.) 5 Saia de cor branca que se usa sob um vestido [Dim.: *fraldica.*] [F.: Do gótico *falda* 'pano de envolver'.] ■ **~ do mar** Praia
fraldário (fral.*dá*.ri:o) *sm.* *Bras. RJ* Instalações esp. preparadas em rodoviárias, casas de festas, centros comerciais etc. para a troca de fraldas em crianças [F.: *fralda* + *-ário.*]
fraldinha (fral.*di*.nha) *sf.* 1 Fralda pequena 2 *Infan.* Forma carinhosa e familiar de referir-se às fraldas das crianças: *Mamãe já vai trocar a fraldinha!* 3 *Gastron.* Tipo de corte de carne bovina macio e suculento que faz parte da alcatra e muito consumido em churrascos, espetinhos, assados de panela ou picadinho em estrogonofe *a2g.* 4 *Esp.* Diz-se de tipo de categoria em uma determinada prática esportiva, esp. no futsal, da qual participam crianças com idade entre 7 e 8 anos: *Meu filho joga na categoria fraldinha.* [F.: Dim. de *fralda.*]
framboesa (fram.bo:*e*.sa) [ê] *sf.* 1 *Bot.* Fruto da framboeseira, pequeno, vermelho e comestível, com o qual se produzem xaropes, geleias, licores, doces etc. 2 *Bot.* Framboeseira [F.: Do fr. *framboise.*]
framboeseira (fram.bo:e.*sei*.ra) *sf.* *Bot.* Arbusto pequeno e ramoso pertencente à fam. das rosáceas (*Rubus idaeus*), com flores brancas e frutos comestíveis, as framboesas, formados por conjuntos de pequenas drupas de cor avermelhada e de sabor doce e agradável; FRAMBOESA [F.: *framboesa* + *-eira.*]
⊕ **frame** (*Ing. / frêim/*) *sm.* *Inf.* Quadro ou moldura de documento que se encontra em uma página da internet
frança[1] (*fran*.ça) *sf.* 1 Copa da árvore 2 *CE* Açoite, chicote 3 *CE* O mesmo que *chiqueirador* [F.: Do lat. *frondeus,a,um.*]
frança[2] (*fran*.ça) *s2g.* 1 Indivíduo presunçoso que se veste com apuro exagerado *a2g.* 2 Apurado demais no vestir-se e presunçoso no comportamento [F.: Do top. *França.*]
francês (fran.*cês*) *sm.* 1 Pessoa originária da França (Europa) ou que tem a nacionalidade desse país 2 *Gloss.* A língua falada na França, Bélgica, Mônaco, Luxemburgo, em parte da Suíça e do Canadá, bem como em certos países da América Central, África e Ásia *a.* 3 Da França; típico desse país ou de seu povo (pintura francesa, literatura francesa, música francesa) 4 Realizado na França ou com o apoio (financeiro, logístico) vindo desse país (filme francês) 5 Que é da França ou a representa (delegação francesa, seleção francesa) 6 Do ou ref. ao francês (2) [Pl.: *-ceses.* Fem.: *-cesa.*] [F.: Do fr. antigo *franceis.*] ■ **Falar ~** 1 *Pop.* Manifestar intenção de pagar, ou efetivamente pagar 2 Ter boa situação financeira
francesa (fran.*ce*.sa) [ê] *af. sf.* 1 Fem. de *francês* 2 Us. nas locs. *Sair à francesa* e *À francesa* ■ **À ~** Ao jeito francês, à moda francesa [Ref. esp. à maneira de servir à mesa, em que garçom apresenta o alimento a cada comensal para que se sirva sozinho.] **Sair à ~** Sair sem se fazer notar, sair de fininho
francesismo (fran.ce.*sis*.mo) *sm.* 1 Termo linguístico, expressão ou palavra da língua francesa incorporada por outra língua, como ocorreu no português, p.ex., com *finesse*; GALICISMO 2 Imitação de hábitos e costumes próprios dos franceses 3 *Fig.* Cordialidade afetada, fingida [F.: *francês* + *-ismo.*]
⊕ **franchise** (*Ing. /francháiz/*) *Com. sm.* 1 Sistema comercial no qual uma empresa detentora de uma marca permite que outras empresas utilizem essa marca desde que cumpridas certas condições 2 Empresa criada a partir desse sistema ou que adere a ele; FRANQUIA
⊕ **franchising** (*Ing. /francháizin/*) *sm.* Ver *franchise* (1)
franciscana (fran.cis.*ca*.na) *sf.* *Zool.* Golfinho sul-americano (*Pontoporia blainvillei*), da fam. dos pontoporídeos, encontrado em águas costeiras e estuários, de coloração cinzenta e focinho muito longo e fino; TONINHA
franciscano (fran.cis.*ca*.no) *sm.* 1 *Rel.* Religioso pertencente à Ordem dos Frades Menores, fundada em 1209 por São Francisco de Assis (1182-1226) e posteriormente dividida em outras ordens que compreendem atualmente os frades menores (abr.: OFM), os frades menores capuchinhos (abr.: OFMcap) e os frades menores conventuais (abr.: OFMconv) *a.* 2 *Rel.* Ref. a essa ordem ou a seus religiosos (museu franciscano) 3 *Fig.* Que é extremamente pobre: *As pessoas levam uma vida franciscana naquele vilarejo.* [F.: Do lat. ecles. *franciscanus, a, um.*]
franco[1] (*fran*.co) *a.* 1 Que é sincero e aberto, que manifesta o que (se) sente ou (se) pensa (pessoas francas, conversa franca) 2 Que é pleno, aberto, livre de obstáculos: *Com este crachá teremos franco acesso ao evento.* 3 Que é generoso em questões financeiras: *Sempre foi franco em seus gastos.* 4 Que é livre do pagamento de tributos, taxas, impostos etc. (entrada franca, zona franca) 5 Diz-se de língua us. para o estabelecimento de relações comerciais entre povos de línguas distintas [F.: Do fr. *franc.*]
franco[2] (*fran*.co) *sm.* 1 Indivíduo dos francos, antigo povo germânico que invadiu e conquistou a Gália nos sécs. III e IV 2 *Gloss.* A língua falada por esse povo *a.* 3 Ref. a esse povo ou típico dele 4 Do ou ref. ao franco (2) [F.: Do germânico *frank* pelo fr. *franc.*]
◎ **franco-** *el. comp.* = francês: *franco-brasileiro.* [F.: Do top. *França.*]
franco[3] (*fran*.co) *sm.* Nome da moeda us. na Suíça (franco suíço) e, anteriormente, us. na França (franco francês) e na Bélgica (franco belga), entre outros países, até a adoção do euro [F.: Do fr. *franc.*]
franco-atirador (fran.co-a.ti.ra.*dor*) [ô] *sm.* 1 Combatente que, não pertencendo a nenhuma unidade regular de um exército, age por conta própria, realizando ataques e montando emboscadas: *Ainda havia vários franco-atiradores espalhados pela cidade.* 2 *Fig.* Quem trabalha por um ideal, mas sem estar vinculado a um grupo ou instituição 3 *Fig.* Quem testa ao mesmo tempo várias alternativas, atacando, por assim dizer, em várias frentes simultaneamente: *Nos bailes, ele é um franco-atirador, flertando com várias mulheres ao mesmo tempo.* 4 Membro de uma escola de tiro 5 *Hist.* Durante a Revolução Francesa, soldado de certos corpos de infantaria [Pl.: *franco-atiradores.*]
franco-brasileiro (fran.co-bra.si.*lei*.ro) *a.* 1 Que se refere à França e ao Brasil ou ao povo brasileiro e ao povo francês (intercâmbio franco-brasileiro) 2 Que une as duas culturas (música franco-brasileira) 3 Diz-se de pessoa que descende de brasileiros e franceses, esp. pai e mãe *sm.* 4 Indivíduo franco-brasileiro [Pl.: *franco-brasileiros.*]
francofilia (fran.co.fi.*li*:a) *sf.* 1 Caráter de francófilo 2 Forte sentimento de admiração pela França e pelo que é francês; GALOFILIA [F.: *franco-* + *-filia.*]
francofílico (fran.co.*fí*.li.co) *a.* Referente a *francofilia* [F.: *francofilia* + *-ico*[2].]
francófilo (fran.*có*.fi.lo) *a.* Diz-se de indivíduo que é admirador da França, do povo francês e de sua cultura; GALÓFILO [F.: *franco-* + *-filo.*]
franco-maçom (fran.co-ma.*çom*) *a.* 1 Que é membro da franco-maçonaria, sociedade semissecreta; MAÇOM; PEDREIRO-LIVRE *sm.* 2 Aquele que faz parte dessa sociedade [Pl.: *franco-maçons.*] [F.: Do fr. *franc-maçon.*]
franco-maçonaria (fran.co-ma.ço.na.*ri*:a) *sf.* Sociedade semissecreta cuja finalidade é a de criar um sentimento de fraternidade e de filantropia entre seus seguidores, que se dividem em grupos chamados "lojas" e usam distintivos ou sinais secretos para se reconhecerem [F.: Do fr. *franc-maçonnerie.*]
francônio (fran.*cô*.ni:o) *sm.* 1 Indivíduo nascido ou que vive em Francônia (antiga região da Alemanha) 2 *Gloss.* Língua falada na Francônia *a.* 3 De Francônia; típico dessa região ou de seu povo 4 Ref. ao francônio (2) [F.: Do top. *Francônia* + *-io*[3].]
franga (*fran*.ga) *sf.* 1 Galinha que ainda não bota ovos por ser nova demais 2 *Bras. Pop.* Mulher muito jovem [Dim.: *franguinha.*] [F.: Fem. de *frango.*] ■ **Soltar a ~** 1 *Joc. Pop.* Desinibir-se, perder o acanhamento 2 Gesticular (um homem) com gestos afetados, mais típicos de uma mulher; comportar-se (homem) como homossexual, afeminado
frangalho (fran.*ga*.lho) *sm.* 1 Pedaço de pano rasgado ou muito usado; FARRAPO; TRAPO: *Ele vestia frangalhos; Suas roupas estavam em frangalhos.* 2 *Fig.* Qualquer coisa em estado deplorável, imprestável 3 Pessoa arrasada, destruída emocionalmente; CACO; FARRAPO; TRAPO: *Depois da falência da firma, ele virou um frangalho.* [F.: De or. obsc.]
frangibilidade (fran.gi.bi.li.*da*.de) *sf.* Qualidade do que é frangível [F.: *frangível* + *-bil(i)-* + *-dade.*]
frangível (fran.*gí*.vel) *a2g.* Que é frágil, fácil de quebrar [F.: Do lat. *frangibile, de frangere.]
franglês (fran.*glês*) *sm.* *Depr.* Uso de palavras da língua inglesa no francês [F.: Do fr. *franglais.*]
frango (*fran*.go) *sm.* 1 Galo jovem que ainda não atingiu idade de reprodução; o pinto desde que se cobre de penas

2 Fig. Homem jovem *3 Pop. Fut.* Gol causado por uma falha muito grave do goleiro: *Nosso goleiro já engoliu três frangos.* *4 Bras.* Escarro, cuspe *5 RS* Espiga de milho assada ou seca *6 Tabu.* Homossexual passivo *7 Zool.* O mesmo que *cação-frango* [Dim.: *frangote, frangainho.*] [F.: De or. contrv.] **■ Cercar ~** *Bras. Pop.* Cambalear ao andar, ger. por estar embriagado **Engolir um ~** *Bras. Fut.* Não fazer (o goleiro) uma defesa fácil, deixando a bola passar, e resultando em gol do adversário

frango-d'água (fran.go-*d'á*.gua) *sm. Bras. Zool.* Nome comum aos membros de diversas spp. de aves aquáticas da fam. dos ralídeos, ger. migratórias, como os da sp. *Gallinula chloropus*, encontrada em lagos e lagoas ao longo de todo o Brasil [Pl.: *frangos-d'água.*]

frango de leite (fran.go de *lei*.te) *sm.* O mesmo que *galeto* [Pl.: *frangos de leite.*]

frangote (fran.*go*.te) *sm.* *1 Zool.* Frango pequeno *2 Fig.* Rapaz bem novo; RAPAZOLA: *O frangote ainda tentou desafiar o policial.* *3 Fig.* Rapaz presunçoso e frajola [Fem.: *frangota.*] [F.: *frango + -ote.*]

frango-xadrez (fran.go-*xa*.drez) *sm. Cul.* Prato chinês preparado com frango picado e legumes variados, fritos em óleo bem quente [Pl.: *frangos-xadrez.*]

frangueiro (fran.*guei*.ro) *a.* *1 Bras. Fut.* Diz-se de goleiro que engole ou costuma engolir frangos, que deixa entrar em seu gol bolas fáceis de defender *sm.* *2* Goleiro que engole frangos [F.: *frango + -eiro.*]

franja (*fran*.ja) *sf.* *1* Porção de cabelo que cobre total ou parcialmente a testa de uma pessoa *2* Enfeite constituído ger. de fios ou tranças que pendem da borda de um tecido *3* No plural, ornatos excessivos do discurso [F.: Do fr. *frange* e, este, do lat. *fimbria*, de *fimbria, ae.*] **■ ~ de interferência** *Ópt.* Numa figura de interferência, região de maior ou menor intensidade luminosa

franjado (fran.*ja*.do) *a.* *1* Que se franjou *2* Que é enfeitado com franja (vestido franjado) *3 Fig.* Diz-se de escrita em que há rebuscamento de estilo [F.: Part. de *franjar.* Ant. ger.: *singelo.*]

franjar (fran.*jar*) *v.* *1* Colocar franja ou ornamento em [*td.*: *Franjou a barra da saia.*] *2* Desfiar a margem de algo para criar franja [*td.*: *Tanto franjou o lenço que o tornou diminuto.*] *3* Criar franja no cabelo, aparando-a na testa [*td.*: *Franjou o cabelo para ocultar as rugas da testa*] *4 Fig.* Tornar rendilhado ou espalhado como uma franja [*td.*: *A espuma das ondas franjava a faixa de areia.*] [*tdr.* + *de*: *A maré alta franjou a praia de espuma.*] *5* Rebuscar, florear (a escrita, o texto) [*td.*: *Franjava todos os seus textos para ser visto como estilista.*] [▶1 franjar] [F.: *franja + -ar².* Hom./Par.: *franja* (fl.), *franjas* (fl.), *franja* (sf. [pl.]).]

⊕ **frankenstein** *Pop. sm.* *1* Indivíduo com malformações físicas que tornam sua aparência muito feia e assustadora *2* Indivíduo muito feio ou monstruoso [F.: Do ing. *Frankenstein*, título de um romance de Mary Shelley.]

franqueado (fran.que:*a*.do) *a.* *1* Que se franqueou *2 Com.* Que detém franquia (licença) concedida por um franqueador *sm.* *3* Aquele que tem essa franquia [F.: Part. de *franquear.*]

franqueador (fran.que:a.*dor*) [ô] *a.* *1* Que franqueia *2 Com.* Que concede franquia (licença) *sm.* *3 Com.* Aquele que concede franquia [F.: *franqueado + -or.*]

franqueamento (fran.que.a.*men*.to) *sm.* Ação ou resultado de franquear, de conceder franquia; FRANQUIA [F.: *franquear + -mento.*]

franquear (fran.que.*ar*) *v.* *1* Tornar franco, livre; liberar [*td.*: *Franqueou a fuga dos animais.*] [*tdi.* + *a, para*: *Franquearam a entrada aos torcedores do Flamengo.*] *2* Facultar, permitir o uso de [*tdi.* + *a, para*: *Franqueou seu escritório ao amigo.*] [*td.*: *Na falta de outro local para festa, franqueou a própria casa.*] *3* Isentar de impostos [*td.*] *4* Conceder, dar, liberar [*tdi.* + *a. para*: *A empresa franqueou novo empréstimo ao comerciante.*] *5* Pagar porte de (remessa fiscal) [*td.*] *6* Conceder franquia a [*td.*: *A pizzaria franqueou dez novas lojas para expandir-se na cidade.*] *7* Dar a conhecer; REVELAR [*td.*: *Costumava franquear seus segredos.*] [*tdi.* + *a*: *Franqueou seus segredos aos irmãos.*] *8* Atravessar, transpor [*td.*: *Franqueou o portão e fugiu pela estrada.*] *9* Selar o pagamento de (com selo postal ou à máquina) [*td.*: *O funcionário franqueava dezenas de cartas.*] [▶13 franquear] [F.: *franco¹ + -ear².* Hom./Par.: *franqueáveis* (fl.), *franqueáveis* (pl. *franqueável* [a2g.]).]

franqueza (fran.*que*.za) [ê] *sf.* *1* Qualidade de quem é franco, de quem é sincero e não esconde o que pensa ou sente; SINCERIDADE: *Posso falar com franqueza com você?* *2* Qualidade de quem é generoso, liberal em questões que envolvem dinheiro; GENEROSIDADE: *Gastou a herança dos pais com grande franqueza.* *3 P.us.* Isenção de certos impostos, taxas, pagamentos etc. *4 P.us.* Autorização para passar livremente por algum lugar [F.: *franco¹ + -eza.*]

franquia (fran.*qui*.a) *sf.* *1* Isenção de certas obrigações ou do pagamento de certas taxas *2* Em contratos de seguro de veículos, parcela das despesas a serem pagas pelo próprio segurado em caso de acidente *3 Econ.* Sistema pelo qual uma empresa cede a uma outra, em troca de uma compensação financeira, o direito de usar seu nome, padrão de funcionamento e identidade visual; FRANCHISE *4 Econ.* Negócio ao qual foi concedida tal licença; FRANCHISING: *Meu pai abriu uma franquia de uma lanchonete famosa.* *5* Nos correios, valor a ser pago pelo porte de cartas, jornais etc. *6 Mar.* Isenção de imposto aduaneiro ou de qualquer outro tipo concedida a um navio pela autoridade alfandegária *7 Mar.* Situação legal de um navio que, por ter pago todos os impostos, taxas etc., está autorizado a zarpar *8* Carga de navio ou seu valor que, mesmo perdida, não acarreta indenização por ter sido por causa natural *9* Isenção de encargos dados a uma pessoa ou instituição (franquias diplomáticas) *10 P.us.* Sinceridade, franqueza [F.: *franco¹ + -ia.*] **■ ~ de bagagem** Peso máximo permitido de bagagem por passageiro, isento de pagamento suplementar **~ postal** Isenção de pagamento (concedida pelos Correios) no envio de correspondência ou encomendas postais

franquismo (fran.*quis*.mo) *sm.* *1* Ideologia que norteava o regime político do ditador espanhol Francisco Franco (1892-1975) *2* A política exercida pelo governo desse ditador *3* Partido político de Portugal que tinha como líder João Franco (1885-1929) *4* O pensamento político desse partido *5* Época em que predominou a ditadura de João Franco em Portugal (1906-1907) [F.: Do antr. Francisco *Franco* e João *Franco.*]

franquista (fran.*quis*.ta) *a2g.* *1* Relativo ao franquismo (período franquista) *2* Partidário do franquismo espanhol *3* Partidário do franquismo português *s2g.* *4* O adepto do franquismo (espanhol ou português) [F.: Do antr. *Franco + ista.*]

franzido (fran.*zi*.do) *a.* *1* Que se franziu, que apresenta dobras, pregas ou rugas (testa franzida, vestido franzido) *2* Coisa (fazenda, vestido, camisa etc.) franzida (1) *sm.* *3* Conjunto de dobras ou pregas: *o franzido do vestido.* [F.: Part. de *franzir.*]

franzino (fran.*zi*.no) *a.* *1* Diz-se de quem ou de que (parte do corpo) é pouco encorpado, tem o talhe fino, delicado, débil *2* Que possui pouca espessura (tecido franzino); FINO; DELGADO *3* Diz-se de algo que se apresenta sem intensidade, sem força (voz franzina) [F.: Posv. de *frangir*, com infl. de *franzir + -ino.*]

franzir (fran.*zir*) *v.* *1* Formar dobras estreitas, ou pregas muito próximas uma da outra em [*td.*: *A costureira franziu o babado da blusa.*] [*int.*: *Esse tecido (se) franze facilmente.*] *2* Formar rugas em ou passar a ter rugas; CONTRAIR(-SE); ENRUGAR(-SE) [*td.*: *Franziu a testa.*] [*int.*: *Seu rosto se franzia em situações tensas.*] [▶3 franzir] [F.: Do lat. *frangare.* Ant. ger.: *desfranzir.*]

frapê (fra.*pê*) *a.* Diz-se de bebida resfriada com gelo, mas não muito gelada [F.: Do fr. *frappé.*]

fraque (*fra*.que) *sm. Vest.* Traje masculino de cerimônia, que consiste num casaco curto na parte da frente e com longas abas na parte de trás, e calças ger. listradas [F.: Do fr. *frac.*]

fraquear (fra.que.*ar*) *v. int.* O mesmo que *fraquejar*: "Fitou no moço uns olhos de corça moribunda; as pernas fraqueavam." (Machado de Assis, *Helena*) [▶13 fraquear] [F.: *fraco + -ear².*]

fraqueiro (fra.*quei*.ro) *a. P.us.* Enfraquecido, debilitado, sem forças, sem vigor [F.: *fra(co) + -queiro.*]

fraquejar (fra.que.*jar*) *v. int.* *1* Perder as forças, o vigor; tornar-se fraco; DEBILITAR-SE: *O cansaço o fez fraquejar.* *2* Perder a coragem, a energia, a disposição; ser tomado pelo desânimo: *Fraquejou diante do perigo:* "Manuel não morreu, mas fraquejou para sempre." (Rodrigo Paganino, *Contos do tio Joaquim*) *3* Cantar, cacarejar (a galinha-d'angola): *Meu vizinho tem uma galinha que fraqueja o dia inteiro.* [▶1 fraquejar] [F.: *fraco + -ejar.*]

fraqueza (fra.*que*.za) [ê] *sf.* *1* Qualidade, condição, estado ou característica de alguém ou algo ao qual falta força física; ausência ou deficiência dessa força; DEBILIDADE; FRAGILIDADE: *Ele não consegue caminhar por causa de sua fraqueza.* *2* Estado ou característica daquele a quem falta firmeza moral: *Não resistiu às pressões, revelando sua fraqueza.* *3* Aquilo a que uma pessoa não consegue resistir; ponto fraco: *O cigarro é a sua fraqueza.* *4* Sensação de abatimento, de desânimo: *Na metade do semestre vai me dando uma fraqueza.* [F.: *fraco + -eza.*]

frasal (fra.*sal*) *a2g.* Ref. a frase, da frase ou próprio dela (estrutura frasal) [Pl.: *-sais.*] [F.: *frase + -al¹.*]

frascário (fras.*cá*.ri.o) *a.* *1* Diz-se de indivíduo devasso, leviano; LIBERTINO *sm.* *2* Esse indivíduo; LIBERTINO [De *frasco + -ário.* Hom./Par.: *frascária* (sf.), *frascaria* (sf.).]

frasco (*fras*.co) *sm.* *1* Pequeno recipiente de vidro, cristal, plástico etc., no qual se guardam substâncias líquidas, pastosas ou sólidas, tais como perfumes, óleos, graxas etc. *2 AM* Medida correspondente a 2 litros *3 Lus.* Recipiente em que se carrega pólvora para a caça; polvarinho *4 Lus. Tabu.* Ânus [F.: Do lat. tard. *flasco -onis* 'garrafa de vinho'.]

◎ **-frase** *el. comp.* = 'maneira de falar'; 'dicção', 'elocução'; 'frase'; 'período'; 'figura de estilo': *antífrase* (< lat. < gr.), *epífrase, holófrase, metáfrase* (< lat. < gr.), *paráfrase* (< lat. < gr.), *perífrase* (< lat. < gr.) [F.: Do gr. *-phrasis, eos*, do gr. *phrásis, eos*, 'ação de exprimir pela palavra'; 'locução'; 'fala'; 'frase'. F. conexas: *fraseo-* e *-frasia*. Cf. *-fase.*]

◎ **fras(e)-** = expressão pela palavra, linguagem, fala, discurso: *fraseado, fraseologia.*

frase (*fra*.se) *sf.* *1 Gram.* Unidade de comunicação linguística para a transmissão de uma ideia, informação, declaração etc., dotada de uma estrutura e com sentido completo *2 Mús.* Trecho de composição musical no qual se reconhece unidade interna e certa autonomia [F.: Do gr. *phrásis, eos* pelo lat. *phrasis,is.*] **■ Fazer ~s** Formular frases empoladas, de efeito, mas de pouco ou nenhum sentido, de conteúdo pobre **~ assertiva** *Ling.* Aquela que expressa uma assertiva, uma afirmação; frase declarativa **~ clivada** *Ling.* A que resulta da divisão de uma oração em duas que expressam o mesmo significado **~ completiva** *Ling.* A que, inserida em período composto por subordinação, ou em frase complexa, expressa um complemento do sentido **~ complexa/composta** *Ling.* Aquela que contém várias orações, coordenadas e/ou subordinadas **~ declarativa** *Ling.* Ver *Frase assertiva* **~ feita** *Ling.* Grupo de palavras que representa uma unidade como expressão de significado; expressão idiomática; fraseologia **~ predicativa** *Ling.* Frase composta somente por predicado **~ quebrada** *Ling.* Frase na qual ocorre quebra da estrutura sintática, sem perda da expressão do significado; anacoluto

fraseado (fra.se.*a*.do) *a.* *1* Que se expressou por meio de frases *sm.* *2* Maneira de se dizer ou escrever algo, de construir as frases que expressam o que se quer dizer; FRASEIO; PALAVREADO: *Suas ideias eram simples, mas seu fraseado era extremamente sofisticado.* *3 Mús.* Maneira de desenvolver uma linha melódica (fraseado de guitarra) [F.: Part. de *frasear.*]

frasear (fra.se.*ar*) *v.* *1* Expor (ideias) em frases (escritas ou faladas); estruturar essas ideias em [*td.*: *Fraseou seu discurso calmamente.*] [*int.*: *Fraseava o tempo todo.*] *2 Mús.* Executar frases (musicais) de maneira expressiva [*int.*: *O cantor gosta de frasear as letras de suas músicas.*] [▶13 frasear] [F.: *frase + -ear².* Hom./Par.: *fraseio* (fl), *fraseio* (sm.).]

◎ **fraseo-** *el. comp.* = 'linguagem'; 'fala'; 'discurso': *fraseologia, fraseomania* [F.: Do gr. *phrásis, eos*, 'ação de exprimir pela palavra'; 'locução'; 'fala'; 'frase'. F. conexas: *-frase* e *-frasia.*]

fraseologia (fra.se:o.lo.*gi*.a) *sf.* *1 Ling.* Modo de construção de frase peculiar a uma determinada língua ou a um determinado escritor: *a fraseologia do latim; a fraseologia de Guimarães Rosa.* *2* Conjunto de frases e de expressões peculiares a um escritor ou a uma língua *3 Gram.* Parte da gramática que estuda a frase *4 Ling.* Expressão idiomática, frase com sentido fixo, ger. não literal (p.ex., *dar murro em ponta de faca.*) [F.: Do fr. *phraseologie.*]

fraseológico (fra.se:o.*ló*.gi.co) *a.* Ref. a fraseologia [F.: *fraseologia + -ico².*]

◎ **-frasia** *el. comp.* = 'frase'; 'maneira de falar'; 'perturbação ou distúrbio da linguagem ligado à produção de frases'; 'distúrbio da fala': *afrasia, angofrasia, coreofrasia, embolofrasia, palinfrasia, parafrasia, taquifrasia* [F.: Do gr. *phrásis, eos*, 'ação de exprimir pela palavra'; 'locução'; 'fala'; 'frase', + *-ia¹*. F. conexas: *fraseo-* e *-frase*. Cf. *-fasia.*]

frásico (*frá*.si.co) *a.* O mesmo que *frasal* [F.: *frase + -ico².*]

frasismo (fra.*sis*.mo) *sm.* Em certos discursos, abuso de frases rebuscadas, mas desprovidas de um sentido mais profundo [F.: *frase + -ismo.*]

frasista (fra.*sis*.ta) *a2g.* *1* Que gosta ou costuma fazer frases de efeito, com ou sem conteúdo significativo *s2g.* *2* Aquele que é dado a fazer essas frases [F.: *frase + -ista.*]

frasqueira (fras.*quei*.ra) *sf.* *1 Bras.* Estojo de viagem no qual se colocam perfumes, cremes e outros produtos de toalete *2* Lugar em que se guardam pequenas quantidades de garrafas e frascos *3* Lugar em que se guardam vinhos finos *4* Garrafa onde se coloca o vinho para servi-lo à mesa *5 AM* Garrafão com capacidade de 24 litros; a medida de 24 litros [F.: *frasco + -eira.*]

fraternal (fra.ter.*nal*) *a2g.* O mesmo que *fraterno* [Pl.: *-nais.*] [F.: *fraterno + -al¹.*]

fraternidade (fra.ter.ni.*da*.de) *sf.* *1* Convivência harmoniosa e afetiva entre as pessoas *2* Relação de parentesco entre irmãos; IRMANDADE: "...É meu único parente. Fomos criados juntos (...) E amontoava detalhes daquela fraternidade, exagerando uns, inventando outros..." (Eça de Queirós, *O primo Basílio*) *3* Sentimento de amor ao próximo, que implica solidariedade *4* Associação ou comunidade com propósito específico, de cunho religioso, social, cultural ou político [F.: Do lat. *fraternitas, atis.*]

fraternização (fra.ter.ni.za.*ção*) *sf.* *1* Ação ou resultado de oferecer ou realizar amizade íntima, de fraternizar(-se) *2* Mesmo que *fraternidade* [Pl.: *-ções.*] [F.: *fraternizar + -ção.*]

fraternizar (fra.ter.ni.*zar*) *v.* *1* Unir(-se) como irmãos, de modo fraterno [*td.*: *As dificuldades acabaram por fraternizar a turma.*] [*tr.* + *com*: *Esquecendo a briga, fraternizou com o colega; Após anos de conflito, os vizinhos fraternizaram-se (no sentido recíproco de que um fraternizou com o outro).*] *2* Partilhar das mesmas convicções; CONFRATERNIZAR-SE; HARMONIZAR-SE [*tr.* + *com*: *O empresário fraternizou com seus funcionários; Políticos e povo fraternizaram-se.* (*No sentido recíproco de que uns fraternizaram com o outro.*)] *3* Associar-se, irmanar-se, ligar-se [*tr.* + *com*: *O chefe fraternizou-se com os grevistas.*] [*int.*: *Os antigos rivais fraternizaram.*] *4* Juntar-se por causa comum [*int.*: "Toda a esquadrilha foi correndo em disparada por entre um fragor de aclamações, em que fraternizaram selvagens e europeus." (Xavier Marques, *Pindorama*)] [▶1 fraternizar] [F.: *fraterno + -izar.*]

fraterno (fra.*ter*.no) *a.* *1* Ref. a ou próprio de irmãos (amor fraterno) *2* Em que há fraternidade, ou que é movido por ela, pelo amor ao próximo, ou que é próprio desse sentimento (espírito fraterno) *3* Que demonstra carinho ou afeto (sorriso fraterno) *4 Fig.* Amigável, cordial: *Ele sempre foi muito fraterno com os vizinhos* [F.: Do lat. *fraternus, a, um.* Sin. ger.: *fraternal.*]

fratricida (fra.tri.*ci*.da) *a2g.* *1* Que mata o irmão ou a irmã *2* Diz-se de guerra ou conflito armado em que os habitantes de um mesmo país ou os membros de um mesmo povo se matam uns aos outros *3* Ref. a fratricídio *s2g.* *4* Aquele que mata o irmão ou a irmã [F.: Do lat. *fratricida, ae.*]

fratricídio (fra.tri.*cí*.di:o) *sm.* *1* Assassinato de irmão ou de irmã *2 Fig.* Guerra civil: "...o tremendo espetáculo em que o parricídio e o fratricídio tinham desempenhado os principais papéis..." (Rebelo da Silva, *Casa dos fantasmas*) [F.: Do lat. *fratricidium, ii.*]

fratura (fra.*tu*.ra) ***sf.*** **1** Ação ou resultado de fraturar; QUEBRA **2** *Cir. Od.* Quebra de um osso, cartilagem ou dente, espontaneamente ou em função de um choque muito forte **3** *Geol.* Ruptura em placa geológica causada por movimento sismológico **4** *Min.* Textura de uma superfície recém-quebrada [F.: Do lat. *fractura, ae.* Hom./Par.: *fratura* (sf.), *fratura* (fl. de *fraturar*).] **■ ~ cominutiva** *Ort.* Aquela na qual o osso se parte em muitos fragmentos **~ de estresse** *Ort.* Fratura de osso no ponto em que se fixa um músculo, devido a esforço súbito do próprio organismo **~ de fadiga** *Ort.* Fratura de osso no ponto em que se fixa tecido conjuntivo devido a esforço repetido, ger. ao qual o organismo está pouco habituado **~ de marcha** *Ort.* Fratura de tíbia ou de fêmur sem deslocamento das partes **~ do colo** *Ort.* A que ocorre na extremidade proximal do osso

fraturamento (fra.tu.ra.*men*.to) ***sm.*** Ação ou resultado de fraturar(-se); FRATURA [F.: *fraturar* + *-mento*.]

fraturar (fra.tu.*rar*) ***v.*** **1** *Ort.* Causar fratura em, ou sofrer (osso, dente, perna etc.) fratura [*td.*: *Com o choque, a barra de direção fraturou sua perna.*] [*int.*: *Os ossos do pulso fraturaram; Por pouco seu fêmur não fraturou.*] **2** Sofrer (alguém, animal) fratura (de osso) em (parte do corpo) [*td.*: *Escorregou no banheiro e fraturou a perna.*] **3** Causar rachaduras, fendas em; FENDER; RACHAR [*td.*: *A explosão fraturou o pilar da ponte.*] [▶ **1 fraturar**] [F.: *fratura* + *-ar*[2]. Hom./Par.: *fratura(s)* (fl.), *fratura* (sf.[pl.]). Ideia de *fraturar*: usar pospos. *-clasta*: *iconoclasta*.]

fraudado (frau.*da*.do) ***a.*** **1** Que se fraudou: *O imposto de renda fraudado desmascarou sua falsa honestidade.* **2** Que sofreu fraude ou passou por fraude: *O povo é sempre o grande fraudado com essas caríssimas propagandas do governo.* [F.: Part. de *fraudar*.]

fraudador (frau.da.*dor*) [ô] ***sm.*** **1** Aquele que frauda: "... Os vagabundos instintivos são trapaceiros, fraudadores, mentirosos..." (Antônio Austregésilo, *Pequenos males*) **2** O mesmo que *contrabandista* ***a.*** **3** Que frauda **4** Que faz contrabando(s) [F.: Do lat. *fraudator, oris.*]

fraudar (frau.*dar*) ***v.*** **1** Cometer fraude em prejuízo de (pessoa física ou jurídica) [*td.*: *fraudar a Previdência/os clientes.*] **2** Falsificar, adulterar [*td.*: *Fraudar documentos/uma assinatura.*] **3** Agir com o intuito de iludir, ludibriar [*td.*: *Fraudou todos os sócios.*] **4** Fazer contrabando de; CONTRABANDEAR [*td.*: *fraudar mercadorias.*] **5** Fazer fracassar; FRUSTRAR [*td.*: *O incidente fraudou seus projetos.*] [▶ **1 fraudar**] [F.: Do lat. *fraudare*. Hom./Par.: *fraude(s)* (fl), *fraude(s)* (sf.[pl.]); *fraudáveis* (fl.), *fraudáveis* (pl. *fraudável* [a2g.]).]

fraudatório (frau.da.*tó*.ri.o) ***a.*** Que contém fraude; FRAUDULENTO [F.: Do lat. *fraudatus* (v. *fraudare*).]

fraude (*frau*.de) ***sf.*** **1** Ação desonesta realizada com o propósito de enganar alguém ou burlar regras e leis vigentes: "... e os pobres haviam de usar de fraude fazendo-se mais pobres..." (Frei Luís de Souza, *Vida do arcebispo*) **2** Falsificação de marca, produtos patenteados, documentos etc. **3** Contrabando **4** *Fig.* Aquilo ou aquele que não é verdadeiro: *Artista nada, ele na verdade é uma fraude. Pelo menos a arte dele é uma fraude.* [F.: Do lat. *fraus, fraudis*. Hom./Par.: *fraude* (sf.), *fraude* (fl. de *fraudar*).]

fraudulência (frau.du.*lên*.ci.a) ***sf.*** O mesmo que *fraude* [F.: Do lat. *fraudulentia,ae.*]

fraudulento (frau.du.*len*.to) ***a.*** **1** Realizado ou obtido por meio de fraude (certidão fraudulenta); FRAUDENTO **2** Que tende a fraudar, a fazer fraudes (instituição fraudulenta) **3** *Jur.* Diz-se da falência em que houve fraude [F.: Do lat. *fraudulentus, a, um.*]

freada (fre.*a*.da) ***sf.*** **1** *Bras.* Ação ou resultado de frear, de acionar o freio de um veículo; BRECADA **2** *Fig.* Rastro no asfalto feito pelo(s) pneu(s) de um carro ao frear bruscamente **3** *P.ext.* Ação de parar subitamente de fazer algo, de conduzir um processo etc. [F.: Fem. substv. de *freado*.]

freagem (fre:*a*.gem) ***sf.*** Ver *freada*; FRENAGEM; FREAMENTO [Pl.: *-gens*.] [F.: *fre(ar)* + *-agem*.]

freamento (fre.a.*men*.to) ***sm.*** Ação ou resultado de frear; FREAGEM; FRENAMENTO [F.: *frear* + *-mento*.]

frear (fre.*ar*) ***v.*** **1** Acionar o freio de (veículo, máquina) [*td.*: *frear o carro.*] [*int.*: *Freou repentinamente, e o carro quase capotou.*] **2** Parar, ter reduzida a velocidade, porque se apertou o freio [*int.*: *O trem freou na curva.*] **3** Fazer parar (um animal), interrompendo seu avanço [*td.*: *Freou o cavalo na entrada da reta.*] **4** *Fig.* Interromper, conter, controlar ou diminuir o ritmo de desenvolvimento de; CONTER(-SE) [*td.*: *Frear a violência urbana; Freou-se para não rir da situação.*] **5** *Fig.* Tornar controlado, comedido [*td.*: *Precisava frear seu ímpeto sexual.*] [▶ **13 frear**] [F.: Do lat. *frenare*. Hom./Par.: *freio* (fl.), *freio* (sm.).]

freático (fre.*á*.ti.co) ***a.*** Diz-se de lençol de água pouco profundo, explorado por meio de poços [F.: Do fr. *phréatique*.]

frechal (fre.*chal*) ***sm.*** **1** *Cons.* Viga de madeira sobre a qual se assentam os frontais de cada pavimento de uma construção **2** Vara ou ripa transversal que sustenta os panos que cobrem o teto de uma barraca [F.: Ver em *flechal*. Hom./Par.: *frechais* (pl.), *frechais* (fl. de *frechar*).]

frechar (fre.*char*) ***v.*** O mesmo que *flechar* [Hom./Par.: *frecha* (fl.), *frechas* (fl.), *frecha* (sf. [pl.]); *frechais* (fl.), *frechais* (sm. [pl.]); *frecharia* (fl.), *frecharias* (fl.), *frecharia* (sf. [pl.]).]

🌐 **freelance** (*Ing. /frilâns/*) ***s2g.*** **1** Trabalho avulso para uma empresa, ger. do ramo de comunicação, realizado por profissional que não pertence ao seu corpo de funcionários **2** Profissional que faz esse tipo de trabalho ***a.*** **3** Que se realiza (trabalho, tarefa, atividade) sem vínculo empregatício, ger. em empreitadas por tarefa

🌐 **freelancer** (*Ing. /frilâncer/*) ***s2g.*** Indivíduo que faz trabalhos ou tarefas sem vínculo empregatício; o mesmo que *freelance* (2)

free shop (*Ing./fri chóp/*) ***loc.subst.*** Red de *duty-free shop*

🌐 **freeware** (*Ing. /friuér/*) ***sm.*** *Inf.* Programa de computador que se pode usar gratuitamente

🌐 **freezer** (*Ing. /fríser/*) ***sm.*** **1** Eletrodoméstico us. para congelar alimentos ou fabricar gelo **2** Compartimento de refrigerador no qual se guardam alimentos congelados ou se fabrica gelo [Sin. ger.: *congelador*.]

frege[1] (*fre*.ge) [é] ***sm.*** **1** *Bras. Pop.* Confusão, baderna, barulho; ROLO **2** Festa, evento, reunião de aparência não recomendável, de mau aspecto **3** Briga, rixa, quizília [F.: Dev. de *frigir* (*Fig.*). Hom./Par.: *frege* (sm.), *frege* (fl. de *frigir*).] **■ Virar ~** *Bras. Pop.* Provocar baderna, confusão; fazer rolo

frege[2] (*fre*.ge) ***sm.*** *Bras. Pop.* F. red. de *frege-moscas*

frege-moscas (fre.ge.-mos.cas) ***sm2n.*** *Bras. Pop.* Restaurante popular de má qualidade, ger. sujo; FREGE; TASCA

freguês (fre.*guês*) ***sm.*** **1** Cliente habitual de um estabelecimento comercial: *Meu pai é freguês dessa padaria.* **2** Qualquer cliente ou comprador **3** *Lus.* Paroquiano, habitante de freguesia ou paróquia **4** *Bras. Pop.* Indivíduo, sujeito, qualquer pessoa **5** *Bras. Pop. Joc.* Aquele cujo time ou escola sempre perde para um adversário [Pl.: *-gueses*. Fem.: *-guesa*.] [F.: Do lat. vulg. hisp. *filiu ecclesiae*, 'filho da igreja'.] **■ ~ de caderno** *Pop. Fut.* Time que é quase sempre derrotado por outro, em relação a este

freguesia (fre.gue.*si*.a) ***sf.*** **1** Conjunto dos fregueses, dos clientes habituais de um estabelecimento comercial ou de um serviço; CLIENTELA **2** Área de atuação de uma paróquia ou o conjunto de pessoas que nela vivem **3** O conjunto de habitantes de uma freguesia (2, 4) **4** *Lus.* Nas províncias e cidades de Portugal, a menor das divisões administrativas [F.: *freguês* + *ia*[1].]

frei ***sm.*** **1** Membro de ordem religiosa; FREIRE [Us. à frente de nome: frei Leandro.] **2** Cavaleiro das ordens religiosas e militares [Fem.: *sóror*.] [F.: Var. apocopada de *freire*.]

frei-bode (frei-*bo*.de) ***sm.*** *N.E. Pop.* Religioso protestante [Pl.: *freis-bodes; freis-bode*.]

freima (*frei*.ma) ***sf.*** **1** Impaciência para fazer qualquer coisa; AZÁFAMA; PRESSA: "Para que toda essa freima, esse desespero em ser rico...?" (Aquilino Ribeiro, *Aldeia*) **2** Sensação de apreensão, de inquietação **3** *Açor. Lus.* Teimosia, obstinação **4** *Ant.* Sensação de ardor no estômago, mesmo que *azia* [F.: Var. de *fleima* (fleuma).]

freimático (frei.*má*.ti.co) ***a.*** Que tem freima; INQUIETO [F.: *freima* + *-ático*.]

freio (*frei*.o) ***sm.*** **1** Mecanismo para diminuir a velocidade de ou fazer parar (veículo, máquina) **2** Peça de metal presa às rédeas da cavalgadura, que serve para guiá-la e controlá-la: "... os cavalos espumando os áureos freios..." (Luís de Camões, *Os lusíadas*) **3** *Fig.* Aquilo que serve para moderar ou impedir algo: *A alta dos preços é um freio no consumo.* **4** Contenção, repressão, controle no desenvolvimento de algo, no ímpeto de algo: *Ponha um freio nesse seu entusiasmo e encare os fatos.* **5** *Anat.* Prega que reduz ou impede o movimento de um órgão: *o freio da língua*. [F.: Do lat. *frenum, i.*] **■ ~ da língua** *Anat.* Prega membranosa entre a superfície inferior da língua e o soalho da boca **~ de emergência** *Mec.* Ver *Freio de mão* **~ de estacionamento** *Mec.* Ver *Freio de mão* **~ de mão** *Mec.* Em veículo automotivo, freio mecânico, acionado manualmente por meio de uma alavanca ao alcance do motorista, us. ger. para, em declives, manter parado o carro estacionado **~ hidráulico** *Mec.* Sistema de frenagem que funciona ao acionar, sob pressão, fluido contido num cilindro mestre, que por sua vez atua sobre cilindros nas rodas e as sapatas que as travam **~ mecânico** *Mec.* Sistema de frenagem em que o acionamento das sapatas que travam as rodas é feito pela transmissão mecânica (por meio de tirantes) do movimento do pedal do freio, acionado pelo motorista **Não ter ~ na língua** Não se conter no que se fala, dizer o que se pensa, mesmo que seja inconveniente ou constrangedor **Pôr (um) ~ em** Reprimir, conter, limitar, moderar: *Você tem que pôr um freio nessas atitudes belicosas.* **Tomar o ~ nos dentes** **1** Recusar-se (cavalgadura) a obedecer ao comando do cavaleiro **2** *Fig.* Desrespeitar ordens ou regras, descomedir-se **3** Entusiasmar-se, animar-se (para trabalho, missão, tarefa etc.)

freira (*frei*.ra) ***sf.*** **1** Mulher que pertence a uma ordem religiosa; MONJA; SÓROR **2** *Lus.* Grão de milho que estoura quando aquecido; PIPOCA **3** *Bras.* Tipo de cogumelo (*Dictyophora phalloidea*) brasileiro [F.: Fem. de *freire*.]

freiral (frei.*ral*) ***a2g.*** O mesmo que *freirático* (a.) [Pl.: *-rais*.] [F.: *freire* + *-al*[1]. Hom./Par.: *freirais* (pl.), *freirais* (fl. de *freirar*).]

freirático (frei.*rá*.ti.co) ***a.*** **1** Relativo a ou próprio de frade ou freira **2** Que tem hábitos monásticos, conventuais; FREIRAL ***sm.*** **3** Pessoa que gosta de frequentar, de visitar conventos de freiras, ou sente simpatia por esses conventos [F.: *freire* + *-ático*.]

freire (*frei*.re) ***sm.*** **1** *Rel.* Membro das mais antigas ordens religiosas ou militares; FREI **2** *Ict.* Peixe teleósteo perciforme quetodontídeo (*Chaetodon striatus*); tb. *borboleta-listrada*. [Fem.: *sóror*] [F.: Do provç. *fraire*. Hom./Par.: *freire* (fl. de *freirar*).]

freixo (frei.*xo*) ***sm.*** **1** *Angios.* Nome comum a diversas plantas do gên. *Fraxinus*, da fam. das oleáceas, que produz madeira dotada de certa elasticidade **2** Árvore da mesma fam. (*Fraxinus excelsior*), cuja madeira é muito us. na fabricação de material esportivo, como tacos de bilhar, raquetes de tênis etc. [F.: Do l at. *fraxinus, i.* Ideia de 'freixo', usar antepos. *fraxin (i)-*.]

fremência (fre.*mên*.ci:a) ***sf.*** Qualidade, característica ou condição do que é fremente; AGITAÇÃO; VIBRAÇÃO [F.: *fremir* + *-ência*.]

fremente (fre.*men*.te) ***a2g.*** **1** Que freme, vibra ou se agita: *Era uma moça enérgica, vibrante, fremente.* **2** *Fig.* Que é apaixonado, arrebatado, cheio de emoção: *Torcia, fremente, pela vitória de seu time.* [F.: Do lat. *fremens, entis.*]

fremir (fre.*mir*) ***v.*** **1** Tremer ou fazer tremer [*int.*: "Glória fremia de ira..." (Guimarães Rosa, *Noites do sertão*)] [*td.*: *A brisa fremia o lençol estendido.*] **2** Fazer grande ruído; BRAMIR; RUGIR [*int.*: *Os trovões fremiam lá fora.*] **3** Causar leve estremecimento em, ou manifestá-lo [*td.*: *A brisa freme a folhagem.*] [*int.*: *As folhas da roseira fremiam.*] **4** *Fig.* Ter ou manifestar agitação interior; AGITAR; VIBRAR [*tr.* + *de*: *A moça fremia de ansiedade.*] [▶ **58 fremir**] [F.: Do lat. *fremere*. Hom./Par.: *freme(s)* (fl.), *freme(s)* (sm.[pl.]).]

frêmito (*frê*.mi.to) ***sm.*** **1** Leve tremor corporal provocado por emoção súbita: *Um frêmito percorreu-lhe o corpo.* **2** Murmúrio abafado de vozes: *Depois do discurso, um frêmito percorreu o auditório.* **3** *Med.* Estremecimento provocado por reação espasmódica **4** Vibração de um corpo qualquer provocado por fator externo: "... Há um frêmito nos caules rosados da erva-de-sapo..." (Guimarães Rosa, *Sagarana*) **5** Pequena agitação ou alvoroço que se propaga na multidão quando tomada por emoção partilhada [F.: Do lat. *fremitus, us.*]

frenagem (fre.*na*.gem) ***sf.*** **1** Ação ou resultado de frenar **2** *Bras.* Ação de frear um veículo [Pl.: *-gens*.] [F.: *frenar* + *-agem*[1].]

frenar (fre.*nar*) ***v.*** O mesmo que *enfrear* [▶ **1 frenar**] [F.: Do lat. *freno* ou *frenare*. Hom./Par.: *frenais* (fl.), *frenais* (a.[pl.]).]

frenesi (fre.ne.*si*) ***sm.*** **1** *Med.* Agitação maníaca, delírio sintomático da meningite **2** *P.ext.* Delírio, desvario **3** *Fig.* Estado de excitação extrema, com alto grau de ansiedade, inquietação e entusiasmo **4** *Fig.* Estado de grande agitação: "... Os grilos deram um crescido em seu frenesi..." (Guimarães Rosa, *Noites do sertão*) **5** Atividade intensa, causada por excitação, impulso etc.: "...Há um frenesi de dar banana" (Vinícius de Moraes, *O dia da criação*) **6** *P.ext. Pop.* Grande excitação de caráter sexual que percorre o corpo [F.: Do lat. *phrenesis, is.* Var. nas acps. 2 a 4: *frenesim*.]

frenético (fre.*né*.ti.co) ***a.*** **1** Em que há frenesi, ou que revela grande agitação, inquietação ou excitação (olhar frenético) **2** Que atingiu o seu mais alto grau de exaltação, de excitação etc. (amor frenético) **3** Muito agitado (ritmo frenético) **4** *Fig.* Diz-se de pessoa muito ativa, que não para quieta: *É um sujeito frenético.* **5** Que revela desequilíbrio, nervosismo (riso frenético) [F.: Do lat. *phreneticus, a, um.*]

◎ **-frenia** ***el. comp.*** = 'estado mental'; 'debilidade mental'; 'psicopatia'; 'delírio': *afrenia, catafrenia, hebefrenia, esquizofrenia, ideofrenia, oligofrenia, ortofrenia, parafrenia* [F.: Do gr. *phrén, phrenós*, 'alma', 'espírito', 'mente'; 'diafragma' etc., + *-ia*[1]. F. conexa: *fren(o)-*.]

frênico (*frê*.ni.co) ***a.*** **1** *Anat.* Do ou ref. ao diafragma (nervo frênico) **2** *Desus. Med.* Ref. ou pertencente aos nervos ou à mente [F.: Do fr. *phrénique*, do gr. *phrenikós*.]

◎ **fren(o)-** ***el. comp.*** = 'diafragma'; 'mente'; 'inteligência'; 'alma', 'espírito': *frênico* (< fr.), *frenologia, frenopata, frenopatia* [F.: Do gr. *phrén, phrenós*. F. conexa: *-frenia*.]

frenologia (fre.no.lo.*gi*.a) ***sf.*** *Desus. Med.* Teoria que considerava a conformação do crânio como indicadora do caráter e das faculdades intelectuais dos indivíduos; CRANIOLOGIA [F.: *fren (o)-* + *-logia*.]

frenológico (fre.no.*ló*.gi.co) ***a.*** *Desus. Med.* Ref. à frenologia; CRANIOLÓGICO [F.: *frenologia* + *-ico*[2].]

frenologista (fre.no.lo.*gis*.ta) *Desus. Med.* ***s2g.*** **1** Especialista em frenologia ou adepto dessa teoria; FRENÓLOGO ***a2g.*** **2** Diz-se desse especialista [F.: *frenologia* + *-ista*.]

frenopata (fre.no.*pa*.ta) ***s2g.*** *Psiq.* Aquele que sofre de frenopatia [F.: *fren(o)-* + *-pata*. A melhor f., seg. a pros. gr., é frenópata, mas o uso consagrou frenopata.]

frenopatia (fre.no.pa.*ti*.a) ***sf.*** *Psiq.* Doença mental [F.: *fren(o)-* + *-patia*.]

frente (*fren*.te) ***sf.*** **1** Parte anterior de pessoas, animais ou objetos **2** Posição anterior em uma ordem: *Havia oito pessoas na minha frente.* **3** Presença: *Isso aconteceu na frente dele.* **4** União ou coalizão de grupos diversos: *Organizaram na Câmara uma frente de oposição.* **5** Parte frontal de uma construção; FACHADA **6** *Mil.* Em guerra, batalha, embate entre forças armadas etc., a zona mais avançada das tropas em confronto, onde se travam os combates [Tb. se usa o estrangeirismo *front*.] **7** A parte ou face anterior de algo que tenha uma parte ou face reversa: *a frente de um tecido.* **8** *Met.* Zona de encontro ou contacto entre massas de ar de diferentes temperaturas (frente fria) **9** *Enc.* Em obra encadernada (livro, revista), a face em que deve começar a leitura (em oposição a *verso*) ***sm.*** **10** *BA* O líder e responsável por garimpo [F.: Do espn. *frente*.] **■ À ~ (de)** **1** Adiante, na dianteira (de): *Marchava à frente* do *pelotão*. **2** Na direção, na chefia **Da ~** Que está na dianteira, em relação a coisa(s) similar(es) ou pessoa(s) que se encontra(m) atrás: *Está à frente de vários projetos.* **De ~ 1** Corajosamente, destemidamente, orgulhosamente: *Alinhe só as rodas da frente; Meus lugares são na fila da frente.* **2** Com a fachada (casa, apartamento etc.) voltada para a rua: *Olhava de frente seus acusadores.* **De ~ (para) 1** Com a parte frontal voltada para o observador: *Seu apartamento é de frente ou de fundos?* **2** Voltado para, diante de: *Só o reconheci quando ficou de frente para mim.* **Em ~ (a/de) 1** Em posição frontal a, na mesma direção da frente de algo ou do observador: *terrenos de frente para o mar.* **2** Na presença, defronte (de): *De repente, apareceu-lhe em frente um estranho personagem.* **3** Adiante: *Pode seguir em frente; Diga isso na frente (dela); De repente, apareceu-lhe em frente um estranho personagem.* **Fazer ~ a** Defrontar, enfrentar: *Pediu reforço de caixa para fazer frente às despesas.* **Fazer ~ para** Ter a frente voltada para; dar para: *Meu quarto faz frente para o parque.* **~ a ~** Diante um do outro, face a face, a enfrentar um o outro: *Finalmente, depois de muito se evitarem, estavam frente a frente.* **~ a ~ com** Diante de, em confronto com: *Subitamente, viu-se frente a frente com o perigo.* **~ ártica** *Met.* Ver *Frente polar* **~ de batalha** *Mil.* Ver *frente* (6) **~ de onda** *Fís.* Lugar geométrico dos pontos de um movimento ondulatório que, em certo momento, têm a mesma fase **~ de trabalho** Empreendimento ou conjunto de empreendimentos que empregam grande número de trabalhadores, esp. em períodos de alto índice de desemprego ou de crise econômica [Cf.: *Frente quente.*] **~ fria** *Met.* Massa de ar frio que avança sobre massa de ar quente em determinada área, tendendo a afastá-la para tomar seu lugar **~ polar** *Met.* Extensa frente, em latitudes médias, que separa a massa fria de ar polar da massa mais aquecida de ar tropical; frente ártica [Cf.: *Frente fria.*] **~ popular** *Pol.* União temporária de partidos ou movimentos populares, de esquerda ou de centro, para, em certo momento, enfrentar opositores comuns, ou lutar por conquistas democráticas, reformas etc. **~ quente** *Met.* Superfície que separa duas massas de ar, a mais quente das quais está avançando e tomando o lugar da mais fria **~ única** Blusa feminina amarrada ao pescoço, deixando as costas praticamente nuas **Ir para a ~** Evoluir, progredir **Levar à ~** Dar continuidade a, fazer progredir (empreendimento, projeto, ideia etc.) **Na ~ de 1** Diante de, na presença de: *Atreveu-se a colar bem na frente do professor.* **2** Antes de: *Saí depois de Mário, mas cheguei na frente dele.* **Pra ~** *Gír.* Avançado, moderno, de vanguarda: *um sujeito pra frente; ideias pra frente.* **Segunda ~** *Hist.* Referência à expectativa e, depois, existência de uma segunda frente (ocidental, com a participação de países aliados, esp. os Estados Unidos e a Inglaterra) de combate com forças nazistas (além da já existente entre estes e os russos, à leste da Alemanha), durante a Segunda Guerra Mundial **Tomar a ~ (de)** Assumir o comando (de); ultrapassar adversário (em corrida, competição, disputa etc.)

frentear (fren.te.*ar*) *v. td.* **1** Mesmo que *enfrentar* **2** *RS* Impedir avanço (do gado) pelo campo: *Frenteou o gado que disparava pela clareira.* [▶ 13 frentear] [F.: *frente* + *-ear*².]

frentista (fren.*tis*.ta) *s2g.* Empregado de posto de gasolina que atende os clientes [F.: *frente* + *-ista.*]

fréon *sm. Quím.* Nome comercial de vários clorofluorcarbonetos us. em aerossóis e refrigeração [F.: A marca registrada é *Freon*®.]

frequência (fre.*quên*.ci:a) *sf.* **1** Repetição sistemática (de som, fato ou comportamento): *Aquele professor chega atrasado com frequência.* **2** Comparecimento regular a compromisso de estudo ou de trabalho: *Tirei boas notas, mas fui reprovado por falta de frequência.* **3** Número de pessoas que vão regularmente a reunião ou evento de algum tipo: *A frequência nos jogos do campeonato diminuiu muito.* **4** Quantidade de repetições de um fato por unidade de tempo: *Com que frequência ele tem tido febre?* **5** *Fís.* Repetição de um ciclo periódico (p.ex., de uma onda sonora) por unidade de tempo (baixa frequência) [F.: Do lat. *frequentia, ae.*] ∎ **alta ~** *Eletrôn.* Faixa de frequências entre 3 MHz e 30 MHz. [Símb.: *HF*] **baixa ~** *Eletrôn.* Faixa de frequências entre 30 kHz e 300 kHz. [Símb.: *LF*] **~ angular** *Fís.* Em processo ou movimento periódico, o produto de sua frequência por 2π (dois pi) **~ de campo** *Telv.* Número de campos (imagens) por segundo, em sistema de televisão com tubo de imagem.[Corresponde ao número de percursos por segundo dos feixes eletrônicos que percorrem a tela toda em zigue-zague, formando seguidamente pontos de imagem na camada de fósforo do tubo, os quais, juntos, formam a imagem total.] **~ de linha** *Telv.* Em um sistema de televisão, o número de linhas que o feixe eletrônico percorre na tela para formar a imagem completa **~ de ressonância** *Eletrôn.* Num circuito elétrico, frequência em que ocorre ressonância **~ elevada** *Eletrôn.* Por convenção internacional, frequência entre 3 MHz e 30 MHz [Símb.: *HF*] **~ extremamente baixa** *Eletrôn.* Por convenção internacional, frequência abaixo de 3 kHz [Símb.: *ELF*] **~ extremamente elevada** *Eletrôn.* Por convenção internacional, frequência entre 30 GHz e 300 GHz [Símb.: *EHF*] **~ intermediária** *Eletrôn.* Ver *Frequência média.* **~ média** *Eletrôn.* Por convenção internacional, frequência entre 300kHz e 30 MHz. [Símb.: *MF*] **~ modulada** *Fís.* Quando um sinal é transmitido por uma onda eletromagnética (onda portadora), a frequência da onda portadora, que varia (permanecendo sua amplitude invariável) para expressar a variação de amplitude do sinal transportado por ela. [Abrev.: *FM*] **~ muito baixa** *Fís.* Por convenção internacional, frequência entre 3 kHz e 30 kHz. [Símb.: *VLF*] **~ natural** *Fís.* Ver *Frequência própria* **~ própria** *Fís.* Frequência de oscilação natural de um sistema não submetido a ação vibratória externa; frequência natural **~ superelevada** *Eletrôn.* Por convenção internacional, frequência entre 3 GHz e 30 GHz [Símb.: *SHF*]

frequentado (fre.quen.*ta*.do) *a.* Que se frequenta ou se frequentou [F.: Do lat. *frequentatus, a, um.*]

frequentador (fre.quen.ta.*dor*) [ô] *a.* **1** Que vai regularmente a um certo lugar *sm.* **2** Aquele que vai regularmente a um certo lugar: "...Não descrevi os frequentadores do botequim..." (Silveira da Mota, *Viagens*) [F.: Do lat. *frequentator, oris.*]

frequentar (fre.quen.*tar*) *v. td.* **1** Ir com frequência a (um lugar): *Frequento esse cinema há dez anos.* **2** Viver na intimidade de; conviver com: *Frequentar a alta sociedade.* **3** Cursar, estudar, seguir (colégio, curso etc.): *Frequenta o curso de Artes Cênicas.* **4** *Fig.* Consultar (jornais, livros, periódicos, revistas etc.) regularmente: *Frequenta esses dicionários há muitos anos.* [▶ 1 frequentar] [F.: Do lat. *frequentare*. Hom./Par.: *frequente(s)* (fl.), *frequente(s)* (a2g. [pl.]); *frequentáveis* (fl.), *frequentáveis* (pl. *frequentável* [a2g.]).]

frequentativo (fre.quen.ta.*ti*.vo) *a. Gram.* Diz-se de verbo, frase, elemento gramatical, aspecto que expressam ação durável, repetida, habitual (ex., a frase: *Ele costuma fazer isso.*) [F.: Do lat. *frequentativus, a, um.* Ver tb. *aspecto.*]

frequentável (fre.quen.*tá*.vel) *a2g.* Que se pode frequentar [Pl.: *-veis.*] [F.: *frequentar* + *-vel.* Hom./Par.: *frequentáveis* (pl.), *frequentáveis* (fl. de *frequentar*).]

frequente (fre.*quen*.te) *a2g.* **1** Que se repete ou reproduz muitas vezes *a2g.* **2** Que ocorre com certa regularidade ou continuamente (visita frequente; encontros frequentes) **3** Insistente, diligente, perseverante, aplicado: *É frequente nas aulas.* **4** Que tem frequência maior que a normal, mais rápido que o normal (pulsação frequente) [F.: Do lat. *frequens, entis.*]

fresa (*fre*.sa) *sf. Emec.* Ferramenta rotativa que serve para cortar e trabalhar peças de madeira ou metal [F.: Do fr. *fraise.*]

fresagem (fre.*sa*.gem) *sf.* Operação de fresar [Pl.: *-gens.*] [F.: *fresar* + *-agem*¹.]

fresar (fre.*sar*) *v. td.* Desbastar ou cortar (metal) com fresa: *Meu pai vai fresar o pé da mesa de ferro.* [▶ 1 fresar] [F.: *fresa* + *-ar*². Hom./Par.: *fresa(s)* (fl.), *fresa(s)* (sf.[pl.]); *frese(s)* (fl.), *frese(s)* (sf. sm. a2g2n. [pl.]).]

fresca (*fres*.ca) [ê] *sf.* **1** Brisa amena que sopra no começo ou no fim do dia **2** *Pext.* Sensação de frescor [F.: Fem. substv. de *fresco.*] ∎ **À ~** (Vestido) com trajes leves

frescal (fres.*cal*) *a2g.* **1** Que é quase fresco, que não é muito salgado (queijo/bacalhau frescal) **2** Que não está estragado, deteriorado (peixe frescal.) **3** *Fig.* Que ainda tem o viço, o vigor da mocidade [Pl.: *-cais.*] [F.: *fresc(o)* + *-al.*]

frescata (fres.*ca*.ta) *sf.* **1** Passeio pelo campo, saída para arejar, tomar ares, distrair-se *sm.* **2** Indivíduo dado à farra, pândega etc. [F.: *fresco* + *-ata* (fem. de *-ato*¹).] ∎ **À ~** *Pop.* Vestido com trajes leves, bem confortáveis

fresco (*fres*.co) [ê] *a.* **1** Que tem frescura, que é um pouco frio: *Por aqui corre um vento fresco.* **2** Que é ventilado **3** Que dá impressão ou transmite sensação de frescor (hálito fresco) **4** Que tem pouco tempo de existência, de ocorrência; de há pouco; NOVO; RECENTE **5** Que se colheu, abateu ou pescou há pouco tempo, e está em bom estado e apresenta bom aspecto e sabor mais ativo (diz-se do leite, dos ovos, da carne, do peixe etc.); que não passou por nenhum processo de congelamento, de salga ou de defumação **6** Diz-se de alimento que se fez há pouco tempo (pão fresco, café fresco) [É comum o uso do diminutivo nesta acp. e na que a antecede para reforçar-lhes o sentido (peixe fresquinho; pão fresquinho).] **7** *Fig. Pop.* Que é dado a agir com melindres, com reservas, com restrições excessivas **8** *Pop.* Que reage de modo exagerado ao menor contato (físico, visual ou olfativo) com certas coisas (sangue, sujeira etc.) **9** *Pop.* Próprio de fresco (7, 8) **10** *Fig.* Viçoso **11** *Fig.* Com de ar de descansado ou jovial **12** *Pej.* Que é ou se comporta de maneira efeminada **13** Brisa amena, agradável **14** Indivíduo fresco (7 e 8) *sm.* **15** *Pej.* Quem é ou se comporta de maneira efeminada [Denota preconceito.] **16** *Pej.* Homossexual masculino [F.: Do frâncico **frisk.*] ∎ **Ficar ~** Não demonstrar interesse, ficar indiferente (ante sofrimento, problema, perigo etc.) **Pôr-se ao ~ 1** Pôr-se fora de casa, sair **2** Safar-se, livrar-se de responsabilidade **Tomar o/um ~** Sair para o ar livre para refrescar-se

frescobol (fres.co.*bol*) *sm.* Jogo em que duas pessoas com raquetes de madeira (ou de outro material bem duro) rebatem uma para a outra uma bola de borracha [Pl.: *-bóis.*] [F.: De or. incerta.]

frescobolista (fres.co.bo.*lis*.ta) *s2g.* Jogador de frescobol [F.: *frescobol* + *-ista.*]

frescor (fres.*cor*) [ô] *sm.* **1** Qualidade, atributo ou característica do que é fresco **2** Sensação agradável produzida pelo contato na pele com aragem fresca, ou com qualquer outra coisa que transmita ou cause sensação similar **3** Viço vegetativo; VERDOR: *o frescor das rosas recém-colhidas.* **4** *Fig.* Vivacidade, jovialidade, vigor **5** *Fig.* Verdor da idade: *no frescor de seus vinte anos.* **6** Vento, brisa, aragem fresca e agradável [F.: *fresco* + *-or.*]

frescos (*fres*.cos) *smpl. Lus.* Víveres [F.: Pl. de *fresco.*]

frescura (fres.*cu*.ra) *sf.* **1** Qualidade ou condição do que é fresco: *a frescura da manhã.* **2** *Pop.* Característica ou comportamento de quem é fresco (15, 16), efeminado **3** *Pop.* Afetação, sensibilidade exagerada a pequenos inconvenientes ou deslizes; melindre excessivo: *Ele é cheio de frescuras, tudo o incomoda.* **4** *Pop.* Modos ou atitudes próprios de pessoa piegas, dada a um sentimentalismo exagerado **5** *Pop. Pej.* Atitude ou modos efeminados [F.: *fresco* + *-ura.*] ∎ **Cheio de ~ 1** *Bras. Pop.* Cheio de requintes desnecessários **2** Cheio de melindre, de afetação; cheio de nove-horas

frésia (*fré*.si:a) *sf. Bot.* Planta (*Freesia refracta*) ornamental da fam. das iridáceas [F.: Do lat. cient. *Freesia.*]

fresnel (fres.*nel*) *sm. Pus. Fís.* Unidade de medida de frequência equivalente a 10^{12} hertz [Pl.: *-néis.*] [F.: Do antr. (*Augustin*) *Fresnel*, físico francês.]

fressura (fres.*su*.ra) *sf.* O conjunto das vísceras de alguns animais como o boi, o carneiro, o porco etc. [F.: Do lat. vulg. *frixura*, pelo fr. *fressure.*]

fresta (*fres*.ta) *sf.* **1** Abertura estreita em parede, telhado etc.: "... Pelas frestas e balcões do palácio, viam-se (...) centenas de cavaleiros..." (Alexandre Herculano, *O bobo*) **2** *P.ext.* Qualquer abertura estreita em algo ou entre coisas que permita a passagem do ar e da luz [F.: Do lat. *fenestra, ae.*]

fretado (fre.*ta*.do) *a.* Que se fretou; tomado ou dado a frete (avião fretado) [F.: Part. de *fretar.*]

fretamento (fre.ta.*men*.to) *sm.* **1** Ação ou resultado de fretar **2** Preço pelo qual se toma um frete [F.: *fretar* + *-mento.*]

fretar (fre.*tar*) *v. td.* **1** Dar ou tomar (um veículo) a frete; ALUGAR: *Fretamos um ônibus para passeio.* **2** *Mar.* Assumir (carga ou embarcação) pagando uma determinada quantia: "A empresa de navegação interessada em fretar a embarcação (...) poderá opor bloqueio ao pedido de afretamento mediante manifestação junto à consulente..." (*Norma para o afretamento de embarcação por empresa brasileira de navegação na navegação de apoio marítimo – Capítulo III, art. 7º*) [▶ 1 fretar] [F.: *frete* + *-ar*². Hom./Par.: *frete(s)* (fl.), *frete(s)* (sm.[pl.]); *freto* (fl.), *freto* (sm.).]

frete (*fre*.te) [é] *sm.* **1** Transporte de material ou mercadoria mediante pagamento **2** Preço pago por esse transporte **3** O que se transportou **4** *Fig.* Encargo, incumbência **5** *Pop. Pej.* Meretriz, prostituta [F.: Do fr. *fret.*] ∎ **A ~** Disponível (veículo) para fazer transporte, mediante pagamento **Fazer ~** Transportar carga para terceiro, mediante pagamento combinado

fretenir (fre.te.*nir*) *v. int.* Produzir som, cantar (a cigarra) [▶ 58 fretenir] [F.: Do lat. *fritinnire.*]

freudiano (freu.di.*a*.no) [ói] *a.* **1** Ref. ou pertencente a, ou próprio de Sigmund Freud (1856-1939), médico austríaco, ou à teoria psicanalítica criada por ele (psicanalista freudiano) **2** Que se especializou na teoria ou nos métodos de psicanálise freudiana, ou que é adepto desta *sm.* **3** Seguidor da teoria psicanalítica de Freud [F.: Do antr. *Freud* + *-iano.*]

freudismo (freu.*dis*.mo) [frói] *Psic. sm.* **1** A teoria psicanalítica de Freud **2** A influência do pensamento de Freud na psicanálise [F.: Do antr. (*Sigmund*) *Freud* + *-ismo.* Sin. ger.: *freudianismo.*]

frevar (fre.*var*) *v. int. Dnç.* Dançar frevo [▶ 1 trevar] [F.: *frevo* + *-ar*².]

frevista (fre.*vis*.ta) *s2g. Bras.* Dançarino de frevo [F.: *frev(o)* + *-ista.*]

frevo (*fre*.vo) [ê] *Bras. sm.* **1** Dança carnavalesca, típica de Pernambuco, na qual os dançarinos seguram uma sombrinha aberta e movimentam pernas e braços rapidamente: "...E foi dessa ideia de fervura (o povo pronuncia *frevura, frever* etc.) que se criou o nome de frevo..." (Câmara Cascudo, *Dicionário do folclore brasileiro*) **2** O ritmo musical que acompanha essa dança **3** *Mús.* Música popular em ritmo de frevo (2) **4** *N.E. Fig.* Confusão, desordem [F.: De *fervo*, dev. de *ferver*, com metátese.]

frevo-canção (fre.vo-can.*ção*) *sm. PE Mús.* Tipo de frevo com letra e música [Pl.: *frevos-canções e frevos-canção.*]

frevo de bloco (fre.vo de *blo*.co) *sm. PE Mús.* Frevo de andamento menos rápido que o do frevo comum, executado por orquestra e cantado por coro feminino [Pl.: *frevos de bloco.*]

frevo de rua (fre.vo de *ru*.a) *sm. PE Mús.* Frevo instrumental, de andamento rápido, próprio para acompanhar a improvisação dos dançarinos [Pl.: *frevos de rua.*]

fria (*fri*.a) *Bras. Pop. sf.* **1** Situação problemática, adversa, complicada, de grande risco ou dificuldade: *Entrei numa fria ontem.* **2** Arma de fogo portátil [F.: Fem. substv. de *frio.*] ∎ **Entrar/meter-se numa ~** Ficar em situação difícil, embaraçosa etc.

friabilidade (fri:a.bi.li.*da*.de) *sf.* **1** Qualidade do que é friável, suscetível de se esfarelar **2** Fragilidade [F.: *friável* + *-(i)dade*, seg. o mod. erudito.]

friagem (fri:a.gem) *sf.* **1** Ar frio: *Tome cuidado para que o bebê não pegue friagem.* **2** Queda súbita da temperatura atmosférica causada pela chegada de massas de ar frio **3** Doença dos vegetais causada por frio ou granizo **4** *Med.* Inflamação na pele devido ao frio; FRIEIRA [Pl.: *-gens.*] [F.: *frio* + *-agem*².]

frialdade (fri:al.*da*.de) *sf.* **1** Característica ou condição do que é frio **2** *Fig.* Qualidade daquele que é insensível: "... Um dardo de ironia sutil bailando na frialdade penetrante das pupilas..." (Abel Botelho, *Próspero Fortuna*) **3** *Fig.* Impotência, esterilidade, frigidez **4** Tempo, atmosfera, ar frios; FRIAGEM [F.: Posv. do lat. *frigiditas, atis*, pela forma **frieldade*, numa evolução pouco clara.]

friável (fri:*á*.vel) *a2g.* **1** Que se esfarela ou se reduz a fragmentos ou a pó sem grande esforço **2** *Geol.* Diz-se das rochas que se fragmentam facilmente [Pl.: *-veis.*] [F.: Do lat. *friabilis, e.*]

fricassê (fri.cas.*sê*) **sm. 1** *Cul.* Prato feito com frango, carne ou peixe cortado em pedacinhos e cozido em fogo baixo, com cebola, salsa, pimenta, noz-moscada e outros condimentos **2** *Fig.* Misturada de diferentes coisas [F.: Do fr. *fricassée.*]

fricativa (fri.ca.*ti*.va) *sf. Fon.* Diz-se de consoante (consoante fricativa) em cuja pronúncia o ar expelido passa no canal bucal por uma passagem que foi apertada no processo da emissão, gerando um som que lembra o de fricção (por exemplo, o *f* e o *v* [F.: Fem. substv. de *fricativo.*]

fricção (fric.*ção*) *sf.* **1** Ação ou resultado de friccionar **2** Atrito resultante desse ato de friccionar; ATRITO **3** Ação de esfregar uma parte do corpo em outra, ou de esfregar-lhe algo (substância, esponja etc.) **4** Fricção (3) que se faz com as pontas dos dedos sobre o couro cabeludo para aplicar-lhe substância para limpeza ou tratamento capilar **5** *Farm.* O mesmo que *linimento* **6** *Fig.* Desentendimento, atrito [Pl.: *-ções.*] [F.: Do lat. *frictio, onis.*]

friccional (fric.ci:o.*nal*) *a2g.* Ref. a ou produzido por fricção [Pl.: *-nais.*] [F.: *fricção* + *-al*, seg. o mod. erudito.]

friccionar (fric.ci:o.*nar*) *v.* **1** Esfregar (um medicamento de uso externo, um hidratante etc.) em [**td.**: *O massagista friccionou o joelho do jogador.*] **2** Limpar fazendo fricção; ESFREGAR [**tda.**: *Friccionou uma flanela na madeira.*] **3** Roçar (um corpo no outro) com leve atrito [**tdr.** + *em*: *Deitada, friccionava uma perna na outra.*] **4** *Mús.* Em instrumento de corda, esfregar (o arco) em uma corda para produzir música [**td.**: *O som do violino se obtém ao friccionar um arco com fios de rabo de cavalo esticados contra as suas quatro cordas.*] [▶ 1 friccionar] [F.: *fricção* sob a f. *fricion-* + *-ar*[2].]

fricote (fri.*co*.te) *Bras. Pop.* **sm. 1** Ataque nervoso sem motivo aparente; CHILIQUE **2** Manha, dengue: *Deixe-se de fricotes!* **3** *Fut.* Jogada aprimorada, de grande efeito, como um drible, um balãozinho, uma ginga etc. [F.: Do fr. *fricot*, posv.]

fricoteiro (fri.co.*tei*.ro) **a. 1** Manhoso, dengoso **2** Que é dado a fricotes **sm. 3** Aquele que é dado a fricotes [F.: *fricote* + *-eiro.*]

frieira (fri:*ei*.ra) *sf.* **1** Inflamação na pele causada por fungos ou outros agentes, que provoca rachaduras entre os dedos dos pés **2** Inflamação e inchação produzida pelo frio, ger. nos dedos e orelhas: "...mãos cobertas e inchadas de frieiras..." (Cândido de Figueiredo, *Serões*) **3** *BA MG Pop.* Sensação de frio; FRIAGEM **4** *Pop.* Sensação muito grande de fome **5** *Pop.* Quem sente muita fome ou que come muito; COMILÃO [F.: *frio* + *-eira.*]

friento (fri:*en*.to) **a.** *Bras.* O mesmo que *friorento* [F.: *fri(o)* + *-ento.*]

frieza (fri:*e*.za) [ê] *sf.* **1** Estado ou condição daquilo que é frio, que tem baixa temperatura **2** *Fig.* Falta de entusiasmo ou de simpatia: *Recebeu-os com frieza.* **3** *Fig.* Distanciamento emocional, caracterizado, por vezes, como insensibilidade ou impassibilidade **4** *Fig.* Atitude de reserva no trato com outras pessoas **5** *Fig.* Calma e autocontrole: *Sua frieza diante do perigo é espantosa.* **6** *Fig.* Falta de expressividade, de elementos estéticos que reflitam valores significativos ou emoção: *Uma tela de uma frieza sem par.* [F.: *frio* + *-eza.*] ■ **Quebrada a ~** Us. como adj., com referência a líquidos ligeiramente mornos ou amornados: *banho de cuia com água quebrada a frieza.* [Equivale a *esperto* (quase quente), neste sentido.] **Quebrar a ~** Amornar um líquido

◎ **frig(i/o)-** *el. comp.* = frio: *frigífugo, frigobar, frigorífico* [F.: Do lat. *frigus, oris.*]

frigideira (fri.gi.*dei*.ra) *sf.* **1** Utensílio de cozinha, us. para fritar alimentos **2** *N.E.* Aquilo que se frita na frigideira (1), o mesmo que *fritada*: *uma frigideira de camarões.* **3** *Lus.* Em Braga, Portugal, espécie de pastel de carne **4** *BA* Pedaço de anágua ou saia de baixo que se vislumbra abaixo do vestido **s2g. 5** Quem é petulante e cheio de si, metido a importante, rabugento [F.: *frigir* + *-deira.*] ■ **Sair da ~ para o fogo** Sair de situação difícil para cair numa pior ainda

frigidez (fri.gi.*dez*) [ê] *sf.* **1** Qualidade ou condição do que é ou está frígido **2** *Med.* Ausência de libido; falta de desejo sexual e de prazer **3** *Fig.* Indiferença, frieza [F.: *frígido* + *-ez.*]

frígido (*frí*.gi.do) **a. 1** Que é muito frio **2** *Fig.* Que não fica sexualmente excitado (mulher frígida) **3** Seco, duro, insensível: "...de sorriso gelado e frígido..." (Antônio de Figueiredo, *D. Sebastião*) [F.: Do lat. *frigidus, a, um*, por via erudita.]

frígio (*frí*.gi:o) **sm. 1** Pessoa nascida ou que viveu na Frígia (antigo país da Ásia Menor) **2** *Gloss.* Língua indo-europeia que era falada na Frígia **a. 3** Da Frígia: típico desse país ou de seu povo **a. 4** *Vest.* Diz-se de barrete com a forma de um capacete, us. na França durante a Primeira República e semelhante àquele us. pelos frígios [F.: Do lat. *phrygius*, do gr. *phrýgios.* Hom./Par.: *frígia* (fem.), *frigia* (fl. de *frigir*).]

frigir (fri.*gir*) *v.* **1** Ver *fritar.* [**td. int.**] **2** Fazer (alguém) ficar ou ficar perturbado, incomodado, apoquentado [**td. int.**] **3** *Pop.* Fazer-se de importante, bazofiar, contar vantagem em público [**int.**] [▶ 39 frigir] [F.: Do lat. *frigere.*]

frigobar (fri.go.*bar*) **sm.** Geladeira pequena de quarto de hotel com bebidas e alimentos pagos pelo hóspede se consumidos [F.: *frig(i/o)-* + *bar.*]

◎ **frigor(i)-** *el. comp.* = frio: *frigorífero* [= *frig(i/o)-*.] [F.: Do lat. *frigus, oris.*]

frigorífico (fri.go.*rí*.fi.co) **a. 1** Que gera e conserva o frio (câmara frigorífica) **sm. 2** O fluido que produz o frio **3** Aparelho para conservar e/ou congelar alimentos **4** Empresa que estoca alimentos perecíveis sob congelamento, em geral carnes, para posterior venda [F.: Do lat. *frigorificus, a, um.*]

friíssimo (fri:*ís*.si.mo) **a.** Excessivamente frio [Superl. abs. sint. de *frio.*] [F.: *fri(o)* + *-íssimo.*]

frila (*fri*.la) *s2g. Bras. Pop.* O mesmo que *freelance* [F.: F. red. de *frilance*, aport. de *freelance.*]

frimário (fri.*má*.ri:o) **sm.** *Cron.* Terceiro mês no calendário republicano francês, com início em 21 de novembro e término em 20 de dezembro [F.: Do fr. *frimaire.*]

frincha (*frin*.cha) *sf.* **1** Abertura estreita; FENDA; FRESTA: "...o tédio [...] penetra pela frincha das portas..." (Eça de Queirós, *Notas contemporâneas*) **2** *BA* Fenda em rocha supostamente diamantífera, da qual garimpeiros extraem cascalho na busca de diamantes **3** *BA* A ferramenta usada nessa atividade **4** *MG Pop.* Prostituta, meretriz [F.: De or. incerta.]

frio (*fri*:o) **sm. 1** Sensação que a baixa temperatura atmosférica provoca nos homens e animais **2** Estação do inverno: *Já se aproxima o frio.* [Superl.: *friíssimo, frigidíssimo.*] **a. 3** Que tem ou está com a temperatura baixa (comida fria) **4** *Pop.* Fraudado ou que não tem valor legal (cheque frio) **5** *Fig.* Sem sentimentos (assassino frio) **6** Que se mostra contido **7** Que não tem desejo sexual [Superl.: *friíssimo, frigidíssimo.*] [F.: Do lat. *frigidus, a, um*, por via popular.] ■ **À ~ 1** Sem levar ao fogo ou sem usar de calor: *solda a frio.* **2** Sem procurar atenuar choque, sentimento, dor de outrem: *Deu-lhe a má notícia assim, a frio, sem qualquer preparação.* **Estampar a ~** *Enc.* Gravar em baixo-relevo (imagem, palavras etc.) sem tinta, ouro etc.; gofrar

frioleira (fri:o.*lei*.ra) *sf.* **1** Insignificância, ninharia, futilidade **2** Parvoíce, tolice **3** *Vest.* Espécie de galão ou renda us. para enfeitar peças de roupa etc. [F.: Por *frivoleira*, de *frívol(o)* + *-eira.*]

friorento (fri:o.*ren*.to) **a. 1** Que é especialmente sensível ao frio, que sente mais frio que a maioria das pessoas; FRIENTO: "...que por muito enroupados no verão, tomávamos por friorentos..." (Rebelo da Silva, *Casa dos fantasmas*) [Ant.: *calorento.*] **2** Diz-se de lugar em que faz muito frio [F.: Do lat. **frigorentus, a, um*, posv.]

frios (*fri*.os) *smpl.* Produtos alimentícios (esp. carnes, salsichas etc.) conservados e/ou defumados [F.: Pl. de *frio.*]

frisa (*fri*.sa) *sf.* Camarote de teatro, quase no mesmo nível da plateia (ligeiramente acima) [F.: De *friso*, com mud. de vogal temática. Hom./Par.: *frisa* (sf.), *frisa* (fl. de *frisar*).]

frisado (fri.*sa*.do) **a. 1** Que se frisou[1] (cabelo frisado); ENCRESPADO **2** Enrugado, franzido **sm. 3** Feitio que se dá ao cabelo, encaracolando-o a ferro quente [F.: Part. de *frisar*[1].]

frisante (fri.*san*.te) *a2g.* **1** Que frisa, que torna crespo **2** Diz-se de bebida que faz borbulhas (vinho frisante); BORBULHANTE [F.: *frisar*[1] + *-nte.*]

frisar[1] (fri.*sar*) *v.* **1** Fazer ficar ou ficar (cabelo) anelado, encrespado, naturalmente ou por ação proposital [**td.**: *Frisaram o cabelo para a festa.*] [**int.**: *Por causa da chuva, o cabelo frisou-se.*] **2** Fazer ficar ou ficar (qualquer coisa) enrugado [**td.**: *frisar a testa.*] [**int.**: *Com o frio, sua pele frisou.*] [▶ 1 frisar] [F.: *frisa* + *-ar*[2]. Hom./Par.: *frisa(s)* (fl.), *frisa(s)* (sf.[pl.]); *friso* (fl.), *friso* (sm.).]

frisar[2] (fri.*sar*) *v.* **1** Colocar friso em [**td.**: *Frisou todo o teto da sala.*] **2** *Fig.* Chamar a atenção para (algo que se diz ou se escreve); DESTACAR; RESSALTAR [**td.**: *frisar os tópicos mais relevantes.*] **3** *Fig.* Ser análogo, conforme; BATER; CONDIZER [**tr.** + *com*: *Suas palavras frisam com os sentimentos.*] [▶ 1 frisar] [F.: *friso* + *-ar*[2]. Hom./Par.: ver *frisar*[1].]

friso (*fri*.so) **sm. 1** *Arq.* Na arquitetura antiga e na clássica, parte do entablamento situada entre a arquitrave e a cornija, muitas vezes ornada com esculturas, pinturas etc. **2** Faixa pintada ou esculpida em parede ou teto com fins decorativos **3** Pintura ou escultura nessa faixa **4** Ornato em forma de friso **5** Filete, traço: *A moldura tem um friso prateado.* **6** *Enc.* Filete decorativo, gravado a seco, dourado etc. **7** Borda contínua de qualquer coisa **8** *N.E.* Grampo de cabelo [F.: Do it. *friso.*] ■ **~ seco** *Enc.* Friso gravado em baixo-relevo, sem tinta, ouro etc.

⊕ **frisson** (*Fr.*/friçom/) **sm.** Forte impressão ou emoção; IMPACTO; SENSAÇÃO: *O filme causou frisson em sua estreia.*

fritada (fri.*ta*.da) *sf.* **1** Ação ou resultado de fritar *sf.* **2** O que se fritou em óleo, manteiga, gordura, ou aquilo que é frito de uma só vez **3** *Cul.* Prato preparado com ovos batidos e recheio de legumes, ou de carne picada, camarão, cebola ou outros ingredientes, fritos juntos; FRIGIDEIRA **4** *Pop.* Situação complicada, problemática; ENCRENCA; FRIA [F.: Fem. substv. do part. de *fritar.*]

fritadeira (fri.ta.*dei*.ra) *sf.* O mesmo que *frigideira* [F.: *fritar* + *-deira.*]

fritar (fri.*tar*) *v.* **1** Cozer na frigideira, com óleo, manteiga, azeite etc.; FRIGIR [**td.**: *Fritei grande quantidade de batata para a festa.*] [**int.**: *A maneira de os orientais fritarem é mais saudável.*] **2** Submeter (as matérias que compõem os vidros) à calcinação [**td.**: *fritar os componentes do vidro.*] **3** *Fig. Pop.* Dificultar o trabalho de alguém que ocupa cargo ou função, ou ignorá-lo, desprestigiá-lo etc., como preparação para sua demissão, ou para levá-lo a demitir-se [**td.**: *Já estão fritando o ministro, não dura muito no cargo.*] [▶ 1 fritar] [F.: *frito* + *-ar*[2]. Hom./Par.: *frita(s)* (fl.), *frita(s)* (fem. de *frito* (a.sm.); *frito* (fl.) *frito* (a. sm.).]

fritas (*fri*.tas) *sfpl. Bras. Cul.* F. red. de batatas fritas (bife com fritas)

frito (*fri*.to) **a. 1** Que se fritou (bolinho frito) **2** *Pop.* Que está em situação crítica, em apuros: *Se descobrem isso, estou frito.* **3** *Bras. Pop.* Diz-se de indivíduo que não tem dinheiro algum; DURO **sm. 4** *Cul.* O mesmo que *fritura* **5** *Pop.* Indivíduo frito (2, 3) [F.: Do lat. *frictus, a, um.* Hom./Par.: *frito* (a.), *frito* (fl. de *fritar*); *frita* (fem.), *frita* (fl. de *fritar*); *fritas* (fem. pl.), *fritas* (fl. de *fritar*).]

fritura (fri.*tu*.ra) *sf. Cul.* Alimento que se cozinhou em óleo quente até fritar: "...remasquei com repugnância a fritura de coatá..." (Gastão Cruls, *Amazônia que eu vi*) [F.: *frito* + *-ura.*]

friulano (friu.*la*.no) **sm. 1** Indivíduo nascido ou que vive em Friul (Itália) **a. 2** De Friul; típico dessa cidade ou de seu povo [F.: Do top. *Friul* + *-ano*[1].]

friúra (fri:*ú*.ra) *sf.* Condição, estado ou qualidade do que está frio; FRIAGEM; FRIALDADE; FRIÚME: "...a noite (...) penetrou-os com seu mistério e branda friúra..." (Aquilino Ribeiro, *S. Banaboião*) [F.: *frio* + *-ura.*]

frivolidade (fri.vo.li.*da*.de) *sf.* **1** Qualidade do que é frívolo, do que tem pouco valor ou importância, ou que se ocupa de ninharias; FUTILIDADE: "...que a frivolidade grassa profundamente nas rainhas (...) as suas vidas se resumem em ruído estéril..." (Afrânio Peixoto, *Maias e Estevas*) **2** Qualquer coisa frívola, de pouco valor, fútil; FUTILIDADE; NINHARIA: *Não dê atenção às frivolidades dela, concentre-se no que é sério.* [F.: *frívolo* + *-(i)dade.*]

frivolização (fri.vo.li.za.*ção*) *sf.* Ação ou resultado de frivolizar [Pl.: *-ções.*] [F.: *frivolizar* + *-ção.*]

frivolizar (fri.vo.li.*zar*) *v.* **td.** Tornar frívolo [▶ 1 frivolizar] [F.: *frívolo* + *-izar.*]

frívolo (*frí*.vo.lo) **a. 1** De pouca importância ou (quase) nenhum valor (interesses frívolos) **2** Que é dado a frivolidades, a futilidades **3** Que age de modo volúvel, que se mostra inconstante; VOLÚVEL **sm. 4** Indivíduo frívolo (2 e 3) [F.: Do lat. *frivolus, a, um.* Sin. ger.: *fútil.*]

fronde (*fron*.de) *sf.* **1** A ramagem das árvores; COPA: "...fronte e fronde entrelaçadas..." (Jorge de Lima, *Invenção de Orfeu*) **2** *Bot.* Folha das palmeiras e dos fetos **3** *Bot.* Folha das pteridófitas **4** *Bot.* Talo em forma de folha ou de lâmina de certas algas e liquens [F.: Do lat. *frons, frondis.*]

frondejar (fron.de.*jar*) *v.* **1** Criar folhas [**td.**] **2** Cobrir-se de folhas [**int.**: *O arbusto frondejou em pouco tempo.*] [▶ 1 frondejar] [F.: *fronde* + *-ejar.*]

frondoso (fron.*do*.so) [ô] **a. 1** Que tem grande fronte (1), abundância de ramos e folhas; COPADO: "...Fui ter ao cimo de um outeiro, todo cercado de frondosas carvalheiras..." (Silveira da Mota, *Viagens*) **2** Que tem copas frondosas (1); COPADO; FRONDEJANTE **3** *Fig.* Que se abre para ramificações várias, ou que viabiliza muitas possibilidades **4** *Fig.* Abundante [Fem. e pl. [ó].] [F.: Do lat. *frondosus, a, um.*]

fronha (*fro*.nha) *sf.* **1** Capa, ger. em forma de saco, com que se reveste o travesseiro: "...o fofo cobertor felpudo, as fronhas de renda..." (Coelho Neto, *Água de Juventa*) **2** Saco repleto de lã, palha, espuma etc. que us. como travesseiro **3** *Fig.* Aquilo que cobre, envolve ou reveste algo; INVÓLUCRO **4** *Gír.* Pão [F.: De or. incerta.]

⊕ **front** (*Ing.*/ front/) **sm.** *Mil.* Frente de batalha; linha de frente

frontal (fron.*tal*) *a2g.* **1** Que fica na parte da frente **2** Que é direto (oposição frontal) **3** *Fig.* Dito ou feito de modo aberto, direto, franco **4** Ref. à fronte, ou ao osso que fica na parte anterior do crânio [Pl.: *-tais.*] **sm. 5** *Anat.* Osso situado na parte anterior do crânio (corresponde à testa) **6** Ornato na parte de cima de portas e janelas **7** *Litu.* Na Igreja Católica, pano que reveste a parte da frente do altar **8** Faixa de pano com que mulheres religiosas que usam hábito cingem a cabeça **9** *Rel.* Uma das duas partes dos filactérios, aquela com que os judeus praticantes cingem a cabeça nas orações matinais **10** *Cons.* Parede delgada utilizada para as divisões internas da casa **11** *Arq.* Fachada de um edifício **12** *Ant. Mil.* Em antigas armaduras, a parte do elmo que protegia os olhos, acima dele **13** Testeira, parte do freio que cinge cabeça de cavalgadura **14** *Ant. Mil.* Respaldo de madeira que protegia a cabeça de artilheiro quando fazia pontaria **15** *Med.* Tópico que se aplica na testa para aplacar cefalalgia [mais Mais. us. no pl.] [Pl.: *-tais.*] [F.: *fronte* + *-al*[1].]

frontão (fron.*tão*) **sm. 1** *Arq.* Ornamento triangular ou arredondado sobre portas, janelas ou fachada de edifício **2** *Arq.* Peça de arquitetura (ger; triangular, com remate curvo) que coroa como ornamento a parte central da fachada de um prédio **3** *Esp.* Parede contra a qual se joga a pela no jogo da pelota basca **4** *Pext.* Lugar em que se joga a pelota basca **5** Esse jogo [Pl.: *-tões.*] [F.: Do it. *frontone*, pelo fr. *fronton.*]

frontaria (fron.ta.*ri*.a) *sf.* **1** *Arq.* Parte da frente de um edifício ou monumento; FACHADA; FRONTISPÍCIO **2** Fortificação construída na fronteira **3** *Fig.* Aquilo que se apresenta (em qualquer coisa), o aspecto exterior; APARÊNCIA [F.: *fronte* + *-aria.*]

fronte (*fron*.te) *sf.* **1** O mesmo que *testa* **2** *Zool.* A testa de aves e mamíferos **3** O rosto, a face de uma pessoa; CARA **4** *Pext.* Cabeça (humana) **5** A face frontal de um prédio; FACHADA **6** A linha de frente ou a frente de algo **7** *Fig.* Costa, praia [F.: Do lat. *frons, frontis.*] ■ **~ por ~** Ver *Frente a frente*, no verbete *frente* **Curvar a ~** *Fig.* Ceder, aceitar submissão, ficar submisso

frontear (fron.te.*ar*) *v. Bras.* Estar defronte; estar situado em frente [**td.**: *O cinema fronteia o chafariz.*] [**tr.** + *com*: *A* *biblioteca fronteia com a praça.*] [▶ 13 frontear] [F.: *fronte* + *-ear²*.]

fronteira (fron.*tei*.ra) *sf.* 1 Linha divisória entre territórios ou países; DIVISA; LIMITE 2 Região próxima a essa divisa 3 *Soc.* Separação, divisão ou diferença entre os vários grupos sociais 4 O ponto máximo a que se pode chegar: *A imaginação não tem fronteiras.* 5 *Fig.* Limite entre dois espaços físicos ou conceituais: *a tênue fronteira entre o real e o imaginário.* [F.: Do fr. *frontière*; fem. subst. de *fronteiro*.] ▪ ~ **agrícola** *Agr.* Limite da área territorial explorada com agricultura ~ **artificial** Linha fronteiriça que não coincide com acidente natural (como rio, cordilheira etc.) ~ **linguística** 1 *Ling.* Limite territorial entre dois sistemas linguísticos 2 Ponto de separação entre duas unidades fonéticas, morfológicas, sintáticas etc. [Ex.: o ponto em que acaba uma sílaba e começa outra etc.] ~ **termodinâmica** *Met.* Região da atmosfera na qual a rarefação do ar torna-se tão acentuada que, a partir da qual, com a quase inexistência do atrito com o ar, o movimento de objetos ou partículas não gera calor ~ **viva** *Hist.* Termo que designa fronteira ainda em formação (portanto sujeita a mudanças) em função de conflitos territoriais ainda em evolução, fixação de populações e culturas etc.

fronteiriço (fron.tei.*ri*.ço) *a.* 1 Que vive ou que está (permanente ou momentaneamente) na fronteira, no limite de alguma coisa 2 Que nasce ou que vive na fronteira entre dois países, duas regiões etc. *sm.* 3 Pessoa que nasce na fronteira 4 *RS* O nativo ou morador das fronteiras com a Argentina e o Uruguai 5 *Psiq.* Indivíduo que está no limiar de uma doença mental ou psicopatia [F.: *fronteiro* + *-iço*.]

fronteiro (fron.*tei*.ro) *a.* 1 Que está em frente (a algo já mencionado): *Saiu de casa, atravessou a rua e entrou na casa fronteira.* 2 Situado na fronteira; FRONTEIRIÇO 3 Que está ou fica próximo 4 *Bras.* Diz-se de bovino de testa branca *sm.* 5 *Mil.* Capitão de posto militar localizado em fronteira [F.: *fronte* + *-eiro*. Hom./Par.: *fronteira* (fem.), *fronteira* (sf.); *fronteiras* (fem. pl.), *fronteiras* (pl. do sf.).]

◎ **front(i/o)-** *el. comp.* = fronte: *frontoparietal* [F.: Do lat. *frons, tis.*]

frontispício (fron.tis.*pí*.ci:o) *sm.* 1 *Arq.* Parte da frente de um edifício ou monumento; FACHADA; FRONTEIRA 2 *Edit.* Folha de rosto de um livro: "...é o verdadeiro nome para o frontispício de um poema..." (Eça de Queirós, *Os Maias*) 3 *P.ext. Edit.* Qualquer ilustração nessa folha de rosto 4 Rosto, fisionomia, semblante 5 *Arq.* Obra que remata um pórtico [F.: Do lat. tard. *frontispicium, ii.*]

⊕ **frontside** (*Ing.* /frontsaid/) *sm. Esp.* No surfe, posição em que o surfista se coloca de modo frontal em relação à onda

frota (*fro*.ta) *sf.* 1 Conjunto de navios de guerra; ARMADA 2 Conjunto de navios cuja finalidade define o tipo de frota (frota mercante; frota petrolífera) 3 *P.ext.* Conjunto de veículos de uma empresa ou de uma única pessoa (frota de táxis; frota de caminhões; frota de ônibus) 4 *Fig.* Grande quantidade de algo [Dim.: *flotilha*.] [F.: Do fr. *flotte*.]

⊕ **frottage** (*Fr.*/frotáj/) *sm. Psiq.* Forma de perversão que leva a pessoa a obter prazer sexual esfregando-se em outra, ger. em aglomerações

⊕ **frotteur** (*Fr.*/ frotér/) *sm. Psiq.* Indivíduo que pratica *frottage*

frouxidão (frou.xi.*dão*) *sf.* 1 Falta de rigidez de qualquer corpo; MOLEZA [Ant.: *rijeza*.] 2 *Fig.* Fraqueza, debilidade, tibieza: "...agindo libérrimo, graças à frouxidão das leis repressivas..." (Euclides da Cunha, *Os sertões*) [Pl.: *-dões*.] [F.: *froux(o)* + *-idão*.]

frouxo (*frou*.xo) *a.* 1 Que não está totalmente esticado, preso ou fixo; pouco apertado, pouco esticado ou mal amarrado [Ant.: *apertado, retesado*] 2 A que falta força, energia 3 Que não é ou não está firme ou rijo (musculatura frouxa); FRACO: "...o ânimo é frouxo e o tempo assemelha-se à lamparina de madrugada..." (Machado de Assis, "O enfermeiro" *in Várias histórias*) 4 *Fig.* Que não tem coerência, lógica, consistência, credibilidade ou fundamentação (argumento frouxo) 5 *Fig.* Em que não há, ou que não transmite firmeza, vigor, segurança (vontade frouxa) 6 *Fig.* Inexpressivo 7 *Bras. Pop.* Que é medroso ou covarde 8 *Bras. Pop.* De caráter fraco, inseguro 9 *Bras. Pop.* Diz-se do homem que sofre de impotência sexual *sm.* 10 *Bras. Pop.* Indivíduo medroso, covarde 11 *Bras. Pop.* Indivíduo fraco, inseguro, sem vontade própria, sem determinação etc. 12 *Bras. Pop.* Indivíduo que sofre de impotência sexual [F.: Do lat. *fluxus, a, um*.]

fru-fru (fru-*fru*) *sm.* 1 *Pop.* Aquilo que é infantilizado, ingênuo, típico de meninas 2 *Pop.* Conjunto de enfeites, babadinhos etc. com que se ornam as roupas 3 Rumor do roçar de folhas ou tecido, ger. de seda; RUGE-RUGE [F.: Do fr. *froufrou*.]

frufrulhar (fru.fru.*lhar*) *v. int. Bras.* Fazer ou provocar frufru: *As folhas secas frufrulhavam.* [▶ 1 frufrulhar] [F.: *frufru* + *-lhar*. Tb. *frufrutar*.]

frufrutar (fru.fru.*tar*) *v.* Ver *frufrulhar*

frugal (fru.*gal*) *a2g.* 1 Ref. a fruto(s) 2 Que se alimenta quase que só de frutas 3 De digestão fácil (refeição frugal); LEVE 4 Moderado ao alimentar-se 5 *P.ext. Fig.* Que não tem grandes exigências ou pretensões, que se satisfaz com pouco ou com coisas simples; MODERADO; SÓBRIO 6 *Fig.* Que se caracteriza pela simplicidade ou sobriedade [Pl.: *-gais*.] [F.: Do lat. *frugalis, e*.]

frugalidade (fruga.li.*da*.de) *sf.* 1 Qualidade, condição do que é frugal 2 Moderação na alimentação 3 *Fig.* Qualidade, atributo ou característica de quem tem modos sóbrios e comedidos 4 Sobriedade na maneira de se comportar, simplicidade de hábitos e atitudes [F.: Do lat. *frugalitas, atis*.]

frugífero (fru.*gí*.fe.ro) *a.* Que dá frutos; FRUTÍFERO [F.: Do lat. *frugiferum*.]

frugívoro (fru.*gí*.vo.ro) *a.* 1 Que se nutre de frutos ou vegetais (animais frugívoros) *sm.* 2 Aquele que se nutre de frutos ou vegetais [F.: Do fr. *frugivore*.]

fruição (fru:i.*ção*) *sf.* 1 Ação ou resultado de fruir, de gozar; GOZO: "...a acre voluptuosidade das fruições defesas..." (Mendes Leal, *Mestre Marçal*) 2 Aproveitamento de algo, de vantagem, das potencialidades ou benefícios de uma situação, de oportunidades etc. [Pl.: *-ções*.] [F.: Do lat. *fruitio, onis*.]

fruir (fru.*ir*) *v.* 1 Aproveitar o prazer, as oportunidades, ou as vantagens de; DESFRUTAR [*td.*: *Fruiu os privilégios do cargo.*] [*tr.* + *de*: *Ele merece fruir dos bens que herdou.*] 2 Desfrutar com prazer (algo ou de algo) [*td.*: *Fruíam com paixão aquele namoro.*] [*tr.* + *de*: *Enquanto descansava, fruía de boa música.*] 3 *Jur.* Usufruir de determinado bem (herança ou algo de que se tirou proveito) [*td.*: *Fruía os bens paternos.*] [*tr.* + *de*: *Fruiu da herança que recebeu dos avós.*] 4 Tomar posse de [*td.*: *fruir um imóvel.*] [▶ 56 fruir] [F.: Do lat. **fruere*.]

frumentação (fru.men.ta.*ção*) *sf.* Ato de fazer provisões de cereais em tempo de guerra [Pl.: *-ções*.] [F.: Do lat. *frumentatio, onis*.]

frumental (fru.*men*.tal) *a2g.* 1 Ref. a cereais; próprio para sementeira de cereais [Pl.: *-tais*.] *sm.* 2 Variedade de aveia [Pl.: *-tais*.] [F.: Do lat. *frumentalis, e*.]

frumentário (fru.men.*tá*.ri:o) *a.* 1 Que se assemelha ao trigo ou a outros cereais 2 Que tem as qualidades deles (plantas frumentárias) [F.: *frument(o)* + *-ário*.]

frumentício (fru.men.*tí*.ci:o) *a.* O mesmo que *frumentário* [F.: *frument(o)* + *-ício*.]

frumento (fru.*men*.to) *sm.* 1 A melhor espécie de trigo; trigo candial 2 Qualquer cereal [F.: Do lat. *frumentum, i*.]

frumentoso (fru.men.*to*.so) [ô] *a.* Fértil, rico em trigo ou em cereais [Pl.: [ó]. Fem.: [ó].] [F.: *frument(o)* + *-oso*.]

frustração (frus.tra.*ção*) *sf.* 1 Ação ou resultado de frustrar(-se) 2 Sentimento de insatisfação diante do fracasso de expectativas; DECEPÇÃO; DESAPONTAMENTO 3 *Psi.* Situação em que um desejo, ou impulso, ou plano de ação é temporário ou definitivamente impedido de realizar-se 4 *Jur.* Tentativa de ação ou ação que visa a iludir a lei e que, de acordo com seus métodos ou suas consequências pode se caracterizar como crime [Pl.: *-ções*.] [F.: Do lat. *frustratio, onis*.]

frustrado (frus.*tra*.do) *a.* 1 Que se frustrou, não chegou a se realizar como pretendido (experiência frustrada) 2 Que se decepcionou, desapontou, desiludiu: *Ele ficou muito frustrado com o novo amor*. *a.* 3 Que não alcançou bom êxito (casamento frustrado): "...São trinta desejos presos, trinta mil sonhos frustrados..." (Carlos Pena Filho, *Livro geral*) 4 Que não se desenvolveu (talento frustrado) 5 Que não se realizou na vida pessoal, social ou profissional como pretendia (uma mulher frustrada): *É um cantor frustrado.* [F.: Do lat. *frustratus, a, um*.]

frustrador (frus.tra.*dor*) [ô] *a.* 1 Que frustra; FRUSTRANTE *sm.* 2 O que frustra [F.: Do lat. *frustrator, oris*.]

frustrante (frus.*tran*.te) *a2g.* Que frustra, que causa frustração, decepção, desencanto; FRUSTRADOR [F.: Do lat. *frustrans, antis*.]

frustrar (frus.*trar*) *v.* 1 Levar ao fracasso ou fracassar; fazer falhar ou falhar; MALOGRAR(-SE) [*td.*: *O policial frustrou o assalto ao banco.*] [*int.*: *Minhas esperanças frustraram-se.*] 2 Causar decepção a (alguém ou si mesmo); DECEPCIONAR(-SE) [*td.*: *O time frustrou seus torcedores.*] [*int.*: *Os lojistas frustraram-se com as baixas vendas.*] [▶ 1 frustrar] [F.: Do lat. *frustrare*. Hom./Par.: *frustra(s)* (fl.), *frustra(s)* (fem. *frustro*, a.[pl.]); *frustro* (fl.), *frustro* (a.).]

frustro (*frus*.tro) *a.* O mesmo que *frustrado* [F.: Dev. de *frustrar*. Hom./Par.: frustro (a), *frustro* (fl. de *frustrar*).]

fruta (*fru*.ta) *sf.* 1 Nome comum a todos os frutos, pseudofrutos e infrutescências comestíveis [Col.: *cacho, penca*.] 2 *Fig.* Coisa rara, de grande apreço 3 *Bras. Pop.* O mesmo que *cachaça* 4 *Bras. Gír.* Homossexual masculino passivo [F.: Do lat. *fructa*, neutro pl. do lat. *fructus*.]

fruta-de-cachorro (fru.ta-de-ca.*chor*.ro) [ô] *sf. Bot.* Arbusto da fam. das rubiáceas (*Basanacantha spinosa*), nativo do Brasil, coberto de pelos e espinhos, com flores brancas e aromáticas, us. em perfumaria, e bagas amarelas com polpa preta [Pl.: *frutas-de-cachorro*.]

fruta-de-conde (fru.ta-de-*con*.de) *Bot. sf.* 1 Arvoreta da fam. das anonáceas (*Annona squamosa*), nativa da América tropical, de fruto sincárpico adocicado muito apreciado; ANONEIRA; ATEIRA; PINHEIRA 2 Esse fruto, de polpa branca e macia, com sementes pretas [Pl.: *frutas-de-conde*.] [F.: Dizem que seu nome se deve ao fato da fruta ter sido introduzida no Brasil pelo conde de Miranda. Sin. ger.: *ata, pinha, anona*.]

frutado (fru.*ta*.do) *a.* 1 Que tem frutos; cheio de frutos *a.* 2 *Enol.* Diz-se do vinho que tem sabor e/ou cheiro de fruta(s), ou das castas de uva das quais foi feito [F.: Part. de *frutar*.]

fruta-pão (fru.ta-*pão*) *Bot. sf.* 1 Árvore da fam. das moráceas (*Artocarpus incisa*), nativa da Ásia, de frutos compostos, us. na alimentação humana 2 O fruto dessa árvore, grande, globoso ou ovoide, cuja polpa tem consistência e sabor semelhante aos do pão [Pl.: *frutas-pães, frutas-pão*.]

frutarianismo (fru.ta.ri:a.*nis*.mo) *sm.* Dieta alimentar baseada exclusivamente no uso de frutas [F.: Adaptç. do ing. *fruitarianism*.]

frutear (fru.te.*ar*) *v.* Tornar-se frutífero; frutificar [*td.*: *O tempo bom fruteou mais depressa a goiabeira.*] [*int.*: *Essa árvore não vai frutear nunca.*] [▶ 13 frutear] [F.: *fruto* + *-ear²*.]

fruteira (fru.*tei*.ra) *sf.* 1 Recipiente (ger. em mesa, ou aparador) onde se colocam frutas 2 Árvore ou planta que dá frutos: "...depois de um dia bem aproveitado, na visita às fruteiras prediletas..." (Gastão Cruls, *Amazônia que eu vi*) 3 Mulher que vende frutas 4 *Bot.* Arbusto da família das moráceas (*Coussapoa schottii*), também conhecido como *mata-pau* [F.: *fruta* + *eira*.]

fruteiro (fru.*tei*.ro) *a.* 1 Que gosta muito de frutas 2 Que dá frutos *sm.* 3 Homem que vende frutas 4 Prato ou cesto onde se colocam frutas; FRUTEIRA [F.: *fruta* + *eiro*.]

frutescência (fru.tes.*cên*.ci:a) *sf.* 1 Época em que os frutos começam a desenvolver-se; FRUTIFICAÇÃO 2 A maturação dos frutos [F.: Do lat. *frutescentia*.]

frutescente (fru.tes.*cen*.te) *a2g.* 1 Que produz frutos, que os tem 2 *Bot.* Diz-se das plantas que têm aspecto de arbusto [F.: Do lat. *frutescens, entis*.]

frutescer (fru.tes.*cer*) *v.* Produzir frutos; FRUTIFICAR [*td.*: *O clima favorável frutesceu a árvore.*] [*int.*: *Após o longo inverno, a árvore frutesceu.*] [▶ 33 frutescer] [F.: Do lat. *fructescere*. Ant. ger.: *desfrutescer*.]

◎ **-frut(i)-** *el. comp.* Ver *frut(i)-*

◎ **frut(i)-** *el. comp.* = 'fruto'; 'fruta': *frutículo, fruticultor, fruticultura, frutífero* (< lat.), *frutuoso* (< lat.); *hortifrutigranjeiro* [F.: Do lat. *fructus, us*.]

frutículo (fru.*tí*.cu.lo) *sm.* Fruto pequeno [F.: *frut(i)-* + *-culo*.]

fruticultor (fru.ti.cul.*tor*) [ô] *sm.* Aquele que cultiva plantas ou árvores frutíferas [F.: *frut(i)-* + *-cultor*.]

fruticultura (fru.ti.cul.*tu*.ra) *sf.* Cultivo de plantas ou árvores frutíferas [F.: *frut(i)-* + *-cultura*.]

frutidor (fru.ti.*dor*) [ô] *sm. Cron.* Duodécimo mês do calendário francês, com início em 18 de agosto e término em 16 de setembro [F.: Do fr. *fructidor*.]

frutífero (fru.*tí*.fe.ro) *a.* 1 Que dá fruto (árvore frutífera) 2 *Fig.* Útil, proveitoso, profícuo; que dá ou resulta em bons resultados [F.: Do lat. *fructifer, fera, ferum*. Ant. ger.: *infrutífero*.]

frutificação (fru.ti.fi.ca.*ção*) *sf.* 1 Ação ou resultado de frutificar 2 Época em que as árvores dão frutos; FRUTESCÊNCIA 3 Os frutos produzidos por um vegetal 4 *Fig.* Época ou momento de colheita dos frutos do trabalho ou de alguma outra ação ou experiência proveitosa [Pl.: *-ções*.] [F.: Do lat. *fructificatio, onis*.]

frutificar (fru.ti.fi.*car*) *v.* 1 Dar frutos [*int.*: *A mangueira frutificou.*] 2 *Fig.* Produzir resultado proveitoso ou lucrativo [*td.*: *Com talento e dedicação foi frutificando seus negócios.*] [*int.*: *O trabalho dela frutificou.*] [▶ 11 frutificar] [F.: Do lat. *fructificare*.]

fruto (*fru*.to) *sm.* 1 *Bot.* Órgão que resulta da maturação do(s) ovário(s) da flor, que geralmente contém a semente 2 O mesmo que *fruta* (1) 3 Alimento produzido pela terra ou pelo mar 4 *Fig.* Filho, prole: "...Que destino se dará ao fruto?..." (Eça de Queirós, *O crime do padre Amaro*) 5 *Fig.* Ganho, renda: *O investimento deu frutos.* [Ant.: *perda, prejuízo*.] 6 *Fig.* O resultado ou a consequência de um trabalho, de uma ação etc.: *Agora cada um colherá os frutos do que plantou.* 7 *Fig.* Vantagem, proveito [F.: Do lat. *fructus, us*.] ▪ ~ **composto** *Bot.* Fruto originado de ovários de flores, como a jaca, o abacaxi etc. ~ **deiscente** *Bot.* Fruto que, maduro, abre-se e deixa sair as sementes ~ **múltiplo** *Bot.* Aquele que se origina dos ovários de uma só flor ~ **proibido** 1 Na Bíblia, fruto da árvore do conhecimento do bem e do mal, que fora proibido por Deus, mas que Eva comeu induzida pela serpente, e Adão, induzido por Eva, sendo por isso castigados 2 *Fig.* Coisa muito desejada, mais ainda por ter sido proibida ~**s civis** *Jur.* Rendimento auferido do uso econômico de um bem, propriedade etc. ~**s do mar** Animais marinhos (à exceção de peixes) us. como comestíveis. [Ex.: crustáceos, moluscos, mariscos etc.] **Colher os ~s** *Fig.* Obter bons resultados de esforço, empenho, dedicação, competência etc.

> 📖 O fruto é na verdade um desenvolvimento do ovário (órgão feminino da flor), e pode ser fértil (quando contém sementes) ou estéril (sem sementes ou com sementes atrofiadas). É geralmente composto de cabo (que é o pedúnculo da flor), parede e sementes. A parede, quando completa, apresenta o pericarpo (a pele ou casca), o mesocarpo (a polpa, comestível ou não – na laranja, por exemplo, é a película branca entre a casca e os gomos) e o endocarpo, que envolve as sementes (na laranja, o endocarpo – o gomo – é que é comestível). Os frutos podem ser, quanto à forma, de vários tipos, entre os quais as bagas (banana, uva, laranja), as drupas (ameixa, azeitona, coco, manga, pêssego) e os frutos complexos (maçã, pera).

frutose (fru.*to*.se) [ó] *sf. Bioq.* Açúcar das frutas, do néctar e do mel; LEVULOSE [F.: *fruto* + *-ose²*.]

frutuoso (fru.tu.*o*.so) [ô] *a.* 1 Que gera muitos frutos (árvore frutuosa) 2 *Fig.* Que dá bons resultados (conversa frutuosa); FÉRTIL; FECUNDO; PRODUTIVO [Pl.: [ó]. Fem.: [ó].] [F.: Do lat. *fructuosus, a, um*. Sin. ger.: *frutífero*.]

ftiríase (fti.*rí*.a.se) *sf.* **1** *Med.* Infestação de piolhos no corpo; PEDICULOSE **2** *Bot.* Infestação nos vegetais por pequeníssimos parasitos [F.: Do gr. *phtheiríasis*, pelo lat. *phthiriasis*.]

ftiriofobia (fti.ri:o.fo.*bi*.a) *sf. Psiq.* Aversão doentia a piolhos [F.: *ftirio-* (do gr. *phtheír*, 'piolho') + *-fobia*.]

ftiriofóbico (fti.ri:o.*fó*.bi.co) *Psiq. a.* **1** Ref. à ftiriofobia **2** Que padece de ftiriofobia; FTIRIÓFOBO *sm.* **3** Quem padece de ftiriofobia; FTIRIÓFOBO [F.: *ftiriofobi(a)* + *-ico*[2].]

ftiriófobo (fti.ri:*ó*.fo.bo) *Psiq. a.* **1** Ftiriofóbico (2) *sm.* **2** Ftiriofóbico (3) [F.: *ftirio-* (do gr. *phtheír*, 'piolho') + *-fobo*.]

fuá (fu:*á*) *Bras. sm.* **1** Intriga, mexerico, fuxico **2** *N* Caspa **3** *N* Pó muito fino que se desprende da pele arranhada *a2g.* **4** Diz-se de cavalo ressabiado, espantadiço, desconfiado **5** Que demonstra valentia; VALENTÃO [F.: De or. obsc.]

fubá (fu.*bá*) *sm.* **1** Farinha de milho ou de arroz us. em culinária (angu de fubá) **2** *N.E. Pop.* Bagunça, confusão, desordem *a.* **3** *N.E.* Diz-se de gado bovino de pelo branco, quase azul [F.: Do quimb. *fuba*.] ■ **~ mimoso** *Bras.* Fubá muito refinado

fubecada (fu.be.*ca*.da) *Bras. Gír. sf.* **1** Surra, sova, tunda **2** Pancada, bordoada **3** Reprimenda, descompostura **4** Derrota [F.: *fubecar* + *-ada*[1].]

fubecar (fu.be.*car*) *v. td.* **1** *Bras.* Dar surra; ESPANCAR **2** Dizer insultos; INSULTAR; XINGAR **3** Derrotar, vencer [▶ 11 fube**car**] [F.: *fubeca* + *-ar*[2]. Hom./Par.: *fubeca(s)* (fl.), *fubeca(s)* (sf.[pl.]).]

fubica (fu.*bi*.ca) *Bras. sm.* **1** Pessoa sem importância ou valor; JOÃO-NINGUÉM **2** *Lud.* Nome dado ao nº 1 no jogo de víspora *sf.* **3** *Bras.* Automóvel velho e/ou em mau estado de conservação; CALHAMBEQUE [F.: De or. controv.]

fuça (*fu*.ça) *sf.* **1** Cada uma das ventas; FOCINHO [Us. no pl. como *Pej.* Cara, rosto: *Falei nas fuças dele.*] **2** *Bras. Pop.* Rosto, cara [Mais us. no pl.] [F.: Var. apocopada de *fucinho*, por *focinho*. Hom./Par.: *fuça* (sf.), *fuça* (fl. de *fuçar*).]

fuçar (fu.*çar*) *Bras. v.* **1** Revolver (plantações, terra etc.) com fuça ou focinho [*td.*: *Os cães fuçaram meu jardim.*] [*int.*: *Esses porcos só sabem fuçar.*] **2** *Fig. Pext.* Vasculhar (as coisas) à procura de (algo) [*td.*: *Vive fuçando os armários.*] [*int.*: *Ocioso, passa a vida fuçando.*] **3** *Fig.* Procurar (informações, negócios alheios, objetos etc.) com curiosidade (em); BISBILHOTAR [*td.*: *Essa mulher gosta de fuçar a vida dos outros.*] [*int.*: *Tanto fuçou que encontrou o livro.*] [▶ 12 fu**çar**] [F.: *fuça* + *-ar*[2]. Hom./Par.: *fuça(s)* (fl.), *fuça(s)* (sf.[pl.]).]

fuças (*fu*.ças) *sfpl. Pej.* Cara, rosto: "Não lhe pude ver as fuças!... respondeu o ferreiro; mas se o apanho, arrancava-lhe o sangue pelas costas!" (Aluísio de Azevedo, *O cortiço*) [F.: Pl. de *fuça*. Hom./Par.: *fuças* (fl. de *fuçar*).] ■ **Ir às ~ de** *Bras. Pop.* Agredir, atacar fisicamente **Não ir com as ~ de** Não simpatizar com, não ir com a cara de

⊠ **fuchsia** (*fuch*.si:a) *sf.* Ver *fúcsia*

◎ **fuc(i)-** *el. comp.* = "alga": *fuciforme* [F.: Do lat. *fucus, i.*]

fúcsia (*fúc*.si:a) *sf.* **1** *Bot.* Nome comum às plantas do gên. *Fuchsia*, da fam. das onagráceas, a maioria arbustiva e nativa da América Central e do Sul, com flores grandes, carnosas e pêndulas, muito cultivadas como ornamentais; BRINCO-DE-PRINCESA; LÁGRIMA; MIMO: "...os ponchos de sarja escarlate – que transitam contra horizontes e céus, como fúcsias enormes..." (Guimarães Rosa, "Sanga Puytã" *in Ave, palavra*) **2** *Bot.* A flor dessas plantas; BRINCO-DE-PRINCESA; LÁGRIMA; MIMO *sm.* **3** A cor característica dessa flor, de um tom de rosa forte, tirante ao magenta e levemente arroxeado *a2g2n.* **4** Que é dessa cor: *Suas botas fúcsia chamavam a atenção de todos.* **5** Diz-se dessa cor: *A cor fúcsia do terno do roqueiro.* [F.: Do lat. cient. *Fuchsia*, do antr. de *Leonhard Fuchs* (1501-1566), botânico sueco. Tb. *fúchsia*.]

fueiro (fu.*ei*.ro) *sm.* **1** Estaca própria para escorar a carga de um carro de bois **2** Pedaço de pau grosseiro; CACETE [F.: Do lat. tardio *funarius*.]

fuga[1] (*fu*.ga) *sf.* **1** Ação ou resultado de fugir **2** Saída às pressas para escapar de alguém ou de algum perigo; EVASÃO; DEBANDADA **3** *Fig.* Alívio, lenitivo: *Encontrava fuga na música.* **4** Orifício por onde escapa algum líquido ou gás; o escape desse líquido ou gás **5** Buraco por onde o fole toma o vento **6** Abertura dos aparelhos de destilação de álcool **7** *Fig.* Oportunidade, ocasião **8** *Fig.* Aquilo que sobra de algo; SOBRA **9** *Mil.* Saída rápida de tropas de um local; retirada **10** Perda de energia, não utilizada, num sistema de geração ou transmissão **11** *Mec.* Espaço de segurança deixado entre máquinas, motores etc., para que a trepidação de um não exerça influência sobre o funcionamento de outro [F.: Do lat. *fuga, ae.*] ■ **~ de ideias** *Psic.* Pensamento errante, que muda constantemente o assunto em foco, que ocorre em mania **~ em profundidade** *Art.pl.* Tipo de perspectiva (em desenho, pintura) na qual de busca a impressão de que o fundo se distancia do primeiro plano **~ para o azul** *Cosm.* Quando uma fonte de radiação luminosa se aproxima do observador, desvio do espectro para a zona de comprimentos de onda curtos; desvio para o azul **~ para o vermelho** *Cosm.* Quando uma fonte de radiação luminosa se afasta do observador, desvio do espectro para a zona de comprimentos de onda longos; desvio para o vermelho

fuga[2] (*fu*.ga) *sf. Mús.* Composição de vários tons simultâneos dentro de um tema único: "...batia mais apressado que a batuta de um mestre de capela numa fuga de glória..." (Júlio Dantas, *Espadas e rosas*) [Dim.: *fugueta*.] [F.: Do it. *fuga*.]

fugacidade (fu.ga.ci.*da*.de) *sf.* **1** Qualidade, condição do que é fugaz **2** Fuga rápida **3** Grande velocidade, rapidez **4** Qualidade, atributo ou característica do que não perdura, do que é efêmero, transitório; TRANSITORIEDADE; EFEMERIDADE [F.: Do lat. *fugacitas, atis*.]

fugacíssimo (fu.ga.*cís*.si.mo) *a.* Muito fugaz [Superl. abs. sint. de *fugaz*.] [F.: Do lat. *fugacissimus, a, um*.]

⊕ ***fugato*** (*It.* /*fugáto*/) *sm. Mús.* Movimento ou trecho de uma composição com as características da fuga[2], mas sem a sua estrutura completa e formal

fugaz (fu.*gaz*) *a2g.* **1** Que tem velocidade, ligeireza, rapidez; RÁPIDO; LIGEIRO **2** *Fig.* Que não dura muito, que passa ou desaparece depressa (momento fugaz; alegria fugaz); EFÊMERO; FUGIDIO; TRANSITÓRIO; PASSAGEIRO [Superl.: *fugacíssimo*.] [F.: Do lat. *fugax, acis*.]

fugida (fu.*gi*.da) *sf.* **1** Ação de fugir, fuga, evasão **2** *Bras.* Ação de ir a algum lugar e voltar sem demora; ESCAPADA; ESCAPULIDA: *Demos uma fugida até a esquina para vê-lo.* **3** *Restr. Fig.* Viagem curta: *Sua fugida até Campos foi proveitosa: resolveu vários assuntos pendentes.* **4** *Fig.* Ação de divagar por alguns instantes, de distrair-se com pensamentos, ideias, e desconcentrar-se do ambiente a sua volta: *Mais uma fugida dessas e eu o coloco para fora de sala, disse o professor irritado.* [F.: Fem substv. de *fugido*.] ■ **De ~ 1** Apressadamente, sem se demorar: *Vou passar aí de fugida.* **2** Sem prestar muita atenção, por alto: *Deu de fugida uma olhada nos autos.* **Em ~** *Her.* Com a cabeça virada para trás (animal heráldico)

fugidio (fu.gi.*di*:o) *a.* **1** Dado a ou contumaz em fugir **2** O mesmo que *desertor* **3** Que escapa com facilidade, com rapidez **4** *P.ext. Fig.* O mesmo que *fugaz* (2); EFÊMERO; TRANSITÓRIO; PASSAGEIRO **5** *Fig.* Arredio, esquivo, arisco **6** *Fig.* Que não permanece muito tempo no mesmo lugar, que escapa à vista, ao controle etc.: *Discernia-lhe o semblante à luz fugidia do candeeiro.* [F.: Do lat. *fugitivus*.]

fugido (fu.*gi*.do) *a.* **1** Que fugiu, escapou ou evadiu-se (preso fugido; gado fugido) *sm.* **2** Indivíduo que fugiu; FUGITIVO: "Punha anúncios nas folhas públicas, com os sinais do fugido, o nome, a roupa, o defeito físico..." (Machado de Assis, "Pai contra mãe", *in Obras completas*) [F.: Part. de *fugir*.]

◎ **-fúgio** *suf.* = ato de fugir, fuga: *refúgio, subterfúgio, transfúgio.* [F.: Do lat. *fugere* 'fugir'.]

fugir (fu.*gir*) *v.* **1** Retirar-se, ger. às pressas, para escapar de (pessoa, lugar, situação perigosa ou desagradável) [*int.*/ *ta.*: *O ladrão fugiu (da delegacia).*] **2** Evitar por todos os meios, afastando-se; escapar-se, livrar-se, salvar-se [*tr.* + *a, de*: *fugir às más influências.*] **3** Não vir (à mente, à lembrança) na ocasião necessária [*tr.* + *de*: *As palavras fogem-me da mente.*] **4** Sair furtivamente; ESCAPAR [*ta.*: *Um grito de espanto fugiu-lhe dos lábios.*] [*int.*: *O casal de preás fugiu.*] **5** Correr com velocidade; passar rapidamente [*ta.*: *A água fugia por entre os dedos da criança.*] [*int.*: *O ancião não viu o tempo fugir.*] **6** Ir-se perdendo de vista, ficando para trás; AFASTAR-SE [*int.*/ *ta.*: *À medida que nadava, a praia fugia (no horizonte).*] **7** Passar rapidamente (esp. tempo) [*int.*] [▶ **53 fugir** O *j* substitui o *g* antes de *a* e de *o*.] [F.: Do lat. *fugere*.]

fugitivo (fu.gi.*ti*.vo) *a.* **1** Que foge ou fugiu, que escapou: "...aquele pousar de ave fugitiva dava-lhe alegria..." (Eça de Queirós, "Singularidades de uma rapariga loura" *in Contos*) **2** *Fig.* Fugaz, fugidio: "e seus braços longos e brancos / tão fugitivos e flutuantes / como as nuvens filhas do campo" (Cecília Meireles, *Metal rosicler*) *sm.* **3** Pessoa ou animal que fugiu **4** Aquele que fugiu de penitenciária, prisão etc. [F.: Do lat. *fugitivus, a, um*.]

◎ **-fugo**[1] *el. comp.* = 'que foge, que se afasta de'; 'que evita ou não tolera (algo)'; 'que não vive ou não se desenvolve em (ambiente com dada característica)': *axífugo, calcífugo, centrífugo, heliófugo, lucífugo* (< lat.) [F.: Do lat. *-fugus, a, um*, do v.lat. *fugere*, 'fugir'.]

◎ **-fugo**[2] *el. comp.* = 'que faz fugir', 'que afasta, afugenta'; 'diz-se de medicamento, produto ou agente que combate (certo mal) ou elimina (algo)': *demífugo, febrífugo, fumífugo, granizífugo, hidrófugo, ignífugo, vermífugo* [F.: Do v.lat. *fugare*, 'afugentar'; 'pôr em fuga'.]

fuinha (fu:*i*.nha) *sf.* **1** *Zool.* Pequeno mamífero eurasiático (*Martes foina*) da fam. dos mustelídeos, também conhecido como *marta*. *s2g.* **2** *Fig.* Pessoa de cara magra e estreita **3** *Pop.* Pessoa bisbilhoteira; MEXERIQUEIRO **4** *Pej.* Indivíduo sovina, avaro [F.: Do lat. *fagina*, pelo fr. *fouine*.]

fujão (fu.*jão*) *a.* **1** Que foge ou escapa com frequência: "... Ah, Lisandro! Ah! Ah, fujão... escondes-te?..." (Antônio Feliciano de Castilho, *Noite de S. João*) *sm.* **2** Aquele que foge ou escapa com frequência [Pl.: *-jões*.] [F.: *fugir* + *-ão*[3].]

fula[1] (*fu*.la) *sf.* **1** Movimento rápido; PRESSA **2** Os dois vãos das bochechas onde a comida se acumula quando está sendo mastigada **3** Quantidade de gente ou de coisas [F.: De or. obsc.] ■ **À ~** Apressadamente, precipitadamente

fula[2] (*fu*.la) *s2g.* **1** *Etnol.* Pessoa pertencente aos fulas, povo islamizado com traços físicos variando entre negroides e não negroides que habita terras da África Ocidental, esp. no Níger, Mali, Nigéria, Guiné e Camarões **2** *Bras.* Mestiço de negro com mulata ou de mulato com negra; PARDO *sm.* **3** *Gloss.* Língua da família nígero-congolesa falada por esse povo *a2g.* **4** De ou ref. à fula (1 e 3) **5** *Bras.* Diz-se de mestiço de negro com mulata ou de mulato com negra; PARDO [F.: De or. controv.]

fula[3] (*fu*.la) *sf.* **1** *Vest.* Operação de bater o feltro para prepará-lo para a fabricação de chapéus **2** *Têxt.* Máquina que aperta e bate o tecido para dar-lhe maior consistência; CALANDRA; PISÃO [F.: Do lat. *fullo, onis*, 'o que lava e prepara os panos'.]

fulano (fu.*la*.no) *sm.* **1** Nome us. para se referir a uma pessoa desconhecida ou que não se quer nomear; INDIVÍDUO; SUJEITO: *Tem um fulano aí esperando você.* **2** *Pej.* Um indivíduo qualquer, sem importância [F.: Do ár. *fulan*.]

fular (fu.*lar*) *sm. Vest.* Echarpe leve, ger. de seda [F.: Do fr. *foulard*. Hom./Par.: *fular* (sm.), *folar* (sm.), *fulá* (a2g. a2g.sm.).]

fulcrado (ful.*cra*.do) *Bot. a.* **1** Diz-se dos caules com raízes compridas que, penetrando na terra, se transformam em novos caules **2** Que possui fulcros [F.: *fulcr(o)* + *-ado*[2].]

fulcral (ful.*cral*) *a2g.* Ref. a fulcro (problema fulcral); BÁSICO; FUNDAMENTAL [Pl.: *-crais*.] [F.: *fulcr(o)* + *-al*.]

fulcrar (ful.*crar*) *v.* **1** Instalar o fulcro, apoiar [*td.*] **2** Basear(-se), fundar(-se) [*tdr.* + *em*: *Fulcrou seu parecer na longa experiência profissional.*] [▶ 1 fulcr**ar**] [F.: *fulcro* + *-ar*[2].]

fulcro *sm.* **1** Ponto de apoio **2** *Fís.* Ponto de apoio de uma alavanca **3** *Fig.* Aquilo que constitui a essência de uma coisa: *O fulcro do plano econômico era o controle da inflação.* **4** Espigão sobre o qual gira qualquer coisa **5** *Bot.* Nome genérico dos órgãos que protegem as plantas ou lhes facilitam a vegetação, como os espinhos, as estípulas, os pelos etc. [F.: Do lat. *fulcrum, i*.]

fuleiro (fu.*lei*.ro) *a.* **1** Que não tem valor; ORDINÁRIO **2** De qualidade ordinária; RELES **3** Que denota mau gosto, que não é refinado, tendente ao exagero; BREGA; CAFONA *sm.* **4** Pessoa ou algo que não tem valor [F.: Do espn. *fullero*.]

fulereno (fu.le.*re*.no) *sm. Quím.* Terceira forma alotrópica do carbono, constituída de uma cadeia estável de 60 átomos desse elemento, que apresenta propriedades biológicas em células vivas, e de supercondutividade [F.: Do antr. (*Buckminster*) *Fuller* + *-eno*. Cf.: *buckminsterfulereno*.]

fulgência (ful.*gên*.ci:a) *sf.* Qualidade do que tem fulgor, brilho, esplendor: "Deixa ver na fulgência do seu rastro / A trajetória augusta da Ciência." (Augusto dos Anjos, "A aeronave", *in Obras completas*) [F.: *fulgir* + *-ência*.]

fulgente (ful.*gen*.te) *a2g.* Que tem fulgor, que fulge, brilha, reluz; CINTILANTE; FÚLGIDO; FULGURANTE; RELUZENTE: "O lume fulgente da igreja e preclaríssima torre de santidade..." (Eça de Queirós, *A relíquia*) [F.: Do lat. *fulgens, entis*.]

fúlgido (*fúl*.gi.do) *a.* O mesmo que *fulgente*: "E o sol da liberdade em raios fúlgidos..." (Joaquim Osório Duque Estrada e Francisco Manuel da Silva, *Hino Nacional*) [F.: Do lat. *fulgidus, a, um*.]

fulgir (ful.*gir*) *v.* **1** Mostrar ou despertar fulgor, fazer brilhar ou brilhar; FULGURAR; RESPLANDECER [*td.*: *A luz fulgia a pedra preciosa.*] [*int.*: *O metal fulgia ao sol.*] **2** *Fig.* Atrair a atenção de maneira favorável; mostrar-se único, distinto; distinguir-se; sobressair-se [*int.*: "Procura a limpidez; que nos teus versos a rima fulja, inédita, imprevista." (Júlio Dantas, *Eles e elas*)] [▶ **58 fulgir**] [F.: Do lat. *fulgere*. Hom./Par.: *fulgido* (part.), *fúlgido* (a.).]

fulgor (ful.*gor*) [ô] *sm.* **1** Brilho muito intenso; RESPLENDOR: "Oh, lua branca de fulgores e de encantos" (Chiquinha Gonzaga, *Lua branca*) **2** Luminosidade, lampejo de luz que surge na escuridão; CLARÃO: *Via-se no horizonte o primeiro fulgor da aurora.* [F.: Do lat. *fulgor, oris*.]

fulgurante (ful.gu.*ran*.te) *a2g.* **1** Que fulgura, que se ilumina intermitentemente, que cintila, relampeja; CINTILANTE; CORUSCANTE **2** Que brilha com intensidade; RELUZENTE; RESPLANDECENTE [F.: Do lat. *fulgurans, antis*.]

fulgurar (ful.gu.*rar*) *v. int.* **1** Emitir ou refletir brilho, fulgor, luz; BRILHAR; RELUZIR: *As estrelas fulguram no céu.* **2** Brilhar intermitentemente, com lampejos; CINTILAR; CORUSCAR; RELAMPEJAR **3** Sobressair-se entre os demais; destacar-se brilhantemente: *Aquela atriz fulgura no cenário mundial:* "Fulguras, ó Brasil, florão da América..." (Joaquim Osório Duque Estrada, *Hino nacional brasileiro*) [▶ 1 fulgur**ar**] [F.: Do lat. *fulgurare*. Hom./Par.: *fulgurais* (fl.), *fulgurais* (pl. *fulgural* [a2g.]).]

fuligem (fu.*li*.gem) *sf.* **1** Pó negro e pegajoso resultante da queima de combustível: "...E os próprios muros, tornados cor de fuligem, se mostram carrancudos..." (Eça de Queirós, *Cartas familiares*) **2** *Agr.* Manchas escuras causadas por fundo em cereal, frutos cítricos etc., **3** *Fig.* Vestígio, sinal [Pl.: *-gens*.] [F.: Do lat. *fuligo, inis*.]

fuliginoso (fu.li.gi.*no*.so) [ô] *a.* **1** Em que há fuligem, coberto de fuligem **2** Que se tornou negro pela fuligem: "... do teto fuliginoso... que deixa ver o reverso das telhas..." (Abel Botelho, *Mulheres da Beira*) **3** Que apresenta cor negra semelhante à fuligem: "...mostrando cada vez mais os dentes fuliginosos de tabaco..." (Aluísio de Azevedo, *Girândola*) [Fem. e pl.: [ó].] [F.: Do lat. *fuliginosus, a, um*.]

⊕ ***full hand*** (*Ing.*/*fúl rénd*/) *loc.subst. Lud.* No jogo de pôquer, uma trinca e um par, vencendo quem tem a trinca mais alta

⊕ ***full time*** (*Ing.*/*fúl táim*/) *loc.subst.* Tempo integral (falando de uma atividade)

fulminação (ful.mi.na.*ção*) *sf.* **1** Ação ou resultado de fulminar: "Tinha dois princípios: a aristocracia da arte e a fulminação dos nulos." (Lima Barreto, *Recordações do escrivão Isaías Caminha*) **2** Explosão de matéria fulminante: *fulminação de armas mortíferas.* **3** *Rel.* Sentença eclesiástica para que se executem as bulas papais **4** *Rel.* Execução ou denúncia de uma sentença de anátema [Pl.: *-ções*.] [F.: Do lat. *fulminatio, onis*.]

fulminado (ful.mi.*na*.do) *a.* **1** Atingido por raio **2** Atingido por algo que fere instantaneamente de morte: "...uma população fulminada dentro de cinco mil casebres em ruínas...” (Euclides da Cunha, *Os sertões*) **3** Prostrado por mal ou doença súbitos e agressivos **4** Que se encontra moral ou psicologicamente muito abalado; ARRASADO: “... Ia dando em terra, fulminado pela desesperança...” (Aquilino Ribeiro, *Aldeia*) [F.: Do lat. *fulminatus, a, um.*]

fulminador (ful.mi.na.*dor*) [ô] ***a.*** **1** Que fulmina, aniquila, destrói; FULMINATÓRIO: “...o ridículo feriu a negligência e a desídia do governo com aquele provérbio fulminador das obras...” (Joaquim Manuel de Macedo, *Memórias da rua do Ouvidor*) ***sm.*** **2** Aquele ou aquilo que fumina, aniquila, destrói [F.: Do lat. *fulminator, oris.*]

fulminante (ful.mi.*nan*.te) ***a2g.*** **1** Que mata ou destrói instantaneamente: *Morreu de infarto fulminante.* **2** Que destrói, arrasa **3** *Fig.* Diz-se de argumento, discurso, palavra taxativos, que depois de proferidos tiram qualquer possibilidade de argumentação ou de resposta **4** *Fig.* Repleto de ódio, de ira: *Lançou-nos um olhar fulminante.* **5** *Fig.* Cruel, terrível **6** Passível de detonação, sob ação do calor ou de choque (diz-se de substância) ***sm.*** **7** Substância fulminante (6) [F.: Do lat. *fulminans, antis.*]

fulminar (ful.mi.*nar*) ***v.*** **1** Lançar (raios) [***td.***: *Os céus fulminaram raios.*] [***int.***: *À noite, os céus fulminaram.*] **2** Destruir com raio ou com efeito semelhante ao raio; ANIQUILAR [***td.***: *Um raio fulminou a palmeira.*] **3** *Fig.* Abater, derrubar física ou moralmente [***td.***: *Com um soco, fulminei o lutador; Essa notícia fulminou-o.*] **4** Matar no mesmo instante [***td.***: *Um infarto o fulminou.*] **5** *Fig.* Colocar um fim em; acabar com [***td.***: *Aquela crítica fulminou as pretensões do ator.*] **6** *Fig.* Brilhar intensamente; FULGURAR; LAMPEJAR [***int.***: *O aço do punhal fulminava diante de seus olhos.*] **7** Deixar sem ação, estarrecido [***td.***: *As acusações fulminaram o político.*] **8** *Fig.* Admoestar ou censurar com violência [***td.***: *Fulminou o aluno com palavras duras.*] **9** *Fig.* Ferir (a moral, o orgulho, o sentimento); OFENDER [***td.***: *Aquela ofensa o fulminou.*] **10** Punir, castigar com vigor [***td.***: *A justiça há de fulminar esses criminosos.*] **11** *Rel.* Publicar (resolução, sentença etc.) com certas formalidades [***td.***: *fulminar a excomunhão.*] [***tdr.*** *+ contra*: *fulminar excomunhão contra os ímpios.*] [▶ **1 fulminar**] [F.: Do lat. *fulminare.*]

fulminatório (ful.mi.na.*tó*.ri:o) ***a.*** Que fulmina (raio fulminatório); FULMINADOR; FULMINANTE [F.: *fulminar* + *-tório.*]

◎ **fulmin(i)-** ***pref.*** = raio: *fulminação, fulminador, fulminífero.*

fulminífero (ful.mi.*ní*.fe.ro) ***a.*** **1** Que traz ou produz o raio **2** *Fig.* Que atua como o raio (olhar fulminífero) [F.: *fulmin (i)-* + *-fero.*]

fulo (*fu*.lo) ***a.*** **1** *Pop.* Com muita raiva: “...Vi foi ele sair, fulo de fulo, revestido de raiva...” (Guimarães Rosa, “Esses Lopes” *in Tutameia*) **2** Que é de cor parda: “... Sabia, quando queria, dar à cara romba e de cor fula, uma aparência bestial.” (Franklin Távora, *O Cabeleira*) **3** Que muda de cor, de tonalidade, ger. empalidecendo **4** Ref. ou pertencente aos fulas[2] ***sm.*** **5** Indivíduo dos fulas[2] [F.: Do lat. *fulvus, a, um.*]

◎ **fulvi-** ***pref.*** = amarelado: *fúlvido, fulvo*

fúlvido (*fúl*.vi.do) ***a.*** Ver *fulvo* (2) [F.: Do lat. *fulvidus, a, um.*]

fulvo (*ful*.vo) ***sm.*** **1** A cor amarela queimada, louro dourado ou castanho-avermelhado ***a.*** **2** Que é dessa cor; FÚLVIDO: *cão de pelagem fulva.* **3** Diz-se dessa cor; FÚLVIDO [F.: Do lat. *fulvus, a, um.*]

fumaça (fu.*ma*.ça) ***sf.*** **1** Grande massa de vapor acinzentado que sobe de coisa queimada: “...a fumaça das ardentes fogueiras...” (Fagundes Varela, *Obras*) **2** Porção de fumo que se aspira de uma vez do cigarro, charuto ou cachimbo: “...Tadeu acendeu um cigarro, tragou a fumaça, bufando-a logo, na sufocação aflita...” (Coelho Neto, *Miragem*) **3** *Fig.* Coisa passageira: “...amor-chama, e, depois, fumaça...” (Manuel Bandeira, “Chama e fumo” *in A cinza das horas*) **4** Jactância, fanfarronice: “...o vigilante, que tinha fumaças de teso... cresceu para ele...” (Aquilino Ribeiro, *Volfrâmio*) ***a2g.*** **5** *S.* Diz-se do gado *vacum*, que tem o pelo de cor vermelha tirante a preto **6** Zangado, fulo, irado [F.: *fumo* + *-aça.*] ∎ **E lá vai ~** *Bras. Gír.* E mais ainda, e cacetada [Us. para expressar que, além de enumeração já feita, há uma quantidade excedente e indeterminada.] **Na ~ da pólvora** *Bras.* Simultaneamente, exatamente no mesmo momento, na bucha **Soltar ~** *Bras. Pop.* Estar ou ficar furioso, irado; soltar fumaça pelas ventas: *Chegou soltando fumaça e esbravejando com todos.* **Soltar ~ pelas ventas** *Bras.* Ver *Soltar fumaça.* **Tirar ~** *PB Pop.* Fumar (cigarro, charuto etc.) **Virar ~** Desaparecer, sumir, consumir-se: *Minha gratificação virou fumaça em duas semanas.*

fumaçada (fu.ma.*ça*.da) ***sf.*** **1** Grande quantidade de fumaça; FUMACEIRA **2** Porção de fumo absorvida de cada vez; FUMADA **3** Ação ou resultado de fumaçar [F.: *fumaça* + *-ada*[1].]

fumaçar (fu.ma.*çar*) ***v.*** **1** Soltar fumaça [***int.***: *A máquina está fumaçando.*] **2** *P.ext.* Levantar poeira, causando obscurecimento da visão [***int.***: *Na estrada de barro, o carro fumaçava.*] **3** Cobrir ou escurecer de fumaça; ESFUMAÇAR [***td.***: *A inocente fogueira fumaçou toda a casa.*] **4** *Bras. Pop.* Estar ou mostrar-se furioso [***int.***: *Entrou fumaçando na sala.*] **5** *Bras.* Fumar [***int.***: *Os índios gostam de fumaçar.*] [▶ **12 fumaçar**] [F.: *fumaça* + *-ar*[2]. Hom./Par.: *fumaça(s)* (fl.), *fumaça(s)* (sf.[pl.]); *fumace(s)* (fl.), *fumacê(s)* (sm.[pl.]).]

fumacê (fu.ma.*cê*) ***sm.*** **1** *Bras. Gír.* Veículo dotado de aparelho que lança no ar fumaça de substância que mata mosquitos, esp. os da dengue **2** *Pop.* Muita fumaça, fumaça espessa **3** *Pop.* Fumaça de cigarro de maconha, seu cheiro característico [F.: F. red. de *fumaceira.*]

fumaceira (fu.ma.*cei*.ra) ***sf.*** Grande quantidade de fumaça; FUMAÇADA; FUMACÊ; FUMARADA: “...e logo espantosa fumaceira envolveu toda a casa...” (Arnaldo Gama, *Última dona de São Nicolau*) [F.: *fumaça* + *-eira.*]

fumaceiro (fu.ma.*cei*.ro) ***sm.*** Ver *fumaceira* [F.: *fumaça* + *-eiro.*]

fumacento (fu.ma.*cen*.to) ***a.*** **1** Que solta fumaça, ger. em grande quantidade (ou de modo contínuo); FUMARENTO: “...O archote difundia um clarão avermelhado e fumacento...” (Aquilino Ribeiro, *Servo de Deus*) **2** Em que há fumo ou fumaça (ambiente fumacento); FUMOSO [F.: *fumaça* + *-ento.*]

fumada (fu.*ma*.da) ***sf.*** **1** Ação ou resultado de fumar **2** Ver *fumaçada* (2) **3** Fumaça us. como sinal de alarme [F.: *fumo* + *-ada*[2].]

fumado (fu.*ma*.do) ***a.*** **1** Que se fumou **2** Que enegreceu; que tem a cor do fumo **3** Que se defumou; DEFUMADO **4** *N.E. Pop.* Que está alcoolizado; EMBRIAGADO **5** *Bras. Pop.* Que está sob o efeito de maconha; MACONHADO [F.: Part. de *fumar.*]

fumageiro (fu.ma.*gei*.ro) ***a.*** Relativo ao fumo, ao tabaco (indústria fumageira) [F.: Do fr. *fumage* + *-eiro.*]

fumante (fu.*man*.te) ***a2g.*** **1** Que fuma, ou que tem o hábito ou o vício de fumar ***a2g.*** **2** Que solta fumaça, fuma, fumega: “...a luz fumante e vermelha tremia sempre...” (Xavier Marques, *Sargento Pedro*) ***s2g.*** **3** Pessoa que tem o hábito ou o vício de fumar: *Apesar das campanhas, ainda há muitos fumantes renitentes.* [F.: *fumar* + *-nte.*] ∎ **~ passivo** Aquele que, sem ser fumante, inala fumaça de cigarro, charuto etc. fumados por outros

fumar (fu.*mar*) ***v.*** **1** Aspirar o fumo de (cachimbo, charuto, cigarro etc.) [***td.***: *Ele não fumava nenhum tipo de cigarro.*] [***int.***: *Ninguém aqui fuma.*] **2** Expelir fumo, fumaça [***int.***: *A chaminé fumava.*] **3** *P.ext.* Lançar vapores [***int.***: *A chaleira fumava ruidosamente.*] **4** Expor ao fumo, a fumeiro; DEFUMAR [***td.***: *fumar o presunto.*] **5** Extinguir-se como fumaça; DESAPARECER; EVAPORAR [***int.***: *A última reserva de água fumou-se.*] **6** Dourar (a prata) [***td.***: *O empregado fumava os objetos de prata.*] **7** *Lus.* Fugir [***int.***: *Depois de roubar o idoso, os ladrões fumaram.*] [▶ **1 fumar**] [F.: Do lat. *fumare*, posv. pelo fr. *fumer.* Hom./Par.: *fumais* (fl.), *fumais* (pl. *fumal*, a. sm.); *fumaria(s)* (fl.), *fumaria(s)* (sf [pl.]); *fumo* (fl.), *fumo* (sm.); *fumaria(s)* (fl.), *fumária* (sf [pl.]); *fume(s)* (fl.), *fumê(s)* (a.[pl.]).]

fumarada (fu.ma.*ra*.da) ***sf.*** **1** Ação ou resultado de fumarar **2** Grande quantidade de fumo (4); FUMAÇA **3** Grande porção de fumaça tragada de uma vez **4** Vaidade, orgulho exagerado [F.: *fumar(ar)* + *-ada*[1].]

fumarar (fu.ma.*rar*) ***v.*** **1** Encher de fumo ou fumaça [***td.***: *O incêndio fumarou os telhados vizinhos.*] **2** *P.ext.* Espalhar como se fosse fumaça; ESFUMARAR [***td.***: *A poeirada fumarou a casa inteira.*] **3** Lançar fumo; FUMAR [***int.***] [▶ **1 fumarar**] [F.: *fumo* + *-r-* + *-ar*[2].]

fumarento (fu.ma.*ren*.to) ***a.*** Ver *fumacento* [F.: *fumar(ar)* + *-ento.*]

fumarola (fu.ma.*ro*.la) ***sf.*** **1** *Geol.* Emanação vulcânica de gases e vapores, através das fendas e aberturas no solo **2** Qualquer emissão ou circulação curta e intensa de fumaça, gases, fumo etc. [F.: Do it. *fumarola.*]

fumável (fu.*má*.vel) ***a2g.*** Que se pode fumar [Pl.: *-veis.*] [F.: *fumar* + *-vel.* Hom./Par.: (pl.) fumáveis, *fumáveis* (fl. de *fumar*).]

fumê (fu.*mê*) ***a2g.*** **1** Diz-se de vidro, acrílico ou outras substâncias que, em função de sua cor escura, diminuem a passagem da luz sem, entretanto, prejudicar a visibilidade **2** Diz-se de superfície ou objeto de cor acinzentada, esfumaçada **3** Diz-se do que foi ou ficou escurecido por ação de fumaça [F.: Do fr. *fumé.*]

fumegante (fu.me.*gan*.te) ***a2g.*** **1** Que fumega, fuma, desprende fumaça ou vapor (sopa fumegante) **2** Muito quente [F.: *fumegar* + *-nte.*]

fumegar (fu.me.*gar*) ***v.*** **1** Lançar de si fumaça [***int.***: *A fogueira fumegava.*] **2** Lançar ou exalar vapores [***td.***: *O cozido fumegava um cheiro delicioso.*] [***int.***: *O arroz fumegava na panela.*] **3** *Fig.* Verter suor pelos poros de tanto calor; SUAR; TRANSPIRAR [***int.***: *Os corpos fumegavam na sauna.*] **4** Produzir espuma [***int.***: *O caldo fumegou ao ser servido.*] **5** Agitar-se, ferver, inflamar-se [***ta.***: *A ira fumegava em seu peito.*] [▶ **14 fumegar**] [F.: Do lat. *fumigare.* Hom./Par.: *fumega(s)* (fl.), *fumega(s)* (s2g.[pl.]); *fumego* (fl.), *fumego* [ê] (sm.); *fumegar*, *fumigar* (vários tempos do v.).]

fumeiro (fu.*mei*.ro) ***sm.*** **1** Cano por onde sobe a fumaça do fogão ou da lareira; CHAMINÉ **2** Lugar onde se dependura a carne para defumar, e onde se acumula a fumaça **3** Especificamente, vão entre fogão e telhado onde se acumula fumaça, usado para defumar **4** A própria carne defumada: “...Sustentava-se do que lhe traziam os seus fiéis, em geral o trancanaz de presunto, fumeiro, pão cozido...” (Aquilino Ribeiro, *Aldeia*) **5** *Bras. Gír.* Pessoa que fuma maconha **6** Grande quantidade de fumaça [F.: Do lat. tard. *fumarium, ii.*]

fumicultor (fu.mi.cul.*tor*) [ô] ***sm.*** Plantador de fumo [F.: *fumo* + *-i-* + *-cultor.*]

fumicultura (fu.mi.cul.*tu*.ra) ***sf.*** **1** Cultivo do fumo ou tabaco **2** *Agr.* A técnica e os métodos de cultivar o fumo ou tabaco [F.: *fumo* + *-i-* + *-cultura.*]

fumífugo (fu.*mí*.fu.go) ***a.*** **1** Que evita o fumo ou a fumaça ***sm.*** **2** Aparelho que se coloca nas chaminés e nos fogões para impedir que a fumaça se espalhe pelo interior das casas [F.: *fumo* + *-i-* + *-fugo.*]

fumigação (fu.mi.ga.*ção*) ***sf.*** **1** Ação ou resultado de fumigar **2** *Quím.* Emprego de compostos químicos em estado gasoso para exterminar insetos, fungos etc., esp. na agricultura **3** *Med.* Aplicação de vapores e fumaças medicamentosas em partes do corpo [Pl.: *-ções.*] [F.: *fumigar* + *ção.* Sin. ger.: *fumigatório.*]

fumigador (fu.mi.ga.*dor*) [ô] ***a.*** **1** Que fumiga (avião fumigador; substância fumigadora); FUMIGANTE; FUMIGATÓRIO ***sm.*** **2** Pessoa que fumiga ou aparelho próprio para fazer a fumigação (2) **3** *Quím.* Substância que elimina insetos, fungos etc.; FUMIGANTE [F.: *fumigar* + *-dor.*]

fumigante (fu.mi.*gan*.te) ***a2g.s2g.*** Ver *fumigador* (1 e 3) [F.: *fumigar* + *-nte.*]

fumigar (fu.mi.*gar*) ***v. td.*** **1** Tratar com (fumaça, vapores ou gases), para eliminar germes ou pragas: *fumigar inseticida na plantação.* **2** Destruir (plantações), borrifando veneno: *A polícia fumigou plantações suspeitas.* **3** Mesmo que *defumar*: *Fumigou toda a casa.* [▶ **14 fumigar**] [F.: Do lat. *fumigare.* Hom./Par.: *fumigar*, *fumegar* (vários tempos do v.).]

fumigatório (fu.mi.ga.*tó*.ri:o) ***a.*** **1** Ver *fumigador* ***sm.*** **2** *Med. Quím.* Ver *fumigação* [F.: *fumigar* + *-tório.*]

fumígeno (fu.*mí*.ge.no) ***a.*** Que produz fumo ou fumaça (sinalizador fumígeno; produto fumígeno) [F.: *fumo* + *-i-* + *-geno.*]

fuminho (fu.*mi*.nho) ***sm.*** *Pop.* Maconha consumida como cigarro [F.: *fumo* + *-inho.*]

fumívoro (fu.*mí*.vo.ro) ***a.*** **1** Que absorve fumo ou fumaça ***sm.*** **2** Aparelho que se coloca sobre os bicos de gás para absorver a fumaça [F.: *fumo* + *-i-* + *-voro.*]

fumo (*fu*.mo) ***sm.*** **1** Ato, hábito ou vício de fumar: *Conseguiu largar o fumo.* **2** *Bot.* Tabaco **3** Produto preparado a partir da folha de tabaco para ser fumado (em cigarro, cachimbo ou charuto) ou mascado **4** Vapor que se desprende de corpo ou substância em combustão ou muito quente; FUMAÇA: “...e o seu grande amor, de repente, como um fumo que uma rajada dissipa...” (Eça de Queirós, *O primo Basílio*) **5** O cheiro da fumaça do cigarro **6** *Bras. Gír.* Maconha **7** Pequena tira de pano negro que se colocava na lapela, na manga ou no chapéu como sinal de luto: “Foi então que Carlos reparou que ele estava carregado de luto, com fumo no chapéu, luvas pretas...” (Eça de Queirós, *Os Maias*) **8** *Fig.* Aquilo que é efêmero, desaparece, se esvai como fumaça **9** Mau cheiro de coisa putrefata, em decomposição etc.; MIASMA [F.: Do lat. *fumus, i.* Hom./Par.: *fumo* (sm.), *fumo* (fl. de *fumar*).] ∎ **~ crioulo** *Bras.* Ver *Fumo de rolo* **~ de corda** *Bras.* Ver *Fumo de rolo* **~ de palha** **1** Coisa insignificante, de pouca importância **2** Palavrório de efeito, sonoro, mas com pouco conteúdo **~ de rolo** *Bras.* Fumo (tabaco) torcido e enrolado; fumo crioulo; fumo de corda **Beber ~** *N.E. Antq. Pop.* Fumar, pitar **Puxar ~** *Gír.* Fumar maconha

> 🕮 O hábito (ou vício) de fumar foi, através da Europa, importado para o mundo inteiro da recém-descoberta América, onde era praticado pelos nativos, que inalavam a embriagante fumaça de folhas de tabaco (ou fumo) a queimar. De início também se mascava o fumo, ou se o aspirava em pitadas (o rapé), mas esses hábitos tornaram-se raros, sendo atualmente o fumo quase que só usado para ser fumado, em cigarros, charutos ou cachimbos. O Brasil, depois da China, dos E.U.A. e da Índia, é um dos grandes produtores de fumo no mundo, alguns de boa qualidade, como os tipo Bahia para charuto. A comprovada ação do fumo como causa de doenças graves, como o câncer, doenças neurológicas e sexuais, resultou em intensa campanha de esclarecimento sobre seus malefícios, a obrigatoriedade de estampar advertências no produto e em seus anúncios, e no estabelecimento de restrições a sua prática em lugares públicos fechados, em aviões durante o voo etc.

fumo-bravo (fu.mo-*bra*.vo) *Bot.* ***sm.*** Designação comum de várias ervas e arbustos da fam. das solanáceas, esp. dos gên. *Nicotina* e *Solanum*, cujas folhas são freq. us. como fumo e que apresentam tb. espécies ornamentais e medicinais [Pl.: *fumos-bravos.*]

fumo de angola (fu.mo de an.*go*.la) ***sm.*** *AL SE Bot.* Maconha consumida como cigarro [Pl.: *fumos de angola.*]

fumo de rolo (fu.mo de *ro*.lo) ***sm.*** *Bras. Gír.* Pessoa de pele negra; CRIOULO; NEGRO; PRETO [Pl.: *fumos de rolo.*] [Cf.: *fumo de rolo.*]

fumoso (fu.*mo*.so) [ô] ***a.*** **1** Que exala fumo (4); FUMACENTO: “Arde o pau da resina fumosa, / Não fui eu, não fui eu que o acendi! /” (Gonçalves Dias, “O canto do Piaga”, *in Últimos cantos*) **2** Que está cheio de fumo (4); ENFUMAÇADO **3** *Fig.* Vaidoso, orgulhoso [Ant.: *humilde, modesto, simples.*] [Pl.: [ó]. Fem.: [ó].] [F.: Do lat. *fumosus, a, um.*]

⊠ **Funai** Sigla de Fundação Nacional do Índio

funambulesco (fu.nam.bu.*les*.co) ***a.*** **1** Ref. a ou típico de funâmbulo: “...A um inocente como eu, tudo isso parece funambulesco...” (Eça de Queirós, *Ecos de Paris*) **2** *Fig.* Extravagante, excêntrico [F.: *funâmbulo* + *-esco.*]

funambulismo (fu.nam.bu.*lis*.mo) ***sm.*** Ofício, arte, atividade de funâmbulo [F.: *funâmbulo* + *-ismo.*]

funâmbulo (fu.*nâm*.bu.lo) ***sm.*** **1** Equilibrista que anda no fio ou na corda; ACROBATA: “Corpo a corpo, vacilando, como funâmbulos trágicos, pareciam brigar sobre cordas bambas” (Xavier Marques, *Pindorama*) **2** *Fig.* Pessoa inconstante nas suas opiniões e posições partidárias [F.: Do lat. *funambulus, i.*]

funaná (fu.na.*ná*) *sm. Cver. Dnç. Mús.* Música e dança de pares, muito sensual, cantada em crioulo e acompanhada de acordeão e ferrinhos, originária da ilha de Santiago, Cabo Verde [F.: De or. obsc.]

⊠ **Funarte** Sigla de *Fundação Nacional de Arte*

função (fun.*ção*) *sf.* **1** Ação ou atividade própria de alguém ou de algo (função materna) **2** Atividade própria de um emprego, ofício ou cargo (função de professor) **3** Serventia, utilidade: *Qual a função dessa ferramenta?* **4** Capacidade de realizar tarefa, trabalho, ação a que se destina: *A correia rebentou, o motor ficou sem função.* **5** *Fisl.* A ação específica de determinado órgão do corpo de animal ou vegetal **6** Espetáculo, exibição, esp. de circo: *A função vai começar.* **7** *Mat.* Correspondência entre dois conjuntos, a partir de uma variável de um deles **8** Exercício do entendimento, do espírito e da razão: *Está em pleno uso de suas funções intelectuais.* **9** *Gram. Ling.* Papel exercido por qualquer elemento linguístico ou gramatical numa frase, construção, enunciado etc. **10** *Psic.* Para os junguianos, manifestação da psique [Pl.: *-ções.*] [F.: Do lat. *functio, onis.*] ▪▪ **Em ~ de** Na dependência de, de acordo com: *Em função dos resultados da prova, teremos ou não aulas extras.* **~ algébrica** *Mat.* Função na qual a variável independente submete-se apenas a operações algébricas **~ analítica** *Mat.* Função diferenciável num ponto, e diferenciável num segmento do plano complexo (plano no qual a cada ponto se associa um número complexo) que contém esse ponto **~ analítica regular** *Mat.* Função analítica derivável em qualquer ponto do seu domínio; função holomórfica. [Tb. apenas *Função regular*] **~ antissimétrica** *Anál. Mat.* Função cujo valor assume o sinal contrário quando se trocam as posições de duas variáveis **~ antitrigonométrica** *Mat.* Ver *Função trigonométrica inversa* **~ apelativa** *Ling.* Aquela que configura a interpelação direta a interlocutor, ger. expressa em vocativo **~ bem-comportada** *Mat.* Função contínua derivável em derivadas contínuas em todos os pontos do seu domínio **~ bijetora** *Mat.* Ver *Função biunívoca* **~ biunívoca** *Mat.* Função que expressa correspondência biunívoca entre dois conjuntos ou campos de definição (a cada ponto de um corresponde um único ponto do outro) **~ característica** *Mat.* Num conjunto, função que associa o número um a cada ponto do conjunto, e o número zero a todo ponto que não pertence ao conjunto **~ circular** *Mat.* Ver *Função trigonométrica* **~ circular direta** *Mat.* Ver *Função trigonométrica* **~ circular inversa** *Mat.* Ver *Função trigonométrica inversa* **~ cognitiva** *Ling.* Ver *Função referencial* **~ combinatória** *Ling.* Aquela que se manifesta na capacidade de os elementos de uma língua se combinarem para formar estruturas em nível de significado mais elevado, como os fonemas para formar morfemas, ou sílabas, estes para formar palavras ou sintagmas, estes para formar frases, e assim por diante **~ composta** *Mat.* Função na qual as variáveis independentes são funções de outras variáveis; função de função **~ conativa** *Ling.* Função da linguagem que expressa a intenção de influir nas ações do receptor da mensagem, como, p.ex., no uso do modo imperativo do verbo **~ contínua** *Mat.* Aquela na qual, considerado um ponto da mesma, seu valor nesse ponto é igual a seu limite nesse mesmo ponto **~ da linguagem** *Ling.* Cada finalidade que pode assumir um enunciado. É chamada *referencial* se centrada no contexto; *emotiva* se centrada no emissor, ou locutor; *conativa* se centrada no receptor, ou destinatário; *fática* se centrada na manutenção do contato; *metalinguística* se centrada no código; e *poética* se centrada na própria mensagem **~ de função** *Mat.* Ver *Função composta* **~ de Gibbs** *Fís.-quím.* Função termodinâmica do estado de um sistema, igual à diferença entre sua entalpia (energia interna mais o produto da pressão pelo volume) e o produto da temperatura absoluta pela entropia **~ de Helmholtz** *Fís.-quím.* Função igual à energia interna de um sistema menos o produto da temperatura absoluta pela entropia **~ denotativa** *Ling.* Ver *Função referencial* **~ de onda** *Fís.* Em mecânica quântica, aquela que expressa a probabilidade de uma onda eletromagnética – ou de uma partícula – estar localizada em certa posição espacial, ou num certo estado quântico **~ de Planck** *Fís.* Função termodinâmica de um sistema igual à diferença entre sua entropia e o resultado da divisão de sua entalpia pela temperatura absoluta **~ de probabilidade** *Est.* Aquela que associa os valores das probabilidades aos valores da variável aleatória **~ derivável** *Mat.* Aquela que para cada ponto só admite uma derivada **~ descontínua** *Mat.* A que tem no mínimo um ponto de descontinuidade **~ elementar** *Mat.* Termo genérico para as funções algébricas, exponencial e trigonométrica (e suas inversas) **~ emotiva** *Ling.* Função da linguagem na qual os enunciados centram-se no emissor da mensagem (e suas ideias, sentimentos etc.), no locutor; função expressiva **~ exponencial** *Mat.* Função (y) da variável x igual à potência x de um número qualquer (a), expressa portanto na equação $y = a^x$ [Tb. apenas *exponencial*] **~ expressiva** *Ling.* Ver *Função emotiva* **~ fática** *Ling.* Função da linguagem na qual o enunciado centra-se na manutenção do contato dos interlocutores (e não necessariamente no conteúdo das mensagens) **~ harmônica** *Mat.* Termo genérico para as funções *seno* e *cosseno* **~ hiperbólica** *Mat.* Termo genérico para as funções *seno hiperbólico, cosseno hiperbólico, tangente hiperbólica, cotangente hiperbólica, secante hiperbólica, cossecante hiperbólica* **~ holomórfica** *Mat.* Ver *Função analítica regular.* **~ homogênea** *Mat.* Função que permite se ponha em evidência (ver *Pôr em evidência* no verbete *evidência*) um fator que seja coeficiente de cada uma de suas variáveis. [Ex.: $f(x,y) = x^2 + y^2$, porque $kx^2 + ky^2 = k^2 (x^2 + y^2) = k^2 f(x,y)$] **~ ilimitada** *Mat.* Ver *Função infinita* **~ ímpar** *Mat.* Função cujo valor troca o sinal quando se troca o sinal da variável, independente **~ infinita** *Mat.* Aquela que tende para o infinito em um ponto; função ilimitada **~ inifinitívoca** *Mat.* Aquela na qual a um ponto de seu domínio corresponde uma infinidade de valores **~ injetora** *Mat.* Aquela na qual somente um elemento de um conjunto corresponde a um elemento de outro conjunto **~ integrando** *Mat.* Aquela à qual se aplica a operação de integração **~ latente** *Soc.* Função não definida, não intencional, de instituição, fato, fenômeno social **~ limitada** *Mat.* Aquela que tem módulo menor que um número real em qualquer ponto do seu domínio **~ linear** *Mat.* Aquela que mantém estável a razão entre seu valor e o valor da variável independente **~ lógica** *Lóg.* Sequência de símbolos que contém pelo menos uma variável; forma funcional **~ manifesta** *Soc.* Função definida, intencional, planejada de instituição, fato, fenômeno social **~ meromórfica** *Mat.* Aquela que pode ser expressa pela relação de duas funções inteiras **~ metalinguística** *Ling.* Função da linguagem com enunciado centrado no próprio código da mensagem, ou seja, na qual a mensagem trata da própria mensagem **~ monótona Mat.** *Mat.* Função de variável real que mantém no seu domínio sempre a mesma tendência: é sempre crescente, ou sempre não crescente, ou sempre decrescente, ou sempre não decrescente **~ multívoca** *Mat.* Ver *Função plurívoca* **~ par** *Mat.* Ver *Função simétrica* **~ plurívoca** *Mat.* Aquela na qual a um elemento de um conjunto correspondem vários elementos de outro conjunto **~ poética** *Ling.* Função da linguagem cujo enunciado está centrado em si mesmo, ou seja, na própria mensagem, nos elementos que a compõem, sua estrutura etc. **~ proposicional** *Lóg.* Função que expressa, para cada atribuição de valor a suas variáveis, como uma proposição falsa ou verdadeira **~ própria** *Álg.* Em equação integral ou diferencial que contenham um parâmetro, solução que só existe para determinados valores atribuídos a esse parâmetro **~ referencial** *Ling.* Função da linguagem com enunciado centrado no contexto; função denotativa, função cognitiva. [Comum na contextualização de notícias, em jornais, revistas, televisão etc.] **~ regular** *Anál. Mat.* Ver *Função analítica regular* **~ simétrica** *Mat.* Aquela que não apresenta variação quando se trocam os sinais das variáveis independentes; função par **~ sintática** *Ling.* Relação existente entre os elementos linguísticos (palavras, sintagmas) entre si ou entre eles e e a estrutura gramatical de um enunciado **~ sobre** *Mat.* Função (f) de domínio A e contradomínio B que obedece sempre à relação $f(A)$ é igual a B **~ termodinâmica** *Fís.* Aquela cujas variáveis são grandezas de natureza termodinâmica **~ transcendente** *Mat.* Função não algébrica **~ trigonométrica** *Trig.* Termo genérico para as funções *seno, cosseno, tangente, cotangente, secante* e *cossecante*; função circular; função circular direta **~ trigonométrica inversa** *Mat.* Termo genérico para as funções *arco seno, arco cosseno, arco tangente, arco-cotangente, arco secante* e *arco-cossecante*; *função antitrigonométrica*; função circular inversa **~ unívoca** *Mat.* Aquela que associa a um ponto de um conjunto (ou de seu domínio) apenas um ponto de outro conjunto (ou de seu contradomínio) **~ vital** *Fisl.* Toda função do organismo essencial à vida. [Como a função cardíaca, a respiratória etc.]

funchal (fun.*chal*) *sm.* Plantação de funchos [Pl.: *-chais.*] [F.: *funcho* + *-al*¹.]

funcho (*fun*.cho) *Bot. sm.* Erva da fam. das umbelíferas (*Foeniculum vulgare*), nativa da Europa e Norte da África, aromática e disseminada mundialmente em virtude de seus frutos condimentares e com propriedades medicinais; ERVA-DOCE; ANIS-DOCE [F.: Do lat. **fenuculus*, por *feniculus, i.*]

funcional (fun.ci:o.*nal*) *a2g.* **1** Ref. à função, ao modo em que algo funciona **2** Que se atribui à função exercida por uma pessoa, uma entidade etc.: *O senador reside num apartamento funcional em Brasília.* **3** Projetado com vistas à praticidade; PRÁTICO; ÚTIL: *A mesa não é bonita, mas é funcional.* **4** *Bras.* Ref. a ou próprio de funcionário público **5** *Med.* Ref. às funções vitais **6** *Med.* Diz-se de distúrbio sem causa orgânica perceptível [Pl.: *-nais.*] [F.: Do fr. *fonctionnel.*]

funcionalidade (fun.ci:o.na.li.*da*.de) *sf.* Qualidade ou condição do que é funcional [F.: *funcional* + *-(i)dade.*]

funcionalismo (fun.ci:o.na.*lis*.mo) *sm.* **1** A classe dos funcionários públicos: "... os mais grados representantes do funcionalismo... toda a oficialidade e guarda de honra..." (Abel Botelho, *Próspero Fortuna*) **2** *Soc.* Atitude diante dos fatos sociais baseada na suposição de que tudo que existe na sociedade tem um sentido, uma função, e contribui para seu funcionamento organizado [F.: *funcional* + *-ismo.*]

funcionalista (fun.ci:o.na.*lis*.ta) *a2g.* **1** Ref. a funcionalismo **2** *Arq. Ling. Soc.* Ref. a ou próprio do funcionalismo *s2g.* **3** *Arq. Ling. Soc.* Indivíduo que é adepto ou seguidor do funcionalismo (2) [F.: *funcional* + *-ista.*]

funcionamento (fun.ci:o.na.*men*.to) *sm.* **1** Ação ou resultado de funcionar *sm.* **2** Ação ou resultado de realizar, com regularidade e precisão, uma função (ou uma série de funções ou operações) para a qual uma máquina, aparelho, mecanismo, sistema foi planejado, desenvolvido ou ajustado, ou o modo como isso acontece: "... a máquina por si não conta; o que conta é o funcionamento..." (Aquilino Ribeiro, *Servo de Deus*) [F.: Do fr. *fonctionnement.*]

funcionar (fun.ci:o.*nar*) *v.* **1** Exercer suas funções; TRABALHAR [*int.*: *Essa geladeira não está funcionando bem.*] [*ta.*: *A diretoria funciona agora nesta sala.*] **2** Estar em atividade [*int.*: *A secretaria da escola não funciona aos sábados.*] **3** Servir para, ter como função [*tp.*: "...o esporte (...) funciona como terapia..." (*O Dia*, 12.02.2004)] **4** Ter bom resultado [*int.*: *Seu plano não funcionou.*] **5** *Fig. Pop.* Desempenhar atividade sexual [*int.*: *Esse amante não funciona.*] [▶ **1** funcionar] [F.: Do fr. *fonctionner.* Hom./Par.: *funcionária(s)* (fl.), *funcionária(s)* (fem. *funcionário*, sm. [pl.]).]

funcionário (fun.ci:o.*ná*.ri:o) *sm.* **1** Pessoa que desempenha função em estabelecimento comercial, empresa etc.: *O funcionário da loja foi muito prestativo.* **2** Aquele que é empregado ou contratado numa firma, empresa, instituição, repartição [F.: Do fr. *fonctionnaire.*] ▪▪ **~ público** Pessoa que exerce função ou cargo em instituição pública oficial

funda (*fun*.da) *sf.* **1** Arma para arremessar pedras, balas, flechas etc. feita com uma correia ou corda dobrada, no centro da qual se coloca o que vai ser lançado; ATIRADEIRA; CATAPULTA; ESTILINGUE **2** *Med.* Espécie de cinta para contenção de certos tipos de hérnia [F.: Do lat. *funda, ae.* Hom./Par.: *funda* (fl. de *fundar* e *fundir*).]

fundação (fun.da.*ção*) *sf.* **1** Ação ou resultado de fundar: "... desenvolveram-se consideravelmente a educação, as letras e as artes, favorecidas pela fundação da Impressão Régia..." (*Dicionário de história do Brasil*) **2** Marco inicial de existência de organização, instituição, entidade etc. **3** *Eci.* Camada sólida de cimento, tijolos, pedras etc. sobre a qual se ergue uma construção, e que a sustenta: alicerce **4** Instituição privada ou do Estado, criada para fins de utilidade pública ou de caridade por meio de patrimônio doado e administrado exclusivamente para aquele fim: *A produção de vacinas é uma das atividades da Fundação Osvaldo Cruz.* [Pl.: *-ções.*] [F.: Do lat. *fundatio, onis.*]

fundado (fun.*da*.do) *a.* **1** Que se fundou **2** Diz-se de edificação ou construção bem alicerçada *a.* **3** Que se apoia na razão ou em bons motivos; que tem fundamentação: *Eram argumentos fundados.* **4** *Fig.* Criado, iniciado: *Foi trabalhar na empresa fundada por seus tios.* [F.: Do lat. *fundatus, a, um.*]

fundador (fun.da.*dor*) *a.* **1** Que funda *sm.* **2** Aquele que funda, constrói *sm.* **3** Aquele que primeiro se estabeleceu em certo lugar **4** Indivíduo que dá início a ou que institui algo (esp. a uma firma, empresa, instituição, partido, agremiação, clube etc.): *Ele é o fundador da escola.* [F.: Do lat. *fundator, oris.*]

fundamentação (fun.da.men.ta.*ção*) *sf.* Ação ou resultado de fundamentar(-se) [Pl.: *-ções.*] [F.: *fundamentar* + *-ção.*]

fundamentado (fu.da.men.*ta*.do) *a.* **1** Que se fundamentou; que tem justificativa convincente: *argumento fundamentado na experiência.* **2** Que tem fundamento; estabelecido em bases sólidas: *relatório bem fundamentado.* [F.: Part. de *fundamentar.*]

fundamental (fun.da.men.*tal*) *a2g.* **1** Que constitui o fundamento, a base de algo: *A liberdade é um dos valores fundamentais da democracia.* **2** Que dá início ou origem a algo (pedra fundamental) **3** Diz-se daquilo que é extremamente necessário, indispensável: "Fundamental é mesmo o amor/É impossível ser feliz sozinho..." (Tom Jobim, *Wave*) [Pl.: *-tais.*] [F.: Do lat. tard. *fundamentalis, e.*]

fundamentalismo (fun.da.men.ta.*lis*.mo) *sm.* **1** *Rel.* Doutrina ou prática, em setores de várias religiões, que consiste em interpretar literalmente os textos sagrados, tomando suas palavras como únicas verdades **2** Observância rigorosa às leis do Islamismo, ou o próprio islamismo **3** *Fig.* Qualquer sistema (político, econômico etc.) que se apresenta como portador exclusivo da verdade e de solução única para problemas [F.: *fundamental* + *-ismo.*]

📖 O conceito e o termo nasceram quase juntos, no início do século XX, em comunidades protestantes dos Estados Unidos, especialmente no estado de Tennessee. Refere-se à ideia, e às atitudes dela decorrentes, de que o texto literal da Bíblia (o Velho e o Novo Testamentos) é absolutamente, e só ele, verdadeiro, com isso rejeitando muitos dos conhecimentos e das propostas da ciência, da filosofia, da cultura moderna e contemporânea. Famoso foi o julgamento do prof. John Scopes, em 1925, no Tennessee, por ter ensinado na escola a proibida (por lei estadual) teoria evolucionista de Darwin. Em um sentido mais genérico, o termo passou a ser usado para designar, nas três religiões monoteístas 'abraâmicas', baseadas em escrituras sagradas (o judaísmo, o cristianismo, e o islamismo), esp. o apego ao texto literal dessas escrituras, com a rejeição de qualquer outra interpretação dos fatos e do sentido moral que encerram. Em fins do século XX e início do século XXI, o termo já era aplicado a uma facção dos crentes, principalmente no islamismo (fundamentalismo islâmico), que passou da fé religiosa absolutista para uma atitude política de conquista de espaços e poder com base nessa fé. Qualquer fundamentalismo, como ideia de que a única verdade está no texto sagrado, pode se considerar portador de um caminho humanitário de redenção; no entanto, sua apropriação por facções que pretendem impor sua fé pela conquista e pela eliminação ou sujeição das outras, leva a um confronto em que se misturam religião, política, violência e terrorismo, em meio a muitas distorções e conflitos.

fundamentalista (fun.da.men.ta.*lis*.ta) ***a2g.*** **1** Ref. a fundamentalismo; que é adepto dessa doutrina ou dessa prática religiosa ***s2g.*** **2** Seguidor do fundamentalismo [F.: *fundamental* + *-ista*.]

fundamentar (fun.da.men.*tar*) ***v.*** **1** Dar fundamento, credibilidade a ideia, tese, afirmação etc. com argumento sólido, prova, evidência etc.; ter tal credibilidade, nisso apoiado [***tdr.*** *+ com, em*: *Ele fundamentou sua defesa em provas materiais.*] [***tr.*** *+ em*: *Minha análise fundamenta-se em notícias publicadas.*] [***td.***: *O advogado fundamentou bem sua defesa.*] **2** Servir de fundamento, base a (afirmação, tese, argumento etc.) [***td.***: *A declaração dela fundamenta o meu argumento.*] **3** *Cons.* Lançar os fundamentos ou alicerces de (prédio, casa etc.); FUNDAR [***td.***: *Os operários fundamentaram o edifício.*] [▶ **1 fundamentar**] [F.: *fundamento* + *-ar*[2]. Hom./Par.: *fundamentais* (fl.), *fundamentais* (pl. *fundamental* [a2g.]); *fundamento* (fl.), *fundamento* (sm.).]

fundamento (fun.da.*men*.to) ***sm.*** **1** Aquilo (os princípios teóricos, conceituais etc.) em que se baseia um pensamento, uma doutrina etc.; BASE **2** *Fig.* A causa, o motivo, a razão para algo acontecer; a base sólida que justifica ou explica algo: *A sua preocupação não tem fundamento.* **3** *Fig.* Explicação razoável para algo que aconteceu **4** Aquilo que determina a veracidade de um acontecimento, de um fato; PROVA **5** No plural, as regras, princípios, regulamentos etc. que configuram o caráter e regem o funcionamento e comportamento de uma instituição, uma entidade etc. **6** *Rel.* Nos cultos afro-brasileiros, os objetos nos quais se concentram a ação e o poder das entidades divinas [F.: Do lat. *fundamentum, i.*]

fundão (fun.*dão*) ***sm.*** **1** Parte mais funda de um mar, um lago, leito de rio etc.: "...Cândido jogou uma bomba num fundão e recolheu mais de vinte curimatãs..." (Gastão Cruls, *Amazônia que eu vi*) **2** O mar alto **3** Abismo, precipício **4** Lugar ermo, distante [Pl.: *-dões*.] [F.: *fundo* + *-ão*[1].]

fundar (fun.*dar*) ***v.*** **1** Dar início a; CRIAR; INSTITUIR [***td.***: *A prefeitura fundou essa escola em 1980.*] **2** Assentar as bases de; FIRMAR-SE [***tr.*** *+ em, sobre*: *Essa casa se funda em quatro bases.*] **3** Estabelecer, criar do zero [***td.***: *Maomé fundou uma religião no século VII.*] **4** Tornar profundo ou mais profundo; ESCAVAR [***td.***: *fundar um poço.*] **5** Tomar como base ou fundamento; ARRAIGAR(-SE); FUNDAMENTAR(-SE) [***tr.*** *+ em*: *Esse argumento se funda em princípios solidamente estabelecidos.*] **6** *Lus.* Colocar fundo ou tampa em (barril, tonel etc.) [***td.***: *O vinhateiro fundou os tonéis.*] [▶ **1 fundar**] [F.: Do lat. *fundare*. Hom./Par.: *funda(s)* (fl.), *funda(s)* (sf. [pl.]); *fundo* (fl.), *fundo* (a. sm.).]

fundeado (fun.de.*a*.do) ***a.*** *Mar.* Que fundeou, que deitou âncora ou ancorou; ANCORADO [F.: Part. de *fundear*.]

fundeadouro (fun.de:a.*dou*.ro) ***sm.*** Lugar em que os navios fundeiam; ANCORADOURO [F.: *fundear* + *-douro*[2].]

fundear (fun.de.*ar*) ***v.*** **1** *Mar.* Lançar ao fundo, deitar (âncora, ferro ou outro objeto pesado); ter (navio) ferro, âncora etc. lançado; ANCORAR [***td.***: *fundear a embarcação.*] [***int.***: *O navio fundeou na Baía de Guanabara*: "Quando o vapor fundeou... uma aluvião de botes se acercou do seu costado." (Sanches de Frias, *Ercília*)] **2** Tocar no fundo [***int.***: *O navio fundeou nos recifes e quase encalhou.*] [▶ **13 fundear**] [F.: *fundo* + *-ear*[2].]

fundente (fun.*den*.te) ***a2g.*** **1** Que tem a propriedade de se derreter **2** Que está em estado de fusão (2) **3** Que facilita a fusão (2) ***sm.*** **4** *Quím.* Substância que facilita a fusão (2) dos minerais [F.: Do lat. *fundens, entis*.]

fundiário (fun.di:*á*.ri:o) ***a.*** Ref. a terras, terrenos (esp. para agricultura); AGRÁRIO: "...Quem não pode cultivar por sua conta, não querendo diminuir sua opulência fundiária..." (Brito Camacho, *Cerros e vales*) [F.: *fundo* + *-i-* + *-ário*.]

fundibulário (fun.di.bu.*lá*.ri:o) ***sm.*** Indivíduo que usa a funda como arma [F.: Do lat. *fundibularius, ii*.]

fundição (fun.di.*ção*) ***sf.*** **1** Ação ou resultado de fundir **2** Fábrica ou oficina onde se fundem metais **3** Arte e técnica de fundir **4** O metal fundido **5** Corpo completo de caracteres tipográficos de cada letra necessários à composição de uma obra **6** *Fig.* Produção de obra intelectual [Pl.: *-ções*.] [F.: *fundir* + *-ção*.]

fundido (fun.*di*.do) ***a.*** **1** Que se fundiu, que foi derretido e lançado no molde, para ganhar sua forma em positivo **2** *Fig.* Moldado: "Escarnecia dos amores afetados, ridículos, fundidos em negras olheiras" (Sanches de Frias, *Ercília*) [F.: Part. de *fundir*.]

fundidor (fun.di.*dor*) [ô] ***a.*** **1** Que funde ***sm.*** **2** Aquele ou aquilo que funde [F.: *fundir* + *-dor*.]

fundilho (fun.*di*.lho) ***sm.*** **1** Pedaço de fazendo com que se remenda o fundilho (1) **2** Parte das calças, bermudas etc. que cobre as nádegas, que corresponde ao assento [Mais us. no pl.] **3** Remendo que se coloca nessa parte do vestuário [Mais us. no pl.]: "...Sabiam deitar fundilhos nuns calções..." (Eça de Queirós, *Notas contemporâneas*) [F.: *fundo* + *-ilho*.]

⊕ **funding** (*Ing.*/*fánding*/) ***sm.*** *Econ.* Fornecimento de recursos financeiros; FINANCIAMENTO

fundir (fun.*dir*) ***v.*** **1** Derreter (esp. metal) por ação do calor [***td.***: *fundir metais.*] **2** Despejar metal derretido em fôrma para moldar (um objeto) [***td.***: *fundir uma estátua.*] **3** Juntar(-se) (duas ou mais coisas), para formar uma só [***td.***: *Fundiu partidos antagônicos.*] [***tdr.*** *+ com, em*: *O poeta fundiu vozes indígenas com africanas.*] [***int.***: *As duas empresas fundiram-se.*] **4** Incorporar em um só volume [***td.***: *Fez um bom resumo dos livros e fundiu em um único volume.*] **5** Causar ou sofrer dissolução; DESFAZER(-SE) [***td.***: *Fundiu o bloco de gelo com o maçarico.*] [***int.***: *O carro parou porque o motor fundiu; O gelo fundiu-se.*] **6** Gastar tudo; DISSIPAR [***td.***: *Fundiu o dinheiro em poucos dias.*] **7** *Cin. Telv.* Efetuar o desaparecimento gradativo de uma imagem e o aparecimento de outra [***td.***: *O editor fundiu as imagens causando um lindo efeito de mudança de cena.*] **8** *Bras. Gír.* Causar perturbação em ou sofrer perturbação [***td.***: *O filme fundiu a cabeça do público.*] [***int.***: *Diante de tanta informação, minha cuca fundiu.*] [▶ **3 fundir**] [F.: Do lat. *fundere*. Hom./Par.: *funda(s)* (fl.), *funda(s)* (sf.[pl.]); *fundo* (fl.), *fundo* (a. sm.).]

fundível (fun.*dí*.vel) ***a2g.*** Que tem a propriedade de fundir-se; FUSÍVEL [Pl.: *-veis*.] [F.: *fundir* + *-vel*.]

fundo (*fun*.do) ***a.*** **1** Que tem grande profundidade: "Haviam-se esquadrinhado todas as anfractuosidades, e todos os dédalos rasgados entre pedras, e todos os algares fundos..." (Euclides da Cunha, *Os sertões*) **2** Reentrante, cavado (olheiras fundas) **3** Que é sólido, firme (fundas convicções) **4** Que vem do íntimo (suspiro fundo) **5** *Bras. Gír.* Despreparado, fraco: *Ela está muito funda em matemática.* ***sm.*** **6** Parte que, num objeto ou cavidade, fica mais distante da abertura ou da borda (fundo da caverna) **7** A parte mais baixa em que repousam ou correm as águas (fundo do mar) **8** Parte mais afastada de um lugar ou região (fundo da floresta) **9** *Fig.* A parte mais profunda, mais pessoal, mais íntima de uma pessoa; o âmago, o cerne do indivíduo: *Falou do fundo do coração.* **10** *Anat.* Em um órgão, a parte mais afastada da parte anterior, ou de sua abertura (fundo do olho) **11** *Econ.* Conjunto de recursos administrados por um banco de investimentos ou sociedade corretora, visando a determinado fim (fundo de pensão) **12** Porção mais interna de um órgão (fundo do olho) **13** *Art.pl.* Em desenho ou pintura, plano que parece mais distanciado na perspectiva do observador **14** *Psi.* Em Gestalt, a parte de um objeto de percepção (imagem, desenho etc.) que representa o contexto ou ambiente no qual se apresenta a imagem principal (figura), e que às vezes, no processo perceptivo, pode trocar de lugar com esta, passando a ser figura, e aquela, fundo **15** Primeira camada de tinta em um quadro, sobre a qual se pintam as demais **16** *Cont.* Capital financeiro ou outros valores que constituem o ativo de uma sociedade ***adv.*** **17** Até o fundo; no lugar mais fundo, mais profundo (tb. Fig.): *Seu exemplo calou fundo; O espinho penetrou fundo.* [F.: Do lat. *fundus, i.*] ▪ **A ~** Com profundidade, ou com largueza: *Estudou a fundo todas as possibilidades.* **A ~ perdido** *Econ.* Sem expectativa ou previsão de retorno, de reembolso (esp. recursos financeiros aplicados em projetos de interesse social, atendimento de situações emergenciais etc.) **A um de ~** Um depois de outro, em fila **Dar ~** *Mar.* Lançar âncora (embarcação, navio) **Entupir no ~** Perseguir (vaqueiro) o animal por trás, para agarrar sua cauda e derrubá-lo **~ de ações** *Econ.* Fundo de investimento com aplicação em ações **~ de bateia** **1** *Bras.* Resíduo de ouro remanescente na bateia, depois de retirada desta a areia **2** Reunião de satélites do diamante **~ de comércio** *Econ.* Conjunto de bens materiais e imateriais (produtos, direitos, ponto, contratos etc.) de que dispõe o comerciante para sua atividade **~ de commodities** *Econ.* Fundo de investimento com aplicação em títulos de *commodities* (ver *commodity*) **~ de coral** *Esp.* Designação do tipo de fundo do mar propício à formação das melhores ondas para a prática do surfe **~ de investimento** *Econ.* Fundo administrado por instituição financeira, do qual os investidores detêm quotas segundo as quais são rateados os rendimentos auferidos por aplicações, investimentos etc.; fundo em condomínio; fundo mútuo **~ de pensão** *Econ.* Aquele cujos rendimentos destinam-se ao pagamento de aposentadorias e pensões **~ de reserva** *Econ.* Parte dos lucros líquidos de uma empresa reservados como provisão para eventuais necessidades futuras **~ de resgate** *Econ.* Parte dos lucros líquidos anuais de uma empresa reservados como provisão para resgate de determinada dívida ou para aquisição de ações da própria empresa **~ de segurança** *Art.gr.* Clichê ou outra superfície impressora do fundo de documento, título, cédula de dinheiro etc., com gravação de difícil reprodução, para impedir ou dificultar falsificações **~ do poço** *Fig.* O ponto (presumivelmente) mais difícil e penoso de uma situação ou processo em si já difíceis e penosos **~ em condomínio** *Econ.* Ver *Fundo de investimento* **~ musical** Música(s) ou trecho(s) musical(is) que acompanha(m) as imagens de um filme, as cenas de uma peça de teatro, as falas de um programa de rádio, a exibição algum espetáculo, ou alguma atividade qualquer **~ mútuo** *Econ.* Ver *Fundo de investimento* **Ir ao ~** **1** Afundar **2** Ficar muito deprimido, abatido, desanimado [Tb. se diz *Chegar ao fundo.*] **Ir ~** *Pop.* Envolver-se decididamente em ação, empreendimento, projeto etc.; ir às últimas consequências **No ~** Essencialmente, intrinsecamente: *É duro no tratar, mas, no fundo, é amável e cordial.*

fundos (*fun*.dos) ***smpl.*** **1** *Econ.* Recursos financeiros que uma pessoa tem num banco, e sobre os quais pode emitir cheques **2** Recursos financeiros disponíveis para um determinado negócio **3** A parte traseira de uma construção, casa, prédio etc., oposta à fachada [F.: Pl. de *fundo*.]

fundura (fun.*du*.ra) ***sf.*** **1** Extensão ou distância a partir da superfície de algo até seu fundo; o mesmo que *profundidade* **2** *Bras. Pop.* Incompetência ou inabilidade para fazer algo **3** *Fig.* A grandeza ou a intensidade, a profundeza de um sentimento, ou a extensão de um conhecimento **4** *Gír.* Estado ou sentimento de inação, abatimento, depressão **5** *Bras. Pop.* Lugar muito distante; LONJURA: *as funduras do sertão.* [F.: *fundo* + *-ura*.]

fúnebre (*fú*.ne.bre) ***a2g.*** **1** Ref. à morte e aos mortos (oração fúnebre) **2** Ref. a funeral (cerimônia fúnebre) **3** *Fig.* Que sugere ou evoca ideia de morte, ou que faz lembrar a morte e os mortos **4** *Fig.* Lúgubre, sombrio; FUNÉREO: "...o fúnebre cortejo seguia agora para Canudos..." (Euclides da Cunha, *Os sertões*) [F.: Do lat. *funebris, e.*]

funeral (fu.ne.*ral*) ***a2g.*** **1** Ref. à morte e aos mortos; FÚNEBRE: "...Que canto funeral, que tétricas figuras..." (Castro Alves, "O navio negreiro" *in Os escravos*) ***sm.*** **2** Ritual de enterro, sepultamento; INUMAÇÃO; SAIMENTO [Nesta acp. us. tb. no pl.] [Pl.: *-rais*.] [F.: Do lat. *funeralis, e.*] ▪ **Em ~** Como sinal de luto

funerária (fu.ne.*rá*.ri:a) ***sf.*** *Bras.* Estabelecimento que se encarrega de funerais, de sepultamentos [F.: F. red. de *casa funerária* ou fem. substv. de *funerário*.]

funéreo (fu.*né*.re:o) ***a.*** O mesmo que *fúnebre* [F.: Do lat. *funereus, a, um*.]

funesto (fu.*nes*.to) ***a.*** **1** Que fere de morte, ou que causa a morte (acidente funesto) **2** Que faz prever desgraça (notícia funesta) **3** Que causa amargura, aflição (ação funesta) **4** Que prognostica a morte (sintomas funestos) **5** Que causa dano, prejuízo; DANOSO; NOCIVO; PREJUDICIAL: *a peste não tem sido menos funesta que as guerras.* **6** Que provoca desastre, desgraça, ruína; DESASTROSO; DESGRAÇADO; RUINOSO: *as funestas consequências de sua teimosia.* [F.: Do lat. *funestus, a, um*.]

fungação (fun.ga.*ção*) ***sf.*** Ação ou resultado de fungar; FUNGADA [Pl.: *-ções*.] [F.: *fungar* + *-ção*.]

fungar (fun.*gar*) ***v.*** **1** Inspirar com força pelo nariz, fazendo ruído [***int.***: *A criança não parava de fungar.*] **2** *Fig.* Choramingar, inspirando pelo nariz [***int.***: *Depois de tanto chorar, o menino fungava.*] **3** *Fam.* Sentir o aroma de (ger. de longe) [***td.***: *Pela janela, fungava o cheirinho do bife.*] **4** *Fig.* Sibilar, zunir (como uma pedra lançada por uma funda) [***int.***: *Durante o tiroteio, as balas fungavam.*] **5** Avançar (animal) guiado pelo faro; FAREJAR [***int.***: *O cachorro fungava entre as pedras em busca do gambá.*] **6** Expelir (ar, muco etc.) repentina e involuntariamente [***int.***: *Por causa do cheiro forte de tinta, ele fungava sem parar.*] **7** *Fig.* Falar baixo, ger. com rabugice; RESMUNGAR [***int.***: *Este velho não para de fungar.*] [▶ **14 fungar**] [F.: Or. onomatopaica. Hom./Par.: *funga(s)* (fl.), *funga(s)* (sf.[pl.]).]

◎ **fung(i)-** ***el. comp.*** = fungo: *fungicida, fungiforme* [F.: Do lat. *fungus, i*, 'cogumelo'.]

fungicida (fun.gi.*ci*.da) ***a2g.*** **1** Diz-se da substância destinada ao combate de fungos ***sm.*** **2** Essa substância [F.: *fung(i)-* + *-cida*.]

fúngico (*fún*.gi.co) ***a.*** **1** Ref. a fungo (crescimento fúngico) **2** Produzido por fungo (sinusite fúngica) [F.: *fungo* + *-ico*[2].]

fungícola (fun.*gí*.co.la) ***a2g.*** Que vive entre os fungos [F.: *fung(i)-* + *-cola*.]

fungiforme (fun.gi.*for*.me) ***a2g.*** Que tem a forma de fungo [F.: *fung(i)-* + *-forme*.]

fungível (fun.*gí*.vel) ***a2g.*** *Jur.* Diz-se de coisa que se gasta, que se consome depois do uso e que pode ser substituída por outra da mesma espécie (bem fungível) [Pl.: *-veis*.] [F.: Do lat. *fungibilis, e.*]

fungo (*fun*.go) ***sm.*** *Micol.* Nome comum aos organismos do reino *Fungi*, uni ou pluricelulares, sem clorofila, com parede celular quitinosa, ger. saprófagos ou parasitas e que se nutrem por absorção [F.: Do lat. *fungus, i.*] ▪ **~ imperfeito** **1** *Bot.* Fungo do qual se desconhece o estágio sexual **2** Fungo da classe dos deuteromicetos

funicular (fu.ni.cu.*lar*) ***a2g.*** **1** Em forma de corda ou de cordão; FILAMENTOSO; FUNIFORME **2** composto de cordas ***a2g.*** **3** Que funciona por meio de cordas ou cabos **4** *Anat. Bot. Zool.* Ref. a *funículo* ***sm.*** **5** Sistema de transporte próprio para subir e descer grandes declives [Nele a tração do veículo é feita por cabos que são acionados por motor estacionário.] **6** O veículo us. nesse sistema [F.: Do fr. *funiculaire*.]

funículo (fu.*ní*.cu.lo) ***sm.*** **1** Pequena corda **2** *P.ext. Anat.* Cordão umbilical **3** *Bot.* Filamento que liga a semente e o óvulo à placenta [F.: Do lat. *funiculus, i.*]

funil (fu.*nil*) ***sm.*** **1** Utensílio em forma de cone, arrematado no vértice por um tubo estreito, us. para introduzir líquidos, substâncias em pó ou em grão etc. em recipientes com aberturas estreitas **2** Qualquer coisa com a forma de um funil (1) **3** *BA MG GO* Desfiladeiro abrupto em escarpa rochosa, por onde corre um rio [Pl.: *-nis*.] [F.: Do lat. *fundibulum, i*, pelo provençal *fonilh*.] ▪ **~ de Büchner** *Quím.* Dispositivo para purificação ou filtragem de líquidos, constituído de reservatório cilíndrico interrompido por

placa horizontal com um disco de papel e várias perfurações, que funciona como filtro
funilaria (fu.ni.la.*ri*.a) *sf.* **1** Oficina onde se realizam trabalhos de funileiro **2** Técnica de trabalhar em lata, em folhas de flandres **3** Oficina em que se reparam latarias de carros; LANTERNAGEM [F.: *funil* + *-aria*.]
funileiro (fu.ni.*lei*.ro) *sm.* Fabricante de funis e de outros utensílios confeccionados com folha de flandres; profissional especializado em trabalhos com folha de flandres; LATOEIRO [F.: *funil* + *-eiro*.]
⊕ **funk** (*Ing. /fãnc/*) *sm.* **1** *Mús.* Música popular de origem norte-americana, dançante, de marcação rítmica binária, vigorosa e repetitiva ***a2g2n.*** **2** Ref. ao, ou próprio do funk (1) (bailes funk)
funkear (fun.ke.*ar*) *v.* **1** Dar característica de *funk* a [***td.***: *O conjunto funkeou a velha melodia.*] **2** Cantar no ritmo de *funk* [***td.***] **3** Emitir ritmo de *funk* [***int.***] [▶ 13 funkear] [F.: Do ing. *funk* + *-ear*².Tb. *funquear*.]
funkeiro (fun.*kei*.ro) *a.* **1** Que toca *funk*, frequenta bailes *funk* ou que gosta desse ritmo musical (vizinho funkeiro) ***sm.*** **2** Pessoa que gosta de *funk* ou que frequenta bailes em que se tocam músicas *funk* [F.: *funk* + *-eiro*. Tb. *funqueiro*.]
funquear (fun.que.*ar*) *v.* Ver *funkear*
funqueiro (fun.*quei*.ro) *a.* Ver *funkeiro* [F.: Var. de *funkeiro*.]
fura-bolos (fu.ra-*bo*.los) *sm2n.* **1** *Bras. Pop.* O dedo indicador ***a2g2n.*** **2** *Fig.* Pessoa intrometida
furacão (fu.ra.*cão*) *sm.* **1** *Met.* Vento forte e destruidor, espécie de ciclone, que pode alcançar a velocidade de 300 km por hora **2** *Fig.* Aquilo que tem o ímpeto de um furacão: *Entrou como um furacão na sala.* **3** *Fig.* Aquilo que devasta, destrói totalmente **4** *Fig.* Sentimento avassalador **5** *Fig.* Tumulto ou agitação de grandes proporções **6** *Fig.* Indivíduo impetuoso, vigoroso em seus gestos e sua atitude, que age com energia, ímpeto, entusiasmo etc.: *Elegeram-no presidente da empresa, agora que se cuidem, o homem é um furacão, não vai dar folga a ninguém.* [Pl.: *-cões*.] [F.: Do espn. *huracán*.]

> 🕮 Os furacões geralmente originam-se em ciclones tropicais – tempestades com ventos em rotação, que se deslocam até, ger., perderem sua força –, e que ao se deslocar sobre o oceano e encontrar o ar equatorial aquecido ganham força e velocidade. O vapor de água se aquece e sobe, ao chegar a grandes altitudes esfria e cai como chuva ou gelo pelas bordas do ciclone, para, novamente aquecido, refazer o ciclo, cumulativamente. Ao atingir o continente, perde sua fonte alimentadora de calor e aos poucos, com isso, a força, não sem antes causar impacto em sua passagem. Um furacão pode chegar a 500-800 km de diâmetro, e se deslocar a mais de 120 km/h. Viajam para o norte nos meses quentes do hemisfério norte, para o sul nos meses quentes desse hemisfério.

furação (fu.ra.*ção*) *Bras. sf.* **1** Ação ou resultado de furar; PERFURAÇÃO **2** Conjunto de furos em qualquer peça, ger. feitos com broca [Pl.: *-ções*.] [F.: *furar* + *-ção*.]
furada (fu.*ra*.da) *sf.* **1** Ação ou resultado de furar *sf.* **2** *Bras. Gír.* Aquilo que, além de frustrar expectativas, ainda traz prejuízos; ROUBADA **3** *Fut.* Falha do jogador que não consegue atingir a bola ao chutar **4** *Bras. Vulg.* Mulher solteira que não é virgem [F.: Fem. substv. de *furado*.]
furadeira (fu.ra.*dei*.ra) *sf.* Máquina elétrica perfuratriz para furar madeira, concreto, metal etc. [F.: *furar* + *-deira*.]
furado (fu.*ra*.do) *a.* **1** Que se furou (pneu furado) **2** Que tem furo(s) (sapato furado) **3** *Pop.* Que é mal concebido, que não pode dar certo (um plano furado) **4** Sem valor ou sem valia **5** *Pop.* Que come em excesso e não engorda **6** Ver *papo-furado*, em *papo sm.* **7** *BA* Estiagem no período de chuvas **8** *BA SP* Canal que reúne dois rios ou corta uma grande curva fluvial **9** *MT* Trecho retilíneo de rio, entre duas voltas; ESTIRÃO **10** *GO* Clareira na mata virgem [F.: Part. de *furar*.]
furador (fu.ra.*dor*) [ô] *a.* **1** Que fura **2** *Fig.* Diz-se de pessoa hábil, expedita, capaz de agenciar sua vida, de obter os meios necessários para o que precisa ou deseja ***sm.*** **3** Utensílio para fazer furos, quebrar gelo etc. **4** Indivíduo furador (2) [F.: *furar* + *-dor*.]
furão¹ (fu.*rão*) *sm.* **1** *Zool.* Mamífero carnívoro da fam. dos mustelídeos (*Putorius furo*), que os caçadores usam para fazer sair o coelho de sua toca: "...Não andemos aqui com furão morto à caça..." (Francisco Manuel de Melo, *Feira dos anexins*) **2** *Pop.* Indivíduo que abre caminho de qualquer maneira para criar boas oportunidades para si mesmo [Pl.: *-rões*. Fem. da acp. 2: *-rona*.] ***a.*** **3** *Pop.* Que se esforça para criar boas oportunidades para si mesmo: *Jornalista furão, sempre obtinha as melhores notícias.* [Pl.: *-rões*. Fem.: *-rona*.] [F.: Do lat. *furo, onis*.]
furão² (fu.*rão*) *sm.* **1** Ferramenta própria para abrir furos em pedra: "...Quatro homens cantavam, agarrados a um imenso furão de ferro..." (Aluísio de Azevedo, *Girândola*) **2** *Bras. Pop.* Aquele que falta a compromisso. [Pl.: *-rões*.] ***a.*** **3** *Bras. Pop.* Que falta a compromisso: *Não adianta marcar encontro com ele, é um furão.* [Pl.: *-rões*. Fem.: *-rona*] [F.: *furar* + *-ão*³.]
furar (fu.*rar*) *v.* **1** Abrir furo(s) em [***td.***: *Furar as orelhas.*] **2** Adquirir furo(s); ROMPER-SE [***int.***: *O pneu furou.*] **3** *Gír.* Não acontecer, não se realizar [***int.***: *O passeio furou.*] **4** *Bras. Pop.* Faltar a um compromisso [***tr.*** + *com*: *Marcamos um encontro ontem, mas ele furou comigo.*] [***int.***: *A reunião é às nove, não vá furar.*] **5** *Pop.* Não respeitar; não acatar [***td.***: *Furou a greve.*] **6** Passar através de; ATRAVESSAR [***td.***: *O raio de sol furava a névoa.*] **7** *Fut.* Não atingir a bola ao tentar um chute [***int.***] **8** *Bras. Tabu.* Tirar a virgindade de; desvirginar [***td.***] **9** *Bras. Jorn.* Publicar uma notícia em primeira mão, antes de (outro órgão noticioso) [***td.***: *A revista semanal furou todos os jornais.*] **10** *Bras. Fut.* Errar o placar de um jogo [***int.***: *Seu palpite para o jogo furou.*] **11** Ocupar lugar ou posição indevidamente em (ordem de atendimento), em prejuízo de quem tinha direito [***td.***: *Furou a fila de maneira desavergonhada.*] **12** *RJ Pop.* Não se realizar; malograr [***int.***: *O plano era bom, mas furou.*] **13** *Mar.* Errar ao tentar fazer (certo nó) [***td.***] [▶ 1 furar] [F.: Do lat. *forare*.]
fúrcula (*fúr*.cu.la) *sf.* **1** *Anat.* Chanfradura na parte superior do esterno **2** *Anat. Zool.* Ossinho em forma de forquilha formado pela solda das duas clavículas de uma ave [Tb. chamado 'osso da sorte', pelo costume de puxarem-no duas pessoas, uma em cada segmento, até separar as duas partes, acreditando-se ser bafejada pela sorte aquela que ficar com a parte da junção soldada ao segmento que levou.] **3** Apêndice no quarto segmento abdominal dos colêmbolos (insetos), que o utilizam para saltar [F.: Do lat. *furcula* 'forquilha', dim. de *furca* 'força'.]
furdunço (fur.*dun*.ço) *Bras. Pop. sm.* **1** Grande festa ou baile popular **2** Agitação barulhenta; ALGAZARRA; DESORDEM: "Afinal de contas, tamanho furdunço no meio de uma praça é coisa bem nossa mesmo." (*O Globo*, 20.07.2005) [F.: De or. contrv., posv. expressiva.]
furfuráceo (fur.fu.*rá*.ce:o) *a.* Semelhante ao farelo ou à farinha; FARINÁCEO [F.: Do lat. *furfuraceus, a, um*.]
furgão (fur.*gão*) *sm.* Veículo, ger. fechado, us. para o transporte de pequenas cargas [Pl.: *-gões*.] [F.: Do fr. *fourgon*.]
fúria (*fú*.ri:a) *sf.* **1** Grande raiva (acesso de fúria); IRA **2** *Fig.* Pessoa cheia de fúria (1): *Cuidado com ele, está uma fúria.* **3** *Fig.* Ímpeto forte: *As encostas não resistiram à fúria das águas.* **4** Inspiração, estro, entusiasmo: "...Dai-me uma fúria grande e sonorosa..." (Luís de Camões, *Os lusíadas*) **5** Comportamento intempestivo, precipitado, impetuoso **6** Mulher descomposta, desarrumada, desgrenhada [F.: Do lat. *furia, ae*, 'delírio furioso', sing. de *furiae, arum*, 'As Fúrias (divindades infernais encarregadas de atormentar os criminosos): Alecto, Megera e Tisífone'.]
furiba (fu.*ri*.ba) *s2g.* *PB* Pessoa muita magra e pequena [F.: De or. obsc.]
furibundo (fu.ri.*bun*.do) *a.* **1** Cheio de raiva, de fúria; FURIOSO; ENRAIVECIDO: "...Mal presumia o meigo velhinho... que a sua casa houvesse acoitado dois furibundos revolucionários..." (Antônio da Costa, *No Minho*) **2** Que se manifesta com extrema (e mesmo desproporcional) gravidade, tragicidade [F.: Do lat. *furibundus, a, um*.]
furiosa (fu.ri:*o*.sa) *sf.* *MG Pop.* Pequena banda musical; CHARANGA [F.: Fem. substv. de *furioso*.]
furioso (fu.ri:*o*.so) [ô] *a.* **1** Dominado pela fúria, pela raiva (doido furioso); COLÉRICO; EXASPERADO; FURIBUNDO **2** *Fig.* Que é muito intenso em sua devoção, dedicação, atividade: *É um furioso praticante do alpinismo.* **3** Impetuoso, violento, arrebatado: *As desconfianças se transformaram em furiosos clamores.* **4** Grande, extraordinário: *Teve um furioso ataque de riso.* **5** *Fig.* De grandes proporções e de muita força: *Uma ventania furiosa.* [Fem. e pl.: [ó].] [F.: Do lat. *furiosus, a, um*.]
furna (*fur*.na) *sf.* **1** Caverna, gruta, lapa **2** Lugar subterrâneo, natural ou construído **3** *Fig.* Lugar escondido, isolado e escuro **4** *N.E.* Lugar estranho, ger. isolado, inóspito [F.: De or. incerta.]
furo (*fu*.ro) *sm.* **1** Abertura produzida por objeto pontudo; BURACO; ORIFÍCIO **2** *Bras. Jorn.* Notícia transmitida em primeira mão ou pela primeira vez, por jornal, rádio, televisão etc. **3** Saída, expediente: "...Estava-me remoendo... para dar furo a tão difícil empresa..." (Francisco Manuel de Melo, *Feira dos anexins*) **4** *AM* Espaço estreito, mas navegável, que serve de comunicação entre dois rios ou lagoas **5** *Pop.* Falta ao compromisso assumido: *Ele está sempre deixando furo.* **6** Nos antigos engenhos de açúcar, tábua furada na qual se enfiavam as formas com açúcar bruto para escorrer o mel [F.: Dev. de *furar*. Hom./Par.: *furo* (sm.), *furo* (fl. de *furar*).] ▪ **Dar um ~** *Bras. Jorn.* Publicar ou divulgar notícia em primeira mão; obter uma cacha (*Lus.*) **Deixar ~** Não completar tarefa ou função, deixar lacunas, imperfeições **Estar cem ~s acima de** Ser muito superior a
furor (fu.*ror*) [ô] *sm.* **1** Súbita manifestação de violência, de fúria (furor das águas) ***sm.*** **2** Intensa exaltação de ânimo; estado de grande excitação **3** Afeição desmedida por alguma coisa: "...Era um certo Adriano Cravilho, que... tinha, como se diz em Coimbra, o furor de fazer partidas..." (Eça de Queirós, *O conde de Abranhos*) **4** *Fig.* Grande ímpeto ou impetuosidade [F.: Do lat. *furor, oris*.] ▪ **Fazer ~** Ter grande repercussão, ger. por agradar muito, por ter sucesso **~ epiléptico** *Med.* Comportamento violento durante crise epiléptica, do qual ger. o doente não se lembra depois **~ uterino** Desejo sexual muito intenso nas mulheres
furreca (fur.*re*.ca) [é] *Bras. Pop.* ***a2g.*** **1** Que não tem valor; de (quase) nenhum valor; MIXURUCA; FULEIRO **2** Que está muito gasto ou estragado (roupa furreca) ***sf.*** **3** Coisa de pouco ou nenhum valor **4** Aquilo que já está muito velho, já muito usado e em péssimo estado **5** *Pop.* Carro usado, bem antigo e ger. malconservado [F.: De or. incerta.]
furriel (fur.ri:*el*) *sm.* **1** *Ant. Mil.* Graduação militar superior a cabo e inferior a sargento **2** *Ant. Mil.* Militar com essa graduação **3** *Zool.* Pássaro da fam. dos emberizídeos (*Caryothraustes canadensis*), encontrado em grande parte do Brasil, com até 17 cm de comprimento e coloração amarela com máscara negra [Pl.: *-éis*.] [F.: Do fr. *fourier*.]
furta-cor (fur.ta-*cor*) *sm.* **1** Cor cujo tom muda conforme a luz que recebe ***a2g2n.*** **2** Que é dessa cor (tecido furta-cor) *sf.* **3** *Zool.* Serpente da família dos colubrídeos (*Philodryas mattogrossensis*) do Sul do país e de países fronteiriços [Pl.: *furta-cores*.] [F.: *furtar* (na 3ª pess. sing. pres. ind.) + *cor* (ô).]
furtadela (fur.ta.*de*.la) [é] *sf.* Ação ou resultado de furtar(-se), afastar(-se), esquivar(-se) ou esconder(-se) [F.: *furtar* + *-dela*.] ▪ **Às ~s** Sub-repticiamente, às escondidas
furta-passo (fi.de.li.za.*ção*) *Publ. sf.* **1** Manutenção da fidelidade do cliente em relação ao uso de produtos de certa marca, serviço, loja etc. **2** O resultado dessa estratégia publicitária [F.: *fidelizar* + *-ção*.] ▪ **A ~** Com cautela; sem fazer ruído
furtar (fur.*tar*) *v.* **1** Pegar para si, às escondidas (coisa alheia) [***td.***: *Foi preso por furtar uma carteira.*] [***tdi.*** + *de,a*: *O ladrão furtou do taxista toda a féria do dia.*] [***int.***: *Foi pego furtando.*] **2** Comportar-se como ladrão; ROUBAR [***int.***: *Seu ofício era furtar.*] **3** Fazer passar como sendo de sua autoria (ideia, obra, pensamento etc.) [***td.***: *O aluno furtou as ideias de um companheiro.*] **4** Esquivar-se de; EVITAR [***tdr.*** + *a*: "...não me posso furtar a este rápido comentário" (Cecília Meireles, *Crônicas de educação*)] **5** Realizar falsificação; FALSIFICAR [***td.***: *Furtou a assinatura do chefe.*] **6** Desviar (inclusive si mesmo) de (algo) que não convém [***tdr.*** + *a*: *Furtou os lábios aos avanços do amante.*] [***td.***: *Furtou-se de comparecer à reunião*] **7** Fugir ao dever, a obrigações [***tr.*** + *a, de*: *Nunca furtou-se a pagar pensão à família.*] **8** *Fig.* Negar (direito, valor etc.) a alguém [***tdi.*** + *a*: *A Justiça furtou ao condenado o privilégio de cumprir pena em liberdade.*] [▶ 1 furtar] [F.: *furto* + *-ar*².]
furtivo (fur.*ti*.vo) *a.* **1** Que se faz ou se dá disfarçadamente: *uma furtiva lágrima...* **2** Que não se expõe nem se dá a conhecer; não declarado, secreto (paixão furtiva; caso furtivo); OCULTO **3** Disfarçado, dissimulado **4** Diz-se de aeronave projetada para não ser detectada [F.: Do lat. *furtivus, a, um*.]
furto (*fur*.to) *sm.* **1** Ação ou resultado de furtar **2** Aquilo que foi furtado: "...Notou frei João... a falta da capa, não achava rasto do furto, perguntou por ela..." (Frei Luís de Souza, *Vida do arcebispo*) **3** *Jur.* Ato se apoderar de coisa móvel pertencente a outra pessoa, sem a anuência desta [F.: Do lat. *furtum, i*. Hom./Par.: *furto* (sm.), *furto* (fl. de *furtar*).] ▪ **A ~** Disfarçadamente, às escondidas
furuncular (fu.run.cu.*lar*) ***a2g.*** **1** Ref. a furúnculo **2** Que tem as características de furúnculo (lesão furuncular) [F.: *furúnculo* + *-ar*¹.]
furúnculo (fu.*rún*.cu.lo) *sm.* *Med.* Pequeno tumor na pele, causado por bactérias; ABSCESSO: "...Os vulcões devem ser uma espécie de furúnculos por onde a terra expele os seus ruins humores..." (Aquilino Ribeiro, *Mônica*) [F.: Do lat. *furunculus, i*, por via erudita.]
furunculose (fu.run.cu.*lo*.se) *sf.* *Med.* Erupção de furúnculos [F.: *furúnculo* + *-ose*¹.]
furunculoso (fu.run.cu.*lo*.so) [ô] *a.* **1** Ref. a furúnculo **2** Semelhante a furúnculo **3** Que tem furúnculo (pele furunculosa) [Pl.: [ó]. Fem.: [ó].] [F.: *furúnculo* + *-oso*.]
furungar (fu.run.*gar*) *v. td.* *S. Pop.* Remexer, mexer, fuxicar: *Não parava de furungar as prateleiras.* [▶ 14 furungar] [F.: De or. contrv.]
fusa (*fu*.sa) *sf.* **1** *Mús.* Duração de tempo correspondente à metade da semicolcheia, ou 1/8 da semínima **2** A representação gráfica desse tempo [Ver na ilustração (sexta figura) do verbete *figura* (5).] [F.: Do it. *fusa*.]
⊕ **fusain** (*Fr./fusén/*) *sm.* **1** Carvão vegetal produzido a partir dos ramos de um arbusto conhecido como evônimo (*Euonymus europaeus*) **2** Espécie de lápis próprio para desenhar, feito com esse carvão **3** *P.ext.* Desenho feito com esse lápis
fusão (fu.*são*) *sf.* **1** Ação ou resultado de fundir **2** *Fís.* Passagem de uma substância do estado sólido para o líquido **3** Liga, mistura, amálgama (de substâncias, materiais etc.) **4** União total, de agremiações, empresas, partidos etc., formando uma só unidade **5** Aliança, combinação íntima: "...Nenhuma consideração deteve essa fusão de duas criaturas..." (Machado de Assis, *Helena*) **6** *Cin. Telv.* Processo gradativo de passagem de uma imagem para outra, no qual a imagem nova vai aos poucos substituindo a anterior **7** *Ling.* Transição gradativa de um elemento (som, fonema, morfema etc.) em outro a ele contíguo [Pl.: *-sões*.] [F.: Do lat. *fusio, onis*.] ▪ **~ nuclear** *Fís.nu.* Reação nuclear em que núcleos atômicos leves fundem-se e formam um núcleo com massa menor que a soma dos núcleos originais, mas com peso atômico maior. A diferença de massa é liberada em forma de grande quantidade de energia

> 🕮 A fusão nuclear ocorre no interior do Sol e das outras estrelas, com transformação de hidrogênio em hélio. Fusão nuclear provocada é um processo us. em armas nucleares, como a bomba de hidrogênio. Ao contrário da fissão nuclear, a fusão nuclear ainda não pode ser us. para a geração controlada de energia.

fusca (*fus*.ca) *sm.* *Bras. Pop.* Denominação afetiva dada a modelo popular de automóvel Volkswagen, de 1.200 e 1.300

cilindradas; FUSQUINHA [F.: Alter. pop. do al. *Volks*, f. red. de *Volkswagen*, marca registrada.]

◎ **fusc(i)-** *pref.* = escuro: *ofuscado, ofuscação, ofuscante, ofuscar*

fusco (*fus*.co) *a.* **1** Que é escuro, pardo (diz-se esp. de gado): "...bois... com as cores mais achadas e impossíveis: pretos, fuscos, retintos, gateados..." (Guimarães Rosa, "O burrinho pedrês" *in Sagarana*) **2** Fosco, escuro, sem brilho: "...Ao foco da lanterna, no pouco lusco e muito fusco..." (Guimarães Rosa, *Estas estórias*) **3** *Fig.* Triste, melancólico [F.: Do lat. *fuscus, a, um.*]

⊕ **fuseau** (*Fr.*/*fisô*/) *sm. Vest.* Calça feminina justa, esportiva, originalmente de malha, cujas pernas ger. são presas por alças que passam por baixo dos pés

fuselagem (fu.se.*la*.gem) *sf. Aer.* O corpo de serviço do avião, a estrutura na qual ficam passageiros, tripulação e carga e à qual se fixam as asas da aeronave [Pl.: *-gens.*] [F.: Do fr. *fuselage.*]

◎ **fus(i)-** *pref.* = fuso: *fusiforme, fusologia*

fusibilidade (fu.si.bi.li.*da*.de) *sf.* Qualidade do que é fusível, do que pode fundir-se ou derreter-se [F.: *fusível* (sob o rad. *fusibil-*) + *-(i)dade*, seg. o mod. erudito.]

fusiforme (fu.si.*for*.me) *a2g.* Que tem forma de fuso; AFUSADO [F.: *fus(i)-* + *-forme.*]

fusionar (fu.si:o.*nar*) *v. Rel.* Realizar fusão de; FUNDIR [*td.*: *A família fusionou seus negócios.*] [*tdr.* + *com, em*: *Fusionou sua empresa com a do irmão; Eles fusionaram suas firmas numa só corporação.*] [▶ 1 fusionar] [F.: *fusão* + *-ar²*, segundo o padrão erudito.]

fusível (fu.*sí*.vel) *a2g.* **1** Que pode ser fundido *sm.* **2** *Bras. Eletr.* Dispositivo que protege sistemas elétricos por meio da fusão de um ou mais dos seus elementos, sob efeito da elevação anormal de temperatura na sobrecarga de eletricidade [Pl.: *-veis.*] [F.: Do rad. lat. *fus-* (do lat. *fusus, a, um*, 'fundido') + *-ível.*]

◎ **fus(o)-** *pref.* = Ver *fus (i)-*

fuso (*fu*.so) *sm.* **1** Pequena bobina sobre a qual se torce e enrola o fio durante o processo de fiar **2** Dispositivo em torno do qual se enrola a corda do relógio **3** *Cit.* Conjunto de filamentos surgidos durante a divisão celular, que orientam os cromossomos no decorrer da divisão **4** *Geom.* Parte da esfera compreendida entre semicírculos maximais **5** *Mec.* Qualquer parte cilíndrica giratória de uma máquina, ferramenta, destinada a suportar a peça a ser usinada **6** *Bras. N.E.* Nas casas de farinha, parafuso de madeira que faz subir e descer, no arrocho, a rosca da vara [F.: Do lat. *fusus, i.*] ■ **~ acromático** *Gen.* Agrupamento de fibras de proteína que, numa divisão celular, distribuem os cromossomos entre as duas novas células **~ astral** *Cit.* Fuso (3) em que existe um áster (em forma radial, convergente) **~ esférico** *Geom.* Parte da superfície de uma esfera limitada por dois planos em angulo que partem de um diâmetro da esfera **~ horário** Cada uma das 24 faixas de latitudes em que se divide convencionalmente a Terra, e na qual hora oficial é a mesma

> 🕮 Os convencionados 24 fusos esféricos da superfície terrestre são limitados, cada um, por meridianos a 15o um do outro, tais que (em alguns deles com alterações no desenho de seus limites, não confinados exatamente aos do meridiano) em todos os seus pontos prevalece a mesma hora legal. [Dessa forma, a cada 15o para leste a hora legal avança em uma hora.].

fusologia (fu.so.lo.*gi*.a) *sf. Astnáut.* Conjunto de conhecimentos a respeito da tecnologia de foguetes e mísseis [F.: *fus(o)-* + *-logia.*]

fusólogo (fu.*só*.lo.go) *sm. Astnáut.* Pessoa especializada em fusologia [F.: *fus (o)-* + *-logo.*]

fusquinha (fus.*qui*.nha) *sm. Bras. Pop.* Ver *fusca* [F.: *fusca* + *-inha.*]

fustão (fus.*tão*) *sm.* Tecido de algodão, linho, seda ou lã que apresenta relevos no lado direito [Pl.: *-tões.*] [F.: De or. contrv.]

fuste (*fus*.te) *sm.* **1** Haste, cabo **2** *Arq.* Parte da coluna entre o capitel e a base **3** *Eciv.* Parte vertical do tubulão que liga sua base ao bloco de ancoragem na superfície **4** *Bot.* Parte do tronco de uma árvore entre o solo e o primeiro galho grosso: "...um jequitibá-vermelho empenujado de liquens e roliço de fuste, que vai liso até vinte metros de altitude..." (Guimarães Rosa, "São Marcos" *in Sagarana*) **5** *Mil.* Haste de madeira em que engasta o ferro da lança ou do chuço, ou em que se fixa o cano das armas de fogo **6** *Mús.* O corpo do tambor [F.: Do lat. *fustis, is.*]

fustigação (fus.ti.ga.*ção*) *sf.* **1** Ação ou resultado de fustigar **2** *Med.* Tratamento que consiste na aplicação de faíscas elétricas sobre o corpo [Pl.: *-ções.*] [F.: *fustigar* + *-ção.*]

fustigado (fus.ti.*ga*.do) *a.* **1** Que se fustigou ou açoitou (animal fustigado) **2** *Fig.* Que se maltratou ou castigou: *região fustigada por furacões.* **3** *Fig.* Que se instigou ou estimulou: *um time fustigado pela torcida.* [F.: Part. de *fustigar.*]

fustigador (fus.ti.ga.*dor*) [ô] *a.* **1** Ver *fustigante sm.* **2** Aquele ou aquilo que fustiga [F.: *fustigar* + *-dor.*]

fustigante (fus.ti.*gan*.te) *a2g.* Que fustiga (vento fustigante); FUSTIGADOR [F.: *fustigar* + *-nte.*]

fustigar (fus.ti.*gar*) *v. td.* **1** Bater com força em; AÇOITAR: *O homem fustigou o cavalo.* **2** *Fig.* Maltratar, castigar: *A saudade fustiga a alma; O vento fustigava as árvores.* **3** Instigar, estimular: *O desafio fustiga os atletas.* **4** *Fig.* Provocar reação física ou psicológica; EXCITAR: *O mais velho contava suas proezas sexuais, fustigando a imaginação dos meninos.* [▶ 14 fustigar] [F.: Do lat. tard. *fustigare.*]

fute (*fu*.te) *sm. Bras. Pop.* O diabo: "Satanás esperava com prazer apoderar-se da alma do infeliz. (...) Ao avistá-lo o fute falou assim:..." (Gustavo Barroso, *Ao som da viola*) [F.: De or. contrv.]

futebol (fu.te.*bol*) *sm.* **1** *Esp.* Esporte e jogo disputado por duas equipes de 11 jogadores cada uma, num campo que possui dois gols (balizas retangulares marcadas por duas traves verticais e uma horizontal que as une a uma certa altura), e cuja finalidade é, sem usar as mãos, fazer com que a bola entre no gol do adversário: "...quem negará ao futebol esse condão da catarse circense..." (Oswald de Andrade, *Ponta de lança*) **2** *Fig.* Técnica, estilo de jogar futebol: *O futebol dele é muito sofisticado, cerebral; O futebol brasileiro prima pela técnica individual e pela capacidade de improvisação.* **3** O conjunto das entidades, clubes, jogadores, técnica, estilo etc. que compõem e caracterizam a prática do esporte em um certo lugar ou uma certa época: *o futebol brasileiro contemporâneo.* [F.: Do ing. *football.*] ■ **~ americano** *Esp.* Esporte originário dos Estados Unidos, disputado entre duas equipes de onze jogadores que marcam pontos ao atravessarem a linha de chegada no campo adversário com a bola oval do jogo, ou, chutando-a, a fazem passar entre as traves de uma baliza. [Em ing. *football*] **~ de areia** *Esp.* Modalidade de futebol praticada na areia, com 6 jogadores em cada time e com regras diferentes das do futebol **~ de botão/botões** Jogo que simula o de futebol, disputado numa mesa ou prancha com cerca de 2 x 1,2 m, marcada como um campo de futebol em miniatura, por dois jogadores que dispõem, cada um, de 10 botões que representam os jogadores e um bloco (ou caixa de fósforos com um peso dentro) como goleiro. Os botões são acionados por meio de palhetas, ou com a unha, e a bola é feita de cortiça, papel prateado compactado, ou outro material; jogo de botão: *passamos hora jogando botão.* [Informalmente, tb. apenas *botão.*] **~ de mesa** *Esp.* Nome oficial do futebol de botão no Brasil, praticado como esporte de competição **~ de praia** *Esp.* Variante do futebol de areia. [Em ing.: *beach-soccer.*] **~ de salão** *Esp.* Futsal **~ society** *Esp.* Esporte semelhante ao futebol, praticado em campo menor (c. 50x30m) por sete jogadores de cada lado **~ totó** *Bras.* Jogo que simula o de futebol, disputado por 2 ou 4 jogadores que manipulam bonecos fixados em varetas de madeira que atravessam transversalmente o campo (uma caixa de madeira), de modo que estes atinjam uma bolinha, para fazê-la entrar por uma abertura num receptáculo que representa o gol. [Tb. se diz *pebolim*; *totó*; *Lus. matraquilhos.*]

> 🕮 O mais popular dos esportes no mundo parece ter-se originado na China no século III, mas só ganhou popularidade na Inglaterra medieval (quando se jogava com os pés e com as mãos). Em 1846 a Universidade de Cambridge publicou o primeiro regulamento, e em 1863 fundou-se a liga dos que praticavam o esporte usando apenas os pés. A FIFA Federação Internacional de Futebol Association) foi criada em 1904, e desde então é a responsável pelas regras, pela Copa do Mundo (a partir de 1930) e por outros torneios internacionais. A primeira partida de futebol no Brasil foi em 1895. Desde então o Brasil tem-se destacado como uma das principais arenas de futebol no mundo, tendo conquistado muitos títulos, entre os quais o de pentacampeão mundial (1958 na Suécia, 1962 no Chile, 1970 no México, 1994 nos Estados Unidos, 2002 no Japão e na Coreia do Sul).

futebolista (fu.te.bo.*lis*.ta) *a2g.* **1** Que joga futebol **2** Apaixonado por futebol *s2g.* **3** Jogador de futebol [F.: *futebol* + *-ista.*]

futebolístico (fu.te.bo.*lís*.ti.co) *a.* Ref. a ou próprio de futebol (debate futebolístico) [F.: *futebolista* + *-ico²*.]

futebol-soçaite (fu.te.bol-so.*çai*.te) *sm. Esp.* Modalidade de futebol praticada em campo menor, com times de 6 a 8 jogadores e regras específicas [Pl.: *futebóis-soçaite, futebóis-soçaites.*]

futevôlei (fu.te.*vô*.lei) *sm. Esp.* Futebol jogado ger. na praia, em uma quadra de vôlei, e cujo objetivo é, sem usar as mãos, fazer a bola passar por cima da rede e cair no piso do campo contrário, e ao mesmo tempo impedir que a bola toque o piso de seu próprio campo [F.: *fute(bol)* + *vôlei.*]

fútil (*fú*.til) *a2g.* **1** Que se ocupa de ou pensa apenas em coisas desimportantes, superficiais, em futilidades, frivolidades (pessoa fútil) **2** Sem importância, valor ou relevância (conversa fútil); INSIGNIFICANTE; DESIMPORTANTE **3** Que não tem profundidade, conteúdo (história fútil) **4** Que não tem fundamento, base, razão (preconceitos fúteis) **5** *Jur.* Diz-se de motivação de crime considerada não razoável por ser desproporcional à gravidade do ato cometido (motivo fútil) **6** *Med.* Que não tem boa probabilidade de ser bem-sucedido (diz-se de tratamento, terapia etc.) [Pl.: *-teis.*] *s2g.* **7** Pessoa fútil (1) [F.: Do lat. *futilis, e.* Sin. nas acps. 1 a 4 e 7: *frívolo.*]

futilidade (fu.ti.li.*da*.de) *sf.* **1** Qualidade ou caráter do que é fútil **2** Qualidade, caráter ou característica de quem se ocupa de coisas desimportantes, superficiais, frívolas **3** Coisa insignificante, sem valor, mérito, valia etc.; aquilo de que se ocupa uma pessoa fútil, frívola: "...a ler as farfalharias e futilidades românticas da escola francesa..." (Arnaldo Gama, *Última dona*) [F.: Do lat. *futilitas, atis.* Sin. ger.: *frivolidade.*]

⊕ **futon** (*Jap.* /*futon*/) *sm.* Tipo de estofado natural, ger. de puro algodão, us. como colchão, coberta, almofada, sofá etc., que se acredita capaz de favorecer o fluxo de energia corporal e dar boa sustentação à coluna

futre (*fu*.tre) *sm.* **1** *Pop.* Pessoa reles, desprezível; BANDALHO **2** Pessoa sovina, mesquinha *a.* **3** Que é reles, miserável, mesquinho [F.: Do fr. *foutre.*]

futrica (fu.*tri*.ca) *sf.* **1** *Bras. Pop.* Botequim, baiuca **2** *Bras. Pop.* Dito impertinente; PILHÉRIA **3** Intriga, mexerico *sm.* **4** Designação depreciativa que os estudantes de Coimbra davam aos trabalhadores das classes pobres: "...Bacharéis são os políticos, os oradores, os poetas... Futricas são os carpinteiros, os trolhas, os cigarreiros..." (Eça de Queirós, *O conde de Abranhos*) [F.: *futre* + *-ica*, fem. de *-ico¹*, posv.] ■ **Trajar à ~** *Lus.* Vestir-se à paisana, vestir roupas comuns

futricar (fu.tri.*car*) *v.* **1** *Bras. Pop.* Fazer futrica, intriga, fofoca; FUXICAR [*int.*] **2** *Bras.* Remexer em (algo); FUTUCAR **3** *Pop.* Fazer trapaça em negócios [*int.*: *É um vendedor desonesto, que sempre futrica.*] **4** *Bras. Pop.* Tratar (alguém) de modo impertinente, inoportuno [*td.*] **5** *Bras. Pop.* Prejudicar, atrapalhar (algo ou alguém) [*td.*: *Esse imbecil futricou o meu plano!*] [▶ 11 futricar] [F.: *futrica* + *-ar.* Hom./Par.: *futrica(s)* (fl.), *futrica* (sf. e pl.); *futrico* (fl.), *futrico* (sm.); *futicar* (todos os tempos do v.).]

futrico (fu.*tri*.co) *sm.* **1** *Bras. Pop.* Intriga, mexerico, fuxico **2** *CE Pop.* O diabo [F.: Dev. de *futricar*. Hom./Par.: *futrico* (fl. de *futricar*).]

futriqueiro (fu.tri.*quei*.ro) *Pop. a.* **1** Diz-se de pessoa que faz intrigas ou fuxicos **2** Diz-se de pessoa que compra e vende futricas ou quinquilharias *sm.* **3** Qualquer uma dessas pessoas **4** Loja de quinquilharias [F.: *futrico* (*-c-* > *-qu-*) + *-eiro.*]

futsal (fut.*sal*) *sm. Esp.* Futebol jogado em quadra pequena com cinco jogadores em cada time; FUTEBOL DE SALÃO [Pl.: *-sais.*] [F.: F. red. de *fut(ebol de) sal(ão).*]

> 🕮 Este esporte começou a ser praticado por volta de 1940, em São Paulo, por jovens que improvisavam peladas em quadras de basquete e hóquei, devido à falta de campos de futebol nas áreas urbanas. Tornou-se bastante popular no Brasil, e espalhou-se pelo mundo. As regras são parecidas com as do futebol, com as necessárias adaptações ao campo de assoalho duro, dimensões menores, bola menor etc. A seleção brasileira de futsal, além de vários títulos em outras categorias, foi, na categoria adulta, várias vezes campeã mundial, pan-americana e sul-americana; a seleção feminina foi campeã sul-americana no único campeonato já disputado, em 2005.

futucar (fu.tu.*car*) *v.* **1** *Bras.* Introduzir (o dedo ou objeto fino e pontudo) em (orifício) [*td.*: *Futucar o nariz.*] [*tdr.* + *com*: *Futucou a cárie com o palito.*] **2** Mexer ou bulir com insistência em (ferida, machucado, parte do corpo etc.) [*td.*] **3** Mexer e remexer em (algo), por curiosidade [*td.*: *Futucava as gavetas.*] **4** O mesmo que *futicar* [*td.*] **5** *Fig.* Recordar, relembrar [*td.*: *Vivia futucando o passado.*] [▶ 11 futucar]

futurismo (fu.tu.*ris*.mo) *sm.* **1** *Art.pl. Liter.* Movimento artístico surgido na Itália no início do séc. XX que combatia os valores tradicionais e exaltava um futuro dominado pela tecnologia: "...Caracterizado por um anárquico individualismo, o futurismo com o tempo passou a ser identificado com o fascismo..." (Luís Paulo Vasconcelos, *Dicionário de teatro*) **2** *P.ext.* Qualquer forma excêntrica, extravagante de arte **3** *P.ext. Fig.* Concepção ou representação futurista de algo [F.: *futuro* + *-ismo.*]

futurista (fu.tu.*ris*.ta) *a2g.* **1** Ref. ao futurismo **2** *Fig.* Excêntrico, diferente; MODERNO **3** *P.ext. Fig.* Próprio dos tempos futuros ou da concepção que se tem destes *s2g.* **4** Adepto do futurismo [F.: *futurismo* + *-ista*, seg. o mod. gr.]

futurístico (fu.tu.*rís*.ti.co) *a.* Ref. a ou próprio do futurismo (projeto futurístico) [F.: *futurista* + *-ico²*.]

futuro (fu.*tu*.ro) *sm.* **1** O tempo que ainda virá: "...O homem, filho do tempo, reparte com o mesmo tempo ou o seu saber ou a sua ignorância; do presente, sabe pouco; do passado, menos; e do futuro nada..." (Antônio Vieira, *História do futuro*) **2** *Fig.* Destino, realização pessoal **3** *Fig.* Existência que está por vir: *Ela já tem quem cuide de seu futuro; O futuro da humanidade está em nossas mãos.* **4** *Gram.* Tempo verbal utilizado para indicar fatos certos ou prováveis a ocorrer em momento posterior ao que se fala; FUTURO DO PRESENTE *a.* **5** Que está por vir (tempos futuros) **6** Ref. ao, ou próprio do futuro (1) **7** Diz-se de alguém ou de alguma coisa, ou de sua posição, de seu estado num tempo que está por vir (futura esposa; futuro médico/futuro sócio/negócio) [F.: Do lat. *futurum, i.*] ■ **~ anterior** *Gram.* Ver *Futuro do pretérito* **~ do presente** *Gram.* Na NGB (Nomenclatura Gramatical Brasileira), tempo verbal do modo indicativo que enuncia ação ou estado em tempo posterior ao momento de enunciação. [Ex.: *andarei, terei andado.*] **~ do pretérito** *Gram.* Na NGB, tempo verbal do modo indicativo que enuncia ação ou estado em tempo futuro em relação a momento passado, ou uma condição hipotética ou irrealizável. [Ex.: *andaria, teria andado.*] **~ do subjuntivo** *Ling.* Na NGB, tempo verbal no modo subjuntivo que, em orações subordinadas, enuncia ação ou estado futuro em relação ao momento do enunciado, mas expressando hipótese, condição etc. [Ex.: *Se chover, não irei*; *Quando você tiver terminado,* avise-me.] **De ~ 1** Em tempo ainda por vir; futuramente: *Prometeu que, de futuro, não repetiria os erros do passado.* **2** Diz-se de pessoa que tem características que fazem prever sucesso, boas realizações, etc. (em geral, ou em certo tipo de atividade): *um jovem de futuro; um profissional de futuro.* **3** Diz-se de algo para o qual se prevê progresso ou desenvolvimento futuro **Do ~** Us. para predizer que algo ainda pouco desenvolvido terá grande importância social: *Afirmou que a engenharia genética é a ciência do futuro.* **Ter ~** Ter ótimas possibilidades ou perspectivas de progredir, desenvolver-se, ser bem-sucedido

futurologia (fu.tu.ro.lo.*gi*.a) *sf.* Especulação sobre o futuro com base nos conhecimentos do presente [F.: *futuro* + *-logia*.]

futurológico (fu.tu.ro.*ló*.gi.co) *a.* Ref. à futurologia [F.: *futurologia* + *-ico²*.]

futurologista (fu.tu.ro.lo.*gis*.ta) *a2g.* **1** Ref. a, ou próprio da futurologia (abordagem futurologista) **2** Diz-se de pessoa que se especializou em futurologia *s2g.* **3** Essa pessoa [F.: *futurologia* + *-ista*.]

futurólogo (fu.tu.*ró*.lo.go) *sm.* Especialista em futurologia [F.: *futuro* + *-logo*.]

futuroso (fu.tu.*ro*.so) [ô] *a.* Que tem bom futuro; AUSPICIOSO; PROMISSOR: *futuroso setor da produção.* [Pl.: [ó]. Fem.: [ó].] [F.: *futuro* + *-oso*.]

fuxicação (fu.xi.ca.*ção*) *Bras. Pop. sf.* **1** Ação ou resultado de fuxicar, de remexer **2** Comentário ou boato, ger. desleal, baseado em suposições; FOFOCA; INTRIGA **3** Ação ou resultado de encostar-se em alguém com fins libidinosos; BOLINAÇÃO; BOLINAGEM [Pl.: *-ções*.] [F.: *fuxicar* + *-ção*.]

fuxicar (fu.xi.*car*) *Bras. v.* **1** Fazer fuxico, intriga; FUTRICAR [*int.*: *As vizinhas fuxicavam no portão.*] **2** Remexer em (algo) por curiosidade ou à procura de alguma coisa [*td.*: *Foi surpreendido fuxicando o armário do avô.*] [*int.*: *Passa o dia fuxicando.*] **3** Costurar com grandes pontos; ALINHAVAR [*td.*: *Vovó fuxica as roupas dos netos.*] **4** Amarrotar, amarfanhar [*td.*: *Fuxicou a roupa de qualquer jeito dentro do armário.*] **5** Tocar, bulir em (algo ou alguém) [*td.*: *Tem a mania de fuxicar os outros com os dedos.*] [*int.*: *Só sabe conversar fuxicando.*] **6** Fazer (alguma coisa) de maneira improvisada e às pressas [*td.*: *Quando chegou do trabalho, fuxicou o jantar.*] [▶ **11** fuxicar] [F.: Var. de *futicar*. Hom./Par.: *fuxicaria(s)* (fl.), *fuxicaria(s)* (sf.[pl.]); *fuxico* (fl.), *fuxico* (sm.); *fuxicar*, *fujicar* (em todas as fl.).]

fuxico (fu.*xi*.co) *Bras. sm.* **1** *Pop.* Intriga, mexerico, fofoca: "Comigo é no verdadeiro. Este negócio de fuxico, de galinhagem de mulher, não é para homem do meu quilate..." (José Lins do Rêgo, *Fogo morto*) **2** Roseta feita com pequenos pedaços de pano **3** *Pop.* Namoro escandaloso [F.: Dev. de *fuxicar*. Hom./Par.: *fuxico* (sm.), *fuxico* (fl. de *fuxicar*).]

fuxiqueiro (fu.xi.*quei*.ro) *Bras. Pop. a.* **1** Que faz fuxicos *sm.* **2** Pessoa que faz fuxicos [F.: *fuxico* + *-eiro*.]

fuzarca (fu.*zar*.ca) *Bras. Pop. sf.* **1** Farra ruidosa **2** Desordem, confusão [F.: De or. express., posv.]

fuzarquear (fu.zar.que.*ar*) *v. int. Bras. Pop.* Entrar na fuzarca, na farra: *Vamos fuzarquear, pessoal!* [▶ **13** fuzarquear] [F.: *fuzarca* + *-ear*.]

fuzarqueiro (fu.zar.*quei*.ro) *Bras. Pop. a.* **1** Diz-se de pessoa que promove ou gosta de fuzarca *sm.* **2** Essa pessoa [F.: *fuzarca* (-c > -qu-) + *-eiro*. Sin. ger.: *farrista*.]

fuzil (fu.*zil*) *sm.* **1** Arma de fogo de repetição, automática e de cano longo, semelhante a uma espingarda **2** Peça de arma de fogo em que se tira lume da pederneira **3** Anel de corrente, elo: "...primeiro fuzil de uma cadeia de misérias..." (Aquilino Ribeiro, *Servo de Deus*) **4** *Fig.* Relâmpago [Pl.: *-zis*.] [F.: Do fr. *fusil*.]

fuzilada (fu.zi.*la*.da) *sf.* **1** Ação ou resultado de fuzilar **2** Quantidade de tiros de fuzil ou de outra arma de fogo **3** Pancada de fuzil em pedra para produzir faíscas **4** Série de relâmpagos em pontos diferentes, observados ao longe [F.: Do fr. *fusillade*.]

fuzilado (fu.zi.*la*.do) *a.* Assassinado ou executado com tiros de fuzil ou de outra arma de fogo [F.: Part. de *fuzilar*.]

fuzilamento (fu.zi.la.*men*.to) *sm.* **1** Ação ou efeito de fuzilar **2** *Mil.* Execução de um condenado à morte por um pelotão militar **3** *Fig.* Morte por muitos tiros de arma de fogo [F.: *fuzilar* + *-mento*.]

fuzilante (fu.zi.*lan*.te) *a2g.* Que fuzila, que lança clarões ou raios luminosos (olhos fuzilantes); FAISCANTE [F.: *fuzilar* + *-nte*.]

fuzilar (fu.zi.*lar*) *v.* **1** Matar com tiros de fuzil ou outra arma de fogo [*td.*: *Fuzilaram os bandidos.*] **2** *Fig.* Assediar, fustigar [*tdr.* + *com*: *Fuzilou a mulher com uma saraivada de perguntas.*] **3** Lançar carga elétrica na atmosfera; RELAMPEJAR; TROVEJAR [*int.*: *Os trovões fuzilavam sucessivamente.*] **4** Lançar reflexos de luz [*int.*: *A lâmina do punhal fuzilava sob a luz do refletor*; "Inda ronca o trovão retumbante, /Inda o raio fuzila no espaço." (Gonçalves Dias, *A tempestade*)] **5** *Fig.* Lançar (lampejos de luz, ou como se os fossem) à maneira de raios ou cintilações [*td.*: *Seus olhos fuzilavam ameaças.*] [*int.*: *O olhar dele fuzilava.*] **6** *Fut.* Chutar a gol com violência [*td.*: *Fuzilou o goleiro num chute cara a cara.*] **7** *Bras. Pop.* Correr ou fugir desabaladamente [*int.*: *O ladrão fuzilou pela mata e desapareceu.*] [▶ **1** fuzilar] [F.: *fuzil* + *-ar²*. Hom./Par.: *fuzilaria(s)* (fl.), *fuzilaria(s)* (sf.[pl.]).]

fuzilaria (fu.zi.la.*ri*.a) *sf.* **1** Série de tiros de fuzil ou de outra arma de fogo disparados ao mesmo tempo: "debaixo de fuzilarias rolantes – eram um batalhão de jagunços" (Euclides da Cunha, *Os sertões*) **2** *Fig.* Tiroteio **3** *Fig.* Grande quantidade [F.: *fuzil* + *-aria*.]

fuzileiro (fu.zi.*lei*.ro) *sm.* **1** Soldado armado de fuzil **2** *Bras. Mar.* Militar de corporação especial destinada a realizar desembarques à viva força, oferecer serviço de proteção em estabelecimento de terra etc. [F.: *fuzil* + *-eiro*.] **~ naval** *Bras. Mar.G.* Membro do corpo de infantaria da Marinha de Guerra. [Tb. apenas *fuzileiro*]

fuzuê (fu.zu.*ê*) *sm.* **1** *Bras. Pop.* Confusão, balbúrdia: *O fuzuê na entrada do clube atraiu até a polícia.* **2** Folia ruidosa, com música e dança [F.: De or. contrv.]

Os fenícios e demais povos semitas usavam uma forma gráfica simples para representar tanto o *c* quanto o *g* e chamavam-na *gimel*. Quando foi adotado pelos gregos, o *gimel* recebeu o nome de *gama* e sofreu algumas alterações em seu desenho. O *gama* foi empregado ainda pelos etruscos e pelos romanos, que foram os responsáveis pela diferenciação dos dois sons. A forma de *c* passou a designar o som de *k* ou de *s*, como em "casa" ou "cesta", e um pequeno traço foi acrescentado à letra para designar o som de *g*.

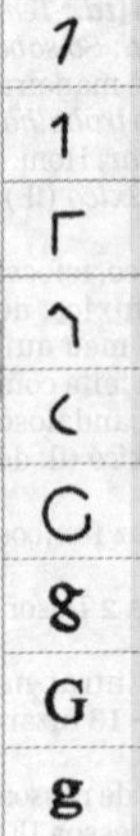

Fenício
Grego
Grego
Etrusco
Romano
Romano
Minúscula carolina
Maiúscula moderna
Minúscula moderna

g¹ [gê] *sm.* **1** A sétima letra do alfabeto **2** A quinta consoante do alfabeto ***num.*** **3** A sétima unidade numa série qualquer representada pelas letras do alfabeto (poltrona G)
⊠ **g²** Símb. de *grama*
gabação (ga.ba.*ção*) *sf.* Ação ou resultado de gabar; ELOGIO; GABADELA; GABAMENTO; GABO; JACTÂNCIA; VANGLÓRIA [Pl.: *-ções.*] [F.: *gabar* + *-ção.*]
gabado (ga.*ba*.do) *a.* **1** De que se fala bem; ELOGIADO; ENALTECIDO: *Ovo gabado, ovo gorado.* **2** Que tem fama, que é muito comentado; AFAMADO [Ant.: *desgabado.*] [F.: Part. de *gabar.*]
gabar (ga.*bar*) *v.* Fazer grandes ou demasiados elogios a algo ou alguém, inclusive a si mesmo [***td.***: *O homem gabava muito seu filho; Presunçoso, vivia se gabando.*] [***tdr.*** + *de*: *Gabava-se de ser o melhor desenhista da editora.*] [▶ **1** gaba**r**] [F.: Do escandinavo *gabb*, 'mentira', pelo fr. *gaber* e pelo ant. provençal *gabar.* Tb. *gavar.*]
gabardina (ga.bar.*di*.na) *sf.* Ver *gabardine*
gabardine (ga.bar.*di*.ne) *sf.* **1** Tecido resistente, de lã, algodão ou fibra sintética, us. para fazer ternos, calças, capas de chuva **2** *P. ext.* Capa de chuva feita desse tecido, impermeabilizado: *Vestiu sua gabardine e saiu na noite chuvosa.* [F.: De or. contrv., posv. do espn. *gabardina.* Tb. *gabardina.*]
gabardo (ga.*bar*.do) *sm. Vest.* Capote que tem cabeção e mangas; GABINARDO [F.: De or. obsc. Cf. *gabardine, gabardina.*]
gabaritado (ga.ba.ri.*ta*.do) *a. Bras. Pop.* Que é de gabarito, que tem ou apresenta qualificação suficiente para o exercício de uma atividade; PREPARADO: *Só trabalha com gente gabaritada.* [F.: Part. de *gabaritar.*]
gabaritar (ga.ba.ri.*tar*) *v.* **1** Acertar todas as questões de (teste, exame de múltipla escolha) (ou seja, dar respostas que coincidem com as do gabarito [4] de correção) [***td.***: *No vestibular, poucos são os que gabaritam a prova.*] [***int.***: *Estudou muito para o exame, e acha que pode gabaritar.*] **2** Adequar (algo, alguém) a um padrão, a um gabarito [***td.***: *Apesar dos avanços na robótica, não se podem gabaritar completamente seres humanos ou comportamentos.*] **3** Tornar (alguém) apto (para algo); HABILITAR [***td.***: *Organizaram cursos para gabaritar os funcionários.*] [***tdr.*** + *a, para*: *O curso vai gabaritá-los a/para um bom desempenho na profissão.*] [▶ **1** gabarita**r**] [F.: *gabarito* + *-ar²*. Hom./Par.: *gabarito* (fl.), *gabarito* (sm.).]
gabarito (ga.ba.*ri*.to) *sm.* **1** Paradigma ou limite que se deve observar ao se executar uma obra de arquitetura ou engenharia: *O gabarito máximo dos edifícios do bairro é de vinte andares.* **2** Padrão a que se deve obedecer na confecção de peças, na distância entre os trilhos de trem ou bonde, entre as calçadas de uma rua etc. **3** Instrumento us. para verificar essa medida **4** *Bras.* O conjunto das respostas corretas às questões de uma prova **5** Bom nível de qualidade, de capacidade profissional; CATEGORIA: *Eram professores de alto gabarito.* [F.: Do fr. *gabarit.*]
gabarola (ga.ba.*ro*.la) [ó] ***a2g.*** **1** Ver *gabola* ***s2g.*** **2** Ver *gabola* [Aum.: *gabarolão.*] [F.: *gabar*+ *-ola.*]
gabarolice (ga.ba.ro.*li*.ce) *sf.* Ver *gabolice* [F.: *gabarola* + *-ice.*]
gabarra (ga.*bar*.ra) *sf.* **1** *Mar.* Embarcação a vela e remos, de fundo chato, para carga e descarga nos portos; ALVARENGA; BARCAÇA; BATELÃO **2** *GO MA PA PI* Canoa de grande porte us. para transporte de gado **3** Rede de arrasto [F.: Do gr. *káràbos.*]
gabarro (ga.*bar*.ro) *sm. Vet.* Abscesso que dá nos cascos das cavalgaduras, e se manifesta como resultado da febre aftosa; GAVARRO [F.: Do espn. *gabarro.*]
gabião (ga.bi.*ão*) *sm.* **1** Estrutura flexível feita de tela de arame com que se revestem taludes, canais, estradas etc., de forma livre, argamassada ou concretada para protegê-los da erosão: "A proposta da prefeitura para tentar conter essas enchentes consiste, resumidamente, em alargar a calha do ribeirão num percurso de 1.300 m, para melhorar sua vazão, e conter as margens colocando gabião (conjunto de pedras revestido por tela metálica)." (*Jornal Manuelzão 32*) **2** *Hist. Mil.* Cesto cilíndrico, sem fundo, cheio de terra, pedra, galhos etc., que servia de proteção antigamente nas guerras de trincheira; CESTÃO **3** Cesto grande, com alças, em que se faz o transporte adubo, esterco, terra etc. **4** Cesto de vindimar [Pl.: *-ões.*] [F.: Do fr. *gabion.*]
gabinete (ga.bi.*ne*.te) [ê] *sm.* **1** Cômodo isolado de uma casa, ger. para trabalho e estudo **2** Esse tipo de espaço ocupado por funcionário dirigente, em instituição ou empresa: *Recebeu o repórter em seu gabinete.* **3** Espaço separado e discretamente isolado em restaurante, vagão etc., para proporcionar privacidade a seus ocupantes **4** Equipe formada por ministros, secretários e outros integrantes de um governo; ministério: *O gabinete parlamentarista não durou dois anos.* **5** *Inf.* Caixa metálica que envolve e protege as peças principais de um computador (placas, *drives* etc.) **6** *Bras.* Estrofe de dez versos decassílabos comum na poesia dos cantadores nordestinos **7** *Bras. Pop.* Pequeno recinto com vaso sanitário; BANHEIRO; CASINHA; QUARTINHO; WC **8** Laboratório (gabinete de química) **9** *Teat.* O conjunto dos cenários que representam interiores [F.: Do fr. *cabinet.*] ▪ **~ de leitura 1** Biblioteca pública **2** No séc. XIX, casa onde se podiam ler e alugar livros, jornais etc.
gabiroba (ga.bi.*ro*.ba) *sf.* **1** *Bot.* Denominação comum a árvores e arbustos da fam. das mirtáceas, encontráveis nos estados SP, MG, BA, GO, TO e no DF, que têm frutos arredondados, semelhantes a goiabas pequenas, amarelo-esverdeados quando maduros, carnosos, suculentos e muito apreciados; GABIROBEIRA **2** *Bot.* Esse fruto **3** *Bot.* Ver *araçá-felpudo* **4** *SP Dnç. Mús.* Dança do fandango que se parece com o cateretê **5** *Bras. Pop.* Pedaço de pau, toco de madeira **6** *Bras. Pop.* Pancada dada com toco de madeira [F.: Do tupi *ïwaweráwa.* Sin. das acps. 1 e 2: *gabirova, gavirova, guabiraba, guabiroba, guabirova, guavirova.*]
gabiru (ga.*bi*.ru) *Pop. sm.* **1** Pessoa desajeitada e acanhada **2** Aquele que age com esperteza, com malandragem; TRAPACEIRO; TRAMBIQUEIRO **3** Aquele que é brincalhão, travesso **4** Pessoa que vive do jogo; JOGADOR **5** Homem que vive a conquistar ou tentar conquistar mulheres; MULHERENGO **6** *Bras. Zool.* Ver *rato* (*Rattus spp.*) **7** *P. ext.* Ladrão de pequenos furtos, rato; guabiru; GATUNO ***a.*** **8** Que tem características de ou se comporta como um gabiru (1 a 5 e 7) [F.: De or. contrv. Ver etimologia da variante *guabiru.*]
gabo (*ga*.bo) *sm.* **1** Ação de gabar; ELOGIO; GABAÇÃO; LOUVOR: "Era raro o oficial que não me pedia uma notícia, um elogio, um gabo ao relatório da sua última comissão" (Lima Barreto, *Recordações do escrivão Isaías Caminha*) **2** Atitude prepotente e/ou vaidosa; ARROGÂNCIA; PRESUNÇÃO [F.: Dev. de *gabar.*]
gabola (ga.*bo*.la) ***a2g.*** **1** Que se gaba dos próprios feitos ou exalta as próprias qualidades; gabarola; FANFARRÃO ***s2g.*** **2** Aquele que se gaba dos próprios feitos ou exalta as próprias qualidades; gabarola; FANFARRÃO [F.: *gabar* + *-ola.*]
gabolice (ga.bo.*li*.ce) *sf.* Comportamento ou ato de gabola; gabarolice; FANFARRONICE [F.: *gabola* + *-ice.*]
gabonense (ga.bo.*nen*.se) ***s2g.*** **1** Indivíduo nascido ou que vive no Gabão (África) ***a2g.*** **2** Do Gabão; típico desse país ou de seu povo [F.: Do top. *Gabão* (sob a f. *gabon-*) + *-ense*, seg. o mod. erudito. Sin. ger.: *gabonês.*]
gacheiro (ga.*chei*.ro) *a.* **1** *Bras. N.E.* Que está com o corpo encolhido; ACAÇAPADO; AGACHADO: "Ao anoitecer, de um alto por onde passava o caminho antes de sair da mata que cercava o engenho pelo lado do sul, viu ele um homem correr gacheiro e cauteloso pelo aceiro afora, e entrar adiante no canavial" (Franklin de Oliveira, *O cabeleira*) [Nesta abonação, pode-se entender tb. como adv.: *gacheiramente, cautelosamente.*] **2** *PB Pop.* Diz-se de espaço estreito; APERTADO [F.: *gacho* + *-eiro.*]
gacho (*ga*.cho) *a.* **1** Que está encurvado ou inclinado para baixo **2** *RS GO* Que tem as aspas voltadas para baixo (diz-se de bovino) *sm.* **3** *GO RS* A parte posterior do cachaço do boi, sobre a qual se coloca a canga [F.: De or. contrv.; posv. do espn. *gacho.*]
gadame (ga.*da*.me) *sm.* Grande quantidade de reses ou gado; GADAMA: "Vaqueiros os mais destemidos e avalentoados das redondezas de mais de doze léguas, haviam-se internado por dias em um campo quase impraticável, varejando-o em todas as direções; mas o gadame alevantado e bravio inutilizava os mais ardentes esforços" (*Jangada Brasil*) [F.: *gado* + *-ame.*]
gadanha (ga.*da*.nha) *sf.* **1** *Lus. N.E.* Foice com cabo longo us. para cortar feno; ALFANJE; GADANHO **2** *Lus.* Colher grande, funda, de cabo longo; CAÇO; CONCHA: "Ao meio dia, com uma escumadeira (localmente dá-se-lhe o nome de gadanha), retira-se o embrulho e come-se em tigelas." (*Sabores da lusofonia*) [F.: De or. contrv., posv. do espn. *gadaña*. Hom./Par.: *gadanha* (sf.), *gadanha* (fl.de *gadanhar*).]
gadanhar (ga.da.*nhar*) *v. td.* **1** Cortar com a gadanha (feno, erva etc.) **2** Arranhar com as unhas ou com o gadanho; AGADANHAR **3** Segurar com firmeza; AGADANHAR [▶ **1** gadanha**r**] [F.: *gadanha* + *-ar²*. Hom./Par.: *gadanha(s)* (fl), *gadanha* (sf. e pl.); *gadanho* (fl), *gadanho* (sm.).]
gadanho (ga.*da*.nho) *sm.* **1** Unha comprida, recurva e aguda das aves de rapina **2** *Pej. Pop.* Unha, dedo ou mão de ser humano, esp. repulsivos: *Meteu os gadanhos na moça.* **3** Ferramenta rural de dentes longos; FORCADO **4** Foice de cabo comprido para cortar as grandes gramíneas e que, em muitas ilustrações, aparece na mão de um esqueleto como instrumento da morte; gadanha; ALFANGE **5** *Tip.* Peça do linotipo que agarra a linha formada por matrizes para que estas sejam redistribuídas em seus lugares [F.: De or. contrv., ver etim. de *gadanha.*] ▪ **Nos ~s** *Pop.* Detido, preso
gadão (ga.*dão*) *sm.* **1** Gado de boa qualidade **2** Quantidade considerável de gado [Pl.: *-dões.*] [F.: *gado* + *-ão¹.*]
gadaria (ga.da.*ri*.a) *sf.* **1** *Bras. Lus.* Porção de gado, especialmente o vacum; BOIADA: "Em certos tempos a gadaria pegava a costear o lagoão e andando, andando, entrava na estrada e... adeus!" (Simões Lopes Neto, *Contos gauchescos*) **2** *RS* Reses de determinada estância [F.: *gado* + *-aria.*]
gadeira (ga.*dei*.ra) *sf. Lus.* Cabra que acompanha o gado ovino para fornecer leite ao pastor [F.: Fem. substv. de *gadeiro.*]
gadelhudo (ga.de.*lhu*.do) *a.* Que tem gadelhas, ou guedelhas: "Este fulano era um castelhano alto, gadelhudo, com uma pêra enorme, que ele às vezes, por graça ou tenção reservada, costumava trançar..." (Simões Lopes Neto, *Contos gauchescos*) Tb. *guedelhudo* [F.: *gadelha* + *-udo.*]
⊕ **gadget** (*Ing. /gadjit/*) *sm.* Dispositivo engenhoso que serve para executar certas funções, atraente por suas soluções tecnológicas, seu *design*, sua usabilidade etc.: *Sua loja vende vários tipos de gadgets.* [Pl.: *gadgets.*]
gadídeos (ga.*dí*.de:os) ***smpl.*** *Ict.* Fam. de peixes à qual pertencem entre outros as diversas espécies de bacalhau (*Gadus morhua, Gadus macrocephalus* e *Gadus ogac*), como também o hadoque [F.: Do lat. cient. *gadidae.*]
gadjô (ga.*djô*) *sm.* Entre os ciganos, qualquer pessoa que não pertença à sua etnia: "No imaginário gadjô, isto é, não cigano, os ciganos são representados de..." (Dimitri Fazito de Almeida Rezende, *Transnacionalismo e etnicidade/A construção simbólica do Romanesthàn (Nação Cigana)*) [F.: De or. cigana. Cf. *gajão.*]
gado (*ga*.do) *sm.* **1** Conjunto de animais criados em propriedade rural (gado bovino/ovino/caprino/suíno/equino/asinino etc.); REBANHO; ARMENTO **2** Especificamente, o gado (1) bovino **3** *Pej. Tabu.* Prostituta, ou o conjunto de prostitutas [F.: Do lat. *ganatus*, part. de *ganare*, posv. pelo espn. *ganado.*] ▪ **Afinar o ~** *S.* Numa boiada, juntar animais para fechar claros ou para passar por lugares estreitos **~ de arribada** Numa boiada em trânsito, o gado que fica para trás **~ de cabeceira** O de melhor qualidade, ger. o que é escolhido **~ de corte** Gado destinado ao abate **~ de cria** Gado destinado à reprodução **~ de curral** *Bras.* As vacas que produzem leite e seus bezerros **~ de engorda** Gado em processo de ganhar peso antes de ser abatido **~ de solta** *Bras.* Gado solto nos pastos **~ do Amazonas** *AM Zool.* Certa tartaruga dos rios da Amazônia (*Podocnemis expansa*) **~ grosso** Termo que inclui os gados bovino, equino e muar **~ miúdo** Termo que inclui os gados caprino, ovino e suíno **~ vacum** O gado bovino: bois, vacas, touros, novilhos
gadolínio (ga.do.*lí*.ni:o) *sm. Quím.* Elemento químico de número atômico 64 [Símb.: *Gd.*] [F. Do lat. cien. *gadolinium* e este do antr. Johann *Gadolin* (químico finlandês 1760-1842).]
gadunhar (ga.du.*nhar*) *v. td.* **1** Mesmo que *gatunar* **2** Agarrar com firmeza: *Gadunhou a moça pelo braço.* [▶ **1** gadunha**r**] [F.: *gadunha* + *-ar².*]
gadunho (ga.*du*.nho) *sm. Lus.* Na região do Minho, Portugal, unha crescida [Tb. se diz *gadunha.*] [F.: Talvez cruzamento de *gadanha* + *unha.*]
gaélico (ga.*é*.li.co) *a.* **1** Relativo ou próprio dos celtas da Grã-Bretanha ou Irlanda (bardo gaélico; lendas gaélicas) **2** Relativo à língua gaélica *sm.* **3** Grupo de línguas célticas faladas nas ilhas britânicas; GOIDÉLICO [F.: Do ing. *gaelic.*]
gafa¹ *sf.* **1** *Med.* O mesmo que *hanseníase:* "Fogos do céu virão um dia alimpar-vos a gafa!" (Monteiro Lobato, *O colocador de pronomes*) **2** *Bot.* Praga que ataca a azeitona e a amolece, fazendo-a cair do pé **3** *Vet.* Sarna de certos animais [F.: Ver em *gafa²*. Hom./Par.: *gafa(s)* (sf.[pl.]), *gafa(s)* (fl. de *gafar*).]
gafa² (*ga*.fa) *sf.* **1** *Antq.* Espécie de gancho us. para puxar a corda da besta e armá-la **2** Garra de animais [F.: Do espn. *gafa*, do ár. *qâf'a*, posv.]
gafa³ (*ga*.fa) *sf.* Vaso para transporte do sal nas salinas [F.: De or. obsc.]
gafanhoto (ga.fa.*nho*.to) [ô] *sm.* **1** *Zool.* Denominação comum a diversas spp. de insetos ortópteros, ger. da fam.

dos acridídeos, de pernas traseiras mais desenvolvidas que as dianteiras, em sua maioria saltadores, com asas longas, que vivem em bandos, altamente nocivos para a agricultura **2** *Bot.* Planta euforbiácea, *Jatropha elliptica*, nativa da América tropical, de folhas denteadas e rizoma lenhoso, tida como antiofídico e antissifilítico; JALAPÃO; RAIZ-DE-COBRA; RAIZ-DE-LAGARTO **3** Mola que aciona o cão, em armas de fogo **4** *Bras. Gír.* Fração de bilhete de loteria; o mesmo que *gasparinho* [F.: De *gafa²*, em alusão às pernas em forma de gancho.]

gafar (ga.*far*) *v.* **1** Contagiar(-se) com ou encher(-se) de gafa ('sarna') [*td.*: *Gafou seus irmãos.*] [*int.*: *Em contato com os vizinhos, gafou-se.*] **2** *Fig.* Contaminar(-se), corromper(-se) [*td.*: *As más companhias gafam, às vezes, os jovens.*] [*int.*: *Gafou-se com a bebida.*] [▶ 1 **gafar**] [F.: *gafa* + *-ar²*. Hom./Par.: *gafa* (*s*) (fl.), *gafa*(*s*) (sf.[pl.]); *gafaria*(*s*) (fl.), *gafaria*(*s*) (sf.[pl.]); *gafe*(*s*) (fl.), *gafe*(*s*) (sf.[pl.]); *gafo* (fl.), *gafo* (a.sm.).]

gafe (*ga*.fe) *sf.* Ação ou dito irrefletido, indiscreto ou inoportuno, de efeito desastrado; MANCADA; RATA: *Cometeu uma gafe ao perguntar a idade da anfitriã.* [F.: Do fr. *gaffe.*]

gafeira (ga.*fei*.ra) *sf.* **1** *Pop. Med.* Sarampo de nove dias: "O sarampo (gafeira, sarampo dos nove dias) é uma infecção viral altamente contagiosa que produz vários sintomas e uma erupção cutânea característica" (*Manual Merck/ Saúde para a família*) **2** *Ant. Med.* Lepra; GAFA: "Ricardo Jorge, o primeiro esquadrinhador do seu teatro [de Gil Vicente] em relação à medicina, enumera: tinha, sarna, gafeira, peste, tramas (bubões), tísica, pleuriz, variadas febres..." (Egas Moniz, *Os médicos no teatro vicentino*) **3** *Vet.* Sarna do cão; MORRINHA **4** Doença que ataca as cabras e lhes faz cair a pele, causando-lhes a morte **5** Doença dos olhos dos bois, que causa inchação das pálpebras [F.: *gafa¹* + *-eira.*]

gafeirento (ga.fei.*ren*.to) *a.* Cheio de gafeira, que padece de gafeira; GAFENTO [F.: *gafeira* + *-ento.*]

gafento (ga.*fen*.to) *a.* Que tem gafa ou gafeira; GAFEIRENTO; LEPROSO; SARNENTO: "Mas João de Deus encarregou-se de afugentar os duendes, não com hissopes e rezas, mas com um gato, magro e gafento, que entrou num saco, miando, e foi despejado no salão, desaparecendo em seguida" (Coelho Neto, *A conquista*) [F.: *gafa* + *-ento.*]

gafieira (ga.fi.*ei*.ra) *sf.* **1** *Bras.* Baile popular em que se dança aos pares, tradicionalmente frequentado por pessoas de baixo poder aquisitivo e, mais recentemente, por pessoas de todas as classes; ARRASTA-PÉ **2** *Bras.* Lugar onde esses bailes são realizados: *Parou na porta da gafieira sem saber se entrava ou não.* **3** *Pej.* Baile ou festa desprezível, reles **4** *Pej.* Bordel de baixo nível [F.: De or. obsc.]

gafo (*ga*.fo) *a.* **1** *Antq.* Que tem gafa; GAFENTO; GAFEIRENTO; LEPROSO: "Meu Amo instituo enfim / por meu herdeiro forçado, / e lhe deixo de contado / a manjedoura, e capim: / item lhe deixo o selim, / que me pôs de sarna gafo, /" (Gregório de Matos, *Loucuras que fazia este sugeyto com hum cavallo ruço que lhe comprou o thio: e morte do mesmo cavallo*) **2** *Fig.* Desonesto, corrupto **3** *N.E. Pop.* Ansioso: *Tô gafo pra acabar com isso.* *sm.* **4** Indivíduo que padece de gafa; GAFEIRENTO; LEPROSO [F.: De *gafa¹*.]

gaforina (ga.fo.*ri*.na) *sf.* Ver *gaforinha*

gaforinha (ga.fo.*ri*.nha) *sf.* **1** Cabeleira despenteada, eriçada: "...escrever em Roma versos que estão pedindo cavaquinho, gaforinha e unha grande..." (João do Rio, *A alma encantadora das ruas*) **2** Cabelo alteado; TOPETE [F.: Do antr. *Gafforini* (Isabel), cantora lírica de longos cabelos louros em desalinho, que fez sucesso em Portugal no início do séc. XIX.]

⊕ **gag** (*Ing. /gag/*) *sf. Cin. Teat. Telv.* Situação inesperada e cômica, resultante da fala ou da ação do ator

gagá (ga.*gá*) *a2g.* **1** Que se acha com a capacidade mental reduzida devido à idade avançada ou a problemas neurológicos; CADUCO; DECRÉPITO *s2g.* **2** Pessoa nesse estado [F.: Do fr. *gaga.*]

gagino (ga.*gi*.no) *sm. RS* Galo com plumagem semelhante à da galinha [F.: Talvez do espn. *gallino*, 'galo sem cauda'.]

gago (*ga*.go) *a.* **1** Que sofre de gagueira, que fala gaguejando; TARTAMUDO; TARTAMELO: *Tanto amava aquele rapaz gago que não lhe percebia a gagueira.* *sm.* **2** Aquele que sofre de gagueira; TARTAMUDO; TARTAMELO: *O gago deixou para falar depois.* [F.: De or. onom.]

gagueira (ga.*guei*.ra) *sf. Psi.* Denominação comum da *disfemia*, perturbação da fala caracterizada por contrações musculares que causam repetições e bloqueios anormais de sílabas ou palavras; GAGUEZ; GAGUICE; TARTAMUDEZ [F.: *gago* + *-eira.*]

gaguejamento (ga.gue.ja.*men*.to) *sm.* Ação ou resultado de gaguejar; GAGUEJO: *A maior parte das crianças tem um período de gaguejamento, entre 2 e 4 anos de idade.* [F.: *gaguejar* + *-mento.*]

gaguejante (ga.gue.*jan*.te) *a2g.* Que gagueja, hesitante: "Depois, tornando a si, comoveu-se e, com lágrimas nos olhos, disse, gaguejante..." (Monteiro Lobato, *O colocador de pronomes*) [F.: *gaguejar* + *-nte.*]

gaguejar (ga.gue.*jar*) *v.* **1** Falar, dizer (algo) com dificuldade, repetindo sons ou com travamento intermitente da pronúncia, como faz o gago; pronunciar, às vezes, de modo ininteligível; TARTAMUDEAR [*td.*: *Gaguejava explicações que ninguém entendia.*] [*int.*: *Gaguejava sem parar, sem conseguir pronunciar uma só palavra.*] **2** *Pext.* Falar com hesitação [*int.*: *A testemunha falava, mas gaguejava de medo.*] **3** Soltar a voz (bode); BERRAR [*int.*] [▶ 1 **gaguejar**] [F.: *gago* + *-ejar*, com alter. gráfica de *-g-* para *-gu-*. Hom./Par.: *gaguejo* [ê] (fl.), *gaguejo* [ê] (sm.). NOTA: Na acp. 3 é defect., só se conjugando na 3ª pes. sing. e pl., a não ser se us. como metáfora.]

gaguejo (ga.*gue*.jo) [ê] *sm.* Ação ou resultado de gaguejar; GAGUEJAMENTO [F.: Dev. de *gaguejar.* Hom./Par.: *gaguejo* [ê] (fl. de *gaguejar*).]

gaguez (ga.*guez*) [ê] *sf.* Ver *gagueira* [F.: *gago* + *-ez.*]

gaguice (ga.*gui*.ce) *sf.* Ver *gaguez* [F.: *gago* + *-u-* + *-ice.*]

gaiacol (gai.a.*col*) *sm.* Ver *guaiacol*

gaiatice (gai.a.*ti*.ce) *sf.* **1** Condição de gaiato: *A gaiatice faz parte de sua personalidade.* **2** Dito ou ato de gaiato: *Deixa de gaiatice, que a hora não é de brincadeira.* [F.: *gaiato* + *-ice.*]

gaiato (gai.*a*.to) *a.* **1** Divertido, brincalhão, engraçado: *Toda classe tem um aluno gaiato.* **2** Dado a fazer travessuras; BRINCALHÃO; FACETO; LADINO *sm.* **3** Pessoa inconvenientemente galhofeira: *No meio do churrasco, um gaiato, vendo um gato que passava, exclamou: – Caramba, este é bem maior que aquele que matamos para o churrasco!* **4** Pessoa irresponsável, leviana, malandra: "Pinta de gaiato,/ Roupa de gaiato / Foi o que eu arranjei pra mim." (Haroldo Barbosa e Luís Reis, *Palhaçada*) **5** Pessoa divertida, bem-humorada, bricalhona, irreverente: "O tio Rufino, que é o gaiato da família, anda à roda da mesa com uma pena, fazendo cócegas nas orelhas das moças" (Machado de Assis, *O diplomático*) [F.: *gaio²* + *-ato¹*.] ■ **Entrar de ~** Ser ludibriado; ser trapaceado

gaifona (gai.*fo*.na) *sf. Pop.* Gesticulação cômica, ademanes, trejeito, esgar; GAIFONICE; MACAQUICE; MOMICE: "Com tais falinhas, tais gaifonas, tais coisinhas, tlim, ora!" (João de Deus, *As santinhas*): "Entre as moçoilas que me faziam gaifonas (...) havia uma pouco mais ou menos de minha idade." (Sanchez de Frias, *Ercília*) [F.: De or. obsc.]

gaifonar (gai.fo.*nar*) *v. int.* Fazer caretas, momices; ENGAIFONAR [▶ 1 **gaifonar**] [F.: *gaifona* + *-ar²*. Hom./Par.: *gaifona, gaifonas* (fl. de *gaifonar*), *gaifona*(*s*) (sf. [pl.]).]

gaifonice (gai.fo.*ni*.ce) *sf.* Ver *gaifona* [F.: *gaifona* + *-ice.*]

⊕ **gaijin** (*Jap./gaijin.*) *smpl.* Estrangeiros (denominação dada pelos japoneses aos europeus e, mais tarde, pelos primeiros imigrantes japoneses ao Brasil aos brasileiros) [F.: Do jap. *gaijin*, de *gai-* (*estrangeiro*) + *-jin* (*pessoa*).]

gaio¹ (*gai*.o) *sm. Zool.* Ave da família dos corvídeos (*Garrulus glandarius*) notável pelo mosqueado das penas marrom-avermelhadas, cauda e asas negras, de tamanho similar ao de um pombo; GÁRRULO [F.: Do lat. *gaius.*]

gaio² (*gai*.o) *a.* **1** *P.us.* Que revela alegria, jovialidade; FOLGAZÃO; JOVIAL **2** Dotado de esperteza, de espírito arguto; ESPERTO; FINO; LADINO **3** Diz-se do verde muito vivo [F.: Prov. do fr. *gai.*]

gaiola (gai.*o*.la) [ó] *sf.* **1** Objeto em forma de pequena casa de metal ou vime que serve de viveiro para pássaros ou animais pequenos em cativeiro **2** Recinto fechado, ger. gradeado, que serve como prisão e viveiro de feras; o mesmo que *jaula* **3** *Fig. Pop. Náut.* Barco a vapor para transporte de passageiros, comum em rios do Brasil [No *N.E.* us. no masc.] **4** *Fig. Pop.* Prisão, cadeia, cárcere **5** *Fig.* Habitação muito pequena: *Moram numa verdadeira gaiola.* **6** *Cons.* O madeiramento que forma o esqueleto de um prédio **7** Qualquer armação de ripas ou tábuas estreitas para proteger móveis ou outros objetos, esp. para serem transportados sem risco; ENGRADADO **8** Ver *fogueira* (7) *sm.* **9** *SP Fer.* Vagão aberto para transporte de madeira [Dim.: *gaiolim.*] [F.: Do baixo lat. *caveola, ae.*] ■ **Estar a ~ aberta** *Bras. Pop.* Estar aberta a braguilha **Fazer ~** *MA PE Pop.* Ser homossexual passivo **~ torácica** *Anat.* Caixa torácica, esqueleto do tórax

gaiolão (gai.o.*lão*) *sm.* **1** Gaiola de grandes proporções: *Um casal de araras-azuis, alojado em gaiolão de 3,00 m X 1,80 m X 1,80 m consegue reproduzir com êxito* **2** *N. Pop.* Embarcação fluvial em que os passageiros se acomodam em redes ao invés de camas: "O gaiolão (...) sai do porto de Santarém a caminho das comunidades ribeirinhas do Pará (...). " (Francisco Carlos Ribeiro, *Jornal da USP*, 13 a 19 de outubro de 2003) **3** *N.E.* Caminhão cuja carroceria fechada por um engradado alto se presta ao transporte de cana-de-açúcar: "O caminhão, não, desde tenra adolescência aprendera a guiá-lo (...). Qualquer piscar de olhos tava ele lá (...) puxando uma julieta com toneladas de cana. Quando chegava na usina (...), era meio mundo de coisas penduradas no gaiolão." (Luiz Alberto Machado) [Pl.: *-lões.*] [F.: *gaiola* + *-ão¹*.]

gaioleiro (gai.o.*lei*.ro) *sm.* **1** Pessoa que faz ou vende gaiolas: "Em riba daquela serra / tem um velho gaioleiro / quando vê moça bonita / faz gaiola sem ponteiro." (Manué, *Turista aprendiz*) **2** Piloto ou motorista de gaiolão (2 e 3): *Os gaioleiros trabalham de sol a sol.* *a.* **3** Diz-se de quem pilota ou dirige gaiolão (2 e 3) (barqueiro/caminhoneiro gaioleiro) [F.: *gaiola* + *-eiro.*]

gaita (*gai*.ta) *sf.* **1** *Bras. Mús.* Pequeno instrumento de sopro com duas séries de palhetas correspondentes a orifícios laterais em que se sopra e aspira, fazendo assim sua parte superior correr por entre os lábios, de uma a outra extremidade; gaita de boca **2** *MG* O mesmo que *acordeão* **3** *Pop. Bras.* Qualquer quantia de dinheiro; COBRES; GRANA: *Faltava-lhe a gaita para a viagem.* **4** *Bras. Bot.* Cada uma das grandes raízes que assomam no *gaiteiro*, espécie de mangue **5** *Bras. Pej.* Objeto qualquer; BADULAQUE: *Pegou suas gaitas e caiu fora.* **6** *Zool.* Orifício branquial pelo qual respira uma lampreia [F.: De or. contrv.] ■ **~ de foles** *Mús.* Instrumento musical de sopro composto de um odre de couro (para o qual se sopra o ar por um tubo) que, comprimido pelo braço do instrumentista, emite um som contínuo e leva o ar aos tubos moduladores que reproduzem a melodia, por meio de palhetas; cornamusa; gaita galega **~ galega** Ver *Gaita de foles*

gaitada (gai.*ta*.da) *sf.* **1** Toque de gaita: "Partiam brados orgíacos, zunidos de viola, rufos de adufes, gaitadas." (Xavier Marques, *Pindorama*) **2** *Pop.* Repreensão, censura **3** *Pej.* Trecho de música instrumental ruim, de qualidade duvidosa **4** *Pop.* Picada com espora; ESPORADA **5** *Açor. N. N.E. GO MG* Risada, gargalhada: "...Aí eu vim descendo com ela bem devagarzinho nos meus braços. Quando ela triscou os pés no chão, deu uma gaitada: 'Hahai, é hoje!'" (Rafael Galvão, "Karolina com K") [F.: *gaita* + *-ada¹*.]

gaita de boca (gai.ta de *bo*.ca) *sf. RS* Ver *gaita* (1) [Pl.: *gaitas de boca.*]

gaitear (gai.te.*ar*) *v.* **1** Tocar música usando gaita; tocar gaita [*td.*: *Gaiteou um samba de Tom Jobim.*] [*int.*: *Passou a manhã a gaitear.*] **2** Divertir-se, andar na folia, farrear [*int.*: *Não trabalha, não faz nada, vive gaiteando.*] **3** Executar mal (um instrumento musical) [*td.*: *Vive gaiteando aquele saxofone para o desespero dos vizinhos.*] [▶ 13 **gaitear**] [F.: *gaita* + *-ear²*.]

gaiteira (gai.*tei*.ra) *sf.* **1** *SC* Ponto de vazamento de um conduto de água servida: *O esgoto vaza por uma gaiteira instalada entre a calçada e a praia.* **2** Certa planta que vegeta em mangues alagoanos: *Na reserva ecológica do Saco da Pedra (AL) vimos um mangue vermelho, lá conhecido como gaiteira.* [F.: *gaita* + *-eira.*]

gaiteiro (gai.*tei*.ro) *a.* **1** Que gosta de festa, folia (velha gaiteira); ASSANHADO; FESTEIRO **2** Que é vistoso, chamativo **3** Que toca algum tipo de gaita; gaitista *sm.* **4** Aquele que gosta de festa, folia **5** Aquele que toca algum tipo de gaita; gaitista **6** Lugar alagado periodicamente na embocadura dos rios, no qual cresce a vegetação típica do mangue **7** Lugar dos mangues em que há raízes expostas, chamadas *gaitas* [F.: *gaita* + *-eiro.*]

gaitista (gai.*tis*.ta) *s2g.* Tocador de gaita (harmônica) [F.: *gaita* + *-ista.*]

gaiva (*gai*.va) *sf.* **1** Fenda ou escavação feita na terra pelas águas da chuva **2** Entalhe em forma de meia-cana feito com goiva; tb. *goivadura* [F.: Do lat. vulg. *gavea*, do lat. *cavea, ae.*]

gaivota (ga:i.*vo*.ta) *sf.* **1** *Zool.* Denominação comum a diversas spp. de aves marinhas da fam.dos larídeos (esp. gên. *Larus*), das quais a mais comum (*Larus maculipenis*) tem várias espécies no Brasil *sm.* **2** *Bras. Pop.* Indivíduo apalermado, sonso, tolo [F.: Do lat. *gavia, ae.*]

gaivotão (gai.vo.*tão*) *sm.* Ave costeira de até 65cm de comprimento, plumagem branca na maior parte do corpo e preta no baixo dorso e na parte superior das asas, de bico, pernas e pés amarelos, estes, com membranas natatórias. Habita as ilhas costeiras do Atlântico sul e do Pacífico, e no Brasil é encontradiça entre o ES e o RS [Pl.: *-tões.*] [F.: *gaivota* + *-ão¹*.]

gajão (ga.*jão*) *sm.* **1** Título de respeito (equivalente a senhor), com que os ciganos tratam os não pertencentes a seu grupo **2** Indivíduo finório, espertalhão, matreiro [Pl.: *-jões.*] [F.: Do espn. cigano *gachó*, 'homem'. Cf. *gadjô.*]

gajeiro (ga.*jei*.ro) *sm.* **1** Marinheiro encarregado de vigiar no cesto da gávea as embarcações ou a terra: "– Sobe, sobe. Meu gajeiro: / que avistas, gajeiro real?/ Vês acaso terras índias/ pro reino de Portugal?" (Stella Leonardos, *Cantata da atlântica travessia*) *a.* **2** Que tem agilidade em escalar, que trepa ou sobe com facilidade [F.: Posv. do antigo *gage*, 'prenda, gratificação' (< do fr. *gage* 'penhor, salário' <frâncico * *waddi* + *-eiro.*]

gajo (*ga*.jo) *sm.* **1** *Pop.* Denominação que se dá a indivíduo cujo nome se desconhece; CARA (BRAS.); SUJEITO: *Quem é esse gajo?* **2** *Bras. Joc. Pop.* Qualquer pessoa nascida em Portugal; PORTUGUÊS: *Uma gaja de Évora, cheia de luz.* **3** *Bras. Joc. Pop.* Qualquer pessoa nascida em Portugal **4** *Lus. Pej.* Indivíduo de má fama **5** *Lus.* Indivíduo cheio de manhas e espertezas; ESPERTALHÃO; FINÓRIO; VELHACO [F.: Regres. de *gajão.*]

⊠ **Gal** *Fís.* Simb. de *galileu*

gala¹ (*ga*.la) *sf.* **1** Pompa, festa; ostentação (uniforme/traje de gala) **2** *Pext.* Traje ou uniforme solene, para ocasiões especiais **3** Conjunto de ornamentos preciosos **4** Vaidade excessiva, exagerada **5** *Jur.* Licença que se concede a servidor público quando este se vai casar [F.: Prov. do al. *wallan*, 'adornar', pelo fr. *gale* e pelo it. *gala.*] ■ **Fazer ~s** *Lus.* Gabar-se, vangloriar-se

gala² (*ga*.la) *sf.* **1** Mancha no interior de ovo fecundado; GALADURA **2** *Bras.* Semente de fecundação; esperma, sêmen [F.: Prov. do it *gala.*] ■ **de ~** **1** Próprio para ocasiões solenes: *traje de gala* **2** De grande qualidade, excepcional, como que digno de figurar numa ocasião solene: *O pianista estava num dia excepcional, foi uma apresentação de gala.*

galã (ga.*lã*) *sm.* **1** *Cin. Rád. Teat. Telv.* Protagonista masculino, em geral considerado bonito e atraente **2** *Cin. Rád. Teat. Telv.* Ator que desempenha esse papel **3** *Pext.* Homem que tem aparência semelhante a desse tipo de profissional [F.: Prov. do fr. *galant* pelo cast. *galán.*]

galactagogo (ga.lac.ta.*go*.go) [ô] *a.* **1** Diz-se de substância ou alimento que favorece a secreção láctea; GALACTÓGENO *sm.* **2** Essa substância ou alimento; GALACTÓGENO [F.: *galact(o)-* + *-agogo.*]

galáctico¹ (ga.*lác*.ti.co) *a.* Relativo à Galáxia ou a uma galáxia [F.: Do gr. *galaktikós*, '(branco) como leite'. Tb. *galático.*]

galáctico² (ga.*lác*.ti.co) *a.* **1** Que diz respeito ao clube espanhol Real Madrid ou a seus jogadores do futebol:

"Atualmente o Real Madrid é famoso por ter contratos com grandes estrelas do futebol mundial, e por isso foi apelidado de Galáctico..." ("Real Madrid", *in Wikipedia*) *sm.* 2 *Fut.* Jogador do Real Madrid: "O capitão do Real Madrid, Raul, manifestou o desejo de que (...) os jogadores da formação madrilena deixem de ser conhecidos como galácticos..." (*Infordesporto.pt* (01.03.2006))

galactita (ga.lac.*ti*.ta) *sf. Min.* Tipo de natrolita (pedra preciosa) de cor leitosa [F.: *galact(o)-* + *-ita*³.]

◎ **-galact(o)-** *el. comp.* Ver *galact(o)-*

◎ **galact(o)-** *el. comp.* = 'leite': *galactagogo, galactófago, galactóforo, galactômetro, galactopoese, galactose; antigaláctico* [F.: Do gr. *gála, gálaktos.* F. conexa: *lact(i)-.*]

galactófago (ga.lac.*tó*.fa.go) *a.* 1 Diz-se de homem ou animal que se alimenta de leite; LACTÍFAGO; LACTÍVORO 2 Que gosta muito de leite [F.: Do gr. *galaktophágos, os, on.*]

galactóforo (ga.lac.*tó*.fo.ro) *Anat. a.* 1 Diz-se do tubo lactífero *sm.* 2 Esse tubo [F.: Do gr. *galaktophóros, os, on.*]

galactógeno (ga.lac.*tó*.ge.no) *a. sm.* O mesmo que *galactagogo* [F.: *galact(o)-* + *-geno.*]

galactologia (ga.lac.to.lo.*gi*.a) *sf.* Tratado sobre ou ciência que estuda o leite [F.: *galact(o)-* + *-logia.*]

galactológico (ga.lac.to.*ló*.gi.co) *a.* Que diz respeito a galactologia [F.: *galactologia* + *-ico*².]

galactômetro (ga.lac.*tô*.me.tro) *sm.* O mesmo que *lactômetro* [F.: *galact(o)-* + *-metro*¹.]

galactopoese (ga.lac.to.po:*e*.se) *sf.* Secreção láctea; produção do leite pelas glândulas mamárias [F. *galact(o)-* + *-poese.*]

galactorreia (ga.lac.tor.*rei*.a) *sf.* Secreção de leite em grande quantidade [F.: *galact(o)-* + *-reia.*]

galactose (ga.lac.*to*.se) [ó] *sf. Quím.* Açúcar cristalino, branco encontrado em vegetais e no leite [Fórm.: $C_6H_{12}O_6$] [F.: *galact(o)-* + *-ose*².]

galactosidase (ga.lac.to.si.*da*.de) *sf.* Índice do teor de gordura existente no leite [F.: *galactose* + *-(i)dade.*]

galado (ga.*la*.do) *a.* Fecundado (ovo galado) [F.: Part. de *galar.*]

galadura (ga.la.*du*.ra) *sf.* 1 Ação de galar: "Rabujou com as galinhas que não punham todos os dias, com o galo que era peco na galadura." (Aquilino Ribeiro, *Volfrânio*) 2 Pequena mancha na gema do ovo, indício da fecundação; gala² [F.: *galar* + *-dura.*]

galaico (ga.*lai*.co) *a.* Ver *galego* [É mais us. como um dos elementos que formam um voc. composto: *galaico-português, galaico-asturiano, galaico-leonês, luso-galaico.*] [F.: Do lat. *gallaecus.*]

galaico-português (ga.lai.co-por.tu.*guês*) *sm.* 1 Língua comum à Galiza e a Portugal que a partir de meados do séc. XIV se desmembrou em português e galego e em que se manifestou a primitiva poesia lírica da Península Ibérica, bem como os textos iniciais da prosa literária portuguesa, como o *Livro de linhagens* de D. Pedro (conde de Barcelos), morto em 1354 2 Indivíduo que pertence a essa cultura *a.* 3 Referente à língua galaico-portuguesa ou aos indivíduos e às coisas dessa cultura [Pl.: *galaico-portugueses.*] [Sin. ger.: *galego-português.*]

galalau (ga.la.*lau*) *sm. Bras. Pop.* Homem muito alto [F.: Prov. do fr. *Ganelon*, personagem da *Chanson de Roland.*]

galalite (ga.la.*li*.te) *sf.* Material plástico, dos primeiros a serem industrializados em bens de consumo, feito de caseína e formol, us. em botões, brinquedos etc. [F.: Do fr. *galalithe.*]

galantaria (ga.lan.ta.*ri*.a) *sf.* 1 Arte de galantear, graça nas palavras e nos gestos: "Barões ingleses são confundidos na sua reacionária negação à galantaria (...) trazida pelo valor de portugueses." (Afrânio Peixoto, *Maias e estevas*) 2 Gracejo, brincadeira 3 Fineza, delicadeza, primor [F.: *galante* + *-aria.* Tb. *galanteria.*]

galante (ga.*lan*.te) *a2g.* 1 Que mostra delicadeza e elegância, esp. com as mulheres 2 Que tem boa aparência, se veste bem 3 Que diverte com espírito; ESPIRITUOSO 4 Que encerra certa malícia, ou caráter picante (história galante) 5 *MT.* Diz-se dos representantes de certa raça bovina 6 Diz-se de um tipo de música europeia do séc. XVIII, mundana e muito ornamentada *s2g.* 7 Homem que mostra delicadeza e elegância, esp. com as mulheres [F.: Do fr. *galant.*]

galanteador (ga.lan.te:a.*dor*) [ô] *a.* 1 Que diz ou faz galanteios: "Ator e cantor romântico, Fábio Jr. faz o gênero galanteador e ao mesmo tempo carente, fingindo-se de solitário" (*Isto É*, 11.10.2005) *sm.* 2 Pessoa que faz ou diz galanteios: "A ave aceita, percebe que foi ludibriada. Primeiro porque iria ter de viajar escondida, embaixo da cama do homem. Segundo, porque iria ter de dar penas para que o galanteador adulasse suas namoradas." (Lygia Bojunga Nunes, *A casa da madrinha*) [F.: *galantear* + *-dor.*]

galantear (ga.lan.te.*ar*) *v.* 1 Fazer ou dizer galanteios (para); tratar com amabilidade (damas); CORTEJAR; NAMORAR [*td.*: *Galanteava mulheres ricas.*] [*int.*: *Seu sucesso vem da arte com que galanteia.*] 2 Pôr enfeites em; ADORNAR; ENFEITAR [*td.*: *A menina galanteou o penteado com uma flor.*] [▶ 13 galantear] [F.: *galante* + *-ear*². Hom./Par.: *galanteio* (fl.), *galanteio* (sm.).]

galanteio (ga.lan.*tei*.o) *sm.* 1 Ação ou resultado de galantear, de tentar, por meio de elogios, ditos picantes ou gentilezas, atrair o interesse amoroso de uma pessoa; GALANTERIA; CORTE 2 Gracejo, dito espirituoso 3 Fineza de espírito, [F.: Dev. de *galantear.* Hom./Par.: *galanteio* (s.m.), *galanteio* (fl. de *galantear*).]

galanteria (ga.lan.te.*ri*:a) *sf.* Ver *galantaria, galanteio* [F.: *galante* + *-eria.*]

galantina (ga.lan.*ti*.na) *sf. Cul.* Prato da cozinha francesa feito de carnes de ave desossada (tb. se usa vitela ou porco), cozidas em caldo gelatinoso e depois posto para gelar, a fim de que se o sirva frio e cortado em fatias: "Baldes de gelo, pratos em que tremiam galantinas..." (Coelho Neto, *Água de juventa*) [F.: Do lat. *galatina*, pelo fr. *galantine.*]

galão¹ (ga.*lão*) *sm.* 1 Fita de tecido bordado ou entrançado com fios de ouro, prata, seda, ou que imitam sinteticamente esses materiais, de largo emprego em uniformes, estofos, cortinas 2 Tira dourada ou prateada us. como distintivo de postos ou patentes militares em mangas e ombreiras do fardamento 3 *Pop.* Espuma no alto do copo de cerveja ou chope; COLARINHO 4 *Lus.* Em Lisboa, copo não completamente cheio 5 Salto ou corcoveio de equídeo 6 *Turfe* Medida do passo de um cavalo a galope [Pl.: *-lões.*] [F.: Do fr. *galon.* De or. obsc. para acps. 5 e 6.]

galão² (ga.*lão*) *sm.* 1 Medida de capacidade para líquidos e cereais us. no Reino Unido e nos EUA (O galão inglês equivale a 4,51 l e o americano 3,78 l) 2 A quantidade de líquido que cabe nesse recipiente (cerca de 4,5 l) 3 Recipiente para armazenar líquidos, no Brasil nem sempre com essa capacidade: *Comprou um galão de gasolina.* [Pl.: *-lões.*] [F.: Do ing. *gallon.*] ■ **~ americano** Medida de capacidade para líquidos e cereais us. nos EUA, correspondente a 3,78 l **~ imperial** Medida de capacidade para líquidos e cereais us. na Grã-Bretanha, correspondente a 4,51 l

galão³ (ga.*lão*) *sm>* Movimento de salto, corcoveio, empino de equídeo [F.: De or. obsc.]

galapo (ga.*la*.po) *sm.* 1 Almofada da sela do cavalo 2 Atadura com pontas para fazer curativo em feridas *sm.* 3 *Lus.* Molde feito de choupo ou castanho em forma de telha e provido de pequeno cabo onde se coloca o barro que sai da forma: *Uma mulher ia estendendo a telha num eirado, em filas, tirando o galapo de baixo. Levava cerca de um dia a secar.* 4 Espécie de dedeiras de couro, com que os ceifeiros protegem os dedos dos golpes de foice [F.: Do gr. *kalápous* (de *kalós*, 'belo, adequado, próprio' + *pous, odós*, 'pé'), pelo esp. *galapo*, 'forma convexa para fabricar pequenas abóbodas de gesso'.]

galar (ga.*lar*) *v.* 1 Fecundar a fêmea (ref. a aves) [*td.*] 2 *Bras. Pop.* Engravidar, emprenhar (ref. a mulher) [*td.*: *O safado já galou três esse ano.*] 3 *N.E. Tabu.* Ejacular, emitir gala [*int.*] [▶ 1 galar] [F.: *galo* + *-ar*². Hom./Par.: *gala(s)* (fl.), *gala(s)* (sf. [pl.]); *galo* (fl.), *galo* (sm.).]

galardão (ga.lar.*dão*) *sm.* 1 Recompensa por relevantes serviços prestados, por mérito especial 2 *Fig.* Glória, honra: *Foi o maior galardão de sua vida profissional.* [Pl.: *-dões.*] [F.: De or. contrv.]

galardear (ga.lar.de.*ar*) *v. td.* Conceder galardão a; recompensar por serviços considerados valiosos; HOMENAGEAR; PREMIAR [▶ 13 galardear] [F.: *galardão* + *-ear*².]

galardoado (ga.lar.do.*a*.do) *a.* 1 Que foi contemplado com galardão; PREMIADO: *Os promotores do concurso deterão os direitos para a primeira edição do trabalho galardoado.* *sm.* 2 Pessoa ou instituição que foi galardoada: *O discurso do galardoado foi uma bela peça de oratória.* [F.: Part. de *galardoar.*]

galardoar (ga.lar.do.*ar*) *v.* 1 Dar prêmio ou galardão a; PREMIAR [*td.*: *O prefeito galardoou os vencedores do torneio.*] 2 Dar consolo, alívio a; ALIVIAR; CONSOLAR [*td.*: *Tentava galardoar o sofrimento da mãe.*] [*int.*: *Palavras amigas galardoam.*] [▶ 16 galardoar] [F.: *galardão*, sob a f. *galardon-*, com perda de nasalidade, + *-ar*².]

galarim (ga.la.*rim*) *sm.* 1 *Antq.* O ponto mais alto, apogeu, cúmulo, fastígio; OPULÊNCIA; GRANDEZA: "Já a conhecíamos, eu e o meu companheiro de escritório, o João Nóbrega, (...) mas nunca nos lembrou namorá-la. Ela andava então no galarim; era bela, rica, elegante, e da primeira roda" (Machado de Assis, *A desejada das gentes*); "...Nós duas nos vapores / Lobotômicas líricas, e a gaivagem/ se transforma em galarim, e é translúcida / A lama e é extremoso o Nada." (Hilda Hilst, *Alcoólicas*) 2 *Lud.* O dobro da parada (em um jogo) [Pl.: *-rins.*] [F.: Do espn. *gallarin.*] ■ **Estar/ Andar no ~** Estar em destaque; estar no auge **Pagar ao ~** *Lud.* Dobrar a parada, a aposta

galático (ga.*lá*.ti.co) *a.* 1 Ref. a gálata ou a Galácia 2 Ver *galáctico* [F.: Do lat. *galaticus, a, um.*]

galato (ga.*la*.to) *sm. Quím.* Combinação do ácido gálico com uma base [F.: *gal(o)-* + *-ato*².]

galáxia (ga.*lá*.xia) [cs] *sf.* 1 *Astron.* Cada um dos aglomerados de corpos celestes de todo tipo que formam o sistema cósmico, constituindo um agrupamento diferenciado e identificável, que pode assumir diferentes formas em sua configuração, e em um dos quais se encontra o sistema solar e a Terra 2 *Pext.* Especificamente, a galáxia de forma aproximadamente elíptica, onde se encontra o sistema solar da Terra, chamada Via Láctea [Nesta acp., com inicial maiúscula.] [F.: Do lat. *galaxias, ae.*]

📖 O conceito de galáxia, até a metade do século XVIII, contemplava apenas a única então conhecida, a Via Láctea (onde se encontra a Terra e o sistema solar a que pertence), por isso chamada 'a Galáxia'. Hoje muitíssimas são conhecidas, identificadas por códigos alfanuméricos. Uma galáxia é um sistema complexo de corpos celestes (principalmente estrelas e planetas) que se move harmonicamente. Por sua forma podem ser elípticas (como a Via Láctea), em espiral ou irregulares. O número de astros numa galáxia e a distância entre eles são imensos. Há na Via Láctea estrelas cuja luminosidade é mais de um milhão de vezes maior que a do Sol. Estima-se que o diâmetro dessa galáxia seja de 200 mil anos-luz.

gálbano (gál.*ba*.no) *sm.* 1 *Bot.* Planta da família das umbelíferas (*Ferula galbaniflua*) da qual se extrai uma resina odorífera e medicinal *sm.* 2 Resina com um odor peculiar e acentuado obtida a partir de certas plantas umbelíferas da Ásia us. em incenso e em certos medicamentos [F.: Do lat. *galbanum, i.*]

galbo (*gal*.bo) *sm. Arq.* Perfil ou contorno elegante de elementos arquitetônicos, esp. o de uma seção do fuste de coluna [F.: Do fr. *galbe.*] ■ **~ do contrafeito** *Arq.* Curvatura das extremidades do telhado, que se obtém pelo uso do contrafeito ('peça de madeira')

galé (ga.*lé*) *sf.* 1 *Mar.* Embarcação comprida e estreita, dotada de velas, mas movida principalmente por remos, us. da Antiguidade grega até o séc. XVIII [Dim.: *galeota.*] 2 *Art.gr.* Lâmina metálica, retangular, em que o tipógrafo coloca as linhas tiradas do componedor ou fundidas no linotipo, para formar a chapa ou proceder à paginação 3 *Fig.* Trabalho demasiadamente duro e exaustivo: *Teve de enfrentar ali uma galé de 10 horas seguidas.* *sm.* 4 *Ant. Mar.* Pessoa condenada a cumprir pena de trabalhos forçados, como remador, a bordo das galés 5 *Pext.* Trabalhos forçados realizados por prisioneiros a eles condenados, ger. presos a grilhões; a pena desses condenados [Nestas acps., no pl.] [F.: Do gr. *galaia*, pelo lat. med. *galea*, o it. *gálea* e o fr. ant. *galée.*]

gálea (*gá*.le:a) *sf.* 1 Capacete de guerreiro; ELMO 2 Dor de cabeça em que há uma sensação de compressão do crânio, como se um capacete o apertasse 3 *Bot.* Parte do cálice ou da corola que tem a forma de um elmo 4 Elemento ornamental da parede dos esporos, relativamente largo, constituído por um espinho com uma base bolbosa 5 *Anat.* Estrutura fibrosa que une os dois ventres do músculo frontal do couro cabeludo: *O galo é um hematoma embaixo da pele do tecido que envolve o osso do crânio, chamado de gálea.* [F.: Do lat. *galea, ae*, 'capacete, elmo'.]

galeão (ga.le.*ão*) *sm.* 1 *Mar.* Navio a vela de bordo alto e quatro mastros, popa arredondada, ora bem armado para a guerra, ora us. no transporte de cargas valiosas, do séc. XVI ao XVIII 2 *Ant.* Nome dado, antigamente, a nau de guerra 3 *Mar.* Em Portugal, embarcação bastante empregada na pesca da sardinha 4 *Antq. Art.gr.* Na linotipia, placa metálica que recebia as linhas saídas do molde [Pl.: *-ões.*] [F.: Do fr. *galion.*]

galear¹ (ga.le.*ar*) *v. int.* Ostentar galas; trajar-se luxuosamente [▶ 13 galear] [F.: *gala* + *-ear*². Hom./Par.: *galeio* (fl), *galeio* (sm.).]

galear² (ga.le.*ar*) *v.* 1 *Mar.* Balançar(-se) suavemente (navio, embarcação) [*int.*: *O navio galeava com o vento.*] 2 *Mar.* Desequilibrar(-se) um ou mais objetos de bordo, devido ao balanço da embarcação [*int.*: *Os objetos galeavam de cima da mesa.*] 3 *Mar.* Balançar (leme e/ou outras peças de bordo) com o balanço do navio, por estarem frouxas [*int.*: *O leme galeia.*] 4 Mover de um lado para o outro, arremessando ou atirando [*td.*: *Galeou o pequeno armário até pegar o que queria.*] [▶ 13 galear] [F.: *galé* + *-ar*².]

galear³ (ga.le.*ar*) *v. int.* Saltar em galão³ (o animal); CORCOVEAR: *O cavalo galeou.* [▶ 13 galear] [F.: *galão* + *-ear*².]

galego (ga.*le*.go) [ê] *sm.* 1 Pessoa nascida ou que vive na Galiza (Espanha) 2 *Gloss.* A língua falada na Galiza 3 *Bras. Pej,* Pessoa nascida em Portugal, esp. as de pouca instrução 4 *N.E. Pop.* Pessoa loura; qualquer estrangeiro 5 *Lus. Pej.* Português do norte, do além-Minho 6 *RS Pej.* Alcunha que os chimangos (revolucionários na guerra dos Farrapos) davam aos monarquistas *a.* 7 Da Galiza (Espanha); típico dessa região ou de seu povo 8 *Gloss.* Ref. à língua falada na Galiza [F.: Do lat. *gallaeci, orum.*] ■ **À galega** *Inf.* Desleixadamente, sem cuidado, de qualquer maneira

galeio¹ (ga.*lei*.o) *sm.* 1 Ação ou resultado de galear² 2 Movimento rápido do corpo, para o lado ou para trás; REQUEBRO: "A moça ficou de lado e o homem da caixa fez um galeio para ver um pouco mais de peitinho pelo vão lateral da blusinha sem mangas." (Ivan Ângelo, *Bar*) [F.: Dev. de *galear*².] ■ **Perder o ~** Tornar-se desajeitado

galeio² (ga.*lei*.o) *sm.* Ato que precede a cópula do galo [F.: De *galo.*]

galena (ga.*le*.na) *sf.* 1 *Min.* Principal minério do chumbo, sulfeto de chumbo cúbico, com propriedades semicondutoras us. na detecção de sinais radiofônicos *sm.* 2 *Bras. Radt.* Aparelho rudimentar de rádio, em que se empregava o cristal de galena para essa detecção; RÁDIO GALENA [F.: Do lat. *galena, ae.*]

galênico (ga.*lê*.ni.co) *a.* 1 Extraído de vegetal, por oposição a preparado com substâncias químicas puras (medicamento galênico) 2 Próprio de Galeno, conforme seus princípios e métodos: *A partir do séc. XIII, predomina o paradigma galênico na medicina ocidental.* [F.: Do lat. *galenicus, a, um*, de Claudius *Galenus* (<gr. *Galenós* 129-199 d.C.), nascido em Pérgamo, em 162 d.C. foi para Roma, tornando-se médico do imperador Marco Aurélio.]

galenismo (ga.le.*nis*.mo) *sm.* Doutrina médica de Cláudio Galeno (129-199 d.C.), que subordinava os fenômenos da doença e da saúde à ação de quatro humores (sangue, fleuma, bile amarela e bile negra), e que se constituiu no arcabouço do conhecimento médico entre os séc. II e XVII d.C: *O galenismo transformou a patologia humoral numa teoria racional e sistemática.* [F.: Do antr. *Galeno* + *-ismo.*]

galenista (ga.le.*nis*.ta) *s2g.* 1 Adepto do galenismo: *Galenista famoso, Jacques du Bois (1478-1555), foi o primeiro a obrigar seus estudantes a realizarem dissecações.* *a2g.* 2

De, pertencente ou relativo ao galenismo ou aos galenistas: *Segundo George Thompson (1619-1677), sua obediência aos preceitos galenistas ajudara a encher os cemitérios.* [F.: *galen(ismo)* + *-ista.*]

galeno (ga.*le*.no) *sm.* O mesmo que *médico* [F.: Do antr. Cláudio *Galeno*, médico nascido em Pérgamo no séc. II d.C.]

galeota (ga.le:*o*.ta) [ó] *sf.* **1** *Ant. Mar.* Galé pequena, com até vinte remos; GALEOTE **2** *Mar.* Embarcação comprida e movida a remos, de recreação **3** *Bras. Cons.* Carrinho de mão de duas rodas, com caixa para transporte de material em trabalhos de construção e terraplenagem **4** *AM* Canoa de toldo, comum no comércio itinerante dos regatões [F.: Do it. *galeotta.*]

galeote¹ (ga.le:*o*.te) [ó] *sm.* **1** Indivíduo que remava nas galés **2** Homem condenado a remar em galé **3** O mesmo que *galeota* [F.: De esp. *galeote*, 'id'.]

galeote² (ga.le:*o*.te) *sm. Vest.* Tipo de capa us. antigamente [F.: De or. obsc.]

galera¹ (ga.*le*.ra) *sf.* **1** *Ant. Mar.* Navio a vela de três mastros redondos, cada um destes com dois mastaréus **2** *Antq.* Antigo navio de guerra; GALÉ **3** Forno de uma fundição **4** *Antq.* Carro que transportava bombeiros em casos de incêndio [F.: Do cat. *galera.*]

galera² (ga.*le*.ra) *Bras. Gír. sf.* **1** Conjunto dos torcedores numa competição esportiva, esp. o futebol **2** *P.ext.* Qualquer grupo de pessoas, ger. jovens, reunidas em torno de alguma atividade: *A galera dos surfistas.* [F.: Posv. corruptela apocopada de 'galeria'.]

galeria (ga.le.*ri*.a) *sf.* **1** Espaço amplo, às vezes formado por várias salas, preparado para exposição de obras de arte **2** Em um museu, sala ou conjunto de salas dedicadas a um artista, a um tema, a um período etc. **3** Loja em que estas são expostas e vendidas **4** Corredor amplo e comprido, com janelas e, por vezes, teto envidraçado **5** Passagem coberta entre duas ruas, em geral no térreo de um edifício, ou de vários **6** Corredor com diversas lojas, dentro de um centro comercial **7** *Fig.* Coleção de personagens famosos (galeria de heróis) ou de retratos de pessoas importantes para uma dada instituição (galeria dos diretores /dos comandantes) **8** Corredor ou túnel escavado para a exploração de minérios **9** Sistema de passagens subterrâneas para escoamento de água e esgoto **10** Sistema similar para deslocamento de pessoas, cargas etc. **11** *Teat.* As acomodações localizadas no andar mais alto e distante do palco **12** *P.ext. Teat.* O público que se instala nesses lugares: *Só a galeria aplaudiu, freneticamente.* **13** *Bot.* Trecho de mata às margens de rio **14** *Mar.g.* Num porta-aviões, espaço destinado a alojamento dos pilotos [F.: Do it. *galleria.*] ■ **Para a ~** Para impressionar bem, para ter bom efeito junto ao público: *É bom orador, mas só fala para a galeria.*

galerista (ga.le.*ris*.ta) *a2g.* **1** Diz-se de pessoa que exibe e/ou negocia obras de arte *s2g.* **2** Dono de galeria de arte **3** Pessoa que exibe obras de arte **4** Negociante de obras de arte, esp. pinturas [F.: *galeria* + *-ista.*]

galerno (ga.*ler*.no) *Ant. a.* **1** Diz-se de vento brando e aprazível *sm.* **2** Esse vento: "Finda a homília, velejando a armada, sempre com o favor do galerno, reapareceram." (Xavier Marques, *Pindorama*) [F.: Do fr. *galerne.*]

galés (ga.*lés*) *sfpl.* **1** *Antq.* A pena dos condenados a remar em galés **2** *Antq.* O conjunto dos trabalhos forçados executados por esses condenados **3** *P.ext.* Trabalhos forçados em que os condenados são acorrentados pelos pés **4** *Fig.* Quaisquer trabalhos de excessiva exigência física; galé (3); PEDREIRA [F.: Do fr. ant. *galée.*]

galês (ga.*lês*) *sm.* **1** Pessoa nascida ou que vive no País de Gales, província do Reino Unido [Tb. *galense.*] **2** A língua celta falada no País de Gales [Pl.: *-leses.* Fem.: *-lesa.*] *a.* **3** Do País de Gales (Reino Unido), típico desse país ou de seu povo [Tb. *galense.*] **4** Ref. à língua celta falada no País de Gales [Pl.: *-leses.* Fem.: *-lesa.*] [F.: Do top. *Gales* + *-ês.*]

galeteria (ga.le.te.*ri*:a) *sf.* Restaurante que tem como prato principal o galeto [F.: *galeto* + *-eria.*]

galeto (ga.*le*.to) [ê] *Bras. sm.* **1** Frango novo, com cerca de 30 dias de vida **2** *Cul.* Frango novo assado em braseiro, no espeto **3** *Bras.* Restaurante ou lanchonete especializada nesse prato [F.: Do it. *galletto.*]

galgadeira (gal.ga.*dei*.ra) *sf. Lus. Marc.* Instrumento de marcenaria us. para traçar riscos paralelos à borda de uma tábua; GRAMINHO

galgado (gal.*ga*.do) *a.* **1** Que se galgou, que foi percorrido, saltado, pulado, atingido: *Galgados os primeiros degraus, subiu o resto da escada com facilidade; Galgadas as posições intermediárias, chegou rápido à chefia.* **2** Desempenado, alinhado (régua galgada) [F.: *galgar* + *-ado.*]

galgar (gal.*gar*) *v.* **1** Andar rápido, a grandes passadas, por; transpor correndo (ger. para cima) [*td.*: *Galgou a escada rapidamente.*] [*int.*: *O grupo galgava morro acima.*] **2** Andar por [*td.*: *Galgou uma parte do litoral brasileiro.*] **3** Passar além de; ESCALAR; SUBIR; TREPAR [*td.*: *Galgou a árvore em poucos segundos.*] [*int.*: *Acuada, a lebre galgava para cima da árvore.*] **4** Passar além de; TRANSPOR [*td.*: *Os escoteiros galgaram a montanha.*] [*int.*: *As fronteiras são difíceis de galgar.*] **5** *Fig.* Superar, transpor, até atingir rapidamente uma posição elevada [*tr.* + *a*: *O simples contínuo galgou a posições bem mais elevadas.*] **6** Rolar por [*td.*: *A pedra galgou a ladeira e caiu sobre um carro.*] [*ta.*: *O vigilante escorregou e galgou pela encosta.*] [*int.*: *Com as chuvas intensas, as pedras começaram a galgar.*] **7** Passar de [*td.*: *Já galgou seus 60 anos.*] **8** Tornar plano; ALINHAR; DESEMPENAR [*td.*: *Galgar um pedaço de madeira.*] **9** Insistir em não obedecer; DESOBEDECER [*int.*: *Como uma criança pequena, não desistia de galgar.*] [▶ **14** galgar] [F.: *galgo* + *-ar*². Hom./Par.: *galga(s)* (fl.), *galga(s)* (sf.[pl.]); *galgo* (fl.), *galgo* (a.sm.).]

galgo (*gal*.go) *sm.* **1** *Cinol.* Nome de várias raças de cachorros grandes, mas leves e esguios, de pernas longas e focinho afilado, us. na caça e em torneios de velocidade *a.* **2** *RS.* Desejoso, sedento de algo [F.: Do lat. *gallicus.*]

galha¹ (*ga*.lha) *sf. Pop. Bot.* Cecídio [F.: Do lat. *galla, ae.*]

galha² (*ga*.lha) *sf. Zool.* Primeira barbatana dorsal dos peixes, ger. avistável fora da água quando o peixe nada à superfície (como no caso do tubarão) [F.: Provavelmente do espn. *agalla.*]

galha³ (*ga*.lha) *sf.* **1** *Bot.* Excrescência que certos frutos apresentam devido à bicada de insetos **2** *Bot.* Conjunto de galhos; GALHADA [F.: Do lat. *galla* (acp. 1), *galho* + *-ada*¹. (acp. 2).]

galhaça (ga.*lha*.ça) *sf.* Certa quantidade de galhos: *Após a tempestade, começou a retirar a galhaça do canteiro.* [F.: *galha³ (2)* + *-aça.*]

galhada (ga.*lha*.da) *sf.* **1** *Bot.* Galho grande que se ramifica em outros menores **2** *Zool.* O conjunto, ou cada um, dos chifres de diversos ruminantes como as renas, os veados, os alces, que ganham o formato de uma galhada vegetal **3** *Fig. Pop.* Galhada (1) invisível, que seria a marca de pessoa traída sexualmente pelo cônjuge, amante, companheiro etc.; CHIFRE (6); CORNO: *Com aquela galhada, mal podia entrar pela portaria.* [F.: *galho* + *-ada*¹.]

galharada (ga.lha.*ra*.da) *Bras. Bot. sm.* Conjunto dos galhos de árvore ou arbusto; galhada; galharia [F.: *galho* + *-arada.*]

galhardete (ga.lhar.*de*.te) [ê] *sm.* **1** Bandeira, em forma de triângulo ou trapézio, ger. empregada em sinalização **2** Pequena bandeira us. para ornamento, divulgação ou lembrança comemorativa; FLÂMULA [F.: *galhardo* + *-ete.*]

galhardia (ga.lhar.*di*.a) *sf.* **1** Qualidade do que ou quem é galhardo; DONAIRE; ELEGÂNCIA; GARBO: *Assumiu com galhardia as tradições da família no hipismo.* **2** *Fig.* Generosidade, magnanimidade: *Tinha gestos de irresistível galhardia.* **3** Demonstração de espírito forte na adversidade: *O soldado se saiu com notável galhardia.* [F.: *galhardo* + *-ia*¹.]

galhardo (ga.*lhar*.do) *a.* **1** De aparência harmoniosa; ELEGANTE; GARBOSO **2** De temperamento generoso e delicado **3** Que realiza seu trabalho ou tarefa com dedicação *sm.* **4** *Lus.* Em embarcação, o castelo da proa **5** *Lus.* Em províncias de Portugal, o diabo, o demônio [F.: Do fr. *gaillard.*]

galharia (ga.lha.*ri*.a) *sf.* Conjunto de galhos; ver *galhada, galharada*

galheiro (ga.*lhei*.ro) *a.* **1** *Bras.* Diz-se de veado que tem grandes cornos, grande galhada **2** *Pej.* Diz-se de marido sexualmente traído pela mulher; CORNUDO *sm.* **3** Veado de galhada **4** Marido enganado sexualmente pela mulher; CORNO [F.: *galh-* + *-eiro.*]

galheta¹ (ga.*lhe*.ta) [ê] *sf.* **1** Pequeno frasco de vidro, louça, porcelana, para servir azeite ou vinagre às refeições **2** Instrumento de vidro comum nos laboratórios de química **3** *Rel.* Na celebração da missa católica, cada um dos pequenos recipientes de água ou vinho [F.: Prov. do espn. *galleta.*]

galheta² (ga.*lhe*.ta) [ê] *sf.* Espécie de trombeta de guerra, típica de Moçambique [F.: *galho* + *-eta.*]

galheta³ (ga.*lhe*.ta) [ê] *sf. Lus.* Golpe de mão aberta no rosto; BOFETADA; TAPA [F.: De or. obsc.]

galheteiro (ga.lhe.*tei*.ro) *sm.* Utensílio de mesa em forma de pequena bandeja em que se servem as galhetas e outros recipientes de tempero, esp. de sal e pimenta do reino; talher de galhetas [F.: *galheta* + *-eiro.*]

galho (*ga*.lho) *sm.* **1** *Bot.* Parte ou subparte do caule das árvores, arbustos e outros vegetais **2** Essa porção da planta, quando separada do caule **3** *Anat. Zool.* Chifre (2) **4** *Bras. Pop.* Trabalho extra: *Tinha naquele serviço apenas um galho.* **5** *Bras. Gír.* Situação complicada, problemática: *Aquela queda foi um galho que não esperava.* **6** *Gír.* Confusão, discórdia, briga: *Sair antes da hora acaba dando galho.* **7** *Gír.* Relação amorosa fora do casamento; CASO; CACHO: *Teve um galho com a enfermeira.* [F.: Do lat. vulg. *galleus.*] ■ **Balançar o ~ da roseira** *AL Tabu.* Peidar **Botar o ~ dentro** *Bras. Pop.* Retrair-se, não se manifestar, ficar quieto **Dar (um) ~** *Bras. Gír.* Causar dificuldades, trazer aborrecimento **Quebrar um ~** *Bras. Gír.* Ajudar a resolver um problema, dar um jeito

galhofa (ga.*lho*.fa) *sf.* **1** Zombaria ostensiva e ruidosa; ESCÁRNIO; DEBOCHE **2** Manifestação de alegria barulhenta; PÂNDEGA; BRINCADEIRA: *A festa virou uma galhofa geral.* **3** *Bras. P.ext.* Vida de farra, bagunça: *Passaram a cair na galhofa.* [F.: Do espn. *galoffa.*] ■ **Cair na ~** **1** *Bras. Pop.* Assumir jeito de malandro **2** Cair na farra

galhofar (ga.lho.*far*) *v.* **1** Fazer gracejos; DEBOCHAR [*tr.* + *de*: *Gosta de galhofar de todo mundo.*] [*int.*: *Passa o tempo a galhofar.*] **2** Não levar a sério, levar na brincadeira, na pândega [*tr.* + *de*: *Galhofava da situação, e da preocupação dos amigos.*] [*int.*: *Ante dificuldades, galhofava, frente ao perigo, ria.*] **3** Viver na farra, na galhofa [*int.*: *Passa as noites galhofando.*] [▶ **1** galhofar] [F.: *galhofa* + *-ar*². Hom./Par.: *galhofa(s)* (fl.), *galhofa* (sf.[pl.]); *galhofaria(s)* (fl.), *galhofaria(s)* (sf.[pl.]).]

galhofeiro (ga.lho.*fei*.ro) *a.* **1** Que é dado a galhofas ou contém galhofas: "...De tarde apareceu Anselmo galhofeiro e vivo como se começasse para ele uma nova mocidade." (Machado de Assis, *Contos fluminenses*) *sm.* **2** Aquele que é dado a galhofas: *O galhofeiro foi expulso da sala.* [F.: *galhofa* + *-eiro.*]

galhudo (ga.*lhu*.do) *a.* **1** Que tem muitos galhos (goiabeira galhuda) **2** De galhada (2) muito grande (cervo galhudo) **3** *Fig. Gír.* Sexualmente traído; CHIFRUDO; CORNUDO: *Era um casal de galhudos desfilando.* *sm.* **4** *Gír.* Pessoa sexualmente traída, ludibriada **5** *Ict.* Peixe perciforme e carangídeo, *Trachynotus glaucus*, do Atlântico sul, azul-prateado, que chega a 40 cm de comprimento, com grande acúleo na nadadeira dorsal, daí o nome; PAMPO-GALHUDO; PÂMPANO [F.: *galho* + *-udo*².]

galicanismo (ga.li.ca.*nis*.mo) *sm. Rel.* Movimento que, surgido na França, tinha como princípio a independência da Igreja Católica romana de cada país, sem subordinação ao papa (No início, o movimento defendia a interferência dos reis franceses nos negócios do papa; depois do séc. XVII, a autonomia dos bispos franceses. Deixou de se manifestar depois que o Concílio do Vaticano (1870) tornou dogma a infalibilidade papal.): "Congregações religiosas que despareceram para os acusar de jansenismo, de galicanismo, de filosofismo." (Alexandre Herculano, *Opúsculos*) [F.: *galicano* + *-ismo.*]

galicano (ga.li.*ca*.no) *sm.* **1** Pessoa que vivia ou nascia na Gália, antigo país no território da França atual; GAULÊS **2** O adepto do galicanismo *a.* **3** Da Gália, típico do seu povo ou da sua cultura; GAULÊS **4** Que era adepto do galicanismo **5** *Rel.* Que se refere à Igreja francesa (rito galicano; liberdades galicanas) [F.: Do fr. *gallikan*, hoje *gallican.*]

galiciano (ga.li.ci:*a*.no) *sm.* **1** Indivíduo nascido ou que vive na Galícia, ou Galiza (região da Espanha) **2** Indivíduo nascido ou que vive na Galícia, região que comprende territórios da Polônia e da Ucrânia *a.* **3** De Galícia, região da Espanha; típico dessa região ou de seu povo **4** Da Galícia, região da Polônia e da Ucrânia; típico dessa região ou de seu povo [F.: Do top. *Galícia* + *-ano*¹.]

galicismo (ga.li.*cis*.mo) *sm.* Palavra ou expressão do francês adotada por outra língua, com ou sem adaptações, como p.ex. abajur, buquê, fetiche, *savoir vivre*, filme *noir* [F.: Do fr. *gallicisme.*]

gálico (*gá*.li.co) *a.* **1** Relativo à Gália; GAULÊS **2** Referente à França; GAULÊS *sm.* **3** O mesmo que *sífilis* [F.: Do lat. *gallicus, a, um.*]

galiforme (ga.li.*for*.me) *a2g.* **1** Relativo aos galiformes *sm.* **2** *Ornit.* Espécime dos galiformes, ordem de aves de bico curto, pernas resistentes, pés próprios para ciscar, asas curtas, e que incluem galinhas, perus, faisões etc. [F.: Do lat. cient. ordem *Galliformes.*]

galilé (ga.li.*lé*) *sf.* **1** *Arq.* Espécie de galeria próxima à igreja para servir de sala de reuniões ou capela das irmandades: "Desapareciam (...) no ângulo formado pela tribuna, para reaparecerem dobrando a esquina da galilé." (Aquilino Ribeiro, *Batalha sem fim*) **2** *Ant.* Local em que, nos antigos mosteiros, eram sepultadas as pessoas de origem nobre [F.: Do fr. ant. *galilée.*]

galileano (ga.li.le:*a*.no) *a.* Que se refere ao cientista italiano Galileu Galilei (1564-1642) e às suas ideias e teorias [F.: Do antr. *Galileu* Galilei.]

galileu¹ (ga.li.*leu*) *sm.* **1** Pessoa nascida, que vive ou viveu na Galileia, região ao norte da antiga Judeia, depois Palestina, hoje Israel **2** Um dos epítetos de Jesus Cristo, por ter sido criado em Nazaré, na Galileia **3** *Hist. Rel.* Membro de certa seita judaica da época inicial do cristianismo, na Judeia *a.* **4** Da Galileia, típico dessa região ou de seu povo **5** Ref. à seita dos galileus (3) ou a membro dela [F.: Do lat. *galilaeus.*]

galileu² (ga.li.*leu*) *sm. Fís.* Unidade de medida de aceleração, us. esp. em geologia; corresponde a uma aceleração de 10^{-2} m/s² [Símb.: *Gal.*] [F.: Do antr. *Galileu* (Galilei).]

galimatias (ga.li.ma.*ti*.as) *sm2n.* **1** Discurso ou fala confusa, obscura, ininteligível **2** Babel de palavras cujo sentido mal se pode entender [F.: Do fr. *galimatias.*]

galináceo (ga.li.*ná*.ce.o) *a.* **1** *Zool.* Ref. a ou que pertence aos galiformes, como galos, galinhas, perus etc. *sm.* **2** Espécime dos galináceos, outra denominação dos galiformes [F.: Do lat. *gallinaceus, a, um.*]

galinha (ga.*li*.nha) *sf.* **1** Ave galiforme, a fêmea do galo **2** *Cul.* Prato preparado com a carne dessa ave (galinha assada) **3** *Lus. Pop.* Em Portugal, coisa fácil de se conseguir; tarefa fácil de se fazer; GALINHA-MORTA *s2g.* **4** *Fig. Pej.* Pessoa frouxa, covarde: *Ele não passa de um galinha!* **5** *Gír.* Pessoa que mantém relações sexuais com muitos parceiros **6** *Gír. Pej.* Pessoa muito volúvel, que se entrega com facilidade a qualquer coisa **7** *Bras. Pej.* Integralista; tb. *galinha-verde* [F.: Do lat. *gallina, ae.*] ■ **Cercar ~** *Bras. Pop.* Cambalear ao andar, ger. por estar embriagado; cercar frango **Deitar-se/dormir com as ~s** Deitar-se (para dormir) muito cedo, ao anoitecer ou pouco depois; dormir com as galinhas **~ caipira** *Bras.* Aquela que é criada solta, no chão **~ choca** **1** *N.E.* Pessoa irrequieta **2** Pessoa doentia, ou tímida, ou medrosa, ou imprestável [Cf.: *galinha-choca.*] **~ garnisé** *Fig.* Pessoa de pouca estatura, mas metida a valente, arrogante **Passar por alguém como ~ por sal** *Fam.* Cruzar com alguém e não demonstrar interesse, não prestar atenção etc. **Quando as ~s criarem/tiverem dentes** Nunca, jamais

galinha-choca (ga.li.nha-*cho*.ca) *sf.* **1** *Angios.* Planta da fam.das eritroxiláxias (*Erythroxylum suberosum*), de flores pequenas dispostas em fascículos, de madeira avermelhada us. em marcenaria, encontrada em várias regiões do Brasil **2** *Angios.* Pequena árvore da mesma fam. (*Erythroxylum tortuosum*), da qual se extrai tintura vermelha e cuja madeira é muito us. em construção civil, encontrada em algumas regiões do Brasil **3** *MG Ornit.* Mesmo que *fura-barreira* (*Hylocryptus rectirostris*) [Pl.: *galinhas-chocas.*]

galinhada (ga.li.*nha*.da) *sf.* **1** Conjunto ou bando de galinhas **2** *GO Cul.* Prato feito à base de galinha com arroz, em que primeiramente fritam-se todas as partes da galinha com temperos, e depois adiciona-se o arroz para cozinhá-lo juntamente com o caldo condimentado e os pedaços da galinha frita. Normalmente adiciona-se também o pequi, fruto do cerrado de cor amarela e sabor e aroma exótico, que complementa a peculiaridade desse prato (galinhada com pequi) [F.: *galinha* + *-ada.*]

galinha-d'angola (ga.li.nha-d'an.*go*.la) *sf. Zool.* Ave da fam. dos numidídeos (*Numida meleagris*), de plumagem acinzentada com pintas brancas,originária da África e domesticada em países de clima quente ou temperado [Pl.: *galinhas-d'angola.*]

galinhagem (ga.li.*nha*.gem) *Bras. Pej. sf.* **1** Ação ou resultado de galinhar **2** Vida ou modo de agir de quem se devota com grande ardor a conquistas amorosas e a prazeres sexuais **3** Contato ou namoro voluptuoso, libidinoso: *Estava de galinhagem com o rapaz num canto escuro do jardim.* **4** Modo de agir de quem se perde em frivolidades, em brincadeiras infantilizadas ou feminis; FRESCURA: *Pare de galinhagem e vamos trabalhar!* [Pl.: *-gens.*] [F.: *galinhar* + *-agem.*]

galinha-morta (ga.li.nha-*mor*.ta) *Bras. Gír. sf.* **1** Mercadoria de preço menor do que se esperava **2** Qualquer coisa muito fácil de fazer, aprender ou enfrentar: *Esse jogo vai ser galinha-morta.* **3** *RS* Cantiga popular que se toca à viola ou ao violão **4** *RS* Dança ao ritmo dessa cantiga *sm.* **5** Indivíduo que demonstra muito medo, covardia: *O galinha-morta correu quando ouviu o barulho.* **6** *RJ* Indivíduo sem ânimo, apático: *O pretendente é um galinha-morta: não resolve nada.* [Pl.: *galinhas-mortas.*]

galinhar (ga.li.*nhar*) *v.* **1** *Bras. Pop.* Trocar frequentemente de parceiro sexual (homem ou mulher); agir como galinha [*int.*: *Só pensa em galinhar*] **2** Comportar-se voluptuosamente; ter relações sexuais com [*ti.* + *com*: *Estava no carro galinhando com a garota*] **3** Perder tempo; comportar-se de modo desordenado, indisciplinado [*int.*: *Pare de galinhar e sente-se para trabalhar!*] [▶ **1** galinhar] [F.: *galinha* + *-ar*[2]. Hom./Par.: *galinho* (fl.), *galinho* (sm.); *galinha* (fl.), *galinhas* (fl.), *galinha* (sf. a2g. s2g. [pl.]); *galinho* (fl.), *galinhó* (sm.).]

galinha-verde (ga.li.nha-*ver*.de) *a2g. Bras. Pej. Pol.* O mesmo que *integralista* [Pl.: *galinhas-verdes.*]

galinheiro (ga.li.*nhei*.ro) *sm.* **1** Cercado onde se criam galinhas e outras aves **2** Casinhola onde se abrigam e dormem as galinhas; CAPOEIRA **3** Pessoa ou estabelecimento que vende galinhas vivas e outros animais domésticos **4** *Pop. Fut.* Estádio acanhado com instalações precárias e com campo maltratado e sem grama **5** *Gír. Teat.* A parte da plateia de teatro mais afastada do palco; GALERIA; TORRINHA [F.: Do lat. *gallinarium, i.*]

galinhódromo (ga.li.nhó.*dro*.mo) *sm.* **1** Pista de corrida para galinhas ou galos: "A corrida é a atração mais esperada da festa. A disputa acontece no galinhódromo, uma pista de 60 metros, dividida por nove aves..." (Carolina Miranda) **2** Lugar destinado à criação de galinhas [F.: *galinh(a)* + *-o-* + *-dromo.*]

galinhola (ga.li.*nho*.la) *sf.* **1** Galinha pequena **2** *Bras. Ornit.* O mesmo que *galinha-d'angola* (*Numida meleagris*) **3** *Bras. Ornit.* O mesmo que *narcejão* (*Gallinago undulata*) **4** *RS Ornit.* O mesmo que *frango-d'água* (*Gallinula chloropus*) **5** *Cul.* Prato preparado com galinha-d'angola [Dim. irreg. de *galinha.*] [F.: *galinha* + *-ola.*]

gálio (*gá*.li:o) *sm. Quím.* Elemento metálico de número atômico 31 [Símb.: *Ga.*] [F.: Do fr. *gallium,* latinização do antr. *Leqoc* (*de Boisbaudran*), químico francês.]

galiqueira (ga.li.*quei*.ra) *sf. Bras. N.E. Pop.* Doença sifilítica [F.: *gálico* + *-eira.*]

galispo (ga.*lis*.po) *sm.* **1** Frango, galo pequeno **2** *Ornit.* Ave (*Vanellus cristatus*) da fam. dos caradriídeos; ABIBE [F.: De or. incerta, posv. de *galo.*]

galista (ga.*lis*.ta) *Bras. s2g.* **1** Criador de galos de briga **2** Apreciador de brigas de galo [F.: *gal(o)* + *-ista.*]

galizia (ga.li.*zi*.a) *Bras. N. Pop. sf.* **1** Exigência, capricho, luxo **2** Vaidade, presunção, orgulho [F.: De or. obsc.] ■ **Cheio de ~** *Bras. N. Pop.* Cheio de melindres, frescuras, exigências descabidas; cheio de luxo; cheio de nove-horas

galo (*ga*.lo) *sm.* **1** *Zool.* Macho da galinha; denominação comum às aves da fam. dos fasianídeos, do gên. *Gallus,* com várias spp. selvagens e domesticadas, de crista vermelha e rabo com longas penas **2** *Fig.* Calombo ou inchação pequena na cabeça, resultante de uma pancada **3** *Fig.* Homem de influência, em cargo de chefia ou equivalente **4** *Bras. Lud.* No jogo do bicho, o 13° grupo, que abrange os números 49, 50, 51, 52 **5** Nome de várias espécies de peixe teleósteo perciforme da família dos carangídeos, com nadadeiras providas de raios filiformes; PEIXE-GALO; GALO-BRANCO [F.: Do lat.*gallus,i.*] ■ **~ carijó** *Bras. Fut.* Pertencente ou relativo a, ou torcedor do Clube Atlético Mineiro **~ de briga/de rinha 1** Galo de raça belicosa, us. em programas [ilegais no Brasil] de combate entre galos **2** *Fig.* Pessoa brigona, agressiva **Cantar de ~** *Fam.* Mostrar-se autoritário; impor sua vontade **Cozinhar o ~ 1** *SP Gír.* Fingir que está trabalhando **2** Adiar seguidamente tarefa, obrigação **Ficar para ~ de S Roque** *SP Pop.* Não casar (mulher), ficar solteirona **Ouvir cantar o ~ e não saber onde** *Fam.* Ter vaga noção de algo, mas não saber exatamente o que é, o que significa etc. **Salgar o ~** *N.E. Pop.* Tomar a primeira dose de bebida alcoólica no dia **Ser um ~** Ter (um homem) orgasmo muito rápido

galocha (ga.*lo*.cha) *sf.* **1** Espécie de calçado de borracha ger. us. por cima de outros calçados, como proteção contra água, lama etc. **2** *Agr.* Broto que aparece a partir de enxerto; GUIA **3** *Mar.* Peça de metal (que inclui uma roldana) em borda de navio por onde labora uma espia, um vibrador **4** *Lus.* Em Trás-os-Montes, primeiro sulco na abertura de uma vala **5** Espécie de prego [F.: Do fr. *galoche.*]

galo de briga (ga.lo de bri.ga) *sm.* **1** Galo de determinadas variedades desenvolvidas, esp. para a rinha, esporte proibido no Brasil **2** *Fig.* Pessoa irascível, que gosta de brigar [Pl.: *galos de briga.*]

galo-de-campina (ga.lo-de-cam.*pi*.na) *sm. Bras. Ornit.* O mesmo que *cardeal* (*Paroaria coronata*) [Pl.: *galos-de-campina.*]

galomania (ga.lo.ma.*ni*.a) *sf.* Paixão pela França, pela cultura e costumes franceses [F.: *gal(o)-* (do lat. *gallus, a, um,* 'gaulês') + *-mania.*]

galomaníaco (ga.lo.ma.*ní*.a.co) *a.* **1** Ref. a galomania **2** Que tem galomania; GALÔMANO *sm.* **3** Pessoa que tem galomania; GALÔMANO [F.: *galoman(ia)* + *-íaco.*]

galômano *a.* **1** Galomaníaco (2) **2** Galomaníaco (3) [F.: *gal(o)-* (do lat. *gallus, a, um,* 'gaulês') + *-mano*[1].]

galoneira (ga.lo.*nei*.ra) *sf.* Máquina de costura us. em fábricas de roupas [F.: *galão* (sob a f. *galon-*) + *-eira,* seg. o mod. erudito.]

galopada (ga.lo.*pa*.da) *sf.* Ação ou resultado de galopar; GALOPE [F.: Fem. substv. de *galopado.*]

galopador (ga.lo.pa.*dor*) [ô] *a.* **1** Que galopa bem *sm.* **2** Aquele que galopa bem [F.: *galopar* + *-dor.*]

galopante (ga.lo.*pan*.te) *a2g.* **1** Que galopa, que se manifesta a galope **2** *Fig.* De muita rapidez, velocidade (doença/crescimento galopante) **3** *Med.* Diz-se de doença (esp. a tuberculose aguda) que se desenvolve rapidamente, ger. levando à morte antes que se possam usar (ou que façam efeito) recursos terapêuticos *sm.* **4** *Bras. Pop.* Em capoeira, golpe violento em que o lutador atinge o rosto do adversário com a palma da mão [F.: *galopar* + *-nte.*]

galopar (ga.lo.*par*) *v.* **1** Andar a galope (cavalgadura ou cavaleiro montado em cavalgadura que assim anda) [*int.*: *O animal galopava colina a baixo; O homem galopou por muito tempo.*] **2** *Fig.* Percorrer (distância, caminho etc.) a galope [*td.*: *Galopou a estrada em 15 minutos.*] **3** Afastar-se apressadamente (homem ou animal); DESEMBESTAR; FUGIR [*int.*: *O cavalo galopou de surpresa; Os meninos galoparam na direção da escola.*] [▶ **1** galopar] [F.: Do fr. *galoper.* Hom./Par.: *galope(s)* (fl.), *galope* (sm.[pl.]).]

galope (ga.*lo*.pe) *sm.* **1** O mais rápido movimento da andadura do cavalo e de outros animais **2** Ver *galopada* **3** *P.ext.* Distância que um cavalo pode percorrer a galope: *A igreja fica a um bom galope daqui.* **4** Passo muito rápido, apressado: *Sua tia saiu a galope para comprar o remédio.* **5** *Dnç.* Dança viva, rápida, popular na Inglaterra vitoriana **6** *Dnç.* Dança alemã do séc. XIX, muito ritmada e curta **7** *P.ext. Mús.* A música para essa dança **8** *Mar.* Parte superior de um mastro, sem mastaréu, que recebe a borla **9** *Poét.* Martelo de seis pés, sextilha de decassílabos us. pelos cantadores brasileiros; martelo agalopado [F.: Do fr. *galop.*] ■ **~ à beira do mar** *Pop. Liter.* Gênero de poesia popular que se desenvolve em dez versos de onze sílabas cada um, e que termina com a palavra 'mar' **~ de apresentação** *Bras. Turfe* Galope suave com que os participantes de um páreo se apresentam, antes dele, ao público **~ de saúde** *Turfe* Vitória em um páreo com grande vantagem sobre os demais concorrentes **~ gabinete** *Bras. N.E. Pop. Liter.* Gênero de poesia popular que se desenvolve em versos de onze sílabas, com estribilhos nas linhas sete, oito, nove e dez e nas duas últimas

galopear (ga.lo.pe.*ar*) *v.* **1** O mesmo que *galopar* [*td. int.*] **2** *RS* Amansar, domesticar (cavalo ou potro) [*td.*] [▶ **13** galopear] [F.: *galope* + *-ear.*]

galopim (ga.*lo*.pim) *sm.* **1** Menino esperto e travesso; gaiato **2** *Bras.* O mesmo que *galopim eleitoral* **3** Agente policial; BELEGUIM **4** *BA* Sapato de tênis [Pl.: *-pins.*] [F.: Do fr. *galopin.*] ■ **~ eleitoral** Pessoa que trabalha angariando votos para determinado candidato a cargo eletivo; cabo eleitoral [Tb. se diz apenas *galopim.*]

galpão (gal.*pão*) *sm.* **1** Construção de grande tamanho, muitas vezes com um ou mais lados sem parede, e empregada tanto na cidade como no campo para armazenamento de material, de máquinas e apetrechos **2** *RS* Estábulo [Pl.: *-pões.*] [F.: Do cast. *galpon.*]

galponeiro (gal.po.*nei*.ro) *Bras. a.* **1** Ref. a galpão **2** Que vive em galpão [F.: *galpão* + *-eiro,* seg. o mod. erudito.]

galrar (gal.*rar*) *v. int.* **1** Tagarelar, falar em demasia: *A moça galrava sem parar* **2** Vangloriar-se, contar vantagem, blasonar: *Não parava de bravatear, de galrar.* **3** Emitir sons (aves): *As aves galravam no terreiro.* [▶ **1** galrar] [F.: Do port. *garrulhar.* Hom./Par.: *galra* (fl.), *galras* (fl.), *galra* (sf. [pl.]).]

galvânico (gal.*vâ*.ni.co) *a.* Ref. ao galvanismo [F.: Do fr. *galvanique.*]

galvanismo (gal.va.*nis*.mo) *sm.* **1** *Elet.* Eletricidade gerada por meios químicos, pelo contato de metais diferentes com um eletrólito **2** *Ter.* Galvanoterapia [F.: Do fr. *galvanisme,* do antr. (*Luigi*) *Galvani* (1737-1798), físico italiano.]

galvanização (gal.va.ni.za.*ção*) *sf.* **1** Ação ou resultado de galvanizar **2** Processo industrial de recobrir o ferro ou o aço com camada de zinco metálico, para prevenir a oxidação **3** Parte de uma usina siderúrgica em que se faz essa operação **4** *Med.* Tratamento estimulante de nervos e/ou músculos por aplicação direta de eletricidade galvânica [Pl.: *-ções.*] [F.: *galvanizar* + *-ção.*]

galvanizado (gal.va.ni.*za*.do) *a.* **1** Que se galvanizou, que sofreu processo de galvanização **2** A que se deu ânimo, energia, estímulo; ARREBATADO; ENTUSIASMADO: *O grupo, galvanizado, não tirava os olhos da atriz.* [F.: Part. de *galvanizar.*]

galvanizar (gal.va.ni.*zar*) *v. td.* **1** Por processo eletrolítico, cobrir (metal) com (outro) metal, como forma de proteger da corrosão: *Galvanizou os canos antes da instalação.* **2** Reanimar ou estimular (músculo, nervo) fisiologicamente por meio de eletricidade galvânica: *Galvanizou os músculos adormecidos.* **3** *Fig.* Reanimar, dando vida ou energia; INFLAMAR: *O tão esperado orador galvanizou a plateia.* **4** *Fig.* Animar, arrebatar; INFLAMAR: *A fome do mundo galvaniza a atenção dos humanistas.* **5** Tornar dourado, niquelado, prateado, por meio de processo eletrolítico: *O artesão galvanizou os fios de arame e fez lindas pulseiras.* **6** Dourar ou pratear: *A nova iluminação galvanizava as barras da grade.* [▶ **1** galvanizar] [F.: *galvano-* + *-izar.*]

◎ **galvano-** *el. comp.* = galvanismo: *galvanografia, galvanoplastia* [F.: Do antr. (*Luigi*) *Galvani,* físico italiano.]

galvanocautério (gal.va.no.cau.*té*.ri.o) *sm. Cir.* Aparelho elétrico us. para cauterizar [F.: *galvano-* + *cautério.*]

galvanografia (gal.va.no.gra.*fi*.a) *sf.* Processo de gravura que utiliza a galvanoplastia para pôr uma camada de cobre sobre a placa desenhada com tinta isolante [F.: *galvano-* + *-grafia.*]

galvanográfico (gal.va.no.*grá*.fi.co) *a.* Ref. à galvanografia [F.: *galvanografi(a)* + *-ico*[2].]

galvanômetro (galva.*nô*.me.tro) *sm. Elet.* Instrumento que serve para medir pequenas correntes elétricas [F.: *galvano-* + *-metro.*] ■ **~ balístico** *Elet.* Tipo de galvanômetro us. para medir impulsos elétricos de curta duração

galvanoplasta (galva.no.*plas*.ta) *s2g.* Pessoa que trabalha com galvanoplastia [F.: *galvano-* + *-plasta.*]

galvanoplastia (galva.no.plas.*ti*.a) *sf. Fís.* Técnica de revestimento metálico (douração, niquelagem etc.) de diferentes objetos por meio de eletrólise [F.: Do fr. *galvanoplastie.*]

galvanoterapia (gal.va.no.te.ra.*pi*.a) *sf. Ter.* Terapia que utiliza a corrente contínua [F.: *galvano-* + *-terapia.*]

galvanotipia (gal.va.no.ti.*pi*.a) *sf. Tip.* Procedimento de galvanoplastia que permite obter a reprodução de gravuras, de caracteres de impressão etc.; ELETROTIPIA [F.: *galvano-* + *-tip(o)* + *-ia*[1].]

gama (*ga*.ma) *sm.* **1** Terceira letra do alfabeto grego, correspondente ao *g* latino **2** *Fís.* Massa igual a um milionésimo de grama [Símb.: *γ.*] *sf.* **3** Conjunto de coisas variadas; SÉRIE: *O vendedor ofereceu uma gama de opções.* **4** *Fot. Telv.* Numa imagem qualquer, grau de contraste entre tons claros e escuros **5** *Mús.* Sequência de sons dentro de uma oitava, na música tonal **6** *Mús.* Ver escala **7** *Zool.* Fem. de gamo [F.: Do lat. *gamma, ae.*]

gamação (ga.ma.*ção*) *sf.* **1** *Bras. Pop.* Ação ou resultado de gamar, de apaixonar-se (ou revelar intensa admiração) por algo ou alguém: *Bastou um olhar para começar uma gamação que durou toda a vida.* **2** Estado ou circunstância de estar alguém gamado, apaixonado: *Não conseguia esconder sua gamação pela colega.* [Pl.: *-ções.*] [F.: *gamar* + *-ção.*]

gamado (ga.*ma*.do) *a.* **1** Cujos braços, de tamanho igual, têm as extremidades prolongadas em ângulo reto (cruz gamada) **2** Que gamou, que se apaixonou; APAIXONADO [F.: Do lat. *gammatus, a, um* (acp. 1). Para a acp. 2, part. de *gamar.*]

gamaglobulina (ga.ma.glo.bu.*li*.na) *sf. Imun.* Qualquer uma de várias globulinas encontradas no plasma sanguíneo e que contêm a maioria dos anticorpos deste [F.: *gama* + *globulina.*]

gamão (ga.*mão*) *sm.* **1** Jogo em que dois competidores utilizam tábulas e dados sobre um tabuleiro de dois compartimentos **2** *P.ext.* O tabuleiro em que se disputa tal jogo **3** *Bot.* Nome de duas plantas liliáceas, tb. chamadas *abróteas* (*Asphodelus*) [Pl.: *-mões.*] [F.: Do ing. *gammon* (acp. 1). De or. obsc. (acp. 2).]

gamar (ga.*mar*) *v.* **1** *Bras. Pop.* Ficar encantado, apaixonado por (algo ou por alguém) [*tr.* + *por*: *Gamou pela garota do vizinho.*] [*int.*: *Viu o filme e gamou.*] **2** *Gír.* Furtar sutilmente [*int.*] [▶ **1** gamar] [F.: De or. *obsc.* Hom./Par.: *gamo* (fl.), *gamo* (sm.); *gama(s)* (fl.), *gama* (sm.sf.[pl.]).]

gamarra (ga.*mar*.ra) *sf.* Correia passada das cilhas à focinheira para impedir que a cavalgadura erga demais a cabeça [F.: Do it. *gamarra.*]

gambá (gam.*bá*) *s2g.* **1** *Bras. Zool.* Nome comum dos marsupiais da fam. dos didelfídeos, do gên. *Didelphis,* de pelagem cinza, preta ou avermelhada, comprimento de até 50 cm, de longa cauda preênsil, encontrados do sul do Canadá à Argentina; SARIGUÊ; TIMBU **2** *AM PA* Espécie de tambor feito de tronco de madeira escavado em forma de cilindro, com um pedaço de couro estendido e estocado sobre uma das aberturas **3** *AM Folc.* Certa dança indígena e a música que a acompanha **4** *Bras. Fig.* Bêbedo, beberrão **5** *PI Pop.* A camada social mais baixa; RALÉ [F.: Do tupi *gã'bá.*] ■ **Bêbado como um ~** Muito embriagado **Comer ~ errado** *Bras. P.us.* Ver *Comprar gato por lebre,* no verbete *gato* **Fazer ~** Para descascar o arroz (na região de Paranaguá), dançar sobre ele o fandango

gambarra (gam.*bar*.ra) *sf. AM Mar.* Pequena embarcação a vela de dois mastros, para transporte de carga, ger. gado, esp. na ilha de Marajó [F.: De or. obsc.]

gambé (gam.*bê*) *sm. Bras. Pop. Pej.* Policial, tira [F.: De or. incerta.]

gambeta (gam.*be*.ta) *Bras. sf.* **1** Certo movimento do corpo e das pernas, em zigue-zague, para enganar um perseguidor **2** *Fig.* Artimanha [F.: Do it. *gambetta*, posv.]

gambetear (gam.be.te.*ar*) *v.* **1** *Bras.* Desviar (o corpo) de ataque de alguém ou de animal [*td.*: *Gambeteou o corpo para escapar ao primeiro golpe.*] **2** Proceder de maneira astuciosa, maliciosa; fazer gambetas [*int.*: *Passou toda a luta gambeteando.*] [▶ 13 gambetear] [F.: *gambeta* + *-ear.*]

gâmbia (*gâm*.bi:a) *Pop. sf.* Perna (de homem ou de animal) [F.: Do it. *gamba.*] ■ **Dar às ~s** Correr, fugir

gambiano (gam.bi:*a*.no) *a.sm.* O mesmo que *gambiense* [F.: Do top. *Gâmbia* + *-ano.*]

gambiarra (gam.bi:*ar*.ra) *sf.* **1** Extensão de fio elétrico, com um ou mais bocais de lâmpada: *Uma gambiarra iluminava o jardim.* **2** *Bras. Pop.* Extensão ilegal para levar eletricidade a algum ponto ou remediar improvisadamente uma passagem de corrente elétrica; GATO **3** *Pop. P.ext.* Qualquer solução improvisada para resolver um problema, ger. do ambiente doméstico **4** *Teat.* Fileira de refletores suspensa acima do palco [F.: De or. obsc.]

gambiense (gam.bi.*en*.se) *s2g.* **1** Pessoa nascida ou que vive em Gâmbia (África) *a2g.* **2** De Gâmbia; típico desse país ou de seu povo [F.: Do top. *Gâmbia* + *-ense.*]

gambista (gam.*bis*.ta) *a2g.* Pessoa que toca viola de gamba [F.: *gamb(a)* + *-ista.*]

gambito[1] (gam.*bi*.to) *sm.* **1** Ardil para enganar e vencer o adversário; ARTIMANHA **2** *Lud.* No jogo de xadrez, tipo de abertura em que se sacrifica um peão para fazer avançar outras peças em posição favorável [F.: Do it. *gambetto.*]

gambito[2] (gam.*bi*.to) *sm. Joc.* Perna muito fina; o mesmo que *cambito* (2)

gamboa (gam.*bo*.a) *sf.* **1** *SP* Lugar em que as águas de um rio ficam quase paradas, dando a impressão de lago **2** Trecho de rio ou de mar que só tem água na maré alta **3** Braço de mar ou de rio que, durante a enchente da maré, serve como uma espécie de armadilha para pegar peixes [F.: De or. obsc.]

gambota (gam.*bo*.ta) *sf. Arq.* Arco de madeira que serve de molde para a construção de uma abóboda; CAMBOTA [F.: Var. de *cambota.*]

⊕ ***game*** (*Ing. /guêim/*) *sm. Esp.* No jogo de tênis, cada uma das seis subdivisões de um *set* vencida pelo jogador que marca quatro pontos

gamela[1] (ga.*me*.la) *sf.* **1** Vasilha de barro ou de madeira para dar comida a animais domésticos **2** Por metonímia, a comida contida nessa vasilha; essa quantidade de comida **3** *Fig.* Falsidade, logro, mentira *s2g.* **4** Nome que os portugueses davam aos indígenas que usavam uma espécie de pequena gamela introduzida no lábio inferior, como os acroás do Piauí **5** *Bras. Pej.* Pessoa que se encarrega de tarefas ou serviços (esp. de engenharia) para os quais não tem qualificação ou competência **6** *Lus.* No Minho, pessoa lorpa, pouco inteligente [F.: Do lat *camella, ae.*]

gamela[2] (ga.*me*.la) *sf. Zool.* Corça pequena [F.: *gama* (fem. *de gamo*) + *-ela.*]

gamelão (ga.me.*lão*) *sf.* **1** Gamela grande **2** Nas rinhas, arena com cerca acolchoada, onde brigam os galos [Pl.: *-lões.*] [F.: *gamela*[1] + *-ão*[1].]

gameleira (ga.me.*lei*.ra) *sf.* **1** *Bot.* Nome de várias árvores da fam. das moráceas, esp. as do gên. *Ficus*, algumas muito grandes e cuja madeira, de qualidade inferior, é us. na fabricação de gamelas e outros objetos; FIGUEIRA-BRAVA **2** *Bot.* O mesmo que *quaxinduba* (*Ficus insipida*) [F.: *gamela* + *-eira.*]

gamemania (ga.me.ma.*ni*.a) *sf.* Mania por *video games* ou jogos eletrônicos [F.: *game* + *-mania.*]

gamemaníaco (ga.me.ma.*ní*.a.co) *a.* **1** Ref. a ou que tem gamemania *sm.* **2** Aquele que tem gamemania [F.: *game* + *-maníaco.*]

gamenho (ga.*me*.nho) *a.* **1** Diz-se de indivíduo muito arrumado, muito enfeitado; JANOTA **2** Diz-se de indivíduo vadio, malandro *sm.* **3** Esse indivíduo [F.: Do fr. *gamin*, posv. Hom./Par.: *gamenho* (fl. de *gamenhar*).]

gameta (ga.*me*.ta) [ê] *sm. Biol.* Célula ger. haploide, reprodutora dos seres vivos, genoblasto [F.: Do lat. cient. *gameta.*] ■ **~ feminino** *Biol.* O óvulo **~ masculino** *Biol.* O espermatozoide

gametângio (ga.me.*tân*.gi:o) *sm. Biol.* Célula ou órgão em cujo interior se desenvolvem gametas [F.: *gameta* + *-ângio.*]

gamético (ga.*mé*.ti.co) *a.* Referente a gameta [F.: *gamet(a)* + *-ico*[2].]

◎ **gamet(o)-** *Pref.* = gameta: *ganetófito, gametóforo, gametogênese*

gametócito (ga.me.*tó*.ci.to) *sm.* Qualquer célula que produz gametas (p.ex., o espermatócito e o oócito) [F.: *gamet(o)-* + *-cito.*]

gametófito (ga.me.*tó*.fi.to) *sm. Bot.* Indivíduo ou geração ou fase haploide (em uma das gerações alternantes de planta) que produz gametas [F.: *gamet(o)-* + *-fito.*]

gametogênese (ga.me.to.*gê*.ne.se) *sf. Biol.* Formação de gametas [F.: *gamet(o)-* + *-gênese.*]

◎ **-gamia** *el. comp.* = 'casamento'; 'cruzamento'; 'reprodução'; 'meio de reprodução'; 'fecundação'; (*p.ext.*) 'fusão': *adelfogamia, agamia, alogamia, anemogamia, anisogamia, apogamia, autogamia, cariogamia, endogamia, exogamia, heterogamia, hipergamia, hologamia, isogamia, misogamia, oogamia, opsigamia, sinfonogamia, singamia, trigamia* (< gr.) [F.: Do gr. *-gamía, as*, do gr. *gámos, ou*, 'união'; 'casamento'. F. conexa: *gam(o)-.*]

gâmico (*gâ*.mi.co) *a.* **1** *Biol.* Ref. aos gametas (sua produção, combinação etc.) **2** Diz-se de ovo que começa a se desenvolver depois da fecundação **3** Que é sexual, ou sexuado [F.: *gam(o)-* + *-ico*[2].]

◎ **-gamo** *el. comp.* Ver *gam(o)-*

◎ **gam(o)-** *el. comp.* = 'casamento'; 'união'; 'certa prática matrimonial'; 'fecundação'; 'reprodução'; 'que ou aquele que se reproduz de certa forma ou que segue certa prática ou costume matrimonial': *gamofobia, gamófobo, gamogênese, gamogonia, gamopétalo; adelfógamo, ágamo* (< gr.), *alógamo, anemógamo, anisógamo, bígamo* (< lat.), *criptógamo, dígamo* (< gr.), *endógamo, heterógamo, isógamo, miságamo* (< gr.), *opsígamo* (< gr.), *trígamo* (< gr.) [F.: Do gr. *gámos, ou*. F. conexa: *-gamia.*]

gamo (*ga*.mo) *sm. Zool.* Mamífero artiodáctilo da família dos cervídeos, semelhante ao veado, com c. 1,70 m de comprimento quando adulto, chifres em forma de galhada, comum na Europa, Ásia e norte da África [Fem.: *corça, gama*] [F.: Do lat. tard. *gammus.*]

gamofobia (ga.mo.fo.*bi*.a) *sf. Psiq.* Medo doentio de casamento [F.: *gam(o)-* + *-fobia.*]

gamofóbico (ga.mo.*fó*.bi.co) *Psiq. a.* **1** Ref. a gamofobia **2** Diz-se de indivíduo que tem gamofobia; GAMÓFOBO *sm.* **3** Esse indivíduo; GAMÓFOBO [F.: *gamofobia* + *-ico*[2].]

gamófobo (ga.*mó*.fo.bo) *Psiq. a. sm.* O mesmo que *gamofóbico* (2 e 3) [F.: *gam(o)-* + *-fobo.*]

gamogênese (ga.mo.*gê*.ne.se) *sf. Biol.* Reprodução por meio de gametas; reprodução sexuada; GAMOGONIA [F.: *gam(o)-* + *-gênese.*]

gamogenético (ga.mo.ge.*né*.ti.co) *a. Biol.* Ref. a gamogênese [F.: *gamogên(ese)* + *-ético.*]

gamogonia (ga.mo.go.*ni*.a) *sf. Biol.* O mesmo que *gamogênese* [F.: *gam(o)-* + *-gonia.*]

gamopétalo (ga.mo.*pé*.ta.lo) *a. Bot.* Que tem as pétalas unidas entre si [F.: *gam(o)-* + *-pétalo.*]

gana (*ga*.na) *sf.* **1** Impulso ou vontade intensa de fazer algo; GARRA; VORACIDADE: *Tinha gana de competir, lutar só por lutar.* **2** Apetite voraz, ânsia ou desejo intenso de algo, **3** Desejo de causar mal; ódio **4** *Lus.* No Minho, grande galho de árvore [F.: Do espn. *gana.*]

ganância (ga.*nân*.ci:a) *sf.* **1** Ambição desenfreada de ficar rico, de obter lucros, legal ou ilegalmente; AMBIÇÃO; COBIÇA; CUPIDEZ: "...recebe em prêmio da sua próspera ganância todas as honras e todas as considerações..." (Aluísio de Azevedo, *Livro de uma sogra*) **2** Ganho ilícito **3** Ação ou resultado de ganhar; GANHO **4** Juro pago por devedor ou mutuário [F.: Do espn. *ganancia.*]

ganancioso (ga.nan.ci.*o*.so) [ô] *a.* **1** Que tem muita ganância, que só visa o lucro, os bens materiais; AMBICIOSO; COBIÇOSO; CÚPIDO: *Já estava rico, mas ainda era um homem ganancioso.* **2** Que visa ao lucro ou que obteve lucro ou ganho [Fem. e pl.: [ó].] *sm.* **3** Pessoa dominada pela ganância; AMBICIOSO; COBIÇOSO; CÚPIDO: *Os gananciosos nunca estarão satisfeitos.* [Fem. e pl.: (ó).] [F.: Do espn. *ganancioso.*]

gancho (*gan*.cho) *sm.* **1** Peça de metal curva e resistente, ger. aguçada numa ponta, que serve para se pendurar ou suspender alguma coisa (gancho de açougue) **2** Peça similar pequena, us. para nela se prender isca de pescaria; ver *anzol* **3** Grampo em forma de U, com que se prende o cabelo **4** Em telefonia, dispositivo em que se coloca o auscultor, quando o aparelho está desligado: *O telefone estava fora do gancho.* **5** Espécie de arpão para puxar pequenas embarcações ou fazer uma aproximar-se de outra **6** *Bras.* Parte da calça em que as duas pernas se unem **7** *Gír. Art.Gr.* Em revisão acompanhada, o ponto de interrogação **8** *Jorn.* Fato, situação, menção etc. que cria a justificativa para inclusão de matéria na pauta editorial ou a continuação de outra já publicada **9** *Mid.* Num texto, enredo, encenação etc., situação que motiva o interesse, criando suspense que só se resolverá muito adiante [Muito us. em televisão, esp. em telenovelas.] **10** *P.ext.* Qualquer fato, situação, dito etc. que propicia, como continuação ou reação a eles, novos fatos ou situações etc. **11** *Bras. RJ Pop.* Curral para a criação de camarões e tainhas [F.: Do celta *ganskio.*] ■ **De ~** *Esp.* No basquete, diz-se do arremesso à cesta feito com só uma das mãos, ao alto, por cima da própria cabeça

ganchoso (gan.*cho*.so) [ô] *a.* Curvo, retorcido como um gancho [Pl.: [ó]. Fem.: [ó].] [F.: *ganch(o)* + *-oso.*]

ganchudo (gan.*chu*.do) *a.* Que tem forma de gancho [F.: *ganch(o)* + *-udo.*]

gandaia (gan.*dai*.a) *sf.* **1** Diversão com excessos, eventual ou contumaz; FARRA; ESBÓRNIA: *De vez em quando, cai na gandaia; Desempregado e com dinheiro, vivia na gandaia.* **2** Originalmente, ato de revolver o lixo para encontrar algo de valor **3** Ofício ou trabalho de trapeiro **4** *Pop.* Condição de ocioso, de vadio [F.: De or. obsc.] ■ **À ~** Sem destino, ao léu **Cair na ~** Divertir-se muito; deixar de lado as obrigações ou interromper o trabalho e entregar-se a atividades prazerosas, especialmente festas, dança, bebida. (Atualmente, muito us. com conotação positiva.)

gandaiar (gan.da.*iar*) *v. int.* **1** Levar vida de gandaieiro, pessoa que mexe no lixo à cata de algum objeto de valor: *Ia à praia cedinho para gandaiar na areia.* **2** *Fig.* Cair na gandaia, levar vida desregrada: *Só pensava em gandaiar com os amigos, nunca em trabalhar.* **3** *Fig.* Desmoralizar-se, perder a dignidade [▶ 1 gandaiar] [F.: *gandaia* + *-ar*[2].]

gandaieiro (gan.dai.*ei*.ro) *Pop. a.* **1** *Fig.* Que vive na gandaia; VADIO *sm.* **2** Aquele que vive na gandaia; VADIO [F.: *gandai(a)* + *-eiro.*]

gandhiano (gan.dhi:*a*.no) *a.* **1** Ref. ao ghandismo **2** Que é adepto do gandhismo *sm.* **3** Adepto do ghandismo [F.: Do antr. *Ghandi* + *-ano*[1].]

gandola (gan.*do*.la) *sf.* **1** *Bras. S.* Espécie de manta que os militares usavam para substituir o capote **2** Camisa ou blusão muito grande e mal cortado [F.: De or. obsc.]

gandula (gan.*du*.la) *s2g.* **1** *Esp.* Pessoa (ger. um menino) que, em competições esportivas, esp. o futebol, lança uma nova bola para os jogadores ou lhes devolve a que saiu do campo **2** *RS* Parasita, pedinchão, indivíduo que pouco ou nada faz e só pensa em si mesmo [Tb. us. como adjetivo.] [F.: Do antr. Bernardo *Gandulla*, jogador do futebol carioca.]

ganense (ga.*nen*.se) *s2g.* **1** Pessoa nascida ou que vive em Gana (África) *a2g.* **2** De Gana; típico desse país ou de seu povo [F.: Do top. *Gana* + *-ense.*]

ganês (ga.*nês*) *a.sm.* O mesmo que *ganense* [Pl.: *neses*. Fem.: *nesa.*] [F.: Do top. *Gana* + *-ês.*]

⊕ ***gang*** (*Ing./gang/*) *sf.* Ver *gangue*

ganga[1] (*gan*.ga) *sf.* **1** *Min.* Em trabalho de mineração, resíduo de minério não aproveitável numa jazida ou filão **2** *Fig.* Soma de restos, de coisas não aproveitáveis num conjunto maior [F.: Do al. *Gang.*]

ganga[2] (*gan*.ga) *sf.* **1** Tecido de má qualidade, ger. azul ou amarelo, que era fabricado na Índia **2** *Mús.* Espécie de caixa-clara tocada na África [F.: Do chin. dialetal *káng.*]

ganga[3] (*gan*.ga) *sm.* **1** Feiticeiro, em sociedades tribais do Congo **2** Feiticeiro angolano a que se atribui o poder de adivinhar a identidade de um assassino **3** *Bras.* Expressão respeitosa us. outrora pelos escravos negros e equivalente a *senhor* [F.: Do quimb. *nganga.*]

gangliectomia (gan.gli.ec.to.*mi*.a) *sf. Cir.* Extirpação de um gânglio [F.: *gangli(o)-* + *-ectomia.*]

◎ **gangli(o)-** *el. comp.* = 'gânglio': *gangliectomia, ganglioma, ganglionite; mieloganglite* [F.: Do gr. *gánglion, ou*, 'tumor hipodérmico'; 'glândula'.]

gânglio (*gân*.gli:o) *sm.* **1** *Anat.* O mesmo que *nódulo* (3) **2** *Pat.* Inchação de um nódulo linfático, ger. no pescoço, axila ou virilha **3** *Med.* Pequeno tumor que consiste num cisto cheio de humor albuminoso, ger. em tendões ou articulações [F.: Do gr. *gágglion, ou.*] ■ **~ linfático** *Anat.* Pequenos órgãos de tecido linfoide, ao longo dos vasos linfáticos, que podem aumentar de tamanho em caso de infecção ou de doença maligna **~ nervoso** *Anat.* Pequena tumefação que pode ocorrer em algum ponto ao longo de um nervo

ganglioma (gan.gli:*o*.ma) *sm. Pat.* Tumor benigno dos gânglios nervosos; GANGLIONEUROMA [F.: *gangli(o)-* + *-oma*[1].]

ganglionado (gan.gli:o.*na*.do) *a.* Que apresenta gânglios ou excrescências semelhantes a gânglios [F.: Part. de *ganglionar.*]

ganglionar (gan.gli:o.*nar*) *a2g. Med.* Ref. a gânglio; que é da natureza do gânglio [F.: *gangli(o)-* + *-n-* + *-ar*[1].]

ganglioneuroma (gan.gli:o.neu.*ro*.ma) *sm. Pat.* O mesmo que *ganglioma* [F.: *gangli(o)-* + *neur(o)-* + *-oma.*]

ganglionite (gan.gli:o.*ni*.te) *sf. Med.* Inflamação de um gânglio [F.: *gânglio* na f. lat. *ganglion* + *-ite*[1].]

gango (*gan*.go) *sm. Lus.* Meiguice, carinho, afago [F.: De or. obsc.]

gangolina (gan.go.*li*.na) *sf. RS Pop.* Briga, rolo, confusão [F.: De or. obsc.]

gangorra (gan.*gor*.ra) [ô] *sf.* **1** Brinquedo constituído de uma prancha que se apoia em seu centro numa base, de modo a poder oscilar em torno desse eixo de apoio, para que duas pessoas, ger. crianças, possam sentar-se uma em cada uma das extremidades e, apoiando os pés no chão e dando impulso, se elevam e baixam, alternadamente, montados na prancha **2** *P.ext.* Essa brincadeira **3** *Fig.* A alternância de eventos positivos e negativos, sucessos e insucessos etc. **4** *Bras. PB* Pequeno engenho de madeira para fazer rapadura **5** *CE MG* Armadilha para animais selvagens ou silvestres **6** *PE* Bicicleta [F.: De or. obsc.]

gangrena (gan.*gre*.na) *sf.* **1** *Pat.* Morte e apodrecimento de uma parte de tecido ou de um órgão por falta de circulação sanguínea, com ou sem consequente invasão de bactérias: "...a varíola punha putrefações e gangrenas em corpos dias antes bons..." (João do Rio, *Dentro da noite*) **2** *Fig.* Aquilo que apodrece, que se deteriora **3** *Fig.* Corrupção, degradação moral [F.: Do lat. *gangraena, ae.*] ■ **~ gasosa** *Pat.* Gangrena causada por bactérias anaeróbias, com formação de gás e secreção serosa e sanguinolenta **~ seca** *Pat.* Aquela em que os tecidos morrem por não terem sido irrigados por sangue, sem presença de bactérias **~ úmida** *Pat.* Aquela em há putrefação do tecido morto por ação microbiana **Estar com a ~** *Pop.* Estar irritado, zangado

gangrenado (gan.gre.*na*.do) *a.* **1** Atacado ou destruído pela gangrena **2** *Fig.* Corrompido, degenerado [F.: Part. de *gangrenar.*]

gangrenar (gan.gre.*nar*) *v.* **1** Provocar gangrena em, ou ser atacado de gangrena [*td.*: *Vírus desconhecido gangrenou as patas do animal.*] [*int.*: *O ferimento gangrenou.*] **2** *Fig.* Corromper(-se) moral ou fisicamente [*td.*: *A vida política gangrenou o jornalista.*] [*int.*: *Gangrenou-se no convívio com corruptos.*] [▶ 1 gangrenar] [F.: *gangrena* + *-ar*[2]. Hom./Par.: *gangrena(s)* (fl.), *gangrena* (sf.[pl.]).]

gangrenoso (gan.gre.*no*.so) [ô] *a.* **1** Que é da natureza da gangrena **2** Que tem gangrena [Pl.: [ó]. Fem.: [ó].] [F.: *gangren(a)* + *-oso.*]

gângster (*gângs*.ter) *sm.* **1** Integrante de um grupo de malfeitores, bandidos organizados em grandes cidades **2** *Fig.*

Indivíduo sem escrúpulos, capaz de qualquer recurso para obter o que deseja [F.: Do ing. *gangster.*]

gangsterismo (gangs.te.*ris*.mo) *sm.* 1 Atividade ou comportamento próprio de gângster, de banditismo e crime organizado 2 A atuação de gângsters numa sociedade, numa instituição etc., tomada como um todo: *O gangsterismo se instalou de vez naquela cidade.* [F.: *gângster* + *-ismo.*]

gangue (*gan*.gue) *sf.* 1 Grupo organizado de bandidos, de malfeitores; BANDO; MALTA; CORJA: *uma gangue de assaltantes de banco.* 2 *Fig. Pop.* Grupo de pessoas que andam juntas, ger. jovens e, às vezes, com intuitos agressivos 3 *Fig. Pop.* Patota, turma: *Saiu com a gangue dela para ir ao cinema.* [F.: Do ing. *gang.*]

ganguismo (gan.*guis*.mo) *sm.* Ação ou comportamento próprio de quem pertence a uma gangue [F.: *gangu(e)* + *-ismo.*]

ganhadeiro (ga.nha.*dei*.ro) *a.* 1 Diz-se do indivíduo que faz qualquer tipo de trabalho para ganhar a subsistência *sm.* 2 Esse indivíduo [F.: *ganhar* + *-deiro.*]

ganhador (ga.nha.*dor*) [ô] *a.* 1 Que ganha ou vence; VENCEDOR: *o rapaz ganhador do prêmio; Este é um cavalo ganhador, nunca perdeu um páreo. sm.* 2 Aquele que ganha ou vence: *Os ganhadores serão premiados;* "...não sou adversário, sou um ganhador, que (...) mercadeja o seu valor..." (João Simões Lopes Neto, *Contos gauchescos*) 3 *P.ext.* Aquele que frequentemente ganha ou vence: *É um ganhador nato.* 4 *P.ext.* Aquele que costuma ganhar no jogo 5 *N.E. S.* Carregador, moço que faz transportes [F.: *ganhar* + *-dor.*]

ganha-pão (ga.nha- *pão*) *sm.* 1 Qualquer meio de ganhar a vida: *O jornalismo é meu ganha-pão.* 2 Instrumento de trabalho: *Esse táxi é meu ganha-pão.* [Pl.: *ganha-pães.*]

ganhar (ga.*nhar*) *v.* 1 Receber (algo que lhe é ofertado) [*td.*: *Ganhou um carro zerinho.*] [*tdr.*: *Ganhou do avô um relógio à prova d'água.*] 2 Obter, auferir (dinheiro, remuneração etc. em trabalho ou negócio) [*td.*: *Ganhou muito dinheiro.*] [*tdr.* + *com, em*: *Ganhou muito dinheiro em especulação imobiliária.*] [*int.*: *Quanto você ganha por mês?*] 3 Obter êxito em disputa, torneio, jogo etc.; VENCER [*td.*: *Ganhar um campeonato/uma medalha olímpica.*] [*td.*: *O boxeador brasileiro ganhou do argentino.*] [*int.*: *Bem treinada, a equipe estreou no campeonato ganhando.*] 4 Obter por merecimento, ou não; ALCANÇAR; CONSEGUIR [*td.*: *Ganhou um excelente cargo na empresa.*] 5 Passar a ter [*td.*: *As questões ecológicas ganharam muito espaço na mídia.*] 6 Adquirir o necessário para a subsistência, trabalhando [*td.*: *Ganhava a vida como doméstica.*] 7 Adquirir [*td.*: *Para ganhar experiência, aceitou um emprego como bói:* "Em casa todavia ganhara fama de extravagante..." (Aluísio Azevedo, *O mulato*)] 8 Obter o melhor proveito de [*td.*: *Para ganhar tempo, trabalhava de dia e estudava de noite.*] 9 *Pop.* Dar à luz; ter bebê [*td.*: *Ganhou gêmeos na segunda gravidez.*] 10 *Gír.* Conquistar um homem, uma mulher; SEDUZIR [*td.*: *Ela ganhava todos os rapazes que queria.*] 11 Ser superior, exceder [*tr.* + *de*: *Ganha do sócio em esperteza.*] 12 Melhorar em qualidade [*tr.* + *com*: *Certas bebidas ganham com o passar dos anos.*] [*int.*: *Depois que fez a cirurgia plástica, ganhou muito.*] 13 Chegar a; alcançar [*td.*: *O presidiário ganhou a porta da rua e fugiu.*] 14 Gastar menos tempo [*td.*: *Se for de avião, você ganha um dia.*] 15 Trazer de volta para si; REAVER; RECUPERAR [*td.*: *Queria ganhar os dias que perdera na juventude.*] 16 *Gír.* Receber ou levar (pancada) [*td.*: *Foi reclamar, ganhou um tapa.*] 17 Receber [*td.*: *A praça ganhou novo calçamento.*] 18 Passar a; ADQUIRIR; DESENVOLVER [*td.*: *De um dia para o outro, ganhou o hábito de beber em jejum.*] 19 Expandir-se por [*td.*: *Uma onda de revolta ganhou os grevistas.*] 20 Atrair para si; CONQUISTAR [*td.*: *Ganhou o respeito dos subordinados com facilidade.*] 21 Alcançar posição de destaque [*td.*: *Rapidamente, a cantora ganhou fama.*] 22 Obter de forma vantajosa; ALCANÇAR; CONSEGUIR [*td.*: *Afinal, só queria ganhar um pouco de paz.*] 23 Adquirir, contrair [*td.*: *A frequência àquele bar o levou a ganhar a simpatia do garçom.*] [*tdr.* + *a*: *Ganhou ódio ao irmão.*] 24 Ser um sucesso em algum empreendimento [*int.*: *Mau jogador, detestava os que sabiam ganhar.*] 25 Tornar-se dono de; tomar posse de; APODERAR-SE [*td.*: *Os soldados ganharam os campos inimigos.*] [*tdr.* + *a*: *Ganharam terras aos inimigos.*] [▶ 1 ganhar NOTA: Apresenta duplo part.: *ganhado* e *ganho.*] [F.: De or. contrv. talvez do germ. *waidanjan.* Hom./Par.: *ganháveis* (fl.), *ganháveis* (pl. *ganhável* [a2g.]); *ganho* (fl.), *ganho* (a.sm.).] ■ **~, mas não levar/arrastar** *Bras. Gír.* Sair vencedor (em disputa, luta, competição etc.) mas não ser premiado, ou usufruir vantagem da vitória **~ terreno** 1 Avançar no terreno, em relação a quem vai na frente: *Senna ganhava terreno a cada volta.* 2 *Fig.* Avançar, progredir: *A ideia ganhou terreno, e a proposta afinal foi aprovada.*

ganho (*ga*.nho) *a.* 1 Que se ganhou: *O livro ganho era de muito valor.* 2 De que se saiu vencedor (jogo ganho) [Ant.: *perdido.*] *sm.* 3 Aquilo que se ganhou, se lucrou; PROVEITO; VANTAGEM; LUCRO: *Seu ganho no negócio foi considerável.* [Ant.: *perda.*] 4 *Bras.* Produto de roubo 5 *Eletrôn.* Medida de capacidade que um dispositivo ou circuito eletrônico possui de produzir, na saída, aumento de valor de um dado parâmetro elétrico de entrada 6 *Eletrôn.* Aumento da potência de um sinal num circuito eletrônico [F.: Dev.de *ganhar.*] ■ **~ de capital** *Econ.* Lucro na venda de bens **~ de causa** *Jur.* Vitória em ação judicial **~s de sacristão** Aquilo que se consegue facilmente, e facilmente se perde

ganido (ga.*ni*.do) *sm.* 1 Som de lamento ou dor emitido pelos cães: *Comoveu-se com os ganidos que vinham do quintal.* 2 *Fig.* Voz aguda, estridente: *Soltava ganidos de dor.* [F.: Do lat. *gannitus, us.*]

ganir (ga.*nir*) *v.* 1 Emitir (cão) sons de gemido [*int.*: *O cachorro gania tristemente.*] 2 Expressar (algo) em forma de ganido [*td.*: *O pobre homem gania suas queixas.*] [*int.*: *O malvado fazia a criança ganir de dor.*] [▶ 58 ganir] [F.: Do lat. *gannire.*]

ganizar (ga.ni.*zar*) *v. int.* Latir, soltar ganidos (o cão pequeno): *O cachorrinho não parava de ganizar* [▶ 1 ganizar] [F.: *ganir* + *-izar.*]

ganja (*gan*.ja) *sf.* 1 *Bras. Pop.* Presunção, vaidade *a2g.* 2 *Ant.* Que é dado a atrevimentos; que é insolente [F.: Do quimb. *nganji.*] ■ **Dar ~ a** *Bras. S. Fam.* Tratar com respeito, consideração ou dar importância a (pessoa abusada, confiada)

ganjão (gan.*jão*) *sm.* O mesmo que *gajão* [Pl.: *-jões.*] [F.: Var. de *gajão.*]

ganjento (gan.*jen*.to) *a. Bras. Pop.* Presunçoso, vaidoso [F.: *ganj(a)* + *-ento.*]

ganoína (ga.no.*í*.na) *sf.* Substância que forma as escamas de certos peixes e é análoga ao esmalte dos dentes [F.: *gano-* (do gr. *gános*, 'brilho') + *-ina.*]

ganso (*gan*.so) *sm. Zool.* Denominação comum a diversas spp. de aves aquáticas da fam. dos anatídeos, de plumagem ger. clara, bico curto e pescoço comprido, porém não tão longo quanto o dos cisnes; algumas spp. foram domesticadas para utilização de suas penas, carne e fígado [F.: Do gótico *gans.* Ideia de 'ganso': anser(i)- (ansericultura); quen(o)- (quenopódio).] ■ **~ cor-de-rosa** *Amaz. Zool.* Flamingo **Afogar o ~** *Bras. Tabu.* Ter relação sexual; transar

ganzá (gan.*zá*) *sm.* 1 *Bras. Mús.* Espécie de chocalho em forma de cilindro fechado de metal que contém sementes ou pedrinhas, de modo que produz som característico ao ser sacudido 2 *N.* Tambor feito de tronco escavado; canzá 3 *AM Dnç.* Dança acompanhada por esse tipo de tambor 4 *BA Mús.* Ver *reco-reco* [F.: Do quimb. *nganza.*]

ganzepe (gan.*ze*.pe) *sm. Carp.* Entalhe que se faz nas tábuas para lhes encaixar outra peça de madeira e que vai estreitando da base para cima [F.: De orig. obsc.]

ganzuá (gan.zu.*á*) *sm. Bras. Rel.* Casa em que se realizam os rituais religiosos dos candomblés de rito banto [F.: Do quimb. *kanzua.* Tb. *canzuá.*]

◎ **-gão** *suf. nom.* = 'grande'; 'tipo de (palavra base)': *margação* (neste caso, o suf. toma valor negativo), *portagão, selagão.* [F.: *-g-* + *-ão*¹. Cf. *narigão* e *rapagão.*]

⊕ **gap** (*Ing./guép/*) *sm.* 1 Discrepância, descompasso ou defasagem entre coisas ou pessoas 2 Interrupção de continuidade; HIATO; LACUNA

gapuia (ga.pu:*i*.a) *sf. AM* Modo de pescar nos rios, batendo a água para conduzir o peixe na direção de uma barragem feita de ramos e estacas cravadas a prumo [F.: De or. incerta; posv. do tupi. Hom./Par.: *gapuia* (sf.), *gapuia* (f. de *gapuiar*).]

gapuiar (ga.pui.*ar*) *v. int.* 1 *AM* Pescar nos baixios, fora da canoa, us. arpão ou flecha 2 Pegar camarões em cestos, em pequenas lagoas 3 Esvaziar uma lagoa para que o peixe fique fora d'água [▶ 47 gapuiar] [F.: Do tupi *igapiiar.* Hom./Par.: *gapuia* (fl.), *gapuias* (fl.), *guapuia* (sf. [pl.]).]

garage (ga.*ra*.ge) *sf.* 1 Lugar protegido, coberto ou não, onde se guarda(m) veículo(s) 2 Oficina de conserto de veículos, esp. automóveis 3 Lugar, estabelecimento onde se alugam automóveis [F.: Do fr. *garage.* Tb. *garagem.*]

garagem (ga.*ra*.gem) *sf.* Ver *garage* [Pl.: *-gens.*]

garagista (ga.ra.*gis*.ta) *s2g. Bras.* Proprietário ou administrador de garagem; funcionário de garagem que ajuda os usuários a estacionarem os automóveis [F.: Do fr. *garagiste.*]

garajau (ga.ra.*jau*) *sm.* 1 *Bras.* Espécie de cesto alongado em que se levam galinhas e outras aves ao mercado 2 *N.E.* Utensílio para o transporte de louças de barro, a cavalo ou a pé 3 *RN* Utensílio quadrado e achatado, no qual se transportam peixes secos dispostos em camadas [F.: De or. obsc. posv. do tupi.]

garalhar (ga.ra.*lhar*) *v. td. int. Bras.* O mesmo que *gralhar* [▶ 1 garalhar]

garamicina (ga.ra.mi.*ci*.na) *sf.* Substância química indicada para o tratamento de doenças infecciosas

⊕ **garamond** (*Fr./garramón/*) *sm. Tip.* Família de caracteres tipográficos de traçado leve, serifas delgadas e pouco contraste entre os elementos grossos e finos [F.: Do antr. (*Claude*) *Garamond.*]

garance (ga.*ran*.ce) *sm.* Uniforme de cor vermelha us. por fuzileiros navais brasileiros [F.: Do fr. *garance*, posv.]

garanhão (ga.ra.*nhão*) *sm.* 1 Cavalo reservado para fecundar a fêmea e capaz de gerar potros de qualidade 2 *Fig.* Homem mulherengo ou de desempenho sexual acima do normal [Pl.: *-nhões.*] [F.: Do espn. *garañón.*]

garanhum (ga.ra.*nhum*) *Bras. Etnol. s2g.* 1 Pessoa pertencente a um grupo indígena extinto que habitava o sul de Pernambuco *a2g.* 2 Dos ou ref. aos garanhuns [Pl.: *-nhuns.*] [F.: Do tupi.]

garantia (ga.ran.*ti*.a) *sf.* 1 Ação ou resultado de garantir 2 Ato ou compromisso verbal que assegura o cumprimento de obrigação ou promessa: *Deu a garantia de que não vai faltar.* 3 Aquilo que serve como penhor, caução; algo valioso que serve como fundo de ressarcimento no caso de quebra de compromisso, cumprimento de contrato etc. 4 Documento que certifica a qualidade de um bem num prazo determinado e compromete o comerciante, em caso de problema, a providenciar reparos sem ônus para o consumidor: *O aparelho tinha garantia.* 5 *P.ext.* Período de vigência desse documento: *O vídeo parou de funcionar, mas está na garantia.* 6 Algo de valor que se oferece para certificar o pagamento de um empréstimo: *Deu o carro como garantia.* [F.: Do fr. *garantie.*] ■ **~ de evicção** *Jur.* Garantia na qual se compromete entregar ao adquirente o objeto da aquisição, ou indenização compatível, caso venha a se comprovar direito de terceiro sobre o bem **~ fidejussória** *Jur.* Ver *Garantia pessoal* **~ fiduciária** *Jur.* Garantia dada por meio de alienação fiduciária (ver no verbete *alienação*) **~ pessoal** *Jur.* A que beneficia pessoalmente aquele a quem é dada; garantia fidejussória **~ real** *Jur.* A que se baseia na entrega de bem real a credor, em caso de não pagamento da dívida **~ solidária** *Jur.* Garantia dada por grupo, de modo que o credor possa garantir de qualquer deles o cumprimento da obrigação

garantias (ga.ran.*ti*.as) *sfpl.* Ver *Garantias constitucionais* e *garantias individuais* ■ **~ constitucionais** *Jur.* Os direitos e privilégios de um cidadão previstos na constituição de um país **~ individuais** *Jur.* A proteção que a constituição do país assegura a seu cidadão, bem como as limitações que, para isso, impõe ao poder público

garantido (ga.ran.*ti*.do) *a.* 1 Que se garantiu 2 Que tem a qualidade assegurada; cuja garantia (4) está em vigor: *É um carro de durabilidade garantida.* [F.: Part. de *garantir.*]

garantidor (ga.ran.ti.*dor*) [ô] *a.* 1 Que garante *sm.* 2 Aquele que garante [F.: *garantir* + *-dor.*]

garantir (ga.ran.*tir*) *v.* 1 Afirmar (algo) com toda certeza; ASSEGURAR [*td.*: *Todos garantiram ter ouvidos os tiros.*] [*tdi.* + *a*: *Eu lhe garanto que vou chegar a tempo.*] 2 Assumir a responsabilidade de; AFIANÇAR [*td. tdi.* + *a*: *O fornecedor garantiu (ao cliente) que entregaria a mercadoria hoje mesmo.*] 3 Fazer com que, permitir que (algo) aconteça [*td.*: *O bom tempo garantiu a realização da prova.*] 4 Assumir a obrigação de (fazer algo); PROMETER [*td. tdi.* + *a*: *Garantiu(-lhe) que voltaria para casa.*] 5 Tornar certo, seguro [*td.*: *O guarda a escoltou para garantir sua integridade.*] 6 Defender, proteger (algo ou alguém, inclusive si mesmo) de [*td. tdr.* + *contra*: *Estava fraco e vulnerável à gripe, mas a vacina o garantiu; Tomou vacina e garantiu-se contra a gripe.*] [▶ 3 garantir] [F.: Do fr. *garantir.*]

garapa (ga.*ra*.pa) *Bras. sf.* 1 Caldo de cana moída, esp. o que se destina a destilação e processamento 2 Refresco feito com mel ou açúcar diluídos em água ou suco de fruta 3 Qualquer líquido que se fermenta depois de destilado 4 *P.ext. Pop.* Qualquer coisa excessivamente doce: *Esse café está uma garapa.* 5 *Bras. Fig.* Coisa boa e fácil de se conseguir; MANÁ 6 *Bot.* Árvore da fam. das leguminosas, subfam. cesalpinioídea (*Apuleia leiocarpa*), nativa da América do Sul, cuja madeira é dura, pesada e durável [F.: De or. contrv.]

garateia (ga.ra.*tei*.a) *sf.* 1 *Bras.* Aparelho de pesca composto de três ou mais anzóis na extremidade da linha 2 *BA* Pequena âncora de pedra us. em alguns barcos de pesca 3 Espécie de gancho de quatro pontas, us. para procurar e retirar objetos do fundo do mar; BUSCA-VIDA [F.: De orig. obsc.]

garatuja (ga.ra.*tu*.ja) *sf.* 1 Escrita à mão irregular, malfeita, por vezes ilegível 2 Desenho malfeito (mais us. no pl.): *O menino rabiscou umas garatujas no muro.* 3 Trejeito grotesco do rosto; CARETA; MOMICE [F.: Do it. *grattùgia.*]

garatujar (ga.ra.tu.*jar*) *v.* 1 Cobrir com garatujas; RABISCAR [*td.*: *Garatujou um boneco no muro.*] 2 Fazer garatujas [*int.*: *Passava a tarde a garatujar.*] [▶ 1 garatujar] [F.: Posv. do it. *grattugiare*, 'esmiuçar passando pelo ralador'. Hom./Par.: *garatuja(s)* (fl.), *garatuja(s)* (sf.[pl.]).]

garbo (*gar*.bo) *sm.* 1 Aprumo e correção no porte, ou no comportamento; ELEGÂNCIA; DONAIRE: *Apresentava-se com garbo e simpatia.* 2 Imponência, marcialidade: *A tropa desfilou com garbo e precisão.* 3 Qualidade, distinção, primor de algo ou do modo de fazer algo [F.: Do it. *garbo.*]

garbosidade (gar.bo.si.*da*.de) *sf.* Qualidade ou modos de garboso [F.: *garboso* + *-(i)dade.*]

garboso (gar.*bo*.so) (ô) *a.* Que tem garbo; DISTINTO; ELEGANTE [Fem. e pl.: [ó].] [F.: *garbo* + *-oso.*]

garça (*gar*.ça) *sf. Zool.* Denominação comum a diversas spp. de aves, em sua maioria aquáticas, da fam. dos ardeídeos, de corpo alongado, bico fino e pontudo, pernas e dedos compridos [F.: Do lat. lusit. *gartia.*]

garção (gar.*ção*) *sm.* Ver *garçom* [Pl.: *-ções.*] [F.: Do fr. *garçon.*]

garça-real (gar.ça- *re*.al) *sf.* 1 *Ornit.* Garça (*Pilherodius pileatus*) de plumagem branco-amarelada, longas penas brancas, o alto da cabeça preto ou roxo, com cerca de 60 cm de comprimento, encontrada no Panamá, Bolívia, Brasil e outros países sul-americanos 2 Garça europeia (*Ardea cinerea*) de dorso cinza e penas longas na nuca; GARÇA-REAL-EUROPEIA [Pl.: *garças-reais.*] [F.: Ideia de *garça-real*, usar pref. *arde(i)-.*]

garço (*gar*.ço) *sm.* Diz-se de olho verde-azulado ou esverdeado; GÁZEO [F.: Posv. do espn. *garzo.*]

garçom (gar.*çom*) *sm.* Profissional urbano que se universalizou desde o séc. XIX na especialidade de servir clientes e convidados em restaurantes, bares, hotéis e, às vezes, em coquetéis, aniversários, festas de casamento, jantares e banquetes, reuniões familiares etc. [Pl.: *-çons.*] [F.: Do fr. *garçon.* Tb. *garção.*]

garçonete (gar.ço.*ne*.te) *sf.* Mulher que serve os clientes de bares, cafés, lanchonetes, pequenos restaurantes [F.: Do fr. *garçonette*.]

⊕ ***garçonnière*** (*Fr./garçoniér/*) *sf. Bras.* Casa ou apartamento particular, ger. de pequeno tamanho, utilizado por homens para encontros amorosos

gardênia (gar.*dê*.ni:a) *Bot. sf.* **1** Nome comum de arbustos e árvores do gên. *Gardenia*, da fam. das rubiáceas, com flores grandes e perfumadas, muitas delas utilizadas no fabrico de extratos, tinturas e medicamentos **2** Árvore pequena dessa fam. (*Gardenia grandiflora*), nativa do Vietnã, de flores brancas, grandes e aromáticas, muito cultivada como ornamental **3** Ver *jasmim-do-cabo* [F.: Do lat. cient. *Gardênia*.]

⊕ ***garden-party*** (*ing.*) *sm.* Festa, recepção ou coquetel realizado ao ar livre, esp. em jardim

gare (*ga*.re) *sf.* Estação de trens destinada ao embarque e desembarque de passageiros [F.: Do fr. *gare*.]

garfada (gar.*fa*.da) *sf.* **1** Ação ou resultado de espetar com o garfo **2** Quantidade de comida que cabe num garfo ou que, espetada num garfo, é levada à boca **3** *Bras. Pop.* Ação ou resultado de garfar, roubar, enganar, prejudicar intencionalmente (alguém) [F.: *garfo* + *-ada¹*.]

garfar (gar.*far*) *v.* **1** Revolver ou remexer com garfo [***td.***: *Garfava a comida do prato, sem saber o que comia.*] **2** Espetar com garfo (talher) [***td.***: *Garfou um bolinho de carne e o levou à boca.*] **3** *Bras. Pop.* Cometer fraude contra alguém; LESAR; ROUBAR [***td.***: *Garfou a herança do irmão.*] **4** Causar lesão, fraude a; FRAUDAR; LESAR [***td.***: *Os corruptos garfaram o dinheiro público.*] **5** *Esp.* Causar (a arbitragem) prejuízo intencionalmente a um dos times em disputa [***td.***: *O juiz garfou o meu time.*] **6** *Bot.* Enxertar planta com auxílio de garfos, de hastes [***td.***: *Seu trabalho era o de garfar árvores.*] [***int.***: *O fazendeiro não sabe garfar.*] [▶ **1** gar**far**] [F.: *garfo* + *-ar²*. Hom./Par.: *garfo* (fl.), *garfo* (sm.).]

garfo (gar.fo) *sm.* **1** Utensílio us. à mesa, de dois, três ou mais dentes numa das extremidades, que serve para levar os alimentos à boca ou prendê-los para serem cortados com a faca **2** *Agr.* Instrumento agrícola de remover e colher palha, feno, alfafa; FORCADO **3** Peça de bicicleta que sustenta a roda dianteira e o guidom **4** *Ant.* Instrumento de tortura parecido com um garfo, que servia para dilacerar as carnes do prisioneiro **5** Pente em forma de garfo, us. para eriçar os cabelos **6** *RS* Variedade de fisga ou arpão com três dentes **7** Enxame emigrante de abelhas [F.: Posv. do lat. *graphium, i.*] ■ **Ser um bom ~** Ter o hábito de comer bem (em qualidade ou quantidade)

gargalhada (gar.ga.*lha*.da) *sf.* Risada barulhenta e prolongada: "...Soltou uma gargalhada sonora que lhe balançou o ventre..." (João do Rio, *A alma encantadora das ruas*) [F.: *gargalhar* + *-ada¹*.]

gargalhante (gar.ga.*lhan*.te) *a2g.* Que gargalha; que dá gargalhadas: *Saiu gargalhante do teatro.* [F.: *gargalhar* + *-nte*.]

gargalhar (gar.ga.*lhar*) *v. int.* Rir de maneira barulhenta, exagerada; dar gargalhadas: *O filme fez o público gargalhar.* [▶ **1** gargal**har**] [F.: Or. onomatopáica. NOTA: A. G. Cunha diz que a raiz *garg-* é uma onom. do ruído da água durante o gargarejo ou o da garganta quando o alimento é ingerido vorazmente. Hom./Par.: *gargalho* (fl.), *gargalho* (sm.); *gargalho* (fl.), *gargalo* (sm.).]

gargalheira (gar.ga.*lhei*.ra) *sf.* **1** *Hist.* Coleira de ferro ou de madeira em que se prendiam escravos: "Houve castigos cruéis, negros foram aferrolhados (...) gargalheiras e manilhas saíram das tulhas" (Coelho Neto, *Inverno em flor.*) **2** Cadeia ou corrente de ferro **3** Parte que protegia o pescoço, nas armaduras **4** Coleira de cão de fila **5** *P.ext.* Qualquer coisa que se põe em torno do pescoço **6** Colar bem largo, ger. de prata e pedras preciosas **7** *Fig.* Despotismo, opressão [F.: Alt. de *gargaleira* (*gargalo* + *-eira*).]

gargalo (gar.*ga*.lo) *sm.* **1** O colo, a parte mais estreita de uma garrafa ou vaso, junto à abertura: *Bebia cerveja pelo gargalo.* **2** *FIg. P.ext.* Passagem estreita, apertada: *Os dois muros formavam um gargalo pelo qual escapamos.* **3** *Fig.* Estreitamento físico ou funcional que impede o fluxo de pessoas e veículos, ou de documentos, soluções etc.: *O gargalo era o túnel em direção à lagoa; havia o gargalo burocrático da empresa.* **4** *Joc. Pop.* O pescoço, a garganta: *A comida ficou parada no gargalo.* [F.: De or. posv. onomatopaica, de *garg-* (ruído da água no *gargarejo*, ou da comida ao passar pela *garganta*, estes vocábulos também de cunho onomatopaico.).]

garganta (gar.*gan*.ta) *sf.* **1** *Anat.* Parte interna do pescoço, por onde passam os alimentos a caminho do estômago; laringe e faringe **2** *Fig.* Voz forte, potente: *O barítono tinha uma garganta poderosa.* **3** *Fig.* Passagem estreita **4** *Fig. Geog.* Ver *desfiladeiro* **5** *Fig. Pop.* Bazófia, bravata: *Isso não é verdade, é só garganta.* **6** Parte mais estreita e posterior de um motor a jato ou de engenho espacial, por onde se desprendem os gases da impulsão **7** Parte superior de lâmpada ou candeeiro *a2g.* **8** *Pop.* Que conta bravatas, vantagens ou mentiras: *Ele é muito garganta, não lhe dê ouvidos! s2g.* **9** *Pop.* Aquele que conta bravatas, vantagens ou mentiras: *Chegou mais um garganta para o festival de mentiras!* [F.: Ver formação de *gargalo*.] ■ **Estar com um nó na ~** Estar angustiado, triste, emocionado **Limpar a ~** Soltar o pigarro da garganta, pigarrear **Molhar a ~** *Bras. Pop.* Tomar bebida alcoólica **Não descer/passar pela ~** *Bras. Pop* Ser intolerável, impossível de aceitar **Ter/estar com algo/alguém atravessado na ~** Ter sofrido com algo ou alguém (ofensa, ação prejudicial etc.) e não ter esquecido, perdoado ou resolvido a questão.

gargantear (gar.gan.te.*ar*) *v.* **1** Solfejar, mudando os tons com rapidez [***td.***: *Garganteou uma canção de Schubert.*] **2** Fazer trinados com a voz [***int.***: *Diante do espelho, penteando-se, não parava de gargantear.*] **3** *Bras.* Contar vantagens, bravatas, fanfarronar [***int.***: *Ficava no bar garganteando, sem dizer uma só verdade.*] **4** Cantar ou pronunciar palavras com languidez [***td.***: *Garganteava as sílabas cuidadosamente, só para criar um charme.*] [▶ **13** gargant**ear**] [F.: *garganta* + *-ear*. Hom./Par.: *garganteio* (1ªp.s.), *garganteio* (s.m.).]

gargantilha (gar.gan.*ti*.lha) *sf.* Espécie de colar que se usa mais ou menos ajustado ao pescoço: "...Estava de preto, com uma gargantilha de rendas negras, à Valois, afogando-lhe o pescoço..." (Eça de Queirós, *Os Maias*) [F.: Do espn. *gargantilla*.]

gargântua (gar.*gân*.tu:a) *sm.* Indivíduo glutão, que come em excesso; COMILÃO [F.: Do fr. *gargantua*.]

gargantuesco (gar.gan.tu.*es*.co) [ê] *a.* **1** Que se assemelha ao gigante Gargântua, célebre personagem glutão do escritor francês François Rabelais (1494-1553) **2** *P.ext.* Diz-se de quem come e bebe demais; GLUTÃO [F.: *gargântua* + *-esco*.]

gargarejamento (gar.ga.re.ja.*men*.to) *sm.* Ação ou resultado de gargarejar; gargarejo [F.: *gargarejar* + *-mento*.]

gargarejar (gar.ga.re.*jar*) *v.* **1** Agitar (um líquido) na boca e esp. garganta sem engoli-lo, evitando engolir por meio de expiração de ar pela garganta, com ruído característico; fazer gargarejo [***td.***: *Todas as manhãs, gargarejava uma solução bucal.*] [***int.***: *Gargarejava antes de dormir.*] **2** *P.ext.* Falar, dizer (algo) com voz trêmula [***td.***: *Gargarejou palavras de desculpa.*] **3** *Fig. Pop.* Namorar na janela [***int.***: *Ele na calçada, ela na janela, passavam o tempo a gargarejar.*] [▶ **1** gargare**jar**] [F.: Do lat. *gargarizare*, deriv. do gr. *gargarízein*, 'agitar líquido no inerior da boca', posv. de origem onomatopaica em *garg-*. Hom./Par.: *gargarejo* (fl.), *gargarejo* [ê] (sm.).]

gargarejo (gar.ga.*re*.jo) [ê] *sm.* **1** Ação ou resultado de gargarejar; gargarejamento **2** Qualquer produto químico-farmacêutico (ger. antisséptico ou medicamentoso) que se usa para gargarejar **3** *Pop.* Namoro em que um parceiro fica na rua e o outro na janela **4** *Bras. Pop.* Em cinemas, teatros, casas de espetáculo em geral, referência à primeira fila de assentos, onde o espectador precisa manter a cabeça inclinada para trás, como se fizesse um gargarejo **5** *Bot.* Arbusto brasileiro da família das leguminosas, *Calliandra santosiana*, de flores vermelho-violáceas [F.: Dev. de *gargarejar*.]

gárgula (*gár*.gu.la) *sf.* **1** *Arq.* Ornamento em relevo das calhas de telhado destinadas a escoar a água da chuva longe da parede, e que, na Idade Média, utilizava figuras monstruosas de homens ou animais **2** *Arq.* Essa figura monstruosa us. como elemento de decoração, esp. em fachadas de edifícios **3** *P.ext.* Qualquer calha para escoar água de um telhado **4** Orifício pelo qual escorrem as águas de uma cascata ou fonte [F.: Do fr. *gargouille*, de or. onomatopaica.]

gari (ga.*ri*) *s2g. Bras. RJ* Funcionário do município, ou contratado por organismo público ou privado, para fazer e conservar a limpeza das ruas; varredor de rua [F.: Do antr. Aleixo *Gary*, antigo responsável pela limpeza das ruas do Rio de Janeiro.]

garibada (gua.ri.*ba*.da) *sf. Bras. Pop.* Melhora que se dá à aparência de alguém ou de algo: *O cirurgião deu uma garibada no rosto da atriz.*

garibaldino (ga.ri.bal.*di*.no) *a.* **1** Ref. a Giuseppe Garibaldi (1807-1882), militar que participou das lutas pela unificação e independência da Itália **2** Diz-se de indivíduo seguidor ou simpatizante de Garibaldi *sm.* **3** Esse indivíduo [F.: Do antr. Giuseppe *Garibaldi* + *-ino*.]

garimpado (ga.rim.*pa*.do) *a.* **1** Que se garimpou, que sofreu garimpagem (terreno garimpado) **2** Diz-se de metal ou pedra preciosa obtidos por meio de garimpagem: *diamante garimpado na curva do rio.* **3** *Fig.* Diz-se de palavra, expressão, ideia etc. que foram meticulosamente procuradas, pesquisadas: *As palavras haviam sido garimpadas nos melhores dicionários.* [F.: Part. de *garimpar*.]

garimpador (ga.rim.pa.*dor*) [ô] *a.* **1** Que garimpa, busca ou pesquisa; que faz garimpagem *sm.* **2** Pessoa ou grupo de pessoas que faz garimpagem [F.: *garimpar* + *-dor*.]

garimpagem (ga.rim.*pa*.gem) *sf.* **1** *Bras.* Ação ou resultado de garimpar **2** A atividade, a prática do garimpo, busca e exploração de minérios, esp. minerais preciosos, em jazidas naturais, aluviões, leitos e margens de rios etc. **3** *Fig.* Pesquisa, busca minuciosa de qualquer coisa num universo amplo, esp. busca de textos, palavras, temas, expressões etc. em obras escritas: *Fez extensa garimpagem para achar a palavra certa.* [Pl.: *-gens*.] [F.: *garimpar* + *-agem²*.]

garimpar (ga.rim.*par*) *v.* **1** *Min.* Procurar (metais ou pedras preciosas) em ambientes naturais (minas, barrancos, rios etc.) [***td.***: *A turma garimpava ouro.*] [***int.***: *Garimpavam em área proibida.*] **2** *Fig. P.ext.* Procurar com empenho e de maneira acurada e minuciosa [***td.***: *Garimpava palavras pouco usuais nos dicionários.*] **3** *Fig.* Procurar algo raro ou escondido [***td.***: *Garimpava raridades num antiquário.*] **4** *Fig.* Selecionar e reunir o melhor entre várias coisas [***td.***: *Garimpava bons jogadores de futebol em campos do interior.*] **5** *MG Pop.* Meter o dedo no nariz, ger. para limpá-lo [***td.***: *O menino vivia garimpando o nariz.*] [▶ **1** garim**par**] [F.: *garimpo* + *-ar²*. Hom./Par.: *garimpa(s)* (fl.), *garimpa(s)* (sf.[pl.]); *garimpo* (fl.), *garimpo* (sm.).]

garimpável (ga.rim.*pá*.vel) *a2g.* Que se pode garimpar [F.: *garimpar* + *-vel*. Hom./Par.: (pl.) garimpáveis, *garimpáveis* (fl. de *garimpar*).]

garimpeiro (ga.rim.*pei*.ro) *sm.* **1** Trabalhador da indústria extrativa, que busca e extrai da terra minérios úteis ou preciosos **2** *P.ext.* Qualquer pessoa que trabalhe nas atividades do garimpo **3** Pessoa que cata faíscas de ouro, na terra ou na água; FAISCADOR **4** Aquele que busca furtivamente diamantes sem autorização, em área de garimpo privada **5** *Fig.* Autor que busca expressões e termos raros em textos, obras, acervos etc. [F.: F. epentética de *grimpeiro*, de *grimpa* + *-eiro*.]

garimpo (ga.*rim*.po) *sm.* **1** *Bras. Min.* Lugar de onde se extraem minérios úteis ou preciosos **2** Mina de onde se extraem esses minérios **3** Ocupação ou ofício de garimpeiro **4** *GO* Povoado que se forma em torno das atividades do garimpo [F.: Red. de *garimpeiro*.]

garlopa (gar.*lo*.pa) [ó] *sf. Carp.* Plaina grande us. para retirar aparas da madeira grossa [F.: Posv. do espn. *garlopa*.]

garnacha (gar.*na*.cha) *sf.* **1** Veste talar bem folgada, toga ou hábito longo us. por magistrados, monges etc. *sm.* **2** *P.ext.* Indivíduo que usa esse tipo de vestimenta [F.: Do occitano ant. *ganacha* ou *garnacha* 'manto de pele'.]

garnisé (gar.ni.*sé*) *a2g.* **1** Diz-se de galináceo de porte pequeno, pertencente a várias raças, originário da Grã-Bretanha **2** *Bras. Fig. Pop.* Diz-se de indivíduo baixote, mas brigão *s2g.* **3** Galo ou galinha garnisé **4** Aquele que é garnisé (2) [F.: Do top. *Guernsey*, ilha da Grã-Bretanha.]

garoa (ga.*ro*.a) [ô] *Bras. sf.* **1** *Bras. SP* Chuva miúda que cai por longo tempo; CHUVISCO **2** Nevoeiro fino *sm.* **3** *SP Pop.* Indivíduo metido a valente, propenso a brigas e confusão; BRIGÃO; VALENTÃO [F.: De or. obsc.]

garoar (ga.ro.*ar*) *v. int. Bras.* Cair chuva fina; CHUVISCAR; GARUAR: *Começou a garoar ainda cedo.* [Verbo impessoal, ger. só se conjuga na 3ª pessoa do singular.] [▶ **16** garo**ar**] [F.: *garoa* + *-ar²*.]

garosamina (ga.ro.sa.*mi*.na) *sf. Quím.* Radical componente dos aminoglicosídeos, grupo de antibióticos us. no tratamento das infecções bacterianas

garota (ga.*ro*.ta) [ô] *sf.* **1** *Bras.* Criança ou adolescente do sexo feminino **2** Mulher, ger. moça, que se namora; NAMORADA; PEQUENA: *Vou com minha garota ao cinema. a.* **3** Que é jovem, moça: *Você é muito garota para se casar!* [F.: Fem. de *garoto*.] ■ **~ de programa** Mulher jovem que se prostitui, ger. sem se oferecer nas ruas, e sim sendo solicitada por telefone

garotada (ga.ro.*ta*.da) *sf.* **1** Grupo de garotos e/ou garotas **2** Ação ou comportamento próprio de garotos; garotice [F.: *garoto* + *-ada¹*.]

garotão (ga.ro.*tão*) *sm.* **1** Garoto grande **2** *Bras. Pop.* Garoto forte, saudável **3** *Bras. Pop.* Qualquer rapaz: *Se quer saber, pergunte àquele garotão ali!* **4** *Pej.* Adulto ou rapaz sem maturidade: *Já está ficando grisalho, mas não passa de um garotão!* [Pl.: *-tões*.] [F.: *garoto* + *-ão¹*.]

garotice (ga.ro.*ti*.ce) *sf. Bras.* Atitude, dito ou comportamento de garoto ou garota; CRIANCICE [F.: *garoto* + *-ice*.]

garoto (ga.*ro*.to) [ô] *sm.* **1** Criança ou adolescente do sexo masculino; MENINO **2** *Bras. Pop.* Chope servido em copo pequeno; GAROTINHO [Dim.: *garotelho, garotete, garotote*] *a.* **3** Que é jovem, moço: *Casou ainda garoto.* **4** *Lus. Pop.* Em Portugal, cafezinho com leite [F.: De or. incerta.] ■ **~ de programa** Homem jovem que se prostitui

garotona (ga.ro.*to*.na) *sf.* **1** Garota grande **2** *Bras. Pop.* Moça forte, bonita, bem feita de corpo: *O rapaz conquistou uma garotona na praia.* **3** *Bras. Pej.* Moça de mentalidade infantil [F.: *garota* + *-ona¹*.]

garoto-propaganda (ga.ro.to-pro.pa.*gan*.da) *sm. Bras. Publ.* Indivíduo que faz publicidade de um produto enaltecendo suas qualidades, em diversos meios de comunicação visual [Pl.: *garotos-propagandas* e *garotos-propaganda*. Fem.: *garota-propaganda*.]

garotote (ga.ro.*to*.te) *sf.* Garoto pequeno [Dim. irreg. de *garoto*.] [F.: *garoto* + *-ote*.]

garoupa (ga.*rou*.pa) *sf. Zool.* Nome comum de peixes da fam. dos serranídeos, esp. do gên. *Epinephelus*, marinhos, encontradiços junto à costa e apreciados como alimento [F.: De or. obsc.]

garra¹ (*gar*.ra) *sf.* **1** *Anat. Zool.* Unha curva, comprida e pontiaguda das aves de rapina, felinos etc.; GAFA **2** *Anat. Zool.* Esse tipo de unha na ponta de membro de um inseto **3** *P.ext.* Qualquer peça ou instrumento em forma de garra **4** *P.ext.* O conjunto formado pela mão, os dedos e as unhas: *Mandou que ele tirasse as garras de cima dela.* [Mais us. no pl.] **5** O conjunto dos pelos compridos das juntas dos pés de cavalgaduras **6** Em ourivesaria, gancho metálico que prende ou segura uma joia **7** *Fig.* Grande força de vontade, capacidade de persistir com determinação naquilo que se quer fazer ou obter: *O time jogou com muita garra.* **8** Poder discricionário ou tirânico ou que se exerce com rigor (as garras da ditadura/do fisco): *Caiu nas garras da lei.* **9** Ação ou intenção de caráter opressor ou agressivo devido à ganância, ambição, rapacidade, inveja etc.: *Cuidado para não cair nas garras de agiotas inescrupulosos.* [Ge. us. no pl.] **10** *Arq.* Motivo ornamental em forma de garra, muito comum no embasamento de colunas **11** *Bot.* Apêndice em forma de gancho com que algumas plantas trepadeiras se agarram aos corpos vizinhos; GAVINHA **12** Cada uma das extremidades de um couro, ger. correspondente a um membro do animal **13** Couro ou sola ruim, ressecados [F.: De or. contrv., posv. do espn. *garra*. Hom./Par.: *garra* (fl. de *garrar*).] ■ **Mostrar as ~s** Revelar agressividade, rebeldia, força (quem parecia cordato e/ ou fraco)

garra² (*gar.*ra) *sf. Mar.* Ação de garrar (uma embarcação) [F.: Dev. de *garrar.* Hom./Par.: ver *garra¹*.] ■ **Estar/ir/ficar à ~ 1** *Bras. Mar.* Estar/ficar à deriva **2** Sumir (algo), perder-se, desaparecer

garrafa (gar.*ra*.fa) *sf.* **1** Recipiente de gargalo estreito, feito de vidro, cristal, louça, plástico etc., que serve para armazenar líquidos; BOTELHA; FRASCO; VASILHAME **2** *P.ext.* Por metonímia, quantidade de líquido contido nesse recipiente: *Bebeu uma garrafa de refrigerante.* **3** Porção de líquido que corresponde a dois terços de litro [F.: De or. incerta, prov. do ár.-persa *garâba* 'utensílio para transportar água'.] ■ **~ térmica** Garrafa com isolamento térmico, que, se fechada, conserva por certo tempo a temperatura do líquido que contém **Conversar com a ~** *Pop.* Beber até embriagar-se

garrafada (gar.ra.*fa*.da) *sf.* **1** Golpe desferido com garrafa **2** Quantidade de líquido contido em uma garrafa **3** *Bras.* Medicamento líquido guardado em garrafa, esp. o preparado com ervas, raízes etc. por curandeiro: "Só sabe é fazer feitiço, vender garrafada de raiz do mato..." (Guimarães Rosa, *Sagarana*) [F.: *garrafa* + *-ada¹*.]

garrafal (gar.ra.*fal*) *a2g.* **1** Que tem forma de garrafa **2** Diz-se do que é grande, enfático, esp. de tipo de letra graúdo e bem legível [Ant.: *diminuto, pequeno.*] **3** *Fig.* Diz-se de estilo pomposo, grandiloquente: *Arrematou o discurso com uma frase garrafal.* [Ant.: *simples, singelo.*] **4** *Bot.* Diz-se de uma casta de cereja ou de alfarroba graúdas [Pl.: *-fais.*] [F.: *garrafa* + *-al¹*.]

garrafão (gar.ra.*fão*) *sm.* **1** Garrafa grande, com ou sem alça, ger. de bojo arredondado e muitas vezes revestida de palha, vime ou cortiça trançada (garrafão de vinho) **2** *Basq.* Área do campo de basquete que fica mais próxima da tabela, uma em cada extremidade da quadra, na qual o jogador atacante não pode permanecer por mais de três segundos [Tinha forma de garrafa, mas atualmente essa área é limitada por um arco de círculo, e fora dela um arremesso certeiro à cesta vale três pontos em vez de dois.] **3** *Lud.* Brincadeira infantil de pegar, na qual as crianças se protegem de um pegador ficando dentro de uma garrafa riscada no chão [Pl.: *-fões.*] [F.: *garrafa* + *-ão¹*.]

garrafeira (gar.ra.*fei*.ra) *sf.* **1** Depósito de garrafas **2** Grande quantidade de garrafas **3** Lugar (adega, cave, armário especial etc.) adequado a guardar e envelhecer vinho engarrafado **4** Mulher que compra e vende garrafas [F.: *garrafa* + *-eira.*]

garrafeiro (gar.ra.*fei*.ro) *sm.* **1** Fabricante de garrafas **2** Comprador ou vendedor de garrafas **3** Espécie de caixote com compartimentos para guardar garrafas *a.* **4** Diz-se de tecido escuro (ger. preto) com listras fininhas claras, ger. us. em roupas masculinas (calças ou ternos) [F.: *garrafa* + *-eiro.*]

garraio (gar.*rai*.o) *sm.* **1** Bezerro de até três anos, que ainda não foi corrido **2** *Fig.* Rapaz inexperiente *a.* **3** *RS* Diz-se de cavalgadura de baixa qualidade [F.: De or. duv.]

garranchada (gar.ran.*cha*.da) *Bras. sf.* **1** Pancada que se dá com garrancho (2) **2** *P.ext.* Ferimento produzido por golpe de garrancho **3** Porção de garranchos; GARRANCHEIRA [F.: *garrancho* + *-ada.*]

garranchar (gar.ran.*char*) *v.* Escrever com letras mal traçadas, em garranchos [*td.*: *Garranchou um bilhete que ninguém entendeu.*] [▶ 1 garranchar] [F.: *garrancho* + *-ar²*.]

garranchento (gar.ran.*chen*.to) *a.* Que tem muitos garranchos, galhos tortuosos [F.: *garrancho* + *-ento.*]

garrancho (gar.*ran*.cho) *sm.* **1** Doença que ataca os cascos das cavalgaduras **2** Ramo retorcido de árvore ou arbusto **3** *Bras.* Galho muito fino de árvore ou arbusto; GRAVETO **4** *Bras.* Letra mal desenhada, difícil de ler **5** Parceiro no jogo do voltarete que só distribui as cartas e não joga, quando a mesa já conta com quatro outros parceiros **6** *Lus.* No Algarve, pau torto com que se firma a carga na besta, apertando a corda que a fixa [F.: Do espn. *garrancho.*]

garrano (gar.*ra*.no) *sm.* **1** Cavalo pequeno e forte, us. para diversos trabalhos **2** *Fig.* Indivíduo canalha, velhaco [F.: Do ing. *garron.*]

garrão (gar.*rão*) *Bras. RS sm.* **1** A parte da perna que se localiza atrás do joelho dos animais, esp. dos equídeos; jarrete **2** *P.ext.* Nos seres humanos, a parte da perna oposta ao joelho; jarrete [Pl.: *-rões.*] [F.: Do espn. *garrón.*] ■ **Afrouxar o ~ 1** *Bras. RS* Dobrar as pernas por falta de forças para ir adiante; perder a firmeza nas pernas e cair **2** *Bras. RS Fig.* Agir de forma covarde

garrar (gar.*rar*) *v.* **1** *Náut.* Afastar (embarcação) por ter-se soltado a âncora ou amarra; DESGARRAR [*int.*: *Durante a ventania, o barco garrou.*] **2** *Fig.* Tornar-se distante; AFASTAR-SE; APARTAR-SE [*int.*: *Com tantos problemas familiares, sua mente garrava.*] **3** *Náut.* Rebentar ou desprender (as amarras) [*td.*: *O comandante mandou garrar as amarras presas à âncora.*] **4** *Náut.* Ir além de; ULTRAPASSAR [*td.*: *A lancha garrou o porto de destino.*] **5** *Bras. Pop.* O mesmo que *agarrar* (pegar, segurar) [*td.*: *Garrou a criança pela mão e fugiu.*] **6** Começar (ação) de repente [*tr. + a*: *Assustada, a menina garrou a chorar.*] [▶ 1 garrar] [F.: Do espn. *garrar* 'segurar com as garras', 'prender-se com gancho'. Hom./Par.: *garra(s)* (fl.), *garra(s)* (sf.[pl.]); *garro* (fl.), *garro* (a.sm.). NOTA: Na acp. 6, como trans. rel., é v. aux. indicando o começo da ação (aspecto incoativo).]

garrear (gar.re.*ar*) *v. td.* **1** *RS* Tirar as pontas de (couro, pele) [*td.*] **2** *RS* Tosquiar a lã da manta do ovino [*td.*] **3** *RS* Prender com garra [*td.*] **4** *Fig.* Esmorecer, ficar fraco [*int.*] [▶ 13 garrear] [F.: *garra* + *-ear.* Hom./Par.: *garreio* (1ªp.s.)/ *garreio* (s.m.).]

garreio (gar.*rei*.o) *sm.* **1** *RS* Tomada de posse dos arreios e pertences da montaria do adversário, quando este é derrotado **2** Ação de tosquiar a lã da região do garrão do ovino [F.: Dev. de *garrear.* Hom./Par.: *garreio* (fl. de *garrear*).]

garriça (gar.*ri*.ça) *sf. Bras. Ornit.* Ver *cambaxirra* (*Troglodytes aedon*) [F.: Posv. alt. de *carriço* (*-o* > *-a*), do lat.vulg. *cariceum.*]

garricha (gar.*ri*.cha) *sf. Bras. Ornit.* Ver *cambaxirra* (*Troglodytes aedon*) [F.: Ver *garriça.*]

garridice (gar.ri.*di*.ce) *sf.* **1** Sofisticação no vestir; GARRIDISMO; JANOTISMO [Ant.: *deselegância.*] **2** *Fig.* Brilho, elegância, vivacidade: ". .de se deslindar a lembrança de Maria da Glória, sua garridice, seu ar." (Guimarães Rosa, *Noites do sertão*) [F.: *garrido* + *-ice.*]

garrido (gar.*ri*.do) *a.* **1** Que é exuberante, que chama a atenção; CHAMATIVO; VISTOSO: *Vestia-se de cores garridas.* **2** Alegre, vivaz, animado **3** Que tem elegância, graça; ELEGANTE; GALANTE; GRACIOSO [Ant.: *deselegante, desgracioso.*] **4** Que tem muitos enfeites; ADORNADO; CASQUILHO; JANOTA [F.: Do lat. *garritus, a, um.*]

garrir (gar.*rir*) *v.* **1** Falar em demasia, matraquear [*int.*] **2** Chilrear alegre (de uma ave) [*int.*] **3** Vestir-se com garridice, com vaidade [*td.*: *Garria-se toda para passear no parque.*] **4** Vestir-se com luxo, com ostentação [*int.*] [▶ 46 garrir] [F.: Do lat. *garrire.*]

garrotar (gar.ro.*tar*) *v. td.* **1** Estrangular com garrote: *Garrotaram, afinal, o condenado.* **2** Usar garrote, torniquete em; GARROTEAR: *Garrotar uma perna ferida.* **3** *Fig.* Enganar, ludibriar: *O dono do bar garrotou o freguês* [▶ 1 garrotar] [F.: *garrote* + *-ar²*. Hom./Par.: *garrota* (s) (fl.), *garrota* (sf. [e pl.]), *garrote* (s) (fl.), *garrote* (sm.[e pl.]).]

garrote¹ (gar.*ro*.te) *sm.* **1** Pequeno pedaço de pau com que se apertava a corda presa ao pescoço do condenado, para estrangulá-lo; ARROCHO **2** Suplício de estrangulamento sem suspensão do corpo da vítima, que ficava presa ao assento **3** Instrumento para execução desse suplício e que consistia em um assento preso a uma haste **4** *Med.* Torniquete us. para estancar hemorragia, como medida de urgência, ou para tornar saliente veia que receberá medicação ou de que se retirará sangue para exame: "...estendeu o braço ao garrote e à agulha..." (Antônio Callado, *Bar Don Juan*) **5** *Fig.* Sensação de opressão no peito ou na garganta, causada por angústia **6** *Zool.* Em diversos animais (equinos, bovinos, ovinos etc.) a parte entre as espáduas e o pescoço; CACHAÇO; CERNELHA **7** *Lus.* No Minho, prego forte para fixar a ferragem na roda dos carros de lavoura; BROCHÃO [F.: Do fr. *garrot* 'cacete, bordão'.]

garrote² (gar.*ro*.te) *sm. Zool.* Bezerro entre dois e quatro anos de idade; BOGÓ: "O garrote olhou em volta, e veio, buscando o resto da manada..." (Guimarães Rosa, *Estas estórias*) [Fem.: *garrota.*] [F.: Do fr. *garrot* 'cernelha'.]

garroteamento (gar.ro.te:a.*men*.to) *sm.* Ação ou resultado de garrotear; ESTRANGULAMENTO [F.: *garrotear* + *-mento.*]

garrotear (gar.ro.te.*ar*) *v. td.* **1** Supliciar (alguém) usando garrote: *Garroteou o condenado.* **2** *Bras. Pop.* Cobrar quantia excessiva a (cliente etc.): *Garroteava os preços sem dó nem piedade.* [▶ 13 garrotear]

garrotilho (gar.ro.*ti*.lho) *sm.* **1** *Pop.* Ver *crupe* **2** *Pop.* Doença causada pelo bacilo *Streptococcus equi*, que ataca os cavalos **3** *Lus.* Praga que ataca as vinhas [F.: Do espn. *garrotillo.*]

garrucha (gar.*ru*.cha) *sf.* **1** *Bras. Arm.* Arma de fogo que se carrega pela boca; BACAMARTE **2** *AM, RS Pop.* Mulher solteira que vive maritalmente com um homem; AMÁSIA; CONCUBINA **3** *RS Pej.* Meretriz idosa **4** *Ant. Arm.* Mecanismo para armar as bestas, composto de garras e de roldanas, para retesar a corda *a2g.* **5** *SP Pop.* Diz-se de parceiro de jogo cauteloso, que não arrisca grandes apostas e se satisfaz com os ganhos já obtidos *s2g.* **6** *SP Pop.* Esse tipo de pessoa [F.: Do espn. *garrucha.*]

garrular (gar.ru.*lar*) *v. int.* **1** Falar muito, em excesso; TAGARELAR: *A caminho da praia, as duas não paravam de garrular.* **2** Emitir (a ave) o som de sua voz [▶ 1 garrular] [F.: Do lat. *garrulare.*]

garrulice (gar.ru.*li*.ce) *sf.* Hábito de falar muito; qualidade de quem é gárrulo, falastrão, tagarela; LOQUACIDADE; TAGARELICE [Ant.: *mudez, mutismo.*] [F.: *gárrulo* + *-ice.*]

gárrulo (*gár*.ru.lo) *a.* **1** Diz-se de ave que gorjeia, que canta muito *a.* **2** Diz-se de pessoa que fala demais; FALASTRÃO; LOQUAZ; TAGARELA [Ant.: *calado.*] *sm.* **3** Esse tipo de pessoa; TAGARELA [F.: Do lat. *garrulus, a, um.*]

garupa (ga.*ru*.pa) *sf.* **1** A parte posterior do dorso de cavalos, burros etc., que vai do lombo às ancas, aos quartos traseiros; ANCA: "Num cavalo só, assim o Major montado, vestido composto, mas a mulher toda nua, abraçada nele, na garupa." (Guimarães Rosa, *Noites do sertão*) **2** *P.ext.* A parte de uma bicicleta ou motocicleta localizada atrás do assento do motorista, onde ger. pode montar um segundo viajante **3** Mala ou malote que se carrega atrás da sela de montaria **4** Correia que amarra essa mala ou malote [F.: Do frâncico *kruppa.*] ■ **Dar/andar de ~** Dar (cavalo, burro etc.) coices **Ir de/na ~ 1** Ir montado atrás do cavaleiro, sobre a anca da cavalgadura **2** Viajar (em motocicleta, bicicleta etc.) montado atrás do condutor **Tirar na ~** Livrar de perigo, de dificuldade

garupeira (ga.ru.*pei*.ra) *sf. BA MG PA* Armação de tiras de couro presas à sela para amarrar ou transportar carga sobre o xairel ou pendurada lateralmente [F.: *garupa* + *-eira.*]

garupeiro (ga.ru.*pei*.ro) *sm.* Pessoa que anda na garupa de motocicletas [F.: *garupa* + *-eiro.*]

gás *sm.* **1** *Fís.* Estado de matéria (e matéria em tal estado) cujas moléculas têm pouca interação entre si, por isso afastadas umas das outras, o que torna essa matéria fluida e expansível (tendendo a ocupar todo o recipiente em que está contida) ou compressível **2** *Fig. Pop.* Capacidade de manter a boa forma física e uma reserva considerável de energia mental, psicológica e emocional; capacidade de se manter atuante em uma atividade; ÂNIMO; VIGOR: *Envelhecia, mas ainda estava com muito gás.* [Ant.: *abatimento, desânimo, fraqueza.*] **3** *Fig.* Estado de animação, de entusiasmo: *Costumava correr todas as manhãs, cheio de gás.* [Ant.: *abatimento, desânimo.*] **4** *N.E.* Fluido de iluminação extraído do petróleo (lampião de gás) **5** *Bras. Fig.* Bazófia, bravata: *Só porque estudou no estrangeiro vive cheio de gás.* [Ant.: *modéstia.*] **6** *Lus.* Gasolina: *O carro está ficando sem gás.* **7** *N.E.* Morrão de balão junino **8** *BA Pop.* Aguardente de cana [Pl.: *gases.*] [F.: Do fr. *gaz.* Hom./Par.: (pl.) *gases* (*gazes*, pl. de gaze s.f.). Ideia de 'gás', usar pref. *pneumat-*.] ■ **Cheio de ~** *Pop.* Cheio de energia e disposição. **Dar ~** *Bras. Pop.* Incentivar, estimular, incitar **~ carbônico** *Quím.* Dióxido de carbono, encontrado na atmosfera; participa, com a água, no processo de fotossíntese. Tem diversos usos industriais [Fórm.: CO_2] **~ clorídrico** *Quím.* Cloreto de hidrogênio, incolor, sufocante. Reage com a água para formar o ácido clorídrico [Fórm.: *HCL*] **~ combustível** *Quím.* Mistura gasosa us. em calefação industrial ou em motores de explosão **~ de água** *Quím.* Gás combustível que se obtém da decomposição de vapor de água sobre carvão quente **~ de alto-forno** *Quím.* O que sai de um alto-forno, composto por dióxido de carbono, monóxido de carbono, hidrogênio e nitrogênio [Tratado, pode ser us. como combustível secundário em siderúrgica.] **~ de Clayton** Gás que se forma pela passagem de ar sobre enxofre; gás sulfuroso [Pode ser us. em esgotos como raticida, na conservação de alimentos e como antisséptico. Fórm.: SO_2] **~ de combate** *Mil. Quím.* Qualquer substância química em forma de gás (névoa, pulverização), usada como arma em operação bélica **~ de coqueria** *Quím.* Mistura gasosa obtida na transformação do coque pelo calor, e us. como gás combustível industrial depois de purificado; gás de hulha **~ de gasogênio** *Quím.* Gás combustível que se obtém da ação do oxigênio do ar ou de vapor de água sobre combustíveis, líquidos ou sólidos; gás de gerador **~ de gerador** *Quím.* Ver *Gás de gasogênio* **~ de hulha** *Quím.* Ver *Gás de coqueria* **~ de iluminação** Mistura gasosa que se obtém da destilação da hulha, us. em iluminação, cozimento e calefação [É composto de hidrogênio, metano e monóxido de carbono.] **~ de mostarda** *Quím.* Gás irritante que ataca a pele, os olhos e o sistema respiratório [Foi us. como arma na Primeira Guerra Mundial.] **~ de petróleo** *Quím.* Gás resultante da reação de vapor de água com vapores de petróleo, us. como combustível industrial [É composto de hidrogênio, metano, monóxido de carbono e outros gases.] **~ de refinaria** *Quím.* Mistura gasosa de hidrocarbonetos (metano, propano, butano, eteno, propeno etc.) e alguns compostos sulfurados, obtida na refinação do petróleo [Us. como combustível nas refinarias e matéria-prima da indústria petroquímica.] **~ dos nervos** *Mil.* Termo genérico com que se designa algumas substâncias venenosas us. em guerra química **~ dos pântanos** *Quím.* O metano que emana dos pântanos devido à fermentação anaeróbica de matéria orgânica **gases industriais** *Quím.* Termo genérico que designa gases us. como matéria-prima industrial na química pesada, como o oxigênio, o hidrogênio, o monóxido de carbono, o dióxido de enxofre, o gás de síntese, o acetileno, o óxido nitroso e o amoníaco **~ esternutatório** *Quím.* Gás tóxico, que produz espirros e irritação no nariz, na laringe e nos pulmões; gás vomitivo **~ hilariante** *Quím.* O óxido nitroso, us. como anestésico por sua ação embriagadora [Fórm.: N_2O] **~ ideal** *Fís.* Gás no qual o produto da pressão pelo volume é proporcional à temperatura absoluta; gás perfeito **~ inerte** *Quím.* Ver *Gás nobre* **~ iodídrico** *Quím.* Iodeto de hidrogênio, incolor, muito irritante [Fórm.: *HI*] **~ liquefeito de petróleo** Gás obtido na refinação do petróleo, esp. no craqueamento, constituído principalmente por propano e butano, us. ger. como combustível doméstico [Sigla: *GLP*] **~ natural** Mistura gasosa, rica em hidrocarbonetos leves, encontrada em jazidas subterrâneas, associada ou não ao petróleo [Tem uso residencial, industrial, veicular etc. Sua queima produz uma combustão limpa, com baixa emissão de poluentes e melhor rendimento térmico. Sigla: *GN*] **~ natural veicular** Tipo de combustível cujo principal componente é o metano (cerca de 93%); sua queima libera menos quantidade de resíduos poluentes no meio ambiente [Sigla: *GNV*] **~ nobre** *Quím.* Qualquer dos gases elementares (hélio, neônio, argônio, criptônio, xenônio e radônio) que estão no grupo 0 da tabela periódica dos elementos; gás inerte **~ perfeito** *Fís.* Ver *Gás ideal* **~ permanente** *Fís.* Designação antigamente dada a gás que não se liquefazia por pressão em temperatura ambiente [É composto de hidrogênio, monóxido de carbono (estes em alto teor), dióxido de carbono e nitrogênio.] **~ pobre** *Quím.* Gás obtido pela passagem de ar e vapor de água sobre carvão aquecido, ou pela queima de matéria sólida em ar rarefeito **~ real** *Fís.* O que não se enquadra no conceito de *gás ideal* **~ sulfídrico** *Quím.* Gás composto de enxofre e hidrogênio, de cheiro nauseante, venenoso [Fórm.: H_2S] ~ **sulfuroso** 1 *Quím.* Ver *Gás de Clayton* ~ **vomitivo** *Quím.* Ver *Gás esternutatório*

📖 Sob o ponto de vista da tecnologia e da economia, consideram-se dois tipos de gás: o natural e o manufaturado. O gás natural resulta da decomposição de matéria orgânica e da ação de altíssimas pressões sobre certos tipos de rocha. Encontra-se na natureza em forma de camadas sobrepostas às jazidas subterrâneas de petróleo. É explorado principalmente para fabricação da gasolina e de gás liquefeito de petróleo. O gás manufaturado é obtido do carvão mineral (hulha) ou do processo de refino do petróleo. A utilização dos dois tipos vai desde a doméstica (fogões, fornos e aquecedores) até o uso industrial, como acionadores de turbinas, combustível, insumo das indústrias petroquímica e siderúrgica e muito mais.

gascão (gas.*cão*) *sm.* 1 Pessoa nascida ou que vive na Gasconha (região do Sudoeste da França) 2 *Gloss.* Dialeto da Gascônia, conhecido como occitano 3 *Fig.* Indivíduo que gosta de bravatear, de contar vantagem *a.* 4 Da Gasconha: típico desse país ou de seu povo 5 Diz-se do dialeto ali falado [Pl.: *-ões.* Acp. 1 e 4, fem. *gascoa* [ô].] [F.: Do fr. *gascon.*]

gaseal (ga.se.*al*) *s2g.* Que produz gases [Pl.: *-eais.*] [F.: *gás* + *-eal.*]

gasear (ga.se.*ar*) *v. td.* Ficar exposto a ação de gases asfixiantes ou tóxicos [▶ 13 **gasear**] [F.: *gás* + *-ear.* Hom./Par.: *gazear* (todos os tempos do v.).]

gaseificação (ga.se:i.fi.ca.*ção*) *sf.* Ação ou resultado de gaseificar(-se); GASIFICAÇÃO [Pl.: *-ções.*] [F.: *gaseificar* + *-ção.*]

gaseificado (ga.se:i.fi.*ca*.do) *a.* Que se gaseificou; que foi transformado em gás [F.: Part. de *gaseificar.*]

gaseificar (ga.se:i.fi.*car*) *v. td.* 1 Fazer (um corpo) passar para o estado gasoso; reduzir ao estado gasoso: *Estudava um método de gaseificar o lixo das cidades.* 2 Dissolver gás carbônico em: *A empresa resolveu gaseificar o refrigerante.* [▶ 11 **gaseificar**] [F.: Adaptç. do fr. *gazéifier,* 'reduzir uma substância a fluido gasoso'. Hom./Par.: *gaseificáveis* (fl.), *gaseificáveis* (pl. de *gaseificável* [a2g.]).]

gaseificável (ga.se:i.fi.*cá*.vel) *a2g.* Que se pode gaseificar; GASIFICÁVEL [Pl.: *-veis.*] [F.: *gaseificar* + *-vel.* Hom./Par.: *gaseificáveis* (pl.), *gaseificáveis* (fl. de *gaseificar*).]

gaseiforme (ga.se:i.*for*.me) *a2g.* Que tem forma de gás, que está em estado gasoso (substância gaseiforme); GASIFORME [F.: *gasei-*, como em *gaseificar,* + *-forme.*]

gases (*ga*.ses) *smpl.* Combinação do ar engolido durante a alimentação (gases estomacais) com os produtos voláteis oriundos da fermentação de matérias fecais no intestino (gases intestinais): "...lançados para o céu, com quem permutam seus gases, seus pássaros, seus movimentos..." (João Cabral de Melo Neto, *Os três mal-amados*) [F.: Pl. de *gás.*]

gasganete (gas.ga.*ne*.te) [ê] *sm.* Ver *garganta* [F.: Do rad. expressivo *gasg-* 'garganta'.]

gasificação (ga.si.fi.ca.*ção*) *sf.* Ação ou resultado de gasificar; GASEIFICAÇÃO [Pl.: *-ções.*] [F.: *gasificar* + *-ção.*]

gasificado (ga.si.fi.*ca*.do) *a.* Que se gasificou; GASEIFICADO [F.: Part. de *gasificar.*]

gasificar (ga.si.fi.*car*) *v. td.* O mesmo que *gaseificar* [▶ 11 **gasificar**] [F.: *gás* + *-ificar.* Hom./Par.: *gasificáveis* (fl.), *gasificáveis* (pl. de *gasificável* [a2g.]).]

gasificável (ga.si.fi.*cá*.vel) *a2g.* Que se pode gasificar; GASEIFICÁVEL [Pl.: *-veis.*] [F.: *gasificar* + *-vel.* Hom./Par.: *gasificáveis* (pl.), *gasificáveis* (fl. de *gasificar*).]

gasiforme (ga.si.*for*.me) *a2g.* O mesmo que *gaseiforme* [F.: *gas(o)-* + *-iforme.*]

gasista (ga.*sis*.ta) *s2g.* 1 *Ant.* Indivíduo que acendia os candeeiros de gás us. na iluminação das ruas 2 Profissional que instala ou conserta aparelho movido a gás 3 Empregado da companhia de gás [F.: *gás* + *-ista.*]

gasnete (gas.*ne*.te) [ê] *sm.* Ver *gasganete*

◎ **gas(o)-** *el. comp.* = 'gás': *gasificar, gasoduto, gasogênio, gasolina* (< fr. < ing.), *gasometria, gasômetro, gasoterapia* [F.: De *gás,* este do fr. *gaz,* cunhado pelo médico flamengo van Helmont (1577-1644), a partir do lat. *chaos, i* (< gr. *kháos*).]

gasoduto (ga.so.*du*.to) *sm.* Estrutura formada por tubos para conduzir gases naturais e derivados do petróleo de um lugar a outro, em longas distâncias [F.: *gas(o)-* + *-duto.*]

gasogênio (ga.so.*gê*.ni:o) *sm.* 1 Mistura de álcool e essência de terebintina us. para iluminação 2 Aparelho que produz gás combustível, us. ger. como substituto da gasolina 3 Gás combustível produzido por esse aparelho: *automóvel movido a gasogênio.* [F.: *gas(o)-* + *-gênio.*]

gasóleo (ga.*só*.le:o) *sm.* 1 *Quím.* Produto destilado do petróleo e us. como combustível para motores *diesel* 2 *Lus.* Óleo *diesel* [F.: Do ing. *gas oil.*]

gasolina (ga.so.*li*.na) *sf.* 1 Combustível líquido e volátil destilado do petróleo, com uma mistura de hidrocarbonetos de 4 até 12 átomos de carbono, us. em motores de explosão 2 *Bras. Pop.* Aguardente de cana; CACHAÇA *sm.* 3 *Bras.* Barco a motor acionado por gasolina 4 *BA P.ext.* Qualquer barco a motor [F.: Do ing. *gasoline/gasolene,* pelo fr. *gazoline/ gazolene.*]

gasolineiro (ga.so.li.*nei*.ro) *sm. Lus.* Funcionário que atende o público em postos de gasolina; FRENTISTA [F.: *gasolina* + *-eiro.*]

gasometria (ga.so.me.*tri*:a) *sf.* 1 Medição química da quantidade de gases que se encontram em uma mistura 2 *Med.* Processo us. em pesquisa clínica para medir gases respiratórios [F.: *gas(o)-* + *-metria*[1].]

gasometrista (ga.so.me.*tris*.ta) *s2g.* Aquele ou aquela que mede o volume dos gases [F.: *gasometria* + *-ista.*]

gasômetro (ga.*sô*.me.tro) *sm.* 1 Dispositivo que recolhe gases em formação 2 Aparelho que mede a quantidade de gás contida em uma mistura 3 Reservatório em que o gás us. para iluminação ou combustão é mantido em condições adequadas e sob controle 4 Fábrica de gás [F.: *gas(o)-* + *-metro.*]

gasosa (ga.*so*.sa) *sf.* 1 Água à qual se acrescentou gás; água mineral com gás; SODA 2 Qualquer bebida a que se acrescentou gás (gás carbônico), como refrigerantes, p.ex 3 *N.E.* Refresco de fruta gaseificado 4 *Pop.* Gasolina: *Preciso pôr um pouco de gasosa no carro.* [F.: Fem. substv. de *gasoso.*]

gasoso (ga.*so*.so) [ô] *a.* 1 Diz-se do estado característico do gás: *água em estado gasoso.* 2 Que se apresenta no estado do gás: *Havia um fluido gasoso no ar.* 3 Diz-se esp. de líquido a que se acrescentou gás (ger. anidrido carbônico): *água mineral gasosa.* 4 Que contém gás ou com ele se relaciona: *As trocas gasosas entre pulmão e coração oxigenam o sangue.* [Fem. e pl.: [ó].] [F.: *gás* + *-oso.*]

gaspacho (gas.*pa*.cho) *sm. Cul.* Sopa fria de origem espanhola, temperada com alho, cebola, vinagre, tomate, azeite etc. e servida com pedacinhos de pão; CASPACHO [F.: Do espn. *gazpacho.*]

gasparinho (gas.pa.*ri*.nho) *sm. Bras.* A menor fração de um bilhete de loteria [F.: Do antr. *Gaspar* da Silveira Martins, ministro que, em 1878, no Brasil, autorizou o fracionamento dos bilhetes de loteria.]

gáspea (*gás*.pe:a) *sf.* 1 Parte do calçado que se estende do peito do pé até a ponta; GASPA 2 *Pop.* Tapa desfechado com a mão aberta; BOFETADA 3 *Lus. Pop.* Pontapé 4 *Lus. Pop.* Velocidade [F.: De orig. obsc.]

gaspilhar (gas.pi.*lhar*) *v. td.* Gastar em excesso, dilapidar [▶ 1 **gaspilhar**]

gastação (gas.ta.*ção*) *sf.* Ação de gastar demais; gasto imoderado de dinheiro [Pl.: *-ções.*] [F.: *gastar* + *-ção.*]

gastadeira (gas.ta.*dei*.ra) *sf.* Mulher que não controla as despesas, que gasta dinheiro em demasia [F.: *gastar* + *-deira.*]

gastador (gas.ta.*dor*) [ô] *a.* 1 Que gasta 2 Que gasta em excesso; ESBANJADOR; PERDULÁRIO [Ant.: *econômico, poupador.*] 3 *Mil.* Diz-se de soldado que corta o mato virgem para dar passagem aos demais soldados da tropa 4 *Mil.* Diz-se de soldado ou operário que corta madeira no mato para a construção de obras de defesa [Fem.: *gastadeira, gastadora.*] *sm.* 5 Indivíduo gastador (1 a 4) [F.: *gastar* + *-dor.*]

gastança (gas.*tan*.ça) *sf.* Gasto excessivo; desperdício de dinheiro: *Depois daquela gastança toda, só podia acabar na miséria.* [F.: *gastar* + *-ança.*]

gastão (gas.*tão*) *a.* 1 Diz-se de indivíduo que gasta muito; que esbanja dinheiro *sm.* 2 Esse indivíduo [Pl.: *-tões.*] [F.: *gast(ar)* + *-ão*[1].]

gastar (gas.*tar*) *v.* 1 Usar dinheiro para pagar (por algo); desprender grande soma; DESEMBOLSAR; DESPENDER [*td.*: *Gastou todo o salário assim que o recebeu.*] [*tdr.* + *com, em*: *Gastou duzentos mil reais numa propriedade; Desde aquele dia não gastou mais com drogas.*] [*tdr.* + *com, em*: *O presidente disse: 'É proibido gastar'.*] 2 Consumir de maneira descontrolada, em excesso; DISSIPAR; ESBANJAR; MALBARATAR [*td.*: *Gastou toda a herança que recebera do avô.*] [*tdr.* + *com, em*: *O jovem gastou todos os bens da família em extravagâncias.*] [*int.*: *É um perdulário, só sabe gastar.*] 3 Usar ou ser us. até o fim; ESGOTAR-SE [*td.*: *Gastou o café em dois dias.*] [*int.*: *A tinta da impressora gastou depressa; A carga da caneta gastou-se em duas semanas.*] 4 Deteriorar pelo uso; DANIFICAR(-SE); ESTRAGAR(-SE) [*td.*: *Essas corridas diárias gastaram meu tênis.*] [*int.*: *A sola do sapato gastou depressa; A sola do sapato gastou-se muito depressa.*] 5 Diminuir pelo atrito o volume de; DANIFICAR(-SE); ESTRAGAR(-SE) [*td.*: *A água gasta a pedra.*] 6 Chegar ao fim; EXTINGUIR-SE [*int.*: *A vela gastou-se em menos tempo do que se esperava.*] 7 Fazer uso de; CONSUMIR [*td.*: *O carro gastava muito combustível.*] 8 Causar desgaste, prejuízo a (alguém ou si mesmo); CONSUMIR(-SE); DESTRUIR(-SE) [*td.*: *O tempo gastara a sua beleza.*] 9 Deixar que passe (o tempo), que transcorra; OCUPAR [*td.*: "Gastou quase o dia inteiro na diligência." (Franklin Távora, *O cabeleira*)] 10 Tornar(-se) fraco, debilitado; perder as forças; DEBILITAR(-SE) [*td.*: *Estava gastando sua saúde naquele trabalho exaustivo.*] [*int.*: *Por não comer direito, gastou-se.*] 11 Fazer perder ou perder a energia e a resistência física [*td.*: *A velhice gastou-lhe o corpo.*] [*int.*: *Por causa do vício, gastou-se muito em rapaz.*] 12 Tornar-se, deixar exausto, farto; ESGOTAR(-SE); EXAURIR(-SE) [*td.*: *Trabalhar por mais de doze horas gasta qualquer um.*] [*int.*: *Gastava-se diariamente para sustentar toda a família.*] 13 Aplicar (algo) inutilmente [*td.*: *Não gastava sua inteligência com gente ignorante.*] 14 Fazer realizar a digestão de; DIGERIR [*td.*: *Por não mastigar bem os alimentos, demora a gastá-los.*] [▶ 1 **gastar** Part.: *gastado* e *gasto.*] [F.: Do lat. *vastare* 'tornar um lugar deserto, pilhar, destruir (país)'. Hom./Par.: *gasta(s)* (fl.), *gasta(s)* ([a.] fem. *gasto* [pl.]); *gasto* (fl.), *gasto* (a.); *gastáveis* (fl.), *gastáveis* (a2g.pl.).]

gastável (gas.*tá*.vel) *a2g.* 1 Que pode ser gasto 2 Que se gasta muito (tecidos gastáveis) [F.: *gastar* + *-vel.* Hom./Par.: (pl.) gastáveis, *gastáveis* (fl. de *gastar*).]

◎ **-gáster** *el. comp.* = 'cujo ventre apresenta certa característica': *apogáster, siderogáster* [F.: Do gr. *gastér, gastrós,* 'ventre'; 'estômago'. Ver *gastr(o)-*.]

gasto (*gas*.to) *a.* 1 Que se gastou, se despendeu: *O dinheiro não foi bem gasto.* [Ant.: *poupado.*] 2 Que se corroeu ou envelheceu pelo uso ou pelo tempo: *Aposentou seus sapatos gastos e rasgados:* "Penhascos gastos tinham um fulgor avermelhado." (Kurban Said, *Ali e Nino*) [Ant.: *conservado, novo.*] 3 Que se tornou enfraquecido, debilitado: *Já foi muito forte, mas hoje é um homem gasto.* [Ant.: *forte, vigoroso.*] *sm.* 4 O que foi despendido; CONSUMO; DESPESA: *O gasto com o jantar foi alto.* 5 Esbanjamento, desperdício: *Agora não é o momento para tais gastos.* [Ant.: *economia, poupança.*] 6 Deterioração pelo uso; DESGASTE: *O gasto dessa peça deve-se ao tempo.* [F.: Part. de *gastar.* Hom./Par.: *gasto* (fl. de *gastar*).] ■■ **Dar para o ~** 1 Ser (remuneração, renda, salário etc.) bastante para o sustento 2 Ser (algo ou alguém) suficiente, bastante para o fim a que se destina (mas não muito mais que isso): *– Ficou bom o artigo? – Mais ou menos, dá para o gasto.*

gastona (gas.*to*.na) *sf.* Mulher que vive gastando dinheiro [F.: *gastar* + *-ona.*]

gastralgia (gas.tral.*gi*:a) *sf. Med.* Cólica gástrica; GASTRODINIA [F.: *gastr(o)-* + *-algia.*]

gastrálgico (gas.*trál*.gi.co) *a. Med.* Ref. a gastralgia [F.: *gastralgia* + *-ico*[2].]

gastrão (gas.trão) *sm. Med.* Curso de cirurgia do aparelho digestivo para médicos que vivem fora

gastrectomia (gas.trec.to.*mi*:a) *sf. Cir.* Excisão total ou parcial do estômago [F.: *gastr(o)-* + *-ectomia.*]

gastrentérico (gas.tren.*té*.ri.co) *a. Med.* Ref. ao estômago e ao intestino [F.: *gastr(o)-* + *entérico.*]

gastrenterite (gas.tren.te.*ri*.te) *sf. Med.* Inflamação da mucosa do estômago e dos intestinos [F.: *gastr(o)-* + *enterite.*]

gastrenterocolite (gas.tren.te.ro.co.*li*.te) *sf. Med.* Inflamação que ocorre ao mesmo tempo no intestino delgado e no estômago [F.: *gastr(o)-* + *enterocolite.* Tb. *gastroenterocolite.*]

gastrenterologia (gas.tren.te.ro.lo.*gi*:a) *sf. Med.* Parte da medicina que estuda o sistema digestivo e suas doenças [F.: *gastr(o)-* + *enterologia.* Tb. *gastroenterologia.*]

gastrenterológico (gas.tren.te.ro.*ló*.gi.co) *a. Med.* Relativo a gastrenterologia [F.: *gastrenterologia* + *-ico*[2]. Tb. *gastroenterológico.*]

gastrenterologista (gas.tren.te.ro.lo.*gis*.ta) *a2g.* 1 Diz-se de especialista em gastrenterologia *s2g.* 2 Esse especialista [F.: *gastrenterologia* + *-ista.* Tb. *gastroenterologista.*]

gastresofágico (gas.tre.so.*fá*.gi.co) *sf. Gast.* Ref. simultaneamente ao estômago e ao esôfago [F.: *gastr(o)-* + *esofágico.* Tb. *gastroesofágico.*]

gastresofagite (gas.tre.so.fa.*gi*.te) *sf. Gast.* Inflamação do esôfago e do estômago [F.: *gastr(o)-* + *esofagite.* Tb. *gastroesofagite.*]

◎ **-gastria** *el. comp.* = 'anomalia, deformidade, disfunção, distúrbio, ou irregularidade do estômago ou do abdôme': *acefalogastria, aerogastria, agastria, atetrogastria, diastematogastria, fisogastria, hidrogastria, macrogastria, megalogastria* [F.: Do gr. *gáster, gastrós,* 'ventre'; 'estômago', + *-ia*[1]. [F.: conexas: *gastr(o)-* e *-gáster.*]

gástrico (*gás*.tri.co) *a. Anat. Med.* Ref. a ou próprio do estômago (suco gástrico) [F.: *gastr(o)-* + *-ico*[2].]

gastrina (gas.*tri*.na) *sf. Bioq.* Hormônio que, secretado pela mucosa gástrica, é responsável pela liberação do ácido clorídrico no estômago [F.: *gastr(o)-* + *-ina*[2].]

gastrinoma (gas.tri.*no*.ma) *sm. Pat.* Tumor que secreta gastrina, ger. encontrado no pâncreas, mas que pode surgir em outros pontos do organismo, como o estômago, p.ex [F.: *gastrina* + *-oma*[1].]

gastrintestinal (gas.trin.tes.*ti*.nal) *a2g. Anat.* Que se refere ao estômago e aos intestinos (dores gastrintestinais) [Pl.: *-nais.*] [F.: *gastr(o)-* + *intestinal.* Tb. *gastrointestinal.*]

gastrite (gas.*tri*.te) *sf. Med.* Inflamação aguda ou crônica da mucosa do estômago [F.: *gastr(o)-* + *-ite*[1].]

◎ **-gastr(o)-** *el. comp.* Ver *gastr(o)-*

◎ **-gastro** *el. comp.* Ver *gastr(o)-*

◎ **gastr(o)-** *el. comp.* = 'estômago'; 'mucosa gástrica'; 'ventre'; 'barriga'; 'porção carnosa': *gastralgia, gastrectomia, gastrenterite, gastrina, gastrite, gastrocnêmio, gastroduodenal, gastroduodenectomia, gastropatia, gastrorragia; digástrico, mesogástrio, opistogástrico, poligástrico; apogastro, melanogastro, rosigastro* [F.: Do gr. *gastér, gastrós,* 'ventre'; 'estômago'. Tb.: *-gáster.*]

gastrocirurgião (gas.tro.ci.rur.gi.*ão*) *sm.* Médico que faz cirurgias no aparelho digestivo [Pl.: *-ões* e *-ães.* Fem.: *-ã*] [F.: *gastr(o)-* + *cirurgião.*]

gastroclínica (gas.tro.*clí*.ni.ca) *sf.* Clínica especializada em doenças do sistema digestivo [F.: *gastr(o)-* + *clínica.*]

gastrocnêmio (gas.tro.*cnê*.mi:o) *Anat. a.* 1 Diz-se do músculo da barriga da perna *sm.* 2 Esse músculo [F.: *gastr(o)-* + *cnêmio.*]

gastroduodenal (gas.tro.du:o.de.*nal*) *a2g. Anat.* Relativo ao estômago e ao duodeno [Pl.: *-nais.*] [F.: *gastr(o)-* + *duodenal.*]

gastroduodenectomia (gas.tro.du:o.de.nec.to.*mi*:a) *sf. Cir.* Cirurgia de retirada de parte do estômago e do duodeno [F.: *gastr(o)-* + *duodeno* + *-ectomia.*]

gastroduodenoscopia (gas.tro.du:o.de.nos.co.*pi*:a) *sf. Med.* Exame para diagnóstico de úlcera gastroduodenal [F.: *gastr(o)- + duodeno + -scopia.*]
gastroemocional (gas.tro:e.mo.ci:o.nal) *a2g.* Ref. aos problemas gástricos provenientes de perturbações ou distúrbios emocionais [Pl.: *-nais.*] [F.: *gastr(o)- + emocional.*]
gastroenterite (gas.tro.en.te.*ri*.te) *sf. Med.* Ver *gastrenterite*
gastroenterocolite (gas.tro.en.te.ro.co.*li*.te) *sf. Med.* Ver *gastrenterocolite*
gastroenterologia (gas.tro.en.te.ro.lo.*gi*:a) *sf. Med.* Ver *gastrenterologia*
gastroenterológico (gas.tro:en.te.ro.*ló*.gi.co) *a.* Ver *gastrenterológico*
gastroenterologista (gas.tro.en.te.ro.lo.*gis*.ta) *s2g. Med.* Ver *gastrenterologista*
gastroesofágico (gas.tro:e.so.*fá*.gi.co) *a. Anat. Med.* Ver *gastresofágico*
gastroesofagite (gas.tro:e.so.fa.*gi*.te) *sf. Med.* Ver *gastresofagite*
gastrointestinal (gas.tro:in.tes.ti.*nal*) *a2g. Anat. Med.* Ver *gastrintestinal*
gastrojejunal (gas.tro.je.ju.*nal*) *a2g. Gast.* Relativo ao jejuno e ao estômago [Pl.: *-nais.*] [F.: *gastr(o)- + jejunal.*]
gastrólito (gas.*tró*.li.to) *sm. Gast.* Cálculo no estômago [F.: *gastr(o)- + -lito¹.*]
gastronomia (gas.tro.no.*mi*:a) *sf.* **1** O conjunto dos conhecimentos relativos à preparação de alimentos saborosos com apresentação atraente **2** A arte, o gosto de apreciar comida de fina qualidade [F.: *gastr(o)- + -nomia.*]
gastronômico (gas.tro.*nô*.mi.co) *a.* Pertencente ou relativo a gastronomia (festival gastronômico) [F.: *gastronomia + -ico².*]
gastrônomo (gas.*trô*.no.mo) *sm.* Indivíduo conhecedor e apreciador da arte de comer bem: "...mas para prolongar o gozo que sentia, como um bom gastrônomo que poupa acepipe fino." (Júlio Ribeiro, *A carne*) [F.: *gastr(o)- + -nomo.*]
gastropatia (gas.tro.pa.*ti*:a) *sf. Med.* Nome dado às doenças do estômago em geral; GASTROSE [F.: *gastr(o)- + -patia.*]
gastrópode (gas.*tró*.po.de) *Zool. sm.* **1** Espécime dos gastrópodes, grande classe de moluscos terrestres ou aquáticos, com mais de 75 mil espécies, que têm concha inteiriça, como o caracol e o caramujo ou ausente em algumas formas; são encontrados na água doce e salgada e tb. em ambientes terrestres *a2g. a.* **2** Ref. aos gastrópodes [F.: Do lat. cient. *Gastropoda.* Tb. *gastrópodo,* mas a f. pref. é *gastrópode.*]
gastrópodo (gas.*tró*.po.do) *sm.* Ver *gastrópode*
gastrorragia (gas.tror.ra.*gi*:a) *sf. Med. Gast.* Hemorragia gástrica [F.: *gastr(o)- + -ragia.*]
gastroscopia (gas.tros.co.*pi*.a) *sf. Gast.* Exame que permite visualizar o interior do estômago pela utilização do gastroscópio [F.: *gastr(o)- + -scopia.*]
gastroscópico (gas.tros.*có*.pi.co) *a. Gast.* Ref. a gastroscopia [F.: *gastroscopia + -ico².*]
gastroscópio (gas.tros.*có*.pi:o) *sm. Gast.* Endoscópio que examina o interior do estômago [F.: *gastr(o)- + -scópio.*]
gastrose (gas.*tro*.se) *sf. Gast.* O mesmo que *gastropatia* [F.: *gastr(o)- + -ose¹.*]
gastrostomia (gas.tros.to.*mi*:a) *sf. Cir.* Procedimento cirúrgico de fístula gástrica com a finalidade de esvaziar o estômago ou nele introduzir alimentos [F.: *gastr(o)- + -stomia.*]
gastrostômico (gas.tros.*tô*.mi.co) *a. Cir.* Relativo a gastrostomia [F.: *gastrostomia + -ico².*]
gastrotomia (gas.tro.to.*mi*:a) *sf. Cir.* Incisão operatória na parede gástrica [F.: *gastr(o)- + -tomia.* Cf. *gastrostomia.*]
gastrotômico (gas.tro.*tô*.mi.co) *a. Cir.* Referente a gastrotomia [F.: *gastrotomia + -ico².* Cf. *gastrostômico.*]
gástrula (*gás*.tru.la) *sf. Emb.* Estágio evolutivo do embrião, posterior à blástula, em que estão presentes os três folhetos germinativos [F.: *gastr(o)- + -ula.*]
gastrulação (gas.tru.la.*ção*) *sf. Emb.* Processo de formação da gástrula em que o disco embrionário didérmico é transformado em tridérmico [Pl.: *-ções.*] [F.: Do ing. *gastrulation.*]
gastura (gas.*tu*.ra) *sf.* **1** Mal-estar epigástrico que se assemelha a uma ardência ou queimadura **2** Forte irritação ou impaciência: "...mas dava gastura saber que não havia razão nenhuma para aquela raiva de inimizade." (Guimarães Rosa, *No urubuquaquá, no pinhém*) **3** *Bras. Pop.* Sensação de vazio no estômago **4** *N.E.* Desejo, ger. súbito, de mulher grávida [F.: *gasto + -ura.*]
gata (*ga*.ta) *sf.* **1** *Zool.* Fêmea do gato **2** *Pop.* Mulher bonita, muito atraente **3** *Pop.* Namorada, gatinha **4** *Mar.* Mastro de ré em veleiro de três mastros, como nas galeras **5** *Mar.* Mastaréu da gávea situado logo acima do mastro real da gata **6** *Mar.* Verga de gávea que constitui elemento de sustentação da vela gata no mastro de ré **7** *Mar.* Âncora de um único braço, de cepo pequeno, us. em amarrações fixas **8** *Mar.* Na galera, a vela de gávea do mastro de ré **9** *Antq. Arm.* Máquina de guerra semelhante à catapulta **10** *Bras. Zool.* Ver cação-pinto **11** *Bras.* Empreiteira ger. subcontratada por empresa maior [F.: Fem. de *gato.*] ∎ **Amarrar a ~** *Pop.* Embebedar-se **Chegar à ~** *S.* Chegar (a algum lugar) com muita dificuldade e cansaço **De ~s** De gatinhas (q. v.) **~ borralheira** *Fig.* Mulher humilde que por sorte ou méritos sobe na vida, passando a ter sucesso, ser admirada etc. [Por analogia com a personagem da história infantil de Cinderela.] **Não aguentar uma ~ pelo rabo** **1** Não ter forças ou resistência; estar muito cansado ou enfraquecido; não aguentar um gato pelo rabo **2** Não ter suficiente força, habilidade, poder, saúde etc. (usa-se em relação a quem tem pretensões que excedem suas reais capacidades ou possibilidades)
gata-borralheira (ga.ta-bor.ra.*lhei*.ra) *sf.* **1** Cinderela **2** *P.ext.* Mulher que gosta de ficar em casa, cuidando dos serviços domésticos [Pl.: *gatas-borralheiras.*]
gatafunhos (ga.ta.*fu*.nhos) *smpl. P.us.* Mesmo que *garatuja*
gatão (ga.*tão*) *sm.* **1** Gato grande; GATARRÃO **2** *Bras. Fig.* Homem atraente, bonito e/ou charmoso: *Foi vista no bar com um gatão de quarenta anos.* [F.: *gato + -ão¹.*]
gata-parida (ga.ta-pa.*ri*.da) *Bras. Lud. sf.* **1** Brincadeira infantil em que crianças sentam-se em um banco e espremem-se umas às outras enquanto emitem miados semelhantes aos de um gato enfurecido; ESPREME-GATO **2** Variante dessa brincadeira em que os participantes empurram-se uns aos outros para expulsar um deles do banco [Pl.: *gatas-paridas.*]
gataria (ga.ta.*ri*.a) *sf.* Grande quantidade de gatos; BICHANADA [F.: *gato + -aria.*]
gateado (ga.te:*a*.do) *a.* **1** Que se gateou **2** Preso por meio de gatos de metal: *A peça de metal foi gateada e suspensa.* **3** Diz-se de cavalo que apresenta manchas negras nos joelhos **4** *Bras.* Diz-se de cavalo cujo pelo é amarelo-avermelhado **5** *Bras.* Diz-se de olho amarelo-esverdeado, como os de um gato; AGATEADO **6** *Bras.* Semelhante a um gato em feições ou movimentos: "Uma moça bonita de olhar gateado / Deixou em pedaços o meu coração..." (Alceu Valença, *Como dois animais*) [F.: Part. de *gatear.*]
gatear (ga.te.*ar*) *v.* **1** Fixar com gatos de ferro ou outro metal [*tda.*: *O joalheiro gateou o brilhante no anel.*] **2** Arranhar com as unhas, unhar [*td.*: *A mulher, irada, gateou o rosto do homem.*] **3** *S.* Aproximar-se sorrateiramente de (caça) [*td.*] [*int.*] **4** Engatinhar [*int.*] **5** Roubar, furtar [*td.*] [*int.*] [▶ 13 gatear] [F.: *gato + -ear.* Hom./Par.: *gateio* (1ª p.s.), *gateio* (s.m.).]
gateiro (ga.*tei*.ro) *a.* **1** Diz-se de pessoa que gosta de gatos, que é amiga dos gatos **2** Diz-se de lugar ou passagem por onde os gatos entram ou saem **3** *P.ext.* Diz-se de abertura ou fresta por onde entram ar ou luz *sm.* **4** Trabalhador que prende gatos, ou grampos, em louça **5** *AM* Indivíduo que recruta trabalhadores para um empreiteiro [F.: *gato + -eiro.*]
⊕ ***gateway*** (ing.: /gueituei) *sm. Inf.* Dispositivo ou programa de rede de computadores que compatibiliza redes que utilizam diferentes sistemas de comunicação
gatice (ga.*ti*.ce) *sf.* **1** *Lus.* Situação que envolve barulho, confusão; TROPELIA **2** *Bras. Pop.* Próprio de gata (2) ou gato (2); BELEZA; CHARME; ELEGÂNCIA: *Saudava o sol exercitando sua gatice dourada no frescor matinal da orla.* [F.: *gato + -ice.*]
gatil (ga.*til*) *sm. Bras. P.us.* Local em que se abrigam ou criam gatos [Pl.: *-tis.*] [F.: *gato + -il.*]
gatilho (ga.*ti*.lho) *sm.* **1** Peça de arma de fogo que, quando acionada, faz disparar o tiro; DISPARADOR **2** Peça que, numa engrenagem ou aparelho, funciona como uma espécie de alavanca **3** *Fig.* Qualquer coisa que desencadeia um processo quando é acionada (gatilho salarial) **4** *Eletrôn.* Circuito biestável que, ao receber um pulso, passa de uma condição para outra **5** *Fís.* Conjunto de condições que, uma vez atendidas, disparam um detector [F.: Do espn. *gatillo.*] ∎ **~ salarial** *Econ.* Sistema de correção de salários que foi adotado no Brasil em época de inflação elevada, pelo qual só se realiza a correção monetária do salário quando a inflação atinge determinado nível preestabelecido
gatimanhos (ga.ti.*ma*.nhos) *smpl.* **1** Gesto(s) feito(s) com a mão **2** Gesticulação ou trejeito ridículo, cômico **3** Desenho mal traçado [F.: De or. incerta, posv. de *gato.* Tb. *gatimonha, gatimônia.*]
gatimonha (ga.ti.*mo*.nha) *sf.* Ver *gatimanhos*
gatimônia (ga.ti.*mô*.ni:a) *sf.* Ver *gatimanhos*
gatinha (ga.*ti*.nha) *sf.* **1** Gata pequena **2** *Bras. Pop.* Mulher jovem, bonita, graciosa, atraente **3** *BA Zool.* Filhote de tubarão-tintureiro (*Galeocerdo arcticus*) [F.: *gata + -inha.*]
gatinhar (ga.ti.*nhar*) *v. int.* Andar de gatinhas, engatinhar [▶ 1 gatinhar] [F.: *gatinha + -ar².* Hom./Par.: *gatinha* (3ª p.s.), *gatinhas* (2ª p.s.), *gatinha* (s.f. e pl.).]
gatinhas (ga.*ti*.nhas) *sfpl.* Us. na loc. *de gatinhas* [F.: Pl. de *gatinha.*] ∎ **De ~** Posição agachada, com as mãos e os joelhos apoiados no chão; de quatro
gato (*ga*.to) *sm.* **1** *Zool.* Pequeno mamífero carnívoro, doméstico, da fam. dos felídeos (*Felis catus*), criado como animal de estimação **2** *Bras. Pop.* Homem bonito, charmoso **3** *N.E. Pop.* Homem esperto, ligeiro, ativo **4** *Bras. Gír.* Ligação elétrica ilegal, clandestina, de modo a que a energia elétrica utilizada não seja registrada na conta de quem a fez **5** Peça da aldabra em que corre a tranqueta **6** Peça metálica que une louça quebrada **7** Utensílio us. por tanoeiros para arquear vasilhas e endireitar aduelas de pipa **8** *Mar.* Gancho de aço que se amarra a cabo ou corrente com a finalidade de erguer cargas ou prender-se em algum lugar **9** *Bras. Fig. Gír.* Gatuno, ladrão **10** *Cons.* Peça de metal que, numa construção, liga duas pedras **11** *Bras. Tip.* Troca de palavra por outra; erro tipográfico **12** No jogo do bicho, o 14º grupo, que inclui as dezenas 53, 54, 55 e 56 **13** *Bras.* Aquele que, servindo de intermediário entre o empreiteiro e o trabalhador de obras, ou peão, arregimenta homens para o trabalho **14** *Fut.* Goleiro de grande agilidade **15** *Pop.* No turfe, cavalo inscrito entre puros-sangues sem o ser **16** *PE* No turfe, cavalo de corrida que tem sangue superior ao que julgam ter **17** *MA PE Fig. Pop.* Concubina **18** *MA PE P.ext. Pop.* Mulher leviana **19** *Bras. Pop. Mar.* Serviço extra no horário de expediente, sem autorização [Aum.: *gatarrão, gatorro.*] [F.: Do lat. *cattus,i.*] ∎ **Amarrar o ~** **1** *MG Pop.* Defecar **2** Embebedar-se **Como ~ sobre brasas** *Pop.* Na maior velocidade (fugindo), em disparada **Comprar/comer ~ por lebre** *Pop.* Ser enganado, recebendo algo de qualidade inferior à do que deveria ter recebido **Dar o ~ em** *Bras.* Segurar, não deixar escapar **Fazer de ~ e sapato** *Bras.* Ver *Fazer gato-sapato de* no verbete *gato-sapato* **Fazer (um) ~** *Bras. Pop.* Desviar corrente elétrica para usá-la sem pagar **~ escaldado** Pessoa experiente, que não se deixa surpreender **Levar ~ por lebre** *Pop.* Ver *Comprar/comer gato por lebre* **Meter-se a ~ mestre** Agir como quem sabe tudo, quando pouco ou nada sabe; dar uma de gato mestre **Não aguentar um ~ pelo rabo** *Fam.* Ver *Não aguentar uma gata pelo rabo* no verbete *gata* **Vender ~ por lebre** *Pop.* Enganar, passando a alguém algo de qualidade inferior à do que deveria ter passado **Viver como ~ e cachorro** Viver (duas pessoas) sempre a brigar, discutir, discordar etc.
gato com botas (ga.to com *bo*.tas) *sm. Bras.* Indivíduo que mente muito ou costuma exagerar ao falar sobre qualquer coisa [Pl.: *gatos com botas.*] [Tb. *gato de botas.*]
gato de botas (ga.to de *bo*.tas) *sm.* Ver *gato com botas*
gato-do-mato (ga.to-do- *ma*.to) *sm.* **1** *Bras. Zool.* Nome comum a diversas spp. de mamíferos, da fam. dos felídeos, esp. os de porte médio e pequeno, do gên. *Felis* que ocorrem em áreas florestadas **2** *Fig.* Indivíduo pouco afeito a convenções, de comportamento independente, às vezes transgressor de padrões estabelecidos [Nesta acp., sem hifens: *gato do mato.*] [Pl.: *gatos-do-mato, gatos do mato.*]
gato-do-mato-grande (ga.to-do-ma.to-*gran*.de) *sm. Zool.* Ver *jaguatirica* (*Leopardus pardalis*) [Pl.: *gatos-do-mato-grandes.*]
gatona (ga.*to*.na) *sf.* **1** Gata muito grande **2** *Bras. Pop.* Mulher muito bonita, atraente, charmosa; GATA [F.: *gato + -ona.*]
gatorro (ga.*tor*.ro) [ô] *sm.* Gato grande; aum. irreg. de *gato;* GATARRÃO [F.: *gato + -orro.*]
gato-sapato (ga.to-sa.*pa*.to) *sm.* **1** Brincadeira semelhante à cabra-cega, em que um dos participantes, de olhos vendados, leva pancadas de sapato desferidas pelos companheiros **2** *Pop.* Coisa sem importância [Pl.: *gatos-sapatos.*] ∎ **Fazer ~ de** Tratar (alguém) com desprezo, fazendo dele o que bem se quer
gatos-pingados (ga.tos-pin.*ga*.dos) *smpl.* Diz-se das poucas pessoas que comparecem a uma reunião, espetáculo ou agrupamento: *O show só conseguiu atrair uma meia dúzia de gatos-pingados.*
⊕ **Gatt** (*ing.*) Sigla de *Acordo Geral de Tarifas e Comércio* [F.: Do ing. *General Agreement on Tariff and Trade.*]
gatunagem (ga.tu.*na*.gem) *sf.* **1** Ação de gatunar; FURTO; GATUNICE; ROUBO: *Dedicou-se à gatunagem desde cedo.* **2** Vida de gatuno **3** Conjunto de gatunos [Pl.: *-gens.*] [F.: *gatunar + -agem.*]
gatunar (ga.tu.*nar*) *Bras. v.* **1** Roubar, furtar eventualmente ou sistematicamente; LARAPIAR [*td.*: *Gatunou o sócio e fugiu com as apólices.*] [*int.*: *Desempregado, passou a gatunar.*] **2** Trapacear no jogo com habilidade; ESCAMOTEAR; SURRUPIAR [*int.*: *No jogo, ele é hábil em gatunar.*] **3** Levar uma vida desregrada; cair na gandaia [*int.*: *Vadio como é, leva a vida a gatunar.*] [▶ 1 gatunar] [F.: *gatuno + -ar².* Hom./Par.: *gatuno* (fl.), *gatuno* (sm.).]
gatunismo (ga.tu.*nis*.mo) *sm.* Roubalheira, ladroagem: *Infelizmente, em Pindorama, reina um gatunismo escancarado e impune.* [F.: *gatuno + -ismo.*]
gatuno (ga.*tu*.no) *a.* **1** Diz-se de pessoa que furta: *Jogador gatuno não joga conosco. sm.* **2** Aquele que rouba: *Os gatunos fugiram da polícia:* "O gatuno – porque era o gatuno, não havia dúvida –, o gatuno ou farsista sem graça deixara a minha carteira..." (João do Rio, *Dentro da noite*) [F.: Do espn. *gatuno.* Sin.ger.: *ladrão, larápio.* Hom./Par.: *gatuno* (fl. de *gatunar*).]
gaturamo (ga.tu.*ra*.mo) *sm. Bras. Zool.* Designação comum a diversas aves passeriformes da família dos emberizídeos, que medem até 12 cm de comprimento, de cor azulada ou esverdeada, abdome amarelo vivo, bico curto e grosso [Fem.: *gaipapa.*] [F.: Posv. do tupi *katu'rama.*]
gauchada (ga:u.*cha*.da) [a-u] *sf.* **1** *Bras.* O conjunto dos gaúchos; grande quantidade de gaúchos **2** Ver *gaucharia* (1) [F.: Do plat. *gauchada.*]
gauchagem (ga:u.*cha*.gem) [a-u] *sf. RS* Mesmo que *gaucharia* [F.: Do plat. *gauchaje.*]
gauchamente (ga.u.cha.*men*.te) [a-u] *adv.* Do modo gaúcho, à maneira dos gaúchos: "Depositava agora suas esperanças bélicas em Oswaldo Aranha, figura fascinante que lhe parecia mais gauchamente afoito que o precavido e manhoso político de São Borja." (Érico Veríssimo, *Incidente em Antares*) [F.: Do fem. de *gaúcho + -mente.*]
gaucharia (ga:u.cha.*ri*.a) *sf.* **1** Comportamento próprio de gaúcho **2** Ação corajosa ou proeza de gaúcho nas lides do campo **3** *Pej.* Ação ou modos de fanfarrão; FANFARRICE; FANFARRONICE **4** Astúcia ou habilidade para se livrar de logros ou situações difíceis **5** Conversa mole [F.: *gaucho + -aria.*]
⊕ **gauche** (*fr.*) *a2g.* **1** Diz-se de indivíduo tímido, retraído, canhestro, torto: "Quando eu nasci um anjo torto/ desses

que vivem na sombra/ disse: Vai Carlos! Ser gauche na vida." (Carlos Drummond de Andrade, *Poema de sete faces*) *s2g.* **2** Esse indivíduo [F.: Do fr. *gauche.*]

gauchês (ga:u.*chês*) [a-u] *sm.* Qualquer registro linguístico que seja típico do Rio Grande do Sul; GAUCHISMO

gauchesco (ga:u.*ches*.co) [ê] *a.* Ref. ao gaúcho, nativo ou habitante do Rio Grande do Sul, seus hábitos e sua cultura (contos gauchescos, tradições gauchescas) [F.: Do plat. *gauchesco.*]

gauchismo (ga:u.*chis*.mo) [a-u] *sm.* **1** *Bras.* Conjunto dos costumes e hábitos dos gaúchos **2** Palavra, construção ou expressão própria da fala gaúcha; GAUCHÊS **3** O mesmo que *gaucharia* e *gauchada* [F.: *gaúcho* + *-ismo.*]

gauchito (gau.*chi*.to) *RS sm.* **1** Gaúcho muito jovem, muito novo **2** Rapazote, piá [Dim.: *irreg. de gaúcho*] [F.: *gaúcho* + *-ito.*]

gaúcho (ga.*ú*.cho) *sm.* **1** Pessoa nascida ou que vive no Estado do Rio Grande do Sul **2** O habitante da zona rural da Argentina e do Uruguai, que cria gado **3** Aquele que é bom cavaleiro **4** Peão de estância **5** Figura estilizada e tipificada do rio-grandense-do-sul boiadeiro, com suas bombachas, botas, chapéu, lenço ao pescoço etc. *a.* **6** Do Rio Grande do Sul; típico desse estado ou de seu povo **7** Diz-se de ou ref. a habitante do campo de vida aventureira, bom cavaleiro e soldado, descendente de indígenas, portugueses e espanhóis **8** Diz-se dos ou ref. aos uruguaios e argentinos que têm origem e hábitos idênticos aos dos típicos gaúchos (5) rio-grandenses-do-sul [Aum.: *gauchaço.* Dim.: *gauchito.*] [F.: Do plat. *gaucho.*]

gaudério (gau.*dé*.ri.o) *a.* **1** *N.E.* Diz-se de indivíduo vagabundo, que vive sem ter o que fazer; VADIO **2** *RS* Diz-se de animal que não tem paradeiro, abrigo; VADIO **3** *RS* Diz-se de cão sem dono, que acompanha qualquer pessoa: "...desabou um canto de parede; caiu uma porta, os cachorros gaudérios já dormiam lá dentro." (João Simões Lopes Neto, "No manantial", *in Contos gauchescos*) **4** *N.E.* Que fica olhando outros comerem, à espera de uma sobra *sm.* **5** Gáudio, vadiagem **6** *RS* Cão sem dono, vadio **7** *Zool.* Ver *chupim* (*Molothrus bonariensis*) **8** *Bras.* Aquele que vive à custa alheia; PARASITA **9** *Lus. Gír.* Larápio [F.: Do espn. plat. *gauderio.*]

gáudio (*gáu*.di.o) *sm.* **1** Grande alegria; JÚBILO; REGOZIJO **2** *Pext.* Folia, pândega [F.: Do lat. *gaudium,ii.*]

gaudioso (gau.di:*o*.so) [ô] *a.* Que tem gáudio, que causa contentamento [Pl.: [ó]. Fem.: ó] [F.: *gáudio* + *-oso.*]

gaugaz (*gau*.gaz) *sm.* **1** Pessoa de origem turca que habita no sul da Moldávia, região da Romênia **2** *Gloss.* Língua turca falada no norte do mar Negro, esp. no sul da Moldávia, na Ucrânia e na Romênia *a.* **3** Dos gaugazes; típico desse povo **4** Do ou ref. ao gaugaz (2)

⊕ **gauge** (*ing.*) *sm.* *Fís.* Ver *calibre*

⊕ **gauleiter** (*al./gáulaita*) *sm.* **1** Durante a Segunda Guerra Mundial, chefe ou líder oficial de um distrito político sob controle nazista **2** *Pext.* Qualquer chefe ou líder político de conduta arrogante **3** *Fig.* Qualquer indivíduo poderoso de conduta arrogante e tirânica [F.: Do al. *Gauleiter.*]

gaulês (gau.*lês*) *sm.* **1** Habitante da Gália (antigo país na região da atual França) **2** *Gloss.* A língua que era falada na Gália **3** *Pext.* Indivíduo nascido na França [Pl.: *-leses.* Fem.: *lesa.*] *a.* **4** Da Gália; típico dessa região ou de seu povo **5** Ref. aos franceses **6** *Gloss.* Da ou ref. à língua falada na Gália [Pl.: *-leses.* Fem.: *-lesa.*] [F.: Do top. *Gaula* (do fr. *Gaule*) + *-ês.* Hom./Par.: *galês* (adj. e s.m.).]

gaullismo (*gau*.llis.mo) [gô] *sm.* *Pol.* Movimento político francês liderado pelo general Charles de Gaulle (1890-1970), que tb. liderou a resistência francesa aos invasores nazistas, durante a Segunda Guerra Mundial, e foi presidente da França no período 1959-1969; DEGAULLISMO [F.: Do antr. *Charles A.M.J. de Gaulle.*]

gaullista (*gau*.llis.ta) [gô] *a2g.* **1** Que se refere ao general Charles de Gaulle, ao gaullismo **2** Diz-se de partidário ou adepto do general de Gaulle, do gaullismo: *Era um ferrenho gaullista.* *s2g.* **3** Esse adepto ou admirador: *Os gaullistas aplaudiram vivamente o discurso do general.* [F.: Do antr. *C.A.M.J. de Gaulle* + *-ista.*]

gauss (ga.*uss*) *sm2n.* Unidade de medida de indução magnética no sistema c.g.s., igual a 10^{-4} teslas [Símb.: *g* ou *G.*] [F.: Do antr. *Karl Friedrich Gauss.*]

gavar (ga.*var*) *v. td. Pop.* Mesmo que *gabar*

gávea (*gá*.ve.a) *Mar. sf.* **1** Mastro suplementar que se encaixava em um dos mastros de antigas naus a vela **2** Estrutura circular no alto de um mastro grande, que serve de guarita para um vigia **3** Designação de cada um dos mastaréus que espigam logo acima dos mastros reais **4** Cada uma das vergas que cruzam nos mastaréus da gávea **5** Vela que ocupa lugar imediatamente superior à vela grande **6** Vela do mastro da proa entre o traquete e o joanete; VELACHO [F.: Do lat. medv. *gabia.*]

gavela (ga.*ve*.la) *sf.* Grande quantidade de espigas ceifadas, amarradas em feixe [F.: De or. contrv.]

gaveta (ga.*ve*.ta) [ê] *sf.* **1** Compartimento como uma caixa sem tampa, que corre para dentro e para fora de um móvel, e no qual se guardam objetos diversos **2** Cada um dos sepulcros que se encaixam, lado a lado, nas paredes de cemitérios **3** Dispositivo que, em máquinas a vapor, distribui esse fluido pelos cilindros **4** *Bras.* Cavalo rebelde, arisco, bravo **5** *Bras. Mil.* Esconderijo cavado em parede de trincheira **6** *Jorn.* Material jornalístico escrito com antecedência, para ser us. em momento apropriado ou conveniente **7** *Bras. Gír. Fut.* Cada um dos dois ângulos superiores formados pelas balizas de um gol: *A bola entrou na gaveta.* **8** *Gír.* Prisão, cadeia, em linguagem de delinquentes: *Os dois punguistas já foram postos na gaveta.* **9** *Bras. Gír.* Cemitério, em linguagem de delinquentes: *Botou o cara na gaveta com dois tiros.* [F.: Do provç. *gaveda.*] ▪ **Comer na ~** *Bras. Pop.* Ser avarento, sovina, pão-duro **~ aberta** *RJ Pop.* Bom negócio **~ de sapateiro** *Fig.* Confusão de objetos misturados, em desordem

gavetão (ga.ve.*tão*) *sm.* **1** Gaveta grande **2** *Mec.* Mesmo que *gaveta* [F.: *gaveta* + *-ão*[1].]

gaveteiro (ga.ve.*tei*.ro) *sm.* **1** Aquele que fabrica gavetas **2** Parte de um móvel no qual se encaixam gavetas, ou móvel constituído somente dessa estrutura **3** *MG* Indivíduo sovina, que só pensa em acumular dinheiro; AVARENTO [Ant.: *perdulário.*] [F.: *gaveta* + *-eiro.*]

gavial (ga.vi.*al*) *sm. Zool.* Grande réptil da fam. dos gavialídeos (*Gavialis gangeticus*), semelhante ao crocodilo e ao jacaré, que pode chegar a 7m de comprimento, encontrado nas bacias de rios como o Ganges e o Bramaputra (Índia) [Pl.: *-ais.*] [F.: Do lat cient. gên. *Gavialis.*]

gavialídeo (ga.vi.a.*lí*.de:o) *a.* **1** *Zool.* Ref. aos gavialídeos (2) **2** Espécime dos gavialídeos, fam. de répteis crocodilianos que inclui o gavial [F.: *gavial* + *-ídeo*[1].]

gavião (ga.vi.*ão*) *sm.* **1** *Zool.* Denominação comum à diversas spp. de aves rapineiras das fam. dos acipitrídeos e falconídeos, cosmopolitas, que se alimentam de presas vivas, como pequenos mamíferos, insetos e moluscos ou de animais mortos **2** *Bras. Fig.* Pessoa muito arguta, sagaz **3** *Bras. Fig.* Homem dado a frequentes investidas amorosas **4** *Bras. Pop.* Indivíduo mau, cruel **5** *Bras. Pop.* Extremidade do gume de alguns instrumentos cortantes **6** Parte curva e cortante de instrumentos de podar, como a foice, a tesoura etc. **7** *Bras. Pop.* Parte do freio da estribeira **8** *Bras. Pop.* Cada um dos dois últimos dentes da parte superior da arcada dentária de um equídeo **9** *Bras.* Língua falada pelos índios gaviões [Pl.: *-ões.* Fem.: *-ã* e *-oa.*] *s2g.* **10** Nome que se dá a três povos indígenas que vivem em diferentes estados do Brasil *a2g.* **11** Ref. aos indígenas gaviões [F.: Posv. do gótico *gavilane.*]

gavião-carcará (ga.vi.ão-car.ca.*rá*) *sm. Bras. Ornit.* Ver *carcará* e *caracará* [Pl.: *gaviões-carcará.*]

gavião-de-penacho (ga.vi.ão-de-pe.*na*.cho) *sm.* **1** *Bras. Ornit.* Gavião florestal, que pertence a uma espécie em extinção, da fam. dos acipitrídeos (*Spizaetus ornatus*), de plumagem escura nas partes superiores, topete negro, pescoço ferrugíneo, garras longas, comum em todo o Brasil, mas também encontrada em outros países, como o México e a Argentina **2** Mesmo que gavião-real (*Harpia harpyja*) **3** Mesmo que gavião-pega-macaco (*Spizaetus tyrannus*) [Pl.: *gaviões-de-penacho.*]

gavião-pinhé (ga.vi.ão-pi.*nhé*) *sm. Bras. Ornit.* Mesmo que *gavião-carrapateiro* (*Milvago chimachima*) [Pl.: *gaviões-pinhés e gaviões-pinhé.*]

gavião-real (ga.vi:ão-*re*.al) *sm. Bras. Zool.* Gavião (*Harpia harpyja*) com 2 metros de envergadura e cerca de 10 quilogramas de peso, possui partes superiores negras, cabeça cinza, com dois grandes topetes, partes inferiores brancas, calções barrados de negro e fortes garras afiadas, capazes de capturar grandes mamíferos, como macacos, preguiças, dentre outros. Ocorre em florestas do México à Bolívia, na Argentina e em grande parte do Brasil; HARPIA; UIRAÇU [Pl.: *gaviões-reais.*]

gavinha (ga.*vi*.nha) *sf. Bot.* Órgão filiforme com que certas plantas, ger. trepadeiras, se fixam a outras ou a estacas, armações, paredes etc.; ABRAÇO; ELO; MÃO [F.: De or. obsc.]

gavionice (ga.vi:o.*ni*.ce) *sf. RS* Ação de gavionar; ESPERTEZA; VELHACADA [F.: *gavião* na f. *gavion-* + *-ice.*]

gavota (ga.*vo*.ta) *sf.* **1** *Pop. Dnç. Mús.* Antiga dança francesa em compasso binário, de andamento lento, em voga nos sécs. XVII e XVII [É um dos elementos da suíte, vindo geralmente após a sarabanda.] **2** Música instrumental que acompanhava essa dança: "Refugiou-se na saleta do piano e começou uma gavota dolente." (Coelho Neto, *Inverno em flor*) [F.: Do fr. *gavotte.*]

⊕ **gay** (Ing: */guêi/*) *s2g.* **1** Pessoa homossexual *a2g.* **2** Ref. a ou próprio de homossexual (festa *gay*)

gaza[1] (*ga*.za) *sf.* Ver *gaze* (1): *um cortinado de gaza de seda.*

gaza[2] (*ga*.za) *sf. Num.* Antiga moeda de cobre, na Pérsia [F.: De orig. obs.]

gaze (*ga*.ze) *sf.* **1** Tecido fino e transparente, de algodão ou seda **2** Bandagem de tecido leve, ger. esterilizada, us. em curativos, compressas etc. **3** *Enc.* Tecido de malhas abertas e engomado, us. como reforço de lombada num livro já costurado, antes de receber a capa à qual é colado nas brochuras [F.: Do fr. *gaze,* de or. oriental, mas étimo incerto. Hom./Par.: (pl.) *gazes* (*gases,* pl. de *gás* s.m.).]

gazear[1] (ga.ze.*ar*) *v.* Faltar as aulas para vadiar ou fazer alguma coisa [*td.*: *Ele gazeava as aulas de inglês.*] [*int.*: *Ele gazeou muito este semestre.*] [▶ **13 gazear**] [F.: Orig. obsc. Hom./Par.: *gazeio* (fl.), *gazeio* (sm.); *gazear, gasear* (em todas as fl.).]

gazear[2] (ga.ze.*ar*) *v.* **1** Cantar a andorinha, a garça; CHILREAR; GORJEAR [*td.*: *A andorinha gazeava um canto doce pela manhã.*] [*int.*: *A garça gazeava sobre o galho.*] **2** Cantar com a graça da andorinha, da garça [*td.*: "Seu lábio gazeou um canto." (José de Alencar, *Iracema*)] **3** *Lus.* Chalrar (diz-se de criança) [*td.*: *As crianças gazeavam palavras incompreensíveis.*] [*int.*: *Durante o recreio, as crianças gazeavam.*] [▶ **13 gazear**] [F.: Or. onomatopaica. Hom./Par.: ver *gazear*[1].]

gazebo (*ing.*) *sm. Arq.* Pequena construção ger. de lados abertos e com cobertura, que se ergue em jardins e parques [F.: Do ing. *gazebo.*]

gazeio[1] (ga.*zei*:o) *sm.* **1** O canto especial de algumas aves como a garça e a andorinha **2** *Pext.* Voz parecida com o canto dessas aves [F.: Regr. de *gazear.* Hom./Par.: *gazeio* (fl. *gazear*); *gaseio* (fl. *gasear*).]

gazeio[2] (ga.*zei*:o) *sm.* Ação ou resultado de gazear, de faltar às aulas sem motivo; GAZETA; VADIAÇÃO [F.: Regr. de *gazear.*]

gazela (ga.*ze*.la) *sf.* **1** *Zool.* Denominação comum a diversas spp. de antílopes africanos e asiáticos, esp. os do gên. *Gazella,* de corpo esbelto e chifres espiralados **2** *Fig.* Mulher esbelta, esguia, de belo porte [F.: Do lat. cient. gên. *Gazella.*]

gázeo (*gá*.ze:o) *a.* **1** Diz-se de olho esverdeado ou verde-azulado **2** Diz-se de cavalo velho cujos olhos ficaram dessa cor [F.: De orig. inc.]

gazeta[1] (ga.*ze*.ta) [ê] *sf.* Publicação periódica, ger. especializada em alguma área [F.: Do it. *gazzeta.*]

gazeta[2] (ga.*ze*.ta) [ê] *sf.* Ação ou resultado de gazetear, de fazer gazeta, de não ir à escola ou ao trabalho para fazer outra coisa ou simplesmente vadiar [F.: De or. obsc.] ▪ **Fazer ~** Faltar, sem motivo justo, a trabalho, aula etc.; gazetear

gazetear (ga.ze.te.*ar*) *v.* Não comparecer a (trabalho, escola, aula) para ir passear, para vadiar; GAZEAR [*td.*: *Gazeteia as aulas de matemática.*] [*int.*: *É boa aluna, mas gosta de gazetear.*] [▶ **13 gazetear**] [F.: *gazeta* + *-ear*[2].]

gazeteio (ga.ze.*tei*.o) *sm.* **1** Ação ou resultado de faltar, folgar, estar ausente costumeiramente em relação às aulas, ao trabalho etc.: *A turma do terceiro ano vivia num gazeteio constante.* **2** *Fig.* Ausência constante e significativa de procedimentos, ideias, sugestões: "Como em uma questão optativa, chuta-se o balde e ignora-se o fato de que a ausência do aluno da rede pública nos corredores acadêmicos é diretamente proporcional ao gazeteio de medidas de melhoria na formação de base..." (Parahim Neto, *Pauta Social – Pra problemática, a solucionática – Revista O Guarujá de 23.08.2004.*) [F.: Dev. de *gazetear.*]

gazeteiro[1] (ga.ze.*tei*.ro) *a.* **1** Diz-se de pessoa que publica ou redige gazetas **2** Diz-se de pessoa que difunde notícias sem fundamento, sem veracidade *sm.* **3** Qualquer dessas pessoas **4** *Bras.* Vendedor de gazetas ou jornais; JORNALEIRO [F.: *gazeta*[1] + *-eiro.*]

gazeteiro[2] (ga.ze.*tei*.ro) *a.* **1** Diz-se de indivíduo que costuma fazer gazeta, que não vai à escola ou ao trabalho para vadiar *sm.* **2** Esse indivíduo [F.: *gazeta*[2] + *-eiro.*]

gazetilha (ga.ze.*ti*.lha) *sf.* **1** Seção noticiosa de jornal ou revista **2** Suplemento literário de um jornal [F.: Do espn. *gacetilla.*]

gazetismo (ga.ze.*tis*.mo) *sm.* Influência ou preponderância exercida pela imprensa jornalística [F.: *gazeta* + *-ismo.*]

gazetista (ga.ze.*tis*.ta) *s2g.* **1** *P.us.* O mesmo que *jornalista* *a2g.* **2** Que diz respeito a jornalista [F.: *gazeta* + *-ista.*]

gazo (*ga*.zo) *a.sm. Bras. N.E. Pop.* O mesmo que *albino* [F.: Var. de *gázeo.*]

gazua (ga.*zu*.a) *sf.* Instrumento metálico, curvo, espécie de gancho com o qual se abrem fechaduras na falta da chave apropriada: "Mais que em corda é chuva em sabres/ que aprisiona o dia em grades/ e mesmo quem tenha gazuas/ da grade viva, evita a rua." (João Cabral de Melo Neto, "Chuvas do Recife", *in Poesias*) [F.: De or. obsc.]

⊠ **GB** **1** Sigla do extinto Estado da Guanabara, hoje município do grande Rio de Janeiro **2** *Inf.* Símbolo de *gigabyte*

gê *sm.* Nome da letra *G.* [Cf.: *jê.*]

geada (ge.*a*.da) *sf. Met.* Orvalho que congela e assume o aspecto de fina camada branca sobre as superfícies em que cai: "Até pretas, ou amarelas, tostadas pela geada, as bananeiras se retardam." (João Guimarães Rosa, "Sanga Puytã", *in Ave Palavra*) [F.: Do lat. *gelata,* substv. do fem. de *gelatus, a, um.*] ▪ **~ branca** Depósito de gelo cristalino em folhas, grama etc., semelhante ao orvalho, em temperatura inferior a 0 °C

geado[1] (ge.*a*.do) *a.* Que sofreu geada, em que geou (campo geado) [F.: Do lat. *gelatus, a, um.*]

geado[2] (ge.*a*.do) *sm. Lus. Ict.* Tainha ainda nova [F.: De or. obsc.]

gear (ge.*ar*) *v.* **1** Formar-se geada; gelar (o orvalho) [*int.*: *Geou forte esta madrugada.*] **2** Ocorrer descida da temperatura, às vezes abaixo de zero; ter geada [*int.*: *Gear queima as flores e os renovos.*] **3** Passar ou fazer (algo) passar a estado sólido por ação do frio; CONGELAR [*td.*: *O frio foi tão intenso que geou o jardim de minha casa.*] [*int.*: *Com as temperaturas abaixo de zero, as ruas gearam.*] **4** *Pext.* Fazer frio em excesso [*int.*: *Na região serrana, é muito comum gear à noite.*] [▶ **13 gear** A não ser metaforicamente, só se conjuga na 3ª pess. sing. de qualquer tempo ou modo; é defec. e impess.] [F.: Do lat. *gelare.*]

gebo (*ge*.bo) [ê] *a.* **1** Que tem corcova ou corcunda; GEBOSO, GIBOSO **2** *Fig.* Malvestido, mal-amanhado, parrana: "Os homens muito gebos, fisionomias paradas, sem um ar de espiritualidade que lhes dê tom de gente." (Brito Camacho, *Cerros e vales*) *sm.* **3** *Fig.* Indivíduo malvestido ou trajando roupas que já estão fora da moda; FARROUPILHA; PARRANA: "É gebo por ser pícaro e roto, e por a desgraça o ter calcado aos seus pés até o tornar ridículo." (Raul Brandão, *Pobres*) **4** *P.us.* O mesmo que *zebu* [F.: Do lat. *gibbus,a,um.*]

geena (ge.*e*.na) [ê] *sf.* **1** Lugar em que se sofre suplício eterno pelo fogo; INFERNO **2** *Pext.* Grande sofrimento [F.:

Do lat. ecles. *gehenna,ae*, este do hebr. *guei ben Hinon* 'vale do filho de Hinon', ref. a lugar perto de Jerusalém onde se faziam sacrifícios humanos.]

◎**-geia** *el. comp.* = 'região'; 'continente': *arctogeia, pangeia* [F.: Do gr. *gê, ês*, 'Terra'; 'terra, solo, chão'; 'região' etc., + *-ia*-². F. conexa: *ge(o)-*.]

gêiser (*gêi*.ser) *sm. Geol.* Fonte natural que, em certos períodos, esguicha do solo água quente e vapor [Pl.: *gêiseres*.] [F.: Do ing. *geyser*, do isl. *Geysir* 'poço que jorra'.]

gel *sm.* **1** *Quím.* Sistema coloidal de duas fases, uma (dispersante) líquida e uma (dispersa) sólida, de aspecto semissólido, cujas propriedades são parecidas com as de sólidos, p.ex., quando à elasticidade e tendência a manter a forma **2** Cosmético gelatinoso que fixa e dá brilho aos cabelos, ou serve como amaciador para barbear etc. [Pl.: *géis e geles*.] [F.: Do ing. *gel*.]

gelada (ge.*la*.da) *sf.* **1** *Met.* O mesmo que *geada* **2** Verdura coberta de geada **3** *Bras. N* Refresco de frutas gelado **4** *Bras. N.E.* Espécie de doce gelado feito de suco de frutas em forma de raspas de gelo; tb. *raspa-raspa* **5** *Bot.* Planta aizoácea (*Mesembryanthemum crystallinum*, L.), comestível e de valor medicinal. Tb. *folha-de-gelo* **6** *Bras. Irôn.* Colocar-se em situação crítica, desagradável, incômoda; FRIA: *Foi ajudar o amigo e acabou entrando numa gelada.* **7** *Bras. RJ Pop.* Cerveja: *Com esse calor, só bebendo uma gelada!* [F.: Fem. de *gelado*.]

geladeira (ge.la.*dei*.ra) *sf.* **1** Aparelho constituído de um móvel em forma de armário (espaço interior fechado com acesso por uma porta), ger. vertical, termicamente isolado e com um sistema de refrigeração (a gás, acionado por eletricidade) que mantém frio seu interior para conservar, esfriar ou congelar alimentos, líquidos etc. **2** *Bras. Gír.* Prisão ou cela carcerária, ger. cimentada ou revestida de ladrilhos e/ou azulejos **3** *Fig. P.ext.* Qualquer lugar muito frio: *Esta sala é uma geladeira.* [F.: *gelado* + *-eira*.]

geladinha (ge.la.*di*.nha) *sf. Bras. Pop.* Cerveja bem gelada: *Que tal uma geladinha para relaxar?* [F.: Fem. de *geladinho*.]

gelado (ge.*la*.do) *a.* **1** Que está congelado; que virou gelo; CONGELADO: "...o queijo duro e gelado, sem cheiro." (Antônio Callado, *Bar Don Juan*) [Ant.: *derretido, descongelado*.] **2** Muito frio; GLACIAL: *Era um quarto escuro e gelado.* [Ant.: *cálido, quente*.] **3** *Fig.* Sem sentimento ou calor humano; INSENSÍVEL; INDIFERENTE: *Em resposta, lançou-lhe um olhar gelado.* [Ant.: *ardente, caloroso*.] *sm.* **4** Sorvete, picolé etc. **5** *Bras.* Qualquer bebida gelada: *Gostava de beber gelado entre as refeições.* [F.: Part. de *gelar*.]

geladura (ge.la.*du*.ra) *sf.* **1** *Bot.* Seca ou queimadura em plantas, causada por geadas **2** *Med.* Lesão na pele causada pelo frio, acompanhada de intensa sensação de queimação e coceira [F.: *gelado* + *-ura*.]

gelar (ge.*lar*) *v.* **1** Ficar ou fazer ficar muito frio; esfriar(-se) muito [*td.*: *Gelou o suco antes de servir.*] [*int.*: *Estava sem meias, seus pés gelaram.*] **2** Adquirir ou fazer adquirir dura consistência pela ação do frio; transformar(-se) em gelo; CONGELAR(-SE) [*td.*: *O inverno gelou o lago.*] [*int.*: *As vinhas gelaram por causa do frio.*] **3** *Fig.* Causar ou sentir forte sensação de frio; RESFRIAR [*td.*: *O vento frio gelou-lhe o nariz.*] [*int.*: *Os quartos do hotel não tinham aquecedores, e os hóspedes gelavam.*] **4** *Fig.* Causar ou sentir muito medo; APAVORAR(-SE) [*td.*: *A terrível cena gelou a mulher.*] [*int.*: *Diante do assaltante, o homem gelou de medo.*] **5** *Fig.* Tornar ou ficar (alguém) abatido, desanimado [*td.*: *A censura do diretor gelou o aluno.*] [*int.*: *Gelou quando a moça desmanchou o namoro.*] **6** Fazer perder ou perder o calor humano ou o ardor dos sentimentos [*td.*: *As decepções da vida gelam o entusiasmo; Sentindo-se injustiçado, gelou toda a família.*] [*int.*: *Diante do desprezo do marido, seu coração gelou(-se).*] **7** *Fig.* Forçar ou sofrer a interrupção ou a suspensão de; INTERROMPER(-SE); SUSPENDER(-SE) [*td.*: *A falta de verbas gelou as bolsas de pós-graduação.*] [*int.*: *Com o mau tempo, o passeio gelou.*] [▶ **1 gelar**] [F.: Do lat. *gelare* 'condensar, gelar'. Hom./Par.: *gelo* (fl.), *gelo* [ê] (sm.).]

gelatina (ge.la.*ti*.na) *sf.* **1** *Quím.* Proteína transparente extraída de tecidos animais (ossos, cartilagens etc.) e us. na indústria de alimentos, na fabricação de filtros e emulsões de fotografia e tb. na fabricação de vários produtos plásticos, metalúrgicos, farmacêuticos etc. **2** *Cul.* Iguaria preparada com essa substância, em que entram água e açúcar ou outro adoçante **3** *Fot. Teat.* Folha translúcida, ger. de celofane, que se coloca sobre refletores para produzir efeitos coloridos na iluminação [F.: Do fr. *gélatine*.] ▪▪ **~ bicromada** *Art.gr.* Gelatina sensibilizada com bicromato de potássio (ou de amônio), para servir como matriz de impressão **~ explosiva** *Expl.* Substância gelatinosa e explosiva, composta de nitrocelulose e nitroglicerina

gelatinização (ge.la.ti.ni.za.*ção*) *sf.* Ação ou resultado de gelatinizar(-se) [Pl.: *-ções*.] [F.: *gelatinizar* + *-ção*.]

gelatinizar (ge.la.ti.ni.*zar*) *v.* **1** Converter(-se) em gelatina [*td. int.*] **2** *Bot.* Ocorrer o fenômeno da gelatinização [*int.*] [▶ **1 gelatinizar**] [F.: *gelatina* + *-izar*.]

gelatinografia (ge.la.ti.no.gra.*fi*.a) *sf. Fot. Grav.* Qualquer processo de gravura em que seja utilizada a gelatina para obtenção de placa ou matriz para posterior impressão [F.: *gelatina* + *-o-* + *-grafia*.]

gelatinoso (ge.la.ti.*no*.so) [ô] *a.* **1** Feito com gelatina **2** Que tem a consistência e/ou o aspecto da gelatina **3** Viscoso, pegajoso: *Aquela substância estranha e gelatinosa apegava-se aos dedos.* [Fem. e pl.: [ó].] [F.: *gelatina* + *-oso*.]

geleia (ge.*lei*.a) *sf.* **1** *Cul.* Preparado culinário de consistência mole, feito esp. de frutas cozidas em calda de açúcar **2** Substância gelatinosa de muito uso na cozinha, obtida do cozimento, em água fervente, de mocotó, patas, peles, ossos de aves etc., e us. na preparação de vários pratos salgados e doces **3** *Bras. Pop.* Qualquer coisa muito mole ou pastosa: *Ih, meu Deus, esse ensopado virou uma geleia!* [F.: Do fr. *geleé*.] ▪▪ **~ real** Nas colmeias, alimento das crias, obtido da secreção de glândulas faringianas das abelhas operárias

geleira (ge.*lei*.ra) *sf.* **1** *Geol.* Grande massa de gelo formada em regiões onde a neve é maior que o degelo, e que sofre deslocamentos quando se acumula em demasia **2** *Geol.* Ver *iceberg* **3** Qualquer grande acúmulo natural de gelo **4** *Geol.* Nas altas montanhas, cavidade em que se forma gelo **5** Cavidade subterrânea feita para nela se conservar durante algum tempo o gelo **6** *Bras.* Balde de gelo us. para manter frias ou frescas garrafas de bebidas **7** Recipiente fechado feito de material isolante de calor, us. para manter frescas ou frias as coisas (bebida, alimento, medicamento etc.) guardadas em seu interior **8** *PA Mar.* Barco a vela apropriado para o transporte de peixe [F.: *gelo* + *-eira*.]

gelha (ge.lha) [ê] *sf.* **1** *Agr.* O bago do trigo ou de outro cereal que não se desenvolveu completamente e tem a pele cheia de rugas **2** *Agr.* Ruga na película ou na pele do bago de qualquer cereal ou de qualquer fruto **3** *P.ext.* Ruga, esp. na pele do rosto: *As gelhas da velhice:* "Isso lhe punha mais gelhas no rosto e mais depressa lhe embranquecia os cabelos." (Xavier Marques, *Feiticeiro*) **4** Prega ou dobra casual num tecido [F.: De or. obsc.]

gelidez (ge.li.*dez*) [ê] *sf.* Qualidade ou estado do que é gélido [F.: *gélido* + *-ez*.]

gélido (*gé*.li.do) *a.* **1** Muito frio, gelado ou congelado; CONGELADO; GELADO; GLACIAL: "... Do filho os membros gélidos apalpa..." (Gonçalves Dias, *I-Juca Pirama*) **2** *Fig.* Que demonstra insensibilidade, dureza, falta de sentimento: *Encarou-nos com olhar gélido.* **3** Que está paralisado, petrificado: *Ficou imóvel, gélido de terror.* [F.: Do lat. *gelidus, a, um*.]

gelificação[1] (ge.li.fi.ca.*ção*) *sf. Bot.* Transformação parcial da membrana celular de um vegetal em mucilagem ou substância similar, que com ação da água assume aspecto de gel [Pl.: *-ções*.] [F.: *gelificar* + *-ção*.]

gelificação[2] (ge.li.fi.ca.*ção*) *sf. Quím.* Ação ou resultado de gelificar(-se) [Pl.: *-ções*.] [F.: *gelificar* + *-ção*.]

gelificante (ge.li.fi.*can*.te) *a2g.* **1** Diz-se de substância que provoca gelificação (agente gelificante) *sm.* **2** *Quím.* Substância us. para gelificação de produtos industrializados: *Há um gelificante natural extraído de algas vermelhas.* [F.: *gelificar* + *-nte*.]

gelificar (ge.li.fi.*car*) *v.* **1** Ver *gelifazer* [*td. int.*] **2** *Quím.* Converter(-se) em gel [*td.*] [*int.*] **3** *Bot.* Ocorrer o processo da gelificação [▶ **11 gelificar**] [F.: *gel(o)* + *-i-* + *-ficar*.]

gelifluxão (ge.li.flu.*xão*) [cs] *sf. Geol.* Deslizamento de partes do solo ou de rochas envoltas em gelo, sobre outras camadas de gelo, que acontece em regiões de temperaturas extremamente baixas [Pl.: *-xões*.] [F.: *gelo* + *-i-* + *-fluxão*.]

geliturbação (ge.li.tur.ba.*ção*) *sf. Geol.* Processo de modificação estrutural resultante da movimentação e fusão de porções residuais do solo, em virtude das sequentes ações de gelo e degelo acontecidas nas regiões em que a temperatura atinge níveis muito baixos; CRIOTURBAÇÃO [Pl.: *-ções*.] [F.: *gelo* + *-i-* + *-turbação*.]

gelivação *sf. Geol.* Processo em que, nas zonas frias, a água infiltrada nas fissuras e porosidades das rochas provoca erosão pela pressão interna que exerce quando se congela [Pl.: *-ções*.] [F.: Do fr. *gélivation*.]

gelo (ge.lo) [ê] *sm.* **1** Estado de água, ou qualquer líquido, quando passa ao estado sólido pela ação do frio **2** Pedaço pequeno dessa massa solidificada: *Colocou gelo no suco de maçã.* **3** Tonalidade cinza muito claro, semelhante ao da água congelada **4** *Fig.* Temperatura muito baixa: *O quarto estava um gelo.* **5** *Fig.* Sensação que lembra a causada pelo frio: *Ao ver o estrangulador, sentiu um gelo no pescoço.* **6** *Fig.* Ausência de sentimentos; secura no trato com alguém; FRIEZA; INSENSIBILIDADE: *Ele é um gelo com os filhos.* [Ant.: *ardor, entusiasmo*.] **7** Falta de cordialidade, de bom relacionamento: *Depois da briga, veio o gelo que acabou com a relação.* *a2g2n.* **8** Que tem a tonalidade do gelo (paredes gelo) **9** Diz-se dessa tonalidade: *calças da cor gelo.* [F.: Do lat. *gelus,us*. Hom./Par.: *gelo* (fl. de *gelar*).] ▪▪ **Dar um ~ em** *Bras. Fam.* Tratar com indiferença, ignorando a presença de (alguém) **Pôr (alguém) no ~** *Bras. Fam.* Ver *Dar um gelo em* **Quebrar o ~** Ser cortês, amável no primeiro contato com alguém ou em grupo, criando um ambiente menos frio ou formal.

gelo-baiano (ge.lo-bai.*a*.no) *sm. Bras.* Artefato de concreto pintado em cores vivas e com forma triangular ou cúbica us. por autoridades de trânsito para orientar, limitar ou proibir o tráfego de veículos em ruas, praças, avenidas etc. [Pl.: *gelos-baianos*.]

gelose (ge.*lo*.se) *sf. Quím.* Preparado medicamentoso, derivado do ágar-ágar [F.: *gel* + *-ose*.]

gelo-seco (ge.lo- *se*.co) [ê] *sm.* Anidrido carbônico sólido [Pl.: *gelos-secos*.]

gelosia (ge.lo.*si*.a) *sf.* **1** *Arq.* Grade de ripas de madeira cruzadas no vão de porta ou janela, que permite a quem está no interior ver o exterior sem ser visto com clareza; RÓTULA **2** Persiana que pode ser enrolada em sua parte superior [F.: Do it. *gelosia* 'persiana'.]

gelsêmio (gel.*sê*.mi:o) *sm. Bot.* Gênero de plantas loganiáceas nativas dos Estados Unidos e do sudeste da Ásia (*Gelsemium sempervirens, Bignonia sempervirens*) de propriedades medicinais como o jasmim-da-carolina, o jasmim-amarelo, o jasmim-da-virgínia que são cultivados em jardins e de cujas raízes se extrai a gelsemina [F.: Do lat. cient. gên. *Gelsemium*.]

gélula (*gé*.lu.la) *sf. Farm.* Comprimido de gelatina, de consistência sólida e propriedades terapêuticas [F.: *gel* + *-ula*.]

gema (*ge*.ma) *sf.* **1** *Biol.* Parte amarela do ovo de ave ou réptil, que contém substâncias nutritivas **2** *Bot.* Protuberância no caule da planta que dá origem a folhas, flores, ramos etc. **3** Resina de pinheiro **4** *Biol.* Ver *broto* **5** Pedra preciosa, orgânica ou sintética **6** *Fig.* A parte central ou a mais íntima **7** Aquilo que é mais genuíno: *Pertencia a uma nobreza da mais alta gema.* [F.: Do lat. *gemma, ae*. Hom./Par.: *gema* (fl.de *gemer*). Ideia de 'gema', usar pref. *gem(i)-*; suf. *-lécito*.] ▪▪ **Da ~** *Pop.* Autêntico: *Eu sou carioca da gema.*

gemação (ge.ma.*ção*) *sf.* **1** Ação ou resultado de gemar **2** *Bot.* Desenvolvimento das gemas, gomos e botões das plantas **3** *Biol.* Brotamento **4** *Biol.* Forma de reprodução assexuada na qual uma protuberância de massa celular (gema) do organismo gerador vai constituir novo indivíduo, isoladamente ou em colônias [Pl.: *-ções*.] [F.: Do lat. *gemmatio, onis*.]

gemada (ge.*ma*.da) *sf. Cul.* Doce feito de gema ou gemas de ovo batidas com açúcar e canela, a que se pode adicionar leite quente, vinho do Porto etc. [F.: *gema* + *-ada*[1].]

gema de ovo (ge.ma de *o*.vo) *a2g2n.* **1** *Bras.* Que tem a tonalidade da cor amarela semelhante à da gema do ovo: *Extremamente pálida, vestia saia e blusa gema de ovo. Era a própria gema de ovo.* *sf.* **2** *Bot.* Árvore leguminosa (*Apuleia molaris*, Spr.); tb. *muirajuba* **3** *Bot.* O mesmo que *arapoca* (*Raputia magnifica*) [Pl.: *gemas de ovo* (*sf.*).]

gemado (ge.*ma*.do) *a.* **1** Coberto de gemas ou gomos **2** Enxertado de gema ou de borbulha **3** Cor de gema de ovo (canário gemado) **4** *Cul.* Feito com gema de ovo (doce/licor gemado) **5** *Farm.* Preparado com gema de ovo (xarope gemado) [F.: Do lat. *gemmatus, a, um*.]

gemar (ge.*mar*) *v.* **1** Produzir brotos; BROTAR [*int.*] **2** *Bot.* Lançar gemas; ABROLHAR [*int.*] **3** *Bot.* Fazer enxerto com gema ou rebento [*td.*] **4** Temperar com gema de ovo [*td.*: *gemar uma calda*.] [▶ **1 gemar**] [F.: Do lat. *gemmare*. Hom./Par.: *gema(s)* (fl.), *gema(s)* (sf.[pl.]).]

gematria *sf.* **1** Método criptográfico que tem por finalidade identificar letras pelos valores numéricos que a elas são atribuídos convencionalmente **2** *Oct. Rel.* Método cabalístico que procura explicar as sagradas escrituras judaicas por meio da interpretação de elementos numéricos criptográficos em suas palavras [F.: Do hebr. *gematriya*. Tb. *gemátria* e *guemátria*.]

gemátrico (ge.*má*.tri.co) *a.* Que diz respeito à gematria [F.: *gematria* + *-ico*[2].]

gemebundo (ge.me.*bun*.do) *a.* **1** Que geme muito; GEMEDOR, GEMENTE: "Quando tu pausas, gemebundo o vento/ Vai também entre os lúgubres ciprestes/Teus últimos acentos murmurando." (Domingos José Gonçalves de Magalhães, "Invocação ao anjo da poesia", *in Suspiros poéticos e saudades*) **2** *Fig.* Pleno de lamentos, lamúrias, queixas: *Colocava toda a sua revolta em um texto gemebundo e acusador.* [F.: Do lat. *gemebundus, a, um*.]

gemedeira (ge.me.*dei*.ra) *sf.* **1** Sucessão de gemidos; GEMEDOURO: "O carrasco do vento esmerava-se agora em arrancar aos pinhais maior e mais aguda gemedeira." (Aquilino Ribeiro, *Volfrânio*) **2** *P.ext.* Lamentação, lamúria, queixa **3** *Bras. N.E. Liter.* Tipo de poesia popular em que os cantadores se utilizam de temas engraçados para intercalar um estribilho de interjeições, ger. ai!, ui! e hum!, antes do último verso das sextilhas: "Cantei Mourão a Galope,/ Versejando como entendo!/Vou passar pra Gemedeira,/ Como me pedem, eu atendo!/Há pouco, cantei me rindo./ Ai! ai! ui! ui!/Agora canto gemendo." (Severino Pinto, *Gemedeira*) [F.: *gemer* + *-deira*.]

gemedor (ge.me.*dor*) [ô] *a.* **1** Que geme, que emite som semelhante ao gemido: "Quando eu me vi perdido/Meu peito gemedor/Bateu, gemeu ferido/Sofrido, doído, desenganou..." (Alceu Valença/Vicente Barreto, *Dia de Cão*) **2** *P.ext.* Que se lamenta, se lamuria: *Lamentava a sorte num tom triste e gemedor.* *sm.* **3** Aquele que emite sons de gemido **4** *P.ext.* Aquele que se lamenta [Fem.: *gemedora*; *gemedeira*] [F.: *gemer* + *-dor*.]

gemelar (ge.me.*lar*) *a2g.* Relativo ou pertencente a gêmeos (gravidez gemelar) [F.: *gemel(i)-* + *-ar*[2].]

gemelípara (ge.me.*lí*.pa.ra) *a.* **1** Diz-se do indivíduo do sexo feminino que dá à luz filhos gêmeos (paciente gemelípara) *sf.* **2** Esse indivíduo: *É necessário total assistência à gemelípara.* [F.: Do lat. *gemellipara*.]

gemente (ge.*men*.te) *a2g.* Que geme; GEMEBUNDO, GEMEDOR: "...a monótona e gemente cadência da vaga atormentava-a..." (Eça de Queirós, *O crime do padre Amaro*) [F.: *gemer* + *-nte*.]

gêmeo (*gê*.me:o) *a.* **1** Diz-se de cada um dos filhos nascidos de um mesmo parto (irmãos gêmeos) **2** Diz-se de cada um dos frutos do mesmo ramo **3** *P.ext.* Que apresenta muita afinidade: *Esses dois são almas gêmeas.* **4** Diz-se de conjunto de coisas que podem formar um conjunto simétrico ou homogêneo (casas gêmeas) **5** *Anat.* Diz-se de cada um dos músculos pares que formam a barriga da perna *sm.* **6** Cada um dos filhos que nasceu do mesmo parto [F.: Do lat. *geminus, a, um*.] ▪▪ **~s bivitelinos** *Emb.* Ver *Gêmeos dizigóticos* **~ conjugados** *Emb.* Aqueles em cuja gestação o disco embrionário não se divide totalmente **~ dizigóticos** *Emb.*

Gêmeos gerados da fecundação de dois óvulos por dois diferentes espermatozoides ~ **fraternos** *Emb.* Ver *Gêmeos dizigóticos.* ~ **idênticos** *Emb.* Ver *Gêmeos monozigóticos* ~ **monozigóticos** *Emb.* Gêmeos gerados da fecundação de um só óvulo por dois espermatozoides; gêmeos univitelinos ~ **univitelinos** *Emb.* Ver *Gêmeos monozigóticos*

gêmeos (*gê*.me.os) *smpl.* 1 *Astrol.* Terceiro signo do Zodíaco, que vai de 21 de maio a 20 de junho: *Meu namorado é de Gêmeos.* 2 *Astron.* Terceira constelação do Zodíaco, situada entre Touro e Câncer [Nas duas acps, com inicial maiúsc.] *s2g2n.* 3 Geminiano: *Minha irmã é Gêmeos.* [F.: Pl. de *gêmeo.*]

gemer (ge.*mer*) *v.* 1 Expressar vocalmente a sensação de dor moral ou física, com voz inarticulada ou som plangente [*int.*: *Gemeu a noite inteira com dor de dente.*] 2 Emitir (lamentos, queixas etc.) com gemidos; LAMENTAR(-SE); LASTIMAR(-SE) [*td.*: *A mulher gemia desgraças ininteligíveis.*] [*int.*: *Lamuriando-se da própria vida, não para de gemer.*] 3 Sofrer (mal físico ou moral); ser vítima (de), torturado ou atormentado (por); PADECER [*td.*: *Desconsolada, a jovem gemia as mágoas.*] [*int.*: *O velho gemeu entrevado na cama.*] 4 Cantar de maneira tristonha [*td.*: *Os seresteiros gemiam canções de amor.*] [*int.*: *Os cantadores gemiam ao som dos violões.*] 5 *Fig.* Produzir (instrumento musical) som melancólico, triste [*td.*: *Os bandolins gemiam um lindo chorinho.*] [*int.*: *As violas gemiam ao luar.*] 6 *Fig.* Emitir um som (pomba, rola, rouxinol etc.); ARRULHAR [*td.*: *As pombas gemiam sobre o telheiro.*] 7 *Fig.* Produzir (a brisa, o mar, o vento etc.) som parecido com um gemido [*int.*: *O vento gemia numa frincha da porta.*] 8 Produzir ruídos lentos decorrentes de alguma espécie de atrito; GUINCHAR; RANGER [*int.*: *A porteira gemeu quando a abriram; A cordas gemem quando a embarcação as retesa.*] 9 Emitir sons de prazer, de gozo sexual [*int.*: *O casal enamorado gemia de prazer.*] 10 Chorar por (alguém ou algo); PRANTEAR [*td.*: *Gemia a falta dos entes queridos.*] 11 *Fig.* Dobrar sob o peso de [*int.*: *Os galhos da videira gemiam com o peso das uvas.*] [▶ 2 gemer] [F.: Do lat. *gemere.* Hom./Par.: *gema(s)* (fl.), *gema(s)* (sf.[pl.]), *gemá(s)* (fl. *gemar*).]

◎ **gemi(i)** *el. comp.* = 'rebento'; 'pedra preciosa'

gemido (ge.*mi*.do) *sm.* 1 Emissão da voz como lamento de dor, de sofrimento (físico, moral ou espiritual) 2 *Fig.* Queixa acompanhada de choro, grito; LAMENTAÇÃO; QUEIXUME: "Mas o mesmo silêncio lúgubre continuou; nem uma voz, nem um som respondeu aos gemidos do amante." (Casimiro de Abreu, *Carolina*) 3 Qualquer som, humano ou não, semelhante ao de um gemido (1, 2): *Seus gemidos e suspiros eram expressão de seu prazer; O silêncio da manhã foi quebrado pelo gemido das rodas do carro de boi.* 4 Canto de algumas aves 5 Som choroso, plangente, de certos instrumentos musicais: *Deliciava-se com os gemidos do violino.* [F.: Do lat. *gemitus, us.*]

gemífero (ge.*mí*.fe.ro) *a.* 1 Que produz ou tem pedras preciosas ou joias 2 Que produz gemas ou gomos 3 *Bot.* Diz-se de planta que desenvolve brotos, rebentos [F.: Do lat. *gemmifer,a,um.*]

geminação (ge.mi.na.*ção*) *sf.* 1 Ação ou resultado de duplicar ou dispor em pares 2 *Min.* Processo de crescimento de dois ou mais cristais de um mesmo mineral 3 *Gram.* Duplicação de letra consoante 4 *Fon.* Duplicação de sons consonantais 5 *Crist.* Agrupamento regular de cristais homomorfos, cada um dos quais ocupa uma posição invertida a respeito dos indivíduos vizinhos; tb. *macla* [Pl.: *-ções.*] [F.: *geminar* + *-ção.*]

geminado (ge.mi.*na*.do) *a.* 1 Que forma par com algo igual ou semelhante, ger. ligado (poltronas geminadas) 2 Diz-se de cada uma de duas casas ligadas, com parede central de meação 3 *Bot.* Que nasceu ou se ligou aos pares (flores geminadas) 4 *Fon.* Diz-se de som consonantal mais longo que os demais, resultante do processo de geminação 5 *Ling.* Diz-se de letra dobrada ou duplicada [F.: Do lat. *geminatus, a, um.*]

geminar (ge.mi.*nar*) *v. td.* 1 Reunir ou ligar em par; CONJUGAR; DUPLICAR 2 *Fon.* Alongar um som consonantal, acrescentando-lhe outro idêntico; DUPLICAR 3 Dobrar consoante no ato de escrever [▶ 1 geminar] [F.: Do lat. *geminare.* Hom./Par.: *gemino* (fl.), *gêmino* (a.).]

geminiano (ge.mi.ni.*a*.no) *Astrol. a.* 1 Que nasceu sob o signo de Gêmeos 2 Ref. a esse signo ou às qualidades e influências a ele atribuídas, segundo a astrologia *sm.* 3 Aquele que nasceu sob o signo de Gêmeos [F.: *gemin(i)-* + *-ano*[1].]

gemiparidade (ge.mi.pa.ri.*da*.de) *sf. Biol.* Modo de reprodução gemípara ou por gomos [F.: *gemíparo* + *-i-* + *-dade.*]

gemíparo (ge.*mí*.pa.ro) *a. Biol.* Reproduzido por meio de gema [F.: *gema* + *-paro.*]

gemologia (ge.mo.lo.*gi*.a) *sf. Gem.* Estudo que busca conhecer e classificar a origem das pedras preciosas [F.: *gem(i)-* + *-o-* + *-logia.*]

gemológico (ge.mo.*ló*.gi.co) *a.* Que diz respeito a gemologia [F.: *gemologia* + *-ico.*]

gemologista (ge.mo.lo.*gis*.ta) *a2g.* 1 Que é estudioso de gemologia *s2g.* 2 Especialista em gemologia; GEMÓLOGO [F.: *gemologia* + *-ista.*]

gemólogo (ge.*mó*.lo.go) *sm.* O mesmo que *gemologista* [F.: *gem(i)-* + *-o-* + *-logo.*]

gemoterapia (ge.mo.te.ra.*pi*.a) *sf.* Terapia que tem por fim buscar o equilíbrio da energia no corpo, fazendo atuar sobre ele as propriedades purificadoras dos cristais e das pedras preciosas [F.: *gem(i)-* + *-o-* + *-terapia.*]

gêmula (*gê*.mu.la) *sf.* 1 Pequena gema 2 *Bot.* A parte do embrião que reproduz a planta 3 *Zool.* em determinadas esponjas, conjunto de células embrionárias que se forma em condições desfavoráveis e que pode originar, em condições propícias, uma nova esponja [F.: Do lat. *gemmula,ae.*]

genciana (gen.ci.*a*.na) *Bot. sf.* 1 Nome comum de plantas do gên. *Gentiana,* da fam. das gencianáceas, originárias de regiões de clima temperado, de cuja raiz se extraem glicosídeos de uso medicinal e de cujas flores se extraem tinturas 2 A flor dessas plantas [F.: Do lat. cient. gên. *Gentiana.*]

gendarmaria (gen.dar.ma.*ri*.a) *sf.* Ver *gendarmeria*

gendarme (gen.*dar*.me) *sm.* 1 Soldado de um corpo esp. encarregado de manter a ordem pública, em particular nas províncias, na França e em alguns outros países 2 *Fig.* Organização, entidade, nação que busca exercer uma liderança sobre outros de sua mesma natureza: *Os Estados Unidos querem ser o gendarme da democracia no mundo.* 3 *Fig.* Pessoa autoritária, fiscalizadora, em especial mulher robusta e dominadora: *Era o gendarme do grupo.* [F.: Do fr. *gendarme.*]

gendarmeria (gen.dar.me.*ri*.a) *sf.* 1 Corpo de gendarmes 2 Posto, quartel de gendarmes [F.: Do fr. *gendarmerie.* Tb. *gendamaria.*]

gene (*ge*.ne) *sm. Biol.* Unidade fundamental de hereditariedade presente no cromossomo, que tem influência específica sobre o indivíduo e o torna diferente dos outros [F.: Do al. *Gen.*] ■ ~ **dominante** *Gen.* Aquele cujo caráter genético se manifesta no descendente [P.op.ao *gene recessivo,* cujo caráter permanece latente. Tb. apenas *dominante.*] ~ **estrutural** *Gen.* Aquele que contém a informação (na forma de cadeia de nucleotídeos) que determina a sequência de aminoácidos numa proteína ~ **operador** *Gen.* Aquele que atua no funcionamento de outros genes ~ **recessivo** *Gen.* Aquele cujo caráter genético permanece latente [P.op.ao *gene dominante,* cujo caráter genético se manifesta no descendente. Tb. apenas *recessivo.*] ~ **regulador** *Gen.* Aquele que controla a taxa de atividade e transcrição de outros genes

genealogia (ge.ne:a.lo.*gi*.a) *sf.* 1 Estudo que tem por finalidade estabelecer a origem de um indivíduo, de um grupo ou de uma família 2 Diagrama que estuda a origem das famílias; LINHAGEM 3 Conjunto de antepassados seguindo uma mesma linha de filiação 4 *P.ext.* Extirpe, linhagem 5 Conjunto de elementos que compõem a evolução de um ramo qualquer da atividade humana: *a genealogia do teatro.* [F.: Do gr. *genealogía, as.*]

genealógico (ge.ne:a.*ló*.gi.co) *a.* Ref. a genealogia (árvore genealógica) [F.: Do gr. *genealogikós, é, ón.*]

genealogista (ge.ne:a.lo.*gis*.ta) *s2g.* 1 Que se dedica ao estudo da genealogia, que escreve obras a ela relativas, que organiza genealogias; LINHAGISTA: "Estudar essas bastaridas plebeias... não é apenas um capricho de genealogista, é uma necessidade histórica." (Júlio Dantas, *Eles e elas*) *a2g.* 2 Relativo ao especialista em genealogia [F.: *genealogia* + *-ista.*]

genebra (ge.*ne*.bra) *sf.* 1 Aguardente de cereais resultante da sua destilação com o zimbro 2 Ver *gim* [F.: Do fr. ant. *genèvre.*]

genebrês (ge.ne.*brês*) *a.* 1 Que diz respeito à cidade de Genebra (Suíça); GENEBRO *sm.* 2 Natural ou habitante de Genebra [F.: *genebra* + *-ês.*]

genebrino (ge.ne.*bri*.no) *a.sm.* O mesmo que *genebrês* [F.: *genebra* + *-ino.*]

genecologia (ge.ne.co.lo.*gi*.a) *sf. Biol.* Ciência que estuda as relações resultantes da interação de um genótipo com o meio ambiente [F.: Do ing. *genecology.* Hom./Par.: *genecologia* (sf.), *ginecologia* (sf.).]

genecológico (ge.ne.co.*ló*.gi.co) *a. Biol.* Que diz respeito a genecologia [F.: *genecologia* + *-ico*[2]. Hom./Par.: *genecológico* (a.), *ginecológico* (a.).]

general (ge.ne.*ral*) *sm.* 1 *Bras. Mil.* Patente militar (ver achega enciclopédica no verbete *hierarquia*), a segunda mais elevada do exército 2 *Bras.* Militar que tem essa patente 3 *Fig.* Chefe, caudilho [Pl.: *-rais.*] [F.: Do fr. *général.*]

generala (ge.ne.*ra*.la) *sf.* 1 Toque de tambor ou de corneta para chamar tropas às armas ou a postos 2 *Fam.* Mulher de general [F.: *General* + *-a.*]

generalado (ge.ne.ra.*la*.do) *sm.* Ver *generalato*

generalato (ge.ne.ra.*la*.to) *Mil. sm.* 1 Posto de general 2 Exercício desse posto [F.: *general* + *-ato*[1]. Tb. *generalado.*]

general-comandante (ge.ne.ral-co.man.*dan*.te) *sm. Mil.* Oficial militar que comanda todo um exército [Pl.: *generais-comandantes.*]

general de brigada (ge.ne.ral de bri.*ga*.da) *sm.* 1 *Mil.* Primeira graduação de general na hierarquia militar do Exército, acima do posto de coronel e abaixo do de general de divisão 2 Oficial que exerce essa função [Pl.: *generais de brigada.*]

general de divisão (ge.ne.ral de di.vi.*são*) *sm.* 1 *Mil.* Posto imediatamente superior ao de general de brigada e abaixo do de general de exército, na hierarquia militar do Exército 2 O oficial que exerce essa função [Pl.: *generais de divisão.*]

general de exército (ge.ne.ral de e.*xér*.ci.to) *sm.* 1 *Mil.* Posto imediatamente superior ao de general de divisão e abaixo do de marechal, na hierarquia militar do Exército 2 Oficial que exerce essa função [Pl.: *generais de exército.*]

generalício (ge.ne.ra.*lí*.ci:o) *a. Bras.* Que diz respeito ao posto de general [F.: *general* + *-ício.*]

generalidade (ge.ne.ra.li.*da*.de) *sf.* 1 Qualidade do que é geral, do que é considerado em toda sua extensão; ABRANGÊNCIA: "Creio, como o filósofo mais crente,/Na generalidade decrescente." (Augusto dos Anjos, "Último credo", *in Eu*) 2 A maior parte, o maior número: *A generalidade dos votos nos pertence.* [F.: Do lat. *generalitas, atis.*]

generalidades (ge.ne.ra.li.*da*.des) *sfpl.* 1 Princípios gerais; RUDIMENTOS: *generalidades sobre as bases da física.* 2 Considerações relativamente pertinentes, mas que carecem de relação mais direta com o assunto: *Deixou de lado as generalidades e foi ao osso do assunto.* [F.: Pl. de *generalidade.*]

generalismo (ge.ne.ra.*lis*.mo) *sm.* Observação geral e superficial de acontecimentos, opiniões, situações, teorias etc. [Em oposição a *particularismo.*] [F.: Do rad. lat. *general-* (geral) + *-ismo.*]

generalíssimo (ge.ne.ra.*lís*.si.mo) *sm.* 1 *Mil.* Chefe supremo de um exército 2 Título conferido aos chefes de Estado [Superl. abs. sint. de *general.*] [F.: *general* + *-íssimo.*]

generalista (ge.ne.ra.*lis*.ta) *a2g.* 1 Que não particulariza determinados assuntos, tratando-os de forma geral, global: *Tem visão generalista das atividades que estão sob sua responsabilidade.* 2 *Med.* Em medicina, diz-se do clínico geral (médico generalista) *s2g.* 3 Indivíduo de conhecimentos gerais, não especializados em determinada matéria: *A grande dúvida é se o profissional deve ser generalista ou especialista.* 4 *Med.* Clínico que exerce a medicina geral, encaminhando o paciente a um especialista quando se faz necessário [F.: Do rad. lat. *general-* (geral) + *-ista.*]

generalização (ge.ne.ra.li.za.*ção*) *sf.* 1 Ação ou resultado de generalizar(-se) 2 Vulgarização ou difusão de um costume, uso, método etc. 3 Ato de estender o resultado da observação de casos particulares a um conjunto mais amplo ou ao conjunto de casos possíveis: *Não se pode fazer generalizações a partir desse caso, que é único.* 4 Proposição ou princípio de caráter amplo, geral 5 *Lóg.* Operação intelectual que consiste em reunir numa classe ou proposição um conjunto de fenômenos similares [Pl.: *-ções.*] [F.: *generalizar* + *-ção.*]

generalizado (ge.ne.ra.li.*za*.do) *a.* 1 Que se generalizou; que se tornou comum, difundido [Ant.: *individualizado, particularizado.*] 2 Que se espalhou: *A gripe está generalizada.* [F.: Part. de *generalizar.*]

generalizador (ge.ne.ra.li.za.*dor*) [ô] *a.* 1 Que generaliza; GENERALIZANTE: *Abordava determinados assuntos usando um conceito generalizador dos fatos.* *sm.* 2 Aquele ou aquilo que generaliza: *Generalizador como era, esquivava-se de entrar em detalhes.* [F.: *generalizar* + *-dor.*]

generalizante (ge.ne.ra.li.*zan*.te) *a2g.* O mesmo que *generalizador* [F.: *generalizar* + *nte.*]

generalizar (ge.ne.ra.li.*zar*) *v.* 1 Aplicar (conceito, qualidade, conclusão de análise etc.) a todos os elementos de um grupo ou a todo um conceito geral, com base em apenas uma parte deles [*td.*: *Generalizou suas conclusões sobre o departamento, aplicando-as a toda a firma.*] 2 Ser de caráter geral, que considera a totalidade das coisas e não os casos específicos [*int.*: *O relatório apontava falhas individuais, mas sem generalizar.*] 3 Tornar(-se) geral; tornar(-se) comum, a muitas pessoas, ou em vários lugares; DIFUNDIR(-SE); PROPAGAR(-SE) [*td.*: *A imprensa nasceu na Holanda, mas foi Gutenberg quem generalizou seu uso.*] [*tdi.* + *a*: *Generalizou sua visão dos cariocas a todos os brasileiros.*] [*int.*: *Generalizou-se o uso do jeans entre todos os brasileiros.*] 4 Alastrar-se, espalhar-se (certas doenças) [*td.*: *A AIDS generalizou-se rapidamente no mundo.*] 5 Tornar comum, vulgar; PROPAGAR(-SE) [*td.*: *Tinha mania de generalizar conceitos particulares.*] [▶ 1 generalizar] [F.: *geral* sob. a f. rad. *general-* (do adj. latino *generalis,* e 'geral') + *-izar.* Hom./Par.: *generalizáveis* (f 1.), *generalizáveis* (a2g. pl.).]

generalizável (ge.ne.ra.li.*zá*.vel) *a2g.* Que se pode generalizar [Pl.: *-veis.*] [F.: *generalizar* + *-vel.*]

generativo (ge.ne.ra.*ti*.vo) *a.* 1 Ref. a geração 2 Que tem a capacidade de gerar 3 *Gram.* Diz-se de gramática capaz de enunciar todas as regras, todas as sentenças gramaticais de uma língua, atribuindo-lhes estruturas distintas das agramaticais 4 *Ling.* Ref. à gramática generativa (3) 5 *Gram.* Diz-se de regra, princípio etc. que tem relação com ou pertence à gramática generativa [F.: Do lat. *generativus, a, um.* Sin.ger.: *gerativo.*]

genérico (ge.*né*.ri.co) *a.* 1 Ref. a gênero 2 Que abrange várias coisas, sem especificar: *Você precisa ser menos genérico em relação a esse assunto.* [Ant.: *específico.*] 3 Que se expressa em termos vagos, imprecisos: *Fez apenas um resumo genérico dos acontecimentos.* [Ant.: *detalhado, exato.*] 4 Designado por seu princípio ativo, não por sua marca (diz-se de medicamento) *sm.* 5 Esse medicamento: *Prefere comprar genéricos, que são mais baratos.* [F.: *gênero* + *-ico*[2].]

gênero (*gê*.ne.ro) *sm.* 1 Conceito classificatório que engloba todos os grupos com características básicas comuns em seus caracteres essenciais (espécies) num universo ou classe de seres ou coisas 2 *P.ext.* Conjunto de seres ou coisas que têm a mesma origem ou que se encontram ligados pela semelhança de suas principais características: *o gênero humano.* 3 Espécie, tipo: *Ele gosta de todo o gênero de pessoas.* 4 *Biol.* Categoria taxonômica de animais ou vegetais que se situa abaixo de família e acima de espécie 5 *Gram.* Categoria gramatical que classifica nomes e pronomes de uma língua, distinguindo-os, p.ex., entre masculino, feminino e neutro 6 *Liter.* Categoria distintiva do tipo de composição literária: *O romance é um gênero literário; a poesia, outro.* 7 *Art.pl. Cin.* Natureza do assunto tratado por um artista, ou tipo ou estilo específico de realização artística: *filme do gênero romântico.* 8 *Antr.* A forma que a diferença sexual assume, nas diversas sociedades e culturas, e que determina os papéis e o *status* atribuídos a homens e mulheres e a identidade sexual das pessoas **9** *Ret.* Divisão dos discursos conforme os fins a que se propõem e os meios que empregam para tal **10** *Geom.an.* Numa curva de um só curso, diferença entre o número de pontos duplos que pode ter e o que realmente tem **11** *Geom.an.* Numa superfície, metade do número de cortes necessários para que se torne simplesmente conexa **12** *Fil.* Para Aristóteles, toda classe de indivíduos com certas características comuns, passível de divisão em subcategorias (espécies) com características comuns mais específicas [F.: Do lat. *genus, eris.*] ▪ **Comum de dois ~s** *Gram.* Ver o verbete *comum de dois* **De ~** *Art.pl.* Diz-se de pintura que retrata em estilo realista situações típicas de uma certa forma de vida (cenas do cotidiano, da família, do trabalho etc.) **Fazer ~** *Bras. Gír.* Fingir, afetar ser o que não é, para impressionar **~ de vida** Maneira de viver, estilo de vida de uma pessoa, de um grupo, de uma sociedade etc. **~ humano** Espécie humana, humanidade (como o conjunto de seres humanos) **Não fazer o ~ de** Não ser do gosto de, ou adequado a

gêneros (*gê*.ne.ros) *smpl.* Mercadorias, produtos, víveres: gêneros *de primeira necessidade.* [F.: Pl. de *gênero.*] ▪ **~ de estiva** *PE* Aqueles que integram o comércio atacadista de secos e molhados **~ de primeira necessidade** Aqueles (esp. alimentos) que suprem as necessidades mais básicas do homem

generosidade (ge.ne.ro.si.*da*.de) *sf.* **1** Qualidade de generoso, de quem está disposto a se sacrificar em benefício de outrem ou do bem comum [Ant.: *egoísmo.*] **2** Qualidade de quem ou do que é generoso, bondoso; BONDADE: "Sentia que o não amava e mentia-lhe, querendo retribuir a sua generosidade cavalheirosa." (Camilo Castelo Branco, *Coração, cabeça e estômago*) [Ant.: *maldade.*] **3** Qualidade de quem ou do que é pródigo em dar, colaborar, participar; LIBERALIDADE; PRODIGALIDADE: *Dá esmolas com* generosidade. [Ant.: *mesquinhez, sovinice.*] [F.: Do lat. *generositas, atis.*]

generoso (ge.ne.*ro*.so) [ô] *a.* **1** Que é dotado de caráter e sentimentos nobres, mostrando-se capaz de sacrificar um bem que lhe é precioso para ajudar alguém (alma generosa); DIGNO; ELEVADO; SUBLIME [Ant.: *baixo, indigno, sórdido.*] **2** Que gosta de dar; que tem prazer em oferecer coisas aos outros; DADIVOSO; MAGNÂNIMO [Ant.: *avarento, cúpido, mesquinho.*] **3** *P.ext.* Diz-se de quem dá com largueza; PRÓDIGO [Ant.: *parcimonioso.*] **4** Fértil, fecundo (diz-se de solo, terra) [Ant.: *árido, infértil.*] **5** Diz-se de vinho da melhor qualidade **6** Que compreende e perdoa as fraquezas alheias **7** Que apresenta quantidade ou medida maior que a usual: *Serviu-se de uma porção* generosa *de torta.* [Fem. e pl.: [ó].] [F.: Do lat. *generosus, a, um.*]

◎ **-gênese** *el. comp.* = 'geração'; 'origem'; 'nascimento'; 'início'; 'formação'; '(tipo de) reprodução'; 'desenvolvimento': *abiogênese, adermogênese, agamogênese, anfigênese, antogênese, biogênese, cosmogênese, embriogênese, epirogênese, esquizogênese, filogênese, gametogênese, histogênese, metagênese, morfogênese, neurogênese, partenogênese, osteogênese, singênese* (< gr.), *termogênese, xenogênese.* [F.: Do gr. *-génesis, eos,* do gr. *génesis, eos,* 'causa'; 'princípio'; 'origem'; 'geração'; 'produção'; 'criação'; 'raça', do v. gr. *gígnomai,* 'nascer (de)', 'ter nascido'; 'gerar'; 'produzir'. F. conexas: *genesio-, gen(o)-*[1], *-genesia, -genia, -geno.*]

gênese (*gê*.ne.se) *sf.* **1** Formação, origem e desenvolvimento dos seres: *a* gênese *do homem.* **2** Conjunto de elementos que contribuíram para a formação ou existência de uma coisa: *a* gênese *de uma obra literária; a* gênese *do bem:* "...contempla-se a gênese de uma civilização de par com a de um delta; o paralelismo é tão exato..." (Euclides da Cunha, *À margem da história*) *sm.* **3** *Rel.* O primeiro livro da Bíblia, em que se registra a história da criação do mundo; GÊNESIS [Nesta acp. com inicial maiúsc.] [F.: Do gr. *génesis, eos,* 'origem'; 'geração'; 'nascimento', 'criação'; 'o primeiro livro do Pentateuco'.]

◎ **-genesia** *el. comp.* = 'nascimento'; 'geração'; 'formação'; 'desenvolvimento'; 'anomalia, irregularidade ou distúrbio na geração, ou na formação, ou no desenvolvimento de algo'; 'distúrbio da capacidade reprodutiva': *agenesia, androgenesia, disgenesia, epigenesia, litogenesia, organogenesia, palingenesia* (< gr.), *patogenesia* [F.: Do gr. *-genesía, as,* do gr. *génesis, eos,* 'causa'; 'princípio'; 'origem'; 'geração'; 'produção'; 'criação'; 'raça', do v. gr. *gígnomai,* 'nascer (de)', 'ter nascido'; 'gerar'; 'produzir'. F. conexas: *genesio-, gen(o)-*[1], *-gênese, -genia, -geno.*]

genesíaco (ge.ne.*sí*.a.co) *a.* **1** *Rel.* Que pertence ou se refere ao Gênese (livro em que se descreve a criação do mundo): "À beira-mar, uns mais, outros menos, todos sofrem a influência genesíaca do oceano indômito." (Brito Camacho, *Cerros e vales*) **2** Relativo à gênese, à geração; GENÉTICO: "Cuidas que o genesíaco prazer,/Fome do átomo e eurítmico transporte/De todas as moléculas, aborte/Na hora em que a nossa carne apodrecer?!" (Augusto dos Anjos, "Volúpia Imortal") [F.: *gênese* + *-iaco.*]

genésico (ge.*né*.si.co) *a.* O mesmo que *genético* (1) [F.: *gênese* + *-ico*[2], seg. o mod. vern.]

◎ **genesio-** *el. comp.* = 'geração'; 'reprodução': *genesiologia, genesiólogo* [F.: Do gr. *génesis, eos,* 'causa'; 'princípio'; 'origem'; 'geração'; 'produção'; 'criação'; 'raça', do v. gr. *gígnomai,* 'nascer (de)', 'ter nascido'; 'gerar'; 'produzir'. F. conexa: *-gênese.*]

genesiologia (ge.ne.si:o.lo.*gi*.a) *sf. Biol. Med.* Estudo das formas de reprodução [F.: *genesio-* + *-logia.*]

gênesis (*gê*.ne.sis) *sm. Rel.* O primeiro dos cinco primeiros livros da Bíblia (Pentateuco), cuja autoria é atribuída a Moisés e, na visão dos judeus, narra a história da criação da Terra, da ascensão e queda da humanidade e da escolha por Deus da nação de Israel [Com inicial maiúsc.] [F.: Do gr. *génesis, eos,* 'origem'; 'geração'; 'nascimento'; 'criação'; 'o primeiro livro do Pentateuco'. Tb.: *gênese.*]

geneterapia (ge.ne.te.ra.*pi*.a) *Med. sf.* Tratamento de doenças em que se introduz cópias de genes, ao invés de drogas, em células específicas do paciente [F.: *gene* + *-terapia.*]

genética (ge.*né*.ti.ca) *sf. Biol.* Ramo da biologia que estuda a hereditariedade e os genes [F.: Fem. subst. de *genético,* para traduzir o ing. *genetics,* us. pela primeira vez pelo geneticista e biólogo ing. William Bateson (1861-1926).] ▪ **~ ecológica** *Biol.* Parte da genética (e da ecologia) que trata das relações entre as características genéticas e as ecológicas de populações ou espécies de um sistema

📖 A genética estuda como se transmitem de geração em geração os caracteres dos seres vivos: sua forma, estrutura, fisiologia, comportamento etc. Charles Darwin já reconhecera a transmissão hereditária desses caracteres, mas foi Gregor Mandel, em 1866, quem estabeleceu as primeiras leis que a regulam. Basicamente, o processo genético é regulado pelos genes (de onde o nome), elementos formados por um ácido chamado desoxirribonucleico (ADN, ou, em inglês, DNA), e que carregam em si todas as informações genéticas do indivíduo, ou seja, seu tipo, sexo, a cor dos cabelos, dos olhos etc. Os genes ficam no cromossomo, cada um dos 23 pares de elementos no núcleo da célula cuja combinação determina as características do indivíduo. Na fecundação de um novo ser, metade dos cromossomos do pai se une à metade dos cromossomos da mãe gerando nova combinação, que forma um novo indivíduo, mas que traz consigo a contribuição dos genes materno e paterno. A engenharia genética tem pesquisado e conseguido formas de induzir a transmissão de características genéticas de modo a 'criar' indivíduos (plantas ou animais) com características predeterminadas.

geneticista (ge.ne.ti.*cis*.ta) *a2g.* **1** Que diz respeito ou que se dedica ao estudo da genética *s2g.* **2** Especialista em genética [F.: *genética* + *-ista.*]

genético (ge.*né*.ti.co) *Biol. Gen. a.* **1** Ref. a gênese; GENÉSICO; GENESÍACO **2** Que diz respeito aos genes ou à transmissão deles (alteração genética) **3** Que é determinado por genes (código genético) [F.: Do gr. *genetikós, é, ón,* var. de *gennetikós, é, ón,* 'capaz de procriar'; 'que gera', 'que produz'.]

genetlíaco (ge.ne.*tlí*.a.co) *a.* **1** Que diz respeito ao nascimento (certidão genetlíaca); NATALÍCIO **2** Que celebra ou comemora o nascimento de alguém (canto genetlíaco) **3** Ref. ao horóscopo *sm.* **4** Aquele que prevê o futuro por meio da observação dos astros **5** O dia do nascimento; NATALÍCIO [F.: Do gr. *genethliakós, é, ón,* pelo lat. tard. *genethliacus, a, um.*]

gengibirra (gen.gi.*bir*.ra) *sf.* **1** Cerveja de gengibre **2** *Bras. N.E.* Bebida fermentada feita com gengibre, frutos, açúcar, ácido tartárico e fermento de pão **3** *Bras. N.E.* Aguardente de cana; CACHAÇA [F.: Do ing. *ginger beer.*]

gengibre (gen.*gi*.bre) *Bot. sm.* **1** Erva da fam. das zingiberáceas (*Zingiber officinale*), nativa da Ásia, cultivada pelo rizoma comestível, us. como tempero, medicamento e em perfumaria **2** O rizoma dessa planta [F.: De or. contrv.]

gengiva (gen.*gi*.va) *sf. Anat.* Tecido bucal conjuntivo que envolve a arcada maxilar e circunda a base dos dentes [F.: Do lat. *gingiva, ae.* Ideia de 'gengiva', usar pref. *gingiv(o)-* e[1] *ul(o)-.*]

gengival (gen.gi.*val*) *a2g.* Que diz respeito a gengiva [F.: *gengiva* + *-al*[1].]

gengivite (gen.gi.*vi*.te) *sf. Od.* Inflamação da gengiva [F.: *gengiva* + *-ite*[1].]

gengivoplastia (gen.gi.vo.plas.*ti*.a) *sf. Cir.* Cirurgia plástica de remodelação do tecido gengival, realizada por cirurgião-dentista [F.: *gengiva* + *-plastia.*]

◎ **-genia** *el. comp.* = 'geração'; 'origem'; 'nascimento'; 'formação'; 'evolução'; 'desenvolvimento'; 'reprodução'; 'produção de (algo)'; 'gene': *androgenia, antrogenia, astrogenia, biogenia, criogenia, disgenia, epirogenia, estesiogenia, etnogenia, etogenia, eugenia, filogenia, fisiogenia, fitogenia, geogenia, glicogenia, hidrogenia, hilogenia, homogenia* (< gr.), *ideogenia, nosogenia, odontogenia, oligogenia, ontogenia, orogenia, patogenia, poligenia, psicogenia, sociogenia.* [F.: Do gr. *-géneia, as,* do gr. *génos, eos-ous,* 'geração'; 'origem'; 'nascimento'. F. conexas: *gen(o)-*[1], *genesio-, -geno, -gênese* e *-gênio.*]

genial (ge.ni:*al*) *a2g.* **1** Ref. ou próprio de gênio **2** Que tem gênio, talento (poeta genial); CRIATIVO; TALENTOSO [Ant.: *inepto, obtuso.*] **3** *Bras. Pop.* Muito bom, ótimo, formidável: *uma macarronada* genial. [Ant.: *péssimo, ruim.*] **4** *Bras. Pop.* Que é bem pensado, bem feito, engenhoso: *Olha que brinquedo* genial *meu filho ganhou.* [Pl.: *-ais.*] [F.: *gênio* + *-al*[1].]

genialidade (ge.ni:a.li.*da*.de) *sf.* Qualidade de genial [F.: *genial* + *-(i)dade.*]

◎ **-gênico** *el. comp.* = 'ref. a geração ou reprodução'; 'que produz ou gera (algo)': *acnegênico, cacogênico, cariogênico, cianogênico, lexicogênico.* [F.: Do gr. *genikós, é, ón,* 'que concerne ao gênero, à raça'; 'concernente à ação de gerar, à geração', do gr. *génos, eos-ous,* 'geração'; 'origem'; 'nascimento'; 'raça'; 'gênero'; 'espécie'; 'família'; 'parentesco', do v. gr. *gígnomai,* 'nascer', 'ter nascido'; 'gerar'; 'produzir'. [F. conexas: *gen(o)-*[1], *-geno, -genia, -gênese.*]

gênico (*gê*.ni.co) *a.* Que é relativo ou pertencente ao gene; GENÉTICO [F.: *gene* + *-ico*[2].]

geniculado (ge.ni.cu.*la*.do) *a. Anat. Bot.* Diz-se dos órgãos que se dobram formando um ângulo, mais ou menos agudo, em forma de joelho [F.: Do lat. *geniculatus, a, um.*]

◎ **geni(o)-** *el. comp.* = 'queixo': *genioglosso, genioplastia* [F.: Do gr. *géneion, ou.*]

◎ **-gênio** *el. comp.* = 'que nasceu ou foi gerado'; '(aquilo) que produz ou é capaz de produzir (algo)'; '(aquilo) que dá origem a'; '(aquilo) que se transforma em (algo)'; 'hormônio (sexual)': *androgênio, anfigênio, cianogênio, dermatogênio, estrogênio, felogênio, fibrinogênio, gasogênio, geogênio, pirogênio, primigênio* (< lat.), *tripsinogênio, zimogênio* [F.: Do lat. *-genius, a, um,* do v.lat. *genere,* f. antiga do v.lat. *gignere,* 'nascer'; 'procriar'; 'causar'; 'ser a causa ou origem de'; 'produzir', conexo com o lat. *genus, eris,* 'origem'; 'nascimento'; 'geração', e o v. gr. *gígnomai,* 'nascer (de)', 'ter nascido'; 'gerar'; 'produzir'. F. conexas: *gen(o)-*[1], *genesio-, -genia, -geno, -gênese, -gênito.*]

gênio (*gê*.ni:o) *sm.* **1** Segundo crenças antigas, espírito que regia os destinos de uma pessoa, grupo, comunidade etc. e que era o responsável pelo desencadeamento dos fatos (gênio do mal, gênio protetor) **2** Aptidão para algo; DOM; INCLINAÇÃO: *Tinha em seu sangue o* gênio *dos arranjos políticos.* [Ant.: *imperícia, inaptidão.*] **3** Notável capacidade intelectual, criativa, que se expressa esp. nas artes; ESTRO; TALENTO: *Era um* gênio *na música.* **4** Pessoa dotada dessa capacidade: *Castro Alves era um* gênio *na poesia.* **5** Caráter próprio e distinto de alguém; característica de personalidade, de modo de agir e reagir: *Essa moça tem um* gênio *mordaz.* **6** Tendência a enraivecer-se com facilidade: *Ele tem um* gênio *pavoroso.* [F.: Do lat. *genius, ii.*] ▪ **~ das trevas** O diabo **~ do mal** O diabo

genioplastia (ge.ni:o.plas.*ti*.a) *sf. Cir.* Cirurgia plástica no queixo [F.: *geni(o)-* + *-plastia.*]

genioso (ge.ni:*o*.so) [ô] *a.* Que tem gênio irascível, é teimoso, raivoso, irritado, mal-humorado; IRASCÍVEL: *criança birrenta,* geniosa. [Ant.: *calmo, pacato.*] [Fem. e pl.: [ó].] [F.: *gênio* + *-oso.*]

genitais (ge.ni.*tais*) *smpl. Anat.* Os órgãos sexuais do homem e da mulher [F.: Pl. substv. de *genital.*]

genital (ge.ni.*tal*) *a2g.* **1** *Anat.* Ref. a geração **2** Que procria, que gera (aparelho genital) [Pl.: *-tais.*] [F.: Do lat. *genitalis, e.*]

genitália (ge.ni.*tá*.li:a) *sf.* **1** *Anat.* Conjunto dos órgãos genitais, do homem ou da mulher, esp. os órgãos externos **2** *Zool.* O órgão copulador dos artrópodes, incluindo as estruturas anexas [F.: Do lat. *genitalia,* pl. de *genitale, is.* Ideia de 'genitália', usar pref. *edeo-.*]

genitalidade (ge.ni.ta.li.*da*.de) *sf.* Característica de genital ou dos órgãos genitais: *A* genitalidade *não deve ser confundida com a sexualidade.* [F.: *genital* + *-(i)dade.*]

genitalizar (ge.ni.ta.li.*zar*) *v. td.* Centralizar nos órgãos genitais: "A tendência a genitalizar o sexo é do homem." (Dra. Elaine Marini, "Penetração não é tudo", *in Psicologia pra você*) [▶ **1** genitalizar] [F.: *genitália* + *-izar.*]

genitivo (ge.ni.*ti*.vo) *sm.* **1** *Gram.* Nas línguas em que os nomes se declinam por casos, como o grego e o latim, p.ex., o genitivo representa complemento limitativo, possessivo ou determinativo de um substantivo, que em português corresponde geralmente ao adjunto adnominal caracterizado pelo uso da preposição "de" *a.* **2** Que diz respeito ao genitivo (caso genitivo) [F.: Do lat. *genitivus, a, um.*]

◎ **genit(o)-** *el. comp.* = 'órgãos genitais': *genitocrural, genitoespinal, genitospinal* [F.: Do rad. do lat. *genitália,* 'as partes sexuais' (pl. de *genitale, is,* 'relativo à geração'; 'fecundo'), + *-o-.*]

◎ **-gênito** *el. comp.* = 'gerado'; 'nascido': *bigênito, congênito* (< lat.), *ingênito* (< lat.), *primogênito* (< lat.), *secundogênito, terceirogênito, ultimogênito, unigênito* (< lat.) [F.: Do lat. *genitus, a, um,* 'gerado', 'nascido', part. pass. do v.lat. *gignere,* 'gerar'; 'procriar'; 'causar'; 'ser a causa ou origem de'. F. conexa: *gen(o)-*[1], *-genia, -gênio, -gênese, -geno.*]

genitocrural (ge.ni.to.cru.*ral*) *a2g. Anat.* Pertencente ou referente aos órgãos genitais e às coxas [Pl.: *-rais.*] [F.: *genit(o-* + *crural.*]

genitoespinal (ge.ni.to:es.pi.*nal*) *a2g. Anat.* Ref. aos órgãos genitais e à espinha dorsal [Pl.: *-nais.*] [F.: *genit(o)-* + *espinal.* Tb. *genitospinal.*]

genitor (ge.ni.*tor*) [ô] *sm.* **1** O que gera ou que gerou; pai biológico **2** *Jur.* O pai ou a mãe de uma pessoa [F.: Do lat. *genitor, oris.*]

genitospinal (ge.ni.tos.pi.*nal*) *a2g.* Ver *genitoespinal*

genitura (ge.ni.*tu*.ra) *sf. Ant.* Geração, nascimento, origem, raça [F.: Do lat. *genitura, ae.*]

geniturinário (ge.ni.tu.ri.*ná*.ri:o) *a. Anat.* Relativo aos órgãos genitais e à excreção da urina; UROGENITAL [F.: *genit(o)-* + *urinário.*]

◎ **-geno** *el. comp.* = 'que tem origem'; 'que se origina em'; 'nascido'; 'proveniente'; 'que causa, produz ou provoca (algo)'; 'formado por': *autógeno* (< gr.), *endógeno, exógeno, flutígeno* (< lat.), *nubígeno, terrígeno* (< lat.); *alucinógeno, amilógeno, anorexígeno, antígeno, antógeno, ascógeno, blenógeno, cancerígeno, carcinógeno, cromógeno, erógeno, erotógeno, ignígeno* (< lat.), *lactígeno, oleígeno, patógeno, sericígeno, tussígeno, ventígeno* (< lat.); *coralígeno* [F.: Do gr. *-genés, és* (do gr. *génos, eos-ous,* 'geração'; 'origem'; 'nascimento'; 'raça'; 'gênero'; 'espécie'; 'família'; 'parentesco', do v. gr. *gígnomai,* 'nascer', 'ter nascido'; 'gerar';

'produzir'), ou do lat. *-genus, a, um*, ou *-gena, ae*, estes do v.lat. *genere*, 'nascer'; 'procriar'; 'causar'; 'ser a causa ou origem de'; 'produzir', conexo com o lat. *genus, eris*, 'origem'; 'nascimento'; 'geração', e o v. gr. *gígnomai*.]

◎ **gen(o)-¹** *el. comp.* = 'raça'; 'tronco'; 'família'; 'origem (familiar)': *genoblasto, genocida, genocídio, genotóxico* [F.: Do gr. *génos, eos-ous*, 'geração'; 'origem'; 'nascimento'; 'raça'; 'gênero'; 'espécie'; 'família'; 'parentesco', do v. gr. *gígnomai*, 'nascer (de)', 'ter nascido'; 'gerar'; 'produzir'. F. conexas: *-geno, -genia, -gênese, genesio-*.]

◎ **gen(o)-²** *el. comp.* = 'bochecha'; 'face': *genoplastia*. [F.: Do lat. *gena, ae*.]

genoblasto (ge.no.*blas*.to) *sm. Cit.* Célula reprodutiva madura, haploide; GAMETA [F.: *gen(o)-¹* + *-blasto*.]

genocida (ge.no.*ci*.da) *a2g.* **1** Ref. a genocídio **2** Diz-se de indivíduo que efetua ou ordena um genocídio *s2g.* **3** Esse indivíduo [F.: *gen(o)-¹* + *-cida*.]

genocidário (ge.no.ci.*dá*.ri:o) *a.* Ref. ou inerente ao ou típico do genocídio (caráter genocidário; fato genocidário); GENOCIDA [F.: *genocíd(io)* + *-ário*.]

genocídio (ge.no.*cí*.di.o) *sm.* **1** Extermínio total, deliberado, de uma comunidade, grupo étnico ou religioso, povo etc.: *O genocídio de judeus na Alemanha.* **2** Destruição de grande quantidade de pessoas: *A Segunda Guerra foi um grande genocídio.* [F.: *gen(o)-¹* + *-cídio*.]

📖 Ao longo da história ocorreram casos de extermínio intencional e programado de grupos humanos inteiros, identificados por algum critério arbitrado pelos exterminadores. Mas foi durante a Segunda Guerra Mundial que essa ação ganhou cunho ideológico, isto é, uma suposta justificação baseada numa ideia, num conceito. Judeus, ciganos, homossexuais, entre outros, foram considerados pelos nazistas como grupos indignos de existir, o que foi fundamentado em falsas teorias raciais, étnicas, psicológicas etc. Milhões de pessoas desses grupos, principalmente 6 milhões de judeus, foram exterminados sistematicamente, em fuzilamentos, câmaras de gás, ou de fome e doença em campos de concentração. Em 1946, após o julgamento em Nuremberg (Alemanha) dos crimes de guerra nazistas a ONU estabeleceu o genocídio como "crime pela lei internacional", e "crime contra a humanidade", sendo seus perpetradores e realizadores puníveis por isso.

genoma (ge.*no*.ma) [ô] *Gen. sm.* **1** O conjunto de genes de um indivíduo e sua estrutura **2** Conjunto das moléculas de ADN em célula de dada espécie de ser vivo [F.: Do al. *Genom* (< al. *Gen* + *-om*, como em *Chromosom*), pelo ing. *genome*; ver *gene* e *-oma²*.] ■ **Projeto ~** Nome atribuído a projeto de pesquisa internacional que visa a desvendar e mapear o código genético dos organismos vivos; refere-se especialmente ao Projeto Genoma Humano

genômico (ge.*nô*.mi.co) *a. Gen.* Do ou ref. ao genoma [F.: *genoma* + *-ico²*.]

genoplastia (ge.no.plas.*ti*.a) *sf. Cir.* Cirurgia plástica facial, reparadora de danos causados por úlceras, câncer etc. [F.: *gen(o)-²* + *-plastia*.]

genotípico (ge.no.*tí*.pi.co) *a. Gen.* Ref. a genótipo [F.: *genótipo* + *-ico²*.]

genótipo (ge.*nó*.ti.po) *Gen. sm.* **1** Constituição genética de uma célula **2** Grupo de indivíduos com constituição genética comum **3** Soma total de genes transmitidos por hereditariedade [F.: *gen(o)-¹* + *-tipo*.]

genotóxico (ge.no.*tó*.xi.co) [cs] *a.* **1** Que altera os genes, causando doenças hereditárias (diz-se de substância) **2** Próprio do que é genotóxico ou que resulta da ação deste (efeito genotóxico; danos genotóxicos) *sm.* **3** Substância genotóxica (1) [F.: *gen(o)-¹* + *tóxico*.]

genovês (ge.no.*vês*) *sm.* **1** Pessoa nascida ou que vive em Gênova (Itália) [Pl.: *-veses*. Fem.: *-vesa*.] *a.* **2** De Gênova; típico dessa cidade ou de seu povo [Pl.: *-veses*. Fem.: *-vesa*.] [F.: Do top. *Gênova* + *-ês*.]

genro (*gen*.ro) *sm.* Marido da filha em relação aos pais dela [Fem.: *nora*.] [F.: Do lat. *gener, eri*.]

gentalha (gen.*ta*.lha) *sf. Bras. Pej.* Grupo de pessoas de classe social e cultural baixa; gente desclassificada; GENTINHA; POPULACHO; RALÉ [Ant.: *elite, nata. Pode denotar preconceito*.] [F.: *gente* + *-alha*.]

gentama (gen.*ta*.ma) *RS sf.* **1** Multidão, gentarada **2** *Pej.* Gentalha, ralé, [F.: *gent(e)* + *-ama*.]

gentamicina (gen.ta.mi.*ci*.na) *sf. Farm.* Antibiótico natural que tem ação bactericida, us. para tratar infecções da pele e dos rins [F.: Do ing. *gentamicin*.]

gente (*gen*.te) *sf.* **1** O gênero humano **2** Ser humano por oposição a um ser de outra espécie **3** *Pop.* Pessoa importante: *Ele não é uma pessoa qualquer, é gente.* **4** Multidão de pessoas; POVO: *Essa gente toda quer um governo de reformas.* **5** *Bras.* Conjunto dos habitantes de um país, região, estado etc.: *gente de Brasília.* **6** Quantidade indeterminada de pessoas: *Teve pouca gente no jogo.* **7** *Bras.* Pessoa a serviço de outra ou protegida desta: *O rapaz é gente minha, não mexam com ele.* **8** *Bras.* A família: *Nas férias vai visitar sua gente.* **9** *Bras.* Pessoa, indivíduo, no que se refere a seu caráter, qualidades, maneira de ser etc.: *Pode confiar nela, é gente boa.* [F.: Do lat. *gens, gentis*.] ■ **A ~ 1** A(s) pessoa(s) que fala(m); eu, nós: *Professor, a gente queria sair mais cedo hoje.* **2** As pessoas em geral (inclusive quem fala): *Quando a gente fala, é para que os outros ouçam.* **Como ~ (grande) 1** *Bras.* Muito; bem: *Trabalha como gente grande.* **2** Como deve ser, ou seja, bem: *Sabe jogar futebol como gente (grande).* **Entender-se de/por ~** Começar, (criança) a ter noção das coisas, a perceber o sentido das coisas **Fazer-se ~** Ser gente (pessoa), depois de empenhar-se para isso **~ bem** Pessoa ou grupo de pessoas que tem boa situação financeira, prestígio social etc. **~ boa** *Bras. Pop.* Pessoa de boa índole, de bom caráter, de bons sentimentos etc. **~ de baixo** *MT Pej.* Termo que, em Cuiabá, designava outrora os portugueses **~ da nação** *Antq.* Designação dada a pessoas de origem judaica esp. cristãos-novos **~ fina 1** *Bras. Gír.* Ver *Gente boa* **2** *Gír.* Pessoa competente, capaz **3** *Amaz. Rel.* Nos cultos afro-indígenas, entidade real ou fictícia da nobreza de origem branca (fidalgo, rei, rainha etc.) **~ grande** Pessoa adulta ou grupo de pessoas adultas **Minha ~** *Fam.* Forma de tratamento amigável; meus amigos **Ser ~ 1** Ter importância, afirmar-se em algo **2** Ser humano, compreensivo **Toda a ~** Todos, todo mundo **Virar ~** Tornar-se adulto, amadurecer

gentil (gen.*til*) *a2g.* **1** Que é amável, amistoso, cortês; EDUCADO: *Ela foi muito gentil em deixar o livro para mim.* [Ant.: *desagradável, descortês*.] **2** Garboso, elegante [Ant.: *deselegante, desgracioso*.] **3** Nobre, fidalgo, cavalheiro **4** Que tem modo delicado, carinhoso, protetor etc.: "... Dos filhos deste solo és mãe gentil..." (Joaquim Osório Duque-Estrada, *Hino nacional brasileiro*) [Ant.: *deseducado, grosseiro*.] **5** Delicado, gracioso (rosto gentil) [Ant.: *desgracioso, feio*.] [Pl.: *-tis*. Superl.: *gentílimo, gentilíssimo*.] [F.: Do lat. *gentilis, e*.]

gentileza (gen.ti.*le*.za) [ê] *sf.* **1** Qualidade do que ou de quem é gentil, delicado, atencioso: *Foi um gesto de grande gentileza.* **2** Atitude distinta, que revela consideração e nobreza; ELEGÂNCIA: *Tê-lo convidado depois de tudo aquilo foi uma gentileza.* [Ant.: *deselegância*.] **3** Amabilidade, delicadeza: *Foi gentileza sua emprestar o carro.* [Ant.: *descortesia, indelicadeza*.] [F.: *gentil* + *-eza*.]

gentil-homem (gen.til- *ho*.mem) *sm.* **1** Fidalgo, homem nobre **2** Indivíduo de distinção, de procedimento nobre, cavalheiresco *a.* **3** Que tem boa aparência; BEM-APESSOADO; FORMOSO; GARBOSO [Ant.: *desgracioso, mal-apessoado*.] [Pl.: *gentis-homens*.] [F.: Do fr. *gentilhomme*.] ■ **~ da Câmara 1** *Ant.* Cargo da corte imperial brasileira **2** Quem desempenha esse cargo

gentílico (gen.*tí*.li.co) *a.* **1** *Gram.* Diz-se de adjetivo que dá nome a um povo ou etnia, ou ao lugar (estado, cidade, província, país etc.) em que alguém nasceu, onde habita ou de onde procede: *'Brasileiro' é o adjetivo gentílico de quem nasceu no Brasil.* **2** Ref. ou de gentio, ou próprio dele *sm.* **3** Adjetivo gentílico (1): *'Francês' e 'português' são gentílicos.* [F.: Do lat. *gentilicus, a, um*.]

gentilidade (gen.ti.li.*da*.de) *sf.* O mesmo que *paganismo* [F.: Do lat. *gentilitas, atis*.]

gentílimo (gen.*tí*.li.mo) *a.* Muito gentil; GENTILÍSSIMO [Superl. abs. sint. de *gentil*.] [F.: *gentil* + *-imo*.]

gentinha (gen.*ti*.nha) *Pej. sf.* **1** *Bras.* Indivíduo ou grupo de pessoas de baixa condição social, cultural e econômica; GENTALHA; RALÉ **2** Pessoa insignificante, reles, desprezível **3** Grupo de pessoas com essas características: *Ele só gosta de andar com gentinha.* [Ant.: *alta-roda, aristocracia*.] [F.: *gente* + *-inha. Denota preconceito*.]

gentio (gen.*ti*.o) *sm.* **1** Indivíduo pagão **2** Para os judeus, quem não segue a religião judaica, que não pertence ao povo judeu **3** Indivíduo não civilizado, que vive em estado selvagem, primitivo *a.* **4** Que segue o paganismo; IDÓLATRA; PAGÃO **5** Que não é civilizado; INCIVILIZADO; SELVAGEM [F.: De or. contrv.]

⊕ ***gentleman*** (Ing. */djêntalman/*) *sm.* Homem de boa educação, de modos finos; perfeito cavalheiro [Pl.: *gentlemen*.]

gentrificação (gen.tri.fi.ca.*ção*) *sf.* **1** Ação ou resultado de gentrificar; retorno à condição de nobre **2** Processo de recuperação do valor imobiliário e de revitalização de região central da cidade após período de degradação; enobrecimento de locais anteriormente populares [Processo criticado por especialistas em planejamento urbano e urbanismo.] [Pl.: *-ções*.] [F.: Do ing. *gentrification*.]

gentrificar (gen.tri.fi.*car*) *v. td.* Fazer retornar à condição de nobre, enobrecer [▶ **11 gentrificar**] [F.: Voc. deduzido de *gentrificação* (ver *-ar²*).]

⊕ ***genu*** (*Lat.* */jênu/*) *sm. Anat.* Joelho [Ver tb. *genu valgum* e *genu varum*.]

◎ **genu-** *el. comp.* = 'joelho': *genuflexão, genuflexório*. [F.: Do lat. *genu, us*.]

genuflectir (ge.nu.flec.*tir*) *v.* **1** Dobrar o joelho, apoiando-o no chão ou não; AJOELHAR-SE [*int.*] **2** Dobrar (a perna) na altura do joelho; CURVAR [*td.*] [▶ **50 genufl e ctir**] [F.: Do lat. tard. *genuflectere*. Tb. *genufletir*.]

genufletir (ge.nu.fle.*tir*) *v.* Ver *genuflectir*

genuflexão (ge.nu.fle.*xão*) [cs] *sf.* **1** Ação ou resultado de dobrar a perna, flexionando o joelho **2** *Rel.* Ato de dobrar a perna e tocar o joelho no chão em sinal de reverência [Pl.: *-xões*.] [F.: Do lat. *genuflexio, onis*.]

genuflexo (ge.nu.*fle*.xo) [cs] *a.* Posto de joelhos; AJOELHADO [F.: Do lat. tardio *genuflexus, a, um*.]

genuflexório (ge.nu.fle.*xó*.ri:o) [cs] *sm. Rel.* Móvel que consiste numa cadeira de estrado baixo, próprio para rezar ajoelhado, em capelas, oratórios etc. [F.: Do lat. *genuflexorium*.]

genuinidade (ge.nu:i.ni.*da*.de) *sf.* Qualidade do que é genuíno [F.: *genuín(o)* + *-(i)dade*.]

genuíno (ge.nu.*í*.no) *a.* **1** Que não é falso nem adulterado; AUTÊNTICO; VERDADEIRO: *um quadro genuíno de Van Gogh*. [Ant.: *contrafeito, falsificado*.] **2** Que é exato, correto; CASTIÇO; VERNÁCULO: *Esse não é o sentido genuíno do texto*. [Ant.: *errado, incorreto*.] **3** Que não teve alteração na fórmula; PURO: *um vinho francês genuíno*. [Ant.: *adulterado, misturado*.] **4** Que é franco, sincero, verdadeiro: *O filme expõe sentimentos genuínos*. [Ant.: *dissimulado, falso*.] [F.: Do lat. *genuinus, a, um*.]

genupeitoral (ge.nu.pei.to.*ral*) *a.* **1** Ref. tanto ao joelho como ao peito ou tórax **2** Diz-se da posição do corpo em que o peito toca os joelhos [Pl.: *-rais*.] [F.: *genu-* + *peitoral*.]

⊕ ***genu valgum*** (*Lat.* */jênu válgum/*) *loc.subst. Ort.* Deformidade nos membros inferiores caracterizada por joelhos muito juntos um do outro, e os tornozelos afastados entre si [Cf.: *genu varum*.]

⊕ ***genu varum*** (*Lat.* */jênu várum/*) *loc.subst. Ort.* Deformidade nos membros inferiores caracterizada por joelhos muito afastados um do outro, e tornozelos muito próximos entre si [Cf. *genu valgum*.]

◎ **-ge(o)-** *el. comp.* Ver *ge(o)-*

◎ **ge(o)-** *el. comp.* = 'planeta Terra'; 'terra, solo'; 'país'; 'região': *geobiologia, geobotânica, geocêntrico, geociências, geocronologia, geocultura, geoeconomia, geografia* (< gr.), *geógrafo* (< gr.); *biogeocenose, cronogeológico* [F.: Do gr. *geo-*, do gr. *gê, ês*, 'Terra'; 'terra, solo, chão'; 'região' etc. F. conexa: *-geia*.]

geobiologia (ge.o.bi:o.lo.*gi*.a) *sf. Biol.* Parte da biologia que estuda as relações entre a evolução da vida e a evolução geológica da Terra [F.: *ge(o)-* + *biologia*.]

geobiológico (ge:o.bi:o.*ló*.gi.co) *a. Biol.* Ref. à geobiologia [F.: *geobiologia* + *-ico²*.]

geobotânica (ge:o.bo.*tâ*.ni.ca) *sf.* Ramo da botânica que estuda as relações entre as plantas e o meio terrestre, esp. no que diz respeito à distribuição geográfica dos vegetais; FITOGEOGRAFIA [F.: *ge(o)-* + *botânica*.]

geobotânico (ge:o.bo.*tâ*.ni.co) *a.* **1** *Bot.* Ref. à geobotânica; FITOGEOGRÁFICO *sm.* **2** Indivíduo especializado em geobotânica; FITOGEÓGRAFO [F.: *ge(o)-* + *botânico*.]

geocêntrico (ge:o.*cên*.tri.co) *Astron. a.* **1** Ref. ao centro da Terra **2** Diz-se de qualquer sistema de ideias ou teoria que tenha como referência o centro da Terra **3** Especificamente, diz-se do sistema solar concebido (antes do sistema heliocêntrico de Copérnico) como tendo a Terra como centro, em torno da qual girariam os demais planetas e o Sol [F.: *ge(o)-* + *-centro-* + *-ico²*.]

geocentrismo (ge:o.cen.*tris*.mo) *sm. Astron.* Antigo e ultrapassado conceito de sistema cosmológico segundo o qual a Terra aparecia como o centro do sistema planetário, e em torno da qual girariam todos os astros [F.: *ge(o)-* + *-centro-* + *-ismo*. Cf.: *heliocentrismo*.]

geocentrista (ge:o.cen.*tris*.ta) *s2g.* Adepto do geocentrismo [F.: *geocentrismo* + *-ista*, seg. o mod. *gr.*]

geociências (ge:o.ci.*ên*.ci.as) *sfpl.* As ciências que se ocupam do estudo da Terra, como a cristalografia, a geofísica, a geologia, a mineralogia e a sismologia [F.: *ge(o)-* + pl. de *ciência*.]

geocronologia (ge:o.cro.no.lo.*gi*.a) *sf. Geol.* Parte da geologia que procura determinar a idade das rochas [F.: *ge(o)-* + *cronologia*.]

geocultural (ge:o.cul.tu.*ral*) *a2g.* Ref. ao mesmo tempo a aspectos geográficos e culturais (análise geocultural) [Pl.: *-rais*.] [F.: *ge(o)-* + *cultural*.]

geode (ge.*o*.de) *sm.* **1** *Geol.* Ver *geodo* **2** *Med. Rlog.* Cavidade patológica, ou caverna, em órgão, esp. em osso, que resulta em transparências nas imagens radiológicas, indicativa de artrite ou tumor [F.: Do gr. *geodes*.]

geodesia (ge:o.de.*si*.a) *sf.* **1** *Geol.* Ciência geológica que estuda a forma e as medidas da Terra, por meio de triangulações e medições geométricas; instrumento de levantamento cartográfico, medição de arcos de meridianos terrestres etc. **2** Arte de medir e dividir terras [F.: Do gr. *geodaisía, as*. Tb. usa-se muito a f. *geodésia*.]

geodésica (ge:o.*dé*.si.ca) *sf. Geom.* A curva ou a linha de menor comprimento que liga dois pontos de uma superfície [F.: Fem. substv. de *geodésico*.]

geodésico (ge:o.*dé*.si.co) *a.* Ref. à geodesia ou geodésia [F.: *geodesia* ou *geodésia* + *-ico²*.]

geodinâmica (ge:o.di.*nâ*.mi.ca) *sf. Geol.* Parte da geologia que trata das ações e fenômenos que se passam no interior da Terra e das modificações da crosta terrestre que daí resultam [F.: *ge(o)-* + *dinâmica*.]

geodinâmico (ge:o.di.*nâ*.mi.co) *a. Geol.* Ref. à geodinâmica [F.: *geodinâmica*, com var. de suf; ver *-ico²*.]

geodo (ge:*o*.do) [ô] *sm. Geol.* Nas rochas, cavidade revestida de cristais ou de matéria mineral [F.: Do gr. *geódes, es*. Tb. *geode*.]

geoecologia (ge:o.e.co.lo.*gi*.a) *sf.* Estudo das relações entre a ecosfera e a superfície terrestre [F.: *ge(o)-* + *ecologia*.]

geoecológico (ge:o.e.co.*ló*.gi.co) *a.* Ref. à geoecologia [F.: *geoecologia* + *-ico²*.]

geoeconomia (ge:o.e.co.no.*mi*.a) *sf.* Estudo dos fenômenos econômicos que são influenciados por fatores geográficos e que ocorrem em nível global [F.: *ge(o)-* + *economia*.]

geoeconômico (ge:o.e.co.*nô*.mi.co) *a. Econ.* Ref. à geoeconomia [F.: *geoeconomia* + *-ico²*.]

geoeducacional (ge:o.e.du.ca.ci:o.*nal*) *a2g.* Diz-se de área dividida de acordo com a região de uma delegacia de educação [Pl.: *-nais*.] [F.: *ge(o)-* + *educacional*.]

geoestacionário (ge:o.es.ta.ci:o.*ná*.ri:o) *a.* Que parece estar parado por girar na mesma velocidade que a Terra (satélite geoestacionário) [F.: *ge(o)-* + *estacionário*.]

geoestático (ge:o.es.*tá*.ti.co) *a.* Que está imóvel em relação à Terra (sistema geoestático) [F.: *ge(o)-* + *estático*.]

geoestatística (geo.es.ta.*tís*.ti.ca) *sf. Est. Mat.* Ramo da matemática que trata de dados aparentemente aleatórios, típicos das Ciências da Terra, associando-os a padrões de sua distribuição estatística no espaço. Com isso a variabilidade espacial confere um padrão estatístico a dados aparentemente aleatórios [F.: *ge(o)-* + *estatístsica*.]

geofagia (ge:o.fa.*gi*.a) *sf. Med.* Tendência patológica, prática ou ato de comer material terroso, esp. barro [F.: *ge(o)-* + *-fagia*.]

geofísica (ge:o.*fí*.si.ca) *sf. Geol.* Estudo da estrutura e dos fenômenos físicos que atuam sobre a Terra, como a gravidade, o magnetismo etc. É parte da geologia; FÍSICA TERRESTRE [F.: *ge(o)-* + *física*.]

geofísico (ge:o.*fí*.si.co) *a.* **1** Relativo a ou próprio da geofísica: "Até o fim do ano, planejamos ainda editar e publicar o mapa geofísico, geológico e de risco ambiental do estado." (*O Globo*, 31.01.1999) *sm.* **2** Especialista em geofísica [F.: *ge(o)-* + *físico*.]

geofisiologia (ge:o.fi.si:o.lo.*gi*:a) *sf. Geol.* Fisiologia do solo [F.: *ge(o)-* + *fisiologia*.]

geófita (ge.*ó*.fi.to) *sm. Bot.* Ver *geófito*

geofítico (ge:o.*fí*.ti.co) *a.* Ref. a, característico ou próprio de solo em que há vegetação: *ciclo geofítico do Pantanal.* [F.: *ge(o)-* + *-fit(o)-* + *-ico*[2].]

geófito (ge.*ó*.fi.to) *Bot. sm.* **1** Qualquer tipo de planta terrestre **2** Vegetal rico em reservas, cujas gemas ficam em caule subterrâneo (rizomas, tubérculos, bulbos etc.) [F.: *ge(o)-* + *-fito*. Tb.: *geófita*.]

geognosia (ge:og.no.*si*:a) *sf. Ant. Geol.* Ramo da geologia centrado no estudo da parte sólida da Terra [F.: *ge(o)-* + *-gnosia*.]

geografia (ge:o.gra.*fi*.a) *sf.* **1** *Geog.* Estudo científico da Terra, de suas características físicas, climas, solos e vegetações, das relações entre o meio natural e os grupos, da distribuição da vida sobre ela, incluindo a vida humana e os efeitos das atividades do homem **2** O conjunto das características geográficas de uma área (geografia do Pantanal matogrossense) **3** *P.ext.* Estudo da superfície de um satélite ou planeta (geografia da Lua/de Marte) **4** Obra escrita, tratado ou compêndio relativo a essa ciência **5** Sistema de estudos geográficos atinentes a uma área de interesse específica, como geografia humana, geografia econômica, geografia política etc. [F.: Do gr. *geógraphia,as*.] ∎ **~ astronômica** *Astron.* Termo que designava o estudo elementar da astronomia, hoje *astronomia elementar* (ver no verbete *astronomia*) **~ econômica 1** *Econ. Geog.* Ramo da geografia que trata dos recursos naturais do solo e do subsolo e sua distribuição, produção e consumo **2** Ciência que estuda os fatos econômicos e sua inter-relação; geoeconomia **~ física** *Geog.* Estudo do aspecto físico atual da superfície da Terra, suas características e transformações **~ humana** *Geog.* Estudo da presença humana na Terra, das relações (efeitos, influências) entre as atividades humanas e o meio natural; antropogeografia **~ linguística** *Ling.* Campo da dialetologia que estuda variantes locais de uma língua e sua distribuição geográfica **~ política** *Geog. Pol.* Parte da geografia que estuda a influência de fatores geográficos sobre a política e as inter-relação desta com o meio; geopolítica

📖 A geografia é o estudo da Terra em sua superfície, levando em consideração aspectos físicos (a forma, o clima etc.), biológicos (fauna e flora) e humanos (a interação entre o homem e o ambiente em que vive, a distribuição das populações etc.). Os primeiros estudos geográficos (e o nome da ciência) vêm da Grécia, ainda no século III a.C., depois de Roma. Nos séculos XI e XII foram retomados pelos árabes. A partir dos séculos XVIII e XIX a geografia passou a ser estudada e desenvolvida em universidades, novas tecnologias e novos instrumentais deram grande impulso à observação precisa dos fenômenos e consequentes conclusões, propiciando a subdivisão da geografia em setores especializados. Na geografia física, a morfologia (estudo das formas físicas), a climatologia, a oceanografia, a biogeografia etc. Na geografia humana, a demografia, a geografia econômica, a geografia urbana, a geografia política etc.

geógrafo (ge:*ó*.gra.fo) *sm.* Aquele que é especialista em geografia [F.: Do gr. *geográphos, ou*, pelo lat. *geographus, i*.]

geoide (ge:*oi*.de) *a2g.* **1** *Geof.* De forma similar à da Terra (não perfeitamente esférica e sim achatada nos polos) *sm.* **2** Sólido geométrico cuja forma é similar à da Terra [F.: Do gr. *geoeidés, és*, 'semelhante à Terra'.]

geologia (ge:o.lo.*gi*.a) *sf.* **1** *Geol.* Estudo científico da origem, história, estrutura, formação e evolução da Terra **2** Estrutura de uma região específica da superfície terrestre (geologia da Mata Atlântica/do Mar Negro) **3** Obra, tratado ou compêndio dessa ciência [F.: *ge(o)-* + *-logia*.]

geológico (ge:o.*ló*.gi.co) *a. Geol.* Ref., inerente ou pertencente à geologia (mapa geológico) [F.: *geologia* + *-ico*[2].]

geólogo (ge:*ó*.lo.go) *sm.* Aquele que é especialista em geologia [F.: *ge(o)-* + *-logo*.]

geomagnetismo (ge:o.mag.ne.*tis*.mo) *sm. Geof.* Ramo da geofísica que estuda o campo magnético terrestre, sua morfologia, origem e variações [F.: *ge(o)-* + *magnetismo*.]

geomancia (ge:o.man.*ci*.a) *sf.* Adivinhação em que, depois de se jogar ao acaso um punhado de terra sobre mesa, chão ou outra superfície, faz-se a interpretação da mensagem contida nas figuras ali formadas [F.: Do lat. tard. *geomantia, ae*.]

geomante (ge:o.*man*.te) *s2g.* Aquele que pratica a geomancia [F.: *ge(o)-* + *-mante*.]

geomântico (ge:o.*mân*.ti.co) *a.* Relativo a geomancia ou a geomante (revelação geomântica) [F.: *geomante* + *-ico*[2].]

geômetra (ge:*ô*.me.tra) *s2g.* **1** *Geom.* Quem é especialista em geometria **2** *Ant.* Ver *agrimensor* **3** *Zool.* Ver *lagarta-mede-palmos*. [F.: Do gr. *geométres*, pelo lat. *geometra*.]

geometria (ge:o.me.*tri*.a) *sf.* **1** *Mat.* A matemática das propriedades, medida e relações de elementos no espaço, como pontos, linhas, ângulos, superfícies e sólidos (geometria plana, geometria elementar, geometria projetiva) **2** Determinado sistema geométrico (geometria euclidiana) **3** Obra, tratado ou compêndio dessa ciência [F.: Do gr. *geometría, as*, pelo lat. *geometria, ae*.] ∎ **~ analítica** Parte da geometria que estuda as propriedades de elementos e figuras geométricas referindo-os a um sistema de eixos coordenados **~ descritiva** Estudo das propriedades de elementos espaciais e sólidos tridimensionais por suas projeções em dois semiplanos perpendiculares, que após a rotação de um deles se tornam coplanares, para a representação das projeções em duas dimensões (épura) **~ diferencial** Estudo das propriedades de linhas, superfícies e volumes por métodos de análise matemática **~ elementar** Parte da geometria que trata de figuras planas que se podem traçar com régua e compasso, e dos sólidos cujas seções resultam nessas figuras **~ euclidiana** Aquela em que se investigam as propriedades dos elementos geométricos com base nos postulados de Euclides, esp. o quinto (que diz que dada uma linha reta e um ponto fora dela, só existe uma paralela à reta que passa pelo ponto) **~ não euclidiana** Aquela que não tem como válido o quinto postulado de Euclides (ver *Geometria euclidiana*) **~ plana** Parte da geometria que trata de elementos e figuras no plano, bidimensionais **~ projetiva** Parte da geometria que investiga as propriedades das configurações invariantes (que não variam quando há transformação de um sistema) nas operações de projeção **~ riemanniana** Geometria não euclidiana na qual se afirma que não existem linhas paralelas **~ sólida** A que trata das figuras e suas propriedades num espaço euclidiano tridimensional

📖 Como expressa (em grego) o termo, na Antiguidade a geometria se ocupava da medição de terras (no Egito, século IV a.C.). Modernamente, faz parte da matemática, e estuda o espaço, as formas que ele pode conter e as propriedades dessas formas. O primeiro grande organizador da geometria foi o grego Euclides, no século III a.C., daí chamar-se a geometria básica de euclidiana, que identificou as formas espaciais regulares de duas e três dimensões e as fórmulas que relacionavam as medidas de cada uma delas. As figuras de duas dimensões são os polígonos (triângulos, quadrado, retângulo, paralelogramo, trapézio, pentágono etc.), as de três dimensões são os poliedros (tetraedro, cubo, octaedro, prisma etc.), o cilindro, o cone e a esfera. No século XIX surgiu a geometria não euclidiana, que se estende ao estudo de formas matemáticas abstratas.

geométrico (ge:o.*mé*.tri.co) *a.* **1** *Geom. Mat.* Ref., inerente ou pertencente à geometria (progressão geométrica; desenho geométrico) **2** Simétrico, regular [Ant.: *assimétrico, irregular*.] **3** Em que se usam as formas definidas da geometria, retas, quadrados, círculos, semi-círculos etc.: "(...) conheceu o cubismo, estilo que o estimulou a desenvolver um trabalho geométrico (...)" (*O Globo*, 21.08.2005) **4** *Fig.* Preciso, exato (precisão geométrica) [Ant.: *impreciso, inexato*.] [F.: Do gr. *geometrikós, é, ón*, pelo lat. *geometricus, a, um*.]

geometrismo (ge:o.me.*tris*.mo) *sm.* Escola arquitetônica baseada no uso de formas geométricas em fachadas, estruturas etc. [F.: *geométrico* + *-ismo*, seg. o mod. gr.]

geometrista (ge:o.me.*tris*.ta) *a2g.* **1** Diz-se de indivíduo adepto do geometrismo: *Foi um grande criador geometrista.* *s2g.* **2** Esse indivíduo [F.: *geometrismo* + *-ista*, seg. o mod. gr.]

geometrização (ge:o.me.tri.za.*ção*) *sf.* **1** Ação ou resultado de geometrizar: *Naquela década, os prédios cresceram e sofreram uma geometrização irreversível.* **2** Criação artística ou arquitetônica baseada no uso de formas geométricas [Pl.: *-ções*.] [F.: *geometrizar* + *-ção*.]

geometrizar (ge.o.me.tri.*zar*) *v. td.* **1** Representar em termos geométricos **2** Fazer (algo) seguindo os princípios da geometria [▶ 1 **geometrizar**] [F.: *geometria* + *-izar*.]

geomorfia (ge:o.mor.*fi*.a) *sf. Geol.* O mesmo que *geomorfologia* [F.: *ge(o)-* + *-morfia*.]

geomórfico (ge:o.*mór*.fi.co) *a. Geol.* Ref. a *geomorfia*; o mesmo que *geomorfológico* [F.: *geomorfia* + *-ico*[2].]

geomorfogenia (ge:o.mor.fo.ge.*ni*.a) *sf. Geol.* O mesmo que *geomorfologia* [F.: *ge(o)-* + *-morf(o)-* + *-genia*.]

geomorfogênico (ge:o.mor.fo.*gê*.ni.co) *a. Geol.* Ref. a *geomorfogenia*; o mesmo que *geomorfológico* [F.: *geomorfogenia* + *-ico*[2].]

geomorfologia (ge:o.mor.fo.lo.*gi*:a) *sf. Geol.* Ramo da geologia que estuda o relevo terrestre, suas formas, origem e evolução; GEOMORFIA; GEOMORFOGENIA [F.: *ge(o)-* + *morfologia*.]

geomorfológico (ge:o.mor.fo.*ló*.gi.co) *a. Geol.* Relativo ou referente a geomorfologia (fenômeno geomorfológico); GEOMÓRFICO; GEOMORFOGÊNICO [F.: *geomorfologia* + *-ico*[2].]

geomorfólogo (ge:o.mor.*fó*.lo.go) *sm. Geol.* Aquele que é especialista em geomorfologia [F.: *ge(o)-* + *-morf(o)-* + *-logo*.]

geonímia (ge:o.*ní*.mi:a) *sf.* **1** Ramo da onomástica que estuda e classifica os nomes geográficos **2** Listagem de geônimos **3** Teoria sobre geônimos [F.: *ge(o)-* + *-onímia*. Tb. *geonimia*.]

geônimo (ge:*ô*.ni.mo) *sm. Geog.* Designação comum dada aos nomes geográficos (istmo, cabo, continente etc.) [F.: *ge(o)-* + *-ônimo*.]

geopolítica (ge:o.po.*lí*.ti.ca) *sf. Geog. Pol.* Campo de estudo que focaliza a importância da influência de fatores econômicos, geográficos e demográficos sobre a política, esp. nas relações internacionais (geopolítica do subdesenvolvimento); geografia política [F.: *ge(o)-* + *política*.]

geopolítico (ge:o.po.*lí*.ti.co) *a. Geol. Pol.* Ref., inerente ou pertencente à geopolítica (tratado geopolítico; conferência geopolítica) [F.: *ge(o)-* + *político*.]

geoquímica (ge:o.*quí*.mi.ca) *sf.* Ramo da geofísica que investiga a composição química da Terra, incluindo a crosta terrestre, a biosfera, a litosfera, a hidrosfera e a atmosfera [F.: *ge(o)-* + *química*.]

geoquímico (ge:o.*quí*.mi.co) *Geof. a.* **1** Relativo ou referente a geoquímica (fatores geoquímicos) *sm.* **2** Aquele que estuda ou é especialista em geoquímica [F.: *ge(o)-* + *químico*.]

georama (ge:o.*ra*.ma) *sm. Geog.* Representação em relevo da superfície terrestre [F.: *ge(o)-* + *-orama*.]

georgiano[1] (ge:or.gi:*a*.no) *sm.* **1** Indivíduo nascido ou que vive na Geórgia, país do Cáucaso **2** *Gloss.* Idioma falado nesse país *a.* **3** Da Geórgia; típico desse país ou de seu povo **4** *Gloss.* Do ou ref. ao georgiano (2) [F.: Do top. *Geórgia* + *-ano*[1].]

georgiano[2] (ge:or.gi:*a*.no) *sm.* **1** Indivíduo nascido ou que vive na Geórgia, Estados Unidos da América *a.* **2** Da Geórgia; típico desse estado norte-americano, ou de seu povo [F.: Do top *Geórgia* + *-ano*[1].]

georgiano[3] (ge:or.gi:*a*.no) *a.* Ref. aos quatro primeiros reis da Inglaterra, chamados George (Jorge), ou à época de seus reinados [F.: Do antr. *George* + *-ano*[1].]

geosfera (ge:os.*fe*.ra) *sf. Geof.* A parte sólida do globo terrestre, envolvendo litosfera, mesosfera e núcleo terrestre [F.: *ge(o)-* + *-sfera*.]

geossinclinal (ge:os.sin.cli.*nal*) *sm. Geol.* Depressão alongada que se situa nos bordos dos continentes, e cujo fundo se vai dobrando e se elevando com o peso dos sedimentos, formando assim cadeias montanhosas [Pl.: *-nais*.] [F.: *ge(o)-* + *sinclinal*.]

geotecnia (ge:o.tec.*ni*:a) *sf.* **1** Conjunto de conhecimentos e técnicas que possibilitam analisar as características de um terreno onde se vai realizar uma obra; GEOTÉCNICA: "A comissão que investigou as causas do desabamento (...) contou com a colaboração de especialistas em geotecnia (...)" (*O Globo*, 12.04.2005) **2** *Restr.* Estudo das características geológicas de um terreno onde se vai realizar um projeto de construção; GEOTÉCNICA [F.: *ge(o)-* + *-tecnia*.]

geotécnica (ge:o.*téc*.ni.ca) *sf. Geol.* O mesmo que *geotecnia* [F.: *ge(o)-* + *técnica*.]

geotécnico (ge:o.*téc*.ni.co) *Geol. a.* **1** Referente a geotécnica (projeto geotécnico) *sm.* **2** Especialista nas aplicações técnicas da geologia [F.: *ge(o)-* + *técnico*.]

geotecnólogo (ge:o.tec.*nó*.lo.go) *sm. Geol.* Especialista em geotecnia [F.: *ge(o)-* + *tecnólogo*.]

geotermia (ge:o.ter.*mi*:a) *sf.* Ciência que estuda os fenômenos térmicos do interior da Terra [F.: *ge(o)-* + *-termia*.]

geotérmico (ge:o.*tér*.mi.co) *Geof. a.* **1** Ref. a geotermia **2** Ref. ao calor interno do globo terrestre (energia geotérmica) [F.: *geotermia* + *-ico*[2].]

geotermômetro (ge:o.ter.*mô*.me.tro) *sm.* Termômetro que mede as temperaturas do solo em várias profundidades [F.: *ge(o)-* + *termômetro*.]

geotropia (ge:o.tro.*pi*.a) *sf. Biol. Bot.* O mesmo que *geotropismo* [F.: *ge(o)-* + *-tropia*.]

geotrópico (ge:o.*tró*.pi.co) *a. Biol. Bot.* Ref., inerente a ou que apresenta geotropismo [F.: *geotropia* + *-ico*[2].]

geotropismo (ge:o.tro.*pis*.mo) *sm. Biol. Bot.* Propriedade dos organismos vegetais cujas raízes, rizomas e tubérculos crescem para o centro da Terra, por efeito da gravidade; GEOTROPIA [F.: *ge(o)-* + *tropismo*.] ∎ **~ negativo** *Biol. Bot.* Geotropismo típico de órgãos e elementos que crescem contra a gravidade, ou seja, afastando-se da terra, como caules aéreos **~ positivo** *Biol. Bot.* Geotropismo típico de órgãos e elementos que crescem a favor da gravidade, ou seja, em direção à terra

geração (ge.ra.*ção*) *sf.* **1** Ação ou processo de gerar: *geração de filhos; a geração de empregos.* **2** Posição ou grau genealógico numa sequência de filiação direta: *À festa compareceram representantes de três gerações da família.* **3** *Cron.* Conjunto de pessoas da mesma idade ou que nasceram no mesmo período histórico: *O lugar é frequentado por pessoas de diversas gerações; a geração hippie.* **4** Conjunto de descendentes contemporâneos de uma família, pertencentes ao mesmo grau de filiação direta: *a quarta geração dos Albuquerque.* [Ant.: *ascendência*.] **5** Período de tempo (aprox. 25 anos) entre o nascimento de uma pessoa e o nascimento de seus filhos **6** Fase que marca uma mudança no comportamento humano: *a geração dos beatniks* **7** Aquilo que faz algo surgir ou existir (geração de eletricidade) **8** Fase, num conjunto de fases sucessivas, de desenvolvimento tecnológico de certo produto ou técnica ou conhecimento: *É uma câmera de terceira geração* **9** *Geom.* Formação de uma figura geométrica pelo deslocamento imaginário de um ponto, de uma linha ou de um plano [Pl.: *-ções*.] [F.: Do lat. *generatio, onis.* Ideia de 'geração', usar pref. *genea-* e suf. *-genesia, -gonia* e *-gônio.*] ▪▪ **De última ~** Produzido com a mais avançada tecnologia existente: *computadores de última geração.* **~ alternante** *Bot.* A que sucede e se alterna (sexuada e assexuada) a outra no ciclo vital de vários organismos **~ espontânea** *Biol.* Formação de organismo vivo a partir de substâncias e elementos não vivos; abiogênese

geracional (ge.ra.ci:o.*nal*) *a2g.* **1** Ref. a geração **2** Ref. a ou próprio de indivíduos de uma mesma geração (conflito geracional) **3** Ref. a, de, ou próprio de diferentes gerações (nave geracional); que existe entre gerações distintas (fosso geracional) [Pl.: *-nais.*] [F.: *geração* (sob a f. *geracion-*) + *-al*¹, seg. o mod. erudito.]

gerado (ge.*ra*.do) *a.* **1** Que teve seu nascimento ou origem em; CONCEBIDO: *Foi um bebê gerado na guerra.* **2** Que foi originado ou causado por; PRODUZIDO; PROVOCADO [F.: Part. de *gerar.*]

gerador (ge.ra.*dor*) [ô] *a.* **1** Que gera, produz; CRIADOR; PRODUTOR: *É uma medida geradora de protestos.* *sm.* **2** Aquilo ou aquele que gera algo: *O turismo, nos países desenvolvidos, é um grande gerador de empregos.* **3** *Elet. Mec.* Máquina que converte qualquer forma de energia em eletricidade: *Na fazenda, a luz é fornecida por um gerador.* **4** Autor, criador: *Ele é um grande gerador de histórias fantásticas.* [F.: Do lat. *generator,oris.*] ▪▪ **~ de caracteres** *Telv.* Dispositivo eletrônico que gera letreiros para serem (ou não) adicionados a imagem a ser gravada ou transmitida **~ elétrico** *Elet.* Gerador de energia elétrica a partir de energia mecânica; dínamo **~ eletrostático** *Fís.* Gerador de eletricidade eletrostática de voltagem muito elevada

geradora (ge.ra.*do*.ra) [ô] *sf.* **1** Fem. de *gerador* **2** Emissora de rádio ou tevê que detém o direito legal de transmitir programação própria (ou de terceiros) para uma certa região [F.: *gerar* + *-dora.*]

gerais (ge.*rais*) *smpl.* **1** Campos do Planalto Central brasileiro **2** Grandes extensões de campos sem plantações nem moradias **3** *N.E.* No Nordeste brasileiro, áreas desérticas de difícil acesso ▪▪ **Estar nos seus ~** *Bras.* Estar satisfeito; não caber em si de contente

geral (ge.*ral*) *a2g.* **1** Que é comum a todas as pessoas ou coisas de um determinado conjunto: *A deterioração da visão após os quarenta anos é geral.* **2** Que inclui a maioria ou todas as pessoas ou coisas de um conjunto (greve geral) **3** Que não é específico (cultura geral, ideias gerais) **4** Diz-se do responsável por todos os setores de uma instituição, empresa etc. (diretor geral) **5** Que se refere a um título, cargo ou dignidade de hierarquia superior: *Cônsul-geral/ Procurador-geral.* **6** *Jorn.* Diz-se de seção de jornal, revista, folhetim etc., que engloba assuntos não relacionados a editoria específica **7** Que é indefinido, vago, impreciso: *Tinha apenas uma visão geral da história do país.* **8** *Med.* Que tem efeito sobre todo o organismo: *Teve uma hipertrofia geral.* **9** *Lóg.* Diz-se de termo ou conceito que abrange todos ou a maior parte dos objetos que se encontram juntos em uma classe; universal [Superl.: *generalíssimo.*] *sm.* **10** A maior parte, o maior número: *O geral da humanidade vive com poucos recursos.* **11** Aquilo que é normal, comum: *O geral é agradecer os favores recebidos.* **12** O que é comum, convencional, padronizado: *É um talento que se destaca do geral.* **13** *RN* Lugar ocupado por extenso matagal **14** O primeiro chefe ou líder de uma ordem religiosa: *O geral dos dominicanos.* *sf.* **15** Setor em estádios, teatros etc. no qual são cobrados preços mais baixos **16** Público que frequenta esse setor: *A geral vaiou o espetáculo.* **17** Revisão de uma máquina, de um motor, esp. de automóvel: *Resolveu dar uma geral no carro.* **18** *Bras. Pop.* Diligência policial: *A polícia deu uma geral no prédio.* **19** Generalidade, a maior parte, o maior número: *O geral dos homens vive na ignorância.* **20** *Lud.* Rodada em que um dos parceiros faz todas as vazas e o outro ou outros nenhuma **21** *PA* Vento Nordeste na ilha de Marajó e nos estuários dos rios Amazonas e Pará *smpl.* **22** *Bras.* Campos ou terrenos extensos cobertos de mata, densa ou rasteira: "Esses gerais são sem tamanho." (Guimarães Rosa, *Grande sertão: veredas*) **23** *Lus.* Claustros onde funcionam as aulas na Universidade de Coimbra [Pl.: *-rais.* Superl.: *generalíssimo.*] [F.: Do lat. *generalis, e.* Hom./Par.: *gerais* (pl.), *gerais* (fl. *gerar*).] ▪▪ **Dar uma ~** *Bras. Pop.* Fazer uma verificação ou arrumação geral **Em/no ~ 1** Usualmente, quase sempre: *Em geral saem à noite para jantar.* **2** De maneira genérica, sem especificar: *Vou me referir ao assunto em geral; No geral, pode-se dizer que os resultados da empresa foram bons.*

geraldino (ge.ral.*di*.no) *sm. Fut.* Na gíria do futebol, aquele que assiste a jogo nas gerais do estádio [F.: Uso jocoso do nome próprio *Geraldino,* pela suposta presença do elemento *geral-,* aludindo às gerais de um estádio. Cf.: *arquibaldo.*]

geralista¹ (ge.ra.*lis*.ta) *a2g.s2g.* O mesmo que *mineiro*² [F.: Do top. (*Minas*) *Gerais,* sob a f. *geral-,* + *-ista,* seg. o mod. erudito.]

geralista² (ge.ra.*lis*.ta) *a2g.s2g.* O mesmo que *generalista* [F.: *geral* + *-ista.*]

geralista³ (ge.ra.*lis*.ta) *a2g.* **1** Ref. aos gerais **2** Diz-se daquele ou daquela que nasceu ou que vive nos gerais (área geográfica que se estende do Noroeste de Minas, pelo Oeste da Bahia, Goiás, até o Piauí e ao Maranhão, caracterizada por chapadas entrecortadas por veredas) *s2g.* **3** Aquele ou aquela que nasceu ou que vive nos gerais: "Dum geralista roto, ganhamos farinha de buriti, sempre ajudava." (Guimarães Rosa, *Grande sertão veredas*) [F.: De (*campos*) *gerais,* sob a f. sing. *geral,* + *-ista,* seg. o mod. erudito.]

gerânio (ge.*râ*.ni:o) *Bot. sm.* **1** Nome comum às plantas do gên. *Geranium.* da fam. das geraniáceas, nativas de regiões temperadas e de altitude, muito cultivadas como ornamentais, com variedades de diferentes cores **2** Pelargônio [Do lat. *geranion, ii* < gr. *gerániōn;* tax. *Geranium.*]

gerar (ge.*rar*) *v.* **1** Dar existência a ou passar a ter existência; GERMINAR; PROCRIAR [*td.*: *Gerou sempre filhos belos e saudáveis.*] [*int.*: *Belas flores geram-se nos pântanos.*] **2** Dar origem a; PRODUZIR [*td.*: *Essa usina gera eletricidade.*] **3** *P.ext.* Causar, provocar [*td.*: *O gol anulado gerou várias discussões.*] **4** *Ling.* Atribuir (um sistema gramatical) descrição estrutural correta aos enunciados da respectiva língua [*td.*] **5** *Rád. Telv.* Produzir a geração de (sinais, imagens etc.) [*td.*: *Essa radiotransmissora gera um sinal muito potente.*] **6** *Geom.* Produzir (ponto, linha ou plano) a geração (9) de uma figura geométrica com seu deslocamento imaginário: *Um triângulo retângulo gera um cone ao girar tendo um dos catetos como eixo.* [▶ 1 gerar] [F.: Do lat. *generare.* Hom./Par.: *gero* (fl.), *jero* (sm.); *gerais* (fl.), *gerais* (pl. *geral* [a2g.sm.sf.]).]

gerativismo (ge.ra.ti *vis* mo) *Ling.* Teoria linguística de Noam Chomsky (1928-), que equaciona a capacidade humana de se comunicar por meio da língua num sistema de regras universais regidas por processos mecânicos. Tb. *teoria gerativista* [F.: *gerativo* + *-ismo.*]

gerativista (ge.ra.ti.*vis*.ta) *Ling. a2g.* **1** Ref. ao gerativismo, à teoria gerativa *s2g.* **2** Seguidor ou adepto dessa teoria linguística [F.: *gerativo* + *-ista.*]

gerativo (ge.ra.*ti*.vo) *a.* **1** Que gera, que causa (fator gerativo, razão gerativa); PRODUTIVO; GENERATIVO **2** *Gram.* O mesmo que *generativo* [F.: *gerar* + *-tivo.*]

geratriz (ge.ra.*triz*) *sf.* **1** Aquela que gera; GENERATRIZ **2** *Geom.* Reta que gera a superfície de um cone **3** *Geom.* Curva que, movendo-se de certa maneira, gera uma superfície **4** *Est.* Função de uma variável que apresenta vários momentos numa distribuição de probabilidades **5** Que gera (força geratriz) [F.: Do lat. *gener a trix, i cis,* por via popular.]

gerbão (ger.*bão*) *sm. Bot.* Ver *gervão* [Pl.: *-bões.*]

gérbera (*gér*.be.ra) *Bot. sf.* **1** Nome comum às trinta espécies de erva ornamental do gênero *Gerbera,* da fam. das compostas, provida de flores amarelas, púrpuras ou alaranjadas **2** A flor dessa planta [F.: Do lat. cient. *Gerbera,* do antr. (*Traugott*) *Gerber* (1710-1743), naturalista alemão.]

gerbo (*ger*.bo) *sm. Zool.* nome comum dado aos pequenos roedores da fam. dos dipodídeos, encontrados em regiões desérticas do Velho Mundo, e cujas patas traseiras, bem desenvolvidas, são adaptadas para fazê-los saltar como bípedes; RATO-GERBO; RATO-CANGURU; RATO-SALTADOR

gerência (ge.*rên*.ci:a) *sf.* **1** Ação ou resultado de gerir; ADMINISTRAÇÃO; DIREÇÃO; GERENCIAMENTO; GESTÃO; GOVERNO **2** Função ou exercício de gerente (gerência financeira, gerência de material): *Isso não ocorreria na minha gerência.* **3** Sala em que estão instalado o gerente e seus auxiliares: *A gerência da loja fica no segundo andar.* **4** Indivíduo ou conjunto de indivíduos com essa função **5** Lapso de tempo em que alguém foi gerente [F.: *gerente* + *-ia*², seg. o mod. analógico.]

gerenciador (ge.ren.ci:a.*dor*) [ô] *a.* **1** Que gerencia., dirige, administra **2** Aquele ou aquilo que gerencia [F.: *gerenciar* + *-dor.*]

gerencial (ge.ren.ci:*al*) *a2g.* Ref. ou inerente a, ou próprio de gerência ou de gerente (corpo gerencial, experiência gerencial) [Pl.: *-ais.*] [F.: *gerência* + *-al*¹.]

gerenciamento (ge.ren.ci:a.*men*.to) *sm.* Ação ou resultado de gerenciar, dirigir, administrar; GERÊNCIA [F.: *gerenciar* + *-mento.*]

gerenciar (ge.ren.ci.*ar*) *v.* Dirigir, gerir, administrar (uma empresa, um negócio, um serviço etc.) [**t.d.** *Gerenciava com eficiência o departamento de vendas.*] [▶ 1 gerenciar] [F.: *gerência* + *-ar*². Hom./Par.: *gerencia* (fl.), *gerência* (sf.); *gerenciáveis* (fl.), *gerenciáveis* (pl. de *gerenciável* [a2g.]).]

gerenciável (ge.ren.ci:*á*.vel) *a2g.* Passível de ser gerenciado, administrado: "A energia comprada de Itaipu, por exemplo, é classificada como um custo não gerenciável, porque é cotada em dólar." (*O Globo,* 20.08.2002) [Pl.: *-veis.*] [F.: *gerenciar* + *-vel.* Hom./Par.: *gerenciáveis* (pl.), *gerenciáveis* (fl. de *gerenciar*).]

gerente (ge.*ren*.te) *s2g.* **1** Profissional que gere ou administra um negócio (gerente geral; gerente de loja); DIRIGENTE; GESTOR **2** O cargo desse profissional *a2g.* **3** Diz-se desse profissional [F.: Do lat. *gerens, entis,* part. do lat. *gerere,* ou de *gerir* + *-ente.*]

gergelim (ger.ge.*lim*) *sm.* **1** *Bot.* Planta herbácea da fam. das pedaliáceas (*Sesamum orientale*), originária da Ásia e da África, que produz sementes comestíveis das quais se extrai óleo para uso culinário e industrial; SÉSAMO **2** A semente, pequena e achatada, dessa planta; SÉSAMO **3** *Cul.* Iguaria feita com essa semente [Pl.: *-lins.*] [F.: Do. ár. vulg. *gilgilan,* ár. cláss. *gulgulân.*]

geriatra (ge.ri.*a*.tra) *Med. s2g.* **1** Especialista em geriatria *a2g.* **2** Diz-se desse médico [F.: *ger(o)-* + *-iatra.*]

geriatria (ge.ri.a.*tri*.a) *sf. Med.* Parte da medicina que estuda e trata das doenças típicas da terceira idade [F.: *ger(o)-* + *-iatria.*]

geriátrico (ge.ri:*á*.tri.co) *Med. a.* **1** De, ou referente a geriatria **2** Ref. à, ou próprio da velhice ou pessoa anciã (fralda geriátrica) [F.: *geriatria* + *-ico*².]

geringonça (ge.rin.*gon*.ça) *sf.* **1** Algo precário, que não funciona a contento; coisa desajeitada; GERIGONÇA: *Este automóvel é uma geringonça.* **2** *Fig.* Linguagem grosseira; CALÃO; GÍRIA; PALAVRÃO [F.: Do espn. *jerigonza.*]

gerir (ge.*rir*) *v. td.* Ter ou exercer gerência sobre; DIRIGIR; GERENCIAR: *Meu pai vai gerir um novo negócio.* [▶50 gerir] [F.: Do lat. *gerere.* Hom./Par.: *gira* (fl.), *gira* (a2g. s2g. e sf.); *giras* (fl.), *giras* (pl. do a2g. s2g. sf.); *giro* (fl.), *giro* (sm.).]

germânico (ger.*mâ*.ni.co) *a.* **1** Ref., inerente ou pertencente à República Federal da Alemanha, país da Europa; típico desse país ou de seu povo (romance germânico; civilização germânica); ALEMÃO; GERMANO; TEUTÔNICO **2** O mesmo que *germano*¹ (1) **3** *Gloss.* Ref. ou inerente ao ramo linguístico da família indo-europeia que inclui as línguas escandinavas, o alemão, o inglês, o holandês etc. *sm.* **4** Indivíduo nascido ou que vive na República Federal da Alemanha; ALEMÃO; GERMANO; TEUTÔNICO **5** *Etnog.* O mesmo que *germano*¹ (3) **6** Ramo linguístico que inclui as línguas escandinavas, o alemão, o inglês, o holandês etc. [F.: Do lat. *germanicus, a, um,* 'da Germânia'.]

germanidade (ger.ma.ni.*da*.de) *sf. Ant.* Laço de parentesco entre irmãos; IRMANDADE [F.: Do lat. *germanitas, atis,* por via erudita.]

germânio (ger.*mâ*.ni:o) *sm. Quím.* Elemento químico de número atômico 32 [símb. *Ge*], muito us. como semicondutor na manufatura de circuitos transistorizados [F.: Do lat. cient. *germanium,* do lat. medv. *Germania, ae,* atual Alemanha.]

germanismo (ger.ma.*nis*.mo) *sm.* **1** *Gloss. Ling.* Palavra ou enunciado característico da língua alemã **2** Sentimento de adoração e admiração pela cultura e civilização alemãs; TEUTOMANIA **3** Imitação dos hábitos e costumes alemães [F.: *germano*¹ + *-ismo.*]

germanista (ger.ma.*nis*.ta) *a2g.* **1** De alemães ou referente aos alemães (imigração germanista) **2** Relativo a germanismo (visão germanista) **3** O mesmo que *germanófilo* *s2g.* **4** Aquele que é versado em língua, literatura, cultura ou civilização alemãs *s2g.* **5** O mesmo que *germanófilo* [F.: *germano*¹ + *-ista.* Sin.ger.: *alemanista.*]

germanística (ger.ma.*nís*.ti.ca) *sf.* Conjunto de disciplinas sobre a cultura e a civilização dos povos germânicos: "Ingressa na Universidade de Viena para cursar filosofia, germanística, línguas e literatura neolatinas." (*O Globo,* 23.01.1999) [F.: *germanista* + *-ica.*]

germanização (ger.ma.ni.za.*ção*) *sf.* Ação ou resultado de germanizar(-se); aquisição de características, hábitos, estilo, caráter etc. próprios da Alemanha ou dos alemães; ALEMANIZAÇÃO: *Essa germanização do futebol brasileiro não pode virar regra.* [Pl.: *-ções.*] [F.: *germanizar* + *-ção.*]

germanizar (ger.ma.ni.*zar*) *v. td.* Dar ou adquirir feição, caráter, estilo germânico: *Alemães germanizaram território asiático; Foi para a Alemanha e logo germanizou-se.* [▶ 1 germanizar] [F.: *germano*¹ + *-izar.*]

germano¹ (ger.*ma*.no) *a.* **1** *Etnog.* Ref., inerente a ou próprio da antiga Germânia (região da Europa central); típico dessa região ou do povo que a habitava; GERMÂNICO **2** O mesmo que *germânico* (1) *sm.* **3** *Etnog.* Indivíduo dos germanos, povo da antiga Germânia; GERMÂNICO **4** O mesmo que *germânico* (4) [F.: Do lat. *Germani, orum* (tomado no sing.).]

germano² (ger.*ma*.no) *a.* **1** Diz-se de irmão que tem o mesmo pai e a mesma mãe; LEGÍTIMO **2** *Fig.* Que não se adulterou; PURO; GENUÍNO; VERDADEIRO *sm.* **3** Irmão procedente do mesmo pai e da mesma mãe [F.: Do lat. *germanus, a, um.*]

germanofilia (ger.ma.no.fi.*li*:a) *sf.* Apego ou admiração pela Alemanha, pelas pessoas ou coisas de origem alemã [F.: *germano*¹ + *-filia.*]

germanófilo (ger.ma.*nó*.fi.lo) *a.* **1** Diz-se de indivíduo que é admirador, amigo ou estudioso da Alemanha, de seu povo e de sua cultura; GERMANISTA **2** Próprio desse indivíduo *sm.* **3** Esse indivíduo; GERMANISTA [F.: *germano*¹ + *-filo*¹.]

germanófono (ger.ma.*nó*.fo.no) *a.* **1** Que fala alemão, tendo o alemão como língua materna ou dominante (plateia germanófona) *sm.* **2** Indivíduo germanófono (1) [F.: *germano*¹ + *-fono.*]

germe (*ger*.me) *sm.* **1** *Biol.* Começo do desenvolvimento de um organismo **2** O princípio de alguma coisa; CAUSA; ORIGEM **3** Estado primitivo, rudimentar, de qualquer coisa **4** *Bot.* Organismo rudimentar formado no interior de uma semente; EMBRIÃO; GÊMULA **5** *P.ext.* Microrganismo que pode provocar uma doença [F.: Do lat. *germen, inis.* Tb. *gérmen.*]

gérmen (*gér*.men) *sm.* Ver *germe* [Pl.: *-mens* e (*p.us.*) *-menes.*]

◎ **germ(i)-** *el. comp.* = 'germe': *germicida; germíparo* [F.: Do lat. *germen, inis.*]

germicida (ger.mi.*ci*.da) *Farm. a2g.* **1** Diz-se de substância, produto etc. capaz de exterminar germes *sm.* **2** Substância ou agente físico capaz de exterminar germes [F.: *germ(i)-* + *-cida.*]

germinação (ger.mi.na.*ção*) *sf.* **1** Ação ou resultado de germinar **2** *Biol.* Desenvolvimento de uma semente ou de um esporo **3** *Fig.* Desenvolvimento, evolução: *a germinação de uma teoria.* [Pl.: *-ções.*] [F.: Do lat. *germinatio, onis.*]

germinador (ger.mi.na.*dor*) [ô] *a.* **1** Que germina ou faz germinar, brotar (processo germinador) **2** Diz-se de aparelho que mede a capacidade germinativa das sementes *sm.* **3** Aquele ou aquilo que germina ou faz germinar **4** Aparelho germinador (2) [F.: *germinar* + *-dor.*]

germinal (ger.mi.*nal*) *a2g.* **1** Ref. a germe **2** *Biol.* Ref. às células reprodutivas dos seres vivos **3** Que germina ou faz germinar, germinante; que se encontra em estágio inicial de desenvolvimento: "Ao romper dos dias germinais da primavera!" (Bulhão Pato, *Sob os ciprestes*) [Pl.: *-nais.*] [F.: *germin(i)-* + *-al*¹.]

germinante (ger.mi.*nan*.te) *a2g.* Que germina, faz germinar ou está em processo de germinação (semente germinante) [F.: Do lat. *germinans, antis.*]

germinar (ger.mi.*nar*) *v.* **1** Começar (bulbos, sementes, tubérculos etc.) a desenvolver-se, lançando broto, rebento etc.; BROTAR; DESABROCHAR [*int.*: *A semente germinou.*] **2** *Fig.* Crescer, desenvolver-se, evoluir [*int.*: *O amor não pode germinar nesse ambiente de hostilidades.*] **3** *Fig.* Gerar, produzir, causar [*td.*: *A proibição germinou um movimento de revolta.*] [▶ 1 germinar] [F.: Do lat. *germinare.* Hom./Par.: *germinais* (fl.), *germinais* (pl. de *germinal*).]

germinativo (ger.mi.na.*ti*.vo) *a.* **1** Que germina; GERMINANTE **2** Em que há germinação **3** Ref. ou inerente à germinação [F.: *germinar* + *-tivo.*]

◎ **germin(i)-** *el. comp.* Ver *germ(i)-*

germíniparo (ger.mi.*ní*.pa.ro) *a.* Que se reproduz por meio de germes [F.: *germin(i)-* + *-paro.*]

◎ **-gero** *el. comp.* = 'que traz'; 'que tem, contém ou possui'; 'que produz': *alígero* (< lat.), *armígero* (< lat.), *belígero* (< lat.), *calorígero, cilígero, cornígero* (< lat.), *crucígero, dentígero, famígero* (< lat.), *frutígero, ignígero, lanígero* (< lat.), *morbígero, ovígero, prolígero, sedígero* [F.: Do lat. *-ger, -gera, -gerum*, do v.lat. *gerere*, 'trazer'; 'andar com'; 'ter consigo'; 'criar'; 'produzir'.]

◎ **ger(o)-** *el. comp.* = 'velho', 'ancião'; 'senil'; 'velhice'; 'envelhecimento': *geriatra, geriatria, gerodermia; gerôntico* (< gr.), *gerontocracia, gerontogene, gerontofilia, gerontologia* [F.: Do gr. *géron, gérontos*, 'ancião', 'velho'; 'senador, em Esparta'.]

gerodermia (ge.ro.der.*mi*.a) *sf. Med.* Distrofia da pele que consiste em ficar prematuramente seca, flácida e enrugada, o que pode resultar em aparência precocemente envelhecida de indivíduos ainda moços [F.: *ger(o)-* + *-dermia.*]

geronte (ge.*ron*.te) *sm. Hist. Pol.* Entre os gregos antigos, ancião membro da gerúsia [F.: Do gr. *géron, gérontos*, 'ancião'; 'senador, em Esparta'.]

gerôntico (ge.*rôn*.ti.co) *a.* **1** Que está na fase senil (ancião gerôntico) **2** Ref. a, ou próprio de indivíduo ancião (idade gerôntica) [F.: Do gr. *gerontikós, é, ón.*]

◎ **geront(o)-** *el. comp.* Ver *ger(o)-*

gerontocracia (ge.ron.to.cra.*ci*.a) *sf.* **1** *Pol.* Governo ou sistema político baseado na autoridade dos anciãos **2** *Soc.* Grupo social em que a dominação é exercida por anciãos [F.: *geront(o)-* + *-cracia.*]

gerontocrata (ge.ron.to.*cra*.ta) *s2g.* Membro ou partidário da gerontocracia [F.: *geront(o)-* + *-crata.*]

gerontocrático (ge.ron.to.*crá*.ti.co) *a. Pol. Soc.* Ref., inerente a ou próprio da gerontocracia ou dos gerontocratas (sistema gerontocrático; dinastia gerontocrática) [F.: *gerontocrata* + *-ico*².]

gerontofilia (ge.ron.to.fi.*li*.a) *sf. Psiq.* Atração sexual mórbida por idosos [F.: *geront(o)-* + *-filia*¹.]

gerontófilo (ge.ron.*tó*.fi.lo) *Psiq. a.* **1** Diz-se de indivíduo que tem gerontofilia *sm.* **2** Esse indivíduo [F.: *geront(o)-* + *-filo*¹.]

gerontogene (ge.ron.to.*ge*.ne) *sm. Gen.* Gene que é responsável pelo envelhecimento [F.: *geront(o)-* + *gene.*]

gerontologia (ge.ron.to.lo.*gi*.a) *sf.* **1** *Med.* Estudo ou tratado acerca da velhice e/ou dos velhos **2** Ciência que estuda todos os processos e fenômenos clínicos, fisiológicos, psicológicos e sociais relacionados ao envelhecimento do ser humano [F.: *geront(o)-* + *-logia.*]

gerontologista (ge.ron.to.lo.*gis*.ta) *s2g.* **1** Especialista em gerontologia; GERONTÓLOGO *a2g.* **2** Diz-se desse especialista [F.: *gerontologia* + *-ista.*]

gerontólogo (ge.ron.*tó*.lo.go) *sm.* O mesmo que *gerontologista* (1) [F.: *geront(o)-* + *-logo.*]

gerundial (ge.run.di:*al*) *a2g. Gram.* Ref. ao gerúndio; com verbo no gerúndio (oração gerundial) [Pl.: *-ais.*] [F.: *gerúndio* + *-al*¹.]

gerúndio (ge.*rún*.di:o) *sm.* **1** *Gram. Ling.* Forma nominal do verbo, formada pelo sufixo *-ndo* (p.ex., falando, correndo, dormindo, estando, sendo, pondo, saindo) **2** Forma verbal que pode valer como oração que descreve circunstância em relação a uma ação (ex.: Terminando de almoçar, saio com você.), ou, com verbo auxiliar, uma ação em curso (ex.: Estava dormindo quando o filho chegou.) [F.: Do lat. *gerundium, ii.*]

gerundivo (ge.run.*di*.vo) *sm.* **1** *Gram.* Forma latina de gerúndio que exprime uma ação que ainda será realizada ou que está por se realizar; particípio passivo futuro **2** Forma nominal derivada de verbo, por analogia com o gerundivo (1) (p.ex.: *doutorando, formando*) [F.: Do lat. *gerundivus* (*modus*).]

gerúsia (ge.*rú*.si:a) *sf. Hist. Pol.* Na Grécia Antiga, especialmente em Esparta, senado ou conselho permanente de anciãos, composto de 28 gerontes e dois reis [F.: Do gr. *gerousía, as*, pelo lat. *gerusia, ae.*]

gervão (ger.*vão*) *sm. Bot.* Nome comum a diversas plantas da fam. das verbenáceas, muitas nativas do Brasil, cultivadas como ornamentais, forrageiras ou medicinais [Pl.: *-vões.*] [F.: Do lat. *hierabotane* ou *hierobotane,es.* Tb. *gerbão.*]

gessado (ges.*sa*.do) *a.* **1** Que se gessou; que foi envolvido com gesso; ENGESSADO **2** Que contém ou é feito de gesso [F.: Part. de *gessar.*]

gessar (ges.*sar*) *v. td.* **1** Revestir com cobertura de gesso para criar base para a pintura: "Em se caiando, gessando, embarreando uma pessoa, já finge muro..." (Castilho, *Noite S. João III*) **2** Engessar (2): *Foi preciso gessar o pé do menino.* [▶ 1 gessar] [F.: *gesso* + *-ar*². Hom./Par.: *gesso* (fl.), *gesso* [ê] (sm.).]

gesseiro (ges.*sei*.ro) *sm.* Operário especialista no trabalho com gesso [F.: *gesso* + *-eiro.*]

gesso (*ges*.so) [ê] *sm.* **1** O mesmo que *gipsita* **2** Massa ou pó branco, feitos de gipsita esmagada e calcinada em tratamento térmico, que se tornam, com a adição de água, temporariamente moldáveis, adquirindo forma definitiva minutos após (conforme, é claro, o tratamento aplicado) [É utilizado, entre outras coisas, como revestimento de paredes (tetos e estruturas similares) e, também, na produção de imobilizantes para o tratamento de fraturas, de moldes dentários e de peças decorativas e ornamentais.] **3** Qualquer objeto ou adorno feito de gesso **4** *Med.* Aparelho gessado com o qual se tratam fraturas [F.: Do lat. *gypsum, i*, do gr. *gýpsos, ou.*] ▪ **~ de estuque** Sulfato de cálcio sem água, que se obtém submetendo a gipsita a calcinação total **~ de Paris** Gesso com teor baixo de matéria inerte, bom para moldar e para estuque [Obtém-se de gipsita parcialmente calcinada, de modo que resta meia molécula de água para cada molécula de sulfato de cálcio.]

gesta¹ (*ges*.ta) [é] *sf.* **1** Feito heroico, seja real ou lendário; FAÇANHA **2** *Mús. Poét.* Canção com texto poético que celebra tais feitos: *canções de gesta eram típicas da poesia medieval galega.* [F.: Do fr. *geste* < lat. cláss. *gesta, orum.*]

gesta² (*ges*.ta) [é] *sf. Bot.* Ver *giesta*

gestação (ges.ta.*ção*) *sf.* **1** Ação ou resultado de gestar **2** O mesmo que *gravidez* **3** *Fig.* A elaboração, preparação ou produção de algo; o tempo de sua duração, o período no qual isso ocorre: *O projeto já está em gestação; A gestação do livro levou anos.* [Pl.: *-ções.*] [F.: Do lat. *gestatio, onis.*]

gestacional (ges.ta.ci:o.*nal*) *a2g.* Da, relativo à ou próprio da gestação (saco gestacional; idade gestacional): "A diabetes gestacional ocorre em algumas mulheres durante a gravidez (...)" (*O Globo*, 17.07.2005) [Pl.: *-nais.*] [F.: *gestação* (sob a f. *gestacion* -) + *-al*¹, seg. o mod. erudito.]

gestado (ges.*ta*.do) *a.* **1** Que se concebeu; GERADO: "Nada mais lógico, portanto, que o filho gestado venha de um óvulo escolhido e programado." (*O Globo*, 27.10.1999) **2** Que se elaborou; CRIADO: "(...) um clássico, que foi gestado durante toda a vida do autor e publicado só após seu falecimento." (*O Globo*, 05.02.2005) [F.: Part. de *gestar.*]

⊕ ***gestalt*** (*Al./guestalt/*) *sf.* **1** *Psi.* Teoria que considera os fenômenos psicológicos como configurações, isto é, conjuntos organizados, interligados e indivisíveis, de forma que a percepção de cada elemento e do conjunto depende da estrutura desse conjunto e das leis que o regem **2** *Art. Pl.* Conceito de que a expressividade emocional ou estética de uma obra de arte não resulta de uma interpretação do espectador, ou de um impacto criado pelo artista, mas é inerente à forma, e dela indivisível [Em discurso formal, pode-se usar maiúsc. e o pl. alemão *Gestalten.*] [F.: Do al. *Gestalt*, 'forma'; o conceito teórico foi criado por Max Wertheimer (1880-1943), Kurt Kofka (1886-1941) e Wolfgang Köhler (1887-1967), psicólogos alemães.]

gestaltiano (ges.tal.ti:*a*.no) [gues] *a. Psic.* Ref., pertencente ou inerente a *Gestalt* (teoria gestaltiana) [F.: Do al. *Gestalt* (ver) + *-iano.*]

gestáltico (ges.*tál*.ti.co) [gues] *a.* **1** Ref. a *gestalt* ou ao gestaltismo **2** Que se apresenta ou é percebido segundo os conceitos da *gestalt* [F.: *gestalt* + *-ico*².]

gestaltismo (ges.tal.*tis*.mo) [gues] *sm. Psic.* Teoria psicológica que trata os fenômenos como conjuntos formadores de unidades autônomas, providas de solidariedade interna e de leis próprias; TEORIA DA FORMA [F.: Do al. *Gestalt* (ver) + *-ismo.*]

gestaltista (ges.tal.*tis*.ta) [gues] *a2g.* **1** Ref. a *gestalt*; o mesmo que *gestáltico* *s2g.* **2** Pessoa adepta do gestaltismo [F.: *gestalt* + *-ista.*]

gestante (ges.*tan*.te) *a2g.* **1** *Biol. Zool.* Que leva em si o fruto da concepção, o embrião **2** Que está em gestação *sf.* **3** Mulher grávida; *Pop.* PRENHE [F.: Do lat. *gestans, antis*, part. pres. do v.lat. *gestare*, 'levar', 'trazer', 'carregar'.]

gestão (ges.*tão*) *sf.* **1** Ação ou resultado de gerir; ADMINISTRAÇÃO; GERÊNCIA: *Sua gestão como prefeito foi muito tumultuada; Medidas para melhorar a gestão da empresa.* **2** O período que dura essa ação [Pl.: *-tões.*] [F.: Do lat. *gestio, onis.*] ▪ **~ de negócios** *Jur.* Administração não oficial de negócio alheio, sem representação formal **~ social** *Jur.* Período durante o qual alguém administra negócio, sociedade, empresa etc. por delegação de outros sócios

gestapo (*Al./guestapo/*) *sf.* Nome da polícia secreta alemã na época do nazismo [Inicial ger. maiúsc.] [F.: De **Ge**heime **Sta**ats **po**lizei, 'Polícia Secreta do Estado'.]

gestar (ges.*tar*) *v.* **1** Dar existência a (outro ser) no interior do próprio corpo; conceber [*td.*: *A mulher gestou gêmeos.*] [*int.*: *Estava preparada para gestar.*] **2** *Fig.* Criar, elaborar, conceber (intelectual ou materialmente) [*td.*: *Foi no exílio que ele gestou a maior parte de sua obra.*] [▶ 1 gestar] [F.: Do lat. *gestare*, 'levar', 'carregar consigo'. Hom./Par.: *gesto* (fl.), *gesto* (sm.).]

gestatório (ges.ta.*tó*.ri:o) *a.* **1** Ref., inerente a, ou próprio da gestação (período gestatório) **2** Que pode ser levado, carregado, transportado, ou que pode levar, carregar, transportar (suporte gestatório; cadeira gestatória) [F.: Do lat. *gestatorius, a, um.*]

gesticulação (ges.ti.cu.la.*ção*) *sf.* **1** Ação ou resultado de gesticular **2** Conjunto de gestos das mãos e dos braços e de expressões faciais de que se vale o orador para prender a atenção da audiência ou para enfatizar ou valorizar seu discurso: *A voz do orador é agradável, mas a gesticulação é exagerada.* [Pl.: *-ções.*] [F.: Do lat. *gesticulatio, onis.*]

gesticulante (ges.ti.cu.*lan*.te) *a2g.* Que gesticula: *O nervosismo a deixava mais gesticulante ainda.* [F.: *gesticular* + *-nte.*]

gesticular (ges.ti.cu.*lar*) *v.* **1** Mexer partes do corpo, esp. as mãos e os braços, como modo de expressão; fazer gesto(s) [*int.*: *Enquanto falava, gesticulava sem parar.*] **2** Exprimir através de gestos, de mímica; ACENAR [*td.*: *Gesticulou um adeus.*] [*int.*: *Não disse nada, apenas gesticulou.*] [▶ 1 gesticular] [F.: Do lat. * *gesticulare*, por *gesticulari.*]

gesto (*ges*.to) [é] *sm.* **1** Modo de se expressar utilizando movimento ou postura das mãos, dos braços ou de outras partes do corpo, para substituir ou complementar ou enfatizar a fala; GESTICULAÇÃO; MÍMICA: *Ela fez um gesto de despedida.* **2** O mesmo que *gesticulação* (1) **3** Manifestação de um sentimento por meio de expressão facial ou das mãos (gesto de desaprovação); EXPRESSÃO; GESTICULAÇÃO: *Expulsou os intrusos com um gesto de indignação.* **4** Maneira de proceder ou agir; ato ou atitude, ger. louváveis; ATITUDE: *Convidar o inimigo foi um gesto de benevolência; Ainda estou esperando um gesto da parte dela.* [F.: Do lat. *gestus, us.*]

gestor (ges.*tor*) [ô] *P.us. sm.* **1** Aquele que administra, gerencia negócios de outrem; ADMINISTRADOR: "No segundo caso, o novo gestor paga ao quisqueiro R$ 50 mil no ato e mais um aluguel mensal (...)" (*O Globo*, 16.10.2005) *a.* **2** Que administra, gerencia (conselho gestor) [F.: Do lat. *gestor, oris.*]

gestual (ges.tu.*al*) *a2g.* **1** Ref. a gesto **2** Que se faz por meio de gestos (comunicação gestual) [Pl.: *-ais.*] *sm.* **3** Gestualidade [Pl.: *-ais.*] [F.: *gesto* + *-ual.*]

gestualidade (ges.tu:a.li.*da*.de) *sf.* **1** Maneira pela qual alguém se expressa por meio de gestos: "Tem a ver com a própria gestualidade, com a forma como as pessoas se movem, falam (...)" (*O Globo*, 03.07.2004) **2** Repertório dos gestos (de uma pessoa, de uma coreografia etc.): *A gestualidade do espetáculo foi surpreendente.* [F.: *gestual* + *-(i)dade.* Sin. ger.: *gestual.*]

gestualismo (ges.tu:a.*lis*.mo) *sm. Art.pl.* Termo que designa um conceito e uma escola de pintura nos quais o eixo não é a pintura, o quadro pronto, mas a ação do pintor, o gesto do pintor, em sua espontaneidade [Corresponde ao termo original, em inglês, *action painting*, que surgiu nos E.U.A. na década de 1940.] [F.: *gestual* + *-ismo.*]

gestualista (ges.tu:a.*lis*.ta) *a2g.* **1** Ref. ao gestualismo (abordagem gestualista) **2** Diz-se de método de educação de surdos que acompanha o ensino da linguagem oral com um sistema estruturado de gestos **3** Diz-se de indivíduo adepto do gestualismo *s2g.* **4** Esse indivíduo [F.: *gestual* + *-ista.*]

gestualização (ges.tu:a.li.za.*ção*) *sf.* Ação ou resultado de gestualizar; ato de fazer gestos ou de se exprimir por meio de gestos [Pl.: *-ções.*] [F.: *gestualizar* + *-ção.*]

gestualizar (ges.tu:a.li.*zar*) *v.* **1** Transformar (sentimento, conceito, ideia etc.) em gesto; expressar por gestos [*td.*] **2** Gesticular [*int.*] [▶ 1 gestualizar] [F.: *gestual* + *-izar.*]

getuliano (ge.tu.li:*a*.no) *a.* **1** Do ou ref. ao político e estadista Getúlio Vargas (1883-1954), ou próprio dele (período getuliano) **2** Getulista (2) *sm.* **3** Getulista (3) [F.: Do antr. *Getúlio* (*Dornelles Vargas*), presidente e governante do Brasil de 1930 a 1945 e de 1951 a 1954, + *-ano*¹.]

getulismo (ge.tu.*lis*.mo) *Hist. Pol. sm.* **1** Movimento político-social, no Brasil, cujo mentor e líder foi Getúlio Vargas (1883-1954) **2** Atitude e comportamento político de apoio a Getúlio Vargas, suas ideias e seu governo **3** Os princípios de governo e a consequente ação política e social de Getúlio Vargas **4** Período em que Getúlio Vargas dominou a cena política brasileira [em 1930-45 e em 1951-54.] [F.: Do antr. *Getúlio* (*Dornelles Vargas*) + *-ismo.*]

getulista (ge.tu.*lis*.ta) *Hist. Pol. a2g.* **1** Ref. ou inerente ao getulismo **2** Diz-se do que é partidário do getulismo (facção getulista; político getulista); GETULIANO *s2g.* **3** Indivíduo ou agrupamento partidário ou simpatizante do getulismo; GETULIANO [F.: Do antr. *Getúlio* (*Dornelles Vargas*) + *-ista.*]

◎ **-geusia** *el. comp.* = 'gosto'; 'paladar'; 'irregularidade do sentido ou faculdade gustativa': *cacogeusia, hipergeusia, hipogeusia, oxigeusia, parageusia.* [F.: Do gr. *géusis, eos*, 'ação de provar, saborear'; 'sabor'; 'gosto', + *-ia*¹.]

⊠ **GeV** *Fís.* Símb. de *gigaelétron-volt*

⊠ **gf** *P.us. Fís.* Símb. de *grama-força*

⊕ ***ghost-writer*** (*Ing./gowst raiter/*) *s2g.* Aquele que escreve, anonimamente e por encomenda, obra ou texto cuja autoria será assumida por outra pessoa: "Figueiredo, que não gostava de discursar, tinha como ghost-writer o (...) professor Leitão de Abreu, um homem erudito cujos termos não combinavam com o jeito rude do então presidente." (*O Globo*, 29.06.2003) [Pl.: *ghost-writers.*] [F.: Do ing. *ghost*, 'fantasma', + *writer*, 'escritor'.]

⊠ **GHz** *Fís. Met.* Símb. de *giga-hertz*

giárdia (gi.*ár*.di:a) *sf. Bac.* Denominação comum aos protozoários do gên. *Giardia* (p. ex., *Giardia lamblia*), parasitas do intestino humano [F.: Do lat. cient. gên. *Giardia.*]

giardíase (gi:ar.*dí*.a.se) *sf. Med. Pat.* Infecção intestinal que provoca forte diarreia, causada pelo parasita flagelado *Giardia lamblia* (tb. conhecida como *Giardia intestinalis,*

Giardia duodenalis ou como *Lamblia intestinalis*) [F.: Do tax. *Giardia* + *-íase*.]

giardicida (gi:ar.di.*ci*.da) ***a2g.*** **1** Que tem a propriedade de eliminar o parasita giárdia (ação giardicida) ***sm.*** **2** Substância ou agente que elimina giárdia [F.: *giárdi(a)* + *-cida*.]

giba (*gi*.ba) ***sf.*** **1** Qualquer saliência ou proeminência em forma de corcova no tronco do homem ou de animal; BOSSA; CORCOVA; CORCUNDA **2** *Mar.* Vela triangular localizada na proa do navio **3** Pau onde é amurada essa vela **4** Cada uma das duas fases intermediárias da Lua, entre um dos quartos e a lua nova [F.: Do lat. *gibba,ae*.]

gibão[1] (gi.*bão*) ***sm.*** **1** *Bras.* Casaco de couro us. por vaqueiros **2** Casaco curto us. sobre a camisa **3** Veste masculina antiga, que ia do pescoço à cintura e se usava por baixo do paletó [Pl.: *-bões*.] [F.: Do it. ant. *gippone*.]

gibão[2] (gi.*bão*) ***sm.*** *Zool.* Nome comum dado aos macacos do gên. *Hylobates*, da fam. dos hilobatídeos, encontrados nas florestas tropicais da Ásia e Indonésia, caracterizados pelos braços muito longos, us. na locomoção arborícola e pela ausência de cauda [Espécie ameaçada de extinção.] [Pl.: *-bões*.] [F.: Do fr. *gibbon*.]

gibelino (gi.be.*li*.no) *Hist.* ***sm.*** **1** Na Itália medieval, indivíduo partidário da supremacia dos imperadores germânicos que estavam em luta contra o poder papal ***a.*** **2** Diz-se desse partidário [F.: Do it. *ghibellino*. Cf.: *guelfo*.]

giberélico (gi.be.*ré*.li.co) *Quím.* ***a.*** **1** Diz-se de ácido cristalino, branco, encontrado como hormônio nas plantas e us. para estimular o crescimento das folhas e ramos ($C_{19}H_{22}O_6$) ***sm.*** **2** Esse ácido [F.: *giberel(ina)* + *-ico*[2].]

giberelina (gi.be.re.*li*.na) ***sf.*** *Bioq.* Qualquer das giberelinas (como o ácido giberélico), hormônios de crescimento presentes em vegetais,cujo desenvolvimento regulam; são metabólitos do fungo *Gibberella fujikuroi* [F.: Do lat. cient. *Gibberella* + *-ina*[2].]

gibi (gi.*bi*) *Bras.* ***sm.*** **1** *Pop.* Nome dado às revistas em quadrinhos, ger. infanto-juvenis: *Muitos leram gibi quando crianças e jovens.* **2** *Gír.* Menino negro; NEGRINHO [F.: De or. obsc.] ■ **Não estar no ~** *Bras. Pop.* Ser fora do comum, extraordinário: *O talento dela não está no gibi.*

gibiteca (gi.bi.*te*.ca) ***sf.*** Local onde ficam guardados, ordenados ou colecionados gibis [F.: *gibi* + *-teca*.]

gibosidade (gi.bo.si.*da*.de) ***sf.*** **1** O mesmo que *corcunda* **2** *P.ext.* Proeminência, saliência [F.: *giboso* + *-(i)dade*.]

giboso (gi.*bo*.so) [ô] ***a.*** **1** Que tem giba; CORCUNDA **2** *P.ext.* Que tem uma ou mais excrescências convexas, arredondadas, em forma de giba **3** *Astr.* Diz-se de astro sem luz própria **4** *Bot.* Diz-se de órgão vegetal com uma ou várias gibas [Fem. e pl.: [ó].] ***sm.*** **5** Indivíduo com giba [Pl.: [ó]. Fem.: [ó].] [F.: Do lat. *gibbosus, a, um*.]

gibraltarino (gi.bral.ta.*ri*.no) ***sm.*** **1** Indivíduo nascido ou que vive em Gibraltar (território da Inglaterra junto ao estreito de Gibraltar) ***a.*** **2** De Gibraltar; típico desse território ou de seu povo [F.: Do top. *Gibraltar* + *-ino*[1].]

gibreiro (gi.*brei*.ro) ***sm.*** *PA* Trabalhador braçal [F.: De or. obscura.]

giclagem (gi.*cla*.gem) ***sf.*** *Aut.* Medida para a abertura do giclê do carburador [Pl.: *-gens*.] [F.: *giglê* + *-agem*[2].]

giclê (gi.*clê*) ***sm.*** *Mec.* Peça geralmente em forma de parafuso ou encaixe que serve para dosar a passagem do combustível no carburador [F.: Do fr. *gicleur*.]

giesta (gi:*es*.ta) ***sf.*** **1** *Bot.* Nome comum a vários arbustos da fam. das leguminosas, subfam. *papilionoídea*, como p.ex., *Genista tinctoria*, originário da Europa e Oeste da Ásia, cultivado como ornamental, medicinal e esp. para extração de tintura amarela das flores; GESTA **2** *Bot.* Nome comum a várias espécies dessa subfamília, gên. *Cytisus*, cuja ramagem é usada na fabricação de vassouras [F.: Do lat. *genista*.]

◎ **giga-** ***pref.*** **1** = '10^9 ou mil milhões de vezes maior': *gigahertz, gigâmetro* **2** *Inf.* = '2^{30} vezes maior': *gigabyte* [1 GB = 230 bytes.] [F.: Convenção do SI (Sistema Internacional de Unidades), a partir do gr. *gígas, gígantos*, 'gigante'; ver *gigant(o)-*.]

giga[1] (*gi*.ga) ***sf.*** **1** Vaso de madeira redondo, baixo e largo **2** Cesta de vime, larga e de pouca altura **3** Parte saliente da sola de um calçado [F.: De or. obsc.]

giga[2] (*gi*.ga) ***sf.*** **1** *Dnç.* Antiga dança inglesa do séc. XVI, muito popular na época elisabetana **2** *Dnç.* Antiga dança italiana dos sécs. XVII e XVIII **3** *Mús.* Instrumento de cordas medieval, cuja forma é similar à do bandolim [F.: Do fr. *gigue*.]

giga[3] (*gi*.ga) ***sm.*** *Inf.* F. red. de *gigabyte*: *Meu disco rígido tem 40 gigas de memória; Tenho um de dois gigas.* [Vê-se, entre profissionais da área, o uso do substv. como sm2n.: *dois giga*.]

⊕ **gigabit** (gi.ga.*bit*) (*Ing./gigabit/*) ***sm.*** *Inf.* Unidade de medida de informação que equivale a um bilhão de bits, ou mil megabits [Símb.: *Gb*]

⊕ **gigabyte** (*Ing. /gigabait/*) ***sm.*** *Inf.* Unidade de medida que equivale a 1.073.741.824 *bytes* [Para alguns programas de computador um gigabyte equivale a 1.024 megabytes.] [Símb.: *GB*]

giga-hertz (gi.ga- *hertz*) ***sm2n.*** *Fís.* Unidade de frequência que equivale a um bilhão de hertz ou 10^9 Hz [Símb.: *GHz*] [F.: *giga-* + *hertz*.]

gigâmetro (gi.*gâ*.me.tro) ***sm.*** Um bilhão de metros [F.: *giga-* + *-metro*.]

gigantão (gi.gan.*tão*) ***sm.*** *MG SP Etnog.* Cada um dos bonecos tradicionais de tamanho descomunal (João Paulino, Maria Angu etc.) que, animados por uma pessoa em seu interior, desfilam em festejos de rua entre o Natal e o carnaval [Pl.: *-tões*.] [F.: *gigante* + *-ão*[1].]

gigante (gi.*gan*.te) ***sm.*** **1** *Mit.* Ser de estatura imensa, comum em relatos mitológicos e na literatura fantástica ou infantil; TITÃ **2** *Fig.* Homem ou animal de estatura elevada e/ou muito corpulento: *os gigantes do basquete.* [Ant.: *anão, pigmeu*.] **3** *Fig.* Indivíduo que sobressai no desempenho de uma atividade ou profissão (gigante da literatura, gigante do teatro) **4** *Fig.* Organização ou empreendimento grande e de muito poder: *os gigantes da indústria.* **5** *Arq. Cons.* Pilar, viga, ger. de alvenaria ou cimento, que serve de esteio, suporte para um muro, uma abóbada, um barranco etc.; CONTRAFORTE **6** *Bot.* Certa planta ornamental, das cactáceas; o mesmo que *bico-de-papagaio* (3) [Fem.: *giganta*] ***a2g.*** **7** Que é muito grande ou superior aos demais (tubarão gigante) [F.: Do gr. *gígas, antos*, pelo lat. *gigas, antis*.]

gigantear (gi.gan.te.*ar*) ***v.*** Tornar(-se) gigante; fazer crescer ou crescer muito; AGIGANTAR [*td.*] [*int.*] [▶ 13 gigantear] [F.: *gigante* + *-ear*[2].]

gigantesco (gi.gan.*tes*.co) [ê] ***a.*** **1** Que tem estatura, tamanho ou volume exagerados (bolsa gigantesca) [Ant.: *minúsculo, pequeno*.] **2** *Fig.* De proporções grandiosas; ASSOMBROSO; EXTRAORDINÁRIO: *Temos um trabalho gigantesco pela frente.* [F.: Do it. *gigantesco*.]

gigantismo (gi.gan.*tis*.mo) ***sm.*** **1** Crescimento anormal de qualquer ser vivo (gigantismo vegetal; gigantismo animal) [Ant.: *nanismo*.] **2** *P.ext.* Desenvolvimento ou crescimento extraordinário, exagerado (de empresa, cidade, população etc.) [F.: *gigante* + *-ismo*.]

◎ **gigant(o)-** ***el. comp.*** = 'gigante'; 'de tamanho descomunal': *gigantismo; gigantócito, gigantografia* [F.: Do gr. *gígas, gígantos*. Ver *giga-*.]

gigantócito (gi.gan.*tó*.ci.to) ***sm.*** *Biol.* Célula gigante com vários núcleos [F.: *gigant(o)-* + *-cito*.]

gigantografia (gi.gan.to.gra.*fi*.a) ***sf.*** **1** História de gigantes **2** Reprodução de imagens em grandes formatos **3** Criação ou colocação de painéis com esse tipo de reprodução [F.: *gigant(o)-* + *-grafia*.]

gigoga (gi.*go*.ga) [ó] *Bot.* ***sf.*** **1** Denom. comum a várias ervas da fam. das ninfeáceas, us. ger. como ornamentais ***sf.*** **2** Planta (*Nymphaea alba*) da fam. das ninfeáceas, ornamental e medicinal, tb. denominada *gólfão-branco* **3** Planta aquática (*Eichhornia crassipes*), da fam. das pontederiáceas, nativa da América do Sul [Tipicamente de água doce, sua extraordinária capacidade de propagação (a razão de uma tonelada a cada dez metros quadrados por dia) em meio favorável (água com matéria orgânica, luminosidade, calor etc.) pode torná-la uma praga; estudos indicam, entretanto, que, dentro de um plano de manejo, a *Eichhornia crassipes* pode ser usada como filtro para o nitrogênio e o fósforo encontrados no esgoto.] [F.: De orig. obsc.]

gigolotagem (gi.go.lo.*ta*.gem) ***sf.*** Ação, procedimento, conduta ou vida de gigolô: "Estimuladas pela indústria da gigolotagem, elas pensam grande, têm programa na TV, trocam de namorado no ritmo da moda (...)" (*O Globo*, 12.03.1999) [Pl.: *-gens*.] [F.: *gigolô* + *-t-* + *-agem*[2].]

gigolete (gi.go.*le*.te) ***sf.*** **1** Prostituta, esp. a que se liga a um gigolô: "Gigolete: Mulher de vida, prostituta." (*O Globo*, 05.11.2000) **2** *CE* Ornato de cabeça em forma de arco; TIARA; TRAVESSA; ARCO: "Todas vão estar de tiara, menos nós! – Vamos de "gigolete"– decreta tia Norma." (*O Globo*, 20.10.1997) [F.: Do fr. *gigolette*.]

gigolô (gi.go.*lô*) ***sm.*** **1** Homem que é sustentado por prostituta ou amante; CAFETÃO; CÁFTEN; RUFIÃO; CAFIFA **2** *P.ext.* Indivíduo que vive às custas de outra pessoa [F.: Do fr. *gigolo*, f. deduzida do fr. *gigolette*.]

gilê (gi.*lê*) ***sm.*** *Vest.* O mesmo que *colete* [F.: Do fr. *gilet*.]

gilete (gi.*le*.te) [é] ***sf.*** **1** Lâmina de barbear: "Faz a barba em casa, à navalha – nada de gilete" (Aurélio Buarque de Holanda, *Dois mundos*) ***sf.*** **2** Aparelho que sustenta essa lâmina no ângulo apropriado: "um tronco de cajueiro onde prender o espelho à altura do rosto, para o desbaste da gilete..." (Gastão Cruls, *A Amazônia que eu vi*) ***s2g.*** **3** *Bras Tabu.* Aquele que se relaciona sexualmente tanto com homens quanto com mulheres **4** *Bras. Pej.* Motorista ruim [F.: Do ing. *gillette*, marca reg. a partir do antr. (*King Camp*) *Gillette* (1855-1932), inventor da lâmina.]

gília (*gí*.li:a) *Bot.* ***sf.*** **1** Denom. comum às plantas do gênero *Gilia*, da família das polemoniáceas que reúne cerca de 25 espécies nativas da América do Norte, sendo algumas ornamentais **2** *Restr.* Planta (*Gilia tricolor*) ornamental nativa da Califórnia, de flores tricolores (amarelo, púrpura e lilás) e levemente perfumadas [F.: Do lat. cient. *Gilia*, do antr. (*Felipe*) *Gil*, botânico espanhol do séc. XIX.]

gilvaz (gil.*vaz*) ***sm.*** **1** Golpe ou ferimento no rosto **2** Cicatriz provocada por um ferimento no rosto [F.: De or. obsc.]

gim ***sm.*** **1** Aguardente preparada com cereais (cevada, trigo, aveia) e zimbro; GENEBRA: "de noite, ao pé de um antro obsceno, cai sobre a lama, inerte, um bêbado de gim" (Guerra Junqueiro, *A velhice do Padre Eterno*) **2** *Fer.* Instrumento para arquear os trilhos das ferrovias [Pl.: *gins*.] [F.: Na acp. 1: Do ing. *gin*, abrev. do ing. *geneva*. Na acp. 2: Do ing. *gin* < fr. ant. *engin*.]

gimnanto (gim.*nan*.to) ***a.*** *Bot.* Diz-se da planta cujas flores não têm invólucro [F.: *gimn(o)-* + *-anto*.]

◎ **gimn(o)-** ***el. comp.*** = 'nu', 'despido'; *P.ext.* 'destituído'; 'desprovido': *gimnanto, gimnocarpo, gimnocaule, gimnodermo, gimnofobia, gimnopédia* (< gr.) [F.: Do gr. *gymnós, é, ón*.]

gimnocarpo (gim.no.*car*.po) ***a.*** **1** *Bot.* Diz-se de fruto que não apresenta brácteas ou outro envoltório protetor **2** *Micol. Bot.* Diz-se de fungo ou líquen cujos órgãos que abrigam os esporos (apotécios) são abertos [F.: Do gr. *gymnokárpos, on*.]

gimnocaule (gim.no.*cau*.le) ***a2g.*** *Bot.* Diz-se da planta cujo caule é desguarnecido de folhas [F.: *gimn(o)-* + *-caule*.]

gimnocéfalo (gim.no.*cé*.fa.lo) ***a.*** *Zool.* Diz-se de animal cuja cabeça é nua, sem penas, pelos ou escamas

gimnodermo (gim.no.*der*.mo) ***a.*** *Anat. Zool.* Diz-se do animal que apresenta a pele nua, sem pelos nem penas [F.: *gimn(o)-* + *-dermo*.]

gimnofobia (gim.no.fo.*bi*.a) ***sf.*** *Psiq.* Repulsa, medo, ou aversão ao nu [F.: *gimn(o)-* + *-fobia*. Hom./Par.: *gimnofobia* (sf.), *ginofobia* (sf.).]

gimnofóbico (gim.no.*fó*.bi.co) *Psiq.* ***a.*** **1** Ref. à ou próprio da gimnofobia (sintoma gimnofóbico) **2** Diz-se de indivíduo que apresenta gimnofobia; GIMNÓFOBO ***sm.*** **3** Esse indivíduo; GIMNÓFOBO [F.: *gimnofobia* + *-ico*[2]. Hom./Par.: *gimnofóbico* (a. sm.), *ginofóbico* (a. sm.).]

gimnófobo (gim.*nó*.fo.bo) ***a.sm.*** *Psiq.* O mesmo que *gimnofóbico* (2 e 3) [F.: *gimn(o)-* + *-fobo*. Hom./Par.: *gimnófobo* (a. sm.), *ginófobo* (a. sm.).]

gimnopédia (gim.no.*pé*.di:a) ***sf.*** **1** Antiga festa anual espartana em que dois grupos nus de meninos e de homens casados faziam exercícios físicos, dançavam e cantavam hinos, em homenagem aos guerreiros mortos na ilha de Tireia ***sf.*** **2** A dança dessa festa em louvor ao deus Apolo [F.: Do gr. *gymnopedía, as*.]

gimnosofia (gim.no.so.*f* i.a) ***sf.*** Doutrina comportamental dos gimnosofistas, seita hindu ascética praticante do nudismo [F.: *gimn(o)-* + *-sofia*.]

gimnosofismo (gim.no.so.*fis*.mo) ***sm.*** O mesmo que *gimnosofia* [F.: *gimnosofia* + *-ismo*.]

gimnosofista (gim.no.so.*fis*.ta) ***a2g.*** **1** Relativo a gimnosofia ou ao gimnosofismo (doutrina gimnosofista) **2** Diz-se de indivíduo que integrava antiga seita hindu calcada no ascetismo, na prática da meditação e no nudismo ***s2g.*** **3** Esse indivíduo [F.: Do gr. *gymnosophistaí, ôn*, 'filósofos indianos que viviam nus' (tomado no sing.).]

gimnosperma (gim.nos.*per*.ma) ***sf.*** *Bot.* Espécime das gimnospermas, subdivisão do reino vegetal que reúne plantas com sementes expostas, sem a proteção de um carpelo ou de um pericarpo, comuns em climas temperados, como, p.ex., as coníferas [F.: Adaptç. do tax. *Gymnospermae*. Tb. *gimnospermo*.]

gimnospermo *Bot.* ***sm.*** Ver *gimnosperma*

ginandria (gi.nan.*dri*.a) ***sf.*** **1** *Biol.* O mesmo que *hermafroditismo* (1) **2** *Bot.* Característica das plantas ou flores cujos estames ficam soldados ao pistilo, como nas orquídeas **3** *Med.* O mesmo que *ginandrismo* [F.: *gin(o)-* + *-andria*.]

ginândrico (gi.*nân*.dri.co) ***a.*** **1** Relativo ou próprio a *ginandria* ou *ginandrismo* **2** *Biol.* O mesmo que *hermafrodita* **3** *Bot.* O mesmo que *ginandro* [F.: *ginandro* + *-ico*[2].]

ginandrismo (gi.nan.*dris*.mo) ***sm.*** *Biol. Med.* Anormalidade em que um mesmo indivíduo apresenta caracteres secundários masculinos e femininos, com a predominância dos femininos; GINANDRIA [F.: *gin(o)-* + *-andr(o)-* + *-ismo*.]

ginandro (gi.*nan*.dro) ***a.*** **1** *Bot.* Diz-se de planta cujas flores têm estames soldados ao pistilo (ex.: orquídeas, aristolóquias) **2** Que tem ao mesmo tempo órgãos reprodutores masculino e feminino, ou cujos caracteres sexuais secundários são ao mesmo tempo masculinos e femininos; ANDRÓGINO; HERMAFRODITA ***s2g.*** **3** Quem é ginandro (2), hermafrodita [F.: Do gr. *gynandrós* 'de sexo dúbio'.]

ginandroide (gi.nan.*droi*.de) ***a2g.*** *Biol. Med.* Que apresenta ginandrismo [F.: *ginandro* + *-oide*.]

ginantropo (gi.nan.*tro*.po) [ô] ***sm.*** *Biol.* Hermafrodita em que predominam as características femininas [F.: *gin(o)-* + *-antropo*.]

ginarquia (gi.nar.*qui*.a) ***sf.*** *Zool.* Forma de organização, entre insetos sociais, em que as fêmeas exercem papel preponderante na colônia [F.: *gin(o)-* + *-arquia*.]

ginasial (gi.na.si.*al*) ***a2g.*** **1** Ref. a ginásio **2** *Antq. Pedag.* Antiga denominação, no Brasil, do ensino de primeiro grau, da 5ª à 8ª série [Pl.: *-ais*.] ***sm.*** **3** *Antq. Pedag.* O curso composto pelas quatro últimas séries do ensino fundamental (da 5ª à 8ª); GINÁSIO [F.: *ginásio-* + *-al*[1].]

ginasiano (gi.na.si:*a*.no) ***sm.*** **1** *Bras. Antq. Pedag.* Aluno do curso ginasial ***a.*** **2** *Bras. Pej.* Diz-se de escrita, fala ou comportamento pouco expressivo, insuficiente ou elementar (escrita ginasiana, texto ginasiano) [F.: *ginásio-* + *-ano*[1].]

ginásio (gi.*ná*.si:o) ***sm.*** **1** Na Grécia antiga, local destinado aos exercícios físicos e ao ensino **2** Local destinado à prática da ginástica, de atividades esportivas, de lazer **3** Grande recinto, ger. fechado, composto de uma quadra esportiva e de arquibancadas para o público, onde se realizam competições de esportes com o vôlei, o basquete, o futsal, ou espetáculos artísticos etc. **4** *Bras. Antq. Pedag.* O mesmo que *ginasial* (3) **5** *Ant.* Estabelecimento escolar dedicado ao ensino fundamental [F.: Do gr. *gymnásion*, pelo lat. *gymnasi um*.]

ginasta (gi.*nas*.ta) ***a2g.*** **1** *Esp.* Diz-se de quem pratica, profissionalmente ou não, ou que tem habilidade em exercícios de ginástica ***s2g.*** **2** *Esp.* Instrutor de ginástica **3** *Esp.* Aquele que pratica a ginástica, como profissional ou amador **4** *Esp.* Aquele que revela habilidade ou destreza nos exercícios de ginástica **5** Artista de circo que apresenta exercícios de força e destreza [F.: Do gr. *gymnastés, oû*.]

ginástica (gi.*nás*.ti.ca) *sf.* **1** *Esp.* Técnica ou arte que visa dar força, tonicidade e agilidade ao corpo por meio de exercícios específicos (ginástica olímpica; ginástica rítmica) **2** *Esp.* Conjunto de exercícios físicos sistematizados, realizados no solo ou com auxílio de aparelhos **3** *Esp.* Aula em que esses exercícios são praticados **4** *Fig. Pop.* Esforço físico, moral, intelectual ou econômico para se atingir determinado objetivo: *Faz uma ginástica para pagar todas as contas.* [F.: Do gr. *gymnastiké (tékhne)*, 'arte da ginástica'.] ■ **~ aeróbica** Tipo de exercício que estimula as funções respiratória e circulatória, com alto consumo de oxigênio [Tb. apenas *aeróbica*.] **~ artística** *Esp.* Modalidade de ginástica olímpica praticada por homens e mulheres em aparelhos; ginástica olímpica [Ver achega enciclopédica ao fim do verbete.] **~ corretiva** Tipo de ginástica que visa à correção de defeitos de postura do corpo **~ olímpica** *Esp.* Ver *Ginástica artística* **~ rítmica** *Esp.* Modalidade olímpica de ginástica, praticada por mulheres, na qual se misturam coreografia e malabarismos, ao som de música [Ver achega enciclopédica ao fim do verbete.] **~ sueca** Sistema de ginástica criado na Suécia no séc. XIX, no qual se organizavam os exercícios de acordo com diferentes fins: melhora da postura corporal e da flexibilidade, melhora da estética, fortalecimento dos músculos e das articulações etc.

📖 A ginástica era cultivada pelos gregos antigos, mas só a partir do século XVIII começou a ganhar a forma e as regras que a definem como esporte, e regulamentada a partir de 1881, com a criação da Federação Internacional de Ginástica. Contemporaneamente é um dos mais representativos esportes olímpicos em suas várias modalidades. As masculinas são: exercícios de solo, argolas, barras paralelas, barra fixa, cavalo com alças e cavalo sem alças. As femininas: exercícios de solo, barras assimétricas, cavalo sem alças, trave de equilíbrio e ginástica rítmica (com bolas, maças, arcos, cordas e fitas).

ginástico (gi.*nás*.ti.co) *Esp. a.* **1** De ou relativo a ginástica (movimento ginástico) **2** Que pratica ginástica: *O acrobata é um artista ginástico.* [F.: Do gr. *gymnastikós, é, ón*, pelo lat. *gymnasticus, a, um.*]

gincana (gin.*ca*.na) *sf.* **1** Competição entre equipes, ger. motorizadas, que devem cumprir determinadas tarefas com rapidez e habilidade, sagrando-se vencedora a que realizá-las em menor tempo (gincana automobilística, gincana universitária) **2** *Pext.* Competição, individual ou em equipe, de caráter predominantemente intelectual, em que os participantes devem responder a perguntas e cumprir tarefas previamente estabelecidas, saindo vencedor aquele que obtiver o maior número de pontos [F.: Do hindi *gendkhá na*, pelo ing. *gymkhana*.]

gincgo (*gin*.cgo) *sm. Bot.* Ver *ginkgo*

ginco (*gin*.co) *sm. Bot.* Ver *ginkgo*

gineceu (gi.ne.*ceu*) *sm.* **1** *Bot.* Órgão feminino das flores, formado pela superposição de ovário, estilete e estigma **2** Na Grécia antiga, a parte da habitação destinada às mulheres **3** Na Idade Média, local onde trabalhavam as servas ou vassalas, sob a direção de uma "senhora" [F.: Do gr. *gynaikeíos,on*, pelo lat. *gynaec e um,i.*]

◎ **gineco-** *el. comp.* = 'mulher'; 'da mulher'; 'corpo feminino'; 'órgãos reprodutivos e genitais femininos': *ginecocracia* (< gr.), *ginecofobia, ginecologia, ginecomania* (< gr.), *ginecoplastia* [F.: Do gr. *gynaiko* < gr. *gyné, gynaikós*, 'mulher' (por oposição ao homem). F. conexas: *gin(o)-* e *-ginia.*]

ginecocracia (gi.ne.co.cra.*ci*.a) *sf.* **1** Governo exercido por mulher(es) **2** Predominância de mulheres na administração pública [F.: Do gr. *gynaikokratía, as.*]

ginecocrata (gi.ne.co.*cra*.ta) *s2g.* **1** Indivíduo adepto da ginecocracia *a2g.* **2** Diz-se desse indivíduo [F.: *gineco-* + *-crata.* Tb. *ginecócrata.*]

ginecocrático (gi.ne.co.*crá*.ti.co) *a.* Ref. ou pertencente a ginecocracia (política ginecocrática) [F.: *ginecocrata* + *-ico*².]

ginecofobia (gi.ne.co.fo.*bi*.a) *sf. Psiq.* Medo doentio ou aversão patológica às mulheres; GINOFOBIA [F.: *gineco-* + *-fobia.*]

ginecofóbico (gi.ne.co.*fó*.bi.co) *Psiq. a.* **1** Ref., inerente ou próprio de ginecofobia (sintoma ginecofóbico) **2** Diz-se de indivíduo que sofre de ginecofobia (paciente ginecofóbico); GINECÓFOBO; GINÓFOBO *sm.* **3** Esse indivíduo; GINECÓFOBO; GINÓFOBO [F.: *ginecofobia* + *-ico*². Sin. ger.: *ginofóbico.*]

ginecófobo (gi.ne.*có*.fo.bo) *a. sm. Psiq.* O mesmo que *ginecofóbico* (2 e 3) [F.: *gineco-* + *-fobo.*]

ginecologia (gi.ne.co.lo.*gi*.a) *sf. Med.* Parte da medicina que estuda a fisiologia e a patologia do corpo feminino e trata das doenças específicas das mulheres, esp. as do aparelho genital [F.: *gineco-* + *-logia.* Hom./Par.: *ginecologia* (sf.), *genecologia* (sf.).]

ginecológico (gi.ne.co.*ló*.gi.co) *a. Med.* Ref. à ou próprio da ginecologia (exame ginecológico) [F.: *ginecologia* + *-ico*². Hom./Par.: *ginecológico* (a.), *genecológico* (a.).]

ginecologista (gi.ne.co.lo.*gis*.ta) *Med. s2g.* **1** Médico especializado no estudo e na prática da ginecologia; GINECÓLOGO *a2g.* **2** Diz-se desse especialista [F.: *ginecologia* + *-ista.*]

ginecólogo (gi.ne.*có*.lo.go) *sm. Med.* O mesmo que *ginecologista* (1) [F.: *gineco-* + *-logo.*]

ginecomania (gi.ne.co.ma.*ni*.a) *sf. Psiq.* O mesmo que *satiríase* [F.: Do gr. *gynaikomanía, as.*]

ginecomaníaco (gi.ne.co.ma.*ní*.a.co) *Psiq. a.* **1** Relativo a ginecomania (impulso ginecomaníaco) **2** Diz-se de indivíduo que sofre de ginecomania; GINECÔMANO *sm.* **3** Esse indivíduo; GINECÔMANO [F.: *ginecoman(ia)* + *-íaco.*]

ginecômano (gi.ne.*cô*.ma.no) *a. sm. Psiq.* O mesmo que *ginecomaníaco* (2 e 3) [F.: Do gr. *gynaikomanés, és*, 'que tem desejo e paixão incontroláveis pelas mulheres'.]

ginecomastia (gi.ne.co.mas.*ti*.a) *sf. Med.* Hipertrofia das glândulas mamárias no homem, causada por medicamentos ou por distúrbios hormonais [F.: *gineco-* + *-mastia.*]

ginecoplastia (gi.ne.co.plas.*ti*.a) *sf. Cir. Med.* Intervenção cirúrgica reparadora dos órgãos genitais femininos [F.: *gineco-* + *-plastia.*]

ginete (gi.*ne*.te) [ê] *sm.* **1** *Hip.* Cavalo de boa raça, bem adestrado: "Via-se em campo, a defrontar com as hostes castelhanas, com seus milhares de ginetes." (Xavier Marques, *Pindorama*) **2** *S.* Cavalo novo, dado a corcovear **3** *S.* Cavaleiro hábil, firme de rédea **4** *N.E.* Sela rústica, us. pelos vaqueiros do sertão **5** *Bras. Turfe* Profissional que monta cavalo de corridas; JÓQUEI **6** *Ant.* Cavaleiro guerreiro, cujas armas eram a lança e a adaga [F.: Do ár.vulg. *zenêti*, 'indivíduo dos zenetas', berberes famosos por sua cavalaria ligeira.]

ginga (*gin*.ga) *sf.* **1** *Bras.* Modo característico de movimentar o corpo que pode denotar sensualidade, malícia, destreza etc.; ação de andar ou mover-se requebrando; GINGADO; REQUEBRO; MENEIO **2** *Bras. Cap.* Movimento corporal us. para iludir o adversário e aplicar golpes **3** *Fut.* Movimento ligeiro com os quadris e/ou com as pernas que o jogador de futebol faz para iludir e driblar o adversário **4** *Mar.* Remo localizado na popa da embarcação para movimentá-la em zigue-zague **5** *Bras.* Nos antigos engenhos de açúcar, caneco provido de cabo para levar o caldo de um tacho para outro [F.: Dev. de *gingar.* Hom./Par.: *ginga* (sf.), *ginja* (sf.).]

gingação (gin.ga.*ção*) *sf.* Ação ou resultado de gingar; GINGA [F.: *gingar* + *-ção.*]

gingada (gin.*ga*.da) *sf.* Ação ou efeito de gingar; GINGAÇÃO; GINGA [F.: *gingar* + *-ada*¹.]

gingado (gin.*ga*.do) *a.* **1** Que ginga, que é marcado pela ginga, pelo requebro (andar gingado) *sm.* **2** *Bras.* Andar bamboleante ou requebrado; movimento do corpo; GINGA [F.: Part. de *gingar.*]

gingante (gin.*gan*.te) *a2g.* Que anda ou se movimenta gingando, bamboleando; BAMBOLEANTE: "(...) as rudes mãos sardentas, a calça ordinária preta e listrada, o andar gingante e pesado (...)" (*O Globo*, 20.07.1998) [F.: *gingar* + *-nte.*]

gingar (gin.*gar*) *v.* **1** Bambolear (o corpo e os membros) de um lado para o outro, ao dançar ou andar; REQUEBRAR [*td.*: *Gingava as cadeiras no embalo de um ritmo caribenho.*] [*int.*: *Ginga até mesmo quando caminha pela rua.*] **2** *Pext.* Balançar-se, agitar-se [*int.*: *Tocada pelo vento, a antena gingava.*] **3** *Fig.* Recusar-se com desdém a satisfazer um pedido [*int.*: *Quando pedi dinheiro emprestado, o homem gingou negativamente.*] **4** *Fut.* Fazer gingas, movimentar o corpo para driblar ou enganar jogador adversário [*td.*: *Gingava o corpo e enganava o zagueiro.*] [*int.*: *Para a bola e ginga diante do adversário.*] **5** *Mar.* Remar com um só remo [*int.*] [▶ **14** gingar] [F.: Do port. ant. *gingrar*, de or. obsc. Hom./Par.: *ginga* (fl.), *ginga* (sf.); *gingas* (fl.), *ginga* (pl. do sf.); *gingo* (fl.), *gingo* (sm.).]

⊕ **ginger ale** (*Ing./djindjer eil*) *loc.subst.* Refrigerante doce e gasoso feito à base de extrato de gengibre [F.: Do ing. *ginger*, 'gengibre', + ing. *ale*, 'cerveja clara'.]

◎ **-ginia** *el. comp.* = '(sentimento em relação a) mulher': *filoginia* (< gr.), *misoginia* (< gr.) [F.: Do gr. *-gynías, as*, conexo com o gr. *gyné, gynaikós*, 'mulher'; ver *gin(o)-* e *gineco-*.]

ginja (*gin*.ja) *sf.* **1** *Bot.* Fruto da ginjeira **2** Bebida feita de ginja *s2g.* **3** Indivíduo magro e envelhecido **4** *Bras.* Indivíduo idoso que se prende a velhos hábitos **5** *Bras. Pej.* Indivíduo obcecado por dinheiro; AVARENTO [F.: De or. obsc. Hom./Par.: *ginga* (sf.).]

ginjeira (gin.*jei*.ra) *sf. Bot.* Árvore da fam. das rosáceas (*Prunus cerasus*), de copa arredondada, flores brancas e fruto comestível, conhecido como ginja, semelhante à cereja, de sabor agridoce ou ácido, us. em doces, refrescos e bebidas; CEREJEIRA [F.: *ginja* + *-eira.*]

ginkgo (*gink*.go) *sm. Bot.* Árvore nativa da China oriental (*Gynkgo biloba*), espécie única da fam. das ginkgoáceas, de folhas flabeliformes decíduas, com dois lobos (por vezes mais) no ápice, e grandes sementes carnosas no exterior, muito cultivada para extração de óleos e substâncias medicinais (com função nutricional e antioxidante), pode chegar a viver mil anos [F.: Do lat.cient. *Gynkgo*, transcrição do jap. *gynkyo*, de *gyn*, 'prata', e *kyo*, 'damasco'.]

ginkgoácea (gink.go.*á*.ce:a) *sf.* Espécime das ginkgoáceas, fam. de plantas nativas da China, com uma única espécie, o *Gynkgo biloba* (ver *ginkgo*) [F.: Adaptç. do lat.cient. *Gynkgoaceae.*]

ginkgoáceo (gink.go.*á*.ce:o) *a. Bot.* Ref. ou pertencente às ginkgoáceas [F.: De *ginkgoácea*, com var. suf; ver *-áceo.*]

◎ **-gino** *el. comp.* Ver *gin(o)-*

◎ **gin(o)-** *el. comp.* = 'mulher'; 'elemento feminino'; 'órgão feminino ou reprodutivo; ovário'; (Bot.) 'gineceu', 'pistilo', 'estilete', 'estigma', 'carpelo', 'sépala': *ginandria, ginandrismo, ginantropo, ginarquia* (< gr.); *andrógino* (< gr.), *misógino* (< gr.); *dodecágino, eneágino, exógino, gimnógino, isógino* [F.: Do gr. *gyné, gynaikós*, 'mulher' (em oposição ao homem). F. conexas: *gineco-* e *-ginia.*]

ginofobia (gi.no.fo.*bi*.a) *sf. Psiq.* O mesmo que *ginecofobia* [F.: *gin(o)-* + *-fobia.* Hom./Par.: *ginofobia* (sf.), *gimnofobia* (sf.).]

ginofóbico (gi.no.*fó*.bi.co) *a.sm. Psiq.* O mesmo que *ginecofóbico* [F.: *ginofobia* + *-ico*².]

ginófobo (gi.*nó*.fo.bo) *a. sm. Psiq.* O mesmo que *ginecofóbico* (2 e 3) [F.: *gin(o)-* + *-fobo.*]

ginogenético (gi.no.ge.*né*.ti.co) *a. Gen.* Diz-se da espécie cujo ovo se constitui apenas do código genético feminino [F.: *gin(o)-* + *genético.*]

ginseng (gin.*seng*) *sm.* **1** *Bot.* Nome comum às ervas do gên. *Panax*, da fam. das araliáceas, nativas do Leste da Ásia e da América do Norte, de rizomas e raízes grossos, aromáticos, e com uso medicinal **2** Rizoma ou raiz seca dessas plantas, com vários usos medicinais, como o controle da pressão sanguínea, do nível de colesterol no sangue, afrodisíaco e fortificante ou estimulante **3** *Med.* Medicamento, em cápsulas, preparado com raiz de ginseng [F.: Do chin. g *ên-shên* ou g *in-san*, pelo ing.]

gípseo (*gíp*.se:o) *a.* Que é feito de gesso (suporte gípseo; abóboda gípsea) [F.: Do lat. *gypseus, a, um.*]

gipsífero (gip.*sí*.fe.ro) *a.* Que contém gesso (minério gipsífero) [F.: *gips(o)-* + *-fero.*]

gipsita (gip.*si*.ta) *sf. Min.* Sulfato de cálcio monoclínico hidratado, incolor ou branco; GESSO: *uma grande jazida de gipsita.* [F.: *gips(o)-* + *-ita*¹.]

◎ **gips(o)-** *el. comp.* = 'gesso': *gípseo* (< lat.), *gipsífero, gipsita; gipsófila* (< lat. cient.), *gipsografia* [F.: Do gr. *gýpsos, ou*, pelo lat. *gypsum, i.*]

gipsófila (gip.*só*.fi.la) *Bot. sf.* **1** Nome comum às plantas do gênero *Gypsophila*, da fam. das cariofiláceas, bem adaptadas em solos calcáreos, com suas 150 espécies de flores pequenas, ger. cultivadas como ornamentais **2** *Restr.* Planta ornamental (*Gypsophila paniculata*) cujas flores brancas são muito pequenas e tubulosas; CRAVO-DE-AMOR [F.: Do lat. cient. *Gypsophila.*]

gipsografia (gip.so.gra.*fi*:a) *sf.* **1** *Art.pl.* Processo de gravura no qual a estampa é impressa em molde de gesso entalhado **2** Gravura obtida por esse processo [F.: *gips(o)-* + *grafia.*]

gir *a2g.s2g.* **1** Diz-se de ou certa raça de boi zebu *s2g.* **2** O boi dessa raça

gira (*gi*.ra) *sf.* **1** Passeio curto; GIRO *a2g.* **2** *Pop.* Diz-se de quem é doido ou age como tal *s2g.* **3** *Pop.* Indivíduo louco, maluco: "Quando eles viram a curiosidade geral, entenderam dar voz à multidão e começou a surriada: Ó gira! Ó gira!" (Machado de Assis, *Quincas Borba*) [F.: Dev. de *girar.* Hom./Par.: *gira* (sf.), *gira* (fl. de *girar*).]

giração (gi.ra.*ção*) *sf.* **1** Ação ou resultado de girar **2** Movimento circular, giratório [Pl.: *-ções.*] [F.: *girar* + *-ção.*]

girada (gi.*ra*.da) *sf.* Movimento em círculos, em torno de si mesmo ou de algo: *Ficou tonta com as giradas da valsa.* [F.: *girar* + *-ada*¹.]

girador (gi.ra.*dor*) [ô] *a.* **1** Que gira ou faz girar (mecanismo girador) *sm.* **2** Aquilo que gira ou faz girar **3** *S* Estrado móvel que permite ao trem ou locomotiva fazer a manobra de retorno; VIRADOR [F.: *girar* + *-dor.*]

giradouro (gi.ra.*dou*.ro) *sm. N.E.* Em ruas, estradas etc., disposição das vias (em círculo, com viadutos, desvios etc.) que permite o retorno de veículos ou desvios em várias direções, sem cruzamento; ROTATÓRIA; TREVO [F.: *girar* + *-douro.*]

girafa (gi.*ra*.fa) *sf.* **1** *Zool.* Gênero-tipo de mamíferos ruminantes africanos e nome de sua espécie única (*Giraffa camelopardalis*), da fam. dos girafídeos, animal dotado de pernas e pescoço muito longos, o que faz com que atinja 5m ou mais de altura **2** *Bras. Pop.* Pessoa alta e/ou de pescoço muito comprido **3** *Bras. Cin. Telv.* Haste de metal longa em cuja ponta se prende o microfone para que fique acima dos atores e fora do ângulo de visão da câmera **4** *Mús.* Piano de cauda vertical [F.: Do ár. *zaraffa* pelo it. *giraffa.* Na acp. 1 é epiceno.]

girafídeo (gi.ra.*fí*.de.os) *a.* **1** *Zool.* ref. aos girafídeos *sm.* **2** *Zool.* Espécime dos girafídeos, família de mamíferos ruminantes artiodáctilos, com pescoço e membros longos, chifres curtos, e que inclui a girafa, o ocapi e algumas formas fósseis

gira-gira (gi.ra-*gi*.ra) *sm.* **1** Movimento repetido e circular em torno de si mesmo **2** Brinquedo comum em parques infantis, constituído de uma roda com cadeirinhas que gira horizontalmente: "O balanço está quebrado e o gira-gira, enferrujado." (*O Globo*, 21.11.2002) [Pl.: *giras-giras* e *gira-giras.*] [F.: Do v. *girar* (na 3ª pess. sing. pres. ind.) repetido.]

girândola (gi.*rân*.do.la) *sf.* **1** *Pirot.* Roda ou travessão onde são colocados foguetes ou fogos de artifício para serem lançados e estourarem em sequência: *preparadas as girândolas para a festa de Ano-novo.* **2** *Pirot.* O conjunto dos foguetes agrupados nessa roda para esse fim **3** *Decor.* Candelabro de vários braços dispostos em forma de pirâmide **4** *Our.* Tipo de brinco com vários brilhantes, ou outras pedras preciosas **5** *Fig.* Qualquer movimento ou sequência repetitiva de ideias, fatos, argumentos: "a eternização do fluxo de impressões, a redução do homem ao ser empírico, preso a uma girândola sem fim de "experiências" e "momentos atômicos" (Olavo de Carvalho, *A Nova Era e a revolução cultural*) [F.: Do it. *girandola.*]

girante (gi.*ran*.te) *a2g.* Que gira; GIRADOR; GIRATÓRIO [F.: *girar* + *-nte.*]

girar (gi.*rar*) *v.* **1** Dar volta(s) completa(s), mover-se em círculo; RODAR; RODEAR [*int.*: *O carro girou várias vezes* *depois que derrapou.*] [**ta.**: *A Terra gira em torno do Sol.*] **2** Virar para um ou outro lado [**int.**: *A roda-gigante girou.*] [**td.**: *Girou a roda com a mão para ajustar a corrente.*] **3** Descrever movimento rotatório em torno de um eixo ou de ponto; CIRCULAR [**int.**: *Só consegui passar quando a roleta girou.*] **4** Circular, passear [**ta.**: *Girou pelo centro da cidade, mas não encontrou ninguém.*] **5** Centrar-se ou concentrar-se em; tratar de [**tr.** + *sobre, em torno de*: *A conversa girava sobre assuntos polêmicos; A reunião girou em torno da questão dos subsídios.*] **6** Ter curso (dinheiro, moeda etc.) [**ta.**: *Muito dinheiro falso gira pelo Brasil.*] [**int.**: *O câmbio lá é instável porque giram muitos dólares falsos.*] **7** *Bras.* Movimentar-se de maneira dinâmica, ger. durante trabalho [**td.**: *Essa vendedora gira o dia inteiro sem descanso.*] **8** Movimentar (dinheiro, quantia, valor) em negócios de porte [**td.**: *Essa empresa gira milhões por ano.*] **9** *Fig.* Fixar-se em torno de [**ta.**: *Girou o tempo todo perto da mesa de salgados.*] **10** Fazer percorrer (os olhos, o olhar) em círculo [**tda.**: *As moças giravam os olhos pela praça, observando os rapazes.*] **11** Movimentar-se de maneira desordenada ou sem formalidades por algum lugar; CIRCULAR [**ta.**: *A multidão girava pela rua, sem rumo.*] **12** Percorrer sem interrupção [**ta.**: *Sentia o sangue girar em suas veias.*] **13** *Pop.* Ficar gira, maluco; ENLOUQUECER; PIRAR [**int.**] [▶ 1 girar] [F.: Do lat. *gyrare*. Hom./Par.: *gira* (fl.), *gira* (sf. a2g.); *giras* (fl.), *giras* (pl. do sf. e a2g.); *giro* (fl.), *giro* (sm.).] ■ **~ em torno de** Ter (algo/alguém) como motivo ou tema central, principal: *Toda a sua obra girava em torno das questões ecológicas.* **Não ~ bem** *Bras.* Não ter lucidez, não ser ou não estar mentalmente equilibrado

girassol (gi.ras.*sol.*) **sm.** **1** *Bot.* Nome comum de plantas do gênero *Helianthus*, da fam. das compostas, cuja flor se volta para o Sol; HELIANTO; HELIOTRÓPIO; TORNASSOL **2** *Bot.* Planta herbácea (*Helianthus annuus*), nativa dos Estados Unidos da América, de grande porte, com flores amarelo-laranja, usada como forrageira ou ornamental e de cujos frutos, popularmente conhecidos como sementes, se extrai óleo comestível; HELIANTO; VERRUCÁRIA **3** *Min.* Tipo de opala com reflexos multicoloridos [Pl.: *-sóis.*] [F.: *girar-* + *-sol*; prov. fr. *girasol*, deriv. do it. *girasole.*]

giratório (gi.ra.*tó*.ri:o) **a.** Que gira ou se movimenta de modo circular, em giros (ponte giratória); CIRCULATÓRIO; GIRANTE [F.: *girar* + *-tório.*]

gíria (*gí*.ri:a) *Ling.* **sf.** **1** Linguagem peculiar que se origina de um grupo social restrito e alcança, pelo uso, outros grupos, tornando-se de uso corrente (gíria de malandro, gíria peculiar) **2** Linguagem própria de pessoas que exercem a mesma profissão ou atividade (gíria publicitária); JARGÃO **3** Linguajar chulo **4** Termo ou expressão de gíria (1, 2, 3) **s2g.** **5** Pessoa que conhece a língua ou dialetos indígenas **6** *Pop.* Tendência ou habilidade para aproveitar-se de situações em benefício próprio; ASTÚCIA; ESPERTEZA; MANHA [F.: De or. obsc.]

girino (gi.*ri*.no) **sm.** *Zool.* Denominação dada às larvas dos anfíbios anuros, como os sapos, que se desenvolvem ger. na água e alimentam-se especialmente de matéria vegetal [F.: Do lat. *gyrinus*, deriv. do gr. *gyrînos.*]

⊕ **girl** (*Ing.*/gêrl/) **sf.** Corista de cinema ou teatro; VEDETE

◎ **-giro** *el. comp.* Ver *giro-*

◎ **giro-** *el. comp.* = 'círculo', 'que gira': *giroscópio, girocarpo; dextrogiro sinistrogiro* [F.: Do gr. *gýros, ou* (lat. *gyrus, i*).]

giro (*gi*.ro) **sm.** **1** Movimento giratório; VOLTA; CÍRCULO **2** *Pop.* Passeio curto **3** Numa sequência de turnos, a vez de cada um: *O giro da noite cabe a você.* **4** *Fig.* Uso excessivo de palavras antecedendo o assunto principal **5** *Com. Econ.* Atividade comercial, movimento de dinheiro ou de produtos (giro de mercadorias; giro de capital) **6** *Lud.* No bilhar, jogo entre duas duplas de parceiros (cada giro compõe-se de três partidas) **7** Tipo de ferragem que constitui dobradiça de portas de certos móveis **a.** **8** *RS* Diz-se de galo de plumas escuras e penas brancas e prateadas [F.: Do lat. *gyrus, i*, do gr. *gýros, ou.*]

gironda (gi.*ron*.da) **sf.** **1** Na Revolução Francesa, partido dos moderados, liderados por Jacques-Pierre Brissot [Inicial maiúsc.] **2** Fêmea do javali quando adulta ou velha; JAVALINA; TARIMBA

girondino (gi.ron.*di*.no) **a.** **1** Ref. ou inerente ao Gironde, partido moderado francês, criado em 1791, durante a Revolução Francesa **2** Diz-se de indivíduo que pertencia a esse partido **sm.** **3** Esse indivíduo [F.: Do fr. *girondin.*]

giroscópico (gi.ros.*có*.pi.co) **a.** Relativo ao ou próprio do giroscópio (movimento giroscópico) [F.: *giroscópio* + *-ico²*.]

giroscópio (gi.ros.*có*.pi:o) **sm.** *Fís.* Dispositivo constituído por um corpo simétrico capaz de girar rapidamente em torno de um eixo e que, suspenso, mantém invariável a direção desse eixo [Us. esp. em aparelhos de navegação.] [F.: *giro-* + *-scópio*; ou do fr. *gyroscope.*]

gitano (gi.*ta*.no) **sm.** **1** Cigano da Espanha **2** *Ling.* Língua dos ciganos espanhóis; CALÓ **a.** **3** *Ling.* Diz-se dessa língua **4** Diz-se de seguidilha (dança espanhola) mais lenta e sentida [F.: Do espn. *gitano.*]

giz **sm.** **1** *Min.* Rocha calcária branca, friável, e traçante; GREDA **2** Pequeno bastão de sulfato ou carbonato de cálcio, us. para escrever no quadro-negro **3** Bastão de giz (1) ou de material análogo, ger. na cor azul, us. pelos alfaiates para traçar no tecido os riscos que orientarão a costura; GIZ DE ALFAIATE **4** Bastão de giz (1) utilizado para esfregar na ponta dos tacos de bilhar e sinuca, a fim de evitar que a tacada resvale na bola **5** *N.E.* Traço retilíneo feito a ferro quente com o qual se marca o gado [Pl.: *gizes.*] [F.: Do lat. *gypsum, i*, 'gesso' (do gr. *gýpsos, ou*), posv. pelo ár. *gibs* ou *jibs.*]

gizado (gi.*za*.do) **a.** **1** Riscado, desenhado, marcado, rabiscado com giz (gado gizado) **2** *P.ext.* Diz-se de planta arquitetônica projetada, desenhada **3** *Fig.* Descrito sucinta ou superficialmente; DELINEADO **4** *Fig.* Presumido ou imaginado por hipótese; CONJECTURADO [F.: Part. de *gizar.*]

gizar (gi.*zar*) **v.** **td.** **1** Riscar ou desenhar com giz **2** *Fig.* Descrever de maneira rápida, sucinta **3** *Fig.* Imaginar, conceber, conjeturar: *Gizava o lugar perfeito para morar.* **4** Desenhar ou projetar (planta arquitetônica etc.) **5** *MG* Marcar (o gado) com giz, para separar alguns animais **6** *Lus.* Furtar, roubar [▶ 1 gizar] [F.: *giz* + *-ar²*.] ■ **~ por** Dar aparências ou mostras de; indicar

glabela (gla.*be*.la) **sf.** *Anat.* Região entre as sobrancelhas, levemente saliente e ger. desprovida de pelos; INTERCÍLIO [F.: Do lat. *glabella*, fem. de *glabellus, a, um*, dim. do lat. *glaber, bra, brum*, 'sem pelos'.]

glabro (*gla*.bro) **a.** **1** Que não tem pelos ou barba (rosto glabro; pernas glabras); PELADO; IMBERBE [Ant.: *peludo, barbudo*] **2** *Bot.* Diz-se dos órgãos vegetais desprovidos de pelos [F.: Do lat. *glaber, bra, brum.*]

glaçado (gla.*ça*.do) **a.** *Cul.* Que se glaçou; coberto com glace, ou glacê [F.: Part. de *glaçar.*]

glaçar (gla.*çar*) **v.** **td.** *Cul.* Cobrir com glace, ou glacê [▶ 12 glaçar] [F.: *glace* + *-ar²*.]

glace (*gla*.ce) **sf.** *Cul.* O mesmo que *glacê* (1) [F.: Do fr. *glace.*]

glacê (gla.*cê*) **sm.** **1** *Cul.* Camada à base de açúcar e clara de ovo com que se recobre ou confeita bolos e doces; GLACE **a2g.** **2** *Cul.* Diz-se de frutas secas cobertas com açúcar cristalizado **3** *Vest.* Diz-se de seda que brilha e tem reflexos metálicos [F.: Do fr. *glacé.*]

gláceo (*glá*.ce.o) **a.** Semelhante ao gelo em brilho e transparência: *A escultura tinha um acabamento gláceo.* [F.: Do fr. *glace*, 'gelo', + *-eo.*]

glaciação (gla.ci:a.*ção*) **sf.** **1** Ação ou resultado de congelar, de transformar em gelo **2** *Geol.* Período geológico durante o qual a superfície de uma região permanece coberta por geleiras **3** *Geol.* Ação exercida pelas geleiras na superfície terrestre [Pl.: *-ções.*] [F.: Do v.lat. *glaciare*, 'transformar em gelo', + *-ção.*]

glacial (gla.ci:*al*) **a2g.** **1** Ref. ou inerente ao gelo **2** Muito gelado **3** *Fig.* Que revela falta de calor humano, frieza (abraço glacial; postura glacial) [Ant.: *caloroso, expansivo*] **4** Diz-se de indivíduo que se mostra impassível, sem qualquer tipo de emoção ou interesse; extremamente frio ou reservado no lidar **5** *Geog.* Diz-se de região próxima aos polos **6** *Geol* Que se refere à época geológica em que grande parte do globo terrestre foi coberta por geleiras (era glacial) **7** *Ecol.* Diz-se de plantas, animais e comunidades humanas viventes em zonas de neve nas montanhas [Pl.: *-ais.*] [F.: Do lat. *glacialis, e.*]

glaciar (gla.ci:*ar*) **sm.** *Geol.* O mesmo que *geleira* [F.: Do fr. *glacier.*]

glaciário (gla.ci:*á*.ri:o) **a.** **1** Ref., inerente ou pertencente ao gelo ou a geleiras (clima glaciário; montanha glaciária) **2** *Geol.* Ref. ou inerente à época glacial [F.: Do fr. *glaciaire.*]

glaciologia (gla.ci:o.lo.*gi*.a) **sf.** *Geol.* Ramo da geofísica que estuda as glaciações e os fenômenos delas decorrentes [F.: Do ing. *glaciology.*]

glaciologista (gla.ci:o.lo.*gis*.ta) *Geol.* **a2g.** **1** Relativo ou inerente a glaciologia **s2g.** **2** Especialista em glaciologia [F.: *glaciologia* + *-ista.*]

gladiador (gla.di:a.*dor*) [ô] **sm.** **1** Na Roma antiga, lutador que enfrentava outros lutadores ou feras para divertir o público **2** *P.ext.* Qualquer lutador profissional [F.: Do lat. *gladiator, oris.*]

gladiar (gla.di:*ar*) **v.** **int.** **td.** O mesmo que *digladiar* [▶ 1 gladiar] [F.: De *gládio* + *-ar²* ou de *digladiar*, por dedução. Hom./Par.: *gladio* (fl.), *gládio* (sm.).]

gladiatura (gla.di:a.*tu*.ra) **sf.** **1** Combate entre gladiadores **2** A arte desse tipo de combate [F.: Do lat. *gladiatura, ae.*]

gládio (*glá*.di:o) **sm.** **1** Espada curta, de dois gumes **2** *P.ext.* Qualquer tipo de espada **3** Ação ou resultado de combater; LUTA **4** *Fig.* Energia física e/ou moral [F.: Do lat. *gladius, ii*. Hom./Par.: *gládio* (sm.), *gladio* (fl. de *gladiar*).]

gladíolo (gla.*dí*:o.lo) *Bot.* **sm.** **1** Nome comum às plantas do gên. *Gladiolus*, da fam. das iridáceas, nativas da Europa, Ásia e esp. da África, de flores agrupadas em espigas; muitas delas são cultivadas como ornamentais **2** *Restr.* Planta herbácea (*Gladiolus communis*) nativa da Europa e da África, de flores grandes, brancas ou róseas, em longas espigas, muito cultivada e com diversas variedades; PALMA-DE-SANTA-RITA **3** A flor dessas plantas [F.: Do lat. cient. *Gladiolus.*]

glamorização (gla.mo.ri.za.*ção*) **sf.** Ação ou efeito de glamorizar, de tornar algo encantador, glamouroso (glamorização de uma obra; glamorização da tragédia) [Pl.: *-ções.*] [F.: *glamorizar* + *-ção*. Tb.: *glamourização.*]

glamorizado (gla.mo.ri.*za*.do) **a.** Tornado glamouroso, charmoso, encantador [F.: Part. de *glamorizar*. Tb.: *glamourizado.*]

glamorizante (gla.mo.ri.*zan*.te) **a2g.** Que provoca fascínio, encantamento; que glamoriza (efeito glamorizante) [F.: *glamorizar* + *-nte*. Tb.: *glamourizante.*]

glamorizar (gla.mo.ri.*zar*) **v.** **td.** **1** Tornar atraente, encantador, glamouroso **2** Apresentar a partir de uma visão idealizada, romântica; tratar ou entender (algo) como se fosse glamoroso, especial etc.: *Glamorizar a guerra é sandice; Os jovens não deviam glamorizar o uso de drogas.* [▶ 1 glamorizar] [F.: Do ing. *glamour*, ou *glamour;* + *-izar*. Tb.: *glamourizar.*]

glamorosamente (gla.mo.ro.sa.*men*.te) **adv.** **1** De maneira glamorosa, encantadora, fascinante **2** De modo idealizado, romantizado [F.: Do fem. de *glamoroso* + *-mente*. Tb.: *glamourosamente.*]

glamoroso (gla.mo.*ro*.so) [ô] **a.** Que tem ou mostra *glamour*, ou *glamour;* repleto de *glamour*, de fascínio, de encanto; ENCANTADOR; FASCINANTE [Pl.: *[ó]*. Fem.: *ó*] [F.: Do ing. *glamour* ou *glamour* + *-oso*. Tb.: *glamouroso.*]

⊕ **glamour** (*Ing.*: /glêmour/) **sm.** Encanto ou charme pessoal; capacidade de atração, sedução e encantamento; magnetismo pessoal [F.: Do escocês *glamour* e *glamer*, alterações do ing. *grammar*, 'gramática', pelo encantamento que causava nas pessoas a erudição. F. aportuguesada: *glamur.*]

glamourização (gla.mou.ri.za.ção) **sf.** Ver *glamorização:* "Os conceitos de sacrifício e trabalho (...) foram sendo substituídos (...) pela glamourização da malandragem." (*O Globo*, 19.01.2004) [Pl.: *-ções.*] [F.: Do ing. *glamourization* ou de *glamourizar* + *-ção.*]

glamourizado (gla.mou.ri.*za*.do) **a.** Ver *glamorizado*

glamourizante (gla.mou.ri.*zan*.te) **a2g.** Ver *glamorizante*

glamourizar (gla.mou.ri.*zar*) **v.** **td.** Ver *glamorizar*

glamouroso (gla.mou.*ro*.so) [ô] **a.** Que tem *glamour;* ver *glamoroso* [F.: Do ing. glamour + *-oso.*]

glande (*glan*.de) **sf.** **1** *Bot.* Fruto (aquênio) característico das plantas do gênero *Quercus*, como o carvalho, comumente denominado *bolota*, com pericarpo coriáceo, cuja base está contida num receptáculo em forma de cúpula **2** *P.ext.* Qualquer objeto semelhante a esse fruto **3** *Anat.* A extremidade distal do pênis, coberta pelo prepúcio em órgão não circuncidado; BÁLANO **4** *Anat.* A extremidade do clitóris [F.: Do lat. *glans,glandis.*]

glândula (*glân*.du.la) **sf.** **1** *Anat.* Glande pequena **2** *Anat* Conjunto de células, tecido ou órgão que produz secreção, que é lançada no sangue e atua no organismo de uma certa maneira ou é eliminada através de um canal ou cavidade (excreção) **3** *Bot.* Estrutura, em forma de pelo, escama, órgão etc., que produz secreção [F.: Do lat. *glandula,ae.*] ■ **~ adrenal** *Anat. End.* Cada uma de duas glândulas que segregam vários e importantes hormônios (como a *adrenalina*) responsáveis pelo metabolismo, pelo equilíbrio hídrico do organismo etc. [Situada logo acima de cada rim, chamava-se, na nomenclatura anatômica antiga, *suprarrenal.*] **~ bulbouretral** *Anat. End.* Cada uma de duas glândulas situadas ao lado da uretra masculina, para onde despejam sua secreção mucosa [Na antiga nomenclatura anatômica, *antepróstata.*] **~ de Bartholin** *Anat. End.* Cada uma de duas pequenas glândulas cuja secreção lubrifica a vagina, esp. durante a relação sexual **~ de Meibom** *Anat. Oft.* Cada um dos pequenos folículos sebáceos, entre as conjuntivas interna da pálpebra (tarsal) e a das pestanas; glândula meibomiana **~ de secreção externa** *Anat. End.* Ver *Glândula exócrina* **~ de secreção interna** *Anat. End.* Ver *Glândula endócrina* **~ digestiva** *Fisl.* Designação genérica de cada uma das glândulas que atuam no processo da digestão, como as salivares, o fígado, o pâncreas etc. **~ endócrina** *Anat. End.* Cada glândula que lança sua secreção diretamente na corrente sanguínea (como, p.ex., a hipófise ou pituitária, a tireoide, o timo, as paratireoides, as adrenais ou suprarrenais etc.; glândula de secreção interna **~ exócrina** *Anat.* Cada glândula que lança sua secreção para fora dela, diretamente (como as lacrimais, as sudoríparas etc.) ou indiretamente (como as do tubo digestivo); glândula de secreção externa **~ mamária** *Anat.* Mama **~ meibomiana** *Anat. Ópt.* Ver *Glândula de Meibom* **~ mista** *Anat.* Aquela que tem características de endócrina e exócrina ao mesmo tempo, como, p.ex., o pâncreas **~ mucípara** *Anat.* Ver *Glândula mucosa* **~ mucosa** *Anat.* Aquela que segrega muco; glândula mucípara **~ pineal** *Anat.* Corpúsculo de forma oval situado no cérebro, na altura dos olhos. A ela se atribui a síntese da melatonina (a partir da serotonina) e uma função reguladora do sono e do relógio biológico; epífise **~ pituitária** *Anat. End.* Glândula situada sob o cérebro, com importante função de reguladora de outras glândulas, como a tireoide e a adrenal; hipófise [Tb. apenas *pituitária.*] **~ salivar** *Anat.* Termo genérico para cada uma das glândulas, situadas na cavidade oral, que segregam a saliva [São as duas parótidas, as duas submandibulares e a sublingual.] **~ sebácea** *Anat.* Glândula situada na epiderme, cuja secreção gordurosa impede o ressecamento da pele e lhe dá elasticidade **~ suprarrenal** *Anat.* Na nomenclatura anatômica, a atual *Glândula adrenal* **~ uropigial** *Ornit. Zool.* Glândula localizada no urópígio de aves, cuja secreção oleosa impermeabiliza as penas e fortalece o bico

glandular (glan.du.*lar*) **a2g.** **1** *Anat. Bot.* Ref., inerente ou pertencente a glândula (canal glandular; estrutura glandular); GLANDULOSO **2** *Anat. Bot.* Que apresenta aspecto ou forma de glândula; GLANDULIFORME **3** *Anat.* Que tem função de glândula (célula glandular) [F.: *glândula* + *-ar¹*.]

glandulífero (glan.du.*lí*.fe.ro) **a.** *Anat. Bot.* Que possui, origina ou forma glândulas [F.: *glândula* + *-ífero.*]

glanduliforme (glan.du.li.*for*.me) **a2g.** *Anat. Bot.* Que tem forma e aparência de glândula (corpo glanduliforme; folha glanduliforme); GLANDULAR [F.: *glândula* + *-i-* + *forme.*]

glanduloso (glan.du.*lo*.so) [ô] **a.** *Anat. Bot.* O mesmo que *glandular* (1) [Pl.: *[ó]*. Fem.: *ó*] [F.: *glândula* + *-oso.*]

⊕ **glasnost** (*Rus./glasnost/*) *sf. Hist. Pol.* Política de abertura democrática que se refletiu sobretudo no campo da informação, realizada na antiga União Soviética, a partir de 1986, pelo governo de Mikhail Gorbatchev (1931-): "Ele chamou a atenção pelo estilo menos duro e por duas palavras que lançou no vocabulário político: glasnost (transparência) e perestroika (reestruturação)." (*O Globo*, 28.05.2005) [F.: Russo, 'transparência'. Cf.: *perestroika*.]

glauberiano (glau.be.ri.*a*.no) *Cin. a.* **1** Do ou ref. ao cineasta brasileiro Glauber Rocha (1938-1981), ou próprio dele (estilo glauberiano) **2** De estilo semelhante ao de Glauber (diretor glauberiano) **3** Diz-se do indivíduo que admira ou conhece muito a obra e a vida deste cineasta *sm.* **4** Esse indivíduo [F.: Do antr. *Glauber* (*de Andrade*) *Rocha* + *-iano*.]

glaucilandense (glau.ci.lan.*den*.se) *s2g.* **1** Indivíduo nascido ou que vive em Glaucilândia (MG) *a2g.* **2** De Glaucilândia; típico dessa cidade ou de seu povo [F.: Do top. *Glaucilândia* + *-ense*.]

glauco (*glau*.co) *a.* **1** De tom verde-claro ou verde-azulado (pássaro glauco, camisa glauca) **2** *Bot.* Diz-se do vegetal que apresenta revestimento pulverulento ou ceroso [F.: Do gr. *glaukós,e,on* pelo lat. *glaucus, a, um*.]

glaucoma (glau.*co*.ma) [ô] *sm. Oft.* Doença que se caracteriza pelo aumento da pressão intraocular, o que acarreta o endurecimento do globo ocular e pode levar à cegueira [F.: Do lat. *glaucoma, atis*, do gr. *glaúkoma, atos*.]

glaucomatógeno (glau.co.ma.*tó*.ge.no) *a. Oft.* Relativo a ou que é capaz de causar glaucoma (fator glaucomatógeno) [F.: *glaucoma* (sob a f. *glaucomato-*) + *-geno*, seg. o mod. gr.]

glaucomatoso (glau.co.ma.*to*.so) [ô] *Oft. a.* **1** Diz-se de indivíduo que sofre de glaucoma [Pl.: [ó]. Fem.: *ó*] *sm.* **2** Esse indivíduo [Pl.: [ó]. Fem.: [ó].] [F.: *glaucoma* (sob a f. *glaucomat-*) + *-oso*, seg. o mod. gr.]

⊠ **GLBT** Abrev. de *gays, lésbicas, bissexuais e transgêneros*

gleba (*gle*.ba) [é] *sf.* **1** *Agr.* Terreno para cultivo; LEIVA; TORRÃO **2** *Min.* Terreno onde há minério **3** *Fig.* Terra natal **4** *Hist.* Na Idade Média ocidental, porção de terra a que os servos estavam ligados e por cujo cultivo eram responsáveis **5** *Urb.* Área não urbanizada [F.: Do lat. *gleba, ae*. Cf. *leiva*.]

gleichênia (glei.*chê*.ni:a) *sf. Bot.* Nome comum a plantas da fam. das gleicheniáceas, do gên. *Gleichenia*, que reúne dez espécies de xerófitas ornamentais, dotadas de pequenos segmentos foliares [F.: Do lat. cient. *Gleichenia*, do antr. (*E. Wilhelm Friedrich von*) *Gleichen* (*-Ruswurm*) (1717-1783), naturalista alemão. F. não pref.: *gleiquênia*.]

gleicheniácea (glei.che.ni:*á*.ce:a) *sf. Bot.* Espécime das gleicheniáceas, família de pteridófitas, que abrange cinco gêneros e mais de cem espécies do hemisfério sul, em regiões tropicais, subtropicais e temperadas [F.: Do lat, cient. *Gleicheniaceae*.]

gleicheniáceo (glei.che.ni:*á*.ce:o) *a. Bot.* De ou ref. a gleicheniácea(s) [F.: *gleichênia* + *-áceo*.]

glena (*gle*.na) *sf. Anat.* Cavidade no osso onde um outro se articula

glenoidal (gle.noi.*dal*) *a2g. Anat.* Relativo a glena ou que nela se articula (articulação glenoidal); GLEINOIDE; GLEINÓDEO

glenoide (gle.*noi*.de) *a2g. Anat.* M.q. *glenoidal*; GLEINÓIDEO

glia (*gli*.a) *sf. Anat. Histl.* Conjunto de células nervosas que participam da constituição do tecido nervoso; NEUROGLIA; NEURÓGLIA [F.: Do gr. *glía* 'cola'.]

glial (gli.*al*) *a2g.* M.q. *neuroglial*

glicemia (gli.ce.*mi*.a) *sf. Med.* Quantidade de glicose no sangue, que pode estar na faixa normal ou acima (hiperglicemia) ou abaixo (hipoglicemia) dela [F.: *glic(o)-* + *-emia*.]

glicêmico (gli.*cê*.mi.co) *a. Med.* Relativo a glicemia (índice glicêmico) [F.: *glicemia* + *-ico²*.]

glicérico (gli.*cé*.ri.co) *a. Quím.* Diz-se de medicamento feito à base de glicerina; GLICÉREO

glicerídeo (gli.ce.*rí*.de:o) *sm. Bioq.* Qualquer éster formado por uma molécula de glicerol e uma (monoglicerídeo), duas (diglicerídeo) ou três (triglicerídeo) de ácido graxo; GLICÉRIDE; GLICÉRIDO [Tb. *glicerídio*.] [F.: *glicer(o)-* + *-ídeo*.]

glicerina (gli.ce.*ri*.na) *sf.* **1** *Quím* Nome genérico dos diferentes produtos à base de glicerol, de amplo emprego na fabricação de sabão e ácidos graxos, ou como emoliente, solvente, plastificante etc. [Fórm: $C_3H_8O_3$]; GLICEROL **2** *Farm.* Líquido viscoso de ação antisséptica e emoliente [F.: Do fr. *glycérine*.]

glicerinado (gli.ce.ri.*na*.do) *a.* Que contém glicerina (sabonete glicerinado)

◎ **glicer(o)-** *el. comp.* = 'doce', 'de sabor doce': *glicerídeo, glicerina*. [F.: Do gr. *glykerós, á, ón*.]

glicerol (gli.ce.*rol*) *sm.* O mesmo que *glicerina*: "Com ele, muda-se a estrutura molecular do óleo vegetal ou animal, retirando destes todo o glicerol (...)" (*O Globo*, 16.01.2002)

◎ **glici-** *el. comp.* Ver glic(o)-

glicicarpo (gli.ci.*car*.po) *a.* De fruto doce e de sabor agradável [F.: *glici-* + *-carpo*.]

glícide (*gli*.ci.de) *sm. Bioq.* O mesmo que *glicídeo*

glicídico (gli.*cí*.di.co) *a.* De ou relativo a glicídio (teor glicídico)

glicídio (gli.*cí*.di:o) *sm. Bioq.* Composto orgânico constituído de uma combinação de carbono, hidrogênio e oxigênio [var. *glícido, glicídeo, glucídio, glúcide, glucídeo*]; CARBOIDRATO; HIDRATO DE CARBONO [F.: *glic(o)-* + *-ídio*.]

glicina (gli.*ci*.na) *sf. Quím.* O menor e mais simples dos aminoácidos ($C_2H_5NO_2$) que compõem as proteínas, caracterizado pela ausência de carga elétrica; ÁCIDO AMINOACÉTICO; GLICOCOLA [F.: *glic(o)-* + *-ina²*.]

glicinina (gli.ci.*ni*.na) *sf. Bioq.* A principal proteína encontrada na soja [F.: *glicina* + *-ina²*.]

◎ **glic(o)-** *el. comp.* = 'açúcar'; 'doce'; 'glicose': *glicemia, glicina, glicogênio, glicoproteína, glicose; glicicarpo; aglicônio* [F.: Do gr. *glykýs, eia, ý*, 'doce'.]

glicogênio (gli.co.*gê*.ni:o) *sm. Bioq.* Polissacarídeo $(C_6H_{10}O_5)_n$ formado a partir da glicose, que tem atuação no organismo como reserva energética: "(...) o glicogênio é produzido pelo fígado que metaboliza os carboidratos (os açúcares) consumidos e os transforma nesta fonte de energia." (*O Globo*, 06.02.2005) [F.: *glic(o)-* + *-gênio*.]

glicogenólise (gli.co.ge.*nó*.li.se) *sf. Bioq.* Transformação do glicogênio presente no fígado em glicose [F.: De *glicogeno-*, por *glicogênio*, + *-lise*.]

glicol (gli.*col*) *Quím. sm.* **1** Qualquer álcool que tenha duas hidroxilas por molécula, us. ger. como solventes **2** O mesmo que *etilenoglicol* [Pl.: *-cóis*.] [F.: Do ing. *glycol*; ver *glic(o)-*.]

glicólico (gli.*có*.li.co) *Quím. a.* **1** Diz-se de ácido ($C_2H_4O_3$) cristalino, inodoro, derivado hidroxilado do ácido acético, muito us. na indústria de tecidos, couro, metal etc.; HIDROXIACÉTICO *sm.* **2** Esse ácido; HIDROXIACÉTICO [F.: *glicol* + *-ico²*.]

glicólise (gli.*có*.li.se) *sf. Bioq.* Processo metabólico de que resulta a transformação da glicose ou de outros carboidratos em energia: "A fermentação alcoólica que a levedura realiza inicia-se pela glicólise." (*O Globo*, 23.11.1999) [F.: *glic(o)-* + *-lise*.]

glicoproteína (gli.co.pro.te.*í*.na) *sf. Bioq.* Heteroproteína encontrada no plasma humano e formada por uma fração glicídica e outra proteica [F.: *glic(o)-* + *proteína*.]

glicose (gli.*co*.se) [ó] *sf. Quím.* Açúcar (2) incolor, encontrado no sangue, nas plantas e nos seus frutos, e que constitui a principal fonte de energia para os homens e animais [Fórm.: $C_6H_{12}O_6$]; DEXTROSE [F.: Do fr. *glycose*; ver *glic(o)-* e *-ose¹*.]

glicosídeo (gli.co.*sí*.de:o) *sm. Quím.* Substância derivada do açúcar e obtida da substituição de um átomo de hidrogênio por um grupamento orgânico, muito us. na fabricação de inseticidas, saponáceos etc.

glicosímetro (gli.co.*sí*.me.tro) *sm.* **1** Aparelho us. para medir o nível de glicose numa substância **2** *Restr.* Aparelho digital de medição do nível de glicose no sangue, esp. de diabético [F.: *glicose* + *-i-* + *-metro*.]

glicosúria (gli.co.*sú*.ri:a) *sf. Med.* Presença ou teor de glicose na urina: "afirma que o material não tinha características biológicas de urina, por apresentar glicosúria 4+, densidade 1005 e ausência de elementos no sedimento." (*O Globo*, 25.07.1998) [F.: *glicose* + *-úria*. Tb. *glicosuria*.]

glicurônico (gli.cu.*rô*.ni.co) *Quím. a.* **1** Diz-se do ácido urônico ($C_6H_{10}O_7$) derivado da oxidação da glicose, que auxilia na desintoxicação hepática *sm.* **2** Esse ácido [F.: *glic(o)-* + *urônico*.]

glide (*gli*.de) *sm.* **1** *Fon.* Som de transição que os órgãos vocais emitem na preparação para a articulação do som seguinte **2** M.q. *semivogal*

◎ **-glifia** *el. comp.* = 'arte de gravar ou de esculpir': *litoglifia* (< gr.), *xiloglifia* [F.: Do gr. *-glyphía, as*, do v. gr. *glýpho*, 'esculpir', 'gravar'. F. conexa: *glif(o)-*.]

◎ **-glif(o)-** *el. comp.* Ver *glif(o)-*

◎ **-glifo** *el. comp.* Ver *glif(o)-*

◎ **glif(o)-** *el. comp.* = 'grafar ou esculpir'; 'estria', 'canelura', 'sulco'; 'serpente com presas sulcadas': *glifodonte; zooglifito; áglifo, opistóglifo, sifonóglifo, solenóglifo, tríglifo* (< gr.) [F.: Do v. gr. *glýpho*, 'esculpir', 'gravar'. F. conexa: *-glifia*.]

glifo (*gli*.fo) *sm.* Desenho simbólico ou pictograma ger. gravado em relevo

glifodonte (gli.fo.*don*.te) *a2g. Zool.* Diz-se de ofídio em cujas presas há sulcos para a passagem do veneno [F.: *glif(o)-* + *-odonte* (ver em *odont(o)-*).]

glioma (gli:*o*.ma) *sm. Med.* Tumor nas células glias, que funcionam como estrutura de sustentação do sistema nervoso central

◎ **glipt(o)-** *el. comp.* = 'gravado, esculpido em relevo'; (p.ext.) 'relevo': *gliptodonte* (< lat. cient.), *gliptogênese, gliptologia* [F.: Do gr. *glyptós, é, ón*.]

gliptodonte (glip.to.*don*.te) *sm. Pal.* Gênero extinto de mamíferos dasipodídeos, semelhantes a tatus gigantescos, cuja couraça era constituída de placas ósseas circulares e irregulares; viveram nas Américas do Norte e do Sul durante o Plistoceno [F.: Adaptç. do lat. cient. *Glyptodon*; ver *glipt(o)-* e *-odonte*.]

gliptogênese (glip.to.*gê*.ne.se) *sf. Geol.* Formação de um novo relevo terrestre após a destruição do anterior pela ação de intempéries e da erosão [F.: *glipt(o)-* + *-gênese*.]

gliptologia (glip.to.lo.*gi*.a) *sf.* Conjunto de conhecimentos para o estudo e a análise de pedras antigas gravadas; GLIPTOGRAFIA [F.: *glipt(o)-* + *-logia*.]

gliptológico (glip.to.*ló*.gi.co) *a.* Relativo ou concernente à gliptologia; GLIPTOGRÁFICO [F.: *gliptologia* + *-ico²*.]

glissando (glis.*san*.do) *sm. Mús.* Efeito produzido pela rápida passagem dos dedos (em instrumentos de cordas ou teclado) ou do ar (em instrumentos de sopro como o trombone de vara) por uma série de notas consecutivas ou pela escala musical completa [F.: Do it. *glissare* 'escorregar, resvalar, deslizar'.]

glissar (glis.*sar*) *v. Aer.* Realizar glissada com (avião, aeronave) *td.* [▶ 1 glissar] [F.: Do fr. *glisser*.]

global (glo.*bal*) *a2g.* **1** Ref. ou inerente ao globo terrestre: *O aumento do efeito estufa é um problema global.* **2** Que se considera como um todo, por inteiro (pesquisa global); TOTAL; GERAL [Ant.: *parcial*] **3** Completo, integral: *Fez-se uma avaliação global dos bens que ele deixou.* **4** *Mat.* Propriedade matemática que contrapõe seu caráter geral ao caráter local de outras propriedades **5** *Pedag.* Diz-se do método de aprendizagem da leitura em que a decomposição das palavras em sílabas e letras é posterior ao seu reconhecimento visual [Pl.: *-bais*.] [F.: *globo* + *-al¹*.]

globalidade (glo.ba.li.*da*.de) *sf.* **1** Qualidade do que é global, mundial: "Desde que Galileu afirmou ser o planeta um globo, nunca tivemos tanta noção da nossa globalidade." (*O Globo*, 02.11.1997) **2** Caráter global, completo, total; TOTALIDADE; INTEGRALIDADE: "(...) analisa-se o período na sua globalidade como um fenômeno histórico (...)" (*O Globo*, 07.03.1998) [F.: *global* + *-i-* + *-dade*.]

globalismo (glo.ba.*lis*.mo) *sm.* **1** Interligação mundial por meio de redes de comunicação entre os países de todos os continentes **2** *Pol.* Política nacional que visa o resto do mundo como espaço de influência ou dominação política, econômica e cultural; INTERNACIONALISMO; IMPERIALISMO **3** Ideologia da globalização: "Sintomaticamente, bem antes do atual estágio da globalização, as palavras "globalismo", "internacional" e "universal" começam a surgir nos textos estético-teóricos americanos na década de 40." (*O Globo*, 06.09.2003) [F.: *global* + *-ismo*.]

globalista (glo.ba.*lis*.ta) *a2g.* **1** Relativo ao globalismo (progressismo globalista) *a2g.s2g.* **2** Que ou aquele que pratica ou tende ao globalismo [F.: *global* + *-ista*.]

globalização (glo.ba.li.za.*ção*) [õ] *sf.* **1** Ação ou resultado de globalizar(-se) **2** *Econ. Pol. Soc.* Processo que conduz a uma integração cada vez mais estreita das economias e das sociedades, esp. no que diz respeito à produção e troca de mercadorias e de informação: *a globalização teve início na segunda metade do séc. XX.* **3** *Econ.* Contexto da economia mundial a partir do final do séc. XX, em que as empresas multinacionais podem operar simultaneamente em vários países segundo seus interesses de menores custos e vantagens fiscais **4** *Pedag.* Processo de percepção e aprendizagem em que o sintético predomina sobre o analítico [Pl.: *-ções*.] [F.: *globalizar* + *-ção*; Do ing. *globalization*.]

globalizado (glo.ba.li.*za*.do) *a.* **1** Tornado global; TOTALIZADO **2** Inserido no processo de globalização: "Em um mundo globalizado e de comunicação imediata, é regra do jogo a competição em todos os campos (...)" (*O Globo*, 08.11.2005) [F.: Part. de *globalizar*.]

globalizador (glo.ba.li.za.*dor*) [ô] *a.* **1** Que torna global, geral, universal: "Mas, em termos de evolução da espécie humana, a função globalizadora tem a mesma idade da palavra." (*O Globo*, 26.11.1997) **2** Que promove ou insere na globalização: "(...) contribuindo enormemente para o processo globalizador que está revolucionando a história nesta última década." (*O Globo*, 14.10.2001) *sm.* **3** Aquele que torna global, geral (1, 2) [F.: *globalizar* + *-dor*.]

globalizante (glo.ba.li.*zan*.te) *a2g.* **1** Que abrange ou tende a abranger o todo, o global; ABRANGENTE; TOTALIZANTE: *Sua visão é globalizante, envolve todos os aspectos da questão.* **2** Que globaliza ou tende à globalização (economia globalizante) [F.: *globalizar* + *-nte*.]

globalizar (glo.ba.li.*zar*) *v.* **1** *Bras.* Considerar (elementos distintos) ou ser considerado como um todo [*td.*: *Quer globalizar os problemas locais.*] [*int.*: *O movimento começou com um grupo restrito, depois globalizou-se.*] **2** *Econ.* Fazer participar ou participar da integração das economias de vários países [*td.*: *Muitos países globalizaram seus mercados de trabalho.*] [*int.*: *A empresa quer diversificar e globalizar.*] **3** Tornar(-se) universal [*td.*: *Querem globalizar o uso desses produtos.*] [*int.*: *Esses costumes globalizaram-se.*] [▶ 1 globalizar] [F.: *global* + *-izar*.]

⊕ **globe-trotter** (Ing.) *sm.* Quem vive viajando pelo mundo todo [F.: Do ing. *globe* 'globo, mundo' e *trotter* 'que trota, que percorre'.]

◎ **-glob(i)-** *el. comp.* Ver *glob(i)-*

◎ **glob(i)-** *el. comp.* = 'esfera', 'globo'; 'bola'; 'em forma de globo': *globífero, globíforo; acroglobina; paniglobo* [F.: Do lat. *globus, i*.]

globina (glo.*bi*.na) *sf. Bioq.* Qualquer das proteínas globulares hidrossolúveis da mesma família, que constituem o componente proteico da hemoglobina e da mioglobina [F.: *glob(i)-* + *-ina²*.]

◎ **-globo** *el. comp.* Ver *glob(i)-*

globo (*glo*.bo) [ô] *sm.* **1** Corpo com formato esférico ou quase esférico ou redondo (globo ocular, globo terrestre); BOLA; ESFERA **2** *Geog.* O planeta Terra, ou qualquer outro astro **3** *Astron.* Reprodução esférica de um corpo celeste ou do sistema planetário **4** Esfera de vidro, porcelana, plástico ou outro material transparente e translúcido, destinada a arrefecer o brilho da fonte luminosa e tornar difuso o fluxo luminoso [Dim.: *glóbulo*.] [F.: Do lat. *globus,i*.] ▪▪ **Em ~** Em conjunto, no todo

globosidade (glo.bo.si.*da*.de) *sf.* Qualidade de globoso, esférico; ESFERICIDADE [F.: Do lat. *globositas, atis*.]

globoso (glo.*bo*.so) [ô] *a.* Que tem forma de globo; GLOBULAR; GLOBULOSO [Fem, e pl.: [ó].] [F.: Do lat. *globo sus,a,um*.] [F.: Do lat. *globus, a, um*.]

globular (glo.bu.*lar*) *a2g.* **1** Que tem ou passou a ter a forma de globo; GLOBOSO **2** Diz-se dessa forma **3** *Bioq.* Diz-se de proteína cuja forma tridimensional se assemelha à de um novelo, e que tem múltiplas funções [F.: *glóbulo* + *-ar¹*.]

globulina (glo.bu.*li*.na) *sf. Quím.* Qualquer proteína insolúvel em água, mas solúvel em soluções salinas, ácidas ou básicas, e passível de coagulação ao calor [F.: *glóbulo-* + *-ina*[2].]

glóbulo (*gló*.bu.lo) *sm.* **1** Pequeno globo **2** *Bioq. Fisl.* Pequeno corpo ou célula de forma arredondada, encontrado em alguns líquidos orgânicos como o sangue, a linfa etc. **3** *Agroqui.* Gotículas microscópicas que constituem a emulsão graxa do leite **4** *Astron.* Nebulosidade escura e circular observável no meio estelar e que corresponde às estrelas em formação [F.: Do lat. *globulus,i.*] ■ **~ branco** *Hem. Histl.* Célula sanguínea de função imunológica; leucócito **~ de Bok** *Astron.* Nuvem interestelar de formato aproximadamente esférico, massa equivalente a 20 massas solares, e cujo raio mede cerca de um ano-luz **~ polar** *Emb.* Célula quase sem citoplasma, que se forma e logo degenera durante a maturação do óvulo **~ sanguíneo** *Hem. Histl.* Termo genérico para cada um dos três elementos figurados do sangue, o glóbulo branco (leucócito), o glóbulo vermelho (hemácia) e a plaqueta **~ vermelho** *Hem. Histl.* Célula do sangue, sem núcleo, rica em hemoglobina, que transporta o oxigênio absorvido nos alvéolos pulmonares para os tecidos do organismo; eritrócito; hemácia

globuloso (glo.bu.*lo*.so) [ô] *a.* **1** Em forma de glóbulo (raiz globulosa); GLOBULIFORME; GLOBULAR; GLOBOSO **2** Constituído de glóbulos (substância globulosa) [F.: Do lat. *globulosos, a, um.*]

⊕ ***glockenspiel*** *(Al.) sm. Mús.* Instrumento percussivo formado por uma espécie de teclado metálico cujas placas são tocadas com baquetas [Inicial maiúsc. em al.]

glomerular (glo.me.ru.*lar*) *a2g. Bot.* Semelhante ou relativo a glomérulo (inflorescência glomerular) [F.: *glomérulo* + *-ar*[1].]

glomérulo (glo.*mé*.ru.lo) *sm.* **1** *Bot.* Inflorescência cimosa em que as flores formam um aglomerado de formato globoso **2** *Anat.* Novelo de fibras nervosas ou vasos sanguíneos, sobretudo capilares [F.: Do lat. cient. *glomerulus*, dim. de glomus, 'novelo', 'bola'.] ■ **~ de Malpighi** *Anat.* Cada um dos novelos de vasos sanguíneos originários de artéria, que, no rim, atuam na primeira filtração da urina; glomérulo renal [F.: Do lat. cient. *glomerulus* <lat. *glomus, eris* 'bola'.]

glomerulonefrite (glo.me.ru.lo.ne.*fri*.te) *sf. Med.* Doença renal causada pela lesão dos glomérulos de Malpighi; GLOMERULITE [F.: *glomérulo* + *nefrite.*]

glória (*gló*.ri:a) *sf.* **1** Reputação alcançada através de realizações excepcionais: *Alcançou a glória com seu último romance.* [Ant.: *obscuridade*] **2** Fausto, grandeza: *A glória da civilização grega.* **3** *Teol.* Manifestação da majestade, santidade e poder absoluto de Deus **4** *Rel.* Beatitude de que gozam os eleitos no céu **5** *Rel.* Doxologia no final dos salmos ou das orações **6** Homenagem, exaltação: "Glória a ti que me enches a vida/ de surpresa..." (Mário Quintana, *Poesia*) **7** *Art.pl.* Representação de uma auréola luminosa que envolve o corpo de Cristo **8** *Art.pl.* Decoração de uma cúpula com figuras de anjos e santos **9** *Art.pl.* Feixe luminoso sobre a cabeça dos querubins nas representações da Trindade ou do Espírito Santo **10** *Rel.* Cântico sagrado cantado na missa [Ant.: *perdição.*] **11** *Rel.* Bem-aventurança, beatitude celeste **12** *Lud.* Espécie de jogo de dados em que os parceiros percorrem as casas em espiral até atingir a última **13** *Lud.* A última casa no jogo da glória **14** *Teat.* Recurso cênico representado por uma pequena cúpula envolta em nuvens para representar uma aparição celestial **15** *Mús.* Cântico entoado na liturgia católica após o *Kyrye* [F.: Do lat. *gloria,ae.*] ■ **Ser a/uma ~** *Pop.* Ser excepcional, maravilhoso, ser além de toda expectativa: *O show foi uma glória, o público delirou.*

gloriar (glo.ri.*ar*) *v.* **1** Encher(-se) de glória [*td.*] **2** Demonstrar jactância, envaidecimento [*tr.* + *de*: *Gloriava-se de ter escapado ao cerco da polícia.*] **3** Basear sua glória em (alguém ou algo) [*tdr.* + *em*: *Gloriava-se em suas últimas vitórias.*] [▶ 1 gloriar] [F.: Do lat. *gloriare.* Hom./Par.: *gloria(s)* (fl.), *glória* (sf.[pl.]).]

glorificação (glo.ri.fi.ca.*ção*) *sf.* **1** Ação de glorificar(-se) (glorificação do homem) [Ant.: *humilhação.*] **2** *Rel.* Ascensão à bem-aventurança ou à glória eterna [Pl.: *-ções.*] [F.: Do lat. ecles. *glorificatio,onis.*]

glorificador (glo.ri.fi.ca.*dor*) [ô] *a.sm.* Que ou aquele que glorifica

glorificante (glo.ri.fi.*can*.te) *a2g.* Que glorifica; GLORIFICADOR [F.: Do lat. ecles. *glorificans, antis.*]

glorificar (glo.ri.fi.*car*) *v.* **1** Oferecer louvor ou prestar homenagem a; EXALTAR [*td.*: *É preciso sempre glorificar os autores das grandes descobertas científicas.*] **2** Dar glória a; CELEBRAR [*td.*: *Glorificar os grandes feitos do passado.*] **3** Beatificar, canonizar [*td.*: *Queriam glorificar a moça que fazia milagres.*] **4** Tornar-se glorioso, notável [*int.*: *Glorificou-se na luta pelas causas populares.*] [▶ 11 glorificar] [F.: Do lat. ecles. *glorificare.*]

gloríola (glo.*ri*.o.la) *sf.* **1** Glória vã **2** Boa reputação imerecida [F.: Do lat. *gloriola, ae.*]

gloriosa (glo.ri.*o*.sa) [ó] *sf.* **1** *Bot.* Espécie de narciso **2** *Bot.* Gênero de liláceas **3** *N.E. Tabu.* Automasturbarção [F.: Fem. substantivado de *glorioso.*]

modo glorioso, digno de louvor [F.: *glorioso* + *-mente.*]

glorioso (glo.ri:*o*.so) [ô] *a.* **1** Que é repleto de glória: *os gloriosos mártires da Inconfidência.* **2** Que, por seu heroísmo, mérito etc. proporciona glória, honra, que torna glorioso (1) (morte gloriosa); HEROICO; HONROSO [Ant.: *desonroso*] **3** *Fig.* Que é iluminado, deslumbrante (orador glorioso) **4** Que se refere a glória ou a algo glorioso (1): "Navegadores antigos tinham uma frase gloriosa: 'Navegar é preciso; viver não é preciso'. " (Fernando Pessoa, *Palavras de pórtico*) **5** Fato do qual resulta glória e honra: *Não caiu bravo em campo de batalha mais gloriosa queda.* **6** *Rel.* Diz-se do corpo transformado dos bem-aventurados que alcançarão a ressurreição [Fem. e pl.: [ó].] [F.: Do lat. *gloriosus,a,um.*]

glosa (*glo*.sa) [ó] *sf.* **1** Ação ou resultado de glosar **2** *Bibl. Liter.* Explicação que se encontra num texto para interpretar o significado de uma palavra ou o sentido de uma passagem obscura **3** Comentário que se faz à margem de um texto, uma conversa, uma palestra, entrevista etc. **4** Análise crítica (glosa literária, glosa cinematográfica) **5** Parecer contrário, desaprovação **6** Divergência com alguma conta, orçamento ou quantia apresentados que motiva sua recusa ou supressão, por serem incorretos, indevidos: *glosa na declaração de imposto; glosa no relatório de viagem.* **7** *Pop.* Supressão, cancelamento [Ant.: *validação.*] **8** *Poét.* Composição poética, feita muitas vezes de improviso, em que se repete(m) o(s) verso(s) de um mote previamente dado, quer como parte integrante da estrofe principal, quer como fecho desta: "Quem ficava longe aconchegava a mão atrás da orelha para não perder palavra; a mor parte, antes mesmo da glosa, tinha já um meio riso de aplauso..." (Machado de Assis, *Memórias póstumas de Brás Cubas*) [F.: Do gr. *glôssa* pelo lat. tard. *glosa*, var. de *glossa.* Hom./Par.: *glosa* (flex. de *glosar*).]

glosador (glo.sa.*dor*) [ô] *sm. a.* **1** Que glosa **2** Aquele que glosa; INTÉRPRETE; HERMENEUTA [F.: *glosar* + *-dor.*]

glosar (glo.*sar*) *v. td.* **1** Resumir, repetir, com algumas modificações: *Limitava-se a glosar afirmações de autoria alheia.* **2** Não aceitar: *As autoridades glosaram as contas da empresa.* **3** Fazer observações explicativas à margem de (um texto, página de [livro, revista etc.]); COMENTAR: *Glosar um texto de Machado de Assis* **4** *Liter.* Elaborar um poema em que as estrofes terminem em um mote **5** Rejeitar, numa conta ou num escrito (uma quantia ou uma verba): *Ele glosou parte do orçamento do projeto.* [▶ 1 glosar] [F.: *glosa* + *-ar*[2]. Hom./Par.: *glosa* (fl.), *glosa* (sf.); *glosas* (fl.), *glosas* (pl. do sf.).]

glossalgia (glos.sal.*gi*.a) *sf. Med.* Dor na língua [F.: *gloss(o)-* + *-algia.*]

glossário (glos.*sá*.ri:o) *sm.* **1** *Bibl. Lex.* Vocabulário que vem anexo a uma obra para explicar palavras e expressões técnicas, regionais ou pouco usadas contidas no texto **2** *Bibl. Lex.* Elucidário de termos técnicos (glossário de termos médicos) **3** *Bibl. Lex.* Pequeno léxico de termos obscuros ou pouco conhecidos posto no final de uma obra, para elucidar palavras obscuras ou pouco conhecidas (glossário da cabala) **4** *Bibl. Lex.* Léxico de um autor, ger. em apêndice a uma edição crítica: *glossário de Guimarães Rosa.* **5** *Inf.* Função utilitária num processador de textos que consiste num arquivo com expressões e palavras de uso frequente que podem ser rapidamente incluídas no texto que está sendo preparado: *glossário de Manuel de Barros.* **6** *Poét.* Compilação de glosas [F.: Do lat. *glossarium,i.*]

glossema (glos.*se*.ma) *sf. Ling.* A menor unidade linguística carregada de significação [F.: Do fr. *glossème.*]

glossemática (glos.se.*má*.ti.ca) *sf. Ling.* Termo criado por Hjemlslev (1899-1969) para designar sua teoria linguística, na qual concebe a organização da língua em dois planos, o da expressão e o do conteúdo [F.: Do fr. *glossématique.*]

glossemático (glos.se.*má*.ti.co) *a.* Rel. a glossemática [F.: *glossema* + *-t-* + *-ico*[2].]

◎ **-glossia** *el. comp.* = 'anomalia ou irregularidade da língua'; 'língua (3)'; 'expressão oral': *aglossia* (< gr.), *ancilloglossia, ateloglossia, macroglossia, microglossia, tricoglossia; bariglossia, diglossia, xenoglossia* [F.: *-glossia, as*, do gr. *glôssa, es,* 'língua (órgão e linguagem). F. conexa: *gloss(o)-.*]

glossite (glos.*si*.te) *sf. Med.* Inflamação da língua [F.: *glossa* + *-ite.*]

◎ **-gloss(o)-** *el. comp.* = a língua (órgão ou linguagem); *glossário, glossemática, glótica, glotologia* [F.: Do gr. *glossa, glotta.*]

glossofaríngeo (glos.so.fa.*rín*.ge:o) *a.* **1** Relativo à língua e à faringe *sm.* **2** *Med.* O nervo glossofaríngeo [F.: *gloss(o)-* + *faríngeo.*]

glossolalia (glos.so.la.*li*.a) *sf.* Fenômeno que pode ocorrer com pessoas ger. em transe religioso, que se caracteriza pela capacidade de falar línguas desconhecidas [F.: *gloss(o)-* + *-lalia.*]

glossologia (glos.so.lo.*gi*.a) *sf. Ling.* Ciência da linguagem; GLOTOLOGIA [F.: *gloss(o)-* + *-logia.*]

glossológico (glos.so.*ló*.gi.co) *a.* Rel. a glossologia [F.: *glossologia* + *-ico*[2].]

glossologista (glos.so.lo.*gis*.ta) *s2g.* Especialista em glossologia; GLOSSÓLOGO [F.: *glossologia* + *-ista.*]

glossólogo (glos.*só*.lo.go) *sm.* O mesmo que *glossologista* [F.: *gloss(o)-* + *-logo.*]

glossônimo (glos.*sô*.ni.mo) *sm.* Nome que designa uma língua, um dialeto, uma família linguística etc. [F.: *gloss(o)-* + *-ônimo.*]

glossotomia (glos.so.to.*mi*.a) *sf. Cir.* Extração ou incisão da língua [F.: *gloss(o)-* + *-tomia.*]

glossotômico (glos.so.*tô*.mi.co) *a. Cir.* Referente a glossotomia [F.: *glossotomia* + *-ico*[2].]

◎ **-glota** *el. comp.* = língua, idioma: *poliglota, triglota* [F.: Do gr. *glossa* (ático, *glotta*), *es.*]

glotal (glo.*tal*) *a2g.* Próprio ou pertencente à glote [Pl.: *-tais.*] [F.: *glote* + *-al*[1].]

glote (*glo*.te) [ó] *sf.* **1** *Anat.* Abertura ou espaço triangular em forma de pequena língua (daí seu nome), localizada na parte mais estreita da laringe, circunscrita pelas duas cordas vocais inferiores, ou verdadeiras, pela qual passa o ar necessário para a respiração **2** *Fon.* Essa abertura entre as cordas vocais, em função de sua atuação na formação da voz e suas variações, (aumentando ou diminuindo, acionando ou não as cordas vocais com a passagem do ar etc.) na articulação dos fonemas e das palavras etc. [F.: Do lat. mod. *glottis, is* der. gr. *glottís,idos.*]

glótico (*gló*.ti.co) *a2g.* O mesmo que *glotal* [F.: Do gr. *glotikós, e, on.*]

◎ **glot(o)-** *el. comp.* = língua (*glotocentrismo, glotônimo*)

glotocentrismo (glo.to.cen.*tris*.mo) *sm.* Centrado na língua ou na linguagem [F.: *gloto* + *centrismo.*]

glotocronológico (glo.to.cro.no.*ló*.gi.co) *a.* Próprio ou referente a glotocronologia [F.: *glotocronologia* + *-ico*[2].]

⊠ **GLP** Abrev. de *gás liquefeito de petróleo,* popularmente conhecido como 'gás de cozinha'

⊠ **GLS** Abrev. de *gays, lésbicas e simpatizantes*

glucagon (glu.ca.*gon*) *sm. Bioq.* Hormônio segregado pelo pâncreas que atua elevando o nível de glicose no sangue [F.: *gluc(o)-* + *-acon.*]

glucídio (glu.*cí*.di:o) *sm. Quím.* Designação genérica dos compostos orgânicos constituídos de C, H e O, como os açúcares, carboidratos e sacarídeos [F.: *gluc(o)-* + *-ídio.*]

◎ **gluc(o)-** O mesmo que *glic(i/o)-*

gluconato (glu.co.*na*.to) *sm. Quím.* Sal ou éster do ácido glicônico; GLICONATO

glucosado (glu.co.*sa*.do) *a.* Com glicose

glucose (glu.*co*.se) *sf.* Ver *glicose* [F.: *gluc(o)-* + *-ose.*]

glucuronato (glu.cu.ro.*na*.to) *sm. Quím.* Sal do ácido glucorônico [F.: *glucuron-* (rad. de *glucurônico*) + *-ato.*]

glucurônico (glu.cu.*rô*.ni.co) *sm.* Ver *glicurônico* [F.: *gluc(o)-* + *-urônico.*]

gluma (*glu*.ma) *sf. Bot.* Cada uma das brácteas membranosas que formam o invólucro da flor das gramíneas, envolvendo a base da espiga e servindo de cálice e de corola [F.: Do lat. *glumma, ae.*]

◎ **glum(i)-** *el. comp.* = gluma (glumáceo, glumífero)

glumífero (glu.*mí*.fe.ro) *a. Bot.* Com glumas [F.: *glum(i)-* + *-fero.*]

glúon *sm. Fís.* Partículas responsáveis pela coesão dos *quarks,* possibilitando que os hádrons se formem [Pl.: *glúones ou glúons.*] [F.: Prov. do ing. *gluon.*]

glutamato (glu.ta.*ma*.to) *sm.* Sal ou éster derivado do do ácido glutâmico [F.: *glutâmico* + *-ato.*]

glutâmico (glu.*tâ*.mi.co) *a. Quím.* Diz-se de um ácido dicarboxílico, que se obtém por hidrólise das substâncias albuminoides [F.: *glut(e)-* + *-âmico.*]

glutamina (glu.ta.*mi*.na) *sf. Quím.* Um dos aminoácidos que compõem as proteínas [F.: *glut(e)-* + *-amina.*]

glutão (glu.*tão*) *a.* **1** Voraz, que come com avidez e em excesso *sm.* **2** Indivíduo que se comporta dessa forma **3** *Zool.* Mamífero carnívoro (Gulo gulo), da família dos mustelídeos, semelhante à marta mas de maior porte; carcaju [Pl.: *-tões.* Fem.: *glutona*] [F.: Do lat. *glutto, onis.*]

glutatião (glu.ta.ti.*ão*) *sm. Bioq.* Pequena proteína composta por três aminoácidos (ácido glutâmico, glicina e cisteína) e presente em toda célula viva; esse tripeptídio funciona como antioxidante e desintoxicante intracelular [Abrev.: GSH] [Pl.: *-ões.*] [F.: Do ing. *glutathione,* cunhado pelo bioquímico Frederick Gowland Hopkins (1861-1947), descobridor desse tripeptídio. Tb.: *glutationa.*]

glute (*glu*.te) *sm.* Ver *glúten*

glúten (*glú*.ten) *sm.* Parte proteica da farinha dos cereais, com grande capacidade de absorver água e por isso usada no fabrico de pão para fazer crescer a massa [Pl.: *glutens* e (p.us. no Brasil) *glútenes.*] [F.: Do lat. *gluten, inis.* Tb. *glute.*]

glúteo (*glú*.te.o) *a.* **1** Referente às nádegas (região glútea) *sm.* **2** *Anat.* Cada um dos músculos das nádegas, responsáveis pelos movimentos de abdução e extensão da coxa [F.: Do gr. *gloutós, ou.*]

glutinoso (glu.ti.*no*.so) [ô] *a.* **1** Que contém glúten **2** Semelhante ao glúten **3** Que tem aparência ou consistência viscosa, grudenta, ou que gruda; VISCOSO [Pl.: [ó]. Fem.: [ó].] [F.: Do lat. *glutinosus, a, um.*]

glutonaria (glu.to.na.*ri*.a) *sf.* Característica, qualidade de glutão; tendência ou atitude de ser guloso, de comer muito; EDACIDADE; GULA; VORACIDADE [F.: De *glutão,* na forma *gluton-* + *-aria.* Tb. *glutoneria.*]

glutoneria (glu.to.ne.*ri*.a) *sf.* Ver *glutonaria*

⊠ **GN** Abrev. de *gás natural*

gnaisse (*gnais*.se) *sm. Geol.* Rocha metamórfica feita de mica, feldspato, quartzo e outros minerais, cristalina, disposta em lâminas [F.: Do al. *Gneiss.*]

◎ **-gnata** *el. comp.* Ver *gnat(o)-*

gnatalgia (gna.tal.*gi*.a) *sf. Med.* Dor no queixo [F.: *gnat(o)-* + *-algia.*]

gnatálgico (gna.*tál*.gi.co) *a. Med.* Relativo à gnatalgia [F.: *gnatalgia* + *-ico*[2].]

◎ **-gnatia** *el. comp.* = 'mandíbula'; 'maxilar'; 'anomalia ou irregularidade mandibular'; 'irregularidade bucal': *agnatia, epignatia, micrognatia, ortognatia, prognatia.* [F.: Do gr. *gnáthos, ou,* 'mandíbula (do homem e dos animais)'; 'queixo'; 'face'; 'bochecha'; 'boca'; 'passagem', + *-ia*[1]. F. conexa: *gnat(o)-.*]

◎ **-gnat(o)-** *el. comp.* Ver *gnat(o)-*

◎ **gnat(o)-** *el. comp.* = 'maxilar'; 'queixo'; 'de queixo ou mandíbula com dada característica'; 'bico de ave': *gna-*

talgia, gnatoplastia, gnatoplegia; retrognatismo; ágnato, epígnato, hipógnato/hipógnata, mesógnato, opistógnato. [F.: Do gr. *gnáthos, ou.* F. conexa: *-gnatia.*]

gnatoplastia (gna.to.plas.*ti*.a) *sf. Cir.* Cirurgia plástica do queixo [F.: *gnat(o)-* + *-plastia*.]

gnatoplástico (gna.to.*plás*.ti.co) *a. Cir.* Ref. à gnatoplastia [F.: *gnatoplastia* + *-ico*[2].]

gnatoplegia (gna.to.ple.*gi*.a) *sf. Med.* Paralisia do queixo [F.: *gnat(o)-* + *-plegia*.]

gnatoplégico (gna.to.*plé*.gi.co) *a. Med.* Relativo à gnatoplegia [F.: *gnatoplegia* + *-ico*[2].]

GNL Sigla de *gás natural liquefeito*

gnoma (*gno*.ma) *sf.* Pensamento moral, conciso e doutrinal; MÁXIMA; PROVÉRBIO [F.: Do lat. *gnome*.]

gnomo (*gno*.mo) [ô] *sm.* **1** Segundo os cabalistas, espírito corporificado num anão de figura grotesca que vive no interior de e é guardião de tesouros em ouro, metais e pedras preciosas **2** *Fig. Pej.* Homem pequeno e desajeitado [F.: Do lat. *gnomus*.]

gnômon (*gnô*.mon) *sm.* Instrumento composto ger. de uma haste vertical que, pela projeção de sua sombra sobre um plano horizontal, indica a altura do sol e as horas do dia; relógio do sol [Pl.: *gnômones* ou *gnômons*.] [F.: Do Lat. *gnomon, onis*.]

gnomônico (gno.*mô*.ni.co) *a.* Que se refere ao gnômons [F.: *gnômon* + *-ico*[2].]

◎ **-gnose** *el. comp.* = 'conhecimento'; 'ação ou capacidade de perceber, conhecer ou reconhecer', 'percepção'; 'estudo'; 'diagnóstico': *abarognose, acrognose, barognose, biognose, heautognose, hipergnose, tanatognose* [F.: Do gr. *gnôsis, eos*, 'ação de conhecer'; 'conhecimento'; 'ciência', 'sabedoria'. F. conexas: *gnoseo-* e *-gnosia*.]

gnose (*gno*.se) [ó] *sf.* **1** Ação, resultado ou condição de conhecer; CIÊNCIA; CONHECIMENTO **2** *Fil. Rel.* Sistema filosófico-religioso segundo o qual o conhecimento das coisas divinas funda-se sobre uma revelação interior; o saber por excelência; GNOSTICISMO **3** *P.ext.* Qualquer crença ou doutrina religiosa de características semelhantes [F.: Do gr. *gnôsis, eos*.]

◎ **gnoseo-** *el. comp.* = 'conhecimento'; 'ciência'; 'estudo': *gnoseologia, gnosiologia* [F.: Do gr. *gnôsis, eos*. F. conexas: *-gnose* e *-gnosia*.]

gnoseologia (gno.se:o.lo.*gi*.a) *sf. Fil.* Ramo da filosofia que estuda as bases gerais do conhecimento humano; teoria do conhecimento; EPISTEMOLOGIA [F.: *gnoseo-* + *-logia*. Tb. *gnosiologia*. A melhor f. é *gnoseologia*.]

gnoseológico (gno.se:o.*ló*.gi.co) *a. Fil.* Ref. à gnoseologia [F.: *gnoseologia* + *-ico*[2]. Tb. *gnosiológico*. A melhor f. é *gnoseológico*.]

◎ **-gnosia** *el. comp.* = 'conhecimento'; 'estudo'; 'ciência'; 'capacidade': *acrognosia, agnosia* (< gr.), *astrognosia, bibliognosia, biognosia, etnognosia, geognosia, psicognosia* [F.: Do gr. *-gnosia, as*, do gr. *gnôsis, eos*, 'ação de conhecer'; 'conhecimento'; 'ciência', 'sabedoria'. F. conexas: *-gnose* e *gnoseo-*, *gnosio-*.]

◎ **gnosio-** *el. comp.* Ver *gnoseo-*

gnosiologia (gno.si:o.lo.*gi*.a) *sf.* Ver *gnoseologia*

gnosiológico (gno.si:o.*ló*.gi.co) *a.* Ver *gnoseológico*

gnosticismo (gnos.ti.*cis*.mo) *sm.* **1** *Fil. Rel.* Movimento religioso-filosófico que combinava a crença com a especulação filosófica e esotérica, formado por seitas cristãs heterodoxas nos primeiros séculos do cristianismo e que buscava o conhecimento das verdades divinas como origem da natureza e do universo **2** *P.ext.* Qualquer tipo de busca do conhecimento das verdades divinas e transcendentes por meios heterodoxos e mágicos [F.: Do fr. *gnosticisme*.]

◎ **-gnóstico** *el. comp.* =referente ao conhecimento, à ciência e à sabedoria: *agnóstico, diagnóstico, geognóstico, gnóstico* [F.: Do gr. *gnostikós, ê, ón*.]

gnóstico (*gnós*.ti.co) *a.* **1** Ref. a gnose **2** Que segue as linhas de pensamento do gnosticismo *sm.* **3** Aquele que é seguidor do gnosticismo [F.: Do gr. *gnostikos, e, on*.]

gnu *sm.* Grande antílope africano de visão e olfato muito apurados e de chifres espiralados, assemelhado aos dos búfalos [F.: Do fr. *gnou*, de origem africana.]

⊠ **GNV** Abrev. de *gás natural veicular*

GO Sigla de estado de Goiás

gobelin (go.be.*lin*) *sm.* **1** Tapeçaria de riquíssimo tecido e belos desenhos, confeccionado na França, pela Casa de Golbelin, desde o séc. XVIII **2** *P.ext.* Tecido para estofados que imitam o gobelin [F.: Do fr. *gobelin*.]

gobelino (go.be.*li*.no) *sm.* Forma aportuguesada de *gobelin* [F.: Do fr. *gobelin*.]

godardiano (go.dar.di.*a*.no) *a.* **1** De ou próprio do cineasta francês Jean-Luc Godard (1930) *sm.* **2** Admirador ou estudioso da obra desse cineasta [F.: Do antr. *(Jean-Luc) Godard* + *-iano*.]

gode (*go*.de) *sm.* Graça, mercê [F.: De or. obsc. Hom./Par.: *gode* (sm.), *godê* (sm.a2g.).] ▪▪ **De ~** De graça; grátis: "...pagou o preço que Dona Maria Serra queria, e era muito barato, só pra não dizer que era de gode..." (Josué Montelo, Os Tambores de São Luís)

godê (go.*dê*) *sm.* **1** Tigela pequena em que o pintor dilui suas tintas **2** *Cost.* Corte enviesado em tecido, que o deixa ondulado, mais largo na parte inferior do que na superior, us. em saias, vestidos, mangas etc. *a2g.* **3** Que é cortado dessa maneira (manga godê) [F.: Do fr. *godet*.]

goderar (go.de.*rar*) *v.* **1** *Bras.* Olhar atentamente (outros) comerem, esperando ganhar alguma coisa; comer com os olhos [*td.*] [*int.*] **2** Filar a comida, a boia [*td.*] [▶ **1** gode*rar*] [Sin. ger.: *gongorar, gauderiar.* Hom./Par.: *godero* (fl.), *godero* (sm.).]

godo (*go*.do) [ô] *sm.* **1** Indivíduo pertencente ao godos, povo da Germânia, tidos no Ocidente como bárbaros, que, a partir do séc. III se espalharam pela Europa *a.* **2** Relativo ou pertencente a esse povo [F.: Do lat. tardio *gothus*.]

goela (go:*e*.la) [é] *sf.* **1** *Pop.* Ver *garganta*: *A comida não lhe descia pela goela.* **2** Numa linotipo, local na cabeça do elevador onde fica agarrada a linha de matrizes *s2g.* **3** *Bras.* Pessoa ambiciosa ou gananciosa, ger. sem escrúpulos **4** Pessoa que se gaba contando bazófias; GARGANTA [F.: Do lat. *gulella*.] ▪▪ **Cair na ~ do lobo** Expor-se a perigo, propositale imprudentemente **Molhar a ~** *Pop.* Beber, esp. bebida alcoólica

goethiano (go.e.thi.*a*.no) *a.* **1** Que se refere a Johann Wolfgang von Goethe (1749 -1832), poeta alemão **2** Diz-se daquele que é entusiasta da obra deste poeta *sm.* **3** Este entusiasta [F.: Do antr. *Goethe* + *-iano*.]

gofrado (go.*fra*.do) *a.* Diz-se da superfície salientada pelo processo de gofragem [F.: Part. de *gofrar*.]

gofragem (go.*fra*.gem) *sf.* Ação ou resultado de gofrar [F.: *gofrar* + *-agem*.]

gofrar (go.*frar*) *v. td.* **1** Fazer nervuras (em folhas ou flores artificiais) **2** *Art.gr.* Dar relevo ou certa textura a (papel ou cartão), passando esse material na prensa de gofrar, formada por cilindros ou placas gravadas **3** Marcar relevos de ornatos e letras em lombadas de livros e pastas de tecido ou de couro, sem revesti-los de tinta, ouro ou outro material; estampar a frio ou a seco [▶ **1** go*frar*] [F.: Do fr. *gaufrer*.]

gogo (*go*.go) [ô] *sm.* **1** *Vet.* Gosma que sai da boca das galinhas e outras aves quando vítimas de doença do mesmo nome **2** Verminose que ataca a traqueia de algumas aves, produzida pelo helminto *Syngamus trachea;* SINGAMOSE [F.: De or. contrv.]

gogó (go.*gó*) *Bras. Pop. sm.* **1** Proeminência da laringe; POMO DE ADÃO **2** *Fig.* Promessa que não se tem a intenção de cumprir, ou afirmação conscientemente sem fundamento: *Isso aí é gogó, nada vai ser feito!* **3** *Fig.* Indivíduo cheio de argumentação falsa, de jactâncias e mentiras; GARGANTA; GOELA: *É só gogó, não acredite nisso!* **4** *Fig.* Garganta: *Esse cantor tem o gogó afinado!* [F.: De or. contrv.]

goguento (go.*guen*.to) *a.* Que está com gogo; GOGOSO [F.: *gogo* + *-ento*.]

gói *s2g.* Designação dada pelos judeus àqueles que não são de origem judaica [F.: Do heb. *goi* ('povo') pelo iídiche *goi*.]

goiaba (goi.*a*.ba) *sf.* **1** *Bot.* O fruto da goiabeira (*Psidium guajava*) **2** *Mar.* Mercadoria, possivelmente de baixa qualidade, que se compra em viagem marítima *s2g.* **3** *SP Gír.* Pessoa pouco interessante, entediante, cacete [F.: Talvez do espn. *guayaba*.]

goiabada (goi.a.*ba*.da) *sf.* Doce feito da goiaba, de maior ou menos consistência, ger. sólido e cortável por faca [F.: *goiaba* + *-ada*[1].]

goiabal (goi.a.*bal*) *sm.* Plantação de goiabeiras; agrupamento de goiabeiras mais ou menos próximas umas das outras [Pl.: *-bais*.] [F.: *goiaba* + *-al*[1].]

goiabeira (goi.a.*bei*.ra) *sf. Bot.* Árvore da fam. das mirtáceas (*Psidium guajava*), originária da América tropical, e cujo fruto, a goiaba, de polpa branca, rósea ou fortemente avermelhada, é muito apreciado pelo seu sabor [F.: *goiaba* + *-eira*.]

goiamu (goi.a.*mu*) *sm. Zool.* Mesmo que *guaiamu* [F.: De origem tupi.]

goiamum (goi.a.*mum*) *sm. Zool.* Mesmo que *guaiamu* (*Cardisoma guanhumi*) [F.: Do tupi.]

goiano (goi:*a*.no) *a.* **1** De Goiás: típico desse estado brasileiro ou de seu povo *sm.* **2** Pessoa que nasce ou vive em Goiás **3** *Bot.* Nome de uma variedade de feijão [F.: Do top. *Goiás* + *-ano*[1].]

goitacá (goi.ta.*cá*) *a2g. s2g.* O mesmo que *goitacaz* [F.: Ver em *goitacaz*.]

goitacases (goi.ta.*ca*.ses) *smpl. Etnol.* O mesmo que *goitacazes* (ver no verbete *goitacaz*) [F.: Pl. da expressão tupi *guay-ataca*.]

goitacaz (goi.ta.*caz*) *s2g.* **1** *Etnol.* Indivíduo dos goitacazes, povo indígena que habitava o litoral entre o Rio de Janeiro e o Espírito Santo *a.* **2** De ou ref. a goitacaz ou aos goitacazes; típico desse povo indígena [F.: Prov. do tupi *guay-atacá*.]

goiva (*goi*.va) *sf.* **1** Ferramenta semelhante ao formão, com extremidade cortante em forma de "v" ou meia-cana, us. por marceneiros, escultores, xilogravadores etc. para entalhar ou gravar peças de madeira, ou de metal ou de pedra **2** *Ant. Mil.* Antiga arma militar, espécie de lança curta **3** *Ant. Mil.* Agulha com ponta no mesmo formato da goiva, usada para limpar incrustações no ouvido da peça de artilharia [F.: Do lat. tard. *gubia*, do lat. *guvia, ae*.]

goivar (goi.*var*) *v. td.* **1** *Art.Pl.* Cortar ou entalhar (madeira ou outro material) com goiva **2** Cortar ou ferir com goiva ou outro instrumento cortante [▶ **1** goi*var*] [F.: *goiva* + *-ar*[2]. Hom./Par.: *goiva(s)* (fl.), *goiva* (sf.) e pl; *goivo* (fl.), *goivo* (sm.).]

goiveiro (goi.*vei*.ro) *sm. Bot.* Designação para vários tipos de plantas crucíferas ornamentais [F.: *goivo* + *-eiro*.]

goivo (*goi*.vo) *sm.* **1** Alegria, contentamento, gáudio **2** *Bot.* Nome comum a certas plantas dos gêneros *Cheiranthus* e *Matthiola*, da fam. das crucíferas, nativas da Europa, de flores perfumadas, melíferas e ornamentais, com inúmeras variedades cultivadas de flores com cores diversas; GOIVEIRO [F.: Do lat. *gaudium, ii*.]

gol *sm.* **1** *Bras. Esp.* Espaço retangular guardado por jogador do time que se defende (o goleiro), limitado por uma linha de gol (no solo), duas traves verticais e um travessão horizontal, aos quais se prende uma rede, e no qual a bola deve entrar para que seja marcado um ponto, em jogos como futebol, handebol, futsal, hóquei etc.: *O goleiro defendia valentemente o seu gol.* **2** *P.ext.* O ponto marcado quando a bola entra no gol (1): *O jogador chutou e fez o gol.* [Pl.: *gols* (*mais us.*), *goles* e *gois*.] [F.: Do ing. *goal*.] ▪▪ **Chutar a/em ~** *Esp.* Chutar com intenção de marcar um gol **Fazer (um) ~ contra** *Bras. Fig.* Ver *Marcar um gol contra* **Fechar o ~** *Fut.* Ter o goleiro excelente atuação, fazendo defesas difíceis. **~ contra** **1** *Bras. Fut.* Gol feito contra a própria meta [Em Portugal, *autogolo*.] **2** *Fig.* Resultado nocivo e não esperado de uma ação realizada com intenção de obter vantagem ou de auxiliar **~ de honra** *Bras. Fut.* O único gol de uma equipe derrotada **~ de ouro** *Fut.* Segundo certos regulamentos de desempate, o primeiro gol durante prorrogação de jogo empatado no tempo normal, que decide a partida a favor da equipe que o marcou **~ de placa** *Fut.* Gol memorável; aquele que, por sua beleza, perfeição de realização, pela habilidade ou genialidade demonstrada pelo jogador, é considerado digno de uma placa comemorativa. (Ger. us. em relação a um gol em que o jogador dribla sucessivamente vários adversários antes de concluir.) **~ olímpico** *Fut.* Gol marcado em cobrança de escanteio, a bola entrando diretamente, sem que outros jogadores nela toquem **Marcar (um) ~ contra** *Fig.* Prejudicar a si ou a outros, ao agir com intenção de beneficiar-se ou de colaborar com eles

gola (*go*.la) *sf.* **1** Parte da roupa que fica em torno ou ao lado do pescoço **2** *Arq.* Moldura com uma curvatura côncava e outra, convexa [Quando a curvatura superior é convexa chama-se *gola direta*, quando é côncava, *gola reversa*.] **3** *Mil.* Em fortificações, linha ou superfície que junta as extremidades dos lados de um ângulo saliente **4** *Mar.* Peça circular metálica que se liga à parte inferior da saia do cabrestante **5** *Mar.* Peça que faz parte do uniforme dos marinheiros [F.: Do lat. *gula, ae*.] ▪▪ **~ alta** *Lus.* Ver *Gola rulê* **~ rulê** Gola alta, dupla que pode ser enrolada ou dobrada sobre si mesma para que fique rente ao pescoço; *Lus.* gola alta

golaço (go.*la*.ço) *sm. Fut.* Gol marcado com grande habilidade [F.: *gol* + *-aço*.]

golada (go.*la*.da) *sf.* Porção qualquer que se sorve de uma só vez; GOLE [F.: *gole* + *-ada*.]

gole (*go*.le) *sm.* Porção de líquido que se bebe em uma só deglutição; GOLADA; TRAGO: *Tomou um gole de uísque antes do jantar.* [F.: De *engole*, regr. de *engolir*.]

goleada (go.le:*a*.da) *sf. Bras. Esp. Fut.* Ação ou resultado de fazer muitos gols numa partida, sofrendo poucos ou nenhum em contrapartida: *O meu time deu uma goleada de 4 a 0.* [F.: Fem. substv. do part. do vb. *golear*.]

goleado (go.le.*a*.do) *a.* Que sofreu muitos gols [F.: Part. de *golear*.]

goleador (go.le:a.*dor*) [ô] *a.* **1** *Bras. Fut.* Diz-se de jogador ou time que costuma fazer muitos gols ou que faz muitos gols em uma só partida *sm.* **2** *Esp.* Esse jogador ou esse time [F.: *golear* + *-dor*.]

golear (go.le.*ar*) *v. Esp.* Ganhar (partida de esporte no qual o objetivo é marcar gol) por uma grande diferença de gols [*td.*: *O Palmeiras goleou o Botafogo.*] [*int.*: *A seleção prometeu golear.*] [▶ **13** golear] [F.: *gol* + *-ear*[2].]

goleira (go.*lei*.ra) *Fut. sf.* **1** O conjunto das traves, do travessão e da rede **2** Mulher que atua no gol [F.: *gol* + *-eira*.]

goleiro (go.*lei*.ro) *sm. Bras. Esp.* Em esportes como futebol, handebol, futsal etc. jogador que defende o gol de seu time, usando as mãos para segurar ou afastar a bola. [Em futebol, de todos os jogadores só o goleiro pode usar as mãos, em espaço restrito à grande área.] [F.: *gol* + *-eiro*.]

golfada (gol.*fa*.da) *sf.* **1** Ação ou resultado de golfar **2** Porção de algo que é expelida ou que irrompe num mesmo impulso ou espasmo **3** *P.exr.* Porção de líquido, vômito ou sangue, lançado de uma só vez (golfada de sangue): *O bebê deu uma golfada depois da mamada.* **4** *Fig.* Ímpeto, impulso **5** Rajada de vento: *Uma golfada de vento desmanchou seu penteado.* [F.: De um étimo comum ao espn. *golfarada*, porém incerto.]

golfar (gol.*far*) *v.* **1** Expelir ou sair (líquido ou qualquer substância) em ondas sucessivas [*td.*: *O ferimento golfava sangue.*] [*int.*: *O sangue golfava*] **2** Arremessar em grande quantidade [*td.*: *O vento golfava flocos de neve.*] **3** Dizer (algo) em altos brados e repetidamente [*td.*: *A multidão golfava palavrões.*] **4** *Fig.* Surgir num impulso, com ímpeto; IRROMPER [▶ **1** golfar] [F.: De or. incerta; posv. deduzido de *golfada* (2) (q.v.). Hom./Par.: *golfo* (fl.), *golfo* (sm.); *golfe* (fl.), *golfe* (sm.); *golfes* (fl.), golfes (pl. do sm.); *golfam* (fl.), *gólfão* (sm.).]

golfe (*gol*.fe) [ô] *sm.* **1** *Esp.* Modalidade de esporte que consiste em introduzir uma bola pequena e maciça, impulsionada por um taco, numa sequência de 18 buracos espalhados por um grande campo, com o menor número possível de tacadas **2** *Lud.* Espécie de jogo de paciência, para um ou dois parceiros, com um baralho de 52 cartas [F.: Do ing. *golf*.]

golfinhada (gol.fi.*nha*.da) *sf. Nat.* Forma de nado submerso e ondulante permitido por alguns metros em prova de natação, logo após a largada e uma virada [F.: *golfinho* + *-ada*[2].]

golfinho (gol.*fi*.nho) *sm.* **1** *Zool.* Nome comum dado a diversas spp. de mamíferos cetáceos, esp. aqueles da fam. dos delfinídeos, de focinho longo, em forma de bico; BOTO; DELFIM; TONINHA **2** *Her.* Esse animal representado em peças de heráldica, ger. posicionado em semicírculo **3** *Esp.* Estilo de natação em que o praticante impulsiona o corpo como se fosse um golfinho **4** *Antq. Mil.* Asa de peça de artilharia que servia para empunhá-la no manuseio [F.: Do lat. *delphinus, i.*]

golfista (gol.*fis*.ta) *s2g.* Jogador de golfe [F.: *golfe* + *-ista.*]

golfístico (gol.*fís*.ti.co) *a.* Relativo a golfe ou ao jogador desse esporte [F.: *golfista* + *-ico²*.]

golfo (*gol*.fo) [ô] *sm.* **1** *Geog.* Porção que mar que avança pela terra, formando ampla abertura **2** *Geog.* Extensão marítima sem ilhas **3** *P.us. Geog.* Ponto do oceano em que a profundidade é muito grande **4** Depósito de diamantes em parte profunda do leito de rios **5** *Bot.* Planta aquática (*Hydrocleys nynphoides*), palustre, com caules flutuantes e flores hermafroditas alaranjadas, nativa do Brasil e cultivada como ornamental **6** *Bot.* Erva aquática (*Limnocharis flava*), nativa do Brasil, da fam. das alismatáceas, de folhas grandes e grossas e flores amarelas **7** *Lus.* No Algarve (Portugal), o mesmo que *golfada* [F.: Do gr. *kólpos.*]

gólgota (*gól*.go.ta) *sf.* **1** Local para suplícios; CALVÁRIO **2** Sentimento de martírio, de dor sem fim [F.: Do lat. *golgota.*]

golilha (go.*li*.lha) *Ant. sf.* **1** Argola de ferro pregada a um poste à qual se prendiam, pelo pescoço, escravos ou criminosos **2** Grande gola engomada que se usava com a beca [F.: Do espn. *golilla.*]

golinha (go.*li*.nha) *sf.* **1** Pequena gola **2** *Ornit.* Mesmo que *brejal* [F.: *gola* + *-inha.*]

golinho (go.*li*.nho) *sm. Ornit.* Mesmo que *brejal* [F.: *golo* + *-inho.*]

golo (*go*.lo) *sm. Pop.* Mesmo que *gole*

golpe (*gol*.pe) *sm.* **1** Movimento rápido de um corpo de encontro a outro, com o qual acaba de chocando; BATIDA; PANCADA: *Deu um golpe de martelo na madeira.* **2** Ferimento ou marca deixados por esse choque: *Considerou com pessimismo aquele golpe no braço.* **3** *Fig.* Acontecimento funesto inesperado que choca e causa impacto, tristeza etc.; DESGRAÇA; INFORTÚNIO: *A morte do irmão foi um terrível golpe para ele.* **4** Ação, palavras ou disposição que têm por fim cortar dificuldades ou evitar um perigo (golpe decisivo) **5** Atitude decisiva que se toma em qualquer negócio (golpe de coragem); ÍMPETO; IMPULSO; LANCE **6** Rasgo, lance, disposição de formas ou combinações engenhosas em que se reconhece a mão de um grande mestre (golpe de mestre) **7** Manobra astuciosa em luta corporal: *Deu um golpe no pescoço do adversário.* **8** *Fig.* Manobra ardilosa visando à obtenção de ganhos ou recompensas; ARDIL; ESTRATAGEMA: *Deu um golpe no banco e fugiu para o Caribe.* **9** *Fig.* Acontecimento imprevisto, esp. o que tem importante significado: *Um golpe de sorte salvou sua vida* **10** Ação de acabar com alguém ou alguma coisa: *Deu o golpe final no prisioneiro; Foi um golpe arrasador em sua carreira profissional.* **11** *AM* Corte que se faz no tronco da seringueira para obtenção do látex **12** Rajada de ar ou de vento **13** *Ant.* Multidão, grupo, quantidade de coisas ou pessoas que entram ou saem de uma vez (um golpe de gente) **14** *Pol.* O mesmo que *golpe de Estado* **15** *Esp.* Em esportes de luta (boxe, judô etc.), cada modalidade ou forma de atingir o adversário, de acordo com as regras: *Aplicou uma série de golpes: cruzados, jabs, e upercuts.* [F.: Do lat. *colpus.*] ■ **De ~** De repente, de chofre **De um (só) ~** **1** Num gesto repentino, rápido ou impulsivo **2** De uma só vez; de repente: *De um golpe, tomou a mão dela na sua; Perdeu de um (só) golpe a fortuna que acumulara durante anos.* **~ baixo** **1** *Pug.* Golpe proibido pelo regulamento do boxe, ger. desferido abaixo da cintura do adversário **2** *Fig.* Artimanha desleal ou antiética para se obter resultados em detrimento dos direitos de outrem **~ de ar** Corrente de ar, vento súbito **~ de arco** *Mús.* Em instrumentos de corda com arco, movimento do arco para se obter certa sonoridade, efeito etc., **~ de aríete** *Hidr.* Choque que ocorre quando uma corrente líquida em duto tem súbita parada ou redução de velocidade **~ de Estado** **1** Usurpação violenta do governo de um país, ger. por pessoa(s) ou grupo(s) no poder **2** Ato de um governo para manter-se no poder além do tempo previsto em lei ou na Constituição **~ de mar** Impacto de grande onda sobre embarcação **~ de mestre** Ação audaciosa e hábil, que ger. obtém êxito **~ de misericórdia** **1** Ação mortal que se aplica a moribundo para apressar-lhe a morte e assim abreviar seu sofrimento **2** *Fig.* Ação decisiva que acaba com algo (projeto, ideia, empreendimento etc.) já em decadência ou processo de extinção **~ de vista** **1** Olhar rápido, relance **2** Capacidade de perceber e avaliar situação com um rápido olhar **3** *Esp.* Em esporte disputado com bola, passividade de jogador ante ação de adversário, por avaliar num relance, por sua trajetória, que a bola irá para fora **~ do baú** Casamento no qual um dos cônjuges tem interesse financeiro (devido à riqueza do outro) **~ vencedor** *Esp.* No tênis, jogada de grande habilidade que marca ponto ao impedir qualquer possibilidade de defesa do adversário **Queimar no ~** *MG* Ficar muito irritado ou zangado

golpeado (gol.pe.*a*.do) *a.* Que sofreu golpe(s) [F.: Part. de *golpear.*]

golpear (gol.pe.*ar*) *v. td.* **1** Desferir golpe(s) em, acertar (batidas, pancadas etc.) em: *Golpeou várias vezes o adversário.* **2** Ferir com instrumento; RETALHAR: *Esperou uma distração do ladrão para pegar a faca e golpeá-lo.* **3** *Fig.* Causar impacto negativo, atingir e prejudicar a atuação ou desempenho normal de algo **4** Afetar duramente: *Dura crise econômica golpeou o país.* **5** *Fig.* Afligir, angustiar: *A notícia golpeou a mãe do rapaz.* **6** *Fig.* Atacar, agredir verbalmente: *Era dado a golpear as pessoas, falando-lhes palavrões e desaforos.* [▶ 13 golpear] [F.: *golpe* + *-ear²*.]

golpismo (gol.*pis*.mo) *sm.* Modo de agir daquele que é golpista [F.: *golpe* + *-ismo.*]

golpista (gol.*pis*.ta) *a2g.* **1** Que dá golpe(s) (8), que ludibria alguém para obter lucro ou vantagem *s2g.* **2** Indivíduo golpista **3** Aquele que realiza ou preconiza golpe de estado, que usurpa, ou conspira para usurpar violentamente o governo [F.: *golpe* + *-ista.*]

goma (*go*.ma) *sf.* **1** Substância viscosa que exsuda ou se extrai de certos vegetais **2** Massa para colar (papel, cartão etc.), feita com água, farinha de trigo, dextrina etc. **3** *Bras.* Pasta ou água de amido para engomar roupas **4** *Pat.* Formação mórbida mais ou menos densa que ocorre em algumas inflamações e que adquire aspecto viscoso **5** *Enol.* Qualquer das substâncias utilizadas para clarificar o vinho **6** *Bot.* Doença do vegetais que se caracteriza pela exsudação de goma; GOMOSE **7** *Cul.* Polvilho de mandioca us. na preparação de tapiocas, mingaus, papas etc. **8** *Bras. Pop.* Afirmação falsa **9** *Bras. Pop.* Fanfarronice, presunção [F.: Do lat. tard. *gumma*, der. do lat. class. *gummis, is.*] ■ **~ de mascar** Pastilha feita da goma de certas plantas (ger. chicle) revestida de uma crosta açucarada de sabor variado, para ser mastigada longamente, sem engolir; chiclete **Cagar ~** *Tabu.* Mentir frequentemente, ter o hábito de mentir, esp. contando vantagem, exagerando, etc.

goma-arábica (go.ma-a.*rá*.bi.ca) *sf. Quím.* Goma (1) resinosa de diversas árvores do gên. *Acácia*, esp. a acácia-arábica, us. na fabricação de uma cola do mesmo nome, e também nas indústrias farmacêutica e alimentícia [Pl.: *gomas-arábicas.*]

gomado¹ (go.*ma*.do) *a.* Em que se desfez ou se passou goma: "Fez-se mais branca que a camisa gomada que trazia." (Aquilino Ribeiro, *Volfrâmio*, cap. 9, pág. 286, 4ª ed.) [F.: Part. de *gomar.*]

gomado² (go.*ma*.do) *a.* Disposto em gomos ou que se assemelha à forma de gomos: *A laranja e a tangerina são exemplos de frutos gomados.* [F.: *gomo(1)* + *-ado.*]

goma-elástica (go.ma-e.*lás*.ti.ca) *sf. Bot.* Árvore da fam. das moráceas, dotada de látex do qual se faz borracha [Pl.: *gomas-elásticas.*]

goma-laca (go.ma- *la*.ca) *sf. Quím.* Resina vegetal corante aplicada sobre material de suporte, como madeira, mineral etc. [Pl.: *gomas-lacas, gomas-laca.*]

gomalina (go.ma.*li*.na) *sf.* Produto usado na fixação de cabelos. [A marca registrada é Gomalina®.]

gomar (go.*mar*) *v. td.* Tornar gomado, passar goma [▶ 1 gomar] [F.: *goma* + *-ar.*]

goma-resina (go.ma-re.*si*.na) *sf. Quím.* Produto obtido pela mistura de gomas e resinas vegetais [Pl.: *gomas-resinas, gomas-resina.*]

gomeira (go.*mei*.ra) *sf. Bot.* Árvore da família das voquisiáceas (*Vochysia gummifera*), nativa do Brasil, e de cujo tronco se extrai um líquido viscoso e avermelhado semelhante à goma-arábica [F.: *goma(1)* + *-eira.*]

gomenol (go.me.*nol*) *sm. Farm.* Óleo essencial extraído de uma planta mirtácea (*Melalencia viriflora*), us. como antisséptico e anticatarral [F.: *gomen* + *-ol.*]

gomil (go.*mil*) *sm.* Jarro de boca estreita, ger. us. para se jogar água nas mãos e lavá-las; AGOMIA, AGOMIL: "...e logo o manteeiro com o prato de água às mãos na mão direita levantada com ele até o ombro, e na esquerda o gomil defronte da cintura..." (Luís da Câmara Cascudo, *O cerimonial da refeição d'el rei Dom João IV*) [F.: Do lat. *aquiminile.*]

gomo (*go*.mo) [ô] *sm.* **1** Cada uma das partes naturais que compõem a polpa de certas frutas, como tangerina, laranja, carambola etc. **2** Qualquer coisa que se assemelhe a um gomo (1) **3** *Fut.* Cada uma das divisões que formam a parte de fora de uma bola (de couro, p.ex.) ger. unidas por costura ou material adesivo **4** *Bot.* Broto (1); BROTO **5** *Bot.* Porção entre dois nós do colmo de gramíneas como o bambu e a cana [F.: De or. obsc.]

gomose (go.*mo*.se) *sf. Bot.* Doença dos vegetais provocada por fungos ou infecções que determinam a secreção de um líquido gomoso [F.: *goma* + *-ose.*]

gomoso¹ (go.*mo*.so) [ô] *a.* **1** Que destila ou contém goma **2** Consistente como a goma; VISCOSO [F.: *goma* + *-oso.*]

gomoso² (go.*mo*.so) [ô] *a.* **1** Que tem gomos **2** Que tem a forma de gomos [F.: *gomo* + *-oso.*]

gônada (*gô*.na.da) *sf.* **1** *Anat.* Designação genérica de qualquer das glândulas sexuais (ovário e testículo), que produzem as células de reprodução (os óvulos e os espermatozoides) **2** *Emb.* A glândula embrionária antes de sua definição como testículo ou ovário [F.: Do gr. *gonos.*]

gonadotropina (go.na.do.tro.*pi*.na) *sf.* Substância que estimula as gônadas ou glândulas sexuais [F.: *gônada* + *-tropina.*]

gôndola (*gôn*.do.la) *sf.* **1** *Mar.* Barco comprido e estreito, de extremidades elevadas, impulsionado por um só remo, ger. na popa, típico dos canais de Veneza (Itália) **2** *Ant. Mar.* Embarcação medieval cujo tamanho e forma variava com o uso, podendo chegar às proporções de um navio **3** Vagão ferroviário aberto na parte de cima, com paredes laterais móveis, us. para o transporte de material a granel, ger. minérios **4** Habitáculo de passageiros suspenso de dirigível ou aeróstato semelhante **5** *Astnáut.* Cápsula espacial que conduz astronautas na exploração da estratosfera **6** *Pop. Bras.* Conjunto formado por prateleiras que exibem produtos à venda, muito encontrado em supermercados **7** *Bras.* Em certas regiões do Brasil, corrente de relógio [F.: Do it. *gondola.*]

gondoleiro (gon.do.*lei*.ro) *sm.* **1** Aquele que conduz a gôndola (1); figura típica de Veneza **2** Tripulante de qualquer gôndola [F.: *gôndola* + *-eiro.*]

gonfalão (gon.fa.*lão*) *sm. Ant.* Bandeira de guerra, estandarte, pendão com três ou quatro pontas pendentes [F.: Do fr. *gonfalon.*]

gonfaloneiro (gon.fa.lo.*nei*.ro) *sm.* **1** *Ant.* O que levava o gonfalão; PORTA-BANDEIRA **2** Magistrado municipal de algumas repúblicas italianas na Idade Média [F.: *gonfalão* (*ão* > *on*) + *-eiro.*]

gonfose (gon.*fo*.se) *sf. Anat.* Articulação imóvel entre os dentes e os alvéolos dentários, permitindo que o tecido fibroso do ligamento periodontal segure firmemente o dente no seu alvéolo [F.: Do gr. *gómphosis, eos.*]

gongá (gon.*gá*) *sm.* **1** *Bras. Rel.* O altar ou o santuário de um templo na umbanda e em certos cultos afro-religiosos heterodoxos **2** *Bras. P.ext.* Recinto onde fica esse altar **3** *Bras. RJ* Espécie de pequena cesta com tampa [F.: De or. contrv.]

gongar (gon.*gar*) *v.* **1** Fazer soar um gongo [*int.*: *Para chamar atenção, foi até o gongo e gongou.*] **2** *Bras. Gír.* Eliminar (calouro) de competição por causa de uma apresentação ruim [*td.*: *Gongaram os dois primeiros candidatos a cantor.*] [▶ 14 gongar] [F.: *gongo* + *-ar²*. Hom./Par.: *gonga* (fl.), *gonga* (sf.), gongá (sm.); *gongas* (fl.), *gongas* (pl. do sf.), *gongás* (pl. do sm.); *gongo* (fl.), *gongo* (sm.).]

gongo (*gon*.go) *sm.* **1** *Mús.* Instrumento de percussão que consiste num grande disco de metal, pendurado, que se percute com uma baqueta grande e pesada acolchoada na ponta, o que produz um som ressoante característico **2** *P.ext.* Qualquer objeto semelhante a um gongo (1) **3** *Esp.* Sinal sonoro semelhante ao som de um gongo (1) que anuncia o início e o fim de cada tempo de uma luta de boxe **4** *P.ext.* Sinal de aviso com som semelhante ao de um gongo (1): *Ao ouvir o gongo, andou mais depressa.* **5** *N.E.* Vara com um gancho na ponta com que barqueiros agarram ramos de árvores nas margens de rio, para manter a embarcação em curso, aproximá-la ou afastá-la da margem etc. [F.: Do malaio *gong* (onom.).] ■ **Ser salvo pelo ~** *Pop.* Ser salvo de situação difícil no último momento

gongolô (gon.go.*lô*) *sm. Bras. Zool.* Nome comum a diversos miriápodes, cujas principais famílias são os *polidesmídeos* e os *julídeos;* tb. *embuá* [F.: De or. contrv.]

gongórico (gon.*gó*.ri.co) *a.* **1** Que pertence ou se refere a Luis de Góngora y Argote (1561-1627, poeta espanhol) **2** Que diz respeito ao gongorismo **3** Em que há gongorismo **4** *P.ext.* Que é apurado, rebuscado, requintado, trabalhado; GONGORINO [F.: Do antr. Luis de *Góngora* y Argote + *-ico.*]

gongorino (gon.go.*ri*.no) *a.* O mesmo que *gongórico* [F.: Do antr. Luis de *Góngora* y Argote (1561-1627, poeta espanhol) + *-ino.*]

gongorismo (gon.go.*ris*.mo) *sm.* **1** Estilo literário de grande luxo verbal e uso excessivo de recursos retóricos, que na literatura espanhola é preferencial ao termo "*barroco*" por influência do poeta espanhol Luis de Góngora y Argote (1561-1627). Tem como característica principal o uso indiscriminado de trocadilhos, metáforas, antíteses, inversões e pensamentos demasiadamente afetados **2** Corrente literária seguidora desse estilo [F.: Do antr. Luis de *Góngora* y Argote + *-ismo.*]

gongorista (gon.go.*ris*.ta) *a2g.* **1** Que diz respeito ao gongorismo; GONGÓRICO **2** Que é imitador ou seguidor do gongorismo **3** Aquele que tem, imita ou segue esse estilo [F.: Do antr. Luis de *Góngora* y Argote + *ista.*]

gongorístico (gon.go.*rís*.ti.co) *a.* **1** Ref. a gongorismo **2** *P.us.* Próprio de gongorista [F.: *gongorista* + *-ico²*.]

gongorizar (gon.go.ri.*zar*) *v.* **1** Dar caráter ou aspecto gongórico a [*td.*] **2** Usar estilo gongórico, [*int.*] [▶ 1 gongorizar] [F.: Antr. Luis de *Góngora* y Argote (poeta espanhol/1561-1627) + *-izar.*]

◎ **gon(i)-** *el. comp.* Antepositivo, do gr. *gónu, atos* com significado de 'joelho': *gonalgia, gonartrite, gonartrose, gonocele* etc.

◎ **-gonia** *el. comp.* = 'origem'; 'formação'; 'geração'; 'criação'; 'forma de reprodução ou de fecundação': *agamogonia, alogonia, astrogonia, cosmogonia* (< gr.), *esquizogonia, gamogonia, heterogonia, ontogonia, telegonia, teogonia* [F.: Do gr. *-gonía, as*, do gr. *gónos, ou*, 'ato de criar, formar, gerar, engendrar'; 'geração'; 'procriação'; 'fecundação'; 'órgãos da reprodução, da geração'; 'origem'; 'nascimento' etc. F. conexa: *gon(o)-*.]

gonialgia (go.ni:al.*gi*.a) *sf. Med.* Dor no joelho; GONALGIA [F.: *gon(i)-* + *-algia.*]

goniálgico (go.ni:*ál*.gi.co) *a.* Relativo à gonialgia; GONÁLGICO [F.: *gonialgia* + *-ico²*.]

◎ **gonio-** *el. comp.* Antepositivo, do gr. *gonía, as* com significado de 'ângulo', 'canto', 'quina': *goniógrafo, goniologia, goniometria, gonioscópio, goniotomia* etc.

goniógrafo (go.ni:*ó*.gra.fo) *sm.* Pequeno instrumento com que se marca graficamente qualquer ângulo [F.: *gonio-* + *-grafo.*]

goniômetro (go.ni:*ô*.me.tro) *sm.* Nome genérico dos instrumentos que servem para medir ângulos como, p.ex., o que é usado pelos mineralogistas para medir os ângulos dos cristais, o que serve para medir o ângulo facial e outros largamente utilizados em antropologia, arqueologia, astronomia, topografia etc. [F.: *gonio-* + *-metro.*]

gonioscopia (go.ni:os.co.*pi*.a) *sf. Oft.* Medição feita com gonioscópio para mensurar a angulação da câmara anterior do olho [F.: *gonio-* + *-scopia.*]

gonioscópico (go.ni:os.*có*.pi.co) *a.* Que diz respeito à gonioscopia [F.: *gonioscopia* + *-ico*².]

gonioscópio (go.ni:os.*có*.pi:o) *sm. Oft.* Aparelho utilizado para medir a angulação da câmara anterior do globo ocular [F.: *gonio-* + *-scópio.*]

goniosinéquia (go.ni:o.si.*né*.qui:a) *sf. Oft.* Recessão do ângulo da câmara anterior do globo ocular [F.: *gonio-* + *sinequia.*]

goniotomia (go.ni:o.to.*mi*.a) *sf. Oft.* Cirurgia oftalmológica para tratamento de glaucoma congênito primário com o objetivo de reduzir a pressão intraocular e recuperar a função visual do doente [F.: *gonio-* + *-tomia.*]

◎ **-gono** *el. comp.* = ângulo, canto: *pentágono, hexágono*

◎ **gon(o)-** *el. comp.* = 'semente'; 'esperma': *gonococo, gonorreia*

gonocócico (go.no.*có*.ci.co) *a.* **1** Relativo ao gonococo **2** Produzido pelo gonococo [F.: *gonococo* + *-ico*².]

gonococo (go.no.*co*.co) [ó] *sm. Bac.* Bactéria do gên. *Neisseria gonorrheae,* causadora da gonorreia [F.: Do lat. cient. *gonoccocus.*]

gonorreia (go.nor.*rei*.a) *sf. Med.* O mesmo que *blenorragia* [F.: Do gr. *gonórrhoia, as.*]

gonorreico (go.nor.*rei*.co) *a.* Ref. a gonorreia, ou que a tem ou que é da natureza dessa afecção [F.: *gonorreia* + *-ico*².]

gonzaguiana (gon.za.gui:*a*.na) *sf. Liter.* Coleção de estudos, livros, publicações referentes à obra do poeta brasileiro de origem portuguesa Tomás Antônio Gonzaga (1744-1810), conjurado da Inconfidência Mineira

gonzaguiano¹ (gon.za.gui:*a*.no) *a.* **1** *Liter.* Ref. a Tomás Antônio Gonzaga (1744-1810, poeta e inconfidente) ou à sua obra (estilo gonzaguiano) **2** Que é admirador da obra desse poeta *sm.* **3** Aquele que é apreciador ou estudioso da obra do poeta Tomás Antônio Gonzaga [F.: Do antr. Tomás Antônio *Gonzaga* + *-iano.*]

gonzaguiano² (gon.za.gui:*a*.no) *a.* **1** *Mús. Dnç.* Ref. a Luís Gonzaga do Nascimento (1912-1989, cantor, compositor e instrumentista) ou à sua obra (sanfoneiro gonzaguiano) **2** Que é apreciador da obra desse músico *sm.* **3** Aquele que é admirador ou estudioso da obra de Luís Gonzaga [F.: Do antr. Luís *Gonzaga* + *-iano.*]

gonzo (gon.*zo*) *sm.* Dobradiça de porta ou de janela: "Acordou ao ruído lento dos gonzos enferrujados" (Rebelo da Silva, *Casa dos fantasmas*) [F.: Do fr. ant. *gons.*]

⊕ ***good bye*** (*Ing. /gud bai/*) ***Interj.*** Adeus

⊕ ***gopak*** (*Rus. /gopak/*) *sm. Dnç.* Dança folclórica ucraniana [F.: Do rus. *gopak.*]

gorado (go.*ra*.do) *a.* **1** Que gorou **2** *Fig.* Que falhou, que deu errado, malogrado: "..por ocasião do gorado casamento de Gregório, tão indignada se mostrou..." (Aloísio Azevedo, *Girândola*, cap. 6. pág. 58.) [F.: Part. de *gorar.*]

gorar (go.*rar*) *v.* **1** Não chegar a incubar (ovo) [*td.*: *O ambiente úmido gorou os ovos.*] [*int.*: *Vários ovos goraram.*] **2** *Pop.* Não dar certo, deixar de acontecer [*int.*: *Nossos planos goraram.*] [▶ **1** gor**ar**] [F.: De or. incerta; posv. do espn. ant. **gorare* (de or. céltica). Hom./Par.: *goro* (fl.), *goro* (a.), *goró* (sm.).]

gordaço (gor.*da*.ço) *a.* **1** Que é muito gordo *sm.* **2** Indivíduo que está muito acima do seu peso normal [F.: *gordo* + *-aço.*]

gordalhufo (gor.da.*lhu*.fo) *a.* **1** Bastante gordo; GORDAÇO; GORDALHÃO *sm.* **2** Pessoa muito gorda: "À noite, depois do chá, o gordalhufo Nunes, de colete branco, foi pela sala exclamando, entusiasmado, com a sua voz de grilo..." (Eça de Queirós, *O crime do Padre Amaro*) [F.: *gordo* + *-alho* + *-ufo* (suf. de or. pop.).]

gordinho (gor.*di*.nho) *a.* **1** *Infan.* Que está um pouco acima do peso: *Meu filho está gordinho.* *sm.* **2** *Irôn.* Pessoa um pouco gorda: *O gordinho não para de comer.* **3** *Bras. Zool.* Peixe da fam. dos estromateídeos (*Peprilus paru*), com corpo arredondado, com cerca de 30 cm de comprimento, dorso azulado e ventre prateado e longas nadadeiras dorsais e anais; ocorre no Atlântico ocidental; PARU [F.: Dim. de *gordo.*]

górdio¹ (*gór*.di:o) *a.* Ref. a Górdio, lendário rei da Frígia, antiga região da Ásia Menor, célebre pelo nó do seu carro, que foi cortado por Alexandre Magno (nó górdio) [F.: Do antr. *Górdio*, us. como adj.]

górdio² (*gór*.di:o) *sm.* Nome comum a vermes dos nematomorfos, gênero *Gordius*, que vivem em água ou terreno lodoso ou úmido [F.: Do lat. cient. *Gordius.*]

gordo (*gor*.do) [ô] *a.* **1** Diz-se de pessoa que tem muita gordura, que está acima do peso normal **2** Que contém gordura ou qualquer de seus compostos na sua composição: *Jamais comia carne gorda.* **3** *Fig.* Que tem a aparência de gordura: *Era alto, forte, de cara gorda.* **4** *Fig.* Que possui volume considerável: *Era uma mulher macia, de peitos gordos.* **5** *Fig.* Que tem valor ou dimensões acima dos padrões normais, comuns: *Recebeu uma gorda quantia; Nunca ouvira tão gorda mentira.* **6** *Fig.* Diz-se de terreno fértil, próprio para uma boa produção: *Era dono de gordas terras.* **7** *Tip.* Diz-se da letra muito grossa e malfeita **8** Que está dentro do período carnavalesco (sexta-feira gorda) **9** *Enol.* Diz-se do vinho encorpado **10** *Bras.* Diz-se de carta pertencente aos naipes de copas e espadas [Aum.: *gordão, gordalhão, gordaço* Dim.: *gordinho, gordote, gorducho*] *sm.* **11** Indivíduo gordo, obeso: *Dispenso o gordo do bife.* **12** Gordura contida em um alimento [F.: Do lat. *gurdus, a, um.*]

gordote (gor.*do*.te) *a.* **1** Que é gordo; GORDUCHO *sm.* **2** Pessoa gorda: *O gordote adorava contar piadas.* [F.: *gordo* + *-ote.*]

gorducho (gor.*du*.cho) *a.* **1** Que é um tanto gordo (moça gorducha); GORDUFO *sm.* **2** Indivíduo gorducho: *O gorducho não saía da frente.* [F.: *gordo* + *-ucho.*]

gordura (gor.*du*.ra) *sf.* **1** Qualidade do que é gordo *sf.* **2** *Quím.* Glicerídeos de ácidos graxos compostos de carbono, hidrogênio e oxigênio, encontráveis nos tecidos adiposos de animais ou extraídos de vegetais **3** *Anat.* Tecido adiposo dos animais **4** Qualquer substância untuosa, animal ou vegetal, que em estado sólido derrete-se com facilidade **5** *Cul.* Substância gordurosa, de origem animal ou vegetal (óleo, manteiga, banha etc.), us. na preparação de alimentos **6** Corpo graxo de origem mineral, como a vaselina **7** Característica de pessoa gorda, excesso de peso: *Como ele pode correr com tanta gordura?* **8** *P.ext.* Excesso de qualquer coisa: *Cortou as gorduras do texto para o livro ficar mais enxuto.* **9** *Enol.* Alteração que ocorre no vinho, dando-lhe aparência oleosa **10** *Bot.* O mesmo que *capim-gordura* [F.: *gordo* + *-ura.*]

gordurento (gor.du.*ren*.to) *a.* **1** Que tem gordura; GORDUROSO: *um caldo muito gordurento.* **2** Untado de gordura: *Tinha os lábios gordurentos pelo pastel que acabava de saborear.* **3** Cheio de nódoas, sujo; ENSEBADO: *umas calças gordurentas.* [F.: *gordura* + *-ento.*]

gorduroso (gor.du.*ro*.so) [ô] *a.* **1** Diz-se daquilo que tem a consistência ou a natureza da gordura (tecido gorduroso) **2** Diz-se do que tem muito óleo ou gordura (bife gorduroso) **3** Sujo ou manchado de gordura [Pl.: *-ó.* Fem.: *-ó.*] [F.: *gordura* + *-oso.*]

gorgolão (gor.go.*lão*) *sm.* **1** Esguicho, jorro de água: "Houve um ronco estupendo, um ronco de tromba em mares largos e logo, da altíssima calha, um gorgolão de água despenhou-se impetuosamente..." (Coelho Neto, *A Conquista – Aos da Caravana*, cap. III) **2** Golfada, vômito; GORGOLHÃO [Pl.: *-lões.*] [F.: *gorgol-* + *-ão*¹.]

gorgolar (gor.go.*lar*) *v.* **1** Ser expelido em gorgolão, em golfada [*int.*: *O ralo entupiu e a água começou a gorgolar*] **2** Mesmo que *gorgolejar* [▶ **1** gorgol**ar**] [F.: *gorgol* + *-ar*².]

gorgolejante (gor.go.le.*jan*.te) *a2g.* Que gorgoleja; GARGAREJANTE: *um som gorgolejante.*

gorgolejar (gor.go.le.*jar*) *v. int.* **1** Emitir som parecido com o de gargarejo: *As aves gorgolejavam.* **2** Fazer barulho ao beber de um só gole no gargalo da garrafa: *Beba direito, pare de gorgolejar.* [▶ **1** gorgolej**ar**] [F.: Do rad. *gorgol-* (< rad. onom. *gorg-*, 'garganta') + *-ejar.* Hom./Par.: *gorgolejo* (fl.), *gorgolejo* (sm.), *gorgorejo* (sm.).]

gorgolejo (gor.go.*le*.jo) [ê] *sm.* Ato de gorgolejar: "Principiava já o gorgolejo da água nos reservatórios laterais." (Júlio Dantas, *Mulheres*, p. 230, 6ª ed.) [F.: Dev. de *gorgolejar.*]

gorgomilo (gor.go.*mi*.lo) *sm. Pop.* Entrada do esôfago (muito us. no pl.); GARGANTA; GOELA [F.: Orig. obsc.]

górgona (*gór*.go.na) *sf.* Ver *górgone*

górgone (*gór*.go.ne) *sf.* **1** *Mit.* Na mitologia grega, cada uma das três irmãs (Esteno, Euríale e Medusa) que tinham serpentes no lugar dos cabelos e que transformavam em pedra quem as encarasse; GÓRGONE **2** *Fig.* Mulher horrorosa, tanto pela fisionomia quanto pela perversidade: "A mucama é uma górgona, o porteiro um cérbero..." (José de Alencar, *A pata da gazela*) **3** *Decor.* Elemento decorativo em forma de górgona, utilizada geralmente em chafarizes ou como arremate de calhas [F.: Do lat. *gorgones, um.*]

gorgonzola (gor.gon.*zo*.la) *sm.* Queijo de massa crua, macio e gordo, produzido exclusivamente com leite integral de vaca, de coloração amarelada, intensa ramificação esverdeada pelo crescimento do mofo em seu interior, sabor ligeiramente picante e crosta rosada com tendência a rachaduras. Semelhante ao *roquefor.* [F.: Do top. it. *Gorgonzola.*]

gorgorão (gor.go.*rão*) *sm.* **1** Tecido encorpado de seda, com relevo em forma de linhas finas que formam cordões, us. em estofados, cortinas, arremate de roupas etc.: "Com 47 graus de calor à sombra, começaram a derreter dentro dos gorgorões e dos veludos..." (Eça de Queirós, *Últimas páginas*) **2** Fita desse tecido [Pl.: *-rões.*] [F.: Do fr. *gourgouran.*]

gorgulhar (gor.gu.*lhar*) *v. Pop.* Mesmo que *borbulhar* [*td.*] [*int.*] [▶ **1** gorgulh**ar**] [F.: *gorgulho* + *-ar*². Hom./Par.: *gorgulho* (fl.), *gorgulho* (sm.).]

gorgulho (gor.gu.lho) *sm.* **1** *Zool.* Nome comum dado aos besouros da fam. dos curculionídeos, de focinho longo e delgado, capazes de perfurar frutos e sementes; são responsáveis, muitas vezes, por ataques a colheitas diversas, como arroz e milho; CARNEIRINHO; RAPA-CUIA **2** *Zool.* Ver *caruncho.* **3** *Bras.* Nos garimpos, mistura de quartzo e argila que contém diamantes e minerais diversos **4** *Bras.* Nos garimpos, conjunto de fragmentos de rocha em que se encontra o ouro **5** *AM* Pedra miúda comum no leito dos rios **6** *AM* Banco de areia ou formação de seixos que podem obstruir a foz de um rio [F.: Do lat. *curculio, onis.*]

gorila (go.*ri*.la) *sm.* **1** *Zool.* Grande macaco da fam. dos pongídeos (*Gorilla gorilla*), com até 1,90m de altura e 200 kg de peso, encontrado nas florestas da África Central **2** *Bras. Pej. Pop.* Guarda de segurança pessoal de personalidades públicas, como grandes políticos e empresários de renome **3** *Bras. Pej. Pop.* Militar adepto de golpes de estado, ger. de tendências direitistas **4** *Bras. Pej. Pop.* Indivíduo violento, muito forte e ger. abrutalhado [F.: Do lat. cien. *Gorilla.*]

gorja (*gor*.ja) *sf.* **1** *Ant.* Garganta, goela **2** Pescoço [F.: Do fr. *gorge.*] ■ **Mentir pela ~** *Antq.* Mentir despudoradamente, cinicamente

gorjeante (gor.je.*an*.te) *a2g.* Que gorjeia; GORJEADOR: *um pássaro gorjeante.* [F.: *gorjear* + *-nte.*]

gorjear (gor.je.*ar*) *v.* **1** Emitir sons harmoniosos, sons melodiosos (ger. pássaros); CANTAR [*int.*: *Os passarinhos gorjeavam.*] **2** Cantar fazendo variar os tons, como num exercício vocal [*int.*: *Junto ao piano, a soprano gorjeava.*] **3** Cantar com voz harmoniosa [*td.*: *A soprano gorjeou uma ária de Verdi.*] **4** Dizer (algo) um pouco à maneira de um gorjeio [*td.*: *Gorjeou uma resposta debochada e saiu da sala.*] [▶ **13** gorj**ear**] [F.: *gorja* + *-ear*². Hom./Par.: *gorjeio* (fl.), *gorjeio* (sm.).]

gorjeio (gor.*jei*.o) *sm.* **1** Ação de gorjear **2** Canto harmonioso emitido por certos pássaros, como sabiá, rouxinol, andorinha etc. **3** *P.ext.* Qualquer tipo de canto harmonioso e suave **4** *Fig.* O rumor produzido pelo vozerio alegre de crianças [F.: Regress. de *gorjear.*]

gorjeta (gor.*je*.ta) [ê] *sf.* **1** Gratificação em dinheiro que se dá em troca da prestação de algum serviço; ESPÓRTULA: "Então, a nota de dois mil-réis equivalia, pelo menos, a vinte (...); agora não subia de uma gorjeta de cocheiro." (Machado de Assis, *Esaú e Jacó*) **2** *Ant.* Bebida com que se gratifica um pequeno serviço; CERVEJA; CAFEZINHO **3** Alavanca de pequeno formato para deslocar pedras **4** Escopro para cinzelar pedra, esp. o mármore [F.: *gorja* + *-eta.*]

gorkiano (gor.ki:*a*.no) *a.* **1** Que diz respeito ao escritor russo Maximo Gorki (1868-1936): *um conto gorkiano.* **2** Que é simpatizante de Gorki ou tem a sua maneira de escrever (estilo gorkiano) [F.: Do antr. Maximo *Gorki* + *-ano*¹.]

goro (*go*.ro) [ô] *a.* **1** Diz-se do ovo que gorou **2** *Fig.* Que se frustrou, malogrado **3** *Fig.* Desajeitado, desambientado: "... e eu a meio me estarreci – apeado, goro. Apatetado?" (Guimarães Rosa, *Grande sertão: veredas*) [F.: Regress. de *gorar.*]

gororoba (go.ro.*ro*.ba) *sf.* **1** *Bras. Pop.* Qualquer comida, esp. o que se come no almoço e no jantar; RANGO: *A gororoba está na mesa!* **2** *Bras. Pop.* Comida sem qualidade, feita às pressas; GRUDE: *Isso não é comida, é uma gororoba!* **3** Bêbado, ébrio **4** *Bras. Gír.* Aguardente de cana; CACHAÇA: *Tomou uma gororoba antes do almoço.* **5** *Bras. Gír.* Estado de confusão, de desordem **6** *PA Infr.* Indivíduo frouxo, medroso; BORRA-BOTAS **7** *Bot.* Árvore (*Centrolobium robustum*) da fam. das leguminosas, de flores alvas, tronco rugoso e madeira durável [F.: Or. obsc.]

gorra¹ (*gor*.ra) [ô] *sf.* Peça do vestuário que serve para cobrir a cabeça; BARRETE, GORRO: *À noite usava sempre uma gorra de feltro para se proteger do sereno.* [F.: De or. contrv.] ■ **Meter-se de ~ com (alguém)** **1** Aliar-se ou conluiar-se com alguém visando algum objetivo **2** Insinuar-se

gorra² (*gor*.ra) [ô] *sf.* **1** *Lus.* A casca do gorreiro **2** Corda trançada na qual se prendem os baldes que servem para tirar água dos poços [F.: F. reduzida de *gorreiro.*]

gorro (*gor*.ro) [ô] *sm.* **1** Espécie de chapéu mole, sem abas, ger. feito de lã ou malha, que se ajusta à cabeça; BOINA; CARAPUÇA; TOUCA: "Rubião tinha (...) na cabeça um gorro com borla de seda preta" (Machado de Assis, *Quincas Borba*) **2** *Ant. Esp.* Touca justa usada antigamente pelos jogadores de futebol **3** Cobertura protetora da cabeça usada em certas profissões **4** *Lus.* Barrete preto comprido em forma de carapuça usado ant. pelos estudantes de Coimbra [F.: Or. contrv.]

gosma (*gos*.ma) [ó] *sf.* **1** Matéria viscosa, formada por várias substâncias (água, muco etc.), que se expele pela boca **2** Qualquer substância espessa e viscosa, de origem animal ou vegetal **3** *Vet.* Doença que ataca a língua da galinha e de outras aves **4** *Vet.* Verminose que paralisa a traqueia das aves domésticas; SINGAMOSE **5** *Vet.* Doença dos potros caracterizada por inflamação das vias respiratórias e corrimento pelas narinas **6** *P.ext.* Qualquer coisa que apresente aspecto gosmento (a gosma do quiabo) **7** *Pop.* Pessoa que vai às festas sem ser convidada; PENETRA [F.: Or. contrv.]

gosmar (gos.*mar*) *v.* **1** Escarrar, cuspir, expectorar [*td.*] [*int.*] **2** Proferir (palavras) enquanto tosse ou escarra [*td.*] **3** *PB PE Pej.* Discursar, falar muito [*int.*] **4** *PA PE Fig.* Falar em resmungos [*int.*] [▶ **1** gosm**ar**] [F.: De or. obsc. Hom./Par.: *gosma(s)* (fl.), *gosma(s)* (sf.[pl.]).]

gosmento (gos.*men*.to) *a.* **1** Que tem gosma ou aparência de gosma **2** Que escarra muito; CATARRENTO **3** Que se mostra enfraquecido, adoentado **4** Que tem a consistência da gosma (comida gosmenta) [F.: *gosma* + *-mento.*]

⊕ ***gospel*** (*Ing. /góspel/*) *sm.* **1** *Mús.* Música religiosa de origem afro-americana, ger. de ritmo acentuado, típica dos cultos evangélicos *a2g.* **2** Do ou ref. ao gospel (1)

gostar (gos.*tar*) *v.* **1** Ter afeto, amor, carinho, simpatia [*tr.* + *de*: *Gostava muito da filha adotiva.*] **2** Achar bom ao paladar [*tr.* + *de*: *Gosta muito de massas com molho de tomates.*] **3** Apreciar, aprovar [*tr.* + *de*: *Gostou da atuação dos atores estreantes.*] **4** Ter a expectativa ou o desejo de [*td.*: *Gostaria que seu marido voltasse para casa.*] **5** Dar aprovação; julgar bom, conveniente etc. [*tr.* + *de*: *Gostou do comportamento do filho.*] **6** Sentir prazer ou satisfação em [*tr.* + *de*: *Sempre gostou de caminhar pela orla da praia.*] **7** Sentir atração por; PREFERIR [*tr.* + *de*: *Só gostava de mulheres gordinhas.*]

8 Dedicar-se com prazer a (determinada atividade) [*tr.* + *de*: *Gostava muito de escrever.*] **9** Dar-se bem com [*tr.* + *de*: *Algumas plantas não gostam de sombra.*] **10** Ter gosto em [*td.*: *Gostaria que vocês viajassem comigo.*] **11** *P.us.* Aproveitar, desfrutar [*td.*: *Espero que gostes das situações mais prazerosas.*] [▶ **1** gostar] [F.: Do lat. *gustare.* Hom./Par.: *gosto* (fl.), *gosto* [ô] (sm.); *gostáveis* (fl.), *gostáveis* (pl. *gostável* [a2g.]). Ant. ger.: *detestar.*]

gostável (gos.*tá*.vel) *a2g.* **1** Do que ou de quem se pode gostar; APRECIÁVEL: *É gostável a obra literária de alguns escritores.* **2** Que agrada ao paladar; APRAZÍVEL: *A feijoada é um prato gostável quase que por unanimidade.* [Superl.: *gostabilíssimo.*] [F.: *gostar* + *-vel.*]

gosto (*gos*.to) [ô] *sm.* **1** Sentido pelo qual se percebem e distinguem os sabores **2** *P.ext.* Capacidade de produzir sensação de agrado ou desagrado na boca, através da língua: *Esse mingau não tem gosto; Sinto o gosto azedo do limão.* **3** Sensação agradável proporcionada por algo ou alguém: *Comer com gosto; Soltar pipa tem gosto de infância:* "A roseira estava em todo o viço; recendia que era um gosto e bordava de vermelho o caniçado da horta..." (Simões Lopes Neto, "No manantial", *in Contos gauchescos e lendas do Sul*) **4** Interesse, predileção: *Tinha muito gosto por cinema; gosto não se discute.* **5** Capacidade de apreciar a qualidade, a beleza de pessoas e coisas: *Tinha um gosto apurado por roupas finas.* **6** Qualidade estética que indica um modo de sentir (bom gosto, gosto extravagante) **7** Harmonia, finura, refinamento: *Casa decorada com gosto.* **8** Agrado, prazer: *Bebe sempre com gosto.* **9** Capacidade de avaliação estética: *Tem muito gosto por música clássica.* **10** Maneira, moda: *Pintava ao gosto da época.* **11** *CE* Gorjeta, gratificação [F.: Do lat. *gustus, us.*] ■■ **A ~ 1** De acordo com o gosto ou a preferência (de alguém): *Misture bem e tempere a gosto.* **2** À vontade, sem cerimônia: *Fique a gosto, enquanto espera o doutor.* **Bom ~** Preferência (estética, artística etc.) que denota conhecimento, requinte, elegância etc. (no parecer de quem a julga) **Cair no ~ de** Ter grande aceitação por; passar a ser admirado, admitido, adotado etc. por (ger. determinado grupo ou um número considerável de pessoas): *Os brinquedos eletrônicos caíram no gosto das crianças; Aquele escritor caiu no gosto dos intelectuais.* **De fazer ~** Muito bem, esplendidamente: *Desenha de fazer gosto.* **Fazer ~** Receber bem, ficar contente com, aprovar (fato, notícia): *Você quer se juntar a nós na viagem? Faço muito gosto.* **Fazer o ~ de** Satisfazer a vontade de **Mau ~** Preferência (estética, artística etc.) que denota pouca sensibilidade, desconhecimento, mau critério (no parecer de quem a julga)

gostosão (gos.to.*são*) *a.* **1** *Bras. Pop.* Homem atraente, bonito, bom amante, desejado pelas mulheres: *Quem me dera ter um gostosão em casa!* **2** *Irôn. Pop.* Homem que se supõe um grande conquistador de mulheres; falso gostosão: *Olha só a cara do gostosão de araque!* [Pl.: *-ões.* Fem.: *-ona.*] [F.: *gostoso* + *-ão*[1].]

gostoso (gos.*to*.so) [ô] *a.* **1** Que tem sabor bom, que é agradável ao paladar (bolo gostoso) **2** Que dá prazer; AGRADÁVEL: *Que beijo gostoso!* **3** Diz-se de algo ou alguma coisa que é macia, aconchegante, confortável: *Que rede gostosa, para tirar um cochilo!* **4** Suave, macio, delicado: *O abraço de uma criança é tão gostoso!* **5** Que revela prazer, satisfação (sorriso gostoso) **6** *Fig.* Sexualmente apetecível, sensual: *Essa garota é muito gostosa.* **7** *Bras. Pop.* Pessoa presumida, que se faz de difícil; GOSTOSÃO: *Ele se mete a gostoso, mas é pura presunção.* *adv.* **8** De maneira gostosa, sedutora: *Ele beija gostoso.* [Pl.: *-ó.* Fem.: *-ó.*] [F.: *gosto* + *-oso.*]

gostosona (gos.to.*so*.na) *a.* **1** *Bras. Pop.* Diz-se de mulher que é muito bonita e sensual: *Além de inteligente, é gostosona.* *sf.* **2** Esse tipo de mulher: *As gostosonas atraíam os olhares.*

gostosura (gos.to.*su*.ra) *sf.* **1** *Bras. Pop.* Qualidade do que é agradável ao paladar: *A torta de morango estava uma gostosura.* **2** Qualidade do que causa grande prazer: *Essa praia está uma gostosura!* **3** *Pop.* Mulher muito bonita, que atrai sexualmente: *Essa garota é uma gostosura!* [F.: *gostoso* + *-ura.*]

gota (*go*.ta) [ô] *sf.* **1** Pequena porção de qualquer líquido que, ao cair, assume forma arredondada; PINGO **2** Porção muito pequena de qualquer coisa: *Você só tomou uma gota de vinho!* **3** Porção de líquido, esp. de produto farmacêutico, que sai de cada vez de um conta-gotas: *O médico mandou tomar cinco gotas antes do jantar.* **4** *Med.* Doença, ger. hereditária, que se caracteriza pelo excesso de ácido úrico no organismo, e que provoca inflamações dolorosas, esp. nas articulações **5** *Arq.* Qualquer ornamento em forma de gota **6** *Her.* Figura arredondada na parte de baixo e afinada na de cima **7** *Vest.* Abertura em forma de gota na parte da frente ou de trás de roupa feminina [Dim.: *gotinha, gotícula*] [F.: Do lat. *gutta, ae.*] ■■ **Como duas ~s** Muito parecidos, um com o outro **~ a ~ 1** Uma gota de cada vez, uma após outra **2** *Fig.* Lentamente, aos poucos, uma coisa de cada vez **Dar a/estar com a ~** *N.E. Pop.* Ficar muito irritado, zangado **~ d'água** O último elemento, fato, sentimento etc., que completa processo anterior, e que o faz transcender ou extrapolar: *Aguentou muitas, mas aquela ofensa foi a gota d'água.* **~ militar** Gonorreia ou inflamação crônica da uretra **Uma ~ de água (no oceano)** Insignificante, inexpressivo no contexto no qual se encontra

gota-serena (go.ta-se.*re*.na) *sf. Pop.* O mesmo que *amaurose* ('cegueira total ou parcial'): "Não reparava que paixões assolapadas trazem de companhia a gota-serena." (Aquilino Ribeiro, *Servo de Deus*) [Pl.: *gotas-serenas.*] ■■ **Estar com / Dar a ~** *Bras. N.E. Pop.* Estar furioso, irritado, abespinhado [Tb. se diz apenas *estar com a gota* ou *dar a gota.*]

◎ **-gote** *suf. nom.* Ver *-ote*: *selagote* [F.: *-g-* + *-ote.*]

goteira (go.*tei*.ra) *sf.* **1** Brecha ou fenda na cobertura de uma construção por onde escorre água: *O telhado do quarto tem uma goteira.* **2** Essa água: *A goteira está pingando na cama.* **3** Calha ou cano por onde escorre a água da chuva: *A goteira está entupida.* **4** *Bras. Pop.* Leve perturbação mental; DOIDEIRA; ESQUISITICE **5** *Anat.* Depressão ou sulco no osso **6** *Tip.* Sulco na parte inferior do tipo [F.: *gota* + *-eira.*]

gotejado (go.te.*ja*.do) *a.* Caído, derramado, liberado em gotas; GOTEADO: *Tinha o soro gotejado lentamente em uma veia do braço esquerdo.* [F.: Part. de *gotejar.*]

gotejamento (go.te.ja.*men*.to) *sm.* Ação e efeito de gotejar; corrimento de líquido gota a gota; GOTEAMENTO: *sistema de irrigação por gotejamento.* [F.: *gotejar* + *-mento.*]

gotejante (go.te.*jan*.te) *a2g.* Que goteja: *Era atormentado toda a noite por aquela torneira gotejante que não o deixava dormir.* [F.: *gotejar* + *-nte.*]

gotejar (go.te.*jar*) *v.* **1** Deixar cair ou cair em gotas; PINGAR [*td.*: *Gotejou duas gotas de colírio nos olhos.*] [*int.*: *A torneira gotejava.*] **2** Brotar (líquido) em gotas [*int.*: *O suor gotejava sem parar.*] [▶ **1** gotejar] [F.: *gota* + *-ejar.*]

gótico (*gó*.ti.co) *a.* **1** Relativo a godo: *Alfabeto gótico.* **2** Derivado ou atribuído aos godos ou à sua cultura: "... o juiz era o pai do oprimido, o tribunal o abrigo do inocente, a justiça o nervo do império gótico." (Alexandre Herculano, *Eurico, o presbítero*) **3** *Arq.* Relativo a estilo artístico que predominou na Europa entre os sécs. XII e XIV, esp. na arquitetura das catedrais, de formas esguias e grandes vitrais nas paredes **4** *Art.gr.* Diz-se de grupo de caracteres que têm por base esse estilo **5** *Ling.* Diz-se de ramo da fam. linguística indo-europeia falada pelos godos: "Uma das coisas mais disputadas na história das instituições góticas é a natureza dessa classe de indivíduos, chamadas gardingos" (Alexandre Herculano, *Eurico, o presbítero*) **6** *Fig. Lit.* Diz-se de um gênero de ficção predominante entre os sécs. XVIII e XIX, de caráter misterioso e sobrenatural, e que sobrevive hoje no romance popular, no *roman noir* e na literatura fantástica **7** *Art.gr.* Diz-se de estilo de letra que se caracteriza por traços angulosos e ger. verticais, com ornatos em forma de ganchos, desenvolvido por volta do séc. XIII e tornado de uso comum a partir dos primeiros livros impressos **8** *Aer.* Diz-se de um forma de asa utilizada em aeronaves com velocidade supersônica: *Em artes gráficas, apreciava o gótico.* *sm.* **9** *Art.gr.* Letra de formato anguloso, utilizada na Idade Média **10** *Liter.* Gênero literário cujas histórias são ambientadas em castelos ou mosteiros sombrios e decorrem em um clima de terror, com toques fantasmagóricos e sobrenaturais **11** *Ling.* Língua falada pelos antigos godos [F.: Do lat. *gothicus, a, um.*] ■■ **~ antigo** *Arq.* Estilo gótico em sua fase inicial, marcado por arcos em forma de ogiva e com ranhuras salientes **~ flamejante** *Arq.* Estilo gótico em sua terceira fase (séc. XV), com presença de elementos decorativos em forma de chamas **~ florido/radiante** *Arq.* Estilo gótico em sua segunda fase, com vitrais circulares

gotícula (go.*tí*.cu.la) *sf.* Gota de tamanho muito pequeno [F.: *gota* + *-i-* + *-cula.*]

goto[1] (*go*.to) [ô] *sm. Pop.* O mesmo que *glote* [F.: Do lat. *guttur, uris.*] ■■ **Cair/ Dar no ~** Produzir sufocação e tosse ao ser engolido **Cair/ Dar no ~ de** Conquistar a simpatia de; cair nas graças ou no gosto de: *O romance caiu no goto do público, e já se tornou um best-seller.*

goto[2] (*go*.to) [ô] *sm. Mús.* Espécie de alaúde japonês [F.: Do jap. *koto.*]

gotoso (go.*to*.so) [ô] *a.* **1** *Med.* Que sofre de gota (paciente gotoso) **2** *Med.* Que diz respeito à gota (reumatismo gotoso) *sm.* **3** *Med.* Indivíduo que tem a doença da gota: *O controle da hiperuricemia contribui para melhorar o estado clínico do gotoso crônico.* [F.: *gota* + *-oso.*]

⊕ **gouda** (*Hol.* /*hrráuda*/) *sm.* Queijo cilíndrico de origem holandesa, da cidade que tem o mesmo nome, produzido com leite de vaca sem adição de produtos químicos, de cor amarelada, sabor suave, de massa consistente e sem buracos [F.: Do top. *Gouda.*]

⊕ ***gourmand*** (*Fr.* /*gurmã*/) *sm.* **1** Aquele que aprecia a boa gastronomia **2** Indivíduo que come rapidamente e em grandes quantidades; GLUTÃO, GULOSO

⊕ ***gourmet*** (*Fr.* /*gurmê*/) *sm.* Indivíduo apreciador e conhecedor de boas comidas e bebidas: *Um gourmet pode nos dar boas dicas.*

governabilidade (go.ver.na.bi.li.*da*.de) *sf.* **1** Qualidade do que é governável **2** Situação caracterizada pela estabilidade política, social, financeira etc., e que permite que o poder estabelecido possa governar de maneira equilibrada: *Na anarquia não há condições de governabilidade.* [F.: *governável* + *(i)dade*, seguindo a forma lat. *-bil(i)-* + *-(i)dade.*]

governado (go.ver.*na*.do) *a.* **1** Dirigido, orientado: *Homem governado por mulher, só faz o que ela quer.* **2** Administrado, gerenciado, supervisionado: *um país governado pelo povo.* **3** Que é econômico, moderado e poupador nas despesas do que está sob sua responsabilidade: *político governado nos gastos públicos.* **4** Que é dirigido por um poder hierarquicamente superior: *Os cidadãos governados se rebelaram contra a política econômica do país.* *sm.* **5** Aquele que é dirigido por um governo ou se submete a ele: *O governado deve sempre observar e fiscalizar os atos do seu governante.* [F.: Do lat. *gubernatus, a, um.*]

governador (go.ver.na.*dor*) [ô] *a.* **1** Que governa **2** Que governa um estado, uma região administrativa etc. **3** Que tem aptidão ou capacidade para governar *sm.* **4** No período colonial, pessoa encarregada de governar a colônia **5** *Jur.* No Brasil, pessoa eleita para governar, por um período de quatro anos, um dos Estados da Federação [F.: Do lat. *gubernator, oris.*]

governador-geral (go.ver.na.dor-ge.*ral*) *sm.* **1** Aquele que tem outros governadores subordinados a ele **2** Aquele que, sob o comando de um governo supremo, administra várias regiões fragmentadas sob sua responsabilidade maior: *A cidade de São Sebastião do Rio de Janeiro foi fundada por Estácio de Sá, quando Mem de Sá era o Governador-Geral.* [Pl.: *governadores-gerais.*]

governadoria (go.ver.na.do.*ri*.a) *sf.* **1** Cargo ou função de governador: *Depois de eleito, assumirá imediatamente a governadoria.* **2** O período em que o cargo é exercido, o mandato de governador: *A governadoria de 2000 a 2004 já teve suas contas totalmente aprovadas pelo tribunal.* [F.: *governador* + *-ia*[1].]

governamental (go.ver.na.*men*.tal) *a2g.* **1** Relativo a ou próprio do governo: *Aprovado novo projeto governamental.* **2** Que vem do governo ou dos ministérios (decisão governamental) **3** Que é partidário do governo (bancada governamental) [F.: Do fr. *gouvernemental.*]

governamentalismo (go.ver.na.men.ta.*lis*.mo) *sm.* **1** *Pol.* Opção e ação política de apoiar o governo em exercício **2** *Pol.* Teoria e programa político que visa a ampliação do papel do governo na sociedade e, portanto, de sua capacidade de ação, seus recursos e sua máquina administrativa [F.: *governamental* + *-ismo.*]

governamentalista (go.ver.na.men.ta.*lis*.ta) *a2g.* **1** Ref. ao governamentalismo, ou dele próprio **2** Diz-se de indivíduo adepto do governamentalismo *s2g.* **3** Esse indivíduo [F.: *governamentalismo* + *-ista*, seg. o mod. gr.]

governança (go.ver.*nan*.ça) *sf.* Ação de governar(-se); GOVERNAÇÃO, GOVERNO: *Havia no país uma crise de governança.* [F.: *governar* + *-ança.*]

governanta (go.ver.*nan*.ta) *sf.* **1** Mulher que administra, ger. como profissional, a casa alheia **2** Mulher encarregada da educação das crianças [F.: Fem. subst. de *governante.*]

governante (go.ver.*nan*.te) *a2g.* **1** Que governa **2** Que é legalmente eleito para governar um estado *sm.* **3** *Jur.* No Brasil, aquele que foi eleito para governar um Estado da Federação [F.: *governar* + *-nte.*]

governar (go.ver.*nar*) *v.* **1** Dirigir cidade, estado ou país [*td.*: *Marta Suplicy governou São Paulo.*] [*int.*: *Capacidade para governar.*] **2** Controlar [*td.*: *Há leis que governam as relações entre fabricantes e consumidores.*] **3** Dirigir (uma embarcação) [*td.*: *Governou a lancha até a ilha.*] **4** Administrar, dirigir [*td.*: *Era ela que governava a casa.*] **5** Exercer domínio sobre [*td.*: *Garotas fortes governam os namorados.*] **6** Dar regularidade ao andamento de [*td.*: *O jóquei não conseguia governar o cavalo.*] **7** Ter autoridade sobre [*td.*: *Um único homem governava o conglomerado de empresas.*] **8** Controlar o comportamento e as ações de [*td.*: *A televisão procura governar a opinião do público.*] [▶ **1** governar] [F.: Do lat. *gubernare.* Hom./Par.: *governo* (fl.), *governo* (sm.).]

governativo (go.ver.na.*ti*.vo) *a.* Que é próprio do governo ou relativo a ele: *o conselho governativo de uma nação.* [F.: Do lat. *gubernativus, a, um.*]

governável (go.ver.*ná*.vel) *a2g.* **1** Que se pode governar ou dirigir: *Carro governável por controle remoto.* **2** Diz-se de pessoa, animal etc. que, por não oferecer maiores resistências, é fácil de dirigir, controlar [Ant.: *ingovernável*] [Pl.: *-veis.*] [F.: Do lat. *gubernabilis, is.*]

governicho (go.ver.*ni*.cho) *sm.* **1** *Bras. Pej.* Ação de governichar **2** Exercício ou administração de emprego que exige pouco trabalho; SINECURA: *Satisfazia-se com o governicho que tinha.* **3** *Bras. Pej.* Governo ruim: *Um governicho comanda aquela nação.* [F.: Dev. de *governichar.*]

governismo (go.ver.*nis*.mo) *sm.* **1** Ação do poder de governar, comandar, dirigir: *O comandante exercia um governismo inteligente e repressivo.* **2** Governo ou mando autoritário, ditatorial: *O movimento popular era contra aquele governismo cruel e preconceituoso.* [F.: *governo* + *-ismo.*]

governista (go.ver.*nis*.ta) *a2g.* **1** Que apoia o governo *s2g.* **2** Indivíduo partidário de um governo [Ant.: *oposicionista.*] [F.: *governo* + *ista.*]

governo (go.*ver*.no) [ê] *sm.* **1** Ação ou resultado de governar(-se); GOVERNANÇA **2** Ação ou resultado de administrar, dirigir etc.: *O governo de uma empresa.* **3** Capacidade de controlar algo: *Ele tinha governo sobre as próprias emoções.* **4** O poder executivo de uma nação: *O governo pensava em declarar guerra.* **5** O chefe do governo federal ou estadual **6** Tempo de permanência no poder de um governador ou presidente: *O governo JK.* **7** Conjunto dos órgãos responsáveis pela administração pública (presidência, ministérios, congresso etc., no plano federal, p.ex.) **8** Orientação, norma: *Isto é para seu governo.* **9** O sistema com o qual se domina a montaria, formado pelos freios e a rédea: *O cavalo que não obedece ao governo não serve.* **10** *Mar.* Ação ou resultado de conduzir uma embarcação pelo manejo do leme [F.: Regress. de *governar.*] ■■ **~ colegiado** Aquele no qual a responsabilidade da chefia é compartilhada e exercida por um grupo de pessoas

governo-geral (go.ver.no-ge.*ral*) *sm.* **1** O cargo ou a função do governador-geral: *O governo-geral existiu até a vinda da família real para o Brasil.* **2** Repartição, prédio onde o governador-geral desempenha seu ofício: *Na administração de Tomé de Sousa, o governo-geral funcionava em Salvador/BA.* **3** Período em que o governador-geral exerce suas funções: *A expulsão dos franceses aconteceu no governo-geral de Mem de Sá.* [Pl.: *governos-gerais.*]

gozação (go.za.*ção*) *sf.* **1** Ação ou resultado de gozar **2** *Bras. Pop.* Troça ou comentário malicioso, irônico ou mordaz que se faz a respeito de algo ou alguém: *Não se podia levar aquilo a sério, era só gozação.* [Pl.: *-ções.*] [F.: *gozar + -ção.*]

gozado (go.*za*.do) *a.* **1** Que se gozou ou que foi gozado **2** Que foi usufruído: *Fim de semana bem gozado pelos rapazes.* **3** *Bras. Pop.* Que foi alvo de troça, de zombaria: *O único autor gozado pelos companheiros foi ele.* **4** *Bras. Pop.* Que causa riso por ser engraçado, cômico: *Um filme gozado.* **5** *Bras. Pop.* Que é curioso, interessante: *O gozado é que ela nem percebeu a insinuação.* [F.: Part. de *gozar.*]

gozador (go.za.*dor*) [ô] *a.* **1** Que usufrui algo com prazer **2** Que goza a vida; que sabe viver: *Grande gozador, está sempre em festas animadas.* **3** Que tem espírito mordaz; que faz troças com pessoas ou coisas; BRINCALHÃO; ESPIRITUOSO: *Um ato ridículo logo desperta seu espírito gozador.* *sm.* **4** Pessoa que gosta de rir-se ou de ridicularizar pessoas ou situações; TROCISTA; MOTEJADOR [F.: *gozado + -or.*]

gozar (go.*zar*) *v.* **1** Possuir ou usufruir (coisas boas, prazerosas ou úteis); DESFRUTAR; FRUIR [*td.*: *Gozar a liberdade.*] [*tr.* + *de*: *Gozar de prestígio.*] **2** *Bras. Pop.* Caçoar ou zombar de (algo ou alguém) [*td.*: *Gozava os perdedores.*] [*tr.* + *de*: *Começou a gozar do time perdedor.*] **3** *Bras.* Atingir o orgasmo [*int.*: *Foram para a cama e gozaram rápido.*] **4** Ter satisfações, prazeres; DELEITAR-SE [*td.*: *Gozava aquela boa conversa; Sabia gozar a vida.*] [*int.*: *Trabalhe menos, aprenda também a gozar.*] **5** Desfrutar, fruir [*tr.* + *de*: *Gozar de privilégios.*] [▶ 1 gozar] [F.: Do espn. *gozar* ou de *gozo*[1] + *-ar*[2]. Hom./Par.: *gozo* (fl.), *gozo* (sm.).]

gozativo (go.za.*ti*.vo) *a.* Que se presta a deboches, ironias, provocações: *Usava um tom gozativo para criticar as atitudes do funcionário.* [F.: *gozar* + *-t-* + *-ivo.*]

gozo (*go*.zo) [ô] *sm.* **1** Ação ou resultado de gozar, de sentir prazer **2** Estado de satisfação resultante de uma atividade qualquer (física, moral etc.); DELEITE: *O gozo de uma boa leitura.* **3** Posse ou uso de alguma coisa de que provém satisfação, vantagens ou interesses: *Estava em gozo de férias; Sentia o gozo de possuir tantas coisas.* **4** Algo que se acha engraçado, que causa riso; DIVERSÃO; GRAÇA: *Foi um gozo ver aquele canalha cair na lama.* **5** *Pop. Bras.* Qualquer tipo de prazer sexual **6** *Bras. Pop.* O orgasmo **7** *Lus.* Cão de raça ordinária: "Os cães, dois rafeiros e um gozo, punham-se a ladrar..." (Brito Camacho, *Gente rústica.*) [F.: Do espn. *gozo*, para todas as acepções menos a 7, que é do espn. cast. *gozque*. Hom./Par.: *gozo* (fl. de *gozar*).]

gozoso (go.*zo*.so) [ô] *a.* **1** Em que há gozo, prazer, satisfação: *Foram momentos gozosos.* **2** Que demonstra gozo, contentamento [Pl.: [ó]. Fem.: [ó].] [F.: *gozo* + *-oso.*]

⊠ **GPS** *sm.* Sigla do inglês *Global Positioning System*, Sistema de Posicionamento Global, sistema de informação eletrônico via satélite que informa a um receptor móvel sua posição num mapa topográfico, seu possível roteiro para atingir outras coordenadas, instruções para isso etc.

◎ **grã-** *el. comp.* = grande: *grã-cruz, grão-duque*

grã[1] *sf.* **1** A cor carmim **2** *Ant.* Lã ou algodão tingido de carmim **3** *Ent.* Inseto hemíptero (*Coccus ilicis*) empregado em farmácia e na composição de tintas escarlates **4** *Vet.* Moléstia do gado suíno que se manifesta por uma excrescência carnosa na boca do animal **5** *Bras.* Entre os garimpeiros, aspecto da constituição do carbonato [F.: Do lat. *grana, ae.*]

grã[2] *sf.* O aspecto macroscópico da textura da madeira e do couro curtido [F.: Do lat. *grana, ae.*]

grã[3] *a2g.* Abrev. de grão, grande

graal (gra.*al*) *sm. Ant.* Vaso santo de que Jesus se serviu na ceia com os Apóstolos, e em que José de Arimateia recolheu o sangue das chagas de Cristo quando crucificado; GRAL [F.: De or. contrv.]

grabatário (gra.ba.*tá*.ri:o) *a.* **1** *Bras. Med.* Diz-se de doente condenado à total e permanente imobilidade no leito: *A assistência fisioterapêutica domiciliar deve ser feita ao cliente grabatário...* *sm.* **2** *Bras. Med.* Esse doente [F.: Do lat. *grabatarius, ii.*]

graça (*gra*.ça) *sf.* **1** Dádiva ou favor dado ou recebido: *Queria solicitar uma graça ao embaixador.* **2** *Teol.* No Catolicismo, favor ou graça concedida por Deus, sem interferência de nenhum santo: *Pediu uma graça ao Senhor.* **3** *Teol.* No Catolicismo, auxílio de Deus para que os homens alcancem a salvação, a graça, a bênção divina: *O rapaz alcançou a graça do perdão.* **4** *Rel.* Estado de quem vive em santidade, de quem não peca; PUREZA: *Vivia em estado de graça.* **5** *Teol.* A misericórdia divina, que concede favores aos homens: *Conseguiu tudo com a graça de Deus.* **6** A vontade de Deus: *Alcançou a cura pela graça divina.* **7** *Jur.* Ato pelo qual o chefe de uma nação concede indulto a um preso: *O presidiário teve a graça do indulto.* **8** Forma de tratamento para duques, duquesas e arcebispos: *Peço licença à Vossa Graça!* **9** Coisa cômica, engraçada: *Esse filme é uma graça.* **10** Ação engraçada, divertida: *Ele gosta de fazer graças.* **11** *Antq.* Nome de alguém: *Qual é a vossa graça, senhorita.* **12** Harmonia e leveza de formas, de movimentos: *Ela dança com muita graça.* **13** Encanto pessoal: *Essa moça é uma graça.* [F.: Do lat. *gratia, ae.*] ⁜ **Boas ~s** Predisposição amigável, boa vontade: *Contava com as boas graças do patrão para ter o aumento.* **Cair em ~ 1** Ser acolhido com benevolência **2** Merecer a simpatia: *Antes cair em graça do que ser engraçado.* **Cair nas ~s de 1** Agradar a, ter a simpatia de **2** Obter prestígio junto a, a proteção de **Dar(o) ar de sua ~** Aparecer, manifestar-se **De ~ 1** Grátis **2** *Fig.* Muito barato **3** Sem apostar dinheiro **4** Sem motivo, à toa: *Acabou sendo agredido de graça naquele tumulto.* **Estar na ~ de** Ver *Cair nas graças de* **Fazer ~ 1** Fazer algo visando a chamar a atenção, esp. coisas engraçadas **2** Falar ou fazer coisas visando a provocar riso **Ficar sem ~ 1** Deixar de ter a graça que tinha; perder a graça: *Essa história ficou sem graça, conta outra.* **2** Ficar encabulado, constrangido **~ atual 1** *Rel.* Dom, concedido transitoriamente à alma humana, de orientar os pensamentos e as ações para o bem **2** O conjunto das inspirações e moções divinas transitórias **~ batismal** *Rel.* A eliminação do pecado original no homem por meio do batismo **~ eficaz** *Rel.* No catolicismo, graça divina que prevalece sobre a vontade humana para a prática do bem **~ habitual** *Rel.* Estado de paz e de benevolência com Deus **~s a** Por mérito de, por causa de, por ação de **~s a Deus** Felizmente **Não ser de ~s** Não ter senso de humor, ser austero, sisudo **Perder a ~** Ver *Ficar sem graça* **Sem ~ 1** Desprovido de humor, que não é engraçado **2** Sem graciosidade, sem encanto **3** Que não é interessante, atraente, original **4** Sem gosto, insípido **Uma ~** Um amor, um encanto

graças (*gra*.ças) *sfpl.* **1** Ação de agradecer; AGRADECIMENTO; RECONHECIMENTO: *Rendeu graças a seus benfeitores.* **2** *Mit.* Na mitologia grega, nome das três divindades que tinham o dom de agradar (Tália, Agláia, Eufrosina) [Com inicial maiúsc.] *interj.* **3** Ainda bem: *Graças! Chegamos na hora!*

gracejador (gra.ce.ja.*dor*) [ô] *a.* **1** Que tem o costume de gracejar, que graceja: "..apontando para a Moreninha disse, afetando um acento gracejador..." (Joaquim Manuel de Macedo, *A Moreninha – Cap. V – Jantar conversado*) *sm.* **2** Indivíduo que faz gracejos: "A mesma punição castigará talvez esse gracejador, esse bufão, esse devasso." (Thomas Morus, *A Utopia* – Livro primeiro) [F.: *gracejar* + *-dor.*]

gracejar (gra.ce.*jar*) *v.* **1** Dizer algo de modo engraçado ou pouco sério; CAÇOAR; PILHERIAR [*tr.* + *de*: *Ele não leva nada a sério, sempre graceja de tudo.*] [*int.*: *Está sempre disposto a gracejar.*] **2** Falar por brincadeira, para fazer graça [*td.*: *Gracejou uma tolice para mexer com a moça.*] [*tr.* + *com*: *Gostava de gracejar com todo mundo.*] [▶ 1 gracejar] [F.: *graça* + *-ejar.* Hom./Par.: *gracejo* (fl.), *gracejo* (sm.).]

gracejo (gra.*ce*.jo) [ê] *sm.* **1** Ação ou resultado de gracejar *sm.* **2** Dito espirituoso, engraçado ou irônico: *A namorada riu do gracejo do rapaz.* **3** Dito zombeteiro e insolente; CAÇOADA; TROÇA: *Detesto esses gracejos maldosos.* [F.: Regress. de *gracejar.*]

grácil (*grá*.cil) *a2g.* Que tem graça, encanto; que é gracioso; FINO; DELICADO: *Modos e movimentos gráceis.* [Pl.: *-ceis.* Superl.: *gracílimo, gracilíssimo.*] [F.: Do lat. *gracilis, e.*]

gracilidade (gra.ci.li.*da*.de) *sf.* **1** Qualidade do que é delgado ou grácil **2** Coisa delgada, fina, grácil: "Nalgumas das toucas há ornamentações sutis, gracilidades rebrilhantes de gemas entrelaçadas." (Eça de Queirós, *Notas Contemporâneas*, pág. 502) **3** *Fig.* Finura, delicadeza; GRACIOSIDADE: "Toda a Poesia de todas as idades, na sua gracilidade ou na sua majestade, seria impotente para exprimir o meu êxtase." (Eça de Queirós, *Cartas d'amor – Segunda carta a Clara*) [F.: Do lat. *gracilitas, atis.*]

gracílimo (gra.*cí*.li.mo) *a.* Muito delicado, extremamente gracioso. Superl. abs. sint. de *grácil*; GRACILÍSSIMO: *Um passo gracílimo era a característica mais marcante da sua arte.* [F.: Do lat. *gracillimus, a, um.*]

gracinha (gra.*ci*.nha) *sf.* **1** *Pop.* Dito um tanto irônico, malicioso, picante: *Com aquele vestido ousado, ela ouvia muitas gracinhas dos rapazes.* **2** Alguém ou alguma coisa que provoca encanto, enlevo; ENCANTADOR: *Essa moça é uma gracinha.* **3** Dito ou gesto gracioso, engraçado, ger. feito por criança: *Adorava as gracinhas da neta.* [F.: *graça* + *-inha.*]

graciosamente (gra.ci:o.sa.*men*.te) *adv.* **1** De modo gracioso, com graça, engraçadamente: *Passeava graciosamente entre os jardins.* **2** Com polidez, com delicadeza: *Cumprimentava todos graciosamente.* **3** Com benevolência; FAVORAVELMENTE: *Acolheu graciosamente os ousados navegantes.* **4** Sem remuneração; GRATUITAMENTE: *Passou-lhe graciosamente o atestado de que precisava.* [F.: *gracioso* + *-mente.*]

graciosidade (gra.ci:o.si.*da*.de) *sf.* **1** Qualidade de gracioso, de engraçado, jovial; GRACILIDADE; GRAÇA: *O número encantava pela graciosidade das bailarinas.* **2** Qualidade de gracioso, de gratuito; GRATUIDADE [F.: *gracioso* + *-(i)dade.*]

gracioso (gra.ci.*o*.so) [ô] *a.* **1** Que tem graça, encanto: *Tinha um andar gracioso.* **2** Que é dado sem que nenhuma cobrança seja exigida em troca; GRATUITO: *O primeiro volume é pago, o segundo é gracioso.* **3** Que decorre da graça de Deus: *Pagou os votos em agradecimento pela cura graciosa que recebeu.* **4** *Jur.* Que não tem caráter litigioso **5** *Teat.* Diz-se do ator que, numa comédia, faz o personagem que provoca o riso; COMEDIANTE *sm.* **6** *Teat.* Personagem característico do teatro espanhol do "Século de Ouro" (entre 1580 e 1680) que representa o bom-senso popular, por oposição ao comportamento idealizado do herói *sm.* **7** Indivíduo dado a fazer graças [Pl.: [ó]. Fem.: [ó].] [F.: Do lat. *gratiosus, a, um.*]

graçola (gra.*ço*.la) [ó] *sf.* **1** *Pop.* Dito de mau gosto **2** Piada engraçada, às vezes de caráter obsceno ou picante *s2g.* **3** *Pop.* Pessoa que diz graçolas; ENGRAÇADINHO [F.: *graça* + *-ola*. Hom./Par.: *graçola* (flex. de *graçolar*).]

grã-cruz (grã-cruz) *sf.* **1** Grau superior de certas ordens: *Oficial da Grã-Cruz de Cristo.* **2** Cruz pendente de uma fita, ger. colocada em volta do pescoço, que é a insígnia desse grau: *Grã-Cruz da ordem do Rio Branco.* *s2g.* **3** Dignitário que possui esse grau: *O Grã-Cruz da Ordem do Cruzeiro do Sul.* [Pl.: *grã-cruzes.*]

gradação (gra.da.*ção*) *sf.* **1** Aumento ou diminuição que ocorre gradualmente, de grau em grau, passo a passo **2** *Art.pl.* Mudança gradual de cor ou de tonalidade: *O quadro apresentava gradações sutis.* [Pl.: *-ções.*] [F.: Do lat. *gradatio, onis.*]

gradagem (gra.*da*.gem) *sf.* Ato ou operação de gradar (a terra); GRADADURA [F.: *gradar* + *-agem.*]

gradar[1] (gra.*dar*) *v.* **1** Tornar plana (terra lavrada) com auxílio de grade própria, cobrindo tb. as sementes; gradear, destorroar [*td.*: *Gradou a terra.*] [*int.*: *O trabalhador já começou a gradar.*] **2** Colocar grade; fechar, gradear [*td.*: *Gradou parte do quintal para prender as galinhas.*] [▶ 1 gradar] [F.: *grade* + *-ar*. Hom./Par.: *grada* (fl.), *grada* (fem. de *grado* [a.]); *grade(s)* (fl.), *grade(s)* (sf.[pl.]); *gradaria(s)* (fl.), *gradaria(s)* (sf.[pl.]); *grado* (fl.), *grado* (a.sm.).]

gradar[2] (gra.*dar*) *v.* Ficar, tornar-se grande, grado[2]; CRESCER [▶ 1 gradar] [F.: *grado*[2] + *-ar*[2].]

gradativo (gra.da.*ti*.vo) *a.* Que aumenta ou diminui pouco a pouco; GRADUAL; PROGRESSIVO: *Essa doença se desenvolve de modo gradativo.* [F.: Do lat. *gradatus, a, um.*]

grade (*gra*.de) *sf.* **1** Armação de barras de metal ou de madeira para fechar, proteger, resguardar um lugar: *Papai colou grade no jardim inteiro.* **2** *P.ext.* Armação us. para separar dois ambientes em prisões, conventos etc.; GRADEAMENTO; GRADIL [Dim.: *cratícula.*] [F.: Do lat. *cratis, is.* Hom./Par.: *grade* (flex. de *gradar*).] ⁜ **Atrás das ~s** *Pop.* Preso (na prisão), encarcerado

gradeação (gra.de:a.*ção*) *sf.* Ação mecanizada de preparar a terra com o auxílio de potentes tratores que movimentam grades aradoras e niveladoras de 16 a 24 discos, para livrar o terreno de torrões e ervas daninhas, uniformizar sua superfície e prepará-lo convenientemente para o plantio [F.: *gradear* (gradar) + *-ção.*]

gradeado (gra.de.*a*.do) *a.* **1** Que tem grades: *A casa tem um jardim gradeado.* *sm.* **2** Grade ou conjunto de grades; GRADEAMENTO [F.: Part. de *gradear.*]

gradeamento (gra.de:a.*men*.to) *sm.* **1** Ação ou resultado de gradear **2** Grade(s) para proteger parques, jardins, edifícios, janelas etc. [F.: *gradear* + *-mento.*]

gradear (gra.de.*ar*) *v. td.* **1** Colocar grades em ou em volta de: *Gradeou o jardim da casa.* **2** *Vet.* Cauterizar com grade: *Gradeou o ferimento do cãozinho com muito carinho.* [▶ 13 gradear] [F.: *grade* + *-ear*[2].]

gradiente (gra.di.*en*.te) *sm.* **1** *Fís.* Medida de variação de certa característica de um meio (pressão, temperatura, umidade etc.) em função de um intervalo de variação de uma outra característica (altitude, distância etc.) **2** *Biol.* Variação gradativa decrescente, a partir de um ponto máximo, da concentração de uma substância ou de uma propriedade física ou química de uma célula **3** *Met.* Taxa de variação de um fenômeno meteorológico em função da distância **4** *Psi.* Relação quantitativa entre o parâmetro de um comportamento e uma variável do meio **5** Em topografia, medida da declividade de um terreno [F.: Do lat. *gradiens, entis.*] ⁜ **~ barométrico** *Met.* A variação da pressão atmosférica ao longo de uma distância horizontal **~ termométrico vertical 1** *Met.* Variação da temperatura atmosférica ao longo da altitude **2** *P.ext.* A variação proporcional de um elemento meteorológico em relação à altitude; gradiente termométrico vertical do meio ambiente; gradiente vertical **~ vertical** *Met.* Ver *Gradiente termométrico vertical* (2) **~ vertical do meio ambiente** *Met.* Ver *Gradiente termométrico vertical*

gradil (gra.*dil*) *sm.* **1** Grade que cerca, que protege um lugar **2** Grade baixa; CERCA: *O gradil impede a criança de cair no chão.* [Pl.: *-dis.*] [F.: *grade* + *-il.*]

◎ **-grado**[1] *el. comp.* = que anda: *digitígrado, retrógrado*

grado[1] (*gra*.do) *sm.* Vontade, desejo (us. nas locs. *de bom grado, de mau grado* [F.: Do lat. *gratus, a, um.* Hom./Par.: *grado* (flex. de *gradar*).] ⁜ **De bom/mau ~** De boa/má vontade

◎ **-grado**[2] *el. comp.* = grau: *centígrado*

grado[2] (*gra*.do) *sm.* **1** *Geom.* Unidade de medida de ângulo que corresponde ao ângulo central de uma circunferência de círculo que subtende arco equivalente a um centésimo de ângulo reto, ou seja, 1/400 de toda a circunferência, equivalente, portanto, a 0,9 graus [Cf.: *grau.*] **2** *P.us.* Ação ou resultado de andar; passo, andadura [F.: Do lat. *gradus.*]

grado[3] (*gra*.do) *a.* **1** Grande, graúdo: *Escreveu o texto em letras gradas, garrafais.* **2** Importante, ilustre: *O prefeito convidou para a cerimônia as figuras gradas da cidade.* [F.: Do lat. *granatus.*]

graduação (gra.du:a.*ção*) *sf.* **1** Ação ou resultado de graduar(se) **2** Apresentação de uma escala em graus: *A graduação do termômetro.* **3** Cada um desses graus: *A graduação da geladeira está excessiva.* **4** *Bras.* Curso universitário: *Ela está fazendo graduação em economia.* [Cf.: *pós-graduação.*] 5 Conclusão desse curso: *A graduação da turma de Artes Plásticas.* 6 Posição na hierarquia social 7 *Mil.* Nome genérico dos graus da hierarquia militar 8 *Mil.* Posto de caráter honorífico 9 *Geom.* Divisão de um arco em graus [Pl.: *-ções.*] [F.: Do lat. *graduatio, onis.*]

graduado (gra.du.*a*.do) *a.* 1 Dividido em graus ou outra medida (escala graduada) 2 *Bras.* Que se diplomou em alguma universidade: *graduado em sociologia.* 3 Que é importante: *Funcionário graduado do Ministério da Fazenda.* *sm.* 4 *Mil.* Militar com o grau de sargento, subooficial ou subtenente 5 Indivíduo graduado ou formado em uma universidade [F.: Part. de *graduar.*]

graduador (gra.du:a.*dor*) [ô] *a.* 1 Que gradua, regula, dosa (sistema graduador) *sm.* 2 O que gradua, regula, dosa (graduador de carga) [F.: *graduar* + *-dor.*]

gradual (gra.du.*al*) *a2g.* 1 Que se produz em graus 2 Que aumenta ou diminui de maneira gradativa: *Sua ascensão foi gradual.* 3 *Ant. Rel.* No culto israelita, os 15 salmos que eram cantados nos degraus do templo [Pl.: *-ais.*] *sm.* 4 *Rel.* Salmo ou versículo que se canta durante a missa católica 5 *P.ext. Rel.* Livro que contém esses salmos ou versículos, us. pelo coro [Pl.: -ais. F.: Do lat. med. *graduate.* Hom./Par.: *graduais* (pl. e flex de *graduar*).]

gradualidade (gra.du:a.li.*da*.de) *sf.* Qualidade ou condição de gradual (gradualidade dos impostos) [F.: *gradual* + *-idade.*]

gradualismo (gra.du:a.*lis*.mo) *sm.* 1 *Econ.* Método que defende a atuação gradual, com resultados cumulativos, para alcançar objetivos, esp. na área de política econômica 2 *Biol.* Teoria que concebe a evolução biológica dos seres vivos como um processo constante e gradual [F.: *gradual* + *-ismo.*]

gradualista (gra.du:a.*lis*.ta) *a2g.* 1 Ref. a gradualismo *a2g.* 2 *Biol. Econ.* Adepto do gradualismo [F.: *gradual* + *-ista.*]

graduando (gra.du:*an*.do) *sm. Bras.* Aluno do último ano de um curso universitário; BACHARELANDO [F.: *graduar* + *-ando.*]

graduar (gra.du.*ar*) *v.* 1 Ajustar por meio de níveis ou graus [*td.*: *Graduar um termômetro, uma régua.*] 2 Dosar a quantidade, a dimensão, a densidade etc. de algo [*td.*: *Graduar a chama do isqueiro; Graduar a corrente do relógio.*] 3 Aplicar (algo) aos poucos [*td.*: *Graduar a dosagem do medicamento.*] 4 Diplomar(-se) em carreira universitária ou militar [*td.*: *Graduar oficiais.*] [*tdr.* + *em*: *A universidade graduou a moça em psicologia.*] [*tdp.*: *Graduou-se biólogo.*] 5 Adaptar objeto ou utensílio para que se torne bem adequado ao gosto ou à necessidade do usuário [*td.*: *A enfermeira graduou o encosto da cama.*] 6 Ajustar (o foco) de aparelho ger. óptico ou fotográfico [*td.*: *Graduou o foco da câmera antes de fotografar a beldade.*] 7 Avaliar, aquilatar [*td.*: *Rapidamente graduou as intenções do homem que se aproximava.*] [▶ 1 graduar] [F.: Do fr. *graduer.* Hom./Par.: *graduais* (fl.), *graduais* (pl. de *gradual* [a2g. e sm.]).]

graduável (gra.du:*á*.vel) *a2g.* Que se pode graduar, ajustar: *banco com inclinação graduável.* [F.: *graduar* + *-vel.* Hom./Par.: *graduáveis* (pl.), *graduáveis* (fl. de *graduar*).]

grafar (gra.*far*) *v.* 1 Representar (o que se quer dizer, o que se quer comunicar, o que se quer expressar ou registrar) por sinais gráficos; ESCREVER; ORTOGRAFAR [*td.*: *grafar uma mensagem; Grafava o nome da namorada nas árvores.*] 2 Escrever com certa grafia; usar certa(s) letra(s) ao escrever [*tdr.* + *com*: *Passou a grafar seu nome com z.*] [▶ 1 grafar] [F.: *graf(o)-* + *-ar*².]

grafema (gra.*fe*.ma) [ê] *sm.* 1 *Gram.* Unidade gráfica mínima que entra na composição de um sistema de escrita (p. ex., na escrita alfabética cada letra ou sinal constitui um grafema) 2 *Gram.* Unidade mínima da forma escrita de uma língua correspondente a sua forma oral [F.: *graf(o)* + *-ema.*]

grafemático (gra.fe.*má*.ti.co) *a.* Ref. a grafema (recurso grafemático) [F.: *grafema* + *-ático.*]

◎ **-grafia** *el. comp.* = escrita, descrição, registro: *biografia, caligrafia, ortografia; cinematografia, fotografia*

grafia (gra.*fi*.a) *sf.* 1 *Ling.* Representação dos sons ou das palavras por meio da escrita 2 Maneira de escrever, modo; ORTOGRAFIA: *O menino tem uma bela grafia.* [F.: *graf(o)-* + *-ia*¹.]

gráfica (*grá*.fi.ca) *sf.* 1 Arte de grafar as palavras 2 Forma de grafar as letras 3 Oficina onde são impressos jornais, livros, revistas etc.; TIPOGRAFIA [F.: Fem. substv. de *gráfico.*]

gráfico (*grá*.fi.co) *a.* 1 Ref. a grafia, a escrita, aos caracteres da escrita 2 Ref. a informação na forma de sinais, desenhos, figuras, signos, em qualquer método de representação ou suporte 3 Ref. a indústria gráfica ou às artes gráficas 4 Que se apresenta em forma de desenho, figura 5 Ref. à capacidade de dar boa expressão a algo por meios gráficos (2): *a qualidade gráfica de um anúncio.* 6 *Geol.* Diz-se de pegmatito que tem cristais (de feldspato e quartzo) dispostos em forma de caracteres cuneiformes *sm.* 7 Representação de um processo, uma quantificação, uma informação etc. por meios gráficos (2) 8 *Mat.* Representação da variação de uma função ou de uma distribuição estatística por meio de curva, barras, círculos etc. 9 Registro de uma variação ou processo físico por meio de linhas traçadas por aparelho sensível a essa variação ou processo (como sismógrafo, eletrocardiógrafo etc.) 10 Profissional que trabalha em indústria gráfica 11 *Álg.* Conjunto finito de pontos e de segmentos de linhas que unem pontos [F.: Do gr. *graphikós*, pelo lat. *graphicus.*] ∷ **~ de barras** *Est.* Representação gráfica da variação de uma ocorrência na qual a magnitude de cada ocorrência é expressa na altura ou na área de um retângulo (barra)

grã-finagem (grã-fi.*na*.gem) *sf.* 1 *Bras.* O grupo, a classe dos grã-finos; GRÃ-FINISMO: *Algumas casas noturnas foram eleitas redutos da grã-finagem carioca.* 2 O mesmo que *grã-finismo*: *A sua falsa grã-finagem avivava-lhe o desdém pelo semelhante.* [Pl.: *grã-finagens.*] [F.: *grã-fino* + *-agem.*]

grã-finismo (grã-fi.*nis*.mo) *sm.* 1 *Bras.* Qualidade de quem é grã-fino: *Fazia questão de exibir o seu grã-finismo.* 2 O conjunto, a classe dos grã-finos; GRÃ-FINAGEM: *Todo o grã-finismo da cidade estava presente.* 3 Ato ou hábitos de grã-fino; GRÃ-FINAGEM: *O grã-finismo da mulher irritava-o profundamente.* [Pl.: *grã-finismos.*] [F.: *grã-fino* + *-ismo.*]

grã-fino (*grã* -fi.no gran.fi.no) *a.* 1 *Bras.* Diz-se de pessoa rica e aristocrata: *Uma senhora grã-fina.* 2 *Pop.* Que é próprio de pessoas abastadas, de grandes posses 3 *Pop.* Que tem classe, que é elegante *sm.* 4 *Pop.* Indivíduo rico, elegante ou de excelente aparência: *clube grã-fino.* 5 *Bras. AL PE* Nome de certo tipo delicado de açúcar *sm.* 6 *Bras. Joc.* Indivíduo rico, elegante, de hábito refinados *Joc.*; BACANA, GRANFA: *Os grã-finos compareceram em peso.* 7 *PE AL* Tipo de açúcar refinado [Pl.: *grã-finos, granfinos.*]

grã-fino de porão (grã-fi.no de po.*rão*) *sm. Bras. SP Pop.* Indivíduo que morava em casa própria construída com porão, a partir do momento em que este passou a ser obrigatoriamente cimentado e com pé direito acima de 2 m, mínimo necessário para servir de cômodo residencial [Pl.: *grã-finos de porão.*]

gráfio (*grá*.fi:o) *sm. Ant.* Estilete com que os antigos escreviam em tabuinhas enceradas [F.: Do lat. *graphium, ii*, do gr. *graphíon.*]

grafismo (gra.*fis*.mo) *sm.* 1 Modo de escrever ou representar as palavras em certa língua 2 Maneira particular de alguém escrever; CALIGRAFIA 3 *Pedag.* Ação ou resultado de fazer traços sem significado, como preparação para a escrita 4 *Art.pl.* Modo peculiar de desenhar ou pintar de um artista [F.: *graf(o)-* + *-ismo.*]

grafista (gra.*fis*.ta) *s2g.* *S Pop.* Desenhista de plantas e projetos que não entende muito do assunto [F.: *graf(o)-* + *-ista.*]

grafita (gra.*fi*.ta) *sf.* *Quím.* Carbono cristalino e negro us. na fabricação do lápis e em diversos equipamentos industriais; GRAFITE [F.: Do al. *Graphit.* Hom./Par.: *grafita* (flex. de *grafitar*), *grafite* (sm.), *grafito* (flex. de *grafitar*).]

grafitado¹ (gra.fi.*ta*.do) *a.* Transformado em grafita [F.: Part. de *grafitar*¹.]

grafitado² (gra.fi.t*a*.do) *a.* Pintado, desenhado ou rabiscado com grafites (muro grafitado) [F.: Part. de *grafitar*².]

grafitagem (gra.fi.*ta*.gem) *sf.* Ação ou resultado de executar grafites: *Prefeitura inicia discussão sobre pichação e grafitagem.* [F.: *grafitar* + *-agem*¹.]

grafitar¹ (gra.fi.*tar*) *v. td.* Escrever ou desenhar sobre paredes, muros, portais etc. (ger. com *spray*); PICHAR: *Grafitaram os portais da Igreja.* [▶ 1 grafitar] [F.: *grafite*² + *-ar*². Hom./Par.: *grafita* (fl.), *grafita* (sf.); *grafitas* (fl.), *grafitas* (pl. do sf.); *grafite* (fl.), *grafite*¹ (sf.), *grafite*² (sm.); *grafites* (fl.), *grafites* (pl. do sf.), *grafites* (pl. do sm.); *grafito* (fl.), *grafito* (sm.).]

grafitar (gra.fi.*tar*) *v. td.* Escrever em forma de grafita [▶ 1 grafitar] [F.: *grafita* + *-ar.* Hom./Par.: *grafita* (3ªp.s.), *grafitas* (2ªp.s.), *grafita* (s.f. e pl.), *grafite* (1ª3ªp.s.), *grafites* (2ªp.s.), *grafite* (s.f. e s.m. e pl.), *grafito* (1ªp.s.), *grafito* (s.m.).]

grafitar² (gra.fi.*tar*) *v. td.* Transformar em grafita: *grafitar carbono* [▶ 1 grafitar] [F.: *grafita* + *-ar*².]

grafite¹ (gra.*fi*.te) *sm.* 1 Ver *grafita* 2 Bastão muito fino para escrever, colocado dentro do lápis, ou separado, para ser us. em lapiseira 3 *BA* Lapiseira [F.: Ver *grafita.* Hom./Par.: *grafite* (flex. de *grafitar*), *grafita* (*sf.*) e *grafito* (*sm.*).]

grafite² (gra.*fi*.te) *sm.* Inscrição ou desenho feito em muros ou monumentos, ger. com *spray* de tinta [F.: Ver *grafito.* Hom./Par.: Ver *grafite* e *grafite*¹.]

grafiteiro (gra.fi.*tei*.ro) *sm.* Pessoa que faz grafites (desenhos) em paredes e monumentos; PICHADOR [F.: *grafite*² + *-eiro.*]

grafitista (gra.fi.*tis*.ta) *a2g.* 1 Ref. a grafite²: *espírito urbano, contemporâneo, grafitista.* 2 Indivíduo que executa grafites (grafitista anônimo) [F.: *grafite*² + *-ista.*]

◎ **-grafo** *el. comp.* = que escreve ou descreve; que registra: *calígrafo, taquígrafo, geógrafo, fotógrafo*

◎ **graf(o)-** *el. comp.* = escrita: *grafologia, grafoscopia*

grafo (*gra*.fo) *sm.* 1 *Mat.* Diagrama formado por um conjunto de vértices e outro de arcos, com cada arco associado a dois vértices 2 *Inf.* Estrutura em forma de grafo para representação de dados [F.: Do fr. *graphe.*] ∷ **~ conexo** *Álg.* Aquele em que há pelo menos uma cadeia ligando cada par de vértices

grafofobia (gra.fo.fo.*bi*.a) *sf.* *Psiq.* Medo doentio de escrever [F.: *graf(o)-* + *-fobia.*]

grafofóbico (gra.fo.*fó*.bi.co) *a.* 1 Ref. a grafofobia 2 Que apresenta grafofobia *sm.* 3 Pessoa que apresenta grafofobia [F.: *graf(o)-* + *-fobia.*]

grafologia (gra.fo.lo.*gi*.a) *sf.* 1 Estudo da escrita em geral e de seus sistemas 2 Análise da personalidade e do caráter de uma pessoa pelo exame do traçado das letras de sua escrita [F.: *graf(o)* + *-logia.*]

grafológico (gra.fo.*ló*.gi.co) *a.* Ref. a grafologia [F.: *grafologia* + *-ico.*]

grafologista (gra.fo.lo.*gis*.ta) *s2g.* Pessoa especializada em grafologia; GRAFÓLOGO [F.: *grafologia* + *-ista.*]

grafólogo (gra.*fó*.lo.go) *sm.* Ver *grafologista*

grafomania (gra.fo.ma.*ni*.a) *sf.* *Psiq.* Compulsão patológica de rabiscar, de registrar graficamente e esp. de escrever [F.: *graf(o)-* + *-mania.*]

grafomaníaco (gra.fo.ma.*ní*.a.co) *Psiq.* *a.* 1 Ref. a grafomania 2 Que apresenta grafomania 3 Aquele que apresenta grafomania [F.: *grafomania* + *-íaco.* Sin. ger.: *grafômano.*]

grafômano (gra.*fô*.ma.no) *a.sm. Lus. Psiq.* Ver *grafomaníaco*

graforreia (gra.for.*rei*.a) *sf.* *Psiq.* Necessidade exagerada e doentia de escrever; GRAFOMANIA [F.: *graf(o)-* + *-reia.*]

graforreico (gra.for.*rei*.co) *a.* Ref. a graforreia [F.: *graforreia* + *-ico*².]

grafoscopia (gra.fos.co.*pi*.a) *sf.* Exame para reconhecimento da escrita pelo confronto de detalhes das letras [F.: *graf(o)-* + *-scop-* + *-ia*¹.]

grafotecnia (gra.fo.tec.*ni*.a) *sf.* Técnica que consiste no exame de textos, manuscritos ou não, para constatar a sua autenticidade, autoria e origem [F.: *graf(o)-* + *-tecnia.*]

grafotécnico (gra.fo.*téc*.ni.co) *a.* 1 Ref. a grafotecnia (exame grafotécnico) *sm.* 2 Pessoa especializada em grafotecnia [F.: *grafotecnia* + *-ico*².]

grafoterapeuta (gra.fo.te.ra.*peu*.ta) *s2g.* Especialista em grafoterapia [F.: *graf(o)-* + *terapeuta.*]

grafoterapia (gra.fo.te.ra.*pi*.a) *sf.* Processo de reeducação da escrita com objetivo de melhorar a conduta [F.: *graf(o)-* + *-terapia.*]

gral *sm.* Ver *graal*

gralha (*gra*.lha) *sf.* 1 *Zool.* Denominação comum a várias spp. de aves passeriformes, da fam. dos corvídeos, de grande porte, plumagem ger. azul e branca e cauda longa 2 *Fig.* Pessoa que fala demais, esp. quando sua voz lembra um grasnar 3 *Art.gr.* Erro tipográfico que ger. consiste em um tipo fora de sua posição ou trocado por outro [F.: Do lat. *gracula.*]

gralhar (gra.*lhar*) *v.* 1 Grasnar (a gralha e outras aves) [*int.*] 2 *P.ext.* Falar confusamente, com má dicção [*td. int.*] [▶ 1 gralhar] [F.: *gralha* + *-ar*².]

gram *sm. Bac.* Método de coloração us. para diferenciar bactérias que se baseia na variação da retenção de determinados corantes no interior da célula bacteriana [Inicial ger. maiúsc.] [F.: De Hans Christian Joachin *Gram* (1853-1938) médico dinamarquês, o criador do método]

◎ **-grama** *el. comp.* = letra, texto, sinal, registro: *diagrama, hemograma, monograma, organograma, telegrama*

grama¹ (*gra*.ma) *sf.* 1 *Bot.* Qualquer gramínea de rizomas rastejantes, cultivada para formar gramados, jardins e parques ou como forrageiras 2 O mesmo que *gramado* 3 *Bot.* Denominação comum a várias gramíneas invasoras, de crescimento rápido, algumas forrageiras, outras de uso farmacológico; CAPIM-DE-BURRO [F.: Do lat. *gramma.* Hom./Par.: *grama* (flex. de *gramar*).] ∷ **Comer ~** 1 *Gír. Fut.* Cair (jogador) após ser fintado, esp. se com a cara na grama 2 Esperar longamente oportunidade de ser escalado no time titular

grama² (*gra*.ma) *sm. sf. Fís. Metrol.* Principal unidade de massa do sistema métrico, correspondente a um milésimo do quilograma: *Duzentos/duzentas gramas de presunto.* [Símb.: *g.*] [F.: Do lat. *gramma, atos.* Hom./Par.: Ver *grama*¹.]

gramado (gra.*ma*.do) *a.* 1 Que se gramou; que foi coberto de grama; em que se plantou grama (campo gramado) 2 Trilhado com a gramadeira: *linho gramado.* 3 Que se encontra recoberto de grama (planície gramada) *sm.* 4 Campo de futebol: *A bola começou a rolar no gramado.* [F.: Part. de *gramar.*]

gramar¹ (gra.*mar*) *v.* 1 *Pop.* Suportar, aturar (algo difícil, cansativo ou enfadonho) [*td.*: *Gramava 12 horas de trabalho por dia; Gramou uma hora na fila do banco.*] 2 Percorrer, trilhar [*td.*: *Gramaram uma estrada esburacada até a praia.*] 3 Aguentar, suportar, sofrer [*td.*: *Fez o roubo, mas gramou cinco anos de cadeia.*] 4 Levar, receber (pancada) [*td.*: *Gramou meia dúzia de cascudos pela malcriação.*] 5 *Fig. Pop.* Comer de uma vez só; ENGOLIR [*td.*: *Gramou dois sanduíches em tempo recorde.*] [▶ 1 gramar] [F.: De or. obsc. Hom./Par.: *grama* (fl.), *grama*¹ (sf.), *grama*² (sm.); *gramas* (fl.), *gramas* (pl. do sf.), *gramas* (pl. do sm.).]

gramar² (gra.*mar*) *v. td. Bras.* Plantar grama em: *Gramou a frente da casa.* [▶ 1 gramar] [F.: *grama*¹ + *-ar*².]

◎ **grama(t)-** *el. comp.* = escrita, letra, texto, gramática: gramatical, gramaticalizar, gramaticologia; grama: gramagem, gramatura

gramática (gra.*má*.ti.ca) *sf.* 1 *Ling.* Conjunto de regras que normatizam o falar e o escrever corretamente, segundo a língua-padrão 2 *Ling.* Estudo em que se expõem essas regras 3 Obra em que essas regras são expostas de maneira racional e didática: *Escreveu uma gramática de alto nível.* 4 Exemplar dessa obra: *Ia sempre às aulas com a sua gramática na mão.* 5 *Ling.* Estudo sistemático dos elementos (palavras, fonemas etc.) que constituem o sistema de uma língua: *gramática do tupi-guarani.* 6 Conjunto de normas, regras, técnicas etc. que regem uma arte, ciência etc.: *Seus filmes têm uma gramática própria e surpreendente.* 7 *PE Gír.* Qualquer bebida alcoólica, esp. a cachaça [F.: Do lat. *grammatica, ae* ou *grammatice, es.* Hom./Par.: *gramatica* (*fem.* de *gramático*), *gramatica, gramaticas* (flex. de *gramaticar*).] ∷ **~ comparada/comparativa** *Ling.* Parte da linguística que compara as estruturas morfológicas e fonéticas de línguas diferentes, ou de estágios diferentes de uma mesma língua **~ descritiva** 1 *Gram.* A gramática tradicional de uma língua em um momento (sincrônica) **2** *Ling.* Descrição completa e objetiva de todos os elementos de uma língua em um momento (sincrônica), em qualquer de suas variantes, tais como se apresentam nos enunciados produzidos, numa dessas variantes, por qualquer grupo de seus falantes nativos, sem filtros, críticas, correções etc. provindos de outras variantes possíveis; gramática expositiva **~ expositiva** *Ling.* Ver *Gramática descritiva* **~ gerativa/generativa 1** *Ling.* Descrição de uma língua segundo um modelo formal de regras fixas e explícitas, capaz de gerar todas as – e somente – frases gramaticais dessa língua **2** Especificamente, teoria sintática gerativista do filólogo Noam Chomsky **~ gerativa transformacional** *Ling.* Ver *Gramática transformacional* **~ histórica** *Ling.* A parte da gramática que trata da evolução histórica dos sistemas de uma língua (fonético, morfológico, gramatical) **~ normativa** *Ling.* Estudo dos elementos de uma língua a partir de normas que não podem ser transgredidas, e que determinam o que usar e o que não usar, como e como não usar, estabelecendo com isso um padrão de correção a ser observado no que considera falar e escrever bem; gramática prescritiva **~ prescritiva** *Ling.* Ver *Gramática normativa* **~ tradicional** *Ling.* Modelo de estudo dos elementos de uma língua originado no do grego e do latim, e anterior à linguística **~ transformacional** *Ling.* A gramática gerativa, nela considerada também a ideia de transformação da língua de sua estrutura profunda (a noção abstrata do que ela quer exprimir) para sua estrutura superficial (o uso efetivo de seus elementos, em nível de frase – palavras, elementos e estrutura sintática –, para expressá-lo) **~ universal 1** *Ling.* Na visão do filólogo Noam Chomsky, a faculdade do homem que permite, em certa fase de seu desenvolvimento mental e de seu contexto social, adquirir a linguagem materna (a que esteve exposto nos estágios mentais iniciais da vida) **2** Conjunto de princípios universais aos quais se condicionam a forma e o funcionamento de qualquer gramática

📖 A gramática é o conjunto de regras e conceitos que regem o uso da língua, ou seja, das palavras como signos de significados. A morfologia trata das palavras isoladamente, considerando a ortografia, a classe a que pertencem (ou seja, sua função, se de substantivo, adjetivo, verbo, pronome, advérbio etc.), suas variações e flexões etc. A sintaxe trata das relações entre as palavras na formação, por elas, de enunciados (frases, expressões, orações etc.) que expressam ideias, descrição de situações etc. Há mais de um enfoque do papel da gramática nessa organização das palavras. Um deles, tradicional, considera a gramática normativa, isto é, determinando rigidamente o que é certo e errado, e condicionando o uso culto da língua a essa determinação. Outro, surgido na linguística moderna, considera a gramática descritiva, isto é, apenas descrevendo e registrando como está sendo feita, pelos usuários da língua, a construção das palavras em enunciados.

gramatical (gra.ma.ti.*cal*) *a2g.* **1** Relativo a gramática **2** Que se refere à estrutura de uma língua (análise gramatical) **3** Que está de acordo com as regras da gramática (correção gramatical) **4** *Ling.* Diz-se de qualquer termo que caracteriza tudo o que na língua não é semântico, lógico ou psicológico [Pl.: *-cais.*] [F.: Do lat. *grammaticalis, e.*]

gramático (gra.*má*.ti.co) *a.* **1** Referente a gramática *sm.* **2** Indivíduo que se especializou em gramática **3** Autor que escreve livro(s) sobre gramática ou alguém que ensina gramática **4** Estudioso ou especialista que aprofunda o conhecimento de uma língua e eventualmente propõe novas análises e regras para o uso dessa língua; FILÓLOGO; LINGUISTA [F.: Do gr. *grammatikós, e, on.* Hom./Par.: *gramatico, gramatica, gramaticas* (flex. de *gramaticar*).]

gramatiquice (gra.ma.ti.*qui*.ce) *sf.* Exagero afetado e ridículo na correção gramatical: "O ferreiro pouco se incomodava com a gramatiquice, aceitou a correção mediante pagamento de Aldrovando." (Monteiro Lobato, *O colocador de pronomes*) [F.: *gramática* + *-ice.*]

gramatologia (gra.ma.to.lo.*gi*.a) *sf.* **1** Estudo do alfabeto, silabação, leitura e escrita de uma língua **2** Ciência geral da escrita, segundo Jacques Derrida [F.: *gramato-* + *-logia.*]

gramatológico (gra.ma.to.*ló*.gi.co) *a.* Ref. a gramatologia [F.: *gramatologia* + *-ico*[2].]

gramatura (gra.ma.*tu*.ra) *sf. Pap.* Na indústria de papel, valor em gramas de uma folha com um metro quadrado; GRAMAGEM [F.: *grama(t)-* + *-ura.*]

gramema (gra.*me*.ma) *sf. Ling.* Afixo ou vocábulo gramatical como preposições, artigos e certas conjunções, sem sentido próprio, que criam relações gramaticais na frase; morfema gramatical [F.: *gram-* (rad. de *gramática*) + *-ema.*]

gramínea (gra.*mí*.ne:a) *sf. Bot.* Espécime das gramíneas; família de plantas monocotiledôneas, de caule freq. cilíndrico, com nós bem marcados, folhas alongadas e flores em espiguetas, com distribuição mundial e várias espécies de grande importância econômica: arroz, trigo, aveia, cevada, cana, milho, bambu etc.: "Corria o enxurro torrentoso, rápido, enxadrezado nos declives; manso, espraiando em toalhas, banhando as raízes das gramíneas no chato, no descampado." (Júlio Ribeiro, *A carne*) [F.: Do lat. cient. *Gramineae.*]

gramíneas (gra.*mí*.ne:as) *sfpl. Bot.* Plantas monocotiledôneas da fam. das poáceas que reúne cerca de 700 gên. e aproximadamente 12 mil espécies, apresentadas ger. como gramas e bambus. Esta fam. é uma das mais importantes da botânica, com várias espécies cultivadas para a alimentação como o trigo, o arroz, a aveia, o milho e a cana-de-açúcar, além das inúmeras produzidas para forragem, construção etc. Caracterizam-se pelo caule com nós salientes, flores dísticas alongadas, flores em espiguetas e frutos cariopse, ger. secos e indeiscentes. Sua distribuição é mundial, esp. em regiões tropicais ou em áreas temperadas e semi-áridas do hemisfério norte [F.: Do lat. cient. *Gramineae.*]

gram-negativo (gram-ne.ga.*ti*.vo) *a. Bac.* Diz-se de bactéria que não retém a coloração quando submetida ao método de Gram [Inicial ger. maiúsc.] [Pl.: *gram-negativos.*]

gramofone (gra.mo.*fo*.ne) *sm. Antq.* Fonógrafo que reproduz o som por meio de discos. Ver toca-discos: "Podia-se ver o sopro/ que apagou o gramofone / e afagou a triste cabeça/ pendurada no jardim." (João Cabral de Melo Neto, "Jardim", *in Poesia*) [F.: Do fr. *gramophone.*]

grampar (gram.*par*) *v. td.* Prender (algo) com grampos; GRAMPEAR [▶ 1 grampar] [F.: *grampo* + *-ar*[2].]

grampeação (gram.pe:a.*ção*) *sf.* **1** Ação ou resultado de grampear **2** *Art.gr.* União das folhas ou cadernos de um livro por meio de fio metálico; GRAMPEAGEM [Pl.: *-ções.*] [F.: *grampear* + *-ção.*]

grampeado (gram.pe:a.do) *a.* **1** Preso com grampo(s) **2** *Bras. Fig. Pop.* Que teve as ligações telefônicas interceptadas por aparelho de escuta **3** *Fig. Pop.* Colocado na prisão; PRESO; DETIDO **4** *Fig. Pop.* Que se roubou ou furtou **5** *Tec.* Diz-se de técnica us. para contenção de terras (solo grampeado) [F.: Part. de *grampear.*]

grampeador (gram.pe:a.*dor*) [ô] *a.* **1** Que grampeia; que coloca grampos, ger. em papéis *sm.* **2** Aparelho manual com grampos metálicos para prender folhas de papel em um só conjunto [F.: *grampeado* + *-or.*]

grampeadora (gram.pe:a.*do*.ra) [ô] *sf. Art.gr.* Máquina para prender ou unir os cadernos de livros ou revistas por meio de fio metálico [F.: Fem. substv. de *grampeador.*]

grampeagem (gram.pe:*a*.gem) *sf. Art.gr.* Ver *grampeação*

grampeamento (gram.pe.a.*men*.to) *sm.* **1** Ação ou resultado de grampear **2** *Art.Gr.* Forma de encadernação de livros em que a costura dos cadernos etc. é realizada com fio metálico; GRAMPAGEM; GRAMPEAÇÃO [F.: *grampear* + *-mento.*] ■ **~ telefônico** Ação ou resultado de grampear um telefone, ou seja, de instalar sistema de escuta das conversas telefônicas naquela linha, ger. sem o conhecimento do dono da linha

grampear (gram.pe.*ar*) *v. td.* **1** Unir (ger. folhas de papel) com grampo: *Grampeou as folhas manuscritas e as entregou à secretária.* **2** *Bras. Pop.* Furtar, roubar: *Grampeou a carteira e saiu correndo.* **3** *Bras. Pop.* Levar para a prisão; PRENDER: *A polícia acabou de grampear um camelô.* **4** Interceptar (ligação telefônica do aparelho de uma pessoa, de um lugar de uma instituição) por meio de aparelho que grava conversas: *Grampearam o telefone do senador; A quadrilha grampeava as empresas nas quais iriam aplicar o golpe.* **5** *Art.gr.* Brochar a fio metálico [▶ 13 grampear] [F.: *grampo* + *-ear*[2].]

grampo (*gram*.po) *sm.* **1** Instrumento metálico ou de madeira que serve para manter firme a peça na qual se trabalha **2** *Cons.* Em construção, peça metálica que liga dois blocos de pedra ou peças partidas **3** *Art.gr.* Peça de metal muito fina, com as extremidades dobradas, para grampear folhas de papel em um só conjunto **4** *Esp.* Em montanhismo, peça de metal que se crava na pedra para auxiliar a escalada dos montanhistas **5** Haste metálica dobrada para prender cabelos femininos: "...Iaiá lembrou-se de traçar com um grampo no musgo que reveste o aqueduto, o nome de Jorge..." (Machado de Assis, *Iaiá Garcia*) **6** *Bras. Fig.* Dispositivo de escuta telefônica secreta **7** *Bras. Pop.* Essa forma de escuta [F.: Prov de *grampa.* Hom./Par.: *grampo* (flex. de *grampar*).] ■ **~ a cavalo** *Art.gr.* Ver *Grampo em canoa* **~ em canoa** *Art. gr.* Tipo de grampeamento (de revistas, folhetos, panfletos etc.) no qual os grampos atravessam perpendicularmente a linha da dobra e são fechados na dobra da página dupla central **~ lateral** *Art.gr.* Tipo de grampeamento (de revistas, folhetos, panfletos etc.) no qual os grampos são aplicados perto da lombada perpendicularmente às folhas, e atravessam todas elas para serem dobrados sobre a última folha

gram-positivo (gram-po.si.*ti*.va) *a. Bac.* Diz-se de bactéria que retém a coloração quando submetida ao método de Gram [Inicial ger. maiúsc.] [Pl.: *gram-positivos.*]

gramsciano (gram.sci:*a*.no) *a.* **1** Relativo a Antonio Gramsci, político, filósofo e cientista político italiano (1891-1937) **2** Que admira Gramsci ou segue as suas teorias *sm.* **3** Pessoa que admira Gramsci ou segue as suas teorias [F.: De Antonio *Gramsci* + *-ano*[1].]

grana (*gra*.na) *sf. Pop.* Dinheiro [Hom./Par.: *grana* (flex. de *granar*).]

granada[1] (gra.*na*.da) *sf.* **1** *Arm.* Projétil explosivo, incendiário ou lacrimogênio, que se lança com a mão ou com arma portátil **2** *Arm.* Pequena bomba de mão **3** *Antq. Arm.* Pequena bomba que se enchia de pólvora e se detonava por meio de uma espoleta **4** *Mil.* Distintivo em forma de granada us. por militares **5** Tecido de seda semelhante à granadina [F.: Do fr. *grenade.*]

granada[2] (gra.*na*.da) *sf.* **1** *Min.* Mineral ortossilicato de cálcio, manganês, alumínio e cromo, de cor variada, us. em joias e relógios **2** Pano de seda rendada ou de algodão transparente, bem torcido

granadeiro (gra.na.*dei*.ro) *sm.* **1** *Antq.* Soldado que lançava granadas **2** *Antq.* Soldado de infantaria que pertencia a corpos de elite **3** *Fig.* Homem muito grande **4** *Zool.* Peixe teleósteo gadiforme, marinho, da fam. dos macrurídeos [F.: *granada* + *-eiro.*]

granadino[1] (gra.na.*di*.no) *sm.* **1** Indivíduo nascido ou que vive em Granada (Espanha) *a.* **2** De Granada; típico dessa cidade ou de seu povo [F.: Do top. *Granad(a)* + *-ino*[1].]

granadino[2] (gra.na.*di*.no) *sm.* **1** Indivíduo nascido ou que vive em Granada (Caribe) *a.* **2** De Granada; típico dessa ilha ou de seu povo [F.: Do top. *Granad(a)* + *-ino*[1].]

granado (gra.*na*.do) *a.* Que se transformou em grão; GRANULADO [F.: Part. de *granar.*]

granal (*gra*.nal) *a2g.* **1** Relativo a grão ou grãos *sm.* **2** *Lus.* Plantação de grãos-de-bico [Pl.: *-nais.*] [F.: *gran(i/o)-* + *-al*[1].]

granar (gra.*nar*) *v.* **1** Granular, formar grãos [*td.*] **2** *Bras.* Criar grão (diz-se de milho, trigo) granear [*int.*] **3** *Bras. Fig.* Entrar na adolescência [*int.*] [▶ 1 granar] [F.: *gran(i/o)-* + *-ar.* Hom./Par.: *grana* (3ªp.s.), *granas* (2ªp.s.)/ *grana* (s.f.) e pl; *granais* (2ªp.pl.)/ *granais* (pl.granal [adj2g. sm.]) *graneis* (2ªp.pl.)/ *granéis* (pl. *granel* [sm.]).]

granate (gra.*na*.te) *sm. Min.* Ver *granada*[2] [F.: Do fr. *grenat.*]

grandalhão (gra.da.*lhão*) *a.* **1** Exageradamente alto, grande [Pl.: *-lhões.*] *sm.* **2** Pessoa muito alta, grande [F.: *grande* + *-alhão.* Sin. ger.: *grandão.*]

grandalhona (gran.da.*lho*.na) *a.* **1** Diz-se de mulher muito grande *sf.* **2** Mulher muito grande [F.: Fem. de *grandalhão.*]

grandão (gran.*dão*) *a.sm.* Muito grande; GRANDALHÃO [Pl.: *-dões.* Fem.: *grandona.*]

grande (*gran*.de) *a2g.* **1** Que tem dimensões avantajadas (grande réptil; nariz grande) [Ant.: *pequeno.*] **2** Amplo, extenso, vasto (grandes planícies) **3** Comprido, longo (cabelos grandes) **4** Que já está criado, crescido, desenvolvido: *Já tem filhas grandes* **5** Abundante, numeroso (família grande, grande exército) **6** Que tem qualidade superior (grande ideia, grande talento); EXCELENTE; NOTÁVEL **7** Fora do comum; EXTRAORDINÁRIO; EXCEPCIONAL: *os grandes mestres da pintura* **8** Muito forte, intenso, profundo (grande amor, grande silêncio) **9** Grave, sério: *Tem grandes problemas a resolver.* **10** Que é principal; ESSENCIAL: *Acabar com a fome é nosso grande desafio* **11** Que é importante, de muita repercussão: *Foi uma grande descoberta.* **12** Que é copioso, grosso, caudaloso: *um grande aguaceiro.* **13** Que tem riqueza, prestígio, poder: *os grandes empresários; uma grande siderúrgica.* **14** Que demonstra generosidade, integridade ou coragem: *um grande caráter; os grandes feitos.* **15** Que é magnífico, brilhante, soberbo: *Que grande espetáculo!* **16** Que é demasiado, excessivo (grande pressa) **17** Que se prolonga no tempo; DILATADO; LONGO: *um filme cansativo, grande demais.* **18** Preposto ao nome de uma cidade, refere-se à unidade geográfica que ela forma com áreas que lhe são periféricas: *o grande Rio; a grande São Paulo.* **19** *Pop.* Num vocativo, qualificativo com conotação imprecisa, mas positiva: *Grande Miguel, como vão as coisas?* **20** *Pej. Pop.* Que demonstra um defeito de caráter em grau elevado (grande covarde/mentiroso) [Aum.: *grandalhão e grandão.* Dim.: *grandote.* Superl.: *grandíssimo, máximo e (Pop.) grandessíssimo.*] *sm.* **21** Pessoa rica, influente, poderosa: *Apesar da origem modesta, ela priva com os grandes.* **22** Nobre com título de grandeza (6): *os grandes do reino* **23** *Mar.* O mastro grande *s2g.* **24** O que tem idade ou tamanho superior aos congêneres: *As crianças pequenas imitam as grandes; Em termos de carro, prefiro os grandes.* **25** Pessoa ou instituição proeminente na sua área de atuação: *Nas artes plásticas, ele é um dos grandes; as cinco grandes do petróleo.* **26** Título atribuído a alguns soberanos (Pedro o Grande) [F.: Do lat. *grandis.* Ideia de 'grande': *grão-* (*grão-duque*); *macr(o)-* (*macroeconomia*); *maxi-* (*maxidesvalorização*); *meg(a)-*, *megal(o)-* (*megafone, megalocéfalo*).] ■ **À ~ 1** Com grandeza, com largueza, com magnificência: *Comemorava tudo à grande.* **2** Regaladamente: *Só viaja à grande, de primeira classe.* **3** Demasiadamente: *Gastou à grande e acabou na miséria.* **Em ~ 1** Em escala maior: *Seria bom ver esta vinheta em grande, para conferir os detalhes.* **2** Com grande largueza, com grande intensidade: *Atuou em grande pelo projeto, e merece o prêmio.* **~ de Espanha** Pessoa importante, nobre, insigne **Infinitamente ~** *Mat.* Que tem limite infinito (sucessão)

grande-angular (gran.de-an.gu.*lar*) *Fot. a2g.* **1** Diz-se de objetiva fotográfica capaz de cobrir um campo muito amplo com pequena distância focal [Pl.: *grande-angulares.*] *sf.* **2** Objetiva grande angular [Pl.: *grandes-angulares.*]

grandessíssimo (gran.des.*sís*.si.mo) *a. Pop.* Superl. abs. sint. de grande; GRANDÍSSIMO: "/Se sentir um grandessíssimo idiota/ Saber que é humano, ridículo/" (Raul Seixas, *Ouro de tolo*) [F.: Correlato de *grandíssimo.*]

grandeza (gran.*de*.za) [ê] *sf.* **1** Qualidade do que é grande; AMPLIDÃO; VASTIDÃO: *a grandeza do Pantanal.* [Ant.: *pequenez.*] **2** Nobreza de caráter; INTEGRIDADE; GENEROSIDADE: *a grandeza de seu gesto.* **3** Qualidade do que tem supremacia; PROEMINÊNCIA: *a grandeza de Roma na Antiguidade.* **4** Ostentação, fausto: *gosta de viver com grandeza.* **5** Avaliação exorbitante da própria capacidade ou situação (mania de grandeza) 6 *Nobil.* Título honorífico conferido a nobres (visconde com grandeza) 7 *Mat.* Tudo o que pode ser medido e/ou contado 8 *Antq. Astr.* Grau de intensidade da luz das estrelas (hoje, magnitude) [F.: *grande* + *-eza.*] ■ ~ **extensiva** *Fís.* Num sistema, grandeza física cujo valor é proporcional a sua massa [Ex.: volume, peso, energia cinética.] ~ **intensiva** *Fís.* Num sistema, grandeza cujo valor é independente de sua massa, e determina seu estado físico [Ex.: temperatura, velocidade.]

grandiloquência (gran.di.lo.*quên*.ci:a) *sf.* Estilo grandioso, elevado, muito eloquente [F.: *grandíloqu(o)* + *-ência.*]

grandiloquente (gran.di.lo.*quen*.te) *a2g.* 1 Que se expressa com grande eloquência; GRANDÍLOQUO 2 Elevado, pomposo, retumbante (diz-se do estilo); GRANDÍLOQUO [F.: *grandíloqu(o)* + *-ente.*]

grandíloquo (gran.*dí*.lo.quo) *a.* O mesmo que *grandiloquente* [F.: Do lat. *grandiloquus.*]

grandinho (gra.*di*.nho) *a. Pop.* Bastante grande: *certos animais já nascem grandinhos; Esse programa de computador é grandinho.* [F.: *grande* + *-inho.*]

grandiosidade[1] (gran.di:o.si.*da*.de) *sf.* Qualidade do que é grandioso [F.: *grandios(o)* + *-(i)dade.*]

grandiosidade[2] (gran.di.o.si.*da*.de) *sf.* Qualidade do que é grandioso, do que tem grandeza [F.: *grandioso* + *-(i)dade.*]

grandioso (gran.di.*o*.so) [ô] *a.* 1 Grande, elevado, nobre (causa grandiosa; feito grandioso) 2 Pomposo, magnífico, esplêndido (orquestração grandiosa) 3 Gigantesco, imponente, monumental (construção grandiosa) [Pl.: [ó]. Fem.: [ó].] [F.: Do espn. *grandioso.*]

grandolense (gran.do.*len*.se) *s2g.* 1 Pessoa nascida ou que vive em Grândola, vila de Portugal, no Baixo Alentejo *a2g.* 2 De Grândola; típico dessa vila ou de seu povo [F.: Do top. *Grândola* + *-ense.*]

grandona (gran.*do*.na) *a.* Fem. de *grandão* [F.: *grande* + *-ona.*]

⊕ **grand prix** (*Fr.* /grã prí/) *loc.subst.* Nome dado às mais importantes competições automobilísticas e turfísticas; grande prêmio [Pl.: *grands prix.*]

granel (gra.*nel*) *sm.* 1 *Mar.* Mercadoria (cereais, líquidos, minério etc.) transportada às soltas, sem acondicionamento ou identificação especial, nos porões dos navios mercantes 2 Depósito de cereais 3 *Art.gr.* Parte da composição ainda não colocada em páginas; PAQUÊ [Pl.: *-néis.*] [F.: Do lat. *granellum.* Hom./Par.: *granéis* (pl.), *graneis* (fl. de *granar*).] ■ **A** ~ 1 Diz-se de mercadorias, cargas, suprimentos etc. armazenadas ou transportadas em grandes contêineres, sem embalagens fracionárias [P.ex., grãos, carvão, combustíveis líquidos etc.] 2 Diz-se de mercadorias armazenadas fora de embalagem, e comercializadas em quantidades fracionárias (a peso, à dúzia etc.): *amendoim a granel.* 3 *Fig.* Em grande quantidade

graneleiro (gra.ne.*lei*.ro) *a.* 1 Diz-se de veículo destinado ao transporte de carga a granel (navio graneleiro) 2 Diz-se de lugar que recebe ou abriga produtos a granel (silo graneleiro; porto graneleiro) *sm.* 3 Veículo que transporta carga a granel [F.: *granel* + *-eiro.*]

granfa (*gran* -fa) *Bras. Gír.* *a2g.s2g.* Ver *grã-fino*

grangazá (gran.ga.*zá*) *N.E. Pej.* *a2g.* 1 Diz-se de pessoa alta, desengonçada e imprestável *s2g.* 2 Pessoa alta, desengonçada e imprestável [F.: De or. obsc. posv. do banto.]

◎ **gran(i/o)-** *el. comp.* = grão: *granular, granívoro* [F.: Do lat. *granum.*]

graniforme (gra.ni.*for*.me) *a2g.* Que apresenta a forma de grão,[1] (2) [F.: *gran(i)-* + *-forme.*]

granir (gra.*nir*) *v. td.* 1 *Des. Grav.* Gravar imagem (em matriz litográfica) ou fazer desenho pontilhado 2 *Art.gr.* Tornar limpa (pedra de litografia ou de metalografia) para fazer com que absorva melhor a molhagem no processo de impressão [▶ 3 granir] [F.: Do it. *granire.*]

granitar (gra.ni.*tar*) *v. td.* 1 Conceder forma de granita ou grânulo a (algo) 2 Transformar em granitas ou granitos 3 *Cons.* Lançar massa em (parede) através de tela com o fim de conseguir revestimento granular 4 Aplicar escova em parede recém-pintada para a obtenção de efeito granular [▶ 1 granitar] [F.: *granita* + *-ar.* Hom./Par.: *granita(s)* (fl.), *granita(s)* (sf.[pl.]); *granito* (fl.), *granito* (sm.).]

granítico (gra.*ní*.ti.co) *a.* 1 *Geol.* Que é da natureza do granito[1] (terreno granítico) 2 Feito de granito[1] (revestimento granítico) 3 *Fig.* Duro como granito[1]: "Quando eu me queixava humildemente da dureza granítica dos bifes..." (Eça de Queirós, *O mandarim*) [F.: *granit(o)*[1] + *-ico*[2].]

granito[1] (gra.*ni*.to) *sm. Min.* Rocha granular e cristalina muito dura, formada de quartzo, feldspato e mica em cristais (piso de granito) [F.: Do it. *granito.* Hom./Par.: *granito*[1] (sm.), *granito* (fl. de *granitar*).]

granito[2] (gra.*ni*.to) *sm.* 1 Grãozinho (granitos de pólvora); GRÂNULO 2 *Bras. RS* Peça de carne, própria para assado, tirada de cima do esterno da rês e composta de grânulos rijos de tecido gorduroso [F.: *gran(i/o)* + *-ito.* Hom./Par.: *granito*[2] (sm.), *granito* (fl. de *granitar*).]

granito[3] (gra.*ni*.to) *sm. Bras. MG* Sol ou calor intenso, após vários dias de chuva [F.: or. obsc.]

granívoro (gra.*ní*.vo.ro) *a.* Que se nutre de grãos ou sementes: *O bico-de-lacre é um passarinho granívoro.* [F.: *gran(i/o)-* + *-voro.*]

granizar[1] (gra.ni.*zar*) *v.* 1 Cair ou chover granizo [*int.*] 2 Jogar granizo em; atingir (algo ou alguém) com granizo [*td.*] [▶ 1 granizar] [F.: *granizo* + *-ar*[2].]

granizar[2] (gra.ni.*zar*) *v. td.* 1 Dar forma de grão a; GRANITAR 2 Reduzir a grão ou granizo [F.: *grão* (na forma *gran-*) + *-izar.*]

granizo (gra.*ni*.zo) *sm.* 1 *Met.* Chuva que cai em forma de grãos de gelo; chuva de pedra 2 Esse grão de gelo [Col.: *granizada.*] 3 Grão pequeno; GRÂNULO; GRANITO [F.: Do espn. *granizo.* Hom./Par.: *granizo* (sm.), *granizo* (fl. de *granizar*).]

granja (*gran*.ja) *sf.* 1 Propriedade rural destinada à exploração da indústria agrícola em pequena escala, esp. aves para abate ou postura de ovos [Col.: *granjaria.*] 2 Construção onde se recolhem animais e implementos agrícolas e onde se armazenam frutos, ovos, cereais etc.; ABEGOARIA [F.: Do fr. *grange.*]

granjeador (gran.je.a.*dor*) [ô] *a.* 1 Que granjeia 2 Aquele que granjeia [F.: *granjear* + *-dor.*]

granjear (gran.je.*ar*) *v. td.* 1 Conquistar, obter (granjear inimizades): *Ela sempre granjeava simpatia; granjear apoio político.* 2 Obter, conseguir por meio de trabalho, de esforço: *Granjeou homenagens por suas superiores qualidades profissionais.* 3 Cultivar (a terra): *granjear o solo.* [▶ 13 granjear] [F.: *granja* + *-ear*[2]. Hom./Par.: *granjeio* (fl.), *granjeio* (sm.).]

granjeio (gran.*jei*.o) *sm.* 1 *Fig.* Produto de qualquer trabalho ou esforço; GANHO 2 O trabalho do cultivo de terras, hortas, pomares etc. [F.: Dev. de *granjear.* Hom./Par.: *granjeio* (sm.), *granjeio* (fl. de *granjear*).]

granjeiro (gran.*jei*.ro) *a.* 1 Ref. a granja *sm.* 2 Proprietário ou empregado de granja [F.: *granj(a)* + *-eiro.*]

granola (gra.*no*.la) *sf.* Mistura de aveia e outros cereais, pedaços de frutas secas, amêndoas, passas, açúcar mascavo etc., ingerida com leite, iogurte ou suco de frutas, ger. na refeição matinal [F.: Marca registrada.]

granoso (gra.*no*.so) [ô] *a.* Que tem grão; formado de grãos (espiga granosa) [Pl.: [ó]. Fem.: ó] [F.: *grão* (com rad. do lat. *gran* -) + *-oso.*]

granulação (gra.nu.la.*ção*) *sf.* 1 Ação ou resultado de transformar em grãos 2 Estrutura em forma de grãos ou grânulos que cobre uma superfície (granulação solar) 3 *Med.* Conjunto de grânulos que se formam na massa ou superfície de um órgão ou membrana 4 *Fot.* Tamanho dos grãos de prata dos filmes e papéis fotográficos que, na exposição e revelação, produzem imagem com maior ou menor resolução 5 Aglomeração de grânulos [Pl.: *-ções.*] [F.: *granular* + *-ção.*] ■ ~ **solar** *Astron.* Aglomeração de grânulos na camada externa do Sol

granulado[1] (gra.nu.*la*.do) *a.* 1 Reduzido a grãos ou grânulos (chocolate granulado) *sm.* 2 O que tem essa forma: *O médico receitou um granulado.* [F.: Part. de *granular*[2].]

granulado[2] (gra.nu.*la*.do) *a.* Que apresenta grânulos (pálpebras granuladas) [F.: *grânul(o)* + *-ado*[1].]

granulador (gra.nu.la.*dor*) [ô] *a.* 1 Que granula, que reduz a grão *sm.* 2 Aparelho granulador [F.: *granular*[2] + *-dor.*]

granulagem (gra.nu.*la*.gem) *sf.* Ação ou resultado de granular [x] (granulagem do café) [F.: *granular*[2] + *-agem*[2].]

granular[1] (gra.nu.*lar*) *a2g.* 1 Que é composto de pequenos grãos: *Algumas rochas têm consistência granular.* 2 Que tem forma semelhante à do grão[1] [F.: *grânul(o)* + *-ar*[1].]

granular[2] (gra.nu.*lar*) *v. td.* Reduzir a grãos ou a uma consistência granulosa: *Usou areia fina para granular a mistura.* [▶ 1 granular] [F.: *grânulo* + *-ar*[2]. Hom./Par.: *granulo* (fl.), *grânulo* (sm.).]

◎ **granul(o)-** *Pref.* = grãozinho, grânulo: *granulagem, granuloma, granulomatose*

grânulo (*grâ*.nu.lo) *sm.* 1 Pequeno grão; GRANITO; GRANIZO 2 Pequeno corpo arredondado; GLÓBULO 3 Cada uma das pequenas saliências que se notam em uma superfície áspera 4 *Farm.* Pequena pílula cuja substância medicamentosa é preciso aplicar em dose ínfima 5 *Fot.* Grão (8) [F.: Do lat. *granulum, i.*] ■ ~ **de secreção** *Cit.* Aglomerado de substâncias no interior de uma célula, que pode ser liberado quando sob certos estímulos ~ **solar** *Astron.* A menor marca observável na camada externa do Sol

granulócito (gra.nu.*ló*.ci.to) *sm. Histl.* Leucócito que apresenta núcleo irregular e grânulos no citoplasma [F.: Do ing. *granulocyte.*]

granuloma (gra.nu.*lo*.ma) *sm. Pat.* Massa de tecido ou neoformação que apresenta inflamação crônica, cujos focos são delimitados em forma de grãos, ger. associada a um processo infeccioso [F.: *granul(i)* + *-oma*[1]; do lat. cient. *granuloma, atis.*]

granulomatose (gra.nu.lo.ma.*to*.se) *sf. Pat.* Presença de muitos granulomas [F.: Do lat. cient. *granulomat-* + *-ose.*]

granulometria (gra.nu.lo.me.*tri*.a) *sf.* 1 *Geol.* Especificação do diâmetro dos materiais que constituem o solo ou depósitos sedimentares 2 Especificação do diâmetro de qualquer material transformado em grãos (granulometria do café; granulometria da farinha) [F.: *granu(o)-* + *-metria.*]

granuloso (gra.nu.*lo*.so) [ô] *a.* 1 Composto de pequenos grãos 2 Que tem a superfície rugosa e áspera (pele granulosa) 3 *Med.* Que tem granulações (3) (pulmão granuloso) [Pl.: [ó]. Fem.: [ó].] [F.: *grânul(o)* + *-oso.*]

grão[1] *sm.* 1 Semente ou fruto das gramíneas (como o trigo e o milho), leguminosas (como o feijão e a ervilha) ou outros vegetais (como a mostarda) 2 Pequeno corpo esférico (grãos de chumbo); GRÂNULO 3 Qualquer glóbulo muito pequeno (grão de areia/de sal); PARTÍCULA 4 *Fig.* Dose mínima de qualquer coisa: *sem um grão de remorso* 5 *Fot.* Cada um dos minúsculos pontos que compõe a imagem revelada, copiada ou projetada; GRÂNULO 6 *Edit.* Cada uma das diminutas saliências existentes na superfície da chapa que serve como matriz nos diversos processos de reprodução (litografia, serigrafia, xilografia etc.) 7 *Vulg.* Testículo [Pl.: *grãos.* Dim.: *granito, grânulo.*] [F.: Do lat. *granum.* Ideia de 'grão': *gran(i/o)-* (*granívoro*).] ■ ~ **de pólen** *Bot.* Cada unidade celular que se constitui em elemento reprodutor masculino de vegetais floríferos

◎ **grão-** *el. comp.* Ver *grã-*

grão[2] *a2g.* Grande, grã[2]: "Ah! grão tormento." (Luís de Camões, *Sonetos*) [Pl.: *grãos.*] [F.: F. apocopada de *grande.*]

grão-de-bico (grão-de- *bi*.co) *sm.* 1 *Bot.* Planta da fam. das leguminosas, subfam. papilionóidea (*Cicer arietinum*), cultivada mundialmente por suas sementes alimentícias; ERVANÇO; GRAVANÇO [Col.: *granal.*] 2 *Bot.* A semente amarelada e arredondada dessa planta; ERVANÇO; GRAVANÇO 3 *Cul.* Prato da culinária árabe que consiste numa pasta preparada com essa semente [Nesta acp., sem hifens: *grão de bico.*] [Pl.: *grãos-de-bico, grãos de bico* (acp. 3).]

grão-de-galo *Bot. sm.* 1 Designação comum a várias árvores do gên. *Cordia* da fam. das borragináceas, nativas do Brasil 2 Árvore ornamental (*Cordia superba*), cultivada pela madeira própria para carpintaria e pelos frutos comestíveis; BABOSA-BRANCA 3 Árvore nativa do RJ (*Cordia magnoliaefolia*) com folhas de pontas duras, flores em panículas e frutos comestíveis [Pl.: *grãos-de-galo.*]

grão-ducado (grão-du.*ca*.do) *sm.* País governado por grão-duque (grão-ducado de Luxemburgo) [Pl.: *grão-ducados.*]

grão-duque (grão- *du*.que) *sm.* Título de alguns príncipes soberanos, esp. da família imperial austríaca e da russa [Pl.: *grão-duques.* Fem.: *grão-duquesa.*]

grão-mestre (grão- *mes*.tre) *sm.* 1 Antigo chefe de cavalaria 2 Antigo chefe de ordem religiosa 3 Chefe de loja maçônica [Pl.: *grão-mestres.* Fem.: *grã-mestra.*]

grão-rabino (grão-ra.*bi*.no) *sm.* O chefe máximo de uma sinagoga ou de um consistório israelita [Pl.: *grão-rabinos.*]

grão-sarcedote (grão-sa.cer.*do*.te) *sm.* Chefe dos sacerdotes; sumo sacerdote [Pl.: *grão-sacerdotes.*]

grão-senhor *sm.* Indivíduo da classe dominante que apresenta figura patriarcal e exerce poder, domínio e influência: "Gilberto Freyre fala do célebre grão-senhor da Bahia que tinha o apelido de Manguela-Bofe." (Afonso Arinos de Melo Franco, "Uma obra rabelaisiana", *in O espelho de três faces*) [Pl.: *grão-senhores.*]

grão-vizir (grão-vi.*zir*) *sm.* Primeiro-ministro do Império Otomano [Pl.: *grão-vizires.*]

⊕ **grape fruit** (*Ing.* /grêip frut/) *sm. Bot.* Ver *toranja*

grapiúna (gra.pi:*ú*.na) *Bras. s2g.* 1 Habitante do Sul da Bahia que vive na região cacaueira *a2g.* 2 Diz-se de grapiúna, de seus hábitos e costumes: "...assim Jorge Amado, inicia suas memórias de infância, menino grapiúna, viveu em meio às lutas pela conquista da terra." (Jorge Amado, *Menino grapiúna* [*sinopse da Casa de Jorge Amado*]) 3 Diz-se dessa região do Sul da Bahia [F.: Do tupi.]

grã-senhor (grã-se.*nhor*) *sm.* Aquele que vive suntuosamente, cercado de luxo e poder: "Quando aprendemos a ler, as letras são grandes (...) Lá estava o A como uma grande tenda. O B, com seu grande busto e sua barriga ainda maior. O C, sempre pronto a morder a letra seguinte. O D, com seu ar próspero de grã-senhor..." (Luís Fernando Veríssimo, *De A a A*) [Pl.: *grã-senhores.*]

grasnada (gras.*na*.da) *sf.* Ação ou resultado de grasnar; GRASNADO; GRASNIDO [F.: *grasnar* + *ada*[1].]

grasnado (gras.*na*.do) *sm.* O mesmo que *grasnido* [F.: Part. de *grasnar.*]

grasnar (gras.*nar*) *v.* 1 Emitir (pato, marreco, corvo, rã etc.) som característico [*int.*: *À noite, a bicharada grasnava.*] 2 *Fig.* Gritar, reclamar, esp. em tom de voz elevado e desagradável [*td.*: *Os funcionários inconformados grasnavam reclamações.*] [*int.*: *Os funcionários grasnaram em vão.*] [▶ 1 grasnar] [F.: Do lat. hisp. * *gracinare*, do lat. *gracitare*, 'grasnar'. Hom./Par: *grasno* (fl.), *grasno* (sm.).]

grasnido (gras.*ni*.do) *sm.* 1 Voz das aves (gralha, corvo, pato etc.) e de outros animais (sapo, rã) 2 *Fig.* Barulheira de vozes; BALBÚRDIA [F.: *grasnir* + *ido.* Sin. ger.: *grasnada, grasnado.*]

grasnir (gras.*nir*) *v.* O mesmo que *grasnar* [*td.*: *Os torcedores grasnavam palavras injuriosas.*] [*int.*: *Os patos grasnavam sem parar.*] [▶ 3 grasnir] [F.: *grasnar* com troca de term.]

grasno (*gras*.no) *sm.* Ação ou resultado de grasnar; GRASNADA; GRASNIDO; GRASNADO [F.: Dev. de *grasnar.*]

grassar (gras.*sar*) *v. int.* 1 Alastrar-se, espalhar-se: *A epidemia grassou com grande rapidez.* 2 Ter divulgação, difusão: *O boato grassou durante toda a semana.* 3 Passar a ser popular; entrar em voga: *Esses modismos praianos grassam em todos os verões.* [▶ 1 grassar] [F.: Do lat. **grassare*, por *grassari.* Hom./Par.: *grassa* (fl.), *graça* (sf.); *grassas* (fl.), *graças* (pl. do sf.).]

grasso (*gras*.so) *a. Antq.* Que é gorduroso; GRAXO [F.: Do lat. medv. *crassus.*]

gratidão (gra.ti.*dão*) *sf.* 1 Reconhecimento de ajuda, benefício ou favor recebido; AGRADECIMENTO 2 Característica de quem é grato [Ant.: *ingratidão.*] [Pl.: *-dões.*] [F.: Do lat. *gratitudo, inis.*]

gratificação (gra.ti.fi.ca.*ção*) *sf.* 1 Remuneração por serviço adicional ref. às atribuições de um cargo 2 Remuneração, prêmio por serviço recebido 3 Gorjeta, propina 4 Demonstração de agradecimento, de reconhecimento [Pl.: *-ções.*] [F.: Do lat. *gratificatio, onis.*]

gratificado (gra.ti.fi.*ca*.do) *a.* 1 Que é objeto de gratificação (trabalho gratificado) 2 Que recebe gratificação (empregado gratificado) 3 Que traz satisfação, realização: *O* *escritor sentiu-se gratificado com os elogios da crítica.* [F.: Part. de *gratificar.*]

gratificador (gra.ti.fi.ca.*dor*) [ô] *a.* 1 Que gratifica, que traz satisfação; GRATIFICANTE 2 Que gratifica; que dá gorjeta 3 Aquele que gratifica, que dá gorjeta [F.: *gratificar + -dor.*]

gratificante (gra.ti.fi.*can*.te) *a2g.* Que gratifica; que traz satisfação, realização: *um projeto muito gratificante.* [F.: *gratificar + -nte.*]

gratificar (gra.ti.fi.*car*) *v.* 1 Conceder pagamento extra por serviço bem-feito; dar gorjeta [*td.*: *O paciente gratificou as enfermeiras.*] [*tdr.* + *com*: *Gratificou o motorista com 50 reais.*] 2 Trazer satisfação [*td.*: *Qual o trabalho que mais o gratificou?*] 3 Congratular-se com; FELICITAR [*tdr.* + *por*: *Gratificou o rapaz pelo seu sucesso no torneio.*] 4 Conceder prazer, satisfação a [*td.*: *O trabalho bem feito gratificava a moça.*] [*int.*: *O trabalho artístico gratifica muito.*] 5 Demonstrar gratidão [*ti.*: *Gratificou aos que o apoiaram.*] [▶ 11 gratificar] [F.: Do lat. *gratificare.* Hom./Par.: *gratifico* (fl.), *gratífico* (a.); *gratifica* (fl.), *gratífica* (fem. do a.); *gratificas* (fl.), *gratíficas* (pl. do fem.).]

⊕ **gratin** (*Fr. / gratán/*) *a.sm. Cul.* Ver *gratinado*

gratinado (gra.ti.*na*.do) *a.* 1 *Cul.* Diz-se do prato recoberto por um polvilhado de queijo, farinha de rosca etc. que, ao ser levado ao forno, forma na superfície uma crosta crocante (batata gratinada) *sm.* 2 O prato gratinado 3 A crosta gratinada: *O sabor deste prato está todo no gratinado.* [F.: Do fr. *gratiné.*]

gratinar (gra.ti.*nar*) *v.* Dourar a parte superior de (certos pratos de forno) formando uma crosta [*td.*: *Gratinou o frango.*] [*int.*: *Apanhou o empadão para gratinar.*] [▶ 1 gratinar] [F.: Do fr. *gratiner.*]

grátis (*grá*.tis) *a2g2n.* 1 Que não é cobrado (entrada grátis); GRATUITO *adv.* 2 Sem pagar; gratuitamente, de graça: *Sendo idoso, viajo grátis no metrô* [F.: Do lat. *gratis.*]

grato (*gra*.to) *a.* 1 Que sente gratidão; AGRADECIDO; RECONHECIDO [Ant.: *ingrato.*] 2 Agradável, prazeroso (gratas lembranças) 3 Gostoso, saboroso: *o grato vinho.* [F.: Do lat. *gratus, a, um.*]

gratuidade (gra.tu:i.*da*.de) *sf.* Qualidade do que é gratuito (gratuidade do ensino) [F.: Do lat. tardio *gratuitas, atis.*]

gratuitidade (gra.tui.ti.*da*.de) *sf.* O mesmo que *gratuidade* [F.: *gratuito + -(i)dade.*]

gratuito (gra.*tui*.to) *a.* 1 Que não é cobrado (transporte gratuito) 2 *Fig.* Sem motivo (agressão gratuita); INFUNDADO 3 Espontâneo, desinteressado [F.: Do lat. *gratuitus, a, um.*]

gratulação (gra.tu.la.*ção*) *sf.* 1 Ação ou resultado de gratular, de agradecer 2 Felicitação, congratulação [Pl.: *-ções.*] [F.: *gratular + -ção.*]

gratular (gra.tu.*lar*) *v. td.* 1 Transmitir congratulações a; PARABENIZAR 2 Transmitir agradecimentos a (alguém), expressando sentimento de gratidão [▶ 1 gratular] [F.: Do lat. *gratutare.*]

gratulatório (gra.tu.la.*tó*.ri:o) *a.* 1 Destinado a felicitar, parabenizar (carta gratulatória) 2 Que demonstra gratidão, reconhecimento: *Entendi o gesto como gratulatório pela doação.* [F.: Do lat. *gratulatorius, a, um.*]

grã-turismo (grã-tu.*ris*.mo) *s2g.* 1 *Ind.* Denominação dada a uma linha especial de veículos automotores esportivos fabricados com características superiores aos de modelo popular, e identificados com a sigla GT, como, p.ex., o *Gol GT,* a *Honda GT* etc.: *Depois que teve um grã-turismo, não quis saber de outro modelo.* 2 *Esp.* Categoria de competição para carros e motos, classificados conforme potência, modelo e outras características: "Depois do título de Ricardo Zonta em 1998, pilotando a Mercedes no Mundial FIA de Grã-Turismo..." (Castilho de Andrade, *A próxima grande atração: brasileiros na Turismo*) *a2g.* 3 Diz-se de carro ou moto com as características dessa linha esportiva especial (carro grã-turismo, moto grã-turismo) [Pl.: *grã-turismos.*]

grau *sm.* 1 Unidade de medida de uma escala quantitativa (de temperatura, pressão, ângulo etc.): *Fazia um calor de 40 graus; O ângulo de 90 graus é chamado de ângulo reto.* 2 Posição relativa a um determinado ponto (baixo grau de aproveitamento); NÍVEL 3 Força, intensidade (grau de concentração) 4 Proximidade de parentesco (primo em primeiro grau) 5 Conceito, nota: *Obteve grau A* 6 Título universitário ou honorífico (grau de bacharel/doutor): "– Há quantos anos não nos vemos? Dez, pelo menos... – Desde a opa da colação de grau." (Monteiro Lobato, *Urupês*) 7 Posição na escala de uma carreira ou hierarquia profissional (grau de coronel/embaixador/juiz/almirante) 8 Cada um dos estados ou pontos sucessivos que se percorrem num dado estudo ou na execução de qualquer obra; CLASSE; CATEGORIA: *Há vários anos permanecia no grau de instrução primário entre os iniciados; Tinha dificuldades na execução do complexo mecanismo, em todos os seus graus.* 9 Divisão oficial do ensino brasileiro [Cf.: *ensino fundamental, ensino médio* e *ensino superior* em *ensino.*] 10 Variante, modo de ser ou de existir 11 *Gram.* Cada um dos modos com que se acrescenta a uma palavra os sentidos de quantidade, intensidade e tamanho (grau superlativo/aumentativo) 12 Medida de intensidade de uma doença (grau de hepatite/de loucura) 13 Unidade de medida que define o posicionamento geográfico sobre o globo terrestre em relação à latitude e à longitude 14 Teor de concentração de determinado componente em uma solução (álcool a 90 graus GL) 15 Unidade de medida na escala de correção da capacidade visual: *Ela não enxerga sem os óculos de grau.* 16 Unidade da escala que mede a intensidade dos terremotos: *Foi um terremoto de 8 graus na escala Richter* 17 *Fig.* Prestígio social, dignidade: "Alcançam os que são de fama amigos as honras imortais e graus maiores..." (Luís de Camões, *Os lusíadas*) [F.: Do lat. *gradu.*] ■ **Em alto** ~ Muitíssimo: *Cuidado, ele é irritadiço em alto grau.* ~ **absoluto** *Fís.* Cada subdivisão unitária da escala absoluta de medida da temperatura [Símb.: *°C.*] ~ **Celsius** *Fís.* Cada subdivisão unitária da escala Celsius de medida de temperatura; grau centesimal; grau centígrado ~ **centesimal** *Fís.* Ver *Grau Celsius* ~ **centígrado** *Fís.* Ver *Grau Celsius* [Símb.: *°F.*] ~ **Fahrenheit** *Fís.* Cada subdivisão unitária da escala Fahrenheit de medida de temperatura ~ **geotérmico** Medida de profundidade no interior da crosta terrestre, tal que em seu percurso se verifique aumento de temperatura de um grau Celsius ~ **Kelvin** *Antq. Fís.* Designação em desuso da unidade de temperatura no sistema internacional de medidas, atualmente designada *kelvin* ~ **modal** *Mús.* Numa escala musical diatônica, o terceiro e o sexto graus, que definem se a escala é maior ou menor **Primeiro** ~ Ver *Ensino de primeiro grau,* no verbete *ensino* **Segundo** ~ Ver *Ensino de segundo grau,* no verbete *ensino* ~ **a entalhe** 1 *Art. pl. Grav.* Processo de gravura em metal no qual a tinta de impressão fica retida nos entalhes feitos com instrumentos ou gravados com ácido 2 Gravura obtida por esse processo ~ **a traço** *Art.pl. Grav.* Gravura feita apenas com traços, sem meios-tons ~ **em linóleo** 1 Processo de gravura no qual se entalha a figura em linóleo 2 Gravura obtida por esse processo ~ **em madeira** 1 *Art.pl. Grav.* Processo de gravura no qual se entalha a figura madeira; xilogravura 2 Gravura obtida por esse processo ~ **em plano** 1 *Art.pl. Grav.* Processo de gravura que consiste em marcar numa superfície (calcária ou metálica) a figura a ser impressa com tinta especial oleosa (sem relevos ou entalhes), que reterá a tinta de impressão, ao contrário das áreas não cobertas por ela; litogravura 2 Gravura obtida por esse processo ~ **em relevo** 1 *Art.pl. Grav.* Termo genérico para os processos da gravura em que se grava a figura em relevo na placa, e esse relevo é que reterá a tinta de impressão para reproduzir a imagem 2 Gravura obtida por esse processo ~ **rupestre** Figura gravada em cavernas, rochas etc. por homens primitivos, às vezes combinados com pinturas

graúdo (gra.*ú*.do) *a.* 1 Que é bem desenvolvido (laranja graúda) [Ant.: *miúdo.*] 2 Em quantidade (quantia graúda); VULTOSO 3 Que tem prestígio, importância (gente graúda) *sm.* 4 Aquele que tem prestígio, importância [F.: Do lat. *granutus.*]

graúna (gra.*ú*.na) *sf.* 1 *Bras. Zool.* Denominação comum a diversas aves passeriformes, da fam. dos icterídeos, de coloração predominantemente negra 2 Ver *melro* (*Gnorimopsar chopi*) [F.: Do tupi *gwara' una.*]

◎ **grav-** *el. comp.* = 'pesado'

gravação[1] (gra.va.*ção*) *sf.* 1 Ação ou resultado de gravar[1] [Ant.: *desgravação.*] 2 Registro de som e/ou imagens em disco, fita ou película 3 O disco, a fita ou a película que contém a gravação[1] (2) [Pl.: *-ções.*] [F.: *gravar*[1] + *-ção.*]

gravação[2] (gra.va.*ção*) *sf.* Ação ou resultado de gravar[2] [Pl.: *-ções.*] [F.: *gravar*[2] + *-ção.*]

gravado (gra.*va*.do) *a.* 1 Esculpido ou traçado sobre uma superfície 2 Registrado (som, imagem, texto etc.) em fita, filme, CD, DVD etc. 3 Armazenado (imagem, som, texto etc.) em meio digital 4 *Fig.* Retido, conservado na memória [F.: Part. de *gravar*[1].]

gravador (gra.va.*dor*) [ô] *sm.* 1 Aparelho que grava e reproduz sons e/ou imagens por processos magnéticos ou eletrônicos (gravador de CD) 2 Artista que faz gravuras por meio de matriz em madeira, metal, pedra etc. *a.* 3 Que grava [F.: *gravar*[1] + *-dor.*]

gravadora (gra.va.*do*.ra) [ô] *sf. Bras.* Empresa que faz gravações em estúdios para fins comerciais [F.: Fem. substv. de *gravador.*]

gravame (gra.*va*.me) *sm.* 1 *Jur.* Encargo sobre um bem, em benefício de um terceiro: *O apartamento não pode ser vendido, pois está sob o gravame da hipoteca.* 2 Tributação (gravame fiscal) 3 Encargo, ônus: "...e os lucros foram grandes, de modo que ele pôde, sem mais gravame nas suas finanças, sustentar o seu salão." (Lima Barreto, *Os bruzundangas*) 4 Ofensa, agravo, afronta [F.: Do lat. *gravamen, inis.*]

gravanço (gra.*van*.ço) *sm.* 1 *Lus. Bot.* Ver *grão-de-bico* 2 *Bras. Gír.* Comida, refeição [F.: De or. controv.]

gravar[1] (gra.*var*) *v. td.* 1 Esculpir nomes, sinais, figuras etc. sobre uma superfície, us. instrumentos diversos, como formão, cinzel, talhadeira etc.: *Gravou suas iniciais na placa metálica.* 2 Registrar imagens, sons, textos etc. em fita, CD, filme etc.: *Gravou um disco de jazz.* 3 Armazenar imagens, sons, textos etc. em meio digital; SALVAR: *Gravou o arquivo que digitara.* 4 Guardar na memória; MEMORIZAR: *Gravou tudo o que ouviu na aula.* 5 Marcar com selo ou ferrete: *Gravava o gado da sua propriedade.* [▶ 1 gravar] [F.: Do fr. *graver.* Ideia de 'gravado, esculpido': *glipt(o)- (gliptografia).* Hom./Par.: *grave* (fl.), *grave* (a2g. sm.); *graves* (fl.), *graves* (pl. do a2g. sm.).]

gravar[2] (gra.*var*) *v.* 1 Causar opressão, prejuízo a [*td.*: *As novas medidas econômicas gravam os grupos mais pobres.*] [*tdr.* + *com*: *Gravam a população com impostos excessivos.*] 2 *Jur.* Tornar (um bem, móvel etc.) legalmente impossível de ser vendido por seu dono [*td.*: *O juiz gravou o imóvel.*] 3 Sobrecarregar com impostos adicionais [*td.*: *O governo gravou os carros importados.*] [▶ 1 gravar] [F.: Do lat. *gravare.*]

gravata (gra.*va*.ta) *sf.* 1 *Vest.* Peça do vestuário, ger. masculino, que consiste numa tira de tecido que contorna o pescoço e é atada em nó ou em laço à frente do colarinho [Col.: *gravataria.*] 2 *Bras.* Golpe em que o atacante, postado por detrás da vítima, passa-lhe o braço ao redor do pescoço imobilizando-a e sufocando-a 3 Conjunto de penas ao redor do pescoço de certas aves e de cor diferente das do resto do corpo 4 *RS* Degola 5 *Art.gr.* Em uma tabela, fio que separa o cabeçalho do corpo [F.: Do fr. *cravate.* Hom./Par.: *gravata* (sf.), *gravatá* (sm.).] ■ **De** ~ **lavada** 1 Que desfruta de algum prestígio 2 Bem-educado, bem-vestido **Passar a** ~ **colorada em** *RS* Matar por degolamento, degolar

gravatá (gra.va.*tá*) *sm. Bras. Bot.* Designação comum a várias plantas da fam. das bromeliáceas, cultivadas como ornamentais; CARAGUATÁ [F.: Do tupi *karagwa' ta.* Hom./Par.: *gravatá* (sm.), *gravata* (sf.).]

gravata-borboleta (gra.va.ta-bor.bo.*le*.ta) *sf. Vest.* Gravata que tem o laço formado por duas pontas iguais e simétricas, ficando em posição horizontal, sem cair sobre o peito; GRAVATINHA [Pl.: *gravatas-borboletas* e *gravatas-borboleta.*]

gravataria (gra.va.ta.*ri*.a) *sf.* 1 Lugar onde se fabricam ou se vendem gravatas 2 Grande quantidade de gravatas 3 Tipo de estamparia têxtil em padronagem repetitiva e miúda, característica das gravatas [F.: *gravata + -aria.*]

gravatazal (gra.va.ta.*zal*) *sm.* Plantação de gravatás [Pl.: *-zais.*] [F.: *gravatá + -zal.*]

gravateiro (gra.va.*tei*.ro) *sm.* 1 Fabricante ou vendedor de gravatas 2 *Bras. Gír.* Ladrão que age aplicando uma gravata (1) na vítima [F.: *gravata + -eiro.*]

gravável (gra.*vá*.vel) *a2g.* Que se pode gravar[1] (disco gravável) [Ant.: *desgravável.*] [Pl.: *-veis.*] [F.: *gravar + -ável.* Hom./Par.: *graváveis* (pl.), *graváveis* (fl. de *gravar*[1] e de *gravar*[2]).]

grave (*gra*.ve) *a2g.* 1 Que pode ter consequências danosas, trágicas ou fatais (erro grave; acidente grave; estado grave) 2 Que é importante, ponderoso, sério (assunto grave; motivos graves) 3 Que é austero, circunspecto, sisudo (ar grave; gente grave) 4 Doloroso, duro, penoso 5 Intenso, profundo: *Tinha uma grave notícia para nos dar.* 6 Que é elevado, nobre, solene (estilo grave): *Fez-se um grave silêncio no tribunal.* 7 *Gram.* Diz-se do acento que serve para indicar a crase 8 *Poét.* Que termina em palavra paroxítona (diz-se de verso) 9 *Acús. Fís.* Diz-se do som produzido por pequeno número de vibrações ou por ondas de baixa frequência 10 *Mús.* Diz-se das notas que se situam no registro inferior de um instrumento ou da voz de um cantor; BAIXO [P.opos. a *agudo.*] 11 *Mús.* Diz-se da cadência lenta, majestosa 12 Sujeito à ação da gravidade (corpos graves) *sm.* 13 *Mús.* Nota ou voz grave; BAIXO 14 *Mús.* A cadência lenta, majestosa 15 Antiga moeda de portuguesa de prata *interj.* 16 *Mil.* Comando para que a marcha seja cadenciada [F.: Do lat. *gravis.* Hom./Par.: *grave* (a.sm.), *grave* (fl. de *gravar*).]

graveto (gra.*ve*.to) [ê] *sm.* 1 Lascas ou pedaços de lenha fina; GARAVETO; CAVACO: ". .trouxe um velho tacho, encheu-o de gravetos e, junto da cama, fez o lume." (Coelho Neto, *Sertão*) 2 Ramo delgado de árvore ou arbusto; GARRANCHO 3 *Bras. Pop.* Pernas muito finas [F.: F. sincopada de *garaveto.* Hom./Par.: *graveto* (sm.), *graveto* (fl. de *gravetar*).]

grávida (*grá*.vi.da) *sf.* Mulher gestante [F.: Fem. substv. de *grávido.* Hom./Par.: *grávida* (sf.), *gravida* (fl. de *gravidar*).]

gravidade (gra.vi.*da*.de) *sf.* 1 Qualidade do que pode ter consequências perigosas; SERIEDADE: *a gravidade de uma moléstia/de uma situação.* 2 Circunspeção, compostura, sisudez: *Respondeu-lhe com suma gravidade.* 3 *Fís.* Força de atração exercida pela Terra sobre qualquer corpo que esteja sobre ela, dentro dela ou próximo a ela 4 *Fís.* Força de atração que os corpos celestes exercem uns sobre os outros 5 *Mús.* Propriedade do som grave (gravidade dos tons) [F.: Do lat. *gravitas, atis.*] ■ ~ **artificial** *Astron.* Efeito semelhante ao da atração gravitacional, produzido em compartimentos fechados por meio de movimento rotativo, que dá aceleração centrífuga aos corpos no seu interior ~ **zero** Ausência de gravidade ou anulação quase total da(s) força(s) de gravidade que atuam sobre determinado(s) corpo(s)

gravidez (gra.vi.*dez*) [ê] *sf.* Estado da mulher, e das fêmeas em geral, em que o feto se desenvolve dentro da mãe; PRENHEZ; GESTAÇÃO [F.: *grávid(o) + -ez.*] ■ **falsa** ~ *Obst.* Ver *Gravidez imaginária* ~ **abdominal** *Obst.* Implantação e gestação de ovo (óvulo fecundado), ou blastocisto, na cavidade abdominal ~ **cervical** *Obst.* Implantação e gestação de ovo (óvulo fecundado), ou blastocisto, no colo (cérvice) do útero ~ **ectópica** *Obst.* Implantação e gestação de ovo (óvulo fecundado), ou blastocisto, fora do útero ~ **nervosa** *Obst.* Gravidez imaginária, com supostos sintomas de gravidez observáveis na mulher ~ **ovariana** *Obst.* Implantação e gestação de ovo (óvulo fecundado), ou blastocisto, em ovário ~ **tubária** *Embr. Obst.* Implantação e gestação de ovo (óvulo fecundado), ou blastocisto, em trompa de Falópio; prenhez tubária

📖 A gravidez humana (ou gestação) começa com a fecundação do óvulo pelo espermatozoide, e compreende a evolução do embrião (após a 12ª semana chamado 'feto') no útero materno, e termina com o parto, ou seja, o nascimento da criança. Essa evolução dura normalmente, em média, 38 a 40 semanas. Ger. um único espermatozoide fecunda um óvulo. Se dessa fecundação nascem gêmeos, são univitelinos. Se dois espermatozóides fecundam dois óvulos, desenvolvem-se gêmeos bivitelinos. A evolução do embrião e do feto é notável: tem só 1 cm com 4 semanas, e 4 cm com 8 semanas (pesando 4 gramas), mas a partir daí ganha a forma humana, desenvolve os órgãos e chega ao fim da gestação com quase 50 cm e pesando em média 3,5 kg. O feto alimenta-se através da placenta e do cordão umbilical, que é cortado logo após o parto. Este pode ser natural, através de contrações do útero para expulsar o feto pela vagina, ou cirúrgico (cesariana, ou cesárea), com uma incisão no útero para a retirada do feto.

gravídico (gra.*ví*.di.co) ***a.*** Ref. a, ou próprio de gravidez (período gravídico) [F.: *grávido* + *-ico²*.]

grávido (*grá*.vi.do) ***a.*** **1** Que se encontra em estado de gravidez (mulher grávida); PRENHE **2** *Fig.* Cheio, repleto, carregado: "Em silêncio, / o rio carrega a sua fecundidade pobre, / grávido de terra negra" (João Cabral de Melo Neto, *O cão sem plumas*) [F.: Do lat. *gravidus, a, um.* Hom./Par.: *grávido* (a.), *gravido* (fl. de *gravidar*).]

gravimetria (gra.vi.me.*tri*.a) *Geof.* Estudo e mensuração dos níveis do campo gravitacional da Terra [F.: *graví-* + *-metria.*]

gravimétrico (gra.vi.*mé*.tri.co) ***a.*** Ref. à gravimetria [F.: *gravimetria* + *-ico²*.]

graviola (gra.vi:*o*.la) ***sf.*** **1** *Bras. Bot.* Árvore da fam. das anonáceas (*Annona muricata*), originária das Antilhas, de frutos com polpa comestível, de que são feitos sucos e sorvetes; ANONA; ATA; PINHA **2** *Bot.* O fruto dessa árvore **3** *Bras. Ict.* Peixe (*Platydoras costatus*) de água doce [F.: De or. incerta.]

gravioleira (gra.vi:o.*lei*.ra) ***sf.*** *Bot.* Árvore de até 10 m (*Annona muricata*), da fam. das anonáceas, que dá a graviola [F.: *graviola* + *-eira.*]

gravitação (gra.vi.ta.*ção*) ***sf.*** **1** Ação de gravitar **2** Segundo a Lei de Newton, força com que os corpos se atraem na razão direta das respectivas massas e na razão inversa do quadrado de suas distâncias [Pl.: *-ções.*] [F.: Do lat. cient. *gravitatio, onis,* pelo ing. ou fr. *gravitation.*]

gravitacional (gra.vi.ta.ci:o.*nal*) ***a2g.*** Relativo à gravitação [Pl.: *-nais.*] [F.: *gravitação* + *-al*, seg. o mod., erudito.]

gravitante (gra.vi.*tan*.te) ***a2g.*** Que gravita ou pode gravitar [F.: *gravitar* + *-nte.*]

gravitar (gra.vi.*tar*) ***v.*** **1** *Fís.* Girar sob efeito de gravitação (em redor de um ponto central, ger. astro) [***ta.***: *Marte gravita em torno do Sol.*] **2** *Fig.* Ter como ponto de referência [***tr.*** + *em torno de*: *Seus interesses gravitam em torno da política.*] **3** *Fig.* Ter como base, objetivo [***tr.*** + *em torno de*: *A vida dela gravitava em torno da mãe velhinha.*] [▶ **1 gravitar**] [F.: Do fr. *graviter.* Hom./Par.: *gravito* (fl.), *gravito* (a.).]

gravoso (gra.*vo*.so) [ô] ***a.*** **1** Que pesa, vexa; ONEROSO: *O juiz mandará que se faça pelo meio menos gravoso para o devedor.* **2** *Econ.* Diz-se do produto que necessita de ajuda financeira do governo para se tornar competitivo no mercado [Pl.: [ó].] Fem.: [ó].] [F.: *grav(e)* + *-oso.*]

gravura (gra.*vu*.ra) ***sf.*** *Art.gr.* **1** Estampa feita por meio de matriz gravada em madeira, metal, pedra ou outro material duro [Col.: *grafoteca.*] **2** A arte de gravar¹ (1) **3** Qualquer ilustração impressa [F.: Do fr. *gravure.*] ■ **~ a entalhe 1** *Art.pl. Grav.* Processo de gravura em metal no qual a tinta de impressão fica retida nos entalhes feitos com instrumentos ou gravados com ácido **2** Gravura obtida por esse processo **~ a traço** *Art.pl. Grav.* Gravura feita apenas com traços, sem meios-tons **~ em linóleo 1** Processo de gravura no qual se entalha a figura em linóleo **2** Gravura obtida por esse processo **~ em madeira 1** *Art.pl. Grav.* Processo de gravura no qual se entalha a figura madeira; xilogravura **2** Gravura obtida por esse processo **~ em plano 1** *Art.pl. Grav.* Processo de gravura que consiste em marcar numa superfície (calcária, ou metálica) a figura a ser impressa com tinta especial oleosa (sem relevos ou entalhes), que reterá a tinta de impressão, ao contrário das áreas não cobertas por ela; litogravura **2** Gravura obtida por esse processo **~ em relevo 1** *Art.pl. Grav.* Termo genérico para os processos da gravura em que se grava a figura em relevo na placa, e esse relevo é que reterá a tinta de impressão para reproduzir a imagem **2** Gravura obtida por esse processo **~ rupestre** Figura gravada em cavernas, rochas etc. por homens primitivos, às vezes combinados com pinturas

gravurismo (gra.vu.*ris*.mo) ***sm.*** *Grav.* Ramo das artes gráficas que se dedica ao estudo e à aplicação dos diversos processos de gravura [F.: *gravura* + *-ismo.*]

gravurista (gra.vu.*ris*.ta) ***s2g.*** *Grav.* Artista plástico especializado na arte da gravura; GRAVADOR [F.: *gravura* + *-ista.*]

graxa (*gra*.xa) ***sf.*** **1** Mistura gordurosa que serve para engraxar e polir couros **2** *Quím.* Gordura animal ou mineral empregada para lubrificar mecanismos **3** *Bras. Gír.* Propina a título de suborno **4** *Bot.* Hibisco **5** *Vet.* Doença de cavalos e outros animais, que lhes derrete a gordura [F.: Do lat. vulg. *grassia.*]

graxaim (gra.xa.*im*) ***sm.*** *Bras. Zool.* Ver *cachorro-do-mato* (*Cerdocyon thous*)

graxeira (gra.*xei*.ra) ***sf.*** **1** *Bras. Mec.* Cada um dos locais próprios para introduzir graxa, em máquinas e motores que necessitam lubrificação **2** *RS* Instalação, em matadouro, para derreter o sebo e extrair a graxa dos animais carneados **3** *RS* Grande caldeirão us. para derreter o sebo e extrair a graxa dos animais carneados [F.: *graxa* + *-eira.*]

graxeiro (gra.*xei*.ro) *Bras.* ***sm.*** **1** Indivíduo encarregado de lubrificar peças de máquinas e motores **2** Empregado de ferrovia ou companhia de bondes que lubrifica máquinas e chaves de desvio de linhas **3** *Gír.* Empregado doméstico que se ocupa de tarefas pesadas [F.: *graxa* + *-eiro.*]

graxo (*gra*.xo) ***a.*** **1** Que é gorduroso; OLEOSO **2** *Quím.* Diz-se de certos ácidos encontrados em gorduras, ceras e óleos [F.: Do lat. *grassus.*]

grazinar (gra.zi.*nar*) ***v.*** **1** Falar em excesso e em voz alta [***int.***] **2** Proferir lamentos, resmungos [***tr.*** + *de*: *O reclamante grazinou dos maus-tratos recebidos.*] [***int.***: *O velho grazinou a manhã inteira.*] **3** Emitir voz ou canto (certas aves) [***int.***] [▶ **1 grazinar**] [F.: Do lat. *gracinare.*]

gré ***sm.*** *N* O último dos compartimentos do curral de pesca para onde os peixes refluem; VIVEIRO [F.: De or. obsc. posv. do tupi.]

◎ **greco-** ***el. comp.*** = grego: *greco-romano.* [F.: Do lat. *graecus.*]

greco-latino (gre.co-la.*ti*.no) ***a.*** Ref. à Grécia e a Roma, a gregos e romanos, às línguas grega e latina; heleno-latino [Pl.: *greco-latinos.*]

greco-romano (gre.co-ro.*ma*.no) ***a.*** **1** Ref. aos gregos e aos romanos (arquitetura greco-romana) **2** *Esp.* Diz-se do gênero de luta em que vence aquele que consegue, observando regras, encostar no chão as espáduas do adversário; luta romana [Pl.: *greco-romanos.*]

greda (*gre*.da) [ê] ***sf.*** *Min.* Barro ou calcário muito macio e friável, ger. contendo sílica e argila, que se emprega para tirar manchas de gordura; GIZ [F.: Do lat. *creta, ae.*]

⊕ **green** (*Ing.* /grín/) *Esp.* ***sm.*** **1** O extenso gramado de um campo de golfe **2** *Rest.* A grama esp. bem cuidada em torno de cada buraco de um campo de golfe, que facilita a entrada da bola

grega (*gre*.ga) [ê] ***sf.*** **1** *Arq.* Ornato, cercadura composta de linhas retas artisticamente entrelaçadas **2** Tira de tecido bordada; GALÃO [F.: Fem. substv. de *grego.*]

gregário (gre.*gá*.ri:o) ***a.*** **1** Que faz parte de grei; que vive sempre em bando (diz-se de animal) **2** *Fig.* Que induz à vida em bando (instinto gregário) **3** *Fig.* Que tende a viver em sociedade; SOCIÁVEL [F.: Do lat. *gregarius, a, um.*]

gregarismo (gre.ga.*ris*.mo) ***sm.*** Tendência, instinto gregário de certos animais e do homem [F.: *gregário* + *-ismo.*]

grego (*gre*.go) [ê] ***sm.*** **1** Pessoa nascida ou que vive na Grécia (Europa) **2** *Gloss.* Língua falada na Grécia e em parte do Chipre ***a.*** **3** Da Grécia; típico desse país ou de seu povo **4** Do ou ref. ao grego (2) **5** *Fig. Pop.* Enigmático, incompreensível: *Isso para mim é grego.* [F.: Do lat. *graecus,* do gr. *graikós.*] ■ **À ~a** *Cul.* Temperado com óleo de oliva, suco de limão, tomilho, salsa, erva-doce **Arroz à ~** *Gastron.* Arroz servido com passas **Estar/ser ~ em** Ignorar completamente (um assunto, uma técnica etc.) **Falar ~ 1** *Irôn.* Falar coisas que são incompreensíveis para alguém (por haver palavras difíceis, ou por ser assunto complicado etc.) **2** Us. como menção ao fato de não ser compreendido ou obedecido: *Ninguém seguiu minhas instruções, parece que eu falei grego...* **~ antigo** *Ling.* A língua grega como falada desde sua origem até a metade do séc. IV a.C. (micênica, arcaica e clássica) **~ ático** *Ling.* Dialeto grego da Ática, que se tornou a língua grega literária **~ bizantino** *Ling.* O grego literário do Império Bizantino (até a queda de Constantinopla, no séc. XV), ainda us. nos textos litúrgicos da Igreja Ortodoxa Grega **~ catarévussa** *Ling.* Versão moderna do grego, de uso formal (entidades políticas e educacionais da Grécia, jornais etc.) **~ demótico** *Ling.* Língua grega como falada contemporaneamente nas cidades da Grécia e na literatura grega moderna. É a língua oficial do país **~ helenístico** *Ling.* Grego falado entre os séculos IV a.C. (império de Alexandre, o Grande) e VI d.C., influenciado pelo latim romano **~ jônico** *Ling.* Nome genérico de vários dialetos da Grécia antiga, e base de obras literárias (Homero, p.ex.) **~ micênico** *Ling.* Forma antiga do grego (a mais antiga conhecida), vigente de 1500 a.C. a 1100 a.C **~ moderno** *Ling.* Desenvolvimento do grego helenístico e do grego, atualmente falado na Grécia e na parte grega de Chipre; grego demótico **~s e troianos** *Fig.* Pessoas que têm opiniões diferentes, pertencem a grupo ou partidos diferentes, têm interesses diversos etc.: *Em seus discursos, tenta agradar a gregos e troianos.* **Ser ~ em** Ver *Estar/ser grego em*

gregoriano¹ (gre.go.ri:*a*.no) ***a.*** Ref. ao papa Gregório XIII e à reforma do calendário secular empreendida por ele (ano/calendário gregoriano) [F.: Do antr. *Gregóri(o)* + *-ano.*]

gregoriano² (gre.go.ri:*a*.no) ***a.*** **1** Diz-se do rito e do canto litúrgicos instituídos pelo papa Gregório I ***sm.*** **2** *Mús.* O canto litúrgico católico; CANTOCHÃO [F.: Do antr. *Gregóri(o)* + *-ano.*]

grei ***sf.*** **1** Povo, partido, sociedade: "O chefe deve ter as virtudes da grei e mais até o ideal da sua gente." (Afrânio Peixoto, *Maias e Estevas*) **2** O conjunto dos paroquianos ou diocesanos; CONGREGAÇÃO **3** Rebanho de gado de pequeno porte [F.: Do lat. *grex, gregis.*]

grelação (gre.la.*ção*) *Bras. Pop.* ***sf.*** **1** Ação ou resultado de grelar; OLHADELA; ESPIADELA **2** Ato de olhar fixamente para alguém com intuito de conquista [Pl.: *-ções.*] [F.: *grelar* + *-ção.*]

grelado (gre.*la*.do) ***a.*** **1** Que tem grelo; que começou a germinar **2** Que lançou espiga [F.: Part. de *grelar¹*.]

grelador (gre.la.*dor*) [ô] *Bras. Pop.* ***a.*** **1** Que grela; que olha fixamente com intuito de conquista ***sm.*** **2** Pessoa que grela [F.: *grelar²* + *-dor.* Sin. ger.: *namorador.*]

grelar¹ (gre.*lar*) ***v. int.*** **1** Germinar, brotar (sementes, bulbos, tubérculos etc.): *A batata grelou antes do tempo normal.* **2** Dar espigas (hortaliças) [▶ **1 grelar**] [F.: *grelo* + *-ar²*. Hom./Par.: *grela* (fl.), *grela* (sf.); *grelas* (fl.), *grelas* (pl. do sf.); *grelo* (fl.), *grelo* (sm.).]

grelar² (gre.*lar*) ***v. td.*** **1** *Bras. Pop.* Fixar o olhar em: *Vive grelando a casa do vizinho para descobrir coisas inconfessáveis.* **2** Fixar o olhar apaixonadamente em alguém: *Grelar a mulher do vizinho.* [▶ **1 grelar**] [F.: De or. obsc.]

grelha (*gre*.lha) [é] ***sf.*** **1** Pequena grade de ferro onde se assam carne, peixe, pão etc. (bife de grelha) **2** Grade para acender o fogo nos fogareiros e fornalhas **3** Qualquer proteção em forma de grade (grelha de bueiro) **4** Antigo instrumento de suplício **5** *AL* Limpa-trilhos **6** *PE* Cavalo reles [F.: Do lat. *craticula,* pelo fr. *grille.* Hom./Par.: *grelha* (sf.), *grelha* (fl. de *grelhar*).]

grelhado (gre.*lha*.do) ***a.*** **1** Assado na grelha ou na chapa ***sm.*** **2** Carne, galinha, peixe etc. assados na chapa ou grelha [F.: Part. de *grelhar.*]

grelhar (gre.*lhar*) ***v. td.*** **1** *Cul.* Assar (alimento) em calor seco, na chapa ou na brasa: *Grelhou o peixe.* **2** Assar na chapa: *Grelhou legumes para o almoço.* [▶ **1 grelhar**] [F.: *grelha* + *-ar²*. Hom./Par.: *grelha* (fl.), *grelha* (sf.); *grelhas* (fl.), grelhas (pl. do sf.).]

grelo (*gre*.lo) [ê] ***sm.*** **1** *Bot.* Broto: "Um dia (...) o grelo brotaria e a árvore daria frutos." (Machado de Assis, *Quincas Borba*) **2** *Bot.* Rebento de bulbos, rizomas e tubérculos **3** *Bot.* Haste das crucíferas antes da florescência **4** *Tabu.* Clitóris [F.: De or. incerta. Hom./Par.: *grelo* (sm.), *grelo* (fl. de *grelar*).]

grêmio (*grê*.mi:o) ***sm.*** **1** Reunião de pessoas para fins de interesse mútuo; ASSOCIAÇÃO; CLUBE **2** O local onde ocorre essa reunião **3** Colo, regaço: "...cruzando ao grêmio os lindos braços..." (José de Alencar, *Iracema*) **4** *Fig.* A parte interior (grêmio da família); SEIO [F.: Do lat. *gremium, ii.*]

gremista (gre.*mis*.ta) ***a2g.*** **1** Ref. ao Grêmio Futebol Porto-Alegrense (RS) **2** Que é membro, torcedor ou jogador desse clube esportivo ***s2g.*** **3** Membro, torcedor ou jogador desse clube esportivo [F.: *Grêmio* Futebol Porto-Alegrense + *-ista.*]

grená (gre.*ná*) ***sm.*** **1** A cor vermelho-amarronzada da granada ***a2g2n.*** **2** Que é dessa cor (sedas grená) **3** Diz-se dessa cor [F.: Do fr. *grenat.*]

grenha (*gre*.nha) ***sf.*** **1** Cabelo não penteado, desgrenhado **2** *Fig.* Mata emaranhada [F.: Do lat. *grennio, onis.*]

grenhudo (gre.*nhu*.do) ***a.*** Que tem grenha; que tem cabelo farto, porém desalinhado [F.: *grenha* + *-udo.*]

grés ***sm.*** *Antq. Pet.* Ver *arenito*

greta (*gre*.ta) [ê] ***sf.*** Abertura estreita ou rachadura; FENDA; FRESTA; FRINCHA [F.: Dev. de *gretar.* Hom./Par.: *greta* (sf.), *greta* (fl. de *gretar*).]

gretado (gre.*ta*.do) ***a.*** **1** Que apresenta gretas; ABERTO; FENDIDO: "Algumas (casas) do tempo do rei, comidas, gretadas, estripadas." (Machado de Assis, *Quincas Borba*) **2** *Rest.* Diz-se de pele que apresenta finas rachaduras: ".enxugou no punho da camisa o suor que lhe escorria do pescoço. Vertia sangue o lábio gretado." (Lygia Fagundes Telles, A caçada, *in Antes do baile verde*) **3** *Her.* Diz-se das vieiras, do leão ou de outros emblemas quando listrados ou estriados [F.: Part. de *gretar.*]

gretar (gre.*tar*) ***v.*** **1** Rachar (ger. sob efeito de ressecamento) [***td.***: *A seca gretou o solo.*] [***int.***: *Esse pedaço de couro pode gretar.*] **2** Rachar, fender [***int.***: *A madeira do teto gretou; O teto gretou-se.*] **3** *Fig.* Apresentar falhas, incoerências [***int.***: *Seu raciocínio gretava(-se) à medida que ia expondo suas ideias.*] [▶ **1 gretar**] [F.: Do lat. *crepitare.* Hom./Par.: *greta* (fl.), *greta* (sf.); *gretas* (fl.), *gretas* (pl. do sf.).]

grevar (gre.*var*) ***v. int.*** Fazer greve [▶ **1 grevar**] [F.: *greve* + *-ar²*.]

greve (*gre*.ve) ***sf.*** Interrupção coletiva do trabalho ou de atividade para reivindicar algo ou protestar contra uma determinada situação; PAREDE [F.: Do fr. *grève.*] ■ **~ branca** *Pol.* Interrupção de atividades (de empresa, instituição etc.) sem que haja represálias **~ de braços cruzados** Interrupção de atividades (de empresa, instituição etc.) com os grevistas presentes no local de trabalho **~ de fome** Ato voluntário de não se alimentar, como forma de protesto e para atrair a atenção dos meios de comunicação ou das autoridades **~ geral** *Pol.* Interrupção de trabalho simultaneamente em vários setores, regiões etc., como manifestação política ou como forma de reivindicação coordenada por organizações de classe

greveiro (gre.*vei*.ro) ***a.*** **1** Que faz greve: "...complexo de sexta-feira, greveiro e feminização da economia me deixaram pela clareza explicativa, com água na boca." (*Jornal do Commercio, 14.11.01*) ***sm.*** **2** Aquele que faz greve [F.: *greve* + *-eiro.*]

grevilha (gre.*vi*.lha) *Bot.* ***sf.*** Designação comum às árvores e arbustos ornamentais e de boa madeira, do gên. *Grevillea,* da fam. das proteáceas, na sua maioria nativas da Austrália [F.: De Charles Francis *Greville,* botânico escocês (1749-1809) + *-ilha.*]

grevismo (gre.*vis*.mo) ***sm.*** Movimento ou tendência que defende o recurso frequente à greve como forma de solucionar conflitos trabalhistas [F.: *greve* + *-ismo.*]

grevista (gre.*vis*.ta) *a2g.* 1 Ref. à greve (mobilização grevista) *s2g.* 2 Pessoa que promove greve ou participa dela [F.: *grev(e)* + *-ista*. Sin. ger.: *paredista*.]

⊕ **greyhound** (*Ing. /grêirraund/*) *Cinol. sm.* 1 Raça de cães altos e elegantes, de pelagem curta e lisa, que se destacam pela sua velocidade e acuidade visual 2 Cão dessa raça

⊕ **grid** (*Ing. /grídi/*) *sm. Aut.* Em corrida de automóveis, colocação de largada dos carros

grifado (gri.*fa*.do) *a.* 1 Marcado com sublinha; SUBLINHADO: *As palavras grifadas devem ser substituídas por sinônimos.* 2 Falado com ênfase para ser notado: *No discurso, suas promessas foram grifadas.* 3 *Art.gr.* Composto (texto, palavra) em grifo[1] (1) para ter destaque [F.: Part. de *grifar*.]

grifar (gri.*far*) *v. td.* 1 Assinalar partes de um texto (ger. sublinhando): *Grifou as palavras menos usuais.* 2 *Art.gr.* Compor palavra ou conjunto de palavras em grifo, ger. para realçá-las: *Grifava os títulos de filmes.* 3 Dar ênfase a (algo), ao falar: *Falou mal de todos, mas grifou que eu não estava incluído.* 4 Pronunciar (palavra ou frase) em tom enfático, para que seja bem considerada: *Grifou bem que não era adepto do budismo.* 5 Encaracolar, frisar: *Sempre grifava o cabelo.* [▶ 1 grifar] [F.: De *grifo*[x] + *-ar*[2]. Hom./Par.: *grifa* (fl.), *grifa* (sf.); *grifas* (fl.), grifas (pl. do sf.); *grifo* (fl.), *grifo* (a. sm.); *grife* (fl.), *grife* (sf.); *grifes* (fl.), *grifes* (pl. de sf.).]

grife (*gri*.fe) *sf.* 1 Empresa que cria, produz e/ou distribui produtos de luxo 2 Marca que leva o nome do criador dos produtos ou de pessoa famosa (roupa de grife); ETIQUETA 3 Produto de luxo que traz a assinatura de um costureiro, alfaiate ou fabricante famoso [F.: Do fr. *griffe*.]

grifo[1] (*gri*.fo) *a.* 1 Diz-se de letra inclinada us. como realce *sm.* 2 A letra nesse formato inclinado 3 *Bras. Jorn.* Em jornais e revistas, seção composta em grifo ou itálico [F.: Do antr. S. *Gryphe*. Sin. ger.: *itálico*.] ∎ **~ alemão** *Art. gr.* Realce tipográfico obtido por espacejamento entre as letras

grifo[2] (*gri*.fo) *sm.* 1 *Mit.* Animal imaginário, de grandes proporções, com cabeça de águia e garras de leão, que, por essas características físicas, simboliza a sabedoria e a força 2 *Zool.* Certa ave de rapina (*Vultur fulvus*); ABUTRE-FOUVEIRO 3 *Zool.* Ver *abutre-fusco* 4 Unha curvada e pontuda; GRIFA [F.: Do gr. *grýps*, pelo lat. *gryphus*.]

grilado (gri.*la*.do) *a.* 1 *Bras. Gír.* Que se grilou; ENCUCADO; PERTURBADO; PREOCUPADO 2 *Bras. S.E. CO* Tomado ilegalmente mediante documentos falsos (terreno grilado) 3 *Bras. Gír.* Diz-se de algo que não resultou como esperado, que não aconteceu; FRUSTRADO; MALOGRADO [F.: Part. de *grilar*.]

grilagem (gri.*la*.gem) *sf. Bras. S.E. CO* Organização ou procedimento de grileiros [Pl.: *-gens*.] [F.: *gril(ar)* + *-agem*[1].]

grilar (gri.*lar*) *v.* 1 *S.E.* Falsificar título de propriedade de [*td.*: *Fazendeiros grilavam as terras.*] 2 *Bras. Pop.* Fazer ficar ou ficar preocupado, cismado, grilado [*td.*: *A notícia grilou todo mundo.*] [*int.*: *Ele grilou assim que viu o rival.*] 3 *Bras. Pop.* Atrapalhar, transtornar [*td.*: *A chuvarada grilou nossa excursão.*] 4 Soltar a voz (o grilo) [*int.*: *No silêncio da noite, ouviam-se apenas os pequenos animais: um grilava ali, outro coaxava lá, um outro arrulhava acolá.*] [▶ 1 grilar] [F.: *grilo* + *-ar*[2]. Hom./Par.: *grilo* (fl.), *grilo* (sm.).]

grileiro (gri.*lei*.ro) *sm. Bras. S.E. CO* Pessoa que se apossa de terra alheia por meio de escritura falsa [F.: *gril(ar)* + *-eiro*.]

grilhão (gri.*lhão*) *sm.* 1 Corrente de metal com que se prendem os prisioneiros; GRILHETA 2 *Fig.* Prisão, sujeição (grilhões do vício) 3 Corrente de ouro ou de outro metal, us. como enfeite 4 Qualquer corrente grossa de metal; CADEIA; GRILHAGEM [Pl.: *-lhões*.] [F.: *grilh(o)* + *-ão*[1].]

grilheta (gri.*lhe*.ta) [ê] *sf.* 1 *Fig.* Ver *grilhão* 2 *Ant.* Ver *calceta s2g.* 3 *Ant.* Criminoso que é obrigado a fazer trabalhos forçados; CALCETA [F.: Do cast. *grillete*.]

⊕ **grill** (*Ing. /gríl/*) *sm.* 1 Utensílio de cozinha com uma superfície gradeada sobre a qual é colocado o alimento que se deseja grelhar no fogão 2 Eletrodoméstico de diversos modelos com chapas próprias para grelhar alimentos

grilo (*gri*.lo) *sm.* 1 *Zool.* Denominação comum a diversos insetos ortópteros saltadores, da fam. dos grilídeos, cujos machos produzem som estridente 2 *BA Zool.* Ver *esperança* 3 *Bras. Fig.* Preocupação, perturbação 4 *Fig.* Ruído de peça desajustada em carroceria de automóvel 5 *Bras. Gír.* Pessoa chata, que aborrece ou amola os outros 6 *Lus. Gír.* Relógio de bolso 7 *RJ SP* Terreno com escrituras falsas 8 *SP* Guarda de trânsito 9 *Bras. S Gír.* Tumulto, confusão, trapalhada 10 *Lud.* Nome de um jogo popular [F.: Do lat. *grillus, i.* Ideia de: *aquet-*.] ∎ **Encangar ~s** *Bras. Pop.* Não ter nada para fazer, ficar à toa

grimpa (*grim*.pa) *sf.* 1 A parte mais alta; COCURUTO; CRISTA; CUME: *grimpa da árvore.* 2 Lâmina móvel do cata-vento, ger. de metal, que indica a direção do vento; VENTOINHA 3 *Fig.* Orgulho, soberba 4 *Fig.* A voz alta de alguém que reclama muito 5 *Pop.* Parte superior do corpo; CABEÇA 6 *Bras. S* Ramo do pinheiro 7 *Mar.* Bandeirola ou placa que põe no alto de um mastro para que indique a direção do vento [F.: Dev. de *grimpar*. Ideia de: *grimp-*.] ∎ **Levantar a ~** 1 Não se submeter, por orgulho ou altivez 2 Reagir (a constrangimento, ofensa etc.), protestar

grimpante (grim.*pan*.te) *a2g.* 1 Que possui grimpa, ponta 2 Que grimpa; que sobe, que trepa: "Ele era um menino" / valente e caprino, / um pequeno infante, / sadio e grimpante. /" (Vinicius de Moraes, O poeta aprendiz, *in Para viver um grande amor*) [F.: *grimpar* + *-nte*.]

grimpar[1] (grim.*par*) *v.* 1 Subir, trepar em; GALGAR [*td.*: *O gato grimpou o portão rapidamente.*] [*ta.*: *Só a menina grimpou até o alto do morro.*] 2 *Fig.* Pôr em posição ou situação elevada, superior [*tdr.* + *a*: *Grimparam o rapaz a um cargo elevado.*] 3 Responder de maneira desabrida, insolente [*int.*: *Ao ser criticado, grimpou asperamente.*] [▶ 1 grimpar] [F.: Do fr. *grimper.* Hom./Par.: *grimpa* (fl.), *grimpa* (sf.); *grimpas* (fl.), *grimpas* (pl. do sf.).]

grimpar[2] (grim.*par*) *v.* 1 *Bras.* Emperrar, travar (mecanismo, motor) [*int.*: *O motor grimpou por falta de lubrificação.*] 2 Fixar com firmeza [*td.*: *Grimpar cabos*] [*int.*: *O eletricista usou um alicate de grimpar.*] [▶ 1 grimpar] [F.: Do fr. *gripper*, posv.]

grinalda (grin.*nal*.da) *sf.* 1 Enfeite circular de flores, pérolas ou de pedrarias us. na cabeça, ger. pelas noivas 2 Ver *festão* (2) 3 *Fig.* Antologia literária; FLORILÉGIO; POLIANTEIA 4 *Mar.* Em embarcações, a parte de cima do painel de popa 5 *Num.* Em algumas moedas, enlace de dois ramos [F.: Do provç. *guirlanda*. Ideia de: *corol(i)-*.]

grindélia (grin.*dé*.li:a) *sf.* 1 *Bot.* Designação comum às ervas e arbustos do Gên. *Grindelia*, da fam. das compostas, com espécies cultivadas para uso medicinal e ornamental, nativas esp. do Noroeste e Sul da América do Norte 2 Qualquer espécie desse Gên., como a *Grindelia camporum*, de uso medicinal, cultivada para produção de resina semelhante a dos pinheiros; MALMEQUER-DO-CAMPO [F.: De David H. *Grindel*, botânico letão (1836) + lat. cient. *-ia*.]

gringo (*grin*.go) *sm.* 1 *Bras. Pej. Pop.* Pessoa estrangeira: *No carnaval, o Rio fica cheio de gringos.* 2 *Bras. N.E. Pop.* Mercador ambulante estrangeiro [Col. *gringada, gringalhada*.] [F.: Do espn. *gringo*.]

gripado (gri.*pa*.do) *sm.* 1 Indivíduo que se gripou *a.* 2 Atacado de gripe [F.: Part. de *gripar*. Ideia de: *grip-*.]

gripal (gri.*pal*) *a2g.* Ref. a, ou próprio de gripe [Pl.: *-pais*.] [F.: *gripe* + *-al*[1]. Hom./Par.: *gripais* (pl.), *gripais* (fl. de *gripar*).]

gripar (gri.*par*) *v. int. Bras.* Ficar com gripe: *No inverno muitas pessoas gripam; Assim que esfriou, minha avó gripou-se* [▶ 1 gripar] [F.: *gripe* + *-ar*[2]. Hom./Par.: *gripe* (fl.), *gripe* (sf.); *gripes* (fl.), (pl. do sf.); *gripo* (fl.), *gripo* (sm.); *gripais* (fl.), *gripais* (pl. de *gripal* [a2g.]).]

gripe (*gri*.pe) *sf. Med.* Virose que causa febre, mal-estar, congestão nasal, dor de cabeça etc. [F.: Do fr. *grippe*. Sin. ger.: *constipação, engripação, espanhola, influência, influenza, macaca, macacoa, polca, resfriado*. Ideia de: *grip-*.] ∎ **~ asiática** *Epidem. Hist.* Termo que designa epidemia de gripe que assolou o Brasil na década de 1950 **~ aviária** *Epidem.* Manifestação epidêmica de uma doença respiratória de aves, que se espalhou por vários países a partir de 2003, contaminando seres humanos com uma variedade mortal do vírus (H5N1), o que provocou o temor de uma epidemia entre seres humanos com possibilidade de milhões de mortes **~ espanhola** *Epidem. Hist.* Termo que designa epidemia de gripe que assolou muitos países do mundo inteiro em 1918, causando 20 milhões de mortes de seres humanos **~ suína** *Epidem.* Designação atribuída a uma forma de gripe, a Influenza H1N1, pandemia que se manifestou em nível planetário no fim da primeira década do século XXI, tendo sua origem no México

gris *sm.* 1 A cor cinza *a2g2n.* 2 Que é dessa cor (ternos gris); ACINZENTADO; CINZENTO 3 *Tip.* Diz-se de impresso que, por falha na tintagem, apresenta tons apagados, cinzentos 4 *Art.gr. Fot.* Diz-se de negativo com pouco contraste 5 *Art.gr.* Diz-se de letra com hastes preenchidas por finos traços paralelos *sf.* 6 *Ant. Têxt.* Espécie de tecido de lã pardo; GRISE; GRISO [F.: Do fr. *gris*.]

grisalho (gri.*sa*.lho) *a.* 1 Entremeado de fios brancos (diz-se de cabelo escuro) 2 Que tem cabelos grisalhos: *um senhor grisalho.* 3 Que é cinzento, pardo [F.: Do fr. *grisaille*.]

grise (*gri*.se) *sm. Antq. Têxt.* Tecido de lã pardacento que era us. para hábitos de algumas ordens monásticas [F.: Do gr. *gris*.]

griseta (gri.*se*.ta) [ê] *sf.* 1 Peça de metal onde se põe o pavio de lâmpadas e lamparinas; LAMPARINA 2 Reservatório para o azeite nas lanternas [F.: De or. obsc.]

griséu (gri.*séu*) *a.* Que apresenta tom de gris ou quase gris; ACINZENTADO [F.: *gris* + *-éu*.]

grisu (gri.*su*) *sm.* Gás inflamável, formado principalmente de metano, que se encontra nas minas de carvão [F.: Do fr. *grisou*.]

grita (*gri*.ta) *sf.* 1 Gritaria, alarido: *Houve uma grita quando cancelaram o passeio.* 2 *Lus. Pop.* Ver *sentinela* (2) [F.: Dev. de *gritar*. Ideia de: *grit-*.]

gritador (gri.ta.*dor*) [ô] *a.* 1 Que grita (pássaro gritador) 2 Que fala muito alto, quase gritando *sm.* 3 Aquele que grita 4 *PE Ornit.* Ver *cricrió* 5 *BA Folc.* Segundo a crendice popular, alma de um vaqueiro que foi campear em uma Sexta-Feira da Paixão e virou uma assombração que grita, ger. à noite [Cf. *bradador*.] [F.: *grita(r)* + *-dor*. Ideia de: *grit-*.]

gritalhão (gri.ta.*lhão*) *sm.* 1 Pessoa que grita muito, que fala aos gritos [Pl.: *-lhões*. Fem.: *-lhona*.] *a.* 2 Que grita ou fala muito alto [F.: *grit(ar)* + *-alh(o)* + *-ão*. Ideia de: *grit-*.]

gritante (gri.*tan*.te) *a2g.* 1 Que grita ou brada 2 *Fig.* Que é muito vivo, forte ou chamativo, ger. cor: *Usava um vestido vermelho gritante.* 3 *Fig.* Clamoroso, chocante: *Foi um erro gritante.* 4 Que é evidente; FLAGRANTE; MANIFESTO: *Sua preferência é gritante.* 5 Diz-se de som que se parece com um grito (chiado gritante); ESTRIDENTE; PENETRANTE [F.: *grita(r)* + *-nte*. Ideia de: *grit-*.]

gritão (gri.*tão*) *a.* 1 Que grita muito; que fala aos berros *sm.* 2 Indivíduo gritão [Pl.: *-tões*. Fem.: *gritona*.] [F.: *grito* + *-ão*[1].]

gritar (gri.*tar*) *v.* 1 Emitir som muito alto; BERRAR [*int.*: *Ao ver a barata, a mulher gritou.*] 2 Falar alto, berrando [*td.*: *Ela gritou o endereço, mas o rapaz não ouviu.*] [*tdi.* + *a, para*: *A multidão gritava palavras de incentivo para / aos maratonistas.*] 3 Repreender ou reclamar aos gritos [*tr.* + *com*: *O porteiro gritou com as crianças.*] 4 *Fig.* Protestar [*tr.* + *contra*: *Os trabalhadores gritavam contra os novos impostos.*] 5 Chamar aos gritos [*tr.* + *por*: *A menina gritava pelo pai.*] 6 Mandar ou ordenar em voz alta [*tdi.* + *para*: *Gritou para a menina que saísse da chuva.*] 7 Queixar-se de maneira enérgica [*int.*: *Deixe esse sujeito gritar, ele vai acabar indo embora!*] [▶ 1 gritar] [F.: Do lat. vulg. * *critare*, (clás. *quiritare*), posv. Hom./Par.: *grita* (fl.), *grita* (sf.); *gritas* (fl.), *gritas* (pl. do sf.); *gritaria* (fl.), *gritaria* (sf.); *gritarias* (fl.), *gritarias* (pl. do sf.); *grito* (fl.), *grito* (sm.).]

gritaria (gri.ta.*ri*.a) *sf.* 1 Conjunto de vozes gritando ou sucessão de gritos; GRITA; GRITADA; GRITADEIRA 2 Ruído intenso de vozes simultâneas [F.: *grit(ar)* + *-aria*. Ideia de: *grit-*.]

grito (*gri*.to) *sm.* 1 Som de voz agudo e estridente, emitido ger. em situações de medo, desespero etc. ou para se fazer ouvir ao longe 2 *Zool.* Voz forte de certos animais 3 *P.ext.* Som agudo e estridente: *o grito dos clarins* [F.: Dev. de *gritar*.] ∎ **De ~s** *Bras. Gír.* Muito bom, ótimo, delicioso: *Essa feijoada está de gritos.* **Ganhar no ~** 1 *Bras. Gír. Esp.* Influenciar decisão favorável do árbitro, com reclamações ou argumentos (em vez de simplesmente jogar e acatar as decisões deste) 2 Impor a própria vontade ou opinião com palavras ou ações intimidadoras **~ de carnaval** *Bras.* Início das comemorações carnavalescas **~ de guerra** 1 Exclamação de incentivo de soldados em combate, de torcidas de um time durante o jogo etc. 2 Fórmula fixa de exclamação de incentivo us. por grupo, clube, instituição etc. 3 *Her.* Lema ou legenda em brasão **~ primal** *Psi. Psic.* Em sessão de psicoterapia, expressão explosiva (grito, gesto violento etc.) de emoção recalcada, invocada como método terapêutico **No ~** 1 *Bras. Gír.* Por meio de palavras veementes, que intimidam, ou com ação enérgica ou violenta 2 *P.ext.* À força, exercendo influência agressiva sobre a situação ou as decisões de outrem: *Eram minoria na convenção, mas conseguiram aprovar sua moção no grito.* **Último ~** *Pop.* Novidade, a mais recente inovação (da moda, da técnica etc.) [Empréstimo do fr. *dernier cri*.]

gritona (gri.*to*.na) *a.sf.* Fem. de *gritão*

groelandês (gro.e.lan.*dês*) *sm.* 1 Pessoa nascida na Groenlândia 2 *Gloss.* Dialeto do esquimó (4) falado na Groenlândia e ilhas adjacentes *a.* 3 Da Groenlândia (região autônoma dinamarquesa que ocupa ilha do mesmo nome e ilhas adjacentes ao largo da costa Nordeste da América do Norte), típico dessa região ou de seu povo 4 Do ou ref. ao groelandês (1, 2) [F.: Do top. *Groenlândia* + *-ês*.]

groenlandês (gro:en.lan.*dês*) *sm.* 1 Indivíduo nascido ou que vive na Groenlândia (Ártico) 2 *Ling. Gloss.* Língua falada na Groenlândia; INUÍTE *a.* 3 Da Groenlândia; típico dessa ilha ou de seu povo 4 *Ling.* Do ou ref. ao groenlandês (2); INUÍTE [F.: Do top. *Groenlând(ia)* + *-ês*.]

grogotó (gro.go.*tó*) *interj. Bras. P.us.* Exprime lamento e resignação diante de uma situação que não se pode mais reverter; ACABOU-SE!; AGORA É TARDE! [F.: De or. contrv. posv. pal. expressiva.]

grogue (*gro*.gue) *a2g.* 1 *Bras.* Meio tonto ou um tanto bêbado *sm.* 2 Bebida alcoólica, com açúcar e limão, misturada com água quente [F.: Do ing. *grog*.]

gronga (*gron*.ga) *Bras. sf.* 1 Qualquer objeto malfeito; GERINGONÇA 2 Feitiçaria feita por meio de ingestão de bebidas preparadas para esse fim [F.: De or. obsc. talvez voc. expressivo.]

grosa[1] (*gro*.sa) *sf.* Conjunto de 12 dúzias de alguma coisa [F.: Do it. *grossa*.]

grosa[2] (*gro*.sa) *sf.* 1 Espécie de lima grossa us. para desbastar madeira, ferro etc. 2 Faca sem fio que se usa para descarnar peles [F.: De or. contrv.]

grosar[1] (gro.*sar*) *v. Ant.* Mesmo que *glosar* [▶ 1 grosar] [F.: *grosa* + *-ar*[2].]

grosar[2] (glo.*sar*) *v. td.* Desbastar, limar com grosa [▶ 1 grosar] [F.: *grosa* + *-ar*[2].]

groselha (gro.*se*.lha) *sf.* 1 Fruto da groselheira de cor vermelha-escura 2 Xarope, doce ou suco feito desse fruto *sm.* 3 A cor vermelha da groselha *a2g2n.* 4 Que é dessa cor [F.: Do fr. *groseille*. Ideia de: *grossul-*.]

groselheira (gro.se.*lhei*.ra) *sf. Bot.* Nome comum às plantas do gênero *Ribes*, da fam. das grossulariáceas, como, p.ex., *Ribes rubrum*, arbusto originário da Europa e da Ásia, também chamado de groselheira-vermelha, de flores esverdeadas e frutos globosos, vermelhos e comestíveis, as groselhas [F.: *groselh(a)* + *-eira*. Ideia de: *grossul-*.]

grosseirão (gros.sei.*rão*) *a.* 1 Que tem maneiras rudes; INCIVIL *sm.* 2 Indivíduo grosseirão: "..., é porque é um grande malcriado, um grosseirão de borla e capelo..." (Machado de Assis, "Bons dias", *in Obras completas*) [Pl.: *-rões*.] [F.: *grosseiro* + *-ão*[1].]

grosseiro (gros.*sei*.ro) *a.* 1 De má qualidade (lã grosseira) 2 Que é tosco, malfeito: *Era um bordado grosseiro.* [Ant.: *delicado, elegante, esmerado, fino*.] 3 Que tem modos rudes, impolidos; MAL-EDUCADO; GROSSO: *O vendedor grosseiro afugentava os clientes.* [Ant.: *afável, amável, civilizado, cortês, delicado*.] 4 Que não tem agudeza ou engenho (percepção grosseira) 5 Imoral, sórdido (cantada grosseira) *sm.* 6 Pessoa grosseira (3); GROSSO; MAL-EDUCADO 7 *Bras. Med.* Lesão na pele que se assemelha à urticária; GROSSEIRA [Aum.: *grosseirão.*] [F.: *gross(o)* + *-eiro.* Ideia de: *gross-.*]

grosseria (gros.se.*ri*.a) *sf.* Atitude, comportamento ou dito de pessoa grosseira; GROSSARIA; GROSSURA [F.: Do fr. *grosserie.* Ideia de: *gross-.*]

grossista (gros.*sis*.ta) *a2g.* 1 Relativo ao comércio em grosso, por atacado 2 Diz-se de comerciante que negocia em grosso, por atacado *sm.* 3 Comerciante grossista [F.: *grosso* + *-ista.* Sin. ger.: *atacadista.*]

grosso (*gros*.so) [ô] *a.* 1 Que tem grande diâmetro ou espessura (perna grossa) 2 Que tem solidez, consistência (mingau grosso) 3 Grave (voz grossa) 4 Mais encorpado do que outros da mesma espécie (papel grosso, farinha grossa) 5 *Bras. Pop.* Mal-educado, rude, grosseiro (resposta grossa) *adv.* 6 Com voz grossa: *Era novo, mas já falava grosso.* 7 Com tom de voz autoritário, enfático, ger. repreendendo: *Falou grosso para todo mundo entender. sm.* 8 A maior parte: *O grosso da tropa já havia passado.* 9 *Bras. Pop.* Pessoa impolida, mal-educada [Pl.: [ó]. Fem.: [ó].] [F.: Do lat. *grossus.*] ■ **Em ~** Por atacado: *Comprava o produto em grosso e distribuía pelas lojas.* **Falar ~** 1 *Fig.* Impor respeito 2 Criticar severamente, repreender **Torado no ~** *PB PE Pop.* Atarracado, baixo e troncudo

⊕ **grosso modo** (*Lat. /grosso modo/*) *loc.adv.* De modo geral, sem detalhes, por alto: *O direito, grosso modo, é o conjunto de regras que disciplinam as relações sociais.*

grossulária (gros.su.*lá*.ri:a) *sf.* 1 *Ant.* Designação comum das plantas que produzem groselha; GROSELHEIRA 2 *Min.* Mineral do grupo das granadas, silicato de cálcio e alumínio [F.: Do lat. cient. *Grossularia.*]

grossura (gros.*su*.ra) *sf.* 1 Qualidade do que é grosso (1), do que tem grande diâmetro 2 Dimensão de um sólido que equivale à distância entre a superfície anterior e a posterior 3 Que é volumoso, corpulento, inchado 4 *Bras. Pop.* Grosseria, impolidez 5 *Bras. Pop.* Ato ou dito grosseiro 6 Alimentação abundante 7 *Pop.* Ver *bebedeira* [F.: *gross(o)* + *-ura.* Ideia de: *gross-.*]

grota (*gro*.ta) [ó] *sf.* 1 *Geog.* Abertura em montanha provocada pelas chuvas, ou em margem de rio, pela força de uma enchente 2 *Bras.* Terreno entre duas montanhas; VALE 3 Depressão úmida e sombria em encostas escarpadas [F.: Do it. *grotta.*] ■ **~ cega** *MT* Barranco onde não há ouro para ser garimpado

grotão (gro.*tão*) *Bras. sm.* 1 Grota grande 2 Depressão profunda na interseção de duas montanhas 3 Ver *brechão* 4 *Pop.* Lugar muito distante em relação aos centros urbanos [Pl.: *-tões.*] [F.: *grot(a)* + *-ão*¹. Sin. das acps 1, 2, 3: *grotião, grotilhão, grutião, grutilhão.*]

groteiro (gro.*tei*.ro) *a.sm. MG* Ver *caipira* (1, 2, 6, 8)

grotesco (gro.*tes*.co) [ê] *a.* 1 Que provoca riso pelo ridículo, pela extravagância, por ser inverossímil, estapafúrdio ou caricato (trajes grotescos) 2 *Art.pl.* Diz-se do estilo artístico inspirado em ornamentos descobertos nas ruínas de antigos monumentos romanos e que retratam animais, homens e seres fantásticos entrelaçados com ramagens, flores etc.; BRUTESCO; GRUTESCO 3 *Art.pl.* Diz-se de criação artística ou estilo que se vale de ornamentos de graciosa fantasia 4 *Art.pl. Cin. Fot. Liter. Teat.* Diz-se de categoria estética que tem por tema o disforme, o ridículo, o extravagante e até o *kitsch* ou que privilegia esse tipo de imagem 5 Diz-se de caráter tipográfico de traço uniforme, com uma única espessura e sem serifa; BASTÃO; BASTONETE; ETRUSCO; LINEAL *sm.* 6 Qualidade do que é grotesco: *Em arquitetura, prefere o grotesco ao renascentista; O grotesco de sua atitude chocou a todos.* [*Termo considerado estrangeirismo por puristas que sugerem, em seu lugar, o uso de grutesco.*] [F.: Do it. *grottesco.*]

grou *sm.* 1 *Zool.* Denominação comum às aves da fam. dos gruídeos, encontradas em quase todo o mundo, com até 1,8m de altura, pernas e pescoço muito longos e plumagem ger. branca ou cinzenta 2 *Astron.* Constelação do hemisfério austral [Nesta acp., com inicial maiúscula.] [Na acp. 1 fem. *grua.*] [F.: Do lat. *grus -uis.*]

groupie (*Ing. /grúpi/*) *s2g.* Fã, ger. jovem e do sexo feminino, de um músico ou grupo *pop* ou de *rock*, que acompanha todos os seus *shows* e excursões

grua (*gru*.a) *sf.* 1 *Ornit.* A fêmea do grou (1) 2 Espécie de guindaste para levantar grandes pesos 3 *Cin. Telv.* Engenho que eleva a câmara e o operador para tomadas aéreas ou que exigem muitos movimentos pelo alto 4 Roldana de um guindaste 5 Máquina com a qual se põe água em locomotivas [F.: Do fr. *grue.*]

grudação (gru.da.*ção*) *sf. Bras. Pop.* Ação ou resultado grudar-se, de ficar junto, próximo de alguém: *Aqueles dois vivem na maior grudação.* [Pl.: *-ções.*]

grudado (gru.*da*.do) *a.* 1 Unido, colado com grude 2 *Fig.* Psicologicamente ligado, apegado: *Os dois irmãos são muito grudados.* 3 Atento, concentrado: *Fica horas grudado na internet.* [F.: Part. de *grudar.*]

grudar (gru.*dar*) *v.* 1 Prender(-se), ligar(-se) com material colante [*td.*: *Grudou os cartazes.*] [*tdr.* + *a*, com: *Fez uma colagem grudando recortes de jornal a/com fotos antigas*] [*int.*: *Essa cola é velha, não gruda mais!; Ao pegar a cola, seus dedos grudaram.*] 2 Aderir(-se) a; COLAR [*ta.*: *O biscoito grudou na garganta.*] 3 Fazer aderir a ou aproximar muito de uma superfície [*ta.* + *em*: *Sua mão grudou no emplastro.*] [*tda.*: *O gato grudou o rosto no vidro da janela.*] 4 Segurar(-se), agarrar(-se) [*td.*: *Grudei o braço dela, para que não caísse.*] [*tr.* + *em*: *Com medo do cachorro, a criança grudou nas pernas do pai.*] 5 *Bras. Pop.* Ficar junto, muito próximo [*tr.* + *em*: *O repórter grudou no deputado para arrancar novas declarações.*] [*tdr.* + *em*: *A menina grudou-se em mim e não me larga mais.*] 6 *Pop.* Voltar (os olhos) fixamente para [*tdr.* + *em*: *O turista grudou os olhos na passista.*] 7 *Pop.* Ter credibilidade [*int.*: *Pare de mentir, essa história não gruda!*] [▶ 1 grudar] [F.: *grude* + *-ar*². Hom./Par.: *grude* (fl.), *grude* (sm.); *grudes* (fl.), *grudes* (pl. do sm.).]

grude (*gru*.de) *sm.* 1 Espécie de cola para ligar ou unir peças de materiais diversos 2 *Bras. Gír.* Comida ou refeição, esp. quando malfeita ou feita às pressas 3 *Bras. Gír.* Amizade estreita, ou namoro [F.: Do lat. *gluten.*]

grudento (gru.*den*.to) *a.* 1 Que é pegajoso ou viscoso e cola com facilidade; PEGAJOSO; PEGANHENTO 2 Que se parece com grude pela viscosidade ou consistência 3 *Fig. Pej. Pop.* Muito carente, que está sempre buscando a companhia de outrem (diz-se ger. de pessoa) (criança grudenta, gatinho grudento) [F.: *grud(e)* + *-ento.* Ideia de: *glut(e)-.*]

grugulejar (gru.gu.le.*jar*) *v. int.* 1 Emitir voz, som (o peru): "(O peru) Gugulejou, sacudindo o abotoado grosso de bagas rugras..." (Guimarães Rosa, "As margens da alegria", in: *Primeiras estórias*) [*int.*] 2 Imitar os sons produzidos pelo peru [▶ 1 grugulejar] [F.: Voc. onom.]

grugulejo (gru.gu.*le*.jo) *sm.* A voz do peru [F.: Dev. de *grugulejar.*]

gruir (gru.*ir*) *v. int.* 1 Emitir a voz (grou, falcão etc.) 2 *Ant.* Correr à toa fazendo algazarra [▶ 56 gruir] [F.: Do lat. *gruis, uis.*]

gruja (*gru*.ja) *sf. Bras. Gír.* Gorjeta. gratificação [F.: Posv. red. de *grujeta* (por *gorjeta*).]

grulhada (gru.*lha*.da) *sf.* 1 Gritaria de grous 2 *Fig.* Confusão de vozes humanas; BALBÚRDIA; GRITARIA [F.: *grulhar* + *-ada*¹.]

grumar (gru.*mar*) *v.* 1 Dar ou adquirir formato de grumo; reduzir(-se) a grumo [*td.*: *As crianças grumavam a massa de modelar.*] 2 Tornar(-se) de consistência grumosa [*td.*: *O frio grumou o azeite.*] [*int.*: *O sangue da galinha grumou.*] [▶ 1 grumar] [F.: Do lat. *grumare.* Hom./Par.: *grumo* (fl.), *grumo* (sm.); *grumará(s)* (fl.), *grumará(s)* (sm.[pl.]).]

grumatã (gru.ma.*tã*) *sm. SE Ict.* Ver *curimbatá*

grumete (gru.*me*.te) [ê ou é] *sm.* Marinheiro iniciante na armada [F.: Do fr. antigo *gromet.*]

grumixama (gru.mi.*xa*.ma) *sf. Bras. Bot.* Fruto adocicado e gelatinoso da grumixameira [F.: Do tupi.]

grumixameira (gru.mi.xa.*mei*.ra) *sf. Bras. Bot.* Árvore de porte médio (*Eugenia brasiliensis*) da fam. das mirtáceas, nativa do Brasil, de casca aromática, cujo fruto roxo-escuro é muito apreciado pelos animais [F.: *grumixama* + *-eira.*]

grumo (*gru*.mo) *sm.* 1 Grão bem pequeno; GRÂNULO 2 Aglomeração de seres ou objetos muito pequenos 3 Coágulo diminuto [Dim.: *grúmulo.*] [F.: Do lat. *grumus.* Ideia de: *grum(o)-.*]

grumoso (gru.*mo*.so) [ô] *a.* Que tem grumos; GRANULOSO [Pl.: [ó]. Fem.: [ó].] [F.: *grumo* + *-oso.*]

gruna (*gru*.na) *BA sf.* 1 *Gar.* Nos terrenos diamantíferos, escavação profunda feita pelos garimpeiros 2 *Gar.* Lugar onde trabalham garimpeiros 3 Escavação produzida pelas águas nas ribanceiras de alguns rios; GRUTA [F.: De or. obsc. Sin. ger. (*N.*): *engrunado.*]

⊕ **grunge** (*Ing. /grundji/*) *Pop. a2g.* 1 *Mús.* Diz-se de movimento da música popular norte-americana, do início da década de 1990, caracterizado por guitarras de sonoridade pouco límpida, bateria pesada e letras melancólicas (banda grunge) 2 *Vest.* Diz-se de roupa bastante folgada e informal, us. sem distinção por rapazes ou moças, no estilo do que vestiam os músicos e cantores *grunge* (bermudas grunge) *s2g.* 3 Música ou roupa *grunge*

grunhido (gru.*nhi*.do) *sm.* 1 Ação ou resultado de grunhir; GRUNHIDELA 2 *Zool.* O som emitido pelo porco, pelo javali e por outros animais 3 *Fig.* Som entre o ronco e o resmungo, a reclamação [F.: *grunh(ir)* + *-ido.*]

grunhir (gru.*nhir*) *v.* 1 Emitir som característico (porco, javali e outros animais) [*int.*: *Os porcos já acordavam grunhindo.*] 2 *Fig.* Falar (alguma coisa) em tom baixo e para dentro, como um grunhido [*td.*: *O menino grunhiu um "não" contrariado.*] 3 *Fig.* Reclamar entre dentes, resmungar [*int.*: *Grunhia pelos cantos da sala, queixoso.*] [▶ 58 grunhir] [F.: Do lat. *grunnire.*]

grunho (*gru*.nho) *sm.* 1 Voz de certos animais como p.ex. o porco ou o javali; GRUNHIDO 2 *Lus. Pop.* Indivíduo grosseiro, mal-educado *a.* 3 *Lus. Pop.* Que é grosseiro e mal-educado [F.: Dev. de *grunhir.*]

grupado (gru.*pa*.do) *a.* 1 Ver *agrupado* 2 *Esp.* Na ginástica, diz-se de salto executado com todos os segmentos flexionados e próximos ao quadril [F.: Part. de *grupar.*]

grupal (gru.*pal*) *a2g.* Ref. ou pertencente a grupo [Pl.: *-pais.*] [F.: *grup(o)* + *-al*¹. Ideia de: *grup-.*]

grupamento (gru.pa.*men*.to) *sm.* 1 Ação ou resultado de grupar ou agrupar; AGRUPAMENTO 2 Estado do que se encontra reunido 3 *Mil.* Grupo que reúne militares de comando e de combate 4 *Quím.* Ver *radical* 5 *Inf.* Unidade mínima de espaço de armazenagem em disco magnético, determinada pelo sistema operacional quando da formatação do disco, e que é medida em *bytes;* GRÂNULO [F.: *grupa(r)* + *-mento.* Ideia de: *grup-.*]

grupar (gru.*par*) *v. td. tdr.* Mesmo que agrupar [▶ 1 grupar] [F.: *grupo* + *-ar*².]

grupelho (gru.*pe*.lho) [ê] *Pej. sm.* 1 Grupo pequeno e insignificante: *um grupelho qualquer de rock.* 2 Facção política sem relevância: "..um grupelho de extrema esquerda que sobreviveu à redemocratização do Chile." (*O Globo*, 04.02.2002) [Dim. irreg. de *grupo.*] [F.: *grupo* + *-elho.*]

grupiara (gru.pi:*a*.ra) *sf. Bras. Gar.* Ver *gupiara* [F.: De or. tupi *ku'ru* + *pi'ara.*]

grupo (*gru*.po) *sm.* 1 Conjunto de pessoas ou objetos perto uns dos outros formando um todo 2 Conjunto de pessoas ou coisas reunidas para uma finalidade comum a todas (grupo político/empresarial) 3 Conjunto de seres ou coisas reunidos em função de certas características comuns (grupo social/ linguístico) 4 *Quím.* Conjunto de átomos que, ligados entre si, fazem parte de uma molécula [Dim.: *grupelho*] [F.: Do it. *gruppo.*] ■ **~ abeliano** *Mat.* Grupo no qual o resultado da operação entre seus elementos não depende de sua ordem na operação; grupo comutativo **~ atômico** *Quím.* Grupo de elementos que reagem quimicamente da mesma forma **~ comutativo** *Mat.* Ver *Grupo abeliano* **~ consonantal** *Ling.* Sequência de duas ou mais consoantes numa mesma palavra; encontro consonantal **~ de descendência** *Antr.* Grupo social que inclui parentes ligados por determinadas relações de descendência (por linha materna, paterna, ou combinação destas), e que tem status de entidade sociopolítica, com direitos e deveres definidos **~ de ondas** *Fís.* Situação em que ondas de diferentes frequências se superpõem, de modo que sua mútua interferência as anula, a não ser dentro de uma certa região do espaço, onde essa superposição adquire uma amplitude finita; pacote de ondas **~ de pressão** *Pol.* Grupo de pessoas ou entidades, que atua organizadamente para influir sobre decisões governamentais ou administrativas, ou sobre a opinião pública, em função de certos interesses, convicções morais ou religiosas, princípios políticos etc. **~ de referência** *Soc.* Aquele que serve de padrão para dele se extraírem normas de conduta, valores, objetivos etc. **~ doméstico** *Antr.* Grupo social que inclui uma ou mais famílias (e, às vezes, indivíduos agregados, mas sem parentesco) e que divide uma residência comum e tarefas cotidianas de subsistência, ou outras **~ escolar** *Bras.* Unidade de ensino na qual se ministra ensino fundamental (da 1ª à 8ª série) **~ estelar** *Astron.* Grupo de estrelas interligadas por atração gravitacional e com movimentos correlatos; aglomerado estelar **~ étnico** *Antr.* Etnia **~ fraseológico** *Ling.* Grupo de palavras que compõem um significado independente dos significados de cada uma; expressão idiomática **~ funcional** *Quím.* Grupo de átomos determinam, numa molécula, as propriedades definidas de uma função **~ local** *Astron.* Certo conjunto de galáxias (mais de 20, inclusive a Via Láctea) na forma aproximada de uma elipse **~ Mineiro** *Liter.* Grupo de poetas mineiros do séc. XVIII, do qual participaram, entre outros, Cláudio Manuel da Costa, Silva Alvarenga, Alvarenga Peixoto e Tomás Antônio Gonzaga **~ sanguíneo** *Med.* Cada um dos grupos formados por tipos de sangue semelhantes quanto à presença de um dos tipos (A, B e O e a combinação AB) de uma substância chamada aglutinogênio, que produz a aglutinina, presente nas hemácias e no soro sanguíneo. Esses tipos podem ser positivos ou negativos (A+ , A-, B+ , B-, AB+ , AB-, O+ e O-) e certos tipos não podem receber sangue de outro tipo (em transfusões, p.ex.) **~ social** *Soc.* Conjunto de indivíduos entre os quais há relações regulares que permitem considerá-lo como uma entidade total, mais ou menos coesa, ou como uma unidade específica, com características próprias – seja com relativa autonomia, ou dentro de uma sociedade maior **~ taxonômico** *Biol.* Cada uma das categorias, organizadas em níveis crescentes de abrangência (uma categoria mais geral abarcando todas as mais restritas), nas quais os seres vivos são sistematicamente classificados segundo seus caracteres biológicos, conforme proposta original de Carolus Linnaeus (Lineu) (século XVIII): espécie, gênero, família, ordem, classe, ramo, filo

gruta (*gru*.ta) *sf.* 1 Depressão que varia em formato e profundidade, e que normalmente é encontrada em rochas calcárias ou arenitos de cimento calcário 2 Cavidade artificial, em forma de gruta ou caverna 3 Ver *gruna* (1) [Col.: *lapedo.*] [F.: Do napolitano *grutta.* Ideia de: *espele(o)-.*]

⊕ **gruyère** (*Fr. /gruiérr/*) *a.* 1 Diz-se de queijo de leite de vaca, cilíndrico, amarelado e com pequenos furos, produzido originalmente em Gruyère (Suíça) 2 Esse queijo

⊠ **GSM** *sm.* 1 *Telc.* Sigla do inglês *Groupe Special Mobile*, depois *Global system for Mobile Communications*, padrão de segunda geração (2G) para telefones celulares, que devido a sua grande difusão no mundo facilita o *roaming* internacional, ou seja, o uso (mediante acordos entre operadoras de países diferentes) de uma operadora de telefonia celular em outro país do que aquele onde o telefone está baseado *a2g.* 2 *Telc.* Diz-se de celular que funciona nesse padrão

guabiju (gua.bi.*ju*) *Bras. Bot. sm.* 1 Árvore de até 12 m (*Eugenia pungens*) da fam. das mirtáceas, nativa do Sul do Brasil e da Argentina, com madeira vermelha, fina e de grande durabilidade 2 O fruto dessa árvore [F.: Do *tupi.*]

guabiroba (gua.bi.*ro*.ba) *sf.* Ver *gabiroba*

guabiru (gua.bi.*ru*) *sm.* 1 *Bras. Zool.* Ver *rato-preto* (*Rattus rattus*) 2 *Bras. Zool.* Ver *ratazana* (*Rattus norvegicus*) 3 *Fig.* Ladrão, gatuno; GABIRU; LARÁPIO 4 *Bras. Pol.* Membro ou adepto do partido conservador pernambucano; MIGUELISTA [F.: Do tupi *gwawi'ru.*]

guacamole (gua.ca.*mo*.le) *sm. Cul.* 1 Salada de abacate, no México, Cuba e na América Central 2 Espécie de purê de abacate com pedacinhos de tomate, temperado com sal, pimenta, cebola, limão e azeite [F.: Do espn. *guacamole*, do náuatle *auacamoli*.]

guache (*gua*.che) *sm.* **1** *Pint.* Tipo de pintura em que a tinta é obtida por meio da combinação de substâncias corantes, água, goma e mel **2** A obra em que foi us. essa mistura: *uma exposição de guaches.* [F.: Do fr. *gouache*. Hom./Par.: *guaxe, guachi*. Cf.: *guaxo*. Tb. *guacho*.]

guacho (*gua*.cho) *sm.* Ver *guache*

guaco (*gua*.co) *Bot. sm.* Nome comum a algumas plantas da fam. das compostas, como p.ex., *Mikania cordifolia*, trepadeira de flores brancas ou amarelas, nativa do Brasil, cujo caule, folhas e flores têm uso medicinal; CORAÇÃO-DE-JESUS; ERVA-DE-COBRA; ERVA-DE-SAPO [F.: Do espn. *guaco*.]

◎ **-guaçu** *el. comp.* Ver *-açu*

guaiá (guai.*á*) *Bras. sm.* **1** *Mús.* Chocalho metálico formado por dois cones unidos pela base, us. no batuque **2** *Zool.* Denominação comum a diversos caranguejos da fam. dos xantídeos encontrados na costa do Brasil **3** *Zool.* Caranguejo da fam. dos calapídeos (*Calappa ocellata*), de carne saborosa, encontrado na região costeira, desde o Norte até o RJ; GUAJÁ [F.: Do tupi.]

guaiaca (guai:*a*.ca) *sf.* *S Vest.* Cinto largo de camurça ou couro macio, provido de bolsinhas para guardar dinheiro e objetos miúdos e us. tb. para o porte de armas [F.: Do platino *guayaca*, do quíchua *huayaca* 'saco'. Hom./Par.: *guáiaco* (sm.).]

guáiaco (*guái*:a.co) *Bot. sm.* **1** Designação comum às árvores e arbustos do gên. *Guaiacum*, da fam. das zigofiláceas, cuja madeira, resinosa e quase impermeável, é a mais dura que se conhece **2** Árvore de até 10 m (*Guaiacum officinale*) de madeira resinosa com odor balsâmico, que apresenta propriedades estimulantes e sudoríficas **3** Árvore pequena (*Guaiacum sanctum*) de madeira nobre, quase impermeável e com propriedades medicinais semelhantes às do *Guaiacum officinale* **4** A madeira dessas árvores [F.: Do lat. cient. *Guaiacum*. Hom./Par.: *guaiaca* (sf.).]

guaiacol (guai.a.*col*) *sm.* *Farm.* Substância ($C_7H_8O_2$) medicamentosa us. ger. como expectorante; GAIACOL [Pl.: *-cóis*.] [F.: Do lat. *Guaiac(um)* + *-ol*[1].]

guaiamu (guai.a.*mu*) *sm.* *Bras. Zool.* Caranguejo gecarcinídeo (*Cardisoma guanhumi*), encontrado ao longo da costa brasileira; GUAIAMUM [Fem.: *pata-choca*.] [F.: Do tupi *guaiá-m-u*.]

guaiamum (guai.a.*mum*) *sm.* *Zool.* Ver *guaiamu*

guaianá (guai.a.*ná*) *Etnol.* *s2g.* **1** Pessoa pertencente a diversos povos indígenas do Paraná, São Paulo e Rio de Janeiro *a2g.* **2** Do ou ref. ao guaianá

guaicurus (guai.cu.*rus*) *s2g.* *Etnol.* Grupos indígenas da família linguística guaicuru, adotada pelo povo extinto que vivia às margens do rio Paraguai no Brasil, Paraguai e na Argentina [F.: *guaikuru*.]

guaipeca (guai.*pe*.ca) *sm.* *RS* O mesmo que *cusco* [F.: Do tupi. Tb. *guaipeva*.]

guaipeva (guai.*pe*.va) *sm.* Ver *guaipeca, cusco*

guaiú (guai.*u*) *sm.* **1** Barulheira, gritaria, alarido **2** *RJ Pop.* Nome comum de insetos himenópteros (formigas), que podem migrar atravessando grandes distâncias, durante muito tempo. Tb. *formiga-correição* [F.: Do tupi *gwa'u*.]

guajajara (gua.ja.*ja*.ra) *a2g.* **1** *Etnol.* Pertencente ou relativo ao povo indígena dos guajajaras, da família linguística tupi-guarani, que habita o centro-norte do Maranhão *s2g.* **2** Indígena do grupo guajajara [F.: Do tupi *yuaya'yara*.]

guajuvira (gua.ju.*vi*.ra) *sm.* **1** *Ent.* Vespa brasileira (*Polybia ignobilis*) de coloração negra, nidifica em ocos de pau ou em cupinzeiros; CABAÇU **2** *Ict.* Peixe teleósteo da família dos carangídeos; GUARAVIRA; GUAIVIRA; TIBURO **3** *Bot.* Arbusto poligonáceo (*Patagonula salicifolia*) que fornece excelente madeira [F.: Do tupi *gwara* + *'mbira*.]

guampa (*guam*.pa) *Bras. sf.* **1** *Anat. Zool.* Chifre **2** Vasilha para líquidos, feita com uma parte do chifre bovino; GUAMPO **3** *Pop.* Ver *cachaça* **4** *Joc.* Testa ou cabeça [Tb. us. no pl.] [F.: Do espn. platino *guampa*.] ■ **Bater ~s** *S.* Estar (alguém) em condições de igualdade, ou andar emparelhado com outrem; bater orelha

guampada (guam.*pa*.da) *sf.* **1** *S* Golpe desferido pelo animal com a guampa (1); CHIFRADA; CORNADA; GUAMPAÇO **2** Porção do líquido contida em uma guampa (2) [F.: *guamp(a)* + *-ada*.]

guampo (*guam*.po) *sm.* **1** *S* Mesmo que guampa, apêndice ósseo dos animais **2** Mesmo que guampa, vasilha ou copo feitos com chifre [F.: Do espn. *guampa*.]

guampudo (guam.*pu*.do) *a.* **1** Animal provido de grandes chifres **2** *RS Vulg.* Marido traído; CORNUDO; CHIFRUDO *sm.* **3** *Vulg.* Marido traído; CORNO [F.: *guamp(a)* + *-udo*.]

guanabarino (gua.na.ba.*ri*.no) *a.* **1** Relativo à baía de Guanabara, RJ **2** Relativo ao antigo Estado da Guanabara ou a seu natural ou habitante *sm.* **3** O natural ou habitante de localidades situadas às margens da baía de Guanabara **4** O natural ou habitante do antigo Estado da Guanabara [F.: Do tupi *guanabara* + *-ino*.]

guanaco (gua.*na*.co) *sm.* **1** *Zool.* Mamífero selvagem, da família dos camelídeos (*Lama guanicoe*), sem corcova, que vive em certas regiões da América do Sul, de pelo lanoso, castanho no dorso e branco nas partes inferiores do corpo **2** *RS Ornit.* Ver *flamingo* [F.: Do cast. *guanaco*.]

guanás (gua.*nás*) *a2g.* **1** *Etnol.* Relativo aos guanás ou guanases, indígenas que se localizavam em parte do estado de Mato Grosso *s2g.* **2** Indígena pertencente ao grupo dos guanás ou guanases

guando (*guan*.do) *sm.* Ver *guandu*

guandu (guan.*du*) *Bras. sm.* **1** *Bot.* Arbusto da fam. das leguminosas, subfam. papilionoídea (*Cajanus cajan*), cultivaDo espn. pelas sementes (feijões) comestíveis; ANDU; ANDUZEIRO **2** *Bot.* Semente desse arbusto, ger. globular, verde ou amarelada; ANDU **3** *Cul.* Prato preparado com essas sementes e camarão seco [F.: De or. africana *uandu*. Sin. das acps. 1 e 2: *ervilha-de-angola, ervilha-de-árvore, ervilha-de-sete-anos, ervilha-do-congo, feijão-de-árvore, feijão-do-congo, feijão-guando, tantaraga*. Tb. *guando*.]

guanidina (gua.ni.*di*.na) *sf.* *Quím.* Substância de composição análoga à da ureia, usada em sínteses orgânicas [F.: *guanina* + *-idine*.]

guano (*gua*.no) *sm.* **1** Adubo resultante do excremento e de cadáveres de aves marinhas **2** *P.ext.* Adubo artificial feito com diversos tipos de fertilizantes; BUANA; BUANO [F.: Do cast. *guano*. Hom./Par.: *goano*.]

guante (*guan*.te) *sm.* **1** Luva de ferro que compunha as armaduras (1) **2** Autoridade implacável, despótica: "Em ponto algum de nosso território pesou tão firme e tão estrangulador o guante dos estados de sítio." (Euclides da Cunha, *Os Sertões*) [F.: Do espn. *guante*.]

guanxuma (guan.*xu*.ma) *sf.* **1** *Bot.* Planta da família das malváceas (*Urena lobata*) dotada de propriedades medicinais **2** Designação comum a várias espécies de arbustos do gênero Sida, família *Sida rhombifólia*, de raízes com propriedades diuréticas; CHÁ-INGLÊS; ERVA-DO-CHÁ; MALVA-DA-PRAIA; VASSOURINHA **3** Arbusto (*Helicteres ovata*) nativo de MG, RJ e SP, com raízes antissifilíticas e dotadas de propriedades peitorais e emolientes; EMBIRA-DO-MATO; ROSCA; SACA-ROLHAS [F.: Do tupi *gwa'xima*. Tb. *guaxima*.]

guapé (gua.*pé*) *sm.* **1** *Bot.* Designação comum a várias plantas aquáticas flutuantes, de flores violáceas, e das quais a *Eichhornia crassipes* é a mais comum, amplamente cultivada como forragem e para purificação da água em lagos e tanques; AGUAPÉ; MURURÉ; ORELHA-DE-VEADO; RAINHA-DO-LAGO **2** Emaranhado de plantas aquáticas que formam uma cobertura densa na superfície de rios e lagos e chegam a encobri-los totalmente [F. Do tupi *wa'pe*.]

guapear (gua.pe.*ar*) *Bras. v. int.* **1** *RS* Mostrar-se guapo, ousado; portar-se com bravura; GUAPETONEAR **2** *Fig.* Demonstrar resistência à ação do tempo [▶ **13 guapear**] [F.: *guapo* + *-ear*[2].]

guapo (*gua*.po) *a.* **1** Que tem ousadia; CORAJOSO; OUSADO; VALENTE **2** Que tem beleza e garbo; AIROSO; BONITO; ELEGANTE [Aum.: *guapetaço, guapetão*.] [F.: Do cast. *guapo*.]

guará[1] (gua.*rá*) *sm.* *Bras. Zool.* Mamífero canídeo (*Chrysocyon brachyurus*), encontrado em regiões campestres da América do Sul, cujo aspecto lembra o de uma grande raposa de pernas longas; LOBO-GUARÁ [F.: Do tupi *agwa'ra*.]

guará[2] (gua.*rá*) *sm.* *Bras. Zool.* Ave da fam. dos tresquiornitídeos (*Eudocimus ruber*), de plumagem vermelha e bico longo e recurvado, encontrada em manguezais sul-americanos [F.: Do tupi *agwa'ra*.]

guaracha (*guaratcha*) *sf.* Dança popular de Cuba, semelhante à rumba, com alternância de compassos ternário e binário compostos

guaraiúba (gua.rai.*u*.ba) *sf.* **1** *Ict.* Peixe teleósteo da família dos carangídeos (*Caranx latus*), com cerca de 40 cm de comprimento; CARAPAU; CAVACO; XERELETE; CHICHARRO-PINTADO; GUARAJUBA **2** *Bot.* Árvore da família das euforbiáceas, nativa do Brasil, produz madeira adequada à confecção de objetos leves, caixotaria e lápis; GUARAIUVA [F.: Do tupi *agwa* + *yuba*.]

guaraná (gua.ra.*ná*) *sm.* **1** *Bras. Bot.* Trepadeira lenhosa e de grande porte da fam. das sapindáceas (*Paullinia cupana*), nativa da floresta amazônica, cuja semente, rica em substâncias excitantes, é us. na fabricação de refrigerantes e de alguns medicamentos; GUARANAZEIRO **2** Massa ou xarope feitos com as sementes dessa planta **3** Bebida popular fabricada a partir do pó ou do xarope das sementes dessa planta [Col.: *guaranazal*.] [F.: Do tupi *wara'ná*. Sin. ger.: *uaraná*.]

guarani (gua.ra.*ni*) *s2g.* **1** *Etnol.* Indivíduo dos guaranis, grupo indígena que habita Argentina, Bolívia, Paraguai e alguns estados do Brasil *sm.* **2** *Gloss.* A língua falada por esses indígenas **3** *Econ.* Nome do dinheiro us. no Paraguai **4** *P.ext. Econ.* Unidade dos valores em guarani, us. em notas e moedas *a2g.* **5** Ref. aos guaranis ou à sua língua [F.: De or. indígena.]

guarânia (gua.*râ*.ni:a) *sf.* *Mús.* Balada típica do Paraguai, em andamento lento e em geral em tom menor: "...aportam risos do Paraguai em pares de olhos escuros, mal avistados, e no ritmo das polcas e guarânias." (Guimarães Rosa, *Ave, palavra!*) [F.: Or. obsc.]

guarantã (gua.ran.*tã*) *sm.* **1** *Bot.* Árvore da família das rutáceas (*Esenbechia leiocarpa*), atinge 12 metros de alura e fornece madeira apropriada para dormentes e mourões; PAU-DURO; GURATÃ; GUARATÃ: "Acolá, nas cercas, – dando de encontro às réguas de landi, às vigas de guarantã e aos esteios de aroeira – carnes quadradas estrondam." (Guimarães Rosa, *Sagarana*) **2** Arbusto da família das sapindáceas (*Cupania xanthoxyloides*), nativo do Brasil (MG e SP) **3** *Ornit.* Pássaro da família dos tangarídeos; CURIANTÃ; GUARINHATÃ **4** Ave passariforme (*Euphonia violacea*) comum no leste brasileiro, conhecida pelas imitações que faz do canto de outras aves; GATURAMO; GUIRATÃ-DE-COQUEIRO; TEM-TEM-DE-ESTRELA [F.: Do tupi *uira'tã*.]

guarapari (gua.ra.pa.*ri*) *sm.* **1** *Bot.* Arbusto ou pequena árvore da família das cunoniáceas (*Weinmannia pinnata*) dotada de flores esverdeadas, cujo fruto é uma cápsula azul com duas sementes pilosas; GUARAPARÉ; PAU-DO-CHAPADO; COPIUVA **2** Árvore (*Vantanea compacta*) de até 25 m com copa ampla, globosa, fornece madeira dura e pesada, própria para a construção civil; GUARAPARIM; MAÇARANDUBINHA; UXIRANA **3** Árvore de até 10m da família das cunoniáceas (*W. glabra*), nativa das Guianas, com casca tanífera e resinífera, com flores brancas e madeira castanho-avermelhada; GUARAPERÉ [F.: De or. obsc.]

guarapoca (gua.ra.*po*.ca) (*pó*) *sf.* *Bot.* Árvore da família das rutáceas (*Raputia alba*) que ocore da Bahia até São Paulo na Mata Atlântica. Fornece madeira para mourões, dormentes e móveis [F.: Do tupi *wara'oca*.]

guarapuava (gua.ra.*pua*.va) *s2g.* **1** Raça brasileira de cavalos para sela e montaria **2** *SP* Cavalo impetuoso mas assustadiço, provido de pouca resistência [F.: Posv. do top. Guarapuava, PR.]

guarda[1] (*guar*.da) *sf.* **1** Ação ou resultado de guardar **2** Vigilância para proteger e defender, ou sobre pessoa retida para não se evadir *s2g.* **3** Pessoa encarregada de guardar objetos, residências etc.; VIGIA; SENTINELA [F.: Dev. de *guardar*.] ■ **~ avançada** **1** *Mil.* Grupo que, em operação militar, avança à frente do contingente principal **2** *Fig.* Aquilo ou aquele que, por sua vigilância e ações antecipadas, constituem-se na proteção de algo: *Para ele, a imprensa livre é a guarda avançada da democracia.* **~ civil** Corporação policial não integrada às forças militares [Cf.: *guarda-civil*.] **~ de honra** Grupo militar destacado para prestar honras militares (a autoridades, à bandeira nacional etc.) em solenidades **~ dos filhos** *Jur.* Condição dos direitos e deveres de genitor(es) que cuida(m) de seus filhos por tê-los em sua custódia, com a responsabilidade de prover suas necessidades, protegê-los, educá-los etc. **~ nacional** **1** Corpo de infantaria e cavalaria de segunda linha que existiu no Brasil entre 1831 e 1910, constituído de cidadãos armados e com a missão de manter a ordem **2** Milícia constituída de civis com postos honoríficos

guarda[2] (*guar*.da) *Enc. sf.* **1** *Enc.* A folha que se cola no princípio e no fim de um livro e que serve de reforço e acabamento da encadernação; FOLHA DE GUARDA **2** Parte dessa folha que fica colada à capa [A parte que não fica colada é chamada de *contraguarda*.] [F.: Dev. de *guardar*. Cf. *resguardo* e *salvaguarda*. Ideia de: *guard-*.]

guarda-cancela (guar.da-can.*ce*.la) *sm.* *Bras.* Trabalhador de ferrovia responsável pelas passagens de nível [Pl.: *guarda-cancelas*.] [F.: *guarda(r)* + *cancela*.]

guarda-casaca (guar.da-ca.*sa*.ca) *sm.* *RJ Fam.* Armário para guarda de vestuário, o mesmo que *guarda-roupa* [Pl.: *guarda-casacas*.]

guarda-chapéu (guar.da-cha.*péu*) *sm.* *Bras.* Local existente nos teatros até meados do século XX, onde os cavalheiros deixavam seus chapéus e sobretudos antes do espetáculo [Pl.: *guarda-chapéus*.]

guarda-chaves (guar.da- *cha*.ves) *sm2n.* Ferroviário manobrista que controla as chaves nos desvios ou entroncamento dos trilhos [F.: *guarda(r)* + pl. de *chave*.]

guarda-chuva (guar.da- *chu*.va) *sm.* Armação de varetas móveis, coberta de pano ou de tecido impermeável para proteger da chuva ou do sol [Pl.: *guarda-chuvas*.] [F.: *guarda(r)* + *chuva*. Sin.: *barraca, chapéu, chapéu de chuva, chapéu de sol, guarda-sol, para-chuva, para-sol, parteira, sombrinha, umbela, umbrela*. Ideia de: *umbel(i)-*.]

guarda-chuvada (guar.da-chu.*va*.da) *sf.* Golpe desferido com o guarda-chuva fechado [Pl.: *guarda-chuvadas*.]

guarda-comida (guar.da-co.*mi*.da) *sm.* *Mob.* Móvel onde se guardam comidas, geralmente já preparadas, com portas e laterais providas de tela fina para protegê-las de insetos: "A sala de jantar ficou entregue à viúva e ao criado, que se ocuparam de cobrir os restos dos bolos recolhendo-os ao guarda-comidas." (Adolfo Caminha, *A Normalista*) [Pl.: *guarda-comidas*.]

guarda-costas (guar.da- *cos*.tas) *sm2n.* **1** *Mar.* Embarcação veloz que vigia a costa para evitar contrabando **2** *Fig.* Pessoa que acompanha outra a fim de protegê-la; SATÉLITE; SEGURANÇA **3** *Pop.* Capanga (3) [F.: *guarda(r)* + pl. de *costa*.]

guarda-costeira (guar.da-cos.*tei*.ra) *sm.* *Mar.G.* Força armada embarcada, responsável pelos serviços de patrulha e defesa do litoral e do mar territorial de um país [Pl.: *guardas-costeiras*.]

guardador (guar.da.*dor*) [ô] *a.* **1** Que guarda (algo) **2** Que não é dado a fazer muitos gastos, que poupa dinheiro; AVARENTO **3** Que guarda ou obedece a certos preceitos *sm.* **4** Pessoa que guarda ou vigia (alguma coisa) **5** Indivíduo avarento **6** Pessoa que obedece a certos preceitos **7** *RJ SP* Pessoa que guarda carros estacionados nas ruas; FLANELINHA *Ant.*: OLHEIRO [F.: *guarda(r)* + *-dor*. Ideia de: *guard-*.]

guardados (guar.*da*.dos) *Bras.* *smpl.* **1** Objetos particulares que se guardam em algum lugar (cofre, gaveta etc.) **2** Reserva de dinheiro; ECONOMIAS [F.: Pl. de *guardado*. Ideia de: *guard-*.]

guarda-florestal (guar.da-flo.res.*tal*) *sm.* Funcionário do Estado encarregado de proteger florestas contra incêndio, caça ilegal, desmatamento etc. [Pl.: *guardas-florestais*.] [F.: *guarda* + *florestal*. Ideia de: *guard-*.]

guarda-fogo (guar.da- *fo*.go) [ô] *sm.* **1** Parede entre prédios vizinhos que serve para evitar propagação de fogo **2** Grade ou placa de metal us. no piso de lareiras para impedir incêndios [Sin. nas acps. 1 e 2: *guarda-lume.*] 3 Ver *para-fogo* [Pl.: *guarda-fogos* [ó].] [F.: *guarda(r)* + *fogo.* Ideia de: *guard-.*]

guarda-freio (guar.da-*frei*:o) ***sm.*** Ferroviário responsável pelos freios dos vagões e que trabalha segundo as orientações do maquinista; BREQUISTA; GUARDA-FREIOS [Pl.: *guarda-freios.*] [F.: *guarda(r)* + *freio.* Ideia de: *guard-.*]

guarda-joias (guar.da-*joi*.as) ***sm.*** 1 Vaso, cofre, escrínio etc., onde se guardam joias e outros adereços; PORTA-JOIAS ***a.*** 2 Oficial de uma casa real incumbido da conservação das joias [F.: *guardar* + pl. de *joia.*]

guarda-livros (guar.da-*li*.vros) ***s2g2n.*** Funcionário encarregado da escrituração de livros, registros da contabilidade de empresas, comércio etc. [F.: *guarda(r)* + pl. de *livro.* Ideia de: *guard-.*]

guarda-louça (guar.da-*lou*.ça) ***sm.*** Armário ou prateleira onde se guardam as louças da casa; GUARDA-LOIÇA; LOUCEIRA; LOUCEIRO [Pl.: *guarda-louças.*] [F.: *guarda(r)* + *louça.* Ideia de: *guard-.*]

guarda-marinha (guar.da-ma.*ri*.nha) ***sm.*** 1 Aluno da escola naval que passa por estágio antes de ser promovido a segundo-tenente 2 Militar com posto hierárquico de guarda-marinha [Pl.: *guardas-marinhas, guardas-marinha* e *guarda-marinhas.*] [F.: Do espn. *guardia marina.* Ideia de: *guard-.*]

guarda-mato (guar.da-*ma*.to) ***sm.*** 1 Peça de espingarda em forma de arco, que serve para proteger o gatilho 2 Valão que assinala os limites de matagais ou terras de pastagem [Pl.: *guarda-matos.*] [F.: De *guardar* + *mato.*]

guarda-meta (guar.da-*me*.ta) (*mé*) ***sm.*** *Fut.* Jogador que defende a meta, o mesmo que *goleiro;* GUARDIÃO; GUARDA-VALAS; GOLQUÍPER [Pl.: *guarda-metas.*] [F.: *guardar* + *meta.*]

guarda-mirim (guar.da-mi.*rim*) ***sm.*** 1 Corpo civil desenvolvido em numerosos municípios, quase sempre no âmbito da Polícia Militar ou do Corpo de Bombeiros, voltado para auxiliar crianças e adolescentes carentes mediante a prática de tarefas comunitárias geralmente ligadas à orientação de turistas e à conduta no trânsito 2 O participante dessa guarda [Pl.: *guardas-mirins.*] [F.: *guardar* + *mirim.*]

guarda-mor (guar.da-*mor*) ***sm.*** 1 Chefe de polícia aduaneira de um porto 2 Pessoa que representa o fisco em navios 3 *Ant.* Comandante de archeiros ou alabardeiros da casa real [Pl.: *guardas-mores.*] [F.: *guarda* + *mor.* Ideia de: *guard-.*]

guardamoria (guar.da.mo.*ri*.a) *Bras.* ***sf.*** 1 Repartição encarregada da polícia fiscal nos portos e a bordo dos navios 2 Função de guarda-mor [F.: *guarda-mor* + *-ia.* Ideia de: *guard-.*]

guarda-móveis (guar.da-*mó*.veis) ***sm2n.*** *Bras.* Lugar onde se depositam móveis mediante pagamento [F.: *guarda(r)* + pl. de *móvel.* Ideia de: *guard-.*]

guardanapo (guar.da.*na*.po) ***sm.*** Pequena toalha de pano ou de papel para limpar os lábios durante as refeições e para proteger a roupa *Ant.*; TOALHETE [F.: Do fr. *garde-nappe.* Ideia de: *guard-.*]

guarda-noturno (guar.da-no.*tur*.no) ***sm.*** Indivíduo contratado para vigiar à noite casas, lojas etc. [Pl.: *guardas-noturnos.*] [F.: *guarda* + *noturno.* Ideia de: *guard-.*]

guarda-pé (guar.da-*pé*) ***sm.*** *BA* Certo tipo de botas usadas por vaqueiros: "Garantido pelas alpargatas fortes, pelos guarda-pés e perneiras em que roçariam inofensivos os estiletes dos xiquexiques." (Euclides da Cunha, *Os Sertões*) [Pl.: *guarda-pés.*] [F.: *guardar* + *pé.*]

guarda-pó (guar.da-*pó*) ***sm.*** 1 Espécie de avental us. para proteger as roupas da poeira ger. em viagens, e tb. por professores, médicos etc. 2 *Arq. Carp.* Forro de madeira que reveste as vigas superiores de um telhado; ENTREFORRO 3 Armação que se põe em cima de camas, tronos etc.; BALDAQUIM; SOBRECÉU [Pl.: *guarda-pós.*] [F.: *guarda(r)* + *pó.* Ideia de: *guard-.*]

guardar (guar.*dar*) ***v.*** 1 Proteger, vigiar [***td.***: *O cão pastor guarda a casa dia e noite.*] 2 Pôr (algo) em um dado local quando não está sendo usado; PROTEGER [***td.***: *Guardou os óculos antes de dormir.*] 3 Manter, conservar [***td.***: *Minha mãe ainda guarda o vestido do seu casamento.*] 4 Reservar (para uso ou consumo posterior) [***tda.***: *Guardou o chocolate para outra ocasião; O boxeador não se esforçou muito, guardando-se para a luta seguinte.*] 5 Manter intacto, incólume [***td.***: *Guardou o ardor juvenil até a maturidade.*] 6 Decorar, memorizar [***td.***: *Não conseguia guardar o número do celular.*] 7 Não revelar (ger. algo que é secreto ou sigiloso) [***td.***: *Ela guarda um segredo.*] 8 Manter atitude respeitosa em certos dias [***td.***: *A beata guarda os dias santos.*] 9 Tomar conta [***td.***: *Acordou cedo para guardar as ovelhas.*] 10 Da proteção a; PROTEGER [***td.***: *Guardava a entrada da ponte.*] 11 Colocar em lugar adequado [***tda.***: *Guardou as roupas no armário.*] 12 Manter como reserva [***tdi.*** + *para*: *Guardei comida para ele.*] 13 Conservar em próprio poder; MANTER [***td.***: *Sempre guardo cópias de meus textos.*] 14 Conter, encerrar [***td.***: *Esse sítio arqueológico guarda segredos imemoráveis.*] 15 Ficar, permanecer em [***td.***: *Doente, guardou o leito.*] 16 Manter (atitude, disposição etc.) [***td.***: *Guardava a elegância de sempre.*] 17 Manter num mesmo estado [***td.***: *Guardava sua atitude calma nos piores momentos.*] 18 Deixar para mais tarde; ADIAR [***tdr.*** + *para*: *Guardou seus planos para o fim do ano.*] 19 Cumprir, observar [***td.***: *O papel do policial é guardar a lei.*] 20 Manter-se à espera de algo [***tdr.*** + *para*: *Vou me guardar para quando o carnaval chegar.*] 21 Apresentar, mostrar, revelar [***tdi.*** + *a*: *É conveniente guardar respeito às autoridades.*] 22 Manter vivo [***td.***: *A cidade ainda guarda suas antigas belezas.*] 23 Proteger, preservar (si mesmo) de algo [***tdr.*** + *de*: *A conselho médico, guardava-se de fumar.*] [▶ 1 guardar] [F.: Do lat. medv. *guardare,* deriv. do germânico *wardon.* Hom./Par.: *guarda* (3ªp.s.), *guardas* (2ªp.s.), *guarda* (sf. e s2g.) e pl. Ant. ger.: *desguardar.*]

guarda-roupa (guar.da-*rou*.pa) ***sm.*** 1 Armário para guardar roupas [Cf.: *guarda-vestidos.*] 2 Conjunto de roupas de uma pessoa, de um grupo ou de uma instituição: *Como emagreceu muito, teve de trocar todo o seu guarda-roupa; O guarda-roupa daquela emissora de TV era muito variado.* 3 Pessoa encarregada das roupas de uma instituição, de um teatro etc.; GUARDA-ROUPEIRO; ROUPEIRO 4 *Cin. Teat. Telv.* Figurinos de uma produção cinematográfica, teatral ou televisiva 5 Cargo na corte imperial do Brasil 6 Pessoa que ocupa esse cargo 7 *Bot.* O mesmo de *santolina* [Pl.: *guarda-roupas.*] [F.: *guarda(r)* + *roupa.* Ideia de: *guard-.*]

guarda-sol (guar.da-*sol*) ***sm.*** 1 Barraca de praia; CHAPÉU; CHAPÉU DE SOL; PARA-SOL 2 Guarda-chuva 3 *Bras. Bot.* Ver *amendoeira-da-praia* [Pl.: *guarda-sóis.*] [F.: *guarda(r)* + *sol.* Ideia de: *guard-.*]

guarda-valas (guar.da-*va*.las) ***sm.*** *Fut.* Jogador encarregado de defender a meta, o mesmo que *goleiro;* GUARDIÃO; GUARDA-META; GOLQUÍPER [F.: *guardar* + *vala(s).*]

guarda-vida(s) (guar.da-*vi*.da(s)) ***a2g.*** 1 Diz-se de embarcação, boia, colete ou aparelho para salvamento de náufragos ***sm.*** 2 Embarcação, boia, colete ou aparelho apropriado para impedir o afogamento ou para o salvamento de náufragos 3 Pessoa em serviço nas praias para socorrer banhistas ameaçados de afogamento; SALVA-VIDAS; BANHISTA 4 Estrado que existia à frente das rodas dianteiras dos antigos bondes, próprio para salvar pessoas que caíssem entre os trilhos [F.: *guarda* + *vida(s).*]

guarda-volumes (guar.da-vo.*lu*.mes) ***sm.*** Local ou compartimento destinado ao depósito, com segurança e por tempo determinado, de volumes de diferentes tamanhos; DEPÓSITO DE BAGAGEM; MALEIRO [F.: *guardar* + *volumes.*]

guardião (guar.di:*ão*) ***sm.*** 1 Superior de alguns conventos 2 *Bras. Fut.* Goleiro 3 *Fig.* Protetor, conservador: *guardião da lei.* 4 Pessoa que protege outra de possíveis agressões; GUARDA-COSTAS 5 *Bras. Bot.* Ver *abóbora-do-mato* 6 *Ant. Mar.G.* Sargento especialista em manobra [Pl.: *-ães, -ões.* Fem.: *-ã.*] [F.: Do lat. medv. *guardianus.* Ideia de: *guard-.*]

⊕ **guard-rail** (*Ing.* /*gard-rêiou*/) ***sm.*** Barreira ou mureta de proteção us. nas estradas e pistas de competição

guariba (gua.*ri*.ba) ***s2g.*** *Bras. Zool.* Ver *bugio* [F.: Do tupi *gwa'riwa.*]

guaribada (gua.ri.*ba*.da) ***sf.*** *Pop.* Ação ou resultado de guaribar, de arrumar de modo superficial um carro para iludir os possíveis compradores; AJEITADA; ARRUMADA: *Deu uma guaribada no carro.* [F.: fem. do part. de *guaribar.*]

guaribar (gua.ri.*bar*) ***v. td.*** 1 Fazer pequenos reparos em carro (ou outro veículo) usado ou danificado para enganar seu comprador: *Guaribou a motocicleta e a vendeu caro para um otário.* 2 Preparar um carro para desenvolver maior potência que os da sua série; envenenar: *Guaribou o carro para correr pelas estradas.* 3 Arrumar ou consertar qualquer coisa de maneira apressada e imperfeita: *Vai guaribar a casa para vendê-la por um preço melhor.* [▶ 1 guaribar] [F.: *guariba* + *-ar*[2]. Hom./Par.: *guariba* (s) (fl.), *guariba* (s2g.) e pl.]

guaricanga (gua.ri.*can*.ga) ***sf.*** 1 *Bot.* Designação comum a diversas palmeiras do gênero *Geonoma,* com folhas que lembram as asas abertas de um pássaro 2 Palhoça coberta com as folhas dessas palmeiras [F.: Do tupi *gwari'kanga.*]

guarida (gua.*ri*.da) ***sf.*** 1 Antro ou covil de feras 2 *Fig.* Lugar que serve de abrigo, de refúgio: *O fugitivo vivia à procura de guarida.* 3 Ver *guarita* (1) [F.: Do port. antigo *guari(r)* + *-ida.*]

guarir (*gua*.rir) ***v.*** *Ant.* Curar(-se) de uma doença; recuperar a saúde [***td.***] [***int.***] [▶ 59 guarir] [F.: Do gót. *warjan.*]

guariroba (gua.ri.*ro*.ba) (*ó*) ***sf.*** Planta da família das palmáceas (*Syagrus oleracea*), de até 20m de altura, nativa do Brasil e do Paraguai, muito cultivada pelo aspecto ornamental, pelo palmito amargo que fornece, de propriedades medicinais e largo uso em culinária; COQUEIRO-AMARGOSO; CATOLÉ; COCO-BABÃO; GUAIRÓ [F.: Do tupi *gwari'rowa.*]

guarita (gua.*ri*.ta) ***sf.*** 1 Cabine em que se abrigam vigilantes, vigias, seguranças etc.; GUARIDA [Pode ser desde um simples abrigo de madeira para uma sentinela (ver ilustração) até uma cabine com janela envidraçada, telefone etc.] 2 Pequena torre nos ângulos de antigos fortes, onde se abrigavam sentinelas; GUARIDA [F.: Posv. do it. *garitta,* com infl. de *guarida.*]

guarnecer (guar.ne.*cer*) ***v.*** 1 Prover do necessário; abastecer com aquilo que se faz necessário ou com o que lhe é útil ou característico [***td.***: *Guarneceu seu lar de maneira cuidadosa, para que nada lhe faltasse.*] [***tdr.*** + *com, de*: *O comandante guarneceu as tropas com armas mais modernas; Guarneceu a pinacoteca de novos quadros.*] 2 Enfeitar, ornamentar [***td.***: *Guarnecer uma blusa.*] [***tdr.***: *Guarneceu o assado com ramos de salsa.*] 3 Tornar mais forte; FORTALECER; FORTIFICAR [***td.***: *O exército queria guarnecer as fronteiras da região.*] 4 Fornecer proteção a [***td.***: *O comandante guarneceu a ilha com dois destacamentos.*] 5 *Mar.* Colocar mais tripulantes em [***td.***: *Guarnecer um destróier.*] 6 Caiar (parede) após ter sido colocado o reboco [***td.***: *guarnecer um muro recém-construído.*] [▶ 33 guarnecer] [F.: *guarnir* + *-ecer.*]

guarnecido (guar.ne.*ci*.do) ***a.*** 1 Munido de guarnição, aparelhado, provido: "...bufetes guarnecidos de licoreiras, de garrafas de cerveja e champanha." (Bernardo Guimarães, *A escrava Isaura*) 2 Que se enfeitou; ATAVIADO; ORNADO; ARREADO 3 Provido de tripulantes (uma embarcação); TRIPULADO; EQUIPADO 4 Guardado, vigiado: "Ninguém passava, sem licença, do Arco do Bom Jesus, guarnecido embaixo por um destacamento." (Mário Sete, *Os Azevedos do Poço*) [F.: Part. de *guarnecer.*]

guarnição (guar.ni.*ção*) ***sf.*** 1 O que guarnece 2 *Mil.* Conjunto de tropas que defende determinado local ou nele está estabelecido 3 *Mar.* A equipagem de uma embarcação 4 O punho ou o resguardo de uma espada 5 Adorno ou enfeite us. em vestuário 6 *Bras. Cul.* Conjunto de leves iguarias (legumes, verduras etc.) que servem de acompanhamento a um prato 7 O conjunto dos remadores de um barco de regata 8 Ver *moldura* (2) [Pl.: *-ções.*] [F.: Do port. antigo *guarni(r)* + *-ção.*]

guarnir (guar.*nir*) ***v.*** *Pus.* Mesmo que *guarnecer* [▶ 59 guarnir] [F.: do *gót. warnjan.*]

guarucaia (gua.ru.*cai*:a) ***sf.*** 1 Doença infecciosa crônica, o mesmo que *lepra* ou *hanseníase* 2 *Bot.* Designação comum a árvores e arbustos dos gêneros *Cassia, Senna* e *Peltophorum,* de propriedades medicinais e madeira de boa qualidade; CANAFÍSTULA; BETAME; CHUVA-DE-OURO 3 Árvore da família das leguminosas (*Parapiptadenia rigida*), de casca rica em tanino, que atinge até 12 m de altura; ANGICO-VERDADEIRO [F.: Do tupi *warau* + *k'aia.*]

guasca[1] (*guas*.ca) ***sf.*** 1 *RS Bot.* Tira ou correia feita de couro cru 2 *Fig.* Chicote [F.: Do quíchua *uaskha.*]

guasca[2] (*guas*.ca) ***s2g.*** 1 *RS* Habitante da roça; CAIPIRA; ROCEIRO; CAPIAU 2 Rio-grandense do sul, gaúcho: "Genuíno tipo – crioulo – rio-grandense... era Blau o guasca sadio, a um tempo leal e ingênuo." (Simões Lopes Neto, *Contos gauchescos e lendas do Sul*) [F.: Do quíchua *uaskha.*]

guasqueio (guas.*que*:i.o) ***sm.*** *RS* Ato ou efeito de guasquear, de golpear com a guasca[1] ou outro açoite qualquer [F.: *guas(ca)*[1] + *queio.*]

guasqueiro (guas.*quei*.ro) ***sm.*** 1 *RS* Fabricante de guascas[1] (2) ***a.*** 2 Raro, que há em pouca quantidade; VASQUEIRO [F.: *guasc(a)*[1] + *-queiro.*]

guatambu (gua.tam.*bu*) (*ú*) ***sm.*** 1 *Bot.* Designação comum a diversas espécies de árvores da família das apocináceas, de madeira dura, muito usada para a confecção de cabos de ferramentas agrícolas 2 *Pop.* Enxada ou cabo de enxada 3 *SP Pop.* Porrete [F.: Do tupi *gwa atã'mbu.*]

guatemalense (gua.te.ma.*len*.se) ***a2g.*** 1 Pertencente ou relativo à Guatemala, país da América Central ***s2g.*** 2 O natural ou habitante da Guatemala; GUATEMALTECO [F.: Do top. *Guatemal(a)* + *-ense.*]

guatemalteco (gua.te.mal.*te*.co) ***sm.*** 1 Pessoa nascida ou que vive na Guatemala (América Central) ***a.*** 2 Da Guatemala; típico desse país ou de seu povo [F.: Do cast. *guatemalteco.* Sin. ger.: *guatemalense.*]

guaxe (*gua*.xe) (*che*) ***sm.*** *ornit.* Pássaro da subfamília dos icteríneos (*Cacicus haemorrhous*), que ocorre em grande parte da América do Sul; JAPIM-DA-MATA; JAPUÍRA; XEXÉU-BAUÁ: "...eu entrava no mato, e lá passava o dia inteiro só para ver... para namorar o namoro dos guaxes pousados nos ramos..." (Guimarães Rosa, "São Marcos", *in Sagarana*) [F.: Do tupi gwai'xo. Hom./Par.: *guache.*]

guaxima (gua.*xi*.ma) (*chi*) ***sf.*** 1 *Bot.* Planta da família das malváceas (*Urena lobata*) de propriedades medicinais; GUAXIUMA; GUANXUMA: "...transpôs as abertas entre a crissiúma e a guaxima..." (Guimarães Rosa, *Sagarana*) 2 Nome comum a diversas espécies da família das malváceas, gênero *Sida,* particularmente *Sida rhombifólia,* de raiz com propriedades diuréticas; CHÁ-INGLÊS; MALVA-DA-PRAIA; VASSOURA [F.: Do tupi *gwaxima.* Tb. *guanxuma.*]

guaxinim (gua.xi.*nim*) ***sm.*** *Zool.* Pequeno mamífero carnívoro (*Procyon lotor*), da fam. dos procionídeos, que vive em brejos e mangues norte-americanos e que se assemelha muito ao mão-pelada [Pl.: *-nins.*] [F.: Do tupi *waxi'ni.*]

guaxo (*gua*.xo) (*cho*) ***a.*** 1 Diz-se de ovo posto pela ave fora de seu ninho ou no ninho de outra 2 Diz-se de animal (ou de criança) amamentado por outra que não a própria mãe 3 Diz-se de pé de milho, feijão ou outras plantas de cultivo quando nascem à toa e vingam sem cuidados de capina ***sm.*** 4 Nas regiões ervateiras, a muda de erva-mate 5 Animal (ou criança) guaxo (2): "Não cries guaxo, mas cria perto do teu olhar o potrilho pro teu andar." (Simões Lopes Neto, *Contos gauchescos e lendas do Sul*) [F.: Do espn. *guacho.* Hom./Par.: *guache* e *guaxe.*]

guaxupé (gua.xu.*pé*) ***sf.*** *Zool.* Abelha social brasileira da subfam. dos meliponíneos (*Trigona spinipes*), de coloração negra, com ca. de 7mm de comprimento com pernas ocres, e asas com a base escura e as pontas mais claras; IRAPUÃ; IRAPUÁ; ABELHA-CACHORRO; ENROLA-CABELO [F.: Do tupi *uaxupé.*]

gude (*gu*.de) *Bras. Lud.* ***sm.*** 1 Jogo infantil que consiste em entrechocar bolinhas de vidro e encaixá-las em pequenos buracos ger. cavados na terra 2 Bolinha us. nesse jogo 3 Qualquer jogo em que se use essas bolinhas de vidro [F.: De *gode,* provincianismo minhoto. Sin. ger.: *baleba, belindre,* (*Lus.*) *berlinde, biloca, bilosca, birosca, bolita, búraca, búrica,* (*Lus.*) *bute, cabiçulinha, firo, peteca, pirosca, ximbra.*]

guedelha (gue.*de*.lha) [ê] ***sf.*** 1 Cabelo despenteado e longo; GADELHA; GADELHO; GAFORINA; GAFORINHA; GRENHA;

GUEDELHO **2** Porção de fios de cabelo ou quaisquer outros; MADEIXA **3** *Fig.* Proveito, vantagem *sm.* **4** *Lus.* Ver *diabo* [F.: Do lat. *viticula.*]

guedelhudo (gue.de.*lhu*.do) *a.* Que tem guedelhas (ou gadelhas), cabelos compridos e desgrenhados: "...pescoços que se torciam no ar... tendo na extremidade uma cabeça guedelhuda." (Eça de Queirós, *Últimas páginas*) [F.: *guedelh(a)* + *-udo.* Tb. *gadelhudo.*]

gueixa (*guei*.xa) [ê] *sf.* Dançarina e cantora japonesa treinada para entreter homens em casas de chá ou outros estabelecimentos [F.: Do jap. *geixa.* Cf. *guexa.*]

guelfo (*guel*.fo) *Hist. sm.* **1** Nome dado nas cidades-estados italianas dos séculos XIII e XIV aos indivíduos partidários da supremacia do papa sobre o imperador germânico **2** Aquele que pertencia à casa dos Guelfos *a.* **3** Diz-se de guelfo (1 e 2) [F.: Do al. *Welf,* nome de família nobre alemã. Cf. *gibelino.*]

guelra (*guel*.ra) [é] *sf. Anat. Zool.* Ver *brânquia* [F.: De or. contrv.]

⊕ **guematria** (gue.ma.*tri*) *sf. Oct. Rel.* Método de exegese bíblica baseado no estabelecimento de uma equivalência numérica para as letras, com analogia do valor numérico total de uma palavra ou nome com o mesmo valor de outra palavra, daí concluindo significados [Por influência da palavra hebraica, comumente pronuncia-se como paroxítona (*guemátria*), apesar de não ter o acento agudo.] [F.: Do heb. (Cabala) *guematria,* prov., por analogia ao gr. *geometria.* Tb. *guemátria* e *gemátria.*]

guemátrico (gue.ma.*tri*.co) *a.* **1** *Oct.* Relativo à guematria *sm.* **2** Aquele que é versado em guematria [F.: *guematria* + *ico*².]

guembê (guem.*bê*) *sm. Bot.* Arbusto sarmentoso (*Trigonia candida*) da família das trigoniáceas, cuja paina é usada para encher almofadas, travesseiros; API-DE-PAINA; CIPÓ-DE-IMBÉ [F.: De or. obsc. Hom./Par.: *guembé.*]

guenizá (gue.ni.*zá*) *sf. Rel.* Local das sinagogas em que são guardados textos antigos, sagrados ou profanos, em que consta o nome de Deus, e que, por estarem já deteriorados, ali aguardam para serem posteriormente enterrados [F.: Do hebr.]

guenzice (guen.*zi*.ce) *sf.* Qualidade de quem é guenzo, isto é, fraco, raquítico, ou adoentado e sem firmeza [F.: *guenzo* + *-ice.*]

guenzo (*guen*.zo) *a.* **1** *Bras.* Que é muito magro, fraco, adoentado **2** *Bras. N.E.* Que não é seguro, firme; BAMBOANTE; BAMBOLEANTE **3** Que está fora do prumo, torto ou inclinado [F.: De or. obsc.]

guepardo (gue.*par*.do) *sm. Zool.* Grande felino africano (*Acinonyx jubatus*), de pelagem amarelada com pintas pretas e longas pernas; CHITA [F.: Do fr. *guépard.*]

guericke (gue.*ri*.cke) *sm. Fís.* Unidade de medida de pressão, igual à exercida por uma coluna de água de um centímetro de altura. Símbolo: *Ger* [F.: Do antr. *Otto von Gericke.*]

gueriri (gue.ri.*ri*) *sf.* Ostra (*Ostrea virginica*), uma das sete espécies desse molusco encontradas no Brasil; OSTRA-AMERICANA [F.: Do tupi *weriri.*]

guerra (*guer*.ra) *sf.* **1** Conflito armado entre nações, etnias etc. **2** Campanha militar **3** Luta, combate, conflito armado ou não **4** *P.ext.* A arte militar **5** Administração militar **6** *Fig.* Oposição, rivalidade: *guerra entre os sexos.* [Ant.: *paz.*] [F.: Do germânico *werra.* Ideias de: *bel(i/o)-, guerr-* e *polem(o)-.*] ▪ **~ atômica** *Mil.* Ver *Guerra nuclear* **~ bacteriológica** *Mil.* Ver *Guerra biológica* **~ biológica** *Mil.* Tipo de operação militar na qual se usam como armas organismos vivos que causam doenças, ou produtos tóxicos, destinados a dizimar seres humanos, animais, vegetação etc.; guerra bacteriológica **~ civil** Guerra ou conflito entre grupos de cidadãos de um mesmo país; guerra intestina **~ convencional** *Mil.* Guerra travada somente com armas convencionais, sem o uso de armas nucleares ou biológicas **~ de extermínio** *Mil.* Guerra cujo objetivo é exterminar totalmente a população inimiga; guerra de morte **~ de morte** *Fig.* Ver *Guerra de extermínio* **~ de movimento** *Mil.* Aquela na qual as tropas de um dos lados ou de ambos os lados estão sempre em movimento, visando a dificultar os meios de defesa do inimigo ou a surpreendê-lo [P.op. a *guerra de trincheira.*] **~ de nervos** **1** *Mil.* Numa guerra, emprego de ações ou operações cujo objetivo é deixar o adversário permanentemente sob tensão e abalar sua confiança, de modo a diminuir sua resistência ou disposição para a luta **2** *P.ext.* Em confrontos ou conflitos não armados (concorrência, competição esportiva etc.), uso de declarações ou atos que visam irritar ou desorientar o adversário **~ de posição** *Mil.* Aquela na qual cada lado, entrincheirado, busca minar a resistência do inimigo para ir conquistando gradativamente posições mais vantajosas **~ de trincheira** *Mil.* Aquela na qual cada lado, entrincheirado, tem como objetivo a conquista da trincheira inimiga [P.opos. a *guerra de movimento.*] **~ econômica** Disputa pela supremacia econômica, na qual as armas são também de natureza econômica (pressões, políticas de preço, subsídios etc.) **~ fria** Estado de tensão ou de hostilidade entre países ou instituições internacionais, que se antagonizam na condução das políticas, em ameaças implícitas e explícitas etc., mas sem conflito armado ou guerra declarada [Com iniciais maiúsculas, designa a situação geopolítica e o período histórico correspondente, entre o fim da Segunda Guerra Mundial (1945) e os anos 1980, em que esse tipo de tensão envolvia as duas grandes potências da época, E.U.A. e U.R.S.S. e seus respectivos aliados.] **~ global** *Mil.* Guerra na qual as operações militares abrangem o mundo inteiro [Cf.: *Guerra total.*] **~ intestina** Ver *Guerra civil* **~ limitada** **1** *Mil.* Aquela na qual não são mobilizados todos os recursos bélicos das partes em conflito **2** Aquela que se desenrola em área geográfica limitada; guerra localizada **3** Aquela que tem objetivos estratégicos limitados **~ localizada** Ver *Guerra limitada* (2) **~ nuclear** *Mil.* Aquela na qual são ou poderiam ser us. armas nucleares; guerra atômica **~ psicológica** Oposição ou hostilidade em que os adversários procuram amedrontar ou afetar o ânimo, a disposição, a confiança etc. do oponente, por meio de ações que não são de agressão direta **~ química** Aquela na qual são ou poderiam ser us. como armas substâncias químicas prejudiciais à vida, incendiárias, desfolhantes etc. **~ revolucionária** Guerra que, por motivos ideológicos, visa a derrubar governo ou regime, ger. com mobilização de segmentos da sociedade, tropas irregulares, ações de guerrilha etc. **~ santa** **1** *Hist. Rel.* Termo us. (pelos promotores da guerra) para designar no passado guerra contra povo ou país de outra religião, que visava conquistar lugares ou símbolos sagrados em seu poder **2** Termo us. (pelos promotores da guerra) para designar guerra motivada ou justificada por diferenças religiosas, que visa à imposição de uma religião a uma população ou à eliminação de outra religião **~ sem cartel** **1** Ver *Guerra de extermínio.* **2** *Fig.* Luta ou perseguição implacável, incansável **~ total** **1** Aquela na qual as partes envolvidas usam todos os recursos disponíveis, os materiais e os humanos **2** Ver *Guerra de extermínio* [Cf.: *Guerra global.*] **Velho de ~** *Pop.* Forma carinhosa de designar alguém/algo por quem/pelo qual se sente apreço, gratidão etc., ger. decorrente de um longo convívio: *amigo velho de guerra; Lá vinha ele com sua mochila velha de guerra.*

guerra-relâmpago (guer.ra-re.*lâm*.pa.go) *sf. Mil.* Ataque militar de curta duração, desencadeado de surpresa e que ger. mobiliza forças aéreas e terrestres [Cf. *blitzkrieg.*] [Pl.: *guerras-relâmpago.*] [F.: *guerra* + *relâmpago.*]

guerreador (guer.re.a.*dor*) *a.* **1** Que guerreia, que faz a guerra *sm.* **2** Aquele que guerreia; GUERREIRO [F.: *guerread(o)* + *-or.*]

guerrear (guer.re.*ar*) *v.* **1** Fazer guerra a; COMBATER [*td.*: *As forças democráticas guerrearam o fascismo.*] [*int.*: *Embora desarmados, os anarquistas queriam guerrear.*] **2** Opor-se a, hostilizar [*td.*: *Os conservadores guerreiam as novas ideias.*] [▶ 13 guerrear] [F.: *guerra* + *-ear*².]

guerreiro (guer.*rei*.ro) *a.* **1** Ref. à guerra **2** Belicoso, belígerante (espírito guerreiro) *sm.* **3** Indivíduo que guerreia: *É um guerreiro que não perdoa o inimigo.* [F.: *guerr(a)* + *-eiro.*]

guerrilha (guer.*ri*.lha) *sf.* **1** Conflito armado de caráter subversivo ou revolucionário, com enfrentamento das forças de um Estado, em ações coordenadas, mas não generalizadas, que não obedecem aos padrões convencionais e se caracterizam por ataques de surpresa, emboscadas etc. **2** *P.ext.* Grupo de combatentes que lutam dessa forma **3** Tropa ou bando que luta sem obedecer as regras e a disciplina militares **4** *Fig.* Situação conflituosa que se expressa em discussão permanente, contínua (guerrilha administrativa) [F.: Do cast. *guerrilla.* Ideia de: *guerr-.*] ▪ **~ rural** Luta de guerrilha adaptada (como princípio e como prática revolucionária) às condições do campo **~ urbana** Luta de guerrilha adaptada (como princípio e como prática revolucionária) às condições urbanas

guerrilhar (gue.ri.*lhar*) *v. int.* Lutar com técnicas de guerrilha; fazer guerrilha: *O grupo era diminuto, mas queria guerrilhar.* [▶ 1 guerrilhar] [F.: *guerrilha* + *-ar*². Hom./Par.: *guerrilha* (fl.), *guerrilha* (sf.); *guerrilhas* (fl.) *guerrilhas* (pl. do sf.).]

guerrilheiro (guer.ri.*lhei*.ro) *sm.* **1** Indivíduo que combate em guerrilha *a.* **2** Ref. à guerrilha (atividades guerrilheiras) **3** Lugar onde se trava uma guerrilha [F.: *guerrilh(a)* + *-eiro.* Ideia de: *guerr-.*]

guetização (gue.ti.za.*ção*) *sf.* **1** Ação ou resultado de guetizar **2** Confinamento em guetos (3), medida preconizada por grupos intolerantes para afastar do convívio social determinados setores dessa mesma sociedade; ENCLAUSURAMENTO [Pl.: *ções.*] [F.: *guetiza(r)* + *-ção.*]

guetizar (gue.ti.*zar*) *v. ti.* Colocar ou isolar em guetos [▶ 1 guetizar] [F.: *gueto* + *-izar.*]

gueto (*gue*.to) [ê] *sm.* **1** Bairro onde os judeus eram obrigados a morar em algumas cidades da Europa **2** Lugar ou bairro onde vive uma minoria racial **3** *Fig.* Qualquer grupo segregado ou marginalizado; o reduto desse grupo [F.: Do it. *ghetto.*]

guia (*gui*.a) *sf.* **1** Ação ou resultado de guiar **2** Documento que acompanha mercadoria ou correspondência **3** Formulário (2) **4** *Bras.* Meio-fio *s2g.* **5** Profissional que guia turistas **6** Pessoa que guia outras, esp. cegos *sm.* **7** Publicação que contém instruções de diversos tipos (guia de restaurantes) **8** *Fig.* Coisa ou pessoa que serve de modelo a outras: *Achou naquele budista seu guia espiritual.* [F.: Dev. de *guiar.*]

guiado (gui.a.do) *a.* **1** Dirigido, acompanhado: *O cego foi guiado pelo cão.* **2** Que obedece a comandos, imediatos ou remotos; CONDUZIDO; ORIENTADO [F.: Part. de *guiar.*]

guiador (gui.a.*dor*) *a.* **1** Que guia, dirige, aponta o caminho; GUIANTE: "E está é a estrela guiadora e consoladora de suas longas noites..." (Antero de Figueiredo, *Dom Sebastião.*) *sm.* **2** Aquele que guia, que dirige **3** Peça de algumas máquinas que serve para guiar convenientemente o objeto a ser trabalhado **4** Índice de livros de escrituração **5** *Esp.* Ciclista que lidera um grupo e orienta seu percurso **6** O animal que serve de guia ao rebanho [F.: *guia* + *-(d)or.*]

guiamento (gui.a.*men*.to) *sm.* **1** Ação ou resultado de guiar, orientar, dirigir, encaminhar **2** *Astron.* Conjunto de operações e procedimentos empregados para orientar um veículo espacial a um determinado objetivo **3** *Mec.* Conjunto dos dispositivos como guias e mancais que orientam o deslocamento de um dispositivo móvel segundo uma trajetória predeterminada [F.: *guia* + *-mento.*]

guiança (gui:*an*.ça) *sf.* **1** Ação ou resultado de guiar, de orientar: *Ouvir a guiança da consciência.* **2** Maneira, modo ou forma de guiar [F.: *guia(r)* + *-ança.*]

guianense (gu:i.a.*nen*.se) [ùi] *s2g.* **1** Pessoa nascida ou que vive na República da Guiana ou na Guiana Francesa (América do Sul) *a2g.* **2** Da República da Guiana ou da Guiana Francesa; típico desses países ou de seus povos [F.: Do top. *Guian(a)* + *-ense.* Sin. ger.: *guianês.*]

guianês (gui:*a*.na) [ùi] *a.* **1** Relativo ou pertencente à Guiana Francesa ou à República da Guiana (antiga Guiana Inglesa) **2** Relativo ou pertencente ao Suriname, nome atual da antiga Guiana Holandesa *sm.* **3** O natural ou habitante das Guianas; GUIANENSE; GUIANO [F.: *Guian(a)* + *-ês.*]

guião (gui.*ão*) *sm.* **1** Estandarte que é conduzido na frente de procissões, irmandades ou tropas; PENDÃO **2** *Mil.* Cavaleiro que carregava esse estandarte **3** *Mús.* Sinal gráfico que se põe no fim de um pentagrama ou de um tetragrama a fim de indicar a altura da primeira nota da próxima pauta; ÍNDEX **4** Barra de direção de bicicletas e outros veículos do mesmo tipo; GUIDOM [Pl.: *-ões, -ães.*] [F.: Do fr. antigo *guion.* Ideia de: *gui(d)-.*]

guiar (gui.*ar*) *v.* **1** Orientar(-se) [*td.*: *As estrelas guiavam os antigos viajantes.*] **2** Liderar, conduzir [*td.*: *O nativo guiou os viajantes durante a expedição.*] **3** Dirigir, conduzir (veículo) [*td.*: *Guiou o caminhão com bastante desembaraço.*] [*int.*: *Quem bebe não deve guiar.*] **4** Dar amparo a [*td.*: *O monge guiava os desamparados.*] **5** *Fig.* Aconselhar (alguém) a fazer uma escolha moral, profissional etc. [*tdr.* + *em, para, por*: *Meu pai guiou o sobrinho na escolha de sua profissão; Guiaram-no para o caminho do bem; Guiava-se pelo instinto, não pela razão.*] **6** Conduzir, levar (cavalos) [*td.*: *Guiava os animais.*] [*tda.*: *Guiou os animais ao pasto.*] **7** Dirigir-se [*ta.* + *para*: *Guiou rapidamente para a biblioteca.*] [▶ 1 guiar] [F.: Do lat. medv. * *guidare,* posv. do gótico *widan.* Hom./Par.: *guia* (fl.), *guia* (s2g. sf. e sm.); *guias* (fl.), *guias* (pl. do s2g., sf., sm.); *guiará* (fl.), *guiará* (sm.); *guiarás* (fl.), *guiarás* (pl. do sm.); *guiara* (fl.), *guiará* (sm.); *guiaras* (fl.), *guiarás* (pl. do sm.).]

guichê (gui.*chê*) *sm.* Abertura em porta, parede etc. que serve de atendimento ao público, e por onde são efetuados pagamentos, recebimentos, vendas etc.; POSTIGO [F.: Do fr. *guichet.*]

guidão (gui.*dão*) *sm.* Ver *guidom* [Pl.: *-dões.*]

guidom (gui.*dom*) *sm.* **1** Barra de direção, dotada de punhos, com a qual se dirigem veículos como bicicletas, motocicletas etc.; GUIÃO **2** *P.ext.* Conjunto de mecanismos que permite que o condutor de um veículo controle sua direção; DIREÇÃO; VOLANTE [Pl.: *-dons.*] [F.: Do fr. *guidon.* Tb. *guidão.*]

guieiro (gui:*ei*.ro) *a.* **1** Que guia ou vai na frente (cavalo guieiro) *sm.* **2** Aquele que vai na frente, que guia pessoas ou animais **3** *Cons.* Calha de um telhado por onde corre a água da chuva **4** *Cons.* Qualquer rego por onde corre a água **5** *Bras.* Carreiro (1) [F.: *gui(ar)* + *-eiro.* Ideia de: *gui(d)-.*]

guilda (*guil*.da) *sf.* Associação que em certos países europeus agrupou, a partir da Idade Média, indivíduos com interesses comuns (mercadores, artesãos, artistas) com o objetivo de proporcionar assistência e proteção a seus membros; HANSA [F.: Do fr. *guilde.*]

guilder (*guil*.der) *sm.* Unidade monetária e moeda da Holanda até a adesão deste país ao euro, em 2002 [F.: Do ing. *guilder.*]

Guilherme (gui.*lher*.me) (*ê*) *sm.* **1** Ferramenta de metal ou madeira usada por marceneiros e carpinteiros para aplainar ou fazer filetes de portas, junções de tábuas, entalhes e frisos de caixilhos; PLAINA; PLAINA-GUILHERME **2** Antiga moeda holandesa de ouro [F.: Do antrop. fr. *Guillaume.*]

guilhotina (gui.lho.*ti*.na) *sf.* **1** Instrumento com pesada lâmina triangular cortante própria para decapitar condenados à morte **2** Pena de morte por decapitação **3** *Tip.* Máquina us. para cortar papel, aparar livros, revistas etc. **4** Tipo de janela que se levanta e abaixa na posição vertical [F.: Do fr. *guillotine.*] ▪ **~ trilateral** *Art.gr.* Cortadora de papel munida de três lâminas dispostas em forma de U, que descem simultaneamente sobre pilha de livros ou revistas, aparando três lados ao mesmo tempo

guilhotinamento (gui.lho.ti.na.*men*.to) *sm.* Ação ou resultado de guilhotinar [F.: *guilhotina* + *-mento.*]

guilhotinar (gui.lho.ti.*nar*) *v. td.* **1** Decapitar com a guilhotina: *Guilhotinaram o condenado.* **2** Cortar (ger. papel) com instrumento especial [▶ 1 guilhotinar] [F.: *guilhotina* + *-ar*².]

guimba (*guim*.ba) *sf. Bras. Pop.* Resto de cigarro, charuto ou baseado depois de fumado; BAGANA [F.: Posv. de or. africana. Sin.: *bagana, beata, bigu, bituca, chica, goia, menor, piola, ponta, prisca, pucho, vinte, vintes, xepa.*]

guinada (gui.*na*.da) *sf.* **1** Ação ou resultado de guinar **2** Mudança repentina num movimento, esp. de veículo a motor: *Deu uma guinada no volante do carro.* **3** *Fig.* Mudança radical de comportamento, de atitude, de situação etc.; GUINA; VIRADA: *Foi para o exterior e deu uma guinada na vida.* 4 *Mar.* Desvio da proa, mudando o rumo do navio 5 Dor repentina e intensa; PONTADA 6 Salto que é dado por um equídeo para esquivar-se ao castigo do cavaleiro [F.: *guin(ar)* + *-ada.*]

guinar (gui.*nar*) *v.* 1 *Náut.* Mudar de rumo com o auxílio do remo [*tda.*: *Guinou o barco para a direita.*] 2 *P.ext.* Mudar de direção bruscamente; dar uma guinada [*tda.*: *Guinou o carro para a esquerda e continuou a correr.*] 3 Mudar, bruscamente ou não, de opinião, crença etc. [*tr.* + *para*: *O ex-comunista guinou para a direita.*] [▶ 1 guinar] [F.: De or. incerta. Hom./Par.: *guina* (fl.), *guina* (sf.); *guinas* (fl.), *guinas* (pl. do sf.).]

guincha (*guin*.cha) *sf.* *RS* A fêmea do cavalo, quando nova; POLDRA; POTRANCA; ÉGUA: "Ele só olhava-me para as ancas, os seios e para grossura dos lábios, era – mal comparando – como um pastor no faro de uma guincha." (Simões Lopes Neto, *Contos gauchescos e lendas do Sul*) [F.: De or. obsc.]

guinchado (guin.*cha*.do) *a.* 1 Submetido à ação de um guincho[2]; REBOCADO: *O carro foi guinchado.* *sm.* 2 Sucessão de guinchos[1] (1), gritaria aguda; GUINCHARIA: *No porão ouvia-se o guinchado dos ratos.* [F.: Part. de *guinchar.*]

guinchamento (guin.cha.*men*.to) *sm.* 1 Ação ou resultado de guinchar, de emitir guinchos[1] (1) 2 Ação ou resultado de puxar ou arrastar veículos com um guincho[2] (2) [F.: *guincha(r)* + *-mento.*]

guinchante (guin.*chan*.te) *a.* Que emite sons agudos, guinchos: *As rodas guinchantes do carro de bois.* [F.: *guinch(o)* + *-ante.*]

guinchar (guin.*char*) *v.* 1 Soltar guinchos (macaco, porco, seriema, gavião etc.); CHIAR [*int.*: *O porco guinchou ao ser atingido.*] 2 Produzir guincho(s) [*int.*: *A carroça guinchava por causa do peso.*] 3 Dar, soltar ou dizer ao modo de guincho(s) [*td.*: *Revoltado, saiu guinchando um ou dois palavrões, depois sumiu na multidão.*] [▶ 1 guinchar] [F.: *guincho*[1] + *-ar*[2].]

guincho[1] (*guin*.cho) *sm.* 1 Som agudo e estridente emitido por pessoas, animais ou coisas; CHIO 2 *Ornit.* Ver *águia-pescadora* 3 *Ornit.* Ver *andorinhão* 4 *Lus. Ornit.* Ver *chapalhete* [F.: De or. onom.]

guincho[2] (*guin*.cho) *sm.* 1 Guindaste pequeno 2 *Bras.* Veículo com guindaste próprio para rebocar carros; REBOQUE 3 *Cnav.* Máquina constituída por um ou dois tambores presos a um eixo horizontal, movida a vapor ou eletricidade, com a qual se alçam amarras, cabos etc. [Cf. *cabrestante.*] [F.: Do ing. *winch.*]

guinda (*guin*.da) *sf.* 1 Corda ou cabo usado para guindar (1) 2 *Mar.* Altura de um mastro, desde a linha de flutuação até o ponto mais alto [F.: *Dev. de guindar.*]

guindado (guin.*da*.do) *a.* 1 Que se guindou, que foi alçado 2 Promovido, elevado: *Em pouco tempo foi guindado ao mais alto cargo.* 3 Empolado, afetado, pretensioso: *Poeta de estilo guindado.* [F.: Part. de *guindar.*]

guindagem (guin.*da*.gem) *sf.* Ação ou resultado de guindar (1, 2), de levar para plano mais alto [F.: *guind(ar)* + *-agem*[1].]

guindar (guin.*dar*) *v.* 1 Levantar, erguer, elevar [*tda.*: *A grua guindou a câmera até o terraço.*] 2 *Fig.* Fazer assumir posição mais elevada [*tdr.* + *a*: *O talento guindou o gerente ao cargo de diretor.*] 3 *Fig.* Construir (frase) de maneira afetada, empolada [*td.*: *Guindar o estilo.*] [▶ 1 guindar] [F.: Do fr. *guinder.* Hom./Par.: *guinda* (fl.), *guinda* (sf.); *guindas* (fl.), *guindas* (pl. do sf.); *guindaste* (fl.). *guindaste* (sm.); *guindastes* (fl.), *guindastes* (pl. do sm.).]

guindaste (guin.*das*.te) *sm.* 1 Máquina us. para levantar e deslocar cargas pesadas; GRUA 2 *Tip.* Ver *elevador* (2) [F.: Do fr. *guindeau.*]

guiné[1] (gui.*né*) *sf.* *Bot.* Planta da família das fitoláceas (*Petiveria tetrandra*); ERVA-PIPI; TIPUANA; TIPUÃ [F.: Do top. *Guiné.*]

guiné[2] (gui.né) *sf.* *Zool.* Ver galinha-d'angola (*Numida meleagris*); CAPOTA [F.: Do top. *Guiné.*]

guineano (gui.ne:*a*.no) *a.* 1 Relativo ou pertencente à Guiné, país da África Ocidental *s2g.* 2 Natural ou habitante da Guiné; GUINÉU [Ver *guineense.* F.: Do top. *Guiné* + *-ano.*]

guineense (gui.ne.*en*.se) *s2g.* 1 Pessoa nascida ou que vive na Guiné-Bissau (África) *a2g.* 2 Da Guiné-Bissau; típico desse país ou de seu povo [F.: Do top. *Guiné* + *-ense.* Cf. *guineano.*]

guinéu (gui.*néu*) *sm.* 1 *Ant.* Antiga moeda inglesa, cunhada para o tráfico africano, que foi extinta em 1813 2 Moeda inglesa us. por muito tempo, para efeito de cálculo, na fixação de salários, de preços de obras de arte, de objetos luxuosos etc., e que equivalia a 21 xelins [F.: Do ing. *guinea.*]

guinéu-equatoriano (gui.néu-e.qua.to.ri:*a*.no) *a.* 1 Pertencente ou relativo à República da Guiné Equatorial, país africano da costa ocidental *sm.* 2 Natural ou habitante da República da Guiné Equatorial [Pl.: *guinéus-equatorianos.*]

guinhol (gui.*nhol*) *sm.* 1 *Teat.* Boneco sem fios, animado pelos dedos do operador 2 Teatro de fantoches surgido na França no século XVIII: "Ora, tais fatores, como são, por exemplo, na cidade o guinhol ou o circo..." (Aquilino Ribeiro, *Aldeia*) [F.: Do fr. *guignol.*]

guiraquereá (gui.ra.que.re.*á*) *sm.* *Bras. Ornit.* Ver *bacurau* (1)

guirlanda (guir.*lan*.da) *sf.* 1 Grinalda de noiva; coroa de flores entrelaçadas 2 Ramalhete feito com flores, frutas e ramagens entrelaçadas para efeito ornamental [F.: Do provç. *guirlanda.*]

guisa (*gui*.sa) *sf.* *P.us.* Maneira, modo [F.: Do germânico *wisa.*] ■ **À ~ de** 1 Ao modo de, à feição de: *Usava um sarrafo à guisa de régua.* 2 Na qualidade de; como equivalente ou substituto de; com a função de ou o aspecto de: *Narrou uma pequena história, à guisa de explicação.*

guisado (gui.*sa*.do) *Cul.* *sm.* 1 Refogado, ger. de carne, com molho bem temperado 2 *Lus.* Prato do tipo ensopado 3 *Bras.* *S* Picadinho feito com carne fresca ou salgada [F.: Part. de *guisar.*]

guisar (gui.*sar*) *v.* *td.* 1 Fazer com refogado; REFOGAR: *Guisar a carne.* 2 Fazer como um ensopado: *Guisou frango com legumes.* 3 Preparar: *Guisou o serviço rapidamente.* [1 guisar] [F.: *guisa* + *-ar*[2]. Hom./Par.: *guisa* (fl.), *guisa* (sf.), *guiza* (sf.); *guisas* (f.), *guisas* (pl. do sf.), *guizas* (pl. do sf.); *guiso* (fl.), *guizo* (sm.).]

guitarra (gui.*tar*.ra) *sf.* 1 *Mús.* Instrumento musical de cordas dedilháveis, com braço longo dividido por trastes e caixa de ressonância de fundo chato 2 *Mús.* Ver *violão* 3 *Lus. Mús.* Instrumento com seis pares de cordas, parecido com o bandolim 4 *SP Dnç. Mús.* Ver *meia-canha* 5 *Bras. Gír. Joc.* Prelo em que é feito papel-moeda falso 6 *Bras. Ict.* Ver *viola* [F.: Do ár. *kitâra*, do gr. *kithára*. Ideia de: *guitar-*.] ■ **~ elétrica** *Mús.* Instrumento semelhante ao violão, com caixa de ressonância menor e menos funda, e que é ligado a um amplificador de áudio **~ espanhola** *Bras.* Violão **~ havaiana** *Mús.* Designação que se dá ao violão quando é executado de modo a produzir portamento (ascensão contínua de uma nota até outra mais alta), por meio de uma haste de aço que se faz deslizar sobre as cordas **~ portuguesa** *Mús.* Instrumento menor que o violão e de forma semelhante à do bandolim, tradicionalmente usado para acompanhar os fados

guitarrear (gui.tar.re.*ar*) *v.* 1 Tocar guitarra [*int.*] 2 Cantar ao som da guitarra [*td.*] [13 guitarrear] [F.: *guitarra* + *-ear*[2].]

guitarrista (gui.tar.*ris*.ta) *s2g.* 1 *Mús.* Pessoa que toca guitarra ou ensina a tocar esse instrumento; GUITARREIRO 2 *Bras. Pop.* Pessoa que falsifica papel-moeda *a2g.* 3 *Mús.* Diz-se de quem toca ou ensina a tocar guitarra 4 *Bras. Pop.* Diz-se de que falsifica papel-moeda [F.: *guitarr(a)* + *-ista.* Ideia de: *guitar-*.]

guizo (*gui*.zo) *sm.* 1 Pequena esfera de metal com bolinhas em seu interior que, quando sacudida, produz um som tilintante [Serve ger. para prender ao pescoço de animais domésticos.] 2 *Fig.* Alegria barulhenta [F.: De or. obsc. Ideia de: *crotal(o)-*.]

gula (*gu*.la) *sf.* 1 Vício que consiste na ingestão exagerada de comidas e bebidas; GLUTONARIA 2 Forte apego a comidas saborosas; GULODICE; GULOSARIA; GULOSICE 3 *Fig.* Forte desejo; SOFREGUIDÃO 4 *Ant.* Garganta, goela 5 *Arq.* Moldura, na cornija ou cimalha, em parte côncava, em parte convexa; GOLA; TALÃO 6 *Carp.* Plaina manual com que se faz esse tipo de moldura [F.: Do lat. *gula.* Ideia de: *gul-*.]

⊕ **gulag** (*gulag*) *sm.* Campo de concentração onde ficavam presos e muitas vezes eram executados os dissidentes do regime, na antiga União Soviética [F.: Do rus. *gulag.*]

guleima (gu.*lei*.ma) *s2g.* Aquele que tem o vício da gula, a compulsão de comer; COMILÃO; GULOSO; ESGANADO; GLUTÃO [F.: *gul(a)* + *-eima.*]

gulodice (gu.lo.*di*.ce) *sf.* 1 Ver *gula* (2) 2 Comida muito gostosa, ger. ingerida fora das refeições; GULOSARIA; GULOSEIMA; GULOSICE; LAMBISCARIA; PAPARICOS: *Não almoçava bem, mas adorava gulodices.* [F.: Alter. de *gulosice.* Ideia de: *gul-*.]

guloseima (gu.lo.*sei*.ma) *sf.* Comida apetitosa e delicada, ger. doce, que se come mais por seu sabor do que por seu valor nutritivo; GULODICE [F.: *gulos(o)* + *-eima.* Ideia de: *gul-*.]

guloso (gu.*lo*.so) [ô] *a.* 1 Que se deixa dominar pela gula ou gosta muito de guloseimas; COMILÃO; GLUTÃO 2 Diz-se de quem é muito ambicioso; COBIÇOSO 3 *Turfe* Diz-se de cavalo de corrida com muita disposição para correr 4 Diz-se de algo que desperta gula (bolo guloso); APETITOSO; DELICIOSO *sm.* 5 Pessoa gulosa; GLUTÃO 6 Indivíduo ambicioso 7 *Turfe* Cavalo de corrida com muita disposição para correr [Pl.: [ó]. Fem.: [ó].] [F.: Do lat. *gulosus.* Ideia de: *gul-*.]

gume (*gu*.me) *sm.* 1 O lado afiado de um instrumento cortante; AÇO; CORTE; FIO; RELEIXO [Ant.: *cota.*] 2 *Fig.* Agudeza, penetração de espírito [F.: Do lat. *acumen.* Ideia de: *acumin(i/o)-*.]

gumífero (gu.*mí*.fe.ro) *a.* Que produz goma; GOMÍFERO [F.: Do lat. *gummiferum.* Ideia de: *gom-*.]

gundu (*gun*.du) *sm.* *Med.* Conjunto de excrescências ósseas que se desenvolvem sobre os ossos do nariz e sobre o maxilar superior, afecção que ocorre esp. nos negros da África ocidental [F.: prov. quimb. *ngundu.*]

gunga[1] (*gun*.ga) *sm.* *SP* O mesmo que *mandachuva* [F.: F. red. de *gunga-muxique.*]

gunga[2] (*gun*.ga) *Bras.* *sm.* *SP* Maioral, chefe, magnata; tb. *gunga-muquixe*

gunga[3] (*gun*.ga) *sm.* *Bras. Mús.* O mesmo que *berimbau* [F.: Do quimb. *ngunga.*]

gunga[4] (*gun*.ga3) *Bras.* *sf.* 1 Grande antílope (*Taurofragus oryx*) africano de pelagem castanha: "São as gungas! Assim grandes como as vês – e pesadas, maciças – são dos bichos mais inofensivos do mato." (Henrique Galvão, *Curica*) 2 *SP* Mesmo que *mandachuva* [F.: De or. obsc.]

gungo (*gun*.go) *sm.* Resmungo: "Fora-se gesticulando, aos gungos e guinchos..." (Guimarães Rosa, *Manuelzão e Miguilim*)

gupiara (gu.pi.*a*.ra) *Gar.* *sf.* 1 *Bras.* Depósito de diamantes no alto dos morros; GORGULHO 2 *Bras.* *CO* Depósito de cascalho em regiões elevadas, de onde se extrai ouro 3 *BA* Cascalho ralo pouco coberto por terra [F.: Do tupi *ku'ru* + *pi'ara.* Sin. ger.: *crupiara; grupiara; guapiara.*]

guri (gu.*ri*) *sm.* 1 *Bras.* Garoto, menino [Col.: *criançada, gurizada, gurizeiro, pequenada, petizada.*] 2 *Ict.* Designação comum a vários peixes da fam. dos ariídeos, os chamados bagres marinhos *Amaz. MA*; URI 3 *Bot.* Espécie de palmeira cujas folhas são usadas em obras trançadas (*Cocos rupestris*, Rodr.); tb. *guriri* [Fem.: *guria.*] [F.: Do tupi *gwi'ri.*]

guria (gu.*ri*.a) *sf.* 1 *Bras.* Menina 2 Garota, namorada [F.: Fem. de *guri.*]

guriatã (gu.ri:a.*tã*) *Ornit.* *s2g.* Ave passeriforme (*Tangara cayana*), de dorso negro-azulado, parte inferior amarela, mancha amarelada na fronte, frugívora e apreciada como ave de gaiola; gurinhatã; SAÍRA-AMARELA [F.: Do tupi *gwi'ra* + *atã.*]

gurita (gu.*ri*.ta) *sf.* 1 *Pop.* Guarita 2 *RS* Variedade de cerro que apresenta grutas e compartimentos em que se podem abrigar pessoas, encontrado na serra da Caçapava [F.: Alt. de *guarita.*]

gurizada (gu.ri.*za*.da) *sf.* 1 *Bras.* Grupo de guris, de crianças; CRIANÇADA *RS*; GURIZEIRO 2 Ação própria de guris; CRIANCICE [F.: *guri* + *-zada.*]

gurizote (gu.ri.*zo*.te) *sm.* *Bras.* Guri mais crescido, quase rapaz; rapazote [F.: *guri* + *-z-* + *-ote.*]

gurnir (gur.*nir*) *v.* 1 *RS* Trabalhar com afinco [*int.*: *Gurnia dia e noite para concluir o projeto.*] 2 Sofrer duramente, para resistir a dor ou para obter algo [*int.*: *O soldado ferido gurniu até lhe tirarem a bala do braço.*] 3 Padecer de dores ou de sofrimento [*td.*: *Gurnia a falta do marido.*] [41 gurnir] [F.: Posv. alt. de *gornir.* Hom./Par.: *gurnir, gornir* (em várias fl.).]

guru (gu.*ru*) *sm.* 1 Mestre ou chefe espiritual na Índia 2 *P.ext.* Guia, mentor ou líder carismático e influente *s2g.* 3 *Bras. Fig.* Mentor, conselheiro: *O mestre era o seu guru no caratê.* [F.: Do sânsc. *guru.*]

gurungumba (gu.run.*gum*.ba) *sf.* *MG* Terreno muito acidente, com aclives e declives abruptos, o mesmo que *ingurunga* e *gurunga* [F.: De or. obsc. Hom./Par.: *gurugumba* (s.f.).]

gurupema (gu.ru.*pe*.ma) [ê] *sf.* O mesmo que *urupema*

gurupés (gu.ru.*pés*) *sm2n.* *Mar.* Em veleiros, mastro que se inclina da ponta da proa para a frente [F.: De or. contrv. Hom./Par. *gurupés* (pl. de gurupé).]

gusa (*gu*.sa) *sf.* *Metal.* Ver *ferro-gusa* [F.: Do fr. *gueuse.*]

gusano (gu.*sa*.no) *sm.* *Bras. Zool.* Denominação comum aos moluscos bivalves da fam. dos teredinídeos, perfuradores de madeira, de corpo macio, alongado e cilíndrico [F.: Do cast. *gusano.*]

gustação (gus.ta.*ção*) *sf.* 1 Ato de provar alimento ou bebida que agrada ao paladar 2 *Fisl.* Percepção gustativa do sabor de alguma coisa; PALADAR [Pl.: *-ções.*] [F.: Do lat. *gustatio, onis.* Ideia de: *gost-*.]

gustativo (gus.ta.*ti*.vo) *a.* Ref. ao sentido do paladar: *Tinha queda para os prazeres gustativos.* [F.: Do lat. *gustat(us)* + *-ivo.* Ideia de: *gost-*.]

◎ **gut-** *el. comp.* = gota: *gutífero.* [F.: Do lat. *gutta.* Cf. *got(i)-*.]

guta (*gu*.ta) *sf.* 1 *Angios.* Planta da fam. das sapotáceas, o mesmo que *guta-percha* 2 Tipo de goma extraída das gutiferáceas [F.: do lat. cient. *gutta.*]

gutação (gu.ta.*ção*) *sf.* 1 *Bot.* Emissão de líquido pelas plantas, em gotas, através dos hidatódios 2 *Bot.* Perda de seiva da planta através de caule seccionado [F.: *gutta* (gota) + *-ção.*]

guta-percha (gu.ta-*per*.cha) [é] *sf.* 1 *Bot.* Tipo de látex que se extrai de certas árvores da fam. das sapotáceas, semelhante à borracha e à balata, us. como isolante elétrico, adesivo dentário etc.; GUTA; PERCHA 2 Essa goma [Pl.: *gutas-perchas, guta-perchas.*] [F.: Do ing. *gutta-percha.*]

gutífera (gu.*tí*.fe.ra) *sf.* *Bot.* Espécime das gutíferas; família de plantas dicotiledôneas, que reúne árvores, arbustos, cipós e ervas com seiva resinosa, nativas de regiões tropicais e temperadas, muitas do Brasil, e várias cultivadas como ornamentais, medicinais, para extração de madeiras, gomas e resinas ou pelos frutos comestíveis

gutífero (gu.*tí*.fe.ro) *a.* 1 *Poét.* Que faz cair gotas 2 Que produz guta ou que a contém 3 *Bot.* Ref. a gutíferas; GUTIFERÁCEO [F.: *gut-* + *-ífero.*]

◎ **gutur-** *el comp.* = garganta, goela: *gutural.* [F.: Do lat. *guttur, uris.*]

gutural (gu.tu.*ral*) *a2g.* 1 Ref. à garganta 2 Diz-se de som produzido ou alterado no interior da garganta (ronco gutural, voz gutural) [Ver tb. *glotal, uvular, velar.*] [Pl.: *-rais.*] [F.: *gutur-* + *-al.*]

guturalidade (gu.tu.ra.li.*da*.de) *sf.* Qualidade do que é gutural [F.: *gutural* + *-(i)dade.*]

guturalização (gu.tu.ra.li.za.*ção*) *sf.* Ação ou resultado de guturalizar; VELARIZAÇÃO [F.: *guturalizar* + *-ção.*]

guturalizar (gu.tu.ra.li.*zar*) *v.* *td.* 1 Emitir som com voz gutural 2 *Ling.* Pronunciar fonemas articulando inflexão gutural [1 guturalizar] [F.: *gutural* + *-izar.*]

⊕ **gutzeit** (*al.*) *sm.* *Quím.* Teste que mostra a presença do arsênico quando este reage com hidrogênio nascente ou com cloreto de mercúrio [F.: Do antr. Heinrich Wilhelm *Gutzeit.*]

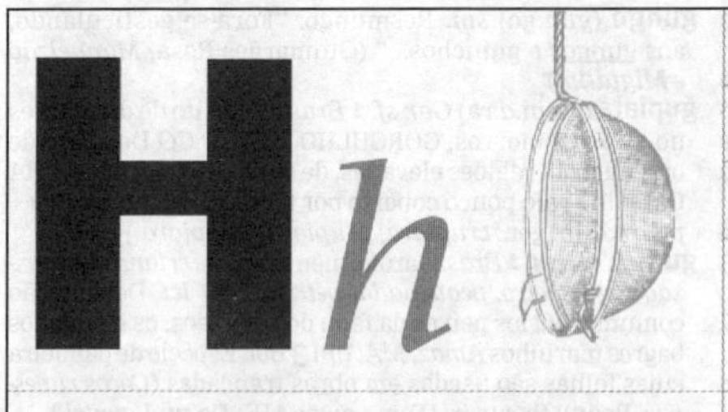

Muitos historiadores creem que esta letra surgiu com o hieroglifo egípcio que representava uma peneira. Mil anos depois, os sumérios usariam a mesma letra para designar um som gutural. Os fenícios chamavam-na *heth* (cerca) porque seu desenho assemelhava-se a essa forma. Por volta de 900 a.C., os gregos adotaram o *heth* e, como não pronunciavam a primeira parte do nome desta letra, simplesmesnte denominaram-na *êta*. Seu formato era muito semelhante ao do *h* moderno.

- Fenício
- Grego
- Grego
- Etrusco
- Romano
- Romano
- Minúscula carolina
- Maiúscula moderna
- Minúscula moderna

h[1] [agá] ***sm.*** **1** A oitava letra do alfabeto **2** A oitava consoante do alfabeto ***num.*** **3** O oitavo em uma série (poltrona H)
⊠ **h[2]** Abrev. de hora(s): *São 14h agora.*
⊠ **H[3]** *Quím.* Símb. de *hidrogênio*
⊠ **ha** Símb. de *hectare*
hã ***interj.*** **1** Expressa que não se ouviu ou não se compreendeu o que foi dito **2** Indica surpresa, admiração **3** Indica ainda que se compreendeu e/ou se aceita o que outra pessoa está dizendo **4** Exprime desdém, menosprezo: *Hã, duvido que ele tenha coragem.* [Nas acps. 3 e 4 tb. se usa a forma *hã-hã.*] [F.: Voc. onom.]
⊕ ***habanera*** (*Esp. /havanesa/*) ***sf.*** **1** *Mús.* Música de or. afro-cubana que teve grande difusão na Espanha e cujo ritmo influenciou formas musicais diversas na América Latina, como o tango, o maxixe etc. **2** *Dnç.* Dança que acompanha essa música [F.: Do espn. am. *habanera* < top. *Habana, Havana.*]
⊕ ***habeas corpus*** (*Lat. /hábeas córpus/*) ***loc.subst.*** **1** *Jur.* Recurso judicial solicitado aos tribunais por quem sofreu ou se acha ameaçado de sofrer violência ou constrangimento em sua liberdade de locomoção, por ilegalidade ou abuso de autoridade **2** Documento que faz cumprir esse recurso: *O juiz concedeu habeas corpus ao acusado.*
⊕ ***habeas data*** (*Lat./hábeas data/*) ***sm.*** *Jur.* Direito que assegura a qualquer cidadão o acesso a informações que, a respeito de sua própria pessoa, constam em registros de entidades governamentais ou público e tb. o direito de modificá-las caso as considere incorretas [A expressão foi calcada a partir de outra expressão latina: *habeas corpus.*] [F.: Do lat. *habeo, es, ui, iitum, ere.*]
hábil (*há*.bil) ***a2g.*** **1** Que tem habilidade, que faz muito bem alguma coisa; ÁGIL; CAPAZ; DESTRO [+ *em, para*: *Artesão hábil em marcenaria; Ela tem mãos hábeis para bordar.*] **2** Suficiente (tempo hábil); que atende às exigências **3** Astucioso, esperto, manhoso, sagaz: *O hábil deputado convencia todos com seus discursos inflamados.* [+ *com*: *hábil com as palavras.*] **4** Dotado de rapidez **5** *Jur.* Que tem a capacidade jurídica para intervir pessoalmente em todos ou em alguns atos ou contratos [Pl.: *-beis.*] [F.: Do lat. *habil(e).* Ant.: *Inábil.*]
habilidade (ha.bi.li.*da*.de) ***sf.*** **1** Qualidade de quem é hábil; capacidade de fazer alguma coisa bem: *Ele tem habilidade para qualquer coisa;* "Para logo se assinalou pela atividade e habilidade na faina do trabalho rural" (Rui Barbosa, *Cartas de Inglaterra*) **2** *Fig.* Capacidade de dizer ou fazer algo sem melindrar ou ofender alguém (esp. suscetível a se sentir ofendido) ou capacidade para contornar alguma situação embaraçosa ou constrangedora: *Conseguiu, graças a sua habilidade, esfriar os ânimos e apaziguar o ambiente.* [F.: Do lat. *habilitas, atis.*]
habilidades (ha.bi.li.*da*.des) ***sfpl.*** Em ginástica, exercícios de destreza e agilidade [F.: Pl. de *habilidade.*]
habilidoso (ha.bi.li.*do*.so) [ô] ***a.*** **1** Que tem habilidade; hábil **2** Que revela capacidade ou destreza; JEITOSO [Pl.: [ó.] Fem.: [ó.]] [F.: *habilidade* + *-oso.* Ant.: *Inabilidoso.*]
habilitação (ha.bi.li.ta.*ção*) ***sf.*** **1** Ação e efeito de habilitar ou habilitar-se **2** Capacidade de realizar uma tarefa ou desempenhar uma profissão [+ *para*: *habilitação para o exercício do magistério.*] **3** Documento que comprova essa capacidade **4** Permissão para dirigir; carteira de motorista **5** *Jur.* Formalidade jurídica necessária para gozar de um direito ou comprovar capacidade legal [Pl.: *-ções.*] [F.: *habilitar* + *-ção.*]
habilitações (ha.bi.li.ta.*ções*) ***sfpl.*** **1** Conjunto de saberes e qualidades que habilitam alguém a exercer uma função; QUALIFICAÇÕES **2** Documentos, títulos ou diplomas que comprovam esses saberes ou qualidades
habilitado (ha.bi.li.*ta*.do) ***a.*** **1** Que tem habilitação ou habilitações [+ *em*: *É habilitado em letras clássicas.*] **2** Que é apto, competente [+ *para*: *Pessoa habilitada para a função.*] **3** Que foi aprovado em concurso público ***sm.*** **4** *PR MT* Empreiteiro de produção de erva-mate [F.: Part. de *habilitar.*]
habilitador (ha.bi.li.ta.*dor*) [ô] ***a.*** **1** Que habilita, que torna hábil ***sm.*** **2** Aquele que habilita [F.: *habilitado* + *-or.* Ant. ger.: *inabilitador.*]
habilitante (ha.bi.li.*tan*.te) ***a2g.*** **1** *Jur.* Diz-se de quem recorre à habilitação judicial ***s2g.*** **2** *Jur.* Indivíduo que solicita habilitação judicial [F.: *habilitar* + *-nte.*]
habilitar (ha.bi.li.*tar*) ***v.*** **1** Tornar(-se) apto, capaz; preparar(-se), munir(-se) de conhecimento ou experiência [*tdr.* + *a, para*: *O curso que frequentou habilitou-o para falar inglês; Os ensinamentos do tio habilitaram-no a lidar com subalternos; Habilitou-se para lecionar.*] **2** *P.ext.* Adquirir habilitação para determinada prática ou para certo exercício [*tdr.* + *em, para, a*: "Para habilitar-se nas categorias D e E ou para conduzir veículo de transporte coletivo de passageiros..." (*Art. 145 do Código de Trânsito Brasileiro*).] **3** Justificar a habilitação de (outrem ou a própria) com documentos [*tdp.*: *O juiz habilitou o reclamante herdeiro da fortuna do tio.*] [*td.*: *O advogado deverá habilitar o seu cliente dentro do prazo legal.*] **4** *Restr.* Pretender, reivindicar (algo a que se tenha direito) [*tr.* + *a*: "Podem habilitar-se à pensão as pessoas que, nos termos da lei, sejam consideradas herdeiras hábeis" (site da Caixa Geral de Aposentações, *Pensão de sobrevivência*).] **5** *Restr.* Requerer o direito de (algo que se acredita capacitado a fazer) pelos meios legais [*tr.* + *a*: *O primeiro passo para habilitar-se à adoção de uma criança.*] **6** Dispor-se a fazer algo (ger. em benefício de alguém) [*tr.* + *a*: *Habilitou-se a ajudar o cunhado com a obra.*] **7** *Bras. Inf.* Ativar (um dispositivo, uma senha, um aparelho com chip etc.) ou liberar o seu uso [*td.*: *Primeiro comprou o celular, depois ficou horas esperando na loja para que o habilitassem.*] [▶ 1 habilitar] [F.: Do lat. *habilitare.*]
⊕ ***habillé*** (*Fr./habiê/*) ***a.*** **1** Diz-se de traje elegante, luxuoso, para acontecimento social que exige formalidade (traje habillé) **2** Que pede esse modo de trajar (reunião habillé) [Fem.: *habillée.*]
habitabilidade (ha.bi.ta.bi.li.*da*.de) ***sf.*** Condição, estado ou qualidade de habitável [F.: *habitável* + *-idade.*]
habitação (ha.bi.ta.*ção*) ***sf.*** **1** Ato ou efeito de habitar **2** Lugar que se habita; MORADIA; VIVENDA **3** *Jur.* Direito real que tem uma pessoa e sua família de ocupar um imóvel [Pl.: *-ções.*] [F.: *habitar* + *-ção.*]
habitacional (ha.bi.ta.ci:o.*nal*) ***a2g.*** Que diz respeito a habitação [Pl.: *-nais.*] [F.: Do lat. *habitatio, onis.*]
habitáculo (ha.bi.*tá*.cu.lo) ***sm.*** **1** Habitação pequena, morada modesta e acanhada **2** Espaço destinado aos ocupantes, ger. de um veículo [F.: Do lat. *habitaculu(m).*]
habitado (ha.bi.*ta*.do) ***a.*** Que se habita; em que há habitante(s); OCUPADO; POVOADO: *Condomínio recentemente habitado.* [Ant.: *desabitado, despovoado.*] [F.: Do lat. *habitatus, a, um.*]
habitador (ha.bi.ta.*dor*) [ô] ***a.*** *P.us.* Ver *habitante* [F.: Do lat. *habitator, oris.*]
habitante (ha.bi.*tan*.te) ***a2g.s2g.*** Quem ou o que habita, mora ou reside em algum lugar; RESIDENTE; MORADOR [+ *de*: *habitante do planeta terra*] [F.: Do lat. *habitante(m).*]
habitar (ha.bi.*tar*) ***v.*** **1** Ocupar como moradia; ter moradia, viver (em algum lugar); RESIDIR [*td.*: *Habitava um pequeno sítio.*] [*ta.*: *Não gostava de habitar naquele bairro.*] **2** Ocupar como habitante; POVOAR [*td.*: *Os índios habitavam o litoral brasileiro.*] **3** *Fig.* Estar vivo em; estar presente [*td.*: *Esse sentimento sempre habitou meu coração.*] [*ta.*: *Esse sentimento sempre habitou em meu coração.*] [*td.*: *A melancolia habita o peito do velho seresteiro.*] [▶ 1 habitar] [F.: Do lat. *habitare.* Hom./Par.: *habita* (fl.), *abita* (sf.); *habitas* (fl.), *abitas* (pl. do sf.); *habito* (fl.), *abito* (sm.), *hábito* (sm.).]
⊕ ***habitat*** (*Lat. /ábitat/*) Ver *hábitat* [F.: Ideia de 'habitat', usar antepos. *ec(o)-.*]
hábitat (*há*.bi.tat) ***sm.*** **1** *Ecol.* Localidade ou circunscrição própria a cada ser organizado, em que ele vive e cresce naturalmente **2** Lugar em que vive habitualmente uma espécie animal ou vegetal: *O hábitat das onças é a floresta.* **3** Forma como os seres humanos se agrupam em determinado meio (hábitat urbano/rural) **4** *Fig.* Lugar em que a pessoa se sente bem: *Sem dinheiro para comprá-los, o amante dos livros fez das bibliotecas seu hábitat.* [Pl.: *-tats.*] [F.: Do lat. *habitat.* A edição do Vocabulário Ortográfico da ABL posterior ao Acordo Ortográfico de 1990 registra apenas a forma latina *habitat.*]
habitável (ha.bi.*tá*.vel) ***a2g.*** Que se pode habitar; próprio para a habitação (local habitável) [F.: Do lat. *habitabile(m)*; Hom./Par.: *habitáveis (pl.)*, *habitáveis* (flex. de *habitar*).]
habite-se (ha.*bi*.te.-se) ***sm2n.*** Documento emitido pela prefeitura que autoriza a ocupação de casa, edifício etc. recém-construído ou que sofreu obra [F.: Substv. da 3ª pess. do pres. subj. do v. *habitar* + *se* (pron.).]
hábito (*há*.bi.to) ***sm.*** **1** Ato que se repete regularmente: *Tem o hábito de levantar cedo.* **2** Uso, costume: *No Ceará, é hábito dormir na rede.* **3** *Vest.* Vestuário us. por alguns tipos de religiosos **4** *Biol.* O conjunto das características físicas de um organismo, sua aparência [F.: Do lat. *habitu(m).*] ■ **De ~** Habitualmente **Deixar o ~** Abandonar a vida religiosa; deixar de ser padre ou sacerdote **Lançar o ~ às ervas** V. *Deixar o hábito*
habituação (ha.bi.tu:a.*ção*) ***sf.*** Ação ou resultado de habituar-se [Ant.: *desabituação.*] [Pl.: *-ções.*] [F.: *habituar* + *-ção.*]
habituado (ha.bi.tu:*a*.do) ***a.*** **1** Que se habituou: *Ele está habituado com a bebida.* ***sm.*** **2** Indivíduo que é frequentador assíduo de um determinado lugar: *Lá estavam os habituados da praia.* [F.: Part. de *habituar.* Ant. ger.: *desabituado.*]
habitual (ha.bi.tu.*al*) ***a2g.*** **1** Que se tornou hábito **2** Que se faz ou sucede por hábito **3** Que acontece regularmente (caminhada habitual) **4** Corrente, frequente, usual [Pl.: + *ais.*] [F.: lat.medv. *habitualis.*]
habitualidade (ha.bi.tu:a.li.*da*.de) ***sf.*** *Bras.* Ver *habitualismo* [F.: *habitual* + *-i-* + *-dade.*]
habitualismo (ha.bi.tu:a.*lis*.mo) ***sm.*** Qualidade do que é habitual; HABITUALIDADE [F.: *habitual* + *-ismo.*]
habituar (ha.bi.tu.*ar*) ***v.*** Fazer adquirir ou adquirir hábito; ACOSTUMAR; COSTUMAR; FAMILIARIZAR [*tdr.* + *a*: *Habituou o filho a estudar todos os dias.*] [*tr.* + *a*: *Habituou-se desde cedo a comer fibras.*] [▶ 1 habituar] [F.: Do lat. medv. *habituare.*]
habitudinário (ha.bi.tu.di.*ná*.ri:o) ***a.*** **1** Que conserva os mesmos costumes, os mesmos hábitos, e sempre recai nos mesmos erros ***sm.*** **2** Indivíduo que conserva os mesmos costumes, que recai nos mesmos erros [F.: *habitudin-* + *-ário.* Sin. ger.: *incorrigível.*]
⊕ ***habitué*** (*Fr. /abituê/*) ***sm.*** Indivíduo que tem por hábito frequentar os mesmos lugares; frequentador assíduo de um lugar: *Era um habitué do Teatro Municipal.* [Fem.: *habituée.*]
⊕ ***habitus*** (*Lat./abitus/*) ***sm2n.*** **1** *Med.* Conjunto das características físicas de uma pessoa, esp. as que indicam se ela tem saúde ou não **2** *Antr.* Modo de ser de uma pessoa em relação ao grupo social a que pertence ou frequenta (atitudes, modo de vestir, gostos etc.) [F.: Do lat. *habitus, us.*]
◎ ***habro- el. comp.*** = 'delicado', 'gracioso'; 'jovial'; 'jovialidade': *habromania* [F.: Do gr. *habrós, á, ón,* 'tenro'; 'delicado', 'gracioso'.]
habromania (ha.bro.ma.*ni*:a) ***sf.*** *Psiq.* Disfunção mental que tem como característica o excesso de alegria e jovialidade [F.: *habro-* + *-mania.*]
habromaníaco (ha.bro.ma.*ní*:a.co) *Psiq.* ***a.*** **1** Ref. a habromania **2** Diz-se de indivíduo que tem habromania; HABRÔMANO ***sm.*** **3** Esse indivíduo; HABRÔMANO [F.: *habroman(ia)* + *-íaco.*]
hacaneia (ha.ca.*nei*:a) ***sf.*** Cavalo de tamanho médio, manso e de trote gracioso, us. como montaria esp. por mulheres ou atrelado a charretes; FACANEIA [F.: Do fr. *haquenée.*]
⊕ ***haCek*** (*Tch./hatjek/*) ***sm.*** Diacrítico que tem a forma de um acento circunflexo invertido, us. na grafia latina do idioma tcheco [F.: Do tch.: *hátxek.*]
hachura (ha.*chu*.ra) ***sf.*** **1** *Art.pl.* Conjunto de pequenos traços empregados em desenho e gravura para sombrear e indicar diferenças de superfície **2** *Art.gr.* Traços cruzados ou paralelos que cobrem a superfície do papel para certos trabalhos gráficos **3** *Topog.* Traços convencionais para representar os desníveis e acidentes do terreno [F.: Do fr. *hachure.*]
hachurado (ha.chu.*ra*.do) ***a.*** *Art.pl. Tip.* Que tem hachuras (textura hachurada) [F.: Part. de *hachurar.*]
hachurar (ha.chu.*rar*) ***v. td.*** Fazer hachuras (em desenho, gravura etc.) ou produzir mecanicamente o seu efeito: *Hachurar a madeira.* [▶ 1 hachurar] [F.: Do fr. *hachurer,* posv.]
⊕ ***hacker*** (*Ing. /réquer/*) ***s2g.*** *Inf.* especialista em programas e sistemas de computador que, por conexão remota, invade outros sistemas computacionais, normalmente com objetivos ilícitos [Algumas empresas contratam *hackers* para trabalhar na área de segurança.] [Cf. *cracker.*]
⊕ ***haddock*** (*Ing./hédek/*) ***sm.*** *Ict.* Ver *hadoque*
⊕ ***hadith*** (*Ár. /radít/*) ***sm.*** Documento que registra as palavras e atos de Maomé e que serve de complemento ao Alcorão
hadji ***sm.*** Muçulmano que faz peregrinação a Meca [F.: Do ár. *hadjdj.*]
hadoque (ha.*do*.que) ***sm.*** *Zool.* Peixe da fam. dos gadídeos (*Melanogrammus aeglefinus*) semelhante ao bacalhau, apresenta uma linha lateral preta e uma mancha escura atrás das brânquias, encontrado no Atlântico Norte [F.: Do ing. *haddock.*]
hádron (*há*.dron) ***sm.*** *Fís.* Nome comum que se dá às partículas elementares que sofrem interações fortes na relação que mantêm entre si [Pl.: *hádrons, hadrones.*] [F.: *hadr(o)-* + *-on.*]

hafalgesia (ha.fal.ge.*si*:a) *sf. Derm.* Sensação tátil dolorosa provocada pelo contato com objetos ou substâncias não irritantes e tb. em razão de um simples e leve toque na pele [F.: *haf(e)-* + *-algesia*; termo criado pelo médico francês Alberto Pitres (1848-1928).]

hafalgésico (ha.fal.*gé*.si.co) *Derm. a.* **1** Ref. a hafalgesia **2** Diz-se de indivíduo que sofre de hafalgesia *sm.* **3** Esse indivíduo [F.: *hafalgesia* + *-ico*².]

◎ **haf(e)-** *el. comp.* = 'tato': *hafalgesia, hafefobia, haféfobo* [F.: Do gr. *haphé, ês.*]

hafefobia (ha.fe.fo.*bi*:a) *sf. Psiq.* Pavor mórbido de ser tocado ou segurado [F.: *haf(e)-* + *-fobia.*]

hafefóbico (ha.fe.*fó*.bi.co) *Psiq. a.* **1** Ref. à hafefobia **2** Diz-se de indivíduo que sofre de hafefobia; HAFÉFOBO *sm.* **3** Esse indivíduo; HAFÉFOBO [F.: *hafefobia* + *-ico*².]

haféfobo (ha.*fé*.fo.bo) *a. sm. Psiq.* O mesmo que *hafefóbico* (2 e 3) [F.: *haf(e)-* + *-fobo.*]

⊕ ***hagadah*** (*Hebr.*) *Rel. sf.* Ver *agadah*

◎ **hagi(o)-** *el. comp.* = 'santo'; 'sagrado': *hagiografia, hagiógrafo* (< lat.), *hagiólatra, hagiolatria, hagiomaquia, hagiônimo* [F.: Do gr. *hágios, a, on.*]

hagiografia (ha.gi:o.gra.*fi*.a) *Rel. sf.* **1** Relato ou biografia da vida de um santo **2** Estudo sobre esse relato ou biografia [F.: *hagi(o)-* + *-grafia.*]

hagiográfico (ha.gi:o.*grá*.fi.co) *a. Rel.* Ref. a hagiografia (estudos hagiográficos; textos hagiográficos) [F.: *hagiografia* + *-ico*².]

hagiógrafo (ha.gi.*ó*.gra.fo) *a.* **1** Diz-se dos livros do Antigo Testamento não encontrados no Pentateuco e nos Profetas **2** Referente a ou a quem escreveu um desses livros *sm.* **3** Aquele que escreve a história dos santos [F.: Do lat. tard. *hagiographus, i.*]

hagiólatra (ha.gi.*ó*.la.tra) *s2g. Rel.* Indivíduo que pratica a hagiolatria [F.: *hagi(o)-* + *-latra.*]

hagiolatria (ha.gi:o.la.*tri*:a) *sf. Rel.* Adoração que se devota aos santos [F.: *hagi(o)-* + *-latria.*]

hagiologia (ha.gi:o.lo.*gi*.a) *sf.* **1** *Rel.* Obra sobre santos ou coisas santas **2** Discurso sobre santos [F.: *hagi(o)-* + *-logia.*]

hagiológico (ha.gi:o.*ló*.gi.co) *a. Rel.* Ref. à hagiologia [F.: *hagiologia* + *-ico*².]

hagiológio (ha.gi:o.*ló*.gi:o) *sm.* **1** Livro sobre a vida dos santos **2** Catálogo ou relação de santos [F.: *hagi(o)-* + *-lógio.*]

hagiomaquia (ha.gi:o.ma.*qui*:a) *sf.* Doutrina que contesta a existência dos santos [F.: *hagi(o)-* + *-maquia.*]

hagiomáquico (ha.gi:o.*má*.qui.co) *a.* Ref. à hagiomaquia [F.: *hagiomaquia* + *-ico*².]

hagiônimo (ha.gi.*ô*.ni.mo) *sm. Ling.* O mesmo que *hierônimo* [F.: *hagi(o)-* + *-ônimo.*]

hahnemaniano (hah.ne.ma.ni:*a*.no) *a.* **1** *Med.* Relativo a Christian Friedrich Samuel Hahnemann (1755-1843), médico alemão criador da homeopatia **2** Relativo à homeopatia **3** Diz-se de médico homeopata ou de adepto da homeopatia *sm.* **4** *Med.* Médico ou adepto da homeopatia [F.: Do antr. C.F.S. *Hahnemann.*]

haicai (hai.*cai*) *sm. Poét.* Pequeno poema japonês constituído por três versos de cinco, sete e cinco sílabas, criado durante o último período feudal (séc. XVI), e cultivado até hoje: "O ideograma de kawa, 'rio', em japonês, pictograma de um fluxo de água corrente, sempre me pareceu representar (na vertical) o esquema do haikai, o sangue dos três versos escorrendo na parede da página." (Paulo Leminski, *Distraídos Venceremos*) [F.: Do jap. *haikai.*]

haitiano (ha:i.ti:*a*.no) *a.* **1** Do Haiti (América Central); típico desse país ou de seu povo *sm.* **2** Pessoa nascida ou que vive no Haiti [F.: Do top. *Haiti* + *-ano.*]

halibute (ha.li.*bu*.te) *sm. Ict.* Nome comum que se dá aos peixes teleósteos, gên. *Hippoglossus*, da fam. dos pleuronectídeos, de grande valor comercial e considerado o maior dos linguados, podendo pesar até cerca de 250 kg [É encontrado nos oceanos Atlântico e Pacífico.] [F.: Do ing. *halibut.*]

haliêutica (ha.li:*êu*.ti.ca) *sf.* Arte, habilidade para a pesca: "Faltando o peixe, o pessoal avança nos jabutis, que estão ao alcance de todos e para serem apanhados não exigem conhecimentos especiais de cinegética ou haliêutica." (Gastão Cruls, *Amazônia que eu vi*) [F.: Do gr. *halieutiké.*]

haliêutico (ha.li:*êu*.ti.co) *a.* Ref. a haliêutica [F.: Do gr. *halieutikós, é, ón.*]

◎ **hal(i/o)-** *el. comp.* = sal, pesca: halogênio [F.: Do grego *háls, halós.*]

hálito (*há*.li.to) *sm.* **1** Ar expirado **2** Cheiro que vem da boca, quando se fala ou expira; BAFO **3** *Fig.* Brisa, sopro: "...gelam-me os hálitos de sua alma." (João Guimarães Rosa, *Estas histórias*) **4** *Poét.* Aragem, viração, zéfiro: "(...) lhe repugna, ele que pouco a cultiva/ o hálito sexual da terra sob o arado." (João Cabral de Melo Neto, *Nas covas de guadix*) [F.: Do lat. *halitu(m).*]

halitose (ha.li.*to*.se) *sf. Med.* Cheiro anormal na boca, mau hálito; CACOSTOMIA [F.: *hálito* + *-ose*¹.]

⊕ ***hall*** (*Ing. /ról/*) *sm.* **1** Sala ampla situada na entrada de um prédio (hall do hotel); ÁTRIO; SAGUÃO **2** Saleta contígua à porta de entrada (hall do elevador)

⊕ ***halloween*** (*Ing. /relouín/*) *sm.* Festa de origem norte-americana, realizada no dia 31 de outubro, em que as pessoas se fantasiam de bruxas, vampiros, fantasmas, monstros e afins [O halloween é a celebração do dia de todos os santos, oficialmente o 31 de outubro. Entretanto, na prática a festa é realizada no fim de semana mais próxima dessa data.]

halo (*ha*.lo) *sm.* **1** Círculo de luz que, por efeito de refração, contorna um corpo luminoso: *O halo da lua.* **2** Contorno luminoso de cabeça ou corpo de imagem sagrada [F.: Do gr. *hálos.*]

haloclastia (ha.lo.clas.*ti*:a) *sf. Geol.* Fragmentação de rochas que se caracteriza pela cristalização e estufamento dos sais [F.: *hal(o)-* + *-clastia.*]

halófilo (ha.*ló*.fi.lo) *a. Ecol.* Diz-se de organismo que vive em ambientes ricos em sal [F.: *hal(i/o)-* + *-filo.* Hom./Par.: *alofilo* (a.sm.).]

halófito (ha.*ló*.fi.to) *sm.* **1** *Angios.* Nome que designa as ervas do gên. *Halophytum*, da fam. das halofitáceas **2** *Bot.* Vegetal que vive em solos ricos em sais de cálcio e sódio **3** *Bot.* Vegetal que vive em regiões do litoral [F.: Do lat. cient. gên. *Halophytum.*]

halogenado (ha.lo.ge.*na*.do) *a. Quím.* Que foi tratado ou combinado com halogênio [F.: Part. de *halogenar.*]

halogênio (ha.lo.*gê*.ni:o) *sm. a.* **1** *Quím.* Qualificação que se dá aos elementos químicos flúor, cloro, bromo e iodo **2** Diz-se dos sais produzidos pela combinação desses elementos com um metal

halógeno (ha.*ló*.ge.no) *a.* **1** *Quím.* Diz-se de elemento halógeno *sm.* **2** *Quím.* Ver *halogênio* [F.: *hal(o)-* + *-geno.* Hom./Par.: *alógeno* (a. sm.).]

halografia (ha.lo.gra.*fi*:a) *sf. Quím.* Tratado dos sais [F.: *hal(i/o)-* + *-grafia.*]

halográfico (ha.lo.*grá*.fi.co) *a. Quím.* Relativo à halografia ou a halógrafo [F.: *halógrafo* + *-ico.*]

haloide (ha.*loi*.de) *a2g.* **1** *Quím.* Que contém halogênios *sm.* **2** *Quím.* Sal em que se encontra(m) halogênio(s) [F.: *hal(o)-* + *-oide.*]

halomancia (ha.lo.man.*ci*:a) *sf. Oct.* Suposta arte de adivinhar através do uso de sal [F.: *hal(i/o)-* + *-mancia.*]

halomântico (ha.lo.*mân*.ti.co) *a. Oct.* Relativo à halomancia ou a halomante [F.: *halomante* + *-ico.*]

haloperidol (ha.lo.pe.ri.*dol*) *sm. Quím.* Substância cristalina us. como medicamento psiquiátrico, esp. no tratamento de alucinações e da esquizofrenia [Fórm.: $C_{21}H_{23}ClFNO_2$]

halotecnia (ha.lo.tec.*ni*:a) *sf. Quím.* Elaboração e preparação dos sais [F.: *hal(i/o)-* + *-tecnia.*]

halotécnico (ha.lo.*téc*.ni.co) *a. Quím.* Relativo à halotecnia [F.: *halotecnia* + *-ico.*]

halter (hal.*ter*) *sm.* Ver *haltere*

haltere (hal.*te*.re) *sm. Esp.* Instrumento para levantamento de peso formado por dois discos, ou duas esferas de metal, unidos por uma barra; PESO [No jargão dos fisiculturistas usa-se o plural halteres tb. para indicar o singular: use um halteres mais leve.] [F.: Do gr. *haltéres.* Tb. *halter.*]

halterofilia (hal.te.ro.fi.*li*.a) *sf.* O mesmo que *halterofilismo* (1)

halterofilismo (hal.te.ro.fi.*lis*.mo) *sm.* **1** *Esp.* A prática e o gosto pela ginástica por levantamento de pesos ou halteres **2** *Esp.* O esporte de levantamento de pesos, em diferentes tipos de movimento [F.: *halter(e)* + *filo-* + *-ismo.* Tb. *halterofilia* (acp. 1).]

halterofilista (hal.te.ro.fi.*lis*.ta) *s2g.* **1** Quem pratica o halterofilismo *a2g.* **2** Ref. a halterofilismo [F.: *halterofilia* + *-ista.*]

hálux (*há*.lux) [cs] *sm2n.* **1** *Anat.* O maior dedo do pé **2** *Anat. Zool.* O primeiro dedo da pata traseira dos animais [F.: Do lat. *hallus ou allus, i.*]

⊕ ***halvah*** (*Rom.*) *sf. Cul.* Massa doce preparada com farinha, sementes de gergelim moídas e mel, a que se acrescentam pedaços de frutas e outros ingredientes [F.: Do *iídiche* (romeno) *halva* < tur. *helva* < ár. *halwa.*]

hamadríade (ha.ma.*drí*:a.de) *sf.* **1** *Mit.* Ninfa das florestas e dos bosques, que nascia e morria com a árvore de que cuidava e da qual considerava-se prisioneira; HAMÁDRIA; HAMADRÍADE [Nesta acp., com inicial ger. maiúsc.] **2** *Bot.* Qualquer tipo de planta que florescia na região das hamadríades (uma das cinco regiões geográficas da flora brasileira, segundo classificação do botânico alemão Carl Friedrich Philipp von Martius (1794-1868) **3** *Herp.* Ver cobra-real (*Ophiophagus hannah*) [F.: Do lat. *hamadryas, adis.*]

hamamélis (ha.ma.*mé*.lis) *sf2n.* **1** *Angios.* Plantas do gên. *Hamamelis*, da fam. das hamamelidáceas, muito us. pela antiga medicina **2** *Bot.* Qualquer espécie desse gênero [O Vocabulário Ortográfico da Língua Portuguesa prefere a forma *hamamélide* para esta pal.] [F.: Do lat. cient. gên. *Hamamelis.*]

◎ **hamart(o)-** *el. comp.* = erro, defeito, pecado: *hamartofobia, hamartoma* etc. [F.: Do gr. *hamartía,as.*]

hamartoma (ha.mar.*to*.ma) *sm. Med.* Tumor produzido por proliferação desordenada de células ou de tecidos próprios do órgão em que aparece [F.: *hamart-* + *-oma.*]

hambúrguer (ham.*búr*.guer) *sm.* **1** *Cul.* Aglomerado de carne moída, de forma arredondada, fritado como se fosse um bife e colocado dentro de um pão do mesmo formato; bife à alemã **2** *P.ext.* O sanduíche que contém esse aglomerado de carne [Pl.: *-gueres.*] [F.: Do ing. *hamburguer.*]

hambúrguer (ham.*búr*.guer) *sm.* **1** Sanduíche de bife de carne moída redondo servido em pão no mesmo formato **2** Esse bife [Pl.: *-eres.*] [F.: Do ing. *hamburger.*]

hamburguês (ham.bur.*guês*) *sm.* **1** Pessoa nascida ou que vive em Hamburgo, cidade da Alemanha *a.* **2** De Hamburgo: típico dessa cidade ou de seu povo [Pl.: *-gueses.* Fem.: *-guesa.*] [F.: Do top. *Hamburgo* + *-ês.*]

hamletiano (ham.le.ti:*a*.no) *a.* **1** *Liter.* Relativo a Hamlet, personagem da peça homônima do poeta e dramaturgo inglês William Shakespeare (1564-1616) **2** *P.ext.* Diz-se de quem, dominado por dúvidas e indecisões, não sabe ao certo de que maneira agir, a exemplo do célebre personagem criado por Shakespeare [F.: Do personagem Hamlet, da peça teatral *Hamlet*, de William Shakespeare.]

⊕ ***hamster*** (*Ing. /rémster/*) *Zool. sm.* **1** Denominação comum a diversas spp. de pequenos mamíferos roedores da fam. dos murídeos, com bolsas nas bochechas, cauda curta, encontrados na Ásia e África **2** Nome comum de uma espécie de roedor (*Misocricetus auratus*) nativo da Síria e criado no mundo todo como cobaia ou animal de estimação

⊕ ***hamus*** (*Ár. /rúmus/*) *sm2n. Cul.* Comida árabe feita de pasta de grão-de-bico

handebol (han.de.*bol*) *sm. Esp.* Jogo em que duas equipes de sete jogadores têm como objetivo marcar gols no time adversário, usando apenas as mãos para conduzir, passar e arremessar [O goleiro é o único jogador a quem é permitido usar os pés.] [F.: Do ing. *handball.*]

⊕ ***handicap*** (*Ing. /rendiquép/*) *sm.* **1** *Turfe* Corrida em que cavalos de diferentes classes recebem peso proporcional às suas qualidades, a fim de igualar-lhes as possibilidades de vitória **2** *P.ext. Esp.* Nas provas esportivas de força, destreza e agilidade, qualquer desvantagem artificial imposta ao concorrente havido como superior **3** *Fig.* Aquilo que impede o bom desempenho; DESVANTAGEM

hangar (han.*gar*) *sm.* **1** Edificação em forma de galpão, ger. sem divisões internas, na qual se guardam aviões, barcos etc. **2** *Mar.G.* Num porta-aviões, espaço embaixo do convés de voo destinado ao recolhimento e reparo das aeronaves [F.: Do fr. *hangar.*]

⊕ ***hangfive*** (*Ing. /hênfaiv/*) *Esp. sm.* **1** No surfe, manobra em que o surfista coloca os dedos do pé que está à frente ligeiramente para fora, ou dobrados sobre o bico da prancha **2** Manobra em que o *biker* coloca um dos pés no apoio frontal de sua *bike*, equilibrando-se apenas na roda dianteira, mantendo a roda traseira empinada até o término da apresentação do movimento **3** No esqueite, movimento em que o esqueitista coloca um dos pés na parte frontal da prancha, levantando a parte traseira, demonstrando sua habilidade nas manobras

⊕ ***hangten*** (*Ing. /hêngten/*) *Esp. sm.* **1** No surfe, manobra em que o surfista coloca os dois pés ligeiramente para fora, ou com os dedos dobrados sobre o bico da prancha **2** Manobra em que o *biker* coloca os dois pés no apoio frontal em sua *bike*, equlibrando-se apenas na roda dianteira, mantendo a roda traseira empinada até o término da apresentação do movimento **3** No esqueite, movimento em que o esqueitista coloca os dois pés na parte frontal da prancha, levantando a parte traseira, demonstrando habilidade nas manobras

hanoveriano (ha.no.ve.ri:*a*.no) *sm.* **1** Indivíduo nascido ou que vive em Hanover (Alemanha) *a.* **2** De Hanover; típico dessa cidade ou de seu povo [F.: Do top. *Hanover* + *-iano.*]

hansa (*han*.sa) *sf. Hist.* Associação com fins comerciais constituída por negociantes em alguns países europeus da Idade Média [F.: Do fr. *hanse.* Hom./Par.: *ansa* (sf.).]

hanseático (han.se:*á*.ti.co) *a. Hist.* Relativo à hansa [F.: Do fr. *hanséatique.*]

hanseniano (han.se.ni:*a*.no) *a.* **1** Ref. a hanseníase *sm.* **2** Quem é portador dessa doença; LEPROSO [F.: Do antr. Gerhard Henrik Armauer *Hansen* (1841-1912, médico norueguês que descobriu o bacilo da lepra) + *-iano.*]

hanseníase (han.se.*ní*:a.se) *sf. Pat.* Doença contagiosa, causada pelo bacilo de Hansen (*Mycobacterium leprae*), que provoca diversas feridas na pele e lesões em nervos periféricos; LEPRA [F.: Do antr. G.H.A. *Hansen* + *-íase.*]

hantavírus (han.ta.*ví*.rus) *Vir. sm2n.* **1** Gênero de vírus da fam. *Bunyaviridae*, que causa pneumonia e hemorragias internas, contraído pelo contato com fezes de roedores infectados **2** Espécime desse vírus [F.: Do ing. *hantavirus.*]

⊕ ***hanuká*** (*Hebr. /ranucá/*) *sm. Rel.* Festa judaica que celebra a vitória dos macabeus sobre os gregos selêucidas, que dominavam a Palestina, em 165 a.C

⊕ ***haole*** (*Havaiano /ráuli/*) *s2g. Gír.* Surfista que não é morador ou frequentador assíduo de um determinado local onde se pratica o surfe

hápax (*há*.pax) [cs] *sm2n. Gram. Ling.* Palavra ou expressão que ocorre apenas uma vez em uma língua (em documento, obra literária etc.), e da qual, portanto, só existe uma única abonação: *Encontrou um hápax de João Guimarães Rosa.* [F.: Do gr. *hápaks.*]

hapaxântico (ha.pa.*xân*.ti.co) *a. Bot.* Diz-se de planta que floresce por uma vez apenas [F.: Do gr. *hápaks*, 'uma vez', + *-ant(o)-* + *-ico*².]

◎ **hapl(o)-** *el. comp.* = 'simples'; 'não composto'; 'único': *haplobionte, haplodiploide, haploide, haplologia, haplótipo, haplotomia.* [F.: Do gr. *haplós, é, ón*, ou gr. *haplóos-oûs, óe-óon-oûn*, 'simples'; 'sincero'; 'honesto'; 'natural'; 'sem mistura'; 'não composto'.]

haplobionte (ha.plo.bi.*on*.te) *sm. Biol.* Organismo cujo ciclo de vida ocorre em uma só fase, sem alternância de gerações [Cf.: *diplobionte.*] [F.: *hapl(o)-* + *-bionte.*]

haplodiplobionte (ha.plo.di.plo.bi.*on*.te) *sm. Biol.* O mesmo que *diplobionte* [F.: *hapl(o)-* + *diplobionte.*]

haplodiploide (ha.plo.di.*ploi*.de) *a2g.* **1** *Biol.* Formado por haplodiploidia *sm.* **2** *Biol.* Indivíduo que se forma por haplodiploidia [F.: *hapl(o)-* + *diploide.*]

haplodiploidia (ha.plo.di.ploi.*di*:a) *sf. Gen.* Modo de reprodução em que os machos se desenvolvem de óvulos não fertilizados (sendo, portanto, haploides) e as fêmeas a partir de óvulos fertilizados (sendo, por isso, diploides) [F.: haplodiploide + -ia[1].]

haplófase (ha.*pló*.fa.se) *sf. Biol.* Fase do ciclo de vida de alguns organismos em que as células são haploides [F.: *hapl(o)-* + *-fase*.]

haplogrupo (ha.plo.*gru*.po) *sm. Gen.* Grupo de haplótipos, que são, por sua vez, grupos de alelos localizados em determinados pontos de um cromossoma [F.: *hapl(o)-* + *grupo*.]

haploide (ha.*ploi*.de) *a2g. Gen.* Que possui um único conjunto completo de cromossomos, o que é típico dos gametas normais; MONOPLOIDE [F.: Do al. *haploid* (ing. *haploid*), cunhado pelo cientista alemão Eduard Adolf Strasburger (1844-1912), por volta de 1905/1907; ver *-ploide*. Cf.: *diploide*, *poliploide*.]

haploidia (ha.ploi.*di*:a) *sf. Gen.* Qualidade ou condição de haploide [F.: *haploide* + *-ia*[1].]

haplologia (ha.plo.lo.*gi*:a) *sf.* **1** *Fon.* Supressão ou contração de elementos similares contíguos de um vocábulo: *A forma 'bondadoso' evoluí para 'bondoso' por um fenômeno de haplologia.* **2** Na formação de um sintagma, supressão da última sílaba da palavra anterior (quando há similaridade entre o final da palavra anterior e o início da seguinte): *[morrendi'sedi] por morrendo de sede; [pó'deixar] por pode deixar.* [F.: *hapl(o)-* + *-logia*.] ■ **~ sintática** *Gram.* Supressão de uma palavra da frase, quando próxima a outra que é sua homônima ou parônima [Ex.: *Não digo que quero isso, mas aquilo (que quero aquilo).*]

haplológico (ha.plo.*ló*.gi.co) *a. Fon. Ling.* Referente à ou em que ocorre haplologia [F.: *haplologia* + *-ico*[2].]

haplótipo (ha.*pló*.ti.po) *sm. Gen.* Grupamento de genes ou alelos que se situam em áreas muito próximas e que são transmitidos conjuntamente [F.: *hapl(o)-* + *-tipo*.]

haplotomia (ha.plo.to.*mi*:a) *sf. P.us. Cir.* Incisão cirúrgica simples [F.: Do gr. *haplotomía, as*.]

⊕ ***happening*** (*Ing./hépenin/*) *sm. Art.pl. Dnç. Mús. Teat.* Manifestação artística em que se combinam artes visuais, elementos teatrais, canto, dança etc., aberta a improvisações e a participação do público, desprovida de continuidade

⊕ ***happy end*** (*Ing./hépi end/*) *loc.subst.* Final feliz em qualquer história de ficção ou na vida real (filme com happy end; casamento sem happy end): "Ao contrário das novelas, a vida continuava, bem depois do happy end e do beijo de amor." (Ana Maria Machado, *A audácia dessa mulher*)

⊕ ***happy hour*** (*Ing. /répi auer/*) *loc.subst.* Momento de lazer após o expediente de trabalho, especialmente às sextas-feiras ou vésperas de feriados, em que as pessoas se reúnem para comer, beber, conversar ou comemorar

hapteno *sm. Bioq.* Substância antigênica parcial ou incompleta que pode reagir com seu próprio anticorpo, mas é incapaz de produzir um, a menos que se combine com outra substância, ger. com uma proteína [F.: *hapt(i/o)-* + *-eno*, cp. ing. *hapten*, fr. *haptène*, al. *Haptene*.]

háptico (*háp*.ti.co) *a. P.us.* Referente ao tato; TÁTIL [F.: Do gr. *haptikós, é, ón*.]

haraganear (ha.ra.ga.ne.*ar*) *RS v. int.* **1** Viver solto, livre (o animal) **2** *P.ext. Fig.* Trabalhar pouco ou fugir ao trabalho; VADIAR: *Sem preocupação, os jovens haraganeavam.* [▶ 13 haraganear] [F.: *haragano* + *-ear*.]

haragano (ha.ra.*ga*.no) *RS a.* **1** Diz-se de cavalo que, por viver muito tempo solto, se torna arisco **2** *P.ext. Fig.* Diz-se de pessoa que não gosta de trabalhar e costuma fugir dos compromissos de trabalho [F.: Do espn. plat. *aragán*.]

haraquiri (ha.ra.qui.*ri*) *sm.* **1** No Japão, suicídio ritual cometido originariamente por nobres e guerreiros, que se consiste em rasgar o próprio ventre com uma pequena espada **2** *P.ext.* Cometer suicídio (cometer/fazer haquiri) [F.: Do jap. *harakiri*.]

haras (*ha*.ras) *sm2n.* Lugar destinado a criação e treinamento de cavalos de corrida; COUDELARIA [Cf.: *aras*, do v. arar; pl. de ara.] [F.: Do fr. *haras*.]

⊕ **hardcore** (*Ing./hárdkor/*) *a.* **1** Que se encontra inteiramente comprometido; que se mostra intransigente (socialista hardcore) **2** Que contém fortes elementos de pornografia (cinema hardcore; romance hardcore) [A palavra *hardcore* não tem pl. na língua inglesa.]

⊕ ***hard disk*** (*Ing. /rárd disc/*) *loc.subst. Inf.* Ver *disco rígido* em *disco* [Sigla: HD]

⊕ ***hard rock*** (*Ing./hárd rók/*) *loc.subst. Mús.* Ver *rock pesado*

⊕ **hardware** (*Ing. /rárduer/*) *sm. Inf.* Conjunto de dispositivos eletrônicos e digitais de um computador (monitor, placas, teclado etc.) e de seus equipamentos periféricos (impressora, *scanner*, *web cam* etc.) [Cf.: *Software*.]

⊕ ***hare krishna*** (*Híndi/hare kijna/*) *loc.subst. Rel.* Membro de uma seita religiosa hinduísta, internacional, fundada nos Estados Unidos em 1966, que se baseia na adoração do deus Krishna e se manifesta contrária ao uso de drogas, álcool e jogos de azar; prega, ainda, a abstenção sexual fora do casamento e defende o vegetarianismo [Com iniciais ger. maiúsc.] [A loc. subst. *hare krishna* tb. é us. apositivamente: *Pertencia à seita hare krishna*.]

harém (ha.*rém*) *sm.* **1** Parte do palácio de um sultão muçulmano onde ficam as mulheres; SERRALHO **2** Reunião das odaliscas que habitam o harém **3** Parte da casa dos muçulmanos destinada à residência das mulheres **4** *Fig.* Grupo de mulheres que se relacionam com o mesmo homem **5** *Fig.* Casa de prostituição [Pl.: *-réns*.] [F.: Do ár. *haram*.]

⊚ **hariolo-** *el. comp.* = adivinho: *hariolomancia, hariolomante, hariolomântico* etc. [F.: Do lat. *hariolus, i*.]

haríolo (ha.*rí*:olo) *sm. Oct.* Indivíduo que supostamente tem a capacidade de antecipar o que vai acontecer; ADIVINHO; ARÍOLO; NIGROMANTE; PROFETA; VIDENTE [F.: Do lat. *hariolus, i*.]

hariolomancia (ha.ri:o.lo.man.*ci*.a) *sf. Oct.* Suposta arte de adivinhar por meio de ídolos; ARIOLOMANCIA; ADIVINHAÇÃO [F.: *hariolo-* + *-mancia*.]

hariolomante (ha.ri:o.lo.*man*.te) *s2g.* **1** *Oct.* Pessoa que se dedica a hariolomancia; ARIOLOMANTE *a2g.* **2** *Oct.* Que se dedica a hariolomancia; que se presta a fazer adivinhações [F.: *hariolo-* + *-mante*.]

hariolomântico (ha.ri.o.lo.*mân*.ti.co) *a. Oct.* Ref. a hariolomancia ou a hariolomante [F.: *hariolomante* + *-ico*.]

harmina (har.*mi*.na) *sf. Farm.* Ver *banisterina* [F.: *harm (al)-* + *-ina*.]

harmonia (har.mo.*ni*.a) *sf.* **1** Equilíbrio entre elementos diversos que resulta em algo agradável de se ver ou ouvir [+ *em, entre*: *Há grande harmonia nas cores desse quadro; Criar harmonia entre os objetos da decoração.*] **2** Bom entendimento; CONCÓRDIA [+ *com*: *Viver em harmonia com a natureza.*] **3** *Mús.* Ciência que estuda a formação dos acordes musicais e seu encadeamento [F.: Do gr. *harmonía*.] ■ **~ consonantal** *Fon. Ling.* Tendência a aproximar pronúncia de uma consoante à de outra consoante da mesma palavra ou sintagma **~ imitativa** *Mús.* Expressão de sensações ou sentimentos por meio de ritmo ou melodia **~ vocálica** *Fon. Ling.* Tendência a aproximar pronúncia de uma vogal à de outra vogal, de forte presença, da mesma palavra ou sintagma

harmônica (har.*mô*.ni.ca) *sf.* Instrumento musical de sopro; GAITA [F.: Do ing. *harmonica*.]

harmônico (har.*mô*.ni.co) *a.* **1** Ref. a ou que apresenta harmonia (decoração harmônica) **2** *Mús.* Que soam agradavelmente em conjunto (sons harmônicos) [F.: Do gr. *harmonikós*.]

harmonicorde (har.mo.ni.*cor*.de) [ó] *Mús. sm.* **1** Instrumento musical similar a um piano, em que um rolo acionado por teclado fricciona as cordas **2** Instrumento musical, espécie de combinação de piano e harmônio, inventado por A. F. Debain (1809-1877) [F.: *harmôni(o)*+ *-corde*.]

harmônio (har.*mô*.ni:o) *sm. Mús.* Pequeno órgão de sala, com registros e pedal, que imita diversos instrumentos de uma orquestra, e no qual os tubos são substituídos por palhetas livres [F.: Do fr. *harmonium*.]

harmonioso (har.mo.ni:*o*.so) [ô] *a.* **1** Que é agradável de se ouvir ou ver (música harmoniosa; jardim harmonioso) **2** Que apresenta harmonia, equilíbrio (decoração harmoniosa) **3** Coerente, justo, proporcionado: "Que soubera traçar o código mais perfeito e mais harmonioso" (Montalverde) [Pl.: [ó.] Fem.: [ó.]] [F.: *harmoni(a)* + *-oso*.]

harmonização (har.mo.ni.za.*ção*) *sf.* Ato ou efeito de harmonizar [Pl.: *-ções*.] [F.: *harmoniza(r)* + *-ção*.]

harmonizado (har.mo.ni.*za*.do) *a.* Que está em harmonia [F.: Part. de *harmonizar*.]

harmonizador (har.mo.ni.za.*dor*) [ô] *a.* **1** Que harmoniza [Ant.: *desarmonizador*.] **2** *Mús.* Diz-se de músico que combina melodia e acordes *sm.* **3** Aquele que harmoniza [Ant.: *desarmonizador*.] **4** *Mús.* Músico que, em suas composições, combina melodia com outras partes ou com acordes [F.: *harmoniza(r)* + *-dor*.]

harmonizar (har.mo.ni.*zar*) *v.* **1** Fazer ficar ou ficar em harmonia; CONCILIAR [*td.*: *Harmonizou os interesses da família.*] [*tdr.* + *com*: *Sabia harmonizar o trabalho com o prazer.*] [*int.*: *O casal acabou harmonizando-se.*] **2** Fazer o acompanhamento musical de (uma melodia) [*td.*: *Harmonizar uma canção.*] [*int.*: *O compositor harmonizava maravilhosamente.*] [▶ 1 harmonizar] [F.: *harmonia* + *-izar*.]

harmonizável (har.mo.ni.*zá*.vel) *a2g.* Que se pode harmonizar; que é conciliável [Ant.: *desarmonizável*.] [Pl.: *-veis*.] [F.: *harmoniza(r)* + *-vel*.]

harpa (*har*.pa) *sf.* **1** *Mús.* Antigo instrumento musical feito de uma grande moldura de madeira, de forma triangular, sobre a qual estão estendidas cordas de comprimento desigual, que se tangem com os dedos, e que tem um mecanismo de pedais (introduzidos no séc XVIII): "Tanges da harpa, em teu sonho, almas ou cordas, cantas..." (Pedro Kilkerry, *Harpa esquisita*) **2** *Fig. Liter.* A poesia em geral; a poesia religiosa: "A harpa gemente da pátria de Santa Brígida perpetua os seus sons na boca das irlandesas" (Coelho Neto, *Água de juventa*) **3** *Zool.* Molusco gasterópode (por ter forma semelhante à harpa) [F.: Do fr. *harpe*.] ■ **~ eólia** *Mús.* Instrumento musical com cordas (ger. afinadas na mesma nota) que produzem sons harmônicos ao passar por elas o vento

harpar (har.*par*) *v.* Ver *harpear*

harpear (har.pe.*ar*) *v.* **1** *Mús.* Tocar na harpa ou dedilhá-la [*td.*: *Harpeou algumas passagens de Ravel.*] **2** Tocar harpa [*int.*: *Harpeava com elegância e delicadeza.*] [▶ 13 harpear] [F.: *harpa* + *-ear*[2]. Hom./Par.: *harpear*, *arpear* (em todas as fl). Tb. *harpar*.]

harpejado (har.pe.*ja*.do) *a. Mús.* Que se harpejou (melodia harpejada) [F.: Part. de *harpejar*.]

harpejar (har.pe.*jar*) *v.* **1** *Mús.* Tocar harpa; HARPEAR [*int.*: *Esse músico harpeja em estilo inspirado.*] **2** Tocar com harpa [*td.*: *Gravou um disco em que harpejava canções natalinas.*] [▶ 1 harpejar] [F.: *harpa* + *-ejar*.]

harpejo (har.*pe*.jo) [ê] *sm. Mús.* Ver *arpejo* [Hom./Par.: *harpejo* (fl. de *harpejar*) e *arpejo* (fl. de *arpejar* e sm.).]

harpia (har.*pi*.a) *sf.* **1** *Mit.* Monstro da mitologia grega com cabeça de mulher e corpo de abutre, com garras e asas **2** Ver *gavião-real* **3** *Fig.* Pessoa ávida, avarenta e de má índole, capaz de extorquir as outras pessoas [F.: Do gr. *Hárpuia*.]

harpista (har.*pis*.ta) *s2g.* **1** *Mús.* Instrumentista que toca harpa **2** Professor(a) de harpa [F.: *harp(a)* + *-ista*.]

harto (*har*.to) *a.* **1** Que é forte, robusto (harta palmeira) **2** Que é espesso, grosso (braços hartos) *adv.* **3** Bastante, muito, assaz: *Belo argumento, embora harto tendencioso.* [F.: Do cast. *harto*, do lat. *fartus, a, um*.]

⊕ ***hashi*** (*Jap./rashi/*) *sm.* Ver *fachi*

hassídico (has.*sí*.di.co) *a. Rel.* Relativo ao hassidismo; CHASSÍDICO [F.: *hassi(dismo)* + *-ico*.]

hassidismo (has.si.*dis*.mo) *Rel. sm.* **1** Seita religiosa fundada pelo rabino Israel Baal Shem-Tov no séc. XVIII, que tem como característica a alegria de servir a Deus **2** Corrente mística moderna que forma militantes na comunidade judaica, criada na Polônia e na Ucrânia, no séc. XVIII [F.: Do hebr. *hassid* + *-ismo*. Sin. ger.: *chassidismo*.]

hasta (*has*.ta) *sf.* **1** Arma composta de um longo cabo com ponta metálica e aguda; CHUÇO; LANÇA; PIQUE **2** Venda a quem fizer a melhor oferta ou der o maior lance (hasta pública); LEILÃO **3** *Jur.* Hasta pública [F.: Do lat. *hasta*.] ■ **~ pública** *Jur.* Venda de bens em pregão feita por leiloeiros públicos ou por porteiro de auditório do foro

haste (*has*.te) *sm.* **1** Peça, reta e erguida, ger. longa, de madeira ou metal, a que se pode prender alguma coisa **2** Vara longa que segura uma bandeira **3** *Bot.* Nas plantas, porção linear, ger. alongada, como o caule que sustenta as folhas, o pedicelo que sustenta a flor etc.: "Era um aglomerado exuberante... de troncos e hastes, ramaria pegada, multiforme." (Ferreira de Castro, *Selva*) [Dim.: *hastilha*.] [F.: Do lat. *hasta*, 'lança'.]

hasteado (has.te.*a*.do) *a.* **1** Posto em haste; ARVORADO **2** Erguido bem alto (crista hasteada) [F.: Part. de *hastear*.]

hasteamento (has.te.a.*men*.to) *sm.* Içamento à extremidade de haste, vara ou mastro (hasteamento da bandeira) [F.: *hastea(r)* + *-mento*.]

hastear (has.te.*ar*) *v. td.* **1** Erguer ou prender no alto de uma haste ou mastro: *Hasteou a bandeira de manhã cedo.* **2** Erguer(-se) bem alto, levantar(-se): *O galo hasteou a crista.* [▶ 13 hastear] [F.: *haste* + *-ear*[2].]

⊚ **hasti-** *el. comp.* = hasta, lança, haste: *hastiforme, hastifolidado* etc. [F.: Do lat. *hasta, ae*.]

hástia (*hás*.ti:a) *sf.* O mesmo que *haste* (1)

hastiforme (has.ti.*for*.me) [ó] *a2g.* Que apresenta forma de hasta, de lança; LANCEOLADO [F.: *hasti-* + *-forme*.]

hastil (has.*til*) *sm.* **1** Cabo de lança **2** Ver *haste* [Pl.: *-tis*.] [F.: Do lat. *hastile, is*.]

hastilha (has.*ti*.lha) *sf.* **1** Haste de pequeno tamanho **2** *Mar.* Em navios, chapa vertical que se dispõe transversalmente à quilha, reforçando a ligação desta com a caverna [Dim. irreg. de *haste*.] [F.: *haste* + *-ilha*. Hom./Par.: *astilha* (sf.).]

hastilhar (has.ti.*lhar*) *v.* Reduzir a ou se fazer em hastilhas; DESPEDAÇAR(-SE); ESTILHAÇAR(-SE) [*td. int.*] [▶ 1 hastilhar] [F.: *hastilh(a)* + *-ar*.]

hata-ioga (ha.ta-i.o.ga) *sf.* Conjunto de exercícios físicos e respiratórios que tem por finalidade o domínio do corpo, e que tem como traço fundamental o controle da respiração [Cf.: *ioga*.] [F.: Do sânsc. *hatha* + *ioga*.]

haurido (hau.*ri*.do) *a.* **1** Que se hauriu **2** Completamente esgotado (forças hauridas) **3** *P.us.* Inalado, sorvido (aroma haurido) [F.: Part. de *haurir*.]

haurir (hau.*rir*) *v. td.* **1** Retirar alguma coisa de dentro de onde estava: *Hauriu todo o ouro da mina.* **2** Consumir ou gastar algo completamente; ESGOTAR: *Hauriu toda a bebida que havia na adega.* **3** Absorver por aspiração ou sucção; SORVER: *Hauria o ar puro.* **4** Colher, recolher: *Hauria novas forças para voltar à luta* [▶ 58 haurir] [F.: Do lat. *haurire*.]

haurível (hau.*ri*.vel) *a2g.* Que se pode haurir [Pl.: *-veis*.] [F.: *haurir* + *-vel*.]

hausto (*haus*.to) *sm.* **1** Ação de haurir *sm.* **2** Gole ingerido de uma vez **3** Aspiração forte, longa ou profunda; SORVO: "Levantou a cabeça e sorveu o ar num grande hausto." (Coelho Neto, *Inverno em flor*) **4** *Med.* Remédio líquido [F.: Do lat. *haustus*.]

haustração (haus.tra.*ção*) *sf. Med.* Cada uma das depressões existentes no formato do intestino grosso

havaiana (ha.va.i:*a*.na) *sf.* Sandália com duas tiras que se prendem entre os dedos, como as sandálias do Havaí [O termo é marca registrada.] [F.: Fem. de *havaiano*.]

havaiano (ha.vai.*a*.no) *a.* **1** Do Havaí (EUA); típico desse estado ou de seu povo *sm.* **2** Pessoa nascida ou que vive no Havaí [F.: Do top. *Havaí* + *-ano*.]

havana (ha.*va*.na) *sm.* **1** Marca de charutos cubanos de alta qualidade **2** Tipo de tabaco cultivado em Cuba *a2g2n.* **3** Que tem a cor castanho-clara desse tabaco (malas havana) [F.: Do top. *Havana*.]

havaneira (ha.va.*nei*.ra) *sf. Dnç. Mús.* Ver *habanera* [F.: Do espn. *habanera*.]

havanês (ha.va.*nês*) *sm.* **1** Indivíduo nascido ou que vive em Havana (capital de Cuba) [Pl.: *-neses* [ê]. Fem.: *-nesa* [ê].] *a.* **2** De Havana; típico dessa cidade ou de seu povo [Pl.: *-neses* [ê]. Fem.: *-nesa* [ê].] [F.: Do top. *Havan(a)* + *-ês*.]

haver (ha.*ver*) *v.* **1** Existir [*td.*: *Enquanto há vida, há esperança.*] [*tda.*: *Há muitas casas sem número no lugarejo.*] **2** Acontecer, ocorrer [*tr.* + *com*: *O que houve com ela?; Esperávamos que não houvesse mais acidentes.*] **3** Estar presente [*tda.*: *Havia muitos penetras na festa.*] **4** Transcorrer, decorrer [*tda.*: *Houve fases de alegria aqui em casa.*] **5** Completar-se (uma extensão de tempo); FAZER [*td.*: *Há* *meses que não vejo meus primos; Havia dois anos que não encontrava aquela mulher.*] **6** *Ant.* Estar na posse de [*td.*: *Já houveram muito, mas hoje estão pobres.*] **7** Estar em um lugar ou situação [*tda.*: *Havia alguém no quarto.*] **8** Restar [*td.*: *Não havia mais nada que se pudesse fazer.*] [*tda.*: *Ainda há luz no fim do túnel.*] **9** Estar à disposição [*tr.* + *para*: *Há comida suficiente para todos.*] **10** Acontecer, realizar-se, ocorrer [*td.*: *Hoje não houve almoço/sessão/expediente.*] **11** Produzir-se como consequência de um fenômeno da natureza [*td.*: *Houve muita chuva nesse último verão.*] **12** Ter existência ou presença em [*tda.*: *Havia ideias maldosas em sua cabeça.*] **13** Ter de volta; RECUPERAR; REAVER [*td.*: *Não conseguia haver o que perdera.*] **14** Comportar-se, conduzir-se; PROCEDER [*ta.*: *Não soube como haver-se naquela situação delicada; Eles se houveram muito bem na reunião com o príncipe.*] **15** Desempenhar-se [*ta.*: *As moças houveram-se bem em todos os jogos do torneio.*] **16** Ter relações ou entendimento com; relacionar-se; prestar contas a [*tr.* + *com*: *Preferia haver-se com a mãe do que com o pai; Agora ele vai ter que se haver com a justiça.*] **17** Dar explicações a [*tr.* + *com*: *Quem não chegar na hora, vai haver-se com o chefe.*] **18** Existir (como meio ou recurso) [*td.*: *Não há mais como conter esses garotos.* [Impessoal na maioria de suas acepções e empregos, o verbo *haver* usa-se tb. como v. auxiliar na formação de alguns tempos compostos: *havia voltado, haveria chegado, houvesse trabalhado* etc.].] [▶ 5 haver] *sm.* **19** Na escrituração comercial, a parte reservada ao crédito: *Consultou, esperançoso, a coluna dos haveres.* [*Mais us. no pl.*] [F.: Do lat. *habere*. Hom./Par.: *há* (3ªp.s.), *a* (fem. art.def., pron.pes. e pron.dem. o, e prep.), *á* (sm.), *à* (contr. prep. a + a [fem. art.def., pron.dem. o]), *ah* (interj.); *hás* (2ªp.s.), *ás* (sm.), *ás* (pl. *á* [sm.]), *as* (pl. *a* [fem. art.def., pron.dem., pron.pes. *o*]), *às* (contr. prep. *a* + *as* [fem. pl. art.def., pron.dem. *o*]), *az* (sm.); *haja* (1ª e 3ªp.s.), *hajas* (2ªp.s.) etc., *aja, ajas*.] ■ **Bem haja** Us. como interjeição, expressando contentamento com algo, ou agradecimento, reconhecimento a alguém: *Bem haja quem ajuda os pobres.* **Há-de vir** *Moç.* As coisas que ainda vão acontecer; o futuro; porvir **Haja o que houver** Não importa o que aconteça; sob qualquer circunstância; não importa com quanto esforço [Em construções no pretérito, assume a forma *houvesse o que houvesse.*] **Haja vista** A julgar por, considerando-se: *Pode-se confiar nele, haja vista seu comportamento neste caso.* **Há muito** Decorreu muito tempo desde que: *Há muito ela não vem por estes lados.* **~ como** Ser possível, haver um modo de: *Infelizmente, não há como ajudá-lo neste caso.* **~ por bem** Dignar-se a, decidir: *Finalmente ele houve por bem conceder a entrevista.* **Mal haja** Us. como interjeição que expressa reprovação, descontentamento **Não há de quê** De/por nada, não há por que agradecer **Não há por quê** Ver *Não há de quê* **Não ~ como** Não existir coisa ou pessoa com tal qualidade, eficiência, capacidade etc.; ninguém como (para pessoa); nada como (para coisa): *Não há como um passeio a pé para relaxar a mente.*

haveres (ha.*ve*.res) *smpl.* Posses, bens móveis e imóveis: "...se refugiavam, com seus haveres de menor volume e maior valor (ouro em pó ou em forma de joias, marfim, almíscar, âmbar e tecidos), a bordo de algum barco." (Alberto da Costa e Silva, *A manilha e o libambo*) [F.: Pl. de *haver*. Hom./Par.: *haveres* (*sm.pl.*), *haveres* (flex. de *haver* e *sm.*).]

haxixe (ha.*xi*.xe) *sm.* Droga de propriedades entorpecentes cuja base é o ganjá, resina extraída das folhas, flores e frutos do cânhamo (*Cannabis sativa*). Seu componente ativo é o *tetraidrocanabinol*. Cf.: maconha [F.: Do ár. *haxix*.]

⊕ ***hazan*** (*Hebr.* /*razã*/) *sm. Rel.* Cantor que conduz o serviço das orações da liturgia judaica e dos costumes religiosos nas sinagogas

⊕ ***hazkarah*** (*Hebr.*) *sf.* Ato de lembrar os mortos, no judaísmo, e a cerimônia dedicada a isso [Em hebr., pl.: *hazkarot*.]

⊠ **HD** *Inf.* Sigla de *hard disk*

⊠ **HDD** *Inf.* Ver *disco rígido* [F.: Do ing. *h(ard) d(isk) d(rive)*.]

⊠ **HDL** *Bioq.* Ver *lipoproteína de alta densidade* [F.: Do ing. *(h)igh (d)ensity (l)ipoprotein*.]

⊠ **HDTV** *Telv.* Sigla ing. de *High Definition Television* (televisão de alta definição, sistema que transmite a imagem com grande resolução)

⊠ **He** *Quím.* Símb. de *hélio*

⊕ ***head hunter*** (*Ing.*/*red ranter*/) *loc.subst.* Pessoa que se insere em reuniões, festas, eventos etc., a fim de descobrir novos talentos; caçador de talentos

⊕ ***headphone*** (*Ing.* /*rédfoun*/) *sm.* Aparelho que se usa nos ouvidos para audição individual de um som; fone de ouvido

⊕ ***heavy-metal*** (*Ing.*/*révi-métal*/) *sm. Mús.* Tipo de rock de marcação rítmica agressiva, de sons fortes, barulhentos e fortemente amplificados por meios eletrônicos, ger. com letras de espírito transgressor cantadas aos gritos; rock pesado

hebdômada (heb.*dô*.ma.da) *sf.* Período de sete dias, sete semanas ou sete anos [F.: Do gr. *hebdomas, ados*.]

hebdomadário (heb.do.ma.*dá*.ri:o) *a.* **1** Que pertence à semana; que acontece a cada semana; SEMANAL *sm.* **2** Periódico publicado uma vez por semana; SEMANÁRIO **3** *Ant. Rel.* Sacerdote que nos conventos ou colegiado preside as celebrações durante uma semana; DOMÁRIO [F.: Do lat. *hebdomadariu(m)*.]

hebetamento (he.be.ta.*men*.to) *sm.* Ver *hebetação*; EMBOTAMENTO; OBSCURECIMENTO [F.: *hebetar* + *-mento*.]

hebetar (he.be.*tar*) *v. td.* Tornar(-se) embotado, obtuso [▶ 1 hebetar] [F.: Do lat. *hebetare*.]

hebetismo (he.be.*tis*.mo) *sm.* Qualidade ou condição de hebetado, de obtuso [F.: *hebet-* + *-ismo*.]

hebetude (he.be.*tu*.de) *sf.* Letargia, torpor: *A expressão de hebetude do moribundo era lancinante.* [F.: Do lat. *hebetudo, inis*.]

hebraico (he.*brai*.co) *a.* **1** Ref. ao povo hebreu ou a sua língua; HEBREU *sm.* **2** *Gloss.* Língua semítica falada pelos hebreus, na qual foi redigida a maior parte do Antigo Testamento. Por força do movimento sionista, deixou de ser uma língua morta ao final do séc. XIX, tornando-se o idioma oficial do Estado de Israel [F.: Do lat. ecl. *hebraicus*.]

hebraísmo (he.bra.*ís*.mo) *sm.* **1** Expressão ou locução próprias da língua hebraica **2** O modo de ser dos hebreus [F.: *hebraico* + *-ismo*.]

hebraísta (he.bra.*ís*.ta) *a2g.* **1** Diz-se de pessoa dedicada ao estudo da língua hebraica ou do texto hebreu da Escritura *s2g.* **2** Pessoa que se dedica ao estudo da língua ou da cultura hebraica [F.: *hebra(ico)* + *-ista*.]

hebreia (he.*brei*:a) *a. sf.* Ver *hebreu* [Fem. de *hebreu*.]

hebreu (he.*breu*) *sm.* **1** Antigo povo semita descendente de Abraão, do qual são provenientes os judeus **2** Indivíduo desse povo *a.* **3** Relativo aos hebreus; HEBRAICO [Fem.: *-breia*] [Cf.: *judeu*.]

hecatombe (he.ca.*tom*.be) *sf.* **1** Assassínio de grande número de pessoas; CARNIFICINA; CHACINA; MATANÇA **2** Desastre público de grandes proporções; CALAMIDADE; CATÁSTROFE [F.: Do lat. *hecatombe*, der. do gr. *hekatómbe* 'sacrifício de cem bois', 'grande sacrifício'.]

hectaedro (hec.ta.*e*.dro) [é] *sm. Geom.* Ver *hectoedro* [F.: *hect(o)-* + *-a-* + *-edro*.]

hectágono (hec.*tá*.go.no) *sm. Geom.* Ver *hectógono* [F.: *hect(o)-* + *-a-* + *-gono*.]

hectare (hec.*ta*.re) *sm.* Unidade de medida agrária correspondente a cem ares ou a um hectômetro quadrado. [Símb.: *ha*.] [F.: *hect(o)-* + *are*, pelo fr. *hectare*.]

héctico (*héc*.ti.co) *a.* **1** *Med.* Relativo à héctica **2** Que sofre de héctica *sm.* **3** *Med.* Indivíduo que sofre de héctica [F.: Do lat. *hecticus*, deriv. do gr. *hektikos*. Hom./Par.: *héctica* (fem.), *héctica* (sf.); é *tico* (a.).]

◎ **hect(o)-** *el. comp.* Introduzido pelos franceses na linguagem científica internacional, com a criação do sistema métrico decimal, e adotado no Brasil a partir de 1862; equivale a 'cem': *hectômetro* [F.: Redução (não etimológica) de *hecato(n)-*, do gr. *hekatón*, 'cem'.]

hectográfico (hec.to.*grá*.fi.co) *a. Art.gr.* Diz-se de certo tipo de papel-carbono, us. como matriz pelo hectógrafo [F.: *hectógrafo* + *-ico*.]

hectógrafo (hec.*tó*.gra.fo) *sm.* **1** *Art.gr.* Máquina que tira cópias de textos e desenhos produzidos em papel com tinta especial e depois as transfere para um suporte ger. constituído de papel acetinado; mimeógrafo a álcool **2** Ver *copiógrafo* [F.: *hect(o)-* + *-grafo*.]

hectograma (hec.to.*gra*.ma) *sm.* Medida de massa equivalente a cem gramas. [Símb.: *hg*.] [F.: Do fr. *hectogramme*; ver *hect(o)-* e *-grama*.]

hectolitro (hec.to.*li*.tro) *sm.* Medida de capacidade equivalente a cem litros. [Símb.: *hl*] [F.: Do fr. *hectolitre*; ver *hect(o)-* e *-litro*.]

hectométrico (hec.to.*mé*.tri.co) *a. Metrol.* Relativo ao hectômetro [F.: *hectômetro* + *-ico*.]

hectômetro (hec.*tô*.me.tro) *sm.* Medida de comprimento equivalente a cem metros. [Símb.: *hm*.] [F.: Do fr. *hectomètre*; ver *hect(o)-* e *-metro*.]

⊕ ***hedge*** (*Ing.*/*hedz*/) *sm. Econ.* Operação que tem a finalidade de proteger um operador financeiro de prejuízos causados pela oscilação da moeda; proteção cambial

hediondez (he.di.on.*dez*) [ê] *sf.* **1** Qualidade ou característica de hediondo: *A hediondez do crime chocou a todos.* **2** *Fig.* Procedimento, atitude de quem é hediondo [F.: *hediondo* + *-ez*.]

hediondo (he.di.*on*.do) *a.* **1** Que inspira repulsa e horror; HORRÍVEL; REPULSIVO; REPUGNANTE **2** Que provoca intensa indignação moral (crime hediondo); BÁRBARO; CRUEL; IGNÓBIL **3** Sórdido, depravado, pervertido, vil **4** *P.us.* Que cheira mal; FEDORENTO; FÉTIDO [F.: Do cast. *hediondo* < lat. vulg. **foetibundus*, de *foetere*, 'feder'.]

hedônico (he.*dô*.ni.co) *a.* **1** Ref. ao hedonismo **2** Que se caracteriza pelo prazer [F.: Do fr. *hédonique*, deriv. do lat. tard. *hedonicus*.]

hedonismo (he.do.*nis*.mo) *sm.* **1** *Ét.* Doutrina que considera a busca do prazer como o bem supremo, o principal objetivo da vida moral **2** *Pext.* Busca incessante do prazer como opção de vida **3** *Psi.* Teoria segundo a qual o comportamento humano seria motivado pela busca do prazer e de evitar o desprazer [F.: Do lat. cient. *hedonismus*, deriv. do gr. *hedoné*, 'prazer'.]

hedonista (he.do.*nis*.ta) *s2g.* **1** Partidário do hedonismo *a2g.* **2** Que é partidário do hedonismo **3** Ref. ao hedonismo [F.: *hedon(o)-* + *-ista*.]

hedonístico (he.do.*nís*.ti.co) *a.* Relativo ao hedonismo (cultura hedonística) [F.: *hedonista* + *-ico*.]

hegelianismo (he.ge.li:a.*nis*.mo) *sm. Fil.* Doutrina do filósofo alemão Georg Friedrich Hegel (1770-1831), segundo a qual o universo é uma totalidade perfeitamente integrada, movida por sucessivas contradições (a dialética), e que se orienta no sentido de uma finalidade última [F.: *hegeliano* + *-ismo*.]

hegeliano (he.ge.li:*a*.no) *a.* **1** *Fil.* Relativo a Hegel e sua filosofia **2** Diz-se de seguidor de Hegel (pensadores hegelianos) *sm.* **3** *Fil.* O seguidor de Hegel: *Os hegelianos ainda são bastante numerosos.* [F.: Do antr. Georg Friedrich *Hegel*.]

hegemonia (he.ge.mo.*ni*:a) *sf.* **1** Supremacia, preeminência de um povo nas federações da Grécia antiga **2** Dominação política e econômica de um povo sobre outros: "...a política americana de busca de hegemonia em áreas estratégicas..." (*IstoÉ*, 23.04.2003) **3** *Fig.* Superioridade ou predomínio incontestável; PREPONDERÂNCIA; SUPREMACIA: *A hegemonia do Brasil na Copa do Mundo.* [F.: Do gr. *hegemonía*, pelo fr. *hégémonie*.]

hegemônico (he.ge.*mô*.ni.co) *a.* Ref. a hegemonia [F.: Do gr. *hegemonikós, e, on*.]

hegemonização (he.ge.mo.ni.za.*ção*) *sf.* Ação ou resultado de (se) tornar hegemônico [Pl.: *-ções*.] [F.: *hegemonizar* + *-ção*.]

hegemonizar (he.ge.mo.ni.*zar*) *v. td. int.* Tornar hegemônico [▶ 1 hegemonizar] [F.: *hegemon(ia)* + *-izar*.]

hégira (*hé*.gi.ra) *sf.* **1** Era maometana, que começou no ano 622 da era cristã, com a fuga de Maomé de Meca para Medina **2** Essa fuga **3** *Fig.* Qualquer fuga [F.: Do ár. *al-higrah*, 'fuga', 'emigração'.]

heideggeriano (hei.deg.ge.ri:*a*.no) *a.* **1** Relativo ao filósofo alemão Martin Heidegger (1889-1976) ou ao seu pensamento **2** Que é seguidor desse filósofo (pensador heideggeriano) *sm.* **3** *Fil.* Esse seguidor: *Na época da guerra, alguns heideggerianos sucumbiram ao nazismo.* [F.: Do antr. Martin *Heidegger* + *-iano*.]

hein *interj.* Ver *hem*

helanca (he.*lan*.ca) *sf. Têxt.* Tecido de malha texturizado (blusa de helanca) [É marca registrada.]

⊕ ***hélas*** (*Fr.*/*elás*/) *interj.* Expressão de dor, de lamento; ai de mim!: *Hélas! Mais uma vez cheguei tarde!*

◎ **helc(o)-** *el. comp.* = úlcera: *helcologia, helcológico, helcose* etc. [Muito us. em terminologia médica.] [F.: Do gr. *hélkos, eos-ous*.]

helcologia (hel.co.lo.*gi*:a) *sf. Med.* Especialidade médica que estuda o tratamento das úlceras [F.: *helc(o)-* + *-logia*.]

helcológico (hel.co.*ló*.gi.co) *a. Med.* Ref. à helcologia [F.: *helcologia* + *-ico*.]

helcose (hel.*co*.se) *sf. Med.* Formação de úlcera; ULCERAÇÃO [F.: Do gr. *hélkosis, eos*.]

heléboro (he.*lé*.bo.ro) *sm. Angios.* Nome comum às ervas do gên. *Helleborus*, da fam. das ranunculáceas, que reúne 21 spp. rizomatosas, nativas da Europa, Mediterrâneo e Ásia [Algumas spp. são cultivadas por suas flores e para a produção de raticidas.] [F.: Do lat. cient. gên. *Helleborus*.]

helênico (he.*lê*.ni.co) *sm.* **1** Pessoa nascida na Grécia Antiga (Hélade) **2** *Ling.* Tronco linguístico que deu origem ao coiné e ao grego moderno *a.* **3** Da Grécia Antiga; típico dessa região ou de seu povo [F.: Do gr. *hellenikós*.]

helenismo (he.le.*nis*.mo) *sm.* **1** A civilização grega, esp. no período sob influência oriental **2** Influência do pensamento e cultura gregos **3** *Ling.* Palavra ou expressão próprias do idioma grego [F.: Do gr. *hellenismós, ou*.]

helenista (he.le.*nis*.ta) *a2g.* **1** Que é especialista na língua e na civilização da Grécia antiga *s2g.* **2** Pessoa helenista [F.: Do gr. *hellenistés, ou*.]

helenístico (he.le.*nís*.ti.co) *a.* **1** Ref. ao helenismo **2** Diz-se do período histórico entre a conquista do Oriente por Alexandre e a conquista da Grécia pelos romanos [F.: *helenist(a)* + *-ico*².]

helenização (he.le.ni.za.*ção*) *sf.* **1** Ação ou resultado de helenizar **2** Ação ou resultado de dar ou adquirir feição ou característucas básicas da antiga civilização grega: *Procurava estudar as origens da helenização.* [Pl.: *-ções*.] [F.: *helenizar* + *-ção*.]

helenizado (he.le.ni.*za*.do) *a.* Que passou por processo de helenização (região helenizada) [F.: Part. de *helenizar*.]

helenizante (he.le.ni.*zan*.te) *a2g.* **1** Que é estudioso do helenismo *s2g.* **2** Aquele que estuda o helenismo [F.: *heleniza(r)* + *-nte*.]

helenizar (he.le.ni.*zar*) *v.* **1** Dar ou adquirir caráter heleno, grego [*td.*: *Alexandre helenizou toda a Ásia Menor.*] [*int.*: *A região helenizou-se rapidamente.*] **2** Dedicar-se ao estudo da língua ou da civilização grega [*int.*] [▶ 1 helenizar] [F.: *helen(o)* + *-izar*.]

heleno (he.*le*.no) *sm.* **1** Pessoa nascida na Grécia (Europa); GREGO **2** Indivíduo dos helenos, povo que, substituindo a dominação dos pelasgos, habitou a região do Epiro (Noroeste da Grécia) e que deu origem ao povo grego *a.* **3** Da Grécia; típico desse país ou de seu povo; GREGO **4** Ref. aos antigos helenos [F.: Do gr. *héllen, enos*. Hom./Par.: *helena* (f.), *elena* (sf.).]

helespôntico (he.les.*pôn*.ti.co) *a.* Ref. ao Helesponto, nome antigo do atual estreito de Dardanelos, entre a Turquia europeia e a asiática, entrada do Mediterrâneo para o mar Negro; HELESPÔNCIO; HELESPONTINO [F.: Do lat. *hellesponticus*.]

helianto (he.li.*an*.to) *Bot. sm.* **1** Nome comum às plantas do gên. *Helianthus*, da fam. das compostas, originárias da América do Norte, mais conhecidas como girassol **2** Ver *girassol* (1 e 2) [F.: Do lat. cient. *helianthus*. Ver *heli(o)-* e *-anto*.]

hélice¹ (*hé*.li.ce) *sf.* **1** *Aer.* Peça propulsora das aeronaves **2** *Cnav.* Dispositivo composto de duas ou três pás fixas que giram sobre um eixo, us. como propulsor de embarcação [Na Marinha brasileira e na portuguesa, us. no masc.] **3** O conjunto das pás do ventilador **4** *Geom.* Curva traçada sobre um cilindro ou cone que corta o elemento num ângulo constante **5** Qualquer estrutura em forma de espiral **6** *Arq.* Pequena voluta que entra na composição dos capitéis coríntios **sm.** 7 *Anat.* Ver *hélix* [Dim.: *helícula.*] [F.: Do gr. *hélix, ikós*, 'espiral', pelo lat. *helix, icis.*] ■ ~ **alfa** *Bioq.* Estrutura (comum em proteínas) dos aminoácidos em forma de hélice cilíndrica ~ **cilíndrica** *Geom.* Curva contida em superfície cilíndrica, cujas tangentes formam ângulo constante com as geratrizes desse cilindro ~ **cônica** *Geom.* Curva contida em superfície cônica cujas tangentes formam um ângulo constante com o eixo desse cone ~ **dupla** *Bioq.* Estrutura típica dos ácidos desoxirribonucleicos, em forma de hélice cilíndrica **Dupla** ~ Ver *Hélice dupla*

hélice[2] (hé.li.ce) *Zool.* **sf.** 1 Gên. de moluscos, da fam. dos helicídeos, a que pertence o caracol 2 Espécie ou espécime desse gênero [F.: Adaptç. do lat. cient. *Helix* (do lat. *helix, icis*).]

helicicultura (he.li.ci.cul.*tu*.ra) **sf.** Cultura de caracóis comestíveis, esp. do tipo *Helix*, como os escargôs [F.: *helic (i/o)-* + *-cultura.*]

◎ **helic(i/o)-** *el. comp.* Registra-se em vocábulos formados no próprio grego, como *helicoide*, e, a partir do século XIX, em inúmeros outros da linguagem científica internacional, como *helicoidal, hélicon* etc. Do gr. *héliks* provém o lat. cient. *helix, icis*, 'caracol', que se encontra em compostos como *helicicultura, heliciforme* etc. [F.: Do gr. *héliks, ikos*, 'espiral'.]

helicoidal (he.li.coi.*dal*) **a2g.** 1 Em forma de, ou semelhante a hélice; HELICOIDE 2 Diz-se do movimento de um sólido que gira em volta de um eixo e que ao longo dele se desloca [F.: *helicoide* + *-al.* Ver *helic(i/o)-.*]

helicoide (he.li.*coi*.de) **a2g.** 1 Que se assemelha a hélice 2 *Bot.* Diz-se da disposição em que as peças se encontram inseridas ao longo de um eixo, como as folhas num caule 3 *Bot.* Diz-se de cimeira em que os eixos secundários saem de um lado e de outro 4 *Geom.* Diz-se da curva que se realiza a partir do enrolamento da parábola em torno de um círculo (tb. sm.) 5 *Geom.* Diz-se de superfície que se engendra a partir do movimento helicoidal de uma linha em torno de um eixo (tb. sm.) 6 *Geom.* Diz-se de superfície que se engendra a partir de uma curva plana ou reversa que se desenha em movimento giratório em torno de um eixo (tb. sm.) **sm.** 7 *Geom.* Curva ou superfície helicoides (4 a 6) [F.: Do gr. *helikoeidés, és.*]

helicômetro (he.li.*cô*.me.tro) **sm.** *Eng.ind.* Aparelho us. para medir a força das hélices [F.: *helic(i/o)-* + *-metro.*]

hélicon (*hé*.li.con) **sm.** *Mús.* Contrabaixo metálico de sopro, de grande formato e dotado de três pistões, muito us. em bandas militares e antigas orquestras de *jazz* [Pl.: *hélicones, hélicons.*] [F.: *helic(i/o)-* + *-on.*]

helicônia (he.li.*cô*.ni:a) *Angios.* **sf.** 1 Designação comum às plantas do gên. *Heliconia*, da fam. das musáceas, encontradas em lugares úmidos de regiões tropicais e cultivadas como ornamentais por suas flores vistosas 2 Qualquer espécie desse gênero, como a *Heliconia pendula* 3 Espécime ou flor desse gênero [F.: Do lat. cient. gên. *Heliconia.*]

helicóptero (he.li.*cóp*.te.ro) **sm.** *Aer.* Aeronave capaz de elevar-se verticalmente, pairar no ar e se deslocar por meio de rotores movidos a motor [F.: *helic(i/o)-* + *-ptero*, pelo fr. *hélicoptère.*]

helicotrema (he.li.co.*tre*.ma) **sm.** *Anat.* Abertura que faz a comunicação entre o vestíbulo e o tímpano [F.: *helic (i/o)-* + *trema.*]

helícula (he.*lí*.cu.la) **sf.** Pequena hélice [Dim. irreg. de *hélice.*] [F.: *hélice*[1] + *-ula.*]

◎ **heli(o)-** *el. comp.* Ocorre em vocábulos originariamente gregos, como *heliotrópio*, e, a partir do séc. XIX, em inúmeros outros introduzidos na linguagem científica internacional, como *heliocentrismo, heliografia, helioterapia, heliostática* etc. [F.: Do gr. *helios*, 'Sol'.]

hélio[1] (*hé*.li:o) *Quím.* **sm.** Elemento de número atômico 2, gás nobre, mais leve que o ar, us. para inflar balões etc. [Símb.: *He.*] [F.: Do lat. cient. *helium*, do gr. *hélios*, 'Sol', por ter sido detectada sua existência na cromosfera solar.]

hélio[2] (*hé*.li.o) **sf.** F. red. de *heliogravura*

heliocêntrico (he.li:o.*cên*.tri.co) **a.** 1 Que tem o Sol como centro 2 Ref. ao centro do Sol [F.: *heli(o)-* + *-centro* + *-ico*[2]. Cf. *geocêntrico.*]

heliocentrismo (he.li:o.cen.*tris*.mo) **sm.** Princípio científico segundo o qual o Sol é o centro do sistema planetário onde se encontra a Terra [F.: *heli(o)-* + *-centro* + *-ismo.* Cf. *geocentrismo.*]

heliocromia (he.li:o.cro.*mi*.a) **sf.** 1 *Fot.* Fotografia colorida 2 Reprodução de cores em fotografia [F.: *heli(o)-* + *-cromia.*]

heliocrômico (he.li:o.*crô*.mi.co) **a.** Ref. à heliocromia [F.: *heliocromia* + *-ico*[2].]

heliofilia (he.li:o.fi.*li*.a) *Bot.* **sf.** Necessidade que tem uma planta de receber intensa luz do Sol para completar seu desenvolvimento. [P.opos. a *esciofilia.*] [F.: *heli(o)-* + *-filia.*]

heliofílico (he.li:o.*fí*.li.co) **a.** Ref. a heliofilia [F.: *heliofil(ia)* + *-ico*[2].]

heliófilo (he.li:*ó*.fi.lo) **a.** 1 *Ecol.* Que gosta do sol, da luz **sm.** 2 *Ecol.* Planta ou animal que vive melhor exposto à luz solar direta [F.: *heli(o)-* + *-filo*[2].]

heliófito (heli:*ó*.fi.to) **a.** *Bot.* Diz-se de planta que exige exposição total ao sol para se desenvolver plenamente [F.: *heli(o)-* + *-fito.*]

heliofobia (he.li:o.fo.*bi*.a) **sf.** 1 *Psiq.* Aversão doentia à luz do sol 2 *Ecol.* Característica de organismo heliófobo [F.: *heli(o)-* + *-fobia.*]

heliofóbico (he.li:o.*fó*.bi.co) **a.** 1 Ref. a heliofobia 2 *Psiq.* Que apresenta heliofobia; HELIÓFOBO **sm.** 3 *Psiq.* Indivíduo que apresenta heliofobia; HELIÓFOBO [F.: *heliofobia* + *-ico*[2].]

heliófobo (he.li:*ó*.fo.bo) **a.** 1 *Psiq.* Ver *heliofóbico* 2 *Ecol.* Que não se desenvolve plenamente sob luz solar intensa **sm.** 3 *Ecol.* Organismo que não se desenvolve quando exposto à luz solar [F.: *heli (o)-* + *-fobo.*]

heliografia (he.li:o.gra.*fi*.a) **sf.** 1 *Astr.* Descrição do Sol 2 *Art.gr.* Qualquer processo de reprodução que copia o original por meio da luz [Nesta acp. tb se diz *cópia heliográfica.*] [F.: *heli(o)-* + *-grafia.*]

heliográfica (he.li:o.*grá*.fi.ca) **sf.** Cópia obtida por processo heliográfico. [Tb. se diz *cópia heliográfica.*] [F.: Forma substv. fem. do adj. *heliográfico.*]

heliográfico (he.li:o.*grá*.*fi*.co) **a.** 1 Ref. a heliografia ou heliogravura 2 Ref. ao disco aparente do Sol [F.: *heliograf(ia)* + *-ico*[2].]

heliógrafo (he.li:*ó*.gra.fo) **sm.** 1 *Met.* Instrumento que mede a insolação diária ou o número diário de horas de brilho do sol 2 Instrumento de sinalização militar do séc. XIX que transmite mensagens por meio de reflexos da luz solar incidente sobre espelhos alternadamente cobertos ou descobertos 3 *Astron.* Instrumento próprio para a observação do Sol [F.: *heli(o)-* + *-grafo.*]

heliogravura (he.li:o.gra.*vu*.ra) **sf.** 1 *Art.gr.* Processo fotomecânico de impressão de textos e ilustrações por meio de placas ou cilindros gravados em baixo-relevo 2 Placa obtida por esse processo 3 Estampa que se tira de placas ou cilindros assim produzidos. [Tb. se diz apenas *hélio.*] [F.: *heli(o)-* + *gravura.*]

heliólatra (he.li:*ó*.la.tra) **s2g.** Indivíduo que adora o Sol [F.: *heli(o)* + *-latra.*]

heliolatria (he.li:o.la.*tri*.a) **sf.** Culto, adoração do Sol [F.: *heli(o)-* + *-latria.*]

helioscopia (he.li:os.co.*pi*.a) **sf.** Observação do Sol por meio de helioscópio [F.: *heli(o)-* + *-scop-* + *-ia*[1].]

helioscópico (he.li:os.*có*.pi.co) **a.** Relativo ao helioscópio ou à helioscopia [F.: *helioscopia* + *-ico*[2].]

helioscópio (he.li:os.*có*.pi:o) **sm.** *Astron.* Instrumento astronômico próprio para observação visual do Sol [F.: *heli(o)* + *-scópio.*]

heliosfera (he.li:os.*fe*.ra) **sf.** *Astron.* Campo magnético do Sol constituído pelo vento solar que envolve todos os planetas [F.: *heli(o)-* + *-sfera.*]

helióstato (he.li:*ós*.ta.to) **sm.** *Ópt.* Instrumento dotado de um espelho plano que gira em torno de um eixo, permitindo a projeção dos raios solares sobre um ponto fixo, apesar do movimento de rotação da Terra [F.: *heli(o)-* + *-stato.* Cf. *celóstato.*]

helioterapia (he.li:o.te.ra.*pi*.a) **sf.** Utilização do Sol para benefício da saúde, como, p. ex., em tratamentos que fazem uso da luz solar sobre a pele [F.: *heli(o)-* + *-terapia.*]

helioterápico (he.li:o.te.*rá*.pi.co) **a.** Ref. a helioterapia [F.: *helioterapia* + *-ico*[2].]

heliotérmico (he.li:o.*tér*.mi.co) **a.** Diz-se de sistema que usa a energia solar para gerar calor [F.: *heli(o)-* + *-term(o)-* + *-ico*[2].]

heliotropia (he.li:o.tro.*pi*.a) **sf.** *Biol.* Propriedade que têm certas plantas de mudar de orientação em resposta à luz solar; HELIOTROPISMO [F.: *heli(o)-* + *-tropia.*]

heliotrópio[1] (he.li:o.*tró*.pi:o) **sm.** 1 *Bot.* Nome comum às plantas boragináceas do gênero *Heliotropium*, de flores miúdas, freq. roxas ou brancas, muito us. na medicina caseira e com fins ornamentais 2 A flor dessas plantas 3 *Bot.* Ver *girassol* [F.: Do tax. *Heliotropium* < lat. *heliotropium.* Ver *heli(o)-* e *-tropo.*]

heliotrópio[2] (he.li:o.*tró*.pi:o) **sm.** 1 *Bot.* Qualquer planta cujas flores se voltam para o Sol 2 *Gem.* Espécie de jaspe verde-escuro com pontos vermelhos; JASPE-SANGUÍNEO 3 *Fís.* Instrumento que concentra raios solares num ponto distante [F.: Do gr. *heliotrópion*, pelo lat. *heliotropium.*]

heliotropismo (he.li:o.tro.*pis*.mo) **sm.** Movimento de certas plantas ou de partes suas em direção à luz do Sol; HELIOTROPIA [F.: *heli(o)-* + *-trop(o)* + *-ismo.*]

heliponto (he.li.*pon*.to) *Aer.* **sm.** Qualquer local, em terra ou na água, destinado a pouso e decolagem de helicópteros [F.: *heli(cóptero)* + *ponto.* Cf.: *heliporto.*]

heliporto (he.li.*por*.to) [ô] **sm.** Heliponto público, esp. construído e equipado para embarque e desembarque de passageiros e/ou carga [Pl.: [ó].] [F.: *heli(cóptero)* + *porto.*]

helitransporte (he.li.trans.*por*.te) **sm.** Transporte por meio de helicópteros [F.: *heli-* (red. de *helic(i/o)-*) + *transporte.*]

hélix (*hé*.lix) **sm2n.** Ver hélice

helmintíase (hel.min.*tí*.a.se) *Pat.* **sf.** Doença causada pela presença de helmintos no organismo humano ou animal [F.: *helmint(o)-* + *-íase.*]

◎ **helmint(o)-** *el. comp.* Ocorre em vocábulos introduzidos na linguagem científica internacional, a partir do séc. XIX, esp. no campo da medicina, como *helmintologia, helmintíase* etc. [F.: Do gr. *hélmins, inthos*, 'verme intestinal'.]

helminto (hel.*min*.to) *Zool.* **sm.** 1 Denominação comum a diversas spp. de vermes endoparasitas dos filos platelmintos, asquelmintos e outros; HELMINTE 2 Entozoário ou verme intestinal [F.: Do gr. *hélmins, inthos.* Ver *helmint(o)-* (*helmintologia*).]

helmintofobia (hel.min.to.fo.*bi*.a) **sf.** Medo mórbido de ser infestado por vermes [F.: *helmint(o)-* + *-fobia.*]

helmintofóbico (hel.min.to.*fó*.bi.co) **a.** 1 Ref. a helmintofobia 2 *Psiq.* Que sofre de helmintofobia; HELMINTÓFOBO **sm.** 3 *Psiq.* Indivíduo helmintofóbico; HELMINTÓFOBO [F.: *helmintofobia* + *-ico*[2].]

helmintófobo (hel.min.*tó*.fo.bo) **a. sm.** *Psiq.* O mesmo que *helmintofóbico* (2 e 3) [F.: *helmint(o)-* + *-fobo.*]

helmintologia (hel.mim.to.lo.*gi*.a) *Med. Zool.* **sf.** Ramo da zoologia ou da parasitologia que estuda os vermes intestinais [F.: *helmint(o)-* + *-logia.*]

helmintológico (hel.min.to.*ló*.gi.co) **a.** Ref. a helmintologia [F.: *helmintologia* + *-ico*[2].]

helmintologista (hel.min.to.lo.*gis*.ta) **s2g.** Pessoa que se especializou em helmintologia; HELMINTÓLOGO [F.: *helmintologia* + *-ista.*]

◎ **helo-[1]** *el. comp.* = brejo, pântano: *helófilo, helófito, helopira* [F.: Do gr. *hélos, eos-ous.*]

◎ **helo-[2]** *pref.* = prego; cravo: *helócero.* [F.: Do gr. *hêlos,-ou.*]

helófito (he.*ló*.fi.to) *Bot.* **a.** 1 Diz-se de qualquer vegetal que fixa raízes em terreno encharcado **sm.** 2 Vegetal helófito [F.: *helo-*[1] + *-fito.*]

⊕ **help** (*Ing. /rélp/*) **sm.** *Inf.* Conjunto de instruções, conselhos e orientações que um programa oferece para ajudar seus usuários

helvécio (hel.*vé*.*ci*.o) **sm.** 1 Indivíduo nascido ou que vive em Helvécia (antiga Suíça) **a.** 2 De Helvécia; típico desse país ou de seu povo [F.: Do top. *Helvéc(ia)* + *-io*[3].]

helvética (hel.*vé*.ti.ca) **sf.** *Tip.* Família tipográfica sem serifa, criada no final da década de 1960, na Suíça, que se tornou muito popular pela sua legibilidade [F.: substv. do adj. *helvético.*]

helvético (hel.*vé*.ti.co) **sm.** 1 Indivíduo nascido na antiga Helvécia, região da atual Suíça 2 *P.ext.* Indivíduo nascido na Suíça; SUÍÇO **a.** 3 Da antiga Helvécia; típico dessa região ou de seu povo (confederação helvética; emblema helvético) 4 *P.ext.* Da Suíça; típico desse país ou de seu povo (equipe helvética); SUÍÇO [F.: Do lat. *helveticus, a, um.*]

hem *interj.* 1 Us. quando a pessoa não ouviu bem, se espanta ou se indigna. Equivale a: *o quê?; como assim?; o que disse?* 2 Equivale a: *não é verdade?* 3 Equivale a: *que é?; diga!* [F.: hem, do lat. *hem*, 'ah!, ai!', e hein, do fr. *hein.*]

hemácia (he.*má*.ci:a) *Histl.* **sf.** Ver *eritrócito* [F. não pref.: *hematia.*] [F.: Do fr. *hématie* (< gr. *haîma, atos*, 'sangue'). Ver *hemat(o)-.*]

hemaglutinação (he.ma.glu.ti.na.*ção*) **sf.** *Imun.* Processo de aglutinação das células do sangue, us. para determinar os grupos sanguíneos, o fator RH e realizar testes imunológicos [Pl.: *-ções.*] [F.: *hem(o)-* + *aglutinação.*]

hemaglutinina (he.ma.glu.ti.*ni*.na) **sf.** *Imun.* Anticorpo produzido por linfócitos em resposta ao aparecimento de um antígeno [F.: *hem(o)-* + *aglutinina.*]

hemangioma (he.man.gi:*o*.ma) **sm.** *Pat.* Tumor, ger. benigno, formado pela proliferação de vasos capilares dilatados [F.: *hem(o)-* + *-angi(o)-* + *-oma*[1].]

hemartrose (he.mar.*tro*.se) *Med.* **sf.** Hemorragia numa articulação [F.: *hem(o)-* + *artrose.*]

hematêmese (he.ma.*tê*.me.se) **sf.** *Med.* Sangramento gastrintestinal; sangue no vômito [F.: *hemat(o)-* + *-êmese.*]

hematencefálico (he.ma.ten.ce.*fá*.li.co) **a.** *Anat.* Ref. ao sangue e ao encéfalo [F.: *hemat(o)-* + *encefal(o)* + *-ico*[2]. Tb. *hematoencefálico.*]

hemático (he.*má*.ti.co) **a.** Do ou ref. ao sangue [F.: Do gr. *haimatikós, é, ón.*]

hematina (he.ma.*ti*.na) **sf.** *Bioq.* O mesmo que *heme* [F.: *hemat(o)-* + *-ina*[2].]

hematita (he.ma.*ti*.ta) *Min.* **sf.** Sesquióxido de ferro, mineral trigonal de intenso brilho metálico, principal minério de ferro e tb. us. como gema; OLIGISTO [F.: Do gr. *haimatítes, ou*, pelo lat. *haematites, ae.* Ver *hemat(o)-* e *-ita*[2].] ■ ~ **parda** *Min.* Ver *limonita*

◎ **-(h)emat(o)-** *el. comp.* Ver *hemat(o)-*

◎ **hemat(o)-** *el. comp.* = sangue: *hematêmese, hematócrito, hematófago, hematologia; imunematologia; hemocentro, hemocitômetro, hemocultura; auto-hemotransfusão* [F.: Do gr. *haíma, atos.*]

hematocele (he.ma.to.*ce*.le) *Pat.* **sf.** 1 Derrame sanguíneo em canal ou cavidade do corpo 2 Hematoma resultante do derrame na túnica vaginal do testículo [F.: *hemat(o)-* + *-cele*[1].]

hematocolpo (he.ma.to.*col*.po) **sm.** *Med.* Massa formada na vagina pela acumulação de sangue menstrual (*hematocolpia*), devido a obstrução a sua saída [F.: *hemat(o)-* + *-colpo.*]

hematócrito (he.ma.*tó*.cri.to) *Hem.* **sm.** 1 Volume percentual de glóbulos vermelhos em uma amostra sanguínea 2 Espécie de centrífuga própria para separar e contar glóbulos vermelhos de amostras sanguíneas 3 *P.ext.* O resultado dessa contagem [F.: Do ing. *hematocrit.*]

hematoencefálico (he.ma.to:en.ce.*fá*.li.co) **a.** Ver *hematencefálico*

hematófago (he.ma.*tó*.*fa*.go) *Zool.* **a.** Que se alimenta de sangue (diz-se de animal) [F.: *hemat(o)-* + *-fago.*]

hematofilo (he.ma.to.*fi*.lo) **a.** Diz-se de planta que tem folhas vermelhas, da cor do sangue; ERITROFILO [F.: *hemat(o)-* + *-filo*[2]. Hom./Par.: *hematófilo* (a.,sm.).]

hematófilo (he.ma.*tó*.fi.lo) **a.** 1 Que gosta de sangue **sm.** 2 Indivíduo hematófilo [F.: *hemat(o)-* + *-filo*[1].]

hematofobia (he.ma.to.fo.*bi*.a) **sf.** *Psiq.* Pavor doentio de sangue [F.: *hemat(o)-* + *-fobia.*]

hematofóbico (he.ma.to.*fó*.bi.co) **a.** 1 Ref. a hematofobia 2 *Psiq.* Que tem pavor doentio de sangue; HEMATÓFOBO **sm.** 3 Indivíduo hematofóbico; HEMATÓFOBO [F.: *hematofobia* + *ico*[2].]

hematófobo (he.ma.*tó*.fo.bo) **a. sm.** O mesmo que *hematofóbico* (2 e 3) [F.: *hemat(o)-* + *-fobo.*]

hematogênico (he.ma.to.*gê*.ni.co) **a.** 1 Que ocorre no sangue ou por via sanguínea (foco hematogênico) 2 Que forma o sangue (mecanismo hematogênico) [F.: *hemat(o)-* + *-gen(o)-* + *-ico*[2].]

hematoide (he.ma.*toi*.de) ***a2g.*** Que se assemelha ao sangue: *mancha de substância hematoide.* [F.: Do gr. *haimatoeidés, és, és.*]
hematoidrose (he.ma.toi.*dro*.se) ***sf.*** *Med.* Sangue misturado ao suor em decorrência do rompimento de vasos sanguíneos em torno das glândulas sudoríparas [Ocorre em situações de grande estresse e, segundo alguns cientistas, pode ter sucedido a Jesus Cristo antes da crucificação, o que explicaria as gotas de sangue que escorriam do seu corpo.] [F.: *hemat(o)-* + *hidrose.*]
hematologia (he.ma.to.lo.*gi*.a) *Med.* ***sf.*** Especialidade médica que estuda o sangue e os tecidos que o formam [F.: *hemat(o)-* + *-logia.*]
hematológico (he.ma.to.*ló*.gi.co) ***a.*** Ref. a hematologia [F.: *hematologia* + *-ico*[2].]
hematologista (he.ma.to.lo.*gis*.ta) ***s2g.*** Médico que se especializou em hematologia; HEMATÓLOGO [F.: *hematolog(ia)* + *-ista.*]
hematólogo (he.ma.*tó*.lo.go) ***sm.*** O mesmo que *hematologista* [F.: *hemat(o)-* + *-logo.*]
hematoma (he.ma.*to*.ma) ***sm.*** *Pat.* Tumor sanguíneo resultante de contusão, rompimento de varizes etc. [F.: *hemat(o)-* + *-oma*[1].]
hematopoese (he.ma.to.po:*e*.se) ***sf.*** *Fisl.* Processo de produção e desenvolvimento das células sanguíneas [F.: *hemat(o)-* + *-poese.*]
hematopoético (he.ma.to.po:*é*.ti.co) ***a.*** **1** Ref. a hematopoese **2** Diz-se de órgão em que ocorre o processo de hematopoese (tecido hematopoético) [F.: *hematopo(ese)* + *-ético*, seg. o mod. grego.]
hematose (he.ma.*to*.se) *Fisl.* ***sf.*** Processo de oxigenação do sangue, que ocorre nos pulmões, transformando o sangue venoso em arterial [F.: Do gr. *haimátosis.*]
hematoxilina (he.ma.to.xi.*li*.na) [cs] ***sf.*** *Quím.* Substância ($C_{16}H_{14}O_6$) extraída do campeche us. como corante azul em processos de coloração histológica, esp. em esfregaços e amostras de tecido animal [F.: *hematóxilo* + *-ina*[2].]
hematúria (he.ma.*tú*.ri:a) *Pat.* ***sf.*** Presença de sangue na urina [F.: *hemat(o)-* + *-úria.* Tb. *hematuria.*]
hematúrico (he.ma.*tú*.ri.co) ***a.*** **1** Ref. a hematúria **2** Que sofre de hematúria ***sm.*** **3** Aquele que sofre de hematúria [F.: *hematúria* + *-ico*[2].]
heme (*he*.me) ***sm.*** *Bioq.* Molécula complexa, ferruginosa, que é parte essencial da hemoglobina, por participar de diversas funções celulares [Fórm.: $C_{34}H_{32}FeN_4O_4$] [F.: Do ing. *heme.*]
hemeralopia (he.me.ra.lo.*pi*.a) ***sf.*** *Oft.* Deficiência visual que se manifesta à luz do sol; cegueira diurna [F.: *hemeralope* + *-ia*[1].]
◎ **hemer(o)-** ***el. comp.*** Registra-se em vocábulos formados no próprio gr., como *hemeralope*, e em alguns introduzidos na linguagem científica internacional, a partir do séc. XIX, como *hemerologia, hemeroteca* etc. [F.: Do gr. *heméra, as,* 'dia'.]
hemeropata (he.me.ro.*pa*.ta) ***s2g.*** Indivíduo que sofre de hemeropatia [F.: *hemer(o)-* + *-pata.*]
hemeropatia (he.me.ro.pa.*ti*.a) ***sf.*** *Med.* Doença que se manifesta apenas durante o dia [F.: *hemer(o)-* + *-patia.*]
hemeroteca (he.me.ro.*te*.ca) ***sf.*** *Bibl.* Seção das bibliotecas onde se arquivam jornais, revistas e outros periódicos [F.: *hemer(o)-* + *-teca.*]
◎ **hemi-** ***el. comp.*** = meio; pelo meio, pela metade: *hemialgia, hemianestesia, hemiplegia* etc. [F.: Do gr. *hémi-.*]
hemialgia (he.mi:al.*gi*.a) ***sf.*** *Med.* Dor que afeta apenas um lado, esp. da cabeça [F.: *hemi-* + *-algia.*]
hemiálgico (he.mi:*ál*.gi.co) ***a.*** Ref. a hemialgia [F.: *hemialgia* + *-ico*[2].]
hemianestesia (he.mi:a.nes.te.*si*.a) ***sf.*** *Neur.* Falta de sensibilidade em um dos lados do corpo [F.: *hemi-* + *anestesia.*]
hemianopsia (he.mi:a.nop.*si*.a) ***sf.*** *Oft.* Deficiência de percepção em metade do campo visual [F.: *hemi-* + *anopsia.*]
hemicelulose (he.mi.ce.lu.*lo*.se) ***sf.*** *Bioq.* Segundo grupo de polissacarídeos renováveis mais abundantes da natureza, logo depois da celulose [F.: *hemi-* + *celulose.*]
hemicíclico (he.mi.*cí*.cli.co) ***a.*** **1** Ref. a hemiciclo; SEMICIRCULAR **2** *Bot.* Diz-se de flor cuja disposição dos elementos apresenta partes em verticilos e outras em espiral [F.: Do gr. *hemikykliklós, é, ón.*]
hemiciclo (he.mi.*ci*.clo) ***sm.*** **1** Espaço semicircular em anfiteatro, esp. onde se localiza a plateia **2** Qualquer espaço ou estrutura em forma de semicírculo **3** *Arq.* Arco ou abóbada que tem forma semicircular [F.: Do gr. *hemíkyklos*, pelo lat. *hemicyclus.*]
hemicilindro (he.mi.ci.*lin*.dro) ***sm.*** Cada uma das partes em que se divide um cilindro seccionado pelo eixo [F.: Do lat. *hemicylindrus, i,* do gr. *hemikýlindros, ou.*]
hemicolectomia (he.mi.co.lec.to.*mi*.a) ***sf.*** *Cir.* Retirada cirúrgica parcial do cólon [F.: *hemi-* + *colectomia.*]
hemicordado (he.mi.cor.*da*.do) *Zool.* ***a.*** **1** Ref. ou pertencente aos hemicordados ***sm.*** **2** Espécime dos hemicordados, filo de invertebrados marinhos que, em sua maioria, possuem corpo vermiforme e vivem enterrados sob pedras ou algas. Seu corpo compõe-se de uma probóscide anterior, um pequeno colar na região mediana e um grande tronco posterior com poros branquiais laterais que se comunicam internamente com fendas faríngeas [F.: Adaptç. do lat. cient. *Hemichordata.*]
hemicrania (he.mi.cra.*ni*.a) ***sf.*** *Med.* Dor forte que ataca uma das metades da cabeça, esp. a região frontal, temporal ou orbital; ENXAQUECA [F.: Do gr. *hemikranía, as.*]
hemicrânico (he.mi.*crâ*.ni.co) ***a.*** Ref. a hemicrania [F.: *hemicrania* + *-ico*[2].]
hemiedria (he.mi:e.*dri*.a) ***sf.*** *Crist.* Propriedade particular de certos cristais que consiste em apresentar as modificações que os afetam apenas na metade das suas faces [F.: *hemi-* + *-edria.*]
hemiédrico (he.mi:*é*.dri.co) ***a.*** Diz-se de cristal que apresenta hemiedria [F.: *hemiedria* + *-ico*[2].]
hemiedro (he.mi:*e*.dro) ***sm.*** *Crist.* Cristal hemiédrico [F.: *hemi-* + *-edro.*]
hemifacial (he.mi.fa.ci:*al*) ***a2g.*** Ref. a uma das metades da face (atrofia hemifacial) [Pl.: *-ais.*] [F.: *hemi-* + *facial.*]
hemigastrectomia (he.mi.gas.trec.to.*mi*.a) ***sf.*** *Cir.* Excisão parcial do estômago [F.: *hemi-* + *gastrectomia.*]
hemilíngua (he.mi.*lín*.gua) ***sf.*** Cada uma das metades da língua [F.: *hemi-* + *língua.*]
hemiparesia (he.mi.pa.re.*si*.a) ***sf.*** *Neur.* Fraqueza muscular que constitui paralisia atenuada de uma das metades do corpo [F.: *hemi-* + *paresia.*]
hemiparético (he.mi.pa.*ré*.ti.co) ***a.*** **1** Ref. a hemiparesia **2** Que apresenta hemiparesia ***sm.*** **3** Aquele que apresenta hemiparesia [F.: *hemipar(esia)* + *-ético*, seg. o mod. grego.]
hemiplegia (he.mi.ple.*gi*.a) *Neur.* ***sf.*** Paralisia total ou parcial de um dos lados do corpo [F.: *hemi-* + *-plegia.*]
hemiplégico (he.mi.*plé*.gi.co) ***a.*** **1** Que sofre de hemiplegia **2** Ref. a hemiplegia ***sm.*** **3** Indivíduo hemiplégico [F.: *hemipleg(ia)* + *-ico*[2]. Ver *hemi-* e *-plegia.*]
hemíptero (he.*míp*.te.ro) *Zool.* ***a.*** **1** Que tem asas ou barbatanas curtas **2** Ref. aos hemípteros ***sm.*** **3** Espécime dos hemípteros, ordem de insetos caracterizados por aparelho bucal picador ou sugador e dois pares de asas, sendo as anteriores coriáceas na base e membranosas na porção distal, e as posteriores, membranosas. Em geral são fitófagos, mas há hematófagos (p.ex.: o percevejo e o barbeiro) [F.: *hemi-* + *-ptero.* Nas acps. 2 e 3, lat. cien. *Hemiptera* (ordem de insetos).]
hemisférico (he.mis.*fé*.ri.co) ***a.*** Que tem forma de hemisfério; SEMIESFÉRICO [F.: *hemisfér(io)* + *-ico*[2]. Ver *hemi-* e *-sfério.*]
hemisfério (he.mis.*fé*.ri:o) ***sm.*** **1** *Geog.* Cada uma das metades da Terra, divididas pela linha do equador (hemisfério sul ou meridional e hemisfério norte ou austral) **2** *Geog.* Cada uma das metades da Terra, divididas pelo meridiano de Greenwich (hemisfério ocidental e hemisfério oriental) **3** *Anat.* Cada uma das metades laterais do cérebro e do cerebelo **4** *Astron.* Cada uma das metades da esfera celeste **5** Metade de uma esfera [F.: Do lat. *hemisphaerium* < gr. *hemisphaírion.*]
■ **~ dominante** **1** *Neur.* O hemisfério cerebral que controla a função da fala **2** O hemisfério cerebral que controla os membros (exp. os movimentos finos) [O controle é cruzado, ou seja, é o hemisfério esquerdo nos destros e o direito nos canhotos.] **~ de Magdeburgo** *Fís.* Hemisférios metálicos ocos usados numa experiência que demonstrou a existência da pressão atmosférica [Juntaram os hemisférios para formar uma esfera oca, da qual se extraiu todo o ar; a grande dificuldade em separar os dois hemisférios demonstrou a força da pressão sobre a superfície externa.]
hemisferoidal (he.mis.fe.roi.*dal*) ***a2g.*** Que tem a aparência de um hemisferoide (2) [Pl.: *-dais.*] [F.: *hemisferoide* + *-al*[1].]
hemisferoide (he.mis.fe.*roi*.de) ***a2g.*** **1** O mesmo que *hemisferoidal* ***sm.*** **2** Cada uma das metades de um esferoide [F.: *hemi-* + *esferoide.*]
hemistíquio (he.mis.*tí*.qui:o) *Poét.* ***sm.*** **1** Metade de um verso alexandrino **2** *P.ext.* Metade de qualquer verso; meio verso [F.: Do lat. tard. *hemistichium, ii,* do gr. *hemistíchion, ou.*]
hemiteratia (he.mi.te.ra.*ti*.a) ***sf.*** *Med.* Deformação congênita que não chega a constituir uma desfiguração [F.: *hemi-* + *teratia.*]
hemiterático (he.mi.te.*rá*.ti.co) ***a.*** **1** Ref. a hemiteratia **2** Que tem hemiteratia ***sm.*** **3** Indivíduo hemiterático [F.: *hemiteratia* + *-ico*[2].]
hemitórax (he.mi.*tó*.rax) [cs] ***sm2n.*** Cada uma das metades do tórax [F.: *hemi-* + *tórax.*]
hemizigótico (he.mi.zi.*gó*.ti.co) ***a.*** Do ou ref. ao hemizigoto [F.: *hemizigoto* + *-ico*[2].]
hemizigoto (he.mi.zi.*go*.to) [ô ou ó] ***sm.*** *Gen.* Gene que se apresenta uma única vez e não aos pares no genoma de um indivíduo (p.ex., os genes dos cromossomos sexuais X e Y) [F.: *hemi-* + *zigoto.*]
◎ **-(h)em(o)-** ***el. comp.*** Ver *hemat(o)-*
◎ **hem(o)-** ***el. comp.*** Ver *hemat(o)-*
hemocaterese (he.mo.ca.*té*.re.se) ***sf.*** *Histl.* Processo de destruição das células sanguíneas que estão envelhecendo [F.: *hem(o)-* + gr. *kathaíresis, eos,* 'destruição'.]
hemocele (he.mo.*ce*.le) ***sf.*** *Anat. Zool.* Cavidade volumosa do corpo dos artrópodes e de alguns outros invertebrados, preenchida pela hemolinfa que banha diretamente as células [F.: *hem(o)-* + *-cele*[2].]
hemocentro (he.mo.*cen*.tro) ***sm.*** Local próprio para fazer a coleta e a preparação de sangue e derivados, assim como a sua aplicação [F.: *hem(o)-* + *centro.*]
hemocianina (he.mo.ci:a.*ni*.na) ***sf.*** *Bioq.* Qualquer proteína de um grupo de proteínas respiratórias que contêm cobre, encontrada na hemolinfa de certos artrópodes e moluscos [F.: *hem(o)-* + *-cian(o)-* + *-ina*[2].]
hemocisteína (he.mo.cis.te:*í*.na) ***sf.*** *Bioq.* Aminoácido natural que, ao se acumular no organismo, pode elevar o risco de doenças cardíacas [F.: *hem(o)-* + *cisteína.*]
hemocoagulação (he.mo.co:a.gu.la.*ção*) ***sf.*** *Hem.* Coagulação sanguínea [Pl.: *-ções.*] [F.: *hem(o)-* + *coagulação.*]
hemocomponente (he.mo.com.po.*nen*.te) ***sm.*** *Hem.* Componente sanguíneo [F.: *hem(o)-* + *componente.*]
hemoconcentração (he.mo.con.cen.tra.*ção*) ***sf.*** *Hem.* Concentração sanguínea [Pl.: *-ções.*] [F.: *hem(o)-* + *concentração.*]
hemocromatose (he.mo.cro.ma.*to*.se) ***sf.*** *End.* Distúrbio metabólico que causa deposição excessiva de ferro nos tecidos, esp. no fígado e pâncreas, provocando cirrose hepática, diabetes melito, além de pigmentação da pele e lesões articulares [F.: *hem(o)-* + *-cromat(o)-* + *-ose*[1].]
hemocultura (he.mo.cul.*tu*.ra) ***sf.*** *Bac.* Técnica de laboratório destinada a encontrar e identificar micro-organismos patogênicos a partir de uma amostra sanguínea colocada em meio nutritivo apropriado [F.: *hem(o)-* + *-cultura.*]
hemoderivado (he.mo.de.ri.*va*.do) ***a.*** **1** Diz-se de produto fabricado a partir do sangue (material hemoderivado) ***sm.*** **2** *P.ext.* Esse produto (hemoderivado contaminado) [F.: *hem(o)-* + *derivado.*]
hemodiafiltração (he.mo.di:a.fil.tra.*ção*) ***sf.*** *Med.* Técnica aperfeiçoada de hemodiálise [Pl.: *-ções.*] [F.: *hemodiá(lise)* + *filtração.*]
hemodiagnóstico (he.mo.di:ag.*nós*.ti.co) ***sm.*** *Med.* Exame de sangue para reconhecer e determinar doenças [F.: *hem(o)-* + *diagnóstico.*]
hemodiálise (he.mo.di.*á*.li.se) *Med.* ***sf.*** Processo de filtração do sangue por meio de equipamento apropriado [F.: *hem(o)-* + *diálise.* Hom./Par.: *hemodiálise* (sf.), *hemodialise* (fl. de *hemodialisar*). Cf.: *diálise.*]
hemodiluição (he.mo.di.lu:i.*ção*) *Hem.* ***sf.*** **1** Elevação do volume de plasma sanguíneo em relação aos glóbulos vermelhos, resultando na diminuição da concentração desses glóbulos na circulação **2** Em cirurgias com risco de perda elevada de sangue, técnica que consiste na retirada prévia de cerca de 800 ml de sangue para reinjeção, no próprio paciente, após a conclusão da cirurgia [Pl.: *-ções.*] [F.: *hem(o)-* + *diluição.*]
hemodinâmica (he.mo.di.*nâ*.mi.ca) ***sf.*** *Card. Fisl.* Estudo da circulação do sangue que, além do diagnóstico, oferece também tratamento para várias doenças [F.: *hem(o)-* + *dinâmica.*]
hemodinâmico (he.mo.di.*nâ*.mi.co) ***a.*** Ref. a hemodinâmica [F.: *hemodinâmica*, com mud. sufixal (v. *-ico*[2]).]
hemodinamômetro (he.mo.di.na.*mô*.me.tro) ***sm.*** *Card. Fisl.* Instrumento para medir a pressão com que o sangue circula no organismo [F.: *hem(o)-* + *dinamômetro.*]
hemodorale (he.mo.do.*ra*.le) ***sf.*** *Bot.* Espécime das hemodorales, plantas monocotiledôneas que reúnem várias famílias, como as hemodoráceas e as pontederiáceas [F.: Do lat. cient. *Haemodorales.*]
hemofilia (he.mo.fi.*li*.a) *Pat.* ***sf.*** Doença hereditária caracterizada pela dificuldade de coagulação do sangue, o que causa hemorragias abundantes e prolongadas, espontâneas ou traumáticas [F.: *hem(o)-* + *-filia.*]
hemofílico (he.mo.*fí*.li.co) ***a.*** **1** Que sofre de hemofilia **2** Ref. a hemofilia ***sm.*** **3** Indivíduo hemofílico [F.: *hemofil(ia)* + *-ico*[2].]
hemófilo (he.*mó*.fi.lo) ***sm.*** *Bac.* Denom. comum às bactérias do gên. *Haemophilus* com algumas espécies patogênicas para o homem, como a *H. influenziae*, causadora da pneumonia e da meningite, e a *H. aegyptius*, causadora da febre purpúrica brasileira e da conjuntivite [F.: Do lat. cient. *Haemophilus.*]
hemoglobina (he.mo.glo.bi.*na*) *Bioq.* ***sf.*** Proteína existente nas hemácias, que contém o ferro do sangue e cuja função principal é levar oxigênio dos pulmões para as células [F.: *hem(o)-* + *glob(ul)ina*; f. red. de **hematoglobulina* < *hemat(o)-* + *globulina.*]
hemoglobinemia (he.mo.glo.bi.ne.*mi*.a) ***sf.*** *Hem.* Presença de hemoglobina livre no plasma sanguíneo como consequência da destruição dos glóbulos vermelhos por razões fisiológicas ou patológicas [F.: *hemoglobina* + *-emia.*]
hemoglobínico (he.mo.glo.*bí*.ni.co) ***a.*** De ou ref. a hemoglobina [F.: *hemoglobina* + *-ico*[2].]
hemoglobulina (he.mo.glo.bu.*li*.na) ***sf.*** *Bioq.* O mesmo que *hemoglobina* [F.: *hem(o)-* + *globulina.*]
hemoglobinúria (he.mo.glo.bi.*nú*.ri:a) ***sf.*** *Med.* Presença de hemoglobina na urina [F.: *hemoglobina* + *-úria.* Tb. *hemoglobinuria.*]
hemograma (he.mo.*gra*.ma) *Med.* ***sm.*** Exame de sangue que verifica quantidades, proporções e aspectos morfológicos de seus elementos celulares [F.: *hem(o)-* + *-grama.*]
hemolinfa (he.mo.*lin*.fa) ***sf.*** *Anat. Zool.* Líquido encontrado no sistema circulatório dos invertebrados com funções semelhantes às do sangue e da linfa nos vertebrados [F.: *hem(o)-* + *linfa.*]
hemólise (he.*mó*.li.se) ***sf.*** *Hem.* Destruição dos glóbulos vermelhos do sangue que causa anemia e se deve à ação de micro-organismos patogênicos, venenos, anticorpos contidos em transfusões ou certas reações alérgicas [F.: *hem(o)-* + *-lise.*]
hemolisina (he.mo.li.*si*.na) ***sf.*** *Bioq.* Substância secretada pelo baço que controla a destruição dos glóbulos vermelhos do sangue [F.: *hem(o)-* + *lisina.*]
hemolítico (he.mo.*lí*.ti.co) ***a.*** **1** Ref. a hemólise **2** Que promove hemólise [F.: *hemól(ise)* + *-ítico*, seg. o mod. grego.]
hemonúcleo (he.mo.*nú*.cle:o) ***sm.*** Local ou instituição própria para receber doações de sangue, ger. ligado a clínicas ou hospitais; HEMOCENTRO [F.: *hem(o)-* + *núcleo.*]

hemopatia (he.mo.pa.*ti*.a) *sf. Hem.* Designação genérica de qualquer doença do sangue [F.: *hem(o)-* + *-patia.*]
hemoplastia (he.mo.plas.*ti*.a) *sf. Biol.* Formação ou produção de diferentes tipos de células sanguíneas pelos tecidos hematopoéticos [F.: *hem(o)-* + *-plastia.*]
hemoplástico (he.mo.*plás*.ti.co) *a.* Ref. a hemoplastia [F.: *hemoplastia* + *-ico*[2].]
hemopoese (he.mo.po:*e*.se) *sf. Fisl.* O mesmo que *hematopoese* [F.: *hem(o)-* + *-poese.*]
hemopoético (he.mo.po:*é*.ti.co) *a.* O mesmo que *hematopoético* [F.: *hemopo(ese)* + *-ético*, seg. o mod. grego.]
hemóptico (he.*móp*.ti.co) *Pneumo. a.* **1** Ref. a hemoptise (quadro hemóptico) **2** Em que há hemoptise (escarro hemóptico) **3** Sujeito a hemoptise (doente hemóptico) [F.: Do lat. *haemoptiycus, i*, do gr. *haimoptykós, é, ón*, 'que escarra sangue'.Tb. *hemoptiico.*]
hemoptíico (he.mop.*tí*.i.co) *a.* Ver *hemóptico*
hemoptise (he.mop.*ti*.se) *sf. Pneumo.* Expectoração de sangue originário do aparelho respiratório que pode ter diversas causas [F.: Do lat. *haemoptysis, is.*]
hemoptoico (he.mop.*toi*.co) *a.* **1** Ref. a ou que tem hemoptise; HEMÓPTICO *sm.* **2** O que tem hemoptise [F.: Do lat. *haemoptoicus.*]
hemoquímica (he.mo.*quí*.mi.ca) *sf. Hem.* Estudo e análise dos elementos componentes do sangue [F.: *hem(o)-* + *química.*]
hemorragia (he.mor.ra.*gi*.a) *Med. sf.* Derramamento de sangue para fora dos vasos sanguíneos [F.: Do lat. *haemorrhagia* < gr. *haimorrhagía.*]
hemorrágico (he.mor.*rá*.gi.co) *a.* **1** Ref. a ou que se caracteriza por hemorragia (dengue hemorrágico) **2** Que apresenta hemorragia *sm.* **3** Indivíduo que apresenta hemorragia [F.: *hemorrag(ia)* + *-ico*[2].]
hemorroida (he.mor.*roi*.da) *sf. Anat.* Cada uma das veias com varizes do ânus e do reto; ALMORREIMA [F.: Do lat. tardio *haemorrhoida.* Ver tb. *hemorroidas.*]
hemorroidal (he.mor.roi.*dal*) *a2g.* Ref. a hemorroida ou hemorroidas [Pl.: *-dais.*] [F.: *hemorroid(a)* + *-al.*]
hemorroidário (he.mor.roi.*dá*.ri:o) *a.* **1** Ref. a ou em que há hemorroida (doença hemorroidária; prolapso hemorroidário); HEMORROIDAL **2** Diz-se de pessoa que padece de hemorroidas *sm.* **3** Essa pessoa [F.: *hemorroida* + *-ário.*]
hemorroidas (he.mor.*roi*.das) *Pat. sfpl.* Doença caracterizada por dilatação nas veias do reto e do ânus *Pop.*; ALMORREIMA; HEMORROIDE [F.: Do lat. *haemorrhoida* < gr. *haimorrhoïda, haimorrhoïdes.*]
hemorroidectomia (he.mor.roi.dec.to.*mi*.a) *sf. Cir.* Cirurgia para retirada das hemorroidas [F.: *hemorroid(a)* + *-ectom* + *-ia*[1].]
hemospasia (he.mos.pa.*si*.a) *sf. Med.* Técnica terapêutica para fazer o sangue afluir à superfície do corpo por meio de vácuo [F.: *hem(o)-* + *spas-* (do gr. *spásis*, 'atração') + *-ia*[1].]
hemospásico (he.mos.*pá*.si.co) *a.* Ref. a hemospasia [F.: *hemospasi(a)* + *-ico*[2].]
hemossedimentação (he.mos.se.di.men.ta.*ção*) *sf. Hem.* Processo laboratorial de sedimentação das hemácias [Pl.: *-ções.*] [F.: *hem(o)-* + *sedimentação.*]
hemossiderose (he.mos.si.de.*ro*.se) *sf. Pat.* Acúmulo localizado ou generalizado de ferro no organismo [F.: *hem(o)-* + *sidero-* (do gr. *síderos*, 'ferro') + *-ose*[1].]
hemóstase (he.*mós*.ta.se) *Med. sf.* Estancamento de hemorragia; HEMOSTASIA [F.: Do gr. *haimóstasis, eos*, pelo lat. *haemostasis, is.* Ver *hem(o)-* e *-stase.*]
hemostasia (he.mos.ta.*si*.a) *sf. Med.* O mesmo que *hemóstase* [F.: *hemóstas(e)* + *-ia*[1].]
hemostático (he.mos.*tá*.ti.co) *a.* **1** Ref. a hemóstase **2** Diz-se de medicamento que estanca hemorragia; ANTI-HEMORRÁGICO *sm.* **3** Esse medicamento [F.: Do gr. *haimostatikós, e, on.* Ver *hem(o)-* e *-stase.*]
hemoterapia (he.mo.te.ra.*pi*.a) *sf. Ter.* Tratamento de certas doenças pelo emprego de sangue ou de algum de seus elementos, como o plasma, as hemácias etc. [F.: *hem(o)-* + *terapia.*]
hemoterápico (he.mo.te.*rá*.pi.co) *a.* Ref. a hemoterapia [F.: *hemoterapi(a)* + *-ico*[2].]
hemotórax (he.mo.*tó*.rax) [cs] *sm2n. Pneumo.* Derramamento de sangue na cavidade torácica [F.: *hem(o)-* + *tórax.*]
hena (*he*.na) *sf.* **1** *Bot.* Arbusto (*Lawsonia inermis*) da fam. das litráceas de cuja casca e folhas secas se obtém uma tintura castanho-avermelhada us. para tingir cabelos **2** *P.ext.* Essa tintura [F.: Do ár. *hinna*; posv. adapt. do fr. *henné.*]
◎ **hendec(a)-** *el. comp.* Registra-se em vocábulos formados no próprio grego, como *hendecassílabo*, e em outros introduzidos na linguagem científica internacional a partir do séc. XIX: *hendecágono, hendecaedro* etc. [F.: Do gr. *héndeka*, 'onze'.]
hendecaedro (hen.de.ca.*e*.dro) *Geom. sm.* Poliedro de 11 faces; UNDECAEDRO [F.: *hendec(a)-* + *-edro.*]
hendecágono (hen.de.*cá*.go.no) *Geom. sm.* **1** Polígono de 11 ângulos e 11 lados *a.* **2** Que tem 11 ângulos e 11 lados [F.: Do lat. *hendecagous, a, um.* Ver *hendec(a)-* e *-gono.* Sin. ger.: *undecágono.*]
hendecassílabo (hen.de.cas.*sí*.la.bo) *sm.* **1** Verso que tem 11 sílabas *a.* **2** Que tem 11 sílabas [F.: Do lat. *hedecassyllabus, i* < gr. *hendekasúllabos, os, on.* Ver *hendec(a)-* e *silab-.*]
henê (he.*nê*) *sm.* Produto cosmético fabricado com a casca e as folhas trituradas da hena, us. esp. para tingir e/ou alisar cabelos [F.: Do fr. *henné.*]
⊕ **henry** (*Ing.* /hênrri/) *sm. Elet. Fís.* Unidade de indutância elétrica igual à indutância de um circuito fechado no qual se produz uma força eletromotriz de 1 volt, quando a corrente elétrica que percorre o circuito varia uniformemente à razão de um ampère por segundo [Símb.: H] [F.: Do antr. (*Joseph*) *Henry* (1797-1878), físico norte-americano.]
heparina (he.pa.*ri*.na) *sf. Quím.* Substância natural, encontrada esp. no fígado, que apresenta efeito anticoagulante [F.: Do fr. *héparine.*]
hepatalgia (he.pa.tal.*gi*.a) *sf. Med.* Dor no fígado [F.: *hepat(o)-* + *-algia.*]
hepatectomia (he.pa.tec.to.*mi*.a) *sf. Cir.* Excisão parcial do fígado [F.: *hepat(o)-* + *-ectomia.*]
hepática (he.*pá*.ti.ca) *sf. Bot.* Espécime das hepáticas, divisão das briófitas que reúne plantas com gametófitos (parte vegetativa) livres, independentes e dominantes, e esporófitos (parte reprodutiva) efêmeros e dependentes do gametófito. Por serem avasculares, o transporte de nutrientes é feito por difusão, o que resulta no seu tamanho minúsculo. A maioria vive em clima úmido temperado e tropical [F.: Adaptç. do lat.cient. *Hepaticae*, do lat. *hepaticus, a, um.*]
hepático[1] (he.*pá*.ti.co) *a. Anat. Med.* Ref. ao fígado, próprio dele, ou que dele faz parte (insuficiência hepática); FIGADAL; HEPATAL; JECORAL [F.: Do gr. *hepatikós, é, ón*, pelo lat. *hepaticus, a, um*; ver *hepat(o)-.*]
hepático[2] (he.*pá*.ti.co) *a. Bot.* Referente às hepáticas [F.: De *hepática*, com mud. de suf. (ver *-ico*[2]).]
hepaticópsida (he.pa.ti.*cóp*.si.da) *sf. Bot.* Espécime das hepaticópsidas, classe de plantas briófitas mais conhecida como das hepáticas [F.: Adaptç. do lat.cient. *Hepaticopsida.*]
hepatite (he.pa.*ti*.te) *Pat. sf.* Inflamação do fígado, aguda ou crônica, ger. causada por infecção viral ou bacteriana, mas tb. por intoxicação *Pop.*; FIGADEIRA [F.: *hepat(o)-* + *-ite*[1].]
hepatização (he.pa.ti.za.*ção*) *sf. Med.* Transformação de tecido orgânico, esp. do pulmão, que passa a apresentar aspecto de fígado [Pl.: *-ções.*] [F.: *hepatizar* + *-ção.*]
hepatizar (he.pa.ti.*zar*) *v. int. Med.* Sofrer hepatização: *Seu pulmão hepatizou-se.* [▶ **1** hepatizar] [F.: *hepat(o)-* + *-izar.*]
◎ **hepat(o)-** *el. comp.* = 'fígado': *hepático* (< gr.), *hepatalgia, hepatectomia, hepatite, hepatografia, hepatologia, hepatoma, hepatomegalia, hepatopatia, hepatotomia*; *esplenepatomegalia* [F.: Do gr. *hépar, hépatos*, 'fígado'. F. conexa: *-epatia.*]
hepatobiliar (he.pa.to.bi.li.*ar*) *a2g. Gast.* Que diz respeito ao fígado, pâncreas e vias biliares (patologia hepatobiliar) [F.: *hepat(o)-* + *biliar.*]
hepatócito (he.pa.*tó*.ci.to) *sm. Cit.* Célula hepática responsável pela metabolização de certas substâncias e pela produção de bile [F.: *hepat(o)-* + *-cito.*]
hepatoflavina (he.pa.to.fla.*vi*.na) *sf. Bioq.* Componente nutricional da vitamina B presente no fígado [F.: Do ing. *hepatoflavin.*]
hepatografia (he.pa.to.gra.*fi*.a) *Med. sf.* **1** Descrição científica do fígado **2** *Pus.* Radiografia do fígado [F.: *hepat(o)-* + *-grafia.*]
hepatográfico (he.pa.to.*grá*.fi.co) *a.* Ref. a hepatografia [F.: *hepatografia* + *-ico*[2].]
hepatologia (he.pa.to.lo.*gi*.a) *Med. sf.* Estudo da anatomia, funcionamento e doenças do fígado [F.: *hepat(o)-* + *-logia.*]
hepatológico (he.pa.to.*ló*.gi.co) *a. Med.* Ref. a hepatologia [F.: *hepatologia* + *-ico*[2].]
hepatologista (he.pa.to.lo.*gis*.ta) *s2g.* Médico que se especializou em hepatologia [F.: *hepatologia* + *-ista.*]
hepatoma (he.pa.*to*.ma) *Pat. sm.* Tumor no fígado [F.: *hepat(o)-* + *-oma*[1].]
hepatopatia (he.pa.to.pa.*ti*.a) *sf.* Designação genérica das doenças do fígado [F.: *hepat(o)-* + *-patia.*]
hepatoprotetor (he.pa.to.pro.te.*tor*) [ô] *Farm. a.* **1** Que protege a célula hepática contra agentes tóxicos (efeito hepatoprotetor) *sm.* **2** Medicamento que protege a célula hepática contra agentes tóxicos (hepatoprotetor injetável) [F.: *hepat(o)-* + *protetor.*]
hepatorreia (he.pa.tor.*rei*:a) *sf. Pat.* Secreção patologicamente abundante de bílis ou de outra substância excretada pelo fígado [F.: *hepat(o)-* + *-reia.*]
hepatorreico (he.pa.tor.*rei*.co) *a. Med.* Ref. a hepatorreia [F.: *hepatorreia* + *-ico*[2].]
hepatoscopia (he.pa.tos.co.*pi*.a) *sf.* **1** *Med.* Observação clínica do fígado *sf.* **2** *Oct.* Na antiga Mesopotâmia, predição do futuro através da observação dos movimentos do fígado de um animal recém-sacrificado [F.: *hepat(o)-* + *-scopia.*]
hepatoscópico (he.pa.tos.*có*.pi.co) *a.* Ref. a hepatoscopia [F.: *hepatoscopia* + *-ico*[2].]
hepatose (he.pa.*to*.se) *sf. Med. Vet.* Doença de fígado, esp. em animais [F.: *hepat(o)-* + *-ose*[1].]
hepatotomia (he.pa.to.to.*mi*.a) *sf. Cir.* Incisão no fígado [F.: *hepat(o)-* + *-tomia.*]
hepatotômico (he.pa.to.*tô*.mi.co) *a. Cir.* Ref. a hepatotomia [F.: *hepatotomia* + *-ico*[2].]
hepatoxicidade (he.pa.to.xi.ci.*da*.de) [cs] *sf.* Característica do que é hepatóxico [F.: *hepatóxico* + *-(i)dade.*]
hepatóxico (he.pa.*tó*.xi.co) [cs] *Med. a.* **1** Diz-se de substância que intoxica o fígado *sm.* **2** Essa substância [F.: Por *hepatotóxico*, de *hepat(o)-* + *tóxico*, com haplologia.]
◎ **hept(a)-** *el. comp.* Registra-se em vocábulos formados no próprio grego, como heptateuco, e em muitos outros introduzidos na linguagem científica internacional a partir do séc. XIX: *heptagonal, heptadáctilo* etc. [F.: Do gr. *heptá*, 'sete'.]
heptacampeão (hep.ta.cam.pe.*ão*) *a.* **1** Que é sete vezes campeão *sm.* **2** Aquele que é sete vezes campeão [Pl.: *-peões.* Fem.: *-peã.*] [F.: *hept(a)-* + *campeão.*]
heptacampeonato (hep.ta.cam.pe:o.*na*.to) *sm.* O sétimo campeonato, consecutivo ou não, vencido por uma pessoa ou entidade (clube, colégio, seleção nacional etc.) [F.: *hept(a)-* + *campeonato.*]
heptaédrico (hep.ta.*é*.dri.co) *a.* **1** Ref. a heptaedro **2** Que tem sete faces [F.: *heptaedro* + *-ico*[2].]
heptaedro (hep.ta.*e*.dro) *Geom. sm.* Poliedro de sete faces [F.: *hept(a)-* + *-edro.*]
heptagonal (hep.ta.go.*nal*) *a2g.* Ref. a heptágono [F.: *heptágon(o)* + *-al.* Ver *hept(a)-* e *-gono.*]
heptágono (hep.*tá*.go.no) *Geom. sm.* Polígono de sete lados e sete ângulos [F.: Do gr. *heptágonos, os, on*, pelo lat. *heptagonus, a, um.* Ver *hept(a)-* e *-gono.*]
heptâmero (hep.*tâ*.me.ro) *sm.* O que é dividido em sete partes (tomos, livros, atos, quadros etc.) [F.: *hept(a)-* + *-mero.*]
heptassílabo (hep.tas.*sí*.la.bo) *sm.* **1** Verso que tem sete sílabas *a.* **2** Que tem sete sílabas [F.: Do lat. *heptasyllabus, a, um* (< gr. *heptasúllabos*). Ver *hept(a)-* e *-sílabo.* Sin. ger.: *setissílabo.*]
heptateuco (hep.ta.*teu*.co) *sm.* **1** Obra dividida em sete livros **2** *Rel.* Os sete primeiros livros do Velho Testamento (cinco do Pentateuco mais os Livros de Josué e dos Juízes) [F.: Do gr. *heptáteukhos, ou.*]
heptatlo (hep.*ta*.tlo) *sm. Atl.* Prova olímpica exclusivamente feminina que consiste na combinação de sete especialidades: 100 m com barreiras, salto em altura, arremesso de peso, 200 m rasos, salto em distância, arremesso de dardo e 800 m rasos, obrigatoriamente nesta sequência [As provas são realizadas em dois dias consecutivos, quatro no primeiro e três no segundo.] [F.: *hept(a)-* + *-atlo.*]
hera (*he*.ra) *Bot. sf.* Nome comum às trepadeiras araliáceas do gênero *Hedera*, de folhas sempre verdes, ornamentais, esp. *Hedera helix*, originárias da Europa, África e Ásia, freq. usadas para revestir muros e fachadas [F.: Do lat. *hedera, ae.* Ideia de 'hera': *ciss(o)-, heder(i)-.* Hom./Par.: *hera* (sf.), *heras* (pl.), *era, eras* (fl. de *ser* e *erar*, e sf.).]
heraclitiano (he.ra.cli.ti.*a*.no) *a.* **1** De ou ref. a Heráclito, filósofo grego (c. 544-480 a.C.) **2** Diz-se de pessoa que é adepta ou seguidora de sua filosofia ou se especializou em sua obra *sm.* **3** Essa pessoa [F.: Do antr. *Heráclito* + *-iano.*]
heráldica (he.*rál*.di.ca) *sf.* Arte ou ciência que se ocupa da identificação, descrição e criação de brasões; ARMARIA; PARASSEMATOGRAFIA [F.: Adapt. do fr. *héraldique*, substv. do adj.]
heráldico (he.*rál*.di.co) *a.* **1** Ref. a brasão e armas (símbolo heráldico) **2** *Fig.* Que é nobre, aristocrático: "Tinham gosto delicado e heráldico as filhas de Lourenço Cavalcanti de Albuquerque." (Afrânio Peixoto, *Maias e Estevas*) *sm.* **3** Ver *heraldista* [F.: Do fr. *héraldique.*]
heraldista (he.ral.*dis*.ta) *s2g.* Pessoa especializada em heráldica; HERÁLDICO [F.: Do fr. *héraldiste.*]
herança (he.*ran*.ça) *sf.* **1** *Jur.* Patrimônio deixado por pessoa morta e transmitido por via de sucessão ou por disposição de testamento, e que inclui bens, propriedades, direitos e obrigações **2** Aquilo que se herda **3** *Gen.* conjunto de características genéticas hereditárias. [Tb. se diz *herança genética.*] **4** *Fig.* Aquilo que foi transmitido por gerações anteriores, por antecessores, pela tradição; LEGADO: *a herança de governos anteriores.* **5** *Inf.* Conjunto de propriedades transmitidas de uma classe (18) para outra [F.: Do lat. hisp. *herentia*, substv. do lat. *haerentia*, neutro pl. de *haerens -entis*, part. pres. de *harere*, 'estar ligado, pregado, fixo'. Ideia de 'herança': *cler(i/o)-.* Ver *hered(i/o)-.*] ∎ **~ citoplasmática** *Gen.* Transmissão de caracteres genéticos por fatores que não estão no núcleo das células **~ cultural** *Antr.* Legado de elementos culturais, como costumes, crenças, tradições etc., transmitido de uma geração a outra de um grupo social **~ jacente** *Jur.* Aquela cujos herdeiros ainda não se conhecem, por isso sob a guarda e administração de um curador até que aqueles se apresentem **~ mendeliana** *Gen.* Transmissão de caracteres genéticos por cromossomos **~ vacante** *Jur.* Herança jacente cujo prazo de apresentação dos herdeiros já transcorreu sem que se apresentasse, e que por isso passa a ser patrimônio do Estado; herança vaga **~ vaga** *Jur.* Ver *Herança vacante*
herbáceo (her.*bá*.ce:o) *a.* **1** Ref. ou semelhante a erva **2** *Bot.* Diz-se de planta que não tem partes lenhosas [F.: Do lat. *herbaceus, a, um.* Ver *herb(i)-.*]
herbal (her.*bal*) *a2g.* Produzido com ervas medicinais (suplemento herbal) [Pl.: *-bais.*] [F.: Do ing. *herbal.*]
herbanário (her.ba.*ná*.ri:o) *sm.* **1** Lugar onde se vendem ervas medicinais; ERVANARIA [Tb. se diz *ervanário.*] **2** Pessoa que conhece, cultiva ou vende essas ervas; HERBOLÁRIO; HERBORISTA [F.: Do lat. *herban(u)* + *-ário.* Sin. ger.: *ervanário.*]
herbário (her.*bá*.ri:o) *sm.* **1** *Bot.* Coleção de plantas ou partes de plantas dessecadas sob pressão e catalogadas para estudo **2** Lugar onde se guarda essa coleção **3** *Ant.* Livro ilustrado em que se reuniam descrições de plantas, com especificações de suas propriedades medicinais [F.: Do lat. *herbarium.* Sin. ger.: *ervário, fitoteca.*]
◎ **herb(i)-** *el. comp.* Registra-se em vocábulos de épocas diversas, alguns deles formados no próprio latim: *herbá-*

rio, herbático, herbífero, herbívoro etc. [F.: Do lat. *herba, ae*, 'erva'.]
herbicida (her.bi.*ci*.da) ***sm.*** **1** Substância que mata ervas daninhas ***a2g.*** **2** Que mata ervas daninhas [F.: *herb(i)- + -cida*. Sin. ger.: *ervicida*.]
herbífero (her.*bí*.fe.ro) ***a.*** **1** Que produz erva (planta herbífera) **2** Coberto de hera [F.: *herb(i)- + -fero*.]
herbiforme (her.bi.*for*.me) ***a2g.*** Que se assemelha a erva [F.: *herbi- + -forme*.]
herbívoro (her.*bí*.vo.ro) ***a.*** **1** *Ecol.* Que se alimenta de vegetais ou de erva (diz-se de animal) ***sm.*** **2** Animal herbívoro [F.: *herbi- + -voro*. Sin. ger.: *fitófago, herbivoraz*. Cf.: *vegetariano*.]
herbolário (her.bo.*lá*.ri:o) ***a.*** **1** Que cultiva e vende ervas ou plantas medicinais **2** Que conhece ervas ou plantas medicinais ***sm.*** **3** Aquele que cultiva e vende ervas ou plantas medicinais **4** Aquele que conhece ervas ou plantas medicinais [F.: Do lat. *herbularius*, de *herbula, ae* 'ervinha' + *-ário*. Sin. ger.: *ervanário, herborista*.]
herbóreo (her.*bó*.re:o) ***a.*** Ref. a erva; HERBÁTICO [F.: Do lat. *herba, ae*, com infl. do lat. *arboreu*, 'arbóreo', poss.]
herborista (her.bo.*ris*.ta) ***a2g.s2g.*** Ver *herbolário* [F.: Do fr. *heboriste*.]
herborizar (her.bo.ri.*zar*) ***v.*** Colher (plantas) para herbário; fazer a herborização de [***td.***: *Herborizou plantas a manhã toda*.] [***int.***: *Passou a manhã herborizando*.] [F.: Do fr. *herboriser*.]
herboso (her.*bo*.so) [ô] ***a.*** Ver *ervoso* [Pl.: [ó.] Fem.: [ó].] [F.: Do lat. *herbosus, a, um*.]
hercúleo (her.*cú*.le:o) ***a.*** **1** Árduo, penoso, que exige esforço intenso (tarefa hercúlea) **2** Que tem força descomunal (lutador hercúleo) **3** Ref. a ou próprio de Hércules; HERCULANO [(lutador hercúleo).] [F.: Do lat. *herculeus, a, um*.]
hércules (*hér*.cu.les) ***sm2n.*** **1** *Fig.* Homem de força e bravura descomunais **2** *Bras.* Utensílio de ferro utilizado para arrombar **3** *Ent.* Ver *besouro-de-chifre* [F.: Do mitônimo lat. *Hércules, is*, 'semideus, filho de Júpiter e Alcmena', conhecido pela sua força.]
herdabilidade (her.da.bi.li.*da*.de) ***sf.*** Característica do que é herdável: *a herdabilidade das características de um animal*. [F.: *herdável* (f. lat. *-bili-*) + *-dade*.]
herdade (her.*da*.de) ***sf.*** **1** Grande propriedade rural; FAZENDA; QUINTA **2** *Antq.* Ver *herança* [F.: Do lat. *hereditas-atis*.]
herdança (her.*dan*.ça) ***sf.*** *Ant.* Ver *herança* [F.: *herdar* + *-ança*.]
herdar (her.*dar*) ***v.*** **1** Receber por herança [***td.***: *Herdou uma casa de praia*.] [***tdr.*** + *de*: *Herdou do tio uma fortuna*] **2** Adquirir por hereditariedade ["...herdara sangue nobre..." (Aluísio de Azevedo, *O Cortiço*)] [***tdr.***: *Herdei do meu pai o senso de disciplina*.] **3** Receber por sucessão ou transmissão [***td.***: *O novo diretor só herdou problemas*.] [***tdr.*** + *de*: *Herdou do antecessor um grupo mal treinado*.] **4** Deixar por herança ou transmitir; LEGAR [***tdi.*** + *a*: *Herdou aos ascendentes o amor pela música*.] [▶ **1 herdar**] [F.: Do lat. *hereditare*. Hom./Par.: *herda* (fl.), *herda* (sf.); *herdas* (fl.), *herdas* (pl. do sf.); *herdo* (fl.), *herdo* (sm.); *herdáveis* (fl.), *herdáveis* (pl. de *herdável*).]
herdável (her.*dá*.vel) ***a2g.*** Que se pode herdar (direito herdável): *característica genética herdável*. [Pl.: *-veis*.] [F.: *herdar* + *-vel*. Hom./Par.: (pl.) *herdáveis, herdáveis* (fl. de *herdar*).]
herdeiro (her.*dei*.ro) ***sm.*** **1** Pessoa que recebe ou deve receber herança **2** *Fam.* Filho **3** *Jur.* Aquele que sucede, por lei, na totalidade ou numa quota da herança **4** *Fig.* Pessoa que herda por consanguinidade certas particularidades físicas ou morais: *herdeira dos dotes culinários da avó*. **5** Pessoa que aprende com outra e a sucede numa tradição, arte ou ciência; EPÍGONO; SUCESSOR: *herdeiro musical do mestre*. **6** *Ant.* Filho ou descendente de um padroeiro ou fundador de igreja ou mosteiro que anualmente recebia certas pensões [F.: Do lat. *hereditarius, a, um*. Cf.: *descendência*.] ■ **~ aparente** *Jur.* Aquele que, na posse efetiva de herança, parece ser legítimo, quando não o é **~ beneficiário** *Antq. Jur.* Aquele que, antes de aceitar ou não herança, procedia ao seu inventário **~ forçado** *Jur.* Ver *Herdeiro necessário* **~ legitimário** *Jur.* Ver *Herdeiro necessário* **~ legítimo** *Jur.* Aquele no qual a justiça reconhece essa qualidade, por seu parentesco com o falecido **~ necessário** *Jur.* Aquele que, por força das leis de herança, não se pode excluir ou preterir; herdeiro forçado, herdeiro legitimário, herdeiro reservatário **~ póstumo** *Jur.* O que nasce depois do falecimento de quem deixou a herança **~ pré-morto** *Jur.* O que morreu antes de quem legou a herança, passando seus direitos a serem de seus sucessores **~ reservatário** *Jur.* Ver *Herdeiro necessário* **~ testamentário** *Jur.* Aquele cujos direitos são instituídos em testamento **~ universal** *Jur.* Aquele que, por força de lei, tem direito à totalidade da herança
hereditariedade (he.re.di.ta.ri:e.*da*.de) ***sf.*** **1** Condição ou qualidade de hereditário; direito de receber a totalidade ou parte dos bens que uma pessoa deixa em razão de seu falecimento **2** Transmissão dos caracteres físicos ou morais dos pais aos descendentes **3** *Gen.* Processo que tem como resultado a transmissão de caracteres de uma geração para outra através dos genes: *A cor dos olhos se transmite por hereditariedade*. **4** *Jur.* Condição ou qualidade de herdeiro **5** *Hist.* Sucessão ao trono [F.: *hereditári(o)* + *-edade*.]
hereditário (he.re.di.*tá*.ri:o) ***a.*** **1** Que se transmite por hereditariedade (doença hereditária); CONGÊNITO **2** Que se transmite por direito de sucessão (capitanias hereditárias) [F.: Do lat. *hereditarius, a, um*.]
◎ **heredo-** ***pref.*** = hereditário: *hereditariedade, hereditário*
herege (he.*re*.ge) ***s2g.*** **1** Pessoa que professa ou sustenta alguma heresia **2** Católico que se recusa a aceitar ou questiona os dogmas do catolicismo **3** *Pop.* Católico que não vai à missa nem comunga ***a2g.*** **4** Que age como herege **5** *Fig.* Que tem ideias contrárias àquelas aceitas pela maioria [F.: Do gr. *hairetikós*, pelo lat. *haereticus, a, um*, pelo provç. *heretge*. Sin. ger.: *herético; ímpio*.]
heresia (he.re.*si*:a) ***sf.*** **1** Doutrina que se opõe ao que a Igreja estabelece em matéria de fé **2** Ideia, prática ou opinião contrária ao que é aceito pela maioria **3** Palavra ou ato de desrespeito à religião **4** *Fig.* Disparate, absurdo, despropósito [+ *contra*] [F.: Do gr. *háiresis*, pelo lat. *haeresis*.]
heresiarca (he.re.si:*ar*.ca) ***s2g.*** **1** Chefe ou fundador de seita herética [Tb. us. com adjetivo.] **2** Autor de heresia(s): "... um heresiarca do século II em plena idade moderna." (Euclides da Cunha, *Os Sertões*) [F.: Do gr. *hairesiárches, ou*.]
herético (he.*ré*.ti.co) ***a.*** **1** Ref. a ou que contém heresia ***sm.*** **2** Ver herege [F.: Do gr. *hairetikós*, pelo lat. *haereticus, a, um*.]
heril (he.*ril*) ***a2g.*** **1** Ref. a ou próprio de senhor, em relação ao escravo (mandado heril) **2** *P.ext.* Próprio de senhor; NOBRE; SENHORIL: "...heroico sucessor da raça heril dos bandeirantes / passa galhardo um filho de imigrante / ..." (Mário de Andrade, 'A meditação sobre o Tietê'', *in Pauliceia desvairada*) [F.: Do lat. *herilis, e*.]
herma (*her*.ma) *Esc.* ***sf.*** **1** Busto em que as costas, o peito e os ombros são cortados por planos verticais, ger. erguido sobre hermeta **2** Estátua do deus Hermes, esp. segundo esse modelo **3** *Bras.* Qualquer escultura de meio-busto apoiada sobre plinto ou hermeta [F.: Do lat. *herma* ou *hermes, ae*.]
hermafrodita (her.ma.fro.*di*.ta) ***a2g.*** **1** *Biol.* Que tem genitália externa definida de um dos sexos e rudimentar do outro e, no caso do hermafrodita verdadeiro, tecidos ovariano e testicular internos **2** *Bot.* Diz-se de flor que tem estames e pistilo ***s2g.*** **3** *Biol.* Indivíduo hermafrodita (1) [F.: Do gr. *Hermaphróditos, ou*, 'filho de Hermes e Afrodite, com características dos dois sexos', pelo lat. *hermaphroditus, a, um*, 'de ambos os sexos', e pelo lat. *hermafrodita*. Tb.: *hermafrodito*. Sin. ger.: *andrógino*.]
hermafroditismo (her.ma.fro.di.*tis*.mo) ***sm.*** **1** *Biol.* Anomalia congênita que consiste em um indivíduo apresentar genitália externa definida de um dos sexos e rudimentar do outro e, no caso do hermafroditismo verdadeiro, também de tecidos ovariano e testicular internos; ANDROGINIA; GINANDRIA **2** *Bot.* Presença de estames e pistilo numa só flor [F.: *hermafrodita* + *-ismo*.]
hermafrodito (her.ma.fro.*di*.to) ***a. sm.*** *Biol. Bot.* Ver *hermafrodita*
hermeneuta (her.me.*neu*.ta) ***s2g.*** **1** Pessoa especializada ou versada em hermenêutica **2** *Dir.* Jurisconsulto, jurisprudente, jurista [F.: Adapt. do gr. *hermeneutes*, de *hermeneúein*.]
hermenêutica (her.me.*nêu*.ti.ca) ***sf.*** **1** *Dir.* Interpretação de textos legais para aplicação à particularidade dos casos **2** *Fil.* Interpretação das Sagradas Escrituras e de textos filosóficos **3** *Ling.* Interpretação do sentido das palavras e de textos em geral **4** *Liter.* Interpretação de um autor e de sua obra **5** *Ling.* Interpretação dos signos e de sua representação simbólica numa cultura [F.: Do gr. *hermeneutiké*, posv. por infl. do fr. *herméneutique*.]
hermenêutico (her.me.*nêu*.ti.co) ***a.*** Da ou ref. a hermenêutica [F.: Do gr. *hermeneutikós, é, ón*.]
hermeticidade (her.me.ti.ci.*da*.de) ***sf.*** Qualidade do que é hermético: *A hermeticidade da embalagem protege o produto*. [F.: *hermético* + *-i-* + *-dade*.]
hermético (her.*mé*.ti.co) ***a.*** **1** Completamente fechado, de modo que não entre ar; LACRADO; SELADO **2** *P.ext.* Difícil de compreender; obscuro, enigmático (discurso hermético) [Ant.: *claro, compreensível*.] **3** Ref. à alquimia **4** Ref. a Hermes, deus grego **5** Encimado por um hermes (coluna hermética) ***sm.*** **6** Ver *hermetista* [F.: Do gr. *hermetikós*, pelo lat. *hermeticus*.]
hermetismo (her.me.*tis*.mo) ***sm.*** **1** Característica do que é difícil de compreender para a maioria das pessoas; OBSCURIDADE **2** Doutrina ocultista restrita a poucos **3** *Fil.* Conjunto de doutrinas que abrange astrologia, alquimia e magia (hermetismo popular), e teologia e filosofia (hermetismo erudito), surgido no Egito, no séc. I, a partir de textos supostamente revelados pelo deus egípcio Thot, chamado Hermes Trismegisto pelos gregos [F.: Posv. do fr. *hermetisme*.]
hermista (her.*mis*.ta) *Bras. Pol.* ***a2g.*** **1** Do ou ref. ao hermismo (ideias políticas do Marechal Hermes da Fonseca, político brasileiro, oitavo presidente da República) **2** Diz-se de pessoa que é partidária das ideias do Marechal Hermes da Fonseca ***s2g.*** **3** Essa pessoa [F.: Do antr. Marechal *Hermes* da Fonseca (1855-1923) + *-ista*.]
hermografia (her.mo.gra.*fi*.a) ***sf.*** *Astron.* Estudo e descrição do planeta Mercúrio [F.: De *Hermes* (grego corresponde ao lat. Mercúrio) + *-grafia*.]
hermográfico (her.mo.*grá*.fi.co) ***a.*** Ref. a hermografia [F.: *hermografia* + *-ico*[2].]
hérnia (*hér*.ni:a) ***sf.*** **1** *Pat.* Saída parcial ou total de um órgão através de uma abertura, natural ou acidental, no tecido que o contém; QUEBRA; QUEBRADURA; RENDIDURA **2** *Bot.* Doença causada pelo parasitismo de um fungo na raiz de plantas crucíferas, como a couve e o repolho **3** *P.ext.* Intumescência, protrusão **4** *P.ext.* Saliência que se forma na superfície de uma câmara de ar, pneu etc. devido à distensão da borracha [F.: Do lat. *hernia*. Ideia de 'hérnia': *-cele* (*cistocele*).] ■ **~ de disco** *Ort.* Protrusão de disco de cartilagem situado entre vértebras (por trauma ou degeneração) ger. pressionando a raiz nervosa na medula e causando dor **~ de hiato** *Gast.* Hérnia de uma porção do estômago, que passa através do hiato do esôfago, ou do diafragma **~ encarcerada** *Med.* A que não é passível de correção, mas não afeta a circulação do órgão **~ estrangulada** *Med.* Aquela em que a circulação do órgão afetado fica comprometida, podendo ocorrer necrose **~ irredutível** *Med.* Aquela na qual a parte em protrusão não pode ser recolocada em sua cavidade original **~ redutível** *Med.* Aquela na qual a parte em protrusão pode ser recolocada em sua cavidade original
herniação (her.ni:a.*ção*) ***sf.*** *Pat.* Processo de formação de uma hérnia [Pl.: *-ções*.] [F.: *hérnia* + *-ar*[2] + *-ção*.]
herniário (her.ni:*á*.ri:o) ***a.*** **1** Ref. a hérnia **2** Diz-se de aparelho ou instrumento cirúrgico próprio para conter ou tratar hérnias [F.: *hérnia* + *-ário*.]
◎ **herni(o)-** ***el. comp.*** = 'hérnia': *hernioplastia, hernioso* (< lat.), *herniotomia* [F.: Do lat. *hernia, ae*, 'hérnia'; 'quebradura'.]
hernioplastia (her.ni:o.plas.*ti*.a) ***sf.*** *Cir.* Cirurgia para corrigir hérnias que emprega uma tela para recobrir o defeito herniário [F.: *herni(o)-* + *-plastia*.]
hernioplástico (her.ni:o.*plás*.ti.co) ***a.*** *Cir.* Da ou ref. à hernioplastia [F.: *hernioplastia* + *-ico*[2].]
herniotomia (her.ni:o.to.*mi*.a) ***sf.*** *Cir.* Qualquer tipo de cirurgia para correção de hérnias [F.: *herni(o)-* + *-tomia*.]
herniotômico (her.ni:o.*tô*.mi.co) ***a.*** *Cir.* Da ou ref. à herniotomia [F.: *herniotomia* + *-ico*[2].]
herodiano (he.ro.di:*a*.no) ***a.*** **1** Ref. a Herodes I, o Grande, rei da Judeia (73-4 a.C.) **2** Ref. a partido político dos tempos bíblicos, formado por judeus que, ao lado dos fariseus, juntaram-se a Herodes na sua oposição a Jesus ***sm.*** **3** Adepto desse partido: "...e não se encontravam fariseus, nem escribas, nem saduceus, nem herodianos." (Eça de Queirós, *Prosas Bárbaras*) [F.: Do lat. *herodianus, a, um*.]
herodotiano (he.ro.do.ti:*a*.no) ***a.*** De ou ref. a Heródoto (484-430-20 a.C.), considerado autor das primeiras narrações históricas [F.: *Heródoto* + *-iano*.]
herói (he.*rói*) ***sm.*** **1** Homem notável por sua coragem, feitos incríveis, generosidade e altruísmo **2** Personagem masculino principal de romance, peça teatral, filme etc.; PROTAGONISTA **3** *Irôn.* Homem que suporta, com firmeza e determinação inabaláveis, condições adversas **4** Homem que por algum motivo desperta grande admiração; ÍDOLO **5** Figura que desempenhou papel importante em um acontecimento ou período histórico **6** *Fig.* Homem que por bons ou maus motivos atrai as atenções **7** *Mit.* Ver semideus [Fem.: *heroína*.] [F.: Do gr. *heros-oos*, pelo lat. *heros -ōis*.]
heroicidade (he.ro:i.ci.da.de) ***sf.*** Qualidade ou caráter de quem é herói ou do que é heroico; HEROÍSMO [F.: *heroico* + *-i-* + *-dade*.]
heroicizado (he.roi.ci.za.do) ***a.*** Ver *heroizado*
heroico (he.*roi*.co) ***a.*** **1** Próprio de herói ou heroína (feito heroico) **2** Que revela heroísmo (desfecho heroico) **3** *Liter.* Diz-se de estilo ou gênero literário em que se narram grandes feitos de heróis [F.: Do gr. *heroikós*, pelo lat. *heroicus, a, um*.]
herói-cômico (he.rói-cô.mi.co) ***a.*** Diz-se de obra literária que visa provocar o riso ao abordar situações e personagens ridículos em tom de epopeia: *"O desertor das letras", publicado em 1774, é um poema herói-cômico de Manuel Inácio da Silva Alvarenga*. [Pl.: *herói-cômicos*.]
heroide (he.*roi*.de) ***sf.*** *Liter.* Carta amorosa em forma de poema, escrita como se o autor fosse um herói ou personagem notável: *"Teseu de Ariana" é uma bela heroide de Silva Alvarenga*. [F.: Do lat. *herois, idis*.]
heroína[1] (he.ro:*í*.na) ***sf.*** Fem. de herói [F.: Do gr. *heroíne*, pelo lat. *heroina, ae*.] ■ **~ de dois mundos** *Hist.* Alcunha dada a Anita Garibaldi (1821-1849), por ter participado da chamada Revolução Farroupilha, no Brasil, e das lutas pela unificação da Itália
heroína[2] (he.ro:*í*.na) *Quím.* ***sf.*** Nome vulgar da diacetilmorfina, alcaloide semissintético ($C_{21}H_{23}NO_5$) derivado da morfina, com propriedades narcóticas e analgésicas muito superiores às desta [Seu uso resulta em dependência fisiológica.] [F.: Do gr. *héros, os*, pelo al. *Heroin*.]
heroinômano (he.ro:i.*nô*.ma.no) ***a.*** **1** Que sofre de heroinomania ***sm.*** **2** Indivíduo viciado em heroína [F.: *heroína*[2] + *-o-* + *-mano*[1].]
heroísmo (he.ro:*is*.mo) ***sm.*** **1** Próprio ou digno de herói; qualidade ou caráter de herói **2** Qualidade ou caráter do que é heroico **3** Arrojo, coragem, magnanimidade, bravura: *Com heroísmo, o bombeiro corre riscos para salvar vidas*. **4** Ação heroica [F.: *heró(i)* + *-ismo*. Sin. ger.: *heroicidade*.]
◎ **herp-** ***el. comp.*** = que se arrasta lentamente: *herpes, herpetiforme, herpetologia*
herpes (*her*.pes) *Pat.* ***sm2n.*** **1** Nome comum a diversas dermatoses inflamatórias de origem viral, caracterizadas por agrupamentos de vesículas profundas, muito dolorosas após se romperem **2** *Fig.* Estrago, podridão, mal contagioso: *Os herpes da corrupção estenderam-se a todos os oficiais de justiça*. **3** Ver *dartro* [F.: Do gr. *herpes*. Ideia de: *herpet(o)-* (*herpetologia*). Hom./Par.: *erpes* (pl. de *erpe*).] ■ **~ simples** *Pat.* Doença virótica aguda, com formação

de vesículas na pele e nas mucosas, como os lábios e as narinas (herpes bucal, transmissível por contacto direto), e as mucosas genitais (herpes genital, transmissível em relações sexuais)

herpes-vírus (her.pes-*ví*.rus) *Micbiol. sm2n.* Grupo de vírus causadores de vários tipos de herpes no homem e em diversas espécies animais [F.: *herpes* + *vírus*.]

herpes-zóster (her.pes-*zós*.ter) *Pat. sm.* Inflamação aguda dos gânglios das raízes nervosas dorsais ou dos nervos cranianos, associada com grupos de vesículas distribuídas ao longo dos nervos que têm origem nesses gânglios. É causada pela ativação do *Herpesvirus varicellae*, que às vezes permanece latente durante anos; COBREIRO; COBRELO; HERPES-ZOSTER; ZONA [Pl.: *herpes-zósteres*.] [F.: Do lat. cien. *herpes zoster*.]

herpético (her.*pé*.ti.co) *a.* **1** Próprio do herpes (supuração herpética) **2** Diz-se de pessoa que tem herpes *sm.* **3** Essa pessoa [F.: *herpes* (f. rad.lat. *herpet-*) + *-ico*².]

herpetiforme (her.pe.ti.*for*.me) *a2g.* **1** Que tem forma de réptil **2** Semelhante a herpes [F.: *herpet(o)-* + *-i-* + *-forme*.]

◎ **herpet(o)- el. comp.** = *que se arrasta, réptil: herpetiforme* [F.: Do gr. *herpeton-oû*.]

herpetofobia (her.pe.to.fo.*bi*.a) *sf. Psiq.* Medo doentio de répteis [F.: *herpet(o)-* + *-fobia*.]

herpetofóbico (her.pe.to.*fó*.bi.co) *Psiq. a.* **1** Ref. a herpetofobia **2** Que apresenta herpetofobia; HERPETÓFOBO *sm.* **3** Indivíduo que apresenta herpetofobia; HERPETÓFOBO [F.: *herpetofobia* + *-ico*².]

herpetófobo (her.pe.*tó*.fo.bo) *a.sm.* Ver *herpetofóbico*

herpetologia (her.pe.to.lo.*gi*.a) *Zool. sf.* Ramo da zoologia que estuda os répteis [F.: *herpet(o)-* + *-logia*.]

herpetológico (her.pe.to.*ló*.gi.co) *a.* Ref. a herpetologia [F.: *herpetologi(a)* + *-ico*.]

hertz *sm2n. Fís.* Unidade de frequência equivalente a um ciclo por segundo. [Símb.: *Hz*.] [F.: Do antr. H. R. *Hertz*, físico alemão.]

hertziano (hert.zi:*a*.no) *a.* Ref. à faixa de radiofrequência (onda hertziana) [F.: *hertz* + *-i-* + *-ano*.]

herzegovino (her.ze.go.*vi*.no) *sm.* **1** Indivíduo nascido ou que vive na Herzegovina (da Bósnia-Herzegovina) *a.* **2** De Herzegovina; típico dessa região ou de seu povo [F.: Do top. *Herzegov(ina)* + *-ino*¹.]

hesitação (he.si.ta.*ção*) *sf.* **1** Ação ou resultado de hesitar, de ficar em dúvida; VACILAÇÃO [Ant.: *resolução*.] **2** Estado de quem hesita; INDECISÃO [Ant.: *decisão*.] **3** Lentidão causada por incerteza sobre o que se deve falar; TITUBEAÇÃO [Pl.: *-ções*.] [F.: Do lat. *haesitatio-onis*.]

hesitante (he.si.*tan*.te) *a2g.* **1** Que hesita, que se mostra indeciso: *Ficou hesitante antes de mergulhar no mar agitado.* [Ant.: *decidido, resoluto*.] **2** Que se expressa com lentidão ou dificuldade (resposta hesitante) [F.: *hesita(r)* + *-nte*.]

hesitar (he.si.*tar*) *v.* **1** Ficar indeciso, não ter certeza [*int.*: *Ela hesitou na hora de entrar no quarto*] **2** Demonstrar insegurança ou dúvida em [*tr.* + *em*: *Hesitou em aceitar o convite*.] **3** Não estar certo, seguro de [*td.*: *Hesitou bater no ladrão*.] [*tr.* + *em*: *Não hesitou em acreditar na confissão do rapaz*.] **4** Exprimir-se de forma pouco clara, tropeçando nas palavras [*tr.* + *em*: *Hesitava em suas palavras lamentosas*.] [*int.*: *Fez sua declaração hesitando*.] [▶ **1** hesitar] [F.: Do lat. *haesitare*. Hom./Par.: *hesitar, exitar* (todas as fl.); *hesito* (fl.), *êxito* (sm.).]

hestíase (hes.*tí*:a.se) *sf.* Na antiga Atenas, banquete comemorativo que os cidadãos ofereciam aos membros de sua tribo [F.: Do gr. *hestíasis, eos*.]

hetaira (he.*tai*.ra) *sf.* Ver *hetera*

hetera (he.*te*.ra) *sf.* **1** Na Grécia antiga, mulher dissoluta; CORTESÃ **2** Prostituta elegante e distinta [F.: Do gr. *hetaíra, as*.]

heteria (he.te.*ri*.a) *sf.* **1** Na Grécia antiga, associação de pessoas de mesmo partido, esp. o aristocrático **2** No início do séc. XIX, organização secreta que trabalhava para a libertação da Grécia **3** Na Grécia moderna, sociedade política e literária; CONFRARIA; LIGA **4** Associação ou grupo de pessoas da mesma profissão ou com os mesmos interesses [F.: Do gr. *hetaireía, as*.]

heterinfecção (he.te.rin.fec.*ção*) *sf. Med.* Infecção orgânica causada por germes provenientes do exterior [Pl.: *-ções*.] [F.: *heter(o)-* + *infecção*. Tb. *heteroinfecção*.]

◎ **heter(o)-** *el. comp.* = 'diferente'; 'outro': *heterossexual* [F.: Do gr. *heteros*.]

hétero (*hé*.te.ro) *a2g.s2g. Pop.* F. red. de *heterossexual*

heteroátomo (he.te.ro.*á*.to.mo) *sm. Quím.* Qualquer átomo de um composto orgânico, que não seja de carbono ou de hidrogênio [F.: *heter(o)-* + *átomo*.]

heterócero (he.te.*ró*.ce.ro) *Zool. sm.* **1** Espécime dos heteróceros, divisão de insetos lepidópteros de hábitos noturnos, conhecidos popularmente como mariposas *a.* **2** Ref. ou pertencente aos heteróceros [F.: Adaptç. do lat. cient. *Heterocera*.]

heterocíclico (he.te.ro.*cí*.cli.co) *a.* **1** Que apresenta ciclos diferentes **2** *Quím.* Ref. a composto orgânico de cadeia fechada constituído por um ou mais heteroátomos [F.: *heter(o)-* + *cíclico*.]

heteróclito (he.te.*ró*.cli.to) *a.* **1** Que se afasta das regras da analogia gramatical **2** *Ling.* Diz-se dos substantivos e adjetivos, sobretudo no grego e no latim, que pertencem ao mesmo tempo a várias declinações **3** Que se desvia das regras da arte ou da prática seguida na sua execução **4** *Fig.* Que é fora do comum; ESTRANHO; SINGULAR; EXCÊNTRICO: "Como contrastes a estas visualidades heteróclitas seguiam-se as comunidades monásticas" (Alexandre Herculano, *O monge de Cister*) **5** *Fam.* Ridículo, extravagante [F.: Do lat. *heteroclitus, a, um*, do gr. *heteróklitos, os, on*, 'que se declina de outra forma'.]

heterocromatina (he.te.ro.cro.ma.*ti*.na) *sf. Gen.* Forma condensada da cromatina em núcleo metabolicamente inativo [F.: *heter(o)-* + *cromatina*.]

heterocromossomo (he.te.ro.cro.mos.*so*.mo) *sm. Gen.* Cromossomo que determina o sexo do indivíduo; cromossomo sexual; HETEROSSOMO [F.: *heter(o)-* + *cromossomo*.]

heterocronia (he.te.ro.cro.*ni*.a) *Biol. sf.* **1** Aparecimento de tecidos, fenômenos etc. em época diferente da esperada (p.ex. a antecipação dos pelos da puberdade) **2** Irregularidade rítmica, esp. a do pulso **3** No processo de evolução, conjunto de mudanças surgidas durante o desenvolvimento das características individuais de um organismo [F.: *heter(o)-* + *-cronia*.]

heterodeterminação (he.te.ro.de.ter.mi.na.*ção*) *sf.* Determinação definida por agentes exteriores a um processo [Pl.: *-ções*.] [F.: *heter(o)-* + *determinação*.]

heterodinamia (he.te.ro.di.na.*mi*.a) *sf.* Estado ou condição de heterodinâmico [F.: *heter(o)-* + *-dinamia*.]

heterodinâmico (he.te.ro.di.*nâ*.mi.co) *a.* **1** Que possui ou é capaz de gerar força desigual (amplificador heterodinâmico) **2** *Biol.* Diz-se da forma de vida cujo ciclo vital apresenta etapas ou estágios diferentes [F.: *heterodinamia* + *-ico*².]

heteródino (he.te.*ró*.di.no) *Eletrôn. a.* **1** Diz-se de processo em que ocorre a mistura de duas frequências (uma proveniente da antena e outra gerada por um oscilador), resultando numa terceira, diferente das outras, e produzindo um fenômeno de batimento *sm.* **2** Esse processo [F.: *heter(o)-* + *-dino*.]

heterodonte¹ (he.te.ro.*don*.te) *a2g. Anat.* Que tem dentes diferentes para diversas finalidades [F.: *heter(o)-* + *-odonte*.]

heterodonte² (he.te.ro.*don*.te) *sm. Zool.* Espécime dos heterodontes, subclasse de moluscos bivalves nos quais os dentes de uma valva se encaixam em reentrâncias correspondentes na outra [F.: *heter(o)-* + *-odonte*.]

heterodontia (he.te.ro.don.*ti*.a) *sf. Anat.* Presença de dentes diferentes (incisivos, caninos, molares, pré-molares), com finalidades diversas, em um mesmo indivíduo [F.: *heter(o)-* + *-odontia*.]

heterodoxia (he.te.ro.do.*xi*.a) [cs] *sf.* **1** Caráter do que é heterodoxo, contrário aos padrões tradicionais ou à doutrina ortodoxa: *heterodoxia das medidas econômicas*. **2** Crença, atitude ou comportamento de heterodoxo [F.: *Do fr. hétèrodoxie*. Ant. ger.: *ortodoxia*.]

heterodoxo (he.te.ro.*do*.xo) [cs] *a.* **1** Que é contrário a crenças, opiniões ou padrões tradicionais (pedagogia heterodoxa) **2** Que é contrário aos princípios ortodoxos de uma religião; HERÉTICO *sm.* **3** Indivíduo heterodoxo (2); HEREGE [F.: Do gr. *heteródoksos, os, on*. Ant. ger.: *ortodoxo*.]

heteroenxerto (he.te.ro.en.*xer*.to) [ê] *sm.* Enxerto em que um ser humano recebe material orgânico de outra espécie animal; HETEROPLASTIA [F.: *heter(o)-* + *enxerto*. Cf.: *homoenxerto, aloenxerto, isoenxerto*.]

heterofilia¹ (he.te.ro.fi.*li*.a) *sf. Bot.* Característica das plantas que apresentam dois ou mais tipos de folhas com formas e funções diferentes [F.: *heter(o)-* + *-filia*². Cf.: *anisofilia, isofilia*.]

heterofilia² (he.te.ro.fi.*li*.a) *sf. Imun.* Propriedade de certos anticorpos que reagem a antígenos diferentes [F.: *heter(o)-* + *-filia*¹.]

heterofílico¹ (he.te.ro.*fi*.li.co) *a. Bot.* Ref. à heterofilia¹, ou que a apresenta [F.: *heterofilia*¹ + *-ico*².]

heterofílico² (he.te.ro.*fi*.li.co) *a. Imun.* Ref. à heterofilia² [F.: *heterofilia*² + *-ico*².]

heterofilo (he.te.ro.*fi*.lo) *a. Bot.* Ref. a ou que apresenta heterofilia; HETEROFÍLICO [F.: *heter(o)-* + *-filo*².]

heterófilo (he.te.*ró*.fi.lo) *a. Imun.* Ref. a heterofilia² ou que a apresenta [F.: *heter(o)-* + *-filo*¹.]

heterófito (he.te.*ró*.fi.to) *Bot. a.* **1** Diz-se de planta dependente de outra planta (viva ou morta) ou de seus produtos, para se sustentar **2** Diz-se de planta que possui gametófito unissexual **3** Diz-se de planta capaz de desenvolver-se em diferentes hábitats [F.: *heter(o)-* + *-fito*.]

heterofobia (he.te.ro.fo.*bi*.a) *sf.* Aversão ao ou medo mórbido do sexo oposto, ou de heterossexuais [F.: *heter(o)-* + *-fobia*.]

heterofóbico (he.te.ro.*fó*.bi.co) *a.* Que tem medo ou aversão ao indivíduo heterossexual [F.: *heter(o)-* + *-fobia-* + *-ico*².]

heterófobo (he.te.*ró*.fo.bo) *a.* **1** Que tem heterofobia *sm.* **2** Indivíduo heterófobo (1) [F.: *heter(o)-* + *-fobo*.]

heterofonia (he.te.ro.fo.*ni*.a) *sf.* **1** Conjunto de sons diferentes **2** *Gram.* Característica das palavras que se escrevem do mesmo modo e se pronunciam diferentemente, como *forma* (ó) e *forma* (ô) [F.: Do gr. *heterophonía, as*.]

heterofônico (he.te.ro.*fô*.ni.co) *a.* Ref. a ou que apresenta heterofonia; HETERÓFONO [F.: *heterofonia* + *-ico*².]

heterófono (he.te.*ró*.fo.no) *sm.* Palavra que apresenta heterofonia [F.: Do gr. *heteróphonos*.]

heteroforia (he.te.ro.fo.*ri*.a) *sf. Oft.* Desvio ocular, falta de paralelismo entre os eixos visuais [F.: *heter(o)-* + *-for(o)-* + *ia*¹; Ant.: *ortoforia*.]

heterogamético (he.te.ro.ga.*mé*.ti.co) *a.* Diz-se de sexo determinado por dois cromossomos sexuais diferentes (Nos seres humanos e muitos outros mamíferos é o caso dos cromossomos X e Y.) [F.: *heter(o)-* + *-gam (o)* + *-ético*.]

heterogamia (he.te.ro.ga.*mi*.a) *sf. Biol.* Tipo de reprodução sexuada na qual há a participação de gametas de dois tipos diferentes, como, p.ex., o óvulo e o espermatozoide [F.: *heter(o)-* + *-gamia*.]

heterogâmico (he.te.ro.*gâ*.mi.co) *a.* **1** Ref. a heterogamia **2** Que apresenta heterogamia [F.: *heterogamia* + *-ico*². Sin. ger.: *heterógamo*.]

heterógamo (he.te.*ró*.ga.mo) *a. Biol.* Diz-se de reprodução sexuada na qual os dois gametas são de tipos diferentes, como, p.ex., o óvulo e o espermatozoide; HETEROGÂMICO [F.: *heter(o)-* + *-gamo*.]

heterogeneidade (hete.ro.ge.ne:i.*da*.de) *sf.* Qualidade do que é heterogêneo [F.: *heterogêne(o)* + *-(i)dade*. Ant. ger.: *homogeneidade*.]

heterogeneização (he.te.ro.ge.ne:i.za.*ção*) *sf.* Ação ou resultado de heterogeneizar [Ant.: *homogeneização*.] [F.: *heterogeneiza(r)* + *-ção*.]

heterogeneizar (he.te.ro.ge.nei.*zar*) *v. td.* Tornar(-se) heterogêneo; DESSEMELHAR [▶ **1** heterogeneizar] [F.: *heterogêne(o)* + *-izar*.]

heterogêneo (he.te.ro.*gê*.ne:o) *a.* **1** Formado por elementos ou partes de natureza diferente (cultura heterogênea) **2** De natureza diferente (fatores heterogêneos) **3** Que é variado, diversificado (público heterogêneo) **4** *Gram.* Diz-se de substantivo que é de um gênero no singular e de um outro no plural **5** *Fís.-quím.* Diz-se de sistema formado de diversas fases [F.: Do gr. *heterogenés*, pelo fr. *hétérogène*. Ant. ger.: *homogêneo*.]

heterogênese (he.te.ro.*gê*.ne.se) *Biol. sf.* **1** Hipótese segundo a qual os seres vivos poderiam originar-se espontaneamente de matéria não viva; geração espontânea **2** Variação do tipo de reprodução em gerações sucessivas [F.: *heter(o)-* + *-gênese*. Sin. ger.: *heterogenia*.]

heterogenético (he.te.ro.ge.*né*.ti.co) *a.* Que diz respeito a heterogênese [F.: *heterogênese* + *-ético*.]

heterogenia (he.te.ro.ge.*ni*.a) *Biol. sf.* **1** Geração espontânea; ABIOGÊNESE **2** Alternância do tipo de reprodução sexual em sucessivas gerações [F.: *heter(o)-* + *-genia*.]

heterogênico (he.te.ro.*gê*.ni.co) *a.* Ref. a ou próprio de heterogenia [F.: *heterogenia* + *-ico*².]

heterógrafo (he.te.*ró*.gra.fo) *a.* **1** *Gram.* Diz-se de cada uma de duas ou mais palavras de significados diversos que, embora pronunciadas da mesma maneira, são escritas de modo diferente (p.ex. *cesta* e *sexta*, *laço* e *lasso*); HOMÓFONO *sm.* **2** *Gram.* Palavra heterógrafa [F.: *heter(o)-* + *-grafo*. Cf.: *homônimo; homógrafo*.]

heteroinfecção (he.te.ro:in.fec.*ção*) *sf.* Ver *heterinfecção* [Pl.: *-ções*.]

heteroinseminação (he.te.ro.in.se.mi.na.*ção*) *sf. Jur.* Inseminação artificial extraconjugal, segundo conceito adotado pelo Direito de Família [Pl.: *-ções*.] [F.: *heter(o)-* + *inseminação*.]

heterolateral (he.te.ro.la.te.*ral*) *a2g.* Do lado oposto, esp. de uma parte do corpo: *O estímulo sonoro foi dado ao ouvido heterolateral* [Pl.: *-rais*.] [F.: *heter(o)-* + *lateral*.]

heterolécito (he.te.ro.*lé*.ci.to) *a.* **1** *Emb.* Diz-se de ovo cujo polo vegetativo apresenta quantidade abundante de vitelo, permitindo a nutrição do embrião durante algum tempo *sm.* **2** *Emb.* Ovo heterolécito [F.: *heter(o)-* + *-lécito*.]

heterólise (he.te.*ró*.li.se) *sf. Quím.* Quebra de uma ligação química de um composto onde se formam íons de cargas opostas [F.: *heter(o)-* + *-lise*.]

heterologia (he.te.ro.lo.*gi*.a) *sf.* **1** *Quím.* Estado das substâncias heterólogas **2** Caráter de heterólogo [F.: *heterólogo* + *-ia*¹.]

heterológico (he.te.ro.*ló*.gi.co) *a. Lóg.* Diz-se de termo ou locução cujo significado não diz respeito a si mesmo (p.ex., *ditongo* não apresenta *ditongo*) [Por op. a *autológico*.] [F.: *heterologia* + *-ico* 2.]

heterólogo (he.te.*ró*.lo.go) *a.* Diz-se daquilo que se compõe de elementos diferentes pela origem ou pela estrutura [F.: *heter(o)-* + *-logo*.]

heteromaquia (he.te.ro.ma.*qui*.a) *sf.* Luta de um homem contra outro [F.: *heter(o)-* + *-maquia*.]

heterometria (he.te.ro.me.*tri*.a) *sf.* **1** Mudança de dimensões **2** *Pat.* Alteração dos tecidos e humores por mudança em seus elementos componentes [F.: *heter(o)-* + *-metria*.]

heterométrico (he.te.ro.*mé*.tri.co) *a.* **1** Ref. a ou que apresenta heterometria (formato heterométrico) **2** Diz-se do que não possui as mesmas dimensões ou medidas [F.: *heterometria* + *-ico*².]

heterometropia (he.te.ro.me.tro.*pi*.a) *sf. Oft.* Estado em que as características ópticas de um olho são diferentes das do outro [F.: *heter(o)-* + *-metr(o)-* + *-opia*.]

heterometrópico (he.te.ro.me.*tró*.pi.co) *a.* Ref. a ou que apresenta heterometropia [F.: *heterometropia* + *-ico*².]

heteromorfia (he.te.ro.mor.*fi*.a) *sf.* Qualidade de heteromorfo; HETEROMORFISMO [F.: *heteromorfo* + *ia*¹.]

heteromórfico (he.te.ro.*mór*.fi.co) *a.* Que diz respeito a heteromorfia [F.: *heteromorfia* + *-ico*².]

heteromorfismo (he.te.ro.mor.*fis*.mo) *sm.* Qualidade de heteromorfo [Ant.: *homomorfismo*.] [F.: *heteromorfo* + *-ismo*.]

heteromorfo (he.te.ro.*mor*.fo) *a.* **1** Que pode se apresentar sob diferentes formas **2** *Biol.* Que apresenta formas diversas ao longo de seu desenvolvimento **3** Que diz respeito às substâncias suscetíveis de heteromorfismo **4** *Zool.* Diz-se de alguns animais cuja colônia é formada por membros que apresentam formas diferentes **5** *Gen.* Ref. aos cromossomos sinápticos que apresentam diversidade de forma e tamanho [F.: Do gr. *heteromorphos, os, on*. Ant. ger.: *homomorfo*.]

heteronímia (he.te.ro.*ní*.mi:a) *sf.* **1** Qualidade ou caráter de heterônimo **2** Condição de quem tem um ou mais heterônimos (1); ou o conjunto deles: *a heteronímia de Fernando Pessoa.* **3** *Gram.* Fenômeno que consiste em palavras do mesmo campo semântico serem formadas por radicais diferentes (p.ex.: ser, é e foi; homem e mulher; eu e nós) **4** *Gram.* Compilação de heterônimos **5** *Gram.* Estudo sobre os heterônimos **6** Livro (ou outro suporte) que traz esse estudo [F.: *heterônim(o) + -ia.* Cf.: *supletivismo.* Hom./Par.: *heteronomia (sf.).* Tb. se diz *heteronimia.*]

heteronímico (he.te.ro.*ní*.mi.co) *a.* **1** Que se refere a heteronímia ou heterônimo **2** Em que há heteronímia [F.: *heteronimia + -ico.*]

heterônimo (he.te.*rô*.ni.mo) *sm.* **1** *Liter.* Nome imaginário sob o qual um escritor cria obras de estilo, tendência e características diversas das suas, como se fossem de fato de outro autor: *Fernando Pessoa criou biografias para seus heterônimos.* *a.* **2** Diz-se de obra literária publicada sob nome de outra pessoa, real ou fictícia **3** Diz-se de palavras diferentes que têm o mesmo significado **4** *Gram.* Diz-se de cada um dos vocábulos em relação de heteronímia (3) *sm.* **5** *Gram.* Vocábulo heterônimo (4) [F.: *heter(o)- + -ônimo.* Cf.: *alônimo, criptônimo, ortônimo, pseudônimo.* Hom./Par.: *heterônomo (a.).* Col.: *heteronimia, heteronímia.*]

heteronomia (he.te.ro.no.*mi*.a) *sf.* **1** Condição de quem está sujeito a vontade de outrem, que não tem autonomia **2** Condição ou caráter de heterônomo **3** *Fil.* Sistema de ética em que se considera o indivíduo como submetido a leis externas de conduta [F.: *heter(o)- + -nomia.*]

heteronômico (he.te.ro.*nô*.mi.co) *a.* Que diz respeito a heteronomia [F.: *heteronomia + -ico.*]

heterônomo (he.te.*rô*.no.mo) *a.* **1** Que está sujeito a uma lei ou força exterior, ou a vontade de outra pessoa **2** *Fil.* Que recebe do exterior as normas e regras de sua conduta **3** Que está sujeito a leis (como, p.ex., as do crescimento) que se desviam das normais [F.: *heter(o)- + -nomo.* Hom./Par.: *heterônomo* (a.), *heterônimo* (a.sm.).]

heteronormativo (he.te.ro.nor.ma.*ti*.vo) *a.* Que apresenta diferentes normas [F.: *heter(o)- + norma + -tivo.*]

heteropatia (he.te.ro.pa.*ti*:a) *Med. sf.* **1** Sensibilidade que se revela anormal aos estímulos recebidos **2** *P.us.* Mesmo que alopatia [F.: Do gr. *heteropatheia,as.* Cf.: *homeopatia.*]

heteropático (he.te.ro.*pá*.ti.co) *Med. a.* **1** Diz-se de que apresenta heteropatia **2** *P.us.* Mesmo que *alopático* [F.: *heter(o)- + -pático.* Cf.: *homeopático.*]

heteropatriarcalista (he.te.ro.pa.tri.ar.ca.*lis*.ta) *a2g. Soc.* Ref. às diversas caracterísicas do estilo de vida patriarcal (sexismo, racismo, regionalismo etc.) [F.: *heter(o)- + patriarcal + -ista.*]

heteroplasia (he.te.ro.pla.*si*:a) *sf.* **1** *Pat.* Desenvolvimento de um tecido danificado a partir de um tecido normal **2** *Biol.* Desenvolvimento de um tecido à custa de um outro, de natureza diferente **3** Posicionamento irregular de células normais [F.: *heter(o)- + -plasia.*]

heteroplásico (he.te.ro.*plá*.si.co) *a.* Ref. a heteroplasia [F.: *heteroplasia + -ico.*]

heteroplasma (he.te.ro.*plas*.ma) *sm. Biol.* Tecido que se forma em pontos nos quais não costuma ocorrer [F.: *heter(o)- + -plasma.*]

heteroplastia (he.te.ro.plas.*ti*:a) *sf. Med.* Intervenção cirúrgica que visa a transplantar material orgânico, esp. tecido, em indivíduos de espécies diferentes, a fim de remediar a perda dessa substância; HETEROENXERTO [F.: *heter(o)- + -plastia.*]

heteroplástico (he.te.ro.*plás*.ti.co) *a.* Ref. a heteroplastia [F.: *heteroplastia + -ico.*]

heteroproteína (he.te.ro.pro.te.*í*.na) *sf. Bioq.* Proteína complexa constituída por aminoácidos e um grupamento proteico [F.: *heter(o)- + proteína.*]

heterorgânico (he.te.ror.*gâ*.ni.co) *a.* **1** Que apresenta órgãos diferentes **2** Que se refere a diferentes órgãos **3** Que indica uma forma diferente da comum **4** *Fon.* Diz-se de fonemas que têm pontos (órgãos) articulatórios diferentes, p.ex.: /p/ (consoante labial) e /t/ (consoante linguodental) [F.: *heter(o)- + orgânico.* Cf.: *homorgânico.*]

heterose (he.te.*ro*.se) *sf. Gen.* Estado em que a primeira geração de um híbrido é mais forte que qualquer das raças paternas [F.: Do gr. *heterosis,eos.*]

heterosfera (he.te.ros.*fe*.ra) *sf. Geof.* Camada atmosférica com altitude de cerca de 100 km, apresentando variações em sua composição e no peso molecular médio dos gases que a constituem [F.: *heter(o)- + -sfera.*]

heterossexual (he.te.ros.se.xu:*al*) [cs] *a2g.* **1** Que sente atração sexual por pessoas do sexo oposto e só com elas mantém relações sexuais **2** Entre pessoas de sexos opostos (casamentos heterossexuais, relação heterossexual) *s2g.* **3** Indivíduo heterossexual (1) [Pl.: *-ais.*] [F.: *heter(o)- + sexual.* Cf.: *bissexual, homossexual.*]

heterossexualidade (he.te.ros.se.xu:a.li.*da*.de) [cs] *sf.* Qualidade ou condição de heterossexual [F.: *heterossexual + -(i)dade.* Cf.: *bissexualidade, homossexualidade.*]

heterossexualismo (he.te.ros.se.xu:a.*lis*.mo) [cs] *sm.* **1** Tendência a sentir atração sexual pelo sexo oposto **2** Prática de relações sexuais com o sexo oposto [F.: *heterossexual + -ismo.* Cf.: *bissexualismo, homossexualismo.*]

heterossomo[1] (he.te.ros.*so*.mo) *Zool. sm.* **1** Espécime dos heterossomos, ordem de peixes teleósteos com cerca de 570 spp., popularmente conhecidos como linguados e solhas *a.* **2** Ref. ou pertencente aos heterossomos [F.: Adaptç. do lat. cient. *Heterosomata.*]

heterossomo[2] (he.te.ros.*so*.mo) *sm. Gen.* O mesmo que *heterocromossomo* [F.: *heter(o)- + -somo.*]

heterotaxia (he.te.ro.ta.*xi*:a) [cs] *sf. Med.* Localização anormal de estruturas anatômicas sem que ocorra alteração funcional [F.: *heter(o)- + -taxia.*]

heterotélico (he.te.ro.*té*.li.co) *a.* Designa aquilo que possui sentido e objetivo para além de si mesmo e está carregado de referências ao mundo exterior [P.opos. a *autotélico.*]

heterotermia (he.te.ro.ter.*mi*:a) *sf.* Condição ou estado de heterotérmico [F.: *heter(o)- + -termia.* Cf.: *heterotermia.*]

heterotérmico (he.te.ro.*tér*.mi.co) *a.* **1** Que apresenta diferenças de temperatura **2** *Zool.* Mesmo que *pecilotermo* [F.: *heter(o)- + -térmico.* Ant. ger.: *homeotérmico, homotermal.*]

heterotermo (he.te.ro.*ter*.mo) *a. Zool.* Mesmo que *pecilotermo* [F.: *heter(o)- + -termo.*]

heterotransplante (he.te.ro.trans.*plan*.te) *sm.* **1** *Med.* Ação ou resultado de heterotransplantar **2** Transplante, em ser humano, de órgão de outra espécie animal [F.: *heter(o)- + transplante.* Hom./Par.: *heterotransplante* (sm.), *heterotransplante* (fl. de *heterotransplantar*).]

heterotrofia (he.te.ro.tro.*fi*:a) *sf. Biol.* Estado do que é heterotrófico; ALOTROFIA; HETEROTROFISMO [Opõe-se a *autotrofia.*] [F.: *heter(o)- + -trofia.*]

heterotrófico (he.te.ro.*tró*.fi.co) *a.* Diz-se de organismo que não produz seu próprio alimento e se alimenta de outros seres vivos; ALOTRÓFICO [P. opos. a *autotrófico.*] [F.: *heterótrofo + -ico.*]

heterótrofo (he.te.*ró*.tro.fo) *a.* **1** *Biol.* Diz-se de organismo heterotrófico *sm.* **2** *Biol.* Esse organismo [F.: Do gr. *heterotrophos,os,on.*]

heteroxia (he.te.ro.*xi*:a) [cs] *sf. Med.* Perversão ou depravação do apetite [Prefere-se a forma *heterorexia.*] [F.: *heter(o)- + -orex- + -ia.*]

heterozigose (he.te.ro.zi.*go*.se) *sf.* **1** *Gen.* Estado em que o indivíduo é dotado de alelos diferentes para um determinado gene **2** Maneira de verificar a diversidade genética de uma população por intermédio da frequência de heterozigotos em um determinado gene [F.: *heter(o)- + zigose.*]

heterozigoto (he.te.ro.zi.*go*.to) [ô] *a.* **1** *Gen.* Diz-se de indivíduo que tem alelos diferentes em um ou mais genes *sm.* **2** *Gen.* Esse indivíduo [F.: *heter(o)- + -zigoto.*]

heteu (he.*teu*) *sm.* **1** *Hist.* Indivíduo dos heteus, povo que habitava na Antiguidade a terra de Canaã [Fem.: *heteia.*] *a.* **2** Dos ou ref. aos heteus; típico desse povo [Fem.: *heteia.*] [F.: Do lat. *hethaei.*]

heureca (heu.*re*.ca) ***interj.*** Expressa contentamento ao encontrar-se a solução para um problema difícil; ACHEI; ENCONTREI [A expressão foi atribuída ao matemático grego Arquimedes (287-212 a.C.).] [F.: Do gr. *heúreka.* Tb. se escreve: *eureca.*]

heurística (heu.*rís*.ti.ca) *sf.* **1** Conjunto de regras e métodos para chegar-se à invenção, à descoberta ou à resolução de problemas **2** *Ped.* Método de ensino pelo qual se incentiva o aluno a aprender com as próprias tentativas e erros **3** *Hist.* Ramo da História que se dedica à pesquisa de fontes **4** *Inf.* Método de investigação com base na aproximação progressiva de um problema, de modo que cada etapa é considerada provisória [F.: Posv. do cruzamento dos voc. gr. *heurískein* 'achar, encontrar' e *heurétikós* 'inventivo'.]

heurístico (heu.*rís*.ti.co) *a.* **1** Que diz respeito à heurística **2** Que pode servir para a investigação ou descoberta de alguma coisa **3** Diz-se de hipótese, verdadeira ou falsa, que é provisoriamente considerada como ideia básica para orientar na investigação de um fato [F.: De or. contrv. talvez do fr. *heuristique.*]

hévea (*hé*.ve:a) *sf. Bot.* Designativo das árvores do gênero *Hévea*, da família das euforbiáceas, de frutos explosivos que lançam sementes a muitos metros de distância, flores pequenas e apétalas, nativas da Amazônia, das quais uma das mais conhecidas é a seringueira, que fornece o látex us. no fabrico da borracha [F.: Do lat. cient. *Hevea*, e este provavelmente do omágua *hebe* ou *heve.*]

heveicultura (he.vei.cul.*tu*.ra) [ei] *sf.* Cultura de seringueira [F.: *hévea + -i- + -cultura.*]

◎ **hex(a)-** [cs ou z] ***el. comp.*** = *seis*: *hexágono* [F.: Do gr. *hex.*]

hexa (*he*.xa) [cz ou z] ***a2g.*** **1** F. red. de *hexacampeão* e de *hexacampeã* *sm.* **2** F. red. de *hexacampeonato*

hexabarbital (ha.xa.bar.bi.*tal*) [cs] *sf. Quím.* Substância derivada da ureia, composta por vários elementos químicos [Pl.: *-tais.*] [F.: *hex (a)- + -barbital.*]

hexacampeão (he.xa.cam.pe.*ão*) [cs ou z] *a.* **1** Que foi seis vezes campeão *sm.* **2** Aquele que foi hexacampeão (1) [Pl.: *-ões.* Fem.: *-ã.*] [F.: *hex(a)- + campeão.*]

hexacampeonato (he.xa.cam.pe:o.*na*.to) [cs ou z] *sm.* Campeonato que se venceu pela sexta vez [F.: *hex(a)- + campeonato.*]

hexaciclo (he.xa.*ci*.clo) [z] *a.* Que contém seis rodas [F.: Do gr. *heksakuklos,on.*]

hexaclorobenzeno (he.xa.clo.ro.ben.*ze*.no) [z] *sm. Quím.* Substância composta por carbono, hidrogênio e cloro, us. como fungicida; PERCLOROBENZENO [Fórm.: C_6Cl_6] [F.: *hex(a)- + -clor(o)- + benzeno.*]

hexaclorofeno (he.xa.clo.ro.*fe*.no) [z] *sm. Quím.* Substância us. em produtos cosméticos, bacteriológicos etc. por sua ação bacteriostática [Fórm.: $C_{13}H_6Cl_6O_2$] [F.: *hex(a)- + -clor(o)- + -feno.*]

hexacorde (he.xa.*cor*.de) [z] *sm. Mús.* Série de seis notas consecutivas, com um semitom que separa a terceira da quarta [Criado no séc. XI por Guido d'Arezzo, esse sistema permaneceu em uso até o séc. XVII, quando foi então substituído pelo sistema tonal.] [F.: *hex(a)- + -corde.* Cf.: *solmização e ut.*]

hexadecimal (he.xa.de.ci.*mal*) [cs ou z] *a2g. Mat.* Ref. ou pertencente ao sistema numérico que tem 16 como base [F.: *hex(a)- + decimal.*]

> 🕮 Assim como o sistema decimal de numeração usa o número 10 como base, o sistema hexadecimal usa o número 16, ou seja, um algarismo de uma ordem vale 16 vezes o mesmo algarismo na ordem imediatamente inferior, e cada ordem comporta 16 'algarismos', com as seguintes representações (com valores aqui comparados aos dos números cardinais): 0=0, 1=1, 2=2, 3=3, 4=4, 5=5, 6=6, 7=7, 8=8, 9=9, A=10, B=11, C=12, D=13, E=14, F=15. Assim, na notação hexadecimal, comparando com a decimal, 0F=15, [(0x16)+ 15], 11= 17 [(1x16)+ 1] 1F = 31 [(1x16)+ 15], 20 = 32 [(2x16)+ 0], 2F = 47 [(2x16)+ 15], FF = 255 [(15x16)+ 15), 100 = 256 [(1x16x16)+ 0+ 0)].

hexaédrico (he.xa.*é*.dri.co) [cs ou z] *a. Geom.* Que tem seis faces; HEXAEDRO [F.: *hexaedr(o) + -ico*[2].]

hexaedro (he.xa.*e*.dro) [cs ou z] *Geom. sm.* **1** Poliedro de seis faces *a.* **2** Ver *hexaédrico* [F.: Do gr. *hexaedros.*]

hexafluoreto (he.xa.flu:o.*re*.to) [ê] *Quím. sm.* Fluoreto composto de seis átomos de flúor [F.: *hex (a)- + fluoreto.*]

hexagonal (he.xa.go.*nal*) [cs ou z] *a2g.* **1** Que tem seis lados; HEXÁGONO **2** Cuja base é um hexágono (construção hexagonal) [Pl.: *-nais.*] [F.: *hexágon(o) + -al.*]

hexágono (he.*xá*.go.no) [cs ou z] *Geom. sm.* **1** Polígono de seis lados *a.* **2** Ver *hexagonal* [F.: Do gr. *hexágonon.*]

hexagrama (he.xa.*gra*.ma) [z] *sm.* **1** Conjunto de seis letras ou caracteres **2** Estrela de seis pontas que resulta da superposição de dois triângulos equiláteros **3** *Rel.* Conjunto formado pelos trigramas inferiores e superiores que perfazem o hexagrama propriamente dito, us. no ritual do *I Ching*, o oráculo chinês [F.: *hex(a)- + -grama.* Cf. *tetragrama* e *trigrama.*]

hexaidrato (he.xa.hi.*dra*.to) [z] *Quím. sm.* Substância química cuja fórmula é composta por seis moléculas de água [F.: *hex(a)- + hidrato.*]

hexâmetro (he.*xâ*.me.tro) [cs ou z] *Poét. a.* **1** Diz-se de verso grego ou latino de seis pés, sendo os quatro primeiros dátilos ou espondeus, o quinto dátilo e o sexto espondeu *sm.* **2** Verso hexâmetro [F.: Do gr. *hexámetros*, pelo lat. *hexametru.*]

hexaploide (he.xa.*ploi*.de) *a2g.* Poliploide que tem seis conjuntos básicos de cromossomos [F.: *hex(a)- + -ploide.* Cf.: *diploide, haploide, monoploide, poliploide.*]

hexápode (he.*xá*.po.de) [z] *a2g.* **1** Ref. aos hexápodes **2** Que possui seis pés *sm.* **3** *Ent.* Espécime dos hexápodes, animais invertebrados com três pares de patas [F.: Do lat. cient. clássico *Hexapoda.*]

hexassílabo (he.xas.*sí*.la.bo) [cs ou z] *a.* **1** *Poét.* Que tem seis sílabas *sm.* **2** Palavra ou verso hexassílabo (1) [F.: Do gr. *hexasyllabo*, pelo lat. *hexasyllabus, os, on.*]

hexástico (he.*xás*.ti.co) [z] *a.* **1** *Poét.* Diz-se de composição poética que é formada por seis versos *sm.* **2** *Poét.* Essa composição poética [F.: Do gr. *hexastikhos,on.*]

hexatônico (he.xa.*tô*.ni.co) [z] *a.* *Mús.* Que tem seis sons; HEXÁFONO; HEXAFÔNICO [F.: *hex(a)- + tônico.*]

hexodo (he.*xo*.do) [zô] *sm. Elet.* Válvula termoiônica com seis eletrodos (catodo, anodo e quatro grades) us. como modificador de frequência [F.: *hex(a)- + -odo.* Hom./Par.: *hexodo* (sm.), *êxodo* (sm.).]

hexoquinase (he.xo.qui.*na*.se) [z] *sf. Bioq.* Mesmo que *hexoquínase*

⊠ **Hf**[1] *Quím.* Símb. de *háfnio*

⊠ **HF**[2] *Eletrôn.* Símb. de *frequência elevada* (abr. do ing. *high frequency*)

⊠ **hg**[1] *Fís.* Símb. de *hectograma*

⊠ **Hg**[2] *Quím.* Símb. de *mercúrio*

hialinizado (hi:a.li.ni.*za*.do) *a.* **1** *Med.* Que tem aparência vítrea **2** *Restr. Pat.* Que se tornou hialino (4) (estroma hialinizado) [F.: Part. de **hialinizar* (voc. deduzível a partir de *hialinização* < ing. *hyalinization*).]

hialino (hi:a.*li*.no) *a.* **1** Ref. a vidro **2** Que é translúcido, claro, semelhante ao vidro **3** *Petr.* O mesmo que *vítreo* **4** *Pat.* Que apresenta aspecto translúcido, como o vidro, em virtude de condição degenerativa [F.: Do gr. *hyálinos, e, on*, pelo lat. *hyalinus, a, um.*]

hialita (hi:a.*li*.ta) *sf. Min.* Variedade de quartzo, espécie de opala incolor, semelhante a vidro [F.: *hial(o)- + -ita*[3].]

hialite (hi:a.*li*.te) *sf. Oft.* Inflamação da membrana hialoide [F.: *hial(o)- + -ite*[1].]

◎ **hial(o)-** ***el. comp.*** = 'vidro'; 'transparente ou translúcido como o vidro': *hialino* (< gr.), *hialofobia, hialografia, hialoma*[1]*, hialoplasma, hialotecnia, hialurgia* [F.: Do gr. *hýalos, ou*, 'pedra transparente'; 'vidro'.]

hialofobia (hi:a.lo.fo.*bi*:a) *sf. Psiq.* Horror patológico ao vidro [F.: *hial(o)- + -fobia.*]

hialofóbico (hi:a.lo.*fó*.bi.co) *Psiq. a.* **1** Ref. a hialofobia **2** Diz-se de indivíduo que sofre de hialofobia; HIALÓFOBO *sm.* **3** Esse indivíduo; HIALÓFOBO [F.: *hialofobia + -ico*[2].]

hialófobo (hi:a.*ló*.fo.bo) *a.* **1** *Psiq.* O mesmo que *hialofóbico* (1 e 2) *sm.* **2** O mesmo que *hialofóbico* (3) [F.: *hial(o)- + -fobo.*]

hialografia (hi:a.lo.gra.*fi*:a) *sf.* **1** Gravação sobre vidro **2** *P.ext.* Estampa que se obtém a partir dessa técnica [F.: *hial(o)- + -grafia.*]

hialográfico (hi:a.lo.*grá*.fi.co) *a.* Ref. a hialografia (estampa hialográfica) [F.: *hialografia + -ico*[2].]

hialoide (hi:a.*loi*.de) ***a2g.*** **1** *Anat.* Semelhante a vidro; HIALINO **2** *P.us.* Ref. a certa membrana do olho ***sf.*** **3** *Anat.* Membrana transparente e tênue que encerra o humor vítreo do olho; MEMBRANA HIALOIDE [F.: Do gr. *hyaloeidé, és.*]

hialoma¹ (hi:a.*lo*.ma) ***sm.*** *Pat.* Lesão provocada pela degeneração coloide das camadas superficiais da derme [F.: *hial(o)-* + *-oma¹*.]

hialoma² (hi:a.*lo*.ma) *Zool.* ***sm.*** Designação comum aos carrapatos do gên. *Hyalomma*, da fam. dos ixodídeos, que compreende cerca de 30 espécies distribuídas no Velho Mundo [F.: Do lat. cient. *Hyalomma.*]

hialoplasma (hi:a.lo.*plas*.ma) *Cit.* ***sm.*** A substância líquida do protoplasma da célula [F.: *hial(o)-* + *-plasma.*]

hialossomo (hi:a.los.*so*.mo) ***a.*** *Biol.* Que tem o corpo transparente como o vidro [F.: *hial(o)-* + *-somo.*]

hialotecnia (hi:a.lo.tec.*ni*:a) ***sf.*** Arte e técnica de trabalhar em vidro [F.: *hial(o)-* + *-tecnia.*]

hialotécnico (hi:a.lo.*téc*.ni.co) ***a.*** Ref. à hialotecnia [F.: *hialotecnia* + *-ico²*.]

hialotipia (hi:a.lo.ti.*pi*:a) ***sf.*** **1** Processo de criação de relevos sobre vidro **2** *Ant. Tip.* Qualquer processo de gravura sobre vidro de que resulte clichê em relevo para impressão tipográfica [F.: *hial(o)-* + *-tipia.*]

hialurgia (hi:a.lur.*gi*:a) ***sf.*** Arte de fabricar vidros ou cristais [F.: *hial(o)-* + *-urgia.*]

hialúrgico (hi.a.*lúr*.gi.co) ***a.*** Relativo à hialurgia [F.: *hialurgia* + *-ico²*.]

hialurônico (hi:a.lu.*rô*.ni.co) *Bioq.* ***a.*** **1** Diz-se de ácido mucopolissacarídeo que cria matéria gelatinosa entre os tecidos e uma substância sólida por todo o corpo, ger. no corpo vítreo ***sm.*** **2** Esse ácido [F.: *hial(o)-* + *-urônico.*]

hialuronidase (hi:a.lu.ro.ni.*da*.se) ***sf.*** *Bioq.* Enzima que catalisa a degradação de hialuronato [F. pref. mas p. us.: *hialuronídase.*] [F.: Do ing. *hyaluronidase.*]

hiante (hi:*an*.te) ***a2g.*** **1** *Poét.* Que está de boca aberta **2** Que tem fenda ou buraco de grande tamanho; FENDIDO **3** *Fig.* Que está faminto, cheio de apetite [F.: Do lat. *hians, antis.*]

hiatal (hi:a.*tal*) ***a2g.*** **1** *Med.* Ref. ao hiato (2) **2** *Pet.* Diz-se das estruturas em que o tamanho dos cristais não varia em série contínua, mas como que aos saltos [Pl.: *-tais.*] [F.: *hiato-* + *-al.*]

hiato (hi.*a*.to) ***sm.*** **1** *Gram.* Contiguidade de duas vogais pertencentes a sílabas diferentes (p.ex.: sa.*ú*.de) **2** *Anat.* Fenda ou abertura no interior do corpo humano **3** *Fig.* Interrupção da continuidade no tempo ou no espaço; INTERVALO; LACUNA: *A doença causou um hiato na carreira dele.* **4** Oposição ou grande diferença entre coisas que se comparam: "... parece existir um hiato entre percepção e realidade." (*Veja*, 22.05.2002) [F.: Do lat. *hiatus,us.*] ▪ **~ esofagiano** *Anat.* Abertura no diafragma por onde passa o esôfago, dando continuidade entre suas porções torácica e abdominal

hibernação (hi.ber.na.*ção*) ***sf.*** **1** *Zool.* Estado de inatividade total ou parcial e redução extrema do metabolismo por que passam certos animais durante o inverno; HIBERNAGEM **2** *Fig.* Período de inação ou recolhimento; ENTORPECIMENTO; LETARGIA: *Após longa hibernação, publicou um novo livro.* [Pl.: *-ções.*] [F.: Do lat. *hibernatio, onis.*] ▪ **~ artificial** *Farm. Med.* Hipotermia induzida, com redução do metabolismo e do tônus muscular, acompanhada de estado superficial de sono, por efeito de inibição farmacológica do sistema nervoso simpático

hibernal (hi.*ber*.nal) ***a2g.*** Ref. a ou próprio do inverno; HIBERNO; HIBERNOSO; HIERNAL [Pl.: *-nais.*] [F.: Do lat. *hibernalis, e.*]

hibernante (hi.ber.*nan*.te) ***a2g.*** **1** Que hiberna ***s2g.*** **2** Aquele que hiberna [F.: Do lat. *hibernans, antis.*]

hibernar (hi.ber.*nar*) ***v. int.*** **1** Ficar (animal) adormecido ou em estado de entorpecimento durante o inverno: *Os ursos hibernam.* **2** *Fig.* Ficar inativo ou prostrado: *Estava tão cansado que hibernou dois dias.* [▶ **1** hibernar] [F.: Do lat. *hibernare.* Hom./Par.: *hiberno* (fl.), *hiberno* (a.).]

hibisco (hi.*bis*.co) *Bot.* ***sm.*** **1** Nome comum às plantas do gênero *Hibiscus*, da família das malváceas, de porte herbáceo, arbustivo ou arbóreo, cultivadas pelas belas flores, para aproveitamento das fibras têxteis e para uso medicinal **2** A flor dessas plantas [F.: Do lat. cient. gên. *Hibiscus.* Sin.ger.: *graxa.*]

hibridação (hi.bri.da.*ção*) ***sf.*** *Biol.* Cruzamento natural ou artificial de indivíduos que pertencem a espécies diferentes [Pl.: *-ções.*] [F.: *hibridar* + *-ção.*]

hibridar (hi.bri.*dar*) ***v. td.*** **1** Efetuar a hibridação de **2** Tornar fecundo (uma planta) pelo pólen de outra espécie ou sua variante [▶ **1** hibridar] [F.: *híbrido* + *-ar.*]

hibridez (hi.bri.*dez*) [ê] ***sf.*** **1** Estado ou qualidade do que é híbrido **2** Falta de normalidade, de regularidade; anomalia [F.: *híbrido* + *-ez.* Sin. ger.: *hibridismo.*]

hibridismo (hi.bri.*dis*.mo) ***sm.*** **1** *Gram.* Formação de palavras com radicais ou elementos tomados de línguas diferentes; ex.: *monóculo*, do gr. *monos* (único) + lat. *oculus* (olho) **2** O mesmo que *hibridez* **3** Qualidade do que provém de naturezas diferentes: "Os *hibridismos* e cruzamentos não são realizáveis, senão quando há semelhanças no organismo" (Latino Coelho, *Elogios*) [F.: *híbrido* + *-ismo.*]

hibridização (hi.bri.di.za.*ção*) ***sf.*** **1** *Gen.* Formação de um híbrido **2** *Gen.* Pesquisa que se faz com ácidos nucleicos, ligando-os a uma cadeia de ADN ou ARN [Pl.: *-ções.*] [F.: *hibridizar* + *-ção.*]

hibridizar (hi.bri.di.*zar*) ***v. td.*** Fazer a hibridização de; HIBRIDAR [▶ **1** hibridizar] [F.: *híbrido* + *-izar.*]

híbrido (*hí*.bri.do) ***a.*** **1** *Gen.* Diz-se de animal ou vegetal resultante do cruzamento de espécies diferentes (milho híbrido): *O burro e a mula são animais híbridos.* **2** *Gen.* Que descende de progenitores de genótipos diferentes (povo híbrido); MESTIÇO **3** *Fig.* Em que há mistura de elementos ou espécies diferentes (cor híbrida): "...aventuram-se num gênero híbrido, entre a dança, o circo, a acrobacia e o teatro." (*Folha de S.Paulo*, 25.05.2005) **4** *Ling.* Diz-se de vocábulo composto com elementos de línguas diferentes (p.ex.: *sociologia*, lat. e gr.) ***sm.*** **5** *Gen.* Indivíduo híbrido (1 e 2) [F.: Do lat. *ibrida, hibrida* ou *hybrida, ae.* Ideia de 'híbrido', usar pref. *hibrid(o)-*.]

hibridoma (hi.bri.*do*.ma) ***sm.*** *Biol.* Célula híbrida que resulta da fusão de um linfócito produtor de anticorpos com uma célula tumoral [F.: *hibrid(o)-* + *-oma.*]

⊕ **hic** (*lat.* /*hik*/) ***sm.*** A principal dificuldade encontrada em um negócio, matéria, questão etc. [F.: Do lat. *hic* (aqui, neste lugar).]

hicso (*hic*.so) ***sm.*** **1** *Etnol.* Indivíduo dos hicsos, povo da Antiguidade que, originário da Síria, vivia em região oriental do delta do rio Nilo, no séc. VIII a.C ***a.*** **2** Ref. a esse povo

hidantoína (hi.dan.to.*í*.na) ***sf.*** *Quím.* Substância sólida, heterocíclica [Fórm.: $C_3H_4N_2O_2$] [F.: *hid(rogênio)* + *(al) antoína.*]

hidantoinato (hi.dan.toi.*na*.to) ***sm.*** *Quím.* Substância química à base de hidantoína, us. no combate à epilepsia [F.: *hidantoína* + *-ato.*]

hidático (hi.*dá*.ti.co) ***a.*** Ref. a hidátide; HIDATÍDICO [F.: Do fr. *hydatique.*]

hidátide (hi.*dá*.ti.de) ***sf.*** **1** Segmento larval resultante de processo de transformação de verme cestoide, em forma de quisto com algumas cabeças; tb. *policerco* **2** Formação de quisto durante o crescimento das larvas de policerco **3** *Pat.* Qualquer forma que se assemelhe a um quisto [F.: Do gr. *hudatis, ídos.* Ideia de 'hidátide': *hidati(d)-*.] ▪ **~ de Morgagni** *Anat.* Pequena estrutura rudimentar, semelhante a cisto, apensa ao testículo e ao epidídimo, no homem, ou à trompa, na mulher

hidatidose (hi.da.ti.*do*.se) ***sf.*** *Pat.* Doença causada por larvas de vermes do gên. *Echinococcos*, que infestam o fígado ou outros órgãos e tecidos, formando cistos maciços; EQUINOCOCOSE [F.: *hidati(d)-* + *-ose.*]

hidatologia (hi.da.to.lo.*gi*.a) ***sf.*** O mesmo que *hidrologia* [F.: *hidat(o)-* + *-logia.*]

hidatológico (hi.da.to.*ló*.gi.co) ***a.*** Ref. a hidatologia; HIDROLÓGICO [F.: *hidatologia* + *-ico²*.]

hidra¹ (*hi*.dra) ***sf.*** **1** *Mit.* O mesmo que *hidra de Lerna* **2** *Astrôn.* Constelação austral, próxima do equador, e que se estende entre Virgem e Câncer [Inicia maiúsc.] [F.: Do gr. *hýdra, as* pelo lat. *hydra, ae.*] ▪ **~ de Lerna** **1** *Mit.* Serpente de sete cabeças, que renasciam assim que eram cortadas; foi morta por Hércules em um de seus 12 trabalhos **2** *Fig.* Fonte de perigos, ameaças, malefícios

hidra² (*hi*.dra) ***sf.*** *Zool.* Nome comum aos cnidários hidrozoários de água-doce do gênero *Hydra*, cujo corpo é formado por um pólipo único; ingerem e excretam os alimentos por uma abertura rodeada de tentáculos e vivem submersos fixados a substratos diversos [F.: Do lat.cient. (gênero) *Hydra* criado por Lineu em 1758.]

hidraéreo (hi.dra.*é*.re:o) ***a2g.*** Ver *hidroaéreo*

hidramático (hi.dra.*má*.ti.co) *Aut.* ***a.*** **1** Diz-se de alavanca de câmbio com comando automático acionado por sistema hidráulico **2** Diz-se de veículo equipado com esse dispositivo [F.: Do ing. *Hydra-Matic®*.]

hidrante (hi.*dran*.te) ***sm.*** **1** Válvula ou torneira de grande calibre na qual se conecta a mangueira para extinguir incêndios **2** *Pext.* Estrutura de ferro que aloja o hidrante nas calçadas [F.: Do ing. *hydrant.*]

hidrargirismo (hi.drar.gi.*ris*.mo) ***sm.*** *Med.* Intoxicação por mercúrio; MERCURIALISMO [F.: *hidrargírio*, '(ant.) mercúrio', + *-ismo.*]

hidratação (hi.dra.ta.*ção*) ***sf.*** **1** Ação ou resultado de hidratar(-se) **2** *Quím.* Processo de combinar uma molécula com água **3** Tratamento cosmético contra ressecamento (hidratação dos cabelos) [Pl.: *-ções.*] [F.: *hidratar* + *-ção.* Ant. ger.: *desidratação.*]

hidratado (hi.dra.*ta*.do) ***a.*** **1** Que se hidratou **2** Tratado com água ou outro produto hidratante **3** Que tem umidade natural (pele hidratada) **4** *Quím.* Combinado com água, esp. na forma de hidrato [F.: Part. de *hidratar.* Ant.ger.: *desidratado.*]

hidratante (hi.dra.*tan*.te) ***a2g.*** **1** Que hidrata **2** Diz-se de substância ou produto que serve para hidratar ***sm.*** **3** Essa substância ou produto [F.: *hidratar* + *-nte.*]

hidratar (hi.dra.*tar*) ***v.*** **1** Transformar-se em hidrato [***int.***: *Este composto químico hidrata-se com facilidade.*] **2** Impregnar(-se) com água ou hidrato [***td.***: *Precisaram hidratar o terreno.*] [***int.***: *Seu tipo de pele hidrata-se rapidamente.*] **3** *Med.* Tratar(-se) com água ou hidrato, para manter o nível de água ideal do corpo [***td.***: *O médico receitou soro para hidratar o bebê; O paciente compreendeu que precisa se hidratar.*] **4** Aplicar (à pele ou cabelo) substância hidratante, para evitar ou corrigir ressecamento [***td.***: *hidratar o corpo.*] [▶ **1** hidratar] [F.: *hidrato* + *-ar²*. Hom./Par.: *hidrato* (fl.), *hidrato* (sm.); *hidratáveis* (fl.), *hidratáveis* (pl. de *hidratável* [a2g.]).]

hidratável (hi.dra.*tá*.vel) ***a2g.*** Que se pode hidratar [Pl.: *-veis.*] [F.: *hidratar* + *-vel.* Hom./Par.: *hidratáveis* (pl.), *hidratáveis* (fl. de *hidratar* [v.]).]

hidrato (hi.*dra*.to) *Quím.* ***sm.*** Qualquer composto formado pela combinação de água com outra substância (hidrato de carbono) [F.: *hidr(o)-¹* + *-ato²*. Hom./Par.: *hidrato* (sm.), *hidrato* (fl. de *hidratar* [v.]).] ▪ **~ de carbono** *Quím.* Todo composto orgânico de carbono, hidrogênio e oxigênio (como açúcar, amido etc.), de fórmula genérica $C_m(H_2O)_n$; carboidrato [São fundamentais no metabolismo como fonte de energia.] **~ de cloral** *Quím.* Forte sedativo derivado do cloral por adição de água [Fórm.: $C_2H_3CL_3O_2$]

hidráulica (hi.*dráu*.li.ca) *Fís.* ***sf.*** **1** Estudo da água ou de outros fluidos incompressíveis em repouso e em movimento, tendo em vista sua aplicação na engenharia **2** Técnica para construir na água **3** Técnica de transporte e elevação da água **4** *Pop.* Mecanismo hidráulico de um veículo, construção etc. [F.: Fem. substv. de *hidráulico.*]

hidraulicidade (hi.drau.li.ci.*da*.de) ***sf.*** Propriedade que têm a cal, o cimento e outros ligantes de endurecer sob a ação da água [F.: *hidráulico* + *-(i)dade.*]

hidráulico (hi.*dráu*.li.co) ***a.*** **1** Ref. à hidráulica (projeto hidráulico) **2** Ref. ao movimento de líquidos, esp. a água **3** Que funciona movido por líquido (freio/macaco hidráulico) [F.: Do gr. *hydraulikós, é, ón*, pelo lat. *hydraulicus, a, um.*]

hidravião (hi.dra.vi.*ão*) *Aer. Mar.* ***sm.*** Ver *hidroavião*

hidrelétrica (hi.dre.*lé*.tri.ca) ***sf.*** **1** Usina geradora de hidreletricidade **2** Empresa que produz e/ou distribui hidreletricidade [F.: Fem substv. de *hidrelétrico.* Tb. *hidroelétrica.*]

> 📖 A obtenção de energia elétrica pela transformação da energia mecânica gerada por quedas d'água é das mais aplicadas no mundo. No Brasil corresponde praticamente à quase totalidade (cerca de 90%) da geração de energia elétrica (além de umas poucas usinas termelétricas e nucleares). A grande rede hidrográfica do Brasil colabora para essa aplicação. O princípio básico dessa forma de geração de eletricidade é fazer acumularem-se as águas de um rio em uma represa, para dar-lhes saída controlada, em forte declive, aconde com a força da queda turbinas que, por sua vez, transformam a energia mecânica de seu giro em energia elétrica, que é distribuída por redes de fornecimento. A maior usina hidrelétrica do Brasil (juntamente com o Paraguai), e entre as maiores do mundo, é a de Itaipu.

hidreletricidade (hi.dre.le.tri.ci.*da*.de) ***sf.*** *Elet.* Eletricidade gerada a partir da energia hidráulica [F.: *hidr(o)-¹* + *eletricidade.* Tb. *hidroeletricidade.*]

hidrelétrico (hi.dre.*lé*.tri.co) ***a.*** **1** Que produz eletricidade a partir da energia hidráulica (usina hidrelétrica) **2** Diz-se da eletricidade assim produzida [F.: *hidr(o)-¹* + *elétrico.* Tb. *hidroelétrico.*]

hidreletrolítico (hi.dre.le.tro.*lí*.ti.co) ***a.*** Ref. à realização de eletrólise por meio da água [F.: *hidr(o)-¹* + *eletrolítico.* Tb. *hidroeletrolítico.*]

hidremia (hi.dre.*mi*.a) ***sf.*** *Med.* Quantidade excessiva de água no sangue [F.: *hidr(o)-¹* + *-emia.*]

hidrêmico (hi.*drê*.mi.co) *Med.* ***a.*** **1** Ref. a hidremia **2** Que apresenta hidremia [F.: *hidremia* + *-ico²*.]

hidreto (hi.*dre*.to) [ê] ***sm.*** *Quím.* Combinação de um elemento eletropositivo com hidrogênio [F.: *hidr(o)-¹* + *-eto²*.]

hídria (*hí*.dri:a) ***sf.*** Jarro de água, bojudo e com três asas, us. pelos antigos gregos e romanos [F.: Do gr. *hydría, as*, pelo lat. *hydria, ae.*]

hidriatria (hi.dri:a.*tri*.a) ***sf.*** O mesmo que *hidroterapia* [F.: *hidr(o)-¹* + *-iatria.*]

hídrico (*hí*.dri.co) ***a.*** **1** Da, ref. ou pertencente à água (reserva hídrica; potencial hídrico) **2** À base de água (dieta hídrica) [F.: *hidr(o)-¹* + *-ico²*.]

◎ **hidr(o)-¹** ***el. comp.*** = 'água'; 'líquido'; '(as águas dos) mares, rios e lagos' 'hidrogênio': *hidraéreo, hidroaéreo, hidrargirismo, hidrato, hidráulico, hidravião, hidroavião, hidrelétrica, hidroelétrica, hidremia, hidrobiologia, hidrocarbono, hidrocarbureto, hidrocefalia, hidrocoria, hidrocultura, hidroferroviário, hidrófilo, hidrofobia, hidrófobo, hidrograma, hidrologia, hidromassagem, hidromel* (< lat. < gr.), *hidrometria, hidrônimo, hidroplano, hidroponia, hidropônica* (< ing.), *hidroscopia, hidrossolúvel, hidroterapia, hidrotermal, hidrovia*; *pan-hidrômetro*; *tetraidrocanabinol*; *aeridro, anidro* (< gr.), *ênidro* (< gr.) [F.: Do gr. *hýdor, hýdatos*, 'água'. F. conexa: *hidat(o)-*.]

◎ **hidr(o)-²** ***el. comp.*** = 'suor': *hidradenite, hidroadenite, hidropoese, hidrose* (< gr.) [F.: Do gr. *hidrós, otos.*]

hidroaéreo (hi.dro:a.*é*.re:o) ***a.*** **1** Ref. simultaneamente à água e ao ar **2** *Med.* Diz-se de ruído produzido em cavidades do organismo, patológicas ou não, que apresentam água e ar no seu interior [F.: *hidr(o)-¹* + *aéreo.* Tb. *hidraéreo.*]

hidroavião (hi.dro:a.vi.*ão*) ***sm.*** *Aer. Mar.* Avião que pode pousar na água e dela decolar; HIDROPLANO [Pl.: *-ões.*] [F.: *hidr(o)-¹* + *avião.* Tb. *hidravião.*]

hidróbio (hi.*dró*.bi:o) ***a.*** **1** Que vive na água ***sm.*** **2** O que vive na água [F.: *hidr(o)-¹* + *-bio.*]

hidrobiologia (hi.dro.bi:o.lo.*gi*.a) ***sf.*** *Biol.* Estudo dos organismos que vivem na água [F.: *hidr(o)-¹* + *biologia.*]

hidrobiológico (hi.dro.bi:o.*ló*.gi.co) ***a.*** Ref. a hidrobiologia [F.: *hidrobiologia* + *-ico²*.]

hidrobiologista (hi.dro.bi:o.lo.*gis*.ta) ***s2g.*** O mesmo que *hidrobiólogo* [F.: *hidrobiologia* + *-ista.*]

hidrobiólogo (hi.dro.bi.*ó*.lo.go) ***sm.*** Indivíduo especializado em hidrobiologia; HIDROBIOLOGISTA [F.: *hidr(o)-¹* + *biólogo.*]

hidrocarbonado (hi.dro.car.bo.*na*.do) ***a.*** *Quím.* Relativo ao composto que contém hidrogênio e carbono [F.: *hidr(o)-*[1] + *-carbon(i)-* + *-ado*[1].]

hidrocarboneto (hi.dro.car.bo.*ne*.to) [ê] ***sm.*** *Quím.* Substância composta por átomos de carbono e hidrogênio; HIDROCARBURETO [F.: *hidr(o)-*[1] + *carboneto.*]

hidrocarbônico (hi.dro.car.*bô*.ni.co) ***a.*** *Quím.* Ref. a ou próprio de hidrocarboneto [F.: *hidrocarbon(eto)* + *-ico*[2].]

hidrocarbureto (hi.dro.car.bu.*re*.to) [ê] ***sm.*** *Quím.* O mesmo que *hidrocarboneto* [F.: *hidr(o)-*[1] + *carbureto.*]

hidrocefalia (hi.dro.ce.fa.*li*.a) ***sf.*** *Neur.* Aumento anormal do líquido cefalorraquiano contido no crânio, causando dilatação dos ventrículos cerebrais, aumento da cabeça, atrofia do encéfalo, deficiência mental e convulsões [F.: *hidr(o)-*[1] + *-cefalia.*]

hidrocefálico (hi.dro.ce.*fá*.li.co) ***a.*** *Neur.* Ref. a hidrocefalia [F.: *hidrocefalia* + *-ico*[2].]

hidrocéfalo (hi.dro.*cé*.fa.lo) ***a.*** **1** Que sofre de hidrocefalia ***sm.*** **2** Aquele que sofre de hidrocefalia [F.: Do gr. *hydroképhalos, os, on.*]

hidroclorido (hi.dro.clo.*ri*.do) ***sm.*** *Quím.* Composto obtido por reação do ácido hidroclórico com uma base orgânica [F.: Do ing. *hydrochloride.*]

hidroclorídrico (hi.dro.clo.*rí*.dri.co) *Quím.* ***a.*** **1** Relativo ao ácido clorídrico **2** Diz-se de ácido corrosivo, de odor irritante, presente no suco gástrico ***sm.*** **3** Esse ácido [De grande importância para a saúde humana, pois dá combate a inúmeras bactérias presentes nos alimentos.] [F.: *hidr(o)-* + *-clor(o)-* + *-idr(o)-* + *-ico*[2].]

hidroclorofluorcarbono (hi.cro.clo.ro.flu:or.car.*bo*.no) ***sm.*** *Quím.* Composto formado por átomos de hidrogênio, flúor, cloro e carbono, us. principalmente como substituto provisório do clorofluorcarboneto (CFC) em fluidos de refrigeração [Sigla: HCFC] [F.: *hidr(o)-*[1] + *-clor(o)-* + *flúor* + *carbono.*]

hidrocor (hi.dro.*cor*) [ô] ***sm.*** Tipo de caneta colorida, que ger. compõe um estojo de várias canetas de cores diversas (como um estojo de lápis de cor), us. para fazer desenhos coloridos [F.: *hidr(o)-*[1] + *cor* (ô).]

hidrocoria (hi.dro.co.*ri*.a) ***sf.*** *Bot.* Disseminação de sementes, frutos ou esporos pelas águas de rios, lagos, mares etc. [F.: *hidr(o)-*[1] + *-coria*[1].]

hidrocórico (hi.dro.*có*.ri.co) ***a.*** *Bot.* Relativo à hidrocoria [F.: *hidrocoria* + *-ico*[2].]

hidrocoro (hi.dro.*co*.ro) [ó] ***a.*** *Bot.* Que se dissemina pela água (diz-se de vegetal) [F.: *hidr(o)-*[1] + *-coro.*]

hidrocortisona (hi.dro.cor.ti.*so*.na) [ô] ***sf.*** *Bioq.* Hormônio ($C_{21}H_{30}O_5$) produzido pelas glândulas suprarrenais ou sinteticamente, us. como medicamento anti-inflamatório [F.: *hidr(o)-*[1] + *cortisona.*]

hidrocultor (hi.dro.cul.*tor*) [ô] ***sm.*** *Agr.* O mesmo que *hidroponicista* [F.: *hidr(o)-*[1] + *-cultor.*]

hidrocultura (hi.dro.cul.*tu*.ra) ***sf.*** *Agr.* O mesmo que *hidroponia* [F.: *hidr(o)-*[1] + *-cultura.*]

hidrocussão (hi.dro.cus.*são*) ***sf.*** *Med.leg.* Síncope causada por banho frio, terminando em morte por afogamento [Pl.: *-sões.*] [F.: *hidr(o)-*[1] + *-cussão* (ver), a exemplo de *eletrocussão.*]

hidrodinâmica (hi.dro.di.*nâ*.mi.ca) ***sf.*** *Fís.* Ramo da hidromecânica que estuda o movimento de fluidos incompressíveis e suas interações com a superfície sobre a qual se movem [F.: *hidr(o)-*[1] + *dinâmica.*]

hidrodinâmico (hi.dro.di.*nâ*.mi.co) ***a.*** **1** *Fís.* Ref. a hidrodinâmica **2** *Fís.* Ref. ao movimento dos líquidos **3** Que tem forma capaz de oferecer menos resistência à água (lancha hidrodinâmica) [F.: *hidr(o)-*[1] + *dinâmico.*]

hidroelétrica (hi.dro:e.*lé*.tri.ca) ***sf.*** *Elet.* Ver *hidrelétrica*

hidroeletricidade (hi.dro:e.le.tri.ci.*da*.de) ***sf.*** Ver *hidreletricidade*

hidroelétrico (hi.dro:e.*lé*.tri.co) ***a.*** Ver *hidrelétrico*

hidroeletrolítico (hi.dro:e.le.tro.*lí*.ti.co) ***a.*** Ver *hidreletrolítico*

hidroenergético (hi.dro:e.ner.*gé*.ti.co) ***a.*** Ref. à geração de energia elétrica a partir da força hidráulica: *o potencial hidroenergético de uma região.* [F.: *hidr(o)-*[1] + *energético.*]

hidrófano (hi.*dró*.fa.no) ***a.*** Translúcido na água [F.: *hidr(o)-*[1] + *-fano.*]

hidroferroviário (hi.dro.fer.ro.vi.*á*.ri:o) ***a.*** Ref. ao mesmo tempo a hidrovia e a ferrovia [F.: *hidr(o)-*[1] + *ferroviário.*]

hidrofílico (hi.dro.*fí*.li.co) ***a.*** O mesmo que *hidrófilo* [F.: *hidrófilo* + *-ico*[2].]

hidrófilo (hi.*dró*.fi.lo) ***a.*** **1** Que absorve bem a água (algodão hidrófilo) **2** *Bot.* Que vive perto da água ou nela submerso (planta hidrófila) **3** *Quím.* Que tem afinidade com a água, sendo capaz de absorvê-la **4** Que gosta de água [F.: *hidr(o)-*[1] + *-filo*[1]. Sin. ger.: *hidrofílico.*]

hidrófito (hi.*dró*.fi.to) *Bot.* ***sm.*** **1** Vegetal que vive na água ***a.*** **2** Ref. a esses vegetais [F.: *hidr(o)-*[1] + *-fito.*]

hidrofluorcarboneto (hi.dro.flu.or.car.bo.*ne*.to) ***sm.*** *Quím.* Fluido de uso em refrigeração, composto de hidrogênio, flúor e carbono [O HFC apresenta baixo risco à camada de ozônio e contribui em baixa escala para o aumento do efeito estufa.] [F.: *hidr(o)-*[1] + *fluorcarboneto.*]

hidrofobia (hi.dro.fo.*bi*.a) ***sf.*** **1** *Vet. Med.* Doença infecciosa de origem virótica que ataca o sistema nervoso central dos mamíferos e que é transmitida aos seres humanos pela mordida de um animal infectado; RAIVA **2** *Pus. Psiq.* Horror mórbido à água e a quaisquer líquidos [F.: Do lat. *hydrophobia, ae,* do gr. *hydrophobía, as.*]

hidrofóbico (hi.dro.*fó*.bi.co) ***a.*** **1** Ref. a hidrofobia **2** *Quím.* Que não se dissolve na água ou que a repele (diz-se de substância) [F.: Do gr. *hydrophobikós, é, ón.*]

hidrófobo (hi.*dró*.fo.bo) ***a.*** **1** *Med.* Que sofre de hidrofobia (1) **2** *Fig.* Diz-se de indivíduo colérico, furioso ***sm.*** **3** *Med.* Indivíduo hidrófobo (1) **4** *Fig.* Indivíduo colérico, furioso [F.: Do gr. *hydrophóbos, os, on.*]

hidrofólio (hi.dro.*fó*.li:o) ***sm.*** **1** Pequena asa montada no casco de embarcação para dar-lhe estabilidade e atenuar a oscilação **2** Aleta no casco de embarcação, cuja função é elevar a quilha à medida que a velocidade aumenta **3** Embarcação munida desse dispositivo [F.: *hidro-* + *-fólio.*]

hidrofone (hi.dro.*fo*.ne) ***sm.*** *Emec.* Aparelho que capta vibrações sonoras transmitidas através da água [F.: *hidr(o)-*[1] + *-fone.*]

hidrogenação (hi.dro.ge.na.*ção*) ***sf.*** *Quím.* Combinação de substâncias com hidrogênio, procedimento utilizado para vários fins industriais [Pl.: *-ções.*] [F.: *hidrogenar* + *-ção.*]

hidrogenado (hi.dro.ge.*na*.do) ***a.*** *Quím.* Que contém ou foi combinado ou tratado com hidrogênio [F.: Part. de *hidrogenar.*]

hidrogenar (hi.dro.ge.*nar*) ***v.*** *Quím.* Absorver hidrogênio ou combinar(-se) com ele [***td.***: *hidrogenar o óleo de soja.*] [***int.***: *A amônia, em sua síntese, hidrogena-se.*] [▶ **1** hidrogenar] [F.: *hidrogên (io)* + *-ar*[2].]

hidrogênio (hi.dro.*gê*.ni:o) ***sm.*** Elemento químico, de número atômico 1, gasoso, incolor e insípido, que, combinado com o oxigênio, forma a água. [Símb.: *H*] [F.: Do fr. *hydrogène.*]

📖 Um dos elementos básicos do universo, o hidrogênio representa 75% de toda a massa existente no cosmo, mas menos de 10% da massa existente na Terra. É o mais simples dos elementos, com um átomo formado por apenas um próton e um elétron que lhe gira em torno. É da combinação de duas moléculas de hidrogênio com uma de oxigênio que se forma a água (fórmula H_2O). É nessa forma molecular (dois átomos por molécula) que o hidrogênio se apresenta em quase todas as ocorrências. Na forma atômica, em que só aparece combinado com outros elementos, tende a ser instável e a liberar energia em certas reações. Essa energia, se controlada, será praticamente inesgotável, podendo ser obtida do hidrogênio da água do mar.

hidrogerador (hi.dro.ge.ra.*dor*) [ô] ***sm.*** Gerador de energia movido pela força da água [F.: *hid r(o)-*[1] + *gerador.*]

hidroginástica (hi.dro.gi.*nás*.ti.ca) ***sf.*** *Esp.* Modalidade de ginástica praticada em piscina, ger. térmica [F.: *hidr(o)-*[1] + *ginástica.*]

hidrografia (hi.dro.gra.*fi*.a) ***sf.*** **1** *Geog.* Conjunto dos mares, rios, lagos etc. de uma região **2** Parte da geografia que estuda as águas marinhas e continentais **3** *Mar.* Topografia marítima para fins de navegação [F.: *hidr(o)-*[1] + *-grafia.*]

hidrográfico (hi.dro.*grá*.fi.co) ***a.*** Ref. à hidrografia (mapa hidrográfico) [F.: *hidrografia* + *-ico*[2].]

hidrógrafo (hi.*dró*.gra.fo) ***sm.*** Indivíduo especializado em hidrografia [F.: *hidr(o)-*[1] + *-grafo.*]

hidrograma (hi.dro.*gra*.ma) ***sm.*** *Hidrog.* Gráfico que indica as variações dos fluxos das águas fluviais [F.: *hidr(o)-*[1] + *-grama.*]

hidrojateamento (hi.dro.ja.te:a.*men*.to) ***sm.*** Aplicação de jatos de água para retirar sujeira ou lodo de algumas superfícies [F.: *hidr(o)-*[1] + **jatear* (< *jato* + *-ear*[2]) + *-mento.*]

hidrolato (hi.dro.*la*.to) ***sm.*** *Quím.* Líquido incolor que se obtém por meio da destilação da água com substratos vegetais ou animais (hidrolato de canela) [F.: *hidr(o)-*[1] + *-l-* + *-ato*[2].] ■ **~ simples** Água destilada

hidrólatra (hi.*dró*.la.tra) ***s2g.*** Aquele que tem hidrolatria [F.: *hidr(o)-*[1] + *-latra.* Hom./Par.: *hidrólatra* (s2g), *idólatra* (a2g.s2g).]

hidrolatria (hi.dro.la.*tri*.a) ***sf.*** Adoração da água ou amor excessivo à água [F.: *hidr(o)-*[1] + *-latria.* Hom./Par.: *hidrolatria* (sf.), *idolatria* (sf.).]

hidrolisado (hi.dro.li.*sa*.do) ***a.*** *Quím.* Submetido a hidrólise ou dela resultante [F.: Part. de *hidrolisar.*]

hidrolisante (hi.dro.li.*san*.te) ***a2g.*** *Quím.* Que hidrolisa; HIDROLISADOR [F.: *hidrolisar* + *-nte.*]

hidrolisar (hi.dro.li.*sar*) ***v. td.*** *Quím.* Isolar os elementos constitutivos de uma substância, ou tê-los isolados por meio de hidrólise [▶ **1** hidrolisar] [F.: *hidrólise* + *-ar*[2]. Hom./Par.: *hidrolise* (fl.), *hidrólise* (sf.); *hidrólises* (fl.), *hidrólises* (pl. do sf.).]

hidrólise (hi.*dró*.li.se) ***sf.*** *Quím.* Decomposição ou alteração química de uma substância pela ação da água [F.: *hidr(o)-*[1] + *-lise.* Hom./Par.: *hidrólise* (sf.), *hidrolise* (fl. de *hidrolisar* [v.]).]

hidrolítico (hi.dro.*lí*.ti.co) ***a.*** *Quím.* Ref. a hidrólise [F.: *hidról(ise)* + *-lítico*[2], seg. o mod. gr.]

hidrologia (hi.dro.lo.*gi*.a) ***sf.*** Estudo da distribuição, movimentos e propriedades das águas da superfície da Terra (hidrologia marinha/ fluvial); HIDATOLOGIA [F.: *hidr(o)-*[1] + *-logia.*]

hidrológico (hi.dro.*ló*.gi.co) ***a.*** Ref. à, ou próprio da hidrologia; HIDATOLÓGICO [F.: *hidrologia* + *-ico*[2].]

hidrologista (hi.dro.lo.*gis*.ta) ***s2g.*** Diz-se de indivíduo especializado em hidrologia; HIDRÓLOGO [F.: *hidrologia* + *-ista.*]

hidrólogo (hi.*dró*.lo.go) ***sm.*** O mesmo que *hidrologista.* [F.: *hidr(o)-*[1] + *-logo.*]

hidromancia (hi.dro.man.*ci*.a) ***sf.*** *Oct.* Adivinhação por meio da água [F.: Do gr. *hydromanteía, as,* pelo lat. *hydromantia, as.*]

hidromassagem (hi.dro.mas.*sa*.gem) ***sf.*** **1** Massagem feita com jatos de água [Baseia-se na ação terapêutica (fator dinâmico e térmico) que a água, em movimento (esp. sob pressão), exerce sobre a pele e, consequentemente, sobre o organismo.] **2** *P.ext.* Banheira própria para esse procedimento [Pl.: *-gens.*] [F.: *hidr(o)-*[1] + *massagem.*]

hidromecânica (hi.dro.me.*câ*.ni.ca) ***sf.*** *Mec.* Parte da mecânica que se ocupa do equilíbrio e movimento dos fluidos e dos corpos sólidos neles imersos, e que compreende a hidrostática e a hidrodinâmica [F.: *hidr(o)-*[1] + *mecânica.*]

hidromecânico (hi.dro.me.*câ*.ni.co) ***a.*** **1** Diz-se do aparelho, mecanismo, sistema etc. em que se emprega a água como força motriz **2** Ref. à hidromecânica [F.: *hidr(o)-*[1] + *mecânico.*]

hidromedusa (hi.dro.me.*du*.sa) *Zool.* ***sf.*** **1** Espécime das hidromedusas, antiga subclasse dos hidrozoários **2** Medusa dos hidrozoários [F.: Adaptç. do lat.cient. *Hydromedusae.*]

hidromel (hi.dro.*mel*) ***sm.*** **1** Bebida, fermentada ou não, feita de água e mel **2** *Farm.* Líquido xaroposo e laxativo composto de água e mel [Pl.: *-méis* e *-meles.*] [F.: Do gr. *hydrómeli, itos,* pelo lat. *hydromelis, itis.*]

hidrometeoro (hi.dro.me.te.*o*.ro) ***sm.*** *Met.* Fenômeno atmosférico produzido pela água em seus vários estados (p.ex.: as nuvens, o nevoeiro, a chuva, o granizo etc.) [F.: *hidr(o)-*[1] + *meteoro.*]

hidrometeorologia (hi.dro.me.te:o.ro.lo.*gi*.a) ***sf.*** *Met.* Parte da meteorologia que estuda a presença da água na atmosfera, esp. as precipitações [F.: *hidr(o)-*[1] + *meteorologia.*]

hidrometeorológico (hi.dro.me.te:o.ro.*ló*.gi.co) ***a.*** *Met.* Ref. à hidrometeorologia [F.: *hidrometeorologia* + *-ico*[2].]

hidrometria[1] (hi.dro.me.*tri*.a) ***sf.*** **1** Parte da hidrodinâmica que trata da medição da vazão e velocidade dos líquidos, esp. da água **2** Essa medição [F.: *hidr(o)-*[1] + *-metria*[1].]

hidrometria[2] (hi.dro.me.*tri*.a) ***sf.*** *Med.* Acúmulo de líquido seroso no útero [F.: *hidr(o)-*[1] + *-metria*[2].]

hidrométrico (hi.dro.*mé*.tri.co) ***a.*** Ref. à hidrometria[1] [F.: *hidrometria*[1] + *-ico*[2].]

hidrômetro (hi.*drô*.me.tro) ***sm.*** **1** Aparelho us. para medir o consumo de água em imóveis de todos os tipos **2** Aparelho para medir a velocidade dos líquidos [F.: *hidr(o)-*[1] + *-metro.*]

hidromineral (hi.dro.mi.ne.*ral*) ***a2g.*** Ref. à água mineral (fonte hidromineral) [Pl.: *-rais.*] [F.: *hidr(o)-*[1] + *mineral.*]

hidromotor (hi.dro.mo.*tor*) [ô] ***sm.*** *Emec.* Motor acionado hidraulicamente [F.: *hidr(o)-*[1] + *motor.*]

hidronavegação (hi.dro.na.ve.ga.*ção*) ***sf.*** Navegação ou capacidade de navegação por via marítima, fluvial ou lacustre [Pl.: *-ções.*] [F.: *hidr(o)-*[1] + *navegação.*]

hidrônimo (hi.*drô*.ni.mo) ***sm.*** Nome próprio de rio, lago, mar etc. [F.: *hidr(o)-*[1] + *-ônimo.*]

hidronuclear (hi.dro.nu.cle.*ar*) ***a2g.*** **1** Ref. ao núcleo do átomo de hidrogênio **2** Realizado sob as águas do mar (diz-se de teste nuclear) [F.: *hidr(o)-*[1] + *nuclear.*]

hidropata (hi.dro.*pa*.ta) ***s2g.*** Especialista em hidropatia; aquele que realiza ou aplica esse tipo de tratamento a doentes [F.: *hidr(o)-*[1] + *-pata.* Tb. *hidrópata.*]

hidropatia (hi.dro.pa.*ti*.a) ***sf.*** Tratamento de algumas doenças pela água [F.: *hidr(o)-*[1] + *-patia.* Cf.: *hidroterapia.*]

hidropático (hi.dro.*pá*.ti.co) ***a.*** Ref. à hidropatia [F.: *hidropatia* + *-ico*[2].]

hidropericárdio (hi.dro.pe.ri.*cár*.di:o) ***sm.*** *Pat.* Acúmulo anormal de serosidade no pericárdio [F.: *hidr(o)-*[1] + *pericárdio.*]

hidrópico (hi.*dró*.pi.co) ***a.*** **1** *Med.* Ref. ou inerente à hidropisia **2** *Med.* Que apresenta hidropisia **3** *Fig.* Cheio, repleto: "...através dessa (...) opulenta Gomorra hidrópica de vício." (Guerra Junqueiro, *A velhice do padre eterno*) ***sm.*** **4** *Med.* Aquele que apresenta hidropisia [F.: Do gr. *hydropikós, é, ón,* pelo lat. *hydropicus, a, um.*]

hidropisia (hi.dro.pi.*si*.a) ***sf.*** *Med.* Derramamento de líquido seroso em tecidos ou cavidade corporal [F.: Do lat. *hydropsis, is,* 'hidropisia', posv. pelo fr. *hydropisie.*]

hidroplano (hi.dro.*pla*.no) ***sm.*** *Aer. Mar.* O mesmo que *hidroavião* [F.: *hidr(o)-*[1] + *(aero)plano.*]

hidropneumático (hi.dro.pneu.*má*.ti.co) ***a.*** *Mec.* Diz-se de aparelho que funciona por meio de água ou outro líquido e de ar ou outros gases (freio hidropneumático) [F.: *hidr(o)-*[1] + *pneumático.*]

hidropoese (hi.dro.po.*e*.se) ***sf.*** *Fisl.* Produção e eliminação de suor; HIDROSE [F.: *hidr(o)-*[2] + *-poese.*]

hidropoético (hi.dro.po.*é*.ti.co) ***a.*** *Fisl.* Ref. à hidropoese [F.: *hidropo(ese)* + *-ético,* seg. o mod. gr.]

hidroponia (hi.dro.po.*ni*.a) ***sf.*** *Agr.* Técnica de cultivo de vegetais, ger. verduras, em meio aquoso com nutrientes minerais em suspensão; HIDROPÔNICA [F.: *hidr(o)-*[1] + *-ponia.*]

hidropônica (hi.dro.*pô*.ni.ca) ***sf.*** *Agr.* O mesmo que *hidroponia* [F.: Adaptç. do ing. *hydroponics.*]

hidroponicista (hi.dro.po.ni.*cis*.ta) ***s2g.*** Aquele que se dedica à hidroponia ou hidropônica [F.: *hidropônica* + *-ista.*]

hidropônico (hi.dro.*pô*.ni.co) ***a.*** **1** *Agr.* Ref. à hidroponia (cultivo hidropônico) **2** Que foi cultivado usando a hidroponia (alface hidropônica) [F.: *hidroponia* + *-ico*[2].]

hidroquinona (hi.dro.qui.*no*.na) ***sf.*** *Quím.* Substância ($C_6H_6O_2$) que tem uso em medicina, como antioxidante, e também em fotografia, como revelador [F.: *hidr(o)-*[1] + *quinona.*]

hidrorragia (hi.dror.ra.*gi*.a) ***sf.*** *Med.* Derrame abundante de água ou de serosidade [F.: *hidr(o)-*[1] + *-rragia.*]

hidrorrágico (hi.dror.*rá*.gi.co) *a. Med.* Ref. a hidrorragia [F.: *hidrorragia* + *-ico*[2].]

hidroscopia (hi.dros.co.*pi*.a) *sf.* Técnica us. para procurar as fontes e as águas subterrâneas [F.: Do gr. *hydroskopía, as.*]

hidroscópico (hi.dros.*có*.pi.co) *a.* Ref. à hidroscopia [F.: *hidroscopia* + *-ico*[2].]

hidrose (hi.*dro*.se) *sf.* **1** Produção e eliminação do suor **2** *Pat.* Distúrbio dessa função orgânica [F.: Do gr. *hidrosis, eos*, ver *hidr(o)-*[2] e *-ose*[1].]

hidrosfera (hi.dros.*fe*.ra) *sf. Geog.* Conjunto das águas da Terra, inclusive as subterrâneas, e do vapor atmosférico [F.: *hidr(o)-*[1] + *-sfera.*]

hidrossalino (hi.dros.sa.*li*.no) *a.* Referente ao acúmulo de líquido e de sal no organismo [F.: *hidr(o)-*[1] + *salino.*]

hidrossol (hi.dros.*sol*) *sm. Fís.-quím.* Solução de substâncias em estado coloidal, na qual a água é o solvente; sol aquoso [Pl.: *-sóis.*] [F.: *hidr(o)-*[1] + *sol(ução).*]

hidrossolúvel (hi.dros.so.*lú*.vel) *a2g.* Diz-se de qualquer substância solúvel em água [Pl.: *-veis.*] [F.: *hidr(o)-*[1] + *solúvel.*]

hidrossulfato (hi.dros.sul.*fa*.to) *sm. Ant. Quím.* O mesmo que *sulfeto* [F.: *hidr(o)-*[1] + *sulfato.*]

hidrossulfeto (hi.dros.sul.*fe*.to) [ê] *sm. Quím.* O mesmo que *bissulfeto* [F.: *hidrossulf(uroso)* + *-eto*[2].]

hidrossulfito (hi.dros.sul.*fi*.to) *sm. Quím.* Nome gen. dos sais do ácido hidrossulfuroso; DITIONITO [F.: *hidr(o)-*[1] + *sulfito.*]

hidrostática (hi.dros.*tá*.ti.ca) *sf. Fís.* Parte da hidromecânica que estuda as condições de equilíbrio dos líquidos e dos gases, e das pressões que estes exercem, quer sobre a própria massa, quer sobre as paredes dos vasos que os contêm [F.: *hidr(o)-*[1] + *estática.*]

hidrostático (hi.dros.*tá*.ti.co) *a. Fís.* Referente a hidrostática [F.: De *hidrostát ica*, com var. suf; ver *-ico*[2].]

hidroterapêutica (hi.dro.te.ra.*pêu*.ti.ca) *sf.* O mesmo que *hidroterapia* [F.: *hidr(o)-*[1] + *terapêutica.*]

hidroterapêutico (hi.dro.te.ra.*pêu*.ti.co) *a.* Ref. a hidroterapêutica; HIDROTERÁPICO [F.: *hidr(o)-*[1] + *terapêutico.*]

hidroterapia (hi.dro.te.ra.*pi*.a) *sf. Ter.* Qualquer terapia que faça uso da água, esp. banhos, duchas etc.; HIDRIATRIA; HIDROTERAPÊUTICA [F.: *hidr(o)-*[1] + *-terapia.*]

hidroterápico (hi.dro.te.*rá*.pi.co) *a.* Ref. à hidroterapia (tratamento hidroterápico); HIDROTERAPÊUTICO [F.: *hidroterapia* + *-ico*[2].]

hidrotermal (hi.dro.ter.*mal*) *a2g. Geol.* Que diz respeito às águas termais [Pl.: *-mais.*] [F.: *hidr(o)-*[1] + *-term(o)-* + *-al*[1].]

hidrotérmico (hi.dro.*tér*.mi.co) *a.* Ref. simultaneamente à água e ao calor: *A máquina a vapor é hidrotérmica.* [F.: *hidr(o)-*[1] + *-term(o)-* + *-ico*[2].]

hidrotórax (hi.dro.*tó*.rax) [cs] *sm2n. Pneumo.* Patologia em que a cavidade pleural acumula líquido aquoso [F.: *hidr(o)-*[1] + *-tórax.*]

hidrotratamento (hi.dro.tra.ta.*men*.to) *sm.* Técnica de tratamento da água (estação de hidrotratamento) [F.: *hidr(o)-*[1] + *tratamento.*]

hidrovácuo (hi.dro.*vá*.cu:o) *sm.* **1** Dispositivo que facilita o acionamento e melhora o desempenho dos freios [É constituído de um servo cilindro, um pistão ou diafragma.] **2** Sistema de freios com esse dispositivo [F.: *hidr(o)-*[1] + *vácuo.*]

hidrovia (hi.dro.*vi*.a) *sf.* Caminho marítimo, fluvial ou lacustre, destinado ao transporte e às comunicações [F.: *hidr(o)-*[1] + *via.*]

hidroviário (hi.dro.vi.*á*.ri:o) *a.* **1** Ref. a hidrovia (planejamento hidroviário) **2** Que se faz por meio de uma hidrovia (transporte hidroviário) [F.: *hidrovia* + *-ário.*]

◎ **hidrox(i)** [cs] *el. comp. Quím.* = denota a presença de um grupo *hidroxila -OH* numa molécula: hidroxiácido, hidroxibutírico, hidroxilado

hidróxido (hi.*dró*.xi.do) [cs] *sm. Quím.* Nome dado aos compostos que contêm hidroxila [F.: *hidr(o)-*[1] + *óxido.*] ■ **~ de amônia** *Quím.* Substância que se obtém da diluição do amoníaco em água, us. como reagente etc. [Fórm.: NH_4OH.] **~ de potássio** *Quím.* Substância us. na indústria de sabão, como reagente analítico etc.; potassa **~ de sódio** *Quím.* Substância us. na indústria de detergentes, em refinarias de petróleo etc.; soda cáustica [Fórm.: $NaOH$.]

hidroxila (hi.dro.*xi*.la) [cs] *sf. Quím.* Radical monovalente (OH), formado por um átomo de oxigênio e outro de hidrogênio; OXIDRILA [F.: Do ing. *hydroxyl.* Hom./Par.: *hidroxila* (sf.), *hidroxila* (fl. de *hidroxilar*).]

hidroxilado (hi.dro.xi.*la*.do) [cs] *a. Quím.* Que contém hidroxila [F.: Part. de *hidroxilar.*]

hidrozoário (hi.dro.zo.*á*.ri:o) *Zool. sm.* **1** Espécime dos hidrozoários, classe de cnidários que se caracterizam por pólipos, ger. coloniais, e medusas craspedotas, e cujos representantes mais conhecidos são as hidras de água doce e as caravelas marinhas. [Sin.: *hidromedusa.*] *a.* **2** Ref. ou pertencente aos hidrozoários (1) [F.: Do tax. *Hydrozoa.* Ver *hidr(o)-*[1] e *-zoário.*]

hidrozoários (hi.dro.zo:*á*.ri.os) *smpl. Zool.* Classe de celenterados, em geral marinhos e coloniais, dotados de cavidade digestiva sem estomodeu e septos, e cujos representantes mais comuns são medusas ou pólipos [F.: Do lat. cien. *Hydrozo(a)* + *-ários.*]

hidrúria (hi.*drú*.ri:a) *sf.* **1** *Med.* Excesso de água na urina **2** *Pat.* Composição urinária parecida com água, muito comum em pacientes com diabetes insípido [Uso impróprio nesta acp.] [F.: *hidr(o)-* + *-úria.* Tb. *hidruria.*]

hiemal (hi:*e*.mal) *a2g.* **1** O mesmo que *hibernal* **2** *Biol.* Diz-se de organismo que se desenvolve no inverno [Pl.: *-mais.*] [F.: Do lat. *hiemalis, e.*]

hiemífugo (hi:e.*mí*.fu.go) *a. Biol.* Diz-se de animal que migra durante o inverno [F.: *hiem(i/o)-* + *-fugo.*]

hiena (hi:*e*.na) *sf.* **1** *Zool.* Nome comum a várias espécies de mamíferos carnívoros da fam. dos hienídeos, de pelagem áspera e ger. acinzentada com manchas escuras [Col.: *alcateia.*] **2** *Fig.* Pessoa que ri sem ter motivo aparente para fazê-lo [F.: Do lat. *hyaena*, do gr. *hýaina.*]

hieralgia (hi:e.ral.*gi*.a) *sf. Med.* Dor no sacro [F.: *hier(o)-* + *-algia.*]

hierálgico (hi:e.*rál*.gi.co) *a. Med.* Ref. a hieralgia [F.: *hieralgia* + *-ico*[2].]

hierarca (hi:e.*rar*.ca) *Ecles. sm.* **1** Título concedido a altos dignitários da Igreja grega, bispos e arcebispos **2** Autoridade superior em assuntos eclesiásticos **3** *Fig.* Aquele que ocupa lugar de destaque numa hierarquia [F.: *hier(o)-* + *-arca*[1].]

hierarquia (hi:e.rar.*qui*.a) *sf.* **1** Ordem, graduação existente numa corporação qualquer, estabelecendo relações de subordinação entre os seus membros e diferentes graus de poderes e responsabilidades (hierarquia militar/eclesiástica) *sf.* **2** Qualquer classificação baseada nas relações de subordinação entre os membros de um grupo **3** *Fig.* Classificação em ordem crescente ou decrescente, segundo a importância de pessoas ou coisas (hierarquia social; hierarquia de valores); ESCALA [F.: Do lat. tard. *hierarchia, ae.*] ■ **~ militar** *Mil.* Estrutura de ordenação dos níveis de autoridade e comando nas forças armadas [Para a hierarquia militar brasileira, ver quadro na achega enciclopédica.]

> Ordenação da autoridade, em diferentes níveis, dentro da estrutura das forças armadas. No Exército, Marinha de Guerra e Aeronáutica brasileiros existem hoje, respectivamente, os seguintes postos e graduações, aqui citados em ordem decrescente: marechal, almirante, marechal do ar (preenchidos apenas em épocas excepcionais); general de exército, almirante de esquadra, tenente-brigadeiro; general de divisão, vice-almirante, major-brigadeiro; general de brigada, contra-almirante, brigadeiro do ar; coronel, capitão de mar e guerra, coronel-aviador; tenente-coronel, capitão de fragata, tenente-coronel aviador; major, capitão de corveta, major-aviador; capitão, capitão-tenente, capitão-aviador; primeiro-tenente (nas três armas); segundo-tenente (nas três armas); aspirante a oficial, guarda-marinha, aspirante a oficial-aviador; subtenente, suboficial; primeiro-sargento (nas três armas); segundo-sargento (nas três armas); terceiro-sargento (nas três armas); cabo (nas três armas); soldado, marinheiro, soldado. No Exército do Brasil colonial e imperial, a hierarquia militar era a seguinte: marechal de exército; tenente-general; marechal de campo; brigadeiro, mestre de campo, ou coronel; tenente-coronel; sargento-mor ou major; ajudante ou capitão; tenente; alferes; primeiro-cadete; segundo-cadete; primeiro-sargento; segundo-sargento; furriel; cabo de esquadra; anspeçada; soldado; e na Marinha de Guerra: almirante; vice-almirante; chefe de esquadra; chefe de divisão; capitão de mar e guerra; capitão de fragata; capitão-tenente; tenente do mar ou primeiro-tenente; segundo-tenente; guarda-marinha; aspirante; primeiro-sargento; segundo-sargento; quartel-mestre; cabo; marinheiro. Em Portugal, atualmente, existem, no Exército e na Aeronáutica, os postos seguintes: marechal, general, brigadeiro, coronel, tenente-coronel, major, capitão, tenente e alferes; e na Marinha de Guerra: almirante, vice-almirante, contra-almirante, comodoro, capitão de mar e guerra, capitão de fragata, capitão-tenente, primeiro-tenente, segundo-tenente, subtenente e guarda-marinha (equivalentes).

hierárquico (hi:e.*rár*.qui.co) *a.* Ref. à hierarquia ou que apresenta hierarquia (estrutura hierárquica) [F.: Do lat. ecles. *hierarchicus, a, um.*]

hierarquização (hi:e.rar.qui.za.*ção*) *sf.* Ação ou resultado de hierarquizar [Pl.: *-ções.*] [F.: *hierarquizar* + *-ção.*]

hierarquizado (hi:e.rar.qui.*za*.do) *a.* Organizado segundo uma ordem hierárquica (instituição hierarquizada) [F.: Part. de *hierarquizar.*]

hierarquizar (hi:e.rar.qui.*zar*) *v. td.* Estruturar ou dispor seguindo uma ordem hierárquica: *Precisamos hierarquizar nossas empresas.* [▶ **1** hierarquizar] [F.: *hierarquia* + *-izar.* Hom./Par.: *hierarquizáveis* (fl.), *hierarquizáveis* (pl. de *hierarquizável*).]

hierarquizável (hi:e.rar.qui.*zá*.vel) *a2g.* Que pode ser hierarquizado [Pl.: *-veis.*] [F.: *hierarquizar* + *-vel.* Hom./Par.: *hierarquizáveis* (pl.), *hierarquizáveis* (fl. de *hierarquizar*).]

hierático (hi:e.*rá*.ti.co) *a.* **1** Ref. a coisas sagradas, religiosas **2** Que apresenta as formas de uma tradição litúrgica **3** *Art.pl.* Diz-se basicamente das formas rígidas e magníficas, como as que apresentam as artes egípcia e grega, e outras que seguem esse estilo, ger. advindas de tradições sacras **4** *Ling.* Diz-se da escrita cursiva de que se serviam os antigos sacerdotes egípcios para abreviar os caracteres hieroglíficos; HIEROGRAMÁTICO [Cf.: *escrita demótica.*] **5** Ref. a qualquer língua de uso restrito **6** Solene, formal, sério [F.: Do lat. *hieraticus, a, um*, do gr. *hieratikós, é, ón.*]

◎ **hier(o)-** *el. comp.* = 'sagrado'; 'divino'; 'santo'; '(osso) sacro': *hieralgia, hierarca, hierarquia* (< lat.), *hierodulo* (< lat. < gr.), *hierologia* [F.: Do gr. *hierós, á* ou *ós, ón.*]

hierodulo (hi:e.ro.*du*.lo) *sm.* Entre os antigos gregos e romanos, escravo eunuco que prestava serviços em um templo e muitas vezes estava ligado à prostituição sagrada [F.: Do gr. *hieródoulos, ou*, pelo lat. tard. *hierodulus, i.*]

hierofania (hi:e.ro.fa.*ni*.a) *sf.* Manifestação reveladora do sagrado [F.: *hier(o)-* + *-fania.*]

hierofânico (hi:e.ro.*fâ*.ni.co) *a.* Ref. às ciências ocultas e às artes de previsão do futuro [F.: *hierofania* + *-ico*[2].]

hierofanta (hi:e.ro.*fan*.ta) *sm.* Ver *hierofante*

hierofante (hi:e.ro.*fan*.te) *sm.* **1** *Rel.* Na Grécia antiga, sacerdote que introduzia os iniciantes aos mistérios de Elêusis **2** Na Roma antiga, o grão-pontífice **3** *Fig.* Aquele que cultua os mistérios do ocultismo; ADIVINHO [F.: Do gr. *hierophántes, ou.* Tb. *hierofanta.*]

hieroglífico (hi:e.ro.*gli*.fi.co) *a.* **1** Ref. aos hieróglifos; JEROGLÍFICO *sm.* **2** *P.us.* Hieróglifo [F.: Do gr. *hieroglyphikós, é, ón*, pelo lat. *hieroglyphicus, a, um.*]

hieróglifo (hi:e.*ró*.gli.fo) *sm.* **1** Ideograma do sistema de escrita do antigo Egito **2** *Fig.* Escrita, sinal ou figura enigmática, ilegível ou indecifrável [F.: Do fr. *hiéroglyphe*, ver *hier(o)-* e *-glifo*; *hieroglifo*, embora menos correta, é a f. mais us.]

hierogramático (hi:e.ro.gra.*má*.ti.co) *a.* Ref. a escrita cursiva e simplificada dos hieróglifos egípcios [F.: *hier(o)-* + *gramático.*]

hierologia (hi:e.ro.lo.*gi*:a) *sf.* Estudo ou tratado das várias religiões [F.: *hier(o)-* + *-logia.*]

hierológico (hi:e.ro.*ló*.gi.co) *a.* Ref. à hierologia [F.: *hierologia* + *-ico*[2].]

híeron (*hí*:e.ron) *sm.* Templo da Grécia antiga [F.: Do gr. *Hierón* (neutro).]

hieronímia (hi:e.ro.*ní*.mi:a) *sf.* **1** *Ling.* Teoria, estudo, classificação dos hierônimos **2** *Ling.* Qualidade das palavras hieronímicas **3** *Gram.* Coleção, relação de hierônimos; HAGIONÍMIA [F.: *hierônimo* + *-ia*[2].]

hierônimo (hi:e.*rô*.ni.mo) *sm. Ling.* Designação comum às palavras sagradas (Ressurreição, Assunção etc.) e aos nomes próprios referentes a crenças de qualquer religião (Deus, Alá, Jeová, Buda etc.); HAGIÔNIMO [F.: Do gr. *hierónymos, ou.*]

hierosolimita (hi:e.ro.so.li.*mi*.ta) *s2g.* **1** Indivíduo nascido ou que vive em Jerusalém; HIEROSOLIMITANO; JEROSOLIMITANO *a2g.* **2** De Jerusalém; típico dessa cidade ou de seu povo; HIEROSOLIMITANO; JEROSOLIMITANO [F.: Do gr. *Hierosolymítes, ou*, 'habitante ou natural de Jerusalém', pelo lat. *Hierosolymitae* ou *Jerosolymitae, arum*, 'habitantes de Jerusalém' (tomado no sing.). Tb.: *jerosolimita.*]

hierosolimitano (hi:e.ro.so.li.mi.*ta*.no) *sm. a.* O mesmo que *hierosolimita* [F.: Do lat. *hierosolymitanus* ou *jerosolymitanus, a, um.* Tb.: *jerosolimitano.*]

◎ **hiet(o)-** *el. comp.* = 'chuva', 'precipitação pluviométrica': *hietografia, hietógrafo, hietometria, hietômetro* [F.: Do gr. *hyetós, oû*, 'chuva'.]

hietografia (hi:e.to.gra.*fi*:a) *sf. Met.* Estudo climatológico da distribuição geográfica das chuvas [F.: *hieto-* + *-grafia.*]

hietográfico (hi:e.to.*grá*.fi.co) *a.* Ref. ou pertencente a hietografia ou a hietógrafo [F.: *hietografia* + *-ico*[2].]

hietógrafo (hi:e.*tó*.gra.fo) *Met. sm.* **1** Mapa que assinala a média de precipitação pluviométrica anual **2** O mesmo que *hietometrógrafo* [F.: *hiet(o)-* + *-grafo.*]

hietograma (hi:e.to.*gra*.ma) *sm. Met.* Instrumento us. para medir a quantidade de chuva precipitada em determinado lugar ou em certa época [F.: *hiet(o)-* + *-grama.*]

hietometria (hi:e.to.me.*tri*.a) *sf. Met.* O mesmo que *pluviometria* [F.: *hiet(o)-* + *-metria.*]

hietométrico (hi:e.to.*mé*.tri.co) *a.* O mesmo que *pluviométrico* [F.: *hietometria* + *-ico*[2].]

hietômetro (hi:e.*tô*.me.tro) *sm. Met.* O mesmo que *pluviômetro* [F.: *hiet(o)-* + *-metro*[1].]

hietometrógrafo (hi:e.to.me.*tró*.gra.fo) *sm. Met.* Aparelho que mede e registra a precipitação pluviométrica em certo lugar; PLUVIOMETRÓGRAFO [F.: *hietômetro* + *-grafo.*]

hifa (*hi*.fa) *sf. Cit.* Filamento de um micélio [F.: Do gr. *huphé, ês*, 'tecido', teia de aranha'.]

hifema (hi.*fe*.ma) *sm. Oft.* Hemorragia na câmara anterior do olho [F.: Do gr. *húphaimos, os, on*, 'injetado de sangue'.]

hífen (*hí*.fen) *sm. Gram.* Sinal gráfico (-) us. para unir elementos de palavras compostas (*bem-te-vi*), ligar verbos a pronomes (*disseram-me*), separar sílabas de palavras (*ca-sa*); TRAÇO DE UNIÃO [Pl.: *hifens e* (p.us. no Brasil) *hífenes.*] [F.: Do lat. *hyphen*, do gr. *hýphen.*]

hifenação (hi.fe.na.*ção*) *sf.* O mesmo que *hifenização* [Pl.: *-ções.*] [F.: **hifenar* (*hífen* + *-ar*[2]) + *-ção.*]

hifenização (hi.fe.ni.za.*ção*) *sf.* Ação ou resultado de hifenizar; HIFENAÇÃO [Pl.: *-ções.*] [F.: *hifenizar* + *-ção.*]

hifenizar (hi.fe.ni.*zar*) *v. td.* Colocar ou usar hífen em palavra: *O aluno errou ao hifenizar 'antiaéreo'.* [▶ **1** hifenizar] [F.: *hífen* + *-izar.*]

hiférese (hi.*fé*.re.se) *sf. Gram.* Omissão de um ou mais fonemas em um vocábulo [F.: Do gr. *huphaíresis, eos.*]

⊕ **hi-fi** (*Ing. /rai-fai/*) *Eletrôn. sm.* Ver *alta-fidelidade* [F.: Do ing. *hi fidelity.*]

⊕ **highlander** (*Ing. /rái-lander/*) *sm.* **1** Natural ou habitante das Terras Altas (Highlands), Escócia **2** Soldado de um regimento escocês

⊕ **high-life** (*Ing. /rái-laif/*) *sm.* Alta sociedade

high-tech (*Ing. /rái-tec/*) *a2g2n.* 1 Da mais avançada tecnologia (filmadora high-tech) 2 De aparência futurista (decoração high-tech)

higidez (hi.gi.*dez*) [ê] *sf.* Estado de hígido [F.: *hígido* + *-ez.*]

hígido (*hí*.gi.do) *a.* 1 Ref. à saúde 2 Que tem a saúde perfeita (recém-nascido hígido); SADIO; SAUDÁVEL [F.: Do gr. *hyg(iés)* + *-ido.*]

higiene (hi.gi:*e*.ne) *sf.* 1 *Med.* Parte da medicina que trata dos diversos meios de conservar a saúde e prevenir doenças 2 Conjunto dos princípios e práticas que conduzem a boas condições de saúde e ao bem-estar: *Não há higiene nesta casa.* 3 Asseio do corpo ou de parte dele (higiene oral) [F.: Do fr. *hygiène*, do gr. *hygieiné*.] ▪ **~ mental** *Psi.* Qualquer atividade ou série de atividades que tem por objetivo evitar problemas psicológicos, mentais ou de adaptação do indivíduo

higiênico (hi.gi:*ê*.ni.co) *a.* 1 Ref. a higiene 2 Que está conforme os preceitos de higiene (ambiente higiênico) [Ant.: *anti-higiênico.*] 3 Que serve para fazer a higiene (papel higiênico) 4 Que é ou se mostra limpo, asseado [F.: Do fr. *hygiénique.*]

higienista (hi.gi:e.*nis*.ta) *s2g. Med.* Profissional especializado em higiene; SANITARISTA [F.: Do fr. *hygiéniste.*]

higienização (hi.gi:e.ni.za.*ção*) *sf.* Ação ou resultado de higienizar [Pl.: *-ções.*] [F.: *higienizar* + *-ção.*]

higienizado (hi.gi:e.ni.*za*.do) *a.* Que se higienizou; LIMPO; ASSEADO [F.: Part. de *higienizar.*]

higienizador (hi.gi:e.ni.za.*dor*) [ô] *a.* 1 Que higieniza; HIGIENIZANTE *sm.* 2 Aquele que higieniza [F.: *higienizar* + *-dor.*]

higienizar (hi.gi:e.ni.*zar*) *v. td.* 1 Tornar higiênico, saudável: *Sonhava com um projeto para higienizar a cidade* 2 Tornar(-se) limpo, asséptico: *Higienizar o banheiro; Higienizou-se para aplicar o remédio.* [▶ 1 higienizar] [F.: *higiene* + *-izar.*]

higi(o)- *el. comp.* = 'saudável', 'são': *higiologia, higiólogo*

higiologia (hi.gi:o.lo.*gi*.a) *sf.* Estudo da teoria e prática da higine e do saneamento [F.: *higi(o)-* + *-logia.*]

higiológico (hi.gi:o.*ló*.gi.co) *a.* Ref. à higiologia [F.: *higiologia* + *-ico*[2].]

higiologista (hi.gi:o.lo.*gis*.ta) *s2g.* Pessoa especializada em higiologia; HIGIÓLOGO [F.: *higiologia* + *-ista*. Tb. *higiólogo.*]

higiólogo (hi.gi:*ó*.lo.go) *sm.* O mesmo que *higiologista*

higr(o)- *el. comp.* = molhado, úmido: *higrômetro, higroscópio.* [F.: Do gr. *hygrós, á, ón.*]

higrófito (hi.*gró*.fi.to) *Ecol. sm.* 1 Vegetal que se desenvolve em lugares úmidos *a.* 2 Ref. a esse vegetal [F.: *higr(o)-* + *-fito*. Cf.: *xerófito.*]

higrofobia (hi.gro.fo.*bi*.a) *sf.* Horror à umidade e a líquidos [F.: *higr(o)-* + *-fobia.*]

higrofóbico (hi.gro.*fó*.bi.co) *a.* Ref. a higrofobia [F.: *higrofob(ia)* + *-ico*[2].]

higrófobo (hi.*gró*.fo.bo) *a.* 1 Diz-se de indivíduo que sofre de higrofobia *sm.* 2 Esse indivíduo [F.: *higr(o)-* + *-fobo.*]

higrógrafo (hi.*gró*.gra.fo) *sm.* Instrumento próprio para a medição da umidade relativa do ar [F.: *higr(o)-* + *-grafo.*]

higrologia (hi.gro.lo.*gi*.a) *sf.* 1 Parte da física que estuda a umidade atmosférica 2 *Ant. Med.* Estudo dos humores ou fluidos do corpo [F.: *higr(o)-* + *-logia.*]

higrológico (hi.gro.*ló*.gi.co) *a.* Ref. a higrologia [F.: *higrologia* + *-ico*[2]. Ver *higr(o)-.*]

higrologista (hi.gro.lo.*gis*.ta) *s2g.* Pessoa especializada em higrologia; HIGRÓLOGO [F.: *higrologia* + *-ista*. Tb. *higrólogo.*]

higrólogo (hi.*gró*.lo.go) *sm.* O mesmo que *higrologista*

higroma (hi.*gro*.ma) *sm. Pat.* Cisto ou bursa que contém líquido seroso [F.: *higr(o)-* + *-oma.*]

higrometria (hi.gro.me.*tri*.a) *sf. Fís.* Ramo da física que estuda a umidade atmosférica e sua medição; HIGROSCOPIA [F.: *higr(o)-* + *-metria.*]

higrométrico (hi.gro.*mé*.tri.co) *a.* Ref. a higrometria [F.: *higrometria* + *-ico*[2].]

higrômetro (hi.*grô*.me.tro) *sm. Fís.* Instrumento que mede a umidade do ar ou de gases [F.: *higr(o)-* + *-metro.*]

higroscópico (hi.gros.*có*.pi.co) *a.* 1 Ref. a higroscopia e a higroscópio 2 Que tem a capacidade de absorver a umidade do ar [F.: *higroscopia* + *-ico*[2].]

higroscópio (hi.gros.*có*.pi:o) *sm. Fís.* Higrômetro de pouca precisão [F.: Do fr. *hygroscope.*]

hílare (*hí*.la.re) *a2g.* 1 Alegre, contente, satisfeito 2 Que denota alegria, contentamento (conversa hílare) 3 Que é motivo de hilaridade: *Era um sujeito desajeitado, hílare.* [F.: Do lat. *hilaris, e* < gr. *hilarós, á, ón.*]

hilariante (hi.la.ri:*an*.te) *a2g.* 1 Que provoca hilaridade, alegria 2 Que causa riso (piada hilariante); HILÁRIO [F.: *hilariar* + *-nte.*]

hilariar (hi.la.ri.*ar*) *v. td.* Deixar hílare, provocar riso, alegria [▶ 1 hilariar] [F.: Do lat. *hilariare*. Hom./Par.: *hilaria(s)* (fl.), *hilária(s)* (sf.[pl.]); *hilario* (fl.), *hilário* (a.).]

hilaridade (hi.la.ri.*da*.de) *sf.* 1 Estado de alegria, riso 2 Alegria repentina; explosão de riso [F.: Do lat. *hilaritas, atis.*]

hilário (hi.*lá*.ri:o) *a.* Que provoca muitos risos, que é muito engraçado (filme hilário); HILARIANTE [F.: *hílare* + *-io* (átono). Hom./Par.: *hilário* (a.), *hilario* (fl. de *hilariar*).]

hilarizar (hi.la.ri.*zar*) *v. td.* 1 Desencadear hilaridade, comicidade em 2 Transmitir alegria a [▶ 1 hilarizar] [F.: *hilário* + *-izar.*]

hil(e)- *el. comp.* Registra-se em certos vocábulos introduzidos na linguagem científica internacional a partir do séc. XIX: *hilemorfismo, hilídeo, hilozoísmo* etc. [F.: Do gr. *hyle, es*, 'madeira', 'matéria', 'substância'.]

hileia (hi.*lei*.a) [éi] *sf.* 1 *Bot.* Nome dado à floresta amazônica pelos naturalistas Alexander von Humboldt (1769-1859) e Aimé Bonpland (1773-1858) 2 *P.ext.* A Amazônia brasileira [F.: Do gr. *hylaía.*]

hileano (hi.lei:*a*.no) [é] *a.* Ref. à hileia; AMAZÔNICO; HILEANO [F.: *hileia* + *-ano.*]

hilemórfico (hi.le.*mór*.fi.co) *a.* Ref. a hilemorfismo [F.: *hilemorfismo* + *-ico*[2], seg. o modelo erudito.]

hilemorfismo (hi.le.mor.*fis*.mo) *sm. Fil.* Doutrina do filósofo judeu Avicebron (1020-1069), baseada em conceitos de Aristóteles e difundida pela escolástica, que afirmava que a matéria e a forma constituíam os dois princípios fundamentais de todos os seres da realidade, inclusive a alma, que possuiria esses dois aspectos; HILOMORFISMO [F.: *hil(e)-* + *-morf(o)-* + *-ismo.*]

hilemorfista (hi.le.mor.*fis*.ta) *a2g.* 1 Ref. ao hilemorfismo 2 Que é seguidor do hilemorfismo *s2g.* 3 Aquele que é seguidor do hilemorfismo [F.: *hilemorfismo* + *-ista.*]

hílico (*hí*.li.co) *a.* Ref. à matéria; CORPÓREO; MATERIAL [F.: Do gr. *hulikós, é, ón.*]

hilífero (hi.*lí*.fe.ro) *Bot. a.* 1 Que possui hilo 2 Que tem hilo aparente [F.: *hilo* + *-ifero.*]

hilo (*hi*.lo) *sm.* 1 *Anat.* Abertura ou depressão formada no ponto em que vasos e nervos penetram num órgão 2 *Bot.* Ponto de ligação entre o óvulo e o funículo, ou entre o óvulo e a placenta 3 *Bot.* Cicatriz que, na semente, corresponde a esse ponto 4 *Bot.* Ponto central do grão de amido em volta do qual se formam camadas dessa substância [F.: Do lat. *hilum, i.*]

hilogenia (hi.lo.ge.*ni*.a) *sf.* Formação, origem da matéria [F.: Do gr. *hylogenés.*]

hilota (hi.*lo*.ta) *s2g.* 1 *Hist.* Escravo espartano que cultivava o campo 2 *Fig.* Pessoa de condição social extremamente miserável, ger. humilde, servil e ignorante [F.: Do gr. *heílos, otos.*]

hilozoísmo (hi.lo.zo:*ís*.mo) *sm.* 1 *Fil.* Doutrina filosófica segundo a qual toda matéria do universo é viva, sendo o cosmo um organismo integrado e dotado de sensibilidade e consciência 2 Corrente de pensamento que atribui qualidades espirituais à matéria [F.: *hil(o)-* + *-zo-* + *-ismo.*]

hilozoísta (hi.lo.zo:*ís*.ta) *a2g.* 1 Ref. ao hilozoísmo 2 *Fil.* Que é adepto do hilozoísmo *s2g.* 3 *Fil.* Aquele que é seguidor do hilozoísmo [F.: *hilozoísmo* + *-ista.*]

himalaico (hi.ma.*lai*.co) *a.* 1 Ref. ao sistema montanhoso do Himalaia, na Ásia Central *sm.* 2 Dialeto tibetano falado nessa região 3 Natural ou habitante do Himalaia [F.: Do top. *Himal(aia)* + *-aico.*]

hímen (*hí*.men) *sm. Anat.* Membrana que fecha parcialmente o orifício externo da vagina de mulheres virgens [Pl.: *himens* e (p.us. no Brasil) *hímenes.*] [F.: Do lat. *hymen*, do gr. *hymén, énos.*] ▪ **~ complacente** *Anat.* O que não se rompe à passagem do pênis

himenal (hi.me.*nal*) *a2g. Anat.* Ref. ao hímen [Pl.: *-nais.*] [F.: *hímen* + *-al.*]

himeneu (hi.me.*neu*) *sm.* 1 Vínculo matrimonial; CASAMENTO 2 A festa de casamento [F.: Do lat. *hymenaeus*, do gr. *hyménaios.*]

himen(o)- *el. comp.* = membrana, hímen: *himeneu, himenóptero.* [F.: Do gr. *hymén, énos.*]

himenofiláceas (hi.me.no.fi.*lá*.ce:as) *sf. Bot.* Espécime das himenofiláceas, família de plantas delicadas, ger. epífitas, que se encontram em regiões tropicais e temperadas, esp. à margem de rios e lugares úmidos [F.: Do tax. *Hymenophyllaceae.*]

himenografia (hi.me.no.gra.*fi*:a) *sf.* Descrição das membranas dos corpos animais [F.: *himen(o)-* + *-grafia.*]

himenográfico (hi.me.no.*grá*.fi.co) *a.* Ref. a himenografia [F.: *himenografia* + *-ico*[2].]

himenoide (hi.me.*noi*.de) *a2g.* Que tem constituição membranosa [F.: Do gr. *hymenoeidés.*]

himenolepíase (hi.me.no.le.*pí*.a.se) *sf. Med.* Infecção causada por helmintos do gênero *Hymenolepis* [F.: Do lat. cient. *hymenolepis* + *-íase.*]

himenologia (hi.me.no.lo.*gi*:a) *sf.* Estudo a respeito das membranas dos corpos animais [F.: *himen(o)-* + *-logia.*]

himenológico (hi.me.no.*ló*.gi.co) *a.* Ref. a himenologia [F.: *himenologia* + *-ico*[2].]

himenóptero (hi.me.*nóp*.te.ro) *sm.* 1 *Zool.* Espécime dos himenópteros, grande ordem de insetos, que inclui as formigas, vespas e abelhas, entre outros, e cujas spp. aladas são dotadas de quatro asas membranosas *a.* 2 *Zool.* Ref. aos himenópteros [F.: Do lat. cient. *Hymenoptera.*]

himenotomia (hi.me.no.to.*mi*:a) *Cir. sf.* 1 Dissecção de membrana 2 Incisão feita no hímen [F.: *himen(o)-* + *-tomia.*]

himenotômico (hi.me.no.*tô*.mi.co) *a. Cir.* Ref. a himenotomia [F.: *himenotomia* + *-ico*[2].]

hinário (hi.*ná*.ri:o) *sm.* 1 Coleção ou coletânea de hinos 2 Livro que contém hinos religiosos: *Ela levou o hinário para a missa cantada.* [F.: Do lat. tardio *hymnariu.*]

hindi (hin.*di*) *sm.* 1 *Gloss.* A mais falada das línguas oficiais da Índia *a2g.* 2 Do ou ref. ao hindi [F.: Do ing. *hindi*, do hindustani *hindi*. Cf.: *urdu.*]

hindu (hin.*du*) *s2g.* 1 Indiano 2 Hinduísta (4) *a2g.* 3 Indiano 4 Hinduísta (1 e 2) [F.: Do hindustani *hindu.*]

hinduísmo (hin.du.*ís*.mo) *sm.* 1 *Fil. Rel.* Religião predominante na Índia, de caráter sincrético e pluralista, resultante da evolução do vedismo e do bramanismo, bem como da absorção de elementos do outras religiões indianas e estrangeiras 2 O conjunto da cultura indiana [F.: *hindu* + *-ismo.*]

hinduísta (hin.du.:*ís*.ta) *a2g.* 1 Ref. a hinduísmo; HINDU 2 Que segue o hinduísmo; HINDU *a2g.* 3 Que é especialista em hinduísmo *s2g.* 4 Aquele que segue o hinduísmo; HINDU 5 Pessoa especialista em hinduísmo [F.: *hindu* + *-ista.*]

hindustâni (hin.dus.*tâ*.ni) *s2g.* 1 Pessoa nascida ou que vive no Hindustão 2 *Gloss.* Dialeto padrão do hindi mais falado na Índia *a2g.* 3 Do Hindustão; típico dessa região ou de seu povo 4 Do ou ref. ao hindustâni (2) [F.: Do hind. *hindustani.*]

hindustânico (hin.dus.*tâ*.ni.co) *a.* 1 Ref. ao Hindustão 2 Ref. ao hindustâni (2) [F.: Do top. *Hindustão* + *-n-* + *-ico*[2].]

hino (*hi*.no) *sm.* 1 Canto em honra ou louvor à pátria, a clubes, colégios etc. (hino da Independência) 2 Poema ou cântico em louvor a Deus, ou a deuses, heróis etc. 3 Canção sacra, cantada ger. em algum ritual litúrgico 4 Canção ou poema que exprime admiração ou entusiasmo por algo ou alguém: *O poeta escreveu hinos à sua amada.* 5 *Fig.* Qualquer coisa que sirva para elogiar ou louvar: *O canto dos pássaros é um hino ao sol.* [F.: Do lat. *hymnus*, do gr. *hýmnos.*] ▪ **~ ambrosiano** Cântico católico de ação de graças; Te-Déum **~ nacional** Aquele escolhido ou composto como símbolo de uma nação ou de um Estado-nação

hinografia (hi.no.gra.*fi*:a) *sf.* 1 Arte de compor hinos 2 Estudo bibliográfico dos hinos [F.: *hino* + *-grafia.*]

hinográfico (hi.no.*grá*.fi.co) *a.* Ref. a hinografia [F.: *hinograf(ia)* + *-ico*[2].]

hinterland (*Al. /rínteland/*) *sm.* Ver *hinterlândia*

hinterlândia (hin.ter.*lân*.di:a) *sf.* 1 Região ou conjunto de regiões afastadas das grandes áreas urbanas, metropolitanas; INTERIOR 2 Conjunto de terras que se situa no interior. [P.op. a *litoral*, nesta acp.] [F.: Adapt. do ing. *hinterland* < al. *Hinterland.*]

hioide (hi.*oi*.de) [ó] *sm. Anat.* Pequeno osso em forma de ferradura que fica na parte anterior do pescoço, na base da língua [F.: Do fr. *hyoïde*, der. do gr. (*ostoûn*) *hyoeidès*, 'osso em forma de ipsílon'.]

hioscina (hi.os.*ci*.na) *sf. Quím.* O mesmo que *escopolamina* [F.: F. red. de *hiosciamina*, ing. *hyoscine* < al. *Hyoscin.*]

hip *interj.* Expressão de alegria gritada (ger. duas vezes) antes do *hurra* [F.: Do ing. *hip.*]

hipacusia (hi.pa.cu.*si*:a) *sf. Otor.* Ver *hipoacusia.*

hipacústico (hi.pa.*cús*.ti.co) *a. Otor.* Ver *hipoacústico.*

hipalgesia (hi.pal.ge.*si*:a) *sf. Med.* Perda parcial da sensibilidade à dor [F.: *hip(o)-*[1] + *-algesia.*]

hipalgésico (hi.pal.*gé*.si.co) *a. Med.* Ref. à hipalgesia; HIPÁLGICO [F.: *hipalgesia* + *-ico*[2].]

hipalgia (hi.pal.*gi*.a) *sf. Med.* O mesmo que *hipalgesia* [F.: *hip(o)-*[1] + *-algia.*]

hipálgico (hi.*pál*.gi.co) *a. Med.* O mesmo que *hipalgésico* [F.: *hipalgia* + *-ico*[2].]

hiper- *pref.* = 'superior'; 'a mais'; 'acima do normal ou do regular'; 'em excesso ou demasia'; 'muito ou muitíssimo'; 'extremamente, excessivamente ou fortemente'; 'aumento anormal (ou patológico)': *hiperacusia, hiperagudo, hiperagressivo, hiperalgesia, hiperalimentação, hipercalcemia, hipercauteloso, hipercinesia, hipercrítico, hipercromia, hiperdesvalorização, hiperespaço, hiperestenia, hiperfaturar, hiperglicemia, hiperinflação, hipermastia, hiperpigmentado, hipersecreção, hipersensível, hipertensão, hipertermia.* [Antes de *h* ou *r* usa-se com hífen: *hiper-hidrose, hiper-realismo.*] [F.: Do gr. *hypér*, 'acima'; 'acima de'; 'por cima'; 'sobre'; 'superiormente'; 'muito'; 'demais'.]

hiperacidez (hi.pe.ra.ci.*dez*) [ê] *sf.* Característica ou estado de hiperácido [F.: *hiper-* + *acidez.*] ▪ **~ gástrica** *Gast.* Teor de acidez elevado no estômago (e a sensação física de queimação que provoca) devido à liberação excessiva de suco gástrico [Pode causar surgimento de úlcera gástrica.]

hiperácido (hi.pe.*rá*.ci.do) *a.* Que tem um teor de acidez excessivamente acima do normal [F.: *hiper-* + *ácido.*]

hiperacusia (hi.pe.ra.cu.*si*:a) *sf. Otor.* Acuidade auditiva exacerbada [Essa sensibilidade torna dolorosa a audição de certos sons, esp. os agudos.] [F.: *hiper-* + *-acusia.*]

hiperacústico (hi.pe.ra.*cús*.ti.co) *a. Otor.* Ref. a hiperacusia [F.: *hiper-* + *acústico.*]

hiperalgesia (hi.pe.ral.ge.*si*.a) *sf. Med.* Grande sensibilidade à dor; HIPERALGIA [F.: *hiper-* + *-algesia.*]

hiperalgésico (hi.pe.ral.*gé*.si.co) *a. Med.* Ref. a hiperalgesia; HIPERÁLGICO [F.: *hiperalgesia* + *-ico*[2].]

hiperalgia (hi.pe.ral.*gi*:a) *sf. Med.* O mesmo que *hiperalgesia* [F.: *hiper-* + *-algia.*]

hiperálgico (hi.pe.*rál*.gi.co) *a. Med.* O mesmo que *hiperalgésico* [F.: *hiperalgia* + *-ico*[2].]

hiperalimentação (hi.pe.ra.li.men.ta.*ção*) *sf. Med.* O mesmo que *superalimentação* (2) [Pl.: *-ções.*] [F.: *hiper-* + *alimentação.*]

hiperatividade (hi.pe.ra.ti.vi.*da*.de) *sf.* 1 Qualidade de hiperativo 2 *Psiq.* Distúrbio de comportamento, muito frequente na idade pré-escolar e escolar, caracterizado por um nível de atividade motora excessivo, déficit de atenção e falta de autocontrole [F.: *hiper-* + *atividade.*]

hiperativo (hi.pe.ra.*ti*.vo) *a.* 1 Que é excessivamente ativo 2 *Psiq.* Diz-de de indivíduo que sofre de hiperatividade (2) *sm.* 3 *Psiq.* Esse indivíduo [F.: *hiper-* + *ativo.*]

hiperbárico (hi.per.*bá*.ri.co) *a.* 1 *Fís.* Que é superior à pressão atmosférica 2 Que usa o oxigênio, entre outros gases, com pressão superior à normal 3 *Med.* Diz-se de produto aplicado à medula espinhal que tem peso específico maior que o do líquido cerebrospinal [F.: *hiper-* + *-bar(o)-* + *-ico*².]

hipérbato (hi.*pér*.ba.to) **sm.** *Gram.* Inversão ou deslocamento de palavras ou orações dentro de um período [Ex.: "Vem, morena,/ ouvir comigo essa cantiga/ sair por essa vida aventureira/ tanta toada eu trago na viola / pra ver você mais feliz."(Zé Renato, Cláudio Nucci e Juca Filho, *Toada*).] [F.: Do gr. *hypérbaton, oû*, pelo lat. *hyperbaton, i.* Tb. *hipérbaton*.]

hipérbaton (hi.*pér*.ba.ton) **sm.** Ver *hipérbato* [Pl.: *hipérbatons* e (p.us.) *hiperbatones*.]

hiperbibasmo (hi.per.bi.*bas*.mo) **sm.** *Gram.* Mudança do acento tônico de uma palavra (p. ex.: *bênção* por *benção*; *eletrodo* por *elétrodo*) [F.: Do gr. *hyperbibasmós, oû*, 'transposição'.]

hipérbole (hi.*pér*.bo.le) **sf.** **1** *Gram.* Figura de linguagem que enfatiza ou exagera a significação linguística (p. ex.: *João morreu de rir*) **2** *Geom.* Curva cuja diferença das distâncias de cada um de seus pontos a dois pontos fixos é constante [F.: Do lat. *hyperbole, es*, do gr. *hyperbolé, ês*.] ∎ **~ equilátera** *Geom.* Aquela que tem os dois eixos (o conjugado e o transverso) iguais **~s conjugadas** *Geom.* Duas hipérboles dispostas de tal forma que o eixo conjugado de uma seja também o eixo transverso da outra

hiperbólico (hi.per.*bó*.li.co) **a.** **1** *Gram.* Em que há hipérbole (1) (relato hiperbólico); EXAGERADO **2** *Geom.* Ref. a hipérbole (2) (curva hiperbólica) [F.: Do gr. *hyperbolikós, é, ón*, 'exagerado'.]

hiperbolismo (hi.per.bo.*lis*.mo) **sm.** Uso exagerado de hipérboles [F.: *hipérbole* + *-ismo*.]

hiperboloide (hi.per.bo.*loi*.de) **sm.** *Geom.* Sólido ou superfície cujas partes planas são hiperbólicas ou elípticas [F.: *hipérbole* + *-oide*.] ∎ **~ de revolução** *Geom.* Superfície gerada pela revolução de uma hipérbole em torno de um de seus eixos

hiperbóreo (hi.per.*bó*.re:o) **a.** **1** Ref. a qualquer um dos povos que habitam o Ártico **2** Ref. ao extremo norte da Terra; SETENTRIONAL **3** Diz-se de indivíduo que habita o extremo norte da Terra **sm.** **4** Esse habitante **5** *Mit.* Indivíduo pertencente aos lendários hiperbóreos, povo que, segundo os antigos gregos, habitava região ensolarada no extremo setentrional da Terra [F.: Do gr. *hyperbóreos, os, on*.]

hipercalcemia (hi.per.cal.ce.*mi*:a) **sf.** *Pat.* Excesso de cálcio no sangue, o que pode acarretar fadiga, fraqueza muscular, náuseas, anorexia [F.: *hiper-* + *calcemia*. Cf.: *hipocalcemia*.]

hipercalciúria (hi.per.cal.ci.*ú*.ri:a) **sf.** *Pat.* Quantidade anormal de cálcio na urina [F.: *hiper-* + *calciúria*. Tb. *hipercalciuria*.]

hipercalórico (hi.per.ca.*ló*.ri.co) **a.** Diz-se de alimento de alto teor calórico. [P.op. a *hipocalórico*.] [F.: *hiper-* + *calórico*.]

hipercapitalismo (hi.per.ca.pi.ta.*lis*.mo) **sm.** Forma exacerbada de capitalismo [F.: *hiper-* + *capitalismo*.]

hipercapitalista (hi.per.ca.pi.ta.*lis*.ta) **a2g.** **1** Que adota as práticas do hipercapitalismo (sociedade hipercapitalista) **2** Que é adepto do hipercapitalismo: *um agressivo grupo hipercapitalista*. **s2g.** **3** Adepto do hipercapitalismo [F.: *hipercapitalismo* + *-ista*, seg. o mod. gr.]

hiperceratose (hi.per.ce.ra.*to*.se) **sf.** **1** *Derm.* Hipertrofia da camada córnea da epiderme **2** *Oft.* Aumento anormal da córnea [F.: *hiper-* + *ceratose*.]

hipercinesia (hi.per.ci.ne.*si*:a) *Med.* **sf.** **1** Movimentação excessiva de órgão ou parte do corpo (hipercinesia vesicular) **2** Movimento involuntário e frequente observado em certas afecções do sistema nervoso central [F.: *hiper-* + *-cinesia*.]

hipercinético (hi.per.ci.*né*.ti.co) **a.** *Med.* Ref. a hipercinesia [F.: *hipercinesia* + *-ético*, seg. o mod. gr.]

hipercloridria (hi.per.clo.ri.*dri*:a) **sf.** *Med.* Excesso de secreção de ácido clorídrico pelas células gástricas [F.: *hiper-* + *clorídrico* + *-ia*¹.]

hipercolesterolemia (hi.per.co.les.te.ro.le.*mi*:a) **sf.** *Med.* Taxa elevada de colesterol no sangue, um dos principais responsáveis pela arteriosclerose; COLESTEROLEMIA [F.: *hiper-* + *colesterolemia*.]

hipercolia (hi.per.co.*li*:a) **sf.** *Med.* Excesso de secreção biliar [F.: *hiper-* + *-colia*¹.]

hipercorreção (hi.per.cor.re.*ção*) **sf.** *Gram.* O mesmo que *ultracorreção* [Pl.: *-ções*.] [F.: *hiper-* + *correção*.]

hipercrítico (hi.per.*crí*.ti.co) **a.** **1** Que faz crítica com o máximo de rigidez e rigor; que tem acuidade crítica acima dos padrões normais **2** Extremamente crítico, difícil, complicado, problemático **sm.** **3** Crítico rigoroso, inflexível [F.: *hiper-* + *crítico*.]

hipercromático (hi.per.cro.*má*.ti.co) **a.** **sm.** O mesmo que *hipercrômico* [F.: *hiper-* + *cromático*.]

hipercromia (hi.per.cro.*mi*:a) **sf.** **1** *Cit.* Aumento excessivo da pigmentação em célula ou tecido **2** *Hem.* Estado patológico em que os glóbulos vermelhos encontram-se excessivamente corados [F.: *hiper-* + *-cromia*.]

hipercrômico (hi.per.*crô*.mi.co) **a.** **1** Ref. a ou que apresenta hipercromia; HIPERCROMÁTICO **sm.** **2** Aquele que apresenta hipercromia; HIPERCROMÁTICO [F.: *hipercromia* + *-ico*².]

hipercubo (hi.per.*cu*.bo) **sm.** *Geom.* Figura geométrica a mais de três dimensões, poliedro com faces quadradas iguais [F.: *hiper-* + *cubo*.]

hiperdesvalorização (hi.per.des.va.lo.ri.za.*ção*) **sf.** Desvalorização muito acentuada de algum valor, esp. da moeda [Pl.: *-ções*.] [F.: *hiper-* + *desvalorização*.]

hiperdimensional (hi.per.di.men.si:o.*nal*) **a2g.** *Astron.* Ref. a espaço que tem mais de três dimensões [Pl.: *-nais*.] [F.: *hiper-* + *dimensional*.]

hiperdosagem (hi.per.do.*sa*.gem) **sf.** Dosagem acima do normal [Pl.: *-gens*.] [F.: *hiper-* + *dosagem*.]

hiperdotado (hi.per.do.*ta*.do) **a.** **sm.** O mesmo que *superdotado* [F.: *hiper-* + *dotado*.]

hiperecoico (hi.per.re.*coi*.co) **a.** *Rlog.* Em exame ultrassonográfico, diz-se de área que reflete de maneira intensa as ondas que a ela se dirigem [F.: *hiper-* + *ecoico*.]

hiperemia (hi.pe.re.*mi*:a) **sf.** *Pat.* Excesso sanguíneo em qualquer parte ou órgão do corpo [F.: *hiper-* + *-emia*.]

hiperêmico (hi.pe.*rê*.mi.co) **a.** *Pat.* Ref. a ou em que há hiperemia [F.: *hiperemia* + *-ico*².]

hiperergia (hi.pe.rer.*gi*:a) **sf.** *Med.* Reação intensa, exacerbada, a uma substância que causa alergia [F.: *hiper-* + *-ergia*.]

hiperespaço (hi.pe.res.*pa*.ço) **sm.** **1** Espaço hipotético que conteria mais de três dimensões **2** *Mat.* Espaço de dimensão maior que o espaço euclidiano tradicional [F.: Do ing. *hyperspace*.]

hiperesplênico (hi.pe.res.*plê*.ni.co) **a.** *Med.* Ref. ao hiperesplenismo [F.: *hiperesplen(ismo)* + *-ico*², seg. o mod. gr.]

hiperesplenismo (hi.pe.res.ple.*nis*.mo) **sm.** *Med.* Síndrome que se caracteriza pela diminuição anormal de um ou mais tipos de células sanguíneas, ou da atividade da medula óssea [Esta síndrome pode ser curada pela esplenectomia.] [F.: *hiper-* + *-(e)splen(o)-* + *-ismo*.]

hiperestenia (hi.pe.res.te.*ni*:a) **sf.** *Med.* Aumento da tonicidade [F.: *hiper-* + *estenia*.]

hiperestênico (hi.pe.res.*tê*.ni.co) *Med.* **a.** **1** Ref. a hiperestenia **2** Que apresenta hiperestenia [F.: *hiperestenia* + *-ico*².]

hiperestesia (hi.pe.res.te.*si*:a) **sf.** *Med.* Sensibilidade exacerbada a qualquer estímulo recebido [F.: *hiper-* + *-estesia*. Hom./Par.: *hiperestesia* (sf.), *hiperestesia* (fl. de hiperestesiar); *hiperestesias* (pl. do sf.), *hiperestesias* (fl. do v.).]

hiperestesiar (hi.pe.res.te.si.*ar*) **v. td.** *Med.* Produzir hiperestesia em: *O medicamento hiperestesiava o paciente.* [▶ **1** hiperestesi**ar**] [F.: *hiperestesia* + *-ar*². Hom./Par.: *hiperestesia* (fl.), *hiperestesia* (sf.); *hiperestesias* (fl.), *hiperestesias* (pl. do sf.).]

hiperestésico (hi.pe.re s.*té*.si.co) **a.** *Med.* Ref. a hiperestesia [F.: *hiperestesia* + *-ico*².]

hiperexcitabilidade (hi.pe.rex.ci.ta.bi.li.*da*.de) **sf.** Grande excitabilidade ou excitabilidade ao extremo [F.: *hiper-* + *excitabilidade*.]

hiperexcitado (hi.pe.rex.ci.*ta*.do) **a.** **1** Que apresenta hiperexcitação **2** Que está demasiadamente excitado [F.: *hiper-* + *excitado*.]

hiperexcitável (hi.pe.rex.ci.*tá*.vel) **a2g.** Que é facilmente hiperexcitado; que se excita com facilidade [Pl.: *-veis*.] [F.: *hiper-* + *excitável*.]

hiperfaturamento (hi.per.fa.tu.ra.*men*.to) **sm.** Ação ou resultado de hiperfaturar; faturamento acima do normal; SUPERFATURAMENTO [F.: De *hiper-* + *faturamento* ou de *hiperfaturar* + *-mento*.]

hiperfaturar (hi.per.fa.tu.*rar*) **v. td.** O mesmo que *superfaturar*: *hiperfaturar um projeto*. [▶ **1** hiperfatur**ar**] [F.: *hiper-* + *faturar*.]

hiperforia (hi.per.fo.*ri*:a) **sf.** *Oft.* Desvio para cima do eixo visual de um dos olhos, depois que se extingue o estímulo visual do processo normal de fusão [F.: Do ing. *hyperphoria*.]

hiperfragmento (hi.per.frag.*men*.to) **sm.** *Fís.nu.* O mesmo que *hipernúcleo* [F.: *hiper-* + *fragmento*.]

hiperfunção (hi.per.fun.*ção*) **sf.** *Med.* Funcionamento exagerado de um dos órgãos [Pl.: *-ções*.] [F.: *hiper-* + *função*.]

hipergaláxia (hi.per.ga.*lá*.xi:a) [cs] *Cosm.* **sf.** **1** Sistema em que uma galáxia espiral dominante encontra-se envolta por nuvens de galáxias satélites anãs, muitas vezes elípticas **2** O sistema galáctico integral, o universo; METAGALÁXIA [F.: *hiper-* + *galáxia*.]

hipergamia (hi.per.ga.*mi*:a) **sf.** **1** *Antr.* Prática que proíbe o casamento de uma mulher de classe social mais alta com um homem de classe inferior **2** *Soc.* Casamento realizado com alguém de posição social mais elevada [F.: *hiper-* + *-gamia*.]

hipergâmico (hi.per.*gâ*.mi.co) **a.** **1** Ref. a, caracterizado por ou em que há hipergamia (casamento hipergâmico) **2** Diz-se de, ou próprio de quem se casa com alguém de classe mais elevada que a sua **sm.** **3** indivíduo hipergâmico (2) [F.: *hipergamia* + *-ico*².]

hiperglicemia (hi.per.gli.ce.*mi*:a) **sf.** *Pat.* Taxa elevada de glicose no sangue, característica da diabetes [F.: *hiper-* + *glicemia*.]

hiperglicêmico (hi.per.gli.*cê*.mi.co) *Pat.* **a.** **1** Ref. a hiperglicemia **2** Que apresenta hiperglicemia **sm.** **3** Aquele que apresenta hiperglicemia [F.: *hiperglicemia* + *-ico*².]

hipergnose (hi.per.*gno*.se) **sf.** *Psiq.* Percepção exagerada, comum em casos de paranoia [F.: *hiper-* + *-gnose*.]

hiper-hemólise (hi.per-he.*mó*.li.se) **sf.** *Med.* Destruição excessiva de glóbulos vermelhos do sangue [F.: *hiper-* + *hemólise*.]

hiper-hidrose (hi.per-hi.*dro*.se) **sf.** *Med.* Secreção de suor excessiva; HIDRORREIA [F.: *hiper-* + *hidrose*. Tb. *hiperidrose* (f. mais us. embora não pref.).]

hiperinflação (hi.pe.rin.fla.*ção*) **sf.** *Econ.* Inflação muito elevada, com preços abusivos, fora de controle, em que há desvalorização monetária acentuada [Pl.: *-ções*.] [F.: *hiper-* + *inflação*.]

hiperinflacionário (hi.pe.rin.fla.ci:o.*ná*.ri:o) **a.** *Econ.* Que envolve, provoca ou em que há hiperinflação [F.: *hiper-* + *inflacionário*.]

hiperinsulinismo (hi.pe.rin.su.li.*nis*.mo) **sm.** *Bioq.* Aumento de secreção de insulina pelo pâncreas, o que pode levar a problemas hipoglicêmicos e provocar convulsões, desmaios, coma etc. [F.: *hiper* + *insulina* + *-ismo*.]

hiperlipidemia (hi.per.li.pi.de.*mi*.a) **sf.** *Med.* Excesso de gordura (lipídeos) no sangue [F.: *hiper-* + *lipídeo* + *-emia*.]

hipermastia (hi.per.mas.*ti*.a) **sf.** *Med.* Hipertrofia da glândula mamária [Ant.: *hipomastia*.] [F.: *hiper-* + *-mastia*.]

hipermercado (hi.per.mer.*ca*.do) **sm.** Estabelecimento comercial do gênero supermercado mas de tamanho expressivamente maior e ger. instalado fora do perímetro urbano [F.: *hiper-* + *mercado*.]

hipermetria (hi.per.me.*tri*.a) **sf.** **1** *Poét.* Separação dos elementos de uma palavra composta, de maneira que o primeiro deles fique no final de um verso e o segundo, no princípio do verso seguinte **2** *Med.* Transtorno motor ou condição mórbida, comum nas afecções cerebelosas, em que o movimento muscular voluntário ultrapassa seu objetivo (embora ger. consiga manter a mesma direção) [F.: *hiper-* + *-metria*¹.]

hipermétrico (hi.per.*mé*.tri.co) **a.** **1** Ref. a hipermetria **2** *Poét.* Diz-se do verso que ultrapassa a métrica dos demais **3** *Med.* Que apresenta hipermetria (2) **sm.** **4** *Poét.* Verso hipermétrico (2) **5** *Med.* Aquele que apresenta hipermetria [F.: *hipermetria* + *-ico*².]

hipermetrope (hi.per.me.*tro*.pe) *Oft.* **a2g.** **1** Que sofre de hipermetropia **s2g.** **2** Pessoa hipermetrope [F.: Do gr. *hypérmetros, os, on*, 'que ultrapassa a medida'; 'excessivo', + *-ope*. Sin. ger.: *hiperope*. Cf.: *míope*.]

hipermetropia (hi.per.me.tro.*pi*.a) **sf.** *Oft.* Anormalidade da refração ocular cujo sintoma é a dificuldade de enxergar de perto; HIPEROPIA [F.: *hipermetrope* + *-ia*¹. Cf.: *miopia*.]

hipermídia (hi.per.*mí*.di:a) **sf.** *Inf.* Conjunto de informações disponíveis em multimídia (texto, áudio, vídeo, ilustrações etc.) e organizadas de modo a que se possa acessá-las por computador, a partir de links [F.: *hiper-* + *mídia*.]

hipermiopia (hi.per.mi:o.*pi*.a) **sf.** *Oft.* Miopia extremamente acentuada [F.: *hiper-* + *miopia*.]

hipermnésia (hi.per.*mné*.si:a) **sf.** *Psi.* Memória extremamente aguçada; capacidade exagerada de evocar lembranças [F.: *hiper-* + *-mnésia*. Tb. *hipermnesia*.]

hipermotricidade (hi.per.mo.tri.ci.*da*.de) **sf.** *Neur. Fisl.* Patologia ref. ao excesso de funções nervosas e musculares do indivíduo [F.: *hiper-* + *motricidade*.]

hipernúcleo (hi.per.*nú*.cle:o) **sm.** *Fís.nu.* Núcleo instável no qual um híperon substituiu um núcleon; HIPERFRAGMENTO [F.: *hiper-* + *núcleo*.]

híperon (*hí*.pe.ron) **sm.** *Fís.nu.* Bárion instável cuja estranheza tem valor diferente de zero [Pl.: *hipérones* e *(bras.) híperons*.] [F.: Do ing. *hyperon*.]

hiperonímia (hi.pe.ro.*ní*.mi:a) **sf.** *Ling.* Relação existente entre um vocábulo de sentido genérico e outro de sentido específico: *Biblioteca está numa relação de hiperonímia com dicionários, enciclopédias etc.* [F.: *hiper-* + *-onímia*.]

hiperonímico (hi.pe.ro.*ní*.mi.co) **a.** *Ling.* Ref. a hiperonímia [F.: *hiperonímia* + *-ico*².]

hiperônimo (hi.pe.*rô*.ni.mo) **sm.** *Ling.* Numa relação de hiperonímia, o termo que tem o significado mais genérico; SUPERORDENADO [F.: *hiper-* + *-ônimo*.]

hiperope (hi.pe.*ro*.pe) **a2g.s2g.** *Oft.* O mesmo que *hipermetrope* [F.: *hiper-* + *-ope*.]

hiperopia (hi.pe.ro.*pi*.a) **sf.** *Oft.* O mesmo que *hipermetropia* [F.: *hiper-* + *-opia*.]

hiperoxigenação (hi.per.oxi.ge.na.*ção*) **sf.** *Med.* Modalidade terapêutica que consiste na respiração de oxigênio puro a pressões maiores que a pressão atmosférica em ambiente ao nível do mar, com o paciente colocado numa câmara hiperbárica [O método produz efeito antibiótico, bactericida e bioquímico, este contra toxinas e substâncias tóxicas.] [Pl.: *-ções*.] [F.: *hiper-* + *oxigenação*.]

hiperpigmentado (hi.per.pig.men.*ta*.do) **a.** Em que há excesso de pigmentação; que é ou está extremamente pigmentado [F.: *hiper-* + *pigmentado*.]

hiperplano (hi.per.*pla*.no) **sm.** *Geom.an.* Figura geométrica de curvatura nula num espaço euclidiano de n-dimensões e de equação linear, em coordenadas cartesianas [F.: *hiper-* + *plano*.]

hiperplasia (hi.per.pla.*si*:a) **sf.** *Med.* Crescimento anormal, porém benigno, de um órgão em função do aumento exagerado do número de células; hipertrofia numérica [P.opos. a *hipoplasia*.] [F.: *hiper-* + *-plasia*.]

hiperplástico (hi.per.*plás*.ti.co) **a.** *Med.* Ref. a hiperplasia, ou que a apresenta [F.: *hiperplasia* + *-ico*², seg. o mod. grego (ver *-plástico*).]

hiperpneia (hi.per.*pné*.ia) **sf.** *Med.* Intensificação e aumento de ritmo da respiração [F.: *hiper-* + *-pneia*.]

hiperpneico (hi.per.*pnei*.co) *Med.* **a.** **1** Ref. a hiperpneia, ou que apresenta hiperpneia **sm.** **2** Indivíduo hiperpneico [F.: *hiperpneia* + *-ico*², seg. o mod. grego (ver *-pneico*).]

hiperpredador (hi.per.pre.da.*dor*) [ô] *Zool.* **a.** **1** Que ocupa o topo da cadeia alimentar a que pertence, e em consequência só preda e não é predado **sm.** **2** Animal hiperpredador [F.: *hiper-* + *predador*.]

hiper-realidade (hi.per-re:a.li.*da*.de) **sf.** Representação ou descrição do real por meio de elementos criados a partir de uma realidade referencial que o homem possui [F.: *hiper-* + *realidade*.]

hiper-realismo (hi.per-re:a.*lis*.mo) *sm. Art.pl.* Corrente artística que busca representar as formas, por meio de pintura, escultura etc., com o máximo de fidelidade à realidade, aproximando-se da reprodução fotográfica [F.: *hiper-* + *realismo*.]

hiper-realista (hi.per-re:a.*lis*.ta) *a2g.* **1** *Art.pl.* Ref. ao hiper-realismo **2** *Art.pl.* Que é adepto do hiper-realismo **3** Extremamente realista *s2g.* **4** *Art.pl.* Artista adepto do hiper-realismo [F.: *hiper-* + *realista*.]

hipersecreção (hi.per.se.cre.*ção*) *sf. Med.* Aumento ou excesso de atividade de secreção de uma glândula [Pl.: *-ções*.] [F.: *hiper-* + *secreção*.]

hipersensibilidade (hi.per.sen.si.bi.li.*da*.de) *sf.* **1** Sensibilidade exagerada **2** *Imun.* Reação excessiva do organismo a um agente estranho **3** *Pat.* Aumento anormal da sensibilidade a quaisquer estímulos [F.: *hiper-* + *sensibilidade*.] ■ **~ citotóxica** *Imun.* Aquela que surge no organismo devido à destruição de células por elementos autoimunes ou por ação colateral de determinados medicamentos **~ imediata** *Imun.* Hipersensibilidade que se manifesta pouco tempo (alguns minutos) após contato do organismo com antígeno (como urticária, asma, choque anafilático etc.) **~ retardada** *Imun.* Aquela que se manifesta por etapas: a da sensibilização do organismo (ao primeiro contato com o antígeno), a da ativação dessa sensibilidade (ao segundo contato), a da inflamação e a da resolução da reação

hipersensitivo (hi.per.sen.si.*ti*.vo) *a.* **1** *Psi.* Diz-se de quem é extremamente receptivo a impressões sensoriais **2** Diz-se de indivíduo que é altamente dotado de poderes parapsicológicos **3** Diz-se desse poder *sm.* **4** *Psi.* Aquele que é extremamente receptivo a impressões sensoriais **5** Aquele que é altamente dotado de poderes parapsicológicos [F.: *hiper-* + *sensitivo*.]

hipersensível (hi.per.sen.*sí*.vel) *a2g.* **1** Que tem sensibilidade exagerada, que é extremamente sensível; SUPERSENSÍVEL **2** *P.ext.* Que se magoa, ressente, ofende ou melindra com facilidade [Pl.: *-veis*.] [F.: *hiper-* + *sensível*.]

hipersexuado (hi.per.se.xu.*a*.do) [cs] *a.* **1** De características sexuais extremamente pronunciadas **2** De comportamento sexual bastante ativo **3** *Med.* Diz-se de indivíduo que apresenta hipersexualismo ou hipersexualidade *sm.* **4** *Med.* Esse indivíduo [F.: *hiper-* + *sexuado*.]

hipersexualidade (hi.per.se.xu:a.li.*da*.de) [cs] *sf. Med.* Tendência exagerada a interessar-se ou envolver-se em práticas sexuais; predominância da sexualidade no modo de ser [F.: *hiper-* + *sexualidade*. Cf.: *satiríase, ninfomania*.]

hipersexualismo (hi.per.se.xu:a.*lis*.mo) [cs] *sm. Med.* O mesmo que *hipersexualidade* [F.: *hiper-* + *sexualismo*.]

hipersistolia (hi.per.sis.to.*li*:a) *sf. Card.* Sístole excessiva [F.: *hiper-* + *sistolia*.]

hipersistólico (hi.per.sis.*tó*.li.co) *a. Card.* Ref. a hipersistolia, ou que a apresenta [F.: *hipersistolia* + *-ico*[2].]

hipersônico (hi.per.*sô*.ni.co) *a.* Que atinge velocidade igual ou superior a Mach 5, ou seja, mais de cinco vezes a velocidade do som, cerca de 6.000 km/h [F.: *hiper-* + *sônico*.]

hipersonoro (hi.per.so.*no*.ro) *a.* Que é excessivamente sonoro [F.: *hiper-* + *sonoro*.]

hipertelia[1] (hi.per.te.*li*.a) *sf. Med.* Presença de mamilos em número acima do normal [F.: *hiper-* + *-tel(o)-* + *-ia*[1].]

hipertelia[2] (hi.per.te.*li*.a) *sf.* **1** Situação, e sua lógica intrínseca, que determina o movimento de um sistema para além de sua finalidade racional [Termo criado por Baudrillard.] **2** *Tec.* Excesso de especialização ou de especificações técnicas de um sistema, organização, equipamento etc. em função de seus objetivos, o que o torna pesado e de difícil adaptação a mudanças, ainda que ligeiras, nas condições de uso ou de fabricação **3** *Zool.* Excesso de cor, de ornamento etc. (de espécime animal) em relação a sua necessidade ou utilidade na adaptação ao ambiente, no mimetismo etc. [F.: *hiper-* + (gr.) *telos* 'finalidade' + *-ia*[1].]

hipertélico (hi.per.*té*.li.co) *a. Med.* Ref. a, ou que tem hipertelia [F.: *hipertelia* + *-ico*[2].]

hipertensão (hi.per.ten.*são*) *sf. Med.* Pressão excessiva exercida pelo sangue nas paredes dos vasos sanguíneos; PRESSÃO ALTA [Ant.: *hipotensão*.] [Pl.: *-sões*.] [F.: *hiper-* + *tensão*. Cf.: *normotensão*.] ■ **~ arterial** *Med.* Elevação da pressão sanguínea nas artérias acima do nível normal **~ intracraniana** *Neur.* Elevação da pressão do líquido cefalorraquiano acima do nível normal **~ pulmonar** *Med.* Elevação da pressão sanguínea na pequena circulação (entre o coração e os pulmões) acima do nível normal **~ renal** *Med.* Hipertensão arterial originária de disfunção dos rins **~ venosa** *Med.* Elevação da pressão sanguínea nas veias acima do nível normal

> 🕮 Pressão arterial é a pressão que o fluxo do sangue exerce sobre as paredes dos vasos sanguíneos, e sua medição tem como parâmetros dois momentos distintos: o momento da sístole (contração do coração e consequente impulso dado ao sangue em seu fluxo) e diástole (relaxamento do músculo cardíaco). A hipertensão é o aumento da pressão do sangue, o qual pode ter várias causas, como hereditariedade, tipo de alimentação (muito sal), obesidade, fumo e ainda afecções e doenças. Em quaisquer dos casos, a hipertensão não tratada é altamente prejudicial e mesmo perigosa, podendo ser a causa de doenças cardiovasculares (insuficiência cardíaca, enfarte do miocárdio), de isquemia cerebral, de doenças renais etc. Diminuir o peso e o consumo de bebidas alcoólicas, optar por uma alimentação sadia sem excesso de sal e gorduras, fazer atividade física e diminuir tensões são os caminhos mais simples de evitar ou reduzir a hipertensão.

hipertensivo (hi.per.ten.*si*.vo) *Med. a.* **1** Ref. a hipertensão **2** Que favorece ou promove o aumento da pressão arterial; HIPERTENSOR *sm.* **3** *Med.* Medicamento hipertensivo (2); HIPERTENSOR [F.: *hipertenso* + *-ivo*.]

hipertenso (hi.per.*ten*.so) *a.* **1** *Med.* Que sofre de hipertensão **2** *Pop.* Que apresenta ou revela grande tensão, estresse ou nervosismo *sm.* **3** *Med.* Indivíduo hipertenso (1) [F.: *hiper-* + *tenso*. Cf.: *hipotenso* e *normotenso*.]

hipertensor (hi.per.ten.*sor*) [ô] *a.* **1** *Med.* Que favorece o aumento da pressão arterial [Ant.: *hipotensor*.] *sm.* **2** *Med.* Aquilo que favorece o aumento da pressão arterial [F.: *hipertenso* + *-or*.]

hipertermia (hi.per.ter.*mi*.a) *sf. Med.* Elevação da temperatura corpórea acima dos 36,5 graus centígrados [Ant.: *hipotermia*.] [F.: *hiper-* + *-termia*.]

hipertérmico (hi.per.*tér*.mi.co) *a. Med.* Ref. a, ou que apresenta hipertermia [Ant.: *hipotérmico*.] [F.: *hipertermia* + *-ico*[2].]

hipertexto (hi.per.*tex*.to) [ê] *sm.* **1** *Edit.* Texto ou conjunto de textos cuja organização permite a escolha de diversos caminhos de leitura por meio de remissões que os vinculam a outros textos ou blocos de texto **2** *Inf.* Texto ou conjunto de textos disponíveis em mídia eletrônica e acessados por computador, organizados de modo que se possa percorrê-los por meio de *links*, ou por relação entre elementos correlatos, e não só sequencialmente [F.: *hiper-* + *texto*.]

hipertextual (hi.per.tex.tu:*al*) *a2g.* Ref. ou pertencente a hipertexto [Pl.: *-ais*.] [F.: *hipertexto* + *-ual*.]

hipertimia (hi.per.ti.*mi*.a) *sf. Psiq.* Excesso de emotividade [F.: *hiper-* + *-tim(o)-* + *-ia* 1.]

hipertireoidismo (hi.per.ti.re.oi.*dis*.mo) *sm. Med.* Estado orgânico resultante da produção excessiva de hormônios pela glândula tireoide, caracterizado ger. por taquicardia, emagrecimento, agitação nervosa e outros sintomas [Ant.: *hipotireoidismo*.] [F.: *hiper-* + *tireoide* + *-ismo*.]

hipertireoideano (hi.per.ti.re:oi.de.*a*.no) *a. Med.* Ref. a, ou que apresenta hipertireoidismo; HIPERTIREÓIDEO; HIPERTIRÓIDEO; HIPERTIREÓIDICO; HIPERTIRÓIDICO [Ant.: *hipotireoideano*.] [F.: *hiper-* + *tireoide* + *-ano*[1].]

hipertireoideo (hi.per.ti.re:*oi*.de.o) *sm. Med.* O mesmo que hipertireoideano [F.: *hiper-* + *tireoideo*.]

hipertonia (hi.per.to.*ni*.a) *sf.* **1** *Biol.* Estado de uma solução hipertônica (1) **2** *Med.* Tonicidade excessiva nos tecidos orgânicos [F.: *hiper-* + *-tonia*. Ant. ger.: *hipotonia*.]

hipertônico (hi.per.*tô*.ni.co) *a.* **1** Diz-se de uma solução cuja tensão osmótica é maior que a de outra **2** Que apresenta hipertonia (2) [F.: *hiperton(ia)* + *-ico*[2]. Ant. ger.: *hipotônico*.]

hipertricose (hi.per.tri.*co*.se) *sf. Med.* Excesso de pelos no corpo, de forma localizada ou generalizada [F.: *hiper-* + *-tricose*.]

hipertrofia (hi.per.tro.*fi*.a) *sf.* **1** *Med.* Aumento de tamanho das células que ocasiona o aumento do tecido ou do órgão formado por elas (hipertrofia cardíaca) **2** *Fig.* Crescimento ou desenvolvimento exagerado (hipertrofia do Estado) [F.: *hiper-* + *-trofia*. Ant. ger.: *hipotrofia*. Hom./Par.: *hipertrofia* (sf.), *hipertrofia* (fl. de *hipertrofiar*).] ■ **~ numérica** Aumento benigno de um tecido do organismo devido à multiplicação de suas células; hiperplasia **~ simples** *Med.* Hipertrofia

hipertrofiado (hi.per.tro.fi.*a*.do) *a.* **1** Que apresenta hipertrofia (1) **2** *Fig.* Que cresceu ou aumentou exageradamente [F.: Part. de *hipertrofiar*. Sin. ger.: *hipotrofiado*.]

hipertrofiar (hi.per.tro.fi.*ar*) *v.* Produzir hipertrofia em; aumentar exageradamente [*td.*: *Esforço excessivo pode hipertrofiar o coração.*] [*int.*: *A corrupção hipertrofiou-se.*] [▶ 1 hipertrofiar] [F.: *hipertrofia* + *-ar*[2]. Hom./Par.: *hipertrofia* (fl.), *hipertrofia* (sf.); *hipertrofias* (fl.), *hipertrofias* (pl. do sf.).]

hipertrófico (hi.per.*tró*.fi.co) *a.* **1** Ref. a hipertrofia (processo hipertrófico) **2** Que tem hipertrofia [Ant.: *hipotrófico*.] [F.: *hipertrofia* + *-ico*[2].]

hiperventilação (hi.per.ven.ti.la.*ção*) *sf. Med.* Aumento do volume de ar que entra nos alvéolos pulmonares, podendo causar taquicardia, formigamento no corpo e sensação de falta de ar [Pl.: *-ções*.] [F.: *hiper-* + *ventilação*.]

hipervitaminose (hi.per.vi.ta.mi.*no*.se) *sf. Med.* Estado orgânico anormal resultante da ingestão em quantidade excessiva de uma ou mais vitaminas [F.: *hiper-* + *vitamina* + *-ose*[1].]

hipervolemia (hi.per.vo.le.*mi*.a) *sf. Med.* Aumento anormal do volume sanguíneo em uma pessoa [Ant.: *hipovolemia*.] [F.: *hiper-* + *volemia*.]

hipervolêmico (hi.per.vo.*lê*.mi.co) *a. Fisl.* Ref. a, ou que apresenta hipervolemia [F.: *hipervolemia* + *-ico*[2].]

hipestesia (hi.pes.te.*si*.a) *sf.* Ver *hipoestesia*

⊕ ***hip-hop*** (*Ing./ ríp-rop/*) *sm2n.* Movimento cultural urbano originário dos Estados Unidos, típico da juventude pobre, e que se expressa em certos formatos musicais (p.ex: *rap*) e de artes plásticas (p. ex.: grafite)

hipiatria (hi.pi.a.*tri*:a) *sf. Vet.* Parte da veterinária que trata dos cavalos [F.: *hip(o)-*[2] + *-iatria*.]

hipiátrico (hi.pi.*á*.tri.co) *a. Vet.* Ref. à hipiatria, ou dela próprio [F.: *hipiatria* + *-ico*[2].]

hípica (*hí*.pi.ca) *sf.* Sociedade, clube (ou suas instalações) onde se pratica o hipismo [F.: Fem. substv. de *hípico*.]

hípico (*hí*.pi.co) *a.* **1** Ref. a hipismo (torneio hípico) **2** Ref. a cavalo; EQUINO; CAVALAR [F.: Do gr. *hippikós, é, ón*.]

hipismo (hi.*pis*.mo) *sm.* **1** *Esp.* Corrida de cavalos; TURFE **2** Designação comum a vários esportes praticados a cavalo, como a equitação, o polo etc. [F.: *hip(o)-*[2] + *-ismo*.]

hipnagógico (hip.na.*gó*.gi.co) *a.* **1** Que provoca sono **2** Que se refere às sensações que precedem o sono [F.: *hipn(o)-* + *-agógico*.]

◎ **hipn(o)-** *el. comp.* = 'sono': *hipnagógico, hipoanalgésico, hipnoblepsia, hipnofobia, hipnófobo, hipnoide, hipnoindutor, hipnologia, hipnose, hipnoterapia* [F.: Do gr. *hýpnos, ou*.]

hipnoanalgésico (hip.no.a.nal.*gé*.si.co) *Psiq. a.* **1** Diz-se de método psicanalítico no qual se hipnotiza o paciente para se obter supressão temporária de dor *sm.* **2** Esse método [F.: *hipn(o)-* + *analgésico*.]

hipnoblepsia (hip.no.ble.*psi*:a) *sf.* Sonambulismo lúcido [F.: *hipn(o)-* + *-blepsia*.]

hipnofobia (hip.no.fo.*bi*.a) *Psiq. sf.* **1** Medo de dormir **2** Sensação de terror durante o sono [F.: *hipn(o)-* + *-fobia*.]

hipnofóbico (hip.no.*fó*.bi.co) *Psiq. a.* **1** Ref. a hipnofobia **2** Diz-se de indivíduo que sofre de hipnofobia; HIPNÓFOBO *sm.* **3** Esse indivíduo; HIPNÓFOBO [F.: *hipnofobia* + *-ico*[2].]

hipnófobo (hip.*nó*.fo.bo) *Psiq. a. sm.* O mesmo que *hipnofóbico* (2 e 3) [F.: *hipn(o)-* + *-fobo*.]

hipnofone (hip.no.*fo*.ne) *sm.* Aquele que fala durante o sono [F.: *hipn(o)-* + *-fone*. Tb. *hipnofono*.]

hipnofono (hip.no.*fo*.no) *sm.* Ver *hipnofone*

hipnoide (hip.*no*.i.de) *a2g. Psi.* Diz-se de estado psíquico semelhante ao sono ou à hipnose (como o provocado por substância alucinógena) no que diz respeito à diminuição da consciência e à sugestionabilidade [F.: *hipn(o)-* + *-oide*.]

hipnoindutor (hip.no.in.du.*tor*) [ô] *sm.* Qualquer agente (substância, ação etc.) capaz de induzir ao sono [F.: *hipn(o)-* + *indutor*.]

hipnologia (hip.no.lo.*gi*:a) *sf. Psi.* Estudo a respeito do sono e seus efeitos [F.: *hipn(o)-* + *-logia*.]

hipnológico (hip.no.*ló*.gi.co) *a. Psi.* Ref. a hipnologia [F.: *hipnologia* + *-ico*[2].]

hipnopedia (hip.no.pe.*di*:a) *sf. Pedag.* Método de aprendizagem durante o sono [F.: *hipn(o)-* + *-pedia*.]

hipnose (hip.*no*.se) *sf.* **1** *Psiq.* Estado de torpor induzido, no qual uma pessoa hipnotizada sujeita-se às instruções e sugestões do hipnotizador **2** *Fig.* Estado de torpor, sonolência ou passividade [F.: *hipn(o)-* + *-ose*[1].]

hipnoterapeuta (hip.no.te.ra.*peu*.ta) *s2g. Psi.* Terapeuta que utiliza o sono ou a hipnose em seus tratamentos [F.: *hipn(o)-* + *terapeuta*.]

hipnoterapia (hip.no.te.ra.*pi*:a) *sf.* **1** Tratamento por meio do sono prolongado **2** Método psicoterápico que se utiliza da hipnose, esp. para a reeducação ou análise do paciente [F.: *hipn(o)-* + *-terapia*.]

hipnoterápico (hip.no.te.*rá*.pi.co) *a.* Ref. à hipnoterapia [F.: *hipnoterapia* + *-ico*[2].]

hipnótico (hip.*nó*.ti.co) *a.* **1** Ref. a hipnose, ou que a apresenta (estado hipnótico) **2** Que provoca sono; SONÍFERO **3** *Fig.* Que fascina, encanta (olhar hipnótico) *sm.* **4** *Farm.* Substância que provoca sono; SONÍFERO [F.: Do gr. *hypnotikós, é, ón*, pelo lat. *hypnoticus, a, um*.]

hipnotismo (hip.no.*tis*.mo) *sm.* **1** Conjunto de técnicas ou processos capazes de provocar a hipnose **2** Ciência que estuda a hipnose e os fenômenos a ela correlatos [F.: Do ing. *hypnotism*.]

hipnotização (hip.no.ti.za.*ção*) *sf.* Ação ou resultado de hipnotizar, de fazer cair em transe hipnótico; HIPNOTIZAMENTO [Pl.: *-ções*.] [F.: *hipnotizar* + *-ção*.]

hipnotizado (hip.no.ti.*za*.do) *a.* **1** Que se encontra sob efeito de hipnose **2** *Fig.* Fascinado, magnetizado [F.: Part. de *hipnotizar*.]

hipnotizador (hip.no.ti.za.*dor*) [ô] *a.* **1** Que hipnotiza *sm.* **2** Aquele que hipnotiza [F.: *hipnotizar* + *-dor*.]

hipnotizamento (hip.no.ti.za.*men*.to) *sm.* **1** O mesmo que *hipnotização* **2** *Fig.* Ação ou ato de magnetizar, fascinar, encantar [F.: *hipnotizar* + *-mento*.]

hipnotizar (hip.no.ti.*zar*) *v. td.* **1** Colocar em estado de hipnose: *O psiquiatra hipnotizou o paciente.* **2** *Fig.* Sujeitar (alguém) a encantos; suscitar sentimento de grande admiração; CATIVAR: *A beleza da moça hipnotizou o rapaz; A inteligência do orador hipnotizou a plateia.* [▶ 1 hipnotizar] [F.: *hipnótico* + *-izar*, seg. o mod. grego. Hom./Par.: *hipnotizáveis* (fl.), *hipnotizáveis* (pl. de *hipnotizável* [a2g.]).]

hipnotizável (hip.no.ti.*zá*.vel) *a2g.* Que pode ser hipnotizado [Pl.: *-veis*.] [F.: *hipnotizar* + *-vel*. Hom./Par.: *hipnotizáveis* (pl.), *hipnotizáveis* (fl. de *hipnotizar*).]

◎ **hip(o)-**[1] *pref.* = 'inferior'; 'debaixo de', 'abaixo'; 'a menos ou abaixo do normal ou do regular'; 'pouco'; 'diminuição, redução ou deficiência (de algo)': *hipacusia, hipalgesia, hipalgia, hiporreflexia, hipoacidez, hipoalbuminemia, hipoalimentação, hipobiose, hipobulia, hipocalcemia, hipocentro, hipocinesia, hipocromia, hipoderme, hipoestesia, hipoestesia, hipoestrogenismo, hipogamia, hipoglicemia, hipoplasia, hipossensível, hipossuficiente, hipostenia, hipotermia, hipotimia, hipotricose, hipotrofia, hipovitaminose, hipovolemia* [F.: Do gr. *hypó*, 'sob'; 'debaixo de'; 'embaixo'.]

◎ **hip(o)-**[2] *el. comp.* = 'cavalo': *hipiatria, hípico* (< lat. < gr.), *hipismo, hipódromo* (< lat. < gr.), *hipogrifo, hipologia, hipomancia, hipópode* (< lat. < gr.), *hipopótamo* (< gr.), *hipoterapia* [F.: Do gr. *hippos, ou*.]

hipoacidez (hi.po.a.ci.*dez*) *sf. Med.* Redução da acidez normal num determinado meio [Ant.: *hiperacidez*.] [F.: *hip(o)-*[1] + *acidez*.]

hipoacusia (hi.po.a.cu.*si*:a) *sf. Otor.* Perda, em diferentes graus, do sentido da audição [Ant.: *hiperacusia.*] [F.: *hip(o)-*[1] + *-acusia.*]

hipoacústico (hi.po:a.*cús*.ti.co) *a. Otor.* Ref. a hipoacusia ou hipacusia [F.: *hip(o)-*[1] + *-acústico.* Tb. *hipacústico.*]

hipoalbuminemia (hi.po.al.bu.mi.ne.*mi.a*) *sf. Pat.* Concentração anormalmente baixa de albumina no sangue [Ant.: *hiperalbuminemia.*] [F.: *hip(o)-*[1] + *albumina* + *-emia.*]

hipoalergênico (hi.po.a.ler.*gê*.ni.co) *a.* **1** *Med.* Que oferece baixo ou nenhum risco de produzir alergia *sm.* **2** Substância, medicamento, produto etc. que oferece baixo ou nenhum risco de provocar alergia [F.: *hip(o)-*[1] + *alergênico.*]

hipoalimentação (hi.po.a.li.men.ta.*ção*) *sf. Med.* Alimentação em quantidade inferior à necessária para suprir as exigências proteico-calóricas do organismo, o que causa aumento da suscetibilidade a infecções e pode conduzir à morte [Ant.: *hiperalimentação.*] [Pl.: *-ções.*] [F.: *hip(o)-*[1] + *alimentação.*]

hipobárico (hi.po.*bá*.ri.co) *a.* **1** Que utiliza pressão menor do que a normal **2** *Med.* Diz-se de anestésico cuja gravidade específica é menor que a do líquido cerebrospinal [Ant.: *hiperbárico.*] [F.: *hip(o)-*[1] + *-bar(o)-* + *-ico*[2].]

hipobiose (hi.po.bi.*o*.se) *sf. Biol.* Diminuição da atividade metabólica, como a que ocorre com animais em período de hibernação [F.: *hip(o)-*[1] + *-biose.*]

hipobulia (hi.po.bu.*li*.a) *sf. Psi.* Diminuição da vontade, do desejo e da capacidade de tomar decisões [F.: *hip(o)-*[1] + *-bulia.*]

hipobúlico (hi.po.*bú*.li.co) *Psi. a.* **1** Ref. a hipobulia **2** Diz-se de indivíduo que sofre de hipobulia *sm.* **3** Esse indivíduo [F.: *hipobulia* + *-ico*[2].]

hipocalcemia (hi.po.cal.ce.*mi*.a) *sf. Med.* Teor de cálcio no sangue em nível inferior ao considerado normal [Ant.: *hipercalcemia*] [F.: *hip(o)-*[1] + *calcemia.*]

hipocalemia (hi.po.ca.le.*mi*.a) *sf. Med.* Taxa insuficiente de potássio no sangue, em relação ao nível considerado normal [F.: Do ing. *hypocalemia.*]

hipocaliúria (hi.po.ca.li.*ú*.ri.a) *sf. Med.* Teor de potássio na urina em nível inferior ao normal [F.: *hip(o)-*[1] + *caliúria.* Tb. *hipocaliuria.*]

hipocalórico (hi.po.ca.*ló*.ri.co) *a.* De baixo teor calórico (alimento <u>hipocalórico</u>) [P. opos. a *hipercalórico.*] [F.: *hip(o)-*[1] + *calórico.*]

hipocampal (hi.po.cam.*pal*) *a2g.* Ref. a hipocampo [Pl.: *-pais.*] [F.: *hipocampo* + *-al*[1].]

hipocampo (hi.po.*cam*.po) *sm.* **1** *Zool.* O mesmo que *cavalo-marinho* **2** *Mit.* Personagem mitológico, metade cavalo, metade peixe **3** *Anat.* Região curva localizada na face inferior de lobo temporal do cérebro [F.: Do lat. *hippocampus, i*, do gr. *hippókampos, ou.*]

hipocentro (hi.po.*cen*.tro) *sm. Geol.* Ponto de origem na crosta terrestre das ondas sísmicas num terremoto [F.: *hip(o)-*[1] + *-centro.* Ver tb. *epicentro.*]

hipocinesia (hi.po.ci.ne.*si*.a) *sf. Neur.* Redução anormal das funções ou atividades motoras [F.: *hip(o)-*[1] + *-cinesia.*]

hipocinético (hi.po.ci.*né*.ti.co) *a.* **1** *Neur.* Ref. a hipocinesia **2** Que apresenta hipocinesia *sm.* **3** Aquele que apresenta hipocinesia [F.: *hipocin(esia)* + *-ético*, seg. o mod. gr.]

hipocloreto (hi.po.clo.*re*.to) [ê] *sm. Quím.* Designação de qualquer composto de cátion metálico e ânion hipoclorito [F.: *hipoclor(ito)* + *-eto.*]

hipoclorito (hi.po.clo.*ri*.to) *sm. Quím.* Sal do ácido hipocloroso ou ânion dele derivado [F.: *(ácido) hipoclor(oso)* + *-ito*[2].] ▪ **~ de sódio** *Quím.* Substância us. como desinfetante e alvejante (na água sanitária, p.ex.) [Fórm.: NaClO.]

hipocondria (hi.po.con.*dri*.a) *sf.* **1** *Psiq.* Afecção mental caracterizada por pensamento e preocupações voltados compulsivamente para o próprio estado de saúde sem razão real para que isso ocorra **2** *Fig.* Tristeza, melancolia [F.: Do lat. cient. *hypochondria*, do gr. *hypokhondría, as.*]

hipocondríaco (hi.po.con.*drí*.a.co) *Psiq. a.* **1** Ref. a hipocondria *a.* **2** Diz-se de indivíduo que sofre de hipocondria *sm.* **3** *Psiq.* Esse indivíduo [F.: Do gr. *hypokhondriakós, é, ón.*]

hipocôndrio (hi.po.*côn*.dri:o) *sm. Anat.* Cada uma das partes superiores e laterais do abdome [F.: Do gr. *hypokhóndrios, os, on.*]

hipocorístico (hi.po.co.*rís*.ti.co) *sm.* **1** *Gram.* Qualquer palavra criada com intenção de carinho e para uso familiar e amoroso, como papai, papi, mamãe, titia, vovô, vô etc. **2** Qualquer palavra de forte valor afetivo, us. no trato familiar, que representa uma simplificação ou modificação do nome, como Toninho por Antônio, Dudu por Eduardo, Chico por Francisco, Zeca por José etc. [F.: Do gr. *hypokoristikón*, 'diminutivo'.]

hipocótilo (hi.po.*có*.ti.lo) *sm. Bot.* Parte do eixo do embrião ou da plântula situada abaixo da inserção dos cotilédones [Ant.: *epicótilo*] [F.: *hip(o)-*[1] + *-cótilo.*]

hipocrático (hi.po.*crá*.ti.co) *a.* **1** Ref. ao médico grego Hipócrates (460-377 a.C., considerado o pai da medicina), ou próprio dele ou de sua doutrina **2** Que é partidário da doutrina de Hipócrates *sm.* **3** Aquele que segue os ensinamentos e a doutrina de Hipócrates [F.: Do antr. *Hipócrates*, famoso médico da Grécia antiga, + *-ico*[2].]

hipocrisia (hi.po.cri.*si*.a) *sf.* **1** Qualidade ou característica do que é hipócrita; FALSIDADE; FINGIMENTO [Ant.: *sinceridade.*] **2** Ação ou resultado de dissimular, falsear a verdade, as intenções, os sentimentos [F.: Do gr. *hypokrisía, as.*]

hipócrita (hi.*pó*.cri.ta) *a2g.* **1** Que simula ter uma qualidade ou sentimento que não tem, ou finge ser verdadeira alguma coisa (sabendo que não o é); FINGIDO; FALSO **2** Em que há hipocrisia (sorriso <u>hipócrita</u>) *s2g.* **3** Pessoa hipócrita (1) [F.: Do lat. *hypocrita, ae*, do gr. *hypokritēs, oû.*]

hipocromia (hi.po.cro.*mi*.a) *sf.* **1** Insuficiência de cor ou pigmentação **2** *Med.* Deficiência de hemoglobina nos glóbulos vermelhos [F.: *hip(o)-*[1] + *-cromia.*]

hipocrômico (hi.po.*crô*.mi.co) *a. Med.* Ref. à hipocromia ou que a apresenta [Ant.: *hipercrômico*] [F.: *hipocromia* + *-ico*[2].]

hipodáctilo (hi.po.*dác*.ti.lo) *sm. Anat. Zool.* A parte inferior dos dedos das aves [F.: *hip(o)-*[1] + *-dáctilo.* Tb. *hipodátilo.*]

hipodátilo (hi.po.*dá*.ti.lo) *sm.* Ver *hipodáctilo*

hipoderme (hi.po.*der*.me) *sf.* **1** *Anat.* Ver *tela subcutânea* em *tela* **2** *Bot.* Camada celular sob a epiderme [F.: *hip(o)-*[1] + *-derme.*]

hipodérmico (hi.po.*dér*.mi.co) *a.* **1** Que se situa na hipoderme; SUBCUTÂNEO **2** Que se aplica ou se dá na hipoderme, por baixo da pele; SUBCUTÂNEO **3** Ref. ou pertencente à hipoderme [F.: *hipoderme* + *-ico*[2].]

hipodinâmico (hi.po.di.*nâ*.mi.co) *a. Med.* Que possui ou apresenta força subnormal [F.: *hip(o)-*[1] + *dinâmico.*]

hipódromo (hi.*pó*.dro.mo) *sm.* Lugar adequado e equipado para a realização de corridas de cavalos [F.: Do lat. *hippodromos, i*, do gr. *hippódromos, ou.*]

hipoepatia (hi.po.e.pa.*ti*.a) *sf. Pat.* Insuficiência hepática, decorrente do mau funcionamento do fígado [F.: *hip(o)-*[1] + *-epatia.*]

hipoestesia (hi.po.es.te.*si*.a) *sf. Neur.* Redução da sensibilidade a estímulos tácteis [Ant.: *hiperestesia.*] [F.: *hip(o)-*[1] + *-estesia.* Tb. *hipestesia.*]

hipoestrogenismo (hi.po.es.tro.ge.*nis*.mo) *sm. Med.* Queda da produção do hormônio feminino estrogênio, o que se acentua esp. após a menopausa [F.: *hip(o)-*[1] + *estrogên(io)* + *-ismo.*]

hipofisário (hi.po.fi.*sá*.ri:o) *a. End.* Ref. a ou próprio da hipófise [F.: *hipófise* + *-ário.*]

hipófise (hi.*pó*.fi.se) *sf.* **1** *Anat.* Glândula endócrina, situada no cérebro, que regula a atividade de outras glândulas também endócrinas; PITUITÁRIA **2** *Bot.* Célula subterminal do embrião das plantas floríferas da qual se origina a coifa da raiz [F.: Do gr. *hypóphysis, eos.* Hom./Par.: *hipófise* (sf.), *hipófase* (sf.).]

hipofluxo (hi.po.*flu*.xo) [cs] *sm. Med.* Fluxo reduzido (<u>hipofluxo</u> pulmonar/cerebral) [F.: *hip(o)-*[1] + *fluxo.*]

hipogamia (hi.po.ga.*mi*.a) *sf. Antr.* Casamento com pessoa de posição social ou econômica considerada inferior [Ant.: *hipergamia*] [F.: *hip(o)-*[1] + *-gamia.*]

hipogâmico (hi.po.*gâ*.mi.co) *Antr. a.* **1** Ref. a hipogamia **2** Em que ocorre hipogamia [Ant.: *hipergâmico*] [F.: *hipogamia* + *-ico*[2].]

hipogástrico (hi.po.*gás*.tri.co) *a. Anat.* Ref. ou pertencente ao hipogástrio (região <u>hipogástrica</u>) [F.: *hipogástrio* + *-ico*[2].]

hipogástrio (hi.po.*gás*.tri:o) *sm. Anat.* Região central e inferior do abdome, localizada abaixo do umbigo [F.: Do gr. *hypogástrios, os, on*, 'que está abaixo do ventre'.]

hipogenitalismo (hi.po.ge.ni.ta.*lis*.mo) *sm. End.* Deficiência funcional das gônadas, com risco para o processo de crescimento e do desenvolvimento sexual; HIPOGONADISMO [F.: *hip(o)-*[1] + *genital* + *-ismo.*]

hipoglicemia (hi.po.gli.ce.*mi*.a) *sf. Med.* Teor de glicose no sangue inferior ao normal [F.: *hip(o)* -[1] + *glicemia.*]

hipoglicemiante (hi.po.gli.ce.mi.*an*.te) *a2g.* **1** Diz-se de droga ou substância que tem a capacidade de reduzir a concentração de glicose no sangue, sendo por isso utilizável como antidiabético *sm.* **2** *Med.* Essa droga ou substância [F.: **hipoglicemiar*, de *hipoglicemia*, + *-nte.*]

hipoglicêmico (hi.po.gli.*cê*.mi.co) *Med. a.* **1** Ref. a ou que tem hipoglicemia *sm.* **2** *Med.* Aquele que tem hipoglicemia [F.: *hipoglicemia* + *-ico*[2].]

hipoglosso (hi.po.*glos*.so) *a.* **1** Situado sob a língua *sm.* **2** *Anat.* Cada um dos nervos cranianos responsáveis pelos movimentos da língua [F.: *hip(o)-*[1] + *-glosso.*]

hipogonadismo (hi.po.go.na.*dis*.mo) *sm. End.* O mesmo que *hipogenitalismo* [F.: *hip(o)* -[1] + *gônada* + *-ismo.*]

hipogrifo (hi.po.*gri*.fo) *Mit. sm.* Animal fabuloso da mitologia grega, metade cavalo (corpo e patas traseiras), metade grifo (cabeça de águia e garras de leão) [F.: Do fr. *hippogriffe.*]

hipologia (hi.po.lo.*gi*.a) *sf.* Tratado ou estudo a respeito do cavalo [F.: *hip(o)-*[2] + *-logia.*]

hipológico (hi.po.*ló*.gi.co) *a.* Ref. ou pertencente à hipologia [F.: *hipologia* + *-ico*[2].]

hipólogo (hi.*pó*.lo.go) *sm.* Indiví duo especializado em hipologia [F.: *hip(o)-*[2] + *-logo.*]

hipomancia (hi.po.man.*ci*.a) *sf.* Na Grécia antiga, arte de fazer adivinhações a partir dos movimentos de cavalos consagrados, ou por seu relinchar [F.: *hip(o)-*[2] + *-mancia.*]

hipomotilidade (hi.po.mo.ti.li.*da*.de) *Med. sf.* **1** Mobilidade deficiente de alguma parte ou função do corpo, esp. do trato gastrointestinal **2** *Neur.* O mesmo que *hipocinesia* [F.: *hip(o)-*[1] + *motilidade.*]

hipomóvel (hi.po.*mó*.vel) *a2g.* **1** Diz-se de veículo de tração animal *sm.* **2** Veículo puxado por cavalos [Pl.: *-veis.*] [F.: *hip(o)-*[2] + *-móvel.*]

hipongo (hi.*pon*.go) *(ri) Pop. sm.* **1** *Pej.* Designação dada pejorativamente a seguidor do movimento *hippie*, que floresceu nas décadas de 1950 e 1960; HIPORONGO **2** Designação dada ao hippie pelos não hippies [F.: F. express. de *hippie*, com term. com valor pejorativo.]

hiponímia (hi.po.*ní*.mi:a) *sf. Ling.* Relação de inclusão de uma unidade significativa em outra, no sentido parte/todo, ou seja, a relação existente entre uma palavra de sentido mais específico e outra de sentido mais genérico que compartilham traços semânticos (p. ex., "cabeça" está numa relação de hiponímia com "corpo") [Ant.: *hiperonímia.*] [F.: *hipônimo* + *-ia*[2].]

hiponímico (hi.po.*ní*.mi.co) *a. Ling.* Ref. a ou em que existe hiponímia [Ant.: *hiperonímico*] [F.: *hiponímia* + *-ico.*]

hipônimo (hi.*pô*.ni.mo) *Ling. sm.* Em uma hiponímia, vocábulo de sentido mais específico em relação a outro de sentido mais geral (p.ex., "leão" é hipônimo de "animal"; "laranja" é hipônimo de "fruta") [Ant.: *hiperônimo.*] [F.: *hipon* + *-imo.*]

hipópio (hi.*pó*.pi:o) *Oft. sm.* Acúmulo de pus na câmara anterior do globo ocular [F.: Do gr. *hypópion, ou.*]

hipoplasia (hi.po.pla.*si*.a) *sf. Pat.* Desenvolvimento incompleto ou defeituoso de tecido ou órgão, por diminuição do número de células [P. opos. a *hiperplasia.*] [F.: *hip(o)-*[1] + *-plasia.*]

hipoplástico (hi.po.*plás*.ti.co) *a. Pat.* Ref. a hipoplasia [F.: *hip(o)-*[1] + *-plástico.*]

hipopneia (hi.po.*pnei*:a) *sf. Med.* Redução da profundidade e da frequência dos movimentos respiratórios [F.: *hip(o)-*[1] + *-pneia.*]

hipópode (hi.*pó*.po.de) *a2g.* **1** Que tem pés de cavalo **2** *Mit.* Ref. aos hipópodes, povo fabuloso com pés de cavalo, que teria habitado a ilha de Basília, na Samárcia *s2g.* **3** Indivíduo que tem pés de cavalo **4** *Mit.* Indivíduo dos hipópodes [F.: Do lat. *hippopodes, um*, 'povo da Basília', do gr. *hippópous, odos*, 'que tem pés de cavalos'.]

hipopótamo (hi.po.*pó*.ta.mo) *sm.* **1** *Zool.* Grande mamífero artiodáctilo (*Hippopotamus amphibius*), herbívoro e anfíbio, que habita os lagos e rios africanos **2** *Zool.* Mamífero (*Choeropsis liberiensis*) africano ameaçado de extinção; hipopótamo-pigmeu **3** *Fig. Pej. Pop.* Indivíduo muito gordo, obeso [F.: Do gr. *hippopótamos, ou*, 'cavalo de rio (esp. do Nilo)'.]

hiporreflexia (hi.por.re.fle.*xi*:a) *sf.* **1** *Neur.* Diminuição ou enfraquecimento dos reflexos sensoriais ou motores, principalmente do reflexo patelar **2** Alteração metabólica de origem tireoideana [F.: *hip(o)-*[1] + *reflexo* + *-ia*[1].]

hiposcênio (hi.pos.*cê*.ni:o) *Teat. sm.* **1** Nos antigos teatros gregos e romanos, muro que servia de apoio ao proscênio **2** Espaço situado diante desse muro, no nível do chão, correspondente à atual plateia **3** A parte inferior do palco, abaixo do proscênio, nesses teatros [F.: Do gr. *hyposkénion, ou.*]

hiposmia (hi.pos.*mi*:a) *sf. Med.* Redução da sensibilidade olfativa [F.: *hip(o)-*[1] + *-osmia.*]

hipossensibilidade (hi.pos.sen.si.bi.li.*da*.de) *Med. sf.* **1** Qualidade de hipossensível **2** Sensibilidade menor que a normal em relação a estímulos externos **3** Capacidade de reação a alérgenos reduzida [F.: *hip(o)-*[1] + *sensibilidade.*]

hipossensível (hi.pos.sen.*sí*.vel) *a2g.* **1** Que é pouco sensível **2** Que apresenta menor sensibilidade a determinado alergênio [Pl.: *-veis.*] [F.: *hip(o)-*[1] + *sensível.*]

hipossistolia (hi.pos.sis.to.*li*.a) *sf. Card.* Redução da força de contração das fibras musculares cardíacas [F.: *hip(o)-*[1] + *sistolia.*]

hipossuficiência (hi.pos.su.fi.ci.*ên*.ci:a) *sf. Jur.* Ausência de recursos econômicos para se sustentar [F.: *hip(o)-*[1] + *suficiência.*]

hipossuficiente (hi.pos.su.fi.ci.*en*.te) *Jur. a2g.* **1** Que não é autossuficiente, que não possui recursos econômicos suficientes para se sustentar *s2g.* **2** *Jur.* Aquele que é hipossuficiente [F.: *hip(o)-*[1] + *suficiente.*]

hipossulfito (hi.pos.sul.*fi*.to) *sm. Quím.* Sal do ácido hipossulfuroso, us. como solvente, para reduzir a sensibilidade alérgica, e como fixador em fotografia [F.: *hip(o)-*[1] + *sulfito.*]

hipóstase (hi.*pós*.ta.se) *sf.* **1** *Fil.* Engano que consiste em tomar como real, concreto e objetivo o que só existe como ficção ou abstração **2** *Teol.* Cada uma das pessoas (Pai, Filho e Espírito Santo) que compõem a Santíssima Trindade **3** *Med.* Sedimento feito pela acumulação de material orgânico na urina, sangue etc. **4** *Med.* Enfraquecimento da circulação sanguínea em alguma parte do corpo **5** *Ret.* Elaboração de uma ideia [F.: Do gr. *hypóstasis, eos.*]

hipostasiar (hi.pos.ta.si.*ar*) *Fil. v. td.* **1** Considerar algo não concreto (ideia, conceito, ficção etc.) como sendo real: "O fato de Platão <u>hipostasiar</u> o conceito em ideia foi percebido por Aristóteles." (Theodor Adorno, *Eingriffe, Neun kritische Modelle*) **2** Considerar absoluto algo que é apenas relativo: "O ponto histórico no qual se encontra a pintura de Elizabeth Jobim é outro inteiramente diferente e não permite nem mesmo <u>hipostasiar</u> o espaço." (Paulo Sérgio Duarte, "Negar a firmeza precária das coisas" *in: Elizabeth Jobim – Portfolio – Canal contemporâneo*) [▶ 1 hipostasiar] [F.: *hipóstase* + *-iar.*]

hipostático (hi.pos.*tá*.ti.co) *a.* Ref. a hipóstase [F.: Do gr. *hypostatikós, é, ón*, 'capaz de suportar'; 'referente à substância'.]

hipostenia (hi.pos.te.*ni*:a) *Med. sf.* **1** Diminuição das forças; ENFRAQUECIMENTO; DEBILITAÇÃO **2** *Pus.* Droga ou força contrária à estimulação; CONTRAESTÍMULO [F.: *hip(o)-*[1] + *-stenia.*]

hipostênico (hi.pos.*tê*.ni.co) *Med. a.* **1** Ref. a hipostenia **2** Sem forças, fraco, debilitado [F.: *hipostenia* + *-ico*[2].]

hipostilo (hi.pos.*ti*.lo) *Arq. a.* **1** Cujo teto é sustentado por colunas *sm.* **2** *Arq.* Teto sustentado por colunas [F.: Do gr. *hypostylos, os, on.*]

hipotalâmico (hi.po.ta.*lâ*.mi.co) *a.* Ref. ao hipotálamo [F.: *hipotálamo* + *-ico*[2].]
hipotálamo (hi.po.*tá*.la.mo) *sm. Anat.* Porção do diencéfalo situada na base do cérebro e que controla funções importantes como o sono, a temperatura corporal, o apetite etc. [F.: *hip(o)-*[1] + *tálamo*.]
hipoteca (hi.po.*te*.ca) *sf.* **1** Cessão de um bem como garantia para um empréstimo, sem transferência de posse ao credor: *Fez a hipoteca do apartamento para saldar suas dívidas.* **2** Dívida resultante dessa cessão: *Conseguiu saldar toda a hipoteca.* **3** *Jur.* Direito concedido a certos credores de serem pagos pelo valor de certos bens imobiliários do devedor e com preferência a outros credores, estando os seus créditos devidamente registrados [F.: Do gr. *hypothéke, es.* Hom./Par.: *hipoteca* (sf.), *hipoteca* (fl. de *hipotecar*).]
hipotecado (hi.po.te.*ca*.do) *a.* Que se hipotecou; cedido como garantia (casa hipotecada) [F.: Part. de *hipotecar*.]
hipotecar (hi.po.te.*car*) *v.* **1** Ceder um bem como garantia, sem perder sua posse [*td.*: *Hipotecou a casa para pagar dívidas.*] [*tdi.* + *a*: *Hipotecou seu imóvel a uma instituição financeira.*] **2** *Fig.* Garantir, assegurar [*tdi.* + *a*: *Hipotecou solidariedade aos rebeldes.*] [▶ **11** hipote**car**] [F.: *hipoteca* + *-ar*[2]. Hom./Par.: *hipoteca* (fl.), *hipoteca* (sf.); *hipotecas* (fl.), *hipotecas* (pl. do sf.); *hipotecaria* (fl.), *hipotecária* (fem. de *hipotecário* [a.]).]
hipotecário (hi.po.te.*cá*.ri:o) *a.* Ref. a hipoteca ou que resulta dela (crédito hipotecário) [F.: *hipoteca* + *-ário*. Hom./Par.: *hipotecária* (fem.), *hipotecaria* (fl. de *hipotecar*).]
hipotensão (hi.po.ten.*são*) *sf. Med.* Pressão do sangue nas paredes dos vasos sanguíneos inferior à normal; pressão baixa [Ant.: *hipertensão*.] [Pl.: *-sões*.] [F.: *hip(o)-*[1] + *tensão*. Cf.: *normotensão*.] ■ **~ arterial** *Med.* Pressão sanguínea anormalmente baixa nas artérias **~ venosa** *Med.* Pressão sanguínea anormalmente baixa nas veias
hipotensivo (hi.po.ten.*si*.vo) *Med. a.* **1** Que reduz a pressão arterial (vasodilatador hipotensivo); HIPOTENSOR: *A dose recomendada produz efeito hipotensivo máximo na maioria dos pacientes.* [Ant.: *hipertensivo*.] **2** Em que ocorre queda brusca da pressão arterial (choque hipotensivo) *sm.* **3** Medicamento, substância etc. que serve para baixar a pressão arterial; HIPOTENSOR: *O alho é anti-inflamatório e hipotensivo, entre outras coisas.* [F.: *hipotenso* + *-ivo*.]
hipotenso (hi.po.*ten*.so) *a.* **1** *Med.* Que tem ou sofre de hipotensão *sm.* **2** *Med.* Indivíduo que sofre de hipotensão [F.: *hip(o)-*[1] + *tenso*. Ant.ger.: *hipertenso*.]
hipotensor (hi.po.ten.*sor*) [ô] *Med. a.sm.* O mesmo que *hipotensivo* (1 e 3) [F.: *hipotenso* + *-or*.]
hipotenusa (hi.po.te.*nu*.sa) *sf. Geom.* Em um triângulo retângulo, o lado oposto ao ângulo reto [F.: Do lat. *hypotenusa, ae*, do gr. *hypoteínousa*.]
hipoterapêutico (hi.po.te.ra.*pêu*.ti.co) *a.* Ref. a hipoterapia; HIPOTERÁPICO [F.: *hip(o)-*[2] + *terapêutico*.]
hipoterapia (hi.po.te.ra.*pi*.a) *sf. Med.* Tratamento de distúrbios como autismo, síndrome de Down, paralisia cerebral, entre outros, mediante o processo de montaria associada aos movimentos do cavalo; EQUINOTERAPIA; EQUOTERAPIA [F.: *hip(o)-*[2] + *-terapia*.]
hipoterápico (hi.po.te.*rá*.pi.co) *a. Med.* Ref. a hipoterapia; HIPOTERAPÊUTICO [F.: *hipoterapia* + *-ico*[2].]
hipotermal (hi.po.ter.*mal*) *a2g. Geol.* Diz-se de água mineral procedente de veios profundos, que emerge a temperatura inferior a 25 graus [Pl.: *-mais*.] [F.: *hip(o)-*[1] + *termal*.]
hipotermia (hi.po.ter.*mi*.a) *Med. sf.* **1** Queda excessiva da temperatura corporal [Ant.: *hipertermia*.] **2** Baixa induzida da temperatura corporal para fins terapêuticos ou para a realização de procedimento cirúrgico [F.: *hip(o)-*[1] + *-termia*.]
hipotérmico (hi.po.*tér*.mi.co) *a. Med.* Ref. a hipotermia [F.: *hipotermia* + *-ico*[2].]
hipótese (hi.*pó*.te.se) *sf.* **1** Juízo, opinião, afirmação etc. que se consideram como válidos antes de comprovados, ger. us. como ponto de partida para sua demonstração e comprovação (hipótese científica) **2** Fato ou ação que podem vir a ocorrer ou não; EVENTUALIDADE; POSSIBILIDADE: *Reservei passagens para a hipótese de ter de viajar.* **3** *Fil.* Teoria para explicar uma certa ordem de fatos, se bem que ainda não demonstrada **4** *Mat.* Conjunto de dados a partir do qual se procura demonstrar um teorema [F.: Do gr. *hypóthesis, eos*.]
hipotético (hi.po.*té*.ti.co) *a.* **1** Que se baseia em hipóteses (1) (conclusão hipotética); SUPOSTO **2** Que não é certo (vitória hipotética); DUVIDOSO [F.: Do lat. *hypotheticus, a, um*, do gr. *hypothetikós, é, ón*.]
hipotimia (hi.po.ti.*mi*.a) *sf. Psiq.* Redução da emotividade [F.: *hip(o)-*[1] + *-timia*[1].]
hipotímpano (hi.po.*tim*.pa.no) *sm. Otor.* A parte mais baixa da cavidade da orelha média, no osso temporal [F.: *hip(o)-*[1] + *tímpano*.]
hipotireoideo (hi.po.ti.re.*oi*.de:o) *End. a.* **1** Ref. a hipotireoidismo **2** Diz-se de indivíduo que sofre de hipotireoidismo; HIPOTIREOIDIANO *sm.* **3** *End.* Esse indivíduo; HIPOTIREOIDIANO [F.: *hip(o)-*[1] + *tireoideo*.]
hipotireoidiano (hi.po.ti.re.oi.di.*a*.no) *a.* **1** *End.* Que sofre de hipotireoidismo *sm.* **2** *End.* Indivíduo que sofre de hipotireoidismo [F.: *hip(o)-*[1] + *tireoide* + *-iano*.]
hipotireoidismo (hi.po.ti.re.oi.*dis*.mo) *End. sm.* Insuficiência de atividade da glândula tireoide, provocando falta de hormônio tireoidiano nos órgãos, e cujos sintomas iniciais podem ser maior sensação de frio, dores musculares e articulares difusas [Ant.: *hipertireoidismo*.] [F.: *hip(o)-*[1] + *tireoide* + *-ismo*. Tb. *hipotiroidismo*.]
hipotiroidismo (hi.po.ti.roi.*dis*.mo) *sm.* Ver *hipotireoidismo*
hipotonia (hi.po.to.*ni*.a) *sf.* **1** *Fisl.* Perda ou redução do tono muscular [Ant.: *hipertonia*] **2** *Fisl.* Tensão que resulta da baixa tonicidade muscular **3** Condição da solução que apresenta menos concentração de solutos do que outra [F.: *hip(o)-*[1] + *-tonia*.]
hipotônico (hi.po.*tô*.ni.co) *a.* **1** *Fisl.* Ref. a hipotonia **2** *Fisl.* Que apresenta hipotonia **3** *Biol.* Ref. à solução que apresenta menos concentração de solutos do que outra [F.: *hipotonia* + *-ico*[2].]
hipotricose (hi.po.tri.*co*.se) *sf. Med.* Deficiência congênita de pelos, esp. de cabelo [F.: *hip(o)-*[1] + *-tricose*.]
hipotrofia (hi.po.tro.*fi*.a) *sf.* **1** Crescimento ou desenvolvimento subnormal de qualquer coisa [Ant.: *hipertrofia*] **2** *Pat.* Redução da vitalidade de alguns tecidos ou órgãos, com perda de resistência específica; ABIOTROFIA [F.: *hip(o)-*[1] + *-trofia*.]
hipoventilação (hi.po.ven.ti.la.*ção*) *sf. Pneumo.* Diminuição da quantidade de ar que entra nos alvéolos pulmonares [Pl.: *-ções*.] [F.: *hip(o)-*[1] + *ventilação*.]
hipovitaminose (hi.po.vi.ta.mi.*no*.se) *sf. Med.* Carência profunda de uma ou mais vitaminas no organismo [F.: *hip(o)-*[1] + *vitamina* + *-ose*[1].]
hipovolemia (hi.po.vo.le.*mi*.a) *sf. Pat.* Diminuição anormal do volume sanguíneo de uma pessoa; OLIGOEMIA [F.: *hip(o)-*[1] + *volemia*.]
hipovolêmico (hi.po.vo.*lê*.mi.co) *Med. a.* **1** Ref. a hipovolemia; OLIGOÊMICO **2** Que apresenta hipovolemia; OLIGOÊMICO *sm.* **3** Indivíduo hipovolêmico (2); OLIGOÊMICO [F.: *hipovolemia* + *-ico*[2].]
hipoxemia (hi.po.xe.*mi*.a) [cs] *sf. Med.* Baixa oxigenação do sangue [F.: *hip(o)-*[1] + *-ox(i)-* + *-emia*.]
hipoxia (hi.po.*xi*:a) [cs] *Med. sf.* Deficiência parcial ou total de oxigênio (hipoxia fetal) [F.: *hip(o)-*[1] + *-ox(i)-* + *-ia*[1]. Tb. *hipóxia*.]
⊕ **hippie** (*Ing.*/ *rípi*/) *s2g.* **1** Membro de um movimento espontâneo que, nas décadas de 1960 e 1970, rejeitava os valores, hábitos e costumes da sociedade ocidental, pregava um novo modo de vida baseado no convívio em comunidade, no amor livre e na não violência, e usava ger. roupas não convencionais e cabelos longos *a2g.* **2** Diz-se de membro desse movimento *a2g2n.* **3** Ref. ou pertencente aos, ou próprio dos hippies (costumes hippie)
hippismo (hip.*pis*.mo) *sm.* **1** Movimento iniciado na década de 1960 nos EUA, que se estendeu pela década de 1970, espalhando-se por várias partes do mundo, caracterizado por uma moral não conformista, pela oposição aos valores da sociedade tradicional, e que pregava um modo de vida baseado no amor e na paz **2** Modo de ser e estilo de vida dos hippies [F.: *hip(pie)* + *-ismo*.]
hipsilo (hip.*si*.lo) *Gram. sm.* **1** Vigésima letra do alfabeto grego, não constante do alfabeto da língua portuguesa; ÍPSILON **2** O nome da letra Y
◎ **hips(o)-** *el. comp.* = 'altura'; 'elevação'; 'altitude': *hipsocéfalo, hipsofobia, hipsografia, hipsometria, hipsômetro* [F.: Do gr. *hýpsos, eos-ous*.]
hipsocéfalo (hip.so.*cé*.fa.lo) *a.* **1** *Antr.* Designação dada ao indivíduo em que a relação largura/altura do crânio é superior a 75 *sm.* **2** *Antr.* Indivíduo cuja relação largura/ altura do crânio é superior a 75 [F.: *hips(o)-* + *-céfalo*.]
hipsofobia (hip.so.fo.*bi*.a) *sf. Psiq.* Aversão ou medo mórbido a lugares altos [F.: *hips(o)-* + *-fobia*.]
hipsofóbico (hip.so.*fó*.bi.co) *Psiq. a.* **1** Ref. a hipsofobia **2** Diz-se de indivíduo que tem hipsofobia; HIPSÓFOBO *sm.* **3** *Psiq.* Esse indivíduo; HIPSÓFOBO [F.: *hipsofobia* + *-ico*[2].]
hipsófobo (hip.*só*.fo.bo) *Psiq. a.sm.* O mesmo que *hipsofóbico* (2 e 3) [F.: *hips(o)-* + *-fobo*.]
hipsografia (hip.so.gra.*fi*.a) *Geog. sf.* **1** Medição e mapeamento das variações de altura da crosta terrestre **2** Representação gráfica dessas variações [F.: *hips(o)-* + *-grafia*.]
hipsográfico (hip.so.*grá*.fi.co) *a. Geog.* Ref. ou pertencente a hipsografia [F.: *hipsografia* + *-ico*[2].]
hipsometria (hip.so.me.*tri*.a) *Geog. sf.* **1** Processo de medição de altitudes, por meios geodésicos ou barométricos; ALTIMETRIA **2** Representação gráfica dessas altitudes numa planta topográfica; ALTIMETRIA **3** Conjunto das diferentes zonas de altitude de uma determinada região [F.: *hips(o)-* + *-metria*[1].]
hipsométrico (hip.so.*mé*.tri.co) *a. Geog.* Ref. ou pertencente a hipsometria [F.: *hipsometria* + *-ico*[2].]
hipsômetro (hip.*sô*.me.tro) *sm.* **1** Aparelho de medição das elevações de regiões montanhosas, que para isso se vale dos diferentes pontos de ebulição dos líquidos [Cf. *altímetro*.] **2** Instrumento us. para medir alturas por processo de triangulação [F.: *hips(o)-* + *-metro*.]
hiragana (hi.ra.*ga*.na) *sm. Ling.* Sistema japonês de escrita silábica, desenvolvido para complementação dos caracteres de origem chinesa [F.: Do jap. *hira*, 'expandido', + *kana*, 'silabário'.]
◎ **hirc(i)-** *el. comp.* = 'bode': *hircino* (< lat.), *hircípede* [F.: Do lat. *hircus, i*.]
hircino (hir.*ci*.no) *a.* **1** Ref. ou pertencente a bode **2** Proveniente de bode (couro hircino) **3** Semelhante ao bode ou a parte ou propriedade dele (odor hircino) [F.: Do lat. *hircinus, a, um*.]
hircípede (hir.*cí*.pe.de) *a2g.* Que tem pés de bode [F.: *hirc(i)-* + *-pede*.]
hirsutez (hir.su.*tez*) [ê] *sf.* Característica do que é hirsuto; HIRSUTEZA [F.: *hirsut(o)* + *-ez*.]
hirsutismo (hir.su.*tis*.mo) *sm. End.* Pilosidade excessiva e de aspecto masculino na mulher, em locais normalmente desprovidos de pelos, ger. devido a um desequilíbrio hormonal ou herança genética; HIPERTRICOSE [F.: *hirsut(o)-* + *-ismo*.]
hirsuto (hir.*su*.to) *a.* **1** Que tem os pelos longos, grossos e duros (barba hirsuta); CERDOSO **2** Crespo, eriçado, hirto (cabelos hirsutos) **3** *Fig.* Intratável, ríspido, hirto **4** *Bot.* Que é coberto por pelos longos, ásperos e flexíveis (folha hirsuta) [F.: Do lat. *hirsutus*.]
hirto (*hir*.to) *a.* **1** Que não possui flexibilidade: *Vestia uma camisa hirta, de tão engomada.* **2** Que está imóvel, parado: *Seu braço, hirto, pendia sem ação.* **3** Diz-se de pelo ou cabelo crespo, hirsuto **4** *Fig.* Diz-se de quem não sabe tratar bem as pessoas; RÍSPIDO; HIRSUTO **5** *Bot.* Que tem pelos curtos e rijos [F.: Do lat. *hirtus*.]
hispânico (his.*pâ*.ni.co) *sm.* **1** Pessoa nascida ou que vive na Espanha (Europa) **2** Latino-americano que vive nos Estados Unidos *a.* **3** Ref. à Hispânia, antiga província do Império Romano que corresponde à região da península Ibérica; típico dessa região ou de seu povo **4** Da Espanha; típico desse país ou de seu povo [F.: Do lat. *hispanicus, a, um*.]
hispanidade (his.pa.ni.*da*.de) *sf.* **1** Característica peculiar à Espanha e seu povo **2** Grupo de países de fala espanhola **3** Aquilo que é comum aos países de língua espanhola e seu povo [F.: *hispan(o)* + *-idade*.]
hispanizante (his.pa.ni.*zan*.te) *a2g.* **1** Que hispaniza, que confere traços espanhóis a algo **2** Que é versado na língua ou na literatura espanhola; HISPANISTA *s2g.* **3** O que hispaniza **4** Pessoa versada na língua ou na literatura espanhola; HISPANISTA [F.: *hispan(o)* + *-izante*.]
◎ **hispan(o)-** *el. comp.* = hispânico, espanhol: *hispano-americano*. [F.: Do lat. *hispanus, a, um*.]
hispano (his.*pa*.no) *a.* **1** Ref. à Espanha ou a seus habitantes; ESPANHOL; HISPÂNICO **2** Ref. a Hispânia, província do Império Romano no território que corresponde hoje à Península Ibérica; HISPÂNICO; IBÉRICO **3** *Ling.* O mesmo que *espanhol sm.* **4** O natural da Espanha **5** O natural da Hispânia romana [F.: Do lat. *hispanus, a, um*.]
hispano-americano (his.pa.no-a.me.ri.*ca*.no) *sm.* **1** Pessoa originária da América espanhola *a.* **2** Que se origina da América espanhola ou que é próprio dela **3** Ref. à América e à Espanha simultaneamente (relações hispano-americanas) [F.: *hispan(o)-* + *americano*.]
hispanófono (his.pa.*nó*.fo.no) *a.* **1** Diz-se do indivíduo que fala o espanhol; HISPANOFALANTE; HISPANOPARLANTE; HISPANOFÔNICO *sm.* **2** Falante do espanhol [F.: *hispano-* + *-fono*.]
hispidez (his.pi.*dez*) [ê] *sf.* **1** Qualidade de híspido **2** Estado de uma parte do corpo ou de uma superfície orgânica coberta de pelos [F.: *híspid(o)* + *-ez*.]
híspido (*hís*.pi.do) *a.* Diz-se do que está ou tem aspecto eriçado, arrepiado ou encrespado (mar híspido; barba híspida) [F.: Do lat. *hispidus*.]
hissope (his.*so*.pe) [ó] *sm. Litu.* Utensílio composto de uma bola metálica oca e cheia de orifícios, com um cabo, e que serve para aspergir água-benta; ASPERSÓRIO [F.: Do gr. *hýssopon*. Hom./Par.: *hissope* (sm.), *hissope* (fl. de *hissopar*).]
histamina (his.ta.*mi*.na) *Bioq. sf.* **1** Amina ($C_5H_9N_3$) liberada pelas células do sistema imunológico durante reações alérgicas e que provoca a dilatação dos vasos sanguíneos **2** *Farm.* Forma sintética dessa substância, comercializada para diversos fins [F.: *hist(o)-* + *-amina*.]
histeralgia (his.te.ral.*gi*:a) *sf. Ginec.* Dor uterina; METRALGIA; UTERALGIA [F.: *hister(o)-*[1] + *-algia*.]
histeranto (his.te.*ran*.to) *Bot. a.* **1** Diz-se de planta que produz flores antes das folhas aparecerem *sm.* **2** Essa planta [F.: *hister(o)-*[2] + *-anto*.]
histerectomia (his.te.rec.to.*mi*:a) *sf. Cir.* Remoção cirúrgica de parte ou da totalidade do útero [F.: *hister(o)-*[1] + *-ectomia*.]
histerese (his.te.*re*.se) *sf.* **1** *Fís.* Situação ou fenômeno em que as propriedades de um sistema dependem de seu histórico ou da variação das propriedades de outro sistema **2** *Inf.* Atraso na resposta de um sistema em função da variação no valor do sinal [F.: Do ing. *hysteresis*, cunhado a partir do gr. *hystérēsis, eos*, 'falta'; 'atraso'; 'penúria', pelo físico J. A. Ewing (1855-1935).]
histerético (his.te.*ré*.ti.co) *a. Fís. Inf.* Ref. a histerese [F.: *hister(ese)* + *-ético*, seg. o mod. gr.]
histeria (his.te.*ri*.a) *sf.* **1** *Psiq.* Neurose cujos sintomas se manifestam por meio de distúrbios corporais, sem que existam problemas orgânicos **2** Reação emocional exagerada em face de estímulos sociais ou sentimentais: *Os seguranças não conseguiam conter a histeria das fãs.* [F.: *hister(o)-*[1] + *-ia*[1].] ■ **~ de angústia** *Psic.* Aquela que se caracteriza pela predominância de angústias e fobias **~ de conversão** *Psic.* Aquela que se caracteriza pela conversão dos problemas psíquicos em sintomas físicos do sistema nervoso (surdez, cegueira etc.) **~ de dissociação** *Psiq.* Aquela que se caracteriza pela ação dos problemas psíquicos na consciência e na identidade (amnésia, personalidade múltipla etc.)
histérico (his.*té*.ri.co) *a.* **1** Ref. à histeria ou próprio dela (comportamento histérico) **2** Que sofre de histeria **3** *Pop.* Muitíssimo irritado ou nervoso: *Não fique histérico, tudo está sendo resolvido. sm.* **4** Aquele que sofre de histeria **5** *Pop.* Indivíduo histérico (3) [F.: Do gr. *hysterikós, é, ón*, 'relativo ao útero ou às afecções uterinas'.]

histeriforme (his.te.ri.*for*.me) *a2g. Psic.* Diz-se de manifestação corporal que lembra ou sugere a histeria [F.: *hister(o)-*[1] + *-iforme.*]

histerismo (his.te.*ris*.mo) *sm.* **1** Descontrole emocional exagerado, ger. acompanhado por gritos e gestual descontrolado **2** Exaltação, nervosismo ou irritabilidade excessivos [F.: *hister(ia)* + *-ismo.*]

◎ **-(h)ister(o)-** *el. comp.* Ver *hister(o)-*

◎ **hister(o)-1** *el. comp.* = 'útero': *histeralgia, histerectomia, histeria, histeriforme, histerocele, histerografia, histerólito, histerologia*[1]*, histeroloxia, histeroscopia, histeroscópio; ooforisterectomia* [F.: Do gr. *hystéra, as.*]

hister(o)-2 *el. comp.* = 'posterior': *histeranto, histerase* (< gr.), *histerologia*[2] (< gr.) [F.: Do gr. *hýsteros, a, on.*]

histerocele (his.te.ro.*ce*.le) *sf. Ginec.* Hérnia uterina; METROCELE [F.: *hister(o)-*[1] + *-cele*[1].]

histeroclise (his.te.ro.*cli*.se) *sf. Ginec.* Sutura do colo do útero [F.: *hister(o)-*[1] + *-clise*[3].]

histeróclise (his.te.*ró*.cli.se) *sf. Ginec.* Lavagem uterina [F.: *hister(o)-*[1] + *-clise*[2].]

histerografia (his.te.ro.gra.*fi*.a) *Ginec. sf.* **1** Registro das contrações uterinas durante o parto **2** Radiografia do útero, obtida mediante injeção local de contraste **3** Descrição do útero [F.: *hister(o)-*[1] + *-grafia.*]

histerográfico (his.te.ro.*grá*.fi.co) *a. Ginec.* Ref. a ou que diz respeito a histerografia [F.: *histerografia* + *-ico*[2].]

histerólito (his.te.*ró*.li.to) *sm. Ginec.* Cálculo (4) formado nas paredes do útero [F.: *hister(o)-*[1] + *-lito.*]

histerologia[1] (his.te.ro.lo.*gi*.a) *sf. Ginec.* Estudo ou descrição do útero [F.: *hister(o)-*[1] + *-logia.*]

histerologia[2] (his.te.ro.lo.*gi*.a) *sf. Ret.* Recurso estilístico que se caracteriza pela inversão da ocorrência dos fatos ou da ordem lógica numa frase [F.: Do gr. *hysterología, as.*]

histerológico[1] (his.te.ro.*ló*.gi.co) *a. Ginec.* Ref. a histerologia [F.: *histerologia*[1] + *-ico*[2].]

histerológico[2] (his.te.ro.*ló*.gi.co) *a. Ret.* Ref. a histerologia[2] [F.: *histerologia*[2] + *-ico*[2].]

histerólogo[1] (his.te.*ró*.lo.go) *sm. Ginec.* Especialista em histerologia [F.: *hister(o)-*[1] + *-logo.*]

histerólogo[2] (his.te.*ró*.lo.go) *sm. Ret.* Aquele que usa de histerologia[2] [F.: *hister(o)-*[2] + *-logo.*]

histeroloxia (his.te.ro.lo.*xi*:a) *sf. Ginec.* Inclinação do útero, desvio a que esse órgão está sujeito durante a gravidez [F.: *hister(o)-*[1] + *-lox(o)-* + *-ia*[1].]

histeroscopia (his.te.ros.co.*pi*.a) *sf. Ginec.* Exame do útero por meio de histeroscópio; UTEROSCOPIA [F.: *hister(o)-*[1] + *-scopia.*]

histeroscópico (his.te.ros.*có*.pi.co) *a. Ginec.* Ref. a histeroscopia (exame histeroscópico) [F.: *histeroscopia* + *-ico*[2].]

histeroscópio (his.te.ros.*có*.pi:o) *sm. Ginec.* Instrumento us. para examinar o útero que possibilita a visualização direta da cavidade uterina ou a captação de imagens dela [F.: *hister(o)-*[1] + *-scópio.*]

histerotomia (his.te.ro.to.*mi*.a) *sf. Cir.* Incisão do útero [F.: *hister(o)-*[1] + *-tomia.*]

histerotômico (his.te.ro.*tô*.mi.co) *a. Cir.* Ref. a histerotomia [F.: *histerotomia* + *-ico*[2].]

histerótomo (his.te.*ró*.to.mo) *sm. Cir.* Instrumento us. na histerotomia [F.: *hister(o)-*[1] + *-tomo.*]

histidina (his.ti.*di*.na) *sf. Bioq.* Um dos aminoácidos ($C_6H_9N_3O_2$) que compõem as proteínas, enzimas e a hemoglobina, a partir do qual é produzida a histamina [F.: Do ing. *histidine.*]

◎ **histio-** *el. comp.* = 'vela de barco'; 'tecido orgânico': *histiodromia* [F.: Do gr. *histíon, ou*, 'tecido'; 'teia'; 'vela de barco', do gr. *histós, ou*, 'objeto na vertical'; 'teia', etc. F. conexa: *hist(o)-.*]

histiodromia (his.ti:o.dro.*mi*.a) *sf.* Arte de navegação à vela [F.: *histio-* + *-dromia.*]

◎ **hist(o)-** *el. comp.* = 'tecido orgânico'; '(*Fig.*) justaposição de elementos': *histamina, histidina* (< ing.), *histocompatibilidade, histogênese, histografia, histograma, histólise, histologia, histoma, histotomia* [F.: Do gr. *histós, ou*, 'objeto na vertical'; 'mastro de navio'; 'teia', 'tecido' etc. F. conexa: *histio-.*]

histocompatibilidade (his.to.com.pa.ti.bi.li.*da*.de) *sf. Imun.* Grau de semelhança ou identidade genética entre dois tecidos ou dois órgãos, que possibilita ou não a implantação ou o enxerto de um no outro sem que ocorra processo de rejeição [F.: *hist(o)-* + *compatibilidade.*]

histogênese (his.to.*gê*.ne.se) *sf. Biol.* Formação ou desenvolvimento dos tecidos orgânicos; HISTOGENIA [F.: *hist(o)-* + *-gênese.*]

histogenésico (his.to.ge.*né*.si.co) *a. Biol.* O mesmo que *histogenético* [F.: *histogênese* + *-ico*[2], seg. o mod. vern.]

histogenético (his.to.ge.*né*.ti.co) *a. Biol.* Relativo a histogênese; HISTOGENÉSICO; HISTOGÊNICO [F.: *histogên(ese)* + *-ético*, seg. o mod. gr.]

histogenia (his.to.ge.*ni*.a) *sf. Biol.* O mesmo *histogênese* [F.: *hist(o)-* + *-genia.*]

histogênico (his.to.*gê*.ni.co) *a. Biol.* O mesmo que *histogenético* [F.: *histogenia* + *-ico*[2].]

histografia (his.to.gra.*fi*.a) *sf. Biol.* Estudo e descrição dos tecidos orgânicos [F.: *hist(o)-* + *-grafia.*]

histográfico (his.to.*grá*.fi.co) *a. Biol.* Ref. a histografia [F.: *histografia* + *-ico*[2].]

histograma (his.to.*gra*.ma) *sm. Est.* Representação gráfica de uma distribuição de frequência, consistindo na justaposição de retângulos da mesma base (30) com alturas proporcionais às quantidades a representar [F.: *hist(o)-* + *-grama.*]

histólise (his.*tó*.li.se) *sf. Pat.* Dissolução ou decomposição de tecidos orgânicos [F.: *hist(o)-* + *-lise.*]

histologia (his.to.lo.*gi*.a) *sf. Biol. Med.* Especialidade da biologia que estuda a estrutura microscópica, a composição e a função dos tecidos orgânicos [F.: *hist(o)-* + *-logia.*]

histológico (his.to.*ló*.gi.co) *a. Biol. Med.* Rel. a histologia [F.: *histologia* + *-ico*[2].]

histologista (his.to.lo.*gis*.ta) *Biol. Med. s2g.* **1** Indivíduo especializado em histologia *a2g.* **2** Diz-se desse especialista [F.: *histologia* + *-ista*, seg. o mod. gr.]

histoma (his.*to*.ma) *sm. Pat.* Qualquer tumor constituído por tecido celular de origem comum [F.: *hist(o)-* + *-oma*[1].]

histopatologia (his.to.pa.to.lo.*gi*.a) *sf. Pat.* Estudo microscópico de tecidos que apresentam lesões orgânicas [F.: *hist(o)-* + *patologia.*]

histopatológico (his.to.pa.to.*ló*.gi.co) *Pat. a.* **1** Ref. a histopatologia **2** Caracterizado por afecção em tecidos orgânicos [F.: *histopatologia* + *-ico*[2].]

histoplasmose (his.to.plas.*mo*.se) [ó] *sf. Med.* Infecção ger. assintomática, de evolução aguda ou crônica, causada pelo fungo *Histoplasma capsulatum* [Quando chega a manifestar-se clinicamente, exterioriza-se por pneumonia aguda, hepatoesplenomegalia e anemia. É uma das complicações infecciosas da Aids.] [F.: Do lat. cient. *Histoplasma* + *-ose*[1].]

histoquímica (his.to.*quí*.mi.ca) *sf. Biol. Med.* Ramo histológico que estuda a composição química das células e dos tecidos orgânicos [F.: *hist(o)-* + *química.*]

histoquímico (his.to.*quí*.mi.co) *a. Biol. Med.* Ref. a histoquímica [F.: *hist(o)-* + *químico.*]

história (his.*tó*.ri:a) *sf.* **1** Reunião e estudo dos conhecimentos documentados ou transmitidos pela tradição, a respeito do desenvolvimento da humanidade, de uma arte ou ciência, de um período, povo, região, ou indivíduo específicos (história universal; história da medicina) **2** A disciplina, a ciência e os métodos dessa reunião e desse estudo **3** Narrativa de fatos reais ou fictícios; ESTÓRIA: *A história de Capitu e Bentinho.* **4** Conto, caso, fábula (histórias da carochinha) **5** Exposição de fatos ou particularidades referentes a determinado assunto: *É curiosa a história deste automóvel.* **6** Narração de aventura particular: *A história de um casamento que deu certo.* **7** Narrativa ou argumento que tem a intenção de enganar; PATRANHA: *Contou uma história para faltar ao trabalho.* **8** Anedota, piada: *Conta aí a história do português.* **9** Objeto ou ato que não se quer ou não se sabe nomear ou definir; COISA; TROÇO: *Que história é essa de chegar atrasado todo dia?* **10** Fato aborrecido que se pretende evitar; AMOLAÇÃO; COMPLICAÇÃO **11** Aventura amorosa: *Não queria que soubessem que vivia de história com a prima.* **12** Hesitação, melindre: *Deixe de história e aceite logo o emprego.* [Dim.: *historieta, historíola.*] [F.: Do gr. *historía.* Hom./Par.: *historia* (sf.), *historia* (fl. de *historiar*).] ▪ **Cheio de ~s** **1** Complicado, criador de casos, melindroso **2** Pretensioso, cheio de luxos **Ficar para contar a ~** *Bras.* Escapar, sobreviver (esp. a um acidente, doença etc., quando outros morrem) [Pode expressar uma mescla de compunção e solidariedade com uma pitada de humor negro que tenta amenizar a tristeza.] **~ aos quadradinhos** *Lus.* Ver *História em quadrinhos* **~ da carochinha** **1** História popular ou folclórica, ger. cheia de seres fantásticos, elementos sobrenaturais etc.; conto da carochinha **2** História infantil, com essas características **3** Mentira, invencionice **~ de Trancoso** Ver *História da carochinha* **~ do arco-da-velha** História insólita, fantástica, inverossímil **~ em quadrinhos** Série ordenada de desenhos, com ou sem legendas, apresentados em quadros sucessivos para narrar uma história ou episódio, ou apresentar e ilustrar ideias [Tb. se diz apenas *quadrinhos*. Sin.: *banda desenhada* (do fr. *bande dessinée*) e (*Lus.*) *história aos quadradinhos.*] **~ natural** Estudo descritivo dos seres (animais, vegetais, minerais) tais como se encontram na natureza **~ para boi dormir** *Bras. Pop.* Conversa, discurso etc. sem qualquer finalidade ou resultado; conversa mole **~ para menino dormir sem ceia** *N.E.* Ver *História para boi dormir.*

historiada (his.to.ri:*a*.da) *Bras. sf.* **1** Coisa complicada, confusa, embrulhada **2** História muito comprida [F.: *histori(a)* + *ada.*]

historiado (his.to.ri:*a*.do) *a.* **1** Que se historiou, que se narrou à maneira de história *a.* **2** Cheio de episódios e pormenores **3** Enfeitado com figuras, cheio de ornamentos [F.: Part. de *historiar.*]

historiador (his.to.ri:a.*dor*) [ô] *sm.* **1** Pessoa que é especialista em história (2); HISTORIÓGRAFO **2** Aquele que conta ou narra um acontecimento [F.: *historiar* + *-dor.*]

historiar (his.to.ri.*ar*) *v.* **1** Narrar (um fato) como evento histórico [*td.*: *Historiou a ocupação holandesa em Pernambuco.*] **2** Contar (uma história ou um fato qualquer) [*td.*: *Não conseguiu historiar o acidente.*] [*tdi.* + *a, para*: *Historiou o acontecimento para os amigos.*] **3** *P.us.* Adornar, enfeitar [*td.*: *Historiou o cabo da espada com rubis.*] [▶ 1 historiar] [F.: *história* + *-ar*[2]. Hom./Par.: *historia* (fl.), *história* (s.); *historias* (fl.), *histórias* (pl. do sf.).]

historicidade (his.to.ri.ci.*da*.de) *sf.* Qualidade do que é histórico, do que pertence à história: *a historicidade de um fato.* [F.: *históric(o)* + *-idade.*]

historicismo (his.to.ri.*cis*.mo) *sm.* **1** *Fil.* Doutrina que considera a história como ponto de partida para explicar todos os valores da humanidade **2** Tendência de determinados artistas para buscar elementos ou estilos antigos como fator determinante em suas obras [F.: *históric(o)* + *-ismo.*]

historicista (his.to.ri.*cis*.ta) *a2g.* **1** Relativo a historicismo **2** Que é adepto do historicismo *s2g.* **3** Adepto do historicismo [F.: *históric(o)* + *-ista.*]

historicizar (his.to.ri.ci.*zar*) *v. td.* Colocar (fato, acontecimento) em perspectiva histórica, conferir sentido ou caráter histórico a [▶ 1 historicizar] [F.: *históric(o)* + *-izar.*]

histórico (his.*tó*.ri.co) *a.* **1** Referente à história (1 e 2) (período histórico; museu histórico) **2** Que pertence ou é digno de pertencer à história: *uma personagem histórica; um feito histórico.* **3** *Fig.* Inesquecível, memorável: *Assisti a um jogo histórico.* **4** Que tem como tema um fato ou personagem da história (romance histórico) **5** Que teve existência real; que não é fictício ou lendário *sm.* **6** Descrição cronológica de fatos (histórico escolar) **7** *Cont.* Anotações sintéticas em livro próprio que esclarecem e justificam operações contabilizadas: *histórico de compra e venda.* [F.: Do gr. *historikós.*]

histórico-social (his.tó.ri.co-so.ci.*al*) *a2g.* Que é relativo à história e à sociedade simultaneamente [Pl.: *histórico-sociais.*]

historieta (his.to.ri:*e*.ta) [ê] *sf.* **1** História, narrativa breve **2** Narrativa de fato pouco importante ou insignificante **3** Anedota, piada [F.: Do fr. *historiette*. Sin. ger.: *historíola.*]

historiografia (his.to.ri:o.gra.*fi*.a) *sf.* O trabalho de estudar e descrever a história, realizado pelo historiador (historiografia nacional) [F.: Do gr. *historiographía, as.*]

historiográfico (his.to.ri:o.*grá*.fi.co) *a.* Ref. a historiografia [F.: *historiografia* + *-ico*[2].]

historiógrafo (his.to.ri:*ó*.gra.fo) *sm.* **1** Aquele que tem a incumbência de pesquisar e escrever a história de uma época, de uma nação, de um acontecimento histórico etc.: *O historiógrafo tem compromisso com a verdade.* **2** Historiador (1) [F.: Do gr. *historiográphos, ou.*]

historiológico (his.to.ri:o.*ló*.gi.co) *a.* Ref. à historiologia [F.: *historiologia* + *-ico*[2].]

historismo (his.to.*ris*.mo) *sm. Fil.* Ver *historicismo* [F.: *histori(a)* + *-ismo.*]

histotomia (his.to.to.*mi*.a) *sf. Histl.* Dissecação anatômica de tecidos orgânicos [F.: *hist(o)-* + *-tomia.*]

histotômico (his.to.*tô*.mi.co) *a. Histl.* Ref. a histotomia [F.: *histotomia* + *-ico*[2].]

histrião (his.tri:*ão*) *sm.* **1** *Teat.* Ator de comédia; COMEDIANTE; CÔMICO **2** *Fig.* Indivíduo que provoca riso; PALHAÇO **3** *Pej.* Pessoa ridícula, vil, pelos atos desprezíveis que pratica **4** *Teat.* Jogral que no antigo teatro romano representava as farsas da época [Pl.: *-ões.*] [F.: Do lat. *histrio, onis.*]

histrionice (his.tri:o.*ni*.ce) *a.* Ato, dito, atitude ou modos de histrião [F.: Do lat. *histrion* + *ice.*]

histriônico (his.tri:*ô*.ni.co) *a.* **1** Ref. a ou próprio do histrião **2** Ref. à arte de representar **3** *Psic.* Que apresenta histrionismo [F.: Do lat. *histrionicus, a, um.*]

histrionismo (his.tri:o.*nis*.mo) *sm.* **1** *Psic.* Comportamento de indivíduo histérico, caracterizado pela adoção de modos exagerados, exuberantes, como os de um comediante, visando obter contínua atenção **2** Comicidade; teatralidade [F.: Do lat. *histrionicus, a, um.*]

⊕ ***hit*** (*Ing./rit/*) *sm.* Aquilo que tem grande popularidade, que faz sucesso, que está na moda: *Os filmes musicais foram o hit do cinema nos anos 1950.*

hitchcockiano (hitch.coc.ki.*a*.no) *Cin. a.* **1** Ref. a ou do diretor cinematográfico inglês naturalizado americano Alfred Hitchcock (1899-1980) **2** Influenciado pelo estilo ou pela obra de Alfred Hitchcock

⊕ ***hi-tech*** (*Ing. /rai-tec/*) *Eletrôn.* ***a2g2n.*** Designa aquilo que é desenvolvido, realizado ou projetado com alta tecnologia: *Os brinquedos hi-tech caíram no gosto das crianças.* [F.: Do ing. *hi technology.*]

hitita (hi.*ti*.ta) *s2g.* **1** Pessoa pertencente aos hititas, antigo povo que, por volta de 1.400 a.C., habitou a região atualmente localizada no norte da Síria *sm.* **2** *Gloss.* Língua falada pelos hititas, cujas inscrições constituem os testemunhos mais antigos do indo-europeu *a2g.* **3** Do ou ref. aos hititas ou à sua língua

hitleriano (hi.tle.ri.*a*.no) *a.* **1** Relativo a Adolf Hitler (1889-1945), ditador na Alemanha, nascido na Áustria, à sua doutrina ou a seu partido **2** Partidário da política de Hitler; HITLERISTA

hitlerismo (hi.tle.*ris*.mo) *sm.* **1** *Pol.* Doutrina política e social de Adolf Hitler, ditador alemão de 1933 a 1945 **2** *Pext.* Tendência de apoio a essa doutrina [F.: Do antr. *Hitler* + *-ismo.* Ver tb. *nazismo.*]

hitlerista (hi.tle.*ris*.ta) *a2g.* **1** Ref. a Adolf Hitler ou a sua doutrina **2** Que é adepto do hitlerismo *s2g.* **3** Adepto do hitlerismo [F.: Do antr. *Hitler* + *-ista.* Ver tb. *nazista.*]

⊠ **HIV** *Med.* Sigla formada da expressão inglesa *Human Immunodeficiency Virus*, vírus da imunodeficiência humana, causador da síndrome de imunodeficiência adquirida (AIDS ou, como se usa em Portugal, SIDA). [Ver tb. *AIDS* e *imunologia.*]

⊠ **hl** Símb. de *hectolitro*

⊠ **hm** Símb. de *hectômetro*

⊠ **Hn** *sm. Quím.* Símbolo do hâhnio, elemento transférmico de número 105; DÚBNIO; HASSIO [F.: Do antr. Otto *Hahn*, químico alemão.]

⊠ **Ho** *sm.* **1** *Quím.* Símbolo do hólmio, elemento natural que na tabela periódica tem o número 67 **2** *Pop. Hot.* Placa indicativa de hotel extremamente simples, quase sempre para ocupação rápida

hobbesianismo (hob.be.si:a.*nis*.mo) *Fil. sm.* Teoria política formulada pelo filósofo inglês Thomas Hobbes (1588-1679), que considera o poder de coerção do Estado como decorrente de um pacto entre os cidadãos, com a finalidade de controlar aspirações ilegítimas e manifestações beligerantes [F.: Do antr. Thomas *Hobbes*.]

hobbesiano (hob.be,si.*a*.no) *Fil.* ***a.*** **1** Ref. à doutrina de Thomas Hobbes **2** Que é seguidor dessa doutrina

⊕ ***hobby*** *(Ing. /róbi/)* ***sm.*** Atividade que se faz por prazer, divertimento, livre de qualquer obrigação; PASSATEMPO: *Seu hobby é colecionar chaveiros.*

hodierno (ho.di:*er*.no) ***a.*** Ref. aos dias de hoje; ATUAL; MODERNO [F.: Do lat. *hodiernus, a, um.*]

◎ **hodo-** ***el. comp.*** = 'caminho'; 'via': *hodógrafo, hodômetro* [F.: Do gr. *hodós, ou.*]

hodógrafo (ho.*dó*.gra.fo) ***sm.*** *Fís.* Instrumento que, adaptado a um veículo, registra o perfil ou o traçado de um caminho, de uma estrada de rodagem, de uma via férrea [F.: *hodo-* + *-grafo.*]

hodômetro (ho.*dô*.me.tro) ***sm.*** Instrumento que mede distâncias percorridas [F.: *hodo-* + *-metro*[1].]

hoje (*ho*.je) [ô] ***adv.*** **1** No dia em que se situa quem fala ou escreve; neste dia: *Choveu, e hoje não fiz minha caminhada.* **2** Presentemente, na atualidade: *Hoje perdeu-se o hábito de agradecer e pedir licença.* ***sm.*** **3** A época atual: *os dias de hoje.* [F.: Do lat. *hodie.*] ■ **De ~ a** A partir deste dia (do dia presente), dentro de: *O concurso será de hoje a uma semana.* **~ em dia** Nos tempos atuais, atualmente **Mais ~, mais amanhã** Mais dia, menos dia: *Mais hoje, mais amanhã, teremos de adotar medidas mais enérgicas.*

holandês (ho.lan.*dês*) ***sm.*** **1** Pessoa nascida ou que vive na Holanda, ou Países Baixos (Europa) **2** *Gloss.* Língua falada na Holanda ***a.*** **3** Da Holanda; típico desse país ou de seu povo **4** Do ou ref. ao holandês (2) **5** Diz-se de gado vacum de or. holandesa, conhecido pela capacidade e qualidade de sua produção leiteira [Pl.: *-deses.* Fem.: *-desa.*] [F.: Do top. *Holand(a)* + *-ês.* Sin. ger. (exceto acp. 5): *neerlandês.*]

⊕ ***holding*** *(Ing./rôldin/)* *Com.* ***sf.*** Empresa que detém a maioria das ações de outras empresas e centraliza o controle sobre estas, que são suas subsidiárias [Tal controle é sua única atividade, pois a *holding* não produz bens ou serviços.]

holerite (ho.le.*ri*.te) ***sm.*** *SP* Ver *contracheque* [F.: Do antr. Herman *Hollerith.*]

holismo (ho.*lis*.mo) ***sm.*** *Fil.* Conceito teórico segundo o qual todos os seres interagem formando um todo, sem que se possa entendê-los isoladamente [F.: *hol(o)-* + *-ismo.*]

holista (ho.*lis*.ta) ***a2g.*** **1** Ref. a holismo; HOLÍSTICO **2** Que é adepto do holismo ***s2g.*** **3** Adepto do holismo [F.: *hol(o)-* + *-ista.*]

holístico (ho.*lís*.ti.co) ***a.*** Ref. ao holismo ou próprio dele (enfoque holístico); HOLISTA [F.: *holist(a)* + *-ico*[2].]

⊕ ***hollywoodiano*** (hol.ly.woodi.*a*.no) ***a.*** **1** De, pertencente ou relativo a Hollywood, localidade das imediações de Los Angeles (EUA), célebre pelos estúdios cinematográficos ali instalados **2** Que diz respeito à indústria cinematográfica americana e suas produções, ao comportamento e estilo de seus atores, diretores etc.

holmiense (hol.mi.*en*.se) ***s2g.*** **1** Indivíduo nascido ou que vive em Estocolmo (capital da Suécia) ***a2g.*** **2** De Estocolmo; típico dessa cidade ou de seu povo

◎ **hol(o)-** ***el. comp.*** = 'completo', 'inteiro', 'total'; 'integral'; '(p.ext.) totalidade': *holismo, holista, holocausto* (< gr.), *holoceno, holoedro, holofote* (< gr.), *hologamia, holografia* (< gr.), *holomorfose.* [F.: Do adj.gr. *hólos, e, on.*]

holocausto (ho.lo.*caus*.to) ***sm.*** **1** *Hist.* Massacre de milhões de judeus, ciganos e outras minorias, idealizado e perpetrado pelos nazistas durante a Segunda Guerra Mundial [Nesta acp., com inicial maiúsc. e precedido de art. def. Veja a achega enciclopédica em *genocídio.*] **2** *Rel.* Entre os antigos hebreus, ritual de sacrifício em que as vítimas eram queimadas **3** A vítima assim sacrificada **4** *P.ext.* Sacrifício, expiação **5** *Fig.* Ação de renunciar a alguma coisa em favor de outrem [F.: Do gr. *holókauston* (neutro de *holókaustos, os, on*), 'sacrifício em que a vítima era totalmente queimada', pelo lat. *holocaustum, i,* 'sacrifício'.]

holoceno (ho.lo.*ce*.no) [ê] ***a.*** **1** *Geol.* Diz-se da época geológica mais recente do período quaternário, que se inicia após o período glacial ***sm.*** **2** *Geol.* A época holocena (1) [Nesta acp., com inicial maiúsc.] [F.: *hol(o)-* + *-ceno*[2].]

holoédrico (ho.lo.*é*.dri.co) ***a.*** *Crist.* Ref. ao cristal com todas as faces geometricamente iguais [F.: *holoedro* + *-ico*[2].]

holoedro (ho.lo.*e*.dro) ***sm.*** *Crist.* Cristal que apresenta todas as faces geometricamente iguais; cristal holoédrico [F.: *hol(o)-* + *-edro.*]

holofone (ho.lo.*fo*.ne) ***sm.*** *Telc.* Telefone holográfico que terá a capacidade de exibir uma imagem tridimensional tão real como se a pessoa do outro lado da linha estivesse presente [F.: Do ing. *holophone*; ver *hol (o)-* e *-fone.*]

holofote (ho.lo.*fo*.te) ***sm.*** **1** Aparelho que emite um forte facho de luz, para iluminar objetos à distância **2** *Bras. Joc.* As nádegas [F.: Do gr. *holóphotos, os, on,* 'totalmente iluminado'.]

hologamia (ho.lo.ga.*mi*.a) ***sf.*** *Biol.* Modo de reprodução de determinados organismos inferiores (protozoários, algas) mediante a união de duas células vegetativas que se comportam como células sexuadas [F.: *hol(o)-* + *-gamia.*]

hologâmico (ho.lo.*gâ*.mi.co) ***a.*** *Biol.* Relativo a hologamia [F.: *hologamia* + *-ico*[2].]

holografar (ho.lo.gra.*far*) ***v. td.*** *Ópt.* Fazer um holograma de (objeto) [▶ **1** holografar] [F.: *hológrafo* + *-ar*[2].]

holografia (ho.lo.gra.*fi*.a) ***sf.*** *Ópt.* Processo de fotografia em três dimensões, mediante o uso do *laser,* para obtenção de hologramas [F.: *hol(o)-* + *-grafia.*]

holográfico (ho.lo.*grá*.fi.co) ***a.*** Ref. a holografia [F.: *holografia* + *-ico*[2].]

hológrafo (ho.*ló*.gra.fo) ***a.*** **1** Diz-se de testamento inteiramente escrito pela mão do próprio testador ***sm.*** **2** *Fot.* Aparelho que permite a gravação de imagens ópticas tridimensionais na forma de hologramas [F.: Do gr. *hológraphos, os, on,* 'totalmente escrito pela mão do autor'.]

holograma (ho.lo.*gra*.ma) ***sm.*** *Ópt.* Fotografia tridimensional obtida por holografia [F.: *hol(o)-* + *-grama.*]

hologravura (ho.lo.gra.*vu*.ra) ***sf.*** Gravura tridimensional obtida pela interferência de dois feixes de *laser* [F.: *hol(o)-* + *gravura.* Cf.: *holografia.*]

holomorfose (ho.lo.mor.*fo*.se) ***sf.*** *Biol.* Substituição total de um órgão ou parte do corpo por regeneração dos tecidos [F.: *hol(o)-* + *morfose.*]

holósteo (ho.*lós*.te:o) ***sm.*** *Bot.* Denom. comum às plantas do gên. *Holosteum,* da fam. das cariofiláceas, nativas de regiões temperadas da Europa e Ásia [F.: Do lat.cient. *Holosteum,* do gr. *holósteon, oû.*]

holotúria (ho.lo.*tú*.ri:a) ***sf.*** *Zool.* O mesmo que *pepino-do-mar* [F.: Do lat.cient. *Holothuria,* do lat. *holothuria, iorum.*]

⊕ **holter** *(Ing./roulter)* ***sm.*** *Med.* Pequeno aparelho usado para monitoração do ritmo cardíaco durante as funções normais da pessoa que o porta, por 24 ou 48 horas [F.: Do antr. Norman Jefferies *Holter*, seu criador.]

homão (ho.*mão*) ***sm.*** *Pop.* Homem corpulento e de grande estatura; HOMENZARRÃO: "Um dia voltou... trazendo um viajante de remédio – um homão alemoado, de cabelo rapado rente, e óculo num olho só." (Mário Palmério, *Chapadão do bugre*) [Pl.: *-mões.*] [F.: *hom(em)* + *-ão.*]

hombridade (hom.bri.*da*.de) ***sf.*** **1** Aspecto viril, másculo **2** Integridade de caráter; DIGNIDADE: *Sua hombridade fazia com que todos tivessem por ele grande admiração.* **3** Grandeza de ânimo; RESIGNAÇÃO **4** Desejo, pretensão de igualar-se ao que lhe é superior [F.: Do espn. *hombredad.*]

⊕ ***home banking*** *(Ing./ roum benquin/)* ***loc.subst.*** *Int.* Serviço informatizado dos bancos, que consiste em oferecer aos clientes o acesso e operação de suas contas pela internet

⊕ ***home care*** *(Ing. /roum quér/)* ***loc.subst.*** *Med.* Tratamento hospitalar na casa do paciente, para onde são transferidos aparelhos e apetrechos hospitalares, além de pessoal apto para o atendimento

homem (*ho*.mem) ***sm.*** **1** *Biol.* Mamífero da esp. *Homo sapiens,* de postura vertical, dotado de inteligência e linguagem articulada **2** O ser humano; a humanidade **3** Indivíduo do sexo masculino, em oposição a mulher; VARÃO **4** Adulto do sexo masculino, em oposição a criança; homem-feito: *Seu filho já está um homem.* **5** O que procede maduramente, que tem o pensar, o juízo e qualidades próprios do homem maduro: *Este rapaz já se comporta como um homem.* **6** O que tem qualidades como força, firmeza de ânimo, coragem, vigor sexual; MACHO: *Ele é homem bastante para aguentar tudo isso.* **7** O que possui os requisitos e qualidades necessários para um determinado fim: *É homem para grandes empreendimentos.* **8** Trabalhador, operário: *Os homens chegam cedo à fábrica.* **9** Soldado: *um efetivo de mil homens.* **10** Indivíduo, sujeito: *Você conhece aquele homem?* **11** Designa a profissão ou o hábito e equivale a perito, experimentado (homem do mar/das letras) **12** Esposo ou amante [Pl.: *-mens.* Fem.: *mulher* (*acps. 3, 4, 10 e 12*). Aum.: *homenzarrão e homão* (*acps. 3 e 4*). Dim.: *homenzinho, hominho e homúnculo* (*nas mesmas acps.*).] [F.: Do lat. *homo, inis.* Ideia de 'homem': *andro-* (*andrógino*); *antrop(o)-* (*antropólogo*); *homin(i)-* (*hominídeo*); *-antropo* (*filantropo*).] ■ **Como um só ~** Como uma só pessoa, em total coincidência ou concordância ou coordenação de atos ou pensamentos; como uma só pessoa: *À ordem do comandante, a tropa respondeu e avançou como um só homem.* **De ~ para ~** Sem meias-palavras ou evasivas; sem hesitação em dizer diretamente a verdade (us. com função de adj. ou de adv.): *conversa de homem para homem* (= *'sincera, direta'*); *falar de homem para homem* (= *'francamente'*). **~ da lei** **1** Qualquer indivíduo que tem preparo, habilitação e/ou responsabilidade de atuar oficialmente nas decisões sobre o cumprimento das leis ou na aplicação dessas decisões **2** *Restr.* Designação dada a magistrado, advogado, ou oficial de justiça **~ da rua** Ver *Homem do povo* **~ de ação** Homem enérgico, ativa **~ de bem** Homem de boa índole, honesto, de comportamento correto e honrado **~ de cor** Homem negro ou mulato **~ de Deus** **1** Homem santo, de grande devoção ou piedade religiosa **2** Us. como vocativo, pode expressar impaciência, ironia ou aborrecimento: *Venha logo, homem de Deus!* **~ de espírito** Homem inteligente, espirituoso, culto **~ de Estado** Estadista **~ de letras** Escritor, intelectual, literato **~ de negócios** Homem que trata de grandes negócios, seus ou de outrem, entre empresas ou entre países **~ de palavra** **1** Aquele que cumpre ou procura cumprir aquilo que promete **2** Aquele que costuma falar sempre a verdade **~ de poucas palavras** Homem discreto, lacônico, reservado, que costuma agir mais do que falar **~ de prol** **1** Homem nobre **2** Aquele que se destaca como intelectual, artista etc. **~ de pulso** Homem enérgico, firme **~ de sete instrumentos** Aquele com diversas habilidades profissionais, artísticas, culturais, etc. **~ de sociedade** Aquele que frequenta a alta sociedade **~ do mar** Marinheiro; homem que trabalha a bordo de navio, ou aquele que tem experiência como tripulante em viagens marítimas **~ do mundo** Ver *Homem de sociedade* **~ do povo** Indivíduo comum, que tem comportamento, opiniões e interesses semelhantes aos da maioria da população; indivíduo (existente ou imaginado) tomado como exemplo típico da maioria da população; homem da rua **~ público** Homem que se ocupa ou se envolve em atividades de interesse público (e não em negócios exclusivamente particulares), que tem cargo ou função de importância na política ou em instituições de outro tipo [NOTA: A expressão reflete época em que mulheres raramente tinham projeção social desse tipo: a expressão mulher pública teria sentido pejorativo e se usava, inclusive, como designação de prostituta.] **Os homens** As pessoas em geral; a humanidade; o homem como espécie **Ser um ~ ao mar** Deixar de merecer admiração ou boa fama

homem a homem (ho.mem a *ho*.mem) ***sm.*** **1** *Fut.* Sistema de marcação individual, em que um jogador concentra-se num único adversário, tentando impedir ou prejudicar seu desempenho **2** *Mil.* Combate direto e pessoal, sem uso de disparos a distância [Pl.: *homens a homens.*]

homem-bala (ho.mem-*ba*.la) ***sm.*** Artista circense que nos espetáculos é lançado a distância por um engenho provido de molas, em forma de canhão [Pl.: *homens-bala.*]

homem-chave (ho.mem-*cha*.ve) ***sm.*** Pessoa de importância fundamental para a solução de um problema ou a realização de um empreendimento [Pl.: *homens-chave.*]

homem da rua (ho.mem da *ru*.a) ***sm.*** **1** Pessoa excluída do convívio social, mantida à margem da sociedade; PÁRIA; ZÉ-NINGUÉM **2** *Umb.* Uma das antonomásias de Exu [Pl.: *homens da rua.*]

homem-hora (ho.mem-*ho*.ra) ***sf.*** Medida de trabalho ou produtividade relativa à produção padronizada de um homem durante uma hora [Pl.: *homens-hora.*]

homem-rã (ho.mem-*rã*) ***sm.*** Mergulhador profissional especializado em trabalhos submarinos de exploração, pesquisa, resgate, salvamento etc., ou em missões submarinas de guerra [Pl.: *homens-rãs* e *homens-rã.*]

homem-sanduíche (ho.mem-san.du:*í*.che) ***sm.*** *Publ.* Pessoa que caminha pelas ruas com dois painéis publicitários, um no peito e outro nas costas [Pl.: *homens-sanduíche.*]

homenageado (ho.me.na.ge:*a*.do) ***a.*** **1** Que é objeto de homenagem ***sm.*** **2** Aquele que é objeto de homenagem [F.: Part. de *homenagear.*]

homenageante (ho.me.na.ge.*an*.te) ***a2g.*** **1** Diz-se do que ou de quem homenageia, presta uma homenagem ***s2g.*** **2** O que presta homenagem; HOMENAGEADOR [F.: Do prov. *homenatge.*]

homenagear (ho.me.na.ge.*ar*) ***v. td.*** Prestar homenagem a: *O povo homenageou os heróis.* [▶ **13** homenag**ear**] [F.: *homenagem* + *-ear*[2], com desnasalação.]

homenagem (ho.me.*na*.gem) ***sf.*** **1** Ato ou demonstração de respeito, apreço ou admiração por alguém; PREITO; TRIBUTO: *homenagem aos atletas olímpicos.* **2** Demonstração de deferência ou de cortesia **3** *Hist.* Juramento de subordinação e fidelidade que os vassalos faziam aos senhores feudais [Pl.: *-gens.*] [F.: Do provç. *homenatge,* do lat. *hominaticu.*]

homenzarrão (ho.men.zar.*rão*) ***sm.*** Homem corpulento e de grande estatura: "Aquele homenzarrão hercúleo, de músculos de touro, era capaz de todas as meiguices de carinho" (Aluísio Azevedo, *O cortiço*) [Pl.: *-rões.*] [F.: Aum. irregular de *homem.*]

homenzinho (ho.men.*zi*.nho) ***sm.*** **1** Homem fraco ou de estatura baixa; HOMINHO; HOMÚNCULO: "Um homenzinho gordo, de barba por fazer e pequeno bigode castanho" (Aluísio Azevedo, *O cortiço*) **2** Diz-se de menino que vai entrando na adolescência, ou que já tem modos de homem **3** Homem insignificante; JOÃO-NINGUÉM; POBRE-DIABO [F.: Dim. de *homem.*]

◎ **homeo-** ***el. comp.*** = da mesma natureza, semelhante: *homeopatia.* [F.: Do gr. *homoios, a, on.*]

homeoméria (ho.me.o.*mé*.ri:a) ***sf.*** **1** *Fil.* Homogeneidade dos elementos; partes similares a cujo concurso alguns atribuem a formação do mundo; HOMEOMERIA; HOMOMERIA **2** Segundo o filósofo grego Anaxadoras (499-428 a.C.), qualquer porção do mundo material que, embora contenha todas as múltiplas qualidades existentes no universo, pode ser definida como a preponderante ou hegemônica: "...mastigando homeomérias neutras de éter/ nutrir-me da matéria imponderável." (Augusto dos Anjos, *Eu*) [F.: *homeo-* + *-meria.*]

homeopata (ho.me:o.*pa*.ta) ***a2g.*** **1** Diz-se do médico que exerce a homeopatia ***s2g.*** **2** Médico homeopata [F.: *homeo-* + *-pata.*]

homeopatia (ho.me:o.pa.*ti*.a) ***sf.*** **1** *Med.* Sistema de medicina clínico-terapêutica que consiste em tratar as doenças por doses infinitésimas de drogas capazes de produzir efeitos semelhantes aos sintomas das doenças que se pretendem combater [Cf.: *alopatia* e *isopatia.*] **2** *PE Pop.* Aguardente, cachaça [F.: Do al. *Homöopathie*, pelo fr. *homeopathie.*]

> 📖 Essa doutrina de tratamento de doenças, criada por um médico alemão, Samuel Hahnemann, baseia-se no princípio por ele desenvolvido que as mesmas substâncias que causam as doenças podem curá-las, quando aplicadas em doses muito pequenas. Opõe-se, assim, à alopatia, sistema que preconiza o uso de substâncias de efeito contrário ao das que provocam as doenças. A homeopatia, assim, apoia-se em dois fundamentos: a) o do uso de substância de efeito semelhante ao das que causam as doenças (de onde o nome homeopatia); b) na dosagem muito pequena dessas substâncias. Atualmente já se dispõe de uma longa lista de doenças e das substâncias homeopáticas que se lhes correspondem. No Brasil, a homeopatia foi introduzida em 1841.

homeopático (ho.me:o.*pá*.ti.co) ***a.*** **1** Ref. a ou próprio de homeopatia [Ant.: *alopático.*] **2** *Fig.* Que aparece ou se manifesta gradualmente: *Nossos lucros neste investimento são homeopáticos.* **3** *Fig.* De dimensões ou quantidades ínfimas; MÍNIMO: *Tomou a bebida em doses homeopáticas.* [F.: *homeopat(ia)* + *-ico* 2.]

homeostase (ho.me:os.*ta*.se) *sf. Fisl.* Estado de equilíbrio das várias funções e composições químicas do organismo, como, p.ex., a pressão arterial, o pulso, a temperatura, a taxa de açúcar no sangue etc. [F.: *homeo-* + *-stase*. Tb. *homeóstase, homeostasia.*]

homeóstase (ho.me.*ós*.ta.se) *sf. Biol.* Ver *homeostase*

homeostasia (ho.me.os.ta.*si*.a) Ver *homeóstase* [F.: *homeo* + *-stasia.*]

homeostático[1] (ho.me.os.*tá*.ti.co) *a. Biol.* Pertencente ou relativo a homeóstase ou homeostasia [F.: *home(o)* + *estático.*]

homeostático[2] (ho.me.os.*tá*.ti.co) *a.* Relativo a homeostato [F.: *homeostato* + *-ico*[2].]

homeotermo (ho.me:o.*ter*.mo) [é.] *a.* **1** Que se mantém em temperatura constante **2** *Zool.* Diz-se dos animais cuja temperatura interna é constante *sm.* **3** O que se mantém em temperatura constante **4** *Zool.* Animal homeotermo (2) [F.: *homeo-* + *-termo.*]

⊕ ***homepage*** (*Ing. /rômpeidj/*) *sf. Inf.* Página de apresentação de um *site* em uma rede de computadores (internet, intranet), com remissões a outras páginas; página inicial

homérico (ho.*mé*.ri.co) *a.* **1** Referente ao poeta grego Homero ou a sua obra e seu estilo (poemas homéricos) **2** *Fig.* Que é excessivo, extraordinário, grandioso (discussão/gargalhada homérica) [F.: Do gr. *homerikós.*]

⊕ ***home run*** (*roum ran*) *loc.subst. Esp.* Expressão do beisebol que significa a rebatida que possibilita ao rebatedor marcar um *run* (ponto equivalente a gol), completando assim o circuito ininterrupto de quatro bases [F.: Do ing. *home run.*]

homessa (ho.*mes*.sa) *interj. P.us.* Expressa admiração, surpresa, irritação; equivale a *ora essa!* ou a *e essa agora!*: "Que diabo tem você com as cabeçadas de seu mano José?... Homessa!" (Aluísio Azevedo, *O mulato*) [F.: *homem* + *essa.*]

⊕ ***home-theater*** (*Ing. /rom-tiatar/*) *sm.* **1** Sistema composto de tela de projeção ou televisor de alta resolução, reprodutor de CD e/ou DVD, aparelho de som etc., que busca criar em ambiente doméstico uma sala de cinema **2** O ambiente assim criado

homicida (ho.mi.*ci*.da) *a2g.* **1** Que pratica homicídio **2** Que pode levar ao homicídio ou causá-lo (compulsão homicida; guerra homicida) *s2g.* **3** Aquele que pratica homicídio [F.: Do lat. *homicida.*]

homicídio (ho.mi.*cí*.di:o) *sm.* Ação que consiste em tirar a vida de outrem; ASSASSINATO [F.: Do lat. *homicidium.*] ■ **~ culposo** *Jur.* O que não teve intenção criminosa, sendo antes fruto de ação negligente, imprudente, desastrada **~ doloso** *Jur.* O que é intencional no planejamento e/ou na execução **~ qualificado** *Jur.* Aquele no qual ocorrem circunstâncias agravantes, como premeditação, crueldade etc.

homilética (ho.mi.*lé*.ti.ca) *sf.* Arte de pregar sermões religiosos, eloquência religiosa [F.: Fem. substv. de *homilético*, do gr. *homiletikos,e,on.*]

homilético (ho.mi.*lé*.ti.co) *a.* Referente a homilética [F.: Do gr. *homiletikos,e,on.*]

homilia (ho.mi.*li*.a) *sf.* **1** *Rel.* Sermão simples, em estilo coloquial, sobre passagens do Evangelho **2** *Fig. Pej.* Discurso que afeta moral exagerada [F.: Do gr. *homilía*. Hom./Par.: *homilia* (sf.), *homilia* (fl. de *homiliar*).]

hominal (ho.mi.*nal*) *a2g.* Que diz respeito ao homem ou lhe é próprio [Pl.: *-nais.*] [F.: *homin(i)* + *al.*]

◎ **homin(i)-** *el. comp.* = homem: *hominídeo.* [F.: Do lat. *homo, inis.*]

hominídeo (ho.mi.*ní*.de:o) *sm.* **1** *Zool.* Espécime dos hominídeos, fam. de primatas que compreende o homem e seus ancestrais *a.* **2** Ref. a essa fam. de primatas [F.: Do lat.cient. *Hominidae* criado por Gray em 1825.]

hominização (ho.mi.ni.za.*ção*) *sf.* Processo evolutivo pelo qual a espécie humana se constituiu, adquirindo as características físicas, fisiológicas e psíquicas que a distinguem das espécies ancestrais; HOMINAÇÃO [Pl.: *-ções.*] [F.: *hominizar* + *ção.*]

homiziado (ho.mi.zi:*a*.do) *a.* **1** Que anda fugido à ação da justiça **2** *P.ext.* Que está escondido, oculto *sm.* **3** Indivíduo homiziado (1 e 2) [F.: Part. de *homiziar.*]

homiziar (ho.mi.zi.*ar*) *v.* **1** Esquivar(se) à vigilância ou à ação da justiça; ESCONDER; OCULTAR [*td.*: *homiziar um criminoso.*] **2** Esconder(-se), encobrir(-se) [*td.*: *Homiziou a fortuna no porão; Homiziou-se disfarçado de padre.*] **3** *Ant.* Intrigar, indispor [*tdr.* + *com*: *Tentaram homiziar o homem com os chefes do bando.*] [▶ **1** homiziar] [F.: *homizio* + *-ar*[2]. Hom./Par.: *homizio* (fl.), *homizio* (sm.).]

homizio (ho.mi.*zi*:o) *sm.* **1** Ação ou resultado de homiziar(-se) **2** *Fig.* Esconderijo, valhacouto **3** Crime ou malefício que, segundo as leis antigas, era punido com a morte, desterro etc. **4** *Antq.* Homicídio [F.: Do lat. *homicidium*. Hom./Par.: *homizio* (sm.), *homizio* (fl. de *homiziar*).]

◎ **hom(o)-** *el. comp.* = 'igual'; 'semelhante': *homocromia, homofilia, homofonia, homófono/ homofono* (< gr.), *homogenia, homografia, homólise, homossexual, homotetia, homozigoto.* [F.: Do gr. *homós, é, ón.*]

homo (ho.mo) *a2g. s2g. Pop.* F. red. de *homossexual*

homoafetividade (ho.mo:a.fe.ti.vi.*da*.de) *sf.* Afetividade entre pessoas do mesmo sexo, não necessariamente de caráter sexual [F.: *homo-* + *afetividade.*]

homoafetivo (ho.mo:a.fe.*ti*.vo) *a.* **1** Ref. a homoafetividade *sm.* **2** Aquele que tem relação de afetividade com alguém do mesmo sexo [F.: *homo-* + *afetivo.*]

homocromia (ho.mo.cro.*mi*.a) *sf. Biol.* Faculdade que têm certos animais e vegetais de adquirir a cor e a tonalidade do meio em que vivem; MIMETISMO [F.: *hom(o)-* + *-cromia.*]

homocrômico (ho.mo.*crô*.mi.co) *a. Biol.* Ref. à homocromia, ou próprio dela [F.: *homocromia* + *-ico*[2].]

homodinamia (ho.mo.di.na.*mi*.a) *sf. Biol.* Propriedade dos seres vivos de apresentar igualdade de tipo fisiológico [F.: *hom(o)-* + *-dinamia.*]

homodinâmico (ho.mo.di.*nâ*.mi.co) *Biol. a.* **1** Ref. à homodinamia, ou próprio dela **2** Em que há homodinamia [F.: *homodinamia* + *-ico*[2].]

homoerótico (ho.mo.e.*ró*.ti.co) *a.* **1** Referente ao homoerotismo ou que lhe é próprio **2** Que revela atitudes homoeróticas em seus relacionamentos *sm.* **3** Aquele que revela inclinação homoerótica [F.: *homo* + *erótico.*]

homoerotismo (ho.mo.e.ro.*tis*.mo) *sm.* **1** *Psi.* Relação erótica (não necessariamente sexual e genital) entre pessoas do mesmo sexo **2** *Psic.* Satisfação encontrada por meio de relacionamento com pessoa do mesmo sexo; HOMOSSEXUALIDADE **3** Tendência a orientar a libido para indivíduos do mesmo sexo, ou para obter deles satisfação erótica [F.: *homo* + *erotismo.*]

homofilia[1] (ho.mo.fi.*li*.a) *sf.* Atração afetiva e/ou física entre pessoas do mesmo sexo [F.: *homo* + *-filia*[1].]

homofilia[2] (ho.mo.fi.*li*.a) *sf. Biol.* Semelhança devido a um ancestral comum [F.: Do gr. *homophylía, as.*]

homofilia[3] (ho.mo.fi.*li*.a) *sf. Bot.* Ocorrência de folhas iguais em diversas regiões de uma planta [P. opos. a *heterofilia*[1]. Cf.: *isofilia.*] [F.: *hom(o)-* + *-filia*[2].]

homofilia[4] (ho.mo.fi.*li*.a) *sf. Imun.* Propriedade de certos anticorpos que reagem a só um antígeno [F.: *hom(o)-* + *-filia*[1].]

homofílico[1] (ho.mo.*fí*.li.co) *a. Biol.* Que apresenta homofilia[2], que manifesta semelhança (com outro ser biológico) por terem ancestrais comuns [F.: *homofilia* + *-ico*[2].]

homofílico[2] (ho.mo.*fí*.li.co) *a. Bot.* Que apresenta homofilia[3]; que tem (vegetal) folhas iguais em tamanho e forma em todas as suas regiões [Ant.: *heterófilo* Cf.: *isófilo.*] [F.: *homofilia* + *-ico*[2].]

homofilo (ho.mo.*fi*.lo) *a. Bot.* Ref. à ou que tem homofilia[3]; HOMOFÍLICO [Opõe-se a *heterofilo.*] [F.: *hom(o)-* + *-filo*[2]. Ant.: *heterofilo.*]

homófilo (ho.*mó*.fi.lo) *a. Imun.* Que diz respeito a homofilia[4], ou que a apresenta; HOMOFÍLICO [F.: *hom(o)-* + *-filo*[1].]

homofobia (ho.mo.fo.*bi*.a) *sf. Psic.* Aversão ao homossexual ou ao homossexualismo [F.: *homo* + *-fobia.*]

homofóbico (ho.mo.*fó*.bi.co) *Psic. a.* **1** Ref. a homofobia **2** Diz-se de indivíduo ou grupo que tem homofobia; HOMÓFOBO *sm.* **3** Esse indivíduo; HOMÓFOBO [F.: *homofobia* + *-ico*[2].]

homófobo (ho.*mó*.fo.bo) *a. sm. Psic.* O mesmo que *homofóbico* (2 e 3) [F.: *homo* + *-fobo.*]

homofonia (ho.mo.fo.*ni*.a) *sf.* **1** *Gram.* Característica das palavras homófonas [Ant.: *heterofonia.*] **2** *Mús.* Execução instrumental ou vocal em uníssono [F.: *hom(o)-* + *-fonia.*]

homofônico (ho.mo.*fô*.ni.co) *a.* **1** *Gram.* Diz-se de cada um de dois ou mais vocábulos idênticos na pronúncia, mas diferentes na grafia e no sentido; HOMÓFONO [Ant.: *heterofônico.* Cf.: *homônimo.*] **2** *Mús.* Em que há homofonia; em que há similaridade rítmica em várias vozes [O termo tb. se referia ao canto em uníssono, para o qual hoje é preferível us. *monofônico.*] [F.: *homofonia* + *-ico*[2].]

homófono (ho.*mó*.fo.no) *a.* **1** *Gram.* Diz-se de palavra que tem a mesma pronúncia de outra, mas sentido e grafia diferentes (p.ex.: *senso* e *censo*); HOMOFÔNICO *sm.* **2** *Gram.* Palavra homófona [F.: Do gr. *homóphonos, os, on.* A melhor prosódia é a paroxítona, *homofono*, mas o uso consagrou a f. *homófono*. Ant. ger.: *heterófono*. Cf. *homógrafo* e *homônimo.*]

homogeneidade (ho.mo.ge.nei.*da*.de) *sf.* **1** Qualidade, propriedade ou característica do que é homogêneo; HOMOGENIA [Ant.: *heterogeneidade.*] **2** *Cosm.* Suposição de que o Universo é homogêneo, e que todos os pontos do espaço são equivalentes [F.: *homogên(eo)* + *-eidade.*]

homogeneização (ho.mo.ge.ne:i.za.*ção*) *sf.* **1** Ação ou resultado de homogeneizar ou homogenizar [Ant.: *heterogeneização.*] **2** Processo de industrialização do leite para impedir a decantação de seus elementos [Pl.: *ções.*] [F.: *homogeneizar* + *-ção*. Tb. *homogenização.*]

homogeneizado (ho.mo.ge.ne:i.*za*.do) *a.* Que passou por homogeneização (leite homogeneizado) [F.: Part. de *homogeneizar.* Ant.: *heterogeneizado.*]

homogeneizador (ho.mo.ge.ne:i.za.*dor*) [ô] *a.* **1** Diz-se de instrumento ou máquina us. para homogeneizar substâncias (tanque homogeneizador) **2** Que é capaz de igualar diferentes opiniões, ideias etc.: *A globalização tem um poderoso efeito homogeneizador.* *sm.* **3** Instrumento ou máquina us. para homogeneizar líquidos ou sólidos (homogeneizador de sangue/de lixo) [F.: *homogeneizar* + *-dor.*]

homogeneizante (ho.mo.ge.ne:i.*zan*.te) *a2g.* **1** Que é capaz de homogeneizar(-se) **2** Que torna(-se) uniforme, semelhante (visão homogeneizante) [F.: *homogeneizar* + *-nte.*]

homogeneizar (ho.mo.ge.nei.*zar*) *v.* **1** Tornar ou ficar homogêneo [*td.*: *O diretor redistribuiu as turmas para homogeneizá-las.*] [*int.*: *A equipe homogeneizou-se com o tempo.*] **2** Misturar substâncias diferentes formando um composto estável [*td.*: *Homogeneizar os ingredientes da receita.*] [*int.*: *Os compostos químicos homogeneizaram-se*] **3** Transformar (substâncias) em partículas pequenas e uniformes para colocá-las ger. em um líquido [▶ **1** homogeneizar] [F.: *homogêne(o)* + *-izar*. Tb. *homogenizar.*]

homogêneo (ho.mo.*gê*.ne:o) *a.* **1** Que é da mesma natureza que outro (líquido homogêneo) **2** Idêntico, igual, análogo: "...uma mancha negra, de um negro profundo e homogêneo de carvão vegetal" (Lima Barreto, *Clara dos Anjos*) **3** Que apresenta uniformidade entre seus elementos (produção homogênea; partido homogêneo) **4** *Fig.* Que possui coerência (texto homogêneo) **5** Diz-se de terreno sem subidas, descidas ou solo irregular **6** *Mat.* Diz-se de sistema em que todos os termos constantes são iguais a zero **7** *Fís-quím.* Diz-se de meio, material ou matéria que tem as mesmas propriedades em qualquer parte de sua extensão **8** *Fís-quím.* Diz-se de sistema que apresenta somente uma fase, e que pode conter uma substância pura ou vários componentes [Do gr. *homogenes, es, és.* Ant. nas acps. 1 a 3, 7 e 8: *heterogêneo.*]

homogenia (ho.mo.ge.*ni*.a) *sf.* **1** Qualidade de homogêneo (homogenia da mistura); HOMOGENEIDADE: "O seu trabalho é a homogenia da sua afetividade e da consciência coletiva." (Euclides da Cunha, *Contrastes e confrontos*) **2** *Biol.* Semelhança entre seres, devida à sua origem a partir de uma mesma espécie [F.: Do gr. *homogéneia, as.* Ant. ger.: *heterogenia.*]

homogenização (ho.mo.ge.ni.za.*ção*) *sf.* Ver *homogeneização*

homogenizar (ho.mo.ge.ni.*zar*) *v.* Ver *homogeneizar*

homografia (ho.mo.gra.*fi*.a) *sf.* **1** *Gram.* Característica das palavras homógrafas [Cf.: *homofonia.*] **2** *Geom.* Dependência mútua de duas figuras homográficas [F.: *hom(o)-* + *-grafia.*]

homográfico (ho.mo.*grá*.fi.co) *a.* Ref. a homografia [F.: *homografia* + *-ico*[2].]

homógrafo (ho.*mó*.gra.fo) *a.* **1** *Gram.* Diz-se de palavra que tem a mesma grafia de outra, mas significado diferente [(p.ex.: *manga* (fruto) e *manga* (parte da roupa)] *sm.* **2** *Gram.* Palavra homógrafa [F.: *hom(o)-* + *-grafo*. Ant. ger.: *heterógrafo*. Cf.: *homófono.*] ■ **~ imperfeito** *Ling.* Palavra que tem a mesma grafia que outra, porém com acentuação gráfica diferente; homógrafo não homófono [Ex.: *sabia* (do v. *saber*) e *sabiá* (subst.).]

homólise (ho.*mó*.li.se) *sf. Quím.* Ruptura simétrica de uma ligação covalente, que forma dois radicais livres [F.: *hom(o)-* + *-lise.*]

homologação (ho.mo.lo.ga.*ção*) *sf.* **1** Ação ou resultado de homologar **2** *Jur.* Aprovação de determinados atos particulares efetivada por juiz ou tribunal para que se produzam os efeitos jurídicos pertinentes, conforme solicitado na ação preliminarmente impetrada **3** *Jur.* Confirmação de sentença estrangeira, exarada pelo Supremo Tribunal Federal, determinando sua aplicação em território nacional, respeitados os preceitos jurídicos internos [Pl.: *-ções.*] [F.: *homologar* + *-ção.*]

homologado (ho.mo.lo.*ga*.do) *a.* Que se homologou (acordo homologado) [F.: Part. de *homologar.*]

homologar (ho.mo.lo.*gar*) *v. td.* **1** *Jur.* Decretar sentença de homologação, executada por autoridade legal ou administrativa **2** *Jur.* Confirmar legalmente (sentença estrangeira) em território nacional **3** *P.ext.* Reconhecer (alguma coisa) por vias oficiais: *homologar uma decisão.* **4** *P.ext.* Reconhecer (alguma coisa) como genuína, legítima, legal: *Homologou a decisão do reitor.* [▶ **14** homolo**gar**] [F.: Do gr. *homologéo*, 'reconhecer'; 'concordar'; 'prometer'. Hom./Par.: *homologo* (fl.), *homólogo* (a.). Hom./Par.: *homologáveis* (fl.), *homologáveis* (pl. de *homologável* [a2g.]).]

homologatório (ho.mo.lo.ga.*tó*.ri:o) *a.* Que tem poder ou força reconhecidos para homologar (sentença homologatória) [F.: *homologar* + *-tório.*]

homologável (ho.mo.lo.*gá*.vel) *a2g.* Suscetível de homologação; que pode ser homologado [Pl.: *-veis.*] [F.: *homologar* + *-vel*. Hom./Par.: *homologáveis* (pl.), *homologáveis* (fl. de *homologar*).]

homologia (ho.mo.lo.*gi*.a) *sf.* **1** *Biol.* Semelhança de estruturas e origem entre órgãos ou partes de diferentes organismos **2** *Gen.* Qualidade ou condição de homólogo **3** *Ret.* Vício de elocução que consiste na repetição dos mesmos conceitos, palavras, figuras etc. [F.: Do gr. *homología, as.*]

homológico (ho.mo.*ló*.gi.co) *a. Biol. Gen. Ret.* Ref. à ou próprio da homologia [F.: *homologia* + *-ico*[2].]

homólogo (ho.*mó*.lo.go) *a.* **1** *Geom.* Diz-se das partes correspondentes de duas figuras semelhantes (ângulos/lados homólogos) **2** *Biol.* Diz-se dos órgãos que, em indivíduos diferentes, apresentam as mesmas relações com os outros órgãos, ainda que com formato e funções diferentes (p.ex. as asas das aves e as nadadeiras dos peixes.) **3** *Quím.* Diz-se dos compostos orgânicos que têm funções idênticas e estruturas semelhantes **4** *Gen.* Diz-se dos cromossomos que têm a mesma estrutura genética **5** *Fig.* Diz-se do que é correspondente ou equivalente a outro, não sendo necessariamente igual *sm.* **6** *Fig.* Aquele que tem as mesmas funções, o mesmo poder, a mesma autoridade em situações, regiões ou regimes diferentes: *Chefe da diplomacia portuguesa recebe homólogo espanhol.* [F.: Do gr. *homólogos, os, on.* Hom./Par.: *homólogo* (a.sm.), *homologo* (fl. de *homologar*).]

homomorfo (ho.mo.*mor*.fo) *a.* **1** Que tem a mesma forma que outro **2** *Biol.* Que apresenta estreita similaridade com outro indivíduo de linhagem evolutiva independente **3** *Crist.* Diz-se de cristal que tem forma semelhante à de outro, mas que apresenta diferenças do ponto de vista da composição química 4 *Med.* Diz-se de tecido ou humor mórbido constituído por elementos anatômicos semelhantes aos que se encontram nos tecidos ou humores normais 5 *Eng.ind.* Na ergonomia, modelo de forma proporcional a de outro [F.: *hom(o)-* + *-morfo.* Ant. nas acps. 1 e 2: *heteromorfo.*]

homonímia (ho.mo.*ní*.mi:a) *Gram. Ling. sf.* 1 Qualidade, propriedade ou condição de homônimo 2 Conjunto ou lista de homônimos 3 Relação entre vocábulos (ou flexões destes) que, com significados (e origens) diferentes, apresentam a mesma forma gráfica e/ou fônica [F.: Do gr. *homonymía, as.* Cf.: *paronímia.*]

homonímico (ho.mo.*ní*.mi.co) *a. Gram.* Ref. a, ou em que se dá a homonímia [F.: *homonímia* + *-ico*².]

homônimo (ho.*mô*.ni.mo) *a.* 1 Que tem o mesmo nome: *O filme Dom Casmurro é baseado no livro homônimo de Machado de Assis.* 2 *Gram. Ling.* Diz-se de palavra que se escreve e se pronuncia ou só se pronuncia da mesma maneira que outra, mas cujo significado é diferente (p.ex., *são*, 'sadio', e *são*, 'verbo ser'; *cela* e *sela*) [Col.: *homonímia.*] *sm.* 3 Aquele que tem o mesmo nome 4 *Gram. Ling.* Palavra homônima (2) [Col.: *homonímia.*] [F.: Do gr. *homónymos, os, on.* Cf.: *parônimo.*] :: **~ heterófono** *Gram.* Palavra que tem a mesma grafia de outra(s) mas pronúncia e significado diferentes [Ex.: *colher* (é) e *colher* (ê).] **~ homófono** *Gram.* Palavra que tem a mesma pronúncia de outra(s), mas grafia e significado diferentes; homônimo imperfeito [Ex.: *seção, sessão* e *cessão.*] **~ homógrafo** *Gram.* Palavra que tem a mesma grafia e a mesma pronúncia de outra(s) e significado diferente; homônimo perfeito [Ex.: *manga* (fruta) e *manga* (parte de vestuário).] **~ imperfeito** *Gram.* Ver *Homônimo homófono* **~ perfeito** *Gram.* Ver *Homônimo homógrafo*

homoplasia (ho.mo.pla.*si*.a) *sf. Biol.* Característica similar (de partes ou de órgãos) compartilhada por duas ou mais espécies não derivadas de um ancestral comum [F.: *hom(o)-* + *-plasia.*]

homoplástico (ho.mo.*plás*.ti.co) *a. Biol.* Ref. a homoplasia [F.: *homoplasia* (sob a f. *homoplast-*) + *-ico*², seg. o mod. erudito.]

homopolímero (ho.mo.po.*lí*.me.ro) *sm. Quím.* Polímero constituído por apenas um tipo de monômero [F.: *hom(o)-* + *polímero.*]

homóptero (ho.*móp*.te.ro) *sm.* 1 *Ent.* Espécime dos homópteros, ordem de insetos com asas membranosas que sugam a seiva das plantas para alimentar-se; são as cigarras, cochonilhas etc. *a.* 2 Ref. ou pertencente aos homópteros [F.: Adaptç. do lat. cient. *Homoptera.*]

⊕ ***homo sapiens*** (*Lat.* /*homo sapiens*/) *loc.subst. Antr.* Espécie do gênero de primatas simiiformes, hominídeos, à qual pertence o homem [F.: Do lat. *homo.*]

homose (ho.*mo*.se) *sf.* 1 *Ret.* Figura empregada para assemelhar ou comparar um objeto com outro 2 *Fisl.* Cocção e assimilação de suco nutritivo [F.: *hom(o)-* + *-ose*¹.]

homosfera (ho.mos.*fe*.ra) *sf. Geof.* Na divisão pelo critério das condições químicas, camada da atmosfera de composição constante e regular na qual predominam o nitrogênio e o oxigênio, e que está situada a uma altitude inferior a 100 km [F.: *hom(o)-* + *-sfera.*]

homossexual (ho.mos.se.xu:*al*) [cs] *a2g.* 1 Ref. a homossexualidade (relação homossexual) 2 Que sente atração por e/ou tem relações sexuais com pessoas do mesmo sexo [Pl.: *-ais.*] *s2g.* 3 Pessoa homossexual (2) [Pl.: *-ais.*] [F.: *hom(o)-* + *sexual.* Ant. ger.: *heterossexual.*]

homossexualidade (ho.mos.se.xu:a.li.*da*.de) [cs] *sf.* Condição de homossexual; HOMOSSEXUALISMO [Ant.: *heterossexualidade.*] [F.: *homossexual* + *-(i)dade.*]

homossexualismo (ho.mos.se.xu:a.*lis*.mo) [cs] *sm.* 1 Tendência à ou prática da relação homossexual 2 Homossexualidade [F.: *homossexual* + *-ismo.* Ant. ger.: *heterossexualismo.*]

homotermia (ho.mo.ter.*mi*.a) *sf.* 1 *Biol.* Capacidade de um corpo de conservar sua temperatura interna constante 2 Estado de temperatura constante apresentado em uma massa de água [F.: *hom(o)-* + *-termia.*]

homotérmico (ho.mo.*tér*.mi.co) *a. Biol.* Ref. a homotermia [F.: *homotermia* + *-ico*².]

homotetia (ho.mo.te.*ti*.a) *sf. Geom.* Relação que existe entre dois conjuntos de pontos, ligados a uma linha reta com um centro comum e separados por distâncias de relação constante, ger. us. na construção de figuras semelhantes [F.: *hom(o)-* + gr. *thetós, é, ón,* 'posto', + *-ia*¹.]

homotético (ho.mo.*té*.ti.co) *a.* 1 Ref. a homotetia 2 *Geom.* Diz-se de ponto que apresenta homotetia [F.: *homotetia* + *-ico*².]

homotipia (ho.mo.ti.*pi*.a) *sf.* 1 *Anat.* Analogia de certos órgãos em um mesmo indivíduo 2 *Biol.* Tipo de mimetismo em que certos seres imitam a forma ou a disposição do ambiente em que vivem, como o bicho-pau, que se assemelha a gravetos ou pequenos ramos secos [F.: *homótipo* + *-ia*¹.]

homótipo (ho.*mó*.ti.po) *a. Anat.* Diz-se de órgão ou elemento de um mesmo indivíduo que é análogo a outro, como os dedos do pé em relação aos da mão [F.: *hom(o)-* + *-tipo.*]

homotransplante (ho.mo.trans.*plan*.te) *sm. Med. Cir.* Procedimento cirúrgico em que o doador transfere tecido ou órgão para um receptor da mesma espécie, embora geneticamente diferente [F.: *hom(o)-* + *transplante.*]

homozigótico (ho.mo.zi.*gó*.ti.co) *a. Gen.* Ref. a homozigoto [F.: *homozigoto* + *-ico*².]

homozigoto (ho.mo.zi.*go*.to) [ô] *Gen. Biol. a.* 1 Diz-se de indivíduo que herda dos dois progenitores genes iguais para a mesma característica (p.ex., na cor dos olhos, recebe de ambos os genes da cor azul) *sm.* 2 Esse indivíduo [F.: *hom(o)-* + *zigoto.* Ant. ger.: *heterozigoto.*]

homúnculo (ho.*mún*.cu.lo) *sm.* 1 Homem de estatura muito pequena 2 *Pej.* Homem sem importância, abjeto, vil, ridículo 3 *Alq.* Diminuto ser artificial idealizado pelos alquimistas 4 *Ant. Biol.* Ser humano microscópico que se supunha existir no espermatozoide [F.: Do lat. *homunculus.*]

hondurenho (hon.du.*re*.nho) *sm.* 1 Pessoa nascida ou que vive em Honduras (América Central) *a.* 2 De Honduras; típico desse país ou de seu povo [F.: Do espn. *hondureño.*]

honestidade (ho.nes.ti.*da*.de) *sf.* 1 Qualidade do que é honesto [Ant.: *desonestidade.*] 2 Honradez, dignidade, probidade 3 Decência, pureza, castidade [F.: *honest(o)* + *-idade.*]

honesto (ho.*nes*.to) *a.* 1 Que procede de acordo com as normas (legais, morais etc.) aceitas na sociedade (homem honesto) [Ant.: *desonesto.*] 2 Que tem ou demonstra honradez, nobreza de caráter (atitude honesta); DIGNO; PROBO 3 Que satisfaz, que é adequado, correto: *Aquele restaurante serve uma refeição honesta.* 4 Casto, pudico (moça honesta) [F.: Do lat. *honestus.* Hom./Par.: *honesto* (a.), *honesto* (fl. de *honestar*).]

honorabilidade (ho.no.ra.bi.li.*da*.de) *sf.* 1 Caráter de honrado; BENEMERÊNCIA; HONRA; MERECIMENTO: *a honorabilidade de uma instituição.* 2 Qualidade do que é digno de receber honrarias; RESPEITABILIDADE: "...renunciou à honorabilidade burguesa para abraçar a carreira de ator..." (*O Estado de S.Paulo*, 04.07.1997) [F.: *honorável* [*-vel-* > *-bil(i)-*] + *-dade.*]

honorário (ho.no.*rá*.ri:o) *a.* 1 Que mantém as honras, as prerrogativas de cargo ou função, sem vencimentos e sem atuação efetiva (cônsul honorário; presidente honorário) 2 Que confere honra, homenagem, consideração (título honorário); HONORÍFICO [F.: Do lat. *honorarius, a, um.*]

honorários (ho.no.*rá*.ri:os) *smpl.* Vencimentos pagos a profissionais liberais por serviços prestados; PROVENTOS; REMUNERAÇÃO; SALÁRIO [F.: Do lat. *honorarius.*]

honorável (ho.no.*rá*.vel) *a2g.* Diz-se de pessoa merecedora de honra ou homenagem (honorável mestre) [Pl.: *-veis.*] [F.: *honorar* + *-vel.*]

honorífico (ho.no.*rí*.fi.co) *a.* 1 Digno de honra 2 Ver *honorário* (2) [Superl.: *honorificentíssimo.*] [F.: Do lat. *honorificus, a, um.*]

⊕ ***honoris causa*** (*Lat.* /*onóris causa*/) *loc.a.* A título honorífico (distinção outorgada a profissional consagrado em seu campo de conhecimento, sem que lhe seja necessário prestar concurso ou exames) [doutor honoris causa]

honra (*hon*.ra) *sf.* 1 Princípio de conduta pessoal fundamentado na ética, honestidade, coragem, e em outros traços de comportamento socialmente considerados virtuosos; DIGNIDADE; HONRADEZ: *Mostrou que tinha um código de honra inflexível.* [Ant.: *baixeza; indignidade.*] 2 O sentimento particular de quem adota esse princípio: *Preservou a honra como deputado.* 3 Demonstração de respeito e reconhecimento para com pessoas de mérito: *Marta merece receber todas as honras.* 4 Castidade (da mulher); PUREZA; VIRTUDE: *Defendeu a honra da irmã.* 5 Ato de deferência, consideração: *Concede-me a honra dessa dança?* 6 Lugar de importância, relevo especial (presidente de honra) 7 Culto (a divindade); ADORAÇÃO; VENERAÇÃO: *Rezaram um rosário em honra de Nosso Senhor.* [F.: Dev. de *honrar.* Hom./Par.: *honra* (fl. de *honrar*).] :: **Por ~ da firma** 1 Para proteger a honra e o nome de devedor inadimplente (ao saldar seu compromisso): *Saldou as dívidas do irmão por honra da firma.* 2 *Fig. Joc.* Para cumprir compromisso, mesmo que desnecessariamente: *Fora dispensado, mas compareceu assim mesmo, por honra da firma.* 3 *Fig. Joc.* Sem motivo outro que não o de manter as aparências: *Não é subordinado a ele, mas vem ouvir suas preleções por honra da firma.*

honradez (hon.ra.*dez*) *sf.* 1 Qualidade de honrado; DIGNIDADE; PROBIDADE [Ant.: *desonra; indignidade.*] 2 Castidade, pudor (da mulher); PUREZA; VIRTUDE: *Não tinha dúvida sobre a honradez de Francisca.* 3 Ver *honra* (1) [F.: *honrado* + *-ez.*]

honrado (hon.*ra*.do) *a.* 1 Que tem honra, que age com honradez; DIGNO; HONESTO [Ant.: *indigno.*] 2 Que recebe honras, que é tratado com respeito: *Sentia-se honrado com a escolha.* [Ant.: *desconsiderado; desrespeitado.*] 3 Diz-se de quem é fiel ao compromisso íntimo assumido; HONESTO; LEAL [Ant.: *desleal; desonesto.*] 4 Que é virtuoso; CASTO; PURO [Ant.: *devasso; impudico.*] [F.: Part. de *honrar.*]

honrar (hon.*rar*) *v. td.* 1 Conceder honras a; cobrir de honrarias: *A nação tem obrigação de honrar seus heróis.* 2 Respeitar, reverenciar, venerar: *honrar a pátria.* 3 Mostrar-se digno de; dignificar, enobrecer: *honrar seu nome.* 4 Ser fiel a (compromisso, promessa etc.), quitar uma dívida: *Honrar uma promesa, uma dívida.* 5 Causar satisfação a ou sentir satisfação; LISONJEAR: "...essa família que me honrava com sua amizade..." (José de Alencar, *Senhora*) [▶ 1 honrar] [F.: Do lat. *honorare.* Hom./Par.: *honra* (fl.), *honra* (sf.); *honras* (fl.), *honras* (pl. do sf.); *honraria* (fl. de *honrar*), *honraria* (sf.); *honrarias* (fl.), *honrarias* (pl. do sf.).]

honraria (hon.ra.*ri*:a) *sf.* 1 Distinção que enobrece; HONRAS: *Recebeu todas as honrarias do governo.* [Mais us. no pl.] 2 Manifestação honrosa; MERCÊ [F.: *honra* + *-aria.* Hom./Par.: *honraria* (fl. de *honrar*).]

honras (*hon*.ras) *sfpl.* Manifestações de respeito e admiração por quem se distinguiu por sua conduta ou algum feito relevante; HONRARIAS: *Os campeões foram recebidos com as maiores honras.* [F.: Pl. de *honra.* Hom./Par.: *honras* (fl. de *honrar*).] :: **Fazer as ~s da casa** Dar (o dono ou morador de uma casa, ou alguém a seu pedido) boa acolhida a visitas ou hóspedes, com atenção e respeito, e cuidando do seu bem-estar: *Enquanto os pais não chegavam, a filha mais velha fez as honras da casa.* **~s fúnebres** Homenagens a pessoa falecida, em seu enterro; exéquias; honras supremas **~s militares** Certas manifestações de caráter militar (continência, salva de tiros etc.) em homenagem ou sinal de respeito a pessoas de alto mérito ou posição **~s supremas** Ver *Honras fúnebres*

honroso (hon.*ro*.so) [ô] *a.* 1 Que confere honra, que distingue alguém de maneira especial (menção/ atitude honrosa); DIGNIFICANTE; ENOBRECEDOR; RESPEITOSO [Ant.: *degradante; depreciativo.*] 2 Que denota honra, probidade, dignidade (declaração honrosa); DECENTE; DIGNO [Ant.: *indecoroso; vergonhoso.*] [F.: *honra* + *-oso.*]

⊕ ***hooligan*** (*Ing.*/*ruliguén*/) *sm.* Torcedor que promove ou participa de tumulto, briga, vandalismo etc. em competições esportivas, esp. nas de futebol; ARRUACEIRO; VÂNDALO

◎ **hopl(o)- *el. comp.*** = 'arma': *hoplonemérteo* (< lat. cient.), *hoploteca* (< gr.) [F.: Do gr. *hóplon, ou.* F. conexa: *anopl(o)-.*]

hoploteca (ho.plo.*te*.ca) *sf.* 1 Coleção de armas 2 Área apropriada para guardar armas [F.: Do gr. *hoplothéke, es.*]

hóquei (*hó*.quei) *sm. Esp. Hip.* Jogo praticado em vários tipos de piso (grama, gelo, madeira, cimento), em que duas equipes de 11 jogadores, munidos de bastões, têm por objetivo impelir uma pequena bola ou disco até a baliza da equipe adversária [F.: Do ing. *hockey.*]

hora (*ho*.ra) *sf.* 1 Divisão de tempo equivalente a 1/24 do dia, que é dividida, por sua vez, em sessenta minutos [Símb.: *h.*] 2 Indicação de um intervalo de tempo específico e coerente com uma dessas divisões: *São catorze horas, ou duas horas da tarde (post meridiem).* 3 Momento exato, ocasião propícia: *Chegou a hora de agir.* 4 Qualquer parcela de tempo vivida sob tensão: *Ficamos uma hora à espera do atendimento.* 5 Horário (5): *Você descobriu a hora de partida do avião?* 6 Carga horária semanal de funcionário, servidor etc.: *semana de 30 horas.* 7 Ocasião importante; OPORTUNIDADE; VEZ: *Um dia vai chegar a sua hora.* [F.: Do gr. *hora,as.* Hom./Par.: *hora* (fl. de *horar*), *ora* (fl. de orar, s.m.,adv. conj. e interj.).] :: **A boas ~s** No momento adequado, na hora conveniente; em boa hora **A ~s** Na hora marcada, pontualmente; a tempo **A ~s mortas** Em hora ou momento tardio e silencioso da noite ou da madrugada **Altas ~s** Tarde da noite; momento ou período em que grande parte da noite já transcorreu; horas mais avançadas da noite ou da madrugada (us. adverbialmente) *Altas horas, e ele ainda não chegara; Vigiou até altas horas.* **Arrepender-se da ~ em que nasceu** *Bras.* Ficar profundamente arrependido (por algo). **Chegar sua ~** Estar na iminência de morrer **Da ~** *Bras. Gír.* Us. para expressar aprovação entusiástica, valendo por 'ótimo', 'excelente' etc. [Cf.: *embora.*] **Em boa ~** Em ocasião própria, adequada; em momento favorável; oportunamente **Em cima da ~** 1 Na hora certa ou combinada, mas quase a ponto de perder ou se atrasar para um compromisso, atividade etc. 2 No momento exato, preciso, em que o prazo ou tempo para se fazer algo está acabando de se esgotar: *Chegamos ao cinema em cima da hora para o início da sessão; Conseguiu apagar o fogo em cima da hora de evitar um incêndio.* 3 A ponto de se atrasar; com pouco tempo para fazer ou completar algo na hora certa e sem atraso **Em má ~** Em momento inapropriado, ou em ocasião inadequada; fora de tempo; inoportunamente **Fazer ~** Esperar que chegue a hora marcada, ou esperar que algo aconteça, sem se ocupar de algo especial, procurando distrair-se **Fazer ~ com** *Bras. Pop.* Caçoar ou zombar de (alguém) **Fazer ~s** Ver *Fazer hora* **Fora de ~** 1 A uma hora inabitual 2 No momento errado ou em ocasião inadequada; inoportunamente 3 Tarde **~ astronômica** *Ant. Astron.* Hora de um dia astronômico, que até 1925 começava 12 horas após a mudança da data, a meia-noite (portanto, ao meio-dia) **~ atômica internacional** *Astron.* Hora universal oficial, que como tal substituiu a hora do meridiano de Greenwich no último dia do ano de 1971 **~ canônica** *Rel.* No cristianismo, esp. nas comunidades antigas e nas ordens monásticas, cada uma das divisões do dia, nas quais se realizava ofício e se recitavam determinadas orações [São: laudes, prima, terça, sexta, noa, véspera e completa.] **~ da onça beber água** *Bras. Pop.* Hora de grande dificuldade ou perigo, que exige solução urgente; hora de cancão pegar menino **~ das cabaças** *Bras. Pop.* Na região do rio São Francisco, hora em que as mulheres, ao cair da tarde, enchem cabaças com água do rio e as levam para casa **~ de cancão pegar menino** *Bras. Pop.* Ver *Hora da onça beber água* **~ de verão** *Cron.* Ver *Horário de verão* no verbete horário **~ di bai** *Cver.* Momento da despedida, do adeus **~ do rush** *Bras.* Período do dia no qual as ruas ficam congestionadas devido ao grande fluxo de veículos indo das residências para o trabalho e vice-versa **~ equinocial** *Ant.* Na Antiguidade, cada uma das 12 partes em que se dividia o dia entre o nascer do Sol e o pôr do sol **~ extra** 1 Cada hora que se trabalha após o horário normal, ger. remunerada separadamente. 2 O pagamento pelo trabalho nessas horas (ger. us. no pl.) *Você já recebeu suas horas extras?* **~ extrema** A hora da morte **~ grande** *Bras.* Zero hora, meia-noite **~ H** 1 *Mil.* Termo que designa a hora na qual terá início determinada operação bélica: *Na hora H, desistiu do plano.* 2 *P.ext.* O momento culminante, mais importante; o momento de agir ou decidir 3 O instante certo, exato, preciso **~ legal** *Cron.* Hora oficialmente estipulada para um fuso horário, baseada na hora do meridiano de Greenwich, com possíveis correções locais (fronteiras políticas, vigência ou não de horário de verão etc.) **~ local** *Cron.* Hora vigente em certo local, de acordo com o meridiano e o fuso horário **~ oficial** *Cron.* Ver *Hora legal* **~s canônicas** 1 *Litur.* Na liturgia católica, horas de recitação do Ofício Divino 2 *P.ext.* As orações para as diferentes horas canônicas 3 *Fig.* Horas certas **~s contadas** Pouco tempo de vida restante **~ e ~** Muito tempo; horas esquecidas, horas perdidas **~s esquecidas** Ver *Horas e horas* **~s mortas** Parte da noite ou da madrugada em que quase todos dormem, em que há grande silêncio e quase nenhuma atividade; altas horas da noite; altas horas; desoras **~ perdidas** Ver *Horas e horas* **~ universal** *Cron.* A hora (divisão numerada do dia) no meridiano de Greenwich **Isto são ~s?** Us. para interpelar alguém que chega muito tarde, ou atrasado **Na ~** 1 Na hora marcada. 2 No momento exato, na horinha *Você chegou na hora, o trem já vai partir.* **Não ter ~s** Não estar (alguém) disponível em momento algum para atender, para alguma ação ou função: **Pela ~ da morte** Muito caro (produto, mercadoria, serviço) *As tarifas públicas estão pela hora da morte.* **Por altas ~s** Ver *A horas mortas* **Por ~** A cada hora [NOTA: Us. em medida de velocidade, para distância percorrida a cada hora: 80 quilômetros por hora.] **Por ~ mortas** Ver *A horas mortas*

📖 As 24 horas que compõem um dia do calendário são numeradas a partir da meia-noite (0 hora) de um dia até a meia-noite seguinte. Pode-se fazer a contagem em um único grupo de 24 horas, ou seja, começando a 0h00min01s, até as 24h (dita meia-noite), que também é 0h do dia seguinte. Essa contagem pode também ser feita em dois grupos de 12 horas: no primeiro grupo, de 0 hora às 11h59min59s são designadas ou 'da madrugada' (até o nascer do Sol) ou 'da manhã' (depois do nascer do Sol), ou ante meridiem (com a notação a.m.); no segundo grupo, das 12 horas (também ditas meio-dia, quando recomeça a contagem) às 11h59min59s, são designadas 'da tarde' (até o pôr do sol), ou 'da noite' (após o pôr do sol), ou pós-meridiem (com a notação p.m.). Por exemplo, 10h30min a.m. corresponde a 10h30min 'da manhã'; 10h30min p.m. corresponde a 10h30min 'da noite' ou a 22h30min.

horaciano (ho.ra.ci.*a*.no) *a.* 1 Ref. ao poeta latino Horácio (65 a.C. – 8 a.C.) ou próprio da sua obra e estilo literário 2 Que aprecia e/ou estuda os textos de Horácio *sm.* 3 Admirador e/ou estudioso da obra de Horácio [F.: Do lat. *horatianus, a, um.*]

hora-luz (*ho*.ra-luz) *sf. Astron.* Distância percorrida pela luz no intervalo de uma hora [Pl.: *horas-luz.*]

horário (ho.*rá*.ri:o) *a.* 1 Ref. a hora 2 Por hora, a cada intervalo de uma hora: *vinte quilômetros horários.* *sm.* 3 Distribuição de ocorrências ou compromissos pelas horas do dia: *Vai ao médico no horário da tarde.* 4 Tabela em que isso se resume (horário das aulas/ dos trens) 5 Hora prevista de chegada ou partida: *O ônibus vai sair no horário.* [F.: Do lat. *horarius,a,um.*] ▪ **~ de verão** 1 *Cron.* Designação dada à contagem do tempo civil com adiantamento de uma hora, durante os meses de maior claridade (quando o Sol se põe mais tarde), de modo que esta possa ser mais aproveitada (com consequente economia de energia); hora de verão 2 Período de vigência desse horário **~ integral** Horário de trabalho diário que compreende o tempo total de ocupação previsto em lei (ger. oito horas diárias, com variações para mais e para menos) **~ nobre** Aquele no qual a audiência de rádio e de televisão atingem seus pontos máximos (ger. no início da noite)

horas (*ho*.ras) *sfpl.* 1 Espaço de tempo indeterminado: "O Brasil viveu ontem horas de intensa agitação provocada pela atitude de intransigência do Sr. Getúlio Vargas." (*Resistência*, 30.10.1945) 2 *Rel.* Livro litúrgico, que contém orações para se rezarem a certas horas do dia; LIVRO DE HORAS [Inicial maiúsc.] 3 *Mit.* As três filhas de Zeus e Têmis (Dike, Eunomia e Irene), deusas da justiça, da ordem e da paz que, como divindades da natureza, tomavam conta da floração e frutificação das plantas [Inicial maiúsc.] [F.: Pl. de *hora.*]

horda (*hor*.da) [ó] *sf.* 1 Originalmente, tribo de tártaros ou de outros nômades: *As sucessivas hordas de invasores minaram o império* 2 *P.ext.* Bando indisciplinado, desordeiro, que provoca tumulto, violência; MALTA; SÚCIA: *Uma horda de trogloditas tomou o salão.* 3 Qualquer grupo grande e desorganizado de pessoas (horda de foliões /de baderneiros); TURMA [F.: Do fr. *horde.*]

horímetro (ho.*rí*.me.tro) *sm. Eletrôn.* Dispositivo de totalização do tempo de operação de uma máquina ou equipamento [F.: *hora* + *-i-* + *-metro.*]

horista (ho.*ris*.ta) *a2g.* 1 Diz-se de pessoa que tem a remuneração calculada por hora de trabalho, em vez de por dia ou mês (empregado horista) *s2g.* 2 Essa pessoa: *Nessa época, trabalhava como horista.* [F.: *hora*+ *-ista.*]

horizontal (ho.ri.zon.*tal*) *a2g.* 1 Ref. ao que é paralelo à linha do horizonte e perpendicular, portanto, a toda linha vertical (trajetória horizontal) *sf.* 2 Linha paralela ao horizonte 3 *Pop.* Posição horizontal: *Atendia os telefonemas na horizontal.* 4 *Pop.* Prostituta [Pl.: *-tais.*] [F.: *horizont(e)*+ *-al.* Nas acps. de 1 a 3: Ant.ger.: *vertical.*]

horizontalidade (ho.ri.zon.ta.li.*da*.de) *sf.* Condição ou qualidade do que está na horizontal; HORIZONTALISMO [Ant.: *verticalidade*] [F.: *horizontal*+ *-i-* + *dade.*]

horizonte (ho.ri.*zon*.te) *sm.* 1 Linha que parece, ao observador, em campo aberto, separar o céu da terra ou do mar, limitando o alcance visual: "Chuvas de outono escureciam o horizonte." (Kurban Said, *Ali e Nino*) 2 Toda a faixa de céu, terra ou mar, próxima a essa linha, avistada por um observador em campo aberto: *Do convés do navio descortinava o horizonte.* 3 *Fig.* Perspectiva de futuro: *O estudo abriu-lhe novos horizontes.* 4 *Fig.* Área de alcance, de atuação (de indivíduo ou grupo): *Só conhecia os horizontes de sua aldeia.* 5 *Art.pl.* Numa pintura, linha que arremata o céu 6 *Geol.* Camada do solo que se distingue das outras pela coloração, textura e composição química [F.: Do lat. *horizon, ontis.*] ▪ **~ aparente** *Astron.* Ver *Horizonte sensível* **~ artificial** 1 Superfície horizontal de um líquido (ger. o mercúrio) num recipiente que emula o horizontal local 2 Instrumento de navegação aérea que reproduz no painel de instrumentos, por ação giroscópica ou eletrônica, as posições da aeronave em relação ao horizonte verdadeiro **~ astronômico** *Astron.* Ver *Horizonte racional* **~ cosmológico** *Astron.* Limite máximo do espaço no qual é possível se observar o Universo **~ racional** *Astron.* Círculo máximo da esfera celeste que corresponde à interseção desta com um plano perpendicular à vertical de um lugar e que passa pelo centro da Terra; horizonte astronômico; horizonte verdadeiro **~ sensível** *Astron.* Linha sobre a esfera celeste que parece ser linha do encontro desta com a superfície terrestre; horizonte aparente, horizonte visível **~ verdadeiro** *Astron.* Ver *Horizonte racional* **~ visível** *Astron.* Ver *Horizonte sensível* **~ visual** *Astron.* Considerando o campo de visão de um observador sobre a superfície terrestre como uma superfície cônica, linha segundo a qual essa superfície cônica tangencia a Terra, considerada esta como uma esfera perfeita, e ignorando os acidentes geográficos

◎ **horm(o)-** *el. comp.* = 'filamento': *hormogonia* [F.: Do gr. *hórmos, ou*, 'cadeia'; 'liame'.]

hormogonia (hor.mo.go.*ni*.a) *sf. Biol.* Tipo de reprodução dos seres pluricelulares filamentosos (como as algas azuis), na qual cada pedaço de filamento que se rompe forma um novo ser [F.: *horm(o)-* + *-gonia.*]

◎ **hormon-** *el. comp.* = 'hormônio'; 'excitar': *hormonal, hormônio; hormonoterapia* [F.: Do gr. *hormôn*, part. pres. do v.gr. *hórmao*, 'pôr em movimento'; 'estimular, 'excitar'.]

hormonal (hor.mo.*nal*) *a2g.* Ref. a hormônio (ciclo hormonal) [Pl.: *-nais.*] [F.: *0 hormon-* + *-al*[1].]

hormônio (hor.*mô*.ni:o) *sm. Bioq.* Molécula produzida pelas glândulas endócrinas e que, secretada na corrente sanguínea, regula funções fisiológicas específicas do corpo [F.: *hormon-* + *-io*[3].]

📖 Produzidos em plantas e animais por órgãos denominados glândulas de secreção interna, chamadas endócrinas, os hormônios são substâncias que influenciam e regulam certas funções fisiológicas, que podem determinar, por exemplo, o crescimento, o metabolismo, e até mesmo características de comportamento. O estudo e o tratamento dessas glândulas chama-se endocrinologia. Entre os principais hormônios das glândulas humanas estão os vários produzidos pela hipófise, ou pituitária, que atuam em várias funções importantes, inclusive o crescimento; os produzidos pela tireoide; a insulina, produzida no pâncreas; a cortisona e a corticosterona; a adrenalina; os hormônios sexuais masculino e feminino (testosterona e progesterona) e muitos mais.

hormonizado (hor.mo.ni.*za*.do) *a.* Que recebeu hormônio(s) [F.: Part. de **hormonizar* (< *hormônio* + *-zar*).]

◎ **hormono-** *el. comp.* Ver *hormon-*

hormonoterápico (hor.mo.no.te.*rá*.pi.co) *a. Med.* Ref. a hormonoterapia [F.: *hormonoterapia* + *-ico*[2].]

hornblenda (horn.*blen*.da) *sf. Min.* Mineral do grupo dos anfibólios, monoclínico, aluminoso e cálcico, com matizes que vão desde o incolor ao verde-escuro ou ao castanho-escuro [F.: Do al. *Hornblende.*]

⊕ **hornfels** (*Al./órnfels/*) *sm. Min.* Rocha com minerais granulares, formada por metamorfismo de contato

horoscopia (ho.ros.co.*pi*.a) *sf.* Arte de fazer horóscopos [F.: *horóscopo* + *-ia*[1].]

horoscópico (ho.ros.*có*.pi.co) *a.* Ref. a horóscopo [F.: *horóscopo* + *-ico*[2].]

horoscopista (ho.ros.co.*pis*.ta) *s2g.* Pessoa que faz horóscopos [F.: *horóscopo* + *-ista.*]

horóscopo (ho.*rós*.co.po) *sm.* 1 *Astrol.* Representação das posições dos planetas e dos signos zodiacais num ponto e hora determinados, como o do nascimento de uma pessoa, para suposta dedução de sua personalidade e de seu futuro; HOROSCÓPIO; MAPA ASTRAL 2 *P.ext.* Pretensa previsão astrológica [F.: Do lat. *horoscopus, i.*]

horrendo (hor.*ren*.do) *a.* 1 Que causa horror, que apavora 2 Feio demais, disforme; MEDONHO; PAVOROSO [Ant.: *belo, formoso.*] 3 Extremamente cruel (crime horrendo); ATROZ; EXECRÁVEL [F.: Do lat. *horrendus, a, um.* Sin. ger.: *horrível, horroroso.*]

horribilíssimo (hor.ri.bi.*lís*.si.mo) *a.* Muitíssimo horrível [F.: *horrível* [*-vel-* > *-bil(i)-*] + *-íssimo.*]

hórrido (*hór*.ri.do) *a.* Ver *horrendo*: "...Companheiro do morto, hórrido pio..." (Alexandre Herculano, *A harpa do crente*) [F.: Do lat. *horridus, a, um.*]

horripilado (hor.ri.pi.*la*.do) *a.* 1 Que se arrepiou; ARREPIADO; ERIÇADO 2 *Fig.* Horrorizado, aterrorizado, apavorado: "...não fique horripilado com aqueles bonecos que ladeiam uns escudos estrambólicos..." (Lima Barreto, *Vida e morte de M.J. Gonzaga de Sá*) [F.: Do lat. *horripilatus, a, um.*]

horripilante (hor.ri.pi.*lan*.te) *a2g.* 1 Que horripila, que causa arrepios 2 *P.ext.* Que é demasiado horrível, que causa horror (cena horripilante); HORRENDO; PAVOROSO 3 *Bras. Pop.* Que é de péssima qualidade ou causa repulsa (comida horripilante; indivíduo horripilante) [F.: Do lat. *horripilans, antis.*]

horripilar (hor.ri.pi.*lar*) *v.* 1 Causar ou sentir arrepios; arrepiar-se [*td.*: *O filme horripilou metade da plateia.*] [*int.*: *Fez um frio de horripilar.*] 2 Causar ou sentir horror, medo; HORRORIZAR [*td.*: *O incêndio da lancha horripilou os banhistas.*] [▶ 1 horripilar] [F.: Do lat. *horripilare.* Hom./Par.: *horripilo* (fl.), *horrípilo* (a.).]

horrível (hor.*rí*.vel) *a2g.* 1 Ver *horrendo* 2 Muito ruim, péssimo; HORROROSO: *O restaurante era horrível e quase não comemos.* [Ant.: *excelente, ótimo.*] [Pl.: *-veis.* Superl.: *horribilíssimo.*] [F.: Do lat. *horribilis, e.*]

horror (hor.*ror*) [ô] *sm.* 1 Reação de medo intenso; PAVOR; TEMOR: *Diante do espectro, o horror tomou-a da cabeça aos pés.* 2 Sentimento de repulsa, de rejeição; AVERSÃO; OJERIZA: *Tinha horror a comida gordurosa;* "...pensou com horror na hipótese de regressar ao Rio" (Antônio Calado, *Bar Don Juan*) [Ant.: *atração, interesse.*] 3 O que é extremamente ruim, desagradável ou enfadonho: *A comida/ o apartamento/ o filme era um horror.* 4 Algo extremamente feio: *Este vestido é um horror!* 5 *Pop.* Grande quantidade: *Havia um horror de gente na praia.* [Tb.us. no pl. (*ganhou horrores de dinheiro*).] 6 *Pop.* Situação de intenso sofrimento; DESGRAÇA: *Seu casamento foi um horror sem fim.* [F.: Do lat. *horror, oris.*] ▪ **Santo ~** Sentimento de temor, respeito e reverência ante o que é misterioso, transcendente, sublime

horrores (hor.*ro*.res) [ô] *smpl.* 1 Facetas trágicas, terríveis de algo (horrores da guerra); ATROCIDADES; DESUMANIDADES 2 Coisas torpes, ofensivas, injuriosas; INJÚRIAS; INSULTOS; OFENSAS: *Fala horrores do próprio irmão; Foi demitido da empresa porque fez horrores.* 3 *Pop.* Grande quantidade de uma coisa ou de muitas coisas, um montão: *Comprou horrores na liquidação.* 4 *Pop.* Quantia muito elevada, uma fortuna: *Gastou horrores na reforma da casa* *adv.* 5 *Bras. Pop.* Muito, incessantemente: *Tem viajado horrores.* [F.: Pl. de *horror.*]

horrorífico (hor.ro.*rí*.fi.co) *a.* Ver *horrendo* [F.: *horror* + *-i-* + *-fico.*]

horrorizado (hor.ro.ri.*za*.do) *a.* Que se horrorizou, se amedrontou; APAVORADO; ATERRADO; SOBRESSALTADO [Ant.: *desassombrado, tranquilo.*] [F.: Part. de *horrorizar.*]

horrorizar (hor.ro.ri.*zar*) *v.* 1 Causar ou disseminar horror [*int.*: *A violência das ruas horroriza a cidade; O descaso pela cidade é de horrorizar.*] 2 Ser tomado de horror; encher-se de horror [*tr.* + *com*: *Horrorizou-se com a poluição das praias.*] [▶ 1 horrorizar] [F.: *horror* + *-izar.*]

horroroso (hor.ro.*ro*.so) [ô] *a.* 1 Ver *horrendo* 2 Ver *horrível* (2) [Pl.: [ó.] Fem.: [ó.]] [F.: *horror*+ *-oso.*]

⊕ **hors-concours** (*Fr. /ór-concur/*) *a2g2n.* 1 Diz-se de pessoa que não pode participar de concurso por ser membro do júri, por já haver sido laureada ou por ser muito superior aos outros concorrentes *s2g2n.* 2 Essa pessoa

⊕ **hors-d'oeuvre** (*Fr./ór-dêvre/*) *sm2n. Cul.* Comida leve, ger. composta de alimentos picantes ou condimentados, que se ingere antes de uma refeição; ACEPIPE; PETISCO

⊕ **horsepower** (*Ing./rorspáuer/*) *sm2n. Metrol. Fís.* Unidade de medida de potência do sistema britânico que equivale a aproximadamente 745,7 W [Símb.: *HP.*]

horta (*hor*.ta) *sf.* Terreno esp. preparado para o cultivo de legumes e hortaliças [F.: horto, com substituição da vogal temática *-o-* para *-a-.*]

hortaliça (hor.ta.*li*.ça) *sf.* Denominação genérica de plantas cultivadas em horta para alimentação humana; ERVA; VERDURA [F.: De or. obsc., posv. do espn. *hortaliza.*]

hortelã (hor.te.*lã*) *sf.* 1 *Bot.* Nome de várias plantas herbáceas do gên. *Mentha*, da fam. das labiadas, nativas da Europa, África e Ásia, amplamente us. em culinária, confeitaria, perfumaria e farmácia 2 A essência medicinal e aromática dessas plantas, us. em chá, infusão, balas etc. [F.: Do lat. *hortulana.* Sin.ger.: *menta.*]

hortelão (hor.te.*lão*) *sm.* Aquele que cuida de horta; HORTELEIRO [Pl.: *-lãos e -lões.* Fem.: *-loa.*] [F.: Do lat. *hortulanus,i.*]

hortelã-pimenta (hor.te.*lã*-pi.*men*.ta) *sf. Bot.* Erva aromática e medicinal da família das labiadas (*Mentha* x *piperita*), de folhas serreadas e flores roxas, us. em culinária, perfumaria, farmácia etc. [Pl.: *hortelãs-pimenta e hortelãs-pimentas.*]

hortense (hor.*ten*.se) *a2g.* 1 Ref. a horta; HORTÍCOLA 2 Cultivado em horta (planta hortense) [F.: *horta*+ *-ense.*]

hortênsia (hor.*tên*.si.a) *sf. Bot.* Nome de várias plantas do gênero *Hydrangea*, da fam. das hidrangeáceas, originárias da China e do Japão, cultivadas como ornamentais graças aos grandes corimbos de flores róseas, azuis ou violáceas; HIDRÂNGEA [F.: Do lat. cient. gên. *Hortensia.*]

◎ **hort(i)-** *el. comp.* = 'horta'; 'da horta'; 'horto: *horticultor, horticultura, hortifrutigranjeiro, hortifrutícola, hortigranjeiro; hortomercado* [F.: Do lat. *hortus, i*, 'horto'; 'jardim'; 'legumes, verduras, hortaliças'.]

horticultor (hor.ti.cul.*tor*) [ô] *a.* 1 Diz-se de indivíduo que se dedica à horticultura *sm.* 2 Esse indivíduo [F.: *hort(i)-* + *-cultor.*]

horticultura (hor.ti.cul.*tu*.ra) *sf.* Técnica e arte do cultivo de hortas e jardins [F.: *hort(i)-* + *-cultura.*]

hortifrúti (hor.ti.*frú*.ti) *Bras.* *sm.* 1 O mesmo que *hortifrutigranjeiro* (2) 2 Designação genérica de estabelecimentos que comercializam produtos de hortas, pomares e granjas [F.: F. red. de *hortifrutigranjeiro*.]

hortifrutícola (hor.ti.fru.*tí*.co.la) *Bras.* ***a2g.*** **1** Diz-se de produto de hortas e pomares **2** Ref. a atividades realizadas em hortas e pomares (setor hortifrutícola) ***sm.*** **3** Produto de hortas e pomares [F.: *hort(i)-* + *-frut(i)-* + *-cola*.]

hortifrutigranjeiro (hor.ti.fru.ti.gran.*jei*.ro) ***a.*** **1** Ref. a produtos provenientes tanto da horta, como, p.ex., a alface, quanto dos pomares e das granjas, como, p. ex., as laranjas e os ovos ***sm.*** **2** Cada um desses produtos; HORTIFRÚTI [F.: *hort(i)-* + *-frut(i)-* + *granjeiro*.]

hortigranjeiro (hor.ti.gran.*jei*.ro) ***a.*** **1** Ref. a produtos provenientes da horta ou da granja ***sm.*** **2** Produto de horta ou de granja [F.: *hort(i)-* + *granjeiro*.]

horto- ***el. comp.*** Ver *hort(i)-*

horto (*hor*.to) [ô] ***sm.*** **1** Terreno de pouca extensão em que se cultivam plantas ornamentais; JARDIM **2** Espaço ger. público, do Estado, onde se fazem experiências com plantas, sua multiplicação etc. **3** Horta pequena **4** *Fig.* Local de sofrimento (lembrando o padecimento de Cristo no Horto das Oliveiras) [F.: Do lat. *hortus, i.* Hom./Par.: *horto* (sm.), *orto* (*sm. a2g2n. s2g2n.*).] **~ florestal** Horto no qual se estudam e se cultivam espécies florestais, e tb. se fazem experimentos etc.

hortomercado (hor.to.mer.*ca*.do) ***sm.*** Local onde produtos hortenses são comercializados [F.: *horto-* + *mercado*.]

hosana (ho.*sa*.na) ***sf.*** **1** *Rel.* Na liturgia da Igreja Católica, canto de ação de graças, esp. o entoado no domingo de Ramos **2** Ramo que, no domingo de Ramos, os fiéis levam a benzer **3** *Pext.* Saudação ou cântico de louvor e alegria ***interj.*** **4** Exprime júbilo, felicidade [F.: Do hebr. *hoshi' ah nna*, 'salve!'.]

hospedado (hos.pe.*da*.do) ***a.*** Que se hospedou, que recebeu hospedagem; ACOLHIDO; ALOJADO [F.: Part. de *hospedar*.]

hospedador (hos.pe.da.*dor*) [ô] ***a.*** **1** Que hospeda ***sm.*** **2** Aquele que dá hospedagem a outrem **3** *Biol.* Ver *hospedeiro* **4** *Inf.* Ver *host* (2) [F.: *hospedar* + *-dor*.]

hospedagem (hos.pe.*da*.gem) ***sf.*** **1** Ação ou resultado de hospedar, de acolher pessoas; ABRIGO; HOSPITALIDADE **2** Ver *hospedaria* [F.: *hospedar* + *-agem*.]

hospedar (hos.pe.*dar*) ***v.*** **1** Dar hospedagem a ou instalar-se como hóspede [***td.***: *Hospedou os amigos em sua casa.*] **2** Dar ou receber abrigo; ABRIGAR-SE [***td.***: *Um galpão improvisado hospedou os desabrigados da chuva.*] **3** *Inf.* Alojar ou receber *sites* ou *home pages* em local que possibilite sua utilização na internet [***tda.***: *Queria hospedar o site no melhor provedor da cidade.*] **4** *Biol.* Ter existência como hospedeiro de (parasita) [▶ **1 hospedar**] [F.: *hóspede* + *-ar²*. Hom./Par.: *hospedaria(s)* (fl.), *hospedaria(s)* (sf.[pl.]); *hospedáveis* (fl.), *hospedáveis* (pl. *hospedável* [a2g.]), *hospede(s)* (fl.), *hóspede(s)* (sm.[pl.]).]

hospedaria (hos.pe.da.*ri*:a) ***sf.*** Estabelecimento pequeno, menor do que hotel, que hospeda pessoas mediante pagamento; ESTALAGEM; HOSPEDAGEM; POUSADA [F.: *hóspede* + *-aria*.]

hospedável (hos.pe.*dá*.vel) ***a2g.*** Que pode receber ou ser recebido como hóspede [Pl.: *-veis*.] [F.: *hospedar* + *-vel*. Hom./Par.: (pl.) *hospedáveis, hospedáveis* (fl. de *hospedar*).]

hóspede (*hós*.pe.de) ***s2g.*** **1** Aquele que se abriga por certo tempo em casa alheia, hospedaria ou hotel **2** Indivíduo desconhecido [Fem.: *p. us.*: *hóspeda*.] ***a2g.*** **3** Estranho, alheio **4** *Fig.* Ignorante, leigo: *É hóspede em questões de economia.* [F.: Do lat. *hospes,itis*. Hom./Par.: *hospede* (fl. de *hospedar*).]

hospedeiro (hos.pe.*dei*.ro) ***a.*** **1** Diz-se de pessoa que oferece hospedagem **2** *Biol.* Diz-se de organismo que acolhe ou nutre outro: *Os carrapatos espalharam-se e os animais hospedeiros sofreram muito.* **3** *Med.* Diz-se de pessoa ou animal que recebeu transplante de órgão ***sm.*** **4** Aquele que hospeda: "a civilização não é privilégio de nenhum país, mas sem dúvida escolhe, para hospedeiro, um país de cada vez." (Antônio Callado, *Reflexos do baile.*) **5** *Biol.* Organismo que acolhe ou nutre outro: *O cação era o hospedeiro de várias rêmoras.* **6** *Med.* Pessoa ou animal que recebeu transplante de órgão [F.: *hóspede* + *-eiro*.] **~ intermediário** *Ecol.* Aquele no qual um parasita pode se reproduzir assexuadamente

hospício (hos.*pí*.ci:o) ***sm.*** **1** Instituição que acolhe pessoas portadoras de problemas mentais e dá-lhes assistência; MANICÔMIO **2** Estabelecimento que hospeda pessoas pobres ou doentes; ASILO **3** Lugar que dá abrigo e tratamento a animais abandonados [F.: Do lat. *hospitium,ii*.]

hospital (hos.pi.*tal*) ***sm.*** **1** Instituição em que se atendem, internam e tratam pessoas doentes ou feridas; CASA DE SAÚDE; NOSOCÔMIO ***a2g.*** **2** *Antq.* Ver hospitaleiro [F.: Do lat. *hospitale,is*. Ideia de "hospital" usar pref. *-cômio*.] [Pl.: *-tais*.] **~ de sangue** *Antq. Mil.* Hospital ambulante onde se tratavam os feridos em combate

hospitalar ***a2g.*** Ref. a ou pertencente a hospital ou hospício; NOSOCOMIAL [F.: *hospital* + *-ar*.]

hospitaleiro (hos.pi.ta.*lei*.ro) ***a.*** **1** Diz-se de pessoa que oferece hospedagem, por compaixão ou generosidade: "Passávamos pelo povo mais hospitaleiro do mundo..." (Cecília Meireles, "Lamento pela cidade perdida" *in Obra em prosa*) **2** Que trata otimamente as pessoas que recebe (lugar hospitaleiro); ACOLHEDOR [Ant.: *inóspito*.] ***sm.*** **3** Pessoa que dá hospedagem [F.: *hospital* + *-eiro*. Sin.ger.: *anfitrião, hospedeiro*.]

hospitalidade (hos.pi.ta.li.*da*.de) ***sf.*** **1** Qualidade de quem é hospitaleiro: *Aníbal Machado era a hospitalidade em pessoa.* **2** Ação ou resultado de hospedar, acolher hóspedes; HOSPEDAGEM **3** *Pext.* Afabilidade, amabilidade [Ant.: *grosseria, indelicadeza*.] [F.: Do lat. *hospitalitas, atis*.]

hospitalização (hos.pi.ta.li.za.*ção*) ***sf.*** **1** Ação ou resultado de hospitalizar(-se); INTERNAÇÃO **2** Conversão em hospital: *A peste levou à hospitalização de todos aqueles pavilhões* [Pl.: *-ções*.] [F.: *hospitalizar* + *-ção*.]

hospitalizado (hos.pi.ta.li.*za*.do) ***a.*** **1** Que se hospitalizou, que passou a se tratar em hospital; INTERNADO **2** Que foi convertido em hospital [F.: Part. de *hospitalizar*.]

hospitalizar (hos.pi.ta.li.*zar*) ***v. td.*** **1** Internar(-se) em hospital: *O médico decidiu hospitalizar o garoto acidentado; Hospitalizou-se para submeter-se a uma operação.* **2** Transformar (edifício) em hospital provisório [▶ **1 hospitalizar**] [F.: *hospital* + *-izar*.]

host (*Ing./rôust/*) ***sm.*** **1** Homem que recebe ou entretém socialmente convidados ou hóspedes; ANFITRIÃO **2** *Inf.* Em uma rede, computador que desempenha funções centralizadas e que permite a comunicação de usuários com outros computadores; HOSPEDADOR [Pl.: *hosts*.]

hoste (*hos*.te) ***sf.*** **1** Exército, tropa: "Os condes e potestades do rei tredo e vil não deixariam passar a boa hoste de Biscaia." (Alexandre Herculano, *A dama pé de cabra*) **2** Aglomeração, ajuntamento de pessoas; CHUSMA; MULTIDÃO [F.: Do lat. *hostis,is*.]

hostess (*Ing./rôustes/*) ***sf.*** Mulher que recebe ou entretém socialmente convidados ou hóspedes; ANFITRIÃ [Pl.: *hostesses*.]

hóstia (*hós*.ti:a) ***sf.*** **1** *Rel.* Na Igreja Católica, pequeno e fino disco de pão ázimo que o sacerdote consagra durante a missa e, em seguida, distribui entre os fiéis: "...quantas hóstias papara de boca salobra pelo longo jejum!" (Marques Rebelo, "Conto *à la mode*" *in Contos reunidos*) **2** *Cul.* Pasta de pão ázimo us. em alguns alimentos e medicamentos **3** *Antq.* A vítima de um sacrifício [F.: Do lat. *hostia,ae*.]

hostiário (hos.ti.*á*.ri:o) ***sm.*** *Rel.* Caixa ou recipiente us. para guardar hóstias ainda não consagradas [F.: *hóstia* + *-ário*. Hom./Par.: *ostiário* (sm.).]

hostil (hos.*til*) ***a2g.*** **1** Que demonstra ou exprime oposição, rejeição; ADVERSO; AVESSO; CONTRÁRIO: *Tornou-se hostil à religião e fugiu de todas as igrejas.* [Ant.: *favorável, simpatizante*.] **2** Que demonstra ou exprime agressividade, violência; AFRONTOSO; ULTRAJANTE: *Hostil a tudo e a todos, feriu uns cinco na cervejaria.* [Ant.: *afável, gentil*.] **3** Que revela mau humor, má vontade (acolhida hostil); ANTIPÁTICO; DESAGRADÁVEL [Ant.: *agradável, simpática*.] [F.: Do lat. *hostilis, e*.]

hostilidade (hos.ti.li.*da*.de) ***sf.*** **1** Qualidade de quem ou do que é hostil; AGRESSIVIDADE [Ant.: *afabilidade, amabilidade*.] **2** Ação ou resultado de hostilizar(-se); HOSTILIZAÇÃO: "...mas sem a hostilidade que, mesmo na bênção, ele antes manifestava amiúde." (João Ubaldo Ribeiro, *Diário do farol*) **3** *Pol.* Conjunto de operações de guerra ou seus preparativos: *Quando cessarem as hostilidades, espera-se que todos os invasores tenham sido dizimados.* [Mais us. no pl.] [F.: Do lat. *hostilitas,atis*.]

hostilização (hos.ti.li.za.*ção*) ***sf.*** Ação ou resultado de hostilizar(-se); HOSTILIDADE; PROVOCAÇÃO [Pl.: *-ções*.] [F.: *hostilizar* + *-ção*.]

hostilizado (hos.ti.li.*za*.do) ***a.*** Que se hostilizou, que se viu tratado com hostilidade [F.: Part. de *hostilizar*.]

hostilizar (hos.ti.li.*zar*) ***v. td.*** **1** Tratar (os outros) com hostilidade; AGREDIR; PROVOCAR: *A torcida hostilizou o juiz durante toda a partida.* **2** Sentir e/ou demonstrar hostilidade contra (algo ou alguém): *Em seus pronunciamentos, hostilizava os políticos de oposição.* **3** Provocar dano, conflito; fazer guerra a; GUERREAR; PREJUDICAR: *A polícia está sempre pronta para hostilizar os camelôs.* [▶ **1 hostilizar**] [F.: *hostil* + *-izar*.]

hostilmente (hos.til.*men*.te) ***adv.*** De maneira hostil, contrária; AGRESSIVAMENTE [F.: *hostil* + *-mente*.]

hot (*Ing./rót/*) ***a.*** *Mús.* Diz-se de *jazz* com intensidade expressiva, manifestada pelo ritmo acentuado e melodia improvisada

hot dog (*Ing./rót dog/*) ***loc.subst.*** *Cul.* Ver *cachorro-quente*

hotel (ho.*tel*) ***sm.*** Estabelecimento comercial que oferece hospedagem, alugando quartos e apartamentos mobiliados e ger. acrescentando serviços vários de alimentação, lavanderia, lazer etc. [Pl.: *-téis*.] [F.: Do fr. *hôtel*.] **~ de alta rotatividade** *Bras.* Hotel no qual se alugam quartos por períodos curtos, para encontros amorosos

hotelaria (ho.te.la.*ri*:a) ***sf.*** **1** Atividade econômica voltada para a exploração de hotéis: *A hotelaria vive em estreita dependência do turismo.* **2** Técnica de administração e organização dos hotéis: *O rapaz fez um curso de hotelaria.* **3** A rede de hotéis de uma localidade: *Prospera a hotelaria de Vassouras.* [F.: *hotel* + *-aria*.]

hoteleiro (ho.te.*lei*.ro) ***a.*** **1** Ref. a, de ou próprio de hotel (estrutura/atividade hoteleira) ***sm.*** **2** Proprietário, gerente ou administrador de hotel [F.: *hotel* + *-eiro*.]

hotel-fazenda (ho.tel-fa.*zen*.da) ***sm.*** Estabelecimento hoteleiro construído em uma fazenda, ger. no campo, com várias atividades próprias para recreação de seus hóspedes [Pl.: *hotéis-fazendas*.]

hotentote (ho.ten.*to*.te) ***a2g.*** **1** Ref. a, do ou próprio do povo hotentote, originário da África do Sul **2** *Gloss.* Ref. à língua falada pelos hotentotes ***s2g.*** **3** Indivíduo que integra esse povo ***sm.*** **4** Língua falada pelos hotentotes [F.: Do africânder *Hottentot*.]

hot money (*Ing./rot mâni/*) ***loc.subst.*** *Econ.* Capital investido em ativos financeiros de curtíssimo prazo cujos recursos podem deslocar-se de um mercado para outro com grande rapidez

hot spot (*Ing./rót spot/*) ***loc.subst.*** **1** *Geol.* Coluna de material rochoso superaquecido que se eleva do interior do manto até, em alguns casos, atingir a superfície **2** *Ecol.* Lugar com alto endemismo e diversidade de plantas; área rica em biodiversidade **3** *Tec. Int.* Ponto de acesso à internet que pode ser utilizado por usuários que possuem equipamentos com tecnologia *Wi-Fi*, que permite o acesso de *laptops* e *palmtops* à internet sem necessidade de cabos **4** *Vet.* Eczema úmido cuja origem ger. é associada a calor, umidade e falta de higiene [Pl.: *hot spots*.]

house organ (*Ing./raus órguen/*) ***sm.*** *Publ.* Publicação de circulação interna de empresa, firma etc., distribuída gratuitamente para informar funcionários e clientes sobre as estratégias, projetos e conquistas da organização [Pl.: *house organs*.]

HP *Metrol. Fís.* Símb. de *horsepower*

HPV *Med.* Sigla do ing. *Human Papiloma Virus*, denominação de um grupo de vírus capaz de provocar lesões de pele ou mucosas que, se não forem tratadas, podem evoluir para o câncer de colo uterino

HQ Abrev. de *história em quadrinhos*

HTLV *Med.* Sigla do ing. *Human T-cell Lymphotropic Virus*, vírus que afeta determinadas células do sistema imunológico humano denominadas linfócitos T

HTML *Int.* Sigla do ing. *Hypertext Markup Language*, linguagem de programação us. na produção de páginas que podem conter texto, imagens, arquivos e ligações com outros documentos da internet

HTTP *Int.* Sigla do ing. *Hypertext Transfer Protocol*, protocolo us. para distribuir informações pela internet

hub (*Ing./râb/*) ***sm.*** **1** *Inf.* Dispositivo que conecta dois ou mais equipamentos **2** *Telv.* Estação retransmissora

huguenote (hu.gue.*no*.te) ***a2g.*** **1** *Rel.* Diz-se de protestante francês, dos sécs. XVI e XVII, que seguia a doutrina calvinista **2** Ref. à religião dos huguenotes ***s2g.*** **3** Indivíduo huguenote (1) [F.: Do fr. *huguenot*.]

hula-hula (hu.la-*hu*.la) ***sf.*** *Dnç.* Dança havaiana caracterizada por movimentos ritmados dos braços e dos quadris, executada ger. por dançarinas vestidas com sarongues e usando colares e coroas de flores [Pl.: *hula-hulas*.]

hulha (*hu*.lha) ***sf.*** *Geol.* Carvão mineral; CARVÃO DE PEDRA [F.: Do fr. *houille*.]

hulheira (hu.*lhei*.ra) ***sf.*** Mina de hulha [F.: *hulha* + *-eira*.]

hulhífero (hu.*lhí*.fe.ro) ***a.*** Que contém ou produz hulha (setor hulhífero); detrito hulhífero) [F.: *hulha* + *-i-* + *-fero*.]

hum ***interj.*** Exprime dúvida, desconfiança, impaciência, desaprovação: *Hum... não sei se posso confiar no que diz.* [F.: palavra expressiva. Hom./Par.: *um* (*num., s.m., art. indef., pr.indef.*).]

humanamente (hu.ma.na.*men*.te) ***adv.*** **1** De modo humano; BONDOSAMENTE; COMPASSIVAMENTE: "No gesto ledos vêm, e humanamente / O Capitão sublime os recebia..." (Luís de Camões, *Os lusíadas*) [Ant.: *cruelmente, desumanamente, duramente*.] **2** Em relação ao homem (humanamente impossível) [F.: Fem. de *humano* + *-mente*.]

humanidade (hu.ma.ni.*da*.de) ***sf.*** **1** Qualidade do que é humano; natureza ou condição humana: *A consciência deu início à humanidade.* **2** Sensibilidade para com o humano, piedade na relação com os semelhantes; BENEVOLÊNCIA; BONDADE [Ant.: *maldade; malevolência*.] **3** O conjunto dos seres humanos; o gênero humano: *A humanidade já reúne 6 bilhões de indivíduos.* [F.: Do lat. *humanitas,atis*. Ideia de "humanidade", usar pref. *antrop(o)-* e suf. *-antropia* e *-antropo*.]

humanidades (hu.ma.ni.*da*.des) ***sfpl.*** Conjunto dos conhecimentos ref. à literatura clássica (grega e romana) e à filosofia [F.: Pl. de *humanidade*.]

humanismo (hu.ma.*nis*.mo) ***sm.*** **1** *Fil.* Nome de diversas doutrinas que colocam o homem e a condição humana em primeiro lugar, medindo tudo o mais (a natureza, esp.) segundo as suas características, necessidades e interesses **2** *Hist.* Movimento intelectual da Europa renascentista com base na cultura greco-romana e em sua valorização do conhecimento do homem e suas perspectivas **3** Formação cultural voltada para as letras clássicas e a ciência [F.: *humano* + *-ismo*.]

humanista (hu.ma.*nis*.ta) ***a2g.*** **1** Ref. a humanismo **2** Diz-se de pessoa que é adepta do humanismo ***s2g.*** **3** Essa pessoa **4** Estudioso dedicado às humanidades [F.: Do fr. *humaniste*.]

humanístico (hu.ma.*nís*.ti.co) ***a.*** Ref. a humanismo e a humanista [F.: Do lat. *humanista* + *-ico*.]

humanitário (hu.ma.ni.*tá*.ri:o) ***a.*** **1** Diz-se de pessoa que tem por interesse maior a humanidade e o bem-estar do homem; ALTRUÍSTA; FILANTRÓPICO [Ant.: *desumano, insensível*.] **2** Ref. ao humanitarismo ***sm.*** **3** Essa pessoa; FILANTROPO [F.: Do fr. *humanitaire*.]

humanitarismo (hu.ma.ni.ta.*ris*.mo) ***sm.*** **1** Crença (ética ou religiosa) de que o bem-estar da humanidade só é alcançado se o ser humano aprender a amar, a respeitar e a ajudar seu semelhante: "Depois foi o Humanitarismo: e fundou um Hospício no campo..." (Eça de Queirós, *A cidade e as serras*) **2** Generosidade para o bem de outrem; ALTRUÍSMO; CARIDADE; FILANTROPIA: "...tinha acabado de o sagrar aos inferiores, em humanitarismo..." (Mário de Sá-Carneiro, *Céu em fogo*) [Ant.: *egoísmo, mesquinharia*.] [F.: *humanitár(io)* + *-ismo*.]

humanitarista (hu.ma.ni.ta.*ris*.ta) *a2g.* **1** Ref. ao humanitarismo **2** Que segue ou pratica os princípios do humanitarismo (discurso humanitarista; cantor humanitarista) *s2g.* **3** Pessoa que é praticante do humanitarismo [F.: *humanitário* + *-ista.*]
humanização (hu.ma.ni.za.*ção*) *sf.* Ação ou resultado de humanizar(-se) [Ant.: *desumanização.*] [Pl.: *-ções.*] [F.: *humanizar*+ *-ção.*]
humanizado (hu.ma.ni.*za*.do) *a.* **1** Que se humanizou; que recebeu ou adquiriu condição humana: *animais humanizados das fábulas.* [Ant.: *desumanizado.*] **2** Que (se) tornou benévolo, agradável (atendimento humanizado) [Ant.: *desumano, insensível.*] **3** *Med.* Diz-se de parto com práticas que proporcionam o bem-estar da mãe, do recém-nascido e de seus familiares [Part. de *humanizar.*]
humanizador (hu.ma.ni.za.*dor*) [ô] *a.* **1** Que humaniza: *A literatura tem um potencial humanizador.* *sm.* **2** Aquele que humaniza [F.: *humanizar* + *-dor.* Ant. ger.: *desumanizador.*]
humanizante (hu.ma.ni.*zan*.te) *a2g.* Ver *humanizador* (educação humanizante) [F.: *humanizar* + *-nte.*]
humanizar (hu.ma.ni.*zar*) *v.* **1** Tornar-se humano ou adquirir características humanas [*td.*: *Os desenhos animados humanizam os animais; Num filme, o robô humanizou-se pelo amor.*] **2** Tornar(-se) benevolente, agradável [*td.*: *Precisamos de novas medidas para humanizar as empresas; É preciso humanizar-se pela compreensão plena do que é democracia.*] **3** Tornar(-se) civilizado, sociável, acessível [*td.*: *Procurava humanizar os presos que ainda julgava recuperáveis; Era insociável, mas humanizou-se pela dedicação de um grupo de terapeutas.*] [F.: do fr. *humaniser.*]
humanizável (hu.ma.ni.*zá*.vel) *a2g.* Que pode ser humanizado: *Um capitalismo selvagem não é humanizável.* [Pl.: *-veis.*] [F.: *humanizar* + *-vel.* Hom./Par.: (pl.) humanizáveis, *humanizáveis* (fl. de *humanizar*).]
humano (hu.*ma*.no) *a.* **1** Ref. ao homem, à sua natureza e condição (fenômeno/ defeito humano): "Ó tu, que tens de humano o gesto e o peito..." (Luís de Camões, *Os lusíadas*) **2** Compreensivo, bondoso, humanitário (patrão humano) [Ant.: *cruel, desumano.*] *sm.* **3** O ser humano; CRIATURA; HOMEM; INDIVÍDUO [Mais us. no pl.] [F.: Do lat. *humanus, a, um.* Hom./Par.: *humano, humana, humanas* (fl. de *humanar*).]
humanoide (hu.ma.*noi*.de) *a2g.* **1** Que se assemelha (na forma ou na característica) ao ser humano **2** Diz-se de robô que se parece com ou age como ser humano; ANDROIDE *sm.* **3** Esse robô; ANDROIDE: *O humanoide poderá trabalhar até 10 horas sem recarregar a bateria.* **4** Ser extraterrestre que teria forma semelhante à do ser humano [F.: *humano* + *-oide.*]
humiano (hu.mi.*a*.no) *a.* **1** Ref. ao filósofo e historiador escocês David Hume (1711-1776) ou próprio da sua obra ou conceito *sm.* **2** Admirador e/ou estudioso da obra de Hume [F: Do antr. (David) *Hume* + *-ano.*]
humífero (hu.*mí*.fe.ro) *a.* Que contém ou produz humo (solo humífero) [F.: *humo* + *-i-* + *-fero.*]
humificação (hu.mi.fi.ca.*ção*) *sf.* Transformação em humo [Pl.: *-ções.*] [F.: *humificar* + *-ção.*]
humificado (hu.mi.fi.*ca*.do) *a.* Que foi transformado em humo (composto humificado) [F.: Part. de *humificar.*]
humildade (hu.mil.*da*.de) *sf.* **1** Qualidade do ou quem é humilde; DESPOJAMENTO; SIMPLICIDADE [Ant.: *altivez, arrogância.*] **2** Consciência das próprias limitações; MODÉSTIA: "Eustáquio ia interpelá-lo, com humildade mas com a eloquência que o caso requeria." (Antônio Callado, *Bar Don Juan*) [Ant.: *orgulho, soberba.*] **3** Demonstração de inferioridade, fraqueza **4** Submissão, subserviência aos supostamente superiores; DEFERÊNCIA; OBEDIÊNCIA: *Obedeceu à ordem com humildade.* [Ant.: *desobediência, insubordinação.*] **5** Sobriedade, simplicidade: *A humildade do pau a pique não deixava a casa menos limpa.* [Ant.: *fausto, suntuosidade.*] **6** Condição do economicamente desfavorecido; PENÚRIA; POBREZA: *Falou-nos da humildade de suas origens.* [Ant.: *riqueza.*] [F.: Do lat. *humilitas, atis.*]
humilde (hu.*mil*.de) *a2g.* **1** Que mostra consciência, justificável ou não, das próprias limitações; COMEDIDO; MODESTO [Ant.: *arrogante, orgulhoso, soberbo.*] **2** Que demonstra demasiado respeito ou submissão aos supostamente superiores (atitude humilde); PASSIVO; SERVIL; SUBMISSO [Ant.: *desrespeitoso, insubordinado.*] **3** De situação subalterna numa dada escala social (gente humilde); CARENTE; POBRE [Ant.: *opulento, rico.*] **4** Sem aparato, despretensioso (moradia humilde); MODESTO; SIMPLES [Ant.: *imponente, suntuoso.*] [Superl.: *humildíssimo, humílimo, humilíssimo.*] *s2g.* **5** Aquele que é pobre ou de condição modesta numa dada escala social; CARENTE; NECESSITADO [Ant.: *abastado, rico.*] [F.: Posv. dev. de *humildar.* Hom./Par.: *humilde* (fl. de *humildar*).]
húmile (*hú*.mi.le) *a2g. Poét.* Ver *humilde* [Superl.: *humílimo, humilíssimo.*] [F.: Do lat. *humilis, e.*]
humilhação (hu.mi.lha.*ção*) *sf.* **1** Ação ou resultado de humilhar(-se) **2** Aviltamento, rebaixamento moral: *Exprimiu toda a sua humilhação diante do juiz.* [Pl.: *-ções.*] [F.: *humilhar* + *-ção.*]
humilhado (hu.mi.*lha*.do) *a.* **1** Diz-se de pessoa que se humilhou, que se tornou humilde ou foi forçado a isso; SUBMISSO [Ant.: *exaltado, enaltecido.*] *sm.* **2** Essa pessoa [F.: Part. de *humilhar.*]
humilhante (hu.mi.*lhan*.te) *a2g.* Que humilha, que é capaz de humilhar; AFRONTOSO; INSULTUOSO; VERGONHOSO [Ant.: *dignificante, engrandecedor.*] [F.: *humilhar* + *-nte.*]
humilhar (hu.mi.*lhar*) *v.* **1** Tornar(-se) humilde [*td.*: *Os maus-tratos constantes acabaram por humilhá-lo.*] **2** Tratar com desdém, menosprezo; AVILTAR(-SE); REBAIXAR(-SE) [*td.*: *Humilhou o irmão na frente dos amigos.*] **3** Curvar (alguém ou a si mesmo) sujeito, submetido a; SUJEITAR(-SE) [*tdr.* + *a*: *Humilhou o ladrão a devolver as joias.*] **4** Reduzir à condição humilhante, degradante [*int.*: *O trabalho excessivo e mal pago tem o poder de humilhar.*] [▶ **1** humilhar] [F.: Do lat. *humiliare.*]
humina (hu.*mi*.na) *sf.* Resíduo de matéria orgânica, sólido e insolúvel [F.: *humo* + *-ina.*]
humita (hu.*mi*.ta) *sf. Min.* Mineral ortorrômbico, de silicato de magnésio com flúor, que apresenta cores branca, amarela e marrom [E: Do antr. Abraham *Hume*, colecionador inglês + *-ita*².]
humo (hu.mo) *sm.* **1** *Ecol.* Matéria orgânica (predominantemente vegetal) decomposta ou em decomposição que forma o solo fértil, e da qual se nutrem as plantas **2** *Agr.* Composto orgânico (ger. de consistência pastosa e de cor castanho-escura a preta), formado pela decomposição e fermentação de resíduos orgânicos, us. para corrigir alguns tipos de solos na preparação para o cultivo [F. mais us.: *húmus.*] [F.: Do lat. *humus, i.*]
humor (hu.*mor*) *sm.* **1** Estado de espírito, bom ou mal; DISPOSIÇÃO; TEMPERAMENTO: *Ela às vezes está de bom/ mau humor* **2** Espírito ou veia cômica, sua tendência e expressão; COMICIDADE; GRAÇA: *o adorável humor do barão de Itararé* [Ant.: *gravidade, seriedade.*] **3** Sensibilidade para perceber ou expressar o cômico: *Só o humor atenua os males da política nacional.* **4** *Fisl.* Qualquer substância líquida existente no corpo, como o sangue, a bile, a linfa [F.: Do lat. *humor, oris.*] ■ **~ aquoso** *Anat. Ópt.* Líquido do olho, entre o cristalino e a córnea **~ negro** Tipo de humorismo que tem como tema uma situação trágica, macabra etc. **~ vítreo** *Antq. Anat. Ópt.* Termo que designava na antiga nomenclatura anatômica, substância gelatinosa do globo ocular, entre o cristalino e a retina; corpo vítreo **Quatro ~es** *Fil. Hist.* Segundo Galeno, quatro líquidos do corpo cujo equilíbrio era vital para saúde; eram o sangue, a bílis negra, a fleuma e a bílis amarela
humoral (hu.mo.*ral*) *a2g.* **1** Ref. a humor **2** *Fisl.* Diz-se de qualquer substância fluida que circula ou que está contida no organismo (como a linfa, o sangue etc.). [Pl.: *-ais.*] [F.: *humor* + *-al.*]
humor aquoso Líquido produzido no olho, de que toma as câmaras anterior e posterior, passando para o sangue
humorismo (hu.mo.*ris*.mo) *sm.* Qualidade daquele ou daquilo que manifesta humor ou se dedica, profissionalmente, a obras (de literatura, teatro, caricatura, cinema) em que o humor (2) predomina; COMICIDADE: *o humorismo genial de Chaplin.* [F.: *humor* + *-ismo.*]
humorista (hu.mo.*ris*.ta) *a2g.* **1** Diz-se de pessoa que se dedica ao humor (2) numa ou mais formas de expressão artística *s2g.* **2** Essa pessoa [F.: *humor* + *-ista.* Sin. ger.: *comediante, cômico.*]
humorístico (hu.mo.*rís*.ti.co) *a.* **1** Ref. a humor ou a humorista (talento humorístico) **2** Que se exprime tomando o humor como fim (estilo humorístico) [F.: *humorista*+ *-ico.* Sin. ger.: *cômico, satírico.* Ant.ger.: *sério.*]
humor negro É o humor (2) que se elabora com elementos mórbidos ou macabros em situações cômicas, e vice-versa
humor vítreo Massa translúcida, avascular e gelatinosa, que ocupa o espaço entre o cristalino e a retina
humoso (hu.*mo*.so) [ô] *a.* Que contém humo (solo humoso) [Pl.: [ó.] Fem.: [ó.]] [F.: *humo* + *-oso.*]
húmus (*hú*.mus) *sm. Geol.* Camada superior de certos solos em que se acumula matéria orgânica predominantemente vegetal e já decomposta ou em decomposição, propícia à agricultura; HUMO [F.: Do lat. *humus, i.*]
húngaro (*hún*.ga.ro) *a.* **1** Da Hungria (na Europa central); típico desse país ou do seu povo **2** Ref. à língua falada na Hungria *sm.* **3** Pessoa nascida ou que vive na Hungria **4** *Gloss.* A língua falada na Hungria [F.: Posv. Do lat.medv. *hungarus*, der. do germ. *Ungar.*]
huno (hu.no) *a.* **1** Ref. aos hunos, povo nômade e bárbaro das estepes da Ásia central *sm.* **2** Indivíduo desse povo que, no século V, comandado por Átila, tomou grande parte da Europa [F.: Do lat. *hunnus, i.* Hom./Par.: *uno* (adj. e fl. de *unir*).]
hunsriquiano (huns.ri.qui.*a*.no) *Ling. sm.* Dialeto alemão falado na região do Hunsrück, no Sudoeste da Alemanha, e nos estados de Santa Catarina e Rio Grande do Sul [F.: Do al. *Hunsrückisch.*]
huri (hu.*ri*) *sf.* **1** *Rel.* Cada uma das belezas celestes que, segundo o Alcorão, hão de ser as esposas dos muçulmanos fiéis **2** *Pext.* Mulher formosa, dotada de extraordinária beleza: "...Ah! feliz quem dormiu no colo ardente / Da huri dos amores..." (Álvares de Azevedo, *Desalento*) [F.: Do persa *huri*, este do ár. *hura* 'mulher do paraíso'.]
hurra (hur.ra) *interj.* **1** Expressa entusiasmo, cumprimento, ger. us. depois de *hip sm.* **2** Brado de saudação: *Receberam-no com um hurra.* **3** Grito de saudação de marinheiros, esp. os ingleses **4** Brado de guerra entre os russos [F.: Do ing. *hurrah.*]
⊕ **husky** (*Ing./râsqui*) *sm. Cinol.* Raça de cão, nativa da Sibéria, de pelagem densa e olhos claros ■ **~ siberiano** *Cinol.* Raça de cães desenvolvida na Sibéria, us. para puxar trenós na neve
hussardo (hus.*sar*.do) *sm.* **1** Cavaleiro húngaro **2** Na Idade Média, fidalgo polonês seguido de tropa armada **3** Soldado de cavalaria ligeira (na França e na Alemanha) cujas armas constavam de sabre, carabina e um par de pistolas [F.: Do fr. *hussard.*]
⊕ **hyperlink** (*Ing./iperlink/*) *sm. Inf.* Conexão disponível entre um elemento de hipertexto (palavra, símbolo, imagem etc.) e outro elemento desse texto ou outro hipertexto
⊠ **Hz** Símb. de *hertz*

◎ **i-** ¹*pref.* = 'em -2': *incriminar, informar* [F.: Do lat. *in.*]
◎ **i-**² *pref.* = 'negação' (antes de palavra começada por l, m, n, r): *ilegítimo, imortal, inocente, irregular.* Equiv. a in-²: *inigualável.* [F.: Do lat. *in.*]
i¹ *sm.* **1** A nona letra do alfabeto português **2** A terceira vogal desse alfabeto *num.* **3** O nono em uma série (portão I) **4** Na numeração romana, representa a unidade e, se colocada à direita ou à esquerda de outra quantidade, fica esta valendo respectivamente mais um ou menos um **5** *Quím.* Símbolo do iodo **6** *Elet.* Símbolo de *corrente elétrica* ▪▪ **I grego** *P. us.* Ípsilon **I latino** O *i* propriamente dito, p. op. ao *ípsilon* (*y*), ou *i grego* **Pôr os pingos nos ~s** Elucidar (situação, ideia, conflito etc.), explicar minuciosamente, sem ocultar nada
i² *adv. Ant.* O mesmo que *aí*
◎ **-ia**¹ *suf. nom.* = 'condição' ou 'estado'; 'afecção' ou 'doença' ou 'deformação'; 'dignidade' ou 'profissão'; 'nome de ciência'; 'lugar de': *alegria, euforia, acefalia, bulimia, burguesia, chefia, astronomia, procuradoria* [F.: Do gr. *-ía* e -(e)ía.]
◎ **-ia**² *suf.* = formação de termos científicos (Bot., Zool., Anat. etc.): *begônia, camélia, galáxia, geodésia, hemácia, tibia* [F.: Do lat. cient. *-ia* (fem. de *-ius*) < gr. *-ía.*]
iabá (i:a.*bá*) *Bras. Rel. sf.* **1** No candomblé e em outras religiões afro-brasileiras, termo us. para designar cada um dos orixás de energia predominantemente feminina (p. ex.: Iemanjá, Nanã, Oxum, Iansã, Obá, Euá etc.) **2** Na umbanda, cozinheira que prepara a comida a ser ofertada aos orixás [F.: Do ior. *iyaagba*, posv.]
◎ **-íaco** *suf.* = originário de, ref. a, próprio de: *afrodisíaco, austríaco, ilíaco, paradisíaco* [F.: Do lat. -(i)*acus, a, um* < gr. -(i)*akós.*]
iaiá (ia.*iá*) *sf. Bras. Ant. Pop.* Tratamento dado às moças e às meninas na época da escravidão; NANÃ [F.: Alt. de *sinhá.*]
◎ **-ial** *suf. nom.* Ver *-al*¹: *ameixial* [F.: *-i-* + *-al*¹.]
ialorixá (i:a.lo.ri.*xá*) *sf. Bras. Rel.* O mesmo que *mãe de santo* [Mais us. no candomblé.] [F.: Do iorubá *iya*, 'mãe', + *olo*, 'possuidor', + *orixa*, 'orixá'.]
iâmbico (i:*âm*.bi.co) *a.* **1** *Poét.* Ref. ao iambo **2** Composto de iambos (versos iâmbicos) [F.: Do lat. *iambicus*, do gr. *iambikós.*]
iambo (i:*am*.bo) *sm.* **1** *Poét.* Nas poesias grega e latina, pé métrico de duas sílabas, uma breve e outra longa **2** Verso iâmbico [F.: Do lat. *iambus*, do gr. *íambos.*]
◎ **-iano** *suf. nom.* Ver *-ano*¹: *clitoridiano; venusiano; alencariano, camiliano, beethoveniano, mozartiano, picassiano; heideggeriano, lacaniano, pavloviano; libriano* [F.: *-i-* + *-ano*¹.]
ianomâmi (i:a.no.*mâ*.mi) *a2g.* **1** *Etn.* Ref., inerente ou pertencente aos ianomâmis, povo indígena da Venezuela e do nordeste da Amazônia **2** Típico dos iamomâmis (ritual ianomâmi, dança ianomâmi) **3** *Gloss.* Ref. à ou próprio da língua do povo ianomâmi *s2g.* **4** Pessoa pertencente ao povo ianomâmi *sm.* **5** *Gloss.* O idioma do povo ianomâmi [F.: Do etnôn. *Yanomâmi.*]
ianque (i:*an*.que) *a2g.* **1** Ref. aos Estados Unidos e a seu povo; NORTE-AMERICANO **2** Ref. ao Norte dos Estados Unidos **3** Ref. ao soldado federalista ou nortista na Guerra de Secessão dos Estados Unidos *sm.* **4** Soldado federalista ou nortista nessa guerra [F.: Do ingl. *yankee.*]
iansã (I:an.*sã*) *sf. Bras. Umb.* Orixá feminino que encarna os ventos e as tempestades, uma das três mulheres de Xangô [F.: Or. obsc.]
iaô (i:a.*ô*) *sm. Bras. Rel.* O mesmo que *filha de santo* [Mais us. no candomblé.] [F.: Do ior. *iyawo.*]
iaque (i:*a*.que) *sm. Zool.* Mamífero de grande porte da fam. dos bovídeos (*Bos grunniens*), espécie de boi selvagem dos planaltos e montanhas tibetanas, com chifres encurvados para cima e para frente, facilmente domesticável, usado como animal de tração, fornece carne, lã, leite e couro e seus excrementos são usados como combustível: "... dá retrato de zebuíno-nelorino: na cabeçorra quase de iaque..." (Guimarães Rosa, *"Conversa de bois" in Sagarana*) [F.: Do tibetano *gyak* pelo ing. *yak.*]
◎ **-iar** *suf. verbal* Ver *-ar*²
iara (i:*a*.ra) *sf.* **1** *Bras. Folc.* Sereia de rios e lagos; MÃE-D'ÁGUA **2** *RO* O homem branco, segundo os índios suruís **3** *Zool.* Ver *boto-vermelho* [F.: Do tupi *u'yara.* Tb. *uiara.*]
◎ **-íase** *suf. nom.* = 'infestação'; 'patologia'; 'estado mórbido': *candidíase, elefantíase, psoríase* (< gr.) [F.: Do gr. *-íasis, eos.*]
iate (i:*a*.te) *Náut. sm.* **1** Embarcação de luxo e recreio **2** Embarcação a vela ou a motor, para lazer ou competições **3** *PA.* Grande embarcação a vela ou a motor, us. para transportar gado da ilha de Marajó para Belém [F.: Do hol. *jacht* pelo ing. *yatch.*]
iatismo (i:a.*tis*.mo) *Bras. Náut. sm.* **1** Navegação em iate, ou esta prática **2** *Esp.* Esporte de competição de iates [F.: *iate* + *-ismo.*]
iatista (i:a.*tis*.ta) *Bras. Esp. s2g.* Aquele ou aquela que pratica o iatismo [F.: *iate* + *-ista.*]
◎ **-iatra** *el. comp.* = 'especialista em dada área da medicina': *foniatra, geriatra, pediatra* (< fr.), *psiquiatra* [F.: Do fr. *-iatre*, do gr. *iatrós, oû*, 'médico'.]
◎ **-iatria** *el. comp.* = tratamento médico: *pediatria, psiquiatria* [F.: Do fr. *-iatrie* < gr. *iatreía, as.*]
◎ **-iátrico** *el. comp.* = ref. a médico ou a tratamento médico: *geriátrico, psiquiátrico* [F.: Do gr. *-iatrikós, é, ón.*]
◎ **iatr(o)-** *el. comp.* = 'médico'; 'remédio'; 'tratamento': *iátrico* (< gr.), *iatrogenia, iatroquímica* [F.: Do gr. *iatr-* ou *iatro-* < gr. *iatrós, oû.* F. conexas: *-iatra* e *-iatria.*]

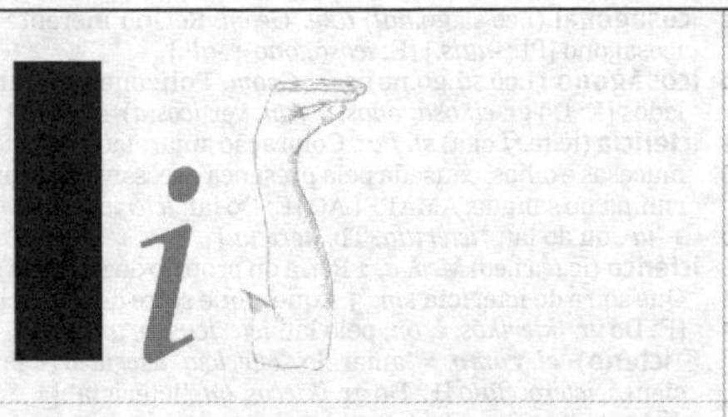

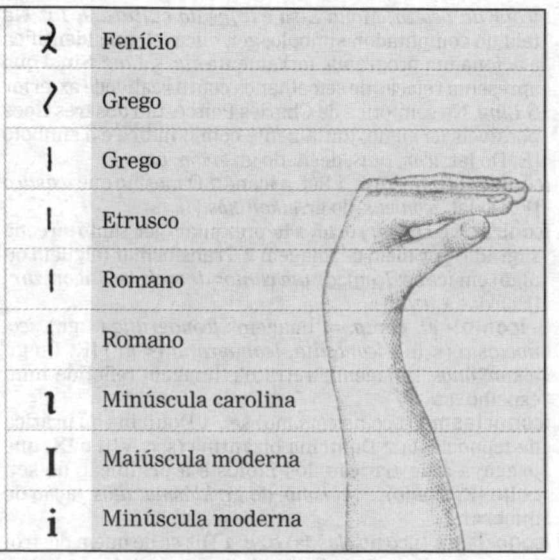

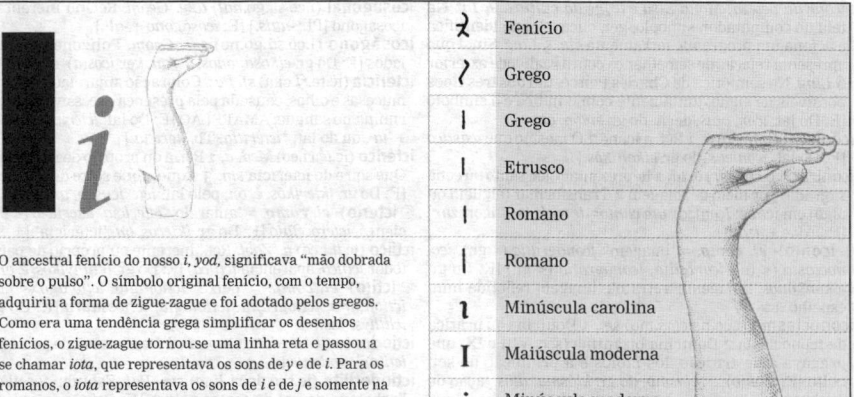

O ancestral fenício do nosso *i*, *yod*, significava "mão dobrada sobre o pulso". O símbolo original fenício, com o tempo, adquiriu a forma de zigue-zague e foi adotado pelos gregos. Como era uma tendência grega simplificar os desenhos fenícios, o zigue-zague tornou-se uma linha reta e passou a se chamar *iota*, que representava os sons de *y* e de *i*. Para os romanos, o *iota* representava os sons de *i* e de *j* e somente na Idade Média a diferença entre essas duas letras se estabeleceu.

iatrogenia (i:a.tro.ge.*ni*.a) *sf. Med.* Doença ou alteração patológica decorrente de medicamento ou tratamento médico [Costuma designar erros da conduta médica.] [F.: *iatr(o)-* + *-genia.*]
iatrogênico (i:a.tro.*gê*.ni.co) *Med. a.* **1** Ref. à ou próprio da iatrogenia **2** Diz-se de acidente mórbido ou doença provocada por medicamento ou tratamento médico **3** Diz-se de doença contraída em hospital por paciente internado por outra doença [F.: *iatrogenia* + *-ico*².]
iatroquímica (i:a.tro.*quí*.mi.ca) *sf. Ant. Med.* Doutrina médica, difundida no séc. XVII, que atribuía a causas químicas todos os fenômenos fisiológicos e patológicos; QUIMIATRIA [F.: *iatr(o)-* + *química.*]
iatroquímico (i:a.tro.*quí*.mi.co) *Ant. Med. a.* **1** Ref. à ou próprio da iatroquímica *sm.* **2** *Ant. Med.* Adepto da iatroquímica [F.: *iatr(o)-* + *químico.*]
⊠ **ib** Abrev. de *ibidem*
⊠ **Ibama** Sigla de *Instituto Brasileiro do Meio Ambiente e dos Recursos Naturais Renováveis*
ibeji (i.*be*.ji) *sm. Bras. Rel.* Em algumas religiões afro-brasileiras, entidade dúplice que simboliza a dualidade e está sincretizada com os gêmeos São Cosme e São Damião [Ger. com inicial maiúsc.] [F.: Do ior. *ibeji.*]
ibérico (i.*bé*.ri.co) *a.* **1** Ref., inerente ou pertencente à Ibéria, antigo nome da Espanha; IBERO **2** Ref., inerente ou pertencente à atual Península Ibérica (Portugal e Espanha) **3** Típico dessas regiões ou de seu povo (romance ibérico, culinária ibérica) *sm.* **4** *Etnog.* Indivíduo natural da Península Ibérica [F.: Do lat. *ibericus, a, um.*]
iberismo (i.be.*ris*.mo) *sm.* **1** Conjunto das características e costumes ibéricos **2** *Pol.* Partido dos que preconizam a união política de Portugal com a Espanha [F.: *ibero-* + *-ismo.*]
ibero (i.*be*.ro) [é] *a.* **1** Ver *ibérico sm.* **2** *Etnog.* Indivíduo dos iberos, antigos habitantes da Ibéria; IBÉRICO **3** *Gloss.* Idioma dos antigos iberos [F.: Do lat. *iberus, a, um.*]
ibero-americano (i.be.ro-a.me.ri.*ca*.no) *a.* **1** Ref., inerente ou próprio dos povos americanos colonizados pelos países da Península Ibérica (civilização ibero-americana) *sm.* **2** *Etnog.* Indivíduo ibero-americano [F.: *ibero-* + *-americano.*]
⊠ **IBGE** Sigla de (Fundação) Instituto Brasileiro de Geografia e Estatística
⊕ **ibidem** (*Lat.* /*ibidem*/) *adv.* **1** Literalmente, 'aí mesmo; no mesmo lugar' **2** *Bibl. Edit. Lex.* Na mesma obra, capítulo ou página (us. em citações). [Abrev.: *ib.*]
ibiraúva (i.bi.ra.*ú*.va) *sf. Bras. Bot.* O mesmo que *baraúna* ou *braúna* [F.: Do tupi.]
ibiri (i.bi.*ri*) *sm. Bras. Rel.* Tipo de cetro, feito de um feixe de folhas de palmeira, empunhado pelo orixá Nanã em suas danças ritualísticas [F.: Do ior. *yi biri*, posv.]
íbis (*i*.bis) *s2g2n. Zool.* Denominação comum a diversas spp. de aves aquáticas da fam. dos tresquiornitídeos, pernaltas e de bico comprido e encurvado para baixo. Ocorrem em regiões quentes de todos os continentes [F.: Do tax. *Ibis* < lat. *ibis, i dis* < gr. *îbis, íbidos* < egípcio *hîb.*]
ibo (*i*.bo) *s2g.* **1** *Etnol.* Pessoa pertencente a um povo do Sudeste da Nigéria (África) *sm.* **2** *Gloss.* Língua falada por esse povo *a.* **3** Do ou ref. ao ibo (1 e 2)
⊠ **ibope** (i.*bo*.pe) [ó] **1** Sigla de *Instituto Brasileiro de Opinião Pública e Estatística sm.* **2** *Bras. Rád. Telv.* Designa genericamente índice de audiência obtido por pesquisas de opinião pública a fim de obter sondagens sobre preferências do público: *O programa deu um bom ibope.* **3** *Fig.* Prestígio pessoal, reconhecimento: *O ibope do bombeiro subiu depois que salvou as crianças.* [F.: Sigla substv. de *Instituto Brasileiro de Opinião Pública e Estatística.*]
ibseniano (ib.se.ni:*a*.no) *a.* **1** De ou próprio de Henrik Ibsen (1828-1906), dramaturgo norueguês *sm.* **2** Admirador ou estudioso da obra de Ibsen [F.: Do antr. *Ibsen* + *-iano.*]
ibuprofeno (i.bu.pro.*fe*.no) *sm. Farm.* Substância ($C_{13}H_{18}O_2$) derivada do ácido propiônico, us. como medicamento anti-inflamatório, antipirético e analgésico
⊠ **IBV** Sigla de *Índice da Bolsa de Valores*

◎ **-ica** (*-i*.ca) *suf.* = formador de subst. eruditos rel. a arte, técnica, ciência: *física, informática, linguística, matemática, poética, química* [F.: Do lat. *-ica*, deriv. do gr. *-ikê*, f. substv. de *-ikós.*]
ica (*i*.ca) *sf. Bras. Etnog.* Trombeta de som grave us. pelos índios bororos em ritos religiosos ou fúnebres [F.: Do tupi.]
◎ **-iça** *suf.* = -icia, -ice suf. formador de subst. abstratos: *cobiça, justiça, preguiça, asnice, literatice, latinice.* [F.: Do lat. *-itie.*]
içá (i.*çá*) *s2g. Bras. Zool.* A fêmea alada da saúva; TANAJURA: "Içá, savitu, já ouvi dizer que homem faminto como frita com farinhas essa imundície..." (Guimarães Rosa, *Grande sertão: veredas*) [F.: Do tupi *i'sa.*]
içamento (i.ça.*men*.to) *sm.* Ação ou resultado de içar [F.: *içar* + *-mento.*]
◎ **-ição** *suf.* = *-ção*: *dentição, inanição, substituição*
◎ **-icar** *suf.* = ação frequentativa, ação diminutiva: *adocicar, bebericar, falsificar, justificar, mitificar* [F.: Do lat. *-icare.*]
◎ **-içar** *suf.* = tornar: *encarniçar, enfeitiçar, esganiçar*
içar (i.*çar*) *v. td.* **1** Levantar, erguer: *Os oficiais içaram a bandeira brasileira.* [Ant.: *abaixar, arriar.*] **2** Fazer subir ou subir [▶ **12 içar**] [F.: Do fr. *hisser.* Hom./Par.: *içei* (fl.), *issei* (sm.); *iço* (fl.), *isso* (pron.); *içar, inçar* (em todas as fl.).]
icárico (i.*cá*.ri.co) *a.* Ref. a ícaro [F.: *ícar(o)* + *-ico*².]
ícaro (*í*.ca.ro) *sm. Fig.* Indivíduo que foi vítima de suas exageradas ambições ou pretensões [F.: De *Ícaro*, personagem da mitologia grega.]
icástico (i.*cás*.ti.co) *a.* **1** Que representa adequadamente objetos ou ideias **2** Sem artifícios, sem adornos [F.: Do gr. *eikastikós.* Sin. ger.: *icônico.*]
◎ **-ice** *suf.* = -ície suf. formador de subst. abstratos: *calvície, imundície* [F.: Do lat. *-itie.*]
⊕ **iceberg** (*Ing.* /*áisberg*/) *sm.* **1** *Geol.* Grande massa de gelo que se desprende de uma geleira e flutua à deriva nos mares árticos e antárticos; GELEIRA [A parte submersa é, em média, sete vezes mais alta que a emersa.] **2** *Bras. Fig. P. ext.* Pessoa emocionalmente fria, insensível: *Ele é um verdadeiro iceberg, nunca demonstra suas emoções.*
◎ **-icha** *suf. nom.* Ver *-acho*
◎ **-ichão** *suf. nom.* = 'que é muito ou é um grande (palavra base ou rad. nom.)': *sabichão* [F.: *-icho* + *-ão*¹. A integração entre o suf. dim. *-icho* e o aumentativo *-ão* apresenta conotação pejorativa e tb. jocosa.]
◎ **-icho** *suf. nom.* Formador de diminutivos, ver *-acho* [F.: Do lat. -(*i*)*culus, a, um.*]
◎ **-ícia** *suf.* = 'qualidade', 'propriedade': *malícia, mundícia, pudicícia.* Equiv., *-iça: cobiça, justiça* [F.: Do lat. *-itia.*]
◎ **-ície** *suf.* = 'qualidade', 'condição', 'estado': *planície, superfície.* Equiv. *-ice: doidice, velhice* [F.: Do lat. *-itie.*]
◎ **-ício** *suf. nom.* = 'referente a (palavra base ou rad. nom.)': *alimentício, abortício* [F.: Do suf. lat. *-icius* ou *-itius, a, um.*]
⊠ **ICMS** *sf. Econ.* Sigla de *Imposto sobre Circulação de Mercadorias e Serviços*
icnêumon (ic.*nêu*.mon) *sm.* **1** *Zool.* Mangusto **2** Designação comum a várias espécies de insetos himenópteros que se caracterizam por parasitar larvas e pupas de outros insetos [F.: Do lat. *ichneumon, onis*, do gr. *ichneúmon.*]
◎ **icno-** *el. comp.* = 'planta'; 'planta do pé'; 'pegada'; 'rastro'; 'vestígio': *icnografia* (< lat. < gr.), *icnógrafo* [F.: Do gr. *íkhnos, eos-ous.*]
icnografia (ic.no.gra.*fi*.a) *Arq. sf.* **1** Planta de um edifício **2** Técnica de fazer essas plantas [F.: Do lat. *ichnographia, ae*, do gr. *ikhnographía, as.*]
◎ **-ico**¹ *suf.* = 'diminuição': *burrico, namorico* [F.: Do lat. *-ic* (*c*)*u.*]
◎ **-ico**² *suf.* = forma adjetivos de pertinência, referência: *aeróbico, biológico, metálico, típico* [F.: Do lat. *-icus, a, um*, deriv. do gr. *-ikós, é, ón.*]
◎ **-iço** *suf.* = modo de ser, tendência (como -io²): *abafadiço, alagadiço, corrediço* [F.: Do gr. *iós, ioû.*]
ícone (*í*.co.ne) *sm.* **1** *Art. pl. Rel.* Representação artística ou simplesmente religiosa de divindade ou de assuntos de caráter religioso **2** *Rel.* Nas igrejas ortodoxas grega e russa, pintura em madeira, pedra ou metal de Cristo, Maria ou de santos ou anjos **3** *Fig.* Pessoa ou coisa que simboliza uma época, um estilo de vida, uma qualidade etc.; ÍDOLO; IMAGEM: *A Vênus de Milo é considerada um*

<u>*ícone*</u> *da beleza; Mona Lisa é* <u>*ícone*</u> *da cultura.* **4** *Inf.* Na tela do computador, símbolo, ger. clicável, que identifica e aciona um programa, ferramenta etc. **5** *Ling.* Sinal que apresenta relação de semelhança com a realidade exterior **6** *Ling.* Na semiótica de Charles Peirce, um dos três tipos possíveis de signo, juntamente com o índice e o símbolo [F.: Do lat. *icon, onis*, deriv. do gr. *eikón, ónos*.]

icônico (i.cô.ni.co) *a.* **1** Ref. a ícone **2** O mesmo que *icástico* [F.: Do lat. *iconicus*, do gr. *eikonikós*.]

iconizar (i.co.ni.*zar*) *v. td.* **1** Representar (ger. santo ou cena sagrada) por meio de imagem **2** Transformar (alguém ou algo) em ícone: <u>*Iconizar*</u> *um cantor de rock.* [▶ 1 iconizar] [F.: *ícone* + *-izar*.]

◎ **icon(o)-** *el. comp.* = 'imagem': *iconografia* (< gr.), *iconoclasta* (< fr.), *iconofilia, iconografia* (< gr.) [F.: Do gr. *eikôn, ónos*, 'imagem'; 'retrato'; 'imagem refletida num espelho'.]

iconoclasmo (i.co.no.*clas*.mo) *sm.* **1** Doutrina ou prática de iconoclasta **2** Doutrina bizantina (séc. VIII e IX) que pregava a destruição dos ídolos e a proibição de seu culto [F.: *icon(o)-* + *-clasmo*, do gr. *klásma, atos*, 'ação de quebrar'.]

iconoclasta (i.co.no.*clas*.ta) *a2g.* **1** Diz-se de quem destrói imagens religiosas **2** Diz-se de quem destrói símbolos, monumentos, obras de arte etc. **3** *Rel.* No Império Bizantino, partidário do iconoclasmo, doutrina que pregava a destruição dos ídolos e a proibição do seu culto **4** *Fig.* Diz-se de quem é contra convenções e tradições *s2g.* **5** Aquele que destrói imagens religiosas: "...havia a legião de <u>iconoclastas</u> para derrubar os ídolos..." (Eça de Queirós, *Notas contemporâneas*) **6** Aquele que destrói símbolos, monumentos, obras de arte etc. **7** *Fig.* Aquele para quem nada é digno de culto ou reverência [F.: Do fr. *iconoclaste*; ver *icon(o)-* e *-clasta*.]

iconoclastia (i.co.no.clas.*ti*.a) *sf.* Pensamento, prática ou ação de iconoclasta: "Vais cometer um duplo crime: o de adultério e o de <u>iconoclastia</u> – contra a honra e contra o ideal." (Coelho Neto, *Água de Juventa*) [F.: *iconoclasta* + *-ia*^{1}.]

iconoclástico (i.co.no.*clás*.ti.co) *a.* **1** Ref. a iconoclastia ou a iconoclasta **2** Que manifesta iconoclastia; próprio de iconoclasta [F.: *iconoclasta* + *-ico*^{2}.]

iconofilia (i.co.no.fi.*li*.a) *sf.* **1** Amor pelas imagens, estampas, quadros **2** Arte de colecionar essas imagens, estampas etc. [F.: *icon(o)-* + *-filia*^{1}.]

iconófilo (i.co.*nó*.fi.lo) *sm.* Aquele que aprecia ou coleciona imagens, quadros etc. [F.: *icon(o)-* + *-filo*^{1}.]

iconografia (i.co.no.gra.*fi*.a) *sf.* **1** Arte ou técnica de representar por meio da imagem **2** Estudo descritivo das imagens (fotos, desenhos, pinturas etc.) associadas a um tema, obra, época etc.: *A* <u>*iconografia*</u> *do Rio antigo; a* <u>*iconografia*</u> *da escravidão no Brasil.* **3** *Art. gr. Bibl. Edit.* Conjunto das ilustrações de uma obra impressa: <u>*iconografia*</u> *do Dicionário Caldas Aulete.* **4** Equipe de especialistas ou seção de uma entidade, instituição cultural etc., encarregada de organizar, descrever, arquivar e conservar gravuras, fotos, ilustrações, desenhos etc.: *a* <u>*iconografia*</u> *da Biblioteca Nacional.* **5** *Bibl.* Coleção de retratos de pessoas ilustres [F.: Do lat. *iconographia, ae*, do gr. *eikonographía, as*.]

iconográfico (i.co.no.*grá*.fi.co) *a.* Ref. a iconografia (acervo <u>iconográfico</u>) [F.: *iconografia* + *-ico*^{2}. Hom./Par.: *iconográfico* (a.), *icnográfico* (a.).]

iconógrafo (i.co.*nó*.gra.fo) *sm.* Aquele que se especializou em iconografia [F.: *icon(o)-* + *-grafo*.]

iconólatra (i.co.*nó*.la.tra) *s2g.* Aquele ou aquela que adora, idolatra imagens [F.: *icon(o)-* + *-latra*.]

iconolatria (i.co.no.la.*tri*.a) *sf.* Adoração de imagens [F.: *icon(o)-* + *-latria*.]

iconologia (i.co.no.lo.*gi*.a) *sf.* **1** Representação das figuras alegóricas e dos seus atributos **2** Estudo das representações alegóricas e simbólicas presentes em obras de arte **3** Nas belas-artes, estudo do tratamento de determinados temas em diferentes artistas ou épocas [F.: Do fr. *iconologie*; ver *icon(o)-* e *-logia*.]

iconológico (i.co.no.*ló*.gi.co) *a.* Ref. a iconologia [F.: *iconologia* + *-ico*^{2}.]

iconomania (i.co.no.ma.*ni*.a) *sf.* Paixão por imagens, quadros, estátuas, obras de arte etc. [F.: *icon(o)-* + *-mania*.]

iconômano (i.co.*nô*.ma.no) *a.* **1** Que tem iconomania *sm.* **2** Aquele que tem iconomania [F.: *icon(o)-* + *-mano*^{1}.]

iconoscópio (i.co.nos.*có*.pi.o) *sm. Eletrôn.* Tubo de raios catódicos us. em televisão e que converte imagens em sequências de sinais elétricos [F.: *icon(o)-* + *-scópio*.]

iconóstase (i.co.*nós*.ta.se) *sf. Rel.* Nas igrejas cristãs do Oriente, espécie de grande retábulo em forma de tríptico, coberto de imagens dos santos [F.: Do gr. medv. *eikonóstasis*, pelo lat. medv. *iconostasis*.]

iconoteca (i.co.no.*te*.ca) *sf.* **1** Coleção sistematizada de imagens **2** Lugar (em biblioteca, museu etc.) em que essa coleção é guardada **3** Coleção de documentos visuais (ger. fotografias), disponíveis para reprodução em obras, periódicos etc. mediante pagamento [F.: *icon(o)-* + *-teca*.]

icor (i.*cor*.) [ô] *sm. Med.* Líquido purulento e fétido que sai de certas feridas ou abscessos; SÂNIE [F.: Do fr. *ichor*, do gr. *ichṓr*.]

◎ **icos(a)-** *el. comp.* = 'vinte': *icosaedro* (< gr.), *icoságono* [F.: Do gr. *eikos-, eikosa-*, do gr. *eíkosi*.]

icosaédrico (i.co.sa.*é*.dri.co) *a.* Ref. a ou que tem a forma de um icosaedro [F.: *icosaedro* + *-ico*^{2}.]

icosaedro (i.co.sa.*e*.dro) *sm. Geom.* Poliedro de vinte faces [F.: Do gr. *eikosáedros, os, on*; ver *icos(a)-* e *-edro*.]

icosagonal (i.co.sa.go.*nal*) *a2g. Geom.* Ref. ou inerente a icoságono [Pl.: *-nais*.] [F.: *icoságono* + *-al*^{1}.]

icoságono (i.co.*sá*.go.no) *sm. Geom.* Polígono de vinte lados [F.: Do gr. *eikoságonos, os, on*; ver *icos(a)-* e *-gono*.]

icterícia (ic.te.*rí*.ci:a) *sf. Pat.* Coloração amarelada da pele, mucosas e olhos, causada pela presença excessiva de bilirrubina no sangue; AMARELÃO [F.: Do lat. *ictericus, a, um*, + *-ia*^{1}, ou do lat. **icteritia*. Tb. *iterícia*.]

ictérico (ic.*té*.ri.co) *Med. a.* **1** Ref. a ou próprio de icterícia **2** Que sofre de icterícia *sm.* **3** Aquele que sofre de icterícia [F.: Do gr. *ikterikós, é, ón*, pelo lat. *ictericus, a, um*.]

◎ **icter(o)-** *el. comp.* = 'amarelo': *icterícia, icterídeo* (< lat. cient.), *icterocéfalo* [F.: Do gr. *íkteros, ou*, 'icterícia'.]

ictíco (ic.*tí*.i.co) *a. Zool.* Ref., inerente ou próprio de peixe (odor *ictíico*, aparência *ictíica*) [F.: Do gr. *ikhthyikós, é, ón*.]

◎ **icti(o)-** *el. comp.* = 'peixe': *ictiofagia, ictiófago* (< gr.), *ictiofauna, ictiografia, ictiologia, ictiossauro* [F.: Do gr. *ichthýs, ýos*.]

ictiodonte (ic.ti:o.*don*.te) *sm. Pal.* Dente fóssil de peixe [F.: *icti(o)-* + *-odonte*.]

ictiodorilite (ic.ti:o.do.ri.*li*.te) *sm. Pal.* Espinha fóssil da barbatana dorsal de certos peixes [F.: *icti(o)-* + gr. *dóry*, 'lança', 'dardo', + *-lite*.]

ictiofagia (ic.ti:o.fa.*gi*.a) *sf.* Hábito de se alimentar de peixes [F.: Do gr. *ikhthyophagía, as*.]

ictiofágico (ic.ti:o.*fá*.gi.co) *a.* Ref. a ictiofagia [F.: *ictiofagia* + *-ico*^{2}.]

ictiófago (ic.ti.*ó*.fa.go) *a.* **1** Que se alimenta de peixes *sm.* **2** Aquele que se alimenta de peixes [F.: Do gr. *ikhthyophágos, os, on*.]

ictiofauna (ic.ti:o.*fau*.na) *sf. Zool.* Conjunto dos peixes que vivem em um certo ambiente ou região [F.: *icti(o)-* + *fauna*.]

ictiofobia (ic.ti:o.fo.*bi*.a) *sf. Psiq.* Medo patológico de peixes [F.: *icti(o)-* + *-fobia*.]

ictiofóbico (ic.ti:o.*fó*.bi.co) *Psiq. a.* **1** Ref. a ictiofobia **2** Que tem ictiofobia; ICTIÓFOBO *sm.* **3** *Psiq.* Aquele que tem ictiofobia; ICTIÓFOBO [F.: *ictiofobia* + *-ico*^{2}.]

ictiófobo (ic.ti.*ó*.fo.bo) *a. sm.* O mesmo que *ictiofóbico* (2 e 3) [F.: *icti(o)-* + *-fobo*.]

ictiografia (ic.ti:o.gra.*fi*.a) *sf.* **1** Descrição dos peixes **2** Tratado sobre os peixes [F.: *icti(o)-* + *-grafia*.]

ictiográfico (ic.ti:o.*grá*.fi.co) *a.* Ref. a ictiografia [F.: *ictiografia* + *-ico*^{2}.]

ictiógrafo (ic.ti.*ó*.gra.fo) *sm.* Aquele que se especializou em ictiografia [F.: *icti(o)-* + *-grafo*.]

ictiólito (ic.ti.*ó*.li.to) *sm. Pal.* Pedra que contém um peixe fossilizado [F.: *icti(o)-* + *-lito*.]

ictiologia (ic.ti:o.lo.*gi*.a) *sf. Zool.* Parte da zoologia que estuda os peixes [F.: *icti(o)-* + *-logia*.]

ictiológico (ic.ti:o.*ló*.gi.co) *a. Zool.* Ref. a ictiologia [F.: *ictiologia* + *-ico*^{2}.]

ictiólogo (ic.ti.*ó*.lo.go) *sm. zool.* Aquele que se especializou em ictiologia [F.: *icti(o)-* + *-logo*.]

ictiose (ic.ti.*o*.se) *sf. Derm.* Dermatose em que a pele, em função de um espessamento anormal da epiderme, apresenta formações semelhantes às escamas dos peixes [F.: *icti(o)-* + *-ose*^{1}.]

ictiossauro (ic.ti:os.*sau*.ro) *sm.* **1** *Pal.* Espécime dos ictiossauros, ordem de répteis carnívoros fósseis que mediam entre 2 a 3 m de comprimento, podendo atingir 15 m; com forma de peixe e adaptados ao meio aquático, viveram esp. no continente europeu até o fim da era Cretácea *a.* **2** *Pal.* Ref. ou pertencente aos ictiossauros [F.: Adaptç. do lat. cient. *Ichthyosauria*.]

icto (*ic*.to) *sm.* **1** *Fon. Ling.* Energia, vigor maior na expiração de uma determinada sílaba em relação às demais do vocábulo ou da frase; sílaba tônica **2** *Med.* Qualquer ataque, acesso ou choque súbito (<u>icto</u> apoplético) [Tb. *ictus*.] **3** *Mús.* Marcação do tempo forte de certos compassos [F.: Do lat. *ictus, us*.] ▪ **~ cardíaco** *Fisl.* O batimento cardíaco **~ epiléptico** *P. us. Neur.* Ataque epiléptico, convulsão **~ sanguíneo** *P. us. Med.* Apoplexia; hemorragia interna **~ solar** *P. us.* Insolação

⊠ **ICV** *Econ.* Sigla de *Índice do Custo de Vida*

id *sm. Psic.* Segundo a psicanálise freudiana, um dos três componentes estruturais básicos da psique (os outros dois são o ego e o superego), repositório dos instintos vitais e regido pelo princípio do prazer [F.: Do lat. *id*. Hom./Par.: *id* (sm.), *ide* (fl. de *ir*).]

◎ **-ida^1** *suf.* nom. Formador de nomes de ação

◎ **-ida^2** *suf.* = 'descendente de': *fatímida, selêucida*

◎ **-ida^3** *suf.* Ver *-ideo^2*

◎ **-(i)dade** *el. comp.* Ver *-idade*

idade (i.*da*.de) *sf.* **1** *Biol. Cron.* Tempo decorrido desde o nascimento ou origem até uma data específica; anos de vida ou existência: *a* <u>*idade*</u> *de certas plantas chega a 100 anos; meu filho tem 8 anos de* <u>*idade*</u>. **2** *Cron.* Fase da vida (<u>idade</u> escolar, <u>idade</u> adulta) **3** *Cron.* Ref. à infância, à juventude, ou à velhice: *Essa doença é própria da* <u>*idade*</u> *senil; essas reações são típicas da* <u>*idade*</u>. **4** *Arqueol. Hist. Pal.* Período histórico ou pré-histórico (<u>Idade</u> da Pedra, <u>Idade</u> do Bronze) [Nesta acp. com inic. maiúsc.] [F.: De or. contrv.] ▪ **De ~** Idoso: *Mais respeito, é uma senhora* <u>*de idade*</u>. **~ absoluta** *Geol.* Idade (de fóssil, rocha etc.) expressa em anos ou séculos **~ da maré** *Fís. Oc.* Tempo que decorre entre a lua nova ou a lua cheia e o momento em que a maré, ou a corrente da maré, atinge suja amplitude máxima; idade de desigualdade de fase **~ da onda** *Oc. Fís.* Na evolução de uma onda no mar, relação entre a sua velocidade e a do vento que a gera **~ da pedra** *Arqueol. Geol.* Primeira das três grandes divisões de idades geológicas, que se caracteriza pelo uso, além do metal de pedra, madeira, ossos etc. [Subdividido nos períodos Paleolítico, Mesolítico e Neolítico.] **~ da pedra lascada** *Arqueol. Geol.* A primeira das subdivisões da idade da pedra; período paleolítico **~ da pedra polida** A terceira das subdivisões da idade da pedra; período neolítico **~ de Cristo** A idade de 33 anos, aquela em que, segundo a tradição cristã, Jesus foi crucificado **~ de desigualdade de fase** Ver *Idade da maré* **~ do gelo** **1** *Geol.* Cada um dos períodos nos quais os continentes da Terra ficaram cobertos de gelo; Pleistoceno [Duravam dezenas de milhões de anos e ocorriam a cada 150 milhões de anos.] **2** *Restr.* A idade do gelo da Europa e da América do Norte [Com inicial maiúscula., nesta acp.] **~ geológica** *Geol.* A idade de um fóssil ou de um elemento ou evento de caráter geológico, medida em anos ou séculos (ver *Idade absoluta*) ou por comparação com a duração de outros períodos adjacentes (ver *Idade relativa*) **~ Média** Período da história europeia, que vai do séc. V, com a decadência do Império Romano, a meados do séc. XV, quando eventos e transformações como o descobrimento do Novo Mundo, o Renascimento, a formação de Estados centralizados marcam o fim do sistema feudal [Com iniciais maiúsculas.] **~ pós-glacial** *Geol.* Última época do período Quaternário, após a Idade de Gelo, ou Pleistoceno, e identificado com o Holoceno **~ relativa** *Geol.* Idade (de fóssil, rocha etc.) expressa não em anos ou séculos (ver *Idade absoluta*), mas em relação à idade de elementos análogos **Terceira ~** Faixa de idade de pessoas acima dos 60 ou 65 anos (os critérios variam)

◎ **-idade** *suf. nom.* Formador esp. de subst. abstratos, em geral com as noções de 'qualidade ou caráter ou característica de (voc. primitivo*)' (*agilidade* [< lat.], *circularidade, competitividade, complexidade, espiritualidade, exclusividade, felicidade* [< lat.], *graciosidade, habilidade* [< lat.], *idoneidade* [< lat.]) e 'estado ou condição de (*)' (*ambiguidade, anterioridade, aquosidade* [< lat.], *bilateralidade, biodegradabilidade, caducidade, deformidade* [< lat.]). Além dessas noções (ou mesmo a partir delas), muitas palavras apresentam, também, as seguintes ideias: **a)** 'certa capacidade ou faculdade (determinada pelo voc. original)': *acuidade* (< fr. < lat.), *adaptabilidade, antigenicidade, compatibilidade, criatividade, fecundidade* (< lat.); **b)** 'dada propriedade': *acromaticidade, antigravidade, comutatividade, condutividade, condutibilidade, cromaticidade, distributividade, elasticidade, gravidade* (< lat.) [nesse caso, ger. em termos cient., esp. da física, matemática etc.]; **c)** 'tendência ou disposição para certo comportamento, ou característica comportamental ou modo de proceder (determinados pelo voc. primitivo) ou ação ou dito próprios ou característicos de (*)': *afetividade, agressividade, amabilidade* (< lat.), *amenidade, amoralidade, asnidade, atrocidade* (< lat.), *barbaridade, boçalidade, brutalidade, combatividade* (< fr.), *cumplicidade, desumanidade, generosidade* (< lat.), *hostilidade* [< lat.], *infantilidade*; **d)** 'disposição física para (algo comum ao voc. primitivo)': *convulsividade*; **e)** 'dado sentimento ou emoção': *animosidade* ('aversão'), *americanidade, baianidade, brasilidade* ('amor'); **f)** 'conjunto de qualidades ou características (daquele ou daquilo a que se refere o voc. base)': *animalidade, ancestralidade, civilidade* [< lat.], *humanidade* (< lat.); **g)** 'conjunto de (pessoas ou coisas às quais se refere o adj. original)': *comunidade* (< lat.), *criminalidade, gentilidade* (< lat.), *humanidade* (< lat.), *infidelidade* (< lat.), *latinidade* (< lat.); **h)** 'aquilo ou aquele que é ou tem como característica ser (*)': *carnosidade, cavidade* (< lat. < *cavus*, 'cavo'), *celebridade* [< lat.], *cirrosidade, concavidade* [< lat. < *concavus*, 'côncavo'), *gibosidade, sinuosidade*; **i)** 'relação de parentesco': *consanguinidade, fraternidade* (< lat.), *germanidade* [< lat.], *irmandade*; **j)** 'período, fase, duração ou dada época': *adultidade, antiguidade, atualidade, diuturnidade, maturidade*; **l)** 'quantia paga por um dado período (refere-se, em geral, ao direito à frequência em curso, clube etc., ao recebimento de certa publicação, ou à utilização de algum tipo de serviço ou direito adquirido [plano ou seguro de saúde, ou qualquer outro seguro] mediante o pagamento de certo valor, durante o mesmo período)': *anuidade, anuidade, mensalidade, semestralidade*; **m)** 'processo de reprodução típico de (*)': *cissiparidade, fissiparidade* (< fr.), *gemiparidade, viviparidade* [Bastante profícuo na língua, esse suf., conforme o padrão latino, agrega-se a adjetivos de terminação variada, como, p. ex., *-al* (*artificialidade, banalidade, funcionalidade*), *-ar* (*irregularidade, particularidade, polaridade*), *-ano* (*italianidade, lusitanidade*), *-oso* (*adiposidade, cremosidade, engenhosidade*), *-ico* (*aromaticidade, autenticidade, comicidade*) etc. A maioria, porém, dos voc. com *-(i)dade*, formados no latim (*acessibilidade, amabilidade, durabilidade*) ou no português, é de adjetivos com o suf. *-vel* (< lat. *-bilis, e*). No vernáculo, as formações a partir de adj. em *-vel* acrescidos de *-(i)dade* passam a apresentar a forma latina *-bil-*, segundo o modelo erudito, daí: *adaptável* > *adaptabilidade, aplicável* > *aplicabilidade, compatível* > *compatibilidade, confiável* > *confiabilidade, disponível* > *disponibilidade*.] [F.: Do suf. lat. *-(i)tas, -(i)tatis*. Ver tb. os equivalentes *-edade, -eidade* e *-ndade*, nos quais questões morfológicas específicas são abordadas.]

idálio (i.*dá*.li.o) *a.* **1** Ref. a Idálio, antiga cidade da ilha de Chipre (mar Mediterrâneo), célebre pelo culto que consagrava à deusa Vênus **2** Ref. à ou próprio da deusa Vênus [F.: Do lat. *idalius, a, um*.]

◎ **-idão** *suf.* = formação de subst. abstr. (de adj.): *gratidão, prontidão, solidão.* Equiv., -itude, -tude: *amplitude, altitude.* [F.: Do lat. *-(i)tudine.*]

idas e vindas *sfpl.* Longo processo no qual uma pessoa, grupo etc. oscila sucessivamente entre duas ideias, posições ou atitudes, sem chegar a uma decisão definitiva acerca de qual delas adotar ou rejeitar: *Após muitas idas e vindas, ele finalmente saiu candidato ao senado.*

◎ **-ide¹** *suf.* = estrutura, corpo (us. ger. em cultismos e tecnicismos): *cromátide, efeméride, prótide.*

◎ **-ide²** *suf.* Ver *-ídeo²*

ideação (i.de.a.*ção*) *sf.* **1** Ação ou resultado de idear **2** Formação de uma ideia; CONCEPÇÃO [Pl.: *-ções.*] [F.: *idear* + *-ção.*]

ideal (i.de.*al*) *a2g.* **1** Que só existe na ideia (mundo ideal); IMAGINÁRIO; FICTÍCIO: *Sonha sempre com uma vida ideal.* [Ant.: *real.*] **2** Que reúne todas as perfeições concebíveis e independentes da realidade (solução ideal, parceiro ideal) [Ant.: *falho.*] *sm.* **3** O que é nossa mais elevada aspiração: *A paz é o nosso ideal.* **4** Modelo, padrão: *cada geração tem seu ideal de beleza.* **5** Conjunto abstrato de perfeições de que se faz ideia, mas que não se pode atingir completamente: *O ideal da ética.* **6** Tipo de ser moral ou material que se delineia na imaginação e cuja posse satisfaria ao que o fantasia, perfeição típica **7** O modelo idealizado ou sonhado pela fantasia do poeta ou do artista **8** *Fil.* Para Kant, algo que a razão pura exige, porém que não é obtido no campo da experiência [Pl.: *-ais.*] [F.: Do lat. tard. *idealis, e.* Hom./Par.: *ideais* (pl.), *ideais* (fl. de *idear*).] ■ **~ do ego** *Psic.* Na teoria psicanalítica freudiana, aspecto da personalidade no qual se fundem o narcisismo e a identificação com os pais, os que os substituem e os ideais coletivos

idealidade (i.de:a.li.*da*.de) *sf.* **1** Qualidade do que é ideal: "Da idealidade descemos gostosamente à realidade, e que vimos então nós, os irmãos dos astros?" (Eça de Queirós, *Contos*) [Ant.: *realidade.*] **2** Disposição do espírito para dar às coisas um caráter ideal; IDEALISMO [F.: *ideal* + *-(i)dade.*]

idealismo (i.de:a.*lis*.mo) *sm.* **1** Propensão a orientar-se por ideais; IDEALIDADE **2** *Fil.* Doutrina ou postura que reduz o ser ao pensamento, ao espírito, à consciência, às ideias, considerados estes a base de solução dos problemas filosóficos **3** *Estét.* Doutrina, no âmbito da arte, que sustenta ser a representação fictícia (de pessoa, objeto, sensação etc.) mais satisfatória para o espírito do que a realidade objetiva **4** *Fil.* Teoria segundo a qual o mundo material só pode ser compreendido plenamente a partir de sua verdade espiritual, mental ou subjetiva [F.: *ideal* + *-ismo.*]

idealista (i.de:a.*lis*.ta) *a2g.* **1** Ref., inerente ou próprio do idealismo **2** *Estét. Fil.* Que é partidário do idealismo [Ant.: *realista.*] *s2g.* **3** Pessoa que tem ideais e procura respeitá-los e segui-los como norteadores de conduta e de realizações **4** Pessoa sonhadora, visionária [F.: *ideal-* + *-lista.*]

idealístico (i.de:a.*lís*.ti.co) *a.* Ref. ao idealismo; IDEALISTA [F.: *idealista* + *-ico².*]

idealização (i.de:a.li.za.*ção*) *sf.* **1** Ação, resultado ou faculdade de idealizar(-se); DIVINIZAÇÃO **2** *Psic.* Processo mental de exaltação do objeto do desejo com qualidades excepcionais tecidas na imaginação pelo sujeito [Pl.: *-ções.*] [F.: *idealizar* + *-ção.*]

idealizado (i.de:a.li.*za*.do) *a.* **1** Que se idealizou, que tem um caráter ideal (amor idealizado) **2** Que foi imaginado, concebido [F.: Part. de *idealizar.*]

idealizador (i.de:a.li.za.*dor*) [ô] *a.* **1** Que idealiza *sm.* **2** Aquele que idealiza [F.: *idealizar* + *-dor.*]

idealizar (i.de:a.li.*zar*) *v. td.* **1** Imaginar coisa ou pessoa com qualidades ideais: *Enquanto morava fora, o estudante idealizava o seu país.* **2** Conceber, criar mentalmente; IMAGINAR; IDEAR: *idealizar um teatro para a sua cidade/ um mundo sem corrupção.* **3** Fazer a planta de, projetar; IDEAR: *O arquiteto idealizou a casa conforme o pedido do cliente.* [▶ **1** idealizar] [F.: *ideal* + *-izar.* Hom./Par.: *idealizáveis* (fl.), *idealizáveis* (pl. de *idealizável* [a2g.]).]

idealizável (i.de:a.li.*zá*.vel) *a2g.* Que se pode idealizar [Pl.: *-veis.*] [F.: *idealizar* + *-vel.*]

idear (i.de.*ar*) *v. td.* **1** Desenvolver na ideia; criar mentalmente; IMAGINAR; IDEALIZAR: *O vereador não ideou lei nenhuma.* **2** Planejar, projetar [▶ **13** idear] [F.: *ideia* + *-ar².* seg. o mod. erudito. Sin. ger.: *idealizar.* Hom./Par.: *ideais* (fl.), *ideais* (pl. de *ideal* [a2g.]); *ideia* (fl.), *ideia* (sf.); *ideias* (fl.), *ideias* (pl. de *ideia*).]

ideário (i.de.*á*.ri:o) *sm.* **1** Conjunto ou sistema de ideias políticas, sociais, econômicas, culturais, filosóficas etc.: *ideário de liberdade e justiça; o ideário do Iluminismo.* **2** Conjunto de desejos, aspirações, objetivos e programas de ação de uma entidade associativa [F.: *ideia* + *-ário.*]

ideativo (i.de:a.*ti*.vo) *a.* Ref. a ideia ou ideias [F.: *idear* + *-tivo.*]

ideável (i.de:*á*.vel) *a.* Que se pode idear [Pl.: *-veis.*] [F.: *idear* + *-vel.* Hom./Par.: *ideáveis* (pl.), *ideáveis* (fl. de *idear*).]

ideia (i.*dei*.a) *sf.* **1** Representação de algo pelo pensamento; CONCEITO: *a ideia do bem.* **2** Conhecimento, noção: *Não tem a menor ideia sobre física.* **3** Plano, propósito, intenção: *A ideia é construir mais moradias.* **4** Modo de ver; OPINIÃO: *Mudou de ideia sobre o caso.* **5** Imaginação, invenção: *um romance rico de ideias.* **6** Mente, pensamento: *A derrota não lhe sai da ideia.* **7** Recurso, expediente: *Ocorreu-lhe então uma ideia brilhante.* **8** Lembrança, recordação, memória: *Não tenho ideia de ter feito isso.* **9** Juízo, discernimento, tino **10** *Bras. Pop.* Cabeça [F.: Do lat. *idea*, do gr. *idéa.* Hom./Par.: *ideia* (sf.), *ideia* (fl. de *idear*).] ■ **alertar as ~s** *Bras. Pop.* Embebedar-se **~ delirante** *Psiq.* Aquela, baseada numa distorção da percepção, que alimenta pensamento e atos delirantes. [Ex.: a ideia de uma própria grandeza, de que se está sendo perseguido ou traído etc.] **~ fixa** Obsessão, assunto ou ideia em que alguém concentra seu pensamento **~ força** *Psi.* Aquela na qual o aspecto intelectual se associa ao ativo, criando um fator de mobilização para a ação **~ geral** Ideia resultante de generalização **Trocar ~s/uma ~** *Bras. Pop.* Conversar sobre um assunto, debater, bater papo

⊕ **idem** (*Lat. /ídem/*) *pr. dem.* O mesmo [Us. para evitar a repetição do que se acaba de dizer ou escrever.]

idêntico (i.*dên*.ti.co) *a.* **1** Que é exatamente igual (gêmeos idênticos, roupa idêntica) [Ant.: *diferente.*] **2** Que é muito parecido ou análogo: *colonização idêntica à dos espanhóis.* **3** Que não difere de si próprio comparativamente a outro tempo ou situação: *Minha posição permanece idêntica.* [+ *a, em: alguém idêntico a ele; são idênticos em suas aspirações*] [F.: Do lat. medv. *identicus.*]

identidade (i.den.ti.*da*.de) *sf.* **1** Característica ou qualidade de idêntico (identidade de interesses); IGUALDADE [Ant.: *diferença.*] **2** Semelhança, analogia (identidade de interpretação) **3** Concordância: *Nossa identidade de pontos de vista é total.* **4** Conjunto de características próprias de uma pessoa, um grupo etc. que possibilitam a sua identificação ou reconhecimento [+ *com, de, entre: admitiu sua identidade com ela; identidade de estilos; identidade entre Machado de Assis e Sterne.*] **5** *Bras.* O mesmo que *carteira de identidade* ou *cédula de identidade* **6** *Ling.* Para Saussure, igualdade de um elemento consigo mesmo, ainda que em circunstâncias diferentes **7** *Lóg. Fil.* Característica pela qual dois ou mais objetos de pensamento apresentam as mesmas propriedades, embora designados de forma distinta [F.: Do lat. tard. *identitas, atis.*] ■ **~ aditiva** *Álg.* Num sistema, elemento identidade que, acrescentado a qualquer outro do sistema, não o altera [Ex.: numa soma de números inteiros, o número 0. Ver *Elemento identidade* no verbete *elemento.*] **~ multiplicativa** *Álg.* Num sistema, elemento identidade que, multiplicado por qualquer outro do sistema, não o altera [Ex.: num produto de números racionais diferentes de 0, o número 1. Ver *Elemento identidade* no verbete *elemento.*] **~ visual** *Des. ind. Publ.* Sistema de elementos gráficos e visuais (formas, cores, logotipos, embalagens, papéis, uniformes etc.) projetados de maneira integrada para, em seu conjunto ou em separado, identificarem inequivocamente uma empresa, instituição, função, empreendimento etc.

identificabilidade (i.den.ti.fi.ca.bi.li.*da*.de) *sf.* Qualidade do que é identificável [F.: *identificável* + *-(i)dade*, seg. o mod. erudito.]

identificação (i.den.ti.fi.ca.*ção*) *sf.* **1** Ação ou resultado de identificar(-se) **2** Reconhecimento de uma coisa ou de um indivíduo como os próprios (identificação do suspeito, identificação da pulseira) [+ *com, de, entre: identificação com a Igreja; identificação das palavras; identificação entre o autor e o leitor.* Ant.: *diferenciação.*] [Pl.: *-ções.*] [F.: *identificar* + *-ção.*]

identificador (i.den.ti.fi.ca.*dor*) [ô] *a.* **1** Que identifica ou serve para identificar; que é usado para identificar *sm.* **2** Aquele ou aquilo que identifica: *identificador de chamadas telefônicas.* **3** *Inf.* Sequência de caracteres alfanuméricos que se usa em uma programação de computador para designar ou utilizar uma variável ou uma função [F.: *identificar* + *-dor.*]

identificar (i.den.ti.fi.*car*) *v.* **1** Distinguir a identidade de algo ou alguém [*td.: O perito identificou a letra do acusado.*] **2** Descobrir as características ou a classificação de algo [*td.: O laboratório identificou o grupo sanguíneo do acidentado.*] **3** Reconhecer [*td.: A mãe identifica o filho de longe.*] **4** Determinar, caracterizar [*td.: O que identifica um bom chocolate?*: "Pois era com o ouro que se identificava, na Europa, a riqueza." (Alberto da Costa e Silva, *A manilha e o libambo.*)] **5** Apresentar-se, revelar-se [*tdp.: O rapaz identificou-se como sobrinho de Lúcia.*] **6** Ter as mesmas características, ideias ou opiniões de (outra pessoa, grupo etc.) [*tr.* + *com: É amiga minha, e me identifico com ela.*] **7** Tornar idêntico; fazer duas ou mais coisas serem como que uma só; EQUIPARAR; IGUALAR [*td.: É difícil não identificar amor e caridade.*] [*tr.* + *com: identificar ganância com estupidez; A violência só identifica o homem a sua própria espécie.* Ant.: *diferençar.*] [▶ **11** identificar] [F.: Do lat. *identificare.* Hom./Par.: *identificáveis* (fl.), *identificáveis* (pl. de *identificável* [a2g.]).]

identificatório (i.den.ti.fi.ca.*tó*.ri:o) *a.* Que identifica ou serve para identificar; IDENTIFICADOR [F.: *identificar* + *-tório.*]

identificável (i.den.ti.fi.*cá*.vel) *a2g.* Que pode ser identificado; que se pode identificar (estilo identificável, foto identificável) [Pl.: *-veis.*] [F.: *identificar* + *-vel.*]

identitário (i.den.ti.*tá*.ri:o) *a.* Ref. a identidade (de uma pessoa, um grupo etc.) [F.: *identidade* + *-ário.*]

◎ **-ídeo¹** *suf. Zool.* = família: *aracnídeo, bovídeo, cervídeo, equídeo* [F.: Adapt. do lat. cient. *-idae* < gr. *-ides.*]

◎ **-ídeo²** *suf.* Us. na formação de nomes de compostos que derivam de, ou se relacionam a uma classe de substâncias [NOTA: Alterna-se com *-ida³, -ide², -ido².*]

◎ **ideo-** *el. comp.* = 'aparência'; 'ideia': *ideograma, ideologia* [F.: Do gr. *idéa, as.*]

ideofobia (i.de:o.fo.*bi*.a) *sf. Psiq.* Medo ou desconfiança de ideias ou da razão [F.: *ideo-* + *-fobia.*]

ideofóbico (i.de:o.*fó*.bi.co) *a.* **1** Ref. a ideofobia **2** Que tem ideofobia; IDEÓFOBO *sm.* **3** Aquele que tem ideofobia; IDEÓFOBO [F.: *ideofobia* + *-ico².*]

ideófobo (i.de.*ó*.fo.bo) *a. sm.* O mesmo que *ideofóbico* (2 e 3) [F.: *ideo-* + *-fobo.*]

ideogenia (i.de:o.ge.*ni*.a) *sf.* Ciência que trata da origem das ideias [F.: *ideo-* + *-genia.*]

ideogênico (i.de:o.*gê*.ni.co) *a.* Ref. a ideogenia [F.: *ideogenia* + *-ico².*]

ideografia (i.de:o.gra.*fi*.a) *sf.* Representação direta das ideias por sinais gráficos que são a imagem figurada do objeto [F.: *ideo-* + *-grafia.*]

ideográfico (i.de:o.*grá*.fi.co) *a.* Ref. a ideografia (escrita ideográfica) [F.: *ideografia* + *-ico².*]

ideograma (i.de:o.*gra*.ma) *sm.* **1** *Ling.* Cada um dos elementos de uma escrita ideográfica **2** *Ling.* Sinal gráfico, símbolo não fonético, que representa um objeto ou exprime uma ideia, e não os sons da palavra, us. em algumas escritas, como a chinesa e a dos antigos egípcios **3** Sinal que exprime diretamente a ideia, como os algarismos [F.: *ideo-* + *-grama.*]

ideogramático (i.de:o.gra.*má*.ti.co) *a.* Ref. a ideograma [F.: *ideograma* + *-ático.*]

ideogrâmico (i.de:o.*grâ*.mi.co) *a.* O mesmo que *ideogramático* [F.: *ideograma* + *-ico².*]

ideologia (i.de:o.lo.*gi*.a) *sf.* **1** Ciência da formação das ideias e de um sistema de ideias **2** *Fil. Pol. Rel. Soc.* Sistema articulado de ideias, valores, opiniões, crenças etc., organizado como corrente de pensamento, como instrumento de luta política, como expressão das relações entre classes sociais, como fundamento de seita religiosa etc. **3** *Fil.* No marxismo, o conjunto das formas de consciência social que tem por finalidade legitimar a classe dominante ou, no lado oposto, os interesses revolucionários da classe proletária **4** *Hist.* Conjunto das ideias e convicções próprias de uma época, uma sociedade, uma classe etc., e que caracterizam uma situação histórica [F.: *ideo-* + *-logia.*]

ideológico (i.de:o.*ló*.gi.co) *a.* **1** Ref. ou inerente à ideologia (caráter ideológico, conotação ideológica) **2** Ref. ao que se baseia ou se constitui em ideias: *O caráter ideológico das leis sociais.* [F.: *ideologia* + *-ico².*]

ideologização (i.de:o.lo.gi.za.*ção*) *sf.* Ação ou resultado de ideologizar [Pl.: *-ções.*] [F.: *ideologizar* + *-ção.*]

ideologizar (i.de:o.lo.gi.*zar*) *v. td.* Dar caráter ideológico a (pensamento, discurso, manifestação artística etc.) [▶ **1** ideologizar] [F.: *ideologia* + *-izar*, seg. o modelo grego.]

ideólogo (i.de.*ó*.lo.go) *sm.* **1** Aquele que formula, aprimora ou defende uma ideologia: *os ideólogos do liberalismo.* **2** Aquele que é versado na ciência das ideias [F.: *ideo-* + *-logo.*]

ídiche (*í*.di.che) *sm.* **1** *Gloss.* Língua germânica falada pelos judeus na Europa central e oriental, baseada no alto-alemão dos sécs. XIV e XV, com elementos hebraicos, aramaicos e eslavos *a2g.* **2** Do ou ref. ao ídiche (1) (literatura ídiche) [F.: Do ing. *yiddish*, adaptç. do al. *jüdisch-deutsch.* Sin. ger.: *judeo-alemão.* Tb. *iídiche.*]

idichista (i.di.*chis*.ta) *s2g.* Estudioso da língua ou da literatura ídiche, ou iídiche [F.: *ídich(e)* + *-ista.* Tb. *iidichista.*]

idielétrico (i.di:e.*lé*.tri.co) *a.* Suscetível de ser eletrizado por fricção [F.: *idi(o)-* + *elétrico.*]

idílico (i.*dí*.li.co) *a.* **1** Ref. ou inerente a idílio; que tem caráter de idílio (relacionamento idílico) **2** Que lembra o idílio, pela suavidade e ternura: "...deste homem...lírico, quase idílico, que considerava um pedaço de céu azul como uma força civilizadora..." (Eça de Queirós, *Cartas familiares*) [F.: *idílio-* + *-ico².*]

idílio (i.*dí*.li:o) *sm.* **1** Namoro; amor, romance: *o idílio de Romeu e Julieta.* **2** Sonho, devaneio: *o eterno idílio do escritor com sua musa; o idílio dele com a revolução.* **3** *Poét.* Pequeno poema lírico de tema campestre; poema pastoril; ÉCLOGA **4** *Poét.* Entre os antigos gregos, qualquer poema curto [F.: Do lat. *idyllium*, deriv. do gr. *eidýllion.*]

◎ **idi(o)-** *el. comp.* = 'próprio de'; 'peculiar a'; '(p. ext.) (referente a) unidade ou indivíduo': *idiobiologia, idioblasto, idiolatria, idioma* (< gr.), *idiossincrasia* (< gr.) [F.: Do gr. *idio-*, do gr. *ídios, a* ou *os, on.*]

◎ **-ídio** *suf.* = estrutura, corpo (us. ger. em nomes científicos): *omatídio.*

idiobiologia (i.di:o.bi:o.lo.*gi*.a) *sf. Biol.* Parte da biologia que estuda os organismos como indivíduos [F.: *idi(o)-* + *biologia.*]

idioblasto (i.di:o.*blas*.to) *sm.* **1** *Biol.* Unidade estrutural hipotética inferior à célula **2** *Bot.* Célula morfológica ou fisiologicamente diferente das outras do tecido homogêneo em que se encontra [F.: *idi(o)-* + *-blasto.*]

idiocrômico (i.di:o.*crô*.mi.co) *a. Min.* Diz-se do mineral, não metálico, que tem cor própria; IDIOCROMÁTICO [F.: *idi(o)-* + *-crom(o)-* + *-ico².*]

idiofone (i.di:o.*fo*.ne) *sm. Mús.* Instrumento idiófono [F.: *idi(o)-* + *-fone.*]

idiofônico (i.di:o.*fô*.ni.co) *a. Mús.* Ref. a idiofone [F.: *idiofone* + *-ico².*]

idiófono (i.di.*ó*.fono) *a. Mús.* Diz-se do instrumento musical cujo som é produzido pelo próprio corpo do instrumento quando percutido (p. ex.: o triângulo, o prato, a castanhola, o xilofone etc.) [F.: *idi(o)-* + *-fono.*]

idiólatra (i.di.*ó*.la.tra) *s2g.* Pessoa que adora a si mesma [F.: *idi(o)-* + *-latra.* Hom./Par.: *idiólatra* (s2g.), *idólatra* (a2g., s2g.), *hidrólatra* (s2g.).]

idiolatria (i.di:o.la.*tri*.a) *sf.* Adoração, amor excessivo, exagerado de si mesmo [F.: *idi(o)-* + *-latria.* Hom./Par.: *idiolatria* (sf.), *idolatria* (sf.).]

idiolátrico (i.di:o.*lá*.tri.co) *a.* Ref. a idiolatria [F.: *idiolatria* + *-ico².* Hom./Par.: *idiolátrico* (a.), *idolátrico* (a.).]

idioma (i.di:o.ma) *sm.* **1** *Etnog. Ling. Gloss.* Qualquer instrumento de comunicação linguística de uma nação ou de uma região, um povo, um grupo étnico ou social **2** *Ling.* Linguagem, expressão própria de um grupo: *Essas são expressões próprias do idioma dos poetas surrealistas; As dissonâncias não faziam parte do idioma musical dos clássicos.* **3** A língua nacional, para seus falantes; o vernáculo: *Ao chegar ao Brasil, dedicou-se ao estudo do idioma.* [Com artigo definido.] [F.: Do lat. tard. *idioma, atis*, deriv. do gr. *idiõ ma, atos.*]

◎ **idiomat-** *el. comp.* = idioma, linguagem, forma peculiar: *idiomatismo* [F.: Do gr. *idíōma, atos.*]

idiomático (i.di:o.*má*.ti.co) *a.* **1** Ref., inerente ou próprio de um idioma (expressão idiomática) **2** Que se caracteriza por um certo idioma [F.: Do gr. *idiomatikós.*]

idiomatismo (i.di:o.ma.*tis*.mo) *sm.* **1** *Gram* Mecanismo gramatical próprio de um único idioma (p. ex.: o infinitivo flexionado em português) **2** *Ling. Lex.* Locução, ou expressão frasal, nem sempre traduzível, palavra por palavra, para outra língua (p. ex.: testa de ferro, pé de vento etc.) [F.: *idiomat(o)- + -ismo.*]

idiometrite (i.di:o.me.*tri*.te) *sf. Med.* Inflamação do parênquima do útero [F.: *idi(o)- + metr(o)-*[1] *+ -ite.*]

idiomografia (i.di:o.mo.gra.*fi*.a) *sf.* Ciência que trata do estudo e da classificação dos idiomas [F.: *idiom(a) + -o- + -grafia.*]

idiomográfico (i.di:o.mo.*grá*.fi.co) *a.* Ref. a idiomografia [F.: *idiomografi(a) + -ico*[2].]

idiossincrasia (i.di:os.sin.cra.*si*.a) *sf.* **1** Traço peculiar do comportamento, do temperamento ou da sensibilidade de uma pessoa, um grupo etc. **2** Maneira de agir ou reagir própria de uma pessoa **3** *Med. Pat.* Sensibilidade peculiar de um indivíduo a uma droga, um medicamento etc.; ANAFILAXIA; ALERGIA [F.: Do gr. *idiosinkrasya, as.*]

idiossincrásico (i.di:os.sin.*crá*.si.co) *a.* Ref. ou inerente a idiossincrasia; IDIOSSINCRÁTICO [F.: *idiossincrasia + -ico*[2].]

idiota (i.di:*o*.ta) [ó] *a2g.* **1** Diz-se de quem diz ou faz tolice; de que sugere ou constitui idiotice (comportamento idiota, resposta idiota) [Ant.: *esperto.*] **2** *Psiq.* Diz-se de quem sofre de idiotia *s2g.* **3** Aquele que diz ou faz tolice **4** *Psiq.* Aquele que sofre de idiotia [F.: Do lat. *idiota, ae*, deriv. do gr. *idiótes, ou.*]

idiotia (i.di:o.*ti*.a) *sf.* **1** Pouca inteligência, ignorância; IDIOTICE **2** *Psiq.* Retardo mental e atraso intelectual profundo, com ausência de linguagem e por vezes acompanhado de malformações físicas [F.: *idiota- + -ia*[1].] ■ **~ amaurótica** *Gen.* Doença genética que afeta ger. crianças, filhos de união consanguínea, e que se manifesta em retardo mental, cegueira gradativa e paralisia, levando à morte

idiotice (i.di:o.*ti*.ce) *sf.* **1** Ação ou dito de idiota (3, 4); IDIOTIA: *Ela se arrepende da idiotice que fez.* **2** Grande estupidez; imbecilidade [Ant.: *sagacidade, perspicácia.*] [F.: *idiota- + -ice.*]

idiótico (i.di:*ó*.ti.co) *a.* Ref. a idiota ou a idiotismo [F.: Do lat. *idioticus*, do gr. tard. *idiotikós.*]

idiotismo (i.di:o.*tis*.mo) *sm.* **1** Qualidade ou estado de idiota; IDIOTICE; IDIOTIA **2** *Ling.* Construção ou locução particular a uma língua: "Tudo compreendia com uma tão lúcida inteligência que os mais sutis idiotismos da nossa língua... eram logo divinamente adivinhados" (Coelho Neto, *Água de Juventa*) [F.: Do lat. tard. *idiotismus, i*, deriv. do gr. *idiotismós, oû.*]

idiotizado (i.di:o.ti.*za*.do) *a.* Que se tornou idiota [F.: Part. de *idiotizar.*]

idiotizar (i.di.o.ti.*zar*) *v. td. int.* Tornar(-se) idiota, tolo, imbecil: *A televisão idiotiza o público; O filme se idiotiza a partir da segunda metade.* [F.: *idiota + -izar.*]

◎ **-ido**[1] *suf.* = formação do part. passado e adj. de verbos da 2ª e >3ª conjugações: *adormecido, falido, garantido.* Equiv. -ado[1], -ida[2]: *apanhado, empenhado, corrida, investida, subida* [F.: Do lat. *itu*, part. pass. de *ire.*]

◎ **-ido**[2] *suf.* Ver *-ídeo*[2]

ido (*i*.do) *a.* **1** Que passou; DECORRIDO; PASSADO: "Lembro dessa mulher, como me lembro de meus idos sofrimentos." (Guimarães Rosa, *Grande sertão: veredas*) *smpl.* **2** Os tempos, os dias já transcorridos: *A valsa e a saia-balão pertencem aos idos do século XIX.* [F.: Do lat. *itu*, part. pass. de *ire.*]

idólatra (i.*dó*.la.tra) *a2g.* **1** Ref., inerente ou próprio da idolatria **2** Que adora e cultua ídolos *s2g.* **3** Aquele que adora ídolos [F.: Do lat. tard. *idololatra, ae*, deriv. do gr. *eidololátres, ou.*]

idolatrado (i.do.la.*tra*.do) *a.* **1** Adorado ou respeitado pelo idólatra **2** *Fig.* Amado em excesso, muito querido ou respeitado [F.: Part. de *idolatrar.*]

idolatrar (i.do.la.*trar*) *v. td.* **1** Cultuar uma divindade; ADORAR; VENERAR: *A tribo idolatrava o sol e a lua.* **2** Amar extremamente: *Passou a idolatrá-la desde que a viu.* [▶ **1** idolatrar] [F.: Do fr. *idolâtrer*. Hom./Par.: *idolatra* (fl.), *idólatra* (a2g. s2g.); *idolatras* (fl.), *idólatras* (pl. de *idólatra*).]

idolatria (i.do.la.*tri*.a) *sf.* **1** Culto prestado a ídolos **2** *Rel.* Para os cristãos, adoração de imagens e esculturas, proibida pelo segundo mandamento da Lei de Deus **3** Amor ou paixão exagerada; VENERAÇÃO [+ *a, por: idolatria a Deus; idolatria pela ética.*] [F.: Do lat. tard. *idololatria, ae*, deriv. gr. *eidololatreía, as.* Hom./Par.: *idolatria* (*sf.*).]

idolátrico (i.do.*lá*.tri.co) *a.* **1** Relativo a idolatria **2** Que apresenta traços, características de idolatria; IDÓLATRA: "Algumas pessoas, com maior boa-fé do que acerto, num respeito idolátrico, se empenham em crer que o dicionário de uma Academia é como um evangelho inatingível." (Mário Barreto, *Novíssimos estudos*) [F.: *idolatria + -ico.*]

ídolo (*í*.do.lo) *sm.* **1** Pessoa famosa por quem se tem extrema admiração: *Pelé até hoje é grande ídolo do futebol mundial.* **2** Figura, estátua ou imagem representativa de alguma divindade e adorada como tal: *Os ídolos são proibidos pela Bíblia e pelo Alcorão, mas aceitos pelo budismo e pelo hinduísmo.* [F.: Do lat. *idolum, i*, deriv. do gr. *eídolon, ou.*] ■ **~ de pés de barro** *Fig.* Pessoa, conceito, instituição etc., aparentemente firme e forte, mas que se revela frágil e inconsistente **~s da caverna** *Hist. Fil.* Para o filósofo Bacon, ideias e preconceitos frutos de contextos pessoais, sociais ou culturais específicos (educação, ambiente, hábitos), que constituem uma espécie de 'caverna' que confina a visão e o comportamento **~s da tribo** *Hist. Fil.* Para o filósofo Bacon visões equivocadas que são frutos da própria natureza humana (como o escapismo de ver como realidade aquilo em que se quer acreditar) **~s de Bacon** *Hist. Fil.* Para o filósofo Bacon, ideias preconcebidas, arraigadas na mente humana, que distorcem a percepção da realidade e a razão [Podem ser de quatro espécies: *ídolos da caverna, ídolos do teatro, ídolos da tribo* e *ídolos do mercado.*] **~s do mercado** *Hist. Fil.* Para o filósofo Bacon, percepções distorcidas com base em imprecisão no entendimento da linguagem **~s do teatro** *Hist. Fil.* Para o filósofo Bacon, ilusões na percepção, originadas em ideias ou teorias de natureza abstrata, teológica, metafísica etc.

idoneidade (i.do.nei.*da*.de) *sf.* Qualidade, característica de pessoa ou coisa idônea [F.: Do lat *idoneitas, atis.*]

idôneo (i.*dô*.ne:o) *a.* **1** Que é muito honesto, confiável, correto (comportamento idôneo) [Ant.: *inidôneo.*] **2** Que é competente, autorizado, abalizado: "Por entenderem que os jesuítas não eram os mais idôneos educadores de um jovem rei" (Antero de Figueiredo, *D. Sebastião*) **3** *Jur.* Que é considerado apto técnica e moralmente para ocupar certo cargo ou desempenhar determinada função [F.: Do lat. *idoneus, a, um.*]

idos (*i*.dos) *smpl.* No calendário dos antigos romanos, o dia 15 dos meses de março, maio, julho e outubro, e o dia 13 nos outros meses [Além de *idos*, esse antigo calendário possuía mais três dias fixos: *calendas* (1º dia) e *nonas* (5º ou 7º dias, de acordo com o mês).] [F.: Do lat. *idus, uum.* Cf.: *ido.*]

idoso (i.*do*.so) [ô] *a.* **1** Diz-se de quem está em idade avançada [Ant.: *jovem.*] [Pl.: [ó]. Fem.: [ó].] *sm.* **2** Aquele que está em idade avançada; ANCIÃO; VELHO [F.: *idade- + -oso.*]

◎ **-idr(o)** *suf.* Ver *hidr(o)*

idumeu (i.du.*meu*) *sm.* **1** Pessoa nascida na Idumeia, antiga região ao sul do Mar Morto *a.* **2** Da Idumeia; típico dessa região ou de seu povo [F.: Do lat. *idumaeus*, deriv. do gr. *idumaioi.*]

⊠ **i. e.** Abrev. do lat. *id est*, 'isto é'

ie-ie-iê *sm. Bras. Mús.* Nome dado ao *rock* brasileiro feito na década de 60, fortemente influenciado pelos Beatles [F.: Aportuguesamento do refrão "*yeah, yeah, yeah*" cantado pelos Beatles.]

iemanjá (I:e.man.*já*) *sf. Bras. Umb.* Orixá feminino das águas salgadas; JANAÍNA; DANDALUNDA; IARA [F.: Do ior. *yè m -ndja.*]

iemenita (i:e.me.*ni*.ta) *a2g.* **1** Ref., inerente ou pertencente ao Iêmen (Ásia) **2** Típico do Iêmen ou de seu povo (hábitos iemenitas, economia iemenita) *s2g.* **3** Pessoa natural do Iêmen ou que nele vive [F.: Do top. *Iêmen- + -ita.*]

iene (*i*:e.ne) *sm.* **1** *Econ.* Moeda nacional japonesa **2** Unidade dos valores em iene, us. em notas e moedas [F.: Do ingl. *yen* < jap. *yen* < chinês *yüan.*]

ifá (i.*fá*) *Rel. sm.* **1** *Bras. Rel.* Orixá da adivinhação e do destino, ligado a Orumilá, entidade patrona do conhecimento e da revelação dos destinos **2** *Rel.* Entre os iorubas, sistema sagrado de adivinhação ligado a Orumilá. [No Brasil são us. búzios, na África, caroços de dendê ou uma cadeia metálica a que se prendem sementes.] [Obs.: Inicial maiúsc.] [F.: Do ior. *ifa*, 'divindade da adivinhação'.]

◎ **-ífera** *el. comp.* Ver *-fera*

◎ **-ífero** *el. comp.* Ver *-fero* [F.: Do lat. *-ifer, era, erum.*]

⊠ **Ig** *Bioq.* Abrev. de *imunoglobulina*

igaçaba (i.ga.*ça*.ba) *sm.* **1** Pote grande us. para armazenar água, farinha, grãos etc.: "Depois a virgem entrou com a igaçaba, que na fonte próxima enchera de água fresca..." (José de Alencar, *Iracema*) **2** Urna funerária dos indígenas [F.: Do tupi *ia'saua.*]

igapó (i.ga.*pó*) *sm.* **1** *AM.* Área da floresta amazônica que se mantém alagada mesmo após a cessação das chuvas e/ou as cheias dos rios **2** *Bot.* A vegetação típica dessas áreas [F.: Do tupi *ïa'po.*]

igapozal (i.ga.po.*zal*) *sm. AM* Série de igapós [Pl.: *-zais.*] [F.: *igapó + -zal.*]

igara (i.*ga*.ra) *sf.* **1** *Bras.* Canoa inteiriça, rasa, feita de um tronco de árvore escavado e com popa elevada; UBÁ **2** *P. ext.* Qualquer embarcação [F.: Do tupi *ï'ara.*]

igarapé (i.ga.ra.*pé*) *sm.* **1** *AM Geog.* Pequeno rio, estreito e navegável, que nasce na mata e deságua num rio maior: "Meio vestida com a gaze das águas/ na renda trançada dos igarapés..." (Guimarães Rosa, "A Iara" *in Magma*) **2** *AM* Canal estreito entre uma ilha fluvial e outra, ou entre uma ilha e a terra firme, com passagem para apenas uma canoa [F.: Do tupi *ïara'pe.*]

igarité (i.ga.ri.*té*) *sm.* **1** *AM. Mar.* Embarcação de carga com capacidade entre uma e duas toneladas, impulsionada a remo ou motor **2** *MT. GO.* Espécie de chata, para transporte de veículos e carga [F.: Do tupi *ïare'te.*]

◎ **-ígero** *el. comp.* Ver *-gero* [F.: Do lat. *-iger, era, erum.*]

iglu (i.*glu*) *sm.* Pequena casa de inverno dos esquimós, feita de blocos de gelo, erigida em forma de cúpula [F.: Do ing. *igloo*, deriv. do esquimó *iglu, idglu.*]

ignaro (ig.*na*.ro) *a.* **1** Que é ignorante, inculto; bronco (povo ignaro): "Nosso homem, ignaro, escalara dela já o fim, e fino." (Guimarães Rosa, "A benfazeja" *in Primeiras estórias*) *sm.* **2** Indivíduo estúpido, idiota: "Sei que há de sorrir, porque você é um ignaro, Rubião" (Machado de Assis, *Quincas Borba*) **3** Desconhecido, ignorado: *Aquela fértil e ignara região.* [F.: Do lat. *ignarus, a, um.*]

ignavo (ig.*na*.vo) *a.* **1** Preguiçoso, indolente **2** Covarde, pusilânime; MEDROSO [Ant.: *valente.*] [F.: Do lat. *ignavus, a, um.*]

ígneo (*íg*.ne:o) *a.* **1** Ref. ou próprio do fogo **2** Que tem a natureza ou a cor do fogo (chama ígnea, cabelos ígneos) **3** Que se faz sob a ação do calor **4** *Fig.* Entusiasmado, ardente; impetuoso (temperamento ígneo) **5** *Geol.* Diz-se de rocha ou mineral resultante da solidificação do magma; PLUTÔNICO; VULCÂNICO [F.: Do lat. *igneus, a, um.*]

◎ **ign(i)-** *el. comp.* = 'fogo': *ígneo* (< lat.), *ignícola, ignífero* (< lat.), *ignífugo, ignígero* (< lat.) [F.: Do lat. *ignis, is*, 'fogo'; 'chama'; 'incêndio'.]

ignição (ig.ni.*ção*) *sf.* **1** *Fís. -quím.* Estado de corpos ou materiais em combustão viva; IGNESCÊNCIA **2** *Mec.* Sistema que aciona o motor de um veículo pela inflamação comandada da mistura combustível [Pl.: *-ções.*] [F.: Do fr. *ignition.*]

ignícola (ig.*ní*.co.la) *a2g.* **1** Que tem fascínio, adoração por fogo *s2g.* **2** Aquele ou aquela que adora fogo [F.: *ign(i)- + -cola*[1].]

ignífero (ig.*ní*.fe.ro) *a.* **1** Que incendeia, ou que traz ou lança fogo **2** Em que há fogo [F.: Do lat. *ignifer, era, erum.* Sin. ger.: *ignígero.*]

ignífugo (ig.*ní*.fu.go) *a.* Que é resistente ao fogo, que tem a capacidade de evitá-lo ou não propagá-lo (diz-se de certos boratos e fosfatos) (verniz ignífugo) [F.: *ign(i)- + -fugo*[1].]

ignígeno (ig.*ní*.ge.no) *a.* **1** Que produz fogo; INFLAMÁVEL **2** Que nasceu no fogo ou do fogo **3** Obtido por meio de aquecimento artificial (diz-se de sal refinado) *sm.* **4** Epíteto de Baco e Vulcano na mitologia greco-romana [F.: Do lat. *ignigenus, a, um*, 'que produz fogo'.]

ignígero (ig.*ní*.ge.ro) *a.* O mesmo que *ignífero* [F.: Do lat. *igniger, era, erum.*]

ignívoro (ig.*ní*.vo.ro) *a.* Que engole substâncias em ignição ou que simula engolir fogo ou matérias inflamadas [F.: *ign(i)- + -voro.*]

ignóbil (ig.*nó*.bil) *a2g.* **1** Que não tem ou não demonstra nobreza de caráter (atitude ignóbil); ORDINÁRIO; DESPREZÍVEL; VIL [Ant.: *nobre.*] **2** Vergonhoso, infame (atitude ignóbil): "talvez Maria da Glória estivesse alheia ao baboseio ignóbil" (Guimarães Rosa, "Buriti" *in Noites do sertão*) [Ant.: *digno.*] [Pl.: *-beis.*] [F.: Do lat. *ignobilis, e.*]

ignomínia (ig.no.*mí*.ni:a) *sf.* **1** Desonra extrema; INFÂMIA: "Considero uma ignomínia a acusação de que menti..." (*O Globo*, 19.09.2001) [Ant.: *honra.*] **2** Atitude ou estado que caracteriza desonra ou degradação: *A pobreza extrema é uma ignomínia.* [F.: Do lat. *ignominia, ae.* Hom./Par: *ignominia* (flex. de *ignominiar*).]

ignominioso (ig.no.mi.ni:*o*.so) [ô] *a.* **1** Que causa ignomínia; vergonhoso, indigno; DESONROSO; INFAME [Ant.: *honroso.*] **2** Que provoca sentimento de horror ou vergonha: *A mera existência de pedintes já é um fato ignominioso.* [Pl.: [ó]. Fem.: [ó].] [F.: Do lat. *ignominiosus, a, um.*]

ignorado (ig.no.*ra*.do) *a.* **1** Que se ignora, de que não se sabe; DESCONHECIDO; IGNOTO: *O suspeito viajou para local ignorado.* **2** Obscuro, humilde: *uma vida ignorada, afastado de tudo.* [F.: Part. de *ignorar.*]

ignorância (ig.no.*rân*.ci:a) *sf.* **1** Característica ou estado de quem ignora; falta de saber, de conhecimentos; DESCONHECIMENTO [Ant.: *instrução, conhecimento.*] **2** Estado de quem não tem informação ou não está a par de algo: *Mostra total ignorância desses fatos.* **3** Imperícia, inabilidade, incompetência: *É lamentável a ignorância desse pintor.* **4** Rudeza, grosseria: *Demonstra sempre ignorância no trato com os outros.* [Ant.: *gentileza.*] **5** Estupidez, boçalidade [F.: Do lat. *ignorantia, ae.*] ■ **Apelar/partir para a ~** *Bras. Gír.* Recorrer à agressão física ou verbal para resolver uma divergência

ignorante (ig.no.*ran*.te) *a2g.* **1** Que não tem instrução [Ant.: *culto, instruído.*] **2** Que não tem conhecimento sobre determinado assunto: *Eles são ignorantes em política econômica.* **3** Que ignora, que não está a par de algo: *Estamos ignorantes do que se passa.* [Ant.: *conhecedor.*] **4** Que é grosseiro, estúpido, rude [Ant.: *gentil.*] *s2g.* **5** Pessoa ignorante [F.: Do lat. *ignorans, antis.*]

ignorar (ig.no.*rar*) *v. td.* **1** Não saber; DESCONHECER: *Ignorava os efeitos nocivos da futilidade.* [Ant.: *conhecer, saber.*] **2** Desconsiderar intencionalmente (algo ou alguém): *Ignorou o conselho do pai.* **3** Ser desprovido de certa característica: *Ignora a autenticidade.* **4** *Pop.* Fazer reparo em; ESTRANHAR: *Não ignore essas palavras de advertência.* [▶ **1** ignorar] [F.: Do lat. *ignorare.* Hom./Par.: *ignoráveis* (fl.), *ignoráveis* (pl. de *ignorável* [a2g.]).]

ignorável (ig.no.*rá*.vel) *a.* Que pode ou merece ser ignorado [Pl.: *-veis.*] [F.: *ignorar + -vel.* Hom./Par.: *ignoráveis* (fl. de *ignorar*).]

ignoto (ig.*no*.to) [ô/ó] *a.* Desconhecido, ignorado; INCÓGNITO [Ant.: *conhecido.*] [F.: Do lat. *ignotus, a, um.*]

⊠ **IGP** Sigla de *Índice Geral de Preços*

igreja (i.*gre*.ja) [ê] *sf.* **1** Templo cristão **2** *Rel.* Toda a comunidade cristã: *Quando Cristo vier buscar sua noiva, a igreja...*

[Ant.: *leigos, ímpios.*] **3** Autoridade eclesiástica; o clero: *a Igreja se coloca contra esse tipo de comportamento.* **4** *Rel.* Catolicismo [Ger. com inicial maiúsc. nas acps. 2, 3 e 4.] [Dim.: *igrejola.*] [F.: Do lat. vulg. *ecclesia* < gr. *enklesía, ae.*] **■ Casado na ~ verde** *Bras. Pop.* Amigado, amancebado **Casar na ~** *Pop.* Contrair matrimônio em rito religioso **~ invisível** *Rel.* No catolicismo, o conjunto dos fiéis que estão na Igreja padecente e na Igreja triunfante [Ver *Igreja padecente* e *Igreja triunfante.*] **~ gloriosa** *Rel.* Ver *Igreja triunfante* **~ matriz** *Rel.* Aquela que tem jurisdição sobre outras igrejas, capelas etc. da mesma circunscrição [Tb. apenas *matriz.*] **~ padecente** *Rel.* No catolicismo, o conjunto de fiéis que expiam pecados no purgatório **~ triunfante** *Rel.* No catolicismo, o conjunto de fiéis que estão no céu; igreja gloriosa **~ visível** *Rel.* No catolicismo, o conjunto de fiéis e seus pastores que estão na Terra

igrejeiro *a.* **1** Ref. a igrejas ou delas característico (catecismo igrejeiro) **2** Que vai frequentemente à igreja; BEATO; CAROLA *sm.* **3** Pessoa frequentadora assídua de igrejas: *Meu irmão se transformou em um igrejeiro.* [F.: *igreja* + *-eiro.*]

igrejinha (i.gre.*ji*.nha) *sf.* **1** Igreja (1) pequena **2** *Fig.* Grupo muito fechado; conluio, trama; PANELINHA: *Em suas crônicas, Lima Barreto sempre combateu as igrejinhas literárias.* [F.: *igreja* + *-inha.*]

igual (i.*gual*) *a2g.* **1** Que tem a mesma aparência, natureza, quantidade etc. (gostos iguais, porções iguais); IDÊNTICO [Ant.: *desigual.*] **2** Que não varia: *uma paisagem sempre igual.* **3** Que tem os mesmos direitos e deveres: *Aqui somos todos iguais.* *s2g.* **4** Pessoa do mesmo nível ou condição [Pl.: *iguais.*] *adv.* **5** Igualmente: *Age igual com todos.* [*Em linguagem popular, o adj. e o adv. são freq. us. no diminutivo com valor intensificador: nariz igualzinho ao do pai; ela sorri igualzinho à mãe.*] [F.: Do lat. *aequalis.*] **■ De ~ a ~** Ver *De igual para igual* (1) **De ~ para ~** **1** Como se (outro) fosse do mesmo nível, valor etc.: *Tratava os empregados de igual para igual.* **2** Em condições de igualdade (quanto a algo): *Largaram as armas e lutaram de igual para igual.* **Não ter/haver ~** (a) Ser único, singular, não ter quem ou o que se compare (a) **Por ~** De maneira similar, ou homogênea, igualmente: *Encha os copos até a metade, por igual.* **Sem ~** Único, exclusivo, sem paralelo: *um trabalhador sem igual.*

igualação (i.gua.la.*ção*) *sf.* Ação ou resultado de igualar(-se) [Pl.: *-ções.*] [F.: *igualar* + *-ção.*]

igualamento (i.gua.la.*men*.to) *sm.* **1** Ação ou resultado de igualar, de nivelar; IGUALAÇÃO: *A informática proporcionou um igualamento nas condições de trabalho.* **2** Qualidade ou característica de ser igual, de estar no mesmo nível [F.: *igualar* + *-mento.*]

igualar (i.gua.*lar*) *v.* **1** Tornar(-se) igual (a); EQUIPARAR(-SE) [*td.: A produção igualou os índices do ano passado; Nada iguala os homens.*] [*tdr.* + *a*, *com: Igualara seu ânimo ao do adversário.*] [*int.: No final da guerra, as duas esquadras se igualavam.*] [Ant.: *desigualar, desequilibrar.*] **2** Deixar nivelado; ALISAR; APLAINAR [*td.: Os operários igualaram as pistas.*] **3** Estar ou ficar ao mesmo nível [*tr.* + *a*, *com: A altura do viaduto iguala com o sexto andar do prédio.*] **4** Ser igual [*tr.* + *a: Sua pobreza iguala à dos franciscanos.*] [▶ **1 igualar**] [F.: *igual* + *-ar*². Hom./Par.: *igualáveis* (fl.), *igualáveis* (pl. de *igualável* [a2g.]).]

igualável (i.gua.*lá*.vel) *a2g.* Que se pode igualar; que pode ser igualado [Pl.: *-veis.*] [F.: *igualar-* + *-vel.*]

igualdade (i.gual.*da*.de) *sf.* **1** Qualidade, condição ou estado do que é igual: "Brota o lírio da igualdade..." (Eça de Queirós, *Os Maias*) [+ *de*, *entre*: *igualdade de condições; igualdade entre os povos* Ant.: *desigualdade.*] **2** Uniformidade, identidade, regularidade **3** Equidade, equivalência, justiça **4** *Mat.* Expressão que determina correspondência de igualdade (4), em valor numérico, entre seus termos, na forma A = B (p. ex.: 4 + 1 = 3 + 2) [F.: Do lat. *aequalitas, atis.*] **■ ~ formal** *Soc.* Relação de igualdade (entre indivíduos, grupos, instituições etc.) que tem como parâmetro categorias éticas abstratas (dignidade, cidadania etc.) **~ material** *Soc.* Relação de igualdade (entre indivíduos, grupos, instituições etc.) que tem como parâmetro condições ou situações concretas, materiais, como a disponibilidade de recursos para subsistência etc. **~ moral** *Soc.* Relação de igualdade (entre indivíduos, grupos, instituições etc.) que tem como parâmetro os valores fundamentais que edificam a dignidade do ser humano

igualha (i.*gua*.lha) *sf.* **1** Igualdade ou identidade de condição social: "Tu não vês que ele não é pessoa de nossa igualha?..." (Camilo Castelo Branco, *Doze casamentos*) **2** Identidade de sentir e/ou de pensar [F.: Do lat. *aequalia*, pl. de *aequalis, e.*]

igualitário (i.gua.li.*tá*.ri:o) *a.* **1** Ref. ou inerente ao igualitarismo **2** Diz-se de que ou quem promove ou defende o igualitarismo (discurso igualitário, ensaísta igualitário) *sm.* **3** Aquele ou aquilo que promove ou defende o igualitarismo; partidário do igualitarismo [F.: Do fr. *égalitaire.*]

igualitarismo (i.gua.li.ta.*ris*.mo) *sm. Fil. Jur. Pol.* Doutrina que prega a igualdade civil, política e social para todos os membros de uma sociedade [F.: *igualitário* + *-ismo*; adapt. do fr. *égalitarisme.*]

igualitarista (i.gua.li.ta.*ris*.ta) *a2g.* **1** Que é adepto do igualitarismo *s2g.* **2** Pessoa adepta do igualitarismo; IGUALITÁRIO [F.: *igualitário* + *-ista.*]

igualização (i.gua.li.za.*ção*) *sf.* Ação ou resultado de igualizar, de tornar-se igual [Pl.: *-ções.*] [F.: *igualizar* + *-ção.*]

igualizar (i.gua.li.*zar*) *v. td. int. P. us.* Tornar(-se) igual; igualar(-se) [F.: *igual* + *-izar.*]

iguana (i.*gua*.na) *sf. Zool.* Denominação comum aos lagartos da fam. dos iguanídeos, gên. *Iguana*, com uma esp. apenas, de grande porte, papo inflável e crista que vai da nuca até a cauda, herbívoro, ocorre do México ao Brasil; tb. conhecido como camaleão [F.: Do lat. cient. gên. *Iguana*, do cast. *iguana* < aruaque *iwana.*]

iguanídeo (i.gua.*ní*.de.o) *a.* **1** Referente a iguanídeo *sm.* **2** *Herp.* Espécime dos iguanídeos, fam. de lagartos com cerca de 700 spp., encontradas nas Américas, Madagascar e ilhas Fidji [F.: Do lat. cien. fam. *Iguanidae.*]

iguanodonte (i.gua.no.*don*.te) *sm.* **1** *Pal.* Designação comum a várias espécies de dinossauros bípedes e herbívoros do período *Cretáceo*, de grandes dimensões – até 10 ou 12 metros aproximadamente –, pertencentes ao gênero *Iguanodon*, e que tinham cabeça grande, focinho alongado, dentes serrilhados, membros posteriores com três dedos e anteriores com cinco, sendo o polegar pontudo e afiado **2** Indivíduo pertencente a alguma dessas espécies [F.: Do lat. cient. gên. *Iguan(o)* + *-odonte.*]

iguaria (i.gua.*ri*.a) *sf.* **1** Comida saborosa; ACEPIPE; GULOSEIMA **2** *P. ext.* Qualquer comida bem preparada [F.: De or. contrv.]

igupá (i.gu.*pá*) *sm. Bras. N. E.* Extensão pantanosa, brejo formado pelas chuvas [F.: Do tupi *igu'pa* 'brejo'.]

ih *interj.* Exprime surpresa, espanto, ironia ou sensação de perigo iminente [F.: De or. onom.]

◎ **-il** *suf.* = referência: *pastoril, primaveril, senhoril* [F.: Do lat. *-ile.*]

◎ **-ila¹** *suf. Quím.* = 'substância relacionada a (algo específico)': *nitrila* [F.: Do suf. fr. *-ile*, do lat. *-ilis.*]

◎ **-ila²** *suf. Quím.* = 'radical composto'; 'grupamento derivado de dada substância'; 'radical que contém oxigênio (inclusive alguns ácidos orgânicos)'; 'radical monovalente'; 'radical alquila': *alila, benzila, benzoíla, carbonila, carboxila, oxidrila, uranila, vinila* [F.: Do fr. *-yle* (depreendido do fr. *benzoyle*), do gr. *hýle, es*, 'bosque'; 'floresta'; 'árvore'; 'madeira'; 'matéria'. F. conexa: *-il.*]

ilação (i.la.*ção*) *sf. Lóg.* O que se conclui de certos fatos, afirmações, circunstâncias etc.; CONCLUSÃO; DEDUÇÃO; INFERÊNCIA: "Há, porém, que sou um mau contador, precipitando-me às ilações antes dos fatos" (Guimarães Rosa, *"O espelho" in Primeiras estórias*) [Pl.: *-ções.*] [F.: Do lat. *illatio, onis.*]

ilangue-ilangue (i.lan.gue-i.*lan*.gue) *sm.* **1** *Bot.* Planta anonácea (Cananga odorata), de cujas flores se extrai essência aromática us. para a produção de perfumes; ILANGA **2** Planta zingiberácea (*Kaempferia galanga*, L.). Tb. *cananga-do-japão* [F.: Do tagalo *ilang-ilang.*]

ilapso (i.*lap*.so) *sm. Rel.* Segundo os crentes, influxo por meio do qual Deus estabelece comunicação com a alma das pessoas [F.: Do lat. *illapsus, us* 'corrente, vertente de água' part. pass. de *illabi.*]

ilaquear (i.la.que.*ar*) *v.* **1** Levar a ou cair em engano, em logro; enganar(-se) [*td.: Ilaqueou meia dúzia de desavisados*] [*tdr.* + *com: Quis ser esperto, mas ilaqueou-se com a conversa do malandro.*] **2** Neutralizar, anular a influência de [*td.: Ilaqueou as ideias pseudofilosóficas do amigo.*] **3** Cair em tentação [*int.*] **4** Enredar, confundir [*td.*] [*tdr.* + *em*] [▶ **13 ilaquear**] [F.: Do lat. *illaqueare.*]

ilativo (i.la.*ti*.vo) *a.* **1** *Lóg.* Em que há ilação (argumento ilativo) **2** *Gram. Ling.* Diz-se da conjunção que exprime ideia de conclusão (p. ex., logo, pois, portanto etc.) **3** *Ling.* Diz-se do caso existente em algumas línguas que exprime movimento para dentro [F.: Do lat. *illativus, a, um.*]

ilê (i.*lê*) *sm. Bras. Rel.* Casa em que se realizam os cultos do candomblé; TERREIRO [F.: Do iorubá *ile* 'casa'.]

ilegal (i.le.*gal*) *a2g.* Que desobedece à lei; ILÍCITO [Ant.: *legal, lícito.*] [Pl.: *-gais.*] [F.: Do lat. medv. *illegale.*]

ilegalidade (i.le.ga.li.*da*.de) *sf.* **1** Característica, qualidade ou estado de ilegal; situação ilegal: *ilegalidade do contrato; viver na ilegalidade.* **2** *Jur.* Procedimento ilegal [F.: *ilegal* + *-(i)dade.*]

ilegibilidade (i.le.gi.bi.li.*da*.de) *sf.* Condição ou qualidade do que é ilegível [F.: *ilegível* + *-(i)dade*, seg. o padrão erudito. Hom./Par.: *elegibilidade* (sf.).]

ilegitimidade (i.le.gi.ti.mi.*da*.de) *sf.* **1** Qualidade ou condição do que é ilegítimo, que não é conforme ao direito **2** O fato de não ser legítimo **3** *Ant. P. ext.* Bastardia [F.: *ilegítimo* + *-(i)dade.*]

ilegítimo (i.le.*gí*.ti.mo) *a.* **1** *Jur. Leg.* Que não está de acordo com a lei (filho ilegítimo, poderes ilegítimos) **2** Que não tem justificativa (pretensão ilegítima); ILEGAL; ESPÚRIO [Ant.: *legítimo.*] **3** Injusto, desarrazoado [F.: Do lat. *illegitimus, a, um.*]

ilegível (i.le.*gí*.vel) *a2g.* Que não se pode ler com clareza [Pl.: *-veis.*] [F.: *in*² + *legível.* Hom./Par.: *elegível* (*a2g.*).]

◎ **ile(o)-** *el. comp.* = parte terminal do intestino delgado (íleo): *ileocecal, ileostomia*

íleo¹ (*í*.le:o) *sm. Anat.* A terceira e última parte do intestino delgado, situada entre o jejuno e o ceco [F.: Do gr. *eileós*, pelo lat. *ileus, i.* Hom./Par.: *íleo*² (*sm.*), *ílio* (*sm.*).]

íleo² (*í*.le:o) *sm. Pat.* Interrupção do trânsito intestinal devido à cessação do movimento peristáltico ou à presença, no intestino, de um obstáculo a esse trânsito [F.: Do lat. *ileos, i* ou *ileus, i.* Hom./Par.: *íleo*¹ (sm.), *ílio* (sm.).] **■ ~ adinâmico** *Pat.* Íleo devido à ausência de peristaltismo **~ dinâmico** *Pat.* Íleo devido à presença de obstáculo mecânico no trato intestinal

ileocecal (i.le:o.ce.*cal*) *a2g.* Relativo ao íleo e ao ceco [Pl.: *-cais.*] [F.: *ileo* + *ceco* + *-al.*]

ileostomia (i.le:os.to.*mi*.a) *sf. Cir.* Abertura, criada por meio de uma cirurgia, do íleo com a parede abdominal anterior, que possibilita a evacuação das fezes através dela [F.: *íleo*¹ + *-stomia.*]

ileostômico (i.le:os.*tô*.mi.co) *a.* Ref. a ileostomia [F.: *ileostomi(a)* + *-ico*².]

ileso (i.*le*.so) [ê, é] *a.* Que não sofreu lesão ou ferimento; INCÓLUME: *Saiu ileso do acidente.* [F.: Do lat. *illaesus, a, um.*]

iletrado (i.le.*tra*.do) *a.* **1** Que não sabe ler nem escrever; ANALFABETO **2** Que não tem instrução literária *sm.* **3** Pessoa iletrada (1 e 2) e sem instrução; APEDEUTA [F.: *i-*² + *letrado.*]

◎ **-ilha** *suf.* Diminuição: *carretilha, cigarrilha, vasilha, afogadilho, canutilho, conventilho* [F.: Do lat. *-icula, -iculu.*]

ilha (*i*.lha) *sf.* **1** *Geog.* Porção de terra cercada de água em toda a sua periferia e menos extensa que um continente **2** *Fig.* Coisa à parte ou isolada, num certo contexto: *uma ilha de prosperidade em meio à miséria.* **3** *Bras.* Calçada no meio de uma via para dividir as mãos de direção e proteger pedestres **4** *MA MT PA.* Grupo cerrado de árvores altas, em meio aos campos **5** *Mar.* No porta-aviões, plataforma elevada de comando **6** *Bras.* Pequena elevação de terreno característica da região do cerrado; MURUNDU [Dim.: *ilheta, ilhéu e ilhota.*] [F.: Do lat. *insula, ae.* Hom./Par.: *ilha* (flex. de *ilhar*).] **■ ~ de casca** *Bras.* Depósitos arqueológicos de conchas, moluscos, ossos humanos, objetos etc., restos de presença humana junto à água (mar, rios, lagos etc.); sambaqui **~ de edição** *Telv.* Conjunto de equipamentos para edição de imagem e som (como fusão, mixagem, cortes, efeitos especiais etc.) já gravados de uma ou várias fontes [Tb. apenas *ilha.*] **~ de mato** *Bras. AM* Porção de mato em meio a descampado; capão (2)

ilhado (i.*lha*.do) *a.* **1** Que ficou isolado, cercado ou incomunicável; INSULADO: *As tropas ilhadas ofereceram grande resistência ao inimigo.* **2** Transformado em ilha [F.: Part. de *ilhar.*]

ilhal (i.*lhal*) *sm.* Ilharga de cavalo ou rês: "repuxando dos ilhais às primeiras costelas, a pelagem conjugada" (Guimarães Rosa, "Conversa de bois" *in Sagarana*) [Pl.: *-lhais.*] [F.: or. contr. Hom./Par.: *ilhais* (pl.), *ilhais* (flex. de *ilhar*).]

◎ **-(i)lhão** *el. comp.* Ver *-ilhão*

◎ **-ilhão** *suf. nom.* = 'bem grande'; 'que é dado a fazer algo ou que o faz com frequência': *dentilhão; benzilhão, mexelhão, mexilhão*², *revendilhão, revendilhão, vendelhão, vendilhão* [Ocorre ainda em *pontilhão*, como dim.] [F.: *-ilho* + *-ão*¹. A integração entre o suf. *-ilho*, formador de diminutivos, e *-ão*, formador de aumentativos, tem valor reforçativo (típico, muitas vezes, de alguns diminutivos); vale notar tb. que em certos casos a integração dos dois suf. parece resultar de um princípio de eufonia.] [Ocorre ainda em *pontilhão*, como dim.] [F.: *-ilho* + *-ão*¹. A integração entre o suf. *-ilho*, formador de diminutivos, e *-ão*, formador de aumentativos, tem valor reforçativo (típico, muitas vezes, de alguns diminutivos); vale notar tb. que em certos casos a integração dos dois suf. parece resultar de um princípio de eufonia.]

ilhapa (i.*lha*.pa) *sf. Bras. RS* A parte mais grossa do laço, que está presa na argola [F.: Do quechua *yapana*, 'acréscimo, aumento'.]

◎ **-ilhar** *suf.* =-alhar: *dedilhar, pontilhar*

ilhar (i.*lhar*) *v.* Ficar isolado, como uma ilha; INSULAR(-SE) [*td.: As chuvas fortes ilharam a cidade.*] [*int.: As crianças se ilham num mundo próprio.*] [Ant.: *aproximar, ligar, unir.*] [▶ **1 ilhar**] [F.: *ilh(a)* + *-ar*². Hom./Par.: *ilhava(s)* (fl.), *ilhava(s)* (sf. [pl.]).]

ilharga (i.*lhar*.ga) *sf.* **1** Cada uma das partes laterais e inferiores do abdome humano; FLANCO: "E recusava-me sempre o seu carinho... Dizia-me: adeus, tenho a dor à ilharga" (Eça de Queirós, *A relíquia*) **2** *Zool.* Região lateral do abdome e das costelas do boi ou do cavalo; ILHAL **3** Lado de qualquer corpo: *as ilhargas de uma coluna* [F.: Do lat. *iliarica.*] **■ À ~** Ao lado **De ~** Enviesadamente, de esguelha **Rir de arrebentar as ~s** Rir muito, rir até não poder mais

ilhéu (i.*lhéu*) *a.* **1** Ref. a ilha *sm.* **2** O natural ou habitante de uma ilha **3** Pequena ilha; ilhota [Fem.: *ilhoa.*] [F.: De *ilha.*]

◎ **-ilho** *suf. nom.* Formador de diminutivo: *afogadilho, cursilho, espartilho, sapatilho*

ilhó (i.*lhó*) *s2g.* **1** Furo redondo em tecido, couro etc. pelo qual passa o cadarço ou a fita; ILHÓS **2** Aro metálico que serve para debruar esse furo [Pl.: *ilhoses.*] [F.: Do lat. *oculioli*, dim. de *oculus, i.*]

ilhoa (i.*lho*.a) [ô] *sf.* Mulher que nasceu ou vive em uma ilha [F.: *Ilhéu*, com substituição da term. *-eu* pela terminação *-oa*, indicativa do feminino.]

ilhós (i.*lhós*) *s2g.* O mesmo que *ilhó*

ilhota (i.*lho*.ta) [ó] *sf.* **1** Pequena ilha; ilhéu **2** *Histl.* Grupo de células com função especializada [F.: *ilh(a)* + *-ota*¹.] **■ ~ de Langherans** *Histl.* Cada uma das estruturas de células existentes no pâncreas que segregam a insulina

ilíaco (i.*lí*.a.co) *a.* **1** *Anat.* Ref. a bacia (artérias ilíacas) **2** Diz-se de cada um dos dois ossos que formam a bacia *sm.* **3** *Anat.* Cada um desses dois ossos [Na nova nomenclatura anatômica, *osso do quadril* (v. no verbete *osso*).] [F.: Do lat. *iliacus*, pelo fr. *iliaque.*]

ilíada (i.*lí*.a.da) *sf. Fig.* Longa série de trabalhos, de tarefas heroicas [F.: Do nome próprio *Ilíada*, poema atribuído a Homero.]

◎ **-ilião** *suf.* Formador de numerais e substantivos, ver *-ilhão: decilião, nonilião, octilião, quatrilião* (< fr.), *quintilião, setilião, sextilião, trilião* (< fr.) [F.: De (*b*)*ilião* e/ou do fr. *-illion* (ver *-ilhão*).]

ilibação (i.li.ba.*ção*) *sf.* Ação ou resultado de ilibar [Pl.: *-ções*.] [F.: *ilibar* + *-ção*.]

ilibado (i.li.*ba*.do) *a.* 1 Que não foi tocado, que permanece puro (reputação ilibada); INCORRUPTO 2 Livre de culpa, reabilitado [F.: Do lat. *illibatus, a, um*.]

ilibar (i.li.*bar*) *v. td.* 1 Deixar puro; PURIFICAR [Ant.: *contaminar, manchar*.] 2 Devolver a consideração pública; ABSOLVER; REABILITAR [Ant.: *culpar*.] [▶ 1 ilibar] [F.: Do lat. **illibare*, deduzido de *illibatus*, 'ilibado'.]

ilibração (i.li.bra.*ção*) *sf. Rel.* Crença muçulmana de que Deus se encontra incorporado no alcorão [Pl.: *-ções*.]

iliçar (i.li.*çar*) *P. us. v. td.* 1 Burlar, dispondo de ou vendendo bens que pertencem a outros 2 Enganar, embair [▶ 12 iliçar] [F.: Do lat. *illicere*, com mud. de conjug.]

ilício (i.*lí*.ci:o) *sm.* Ação ou resultado de iliçar [F.: Do lat. *illicium*, 'atrativo, engodo'.]

ilícito (i.*lí*.ci.to) *a.* 1 Que não é lícito; que é proibido por lei 2 Que vai contra os princípios da moral e do direito (enriquecimento ilícito) *sm.* 3 Ato ilícito [F.: Do lat. *illicitus, a, um*.]

ilicitude (i.li.ci.*tu*.de) *sf.* Qualidade do que é ilícito, contrário à lei ou proibido; ILEGALIDADE; ILEGITIMIDADE; ILÍCITO: "O relatório vê na negociação 'indícios de ilicitude': falsificação de documentos, evasão de divisas e sonegação de imposto de renda." (*Folha de S.Paulo*, 08.07.2001) [Ant.: *legalidade, legitimidade, licitude*.] [F.: *i*[2]- + *lícito*.]

ilídimo (i.*lí*.di.mo) *a.* Que não é lídimo; ESPÚRIO; ILÍCITO; ILEGÍTIMO: "...ressarcimento de dano moral em situações assemelhadas, como de inscrição ilídima em cadastros, devolução indevida de cheques, protesto incabível etc." (*Consultor Jurídico*, 22.04.2004) [Ant.: *genuíno, legal, legítimo, vernáculo*.] [F.: Do lat. *illegitimus, a, um* 'fora da lei, não permitido'.]

ilidível (i.li.*dí*.vel) *a2g.* Que se pode ilidir [Pl.: *-veis*.] [F.: *ilidir* + *-vel*. Hom./Par.: *ilidível* (a2g), *elidível* (a2g); *ilidíveis* (a2g. pl.), *elidíveis* (a2g. pl. e fl. de *elidir*), *ilidíveis* (fl. de *ilidir*).]

ilimitado (i.li.mi.*ta*.do) *a.* 1 Sem limite de tempo, de quantidade etc.: *acesso grátis e ilimitado à internet.* 2 Amplo, irrestrito (confiança ilimitada) 3 Que é extremamente difícil ou impossível de ser medido, avaliado, calculado: *As reservas marinhas de sal são ilimitadas.* [F.: Do lat. *illimitatus, a, um*.]

◎ **ilio-** *el. comp.* = 'ílio', 'ilíaco': *iliopúbico, iliocostal* [F.: Do lat. cient. *ilium*.]

ílio (*í*.li:o) *sm. Anat.* A maior das três partes do osso ilíaco [F.: Do lat. *ilium*. Hom./Par.: *ílio* (top. sm. e a.), *íleo* (sm.).]

iliquidez (i.li.qui.*dez*) [ê] *sf.* Condição, estado ou qualidade de ilíquido [Ant.: *liquidez*.] [F.: *ilíquido* + *-ez*.]

ilíquido (i.*lí*.qui.do) *a.* 1 Sem abatimentos ou deduções (dividendo ilíquido); BRUTO; INTEGRAL; TOTAL 2 Indeterminado quanto à quantidade, espécie ou qualidade (pedido ilíquido) 3 *Econ.* Que não se vende ou converte em dinheiro rapidamente (banco ilíquido) 4 Que não é ou não está apurado, explicado ou posto a limpo; COMPLICADO; CONFUSO; EMBRULHADO [F.: *i*[2]- + *líquido*. Ant. ger.: *deduzido* (nas acps. 1, 2 e 3), *líquido*.]

iliteracia (i.li.te.ra.*ci*.a) *sf.* Regionalismo: *Angl.* Condição ou estado de quem é iliterato, iletrado; ANALFABETISMO [F.: Do ing. *illiteracy*; ver *iliterato* + *-ia*[1].]

ilogicidade (i.lo.gi.ci.*da*.de) *sf.* Caráter ou condição de ilógico [F.: *ilógico* + *-(i)dade*.]

ilógico (i.*ló*.gi.co) *a.* 1 Que não tem lógica; que não faz sentido; absurdo 2 *Lóg.* Diz-se da conclusão silogística que não corresponde às premissas [F.: *in*[2] + *lógico*.]

ilogismo (i.lo.*gis*.mo) *sm.* 1 Caráter ou qualidade do que é ilógico; ABSURDIDADE; IRRACIONALIDADE [Ant.: *coerência, racionalidade*.] 2 Falta de lógica; ABSURDO; CONTRASSENSO; DESPROPÓSITO: *O ilogismo do poeta Manoel de Barros.* 3 Infração às regras da lógica ou às leis da razão [F.: *ilógico* + *-ismo*.]

ilu (i.*lu*) *Bras. sm.* 1 *Mús.* Qualquer atabaque 2 *Rel.* O atabaque maior us. nos cultos de candomblé; RUM 3 *Rel.* Tambor de duas peles presas por cordas e percutido com varetas, no candomblé de rito ijexá [F.: Do ior. *ilu* 'tambor'.]

iludente (i.lu.*den*.te) *a2g.* Que ilude; ILUSOR [F.: Do lat. *illudens, entis*.]

iludido (i.lu.*di*.do) *a.* 1 Enganado, ludibriado, tapeado: "Mal sabendo ele que tudo não passa de um engodo, (...). O iludido rapaz, sem desconfiar, vai abrindo seu coração à noiva..." (José de Alencar, *Senhora*) [+ *com, em, sobre*: *iludido com presentes/em sua boa-fé/sobre o assunto*.] 2 Dominado por ilusões; fora da realidade: "Sempre atrasada, sempre iludida / De que vai voltar à vida que você deixou..." (Herbert Viana, *O trem da juventude*) [Ant.: *consciente, desperto, lúcido*.] 3 Ingênuo, inocente, crédulo [Ant.: *cético, descrente, esperto*.] 4 Frustrado [F.: Part. de *iludir*. Sin. ger.: *desiludido*.]

iludir (i.lu.*dir*) *v. td.* 1 Causar ilusão a ou enganar-se [*td.*: *A falsa visão iludiu o rapaz; Iludiu-se com as promessas do noivo.*] [*int.*: *Cuidado com as aparências, pois elas podem iludir.*] 2 Defraudar, frustrar [*td.*: *O ladrão iludiu o cerco policial e escapou pela floresta.*] 3 Deixar de cumprir (algo) por meio de truques, de subterfúgios [*td.*: *Iludiu as regras do banco e foi despedido.*] 4 Tornar menos doloroso, desagradável, insuportável [*td.*: *Procurava iludir sua decepção amorosa trabalhando sem parar.*] [▶ 3 iludir] [F.: Do lat. *illudere*. Hom./Par.: *eludir* (todos os tempos do v.). Ant. ger.: *desiludir*.]

iludível (i.lu.*dí*.vel) *a2g.* 1 Que se pode iludir, ludibriar ou enganar: "...desde o fim do regime militar, o eleitorado se mostra mais cético e cuidadoso, menos facilmente iludível." (Otávio Frias Filho, *Folha de S.Paulo*, 25.10.2001) 2 Em que pode haver ilusão [F.: *iludir* + *-vel*. Ant. ger.: *iniludível*. Hom./Par.: *iludíveis* (pl.), *iludíveis* (fl. de *iludir*).]

iluminação (i.lu.mi.na.*ção*) *sf.* 1 Ação ou resultado de iluminar(-se) 2 Irradiação da luz solar ou da que é produzida artificialmente ou por qualquer chama: "Há novidades em casa do senhor capitão Matos!... As janelas trazem desusado luxo de iluminação" (Pedro Ivo, *Contos*) 3 Conjunto de luzes que iluminam qualquer coisa: *A prefeitura reacendeu a iluminação do Morro Dois Irmãos;* "Os candeeiros da iluminação pública tremiam como estrelas prestes a apagar-se." (José Saramago, *A jangada de pedra*) 4 *Cin. Teat. Telv.* Arte e técnica de iluminar ambientes ou cenários 5 *Cin. Teat. Telv.* O resultado da aplicação dessa arte ou técnica em dado ambiente, espetáculo ou obra 6 *Fig.* Inspiração ou percepção súbita: *Teve uma iluminação antes de pintar o quadro.* 7 Luminárias; disposição simétrica de luzes por ocasião de festejos públicos: *Vamos ver a iluminação do réveillon na praia de Copacabana.* 8 *Teol.* Segundo Santo Agostinho, ato de ser tocado pela luz divina, por meio da qual os homens são iluminados por Deus para atingirem o verdadeiro conhecimento [Pl.: *-ções*.] [F.: Do lat. *illuminatio, onis*.] ■ **~ indireta** Aquela na qual a luz atinge a área que se quer iluminar após refletir-se em superfície refletora (teto, parede, dispositivo da própria fonte luminosa etc.) **~ natural** Aquela feita por luz solar **~ zenital** *Arq.* Aquela feita através de claraboias no teto do recinto que se quer iluminar

iluminado (i.lu.mi.*na*.do) *a.* 1 Que se iluminou; que recebeu luz (jardim iluminado) 2 *Fig.* Dotado de profunda visão, entendimento e/ou inspiração: *Tom Jobim foi um homem iluminado.* 3 Instruído, esclarecido 4 Ornado com iluminuras: *Um códice de pergaminho iluminado; cartas iluminadas.* 5 Colorido: *Uma litografia iluminada.* 6 *Teol.* Que manifesta aquela luz que Deus lança nas almas; vidente, inspirado 7 *Fig.* Luminoso (riso iluminado) *sm.* 8 *Fil.* Adepto do iluminismo 9 Membro de certas sociedades maçônicas [F.: Part. de *iluminar*.]

iluminador (i.lu.mi.na.*dor*) [ô] *sm.* 1 *Cin. Teat. Telv.* Profissional responsável pela iluminação de palco em espetáculos teatrais, musicais, televisivos etc. e filmes cinematográficos 2 Artista que pinta iluminuras; MINIATURISTA 3 O que ilumina 4 *Cin. Teat. Telv.* Ver *eletricista a.* 5 Que ilumina 6 Diz-se de *iluminador* (1 e 2): *artista iluminador de manuscritos; A peça contou com um grande artista iluminador.* 7 *Fig.* Que traz esclarecimento, compreensão; ESCLAREDOR [F.: *iluminar* + *-dor*.]

iluminância (i.lu.mi.*nân*.ci:a) *Fotm. sf.* 1 Fluxo luminoso que incide sobre a unidade de superfície; ILUMINAMENTO 2 Iluminamento fotométrico de uma superfície [F.: *iluminar* + *-ância*.]

iluminante (i.lu.mi.*nan*.te) *a2g.* Que ilumina ou alumia; ILUMINADOR; ILUMINATIVO [F.: *illuminans, antis*.]

iluminar (i.lu.mi.*nar*) *v. td.* 1 Espalhar luz em; CLAREAR: *Iluminamos o quarto para os surpreender.* [Ant.: *escurecer*.] 2 Enfeitar com luzes: *Mil lâmpadas iluminavam o abre-alas.* 3 *Fig.* Esclarecer, mostrar melhor o sentido; CLAREAR: *Certos detalhes iluminaram o debate:* "De Frobenius, (...) que iluminou toda a pré-história e a história da África." (Alberto da Costa e Silva, *A manilha e o libambo*) 4 *Fig.* Orientar, inspirar: *Deus o ilumine nessa viagem!* 5 *Fig.* Tornar-se vivo e animado; ALEGRAR: *A visão do oceano iluminou-lhe o olhar.* [Ant.: *anuviar, entristecer*.] 6 *Fig.* Abrilhantar, enobrecer, honrar: *Sua presença iluminou o encontro.* [Ant.: *deslustrar*.] 7 *Des. Pint.* Decorar com iluminuras 8 *Inf.* Marcar uma palavra ou texto; SELECIONAR [▶ 1 iluminar] [F.: Do lat. *illuminare*.]

iluminável (i.lu.mi.*ná*.vel) *a2g.* Que se pode iluminar [Pl.: *-veis*.] [F.: *ilumina(r)* + *-vel*. Hom./Par.: *ilumináveis* (pl.), *ilumináveis* (flex. de *iluminar*).]

iluminismo (i.lu.mi.*nis*.mo) *sm.* 1 *Fil.* Movimento filosófico e literário do séc. XVIII, caracterizado por profunda crença no poder da razão humana e da ciência como forças propulsoras do progresso da humanidade; ILUSTRAÇÃO; FILOSOFIA DAS LUZES 2 *Rel.* Doutrina seguida por místicos como Jakob Böhme e Emanuel Swdenborg, entre outros, fundada na crença de uma iluminação interior provinda de Deus [F.: Do fr. *illuminisme*.]

iluminista (i.lu.mi.*nis*.ta) *a2g.* 1 Ref. a ou que é seguidor do iluminismo *s2g.* 2 Seguidor do iluminismo [F.: Do fr. *illuministe*.]

iluminura (i.lu.mi.*nu*.ra) *sf.* 1 Arte e técnica que remonta à Idade Média de ilustração de manuscritos com a pintura de letras, arabescos e figuras diversas 2 A pintura realizada dessa forma [F.: Do fr. *enluminure*.]

ilusão (i.lu.*são*) *sf.* 1 Impressão ou sensação que não corresponde à realidade, por engano da mente, dos sentidos, ou causada por elementos externos: "E quando eu me apaixonei/não passou de ilusão" (Tom Jobim, *Lígia*) 2 Ideia ou opinião errada: *É uma ilusão achar que tudo se resolverá rapidamente.* 3 Devaneio, sonho: *Queria ser rico e famoso; vivia de ilusões.* 4 Engano, logro, burla 5 *Psi. Psiq.* Percepção deformada de um objeto [Pl.: *-sões*.] [F.: Do lat. *illusio, onis*.] ■ **~ de óptica** Percepção ou interpretação enganosa de imagem visual devido ao formato ambíguo do objeto ou figura percebidos, ou a distorção de percepção do observador **~ epiléptica** *Neur. Psiq.* Alteração de percepção oriunda de ataque epiléptico

ilusionismo (i.lu.si:o.*nis*.mo) *sm.* 1 Arte e prática de criar algo ilusório por meio de truques 2 Técnica de criar efeitos espetaculares pela rapidez dos gestos e das mãos; PRESTIDIGITAÇÃO 3 *Pint.* Prática de produzir certos efeitos visuais, como relevos e aparências ilusórias [F.: Do fr. *illusionisme*.]

ilusionista (i.lu.si:o.*nis*.ta) *a2g.* 1 Que pratica o ilusionismo *sm.* 2 Aquele que pratica o ilusionismo; PRESTIDIGITADOR 3 *Pint.* Artista que pratica o ilusionismo [F.: Do fr. *illusioniste*.]

iluso (i.*lu*.so) *a.* Enganado, iludido; LOGRADO [Ant.: *desiluso*.] [F.: Do lat. *illusus*, part. passado de *illusus, a, um* 'iludido'.]

ilusor (i.lu.*sor*) [ô] *a.* 1 Que ilude (sorriso ilusor); ENGANADOR; ILUDENTE *sm.* 2 Aquele que ilude: "Há quem maldiga o ilusor / e quem lamente o iludido..." (Oswaldo Orico, *Arte de iludir*)

ilusório (i.lu.*só*.ri:o) *a.* 1 Que produz ilusão ou engano: *A promessa era ilusória, pois não poderia ser cumprida.* 2 Que é pura ilusão, que não chega a realizar-se: *A plena e permanente felicidade terrena é ilusória para muitos.* 3 Falso, vão [F.: Do lat. *illusorius, a, um*.]

ilustração (i.lus.tra.*ção*) *sf.* 1 Ação ou resultado de ilustrar(-se) 2 Conjunto de imagens (desenho, gravura etc.) que acompanham um texto 3 Conhecimento, saber: *Era um homem de grande ilustração.* 4 Ação de esclarecer por meio de explicação ou exemplo 5 *Fil.* Nome com que se designa o movimento intelectual do séc. XVIII também conhecido como iluminismo [Pl.: *-ções*.] [F.: Do lat. *illustratio, onis*.]

ilustrado (i.lus.*tra*.do) *a.* 1 Que tem ilustrações (2) (livro ilustrado) 2 Que tem sólidos conhecimentos; sábio 3 Enfeitado, decorado: "o arraial ilustrado com arcos e cordas de bandeirolas" (Guimarães Rosa, *Grande sertão: veredas*) [F.: Do lat. *illustratus, a, um*.]

ilustrador (i.lus.tra.*dor*) [ô] *a.* 1 Que ilustra; ilustrativo *sm.* 2 Artista que faz ilustrações (2) 3 Que ilustra um assunto, um livro etc. com explicações e comentários [F.: Do lat. *illustrator, oris*.]

ilustrar (i.lus.*trar*) *v. td.* 1 Fazer desenhos ou figuras em texto ou livro: *Ilustrou o livro com desenhos e gravuras.* 2 Exemplificar, demonstrar: *Ilustrou o problema com espécimes já contaminados.* 3 Instruir(-se), difundir conhecimentos: *Ilustrava os alunos e os outros professores.* 4 Conferir ilustração (3), tornar ilustre ou iluminado; ENOBRECER; ILUMINAR: *A Europa ilustrou-lhe os conhecimentos.* [Ant.: *deslustrar, ofuscar*.] [▶ 1 ilustrar] [F.: Do lat. *illustrare*. Hom./Par.: *ilustre(s)* (fl.), *ilustre(s)* (a2g. [pl.]).]

ilustrativo (i.lus.tra.*ti*.vo) *a.* 1 Que ilustra ou é próprio para ilustrar (gravura ilustrativa); ILUSTRADOR 2 Que esclarece ou exemplifica (caso ilustrativo) [F.: *ilustra(r)* + *-tivo*.]

ilustre (i.*lus*.tre) *a2g.* 1 Que se destaca por qualidades de grande mérito (ilustre advogado); INSIGNE 2 Que é famoso, célebre (pintor ilustre) 3 Que tem nobreza, fidalgo: *A ilustre Casa de Ramires*, título de um romance de Eça de Queirós. [F.: Do lat. *illustris, e*.]

ilustríssimo (i.lus.*trís*.si.mo) *a.* 1 Muito ilustre 2 Tratamento cerimonioso que se dá a pessoa a quem nos dirigimos por escrito ou de quem falamos na ausência. [Abrev. *Ilmo.*]: *Seu ilustríssimo irmão chegaria em breve.* [F.: superl. abs. sint. de *ilustre*.]

ilutação (i.lu.ta.*ção*) *sf.* 1 Ação ou resultado de ilutar 2 Utilização de lodo ou lama para fins terapêuticos [Pl.: *-ções*.] [F.: Do lat. cient. *illutatio, onis*.]

◎ **-im** *suf. nom.* Formador de diminutivos (por vezes com noção específica): *algodoim, caixotim, lagostim* [F.: De *-ino* ou *-inho*.]

◎ **im-**[1] *pref.* = *em*[2]: *imbricar, imbuir*

◎ **im-**[2] *pref.* = *in*[2]: *impaciência, impopular*

imã (i.*mã*) *sm.* 1 *Rel.* Sacerdote da religião muçulmana encarregado de dirigir as preces na mesquita 2 Antigo título dado aos professores de Direito e Teologia islâmicos 3 Título dado aos califas muçulmanos 4 *Rel.* Título dado aos soberanos muçulmanos no Iêmen [F.: Do ár. *imam*. Hom./Par.: *imã* (Rel. afro-bras.), *ímã* (sm.). Tb. *imame*.]

ímã (*í*.mã) *sm.* 1 *Fís.* Metal que tem um polo de atração e outro de repulsão e que é capaz de atrair e reter outros corpos metálicos; MAGNETO: "Os nossos sonhos de ventura se prendem irremediavelmente a uma mulher como a limalha a uma pedra de ímã" (André Brun, *Dez contos*) 2 Qualquer substância com capacidade de atrair o ferro 3 Qualquer peça de metal imantada: *Decorou a geladeira com ímãs com figuras de frutas e legumes.* 4 Dispositivo com a função de produzir um campo magnético externo; ÍMÃ PERMANENTE; ELETROÍMÃ 5 *Fig.* Qualquer coisa ou pessoa que exerce atração sobre outras: *Os shows de rock funcionam como verdadeiros ímãs para os adolescentes.* [F.: Do lat. *adimas, antis* pelo fr. *aimant*. Par.: *imã* (Rel. afro-bras.), *imã* (Rel. islâmica).]

imaculado (i.ma.cu.*la*.do) *a.* 1 Que não foi maculado, sem qualquer mancha (lençóis imaculados, reputação imaculada) 2 Que é inocente, sem pecado (virgem imaculada) [F.: Do lat. *immaculatus, a, um*.]

imaculável (i.ma.cu.*lá*.vel) *a.* Que não se pode macular; que não é suscetível de mácula; IMPECÁVEL: "Podia, por exemplo – é a hipótese que me ocorreu – ter alcançado um desses estados contemplativos de imaculável pureza." (João Inácio Padilha, *Bolha de luzes*) [Ant.: *maculável*.] [F.: Do lat. *immaculabilis, e*.]

imageador (i.ma.ge:a.*dor*) [ô] *sm.* 1 *Cart.* Sensor eletrônico ou óptico (neste caso, máquina fotográfica ou filmadora) para obtenção de imagens de uma superfície a partir de satélite ou aeronave 2 Qualquer sensor que registra imagem (p. ex.: aparelhos de radiografia e ultrassonografia) *a.* 3 Diz-se de aparelho equipado com imageador (radar/satélite imageador) [F.: *image(m)* + *(a)* + *-dor*, do ing. *imager*.]

imagear (i.ma.ge.*ar*) *v. int.* Obter ou capturar imagem por meio de equipamento imageador, como instrumentos ópticos, câmeras fotográficas, aparelhos de diagnóstico (radiografia, ressonância magnética, tomografia computadorizada etc.), *scanners*, duplicadores de documentos etc. [F.: *imagem* + *-ear*², ou do ing. *immage*.]

imagem (i.*ma*.gem) *sf.* 1 Representação ou reprodução de um objeto ou de um ser por meio de desenho, pintura, escultura etc. 2 *Rel.* Pequena estampa sobre assunto religioso; EFÍGIE 3 Reprodução visual de seres, objetos, cenas etc. com o auxílio de aparatos técnicos: *O filme mostra belas imagens de Recife.* 4 Representação visual ou plástica de uma divindade, de um santo etc.: *a imagem de Jesus.* 5 Reprodução de pessoa ou objeto em uma superfície com capacidade refletora: *a imagem no espelho.* 6 Representação mental de pessoa, objeto ou acontecimento; RECORDAÇÃO: *Durante anos fiquei com a imagem do acidente na cabeça.* 7 *Fig.* Aquilo que simboliza alguma coisa: *A cena era a imagem da miséria humana.* 8 *Fig.* Parecença, semelhança: *Fomos feitos à imagem de Deus.* 9 *Liter.* Representação de algo por meio de alegoria, metáfora etc.: *As imagens desse livro são muito batidas.* 10 *Publ.* Conceito que uma pessoa, um produto, uma ideia etc. tem em relação ao seu público-alvo: *A imagem do candidato melhorou após o debate.* 11 *Ópt.* Reprodução de um objeto pela reunião dos raios luminosos emanados desse objeto depois de passarem por um sistema óptico 12 *Psic.* Experiência de tipo sensorial que pode ser parcialmente invocada na ausência do estímulo externo apropriado 13 *Psic.* Qualquer representação mental de uma ideia, de uma abstração ou de um ser imaginário [Pl.: *-gens*.] [F.: Do lat. *imago, ginis*. Ideia de imagem: *icon(i/o)* (*iconografia*).] ■ **~ de ressonância magnética** *Rlog.* Método de escaneamento de tecidos orgânicos por raios X que permite obter imagens desses tecidos em movimentos [Sigla: *IRM*.] **~ holográfica** *Ópt. Tec.* Imagem tridimensional obtida por fotografia a laser, ou holografia; holograma **~ matricial** *Inf.* Aquela que se apresenta (e é gravada, armazenada, reproduzida etc.) na forma de uma matriz (linhas e colunas) de unidades visuais (pixels), cada uma com sua própria definição de imagem (cor, brilho, matiz etc.) **~ primordial** *Psi.* Segundo o psicanalista Carl Jung, conteúdo de imagens e símbolos do inconsciente coletivo de toda a humanidade; arquétipo **~ real** *Ópt.* Num sistema óptico, a imagem formada pelos raios luminosos que convergem depois de atravessá-lo **~ residual** *Psi.* Aquela que, virtualmente ou sensorialmente, persiste mesmo depois que seu estímulo gerador não mais atua **~ vetorial** *Inf.* Aquela que existe na forma de instruções a serem processadas por um sistema de saída (monitor, p. ex.) que a reproduz à medida que processa essas instruções **~ virtual** *Ópt.* Num sistema óptico, a imagem formada pelos raios luminosos que divergem depois de atravessá-lo (como a imagem vista num espelho plano)

imagético (i.ma.*gé*.ti.co) *a.* 1 Representado por imagens: "...a peça recria o universo das antigas comunidades rurais brasileiras, com seu linguajar sonoro e imagético,..." (*Folha de S.Paulo*, 15.07.2004) 2 Baseado em imagens: *O estudo imagético do paciente consistiu num radiograma do tórax.* 3 Ref. a imagem *sm.* 4 O conjunto das imagens; IMAGÍSTICA: "Se bem que normalmente se atribua à civilização ocidental um apego especial à visualidade, ao imagético..." (*Folha de S.Paulo*, 31.01.2005) [F.: *image(m)* + *-ético*.]

imaginação (i.ma.gi.na.*ção*) *sf.* 1 Ação ou resultado de imaginar 2 Capacidade que tem a mente de imaginar, de criar imagens, de representar os objetos visíveis na ausência destes; FANTASIA 3 *Psi.* Função mental que permite representar na mente seres, situações, cenários, objetos etc. com os quais não se teve uma experiência direta: *Pela imaginação, vivenciamos as situações do romance como se as tivéssemos vivido.* 4 Capacidade de criar, de inventar, combinando ideias e/ou imagens: *As crianças têm muita imaginação.* 5 Engano, ilusão: *O oásis existia somente na imaginação do sedento viajante.* 6 Opinião equivocada ou sem fundamento: *Essa alegação é fruto apenas de sua imaginação.* 7 Crendice, superstição [Pl.: *-ções*.] [F.: Do lat. *imaginatio, onis*.] ■ **~ antecipatória** *Psi.* Aquela que busca uma representação mental de fatos futuros, inclusive de meios para realizá-los ou alcançá-los **~ criadora** *Psi.* Capacidade de criar ou montar imagens, como simples exercício ou como plano de ação **~ fantasiosa** *Psi.* Associação de imagens que se forma como que por evocação involuntária, como devaneios, delírios etc. **~ reprodutora** *Psi.* Aquela que evoca objetos ou fatos que foram realmente percebidos ou experimentados

imaginado (i.ma.gi.*na*.do) *a.* Concebido na imaginação; IDEADO; INVENTADO: "...aumenta enormemente o risco de que o pior cenário imaginado venha a se tornar real." (*Veja*, 09.10.2002) [F.: Do lat. *imaginatus, a, um*.]

imaginante (i.ma.gi.*nan*.te) *a.* Que imagina, que tem a faculdade de imaginar; IMAGINADOR; IMAGINATIVO [F.: Do lat. *imaginans, antis*, part. pres. de *imaginare*.]

imaginar (i.ma.gi.*nar*) *v.* 1 Criar ou conceber na imaginação; FANTASIAR; INVENTAR [*td.: Toda criança imagina que as bonecas falem.*] 2 Representar mentalmente; IDEAR [*td.: Imaginou as dificuldades que enfrentaria na floresta.*] 3 Achar, julgar, supor [*td.: Imagino que não esteja zangado.*] [*tdp.: Ela se imagina a melhor bailarina do mundo.*] 4 Chegar a uma conclusão a respeito; SABER; DESCOBRIR [*td.: Ainda não imagina o que fará nas férias.*] 5 Pensar (em); CISMAR [*tr.* + *em*: *imaginar em dias de menos opressão.*] [*int.: Gostava de, antes de dormir, ficar a imaginar.*] [▶ 1 imaginar] [F.: Do lat. *imaginare*. Hom./Par.: *imaginaria* (fl.), *imaginária* (sf.); *imaginarias* (fl.), *imaginárias* (pl. de *imaginária*); *imaginais* (fl.), *imaginais* (pl. de *imaginal* [a2g.]); *imagináveis* (fl.), *imagináveis* (pl. de *imaginável* [a2g.]).]

imaginário (i.ma.gi.*ná*.ri:o) *a.* 1 Que existe somente na imaginação; FICTÍCIO: *um reino imaginário.* *sm.* 2 Tudo aquilo que pertence ao mundo da imaginação: *O escritor tinha um imaginário muito rico.* 3 O conjunto de símbolos, mitos etc. de um grupo de pessoas, um povo, uma época etc.: *o imaginário medieval.* 4 *Psic.* Para Jacques Lacan, um dos três registros essenciais do campo psicanalítico, ao lado do real e do simbólico 5 *Mat.* Número imaginário [F.: Do lat. *imaginarius, a, um*. Hom./Par.: *imaginária* (fem.), *imaginaria* (flex. de *imaginar*).]

imaginatividade (i.ma.gi.na.ti.vi.*da*.de) *sf.* 1 Qualidade de quem ou do que é imaginativo (imaginatividade da criança/da linguagem) 2 Faculdade ou poder de imaginação, invenção, fantasia; IMAGÍSTICA [F.: *imaginativo* + *-(i)dade*.]

imaginativo (i.ma.gi.na.*ti*.vo) *a.* 1 Que tem muita imaginação, muita capacidade de inventar; IMAGINOSO 2 Em que há criatividade (filme imaginativo) 3 Que se deixa conduzir facilmente pela imaginação *sm.* 4 Indivíduo que tem facilidade de imaginar: *Era um imaginativo, e isso às vezes lhe trouxe problemas.* [F.: Do lat. *imaginativus, a, um*.]

imaginável (i.ma.gi.*ná*.vel) *a2g.* Que pode ser imaginado, concebido [Ant.: *inimaginável*.] [Pl.: *-veis*.] [F.: *imagina(r)* + *-vel*. Hom./Par.: *imagináveis* (pl.), *imagináveis* (flex. de *imaginar*).]

imaginista (i.ma.gi.*nis*.ta) *s2g.* 1 Aquele que cria ou visualiza imagens: *A cena foi descrita por um bom imaginista.* *a.* 2 Que cria ou visualiza imagens *s2g.* 3 O mesmo que *imagista* [F.: *imaginar* + *-ista*.]

imaginoso (i.ma.gi.*no*.so) [ô] *a.* 1 Que tem imaginação fértil; IMAGINATIVO 2 Rico de imagens, de metáforas: *um livro muito imaginoso.* 3 Fantástico, imaginário, inverossímil: *O filme é irreal, imaginoso.* [Pl.: [ó]. Fem.: [ó].] [F.: Do lat. *imaginosus, a, um*.]

imagismo (i.ma.*gis*.mo) *Liter.* *sm.* Movimento surgido no início do séc. XX, como reação ao simbolismo, entre poetas americanos e ingleses, adeptos do verso livre, da plena liberdade de escolha dos temas e da expressão de ideias e emoções por meio de imagens claras e precisas; IMAGINISMO [F.: Do ing. *imagism*; v. *imag(em)* + *-ismo*.]

imagista (i.ma.*gis*.ta) *s2g.* 1 Adepto ou seguidor do imagismo *a2g.* 2 Ref. ao imagismo 3 Que é adepto ou seguidor do imagismo [F.: Do ing. *imagist*; v. *imag(em)* + *-ista*. Sin. ger.: *imaginista*.]

imagística (i.ma.*gís*.tica) *sf.* 1 Faculdade ou poder de imaginação, de invenção 2 Conjunto das imagens que um artista é capaz de criar [F.: Fem. substv. de *imagístico*.]

imagístico (i.ma.*gís*.ti.co) *a.* 1 Ref. ao imagismo ou aos imagistas 2 Ref. a imagística 3 O mesmo que *imagético*: "O poema releva pelo plano da construção dramática, pela emoção concentrada e a densa carga afetiva, pela riqueza imagística e os efeitos plásticos..." (Ivan Junqueira, *Discurso de posse na ABL*) [F.: *imagista* + *-ico*².]

imago (i.*ma*.go) *sf.* 1 *Zool.* Estágio adulto de um inseto 2 *Psi.* Lembrança, real ou idealizada, formada na infância, de uma pessoa querida 3 *Psic.* Conceito desenvolvido por Jung de um protótipo inconsciente de personagens que orienta a maneira pela qual o sujeito apreende outrem [F.: Do lat. *imago, ginis*.]

imame (i.*ma*.me) *sm.* Título conferido a algumas personalidades da religião muçulmana. Ver *imã* [F.: Do ár. *imam*.]

imane (i.*ma*.ne) *a2g.* 1 Muito grande; enorme; descomunal 2 *Fig.* Cruel, atroz, feroz [F.: Do lat. *immanis, e*. Hom./Par.: *imane* (a2g.), *emane* (flex. de *emanar*).]

imanência (i.ma.*nên*.ci:a) *sf.* 1 Qualidade do que é imanente 2 *Fil.* Existência, no próprio sujeito, dos seus fins 3 *Fil.* Condição do que é inerente ao mundo material e concreto [F.: Do lat. *immanentia, ae*.]

imanente (i.ma.*nen*.te) *a2g.* 1 Que está contido de maneira inseparável na natureza de um ser ou de um objeto: "Restava equiparar o mínimo das manchas, anteparo à irradiação do grande astro, ao fastígio das secas no planeta torturado – de modo a patentear, cômpares, os períodos de umas e de outras... O malogro desta tentativa, entretanto, denuncia menos a desvalia de uma aproximação imposta rigorosamente por circunstâncias tão notáveis do que o exclusivismo de atentar-se para uma causa única. Porque a questão, com a complexidade imanente aos fatos concretos..." (Euclides da Cunha, *Os sertões*) [+ *a*, *em*: *as dúvidas imanentes a /em todas as experiências de amor.*] 2 *Fil.* Que está contido em ou provém de um ser, sem interferência de qualquer ação externa [Ant.: *transcendente*.] 3 Permanente, que reside de uma maneira constante; perdurável 4 Que não se comunica a objeto externo [F.: Do lat. *immanens, entis*.]

imanentismo (i.ma.nen.*tis*.mo) *Fil. Teol.* *sm.* Qualquer doutrina que postula a existência de uma divindade imanente em todo o Universo criado, inclusive nos indivíduos [F.: Do fr. *immanentisme*; v. *imanente* + *-ismo*. Cf.: *transcendentalismo*.]

imanentista (i.ma.nen.*tis*.ta) *s2g.* 1 Partidário do imanentismo *a2g.* 2 Que é partidário do imanentismo *a2g.* 3 Ref. ao imanentismo [F.: *imanente* + *-ista*.]

imantação (i.man.ta.*ção*) *sf.* 1 Ação, processo ou resultado de imantar 2 Propriedade que um elemento tem de ser imantado [Pl.: *-ções*.] [F.: *imantar* + *-ção*. Sin. ger.: *imanação*, *imanização*, *magnetização*. Ant. ger.: *desimantação*.]

imantado (i.man.*ta*.do) *a.* Que se imantou; que sofreu imantação (ferro imantado); IMANADO; IMANIZADO; MAGNETIZADO

imantar (i.man.*tar*) *v. td.* Transmitir propriedades de ímã a (metal); MAGNETIZAR [Ant.: *desimantar, desmagnetizar*.] [▶ 1 imantar] [F.: Do fr. *aimanter*. Hom./Par.: *imantar*, *emantar* (em todas as fl.).]

imantógrafo (i.man.*tó*.gra.fo) *sm.* 1 Placa delgada de metal à qual se aderem, com pequenas peças imantadas, textos, avisos, imagens etc.; QUADRO MAGNÉTICO 2 Placa semelhante à qual se aderem elementos imantados: *A escola pediu uma lousa do tipo imantógrafo.* [F.: *imantar* + *-grafo*.]

imarcável (i.mar.*cá*.vel) *a2g.* 1 *Joc. Esp.* Diz-se de jogador que não se consegue marcar (14): "Os atacantes brasileiros são imarcáveis. Ou seja, futebol-científico na defesa, futebol-arte no ataque." (Armando Nogueira, *Os dois Brasis*) 2 Que não se pode marcar [F.: *i-* + *marcar* + *-vel*.]

imarcescibilidade (i.mar.ces.ci.bi.li.*da*.de) *sf.* Qualidade ou atributo do que é imarcescível [Ant.: *marcescibilidade*.] [F.: *imarcescível* + *-(i)dade*, segundo o modelo erudito.]

imarcescível (i.mar.ces.*cí*.vel) *a2g.* 1 Que não murcha, que não perde o frescor 2 *Fig.* Que não pode se extinguir (glória imarcescível) [Pl.: *-veis*.] [F.: Do lat. *immarcescibilis, e*.]

imaterial (i.ma.te.ri:*al*) *a2g.* 1 Que não é constituído de matéria: *Com a idade, aprendeu a cultivar valores imateriais.* 2 Que não se pode tocar, impalpável *sm.* 3 Aquilo que é imaterial, incorpóreo ou espiritual em qualquer entidade [Pl.: *-ais*.] [F.: Do lat. *immaterialis, e*.]

imaterialidade (i.ma.te.ri:a.li.*da*.de) *sf.* Qualidade ou condição do que é imaterial, que não é composto de matéria [Ant.: *materialidade*.] [F.: *i-* + *material* + *-(i)dade*.]

imaterializado (i.ma.te.ri:a.li.*za*.do) *a.* 1 Que não se materializou 2 Desprovido de matéria ou do sentido material: "Pois é mister que, para o amor sagrado, / O mundo fique imaterializado / – alavanca desviada do seu fulcro –..." (Augusto dos Anjos, *Idealismo*) [Ant.: *materializado*.] [F.: *i-* + *materializado*.]

imaturidade (i.ma.tu.ri.*da*.de) *sf.* 1 Qualidade ou estado de imaturo [Ant.: *maturidade*.] 2 *Psi.* Distúrbio do processo de amadurecimento de uma pessoa, que se manifesta por perturbações intelectuais, afetivas, emocionais ou psicomotoras [F.: Do lat. *immaturitas, atis*.]

imaturo (i.ma.*tu*.ro) *a.* 1 Que ainda não amadureceu mental ou emocionalmente 2 Que, apesar de adulto, demonstra sinais de infantilidade [Ant.: *maduro*.] 3 Precoce, prematuro: *A tentativa fracassou por imatura.* *sm.* 4 Pessoa imatura (1 e 2) [F.: Do lat. *immaturus, a, um*.]

imbatível (im.ba.*tí*.vel) *a2g.* Que não pode ser batido, vencido ou superado: *um time imbatível* [Pl.: *-veis*.] [F.: *im-*² + *batível*.]

imbaúba (im.ba.*ú*.ba) *Angios.* *sf.* Denominação geral das árvores do gên. *Cecropia*, da fam. das cecropiáceas, nativas da zona tropical do continente americano, de caule e galhos fistulosos, folhas grandes e aglomeradas na ponta dos galhos, fruto macio e doce, apreciado por macacos, morcegos e pelo bicho-preguiça, flores espiculadas e apétalas cujo pecíolo contém uma substância adocicada da qual se alimentam as agressivas formigas que vivem nessas árvores, em relação simbiótica; ÁRVORE-DE-PREGUIÇA; PAU-DE-PREGUIÇA; TORÉM [F.: Do tupi *amba'iwa*. Variantes: *embaúba*, *imbaíba*, *umbaúba*. Col.: *embaubal*, *imbaibal*, *imbaubal*, *umbaubal*.]

imbé (im.*bé*) *Bras. Angios.* *sm.* Designação comum às plantas trepadeiras do gên. *Philodendron*, da fam. das aráceas, cultivadas como ornamentais, de flores minúsculas e em espigas, raízes subterrâneas e aéreas de sustentação, e das quais se fazem cordas; CIPÓ-IMBÉ; IMBEZEIRO [F.: Do tupi *ïe'me*.]

imbecil (im.be.*cil*) *a2g.* 1 Que não tem inteligência; IDIOTA; TOLO 2 Que denota imbecilidade, banal, sem sentido: *a novela mais imbecil do ano.* 3 *Psiq.* Que sofre de imbecilidade *s2g.* 4 Pessoa imbecil (1, 2, 3) 5 *Psiq.* Indivíduo acometido de imbecilidade (1, 2, 3) [Pl.: *-cis*.] [F.: Do lat. *imbecillis, e*.]

imbecilidade (im.be.ci.li.*da*.de) *sf.* 1 Qualidade ou estado de imbecil 2 Ato ou dito imbecil: *Mofar dos humildes é uma imbecilidade.* *sf.* 3 Idiotice, tolice 4 *Psiq.* Retardo mental em que o nível intelectual do indivíduo corresponde ao de uma criança entre três e sete anos 5 *Fig.* Falta de valor, covardia 6 *Vet.* Perda de atividade das funções cerebrais do cavalo [F.: Do lat. *imbecillitas, atis*.]

imbecilização (im.be.ci.li.za.*ção*) *sf.* Ação ou resultado de imbecilizar(-se); IDIOTIZAÇÃO; EMBURRECIMENTO [Pl.: *-ções*.] [F.: *imbecilizar* + *-ção*.]

imbecilizante (im.be.ci.li.*zan*.te) *a2g.* Que imbeciliza: "Em todo canto, proliferam nas telas domésticas os programas imbecilizantes, tolos e frívolos." (*Diário de Pernambuco*, 09.10.2003) [F.: *imbecilizar* + *nte*.]

imbecilizar (im.be.ci.li.*zar*) *v. td. int.* Tornar(-se) imbecil, estúpido, idiota: *Certo tipo de literatura imbeciliza; Era um sujeito interessante, mas depois imbecilizou-se.* [▶ 1 imbecilizar] [F.: *imbecil* + *-izar*.]

imbeciloide (im.be.ci.*loi*.de) *a2g.* 1 Que se assemelha a ação, dito ou comportamento de imbecil: "E qualquer comentário estrangeiro sobre o Brasil, por mais imbeciloide, ganhava manchetes na imprensa, tratava-se de opinião sempre relevantíssima, que nos engrandecia no concerto das nações..." (João Ubaldo Ribeiro, "O complexo" *in Sempre aos domingos*) **2** Que se assemelha a imbecil ou é muito imbecil *s2g.* **3** Indivíduo imbeciloide (2) [F.: *imbecil + -oide*. Sin. ger. *estúpido, idiota*. Ant. ger.: *arguto, perspicaz*.]

imbele (im.*be*.le) *a2g.* **1** Que não é belicoso **2** *Fig.* Fraco, covarde **3** *Fig.* Ineficaz, inócuo: *Tratamento imbele*. [F.: Do lat. *imbellis, e*.]

imberbe (im.*ber*.be) *a2g.* **1** Que não tem barba **2** Que é novo, jovem [F.: Do lat. *imberbis, e*.]

imbezeiro (im.be.*zei*.ro) *Bras. Angios. sm.* O mesmo que *imbé*: "Completando de maneira magnífica, as virtudes do esconderijo, alastrava-se por toda a crista um imbezeiro, ocultando inteiramente a entrada da caverna." (Herberto Sales, *Emboscada*) [F.: *imbé + -zeiro*.]

imbicar (im.bi.*car*) *v.* **1** *Mar.* O mesmo que *abicar* [*td.*] **2** Encaminhar, conduzir (negócios) a bons resultados [*td.*] **3** Conduzir, dirigir [*td.*] [▶ **11 imbicar**] [F.: *im-*[1] *+ bico*[1] *+ -ar*[2]. Hom./Par.: *imbicar, embicar* (em todas as fl.).]

imbricação (im.bri.ca.*ção*) *sf.* **1** Ação ou resultado de imbricar(-se) **2** Disposição que apresentam alguns objetos quando se sobrepõem uns aos outros à maneira das telhas de um telhado **3** *Fig.* Relação ou ligação muito estreita, em que os elementos se confundem uns com os outros: "Há uma imbricação perigosa entre novela e telejornais. Essa superposição alegrou políticos que foram à passeata e ganharam exposição..." (*Folha Online*, 17.09.2003) [Pl.: *-ções*.] [F.: Do fr. *imbrication*.]

imbricado (im.bri.*ca*.do) *a.* **1** Disposto em imbricação **2** *Bot.* Diz-se de folha, órgão ou outra parte do vegetal disposto em imbricação (2) **3** *Fig.* Estreitamente ligado ou relacionado, a ponto de confundir-se um com o outro; ENTRELAÇADO: "A menina sentada quase no meio da rua descasca uma cana – na Vila é assim, rua e casa têm limites imbricados." (*Correio Braziliense*, 23.05.2004) [F.: part. de *imbricar*.]

imbricar (im.bri.*car*) *v.* **1** *Fig.* Sobrepor (coisas, ideias etc.) numa das partes ou lados [*td.*: *A lei procura imbricar interesses do cidadão e do governo.*] [*int.*: *Muitas vezes, realidade e ficção se imbricam uma na outra.*] **2** Dispor (objetos) uns sobre os outros de modo parcial, à semelhança das telhas [▶ **11 imbricar**] [F.: Do lat. *imbricare*; fr. *imbriquer*.]

imbróglio (im.*bró*.gli:o) *sm.* **1** Confusão, trapalhada: *A reunião acabou no maior imbróglio*. **2** *Pej.* Enredo confuso (de peça, romance, filme etc.) [F.: Do it. *imbroglio*.]

imbu (im.*bu*) *sm. Bot.* Fruto do imbuzeiro [F.: Do tupi *im'bu*. Tb. *umbu*.]

imbuia (im.*bu*:ia) *sf. Bras. Bot.* Árvore da fam. das moráceas (*Ocotea porosa*), originária do Sul do Brasil, que produz madeira de boa qualidade, us. na fabricação de móveis [F.: De or. contrv. Hom./Par.: *imbuía* (flex. de *imbuir*).]

imbuído (im.bu.*í*.do) *a.* **1** Que se deixou imbuir, penetrado, mergulhado *a.* **2** *Fig.* Persuadido, convencido [+ *de*, *em*: *atletas imbuídos do / no espírito olímpico*.] [F.: Part. de *imbuir*.]

imbuir (im.bu.*ir*) *v.* **1** *Fig.* Fazer entrar (ideia, sentimento etc.) em; INCUTIR [*tdr.* + *em*, *de*: *Imbuiu no filho o respeito pelos animais; Na competição, o país inteiro se imbuiu de patriotismo.*] **2** Fazer (líquido) penetrar em; EMBEBER; IMPREGNAR [*tdr.* + *em*: *imbuir o lenço em álcool.*] **3** *Fig.* Misturar; mesclar [*tdr.* + *em*: *Confuso, imbuiu suas dúvidas na cabeça da mãe.*] [Ant.: *separar*.] [▶ **56 imbuir**] [F.: Do lat. *imbuere*, com mudança de conjug. Hom./Par.: *imbuía* (fl.), *imbuia* (sf.); *imbuías* (fl.), *imbuias* (pl. de *imbuia*).]

imburana (im.bu.*ra*.na) *Bras. Angios. sf.* Árvore da família das burseráceas (*Bursera leptophloeos*), que cresce até 6 m, nativa da caatinga, de folhas pinadas e opostas, flores em cachos, frutos drupáceos acridoces, comestíveis quando muito maduros, e de cujo tronco, por incisão, os sertanejos extraem uma resina sucedânea da terebintina: "Com a escuridão, só ouvia as pisadas dos cavalos. E o silêncio imenso, a noite imensa cobrindo as imburanas, os cardeiros, o sertão inteiro." (José Lins do Rego, *Pedra bonita*) [F.: Do tupi **imu'rana* < *imu*, 'umbu' + *'rana* 'semelhante'.]

imbuzeiro (im.bu.*zei*.ro) *Bras. Bot. sm.* **1** Árvore da fam. das anacardiáceas (*Spondias purpurea*), nativa da América tropical, de fruto pequeno, avermelhado e comestível, com a polpa doce e perfumada **2** Árvore da fam. das fitolacáceas (*Phytolacca dioica*), originária da América do Sul, de copa frondosa e fruto pequeno, roxo e doce, us. como ração para porcos; BELA-SOBRA [F.: *imbu + -zeiro*. Tb. *umbuzeiro*.]

⊠ **IME** Sigla de *Instituto Militar de Engenharia*

imediação (i.me.di:a.*ção*) *sf.* O fato, o ato ou a condição de estar próximo, imediato; CONTIGUIDADE; PROXIMIDADE [Pl.: *-ções*.] [F.: *im-*[1] *+ mediação*.]

imediações (i.me.di:a.*ções*) *sfpl.* Área próxima e em torno de um local, povoação, cidade etc.; CERCANIAS; ARREDORES: *Deixou o carro nas imediações do clube.*

imediatez (i.me.di:a.*tez*) *sf.* **1** Maneira imediata como algo ocorre ou se apresenta **2** Característica do que é imediato, pronto, rápido; CELERIDADE; RAPIDEZ: *A imediatez do envio e recepção da informação, em tempo real, é fascinante.*

imediático (i.me.di.*á*.ti.co) *a.* **1** Ref. ao imediatismo da mídia: "...Mais: introduz um conceito especialmente atual nos dias que correm, o de que existe uma democracia 'imediática' e não apenas a tão falada democracia mediática, ou mediatizada." (José Manuel Fernandes, *Os limites do jornalismo livre*) **2** O mesmo que *imediatista* (que busca soluções ou vantagens imediatas): *O jovem é imediático e pouco perseverante*. [F.: Do fr. *immédiatique* (de *imediato* + *mediático*).]

imediatismo (i.me.di:a.*tis*.mo) *sm.* **1** Qualidade do que é imediato *sm.* **2** Modo de agir direto e objetivo, sem rodeios **3** Modo de agir apressadamente, buscando compensação imediata, sem ligar para possíveis consequências [F.: *imediato + -ismo*.]

imediatista (i.me.di:a.*tis*.ta) *a.* **1** Ref. a imediatismo: "Ironicamente, 66% desta geração 'videoclipe' afirma que assiste à MTV, emissora que muitas vezes veicula programas e clipes de linguagem imediatista, frenéticos, que não duram mais de três minutos." (*O Estado de S. Paulo*, 09.05.2005) **2** Que procede sem previsão ou consideração por futuras consequências *sm.* **3** Pessoa imediatista (2) [F.: *imediato + -ista*.]

imediato (i.me.di:*a*.to) *a.* **1** Que se dá ou se faz sem demora (resultado imediato); INSTANTÂNEO **2** Que se faz sem pensar, impulsivamente: *Com o susto, minha reação imediata foi gritar.* **3** Que está perto, próximo (em tempo ou lugar): *Ele está mais tranquilo com relação ao seu futuro imediato; uma casa imediata a outra*. **4** Que existe no momento e requer providências rápidas: *Nosso problema imediato era a falta de abrigo para os menores*. **5** Que precede ou se segue numa hierarquia ou série: *Quem é seu chefe imediato?* **6** Que atua diretamente, que é ou se faz sem intermediário (causa imediata) [Opõe-se a *mediato*.] *sm.* **7** *Mar. G.* Oficial logo abaixo do comandante de um navio [F.: Do lat. *immediatus*.] ▪▪ **De ~** Imediatamente, sem demora: *Leu a convocação e, de imediato, saiu.*

imedicável (i.me.di.*cá*.vel) *a2g.* **1** Que não se pode medicar **2** Que não se beneficia da aplicação de medicamentos; INCURÁVEL [Pl.: *-veis*.] [F.: Do lat. *immedicabilis, e*. Sin. ger.: *medicável*.]

imemorável (i.me.mo.*rá*.vel) *a2g.* De que não existe, não pode ou não deve existir memória, por ser muito antigo; IMEMORIAL; PASSADO; VETUSTO [Ant.: *memorável*.] [Pl.: *-veis*.] [F.: Do lat. *immemorabilis, e*.]

imêmore (i.*mê*.mo.re) *Poét. a2g.* **1** Que não se lembra **2** De que ninguém se lembra [F.: Do lat. *immemor, oris*. Sin. ger.: *esquecido*.]

imemorial (i.me.mo.ri:*al*) *a2g.* **1** De que não resta memória devido a sua antiguidade (tempos imemoriais) **2** Ver imemorável [Pl.: *-ais*.] [F.: *i-*[2] *+ memorial*.]

imensidade (i.men.si.*da*.de) *sf.* **1** Qualidade ou condição de imenso **2** Extensão ilimitada: "E no céu e no mar a imensidade" (Castro Alves, "O navio negreiro" *in Os escravos*) **3** Grande quantidade; INFINIDADE: *Uma imensidade de problemas o afligia* **4** *Poét.* O infinito [F.: Do lat. *immensitas, atis*. Sin. ger.: *imensidão*.]

imensidão (i.men.si.*dão*) *sf.* Ver *imensidade* [Pl.: *-dões*.] [F.: *imens(o) + -idão*.]

imenso (i.*men*.so) *a.* **1** Que não tem medida ou limites: "Desce do espaço imenso, ó águia do oceano!" (Castro Alves, "O navio negreiro" *in Os escravos*) **2** Muito grande (em tamanho ou extensão): *O Brasil é um país imenso.* **3** Em grande quantidade: *Juntou uma imensa fortuna.* **4** Em grande quantidade: *Uma imensa multidão compareceu às urnas.* **5** Muito complexo, que reúne muitos elementos e aspectos: *Esse tema é imenso e comporta mil e uma variações.* **6** Que não se pode definir nem precisar: *Dedicava-lhe um amor imenso.* **7** Muito forte, muito considerável, muito intenso: *Tive uma imensa satisfação em conhecê-lo.* **adv. 8** Muitíssimo, imensamente: *Agradeço-lhe imenso*. [F.: Do lat. *immensus, a, um*. Ideia de 'imenso': *meg(a)-, megal(o)-* (*megalítico, megalômano*).]

imensurável (i.men.su.*rá*.vel) *a2g.* Que não se pode medir; imenso; INCOMENSURÁVEL: *O amor que tem pelos filhos é imensurável* [Pl.: *-veis*.] [F.: *im + mensurável*.]

◎ **-imento** *suf. nom.* Ver *-mento*: *atendimento* (< *atender*), *corrimento* (< *correr*), *procedimento* (< *proceder*) [F.: Da passagem da vogal temática *-e-* (de verbos da 2ª conjug. [*-er*]) para *-i-*, + *-mento*.]

imerecido (i.me.re.*ci*.do) *a.* Que não é merecido (prêmio imerecido); IMÉRITO [F.: *i-*[2] *+ merecido*.]

imergente (i.mer.*gen*.te) *a2g.* Que imerge [Ant.: *emergente*.] [F.: Do lat. *immergens, entis*, part. pres. de *immergere*.]

imergir (i.mer.*gir*) *v.* **1** Afundar (em líquido); MERGULHAR; SUBMERGIR [*tda.*: *Imergiu o frasco em água fervente.*] [*int.*: *A pedra caiu no rio e imergiu rapidamente.*] **2** *Fig.* Introduzir-se (em algum lugar); ADENTRAR [*ta.*: *A onça imergiu em sua floresta.*] **3** *Fig.* Ficar absorvido com [*tr.* + *em*: *Quando ficava aborrecido, imergia no trabalho.*] [▶ **58 imergir** Part.: *imergido* e *imerso*.] [F.: Do lat. *immergere*, com mudança de conjug. Ant. ger.: *emergir*. Hom./Par.: *imergir, emergir* (em todas as fl.).]

imérito (i.*mé*.ri.to) *a.* Ver *imerecido* [F.: Do lat. *immeritus, a, um*. Hom./Par.: *emérito* (a.).]

imersão (i.mer.*são*) *sf.* **1** Ação ou resultado de imergir(-se), de mergulhar(-se) em um líquido: *A imersão de um submarino.* **2** Método de aplicação de tintas ou vernizes mergulhando-se o objeto em um banho com esse produto **3** *Cer.* Método para colocação de vernizes em peças de cerâmica fazendo-se imergi-las em um banho com o produto **4** *Rel.* Forma de batismo cristão, adotada pelas igrejas ortodoxas e protestantes, pela qual o batizando é mergulhado na água, ao invés de ter apenas a cabeça molhada **5** *Astr.* Começo de um eclipse, quando um astro começa a penetrar na sombra de outro [Pl.: *-sões*.] [F.: Do lat. *immersio, onis*. Ant. ger.: *emersão*. Hom./Par.: *emersão* (sf.).]

imersível (i.mer.*sí*.vel) *a2g.* Que se pode imergir, mergulhar num fluido; AFUNDÁVEL [Pl.: *-veis*.] [F.: *imerso + -ível*.]

imerso (i.*mer*.so) *a.* **1** Que se encontra submerso, mergulhado [Ant.: *emerso*.] **2** Que está absorto: *Vivia imerso em seus próprios pensamentos*. [F.: Do lat. *immersus, a, um*. Hom./Par.: *emerso* (a.).]

imexível (i.me.*xí*.vel) *a2g.* Em que não se pode mexer; INALTERÁVEL; INATACÁVEL; INTOCÁVEL: "Magri diz que direito de greve é 'imexível'." (*Diário do Passado*, 04.03.1991) [Ant.: *alterável, mexível*.] [F.: *in*[2] *+ mexível*.]

imidazol (i.mi.da.*zol*) *Quím. sm.* **1** Composto heterocíclico cristalino, branco, antimetabólito e inibidor da histamina, us. como inseticida (fórm. $C_3H_4N_2$) **2** Qualquer um de seus vários derivados, us. como fungistáticos [Pl.: *-zóis*.] [F.: De *imidazole*, do Vocabulário Científico Internacional.]

imidazolidina (i.mi.da.zo.li.*di*.na) *sf. Quím.* Substância heterocíclica derivada do imidazol por meio de hidrogenação (fórm.: $C_3H_8N_2$) [F.: *imidazol + -ina*.]

imidazolina (i.mi.da.zo.*li*.na) *Quím. sf.* Cada um dos três diidroderivados ($C_3H_6N_2$) do imidazol com atividade bloqueadora adrenérgica [F.: De *imidazoline*, do Vocabulário Científico Internacional.]

imigração (i.mi.gra.*ção*) *sf.* **1** Ação ou resultado de imigrar [Ant.: *emigração*.] **2** O conjunto dos imigrantes: *A imigração de vários países tinha o sul do Brasil como destino.* [Pl.: *-ções*.] [F.: *imigrar + -ção*. Hom./Par.: *emigração* (s. f.). Cf.: *migração*.]

imigrado (i.mi.*gra*.do) *a.* **1** Diz-se de pessoa que imigrou *sm.* **2** Essa pessoa [F.: Part. de *imigrar*. Ant. ger.: *emigrado*. Hom./Par.: *emigrado* (adj. s. m.).]

imigrante (i.mi.*gran*.te) *a2g.* **1** Diz-se de pessoa que imigra ou imigrou, estabelecendo-se em país estrangeiro *s2g.* **2** Essa pessoa [F.: Do lat. *immigrans, antis*. Ant. ger.: *emigrante*. Hom./Par.: *emigrante* (adj. e subst.). Cf.: *migrante*.]

imigrar (i.mi.*grar*) *v.* Entrar e fixar residência em país estrangeiro [*int.*: *Meus avós portugueses imigraram para o Brasil.*] [*ta.*: *Seus avós imigraram no século passado*. Ant.: *emigrar*.] [▶ **1 imigrar**] [F.: Do lat. *immigrare*. Cf.: *migrar*.]

imigratório (i.mi.gra.*tó*.ri:o) *a.* Ref. a imigração ou a imigrante (fluxo imigratório) [F.: rad. do part. pas. sob a f. lat. *imigrat-* + *-tório*. Hom./Par.: *emigratório* (adj.).]

iminência (i.mi.*nên*.ci:a) *sf.* Qualidade do que está iminente; AMEAÇA; PROXIMIDADE: *Estavam na iminência de falir.* [F.: Do lat. *imminentia, ae*. Hom./Par.: *eminência* (s. f.).]

iminente (i.mi.*nen*.te) *a2g.* Que está prestes a acontecer (perigo iminente); IMEDIATO; PRÓXIMO [F.: Do lat. *imminens, entis*. Hom./Par.: *eminente* (adj.).]

imipramina (i.mi.pra.*mi*.na) *Farm. sf.* Antidepressivo tricíclico, o primeiro a ser us. (fórm. $C_{19}H_{24}N_2$) [F.: De *imipramine*, do Vocabulário Científico Internacional.]

imisção (i.mis.*ção*) *sf.* **1** Ação ou resultado de imiscuir(-se), intrometer(-se); INTROMISSÃO; INGERÊNCIA: *Não admito imisções nos meus assuntos!* [+ *de*...*em*: *A imisção do Estado nos atos do cidadão é regulamentada pelo direito administrativo.*] **2** Ação ou resultado de misturar(-se), mesclar(-se); MESCLA; MISTURA [+ *com*: "O direito romano (...) entre os séculos XII e XIII, em imisção com o direito canônico e o germânico, constituiu o alicerce sobre o qual se formou o direito da maioria das nações ocidentais." (Carlos Fernando Mathias de Souza, *Correio Braziliense*, 4.12.2000)] [F.: Do lat. tard. *immistio* ou *immixtio, onis*. Hom./Par.: *emissão* (sf.), *imissão* (sf.), *imissão* (sf.).]

imiscibilidade (i.mis.ci.bi.li.*da*.de) *sf.* Qualidade do que é imiscível, imisturável; IMISTURABILIDADE [Ant.: *miscibilidade*.] [F.: *imiscível + -(i)dade*, segundo o modelo erudito.]

imiscível (i.mis.*cí*.vel) *a2g.* Que não é miscível, que não pode ser misturado; IMISTURÁVEL: *Azeite e água são líquidos imiscíveis*. [Ant.: *miscível, misturável*.] [Pl.: *-veis*.] [F.: Do lat. *immiscibilis, e*.]

imiscuição (i.mis.cui.*ção*) [u-i] *sf.* **1** Ato ou efeito de imiscuir-se **2** O mesmo que *imisção* [Pl.: *-ções*.] [F.: *imiscuir + -ção*.]

imiscuído (i.mis.cu:*í*.do) *a.* **1** Que se imiscuiu; misturado a ou envolvido em (algo); CONFUNDIDO; LIGADO: *Anda imiscuído em uma turma barra-pesada.* **2** Que interfere no que não lhe diz respeito; INTROMETIDO: *Está muito imiscuído nos negócios do irmão.* [F.: Part. de *imiscuir-se*.]

imiscuir-se (i.mis.cu.*ir*-se) *v.* Envolver-se, intrometer-se [*tr.* + *em*: *Muitos acham que a Igreja não se deve imiscuir em política*: "...e se imiscuíam cada vez mais na complicada política" (Alberto da Costa e Silva, *A manilha e o libambo*)] [▶ **56 imiscuir**] [F.: Do lat. tardio *immiscuere*, formado do v.lat. *immiscere*, 'imiscuir-se'.]

imissão (i.mis.*são*) *sf.* Ação ou resultado de imitir(-se) (imissão de posse) [Ant.: *emissão*.] [Pl.: *-sões*.] [F.: Do lat. *imissio, onis*. Hom./Par.: *emissão* (sf.), *imisção* (sf.), *imissão* (sf.).]

imitabilidade (i.mi.ta.bi.li.*da*.de) *sf.* Qualidade de imitável [Ant.: *inimitabilidade*.] [F.: *imitável + -(i)dade*, segundo o modelo erudito.]

imitação (i.mi.ta.*ção*) *sf.* **1** Reprodução de alguma coisa, bem parecida ou igual ao modelo usado: *imitação de uma joia*. **2** Cópia malfeita; ARREMEDO; FALSIFICAÇÃO: *O quadro não é verdadeiro, é uma imitação grosseira*. **3** Reprodução, consciente ou não, de atitudes, gestos etc.:

A criança parece ter instinto de imitação. 4 Caricatura da maneira de ser de alguém: *Fazia uma ótima imitação do velho maestro.* 5 *Mús.* Repetição de um tema com variação de voz [Pl.: *-ções.*] [F.: Do lat. *imitatio, onis.*]

imitado (i.mi.*ta*.do) *a.* 1 Que se imitou; COPIADO 2 Tomado como modelo, como exemplo 3 Contrafeito, falsificado (assinatura imitada) [F.: Part. de *imitar.*]

imitador (i.mi.ta.*dor*) [ô] *a.* 1 Diz-se de pessoa que imita, que tem o hábito de imitar 2 Diz-se de pessoa que faz imitações bem *sm.* 3 Qualquer dessas pessoas [F.: Do lat. *imitator, oris.*]

imitante (i.mi.*tan*.te) *a2g.* 1 Que imita; IMITADOR; IMITATIVO 2 Parecido, semelhante [Ant.: *desigual, diferente.*] [F.: *imitar + -nte.*]

imitar (i.mi.*tar*) *v. td.* 1 Fazer ou tentar fazer o que faz outra pessoa ou animal; REPRODUZIR; ARREMEDAR: *Imitou o estilo de Faulkner; Queria imitar o voo dos pássaros.* 2 Repetir de maneira igual ou semelhante; COPIAR: "...os burgueses (...) começaram a imitar as roupas dos nobres." (*Jornal do Commercio*, 28.06.2005) 3 Fazer algo conforme um determinado padrão: *Sua casa imita o estilo barroco.* 4 Falsificar (imitar uma assinatura) 5 Apresentar semelhança com; ASSEMELHAR-SE; LEMBRAR: *Esta cópia imita fielmente o original.* 6 Ter falsa aparência de; LEMBRAR: *Trouxe pedras que imitam o brilhante.* [▶ 1 imitar] [F.: Do lat. *imitare.* Hom./Par.: *imitáveis* (fl.), *imitáveis* (pl. de *imitável* [a2g.]); *imito* (fl.), *imito* (fl. de *imitir*).]

imitativo (i.mi.ta.*ti*.vo) *a.* 1 Em que há imitação (conduta imitativa) 2 Que imita, que tem a faculdade ou o hábito de imitar; IMITADOR: *Esses brinquedos imitativos de armas deveriam ser proibidos.* [F.: Do lat. *imitativus, a, um.*]

imitável (i.mi.*tá*.vel) *a2g.* Que se pode imitar ou que é digno de ser imitado [Ant.: *inimitável.*] [Pl.: *-veis.*] [F.: Do lat. *imitabilis, e.* Hom./Par.: *imitáveis* (pl.), *imitáveis* (fl. de *imitar*).]

imitir (i.mi.*tir*) *v.* 1 Fazer investimento em [*td.*] 2 Fazer (alguém) tomar (posse) de [*tdr. + em: Imitiu a herdeira na posse da casa*] 3 Pôr(-se) para dentro, meter(-se) [*td.: Imitiu-se no quarto da mulher no meio da noite.*] [▶ 3 imitir] [F.: Do lat. *imittere.* Cf.: *emitir.* Hom./Par.: *imito* (fl.), *imito* (fl. imitar); *imite(s)* (fl.), *imite* (adj.) e pl. e *imite* (fl. imitar).]

⊠ **IML** *sm.* Sigla de *Instituto Médico-Legal*

◎ **-imo** *suf.* = superlativo: *dificílimo, facílimo, macérrimo, paupérrimo* [F.: Do lat. *-imus.*]

imo (*i*.mo) *a.* 1 Que está no ponto mais fundo ou mais recôndito; INTERNO; ÍNTIMO [Ant.: *exterior, externo.*] *sm.* 2 Âmago, cerne, essência: *Aquela crença estava no imo do seu espírito* [Ant.: *aparência, exterioridade.*] [F.: Do lat. *imus, a, um.*]

imobiliária (i.mo.bi.li.*á*.ri:a) *sf. Bras.* Empresa que constrói, vende, aluga ou administra imóveis [F.: fem. subst. de *imobiliário.*]

imobiliário (i.mo.bi.li:*á*.ri:o) *a.* 1 Ref. a imóvel (corretor imobiliário) 2 Diz-se de qualquer bem imóvel, do que o é por natureza ou por disposição da lei [F.: Do fr. *immobilier.*]

imobilidade (i.mo.bi.li.*da*.de) *sf.* 1 Qualidade do que está imóvel, do que não se move ou movimenta; REPOUSO [Ant.: *mobilidade.*] 2 Ausência de movimento; ESTABILIDADE; INÉRCIA [Ant.: *movimentação.*] 3 *Fig.* Impassibilidade, serenidade [Ant.: *intranquilidade, perturbabilidade.*] [F.: Do lat. *immobilitas, atis.*]

imobilismo (i.mo.bi.*lis*.mo) *sm.* 1 Simpatia ou predileção pelas coisas antigas ou estabelecidas; aversão a mudanças ou ao que é novo e representa progresso 2 *P. ext.* Conservadorismo político [F.: Do fr. *immobilisme.*]

imobilista (i.mo.bi.*lis*.ta) *a2g.* 1 Ref. a imobilismo 2 Que é partidário do imobilismo *s2g.* 3 Partidário do imobilismo [F.: Do fr. *immobiliste.*]

imobilização (i.mo.bi.li.za.*ção*) *sf.* 1 Ação ou resultado de imobilizar(-se) 2 Característica ou estado do que está imobilizado [Pl.: *-ções.*] [F.: *immobilizar + -ção.*]

imobilizado (i.mo.bi.li.*za*.do) *a.* 1 Que se imobilizou; que foi tornado imóvel; ESTÁTICO; PARADO 2 *Econ.* Que não pode ser convertido imediatamente em dinheiro (ativo imobilizado) [F.: Part. de *imobilizar.*]

imobilizador (i.mo.bi.li.za.*dor*) [ô] *a.* 1 Que imobiliza ou serve para imobilizar; IMOBILIZANTE *sm.* 2 Aquilo que imobiliza [F.: *imobilizar + -dor.*]

imobilizante (i.mo.bi.li.*zan*.te) *a2g.* Ver *imobilizador* [F.: *imobilizar + -nte.*]

imobilizar (i.mo.bi.li.*zar*) *v. td.* 1 Impedir o movimento de: *O médico imobilizou-lhe a perna quebrada.* 2 Deixar imóvel, sem reação; PARALISAR: *Com a chegada da polícia, o pânico imobilizou as crianças; Aterrorizado, o fugitivo se imobilizou.* 3 Impedir o progresso de; ESTACIONAR; ESTAGNAR; RETER: *As dívidas imobilizaram a empresa.* 4 *Com.* Investir em bens, móveis ou imóveis, a fim de que sirvam como instrumento de trabalho de uma empresa 5 *Jur.* Dar (a bem móvel) a qualidade de imóvel [▶ 1 imobilizar] [F.: Do fr. *immobiliser.*]

imobilizável (i.mo.bi.li.*zá*.vel) *a2g.* Que pode ser imobilizado [Pl.: *-veis.*] [F.: *imobilizar + -vel.* Hom./Par.: (pl.) *imobilizáveis* (fl. de *imobilizar*).]

imoderação (i.mo.de.ra.*ção*) *sf.* Falta de moderação; DESCOMEDIMENTO; EXAGERO [Ant.: *comedimento, moderação.*] [Pl.: *-ções.*] [F.: Do lat. *immoderatio, onis.*]

imoderado (i.mo.de.*ra*.do) *a.* Que não tem moderação, comedimento (desejo imoderado); DESCOMEDIDO; EXCESSIVO [Ant.: *comedido, moderado.*] [F.: Do lat. *immoderatus, a, um.*]

imodéstia (i.mo.*dés*.ti:a) *sf.* 1 Falta de modéstia [Ant.: *despojamento, simplicidade.*] 2 *P. ext.* Presunção, orgulho: *Sua imodéstia, ao declarar-se talentoso, chegava a ser cômica.* [Ant.: *naturalidade, simplicidade.*] 3 *P. ext.* Falta de pudor [Ant.: *decência, decoro, pudor.*] [F.: Do lat. *immodestia, ae.* Ant. ger.: *modéstia.*]

imodesto (i.mo.*des*.to) *a.* 1 Que não tem modéstia 2 *P. ext.* Presunçoso, vaidoso [Ant.: *despojado, simples.*] 3 *P. ext.* Que não tem pudor; DESAVERGONHADO; DESPUDORADO; DEVASSO [Ant.: *pudico, recatado.*] [F.: Do lat. *immodestus, a, um.* Ant. ger.: *modesto.*]

imódico (i.*mó*.di.co) *a.* 1 Que não é módico; DEMASIADO; EXCESSIVO [Ant.: *escasso, moderado.*] 2 Diz-se de preço muito alto; CARO; EXORBITANTE [Ant.: *baixo.*] [F.: Do lat. *immodicus, a, um.* Ant. ger.: *módico.*]

imodificável (i.mo.di.fi.*cá*.vel) *a2g.* Que não se pode modificar [Ant.: *modificável.*] [F.: in^{2}- + *modificável.*]

imolação (i.mo.la.*ção*) *sf.* 1 Ação ou resultado de imolar(-se) 2 Morte em ritual de sacrifício [+ *de ... a: imolação de animais aos deuses.*] 3 Ação de sacrificar, prejudicar alguém, algo ou a si mesmo em favor de outros interesses; ABNEGAÇÃO; RENÚNCIA [+ *de ... a: imolação dos direitos e interesses dos trabalhadores à soberania do Estado.*] 4 Morte ou sofrimento decorrentes da atuação de uma ou mais pessoas que de alguma forma constituem ameaça a um setor da sociedade ou mesmo à ordem estabelecida (a imolação de Tiradentes) [Pl.: *-ções.*] [F.: Do lat. *immolatio, onis.*]

imolado (i.mo.*la*.do) *a.* 1 Que sofreu imolação 2 *Fig.* Sacrificado, prejudicado 3 Que foi vítima de morticínio ou carnificina (primogênitos imolados por Herodes) [F.: part. de *imolar.*]

imolar (i.mo.*lar*) *v.* 1 Matar(-se) em sacrifício a uma divindade ou causa [*td.: O monge, em protesto, imolou-se diante da multidão.*] [*tdi. + a: Na Antiguidade, era comum imolar animais aos deuses.*] 2 *Fig.* Sacrificar(-se) ou perder em benefício de algo ou alguém; ABDICAR [*td.:* "Era uma mulher que não se deixava imolar por emoções cotidianas." (*Jornal do Commercio*, 29.09.2004)] [*tdr. + a: Imolaria a honra ao bem dos filhos.*] 3 *Fig.* Prejudicar [*td.: imolar seus interesses.*] [▶ 1 imolar] [F.: Do lat. *immolare.*]

imoral (i.mo.*ral*) *a2g.* 1 Que contraria as regras da moralidade; que não é decente; INDECENTE; VERGONHOSO [Ant.: *decente, decoroso.*] 2 Devasso, libertino, lascivo [Ant.: *cândido, ingênuo.*] *s2g.* 3 Pessoa sem moral [Pl.: *-rais.*] [F.: i^{2}- + *moral.* Ant. ger.: *moral.* Cf.: *amoral.*]

imoralidade (i.mo.ra.li.*da*.de) *sf.* 1 Qualidade do que é imoral; falta de moralidade; DESPUDOR; INDECÊNCIA [Ant.: *decência, decoro, pudor.*] 2 Devassidão, libertinagem [Ant.: *correção, integridade.* Ant. ger. nas acp. 1 e 2: *moralidade.*] 3 Ação ou dito imoral [Mais us. no pl.] [F.: *imoral + -(i)dade.*]

imoralismo (i.mo.ra.*lis*.mo) *sm.* 1 Em ética, doutrina dos que negam os valores da moral corrente 2 Desprezo pela moral estabelecida [F.: *imoral + -ismo.* Ant. ger.: *moralismo.* Cf.: *amoralismo.*]

imoralista (i.mo.ra.*lis*.ta) *a2g.* 1 Ref. a imoralismo 2 Que é partidário do imoralismo *s2g.* 3 Partidário do imoralismo [F.: *imoral + -ista.*]

imorredouro (i.mor.re.*dou*.ro) *a.* 1 Que não morre; ETERNO; IMORTAL [Ant.: *efêmero, morredouro, mortal.*] 2 *Fig.* Duradouro, constante: *O perfume imorredouro das flores na primavera.* [Ant.: *inconstante.*] [F.: i^{2}- + *morredouro.*]

imortal (i.mor.*tal*) *a2g.* 1 Que tem vida eterna (amor imortal); ETERNO; IMORREDOURO; PERPÉTUO [Ant.: *efêmero, passageiro.*] 2 Que tem duração longa e se supõe interminável (amor imortal); INEXTINGUÍVEL; INFINITO [Ant.: *extinguível, finito.*] 3 *Fig.* Que é lembrado por muito tempo (glória imortal); INESQUECÍVEL; MEMORÁVEL [Ant.: *esquecível, olvidável.* Ant. ger.: *morredouro, mortal.*] *s2g.* 4 Membro da Academia Brasileira de Letras [Pl.: *-tais.*] [F.: Do lat. *immortalis, e.*]

imortalidade (i.mor.ta.li.*da*.de) *sf.* 1 Qualidade ou condição do que é imortal; ETERNIDADE [Ant.: *provisoriedade, transitoriedade.*] 2 *Fig.* Duração perpétua na lembrança; PERENIDADE [F.: Do lat. *immortalitas, atis.* Ant. ger.: *mortalidade.*] ▪ **~ da alma** *Filos. Rel.* Conceito de que a alma humana sobrevive à morte física do corpo, elaborado na forma de crença religiosa ou de especulação filosófica

imortalização (i.mor.ta.li.za.*ção*) *sf.* Ação ou resultado de imortalizar(-se) [Pl.: *-ções.*] [F.: *imortalizar + -ção.*]

imortalizado (i.mor.ta.li.*za*.do) *a.* 1 Que se tornou imortal, eterno, imorredouro 2 Que foi admitido como membro da Academia Francesa ou da Academia Brasileira de Letras 3 Preservado através dos tempos mediante uma obra de qualquer natureza [+ *em:* "O episódio da proclamação da Independência foi retratado no primeiro momento por Jean-Baptiste Debret, mas foi imortalizado na tela do paraibano Pedro Américo Figueira de Mello, pintada em Florença, Itália, entre 1886 e 1888." (Luís Octavio Lima, "São Paulo 450 anos" *in O Estado de S. Paulo*)] [F.: part. de *imortalizar.*]

imortalizar (i.mor.ta.li.*zar*) *v. td. Fig.* Tornar imortal ou lembrado por muito tempo: *O pintor imortalizou a camponesa;* "Depois de imortalizar suas mãos no cimento, Claudio vai contar muitas histórias..." (*O Globo*, 21.04.2005) [▶ 1 imortalizar] [F.: *imortal + -izar.* Sin. ger.: *eternizar.* Hom./Par.: *imortalizáveis* (fl.), *imortalizáveis* (pl. de *imortalizável* [a2g.]).]

imotivado (i.mo.ti.*va*.do) *a.* 1 Que não tem motivo nem justificativa (crime imotivado); GRATUITO; INFUNDADO; INJUSTIFICADO: "...votou contra todos os decretos-leis que determinavam o arrocho salarial e, em primeira votação, a favor do projeto de lei que proibia a demissão imotivada do trabalhador..." (Fernando Girão, *JB Online*, 10.02.2005) [Ant.: *fundado, justificado, motivado.*] 2 *Ling.* Diz-se do signo linguístico sem relação lógica ou analógica entre forma e significado; ARBITRÁRIO [F.: in^{2}- + *motivado.*]

imoto (i.*mo*.to) *a.* Sem se mover; IMÓVEL; PARADO: "O velhinho ouviu-a, imoto, impassível, como em prece, como que absorto em pensamentos distantes." (Washington de Oliveira, *Ubatuba: lendas e outras estórias*) [Ant.: *movediço.*] [F.: Do lat. *immotus, a, um.* Hom./Par.: *imoto* (fl. de *imotar*).]

imóvel (i.*mó*.vel) *a2g.* 1 Que está parado, sem movimento; ESTÁTICO; FIXO: *Todos ficaram imóveis como estátuas* [Ant.: *movediço.*] 2 Que é inabalável; FIRME; SEGURO [Ant.: *inseguro.*] 3 Diz-se de bem que não é móvel (prédio, casa etc.) [Ant ger.: *mudável, mutável, móvel.*] *sm.* 4 Bem imóvel; CONSTRUÇÃO; EDIFICAÇÃO [Pl.: *-veis.*] [F.: Do lat. *immobilis, e.*]

impaciência (im.pa.ci:*ên*.ci:a) *sf.* 1 Falta de paciência; ANSIEDADE; INQUIETAÇÃO [Ant.: *calma, paciência.*] 2 Irresignação, revolta: *Demonstra a impaciência com a política amassando o jornal.* [Ant.: *conformação, resignação.*] 3 Pressa, sofreguidão, afobação: *Em sua impaciência, derrubou as gavetas do armário.* [Ant.: *tranquilidade, vagar.*] 4 Sentimento de irritação, nervosismo; EXASPERAÇÃO; IRRITABILIDADE: "...somente eu sei com que sacrifício, entre os muitos que a minha impaciência agravava." (João Ubaldo Ribeiro, *Diário do farol*) [Ant.: *mansidão, serenidade.*] [F.: Do lat. *impatientia, ae.*]

impacientar (im.pa.ci:en.*tar*) *v.* Irritar(-se), aborrecer(-se) [*td.: O discurso prolongado impacientou os ouvintes.*] [*int.: O rapaz se impacientou com o atraso da namorada.*] [▶ 1 impacientar] [F.: *impaciente + -ar*².]

impaciente (im.pa.ci:*en*.te) *a2g.* 1 Que não tem paciência; que se mostra inquieto ao esperar; AGITADO: *A demora no atendimento deixou-o impaciente.* [Ant.: *quieto, tranquilo.*] 2 Que é apressado, sôfrego; AFLITO; ANSIOSO: *Estava impaciente por saber das novidades.* [Ant.: *calmo, sossegado.*] 3 Irritado, nervoso: *Sempre foi impaciente com as crianças.* [Ant.: *manso, sereno.* Ant. ger.: *paciente.*] 4 Que não se conforma; INCONFORMADO; REVOLTADO [Ant.: *conformado, resignado.*] 5 Que está sempre a queixar-se (enfermo impaciente); IMPLICANTE; RABUGENTO [Ant.: *agradável, simpático.*] *s2g.* 6 Pessoa impaciente [F.: Do lat. *impatiens, entis.*]

impactado (im.pac.*ta*.do) *a.* Sob efeito de um impacto físico ou emocional [+ *com:* "Isso vai possibilitar maior racionalidade no meio empresarial impactado emocionalmente com a crise política..." (Luiz Furlan, *O Estado de S. Paulo*, 30.07.2005)] [F.: part. de *impactar.*]

impactante (im.pac.*tan*.te) *a2g.* Que causa impacto, impressiona; CHOCANTE; IMPRESSIONANTE [F.: *impactar + -nte.*]

impactar (im.pac.*tar*) *v.* 1 Ter grande efeito sobre [*td.: A morte da princesa Diana impactou o mundo.*] [*tr. + em:* "...a adoção de um serviço de bordo mais sofisticado poderia impactar no preço da passagem." (*O Globo*, 09.03.2005)] 2 Chocar(-se) contra; causar impacto (1) [*td.*] [*int.*] [▶ 1 impactar] [F.: *impacto + -ar*². Hom./Par.: *impacto* (fl.), *impacto* (sm.).]

impacto (im.*pac*.to) *sm.* 1 Choque entre dois objetos; ABALROAMENTO; CONCUSSÃO 2 Colisão de um projétil com o alvo 3 *Fig.* Impressão ou efeito forte; ABALO; COMOÇÃO; PERTURBAÇÃO: *As imagens do atentado causaram forte impacto.* [F.: Do lat. *impactus, a, um.* Sin. ger.: *choque.*] ▪ **De alto ~** 1 *Esp.* Que resulta ou pode resultar em desgaste ou lesão de músculo, ossos, articulação etc., devido a sua intensidade ou duração (diz-se de exercício físico) 2 *Tec.* Que tem capacidade de vencer a resistência de materiais resistentes (diz-se de aparelho, ferramenta etc.): *furadeira de alto impacto.* **~ ambiental** *Ecol.* O efeito (esp. as alterações no equilíbrio) que algum fenômeno ou, esp., a ação do homem exerce sobre o meio ambiente

impagável (im.pa.*gá*.vel) *a2g.* 1 *Fig.* Muito engraçado [Ant.: *sério, triste.*] 2 Que não se pode ou não se deve pagar; INSOLVÍVEL [Ant.: *pagável, solvível.*] 3 Que não tem preço (colar impagável); INESTIMÁVEL; PRECIOSO; VALIOSO [Ant.: *comum, ordinário.*] [Pl.: *-veis.*] [F.: im^{2}- + *pagável.*]

impala (im.*pa*.la) *Zool. s2g.* Antílope (*Aepyceros melampus*) que ocorre no Sul e Leste da África, notável por seus graciosos saltos, de pelagem castanho-avermelhada e cujos machos têm chifres em forma de lira [F.: Do zulu.]

impalatável (im.pa.la.*tá*.vel) *a2g.* 1 Que desagrada ao paladar; INTOLERÁVEL; INTRAGÁVEL; REPULSIVO [Ant.: *degustável, palatável, saboreável.*] 2 *Fig.* Difícil de aturar, suportar; DESAGRADÁVEL; INSUPORTÁVEL; INTOLERÁVEL [Ant.: *agradável, aprazível.*] 3 *Ent.* Diz-se de certos lepidópteros providos de defesa química que os torna repugnantes aos predadores [Pl.: *-veis.*] [F.: in^{2}- + *palatável.*]

impalpabilidade (im.pal.pa.bi.li.*da*.de) *sf.* Qualidade ou característica do que é impalpável (impalpabilidade da imaginação); IMATERIALIDADE; INTANGIBILIDADE: "É a certeza da data que imprime realidade às cousas que, sem essa certeza encarnadora, apenas passadas, se desfariam na diafaneidade e impalpabilidade do tempo." (Eça de Queirós, *Notas contemporâneas*) [Ant.: *concretude, materialidade, palpabilidade.*] [F.: *impalpável + -(i)dade*, segundo o modelo erudito.]

impalpável (im.pal.*pá*.vel) *a2g.* Que não se pode palpar ou perceber pelo tato; IMATERIAL; INTANGÍVEL [Ant.: *concreto, material, palpável.*] [Pl.: *-veis.*] [F.: im^{2}- + *palpável.*]

impaludado (im.pa.lu.*da*.do) *a.* 1 Diz-se de pessoa atacada de impaludismo *sm.* 2 Essa pessoa [F.: Part. de *impaludar.*]
impaludar (im.pa.lu.*dar*) *v. td.* Transmitir ou contrair impaludismo, malária [▶ 1 impaludar] [F.: *im-*² + *palud(e)* + *-ar*².]
impaludismo (im.pa.lu.*dis*.mo) *sm. Med.* Ver *malária* [F.: *im-*¹ + *palud(e)* + *-ismo.*]
ímpar (*ím*.par) *a2g.* 1 *Mat.* Diz-se de número que não é divisível por dois [Ant.: *par.*] 2 Que não tem par; que é único; INCOMPARÁVEL; INIGUALÁVEL: *Tem uma beleza ímpar.* [Ant.: *comum.*] *sm.* 3 *Mat.* Número ímpar (1) [F.: Do lat. *impar, aris.* Hom./Par.: *impar* (v.); (pl.) *ímpares* (fl. de *impar*).]
imparcial (im.par.ci:*al*) *a2g.* 1 Que é justo em seu julgamento, sem favorecer qualquer pessoa ou grupo: *O juiz foi imparcial ao condenar o réu* [Ant.: *faccioso, injusto.*] 2 Neutro, isento: *Queremos uma versão imparcial dos fatos.* [Ant.: *parcial, partidário.*] [Pl.: *-ais.*] [F.: *im-*² + *parcial.*]
imparcialidade (im.par.ci:a.li.*da*.de) *sf.* Qualidade, estado ou caráter do que é imparcial; EQUIDADE; ISENÇÃO; JUSTIÇA [Ant.: *injustiça, parcialidade.*] [F.: *imparcial* + *-(i)dade.*]
imparidade (im.pa.ri.*da*.de) *sf.* 1 Qualidade ou propriedade de ímpar 2 Falta de paridade; DESIGUALDADE; DIFERENÇA; DISPARIDADE [Ant.: *semelhança, similitude.*] [F.: *im-*² + *paridade.* Ant. ger.: *paridade.*]
impasse (im.*pas*.se) *sm.* 1 Situação sem saída, ou de saída muito difícil: *Estava num impasse, não sabia a quem defender.* 2 Algo que causa dificuldade, embaraço; EMPECILHO; ESTORVO [F.: Do fr. *impasse.*]
impassibilidade (im.pas.si.bi.li.*da*.de) *sf.* 1 Qualidade ou estado daquele que é impassível; IMPERTURBABILIDADE; SERENIDADE [Ant.: *agitação, perturbação.*] 2 Indiferença à dor alheia; FRIEZA; INSENSIBILIDADE [Ant.: *sensibilidade.*] [F.: Do lat. *impassibilitas, atis.*]
impassível (im.pas.*sí*.vel) *a2g.* 1 Indiferente à dor, ao sofrimento, aos sentimentos alheios; DURO; INSENSÍVEL: *Permaneceu impassível diante dos gritos da moça.* [Ant.: *abalável, impressionável.*] 2 Que não demonstra emoção; IMPERTURBÁVEL; SERENO: *Ficou impassível diante do assaltante.* [Ant.: *perturbado.*] [Pl.: *-veis.*] [F.: Do lat. *impassibilis, e.*]
impassividade (im.pas.si.vi.*da*.de) *sf.* 1 Qualidade ou característica do que é impassivo (2); INFLEXIBILIDADE; INSUBMISSÃO; IRREDUTIBILIDADE: "O Ministério do Desenvolvimento, Indústria e Comércio Exterior (MDIC) terá de ser muito hábil para superar... a impassividade das autoridades chinesas em torno da questão da limitação de suas exportações ao Brasil." (*Exame*, 30.09.2005) [Ant.: *passividade, submissão, sujeição.*] 2 *Pop.* Qualidade ou característica de impassivo (1); IMPASSIBILIDADE; IMPERTURBABILIDADE: *A fome é o resultado da impassividade de vários segmentos sociais.* [Ant.: *inquietude, intranquilidade.*] [F.: na acp. 1: *im-*² + *passividade*, segundo o modelo vernáculo; na acp. 2: poss. *impassiv(el)* + *-(i)dade*, construção espúria e portanto condenável. Prefira-se seu sinônimo.]
impatriota (im.pa.tri.o.ta) *s2g.* 1 Aquele que não revela amor à pátria; não patriota: "Diante da histeria patriótica, a mídia corporativa optou por não correr risco de ser apontada como impatriota." (Argemiro Ferreira, *Tribuna da Imprensa*, 13.07.2004) *a2g.* 2 Que diz respeito a impatriota [F.: *im-*² + *patriota.*]
impatriótico (im.pa.tri:*ó*.ti.co) *a.* Que não tem ou em que não há patriotismo (político impatriótico, atitude impatriótica) [F.: *im-*² + *patriótico.*]
impatriotismo (im.pa.tri:o.*tis*.mo) *sm.* Falta de patriotismo; qualidade de impatriota [F.: *im-*² + *patriotismo.*]
impavidez (im.pa.vi.*dez*) *sf.* Qualidade de impávido, de que não sente medo; BRAVURA; CORAGEM; DESTEMOR; INTREPIDEZ [Ant.: *acovardamento, covardia, medo, temor.*] [F.: *impávido* + *-ez.*]
impávido (im.*pá*.vi.do) *a.* Que não tem ou não demonstra pavor; DESTEMIDO; INTRÉPIDO [Ant.: *covarde, medroso.*] [F.: Do lat. *impavidus, a, um.*]
⊕**impeachment** (*Ing. /impítchman/*) *sm.* Em regime presidencialista, ato do Poder Legislativo destinado a destituir, por crime de responsabilidade, o ocupante de um cargo governamental; IMPEDIMENTO: *o impeachment do presidente Collor em 1992.*
impecabilidade (im.pe.ca.bi.li.*da*.de) *sf.* 1 Qualidade ou estado de impecável; CORREÇÃO; IRREPREENSIBILIDADE [Ant.: *imperfeição.*] 2 Impossibilidade de pecar [F.: *impecável* + *(i)dade*, segundo o modelo erudito.]
impecável (im.pe.*cá*.vel) *a2g.* 1 Que é correto, perfeito, sem falha (conduta/serviço impecável); ESMERADO; PRIMOROSO [Ant.: *desprimoroso, malfeito.*] 2 Que é incapaz de pecar; IMACULÁVEL [Ant.: *maculável.*] 3 Que não comete erro (empregado impecável); CORRETO; IRREPREENSÍVEL [Ant.: *censurável, incorreto.*] [Pl.: *-veis.*] [F.: *impeccabilis, e.*]
impedância (im.pe.*dân*.ci:a) *sf. Elet.* Medida da resistência de um circuito elétrico à passagem da corrente de eletricidade [Símb.: *Z.*] [F.: Do ing. *impedance.*] ■ **~ acústica** *Acús.* Medida de resistência à propagação do som num meio, que é o resultado do produto da velocidade do som pela densidade do meio
impedanciometria (im.pe.dan.ci:o.me.*tri*:a) *sf.* 1 *Otor.* Teste que mede a função da orelha média pela capacidade de movimentação da membrana timpânica em função da variação de pressão no canal auditivo; IMITANCIOMETRIA; TIMPANOMETRIA 2 *Med.* Medida dos índices de massa gordurosa e magra e da água do corpo humano com base na condutividade elétrica dos tecidos; BIOIMPEDÂNCIA [F.: *impedância* + *-metria*, segundo o modelo vernáculo.]
impedido (im.pe.*di*.do) *a.* 1 Que se interditou ou interrompeu (acesso impedido); BLOQUEADO; OBSTRUÍDO [Ant.: *desatravancado, desobstruído.*] 2 *Fut.* Diz-se de jogador em posição de impedimento (2) [F.: Part. de *impedir.*]
impedidor (im.pe.di.*dor*) [ô] *a.* 1 Que impede, estorva ou embaraça; IMPEDIENTE; IMPEDITIVO 2 Alguém ou algo que impede; IMPEDITIVO [F.: Do lat. *impeditor, oris.*]
impedimento (im.pe.di.*men*.to) *sm.* 1 Ação ou resultado de impedir; COIBIÇÃO; PROIBIÇÃO [Ant.: *consentimento, permissão.*] *sm.* 2 Aquilo que impede, que cria obstáculo; EMPECILHO: *Não há impedimento para a sua viagem.* 3 *Fut.* Posição irregular do jogador ao ser-lhe passada a bola, determinada pelas regras do jogo 4 Estado de pessoa impedida, por doença ou outra causa, de cumprir os deveres do seu cargo 5 *Bras.* Ver *impeachment* [F.: Do lat. *impedimentum.* Ant. ger.: *desimpedimento.*]
impedir (im.pe.*dir*) *v.* 1 Impossibilitar a ocorrência ou o prosseguimento de; OBSTAR [*td.*: *Sua presença é que impediu o crime.*] 2 Não deixar alguém fazer algo; PROIBIR [*td.*: *Os pais queriam impedir o namoro.*] [*tdr.* + *de*: *Ela impediu a filha de usar o telefone.*] [Ant.: *consentir, permitir.*] 3 Não deixar passagem; OBSTRUIR [*td.*: *Os estudantes impediram a porta de saída.*] [Ant.: *desobstruir.*] 4 *Fig.* Dificultar a alguém a realização de; TOLHER; ATRAPALHAR [*td.*: *impedir a justiça.*] [*tdi.* + *a*: *O rancor impedia(-lhes) uma conversa franca.*] [Ant.: *possibilitar.*] [▶ 44 impedir] [F.: Do lat. *impedire.* Hom./Par.: *impedir, empeçar, empecer* (em várias fl.).]
impeditivo (im.pe.di.*ti*.vo) *a.* Que cria impedimento; IMPEDIDOR; IMPEDIENTE [F.: *impedi(r)* + *-tivo.*]
impelido (im.pe.*li*.do) *a.* 1 Que se impeliu 2 Empurrado, arremessado, projetado: "...os lábios se haviam apertado fortemente e impelidos pra diante se juntavam ao jeito de um focinho; o rosto destilava gordura; e, ajudado isto pelo seu físico, tudo nele era de um colossal suíno." (Lima Barreto, *Contos*) 3 Induzido, incitado, estimulado 4 Obrigado, coagido, constrangido 5 [F.: part. de *impelir.*]
impelidor (im.pe.li.*dor*) [ô] *a.* 1 Que impele; IMPELENTE 2 Alguém ou algo que impele [F.: *impelir* + *-dor.*]
impelir (im.pe.*lir*) *v.* 1 Fazer andar; EMPURRAR; IMPULSIONAR [*td.*: *A correnteza impelia a canoa.*] 2 *Fig.* Incitar, estimular [*td.*: *A ansiedade impelia a estudante.*] [*tdr.* + *a*: *O amor à aventura impelia os navegadores a descobrir o mundo.*] [Ant.: *desanimar, desestimular.*] 3 *Fig.* Obrigar, coagir; CONSTRANGER [*tdr.* + *a*: *A manifestação impeliu a diretoria a negociar.*] [▶ 50 impelir] [F.: Do lat. *impellere.*]
impendente (im.pen.*den*.te) *a2g.* 1 Que está a ponto de sobrevir, acontecer ou chegar; IMINENTE; PRÓXIMO: "Em seu brilho passageiro, porém, vislumbramos o lusco-fusco de uma era mais crepuscular que dourada, os últimos raios antes de um impendente anoitecer." (Marcelo Pen, *Folha Online Ilustrada*, 14.09.2002) [Ant.: *longínquo.*] 2 *Ant.* Que está a ponto de cair; PENDENTE; PENDURADO [F.: Do lat. *impendens, entis.*]
impene (im.*pe*.ne) *a2g. Zool.* Que não apresenta penas ou plumas [F.: Do lat. cient. *impennes.* Hom./Par.: *empene* (fl. de *empenar*).]
impenetrabilidade (im.pe.ne.tra.bi.li.*da*.de) *sf.* 1 Qualidade ou estado do que é impenetrável 2 *Fís.* Propriedade da matéria pela qual dois corpos não podem ocupar o mesmo lugar no espaço [F.: *impenetrável* com suf. *-vel* (sob a f. lat. *-bil(i)-*) + *-dade.* Ant. ger.: *penetrabilidade.*]
impenetrável (im.pe.ne.*trá*.vel) *a2g.* 1 Impossível de penetrar (gruta impenetrável); INACESSÍVEL [Ant.: *acessível.*] 2 *Fig.* Que não se pode compreender, explicar ou decifrar (mente impenetrável); ENIGMÁTICO; INCOMPREENSÍVEL [Ant.: *compreensível, explícito.*] 3 *Fig.* Que não mostra os sentimentos ou pensamentos [Ant.: *comunicativo, expansivo.*] 4 *Fig.* Impermeável, refratário: *impenetrável a mudanças* [Ant.: *permeável.*] [Pl.: *-veis.*] [F.: Do lat. *impenetrabilis, e.* Ant. ger.: *penetrável.*]
impenhorabilidade (im.pe.nho.ra.bi.li.*da*.de) *sf.* 1 Qualidade ou caráter de impenhorável [Ant.: *penhorabilidade.*] 2 *Jur.* Característica de bens que por ato voluntário ou determinação jurídica não podem sofrer penhora [F.: *impenhorável* + *-(i)dade*, segundo o modelo erudito.]
impenhorável (im.pe.nho.*rá*.vel) *a2g.* Que não pode ser penhorado [Ant.: *penhorável.*] [Pl.: *-veis.*] [F.: *im-*² + *penhorável.*]
impenitência (im.pe.ni.*tên*.ci:a) *sf.* 1 Qualidade ou condição de impenitente 2 Falta de penitência ou de arrependimento 3 *P. ext.* Persistência no pecado [F.: Do lat. *impoenitentia, ae.* Ant. ger.: *arrependimento, penitência.*]
impenitente (im.pe.ni.*ten*.te) *a2g.* Que não se arrepende dos erros ou pecados, persistindo neles; CONTUMAZ; INCORRIGÍVEL [Ant.: *arrependido, penitente.*] [F.: Do lat. *impoenitens, entis.*]
impensado (im.pen.*sa*.do) *a.* 1 Feito sem pensar (decisão impensada) [Ant.: *calculado, pensado.*] 2 Que não se acreditava que fosse acontecer (sucesso impensado); ACIDENTAL; IMPREVISTO [Ant.: *esperado, previsto.*] [F.: *im-*² + *pensado* (part. de pensar).]
impensável (im.pen.*sá*.vel) *a2g.* Que não se pode supor ou pensar; INCONCEBÍVEL; INIMAGINÁVEL: *Sem medidas de inclusão social é impensável o desenvolvimento.* [Ant.: *concebível, imaginável, pensável.*]
imperador (im.pe.ra.*dor*) [ô] *sm.* 1 Quem governa um império 2 *Bras. Ent.* Grande mariposa (*Thysania agrippina*) brasileira [Na acp. 1 fem. *imperatriz.*] [F.: Do lat. *imperator, oris.*]
imperante (im.pe.*ran*.te) *a2g.* Que impera: *Impossível trabalhar com a bagunça imperante nesta casa!*: "Art. 4. A dinastia imperante é a do Sr. D. Pedro I, atual imperador e defensor perpétuo do Brasil." (*Constituição política do Império do Brasil, 1824*) [F.: *imperar* + *-nte.*]
imperar (im.pe.*rar*) *v.* 1 Ser dominante em; exercer domínio ou influência sobre; PREDOMINAR; PREVALECER [*int.*: *Na sociedade, impera a impunidade*: "A anarquia urbana continua a imperar na orla da Zona Sul, mesmo depois da chegada de um 'xerife' municipal com promessas de combater o mafuá em que se converteram trechos das praias." (*O Globo*, 05.08.2005)] 2 Governar como imperador; REINAR [*int.*: *D. Pedro imperou de 1822 a 1831.*] 3 Dar ordens a; MANDAR; ORDENAR [*td.*: *Imperava as forças do mal.*] [▶ 1 imperar] [F.: Do lat. *imperare.*]
imperatividade (im.pe.ra.ti.vi.*da*.de) *sf.* Qualidade ou caráter de imperativo; IMPERIOSIDADE; INCONTESTABILIDADE; OBRIGATORIEDADE [F.: *imperativo* + *-(i)dade.*]
imperativo (im.pe.ra.*ti*.vo) *a.* 1 Que expressa uma ordem (tom imperativo); ARROGANTE; AUTORITÁRIO; PREPOTENTE [Ant.: *humilde, respeitoso.*] 2 Imposto sem discussão (decisão imperativa); INCONTESTÁVEL; INDISCUTÍVEL [Ant.: *contestável, discutível.*] 3 *Gram.* Diz-se do modo verbal que expressa a vontade do falante (esp. ordem ou pedido) em relação ao ouvinte (p. ex.: *Abra a porta!*; *Não pise na grama!*) [No português popular, o imperativo, quando expressa pedido, apresenta entonação branda, e frequentemente é substituído por outros tempos verbais: *Você poderia abrir a porta para mim?*; *Não pisa na grama, não.*] *sm.* 4 Aquilo que representa uma ordem; IMPOSIÇÃO; MANDO: *um imperativo real.* 5 O que se impõe como dever ou necessidade absoluta: *O exílio foi um imperativo para seu crescimento espiritual.* [F.: Do lat. *imperativus, a, um.*] ■ **~ categórico** *Fil.* Segundo o filósofo Immanuel Kant, proposição que expressa um comando que, por sua natureza legal ou moral, é para ser cumprido incondicionalmente [Ex.: *Não matarás.*] **~ hipotético** *Fil.* Segundo o filósofo Immanuel Kant, proposição que expressa um comando que funciona como meio de se alcançar determinado fim [Ex.: *Respeite os outros, se quer ser respeitado.*]
imperatriz (im.pe.ra.*triz*) *sf.* 1 Governadora de um império 2 Mulher do imperador [F.: Do lat. *imperatrix, icis.*]
imperceptibilidade (im.per.cep.ti.bi.li.*da*.de) *sf.* Qualidade ou característica do que é imperceptível [Ant.: *perceptibilidade*] [F.: *imperceptível* + *-(i)dade*, segundo o modelo erudito.]
imperceptível (im.per.cep.*tí*.vel) *a2g.* 1 Impossível de notar, esp. pela audição; INAUDÍVEL: *um ruído imperceptível aos nossos ouvidos.* [Ant.: *audível.*] 2 Muito pequeno; pouco importante (defeito imperceptível); DIMINUTO; INSIGNIFICANTE [Ant.: *descomunal, enorme.*] 3 Difícil de perceber (maldade imperceptível); SUTIL [Ant.: *aparente.*] [Pl.: *-veis.*] [F.: *im-*² + *perceptível.* Ant. ger.: *perceptível.*]
imperdível (im.per.*dí*.vel) *a2g.* 1 Que não se pode perder, cujo ganho é certo (jogo imperdível) 2 Que não se pode deixar de aproveitar etc. (espetáculo/oferta imperdível) [Pl.: *-veis.*] [F.: *im-*² + *perdível.* Ant. ger.: *perdível.*]
imperdoável (im.per.do:*á*.vel) *a2g.* Que não tem perdão (pecado/falha imperdoável); INDESCULPÁVEL; INESCUSÁVEL [Ant.: *desculpável, escusável, perdoável.*] [Pl.: *-veis.*] [F.: *im-*² + *perdoável.*]
imperecedouro (im.pe.re.ce.*dou*.ro) *a.* Que não deve perecer ou desaparecer (glória imperecedoura); ETERNO; IMORREDOURO; PERMANENTE [Ant.: *efêmero, perecedouro, transitório.*] [F.: *im-*² + *perecedouro.*]
imperecibilidade (im.pe.re.ci.bi.li.*da*.de) *sf.* Qualidade ou característica do que é imperecível [Ant.: *perecibilidade.*] [F.: *imperecível* + *-(i)dade*, segundo o modelo erudito.]
imperecível (im.pe.re.*cí*.vel) *a2g.* Que não perece ou acaba (crença imperecível); ETERNO; IMORTAL; PERENE [Ant.: *efêmero, perecível.*] [Pl.: *-veis.*] [F.: *im-*² + *perecível.*]
imperfectibilidade (im.per.fec.ti.bi.li.*da*.de) *sf.* Qualidade ou condição do que é imperfectível (imperfectibilidade do ser humano) [Ant.: *perfectibilidade.*] [F.: *imperfectível* + *-(i)dade*, segundo o modelo erudito.]
imperfectível (im.per.fec.*tí*.vel) *a2g.* Impossível de aperfeiçoar: *obra de arte imperfectível.* [Ant.: *perfectível.*] [Pl.: *-veis.*] [F.: *im-*² + *perfectível.*]
imperfeição (im.per.fei.*ção*) *sf.* 1 Característica ou condição do que não é perfeito; DEFEITO; ERRO; INCORREÇÃO 2 Falta de primor, de perfeição; FALHA; IRREGULARIDADE: *um vaso com uma pequena imperfeição.* [Pl.: *-ções.*] [F.: Do lat. *imperfectio, onis.* Ant. ger.: *perfeição.*]
imperfeito (im.per.*fei*.to) *a.* 1 Que apresenta defeito ou incorreção (trabalho imperfeito); DEFEITUOSO; IRREGULAR [Ant.: *aprimorado, caprichado.*] 2 Que não está terminado (serviço imperfeito); INACABADO; INCOMPLETO [Ant.: *concluído, terminado.*] 3 *Gram.* Diz-se de tempo verbal que indica uma ação em desenvolvimento no passado (p. ex.: *trabalhava, vivia*) [F.: Do lat. *imperfectus, a, um.* Ant. ger.: *perfeito.*]
imperfurável (im.per.fu.*rá*.vel) *a2g.* Que não pode ser perfurado [Ant.: *perfurável.*] [Pl.: *-veis.*] [F.: *im-*² + *perfurável.*]
imperial (im.pe.ri:*al*) *a2g.* 1 Próprio de império, imperador ou imperatriz (castelo imperial); REAL 2 *Fig. Pop.* Autoritário, arrogante 3 *Fig.* Luxuoso, imponente, pomposo [Ant.: *despojado, simples.*] [Pl.: *-ais.*] [F.: Do lat. *imperialis, e.*]
imperialismo (im.pe.ri:a.*lis*.mo) *sm.* 1 *Econ. Pol.* Forma de atuação de um país que visa dominar a política, a cultura

e a economia dos outros 2 Sistema de governo em que o Estado é um império 3 Nome dado pelos liberais ao poder moderador exercido por D. Pedro II, durante o Segundo Reinado brasileiro 4 *Fig.* Supremacia, hegemonia [F.: *imperial* + *-ismo*. Cf.: *colonialismo*.]

imperialista (im.pe.ri:a.*lis*.ta) *a2g.* 1 Ref. a imperialismo (1 e 2) 2 Diz-se de pessoa que apoia esse sistema ou regime *s2g.* 3 Partidário do imperialismo (1 e 2) [F.: *imperial* + *-ista*.]

imperialístico (im.p-e.ri:a.*lís*.ti.co) *a.* 1 Ref. a imperialismo 2 Próprio de imperialista [F.: *imperialista* + *-ico*[2].]

imperícia (im.pe.*rí*.ci:a) *sf.* 1 Falta de perícia, de destreza ou habilidade na profissão; INABILIDADE; INCOMPETÊNCIA: "...Saldanha ficou admirado da imperícia dos generais de d. Pedro..." (Silva Gaio, *Mário*) [Ant.: *capacidade*, *competência*.] 2 Falta de experiência; INEXPERIÊNCIA: *Tinha a imperícia de um novato.* [Ant.: *experiência*, *traquejo*.] [F.: Do lat. *imperitia*, *ae*. Ant. ger.: *perícia*.]

império (im.*pé*.ri:o) *sm.* 1 Domínio efetivo; PREDOMÍNIO; SOBERANIA: *Os portugueses tiveram por muitos anos o império dos mares.* 2 Forma de governo em que o soberano tem o título de imperador ou imperatriz; MONARQUIA; REINADO: "...acabou por vir morar na capital do império..." (Machado de Assis, *Quincas Borba*) 3 País que tem essa forma de governo: *A Alemanha já foi um império.* 4 Conjunto de territórios ou povos governados por uma autoridade soberana: *O império persa estendeu-se do mar Cáspio ao Mediterrâneo.* 5 *P. ext.* Estrutura econômica de grande porte, pertencente a uma só pessoa ou instituição: *Deixou um império de legado aos filhos.* 6 *Fig.* Influência, poder irresistível: *o império das paixões.* 7 Na festa religiosa Folia do Divino, palanque armado junto à igreja: "...Nas escadas do império fazia-se leilão (...) divertindo-se muito o povo ali apinhado..." (Manuel Antônio de Almeida, *Memórias de um sargento de milícias*) *a2g2n.* 8 Característico do Primeiro Império Francês, de Napoleão Bonaparte (moda império) [F.: Do lat. *imperium*, *ii*.] ∎ **O celeste ~** *Ant. Hist.* O (antigo) império chinês **O ~ do Sol Nascente** O Japão

imperiosidade (im.pe.ri:o.si.*da*.de) *sf.* 1 Qualidade ou caráter de imperioso 2 Tom de voz ou atitude imperiosos [F.: *imperioso* + *-(i)dade*.]

imperioso (im.pe.ri:*o*.so) [ô] *a.* 1 Que impõe obediência; AUTORITÁRIO: "...Mas o receio de que necessidade mais imperiosa viesse a exigir as poucas moedas que lhe restavam..." (Ferreira de Castro, *Selva*) 2 *Fig.* Que deve ser feito imediatamente (medidas imperiosas); IMPRETERÍVEL; URGENTE 3 Altivo, soberbo, arrogante: "...Quando o sol é estridente, / a contrapelo, imperioso, / e bate nas pálpebras como/ se bate numa porta a socos..." (João Cabral de Melo Neto, "Graciliano Ramos" *in Antologia poética*) [Ant.: *humilde*, *modesto*.] [Pl.: [ó]. Fem.: [ó].] [F.: Do lat. *imperiosus*.]

imperito (im.pe.*ri*.to) *a.* 1 Que não tem perícia; INÁBIL; INCOMPETENTE: "...já praticava música, embora rudimentar e falha de aperfeiçoamentos, que mestras imperitas lhe não sabiam dar..." (Sanches de Frias, *Ercília*) [Ant.: *capaz*, *hábil*.] 2 Sem experiência; INEXPERIENTE [Ant.: *experiente*.] 3 Ignorante, desinformado [Ant.: *conhecedor*, *sabedor*.] [F.: Do lat. *imperitus*, *a*, *um*. Ant. ger.: *perito*.]

impermanência (im.per.ma.*nên*.ci:a) *sf.* Qualidade, estado ou caráter do que não é permanente [Ant.: *permanência*.] [F.: *im-*[2] + *permanência*.]

impermeabilidade (im.per.me.a.bi.li.*da*.de) *sf.* Qualidade ou característica do que é impermeável [Ant.: *permeabilidade*.] [F.: *impermeável*, com o suf. *-vel* sob a f. lat. *-bil(i)-* + *-dade*.]

impermeabilização (im.per.me:a.bi.li.za.*ção*) *sf.* 1 Ação ou resultado de impermeabilizar 2 Operação de acabamento que visa tornar tecidos, superfícies etc. impermeáveis a líquidos, por aplicação de borracha natural ou sintética, impregnação de ácidos graxos, transformação química etc. [Pl.: *-ções*.] [F.: *impermeabilizar* + *-ção*.]

impermeabilizado (im.per.me:a.bi.li.*za*.do) *a.* Que adquiriu impermeabilização; tornado impermeável (sofá impermeabilizado) [F.: part. de *impermeabilizar*.]

impermeabilizante (im.per.me:a.bi.li.*zan*.te) *a2g.* 1 Diz-se de produto que permite impermeabilizar *sm.* 2 Produto hidrófugo que se mistura à argamassa ou se aplica à parede para evitar infiltrações 3 Substância à base de borracha sintética us. para impermeabilizar tecidos [F.: *impermeabilizar* + *nte*.]

impermeabilizar (im.per.me:a.bi.li.*zar*) *v. td.* Tornar impermeável, fechado à passagem de líquido, esp. água: *A tinta impermeabilizou a parede; Impermeabilizara a caixa com o verniz.* [▶ 1 impermeabilizar] [F.: *impermeável* + *-izar*.]

impermeável (im.per.me:*á*.vel) *a2g.* 1 Que não deixa passar líquido (tecido impermeável) 2 *Fig.* Que não se deixa penetrar: "...Inteiramente inglês, tal qual como saiu da Inglaterra, impermeável às civilizações alheias..." (Eça de Queirós, *Cartas de Inglaterra*) [Ant.: *aberto*, *receptível*. Ant. ger.: *permeável*.] *sm.* 3 Tipo de casaco feito com tecido impermeabilizado para proteger da chuva [Pl.: *-veis*.] [F.: Do lat. *impermeabilis*, *e*.]

imperscrutabilidade (im.pers.cru.ta.bi.li.*da*.de) *sf.* Caráter, estado ou condição de imperscrutável [Ant.: *perscrutabilidade*.] [F.: *imperscrutável* + *-(i)dade*.]

imperscrutável (im.pers.cru.*tá*.vel) *a2g.* Impossível de se examinar ou pesquisar; IMPENETRÁVEL; INSONDÁVEL [Ant.: *compreensível*, *perscrutável*.] [Pl.: *-veis*.] [F.: Do lat. *imperscrutabilis*, *e*.]

impersistente (im.per.sis.*ten*.te) *a2g.* Que não tem persistência, pertinácia; INCONSTANTE [Ant.: *constante*, *persistente*.] [F.: *im-*[2] + *persistente*.]

impersonalismo (im.per.so.na.*lis*.mo) *sm.* O mesmo que *impessoalismo* [Ant.: *personalismo*, *pessoalismo*.] [F.: *im-*[2] + *personalismo*.]

impertérrito (im.per.*tér*.ri.to) *a.* Que não tem medo; CORAJOSO; DESTEMIDO: "...É admirável vê-los impertérritos, firmes, impávidos como mártires..." (Camilo Castelo Branco, *Boêmia do espírito*) [Ant.: *covarde*, *medroso*.] [F.: Do lat. *imperterritus*, *a*, *um*.]

impertinência (im.per.ti.*nên*.ci:a) *sf.* 1 Qualidade ou característica do que é impertinente, de que não pertence ao assunto; DESCABIMENTO; DESPROPÓSITO: *Fê-la ver a impertinência de suas perguntas.* [Ant.: *cabimento*, *propriedade*.] 2 Insolência, inconveniência: "...não poderia deixar de atender, de receber a cada hora o visconde, de suportar-lhe todas as impertinências (...) porque ele era o homem que me tinha dado a casa..." (Júlio Dantas, *Espadas e rosas*) 3 Rabugice, mau humor: *É comum a impertinência em pessoas idosas.* [Ant.: *bom humor*, *simpatia*.] [F.: *impertinente* com mudança do suf. *-nte* para *-ência*.]

impertinente (im.per.ti.*nen*.te) *a2g.* 1 Que não é pertinente; que não vem a propósito; DESCABIDO; INADEQUADO: *O exemplo que você deu é, no caso, impertinente.* [Ant.: *acertado*, *adequado*, *pertinente*.] 2 Diz-se de pessoa que fala ou se comporta de modo desrespeitoso ou inconveniente; ATREVIDO; INSOLENTE: "Ela tinha um furor dos mais soturnos, furor original, impertinente..." (Cesário Verde, "Proh Pudor" *in O livro de Cesário Verde*) 3 Diz-se de pessoa rabugenta, implicante [Ant.: *doce*, *encantador*.] *s2g.* 4 Pessoa impertinente [F.: Do lat. *impertinens*, *entis*.]

imperturbabilidade (im.per.tur.ba.bi.li.*da*.de) *sf.* 1 Qualidade ou estado de imperturbável 2 Qualidade do ânimo que não se altera nem perturba; TRANQUILIDADE 3 Presença de espírito, serenidade [F.: *imperturbável* + *-(i)dade*. Ant. ger.: *perturbabilidade*.]

imperturbado (im.per.tur.*ba*.do) *a.* Não perturbado; que não se perturbou; SERENO; TRANQUILO: "E não o maravilhava esta oferta – depois de uma tão constante, imperturbada indiferença." (Eça de Queirós, "O defunto" *in Contos*) [Ant.: *abalado*, *conturbado*, *perturbado*.] [F.: Do lat. *imperturbatus*, *a*, *um*.]

imperturbável (im.per.tur.*bá*.vel) *a2g.* Que não se perturba ou abala; IMPASSÍVEL; SERENO: "...O criado ficou de pé, imperturbável, sisudo como uma sentinela..." (Coelho Neto, *Água de Juventa*) [Ant.: *perturbável*, *suscetível*.] [Pl.: *-veis*.] [F.: Do lat. *imperturbabilis*, *e*.]

impérvio (im.*pér*.vi:o) *a.* 1 Por onde não se pode passar, que não dá passagem (colo do útero impérvio) 2 Por onde não se pode transitar, onde inexiste caminho; INTRANSITÁVEL: "A população, trilhando-os, mal seria perseguida nas primeiras léguas, na pior alternativa. Abrigá-la-ia – impérvio e indefinido – o deserto." (Euclides da Cunha, *Os sertões*) [Ant.: *percorrível*, *transitável*.] 3 Que não se deixa penetrar; INACESSÍVEL; IMPENETRÁVEL: "A impérvia escuridão obnubilante/ Há de cessar! Em sua glória inteira/ Deus resplandecerá dentro da poeira/..." (Augusto dos Anjos, "Ultima visio" *in Eu*) 4 Que não se deixa influenciar; INDIFERENTE; INSENSÍVEL: *Ele é um artista impérvio à crítica.* [Ant.: *sugestionável*, *suscetível*.] [F.: Do lat. *impervius*, *a*, *um*.]

impessoal (im.pes.so:*al*) *a2g.* 1 Que não se refere ou não é dirigido a alguém em especial; GERAL: "...Era como se as nossas concidadãs lhes considerassem os poemas como obras impessoais – coisas mandadas fazer numa fábrica..." (Eça de Queirós, *Últimas páginas*) [Ant.: *particular*, *pessoal*.] 2 Objetivo, imparcial (crítica impessoal) [Ant.: *faccioso*, *parcial*.] 3 *Gram.* Diz-se de verbo que normalmente não admite sujeito (como, p. ex., *chover*) 4 Não característico (voz impessoal) [Ant.: *característico*, *inconfundível*.] [Pl.: *-ais*.] [F.: Do lat. *impersonalis*, *e*.]

impessoalidade (im.pes.so:a.li.*da*.de) *sf.* 1 Qualidade de quem é impessoal; IMPERSONALIDADE: "Uma sede de atualização técnica, um gosto – e às vezes um maneirismo – da impessoalidade, da coisa e da pedra..." (Alfredo Bosi, *História concisa da literatura brasileira*) [Ant.: *personalidade*, *pessoalidade*.] 2 Falta de originalidade; BANALIDADE [Ant.: *originalidade*, *personalidade*.] [F.: *impessoal* + *-(i)dade*.]

impessoalismo (im.pes.so:a.*lis*.mo) *sm.* Qualidade ou caráter de impessoal; IMPERSONALISMO; IMPESSOALIDADE: "Com efeito, nada mais original e personalista, nos quadros de uma poesia ególatra como a nossa, do que esse obstinado e aparente impessoalismo." (Carlos Felipe Moisés, *Tradição reencontrada: lirismo e antilirismo em João Cabral*) [Ant.: *personalismo*, *pessoalismo*.] [F.: *impessoal* + *-ismo*.]

impetigem (im.pe.*ti*.gem) *sf. Derm.* Ver *impetigo* [Pl.: *-gens*.] [F.: Do lat. *impetigo*, *inis*.]

impetigo (im.pe.*ti*.go) *sm. Derm.* Doença de pele, infecciosa e contagiosa, que se caracteriza pela formação de pústulas; IMPETIGEM *Pop.*; SALSUGEM [F.: Do lat. *impetigo*, *inis*.]

ímpeto (*ím*.pe.to) *sm.* 1 Movimento repentino e enérgico: *Num ímpeto, levantou-se da cama.* 2 Acesso, ataque súbito e/ou irrefletido; IMPULSO: "...O Izé fez a desgraça, mas no ímpeto do ódio, com um machado de rachar lenha..." (Mário Palmério, *Chapadão do bugre*) 3 Força intensa: *O ímpeto das águas arrastou muitas casas.* [F.: Do lat. *impetus*, *us*.] ∎ **De ~** De súbito, repentinamente

impetração (im.pe.tra.*ção*) *sf.* Ação ou resultado de impetrar [F.: *impetratio*, *onis*.]

impetrado (im.pe.*tra*.do) *sm.* 1 *Jur.* Autoridade contra quem se impetra *habeas corpus* ou qualquer outra medida de segurança 2 *Jur.* Pessoa contra a qual se impetra recurso *a.* 3 Que se impetrou [F.: Do lat. *impetratus*, *a*, *um*.]

impetrante (im.pe.*tran*.te) *a2g.* 1 *Jur.* Diz-se do autor de *habeas corpus* ou do requerente de alguma medida judicial 2 Diz-se daquele que impetra recurso *s2g.* 3 Pessoa impetrante (1 e 2) [F.: *impetrar* + *-nte*.]

impetrar (im.pe.*trar*) *v.* 1 *Jur.* Solicitar, requerer (recurso judicial) [*td.*: *impetrar ação*; *impetrar mandado de segurança*.] [*tdr.* + *contra*, *em favor de*: "...os advogados impetraram recurso contra a decisão da juíza..." (*Jornal do Commercio*, 14.07.2005)] 2 Conseguir com rogo, súplica [*td.*: *Impetrou o direito de defender-se*.] 3 Suplicar, implorar (favor, graça, perdão) [*tdi.* + *a*: *Impetraram ao cônsul a autorização*.] [*td.*: *impetrar uma concessão*.] [▶ 1 impetrar] [F.: Do lat. *impetrare*. Hom./Par.: *impetra* (fl.), *impetra* (sf.); *impetras* (fl.), *impetras* (pl. de *impetra*); *impetráveis* (fl.), *impetráveis* (pl. de *impetrável* [a2g.]).]

impetrativo (im.pe.tra.*ti*.vo) *a.* 1 Que serve para impetrar 2 Que encerra impetração 3 Que se presta ou tem virtude para alcançar graça ou favor [F.: Do lat. *impetrativus*, *a*, *um*. Sin. ger.: *impetratório*.]

impetrável (im.pe.*trá*.vel) *a2g.* Que se pode ou deve impetrar (benefício impetrável) [Pl.: *-veis*.] [F.: Do lat. *impetrabilis*, *e*. Hom./Par.: *impetráveis* (pl.), *impetráveis* (fl. de *impetrar*).]

impetuosidade (im.pe.tu.o.si.*da*.de) *sf.* 1 Qualidade do que é impetuoso; FORÇA; POTÊNCIA: *a impetuosidade do vento na tempestade.* [Ant.: *fraqueza*, *suavidade*.] 2 Disposição, caráter impetuoso, extrema vivacidade; FERVOR; INTENSIDADE: "...Cecília acudiu com a impetuosidade costumada..." (Rebelo da Silva, *Mocidade de d. João V*) [Ant.: *apatia*, *frieza*.] [F.: *impetuoso* + *-(i)dade*.]

impetuoso (im.pe.tu:*o*.so) [ô] *a.* 1 Que se move com ímpeto; FORTE; INTENSO; POTENTE: "...filho das ondas impetuosas com o manso arroio do Leça..." (Camilo Castelo Branco, *Duas horas*) [Ant.: *brando*, *fraco*, *suave*.] 2 Que age com ímpeto (adolescente impetuoso); ARREBATADO; VEEMENTE [Ant.: *apático*, *calmo*.] 3 Que não dá para segurar, conter (paixão impetuosa); FOGOSO; INCONTIDO; INCONTROLÁVEL [Ant.: *contido*, *reprimido*.] [Pl.: [ó]. Fem.: [ó].] [F.: Do lat. *impetuosus*, *a*, *um*.]

impichar (im.pi.*char*) *Pop. v. td.* Afastar (autoridade política) por meio de *impeachment*; DESTITUIR [De uso não recomendável em qualquer contexto ou em qualquer flexão.] [Do ing. *impeach* + *-ar*.]

impiedade (im.pi:e.*da*.de) *sf.* 1 Qualidade ou característica do que é ímpio ou impio 2 Falta de piedade, de respeito e amor a Deus e aos homens; DESCRENÇA; IRRELIGIOSIDADE: "...Não fora já S. Francisco um protesto contra a impiedade disfarçada e um retorno ao Evangelho..." (Afrânio Peixoto, *Maias e Estevas*) [Ant.: *fé*, *piedade*, *religiosidade*.] 3 Dito impiedoso 4 Desumanidade, crueldade: "... Relógio que tivesse/ o gume de uma faca/ e toda a impiedade / da lâmina azulada..." (João Cabral de Melo Neto, "Uma faca só lâmina" *in Antologia poética*) [Ant.: *bondade*, *humanidade*, *piedade*.] [F.: Do lat. *impietas*, *atis*.]

impiedoso (im.pi:e.*do*.so) [ô] *a.* 1 Que não tem ou revela piedade ou compaixão (carrasco impiedoso); DESUMANO; MALVADO [Ant.: *bondoso*, *caridoso*, *piedoso*.] 2 Que é difícil de suportar (destino impiedoso); DURO; DIFÍCIL [Ant.: *ameno*, *fácil*.] [Pl.: [ó]. Fem.: [ó].] [F.: *im-* + *piedoso*.]

impigem (im.*pi*.gem) *sf. Derm.* Dermatose pruriginosa que se caracteriza por pequenas vesículas circundadas de halo inflamatório [Pl.: *-gens*.] [F.: Do lat. *impetigo*, *inis*. Tb. *impingem*.]

impingem (im.*pin*.gem) *sf.* Ver *impigem*

impingido (im.pin.*gi*.do) *a.* 1 Que se impingiu; que foi imposto, obrigado (ordem impingida) 2 Que se desferiu, aplicou (bofetada impingida); APLICADO; PESPEGADO [F.: Part. de *impingir*.]

impingir (im.pin.*gir*) *v.* 1 Obrigar a aceitar algo indesejado; EMPURRAR; IMPOR [*tdi.* + *a*: "Como entender que um ser humano, que é racional, entenda o amor como forma de impingir sofrimento ao ser amado?" (*O Globo*, 29.10.2004)] 2 Constranger uma pessoa, ou várias, a ouvir algo enfadonho [*tdi.* + *a*: *Impingiu aos formandos um discurso maçante*.] [*td.*: *Impingia logo um papo de proselitismo*.] 3 Aplicar com força, pespegar [*tdi.* + *a*: *O soldado impingiu-lhe um sopapo que quase o derrubou*.] 4 Fazer acreditar numa inverdade [*tdi.* + *a*: *impingir mentiras aos eleitores*.] [*td.*: *impingir uma interpretação*.] 5 Vender por valor injusto [*tdi.* + *a*: *Impingias às pessoas mercadorias cotadas em euro*.] [*td.*: *impingiram aparelhos defeituosos*.] 6 Obrigar a aceitar uma coisa em lugar de outra; LOGRAR [*tdi.* + *a*: *Impingiu(-nos) gato por lebre*.] [▶ 46 impingir] [F.: Do lat. *impingere*.]

impio (im.*pi*.o) *a.* 1 Que não tem piedade; CRUEL; DESAPIEDADO: "...Oh se me crestes, gente impia, rasga meus versos, crê na Eternidade." (José Maria Barbosa du Bocage, "Soneto ditado na agonia" *in Rimas*) [Ant.: *caridoso*, *clemente*.] *sm.* 2 Pessoa impiedosa [F.: *im-* + *pio*. Ant. ger.: *pio*, *piedoso*. Hom./Par.: *ímpio* (adj. e s. m.).]

ímpio (*ím*.pi:o) *a.* 1 Que não tem fé (povo ímpio) 2 Que demonstra impiedade (tendências ímpias); IMPIO; MALÉVOLO; PERVERSO [Ant.: *bondoso*, *caridoso*.] [Superl.: *impiíssimo*.] *sm.* 3 Pessoa que não tem fé [Ant.: *ateu*, *herege*.] 4 Inimigo da religião e das coisas dignas de respeito religioso: "...Os homens são em geral uns ímpios (...) Você não é religioso?..." (Machado de Assis, *Quincas Borba*) [Ant.:

crente, religioso.] [F.: Do lat. *impius, a, um*. Ant. ger.: *pio*. Hom./Par.: *impio* (adj. e s. m.).]

implacabilidade (im.pla.ca.bi.li.*da*.de) *sf.* Qualidade ou caráter de implacável [Ant.: *placabilidade*.] [F.: Do lat. *implabilitas, atis*.]

implacável (im.pla.*cá*.vel) *a2g.* 1 Impossível de aplacar, abrandar (calor implacável) [Ant.: *brando*.] 2 Incapaz de se comover ou perdoar; INCLEMENTE; INFLEXÍVEL: "... foi despedir-se do dono da casa, e voltou para acompanhar o implacável major..." (Machado de Assis, "Quem conta um conto..." *in Contos fluminenses*) [Ant.: *clemente, indulgente*.] [Pl.: *-veis*. Superl.: *implacabilíssimo*.] [F.: Do lat. *implacabilis, e*.]

implantação (im.plan.ta.*ção*) *sf.* 1 Ação ou resultado de implantar; IMPLANTE 2 *Med.* Inserção de medicamento sólido sob a epiderme 3 *Cons.* Operação de traçar no terreno o lugar onde serão erguidas as paredes; LOCAÇÃO 4 *Urb.* Traçado de localização prévia das casas a serem construídas em um conjunto habitacional 5 *Fisl.* Fixação de óvulo fecundado ao endométrio; NIDAÇÃO [Pl.: *-ções*.] [F.: *implantar* + *-ção*.]

implantado (im.plan.*ta*.do) *a.* 1 Que se implantou 2 fixado, arraigado 3 Estabelecido conforme a um planejamento ou projeto (implantado pela nova administração) 4 *Cir.* Que foi objeto de implante (dente implantado) [F.: part. de *implantar*.]

implantador (im.plan.ta.*dor*) [ô] *sm.* 1 O que implanta *a.* 2 Que implanta [F.: *implantar* + *-dor*.]

implantar (im.plan.*tar*) *v. tda.* 1 Estabelecer; introduzir: *Quer implantar no país um programa de educação a distância.* 2 Fixar, enraizar: *A árvore implantou as raízes sob o asfalto.* [Ant.: *transplantar*.] 3 *Med.* Fazer implante (de cabelo, órgão etc.) por meio de cirurgia [▶ 1 implantar] [F.: *im-*[1] + *plantar*[2]. Hom./Par.: *implante* (fl.), *implante* (sm.); *implantes* (fl.), *implantes* (pl. de *implante*).]

implantável (im.plan.*tá*.vel) *a2g.* Que se pode implantar [Pl.: *-veis*.] [F.: *implantar* + *-vel*. Hom./Par.: *implantáveis* (pl.), *implantáveis* (fl. de *implantar*).]

implante (im.*plan*.te) *sm.* 1 Ação ou resultado de implantar; IMPLANTAÇÃO 2 *Med. Od.* Qualquer órgão ou material inserido no organismo humano para exercer uma função (implante dentário) 3 *Pat.* Célula ou fragmento de tecido que migra para outro local do organismo e lá cresce [F.: Dev. de *implantar*. Hom./Par.: implante (fl. de *implantar*).]

implantodontia (im.plan.to.don.*ti*.a) *Od. sf.* Ramo da odontologia que se dedica ao implante ou reimplante de dentes [F.: *implante* + *odont(o)-* + *-ia*[1].]

implantodontista (im.plan.to.don.*tis*.ta) *Od. s2g.* 1 Dentista especializado em implante e reimplante de dentes *a2g.* 2 Ref. à implantodontia [F.: *implantodontia* + *-ista*.]

implantologia (im.plan.to.lo.*gi*.a) *Med. sf.* Ramo da medicina dedicado ao estudo e à prática de implantes no corpo [F.: *implante* + *-logia*.]

implantológico (im.plan.to.*ló*.gi.co) *a.* Ref. a implantologia [F.: *implantologia* + *-ico*[2].]

implausibilidade (im.plau.si.bi.li.*da*.de) *sf.* Qualidade ou caráter de implausível [Ant.: *plausibilidade*.] [F.: *implausível* + *-(i)dade*, segundo o modelo erudito.]

implausível (im.plau.*sí*.vel) *a2g.* Não plausível; INACEITÁVEL; INACREDITÁVEL; INVEROSSÍMIL [Ant.: *aceitável, possível, verossímil*] [F.: *im-*[2] + *plausível*.]

implementação (im.ple.men.ta.*ção*) *sf.* Ação ou resultado de implementar [Pl.: *-ções*.] [F.: *implementar* + *-ção*.]

implementado (im.ple.men.*ta*.do) *a.* Que se implementou; EFETIVADO; EXECUTADO; IMPLANTADO [F.: Part. de *implementar*.]

implementador (im.ple.men.ta.*dor*) [ô] *sm.* 1 Aquele que implementa, põe em prática; EXECUTOR; REALIZADOR *a.* 2 Que implementa [F.: *implementar* + *-dor*.]

implementar (im.ple.men.*tar*) *v. td.* 1 Executar, colocar em prática (plano, projeto): *O ministro implementou uma política de contenção de gastos.* 2 *Inf.* Instalar ou elaborar (um programa de computador) 3 Munir, abastecer de implementos (1) [▶ 1 implementar] [F.: *implemento* + *-ar*[2]. Hom./Par.: *implemento* (fl.), *implemento* (sm.).]

implemento (im.ple.*men*.to) *sm.* 1 Elemento, equipamento etc. necessário à execução de atividade; PETRECHO: *O trator é um importante implemento agrícola.* [Mais us. no pl.] 2 *Fig.* Execução, cumprimento (implemento de dívida) [F.: Do ing. *implement*. Hom./Par.: *implemento* (fl. de *implementar*).]

implicação (im.pli.ca.*ção*) *sf.* 1 Ação ou resultado de implicar(-se); IMPLICÂNCIA 2 O que se pode entender, subentender, depreender de fato, situação etc.; SUBENTENDIDO; SUGESTÃO: *Vamos considerar as implicações possíveis de sua declaração.* 3 O que resulta de algo (fato, situação, declaração etc.); CONSEQUÊNCIA; INFERÊNCIA: *Essa decisão terá implicações sérias.* 4 Envolvimento, comprometimento [+ *em, com*: *É óbvia a implicação do réu no/com o crime.*] 5 *Lóg.* Relação entre proposições em que a veracidade de uma implica necessariamente a veracidade da outra [Pl.: *-ções*.] [F.: Do lat. *implicatio, onis*.] ▪▪ **~ estrita** *Lóg.* Ver *Implicação formal* **~ formal** *Lóg. Mat.* Estrutura lógica cujo valor de verdade se constata empiricamente **~ material** *Lóg. Mat.* Estrutura lógica de uma implicação que só é falsa quando o antecedente é verdadeiro e o consequente falso

implicado (im.pli.*ca*.do) *a.* 1 Envolvido, comprometido [+ *em*: *implicado num processo*: "Pergunto se essa pessoa se acha porventura implicada de qualquer forma em seus interesses." (Aluísio de Azevedo, *Girândola de amores*)] 2 Relacionado, ligado [+ *com, em*: *Um saber diretamente implicado com o saber inconsciente; O álcool está implicado em diversos problemas de saúde.* Ant.: *desligado, dissociado*.] 3 Subentendido, pressuposto, implícito: *É importante não só o que se expressa, mas também o que está implicado no discurso.* [Ant.: *evidente, explícito, expresso*.] 4 Entrelaçado, emaranhado, implexo *sm.* 5 Pessoa implicada, esp. em processo judicial: "A Lei – sancionada em 30 de setembro de 1997 – prevê a cassação do registro da candidatura ou mesmo do mandato (no caso de o implicado vir a eleger-se)..." (*Diário de Pernambuco*, 02.12.2001) [F.: Do lat. *implicatus, a, um*.]

implicância (im.pli.*cân*.ci:a) *sf.* 1 Manifestação ou sensação de má vontade, de antipatia; BIRRA; CISMA; IMPLICAÇÃO: *Tenho implicância com bajuladores.* [Ant.: *empatia, simpatia*.] 2 Impertinência, provocação: *Não cedeu o lugar por pura implicância.* [F.: *implicar* + *-ância*.]

implicante (im.pli.*can*.te) *a2g.* 1 Que manifesta implicância; BIRRENTO 2 Que está sempre disposto a contender ou a armar pegadilhas; IMPERTINENTE; PROVOCADOR: "...sim, era bonita, elegante, mas muito antipática: um arzinho implicante..." (Coelho Neto, *Água de Juventa*) *s2g.* 3 Pessoa implicante [F.: *implicar* + *-nte*.]

implicar (im.pli.*car*) *v.* 1 Provocar, amolar [*tr.* + *com*: *Meu irmão gosta de implicar comigo.*] [*int.*: "Ah, isso foi uma brincadeira. Só para implicar mesmo." (*O Globo*, 27.07.2005)] 2 Ficar contrariado [*int.*: *O patrão implica quando ela chega atrasada.*] 3 Ter como consequência; ACARRETAR; PROVOCAR [*td.*: *O despreparo dos jogadores implicou a derrota.*] 4 Envolver (alguém ou si mesmo) em; COMPROMETER [*tdr.* + *em*: *Implicou o namorado no assalto.*] [*td.*: *O suspeito implicou-se ao mentir o tempo todo.*] 5 Fazer parecer; PRESSUPOR [*td.*: *O estudo implicava um senso crítico excepcional.*] 6 Exigir, requerer [*td.*: *Dirigir na chuva implica maior atenção do motorista.*] [Ant.: *dispensar, prescindir.*] 7 Antipatizar com; HOSTILIZAR; CISMAR [*tr.* + *com*: *Implicou desde o início com o aluno.*] 8 Ser incompatível, não se harmonizar [*int.*: *São princípios que implicam reciprocamente.*] [*tr.* + *com*: *O projeto implica com o cronograma.*] 9 Tornar perplexo, confuso; EMBARAÇAR; ENREDAR [*td.*: *Tantas perguntas implicaram-lhe o raciocínio.*] [▶ 11 implicar] [F.: Do lat. *implicare*.]

implicativo (im.pli.ca.*ti*.vo) *a.* Que implica ou resulta em implicação [F.: rad. do part. pas. lat. *implicatus* sob a f. *implicat-* + *-ivo*.]

implicitação (im.pli.ci.ta.*ção*) *sf.* 1 Ação de tornar ou deixar implícito o que estava ou poderia ser explícito: *O uso da metáfora como estratégia de implicitação.* 2 Estado ou condição do que está implícito [Pl.: *-ções*.] [F.: **implicitar* + *-ção*, por analogia com *explicitação*. Sin. ger.: *explicitação*.]

implicitamente (im.pli.ci.ta.*men*.te) *adv.* De modo implícito [Ant.: *explicitamente*.] [F.: O fem. de *implícito* + *-mente*.]

implícito (im.*plí*.ci.to) *a.* Que não está claro, mas fica subentendido (objetivo implícito) [Ant.: *claro, explícito*.] [F.: Do lat. *implicitus, a, um*.]

implodir (im.plo.*dir*) *v.* 1 Provocar a implosão (1) de (ger. uma construção), fazendo ruir para dentro [*td.*: *Implodiram o antigo presídio.*] [*int.*] 2 *Fig.* Fazer fracassar ou fracassar, devido a contradições internas [*td.*: *A instabilidade política implodiu o plano econômico.*] [*int.*: *O ministro garantiu que o plano não vai implodir.*] [▶ 58 implodir Ger. considerado defec., este verbo tende a apresentar as formas *implodo, imploda* etc., com timbre do o fechado.] [F.: Do ing. (*to*) *implode*. Cf.: *explodir*.]

imploração (im.plo.ra.*ção*) *sf.* Ação ou resultado de implorar; ROGO; SÚPLICA [Pl.: *-ções*.] [F.: Do lat. *imploratio, onis*.]

implorante (im.plo.*ran*.te) *a2g.* 1 Que implora: "Então, nascida do ventre, de novo subiu, implorante, em onda vagarosa, a vontade de matar – seus olhos molharam-se gratos e negros numa quase felicidade..." (Clarice Lispector, *O búfalo*) *s2g.* 2 Pessoa que implora [F.: Do lat. *implorans, antis*, part. pres. de *implorare*. Sin. ger.: *implorador*.]

implorar (im.plo.*rar*) *v.* 1 Pedir com súplica; SUPLICAR; ROGAR [*td.*] [*tdi.* + *a*: *Imploraram à rainha mais um minuto de prazer.*] [*tr.* + *por*: *O casal implorou pelo filho preso.*] 2 Pedir a ajuda de; INVOCAR [*td.*: *implorar a divina Providência.*] [▶ 1 implorar] [F.: Do lat. *implorare*. Hom./Par.: *imploráveis* (fl.), *imploráveis* (pl. de *implorável* [a2g.]).]

implorativo (im.plo.ra.*ti*.vo) *a.* 1 Que encerra ou denota imploração ou súplica (olhos implorativos) 2 Em atitude de quem implora: "Já a antevia ajoelhada, com os braços postos nos seus joelhos, a cabeça nas mãos e os olhos nele, gratos, devotos, amorosos, toda implorativa, toda nada." (Machado de Assis, *Quincas Borba*) [F.: Do lat. *imploratus, a, um* (part. pas. de *implorare*). Sin. ger.: *suplicante*.]

implosão (im.plo.*são*) *sf.* 1 Série de explosões programadas para dirigir a energia a um ponto interior a elas (ger. para provocar desmoronamento) 2 *Fís.* Situação em que as paredes de um recipiente ruem para dentro, por efeito de violenta e súbita pressão externa sobre elas 3 *Fon.* Movimento feito pelos órgãos fonadores para adquirir a posição necessária à articulação de uma consoante oclusiva [Pl.: *-sões*.] [F.: Do ing. *implosion*.]

implosivo (im.plo.*si*.vo) *a.* 1 *Fon.* Diz-se de consoante que se articula por implosão (p. ex.: o /p/ em *aptidão*) 2 Ref. a implosão 3 *Fig.* Capaz de implodir, de causar ou sofrer colapso interno (ressentimento/artista implosivo): *A CPI, por seu potencial implosivo, foi chamada de 'CPI do autoextermínio'.* [F.: Do ing. *implosive*. Ant. ger.: *explosão*.]

implume (im.*plu*.me) *a2g. Zool.* Diz-se de ave que não tem ou ainda não apresenta penas ou plumas: "...Estela amava os passarinhos e os aqueciа implumes no seio..." (Camilo Castelo Branco, *Mulher fatal*) [Ant.: *emplumado*.] [F.: Do lat. *implumis, e*.]

impolidez (im.po.li.*dez*) [ê] *sf. Fig.* Falta de delicadeza ou de cortesia; DESCORTESIA; INCIVILIDADE [Ant.: *amabilidade, fineza, polidez*.] [F.: *im-*[2] + *polidez*.]

impolido (im.po.*li*.do) *a.* 1 Que não passou por polimento (pedra impolida); BRUTO 2 *Fig.* Que demonstra falta de educação, de delicadeza; GROSSEIRO; INDELICADO [Ant.: *educado, polido*.] [F.: *im-*[2] + *polido*.]

impoluível (im.po.lu.*í*.vel) *a2g.* 1 Que não se pode ou não se deve poluir [Ant.: *poluível*.] 2 *Fig.* Imaculável, incorruptível [F.: *im-*[2] + *poluível*.]

impoluto (im.po.*lu*.to) *a.* 1 Que não é ou foi poluído; LIMPO; PURO: "Braços abertos como uma cruz branca de mármore impoluto." (Coelho Neto, *Inverno em flor*.) [Ant.: *impuro, poluído*.] 2 *Fig.* Que possui dignidade de caráter (juiz impoluto); HONESTO; ÍNTEGRO; VIRTUOSO: "...Com aplauso até das mulheres honestas, das cândidas noivas, das matronas impolutas..." (Camilo Castelo Branco, *Mulher fatal*) [Ant.: *corrupto, desonesto*.] [F.: Do lat. *impollutus, a, um*.]

imponderabilidade (im.pon.de.ra.bi.li.*da*.de) *sf.* Qualidade do que é imponderável [Ant.: *ponderabilidade*.] [F.: *im-*[2] + *ponderabilidade*.]

imponderado (im.pon.de.*ra*.do) *a.* Que não foi objeto de reflexão (decisão imponderada); IRREFLETIDO; PRECIPITADO [Ant.: *ponderado, refletido*.] [F.: *im-*[2] + *ponderado*.]

imponderável (im.pon.de.*rá*.vel) *a2g.* 1 Diz-se de algo que não tem peso apreciável, que não se pode pesar (corpúsculo imponderável); INCOMENSURÁVEL [Ant.: *apreciável, comensurável*.] 2 *Fig.* Que não tem condições de ser avaliado (consequências imponderáveis); IMPREVISÍVEL [Ant.: *definível, previsível*. Sin. ger.: *incalculável*. Ant. ger.: *calculável*.] *sm.* 3 Elemento indefinível e imprevisível que influi em determinado assunto [Pl.: *-veis*.] [F.: *im-*[2] + *ponderável*.]

imponência (im.po.*nên*.ci:a) *sf.* 1 Qualidade do que é imponente, grande; GRANDEZA; SUNTUOSIDADE: *a imponência de um palácio.* [Ant.: *despojamento, modéstia*.] 2 Solenidade, altivez nos modos, na aparência; ESPLENDOR; MAJESTADE: *a imponência de uma porta-bandeira desfilando.* [Ant.: *simplicidade*.] [F.: Do lat. *imponentia, ae*.]

imponente (im.po.*nen*.te) *a2g.* 1 Que se impõe por sua grandeza ou pompa; MAJESTOSO: "...a árvore mais opulenta e imponente que entre árvores tenho visto..." (D. Antônio da Costa, *No Minho*) [Ant.: *despojado, simples*.] 2 Que se julga importante; ALTIVO; ARROGANTE [Ant.: *humilde*.] [F.: Do lat. *imponens, entis*.]

imponível (im.po.*ní*.vel) *a2g.* 1 Que se pode impor 2 Que é tributável 3 *Jur.* Diz-se de fato gerador de imposto [F.: Do lat. ** imponibilis, e*. Hom./Par.: *impunível* (a2g.).]

impontual (im.pon.tu:*al*) *a2g.* Que não é pontual; que se atrasa nos compromissos (fornecedor impontual) [Ant.: *pontual*.] [Pl.: *-ais*.] [F.: *im-*[2] + *pontual*.]

impontualidade (im.pon.tu:a.li.*da*.de) *sf.* Falta de pontualidade, de cumprimento de horários e datas previamente acertadas; ATRASO; DEMORA: "Já se produzem revoltas pela impontualidade no pagamento da tropa..." (Rui Barbosa, *Ruínas de um governo*) [Ant.: *pontualidade*.] [F.: *im-*[2] + *pontualidade*.]

impopular (im.po.pu.*lar*) *a2g.* 1 Que não é popular; que desagrada ao povo: "...para ir entregar nos arraiais adversos o grande e sublime símbolo das ideias liberais, a fim de que o injuriem, cobrindo com ele projetos impopulares..." (Rui Barbosa, *Discursos e conferências*) 2 Que não é aceito pelo povo (governo impopular) [Ant.: *bem-aceito, bem-visto*.] 3 Que não goza de popularidade, não agrada a ninguém (artista impopular) [Ant.: *benquisto, querido*.] [F.: *im-*[2] + *popular*. Ant. ger.: *popular*.]

impopularidade (im.po.pu.la.ri.*da*.de) *sf.* Qualidade do que é impopular, do que não goza de prestígio entre o povo [Ant.: *popularidade*.] [F.: *im-*[2] + *popularidade*.]

impopularização (im.po.pu.la.ri.za.*ção*) *sf.* Ação ou resultado de impopularizar(-se), de tornar(-se) impopular; DESPOPULARIZAÇÃO [Ant.: *popularização*.] [F.: *impopularizar* + *-ção*.]

impor (im.*por*) *v.* 1 Obrigar(-se) a (algo, ou a fazer algo) [*td.*: *Impôs, ali, seus interesses e caprichos.*] [*tdi.* + *a*: *Impõem seus costumes aos adversários; Ela se impôs uma dieta radical.*] 2 Estabelecer, fixar (ger. por força ou autoridade) [*td.*: *Resolveu impor algumas normas implacáveis.*] [*tdi.* + *a*: *A vigilância sanitária impôs exigências aos restaurantes.*] 3 Inspirar, incutir [*tdi.* + *a*: *impor respeito aos alunos.*] [*td.*: *impor a autoridade.*] 4 Aplicar (pena, castigo etc.) [*tdi.* + *a*: *Impôs ao desafiante uma derrota esmagadora.*] 5 Fazer-se ouvido e aceito [*td.*: *Conseguiu impor-se nos debates.*] 6 Ser necessário (medida, providência etc.) [*int.*: *A revisão do estatuto se impunha há muito tempo.*] 7 Atribuir (responsabilidade) a (alguém) sem fundamento; ASSACAR [*tdi.* + *a*: *Impuseram-lhe a responsabilidade dos roubos cometidos.*] 8 Dar, atribuir (nome, apelido) [*tdi.* + *a*: *Impuseram-lhe a alcunha de Penico.*] 9 Forçar a aceitação de algo ou alguém [*tdp.*: *O amigo-urso lhe impôs a renúncia como solução.*] 10 Pôr sobre ou em cima de; SOBREPOR [*tda.*: *O sacerdote impôs as mãos sobre sua testa.*] 11 Fazer(-se) passar por (algo que não é) [*tr.* + *de*: *impor de intelectual.*] [*tdp.*: *Mal* *sabe falar e impõe-se como ator.*] **12** *Tip.* Fazer a imposição (4) [*td.*] [▶ **60 impor** Part.: *imposto.*] [F.: Do lat. *imponere.* Hom./Par.: *impor, empunhar* (em várias fl.).]

importação (im.por.ta.*ção*) *sf.* **1** Ação ou resultado de importar; compra de bens ou serviços de outros países, municípios, regiões etc.: *O Brasil aumentou a importação de máquinas.* **2** Ação de trazer de fora (ideias, pessoas etc.): *importação de cientistas e modismos estrangeiros.* **3** Aquilo que se importa ou importou [Pl.: *-ções.*] [F.: Do ing. *importation.* Ant. ger.: *exportação.*]

importado (im.por.*ta*.do) *a.* **1** Que se importou, que foi adquirido em outro país (perfume importado) *sm.* **2** Aquilo que se importa ou importou (loja de importados) [Mais us. no pl.] [F.: Do lat. *importatus, a, um.* Ant. ger.: *exportado.*]

importador (im.por.ta.*dor*) [ô] *a.* **1** Diz-se de pessoa ou instituição que adquire produtos importados para revender *sm.* **2** Essa pessoa ou instituição [F.: *importar* + *-dor.* Ant. ger.: *exportador.*]

importadora (im.por.ta.*do*.ra) [ô] *sf. Bras.* Empresa ou loja que compra produtos de outros países para revender (importadora de automóveis) [Ant.: *exportadora.*] [F.: *importador* + *-a.*]

importância (im.por.*tân*.ci:a) *sf.* **1** Qualidade do que é importante: *a importância dos estudos.* [Ant.: *insignificância, irrelevância.*] **2** Valor relativo pelo qual se avalia ou estima alguma coisa: *São coisas sem nenhuma importância.* **3** Influência, prestígio, poder: "...Qual o primeiro e o derradeiro sentimento da criatura senão a consciência de sua própria importância..." (Raquel de Queirós, *Cem crônicas escolhidas*) [Ant.: *descrédito, desprestígio.*] **4** *Bras.* Quantia em dinheiro; SOMA; TOTAL: *A loja devolveu toda a importância paga.* **5** *Bras. irôn.* Alto conceito que se tem de si próprio; ARROGÂNCIA; PRESUNÇÃO [Ant.: *humildade, modéstia.*] [F.: *importar* + *-ância.*]

importante (im.por.*tan*.te) *a2g.* **1** De grande valor, relevância e/ou interesse; NOTÁVEL; RELEVANTE; SIGNIFICATIVO: *A Floresta Amazônica é importante para o equilíbrio ecológico mundial.* [Ant.: *desimportante, insignificante.*] **2** De muito prestígio e influência; PODEROSO; REPUTADO: *Ele é um médico importante nessa área.* [Ant.: *desprestigiado, insignificante.*] **3** *Bras. Irôn.* Que se atribui grande importância; ARROGANTE; SOBERBO: *Tão importante que não cumprimenta ninguém.* [Ant.: *humilde, modesto.*] *sm.* **4** Aquilo que não se pode dispensar; ESSENCIAL: "A tômbola anda depressa (...) o importante é que pare..." (Mário de Sá-Carneiro, "Torniquete" *in Antologia*) [F.: Do lat. *importans, antis.*]

importar (im.por.*tar*) *v.* **1** Trazer ou fazer vir de outra cidade, estado ou país [*td.*: *A seca obrigou o país a importar alimentos.*] [*tdr.* + *de*: *O Brasil importava mármore da Itália.*] [*int.*: *A meta é exportar mais e importar menos.*] [Ant.: *exportar.*] **2** Ter valor ou interesse; interessar [*ti.* + *a*: *O que aconteceu já não me importa.*] [*int.*: *Trabalhe: o ganho não importa.*] **3** Acarretar, resultar, redundar [*td.*: *A guerra importa perda e desgraça para todos.*] [*tr.*: *Manter a paz importa em preparar-se para a guerra.*] [*tdi.* + *a, para*: *A seca importa grandes lucros aos políticos da região; Os temporais importaram prejuízo para todos.*] **4** *Inf.* Trazer dados de um programa para serem us. em outro [*tdr.* + *de*: *Vou importar o arquivo de fotos do Photoshop.*] **5** Atingir certa quantia [*tr.* + *em*: *Sua despesa importa em 500 reais.*] **6** Atribuir importância, incomodar-se [*tr.* + *com*: *Não se importou com o barulho.*] [▶ **1 importar**] [F.: Do lat. *importare.* Hom./Par.: *importe* (fl.), *importe* (sm.); *importes* (fl.), *importes* (pl. de *importe*); *importáveis* (fl.), *importáveis* (fl. de *importável* [a2g.]).]

importável (im.por.*tá*.vel) *a2g.* Que pode, que apresenta condições de ser importado [Ant.: *exportável.*] [Pl.: *-veis.*] [F.: Do lat. *importabilis, e.* Hom./Par.: (pl.) *importáveis* (fl. de *importar*).]

importe (im.*por*.te) *sm.* **1** A quantia com que se adquire algo; CUSTO; PREÇO: "...uma longa e afadigosa viagem (...) durante a qual se tinha de pagar importe de passagem em um sem-número de pontos..." (Manuel Antônio de Almeida, *Memórias de um sargento de milícias*) **2** Valor total: *o importe de uma dívida.* [F.: Dev. de *importar.* Hom./Par.: *importe* (fl. de *importar*).]

importunação (im.por.tu.na.*ção*) *sf.* **1** Ação ou resultado de importunar **2** Insistência obstinada e inconveniente: "Esta boca não terá esses monossílabos duros e gelados com que se repelem importunações de indiferentes." (Alexandre Herculano, *Narrativas*) **3** Coisa ou situação importuna, inconveniente; ABORRECIMENTO; CHATEAÇÃO; INCONVENIÊNCIA: "Queria que eu viesse ontem mesmo, de noite, visitá-lo: eu é que disse que podia estar acomodado, e a visita seria antes uma importunação." (Machado de Assis, *Casa velha*) [Pl.: *-ções.*] [F.: *importunar* + *-ção.*]

importunado (im.por.tu.*na*.do) *a.* Que se importunou, que sofreu importunação; ENFADADO; INCOMODADO; MOLESTADO [F.: part. de *importunar.*]

importunador (im.por.tu.na.*dor*) [ô] *a.* **1** Ref. ao que causa importunação *sm.* **2** Quem ou o que causa importunação [F.: *importunar* + *-dor.* Sin. ger.: *importuno.*]

importunar (im.por.tu.*nar*) *v. td.* Incomodar com solicitações, atitudes desagradáveis ou insistentes; PERTURBAR: *Importunou a menina até ela gritar.* [▶ **1 importunar**] [F.: Do lat. *importunare.* Hom./Par.: *importuno* (fl.), *importuno* (a. sm.).]

importunidade (im.por.tu.ni.*da*.de) *sf.* **1** Qualidade, ação ou comportamento de importuno **2** Perseverança obstinada ou inconveniente [F.: Do lat. *importunitas, atis.* Sin. ger.: *importunação, impertinência.*]

importuno (im.por.*tu*.no) *a.* **1** Que aparece ou acontece em momento inconveniente; DESAGRADÁVEL; INCÔMODO: "...cada degrau era a testemunha importuna e dura..." (Fernando Pessoa, *Ficções do interlúdio*) [Ant.: *agradável, interessante.*] *sm.* **2** Pessoa inoportuna, maçadora: "...e folheava, folheava, pulando adiante, voltando atrás, à toa, sem buscar nada, para o fim de despedir o importuno..." (Machado de Assis, *Quincas Borba*) [F.: Do lat. *importunus, a, um.* Hom./Par.: *importuno* (fl. de *importunar*).]

imposição (im.po.si.*ção*) *sf.* **1** Obrigação imposta por alguém; EXIGÊNCIA: *O casamento religioso foi uma imposição da noiva.* **2** Determinação, estipulação: *Discute-se a imposição de novas regras para o vestibular.* **3** Colocação por cima; SOBREPOSIÇÃO: *Os sacerdotes fizeram a imposição de mãos sobre a cabeça do postulante.* **4** *Art. gr.* Distribuição das páginas de composição na base que irá gravar a forma de impressão, ou a chapa etc., de modo que, ao ser impressa a folha em frente e verso e dobrada em caderno, a sequência numérica das páginas esteja correta [Pl.: *-ções.*] [F.: Do lat. *impositio, onis.*] ■ **~ das mãos** Prática de colocar as mãos sobre a cabeça de alguém (ver *imposição* [3]), com base na suposição de que com isso se concentram forças magnéticas ou formas de energia benéficas, inclusive na cura de enfermidades

impositivo (im.po.si.*ti*.vo) *a.* **1** Que obriga, que tem o caráter de imposição; OBRIGATÓRIO: *É impositivo o cumprimento da lei.* **2** Que não se pode evitar ou dispensar (necessidade impositiva); INDISPENSÁVEL; IMPERATIVO; IMPRESCINDÍVEL [Ant.: *facultativo, prescindível*] **3** Diz-se de pessoa que tenta forçar a aceitação da própria vontade *sm.* **4** Aquilo que se impõe, se faz imprescindível: *Compreendeu o impositivo do esforço que lhe cabia.* [F.: Do lat. *impositivus, a, um,* part. pass. de *imponere.*]

impositor (im.po.si.*tor*) [ô] *a.* **1** Que impõe *sm.* **2** Aquele que impõe: *O Estado não pode ser um impositor dos interesses das elites.* **3** *Art. gr.* Compositor tipográfico responsável pela imposição (4) [F.: Do lat. *impositor, oris.*]

impossibilidade (im.pos.si.bi.li.*da*.de) *sf.* **1** Qualidade, característica do que é impossível: "...A impossibilidade de tudo com que nem chego a sonhar..." (Fernando Pessoa, *Ficções do interlúdio*) **2** *Fig.* Algo impossível: "Assim em impossibilidades. Tudo o que acontecia, era a má-sorte." (Guimarães Rosa, *Grande sertão: veredas*) [F.: Do lat. *impossibilitas, atis.* Ant. ger.: *possibilidade.*]

impossibilitado (im.pos.si.bi.li.*ta*.do) *a.* **1** Sem possibilidade ou condição de fazer alguma coisa (impossibilitado de decolar); INCAPACITADO *sm.* **2** Aquele que não tem possibilidade ou condição de fazer alguma coisa: *O aluno com deficiência é diferente, não é um impossibilitado.* [F.: part. de *impossibilitar.*]

impossibilitar (im.pos.si.bi.li.*tar*) *v.* **1** Não deixar que (algo) aconteça [*td.*: *A chuva impossibilitou o passeio.*] **2** Privar alguém (ou a si mesmo) das forças, do poder, das faculdades (para fazer algo) [*tdr.* + *de*: *A doença impossibilitou-a de visitar os netos.*] [*tdi.* + *a*: *O excesso de trabalho impossibilita -lhe a vida social.*] [*int.*: *Impossibilitou-se para a dança.*] [*td.*: *A tristeza impossibilitou-a.*] [▶ **1 impossibilitar**] [F.: Do lat. *impossibilit(ate)* + *-ar*[2]. Ant. ger.: *possibilitar.*]

impossível (im.pos.*sí*.vel) *a2g.* **1** Que não pode existir ou acontecer; IRREAL: "Não sei que ilhas do sul impossível aguardam-me naufrago..." (Fernando Pessoa, *Ficções do interlúdio*) [Ant.: *real, verdadeiro.*] **2** Que não se pode fazer; IMPRATICÁVEL; INVIÁVEL: *É impossível prever o tempo a ser gasto com isso.* [Ant.: *factível, viável.*] **3** Difícil de realizar; EXTRAORDINÁRIO: *O artilheiro marcou gols impossíveis.* [Ant.: *comum, corriqueiro.*] **4** *Bras.* Levado, travesso: *Esse menino é impossível!* [Ant.: *quieto, sossegado.*] [Pl.: *-veis.*] *sm.* **5** Coisa impossível: *Você está me pedindo o impossível.* [F.: Do lat. *impossibilis, e.*] ■ **Fazer o ~ (para)** *Bras. Pop.* Fazer o máximo de esforço (para conseguir algo muito difícil, quase impossível)

impostação (im.pos.ta.*ção*) *sf.* **1** Ação ou resultado de impostar **2** *Cin. Rad. Teat. Telv.* Colocação da voz cantada ou falada no seu tom fundamental **3** *Cin. Teat. Telv.* Plano que o diretor estabelece para um espetáculo **4** *Cin. Rad. Teat. Telv.* Maneira de (o ator) interpretar uma personagem: "Essa naturalidade, essa distância da impostação teatral, era exatamente o que se buscava. Uma aproximação com o real, tanto no drama como na comédia." (*Folha de S.Paulo*, 26.02.2003) **5** Maneira de abordar uma questão; diretriz que norteia a exposição de um tema: *impostação didática do curso.* [Pl.: *-ções.*] [F.: Do it. *impostazione.* Tb. *empostação.*]

impostado (im.pos.*ta*.do) *a.* Emitido (a voz) de maneira clara, correta e no tom certo [F.: Part. de *impostar.* Tb. *empostado.*]

impostar (im.pos.*tar*) *v. td.* **1** Firmar a voz (cantor, ator) nas cordas vocais, para que soe plena e segura **2** *Teat.* Conferir determinado estilo ou linha a (espetáculo, atuação) [▶ **1 impostar**] [F.: Do it. *impostare.* Hom./Par.: *imposto* (fl.), *imposto* (sm.); *imposta* (fl.), *imposta* (sf.); *impostas* (fl.), *impostas* (pl. de *imposta*). Tb. *empostar.*]

impostergável (im.pos.ter.*gá*.vel) *a2g.* Que não se pode postergar; IMPRORROGÁVEL; IMPROTELÁVEL; INADIÁVEL [Ant.: *adiável, postergável, prorrogável, protelável.*] [Pl.: *-veis.*] [F.: *im-*[2] + *postergável.*]

imposto (im.*pos*.to) [ô] *a.* **1** Que se impôs, que deve ser cumprido à força (deveres impostos); FORÇADO; POSTO *sm.* **2** Contribuição financeira imposta pelo Estado; TAXA; TRIBUTO **3** *Fig.* Encargo, ônus: *O vício é um pesado imposto.* [Pl.: [ó].] [F.: Do lat. *impositus, a, um.*] ■ **~ de exportação** *Econ.* O que é cobrado sobre o preço de venda de produto nacional para o exterior **~ de importação** *Econ.* O que é cobrado sobre o valor pago na compra de produto do exterior **~ de renda** *Econ.* Tributo federal recolhido anualmente sobre a renda líquida de cada indivíduo ou empresa, calculado proporcionalmente à renda e com base em tabelas progressivas divulgadas antecipadamente **~ de sangue** *Fig.* Termo que designa várias situações em que se sacrificam vidas em função de conflitos, ou a obrigatoriedade de se prestar serviço militar **~ de transmissão causa mortis e doação** *Econ. Jur.* O que é cobrado pelos Estados e pelo Distrito Federal sobre o valor de heranças e doações [Sigla: *ITD*] **~ de transmissão inter vivos** *Econ. Jur.* O que é cobrado pelos Municípios e Distrito Federal sobre o valor de venda de imóvel **~ direto** *Econ.* O que incide diretamente sobre o valor da renda ou do patrimônio (de pessoas, empresas etc.) **~ indireto** *Econ.* O que incide sobre o valor de transação **~ inflacionário** *Econ.* Termo que designa a perda de valor real do dinheiro, causada pela inflação **~ predial e territorial urbano** *Econ.* Imposto cobrado pelos municípios sobre o valor de imóveis urbanos [Sigla: *IPTU*] **~ progressivo** *Econ.* Imposto cuja alíquota cresce com o valor, incidindo, assim, em maior proporção sobre as rendas mais elevadas **~ regressivo** *Econ.* Imposto que incide em menor proporção sobre rendas mais elevadas **~ sobre circulação de mercadorias e serviços** *Econ.* Imposto cobrado pelos Estados e pelo Distrito Federal sobre o valor de venda de mercadorias e de serviços de transporte e comunicação, com dedução dos valores já pagos em fases anteriores da comercialização [Sigla: *ICMS*] **~ sobre operações financeiras** *Econ.* Imposto cobrado pela União sobre o valor de operações financeiras (como crédito, câmbio, seguros etc.) [Sigla: *IOF*] **~ sobre produtos industrializados** *Econ.* Imposto cobrado pela União sobre o preço de venda de produtos industrializados, com dedução dos valores já pagos em fases anteriores da industrialização [Sigla: *IPI*] **~ sobre propriedade de veículos automotores** *Econ.* Imposto cobrado pelos Estados e pelo Distrito Federal sobre o valor de veículo de propriedade de pessoa física ou jurídica, avaliado e estipulado ano a ano com base no modelo e no tempo de depreciação [Sigla: *IPVA*] **~ sobre propriedade territorial rural** *Econ.* Imposto cobrado pela União sobre o valor de imóveis rurais [Sigla: *IPTR*] **~ sobre serviços** *Econ.* Imposto cobrado pelos Municípios sobre o preço de serviços prestados, exceto os de transporte e comunicação [Sigla: *ISS*] **~ sobre vendas a varejo de combustíveis** *Econ.* Imposto cobrado pelos Municípios sobre valor de venda de combustíveis líquidos e gasosos, exceto óleo *diesel.* [Sigla: *IVV*]

impostor (im.pos.*tor*) [ô] *a.* **1** Diz-se de indivíduo que se faz passar pelo que não é *sm.* **2** Esse indivíduo: *Ele se dizia médico mas era um impostor.* [F.: Do lat. *impostor, oris.* Sin. ger.: *charlatão, embusteiro, farsante.*]

impostura (im.pos.*tu*.ra) *sf.* **1** Ação enganosa concebida por um impostor; ARDIL; EMBUSTE **2** Característica do que é hipócrita; FALSIDADE; HIPOCRISIA [Ant.: *franqueza, sinceridade.*] **3** Presunção exagerada; VAIDADE [Ant.: *modéstia.*] **4** Bazófia, fanfarrice **5** Pedaço de pano que se prende ao anzol como isca [F.: Do lat. *impostura, ae.*]

imposturar (im.pos.tu.*rar*) *v. int.* Cometer impostura(s) [▶ **1 imposturar**] [F.: *impostura* + *-ar*[2].]

impotabilidade (im.po.ta.bi.li.*da*.de) *sf.* Qualidade ou condição do que é impotável [Ant.: *potabilidade.*] [F.: *impotável* + *-(i)dade,* segundo o modelo erudito. Hom./Par.: *impotabilidade* (sf.), *imputabilidade* (sf.).]

impotável (im.po.*tá*.vel) *a2g.* Que não serve para beber (água impotável) [Ant.: *potável.*] [Pl.: *-veis.*] [F.: Do lat. *impotabilis, e.* Hom./Par.: *imputável* (adj.).]

impotência (im.po.*tên*.ci:a) *sf.* **1** Falta de potência sexual no homem **2** Incapacidade física; falta de forças; DEBILIDADE; FRAQUEZA [Ant.: *energia, força.*] **3** Incapacidade de agir ou de resolver algo; INATIVIDADE; IMPOSSIBILIDADE: *O secretário admitiu sua impotência diante da violência na cidade.* [Ant.: *atividade, capacidade.*] [F.: *im-*[2] + *potência.* Ant. ger.: *potência.*]

impotente (im.po.*ten*.te) *a2g.* **1** Que está em estado de impotência física; sem forças; DÉBIL; FRACO [Ant.: *forte, vigoroso.*] **2** Diz-se de homem incapacitado para a cópula **3** Que não dispõe de meios para agir; INCAPAZ; INOPERANTE: *O detetive declarou-se impotente para desvendar o caso.* [Ant.: *ativo, capaz.*] [F.: Do lat. *impotens, entis.* Ant. ger.: *potente.*]

impraticabilidade (im.pra.ti.ca.bi.li.*da*.de) *sf.* Qualidade ou condição do que é impraticável; INEXEQUIBILIDADE; IMPOSSIBILIDADE; INVIABILIDADE: "Viu-se a impraticabilidade de restaurar a ordem em Portugal por concessões mútuas." (Almeida Garrett, *Discurso do Porto Pireu*) [Ant.: *exequibilidade, possibilidade, praticabilidade, viabilidade.*] [F.: *impraticável* + *-(i)dade.*]

impraticável (im.pra.ti.*cá*.vel) *a2g.* **1** Difícil ou impossível de realizar (tarefa impraticável); INEXEQUÍVEL; IRREALIZÁVEL [Ant.: *exequível, factível.*] **2** Diz-se de estrada, rua etc. pela qual é difícil ou impossível passar (caminho impraticável); INTRANSITÁVEL [Ant.: *acessível, transitável.*] [Pl.: *-veis.*] [F.: *im-*[2] + *praticável.*]

imprecação (im.pre.ca.*ção*) *sf.* **1** Ação ou resultado de imprecar, de pedir a Deus, ou a um ser superior, que envie bênçãos ou maldições sobre alguém: "...e ordena, harmoni-

imprecar | impressivo

camente, golpes, promiscuidade, violência, imprecações, cantos sórdidos, noites, sonhos, vastos delírios seminais..." (Samuel Rawet, "O seu minuto de glória" in *Os sete sonhos*) **2** *P. ext.* Praga, blasfêmia [Pl.: -*ções*.] [F.: Do lat. *imprecatio, onis*.]

imprecar (im.pre.*car*) *v.* **1** Dizer pragas, blasfêmias ou palavrões; PRAGUEJAR; AMALDIÇOAR [*tr.* + *contra*: *Não adianta imprecar contra a má sorte!*] [*int.*: *A doida saiu imprecando pelas ruas.*] **2** Pedir (a Deus ou a poder superior) que envie (mal ou graça sobre alguém) [*tdi.* + *a*: *Imprecaria a Deus que perdoasse a irmã irresponsável.*] [▶ **11** impre**car**] [F.: Do lat. *imprecare*, por *imprecari*.]

imprecatado (im.pre.ca.*ta*.do) *a.* Não precatado; DESACAUTELADO; DESPRECATADO; DESPREVENIDO: "No sôfrego e imprecatado desejo de deprimir uns para lisonjear outros, excitando a desconfiança e a guerra entre todos." (Almeida Garrett, *Discurso do Porto Pireu*) [Ant.: *acautelado, precatado, precavido, previdente*.]

imprecatório (im.pre.ca.*tó*.ri:o) *a.* Que encerra imprecação (juramento imprecatório); BLASFEMATÓRIO; BLASFEMO; EXECRATÓRIO [F.: *imprecar* + *-ório¹*.]

imprecaução (im.pre.cau.*ção*) *sf.* Falta de precaução ou de cautela; DESCUIDO; IMPREVIDÊNCIA [Pl.: -*ções*.] [F.: *im-²* + *precaução*. Hom./Par.: *imprecação* (sf.).]

imprecavido (im.pre.ca.*vi*.do) *a.* Não precavido; DESCUIDADO; IMPRECATADO; IMPREVIDENTE [Ant.: *precavido, prevenido, previdente*.] [F.: *im-²* + *precavido*.]

imprecisão (im.pre.ci.*são*) *sf.* Falta de precisão, de exatidão, de clareza; AMBIGUIDADE; ERRO: "A cota (...) fica dentro da margem de imprecisão que tem a determinação de um salário." (Gustavo Corção, *Três alqueires e uma vaca*) [Ant.: *exatidão, precisão*.] [Pl.: -*sões*.] [F.: *im-²* + *precisão*.]

impreciso (im.pre.*ci*.so) *a.* Que não é preciso, exato ou bem definido; AMBÍGUO; INCERTO: "Do seu espírito se ergueram as preocupações como montes ao longe, primeiro imprecisas, sem contorno, depois com seu relevo e relação..." (Aquilino Ribeiro, *Volfrâmio*) [Ant.: *definido, preciso*.] [F.: *im-²* + *preciso*.]

impregnação (im.preg.na.*ção*) *sf.* **1** Ação ou resultado de impregnar(-se) **2** Estado de corpo, substância, ambiente etc. impregnado **3** *Biol.* Fertilização do óvulo; FECUNDAÇÃO **4** *Farm.* Efeito colateral dos neurolépticos que consiste na liberação de sintomas extrapiramidais (p. ex.: acatisia, tremores, rigidez muscular) [Pl.: -*ções*.] [F.: *impregnar* + *-ção*.]

impregnado (im.preg.na.do) *a.* Que se impregnou; que sofreu impregnação; EMBEBIDO; ENCHARCADO; IMBUÍDO; ENTRANHADO: "Era como uma rajada de ar impregnado de todas as forças vivas da natureza." (Eça de Queirós, *Contos*) [F.: part. de *impregnar*.]

impregnante (im.preg.*nan*.te) *s2g.* **1** Substância us. para impregnar outra substância *a2g.* **2** Que impregna (verniz impregnante): *Ficou no ar seu cheiro impregnante.* [F.: Do lat. tardio *impraegnans, antis*, part. pres. de *impraegnare*.]

impregnar (im.preg.*nar*) *v.* **1** Fazer(-se) entrar e espalhar em algo uma substância ger. líquida, gordurosa ou gasosa; EMBEBER; ENCHARCAR [*td.*: *O óleo impregnou a calçada.*] [*tdr.* + *de*: *Impregnava os cabelos de óleo/ de brilhantina.*] **2** Infiltrar(-se) gradualmente, entranhar em [*td.*: *Na tatuagem, a tinta impregna a pele.*] **3** *Fig.* Encher(-se) [*td.*: *O odor das flores impregnou a sala.*] [*tda.*: *Impregnou o romance de (ou com) sugestões alegóricas.*] [*tr.* + *de*: *O ambiente se impregnou de tensão.*] **4** Imbuir(-se), incutir(-se) [*tr.* + *de*: *O convívio impregnou-o de ideologia*; *Impregnou-se de fanatismo.*] [▶ **1** impre**gn**ar] [F.: Do lat. *impregnare*. Hom./Par.: *impregnáveis* (fl.), *impregnáveis* (pl. de *impregnável* [a2g.]).]

impregnável (im.preg.*ná*.vel) *a2g.* Que se pode impregnar (madeira impregnável) [Pl.: -*veis*.] [F.: *impregnar* + *-vel*.]

impremeditação (im.pre.me.di.ta.*ção*) *sf.* Falta de premeditação; IMPREVISÃO [Ant.: *premeditação*.] [Pl.: -*ções*.] [F.: *im-²* + *premeditação*.]

impremeditado (im.pre.me.di.*ta*.do) *a.* Em que não houve ou não há premeditação, ou planejamento com antecedência; IMPREVISTO [Ant.: *planejado, premeditado, previsto*.] [F.: *im-²* + *premeditado*.]

imprensa (im.*pren*.sa) *sf.* **1** Máquina de imprimir **2** A arte e a prática de imprimir: *A imprensa foi invenção de Gutemberg.* **3** *Jorn.* Conjunto dos meios de difusão de notícias, fatos, informações etc.: *A imprensa exerce grande influência na opinião pública.* **4** *Jorn.* Conjunto de jornais e revistas de determinado lugar, tipo ou assunto: *a imprensa americana*. **5** *Bras. Jorn.* Conjunto de jornalistas e repórteres: *O presidente recebeu a imprensa no palácio.* [F.: Posv. dev. de *imprensar*. Hom./Par.: *imprensa* (fl. de *imprensar*).] **▪ ~ alternativa** *Jorn.* Aquela que pretende, em sua orientação editorial, ser independente de sistemas de influência vigentes (governo, grandes empresas, partidos etc.) **~ amarela** *Pej. P. us. Jorn.* Ver *Imprensa marrom* **~ escrita** *Jorn.* O conjunto e a instância dos órgãos jornalísticos escritos, como jornais, revistas etc. **~ falada** *Jorn. Rád.* O conjunto e a instância de material jornalístico de transmissão radiofônica, como noticiários, reportagens e comentários transmitidos pelo rádio **~ marrom** *Pej. Jorn.* Tipo de imprensa centrada em sensacionalismo, como escândalos, aberrações, noticiário policial etc.; *p. us.* imprensa amarela **~ nanica** *Jorn.* Termo que designa tipo de imprensa alternativa feita com poucos recursos e estruturas limitadas e modestas **~ televisionada** *Jorn. Telv.* O conjunto e a instância de material jornalístico transmitido pela televisão, como noticiários, reportagens, comentários etc. **Grande ~** *Jorn.* Termo que designa o conjunto de jornais e revistas de grande tiragem ou influência, ger. publicados por grandes empresas de comunicação

□ O termo refere-se não só à divulgação de notícias em veículo impresso, mas a todo o conjunto e meios de divulgar notícias, opiniões, anúncios etc., ou seja, toda informação ou conhecimento de interesse do público. Em sua linguagem, portanto, a imprensa reflete e expressa o nível cultural da sociedade. Em seu papel de difusora de informação e opinião, a imprensa livre constitui-se num dos principais instrumentos da democracia, passando a *formadora* de opinião. Já na China, no século VII, registra-se atividade de imprensa (divulgação de notícias da corte). Os primeiros jornais diários são do século XVIII, na Inglaterra. O primeiro jornal brasileiro, o *Correio Braziliense*, não era, quando surgiu em 1808, publicado no Brasil, mas em Londres. Alguns meses depois surgiu a *Gazeta do Rio de Janeiro*, o primeiro jornal publicado no Brasil.

imprensado (im.pren.*sa*.do) *a.* **1** Que se imprensou; IMPRESSO **2** Que sofreu imprensadura; APERTADO; COMPRIMIDO; ESPREMIDO; PRESSIONADO: *Veio imprensado no ônibus lotado.* **3** Que sofre ou sofreu pressão; CONSTRANGIDO; PRESSIONADO: *Ninguém gostaria de ser imprensado pela polícia*; "...o Brasil está imprensado entre economias de trabalho barato e economias de alto saber. Por isso, produz pouco do que o mundo queira comprar." (Roberto Mangabeira Unger, *Folha de S.Paulo*, 29.04.2003) [F.: Part. de *imprensar*.]

imprensar (im.pren.*sar*) *v. td.* **1** *Tip.* Apertar na prensa ou no prelo [Ant.: *desimprensar*.] **2** Apertar muito, não deixando escapatória [Ant.: *desimprensar*.] **3** *Fig.* Forçar alguém a falar algo ou tomar uma atitude; PRESSIONAR; APERTAR: "O júri não pode (...) explorar contradições e, de maneira geral, imprensar a testemunha contra a parede." (*O Globo*, 31.07.1998) [▶ **1** impre**ns**ar] [F.: *imprensa* + *-ar²*. Hom./Par.: *imprensa* (fl.), *imprensa* (sf.); *imprensas* (fl.), *imprensas* (pl. de *imprensa*).]

impreparado (im.pre.pa.*ra*.do) *a.* Sem preparação, não preparado; DESPREPARADO [Ant.: *preparado*.] [F.: *im-²* + *preparado*.]

imprescindibilidade (im.pres.cin.di.bi.li.*da*.de) *sf.* Qualidade, caráter ou condição do que é imprescindível [Ant.: *prescindibilidade*.] [F.: *imprescindível* + *-(i)dade*.]

imprescindível (im.pres.cin.*dí*.vel) *a2g.* Que não pode faltar; INDISPENSÁVEL; INSUBSTITUÍVEL: *O paio é um ingrediente imprescindível para uma boa feijoada.* [Ant.: *dispensável, prescindível*.] [Pl.: -*veis*.] [F.: *im-²* + *prescindível*.]

imprescritibilidade (im.pres.cri.ti.bi.li.*da*.de) *sf.* Qualidade, caráter ou condição do que é imprescritível: *A Lei Caó determina a imprescritibilidade e inafiançabilidade aos crimes de racismo.* [Ant.: *prescritibilidade*.] [F.: *imprescritível* + *-(i)dade*.]

imprescritível (im.pres.cri.*tí*.vel) *a2g.* **1** *Jur.* Que não prescreve, não perde o efeito (direito imprescritível) **2** Que não pode ser prescrito ou ordenado (tratamento imprescritível) [Pl.: -*veis*.] [F.: *im-²* + *prescritível*. Ant. ger.: *prescritível*.]

impressão (im.pres.*são*) *sf.* **1** Ação ou resultado de imprimir com máquinas gráficas (impressão de jornais) **2** Reprodução mecânica de textos, imagens etc.: *impressão de boa qualidade.* **3** Marca deixada em algum lugar: *A impressão dos sapatos ficou na lama.* **4** *Fig.* Efeito ou emoção que um fato, objeto ou alguém provoca: "Talvez a impressão dos fatos seja muito próxima..." (Fernando Pessoa, *Ficções do interlúdio*) **5** *Fig.* Noção ou opinião vaga; PALPITE: *Tenho a impressão de que meu time será campeão.* [Pl.: -*sões*.] [F.: Do lat. *impressio, onis*.] **▪ Dar a ~ de** Ter aparência de, aparentar, parecer: *Ele dava a impressão de estar embriagado.* **~ a seco** *Art. gr.* Impressão sem uso de tinta, deixando a marca em relevo da matriz de impressão **~ calcográfica** *Art. gr.* Ver *Impressão de entalhe* **~ de entalhe** *Art. gr.* Ver *Gravura a entalhe* (1) no verbete *gravura* **~ digital 1** A marca das estrias da pele da falange distal dos dedos da mão, cujo desenho é tido como único para cada indivíduo, e que serve, portanto, para identificá-lo (em documentos, em fichas policiais etc.) **2** A marca dessas estrias deixadas em objetos pela pressão dos dedos, intencionalmente impressas a tinta (com que se pintou a pele) em documentos, fichas etc., ou cuja imagem se obteve pressionando o dedo numa superfície de captação **3** *Art. gr.* Método e resultado de impressão de livros, revistas etc., diretamente a partir de arquivo digital que contém texto e imagens, sem uso de fotolito, clichê etc. **~ direta** *Art. gr.* Método e resultado de impressão por contato direto da forma com o suporte de impressão **~ em disco/arquivo** *Art. gr. Inf.* Método de impressão no qual se grava em disco, ou num arquivo, o material a ser impresso (texto, figura, tabela etc.) tal como gerado em aplicativo. Esse disco ou arquivo será a fonte de alimentação da impressora em papel ou outro suporte **~ em plano** *Art. Gr.* Ver *Gravura em plano* (1) no verbete *gravura* **~ em relevo** *Art. gr.* Ver *Gravura em relevo* (1) no verbete *gravura* **~ flexográfica** *Art. gr.* Método e resultado de impressão com tinta de secagem rápida aplicada a matrizes maleáveis, de borracha ou de plástico, gravadas em alto-relevo. Muito us. na impressão contínua em celofane, polietileno etc. em bobinas **~ indireta** *Art. gr.* Método e resultado de impressão na qual se utiliza entre a forma e o suporte de impressão um elemento plástico intermediário; impressão ofsete **~ irisada** *Art. gr.* Método e resultado de impressão com tintas de várias cores que se apresentam em faixas paralelas, com transições suaves de uma para outra cor **~ ofsete** *Art. gr.* Ver *Impressão indireta* **~ plana** *Art. gr.* Método e resultado de impressão por meio de pressão entre duas superfícies planas: a da forma(ô) e a do suporte **~ planocilíndrica** *Art. gr.* Método e resultado de impressão por meio de pressão entre uma superfície plana (a da forma(ô) e uma cilíndrica, que conduz o suporte e na qual este se apoia **~ rotativa** *Art. gr.* Método e resultado de impressão por meio de pressão entre duas superfícies cilíndricas: a da forma e a que conduz o suporte; rotoimpressão **~ tipográfica** *Art. gr.* Método e resultado de impressão por meio de formas(ô) em relevo; tipografia

impressão digital (im.pres.são di.gi.*tal*) *Med. leg.* A marca das estrias da pele dos dedos da mão, cujo desenho é tido como único para cada indivíduo e serve, portanto, para identificá-lo

impressentido (im.pres.sen.*ti*.do) *a.* **1** Não pressentido; não notado; DESPERCEBIDO; IMPERCEBIDO; INOBSERVADO: "Vinte e dois jogadores, um juiz e a bola. O estádio em silêncio. Só o tempo corre, impressentido." (Armando Nogueira e Araújo Neto, *Drama e glória dos bicampeões*) [Ant.: *notado, percebido, pressentido*.] **2** Imprevisto, inesperado, surpreendente [F.: *im-²* + *pressentido*. Ant. ger.: *pressentido*.]

impressionabilidade (im.pres.si:o.na.bi.li.*da*.de) *sf.* Qualidade ou característica do que é impressionável ou suscetível de impressão; IMPRESSIONISMO: "Nervoso, de uma impressionabilidade infantil, Jorge prestava ouvidos aos mínimos rumores." (Coelho Neto, *Inverno em flor*): "E, as tintas, na tela, vivendo de impressionabilidade artística que um pincel de mão original e nervosa lhes infiltrou..." (Cruz e Sousa, *Missal*) [F.: *impressionável* + *-(i)dade*, segundo o modelo erudito.]

impressionado (im.pres.si:o.*na*.do) *a.* **1** Abalado, chocado, perturbado: *Ele ainda está muito impressionado com o que lhe aconteceu.* **2** Deslumbrado, maravilhado: *Ficou impressionada com a beleza do lugar.* [F.: Part. de *impressionar*.]

impressionador (im.pres.si:o.na.*dor*) [ô] *a.* Que impressiona; IMPRESSIONANTE: "...mas traça, cortando uma situação trivialíssima, a linha impressionadora de uma individualidade nova no meio de uma sociedade envelhecida." (Euclides da Cunha, *Contrastes e confrontos*) [Ant.: *banal, trivial*.] [F.: *impressionar* + *-dor*.]

impressionante (im.pres.si:o.*nan*.te) *a2g.* **1** Que impressiona, choca; CHOCANTE: *O piloto sofreu um grave e impressionante acidente.* **2** Que deslumbra, surpreende (acrobacias impressionantes); EXTRAORDINÁRIO; MARAVILHOSO [F.: *impressionar* + *-nte*.]

impressionar (im.pres.si:o.*nar*) *v.* **1** Causar admiração, espanto ou comoção [*td.*: *O trânsito impressionou o rapaz.*] [*tr.* + *com*: *Sempre me impressiono com a beleza desta cidade.*] [*int.*: *Seus encantos impressionam mesmo.*] **2** Causar impressão material em superfície qualquer [*td.*: *A tinta impressionara demais a página.*] **3** *Fot.* Fazer incidir (a luz) sobre o filme, para gravar a imagem [▶ **1** impre**ss**ionar] [F.: *impressão* + *-ar²*, segundo o mod. erudito. Hom./Par.: *impressionáveis* (fl.), *impressionáveis* (fl. de *impressionável* [a2g.]).]

impressionável (im.pres.si:o.*ná*.vel) *a2g.* **1** Que se deixa impressionar facilmente: "...Era a influência de senhoras muito imaginosas e impressionáveis..." (Xavier Marques, *Feiticeiro*) **2** Que está apto a receber impressão (superfícies impressionáveis) [Pl.: -*veis*.] [F.: *impressionar* + *vel*. Hom./Par.: (pl.) *impressionáveis* (fl. de *impressionar*).]

impressionismo (im.pres.si:o.*nis*.mo) *sm.* **1** *Art. pl.* Movimento na pintura do fim do séc. XIX, que usou os efeitos da luz e da cor para retratar a realidade: "Parou em seguida diante de um quadro (...) manche de impressionismo, de um plenarismo ofuscante..." (Júlio Dantas, *Espadas e rosas*) **2** *Liter. Mús.* Estilo literário e musical caracterizado por expressar impressões subjetivas [F.: Do fr. *impressionisme*.]

impressionista (im.pres.si:o.*nis*.ta) *a2g.* **1** Ref. ao impressionismo: "...uma visão não fotográfica, mas impressionista, não um filme, mas uma sucessão de imagens..." (João Ubaldo Ribeiro, *Diário do farol*) **2** Diz-se de artista seguidor ou adepto do impressionismo *s2g.* **3** Esse artista [F.: Do fr. *impressioniste*.]

impressionístico (im.pres.si:o.*nís*.ti.co) *a.* **1** Que diz respeito a impressionista ou impressionismo **2** Que se baseia em impressões ou subjetivismos, ao invés de fatos e experiências objetivas [F.: *impressionista* + *-ico²*.]

impressividade (im.pres.si.vi.*da*.de) *sf.* Qualidade ou característica de impressivo: *Descreveu o fenômeno com a impressividade de quem o vivenciou.* [Ant.: *expressividade*.] [F.: *impressivo* + *-(i)dade*.]

impressivo (im.pres.*si*.vo) *a.* **1** Que causa impressão no ânimo ou nos sentidos: "E tudo tem aquele caráter impressivo que faz meditar: / Enterro a pé ou a carrocinha de leite puxada por um bodezinho/ manhoso..." (Manuel Bandeira, *Estrada*) **2** Que (se) imprime, grava ou fixa [F.: Do ing. *impressive*, de *to impress* 'impressionar'. Sin. ger.: *impressionante*.]

impresso (im.*pres*.so) *a.* 1 Que se imprimiu: "...Há sorrisos de aluguel impressos nos cartazes do mundo..." (Gustavo Corção, *Lições de abismo*) *sm.* 2 Qualquer texto impresso (impressos publicitários) 3 Formulário ger. us. no serviço público: *impresso para pagamento de imposto.* [F.: Do lat. *impressus, a, um.*]

impressor (im.pres.*sor*) [ô] *a.* 1 Que imprime ou serve para imprimir (cilindro impressor) *sm.* 2 Proprietário ou operário de oficina gráfica [F.: *impresso + -or.*]

impressora (im.pres.*so*.ra) [ô] *sf.* 1 *Inf.* Máquina que imprime textos e imagens gerados por um computador ao qual está acoplada 2 *Art. gr.* Máquina de impressão; PRELO; PRENSA [F.: *impressor + a.*] ■ **~ a laser** *Inf.* Aquela que imprime em papel ou outro suporte ao varrer com um feixe de raios *laser,* num cilindro fotossensível da impressora, a imagem a ser impressa, transferindo essa varredura para o papel a ser impresso na forma de energia eletrostática; o pigmento de impressão (*toner*) é atraído pelas áreas estaticamente carregadas (que reproduzem a figura ou o texto transferidos pelos raios *laser*) e, sob ação de calor, funde-se com o papel (ou outro suporte) reproduzindo a imagem **~ de agulhas** *Inf.* Ver *Impressora matricial* **~ de impacto** *Inf.* Aquela que imprime as marcas de certos componentes mecânicos (tipos, figuras, agulhas) por pressão destes sobre uma fita tintada e contra o papel ou outro suporte **~ de jato de tinta** *Inf.* Aquela na qual a tinta é aplicada sobre o papel ou outro suporte em pequenos jatos **~ de margarida** *Inf.* Impressora de impacto cujos sinais, letras etc. a serem pressionados contra a fita tintada e o suporte estão dispostos circularmente em hastes articuladas, no formato de uma margarida **~ matricial** 1 *Inf.* Toda impressora cujo elemento de impressão (figura, letra etc.) é formado por uma matriz de minúsculos pontos 2 *Restr.* Impressora de impacto matricial (1) na qual os pontos são impressos por um conjunto de agulhas, cuja disposição forma, a cada caso, o desenho da letra ou sinal a serem impressos **~ postscript** *Inf.* Impressora (ger. a *laser*) que interpreta e imprime corretamente um arquivo *postscript* **~ serial** *Inf.* Aquela na qual sinais, letras, caracteres etc. são impressos sequencialmente, um após outro, linha após linha

imprestabilidade (im.pres.ta.bi.li.*da*.de) *sf.* Qualidade ou estado de imprestável; IMPROFICUIDADE; INAPLICABILIDADE; INUTILIDADE [Ant.: *prestabilidade, serventia, utilidade.*] [F.: *imprestável + -(i)dade,* segundo o modelo erudito.]

imprestável (im.pres.*tá*.vel) *a2g.* 1 Que não tem mais serventia; INÚTIL [Ant.: *útil.*] 2 Diz-se de pessoa que não ajuda os outros, que não é prestativa [Pl.: *-veis.*] *s2g.* 3 Essa pessoa: "Era um imprestável, um inválido, uma pobre coisa miserável e sem remédio." (Marques Rebelo, "Labirinto" *in Contos reunidos*) [F.: *im-*[2] *+ prestável.*]

impretérito (im.pre.*té*.ri.to) *a.* Que não passou nem passará: "Ela é aquela que eu amo no meu tempo/ E que amarei na minha eternidade – a amada/ Una e impretérita." (Vinícius de Moraes, *Carta do ausente*) [Ant.: *passado, pretérito.*] [F.: *im-*[2] *+ pretérito.*]

impreterível (im.pre.te.*rí*.vel) *a2g.* 1 Que não se pode preterir, deixar de fazer; FORÇOSO; NECESSÁRIO [Ant.: *desnecessário, dispensável.*] 2 Impossível de adiar; IMPRORROGÁVEL; INADIÁVEL [Ant.: *adiável, prorrogável.*] [Pl.: *-veis.*] [F.: *im-*[2] *+ preterível.* Ant. ger.: *preterível.*]

imprevidência (im.pre.vi.*dên*.ci:a) *sf.* 1 Falta de previdência, de previsão; DESPREOCUPAÇÃO: "...enquanto se empobrece e degenera Portugal, cavalheiresco e generoso até à imprevidência..." (Afrânio Peixoto, *Maias e Estevas*) [Ant.: *preocupação.*] 2 Negligência, desleixo, descuido [Ant.: *cautela, cuidado.*] [F.: *im-*[2] *+ previdência.* Ant. ger.: *previdência.*]

imprevidente (im.pre.vi.*den*.te) *a2g.* Di-se de pessoa que não tem cuidado; IMPRUDENTE; NEGLIGENTE: *Motorista imprevidente dirige sem cinto de segurança.* [Ant.: *atento, cauteloso, previdente.*] [F.: *im-*[2] *+ previdente.*]

imprevisão (im.pre.vi.*são*) *sf.* Falta de previsão: "Esta culpa de tantos, do medo de uns e da imprevisão de todos..." (Afrânio Peixoto, *Maias e Estevas*) [Pl.: *-sões.*] [F.: *im-*[2] *+ previsão.*]

imprevisibilidade (im.pre.vi.si.bi.li.*da*.de) *sf.* Qualidade ou caráter do que é imprevisível: "...o primeiro tempo terminou com o placar em branco, deixando esperançosos os defensores da teoria da absoluta imprevisibilidade dos clássicos." (*O Estado de S. Paulo*, 28.2.2005) [Ant.: *previsibilidade.*] [F.: *imprevisível + -(i)dade.*]

imprevisível (im.pre.vi.*sí*.vel) *a2g.* 1 Que não pode ser previsto; ALEATÓRIO: "...posso resumir em poucas palavras: o casamento é a coisa mais imprevisível do mundo..." (Gustavo Corção, *Três alqueires e uma vaca*) [Ant.: *calculável.*] [Pl.: *-veis.*] *s2g.* 2 O que não se pode prever; INESPERADO [F.: *im-*[2] *+ previsível.* Ant. ger.: *previsível.*]

imprevisto (im.pre.*vis*.to) *a.* 1 Que não pode ser previsto; CASUAL; FORTUITO: "...Preferia encerá-lo pela manhã, mas o encontro imprevisto o fizera antecipar a limpeza do quarto..." (Assis Brasil, "Baixo-contínuo" *in Histórias do amor maldito*) [Ant.: *calculado, esperado, previsto.*] *sm.* 2 Fato ou acontecimento que não pode ser previsto; ACIDENTE; INCIDENTE; INESPERADO: "...os contratempos e os imprevistos a que está sujeito quem viaja..." (Xavier Marques, *Feiticeiro*) [Ant.: *esperado.*] [F.: *im*[2] *+ previsto.*]

imprimátur (im.pri.*má*.tur) *Bibl. sm.* Palavra latina que significa *imprima-se,* e com a qual os censores régios ou eclesiásticos exprimiam a autorização para qualquer obra ser impressa: *O primaz negou-lhe o imprimátur.* [Pl.: *-res.*] [F.: forma substv. do lat. *imprimatur* 'imprima-se, seja impresso'.]

imprimir (im.pri.*mir*) *v.* 1 *Art. gr.* Fixar texto ou imagem em papel, cartão, metal, madeira, pedra etc., com uma ou mais cópias, usando método manual ou máquina de artes gráficas [*td.*] 2 Marcar, deixar estampado [*tda.*: *Imprimiu a impressão digital no documento; Imprimiram as pegadas no cimento fresco.*] 3 *Fig.* Dar, conferir [*tdi.* + *a*: *Imprimiu ao discurso um tom agressivo.*] 4 Publicar (texto) em jornal ou revista [*td.*] 5 *Inf.* Estampar texto ou imagem em papel por meio de impressora eletrônica, a partir de computador [*td.*] 6 *Fig.* Comunicar, transmitir; [*td.*: *Sua presença imprime confiança.*] [*tdi.* + *a, em*: *imprimir velocidade ao (ou no) carro; Imprimiu coragem às suas decisões.*] 7 Aplicar, desferir, desfechar [*tdr.* + *em*: *Quase imprimiu um tapa no desaforado.*] [▶ 3 imprimir Part.: *impresso* e *imprimido.*] [F.: Do lat. *imprimere.*]

imprimível (im.pri.*mí*.vel) *a2g.* 1 Próprio para impressão ou publicação 2 Que se pode ou deve imprimir (arquivo PDF imprimível) 3 Em que se pode imprimir; que recebe impressão (papel imprimível): *Verifique a área imprimível de sua impressora.* [F.: *imprimir + -vel.*]

improbabilidade (im.pro.ba.bi.li.*da*.de) *sf.* 1 Qualidade ou condição do que é improvável: *O autor tem de alegar e provar fatos dos quais se possa concluir a improbabilidade de ser o pai da criança.* [Ant.: *comprovável, demonstrável, provável.*] 2 Dúvida, incerteza [Ant.: *certeza, convicção.*] 3 Impossibilidade, inviabilidade, inexequibilidade [F.: *im-*[2] *+ probabilidade.* Ant. ger.: *probabilidade.*]

improbidade (im.pro.bi.*da*.de) *sf.* 1 Falta de probidade; DESONESTIDADE; IMORALIDADE: *O processo apura improbidade administrativa do secretário de finanças.* [Ant.: *honestidade, honradez, integridade, moralidade.*] 2 Perversidade, maldade, ruindade [Ant.: *bondade, generosidade.*] [F.: Do lat. *improbitis, atis.* Ant. ger.: *probidade.*]

ímprobo (*ím*.pro.bo) *a.* 1 Diz-se do que não é probo; DESONESTO: "...homenagem de ímproba ironia, que o absolutismo rende à verdade constitucional..." (Rui Barbosa, *Discursos e conferências*) [Ant.: *honesto, honrado, probo.*] 2 Que provoca cansaço, fadiga; CANSATIVO; DIFÍCIL: "Todo este ímprobo trabalho que às vezes custava uma só palavra, me seria levado à conta?" (José de Alencar, *Novas seletas.*) [Ant.: *fácil.* Ant. ger.: *probo.*] *sm.* 3 Aquele ou aquilo que não é probo: "Mas: ...O réprobo, o ímprobo, que me malsina os dias... já, vai vago, desembestando." (Guimarães Rosa, *Primeiras estórias*) [F.: Do lat. *improbus, a, um.*]

improcedência (im.pro.ce.*dên*.ci:a) *sf.* 1 Qualidade ou condição do que é improcedente; ABSURDO; IMPROBABILIDADE; INCOERÊNCIA [Ant.: *coerência, procedência.*] 2 *Jur.* Em que não existe a devida justificação jurídica, no pedido que é feito à autoridade judicial [F.: *im-*[2] *+ procedência.*]

improcedente (im.pro.ce.*den*.te) *a2g.* 1 Que não procede; sem justificativa (boato improcedente); INFUNDADO [Ant.: *concludente, verdadeiro.*] 2 Que não tem lógica (alegação improcedente); INCOERENTE; ILÓGICO [Ant.: *coerente, lógico.*] [F.: *im-*[2] *+ procedente.* Ant. ger.: *procedente.*]

improceder (im.pro.ce.*der*) *v. int. Jur.* Não ter fundamento: *O juiz considerou que a ação improcedia.* [▶ 2 improceder] [F.: *im-*[2] *+ proceder.*]

improducente (im.pro.du.*cen*.te) *a2g.* 1 Que não produz, que não apresenta resultados 2 Infértil, incultivável; ESTÉRIL [F.: *im-*[2] *+ producente.* Ant. ger.: *producente, fértil.*]

improdutível (im.pro.du.*tí*.vel) *a2g.* 1 Incapaz de produzir: *A mineração tornou o solo improdutível.* 2 Que não se pode produzir: *O projeto dessa máquina é improdutível;* [F.: *im-*[2] *+ produtível.* Ant. ger.: *produtível.*]

improdutividade (im.pro.du.ti.vi.*da*.de) *sf.* 1 Qualidade ou característica do que é improdutivo ou pouco fértil; ARIDEZ; INFERTILIDADE; INUTILIDADE [Ant.: *fecundidade, fertilidade, produtividade, proficuidade.*] 2 *P. ext. Fig.* Inutilidade [F.: *im-*[2] *+ produtividade.*]

improdutivo (im.pro.du.*ti*.vo) *a.* 1 Que não dá frutos (terra improdutiva); ÁRIDO; ESTÉRIL [Ant.: *fecundo, fértil.*] 2 Que não gera renda, que não é rentável (atividade improdutiva); DESVANTAJOSO [Ant.: *lucrativo, rentável.*] 3 Feito em vão (esforço improdutivo) [Ant.: *profícuo, proveitoso, útil.*] [F.: *im-*[2] *+ produtivo.*]

improferível (im.pro.fe.*rí*.vel) *a2g.* 1 Que não se pode ou não se deve proferir (frases improferíveis) 2 *Gram.* Diz-se de consoante como *b, p, t* etc., que não pode soar sem vogal [Pl.: *-veis.*] [F.: *im-*[2] *+ proferível.* Ant. ger.: *proferível.*]

improficiência (im.pro.fi.ci.*ên*.ci:a) *sf.* Caráter ou qualidade de improficiente; IGNORÂNCIA; INCAPACIDADE; INCOMPETÊNCIA [Ant.: *capacidade, competência, proficiência, proficuidade.*] [F.: *im-*[2] *+ proficiência.*]

improficiente (im.pro.fi.ci.*en*.te) *a2g.* 1 Que não é proficiente; que não dá proveito ou bom resultado; BALDADO; INÚTIL; IMPROFÍCUO [Ant.: *frutífero, profícuo, proveitoso, vantajoso.*] 2 Que não é competente, eficiente; INÁBIL; INCAPAZ; INCOMPETENTE [Ant.: *capaz, competente.*] [F.: *im-*[2] *+ proficiente.*]

improfícuo (im.pro.*fí*.cu:o) *a.* 1 Que não é profícuo, que não apresenta nenhum proveito; IMPRODUTIVO; INÚTIL: "D. Afonso Henriques desistira de continuar uma guerra improfícua..." (Oliveira Martins, *História de Portugal.*) [Ant.: *proveitoso, vantajoso.*] 2 Que fracassou (tarefa improfícua); FRUSTRADO; VÃO [Ant.: *proveitoso, útil.*] [F.: *im-*[2] *+ profícuo.* Ant. ger.: *profícuo.*]

⊕ **impromptu** (*Fr. /imprômptu/*) *Mús. sm.* Pequena peça musical com certo caráter de improvisação, ger. para piano, inventada e muito cultivada pelos compositores românticos; IMPROVISO [F.: Do lat. *in promptu,* 'sob os olhos, sob a mão'.]

impronúncia (im.pro.*nún*.ci:a) *sf. Bras. Jur.* 1 Decisão judicial que descaracteriza a competência do tribunal do júri para julgar o crime de que o réu é acusado [Ant.: *pronúncia.*] 2 Sentença penal que julga improcedente a acusação contra o réu 3 Ação ou resultado de impronunciar [F.: F. reg. de *impronunciar.* Hom./Par.: *impronúncia* (sf.), *impronuncia* (fl. de *impronunciar*).]

impronunciar (im.pro.nun.ci.*ar*) *v. td. Bras. Jur.* Considerar improcedente denúncia contra acusado, por serem as provas insuficientes: *O juiz impronunciou o empresário, que foi posto em liberdade.* [▶ 1 impronunciar] [F.: *im-*[2] *+ pronunciar.* Hom./Par.: *impronunciáveis* (fl.), *impronunciáveis* (pl. impronunciável, a2g.) *impronuncia(s)* (fl.), *impronúncia* (sf. e pl.). Ant. *pronunciar.*]

impronunciável (im.pro.nun.ci.*á*.vel) *a2g.* Que não se pode ou não se deve pronunciar: "...já houve tempo em que me consideraram pornográfico por escrever a palavra amante, e até a expressão 'estou grávida' era impronunciável e impublicável." (Millôr Fernandes, *Critérios*) [Ant.: *pronunciável.*] [Pl.: *-veis.*] [F.: *im-*[2] *+ pronunciável.* Hom./Par.: *impronunciáveis* (pl.), *impronunciáveis* (fl. de *impronunciar*).]

impropério (im.pro.*pé*.ri:o) *sm.* 1 Ato ou palavra que ofende gravemente, que ultraja; INSULTO; VITUPÉRIO: "...Antevia o espanto do homem, depois o agastamento, depois os impropérios, as palavras duras..." (Machado de Assis, *Quincas Borba*) 2 Reprimenda, admoestação, censura [Ant.: *elogio, louvor.*] [F.: Do lat. *improperium, ii.*]

impropriar (im.pro.pri.*ar*) *v.* 1 Tornar(-se) impróprio [*td.*: *O estado do motor impropriou seu conserto.*] [*tdr.* + *a*: *O reparo malfeito improprïou o aparelho ao uso diário.*] [*tr.* + *a*: *O cinema impropriou-se a exibições normais.*] 2 Fazer mal uso de; utilizar de maneira imprópria [*td.*: *Impropriou todas as normas do regulamento.*] [▶ 1 impropriar] [F.: *impróprio + -ar*[2]. Hom./Par.: *impropria* (fl.), *imprópria* (fem. de *impróprio* [a.]), *improprias* (fl.), *impróprias* (pl. do fem.); *improprio* (fl.), *impróprio* (a.).]

impropriedade (im.pro.pri:e.*da*.de) *sf.* 1 Qualidade ou caráter de impróprio 2 Erro, imprecisão, incoerência: *É uma impropriedade o emprego do verbo "descriminar" no sentido de "diferenciar".* [Ant.: *acerto, exatidão, precisão.*] 3 Inadequação, inconveniência, inoportunidade: "...Yedda tinha sido uma moça linda; a velhice lhe era de uma impropriedade pungente." (Elvia Bezerra, *Meu diário de Lya*) [Ant.: *adequação, conformidade, conveniência.*] 4 Gafe, deselegância, indiscrição: *Cometeu a impropriedade de falar mal da anfitriã.* [Ant.: *compostura, discrição, elegância.*] [F.: Do lat. *improprietas, atis.* Ant. ger.: *propriedade.*]

impróprio (im.*pró*.pri:o) *a.* 1 Que não é próprio, adequado; DESCABIDO; INAPROPRIADO: *programas de TV impróprios para crianças.* [Ant.: *acertado, apropriado.*] 2 Que não é conveniente; INCONVENIENTE; INOPORTUNO: *Eles apareceram lá numa hora muito imprópria.* [Ant.: *adequado, oportuno.*] 3 Indecente, indecoroso (comportamento impróprio) [Ant.: *decente, recatado.*] [F.: Do lat. *improprius, a, um.*]

improrrogabilidade (im.pror.ro.ga.bi.li.*da*.de) *sf.* Qualidade ou caráter do que é improrrogável; INADIABILIDADE [Ant.: *prorrogabilidade.*] [F.: *improrrogável + -(i)dade.*]

improrrogável (im.pror.ro.*gá*.vel) *a2g.* Que não se pode prorrogar; IMPRETERÍVEL; INADIÁVEL: "Faltavam vinte minutos para uma hora da tarde, hora improrrogável marcada por Lourenço Teles..." (Rebelo da Silva, *Mocidade de D. João V*) [Ant.: *adiável, prorrogável.*] [Pl.: *-veis.*] [F.: *im-*[2] *+ prorrogável.*]

improvável (im.pro.*vá*.vel) *a2g.* 1 Que não tem probabilidade de se realizar; DUVIDOSO; INCERTO: "Esperei dez anos, de um modo absurdo, improvável, irracional, como quem sonha um sorteio de loteria sem ao menos ter o bilhete..." (Gustavo Corção, *Lições de abismo*) [Ant.: *certo, garantido.*] 2 Que não se pode provar (declaração improvável); IMPOSSÍVEL; INACREDITÁVEL [Ant.: *comprovável, verossímil.*] [Pl.: *-veis.* Superl.: *improbabilíssimo.*] [F.: Do lat. *improbabilis, e.*]

improvisação (im.pro.vi.sa.*ção*) *sf.* 1 Ação ou resultado de improvisar 2 A coisa improvisada; IMPROVISO 3 *Teat.* Recurso de encenação pelo qual se procura obter a ação dramática a partir da espontaneidade do ator 4 *Psi.* Técnica us. em psicodrama com a finalidade de levar os pacientes a dramatizar seus conflitos pessoais [Pl.: *-ções.*] [F.: *improvisar + ção.*]

improvisado (im.pro.vi.*sa*.do) *a.* 1 Feito de improviso (discurso improvisado) 2 Feito às pressas (jantar improvisado) 3 Suposto, fictício: "Bom tratamento para a doente e para o improvisado médico..." (Jorge Amado, "A completa verdade sobre as discutidas aventuras do Comandante Vasco Moscoso de Aragão, capitão de longo curso" *in Os velhos marinheiros*) [Ant.: *verdadeiro, verídico.*] [F.: Part. de *improvisar.*]

improvisador (im.pro.vi.sa.*dor*) [ô] *a.* 1 Que improvisa: "Em outros círculos alumiados, a multidão abria os olhos diante dos improvisadores árabes..." (Eça de Queirós, *Notas contemporâneas*) *sm.* 2 Aquele que improvisa [F.: *improvisar + -dor.*]

improvisar (im.pro.vi.*sar*) *v.* 1 Criar ou realizar algo sem preparo prévio [*td.*: *Improvisaram uma sinalização nos* *dois lados da ponte.*] [**tdi.** + *a, para: Improvisou-lhe uns versos humorísticos; Improvisava novos pratos só para ela.*] [**int.**: *Como não preparara um discurso, improvisou.*] [Ant.: *planejar, preconceber.*] **2** *Restr.* Compor e executar (música, dança) ao mesmo tempo [**td.**: *Improvisou uma stück schumanniana.*] [**int.**: *Mago do jazz, improvisou no sax a noite toda.*] **3** Citar falsamente ou elaborar algo com intenção de enganar; FORJAR [**td.**: *improvisar uma credencial da imprensa.*] **4** Assumir uma ocupação em caso de necessidade, sem estar preparado [**tdp.**: *A mulher improvisou-se em parteira.*] [▶ **1** improvisar] [F.: *improviso* + *-ar²*. Hom./Par.: *improviso* (fl.), *improviso* (a. sm.).]

improviso (im.pro.*vi*.so) *sm.* **1** O que é dito ou feito sem preparação prévia; IMPROVISAÇÃO: *O novo programa de TV quer reunir humor e improviso.* **2** *Mús.* Composição curta e livre, ger. para piano **3** *Mús.* Conjunto de modificações introduzidas pelo intérprete no momento da execução da melodia *a.* **4** Imprevisto repentino [Ant.: *planejado, premeditado.*] [F.: Do it. *improvvisus, a, um.* Hom./Par.: *improviso* (fl. de *improvisar*).] ■ **De ~ 1** Sem preparação ou ensaio prévios (fala, discurso, execução de música etc.): *Não vou escrever o discurso, prefiro falar de improviso.* **2** De maneira imprevista, subitamente: *Estava quieto o tempo todo, mas, de improviso, começou a gritar.*

imprudência (im.pru.*dên*.ci:a) *sf.* **1** Falta de prudência, de cautela: "Está ouvindo!? (...) Não se fala em outra coisa na rua. Acho imprudência o senhor sair hoje..." (Aníbal Machado, "O iniciado do vento" *in Histórias reunidas*) [Ant.: *cautela, cuidado.*] **2** Ato impensado, irresponsável; IRREFLEXÃO [Ant.: *ponderação, reflexão.*] [F.: Do lat. *imprudentia, ae.* Ant. ger.: *prudência.*]

imprudente (im.pru.*den*.te) *a2g.* Que não tem prudência, que não é cauteloso (motorista imprudente); DESCUIDADO; ESTOUVADO [Ant.: *cuidadoso, prudente.*] [F.: Do lat. *imprudens, entis.* Hom./Par.: *impudente* (adj. e subst.).]

impúbere (im.*pú*.be.re) *a2g.* **1** Que ainda não chegou à puberdade **2** *Jur.* Diz-se de menor até os 16 anos, considerado absolutamente incapaz de exercer pessoalmente atos da vida civil **3** De ou próprio de pessoa impúbere: "Mesmo por isso, não se dava ao trabalho de rebater a barra da saiazinha impúbere que ainda usava..." (Raul Pompeia, *História cândida*) *s2g.* **4** Pessoa impúbere [F.: Do lat. *impubes* ou *impubis, eris.* Sin. ger.: *impubescente.* Ant. ger.: *púbere, pubescente.*]

impubescência (im.pu.bes.*cên*.ci:a) *sf.* **1** Estado ou condição de impúbere; IMPUBERDADE **2** O início da puberdade [F.: *impubescente* + *-ia¹*. Ant. ger.: *pubescência.*]

impubescente (im.pu.bes.*cen*.te) *a2g. s2g.* O mesmo que *impúbere* [F.: Do lat. *impubescens, entis* 'liso, sem pelos ou barba'.]

impublicável (im.pu.bli.*cá*.vel) *a2g.* Que não se pode ou não se deve publicar (texto impublicável, imagens impublicáveis) [Ant.: *publicável.*] [Pl.: *-veis.*] [F.: *im-²* + *publicável.*]

impudência (im.pu.*dên*.ci:a) *sf.* **1** Falta de pudor, de vergonha; DESCARAMENTO; SEM-VERGONHICE [Ant.: *decência, decoro.*] **2** Ação ou dito impudente; INSOLÊNCIA; OUSADIA **3** Falta de moral; CINISMO; DESFAÇATEZ [Ant.: *respeito.*] [F.: Do lat. *impudentia, ae.* Sin. ger.: *impudor.*]

impudente (im.pu.*den*.te) *a2g.* **1** Que não tem pudor; DESPUDORADO; SEM-VERGONHA: "Os olhos do nhô pondo-se num avanço, o sujeito impudente..." (Guimarães Rosa, "Buriti" *in Noites do sertão*) *s2g.* **2** Pessoa sem pudor **3** Insolente, atrevido [Ant.: *respeitoso, sério.*] [F.: Do lat. *impudens, entis.* Ant. ger.: *pudente.* Hom./Par.: *imprudente* (adj.).]

impudicícia (im.pu.di.*cí*.ci:a) *sf.* **1** Falta de pudicícia, de pudor, de recato; DESPUDOR; INDECÊNCIA [Ant.: *decência, pudor.*] **2** Ato ou dito impudico **3** Falta de honestidade, de honra; DESONESTIDADE; IMPROBIDADE [Ant.: *honestidade, integridade.*] [F.: Do lat. *impudicitia, ae.* Ant. ger.: *pudicícia.*]

impudico (im.pu.*di*.co) *a.* **1** Que não tem pudor; DESAVERGONHADO; IMORAL; SEM-VERGONHA: "...na penumbra acariciadora daquele ignorado e impudico santuário de paixões inconfessáveis..." (Adolfo Caminha, *Bom crioulo*) [Ant.: *envergonhado, recatado.*] **2** Devasso, libidinoso [Ant.: *casto, puro.*] *sm.* **3** Indivíduo impudico [F.: Do lat. *impudicus, a, um.* Ant. ger.: *pudico.*]

impudor (im.pu.*dor*) [ô] *sm.* **1** Falta de pudor; DESCARAMENTO; DESPUDOR: "A matéria, o impudor, o apetite rude, o aviltamento (...) andam sujando a tua alma, ó homem!" (Eça de Queirós, *Prosas bárbaras*) [Ant.: *decência, decoro.*] **2** Ver *impudência* [F.: *im-²* + *pudor.* Ant. ger.: *pudor.*]

impugnação (im.pug.na.*ção*) *sf.* **1** Ação ou resultado de impugnar; OPOSIÇÃO; CONTRADIÇÃO **2** *Jur.* Conjunto de razões ou argumentos com que se impugna [Pl.: *-ções.*] [F.: Do lat. *impugnatio, onis.*]

impugnado (im.pug.*na*.do) *a.* **1** Que se impugnou (urna impugnada) *sm.* **2** Aquele que sofreu impugnação: *O impugnado não fez alegações finais.* [F.: Do lat. *impugnatus, a, um.*]

impugnante (im.pug.*nan*.te) *s2g.* **1** Aquele que impugna, que contesta *a2g.* **2** Que impugna [F.: Do lat. *impugnans, antis.* Sin. ger.: *contraditor, impugnador.* Ant. ger.: *contestado, impugnado.*]

impugnar (im.pug.*nar*) *v. td.* **1** Refutar, exibindo argumentos; tornar ilegítimo: *Por suspeita de fraude, o Tribunal Eleitoral impugnou as eleições.* [Ant.: *apoiar, aprovar.*] **2** Opor-se a: *Os professores impugnaram várias decisões do coordenador.* [Ant.: *anuir, concordar.*] [▶ **1** impugnar] [F.: Do lat. *impugnare.* Hom./Par.: *impugnáveis* (fl.), *impugnáveis* (pl. de *impugnável* [a2g.]).]

impugnativo (im.pug.na.*ti*.vo) *a.* **1** Que impugna ou serve para impugnar: *As partes estudarão a viabilidade do meio impugnativo.* **2** Que encerra impugnação, oposição, contestação: "Porque eu me recuso a aderir ao fascismo do silêncio impugnativo que diferentes grupos de esquerda vêm tentando impor aos professores universitários e aos pesquisadores." (José de Souza Martins, *Diário do Pará*, 14.05.2000) [F.: *impugnar* + *-tivo.* Sin. ger.: *impugnatório.*]

impugnatório (im.pug.na.*tó*.ri:o) *a.* O mesmo que *impugnativo* [F.: *impugnar* + *-tório.*]

impugnável (im.pug.*ná*.vel) *a2g.* Que pode ou deve ser impugnado [Pl.: *-veis.*] [F.: *impugnar* + *-vel.* Hom./Par.: (pl.) *impugnáveis* (fl. de *impugnar*).]

impulsão (im.pul.*são*) *sf.* **1** Ver impulso **2** *Mús.* Emissão inicial de som de instrumento eletrônico, ocasião da transformação da energia elétrica em sonora [Pl.: *-sões.*] [F.: Do lat. *impulsio, onis.*] ■ **~ angular** *Fís.* Integral de um momento de força aplicada sobre um corpo estendido, durante o tempo de aplicação dessa força **~ específica** *Astron.* Ver *Impulso específico* no verbete *impulso*

impulsar (im.pul.*sar*) *v.* **1** Dar impulso a; IMPELIR; IMPULSIONAR [**td.**: *O empurrão impulsou o carrinho do garoto.*] **2** *Fig.* Fornecer estímulo a; INCITAR [**td.**: *A vontade de vencer impulsou o time para frente.*] [**tdr.** + *a: Impulsou o filho a viajar para o exterior;* "Que dever de honra o impulsava a desprezar a vida que ia arriscar em tantas aventuras" (F. Coelho)] [▶ **1** impulsar] [F.: *impulso* + *-ar²*. Hom./Par.: *impulso* (fl.), *impulso* (sm.).]

impulsionador (im.pul.si:o.na.*dor*) [ô] *a.* **1** Que impulsiona; IMPELENTE; IMPULSIONANTE *sm.* **2** Aquele que impulsiona [F.: *impulsionar* + *-dor.* Sin. ger.: *impelidor, impulsor.*]

impulsionamento (im.pul.si:o.na.*men*.to) *sm.* O mesmo que *impulso* [F.: *impulsionar* + *-mento.*]

impulsionar (im.pul.si:o.*nar*) *v.* **1** Fazer algo movimentar-se; IMPELIR; PROPULSAR [**td.**: *Doze motores impulsionavam o Dornier X.*] [Ant.: *puxar.*] **2** *Fig.* Dar estímulo a; INCENTIVAR [**td.**: *Só as exportações impulsionaram a economia do país.*] [**tdr.** + *a: A fé impulsionava-o a continuar vivendo.*] [Ant.: *esmorecer.*] [▶ **1** impulsionar] [F.: *impulsão*, na f. *impulsion-* + *-ar²*.]

impulsividade (im.pul.si.vi.*da*.de) *sf.* Qualidade do que é impulsivo: "Valorizava-a – ou desvalorizava-a? – uma preocupação de fraqueza e uma impulsividade que derrotavam o raciocínio." (Sarmento de Beires, *Trajectórias*) [F.: *impulsivo* + *-(i)dade.*]

impulsivo (im.pul.*si*.vo) *a.* **1** Que dá impulso, que impele (força impulsiva); IMPULSIONADOR; IMPULSOR **2** Que age por impulso, sem pensar; IRREFLETIDO; PRECIPITADO [Ant.: *cauteloso, prudente.*] **3** Que se empolga ou se enfurece facilmente; COLÉRICO; GENIOSO [Ant.: *fleumático, imperturbável.*] *sm.* **4** Pessoa que age por impulso, sem reflexão **5** Pessoa irritadiça [F.: *impulso* + *ivo.*]

impulso (im.*pul*.so) *sm.* **1** Ação de pôr em movimento, de impelir: "...somente a partir de 1920 (...) é que a construção das estradas de rodagem começou a tomar impulso..." (Virgílio Noya Pinto, *Comunicação e cultura brasileira*) **2** *Fig.* Tendência instintiva que impele o indivíduo a realizar ou a recusar determinados atos; ARROUBO; ELÃ **3** *Fig.* Estímulo, incitamento: "...Aqui, o denunciado perdeu o impulso com que vinha falando..." (Aníbal Machado, "O iniciado do vento" *in Histórias reunidas*) [Ant.: *desencorajamento, desestímulo.*] **4** *Psic.* Processo dinâmico que consiste em uma carga energética que faz o organismo tender a um fim determinado **5** *Eletrôn.* Grupo de oscilações de altíssima frequência que ocorrem sucessivamente no tempo; PULSO **6** *Arq.* Peso que os arcos e as abóbadas exercem sobre os suportes **7** *Esp.* Fase do salto que sucede à corrida e com a qual se inicia o salto propriamente dito **8** *Fís.* Produto de uma força pelo intervalo de tempo durante o qual ela age; IMPULSÃO **9** *Med.* Sinal nervoso transmitido ao longo da membrana neuronial por meio de uma corrente elétrica [F.: Do lat. *impulsus, us.* Hom./Par.: *impulso* (fl. de *impulsar*).] ■ **~ específico** *Astnáut.* Grandeza que representa a força de impulsão de um combustível de foguete, resultado da divisão do empuxo pela quantidade de combustível consumida por segundo **~ nervoso** *Fisl.* Onda eletroquímica ao longo de fibra nervosa

impulsor (im.pul.*sor*) [ô] *a.* **1** Que impulsiona, que impele; IMPULSIONADOR; IMPULSIVO: "...a força impulsora deixara de trabalhar; o andamento não obedecia ao maquinismo..." (Sanches de Frias, *Ercília*) *sm.* **2** *Fig.* Instigador: "...estímulos secretos do sangue, impulsores de mera convenção..." (Camilo Castelo Branco, *Demônio do ouro*) [Ant.: *desestimulante.*] [F.: Do lat. *impulsor, oris.*]

impune (im.*pu*.ne) *a2g.* Que não recebeu punição ou castigo por erro ou crime cometido; IMPUNIDO: "Nesse estado de consciência coletiva, a justiça é impossível. Por isso os assassinos ficam geralmente impunes..." (Júlio Dantas, *Arte de amar*) [Ant.: *castigado, punido.*] [F.: Do lat. *impunis, e.*]

impunidade (im.pu.ni.*da*.de) *sf.* **1** Falta de punição ou do castigo devido a um certo delito **2** Caráter ou condição de impune **3** Estado de tolerância ao crime [F.: Do lat. *impunitas, atis.*]

impunido (im.pu.*ni*.do) *a.* O mesmo que *impune*: "Não era bem que a inocência levasse a pena, e a violência injusta ficasse impunida." (Pe. Manuel Bernardes) [Ant.: *punido.*] [F.: Do lat. *impunitus, a, um.*]

impunível (im.pu.*ní*.vel) *a2g.* Que não se pode ou não se deve punir: *Os crimes cometidos por insanos são impuníveis.* [Ant.: *punível.*] [F.: im-² + *punível.* Hom./Par.: *impunível* (a2g.) *imponível* (a2g.).]

impureza (im.pu.*re*.za) [ê] *sf.* **1** Condição, estado ou qualidade de impuro; POLUIÇÃO: *a impureza do ar nos centros urbanos.* [Ant.: *despoluição, limpeza.*] **2** Coisa impura **3** Falta de pureza ou de asseio; DESASSEIO; IMUNDÍCIE; SUJEIRA [Ant.: *asseio, limpeza.*] **4** *Fig.* Impudicícia; IMPUDOR; INDECÊNCIA [Ant.: *decência, pudor.*] **5** *Rel.* Situação determinada por certos atos ou estados que infringem o ritual; IMPIEDADE: "...advertireis os filhos de Israel a respeito de suas impurezas, para que não morram por causa delas..." (Bíblia, *Levítico*) **6** *Eletrôn.* Átomo estranho que se vem situar entre outros dois ou no lugar de outro de uma rede cristalina semicondutora **7** *Metal.* Pequena quantidade de elementos de natureza diferente dos constituintes do metal ou da liga-base e que se introduz de maneira aleatória durante sua elaboração **8** Tudo que inquina a pureza de uma substância: *as impurezas da água.* [F.: Do lat. *impuritia, ae.* Ant. ger.: *pureza.*] ■ **~ aceitadora** *Eletrôn.* Átomo na estrutura de um semicondutor, que, por ter um elétron de valência a menos do que o necessário para uma ligação covalente com átomos vizinhos, tende a aceitar um elétron disponível na estrutura **~ doadora** *Eletrôn.* Átomo na estrutura de um semicondutor, que, por ter um elétron de valência a mais do que o necessário para uma ligação covalente com átomos vizinhos, tende a doar um elétron à estrutura

impuro (im.*pu*.ro) *a.* **1** Que não é puro, que tem sua pureza contaminada pela presença de elementos infectados (água impura); POLUÍDO; SUJO [Ant.: *despoluído, limpo.*] **2** Pecaminoso, sujo, sórdido (pensamentos impuros) [Ant.: *decente, íntegro.*] **3** Impudico, imoral, lascivo [Ant.: *casto, inocente.*] **4** *Rel.* Na lei mosaica, aquilo que é impróprio para o culto, para contato ou para consumo, como certos animais, a mulher de parto recente, o homem em impureza sexual; IMUNDO: "O *Levítico*, de caráter quase exclusivamente legislativo (...), contém (...) as normas referentes ao puro e ao impuro..." (Bíblia de Jerusalém, *Introdução ao Pentateuco*) **5** *Ling.* Que não é correto (diz-se de linguagem) [Ant.: *castiço, vernáculo.*] **6** Que se misturou (raça impura); MESTIÇO; MISCIGENADO *sm.* **7** Pessoa impura (2, 3) [F.: Do lat. *impurus, a, um.*]

imputabilidade (im.pu.ta.bi.li.*da*.de) *sf.* **1** *Jur.* Possibilidade de se atribuir a responsabilidade ou autoria de um crime a alguém, com base em provas, por não haver impedimento legal: "Aos 18 anos, o jovem também está sujeito à imputabilidade penal." (*Folha Online*, 11.06.2003) **2** Qualidade de imputável [F.: *imputável* + *-(i)dade*, segundo o modelo erudito. Ant. ger.: *inimputabilidade.* Hom./Par.: *imputabilidade* (sf), *impotabilidade* (sf).]

imputação (im.pu.ta.*ção*) *sf.* **1** Inculpação, acusação, com fundamento ou sem ele **2** Consciência do alcance daquilo que se diz ou faz e responsabilidade pelas consequências: *É um inconsequente sem imputação.* **3** Ação ou resultado de imputar **4** *Jur.* Atribuição a uma pessoa a responsabilidade por um crime ou da sua autoria; INCRIMINAÇÃO **5** *Com.* Dedução que se deve fazer na importância de um crédito, quando o credor desfrutou os bens de um devedor ou arrecadou qualquer quantia pertencente ao mesmo devedor [Pl.: *-ções.*] [F.: Do lat. *imputatio, onis.*]

imputado (im.pu.*ta*.do) *sm.* **1** Aquele que sofreu imputação: *O imputado só é considerado culpado após condenação.* *a.* **2** Que se imputou [F.: part. de *imputar.*]

imputar (im.pu.*tar*) *v. tdi.* **1** Atribuir a uma pessoa a responsabilidade (negativa ou positiva) de; TAXAR [+ *a: Imputou a um punhado de bravos a culpa da derrota; Imputava à libido a energia de sua criatividade.*] **2** Classificar ou caracterizar como [+ *a: Imputava aos rebeldes o estigma da loucura.* Ant.: *eximir.*] **3** Dar, conferir [+ *a: O professor imputou a Y o valor 10.*] [▶ **1** imputar] [F.: Do lat. *imputare.* Hom./Par.: *imputa* (fl.), *imputa* (sf.); *imputas* (fl.), *imputas* (pl. de *imputa*); *impute* (fl.), *impute* (sm.); *imputes* (fl.), *imputes* (pl. de *impute*); *imputáveis* (fl.), *imputáveis* (pl. de *imputável* [a2g.]).]

imputável (im.pu.*tá*.vel) *a2g.* **1** Que pode ou deve ser imputado; ATRIBUÍVEL **2** Que deve ser levado em conta [Pl.: *-veis.*] [F.: *imputar* + *vel.* Hom./Par.: (pl.), *imputáveis* (fl. de *imputar*), *impotável* (adj.).]

imputrescibilidade (im.pu.tres.ci.bi.li.*da*.de) *sf.* Qualidade ou característica do que é imputrescível, que não é suscetível de apodrecer [Ant.: *putrescibilidade.*] [F.: *imputrescível* + *-(i)dade*, segundo o modelo erudito.]

imputrescível (im.pu.tres.*ci*.vel) *a2g.* Que não apodrece, que não se corrompe [Ant.: *putrescível.*] [Pl.: *-veis.*] [F.: *im-²* + *putrescível.*]

imundar (i.mun.*dar*) *v.* Tornar(-se) imundo, sujo [**td.**: *A sopa derramada imundou a mesa.*] [**tr.** + com: *Imundou-se com a graxa do carro.*] [F.: *imundo* + *-ar²*. Hom./Par.: *imundo* (fl.), *imundo* (a.); *imunda* (fl.), *imunda* (fem. do a.); *imundas* (fl.), *imundas* (pl. do fem.).]

imundice (i.mun.*di*.ce) *sf.* Ver *imundície*

imundície (i.mun.*dí*.ci:e) *sf.* **1** Sujeira, falta de asseio; DESASSEIO; PORCARIA: "...os pousos costumavam ser na imundície dos ranchos de gente largada ao deus-dará..." (Mário Palmério, *Chapadão do bugre*) **2** *Bras.* Caça miúda de pelo **3** *Bras. Pop.* Grande quantidade: *uma imundície de* *pessoas.* **4** *PA* Onda de insetos e ácaros que atacam o gado [F.: Do lat. tardio *immunditia, ae.* Tb. *imundice.*]

imundo (i.*mun*.do) ***a.*** **1** Muito sujo: *Quer tirar esse pé* *__imundo__ do sofá?!* **2** *Fig.* Imoral, obsceno (atos __imundos__) [F.: Do lat. *immundus.* Hom./Par.: *imundo* (a.), *imundo* (fl. de *imundar*); *imunda* (fem.), *imunda* (fl. de *imundar*).]

imune (i.*mu*.ne) ***a2g.*** **1** Que tem resistência a um agente infeccioso, a uma doença; RESISTENTE **2** Que não sofre, não é afetado por: "...Sol __imune__ às leis da meteorologia..." (João Cabral de Melo Neto, "Num monumento à aspirina" *in Antologia poética*) **3** Que está isento de quaisquer ônus ou encargos; DESONERADO; LIVRE [F.: Do lat. *immunis, e.* Ant. ger.: *exposto, sujeito, suscetível.*]

imunematologia (i.mu.ne.ma.to.lo.*gi*.a) ***sf.*** *Med.* Ramo da hematologia que estuda as propriedades antigênicas e as manifestações patológicas resultantes da reação anticorpo–antígeno [F.: *imun(o)- + hematologia.*]

imunematológico (i.mu.ne.ma.to.*ló*.gi.co) ***a.*** *Med.* Ref. a imunematologia [F.: *imunematologia + -ico*[2].]

imunematologista (i.mu.ne.ma.to.lo.*gis*.ta) ***s2g.*** *Med.* Profissional especializado em imunematologia [F.: *imunematologia + -ista.*]

imunidade (i.mu.ni.*da*.de) ***sf.*** **1** *Imun.* Resistência natural ou adquirida de um organismo contra contaminações; IMUNIZAÇÃO; PROTEÇÃO [Ant.: *desproteção, suscetibilidade.*] **2** *Fig.* Capacidade de resistir a algo; DEFESA; PROTEÇÃO: *__imunidade__ à demagogia.* [Ant.: *desproteção, sujeição.*] **3** *Jur.* Isenção de obrigações, penas ou encargos em função do cargo exercido; DESOBRIGAÇÃO; DISPENSA [Ant.: *dever, obrigação.*] [F.: Do lat. *immunitas, atis.*] ■ **~ adquirida** *Imun.* Aquela que, como defesa ante determinada infecção, resulta da formação de anticorpos pelo organismo, seja por indução da própria infecção, por vacinação (imunidade ativa), ou por transferência de anticorpos de um doador já imunizado (imunidade passiva), num soro, p. ex **~ ativa** *Imun.* Ver *Imunidade adquirida* **~ diplomática** *Dipl.* O conceito e a instância de gozarem funcionários diplomáticos de um país, quando em exercício de suas funções, de vantagens e proteções especiais, como isenções tributárias, não sujeição a jurisdição local etc. **~ fiscal** *Econ.* Vedação da incidência de impostos em casos específicos, conforme determinados pela Constituição federal [Cf.: *Isenção fiscal.*] **~ passiva** *Imun.* Ver *Imunidade adquirida*

imunitário (i.mu.ni.*tá*.ri:o) ***a.*** Que se refere a imunidade; IMUNOLÓGICO [F.: Do fr. *immunitaire.*]

imunização (i.mu.ni.za.*ção*) ***sf.*** Ação ou processo de imunizar [Pl.: *-ções.*] [F.: *imunizar + -ção.*]

imunizado (i.mu.ni.*za*.do) ***a.*** Que se tornou imune [F.: Part. de *imunizar.*]

imunizante (i.mu.ni.*zan*.te) ***a2g.*** Que imuniza; IMUNIZADOR [F.: *imunizar + -nte.*]

imunizar (i.mu.ni.*zar*) ***v.*** **1** Tornar imune ou resistente a uma doença [***td.***: *Com a vacina, __imunizaram__ todas as crianças.*] [***tdr.*** *+ contra: A paixão pela mulher __imunizou__-o contra o vírus da AIDS.*] **2** *Fig.* Tornar insensível ou indiferente a; DEFENDER [***tdr.*** *+ contra, de: A filosofia o __imunizou contra__ a maré de burrice.*] [▶ **1 imunizar**] [F.: *imune + -izar*; ing. (to) *immunize.*]

◎ **imun(o)-** ***el. comp.*** = 'livre'; 'isento'; 'imune'; '(*p. ext.*) imunológico'; 'imunologia', 'imunidade': *imunematologia, imunizar, imunobiotecnologia, imunoblasto, imunocompetência, imunodeficiente, imunoglobina, imunopatologia, imunoterapia* [F.: Do lat. *immunis, e.*]

imunobiotecnologia (i.mu.no.bi.o.tec.no.lo.*gi*.a) ***sf.*** *Biol.* Biotecnologia da imunologia [F.: *imun(o)- + biotecnologia.*]

imunoblasto (i.mu.no.*blas*.to) ***sm.*** *Histl.* O mesmo que *linfoblasto* [F.: *imun(o)- + -blasto.*]

imunócito (i.mu.*nó*.ci.to) ***sm.*** *Histl.* Célula de imunização [F.: *imun(o)- + -cito.*]

imunocompetência (i.mu.no.com.pe.*tên*.ci:a) ***sf.*** *Med.* Capacidade de responder imunologicamente à exposição de antígeno [F.: *imun(o)- + competência.*]

imunocompetente (i.mu.no.com.pe.*ten*.te) ***a2g.*** **1** Que apresenta imunocompetência ou relativo a ela ***s2g.*** **2** Aquele que apresenta imunocompetência [F.: *imun(o)- + competente.*]

imunodeficiência (i.mu.no.de.fi.ci.*ên*.ci:a) ***sf.*** *Imun.* Deficiência nas defesas imunológicas de um organismo [F.: *imun(o)- + deficiência.*]

imunodeficiente (i.mu.no.de.fi.ci.*en*.te) ***a2g.*** **1** Que sofre de imunodeficiência ***s2g.*** **2** Aquele que sofre de imunodeficiência [F.: *imun(o)- + deficiente.*]

imunodepressão (i.mu.no.de.pres.*são*) ***sf.*** *Med.* Diminuição gradual de resposta imunológica observada no curso de algumas doenças [Pl.: *-sões.*] [F.: *imun(o)- + depressão.* Cf.: *imunossupressão.*]

imunodepressivo (i.mu.no.de.pres.*si*.vo) ***a.*** **1** Diz-se daquele que sofre de imunodepressão ***sm.*** **2** Indivíduo que sofre de imunodepressão [F.: *imun(o)- + depressivo.*]

imunodepressor (i.mu.no.de.pres.*sor*) [ô] ***a.*** O mesmo que *imunossupressor* [F.: *imun(o)- + depressor.*]

imunodeprimido (i.mu.no.de.pri.*mi*.do) ***a.*** **1** *Med.* Que sofre de imunodepressão ***sm.*** **2** *Med.* Aquele que sofre de imunodepressão [F.: *imun(o)- + deprimido.*]

imunoematologia (i.mu.no.e.ma.to.lo.*gi*.a) ***sf.*** *Med.* Ver *imunematologia*

imunoematológico (i.mu.no.e.ma.to.*ló*.gi.co) ***a.*** *Med.* Ver *imunematológico*

imunoematologista (i.mu.no.e.ma.to.lo.*gis*.ta) ***s2g.*** *Med.* Ver *imunematologista*

imunofluorescência (i.mu.no.flu.o.res.*cên*.ci:a) ***sf.*** Método que identifica material antigênico de natureza virótica ou bacteriana no qual foram empregados anticorpos marcados com corante fluorescente [F.: *imun(o)- + fluorescência.*]

imunogenicidade (i.mu.no.ge.ni.ci.*da*.de) ***sf.*** Propriedade de criar imunidade; qualidade ou característica de imunogênico [F.: *imunogênico + -(i)dade.*]

imunogênico (i.mu.no.*gê*.ni.co) ***a.*** Que induz uma reação imunológica [F.: *imun(o)- + -gênico.*]

imunoglobulina (i.mu.no.glo.bu.*li*.na) ***sf.*** *Imun.* Proteína que se encontra no soro sanguíneo e que constitui anticorpos capazes de assegurar a imunidade humoral; IMUNOGLOBINA [F.: *imun(o)- + globulina.*]

imuno-hematologia (i.*mu*.no-he.ma.to.lo.*gi*.a) ***sf.*** *Med.* Ver *imunematologia*

imuno-hematológico (i.mu.no-he.ma.to.*ló*.gi.co) ***a.*** *Med.* Ver *imunematológico*

imuno-hematologista (i.mu.no-he.ma.to.lo.*gis*.ta) ***s2g.*** *Med.* Ver *imunematologista*

imunologia (i.mu.no.lo.*gi*.a) ***sf.*** *Med.* Ramo da medicina e da biologia que estuda os diversos fenômenos ligados à imunidade [F.: *imun(o)- + -logia.*]

📖 O organismo humano dispõe de um sistema capaz de identificar corpos estranhos nocivos a ele (ger. provindos do meio exterior) e de provocar dentro do próprio organismo a fabricação de substâncias que combaterão esses corpos e eventualmente os destruirão ou eliminarão. Esse sistema, que visa a tornar o organismo imune à ação patogênica dos invasores, chama-se *imunológico*. Baseia-se na informação fornecida por 'aliados' presentes entre os invasores, e chamados *antígenos*, para fabricar (em órgãos como o timo e o baço) os *anticorpos* que, na corrente sanguínea, combaterão os invasores. Nessa luta, podem ser auxiliados por substâncias inoculadas, ou pela inoculação do próprio agente invasor em doses muito pequenas (vacina), o que provoca a reação preventiva do organismo, fabricando os anticorpos que garantirão a imunidade caso uma invasão real aconteça. Nos casos de transplantes de órgãos, é preciso atenuar o sistema imunológico para evitar que o órgão transplantado seja combatido. A mais grave doença imunológica é a AIDS, ou SIDA (ver *AIDS*), na qual o sistema imunológico é neutralizado pelo retrovírus HIV, ficando vulnerável a infecções oportunistas que podem levar à morte.

imunológico (i.mu.no.*ló*.gi.co) ***a.*** Ref. à imunologia [F.: *imunologia + -ico*[2].]

imunologista (i.mu.no.lo.*gis*.ta) ***a2g.*** **1** *Med.* Diz-se de profissional da área médica especialista em imunologia ***s2g.*** **2** *Med.* Esse profissional; IMUNÓLOGO [F.: *imunologia + -ista.*]

imunomodulação (i.mu.no.mo.du.la.*ção*) ***sf.*** *Med.* Manipulação do sistema imunológico de um indivíduo com intuito de obter modificação de sua resposta a determinada moléstia: *__imunomodulação__ por meio da administração de imunoglobulina endovenosa.* [Pl.: *-ções.*] [F.: *imun(o)- + modulação.*]

imunomodulador (i.mu.no.mo.du.la.*dor*) [ô] ***a.*** **1** Diz-se do agente que regula as reações imunológicas ***sm.*** **2** Aquele que estimula ou inibe essas reações [F.: *imun(o)- + modulador.*]

imunopatologia (i.mu.no.pa.to.lo.*gi*.a) ***sf.*** Ramo da patologia que estuda as reações imunológicas do organismo associadas a doenças [F.: *imun(o)- + patologia.*]

imunopatológico (i.mu.no.pa.to.*ló*.gi.co) ***a.*** Que se refere a imunopatologia [F.: *imunopatologia + -ico*[2].]

imunopatologista (i.mu.no.pa.to.lo.*gis*.ta) ***s2g.*** Aquele que se especializou em imunopatologia [F.: *imunopatologia + -ista.*]

imunossupressão (i.mu.nos.su.pres.*são*) ***sf.*** O mesmo que *imunodepressão* [Pl.: *-sões.*] [F.: *imun(o)- + supressão.*]

imunossupressivo (i.mu.no.su.pres.*si*.vo) ***a.*** O mesmo que *imunossupressor* [F.: *imun(o)- + supressivo.*]

imunossupressor (i.mu.no.su.pres.*sor*) [ô] ***a.*** **1** Capaz de provocar imunossupressão ***sm.*** **2** Medicamento, substância ou tratamento que provoca imunossupressão [F.: *imun(o)- + supressor.*]

imunoterapia (i.mu.no.te.ra.*pi*.a) ***sf.*** *Med.* Tratamento de doença com medicação que desenvolve anticorpos no organismo [F.: *imun(o)- + -terapia.*]

imunoterápico (i.mu.no.te.*rá*.pi.co) ***a.*** *Med.* Ref. à imunoterapia [F.: *imunoterapia + -ico*[2].]

imutabilidade (i.mu.ta.bi.li.*da*.de) ***sf.*** Qualidade do que é imutável; ESTABILIDADE [Ant.: *instabilidade, mutabilidade.*] [F.: Do lat. *immutabilitas, atis.*]

imutável (i.mu.*tá*.vel) ***a2g.*** Que não muda; ESTÁVEL; PERMANENTE: "...Regra certa, __imutável__, consolidada, sem variação..." (Cora Coralina, "Nota" *in Poemas dos becos de Goiás e estórias mais*) [Ant.: *instável, mutável.*] [Pl.: *-veis.*] [F.: Do lat. *immutabilis, e.*]

◎ **in-**[1] ***pref.*** = em[2]: *incorrer, inspirar*

◎ **in-**[2] ***pref.*** = negação, privação: *inclemente, incolor*

⊕ **in** (*Ing.* /in/) ***a.*** **1** *Bras.* Que está na moda: *Frequentar restaurantes exóticos agora é __in__.* [Ant.: *out.*] ***Prep.*** **2** Em bibliografia, us. para indicar a fonte de citação

◎ **-ina**[1] ***suf.*** = formador de adj. ou de subst., como fem. de -ino: *pequenina*

◎ **-ina**[2] ***suf.*** *Quím.* = us. com a noção de 'substância química': *anilina*

inabalado (i.na.ba.*la*.do) ***a.*** Que não se abalou; FIRME; SEGURO [Ant.: *abalado, bambo.*] [F.: *in- + abalado.*]

inabalável (i.na.ba.*lá*.vel) ***a2g.*** **1** Que está muito firme (rocha __inabalável__); ESTÁVEL; FIXO [Ant.: *instável, oscilante.*] **2** Profundamente arraigado (árvore __inabalável__); ENRAIZADO [Ant.: *superficial.*] **3** Resistente, inquebrantável (coragem __inabalável__) [Ant.: *hesitante, vacilante.*] **4** Imperturbável (serenidade __inabalável__) [Ant.: *perturbável.*] [Pl.: *-veis.*] [F.: *in*[2] *+ abalável.* Ant. ger.: *abalável.*]

inabarcável (i.na.bar.*cá*.vel) ***a2g.*** Que não se pode abarcar [Ant.: *abarcável.*] [Pl.: *-veis.*] [F.: *in- + abarcável.*]

inábil (i.*ná*.bil) ***a2g.*** **1** Que não é hábil, que não tem aptidão; DESAJEITADO; INAPTO; INCOMPETENTE [Ant.: *jeitoso, hábil, habilidoso.*] **2** *Jur.* Legalmente incapaz [Ant.: *capaz.*] [Pl.: *-beis.*] [F.: Do lat. *inhabilis, e.*]

inabilidade (i.na.bi.li.*da*.de) ***sf.*** **1** Falta de habilidade ou de aptidão; INCAPACIDADE; INAPTIDÃO **2** Procedimento inábil [F.: *inábil + -(i)dade.* Ant.: *habilidade.*]

inabilitação (i.na.bi.li.ta.*ção*) ***sf.*** Falta de aptidão, de habilitação [Pl.: *-ções.*] [F.: *inabilitar + -ção.*]

inabilitado (i.na.bi.li.*ta*.do) ***a.*** **1** Que demonstra incapacidade física ou moral **2** Diz-se daquele que não foi aprovado em concurso, prova, exame etc. [F.: Part. de *inabilitar.* Ant. ger.: *habilitado.*]

inabilitar (i.na.bi.li.*tar*) ***v.*** **1** Tornar(-se) incapacitado para atividade, função etc. [***td.***: *Desejava ser piloto, mas a miopia o __inabilitou__.*] [***tdr.***: *Com o acidente, __inabilitou-se__ para o cargo.*] **2** Reprovar em exame ou avaliação [***td.***: *O vestibular __inabilitou__ muitos candidatos.*] **3** Impedir o acesso a serviços [***td.***: *Por engano, o banco __inabilitou__ a conta do cliente.*] [▶ **1 inabilitar**] [F.: *in-*[2] *+ habilitar.* Ant. ger.: *habilitar.*]

inabitabilidade (i.na.bi.ta.bi.li.*da*.de) ***sf.*** **1** Condição ou estado do que é inabitável **2** Ausência de condições de habitabilidade [F.: *inabitável + -(i)dade.* Ant. ger.: *habitabilidade.*]

inabitado (i.na.bi.*ta*.do) ***a.*** Que não é ou não está habitado; DESABITADO; ERMO [Ant.: *habitado, povoado.*] [F.: *in-*[2] *+ habitado.*]

inabitável (i.na.bi.*tá*.vel) ***a2g.*** **1** Que não é habitável, que não se tem condição de habitar [Ant.: *habitável.*] **2** *Fig.* Intratável, inabordável: "...Eu hoje estou __inabitável__..." (Abgar Renault, "Balada da irremediável tristeza" *in A outra face da lua*) [Pl.: *-veis.*] [F.: *in-*[2] *+ habitável.*]

inabitual (i.na.bi.tu.*al*) ***a2g.*** Que não é habitual; INCOMUM; RARO [Pl.: *-ais.*] [F.: *in-*[2] *+ (h)abitual.*]

inabordável (i.na.bor.*dá*.vel) ***a2g.*** **1** Que não apresenta condições de ser abordado (trilha __inabordável__); INACESSÍVEL [Ant.: *abordável.*] **2** Diz-se de pessoa pouco tratável ou receptiva [Pl.: *-veis.*] [F.: *in-*[2] *+ abordável.*]

⊕ ***in absentia*** (*in absentia*) ***loc. a.*** *Jur.* Diz-se do julgamento que se realiza sem a presença do réu

inacabado (i.na.ca.*ba*.do) ***a.*** Que não está concluído (obras __inacabadas__); INCOMPLETO [Ant.: *acabado.*] [F.: *in-*[2] *+ acabado.*]

inacabável (i.na.ca.*bá*.vel) ***a2g.*** Que não se pode acabar; INTERMINÁVEL [Pl.: *-veis.*] [F.: *in-*[2] *+ acabável.*]

inação (i.na.*ção*) ***sf.*** **1** Ausência de ação; INÉRCIA **2** Indecisão, irresolução, pusilanimidade [Pl.: *-ções.*] [F.: *in-*[2] *+ ação.* Hom./Par.: *inação* (sf.), *enação* (sf.).]

inaceitabilidade[1] (ina.cei.ta.bi.li.*da*.de) ***sf.*** Caráter ou qualidade do que é inaceitável [F.: *inaceitável* [*-vel > -bil(i)-*] *+ -dade.*]

inaceitabilidade[2] (i.na.cei.ta.bi.li.*da*.de) ***sf.*** Condição do que é inaceitável [F.: *inaceitável + bil (i)- + -dade.*]

inaceitável (i.na.cei.*tá*.vel) ***a2g.*** Que não é aceitável (desculpas __inaceitáveis__); INADMISSÍVEL; INCONCEBÍVEL; INTOLERÁVEL [Ant.: *aceitável, admissível.*] [Pl.: *-veis.*] [F.: *in-*[2] *+ aceitável.*]

inacessibilidade (i.na.ces.si.bi.li.*da*.de) ***sf.*** Qualidade do que é inacessível [Ant.: *acessibilidade.*] [F.: Do lat. *inaccessabilitas, atis.*]

inacessível (i.na.ces.*sí*.vel) ***a2g.*** **1** Que não dá acesso, que não oferece condições de lá se chegar ou entrar (cume __inacessível__) **2** Intratável, inabordável (pessoa __inacessível__) **3** Que não pode ser alcançado pela inteligência; INCOMPREENSÍVEL: *O absoluto é para nós __inacessível__.* **4** Que não é suscetível de ser impressionado por certos sentimentos, por certas ações: *__inacessível__ ao ódio/ às ameaças.* [Pl.: *-veis.*] [F.: Do lat. tardio *inaccessibilis, e.* Ant. ger.: *acessível.*]

inácia (i.*ná*.ci.a) ***sf.*** *Bras. Mar.* Norma, regulamento de serviço [F.: orig. obsc., posv. de um antrop. feminino.] ■ **Cumprir a ~** *Mar. G.* Cumprir regulamento, normas, instruções etc. **Estar fora da ~** *Mar. G.* Descumprir, desrespeitar normas, regulamentos etc. **Ser da ~** *Mar. G.* Cumprir regularmente, ter como norma de conduta o cumprimento de regulamentos, prescrições, instruções etc.

inacreditável (i.na.cre.di.*tá*.vel) ***a2g.*** **1** Em que não se pode acreditar; INCRÍVEL [Ant.: *acreditável.*] **2** Extraordinário, espantoso, surpreendente [Pl.: *-veis.*] [F.: *in-*[2] *+ acreditável.*]

inacusável (i.na.cu.*sá*.vel) ***a2g.*** Que não pode ou não deve ser acusado; que não oferece elementos para merecer acusação [Ant.: *acusável.*] [Pl.: *-veis.*] [F.: *in-*[2] *+ acusável.*]

inadaptabilidade (i.na.dap.ta.bi.li.*da*.de) ***sf.*** Ausência de adaptabilidade: *__inadaptabilidade__ das espécies arbóreas à redução das chuvas.* [Ant.: *adaptabilidade.*] [F.: *inadaptável*, sob a f. *inadaptabil-*, + *-(i)dade*, seg. o mod. erudito.]

inadaptação (i.na.dap.ta.*ção*) *sf.* Falta ou dificuldade de adaptação; DESAJUSTE: *inadaptação às novas tecnologias.* [Ant.: *adaptação.*] [Pl.: *-ções.*] [F.: *in-*[2] + *adaptação.*]

inadaptado (i.na.dap.*ta*.do) *a.* **1** Que não se adapta ou não se adaptou: *discurso inadaptado à realidade. sm.* **2** Aquele que não se adapta a um certo meio, situação etc.: *Na vida social, foi um eterno inadaptado.* [F.: *in-*[2] + *adaptado.* Ant. ger.: *adaptado.*]

inadaptar (i.na.dap.*tar*) *v.* Não efetuar a adaptação de; não se adaptar a algo [*td.*: *O trauma inadaptou o rapaz para viver normalmente; Inadaptou-se à vida no campo.*] [▶ 1 inadapt**ar**] [F.: *in-*[2] + *adaptar*. Hom./Par.: *inadaptáveis* (fl.), *inadaptáveis* (pl. de *inadaptável* [adj. 2g.]).]

inadaptável (i.na.dap.*tá*.vel) *a2g.* Que não é adaptável, que não se adapta [Ant.: *adaptável.*] [Pl.: *-veis.*] [F.: *in-*[2] + *adaptável*. Hom.: *inadaptáveis* (pl.), *inadaptáveis* (fl. de *inadaptar*).]

inadequabilidade (i.na.de.qua.bi.li.*da*.de) *sf.* Condição ou qualidade do que é inadequável, do que não se consegue adequar: *inadequabilidade da matéria-prima utilizada.* [Ant.: *adequabilidade.*] [F.: *inadequável*, sob a f. *inadequabil-*, + *-(i) dade*, seg. o mod. erudito.]

inadequação (i.na.de.qua.*ção*) *sf.* Qualidade do que é inadequado; falta de adequação: "A evidente inadequação das instituições para menores não é novidade." (*O Globo*, 15.01.2005) [Ant.: *adequação.*] [Pl.: *-ções.*] [F.: *in-*[2] + *adequação.*]

inadequado (i.na.de.*qua*.do) *a.* **1** Não é adequado, não apropriado (comportamento inadequado); INCONVENIENTE **2** Inadaptado, desajustado, não compatível: *pessoas inadequadas ao mundo de hoje.* [F.: *in-*[2] + *adequado.* Ant. ger.: *adequado, próprio.*]

inadequável (i.na.de.*quá*.vel) *a2g.* Que não é adequável, que não se consegue adequar: *Uma máquina que venha a ser inadequada e inadequável ao seu real contexto é um desastre.* [Ant.: *adequável.*] [Pl.: *-veis.*] [F.: *in-*[2] + *adequável.*]

inadiabilidade (i.na.di.a.bi.li.*da*.de) *sf.* Qualidade ou condição do que é inadiável, do que não se pode deixar para depois: *a inadiabilidade de uma decisão definitiva.* [Ant.: *adiabilidade.*] [F.: *inadiável*, sob a f. *inadiabil-*, + *-(i)dade*, seg. o mod. erudito.]

inadiável (i.na.di.*á*.vel) *a2g.* Que não pode ser adiado (evento inadiável; prazo inadiável) [Ant.: *adiável, prorrogável.*] [Pl.: *-veis.*] [F.: *in-*[2] + *adiável.*]

inadimplemento (i.na.dim.ple.*men*.to) *sm. Jur.* O mesmo que *inadimplência* [Ant.: *adimplemento.*] [F.: *inadimplir* + *-emento.*]

inadimplência (i.na.dim.*plên*.ci:a) *sf. Jur.* Falta de observância de um contrato, parcial ou integralmente; INADIMPLEMENTO: *A lei proíbe o corte de água por inadimplência.* [F.: *in-*[2] + *adimplência.*]

inadimplente (i.na.dim.*plen*.te) *Jur. a2g.* **1** Que não cumpre um contrato **2** *Restr.* Que não liquida ou ainda não liquidou os encargos financeiros de um contrato *s2g.* **3** Aquele ou aquela que não cumpre ou ainda não cumpriu um contrato, esp. no que se refere aos encargos financeiros que lhe competem: "...tratam da mesma forma o sonegador e o simples inadimplente." (*O Globo*, 27.01.2005) [F.: *in-*[2] + *adimplente*. Ant. ger.: *adimplente.*]

inadimplir (i.na.dim.*plir*) *v. td. Jur.* Não cumprir (contrato, prestação etc.) nos termos convencionados; DESCUMPRIR [Ant.: *adimplir*] [▶ 3 inadimpl**ir**] [F.: *in-*[2] + *adimplir.*]

inadmissibilidade (i.nad.mis.si.bi.li.*da*.de) *sf.* Condição ou qualidade do que é inadmissível; INACEITABILIDADE: *O Estado solicita que seja declarada a inadmissibilidade da denúncia.* [Ant.: *aceitabilidade, admissibilidade.*] [F.: *inadmissível*, sob a f. *inadimissibil-*, + *-(i)dade*, seg. o mod. erudito.]

inadmissível (i.nad.mis.*sí*.vel) *a2g.* Que não é admissível, que não pode ou não deve ser admitido (motivos inadmissíveis); INACEITÁVEL [Ant.: *admissível.*] [Pl.: *-veis.*] [F.: *in-*[2] + *admissível.*]

inadmitido (i.nad.mi.*ti*.do) *a.* Que não foi aceito; RECUSADO; VETADO: *Recurso extraordinário inadmitido.* [Ant.: *aceito, admitido, permitido.*] [F.: *in-*[2] + *admitido.*]

inadunado (i.na.du.*na*.do) *a.* Não adunado; AFASTADO; SEPARADO [Ant.: *adunado, juntado, unido.*] [F.: *in-*[2] + *adunado.*]

inadvertência (i.nad.ver.*tên*.ci:a) *sf.* **1** Falta de atenção, descuido, distração: *Os recipientes foram deixados abertos por inadvertência.* **2** Falta de reflexão, de prudência que acaba resultando em erro ou falha: *Por inadvertência, fez uma declaração imprópria.* [F.: *in-*[2] + *advertência.*]

inadvertido (i.nad.ver.*ti*.do) *a.* **1** Não avisado; DESAVISADO: *O carteiro inadvertido não percebeu o cão.* [Ant.: *advertido, prevenido.*] **2** Feito sem cuidado, prudência (ação inadvertida); DESCUIDADO; DISTRAÍDO [F.: *in-*[2] + *advertido.*]

⊕ **in aeternum** (*Lat. /in ajternum/*) *loc. adv.* Para sempre: "...os homens, ao reconhecer nela a aliança sempre almejada e sempre frustrada do Real e do Ideal, decerto a teriam aclamado in aeternum, como a definitiva Divindade" (Eça de Queirós, *Cartas d'amor*)

inafastável (i.na.fas.*tá*.vel) *a2g.* Que não se pode ou consegue afastar, desconsiderar: *requisito inafastável para a conclusão do curso.* [Ant.: *afastável.*] [Pl.: *-veis.*] [F.: *in-*[2] + *afastável.*]

inaferível (i.na.fe.*rí*.vel) *a2g.* Que é impossível de se aferir, verificar: *É inaferível a procedência legal de sua decisão.* [Ant.: *aferível.*] [Pl.: *-veis.*] [F.: *in-*[2] + *aferível.*]

inafetivo (i.na.fe.*ti*.vo) *a.* Desprovido de afeto, não afetivo: *Tinha na voz um tom inafetivo e debochado, como de desprezo.* [Ant.: *afetivo.*] [F.: *in-*[2] + *afetivo.*]

inafiançável (i.na.fi:an.*çá*.vel) *a2g.* Que não pode ser objeto de fiança (crime inafiançável) [Ant.: *afiançável.*] [Pl.: *-veis.*] [F.: *in-*[2] + *afiançável.*]

inafirmativo (i.na.fir.ma.*ti*.vo) *a.* **1** Que não é afirmativo, não afirma nem confirma [Ant.: *afirmativo.*] **2** Que não é preciso, categórico; DÚBIO; IMPRECISO [Ant.: *categórico, decisivo, resoluto.*] **3** Diz-se daquele que é indolente; APÁTICO; INDIFERENTE [Ant.: *interessado.*] [F.: *in-*[2] + *afirmativo.*]

inajá (i.na.*já*) *Bot. s2g.* **1** Palmeira nativa do Brasil (*Maximiliana maripa*), cujos frutos têm polpa suculenta e cuja amêndoa, da qual se extrai óleo, é tb. comestível; INAJAZEIRO **2** O fruto aromático e de sabor doce dessa palmeira [Mais us. como sm.] [F.: Do tupi *ina'ya*. Tb.: *anaiá, anajá.*]

inajustável (i.na.jus.*tá*.vel) *a2g.* Que não se pode ou consegue ajustar: *regra jurídica deficiente ou inajustável à especificidade do caso.* [Ant.: *ajustável.*] [Pl.: *-veis.*] [F.: *in-*[2] + *ajustável.*]

inalação (i.na.la.*ção*) *sf.* **1** Ação ou resultado de inalar: *A inalação excessiva de fumaça foi fatal.* **2** *Med.* Inspiração de medicamentos: *Ontem fez a primeira de uma série de dez inalações.* [Pl.: *-ções.*] [F.: Do lat. *inhalatio, onis.*]

inalado[1] (i.na.*la*.do) *a.* Sem asas, não alado [Ant.: *alado.*] [F.: *in-*[2] + *alado.*]

inalado[2] (i.na.*la*.do) *a.* **1** Que se inalou, absorveu pelas vias respiratórias **2** *Fig.* Que se assimilou, absorveu [F.: Part. de *inalar.*]

inalador (i.na.la.*dor*) [ô] *a.* **1** Que serve para fazer inalação (aparelho inalador) *sm.* **2** Instrumento com que se faz inalação (inalador de vapor) [F.: *inalar* + *-dor.*]

inalante (i.na.*lan*.te) *a2g.* **1** Que absorve ou é absorvido por inspiração (sifão inalante) **2** Diz-se de medicamento adequado para inalações *sm.* **3** Substância própria para ser inalada [F.: Do lat. *inhalans, ntis.* Sin. ger.: *inalatório.*]

inalar (i.na.*lar*) *v.* **1** Aspirar profundamente (ar, remédio, gás etc.) [*td.*: *Adoeceu por inalar o produto.*] [*int.*: *É preciso inalar e exalar pausadamente.*] [Ant.: *exalar.*] **2** *Fig.* Receber, assimilar [*td.*: *inalar o ensinamento dos grandes mestres.*] [▶ 1 inal**ar**] [F.: Do v.lat. *inhalare.* Hom./Par.: *inaláveis* (fl.), *inaláveis* (pl. de *inalável* [a2g.]).]

inalatório (i.na.la.*tó*.ri:o) *a.* **1** Que inala; INALANTE: *óxido nítrico inalatório; corticoide inalatório.* **2** Absorvido por inalação; INALANTE **3** Diz-se de medicamento próprio para inalações; INALANTE *sm.* **4** Esse medicamento; INALANTE [F.: *inalar* + *-tório.*]

inalável (i.na.*lá*.vel) *a2g.* Que pode ser inalado (insulina inalável) [Pl.: *-veis.*] [F.: *inalar* + *-vel.* Hom./Par.: *inaláveis* (pl.), *inaláveis* (fl. de *inalar*).]

inalcançado (i.nal.can.*ça*.do) *a.* Que não se alcançou; INATINGIDO; INCONQUISTADO: *O segredo do espaço inalcançado.* [Ant.: *alcançado, atingido, conquistado.*] [F.: *in-*[2] + *alcançado.*]

inalcançável (i.nal.can.*çá*.vel) *a2g.* Que não se pode alcançar ou atingir (perfeição inalcançável); INATINGÍVEL [Ant.: *alcançável, atingível.*] [Pl.: *-veis.*] [F.: *in-*[2] + *alcançável.*]

inalienabilidade (i.na.li:e.na.bi.li.*da*.de) *sf.* **1** Qualidade ou condição do que é inalienável (direito inalienável) **2** *Jur.* Característica de bem que, quando de sua transmissão por herança ou doação, não pode ser alienado nem penhorado; INDISPONIBILIDADE: *imóveis com cláusula de inalienabilidade.* [F.: *inalienável*, sob a f. *inalienabil-*, + *-(i)dade*, seg. o mod. erudito. Ant. ger.: *alienabilidade.*]

inalienável (i.na.li:e.*ná*.vel) *a2g.* **1** Que não se pode transferir ou alienar para outrem (bens inalienáveis); INALHEÁVEL; INTRANSFERÍVEL **2** Que não se pode tomar de alguém ou retirar-lhe: *Num estado de direito, a liberdade é um direito inalienável do indivíduo.* **3** *Ling.* Diz-se da indicação gramatical assinalando que a relação de posse expressa no nome é indispensável ou permanente [Pl.: *-veis.*] [F.: *in-*[2] + *alienável.* Ant. ger.: *alienável.*]

inalterabilidade (i.nal.te.ra.bi.li.*da*.de) *sf.* Estado, condição ou qualidade do que é inalterável; CONSTÂNCIA; IMUTABILIDADE; PERMANÊNCIA: *princípio da inalterabilidade do contrato de trabalho.* [Ant.: *alterabilidade, instabilidade, mutabilidade.*] [F.: *inalterável*, sob a f. *inalterabil-*, + *-(i)dade*, seg. o mod. erudito.]

inalterado (i.nal.te.*ra*.do) *a.* **1** Que não sofreu alteração; não alterado: *A administração da empresa permanece inalterada.* [Ant.: *modificado.*] **2** Que não perdeu a serenidade, a calma (espírito inalterado); TRANQUILO [F.: *in-*[2] + *alterado.* Ant. ger.: *alterado.*]

inalterável (i.nal.te.*rá*.vel) *a2g.* **1** Que não pode ser alterado; CONSTANTE; IMUTÁVEL: *As leis da natureza são inalteráveis.* **2** Impassível, sem alteração; IMPERTURBÁVEL: *rosto de expressão inalterável.* [Pl.: *-veis.*] [F.: *in-*[2] + *alterável.* Ant. ger.: *alterável.*]

inambulação (i.nam.bu.la.*ção*) *sf.* Ação de andar de um lado para o outro; DEAMBULAÇÃO; PASSEIO: "...hoje como há um século, a saltar de um para outro lado, numa inambulação desesperadora, ora ao norte, ora ao sul" (Euclides da Cunha, *Peru versus Bolívia*) [Pl.: *-ções.*] [F.: *inambular* + *-ção.*]

inambular (i.nam.bu.*lar*) *v. int.* Passear de um lado para outro; DEAMBULAR; PERAMBULAR: *Pensativo, inambulava pelo jardim.* [▶ 1 inambul**ar**] [F.: *in-*[1] + *ambular.*]

inamissibilidade (i.na.mis.si.bi.li.*da*.de) *sf.* Qualidade ou condição do que é inamissível: *a inamissibilidade de um direito.* [Ant.: *amissibilidade.*] [F.: *inamissível*, sob a f. *inamissibil-*, + *-(i)dade*, seg. o mod. erudito.]

inamissível (i.na.mis.*sí*.vel) *a2g.* Que não está sujeito a perder-se [Ant.: *amissível.*] [Pl.: *-veis.*] [F.: *in-*[2] + *amissível.*]

inamistoso (i.na.mis.*to*.so) [ô] *a.* Que não é amigável (encontro inamistoso); HOSTIL [Ant.: *amistoso.*] [Pl.: [ó]. Fem.: [ó].] [F.: *in-*[2] + *amistoso.*]

inamovibilidade (i.na.mo.vi.bi.li.*da*.de) *sf.* **1** Qualidade ou condição do que é inamovível **2** *Jur.* Prerrogativa constitucional concedida aos magistrados e a determinadas categorias do funcionalismo público de não serem transferidos, exceto por relevante interesse público ou desejo próprio [F.: *inamovível*, sob a f. *inamovibil-*, + *-(i)dade*, seg. o mod. erudito. Ant. ger.: *amovibilidade.*]

inamovível (i.na.mo.*ví*.vel) *a2g.* **1** Que não pode ser movido ou removido de um lugar para outro: *O pilar é inamovível.* **2** *Fig.* Que se mantém inabalável, incorrompível (crenças inamovíveis); FERRENHO; PERTINAZ **3** *Jur.* Que não pode ser demitido arbitrariamente, mas só por sentença e nos casos previstos: *Os juízes de direito são inamovíveis.* [Pl.: *-veis.*] [F.: *in-*[2] + *amovível.* Ant. ger.: *amovível.*]

inana (i.*na*.na) *sf.* **1** *Pop.* Situação difícil, aflitiva; APURO; DIFICULDADE **2** *P. ext.* Aquilo que causa aborrecimento, amolação; MAÇADA **3** *P. ext.* Briga, pancadaria [F.: De or. obsc. Hom./Par.: *inana* (sf.), *inane* (a2g.).]

inane (i.*na*.ne) *a2g.* **1** Vazio, cujo espaço não foi ocupado (vaso inane) **2** *Fig.* Sem utilidade, razão ou efeito, vão, frívolo, fútil (discurso inane) **3** *Fig. P. us.* Em estado de inanição; INANIDO [F.: Do lat. *inanis, e.* Hom./Par.: *inane* (a2g.), *inana.*]

inanição (i.na.ni.*ção*) *sf.* **1** Extrema debilidade ou fraqueza por falta de alimentação: *Morreu de inanição.* **2** Estado de inane, do que está vazio (diz-se esp. do estômago); INÂNIA **3** *Biol.* Condição em que se encontra uma célula ou um organismo que carece de um elemento essencial à sua sobrevivência [Pl.: *-ções.*] [F.: Do lat. *inanitio, onis.*]

inanidade (i.na.ni.*da*.de) *sf.* **1** Qualidade do que é inane, sem conteúdo, vazio; VACUIDADE **2** *Fig.* Qualidade do que é inútil ou fútil; FUTILIDADE; INUTILIDADE: *a inanidade do ser humano perante o que o destrói.* [F.: Do lat. *inanitas, atis.*]

inanimado (i.na.ni.*ma*.do) *a.* **1** Que não tem movimento; INERTE: "Arma de fogo é um objeto inanimado, não sai por aí matando as pessoas." (*O Globo*, 22.04.2005) **2** Que não tem vida ou deixou de ter (corpo inanimado); MORTO **3** Que desfaleceu, desmaiou, perdeu os sentidos **4** *Fig.* Que carece de animação ou de vivacidade: "...murmurou meditativamente, sem despegar do meu pobre amigo o olhar inanimado e gelado." (Eça de Queirós, *Notas contemporâneas*) **5** Desprovido de alma [Sin. das acps. 2, 3, 4 e 5: *inânime.*] *sm.* **6** *Bras.* Ladrão que não é valente, corajoso ou destemido [F.: Do lat. *inanimatus, a, um.* Ant. ger.: *animado.*]

inânime (i.*nâ*.ni.me) *a.* **1** Sem movimento, sem alma; ESTÁTICO; INANIMADO; INERTE [Ant.: *dinâmico, movimentado.*] **2** Que está morto [Ant.: *vivo.*] [F.: Do lat. imperial *inanimis, e.*]

inanir (i.na.*nir*) *v. td. int. P. us.* Levar a ou cair em estado de inanição; debilitar(-se), extenuar(-se) [▶ 59 inan**ir**] [F.: Do v.lat. *inanire.* Hom./Par.: *inania* (fl.), *inânia* (sf.); *inanias* (fl.), *inânias* (pl. do sf.).]

inapagável (i.na.pa.*gá*.vel) *a2g.* Que não se pode apagar (marca inapagável) [Ant.: *apagável.*] [Pl.: *-veis.*] [F.: *in-*[2] + *apagável.*]

inaparente (i.na.pa.*ren*.te) *a2g.* Que não está ou é aparente: *forma inaparente de uma infecção virótica.* [Ant.: *aparente.*] [F.: *in-*[2] + *aparente.*]

inapelabilidade (i.na.pe.la.bi.li.*da*.de) *sf.* Qualidade, característica ou propriedade de inapelável: *a inapelabilidade das decisões do Tribunal Superior.* [Ant.: *apelabilidade.*] [F.: *inapelável*, sob a f. *inapelabil-*, + *-(i)dade*, seg. o mod. erudito.]

inapelável (i.na.pe.*lá*.vel) *a2g.* De que não há apelação ou de que não é possível apelar (sentença inapelável); IRRECORRÍVEL [Ant.: *apelável.*] [Pl.: *-veis.*] [F.: *in-*[2] + *apelável.*]

inapetência (i.na.pe.*tên*.ci:a) *sf.* **1** Falta de apetite; ANOREXIA **2** *Fig.* Falta de disposição, de vontade, de desejo: *A inapetência das equipes deixou o placar em 0 x 0.* [F.: *in-*[2] + *apetência.* Ant. ger.: *apetência, apetite.*]

inapetente (i.na.pe.*ten*.te) *a2g.* **1** Que não costuma ter ou não está com apetite (filhos inapetentes); ANORÉXICO; ENFASTIADO [Ant.: *comilão, guloso, voraz.*] **2** *P. ext.* Que não sente desejo, não tem apetite sexual [Ant.: *cúpido, lascivo, sensual.*] [F.: *in-*[2] + *apetente.* Ant. ger.: *apetente.*]

inaplicabilidade (i.na.pli.ca.bi.li.*da*.de) *sf.* Estado ou característica do que não é aplicável; IMPRESTABILIDADE; INUTILIDADE; NULIDADE: *a inaplicabilidade de algumas normas previstas em lei.* [Ant.: *aplicabilidade, prestabilidade, utilidade.*] [F.: *inaplicável*, sob a f. *inaplicabil-*, + *-(i)dade*, seg. o mod. erudito.]

inaplicado (i.na.pli.*ca*.do) *a.* **1** Que não teve aplicação, que não foi aplicado (verba inaplicada): "...gen. Ernesto Geisel, pode deixar inaplicado o divórcio até as eleições de 1978." (*Folha de S.Paulo*, 25.07.1977) **2** Que se mostra descuidado, sem aplicação; DESATENTO; DISTRAÍDO [Ant.: *atento, interessado.*] [F.: *in-*[2] + *aplicado.* Ant. ger.: *aplicado.*]

inaplicável (i.na.pli.*cá*.vel) *a2g.* Que não tem aplicação, que não pode ser aplicado: *Nova lei de financiamento é inaplicável para contratos antigos.* [Pl.: *-veis.*] [F.: *in-*[2] + *aplicável.*]

inapreciável (i.na.pre.ci.*á*.vel) *a2g.* **1** Que, pelo seu tamanho diminuto, não pode ser apreciado, estimado (quantidade inapreciável) **2** Cujo valor, preço ou utilidade é superior ao que se pode calcular; INESTIMÁVEL; INCALCULÁVEL: *joias raras de valor inapreciável.* [Pl.: *-veis.*] [F.: *in-*[2] + *apreciável.* Ant. ger.: *apreciável.*]

inapreensibilidade (i.na.pre.en.si.bi.li.*da*.de) *sf.* Condição do que é inapreensível: *...a inapreensibilidade de Deus, o mistério de sua intangibilidade; a inapreensibilidade dos fenômenos mentais por leis físicas.* [Ant.: *apreensibilidade.*] [F.: *inapreensível,* sob a f. *inapreensibil-*, + *-(i)dade,* seg. o mod. erudito.]

inapreensível (i.na.pre.en.*sí*.vel) *a2g.* Que não se pode apreender; INCOMPREENSÍVEL: *linguagem inapreensível pela inteligência humana.* [Ant.: *apreensível, compreensível.*] [Pl.: *-veis.*] [F.: *in-*[2] + *apreensível.*]

inapresentável (i.na.pre.sen.*tá*.vel) *a2g.* **1** Que não é ou não está apresentável: *Viu-se em estado inapresentável até para os próprios companheiros.* **2** Indigno de ser apresentado (pesquisa inapresentável) [Pl.: *-veis.*] [F.: *in-*[2] + *apresentável.* Ant. ger.: *apresentável.*]

inapropriado (i.na.pro.pri.*a*.do) *a.* Que não é apropriado; IMPRÓPRIO; INADEQUADO: *livro com texto inapropriado para crianças.* [Ant.: *apropriado, adequado.*] [F.: *in-*[2] + *apropriado.*]

inaproveitado (i.na.pro.vei.*ta*.do) *a.* Do qual não se tira proveito: *potencial hidrelétrico inaproveitado.* [Ant.: *aproveitado.*] [F.: *in-*[2] + *aproveitado.*]

inaproveitável (i.na.pro.vei.*tá*.vel) *a2g.* Que não se pode aproveitar (material inaproveitável) [Ant.: *aproveitável.*] [Pl.: *-veis.*] [F.: *in-*[2] + *aproveitável.*]

inaproximável (i.na.pro.xi.*má*.vel) *a2g.* De que não se pode aproximar: *Criou uma imagem distante e inaproximável.* [Ant.: *aproximável.*] [Pl.: *-veis.*] [F.: *in-*[2] + *aproximável.*]

inaptidão (i.nap.ti.*dão*) *sf.* **1** Falta de aptidão, incapacidade, inabilidade (inaptidão administrativa) [Ant.: *aptidão, habilidade.*] **2** Qualidade ou condição daquele que não tem inteligência; ESTUPIDEZ **3** *Jur.* Falta de capacidade ou de habilitação para realização de um ato jurídico; INABILITAÇÃO [Pl.: *-dões.*] [F.: *in-*[2] + *aptidão.* Hom./Par.: *inaptidão* (sf.), *ineptidão* (sf.).]

inapto (i.*nap*.to) *a.* Que não é apto, capaz; INÁBIL; INCAPAZ: *Foi considerado inapto para o trabalho no exame psicológico.* [Ant.: *apto, habilitado.*] [F.: *in-*[2] + *apto.* Hom./Par.: *inapto* (a.), *inepto* (a.).]

◎ **-inar** *suf.* = Ação frequentativa: *ajardinar, examinar, sabatinar.*

inarmonia (i.na.mor.*ni*.a) *sf.* **1** Falta de afinação; DISSONÂNCIA [Ant.: *afinação, consonância, eufonia.*] **2** *Fig.* Conflito, divergência [Ant.: *conciliação, entendimento.*] **3** Discordância de ideia, pensamento; DESACORDO [Ant.: *acordo, concordância.*] **4** Falta de proporção, de simetria, de equilíbrio; DESELEGÂNCIA; DISSIMETRIA: *inarmonia de cores, de formas.* [Ant.: *equilíbrio, proporção, simetria.*] [F.: *in-*[2] + *harmonia.* Sin. ger.: *desarmonia.* Ant. ger.: *harmonia.*]

inarmônico (i.nar.*mô*.ni.co) *a.* Ref. a inarmonia; que não tem harmonia (conjunto inarmônico); DESARMÔNICO; INARMONIOSO [Ant.: *harmônico, harmonioso.*] [F.: *in-*[2] + *harmônico.*]

inarrancável (i.nar.ran.*cá*.vel) *a2g.* Que não se pode arrancar, remover: *Esse tronco é inarrancável; um sentimento inarrancável do peito é o amor à pátria.* [Ant.: *arrancável, removível.*] [Pl.: *-veis.*] [F.: *in-*[2] + *arrancável.*]

inarrável (i.nar.*rá*.vel) *a2g.* Que não se pode narrar; INDIZÍVEL; INENARRÁVEL: "A impaciência da ave vai num crescendo de cólera inarrável." (Fialho de Almeida, *O país das uvas*) [Ant.: *narrável.*] [Pl.: *-veis.*] [F.: *in-*[2] + *narrável.*]

inarredável (i.nar.re.*dá*.vel) *a2g.* **1** Que não se pode arredar ou tirar do lugar (pedra inarredável); INAMOVÍVEL; IRREMOVÍVEL **2** *Bras.* De que não se pode afastar, a que se está preso (ideias inarredáveis) [Pl.: *-veis.*] [F.: *in-*[2] + *arredável.* Ant. ger.: *arredável.*]

inarticulado (i.nar.ti.cu.*la*.do) *a.* **1** Que não é articulado ou é mal articulado: "Captando o inarticulado segredo das coisas. Inventado um ser sozinho,..." (Oto Lara Resende, "Gato, gato, gato" *in O elo partido e outras histórias*) [Ant.: *articulado.*] **2** Não pronunciado ou pronunciado com dificuldade (sons inarticulados) [Ant.: *articulado.*] **3** Que não é segmentado **4** *Zool.* Ref. aos inarticulados *sm.* **5** *Zool.* Espécime dos inarticulados; ECÁRDINE [F.: *in-*[2] + *articulado.* Nas acps. 4 e 5: do lat. cient. *Inarticulata.*]

inarticulável (i.nar.ti.cu.*lá*.vel) *a2g.* Que não pode ser articulado ou pronunciado: *uma língua com palavras e sons inarticuláveis.* [Ant.: *articulável.*] [Pl.: *-veis.*] [F.: *in-*[2] + *articulável.*]

inartístico (i.nar.*tís*.ti.co) *a.* Feito sem arte; não artístico (trabalhos inartísticos) [Ant.: *artístico.*] [F.: *in-*[2] + *artístico.*]

inascível (i.nas.*cí*.vel) *a2g.* Que não pode nascer [Ant.: *nascível.*] [Pl.: *-veis.*] [F.: Do lat. tardio *innascibilis, e.*]

inassiduidade (i.nas.si.du.i.*da*.de) *sf.* **1** Falta de assiduidade: *A inassiduidade habitual não se confunde com abandono de cargo.* **2** Qualidade de inassíduo [F.: *in-*[2] + *assiduidade.* Ant. ger.: *assiduidade.*]

inassíduo (i.nas.*sí*.du:o) *a.* Que não é assíduo (funcionário inassíduo); FALTOSO [Ant.: *assíduo.*] [F.: *in-*[2] + *assíduo.*]

inassimilável (i.nas.si.mi.*lá*.vel) *a2g.* **1** Que não pode ser assimilado, absorvido (ideias inassimiláveis, cultura inassimilável) **2** Que não se entende ou se entende com dificuldade (matéria inassimilável) [Pl.: *-veis.*] [F.: *in-*[2] + *assimilável.* Ant. ger.: *assimilável.*]

inassinável (i.nas.si.*ná*.vel) *a2g.* Que não se pode ou não se deve assinar, marcar, assinalar ou determinar (documento inassinável; recurso inassinável) [Ant.: *assinável.*] [Pl.: *-veis.*] [F.: *in-*[2] + *assinável.*]

inatacabilidade (i.na.ta.ca.bi.li.*da*.de) *sf.* Condição ou qualidade de inatacável: *A aura de perfeição e inatacabilidade de um magistrado; a inatacabilidade do zircônio por parte dos álcalis.* [Ant.: *atacabilidade.*] [F.: *inatacável* [*-vel* > *-bil(i)-*] + *-dade.*]

inatacável (i.na.ta.*cá*.vel) *a2g.* **1** Que não pode ser atacado, que não dá motivos para ser atacado (comportamento inatacável); INCENSURÁVEL; IRREPREENSÍVEL; IRREPROCHÁVEL **2** Que não se pode refutar, irrespondível; INCONTESTÁVEL: *Sua argumentação é inatacável.* **3** Que não pode sofrer ataque (esconderijo inatacável) [Pl.: *-veis.*] [F.: *in-*[2] + *atacável.* Ant. ger.: *atacável.*]

inatendível (i.na.ten.*dí*.vel) *a2g.* **1** Que não pode ser atendido: *pedido juridicamente impossível ou inatendível.* **2** Que não merece receber atenção (mexericos inatendíveis) [Pl.: *-veis.*] [F.: *in-*[2] + *atendível.* Ant. ger.: *atendível.*]

inatingibilidade (i.na.tin.gi.bi.li.*da*.de) *sf.* Caráter ou condição do que é inatingível [Ant.: *atingibilidade.*] [F.: *inatingível* [*-vel* > *-bil(i)-*] + *-dade.*]

inatingido (i.na.tin.*gi*.do) *a.* **1** Que não foi atingido (meta inatingida); INALCANÇADO [Ant.: *alcançado.*] **2** Que ficou incólume; ILESO; INTACTO: *Milagrosamente, saiu inatingido do tiroteio; mantém-se inatingido por tantas ofensas e injúrias.* [Ant.: *ferido.*] [F.: *in-*[2] + *-atingido.* Ant. ger.: *atingido.*]

inatingível (i.na.tin.*gí*.vel) *a2g.* **1** Que não se pode atingir ou alcançar (lugar inatingível, poder inatingível); INACESSÍVEL **2** A que não se pode ter acesso ou com que não se pode manter contato (dirigente inatingível) **3** Cuja honra não se pode atacar (pessoa inatingível) *sm.* **4** Aquilo que não se pode atingir ou alcançar: *a eterna busca pelo inatingível.* [Pl.: *-veis.*] [F.: *in-*[2] + *atingível.* Ant. ger.: *atingível.*]

inativação (i.na.ti.va.*ção*) *sf.* **1** Ação ou resultado de inativar(-se): *inativação microbiana por meio de calor.* **2** Passagem à condição de inativo (inativação de militar) [Pl.: *-ções.*] [F.: *in-*[2] + *ativação.*]

inativador (i.na.ti.va.*dor*) [ô] *a.* **1** Que torna inativo; capaz de inativar (agente inativador) *sm.* **2** Aquele ou aquilo que inativa: *um potente inativador do vírus HCV.* [F.: *in-*[2] + *ativador.* Ant. ger.: *ativador.*]

inativar (i.na.ti.*var*) *v. td. int.* Tornar(-se) inativo [F.: *inativo* + *-ar*[2]. Hom./Par.: *inativo* (fl.), *inativo* (a. sm.).]

inatividade (i.na.ti.vi.*da*.de) *sf.* **1** Falta de atividade; INÉRCIA: *A inatividade causa doenças circulatórias.* [Ant.: *ação, atividade.*] **2** Estado ou condição de inativo **3** Diz-se do que é impossibilitado de agir **4** Situação de funcionário público que se encontra afastado do serviço ativo por aposentadoria, decisão administrativa ou disposição legal: *proventos da inatividade.* [Cf. *aposentadoria, reforma.*] [F.: *inativ(o)* + *-(i)dade.*]

inativo (i.na.*ti*.vo) *a.* **1** Que está parado, que não está funcionando, não está ativo (máquina inativa); PARADO; PARALISADO **2** Que se aposentou (funcionário inativo) **3** Que não trabalha ou não faz qualquer atividade por preguiça (indivíduo inativo); DESOCUPADO; PREGUIÇOSO **4** Que não tem ação, não é eficaz (substância inativa) **5** Que sofre de paralisia; PARALÍTICO *sm.* **6** Funcionário aposentado [F.: *in-*[2] + *ativo.* Ant. ger.: *ativo.* Hom./Par.: *inativo* (fl. de *inativar*). I.]

inato[1] (i.*na*.to) *a.* **1** Que nasce com a pessoa; CONATO; CONGÊNITO; INERENTE; NATURAL: *A faculdade de falar é inata à espécie humana.* **2** *Fil.* Que é inerente à experiência humana [Cf. adventício, factício.] **3** *P. ext. Fil.* Na filosofia moderna, que se origina ou é inerente ao intelecto [F.: Do lat. *innatus.*]

inato[2] (i.*na*.to) *a.* Que ainda não nasceu [Ant.: *nato.*] [F.: Do lat. tardio *inatus.*]

inatual (i.na.tu.*al*) *a2g.* **1** Que não pertence à atualidade; não atualizado (vestimentas inatuais); ANTIQUADO **2** Que não condiz com as tendências atuais (ideias inatuais); ULTRAPASSADO [Pl.: *-ais.*] [F.: *in-*[2] + *atual.* Ant. ger.: *atual.*]

inatualidade (i.na.tu.a.li.*da*.de) *sf.* Condição ou característica do que é inatual: *a inatualidade do novo Código.* [Ant.: *atualidade.*] [F.: *inatual* + *-(i)dade.*]

inatural (i.na.tu.*ral*) *a2g.* Não natural; ARTIFICIAL: *tradução literal que soa inatural.* [Ant.: *natural.*] [Pl.: *-ais.*] [F.: *in-*[2] + *natural.*]

inaturalidade (i.na.tu.ra.li.*da*.de) *sf.* Condição ou qualidade do que é inatural: *a inaturalidade dos costumes.* [Ant.: *naturalidade.*] [F.: *inatural* + *-(i)dade.*]

inauditismo (i.nau.di.*tis*.mo) *sm.* Qualidade ou caráter de inaudito [F.: *inaudito* + *-ismo.*]

inaudito (i.nau.*di*.to) *a.* **1** De que jamais se ouviu falar, de que não existe exemplo, tradição ou memória (sucesso inaudito) **2** Que é extraordinário, incrível, fantástico (força inaudita) [F.: Do lat. *inauditus.*]

inaudível (i.nau.*dí*.vel) *a2g.* Que não se consegue ouvir (voz inaudível) [Ant.: *audível.*] [Pl.: *-veis.*] [F.: Do lat. tardio *inaudibile.*]

inauguração (i.nau.gu.ra.*ção*) *sf.* **1** Ação ou resultado de inaugurar **2** Cerimônia com que se inauguram estabelecimentos, instituições, edifícios ou qualquer outra obra: *inauguração de uma estrada.* **3** Momento inicial, criação, fundação: *a inauguração da democracia no país.* **4** Início de uma apresentação; ESTREIA: *A inauguração do filme foi muito concorrida.* [Pl.: *-ções.*] [F.: Do lat. tardio *inauguratione.*]

inaugurador (i.nau.gu.ra.*dor*) [ô] *a.* **1** Que inaugura *sm.* **2** O que inaugura [F.: *inaugurar* + *-dor.*]

inaugural (i.nau.gu.*ral*) *a2g.* **1** Ref. a inauguração (solenidade inaugural) **2** Que assinala o início (reunião inaugural); INICIAL **3** Ver *inaugurativo* [Pl.: *-rais.*] [F.: *inaugur(ar)* + *-al.* Hom./Par. *inaugurais* (fl. inaugurar).]

inaugurar (i.nau.gu.*rar*) *v. td.* **1** Abrir pela primeira vez, para acesso ou uso do público: *O prefeito inaugurou o novo hospital.* **2** Dar início a; PRINCIPIAR: *A internet inaugura uma nova era no mercado de trabalho.* [Ant.: *concluir, encerrar, fechar.*] **3** Usar pela primeira vez: *inaugurar o sofá/ o cinema em casa.* [▶ **1** inaugurar] [F.: Do lat. *inaugurare.* Sin. ger.: *estrear.* Hom./Par.: *inaugurais* (fl.), *inaugurais* (pl. de *inaugural* [a2g.]).]

inaugurativo (i.nau.gu.ra.*ti*.vo) *a.* **1** Próprio para inaugurar **2** Relativo à inauguração [F.: *inaugurar* + *-tivo.*]

inauguratório (i.nau.gu.ra.*tó*.ri:o) *a.* Próprio para inaugurar; INAUGURATIVO [F.: *inaugurar* + *-tório.*]

inautenticidade (i.nau.ten.ti.ci.*da*.de) *sf.* Falta de autenticidade [F.: *in-*[2] + *autenticidade.*]

inautêntico (i.nau.*tên*.ti.co) *a.* Que não é autêntico (documento inautêntico); FALSO [Ant.: *autêntico, verdadeiro.*] [F.: *in-*[2] + *autêntico.*]

inavegabilidade (i.na.ve.ga.bi.li.*da*.de) *sf.* Qualidade ou estado do que é inavegável [F.: *inavegável* (sob o rad. *inavegabil-*) + *-(i)dade,* seg. o mod. erudito.]

inavegável (i.na.ve.*gá*.vel) *a2g.* **1** Que não se pode navegar (mares inavegáveis) **2** Com que não se pode navegar (barcos inavegáveis) [Pl.: *-veis.*] [F.: Do lat. tard. *innavigabile.* Ant. ger.: *navegável.*]

inaveriguável (i.na.ve.ri.*guá*.vel) *a2g.* **1** Que não se pode averiguar **2** Que não é suscetível a exame ou verificação [Pl.: *-veis.*] [F.: *in-*[2] + *averiguável.*]

inavistável (i.na.vis.*tá*.vel) *a2g.* Que não se pode avistar [Pl.: *-veis.*] [F.: *in-*[2] + *avistável.*]

inca (*in*.ca) *s2g.* **1** Indivíduo dos incas, povos indígenas quíchua que habitavam desde o atual Equador até o norte da Argentina e do Chile antes da colonização espanhola **2** Soberano dos incas [Nesta acp., ger. com inicial maiúsc.] **3** Membro da família real ou qualquer dignatário desse império *a2g.* **4** Ref. ou pertencente aos incas; INCAICO; INCÁSICO [F.: Do cast. *inca,* deriv. do quíchua *inca.*]

incabível (in.ca.*bí*.vel) *a2g.* Que não tem cabimento, que não se admite; INACEITÁVEL: *Veio com uma proposta incabível.* [Ant.: *cabível.*] [Pl.: *-veis.*] [F.: *in-*[2] + *cabível.*]

inçado (in.*ça*.do) *a.* **1** Que se inçou **2** *Fig.* Que está repleto, cheio [F.: Part. de *inçar.*]

incaico (in.*cai*.co) *a.* Do ou ref. ao império ou à civilização dos incas (monumento incaico); INCÁSICO [F.: *inc(a)* + *-aico.*]

incalculável (in.cal.cu.*lá*.vel) *a2g.* **1** Que não é possível calcular (ger. por ser muito grande, extenso, numeroso etc.): *Herdará um patrimônio incalculável.* **2** Cujo grande valor ou importância não se pode avaliar: *Seu legado artístico é incalculável.* [Pl.: *-veis.*] [F.: *in-*[2] + *calculável.* Ant. ger.: *calculável.*]

incancelável (in.can.ce.*lá*.vel) *a2g.* Que não se pode cancelar [Pl.: *-veis.*] [F.: *in-*[2] + *cancelável.*]

incandescência (in.can.des.*cên*.ci:a) *sf.* **1** Estado de um corpo incandescente **2** *Fís.* Emissão de radiação luminosa a partir de um corpo aquecido: *a incandescência da lâmpada elétrica.* [Cf. nesta acp. *fluorescência.*] **3** *Fig.* Grande arrebatamento, exaltação: "...o homem começa a envelhecer quando perde a incandescência." (*O Globo,* 12.04.2003) [F.: *incandesc(er)* + *-ência.*]

incandescente (in.can.des.*cen*.te) *a2g.* **1** Em chamas ou em brasa (carvão incandescente); ARDENTE; CANDENTE **2** *Fig.* Muito arrebatado; ARDENTE; EXALTADO; FOGOSO: *Proferiu na tribuna um discurso incandescente.* [F.: *incandesce(r)* + *-nte.*]

incandescer (in.can.des.*cer*) *v.* **1** Fazer ficar ou ficar em brasa [*td.*: *Incandesceu a peça de metal para a soldagem.*] [*int.*: *Na fornalha, os pedaços de carvão incandesciam.*] **2** *Fig.* Exaltar(-se), exasperar(-se) [*td.*] [*int.*] [▶ **33** incandescer] [F.: Do lat. *incandescere.*]

incansável (in.can.*sá*.vel) *a2g.* **1** Que nunca se cansa ou esmorece (trabalhador incansável) **2** Que não mede esforços; OBSTINADO: *um líder incansável na defesa dos direitos humanos.* [Pl.: *-veis.*] [F.: *in-*[2] + *cansável.*]

incapacidade (in.ca.pa.ci.*da*.de) *sf.* **1** Falta de capacidade (física ou mental); condição de incapaz (1 a 4): *A doença acarretou sua incapacidade motora.* **2** Falta ou insuficiência de qualificação (incapacidade profissional); INAPTIDÃO; INCOMPETÊNCIA **3** *Jur.* Situação jurídica de quem é privado por lei de exercer, sem assistência de alguém, certas funções e direitos [F.: *in-*[2] + *capacidade.* Ant. ger.: *capacidade.*] ■ **~ absoluta** *Jur.* Situação jurídica na qual não desfruta alguém (menor, deficiente mental etc.) da faculdade legal de praticar ato jurídico, civil, comercial ou processual, a não ser por meio de representação legal **~ relativa** *Jur.* Situação jurídica na qual só desfruta alguém da faculdade legal de praticar ato jurídico, civil, comercial ou processual quando autorizado por responsáveis legais

incapacíssimo (in.ca.pa.*cís*.si.mo) *a.* Incapaz ao extremo [Sup. abs. sint. de *incapaz.*] [F.: Do lat. *incapacissimus, a, um.*]

incapacitação (in.ca.pa.ci.ta.*ção*) *sf.* Ação ou resultado de incapacitar(-se) [Pl.: *-ções.*] [F.: *incapacitar* + *-ção.*]

incapacitado (in.ca.pa.ci.*ta*.do) *a.* **1** Não capacitado **2** Diz-se de indivíduo que, por falta de condições físicas ou mentais, não pode realizar, momentânea ou permanentemente, alguma tarefa ou atividade: *Sharon é declarado incapacitado para ser premiê de Israel*; "STJ – Mantida a pensão a dentista incapacitado por descarga elétrica em Passo Fundo" (*site do Ministério Público do RS*) [F.: Part. de *incapacitar.*]

incapacitante (in.ca.pa.ci.*tan*.te) *a2g.* Que incapacita [F.: *incapacitar* + *-nte.*]

incapacitar (in.ca.pa.ci.*tar*) *v.* Deixar(-se) incapaz, sem aptidão (para exercer atividades, funções); INABILITAR(-SE) [*td.*: *O acidente talvez incapacite o pianista.*] [*int.*: *Com a doença, incapacitou-se, deixou de cantar.*] [▶ 1 incapacitar] [F.: *in-²* + *capacitar.*]

incapaz (in.ca.*paz*) *a2g.* **1** Que (por princípios, caráter etc.) não se permite agir de certa forma: "...era um cavalheiro, incapaz da covardia de maltratar uma senhora..." (Guimarães Rosa, *Sagarana*) **2** Que, por motivos físicos ou mentais, doença etc. não consegue fazer algo; IMPOSSIBILITADO; INABILITADO: *O reumatismo tornou-o incapaz de caminhar sozinho.* **3** Diz-se daquele ou daquilo a que falta competência, aptidão ou habilidade para algo: *São funcionários incapazes de resolver o problema.* **4** *Jur.* Que é privado por lei de exercer certas funções e direitos [Superl.: *incapacíssimo.*] *s2g.* **5** Pessoa incapaz (2, 3 e 4) [F.: Do lat. *incapax, acis.* Ant. ger.: *capaz.*]

incapturável (in.cap.tu.*rá*.vel) *a2g.* Que não se pode capturar [Pl.: *-veis.*] [F.: *in-²* + *capturável.*]

inçar (in.*çar*) *v.* **1** Povoar copiosamente (esp. de insetos e parasitos) [*tdr.* + *de*: *A doença inçou-lhe de bicho todo o corpo.*] [*td.*: *A doença inçou-lhe todo o corpo*] **2** Desenvolver-se, alastrar-se em; GRASSAR [*td.*: *A epidemia de cólera inçou a região.*] **3** *Fig.* Encher, cobrir de algo ruim como falhas, manchas, imperfeições [*td.*: *Os erros de concordância inçavam-lhe o discurso.*] [*tdr.* + *de*: *inçar o povo de doutrinas falsas.*] **4** Sufocar as plantas úteis (diz-se de plantas daninhas) [*td.*] [▶ 12 inçar] [F.: Do lat. *indiciare.* Ant. ger.: *desinçar.* Hom./Par.: *inçar*, *içar* (em todas as fl.).]

incaracterístico (in.ca.rac.te.*rís*.ti.co) *a.* Que não tem características ou traços próprios, não característico; COMUM; CONFUNDÍVEL; INCARATERÍSTICO; VULGAR: "...com esse futebol impessoal, despersonalizado, incaracterístico." (*O Globo*, 07.04.2004) [Ant.: *característico, incomum.*] [F.: *in-²* + *característico.*]

incásico (in.*cá*.si.co) *a.* Ref. ou pertencente à dinastia inca; INCAICO [F.: Do fr. *incasique.*]

incasto (in.*cas*.to) *a.* Que não é casto; DESONESTO; IMPUDICO [F.: *in-²* + *casto.*]

incauto (in.*cau*.to) *a.* **1** Que age sem cautela (motorista incauto) **2** Que é ingênuo, sem malícia; CRÉDULO: *O usuário incauto teve os seus dados roubados pelos hackers.* *sm.* **3** Pessoa incauta (1 e 2): *Golpista, vive atrás de incautos.* [F.: Do lat. *incautus.* Ant. ger.: *acautelado, cauteloso, cauto, precavido, prevenido.*]

INCC Sigla de *Índice Nacional da Construção Civil*

incelença (in.ce.*len*.ça) *sf. Bras. N. E. Pop. Mús.* Canto religioso cantado em conjunto e sem acompanhamento, em velório ou junto a um moribundo; EXCELÊNCIA [F.: Corruptela de *excelência.*]

incendiado (in.cen.di.*a*.do) *a.* **1** Que ardeu em chamas **2** *Fig.* Que está repleto de ou que revela certo sentimento (ódio, raiva, amor, desejo etc.) (olhar incendiado): *peito incendiado de saudade.* [F.: Part. de *incendiar.*]

incendiar (in.cen.di.*ar*) *v.* **1** Atear ou pegar fogo em; QUEIMAR [*td.*: *Foi o saci que incendiou o instituto de segurança*; "Porque há uma mistura química na cabeça do fósforo que se incendeia, quando lhe aplicam calor." (João Ubaldo Ribeiro, *Diário do farol*)] **2** *Fig.* Provocar a exaltação dos ânimos em; INFLAMAR [*td.*: *Suas declarações incendiaram o ambiente.*] [*tdr.* + *de, em*: *incendiar-se de raiva; incendiar-se em ira.*] **3** Afoguear, avermelhar como num incêndio [*td.*: *O sol incendiava o horizonte.*] [▶ 15 incendiar] [F.: *incêndio* + *-ar².* Hom./Par.: *incendiaria* (fl.), *incendiária* (fem. de *incendiário*).]

incendiário (in.cen.di.*á*.ri:o) *a.* **1** Que é próprio para atear fogo, para provocar incêndios (bombas incendiárias) **2** Que provoca incêndios voluntariamente (maluco incendiário) **3** *Fig.* Que incentiva as pessoas a se revoltar (ideias incendiárias, político incendiário); SEDICIOSO *sm.* **4** Pessoa incendiária; INCENTOR; PIRÔMANO **5** *Fig.* Pessoa que incita revoltas com suas ideias [F.: Do lat. *incendiarius.* Hom./Par.: *incendiaria* (sf.), *incendiaria* (fl. de incendiar).]

incendido (in.cen.*di*.do) *a.* **1** Que ardeu em chamas; ACESO; ARDENTE; INFLAMADO **2** Que tem a cor assemelhada ao fogo; RUBRO **3** *Fig.* Possuído por forte paixão ou desejo intenso [F.: Part. de *incender.*]

incêndio (in.*cên*.di:o) *sm.* **1** Fogo de grandes proporções que se propaga destruindo ou danificando tudo que atinge **2** Qualquer luminosidade que se irradie por uma área razoavelmente vasta: *o incêndio do pôr do sol.* **3** Ideia ou ação difundida rapidamente **4** *Fig.* Luta, tumulto ou calamidade de grandes proporções que podem perturbar a ordem pública; CATACLISMO; CONFLAGRAÇÃO; GUERRA: *o incêndio da guerra.* **5** *Fig.* Grande ardor, entusiasmo sentimental: *o incêndio das paixões.* [F.: Do lat. *incendium.*]

incensado (in.cen.*sa*.do) *a.* **1** Perfumado com incenso **2** *Fig.* Que é bajulado, lisonjeado: *Incensado no trabalho, perdeu um pouco a humildade.* [F.: Part. de *incensar.*]

incensar (in.cen.*sar*) *v. td.* **1** Perfumar com incenso, defumar; TURIBULAR: *Quando chegamos, os turibulários incensavam toda a nave do templo.* **2** *Fig.* Elogiar em demasia, lisonjear: *O jornal incensou o soprano delirantemente.* **3** *Fig.* Exaltar de maneira servil; ADULAR; BAJULAR: *Incensou-o até ficarem todos constrangidos.* **4** *Fig.* Iludir, enganar com elogios, promessas falsas: *Incensava-os com futuras vantagens inalcançáveis.* [▶ 1 incensar] [F.: Do lat. *incensare.* Hom./Par.: *incenso* (fl.), *incenso* (sm.).]

incenso (in.*cen*.so) *sm.* **1** Substância resinosa que, ao ser queimada, produz uma fumaça que perfuma o ambiente [Muito us. em cerimônias litúrgicas.] **2** *Fig.* Demonstração de louvor, adulação, homenagem etc.: *Enchia o chefe e os superiores de todo o incenso que podia.* **3** *Bot.* Árvore do gênero *Boswellia*, da família das burseráceas, da qual se extraem resinas aromáticas para fabricação de incenso (1) **4** *Bot.* Arbusto (*Pittosporum tenuifolium*) da fam. das pitosporáceas, nativo da Nova Zelândia, utilizado como cerca viva e também como planta ornamental; INCENSEIRO **5** Árvore (*Pittosporum undulatum*) ornamental da fam. das pitosporáceas, nativa do Taiti, cuja madeira é us. para fazer tacos de golfe; INCENSEIRO [F.: Do lat. *incensum.* Hom./Par.: *incenso* (fl. de *incensar*).]

incensório (in.cen.*só*.ri:o) *sm.* Recipiente de metal, provido de tampa e pendurando em correntes, em cujo interior o incenso é queimado; INCENSÓRIO; TURÍBULO [F.: Do lat. medv. *incensorius, a, um.*]

incensurável (in.cen.su.*rá*.vel) *a2g.* **1** Que não pode ou não deve sofrer censura (discurso incensurável) **2** Correto, irrepreensível (atitude incensurável) [Pl.: *-veis.*] [F.: *in-²* + *censurável.* Ant. ger.: *censurável.*]

incentivador (in.cen.ti.va.*dor*) [ô] *a.* **1** Que incentiva, estimula (olhar incentivador) *sm.* **2** Aquele ou aquilo que incentiva, estimula: *O incentivador nisso tudo é que ele está apresentando uma melhora significativa.* [F.: *incentivar* + *-dor.*]

incentivar (in.cen.ti.*var*) *v.* **1** Proporcionar incentivo ou estímulo a; ENCORAJAR; INCITAR [*td.*: "...incentivava-o com calor, e achava belas e honestas as coisas que pintava." (Marques Rebelo, *O simples coronel Madureira*)] [*tdr.* + *a*: *Incentivara os alunos a fazer o teste.*] [Ant.: *desanimar, desencorajar.*] **2** Criar meios para o crescimento ou surgimento de; FOMENTAR; PROMOVER [*td.*: *incentivar a discórdia.*] [▶ 1 incentivar] [F.: *incentivo* + *-ar².* Hom./Par.: *incentivo* (fl.), *incentivo* (sm.).]

incentivo (in.cen.*ti*.vo) *sm.* **1** Aquilo que serve como estímulo para se fazer algo; AGUILHÃO; ÂNIMO; ENCORAJAMENTO; INCITAMENTO: *A superação dos seus próprios limites é um grande incentivo do atleta.* [Ant.: *desincentivo.*] *a.* **2** Que estimula, encoraja; ACENDEDOR; INCITANTE; INSTIGADOR [F.: Do lat. *incentivus.*] ▪ **~ fiscal** *Econ.* Renúncia, regulamentada em lei, do governo ao recolhimento de parte de impostos devidos, para que o valor correspondente a essa parte seja investido em atividades ou projetos por ele incentivados

incerta (in.*cer*.ta) *sf. Bras. Pop.* Visita sem aviso-prévio, para fins de controle e vigilância [F.: Fem. substv. de *incerto.* Hom./Par.: *incerta* (fl. de *incertar*), *inserta* (fl. de *insertar*), *inserto* (a.).] ▪ **Dar uma ~ 1** *Bras. Pop.* Visitar de surpresa (lugar de trabalho etc.) para inspecionar ou fazer algo sem anunciar previamente **2** *P. ext.* Fazer, de surpresa, algo não antes combinado, como uma visita, uma ação etc.

incerteza (in.cer.*te*.za) [ê] *sf.* Estado de dúvida ou hesitação; INDECISÃO; PERPLEXIDADE: *incerteza quanto aos riscos dos produtos geneticamente modificados; incerteza sobre os contratos.* [Ant.: *certeza, evidência.*] [F.: *in-²* + *certeza.*]

incerto (in.*cer*.to) *a.* **1** Que está indefinido e indeterminado (futuro incerto); DESCONHECIDO; IMPRECISO **2** De que não se pode estar seguro (amor incerto); DUVIDOSO; PROBLEMÁTICO **3** Que não é firme; TRÊMULO; VACILANTE **4** Que é vago, impreciso ou ambíguo (prognóstico incerto) **5** Que pode mudar (temperatura incerta) **6** Sem nitidez, indefinido (tonalidade incerta) **7** Incapaz de resolver algo; HESITANTE; INDECISO; IRRESOLUTO: *Estou incerta sobre o que devo comprar.* [Ant.: *seguro.*] **8** Que tem risco (investimento incerto); ARRISCADO; PERIGOSO *sm.* **9** Aquilo que não oferece certeza, que é duvidoso: *Não se deve trocar o certo pelo incerto.* **10** *Bras. Pop.* Sapato com sola de borracha us. por ladrões a fim de evitar ruídos **11** Nas relações cambiais, quantidade sujeita a variação [F.: *in-²* + *certo.* Ant. ger.: *certo.* Hom./Par.: *inserto* (fl. de *insertar*), *inserto* (a.) e *incerto* (fl. de *incertar*).]

incessante (in.ces.*san*.te) *a2g.* **1** Que não para (movimento incessante, briga incessante); CONTÍNUO; ININTERRUPTO **2** Que está sempre presente (dedicação incessante); ASSÍDUO; CONSTANTE; FREQUENTE; INCANSÁVEL [F.: *in-²* + *cessante.* Ant. ger.: *cessante.*]

incestar (in.ces.*tar*) *v. td. int. P. us.* Consumar ato de incesto (com) [F.: Do lat. *incestare.* Hom./Par.: *incesto* (fl.), *incesto* (sm.); *incestar*, *encestar* (em todas as fl.).]

incesto (in.*ces*.to) *sm.* **1** Relação sexual entre pais e filhos, irmãos entre si (em ambos os casos, mesmo entre adotivos), que é proibida pelos costumes, pela Igreja e leis sociais: "...lidam com o lado mais obscuro da sexualidade, inclusive com o incesto." (*Veja*, 07.07.2004) *a.* **2** *Ant.* Que não tem pureza, que é torpe, impuro, incestuoso [F.: Do lat. *incestum.* Hom./Par.: *incesto* (fl. de *incestar*) e *encesto* (fl. de *encestar*).]

incestuoso (in.ces.tu:*o*.so) [ô] *a.* **1** Que envolve ou se refere a incesto (relação incestuosa, amor incestuoso) **2** Que cometeu incesto (padrasto incestuoso) **3** Que é fruto de uma relação de incesto **4** Ver *incesto* (2) *sm.* **5** Pessoa que cometeu incesto: *O incestuoso foi condenado.* [Pl.: [ó]. Fem.: [ó].] [F.: Do lat. *incestuosus.*]

inchação (in.cha.*ção*) *sf.* **1** Ação ou resultado de inchar(-se); INCHAMENTO **2** Aumento acentuado de volume de órgão ou região do corpo; ANASARCA; EDEMA *Pop.*; INCHAÇO *Pop.*; INCHUME *Bras. N. E.*; MONDRONGO; TUMOR: *inchação do rosto.* **3** *Fig.* Arrogância, vaidade, orgulho, inchaço: "Na inchação da soberba arrebentado / Já morro, já feneço, já termino,..." (Soror Maria do Céu, *Mortal doença*) [Pl.: *-ções.*] [F.: Do lat. *inflatione.* Ant. ger.: *desinchação.*]

inchaço (in.*cha*.ço) *sm. Pop.* Ver *inchação* [F.: *inch(ar)* + *-aço.*]

inchado (in.*cha*.do) *a.* **1** Que apresenta inchação **2** *Fig.* Que demonstra arrogância ou orgulho; PRESUNÇOSO: *Inchado, passou pelos dois e fingiu não os notar* **3** *Fig.* Cheio de pompa; AFETADO; EMPOLADO **4** *Fig.* Que se intensificou (raiva inchada) **5** *Pop.* Diz-se do fruto que ainda não está maduro [F.: Part. de *inchar.*]

inchamento (in.cha.*men*.to) *sm.* Mesmo que *inchação* [F.: *inchar* + *-mento.*]

inchar (in.*char*) *v.* **1** Tornar(-se) (uma parte do corpo) aumentada ou intumescida (devido a golpe, inflamação etc.) [*td.*: *A doença inchou-lhe as pernas.*] [*int.*: "...o corpo dolorido ao se levantar e as veias inchando dia a dia." (Marques Rebelo, *O simples coronel Madureira*)] [Ant.: *desinchar.*] **2** Tornar(-se) mais cheio ou volumoso [*td.*: *Cuidado para não inchar demais os balões.*] [*int.*: *A massa dos pães já começara a inchar.*] [Ant.: *esvaziar(-se).*] **3** *Fig.* Aumentar desordenadamente (quadro de funcionários, população etc.) [*td.*: *O movimento migratório incha a periferia das cidades.*] [*int.*: *A folha de pagamento não para de inchar.*] **4** *Fig.* Ficar muito orgulhoso ou cheio de si; ENVAIDECER-SE [*int.*: *Inchou-se toda ao ver a foto na capa.*] **5** *Fig.* Tornar enfático, afetado (estilo, discurso) [*td.*] [Ant.: *simplificar.*] **6** Fazer ficar abaulado (diz-se de vento); ENFUNAR; INFLAR [*td.*: *O vento inchava as velas.*] [▶ 1 inchar] [F.: Do lat. *inflare.*]

incidência (in.ci.*dên*.ci:a) *sf.* **1** Qualidade do que é incidente, ato de incidir *sf.* **2** Ocorrência ou existência de algo: *A incidência do dengue é maior no verão.* **3** *Jur.* Aplicação de impostos ou taxas sobre um produto ou transação: *A incidência de imposto de transmissão.* [Cf. *percussão.*] **4** Ação ou resultado de atingir uma superfície: *A incidência da luz.* **5** *Geom.* Encontro de duas linhas ou superfícies [F.: Do lat. *incidentia.*]

incidental (in.ci.den.*tal*) *a2g.* **1** Que não se previu inicialmente (efeito incidental); ACIDENTAL; EPISÓDICO; EVENTUAL **2** Que tem pouca importância, é secundário (problema incidental); INCIDENTE; SUPERVENIENTE **3** Ref. a ou que tem caráter de incidente (1, 2) [Pl.: *-tais.*] [F.: *incident(e)* + *-al.*]

incidente (in.ci.*den*.te) *sm.* **1** Evento ou acontecimento imprevisto e desprovido de maior importância (incidente de percurso) **2** Fato inconveniente e desagradável (incidente diplomático) **3** *Jur.* Questão secundária que aparece no desenrolar da demanda principal e que fica a ela vinculada *a2g.* **4** *Ópt.* Que atinge um corpo ou superfície (luz incidente) **5** Que desempenha um papel secundário (causas incidentes); INCIDENTAL; SUPERVENIENTE **6** *Ling.* Diz-se da oração que se liga a uma das palavras da oração principal por um pronome relativo, acrescentando uma qualidade acessória [F.: Do lat. *incidens-entis.* Hom./Par. *incidente* (fl. incidentar).] ▪ **~ de falsidade** *Jur.* Alegação de que suposta prova apresentada em juízo é falsa

incidir (in.ci.*dir*) *v.* **1** Refletir-se ou recair (a luz) sobre algo ou alguém [*ta.*: *A luz do abajur incidia sobre o rosto da moça.*] **2** Ser aplicado a (imposto, multa) [*tr.* + *em, sobre*: *Novos impostos incidirão nos salários.*] **3** Cair, incorrer (em erro, falta, crime); COMETER [*tr.* + *em*: *Incide sempre na mesma asneira.*] **4** Ter efeitos sobre; AFETAR [*tr.* + *em, sobre*: *A suspeita de roubo sempre incide nos (ou sobre os) novatos.*] **5** Acontecer, ocorrer [*int.*: *Raros são os dias em que os contratempos não incidem.*] [▶ 3 incidir] [F.: Do lat. *incidere.* Hom./Par.: *incidia* (fl.), *insídia* (sf.); *incidias* (fl.), *insídias* (pl. de *insídia*); *incidir*, *insidiar* (em várias fl.); *incidir*, *incindir* (em todas as fl.).]

incineração (in.ci.ne.ra.*ção*) *sf.* **1** Ação ou resultado de incinerar **2** Redução a cinzas [Pl.: *-ções.*] [F.: Do lat. medv. *incineratio, onis.*]

incinerador (in.ci.ne.ra.*dor*) [ô] *sm.* **1** Aparelho que incinera (incinerador hospitalar) *a.* **2** Diz-se de aparelho que incinera, esp. lixo e outros resíduos [F.: *incinera(r)* + *-dor.*]

incinerar (in.ci.ne.*rar*) *v. td.* **1** Queimar(-se) até reduzir(-se) a cinzas; CALCINAR: *Incineravam o lixo toda semana.* **2** *Fig.* Fazer perder o ardor, a intensidade: *A decepção com os políticos incinera as esperanças.* [▶ 1 incinerar] [F.: Do lat. *incinerare.* Hom./Par.: *incineráveis* (fl.), *incineráveis* (pl. de *incinerável* [a2g.]).]

incipiência (in.ci.pi.*ên*.ci:a) *sf.* Condição, estado ou qualidade do que é incipiente [F.: Do lat. **incipientia, ae*, do v.lat. *incipere*, 'começar'.]

incipiente (in.ci.pi:*en*.te) *a2g.* Que está no começo (estudo incipiente); INICIAL; PRINCIPIANTE [F.: Do lat. *incipiens-entis.* Hom./Par.: *insipiente* (a2g.).]

⊕ ***incipit*** (*Lat. / inkipit*) *sm.* **1** Termo, grupo de palavras ou verso que identifica um texto sem título **2** *Mús.* Fragmento do início de uma composição, ger. para catalogação

incircuncidado (in.cir.cun.ci.*da*.do) *a.* 1 Que não passou por circuncisão 2 *Fig.* Que não é puro *sm.* 3 Quem não passou por circuncisão [Ant.: *circuncidado.*] [F.: *in-*¹ + *circuncidado.* Sin. ger.: *incircunciso.*]

incircunciso (in.cir.cun.*ci*.so) *a. sm.* O mesmo que *incircuncidado* [F.: Do lat. *incircumcisus, a, um.*]

incisão (in.ci.*são*) *sf.* 1 Talho feito com instrumento cortante: *O seringueiro faz incisões na árvore para extrair o látex.* [Sin.: *cissura, cortadela, cortadura, cortamento, corte, entalhe, escarificação, estria, fissura, golpe, incisura, ranhura, risca, risco, sulco, talho.*] 2 *Cir.* Corte longo e estreito feito na pele ou em outras partes moles do corpo com com instrumento cirúrgico; INCISURA [Pl.: *-sões.*] [F.: Do lat. *incisio-onis.*]

incisar (in.ci.*sar*) *v. td.* Efetuar incisão em: *O cirurgião incisou a perna do enfermo.* [▶ 1 incisar] [F.: *inciso* + *-ar*². Hom./Par.: *incisa* (fl.), *incisa* (sf.); *incisas* (fl.), *incisas* (pl. do sf.); *inciso* (fl.), *inciso* (a. sm.).]

incisivo (in.ci.*si*.vo) *a.* 1 Que é próprio para cortar (dentes incisivos) 2 *Fig.* Que é penetrante (palavras incisivas) 3 *Fig.* Que não tem rodeios; que é rápido, vivo, direto (estilo incisivo) *sm.* 4 *Anat.* Cada um dos oito dentes (quatro em cada maxilar) situados à frente, entre os caninos, e que servem para capturar e cortar alimentos [F.: Do lat. med. *incisivus.*]

inciso (in.*ci*.so) *sm.* 1 *Jur.* Subdivisão de um parágrafo de lei, que pode ou não conter alíneas 2 *Gram.* Pequena frase explicativa que corta uma frase principal para acrescentar uma informação acessória 3 *Mús.* Cada um dos elementos de uma frase musical; INCISA 4 *Tip.* Tipo inciso (7) *a.* 5 Cortado ou ferido com a parte afiada de um instrumento cortante (ferimento inciso) 6 *Bot.* Que apresenta bordas com recortes irregulares e profundos (folha incisa) 7 *Tip.* Diz-se de tipo cujo desenho é inspirado nas inscrições romanas antigas e que tem serifas triangulares que se projetam em ponta aguda [Cf. *letra latina.*] [F.: Do lat. *incisum.* Hom./Par.: *inciso* (fl. de *incisar*).]

incisor (in.ci.*sor*) [ô] *a.* 1 Que corta *sm.* 2 O que corta [F.: Do lat. tard. *incisor, oris.*]

incitabilidade (in.ci.ta.bi.li.*da*.de) *sf.* 1 Qualidade do que é incitável 2 *Med.* Disposição para receber a ação de um estimulante ou para entrar em ação sob a influência de agentes externos [F.: *incitável* (sob o rad. *incitabil-*) + *-(i)dade*, seg. o mod. erudito.]

incitação (in.ci.ta.*ção*) *sf.* 1 Ação ou resultado de incitar(-se); INCITAMENTO 2 Ação ou resultado de estimular algo ou alguém a fazer algo, a reagir; ESTÍMULO; INCENTIVO; INCITAMENTO; INSTIGAÇÃO: *incitação à greve.* 3 *Fisl.* Estímulo proveniente dos centros nervosos que provoca contrações musculares 4 Que causa irritação; AÇULAMENTO; INCITAMENTO; IRRITAÇÃO; PROVOCAÇÃO [Pl.: *-ções.*] [F.: Do lat. *incitatio, onis.*]

incitador (in.ci.ta.*dor*) (ô) *a.* 1 Que incita, estimula *sm.* 2 Aquele ou aquilo que incita, estimula [F.: Do lat. *incitator, oris.* Sin. ger.: *concitador.*]

incitamento (in.ci.ta.*men*.to) *sm.* 1 Ação ou efeito de incitar; ESTÍMULO; INCITAÇÃO 2 Provocação [F.: Do lat. *incitamentum, i.*]

incitante (in.ci.*tan*.te) *a2g.* Que incinta; INCITADOR [F.: *incitar* + *-nte.*]

incitar (in.ci.*tar*) *v.* 1 Encorajar ou instar (alguém) a (realizar algo); IMPELIR [*tdr.* + *a*: *O estudante incitou o colega a participar do protesto.*] [Ant.: *desencorajar.*] 2 Provocar ou promover a intensificação de; INSTIGAR; INCENTIVAR [*td.*: *Essa rádio não toca músicas que incitem a violência.*] [Ant.: *desestimular.*] 3 Provocar, causar, ocasionar [*td.*: *A falta de médicos incitou o quebra-quebra.*] 4 Açular (esp. cachorro) [*td.*] [▶ 1 incitar] [F.: Do lat. *incitare.* Hom./Par.: *incito* (fl.), *ínsito* (a.); *incitar, encetar* (em várias fl.); *incitáveis* (fl.), *incitáveis* (pl. de *incitável* [a2g.]).]

incitável (in.ci.*tá*.vel) *a2g.* 1 Que se pode incitar 2 Suscetível de ser incitado [Pl.: *-veis.*] [F.: Do lat. *incitabilis, e.* Hom./Par.: *incitáveis* (pl.), *incitáveis* (fl. de *incitar*).]

incivil (in.ci.*vil*) *a2g.* 1 Que não é bem-educado, cortês (comportamento incivil); DESCORTÊS; GROSSEIRO; IMPOLIDO; INDELICADO [Ant.: *atencioso, civil, cortês, polido.*] 2 Que é contrário ao direito civil ou não é aceito por ele [Pl.: *-vis.*] [F.: Do fr. *incivil*, deriv. do lat. *in-*² *civilis-e.*]

incivilidade (in.ci.vi.li.*da*.de) *sf.* 1 Falta de civilidade 2 Ato ou dito incivil 3 Ato de extrema grosseria, de brutalidade ou de violência [F.: Do lat. *incivilitas, atis.*]

incivilizado (in.ci.vi.li.*za*.do) *a.* Que não é civilizado, que é grosseiro; BRUTO; IGNORANTE; INCULTO; RÚSTICO; SELVAGEM [Ant.: *civilizado, cultivado, culto.*] [F.: *in-*² + *civilizado.*]

inclassificável (in.clas.si.fi.*cá*.vel) *a2g.* 1 Que não é possível classificar 2 Que se encontra fora de ordem, desarrumado; CONFUSO; DESORDENADO; MISTURADO 3 Que não se pode definir ou classificar: *Aquele comportamento era inclassificável.* 4 *Fig.* Que merece censura e reprovação; INQUALIFICÁVEL: *rapaz de conduta inclassificável.* [Pl.: *-veis.*] [F.: *in-*² + *classificável.* Ant. ger.: *classificável.*]

inclemência (in.cle.*mên*.ci:a) *sf.* 1 Falta de clemência, de piedade 2 *Fig.* Dureza, severidade 3 Ação, prática ou comportamento desumano, cruel [F.: Do lat. *inclementia, ae.*]

inclemente (in.cle.*men*.te) *a2g.* 1 Que não é indulgente, não tem clemência 2 Que é intransigente, intolerante, severo: *Era um censor inclemente.* 3 Que é desumano, bárbaro, cruel; BÁRBARO; IMPIEDOSO; MALVADO: *O torturador foi inclemente.* 4 *Fig.* Que é rigoroso, duro, difícil de suportar: *uma tempestade inclemente.* [Ant.: *branco, clemente.*] [F.: Do lat. *inclemens, entis.*]

inclinação (in.cli.na.*ção*) *sf.* 1 Ação ou resultado de inclinar(-se) 2 Posição oblíqua de linha, plano, objeto etc. em relação a um plano: *a inclinação dos raios solares.* 3 *Fig.* Tendência ou queda natural de pessoa para se comportar de determinada maneira ou para um objetivo: *inclinação para a música;* "...um tanto incrédulo a respeito da mudança de inclinação do filho..." (Júlio Dinis, *As pupilas do senhor reitor*) [Ant.: *repulsão.*] 4 Atração afetiva ou amorosa: *O rapaz tinha forte inclinação pela professora.* 5 A pessoa que é alvo dessa atração: *Minha inclinação é essa moça.* 6 Movimento da cabeça ou corpo para a frente, em sinal de cumprimento ou anuência; MESURA 7 *Arq. Cons.* Ângulo formado por plano ou reta com plano ou reta em nível; ESBARRO 8 *Geom.* Ângulo de uma direção com outra que é tomada como ponto de referência 9 *Geol.* Ângulo formado pela linha do horizonte com o plano das camadas geológicas; MERGULHO; PENDOR 10 *Astron.* Ângulo formado pelo plano da órbita de um planeta e o plano da órbita terrestre ou eclíptica 11 *Fís.* Ver *inclinação magnética* [Pl.: *-ções.*] [F.: Do lat. *inclinatio, onis.*] ■ **~ do telhado** *Arq. Cons.* O ângulo interno da água de telhado com o plano horizontal do respaldo das paredes que servem de apoio a esse telhado **~ magnética** *Fís.* Ângulo formado pela agulha magnética em suspensão livre (que aponta em direção ao polo magnético da Terra) com o plano do horizonte local [Tb. apenas *inclinação.*]

inclinado (in.cli.*na*.do) *a.* 1 Que se inclinou; que está fora do prumo (plano inclinado); OBLÍQUO 2 Que se curvou ou que se encontra abaixado, dobrado: *Manteve-se inclinado diante do padre.* 3 *Fig.* Que tem tendência, vocação para algo; DISPOSTO; PROPENSO; TENDENTE: *O rapaz é inclinado para música.* 4 *Fig.* Que demonstra desejo de realizar alguma coisa; PROPENSO: *Estava inclinado a estudar psicologia.* 5 *Fig.* Que demonstra interesse afetivo, amoroso; ATRAÍDO; SEDUZIDO 6 *Fig.* Que se considera vencido, que se submeteu; SUBMETIDO; SUJEITO; VENCIDO [F.: Do lat. *inclinatus, a, um.*]

inclinar (in.cli.*nar*) *v.* 1 Deslocar(-se) em relação a um eixo [*td.*: *Ao bater a falta, inclinou o corpo para a direita.*] [*int.*: *Os coqueiros inclinavam-se sob o vento.*] 2 Curvar-se ou abaixar-se (sobre algo) [*tda.*: *Cansado, inclinou-se sobre a mesa.*] [*td.*: *o pedreiro inclinou-se, fatigado.*] 3 *Fig.* Manifestar pendor [*int.*: *O jovem músico inclina-se para o oboé.*] 4 Tornar(-se) favorável ou propenso a [*tr.* + *a*: "...inclino-me a supor que a ficção do Papai-Noel é, para a infância, de natureza vaga e imprecisa..." (Cecília Meireles, *Rui*)] [▶ 1 inclinar] [F.: Do lat. *inclinare.* Hom./Par.: *inclináveis* (fl.), *inclináveis* (pl. de *inclinável* [a2g.]).]

inclinável (in.cli.*ná*.vel) *a2g.* Que pode ser inclinado; FLEXÍVEL; MALEÁVEL [Pl.: *-veis.*] [F.: Do lat. *inclinabile.* Hom./Par. *inclináveis* (fl. inclinar).]

inclinômetro (in.cli.*nô*.me.tro) *sm.* 1 *Fís.* Aparelho que faz a medição do campo magnético terrestre 2 Qualquer aparelho us. para medição de ângulos de inclinação [F.: Do ing. *inclinometer.*]

ínclito (*ín*.cli.to) *a.* Que é notável por possuir grandes qualidades e/ou pelo excepcional talento; CELEBRADO; CÉLEBRE; EGRÉGIO; FAMOSO; ILUSTRE [Ant.: *humilde, obscuro.*] [F.: Do lat. *inclitus, a, um.*]

includente (in.clu.*den*.te) *a2g.* O mesmo que *incluente*; que inclui: *política de desenvolvimento includente e sustentável...* [O termo tem sido us. como referência à inclusão social (ver na achega enciclopédica do verbete *inclusão*) em processos e políticas econômicos, sociais, educacionais etc.] [F.: De *incluir*, sob a f. *includ-*, + *-ente*, seg. o mod. erudito.]

incluído (in.clu.*í*.do) *a.* Que se incluiu; que passou a fazer parte de alguma coisa: *Foi incluído entre os mais fortes; Foi incluído na lista dos convidados:* "Encontrando tanta gente na sala e o seu amo incluído no número a boa mulher parou embasbacada." (Júlio Dinis, *As pupilas do senhor reitor*) [F.: *inclu(ir)* + *-ido.* >.]

incluir (in.clu.*ir*) *v.* 1 Fazer constar ou constar em (lista, relação de nomes); ARROLAR(-SE) [*tda.*: *Incluíram-nos na lista negra da editora.*] 2 Colocar dentro de (ger. carta); INSERIR [*tda.*: *Inclua no envelope a foto solicitada.*] 3 Acrescentar ou introduzir [*td.*: *Mudaram o roteiro, incluindo a visita a Évora.* Ant.: *excetuar, excluir.*] 4 Compor-se de, abranger [*td.*: *A antologia inclui dezoito estórias inéditas.* Ant.: *excetuar, excluir.*] 5 Fazer (alguém) tomar parte em; ENVOLVER [*tdr.* + *em*: *Tentaram incluir o fiscal no compló.* Ant.: *excetuar, excluir.*] 6 *Fig.* Conter em si; ENVOLVER; IMPLICAR; ENCERRAR [*td.*: *A carta incluía um insulto intolerável.* Ant.: *excetuar, excluir.*] [F.: Do v.lat. *includere.*]

incluível (in.clu.*í*.vel) *a2g.* Que pode ser incluído [Pl.: *-veis.*] [F.: *incluir* + *-vel.*]

inclusão (in.clu.*são*) *sf.* 1 Ação ou resultado de incluir(-se), de integrar um elemento a um todo: *Fez a inclusão de uma nova cláusula no contrato.* 2 Ato de integração plena de pessoas portadoras de necessidades especiais em todos os tipos de atividades 3 *Lóg.* Relação entre dois termos na qual um deles faz parte da compreensão ou da extensão do outro [Cf. *inerência.*] 4 *Lóg.* Relação que existe entre a classe como espécie e a classe como gênero 5 *Biol.* Técnica de microscopia na qual um tecido ou órgão a ser estudado é envolvido em parafina derretida para ser cortado em finas lâminas depois de solidificado 6 *Min.* Corpo sólido, líquido ou gasoso que tem natureza diferente do conjunto em que está inserido 7 *Mat.* Ação pela qual um conjunto contém ou inclui todos os elementos de outro [Pl.: *-sões.*] [F.: Do lat. *inclusio, onis*, nome de ação do v.lat. *includere*, 'incluir'.] ■ **~ citomegálica** *Pat.* Cada inclusão no interior dos núcleos das grandes células que resultam de infecção por citomegalovírus **~ digital** Termo que designa o conceito, e as medidas dele decorrentes, de que o conhecimento e o uso da informática devem ser acessíveis a todos, como fator importante da educação, do aprendizado, do progresso individual e social [Ver achega enciclopédica.] **~ social** Ver achega enciclopédica **~ virótica** *Micbiol.* Termo genérico para corpúsculo formado por vírus, que se situa em citoplasma ou núcleo de célula

📖 **Inclusão social.** Uma das preocupações das sociedades democráticas contemporâneas é garantir a todos os indivíduos, e a todos os grupos de indivíduos – quaisquer que sejam os critérios que os determinam – todos os benefícios que o desenvolvimento dessa sociedade é capaz de propiciar: acesso à educação, à saúde, à cultura, a um nível de vida digno etc. Muitas vezes – por motivos estruturais, ou circunstanciais, ou culturais ou ideológicos – indivíduos e grupos de determinada região, ou classe social, ou grupo etário, racial, étnico, cultural ou religioso não têm acesso a esses benefícios; às vezes deles são excluídos por deficiência física ou mental (o conceito genérico dessa condição, em qualquer dos casos denomina-se *exclusão*). O conceito de inclusão social ou, simplesmente, inclusão, envolve, pois, a atitude e as medidas que visam a criar as condições desse acesso, como fator de justiça social e do próprio desenvolvimento da sociedade. **Inclusão digital.** O termo refere-se à percepção – e consequentes medidas, políticas etc. – da crescente importância econômica e social das tecnologias de informação e comunicação (TIC) na formação e no progresso de indivíduos, de empresas e de toda a sociedade. O computador e o acesso à internet são, cada vez mais, insumos básicos da educação e catalisadores de um círculo virtuoso de democratização da informação. A inclusão digital expressa o conceito e o objetivo (bem como as medidas adotadas para isso) de abrir esse acesso e de propiciar esses meios a toda a população, como um dos caminhos para promover a inclusão social.

inclusive (in.clu.*si*.ve) *adv.* 1 Com inclusão de, de forma inclusiva: *Preencha os seus dados, inclusive telefone.* 2 Também: *A revista tem inclusive artigos sobre saúde.* 3 Até; até mesmo: *Ele pode inclusive se desculpar, mas não muda nada.* [F.: Do lat. ecles. *inclusive.* Ant.: *exclusive, exclusivamente.*]

inclusivo (in.clu.*si*.vo) *a.* 1 Que possibilita ou promove a inclusão (política inclusiva) 2 Que abrange, compreende, inclui 3 *Ling.* Diz-se da 1ª pessoa do plural, que abrange o falante e o ouvinte [Cf., nesta acep., *exclusiva.*] [F.: Do lat. medv. *inclusivus, a, um.* Ant. ger.: *exclusivo.*]

incluso (in.*clu*.so) *a.* 1 Que está incluído: *gorjeta inclusa na despesa.* 2 Que está metido dentro de; contido em: *A foto está inclusa no álbum.* 3 Que está envolvido, que faz parte de: *A mulher estava inclusa no processo criminal.* 4 Diz-se de dente que está encerrado no maxilar (siso incluso) 5 Que foi anexado, incorporado: *Não estava incluso em nenhum grupo.* 6 *Rel.* Diz-se dos religiosos que viviam encerrados em pequenas celas *sm.* 7 Esse tipo de religioso [F.: Do lat. *inclusus, a, um.*]

incoação (in.co.a.*ção*) *sf.* 1 *P. us.* Ação ou resultado de incoar, de começar: *incoação de uma ação judiciária.* 2 Início, princípio [Ant.: *desenlace.*] [Pl.: *-ções.*] [F.: Do lat. *inchoatis, onis.*]

incoadunabilidade (in.co:a.du.na.bi.li.*da*.de) *sf.* Qualidade do que é incoadunável; DISCORDÂNCIA; INCOMPATIBILIDADE [Ant.: *coadunabilidade.*] [F.: *incoaduná(vel)* + *-bils* (i)- + *-dade.*]

incoadunável (in.co:a.du.*ná*.vel) *a2g.* Que não se coaduna; que não pode ser unido, juntado, harmonizado; INCOMPATÍVEL; INCONCILIÁVEL [Ant.: *coadunável.*] [Pl.: *-veis.*] [F.: *in-* + *coadunável.*]

incoar (in.co.*ar*) *v. td.* *P. us.* Começar, principiar [▶ 16 incoar] [F.: Do lat. *inchoare.*]

incoativo (in.co:a.*ti*.vo) *a.* 1 Que incoa, começa, dá início a algo; INCEPTIVO; INICIAL 2 *Ling.* Diz-se do aspecto verbal que exprime a ideia de uma ação verbal no seu início; INCEPTIVO [P. ex. *partir.*] [F.: Do lat. tardio *inchoativus, a, um.*]

incobrável (in.co.*brá*.vel) *a2g.* 1 Que não se pode cobrar 2 *Jur.* Diz-se de dívida que não pode ser executada, por insolvência do devedor ou por prescrição [Pl.: *-veis.*] [F.: *in-*² + *cobrável.*]

incoercibilidade (in.co.er.ci.bi.li.*da*.de) *sf.* Característica, qualidade ou estado do que é incoercível (incoercibilidade de emoções; incoercibilidade da punição); INCOAGIBILIDADE [Ant.: *coercibilidade.*] [F.: *incoercível* (sob o rad. *incoercibil-*) + *-(i)dade*, seg. o mod. erudito.]

incoercível (in.co:er.*cí*.vel) *a2g.* 1 Que não pode ser forçado, reprimido, coagido 2 Que não se pode conter, encerrar; INCOMPRESSÍVEL: *Um odor incoercível escapava do frasco.* 3 Que não se pode controlar, reprimir, dominar; IRREPRIMÍVEL: *Deixou-se dominar por um riso incoercível.* [Ant.: *domável, reprimível.*] [Pl.: *-veis.*] [F.: *in-*² + *coercível.*]

incoerência (in.co:e.*rên*.ci:a) *sf.* 1 Característica, qualidade ou condição de incoerente; falta de coerência (incoerência verbal) **2** Relação ilógica entre ideias, ações ou fatos; INCONGRUÊNCIA: *Salta aos olhos a incoerência de suas palavras com a realidade.* **3** Falta de harmonia com elementos antecedentes ou referentes; desconexão: *incoerência entre atos e ideias.* **4** Ação, comportamento ou dito próprio de pessoa incoerente: *Você vive dizendo incoerências.* **5** *Fís.* Inexistência de uma relação bem definida entre as fases de um conjunto de ondas [F.: *in*-^{2} + *coerência*. Ant. ger.: *coerência*.]

incoerente (in.co:e.*ren*.te) ***a2g.*** **1** Que não é coerente; que não tem coerência **2** Que não tem coesão, harmonia, ordenação; INCONGRUENTE: *Era um discurso incoerente.* **3** Que não tem lógica; que se mostra contraditório; ILÓGICO; IRRACIONAL: *Nunca vira raciocínio tão incoerente:* "Daí lutas contra os colonos cobiçosos, contra os governadores venais, (...) contra os legisladores incoerentes e a legislação instável." (Capistrano de Abreu, *Capítulos da história colonial*) **4** Diz-se daquele que em seus pensamentos e/ou ações demonstra falta de raciocínio, de lógica: *Mas que sujeito incoerente!* ***s2g.*** **5** Indivíduo cujos pensamentos e/ou ações não têm coerência: *O incoerente foi o primeiro a falar.* [F.: *in*- + *coerente*. Ant. ger.: *coerente*.]

incogitado (in.co.gi.*ta*.do) ***a.*** Que não é cogitado, não é considerado; não previsto; IMPENSADO; INCONSIDERADO: *um desenlace incogitado.* [Ant.: *cogitado, premeditado.*] [F.: Do lat. *incogitatus, a, um.*]

incogitável (in.co.gi.*tá*.vel) ***a2g.*** Que não é passível de ser cogitado; não cogitável (plano incogitável; ideia incogitável); IMPENSÁVEL; IMPREVISÍVEL [Ant.: *cogitável*] [Pl.: *-veis.* Superl.: *cogitabilíssimo.*] [F.: Do lat. *incogitabilis, e.*]

incógnita (in.*cóg*.ni.ta) ***sf.*** **1** *Mat.* Termo de uma equação cujo valor é desconhecido [Símb.: *x*. Tb. são usados os símbs. *y* e *z* para indicar uma segunda e uma terceira incógnitas.] **2** *P. ext.* Aquilo que não se conhece ou que é impossível de se avaliar; ENIGMA; MISTÉRIO: *Sua verdadeira identidade é uma incógnita; o futuro econômico daquele país é uma incógnita.* [F.: Fem. substv. de *incógnito*.]

incógnito (in.*cóg*.ni.to) ***a.*** **1** Que não quer ser reconhecido; que esconde sua verdadeira identidade: *A cantora incógnita afinal revelou sua identidade:* "No dia seguinte cheios de imenso contentamento embarcaram ainda incógnitos: chegaram a Tebas." (Teresa Margarida da Silva e Orta, *Aventuras de Diófanes*) **2** Que se desconhece; que não se sabe o que seja; DESCONHECIDO; IGNORADO; IGNOTO: *Foi abordado por um sujeito incógnito.* **3** Que não foi descoberto ou explorado; IGNOTO: *Começava a penetrar num rio incógnito.* ***sm.*** **4** Aquilo que não é conhecido, que é obscuro, secreto, enigmático: *Ao entrar na selva, sentiu-se diante do incógnito.* ***adv.*** **5** Sem que ninguém saiba; às ocultas: *O ator viajou incógnito pelo país.* [F.: Do lat. *incognitus, a, um.*]

incognoscibilidade (in.cog.nos.ci.bi.li.*da*.de) ***sf.*** Qualidade, característica ou condição de incognoscível [Ant.: *cognoscibilidade*] [F.: *incognoscível* (sob o rad. *incognoscibil-*) + *-(i)dade*, seg. o mod. erudito.]

incognoscível (in.cog.nos.*cí*.vel) ***a2g.*** **1** Que não pode ser conhecido: *O astronauta mergulhava no universo incognoscível.* [Ant.: *cognoscível.*] ***s2g.*** **2** Aquilo que é impossível de conhecer: *Tinha horror ao incognoscível.* [Pl.: *-veis.*] [F.: *in*-^{2} + *cognoscível*.]

íncola (*ín*.co.la) ***s2g.*** Pessoa que mora em um determinado lugar; HABITANTE; MORADOR [Ant.: *ádvena.*] [F.: Do lat. *incola, ae.*]

incolor (in.co.*lor*) [ô] ***a2g.*** **1** Que não apresenta cor (plástico incolor) **2** *Fig.* Que não tem brilho, vigor, expressividade: *Seu texto era incolor.* **3** *Fig.* Sem atrativo; INSÍPIDO: *Era uma relação amorosa débil, incolor.* **4** Que não tem opinião própria, que procura se manter neutro, indefinido ou vago: *Praticava um jornalismo incolor.* [F.: Do lat. tardio *incolor, oris.*]

incólume (in.*có*.lu.me) ***a2g.*** **1** Que não sofreu nenhum dano físico ou moral; ILESO; INTATO: *A mulher escapou incólume do desastre.* **2** Que se manteve sem alteração, que se conservou: *Sua fama continuava incólume.* [F.: Do lat. *incolumis, e.*]

incolumidade (in.co.lu.mi.*da*.de) ***sf.*** Característica, qualidade ou estado de incólume [F.: Do lat. *incolumitas, atis.*]

incombinável (in.com.bi.*ná*.vel) ***a2g.*** Diz-se de que não se pode combinar, que é não combinável: *Comportamento incombinável com o cargo; Vestia-se com cores incombináveis.* [Pl.: *-veis.* Superl.: *incombinabilíssimo.*] [F.: *in*-^{2} + *-combinável*.]

incombustibilidade (in.com.bus.ti.bi.li.*da*.de) ***sf.*** Característica ou qualidade do que é incombustível (incombustibilidade das pedras; incombustibilidade do aço) [Ant.: *combustibilidade*] [F.: *incombustível* (sob o rad. *incombustibil-*) + *-(i)dade*, seg. mod. erudito.]

incombustível (in.com.bus.*tí*.vel) ***a2g.*** Que não entra em combustão; que não queima (material incombustível); ACAUSTO [Ant.: *combustível.*] [Pl.: *-veis.*] [F.: *in*-^{2} + *combustível*.]

incomensurabilidade (in.co.men.su.ra.bi.li.*da*.de) ***sf.*** Qualidade, característica ou condição do que é incomensurável, descomunal; IMENSURABILIDADE [F.: *incomensurável* (sob o rad. *incomensurabil-*) + *-(i)dade*, seg. o mod. erudito.]

incomensurável (in.co.men.su.*rá*.vel) ***a2g.*** **1** Que não pode ser medido por causa de suas dimensões, sua intensidade ou seu valor (coragem incomensurável, dedicação incomensurável) **2** *P. ext.* Que não pode ser medido, avaliado; que não tem comparação, em sua grandeza ou importância: *a riqueza incomensurável da Amazônia.* **3** Que é imenso, vasto, sem limites: *o universo incomensurável.* [Ant.: *comensurável, mensurável.*] **4** *Mat.* Diz-se de relação de grandezas que não pode ser representada por números inteiros ou fracionários [Pl.: *-veis.*] [F.: Do lat. *incommensurabilis, e.*]

incomível (in.co.*mí*.vel) ***a2g.*** **1** Que não se pode ou não se consegue comer; INTRAGÁVEL; INCOMESTÍVEL: *Era uma macarronada incomível.* **2** *Pej. Vulg.* Diz-se de pessoa que não desperta desejo sexual: *Aquela senhora é incomível!* [Pl.: *-veis.*] [F.: *in*-^{2} + *comível*. Ant. ger.: *comível.*]

incomodado (in.co.mo.*da*.do) ***a.*** **1** Que se incomodou **2** Que sente ou revela alguma espécie de incômodo **3** Importunado, irritado **4** Aborrecido, desgostoso; chateado **5** Molestado; indisposto, adoentado **6** *Bras. Fam.* Que está no seu período menstrual (diz-se de mulher) [F.: Do lat. *incomodatus, a, um.*]

incomodar (in.co.mo.*dar*) ***v.*** **1** Causar aborrecimento ou desconforto a; IMPORTUNAR; MOLESTAR [***td.***: "Fica! Não incomodarás ninguém." (Aluísio de Azevedo, *Casa de pensão*): "...se nos batermos aqui, podemos incomodar-nos reciprocamente..." (José de Alencar, *O guarani*)] [***int.***] **2** Sentir-se irritado ou perturbado com; APOQUENTAR(-SE); IRRITAR(-SE) [***tr.*** + *com*: "...se temes incomodar-te com o que vou dizer, será melhor que te retires..." (Joaquim Manuel de Macedo, *O moço loiro*)] **3** Dar-se ao incômodo de fazer alguma coisa; preocupar-se (em fazer algo para alguém) [***int.***: "Não precisa se incomodar. Tratamos de tudo!" (João do Rio, *A alma encantadora das ruas*)] [F.: Do lat. *incommodare*. Ant. ger.: *agradar*. Hom./Par.: *incomodo* (fl.), *incômodo* (a. sm.). NOTA: Apresenta o *o* aberto [ó] nas f. rizotônicas.]

incomodativo (in.co.mo.da.*ti*.vo) ***a.*** Que incomoda, causando constrangimento, desconforto, indisposição, aborrecimento etc.; INCOMODADOR; INCOMODANTE; INCÔMODO: *Era um sujeito chato, incomodativo.* [F.: Do rad. do part. pass. lat. *incommodat-* + *-ivo*.]

incomodidade (in.co.mo.di.*da*.de) ***sf.*** Qualidade de incômodo; falta de comodidade [Ant.: *comodidade.*] [F.: Do lat. *incommoditas, atis.*]

incômodo (in.*cô*.mo.do) ***a.*** **1** Que não é cômodo; que causa desconforto (poltrona incômoda, situação incômoda) **2** Que provoca sensação de mal-estar: *Esse abafamento é incômodo!* **3** Que causa embaraço ou constrangimento; EMBARAÇOSO: *O visitante inesperado era uma presença incômoda.* **4** Que não tem cabimento, é impróprio, inconveniente (pergunta incômoda) **5** Que aborrece, causa transtornos ou desagrada (inquilino incômodo, censura incômoda) **6** Que ocorre em ocasião inapropriada, inconveniente: *O amante chegou numa hora incômoda.* [Sin.: *incomodativo, incomodador, incomodante.*] ***sm.*** **7** Aquilo que importuna, que causa indisposição: *Essa sala quente é um incômodo!* **8** Dor leve ou ligeira indisposição física; MAL-ESTAR: *Estava sentindo um ligeiro incômodo.* **9** Aquilo que estorva, que dá trabalho, que exige esforço: *Era um incômodo danado levar aquela poltrona escada acima.* **10** Fluxo menstrual; MENSTRUAÇÃO [F.: Do lat. *incommodus, a, um*. Ant. ger.: *cômodo*. Hom./Par.: *incomodo* (fl. de *incomodar*).]

incomovível (in.co.mo.*ví*.vel) ***a2g.*** **1** Que não se pode comover **2** Que não se comove ou não se deixa comover: *uma pessoa incomovível* [Pl.: *-veis.* Superl.: *incomovibilíssimo*] [F.: *in*-^{2} + *comovível*. Ant. ger.: *comovível.*]

incomparável (in.com.pa.*rá*.vel) ***a2g.*** **1** Que não permite comparação por ser de natureza diferente: *Era um diamante único, incomparável.* **2** Que, por suas qualidades ou por seu valor, é superior a todos os outros de seu tipo; ADMIRÁVEL; EXCEPCIONAL; EXTRAORDINÁRIO; INSIGNE; PRODIGIOSO: *Era um cantor incomparável.* [Ant.: *comparável, comum, vulgar.*] ***sm.*** **3** *Tip.* Caráter tipográfico de seis pontos Didot [F.: Do lat. imperial *incomparabilis, e.*]

incompassível (in.com.pas.*sí*.vel) ***a2g.*** Que não tem ou não sente compaixão; incompassivo, implacável; DESALMADO; INDIFERENTE; INFLEXÍVEL [Ant.: *compassível, flexível.*] [Pl.: *-veis.* Superl.: *incompassibilíssimo.*] [F.: Do lat. tard. *incompassibilis, e.*]

incompassivo (in.com.pas.*si*.vo) ***a.*** Que não é compassivo; INCOMPASSÍVEL [Ant.: *compassivo.*] [F.: *in*-^{2} + *compassivo.*]

incompatibilidade (in.com.pa.ti.bi.li.*da*.de) ***sf.*** **1** Qualidade do que é incompatível, do que não se combina: *Era um caso de incompatibilidade de gênios.* **2** *Jur.* Impossibilidade legal de um funcionário público ocupar mais de um cargo ou função simultaneamente **3** *Lóg.* Impossibilidade de duas proposições diferentes serem verdadeiras ao mesmo tempo; INCOERÊNCIA; INCONSISTÊNCIA **4** *Ling.* Relação que é estabelecida entre os sentidos de duas frases toda vez que a verdade de uma implica a falsidade da outra [P. ex.: *Maria é gorda* e *Maria é magra*. Cf. *complementaridade.*] [F.: *in*^{2} + *compatibilidade*. Ant.: *compatibilidade.*] ■ **~ medicamentosa** *Farm.* Oposição entre os efeitos terapêuticos de medicamentos, que impossibilita sejam ministrados simultaneamente **~ sanguínea** *Hem.* Antagonismo entre as composições de antígenos (A, B, O e Rh) no sangue de duas ou mais pessoas, dificultando ou impossibilitando entre elas a relação doador/receptor, gestante/feto etc.

incompatibilização (in.com.pa.ti.bi.li.za.*ção*) ***sf.*** Ação ou resultado de incompatibilizar(-se); DESARMONIZAÇÃO; INCONCILIAÇÃO; INDISPOSIÇÃO; INIMIZADE: *Incompatibilização entre funcionário e patrão.* [Ant.: *compatibilização, conciliação, congraçamento, desincompatibilização.*] [Pl.: *-ções.*] [F.: *incompatibiliza(r)* + *-ção.*]

incompatibilizado (in.com.pa.ti.bi.li.*za*.do) ***a.*** **1** Que se incompatibilizou **2** Inconciliável, incombinável (desejos incompatibilizados) [F.: Part. de *incompatibilizar*. Ant. ger.: *compatibilizado.*]

incompatibilizar (in.com.pa.ti.bi.li.*zar*) ***v.*** **1** Tornar(-se) incompatível, difícil de combinar com algo ou alguém [***tdr.*** + *com, para*: *Seus temores incompatibilizam-no com a aviação/O nanismo incompatibiliza-o para o serviço militar.*] [***tr.*** + *com*: *Sua perversidade vai-se incompatibilizar com a culinária.*] **2** Deixar de ter boa relação ou convivência com; INDISPOR-SE [***tr.*** + *com*: *Incompatibilizou-se com o amigo.*] [▶ **1** incompatibilizar] [F.: *incompatível* + *-izar*, segundo o mod. erudito. Ant. ger.: *compatibilizar, congraçar.*]

incompatível (in.com.pa.*tí*.vel) ***a2g.*** **1** Que não pode coexistir, estar em harmonia com outra coisa, com algo ou alguém; INCOMBINÁVEL; INCONCILIÁVEL: *As ideias de bem e de mal são absolutamente incompatíveis:* "Aceitando um novo ideal incompatível com o primeiro. É impossível viver de corpo e alma para a arte e para a glória e viver ao mesmo tempo para a família." (Aluísio Azevedo, *Livro de uma sogra*) **2** Diz-se de função, cargo, ofício etc. que não pode ser exercido ao mesmo tempo pela mesma pessoa **3** Diz-se de medicamento que não pode ser administrado junto com outro medicamento: *Remédios incompatíveis podem agravar o estado do paciente.* [Pl.: *-veis.*] [F.: *in*- + *compatível*. Ant.: *compatível.*]

incompensável (in.com.pen.*sá*.vel) ***a2g.*** **1** Que não pode ser compensado (esforço incompensável; dedicação incompensável) **2** Que não se pode indenizar ou pagar; impagável (despesa incompensável; cheque incompensável) **3** Que não pode ser sanado ou contrabalançado; impossível de ser superado (por não haver algo de igual valor, importância ou profundidade que o compense ou equilibre); irreparável (sofrimento incompensável; perda incompensável) [Pl.: *-veis.* Superl.: *incompensabilíssimo.*] [F.: *in*-^{2} + *compensável*. Ant. ger.: *compensável.*]

incompetência (in.com.pe.*tên*.ci:a) ***sf.*** **1** Falta de capacidade para desempenhar tarefa, função etc.; IGNORÂNCIA; IMPROFICIÊNCIA; INABILIDADE; INCAPACIDADE; INÉPCIA; INSUFICIÊNCIA: *Foi dispensado do emprego por incompetência.* **2** *Jur.* Impedimento legal que priva o juiz do conhecimento de certos litígios judiciais que estão fora de suas atribuições [F.: *in*-^{2} + *competência*. Ant. ger.: *competência.*]

incompetente (in.com.pe.*ten*.te) ***a2g.*** **1** Que não tem competência, conhecimento, aptidão; INÁBIL; INAPTO **2** *Jur.* Que não tem poder de julgar questões que fogem à sua competência, pois pertencem a outra instância **3** Diz-se de indivíduo que não tem idoneidade moral para resolver certas questões ***s2g.*** **4** Aquele que não tem competência, aptidão: *As explicações do incompetente não foram consideradas.* [Ant.: *competente.*] [F.: Do lat. tardio *incompetens, entis.*]

incompleto (in.com.*ple*.to) ***a.*** **1** Que não está terminado, acabado, que não chegou ao fim; INACABADO: *O livro ainda está incompleto.* **2** A que falta alguma coisa, alguma parte: *coleção de revistas incompleta.* **3** Que não foi plenamente satisfeito, cumprido: *Você cumpriu sua promessa, mas de maneira incompleta.* **4** Diz-se de indivíduo ou organismo a que falta uma parte ou membro: *A criança nasceu bem, mas incompleta.* **5** Que não tem precisão; que se mostra vago; TRUNCADO: *Era um texto evasivo, incompleto.* **6** Que não atingiu a perfeição; que não é total; PARCIAL; SEMIPLENO: *Sua satisfação foi incompleta.* [F.: Do lat. *incompletus, a, um*. Ant. ger.: *completo.*]

incompletude (in.com.ple.*tu*.de) ***sf.*** Qualidade do que está ou é incompleto [Ant.: *completude.*] [F.: *incomplet(o)* + *-ude.*]

incomportável (in.com.por.*tá*.vel) ***a2g.*** **1** Que não pode ser comportado (volume incomportável) **2** *Fig.* Que não se pode tolerar, admitir; insuportável (prejuízo incomportável; afronta incomportável) [Pl.: *-veis.* Superl.: *incomportabilíssimo.*] [F.: *in*-^{2} + *comportável*. Ant. ger.: *comportável.*]

incompreendido (in.com.pre.en.*di*.do) ***a.*** **1** Que não foi compreendido ou percebido [Ant.: *compreendido.*] **2** Que não é compreendido, considerado com imparcialidade; que não é bem aceito ou avaliado: *Era um rapaz incompreendido.* [Ant.: *compreendido.*] ***sm.*** **3** O indivíduo que não é compreendido, aceito ou que não tem seu valor reconhecido: *Os incompreendidos sofreram castigo que não mereciam.* [F.: *in*-^{2} + *compreendido.*]

incompreensão (in.com.pre.en.*são*) ***sf.*** **1** Ausência de compreensão: *Enfrentou a incompreensão dos colegas e agiu segundo seus próprios princípios.* **2** Incapacidade para entender ou compreender o significado de algo: *A incompreensão do texto levou o aluno a uma resposta equivocada.* [Pl.: *-sões.*] [F.: *in*-^{2} + *compreensão*. Ant. ger.: *compreensão.*]

incompreensibilidade (in.com.pre.en.si.bi.li.*da*.de) ***sf.*** **1** Característica ou qualidade de incompreensível, ininteligível, inexplicável: *incompreensibilidade de suas palavras.* **2** Qualidade ou estado do que é obscuro, misterioso, enigmático (incompreensibilidade do inconsciente) [F.: *incompreensível* (sob o rad. *incompreensibil-*) + *-(i)dade*, seg. o mod. erudito. Ant. ger.: *compreensibilidade.*]

incompreensivo (in.com.pre.en.*si*.vo) ***a.*** **1** Que demonstra falta de compreensão; que não é capaz de compreender: *Era um aluno incompreensivo.* **2** Que demonstra falta de condescendência, de tolerância; INFLEXÍVEL; INTOLERANTE; RÍGIDO: *Seus pais eram incompreensivos.* [F.: *in*-^{2} + *compreensivo*. Ant. ger.: *compreensivo*. Cf. *incompreensível.*]

incompressibilidade (in.com.pres.si.bi.li.*da*.de) ***sf.*** **1** Característica, qualidade ou estado do que é incompressível **2** *Fig.* Característica ou qualidade do que é irreprimível, incoercível (incompressibilidade de sentimentos) **3** *Fís.* Característica, qualidade ou estado de material ou de elemento cujo volume não diminui, mesmo submetido a pressão (incompressibilidade corpórea) [F.: *incompressível* (sob o rad. *incompressibil-*) + *-(i)dade*, seg. o mod. erudito.]

incompressível (in.com.pres.*sí*.vel) ***a2g.*** **1** Que não é compressível, que não se pode comprimir **2** *Fís.* Que não diminui de volume por efeito de pressão **3** *Fig.* Que não se pode reprimir, impedir ou coagir (esforço incompressível; decisão incompressível); IRREPRIMÍVEL; INCOERCÍVEL [Pl.: *-veis.* Superl.: *incompressibilíssimo.*] [F.: *in-*^{2} + *compressível.* Sin. ger.: *incomprimível.* Ant. ger.: *compressível.*]

incomprimível (in.com.pri.*mí*.vel) ***a2g.*** Que não pode ou não deve ser comprimido; incompressível [Ant.: *comprimível.*] [Pl.: *-veis.* Superl.: *incomprimibilíssimo.*] [F.: *in-*^{2} + *comprimível.*]

incomprovado (in.com.pro.*va*.do) ***a.*** Que não se comprovou (culpa incomprovada; mérito incomprovado) [Ant.: *confirmado.*] [F.: *in-*^{2} + *comprovado.*]

incomprovável (in.com.pro.*vá*.vel) ***a2g.*** Que não se pode comprovar (teoria incomprovável; erro incomprovável) [Ant.: *comprovável.*] [Pl.: *-veis.* Superl.: *incomprovabilíssimo*] [F.: *in-*^{2} + *comprovável.*]

incompto (in.*comp*.to) ***a.*** **1** Que não tem adorno nem artifício; desenfeitado, desornado; SINGELO **2** Feito sem arte; tosco, grosseiro [F.: Do lat. *incomptus* ou *incomtus, a, um.*]

incomputabilidade (in.com.pu.ta.bi.li.*da*.de) ***sf.*** Característica, qualidade ou condição do que é incomputável, que não se pode computar (incomputabilidade dos pontos; incomputabilidade da receita) [Ant.: *computabilidade.*] [F.: *incomputável* (sob o rad. *incomputabil-*) + *-(i)dade*, seg. o mod. erudito.]

incomputável (in.com.pu.*tá*.vel) ***a2g.*** Que não se pode computar; não computável (venda incomputável; dados incomputáveis); INCALCULÁVEL; INUMERÁVEL [Ant.: *computável.*] [Pl.: *-veis.* Superl.: *incomputabilíssimo.*] [F.: *in-*^{2} + *computável.*]

incomum (in.co.*mum*) ***a2g.*** **1** Que não é comum, usual: *Usava uma roupa incomum.* **2** Que está acima dos padrões comuns; que é extraordinário: *Tinha um talento incomum.* [Pl.: *-muns.*] [F.: Do lat. *incommunis, e.* Ant. ger.: *comum.*]

incomunicabilidade (in.co.mu.ni.ca.bi.li.*da*.de) ***sf.*** **1** Estado ou condição de quem ou daquilo que está incomunicável; INACESSIBILIDADE **2** *Jur.* Por disposição legal ou por ato de vontade, qualidade dos bens que não fazem parte da comunhão de patrimônios **3** *Jur.* Condição do preso que, por decisão das autoridades, não pode se comunicar com outrem [F.: *in-*^{2} + *comunicabilidade.* Ant. ger.: *comunicabilidade.*]

incomunicação (in.co.mu.ni.ca.*ção*) ***sf.*** **1** Ação ou resultado de incomunicar **2** Não existência ou falta de comunicação (incomunicação sentimental; incomunicação telefônica) **3** Incapacidade de comunicação [Pl.: *-ções.*] [F.: *incomunicar* + *-ção.* Ant. ger.: *comunicação.*]

incomunicante (in.co.mu.ni.*can*.te) ***a2g.*** Que não é comunicante; que não estabelece comunicação (circuitos incomunicantes; ideias incomunicantes) [Ant.: *comunicante*] [F.: *in-*^{2} + *comunicante.*]

incomunicável (in.co.mu.ni.*cá*.vel) ***a2g.*** **1** Que não pode ser comunicado ou expresso (segredos incomunicáveis); INDIZÍVEL; INEXPRIMÍVEL **2** Que não pode ser transferido (bens incomunicáveis); INTRANSFERÍVEL **3** Que não se comunica, não se liga a outra coisa (mundos incomunicáveis) **4** Que está privado de comunicação: *O preso ficou incomunicável por dez dias.* **5** *Jur.* Que não pode fazer parte da comunhão de patrimônios (diz-se de bens) **6** Que vive fechado em si mesmo; que não demonstra sociabilidade; INSOCIÁVEL; MISANTROPO: *Era um sujeito incomunicável.* [Pl.: *-veis.*] [F.: Do lat. *incommunicabilis, e.* Ant. ger.: *comunicável.* Hom./Par.: *incomunicáveis* (fl. de *incomunicar*).]

incomutabilidade (in.co.mu.ta.bi.li.*da*.de) ***sf.*** Característica, qualidade ou condição do que é incomutável (incomutabilidade da pena) [Ant.: *comutabilidade*] [F.: Do lat. tard. *incommutabilitas, atis.*]

incomutável (in.co.mu.*tá*.vel) ***a2g.*** **1** Diz-se do que não pode ser trocado ou substituído (experiência incomutável) **2** *Jur.* Diz-se de pena que não pode ser comutada ou reduzida **3** *Jur.* Que não pode mudar de proprietário (bens incomutáveis) **4** *Jur.* Que não pode ser desaposado [Pl.: *-veis.*] [F.: Do lat. *incommutabilis, e.* Ant. ger.: *comutável.*]

inconcebível (in.con.ce.*bí*.vel) ***a2g.*** **1** Que não se pode conceber, explicar: *É inconcebível viver em tais condições.* **2** Que é surpreendente, inacreditável; ADMIRÁVEL; EXTRAORDINÁRIO; PASMOSO; SURPREENDENTE: *O acrobata deu um salto triplo inconcebível.* **3** Diz-se daquilo que é difícil de conceber intelectualmente ou de imaginar: *Foi um crime bárbaro, inconcebível.* ***sm.*** **4** Aquilo que não se pode conceber, imaginar ou aceitar: *Meu Deus, ele conseguiu realizar o inconcebível!* [Pl.: *-veis.*] [F.: *in-*^{2} + *concebível.* Sin. ger.: *inconcepto.* Ant. ger.: *admissível, concebível, conceptível.* Vocábulo considerado galicismo pelos puristas, que sugerem, em substituição, palavras como *incompreensível, inimaginável.*]

inconcessível (in.con.ces.*sí*.vel) ***a2g.*** Que não pode ou não deve ser concedido; que não é concessível (privilégios inconcessíveis; permissão inconcessível); PROIBIDO; VEDADO [Ant.: *concessível*] [Pl.: *-veis.* Superl.: *inconcessibilíssimo*] [F.: Do lat. tard. *inconcessibilis, e.*]

inconciliação (in.con.ci.li:a.*ção*) ***sf.*** Ausência de conciliação [Pl.: *-ções.*] [F.: *in-*^{2} + *conciliação.*]

inconciliável (in.con.ci.li:*á*.vel) ***a2g.*** Que não é possível conciliar, harmonizar (casal inconciliável); INADAPTÁVEL; INCOADUNÁVEL; INCOMBINÁVEL; INCOMPATÍVEL; INCOMPOSSÍVEL; INCONCORDÁVEL [Pl.: *-veis.*] [F.: *in-*^{2} + *conciliável.* Ant.: *conciliável.*]

inconcludente (in.con.clu.*den*.te) ***a2g.*** Que não leva a nenhuma conclusão ou não prova nada (confissão inconcludente, testemunha inconcludente); ILÓGICO [F.: *in-*^{2} + *concludente.* Ant.: *concludente.*]

inconclusivo (in.con.clu.*si*.vo) ***a.*** **1** Que não chegou a nenhuma conclusão ou resultado (depoimento inconclusivo) **2** De que não se consegue tirar conclusões **3** Que não conclui, não é apropriado para concluir [F.: *in-*^{2} + *conclusivo.* Ant.: *conclusivo.*]

inconcluso (in.con.*clu*.so) ***a.*** Que não foi concluído (relatório inconcluso); INACABADO; INCOMPLETO [F.: *in-*^{2} + *concluso.* Ant.: *concluso.*]

inconcusso (in.con.*cus*.so) ***a.*** **1** Que se revela inabalável; que está fortemente estabelecido (bairrismo inconcusso) **2** Que não se consegue contestar ou recusar (realidade inconcussa); INCONTESTÁVEL; INDISCUTÍVEL; INSOFISMÁVEL [Ant.: *contestável.*] **3** Que é muito severo, austero, íntegro (caráter inconcusso) [F.: Do lat. *inconcussus, a, um.*]

incondicionado (in.con.di.cio.*na*.do) ***a.*** **1** Que não está sujeito a condições ou restrições ou limitações; INCONDICIONAL [Ant.: *condicionado*] **2** Que independe de condicionamento (impulso incondicionado; reação incondicionada); INCONDICIONAL [Ant.: *condicionado*] ***sm.*** **3** *Fil. Rel.* O absoluto, o infinito [F.: *in-*^{2} + *condicionado.*]

incondicional (in.con.di.ci:o.*nal*) ***a2g.*** **1** Que não está sujeito a qualquer tipo de condição ou não depende das circunstâncias; INTEGRAL; IRRESTRITO: *Queria usufruir de uma liberdade incondicional.* **2** Que se é obrigado a fazer em qualquer circunstância: *Deu garantia de pagamento incondicional da dívida.* **3** Que toma partido de algo ou alguém em qualquer circunstância: *Ela era fã incondicional do cantor.* **4** *Fisl. Psi.* Ver *incondicionado* [Pl.: *-nais.*] [F.: *in-*^{2} + *condicional.* Ant.: *condicional.*]

incondicionalidade (in.con.di.ci:o.na.li.*da*.de) ***sf.*** **1** Qualidade de incondicional **2** Aquilo que não impõe condições [F.: *incondicional-* + *-(i)dade.* Ant.: *condicionalidade.*]

incôndito (in.*côn*.di.to) ***a.*** **1** Que não é ou não está organizado; desordenado (bagagem incôndita) **2** Que é feito sem arte nem regra; desconexo, confuso, grosseiro: *Apresentou um texto absolutamente incôndito.* [F.: Do lat. *inconditus, a, um.*]

incondizente (in.con.di.*zen*.te) ***a2g.*** **1** Que não é condizente; não compatível **2** Incoerente, que não se coaduna: *atitude incondizente com o cargo.* [F.: *in-*^{2} + *condizente.* Sin. ger.: *incoerente.* Ant. ger.: *condizente, coerente, compatível.*]

inconfessado (in.con.fes.*sa*.do) ***a.*** **1** Que não se confessou (culpa inconfessada); INCONFESSO **2** Ocultado ou dissimulado (mágoa inconfessada); INCONFESSO [F.: *in-*^{2} + *confessado.* Ant. ger.: *confessado.*]

inconfessável (in.con.fes.*sá*.vel) ***a2g.*** Que não pode ou não deve ser confessado, declarado (amor inconfessável) [Ant.: *confessável.*] [Pl.: *-veis.*] [F.: *in-*^{2} + *confessável.*]

inconfesso (in.con.*fes*.so) ***a.*** **1** Que não foi confessado, que permanece secreto (vício inconfesso); INCONFESSADO **2** *Jur.* Diz-se do indivíduo que nega a autoria do crime que lhe atribuem (réu inconfesso) ***sm.*** **3** Esse indivíduo [F.: Do lat. *inconfessus, a, um.* Ant. ger.: *confesso.*]

inconfiabilidade (in.con.fi:a.bi.li.*da*.de) ***sf.*** Característica, qualidade ou condição do que não é confiável, de inconfiável [Ant.: *confiabilidade.*] [F.: *inconfiável* (sob o rad. *inconfiabil-*) + *-(i)dade*, seg. o mod. erudito.]

inconfiável (in.con.fi:*á*.vel) ***a2g.*** **1** Não confiável; em que não se pode confiar (juramento inconfiável; resistência inconfiável) **2** Que não é digno de confiança; falso, insincero (sócio inconfiável) **3** Que não é seguro, resistente, firme, preciso etc. (sistema inconfiável) [Pl.: *-veis.* Superl.: *inconfiabilíssimo.*] [F.: *in-*^{2} + *confiável.* Ant. ger.: *confiável.*]

inconfidência (in.con.fi.*dên*.ci:a) ***sf.*** **1** Quebra de fidelidade esp. com relação ao Estado ou a governante **2** Revelação de notícia ou informação sigilosa; INDISCRIÇÃO **3** Falta de lealdade; abuso de confiança; INFIDELIDADE [Ant.: *confidência.*] [F.: *in-*^{2} + *confidência.*] ■■ **~ Mineira** *Hist.* Ver *Conjuração Mineira* no verbete *conjuração*

inconfidente (in.con.fi.*den*.te) ***a2g.*** **1** Que não merece confiança por divulgar segredos que lhe foram confiados; INDISCRETO **2** Que não revela fidelidade, lealdade; que é traiçoeiro; DESLEAL; FALSO; INFIEL; TRAIDOR **3** Que se envolveu em inconfidência ***sm.*** **4** *Bras.* Que participa de inconfidência, de ação desleal contra o Estado ou governante **5** *Bras.* Aquele que participou da Conjuração Mineira: "Em Ouro Preto alvoreceu a nossa vontade de autonomia nos sonhos / frustrados dos Inconfidentes." (Manuel Bandeira, "O Homem e a Morte" *in Poesia*) [F.: Do lat. medv. *inconfidens, entis.* Ant. ger.: *confidente.*]

inconformação (in.con.for.ma.*ção*) ***sf.*** Não existência ou falta de conformação, de concordância, aceitação, de resignação [Ant.: *conformação*] [Pl.: *-ções.*] [F.: *in-*^{2} + *conformação.*]

inconformado (in.con.for.*ma*.do) ***sm.*** **1** Pessoa que não aceita situações ou circunstâncias que não são de seu agrado [Ant.: *conformado.*] ***a.*** **2** Que não se conforma: *Ficou inconformada com o resultado do jogo.* [F.: *in-*^{2} + *conformado.* Sin. ger.: *recalcitrante, renitente.*]

inconformar (in.con.for.*mar*) ***v. td.*** **1** Não estar em conformidade com **2** Não concordar **3** Não se sujeitar, não se submeter [▶ **1** inconformar] [F.: *in-*^{2} + *conforme* + *-ar*^{2}.]

inconforme (in.con.*for*.me) ***a2g.*** Que não é ou não está conforme; que não se adapta; DISCORDANTE [Ant.: *conforme.*] [F.: *in-*^{2} + *conforme.*]

inconformidade (in.con.for.mi.*da*.de) ***sf.*** **1** Falta de conformidade, de entendimento; DESACORDO; DIVERGÊNCIA **2** Insubmissão; REBELDIA; RESISTÊNCIA **3** *Geol.* Ver *discordância angular* [F.: *in-*^{2} + *conformidade.* Ant. ger.: *conformidade.*]

inconformismo (in.con.for.*mis*.mo) ***sm.*** **1** Caráter ou atitude de quem não consegue aceitar situações desfavoráveis ou indesejadas **2** Tendência a não se submeter ao modo de pensar e de agir da maioria do grupo em que se vive; ANTICONFORMISMO; REBELDIA **3** *Rel.* Ver *não conformismo* [F.: *in-*^{2} + *conformismo.* Ant. ger.: *conformismo.*]

inconformista (in.con.for.*mis*.ta) ***a2g.*** **1** Que se ref. a inconformismo **2** Que não aceita situações desfavoráveis ou indesejadas **3** Que não se submete a ideias estabelecidas ou adotadas pela maioria das pessoas ***s2g.*** **4** Indivíduo inconformista **5** *Rel.* Ver *não conformista* [F.: *in-*^{2} + *conformista.* Sin. das acps. 1 a 4: *anticonformista, não conformista.* Ant. ger.: *conformista.*]

inconfortar (in.con.for.*tar*) ***v. td.*** Mesmo que *desconfortar* [▶ **1** inconfortar] [F.: *in-*^{2} + *confortar.* Hom./Par.: *inconfortáveis* (fl.), *inconfortáveis* (pl. de *inconfortável* [a2g.]).]

inconfortável (in.con.for.*tá*.vel) ***a2g.*** **1** Que não é confortável; que não oferece conforto; DESCONFORTÁVEL **2** Que não se pode confortar; que não tem consolo (dor inconfortável; pesar inconfortável); INCONSOLÁVEL [Pl.: *-veis.* Superl.: *inconfortabilíssimo.*] [F.: *in-*^{2} + *confortável.* Ant. ger.: *confortável.* Hom./Par.: *inconfortáveis* (pl.), *inconfortáveis* (fl. do v. *inconfortar*).]

inconfundível (in.con.fun.*dí*.vel) ***a2g.*** Que não se confunde e não se pode confundir com outro, por suas qualidades ou características peculiares (andar inconfundível): *O estilo de Debussy é inconfundível:* "...ao alvorecer, o céu estava muito limpo e do outro lado do vale o perfil inconfundível da pedra se recortava nítido." (Manuel Bandeira, "Brito e Broca e Broca e Brito" *in Prosa*) [Pl.: *-veis.*] [F.: *in-*^{2} + *confundível.* Ant. ger.: *confundível.*]

incongelável (in.con.ge.*lá*.vel) ***a2g.*** Que não congela ou não se pode congelar [Ant.: *congelável.*] [Pl.: *-veis.*] [F.: Do lat. imperial *incongelatti.*]

incongruência (in.con.gru.*ên*.ci:a) ***sf.*** **1** Característica, qualidade ou condição de incongruente; incongruidade **2** Não existência ou falta de congruência, de conformidade, concordância etc.; DESCONEXÃO **3** Ato, comportamento, postura ou dito incongruente; inconveniência; IMPROPRIEDADE: *Saiu-se com uma incongruência!* [F.: Do lat. *incongruentia, ae.*]

incongruente (in.con.gru.*en*.te) ***a2g.*** **1** Que apresenta contradições internas; que não está de acordo com os padrões apropriados ou desejados; que se mostra desprovido de lógica (discurso incongruente, indivíduo incongruente); CONTRADITÓRIO; DESCONEXO; INCOERENTE; INCÔNGRUO: "...porque sua terminologia se compõe de palavras numerosas, nem sempre exatas e precisas, muitas vezes controversas e até certo ponto incongruentes." (Manuel Bandeira, "Brito e Broca, Broca e Brito" *in Prosa*) **2** Diz-se de coisas que não podem ser conciliadas ou compatibilizadas (objetivos incongruentes); DISPARATADO; INCOMPATÍVEL **3** Que não é apropriado ou não tem propósito (atos incongruentes); DESPROPOSITADO; INAPROPRIADO; INCONVENIENTE [Superl.: *incongruentíssimo.*] [F.: Do lat. *incongruens, entis.* Ant. ger.: *congruente.*]

incongruidade (in.con.gru:i.*da*.de) ***sf.*** Característica, qualidade ou estado do que é incôngruo; INCONGRUÊNCIA [Ant.: *congruidade.*] [F.: Do lat. *incongruitas, atis.*]

incôngruo (in.*côn*.gru:o) ***a.*** **1** O mesmo que *incongruente*: *Seu pensamento parece algo incôngruo com sua vida.* **2** Inconveniente, impróprio [F.: Do lat. *incongruus, a, um.*]

inconjugável (in.con.ju.*gá*.vel) ***a2g.*** **1** Que não se pode conjugar (paixões inconjugáveis) **2** *Gram.* Que não é passível de conjugação (diz-se de verbos defectivos em certas formas) [Pl.: *-veis.*] [F.: *in-*^{2} + *conjugável.* Ant. ger.: *conjugável.*]

inconquistabilidade (in.con.quis.ta.bi.li.*da*.de) ***sf.*** Característica, qualidade ou condição do que é inconquistável [Ant.: *conquistabilidade.*] [F.: *inconquistável* (sob o rad. *inconquistabil-*) + *-(i)dade*, seg. o mod. erudito.]

inconquistado (in.con.quis.*ta*.do) ***a.*** **1** Que não foi conquistado; que não se deixou conquistar (cidadela inconquistada; galã inconquistado) **2** *Fig.* Diz-se de indivíduo que não se submete, não se sujeita; insubmisso, altivo [F.: *in-*^{2} + *conquistado.* Ant. ger.: *conquistado.*]

inconquistável (in.con.quis.*tá*.vel) ***a2g.*** **1** Que não se pode conquistar (terras inconquistáveis) **2** *Fig.* Que não cede a tentações; INDOMÁVEL; INVENCÍVEL: *O partido socialista tentou atraí-lo, mas o sujeito é inconquistável.* [Pl.: *-veis.*] [F.: *in-*^{2} + *conquistável.* Ant. ger.: *conquistável.*]

inconsciência (in.cons.ci.*ên*.ci:a) ***sf.*** **1** *Psic.* Falta de consciência de si mesmo e do mundo que o cerca, de percepção de certos atos morais ou intelectuais: "Agora o caminho é escuro. Passamos da consciência para a inconsciência, onde se faz a elaboração confusa das ideias, onde as reminiscências dormem ou cochilam" (Machado de Assis, *O cônego ou metafísica do estilo*) [Ant.: *lucidez*] **2** Ausência de imputação ou de alcance moral no ato que se pratica: "Homem, que eu não defendo, mas que, na sua inconsciência fútil de Lovelace, foi, seguramente, o menos criminoso dos três" (Júlio Dantas, *Arte de amar*) 3 *Med.* Estado patológico, comum a várias doenças, em que o enfermo não tem consciência do que lhe passa ao redor 4 Ação que a consciência reprova; injustiça [F.: Do lat. tardio *inconscientia, ae.* Ant. ger.: *consciência.*]

inconsciente (in.cons.ci:*en*.te) ***a2g.*** 1 Que não é dotado de consciência: *Vegetais são seres inconscientes.* 2 *Med.* Que se encontra sem consciência; DESACORDADO: *O paciente continua inconsciente.* 3 Que foi feito ou executado de maneira leviana, irresponsável: *Esses atos inconscientes vão destruir nossa família.* 4 Que ocorre de maneira quase involuntária, por ação reflexa; AUTOMÁTICO; INVOLUNTÁRIO; MAQUINAL: *Fez um gesto inconsciente para apanhar o colar.* 5 Que não possui consciência moral ou age de maneira impensada; INCONSEQUENTE; INSENSATO; IRRESPONSÁVEL: *Só um pai inconsciente bateria de tal maneira no filho.* 6 Que não percebe bem o que se passa em torno de si: *Ele é inconsciente das coisas que estão se passando.* 7 *Psic.* Ref. à região inconsciente da mente humana 8 *Psic.* Diz-se de ato ou impulso que tem origem na região inconsciente da mente humana 9 *Med.* Ref. ao estado de privação da consciência, que ocorre no indivíduo, de maneira temporária ou permanente, como resultado de um trauma, uma doença etc. ***s2g.*** 10 Indivíduo inconsciente ***sm.*** 11 *Psic.* O conjunto dos fatos e processos psíquicos que, ocorrendo no inconsciente, conduzem o indivíduo a dizer ou fazer coisas sobre as quais não tem rigoroso controle, e que influenciam de maneira decisiva seu comportamento, sua maneira de pensar, suas escolhas etc., seja para o bem, seja para o mal [Cf.: *subconsciente.*] [F.: *in-*[2] + *consciente.* Ant. ger.: *consciente.*] ■ **~ coletivo** *Psic.* Segundo o psiquiatra e psicanalista Carl Jung, a parte inata do inconsciente que se origina da experiência ancestral (portanto, comum a toda a descendência, e por extensão a todos os seres humanos), expressa em símbolos, conceitos e modelos, presentes nos mitos, e que constituem os arquétipos

inconsequência (in.con.se.*quên*.ci:a) ***sf.*** 1 Falta de consequência, de lógica, de sentido no pensamento, nas palavras ou na ação; CONTRADIÇÃO; INCOERÊNCIA; INCONGRUÊNCIA 2 Falta de responsabilidade: *O acidente foi resultado da inconsequência do chofer.* 3 Conclusão que não condiz com o que antes foi analisado ou raciocinado [F.: Do lat. imperial *inconsequentia, ae.* Ant. ger.: *consequência.*]

inconsequente (in.con.se.*quen*.te) ***a2g.*** 1 Que não é consequente 2 Que carece de lógica, de reflexão (argumento inconsequente); ABSURDO; CONTRADITÓRIO; ILÓGICO [Ant.: *coerente, lógico.*] 3 Que revela imprudência, irresponsabilidade; IMPRUDENTE; IRREFLETIDO; IRRESPONSÁVEL; LEVIANO: *A manobra inconsequente fez o carro capotar.* ***s2g.*** 4 Aquele que é incoerente ou imprudente [F.: Do lat. imperial *inconsequentia, ae.* Ant. ger.: *consequente.*]

inconsertável (in.con.ser.*tá*.vel) ***a2g.*** Que não se pode consertar (brinquedo inconsertável; erro inconsertável); IRREPARÁVEL [Ant.: *consertável, reparável.*] [Pl.: *-veis.* Superl.: *inconsertabilíssimo.*] [F.: *in-*[2] + *consertável.*]

inconsiderado (in.con.si.de.*ra*.do) ***a.*** 1 Diz-se do que se faz ou se diz sem pensar, sem refletir, sem medir as consequências (atitude inconsiderada, palavras inconsideradas); IMPRUDENTE; PRECIPITADO [Ant.: *pensado, ponderado, premeditado, refletido.*] 2 Que é arriscado, temerário: *Invadir a casa foi uma decisão inconsiderada.* [F.: Do lat. *inconsideratus, a, um.* Ant. ger.: *considerado.*]

inconsistência (in.con.sis.*tên*.ci:a) ***sf.*** 1 Qualidade do que ou de quem é inconsistente ***sf.*** 2 Ausência de consistência, de firmeza, de estabilidade: *A inconsistência dos pilares fez a ponte desabar.* [Ant.: *firmeza.*] 3 Falta de coerência, de consistência lógica; INCOERÊNCIA: *Faltava consistência a seus argumentos.* 4 Ausência de fundamento sólido ou justificado: *A inconsistência da defesa levou o réu à prisão.* [Ant.: *consistência.*] [F.: *in-*[2] + *consistência.*]

inconsistente (in.con.sis.*ten*.te) ***a2g.*** 1 Que não tem consistência, estabilidade, firmeza: *As paredes da casa eram finas, inconsistentes.* 2 Que carece de lastro intelectual, de profundidade: *sistema de ideias inconsistente.* 3 Que não está solidamente fundamentado ou justificado; INCOERENTE; INFUNDADO: *A defesa do réu foi inconsistente.* 4 *Fig.* Que é desprovido de consistência, firmeza ou personalidade; AMORFO; INCONSTANTE; INDECISO; INSEGURO: *Ele é um rapaz bonzinho, mas inconsistente.* [F.: *in-*[2] + *consistente.* Ant. ger.: *consistente.*]

inconsolado (in.con.so.*la*.do) ***a.*** Que não tem consolação (olhar inconsolado); ANGUSTIADO; INCONSOLÁVEL; DESCONSOLADO [Ant.: *consolado.*] [F.: *in-*[2] + *consolado.*]

inconsolável (in.con.so.*lá*.vel) ***a2g.*** 1 Que não se pode consolar (dor inconsolável) 2 Que está muito triste, moralmente abatido; INCONSOLADO: *Ficou inconsolável com a morte da mulher:* "Maria continuava a chorar lá dentro, na sala de jantar, inconsolável, triste, com um grande desgosto na alma." (Adolfo Caminha, *A normalista*) [Pl.: *-veis.*] [F.: Do lat. *inconsolabilis, e.* Ant. ger.: *consolável.*]

inconspícuo (in.cons.*pí*.cu:o) ***a.*** 1 Que não é conspícuo 2 Não perceptível facilmente; que é difícil de ver, distinguir ou notar 3 Que não chama atenção, que não é notável; COMUM; ORDINÁRIO 4 *Bot.* Diz-se do órgão ou parte vegetal de dimensões muito reduzidas, que o torna não evidente (membrana inconspícua) [F.: Do lat. tard. *inconspicuus, a, um.* Ant. ger.: *conspícuo, distinguível, visível.*]

inconstância (in.cons.*tân*.ci:a) ***sf.*** 1 Qualidade de quem ou do que é inconstante, instável, irregular; VOLUBILIDADE: *Sua inconstância não a deixa tomar decisões;* "A inconstância tumultuária do rio retrata-se ademais nas suas curvas infindáveis." (Euclides da Cunha, "Impressões gerais" *in À margem da história*) 2 Falta de frequência, de assiduidade: *A inconstância do aluno acabou em reprovação.* 3 Falta de ânimo para perseverar, insistir: *Devido à sua inconstância, nunca concluiu um projeto.* 4 Tendência para mudar facilmente de opinião, de atitude; INSTABILIDADE; VARIABILIDADE; VOLUBILIDADE: *Na sua inconstância, um dia está com Deus, outro com o diabo.* 5 Falta de estabilidade nos sentimentos; INFIDELIDADE; VOLUBILIDADE: *É impressionante a inconstância de seus amores e amizades.* 6 Procedimento daquele que é inconstante, volúvel: *Suas inconstâncias já estão chamando a atenção.* 7 Qualidade do que é mutável, descontínuo; MUTABILIDADE: *A inconstância do tempo tem obrigado o uso frequente de guarda-chuva.* [F.: Do lat. *inconstantia, ae.* Ant. ger.: *constância.*]

inconstante (in.cons.*tan*.te) ***a2g.*** 1 Que pode sofrer mudanças, variações, ou que não é uniforme, permanente, seguro (clima inconstante, atividade inconstante); INTERMITENTE; MUTÁVEL; TRANSITÓRIO; VARIÁVEL 2 Diz-se de quem não consegue dar estabilidade a suas atitudes, ideias, sentimentos ou ações; que está sujeito a mudanças frequentes 3 Que é infiel, leviano: *É um namorado inconstante.* ***s2g.*** 4 Pessoa inconstante; INSTÁVEL; VOLÚVEL: *O inconstante deu as caras outra vez.* [F.: Do lat. *inconstans, antis.* Ant. ger.: *constante.*]

inconstitucional (in.cons.ti.tu.ci:o.*nal*) ***a2g.*** Que vai contra a constituição (5) de um país (proposta inconstitucional); ANTICONSTITUCIONAL; ILEGÍTIMO; ILEGAL [Ant.: *constitucional.*] [Pl.: *-nais.*] [F.: *in-*[2] + *constitucional.*]

inconstitucionalidade (in.cons.ti.tu.ci:o.na.li.*da*.de) ***sf.*** Qualidade ou condição do que é inconstitucional [Ant.: *constitucionalidade.*] [F.: *inconstitucional* + *-(i)dade.*]

inconsulto (in.con.*sul*.to) ***a.*** 1 Que não foi consultado 2 Que não foi pensado, refletido; IRREFLETIDO [F.: Do lat. *inconsultus, a, um.*]

inconsumível (in.con.su.*mí*.vel) ***a2g.*** Que não pode ser consumido [Ant.: *consumível*] [Pl.: *-veis.* Superl.: *inconsumibilíssimo*] [F.: *in-*[2] + *consumível.*]

inconsútil (in.con.*sú*.til) ***a2g.*** 1 Que é inteiriço; que não apresenta costuras ou emendas (veste inconsútil) 2 Que é feito de uma só peça; INTEIRIÇO: *O ataúde era tão perfeito que parecia inconsútil.* 3 *Fig.* Sem falhas, fendas ou interrupções (sistema inconsútil) [Pl.: *-teis.*] [F.: Do lat. tardio *inconsutilis, e.* Ant. ger.: *consútil.*]

incontaminado (in.con.ta.mi.*na*.do) ***a.*** 1 Que não se contaminou; que não está ou não foi contaminado 2 Que não se infectou por doença ou vírus etc. nem foi acometido por infecção 3 Que não se poluiu; limpo; puro (rio incontaminado) 4 Que não foi corrompido, que não se perverteu; imaculado (reputação incontaminada) [F.: Do lat. *incontaminatus, a, um.* Ant. ger.: *contaminado.*]

incontaminável (in.con.ta.mi.*ná*.vel) ***a2g.*** 1 Que não pode ser contaminado 2 Que não deve ou não pode sofrer contaminação; não contaminável [Pl.: *-veis.* Superl.: *incontaminabilíssimo.*] [F.: Do lat. tard. *incontaminabilis, e.* Ant. ger.: *contaminável.*]

incontável (in.con.*tá*.vel) ***a2g.*** 1 Que não pode ser numerado em função da grande quantidade; INUMERÁVEL: *Tinha incontáveis amigos.* 2 Que não pode ser relatado, dito, narrado; INARRÁVEL: *Era uma história sinistra e incontável.* [Pl.: *-veis.*] [F.: *in-*[2] + *contável.* Ant. ger.: *contável.*]

incontentável (in.con.ten.*tá*.vel) ***a2g.*** Que dificilmente se contenta (com algo ou alguém); que está sempre insatisfeito: *Era um sujeito ranzinza e incontentável;* "...com o exaspero de monstruoso artista incontentável a retocar, a refazer (...) um quadro indefinido." (Euclides da Cunha, *À margem da história*) [Ant.: *contentável.*] [Pl.: *-veis.*] [F.: *in-*[2] + *contentável.*]

incontestabilidade (in.con.tes.ta.bi.li.*da*.de) ***sf.*** Característica ou qualidade do que é incontestável (incontestabilidade do argumento; incontestabilidade de talento) [Ant.: *contestabilidade*] [F.: *incontestável* (sob o rad. *incontestabil-*) + *-(i)dade*, seg. o mod. erudito.]

incontestado (in.con.tes.*ta*.do) ***a.*** Que não se contestou; que não foi negado ou posto em dúvida; INCONCUSSO; INCONTESTE: *O argumento permaneceu incontestado.* [Ant.: *contestado.*] [F.: *in-*[2] + *contestado.*]

incontestável (in.con.tes.*tá*.vel) ***a2g.*** Que não pode ser contestado, negado, posto em dúvida; INCONTESTE; INDISCUTÍVEL: *Era a prova incontestável de sua culpa.* [Ant.: *contestável.*] [Pl.: *-veis.*] [F.: *in-*[2] + *contestável.*]

inconteste (in.con.*tes*.te) ***a2g.*** 1 Que não se contesta; que não se põe em dúvida; INCONTESTÁVEL; INDISCUTÍVEL: *Era o líder inconteste do movimento.* 2 Que não apresenta harmonia ou acordo com outras atestações, não é conteste [Ant.: *conteste.*] [F.: *in-*[2] + *conteste.*]

incontido (in.con.*ti*.do) ***a.*** Que não se pode conter ou manter dentro de certos limites (riso incontido); IRREFREADO; IRREPRIMIDO; LIVRE; SOLTO [Ant.: *contido.*] [F.: *in-*[2] + *contido.*]

incontinência (in.con.ti.*nên*.ci:a) ***sf.*** 1 *Med.* Dificuldade de retenção ou controle de excreções, esp. de fezes e urina 2 Falta de controle, de moderação em atos, palavras, sentimentos etc.; DESCOMEDIMENTO; IMODERAÇÃO; INTEMPERANÇA: *Era dado a incontinências verbais.* 3 Falta de moderação na vida sexual; IMPUDICÍCIA; LUXÚRIA: *Não conseguia controlar sua incontinência sexual.* [Ant.: *abstinência.*] [F.: Do lat. *incontinentia, ae.* Ant. ger.: *continência.*] ■ **~ fecal** *Gast.* Incapacidade de reter as fezes devido à perda de controle do esfíncter anal **~ urinária** *Urol.* Incapacidade de reter a urina, devido à perda de controle do esfíncter da bexiga e da uretra

incontinente (in.con.ti.*nen*.te) ***a2g.*** 1 Que apresenta incontinência, descomedimento, imoderação; DESCOMEDIDO; DESENFREADO; IMODERADO 2 Que não é moderado em seus atos, palavras, sentimentos etc.; IMODERADO 3 Que é imoderado na vida sexual; IMPUDICO; LASCIVO; LIBERTINO; LIBIDINOSO; SENSUAL [Ant.: *abstinente.*] 4 *Med.* Que sofre de incontinência, não consegue controlar ou reter excreções ***s2g.*** 5 Indivíduo incontinente [F.: Do lat. *incontinens, entis.* Ant. ger.: *continente.* Hom./Par.: *incontinenti.*]

incontinênti (in.con.ti.*nên*.ti) ***adv.*** De modo imediato; sem demora, sem interrupção, sem intervalo: *A questão precisa ser resolvida incontinênti; Recebeu apoio incontinênti.* [F.: adapt. do lat. tardio *incontinenti* 'no tempo imediatamente posterior'.]

incontornabilidade (in.con.tor.na.bi.li.*da*.de) ***sf.*** Característica, qualidade ou condição do que é incontornável (incontornabilidade do desenlace) [Ant.: *contornabilidade.*] [F.: *incontornável* (sob o rad. *incontornabil-*) + *-(i)dade*, seg. o mod. erudito.]

incontornado (in.con.tor.*na*.do) ***a.*** Que não tem ou não teve solução, até determinado momento (problema incontornado; doença incontornada) [Ant.: *contornado, resolvido.*] [F.: *in-*[2] + *contornado.*]

incontornável (in.con.tor.*ná*.vel) ***a2g.*** 1 Não contornável; que não se pode contornar ou voltear (penhasco incontornável; lagoa incontornável) 2 *Fig.* Que se deve ou se tem de enfrentar; (fig.) de que não se pode fugir (problema incontornável; situação incontornável) [Pl.: *-veis.* Superl.: *incontornabilíssimo.*] [F.: *in-*[2] + *contornável.* Ant. ger.: *contornável.*]

incontrastado (in.con.tras.*ta*.do) ***a.*** Que não é contrastado; que não tem oposição (conceito incontrastado) [Ant.: *contrastado.*] [F.: *in-*[2] + *contrastado.*]

incontrastável (in.con.tras.*tá*.vel) ***a2g.*** 1 Que não se pode contrastar, contradizer, refutar, confrontar, replicar; INCONTESTÁVEL; IRREFUTÁVEL; IRRESPONDÍVEL: *Era realmente um argumento incontrastável.* [Ant.: *contrastável.*] 2 Que não pode ser anulado, revogado (sentença incontrastável); DECISIVO; INABALÁVEL; IRREVOGÁVEL [Pl.: *-veis.*] [F.: *in-*[2] + *contrastável.* Ant. ger.: *contrastável.*]

incontrolabilidade (in.con.tro.la.bi.li.*da*.de) ***sf.*** 1 Qualidade do que é incontrolável [Ant.: *controlabilidade.*] 2 *Psi.* Condição do sujeito que não tem controle do meio em que está inserido [F.: *incontrolável* (sob o rad. *incontrolabil-*) + *-(i)dade*, seg. o mod. erudito.]

incontrolado (in.con.tro.*la*.do) ***a.*** Que não é controlado; que está sem ou não tem controle; DESCONTROLADO [F.: *in-*[2] + *controlado.* Ant.: *controlado.*]

incontrolável (in.con.tro.*lá*.vel) ***a2g.*** Que não se controla, que não pode ser submetido a controle; INCOERCÍVEL; INGOVERNÁVEL; INSOPITÁVEL; INVERIFICÁVEL; IRREFREÁVEL; IRREPRIMÍVEL: *Sua raiva era incontrolável.* [Ant.: *controlável.*] [Pl.: *-veis.*] [F.: *in-*[2] + *controlável.*]

incontroverso (in.con.tro.*ver*.so) ***a.*** Que não admite controvérsia; que não pode ser objeto de discussão ou dúvida; INCONCUSSO; INCONTROVERTIDO; INDISCUTÍVEL; INDUBITÁVEL; IRREFRAGÁVEL: *Era um fato incontroverso.* [Ant.: *contestável, controverso.*] [F.: *in-*[2] + *controverso.*]

incontrovertido (in.con.tro.ver.*ti*.do) ***a.*** O mesmo que *incontroverso*: "...o respeito às condições de integração social do educando é ponto incontrovertido" (Manoel B. Lourenço Filho, *Tendências da educação brasileira*) [F.: *in-*[2] + *controvertido.* Ant.: *controvertido.*]

incontrovertível (in.con.tro.ver.*tí*.vel) ***a2g.*** Que não é controvertível; INCONTESTÁVEL: "...aquilo que faz um artista escolher esses acordes com a segurança incontrovertível de um sonâmbulo" (*Folha de S.Paulo*, 22.08.1997) [Ant.: *controvertível*] [Pl.: *-veis.*] [F.: *in-*[2] + *controvertível.*]

inconvencional (in.con.ven.ci.o.*nal*) ***a2g.*** Que não é convencional; que foge aos padrões convencionais [F.: *in-*[2] + *convencional.*]

inconveniência (in.con.ve.ni:*ên*.ci:a) ***sf.*** 1 Qualidade do que é inconveniente 2 Ação ou comportamento que se mostra inadequado aos costumes ou fere a maneira de ser e a sensibilidade dos outros; GROSSERIA; INCIVILIDADE; INDELICADEZA [Ant.: *civilidade, cortesia.*] [F.: Do lat. tardio *inconvenientia, ae.* Ant.: *conveniência.*]

inconveniente (in.con.ve.ni:*en*.te) ***a2g.*** 1 Que não é conveniente; que é inoportuno, impróprio (comportamento inconveniente): *Quando bebia, tornava-se inconveniente.* [Ant.: *apropriado.*] 2 Que se revela indecoroso; que fere o pudor e a moral dos outros; IMORAL; INDECENTE: *Era um filme inconveniente para crianças.* 3 Que não traz proveito, vantagem; DESVANTAJOSO: *Era uma troca inconveniente para nossa firma.* [Ant.: *proveitoso, vantajoso.*] 4 Que fala ou se comporta de modo inconveniente: *Revelou-se um sujeito muito inconveniente.* ***sm.*** 5 Acontecimento que embaraça, importuna, incomoda; DIFICULDADE; EMBARAÇO; OBJEÇÃO; OBSTÁCULO: *Um inconveniente me fez perder o trem.* 6 Resultado danoso de uma ação ou situação; DESVANTAGEM; PERIGO; PREJUÍZO; RISCO: *Havia sérios inconvenientes naquela proposta.* ***s2g.*** 7 Indivíduo que se comporta de maneira inconveniente: *Ainda bem que o inconveniente saiu mais cedo!* [F.: Do lat. imperial *inconveniens, entis.* Ant. ger.: *conveniente.*]

inconversável (in.con.ver.*sá*.vel) ***a2g.*** Que não é conversável; com o qual não se pode ou não se consegue conversar; INTRATÁVEL [Ant.: *conversável*] [Pl.: *-veis.*] [F.: *in-*[2] + *conversável.*]

inconversibilidade (in.con.ver.si.bi.li.*da*.de) *sf.* Qualidade ou condição do que é inconversível, do que não se pode converter (inconversibilidade cambial; inconversibilidade de uma moeda); INCONVERTIBILIDADE [Ant.: *conversibilidade, convertibilidade.*] [F.: *inconversível* (sob o rad. *inconversibil-*) + *-(i)dade*, seg. o mod. erudito.]

inconversível (in.con.ver.*sí*.vel) *a2g.* **1** Que não pode ser convertido, trocado (paixão inconversível): *Prêmio inconversível em dinheiro.* [Ant.: *conversível, convertível.*] **2** *Econ.* Diz-se de moeda que não se pode converter [Ant.: *conversível, convertível.*] [Pl.: *-veis.*] [F.: Do lat. *inconversibilis, e.* Tb. *inconvertível.*]

inconvertibilidade (in.con.ver.ti.bi.li.*da*.de) *sf.* O mesmo que *inconversibilidade* [F.: Do lat. medv. *inconvertibilitas, atis.*]

inconvertível (in.con.ver.*tí*.vel) *a2g.* Ver *inconversível*

inconvincente (in.con.vin.*cen*.te) *a2g.* Que não é convincente [Ant.: *convincente.*] [F.: *in-*[2] + *convincente.*]

incorporação (in.cor.po.ra.*ção*) *sf.* **1** Ação ou resultado de incorporar(-se) **2** Qualidade ou caráter do que é incorporado, integrado, anexado **3** *P. ext.* Reunião, agrupamento; AGREGAÇÃO; FUSÃO **4** Inclusão de uma substância ou elemento em outro ou em um todo **5** Admissão ou integração de algo ou alguém a um grupo, associação etc. **6** *Bras.* Construção de um edifício com a participação financeira, ger. em pagamentos parcelados, dos compradores ou condôminos **7** *Econ.* Aquisição de uma empresa por outra, ger. pela compra de ações ou por controle acionário **8** Corporificação, materialização: *Ela é a incorporação do mal.* **9** *Bras. Rel.* Ocupação do corpo do médium por um espírito; transe mediúnico **10** *Farm.* Mistura de dois medicamentos num excipiente mole ou líquido para favorecer a sua absorção e ação para lhes dar consistência [Pl.: *-ções.*] [F.: Do lat. tardio *incorporatio, onis.*]

incorporado (in.cor.po.*ra*.do) *a.* **1** Que se incorporou **2** Que foi assimilado ou admitido (costumes incorporados) **3** Que passou a fazer parte de; que foi anexado, integrado a um outro (empresa incorporada; país incorporado) **4** Que ingressou, como voluntário ou convocado, em uma organização das Forças Armadas de um país [+ *a*: "...a invasão do norte da África, (...) as batalhas de Nápoles e Montecassino – que cobriu com o amigo e escritor John Steinbeck, sempre incorporado às forças americanas." (Alberto Dines, *Robert Capa (1913-1954), Fotógrafo de guerras, incorporado e fardado*)] **5** *Bras.* Que se construiu mediante o financiamento de vários condôminos (diz-se de prédio, condomínio etc.) **6** Em transe mediúnico **7** Diz-se de espírito ou entidade que se manifesta em indivíduo na forma, que nele incorpora [F.: Do lat. tard. *incorporatus, a, um.*]

incorporador (in.cor.po.ra.*dor*) [ô] *a.* **1** Que incorpora; INCORPORANTE; INCORPORATIVO **2** Diz-se de cada um dos fundadores de uma sociedade anônima **3** *Bras.* Diz-se de quem dirige uma incorporação imobiliária *sm.* **4** Fundador de sociedade anônima **5** Administrador de incorporação imobiliária [F.: Part. de *incorporado.*]

incorporadora (in.cor.po.ra.*do*.ra) [ô] *sf. Bras.* Empresa que promove e vende incorporações imobiliárias comerciais ou residenciais [F.: Fem. substv. de *incorporador.*]

incorporal (in.cor.po.*ral*) *a2g.* **1** Que não tem corpo, não tem matéria, não tem forma física **2** Que não é do corpo, da matéria, ou a eles não diz respeito; não corpóreo; INCORPÓREO: "...temporalidade paradoxal, atópica, incorporal, sempre passada e sempre por vir..." (*Folha de S.Paulo*, 03.12.1995) **3** *Fig.* Percebido apenas pelo espírito ou pelos sentidos, ou próprio deles [Pl.: *-rais.*] [F.: Do lat. *incorporalis, e.* Ant. ger.: *corporal, corpóreo.*]

incorporalidade (in.cor.po.ra.li.*da*.de) *sf.* Qualidade, característica, estado, condição ou natureza do que é incorporal; INCORPOREIDADE: *a incorporalidade de Deus.* [Ant.: *corporalidade.*] [F.: Do lat. *incorporalitas, atis.*]

incorporante (in.cor.po.*ran*.te) *a2g.* **1** Que incorpora; INCORPORADOR **2** *Jur.* Diz-se de sociedade que absorve e assume os direitos e as obrigações de outra(s) *sf.* **3** Sociedade que absorve outra(s) por incorporação [F.: Do lat. *incorporans, ntis.*]

incorporar (in.cor.po.*rar*) *v.* **1** Adicionar algo novo a determinado ser ou corpo, conjunto ou realidade [*td.*: *Incorporou a mania do irmão; incorporaram parte do município vizinho.*] [*tdr.* + *a, em*: *Vai incorporar ao livro três capítulos novos;* "...estavam indo além do presente e incorporando a extensão do tempo naquilo que estava acontecendo entre eles." (Ana Maria Machado, *A audácia dessa mulher*)] **2** Juntar(-se) ou misturar(-se) a [*tdr.* + *a*: *O técnico incorporou um gravador ao sistema.*] [*tr.* + *a*: *O cloro se incorporou à água.*] **3** Agregar(-se), incluir(-se) em corporação, entidade; FILIAR; LIGAR [*td.*: *O regimento incorporou os novos recrutas.*] [*tdi.* + *a, em*: *O rapaz teve de incorporar-se à (ou na) Marinha.*] **4** *Restr.* Reunir (empresas industriais ou comerciais) [*td.*: *A cervejaria estrangeira incorporou duas fábricas nacionais.*] [*tdr.* + *com*: *A multinacional incorporou a matriz com as indústrias francesas.*] **5** *Bras.* Efetuar contrato para construir prédio de apartamentos ou lojas em condomínio, iniciando logo a venda das novas unidades [*td.*] **6** *Bras. Rel.* No espiritismo e nos cultos afro-brasileiros, receber no corpo o espírito de um morto ou um orixá [*td.*] **7** *Bras. Rel.* Nos cultos afro--brasileiros, entrar um orixá ou entidade outra no corpo de alguém [*tr.* + *em*: *Um Caboclo incorporou na mulher.*] **8** *Econ.* Juntar (fundo de reserva, lucro) ao capital de uma empresa [*td.*] [▶ **1** incorpor**ar**] [F.: Do lat. *incorporare.*]

incorporável (in.cor.po.*rá*.vel) *a2g.* **1** Que se pode incorporar: *Adicional de insalubridade incorporável aos proventos.* **2** Diz-se de objeto destinado à incorporação de outro (módulo incorporável) [Pl.: *-veis.*] [F.: Do lat. *incorporabils, e.* Hom./Par.: *incorporáveis* (pl.), *incorporáveis* (fl. de *incorporar*).]

incorporeidade (in.cor.po.rei.*da*.de) *sf.* Qualidade, estado, condição ou natureza do que é incorpóreo; INCORPORALIDADE: "...no Sacramento a carne de Cristo se vestiu da incorporeidade do espírito" (Antônio Vieira, *Sermão do Santíssimo Sacramento*) [Ant.: *corporeidade.*] [F.: *incorpór(eo)* + *-eidade.*]

incorpóreo (in.cor.*pó*.re:o) *a.* **1** Que não é corporal; que não possui um corpo; IMATERIAL; IMPALPÁVEL; INCORPORAL **2** *P. ext.* Que não se capta por percepção sensorial; ESPIRITUAL; ETÉREO; IMPALPÁVEL: "...gozando um gozo feroz de agonizante, o amor incorpóreo, enquanto ao lado, noite em fora, as mãos invisíveis soluçavam..." (João do Rio, "Duas criaturas" *in Dentro da noite*) [F.: Do lat. *incorporeus, a, um.* Ant. ger.: *corpóreo.*]

incorreção (in.cor.re.*ção*) *sf.* **1** Falta de correção; ERRO; INEXATIDÃO: *Um texto cheio de incorreções.* **2** Dito ou comportamento incorreto: *incorreção no falar e no trajar.* **3** Comportamento que não atende as conveniências: *Cometeu uma incorreção no uso dos talheres.* **4** Ato ou comportamento a que falta probidade, integridade: *Cometeu uma incorreção moral imperdoável.* [Ant.: *correção.*] [Pl.: *-ções.*] [F.: *in-*[2] + *correção.* Ant. ger.: *correção.*]

incorrer (in.cor.*rer*) *v. tr.* **1** Ficar compreendido, incluído ou implicado (ger. em coisa desagradável) [+ *em*: *Incorrer na aversão, na censura dos magistrados:* "...incorrendo ou não nas devidas censuras administrativas." (Cecília Meireles, *Rui*)] **2** Agir inadvertidamente de forma equivocada ou incorreta [+ *em*: *Temia incorrer em algum grande pecado.*] **3** Ser submetido a (penalidade, multa etc.); ter de arcar com [+ *em*: *A empresa incorrerá em multa, por poluir o rio.*] [▶ **2** incorr**er** Part.: *incorrido* e *incurso.*] [F.: Do lat. *incurrere.*]

incorrespondido (in.cor.res.pon.*di*.do) *a.* Que não é correspondido (paixão incorrespondida) [Ant.: *correspondido*] [F.: *in-*[2] + *correspondido.*]

incorreto (in.cor.*re*.to) *a.* **1** Que tem erro(s), falha(s); que revela inexatidão (descrição incorreta; endereço incorreto) **2** Que não está de acordo com as regras, ou com o padrão ou o modelo (fórmula matemática incorreta) **3** Que demonstra inadequação, impropriedade (atitude incorreta; conduta incorreta) **4** Que não é o certo, o devido (preço incorreto) **5** Que não segue o procedimento correto, ou que não se dá de modo adequado, conveniente (preenchimento incorreto; desligamento incorreto): *O uso incorreto de antibióticos pode causar danos à saúde.* **6** Que se fundamenta num equívoco, num engano (conhecimento incorreto; pensamento incorreto) **7** Que não é certo, não é correto: *No que tange ao Poder Judiciário é incorreto afirmar que...* **8** Que não é correto sob certo aspecto ou em relação a certa questão, assunto ou matéria (politicamente incorreto; jornalisticamente incorreto; esteticamente incorreto) [Antecedido de adv. em *-mente.*] **9** Em que há falta de honestidade ou dignidade: *Nunca pensei que ele fosse capaz de ação tão incorreta.* **10** Que não é honesto, digno, leal etc.; DESONESTO; INDIGNO; DESLEAL [F.: Do lat. *incorrectus, a, um.*]

incorrigível (in.cor.ri.*gí*.vel) *a2g.* **1** Que não se pode corrigir (erro incorrigível) **2** Que persiste, insiste (por não ter correção): *Era de uma teimosia incorrigível.* **3** Que não se corrige de seus defeitos, vícios etc.; IRRECUPERÁVEL: *É um alcoólatra incorrigível. s2g.* **4** Aquele que apresenta essa característica: *O incorrigível voltou a beber.* [Pl.: *-veis.*] [F.: Do lat. medv. *incorrigibilis, e.* Ant. nas acps. 1 e 2: *corrigível.*]

incorrimento (in.cor.ri.*men*.to) *P. us. sm.* **1** Ação ou resultado de incorrer: *incorrimento de despesas operacionais.* **2** Investida, ataque. [F.: *incorrer* + *-imento.*]

incorrosível (in.cor.ro.*sí*.vel) *a2g.* Que não é corrosível [Ant.: *corrosível*] [Pl.: *-veis.*] [F.: *in-*[2] + *corrosível.*]

incorruptibilidade (in.cor.rup.ti.bi.li.*da*.de) *sf.* Qualidade ou caráter do que é incorruptível [Ant.: *corruptibilidade.*] [F.: Do lat. *incorruptibilitas, atis.* Tb. *incorrutibilidade.*]

incorruptível (in.cor.rup.*tí*.vel) *a2g.* **1** Que não se corrompe, que não se deteriora (metal incorruptível) **2** Diz-se de pessoa incapaz de se corromper: *Era um político incorruptível.* [Pl.: *-veis.*] [F.: Do lat. tard. *incorruptibiles, e.* Ant. ger.: *corruptível.* Tb. *incorrutível.*]

incorrupto (in.cor.*rup*.to) *a.* **1** Que não se corrompeu **2** Que não sofreu processo de corrupção, que não se deteriorou, não se decompôs (corpo incorrupto) *sm.* **3** Indivíduo incorrupto (1) [F.: Do lat. *incorruptus, a, um.* Ant. ger.: *corrupto.* Tb. *incorruto.*]

incorrutibilidade (in.cor.ru.ti.bi.li.*da*.de) *sf.* Ver *incorruptibilidade*

incorrutível (in.cor.ru.*tí*.vel) *a2g.* Ver *incorruptível*

incorruto (in.cor.*ru*.to) *a. sm.* Ver *incorrupto*

incredibilidade (in.cre.di.bi.li.*da*.de) *sf.* Qualidade ou condição do que é incredível ou incrível [F.: Do lat. tard. *incredibilitas, atis.* Ant.: *credibilidade.*]

incredibilíssimo (in.cre.di.bi.*lís*.si.mo) *a.* Muitíssimo incrível [Ant.: *credibilíssimo.*] [F.: Do lat. *incredibilissimus, a, um.*]

incredível (in.cre.*dí*.vel) *a2g. P. us.* O mesmo que *incrível* [Ant.: *credível*] [Pl.: *-veis.* Superl.: *incredibilíssimo.*] [F.: Do lat. *incredibilis, e.*]

incredulidade (in.cre.du.li.*da*.de) *sf.* **1** Qualidade, caráter ou condição de incrédulo *sf.* **2** Ausência de fé ou crença religiosa **3** Característica, tendência ou pensamento de quem não se deixa convencer com facilidade, ou de quem (já) não acredita (tão) facilmente nas coisas que lhe dizem [F.: Do lat. *incredulitas, atis.* Ant. ger.: *credulidade.*]

incrédulo (in.*cré*.du.lo) *a.* **1** Que não tem fé nem crença religiosa [Ant.: *crente.*] **2** Que tem dificuldade de ou resistência a acreditar em alguma coisa ou em alguém: "numa sociedade corrupta, em que a virtude era egoísta e o vício incrédulo [...] ninguém o entenderia." (Alexandre Herculano, "Eurico, O presbítero" *in O Poeta*) **3** Que demonstra ou revela incredulidade (sorriso incrédulo) *sm.* **4** Indivíduo ateu **5** Indivíduo descrente [Superl.: *incredibilíssimo.*] [F.: Do lat. *incredulus, a, um*, por via erudita.]

incrementação (in.cre.men.ta.*ção*) *sf.* **1** Ação ou resultado de incrementar(-se); INCREMENTO: *A incrementação de novas tecnologias aumenta a produtividade da empresa.* **2** *Inf.* Ação ou resultado de adicionar um valor a uma variável [Pl.: *-ções.*] [F.: *incrementar* + *-ção.*]

incrementado (in.cre.men.*ta*.do) *a.* **1** Que se incrementou; DESENVOLVIDO **2** *Bras. Gír.* Diz-se de prato apurado que contém ingredientes variados (salada incrementada). **3** *Bras. Gír.* Que tem elementos especiais capazes de atrair público e provocar animação (festa incrementada) **4** *Bras. Gír.* Que possui vários acessórios modernos e ousados (vestido incrementado) **5** *Bras. Gír.* De estilo moderno (penteado ou corte incrementado) [F.: Part. de *incrementar.*]

incremental (in.cre.men.*tal*) *a2g.* **1** Ref. a incremento (custo incremental) **2** Diz-se de elemento que tem finalidade de incrementar algo: *sistema incremental de atendimento odontológico.* [Pl.: *-tais.*] [F.: *incremento* + *-al*[1].]

incrementar (in.cre.men.*tar*) *v. td.* **1** Fomentar o desenvolvimento ou ampliação de; dar impulso a: *O intercâmbio com a China incrementou o volume das exportações.* **2** Embelezar ou tornar mais refinado: *Incrementara o trabalho com excelentes abonações.* [Ant.: *empobrecer.*] **3** *Bras. Gír.* Tornar mais animado ou chamativo: *Incrementaram o carro com luzes e ruídos espantosos.* [Ant.: *desanimar, entristecer.*] [▶ **1** increment**ar**] [F.: Do lat. *incrementare.* Hom./Par.: *incremento* (fl.), *incremento* (sm.).]

incremento (in.cre.*men*.to) *sm.* **1** Ação ou resultado de aumentar, crescer, desenvolver; AUMENTO: *O cinema experimental precisa de incremento.* **2** Desenvolvimento, crescimento **3** *P. ext. Fig.* Aquilo que incrementa, faz desenvolver algo **4** *Mat.* Ação de incrementar uma variável **5** *Inf. Mat.* Quantidade que se acresce a uma variável [F.: Do lat. *incrementum, i.* Hom./Par.: *incremento* (sm.), *incremento* (fl. de *incrementar*).]

increpação (in.cre.pa.*ção*) *sf.* Ação ou resultado de increpar; ADMOESTAÇÃO; CENSURA [Pl.: *-ções.*] [F.: Do lat. tard. *increpatio, onis.*]

increpar (in.cre.*par*) *v.* Repreender ou acusar duramente (por); CENSURAR [*tdr.* + *de*: *O juiz increpou os jornalistas de irem longe demais.*] [*tdp.*: *increparam-no de improbidade.*] [*td.*: *Increpou rudemente a assessoria.*] [▶ **1** increp**ar**] [F.: Do lat. *increpare.* Hom./Par.: *increpáveis* (fl.), *increpáveis* (pl. de *increpável* [a2g.]).]

incréu (in.*créu*) *sm.* **1** Aquele que não crê, que tem a dúvida por princípio **2** Aquele que não tem fé, que não tem crença ou religião; ATEU; ÍMPIO [Fem.: *increia.*] [F.: Do lat. *incredulus, a, um*, por via popular. Ant. ger.: *crédulo.*]

incriado (in.cri:*a*.do) *a.* **1** Que não foi criado, que não teve princípio [Ant.: *criado.*] *sm.* **2** Algo que não foi criado, que não teve princípio [Ant.: *criado.*] **3** *Fig.* Deus: "Como o reflexo fúnebre do Incriado: / Bradei: – Que fazes ainda no meu crânio?" (Augusto dos Anjos, *O último número*) [Com inicial maiúsc. nesta acp.] [F.: Do lat. tard. *increatus, a, um.*]

incriminação (in.cri.mi.na.*ção*) *sf.* **1** Ação ou resultado de incriminar(-se) **2** *Jur.* O mesmo que *imputação* [Pl.: *-ções.*] [F.: *incriminar* + *-ção.*]

incriminado (in.cri.mi.*na*.do) *a.* Que se incriminou; a quem se atribuiu crime ou culpa, ou que sofreu processo de incriminação [F.: Part. de *incriminar.*]

incriminador (in.cri.mi.na.*dor*) [ô] *a.* **1** Que incrimina (documento incriminador) *sm.* **2** Aquele ou aquilo que incrimina [F.: *incriminar* + *-dor.*]

incriminar (in.cri.mi.*nar*) *v.* **1** Determinar responsabilidade de (alguém) em atividade ilegal; INCULPAR [*tdr.* + *de*: *Não há provas para incriminar o falsário de ter roubado os cheques.*] [*td.*: *Ainda não se pode incriminar o suspeito.*] **2** Acusar (alguém) de delito ou sugerir essa possibilidade [*td.*: *Quando o relógio sumiu, incriminou injustamente a camareira.*] **3** Revelar inadvertidamente a própria culpa [*td.*: *Incriminou-se, ao deixar escapar que tinha sido químico.*] **4** Qualificar como crime [*td.*: *Incriminar o comércio da droga torna-a dez vezes mais perniciosa.*] [▶ **1** incrimin**ar**] [F.: *in-*[1] + *criminar*. Ant. ger.: *inocentar*. Hom./Par.: *incrimináveis* (fl.), *incrimináveis* (pl. de *incriminável* [a2g.]).]

incriminatório (in.cri.mi.na.*tó*.ri:o) *a.* Que incrimina, serve para incriminar ou implica em incriminação [F.: *incriminar* + *-tório.*]

incriticável (in.cri.ti.*cá*.vel) *a2g.* Que não se pode ou não se deve criticar (por ter qualidade[s] superior[es] ou inferior[es] a qualquer crítica) [Ant.: *criticável*] [Pl.: *-veis.*] [F.: *in-*[2] + *criticável.*]

incrível (in.*crí*.vel) *a2g.* **1** Que não é crível; no qual não se pode acreditar [Ant.: *acreditável, crível*] **2** Fora do comum; EXTRAORDINÁRIO: *Ele tem uma força incrível!* **3** Que é ou aparenta ser inexplicável, fantástico: *Foi uma aparição incrível, difícil de descrever!* **4** Que tem qualidades extraordinárias: *É um filme incrível!* [Superl.: *incredibilíssimo.*] *sm.* **5** *Fig.* Aquilo em que não se pode ou não se deve crer, acreditar **6** *Fig.* O que não é crível: o que representa uma exceção, uma contradição por não ser o esperado, o devido, o adequado, ou o próprio de alguém ou de uma situação: *O incrível é que ele, um cara tão certinho, nunca quis conhecer o filho.* [Pl.: *-veis.*] [F.: Do lat. *incredibilis, e.*]

incruento (in.cru:*en*.to) *a.* **1** Em que não há derramamento de sangue (batalha incruenta) **2** *Rel.* Diz-se de sacrifícios em que se oferecem aos deuses frutos naturais, vinho, pão etc., em vez de animais ou pessoas sacrificadas [F.: Do lat. *incruentus, a, um.* Ant. ger.: *cruento.*]

incrustação (in.crus.ta.*ção*) *sf.* **1** Ação ou resultado de incrustar(-se), de formar crosta (p. ex.: por depósito de calcário) **2** O que é incrustado **3** Adorno que se incrusta em algo: *anel com incrustações de brilhantes.* **4** *Geol.* Depósito de matéria sólida nas paredes externas ou internas de mineral ou rocha que resulta de processo de precipitação (cristalização dos sais minerais contidos na água que evapora) **5** *Cons.* Depósito de matéria sólida em tubulação, estruturas etc., resultante de precipitação **6** *Od.* Prótese de metal, resina ou porcelana fixada a um dente para reconstruí-lo [Pl.: *-ções.*] [F.: Do lat. tard. *incrustatio, onis.*]

incrustado (in.crus.*ta*.do) *a.* **1** Que se incrustou *a.* **2** Que passou por processo de incrustação [F.: Part. de *incrustar.*]

incrustante (in.crus.*tan*.te) *a2g.* Que inscrusta ou tem a propriedade de incrustar, de cobrir algo com uma crosta (água incrustante) [F.: Do lat. *incrustans, ntis.*]

incrustar (in.crus.*tar*) *v.* **1** Embutir ou inserir (uma coisa em outra), ger. com intenção estética; MARCHETAR; TAUXIAR [*tda.*: *Incrustavam todo o mobiliário com madeiras de outras cores.*] **2** Fixar-se à superfície de; ADERIR-SE [*td.*: *Os moluscos se incrustam no dorso das baleias.*] [Ant.: *desprender(-se).*] **3** Revestir (algo) com (crosta, tinta etc.) [*tdr.* + *com, de*: *Incrustar de verniz uma tela.*] **4** *Fig.* Instalar-se de forma arraigada e persistente em [*ta.*: *A burocracia incrustou-se na máquina governamental; Os preconceitos incrustam-se nas cabeças da maioria.*] [▶ 1 incrustar] [F.: Do lat. *incrustare.* Hom./Par.: *incrustáveis* (fl.), *incrustáveis* (pl. de *incrustável* [a2g.]).]

incubação (in.cu.ba.*ção*) *sf.* **1** Ação ou resultado de incubar(-se) **2** *Zool.* Ação ou processo que provoca, de forma natural ou artificial, o desenvolvimento de um embrião no ovo (de insetos, aves ou peixes) até a eclosão **3** *Med.* Tempo que decorre desde a penetração de um agente infeccioso no corpo até a manifestação sintomática da doença **4** *Biol.* Processo que permite o desenvolvimento de culturas microbianas em estufas de laboratório **5** *Fig.* Preparação, elaboração, premeditação (incubação de um projeto) [Pl.: *-ções.*] [F.: Do lat. imperial *incubatio, onis.* Hom./Par.: *incubação* (sf.), *encubação* (sf.).]

incubadeira (in.cu.ba.*dei*.ra) *sf.* O mesmo que *incubadora* [F.: *incubar* + *-deira.*]

incubado (in.cu.*ba*.do) *a.* **1** Que se incubou (ovo incubado) **2** Que está em estado latente (moléstia, sentimento etc.): "...vivia imerso no seu sonho, incubado e mantido vivo pelo calor dos seus livros" (Lima Barreto, *Triste fim de Policarpo Quaresma*) **3** *Fig.* Premeditado, germinado, gerado: "Talvez algum casamento incubado..." (Machado de Assis, *Ressurreição*) [F.: Part. de *incubar.*]

incubadora (in.cu.ba.*do*.ra) [ô] *sf.* **1** Aparelho, esp. us. em hospitais, para manter recém-nascidos em ambiente ideal de temperatura, oxigenação e umidade **2** Aparelho próprio para incubação artificial de galináceos **3** Em laboratórios, recinto de temperatura controlada para o cultivo de microrganismos e testes biológicos **4** Ambiente (espaço, assistência, meios etc.) oferecido por instituições (universidade, empresa etc.) para fomentar e desenvolver grupo ou núcleo de determinada atividade [F.: Fem. substv. de *incubador.* Sin. ger.: *incubadeira.*]

incubar (in.cu.*bar*) *v.* **1** Chocar ou serem chocados ovos, natural ou artificialmente [*td.*: *As galinhas incubam os ovos durante uns 20 dias.*] [*int.*: *Os ovos foram separados para incubar.*] **2** Ficar (doença) em estado não manifesto [*int.*: *Após o contágio, a virose pode incubar-se por três dias.*] **3** Fomentar, auxiliar e proteger o desenvolvimento de (empresa) em etapa inicial [*td.*: *Há hoje firmas especializadas em incubar novas empresas.*] **4** *Fig.* Preparar, elaborar, premeditar [*td.*: *Ficava dias incubando teorias malucas.*] [▶ 1 incubar] [F.: Do lat. *incubare.* Hom./Par.: *incubo* (fl.), *íncubo* (a. sm.); *incubar, encubar* (em todas as fl.).]

inculca (in.*cul*.ca) *sf.* **1** Ação ou resultado de inculcar(-se) **2** Informação sobre as qualidades e aptidões de alguém **3** Busca, averiguação ou pesquisa minuciosa [Nesta acp., mais us. no pl.] **4** Aquilo que sugere, que se propõe [F.: Dev. de *inculcar.* Hom./Par.: *inculca* (sf.), *inculca* (fl. de *inculcar*).] ∎ **Deitar ~s** Indagar sobre algo ou alguém, inclusive por intermédio de terceiros

inculcador (in.cul.ca.*dor*) [ô] *a.* **1** Que inculca: *A televisão pode ser um instrumento inculcador de ideologias.* *sm.* **2** Aquele ou aquilo que inculca [F.: Do lat. tard. *inculcator, oris.*]

inculcar (in.cul.*car*) *v.* **1** Fazer gravar ou assimilar (algo) na consciência de alguém [*td.*: *inculcar uma doutrina.*] [*tdr.* + *em*: *É preciso inculcar cedo nas crianças o espírito de solidariedade.*] **2** Dar a entender; REVELAR; DEMONSTRAR [*td.*: *A conduta do rapaz não inculca desonestidade.*] [Ant.: *esconder, ocultar.*] **3** Apresentar (aquilo que não é); APARENTAR [*td.*: *Inculca ares de estudioso, mas detesta os livros.*] **4** Indicar com ênfase e interesse; PROPOR; APREGOAR [*tdi.* + *a*: "Mas o amigo banqueiro, que lhe inculcara o decorador..." (Marques Rebelo, *O simples coronel Madureira*)] [*td.*: *Inculcava os piores programas de tevê.*] **5** Aconselhar, recomendar [*tdi.* + *a*: *O mestre inculcava-lhes serenidade.*] [Ant.: *contraindicar, desaconselhar.*] [▶ 11 inculcar] [F.: Do lat. *inculcare.* Hom./Par.: *inculca* (fl.), *inculca* (sf.); *inculcas* (fl.), *inculcas* (pl. de *inculca*).]

inculpabilidade (in.cul.pa.bi.li.*da*.de) *sf.* **1** Qualidade ou estado de inculpável **2** *Jur.* Condição daquele que, por falta de provas incriminatórias, não pode ser considerado culpado de um delito [F.: *inculpável* + *-(i)dade*, seg. o mod. erudito. Ant. ger.: *culpabilidade.*]

inculpação (in.cul.pa.*ção*) *sf.* **1** Ação ou resultado de inculpar(-se) **2** Acusação, incriminação [Pl.: *-ções.*] [F.: Do lat. tard. *inculpatio, onis.*]

inculpado (in.cul.*pa*.do) *a.* **1** Que se inculpou; que é alvo da acusação de falta ou crime; ACUSADO; INCRIMINADO *sm.* **2** Aquele que é alvo de inculpação [F.: Do lat. tard. *inculpatus, a, um*, do v.lat. *inculpare*, 'acusar'.]

inculpar (in.cul.*par*) *v.* Atribuir culpa a (alguém ou si mesmo); INCRIMINAR(-SE); ACUSAR(-SE); CULPAR(-SE) [*tdr.* + *de*: *A vida o inculpa da falta de ética.*] [*tdp.*: *inculpar-se de irresponsável.*] [*td.*: *O pai sempre o inculpa.* Ant.: *desculpar, inocentar.*] [▶ 1 inculpar] [F.: Do lat. *inculpare.* Hom./Par.: *inculpáveis* (fl.), *inculpáveis* (pl. de *inculpável* [a2g.]); *inculpe* (fl.), *inculpe* (a2g.); *inculpes* (fl.), *inculpes* (pl. de *inculpe*).]

inculpável (in.cul.*pá*.vel) *a2g.* Que não se pode culpar [Ant.: *culpado, culpável.*] [Pl.: *-veis.*] [F.: Do lat. tard. *inculpabilis, e.* Hom./Par.: *inculpáveis* (pl.), *inculpáveis* (fl. de *inculpar*).]

inculpe (in.*cul*.pe) *a2g.* Que não é culpado; INOCENTE [F.: *in-*[2] + *culpa*, por analogia com adj. como *incólume* (< lat. *incolumis, e*), *imberbe* (< lat. *imberbis, e*), *indene* (< lat. *indemnis, e*), *infirme* (< lat. *infirmis, e*), *inube* (< lat. *innubis, e*) e *inerme* (< lat. *inermis, e.*). Hom./Par.: *inculpe* (a2g.), *inculpe* (fl. de *inculpar*).]

incultivável (in.cul.ti.*vá*.vel) *a2g.* Que não se pode ou não se deve cultivar, improdutivo (terreno incultivável; sentimento incultivável) [Pl.: *-veis.*] [F.: *in-*[2] + *cultivável.* Ant.: *cultivável.*]

inculto (in.*cul*.to) *a.* **1** Que não é cultivado; que não tem cultura (solo inculto) **2** Que não resulta de cultura, de cultivo: *Eram flores belas e incultas.* *a.* **3** Que não tem atavios: "As barbas grisalhas, crescidas, davam-lhe um aspecto inculto quase feroz." (Júlio Ribeiro, *A carne*) **4** *Fig.* Que não tem cultura, preparo, instrução: *Era homem inteligente, mas inculto.* *sm.* **5** Indivíduo sem cultura, sem instrução [Ant.: *culto.*] [F.: Do lat. *incultus, a, um.*]

incultura (in.cul.*tu*.ra) *sf.* **1** Qualidade, estado ou condição de inculto **2** *Fig.* Ausência de cultura, ilustração, preparo intelectual [F.: *in-*[2] + *cultura.* Ant. ger.: *cultura.*]

incumbência (in.cum.*bên*.ci:a) *sf.* **1** Ação ou resultado de incumbir(-se) **2** Encargo, missão ou tarefa que se atribui a alguém: *Recebeu uma incumbência difícil.* [F.: *incumbir* + *-ência.* Ant. ger.: *desincumbência.*]

incumbente (in.cum.*ben*.te) *a2g.* **1** Inclinado para baixo **2** *Bot.* Diz-se de radícula localizada no dorso dos cotilédones **3** Que dá ou recebe incumbência **4** *Econ.* Diz-se de empresa privada que recebeu uma concessão (operadora incumbente) *sf.* **5** *Econ.* Empresa privada que recebeu uma concessão; CONCESSIONÁRIA [F.: Do lat. *incumbens, entis.*]

incumbir (in.cum.*bir*) *v.* **1** Atribuir (a alguém ou a si próprio) a tarefa de; ENCARREGAR(-SE) [*tdi.* + *a*: *Incumbiram-lhe a leitura do testamento.*] [*tdr.* + *de*: *incumbir um subordinado de uma tarefa; incumbiu-se de dar a boa-nova.*] **2** Ser da obrigação, do dever de; estar a cargo; CABER; TOCAR [*ti.* + *a*: *Incumbe aos organizadores vender os ingressos.*] [▶ 3 incumbir] [F.: Do lat. *incumbere.* Ant. ger.: *desincumbir.*]

incunábulo (in.cu.*ná*.bu.lo) *a.* **1** *Bibl.* Diz-se de livro impresso nos primórdios da invenção da imprensa, de meados do séc. XV até 1500 **2** *P. ext.* Diz-se de impresso produzido nos primórdios de qualquer processo de gravar ou imprimir *sm.* **3** Esse livro ou impresso: *Vivia consultando seus incunábulos.* **4** *Fig.* Começo, origem, berço [F.: Do lat. *incunabulum, i.*]

incurabilidade (in.cu.ra.bi.li.*da*.de) *sf.* Qualidade, estado ou condição do que é incurável (incurabilidade de uma doença) [F.: *incurável* (sob o rad. *incurabil-*) + *-(i)dade*, seg. o mod. erudito.]

incurável (in.cu.*rá*.vel) *a2g.* **1** Que não tem cura, que não pode ser curado (doença incurável) **2** *Fig.* Diz-se de coisa ou pessoa que não se pode consertar, recuperar, regenerar (vício incurável; teimosia incurável); INCORRIGÍVEL [Pl.: *-veis.*] [F.: Do lat. tard. *incurabilis, e.* Ant. ger.: *curável.*]

incúria (in.*cú*.ri:a) *sf.* **1** Falta de cuidado, de dedicação; DESLEIXO **2** Negligência ou descuido nos negócios públicos ou particulares **3** Falta de iniciativa [F.: Do lat. *incuria, ae.*]

incurial (in.cu.ri.*al*) *a2g.* Que não é curial; INCONVENIENTE; INADEQUADO; IMPRÓPRIO [Pl.: *-ais.*] [F.: *in-*[2] + *curial.*]

incuriosidade (in.cu.ri:o.si.*da*.de) *sf.* **1** Qualidade de incurioso **2** Falta de curiosidade: "Os índios pelados, Huxley os olhou com certa incuriosidade, talvez por pudor, para deixá-los à vontade" (*Folha de S.Paulo*, 25.07.1994) **3** Falta de zelo; desleixo, negligência [F.: Do lat. tard. *incuriositas, atis.* Ant. ger.: *curiosidade.*]

incurioso (in.cu.ri:*o*.so) [ô] *a.* **1** Que não é curioso; que não tem curiosidade: "baixei os olhos, incurioso, lasso" (Carlos Drummond de Andrade, *A máquina do mundo*) **2** *Fig.* Negligente, descuidado [Pl.: [ó]. Fem.: [ó].] [F.: Do lat. imper. *incuriosus, a, um.* Ant. ger.: *curioso.*]

incursão (in.cur.*são*) *sf.* **1** Invasão militar em território estrangeiro; ATAQUE; INVESTIDA **2** Passeio por algum lugar (incursão a Petrópolis); EXCURSÃO **3** *P. ext.* Trabalho ou pesquisa que alguém faz em especialidade ou em área de conhecimento diferente da sua [Pl.: *-sões.*] [F.: Do lat. *incursio, onis.*]

incursionar (in.cur.si:o.*nar*) *v. ta.* **1** Adentrar, percorrer (local, região etc.): *Incursionaram tranquilamente pela cidade.* **2** Explorar (área de conhecimento, arte, assunto etc.): *É um pintor que incursiona também pela cerâmica.* [▶ 1 incursionar] [F.: De *incursão*, sob a influência de *incursion* + *-ar*[2].]

incurso (in.*cur*.so) *a.* **1** Que está comprometido, incluído, envolvido: *Vive incurso nas piores bandalheiras.* **2** *Jur.* Que está sujeito a (penalidades da lei) *sm.* **3** Incursão, invasão [F.: Do lat. *incursus, a, um.*]

incutir (in.cu.*tir*) *v.* Fazer(-se) introduzir em alguém (ideia, emoção, valor); INFUNDIR; INCULCAR [*td.*: *O professor incutia mais dúvidas que certezas.*] [*tdr.* + *em*: *Incutiu no discípulo a vontade de saber.*] [▶ 3 incutir] [F.: Do lat. *incutere.* Hom./Par.: *incuto* (fl.), *inculto* (a.).]

inda (*in*.da) *adv. Pop.* Ver *ainda* [F.: Var. aferética de *ainda.*]

indagação (in.da.ga.*ção*) *sf.* **1** Ação ou resultado de indagar(-se), perguntar(-se), de tentar descobrir ou investigar (algo) a respeito de alguém ou alguma coisa **2** Devassa, inquérito, sindicância **3** Investigação, pesquisa, reflexão: *Era um texto que fazia indagações sobre o amor.* [Pl.: *-ções.*] [F.: Do lat. *indagatio, onis.*] ∎ **Alta ~** *Jur.* Exploração e estudo minucioso e profundo de uma questão por meio de inquirições, investigações, pesquisas, acareações etc.

indagador (in.da.ga.*dor*) [ô] *a.* **1** Que indaga; que pergunta (olhar indagador) *sm.* **2** Aquele que indaga [F.: Do lat. *indagator, oris.* Sin. ger.: *averiguador.*]

indagar (in.da.*gar*) *v.* **1** Tentar saber; INTERROGAR; PERGUNTAR [*td.*: *Não indagaram o motivo da briga.*] [*tdi.* + *a*: *Indagou ao aluno se desejava ser acrobata.*] **2** Procurar descobrir; INVESTIGAR; AVERIGUAR [*td.*: *Indagou a causa do crime.*] [*tr.* + *de*: *Indagou do criminoso o método utilizado.*] [*int.*: *Andou indagando na cidade.*] **3** Pensar sobre o sentido, a razão de ser de; PONDERAR [*td.*: *O arqueólogo indagava-se sobre o misterioso desenho na caverna.*] **4** Observar com muita atenção, esquadrinhar [*td.*: *Indagou as águas, à procura da Iara.*] [▶ 14 indagar] [F.: Do lat. *indagare.* Hom./Par.: *indagáveis* (fl.), *indagáveis* (pl. de *indagável* [a2g.]).]

indagativo (in.da.ga.*ti*.vo) *a.* **1** Que é próprio para indagar: *Desenvolvera novas técnicas indagativas.* **2** Que sugere ou exprime uma indagação: *Dirigiu um olhar indagativo à mãe.* [F.: *indagar* + *-tivo.* Sin. ger: *indagatório.*]

indagatório (in.da.ga.*tó*.rio) *a.* **1** Que indaga *a.* **2** Que serve para indagar **3** Que encerra ou exprime indagação (olhar indagatório) [F.: *indagar* + *-tório.*]

indaiá (in.dai.*á*) *sm. Bras. Bot.* Designação comum a várias palmeiras, esp. dos gên. *Attalea* e *Pindarea.* [F.: Do tupi *inda'ya.*]

indébito (in.*dé*.bi.to) *a.* **1** Diz-se daquilo que foi pago sem ser devido (juros indébitos) **2** Que é injusto, imerecido (vitória indébita) **3** Que não tem razão de ser (reivindicações indébitas); DESCABIDO; IMPROCEDENTE **4** Que fere regras e usos (proposições indébitas) **5** *Jur.* Contrário à ordenação jurídica *sm.* **6** *Jur.* Pagamento indevido: aquele que não se tem a obrigação de pagar ou o direito de exigir: *Repetição de indébito é a devolução de quantia paga indevidamente.* [F.: Do lat. *indebitus, a, um.*]

indecência (in.de.*cên*.ci:a) *sf.* **1** Maneira, ação ou modos indecentes; falta de pudor, de moral: *Aquela saia curta era uma indecência;* "Tua indecência não serve mais, / tão decadente e tanto faz." (Legião Urbana, *Flores do mal*) **2** Aquilo que é contrário às regras da moral sexual, que é obsceno: *Gostava de fazer e dizer indecências.* **3** Dito obsceno, cheio de vulgarismos, palavrões ou obscenidades **4** Ato que revela afronta, indignidade, falta de respeito: *Pagar tal salário era uma indecência.* [F.: Do lat. *indecentia.*]

indecente (in.de.*cen*.te) *a2g.* **1** Que não tem decência, pudor, dignidade: "Ser indecente mas tudo é muito mau/Ou então cada paisano e cada capataz/Com sua burrice fará jorrar sangue demais." (Caetano Veloso, *Podres poderes*) **2** Que não é próprio, que fere o pudor, o decoro (proposta indecente) **3** Diz-se de pessoa obscena no falar, agir etc. (um sujeito obsceno) *s2g.* **4** Aquele que tem comportamento obsceno, que viola o pudor, as restrições sexuais [F.: Do lat. *indecens, entis.*]

indecifrável (in.de.ci.*frá*.vel) *a2g.* **1** Que não pode ser decifrado (código indecifrável) **2** *Fig.* Diz-se de algo ou alguém que é enigmático, impenetrável, difícil de entender (filme indecifrável; olhar indecifrável; indivíduo indecifrável); MISTERIOSO [Pl.: *-veis.*] [F.: *in-*[2] + *decifrável.* Ant. ger.: *decifrável.*]

indecisão (in.de.ci.*são*) *sf.* **1** Falta de decisão, resolução, determinação: *Sua indecisão o fez perder a garota.* **2** Caráter ou estado de pessoa indecisa, incapaz de tomar decisões ou de fazê-lo sem hesitar **3** Condição daquilo que não foi definido ou se encontra mal resolvido; INDETERMINAÇÃO; INDEFINIÇÃO: *a indecisão de um projeto.* [Pl.: *-sões.*] [F.: *in-*[2] + *decisão.* Ant. ger.: *decisão.*]

indeciso (in.de.*ci*.so) *a.* **1** Que não é capaz de se decidir ou que não se decide sobre algo; que não toma resoluções (sujeito indeciso) *a.* **2** *P. ext.* Que não sabe ou está sem saber o que fazer, que decisão tomar: *Por um momento* *ficou indeciso, mas logo tomou o caminho certo;* "Tenho andado distraído, / Impaciente e indeciso. / E ainda estou confuso." (Renato Russo, *Quase sem querer*) 3 Que não se define, que permanece indeterminado: *O resultado da eleição permanece indeciso.* 4 Que revela ausência de nitidez: *quadro de cores indecisas.* 5 Que revela ausência de precisão: *A direção do filme era indecisa.* ***sm.*** 6 Aquele que revela indecisão, falta de iniciativa: *Os indecisos perderam os melhores lugares.* [F.: Do lat. medv. *indecisus, a, um.*]

indeclinável (in.de.cli.*ná*.vel) ***a2g.*** 1 Que não se pode declinar, recusar, negar: *A moça fez um pedido indeclinável ao pai.* 2 *Gram.* Que não se flexiona, que é invariável (diz-se de palavra, como, p. ex., os advérbios, as conjunções etc.) [Pl.: *-veis.*] [F.: Do lat. tard. *indeclinabilis, e.* Ant. ger.: *declinável.*]

indecomponível (in.de.com.po.*ní*.vel) ***a2g.*** Que não se pode decompor; que não pode ter seus componentes separados [Pl.: *-veis.*] [F.: *in-*² + *decomponível.* Ant.: *decomponível.*]

indecoroso (in.de.co.*ro*.so) [ô] ***a.*** 1 Que agride a moral, que não tem decência (políticos indecorosos; governo indecoroso); DEPLORÁVEL 2 Que choca pela obscenidade, pela falta de pudor (namoro indecoroso); DEVASSO 3 *Fig.* Que se revela aviltante, vil: *Dava tratamento indecoroso aos subalternos.* [Pl.: [ó]. Fem.: [ó].] [F.: Do lat. *indecorosus, a, um.* Ant. ger.: *decoroso.*]

indedutível (in.de.du.*tí*.vel) ***a2g.*** Que não se pode deduzir, descontar, reduzir (provisão indedutível) [Pl.: *-veis.*] [F.: *in-*² + *dedutível.*]

indefectível (in.de.fec.*tí*.vel) ***a2g.*** 1 Que não falha, que não falta: *Lá vinha ele com seu indefectível amigo!* 2 Que não se pode destruir; que é imperecível (amor indefectível) [Pl.: *-veis.*] [F.: *in-*² + *defectível.* Ant. ger.: *defectível.*]

indefendível (in.de.fen.*dí*.vel) ***a2g.*** Que não pode ser defendido; que não merece defesa; INDEFENSÁVEL: *Suas posições morais eram indefendíveis* [Pl.: *-veis.*] [F.: *in-*² + *defendível.*]

indefensável (in.de.fen.*sá*.vel) ***a2g.*** 1 Que não pode ser defendido (golpe indefensável; chute indefensável) 2 Que não pode ser protegido (fortificação indefensável) 3 *Fig.* Que não pode ser sustentado, justificado (proposta indefensável; argumento indefensável) 4 Que não tem defesa, justificativa; que não é justificável (crime indefensável) [Pl.: *-veis.*] ***sm.*** 5 Aquilo que não tem defesa, justificativa: *Não há como defender o indefensável.* [F.: *in-*² + *defensável.* Ant. ger.: *defensável.*]

indefenso (in.de.*fen*.so) ***a.*** Ver *indefeso* [F.: Do lat. tard. *indefensus, a, um.*]

indeferido (in.de.fe.*ri*.do) ***a.*** 1 Que não obteve deferimento 2 Que não foi outorgado, concedido 3 *Jur.* Diz-se de requerimento, petição etc. que foi negado judicialmente [F.: Part. de *indeferir.* Ant. ger.: *deferido.*]

indeferimento (in.de.fe.ri.*men*.to) ***sm.*** 1 Ação ou resultado de indeferir, de não atender, de não levar em consideração (pedido, queixa etc.) 2 *Jur.* Despacho que, emitido por autoridade judicial ou administrativa, não atende o que foi pedido, requerido [F.: *indeferir* + *-mento.* Ant. ger.: *deferimento.*]

indeferir (in.de.fe.*rir*) ***v. td.*** Dar resposta desfavorável, não deferir (requerimento, solicitação); DESATENDER: *A banca indeferiu o pedido.* [▶ **50 indeferir**] [F.: *in-*² + *deferir.*]

indeferível (in.de.fe.*rí*.vel) ***a2g.*** Que não se pode deferir, autorizar, outorgar [Ant.: *deferível.*] [Pl.: *-veis.*] [F.: *in-*² + *deferível*, ou *indeferir* + *-vel.*]

indefeso (in.de.*fe*.so) [ê] ***a.*** 1 Que não está defendido, resguardado: *A tropa atacou um vilarejo indefeso.* 2 Que não tem meios de se defender, de se proteger (criança indefesa) 3 *Jur.* Que não tem advogado para fazer sua defesa [F.: *indefeso*, do lat. *indefensus, a, um*, por via popular ou semierudita, e *indefenso*, do mesmo latim, por via erudita. Ant. ger.: *defeso.* Hom./Par.: *indefeso* (a.), *indefesso* (a.); *indefenso* (a.), *indefesso* (a.).]

indefesso (in.de.*fes*.so) [ê] ***a.*** 1 Que não se cansa (professor indefesso); INCANSÁVEL 2 Que não para, que é incessante [F.: Do lat. *indefessus, a, um.* Ant. ger.: *defesso.* Hom./Par.: *indefesso* (a.), *indefeso* (a.), *indefenso* (a.).]

indeficiência (in.de.fi.ci.*ên*.ci:a) ***sf.*** Qualidade do que é suficiente, do que não é deficiente [F.: *in-*² + *deficiência.*]

indefinibilidade (in.de.fi.ni.bi.li.*da*.de) ***sf.*** Qualidade do que é indefinível [Ant.: *definibilidade*] [F.: *indefinível* + *(i)dade*, seg. o mod. erudito.]

indefinição (in.de.fi.ni.*ção*) ***sf.*** 1 Falta de clareza, de precisão: *Era um projeto mal resolvido, cheio de indefinições.* 2 Falta de definição, de determinação: *Era um desenho incompleto, marcado por indefinições.* 3 Falta de decisão: *A indefinição do técnico levou o time à derrota.* 4 Estado ou característica de pessoa que custa a, evita ou tem dificuldades para se definir, para tomar uma decisão, uma atitude, uma posição [Pl.: *-ções.*] [F.: *in-*² + *definição.* Ant. nas acps. 1 a 3: *definição.*]

indefinido (in.de.fi.*ni*.do) ***a.*** 1 Que não foi definido; que não foi limitado ou delimitado 2 Cujos limites são desconhecidos 3 Que ficou irresolvido, sem solução: *A eleição ainda está indefinida.* 4 Que revela indecisão (discurso indefinido) 5 Que não há como definir, precisar, determinar (olhar indefinido; sentimento indefinido) 6 *Fig.* Que não se definiu ou decidiu emocional, profissional ou sexualmente etc.: *um cara moralmente indefinido.* 7 *Gram.* Que identifica o substantivo com algo impreciso (diz-se de artigo ou pronome) 8 *Lóg.* Diz-se de juízo em que o sujeito não tem definição precisa ou de termo de significação indeterminada 9 *Bot.* Diz-se de órgão ou parte vegetal com grande número de peças, sendo este, entretanto, variável em cada espécime ***sm.*** 10 Aquilo que é indefinido [F.: Do lat. *indefinitus, a, um.* Ant. nas acps. 1 e 2: *preciso.*]

indefinível (in.de.fi.*ní*.vel) ***a2g.*** Que não se pode definir (um som indefinível); INDETERMINÁVEL [Pl.: *-veis.*] [F.: *in-*² + *definível.* Ant.: *definível.*]

indeformável (in.de.for.*má*.vel) ***a2g.*** Que não se pode deformar (colchão de espuma indeformável) [Ant.: *deformável.*] [Pl.: *-veis.*] [F.: *in-*² + *deformável.*]

indeglutível (in.de.glu.*tí*.vel) ***a.*** Que não se pode deglutir, engolir: *Esse pão velho é indeglutível.* [Ant.: *deglutível.*] [Pl.: *-eis.*] [F.: *in-*² + *deglutir* + *-vel.*]

indeiscência (in.de.is.*cên*.ci:a) ***sf.*** *Bot.* Fenômeno em que um órgão vegetal, como uma antera ou um fruto, não se abre naturalmente para liberar o pólen ou as sementes [F.: *in-*² + *deiscência.* Hom./Par.: *indeiscência* (sf.), *indecência* (sf.).]

indeiscente (in.de.is.*cen*.te) ***a2g.*** *Bot.* Diz-se de órgão vegetal que apresenta indeiscência [F.: *in-*² + *deiscente.*]

indelével (in.de.*lé*.vel) ***a2g.*** 1 Que não se pode apagar, eliminar (tinta indelével) 2 Que não se pode dar fim, destruir, suprimir ou fazer desaparecer (paixão indelével); INDESTRUTÍVEL; INEXTINGUÍVEL 3 *Fig.* Que não se pode esquecer (recordação indelével); INESQUECÍVEL [Pl.: *-veis.* Superl.: *indelebilíssimo.*] [F.: Do lat. *indelebilis, e.* Ant. ger.: *delével.*]

indelicadeza (in.de.li.ca.*de*.za) [ê] ***sf.*** 1 Qualidade do que é indelicado, grosseiro; falta de delicadeza, de cortesia: *Desagradava pela rude indelicadeza.* 2 Ação ou palavra(s) que revelam falta de delicadeza, de cortesia, de respeito, de educação etc.; ação ou dito de pessoa indelicada, grosseira: *Fez um gesto imperdoável de indelicadeza.* [F.: *in-*² + *delicadeza.* Ant. ger.: *delicadeza.*]

indelicado (in.de.li.*ca*.do) ***a.*** 1 Que revela falta de delicadeza, de gentileza (palavras indelicadas); RUDE; DESCORTÊS 2 Que é impróprio, inconveniente, constrangedor: *comportamento indelicado dos empresários na reunião com representantes do governo.* 3 Que não é delicado, gentil, cortês, amável (sujeito indelicado); RUDE; GROSSEIRO ***sm.*** 4 Aquele que não demonstra cortesia, gentileza, civilidade: *Positivamente, era um indelicado!* [F.: *in-*² + *delicado.* Sin. ger.: *grosseiro.* Ant. do adj.: *delicado, polido.*]

indemarcável (in.de.mar.*cá*.vel) ***a2g.*** Que não se pode demarcar, delimitar [Ant.: *demarcável.*] [Pl.: *-veis.*] [F.: *in-*² + *demarcável.*]

indemissibilidade (in.de.mis.si.bi.li.*da*.de) ***sf.*** Qualidade do que é indemissível [Ant.: *demissibilidade.*] [F.: *indemissível* + *-(i)dade*, seg. o mod. erudito.]

indemissível (in.de.mis.*sí*.vel) ***a2g.*** Que não se pode demitir [Ant.: *demissível.*] [Pl.: *-veis.*] [F.: *in-*² + *demissível.*]

indemne (in.*dem*.ne) ***a2g.*** Ver *indene*

indemonstrável (in.de.mons.*trá*.vel) ***a2g.*** Que não se pode demonstrar: *Era uma teoria inaceitável por ser indemonstrável.* [Pl.: *-veis.*] [F.: Do lat. *indemonstrabilis, e.* Ant.: *demonstrável.*]

indene (in.*de*.ne) ***a2g.*** 1 Que não sofreu dano, perda: *Permaneceu indene ao desastre financeiro.* 2 Diz-se de pessoa que não sofreu danos físicos (em situação de perigo ou risco): *Escapou indene da capotagem.* 3 Que foi compensado, indenizado, remunerado [F.: Do lat. *indeminis, e.* Tb. *indemne.*]

indenidade (in.de.ni.*da*.de) ***sf.*** 1 Qualidade ou estado do que é indene, do que não sofreu perda ou dano: "...Supremo Tribunal Federal, órgão incumbido de preservar a indenidade da Constituição..." (*Folha de S.Paulo*, 29.12.1999) 2 *Pol.* Inviolabilidade dos atos parlamentares praticados em função do mandato 3 Indenização, compensação, satisfação de dano, perda, despesa etc. (compromisso de indenidade) 4 *Fig.* Esquecimento de uma ofensa [F.: Do lat. *indemnitas, atis.*]

indenização (in.de.ni.za.*ção*) ***sf.*** 1 Ação ou resultado de indenizar(-se), de ressarcir pessoa (familiares), empresa, governo etc. por danos, prejuízos ou acidentes; COMPENSAÇÃO; REPARAÇÃO; RESSARCIMENTO 2 *Bras.* Ação ou resultado de pagar a funcionário, trabalhador etc. aquilo que lhe cabe por direito à ocasião de sua demissão ou da quebra do seu contrato: *TST vai julgar o pedido de indenização do jogador Márcio Santos.* 3 Importância com que se indeniza: *Gastou a indenização em viagem à Europa.* 4 *Jur.* Reparação financeira por perda patrimonial; RESSARCIMENTO 5 *Jur.* Compensação financeira por dano material ou moral que pessoa, empresa ou instituição é obrigada a pagar pela prática de ato ilícito [Pl.: *-ções.*] [F.: *indenizar* + *-ção.*]

indenizado (in.de.ni.*za*.do) ***a.*** 1 Que se indenizou (aviso-prévio indenizado) 2 Que recebeu indenização, compensação, ressarcimento [F.: Part. de *indenizar.*]

indenizador (in.de.ni.za.*dor*) [ô] ***a.*** 1 Diz-se de quem indeniza ***sm.*** 2 Aquele que indeniza [F.: *indenizar* + *dor.* Sin. ger.: *compensador, reparador.*]

indenizante (in.de.ni.*zan*.te) ***a2g.*** 1 Que indeniza (parte indenizante) ***sm.*** 2 Aquele que indeniza [F.: *indenizar* + *-nte.* Sin. ger.: *indenizador.*]

indenizar (in.de.ni.*zar*) ***v.*** 1 Compensar financeiramente (pessoa ou instituição a que se causou dano ou cujos direitos foram violados) [***tdr.*** + *de, por: A concessionária indenizou os moradores pelas desapropriações.*] [***tdi.*** + *a: indenizar-lhes as custas processuais.*] [***td.:*** *Dificilmente indenizam os consumidores lesados.*] 2 *P. ext.* Compensar algo ou alguém de qualquer outro modo [***tr.*** + *com: Indenizaram-se com amor.*] [F.: *indene* + *-izar.* Hom./Par.: *indenizáveis* (fl.), *indenizáveis* (pl. de *indenizável* [a2g.]).]

indenizatório (in.de.ni.za.*tó*.rio) ***a.*** Que diz respeito a, que envolve indenização (pagamento indenizatório) [F.: *indenizar* + *-tório.*]

indenizável (in.de.ni.*zá*.vel) ***a2g.*** Que pode ou deve ser indenizado; REPARÁVEL [Pl.: *-veis.*] [F.: *indenizar* + *-vel.* Hom./Par.: *indenizáveis* (pl.), *indenizáveis* (fl. de *indenizar*).]

indentação (in.den.ta.*ção*) ***sf.*** 1 Ação ou resultado de indentar 2 Pressão que forma uma cavidade de pequena profundidade em uma superfície (força de indentação) 3 *Med.* Depressão resultante da pressão feita em um tecido ou órgão mole 4 *Inf.* Inserção de espaços, parágrafos etc. em um código de linguagem de programação [Pl.: *-ções.*] [F.: Do ing. *indentation.*]

indentar (in.den.*tar*) ***v. td.*** 1 Fazer chanfradura em forma de dente em 2 Espacejar linha da margem esquerda para a direita em (folha a ser datilografada, impressa etc.) [▶ **1 indentar**] [F.: Adapt. do ing. *(to) indent.*]

independência (in.de.pen.*dên*.ci:a) ***sf.*** 1 Estado ou caráter de quem goza de autonomia, de liberdade com relação a algo ou alguém: *Este século será o da independência da mulher.* 2 Caráter daquele ou daquilo que não se deixa influenciar, que tem autonomia de julgamento e ação: *A independência daquele jornal é um fato.* 3 Caráter daquilo ou daquele que tem ideias e maneiras próprias, que não se deixa guiar pelas regras e padrões estabelecidos 4 Autonomia de caráter político (guerras de independência) 5 Situação material capaz de assegurar uma existência segura, confortável: *Depois de muito trabalhar, conseguiu afinal sua independência.* [F.: *in-*² + *dependência.* Ant. ger.: *dependência.*]

independente (in.de.pen.*den*.te) ***a2g.*** 1 Que desfruta de plena liberdade, de autonomia em relação a algo ou alguém 2 Que não é submisso; DESOBEDIENTE; INSUBORDINADO: *Nunca vira meninos tão independentes.* [Ant.: *obediente, submisso.*] 3 Livre de qualquer laço ou compromisso afetivo, social, moral, etc.; DESOBRIGADO; INDIVIDUALISTA 4 Que não tem compromisso com qualquer doutrina, movimento, escola ou ideia aceitos de maneira convencional pela maioria (política independente; cinema independente); LIBERAL; LIVRE [Ant.: *comprometido.*] 5 Que trabalha por conta própria, sem vínculo empregatício (profissional independente); AUTÔNOMO; LIBERAL [Ant.: *empregado.*] 6 Que satisfaz plenamente as próprias necessidades materiais e financeiras; ABASTADO; PRÓSPERO; RICO [Ant.: *pobre.*] 7 Que tem autonomia política; que não se submete a qualquer tipo de autoridade exterior (nação independente); AUTÔNOMO; SOBERANO [Ant.: *servil, submisso.*] 8 Que não se relaciona ou se subordina a outro da mesma espécie, natureza, categoria etc. (fatos independentes); AVULSO; SEPARADO [Ant.: *interligado, relacionado.*] 9 Numa casa ou apartamento, diz-se de cômodo que tem entrada exclusiva (quarto independente) ***s2g.*** 10 Indivíduo que tem autonomia, liberdade para agir e pensar [F.: *in-*² + *dependente.* Ant. ger.: *dependente.* Ideia de 'independente', usar pref. *coristo-* e *eleuter(o)-.*]

independentizar (in.de.pen.den.ti.*zar*) ***v. td.*** Tornar(-se) independente, autônomo: *A Europa independentizou várias colônias africanas; Países africanos se independentizaram.* [▶ **1 independentizar**] [F.: *independente* + *-izar.*]

independer (in.de.pen.*der*) ***v. Bras.*** Não depender ou decorrer de, não estar ligado a [***tr.*** + *de:* "E a luta, a mover-se entre nós dois, independia de nossas frases..." (João Guimarães Rosa, *Ave, Palavra*)] [▶ **2 independer**] [F.: *in-*² + *depender.*]

inderrogável (in.der.ro.*gá*.vel) ***a2g.*** Que não se pode derrogar [Pl.: *-veis.*] [F.: *in-*² + *derrogável.*]

indesbotável (in.des.bo.*tá*.vel) ***a2g.*** Que não desbota, não suscetível de desbotar (tecido indesbotável) [Ant.: *desbotável.*] [Pl.: *-veis.*] [F.: *in-*² + *desbotável.*]

indesconfiável (in.des.con.fi:*á*.vel) ***a2g.*** *Bras. Pop.* Diz-se de pessoa que não percebe ou finge não perceber uma determinada situação [Pl.: *-veis.*] [F.: *in-*² + *desconfiável.*]

indescritível (in.des.cri.*tí*.vel) ***a2g.*** 1 Que não se pode descrever [Ant.: *descritível.*] 2 *P. ext.* Que não pode ser descrito por ser inteiramente fora do comum ou demasiado complexo (amor indescritível; mecanismo indescritível) 3 Que causa espanto, admiração; EXTRAORDINÁRIO; PASMOSO: *A mulher era de uma beleza indescritível.* [Pl.: *-veis.*] [F.: *in-*² + *descritível.*]

indesculpável (in.des.cul.*pá*.vel) ***a2g.*** Que não deve ou merece ser desculpado; que não se deve justificar (ato indesculpável); IMPERDOÁVEL [Pl.: *-veis.*] [F.: *in-*² + *desculpável.* Ant.: *desculpável.*]

indesejabilidade (in.de.se.ja.bi.li.*da*.de) ***sf.*** Qualidade, estado ou característica do que é indesejável [F.: *indesejável* (*-vel* > *-bil(i)-*) + *-dade.*]

indesejado (in.de.se.*ja*.do) ***a.*** Que não se desejou, ou que não foi (ou é) desejado [F.: *in-*² + *desejado.*]

indesejável (in.de.se.*já*.vel) ***a2g.*** 1 Que não é desejável; que não se pode desejar [Ant.: *desejável.*] 2 Que não se deseja que ocorra, que aconteça (partida indesejável; situação indesejável) 3 *Fig.* Ruim, mau (negócio indesejável; notícia indesejável) 4 *Fig.* Que não é bem aceito, ou que causa desagrado, desgosto, aborrecimento (amizade indesejável) 5 Que não é bem-vindo a um lugar, a um meio, a um grupo etc.; cuja presença desagrada ou é inoportuna: *Não chegava a ser persona non grata, mas em certos meios era mesmo pessoa indesejável.* ***s2g.*** 6 Pessoa cuja presença não é desejada: *O convite era aberto, e vieram também os indesejáveis.* 7 *Jur.* Estrangeiro cuja entrada, estada ou permanência num país é julgada inconveniente em virtude de delito(s), infração ou atos perigosos à boa ordem ou à tranquilidade pública, sendo, portanto, passível de pena de expulsão [Pl.: *-veis.*] [F.: *in-*[2] + *desejável.*]

indesejoso (in.de.se.*jo*.so) [ô] *a.* Que não é desejoso: "Se de início fez-se de rogado, certo de esbarrar na incompreensão do público e talvez indesejoso de gastar cera com mau defunto..." (*Folha de S.Paulo*, 14.07.1996) [Ant.: *desejoso.*] [F.: *in-*[2] + *desejoso.*]

indeslindável (in.des.lin.*dá*.vel) *a2g.* Que não se pode deslindar; INDESTRINÇÁVEL [Ant.: *deslindável.*] [Pl.: *-veis.*] [F.: *in-*[2] + *deslindável.*]

indesmentível (in.des.men.*tí*.vel) *a2g.* Que não é desmentível, que não se pode desmentir (fato/circunstância indesmentível) [Ant.: *desmentível.*] [Pl.: *-veis.*] [F.: *in-*[2] + *desmentível.*]

indestrinçável (in.des.trin.*çá*.vel) *a2g.* Que não se pode destrinçar, desvendar, compreender; INDESLINDÁVEL [Ant.: *destrinçável*] [Pl.: *-veis.*] [F.: *in-*[2] + *destrinçável.*]

indestrutibilidade (in.des.tru.ti.bi.li.*da*.de) *sf.* Característica, qualidade ou estado de indestrutível (indestrutibilidade moral); SOLIDEZ; FIRMEZA [Ant.: *destrutibilidade.*] [F.: *indestrutível-* + *-(i)dade.*]

indestrutível (in.des.tru.*tí*.vel) *a2g.* **1** Que não pode ser destruído; que não se pode destruir; RESISTENTE [Ant.: *destrutível.*] **2** *Fig.* Que é inabalável, inatingível, sólido (esperança indestrutível) [Pl.: *-veis.*] [F.: *in-*[2] + *destrutível.*]

indesviável (in.des.vi:*á*.vel) *a2g.* **1** Que não pode ser desviado (verba indesviável) **2** De que não se pode desviar; INCONTORNÁVEL: *O carro passou por um buraco indesviável.* [Ant.: *desviável.*] [Pl.: *-veis.*] [F.: *in-*[2] + *desviável.*]

indeterminação (in.de.ter.mi.na.*ção*) *sf.* **1** Característica, qualidade de indeterminado; situação indeterminada [Ant.: *determinação.*] **2** Falta de determinação **3** *Fil. Lóg.* Característica de princípio, conceito, acontecimento ou fenômeno não submetido a determinação [Pl.: *-ções.*] [F.: *in-*[2] + *determinação.*]

indeterminado (in.de.ter.mi.*na*.do) *a.* **1** Que não se determinou; que é vago, indefinido, impreciso (valor indeterminado; prazo indeterminado) [Ant.: *determinado*] **2** *Fig.* Que não tem determinação, persistência, ânimo etc. **3** *Fig.* Hesitante, indeciso **4** *Gram.* Diz-se do sujeito, numa oração, que não se refere a uma pessoa determinada por não ser um dos termos da oração, mas por expressar-se através do verbo na terceira pessoa do plural ou do uso do pronome *se* [Ex.: *Dizem que João é mentiroso; Conta-se que ele não chegou a morrer por causa do tiro, mas de malária.*] **5** *Mat.* Ilimitado quanto ao número de possíveis soluções (número indeterminado; variável indeterminada) [F.: Do lat. tard. *indeterminatus, a, um.*]

indeterminável (in.de.ter.mi.*ná*.vel) *a2g.* Diz-se de que não é determinável; INDEFINÍVEL [Ant.: *determinável.*] [Pl.: *-veis.*] [F.: Do lat. tard. *indeterminabilis, e.*]

indeterminismo (in.de.ter.mi.*nis*.mo) *Fil. sm.* **1** Doutrina que declara a vontade humana livre para decidir e determinar suas ações (livre-arbítrio), cujo resultado não pode ser previsível ou determinado por causas antecedentes **2** Caráter dos fenômenos ou acontecimentos que não têm causas; INDETERMINAÇÃO [F.: *in-*[2] + *determinismo.* NOTA: P. opos. a *determinismo.*]

indeterminista (in.de.ter.mi.*nis*.ta) *a2g.* **1** Que diz respeito ao indeterminismo **2** *Fil.* Que é adepto do indeterminismo *s2g.* **3** *Fil.* Indivíduo adepto do indeterminismo [F.: *in-*[2] + *determinista.*]

indevassado (in.de.vas.*sa*.do) *a.* Que não foi devassado, visto, observado, revelado: *O quarto dos fundos permanecia indevassado.* [Ant.: *devassado.*] [F.: *in-*[2] + *devassado.*]

indevassável (in.de.vas.*sá*.vel) *a2g.* Que não se pode devassar, penetrar ou observar (quarto indevassável; sentimentos indevassáveis) [Ant.: *devassável.*] [Pl.: *-veis.*] [F.: *in-*[2] + *devassável.*]

indevido (in.de.*vi*.do) *a.* **1** Que não é devido, não é objeto de obrigação, esp. de dívida (recolhimento indevido) [Ant.: *devido.*] **2** Que não corresponde ao devido (preço indevido) [Ant.: *devido.*] **3** Que não corresponde ao exercício de um direito; que não deveria ocorrer; ERRADO; INCORRETO: *uso indevido de imagem; cadastramento indevido no SPC e no SERASA.* [Ant.: *certo, correto, permitido.*] **4** Não correto, não adequado, não conveniente ou recomendável (tratamento indevido); IMPRÓPRIO; INADEQUADO: *uso indevido de álcool, drogas, esteroides.* [Ant.: *adequado, correto, próprio.*] **5** Que não procede; que não tem razão de ser, fundamento ou justificativa (reclamação indevida; argumentos indevidos); IMPROCEDENTE [Ant.: *procedente.*] **6** Que não é merecido; IMERECIDO; INJUSTO: *O menino recebeu castigo indevido.* [Ant.: *justo, merecido.*] [F.: *in-*[2] + *devido.*]

index (*in*.dex) [cs] *sm2n.* **1** Catálogo que relacionava livros proibidos pela Igreja Católica **2** *P. us.* Índice **3** *Anat.* O dedo indicador [O plural us. ger. é o da forma paralela índice: *índices.*] [F.: Do lat. *index.*] ■ **Estar no ~** Estar classificado ou marcado como indesejável, não confiável, perigoso, a ser evitado etc. **Pôr no ~** Classificar ou marcar como indesejável, não confiável, perigoso, a ser evitado etc.

indexação (in.de.xa.*ção*) [cs] *sf.* **1** Ação ou resultado de indexar [Ant.: *desindexação.*] **2** *Bibl. Edit.* Inserção de elementos em um índice; organização em forma de índice (indexação bibliográfica); CLASSIFICAÇÃO **3** *Econ.* Correção de elementos e valores monetários e fiduciários em função de indexadores (indexação de preços, indexação salarial) [Pl.: *-ções.*] [F.: *indexar* + *-ção.*]

indexado (in.de.*xa*.do) *a.* **1** Que se indexou (banco de dados indexado) **2** *Econ.* Que é corrigido de acordo com um índice financeiro (aplicação indexada; aluguel indexado) [F.: Part. de *indexar.*]

indexador (in.de.xa.*dor*) [cs; ô] *sm. Econ.* Índice indicador pelo qual se permite estabelecer o valor real do poder aquisitivo de uma moeda [F.: *indexar* + *-dor.*]

indexar (in.de.*xar*) [cs] *v.* **1** *Bibl.* Dispor em forma de índice, ger. em ordem alfabética [*td.*: *Finalmente indexaram o cadastro dos clientes.*] **2** *Bibl.* Colocar índice (1) em (livro, obra de referência) [*td.*] **3** *Econ.* Vincular previamente o reajuste de (preços, salários etc.) a certo índice financeiro [*tdr.* + *a*, *com*: *As imobiliárias indexaram os preços à variação do dólar.*] [*td.*: *A estatal indexou suas tarifas.*] **4** Pôr no índex, colocar na lista negra [*td.*: *A empresa o indexou por tê-la processado.*] [▶ **1 indexar**] [F.: *índex* + *-ar*[2]. Ant. ger.: *desindexar.*]

indez (in.*dez*) [ê] *a2g.* **1** Diz-se de ovo us. como chamariz que é deixado no lugar onde se quer que as galinhas façam a postura **2** *Fig.* Diz-se de indivíduo muito suscetível ou delicado **3** *Fig.* Diz-se de criança chorona ou manhosa **4** *Bras. Fig.* Que é us. como chamariz *sm.* **5** Ovo us. como chamariz deixado no lugar onde se quer que as galinhas façam a postura **6** *P. ext.* Ovo artificial, ger. feito de material plástico, que imita a forma e a aparência do ovo de um pássaro **7** *Fig.* Indivíduo muito suscetível ou delicado **8** *Fig.* Criança chorona ou manhosa [F.: Do lat. *indicii*. Sin. ger.: *endez.*]

indiada (in.di:*a*.da) *sf.* **1** *Bras.* Grupo, conjunto de índios **2** *RS P. ext.* Grupo de gaúchos; GAUCHADA **3** *RS P. ext.* Grupo de homens quaisquer [F.: *índio*[1] + *-ada*[2].]

indianismo (in.di:a.*nis*.mo) *sm.* **1** *Etnol. Gloss.* Ciência ou estudo das línguas e das civilizações indianas **2** Qualidade, atributo ou caráter de indiano **3** Idiomatismo próprio dos indianos; vocábulo ou expressão indiana introduzida em outra língua **4** *Bras. Liter. Poét.* Gênero e ciclo literário, esp. vigente no início do séc. XIX, inserido no Romantismo, que tem como tema a vida dos índios das Américas, p. ext. a valorização do índio como elemento formador de identidade nacional: *o indianismo poético de Gonçalves Dias; indianismo romanesco de José de Alencar.* [F.: *indiano* + *-ismo.*]

indianista (in.di:a.*nis*.ta) *a2g.* **1** Ref. ao indianismo **2** Diz-se de especialista em línguas e civilizações da Índia **3** *Bras.* Que se inspira nos índios americanos e exalta a sua cultura (poesia indianista) **4** *Bras. Antq.* Diz-se de etnólogo especializado no estudo de índios americanos *s2g.* **5** Especialista em línguas e civilizações da Índia **6** *Bras.* Escritor, poeta, literatura etc. que se inspira nos índios americanos e exalta a sua cultura **7** *Bras. Antq.* Etnólogo especializado no estudo de índios americanos [F.: *indiano* + *-ista.* Sin. nas acps. 4 e 7: *indigenista.*]

indianização (in.di:a.ni.za.*ção*) *sf.* Ação ou resultado de indianizar [Pl.: *-ções.*] [F.: *indianizar* + *-ção.*]

indianizar (in.di.a.ni.*zar*) *v. td.* Propagar (entre outros povos) as características dos indianos [▶ **1 indianizar**] [F.: *indiano* + *-izar.*]

indiano (in.di:*a*.no) *sm.* **1** Pessoa nascida ou que vive na Índia (Ásia) *a.* **2** Da Índia; típico desse país ou de seu povo (dialeto indiano; música indiana) **3** *Bras. Etnog.* Ref. ou pertencente ao índio; INDÍGENA [F.: Do lat. *indianus, a, um.*]

indicação (in.di.ca.*ção*) *sf.* **1** Ação ou resultado de indicar **2** Designação por meio de sinais, símbolos **3** Recomendação de uma pessoa para um cargo, trabalho ou tarefa, ou de uma empresa para um empreendimento **4** Nomeação ou ação ou o resultado de anunciar o nome do(s) ganhador(es) de um concurso, uma competição etc. [Pl.: *-ções.*] [F.: Do lat. *indicatio, onis.*]

indicado (in.di.*ca*.do) *a.* **1** Que recebeu indicação (hotel indicado); DESIGNADO; RECOMENDADO **2** Apropriado, adequado, conveniente (época indicada) **3** Que se apontou por meio de gestos, sinais etc.; MOSTRADO: "Meneses olhou para o camarote indicado." (Machado de Assis, *Contos fluminenses*) **4** Marcado, reservado: "E depois – cogitações do enfermo – que chegássemos ao fim indicado..." (Machado de Assis, *Memórias póstumas de Brás Cubas*) *sm.* **5** *Jur.* Em letra de câmbio, indivíduo designado pelo sacador, endossante ou outro obrigado indireto, para aceitar ou pagar o saque (na ausência do sacado) [F.: Do lat. *indicatus, a, um.*]

indicador (in.di.ca.*dor*) [ô] *a.* **1** Que indica (sinal indicador); APONTADOR; INDICATIVO **2** *Anat.* Diz-se do dedo que se situa entre o polegar e o médio *sm.* **3** *Anat.* Esse dedo **4** *Econ.* Medida, parâmetro que indica uma tendência do que está acontecendo: *os indicadores da oscilação do dólar; indicadores da produção industrial.* **5** *Tec.* Designação comum a vários aparelhos que indicam elementos e dados técnicos (indicador da bússola; indicador de pressão) **6** *Quím.* Substância que serve para medir a acidez de uma solução por meio de mudança de sua cor com o pH [Acp. 4 a 6 tb. us. como adjetivo.] [F.: *indicar* + *-dor.*] ■ **~ ácido-base** *Quím.* Substância que indica o teor de acidez de meio em que está em solução, por mudar de cor de acordo com o pH desse meio **~ econômico** *Econ.* Dado estatístico que serve de parâmetro para avaliar a situação da economia. [Ex.: o crescimento do PIB, o nível de preços, a taxa cambial etc.]

indicar (in.di.*car*) *v.* **1** Mostrar (por meio de sinal, gesto, instruções); APONTAR [*td.*: "...ia falando e indicando as coisas que estavam por serem feitas." (Oswaldo França Júnior, *Os dois irmãos*)] [*tdi.* + *a*: *Indicou ao visitante a porta da birosca.*] **2** Recomendar ou prescrever (algo) a [*tdi.* + *a*: *Poderia indicar-lhe (ou a ele, a ela) um bom hotel?*] **3** Dar a conhecer; DENOTAR; REVELAR [*td.*: *Esse sorriso indica aprovação?*] [Ant.: *esconder.*] **4** Levar a crer; SUGERIR [*td.*: *Tudo indica que vai vencer a parada.*] **5** Designar (alguém) para exercer cargo, função; NOMEAR [*td.*: *O prefeito ainda não indicou o secretário da educação.*] [*tdp.*: *Resolveram indicá-lo como tesoureiro.*] **6** Enumerar, especificar [*td.*: *O sanitarista indicou três fatores de risco.*] **7** Esboçar ligeiramente; DELINEAR [*td.*: *Só indicaram o plano e a planta das obras.*] **8** *Med.* Aconselhar, mostrar a conveniência de aplicar (certo tratamento) [*td.*] [▶ **11 indicar**] [F.: Do lat. *indicare*. Hom./Par.: *indico* (fl.), *índico* (a.).]

indicativo (in.di.ca.*ti*.vo) *a.* **1** Que indica; INDÍCIO: *Era um sinal indicativo de que as coisas não iam bem.* **2** *Gram.* Diz-se de modo verbal que apresenta a ação como um fato real *sm.* **3** *Gram. Ling.* O modo verbal que apresenta a ação como um fato real (presente do indicativo) [F.: Do lat. tard. *indicativus, a, um.*]

indicção (in.dic.*ção*) *Ecles. sf.* **1** *Cron.* Divisão do tempo em ciclos de 15 anos, criada na época do baixo Império Romano para efeitos tributários, e depois adotada no cômputo eclesiástico **2** Convocação de um concílio eclesiástico para um determinado dia **3** Prescrição eclesiástica: *Indicção de um jejum.* [Pl.: *-ções.*] [F.: Do lat. *indictio, onis.*]

índice (*in*.di.ce) *sm.* **1** *Bibl. Edit.* Lista organizada de nomes, assuntos, tópicos etc. em um livro ou publicação (índice onomástico; índice onomatopeico) [A lista organizada de assuntos, seções etc. em uma publicação (livro, revista etc.), da qual faz parte a própria lista, é denominada de *sumário.*] **2** Relação de quantidades que indica incidência de um fato num universo (índice de mortalidade; índice pluviométrico); TAXA **3** Tabela, lista (índice de preços) **4** Indicador, sinal, indício: *Esse vento frio é índice de chuva.* **5** Nível: *O programa tem bom índice de audiência.* **6** *Álg.* Número que fica sobre o radical numa raiz algébrica [F.: Do lat. *index, icis.*] ■ **~ alfabético** *Doc.* Aquele cujos itens estão dispostos em ordem alfabética **~ analítico** *Bibl.* Lista em ordem alfabética dos itens (nomes, conceitos etc.) que aparecem num texto, num livro, numa publicação etc., ger. seguidos do número da página em que se encontram, para que se possam localizá-los **~ cefálico** *Antr.* Ver *Índice craniano* **~ craniano** *Antr.* Relação entre os diâmetros longitudinal e transversal do crânio, considerado o primeiro equivalente a 100; índice cefálico **~ cronológico** *Bibl.* Aquele que lista palavras contidas num texto, num livro, numa publicação etc. pela ordem cronológica de sua presença ou seu surgimento na história **~ cumulativo** *Bibl.* Aquele que junta e reordena os índices de diferentes fascículos ou partes de uma publicação **~ de absorvância** *Fís.-quím.* No processo de absorção de uma radiação monocrômica por uma solução, constante que expressa quantitativamente essa absorção **~ de assuntos** *Bibl.* Ver *Índice remissivo* **~ de audiência** *Rád. Telv.* Percentual da audiência de determinado programa, ou determinada estação, ou determinado canal de rádio ou televisão, em relação ao total de público ou ao total de aparelhos ligados em certo horário **~ de cor** **1** *Astron.* Diferença entre a magnitude visual e a fotográfica de uma estrela **2** *Geol.* A proporção, em relação ao total, da presença de minerais escuros numa rocha **~ de dedo** *Edit.* Marcação do início de capítulos, letras, partes etc. de um livro por meio de marcas aplicadas ou escavadas no corte oposto à lombada (dedeiras), o que permite a abertura do livro no lugar desejado **~ de diversidade** *Ecol.* Relação proporcional entre o número de espécies e o de indivíduos em um ambiente ecológico **~ de matéria** *Bibl.* Lista das partes componentes de livro, publicação etc. (seções, capítulos, subcapítulos, apêndices etc.), com indicação da página em que começam **~ de octana** *Quím.* Medida da qualidade de um combustível para motor a gasolina (facilidade de explosão da mistura com ar e energia liberada com a explosão) em função da presença de certos componentes **~ de preços** *Econ.* Número que indica a variação média dos preços num segmento da economia, em relação aos de um período de referência (considerado de valor 100) **~ de preços ao consumidor** *Econ.* Ver *Índice do custo de vida* [Sigla: *IPC*] **~ de preços por atacado** *Econ.* Índice de preços de matérias-primas e de produtos intermediários na cadeia produtiva [Sigla: *I. P. A.*] **~ de refração** *Ópt.* Razão entre as velocidades de fase de uma radiação eletromagnética monocromática no vácuo e num meio material [Símb.: *n*] **~ do custo de vida** *Econ.* Número que expressa a variação de preços dos bens de consumo regular de um consumidor padrão, atribuindo-se àqueles fatores de ponderação de acordo com o peso e a importância relativa de cada bem no orçamento do consumidor [Sigla: *I.C.V.*] **~ esquélico** *Antr.* Razão entre os comprimentos de membro inferior e do tronco, multiplicada por 100 **~ facial** *Antr.* Razão entre o diâmetro longitudinal da cabeça e sua altura, considerado o primeiro igual a 100 **~ fóssil** *Geol.* Todo resto de ser vivo que possa ser referência, na camada em que é achado, de um horizonte geológico caracterizado **~ geomagnético** *Geof.* Medida quantitativa das mudanças no campo magnético da Terra causadas por sua rotação e/ou por atividades solares **~ nasal** *Antr.* Razão entre a altura do nariz e sua largura na base, equivalendo a primeira a 100 **~ onomástico** *Bibl.* Lista dos nomes de pessoas que aparecem em texto, livro, publicação etc., ger. com indicação da página em que aparecem **~ remissivo** *Bibl.* Lista em ordem alfabética dos diversos nomes e assuntos mencionados numa obra, com a indicação de página, capítulo, contexto etc. ~ **sinóptico** *Bibl.* Ver *Índice de matéria* ~ **sistemático** *Bibl.* Lista de nomes e termos mencionados numa obra, classificados e ordenados por assunto

indiciação (in.di.ci:a.*ção*) *sf.* **1** Ação ou resultado de indiciar; INDICIAMENTO **2** Denúncia de falta ou erro; ACUSAÇÃO **3** *Jur.* Submissão a inquérito administrativo ou criminal: "...só espera o resultado desse laudo para iniciar a indiciação dos responsáveis pela obra" (*Folha de S.Paulo*, 19.03.1998) [Pl.: *-ções.*] [F.: *indiciar* + *-ção.* Ant. nas acps. 1 e 2: *desindiciação.*]

indiciado (in.di.ci.*a*.do) *a.* **1** Que é percebido por indícios *sm.* **2** *Jur.* Indivíduo sobre o qual recaem indícios de ter cometido um crime [+ *como, em: indiciado como mandante; indiciado no inquérito.*] **3** *Jur.* Indivíduo que foi declarado culpado de certa infração [F.: Part. de *indiciar.*]

indiciador (in.di.ci:a.*dor*) [ô] *a.* **1** Que dá indícios *sm.* **2** O que denuncia ou acusa alguém por indícios [F.: *indiciar* + *-dor.* Sin. ger.: *indiciante.*]

indicial (in.di.ci.*al*) *a2g.* O mesmo que *indicativo* (safra indicial) [Pl.: *-ais.*] [F.: *indício* + *-al.* Hom./Par: *indiciais* (pl.), *indiciais* (fl. de *indiciar*).]

indiciamento (in.di.ci:a.*men*.to) *sm.* **1** Ação ou resultado de indiciar **2** Acusação, denúncia **3** *Jur.* Ação ou resultado de submeter indivíduo suspeito de delito a inquérito criminal ou administrativo [F.: *indiciar* + *-mento.* Sin. ger.: *indiciação, incriminação.*]

indiciar (in.di.ci:*ar*) *v. td.* **1** Revelar por meio de indícios; mostrar [*td.: Seus modos indiciavam uma boa formação moral.*] **2** Indicar erro, falha ou malevolência de (alguém); denunciar [*td.: Indiciou o vizinho pelo início da briga.*] **3** *Jur.* Submeter (alguém) a inquérito policial ou administrativo, o que posteriormente poderá dar lugar a uma denúncia pelo Ministério Público [▶ 1 indiciar] [F.: *indício* + *-ar.* Hom./Par.: *indiciais* (2ªp. pl.)/ *indiciais* (pl. indicial[adj.]). *indiciaria* (1ª3ªp. s.), *indiciarias* (2ªp. s) / *indiciária* (f. *indiciário*) e pl; *indicio* (1ªp. s.)/ *indício* (s. m.). Ant. ger.: *desindiciar.*]

indiciário (in.di.ci.*á*.ri:o) *a.* Relativo a indício, que envolve indício (fato indiciário) [F.: *indício* + *-ário.* Hom./Par.: *indiciária* (fem.), *indiciárias* (fem. pl.); *indiciaria, indiciarias* (fl. de *indiciar*).]

indício (in.*dí*.ci:o) *sm.* Sinal, indicação, sintoma, indice: *Os indícios levavam a crer que o culpado era o mordomo; Há indícios de chuva no ar.* [F.: Do lat. *indicium, ii.* Hom./ Par.: *indício* (sm.), *indicio* (fl. de *indiciar*).]

índico (*ín*.di.co) *a.* **1** Ref. ou inerente a, ou próprio da Índia; INDIANO; HINDU **2** Ref. ao oceano Índico (maré índica) [F.: Do lat. *indicus, a, um.* Hom./Par.: *índico* (sm.), *Índico* (top.), *indico* (fl. de *indicar*).]

indicolita (in.di.co.*li*.ta) *sf. Min.* Variedade azul de turmalina [F.: Do ing. *indicolite*; ver. *indic(o)-* e *-lita.*]

⊕ **indie** (*Ing. /índi/*) *a2g.* Diz-se de criação artística (música, filme etc.) e sua apresentação, quando não de produção independente, não vinculada a estúdios, gavadoras etc.

indiferença (in.di.fe.*ren*.ça) *sf.* **1** Característica ou qualidade de indiferente **2** Falta de interesse ou de preferência; APATIA; DESÂNIMO: *Mostra sempre indiferença pelo estudo.* [Ant.: *entusiasmo, interesse.*] **3** Desdém, menosprezo, insensibilidade: *Trata a todos com indiferença; demonstra indiferença em relação à literatura.* [Ant.: *acatamento, apreço, respeito.*] **4** Estado ou característica de quem não está aberto a envolver-se emocionalmente com alguém ou algo; DISTANCIAMENTO; FRIEZA [Ant.: *paixão, veemência.*] [F.: Do lat. tard. *indifferentia, ae.* Ideia de 'indiferença', usar pref. *adiafor-.*]

indiferençável (in.di.fe.ren.*çá*.vel) *a2g.* O mesmo que *indiferenciável* [Ant.: *diferençável*] [Pl.: *-veis.*] [F.: *in-*[2] + *diferençável.*]

indiferenciação (in.di.fe.ren.ci:a.*ção*) *sf.* Falta de diferenciação: *A indiferenciação entre o papel da escola e o da família.* [Ant.: *diferenciação*] [Pl.: *-ções.*] [F.: *in-*[2] + *diferenciação.*]

indiferenciado (in.di.fe.ren.ci:*a*.do) *a.* **1** Que não é diferenciado **2** *Cit. Histl.* Diz-se de célula ou tecido que não sofreu diferenciação (3) [F.: *in-*[2] + *diferenciado.* Ant. ger.: *diferenciado.*]

indiferenciável (in.di.fe.ren.ci:*á*.vel) *a2g.* Que não se pode diferenciar; INDIFERENÇÁVEL [Pl.: *-veis.*] [F.: *in-*[2] + *diferenciável.*]

indiferente (in.di.fe.*ren*.te) *a2g.* **1** Que não demonstra interesse ou preferência **2** Que é apático, insensível [+ *a: Era indiferente às festas.*] **3** Que se mantém distante emocionalmente, frio, inatingível e desinteressado: *Mostrou-se indiferente com ela.* **4** Que não faz ou não tem diferença, que independe: *Pra mim é indiferente, tanto faz. s2g.* **5** Pessoa desinteressada, desanimada; INSENSÍVEL [F.: Do lat. *indifferens, entis.*]

indiferentismo (in.di.fe.ren.*tis*.mo) *sm.* **1** Estado de indiferença, desinteresse ou desprendimento em certas matérias (indiferentismo religioso/político): "...não conseguiria vencer a muralha do indiferentismo público" (Inglês de Sousa, *O missionário*) **2** O mesmo que *indiferença* [F.: *indiferente* + *-ismo.*]

indiferentista (in.di.fe.ren.*tis*.ta) *a2g.* **1** Que diz respeito a indiferentismo **2** Diz-se do que segue ou pratica a doutrina do indiferentismo (1) *s2g.* **3** Praticante ou seguidor do indiferentismo (1) [F.: *indiferente* + *-ista.*]

indígena (in.*dí*.ge.na) *a2g.* **1** Que é originário de determinado país, região ou lugar; ABORÍGINE; NATIVO [Ant.: *alienígena*] **2** Ref. ou inerente aos índios, ou deles próprio (área indígena; arte indígena; cultura indígena) *s2g.* **3** Aquele que habitava as Américas antes da colonização europeia, que fazia ou faz parte de um dos povos nativos do continente americano, ou o descendente de um desses povos; ÍNDIO **4** Pessoa natural do lugar em que habita [Ant.: *alienígena*] [F.: Do lat. *indigena, ae.*]

indigenato (in.di.ge.*na*.to) *Etnog. sm.* **1** Característica, qualidade ou condição de indígena; INDIGENISMO **2** Agrupamento de indígenas de uma região ou país (indigenato amazônico; indigenato norte-americano) [F.: *indígena* + *-ato*[1].]

indigência (in.di.*gên*.ci:a) *sf.* **1** Situação de pobreza extrema; PENÚRIA: "O que me lembra muito bem é a indigência, e a fome, e a nudez de minhas irmãs" (Camilo Castelo Branco, *Coração, cabeça e estômago*) **2** Conjunto de pessoas nessa situação: "...se não havia na capital do Império um asilo para a indigência sem teto..." (Joaquim Manuel de Macedo, *A luneta mágica*) **3** *P. ext.* Carência de uma coisa qualquer: "...corrigiam de algum modo a indigência de sua arquitetura" (Lima Barreto, *Numa e Ninfa*) **4** *Fig.* Falta, carência, privação de coisas morais ou intelectuais (indigência política/ de ideias/ de espírito) [F.: Do lat. *indigentia, ae.* Ant. ger.: *opulência.*]

indigenismo (in.di.ge.*nis*.mo) *sm.* **1** O mesmo que *indigenato* (1) **2** Interesse, empatia pelos indígenas e por sua cultura; estudo ou conhecimento sobre o indígena **3** *Bras.* Ações e política de amparo e apoio às populações indígenas [F.: *indígena* + *-ismo.*]

indigenista (in.di.ge.*nis*.ta) *a2g.* **1** Ref. ao indigenismo (2, 3) *s2g.* **2** *Bras.* Etnólogo especializado no estudo de índios americanos; INDIANISTA **3** *Bras.* Pessoa que atua na política de proteção e integração das populações indígenas [F.: *indígena* + *-ista.*]

indigente (in.di.*gen*.te) *a2g.* **1** Diz-se de quem não pode suprir as próprias necessidades; MISERÁVEL *s2g.* **2** Aquele que não pode suprir as próprias necessidades: *Foi enterrado como indigente, em vala comum.* [F.: Do lat. *indigens, entis.*]

indigerível (in.di.ge.*rí*.vel) *a2g.* Que não se pode digerir, ou que é de difícil digestão: "...arrancavam, na caatinga, raízes de umbu, para o bró indigerível da ceia..." (Lindolfo Rocha, *Maria Dusá*) [Ant.: *digerível.*] [Pl.: *-veis.*] [F.: *in-*[2] + *digerível.*]

indigestão (in.di.ges.*tão*) *sf.* **1** *Med.* Ação ou resultado de indigestar, de digerir mal; perturbação das funções digestivas; AFLITAMENTO **2** O efeito dessa perturbação, caracterizado por cólicas, dores abdominais etc. **3** *Bras. Fig.* Sensação de saturação pela prática ou consumo de algo em excesso: *Tomou indigestão de futebol; indigestão de leitura.* [Pl.: *-tões.*] [F.: Do lat. tard. *indigestio, onis.*]

indigestar (in.di.ges.*tar*) *v. int. Bras.* Ter indigestão: *Vários comensais indigestaram(-se) naquela mesma noite.* [F.: *indigesto* + *-ar.* Hom./Par.: *indigesto* (1ªp. s.)/ *indigesto* (adj.).]

indigesto (in.di.*ges*.to) *a.* **1** Que é difícil de digerir ou provoca indigestão (comida indigesta) **2** *Fig.* Que é difícil de ser entendido ou assimilado (filme indigesto; leitura indigesta); ENFADONHO; TEDIOSO **3** *Fig.* Que causa grande mal-estar moral ou desagrado, desgosto, aborrecimento ou prejuízo extremos (notícia indigesta; contrato indigesto): "Ministério indigesto. FHC engole sapos na composição do novo ministério" (*Isto é*, 30.12.1998) **4** *Fig.* Aviltante, inaceitável, (fig.) indigerível (proposta indigesta) **5** *Fig.* De conteúdo bombástico ou grosseiro, de difícil aceitação (jornal indigesto) [F.: Do lat. *indigestus, a, um.*]

indígete (in.*dí*.ge.te) *sm.* **1** Ser humano divinizado; HERÓI; SEMIDEUS: "Sê o indígete sacro o inviolável, / Que hoje inspire e proteja a Nação!" (D. Aquino Correia, *Hino a Caxias*) **2** Divindade tutelar de um país (indígetes da nação portuguesa) [F.: Do lat. *indiges, etis.* Hom./Par.: *indígete* (sm.), *indigente* (a2g. s2g).]

indigitação (in.di.gi.ta.*ção*) *sf.* **1** Ação de indigitar, indicar; INDIGITAMENTO **2** *Med.* O mesmo que *invaginação* [Pl.: *-ções.*] [F.: *indigitar* + *-ção.*]

indigitado (in.di.gi.*ta*.do) *a.* **1** Apontado, indicado [+ *a: Foi indigitado ao emprego*] **2** Que foi apontado como culpado de um crime *sm.* **3** *Jur.* Aquele que é responsabilizado criminalmente; INDICIADO [F.: Part. de *indigitar.*]

indigitamento (in.di.gi.ta.*men*.to) *sm.* **1** Ação de indigitar, indicar; INDIGITAÇÃO **2** Livro com os nomes e poderes dos indígetes romanos, e os rituais que deviam ser praticados em sua homenagem [F.: *indigitar* + *-mento.*]

indigitar (in.di.gi.*tar*) *v.* **1** Recomendar alguém para (cargo, função) [*td.: Indigitou 14 parentes para cargos públicos.*] **2** Mostrar ou apontar (ger. com o dedo) [*td.: Indigitava os policiais que vigiavam a praia.*] [*tdi.* + *a: Indigitou ao colega a autoridade que chegara.*] **3** Tornar (algo) conhecido (para alguém); INDICAR; APONTAR [*tdi.* + *a: Demoraram a indigitar-lhe as falhas do programa.*] [*td.: Indigitava os defeitos do projeto.*] **4** Ter na conta de, considerar alguém (com relação a falta, delito); JULGAR [*tdp.: Acabaram indigitando-o como suspeito.*] **5** Colocar no dedo [*td.: indigitar a aliança.*] [▶ 1 indigitar] [F.: Do v.lat. *indigitare.*]

indignação (in.dig.na.*ção*) *sf.* **1** Ação ou resultado de indignar(-se) **2** Sentimento de desprezo ou cólera despertado por um fato ou acontecimento considerado injusto: "...nesta indignação lembraram-se dos jornais monarquistas" (Euclides da Cunha, *Os sertões*) **3** *P. ext.* Ira, ódio, raiva: "Olhou-a cheia de malvadez e indignação..." (Lima Barreto, *Clara dos Anjos*) [Pl.: *-ções.*] [F.: *indignar* + *-ção.*]

indignado (in.dig.*na*.do) *a.* **1** Que se indignou *a.* **2** Que sente indignação, revolta em virtude de algo indigno, injusto, aviltante, desrespeitoso, violento etc.; REVOLTADO [+ *com, contra: indignado com o governo; indignado contra a violência.*] **3** Que revela indignação; cheio de indignação (olhar indignado; gesto indignado; carta indignada) [F.: Part. de *indignar.*]

indignar (in.dig.*nar*) *v.* Revoltar(-se) moralmente; ENRAIVECER(-SE); ENFURECER(-SE) [*td.:* "Indignou-o tanta covardia." (Marques Rebelo, *Contos reunidos*)] [*int.: Pobres dos que perdem a capacidade de se indignar.*] [Ant.: *agradar, satisfazer.*] [▶ 1 indignar] [F.: Do v.lat. **indignare*, por *indignari.* Hom./Par.: *indigno* (fl.), *indigno* (a. sm.).]

indignidade (in.dig.ni.*da*.de) *sf.* **1** Característica ou qualidade do que é indigno; falta de dignidade **2** *Fig.* Ação, atitude, comportamento, ou ideia indigna, infame, torpe; INFÂMIA **3** *Fig.* Maldade, crueldade, atrocidade **4** *Fig.* Falta de decoro, de decência **5** *Jur.* Exclusão do direito de sucessão por incompatibilidade moral em relação a este direito, ou seja, por atos atentatórios contra o *de cujus* ainda em vida [F.: Do lat. *indignitas, atis.*]

indigno (in.*dig*.no) *a.* **1** Que não merece, que não é digno de (algo) (indigno de crédito) **2** Que não tem dignidade; que não merece consideração **3** Que não é próprio de ou não está adequado para alguém, ou para seu cargo, condição, situação etc.: *Insinuou que sua filha era indigna de seu filho; Linguajar indigno de um homem devoto.* **4** Diz-se de ação, atitude, comportamento etc. que avilta ou causa desonra, pela inconveniência, pela falta de decoro, ou pela baixeza, pela desumanidade etc. (gesto indigno) **5** *Jur.* Diz-se de herdeiro legítimo excluído da herança por estar em situação de incompatibilidade moral em relação ao direito sucessório, por atos graves ou ofensivos contra o *de cujus* (tais como tentativa de homicídio, acusação criminal, adultério com o cônjuge do falecido etc.) *sm.* **6** Indivíduo indigno **7** *Jur.* Aquele sobre o qual se aplica a instituição de indignidade (5) [F.: Do lat. *indignus, a, um.* Hom./Par.: *indigno* (a. sm.), *indigno* (fl. de *indignar*).]

índigo (*ín*.di.go) *sm.* **1** Matéria corante de cor azul violácea, que tem aplicação nas artes, na tintura de roupas etc.; ANIL **2** A cor do anil, tonalidade escura do azul, semelhante ao azul-violeta **3** *Bot.* Gênero de plantas leguminosas (*Indigofera*) de que se extrai o anil, ou índigo (1); INDIGUEIRO *a2g.* **4** Termo relacionado à noção de 'crianças índigo', uma nova geração de crianças diferenciadas por sua excepcional perceptividade e sua sensibilidade ética, social e moral, o que levaria a um novo paradigma de comportamento, Associado também (mas não só) ao espiritismo [F.: Do lat. *indicum, i*, do gr. *indikós, ê, ón.*]

índio[1] (*ín*.di:o) *a.* **1** *Etnol.* Que faz parte de um grupo étnico indígena **2** Mesmo que *indiano* (ref. à Índia, Ásia, ou que lá nasceu ou habita) *sm.* **3** Integrante de um grupo étnico indígena *sm.* **4** Mesmo que *indiano* (indivíduo nascido ou que vive na Índia, Ásia) **5** Pertencente a qualquer dos povos autóctones das Américas **6** *N. E. RJ Lud.* Certa modalidade de papagaio de papel **7** *RS* Indivíduo que trabalha em estância; PEÃO **8** *RS* Indivíduo machão, valentão **9** *Astrol.* Constelação situada no polo sul, mas de difícil localização em virtude da ausência de estrelas brilhantes na região [F.: Do top. *Índia.*]

índio[2] (*ín*.di:o) *sm. Quím.* Elemento químico de número 49, metálico, branco, us. em ligas especiais [Símb.: *In*] [F.: Do lat. cient. *Indium.*]

indireta (in.di.*re*.ta) *sf.* Aquilo que se dá a entender, evitando dizer abertamente o que se pensa ou quer: *Soltou várias indiretas para que ele percebesse que já era hora de partir.* [F.: Fem. substv. do adj. *indireto.*]

indireto (in.di.*re*.to) *a.* **1** Que não é direto; que não aponta diretamente para algo (olhar indireto) **2** Expresso ou feito de modo disfarçado: *meio indireto de dar a notícia.* **3** Que é ambíguo, impreciso **4** Feito por intermédio de uma ou mais pessoas (pedido indireto) **5** Diz-se do processo eleitoral (eleição, votação, escrutínio, *p. ext.* voto) que se dá por representação **6** *Gram.* Que completa o sentido de um verbo transitivo, prendendo-se a ele por meio de preposição (objeto indireto) **7** *Gram.* Diz-se de verbo transitivo cujo complemento é regido por preposição [F.: Do lat. *indirectus, a, um.* Ant. ger.: *direto.*]

indirigível (in.di.ri.*gí*.vel) *a2g.* Que não pode ser dirigido [Ant.: *dirigível.*] [Pl.: *-veis.*] [F.: *in-*[2] + *dirigível.*]

indirimível (in.di.ri.*mí*.vel) *a2g.* Que não se pode dirimir ou decidir [Ant.: *dirimível.*] [Pl.: *-veis.*] [F.: *in-*[2] + *dirimível.*]

indiscernibilidade (in.dis.cer.ni.bi.li.*da*.de) *a2g.* Qualidade do que é indiscernível [F.: *indiscernível*, sob a f. *indiscernibil-*, + *-(i)dade*, seg. o mod. erudito.]

indiscernimento (in.dis.cer.ni.*men*.to) *sm.* Ausência, falta de discernimento [Ant.: *discernimento.*] [F.: *in-*[2] + *discernimento.*]

indiscerníveis (in.dis.cer.*ní*.veis) *smpl. Fil.* Dois seres reais que não se distinguem um do outro [Ant.: *discerníveis.* O princípio da identidade dos indiscerníveis de Leibniz (1646-1716) afirma que não existem dois seres reais idênticos e eles se diferem sempre por caracteres intrínsecos.] [F.: Pl. de *indiscernível.*]

indiscernível (in.dis.cer.*ní*.vel) *a2g.* **1** Que não se pode discernir ou distinguir de uma outra coisa (ideias indiscerníveis) **2** Que é pouco claro ou evidente: "...o político é, muitas vezes, indiscernível na imanência do relato, exigindo uma decifração alegórica de múltiplas referências" (*Folha de S.Paulo*, 10.05.1996) [Pl.: *-veis.*] *sm.* **3** Aquilo que não se pode discernir ou distinguir de uma outra coisa: *O indiscernível entre realidade e fabulação.* **4** O que é pouco claro ou evidente: *O indiscernível no discurso político.* [Pl.: *-veis.*] [F.: *in-²* + *discernível.* Ant. ger.: *discernível.*]

indisciplina (in.dis.ci.*pli*.na) *sf.* **1** Falta de disciplina *sf.* **2** Ato ou procedimento que contraria princípios de disciplina; desordem, bagunça; DESOBEDIÊNCIA; REBELDIA [F.: *in-²* + *disciplina.*]

indisciplinado (in.dis.ci.pli.*na*.do) *a.* **1** Que não tem ou não segue uma disciplina, ordem, organização (sujeito indisciplinado; vida indisciplinada) **2** De comportamento contrário à disciplina, às regras, ao regulamento etc., ou que reage contra tais coisas (aluno indisciplinado) *sm.* **3** Aquele que não tem disciplina nem organização: *um indisciplinado contumaz.* [F.: *in-²* + *disciplinado.* Ant. ger.: *disciplinado.*]

indisciplinar (in.dis.ci.pli.*nar*) *a2g.* Em que ocorre ou que revela indisciplina (atitude indisciplinar) [Pl.: *-res.*] [F.: *indisciplina* + *-ar¹.*]

indisciplinável (in.dis.ci.pli.*ná*.vel) *a2g.* Diz-se de que ou quem não é disciplinável; difícil de disciplinar [Pl.: *-veis.*] [F.: *in-²* + *disciplinável.*]

indiscreto (in.dis.*cre*.to) *a.* **1** Que não tem discrição **2** Diz-se do que ou daquele que revela abertamente o que deveria ser tratado com reserva ou mantido em segredo (olhar indiscreto; pergunta indiscreta); INCONVENIENTE **3** Que é dado a perguntar, a querer saber coisas que não deveriam ser do seu interesse; cuja curiosidade excessiva o torna inconveniente **4** Que fala sem reservas, que não tem tato ou prudência ao falar, e chega a ser inconveniente ou indelicado *sm.* **5** Aquele que não tem discrição [F.: Do lat. *indiscretus, a, um.* Ant. ger.: *discreto.*]

indiscrição (in.dis.cri.*ção*) *sf.* **1** Característica ou qualidade de indiscreto; falta de discrição; INTROMISSÃO; ABELHUDICE **2** Ato ou dito indiscreto, inconveniente, inadequado: *Suas indiscrições irritavam os companheiros.* [Pl.: *-ções.*] [F.: Do lat. *indiscretio, onis,* ou de *in-²* + *discrição.* Ant. ger.: *discrição.*]

indiscriminação (in.dis.cri.mi.na.*ção*) *sf.* **1** Falta de discriminação; INDISTINÇÃO [Ant.: *discriminação*] **2** *Psic.* Negação das diferenças entre o "eu" e "não eu" [P. opos. a *discriminação.*] [Pl.: *-ções.*] [F.: *in-²* + *discriminação.*]

indiscriminado (in.dis.cri.mi.*na*.do) *a.* **1** Que não faz ou em que não há distinção, diferenciação (entre elementos de um grupo, conjunto, série etc.) (terrorismo indiscriminado; homicídio indiscriminado): *Juiz condena envio indiscriminado de e-mails.* [Neste caso a ação é dirigida ger. não a uma pessoa ou a um objeto específico, mas a qualquer um ou a todos de uma mesma categoria, grupo, meio etc., indeterminadamente.] **2** Sem controle, sem ordem, sem critério etc.; DESCONTROLADO; DESORDENADO; DESREGRADO: *Ministério Público quer reprimir o uso indiscriminado de agrotóxicos na capital e no interior de Sergipe.* [Ant.: *criterioso, regrado.*] **3** Que se dá ou se faz irregularmente, sem prescrição, controle, regra etc.; DESCONTROLADO; IMODERADO: *uso indiscriminado de antibióticos, de colírios.* [Ant.: *moderado, refreado.*] **4** *Fig.* Abusivo, excessivo: *Especialistas alertam contra o consumo indiscriminado de álcool entre os jovens.* [Ant.: *controlado.*] **5** *Fig.* Que se apresenta confuso, misturado: *Aquela mostra do cinema brasileiro foi indiscriminada e sem critério; seus argumentos são todos indiscriminados.* [Ant.: *organizado.*] [F.: *in-²* + *discriminado.*]

indiscriminável (in.dis.cri.mi.*ná*.vel) *a2g.* Que não se pode discriminar; INDISCERNÍVEL [Ant.: *discriminável.*] [Pl.: *-veis.*] [F.: Do lat. *indiscriminabilis, e.*]

indiscutibilidade (in.dis.cu.ti.bi.li.*da*.de) *sf.* Qualidade do que é indiscutível; impossibilidade de ser discutido (indiscutibilidade de um projeto) [F.: *indiscutível*, sob a f. *indiscutibil-*, + *-(i)dade*, seg. o mod. erudito.]

indiscutível (in.dis.cu.*tí*.vel) *a2g.* **1** Que não se discute ou não se pode discutir **2** Que não permite discussão por ser evidente (talento indiscutível; qualidade indiscutível); INCONTESTÁVEL; INEGÁVEL; INDUBITÁVEL [Pl.: *-veis.*] [F.: *in-²* + *discutível.* Ant. ger.: *discutível.*]

indisfarçado (in.dis.far.*ça*.do) *a.* **1** Que não se pode disfarçar, esconder (riso indisfarçado) **2** Que não é dissimulado ou oculto [Ant.: *disfarçado.*] [F.: *in-²* + *disfarçado.*]

indisfarçável (in.dis.far.*çá*.vel) *a2g.* Que não se pode disfarçar ou esconder: *Apresentava um indisfarçável mau humor.* [Ant.: *disfarçável.*] [Pl.: *-veis.*] [F.: *in-²* + *disfarçável.*]

indispensabilidade (in.dis.pen.sa.bi.li.*da*.de) *sf.* Característica ou qualidade de indispensável; ESSENCIALIDADE [Ant.: *dispensabilidade.*] [F.: *indispensável*, sob a f. *indispensabil-*, + *-(i)dade*, seg. o mod. erudito.]

indispensável (in.dis.pen.*sá*.vel) *a2g.* **1** Diz-se de que ou quem não se pode dispensar; IMPRESCINDÍVEL; OBRIGATÓRIO: *O sono é indispensável à saúde.* **2** Que é extremamente necessário para suprir uma necessidade ou que não pode faltar em determinada situação ou circunstância [Pl.: *-veis.*] *sm.* **3** Aquele ou aquilo que não se pode dispensar: *Sem luxo, vivia apenas com o indispensável.* [F.: *in-²* + *dispensável.*]

indisponibilidade (in.dis.po.ni.bi.li.*da*.de) *sf.* Característica, qualidade ou estado de indisponível (indisponibilidade de recursos; indisponibilidade de tempo) [Ant.: *disponibilidade.*] [F.: *indisponível*, sob a f. *indisponibil-*, + *-(i)dade*, seg. o mod. erudito.]

indisponível (in.dis.po.*ní*.vel) *a2g.* Que não está disponível; de que não se pode dispor (bens indisponíveis) [Ant.: *disponível*] [Pl.: *-veis.*] [F.: *in-²* + *disponível.*]

indispor (in.dis.*por*) *v.* **1** Provocar indisposição física ou emocional [*td.*: *O voo indispunha o estômago do rapaz.*] **2** Mudar a disposição ou situação de algo ou alguém [*td.*: *Indispôs as armas do colecionador.*] **3** Irritar(-se); causar ou sentir irritação, aborrecimento etc., em virtude, em geral, de algo indevido; CHATEAR; ABORRECER [*td.*: *Indispuseram o cliente, com tanta burocracia.*] [*tdi.* + *contra*: *Indispusera-se contra a corrupção.*] **4** Causar discórdia ou desentendimento entre [*td.*: *A partilha indispôs os herdeiros.*] **5** Desentender-se, desavir-se [*tdi.* + *com*: *Indispôs-se com o gerente do banco.*] **6** Fazer ficar mal com; MALQUISTAR; INIMIZAR [*tdi.* + *com*: *Só pretendia indispô-lo com o eleitorado.*] [▶ **60** indis**por**] [F.: *in-²* + *dispor.*]

indisposição (in.dis.po.si.*ção*) *sf.* **1** *Med.* Mal-estar passageiro **2** Falta de disposição, de ânimo [Ant.: *disposição*] **3** *Fig.* Falta de entendimento [+ *com, contra, entre*: *indisposição com vizinhos; indisposição contra tudo e todos; indisposição entre os colegas.*] **4** *Fig.* Má vontade com ou aversão a algo ou alguém [Pl.: *-ções.*] [F.: *in-²* + *disposição.*]

indisposto (in.dis.*pos*.to) [ô] *a.* **1** Que sente indisposição (1); que não está se sentindo bem, que está com mal-estar; ADOENTADO; INCOMODADO:: *Comeu tanto chocolate que ficou indisposto.* [Ant.: *disposto*] **2** *Fig.* Que se zangou com alguém [+ *com*: *indisposto com a colega de turma.*] [Pl.: [ó]. Fem.: [ó].] [F.: Do lat. *indispositus, a, um.*]

indisputabilidade (in.dis.pu.ta.bi.li.*da*.de) *sf.* **1** Qualidade do que é indisputável **2** Impossibilidade de disputar alguma coisa [F.: *indisputável*, sob a f. *indisputabil-*, + *-(i)dade*, seg. o mod. erudito. Ant. ger.: *disputabilidade.*]

indisputado (in.dis.pu.*ta*.do) *a.* Que não é disputado; que não é questionado (líder indisputado); INCONTROVERSO [Ant.: *disputado.*] [F.: *in-²* + *disputado.*]

indisputável (in.dis.pu.*tá*.vel) *a2g.* Que não se disputa ou contesta (valor indisputável); INCONTESTÁVEL; INDISCUTÍVEL [Ant.: *disputável*] [Pl.: *-veis.*] [F.: Do lat. *indisputabilis, e.*]

indissociabilidade (in.dis.so.ci:a.bi.li.*da*.de) *sf.* Qualidade do que é indissociável, inseparável: "...relacionar o termo universidade com uma indissociabilidade entre ensino, pesquisa e extensão." (*Folha de S.Paulo,* 22.05.1996) [F.: *indissociável*, sob a f. *indissociabil-*, + *-(i)dade*, seg. o mod. erudito. Ant.: *dissociabilidade.*]

indissociável (in.dis.so.ci.*á*.vel) *a2g.* Que não se pode dissociar, separar (relação indissociável; conceitos indissociáveis); INSEPARÁVEL [Ant.: *dissociável*] [Pl.: *-veis.*] [F.: Do lat. tard. *indissociabilis, e.*]

indissolubilidade (in.dis.so.lu.bi.li.*da*.de) *sf.* Característica ou qualidade de indissolúvel (indissolubilidade química; indissolubilidade conjugal) [Ant.: *dissolubilidade.*] [F.: *indissolúvel*, sob a f. *indissolubil-*, + *-(i)dade*, seg. o mod. erudito.]

indissolúvel (in.dis.so.*lú*.vel) *a2g.* Que não se dissolve ou não se desfaz; INDISSOLVÍVEL: *O óleo é indissolúvel na água; Há uniões que parecem indissolúveis.* [Ant.: *dissolúvel.*] [Pl.: *-veis.*] [F.: Do lat. *indissolubilis, e.*]

indistinção (in.dis.tin.*ção*) *sf.* **1** Falta de distinção; CONFUSÃO; INDETERMINAÇÃO **2** Ausência de elegância, de distinção [Ant.: *distinção.*] [Pl.: *-ções.*] [F.: *in-²* + *distinção.*]

indistinguibilidade (in.dis.tin.gui.bi.li.*da*.de) *sf.* Qualidade do que é indistinguível [F.: *indistinguível*, sob a f. *indistinguibil-*, + *-(i)dade*, seg. o mod. erudito.]

indistinguível (in.dis.tin.*guí*.vel) *a2g.* Que não se pode distinguir; que não se distingue; INDISTINTO:: *Ouviam-se sons indistinguíveis.* [Ant.: *distinguível.*] [Pl.: *-veis.*] [F.: *in-²* + *distinguível.*]

indistinto (in.dis.*tin*.to) *a.* **1** Que não se pode distinguir ou ver com nitidez (vulto indistinto); INDISTINGUÍVEL; OBSCURO: *Ao longe, viam-se rostos indistintos.* [Ant.: *distinto, visível.*] **2** *P. ext. Fig.* Que não se pode perceber, identificar com exatidão (cheiro indistinto; gosto indistinto); IMPERCEPTÍVEL; INDISTINGUÍVEL [Ant.: *distinguível, perceptível.*] **3** *Fig.* Que se confunde, se mistura com os demais (cores indistintas); INDEFINIDO [Ant.: *definido.*] **4** De que não se faz distinção; sem discriminação, determinação, especificação de elemento(s) (público indistinto) **5** *Fig.* Sem sentido, sem nexo; CONFUSO; INDEFINIDO [Ant.: *claro, preciso.*] **6** *Fig.* Igual aos demais (dias indistintos; horas indistintas); COMUM; NORMAL [Ant.: *desigual, diferente.*] [F.: Do lat. *indistinctus, a, um.*]

inditoso (in.di.*to*.so) [ô] *a.* **1** Diz-se de quem não é feliz: *Todos queriam ajudar o inditoso homem.* [Ant.: *ditoso; feliz.*] [Pl.: [ó]. Fem.: [ó].] *sm.* **2** Aquele que não é feliz: *O inditoso chegou às lágrimas.* [Pl.: [ó]. Fem.: [ó].] [F.: *in-²* + *ditoso.*]

individuação (in.di.vi.du:a.*ção*) *sf.* **1** Ação ou resultado de individuar(-se) **2** Especificação, distinção das circunstâncias particulares de cada parte de um todo: "O número destes atentados e as circunstâncias que os revestiram, não há quem os saiba com individuação e clareza" (Franklin Távora, *O Cabeleira*) **3** Caráter individual, particular, singular: *a individuação de um objeto.* **4** *Fil.* Na escolástica, manifestação da essência de um indivíduo em determinado espaço-tempo **5** *Psic.* Na teoria de C.G. Jung (1875-1961), processo de diferenciação que tem como objetivo o desenvolvimento da personalidade individual e da consciência do ser único, indivisível e distinto da coletividade [Pl.: *-ções.*] [F.: *individuar* + *-ção.*]

individuado (in.di.vi.du:*a*.do) *a.* **1** Narrado ou exposto com detalhes (O registro individuado); ESPECIFICADO **2** Que se tornou individual, especial, único (O ser individuado); INDIVIDUALIZADO [F.: Part. de *individuar.*]

individual (in.di.vi.du:*al*) *a2g.* **1** Que diz respeito ao indivíduo, ou próprio dele (estilo individual; características individuais) **2** Que diz respeito a ou que pertence a uma só pessoa: *O trem dispõe de cabines individuais.* [Ant.: *coletivo.*] **3** *Fig.* De um só ou feito por um só (indivíduo) (atitude individual; trabalho individual) **4** Original, singular, único: *Sua pintura tinha um traço individual.* **5** *Esp.* Diz-se de individual (7) *sm.* **6** O que é próprio do ou de um indivíduo: *No vôlei, assim como em muitos esportes, às vezes, o individual supera o coletivo.* **7** *Esp.* Treino, ensaio em que se realizam apenas exercícios ginásticos [Pl.: *-ais.*] [F.: *indivíduo* + *-ual.*]

individualidade (in.di.vi.du:a.li.*da*.de) *sf.* **1** Qualidade, caráter ou atributo do que é individual, do que é próprio de ou inerente a um indivíduo *sf.* **2** Traços marcantes que distinguem pessoas ou coisas: *Na avaliação, observou-se a individualidade do candidato.* **3** O que diz respeito ao indivíduo: *A individualidade de cada filho.* **4** Originalidade; singularidade: *A crítica elogiou a individualidade do trabalho.* **5** *Fig.* Pessoa notável; PERSONALIDADE **6** *Lus.* Alta patente [F.: *individual* + *-(i)dade.*]

individualismo (in.di.vi.du:a.*lis*.mo) *sm.* **1** Tendência que valoriza mais os interesses individuais; EGOÍSMO: *O individualismo excessivo prejudica a humanidade.* **2** *Fig.* Maneira de pensar ou viver só para si: *Não deve haver individualismo em trabalho de equipe.* **3** *Econ. Fil. Pol.* Doutrina ou corrente de pensamento de valorização suprema do indivíduo, considerado o elemento mais elevado de uma sociedade e o fim de si mesma [F.: *individual* + *-ismo.*]

individualista (in.di.vi.du:a.*lis*.ta) *a2g.* **1** Ref. ou inerente ao, ou que é sectário do individualismo **2** *Fig.* Diz-se de quem é egocêntrico, egoísta **3** Diz-se de quem exerce com autonomia sua individualidade *s2g.* **4** Aquele que é egocêntrico, egoísta **5** *Econ. Fil. Pol.* Adepto do individualismo [F.: *individual* + *-ista.*]

individualístico (in.di.vi.du:a.*lís*.ti.co) *a.* Que diz respeito a individualista ou a individualismo [F.: *individualista* + *-ico².*]

individualização (in.di.vi.du:a.li.za.*ção*) *sf.* **1** Ação ou resultado de individualizar(-se); PARTICULARIZAÇÃO; ESPECIALIZAÇÃO [Ant.: *generalização*] **2** *Biol. Fís. Fisl. Quím.* Processo ou ação pelo qual um elemento (material, animal, vegetal ou humano) se mostra diferente de outros [Pl.: *-ções.*] [F.: *individualizar* + *-ção.*]

individualizado (in.di.vi.du:a.li.*za*.do) *a.* **1** Diz-se de que ou quem é ou foi objeto de individualização (problema individualizado; obra individualizada); PARTICULARIZADO [Ant.: *generalizado.*] **2** *Biol. Fís. Fisl. Quím.* Que se distingue de outros elementos ou seres por particularidades próprias [F.: Part. de *individualizar.*]

individualizador (in.di.vi.du:a.li.za.*dor*) [ô] *a.* **1** Que individualiza ou especifica; INDIVIDUALIZANTE: *Programa individualizador da pena privativa de liberdade.* *sm.* **2** Aquilo que individualiza [F.: *individualizar* + *-dor.*]

individualizante (in.di.vi.du:a.li.*zan*.te) *a2g.* Que individualiza ou especifica; INDIVIDUALIZADOR: "...uso individualizante dos tribunais de trabalho do sistema corporativista, originalmente pensados para contemplar demandas de ordem coletiva" (*Folha de S.Paulo,* 12.07.1996) [F.: *individualizar* + *-nte.*]

individualizar (in.di.vi.du:a.li.*zar*) *v. td.* **1** Tornar(-se) único, singular; distinguir(-se) dos demais; DIFERENCIAR(-SE); DIFERENÇAR(-SE); INDIVIDUAR(-SE): *A paixão de Van Gogh individualiza-o no uso da cor; Em meio a grandes tensões, custou a individualizar-se.* [Ant.: *descaracterizar.*] **2** Adequar (algo) às características ou necessidades individuais; PERSONALIZAR: *O terapeuta pretendia individualizar as sessões de grupo.* [▶ **1** individuali**zar**] [F.: *individual* + *-izar.*]

individuar (in.di.vi.du.*ar*) *v. td.* **1** Expor ou narrar de maneira detalhada, em minúcias; ESPECIFICAR **2** O mesmo que *individualizar* [▶ **1** individu**ar**] [F.: *indivíduo* + *-ar².* Hom./Par.: *individuo* (fl.), *indivíduo* (adj. s. m.).]

indivíduo (in.di.*ví*.du:o) *a.* **1** Que não se divide (terras indivíduas) *sm.* **2** *Biol. Bot. Zool.* Ser único de uma determinada espécie: *Trata-se de um indivíduo da espécie mineral.* **3** Elemento da espécie humana; ser humano; HOMEM: *Todo indivíduo tem direitos e deveres iguais.* **4** O homem considerado em sua coletividade, comunidade, de modo isolado **5** *Quím.* Qualquer corpo, simples ou composto, cristalizável ou volátil, que não esteja em decomposição **6** Homem, sujeito; pessoa **7** *Bras.* Pessoa de quem não se quer dizer o nome: *O indivíduo se apresentou à polícia.* [F.: Do lat. *individuus, a, um.*]

indivisibilidade (in.di.vi.si.bi.li.*da*.de) *sf.* Característica, qualidade ou estado de indivisível (indivisibilidade de bens; indivisibilidade molecular); INSEPARABILIDADE [Ant.: *divisibilidade.*] [F.: *indivisível*, sob a f. *indivisibil-*, + *-(i)dade*, seg. o mod. erudito.]

indivisível (in.di.vi.*sí*.vel) *a2g.* **1** Que não se divide, não se separa; que não pode ser decomposto; IMPARTÍVEL; INSEPARÁVEL [Ant.: *divisível, decomponível.*] *sm.* **2** Aquilo que não se pode dividir; elemento ou coisa infinitamente pequena [Pl.: *-veis.*] [F.: Do lat. tard. *indivisibilis, e.*]

indiviso (in.di.*vi*.so) *a.* **1** Não dividido, sem divisão; INTEIRO **2** Que pertence simultaneamente a várias pessoas; que não pode ser dividido, desmembrado (herança indivisa; terreno indiviso) **3** Que não se divide por pertencer a várias pessoas: *A família tinha bens indivisos.* [F.: Do lat. *indivisus, a, um.* Ant. ger.: *dividido.*]

indizível (in.di.*zí*.vel) *a2g.* **1** Que não pode ou deve ser expresso por palavras: *Viveu momentos indizíveis na viagem.* **2** *Fig.* Fora do comum; INCOMUM; EXCEPCIONAL; INDESCRITÍVEL: *A moça era de uma beleza indizível.* [Pl.: *-veis.*] [F.: *in-²* + *dizível.* Ant. ger.: *dizível.*]

◎ **indo-** *el. comp.* = 'da Índia', 'indiano', 'hindu': *indochinês, indo-europeu.* [F.: Do top. *Índia.*]

indobrável (in.do.*brá*.vel) ***a2g.*** **1** Que não se consegue dobrar, vergar; INFLEXÍVEL [Ant.: *dobrável*] **2** *Fig.* Que não se submete, que não se deixa subjugar (altivez indobrável) [Pl.: *-veis.*] [F.: *in-*² + *dobrável.*]

indo-britânico (in.do-bri.*tâ*.ni.co) ***sm.*** **1** Aquele que nasceu ou viveu na antiga Índia inglesa **2** Aquele que é de origem indiana e britânica (ou inglesa) e recebe influência das duas culturas [Pl.: *indo-britânicos.*] ***a.*** **3** Da antiga Índia inglesa, típico dessa região ou de seu povo **4** Pertencente ou relativo à Índia e à Grã-Bretanha [Pl.: *indo-britânicos.*] [Sin. ger.: *anglo-indiano.*]

indochinês (in.do.chi.*nês*) ***a.*** **1** Ref., inerente ou pertencente à Indochina, atual Vietnã (governo indochinês) **2** Típico da Indochina ou de seu povo (cultura indochinesa) ***sm.*** **3** Indivíduo natural ou que viveu na Indochina [Pl.: *-neses.* Fem.: *-nesa.*] [F.: Do top. *Indochina* (Ásia) + *-ês.*]

indócil (in.*dó*.cil) ***a2g.*** **1** Diz-se de, ou próprio de quem não se submete, não se sujeita a disciplinas, mandos, comandos etc.; REBELDE: "Temperamento indócil e ávido de liberdade, [Ary Barroso] não se submetia a qualquer prisão ou coação" (José de Rezende, *Temperamento indócil*) **2** Difícil ou impossível de educar, disciplinar (aluno indócil; menino indócil) **3** Que não se pode ou não é fácil domar, domesticar, amansar (touro indócil; [fig.] brotinho indócil); INDOMÁVEL **4** *Bras.* Que não disfarça ou controla a impaciência, inquietação, ansiedade, o nervosismo, a irritação em razão de algo que lhe desagrada, incomoda: *Os passageiros estavam indóceis devido ao atraso.* [Denota ger. estado de expectativa para que algo aconteça, ou de irritação por algo que lhe desagrada ou desfavorece.] [Pl.: *-ceis.* Superl.: *indocílimo, indocilíssimo.*] [F.: Do lat. *indocilis, e.* Ant. nas acps. 1 a 3: *dócil.*]

indocilidade (in.do.ci.li.*da*.de) ***sf.*** **1** Característica ou qualidade de indócil; INDOMABILIDADE [Ant.: *docilidade.*] **2** Estado de grande impaciência, irritação, inquietação [F.: Do lat. *indocilitas, atis.*]

indocílimo (in.do.*cí*.li.mo) ***a.*** Muitíssimo indócil; INDOCILÍSSIMO [F.: *indócil* + *-imo.*]

indocumentado (in.do.cu.men.*ta*.do) ***a.*** **1** Que não foi documentado; sem documentos (afirmação indocumentada) **2** *P. ext.* Diz-se de trabalhador migrante que não foi autorizado a entrar, ficar e exercer uma atividade remunerada no Estado de emprego [F.: *in-*² + *documentado.* Ant. ger.: *documentado.*]

indo-europeu (in.do-eu.ro.*peu*) ***sm.*** **1** *Gloss.* Língua pré-histórica hipotética (sem registro) que filólogos e linguistas julgam ser a língua ancestral do tronco ou da família indo-europeia **2** *Gloss.* Tronco ou família de línguas faladas em grande parte da Europa e em parte da Ásia, que se divide em 7 ramos (de alguns dos quais fazem parte várias línguas modernas tb. faladas nas Américas, na Austrália e na Oceania) e em 3 línguas isoladas (o grego, o albanês e o armênio) [São ramos do indo-europeu: o indo-iraniano, anatólico (de línguas mortas), báltico, eslavo, itálico, germânico e o celta.] **3** *Etnog.* Indivíduo de povo cuja língua original era o indo-europeu (1) **4** *Etnog.* Indivíduo de qualquer um dos povos cuja língua original é indo-europeia ***a.*** **5** *Gloss.* Ref. ou inerente ao indo-europeu (1 e 2) (vocábulo indo-europeu) **6** Ref. aos povos ou aos indivíduos de língua indo-europeia [Pl.: *indo-europeus.* Fem.: *indo-europeia.*] [F.: *indo-* + *europeu.*]

indo-germânico (in.do-ger.*mâ*.ni.co) *Antq. Ling.* ***sm.*** **1** Termo empregado pelos filólogos alemães como sinônimo de *indo-europeu.* ***a.*** **2** Do ou ref. ao indo-germânico (1) [Pl.: *indo-germânicos.*]

indolbutírico (in.dol.bu.*tí*.ri.co) ***a.*** *Quím.* Diz-se de ácido que é uma auxina sintética us. para provocar e acelerar o enraizamento de estacas ou ramos de plantas [F.: *indol* + *butírico.*]

índole (*ín*.do.le) ***sf.*** **1** Modo de ser característico de um ser humano, de uma pessoa desde o nascimento; TEMPERAMENTO; GÊNIO: *O menino tinha boa índole.* **2** *Fig.* Natureza, feição; cunho: *As perguntas feitas a ele eram de índole pessoal.* [F.: Do lat. *indoles, is.*]

indolência (in.do.*lên*.ci:a) ***sf.*** **1** Insensibilidade (a dor, a emoções, a sentimentos etc.); INDIFERENÇA; APATIA **2** Negligência; desleixo [Ant.: *cuidado.*] **3** Ociosidade, preguiça [Ant.: *atividade, dinamismo.*] [F.: Do lat. *indolentia, ae.*]

indolente (in.do.*len*.te) ***a2g.*** **1** Que quase não tem vitalidade, energia, para agir ou fazer algo ***a2g.*** **2** *P. ext. Fig.* Diz-se de quem não é dado a fazer esforço; PREGUIÇOSO **3** Insensível, indiferente (a dor, emoções, sentimentos etc.) [Ant.: *sensível.*] **4** Negligente, desleixado, descuidado [Ant.: *diligente.*] **5** Que não causa ou em que não há dor; INDOLOR ***s2g.*** **6** Indivíduo indolente [F.: Do lat. tard. *indolens, entis.*]

indolor (in.do.*lor*) [ô] ***a2g.*** **1** Que não causa dor (tratamento indolor) **2** *Fig.* Que se dá ou se faz, ou se desenvolve, sem grande esforço ou sofrimento; brando: *As medidas econômicas anunciadas pelo governo são indolores ao bolso do contribuinte.* [F.: Do lat. *indol o ris, e.* Ant. ger.: *doloroso.*]

indomado (in.do.*ma*.do) ***a.*** **1** Diz-se de animal que não foi domado, domesticado; SELVAGEM: *A saga do cavalo indomado.* **2** *Fig.* Diz-se de pessoa que não se subjuga, nem se submete (jovem indomado) **3** *Fig.* Que não pôde ser controlado, contido, refreado (ódio indomado; espírito indomado) **4** Diz-se de força ou elemento da natureza impossível de se controlar (fogo indomado; vento indomado) [F.: *in-*² + *domado.* Sin. ger.: *indômito.*]

indomável (in.do.*má*.vel) ***a2g.*** **1** Que não se consegue domar, domesticar (leão indomável) [Ant.: *domável, domesticável.*] **2** *Fig.* Que não se pode reduzir ou controlar (ânimo indomável; coragem indomável) [Ant.: *vencível.*] [Pl.: *-veis.*] [F.: Do lat. *indomabilis, e.*]

indomesticável (in.do.mes.ti.*cá*.vel) ***a2g.*** **1** Que não se pode domesticar (cavalo indomesticável); INDOMÁVEL [Ant.: *domesticável*] **2** Rebelde ao ensino ou regras; BRAVIO; SELVAGEM [Pl.: *-veis.*] [F.: *in-*² + *domesticável.*]

indometacina (in.do.me.ta.*ci*.na) ***sf.*** *Quím. Farm.* Substância ($C_{19}H_{16}ClNO_4$) us. esp. em medicamento anti-inflamatório [F.: *indo(l)* + *met(il)* + *ac(ético)* + *-ina*².]

indominável (in.do.mi.*ná*.vel) ***a2g.*** Que não se pode dominar (vontade/medo indominável); INDOMÁVEL [Ant.: *dominável.*] [Pl.: *-veis.*] [F.: *in-*² + *dominável.*]

indômito (in.*dô*.mi.to) ***a.*** **1** O mesmo que *indomado* **2** Que não se deixa vencer ou subjugar (povos indômitos) **3** *Fig.* Diz-se de lugar selvagem, agreste, (quase) inexplorado; que ainda não sofreu intervenção humana (território indômito): *Antártida, o continente indômito.* **4** *Fig.* Diz-se de pessoa arrogante, soberba (rapaz indômito) **5** *Fig.* Que revela ou em que há arrogância, soberba, altivez: *A mulher tinha um indômito jeito de olhar.* [F.: Do lat. *indomitus, a, um.*]

indonésio (in.do.*né*.si:o) ***a.*** **1** Ref., inerente ou pertencente a República da Indonésia; típico desse país e do seu povo **2** *Gloss.* Ref. ou pertencente à língua oficial da República da Indonésia ***sm.*** **3** Indivíduo natural da Indonésia **4** *Gloss.* A língua oficial da Indonésia [F.: Do top. *Indonésia*, com mud. de suf.; ver- *io*³. Ver tb. *malaio.*]

⊕ **indoor** (*Ing.* /indôr/) ***a2g2n.*** **1** *Esp.* Diz-se de atividade esportiva praticada em ambiente fechado (escalada *indoor*; *kart indoor*) **2** *Bras. Publ.* Que faz ou trabalha com publicidade em ambientes fechados (mídia *indoor*) **3** *Telc.* Diz-se de módulo ou conjunto de equipamentos instalado em um ambiente fechado e conectado a uma unidade *outdoor* por sinais de frequência intermediária (antena *indoor*) ***sm.*** **4** *Bras. Publ.* Cartaz, painel etc. de propaganda expostos em ambientes fechados **5** *Telc.* Tecnologia que us. sinais de frequência intermediária para conectar uma unidade *outdoor* a um módulo, ou um conjunto de equipamentos, instalado em um ambiente fechado [NOTA: Nas acps. 2 a 5: P. opos. a *outdoor.*]

indo-português (in.do-por.tu.*guês*) ***sm.*** **1** Indivíduo que nasceu ou viveu na antiga Índia portuguesa **2** Aquele que é de origem indiana e portuguesa e recebe influência das duas culturas **3** *Gloss.* Crioulo de base portuguesa, língua falada esp. no Sri Lanka, na região de Korlai (Índia) e em Damão ***a.*** **4** Da antiga Índia portuguesa, típico dessa região ou de seu povo **5** Pertencente ou relativo à Índia e a Portugal **6** *Gloss.* Do ou ref. ao indo-português (3) [Pl.: *indo-portugueses.*]

indormido (in.dor.*mi*.do) ***a.*** **1** Que não dormiu; DESDORMIDO **2** Que está acordado; VIGILANTE: "O ecologista não dorme sobre os louros – aliás, ele pouco dorme, permanece indormido, vigilante..." (*Folha de S.Paulo*, 27.09.1996) [F.: *in-*² + *dormido.*]

indubitado (in.du.bi.*ta*.do) ***a.*** De que não há dúvida, que não é contestado; INCONTESTADO [F.: Do lat. *indubitatus, a, um.*]

indubitável (in.du.bi.*tá*.vel) ***a2g.*** Sobre que não se pode ter dúvida; que não gera, causa ou permite dúvidas; INCONTESTÁVEL; INDISCUTÍVEL: *Apresentou razões indubitáveis em sua defesa; Conquistou no campo uma vitória indubitável.* [Ant.: *discutível, dubitável.*] [Pl.: *-veis.* Superl.: *indubitabilíssimo.*] [F.: Do lat. *indubitabilis, e.*]

indubrasil (in.du.bra.*sil*) *Zool.* ***a2g2n.*** **1** Diz-se de uma raça zebuína formada no Brasil a partir do cruzamento entre o nelore, o gir, e o guzerá ***s2g2n.*** **2** Essa raça **3** Espécime dessa raça [F.: Do adj. *indu*, alter. de *hindu*, em referência às raças bovinas indianas que se cruzaram para alcançar a nova raça, + o top. *Brasil*, por se tratar de realização nacional.]

indução (in.du.*ção*) ***sf.*** **1** Ação, processo ou resultado de induzir **2** *Obst.* Ação esp. de estimular o trabalho de parto por meio da aceleração das contrações uterinas e de dilatadores do colo do útero **3** *Fil. Lóg.* Método de raciocínio que parte do particular para o geral e cujas premissas têm caráter menos geral que a conclusão; INFERÊNCIA [Cf.: *dedução.*] [Pl.: *-ções.*] [F.: Do lat. *inductio, onis.*] ■ **~ amplificante/amplificadora** *Lóg.* Ver *Indução científica* (1) **~ anestésica** *Med.* Fase inicial do procedimento de anestesia, até o adormecimento do paciente **~ aristotélica** *Lóg.* Processo de raciocínio indutivo no qual se enumeram todas as espécies de um gênero, tornando-o mais claro e preciso e levando a uma proposição universal; indução completa; indução formal **~ baconiana** *Lóg.* Ver *Indução científica* (1) **~ científica** **1** *Lóg.* Processo de raciocínio indutivo que parte da observação de fatos e eventos verificados na experiência para articulá-los numa só explicação completa e abrangente, em forma de lei; indução baconiana **2** Indução processada com base em estatística ou cálculo de probabilidades, levando a uma conclusão provável; indução incompleta **~ completa** *Lóg.* Ver *Indução aristotélica.* **~ eletromagnética** *Fís.* Geração de força eletromotriz num circuito elétrico pela variação de um fluxo magnético que o atravessa **~ eletrostática** *Fís.* Distribuição de cargas elétricas em corpo eletricamente neutro provocada pela presença de cargas eletrostáticas externas a ele **~ embrionária/embriônica** *Emb.* Capacidade que tem um tecido orgânico, e a ação dela decorrente, de influir na diferenciação celular de tecidos vizinhos durante a formação do embrião **~ formal** *Lóg.* Ver *Indução aristotélica* **~ hipnótica** *Psi.* Influência do hipnotizador sobre o hipnotizado na fase inicial da hipnose **~ incompleta** *Lóg.* Ver *Indução científica* (2) **~ magnética** *Fís.* Grandeza vetorial que indica a densidade de fluxo de um campo magnético [Símb.: *B.*] **~ mútua** *Fís.* Indução eletromagnética que dois circuitos adjacentes produzem um no outro **~ remanente** *Fís.* Indução magnética que remanesce em material ferromagnético quando o campo externo se reduz a zero

indúcias (in.*dú*.ci:as) ***sfpl.*** **1** Suspensão temporária de hostilidades; TRÉGUA **2** Adiamento, prorrogação, dilação **3** *Antq. Jur.* Prazo concedido, mediante concordata, pelo(s) credor(es) ao(s) devedor(es) para adiamento de pagamento de uma dívida; MORATÓRIA [F.: Adaptç. do lat. *indutiae* ou *induciae, arum.*]

indúctil (in.*dúc*.ti.) ***a2g.*** Que não é dúctil, que não apresenta ductilidade; RIJO [Ant.: *dúctil*] [Pl.: *-teis.*] [F.: *in-*² + *dúctil.*]

inductilidade (in.duc.ti.li.*da*.de) ***sf.*** Falta de ductilidade, qualidade do que é indúctil; RIJEZA [Ant.: *ductilidade.*] [F.: *indúctil* + *-(i)dade.*]

indulgência (in.dul.*gên*.ci:a) ***sf.*** **1** Característica ou qualidade de indulgente **2** Disposição para perdoar culpas ou erros; COMPLACÊNCIA; TOLERÂNCIA; BENEVOLÊNCIA; CLEMÊNCIA [Ant.: *intolerância.*] **3** *Rel.* Misericórdia, remição de penas [+ *a, com, em*: *Indulgência a seu algoz; Indulgência com os erros alheios; Indulgência em julgar.*] **4** *P. ext. Fig.* Capacidade ou tendência para aceitar com tolerância as atitudes, o modo de ser dos outros [F.: Do lat. *indulgentia, ae.* Hom./Par.: *indulgência* (sf.), *indulgencia* (fl. de *indulgenciar*).] ■ **~ parcial** *Rel.* Remissão pela Igreja de uma parte das penas temporais (as não eternas) **~ plenária** *Rel.* Remissão pela Igreja de todas as penas temporais (as não eternas)

indulgente (in.dul.*gen*.te) ***a2g.*** **1** Que perdoa, desculpa ou releva facilmente (diz-se de pessoa com tendência a perdoar); CLEMENTE; TOLERANTE [+ *com, em*: *Indulgente com o inimigo; Indulgente em avaliar.* Ant.: *intolerante.*] **2** Que denota ou encerra indulgência (gesto indulgente) **3** Diz-se de quem tem boa vontade ao julgar: *Somente professores indulgentes dariam dez ao seu trabalho.* [F.: Do lat. *indulgens, entis.*]

indultado (in.dul.*ta*.do) ***a.*** **1** Que foi beneficiado com indulto ***sm.*** **2** Indivíduo que recebeu indulto [F.: Part. de *indultar.*]

indultar (in.dul.*tar*) ***v. td.*** **1** Oferecer indulto, perdão (ger. a criminosos): *O juiz não vai indultar o réu.* **2** Suavizar ou moderar (penalidade, castigo): *O Presidente tem o poder de indultar e comutar penas.* [▶ **1 indultar**] [F.: *indulto* + *-ar*². Hom./Par.: *indulto* (fl.), *indulto* (sm.); *indultaria* (fl.), *indultária* (fem. de *indultário*).]

indulto (in.*dul*.to) ***sm.*** **1** Perdão à falta cometida, com extinção ou redução de pena; ANISTIA; ABSOLVIÇÃO: *O preso recebeu o indulto natalino.* [Ant.: *condenação.*] **2** *Jur. Leg.* Decreto que torna oficial o indulto (1) [+ *a, de*: *indulto ao condenado; indulto do magistrado.*] **3** *Rel.* Comutação de obrigação religiosa, dada por autoridade competente, inclusive o papa [F.: Do lat. tard. *indultus, us.* Hom./Par.: *indulto* (sm.), *indulto* (fl. de *indultar*).]

indumentado (in.du.men.*ta*.do) ***a.*** Vestido com (uma certa roupa, indumentária) [+ *de*: *Ele apareceu lá indumentado de uniforme de bombeiro.*] [F.: Part. de *indumentar.*]

indumentar (in.du.men.*tar*) ***v.*** **1** Prover (alguém, instituição etc.) de roupa [***td.***: *Comprou fantasias novas para indumentar a trupe.*] [***tdr.*** + *com*: *Indumentou a trupe com fantasias novas.*] **2** Vestir com roupa, indumentária, inclusive certa roupa [***td.***: *Indumentou o filho para ir à escola; Ela indumentou-se toda para o baile.*] [***tdr.*** + *com*: *Indumentou o filho com a roupa de ginástica.*] [▶ **1 indumentar**] [F.: *indumento* + *-ar*².]

indumentária (in.du.men.*tá*.ri:a) *Vest.* ***sf.*** **1** Aquilo que a pessoa veste; ROUPA; INDUMENTO: *O soldado usou a indumentária de gala.* **2** Arte e história dos trajes: *Pesquisava a indumentária indígena.* **3** As vestimentas de dada época, classe, povo etc. [F.: Fem. substv. de *indumentário.*]

indumentário (in.du.men.*tá*.ri:o) ***a.*** Referente a vestuário ou a indumentária [F.: *indumento* + *-ário.*]

indumento (in.du.*men*.to) ***sm.*** **1** *Vest.* O mesmo que *indumentária* (1) **2** Aquilo que cobre, reveste, ou disfarça; ENVOLTÓRIO; REVESTIMENTO: *Usou um novo indumento na fachada.* **3** *Bot.* Cobertura (pelos, escamas, glândulas etc.) de órgãos vegetais [F.: Do lat. *indumentum, i.*]

induração (in.du.ra.*ção*) ***sf.*** **1** Ação ou resultado de endurecer; ENDURECIMENTO **2** Insistência em um erro, vício etc. **3** *Pat.* Endurecimento anormal de um tecido orgânico, esp. em caso de inflamação aguda **4** *Pat.* Região de um tecido endurado [F.: Do lat. *induratio, onis.*]

indústria (in.*dús*.tri:a) ***sf.*** **1** Aptidão, habilidade ou arte na execução de um trabalho [Ant.: *inabilidade.*] **2** Atividade, trabalho mecânico ou mercantil **3** Empresa de produção ou fabricação de bens materiais: *A família possui uma indústria de papel.* **4** O conjunto das fábricas de determinado setor; o complexo industrial (indústria automobilística) **5** *Econ.* A produção de bens de consumo (alimentos, carros etc.) e bens de produção (máquinas industriais, ferramentas etc.) em fábricas: *A indústria tem grande importância na economia de um país.* **6** *Fig.* Astúcia, esperteza, artimanha: *Aquele tem indústria para enganar qualquer um.* [Ant.: *ingenuidade.*] **7** *Pej.* Exploração lucrativa e inescrupulosa de uma atividade: *a indústria da religião; a indústria do ensino.* [F.: Do lat. *industria, ae.* Hom./Par.: *industria* (fl. de *industriar*).] ■ **~ cultural** **1** Produção e distribuição, em escala industrial, de bens e serviços culturais (obras de arte, espetáculos de entretenimento, divulgação de ideias, circulação de conhecimento e informação etc.) para grandes contingentes populacionais ou parcelas da população de um ou mais países, configurando um processo característico da chamada sociedade de massas e da cultura de massa **2** Conjunto das pessoas, empresas e instituições envolvidas nessas atividades de produção e distribuição, considerado como um ramo ou setor da economia **~ de base** *Econ. Ind.* Termo genérico que designa a atividade industrial e o conjunto de indústrias que atuam nos níveis básicos da produção de bens, como a produção de matéria-prima (minérios, p. ex.), de máquinas etc., cujos produtos alimentam a produção industrial de bens acabados; indústria pesada **~ de ponta** *Econ. Ind.* Setor industrial que atua na fase final de um processo industrial já desenvolvido em outras indústrias, como a montagem de automóveis, aviões, computadores etc. **~ de transformação** *Econ. Ind.* Setor industrial que atua na transformação de matérias-primas em produtos intermediários (como lingotes ou chapas de aço, fios de tecido etc.) ou em produtos finais (como máquinas, roupas, etc.) **~ extrativa** *Econ. Ind.* Setor industrial que atua na extração de produtos vegetais ou minerais, e no seu beneficiamento **~ leve** *Econ. Ind.* Setor industrial que atua na produção de bens finais de consumo (roupas, alimentos, eletrodomésticos, etc.) **~ pesada** *Econ. Ind.* Ver *Indústria de base* **De ~** Propositalmente, intencionalmente, deliberadamente **Pequena ~** Termo genérico para uma atividade entre o artesanato e a indústria

📖 A Revolução Industrial (na Inglaterra, no fim do século XVIII) transformou radicalmente a estrutura econômica e social da sociedade, com o uso cada vez maior da máquina e da fabricação em série (em que as partes de um produto são pré-fabricadas e depois montadas em uma linha de produção) substituindo o artesanato, em que cada produto era fabricado individualmente do início ao fim. Na lógica da indústria, quanto maior a quantidade na produção de um produto mais barato e mais vendável ele é; consequentemente mais se fabrica, aumentando a atividade industrial, o emprego, e, portanto, o consumo, num círculo teoricamente virtuoso. No entanto, essa virtude depende de que os benefícios desse crescimento se estendam àqueles que poderão se agregar a esse processo. Contemporaneamente, ecologistas afirmam que o efeito poluidor de certas atividades industriais parece indicar a necessidade de se impor um certo limite a esse crescimento – o *crescimento zero*, no qual se limitariam as atividades industriais que prejudicam o meio ambiente, aumentando aquelas que lhe são inofensivas.

industriado (in.dus.tri.*a*.do) *a.* **1** Que se industriou **2** Que se instruiu ou orientou **3** Que se tornou apto para fazer algo **4** Que foi trabalhado, realizado com indústria, com perícia [F.: Part. de *industriar.*]

industrial (in.dus.tri:*al*) *a2g.* **1** Ref., inerente ou pertencente a indústria **2** Diz-se de que é gerado pela indústria (4) (desenvolvimento industrial; poluição industrial) **3** Que é us. na indústria (equipamento industrial) **4** *Econ.* Que possui muitas indústrias ou em que a indústria é bastante desenvolvida (país industrial; polo industrial) *s2g.* **5** Dono de indústria (3) [Pl.: *-ais.*] [F.: *indústria* + *-al.*]

industrialismo (in.dus.tri:a.*lis*.mo) *sm.* **1** *Econ.* Sistema em que se considera o modo industrial de produção como superior do ponto de vista econômico, político e social **2** *Econ.* Sistema econômico que teve início com a chamada Revolução Industrial **3** *Econ.* Extensão da indústria a todos os aspectos da vida econômica **4** *P. ext.* Ação de transformar um trabalho ou um produto não industrial em algo puramente lucrativo **5** *Fig.* Interferência ou influência do que é material sobre o que é moral ou intelectual [F.: *industrial* + *-ismo.*]

industrialista (in.dus.tri:a.*lis*.ta) *a2g.* **1** Referente ao industrialismo **2** Que é adepto do industrialismo, que professa suas ideias sociais, políticas ou econômicas *s2g.* **3** Aquele ou aquela que admira ou segue o industrialismo *s2g.* **4** *RS* Aquele ou aquela que possui ou administra uma indústria; INDUSTRIAL [F.: *industrial* + *-ista.*]

industrialização (in.dus.tri:a.li.za.*ção*) *sf.* **1** Ação ou resultado de industrializar(-se) **2** Uso e aplicação de técnicas industriais: *industrialização do suco da laranja; industrialização do minério de ferro.* **3** *Econ.* Processo de desenvolvimento econômico com base na indústria: *A década de 1950 foi um período de incipiente industrialização no Brasil.* [Pl.: *-ções.*] [F.: *industrializar* + *-ção.*]

industrializado (in.dus.tri:a.li.*za*.do) *a.* **1** Que se industrializou *a.* **2** Que foi submetido a processo de industrialização (produto industrializado; soja industrializada) **3** *Econ.* Desenvolvido à base da industrialização e do progresso industrial (país industrializado; região industrializada) [F.: Part. de *industrializar.*]

industrializador (in.dus.tri:a.li.za.*dor*) [ô] *a.* **1** Que concorre para um processo de industrialização *sm.* **2** Aquele que industrializa [F.: *industrializar* + *-dor.*]

industrializante (in.dus.tri:a.li.*zan*.te) *a2g.* Que industrializa; INDUSTRIALIZADOR [F.: *industrializar* + *-nte.*]

industrializar (in.dus.tri:a.li.*zar*) *v.* **1** Produzir ou beneficiar com técnicas industriais (suprimentos, bens de consumo) [*td.*: *Industrializou a produção de arroz do município.*] **2** Tornar(-se) (país, região, cidade) capaz de produzir bens de consumo em unidades industriais e em larga escala [*td.*: *Adotaram medidas para industrializar o interior.*] [*int.*: *A Inglaterra foi o primeiro país a industrializar-se.*] **3** Transformar algo em matéria-prima para a indústria [*td.*: *Queria industrializar todo o algodão do estado.*] [▶ 1 industrializar] [F.: *industrial* + *-izar.* Hom./Par.: *industrializáveis* (fl.), *industrializáveis* (pl. de *industrializável* [a2g.]).]

industrializável (in.dus.tri:a.li.*zá*.vel) *a2g.* Que pode ser industrializado; que se pode industrializar (matéria-prima industrializável) [Pl.: *-veis.*] [F.: *industrializar* + *-vel. Hom./Par.: industrializáveis* (pl.), *industrializáveis* (fl. de *industrializar* [v]).]

industriar (in.dus.tri.*ar*) *v.* **1** Dar instruções prévias a; PREPARAR [*tdr.* + *para*: *O advogado passou dias industriando o réu para a audiência.*] **2** Tornar (alguém ou a si mesmo) hábil para realizar (alguma coisa) [*tdr.* + *em*: *Industriou o neto na arte da carpintaria; Levou muito tempo para industriar-se nas manhas do serviço diplomático.*] **3** Incitar, instigar [*tdr.* + *a*: *Industriou o rapaz a cometer os furtos.*] **4** Indicar os modos para (a obtenção de alguma coisa) [*td.*: *Industriou o projeto de excursão.*] **5** Tornar rendoso por meio de trabalho na indústria [*td.*: "Pode-se, por exemplo, produzir e explorar especiarias tropicais, essências aromáticas, óleos vegetais, assim como beneficiar e processar borracha e industriar o látex." (Bernardo Cabral, *Discurso*)] **6** Trabalhar com indústria, destreza, perícia [*td.*: *A tecelã industriava os tapetes que fazia.*] [▶ 1 industriar] [F.: *indústria* + *-ar*[2]. Hom./Par.: *industria* (fl.), *indústria* (sf.); *industrias* (fl.), *indústrias* (pl. do sf.); *industriaria* (fl.), *industriária* (adj. fem. de *industriário*); *industriarias* (fl.), *industriárias* (pl. do adj. fem.).]

industriário (in.dus.tri.*á*.ri:o) *Bras. sm.* Aquele que trabalha numa indústria; funcionário de empresa industrial; OPERÁRIO [F.: *indústria* + *-ário.* Hom./Par.: *industriária* (fem.), *industriaria* (fl. de *industriar*); *industriárias* (fem. pl.), *industriarias* (fl. de *industriar*).]

industriosidade (in.dus.tri.o.si.*da*.de) *sf.* Qualidade, caráter de industrioso; LABORIOSIDADE [F.: *industrioso* + *-(i)dade.*]

industrioso (in.dus.tri.*o*.so) [ô] *a.* **1** Que é ativo, diligente **2** *P. ext.* Diz-se do que ou de quem é laborioso, trabalhador (equipe industriosa; povo industrioso) [Ant.: *preguiçoso.*] **3** Dotado de indústria, de habilidade, perícia (profissional industrioso) [Ant.: *inábil.*] **4** Feito com indústria, com arte ou engenho (quadro industrioso) **5** *Fig.* Diz-se de quem é esperto, ardiloso [Ant.: *ingênuo.*] **6** Que revela ou encerra indústria, perícia (ação industriosa) **7** Que é trabalhoso ou difícil de ser realizado, feito, concretizado (tarefa industriosa) [Pl.: [ó]. Fem.: [ó].] [F.: Do lat. *industriosus, a, um.*]

indutância (in.du.*tân*.ci:a) *Elet. sf.* **1** Propriedade, em um circuito, de indução de força eletromotriz, causada pela variação de uma corrente **2** Medida da indução eletromagnética de um circuito ou de um componente de um circuito [Símb.: L.] [F.: Do ing. *inductance.*] **■ ~ mútua** *Elet.* Propriedade ou situação em que dois circuitos elétricos próximos (como duas bobinas) criam um campo de indução eletromagnética, um sobre o outro

indutivo (in.du.*ti*.vo) *a.* **1** Ref. ou inerente a indução **2** Que se realiza por indução (parto indutivo) **3** Que induz, incentiva, estimula (ação indutiva) **4** Que resulta de uma indução **5** *Fil. Lóg.* Que parte de fatos ou dados particulares para elaborar princípios gerais ou inferir uma conclusão [Cf.: *dedutivo.*] [F.: Do lat. *inductivus, a, um.*]

induto (in.*du*.to) *sm.* **1** O mesmo que *indumentária* ('traje') **2** Revestimento, guarnição; EMBOÇO; INVÓLUCRO; INDUMENTO [F.: Do lat. *indutus, us.* Hom./Par.: *induto* (sm.), *induto* (fl. de *indutar*).]

indutor (in.du.*tor*) [ô] *a.* **1** Diz-se do que induz, que sugere (propostas indutoras); INSTIGADOR **2** *Elet.* Ref. à indutância ou ao componente passivo de um circuito que a introduz neste **3** *Elet.* Que produz indução eletromagnética **4** *Fil. Lóg.* Ref. a expressão que é o ponto de partida para uma indução *sm.* **5** Aquele ou aquilo que induz: *Foi ele o indutor da questão.* **6** *Elet.* Componente passivo de um circuito elétrico, que tem a função de introduzir neste uma indutância **7** *Quím.* Substância que permite a ocorrência de uma reação química, ger. us. em pequena quantidade, e que se dissolve durante o processo [F.: Do lat. *inductor, oris.*] **■ ~ terrestre** *Geof.* Instrumento que mede a inclinação magnética, ao medir corrente elétrica induzida em uma bobina

induzido (in.du.*zi*.do) *a.* **1** Que se induziu; provocado (parto induzido); SUSCITADO **2** Que é ou foi persuadido, instigado **3** *Fil. Lóg.* Que é ou foi inferido, concluído (conceito induzido) [Cf.: *deduzido.*] *sm.* **4** *Elet.* Parte de máquina onde se induz uma força eletromotriz [F.: Part. de *induzir.*]

induzimento (in.du.zi.*men*.to) *sm.* Ação ou resultado de induzir; INCITAÇÃO; INSTIGAÇÃO [F.: *induzir* + *-mento.*]

induzir (in.du.*zir*) *v.* **1** Levar (alguém) a agir ou pensar de determinada forma [*tdr.* + *a*: *Induziu a moça a deixar a família.*] **2** Provocar ou favorecer a ocorrência de [*td.*: *A leitura induz o crescimento intelectual.*] **3** Concluir ou formular (regra, generalização) a partir do exame dos fatos; INFERIR [*td.*: *O linguista induziu novas regras sobre a sintaxe do idioma.*] **4** Fazer surgir na mente, no espírito; INCUTIR [*td.*: *Induzir pavor.*] **5** *Med.* Provocar ou antecipar (artificialmente) processo ou estado biológico [*td.*: *induzir parto; induzir coma.*] **6** Causar, provocar [*tdr.* + *em*: *Suas palavras induziram novo ânimo nos alunos.*] [▶ 57 induzir] [F.: Do v.lat. *inducere.* Sin. ger.: *estimular.*]

◎ **-ínea** *suf.* = us. para indicar família, ordem, subordem ou classe da taxonomia botânica: *gramínea*

inebriado (i.ne.bri.*a*.do) *a.* Que se inebriou; EMBRIAGADO [F.: Part. de *inebriar.*]

inebriamento (i.ne.bri.a.*men*.to) *sm.* Ação ou resultado de inebriar(-se); EMBRIAGUEZ; INEBRIAÇÃO [F.: *inebriar* + *-mento.*]

inebriante (i.ne.bri.*an*.te) *a2g.* **1** Que inebria **2** Diz-se do que embriaga, entontece; EMBRIAGADOR **3** *Fig.* Que provoca encanto, enlevo, êxtase [F.: *inebriar* + *-nte.*]

inebriar (i.ne.bri.*ar*) *v.* **1** Ficar ou fazer ficar embriagado; embriagar(-se) (por consumo de certas substâncias ou por ação de seus vapores) [*td.*: *Inebria as suas vítimas antes de as enganar.*] [*int.*: *Inebriou-se com um único copo de cerveja.*] **2** *Fig.* Causar ou sentir sensação de prazer ou enlevo; DELICIAR(-SE); EXTASIAR(-SE) [*td.*: *A fragrância de seu perfume inebriava o rapaz.*] [*int.*: *A música inebria.*] **3** Encantar-se com (algo) a ponto de perder o discernimento, os valores morais etc.; DELICIAR(-SE); EXTASIAR(-SE) [*td.*: *O poder inebria os governantes.*] [*int.*: *O poder inebria.*] [▶ 1 inebriar] [F.: Do v.lat. *inebriare* 'embriagar, embebedar'.]

inédia (i.*né*.di:a) *sf.* **1** Abstinência total de alimentos: "...mulher cuja aparente velhice me pareceu que mais provinha da fadiga e da inédia do que do longo curso da vida." (Silveira da Mota, *Viagens*) **2** O período de tempo em que ocorre essa abstinência [F.: Do lat. *inedia, ae.*]

ineditismo (i.ne.di.*tis*.mo) *sm.* Característica ou qualidade de inédito; ORIGINALIDADE: *Premiaram o ineditismo da obra.* [F.: *inédito* + *-ismo.*]

inédito (i.*né*.di.to) *a.* **1** Diz-se do que não se publicou, do que não foi exibido ou apresentado: *Assistimos ontem a um filme inédito na televisão.* [Ant.: *conhecido.*] **2** Diz-se de autor que não tem obra publicada ou de compositor que ainda não tem música(s) gravada(s) **3** Que é diferente; nunca visto; INCOMUM: *O projeto do hotel é inédito no país. sm.* **4** Aquilo que não foi publicado ou apresentado; obra (literária, cinematográfica, teatral, artística, documental, musical etc.) ainda desconhecida: *Sairão logo os inéditos de Mario de Andrade; Ela cantará as inéditas de Paulinho da Viola.* [F.: Do lat. *ineditus, a, um.*]

ineducável (i.ne.du.*cá*.vel) *a2g.* Que não se pode educar; impossível de ser educado: *Era um bruto ineducável.* [Pl.: *-veis.*] [F.: *in-*[2] + *educável.*]

inefável (i.ne.*fá*.vel) *a2g.* **1** Que não pode ser expresso por palavras; INDESCRITÍVEL; INEXPRIMÍVEL; INDIZÍVEL: *Senti uma inefável alegria.* **2** *Fig.* Que encanta, inebria: *A sua presença era inefável.* [Ant.: *desagradável.*] [Pl.: *-veis.*] *sm.* **3** O que não pode ser expresso por palavras: "...diante do inefável, não precisávamos dizer nada." (Ana Maria Machado, *Texturas*) **4** *Fig. Rel.* Deus, Todo-Poderoso [Us. com maiúsc. nesta acp.] [F.: Do lat. *ineffabilis, e.*]

inefetividade (i.ne.fe.ti.vi.*da*.de) *sf.* Qualidade do que é inefetivo [Ant.: *efetividade*] [F.: *inefetivo* + *-(i)dade.*]

inefetivo (i.ne.fe.*ti*.vo) *a.* **1** Que não é efetivo **2** Que não produz efeito satisfatório **3** Que está aquém do exigido [Ant.: *efetivo*] [F.: *in-*[2] + *efetivo.* Sin. ger.: *ineficiente.*]

ineficácia (i.ne.fi.*cá*.ci:a) *sf.* Ausência de eficácia; INSUFICIÊNCIA; INUTILIDADE [Ant.: *eficácia.*] [F.: Do lat. *inefficacia, ae.*]

ineficaz (i.ne.fi.*caz*) *a2g.* Que não é eficaz, que não tem o resultado esperado; INEFICIENTE; INFRUTÍFERO [+ *contra, em, para*: *Foi uma medida ineficaz contra a crise; ineficaz em debelar a rebelião; remédio ineficaz para o tratamento.* Ant.: *eficaz.*] [Superl.: *ineficacíssimo.*] [F.: Do lat. *inefficax, acis.*]

ineficiente (i.ne.fi.ci.*en*.te) *a2g.* **1** Que não é eficiente (funcionário ineficiente) **2** Incompetente, inábil [F.: *in-*[2] + *eficiente.* Ant. ger.: *eficiente.*]

inegável (i.ne.*gá*.vel) *a2g.* Que não se pode negar; INCONTESTÁVEL; EVIDENTE: *A menina tem um inegável talento musical.* [Ant.: *negável*] [Pl.: *-veis.*] [F.: *i-*[2] + *negável.*]

inegociável (i.ne.go.ci.*á*.vel) *a2g.* Que não se pode negociar ou que não permite negociação: *A empresa apresentou proposta inegociável.* [Pl.: *-veis.*] [F.: *i-*[2] + *negociável.*]

inelástico (i.ne.*lás*.ti.co) *a.* Que não possui elasticidade (material inelástico); INFLEXÍVEL; RÍGIDO [Ant.: *elástico*] [F.: *in-*[2] + *elástico.*]

inelegibilidade (i.ne.le.gi.bi.li.*da*.de) *sf.* Característica ou qualidade de inelegível, por não atender a exigências legais públicas ou privadas (inelegibilidade política; inelegibilidade estatutária) [Ant.: *elegibilidade.*] [F.: *inelegível*, sob a f. *inelegibil-*, + *-(i)dade*, seg. o mod. erudito.]

inelegível (i.ne.le.*gí*.vel) *a2g.* **1** Que não pode ser eleito, ou não tem condições ou chances de se eleger: *O partido declarou o candidato inelegível.* **2** Que não pode ser candidato a nenhum cargo político, por não ter condições legais para eleger-se: *Antes que instaurassem o processo, preferiu renunciar ao mandato para não correr o risco de se tornar inelegível por oito anos.* [Pl.: *-veis.*] [F.: *in-*[2] + *elegível.* Ant. ger.: *elegível.*]

ineliminável (i.ne.li.mi.*ná*.vel) *a2g.* Que não se pode eliminar (substância/time ineliminável) [Ant.: *eliminável*] [Pl.: *-veis.*] [F.: *in-*[2] + *eliminável.*]

ineludível (i.ne.lu.*dí*.vel) *a2g.* Que não pode ser evitado; de que não se pode esquivar (direito ineludível; pedido ineludível); INEVITÁVEL [Ant.: *eludível; evitável.*] [Pl.: *-veis.*] [F.: *in-*[2] + *eludível.* Hom./Par.: *ineludível* (a2g.), *iniludível* (a2g.).]

inelutável (i.ne.lu.*tá*.vel) *a2g.* **1** Diz-se daquilo contra o qual não se pode lutar; a que não se pode resistir (desejo inelutável); INVENCÍVEL **2** Que não se pode contestar;

IRREFUTÁVEL; INCONTESTÁVEL: *O advogado apresentou provas inelutáveis.* [Pl.: *-veis.*] [F.: Do lat. *ineluctabilis, e.*]

inenarrável (i.ne.nar.*rá*.vel) ***a2g.*** Que não pode ser narrado, descrito (prazer inenarrável; surpresa inenarrável); INDESCRITÍVEL; INDIZÍVEL; INEFÁVEL [Pl.: *-veis.*] [F.: Do lat. *inenarrabilis, e.*]

inencontrável (i.nen.con.*trá*.vel) ***a2g.*** Que não se pode encontrar: *Seus óculos, sempre inencontráveis, sempre no mesmo lugar: no seu próprio rosto, sobre o nariz.* [Ant.: *encontrável.*] [Pl.: *-veis.*] [F.: *in-*[2] + *encontrável.*]

inépcia (i.*nép*.ci:a) ***sf.*** **1** Falta absoluta de aptidão: *Mostrou inépcia para a arte.* [Ant.: *aptidão.*] **2** Falta de inteligência; idiotismo, imbecilidade **3** Declaração ou afirmação absurda **4** Ação absurda, fora de propósito ou incoerente **5** Característica de queixa, denúncia ou petição que não atende às exigências legais e que não é, portanto, aceita pelo juiz [F.: Do lat. *ineptia, ae.* Sin. ger.: *ineptidão.*]

inepto (i.*nep*.to) ***a.*** **1** Diz-se daquele que não tem habilidade(s) ou aptidão (para algo): *Era inteligente, mas inepto para a função.* [Ant.: *apto.*] **2** Que não é inteligente; a quem falta inteligência; IDIOTA; IMBECIL; PARVO [Ant.: *esperto.*] **3** Que denota falta de inteligência, estupidez ou ingenuidade: *Sua conversa era inepta e inútil.* ***sm.*** **4** Aquele a quem falta aptidão, ou que carece de inteligência; indivíduo inepto [F.: Do lat. *ineptus, a, um.* Hom./Par.: *inepto* (a. sm.), *inapto* (a. sm.).]

inequação (i.ne.qua.*ção*) ***sf.*** *Álg.* Desigualdade entre duas expressões em que se busca encontrar os valores das variáveis para transformar a desigualdade em sentença verdadeira [Pl.: *-ções.*] [F.: *in-*[2] + *equação.*]

inequacionável (i.ne.qua.ci.o.*ná*.vel) ***a2g.*** Que não pode ser equacionado, encaminhado para uma solução (problema inequacionável) [Ant.: *equacionável.*] [Pl.: *-veis.*] [F.: *in-*[2] + *equacionável.*]

inequivocidade (i.ne.qui.vo.ci.*da*.de) ***sf.*** Qualidade ou condição do que é ou está inequívoco [F.: *inequívoco* + *-idade.*]

inequívoco (i.ne.*quí*.vo.co) ***a.*** Não equívoco; que não admite dúvida(s), equívoco(s) (resposta inequívoca; argumentos inequívocos; sentimento inequívoco); EXPLÍCITO; EVIDENTE; MANIFESTO [Ant.: *duvidoso.*] [F.: *in-*[2] + *equívoco.*]

inércia (i.*nér*.ci:a) ***sf.*** **1** Ausência de atividade, de ação: "Será tão fatigante a inércia / da sepultura milenar...?" (Cecília Meireles, *Dispersos*) [Ant.: *atividade*] **2** Preguiça, torpor: *Seu mal era a total inércia.* **3** *Fig.* Ausência de iniciativa: *A violência causou inércia na população.* **4** *Fís.* Resistência dos objetos e elementos a qualquer movimento (inércia de materiais) **5** *Quím.* Propriedade de uma substância de não reagir em contato com outra [F.: Do lat. *inertia, ae.*]

inercial (i.ner.ci.*al*) ***a2g.*** *Fís.* Relativo a inércia [Pl.: *-ais.*] [F.: *inércia* + *-al*[1].]

inerciar (i.ner.ci.*ar*) ***v. td.*** Tornar inerte; comunicar inércia a [▶ **1 inerciar**] [F.: *inércia* + *-ar*[2].]

inerência (i.ne.*rên*.ci:a) ***sf.*** **1** Característica, qualidade ou estado de inerente; PERTINÊNCIA **2** Estado ou condição de coisas que são inseparáveis, indissociáveis **3** *Lóg.* Relação entre um sujeito e uma qualidade que lhe é própria, inerente [Cf.: *inclusão.*] [F.: Do lat. medv. *inerentia, ae.*]

inerente (i.ne.*ren*.te) ***a2g.*** Que é próprio ou característico de alguém ou algo, ou a ele intrínseco; ESPECÍFICO; PERTINENTE: *O sorriso é inerente às pessoas felizes; o senso artístico é inerente nos seres humanos.* [F.: Do lat. *inhaerens, entis.*]

inerir (i.ne.*rir*) ***v. tr.*** Ser inerente, inseparável; estar unido de maneira íntima [*tr.* + *a*: *Essas qualidades inerem ao seu espírito.*] [▶ **50 inerir**] [F.: Do v.lat. *inhaerere.*]

inerme (i.*ner*.me) [é] ***a2g.*** **1** Que não tem armas; DESARMADO: *Os invasores atacaram um povo inerme.* **2** Que não tem meios de se defender [+ *contra, diante de*: *população inerme contra os ataques; Ficou inerme diante do assaltante.*] **3** *Bot. Zool.* Vegetal ou animal desprovido de elementos naturais de defesa, como espinhos ou acúleos, ferrão, bico etc. [F.: Do lat. *inermis, i.*]

inerradicável (i.ner.ra.di.*cá*.vel) ***a2g.*** Que não se pode erradicar, eliminar, extirpar: *Suas qualidades morais são inerradicáveis.* [Ant.: *erradicável.*] [Pl.: *-veis.*] [F.: *in-*[2] + *erradicável.*]

inertância (i.ner.*tân*.ci:a) ***sf.*** Componente que, num sistema acústico, oferece resistência à alteração da velocidade volumar do ar, sendo o equivalente acústico de uma indutância elétrica [F.: Do ing. *inertance.*]

inerte (i.*ner*.te) [é] ***a2g.*** **1** Que não se movimenta: *Caiu e ficou inerte no chão.* [Ant.: *móvel; dinâmico.*] **2** *Fig.* Que não reage; sem forças: *Estava inerte desde a partida do amigo.* **3** Que tem ou gera inércia (força inerte) [F.: Do lat. *iners, ertis.*]

inervação (i.ner.va.*ção*) ***sf.*** **1** *Anat.* Provimento e distribuição dos nervos e suas ramificações em uma parte do organismo **2** Ação ou processo em que se transmitem estímulos nervosos a dada parte do organismo **3** *Bot.* Conjunto das nervuras da folha [Pl.: *-ções.*] [F.: *inervar* + *-ção.* Hom./Par.: *inervação* (sf.), *enervação* (sf.). Cf.: *nervação.*]

inervado (i.ner.*va*.do) ***a.*** **1** Que foi provido de nervos e de suas ramificações **2** Que se encontra dotado de fibras nervosas [F.: Part. de *inervar.*]

inervar (i.ner.*var*) ***v. td.*** **1** *Med.* Prover com fibras nervosas certas partes do organismo: "Devido ao seu fino controle desempenhado na mímica facial, encontramos subdivisões do núcleo facial em grupos celulares que irão inervar grupos musculares faciais específicos." (Paulo Lazarini e outros autores, "Paralisia facial periférica por comprometimento do tronco cerebral – A propósito de um caso clínico" in *Revista Brasileira de Otorrinolaringologia*) **2** *Mús.* Colocar corda de nervo em (um arco); ENCORDOAR: *máquina para inervar raquetes.* [▶ **1 inervar**] [F.: *i-*[1] + *nervo* + *-ar*[2]. Hom./Par.: *inerve* (fl.), *inerve* (a2g.); *inerves* (fl.), *inerves* (pl. do a2g.); *inervar* (v.), *enervar* (todas as fl.).]

inérveo (i.*nér*.ve.o) ***a.*** Que não tem nervuras [F.: *i-*[2] + *nérveo.* Hom./Par.: *enérveo* (adj.).]

inescapável (i.nes.ca.*pá*.vel) ***a2g.*** **1** De que não se pode escapar (situação inescapável) [Ant.: *escapável.*] **2** *P. ext.* Que não se pode perder ou deixar escapar (oportunidade inescapável) [Pl.: *-veis.*] [F.: *in-*[2] + *escapável.*]

inescrupulosidade (i.nes.cru.pu.lo.si.*da*.de) ***sf.*** Qualidade de inescrupuloso, falta de escrúpulos: *A inescrupulosidade desse grupo é revoltante.* [Ant.: *escrupulosidade.*] [F.: *inescrupuloso* + *-(i)dade.*]

inescrupuloso (i.nes.cru.pu.*lo*.so) [ô] ***a.*** Que não tem escrúpulo(s); que age de modo vil, desonesto; DESONESTO; DESONRADO: *Por ambição, era inescrupuloso até com os amigos.* [Pl.: [ó]. Fem.: [ó].] [F.: *in-*[2] + *escrupuloso.*]

inescrutabilidade (i.nes.cru.ta.bi.li.*da*.de) ***sf.*** Característica, qualidade ou estado de inescrutável; IMPENETRABILIDADE [F.: *inescrutável*, sob a f. *inescrutabil-*, + *-(i)dade*, seg. o mod. erudito.]

inescrutável (i.nes.cru.*tá*.vel) ***a2g.*** Que não se pode escrutar; INSONDÁVEL; IMPENETRÁVEL: *Levava uma vida inescrutável.* [Ant.: *escrutável.*] [Pl.: *-veis.*] [F.: *in-*[2] + *escrutável.*]

inescusável (i.nes.cu.*sá*.vel) ***a2g.*** **1** Que não se pode perdoar ou desculpar; INDESCULPÁVEL; IMPERDOÁVEL: *Agressivo, fez um gesto inescusável.* [Ant.: *desculpável; perdoável.*] **2** Impossível de se dispensar: *O rapaz é inescusável para a tarefa.* [Ant.: *dispensável.*] [Pl.: *-veis.*] [F.: Do lat. *inexcusabilis, e.* Ant. ger.: *escusável.*]

inesgotabilidade (i.nes.go.ta.bi.li.*da*.de) ***sf.*** Qualidade do que é inesgotável, do que não se esgota: *A inesgotabilidade de nossos recursos é patente.* [Ant.: *esgotabilidade.*] [F.: *inesgotável*, sob a f. *inesgotabil-*, + *-(i)dade.*]

inesgotável (i.nes.go.*tá*.vel) ***a2g.*** **1** Que não se esgota, que não tem fim; INEXAURÍVEL; INFINITO: *A internet é uma fonte inesgotável de informações.* **2** Abundante, copioso (bondade inesgotável; recursos hídricos inesgotáveis) [Ant.: *escasso.*] [Pl.: *-veis.*] [F.: *in-*[2] + *esgotável.* Ant. ger.: *esgotável.*]

inespecificidade (i.nes.pe.ci.fi.ci.*da*.de) ***sf.*** Qualidade do que é inespecífico [Ant.: *especificidade.*] [F.: *inespecífico* + *-(i)dade.*]

inespecífico (i.nes.pe.*ci*.fi.co) ***a.*** Que não é específico, sem especificação [Ant.: *específico*] [F.: *in-*[2] + *específico.*]

inesperado (i.nes.pe.*ra*.do) ***a.*** **1** Que não é esperado (uma vitória inesperada; acontecimentos inesperados); IMPREVISTO; SÚBITO [Ant.: *esperado.*] ***sm.*** **2** Aquilo que causa surpresa, que ocorre de modo imprevisto: *O inesperado nos surpreendeu durante quase toda a viagem.* [F.: *in-*[2] + *esperado.*]

inesperável (i.nes.pe.*rá*.vel) ***a2g.*** Que não se espera, não se aguarda (acontecimento inesperável) [Ant.: *esperável.*] [Pl.: *-veis.*] [F.: *in-*[2] + *esperável.*]

inesquecível (i.nes.que.*cí*.vel) ***a2g.*** Impossível de esquecer(-se) (viagem inesquecível; romance inesquecível); INOLVIDÁVEL; MEMORÁVEL [Ant.: *esquecível; olvidável.*] [Pl.: *-veis.*] [F.: *in-*[2] + *esquecível.*]

inestancável (i.nes.tan.*cá*.vel) ***a2g.*** Não estancável; impossível de estancar, deter ou controlar (desejo inestancável): *Enormes ferimentos, sangramentos inestancáveis.* [Ant.: *estancável.*] [Pl.: *-veis.*] [F.: *in-*[2] + *estancável.*]

inestante (i.nes.*tan*.te) ***a2g.*** Que não é estante; que não existe: *Aquilo existia no pensamento, mas era inestante no real.* [F.: *in-*[2] + *estante.*]

inestendível (i.nes.ten.*dí*.vel) ***a2g.*** Que não se pode estender; INEXTENSÍVEL: *A novela tornara-se inestendível.* [Ant.: *estendível.*] [Pl.: *-veis.*] [F.: *in-*[2] + *estendível.*]

inestético (i.nes.*té*.ti.co) ***a.*** Que não é estético; que não revela bom gosto: *Detestou aqueles adornos inestéticos.* [Ant.: *estético.*] [F.: *in-*[2] + *estético.*]

inestimável (i.nes.ti.*má*.vel) ***a2g.*** **1** Impossível de ser estimado, avaliado; INCALCULÁVEL: *obra de arte de valor inestimável.* **2** Extraordinário, imenso, imponderável: *Este homem prestou inestimável serviço ao país.* **3** Precioso, raro, valioso (tesouro inestimável; obra literária inestimável) [Ant.: *ordinário.*] **4** *Fig.* Merecedor de grande estima: *É um amigo inestimável.* [Pl.: *-veis.*] [F.: Do lat. *inaestimabilis, e.* Ant. ger.: *estimável.*]

inevitabilidade (i.ne.vi.ta.bi.li.*da*.de) ***sf.*** Característica ou qualidade de inevitável; INFALIBILIDADE: *a inevitabilidade do encontro entre os dois.* [F.: *inevitável*, sob a f. *inevitabil-*, + *-(i)dade*, seg. o mod. erudito.]

inevitável (i.ne.vi.*tá*.vel) ***a2g.*** **1** Diz-se de que não se pode evitar; INFALÍVEL; OBRIGATÓRIO: *Segundo os médicos, a cirurgia é inevitável.* [+ *a, em, para*: *pena inevitável ao indiciado; erros inevitáveis na escrita; caminho inevitável para o sucesso.* Ant.: *evitável.*] ***sm.*** **2** Aquilo que não se pode evitar: *O inevitável aconteceu; Não pudemos escapar do inevitável.* [Pl.: *-veis.*] [F.: Do lat. *inevitabilis, e.*]

inexatidão (i.ne.xa.ti.*dão*) [z] ***sf.*** **1** Característica ou qualidade de inexato: *Esbarramos na inexatidão da hora.* **2** Incorreção, erro (inexatidão do cálculo; inexatidão das estatísticas) **3** Imperfeição, falha, defeito [Pl.: *-dões.*] [F.: *in-*[2] + *exatidão.* Ant. ger.: *exatidão.*]

inexato (i.ne.*xa*.to) [z] ***a.*** **1** Que não é exato, preciso, certo (informações inexatas) **2** Incorreto, errôneo (números inexatos) **3** Imperfeito, defeituoso, infiel: *Deu-nos uma cópia inexata do documento.* [F.: *in-*[2] + *exato.* Ant. ger.: *exato.*]

inexaurível (i.ne.xau.*rí*.vel) [z] ***a2g.*** Que não se exaure, que não se acaba (fonte inexaurível); INESGOTÁVEL [Ant.: *exaurível; esgotável.*] [Pl.: *-veis.*] [F.: *in-*[2] + *exaurível.*]

inexcedível (i.nex.ce.*dí*.vel) ***a2g.*** Impossível de ser superado; que não pode ser excedido; INSUPERÁVEL: *Ele é inexcedível em gentileza e dedicação.* [Ant.: *excedível; superável.*] [Pl.: *-veis.*] [F.: *in-*[2] + *-excedível.*]

inexecutável (i.ne.xe.cu.*tá*.vel) [z] ***a2g.*** Que não se pode executar; INEXEQUÍVEL [Pl.: *-veis.*] [F.: *in-*[2] + *executável.*]

inexequibilidade (i.ne.xe.qui.bi.li.*da*.de) [z] ***sf.*** Característica, qualidade ou estado de inexequível; IMPRATICABILIDADE; IMPOSSIBILIDADE: *a inexequibilidade da lei proposta.* [Ant.: *exequibilidade.*] [F.: *inexequível-*, sob a f. *inexequibil-*, + *-(i)dade*, seg. o mod. erudito.]

inexequível (i.ne.xe.*quí*.vel) [z] ***a2g.*** Impossível de ser feito; INVIÁVEL; IRREALIZÁVEL; INEXECUTÁVEL: *Apresentou um plano inexequível.* [Ant.: *exequível; viável.*] [Pl.: *-veis.*] [F.: *in-*[2] + *exequível.*]

inexigibilidade (i.ne.xi.gi.bi.li.*da*.de) [zi] ***sf.*** Qualidade do que é inexigível; não exigibilidade: *A inexigibilidade de mais provas levou o advogado a vencer a causa facilmente.* [Ant.: *exigibilidade.*] [F.: *inexigível*, sob a f. *inexigibil-*, + *-(i)dade*, seg. o mod. erudito.]

inexigível (i.ne.xi.*gí*.vel) [zi] ***a2g.*** **1** Que não se pode exigir [Ant.: *exigível*] **2** De que não se pode pedir o cumprimento ou pagamento (dívida inexigível) [Pl.: *-veis.*] [F.: *in-*[2] + *exigível.*]

inexistência (i.ne.xis.*tên*.ci:a) [z] ***sf.*** Característica, qualidade ou estado de inexistente; não existência (inexistência de provas; inexistência de nuvens); FALTA; CARÊNCIA [Ant.: *existência.*] [F.: *in-*[2] + *existência.*]

inexistente (i.ne.xis.*ten*.te) [z] ***a2g.*** **1** Que não existe: *Os desertos são áreas de vegetação escassa ou inexistente.* [Ant.: *existente.*] **2** *Gram.* Diz-se de sujeito que não existe em orações com verbos impessoais (p. ex.: *Choveu muito neste verão.*) [F.: *in-*[2] + *existente.*]

inexistir (i.ne.xis.*tir*) [z] ***v. int.*** Não existir; não haver: *Inexistem provas que possam condenar o réu.* [▶ **3 inexistir**] [F.: *in-*[2] + *existir.*]

inexorabilidade (i.ne.xo.ra.bi.li.*da*.de) [z] ***sf.*** Característica, qualidade ou estado de inexorável (inexorabilidade da decisão); INFLEXIBILIDADE; AUSTERIDADE [Ant.: *flexibilidade; brandura.*] [F.: Do lat. *inexorabilitas, atis.*]

inexorável (i.ne.xo.*rá*.vel) [z] ***a2g.*** **1** Não exorável **2** Que não se comove; que não cede a pedidos, súplicas etc. **3** Rigoroso, severo, inflexível (lei inexorável) **4** Contra o qual nada se pode fazer (sentença inexorável); INELUTÁVEL [Pl.: *-veis.*] [F.: Do lat. *inexorabilis, e.*]

inexperiência (i.nex.pe.ri.*ên*.ci:a) ***sf.*** **1** Característica ou qualidade de inexperiente; falta de experiência; IMPERÍCIA **2** Erro, falha por falta de experiência (inexperiência profissional) **3** Ingenuidade, inocência: *Mostrou total inexperiência no namoro.* [F.: Do lat. tard. *inexperientia, ae.* Ant. ger.: *experiência.*]

inexperiente (i.nex.pe.ri:*en*.te) ***a2g.*** **1** Diz-se de que ou quem não tem experiência em determinada atividade (funcionário inexperiente); IMPERITO [Ant.: *experiente*] **2** *Fig.* Diz-se de quem tem pouca vivência, de quem ainda não tem a percepção dos fatos e das pessoas que se adquire com o tempo e a convivência social; INGÊNUO [Ant.: *malicioso.*] ***s2g.*** **3** Aquele ou aquela que não tem experiência ou prática em certo ofício, atividade etc. **4** *Fig.* Aquele ou aquela que ainda não tem experiência de vida, que ainda não aprendeu ou não teve de lidar com a malícia e a maldade alheias; pessoa inexperiente (2) [F.: Do lat. tard. *inexperiens, entis.*]

inexperto (i.nex.*per*.to) ***a.*** **1** Que é falto de experiência **2** Que não tem prática do mundo, que não tem vivência: "De sobejo, tens pago o erro de um coração inexperto." (Alexandre Herculano, *Lendas e narrativas*) ***sm.*** **3** Indivíduo inexperiente [F.: *in-*[2] + *experto.* Ant. ger.: *experiente.*]

inexplicabilidade (i.nex.pli.ca.bi.li.*da*.de) ***sf.*** Qualidade ou característica do que é inexplicável: *A inexplicabilidade do filme deve-se à confusa montagem.* [F.: *inexplicável*, sob a f. *inexplicabil-*, + *-(i)dade*, seg. o mod. erudito.]

inexplicado (i.nex.pli.*ca*.do) ***a.*** Que não foi explicado (problema/detalhe inexplicado) [Ant.: *explicado.*] [F.: *in-*[2] + *explicado.*]

inexplicável (i.nex.pli.*cá*.vel) ***a2g.*** **1** Difícil ou impossível de ser explicado ou compreendido; ININTELIGÍVEL: *Algumas de suas reações são inexplicáveis.* **2** Insondável, imperscrutável: *Todos seus textos são inexplicáveis.* **3** Estranho, esquisito, bizarro (comportamento inexplicável) [Pl.: *-veis.*] [F.: Do lat. *inexplicabilis, e.* Ant. ger.: *explicável.*]

inexplorado (i.nex.plo.*ra*.do) ***a.*** **1** Não explorado ainda (praias inexploradas; rincões inexplorados); DESCONHECIDO; VIRGEM **2** *Com. Mkt.* Não conhecido ou não aproveitado (negócio inexplorado; ramo inexplorado) [F.: Do lat. *inexploratus, a, um.* Ant. ger.: *explorado.*]

inexplorável (i.nex.plo.*rá*.vel) ***a2g.*** Que não pode ser explorado (poço de petróleo/mina inexplorável) [Ant.: *explorável.*] [Pl.: *-veis.*] [F.: *in-*[2] + *explorável.*]

inexpressão (i.nex.pres.*são*) ***sf.*** **1** Falta de expressão, de expressividade, de vivacidade: *A inexpressão de seu rosto é incompatível com a tão almejada carreira artística.* **2** *P. ext.* Falta de algo especial, marcante, que torne a pessoa, coisa, ou fato etc. interessante [Pl.: *-sões.*] [F.: *in-*[2] + *expressão.*]

inexpressividade (i.nex.pres.si.vi.*da*.de) *sf.* Característica, qualidade ou estado de inexpressivo; falta de expressividade (inexpressividade do ator; inexpressividade do discurso); INSIPIDEZ [Ant.: *expressividade.*] [F.: *inexpressivo* + *-(i)dade.*]

inexpressivo (i.nex.pres.*si*.vo) *a.* **1** Que não é expressivo; sem expressão, sem vivacidade (olhar inexpressivo); INSOSSO; FRIO **2** *Fig. Pej.* Diz-se de pessoa sem grandes atrativos ou atributos, ou de personalidade desinteressante **3** De importância ou valor insignificantes: *A atriz teve um papel inexpressivo na novela.* [F.: *in-*² + *-expressivo.* Ant. ger.: *expressivo.*]

inexprimível (i.nex.pri.*mí*.vel) *a2g.* **1** Que não se pode exprimir; INEXPRESSÁVEL: "Toda luz e toda sombra... se contraíram num recolhimento de inexprimível amor e terror." (Eça de Queirós, *Contos*) **2** *Fig.* Inefável, delicioso, encantador: *Toda obtusidade sucumbia ante aquele sorriso de inexprimível doçura.* [Pl.: *-veis.*] [F.: *in-*² + *exprimível.* Ant. ger.: *exprimível.*]

inexpugnabilidade (i.nex.pug.na.bi.li.*da*.de) *sf.* Qualidade ou característica do que é inexpugnável, inconquistável, invencível: *A inexpugnabilidade da fortaleza minou o moral da tropa.* [F.: *inexpugnável*, sob a f. *inexpugnabil-*, + *-(i)dade*, seg. o mod. erudito.]

inexpugnável (i.nex.pug.*ná*.vel) *a2g.* **1** Que não se pode assaltar, atacar ou transpor (fortaleza inexpugnável); INCONQUISTÁVEL **2** Impossível de ser vencido ou derrotado: *Não desanimaram, mesmo quando o adversário parecia inexpugnável.* **3** *Fig.* Difícil de ser dominado ou controlado [Pl.: *-veis.*] [F.: Do lat. *inexpugnabilis, e.* Ant. ger.: *expugnável.*]

inextensível (i.nex.ten.*sí*.vel) *a2g.* **1** Que não é extensível; que não se pode estender ou tornar mais comprido (fio inextensível) **2** *Fig.* Que não abrange ou não se aplica a certo caso, pessoa ou objeto; que não é válido para certo indivíduo, situação, hipótese etc.: *Esse comentário é inextensível aos filósofos medievais.* [Ant.: *extensível.*] [Pl.: *-veis.*] [F.: *in-*² + *extensível.*]

⊕ ***in extenso*** (*Lat.* /in ecstenso/) *loc. adv.* Em toda a sua extensão, sem omissão de detalhes; completo, na íntegra

inextinguível (i.nex.tin.*guí*.vel) *a2g.* Que não se pode ou não se consegue extinguir; não extinguível (chamas inextinguíveis; sentimento inextinguível); INEXTERMINÁVEL [Ant.: *extinguível.*] [Pl.: *-veis.*] [F.: Do lat. tard. *inex(s)tinguibilis, e.*]

inextinto (i.nex.*tin*.to) *a.* Que não deixou de existir; que não foi extinto (vulcão inextinto; paixão inextinta); SUBSISTENTE [Ant.: *extinto.*] [F.: Do lat. *inex(s)tinctus, a, um.*]

inextirpável (i.nex.tir.*pá*.vel) *a2g.* Que não se pode extirpar, arrancar; não extirpável (dor inextirpável; dente inextirpável) [Ant.: *extirpável.*] [Pl.: *-veis.*] [F.: Do lat. *inex(s)tirpabilis, e.*]

⊕ ***in extremis*** (*in ekstremis*) *loc. adv.* Nos últimos momentos de vida

inextricável (i.nex.tri.*cá*.vel) *a2g.* **1** Que não se pode deslindar, esclarecer; EMBARAÇADO: *uma questão inextricável.* **2** Que é intricado, confuso (situação inextricável) [Pl.: *-veis.*] [F.: Do lat. *inextricabilis, e.* Tb. *inextrincável.*]

inextrincável (i.nex.trin.*cá*.vel) *a2g.* Ver *inextricável*

infactível (in.fac.*tí*.vel) *a2g.* Que não é factível; IRREALIZÁVEL; IMPRATICÁVEL; INEXEQUÍVEL [Ant.: *factível.*] [Pl.: *-veis.*] [F.: *in-*² + *factível.*]

infacundo (in.fa.*cun*.do) *a.* Que não tem eloquência ou facúndia: *Orador agressivo, mas infacundo.* [Ant.: *facundo, eloquente.*] [F.: Do lat. *infacundus, a, um.* Hom./Par.: *infacundo* (a.), *infecundo* (a.).]

infalibilidade (in.fa.li.bi.li.*da*.de) *sf.* **1** Qualidade de infalível, daquilo que não falha (infalibilidade de um princípio/de um remédio/de um resultado) [Ant.: *falibilidade.*] **2** *Rel.* Dogma religioso que afirma ser o Papa infalível em questões de fé e moralidade [F.: *infalível*, sob a f. *infalibil-*, + *-(i)dade*, seg. o mod. erudito.]

infalível (in.fa.*lí*.vel) *a2g.* **1** Que não falha; INDEFECTÍVEL: *Elaborou um método de estudo infalível.* **2** Que não erra: *Nenhum homem é infalível.* **3** Certo, inevitável, forçoso: *O sucesso da peça era infalível.* [Ant.: *evitável.*] [Pl.: *-veis.*] [F.: Do lat. medv. *infallibilis, e.* Ant. ger.: *falível.*]

infamação (in.fa.ma.*ção*) *sf.* Ação ou resultado de infamar(-se); DIFAMAÇÃO; DESONRA [Pl.: *-ções.*] [F.: Do lat. *infamatio, onis.*]

infamado (in.fa.*ma*.do) *a.* **1** Tornado infame, desonrado (infamado nas rodas literárias); DESACREDITADO [Ant.: *desinfamado.*] *sm.* **2** Esse indivíduo [F.: Do lat. *infamatus, a, um.*]

infamante (in.fa.*man*.te) *a2g.* Que infama, que lança ou impõe mácula ou descrédito (pena infamante); INFAMATÓRIO: "Eu lia-lhe nas pupilas todas as afrontas do ódio, todo o referver de uma represália infamante..." (Coelho Neto, *Água de juventude*) [F.: *infamar* + *-nte.*]

infamar (in.fa.*mar*) *v.* **1** Fazer perder a boa reputação; DESONRAR [**td.**: *Seus atos torpes acabaram por infamá-lo.*] [**int.**: *Os atos que ele pratica infamam.*] **2** Desacreditar (alguém) por difamação [**td.**: *Como ele pôde infamar essa moça com calúnias tão degradantes?*] [▶ **1** **infamar**] [F.: Do v.lat. *infamare*, 'difamar', 'acusar', 'censurar'. Hom./Par.: *infame* (fl.), *infame* (a2g. s2g.); *infames* (fl.), *infames* (pl. do a2g. s2g.).]

infamatório (in.fa.ma.*tó*.ri:o) *a.* Que infama, tira a fama ou o crédito; que desacredita ou desonra; INFAMANTE; INFAMADOR [F.: *infamar* + *-tório.*]

infame (in.*fa*.me) *a2g.* **1** De má fama: *Namora um sujeito infame.* [Ant.: *honrado.*] **2** Diz-se de quem merece desprezo; INDIGNO; TORPE; VIL [Ant.: *nobre*] **3** Reprovável, condenável (crime infame) **4** Que causa aversão ou repulsa por falta de qualidade ou de recato, ou por ferir a sensibilidade ou os valores das pessoas (filme infame; anedota infame); DETESTÁVEL; TERRÍVEL [F.: Do lat. *infamis, e.*]

infâmia (in.*fâ*.mi:a) *sf.* **1** Característica, qualidade ou condição de infame; INDIGNIDADE: *Salvou-se da infâmia da prisão.* **2** Ato ou dito infame, vil, vergonhoso: *Cometeu uma infâmia ao acusar sem provas.* [Ant.: *nobreza.*] **3** Perda do crédito, da honra, da boa reputação; DESCRÉDITO; DESONRA; IGNOMÍNIA [Ant.: *honra.*] **4** Ação de falar na intenção de desonrar alguém ou algo, de difamá-los; CALÚNIA; DIFAMAÇÃO [F.: Do lat. *infamia, ae.*]

infância (in.*fân*.ci:a) *sf.* **1** Período da vida humana que vai do nascimento à adolescência (amigo de infância); PUERÍCIA [Ant.: *velhice.*] **2** *Jur.* Período da vida definido, legalmente, como aquele que vai desde o nascimento até os 12 anos, quando começa a adolescência **3** A totalidade das crianças de um lugar, de uma época etc.: *a infância brasileira.* **4** *Fig.* Início, começo de um elemento, entidade, instituição etc. (infância da empresa; infância do expressionismo) [Ant.: *fim.*] **5** *Fig.* Vivência e percepção do mundo a partir do olhar ou do universo infantil: "E a gente não se cansa/ De ser criança/ Da gente brincar/ Da nossa velha infância" (Arnaldo Antunes, Carlinhos Brown e Marisa Monte, *Velha infância*) **6** *Bras. Pop.* Ingenuidade, simplicidade, inocência [F.: Do lat. *infantia, ae.*] ▪ **Primeira ~** *Psi.* Período da infância entre o nascimento e os 3 anos de idade **Segunda ~** *Psi.* Período da infância entre os 3 e 7 anos de idade **Terceira ~** *Psi.* Período da infância entre os 7 anos de idade e a puberdade

infanta (in.*fan*.ta) *sf.* **1** Mulher de infante² (3) **2** *Hist.* Filha dos reis de Portugal ou da Espanha, mas que não era a herdeira da coroa [F.: Fem. de *infante*².]

infantaria (in.fan.ta.*ri*.a) *sf. Exérc.* Tropa treinada para combater a pé; INFANTERIA [F.: *infante*¹ + *-aria.*] ▪ **~ de batalha** *Exérc.* Ver *Infantaria pesada* **~ hoplítica** *Exérc.* Ver *Infantaria pesada* **~ motorizada** *Exérc.* Infantaria equipada com veículos para transporte de tropas e equipamentos **~ pesada** *Exérc.* Tipo de infantaria (esp. no passado) com formação compacta de grande número de unidades e de tropas, armados com lanças; infantaria de batalha, infantaria hoplítica

infante¹ (in.*fan*.te) *sm. Mil.* Soldado de infantaria; PEÃO [F.: Do lat. *infans, antis*, pelo it. *infante.*]

infante² (in.*fan*.te) *a2g.* **1** Que está na infância (1 e 2); INFANTIL *sm.* **2** Criança, menino **3** *Hist.* Príncipe sem direito ao trono, nos reinos de Portugal e Espanha [F.: Do lat. *infans, antis.*]

infanticida (in.fan.ti.*ci*.da) *a2g.* **1** Que praticou infanticídio *s2g.* **2** Aquele ou aquela que praticou infanticídio [F.: Do lat. tard. *infanticida, ae.*]

infanticídio (in.fan.ti.*cí*.di:o) *sm.* **1** Assassinato de criança ou recém-nascido **2** Morte causada, voluntária ou conscientemente, a uma criança **3** *Jur.* Morte do filho provocada pela mãe, durante o parto ou o estado puerperal [F.: Do lat. *infanticidium, ii.*]

infantil (in.fan.*til*) *a2g.* **1** Ref. ou inerente à infância ou à criança: *campanha de vacinação infantil.* **2** Próprio para crianças (teatro infantil; literatura infantil) [Ant.: *adulto.*] **3** Que revela imaturidade; pouco maduro: *Ela já tem 12 anos mas ainda é muito infantil; seu texto ficcional é bastante infantil.* [Ant.: *maduro.*] **4** Próprio ou típico de uma criança (atitude infantil) [Pl.: *-tis.*] [F.: Do lat. *infantilis, e.* Sin. ger.: *meninil, pueril.*]

infantilidade (in.fan.ti.li.*da*.de) *sf.* **1** Característica ou qualidade de infantil; PUERILIDADE **2** Comportamento, atitude ou dito próprios de crianças [F.: *infantil* + *-(i)dade.*]

infantilismo (in.fan.ti.*lis*.mo) *sm. Med.* Manutenção anormal e persistência de características infantis na pessoa adulta [F.: *infantil* + *-ismo.*]

infantilização (in.fan.ti.li.za.*ção*) *sf.* Ação ou resultado de infantilizar(-se), tornar(-se) infantil [Pl.: *-ções.*] [F.: *infantilizar* + *-ção.*]

infantilizar (in.fan.ti.li.*zar*) *v.* **1** Proceder de maneira maternal com respeito a; tornar pueril [**td.**: *Acabou por infantilizar o filho por excesso de mimos.*] **2** Dar aspecto infantil a [**td.**: *Aquelas tolices infantilizaram o espetáculo.*] **3** Comportar-se como criança [**int.**: *Infantilizou-se tanto que ficou parecendo um menino de dez anos.*] [▶ **1** **infantilizar**] [F.: *infantil* + *-izar.*]

infantilmente (in.fan.til.*men*.te) *adv.* **1** De modo infantil **2** *Pej.* De modo imaturo, infantil, próprio de quem se comporta como se fosse criança (não o sendo) [F.: *infantil* + *-mente.*]

infantojuvenil (in.fan.to.ju.ve.*nil*) *a2g.* Ref. ou inerente à infância e à juventude (comportamento infantojuvenil; literatura infantojuvenil) [Pl.: *-nis.*] [F.: Do lat. *infantia*, na forma de radical *infanto-* + *juvenil.*]

infartado (in.far.*ta*.do) *a.* **1** *Card. Pat.* Diz-se de quem sofreu infarto **2** *P. ext.* Que está obstruído *sm.* **3** *Card. Pat.* Aquele que sofreu infarto; indivíduo infartado [F.: Part. de *infartar* Tb. *enfartado.*]

infartar (in.far.*tar*) *v.* **1** Causar obstrução a; ENTUPIR [**td.**: *O excesso de sujeira infartou os encanamentos.*] **2** Encher, abarrotar (de comida); EMPANTURRAR [**td.**: *Havia lá comida bastante para infartar um batalhão.*] **3** *Pat.* Ser vítima de infarto [**int.**: *O paciente infartou novamente.*] [▶ **1** **infartar**] [F.: *infarto* + *-ar*². Hom./Par.: *infarte(s)* (fl.), *infarte(s)* (sm. [pl.]), *infarto* (fl.), *infarto* (sm.). Tb. *enfartar.*]

infarto (in.*far*.to) *sm.* **1** *Card. Pat.* Morte dos tecidos de um órgão (ger. o coração) por falta de irrigação sanguínea, motivada por obstrução de artéria **2** *P. ext.* Obstrução, entupimento, empanturramento [F.: Do lat. cient. *infarctus*, part. pass. de *infarcire*, var. de *infercire*. Tb. *enfarte.*]

infatigabilidade (in.fa.ti.ga.bi.li.*da*.de) *sf.* Qualidade do que é infatigável [F.: *infatigável*, sob a f. *infatigabil-*, + *-(i)dade*, seg. o mod. erudito.]

infatigável (in.fa.ti.*gá*.vel) *a2g.* **1** Que não sente fadiga, cansaço; INCANSÁVEL **2** Que não desiste; INCANSÁVEL: *Sempre foi infatigável em combater injustiças.* **3** *Fig.* Zeloso, extremoso, atencioso [Ant.: *descuidado.*] [Pl.: *-veis.*] [F.: Do lat. *infatigabilis, e.*]

infausto (in.*faus*.to) *a.* **1** Que não é fausto (infausto prisioneiro); INFELIZ; DESAFORTUNADO [Ant.: *feliz.*] **2** Que traz infelicidade ou azar; de mau agouro (acontecimento infausto) [Ant.: *propício.*] [F.: Do lat. *infaustus, a, um.*]

infeção (in.fe.*ção*) *sf.* Ver *infecção*

infecção (in.fec.*ção*) *sf.* **1** Ação ou resultado de infeccionar(-se); CONTAMINAÇÃO [Ant.: *desinfecção.*] **2** *Med. Pat.* Presença no organismo de bactérias ou vírus causadores de doenças **3** *Fig.* Corrupção, perversão, depravação (infecção moral) [Ant.: *regeneração.*] **4** *Inf.* Instalação ou presença de vírus de computador em arquivo, disco, sistema operacional ou dispositivo [Pl.: *-ções.*] [F.: Do lat. tard. *infectio, onis.* Tb. *infeção.*] ▪ **~ oportunista/ oportunística** *Med.* Infecção que ocorre quando, por estar o organismo debilitado e com imunidade baixa, o agente patogênico, até então neutralizado, encontra condições favoráveis de se instalar e/ou de se desenvolver

infeccionado (in.fec.ci:o.*na*.do) *a.* **1** Que sofreu infecção; INFECTADO; CONTAGIADO **2** Tornado insalubre, pestilento; CONTAMINADO **3** *Fig.* Viciado, corrompido moralmente [F.: Part. de *infeccionar.* Tb. *infecionado.*]

infeccionar (in.fec.ci:o.*nar*) *v.* **1** *Pat.* Sofrer ou causar infecção [**td.**: *Um remédio inadequado infeccionou o corte.*] [**int.**: *A ferida no pescoço infeccionou.*] **2** Contaminar com doença [**td.**: *A bactéria desconhecida infeccionou toda a família.*] **3** Tornar(-se) corrompido, pervertido [**td.**: *Sua postura imoral infeccionou todos os seus discípulos.*] [**int.**: *Infeccionou-se moralmente quando passou a frequentar o círculo de traficantes.*] [▶ **1** **infeccionar**] [F.: *infecção* + *-ar*². Tb. *infecionar.*]

infeccioso (in.fec.ci:*o*.so) [ô] *a.* **1** Que pode causar infecção (bactéria infecciosa); INFECTUOSO; INFETUOSO **2** Originado por infecção (doença infecciosa) [Fem. e pl.: [ó].] [F.: *infecção* + *-oso*, seg. o mod. erudito. Tb. *infecioso.*]

infecionado (in.fe.ci:o.*na*.do) *a.* Ver *infeccionado*

infecionar (in.fe.ci:o.*nar*) *v.* Ver *infeccionar*

infecioso (in.fe.ci:*o*.so) [ô] *a.* Ver *infeccioso*

infectado (in.fec.*ta*.do) *a.* **1** Que sofreu infecção; INFECCIONADO; INFECIONADO **2** *Inf.* Diz-se de sistema operacional, arquivo, disco, ou do próprio computador que teve seus dados corrompidos por vírus ou que o armazena [F.: Part. de *infectar.* Tb. *infetado.*]

infectante (in.fec.*tan*.te) *a2g.* Que causa infecção [Ant.: *desinfectante, desinfetante.*] [F.: *infectar* + *-nte.* Tb. *infetante.*]

infectar (in.fec.*tar*) *v.* **1** Transmitir doença ou agente de doença a, ou contraí-los; CONTAMINAR(-SE); INFECCIONAR(-SE) [**td.**: *Infectou toda a família com a gripe que contraiu.*] [**int.**: *Sua ferida no braço infectou; O corte em sua perna infectou-se.*] **2** *Fig.* Afetar(-se) a pureza ou a retidão moral de [**td.**: *As más companhias infectaram seu comportamento.*] [**int.**: *Infectou-se na vida boêmia.*] **3** *Inf.* Introduzir(-se) vírus em (computador) ou contaminar-se (computador) com vírus [**td.**: *Novo vírus infectou seu computador.*] [**int.**: *Todo o sistema de seu computador infectou-se.*] [▶ **1** **infectar** Apresenta duplo part.: *infectado, infecto.*] [F.: *infecto* + *-ar*². Hom./Par.: *infecta(s)* (fl.), *infecta(s)* (adj. fem. de *infecto* [pl.]); *infecto* (fl.), *infecto* (a.); *infeta.* Ant. ger.: *desinfectar, desinfetar.* Tb. *infetar.*]

infecto (in.*fec*.to) *a.* **1** Que tem infecção **2** Que cheira mal; FÉTIDO **3** *Fig.* Que repugna por contrariar a moral, o decoro [F.: Do lat. *infectus, a, um.* Tb. *infeto.*]

infectocontagioso (in.fec.to-con.ta.gi:*o*.so) [ô] *a.* Que produz infecção e se transmite por contágio [Pl.: *infectocontagiosos* [ó].] [F.: *infecto-* + *contagioso.*]

infectologia (in.fec.to.lo.*gi*:a) *sf. Med.* Parte da medicina que estuda as doenças infecciosas [F.: *infecto* + *-logia.*]

infectologista (in.fec.to.lo.*gis*.ta) *a2g.* **1** Médico especialista em infectologia *s2g.* **2** Esse médico [F.: *infectologia* + *-ista.*]

infectuoso (in.fec.tu:*o*.so) [ô] *a.* O mesmo que *infeccioso* [F.: *infect(o)* + *-uoso.*]

infecundidade (in.fe.cun.di.*da*.de) *sf.* **1** Estado ou qualidade do que é infecundo, estéril; ESTERILIDADE; IMPRODUTIVIDADE **2** *Fig.* Falta de produtividade física ou intelectual: *Por mais que tentasse escrever, vivia um momento de grande infecundidade.* [F.: Do lat. *infecunditas, atis.* Ant. ger.: *fecundidade.*]

infecundo (in.fe.*cun*.do) *a.* **1** Que (quase) não produz; que é estéril, improdutivo (sítio infecundo); ÁRIDO; IMPROLÍFERO **2** *Fig.* Que não consegue produzir física ou intelectualmente (treino infecundo; texto infecundo) [F.: Do lat. *infecundus, a, um.*]

infelicidade (in.fe.li.ci.*da*.de) *sf.* **1** Estado, qualidade ou condição de infeliz **2** Acontecimento ou situação de consequências nefastas que causam, ger., grande dor, imenso pesar: *O acidente foi uma infelicidade.* 3 Adversidade, azar: *Teve a infelicidade de perder as chaves.* [F.: Do lat. *infelicitas, atis.*]

infelicitado (in.fe.li.ci.*ta*.do) *a.* Que se infelicitou, que se tornou infeliz; INFORTUNADO [F.: Part. de *infelicitar.*]

infelicitar (in.fe.li.ci.*tar*) *v. td.* 1 Tornar (alguém [ou a si mesmo] ou algo) muito triste ou descontente; DESGOSTAR(-SE): *A perda da irmã infelicitou sua vida.* 2 *Bras. Pop.* Tirar a virgindade de (uma moça); DEFLORAR: *O rapaz infelicitou a moça.* [▶ 1 infelicitar] [F.: Do v.lat. *infelicitare.*]

infeliz (in.fe.*liz*) *a2g.* 1 Que não é ou não está feliz (homem infeliz); DESAFORTUNADO; DESDITOSO; DESGRAÇADO; DESVENTURADO 2 Que não tem propósito (ideia infeliz, guerra infeliz) 3 Que é malsucedido (operação infeliz) 4 De pouca sorte ou de nenhum valor: *Eta filmezinho infeliz!* 5 Funesto, infausto (acidente infeliz, experiência infeliz) 6 *N. E. Pop.* Diz-se de quem tem muita habilidade, inteligência ou sorte, extraordinário, excepcional: *Sujeito infeliz de bom no laço! s2g.* 7 Pessoa infeliz: *O infeliz mal chegava em casa e já discutia com a mulher.* 8 *Pop.* Miserável, safado, desgraçado: *Vem aqui, ô infeliz.* [Superl.: *infelicíssimo.*] [F.: Do lat *infelix, icis.*] ■ **Como um ~** *N. E. Pop.* Muito, de causar espanto: *Ele mente como um infeliz.*

infenso (in.*fen*.so) *a.* 1 Que se opõe: *Mostra-se infenso às manifestações populares.* 2 Que está ou se revela irritado, furioso, irado: *Parecia infenso com as críticas a ele dirigidas.* [F.: Do lat. *infensus, a, um.*]

inferência (in.fe.*rên*.ci:a) *sf.* 1 Ação ou resultado de inferir 2 Raciocínio por meio do qual se conclui a partir de indícios 3 *Lóg.* operação intelectual que consiste em estabelecer uma conclusão a partir das premissas de que se parte [F.: Do lat. *inferentia, ae.*] ■ **~ imediata** *Lóg.* Processo lógico no qual de uma proposição se conclui diretamente outra, sem intermediação de outra proposição **~ mediata** *Lóg.* Processo lógico no qual, para de uma proposição concluir outra, é necessária uma terceira proposição, intermediária

inferencial (in.fe.ren.ci.*al*) *a2g.* Ref. a ou em que há inferência [Pl.: *-ais.*] [F.: *inferênci(a)* + *-al*, por infl. do ingl. *inferential.*]

inferido (in.fe.*ri*.do) *a.* Que foi concluído ou deduzido a partir de raciocínio, do exame de fatos, de dados de um problema ou de informações sobre algo: *opinião inferida do relato de uma testemunha.* [F.: Part. de *inferir.*]

inferior (in.fe.ri:*or*) [ô] *a2g.* 1 Que se encontra abaixo, por baixo ou constitui a base de algo (andar inferior, parte inferior) 2 *Fig.* Que está abaixo de outro no que se refere ao valor, à importância, à condição, ao mérito, à qualidade etc.: *Esta obra é inferior à outra em tudo.* 3 *Soc.* Diz-se de quem está econômica, social ou politicamente inferiorizado (classe inferior) 4 *Biol.* Que tem formação simples, elementar (planta inferior) 5 *Zool.* Que tem posição menor na classificação zoológica, que tem organização mais simples e funções vitais menos desenvolvidas (animal inferior, organismo inferior, planta inferior) 6 *Astron.* Diz-se do planeta cuja órbita fica entre a da Terra e o Sol [são dois os planetas inferiores, Mercúrio e Vênus.] *sm.* 7 Pessoa que está abaixo de outra em condição ou dignidade: *O inferior não se atrevia a dirigir-lhe a palavra.* [Ant.: *superior.*] 8 *Antq. Mil.* Militar de hierarquia inferior à de oficial; SUBORDINADO; SUBALTERNO [F.: Do lat. *inferior, ius.*]

inferioridade (in.fe.ri:o.ri.*da*.de) *sf.* 1 Qualidade daquilo ou de quem é inferior 2 Situação, qualidade ou posição inferior: *Um time teve um jogador expulso, portanto está em inferioridade em relação ao outro.* 3 Comportamento ou atitude inferior de uma pessoa em relação a outra; BAIXEZA; VILEZA: *Seu comportamento foi de uma inferioridade ímpar.* [Ant.: *superioridade.*] [F.: *inferior* + *-i-* + *dade.*]

inferiorização (in.fe.ri:o.ri.za.*ção*) *sf.* Ação ou efeito de inferiorizar(-se); DIMINUIÇÃO; REBAIXAMENTO [Pl.: *-ções.*] [F.: *inferiorizar* + *-ção.*]

inferiorizado (in.fe.ri:o.ri.*za*.do) *a.* Que está em situação ou posição inferior: *Naquele momento o time da capital estava inferiorizado no placar; Ele se sentia inferiorizado diante de pessoas tão cultas.* [F.: Part. de *inferiorizar.*]

inferiorizar (in.fe.ri:o.ri.*zar*) *v. td.* Atribuir condição de inferior a (algo, alguém ou si mesmo); MENOSPREZAR(-SE): *Gostava de inferiorizar os outros; Inseguro, inferiorizava-se diante dos outros.* [▶ 1 inferiorizar] [F.: *inferior* + *-izar.*]

inferir (in.fe.*rir*) *v.* Concluir ou deduzir (algo) a partir de exame dos fatos e de raciocínio [*td.*: *Analisando os indícios, o policial inferiu a causa do crime.*] [*tdr.* + *de*: *O bolsista inferiu dos textos lidos dados para sua pesquisa.*] [▶ 50 inferir] [F.: Do v.lat. **inferere*, por *inferre.*]

inferível (in.fe.*rí*.vel) *a2g.* Que se pode inferir ou deduzir; DEDUTÍVEL [Pl.: *-veis.*] [F.: *inferir* + *-vel.*]

infernação (in.fer.na.*ção*) *sf. Bras.* Aborrecimento, amolação, importunação [Pl.: *-ções.*] [F.: *infernar* + *-ção.*]

infernal (in.fer.*nal*) *a2g.* 1 Que é do inferno, pertencente ou relativo ao inferno 2 *Fig.* Que é medonho, horrível, diabólico (plano infernal) 3 *Fig.* Que tem a maldade dos demônios (coração infernal) 4 *Fig.* Que é insuportável, intenso, forte, atroz (dor infernal) 5 *Fig.* Que causa muito incômodo (barulho infernal) 6 *Bras. Gír.* Que tem qualidades excepcionais (artista infernal, mulher infernal); FABULOSO; EXCEPCIONAL; ADMIRÁVEL [Pl.: *-nais.*] [F.: Do lat. *infernalis, e.*]

infernalidade *sf.* Qualidade do que é infernal [F.: *infernal* + *-idade.*]

infernar (in.fer.*nar*) *v.* 1 Condenar, conduzir ao inferno [*td.*: *Todos aqueles pecados acabariam por inferná-lo.*] 2 *Fig.* Causar ou sentir aflição, tormento; ATORMENTAR(-SE) [*td.*: *A presença da empregada infernava sua vida.*] [*int.*: *Infernava-se por qualquer banalidade.*] 3 *Fig.* Transformar num martírio, tormento; INFERNIZAR [*td.*: *O marido infernava a pobre mulher.*] [▶ 1 infernar] [F.: *inferno* + *-ar*[2].] Hom./Par.: *infernais* (fl.), *infernais* (pl. de *infernal* [a2g.]); *inferno* (fl.), *inferno* (sm.).]

inferneira (in.fer.*nei*.ra) *sf.* 1 Grande desordem, tumulto, confusão 2 Algazarra, barulheira 3 *Bras. Pop.* O que exige muito esforço: *Era uma inferneira subir aquela escada.* [F.: *infern(o)* + *-eira.*]

inferninho (in.fer.*ni*.nho) *sm. Bras.* Pequena boate de ambiente promíscuo, pouco iluminada e que geralmente toca músicas em altíssimo volume [F.: *inferno* + *-inho*[1].]

infernizar (in.fer.ni.*zar*) *v. td.* 1 *Fig.* Tornar tão ruim como o inferno: *Aquelas brigas infernizavam a casa* 2 *P. ext.* Causar, provocar aborrecimento, irritação, impaciência em; ENCOLERIZAR; INCOMODAR: *O síndico infernizava o porteiro com xingamentos diários.* [▶ 1 infernizar] [F.: *inferno* + *-izar.*]

inferno (in.*fer*.no) *sm.* 1 *Mit.* Lugar subterrâneo em que habitavam as almas dos mortos [Neste sentido usa-se mais no pl. e serve para designar o local de habitação tanto dos justos quanto dos injustos.] 2 *Rel.* Para as religiões cristãs, habitação dos demônios e lugar destinado ao suplício das almas dos malvados, pecadores, perversos [Neste sentido se usa ger. com inicial maiúsc. e por vezes no pl.; na religião católica, lugar para onde vão aqueles que morreram em estado de pecado mortal.] 3 *Fig.* Situação de sofrimento ou martírio: *Sua vida tornou-se um inferno.* 4 *Fig.* Lugar, reunião, vida comum em que reina a discórdia, a confusão: *Isto é um inferno.* 5 *Fig.* Enorme desordem, confusão, caos: *Esse trânsito está um inferno.* 6 *Fig.* Lugar cheio de gente, abarrotado: *O restaurante estava um inferno.* 7 *Fig.* Algo que é ruim, de baixa qualidade, péssimo: *O atendimento nesse hospital é um inferno.* 8 *Fig.* Pena intensa, tribulação veemente motivada pela paixão ou pelo remorso: *Traz o inferno no coração.* 9 Cisterna ou poço para onde escorrem todos os resíduos líquidos do fabrico do azeite 10 *Antq. Rel.* Em certas ordens religiosas onde a abstinência de carne era usual, refeitório separado do principal onde os frades doentes ou enfraquecidos podiam comer carne [Esse refeitório apartado era também designado pelo nome latino de "domus debilium", literalmente "a casa dos fracos" ou "a casa dos doentes".] 11 Buraco onde gira a roda do moinho de água [F.: Do lat. *infernus, a, um.*] ■ **Descer ao ~** Sofrer, penar **~ Verde** Termo que designa a região amazônica, posv. como alusão às difíceis condições de vida na floresta amazônica [Com maiúsculas.] **Ir para o ~** 1 *Pop.* Morrer (alguém considerado mau, pecador, imoral etc.) 2 *Vulg.* Expressão de raiva, revolta em relação a algo ou alguém: *Quero mais é que tudo vá para o inferno!* **O ~ em vida** Causa de muito sofrimento, um suplício

◎ **infer(o)-** *el. comp.* = que está abaixo, inferior: *inferoposterior.* [F.: Do lat. *inferus, a, um.*]

ínfero (*ín*.fe.ro) *a.* 1 Que fica abaixo, por baixo; INFERIOR [Ant.: *súpero.*] 2 *Bot.* Diz-se de ovário que está aderente ao receptáculo e, portanto, abaixo dos demais elementos florais *sm.* 3 O inferno [F.: Do lat. *inferus, a, um.*]

inferoanterior (in.fe.ro:an.te.ri.*or*) [ô] *a2g.* Situado abaixo e na parte anterior

inferolateral (in.fe.ro.la.te.*ral*) *a2g.* Que está abaixo e na parte lateral [Pl.: *-rais.*]

inferoposterior (in.fe.ro.pos.te.ri.*or*) *a2g.* Situado atrás, na parte inferior

infértil (in.*fér*.til) *a2g.* 1 Que não é fértil (homem infértil, mulher infértil, período infértil); ESTÉRIL 2 *Fig.* Que não produz ou que produz pouco (espírito infértil, imaginação infértil, terra infértil) 3 *Fig.* Inútil, vão, que não alcança o objetivo visado: *Suas tentativas de ser promovido mostraram-se inférteis.* [Pl.: *-teis.*] [F.: Do lat. *infertilis, e.*]

infertilidade (in.fer.ti.li.*da*.de) *sf.* 1 Qualidade do que é infértil; ESTERILIDADE: *A infertilidade dos rios poluídos é preocupante; Não podem ter filhos por causa da infertilidade do marido.* 2 *P. ext.* Qualidade do que produz pouco em relação ao que naturalmente se devia esperar (infertilidade do terreno) 3 *Fig.* Qualidade do que é inútil, do que não tem serventia: *A infertilidade de suas ideias era assombrosa.* [F.: Do lat. *infertilitas, atis.*]

infestação (in.fes.ta.*ção*) *sf.* 1 Ação ou efeito de infestar 2 *Med.* Invasão do organismo por parasitas macroscópicos (infestação de piolhos) [Contrapõe-se a *infecção*, que é causada por micróbios.] 3 Invasão de animais nocivos à saúde ou a determinado ambiente (infestação de ratos, infestação de cupins) [Pl.: *-ções.*] [F.: Do lat. *infestatio, onis.*]

infestado (in.fes.*ta*.do) *a.* 1 Que se infestou, invadido, assolado (casa infestada de maus espíritos) 2 *Fig.* Prejudicado, contaminado 3 Diz-se de local que aloja animais, principalmente artrópodes e roedores: *porão infestado de animais asquerosos.* 4 *Pej.* Cheio de (pessoas ou coisas): *A reunião estava infestada de puxa-sacos.* 5 *Pop.* Cheio de, coalhado, abarrotado: *Ele tem um apartamento infestado de livros.* [F.: Part. de *infestar.*]

infestar (in.fes.*tar*) *v. td.* 1 Atacar em bloco, provocando devastação; ASSOLAR: *Os gafanhotos infestaram a plantação.* 2 Invadir (um lugar) com uso de violência: *Povos bárbaros infestaram a Europa.* 3 *Med.* Proliferar abundantemente (parasitos): *Os vermes infestaram a criança.* 4 *Fig.* Invadir ou multiplicar-se: *As baratas infestaram o quarto; As plantas parasitas infestaram o jardim.* [▶ 1 infestar] [F.: Do lat. *infestare.* Hom./Par.: *infesto* (fl. de *infestar*), *infesto* (a. sm.), *infesta* (fl. de *infestar*), *infestas* (fl. de *infestar*), *infesta* (a.), *enfestar* (v.), *infesta* (fl. de *infestar*), *infestas* (fl. de *infestar*), *enfesta* (sf. e pl.). Ant. ger.: *desinfestar.*]

infesto (in.*fes*.to) *a.* 1 Que é nocivo, pernicioso (prática infesta) 2 Adverso, contrário, inimigo, hostil *sm.* 3 Aquilo que é infesto: *uma reza contra infestos do demônio.* [F.: Do lat. *infestus, a, um.* Hom./Par.: *infesto* (a.), *infesto* (fl. de *infestar*), *enfesto* (fl. de *enfestar*); *infesta* (fem.), *infesta* (fl. de *infestar*), *enfesta* (fl. de *enfestar* e sf.).]

infetado (in.fe.*ta*.do) *a.* Ver *infectado*

infetante (in.fe.*tan*.te) *a2g.* Ver *infectante*

infetar (in.fe.*tar*) *v.* Ver *infectar*

infeto (in.*fe*.to) *a.* Ver *infecto*

infidelidade (in.fi.de.li.*da*.de) *sf.* 1 Falta de fidelidade; DESLEALDADE: *a infidelidade de um amigo; a infidelidade a uma empresa, a um partido, a uma instituição.* 2 Traição, ação desleal: *Cometia algumas infidelidades.* 3 Ato de ser infiel a sua esposa, marido, noivo(a), namorado(a): *Sua infidelidade à esposa me deixava indignado.* 4 Falta de exatidão, de acerto, de precisão: *a infidelidade de um tradutor.* 5 Falta de constância no favor (infidelidade da fortuna, infidelidade da glória) 6 Subtração ou furto com abuso de confiança: *Sofreu a infidelidade de um criado.* 7 Falta de crença religiosa ou fé em uma religião tida como verdadeira 8 O conjunto das pessoas que professam essa fé; os infiéis [F.: Do lat. *infidelitas, atis.*]

infido (in.*fi*.do) *a. Poét.* Em que não se pode confiar; infiel, desleal [F.: Do lat. *infidus, a, um.*]

infiel (in.fi:*el*) *a2g.* 1 Que não é fiel; que falta à fidelidade (amigo infiel, político infiel ao partido, homem infiel aos ideais) 2 Que trai o cônjuge, o noivo, o namorado (esposo infiel, namorada infiel) 3 Que é traiçoeiro (companhia infiel) 4 Que não exprime a verdade; que carece de exatidão, de precisão (historiador infiel, tradução infiel) 5 Inconstante no favor (fortuna infiel) 6 Pouco seguro, que não dá o auxílio que se esperava; que não inspira confiança; que falha (memória infiel) 7 Que comete abusos de confiança (empregado infiel) 8 Que não tem a fé religiosa que se reputa verdadeira; que não segue a lei de Deus (povo infiel) [Superl.: *infidelíssimo.*] *s2g.* 9 Pessoa que não é fiel, que falta à fidelidade, à fé prometida ou devida [Ant.: *fiel.*] 10 Pessoa que não professa religiosamente uma fé tida como única verdadeira: *Pretendiam banir os infiéis; Os infiéis perecerão pela espada.* [Pl.: *-éis.*] [F.: Do lat. *infidelis, e.*]

⊕ ***in fieri*** (*in fiére*) *loc. adv.* Prestes a se tornar

infiltração (in.fil.tra.*ção*) *sf.* 1 Ação ou resultado de infiltrar(-se) 2 Penetração de substância líquida através dos poros ou de pequenas aberturas de um sólido: *a infiltração da água nas terras.* 3 Injeção de medicamento com efeito local: *Fez infiltração para atenuar a dor no joelho.* 4 Introdução sub-reptícia, implantação às escondidas: *Havia a infiltração de uma nova corrente ideológica dentro do partido.* 5 *Fut.* Ação de penetração de um jogador na defesa adversária: *A infiltração do atacante pela esquerda preocupava os zagueiros.* 6 *P. ext.* O ingresso de alguém em lugares para onde não foi convidado: *Articulava a infiltração do namorado na festa.* 7 *Mil.* A entrada às escondidas de soldados nas linhas inimigas 8 *Mil.* A penetração de um espião no campo adversário mediante disfarce ou falsa identidade [Pl.: *-ções.*] [F.: *infiltra(r)* + *-ção.*] ■ **~ anestésica** *Med.* Ação ou resultado de injetar anestésico sob pele ou mucosa, para aliviar dor local [Tb. apenas *infiltração.*]

infiltrado (in.fil.*tra*.do) *a.* 1 Que se infiltrou *sm.* 2 Aquele que se infiltrou 3 *Rlog.* Opacidade pulmonar homogênea e pouco extensa 4 *Anat. Pat.* Aglomeração razoavelmente densa e extensa de células de diferentes tipos num tecido ou num órgão [F.: Part. de *infiltrar.*]

infiltrador (in.fil.tra.*dor*) [ô] *a.* Que infiltra; INFILTRANTE [F.: *infiltrar* + *-dor.* Cf.: *infiltrativo.*]

infiltrante (in.fil.*tran*.te) *a.* O mesmo que *infiltrador* [F.: *infiltrar* + *-nte.*]

infiltrar (in.fil.*trar*) *v.* 1 Introduzir(-se) aos poucos (ger. líquido) através de matéria sólida, por interstícios, orifícios, poros etc. [*tdl.*: *O lavador de carros infiltrou água no motor.*] [*ta.*: *A água infiltrou-se pela rachadura da parede.*] 2 *Fig.* Instalar-se de forma gradual e discreta; INSINUAR(-SE) [*tr.* + *em*: *Uma suspeita infiltrou-se em sua mente.*] 3 Introduzir (algo, alguém ou si mesmo) insidiosamente em lugar, grupo, instituição etc., para vigiá-los, colher informações ou realizar alguma ação [*tda.*: *A polícia infiltrou agentes em uma quadrilha de traficantes; Dois espiões se infiltraram no quartel-general inimigo.*] 4 Introduzir-se, entrar, burlando obstáculos, vigilância etc. [*tda.*: *Como não tinha convite, infiltrou-se sorrateiramente na festa.*] [▶ 1 infiltrar] [F.: *in-*[2] + *filtrar.*]

infiltrativo (in.fil.tra.*ti*.vo) *a.* Que se infiltra [F.: *infiltrar* + *-tivo.* Cf. *infiltrador.*]

ínfimo (*ín*.fi.mo) *a.* 1 Que tem pequeno tamanho, volume, quantidade ou intensidade; DIMINUTO: *O estoque de comida é ínfimo.* 2 Que está no patamar mais baixo dentro de uma escala de valores: *O preconceito é o mais ínfimo dos sentimentos.* 3 Que tem pouca importância ou valor (preço ínfimo) *sm.* 4 *Mat.* O maior dos limites inferiores de um conjunto de números reais; extremo inferior 5 O que ocupa o lugar mais baixo em uma hierarquia de valores: *o ínfimo dos mortais.* [F.: Do lat. *infimus, a, um.*]

infindável (in.fin.*dá*.vel) *a2g.* Que não chega ao fim ou parece não ter fim (matagal infindável, conversa infindável); INTERMINÁVEL [Pl.: *-veis.* Superl.: *infindabilíssimo.*] [F.: *in-*² + *findável.*]

infindo (in.*fin*.do) *a.* 1 Que não tem fim (desejo infindo); ETERNO; ILIMITADO; INFINITO; INUMERÁVEL 2 Inesgotável, inexaurível [F.: Do lat. *infinitus, a, um,* por via pop.]

in fine (*in fine*) *loc. adv.* No final da página, do parágrafo, do capítulo etc. [Us. esp. em citações bibliográficas.]

infinidade (in.fi.ni.*da*.de) *sf.* 1 Característica do que não tem fim 2 Grande número ou quantidade: *Comprou uma infinidade de presentes.* [F.: Do lat. *infinitas, atis.*] ∎ **~ numerável** *Mat.* Infinidade cujos elementos podem ser postos em correspondência biunívoca com os números naturais

infinitesimal (in.fi.ni.te.si.*mal*) *a2g.* Ref. a quantidades extremamente pequenas; ÍNFIMO; MÍNIMO [Pl.: *-mais.*] [F.: *infinitésim(o)* + *-al.*]

infinitésimo (in.fi.ni.*té*.si.mo) *a.* 1 Que é infinitamente pequeno *sm.* 2 *Mat.* Grandeza de módulo arbitrariamente pequeno [F.: Do lat. cient. *infinitesimus.*]

infinitivo (in.fi.ni.*ti*.vo) *sm.* 1 *Gram.* Forma nominal do verbo que exprime apenas o estado ou a ação sem designar tempo, modo, número ou pessoa, como *cantar, viver, sorrir* etc. (infinitivo impessoal) *a.* 2 *Gram.* Diz-se da forma nominal dos verbos, cuja desinência é r: estar, correr, partir etc. (construção infinitiva) [F.: Do lat. *infinitivus, i.*] ∎ **~ impessoal** *Gram. Ling.* Infinitivo não flexionado em número e pessoa, ou sem sujeito definido [Ex.: *Vamos terminar o dever; Eles deviam chegar mais cedo; Avançar o sinal é transgressão inadmissível.*] **~ pessoal** *Gram. Ling.* Infinitivo flexionado em número e pessoa [Ex.: *Ao se atrasarem, prejudicaram a turma toda; Se nos esforçarmos, poderemos vencer.*]

infinito (in.fi.*ni*.to) *a.* 1 Que não é finito; que não tem limites nem medida: *O espaço é infinito.* 2 Sem fim; ETERNO: "A vida vem em ondas/como um mar/num indo e vindo infinito..." (Lulu Santos, *Como uma onda*) 3 Sem linha de demarcação, sem limite: *As cenas foram gravadas sobre um fundo azul infinito.* 4 Inúmero, incontável: *Há uma variedade infinita de tonalidades de cor cinza.* 5 Muito intenso, grande ou longo: *o silêncio infinito da noite. sm.* 6 Espaço ou distância sem limites: *No infinito uma estrela cintilou.* 7 *Mat.* Grandeza cujos valores são ilimitados 8 *Gram.* Utilizado tb. com significado de infinitivo flexionado ou não flexionado [Ant.: finito; F.: Do lat. *infinitus, a, um.*] ∎ **~ negativo** *Anál. Mat.* Em análise matemática, infinito que, no cálculo de limite, assume valor negativo [Símb.: - ∞] **~ positivo** *Anál. Mat.* Em análise matemática, infinito que, no cálculo de limite, assume valor positivo [Símb.: + ∞]

infinitude (in.fi.ni.*tu*.de) *sf.* 1 Característica do que é infinito; INFINIDADE: *a infinitude do espaço sideral.* 2 Qualidade do que é imenso e que parece não ter limites ou fim: *a infinitude do verdadeiro amor.* [F.: *infinit(o)* + *-ude.*]

infirmar (in.fir.*mar*) *v. td.* 1 Tirar a força ou a autoridade de; tornar fraco 2 *Jur.* Retirar a força de (um ato jurídico), tornando-o sem validade [▶ 1 infirmar] [F.: Do v.lat. *infirmare.* Hom./Par.: *infirme* (fl.), *infirme* (a2g.); *infirmes* (fl.), *infirmes* (pl. do a2g.).]

infirmativo (in.fir.ma.*ti*.vo) *a.* 1 Que tem o poder de infirmar 2 *Jur.* Que anula, revoga [F.: *infirmar* + *-tivo.*]

infixo (in.*fi*.xo) *a.* 1 Que não é ou não está fixo *sm.* 2 *Gram.* Fonema vocálico ou consonantal colocado no interior de uma palavra, entre a raiz e o sufixo, para facilitar e tornar mais agradável a pronúncia, como em gas- ô -metro, dent- i -frício, cha- l -eira, pedre- g -ulho etc. [F.: Do lat. *infixus, a, um.*]

inflação (in.fla.*ção*) *sf.* 1 Ação ou efeito de inflar(-se); INCHAÇÃO; INTUMESCÊNCIA 2 *Fig.* Presunção, soberba, vaidade 3 *Econ.* Aumento generalizado e contínuo dos preços, causando uma grande desvalorização do dinheiro e acentuada queda no poder aquisitivo da população [Ant.: *deflação.*] 4 *Fig.* Extensão ou aumento de algo considerado excessivo: *Há uma inflação de times no campeonato nacional.* [Pl.: *-ções.*] [F.: Do lat. *inflatio, onis.*] ∎ **~ de custos** *Econ.* Inflação originada ou alimentada por aumento nos custos de produção de bens ou serviços **~ de demanda** *Econ.* Inflação originada ou alimentada por aumento na demanda de bens ou serviços **~ inercial** *Econ.* Inflação originada ou alimentada por inflação passada e consequente indexação de preços, que são assim corrigidos com compensação da inflação, gerando aumento de custos que a realimenta

> 🕮 Muitas são as teorias que tentam explicar a *inflação*, percebida como o aumento sistemático de preços em determinado momento em determinada conjuntura econômica. Seja como for, a primeira consequência da inflação é a desvalorização do dinheiro (e a corrida por gastá-lo rapidamente) e, com isso, a baixa do nível de vida. A solução de compensar essa baixa com a chamada *correção monetária*, tentada pelo Brasil durante décadas, realimentou uma corrida entre salários e preços, levando a inflação, em 1985, a mais de 80% ao mês. Austera política de controle, a partir de meados da década de 1990, reduziu a expectativa inflacionária a menos de 10% anuais em 2004. A maior inflação conhecida na história foi na Alemanha, em 1922, atingindo o inacreditável patamar de 1 trilhão por cento.

inflacionado (in.fla.ci:o.*na*.do) *a.* Que se inflacionou, que sofreu inflação (preço inflacionado, mercado inflacionado) [Ant.: *deflacionado.*] [F.: Part. de *inflacionar.*]

inflacionar (in.fla.ci:o.*nar*) *Bras. Econ. v. td.* 1 Produzir ou aumentar inflação: *O governo inflacionou o meio circulante.* 2 Fazer aumentar o valor a ser pago por (algo): *A ótima fase do jogador inflacionou o preço de seu passe.* 3 Aumentar a oferta em relação à procura em (determinado mercado): *O lançamento de novas grifes inflacionou o mercado da moda.* [▶ 1 inflacionar] [F.: *inflação*, sob a f. *inflacion-*, + *-ar*². Ant. ger.: *desinflacionar, deflacionar.* Hom./Par.: *inflacionáveis* (fl.), *inflacionáveis* (pl. de *inflacionável* [a2g.]).]

inflacionário (in.fla.ci:o.*ná*.ri:o) *a.* 1 Que diz respeito à inflação (meta inflacionária) [Ant.: *deflacionário.*] 2 Diz-se do que provoca a inflação (processo inflacionário) [F.: *inflação* (com alter. no rad.: *ção>cion*) + *-ário.*]

inflacionável (in.fla.ci:o.*ná*.vel) *a2g.* Que se pode inflacionar; passível de sofrer inflação [Ant.: *deflacionável.*] [Pl.: *-veis.*] [F.: *inflacionar* + *-vel.* Hom./Par.: *inflacionáveis* (pl.), *inflacionáveis* (fl. de *inflacionar*).]

inflacionista (in.fla.ci:o.*nis*.ta) *a2g.* 1 Ref. a ou que causa inflação; INFLACIONÁRIO 2 Que é favorável à inflação *s2g.* 3 Aquele que é favorável à inflação [F.: *inflação* + *-ista*, seg. o mod. erudito.]

inflado (in.*fla*.do) *a.* 1 Que se inflou, que aumentou de volume com a entrada de ar 2 *Fig.* Que manifesta vaidade, soberba; SOBERBO [F.: Part. de *inflar.*]

inflador (in.fla.*dor*) [ô] *a.* 1 Que infla *sm.* 2 *RS* Bomba de ar para encher pneus [F.: *inflar* + *-dor.*]

inflamabilidade (in.fla.ma.bi.li.*da*.de) *sf.* Qualidade ou estado do que é inflamável [F.: *inflamável*, sob a f. *inflamabil-*, + *-(i)dade*, seg. o mod. erudito.]

inflamação (in.fla.ma.*ção*) *sf.* 1 Ação ou resultado de inflamar(-se) 2 Fenômeno pelo qual um corpo em combustão produz chama 3 *Fig.* Rubor excessivo do rosto, causado por forte excitação 4 Sentimento de ardor intenso e excitação, causado ger. por forte emoção 5 *Med.* Condição patológica em que uma parte do corpo fica dolorida, quente, inchada e avermelhada por infecção ou outro tipo de agressão ao organismo [Pl.: *-ções.*] [F.: Do lat. *inflammatio, onis.*]

inflamado (in.fla.*ma*.do) *a.* 1 Que se inflamou, acendido, aceso com chama 2 *Med.* Que apresenta inflamação, que se caracteriza, ger., por quatro sintomas principais: calor, rubor, dor e tumefação 3 *Fig.* Repleto de ardor e entusiasmo; ardente, excitado, acalorado (suspiros inflamados, discurso inflamado) 4 Abraseado, afogueado, cheio de rubor (semblante inflamado) 5 *Fig.* Exaltado, irritado 6 *Bras.* Cheio, lotado, repleto: *ônibus inflamado de passageiros.* [F.: Part. de *inflamar.*]

inflamar (in.fla.*mar*) *v.* 1 Fazer ficar ou ficar (material, substância) em chamas, em estado de combustão [*td.: Na ignição, uma faísca elétrica inflama o combustível.*] [*int.: Certas substâncias inflamam com facilidade; O pó de zinco pode inflamar-se espontaneamente com a umidade.*] 2 *Med.* Causar ou sofrer inflamação [*td.: Um cisco inflamou meu olho direito.*] [*int.: A ferida inflamou.*] 3 *Fig.* Excitar(-se), exaltar(-se) (pessoa, sentimento, sensação) [*td.*: "Não sei se essa seleção (...) é capaz de inflamar a torcida." (*Jornal Extra*, 3110.2000)] 4 *Bras. Pop.* Ficar cheio, lotado [*int.: É preciso reservar as mesas antes que o bar inflame.*] 5 Ruborizar(-se), afoguear(-se) [*td.: O dito malicioso inflamou-lhe o semblante.*] [*int.: As maçãs do rosto inflamaram-se com tamanha indiscrição*] [▶ 1 inflamar] [F.: Do v.lat. *inflammare.* Hom./Par.: *inflamáveis* (fl.), *inflamáveis* (pl. de *inflamável* [a2g.]).]

inflamatório (in.fla.ma.*tó*.ri:o) *a.* 1 Que inflama 2 Ref. a inflamação (processo inflamatório) 3 *Fig.* Que excita ou exalta (discurso inflamatório) [F.: *inflamar* + *-tório.*]

inflamável (in.fla.*má*.vel) *a2g.* 1 Que se inflama, se incendeia facilmente: *A aguarrás é altamente inflamável.* 2 *Fig.* Que facilmente se enche de ardor, se exalta, se apaixona, se irrita: *homem de caráter inflamável. sm.* 3 Substância inflamável [Pl.: *-veis.* Superl.: *inflamabilíssimo.*] [F.: *inflamar* + *-vel.* Hom./Par.: *inflamáveis* (pl.), *inflamáveis* (fl. de *inflamar* [v.]).]

inflamento (in.fla.*men*.to) *sm.* O mesmo que *inflagem* [F.: *inflar* + *-mento.*]

inflar (in.*flar*) *v.* 1 Encher(-se) com ar, gás, vento etc.; INTUMESCER(-SE) [*td.: Inflou os balões coloridos das crianças.*] [*int.: A bolha de sabão inflou e estourou; Os balões inflaram-se.*] 2 Inchar(-se) ou abaular(-se) (ger. pano) com a pressão do ar [*td.: O vento inflou as velas do barco.*] [*int.: Com o vento, a vela inflou; As velas inflaram-se.*] 3 *Fig.* Fazer ficar ou ficar envaidecido ou orgulhoso (com algo) [*td.: Os elogios inflaram seu ego.*] [*int.: Inflou-se todo com as lisonjas.*] 4 Tornar empolado ou rebuscado [*td.: Inflar o estilo não era do gosto do jovem escritor.*] [▶ 1 inflar] [F.: Do v.lat. *inflare.* Sin. ger.: *inchar.* Hom./Par.: *infláveis* (fl.), *infláveis* (pl. de *inflável* [a2g.]).]

inflável (in.*flá*.vel) *a2g.* Que pode inflar(-se) ou ser inflado (bote inflável, piscina inflável, boneco inflável) [Pl.: *-veis.* Superl.: *inflabilíssimo.*] [F.: *inflar* + *-vel.* Hom./Par.: *infláveis* (pl.), *infláveis* (fl. de *inflar*).]

inflectir (in.flec.*tir*) *v.* 1 Inclinar(-se), dobrar(-se) formando curva; mudar a direção de (algo ou si mesmo) [*td.: Pretendiam inflectir o rumo da economia.*] [*int.: O caminho bordejava para o rio, e depois infletia (para o interior).*] 2 Recair; refletir-se sobre; INCIDIR [*ta.: Os raios de luz inflectiam no espelho.*] 3 Dar certa entonação a; modificar para obter certa entonação (diz-se da voz) [*td.: Inflectiu a voz para causar outra impressão.*] [▶ 50 inflectir] [F.: Do v.lat. *inflectere.* Tb. *infletir.*]

infletir (in.fle.*tir*) *v.* Ver *inflectir* [▶ 50 infletir]

inflexão (in.fle.*xão*) [cs] *sf.* 1 Ação ou resultado de inflictir(-se), de curvar(-se) (inflexão do corpo); FLEXÃO 2 Inclinação ou desvio de uma linha 3 Modulação no tom da voz; ENTONAÇÃO 4 *Geom. an.* Num curva, ponto em que a concavidade se inverte; ponto de inflexão 5 *Gram.* Flexão (4) [Pl.: *-xões.*] [F.: Do lat. *inflexio, onis.*]

inflexibilidade (in.fle.xi.bi.li.*da*.de) [cs] *sf.* 1 Característica do que é inflexível; RIGIDEZ 2 *Fig.* Qualidade daquele que não se deixa dobrar, que não cede; constância, grande firmeza; AUSTERIDADE; IMPASSIBILIDADE; RIGIDEZ: *inflexibilidade do ânimo.* 3 Radicalismo, intolerância: *Ele se caracteriza pela inflexibilidade de suas opiniões.* [F.: *inflexível*, sob a f. *inflexibil-*, + *-(i)dade*, seg. o mod. erudito.]

inflexibilizar (in.fle.xi.bi.li.*zar*) *v. td.* Tornar inflexível [▶ 1 inflexibilizar] [F.: *inflexível*, sob a f. *inflexibil-*, + *-ar*², seg. o mod. erudito.]

inflexível (in.fle.*xí*.vel) [cs] *a2g.* 1 Que não se pode dobrar ou curvar, falta de flexibilidade 2 *Fig.* Que não se deixa convencer ou comover; RÍGIDO: *juiz inflexível nas decisões.* 3 *Fig.* Impossível de ser alterado (regulamento inflexível) [Ant.: *flexível.*] 4 Radical, intolerante: *Não posso conversar com ele, é um sujeito inflexível.* [Pl.: *-veis.* Superl.: *inflexibilíssimo.*] [F.: Do lat. *inflexibilis, e.*]

infligido (in.fli.*gi*.do) *a.* Que se infligiu, aplicou, impôs: *O castigo infligido demasiado severo.* [F.: Part. de *infligir.*]

infligir (in.fli.*gir*) *v.* 1 Impor ou fazer incidir (pena, castigo, sofrimento etc.) sobre [*tdi.* + *a*: *A Justiça infligirá penas rigorosas aos infratores.*] 2 Causar prejuízo, dano a [*tdi.* + *a*: *A seca infligiu grandes prejuízos aos fazendeiros.*] 3 Submeter (alguém) a algo doloroso, penoso [*tdi.* + *a*: *Infligiu ao rapaz alguns suplícios intoleráveis.*] [▶ 46 infligir] [F.: Do lat. *infligere.* Cf.: *infringir.*]

inflorescência (in.flo.res.*cên*.ci:a) *sf.* 1 *Bot.* O conjunto das flores agrupadas sobre uma planta 2 *Bot.* Disposição geral que os pedúnculos das flores apresentam sobre a haste que os suporta 3 *Bot.* A ordem segundo a qual aparecem e se desenvolvem as flores [F.: Do lat. científico *inflorescentia, ae.*] ∎ **~ antoide** *Bot.* Aquela formada por flores cuja inserção é direta (sem haste ou pedículo), parecendo compor uma flor só

influência (in.flu.*ên*.ci:a) *sf.* 1 Ação de uma pessoa ou de uma coisa sobre outra (influência das leis, influência do clima); INFLUXO 2 *Fig.* Autoridade moral, predomínio: *Sua influência política facilitava o acordo com o governo.* 3 *Fig.* Ascendência, crédito: *Ele é um político com grande influência na sua terra.* 4 *Fig.* Animação, entusiasmo: *Aprende música com grande influência.* 5 *BA GO MT* Lugar onde se descobrem minas de diamantes, que ensejam serviço intenso e produtivo [F.: Do lat. *influentia, ae.* Hom./Par.: *influencia* (fl. de *influenciar*).]

influenciação (in.flu:en.ci:a.*ção*) *sf.* Ação ou resultado de influenciar(-se) [Pl.: *-ções.*] [F.: *influenciar* + *-ção.*]

influenciado (in.flu:en.ci.*a*.do) *a.* 1 Que recebeu influência *sm.* 2 Aquele que recebeu influência [F.: Part. de *influenciar.*]

influenciador (in.flu:en.ci.a.*dor*) [ô] *a.* 1 Que influencia *sm.* 2 Aquele que influencia [F.: *influenciar* + *-dor.*]

influenciar (in.flu:en.ci.*ar*) *v.* 1 Exercer influência sobre; ter peso nas considerações ou decisões de (outrem) ou no desenvolvimento ou resultado de (processo, acontecimento, ação etc.) [*td.: O escândalo influenciou o resultado das eleições; A bossa-nova e o jazz passaram a se influenciar mutuamente.*] 2 Sofrer influência: *Era uma pessoa que se influenciava facilmente pelos amigos.* [*int.: Era uma pessoa que se deixava influenciar.*] [▶ 1 influenciar] [F.: *influência* + *-ar.* Hom./Par.: *influencia* (fl. de *influenciar*), *influencias* (fl. de *influenciar*), *influência* (sf.), *influências* (pl.).]

influenciável (in.flu:en.ci.*á*.vel) *a2g.* Que se pode influenciar, que se deixa influenciar; suscetível a alguma influência [Pl.: *-veis.* Superl.: *influenciabilíssimo.*] [F.: *influencia(r)* + *-vel.*]

influente (in.flu:*en*.te) *a2g.* 1 Que influi; que exerce ou tem influência (partido influente, professor influente, livro influente, instituição influente) *s2g.* 2 Pessoa que influi, que tem influência [F.: Do lat. *influens, entis.*]

influenza (in.flu:*en*.za) *sf. Med.* Doença infecciosa aguda de origem viral que ataca as vias respiratórias e que ocorre ger. em epidemias ou pandemias; GRIPE [F.: Do it. *influenza.*]

influído (in.flu.*í*.do) *Bras. a.* 1 Entusiasmado, animado 2 *Pop.* Namorador [F.: Part. de *influir.*]

influir (in.flu.*ir*) *v.* 1 Desempenhar papel ativo em; INFLUENCIAR [*tr.* + *em, sobre*: *A intromissão da mãe influiu no rompimento do namoro; A opinião do pai influiu sobre a decisão da filha.*] 2 Ter relevância ou ser importante [*int.: Eficiência influi mais do que caráter.*] 3 Despertar em (alguém) vontade de realizar ou criar (algo); INSPIRAR; PROVOCAR [*tdr.* + *em*: *A nova paixão influiu no compositor a concepção de novas melodias.*] 4 Despertar em (alguém) um pensamento ou sentimento; INCUTIR [*td.: Uma paisagem despovoada influi sentimentos de melancolia.*] [*tdr.* + *em*: *A atitude do técnico influiu nova disposição nos jogadores.*] 5 Dar com contribuição; CONCORRER [*int.: O momento pode influir em minha decisão.*] 6 Dar ou adquirir ânimo; ENTUSIASMAR(-SE) [*td.: A chegada do pai o influiu.*] [*int.: Influiu-se com a chegada da mãe.*] 7 Entregar-se com afinco, entusiasmo a (estudos, trabalho etc.); APLICAR(-SE) [*int.: Para passar no vestibular, influiu-se muito.*] [▶ 56 influir] [F.: Do lat. *influere.* Ant.: *desinfluir.*]

influxo (in.*flu*.xo) [cs] *sm.* 1 Ato ou efeito de influir; influência física ou moral: *o influxo dos astros.* 2 Afluência, convergência **3** *Fig.* Estímulo, impulso **4** Enchente da maré; PREAMAR [F.: Do lat. *influxus, us.*]

◎ **info-¹** *el. comp.* = '(da) informática': *infoespectador, infogenética, infomaníaco.* [F.: F. red. de *informática.*]

◎ **info-²** *el. comp.* = '(dos meios de) informação'; 'sistema de informação'; 'tecnologia da informação': *infografia, infovia* [F.: F. red. de *informação.*]

infografia (in.fo.gra.*fi*.a) *sf.* **1** *Jorn.* Modalidade de informação jornalística caracterizada pela apresentação visual de desenhos, fotografias, gráficos, diagramas etc., acompanhados de textos curtos e informações **2** O conjunto de recursos gráficos e visuais us. nessa modalidade jornalística como complemento da notícia escrita; INFOGRÁFICO [F.: *info-²* + *-grafia.*]

infográfico (in.fo.*grá*.fi.co) *Jorn. a.* **1** Ref. a infografia *sm.* **2** *Jorn.* Utilização de recursos visuais (fotos, figuras, gráficos, diagramas etc.) para sintetizar certas informações contidas num texto [F.: *infografia* + *-ico².*]

in-fólio (in-*fó*.li:o) *a.* **1** *Edit.* Diz-se de folha de impressão dobrada ao meio, que gera cadernos de quatro páginas **2** Diz-se do formato do livro assim composto *sm2n.* **3** Esse livro [F.: Do lat. *in folio.* Tb. *infólio.*]

infólio Ver *in-fólio*

infomaníaco (in.fo.ma.*ní*:a.co) *a.* Que tem mania de informática [F.: *info-¹* + *maníaco.*]

informação (in.for.ma.*ção*) *sf.* **1** Ação ou resultado de informar(-se) **2** Conjunto de dados sobre algo ou alguém **3** Relato de acontecimentos ou fatos, transmitido ou recebido **4** Dados ou notícias tornados públicos através dos meios de comunicação: *As rádios foram as primeiras a dar a informação sobre o acidente.* **5** Explicação dada para uma determinada finalidade: *informações sobre a instalação de um equipamento.* **6** *Inf.* Conjunto de dados implantados em um computador que serão processados e gerarão respostas aplicáveis a determinado projeto **7** *P. ext. Inf.* O resultado desse processamento de dados **8** *Adm.* Opinião dada em processo no âmbito das repartições públicas **9** *Fil.* Na teoria hilemórfica, ação pela qual a forma dá ser ou informa a matéria [Pl.: *-ções.*] [F.: Do lat. *informatio, onis.*]

■ **~ genética** *Gen.* Informação referente a caracteres hereditários contida nos nucleotídeos de ácidos nucleicos (como o ácido desoxirribonucleico) que se manifesta na síntese de proteínas

informacional (in.for.ma.ci:o.*nal*) *a2g.* Ref. a informação [Pl.: *-nais.*] [F.: *informação*, sob a f. *informacion-*, + *-al¹.*]

informado (in.for.*ma*.do) *a.* **1** Que se informou (profissional informado); ESCLARECIDO; INSTRUÍDO **2** *Fil.* Que recebeu uma forma: *matéria informada (por oposição à matéria-prima).* [F.: Do lat. *informatus, a, um.*]

informador (in.for.ma.*dor*) [ô] *a. sm.* O mesmo que *informante* [F.: Do lat. *informator, oris.* Hom./Par.: *informador* (a. sm.), *enformador* (a. sm.).]

informal (in.for.*mal*) *a2g.* **1** Que não tem ou não aparece sob uma forma definida (pintura informal) **2** *Bras.* Desprovido de formalidades: *uma reunião informal; roupas informais.* **3** Que não está legalizado, que não possui os direitos garantidos pela lei (trabalho informal, comércio informal) **4** Diz-se de linguagem, registro etc. que se caracteriza pela falta de formalidades ou pela despreocupação ou falta de censura do falante no momento de sua produção ou emissão [Pl.: *-mais.*] [F.: Do ing. *informal.*]

informalidade (in.for.ma.li.*da*.de) *sf.* **1** Desprovido de formalidade **2** Característica ou condição daquilo que não tem uma situação legal regular: *Ele vive na informalidade.* [F.: *informal* + *-(i)dade.*]

informalismo (in.for.ma.*lis*.mo) *sm.* **1** Qualidade de informal **2** *Art. Pl.* Corrente abstracionista oposta às tendências geométricas [F.: *informal* + *-ismo.*]

informalista (in.for.ma.*lis*.ta) *a2g.* **1** Ref. a informalismo *a2g.* **2** *Art. Pl.* Que é adepto do informalismo (2) *s2g.* **3** *Art. Pl.* Adepto do informalismo (2) [F.: *informal* + *-ista.*]

informalizar (in.for.ma.li.*zar*) *v. td.* Tornar(-se) informal [▶ **1** informalizar] [F.: *informal* + *-izar.*]

informante (in.for.*man*.te) *a2g.* **1** Diz-se de quem informa; INFORMADOR *s2g.* **2** Pessoa que transmite informações: *Todo investigador tem o seu informante de confiança.* **3** Aquele ou aquela que não pertence aos quadros da polícia e que presta informações que ajudam no esclarecimento de crimes; ALCAGUETE; DEDO-DURO: *Os bandidos mataram um informante da polícia.* [F.: *informar* + *-nte.*]

informar (in.for.*mar*) *v.* **1** Deixar alguém ciente de (fatos, notícias, acontecimentos); COMUNICAR [*tdr.* + *de*: *O pai informou a família de suas novas decisões.*] [*tdi.* + *a*: *O advogado informou ao cliente que a causa era difícil.*] **2** Tomar ciência de; INTEIRAR(-SE) [*tr.* + *de, sobre*: "Tentei, então, informar-me melhor sobre a história..." (Ana Maria Machado, *Texturas*)] **3** Dar conhecimento de; ser instrutivo para [*td.*: *O papel da imprensa é informar o leitor.*] [*int.*: *Nossa missão era informar.*] **4** Levar orientação a [*td.*: *O papel do guia é informar os turistas.*] [*int.*: *A recepcionista só deseja informar.*] **5** Ministrar ensinamentos a [*td.*: *Sócrates informava os discípulos por meio da discussão.*] **6** Servir de base ou fundamento a [*td.*: *Conhecia os princípios que informavam a filosofia marxista.*] [▶ **1** informar] [F.: Do lat. *informare.* Hom./Par.: *informe* (1ª3ª p. s.), *informes* (2ªp. s.), *informe* (a2g. e sm.) e *enformar* (todos os tempos do v.). Ant. ger.: *desinformar.*]

informática (in.for.*má*.ti.ca) *sf.* Ciência que se dedica ao estudo do tratamento da informação mediante o uso de dispositivos de processamento de dados [F.: Do fr. *informatique.*]

> 📖 A ciência e a técnica de armazenar, processar transmitir e acessar informações – a informática – teve desenvolvimento vertiginoso a partir da década de 1940. Até então algumas tentativas de mecanizar o processamento de cálculo e de transmissão de informação tinham sido tímidas: a máquina de calcular de Pascal e de Lebniz, o sistema de cartões perfurados de Hollerith. O matemático George Boole lançara em 1854 uma ideia que só um século mais tarde iria revolucionar a vida de indivíduos e sociedades com sua aplicação aos programas de computador: a de que todo o processo de pensamento e raciocínio do cérebro se baseava numa montagem complexa e sequencial de uma única opção entre duas únicas hipóteses: sim ou não. Era a base do sistema binário de numeração, fundamento da informática (ver bit). As máquinas de processamento a partir desse sistema evoluíram em várias gerações: a das válvulas eletrônicas, a dos transistores, a dos circuitos impressos, a dos chips processadores. Computadores de quinta geração estão sendo pesquisados, para emular com mais precisão e muito maior velocidade os processos do raciocínio, aprendizagem e decisões do cérebro humano.

informático (in.for.*má*.ti.co) *a.* Ref. a informática [F.: *informat-* (rad. de *informática*) + *-ico²*, por infl. do fr. *informatique.*]

informatiquês (in.for.ma.ti.*quês*) *sm. Joc. Pop.* Jargão linguístico us. pelos especialistas em informática [F.: *informática (c > qu)* + *-ês.*]

informativo (in.for.ma.*ti*.vo) *a.* **1** Que tem o objetivo de informar ou noticiar *sm.* **2** Publicação periódica de caráter informativo; BOLETIM [F.: *informar* + *-tivo.*]

informatização (in.for.ma.ti.za.*ção*) *sf.* **1** Ação ou efeito de informatizar: *A informatização da repartição facilitou o trabalho dos servidores.* **2** Adaptação (de acervos contendo informações, de métodos ou de atividades) ao uso do computador ou de sistemas computacionais: *informatização do acervo da biblioteca; informatização do catálogo, dos formulários.* [Pl.: *-ções.*] [F.: *informatizar* + *-ção.*]

informatizado (in.for.ma.ti.*za*.do) *a.* Que se informatizou (secretaria informatizada, catálogo informatizado, ensino informatizado) [F.: Part. de *informatizar.*]

informatizar (in.for.ma.ti.*zar*) *v. td.* **1** Dotar (instituição, empresa, serviço) de recursos computacionais: *informatizar a universidade.* **2** Adaptar (acervos de informações, métodos, atividades) ao uso do computador ou sistemas computacionais: *O governo informatizou a declaração de imposto de renda.* [▶ **1** informatizar] [F.: *informática* + *-izar*, seg. o mod. gr.]

informatofobia (in.for.ma.to.fo.*bi*.a) *sf.* Horror ou aversão à informática [F.: *informát(ica)* + *-o-* + *-fobia.*]

informatolatria (in.for.ma.to.la.*tri*.a) *sf.* Gosto obsessivo pela informática [F.: *informát(ica)* + *-o-* + *-latria.*]

informe¹ (in.*for*.me) *sm.* **1** Informação a respeito de algo **2** Parecer, opinião que se dá a respeito de alguém ou de alguma coisa; ESCLARECIMENTO; EXPLICAÇÃO: *o informe do requerimento.* **3** *P. ext.* Averiguações: *Fui tirar informes acerca do seu comportamento.* **4** Parte de um conjunto de informações: *No nosso relatório, observe o informe número três.* [F.: Dev. de *informar.*]

informe² (in.*for*.me) *a2g.* **1** Que não tem forma determinada ou acabada, que não tem feitio (arte informe) **2** Grosseiro, tosco, de mau gosto (construção informe) **3** Avultado, disforme, desproporcionado, agigantado, brutalmente colossal (monumento informe) **4** *Jur.* Que não tem as formas devidas, prescritas; que foi feito sem as solenidades que a lei requer **5** *Fil.* No hilemorfismo, diz-se da matéria que ainda não recebeu uma forma específica (matéria informe) [F.: Do lat. *informis, e.*]

informidade (in.for.mi.*da*.de) *sf.* **1** Estado do que é informe² **2** *Jur.* Falta de qualquer formalidade essencial: *a informidade de um processo.* [F.: Do lat. *informitas, atis.*]

informulável (in.for.mu.*lá*.vel) *a2g.* Que não pode ser formulado [Pl.: *-veis.*] [F.: *in-²* + *formulável.*]

infortunado (in.for.tu.*na*.do) *a.* **1** Que não tem fortuna, desgraçado, infeliz (vida infortunada) **2** Funesto, infausto (hora infortunada) [F.: Do lat. *infortunatus, a, um.* Ant. ger.: *afortunado.*]

infortunar (in.for.tu.*nar*) *v. td.* Causar infortúnio ou infelicidade a: *Infortunou a vida da moça com essa decisão.* [▶ **1** infortunar] [F.: *infortuna* + *-ar²*. Hom./Par.: *infortuna* (fl.), *infortuna* (sf.).]

infortúnio (in.for.*tú*.ni:o) *sm.* **1** Desgraça, desventura, fortuna adversa, infelicidade: *Enfrentava bravamente o infortúnio.* **2** Fato, acidente, acontecimento funesto: *Sofreu vários infortúnios por não crer na própria força.* [F.: Do lat. *infortunium, i.*]

infovia (in.fo.*vi*.a) *sf. Telc.* Rede de comunicação para transmissão de voz, dados e imagem através de fibras ópticas [F.: *info-²* + *via.*] 📖

◎ **infra-** *pref.* = 'posição abaixo', 'embaixo', 'posição inferior': *infrabasilar, infracitado, infraglótico, infravermelho, infravioleta* [F.: Do lat. *infra.*]

infração (in.fra.*ção*) *sf.* **1** Ação ou resultado de infringir; violar lei, tratado, regra, ordem etc.: *Cometeu uma infração de trânsito.* **2** *Esp.* Falta cometida por um atleta em outro de equipe adversária: *O juiz marcou a infração e advertiu o jogador.* [Pl.: *-ções.*] [F.: Do lat. *infractio, onis.* Cf. *inflação.*]

infraestrutura (in.fra.es.tru.*tu*.ra) *sf.* **1** O suporte de uma estrutura **2** A base de uma organização, de uma sociedade, de um sistema etc. **3** *Urb.* O conjunto de serviços públicos de uma cidade, como rede de esgotos, energia elétrica, gás canalizado etc. **4** *P. ext.* Todo um conjunto de benefícios que valorizam uma obra, uma construção, um serviço etc.: *A taxa de condomínio era alta em razão da extraordinária infraestrutura do edifício.* **5** *Fil.* Conjunto das relações econômicas de produção que determinam a organização e a ideologia das diferentes sociedades [Pl.: *infraestruturas.*] [F.: *infra-* + *estrutura.*]

infraestrutural (in.fra.es.tru.tu.*ral*) *a2g.* Ref. a infraestrutura [Pl.: *infraestruturais.*]

infralegal (in.fra.le.*gal*) *a2g.* **1** *Jur.* Diz-se de atos ou recomendações cujo nível hierárquico está abaixo do de lei [Pl.: *-gais.*] *sm.* **2** *Jur.* Ato normativo cujo nível hierárquico está abaixo do da lei, como decreto, portaria etc. [Pl.: *-gais.*] [F.: *infra-* + *legal.*]

inframédio (in.fra.*mé*.di:o) *a.* Que está abaixo da média (remuneração inframédia) [F.: *infra-* + *médio.*]

infrangível (in.fran.*gí*.vel) *a2g.* **1** Que não se pode quebrar **2** Impossível de transgredir ou infringir [Pl.: *-veis.*] [F.: *in-²* + *frangível.*]

infraorbitário (in.fra.or.bi.*tá*.ri:o) *a. Anat.* Situado abaixo da órbita dos olhos; SUBORBITÁRIO [Pl.: *infraorbitários.*]

infrassom (in.fras.*som*) *sm.* Onda ou vibração sonora cuja frequência está abaixo do limite audível humano [Pl.: *infrassons.*] [F.: *infra-* + *som.* Cf.: *ultrassom.*]

infrassônico (in.fras.*sô*.ni.co) *a.* Que ocorre em vibrações abaixo de 20 ciclos por segundo, limite inferior à audibilidade humana: *Após o relâmpago não se ouviu som algum. Possivelmente tratava-se de um trovão infrassônico.* [F.: *infra-* + *sônico.* Cf.: *ultrassônico.*]

infrator (in.fra.*tor*) [ô] *a.* **1** Diz-se de quem comete uma infração (motorista infrator, menor infrator) *sm.* **2** Aquele que infringe uma lei, regra, norma, etc.; TRANSGRESSOR: *O infrator deve ser punido exemplarmente.* [F.: Do lat. *infractor, oris.*]

infraumbilical (in.fra.um.bi.li.*cal*) *a2g. Anat.* Situado abaixo do umbigo [Pl.: *infraumbilicais.*]

infravermelho (in.fra.ver.*me*.lho) [ê] *sm.* **1** *Fís.* Radiação eletromagnética cujo comprimento de onda é inferior ao da radiação visível (luz vermelha) e superior ao das micro-ondas *a.* **2** *Fís.* Diz-se dessa radiação (luz infravermelha) [F.: *infra-* + *vermelho.*]

infrene (in.*fre*.ne) *a2g.* **1** Que não tem freio; DESENFREADO **2** *Fig.* Descomedido, incontido, destemperado [F.: Do lat. *infrenis, e.*]

infrequentado (in.fre.quen.*ta*.do) *a.* Que não é frequentado [F.: Do lat. *infrequentatus, a, um.*]

infrequente (in.fre.*quen*.te) *a2g.* Que não é frequente; pouco comum; RARO [F.: Do lat. *infrequens, entis.*]

infriável (in.fri.*á*.vel) *a2g.* Não friável; que não se pode reduzir a pó [F.: *in-²* + *friável.*]

infringência (in.frin.*gên*.ci:a) *sf.* Ação ou resultado de infringir; INFRINGIMENTO [F.: *infringir* + *-ência.*]

infringente (in.frin.*gen*.te) *a2g.* Que infringe [F.: Do lat. *infringens, entis.*]

infringido (in.frin.*gi*.do) *a.* Que se infringiu ou transgrediu (regulamento infringido) [F.: Part. de *infringir.*]

infringir (in.frin.*gir*) *v. td.* Descumprir ou violar (lei, regra, ensinamento etc.); TRANSGREDIR; DESRESPEITAR: *Infringir uma norma, um estatuto.* [▶ **46** infringir] [F.: Do v.lat. *infringere.* Hom./Par.: *infringir* e *infligir* (em todos os tempos).]

infringível (in.frin.*gí*.vel) *a2g.* Que se pode infringir [Pl.: *-veis.*] [F.: *infringir* + *-vel.*]

infrutescência (in.fru.tes.*cên*.ci:a) *sf. Bot.* Frutificação de uma inflorescência, resultando em um fruto íntegro, como o abacaxi, a jaca etc.; fruto composto [F.: *in-¹* + *frutescência.*]

infrutífero (in.fru.*tí*.fe.ro) *a.* **1** Que não dá frutos; ESTÉRIL; INFECUNDO **2** *Fig.* Que não produz resultado (trabalho infrutífero) [F.: Do lat. *infructiferus, a, um.*]

infrutuosidade (in.fru.tu:o.si.*da*.de) *sf.* Qualidade ou estado do que é infrutuoso [F.: Do lat. *infructuositas, atis.*]

infrutuoso (in.fru.tu.*o*.so) [ô] *a.* **1** Que não dá fruto (terra infrutuosa); ESTÉRIL **2** *Fig.* Sem resultado (tentativas infrutuosas); INÚTIL [Pl.: [ó]. Fem.: [ó].] [F.: Do lat. *infructuosus, a, um.*]

infuca (in.*fu*.ca) *Bras. Pop. sf.* **1** Intriga, mexerico, fuxico **2** Questão complicada: *Ele se meteu numa infuca danada!* **3** Tentativa, experiência [F.: De or. obsc.]

infundado (in.fun.*da*.do) *a.* **1** Que não tem fundamento, base ou alicerce (argumento infundado) **2** *Fig.* Que não tem causa, motivo, origem ou razão de ser (desconfiança infundada) [F.: *in-²* + *fundado.*]

infundido (in.fun.*di*.do) *a.* **1** Que se infundiu, incutiu (diz-se de sentimento, ideia etc.) **2** Que foi vertido; INFUSO [F.: Part. de *infundir.*]

infundir (in.fun.*dir*) *v.* **1** Incutir, inspirar (sentimento, sensação) [*td.*: "Sua voz (...) infundia confiança logo às primeiras palavras." (Josué Montello, *Um rosto de menina*)] [*tdr.* + *em*: *As palavras do homem infundiram medo em todos.*] [*tdi.* + *a*: *As últimas notícias infundiram temor à população.*] **2** Verter ou introduzir (líquido) em (alguém ou algo) [*tdi.* + *em*: *A enfermeira infundiu soro no paciente.*] **3** Fazer infusão de; pôr (erva, medicamento, raiz etc.) em água (ger. fervente) [*td.*: *Infundiu a hortelã por dez minutos.*] 4 Entrar, penetrar [*tda.*: *O inseto infundiu-se no colchão.*] 5 Insuflar (ânimo, energia, vida) [*tdi.* + *a*: *A natureza infunde vida a todos os seus rebentos.*] [▶ 3 infundir] [F.: Do v.lat. *infundere*. Hom./Par.: *infundisse* (fl.), *infundice* (sf.); *infundisses* (fl.), *infundices* (pl. de sf.).]

infusão (in.fu.*são*) *sf.* 1 Ação de infundir, de despejar algum líquido dentro de um recipiente ou sobre algum objeto 2 *Farm.* Operação que consiste em colocar água fervente sobre alguma substância, deixando em repouso até que esfrie, para lhe extrair os princípios medicamentosos ou nutritivos: *uma infusão de ervas.* 3 O líquido que resulta desta operação 4 *Farm.* Maceração farmacêutica 5 *Fig.* Ação de introduzir, de fazer penetrar, de comunicar: *infusão das boas doutrinas no espírito dos educandos.* [Pl.: -*sões*.] [F.: Do lat. *infusio, onis.*]

infusibilidade (in.fu.si.bi.li.*da*.de) *sf.* Qualidade do que é infusível [F.: *infusível*, sob a f. *infusibil-*, + -*(i)dade*, seg. o mod. erudito.]

infusível (in.fu.*sí*.vel) *a2g.* 1 Que não é possível fundir ou derreter; INFUNDÍVEL: *um metal infusível.* 2 *Fig.* Que não se deixa afetar, abalar, enfraquecer (temperamento infusível) [Pl.: -*veis*.] [F.: *in-*² + *fusível*.]

infuso (in.*fu*.so) *a.* 1 Que foi vertido, infundido, derramado (líquido infuso) 2 Colocado ou preparado em infusão: *flores de sabugueiro infusas.* 3 O líquido obtido pela infusão 4 *Fig.* Diz-se das qualidades, virtudes ou capacidades adquiridas sem que houvesse qualquer esforço intencional, geralmente infundidas no ser humano pela graça de Deus (ciência infusa, virtude infusa) [F.: Do lat. *infusus, a, um.*]

infusório (in.fu.*só*.ri:o) *a. sm. Antq. Zool.* O mesmo que *ciliado* [F.: Do lat. cient. *Infusoria*.]

ingá (in.*gá*) *Bot. sm.* 1 Nome comum a arbustos e árvores do gênero *Inga*, da fam. das leguminosas, subfam. mimosoídea, nativas das regiões tropicais e temperadas das Américas, algumas cultivadas como ornamentais, sombreiras ou pelos frutos comestíveis 2 O fruto dessas árvores 3 Ver *ingazeiro* [F.: Do lat. cient. *Inga*, do tupi *i'nga*, designação comum a várias plantas leguminosas.]

ingá-açu (in.gá-a.*çu*) *sm.* O mesmo que *ingaçu* [Pl.: *ingás-açus*.]

⊕ **ingaçu** (in.ga.*çu*) *sm. Bras. Bot.* Árvore (*Inga cinnamomea*) da fam. das leguminosas, de frutos comestíveis [F.: *ingá* + -*açu*. Tb. *ingá-açu*.]

ingazeira (in.ga.*zei*.ra) *sf. Bras. Bot.* Ingazeiro [F.: *ingá* + -*zeira*.]

ingazeiro (in.ga.*zei*.ro) *Bras. Bot. sm.* Nome comum a várias espécies de árvores do gênero *Inga*, da fam. das leguminosas, subfam. mimosoídea, como p. ex., *Inga affinis*, árvore de casca tanífera e vagens com polpa branca e comestível, nativa do Brasil, muito cultivada como sombreira, também chamada de ingá-doce, e *Inga sessilis*, árvore nativa do Brasil, cultivada como ornamental, de madeira branca, casca us. em curtume, com vagens recurvadas, também conhecida como ingá-ferradura [F.: *ingá* + -*zeiro*. Sin. ger.: *ingá*; *ingazeira*.]

ingênito (in.*gê*.ni.to) *a.* Que nasce com a pessoa (vocação ingênita); CONGÊNITO; INATO [F.: Do lat. *ingenitus, a, um.*]

ingente (in.*gen*.te) *a2g.* 1 Que é muito grande 2 Que causa muito barulho; RETUMBANTE [F.: Do lat. *ingens, entis.*]

ingenuidade (in.ge.nu:i.*da*.de) *sf.* 1 Qualidade ou característica do que é ingênuo: *Observava embevecido a ingenuidade da filha.* 2 Ação, atitude ou palavra de quem é ingênuo: *Era ingenuidade pensar que todos aprovariam seu projeto.* [F.: Do lat. *ingenuitas, atis.*]

ingênuo (in.*gê*.nu:o) *a.* 1 Que não tem malícia (olhar ingênuo); INOCENTE; PURO 2 De características simples e naturais (pintura ingênua) *sm.* 3 Aquele que é puro, inocente, sincero, sem malícia [Ant.: *maldoso, malicioso*.] 4 Filho de escravo, que já nasceu livre [F.: Do lat. *ingenuus, a, um.*]

ingerência (in.ge.*rên*.ci:a) *sf.* Ação ou resultado de ingerir(-se); INTERVENÇÃO; INTROMISSÃO: *Sua ingerência no caso foi providencial.* [F.: Do lat. *ingerentia, ae.*]

ingerido (in.ge.*ri*.do) *a.* Que se ingeriu ou introduziu (medicamento ingerido) [F.: Part. de *ingerir*.]

ingerir (in.ge.*rir*) *v.* 1 Levar ao estômago pela boca; ENGOLIR [*td.*: *O homem ingeriu todo o leite disponível.*] 2 *Fig.* Consumir com voracidade [*td.*: *O jornalista ingeria qualquer tipo de texto.*] 3 *Fig.* Aceitar facilmente (algo) como se fosse verdade [*td.*: *Ingeria as mentiras mais absurdas.*] 4 *Fig.* Envolver-se ou intrometer-se em (assuntos alheios) [*tr.* + *em*: *Costumava ingerir-se nas discussões alheias.*] [▶ 50 ingerir] [F.: Do lat. *ingerere*. Hom./Par.: *ingerido* (part.), *engerido*(a.).]

ingestão (in.ges.*tão*) *sf.* Ação ou resultado de ingerir, engolir, e introduzir no estômago; DEGLUTIÇÃO: *a ingestão dos alimentos.* [Pl.: -*tões*.] [F.: Do lat. *ingestio, onis.*]

inglês (in.*glês*) *sm.* 1 Indivíduo nascido ou que vive na Inglaterra (Europa) 2 *Gloss.* Língua germânica oficial desse e de outros países [Língua oficial de vários Estados, dentre eles os Estados Unidos, a Austrália, o Canadá (ao lado do fr.), a Nova Zelândia e várias ex-colônias dos ingleses na África e na América. Segunda língua em vários outros países, como a Índia, o inglês é, desde as últimas décadas do séc. XX, a principal língua de comunicação em todo o mundo.] *a.* 3 Da Inglaterra; típico desse país ou de seu povo 4 Que é seu natural ou habitante 5 *Gloss.* Do ou ref. ao inglês (2) [Pl.: -*gleses*. Fem.: -*glesa*.] [F.: Do fr. ant. *angleis*.] ■ **~ antigo** *Gloss.* Língua falada na Inglaterra do séc. V ao séc. XII; anglo-saxão [Incluía os dialetos saxão ocidental, kentiano, nortúmbrio e mércio.] **~ médio** *Gloss.* A língua inglesa entre os séculos XII e XV, quando recebeu muitos empréstimos do francês e do latim e perdeu as flexões de gênero **~ moderno** *Gloss.* O inglês como é hoje, a partir do século XV **Para ~ ver** *Pop.* Só na aparência, só de fachada: *Esqueça essas promessas de campanha, são para inglês ver.*

inglesar (in.gle.*sar*) *v. td.* Dar ou tomar feição inglesa: *Inglesou suas maneiras; Inglesou-se no vestir.* [▶ 1 inglesar] [F.: *inglês* + -*ar*². Hom./Par.: *inglesa* (fl.), *inglesa* /ê/ (sf. e fem. de *inglês* [a.]); *inglesas* (fl), *inglesas* /ê/ (pl. do sf. e do fem. de a.); *ingleses* (fl.), *ingleses* /ê/ (pl. de *inglês* [sm. a.]).]

inglesice (in.gle.*si*.ce) *sf. Pej.* Modo, ato, dito ou modismo próprio dos ingleses [F.: *inglês* + -*ice*.]

inglório (in.*gló*.ri:o) *a.* 1 Que não dá ou em que não há glória (passado inglório) 2 Ignorado, modesto, obscuro: *Concentrei no isolamento da aldeia o meu viver inglório.* [F.: Do lat. *inglorius, a, um.*]

ingluvial (in.glu.vi.*al*) *a2g. Anat. Zool.* Ref. ao inglúvio [Pl.: -*ais*.] [F.: *inglúvio* + -*al*¹.]

inglúvio (in.*glú*.vi:o) *sm. Anat. Zool.* Papo ou primeiro estômago das aves [F.: Do lat. *ingluvies, ei.*]

ingovernabilidade (in.go.ver.na.bi.li.*da*.de) *sf.* Característica, qualidade, condição ou processo do que é ingovernável: *A população vivia insegura, em razão da ingovernabilidade do país.* [F.: *ingovernável*, sob a f. *ingovernabil-*, + -*(i)dade*, seg. o mod. erudito.]

ingovernável (in.go.ver.*ná*.vel) *a2g.* 1 Que não se consegue governar (país ingovernável) 2 Que não se deixa submeter (filhos ingovernáveis); INDISCIPLINÁVEL 3 Que não pode ser dominado ou controlado (sentimentos ingovernáveis) [Pl.: -*veis*. Superl.: *ingovernabilíssimo*.] [F.: *in-*² + *governável*.]

ingratidão (in.gra.ti.*dão*) *sf.* 1 Qualidade de quem é ingrato, que não reconhece o bem que lhe foi feito ou o auxílio que lhe foi prestado; falta de gratidão 2 *Jur.* Falta de gratidão por benefício recebido, o que justifica a revogação da doação realizada, de acordo com os casos previstos por lei 3 Ação, palavra ou comportamento de pessoa ingrata, que denotam falta de gratidão: "...para não desiludir ao meu dorido coração, / que ainda sente a emoção/ de uma ingratidão..." (Waldir Azevedo, *Pedacinhos do céu*) [Pl.: -*dões*.] [F.: Do lat. *ingratitudo, inis.*]

ingrato (in.*gra*.to) *a.* 1 Falto de agrado, displicente, desagradável: *Tem um aspecto ingrato.* 2 Que não mostra reconhecimento (filho ingrato) 3 Diz-se do que é desagradável (missão ingrata) 4 Que não traz resultados que compensem o esforço empregado (solo ingrato) *sm.* 5 Pessoa que demonstra falta de gratidão, de reconhecimento: *O ingrato não valorizava o esforço dos pais.* [F.: Do lat. *ingratus, a, um.*]

ingrediente (in.gre.di:*en*.te) *sm.* 1 Substância que entra na composição de bebidas, comidas, medicamentos etc. 2 *P. ext.* Qualquer elemento formador de uma situação, de um conceito etc.: *Respeito é o melhor ingrediente para um bom relacionamento.* [F.: Do lat. *ingrediens, entis.*]

íngreme (*ín*.gre.me) *a2g.* 1 Que é muito inclinado e por isso difícil de subir e de descer (montanha íngreme); ALCANTILADO; EMPINADO; ESCARPADO 2 *Fig.* Árduo, custoso, trabalhoso (tarefa íngreme) [F.: De or. contrv.]

ingressar (in.gres.*sar*) *v.* 1 Entrar em um local [*ta.*: *Ingressou no cinema às duas da tarde.*] 2 Passar a integrar (empresa, equipe, instituição etc.) [*tr.* + *em*: *Ingressou na equipe de vendas.*] [*ta.*: *Ingressou cedo na faculdade.*] [▶ 1 ingressar] [F.: *ingresso* + -*ar*². Hom./Par.: *ingresso* (fl.), *ingresso* (sm.).]

ingresso (in.*gres*.so) *sm.* 1 Ação ou resultado de ingressar; ENTRADA 2 Admissão: *O seu ingresso na academia realizou-se com a maior solenidade.* 3 Bilhete que garante a entrada em um espetáculo esportivo, musical, teatral etc. [F.: Do lat. *ingressus, a, um*. Hom./Par. *ingresso* (sm.), *ingresso* (fl. de *ingressar*).]

íngua (*ín*.gua) *sf.* 1 *Med.* Inflamação do gânglio linfático inguinal 2 *P. ext.* Ingurgitamento de um gânglio linfático nas virilhas, nas axilas, na região do pescoço etc. [F.: Do lat. tard. *inguina*.]

inguinal (in.gui.*nal*) *a2g.* 1 *Anat.* Ref. ou pertencente à virilha (gânglios inguinais) 2 Situado na virilha (hérnia inguinal) [Pl.: -*nais*.] [F.: Do lat. *inguinalis, e.*]

◎ **inguin(o)-** *el. comp.* = 'virilha'; 'íngua': *inguinodínia*, *inguinolabial* [F.: Do lat. *inguen, inis*, 'virilha'.]

inguinoabdominal (in.gui.no:ab.do.mi.*nal*) *a2g. Anat.* Ref. à virilha e ao abdome [Pl.: *inguinoabdominais*.]

inguinoescrotal (in.gui.no:es.cro.*tal*) *a2g. Anat.* Ref. à virilha e ao escroto [Pl.: *inguinoescrotais*.]

ingurgitação (in.gur.gi.ta.*ção*) *sm.* Ação ou resultado de ingurgitar(-se); INGURGITAMENTO [Pl.: -*ções*.] [F.: Do lat. *ingurgitatio, onis.*]

ingurgitamento (in.gur.gi.ta.*men*.to) *sm.* 1 Ação ou resultado de ingurgitar 2 *Med.* Repleção, distensão, obstrução de um vaso ou duto excretor (ingurgitamento mamário) 3 *Med.* Obstrução de um órgão glandular; ENFARTE 4 *Fig.* Obstrução, empacho ou impedimento: "Em vez dos bondes, o que há são os ônibus de várias linhas e ingurgitamento do tráfego." (Aderson Magalhães, "Passeio Público" in *Correio da manhã*) [F.: *ingurgitar* + -*mento*.]

ingurgitar (in.gur.gi.*tar*) *v.* 1 Encher até o limite máximo [*td.*: *Ingurgitou o latão.*] 2 Tornar(-se) obstruído (veia, vaso, ducto) [*td.*: *O leite ingurgitou o seio da jovem mãe.*] [*int.*: *O seio ingurgitou(-se) com o excesso de leite.*] 3 *Pat.* Consumir (alimento, bebida) em excesso; EMPANTURRAR-SE [*td.*: *Ingurgitou-se de feijão e passou mal.*] 4 Comer com sofreguidão; engolir de uma só vez [*td.*: *O mendigo ingurgitou toda a comida em pouco tempo.*] [*int.*: *Faminta, a criança não comia, ingurgitava.*] 5 Aumentar de volume; INTUMESCER-SE [*int.*: *Num acesso de fúria, suas veias se ingurgitavam.*] 6 *Fig.* Absorver de maneira intensa (conhecimentos, leitura etc.); DEGRADAR-SE [*td.*: *Ingurgitava tudo o que havia na biblioteca do avô.*] 7 *Fig.* Deixar-se dominar por paixões, vícios etc.; DEGRADAR-SE [*tr.* + *em*: *Ingurgitou-se nos piores vícios.*] [▶ 1 ingurgitar] [F.: Do lat. *ingurgitare*. Ant. ger.: *desingurgitar*.]

ingurunga (in.gu.*run*.ga) *sf. BA* Terreno muito acidentado, quase intransitável; GURUNGA; GURUNGUMBA [F.: De orig. indígena, posv.]

◎ **-inha** *suf.* formador de substantivos e adjetivos femininos ou de dois gêneros no grau diminutivo, derivado do suf. latino -*ina*: mesa>mes*inha*, camarada>camarad*inha* etc.

inhaca¹ (i.*nha*.ca) *sf.* 1 *Bras.* Fedor, cheiro desagradável; BODUM; CATINGA; MORRINHA 2 *MG Pop.* Falta de sorte no jogo [F.: Do tupi *yakwa*.]

inhaca² (i.*nha*.ca) *sm. Ang.* Rei; senhor supremo [F.: De or. africana.]

inhambu (i.nham.*bu*) *sm. Bras. Zool.* Ver *nhambu* [F.: Do tupi *ina'mbu*. Sin. ger.: *tinamu*.]

inhame (i.*nha*.me) *Bot. sm.* 1 Designação comum a várias plantas da família das aráceas e também das dioscoreáceas, de tubérculos comestíveis 2 Planta da fam. das aráceas (*Colocasia esculenta*), nativa da Ásia, com inúmeras variedades cultivadas pelos tubérculos globosos, comestíveis e com usos medicinais; CARÁ-DA-COSTA; COLOCÁSIA; TAIOBA; TAIOVA; TARO 3 O tubérculo dessas plantas [F.: De or. afric.]

inhame-da-china (i.nha.me-da-*chi*.na) *sm. Bot.* Cará

inhapa (i.*nha*.pa) *RS Pop. sf.* 1 Aquilo que o vendedor dá de acréscimo ou de presente ao comprador 2 Gratificação, gorjeta [F.: Do quíchua *yapa*.]

◎ **-inhar** Terminação de verbos regulares de 1ª conjugação relacionada, em geral, a nomes terminados em *inha* ou *inho*. Os verbos com essa terminação denotam ações frequentativas (*acarinhar*, *esfarinhar*, *engalfinhar* etc.), diminutivas (*definhar*, *engatinhar*, *passarinhar* etc.) e, por vezes, carregam um sentido pejorativo (*cuspinhar*, *escrevinhar*, *raposinhar* etc.)

◎ **-inho**¹ *suf.* Formador de diminutivo, derivado do lat. -*inu*, sendo us. tb., entre outros casos, para: a) expressar afetividade: *amiguinho*, *lembrancinha* etc. b) demonstrar ironia: *feinho*, *gracinha* etc. c) intensificar o valor semântico: *pertinho*, *agorinha* etc.

◎ **-inho**² Ver -*ino*.

inhor (i.*nhor*) [ô] *sm. Bras. Cver.* O mesmo que *nhor Bras. Cver.*; NHOR ■ **~ não** *Bras. Pop.* Não, senhor; o mesmo que *nhor não* **~ sim** *Pop.* Sim, senhor; o mesmo que *nhor sim*

inibição (i.ni.bi.*ção*) *sf.* 1 Ação ou resultado de inibir(-se) 2 *Med.* Diminuição ou supressão da atividade de uma parte do organismo, por efeito de excitação nervosa 3 *Psi.* Condição psicológica caracterizada por hesitação e que limita o desempenho físico e mental [Pl.: -*ções*.] [F.: Do lat. *inhibitio, onis.*] ■ **~ enzimática** *Bioq.* Diminuição da atividade catalítica de enzima, ger. devido a mudanças físicas ou químicas no meio em que se realiza

inibido (i.ni.*bi*.do) *a.* 1 Que sofre de inibição (3) 2 Que se deixa inibir; ENCABULADO; ENVERGONHADO; TÍMIDO: *Era inibido em suas participações.* 3 Impedido, impossibilitado, proibido: *O acusado estava inibido de falar à imprensa. sm.* 4 Pessoa acometida de inibição (3) 5 Indivíduo tímido, encabulado 6 Aquele que está proibido de qualquer manifestação [F.: Do lat. *inhibitus, a, um.*]

inibidor (i.ni.bi.*dor*) [ô] *a.* 1 Que inibe; INIBITIVO; INIBITÓRIO *a.* 2 *Quím.* Que tem a propriedade de contrariar uma reação química, produzindo efeitos benéficos em quem utiliza: *medicamento inibidor da fadiga muscular. sm.* 3 Aquele ou aquilo que tem a capacidade de inibir 4 Substância que impede o desenvolvimento de uma reação química, agindo positivamente e dificultando a sua progressão (inibidor do apetite) [F.: *inibir* + -*dor*.] ■ **~ de corrosão** *Quím.* Substância que se aplica a metal (diretamente ou misturada a tinta) para protegê-lo de corrosão **~ de protease** *Quím.* Substância que, ao interferir na função de uma protease (como a do HIV), inibe o desenvolvimento do organismo que dela se utiliza

inibir (i.ni.*bir*) *v.* 1 Causar retraimento ou embaraço a (alguém ou si mesmo); ficar tolhido [*td.*: *As vaias inibiram o jovem jogador.*] [*tdr.* + *de*: *A presença da tia o inibiu de beijar a garota.*] [*int.*: *Inibiu-se ao falar em público.*] 2 Dificultar ou impedir (alguém de fazer algo, ou que algo se realize ou se desenvolva); PROIBIR [*td.*: "A instalação de câmeras é uma medida eficaz para inibir crimes..." (*O Globo*, 25.01.2004)] [*tdi.* + *a*: *Inibiam aos alunos a saída antes do término das aulas.*] [▶ 3 inibir] [F.: Do lat. *inhibere*.]

inibitório (i.ni.bi.*tó*.ri:o) *a.* Que inibe; INIBIDOR; INIBITIVO: "Consciência vacilante à procura de motivos inibitórios numa ponderação cada vez mais penosa." (Euclides da Cunha, *Os sertões*) [F.: *inibir* + -*tório*.]

iniciação (i.ni.ci:a.*ção*) *sf.* 1 Ação ou resultado de iniciar(-se) 2 Cerimônia pela qual se inicia alguém nos mistérios de alguma religião, doutrina etc. (iniciação científica) 3 Admissão de um indivíduo em um culto, seita, grupo e a cerimônia correspondente (iniciação budista) 4 *Inf.* Conjunto de procedimentos pelos quais se põe um computador em funcionamento; INICIALIZAÇÃO **5** *Inf.* Atribuição de um valor inicial a uma variável de programa **6** Em certos grupos, processo ou cerimônia de admissão de um jovem na comunidade dos adultos [Pl.: *-ções.*] [F.: Do lat. *initiatio, onis.*]

iniciado (i.ni.ci.*a*.do) *a.* **1** Que teve início, começado **2** Admitido à iniciação **3** Que adquiriu conhecimento de algo: *político iniciado na conciliação das propostas.* **4** Que se converteu a uma religião, seita etc. *sm.* **5** Aquele que foi admitido em um grupo ou em uma comunidade **6** Aquele que passou a conhecer algo e agora exerce com competência: *iniciado no exercício da boa vizinhança.* **7** Aquele que decidiu seguir os ensinamentos de uma religião, seita etc.; NEÓFITO [F.: Do lat. *initiatus, a, um.*]

iniciador (i.ni.ci:a.*dor*) [ô] *a.* **1** Que inicia *sm.* **2** Aquele que começa, que principia: *João Gilberto foi o iniciador do estilo bossa-nova na música brasileira.* **3** Aquilo que dá início a ou aciona algo [F.: Do lat. *initiator, oris.*]

inicial (i.ni.ci.*al*) *a2g.* **1** Que inicia ou começa (capítulo inicial) [Ant.: *final.*] **2** Primitivo, original: *Alteraram o projeto inicial.* *sf.* **3** A primeira letra de uma palavra ou do nome de uma pessoa **4** *Jur.* A petição que dá início a uma ação judicial **5** *Tip.* Letra capitular [Pl.: *-ais.*] [F.: Do lat. *initialis, e.*]

inicialização (i.ni.ci:a.li.za.*ção*) *sf.* **1** Ação ou resultado de inicializar **2** *Inf.* Procedimento que consiste em fazer funcionar um sistema operacional, carregando toda a configuração preestabelecida [Pl.: *-ções.*] [F.: Adaptç. do ingl. *initialization.*]

inicializar (i.ni.ci:a.li.*zar*) *v. td. Inf.* O mesmo que *iniciar* (4 e 5) [▶ **1 inicializar**] [F.: *inicial* + *-izar.*]

iniciante (i.ni.ci.*an*.te) *a2g.* **1** Que inicia; INICIADOR **2** Que está começando a adquirir conhecimento e experiência em determinada atividade (advogado iniciante) *s2g.* **3** Aquele ou aquela que se inicia na prática de uma atividade: *O iniciante mostrava dificuldade no manejo do equipamento.* **4** Aquele ou aquela que se prepara para ser admitido em uma organização, em uma seita etc.; o iniciando [F.: *iniciar* + *-nte.*]

iniciar (i.ni.ci.*ar*) *v.* **1** Fazer principiar ou principiar; COMEÇAR [**td.**: *A seleção de vôlei já iniciou seus treinamentos.*] [**int.**: *A semana iniciou com boas notícias; O mês iniciou-se com muitas novidades.*] **2** Ensinar (alguém) ou aprender (os fundamentos de atividade, disciplina, esporte etc.) [**tdr.** + *em*: *Resolveu iniciar seus filhos na arte de pescar; Iniciou seus novos alunos em filosofia.*] [**tr.** + *em*: *Seu filho mais novo pretendia iniciar-se em esgrima.*] **3** Introduzir(-se) no conhecimento de mistérios religiosos ou místicos, na prática de qualquer seita, sociedade secreta etc. [**td.**: *Iniciou o rapaz na arte da feitiçaria.*] [**tr.** + *em*: *Iniciava-se nos segredos da umbanda.*] **4** *Inf.* Dar início ao funcionamento de (computador ou sistema de computador, periféricos etc.); INICIALIZAR [**td.**: *iniciar o micro.*] **5** *Inf.* Ativar ou colocar em funcionamento (programa de computador, site etc.) [**td.**: *iniciar o sistema operacional.*] [▶ **1 iniciar**] [F.: Do lat. *initiare.* Hom./Par.: *inicio* (fl.), *início* (sm.).]

iniciático (i.ni.ci.*á*.ti.co) *a.* Da ou ref. à iniciação (ritual iniciático) [F.: *iniciat-* (do lat. *initiatio, onis*) + *-ico*².]

iniciativa (i.ni.ci:a.*ti*.va) *sf.* **1** Ação de quem é o primeiro a propor e/ou realizar algo: *Tomou a iniciativa de avançar.* **2** Disposição, capacidade de agir ou realizar algo: *Por sua iniciativa, sempre conseguia o que queria.* [F.: Fem. substv. de *iniciativo.*]

iniciativo (i.ni.ci.a.*ti*.vo) *a.* Que inicia ou que indica o começo ou início de algo [F.: *iniciar* + *-tivo.*]

iniciatório (i.ni.ci:a.*tó*.ri:o) *a.* **1** Ref. a ou em que há iniciação **2** Que inicia [F.: *iniciar* + *-tório.*]

início (i.*ní*.ci:o) *sm.* **1** Ação ou resultado de iniciar(-se) **2** Aquilo que começa algo ou que vem em primeiro lugar num processo; o começo, o princípio: "Desde o início estava você/Meu bálsamo benigno..." (Caetano Veloso, *Meu bem, meu mal*) [Ant.: *fecho, fim, final, término.*] **3** Estreia, inauguração: *O início da peça está previsto para amanhã.* **4** A parte inicial, preâmbulo [F.: Do lat. *initium, ii.* Hom./Par.: *início* (sm.), *inicio* (fl. de *iniciar*).] ▪ **De ~** Inicialmente, para começar, no começo

inidentificável (i.ni.den.ti.fi.*cá*.vel) *a2g.* Não identificável [Pl.: *-veis.*] [F.: *in-*² + *identificável.*]

inidoneidade (i.ni.do.nei.*da*.de) *sf.* Característica de inidôneo, falta de idoneidade [F.: *inidôn(eo)* + *-eidade.*]

inidôneo (i.ni.*dô*.ne:o) *a.* Que não é idôneo, que não é confiável: *uma firma inidônea.* [F.: *in-*² + *idôneo.*]

inigualado (i.ni.gua.*la*.do) *a.* Que ainda não foi igualado (façanha inigualada) [F.: *in-*² + *igualado.*]

inigualável (i.ni.gua.*lá*.vel) *a2g.* **1** Que não tem igual; INCOMPARÁVEL: *Esta obra de arte é inigualável.* **2** Que não pode ser igualado: *Mesmo depois de sua morte permanecerá inigualável.* [Pl.: *-veis.* Superl.: *inigualabilíssimo.*] [F.: *in-*² + *igualável.*]

iniludível (i.ni.lu.*dí*.vel) *a2g.* **1** Que não é iludível; que não se pode enganar ou burlar **2** Que não permite dúvida(s); EVIDENTE [Pl.: *-veis.* Superl.: *iniludibilíssimo.*] [F.: *in-*² + *iludível.*]

inimaginável (i.ni.ma.gi.*ná*.vel) *a2g.* Que não se pode imaginar; IMPENSÁVEL: *um suplício inimaginável.* [Ant.: *imaginável.*] [Pl.: *-veis.* Superl.: *inimaginabilíssimo.*] [F.: *in-*² + *imaginável.*]

inimicíssimo (i.ni.mi.*cís*.si.mo) *a.* Inimigo ao extremo [Superl. absoluto sintético de *inimigo.*] [F.: Do lat. *inimicissimus, a, um.*]

inimigo (i.ni.*mi*.go) *a.* **1** Que se acha em oposição a, que é contrário ou hostil a (nações inimigas) **2** De ou pertencente a grupo oposto (time inimigo) **3** Ref. a ou que pertence a grupo oposto (estandarte inimigo, aviões inimigos) [Superl.: *inimicíssimo*] *sm.* **4** Aquele que tem aversão ou ódio a alguém ou algo: *Aquele sujeito é um inimigo das artes.* **5** Adversário militar, político, religioso etc.: "Meus inimigos estão no poder / Ideologia – eu quero uma pra viver..." (Frejat e Cazuza, *Ideologia*) **6** O que é prejudicial, nocivo: *O fumo é inimigo da saúde.* [F.: Do lat. *inimicus, a, um.* Ant. ger.: *amigo.*] ▪ **~ alugado** *CE* Pessoa a quem se deve matar, ou a quem se mata, por encomenda de outrem **~ jurado** Pessoa ou coisa declaradas abertamente como inimigas, inimigo declarado **~ público** Pessoa ou coisa que ameaça o bem-estar público, a ordem social etc.

inimitabilidade (i.ni.mi.ta.bi.li.*da*.de) *sf.* Qualidade do que é inimitável [Ant.: *imitabilidade.*] [F.: *inimitável*, sob a f. *inimitabil-*, + *-(i)dade*, seg. o mod. erudito.]

inimitável (i.ni.mi.*tá*.vel) *a2g.* **1** Que não se pode imitar (estilo inimitável) [Ant.: *imitável.*] **2** *P. ext.* Que é único, inigualável [Pl.: *-veis.* Superl.: *inimitabilíssimo.*] [F.: Do lat. *inimitabilis, e.*]

inimizade (i.ni.mi.*za*.de) *sf.* Sentimento de aversão, hostilidade ou ódio; MALQUERENÇA [F.: Do lat. **inimicitas, atis.*]

inimizar (i.ni.mi.*zar*) *v.* Causar conflito ou animosidade entre (pessoas, povos etc.); CONFLITUAR [**td.**: *A competição inimizou os velhos amigos.*] [**tdr.** + *com*: *Nada poderá inimizar-me com você.*] [**tr.** + *com*: *Inimizava-se com todo mundo.*] [▶ **1 inimizar**] [F.: De *inimizade*, sob. a f. *inimiz-*, + *-ar*².]

inimputabilidade (i.nim.pu.ta.bi.li.*da*.de) *sf.* Qualidade ou condição de inimputável [Ant.: *imputabilidade.*] [F.: *inimputável*, sob a f. de *inimputabil-*, + *-(i)dade*, seg. o mod. erudito.]

inimputável (i.nim.pu.*tá*.vel) *a2g.* **1** Que não pode ser imputado **2** Que não é capaz para responder por seus atos; IRRESPONSÁVEL [Pl.: *-veis.* Superl.: *inimputabilíssimo.*] [F.: *in-*² + *imputável.*]

ininflamável (i.nin.fla.*má*.vel) *a2g.* Não inflamável [Pl.: *-veis.*] [F.: *in-*² + *inflamável.*]

ininteligente (i.nin.te.li.*gen*.te) *a2g.* Não inteligente; que não tem inteligência [F.: *in-*² + *inteligente.*]

ininteligibilidade (i.nin.te.li.gi.bi.li.*da*.de) *sf.* Qualidade de ininteligível [F.: *ininteligível* + *-(i) dade*, seg. o mod. erudito.]

ininteligível (i.nin.te.li.*gí*.vel) *a2g.* Que não se pode entender (texto ininteligível); INCOMPREENSÍVEL [Ant.: *inteligível.*] [Pl.: *-veis.* Superl.: *ininteligibilíssimo.*] [F.: Do lat. *inintelligibilis, e.*]

inintencional (i.nin.ten.ci:o.*nal*) *a2g.* Não intencional; DESINTENCIONAL; INVOLUNTÁRIO [F.: *in-*² + *intencional.*]

ininterrupção (i.nin.ter.rup.*ção*) *sf.* Ausência de interrupção; CONTINUIDADE [Pl.: *-ções.*] [F.: *in-*² + *interrupção.*]

ininterrupto (i.nin.ter.*rup*.to) *a.* Que não se interrompe (uso ininterrupto); CONSTANTE; CONTÍNUO [F.: *in-*² + *interrupto.*]

ínio (*í*.ni:o) *sm. Anat.* Vértice da protuberância occipital externa [F.: Do gr. *ínion, ou.*]

iniquidade (i.ni.qui.*da*.de) *sf.* **1** Qualidade do que é iníquo **2** Falta de equidade **3** Ação ou coisa iníqua **4** Grave injustiça **5** Pecado, culpa, crime **6** Maldade, perversidade [F.: Do lat. *iniquitas, atis.*]

iníquo (i.*ní*.quo) *a.* **1** Contrário à equidade (juiz iníquo); INJUSTO **2** Mau, perverso [F.: Do lat. *iniquus, a, um.*]

injeção (in.je.*ção*) *sf.* **1** Ação ou resultado de injetar (1, 2, 3) (tb. *Fig.*) (injeção de ânimo) **2** *Med.* Estado de repleção dos vasos capilares determinado por excessivo afluxo do sangue **3** Líquido destinado a ser injetado: *preparar uma injeção.* **4** *Med.* Introdução de medicamento fazendo-o penetrar no corpo por pequeno orifício na pele, em músculo ou veia, por meio de seringa e agulha **5** *P. ext.* Introdução de um composto líquido ou pastoso em qualquer corpo físico: *injeção de cimento na estrutura da construção.* **6** *Bras. Pop.* Importunação, maçada **7** *Bras. Pop.* Pessoa importuna, desagradável [Pl.: *-ções.*] [F.: Do lat. *injectio, onis.*]

injetado (in.je.*ta*.do) *a.* **1** Que se injetou **2** Introduzido por injeção (líquido injetado) **3** Vermelho por afluxo do sangue (olhos injetados) [F.: Part. de *injetar.*]

injetar (in.je.*tar*) *v.* **1** Administrar (medicamento, vacina etc.) por injeção [**td.**: *Os diabéticos injetam insulina sozinhos.*] [**tdi.** + *em*: *Ele injetou uma dose de insulina no menino.*] [**tda.**: *Injetaram o antibiótico na veia do paciente*] **2** *P. ext.* Introduzir (líquido, fluido) com auxílio de algum instrumento de pressão [**tda.**: *A bomba injeta água regularmente no motor do barco; A serpente injeta seu veneno no pescoço da vítima.*] **3** Aportar (ger. capital, dinheiro); investir [**tdr.** + *em*: *O governo decidiu injetar recursos em saneamento básico.*] **4** Receber (ger. os olhos) afluxo excessivo de sangue [**int.**: *De tanto ler, os olhos do pesquisador injetaram-se.*] **5** *Bras.* Aborrecer, maçar, chatear [**td.**] **6** *Eletrôn.* Introduzir (sinal) em um circuito [▶ **1 injetar**] [F.: Do lat. tardio *injectare*, iterativo de *injicere.*]

injetável (in.je.*tá*.vel) *a2g.* Que pode ou deve ser introduzido por injeção (medicamento injetável) [Pl.: *-veis.* Superl.: *injetabilíssimo.*] [F.: *injetar* + *-vel.*]

injetor (in.je.*tor*) [ô] *a.* **1** Que injeta **2** *Enol.* Diz-se de aparelho us. para sulfurização do mosto ou do vinho **3** Diz-se de aparelho próprio para aplicar inseticida no solo **4** Diz-se de aparelho que, por pressão, introduz fluido em máquina ou motor *sm.* **5** Aquilo que injeta **6** Máquina us. para sulfurização do mosto ou do vinho **7** Equipamento destinado à aplicação de inseticida no solo **8** Aparelho us. para introduzir, por pressão, um fluido em máquina ou motor [F.: *injet(ar)* + *-or.*]

injunção (in.jun.*ção*) *sf.* **1** Imposição social, pressão das circunstâncias (injunções sociais) **2** Ordem expressa e formal [Pl.: *-ções.*] [F.: Do lat. *injunctio, onis.*]

injungir (in.jun.*gir*) *v.* Ordenar, impor a; ordenar de maneira expressa [**td.**: *A direção da escola injunge a obediência de suas normas.*] [**tdi.** + *a*.: *A presidência injunge aos funcionários o respeito a suas decisões.*] [▶ **46 injungir**] [F.: Do v.lat. *injungere.*]

injuntivo (in.jun.*ti*.vo) *a.* Imperativo, obrigatório [F.: Do lat. *injunctus* (part. pass. de *injungere*) + *-ivo.*]

injúria (in.*jú*.ri:a) *sf.* **1** Ação ou resultado de injuriar(-se) **2** *Jur.* Ato ou dito insultuoso, ofensivo (crime de injúria) **3** Violação do direito de outrem; INJUSTIÇA **4** Ação ou efeito prejudicial **5** *Med.* Traumatismo provocado por pressão externa [F.: Do lat. *injuria, ae.* Hom./Par.: *injúria* (sf.), *injuria* (fl. de *injuriar*).] ▪ **~ grave** *Jur.* Ação, atitude, palavras etc. que configuram atentado à dignidade do cônjuge, e se constituem por isso em motivo legítimo da separação judicial de um casal

injuriado (in.ju.ri.*a*.do) *a.* **1** Que recebeu insulto: *Foi injuriado pela mulher.* **2** Que se julga ofendido na sua dignidade e bom nome: *Sentiu-se injuriado pelo colega de profissão.* **3** Que se sente irritado, aborrecido: *O atleta ficou injuriado por não ter sido convocado para a seleção.* [F.: Part. de *injuriar.*]

injuriante (in.ju.ri.*an*.te) *a2g.* **1** Que injuria; INJURIADOR; INJURIOSO *a2g.* **2** Que envolve ou que encerra injúria; INJURIOSO [F.: *injuriar* + *-nte.*]

injuriar (in.ju.ri.*ar*) *v.* **1** Dirigir insultos a alguém [**td.**: *Injuriou o companheiro por motivos fúteis.*] **2** *Bras. Pop.* Ficar muito zangado ou ofendido; IRRITAR(-SE) [**int.**: *Injuriou-se com as palavras duras da mulher.*] **3** Causar desonra, infamar [**td.**: *Aquele boato injuriava a reputação da família.*] **4** Causar dano, lesão [**td.**: *Esse creme poderia injuriar a pele do seu rosto.*] [▶ **1 injuriar**] [F.: Do v.lat. *injuriare.* Hom./Par.: *injuria* (fl.), *injúria* (sf.); *injurias* (fl.), *injúrias* (pl. do sf.).]

injurídico (in.ju.*rí*.di.co) *a.* Que não é jurídico; ILEGAL [Ant.: *jurídico.*] [F.: *in-*² + *jurídico.*]

injurioso (in.ju.ri.*o*.so) [ô] *a.* Que encerra injúria ou insulto (palavras injuriosas); OFENSIVO; INJURIANTE [Ant.: *elogioso.*] [Pl.: [ó]. Fem.: [ó].] [F.: Do lat. *injuriosus, a, um.*]

injustiça (in.jus.*ti*.ça) *sf.* **1** Falta de justiça; INIQUIDADE **2** Ação injusta, contrária à justiça: *Por favor, não cometa injustiças.* **3** Desrespeito ao direito do outro: *Foi uma injustiça não o terem ouvido.* [F.: Do lat. *injustitia, ae.*]

injustiçado (in.jus.ti.*ça*.do) *a.* **1** Que foi alvo de injustiça *sm.* **2** Aquele que não teve justiça ou a quem não foi feita justiça [F.: *in-*² + *justiçado.*]

injustiçar (in.jus.ti.*çar*) *v. td.* Cometer ou praticar ato de injustiça; faltar com a justiça: *Vive a injustiçar os empregados.* [▶ **12 injustiçar**] [F.: *injustiça* + *-ar*².]

injustificado (in.jus.ti.fi.*ca*.do) *a.* Não justificado; que não tem justificativa (ausência injustificada) [F.: *in-*² + *justificado.*]

injustificável (in.jus.ti.fi.*cá*.vel) *a2g.* Que não se pode justificar (agressão injustificável) [Ant.: *justificável*] [Pl.: *-veis.* Superl.: *injustificabilíssimo.*] [F.: *in-*² + *justificável.*]

injusto (in.*jus*.to) *a.* **1** Que não é justo ou em que não há justiça (tratamento injusto); INÍQUO **2** Que não age com justiça (chefe injusto) **3** Que não tem razão de ser, não tem justificativa *sm.* **4** Pessoa ou coisa injusta: *O injusto será penalizado por sua atitude.* [F.: Do lat. *injustus, a, um.*]

⊕ ***in limine*** (*Lat. /in límine/*) ***loc. adv.*** No início, desde logo

⊕ ***in loco*** (*Lat. /in lóco/*) ***loc. adv.*** No local, *in situ*

⊕ ***in memoriam*** (*Lat. /in memóriam/*) ***loc. adv.*** Em memória de alguém já falecido

⊠ **Inmetro** Sigla de *Instituto Nacional de Metrologia, Normalização e Qualidade Industrial*

⊕ ***in natura*** (*Lat. /in natura/*) ***loc. adv.*** No estado natural, sem nenhum processamento: *leite in natura.*

⊕ ***inning*** (*Ing. /ínin/*) *sm. Esp.* Cada etapa de uma partida de beisebol ou críquete

◎ **-ino** *suf.* Formador principalmente de adjetivos, derivado do lat. *-inus, a, um*, transmitindo ideia de natureza, origem, semelhança: alb*ino*, argent*ino*, diamant*ino* etc.

inobjetável (i.nob.je.*tá*.vel) *a2g.* Não objetável; a que não se pode apresentar objeção [Pl.: *-veis.*] [F.: *in-*² + *objetável.*]

inobjetividade (i.nob.je.ti.vi.*da*.de) *sf.* Falta de objetividade [Ant.: *objetividade.*] [F.: *in-*² + *objetividade.*]

inobservado (i.nob.ser.*va*.do) *a.* **1** Não observado, não notado (fato inobservado) **2** Não cumprido (lei inobservada) [F.: Do lat. *inobservatus, a, um.* Ant. ger.: *observado.*]

inobservância (i.nob.ser.*vân*.ci:a) *sf.* **1** Falta de observância em relação a algo ou alguém **2** *Jur.* Não cumprimento do que é legalmente devido [F.: Do lat. *inobservantia, ae.* Ant. ger.: *observância.*]

inobservante (i.nob.ser.*van*.te) *a2g.* Que não observa ou não cumpre [F.: Do lat. *inobservans, antis.*]

inobservável (i.nob.ser.*vá*.vel) *a2g.* Que não se pode observar ou cumprir [Pl.: *-veis.*] [F.: Do lat. *inobservabilis, e.*]

inocência (i.no.*cên*.ci:a) *sf.* **1** Ausência de culpa: *O júri provou a inocência do réu.* [Ant.: *culpabilidade.*] **2** Ausência de malícia; CANDURA; INGENUIDADE; PUREZA: *A inocência da menina era comovente.* 3 Ingenuidade excessiva resultante da ignorância: *Havia inocência no olhar do rude camponês.* 4 Desconhecimento das coisas do amor [F.: Do lat. *innocentia, ae.*]

inocentação (i.no.cen.ta.*ção*) *sf.* Ação ou resultado de inocentar, de declarar alguém inocente [Pl.: *-ções.*] [F.: *inocentar* + *-ção.*]

inocentado (i.no.cen.*ta*.do) *a.* Que é considerado inocente; declarado não culpado: *O acusado foi inocentado.* [F.: Part. de *inocentar.*]

inocentar (i.no.cen.*tar*) *v.* Isentar(-se) de responsabilidade ou culpa; provar a inocência de [***td.***: *O júri inocentou o réu por unanimidade.*] [***tdr.*** + *de*: *Inocentaram-no da acusação de suborno.*] [▶ 1 **inocentar**] [F.: *inocente* + *-ar*².Hom./Par.: *inocente* (fl.), *inocente* (a2g. s2g.); *inocentes* (fl.), *inocentes* (pl. do a2g. s2g.).]

inocente (i.no.*cen*.te) *a2g.* 1 Que não é culpado 2 Que não tem malícia; que é puro, cândido 3 Que não cometeu pecado; que não foi contaminado pelo mal 4 Que é dominado por ingenuidade excessiva 5 Diz-se de criança pequena 6 Diz-se de quem desconhece o amor carnal 7 *Jur.* Que não cometeu nenhum ato ilícito, apesar de lançarem acusações contra si ***s2g.*** 8 Pessoa inocente [F.: Do lat. *innocens, entis.*] ■ ~ **útil** *Bras.* Pessoa que, inadvertidamente, por ingenuidade, boa-fé ou ignorância, é usada no interesse de ação, medida, causa de terceiros

inocuidade (i.no.cu:i.*da*.de) *sf.* Qualidade do que é inócuo [F.: *inócuo* + *-(i)dade.*]

inoculação (i.no.cu.la.*ção*) *sf.* Ação ou resultado de inocular(-se) [Pl.: *-ções.*] [F.: Do lat. *inoculatio, onis.*]

inoculado (i.no.cu.*la*.do) *a.* 1 Que se inoculou 2 Que sofreu processo de inoculação [F.: Part. de *inocular.*]

inoculador (i.no.cu.la.*dor*) [ô] *a.* 1 Que inocula ***sm.*** 2 Aquele que inocula: "Contra as previsões dos seus inoculadores, a doença comicial da revolução cresceu incessantemente." (Rui Barbosa, *Discursos e conferências*) [F.: Do lat. *inoculator, oris.*]

inoculante (i.no.cu.*lan*.te) *a2g.* Que inocula; INOCULADOR [F.: *inocular* + *-nte.*]

inocular (i.no.cu.*lar*) *v.* 1 *Med.* Fazer penetrar no organismo (antídoto, veneno, vírus etc.) [***td.***: *Rapidamente a cobra inoculou seu veneno.*] [***tda.***: *A cobra inoculou veneno em seu braço.*] 2 *Med.* Fazer penetrar (agente de uma doença) em (organismo) com vista à cura, experiência ou prevenção [***tda.***: *Inoculou um vírus em seu corpo.*] 3 *Bac.* Implantar (microrganismo) em (meio de cultura) [***tda.***] 4 *Fig.* Inculcar (ideias, conhecimento etc.) em (alguém, um grupo etc.) [***tdr.*** + *em*: *Inoculou ideias subversivas nos grevistas.*] [▶ 1 **inocular**] [F.: Do v.lat. *inoculare. Hom./Par.: inoculáveis* (fl.), *inoculáveis* (pl. de *inoculável* [a2g.]).]

inoculável (i.no.cu.*lá*.vel) *a2g.* Que pode ser inoculado [Pl.: *-veis.*] [F.: *inocular* + *-vel.* Hom./Par.: *inoculáveis* (pl.), *inoculáveis* (fl. de *inocular*).]

inocultável (i.no.cul.*tá*.vel) *a2g.* Que não se pode ocultar ou dissimular [Ant.: *ocultável.*] [Pl.: *-veis.*] [F.: *in-*² + *ocultável.*]

inócuo (*inó*.cu:o) *a.* 1 Que não causa nenhum dano; que não é nocivo (substância inócua) 2 Que não causa dano moral ou psicológico 3 Que não tem a força de produzir o efeito que se pretendia: *Esse plano de salvação é inteiramente inócuo.* [F.: Do lat. *innocuus, a, um.* Sin. ger.: *inofensivo.* Ant. ger.: *nocivo.*]

inocupado (i.no.cu.*pa*.do) *a.* Não ocupado; DESOCUPADO: "Uma vez que ele morreu, que não produzirá poesia nova, esse espaço ficará em branco, inocupado." (Rachel de Queiroz, "Morreu João Cabral, poeta" *in Obra completa*) [Ant.: *ocupado.*] [F.: *in-*² + *ocupado.*]

inodoro (i.no.*do*.ro) [ó] *a.* Que não tem cheiro, odor (gás inodoro) [Ant.: *odorífero.*] [F.: Do lat. *inodorus, a, um.*]

inofensividade (i.no.fen.si.vi.*da*.de) *sf.* Qualidade, característica ou condição de inofensivo [F.: *inofensivo* + *-(i)dade.*]

inofensivo (i.no.fen.*si*.vo) *a.* 1 Que não ofende, que não escandaliza: *Parece uma pessoa inofensiva.* 2 Que não produz mau resultado, que não prejudica; INOCENTE; INÓCUO: *A água é uma bebida inofensiva.* 3 Que não faz mal, que não tem qualquer fim malévolo: *A chupeta é inofensiva quando usada só para dormir.* [F.: *in-*² + *ofensivo.*]

inoficiosidade (in.o.fi.ci:o.si.*da*.de) *sf.* Característica do que é inoficioso [Ant.: *oficiosidade.*] [F.: *inoficioso* + *-(i)dade.*]

inoficioso (in.o.fi.ci.*o*.so) [ô] *a.* 1 Não oficioso [Ant.: *oficioso.*] 2 *Jur.* Que prejudica outra parte, retirando algo que lhe caberia por direito (testamento inoficioso; doação inoficiosa) [Pl.: [ó]. Fem.: [ó].] [F.: Do lat. *inofficiosus, a, um.*]

in-oitavo (in.-oi.*ta*.vo) *Edit.* ***a2n.*** 1 Diz-se da folha de impressão dobrada três vezes, que gera um caderno de oito folhas 2 Diz-se do formato do livro assim composto ***sm2n.*** 3 Esse livro

inolente (i.no.*len*.te) *a2g.* Que não tem cheiro; INODORO [F.: Do lat. *inolens, entis.*]

inolvidado (i.nol.vi.*da*.do) *a.* Que não se olvidou; que não foi esquecido [Ant.: *olvidado.*] [F.: *in-*² + *olvidado.*]

inolvidável (i.nol.vi.*dá*.vel) *a2g.* Que não se olvida; que não se esquece; MEMORÁVEL [Ant.: *olvidável.*] [Pl.: *-veis.*] [F.: *in-*² + *olvidável.*]

inominado (i.no.mi.*na*.do) *a.* 1 Que não recebeu nome; que não se pode nomear 2 Que não foi designado ***sm.*** 3 O que não tem ou não pode receber nome [Us. ger. para designar o diabo ou outro ser sobrenatural.] [F.: Do lat. *innominatus, a, um.* Ant. ger.: *nominado.*]

inominável (i.no.mi.*ná*.vel) *a2g.* 1 Diz-se daquilo que não tem nome por não poder ser definido ou classificado: *Viu um ser inominável surgir em seu sonho.* [Ant.: *nominável.*] 2 *Fig.* Que é degradante, vil, revoltante (atitude inominável); ABOMINÁVEL [Pl.: *-veis.*] [F.: Do lat. *innominabilis, e.*]

inoperabilidae (i.no.pe.ra.bi.li.*da*.de) *sf.* Condição ou estado do que é inoperável [F.: *inoperável* + -idade.]

inoperância (i.no.pe.*rân*.ci:a) *sf.* 1 Qualidade do que é inoperante 2 *Fig.* Falta de ação, de atividade [F.: *inoperar* + *-ância.*]

inoperante (i.no.pe.*ran*.te) *a2g.* 1 Que não opera; que não tem efeito ou não funciona (sistema inoperante) 2 *Jur.* Que não produz efeito judicial, jurídico [F.: *in-*² + *operante.* Sin. ger.: *ineficaz.* Ant. ger.: *operante.*]

inoperável (i.no.pe.*rá*.vel) *a2g.* 1 Que não se pode operar, manejar ***a2g.*** 2 Que não pode ser operado cirurgicamente [Pl.: *-veis.*] [F.: *in-*² + *operável.* Ant. ger.: *operável.*]

inoperosidade (i.no.pe.ro.si.*da*.de) *sf.* Falta de operosidade; INEFICÁCIA [F.: *in-*² + *operosidade.*]

inópia (i.*nó*.pi:a) *sf.* 1 Estado de grande escassez, de grande necessidade material; ESCASSEZ 2 Qualidade do que é escasso; ESCASSEZ 3 *Fig.* Debilidade moral: *Ocultava as inópias do filho.* [F.: Do lat. *inopia, ae.* Ant. nas acps. 1 e 2: *riqueza.*]

inopinado (i.no.pi.*na*.do) *a.* 1 Que acontece de maneira inesperada, imprevista; SÚBITO: *Chegou de maneira inopinada.* 2 Que tem uma característica singular, surpreendente [F.: Do lat. *inopinatus, a, um.* Sin. ger.: *inopino, súbito.* Ant. ger.: *previsto.*]

inopinável (i.no.pi.*ná*.vel) *a2g.* 1 Que não se pode imaginar nem prever: "...como também os males que ela não há de conhecer (...) egoísmo, hipocrisia, a aborrecida vaidade, a inopinável toleima..." (Machado de Assis, "Viver!" *in Várias histórias*) 2 A cujo respeito não se pode expressar opinião [Pl.: *-veis.*] [F.: Do lat. *inopinabilis, e.*]

inopino (i.no.*pi*.no) *a.* O mesmo que *inopinado* [F.: Do lat. *inopinus.*] ■ **De** ~ Repentinamente, de súbito, inesperadamente

inoportunidade (i.no.por.tu.ni.*da*.de) *sf.* Qualidade do que é inoportuno; falta de oportunidade: *a inoportunidade de um comentário.* [F.: *inoportuno* + *-(i)dade.*]

inoportuno (i.no.por.*tu*.no) *a.* 1 Que acontece numa ocasião imprópria, num momento inconveniente (viagem inoportuna) 2 Que acontece ou é feito fora de hora ou de ocasião, ou de modo inconveniente 3 Que que intervém de maneira despropositada: *Sujeito insistente e inoportuno.* ***sm.*** 4 Aquele que se mostra inoportuno: *O inoportuno voltou a telefonar.* [F.: Do lat. *inopportunus, a, um.* Ant. ger.: *oportuno.*]

inorgânico (i.nor.*gâ*.ni.co) *a.* 1 *Biol.* Desprovido de vida, de órgãos (diz-se de corpos minerais) 2 Que pertence ao mundo inanimado 3 *Quím.* Relativo à química dos minerais [F.: *in-*² + *orgânico.* Ant. ger.: *orgânico.*]

inorganizável (i.nor.ga.ni.*zá*.vel) *a2g.* Não organizável, impossível de se organizar [Ant.: *organizável.*] [Pl.: *-veis.*] [F.: *in-*² + *organizável.*]

inortodoxo (i.nor.tor.*do*.xo) [cs] *a.* Não ortodoxo; contrário à ortodoxia [Ant.: *ortodoxo.*] [F.: *in-*² + *ortodoxo.*]

inosculação (i.nos.cu.la.*ção*) *sf.* *Cir.* Cirurgia para estabelecer comunicação entre dois vasos sanguíneos ou quaisquer outras formações tubulares, por meio de anastomose [Pl.: *-ções.*] [F.: Do ingl. *inosculation.*]

inóspito (i.*nós*.pi.to) *a.* 1 Diz-se de lugar que não oferece condições para se viver 2 *P. ext.* Diz-se do tempo, do clima que torna um dado lugar inóspito 3 Que não é hospitaleiro (gente inóspita) [F.: Do lat. *inhospitus, a, um.*]

inotrópico (i.no.*tró*.pi.co) *a.* *Fisl.* Que é capaz de interferir na contratibilidade da fibra muscular (diz-se de fator) [F.: *in(o)-* (do gr. *is, inós*, 'músculo') + *-trop(o)-* + *-ico*².]

inovação (i.no.va.*ção*) *sf.* 1 Ação ou resultado de inovar 2 *P. ext.* Aquilo que representa uma novidade; algo que é novo: *Resolveu fazer umas inovações na maneira de filmar.* 3 *Jur.* Qualquer mudança em situação de fato ou de direito que possa despertar interesse na apreciação técnica de um processo judicial 4 *Ling.* Qualquer processo de mudança que aparece numa língua e que conduz a novas formas de expressão [Pl.: *-ções.*] [F.: Do lat. *innovatio, onis.*]

inovado (i.no.*va*.do) *a.* Em que se introduziu novidade (tecnologia inovada) [F.: Part. de *inovar.*]

inovador (i.no.va.*dor*) [ô] *a.* 1 Que inova, que traz inovações: *sistema de ensino inovador.* ***sm.*** 2 Aquele que inova: *O novo artista era um inovador.* [F.: *inovar* + *-dor.*]

inovar (i.no.*var*) *v.* 1 Promover mudanças substantivas (em) [***td.***: *Bertold Brecht inovou o teatro político.*] 2 Fazer-se novo; RENOVAR [***td.***: *Inovei a pintura do quarto.*] [***tr.*** + *em*: *A empresa está inovando no campo da publicidade.*] [***int.***: *Essa empresa está sempre inovando.*] [▶ 1 **inovar**] [F.: Do lat. *innovare.*]

inox (i.*nox*) [cs] ***sm2n.*** Aço inoxidável [F.: F. red. de *inoxidável.*]

inoxidável (i.no.xi.*dá*.vel) *a2g.* Que não se oxida ou enferruja (aço inoxidável) [Ant.: *oxidável*] [Pl.: *-veis.*] [F.: *in-*² + *oxidável.*]

⊠ **INPC** Sigla de *Índice Nacional de Preços ao Consumidor* (criado com objetivo de orientar os reajustes de salários dos trabalhadores)

⊕ ***in petto*** (*Lat.* /in *péto*/) ***loc. adv.*** Em caráter sigiloso, secreto

⊠ **INPI** Sigla de *Instituto Nacional de Propriedade Industrial*

⊕ **input** (*Ing.* /*input*/) 1 *Inf.* Ver *entrada* 2 *Econ.* Ver *insumo* [F.: Do ing. *input.*]

inqualificável (in.qua.li.fi.*cá*.vel) *a2g.* 1 Que não pode ser qualificado: *Era um azul de tonalidade nova, absolutamente inqualificável.* 2 Que não pode ser qualificado por ser demasiado abominável, vil, reles (crime inqualificável): *Um sujeito inqualificável.* [Pl.: *-veis.*] [F.: *in-*² + *qualificável.* Ant. ger.: *qualificável.*]

⊕ **in-quarto** (*Lat.* /*in-quarto*/) ***a2g.*** 1 *Edit.* Diz-se da folha de impressão dobrada duas vezes, que gera um caderno com quatro folhas 2 Diz-se do formato do livro assim composto ***sm2n.*** 3 Esse livro

inquebrantável (in.que.bran.*tá*.vel) *a2g.* 1 Que não se pode quebrantar (amizade inquebrantável; vontade inquebrantável); SÓLIDO: 2 Que se revela persistente, infatigável: *Seu carinho pelo irmão era inquebrantável.* [F.: *in-*² + *quebrantável.* Ant. ger.: *quebrantável.*]

inquebrável (in.que.*brá*.vel) *a2g.* Que não pode ser quebrado (diz-se de objeto ou substância) [Ant.: *quebrável.*] [Pl.: *-veis.*] [F.: *in-*² + *quebrável.*]

inquerir (in.que.*rir*) *v.* ***td.*** 1 Apertar com a inquirideira (a carga conduzida por animais) 2 Apertar com corda (a carga) [▶ 3 **inquerir**] [F.: De or. obsc. Hom./Par.: *inquerir, inquirir* (em todas as fl.).]

inquérito (in.*qué*.ri.to) ***sm.*** 1 Ação ou resultado de inquirir 2 *Jur.* Investigação que tem por finalidade apurar um fato, uma denúncia, um crime etc. (inquérito administrativo) [F.: *in-*² + v.lat. *quaerito, (as, avi, atum, are)*, 'buscar, procurar por muito tempo'.] ■ ~ **administrativo** O que é empreendido por autoridade administrativa para apurar possível irregularidade no serviço público ~ **judicial** *Jur.* Em processo de falência, inquérito baseado no relatório do síndico a fim de apurar possíveis irregularidades e seus autores ~ **parlamentar** *Pol.* Aquele realizado por comissão parlamentar para averiguar possíveis irregularidades que envolvem o parlamento ou instituições públicas ~ **Policial-Militar** *Mil.* Investigação sumária por autoridade militar para determinar a procedência e circunstâncias de possível crime cometido por militar [Sigla: *I. P. M.*]

inquestionado (in.ques.ti:o.*na*.do) *a.* Que não se questionou: "Para tanto, pode ser útil fazer alarido só com o acessório, mantendo inquestionado o essencial." (*Folha de S.Paulo*, 02.06.1996) [F.: *in-*² + *questionado.*]

inquice (in.*qui*.ce) *Bras. Rel.* ***sm.*** 1 Nos candomblés de Angola e do Congo, divindade equivalente aos orixás 2 Em certos terreiros, alma penada, espírito não desenvolvido que vaga pela terra [F.: Do quimb.]

inquietação (in.qui:e.ta.*ção*) *sf.* 1 Estado do que se acha inquieto, agitado: *A inquietação do mar.* 2 Estado de desassossego que impede a paz, o repouso, o cumprimento de um dever etc.; AGITAÇÃO; NERVOSISMO: *Sentia uma inquietação que não o deixava trabalhar.* 3 Estado que revela inquietação moral ou intelectual: *Vivia imerso em inquietações filosóficas.* [Pl.: *-ções.*] [F.: Do lat. *inquietatio, onis.* Sin. ger.: *inquietude.*]

inquietador (in.qui:e.ta.*dor*) [ô] *a.* 1 Que desperta inquietação; INQUIETANTE ***sm.*** 2 Aquele que desperta inquietação [F.: Do lat. *inquietator, oris.*]

inquietante (in.qui:e.*tan*.te) *a2g.* 1 Que inquieta, que causa inquietação; INQUIETADOR ***s2g.*** 2 Pessoa ou algo que desperta inquietação [F.: Do lat. *inquietans, antis.*]

inquietar (in.qui:e.*tar*) *v.* 1 Fazer ficar ou ficar inquieto; causar ou sentir intranquilidade, ansiedade; AGITAR(-SE); INTRANQUILIZAR(-SE); PERTURBAR(-SE) [***td.***: *A presença da mulher o inquietava.*] [***int.***: *Malu se inquietou com o meu silêncio.*] 2 *Fig.* Tornar(-se) agitado [***td.***: *O vento começava a inquietar as águas do mar.*] [***int.***: *O mar se inquietava.*] 3 Causar ou sentir alvoroço, tumulto; ALVOROÇAR; AMOTINAR [***td.***: *inquietar o povo.*] [***int.***: *Os presidiários começaram a se inquietar.*] [▶ 1 **inquietar**] [F.: Do lat. *inquietare.*]

inquieto (in.qui:*e*.to) *a.* 1 Que não tem sossego; que se mexe ou agita muito (rapaz inquieto) 2 Que revela inquietação, preocupação; AGITADO: *O professor esboçava gestos inquietos.* 3 Que se mostra sempre insatisfeito; que sempre parece querer mais (espírito inquieto) ***sm.*** 4 Indivíduo inquieto [F.: Do lat. *inquietus, a, um.* Ant. nas acps. 1 a 3: *quieto, calmo.*]

inquietude (in.qui:e.*tu*.de) *sf.* O mesmo que *inquietação* [F.: Do lat. *inquietudo, inis.*]

inquilinato (in.qui.li.*na*.to) ***sm.*** 1 Condição de inquilino 2 O conjunto, o grupo dos inquilinos 3 Relação que se estabelece entre o locador, o proprietário, de um imóvel e o locatário deste 4 *Jur.* Preceito dos deveres e dos direitos do inquilino [F.: Do lat. *inquilinatus, us.*] ■ **Lei do** ~ *Jur.* Lei federal que regula a locação de imóveis

inquilinismo (in.qui.li.*nis*.mo) ***sm.*** *Ecol.* Relação entre indivíduos de espécies diferentes em que apenas uma espécie (inquilino) se beneficia, procurando abrigo ou suporte na outra espécie (hospedeiro), sem, no entanto, causar-lhe dano [F.: *inquilin(o)* + *-ismo.*]

inquilino (in.qui.*li*.no) ***sm.*** 1 *Jur.* Pessoa física ou pessoa jurídica que alugou um imóvel residencial ou um imóvel comercial (conforme o estipulado em contrato); LOCATÁRIO 2 Aquele que habita no imóvel por ele alugado 3 *Bot.* Organismo que habita o corpo ou o abrigo de outro sem lhe causar dano [F.: Do lat. *inquilinus, a, um.*]

inquinação (in.qui.na.*ção*) *sf.* Ação ou resultado de inquinar [Pl.: *-ções.*] [F.: *inquinar* + *-ção.*]

inquinado (in.qui.*na*.do) *a.* 1 Que está sujo ou manchado 2 Que perdeu a pureza; CORROMPIDO [F.: Part. de *inquinar.*]

inquinar (in.qui.*nar*) *v.* **1** Tirar a pureza; manchar, desvirtuar, corromper [*td.*: *Um passado sombrio inquinava sua reputação.*] **2** Contaminar, infectar [*td.*: *Organismos suspeitos inquinavam a água.*] **3** Atribuir qualidade negativa a [*tdp.*: *Inquinou o negócio de corrupto.*] [▶ **1 inquinar**] [F.: Do lat. *inquinare.*]

inquirição (in.qui.ri.*ção*) *sf.* **1** Ação ou resultado de inquirir **2** *Jur.* Ato de inquirir uma testemunha realizado por autoridade competente [Pl.: *-ções.*] [F.: *inquirir* + *-ção*. Sin. ger.: *inquirimento*. Hom./Par.: *inquirição* (sf.), *inquerição* (sf.).]

inquirido (in.qui.*ri*.do) *a.* **1** Que se inquiriu **2** Que foi interrogado em juízo [F.: Part. de *inquirir.*]

inquiridor (in.qui.ri.*dor*) [ô] *a.* **1** *Ant.* Diz-se de oficial de justiça que antigamente inquiria testemunhas *sm.* **2** Aquele que inquire, que pergunta ou interroga; INQUISIDOR [F.: *inquirir* + *-dor.*]

inquirir (in.qui.*rir*) *v.* **1** Levantar informações sobre (determinado assunto); INDAGAR; PESQUISAR [*td.*: *Inquiria as origens africanas da música brasileira.*] [*tr.* + *de, sobre*: *Resolveu inquirir das causas da crise.*] **2** Interpelar com perguntas; indagar [*tdi.* + *de*: *Inquiriu do irmão se ele devia dinheiro a alguém.*] **3** Interrogar em caráter oficial (ger. testemunhas) [*td.*: *A polícia inquiriu as testemunhas.*] [▶ **3 inquirir**] [F.: Do lat. *inquirere*, de *quaerere*. Hom./Par.: *inquirir* (v.), *inquerir* (v.).]

inquisição (in.qui.si.*ção*) *sf.* **1** Averiguação minuciosa feita com muito rigor **2** *Hist. Rel.* Antigo tribunal eclesiástico instituído pela Igreja Católica, no começo do séc. XII, para julgar e punir severamente crimes contra a fé [Nesta acp. com inic. maiúsc.] [Pl.: *-ções.*] [F.: Do lat. *inquisitio, onis.*]

inquisidor (in.qui.si.*dor*) [ô] *a.* **1** Que inquire; INQUIRIDOR **2** *Hist. Rel.* Diz-se de juiz do tribunal da Inquisição *sm.* **3** Aquele que inquire **4** O juiz do tribunal da Inquisição [F.: Do lat. *inquisitor, oris.*]

inquisitivo (in.qui.si.*ti*.vo) *a.* **1** Ref. a inquisição, esp. à Inquisição (2) **2** Que inquire, indaga; INTERROGATIVO: *Lançava-me olhares inquisitivos.* [F.: Do lat. *inquisitivus, a, um.*]

inquisitorial (in.qui.si.to.ri.*al*) *a2g.* **1** Ref. ou relativo a inquisição; INVESTIGATIVO; INQUISITIVO **2** *Rel.* Relativo ao tribunal da Inquisição **3** Semelhante (em métodos e severidade) a esse tribunal [Pl.: *-ais.*] [F.: *inquisitório* + *-al.*]

inquisitório (in.qui.si.*tó*.ri:o) *a.* O mesmo que *inquisitorial* [F.: Do lat. *inquisitus* (part. passado de *inquirere*) + *-ório.*]

insaciabilidade (in.sa.ci.a.bi.li.*da*.de) *sf.* Qualidade de insaciável [F.: *insaciável*, sob a f. *insaciabil-*, + *-(i)dade*, seg. o mod. erudito.]

insaciado (in.sa.ci.*a*.do) *a.* Que não está saciado (apetite insaciado; amor insaciado) [F.: *in-²* + *saciado.*]

insaciável (in.sa.ci.*á*.vel) *a2g.* **1** Que não pode ser saciado; que nunca está satisfeito; que não se farta (apetite insaciável; desejo insaciável) [Ant.: *saciável.*] **2** *Fig.* Que é extremamente ambicioso, ávido [Pl.: *-veis.*] *s2g.* **3** *Fig.* Aquele ou aquela que é insaciável (2) [Pl.: *-veis.*] [F.: *in-²* + *saciável.*]

⊕ ***in saecula saeculorum*** (*Lat.* /in sêcula seculórum/) *loc. adv.* Para todo o sempre

insalivação (in.sa.li.va.*ção*) *sf.* **1** Ação ou resultado de insalivar **2** Impregnação dos alimentos pela saliva durante a mastigação [Pl.: *-ções.*] [F.: *insalivar* + *-ção.*]

insalivar (in.sa.li.*var*) *v. td.* Encher de saliva (o alimento que está comendo) [▶ **1 insalivar**] [F.: *in-²¹* + *salivar.*]

insalubérrimo (in.sa.lu.*bér*.ri.mo) *a.* Muitíssimo insalubre [Superl. abs. sint. de *insalubre.*] [F.: Do lat. *insaluberrimus, a, um.*]

insalubre (in.sa.*lu*.bre) *a2g.* **1** Que não é saudável **2** Diz-se de local em que há agentes nocivos à saúde ou em que se dá a exposição a estes acima dos limites de tolerância (cidade insalubre; fábrica insalubre); MALSÃO *a2g.* **3** Contaminado por agentes nocivos à saúde; cujo contato, absorção, ingestão etc. pode ser ou é nocivo à saúde (ar insalubre; água insalubre); POLUÍDO; CONTAMINADO **4** Que se dá em local insalubre (2) ou cuja natureza se presta à exposição ou propicia o contato com agentes nocivos, prejudiciais à saúde (trabalho insalubre; serviço insalubre; atividade insalubre) **5** *Jur.* Que expõe o trabalhador a agentes nocivos à saúde ou que propicia esta exposição (condições de trabalho insalubres) **6** Que causa doença(s); nocivo, prejudicial à saúde (agentes insalubres) [F.: Do lat. *insaluber, bris*, ou *insalubris, e*. Sin. nas acps. 1 a 5: *saudável.*]

insalubridade (in.sa.lu.bri.*da*.de) *sf.* **1** Qualidade, característica, condição ou estado do que é insalubre: *a insalubridade do ar*: "As dificuldades cresciam com a insalubridade daqueles lugares miasmáticos." (Eça de Queirós, *Notas contemporâneas*) [Ant.: *salubridade.*] **2** O mesmo que *adicional de insalubridade*, ou seja, valor que, por prescrição legal, é acrescido ao salário do trabalhador que exerce seu ofício ou atividade em ambiente considerado insalubre [O adicional de insalubridade é um direito trabalhista, adquirido por certas classes de profissionais, em virtude dos danos à saúde que a exposição a certos agentes químicos (ex.: chumbo), físicos (ex.: calor excessivo) ou biológicos (ex.: bactérias), em níveis acima do limite de tolerância permitido por lei – conforme o(s) agente(s) nocivo(s) em questão – pode causar.] **3** Direito, prescrito por lei de receber o adicional de *insalubridade* (2). Tb. *direito à insalubridade* [F.: Do lat. *insalubritas, atis.*]

insanável (in.sa.*ná*.vel) *a2g.* **1** Que não se pode sanar (moléstia insanável); INCURÁVEL **2** *Fig.* Que não tem remédio, que não tem conserto **3** *Fig.* Que é insuperável (desastre insanável) **4** *Jur.* Diz-se de ato que apresenta falha que o torna passível de nulidade **5** *Jur.* Irrecorrível, intransponível [Pl.: *-veis.*] [F.: Do lat. *insanabilis, e*. Ant. ger.: *sanável.*]

insânia (in.*sâ*.ni:a) *sf.* **1** Condição do que ou de quem está insano; DEMÊNCIA; LOUCURA: *Foi internado no hospital por insânia.* [Ant.: *sanidade*] **2** Ato ou comportamento insano, insensato: *Cometeu uma porção de insânias quando saiu de férias.* [F.: Do lat. *insania, ae.*]

insanidade (in.sa.ni.*da*.de) *sf.* **1** Qualidade de insano **2** Falta de senso, de sensatez **3** Ação, dito ou comportamento de insano: *Só vivia cometendo insanidades.* [F.: Do lat. *insanitas, atis*. Sin. ger.: *loucura, insensatez*. Ant. ger.: *sanidade.*]

insano (in.*sa*.no) *a.* **1** Que não tem o domínio de suas faculdades mentais; DEMENTE; LOUCO **2** *Fig.* Diz-se de tarefa ou incumbência complicada ou demasiado exaustiva: *Essa reforma exige um trabalho insano.* **3** Que revela insanidade, maluquice, falta de tino: *Foi uma atitude insana.*: "Meus olhos molhados / Insanos, dezembro, Mas quando em me lembro / São anos dourados." (Tom Jobim / Chico Buarque, *Anos dourados*) *sm.* **4** Aquele que é demente, louco: *Os insanos foram recolhidos à enfermaria.* [F.: Do lat. *insanus, a, um*. Ant. ger.: *são.*]

insatisfação (in.sa.tis.fa.*ção*) *sf.* **1** Falta de satisfação; sentimento de descontentamento, decepção, contrariedade, desprazer causado por algo ou alguém; CONTRARIEDADE; DESCONTENTAMENTO: *Sentiu grande insatisfação ao ver o estado do carro.* **2** *Fig.* Aquilo que descontenta, traz decepção, amargura: *Passou por muita insatisfação na vida, mas nenhuma maior do que aquela traição.* [Pl.: *-ções.*] [F.: *in-²* + *satisfação*. Sin. ger.: *desgosto*. Ant. ger.: *satisfação.*]

insatisfatório (in.sa.tis.fa.*tó*.ri:o) *a.* **1** Que não é satisfatório; que não satisfaz: *A quantidade de comida foi insatisfatória.* **2** Que é ruim ou deixa a desejar: *O filme é bem feito, mas insatisfatório.* **3** *Fig.* Não suficiente [F.: *in-²* + *satisfatório*. Ant. ger.: *satisfatório.*]

insatisfeito (in.sa.tis.*fei*.to) *a.* **1** Que não está satisfeito; DESCONTENTE: *Ficou insatisfeito com o desempenho de seu time.* **2** Que não está satisfeito com o que tem ou que faz: *É um sujeito insatisfeito, coitado!* *sm.* **3** Indivíduo insatisfeito: *Os insatisfeitos começaram a reclamar.* [F.: *in-²* + *satisfeito*. Ant. ger.: *satisfeito.*]

insaturação (in.sa.tu.ra.*ção*) *sf.* *Fís-quím.* Ligação dupla ou tripla das moléculas nos compostos orgânicos [Pl.: *-ções.*] [F.: *in-²* + *saturação.*]

insaturado (in.sa.tu.*ra*.do) *a.* *Quím.* Diz-se de composto que possui duas ou mais ligações *pi*. [F.: *in-²* + *saturado.*]

insaturável (in.sa.tu.*rá*.vel) *a2g.* **1** *Fís-quím.* Que não se pode saturar **2** Que é insaciável (fome insaturável) [Pl.: *-veis.*] [F.: *in-²* + *saturável.*]

insciente (ins.ci.*en*.te) *a2g.* **1** Que não está ciente, que ignora: *Esse homem vive insciente de tudo.* **2** Que se revela incapaz, inábil; INAPTO [F.: Do lat. *insciens, entis*. Ant. ger.: *ciente.*]

inscrever (ins.cre.*ver*) *v.* **1** Registrar(-se) ou incluir(-se) oficialmente (em programa, instituição, competição, curso etc.) [*tda.*: *Inscreveu a irmã no curso de teatro; Inscreveu-se no concurso para o banco.*] **2** Fazer a inscrição de; assentar em algum registro [*td.*: *O porteiro inscreveu o nome do visitante.*] [*tda.*: *Inscreveu seu nome no livro de registros.*] **3** *Fig.* Gravar ou esculpir (palavras) em [*tda.*: *Inscreveu o nome na aliança.*] **4** *Fig.* Deixar (nome) marcado em [*tda.*: *Com aquele ato, inscreveu seu nome na história; O craque inscreveu-se na história do futebol.*] [▶ **2 inscrever**] [F.: Do lat. *inscribere.*]

inscrição (ins.cri.*ção*) *sf.* **1** Ação ou resultado de inscrever(-se) **2** Palavra ou frase que se inscreve em monumentos, estátuas, medalhas etc., ger. para exaltar uma personalidade ou consagrar a memória de alguém ou de um acontecimento: *A inscrição exaltava os veteranos de guerra.* **3** Frase ou citação que se inscreve em fachadas de edifícios, monumentos arquitetônicos etc. com finalidades diversas (exaltação de uma personalidade, de um pensamento edificante, de um fato histórico importante etc.) **4** Desenho primitivo gravado em pedra, rocha, caverna etc. **5** Frase que, colocada em lugar público, transmite uma informação qualquer a quem por ali passa **6** Ato de incluir algo ou alguém em lista, rol, registro etc.: *Inscrição para os corredores da maratona.* **7** Matrícula em escola, curso etc.: *Era o primeiro dia de inscrição para ao curso de alemão.* **8** *Jur.* Registro de certos atos (hipotecas, penhoras etc.) em livros próprios, para que lhes seja concedida legalidade jurídica [Pl.: *-ções.*] [F.: Do lat. *inscriptio, onis*. Ideia de 'inscrição': *-grama* (*fluxograma*).]

inscritível (ins.cri.*tí*.vel) *a2g.* Que pode ser inscrito (quadrilátero inscritível) [Pl.: *-veis.*] [F.: *inscrito* + *-i-* + *-vel.*]

inscrito (ins.*cri*.to) *a.* **1** Que foi escrito ou grafado em algum lugar: *Havia palavras inscritas nas paredes.* **2** Que foi anotado ou registrado: *É um absurdo ter comentários inscritos nas páginas do livro.* **3** Que foi insculpido ou gravado; ENTALHADO: *Havia sinais inscritos na escultura.* **4** Que foi registrado em lista com finalidades diversas: *alunos inscritos no programa de recuperação; candidatos inscritos na prova de ciclismo.* **5** Que se matriculou ou se inscreveu (em curso, escola, academia etc.): *Havia cem pessoas inscritas.* *sm.* **6** Aquele que se inscreveu em curso, concurso, competição etc.: *Os inscritos saíam para dar lugar aos que chegavam.* [F.: Do lat. *inscriptus, a, um.*]

insculpir (ins.cul.*pir*) *v.* **1** Entalhar em madeira, metal, mármore etc.; INSCREVER [*tda.*: *Insculpiu seu nome na madeira*] **2** *Fig.* Inscrever(-se) na memória de alguém [*tda.*: *Insculpiu seu nome na história da pintura; Insculpiu-se como herói na história do colégio.*] [▶ **58 insculpir** Embora tradicionalmente classificado como defectivo, modernamente este verbo tem sido flexionado como regular, seguindo, portanto, a conjug. 3.] [F.: Do lat. *insculpere*. Ideia de 'insculpido, gravado, esculpido': *glipt(o)-*.]

insegurança (in.se.gu.*ran*.ça) *sf.* **1** Falta de segurança, de proteção adequada; PERICULOSIDADE: *Reclamava da insegurança do prédio em que vivia.* **2** Sensação de não estar seguro: *Sentiu grande insegurança ao atravessar a precária ponte de madeira.* **3** Sensação de estar desamparado: *Sentia muita insegurança quando estava só*; "A tua insegurança era por mim / não basta o compromisso." (Renato Russo, *1º de julho*) **4** Falta de segurança em si mesmo: *Quando começava a falar, sentia-se sua insegurança.* [F.: *in-²* + *segurança*. Ant. ger.: *segurança.*]

inseguro (in.se.*gu*.ro) *a.* **1** Que não apresenta segurança (elevador inseguro) **2** Que se revela instável, incerto: *Sentia que seu emprego era inseguro.* **3** Que não tem confiança em si mesmo: *Sentia-se inseguro no meio de muita gente*: "Da próxima vez eu me mando, / que se dane meu jeito inseguro / Nosso amor vale tanto." (Rita Lee, *Desculpe o auê*) **4** Que não tem facilidade para tomar decisões, resoluções: *Era inseguro demais para resolver problemas difíceis.* [F.: *in-²* + *seguro*. Ant. ger.: *seguro.*]

inseminação (in.se.mi.na.*ção*) *Biol.* *sf.* **1** Fecundação do óvulo pelo espermatozoide **2** Introdução do sêmen no útero [Pl.: *-ções.*] [F.: *inseminar* + *-ção.*] ■ **~ artificial** Fecundação que se realiza pela introdução do sêmen nas vias genitais femininas por meio de instrumentos, sem que haja cópula

inseminado (in.se.mi.*na*.do) *a.* Que foi objeto de inseminação (animal inseminado) [F.: Part. de *inseminar.*]

inseminador (in.se.mi.na.*dor*) [ô] *a.* **1** Que faz a inseminação (técnico inseminador) **2** Aquele que faz a inseminação (inseminador de bovinos) [F.: *inseminar* + *-dor.*]

inseminar (in.se.mi.*nar*) *v. td.* Introduzir sêmen, por processo natural ou artificial, na cavidade uterina, para fecundar óvulo de (mulher, fêmea): *O projeto é inseminar 150 mil vacas ainda este ano.* [▶ **1 inseminar**] [F.: Do v.lat. *inseminare.*]

insensatez (in.sen.sa.*tez*) *sf.* **1** Caráter do que ou de quem é insensato: *Não suportava a insensatez do marido.* **2** Ato ou comportamento resultante de imprudência, de falta de bom-senso; ato ou dito insensato: *Em sua angústia, temia cometer uma insensatez*; "A insensatez que você fez, / coração mais sem cuidado / Fez chorar de dor o seu amor / Um amor tão delicado." (Antônio Carlos Jobim/ Vinícius de Moraes, *Insensatez*) [F.: *in-²* + *sensatez*. Ant.: *sensatez.*]

insensato (in.sen.*sa*.to) *a.* **1** Que é desprovido de bom-senso, de razão (rapaz insensato) **2** Que revela insensatez (gesto insensato) **3** Que não se encontra em seu juízo perfeito; DOIDO; INSANO: "Só louco quis o bem que eu quis / Ah! insensato coração / Por que me fizeste sofrer?" (Dorival Caymmi, *Só louco*) *sm.* **4** Indivíduo sem sensatez: *O insensato insistia em beber sem parar.* [F.: Do lat. *insensatus, a, um*. Ant. ger.: *sensato.*]

insensibilidade (in.sen.si.bi.li.*da*.de) *sf.* **1** Qualidade do que é privado de sensibilidade física: *insensibilidade à dor*; "Insensibilidade visual para a cor verde." (Cândido de Figueiredo, *Dicionário da língua portuguesa, verbete "aclороblepsia"*) **2** Falta de sentimentos de afeto, de piedade etc. (insensibilidade social); INDIFERENÇA: "E, responsáveis de tamanha insensibilidade às amarguras das vítimas do trabalho servil..." (Rui Barbosa, *Campanha presidencial*); "Isto é o que explica a crua insensibilidade de Fernando com os seus parentes." (Camilo Castelo Branco, *Estrelas propícias*) [F.: Do lat tardio *insensibilitas, atis.*]

insensibilização (in.sen.si.bi.li.za.*ção*) *sf.* Ação ou resultado de insensibilizar(-se) [Pl.: *-ções.*] [F.: *insensibilizar* + *-ção.*]

insensibilizar (in.sen.si.bi.li.*zar*) *v.* Tornar(-se) insensível ou indiferente (a estímulos físicos, sentimentos, situações etc.) [*td.*: *O frio pode insensibilizar a pele.*] [*tdr.* + *para*: *A vida dura a insensibilizou para o sofrimento alheio.*] [▶ **1 insensibilizar**] [F.: *insensível*, sob a f. *insensibil-*, + *-izar*, seg. o mod. erudito.]

insensitivo (in.sen.si.*ti*.vo) *a.* Que carece da faculdade de sentir; não sensitivo; INSENSÍVEL [Ant.: *sensitivo, sensível*] [F.: *in-²* + *sensitivo.*]

insensível (in.sen.*sí*.vel) *a2g.* **1** Que não tem ou não demonstra sensibilidade (sujeito insensível) **2** Que não tem sensibilidade física: *O cientista só trabalhava com matéria insensível.* **3** Que demonstra dureza de sentimentos (assassino insensível) **4** Que se mostra indiferente aos valores da beleza, da arte: *Era insensível à música.* **5** Que não se sensibiliza com nada; a quem nada inspira ou causa emoção, comoção; APÁTICO; INDIFERENTE; IMPASSÍVEL [F.: Do lat. *insensibilis, e*. Ant. ger.: *sensível.*]

inseparável (in.se.pa.*rá*.vel) *a2g.* **1** Que não pode ser separado; INDISSOLÚVEL **2** Que é parte integrante de alguma coisa: *O alto-falante é inseparável do rádio.* **3** Muito ligado ou unidos (casal inseparável) [F.: Do lat. *inseparabilis, e*. Ant. ger.: *separável.*]

insepulto (in.se.*pul*.to) *a.* Que não foi sepultado (corpo insepulto) [Ant.: *sepulto*] [F.: Do lat. *insepultus, a, um.*]

inserção (in.ser.*ção*) *sf.* **1** Ação ou resultado de inserir(-se) **2** Introdução de alguma coisa em outra **3** Ação de publicar alguma matéria jornalística em órgão de imprensa; INCLUSÃO **4** *Cin.* Num filme, plano ger. fixo, de curta duração, em que se insere algum detalhe relevante no fluxo da narrativa 5 *Bot.* Modo de as folhas se unirem com o nó caulinar [Pl.: *-ções.*] [F.: Do lat tard. *insertio, onis.* Ideia de 'inserção': *embol (o)- (embolia); -êntese (epêntese).*]

inserido (in.se.*ri*.do) ***a.*** Que se inseriu; INSERTO; INTRODUZIDO [F.: Part. de *inserir.*]

inserir (in.se.*rir*) ***v.*** 1 Colocar dentro; INTRODUZIR [***tda.:*** *Insira o cartão magnético na caixa* Ant.: *retirar*] 2 Incluir(-se) em; ENCAIXAR(-SE); ENQUADRAR(-SE) [***td.:*** *Inseriu mais um parágrafo no texto.*] [***tr.*** + *em*: *A pesquisa da bióloga insere-se em um projeto de cooperação internacional.*] 3 Passar a ocupar um lugar estabelecido em; FIXAR-SE [***ta.:*** *O consumismo inseriu- se de vez na cultura ocidental.*] [▶ 50 inserir] [F.: Do v.lat. *inserere.* Hom./Par.: *insere* (fl.), *encere* (fl. *encerar*).]

insertar (in.ser.*tar*) ***v. td. tdr.*** 1 O mesmo que *enxertar* 2 O mesmo que *inserir* [▶ 1 insertar] [F.: Do lat. *insertare.* Hom./Par.: *insertar, incertar* (em todas as fl.); *inserto* (fl.), *inserto* (a.) e *incerto* (a. sm.).]

inserto (in.*ser*.to) ***a.*** 1 Que se inseriu; COLOCADO; INTRODUZIDO; INSERIDO: "Ali não havia eletricidade. / Por isso foi à luz de uma vela mortiça/ Que li, inserto na cama, / O que estava à mão para ler..." (Fernando Pessoa, *Ficções do interlúdio*) 2 Incluído numa publicação: *anúncio inserto no jornal.* ***sm.*** 3 *Gen.* Um nucleotídeo ou uma sequência de nucleotídeos que se insere em uma molécula de DNA 4 *Mec.* Peça que se insere em outra peça (inserto de válvula) [F.: Do lat. *insertus, a, um.* Hom./Par.: *inserto* (part. de *inserir* e fl. de *insertar*), *incerto* (a. sm).]

inservível (in.ser.*ví*.vel) ***a2g.*** 1 Que não tem utilidade, préstimo; que não serve para nada 2 Que não se encontra em condições de ser servido (comida inservível) [Pl.: *-veis.*] [F.: *in-*[2] + *servível.* Ant. ger.: *servível.*]

◎ **inset(i)-** ***el. comp.*** = 'inseto': *inseticida, insetívoro; insetologia* [F.: Do lat. *insectum*, substv. do adj. na loc. lat. *(animal) insectum*, 'inseto'.]

inseticida (in.se.ti.*ci*.da) ***a2g.*** 1 Diz-se de substância que serve para matar insetos ***sm.*** 2 Produto preparado para matar insetos [F.: *inset(i)-* + *-cida.*]

insetívoro (in.se.*tí*.vo.ro) ***a.*** Que come insetos, que deles se alimenta [F.: *inset(i)-* + *-voro.*]

inseto (in.*se*.to) ***sm.*** 1 *Zool.* Espécime dos insetos, grande classe de animais invertebrados, artrópodes, ger. terrestres, dotados de seis patas, um par de antenas e, usualmente, dois pares de asas 2 *Fig. Pej.* Pessoa insignificante, desprezível, reles: *Esse sujeito não é nada, é um inseto!* [*É ofensivo.*] [Aum.: *insetarrão.*] [F.: Do lat. cient. *Insecta.*]

◎ **inseto-** ***el. comp.*** Ver *inset(i)-*

insexuado (in.se.xu:*a*.do) [cs] ***a.*** 1 Desprovido de órgãos genitais; ASSEXUADO 2 Que não mostra sensualidade ou sexualidade [F.: *in-*[2] + *sexuado.*]

insexual (in.se.xu:*al*) [cs] ***a2g.*** Que não demonstra interesse natural pelo sexo: "O amor de meu espírito era um sentimento insexual, respeitoso, nobre, feito de uma ternura de amigo,..." (Aluísio Azevedo, *Livro de uma sogra*) [Pl.: *-xuais.*] [F.: *in-*[2] + *sexual.*]

insexualidade (in.se.xu:a.li.*da*.de) [cs] ***sf.*** Caráter ou qualidade de insexual [F.: *insexual* + *(i) dade.*]

insídia (in.*sí*.di.a) ***sf.*** 1 Ato de ocultar-se para esperar o inimigo, e atacá-lo 2 Falta de lealdade: *Foi um ato de insídia imperdoável contra o amigo.* 3 *Fig.* Ardil, intriga, estratagema: *Só conseguia o que queria por meio de insídias.* [F.: Do lat. *insidia, ae.* Hom./Par.: *insídia* (sf.), *insidia* (fl. de *insidiar*), *incidia* (fl. de *incidir*); *insídias* (pl.), *insidias* (fl. de *insidiar*), *incidias* (fl. de *incidir*).]

insidiar (in.si.di.*ar*) ***v. td.*** 1 Cometer insídias contra; armar ciladas a 2 Procurar corromper [▶ 1 insidiar] [F.: Do lat. *insidiare.* Hom./Par.: *insidia* (fl.), *incidia* (fl. de *incidir*), *insídia* (sf.); *insidias* (fl.), *incidias* (fl.), *insídias* (pl. do sf.); *insidiam* (fl.), *incidiam* (fl.); *insidiamos* (fl.), *incidíamos* (fl.); *insidieis* (fl.), *incidíeis* (fl.).]

insidioso (in.si.di:*o*.so) [ô] ***a.*** 1 Que é traiçoeiro, enganador (procedimento insidioso) 2 *Fig.* Diz-se de mal ou enfermidade que não parece muito perigosa, mas que de maneira, às vezes imperceptível, torna-se grave: *Essa febre está baixa agora, mas é insidiosa.* [Pl.: [ó]. Fem.: [ó].] [F.: Do lat. *insidiosus, a, um.*]

⊕ **insight** (*Ing. /insáit/*) ***sm.*** 1 *Psic.* Compreensão ou resolução de um problema, ger. intuitiva, decorrente da repentina percepção mental dos elementos e das relações apropriados à sua solução 2 *P. ext.* Revelação súbita que vem à mente de um indivíduo; ESTALO; ILUMINAÇÃO

insigne (in.*sig*.ne) ***a2g.*** Que se torna bem-afamado, notável, por seus feitos ou suas obras; AFAMADO; BRILHANTE; EMINENTE; ILUSTRE [F.: Do lat. *insignis, e.*]

insígnia (in.*sig*.ni:a) ***sf.*** 1 Sinal ou signo que indica posição, nobreza, função, comando etc., de quem o ostenta; EMBLEMA; COMENDA; DISTINTIVO; DIVISA 2 Bandeira, estandarte 3 Designação (por nome, emblema, símbolo etc.) de um estabelecimento comercial ou industrial, que o torna distinto dos outros [F.: Do lat. *insignia.*]

insignificância (in.sig.ni.fi.*cân*.ci:a) ***sf.*** 1 Qualidade ou condição de insignificante 2 Coisa de pouco valor; NINHARIA: "...falam do assunto como se tratassem de saúde pública ou de instrução. Esquecem totalmente da insignificância dele." (Lima Barreto, *Marginália*) 3 Coisa diminuta 4 Quantia pequena: *O que tinha no bolso era uma insignificância.* [F.: *insignificante* + *-ia*[2], seg. o mod. analógico. Ant. ger.: *magnitude.*]

insignificante (in.sig.ni.fi.*can*.te) ***a2g.*** 1 Que não importância ou valor (quantia insignificante) 2 Que é muito pequeno, diminuto; MINÚSCULO: *Era um anel com uma pedrinha insignificante.* 3 Diz-se de coisa ou pessoa irrelevante, sem talento, beleza, riqueza, moral elevada etc.: *Tinha um marido insignificante; Sua poupança era insignificante.* ***s2g.*** 4 Aquele que não tem importância, que é destituído de qualidades especiais: *O marido é ótima pessoa mas medíocre, insignificante.* [F.: *in-*[2] + *significante.*]

insinceridade (in.sin.ce.ri.*da*.de) ***sf.*** 1 Qualidade de quem não é sincero, de quem finge, simula ou mente ***sf.*** 2 Falta de sinceridade, de franqueza; FALSIDADE; HIPOCRISIA: *A insinceridade do marido minava aos poucos o casamento.* [F.: *in-*[2] + *sinceridade.* Ant. ger.: *sinceridade.*]

insincero (in.sin.*ce*.ro) ***a.*** 1 Que não tem sinceridade; que finge, simula ou mente 2 Que revela insinceridade (sorriso insincero, palavras insinceras); FALSO [F.: Do lat. *insincerus, a, um.* Ant. ger.: *sincero.*]

insinuação (in.si.nu:a.*ção*) ***sf.*** 1 Ação ou resultado de insinuar(-se) 2 Aquilo que se dá a entender, mas não de modo explícito: *Estava cansada de ouvir insinuações maldosas sobre sua sexualidade.* 3 Advertência dissimulada; INDIRETA: *Aquela insinuação significava, sem dúvida, uma repreensão ao seu comportamento.* 4 Habilidade de seduzir, de conquistar: *Usou da arte da insinuação para ser aceito na casa da mulher.* 5 *Ret.* Artifício retórico pelo qual se procura introduzir ideia, sentimento ou suspeita na mente do ouvinte [Pl.: *-ções.*] [F.: Do lat. *insinuatio, onis.*]

insinuante (in.si.nu.*an*.te) ***a2g.*** 1 Que insinua ou é próprio para insinuar 2 Que tem habilidade de se insinuar, de cativar a simpatia, de seduzir sutilmente: *Além de bonito, era homem de maneiras insinuantes.* [F.: *insinuar* + *-nte.* Sin. ger.: *insinuativo.*]

insinuar (in.si.nu.*ar*) ***v.*** 1 Sugerir de modo indireto e sutil; dar a entender [***td.:*** "...o técnico insinuou que os árbitros podem estar prejudicando o seu time." (*Folha S.Paulo*, 31.05.1999)] [***tdi.*** + *a*: *Insinuou ao rapaz que sua presença na festa seria muito bem-vinda.*] 2 *Fig.* Apresentar-se de forma sub-reptícia, vaga ou indistinta [***tr.:*** *O ciúme insinuava-se aos poucos em seu espírito.*] 3 Tentar seduzir (alguém); flertar com [***tr.:*** *Gostava de insinuar-se entre as mulheres*] 4 Introduzir(-se) sutilmente, ger. em lugar apertado ou junto a alguém de difícil acesso [***tda.:*** *Insinuou seu bilhete pela fresta da janela; Insinuou-se entre os amigos da atriz para chegar perto dela.*] 5 Agir para captar a simpatia ou os favores de alguém [***int.:*** *Era esperto, sabia como insinuar-se.*] [▶ 1 insinuar] [F.: Do lat. *insinuare.*]

insinuativo (in.si.nu:a.*ti*.vo) ***a.*** 1 Que insinua; INSINUANTE; INSINUADOR: "...o violento, como o touro de Europa, e o insinuativo, como o cisne de Leda e a chuva de ouro de Dânae..." (Machado de Assis, *Memórias póstumas de Brás Cubas*) 2 Que contém insinuação (tom insinuativo) [F.: *insinuar* + *-tivo.*]

insipidez (in.si.pi.*dez*) [ê] ***sf.*** Qualidade do que é insípido, do que não tem sabor, ou que não apresenta interesse: *a insipidez da água; a insipidez da vida na província.* [F.: *insípido* + *-ez.*]

insípido (in.*sí*.pi.do) ***a.*** 1 Que não tem sabor, gosto (macarrão insípido) [Ant.: *gostoso, saboroso.*] 2 *Fig.* Sem interesse, graça ou animação (texto insípido); ENFADONHO; MONÓTONO [Ant.: *interessante, animado.*] [F.: Do lat. *insipidus, a, um.*]

insipiência (in.si.pi.*ên*.ci:a) ***sf.*** Caráter do que ou de quem é insipiente; IGNORÂNCIA [F.: Do lat. *insipientia, ae.*]

insipiente (in.si.pi.*en*.te) ***a2g.*** 1 Que não tem saber, sapiência [Ant.: *sábio.*] 2 Tolo, néscio, simplório: *Era um rapaz tímido, bobo, insipiente.* 3 Que não tem sensatez nem prudência; sem juízo [F.: Do lat. *insipiens, entis.* Hom./Par.: *insipiente* (a2g.), *incipiente* (a2g.).]

insistência (in.sis.*tên*.ci:a) ***sf.*** Ação ou resultado de insistir; PERSISTÊNCIA; PERSEVERANÇA: *Perguntou com tanta insistência que o homem acabou respondendo;* "...posto lhe repetissem com insistência que o Maranhão era uma província muito hospitaleira." (Aluísio de Azevedo, "O mulato" in *A vaidosa*) [F.: *insistir* + *-ência.*]

insistente (in.sis.*ten*.te) ***a2g.*** 1 Que insiste em seus esforços para conseguir alguma coisa; que persevera (atleta insistente) 2 *P. ext.* Que importuna (mosca insistente): *Mas que sujeito insistente, não para de andar atrás de mim!* 3 Que se prolonga em demasia: *Uma chuva insistente estragou seu dia.* 4 Que é repetido, reiterado (queixas insistentes) [F.: *insistir* + *-ente.*]

insistir (in.sis.*tir*) ***v.*** 1 Dizer ou pedir algo (a alguém) mais de uma vez ou várias vezes [***tr.*** + *com, em, para, por*: *Insistia em convidar a mulher para dançar; Insistiu para que viajássemos com ele; Insistiu com o pai para irem juntos ao jogo.*] [***int.:*** *Por favor, não insista!*] 2 Repetir ou continuar fazendo aquilo que já se fez; continuar a tentar fazer algo sem desistir [***tr.*** + *em*: *Insistia em tocar bateria de manhã cedo.*] [***tr.*** + *em*] 3 Não mudar de ideia; continuar pensando ou agindo de certa maneira; TEIMAR [***tr.*** + *em*: *O homem insistia em afirmar aquela tolice; Insistiu (em) que voltássemos.*] 4 Mostrar perseverança [***tr.*** + *em*: *Insistia em estudar para fazer o concurso.*] [***int.:*** *Insista, não desista!*] [▶ 3 insistir] [F.: Do lat. *insistere.* Ant. ger.: *desistir.*]

ínsito (*ín*.si.to) ***a.*** 1 Implantado pela natureza; NATURAL; INATO 2 *Fig.* Que está intimamente gravado no espírito 3 Que está inserido, incluído (ínsito na lei) [F.: Do lat. *insitus, a, um.* Hom./Par.: *incito* (fl. de *incitar*).]

⊕ ***in situ*** (*Lat. /in siti/*) ***loc. adv.*** No local; IN LOCO

insobriedade (in.so.bri:e.*da*.de) ***sf.*** 1 Falta de sobriedade [Ant.: *sobriedade*] 2 Caráter ou qualidade do que não é sóbrio [F.: *in-*[2] + *sobriedade.*]

insóbrio (in.*só*.bri:o) ***a.*** Que não é sóbrio, falto de sobriedade [Ant.: *sóbrio.*] [F.: *in-*[2] + *sóbrio.*]

insociabilidade (in.so.ci:a.bi.li.*da*.de) ***sf.*** 1 Qualidade ou característica de quem é insociável; falta de sociabilidade ***sf.*** 2 Dificuldade de convivência social ou até mesmo repulsa por essa convivência; MISANTROPIA 3 Falta de amabilidade, de gentileza 4 Desajuste social; tendência para atividades socialmente condenáveis ou duvidosas do ponto de vista dos valores morais da comunidade; SOCIOPATIA [F.: *insociável*, sob a f. *insociabil-*, + *-(i)dade*, seg. o mod. erudito.]

insociável (in.so.ci.*á*.vel) ***a2g.*** 1 Que não quer ou não gosta de conviver com outras pessoas; que foge ao convívio social; MISANTROPO; SOLITÁRIO; RETRAÍDO 2 Que é de difícil convivência; que não trata os outros com delicadeza 3 *P. ext.* Que é indelicado, grosseiro 4 *Psi.* Diz-se de pessoa que costuma fugir às normas sociais aceitas pela maioria [Pl.: *-veis.*] [F.: Do lat. *insociabilis, e.* Ant. ger.: *sociável.*]

insofismável (in.so.fis.*má*.vel) ***a2g.*** Que não se põe em dúvida, nem mesmo com sofismas (verdade insofismável); IRREFUTÁVEL; INCONTESTÁVEL; INDISCUTÍVEL [Pl.: *-veis.*] [F.: *in-*[2] + *sofismável.* Ant. ger.: *contestável.*]

insofreável (in.so.fre.*á*.vel) ***a2g.*** Que não se pode sofrear ou reprimir [Pl.: *-veis.*] [F.: *in-*[2] + *sofreável.*]

insofrido (in.so.*fri*.do) ***a.*** 1 Que não sofre ou sofre pouco 2 Que não aceita o sofrimento 3 Que é arrebatado, impaciente, sôfrego: *Era um amor intenso, insofrido.* [F.: *in-*[2] + *sofrido.*]

insofrível (in.so.*frí*.vel) ***a2g.*** 1 Que não se pode sofrer; INSUPORTÁVEL; INTOLERÁVEL: "...chorai em dissonantes melodias, o irremediável de minha mágoa, a violência de meu tormento e o insofrível de minha dor." (Antonio José da Silva, o Judeu, *Anfitrião, ou Júpiter e Alcmena*) 2 Que não se pode tragar; INTRAGÁVEL; IMPALATÁVEL 3 Que não se consegue aquietar: *É uma pessoa de ânimo insofrível, jamais se detém em alguma coisa.* [Pl.: *-veis.*] [F.: *in-*[2] + *sofrível.*]

insolação (in.so.la.*ção*) ***sf.*** 1 *Med.* Estado de quem ficou exposto ao Sol por muito tempo, caracterizado por desidratação, febre, fraqueza etc. 2 *Fís.* Quantidade de reação solar que incide sobre uma superfície 3 Exposição direta de algo ou de alguém aos raios solares, ou a quantidade de radiação solar assim recebida 4 *Med.* Exposição ao sol controlada com fins terapêuticos [Pl.: *-ções.*] [F.: Do lat. *insolatio, onis.* Hom./Par.: *insolação* (sf.), *insulação* (sf.).]

insolado (in.so.*la*.do) ***a.*** 1 Que sofreu insolação 2 Exposto ao sol: *Essa é a área mais insolada da casa.* [F.: Part. de *insolar.*]

insolar (in.so.*lar*) ***v.*** 1 Submeter à insolação; pôr sob a ação do sol [***td.***] 2 Ficar doente de insolação, de exposição demorada ao sol [***int.***] [▶ 1 insolar] [F.: Do lat. *insolare.* Hom./Par.: *insolar* (fl.), *insular* (a2g.), *insular* (em fl. do v.).]

insolência (in.so.*lên*.ci:a) ***sf.*** 1 Caráter do que ou de quem é insolente, atrevido, desaforado: *Abordar a mulher daquela maneira era uma insolência.* 2 Comportamento inconveniente, despropositado 3 Orgulho ou arrogância excessivos: "...comentam as insolências e vão com uma caramunha de jesuíta propalando a notícia..." (José de Alencar, *Sonhos d'ouro*) 4 Ação ou expressão insolente: *Não se conformava com as insolências do porteiro.* [F.: Do lat. *insolentia, ae.*]

insolente (in.so.*len*.te) ***a2g.*** 1 Que ofende, provoca reprovação ou desafia a autoridade (aluno insolente); ATREVIDO 2 Que não respeita as convenções sociais ou o direito dos outros: *Era um motorista temerário, insolente.* 3 Que trata as pessoas com superioridade e arrogância: *Era um chefe insolente com seus subordinados.* 4 Que não tem pudor, ou que revela falta de pudor, de decoro: *Abordava as mulheres de modo insolente.* [F.: Do lat. *insolens, entis.*]

insólito (in.*só*.li.to) ***a.*** 1 Que não é habitual ou frequente; que é fora do comum (acontecimento insólito) 2 Que é contrário às regras e tradições: *Seu discurso expressou uma ideologia revolucionária, insólita.* [F.: Do lat. *insolitus, a, um.*]

insolubilidade (inso.lu.bi.li.*da*.de) ***sf.*** Qualidade, estado ou característica do que é insolúvel [Ant.: *solubilidade.*] [F.: Do lat. *insolubilitas, atis.*]

insolucionado (in.so.lu.ci:o.*na*.do) ***a.*** Que não teve solução (mistério insolucionado; problema insolucionado) [F.: *in-*[2] + *solucionado* (part. de *solucionar*).]

insolúvel (in.so.*lú*.vel) ***a2g.*** 1 Que não se dissolve; INDISSOLÚVEL: *Era um produto insolúvel na água.* 2 Que não se pode desatar, separar (laço insolúvel) 3 *Fig.* Que não tem solução: *Deparava-se com mais um problema insolúvel.* 4 *Fig.* Que não se pode pagar; IMPAGÁVEL; INSOLVÍVEL: *Tinha nas mãos uma dívida insolúvel.* [Pl.: *-veis.*] [F.: Do lat. *insolubilis, e.* Ant. ger.: *solúvel.*]

insolvabilidade (in.sol.va.bi.li.*da*.de) ***sf.*** 1 Estado ou condição de quem é insolvável; INSOLVÊNCIA; INADIMPLÊNCIA 2 Estado de dívida insolvável [F.: *insolvável*, sob a f. *insolvabil-*, + *-(i) dade*, seg. o mod. erudito.]

insolvável (in.sol.*vá*.vel) ***a2g.*** 1 Que não tem condição de saldar suas dívidas, inadimplente 2 Que não pode ser pago: *Essa dívida é insolvável.* [F.: *in-*[2] + *solvável.*]

insolvência (in.sol.*vên*.ci:a) ***sf.*** 1 Condição de insolvente 2 *Jur.* Estado do devedor, não comerciante, sem recursos para saldar dívidas contraídas; INADIMPLÊNCIA: [F.: *in-*[2] + *solvência.* Ant. ger.: *solvência, adimplência.*]

insolvente (in.sol.*ven*.te) ***a2g.*** Que não tem meios para saldar suas dívidas; INADIMPLENTE [Ant.: *solvente, adimplente*] [F.: *in-*[2] + *solvente.*]

insolvibilidade (in.sol.vi.bi.li.*da*.de) *sf.* Qualidade ou caráter do que é insolvível, impagável [F.: *insolvível*, sob a f. *insolvibil-*, + *-(i)dade*, seg. o mod. erudito.]

insolvível (in.sol.*ví*.vel) *a2g.* Que não se pode pagar; impossível de ser pago (débito insolvível); IMPAGÁVEL [Pl.: *-veis.*] [F.: *in-²* + *solvível.*]

insondável (in.son.*dá*.vel) *a2g.* 1 Que não se pode sondar 2 *Fig.* Que não se pode entender ou explicar (motivo insondável); INCOMPREENSÍVEL 3 Cujo fundo ou limite não pode ser conhecido (poço insondável) [Pl.: *-veis.*] [F.: *in-²* + *sondável*. Ant. ger.: *sondável.*]

insone (in.*so*.ne) *a2g.* 1 Que tem insônia; que não consegue dormir 2 Diz-se de período de tempo em que não se dorme (noite insone) *s2g.* 3 Aquele ou aquela que não dorme (o suficiente, o adequado), que sofre de insônia: *O insone estava lendo às quatro da manhã.* [F.: Do lat. *insomnis, e.*]

insônia (in.*sô*.ni:a) *sf.* 1 *Med.* Dificuldade para dormir, ou estado de quem não dorme ou não consegue dormir; INSONOLÊNCIA; VIGÍLIA 2 *Pat.* Dificuldade para dormir que ultrapassa o período de um mês, sem haver problemas de ordem física ou utilização de drogas que causem tal coisa [F.: Do lat. *insomnia, ae*. Hom./Par.: *insônia* (sf.), *insonia* (fl. de *insoniar*).]

insonorizar (in.so.no.ri.*zar*) *v. td.* 1 Tornar insonoro, sem som: *insonorizar um ambiente.* 2 Fazer trabalho de insonorização em (estúdio de gravação, de filmagem etc.) [▶ 1 insonorizar] [F.: *in-²* + *sonorizar.*]

insonoro (in.so.*no*.ro) *a.* 1 Que não produz som; MUDO 2 Que emite sons fracos, pouco distintos ou pouco musicais (alarmes insonoros) 3 Que não é harmonioso (acordes insonoros); DESARMONIOSO [F.: *in-²* + *sonoro.*]

insopitável (in.so.pi.*tá*.vel) *a2g.* Que não pode ser sopitado, reprimido (soluços insopitáveis); INCONTROLÁVEL; IRREPRIMÍVEL [Pl.: *-veis.*] [F.: *in-²* + *sopitável.*]

insosso (in.*sos*.so) [ô] *a.* 1 Sem sal ou sem tempero suficiente (comida insossa) 2 *Fig.* Diz-se de pessoa sem graça, desinteressante, tediosa (namorado insosso) 3 *Cons.* Diz-se de alvenaria, parede ou muro feito sem argamassa *sm.* 4 Aquilo que é insosso, sem sal, sem tempero 5 *Fig.* Pessoa ou algo sem graça, desinteressante, tediosa [F.: Do lat. *insulsus, a, um*. Hom./ Par.: *insosso* (a.), *insosso* (fl. de *insossar*); *insossa* [ô] (fem.) *insossa* (fl. de *insossar*).] ■ **Comer ~ e beber salgado** *N. E. Pop.* Ver *Comer da banda podre/ruim* no verbete *banda*

inspeção (ins.pe.*ção*) *sf.* 1 Ação ou resultado de inspecionar, de examinar cuidadosamente uma coisa, atividade, local etc., para conhecer seu estado ou procurar alguma coisa 2 Exame feito por inspetor ou grupo de inspetores especializados (inspeção escolar; inspeção sanitária) 3 Cargo ou repartição de inspetor; INSPETORIA [Pl.: *-ções.*] [F.: Do lat. *inspectio, onis.*]

inspecionar (ins.pe.ci:o.*nar*) *v. td.* 1 Fazer inspeção de (algo), ou em (algum lugar): *Inspecionar uma escola/ uma obra.* 2 Observar ou examinar com muita atenção: *Inspecionou seu rosto, procurando o sinal de que mentira.* [▶ 1 inspecionar] [F.: *inspeção* + *-ar²*, seg. o mod. erudito. Hom./Par.: *inspecionáveis* (fl.), *inspecionáveis* (pl. de *inspecionável* [a2g.]).]

inspecionável (ins.pe.ci:o.*ná*.vel) *a2g.* Que é possível inspecionar (material inspecionável) [Pl.: *-veis.*] [F.: *inspecionar* + *-vel*. Hom./Par.: *inspecionáveis* (pl.), *inspecionáveis* (fl. de *inspecionar* [v.]).]

inspetor (ins.pe.*tor*) [ô] *sm.* 1 Aquele que inspeciona, que faz inspeção 2 Aquele que cuida da disciplina dos alunos em uma escola 3 Agente de polícia 4 *Bras.* Representante do Ministério da Educação que tem a função de fiscalizar as escolas 5 *Bras.* Chefe que atua na inspeção das mercadorias e bagagens num posto de alfândega 6 *MG* Policial que fiscaliza o trânsito [F.: Do lat. *inspector, oris.*]

inspetoria (ins.pe.to.*ri*:a) *sf.* 1 Trabalho ou cargo de inspetor: *Era o chefe da inspetoria de trânsito.* 2 Numa organização ou instituição, grupo de pessoas que cuidam da inspeção [F.: *inspetor* + *-ia¹.*]

inspiração (ins.pi.ra.*ção*) *sf.* 1 Ação ou resultado de inspirar 2 Ação de entrar o ar nos pulmões 3 *Fig.* Estímulo ao pensar ou à capacidade de criação de artistas, escritores etc.: *Era um teatrólogo de grande inspiração.* 4 *P. ext.* O resultado de uma atividade que teve o estímulo da inspiração 5 Pessoa ou coisa que desperta em alguém novas ideias ou vontade de criar: *Essa moça é minha inspiração.* 6 Influência ou impressão forte, marcante: *Tocava sob a inspiração do compositor.* 7 *Rel.* Ideia que surge repentinamente, como uma súbita iluminação; LAMPEJO: *Teve a inspiração de ir até à praça, onde encontrou o rapaz que desejava.* 8 Segundo os cristãos, sopro divino que teria orientado os autores da Bíblia [Pl.: *-ções.*] [F.: Do lat. *inspiratio, onis.*]

inspirado (ins.pi.*ra*.do) *a.* 1 Que se introduziu nos pulmões (ar inspirado; fumaça inspirada) 2 *Fig.* Diz-se de algo que tenha sido realizado por inspiração, por um estímulo que fecunda a imaginação (poema inspirado) 3 *Fig.* Que teve o alento da inspiração divina (diz-se dos autores da Bíblia) *sm.* 4 Indivíduo inspirado (por sopro divino ou estímulo de origem desconhecida) [F.: Do lat. *inspiratus, a, um.*]

inspirador (ins.pi.ra.*dor*) [ô] *a.* 1 Que inspira; INSPIRATIVO; INSPIRATÓRIO 2 Que estimula o trabalho artístico ou intelectual: *O sopro inspirador do artista.* 3 Que fornece as ideias que posteriormente serão transformadas, por outrem, em obras concretas 4 Que influencia ou direciona: *Beethoven foi o grande inspirador de Brahms.* [F.: Do lat. *inspirator, oris.*]

inspirar (ins.pi.*rar*) *v.* 1 Fazer entrar (o ar ou outra substância) nos pulmões; ASPIRAR; INALAR; RESPIRAR [*td.: Inspirou muita fumaça.*] [Ant.: *expirar.*] 2 Infundir sentimento, emoção, estado de espírito (em) [*td.: Era um homem que inspirava confiança; Aquela suposição inspirava medo.*] [*tdi.* + *a*: *O filme inspirou horror ao público infantil.*] 3 Impressionar muito, despertando (em alguém) vontade de criar ou realizar algo [*tdr.* + *a*: *A moça inspirou-o a escrever um poema de amor.*] 4 Receber estímulo, sofrer influência, ou seguir o exemplo de (algo ou alguém) para realizar algo [*tr.* + *em*: *Inspirou-se num fato real para escrever sua história.*] [▶ 1 inspirar] [F.: Do v.lat. *inspirare*. Hom./Par.: *inspiráveis* (fl.), *inspiráveis* (pl. de *inspirável* [a2g.]).]

inspiratório (ins.pi.ra.*tó*.ri.o) *a.* 1 Ref. a inspiração 2 Que é próprio para inspirar 3 Que conduz o ar aos pulmões [F.: *inspirar* + *-tório.*]

inspirável (ins.pi.*rá*.vel) *a2g.* Que se pode inspirar [Pl.: *-veis.*] [F.: *inspirar* + *-vel*. Hom./Par.: *inpiráveis* (pl.), *inspiráveis* (fl. de *inspirar* [v.]).]

⊠ **INSS** Sigla de *Instituto Nacional do Seguro Social*

instabilidade (ins.ta.bi.li.*da*.de.) *sf.* 1 Qualidade, condição ou estado de instável 2 Falta de estabilidade, de firmeza: *A instabilidade das colunas fez a casa desabar.* 3 Característica daquilo que não se mantém estável, que sacode, balança etc.: *A instabilidade do veículo quase provocou uma capotagem.* 4 Caráter daquilo que é inconstante, mutável, volúvel (instabilidade do tempo; instabilidade de ânimo) 5 Ausência de segurança, de certeza: *O país vivia o inferno da instabilidade social.* 6 Falta de garantia no emprego: *Sua situação na empresa é de instabilidade.* 7 Situação em que uma região, um país ou o mundo inteiro sofrem ameaça permanente de ordem econômica, política ou social: *A instabilidade econômica ameaça o equilíbrio mundial.* [F.: Do lat. *instabilitas, atis*. Ant. ger.: *estabilidade.*]

instabilização (ins.ta.bi.li.za.*ção*) *sf.* Ação ou processo que leva à falta de estabilidade (instabilização da encosta) [Ant.: *estabilização*] [Pl.: *-ções.*] [F.: *instabilizar* + *-ção.*]

instabilizado (ins.ta.bi.li.*za*.do) *a.* Que se instabilizou; que não tem estabilidade (governo instabilizado) [Ant.: *estabilizado*] [F.: Part. de *instabilizar.*]

instabilizador (ins.ta.bi.li.za.*dor*) [ô] *a.* 1 Que causa instabilização (fator instabilizador) *sm.* 2 O que causa instabilização [Ant.: *estabilizador.*] [F.: *instabilizar* + *-dor.*]

instabilizar (ins.ta.bi.li.*zar*) *v. td.* Tornar instável: *As divergências instabilizaram a nova diretoria.* [▶ 1 instabilizar] [F.: De *instável* (sob o rad. *instabil-*) + *-izar*, seg. o mod. erudito.]

instado (ins.*ta*.do) *a.* Requisitado com instâncias; SOLICITADO; ROGADO: *O responsável foi instado a responder aos jornalistas.* [+ *a, para, por*: "Instado a responder às perguntas da senhora e do amigo, o coronel, mais comovido que eloquente, contou sucessos de suas batalhas." (Camilo Castelo Branco, *A enjeitada*): "Instado para que se justificasse, permaneceu em silêncio.... Padre Diniz, instado pelos olhares repetidos do conde..." (Camilo Castelo Branco, *Mistérios de Lisboa*)] [F.: Part. de *instar.*]

instalação (ins.ta.la.*ção*) *sf.* 1 Ação ou resultado de instalar 2 Conjunto de peças, máquinas, aparelhos etc. instalados para determinado fim (instalação elétrica; instalação hidráulica) 3 Conjunto de atos que inauguram órgão do poder público ou de entidade particular: *Chegaram durante a cerimônia de instalação.* 4 Obra de arte que consiste na disposição de objetos ou materiais num espaço tridimensional, formando uma unidade com a qual o espectador interage [Pl.: *-ções.*] [F.: *instalar* + *-ção.*] ■ **~ completa** *Inf.* Em instalação de programa em computador, aquela que transfere para o disco rígido todos os arquivos do programa **~ parcial** *Inf.* Em instalação de programa em computador, aquela que transfere para o disco rígido só os arquivos essenciais à execução do programa, ou aqueles que são escolhidos pelo usuário

instalações (ins.ta.la.*ções*) *sfpl.* Prédio, sala, conjunto de salas ou conjunto de lojas preparado para determinada atividade: *As novas instalações do shopping.* [F.: Pl. de *instalação.*]

instalado (ins.ta.*la*.do) *a.* 1 Que se instalou *a.* 2 Que foi colocado no lugar que lhe cabia: *A estante foi mal instalada.* 3 Que recebeu os ajustes técnicos necessários de montagem, colocação e acionamento para que funcione de modo adequado (máquina instalada) [F.: Part. de *instalar.*]

instalador (ins.ta.la.*dor*) [ô] *a.* 1 Que instala: *Empresa instaladora de janelas à prova de som.* 2 Que promove, que instaura *sm.* 3 Aquele que instala alguma coisa: *Os instaladores da máquina de lavar já chegaram!* [F.: *instalar* + *-dor.*]

instalar (ins.ta.*lar*) *v.* 1 Colocar algo em algum lugar, de maneira segura e estável [*td.: Instalaram rapidamente o aquecedor.*] [*tda.: Instalou o telescópio na varanda.*] 2 *Inf.* Colocar, inserir em equipamento eletrônico [*tda.: Instalou o novo programa no computador.*] 3 Hospedar(-se), alojar(-se) [*tda.: Instalaram as moças nos melhores quartos.*] 4 Pôr(-se) de modo a ter conforto; ACOMODAR(-SE) [*tda.: A enfermeira instalou o paciente na poltrona; Instalou-se no sofá para ver o filme.*] 5 Abrir ou ser aberto; ESTABELECER(-SE) [*tda.: Instalaram um bar do outro lado da rua.*] 6 *Fig.* Causar; suscitar; CRIAR(-SE) [*tda.: O temporal instalou o caos na cidade.*] [*ta.*] 7 Dar ou tomar posse de um cargo [*tdr.* + *em*: *O presidente instalou-o num novo ministério; O novo funcionário logo se instalou no cargo.*] [▶ 1 instalar] [F.: Do fr. *installer*. Hom./Par.: *instaláveis* (fl.), *instaláveis* (pl. de *instaláveis* [a2g.]).]

instalável (ins.ta.*lá*.vel) *a2g.* Que é possível instalar (máquina instalável; *software* instalável) [Pl.: *-veis.*] [F.: *instalar* + *-vel*. Hom./Par.: *instaláveis* (pl.), *instaláveis* (fl. de *instalar* [v.]).]

instância (ins.*tân*.ci:a) *sf.* 1 Qualidade do que é instante 2 Caráter do que está prestes a acontecer 3 Ato de solicitar de maneira urgente: *Pediu com instância que liberassem seu filho.* 4 Caráter daquilo que é feito com empenho: *A coragem e a instância da multidão libertaram o inocente.* 5 Autoridade encarregada de julgar ou decidir certas questões, e que é hierarquicamente superior ou inferior a outra(s) 6 *Jur.* Ordem ou grau da hierarquia judiciária 7 *Jur.* O território em que uma autoridade exerce o poder judiciário; FORO; JURISDIÇÃO 8 Autoridade ou órgão com poder de decisão 9 *Inf.* Cada uma das execuções de um programa que se efetuam durante a mesma seção do sistema operacional [F.: Do lat. *instantia, ae*. Hom./Par.: *instância* (sf.), *estância* (sf.).] ■ **Em última ~** 1 Como derradeiro recurso: *Tentamos de tudo para aumentar a receita, em última instância vamos cortar despesas.* 2 Em última análise, como síntese, como resumo simples: *São defeitos claros, que no entanto, em última instância, não diminuem o valor do filme.* **Primeira ~** *Jur.* Juízo inicial de uma causa, que profere a primeira decisão **Segunda ~** *Jur.* Juízo que julga recurso impetrado sobre a decisão de uma causa em primeira instância **Última ~** *Jur.* Aquela de cuja decisão não há mais recurso ordinário cabível **Única ~** *Jur.* Único juízo a julgar uma causa, de cuja decisão portanto não há recurso ordinário cabível

instantaneidade (ins.tan.ta.nei.*da*.de) *sf.* Qualidade do que é instantâneo, momentâneo [F.: *instantân(eo)* + *-eidade.*]

instantâneo (ins.tan.*tâ*; ne.o) *a.* 1 Que só dura um rápido instante; que acontece ou ocorre em curtíssimo espaço de tempo 2 Que acontece, ger. como resposta ou consequência, imediatamente após ou no exato momento de certa ocorrência ou de certo fato: *Atropelado pelo carro, teve morte instantânea.* 3 Que se dá muito rapidamente, e logo a seguir a algo anterior; IMEDIATO: *Fiz a pergunta e obtive resposta instantânea.* 4 Que se dissolve rapidamente (café instantâneo) *sm.* 5 *Fot.* Fotografia cujo tempo de exposição é muito breve: *Tirou um instantâneo da irmã.* [Ant.: *lento, vagaroso.*] [F.: Do lat. medv. *instantaneus, a, um*, posv.]

instante (ins.*tan*.te) *a2g.* 1 Que insta, que insiste com obstinação: *Os pedidos e rogos instantes o entediavam.* 2 Que vai acontecer logo (desenlace instante); IMINENTE 3 Urgente, premente: *Precisava de soluções instantes.* *sm.* 4 Tempo curtíssimo: *Vou correndo e chego num instante.* 5 O momento preciso em que acontece algo: *A briga foi naquele instante;* "No instante em que as corridas iam começar, em que todos sentiam-se febris de impaciência, um murmúrio correu pelas multidões..." (Álvares de Azevedo, *Noites na taverna*) [F.: Do lat. *instans, antis.*]

instar (ins.*tar*) *v.* 1 Pedir com insistência [*td.: O ministro instou a melhoria das medidas preventivas.*] [*tr.* + *com, para*: *Instei com ela para que ficasse.*] [*tdr.* + *a*: *Instou-o a escrever suas memórias.*] 2 Estar iminente; estar prestes a acontecer [*int.: Percebeu que instava um grande acontecimento.*] 3 Ser necessário ou urgente; URGIR [*int.: Insta que saiamos logo daqui.*] 4 Expressar desaprovação, manifestar desacordo [*tr.* + *contra*: *Instou contra nosso plano.*] 5 Voltar a dizer, a perguntar ou a pedir; INSISTIR [*tdi.* + *a*: *– Evite essas companhias – instou o pai ao filho.*] [▶ 1 instar] [F.: Do v.lat. *instare*. Hom./Par.: *instáveis* (fl.), *instáveis* (pl. de *instável* [a2g.]).]

⊕ ***in statu quo ante*** (*Lat. / in statu kuo ante/*) ***loc. adv.*** No estado em que se encontrava anteriormente

instauração (ins.tau.ra.*ção*) *sf.* 1 Ação ou resultado de instaurar, de criar alguma coisa (construção, fundação etc.): *Instauração de um centro para menores abandonados.* 2 Ação ou resultado de inaugurar o funcionamento de algo: *Instauração de novos serviços de saneamento.* 3 Abertura ger. solene de assembleia, congresso etc.: *Instauração dos trabalhos da câmara de vereadores.* [Pl.: *-ções.*] [F.: Do lat. *instauratio, onis.*]

instaurado (ins.tau.*ra*.do) *a.* Que se instaurou (inquérito instaurado); ABERTO [Ant.: *encerrado.*] [F.: Part. de *instaurar.*]

instaurador (ins.tau.ra.*dor*) [ô] *a.* 1 Que instaura, que estabelece (processo instaurador); INAUGURADOR *sm.* 2 Aquele que instaura, estabelece, funda: *É ele o instaurador do novo curso.* [F.: Do lat. *instaurator, oris.*]

instaurar (ins.tau.*rar*) *v. td.* 1 Introduzir, implantar (algo que não existia): *O grupo instaurou uma ditadura violenta.* 2 Promover o início de (algo), ger. de modo solene; ABRIR; INAUGURAR [Ant.: *encerrar.*] 3 *Jur.* Estabelecer o início de (algo), ger. seguindo procedimentos legais: *O Congresso instaurou uma comissão parlamentar de inquérito.* [▶ 1 instaurar] [F.: Do v.lat. *instaurare.*]

instável (ins.*tá*.vel) *a2g.* 1 Que não tem estabilidade; que cai facilmente, ou sai facilmente da posição ou do ponto de equilíbrio: *Armário de prateleiras instáveis.* [Ant.: *estável*] 2 Que muda rapidamente ou com frequência; que não é constante ou regular (clima instável; humor instável) [Ant.: *estável.*] 3 Diz-se de pessoa cujo comportamento, emoções ou pensamentos mudam com frequência: *Ele é uma boa pessoa, mas instável no seu dia a dia.* 4 Que não oferece garantia, estabilidade, segurança (emprego instável) [Ant.: *estável.*] 5 Que não se estabilizou, que requer cuidados (saúde instável; estado instável) [Ant.: *estável.*]

[Pl.: *-veis*.] [F.: Do lat. *instabilis, e*. Hom./Par.: *instáveis* (pl.), *instáveis* (fl. de *instar* [v]).]

instigação (ins.ti.ga.*ção*) *sf.* Ação ou resultado de instigar, de estimular, de induzir; INCITAÇÃO; SUGESTÃO: *Foi por instigação dos amigos que ele brigou.* [Pl.: *-ções*.] [F.: Do lat. *instigatio, onis*.]

instigado (ins.ti.*ga*.do) *a.* **1** Que se instigou **2** Que é estimulado, incentivado [F.: Part. de *instigar*.]

instigador (ins.ti.ga.*dor*) [ô] *a.* **1** Que instiga, açula, estimula; INSTIGANTE: *Foi ele o instigador da confusão!* **2** Que excita, instiga: *É filme de suspense instigador*; "...com os defeitos próprios da sua condição, trazia aliado o de instigador das ruins paixões..." (Franklin Távora, *O matuto*) *sm.* **3** Aquele que instiga; INSTIGANTE: *O instigador da briga fugiu.* [F.: Do lat. *instigator, oris*.]

instigamento (ins.ti.ga.*men*.to) *sm.* Ação ou resultado de instigar; INSTIGAÇÃO; PROVOCAÇÃO; ESTÍMULO: *O que os agitadores têm feito é um instigamento do povo contra as instituições.* [F.: *instigar* + *-mento*.]

instigante (ins.ti.*gan*.te) *a2g.* **1** O mesmo que *instigador* (1) **2** Que provoca a curiosidade; que desperta reflexões: *É um filme instigante.* *s2g.* **3** Aquele ou aquela que instiga *sm.* **4** Aquilo que instiga: *O instigante nisso tudo foi a sua recusa.* [F.: *instigar* + *-nte*.]

instigar (ins.ti.*gar*) *v.* **1** Incentivar (alguém) a (agir de certo modo); INDUZIR [*tdr.* + *a*: *Instigava os alunos à reflexão.*] **2** Incitar (reação, ger. agressiva); ESTIMULAR [*td.*: *O desrespeito à moça instigou sua raiva.*] [*tdi.* + *contra*: *A falência da firma instigou sua revolta contra o sócio.*] **3** Tentar persuadir; ACONSELHAR [*tdr.* + *a*: *A mãe instigava-o a estudar mais.*] **4** Dar incentivo ou estímulo para (algo) [*td.*: *instigar a camaradagem.*] **5** Despertar [*td.*: *A brincadeira instigou a curiosidade dos passantes.*] [▶ 14 instigar] [F.: Do v.lat. *instigare*.]

instilação (ins.ti.la.*ção*) *sf.* **1** Ação ou resultado de instilar(-se) **2** Introdução de líquido gota a gota: *O médico recomendou a instilação de duas gotas do colírio em cada olho.* **3** *Fig.* Persuasão, insinuação [Pl.: *-ções*.] [F.: Do lat. *instillatio, onis*.]

instilado (ins.ti.*la*.do) *a.* Que se instilou (soro instilado; preconceito instilado) [F.: Part. de *instilar*.]

instilar (ins.ti.*lar*) *v.* **1** Fazer penetrar (líquido, remédio) lentamente [*td.*: *A cascavel instila veneno.*] [*tdi.* + *em*: *A cascavel instilou veneno na cabra.*] **2** Fazer pingar gota a gota, ger. por meio de instrumento apropriado [*tda.*: *Instilou uma gota de colírio em cada olho.*] **3** *Fig.* Fazer penetrar ou penetrar vagarosamente; INSINUAR(-SE) [*tdi.* + *em*: *O ato desumano instilou revolta em seu espírito.*] [*ti.* + *em*: *O desânimo instilou-se em cada um dos candidatos.*] [▶ 1 instilar] [F.: Do lat. *instillare*, de *stilla*.]

instintividade (ins.tin.ti.vi.*da*.de) *sf.* Qualidade ou caráter do que é instintivo [F.: *instintivo* + *-(i)dade*.]

instintivo (ins.tin.*ti*.vo) *a.* **1** Ref. a instinto; que não é aprendido ou treinado (ato, comportamento de animal) **2** Que não resulta de ato de consciência ou decisão; que parece determinado por instinto ou impulso irracional: *Não viu o chute, mas defendeu a bola num gesto instintivo.* **3** Diz-se de pessoa cujas ações são principalmente guiadas pelo instinto: *É um homem instintivo, que age sem pensar.* [F.: *instinto* + *-ivo*.]

instinto (ins.*tin*.to) *sm.* **1** Tendência natural, inata (não aprendida nem treinada), que determina o comportamento básico e fundamental de todos os animais de uma espécie, ou de um conjunto de espécies (instinto sexual) **2** Padrão de comportamento, não aprendido, de uma espécie animal: *As formigas constroem seus formigueiros por instinto.* **3** Impulso irracional que leva o indivíduo a agir sem considerações de ordem moral ou espiritual, como um animal: *Era um homem de baixos instintos*; "Animal ferido / Por instinto decidido / Os meus rastos desfiz/ Tentativa infeliz de esquecer." (Roberto Carlos e Erasmo Carlos, *Fera ferida*) **4** Tendência inexplicável ou queda irresistível para certa atividade: *Tinha um instinto terrível para ganhar dinheiro.* [F.: Do lat. *instinctus, us*.] ∎ **~ de conservação** Impulso instintivo que leva indivíduo de uma espécie a reagir a situações de perigo ou ameaça para manter-se vivo **~ de morte** *Psic.* Termo genérico para tendências instintivas do indivíduo de se afastar do prazer e de tudo que expressa vitalidade e de se voltar para o estado inorgânico, a morte **~ maternal 1** O instinto que leva toda fêmea de toda espécie a alimentar e proteger a prole até que esta seja capaz de fazê-lo por si mesma **2** No ser humano, generalização do instinto original, que se expressa nas mulheres como a vocação para amar, proteger e cuidar de crianças, de carentes, de desvalidos etc.

institucional (ins.ti.tu.ci:o.*nal*) *a2g.* **1** Ref. ou pertencente a instituição (regulamento institucional) **2** Relativo às instituições que pertencem ao Estado **3** Que tem caráter de instituição [Pl.: *-nais*.] [F.: *instituição* + *-al*, seg. o mod. erudito.]

institucionalidade (ins.ti.tu.ci:o.na.li.*da*.de) *sf.* Qualidade ou caráter de institucional [F.: *institucional* + *-(i)dade*.]

institucionalismo (ins.ti.tu.ci:o.na.*lis*.mo) *sm. Jur. Pol.* Doutrina que defende a manutenção e a inviolabilidade das instituições organizadas [F.: *institucional* + *-ismo*; ing. *institucionalism*.]

institucionalista (ins.ti.tu.ci:o.na.*lis*.ta) *Pol. a2g.* **1** Relativo a institucionalismo **2** Que apoia o institucionalismo *s2g.* **3** Indivíduo institucionalista [F.: *institucional* + *-ista*.]

institucionalização (ins.ti.tu.ci:o.na.li.za.*ção*) *sf.* Ação ou resultado de institucionalizar(-se), de passar a ser ou transformar-se em instituição: *Estamos chegando à institucionalização da violência.* [Pl.: *-ções*.] [F.: *institucionalizar* + *-ção*.]

institucionalizado (ins.ti.tu.ci:o.na.li.*za*.do) *a.* **1** Que se tornou institucional **2** Que adquiriu o caráter de instituição [F.: Part. de *institucionalizar*.]

institucionalizador (ins.ti.tu.ci:o.na.li.za.*dor*) [ô] *a.* **1** Que institucionaliza (ato institucionalizador) *sm.* **2** Aquele que institucionaliza (institucionalizador da estabilidade) [F.: *institucionalizar* + *-dor*.]

institucionalizar (ins.ti.tu.ci:o.na.li.*zar*) *v.* Dar ou adquirir caráter de instituição; OFICIALIZAR(-SE) [*td.*: *O "Estado Novo" institucionalizou, de fato, o regime ditatorial.*] [*int.*: *No Brasil, institucionalizou-se o hábito de chegar atrasado.*] [Ant.: *desinstitucionalizar*.] [▶ 1 institucionalizar] [F.: *institucional* + *-izar*.]

instituição (ins.ti.tu:i.*ção*) *sf.* **1** Ação ou resultado de instituir; CRIAÇÃO; ESTABELECIMENTO **2** Aquilo que foi instituído ou estabelecido: *Era grande defensor das instituições legais*: "Pede-me que insulte os princípios da religião [...] que ataque as leis fundamentais do Estado, que injurie o rei, que vitupere a instituição da família!" (Eça de Queirós, *O crime do Padre Amaro*) **3** *Soc.* Costume ou estrutura social decorrente de necessidades sociais básicas, muitas vezes estabelecidas por lei, que vigoram num país ou num povo: *a instituição da propriedade privada; a instituição do casamento.* **4** Organização que atende interesses e necessidades sociais, coletivos (instituição religiosa; instituição militar) **5** Órgão público ou privado que presta serviços necessários à determinada sociedade ou à comunidade mundial: *A Ordem Brasileira dos Advogados e a Organização das Nações Unidas são instituições.* **6** Estabelecimento que se dedica ao ensino, à educação **7** Qualquer agremiação ou corporação **8** *Fig.* Personalidade célebre em sua comunidade ou mesmo além de seus limites: *O compositor Ary Barroso é uma instituição brasileira.* [Pl.: *-ções*.] [F.: Do lat. *institutio, onis*.] ∎ **~ canônica** *Ecles.* Atribuição e imposição a um clérigo dos poderes espirituais de um cargo eclesiástico, e da jurisdição correspondente

instituições (ins.ti.tu.i.*ções*) *sfpl.* Num país, o conjunto das leis fundamentais, dos princípios de governo e das formas de organização das atividades de interesse público [F.: Pl. de *instituição*.]

instituído (ins.ti.tu:*í*.do) *a.* **1** Que se instituiu **2** *Jur.* Diz-se daquele em cujo favor se instituiu um benefício ou um direito [F.: Part. de *instituir*.]

instituidor (ins.ti.tu:i.*dor*) [ô] *a.* **1** Que institui; que estabelece (regime instituidor) *sm.* **2** Aquele que institui, que estabelece: *o instituidor da pensão.* [F.: *instituir* + *-dor*. Sin. ger.: *instituinte*.]

instituinte (ins.ti.tu:*in*.te) *a2g.* Que institui, o mesmo que *instituidor* [F.: *instituir* + *nte*.]

instituir (ins.ti.tu.*ir*) *v.* **1** Dar início a; INAUGURAR [*td.*: *Instituíram a moda do piercing entre os adolescentes.*] **2** Determinar (data, prazo) [*td.*: *Instituiu um prazo para a liquidação da dívida.*] **3** Escolher (alguém ou a si mesmo) para tarefa, trabalho, missão etc.; NOMEAR(-SE) [*tdp.*: *Instituiu seu sobrinho (como) chefe de sua empresa; Instituiu-se mentor moral de sua família.*] **4** Nomear (alguém) como herdeiro [*tdp.*: *Instituiu a filha de criação como sua principal herdeira.*] [▶ 56 instituir] [F.: Do lat. *instituere*, com mudança de conjug.]

instituto (ins.ti.*tu*.to) *sm.* **1** Associação de pessoas ou organização dedicada a atividades de certo tipo esp. educacionais, científicas ou culturais **2** Organização que, instituída pelo governo com regras próprias, cuida de ou supervisiona certos assuntos de interesse público (interesses econômicos, de seguridade social etc.): *Instituto Nacional de Serviço Social (INSS).* **3** Organização de caráter cultural dedicada ao estudo e às pesquisas especializadas **4** Centro de estudos e pesquisas (instituto geográfico) **5** Agremiação de caráter cultural, artístico etc. **6** Nome que se dá a certos estabelecimentos de ensino médio e superior: *Instituto de Educação.* **7** Nome que se dá a certos estabelecimentos que têm finalidades precisas (instituto de beleza) **8** O prédio em que funciona um instituto [F.: Do lat. *institutus, a, um*.] ∎ **~ cambial** *Econ. Jur.* Acervo de normas que regulamentam o uso de letras de câmbio como instrumento de crédito **~ de beleza** Salão de beleza **~ secular** *Rel.* Regime de vida religiosa não obrigatoriamente comunitária e no qual não se proferem votos de pobreza, obediência e castidade

instrução (ins.tru.*ção*) *sf.* **1** Ação ou resultado de instruir(-se) **2** Conjunto de conhecimentos transmitidos ou adquiridos; ERUDIÇÃO; CULTURA **3** Educação formal fornecida por estabelecimento de ensino (instrução secundária; instrução superior) **4** Conjunto de conhecimentos, esp. de caráter geral: *Era homem de pouca instrução.* **5** Explicação de como fazer uso de determinada coisa (aparelhos, peças para montar etc.): *Acompanhava o televisor um manual de instruções.* **6** Esclarecimento que se dá a alguém que deve cumprir tarefa, missão etc.: *Os trabalhadores receberam instruções do chefe.* **7** *Inf.* Código ou expressão que determina operação a ser feita por microprocessador [Pl.: *-ções*.] [F.: Do lat. *instructio, onis*.] ∎ **~ de máquina** *Inf.* Em linguagem de programação para computador, instrução em baixo nível, diretamente executável por um processador (ver *Linguagem de máquina* no verbete *linguagem*), sem necessidade de compilação em alto nível **~ programada** Método de ensino segundo o qual só se passa a um nível superior de conhecimento após a total compreensão do nível anterior, aferida por meio de teste de pergunta e resposta sobre esse nível e uma consequente retroalimentação do conteúdo, preparatória para a passagem ao nível seguinte

instrucional (ins.tru.ci:o.*nal*) *a2g.* Ref. a ou próprio da instrução, do ensino (material instrucional) [Pl.: *-ais*.] [F.: *instrucion* + *-al*.]

instruído (ins.tru:*í*.do) *a.* Que se instruiu; que recebeu ou adquiriu instrução: *Era uma moça bonita e instruída*; "talentoso, instruído, hábil [...] ostenta e ostentará independência" (Joaquim Manuel de Macedo, *Luneta mágica*) [F.: Part. de *instruir*.]

instruir (ins.tru.*ir*) *v.* **1** Transmitir ou receber educação, orientação [*td.*: *Tinha prazer em instruir os alunos; Sua obsessão era instruir-se.*] [*ta.*: *instruiu-se na biblioteca do pai.*] **2** Transmitir ou receber informação; INFORMAR(-SE); ESCLARECER(-SE) [*td.*: *Acertamos o caminho porque um guarda nos instruiu.*] [*tdr.* + *sobre, de*: *O policial nos instruiu do perigo que corríamos; O médico o instruiu sobre os riscos da cirurgia.*] [*tr.* + *sobre, acerca de*: *O viajante não se instruiu acerca do horário.*] **3** Orientar alguém para fazer algo [*td.*: *Seu trabalho era instruir soldados.*] [*int.*: *Estava ali para instruir.*] **4** Ensinar a alguém segredos de uma técnica, arte etc.; INICIAR [*tdr.* + *em*: *Instruía meninos de rua no ofício de empalhador.*] [▶ 56 instruir] [F.: Do lat. *instruere*.]

instrumentação (ins.tru.men.ta.*ção*) *sf.* **1** Ação ou resultado de instrumentar **2** Fornecimento de meios, de materiais adequados, para que se execute uma ação **3** Cada um desses meios ou materiais; INSTRUMENTO **4** *Med.* Durante uma operação cirúrgica, fornecimento dos instrumentos próprios ao cirurgião **5** Interpretação dos controles automáticos de processos industriais, na teoria de controle de processos **6** *Mús.* Escolha e emprego dos instrumentos musicais no arranjo orquestral de uma composição, original ou adaptada **7** *Mús.* O conjunto desses instrumentos **8** *Mús.* O estudo das técnicas de instrumentação musical [Pl.: *-ções*.] [F.: *instrumentar* + *-ção*.]

instrumentado (ins.tru.men.*ta*.do) *a.* Que se instrumentou, que recebeu instrumentação [F.: Part. de *instrumentar*.]

instrumentador (ins.tru.men.ta.*dor*) [ô] *a.* **1** *Med. Cir.* Diz-se daquele que, durante uma cirurgia, fornece ao cirurgião os instrumentos cirúrgicos e outros materiais necessários à operação **2** *Mús.* Diz-se do músico que faz a instrumentação *sm.* **3** *Med. Cir.* O instrumentador cirúrgico **4** *Mús.* O músico instrumentador [F.: *instrumentar* + *-dor*.]

instrumental (ins.tru.men.*tal*) *a2g.* **1** Ref. a instrumento(s); que usa como ou serve de instrumento para algo: *Adotou medidas instrumentais.* **2** Que utiliza instrumento(s) **3** *Mús.* Que utiliza instrumentos ou se executa apenas com instrumentos (música instrumental) [Como opos. a *vocal*.] *sm.* **4** Conjunto de instrumentos ou meios necessários a um especialista, um profissional (instrumental de trabalho; instrumental cirúrgico) **5** *Med.* Conjunto dos instrumentos us. por um cirurgião durante operação **6** *Mús.* Conjunto de instrumentos musicais **7** *Ling.* Categoria gramatical que exprime meio ou instrumento [Pl.: *-tais*.] [F.: *instrumento* + *-al*. Hom./Par.: *instrumentais* (pl.), *instrumentais* (fl. de *instrumentar*).]

instrumentalidade (ins.tru.men.ta.li.*da*.de) *sf.* Qualidade do que é instrumental [F.: *instrumental* + *-(i)dade*.]

instrumentalismo (ins.tru.men.ta.*lis*.mo) *sm.* **1** Concepção pragmatista segundo a qual as ideias são instrumentos de ação, cuja veracidade se comprovada por sua utilidade **2** *Fil.* Doutrina defendida pelo filósofo e educador americano John Dewey (1859-1952) de acordo com a qual nossas ideias, teorias, percepções etc. não refletem necessariamente o mundo real, mas são instrumentos úteis para explicar, predizer e controlar nossas experiências [F.: *instrumental* + *-ismo*.]

instrumentalista (ins.tru.men.ta.*lis*.ta) *a2g.* **1** *Fil.* Ref. a instrumentalismo **2** *Fil.* Que é adepto do instrumentalismo *s2g.* **3** *Fil.* O que segue a teoria filosófica do instrumentalismo *s2g.* **4** *P. us. Mús.* Pessoa que toca um instrumento musical, o mesmo que instrumentista [F.: *instrumental* + *-ista*.]

instrumentalização (ins.tru.men.ta.li.za.*ção*) *sf.* Ação ou resultado de instrumentalizar(-se); APARELHAMENTO: *instrumentalização das atividades de fiscalização.* [Pl.: *-ções*.] [F.: *instrumentalizar* + *-ção*.]

instrumentalizado (ins.tru.men.ta.li.*za*.do) *a.* Que se instrumentalizou; dotado de condições para realizar algo; APARELHADO [F.: Part. de *instrumentalizar*.]

instrumentalizar (ins.tru.men.ta.li.*zar*) *v. td.* Dar ou adquirir instrumentos ou condições para (fazer algo): *instrumentalizar o idoso com conhecimentos para o autocuidado; Instrumentalizaram-se para executar tais medidas.* [▶ 1 instrumentalizar] [F.: *instrumental* + *-izar*.]

instrumentar (ins.tru.men.*tar*) *v.* **1** *Cir.* Durante uma cirurgia, passar os instrumentos às mãos de (cirurgião) [*td.*: *A nova enfermeira instrumentava o cirurgião.*] [*int.*: *Estava apta a instrumentar.*] **2** *Mús.* Escrever a parte da música que cada instrumento deve tocar [*td.*: *O arranjador instrumentava bem qualquer melodia.*] [*int.*: *O maestro não instrumentava bem.*] **3** *Jur.* Redigir (ato público, contrato, escritura etc.) [*td.*] [▶ 1 instrumentar] [F.: *instrumento* + *-ar*. Hom./Par.: *instrumentais* (fl. de *instrumentar*), *instrumentais* (a2g.); *instrumento* (fl. de *instrumentar*), *instrumento* (sm.), *instrumentaria* (fl. de *instrumentar*), *instrumentarias* (fl. de *instrumentar*), *instrumentária* (sf.), *instrumentário* (a.).]

instrumentária (ins.tru.men.*tá*.li:a) *sf.* 1 Conjunto de instrumentos musicais 2 *P. ext.* Conjunto de instrumentos necessários para executar algum trabalho (instrumentária de laboratório); INSTRUMENTÁRIA; INSTRUMENTAL

instrumentário (ins.tru.men.*trá*.ri:o) ***a.*** 1 Que diz respeito a, ou tem valor de instrumento, documento (prova instrumentária); DOCUMENTÁRIO 2 Diz-se de testemunha cuja presença ou assinatura é indispensável para lavrar determinado instrumento ou documento [F.: *instrumento + -ário*. Hom./Par.: *instrumentária* (fem.), *instrumentaria* (fl. de *instrumentar*).]

instrumentista (ins.tru.men.*tis*.ta) *Mús.* ***a2g.*** 1 Que toca um instrumento musical 2 Que compõe música instrumental ***s2g.*** 3 Aquele que toca um instrumento ou compõe música instrumental [F.: *instrumento + -ista*.]

instrumento (ins.tru.*men*.to) ***sm.*** 1 Objeto us. para realizar determinado trabalho 2 *P. ext.* Qualquer objeto que contribui para a realização de uma ação física qualquer 3 *Mús.* Objeto ou aparelho us. para produzir sons musicais 4 *Mús.* Dispositivo que produz som: "Cabelos longos não usa mais, / Não toca sua guitarra, e sim / Um instrumento que sempre dá a mesma nota / Rá tá tá tá." (Migliacci / Lusini, *Era um garoto*) 5 *Fig.* Recurso que se utiliza para chegar a um resultado: *Sua coragem foi o instrumento de seu sucesso.* 6 Qualquer objeto que se considera em função de sua utilidade; UTENSÍLIO 7 *Fig.* Pessoa que serve de intermediário: *Ele parecia um instrumento do mal.* 8 *Jur.* Documento escrito (ata, auto, título, escritura etc.) que registra e formaliza um ato jurídico, que lhe serve de testemunho e de referência a suas disposições, faz valer direitos, prova algo em juízo etc. [F.: Do lat. *instrumentum, i.* Hom./Par.: *instrumento* (fl. de *instrumentar*).] ▪ **De sete ~s** Versátil, que tem várias e distintas habilidades: *Você pode confiar-lhe qualquer tarefa, ele é um homem de sete instrumentos.* ~ **de cordas** *Mús.* Termo que designa todo instrumento musical dotado de cordas, que se dedilham ou puxam (como o violão, o cavaquinho, o bandolim, a harpa etc.), se friccionam com um arco (como o violino, o violoncelo, a viola, o contrabaixo etc.), ou se percutem mecanicamente (como o piano, o cravo) ~ **de percussão** *Mus.* Termo que designa todo instrumento musical que se percute ou se raspa ou se sacode com as mãos (como o atabaque, o pandeiro, as maracas etc.), com baquetas (como o tarol, o tamborim, os tímpanos, o xilofone etc.), ou outro tipo de percussor (como o triângulo, o reco-reco etc.), e cujos sons, ger., constituem um fundo de ritmo e de acentuação dramática da linha melódica ~ **derivado/derivativo** *Econ.* Forma de operação financeira que se baseia na expectativa, ou previsão tentativa, do comportamento futuro de certos ativos e índices financeiros ~ **de sopro** *Mús.* Termo que designa todo instrumento musical no qual o som é obtido pela passagem e vibração do ar (soprado pela boca, por fole etc.) num tubo reto (como a flauta, o clarinete, o oboé etc.) ou recurvado (como o saxofone, a tuba, o fagote etc.), ou em mais de um tubo (como o órgão, a siringe etc.) ~ **de zero** *Fís.* Todo instrumento cujo dispositivo de medida aponta para o zero quando em equilíbrio ~ **eletrodinâmico** *Elet.* Instrumento de medida de eletricidade no qual ocorre interação entre dois campos magnéticos, provocado um por uma corrente numa bobina fixa, o outro por outra corrente numa bobina móvel ~ **particular** *Jur.* Instrumento jurídico feito diretamente entre as partes, sem participação de tabelião ~ **preparado** *Mús.* Técnica de música moderna concreta que consiste na manipulação de fita gravada com o som de instrumentos musicais, de modo a distorcê-lo e torná-lo irreconhecível ~ **público** *Jur.* Instrumento jurídico lavrado por tabelião, dentro de seu distrito e no limite de suas atribuições legais **~s de produção** *Econ.* Segundo o marxismo, os instrumentos (como ferramentas, máquinas etc.) com os quais o homem realiza atividade produtiva atuando sobre a natureza **Tocar sete ~s** Ter atividades de diversos tipos; ter diversos talentos

instrutivo (ins.tru.*ti*.vo) ***a.*** Que instrui ou serve para instruir; que dá informações úteis (filme instrutivo) [F.: Do lat. *instructus, a, um*, part. pass. de *instruere*, 'levantar', 'construir', *+ -ivo*.]

instrutor (ins.tru.*tor*) [ô] ***a.*** 1 Que ensina, que dá instruções ou ensinamentos ***sm.*** 2 Aquele que instrui, ensina, adestra (instrutor de natação) [F.: Do lat. *instructor, oris*.] ▪ **~ pessoal** Treinador ou professor particular de ginástica [Do ing. *personal trainer*.]

instrutório (ins.tru.*tó*.ri:o) ***a.*** *Jur.* Relativo a ou próprio da instrução processual (debate instrutório) [F.: *instrut- + ório*.]

insubjugável (in.sub.ju.*gá*.vel) ***a2g.*** Impossível de subjugar, que não se deixa subjugar [Pl.: *-veis*.] [F.: *in-*^{2} *+ subjugável*.]

insubmergível (in.sub.mer.*gí*.vel) ***a2g.*** Que não se deixa ou não consegue submergir; INSUBMERSÍVEL: *A cortiça é insubmergível.* [Ant.: *submergível, submersível*.] [Pl.: *-veis*.] [F.: *in-*^{21} *+ submergível*.]

insubmissão (in.sub.mis.*são*) *sf.* Ação, comportamento ou caráter de insubmisso, daquele que não se submete; REBELDIA [Pl.: *-sões*.] [F.: *in-*^{2} *+ submissão*.]

insubmisso (in.sub.*mis*.so) ***a.*** 1 Que não é submisso; que não aceita ser dominado; que não segue ou não acata ordens; INSUBORDINADO; INDEPENDENTE; REBELDE [Ant.: *submisso*] ***sm.*** 2 *Bras.* Aquele que, embora convocado, não se apresentou para o serviço militar [F.: *in-*^{2} *+ submisso*.]

insubordinação (in.su.bor.di.na.*ção*) *sf.* 1 Caráter do que ou de quem é insubordinado; DESOBEDIÊNCIA 2 Ação de se rebelar contra a ordem ou as autoridades constituídas 3 *Jur.* Falta de disciplina 4 *Mil.* Atitude criminosa que consiste em não obedecer a ordens emanadas de superior hierárquico [Pl.: *-ções*.] [F.: *in-*^{2} *+ subordinação*. Ant. ger.: *subordinação*.]

insubordinado (in.su.bor.di.*na*.do) ***a.*** 1 Que assume atitude de desobediência, de insubordinação, de independência (aluno insubordinado) ***sm.*** 2 Aquele que assim procede: *Os insubordinados sofreram pesado castigo.* [F.: *in-*^{2} *+ subordinado*. Ant. ger.: *subordinado*.]

insubordinar (in.su.bor.di.*nar*) ***v. td.*** Tornar(-se) insubordinado; REBELAR(-SE): *Insubordinou o grupo de soldados; Insubordinou-se, não acatando ordens de seu superior.* [▶ 1 insubordinar] [F.: *in-*^{2} *+ subordinar*. Hom./Par.: *insubordináveis* (fl. de *insubordinar*), *insubordináveis* (pl. de *insubordinável* [a2g.]).]

insubordinável (in.su.bor.di.*ná*.vel) ***a2g.*** Que não se subordina a nada nem a ninguém, que não se deixa subordinar; REBELDE; DESOBEDIENTE [Pl.: *-veis*.] [F.: *in-*^{2} *+ subordinável*. Hom./Par.: *insubordináveis* (pl.), *insubordináveis* (fl. de *insubordinar*.).]

insubornável (in.su.bor.*ná*.vel) ***a2g.*** Que não aceita suborno; HONESTO; INCORRUPTÍVEL [Ant.: *subornável*.] [Pl.: *-veis*.] [F.: *in-*^{2} *+ subornável*.]

insubsistência (in.sub.sis.*tên*.ci:a) *sf.* 1 Condição ou qualidade do que é insubsistente, do que não pode subsistir 2 Ausência de fundamento: *A insubsistência do argumento é patente.* [F.: *in-*^{2} *+ subsistência*.]

insubsistente (in.sub.sis.*ten*.te) ***a2g.*** 1 Que não pode existir ou continuar a existir 2 Que não tem fundamento, razão de ser (acusação insubsistente) [F.: *in-*^{2} *+ subsistente*.]

insubstancial (in.subs.tan.ci.*al*) ***a2g.*** 1 Não substancial; desprovido de substância ou consistência; IMATERIAL: "O que é o tempo? Um segredo insubstancial e onipresente." (*Folha de S.Paulo*, 02.11.2003) 2 Que não é importante nem fundamental, que pode ser desconsiderado: *Esses detalhes são insubstanciais, podemos descartá-los.* [Pl.: *-ais*.] [F.: *in-*^{2} *+ substancial*.]

insubstancialidade (in.subs.tan.ci:a.li.*da*.de) *sf.* 1 Qualidade ou estado do que é insubstancial; IMATERIALIDADE; ESPIRITUALIDADE 2 Qualidade do que não é substancial, do que se pode deixar de levar em conta [F.: *insubstancial + -(i)dade*.]

insubstituível (in.subs.ti.tu.*í*.vel) ***a2g.*** Que não se pode substituir; ÚNICO: *Essa peça do motor é insubstituível.* [Pl.: *-veis*.] [F.: *in-*^{2} *+ substituível*.]

insucesso (in.su.*ces*.so) ***sm.*** Falta de sucesso; FRACASSO; MALOGRO: *Não se conformava com o insucesso da filha.* [Ant.: *sucesso*.] [F.: *in-*^{2} *+ sucesso*.]

insueto (in.su:*e*.to) [ê] ***a.*** 1 Que não é comum; INSÓLITO 2 Que não é usado; DESUSADO 3 Que não está acostumado; DESABITUADO [F.: Do lat. *insuetus, a, um*.]

insuetude (in.su:e.*tu*.de) *sf.* Propriedade do que é insueto [F.: Do lat. *insuetudo, inis*.]

insuficiência (in.su.fi.ci.*ên*.ci:a) *sf.* 1 Qualidade ou condição de insuficiente 2 Caráter do que é insatisfatório em quantidade ou qualidade: *A insuficiência de munições levou a tropa à derrota.* 3 Falta de capacidade para realizar uma tarefa ou desempenhar uma função; INCOMPETÊNCIA: *Mostrou demasiada insuficiência na condução dos negócios.* 4 *Med.* Incapacidade total ou parcial de um órgão exercer suas funções (insuficiência respiratória) [De acordo com o órgão ou a função que apresenta insuficiência, ela pode denominar-se *insuficiência aórtica, insuficiência cardíaca, insuficiência coronariana, insuficiência renal, insuficiência pulmonar, insuficiência respiratória* etc.] [F.: Do lat. *insufficientia, ae*. Ant. ger.: *suficiência*.]

insuficiente (in.su.fi.ci.*en*.te) ***a2g.*** 1 Que não é suficiente; que não basta (em quantidade, tamanho etc.): *Essa pequena tropa é insuficiente para enfrentar o inimigo; Esse tecido não é insuficiente para fazer uma camisa.* 2 Que não tem a qualidade necessária; INSATISFATÓRIO: *Seus conhecimentos são insuficientes para que aspire a esse cargo.* [F.: Do lat. *insufficiens, entis*. Ant. ger.: *suficiente*.]

insuflação (in.su.fla.*ção*) *sf.* 1 Ação ou resultado de insuflar 2 Injeção de ar ou de qualquer tipo de gás 3 *Fig.* Ação de transmitir algo, estímulo, incitação: *Foi por insuflação dos veteranos que os calouros fizeram essa baderna.* [Pl.: *-ções*.] [F.: Do lat. *insufflatio, onis*.]

insuflado (in.su.*fla*.do) ***a.*** 1 Que se insuflou 2 Que foi alvo de insuflação 3 Que foi estimulado ou incitado [F.: Part. de *insuflar*.]

insuflador (in.su.fla.*dor*) [ô] ***a.*** 1 Que serve para insuflar 2 Que insufla, sopra, enche (algo) com ar ou qualquer tipo de gás 3 Que insufla, que desperta (em outrem) ideias, disposições ou ações 4 Diz-se daquele que prega a insubordinação, a revolta, a atitude de rebeldia: 5 *Med.* Diz-se do aerossol que produz insuflação ***sm.*** 6 Aquele que insufla, que incita: *Os insufladores da greve foram detidos.* 7 *Med.* Aparelho próprio para insuflação [F.: *insuflar + -dor*.]

insuflamento (in.su.fla.*men*.to) ***sm.*** 1 Ação ou resultado de insuflar; INSUFLAÇÃO 2 Injeção de ar ou gás 3 *Fig.* Incitamento: *Os demagogos, pelo insuflamento das massas, querem desestabilizar o governo para tomar o poder.* [F.: *insuflar + -mento*.]

insuflar (in.su.*flar*) ***v.*** 1 Fazer entrar ou penetrar por meio de sopro [***tda.:*** *insuflar ar nos pulmões*.] 2 *Fig.* Despertar ou instigar (sentimento, ideia, revolta etc.) [***tdr.*** *+ em, contra: Insuflou amor no coração dos filhos; Insuflava os operários contra o mestre de obras*.] 3 Fazer entrar (qualquer tipo de gás) em, esp. por meio de sopro [***tda.:*** *Insuflou gás no balão*.] [Ant.: *desinflar*.] [▶ 1 insuflar] [F.: Do v.lat. *insufflare*.]

ínsula (*ín*.su.la) *sf.* 1 *Geog.* Ilha 2 *Fig.* Lugar isolado 3 *Anat.* Região oval do córtex cerebral [F.: Do lat. *insula, ae*. Hom./Par.: *insula* (fl. de *insular*).]

insulação (in.su.la.*ção*) *sf.* Ação ou resultado de insular, isolamento; o mesmo que *insulamento*: "A insulação, o recolhimento, a resistência às visitas consoladoras dos seus conventuais... tudo contribuíra a declivar-lhe a ladeira do sepulcro." (Camilo Castelo Branco, *A filha do regicida*) [F.: *insular + -ção*; Hom./Par.: *insolação*.]

insulado (in.su.*la*.do) ***a.*** 1 Que se insulou; ISOLADO; SOLITÁRIO; SEPARADO; ÍNSULO [*+ em, entre*: "E apeava, já com estrelas no céu, numa fazendola insulada no vasto plaino do sertão da Paraíba." (Gustavo Barroso, *Terra do sol*); "Solo estéril, crespo de serranias desnudas, insulado entre os esplendores do majestoso araxá." (Euclides da Cunha, *Os sertões*)] 2 Diz-se de vidro duplo, isolante térmico e acústico 3 Diz-se de contêiner de alta resistência dotado de refrigeração ***sm.*** 4 Vidro insulado 5 Contêiner insulado [F.: Part. de *insular*.]

insulamento (in.su.la.*men*.to) ***sm.*** Ação ou resultado de insular(-se); ISOLAMENTO; INSULAÇÃO: *O rompimento do insulamento burocrático.* [F.: *insular + -mento*.]

insulano (in.su.*la*.no) ***a.*** 1 Ref. a ínsula 2 Que é natural ou habitante de uma ínsula ***sm.*** 3 Indivíduo insulano (2) [F.: Do lat. *insulanus, a, um*. Sin. ger.: *ilhéu, insular*.]

insular (in.su.*lar*) ***a2g.*** 1 O mesmo que *insulano* 2 Que tem características de ou é semelhante a uma ilha ***s2g.*** 3 O mesmo que *insulano* [F.: Do lat. *insularis, e*. Hom./Par.: *insular*^{1} (a.), *insolar* (v.).]

insularidade (in.su.la.ri.*da*.de) *sf.* 1 Característica que define uma ilha; isolamento, dificuldade de comunicação com outros lugares: *Os japoneses procuram superar a sua insularidade.* 2 *Fig.* Condição daquilo que parece uma ilha: "Insólito exemplo de insularidade coletiva, o *cybercafé* já multiplicou sua clientela..." (*O Globo*, 31.05.1997) [F.: *insular*^{1} *+ -(i)dade*.]

insulfilme (in.sul.*fil*.me) ***sm.*** Película que se aplica a vidros, para diminuir a quantidade de luz e a intensidade do calor que passa por eles [A marca registrada é Insulfilm®.]

insulina (in.su.*li*.na) *sf.* *Bioq.* Hormônio normalmente produzido pelo pâncreas, que desempenha papel importante na metabolização dos açúcares pelo organismo [F.: Do fr. *insuline*, do lat. *insulina, ae*, 'ilha'.]

> 🕮 A baixa dosagem de insulina acarreta uma doença chamada diabetes. Seus portadores precisam receber regularmente doses do hormônio, para regularizar o metabolismo do açúcar, evitando consequências que podem ser graves.

insulínico (in.su.*lí*.ni.co) ***a.*** 1 Ref. a insulina 2 Causado por insulina (edema insulínico) [F.: *insulina + -ico*.]

insulinoma (in.su.li.*no*.ma) ***sm.*** *Pat.* Tumor, ger. benigno, das células secretoras de insulina [F.: *insulina + -oma*^{1}.]

insulinoterapia (in.su.li.no.te.ra.*pi*.a) *sf.* *Ter.* Tratamento à base de insulina, adotado esp. em casos de diabetes [F.: *insulina + -o- + -terapia*.]

insulso (in.*sul*.so) ***a.*** 1 Sem sal 2 Sem gosto (caldo insulso) [Ant.: *saboroso*.] 3 *Fig.* Que não tem graça, desenxabido (filme insulso) [F.: Do lat. *insulsus, a, um*.]

insultado (in.sul.*ta*.do) ***a.*** 1 Que recebeu insulto, que foi ofendido ***sm.*** 2 Aquele que recebeu insulto [F.: Part. de *insultar*.]

insultador (in.sul.ta.*dor*) [ô] ***a. sm.*** O mesmo que *insultante* [F.: *insultar + -dor*.]

insultante (in.sul.*tan*.te) ***a2g.*** 1 Que insulta, que envolve insulto (atitudes insultantes) ***s2g.*** 2 Quem insulta: *O insultante foi obrigado a desculpar-se.* [F.: *insultar + -nte*. Sin. ger.: *insultador*.]

insultar (in.sul.*tar*) ***v. td.*** 1 Ofender com palavras, atos, gestos; ULTRAJAR: *Insultou a mulher, chamando-a de megera.* 2 *Ant.* Atacar, investir [▶ 1 insultar] [F.: Do v.lat. *insultare*. Hom./Par.: *insulto* (fl.), *insulto* (sm.).]

insulto (in.*sul*.to) ***sm.*** 1 Palavra, gesto ou atitude ofensiva, desrespeitosa; OFENSA; ULTRAJE: "O texto considera um insulto chamar de louco um portador de deficiência mental, expressão correta." (*O Globo*, 30.04.2005) 2 *Med.* Ataque, acometimento súbito (insulto apoplético) [F.: Do lat. *insultus, us*. Hom./Par.: *insulto* (sm.), *insulto* (fl. de *insultar*).]

insultuoso (in.sul.tu.*o*.so) [ô] ***a.*** Que insulta, ofende; que expressa ou contém insulto (gesto insultuoso, palavras insultuosas); AFRONTOSO; IGNOMINIOSO [Pl.: [ó]. Fem.: ó].] [F.: *insul to + -uoso*.]

insumo (in.*su*.mo) ***sm.*** *Econ.* Cada um dos elementos ou fatores (como máquinas e equipamentos, energia, trabalho ou mão de obra) envolvidos na produção de mercadorias ou serviços. [Sin. ingl.: *input*.] [F.: Neologismo criado (pelo modelo de *consumo*) para traduzir o ing. *input*.]

insuperável (in.su.pe.*rá*.vel) ***a2g.*** 1 Que não se pode superar, ultrapassar (em quantidade ou qualidade): *Seus sonetos são insuperáveis.* 2 Impossível de vencer, de resolver, de anular (adversário insuperável) [Pl.: *-veis*.] [F.: Do lat. *insuperabilis, e*. Ant. ger.: *sobrepujável, superável*.]

insuportável (in.su.por.*tá*.vel) ***a2g.*** 1 Impossível de suportar (física ou moralmente) (dor insuportável) 2 Que causa muito incômodo, aversão etc.: *Ele tem um gênio insuportável.* 3 Diz-se daquele, daquela ou daquilo que nos parece ou é extremamente desagradável [Pl.: *-veis*.] ***s2g.*** 4 Pessoa

insuportável [Pl.: *-veis.*] [F.: Do lat. *insupportabilis, e.* Sin. ger.: *intolerável.*]
insurgência (in.sur.*gên*.ci:a) *sf.* **1** Qualidade, estado de insurgente: *a insurgência dos movimentos sociais.* **2** Ação ou resultado de insurgir(-se); REBELIÃO: *Depois da invasão, houve uma violenta insurgência no Iraque.* [F.: *insurgir + -ência.*]
insurgente (in.sur.*gen*.te) *a2g.* **1** Que se insurge, se rebela contra algo (grupo insurgente) *s2g.* **2** Quem se insurge: *Os insurgentes foram capturados.* [F.: Do lat. *insurgens, entis.* Sin. ger.: *insurrecto, insurreto, rebelde, revoltoso.*]
insurgido (in.sur.*gi*.do) *a.* Que se insurgiu (militares insurgidos); REBELADO; INSUBORDINADO; INSURRETO: "Minoria insurgida contra o nosso direito legal de resistir ao despotismo." (Rui Barbosa, *Queda do Império*) [F.: Part. de *insurgir.*]
insurgimento (in.sur.gi.*men*.to) *sm.* Ação ou resultado de insurgir(-se); LEVANTE; REVOLTA; REAÇÃO; INSURREIÇÃO [F.: *insurgir + -mento.*]
insurgir (in.sur.*gir*) *v.* **1** Rebelar(-se) contra a ordem estabelecida, ou seu(s) representante(s); REVOLTAR(-SE); INSUBORDINAR(-SE); REVOLUCIONAR(-SE) [*td.*: *A injustiça do imediato insurgiu a tripulação.*] [*tr.* + *contra*: *Os estudantes insurgiram-se contra o reitor.*] **2** Manifestar-se em desacordo com algo ou alguém; opor-se a [*tr.* + *contra*: *Os candidatos insurgiram-se contra a decisão da banca.*] **3** Surgir, aparecer, saindo do fundo [*ta.*: *O polvo insurgiu das profundezas do mar.*] [▶ **46 insurgir**] [F.: Do lat. *insurgere.*]
insurrecional (in.sur.re.ci:o.*nal*) *a2g.* **1** Ref. a insurreição **2** Que tem o caráter de insurreição (movimento insurrecional) [Pl.: *-nais.*] [F.: Do fr. *insurrectionel.*]
insurrecto (in.sur.*rec*.to) *a. sm.* Ver *insurreto* [F. Do lat. *insurrectus*, part. pas. de *insurgere* 'levantar-se contra'.]
insurreição (in.sur.rei.*ção*) *sf.* **1** Ação de insurgir-se contra a ordem estabelecida; REBELIÃO; REVOLTA; SUBLEVAÇÃO **2** *Fig.* Oposição veemente (insurreição intelectual) [Pl.: *-ções.*] [F.: Do lat. *insurrectio, onis.*]
insurreto (in.sur.*re*.to) *a.* **1** Que se insurge (marinheiros insurretos) *sm.* **2** Quem se insurge: *a eliminação total dos insurretos.* [F.: Var. de *insurrecto.* Sin. ger.: *insurgente.*]
insusceptibilidade (in.sus.cep.ti.bi.li.*da*.de) *sf.* Ver *insuscetibilidade*
insusceptível (in.sus.cep.*tí*.vel) *a2g.* Ver *insuscetível*
insuscetibilidade (in.sus.ce.ti.bi.li.*da*.de) *sf.* Característica do que é insuscetível [F.: *insuscetível + -(i)dade*, seg. mod. erudito. Tb. *insusceptibilidade.*]
insuscetível (in.sus.ce.*tí*.vel) *a2g.* Que não é suscetível; não sujeito; incapaz: "O crime de tortura é inafiançável e insuscetível de graça ou anistia." (*O Globo*, 16.06.2001): "... opinião pública, livre de paixões, insuscetível de influenciar-se pelo poder..." (*O Globo*, 25.05.2000) [Pl.: *-veis.*] [F.: *in-*[2] *+ suscetível.* Tb. *insusceptível.*]
insuspeição (in.sus.pei.*ção*) *sf.* Ausência de suspeição: *A insuspeição do julgador é a base da justiça.* [Pl.: *-ções.*] [F.: *in-*[2] *+ suspeição.*]
insuspeitado (in.sus.pei.*ta*.do) *a.* De que não se tem suspeita; de que se desconhece a existência; INESPERADO; SURPREENDENTE; INSUSPEITO: *Por muito tempo manteve insuspeitadas relações extraconjugais.* [F.: *in-*[2] *+ suspeitado.*]
insuspeito (in.sus.*pei*.to) *a.* **1** Que não é suspeito **2** Que merece confiança; FIDEDIGNO: *É um testemunho insuspeito.* **3** Imparcial, isento (júri insuspeito) **4** De que não se suspeitava; não previsto: *Na crise, demonstrou insuspeita coragem.* [F.: *in-*[2] *+ suspeito.* Ant. ger.: *suspeito.*]
insustável (in.sus.*tá*.vel) *a2g.* Que não é possível sustar; não sustável [Pl.: *-veis.*] [F.: *in-*[2] *+ sustável.*]
insustentabilidade (in.sus.ten.ta.bi.li.*da*.de) *sf.* Qualidade ou condição do que é insustentável: *A insustentabilidade das dívidas dos países em desenvolvimento.* [F.: *insustentável*, sob a f. *insustentabil-*, + *-(i)dade*, seg. o mod. erudito.]
insustentável (in.sus.ten.*tá*.vel) *a2g.* **1** Que não se pode sustentar, manter ou suportar (empresa insustentável, situação insustentável) **2** Que não se sustenta, que não resiste à crítica ou a questionamentos (hipótese insustentável) [Pl.: *-veis.*] [F.: Do lat. *insustentabilis, e.* Ant. ger.: *sustentável.*]
insustentavelmente (in.sus.ten.ta.vel.*men*.te) *adv.* De modo insustentável [F.: *insustentável + -mente.*]
intacto (in.*tac*.to) *a.* **1** Que não foi tocado, mexido ou alterado; INTOCADO: *Os mergulhadores encontraram um antigo navio praticamente intacto; Entregou o salário intacto à esposa.* [Ant.: *mexido, tocado.*] **2** Que não foi atingido ou não se feriu; ILESO; INCÓLUME: *Saiu intacto do acidente de automóvel.* [Ant.: *ferido, lesado.*] **3** *Fig.* Que se conserva puro, íntegro, inalterado: *O espírito do Natal permaneceu intacto.* [Ant.: *alterado, modificado.*] [F.: Do lat. *intactus, a, um*, 'que não foi tocado'. Tb. *intato.*]
intangibilidade (in.tan.gi.bi.li.*da*.de) *sf.* Qualidade do que é intangível, impalpável [F.: *intangível*, sob a f. *intangibil-*, *+ -(i)dade*, seg. o mod. erudito.]
intangível (in.tan.*gí*.vel) *a2g.* **1** Em que não se pode tocar; INTÁTIL; INTOCÁVEL: *intangível como o céu.* **2** Que escapa ao sentido do tato; IMPALPÁVEL; INCORPÓREO: *formas intangíveis como miragens.* **3** *Fig.* Que está acima da capacidade de compreensão: *o intangível conceito de eternidade.* **4** *Fig.* Que por sua reputação e dignidade não pode ser atacado: *uma personalidade cultural intangível.* **5** *Econ.* Diz-se de bens que não têm existência física [Pl.: *-veis.*] [F.: *in-*[2] *+ tangível.* Ant. ger.: *tangível.*]
intato (in.*ta*.to) *a.* Ver *intacto*
integérrimo (in.te.*gér*.ri.mo) *a.* Muitíssimo íntegro; muito reto (juiz integérrimo) [Superl. abs. sint. de *íntegro.*] [F.: Do lat. *integerrimus, a, um.*]
íntegra (*ín*.te.gra) *sf.* **1** Totalidade, todo: *Considerem a íntegra da nossa proposta.* **2** Texto completo, reproduzido palavra por palavra: *Esta é a íntegra do artigo.* [F.: Fem. substv. de *íntegro.* Hom./Par.: *íntegra* (sf.), *integra* (fl. de *integrar*).] ■ **Na ~** Integralmente, sem qualquer lacuna ou omissão: *Leu o documento na íntegra.*
integração (in.te.gra.*ção*) *sf.* **1** Ação ou resultado de integrar(-se) **2** *Soc.* Ação, processo ou resultado de integrar indivíduos de um grupo estrangeiro ou minoritário a uma comunidade ou nação **3** *Mat.* Cálculo de uma integral **4** *Econ.* Associação de empresas do mesmo ramo. [Tb. se diz *integração horizontal.*] **5** *Econ.* Ampliação das atividades de uma empresa para incorporar outra(s) do mesmo sistema produtivo. [Tb. se diz *integração vertical.*] **6** *Eletrôn.* Fabricação de circuitos integrados [Pl.: *-ções.*] [F.: Do lat. *integratio, onis.*] ■ **~ econômica** *Econ.* Associação entre países, acordada entre eles para benefício mútuo em setores econômicos, e que envolve medidas como redução ou eliminação de barreiras alfandegárias, harmonização de políticas econômicas etc. **~ em larga escala** *Eletrôn.* Aquela que ocorre numa única pastilha de silício entre circuitos que contêm até 1.000 portas lógicas [Sigla (do ing.): *LSI.*] **~ em média escala** *Eletrôn.* Aquela que ocorre numa única pastilha de silício entre circuitos que contêm até 99 portas lógicas [Sigla (do ing.): *MSI.*] **~ em muito larga escala** *Eletrôn.* Aquela que ocorre numa única pastilha de silício entre circuitos que contêm mais de 1.000 portas lógicas [Sigla (do ing.): *VLSI.*] **~ em pequena escala** *Eletrôn.* Aquela que ocorre numa única pastilha de silício entre circuitos que contêm no máximo doze portas lógicas [Sigla (do ing.): *SSI.*] **~ horizontal** *Econ.* Integração ou fusão de empresas diferentes que atuam no mesmo ramo ou setor da economia **~ racial** **1** *Soc. Pol.* Termo que designa (apesar da inadequação sob o ponto de vista científico do termo 'racial') condição ou situação em que grupos de etnias diferentes convivem harmonicamente numa sociedade, nação etc., sem preconceitos, segregação ou diferenciação de direitos [P. op. a *Segregação racial.*] **2** Política que visa a alcançar a integração racial (1) **~ vertical** *Econ.* Integração entre diferentes etapas de um processo de produção dentro de uma mesma empresa
integracionismo (in.te.gra.ci:o.*nis*.mo) *sm.* *Soc.* Movimento ou política voltados para a promoção da inclusão social [F.: *integração* (sob a f. *integracion-*) + *-ismo.*]
integracionista (in.te.gra.ci:o.*nis*.ta) *a2g.* **1** Ref. à integração racial **2** Do ou ref. ao integracionismo **3** Que é adepto do integracionismo *s2g.* **4** Pessoa adepta do integracionismo [F.: *integração* (sob. o rad. *integracion-*) + *-ista.*]
integrado (in.te.*gra*.do) *a.* **1** Que se integrou **2** Cujos elementos ou partes funcionam de maneira complementar (planejamento integrado, circuito integrado) **3** Bem-adaptado ao grupo ou sociedade de que faz parte: *O jogador está bem integrado ao novo time.* [F.: Part. de *integrar.*]
integrador (in.te.gra.*dor*) [ô] *a.* **1** Que integra ou promove integração: *A informática foi um elemento integrador na empresa.* **2** *Eletrôn. Inf.* Diz-se de dispositivo ou circuito que executa automaticamente o processo matemático de integração num computador *sm.* **3** O que integra ou promove integração **4** *Eletrôn. Inf.* Dispositivo ou circuito integrador [Ant. nas acps. 1 e 3: *desintegrador.*] [F.: *integrar + -dor.*]
integral (in.te.*gral*) *a2g.* **1** Inteiro, completo, total (versão integral) **2** Que conserva suas propriedades originais; que não foi beneficiado (diz-se de cereal) (arroz integral) **3** Feito com cereal integral (pão integral, leite integral) *sf.* **4** *Mat.* Designação corrente da integral definida ou da integral indefinida **5** *Mat.* Função matemática que é a inversa da derivada **6** *Mat.* A partir da relação entre variáveis decorrente de uma função, função que expressa essa relação de maneira mais ampla e genérica [Pl.: *-grais.*] [F.: Do lat. tard. *integralis, e.*] ■ **~ convergente** *Mat.* Integral imprópria com valor finito [Cf.: *Integral divergente.*] **~ curvilínea** *Mat.* Integral de uma função que se toma sobre uma curva; integral de linha [Tb. se diz apenas *integral.*] **~ de área** *Mat.* O mesmo que *Integral de superfície* **~ de fase** *Fís.* Num sistema de coordenadas generalizadas, integral dos movimentos generalizados na qual as variáveis correspondem a essas coordenadas **~ definida** *Mat.* Integral que se calcula num domínio finito. Equivale à diferença entre dois valores de uma integral indefinida em dois determinados pontos de seu domínio **~ de linha** *Mat.* Ver *Integral curvilínea* **~ de movimento** *Fís.* Num sistema em movimento, função de suas coordenadas generalizadas que se mantém constante e independente da variável tempo **~ de permuta** *Fís.* Integral que expressa a interação originada por possíveis forças de permuta entre duas partículas **~ de superfície** *Mat.* Integral de uma função (de duas variáveis) sobre uma superfície; integral de área **~ de volume** *Mat.* A integral função (de três variáveis) sobre um volume **~ divergente** *Mat.* Integral imprópria com valor (em módulo) infinito [Cf.: *integral convergente.*] **~ imprópria** *Mat.* Num intervalo de integração infinito, integral definida; ou aquela na qual o integrando é infinito para pelo menos um ponto desse intervalo **~ indefinida** *Anál. Mat.* Dada uma função, função cuja derivada reproduz a função dada; antiderivada [Tb. se diz apenas *integral.* Sin.: *primitiva* e *antiderivada.*]
integralidade (in.te.gra.li.*da*.de) *sf.* **1** Qualidade, estado ou condição do que é integral **2** Reunião das partes que compõem um todo; TOTALIDADE [F.: Do lat. medv. *integralitas, atis.*]
integralismo (in.te.gra.*lis*.mo) *sm.* **1** Adesão total a um movimento de ideias, ou concordância total com uma teoria **2** *Bras. Hist.* Movimento político brasileiro (1932-1937), com características fascistas [Cf.: *fascismo.*] [F.: *integral + -ismo.* Cf.: *fascismo.*]
integralista (in.te.gra.*lis*.ta) *a2g.* **1** Ref. a integralismo (ideias integralistas) **2** Que é partidário do integralismo (político integralista) *s2g.* **3** Pessoa partidária do integralismo; CAMISA-VERDE; GALINHA-VERDE: *Ele foi um integralista militante.* [F.: *integral + -ista.*]
integralização (in.te.gra.li.za.*ção*) *sf.* **1** Ação ou resultado de integralizar(-se): *integralização da carga horária.* **2** *Econ.* Término do pagamento de um título, hipoteca etc. realizado parceladamente: *integralização do financiamento.* [Pl.: *-ções.*] [F.: *integralizar + -ção.*]
integralizado (in.te.gra.li.*za*.do) *a.* Tornado integral, completado (pagamento integralizado) [F.: Part. de *integralizar.*]
integralizador (in.te.gra.li.za.*dor*) [ô] *a.* **1** Que integraliza (trabalho integralizador) *sm.* **2** Aquele que integraliza [F.: *integralizar + -dor.*]
integralizar (in.te.gra.li.*zar*) *v. td.* **1** Tornar(-se) integral, completo; COMPLETAR(-SE): *O arquiteto integralizou o projeto.* **2** *Econ.* Completar o pagamento de (título, ação, nota promissória): *Obteve um bom desconto e integralizou os pagamentos.* [▶ **1 integralizar**] [F.: *integral + -izar.* Hom./Par.: *integralizáveis* (fl.), *integralizáveis* (pl. de *integralizável* [a2g.]).]
integrante (in.te.*gran*.te) *a2g.* **1** Que integra, que completa por inteiro (elemento integrante) **2** *Gram.* Diz-se da conjunção subordinativa que faz a oração funcionar como sujeito, objeto, predicativo etc. de outra oração (p. ex.: *que*) **3** *Gram.* Diz-se de oração que faz parte de outra, servindo-lhe de sujeito, de atributo ou de complemento *s2g.* **4** Aquele ou aquela que integra, que faz parte de algo (esp. de grupo ou movimento): *A banda tem um novo integrante.* *sf.* **5** *Gram.* Conjunção ou oração integrante [F.: *integrar + -nte.*]
integrar (in.te.*grar*) *v.* **1** Fazer(-se) inteiro, incluído num só todo ou conjunto; INCORPORAR(-SE) [*td.*: *A arte integra grupos sociais diversos.*] [*tr.* + *a*: *A casa integrava-se perfeitamente à paisagem.*] **2** Receber alguém num grupo qualquer, ou adaptar-se a este como membro, como integrante [*tdr.* + *a*: *Integrou um grupo de imigrantes ao novo país; Integrou-se ao partido.*] **3** Ser parte de (uma totalidade, um conjunto maior) [*td.*: *Três estados integram a região Sul do Brasil.*] **4** *Mat.* Determinar a integral de uma função [*td.*] [▶ **1 integrar**] [F.: Do v.lat. *integrare.* Hom./Par.: *integra* (fl.), *íntegra* (sf. e fem. *íntegro* [a.]); *integras* (fl.), *íntegras* (pl. do sf. e pl. do fem. de *íntegro* [a.]); *integro* (fl.), *íntegro* (a.sm.).]
integrativo (in.te.gra.*ti*.vo) *a.* Que integra ou é próprio para integrar; que promove a integração (processo integrativo); INTEGRADOR [F.: *integrar + -tivo.*]
integrável (in.te.*grá*.vel) *a2g.* Que pode ser integrado (sistemas integráveis) [Pl.: *-veis.*] [F.: *integrar + -vel.* Hom./Par.: *integráveis* (pl.), *integráveis* (fl. de *integrar* [v.]).]
◎ **integri-** *el. comp.* = 'completo', 'inteiro': *integrifólio* [F.: Do lat. *integrus, a, um.*]
integridade (in.te.gri.*da*.de) *sf.* **1** Qualidade ou estado do que é inteiro, do que não está menor do que era ou do que deveria ser; INTEIREZA: *Aferiu a integridade da remessa.* **2** Estado do que não foi alterado, quebrado ou agredido (integridade física) **3** *Fig.* Qualidade ou característica de quem é íntegro, honesto, incorruptível; HONESTIDADE; PROBIDADE: *A integridade do funcionário é inquestionável.* **4** *Fig.* Inocência, pureza, castidade [F.: Do lat. *integritas, atis.*]
integrifólio (in.te.gri.*fó*.li:o) *a.* *Bot.* Diz-se do vegetal que apresenta folhas inteiras [F.: *integri- + -fólio.*]
integrismo (in.te.*gris*.mo) *sm.* **1** Atitude mental de pessoas que não aceitam qualquer mudança ou transformação em suas crenças ou princípios **2** *Rel.* Posição dos fiéis que não admitem qualquer alteração doutrinária ou litúrgica em sua religião; FUNDAMENTALISMO; TRADICIONALISMO [F.: *íntegro + -ismo.* Hom./Par.: *integrismo* (sm.), *entreguismo* (sm.).]
integrista (in.te.*gris*.ta) *a2g.* **1** Ref. ao integrismo **2** Que é adepto do integrismo *s2g.* **3** Pessoa adepta do integrismo [F.: *íntegro + -ista.* Hom./Par.: *entreguista.* Sin. ger.: *fundamentalista.*]
íntegro (*ín*.te.gro) *a.* **1** Inteiro, completo **2** *Fig.* Sem falhas morais; que age com honestidade e dignidade; HONESTO; INCORRUPTÍVEL: *um chefe de família íntegro.* **3** *Bot.* Diz-se de folha cujo limbo não se subdivide [Superl.: *integérrimo, integríssimo.*] [F.: Do lat. *integrus.* Hom./Par.: *íntegro* (a.), *integro* (fl. de *integrar*); *íntegra* (fem.), *íntegras* (pl.), *integra, integras* (fl. de *integrar*).]
inteira (in.*tei*.ra) *sf.* **1** Entrada de cinema, teatro etc., pela qual se paga o preço total, sem desconto **2** *Enc.* Diz-se de encadernação (de vários volumes) em que o mesmo material é usado em todos os casos (encadernação inteira) [F.: Forma substv., fem., do adj. *inteiro.*]
inteiração (in.tei.ra.*ção*) *sf.* **1** Ação ou resultado de tornar inteiro, de completar um todo, de preencher completamente **2** Ação ou resultado de informar(-se) completamente; INFORMAÇÃO; CIENTIFICAÇÃO: *Relatados os fatos, e após completa inteiração da tripulação, iniciou-se*

a mudança de rumo. [Pl.: *-ções.*] [F.: *inteirar* + *-ção.* Hom./Par.: *inteiração* (sf.), *interação* (sf.).]

inteirado (in.tei.*ra*.do) ***a.*** **1** Que se inteirou, que se completou **2** Que recebeu toda a informação disponível ou necessária: *O chefe está inteirado de tudo que se passa no escritório.* **3** *Bras.* Completo, total, rematado: *É um idiota inteirado.* [F.: Part. de *inteirar.*]

inteirar (in.tei.*rar*) ***v.*** **1** Deixar inteiro, preencher; COMPLETAR [***td.***: *Inteirou o número de tijolos necessário; Inteirara o dinheiro da passagem.*] **2** Formar um mesmo grupo; INTEGRAR(-SE) [***td.***: *Os sublevados se inteiraram numa comissão de negociação.*] **3** Deixar(-se) ciente, informar [***tdr.*** + *de*: *Inteirou os redatores das novas normas; Inteirou-se dos riscos da aventura.*] [▶ **1** inteirar] [F.: *inteiro* + *-ar*[2]. Hom./Par.: *inteiro* (fl.), *inteiro* (a. e sm.). Ant. ger.: *desinteirar.*]

inteireza (in.tei.*re*.za) [ê] ***sf.*** **1** Qualidade, característica ou estado do que é inteiro: *A nova técnica permite que o objeto seja visto na sua inteireza.* **2** Integridade física **3** *Fig.* Integridade moral; RETIDÃO: *inteireza de caráter.* [F.: *inteiro* + *-eza.*]

inteiriçado (in.tei.ri.*ça*.do) ***a.*** Que se inteiriçou; que se tornou rígido, inflexível (*inteiriçado* de frio); TESO; HIRTO [F.: Part. de *inteiriçar.*]

inteiriçar (in.tei.ri.*çar*) ***v. td.*** Tornar(-se) inteiriço, firme; ENRIJECER(-SE); RETESAR(-SE): *Inteiriçou as pernas; Inteiriçou-se toda ao encontrar a rival.* [▶ **12** inteiriçar] [F.: *inteiriço* + *-ar*[2]. Ant. ger.: *desinteiriçar.*]

inteiriço (in.tei.*ri*.ço) ***a.*** **1** Feito de uma só peça (sem junções, articulações etc.): *banco inteiriço de madeira.* **2** *Fig.* Severo, rigoroso, inflexível [F.: *inteiro* + *-iço.*]

inteiro (in.*tei*.ro) ***a.*** **1** Sem nada que falte ou que sobre; em toda a extensão, duração ou capacidade: *beber um copo inteiro de água.* **2** Com todos os seus elementos ou componentes: *A turma inteira passou de ano.* **3** Que não perdeu nenhuma de suas partes; que não se quebrou, rachou, arranhou ou que não se estragou: *O Cadillac estava inteiro.* **4** Sem ferimento ou dano; ILESO; INCÓLUME: *Saiu do acidente inteiro.* **5** Constituído de uma única peça; INTEIRIÇO **6** Sem restrições ou exceções; MÁXIMO; PLENO: *goza de nossa inteira confiança.* [Us. antes de subst.] **7** Não castrado (animal) **8** Diz-se, reciprocamente, dos irmãos que são filhos do mesmo pai e da mesma mãe **9** *Pop.* Em boa forma física; com vigor ou boa saúde: *Já passou dos setenta, mas está inteiro.* **10** *Fig.* Sem falhas de caráter; ÍNTEGRO; INCORRUPTÍVEL: *Pode confiar nele; é uma pessoa inteira.* **11** *Mat.* Diz-se de número formado apenas de unidades, sem frações (1, 2, 34, -10 etc.) ***sm.*** **12** *Mat.* Número inteiro (11) [F.: Forma divergente e pop. de *íntegro*, deriv. do lat. *integrus.* Hom./Par.: *inteiro* (a.), *inteiro* (fl. de *inteirar*). Ideia de 'inteiro': *hol(o)-, holismo, holocausto.*] ■ **~ negativo** *Mat.* Todo número inteiro inferior a zero (negativo), como -1, -10, -1.000 etc. **~ positivo** *Mat.* Todo número inteiro superior a zero (positivo), como 1, 10, 1.000 etc. **Por ~** Completamente, de maneira total: *Esvaziou as gavetas por inteiro.*

intelecção (in.te.lec.*ção*) ***sf.*** Ato de entender, de perceber; ação pela qual o espírito concebe: "...nos fragmentos a seguir, são sublinhados termos cuja *intelecção* só é possível porque fazem referência a outros..." (*O Globo*, 22.2.2005) [Pl.: *-ções.*] [F.: Do lat. tard. *intellectio, onis*, do v.lat. *intelligere*, 'compreender'.]

intelectivo (in.te.lec.*ti*.vo) ***a.*** Pertencente ou concernente ao intelecto, à inteligência (conhecimento *intelectivo*); INTELECTUAL: "Por isso tal humildade não envolve ali o erro, ou cegueira que toca à parte *intelectiva*; senão um peso, ou inclinação, que deprime..." (Manuel Bernardes, *Nova flor*) [F.: Do lat. *intellectivus, a, um.*]

intelecto (in.te.*lec*.to) ***sm.*** **1** Faculdade de conceber, de compreender; INTELIGÊNCIA; ENTENDIMENTO: *Estudar aprimora o intelecto.* **2** *Fil.* Faculdade pensante inerente ao ser humano; INTELIGÊNCIA; ENTENDIMENTO [F.: Do lat. *intellectus, us*, do v.lat. *intelligere.*] ■ **~ agente** *Fil.* Ver *Intelecto ativo* **~ ativo** *Fil.* No pensamento aristotélico, parte da alma humana (a única imortal) capaz de elaborar ativamente um sistema cognitivo conceitual que transforma as percepções em significados compreendidos, ou seja, em conhecimento; intelecto agente **~ passivo** *Fil.* No pensamento aristotélico, a faculdade intelectual de apreender, passivamente, as informações já identificadas pelo intelecto ativo

intelectual (in.te.lec.tu.*al*) ***a2g.*** **1** Ref. ao intelecto (atividade *intelectual*) **2** Que se caracteriza pelos dotes da inteligência (espírito *intelectual*) **3** Próprio de intelectuais (assunto *intelectual*) **4** Que se interessa vivamente pelas coisas da cultura, da literatura, das artes etc. **5** Que tem vasta cultura geral ou que domina um determinado campo de conhecimento intelectual; ERUDITO ***s2g.*** **6** Pessoa intelectual [Pl.: *-ais.*] [F.: Do lat. tard. *intellectualis, e.* Col.: *academia, intelectualidade.*]

intelectualidade (in.te.lec.tu:a.li.*da*.de) ***sf.*** **1** Qualidade ou caráter do que é intelectual: "Os seus milagres têm todos o cunho de *intelectualidade* original, que lhes marca a procedência." (Afrânio Peixoto, *Maias e Estevas*) **2** O conjunto das faculdades intelectuais **3** Intelecto, inteligência **4** Conjunto de intelectuais ou a classe formada por eles: *A intelectualidade compareceu em peso à manifestação.* [F.: Do lat. *intellectualitas, atis.*]

intelectualismo (in.te.lec.tu:a.*lis*.mo) ***sm.*** **1** Predominância dos aspectos ou elementos intelectuais ou do raciocínio **2** Tendência a priorizar a razão, em detrimento da emoção e dos instintos **3** *Pej.* Predomínio exagerado da intelectualidade, das abstrações, de um certo artificialismo, em detrimento da realidade prática **4** *Fil.* Doutrina que considera a possibilidade de tudo no Universo ser plenamente explicado pela razão ou pela inteligência **5** *Ét.* Doutrina que procura justificar pela razão todas as ações humanas [F.: Do lat. cient. *intellectualismus.*]

intelectualista (in.te.lec.tu:a.*lis*.ta) ***a2g.*** **1** Ref. a intelectualismo **2** Que é adepto ou partidário do intelectualismo ***s2g.*** **3** Pessoa intelectualista [F.: *intelectual* + *-ista.*]

intelectualização (in.te.lec.tu:a.li.za.*ção*) ***sf.*** Ação ou resultado de intelectualizar(-se): "É um filme (...) cheio de pretensões, mas o tom cômico e o apelo de tipos bizarros compensam a tentativa de *intelectualização*..." (*O Globo*, 03.03.2000) [Pl.: *-ções.*] [F.: *intelectualizar* + *-ção.*]

intelectualizado (in.te.lec.tu:a.li.*za*.do) ***a.*** **1** Que se intelectualizou; que se tornou intelectual (jovem *intelectualizado*); CULTO **2** Que se caracteriza por ser intelectual (humor *intelectualizado*; drama *intelectualizado*) [F.: Part. de *intelectualizar.*]

intelectualizar (in.te.lec.tu.a.li.*zar*) ***v. td.*** **1** Conferir a algo características intelectuais ou que ressaltam a elaboração da inteligência: *Intelectualizou a peça/ o debate.* **2** Tornar(-se) intelectual: *A leitura precoce intelectualizou o garoto; Criado na biblioteca, cedo se intelectualizou.* [▶ **1** intelectualizar] [F.: *intelectual* + *-izar.*]

inteligência (in.te.li.*gên*.ci:a) ***sf.*** **1** Faculdade de entender, de compreender; INTELECTO **2** Penetração de espírito; percepção clara e fácil; DISCERNIMENTO; JUÍZO **3** Pessoa inteligente: *Ela é uma inteligência.* **4** Interpretação do sentido de um texto, um livro, uma frase etc.: *O Apocalipse é um livro de difícil inteligência.* **5** Conformidade de sentimentos e de intenções; HARMONIA: *viver em boa inteligência.* **6** Pacto ou combinação secretos; CONLUIO: *Foi impossível manter a inteligência com os parceiros.* **7** Destreza, habilidade para escolher os métodos e obter um bom resultado: *Desempenhou sua função com inteligência.* **8** *Psi.* Capacidade de resolver situações novas e problemáticas em circunstâncias em que o instinto, o conhecimento e o hábito não podem ajudar [F.: Do lat. *intelligentia, ae.*] ■ **~ artificial** *Inf.* Termo que designa o ramo da cibernética que atua na tentativa de emular com programas de computador as funções cerebrais humanas, como a capacidade de aprender, de criar respostas a estímulos baseadas na experiência e identificação de contextos etc. **~ de peru novo** Nenhuma ou pouca inteligência

inteligente (in.te.li.*gen*.te) ***a2g.*** **1** Que tem inteligência: *O homem é um ser inteligente.* **2** Que tem muita inteligência; que tem o espírito penetrante: *É um menino inteligente, sabe distinguir o certo do errado.* **3** Que revela inteligência (pergunta *inteligente*) **4** Perito, versado: *É muito inteligente em assuntos de política.* [Ant. nestas acps.: *estulto, estúpido, néscio, pacóvio, tolo.*] **5** Diz-se dos animais com respeito ao maior ou menor tino que revelam: *Os golfinhos são animais inteligentes.* ***sm.*** **6** Pessoa que dirige as touradas [F.: Do lat. *intelligens, entis.*]

🌐 ***inteligentsia*** (*russo* /*inteliguêntcia*/) ***sf.*** O conjunto de intelectuais, considerados como uma classe ou, esp., como a vanguarda artística, social e política: "...o Rio de Janeiro tinha orgulho de ser a única cidade cosmopolita do país na época, caixa de ressonância nacional e reduto da *intelligentsia*." (*O Globo*, 13.3.2005)

inteligibilidade (in.te.li.gi.bi.li.*da*.de) ***sf.*** Qualidade do que é inteligível: *texto de imediata inteligibilidade.* [F.: *inteligível*, sob o mod. *inteligibil-*, + *-(i)dade*, seg. o mod. erudito.]

inteligível (in.te.li.*gí*.vel) ***a2g.*** **1** Que se entende bem; que tem sentido (frase *inteligível*) [Ant.: *ininteligível.*] **2** Que se ouve com nitidez (voz *inteligível*) **3** *Fil.* Que só pode ser apreendido pelo intelecto, pela razão. [P. op. a *sensível*, nesta acp.] **4** *Fil.* Que está logicamente contido numa fórmula já conhecida ***sm.*** **5** *Fil.* As coisas inteligíveis [Pl.: *-veis.*] [F.: Do lat. *intelligibilis, e.*]

intelijumento (in.te.li.ju.*men*.to) *Bras. Joc. Pop.* ***a.*** **1** Que é pouco inteligente ***sm.*** **2** Aquele que é pouco inteligente [F.: *inteli-* (de *inteligente*) + *jumento*. Sin. ger.: *burro, estúpido.*]

intemerato (in.te.me.*ra*.to) ***a.*** Não corrompido; ÍNTEGRO; INCORRUPTO; PURO: "...Num céu *intemerato* e cristalino / Pode habitar talvez um Deus distante /..." (Antero de Quental, "Soneto II" *in Tese e antítese*) [F.: Do lat. *intemeratus, a, um.* Hom./Par.: *intemerato* (a.), *intimorato* (a.).]

intemperado (in.tem.pe.*ra*.do) ***a.*** Que não tem temperança, que carece de equilíbrio, de moderação; DESREGRADO; DESCOMEDIDO [F.: Do lat. *intemperatus, a, um.*]

intemperança (in.tem.pe.*ran*.ça) ***sf.*** **1** Falta de temperança, de moderação; DESCOMEDIMENTO **2** Hábito de comer e beber em demasia; GLUTONARIA; GULA: *o vício da intemperança.* [F.: Do lat. *intemperantia, ae.* Sin. ger.: *destemperança.*]

intemperante (in.tem.pe.*ran*.te) ***a2g.*** **1** Que não tem temperança, comedimento, esp. na comida e na bebida **2** *Fig.* Que não tem limites, descomedido, imoderado ***s2g.*** **3** Pessoa intemperante [F.: Do lat. *intemperans, antis.* Ver *temper-.*]

intempérie (in.tem.*pé*.ri:e) ***sf.*** **1** Qualquer fenômeno climático muito acentuado (p. ex.: vento ou chuva fortes; calor ou frio extremos; tempestade, seca, inundação etc.) **2** Mau tempo **3** *Fig.* Acontecimento desfavorável; INFELICIDADE; DESGRAÇA: *Enfrentou na vida muitas intempéries.* [F.: Do lat. *intemperies, ei.*]

intemperismo (in.tem.pe.*ris*.mo) ***sm.*** *Geol.* Conjunto de processos devidos à ação de agentes atmosféricos e biológicos que ocasionam a destruição física e a decomposição química dos minerais das rochas [F.: *intempérie* + *-ismo.*]

intemperizado (in.tem.pe.ri.*za*.do) ***a.*** Que foi submetido a intemperismo (solo *intemperizado*) [F.: Part. de um v. **intemperizar* (de *intemperismo* + *-izar*, seg. o mod. gr.) + *-ado*[1].]

intempestividade (in.tem.pes.ti.vi.*da*.de) ***sf.*** Qualidade do que é intempestivo: *A intempestividade da decisão causou mal-estar.* [F.: Do lat. tard. *intempestivitas, atis.*]

intempestivo (in.tem.pes.*ti*.vo) ***a.*** **1** Que acontece em momento não propício; INOPORTUNO **2** Que acontece quando não era esperado; IMPREVISTO; SÚBITO **3** *Jur.* Feito depois de decorrido o prazo legal [F.: Do lat. *intempestivus, a, um.*]

intemporal (in.tem.po.*ral*) ***a2g.*** **1** Que, por suas características, está desvinculado do tempo, de épocas, de datas etc.; ATEMPORAL; ETERNO; PERENE: *A música de Bach é intemporal.* **2** Que não é temporal ou profano; ESPIRITUAL [Ant. nesta acp.: *leigo, profano, secular.*] [Pl.: *-rais.*] [F.: Do lat. *intemporalis, e.*]

intemporalidade (in.tem.po.ra.li.*da*.de) ***sf.*** Qualidade ou caráter do que é intemporal [F.: Do lat. *intemporalitas, atis.*]

intenção (in.ten.*ção*) ***sf.*** **1** Aquilo que alguém quer fazer ou pensa em fazer; PROPÓSITO: *Tinha intenção de mudar de emprego.* **2** Aquilo que alguém quer que aconteça e que motiva suas ações; DESEJO; INTENTO: *Não tinha qualquer intenção de fama ou poder.* **3** *Lit.* O conjunto dos motivos que levam um autor a produzir uma obra literária **4** *Fil.* Estado mental favoravelmente orientado para concretizar, manter ou evitar um determinado estado de coisas [F.: Do lat. *intentio, onis.* Hom./Par.: *intenção* (sf.), *intensão* (sf.).] ■ **Segundas intenções** Intenções ocultas atrás daquelas manifestadas e reveladas [Tb. se usa no sing.]

intencionado (in.ten.ci:o.*na*.do) ***a.*** Feito com intenção; INTENCIONAL [F.: part. de *intencionar.*]

intencional (in.ten.ci:o.*nal*) ***a2g.*** **1** Que é feito de propósito (incêndio *intencional*); INTENCIONADO; PREMEDITADO; PROPOSITADO [Ant.: *involuntário.*] **2** Ref. a intenção [Pl.: *-nais.*] [F.: *intenção* sob rad. lat. *intention-* + *-al.*]

intencionalidade (in.ten.ci:o.na.li.*da*.de) ***sf.*** Qualidade ou caráter do que é intencional: *Discute-se até hoje a intencionalidade do descobrimento da América.* [F.: *intencional* + *-(i)dade.*] ■ **~ da consciência** *Fil.* Conceito filosófico segundo o qual todo exercício de consciência pressupõe um conteúdo explícito, ou seja, não ocorre apenas 'consciência', mas sempre a 'consciência de algo'

intencionar (in.ten.ci:o.*nar*) ***v. td.*** Ter a intenção de; PRETENDER; INTENTAR: *Sempre intencionara fugir com a namorada.* [▶ **1** intencionar] [F.: *intenção*, sob a f. *intencion-*, + *-ar*[2].]

intendência (in.ten.*dên*.ci:a) ***sf.*** **1** Cargo ou função de intendente **2** Seção dirigida pelo intendente **3** Direção, administração de negócios [F.: Do fr. *intendance.*]

intendente (in.ten.*den*.te) ***s2g.*** **1** Pessoa encarregada da administração ou direção de alguma coisa ***sm.*** **2** *Bras.* Até o primeiro quartel do séc. XX, cargo equivalente ao do atual prefeito **3** *Bras. Mil.* Oficial incumbido da execução de tarefas financeiras e do abastecimento das organizações militares [F.: Do fr. *intendant.*]

intensão (in.ten.*são*) ***sf.*** **1** Grau de força, de energia ou de atividade; VEEMÊNCIA; INTENSIDADE: *A intensão do frio foi medida pelos aparelhos.* **2** Ação ou resultado de aumentar a tensão **3** *Fon.* A primeira fase do movimento de articulação de uma consoante; CATÁSTASE; IMPLOSÃO [Cf.: *articulação.*] **4** *Lóg.* Ver *compreensão* [Pl.: *-sões.*] [F.: Do lat. *intensio, onis.* Hom./Par.: *intenção* (sf.).]

intensidade (in.ten.si.*da*.de) ***sf.*** **1** Qualidade do que é intenso: *chuvas de grande intensidade.* **2** Grau muito elevado: *a intensidade da dor.* **3** *Fon.* Característica da emissão de fonemas (individuais ou em grupo) com maior força expiratória que a dos vizinhos. [Cf. nesta acp.: *tonicidade* e *acento de intensidade.*] [F.: *intens(o)* + *-(i)dade.* Ideia de 'intensidade': *-az* (*audaz, capaz, perspicaz*); *per-* (*perpétuo, perseguir*).] ■ **~ de radiação** *Fís.* Quantidade de energia solar por unidade de tempo que incide numa unidade de superfície; irradiância **~ do campo elétrico** *Elet. Fís.* Num campo elétrico, em que cada ponto no espaço foi produzido por carga elétrica, coeficiente entre a força que atua em cada ponto e o valor da carga elétrica que o criou; intensidade elétrica [Símb.: *E.*] **~ do campo magnético** *Fís.* Num ponto de um campo magnético, magnitude da força que nele age, como seria sentida em cada unidade de um polo magnético hipotético [Símb.: *H.*] **~ elétrica** *Elet.* Ver *Intensidade do campo elétrico* **~ energética** *Fís.* Ver *Intensidade radiante* **~ luminosa** *Fotm.* Quantidade de fluxo de energia luminosa emitida por fonte pontual em uma certa direção, por unidade de ângulo sólido **~ radiante** *Fís.* Quantidade de fluxo de energia radiante emitido por fonte pontual em uma certa direção, por unidade de ângulo sólido; intensidade energética **~ sonora** *Fís.* Medida do fluxo de energia sonora transportada por onda sonora por unidade de superfície por unidade de tempo

intensificação (in.ten.si.fi.ca.*ção*) ***sf.*** Ação ou resultado de intensificar(-se): *intensificação das ações policiais.* [Pl.: *-ções.*] [F.: *intensificar* + *-ção.*]

intensificado (in.ten.si.fi.ca.do) ***a.*** Que se intensificou (patrulhamento *intensificado*) [F.: Part. de *intensificar.*]

intensificador (in.ten.si.fi.ca.*dor*) [ô] *a.* 1 Que intensifica 2 *Gram.* Diz-se de elemento que reforça ou hiperboliza a noção presente em uma raiz 3 *Gram.* Diz-se de palavra ou expressão que se emprega expressivamente, a fim de acentuar algo já dito, descrito ou referido *sm.* 4 Aquilo que intensifica ou que serve para intensificar 5 *Gram.* Elemento que reforça ou hiberboliza a noção de uma raiz 6 *Gram.* Palavra ou expressão de uso expressivo, us. para acentuar algo dito, descrito ou referido [F.: *intensificar* + *-dor.*]

intensificar (in.ten.si.fi.*car*) *v.* Tornar(-se) mais intenso, mais forte [*td.*: *A polícia intensificou as investigações.*] [*int.*: *De manhã cedo, a chuva intensificou-se.*] [▶ 11 intensificar] [F.: *intenso* + *-ificar.*]

intensividade (in.ten.si.vi.*da*.de) *sf.* Qualidade ou característica do que é intensivo: *A intensividade com que a empresa recorria àquele expediente era admirável.* [F.: *intensivo* + *-(i)dade.*]

intensivista (in.ten.si.*vis*.ta) *a2g.* 1 Diz-se de médico especializado no tratamento de doentes internados em CTI ou UTI *s2g.* 2 Médico intensivista [F.: *intensivo* + *-ista.*]

intensivo (in.ten.*si*.vo) *a.* 1 Que é feito com esforço intenso e contínuo para ter resultados eficazes com maior rapidez (curso intensivo, tratamento intensivo) 2 Que tem o caráter de intensidade (dedicação intensiva); INTENSO 3 *Agr. Econ.* Diz-se de agricultura praticada em terrenos relativamente pequenos, com técnicas avançadas que proporcionam alta produtividade [Nesta acp. opõe-se a *extensivo.*] 4 *Econ.* Diz-se de processo produtivo que emprega proporcionalmente muito mais um determinado fator de produção: *A construção civil é uma atividade intensiva em mão de obra.* 5 *Gram. Ling.* Que é formado por elemento que intensifica a ideia da ação (composto intensivo) (p. ex.: super-herói é um composto intensivo formado com o prefixo super-) [F.: *intens(o)* + *-ivo*; posv. sob influência do fr. *intensif* (< lat. med. *intensivus*).]

intenso (in.*ten*.so) *a.* 1 Que se manifesta com muita força (frio intenso) 2 Que ultrapassa a medida habitual (trabalho intenso) 3 Que revela muita energia (ódio intenso, aplicação intensa) 4 Muito movimentado: *vida social intensa.* [F.: Do lat. *intensus, a, um.* Hom./Par.: *intenso* (a.), *intenso* (fl. de *intensar*). Ideia de 'intenso': *ox(i/o)-* (*oxigênio, oxiurose*).]

intentado (in.ten.*ta*.do) *a.* 1 Que se intentou; PRETENDIDO; TENCIONADO 2 Cometido, realizado (crime intentado) 3 *Jur.* Formulado ou proposto em juízo (recurso intentado) [F.: Part. de *intentar.*]

intentar (in.ten.*tar*) *v. td.* 1 Manifestar intenção de; TENCIONAR: *O artista intentava dar mais atenção à serigrafia.* 2 *Jur.* Impetrar (ação judicial) contra: *Intentar uma ação.* 3 Pôr em ação; EMPREENDER: *Intentou vários projetos estranhos e inviáveis.* 4 Fazer esforço para; TENTAR: *Não intentou nenhuma explicação de seu ato.* [▶ 1 intentar] [F.: Do lat. *intentare.* Hom./Par.: *intentáveis* (2ªp. pl.), *intentáveis* (pl. *intentável* [a2g.]); *intento* (1ªp. s.), *intento* (sm. e a.).]

intento (in.*ten*.to) *sm.* 1 Aquilo que se pretende realizar; INTENÇÃO; OBJETIVO; PROJETO: *Seu intento era ganhar a medalha de ouro. a.* 2 *P. us.* Dedicado, aplicado, atento [F.: Do lat. *intentus, us.* Hom./Par.: *intento* (sm. a.), *intento* (fl. de *intentar*).]

intentona (in.ten.*to*.na) *sf.* 1 Plano arriscado 2 Ataque imprevisto 3 Tentativa de revolta ou motim [F.: Do cast. *intentona.*]

◎ **inter-** *Pref.* Registra-se já em lat. na formação de verbos, substantivos e adjetivos; em português, com os sentidos de 'posição intermediária', 'reciprocidade', manteve-se em alguns casos inalterado, como em *intercalar*, e em outros evoluiu para a forma romanceada e popular *entre-* (*entreabrir*). Modernamente, na formação de compostos eruditos, prevalece a forma *inter-* (*intergaláctico*), ao passo que no português antigo a forma *entre-* foi bem mais fecunda [F.: Do lat. *inter-*, do adv. e prep. *inter*, 'entre, no meio de'. (Antes de *h* ou *r* usa-se com hífen.]

interação (in.te.ra.*ção*) *sf.* 1 Influência ou ação recíproca entre pessoas e/ou coisas: *interação entre governo e empresários.* 2 *Fís.* Ação recíproca entre duas partículas ou dois corpos 3 *Fís.* Força exercida reciprocamente por duas partículas, quando estão próximas o bastante [Pl.: *-ções.*] [F.: *inter-* + *-ação.* Hom./Par.: *interação* (sf.), *inteiração* (sf.).] ▪ **~ eletromagnética** *Fís.* Tipo de força (que pode ser de atração ou de repulsão) entre partículas elementares ou corpos eletricamente carregados, que resulta de forças originadas por campo eletromagnético **~ forte** *Fís. nu.* Interação muito intensa e de curto alcance (cerca de 10^{-15} m), entre partículas subatômicas elementares (os hádrons), que dá estabilidade ao núcleo do átomo **~ fraca** *Fís. nu.* Interação de baixa intensidade (cerca de 10^{-12} vezes menos intensa que a interação forte) entre partículas subatômicas elementares (os léptons), e responsável pelo decaimento de partículas elementares (como o nêutron, o múon etc.), e pela desintegração radioativa de núcleos atômicos **~ gravitacional** *Fís.* Tipo de força atrativa de longo alcance, que atua entre corpos com massa ou energia, com intensidade 10^{42} vezes menor que a da interação forte. Ver *gravitação* **~ medicamentosa** *Farm.* Alteração dos efeitos considerados habituais de um medicamento devido a sua combinação com outro(s) medicamento(s) ou certa(s) substância(s) **Interações fundamentais** *Fís.* Os quatro tipos de interação entre partículas subatômicas, portanto responsáveis pelos fenômenos físicos e químicos que se conhecem na natureza. São: *Interação forte, Interação fraca, Interação eletromagnética* e *Interação gravitacional*

📖 A interação eletromagnética está presente nas forças que atuam nas estruturas molecular e atômica da matéria e nas reações químicas, em intensidade cerca de cem vezes menor que a da interação forte.

interacionista (in.te.ra.ci:o.*nis*.ta) *a2g.* Que defende, que apoia a interação, esp. no campo social (projetos interacionistas) [F.: *inter-* + *acionista.*]

interagente (in.te.ra.*gen*.te) *a2g.* 1 Que interage 2 Em que há interação *s2g.* 3 *Inf.* Aquele ou aquela que interage: *Em certos programas, o interagente pode fazer pequenas alterações.* [F.: *interagir* + *-ente.*]

interagir (in.te.ra.*gir*) *v.* 1 Desenvolver ação recíproca; INTER-RELACIONAR-SE [*tr.* + *com*: "Durante o espetáculo, os atores interagem com a criançada..." (*Jornal Extra*, 8.11.2003)] 2 Atuar mutuamente, ao mesmo tempo ou não [*int.*: *Eram unidades que interagiam; São remédios que interagem, acelerando o processo de cura.*] 3 Compartilhar uma atividade com (outrem) [*tr.*: *Esse trabalho leva-o a interagir com as outras tribos.*] [▶ 46 interagir] [F.: *inter-* + *agir.*]

interamericano (in.te.ra.me.ri.*ca*.no) *a.* Que se cria ou se realiza entre os Estados do continente americano ou entre as Américas (cooperação interamericana) [F.: *inter-* + *americano.*]

interamnense (in.te.ram.*nen*.se) *a2g.* 1 Que vive entre rios 2 Ref. a região entre os rios Douro e Minho, em Portugal; DURIMÍNIO *s2g.* 3 Aquele ou aquela que nasceu ou que vive nesta região [F.: Do lat. *interamnensis, e.*]

interarticular (in.te.rar.ti.cu.*lar*) *a2g.* Que se encontra situado entre duas articulações [F.: *inter-* + *articular*[1].]

interatividade (in.te.ra.ti.vi.*da*.de) *sf.* 1 Condição ou característica do que é interativo 2 *Comun. Inf.* Capacidade que tem um sistema ou equipamento de permitir interação [F.: *interativ(o)* + *-(i)dade.*]

interativo (in.te.ra.*ti*.vo) *a.* 1 Em que há interação 2 *Comun.* Que possibilita ao indivíduo a interação com a fonte ou o emissor (televisão interativa) 3 *Inf.* Ref. a sistemas ou procedimentos computacionais que funcionam mediante interação com o usuário [F.: *inter-* + *ativo.*]

interatuar (in.ter.a.tu.*ar*) *v. td. int.* O mesmo que *interagir* [▶ 1 interatuar] [F.: *inter-* + *atuar.*]

interbancário (in.ter.ban.*cá*.ri:o) *a2g.* Que se realiza entre bancos (depósito interbancário) [F.: *inter-* + *bancário.*]

intercadência (in.ter.ca.*dên*.ci:a) *sf.* 1 Perturbação ou interrupção que ocorre em um processo contínuo (intercadência do discurso) 2 *Med.* Movimento desordenado do pulso; frouxidão intermitente das pulsações arteriais 3 *Med.* Debilidade, enfraquecimento com ocorrência em intervalos regulares [F.: *inter-* + *cadência.*]

intercadente (in.ter.ca.*den*.te) *a2g.* 1 Sem continuidade; INTERROMPIDO; INTERMITENTE: "Um sorocoá bronzeado soltava de uma caneleira seu sibilo intercadente." (Júlio Ribeiro, *A carne*) 2 *Med.* Que é irregular; que apresenta variações (pulsação intercadente) [F.: *inter-* + *cadente.*]

intercalação (in.ter.ca.la.*ção*) *sf.* 1 Ação ou resultado de intercalar(-se) 2 Acréscimo de um dia aos anos bissextos, em fevereiro 3 *Art. gr.* Palavra, grupo de palavras ou sinais em tipo diferente, numa composição 4 *Art. gr.* Qualquer acréscimo de texto não existente no original e feito pelo autor em prova tipográfica; ACRÉSCIMO 5 *Art. gr.* Folha de papel com que se permeiam folhas impressas, para evitar manchas de tinta; ENTREFOLHA 6 *Quím.* Fenômeno que consiste na associação entre uma molécula plana e outra em cuja estrutura se encontra uma fenda, na qual a primeira penetra, e que pode gerar mutações [Pl.: *-ções.*] [F.: Do lat. *intercalatio, onis.*]

intercalado (in.ter.ca.*la*.do) *a.* Que se intercalou, que se interpôs; INTERPOSTO; ENTREMEADO [F.: Part. de *intercalar.*]

intercalar (in.ter.ca.*lar*) *v.* 1 Colocar(-se) de permeio; ENTREMEAR(-SE); INTERPOR(-SE) [*tda.*: *Intercalou a ficha junto às outras da letra M.*] 2 Colocar-se no meio de; MISTURAR-SE [*tda.*: *Intercalou-se no grupo e entrou na sala do diretor.*] [▶ 1 intercalar] [F.: Do lat. *intercalaris.* Hom./Par.: *intercalares* (2ªp. s.), *intercalares* (*intercalar*) (a2g. [pl.]); *intercaláveis* (2ªp. pl.), *intercaláveis* (*intercalável*) (a2g. [pl.]).]

intercambialidade (in.ter.cam.bi.a.li.*da*.de) *sf.* Qualidade ou característica do que é intercambiável; PERMUTABILIDADE: *Em algumas universidades, há uma verdadeira intercambialidade entre os cursos.* [F.: *intercambiável*, sob a f. *intercambiabil-*, + *-(i)dade*, seg. o mod. erudito.]

intercambiamento (in.ter.cam.bi.a.*men*.to) *sm.* Ação ou resultado de intercambiar (intercambiamento de informações); TROCA; PERMUTA [F.: *intercambiar* + *-mento.*]

intercambiar (in.ter.cam.bi.*ar*) *v.* Fazer intercâmbio de; PERMUTAR [*td.*: *Intercambiar projetos/ideias/informações.*] [*tdr.* + *com*: *Intercambiavam estudantes com outros colégios.*] [▶ 1 intercambiar] [F.: *inter* + *-cambiar.* Hom./Par.: *intercambiáveis* (fl.), *intercambiáveis* (pl. de *intercambiável* [a2g.]).]

intercambiável (in.ter.cam.bi.*á*.vel) *a2g.* Que se pode intercambiar, trocar, permutar [Pl.: *-veis.*] [F.: *intercambiar* + *-vel.* Hom./Par.: *intercambiáveis* (pl.), *intercambiáveis* (fl. de *intercambiar*).]

intercâmbio (in.ter.*câm*.bi:o) *sm.* 1 Relacionamento recíproco entre nações (intercâmbio comercial, intercâmbio cultural) 2 Permuta, troca [F.: Dev. de *intercambiar.* Hom./Par.: *intercâmbio* (sm.), *intercambio* (fl. de *intercambiar*).] ▪ **~ eletrônico de dados** *Inf.* Troca permanente, frequente ou regular de informações (entre instituições, empresas, etc.) por sistemas de computação, para viabilizar e agilizar em operações como consultas, encomendas, pagamentos, ordens bancárias etc. [Sigla (do ing.): *EDI.*]

interceder (in.ter.ce.*der*) *v.* Intervir (a favor de algo ou alguém); pedir, rogar (por alguém) [*ti.* + *a*: *Intercedeu às* (ou *junto às*) *autoridades em favor do filho.*] [*int.*: *Já não tinha como interceder.*] [▶ 2 interceder] [F.: Do lat. *intercedere.*]

intercelular (in.ter.ce.lu.*lar*) *a2g.* *Biol.* Que se situa ou se processa entre células [F.: *inter-* + *celular.*]

intercepção (in.ter.cep.*ção*) *sf.* O mesmo que *interceptação* [Pl.: *-ções.*] [F.: Do lat. *interceptio, onis.*]

interceptação (in.ter.cep.ta.*ção*) *sf.* Ação ou resultado de interceptar; INTERCEPÇÃO [Pl.: *-ções.*] [F.: *interceptar* + *-ção.*]

interceptado (in.ter.cep.*ta*.do) *a.* 1 Que se interceptou, que se interrompeu; INTERCEPTO 2 Que teve seu curso interrompido ou obstruído (avião interceptado) 3 Cujo acesso ou passagem foi obstruído: *Encontrou o viaduto interceptado em razão das fortes chuvas.* 4 Em que houve corte, interrupção do funcionamento normal (telefonema interceptado) [F.: Part. de *interceptar.*]

interceptador (in.ter.cep.ta.*dor*) [ô] *a.* 1 Que intercepta *sm.* 2 Aquele ou aquilo que intercepta 3 *Aer. Mil.* Avião de caça de grande velocidade e que dispõe de armamentos próprios para interceptar incursões aéreas inimigas [F.: *interceptar* + *-dor.* Sin. ger.: *interceptor.*]

interceptar (in.ter.cep.*tar*) *v. td.* 1 Interromper o curso, a trajetória de: *O goleiro interceptou o passe.* 2 Impossibilitar a passagem por: *O exército mandou interceptar a estrada.* 3 Efetuar corte ou interrupção: *Interceptaram a comunicação telefônica entre os dois países.* 4 Apoderar-se clandestinamente do que se destina a outrem: *Interceptavam a correspondência do prisioneiro.* 5 Abordar (aeronave, barco, veículo inimigo) para ataque ou averiguação: *Caças a jato interceptaram o bombardeiro invasor.* [▶ 1 interceptar] [F.: *intercepto* + *-ar*[2]. Hom./Par.: *intercepto* (fl.), *intercepto* (a.).]

intercepto (in.ter.*cep*.to) [é] *a.* 1 O mesmo que *interceptado* 2 Posto, colocado de permeio [F.: Do lat. *interceptus, a, um.* Hom./Par.: *intercepto* (a.), *intercepto* (fl. de *interceptar*).]

intercervical (in.ter.cer.vi.*cal*) *a2g.* *Anat.* Situado entre as vértebras cervicais [Pl.: *-cais.*] [F.: *inter-* + *cervical.*]

intercessão (in.ter.ces.*são*) *sf.* Ação ou resultado de interceder; INTERVENÇÃO: *Foi necessária a intercessão do regente.* [Pl.: *-sões.*] [F.: Do lat. *intercessio, onis.* Hom./Par.: *intersessão* (sf.), *interseção* (sf.), *intersecção* (sf.).]

intercessor (in.ter.ces.*sor*) [ô] *a.* 1 Que intercede *sm.* 2 Aquele que intercede [F.: Do lat. *intercessor, oris.* Sin. ger.: *mediador.*]

intercílio (in.ter.*cí*.li:o) *sm.* *Anat.* O mesmo que *glabela*, região entre as sobrancelhas [F.: Do lat. *intercilium, ii.*]

interclasse (in.ter.*clas*.se) *a2g2n.* Que se realiza entre equipes de diferentes classes (jogos interclasse) [F.: *inter-* + *classe.*]

interclube (in.ter.*clu*.be) *a2g.* *Bras. Esp.* Diz-se de competição que se realiza entre clubes [F.: *inter-* + *clube.*]

intercolonial (in.ter.co.lo.ni.*al*) *a2g.* Que se realiza entre colônias (comércio intercolonial; campeonato intercolonial) [Pl.: *-ais.*] [F.: *inter-* + *colonial.*]

intercolunar (in.ter.co.lu.*nar*) *a2g.* Ref. a intercolúnio [F.: *inter-* + *colunar*[1].]

intercolúnio (in.ter.co.*lú*.ni:o) *sm.* *Arq.* Espaço, vão ou intervalo entre duas colunas consecutivas [F.: Do lat. *intercolumnium, ii.*]

intercomunicação (in.ter.co.mu.ni.ca.*ção*) *sf.* Ação ou resultado de intercomunicar(-se), comunicação recíproca [Pl.: *-ções.*] [F.: *inter-* + *comunicação.*]

intercomunicador (in.ter.co.mu.ni.ca.*dor*) [ô] *a.* 1 Que se intercomunica *sm.* 2 Aquele ou aquilo que se intercomunica, que estabelece ou que se caracteriza por uma comunicação recíproca (intercomunicador de condomínios) [F.: *inter-* + *comunicador.*]

intercomunicar-se (in.ter.co.mu.ni.*car*-se) *v. int.* Comunicar-se mutuamente: *Viviam afastados, mas sempre se intercomunicavam.* [▶ 11 intercomunicar(-se)] [F.: *inter-* + *comunicar* + *-se*[1].]

intercomunitário (in.ter.co.mu.ni.*tá*.ri:o) *a.* Que se estabelece entre comunidades (conselho intercomunitário; comércio intercomunitário) [F.: *inter-* + *comunitário.*]

intercondral (in.ter.con.*dral*) *a2g.* *Anat.* Que se situa entre cartilagens [Pl.: *-drais.*] [F.: *inter-* + *-condr(o)-* + *-al*[1].]

interconectar (in.ter.co.nec.*tar*) *v. td.* Realizar ou promover a interconexão de [▶ 1 interconectar] [F.: *inter-* + *conectar.*]

interconexão (in.ter.co.ne.*xão*) [cs] *sf.* Relação ou ligação entre coisas, seres, signos, palavras, sistemas, fenômenos etc. [Pl.: *-xões.*] [F.: *inter-* + *conexão.*]

interconfessional (in.ter.con.fes.si:o.*nal*) *a2g.* *Rel.* Que diz respeito a duas ou mais crenças religiosas (ensino interconfessional) [Pl.: *-nais.*] [F.: *inter-* + *confessional.*]

intercontinental (in.ter.con.ti.nen.*tal*) *a2g.* 1 Que se estabelece ou se realiza entre os continentes (acordo intercontinental) 2 Que fica entre dois continentes (espaço aéreo intercontinental) 3 Que vai de um continente a outro (míssil intercontinental) 4 Que liga dois continentes [Pl.: *-tais.*] [F.: *inter-* + *continental.*]

intercorrência (in.ter.cor.*rên*.ci:a) *sf.* **1** Ação ou resultado de intercorrer: *a intercorrência da varíola na febre tifoide.* **2** Modificação constante de algo (intercorrência dos ventos); VARIAÇÃO; MUDANÇA **3** *Med.* Intercadência do ritmo de pulsação [F.: *intercorrer* + *-ência*.]

intercorrente (in.ter.cor.*ren*.te) ***a2g.*** **1** Que intercorre, que ocorre no decurso de outro fato (doença intercorrente) **2** Irregular (pulso intercorrente) [F.: *intercorrer* + *-nte*.]

intercorrer (in.ter.cor.*rer*) ***v. int.*** **1** Decorrer (o tempo) entre dois fatos, acontecimentos etc. **2** Ocorrer no decurso de outro fato ou acontecimento [▶ 2 intercorrer] [F.: Do v.lat. *intercurrere*.]

intercostal (in.ter.cos.*tal*) ***a2g.*** *Anat.* Que se situa entre as costelas (músculos intercostais, artérias intercostais) [Pl.: *-tais*.] [F.: *inter-* + *costal*.]

intercultural (in.ter.cul.tu.*ral*) ***a2g.*** Que envolve duas ou mais culturas diversas entre si (educação intercultural) [Pl.: *-rais*.] [F.: *inter-* + *cultural*.]

intercurso (in.ter.*cur*.so) ***sm.*** **1** Troca, intercâmbio (intercurso de culturas) **2** Relacionamento (intercurso social, intercurso sexual) [F.: Substv. do lat. *intercursus, a, um*.]

interdental (in.ter.den.*tal*) ***a2g.*** **1** Que ocorre ou se localiza entre os dentes **2** *Fon.* Diz-se dos fonemas que se articulam utilizando-se a ponta da língua entre os dentes incisivos superiores e os inferiores **3** *Od.* Que se usa entre os dentes (escova interdental) [Pl.: *-tais*.] ***sm.*** **4** *Fon.* Fonema interdental [F.: *inter-* + *dental*.]

interdentário (in.ter.den.*tá*.ri:o) ***a.*** Que se localiza entre os dentes; INTERDENTAL [F.: *inter-* + *dentário*.]

interdepartamental (in.ter.de.par.ta.men.*tal*) ***a2g.*** Que se estabelece entre ou envolve dois ou mais departamentos (conselho interdepartamental) [Pl.: *-tais*.] [F.: *inter-* + *departamental*.]

interdependência (in.ter.de.pen.*dên*.ci:a) ***sf.*** Estado ou condição de dois seres ou coisas ligados por recíproca dependência [F.: *inter-* + *dependência*.]

interdependente (in.ter.de.pen.*den*.te) ***a2g.*** Que interdepende, que tem mútua dependência [F.: *inter-* + *dependente*.]

interdepender (in.ter.de.pen.*der*) ***v.*** Ter relação de interdependência [***tr.*** + *de*: *Interdependiam um do outro.*] [▶ 2 interdepender] [F.: *inter-* + *depender*.]

interdição (in.ter.di.*ção*) ***sf.*** **1** Ação ou resultado de interditar ou interdizer, proibição de uso ou funcionamento: *interdição de uma estrada; interdição de um estabelecimento.* **2** *Jur.* Ação judicial que priva alguém da disposição de seus bens e da prática de ato jurídico **3** *Jur.* Ato pelo qual se proíbe um estabelecimento de se manter aberto, por ter desrespeitado disposições legais [Pl.: *-ões*.] [F.: Do lat. *interdictio, onis*.]

interdigital (in.ter.di.gi.*tal*) ***a2g.*** *Anat.* Situado entre os dedos (membrana interdigital) [Pl.: *-tais*.] [F.: *inter-* + *digital*.]

interdisciplinar (in.ter.dis.ci.pli.*nar*) ***a2g.*** Que é comum a duas ou mais disciplinas ou que se realiza no âmbito dessa relação (trabalho interdisciplinar) [F.: *inter-* + *disciplinar*.]

interdisciplinaridade (in.ter.dis.ci.pli.na.ri.*da*.de) ***sf.*** *Pedag.* Qualidade ou característica do que é interdisciplinar, do que diz respeito a duas ou mais disciplinas: *A interdisciplinaridade dos conteúdos é uma meta buscada por bons educadores.* [F.: *inter-* + *disciplinar* + *(i)dade*.]

interditado (in.ter.di.*ta*.do) ***a.*** **1** Que se interditou **2** Diz-se de via, espaço, área etc. cujo acesso e/ou circulação de pessoas foi proibido (viaduto interditado; circulação interditada) **3** *Jur.* Impedido de reger sua vida e/ou administrar seus bens ***sm.*** **4** *Jur.* Indivíduo a quem se impediu juridicamente de administrar os bens e/ou reger sua vida [F.: Part. de *interditar*.]

interditar (in.ter.di.*tar*) ***v. td.*** **1** Impedir o funcionamento, o uso ou a realização de, ou o acesso a: *Interditar o jogo de roleta; A passeata interditou as ruas do centro.* **2** *Jur.* Tornar ou declarar (alguém) impedido de reger sua vida e/ou administrar seus bens **3** Não permitir a movimentação de, a circulação em: *A polícia interditou a passagem dos caminhões pela ponte.* [▶ 1 interditar] [F.: *interdito* + *-ar*.]

interdito (in.ter.*di*.to) ***a.*** **1** Que está sob interdição; PROIBIDO; INTERDITADO **2** *Jur.* Que foi privado de determinados bens ou direitos **3** *Dir. can.* Diz-se de lugar em que se proíbe a celebração de ofícios divinos **4** Diz-se de sacerdote proibido de exercer o ministério ***sm.*** **5** Aquele que foi privado de determinados bens ou direitos **6** *Jur.* Mandado proibitivo **7** *Dir. can.* Pena que proíbe ministrar sacramentos, fruição de bens eclesiásticos ou acesso a lugares sagrados [F.: Do lat. *interdictus, a, um*.]

interdizer (in.ter.di.*zer*) ***v.*** **1** Impedir, interditar, proibir [***td.***: *O pai fez-lhe severas críticas, interdizendo seus planos.*] [***tdi.*** + *a*: *O médico interdisse atividades cansativas ao paciente.*] **2** *Jur.* Impedir (alguém) de exercer os próprios direitos [***td.***] **3** *Ecles.* Proibir, por decisão eclesiástica, a celebração de ofícios divinos e outras solenidades [***td.***] [▶ 20 interdizer] [F.: Do v.lat. *interdicere*. Sin. ger.: *interditar*. Ant. ger.: *consentir, permitir*.]

interescolar (in.ter.es.co.*lar*) ***a2g.*** **1** *Pedag.* Que envolve duas ou mais escolas (centro interescolar) **2** Diz-se de competição que tem a participação de duas o mais escolas (torneio interescolar) ***sm.*** **3** Competição interescolar: *Todos queriam assistir ao interescolar de xadrez.* [F.: *inter-* + *escolar*.]

interessado (in.te.res.*sa*.do) ***a.*** **1** Que demonstra interesse (público interessado, aluno interessado) **2** Que tem por base interesses pessoais; INTERESSEIRO: *relação interessada.* **3** Que revela curiosidade (olhar interessado) **4** *Jur.* Diz-se de quem tem parte em demanda ou interesse numa causa **5** Diz-se de empregado que tem participação nos lucros ***sm.*** **6** Aquele que tem parte em demanda ou interesse numa causa **7** Empregado que tem participação nos lucros [F.: Part. de *interessar*.]

interessante (in.te.res.*san*.te) ***a2g.*** **1** Que desperta interesse, curiosidade (assunto interessante) **2** Que interessa; IMPORTANTE: *proposta interessante.* **3** Que atrai, cativa, chama a atenção (pessoa interessante) **4** Que não é monótono, que ganha graça, significado: "...sentia um acréscimo de estima por si mesma, e parecia-lhe que entrava enfim numa existência superiormente interessante" (Eça de Queirós, *O primo Basílio*) **5** Diz-se da condição da gravidez (estado interessante) ***sm.*** **6** Aquilo que é interessante, curioso: *O interessante é que o texto, apesar de sucinto, levanta várias questões.* [Ant. nas acps. 1 e 4: *entediante, maçante, tedioso*.] [F.: *interessa(r)* + *-nte*.]

interessar (in.te.res.*sar*) ***v.*** **1** Ser de interesse, proveito, benefício; IMPORTAR [***td.***: *As notícias da Índia interessaram o rei.*] [***ti.*** + *a*: *A conquista interessou a todos.*] **2** Dizer respeito, relacionar-se [***td.***: *O itinerário proposto interessou toda a tripulação.*] [***ti.*** + *a*: *A guerra, então, não interessava ao Império Britânico.*] **3** Despertar o interesse, a atenção ou a curiosidade (de) [***td.***: *O convite para o concerto interessou a maioria dos presentes.*] [***ti.*** + *a*: *O violinista interessou às crianças, maravilhadas.*] **4** Ficar atraído; tomar interesse [***tr.*** + *por*: *Não se interessava por assuntos domésticos ou burocráticos.*] **5** Dar ou ter participação em (negócio) [***tdr.*** + *em*: *Interessou o sócio no aumento do capital.*] [***td.***: *O mercador logo se interessou pela proposta de ampliação.*] [▶ 1 interessar] [F.: *interess(e)* + *-ar*[2]. Hom./Par.: *interesse* (1ª e 3ªp. s.), *interesses* (2ªp. s.), *interesse* (sm. [pl.]).]

interesse (in.te.*res*.se) [ê] ***sm.*** **1** Utilidade, lucro, proveito, vantagem que alguém encontra em qualquer coisa: "Como as palavras se torcem/ conforme o interesse e o tempo!" (Cecília Meireles, *Romanceiro da Inconfidência*) **2** Aquilo que é útil, de importância concreta: *obras de interesse público.* **3** Qualidade do que prende a atenção: *artigo de grande interesse.* **4** *Pej.* Inclinação apenas para o que traz vantagem pessoal: *Só faz as coisas por interesse.* **5** Participação de empregado nos lucros da empresa **6** O juro de um capital depositado **7** O que é bom, importante para algo ou alguém (interesse nacional, interesse da comunidade) **8** Atenção inspirada pela curiosidade: *Ouviu com interesse o parecer do perito.* **9** Empenho, cuidado, diligência a favor de algo ou alguém: *Pediu por ele com todo o interesse.* **10** Sentimento que nos inspira cuidado de uma pessoa ou de uma coisa: *Este rapaz merece bem o interesse que todos têm por ele.* [Pl.: ê. Dim.: *interessículo*] [F.: Do lat. med. *interesse*, substv. do lat. clláss. *interesse*, 'importar'. Hom./Par.: *interesse* (sm), *interesse* (fl. de *interessar*).]

interesseiro (in.te.res.*sei*.ro) ***a.*** **1** Que age tão somente em interesse próprio **2** Inspirado pelo interesse (amizade interesseira) **3** Feito por interese (elogio interesseiro) ***sm.*** **4** Pessoa interesseira [Ant.: *altruísta*] [F.: *interesse* + *-eiro*.]

interestadual (in.te.res.ta.du.*al*) ***a2g.*** **1** Que se realiza entre dois ou mais estados federados do mesmo país (campeonato interestadual) **2** Que liga estados de um mesmo país (ônibus interestadual) **3** Que se faz de um estado a outro (excursãointerestadual) **4** Que se situa entre dois estados (ponte interestadual) **5** Ref. a dois ou mais estados [Pl.: *-ais*.] [F.: *inter-* + *estadual*.]

interestatal (in.ter.es.ta.*tal*) *Adm. Pol.* ***a2g.*** **1** Que ocorre entre dois ou mais Estados ou nações (comunicação interestatal) **2** Que diz respeito a dois ou mais Estados ou nações (sistema interestatal) [Pl.: *-tais*.] [F.: *inter-* + *estatal*.]

interestelar (in.te.res.te.*lar*) ***a2g.*** Que se situa ou se faz entre as estrelas (espaço interestelar, matéria interstelar) [F.: *inter-* + *estelar*. Tb. *interstelar*; fr. *interstellaire* e ingl.: *interstellar*.]

interétnico (in.ter.*ét*.ni.co) *Soc.* ***a.*** **1** Que diz respeito a duas ou mais etnias diversas ***a.*** **2** Que se dá entre indivíduos de diferentes etnias (contato interétnico; conflito interétnico) [F.: *inter-* + *étnico*.]

interface (in.ter.*fa*.ce) ***sf.*** **1** Campo em que interagem disciplinas ou fenômenos diversos: *Há uma interface entre a biologia e a química.* **2** Dispositivo físico ou lógico que proporciona uma ligação entre dois sistemas **3** *Inf.* Meio de que dispõe o usuário para interagir com um programa ou sistema operacional **4** *Inf.* Área compartilhada por dois dispositivos, sistemas ou programas que trocam dados e sinais **5** *Geof.* Superfície que separa as camadas sísmicas do globo **6** *Fís.* Superfície que constitui a fronteira entre duas fases de um sistema [F.: *inter-* + *face*; ing. *interface*.] ■ **~ com o usuário** *Inf.* Em computador ou sistema computacional, conjunto de componentes de *hardware* e de *software* que realizam a interação do usuário com os programas, para a entrada de dados e de solicitações, e para a visualização das respostas **~ de linha de comando** *Inf.* Forma de interface com o usuário na qual este deve digitar comandos quando solicitados por *prompts* apresentados pelo sistema **~ de menus** *Inf.* Forma de interface com o usuário na qual as opções disponíveis de comandos são apresentadas no monitor como uma lista de itens sob um título chamado menu (pode haver várias listas sob vários menus), e dos quais pode-se escolher um clicando nele com o *mouse* ou por meio do teclado **~ gráfica** *Inf.* Forma de interface com o usuário em os elementos de interligação e interação do usuário com o sistema são representados por imagens (e não somente textos ou caracteres) como ícones, botões etc., dispostos em barras, janelas, quadros etc., e que são operáveis por meio de seleção e clique com o *mouse*, ou por contato em telas interativas **~ paralela** *Inf.* Interface que dispõe de linhas paralelas para envio ou recebimento simultâneo de diferentes grupos de *bits* (de resposta, instruções, entrada de dados etc.) **~ serial** *Inf.* Interface que dispõe de uma só linha para envio ou recebimento de dados, o que faculta a transmissão de apenas um *bit* de cada vez

interfacial (in.ter.fa.ci:*al*) ***a2g.*** *Inf.* Ref. a interface (comunicação interfacial) [Pl.: *-ciais*.] [F.: *inter-* + *facial*.]

interfalangiano (in.ter.fa.lan.gi.*a*.no) ***a.*** *Anat.* Situado entre as falanges [F.: *inter-* + *falangiano*.]

interfase (in.ter.*fa*.se) ***sf.*** *Cit.* Período em que a célula não está se dividindo e que se caracteriza pela presença de cromossomos desordenados e geneticamente ativos em seu interior: *Nas células jovens, que se dividem mais frequentemente, a interfase é mais curta.* [F.: *inter-* + *fase*.]

interfásico (in.ter.*fá*.si.co) *Cit.* ***a.*** **1** Ref. a interfase **2** Diz-se do núcleo celular na interfase [F.: *interfase* + *-ico*[2].]

interferência (in.ter.fe.*rên*.ci:a) ***sf.*** **1** Ação ou resultado de interferir; INTERVENÇÃO: *A interferência do Estado estragou tudo.* **2** *Fís.* Interação de movimentos ondulatórios com a mesma frequência e amplitude, mantendo entre si determinada diferença de fase, de modo que se somam as oscilações de cada um, compondo uma mesma onda **3** *Rád. Telc.* Energia que afeta a recepção dos sinais esperados; INTROMISSÃO **4** *P. ext.* Distorção na recepção desses sinais [F.: Do fr. *interférence*.]

interferente (in.ter.fe.*ren*.te) ***a2g.*** **1** Que interfere **2** *Fís.* Que apresenta o fenômeno da interferência [F.: Do fr. *interférent*.]

interferir (in.ter.fe.*rir*) ***v.*** **1** Ter interferência, intrometer-se; INTERVIR [***tr.*** + *em*: *Não quis interferir na grave questão familiar.*] **2** *Fís.* Dificultar a recepção, produzir interferência, ruído [***tr.*** + *em*: *O mau tempo interferiu nas transmissões do rádio.*] **3** Interceder em benefício de algo ou alguém [***tr.*** + *a ou em favor de*: *Interferiu a favor da companheira.*] **4** Causar dano, prejuízo; afetar [***tr.*** + *em*: *O divórcio não interferiu em seu trabalho.*] **5** *Fís.* Causar fenômeno físico de interferência [***int.***] [▶ 50 interferir] [F.: Do fr. *interférer*.]

interferometria (in.ter.fe.ro.me.*tri*.a) ***sf.*** *Ópt.* Série de técnicas de medida e análise que se baseia em fenômenos ópticos de interferência [F.: *interferômetro* + *-ia*.]

interferométrico (in.ter.fe.ro.*mé*.tri.co) ***a.*** *Ópt.* Ref. a ou próprio da interferometria (radar interferométrico) [F.: *interferometr(ia)* + *-ico*.]

interferômetro (in.ter.fe.*rô*.me.tro) ***sm.*** *Astron. Ópt.* Dispositivo que, por meio da interferência de dois feixes separados de uma mesma fonte que penetram numa luneta ou telescópio, possibilita a medida de fenômenos físicos ou astronômicos, pela observação do contraste das franjas resultantes de superposição das figuras de interferência de duas componentes [F.: Do ing. *interferometer*.] ■ **~ de base muito longa** *Astron.* Conjunto de radiotelescópios que tem seus componentes distribuídos por muitas centenas de quilômetros, o que confere grande precisão às medidas das estruturas angulares das fontes de rádio no espaço **~ radioelétrico** *Astron.* Sistema de radiotelescópios em série com antena receptora isolada, e de alto poder resolvente, capaz de medir distâncias angulares da ordem de um segundo de arco, para estudar as inferências entre ondas provenientes das fontes de rádio no espaço

interferon (in.ter.fe.*ron*) ***sm.*** *Bioq.* Cada uma das glicoproteínas, secretadas por linfócitos e macrófagos, que ampliam as resistências do organismo a infecções virais [Pl.: *-ferones* e *-ferons*.] [F.: Do ing. *interferon*.]

interfixo (in.ter.*fi*.xo) ***a.*** **1** *Fís.* Cujo ponto de apoio se situa entre a potência e a resistência (alavanca interfixa) [Cf.: *interpotente* e *inter-resistente*.] ***sm.*** **2** *Ling.* Nos vocábulos compostos por aglutinação, o afixo que ocorre entre dois radicais: *Em auri verde e agro pecuária, o-i- e o-o- são interfixos.* [F.: *inter-* + *fixo*.]

interfoliar (in.ter.fo.li.*ar*) ***a2g.*** Que está entre duas folhas (inflorescência interfoliar) [Pl.: *-ares*.] [F.: *inter-* + *foliar*[1].]

interfonado (in.ter.fo.*na*.do) ***a.*** Transmitido por interfone (mensagem interfonada) [F.: Part. de *interfonar*.]

interfonar (in.ter.fo.*nar*) ***v.*** **1** *Bras.* Utilizar o interfone [***int.***: *Teve de interfonar várias vezes.*] **2** Comunicar-se por meio de interfone com (alguém ou algum lugar) [***ti.*** + *para*: *Interfonou para a inquilina.*] [▶ 1 interfonar] [F.: *interfone* + *-ar*[2]. Hom./Par.: *interfone* (fl.), *interfone* (sm.), *interfones* (fl.), *interfones* (pl. do sm.).]

interfone (in.ter.*fo*.ne) ***sm.*** **1** Sistema de comunicação interna que interliga unidades de um mesmo complexo (apartamentos de um prédio, escritórios e fábricas de uma empresa, trens e estações ferroviárias) **2** *P. ext.* Aparelho us. nessas comunicações [F.: Do ingl. *Interphone* (marca registrada); ver *inter-* e *-fone*. Hom./Par.: *interfone* (sm.), *interfone* (fl. de *interfonar* [v.]); *interfones* (pl.), *interfones* (fl. de do v.).]

interfonema (in.ter.fo.*ne*.ma) ***sm.*** Comunicação que se faz por meio de interfone: *O carteiro deu um interfonema para a moradora, avisando-lhe da chegada da correspondência.* [F.: *interfone* + *-ema*, por analogia ao par *telefone* / *telefonema*.]

intergaláctico (in.ter.ga.*lác*.ti.co) *a. Astr.* Situado entre galáxias (espaço intergaláctico) [F.: *inter-* + *galáctico*. Tb. *intergalático*.]

intergalático (in.ter.ga.*lá*.ti.co) *a.* Ver *intergaláctico*

interglacial (in.ter.gla.ci.*al*) *a2g.* Que se situa entre duas glaciações (fases interglaciais; período interglacial) [Pl.: *-ais.*] [F.: *inter-* + *glacial.*]

interglúteo (in.ter.*glú*.te:o) *a.* Que se situa na região entre as nádegas: *O sulco interglúteo situa-se abaixo da crista sacral mediana.* [F.: *inter-* + *glúteo.*]

intergovernamental (in.ter.go.ver.na.men.*tal*) *a2g.* Que se realiza entre dois ou mais governos ou entre dois ou mais governadores (pacto intergovernamental, reunião intergovernamental) [Pl.: *-tais.*] [F.: *inter-* + *governamental.*]

intergranular (in.ter.gra.nu.*lar*) *a2g.* Que se situa entre os grãos de um metal ou de uma liga: *O baixo teor de carbono aumenta a resistência à corrosão intergranular.* [F.: *inter-* + *granular*¹.]

intergrupal (in.ter.gru.*pal*) *a2g.* Que se dá entre grupos (cooperação intergrupal; desafios intergrupais): *Vamos examinar a competição e a hostilidade intergrupal à luz da teoria dos conflitos realistas.* [Pl.: *-pais.*] [F.: *inter-* + *grupal.*]

inter-humano (in.ter-hu.*ma*.no) *a.* Que se dá, que se verifica entre seres humanos [Pl.: *inter-humanos.*] [F.: *inter-* + *humano.*]

ínterim (*ín*.te.rim) *sm.* **1** Estado interino **2** Intervalo de tempo entre dois fatos ou entre dois momentos distintos [Pl.: *-rins.*] [F.: Do lat. *interim.*] ■ **Neste ~** Enquanto isso, entrementes

interinado (in.te.ri.*na*.do) *sm.* **1** Condição de quem ocupa um mandato ou cargo de interino **2** Período de duração de um cargo ou de um mandato de caráter interino: "Inaugura-me o interinado uma surpresa: à república, e a mim destinados, chegam cestas e mais cestas de bebidas, frutas e doces em lata, toda uma cornucópia de suspeitos regalos." (Apolônio de Carvalho, *O jovem oficial*) [F.: *interino* + *-ado*². Tb. *interinato.*]

interinato (in.te.ri.*na*.to) *sm.* Ver *interinado* [F.: *interino* + *-ato*¹.]

interinfluência (in.ter.in.flu.*ên*.ci:a) *sf.* Influência mútua: "Em um artigo sobre a hipótese de interinfluência entre pensamento cultura e linguagem, cito um exemplo que colhi da língua moré e que considero bastante relevante neste contexto (...)." (Celso Ferrarezi Junior, *Da metáfora funcional e algumas implicações*) [F.: *inter-* + *influência.*]

interinidade (in.te.ri:ni.*da*.de) *sf.* **1** Condição do que é interino; INTERINADO: *O vice-prefeito fez um balanço do seu período de interinidade.* **2** Exercício temporário de função pública [F.: *interino* + *-(i)dade.*]

interino (in.te.*ri*.no) *a.* **1** Temporário, provisório [Ant.: *permanente*] **2** Que ocupa cargo ou função provisoriamente, na ausência do titular (ministra interina) [Ant.: *efetivo*] [F.: Do it. *interino.*]

interinsular (in.te.rin.su.*lar*) *a2g.* Que se situa ou se dá entre duas ou mais ilhas: *As empresas de transporte interinsular não pagam imposto de prestação de serviços.* [F.: *inter-* + *insular*¹.]

interior (in.te.ri.*or*) [ô] *a2g.* **1** Situado dentro (pátio interior); INTERNO [Ant.: *exterior*] **2** Ref. ao espírito, à alma, à mente (conflito interior); INTERNO **3** Cercado de terras ou continentes (mar interior) **4** Que se desenvolve ou estabelece numa nação, sem interferência externa (comércio interior) *sm.* **5** A parte de dentro de algo: *interior de um navio.* [Ant.: *exterior.*] **6** A mente, a alma de uma pessoa: *Em seu interior, estava tranquilo.* **7** A parte interna de um país, longe da costa ou das capitais: *Autoexilou-se no interior.* [P. opos. a *litoral.*] **8** Ref. à administração e aos negócios do Estado (ministério do Interior). [Inic. maiúsc. nesta acp.] **9** *Decor.* Ambiente interno (decoração de interiores) **10** *Cin.* Cena filmada em recinto fechado [F.: Do lat. *interior, ius.* Ideia de 'interior': *end(o)-* (*endoscopia*); *intra-* (*intramuscular*); *intro-* (*introversão*).]

interiorano (in.te.ri:o.*ra*.no) *a.* **1** *Bras.* Ref. ao interior do país (hábitos interioranos) **2** Que nasceu ou mora no interior *sm.* **3** Aquele que nasceu ou mora no interior [F.: *interior* + *-ano*¹.]

interioridade (in.te.ri:o.ri.*da*.de) *sf.* Característica ou condição do que é interior [F.: *interior* + *-(i)dade.*]

interiorização (in.te.ri:o.ri.za.*ção*) *sf.* **1** Ação ou resultado de interiorizar(-se) **2** *Psic.* Incorporação inconsciente de normas, atitudes, ideias, racionalizações de outrem; INTROJEÇÃO; INTERNALIZAÇÃO [Pl.: *-ções.*] [F.: *interiorizar* + *-ção.*]

interiorizado (in.te.ri:o.ri.*za*.do) *a.* **1** Que se interiorizou; ABSORVIDO; ASSIMILADO **2** Que se mentalizou, que se gravou na mente; MENTALIZADO: *Todo falante de uma língua tem interiorizada sua gramática.* **3** *Psic.* Diz-se de atitude, comportamento etc. que se incorporou inconscientemente [F.: Part. de *interiorizar.*]

interiorizar (in.te.ri.o.ri.*zar*) *v.* **1** *Psic.* Assimilar, absorver ou adotar, de modo inconsciente, valores, ideias, práticas, hábitos etc. de outrem; INTERNALIZAR; INTROJETAR [*td.*: *Interiorizara as idiossincrasias e cacoetes da mãe.*] **2** Levar para dentro de si de maneira consciente [*td.*: *O ator gostava de interiorizar alguns de seus personagens.*] **3** Originalmente, incorporar no interior de; INCUTIR [*tdi.* + *em*: *Interiorizou nos filhos o respeito às minorias.*] [▶ **1** interiorizar] [F.: *interior* + *-izar.*]

interjectivo (in.ter.jec.*ti*.vo) *a.* Ver *interjetivo* [F.: Do lat. *interjectivus, a, um.*]

interjeição (in.ter.jei.*ção*) *sf. Gram.* Palavra ou locução que expressa ordem, apelo, emoção, sensação etc., ou descreve um ruído [Há interjeições que são meros gritos ou emissões acústicas com valor expressivo, como *ô!, ui!, ai!*; outras são palavras contratas e até frases elípticas, como *oxalá!, misericórdia!, por Deus!*] [Pl.: *-ções.*] [F.: Do lat. *interjectio, onis.*]

interjetivo (in.ter.je.*ti*.vo) *a.* **1** Que se exprime por interjeição **2** Que equivale a interjeição (locução interjetiva) [F.: Var. de *interjectivo*, do lat. *interjectivus, a, um.*]

interleucina (in.ter.leu.*ci*.na) *sf. Bioq.* Tipo de citosina que, secretada por linfócito, monócito e macrófago, age sobre os leucócitos e exerce controle sobre sua ação imunológica [F.: Do ingl. *interleukin.*]

interligação (in.ter.li.ga.*ção*) *sf.* Ação ou resultado de interligar(-se) [Pl.: *-ções.*] [F.: *inter-* + *ligação.*]

interligado (in.ter.li.*ga*.do) *a.* Que se interligou, que apresenta ligação entre dois ou mais seres ou coisas (histórias interligadas) [F.: Part. de *interligar.*]

interligar (in.ter.li.*gar*) *v.* Ligar(-se) entre si (coisas ou seres) [*td.*: *O governo desejava interligar algumas estradas.*] [*int.*: *Naquele ponto, os caminhos se interligavam.*] [*tdr.* + *a, com*: *Bastava interligar os itens da coluna A às alternativas da coluna B.*] [▶ **14** interli**gar**] [F.: Do lat. *interligare.*]

interlinear (in.ter.li.ne.*ar*) *a2g.* **1** Situado ou inserido entre linhas: *Texto com tradução interlinear.* **2** Diz-se de tradução feita nas entrelinhas do texto, correspondendo, portanto, cada entrelinha traduzida ao texto da linha logo acima [F.: *inter-* + *linear.*]

interlíngua (in.ter.*lín*.gua) *Ling. sf.* **1** Língua artificial elaborada entre 1924 e 1951 por linguistas profissionais da IALA (sigla inglesa da Associação Internacional de Língua Auxiliar), baseada nas modernas línguas de cultura europeias e fundamentalmente nas de origem românica tanto no seu componente gramatical quanto no vocabular, com o fito de atender as necessidades da intercomunicação internacional nos campos da ciência, da cultura e do comércio **2** Língua artificial elaborada pelo matemático e lógico italiano Giuseppe Peano em 1903 também conhecida como latim sem flexão (*latino sine flexione*) com objetivos de atender as necessidades da intercomunicação internacional **3** Conjunto das características gramaticais de uma língua expressas por um falante aprendiz de uma segunda língua em sua fala, durante o processo de aquisição da gramática desta segunda língua [F.: Do it. *interlingua.*]

interlinguística (in.ter.lin.*guís*.ti.ca) *sf. Ling.* Estudo que tem por objetivo o exame de dois ou mais sistemas linguísticos (línguas naturais) com o intuito de, ao descrever-lhes as semelhanças e diferenças, elaborar ou aperfeiçoar um sistema linguístico sintético (língua artificial) [F.: *inter-* + *linguística.*]

interlinguístico (in.ter.lin.*guís*.ti.co) *Ling. a.* **1** Ref. a ou próprio da interlinguística **2** Que se dá entre falantes de diferentes línguas (contato interlinguístico) [F.: *inter-* + *linguístico.*]

interlobular (in.ter.lo.bu.*lar*) *a2g. Histl.* Que se situa entre lóbulos [F.: *inter-* + *lobular.*]

interlocução (in.ter.lo.cu.*ção*) *sf.* **1** Conversa entre duas ou mais pessoas; DIÁLOGO **2** Interrupção do discurso pela fala de novo interlocutor **3** *Jur.* O mesmo que *despacho interlocutório* [Pl.: *-ções.*] [F.: Do lat. *interlocutio, onis.*]

interlocutor (in.ter.lo.cu.*tor*) [ô] *sm.* **1** Cada uma das pessoas que participam de uma conversa **2** Aquele com o qual se está conversando: *Quase não deu ouvidos a seu interlocutor.* **3** Aquele que fala em nome de outrem [F.: Do lat. *interlocutus* (part. de *interloqui*, 'intervir num debate') + *-or.*]

interlocutório (in.ter.lo.cu.*tó*.ri:o) *a.* **1** *Jur.* Que é proferido em um processo ou no curso dele sem caráter de sentença final (despacho interlocutório; decisão interlocutória) *sm.* **2** *Jur.* Despacho interlocutório: *O interlocutório rejeitado tinha como conteúdo a decisão que determinou a contestação.* [F.: *inter-* + *locutório.*]

interlúdio (in.ter.*lú*.di:o) *sm.* **1** *Mús.* Trecho instrumental ou vocal inserido entre as partes principais de uma obra maior, como a ópera; INTERMEZZO **2** *Teat.* O mesmo que *entreato* **3** *Rád.* Trecho musical que pontua o início e o fim de comerciais veiculados ao longo de um programa **4** Lapso de tempo no meio de qualquer coisa; INTERREGNO [F.: Do ing. *interlude* (< lat. med. *interludium*).]

intermação (in.ter.ma.*ção*) *sf. Med.* Perturbação do organismo causada por excessivo calor em locais úmidos e não arejados; TERMOPLEGIA: *A intermação decorre do descontrole da temperatura do organismo sob a ação do calor.* [Pl.: *-ções.*] [F.: *in-*¹ + *-term(o)-* + *-a-* + *-ção*, em formação irregular.]

intermediação (in.ter.me.di:a.*ção*) *sf.* Ação ou resultado de intermediar [Pl.: *-ções.*] [F.: *intermedia(r)* + *-ção*. Ver *medi(o)-* (*mediador*).]

intermediador (in.ter.me.di.a.*dor*) [ô] *a.* **1** Que intermedeia; que serve de intermediário (agente intermediador) *sm.* **2** Aquele que intermedeia, que serve de intermediário (intermediador financeiro) [F.: *intermediar* + *-dor*. Sin. ger.: *mediador, intermediário.*]

intermediar (in.ter.me.di.*ar*) *v.* **1** Mostrar-se de permeio, situar-se entre [*td.*: *Uma pausa intermediava as canções apresentadas.*] **2** Colocar de permeio; ENTREMEAR [*tdr.* + *com*: *O próprio escritor intermedeia seu texto com desenhos.*] [*int.*: *Não queria mais intermediar.*] **3** Atuar como intermediário ou mediador [*td.*: *Um conselheiro intermediou as negociações entre os dois adversários.*] [*int.*: *O advogado não queria mais intermediar.*] [▶ **15** intermed**iar**] [F.: *interméd(i)o* + *-ar*². Hom./Par.: *intermediaria* (1ª e 3ªp. s.), *intermediarias* (2ªp. s.), *intermediária* (fem. [pl.]).]

intermediário (in.ter.me.di.*á*.ri:o) *a.* **1** Que fica no meio de ou entre dois (solução intermediária); INTERMÉDIO; INTERPOSTO **2** Diz-se de quem medeia ou intervém (agente intermediário); MEDIADOR *sm.* **3** Negociante que age entre o produtor e o consumidor, ou entre o vendedor e o comprador **4** Pessoa que medeia ou intervém; MEDIADOR [F.: Do fr. *intermédiaire* (< lat. *intermedius, a, um* + *-aire*); *intermédio* + *-ário*. Hom./Par.: *intermediária* (fem.), *intermediaria* (fl. de *intermediar*). Ideia de 'intermediário': *mes(o)-* (*mesóclise*).]

intermédio (in.ter.*mé*.di:o) *a.* **1** Que fica no meio ou entre dois; INTERMEDIÁRIO **2** *Anat.* Que se situa entre uma estrutura medial e outra lateral *sm.* **3** Mediação ou intervenção que possibilita conseguir alguma coisa: *Obteve o cargo por intermédio do amigo.* **4** Aquele que intervém para estabelecer harmonia ou acordo entre duas ou mais pessoas ou partes interessadas; INTERMEDIÁRIO; MEDIADOR **5** *Mús. Teat.* O mesmo que *intermezzo* [F.: Do lat. *intermedius, a, um.*]

intermetálico (in.ter.me.*tá*.li.co) *Quím. a.* **1** Que contém dois ou mais metais: *O ouro púrpura é obtido com a adição de alumínio, formando-se um composto intermetálico.* **2** Que se processa entre metais: *Esta graxa reduz o atrito intermetálico. sm.* **3** *Quím.* Qualquer composto formado por dois ou mais metais: *Esse intermetálico proporciona uma diminuição drástica da energia absorvida no ensaio de impacto.* [F.: *inter-* + *metálico.*]

intermetropolitano (in.ter.me.tro.po.li.*ta*.no) *a.* Entre duas ou mais metrópoles: *Estuda-se a criação de um trem intermetropolitano ligando Campinas a São Paulo.* [F.: *inter-* + *metropolitano.*]

⊕ **intermezzo** (*It.* /intermédzo/) *sm.* **1** *Mús. Teat.* Peça dramática ou musical, de curta duração, executada no intervalo entre dois atos de uma peça teatral ou de uma ópera **2** *Mús.* Peça musical de curta duração muito comum no séc. XIX **3** *P. ext.* Entreato, intervalo, interlúdio

intermídia (in.ter.*mí*.di:a) *sf.* Produto cultural resultante da inter-relação e mistura de diferentes meios de comunicação e expressão: "...a superposição de tecnologias sobre tecnologias cria vários efeitos, sendo um deles a hibridação de meios, códigos e linguagens, que justapõem-se e combinam, produzindo a intermídia e a multimídia." (Valdelino Gonçalves dos Santos Filho, *Palimpsestos Gráficos*) [F.: *inter-* + *mídia*, calcado no ingl. *intermedia.*]

intermidiático (in.ter.mi.di.*á*.ti.co) *a.* Ref. a ou próprio de intermídia: "A poesia sonora (...) faz um cruzamento com as poesias visuais e performáticas num exercício intermidiático..." (Raquel Ritter Longhi, *Intermídia e poéticas digitais*) [F.: *intermídia* + *-ático.*]

interminável (in.ter.mi.*ná*.vel) *a2g.* **1** Que não se pode terminar **2** Que parece nunca acabar (discussão interminável, temporal interminável) [Pl.: *-veis.*] [F.: *interminabilis, e.*]

interministerial (in.ter.mi.nis.te.ri.*al*) *a2g.* Ref. a relações entre ministérios e entre ministros ou que se realiza nesse âmbito (reunião interministerial) [Pl.: *-ais.*] [F.: *inter-* + *ministerial.*]

intérmino (in.*tér*.mi.no) *a.* Sem fim, interminável: "A humanidade ri-se e ri-se louca/ No carnaval intérmino da vida." (Augusto dos Anjos, *A máscara*) [F.: Do lat. *interminus, a, um.*]

intermitência (in.ter.mi.*tên*.ci:a) *sf.* **1** Qualidade do que é intermitente **2** Interrupção momentânea; INTERVALO **3** *Acús.* Modulação de frequência, acima de 10 hertz, causada por variação imprevista da velocidade nos processos de gravação, duplicação ou reprodução **4** *Med.* Caráter distintivo das doenças cujos sintomas aumentam e diminuem alternadamente [F.: *intermit(ente)* + *-ência.*]

intermitente (in.ter.mi.*ten*.te) *a2g.* **1** Que se interrompe e recomeça a intervalos (chuva intermitente) [Ant.: *contínuo.*] **2** *Med.* Cujas pulsações têm intervalos irregulares [F.: Do lat. *intermittens, entis*, part. pres. de *intermittere.*]

intermitir (in.ter.mi.*tir*) *v. int.* Causar interrupção por algum tempo ou parar por intervalos [▶ **3** intermitir Us. ger. nas 3ªs pess.] [F.: Do lat. *intermittere*, com mud. de conjug.]

intermodal (in.ter.mo.*dal*) *a2g.* **1** Diz-se do transporte de cargas em que há integração de dois ou mais modais ou meios de transporte (rodoviário, ferroviário etc.) **2** Ref. a intermodalidade (terminal intermodal) [F.: *inter-* + *modal.*]

intermodulação (in.ter.mo.du.la.*ção*) *sf. Eletrôn.* Modulação produzida pelos componentes de uma onda complexa, que cria novas ondas com frequências iguais às somas e diferenças dos múltiplos das frequências da onda original [Pl.: *-ções.*] [F.: *inter-* + *modulação.*]

intermolecular (in.ter.mo.le.cu.*lar*) *a2g.* Entre moléculas (coesão intermolecular) [F.: *inter-* + *molecular.*]

intermúndio (in.ter.*mún*.di:o) *sm.* **1** Espaço entre os mundos ou entre os corpos celestes **2** *Fig.* Lugar afastado, ermo, solitário [F.: Do lat. *intermundium, ii.*]

intermunicipal (in.ter.mu.ni.ci.*pal*) *a2g.* **1** Ref. a dois ou mais municípios **2** Que se efetua entre dois ou mais municípios (transporte intermunicipal) [Pl.: *-pais.*] [F.: *inter-* + *municipal.*]

intermuscular (in.ter.mus.cu.*lar*) *a2g.* Que se situa entre músculos (gordura intermuscular) [F.: *inter-* + *muscular*.]

internação (in.ter.na.*ção*) *sf.* Ação ou resultado de internar(-se); INTERNAMENTO [Pl.: *-ções*.] [F.: *internar* + *-ção*.]

internacional (in.ter.na.ci:o.*nal*) *a2g.* **1** Ref. a duas ou mais nações **2** Que se realiza entre duas ou mais nações (encontro internacional, comércio internacional) **3** Que se estabelece de nação para nação (cooperação internacional) **4** Ref. ao relacionamento entre as nações (direito internacional, relações internacionais) **5** Conhecido em vários países: *artista internacional*. **6** Que envolve indivíduos ou grupos de várias nações (movimento internacional) *sf.* **7** Associação socialista fundada por Karl Marx em prol dos interesses dos trabalhadores de todas as nações [Com inicial maiúsc., nesta acp.] **8** O hino dessa associação [Com inicial maiúsc., nesta acp.] [Pl.: *-nais*.] [F.: *inter-* + *nacional*; ingl. *international*.]

internacionalidade (in.ter.na.ci:o.na.li.*da*.de) *sf.* Caráter ou qualidade do que é internacional [F.: *internacional* + *-(i)dade*.]

internacionalismo (in.ter.na.ci:o.na.*lis*.mo) *sm.* **1** Caráter do que é internacional **2** Doutrina política que prega a cooperação entre as nações **3** *P. ext.* Posição de quem prega essa doutrina [F.: *internacional* + *-ismo*.]

internacionalista (in.ter.na.ci:o.na.*lis*.ta) *a2g.* **1** Ref. a internacionalismo **2** Que é adepto do internacionalismo **3** *Jur.* Que se especializou em direito internacional *s2g.* **4** Adepto do internacionalismo **5** Especialista em direito internacional [F.: *internacional* + *-ista*.]

internacionalização (in.ter.na.ci:o.na.li.za.*ção*) *sf.* Ação ou resultado de internacionalizar(-se) [Pl.: *-ções*.] [F.: *internacionalizar* + *-ção*.]

internacionalizar (in.ter.na.ci.o.na.li.*zar*) *v. td.* **1** Tornar(-se) internacional: *Os choques de fronteira acabaram por internacionalizar o conflito; A empresa internacionalizou-se.* **2** Espalhar ou difundir por vários países: *A novidade harmônica e a criatividade na execução internacionalizam o jazz cada vez mais.* [▶ 1 internacionalizar] [F.: *internacional* + *-izar*.]

internado (in.ter.*na*.do) *a.* **1** Que se internou **2** Que foi levado para colégio interno, hospital ou asilo **3** Que foi obrigado a residir em certa localidade do país, de onde não pode sair *sm.* **4** Pessoa internada [F.: Part. de *internar*.]

internalização (in.ter.na.li.za.*ção*) *sf.* Ação ou resultado de internalizar; INTERIORIZAÇÃO [Pl.: *-ções*.] [F.: *internalizar* + *-ção*.]

internalizado (in.ter.na.li.*za*.do) *a.* Que se internalizou; INTERIORIZADO [F.: Part. de *internalizar*.]

internalizar (in.ter.na.li.*zar*) *v. td.* Adotar de modo inconsciente (valores, ideias, comportamentos de outrem) como se fossem próprios; INTERIORIZAR [▶ 1 internalizar] [F.: Adaptç. do ingl. (to) *internalize*; ver *-ar*².]

internamento (in.ter.na.*men*.to) *sm.* Ação ou resultado de internar(-se); INTERNAÇÃO [F.: *internar* + *-mento*.]

internar (in.ter.*nar*) *v. tda.* **1** Colocar em colégio interno, hospital, asilo: *Internaram o pai num asilo; Internou o enteado para o manter distante.* **2** Confinar em local de onde não se pode sair: *Internavam os insurrectos numa ilha insalubre.* **3** Embrenhar-se em meio hostil ou difícil: *Internou-se na mata para fugir ao cerco.* [▶ 1 internar] [F.: *interno* + *-ar*². Hom./Par.: *interno* (fl.), *interno* (a. sm.).]

internato (in.ter.*na*.to) *sm.* **1** Instituição de ensino em que os alunos residem, ali fazendo suas refeições, dormindo, recebendo cuidados médicos. [Cf.: *externato* e *semi-internato*.] **2** Regime de alunos internos **3** O conjunto dos alunos internos **4** *Med.* Complementação do curso de medicina que consiste no aprendizado prático de alguma(s) especialidade(s) médica(s) [F.: Do fr. *internat*.]

internauta (in.ter.*nau*.ta) *s2g.* *Inf.* Aquele ou aquela que usa com muita ou certa regularidade a internet, rede mundial de computadores [F.: *inter(net)* + *-nauta*.]

internet (in.ter.*net*) *sf.* Rede mundial de computadores, também composta dos provedores de acesso, servidores e outros componentes, o que permite a comunicação virtualmente entre todos, com acesso a numerosas fontes de informação, envio de correio eletrônico (*e-mails*), serviços comerciais etc. [Registra-se, muitas vezes, com inicial maiúsc. F. red.: *net*. Tb. se diz *rede*.] [F.: Do ingl. *internet*, f. red. de *internetwork*.]

> 🕮 A partir da década de 1960, tendo início nos Estados Unidos, qualquer computador pode participar de uma rede (em inglês, *net*) de computadores, e esta de uma rede mundial de redes de computadores, de modo que qualquer computador pode ter acesso a qualquer outro computador através dessa interligação de redes, acessar informações, enviar mensagens por correio eletrônico etc. Essa rede mundial, conhecida como *internet*, desenvolveu-se rapidamente e hoje provê aos usuários um imenso acervo de informações de todos os tipos. A facilidade de acesso e de utilização da internet (hoje um usuário pode criar facilmente sua própria página e disponibilizá-la em âmbito mundial – ver *blog*.), a dificuldade de controlar o material divulgado, a vulnerabilidade de computadores (e suas informações) a visitas indesejadas (inclusive com apropriação de informação para fins ilícitos) constituem problemas novos, ainda a serem resolvidos com legislação adequada. O Brasil já criou uma lei que criminaliza o uso da internet para determinados fins.

internetês (in.ter.ne.*tês*) *sm.* *Bras. Gír.* O jargão empregado por usuários da internet em mensagens de correio eletrônico, em *chats* etc.: *Você considera o internetês uma ameaça à língua portuguesa?* [F.: *internet* + *-ês*.]

internista (in.ter.*nis*.ta) *s2g.* *Med.* Médico que exerce a medicina geral; CLÍNICO; GENERALISTA [F.: *interno* + *-ista*.]

interno (in.*ter*.no) *a.* **1** Que está dentro, no interior de algo (órgãos internos, revestimento interno) **2** Próprio de uma instituição, organização, entidade (regulamento interno) **3** Diz-se do uso de remédios administrados por via oral ou retal **4** Ref. ao âmago, ao íntimo; INTERIOR: *conflito interno.* **5** Ref. ao Estado (política interna) **6** *Geom.* Diz-se de ângulo formado de duas paralelas cortadas por uma secante. [Ant. nessas acps.: *externo*.] **7** Que está num internato (aluno interno) *sm.* **8** Quem está num internato **9** Estudante de medicina ou médico recém-formado que complementa o seu aprendizado num hospital **10** *Bras.* Quem está confinado em instituição penal [F.: Do lat. *internus, a, um*. Hom./Par.: *interno* (a. sm.), *interno* (fl. de internar). Ideia de 'interno': *end(o)-* (*endógeno*); *ento-* (*entozoário*).]

internódio (in.ter.*nó*.di:o) *sm.* *Bot.* Espaço entre os nós de uma planta; ENTRENÓ [F.: Do lat. *internodium, ii*.]

internúncio (in.ter.*nún*.ci:o) *sm.* **1** Representante diplomático do Vaticano onde não há núncio **2** Portador de notícias; MENSAGEIRO [F.: Do lat. *internuntius, ii*.]

◎ **intero-** Pref. = que está no interior: *interoanterior*, *interoinferior*, *interoposterior* [Cp. *intra-*.]

interoceânico (in.te.ro.ce.*â*.ni.co) *a.* **1** Que fica entre oceanos (região interoceânica) **2** Que liga dois ou mais oceanos (canal interoceânico) [F.: *inter-* + *oceânico*.]

interoperável (in.te.ro.pe.*rá*vel) *a2g.* Diz-se de sistema capaz de se comunicar e sincronizar operacionalmente com outro sistema, para o quê ambos os sistemas devem operar com padrões abertos [Pl.: *-veis*.] [F.: *inter-* + *operável* (2).]

interoperabilidade (in.te.ro.pe.ra.bi.li.*da*.de) *sf.* Qualidade ou condição do que é interoperável [F.: *inter-* + *operável* + *-idade*.]

interósseo (in.te.*rós*.se:o) *a.* *Anat.* Situado entre ossos (membrana interóssea) [F.: *inter-* + *ósseo*.]

interparlamentar (in.ter.par.la.men.*tar*) *a2g.* Que ocorre entre dois ou mais parlamentos ou entre representantes dos mesmos: *Os Príncipes das Astúrias inauguraram o I Fórum Interparlamentar Ibero-Americano.* [F.: *inter-* + *parlamentar*.]

interpartidário (in.ter.par.ti.*dá*.ri:o) *a.* *Bras.* Que se efetua entre partidos políticos (acordo interpartidário, debate interpartidário) [F.: *inter-* + *partidário*.]

interpelação (in.ter.pe.la.*ção*) *sf.* **1** Ação ou resultado de interpelar **2** *Jur.* Ato judicial ou extrajudicial que notifica um devedor da exigência impostergável de uma obrigação civil [Pl.: *-ções*.] [F.: Do lat. *interpellatio, onis*.]

interpelado (in.ter.pe.*la*.do) *a.* **1** Que se interpelou **2** *Jur.* Diz-se daquele que foi submetido a interpelação *sm.* **3** Aquele que foi interpelado **4** *Jur.* Aquele que foi submetido a interpelação [F.: Do lat. *interpellatus, a, um*.]

interpelador (in.ter.pe.la.*dor*) [ô] *a.* **1** Que interpela *sm.* **2** Aquele que interpela [F.: Do lat. *interpellator, oris*. Sin. ger.: *interpelante*.]

interpelante (in.ter.pe.*lan*.te) *a2g.* *s2g.* O mesmo que *interpelador* [F.: *interpelar* + *-nte*.]

interpelar (in.ter.pe.*lar*) *v.* **1** Perguntar ou pedir explicação com veemência [*tdr.* + *sobre*: *Interpelou a patroa sobre o sumiço da encomenda.*] **2** Intimar a prestar esclarecimentos [*tdr.* + *sobre*: *Interpelou a filha sobre as atividades do novo namorado.*] **3** *Jur.* Promover a interpelação de [*td.*] [▶ 1 interpelar] [F.: Do v.lat. *interpellare*.]

interpelativo (in.ter.pe.la.*ti*.vo) *a.* Que interpela; INTERPELADOR; INTERPELANTE: "No filme, o senhor trata os personagens de modo menos interpelativo e mais observador." (*Folha de S.Paulo*, 29.06.2006) [F.: *interpelar* + *-tivo*.]

interpenetração (in.ter.pe.ne.tra.*ção*) *sf.* Ação de interpenetrar-se; penetração recíproca de objetos, corpos, princípios etc.: "O beijo é a mais profunda, de fato a real interpenetração dos amantes." (Leopoldo Waizbort, *O beijo dos amantes*) [Pl.: *-ções*.] [F.: *interpenetrar* + *-ção*.]

interpenetrado (in.ter.pe.ne.*tra*.do) *a.* Que se interpenetrou; MISTURADO [F.: Part. de *interpenetrar*.]

interpenetrar (in.ter.pe.ne.*trar*) *v.* Penetrar um no outro, de maneira recíproca [*td.*] [*int.*] [▶ 1 interpenetrar] [F.: *inter-* + *penetrar*.]

interpeninsular (in.ter.pe.nin.su.*lar*) *a2g.* Entre penínsulas [F.: *inter-* + *peninsular*.]

interpessoal (in.ter.pes.so.*al*) *a2g.* Ref. a ou que se realiza entre duas ou mais pessoas (relacionamento interpessoal) [Pl.: *-soais*.] [F.: *inter-* + *pessoal*.]

interplanetário (in.ter.pla.ne.*tá*.ri:o) *a.* **1** Que se situa entre planetas *a.* **2** Que se realiza entre planetas (viagem interplanetária) [F.: *inter-* + *planetário*.]

interpoderes (in.ter.po.*de*.res) [ê] *a2g2n.* Que envolve dois ou mais poderes constituídos (pacto interpoderes) [F.: *inter-* + *poderes*.]

⊠ **Interpol** Sigla da Organização **Inter**nacional de **Pol**ícia Criminal, com sede na França, cuja finalidade é garantir e promover a assistência mútua entre as autoridades da polícia criminal dos países filiados nos quais se insere o Brasil [Us. sempre com inicial maiúscula.]

interpolação (in.ter.po.la.*ção*) *sf.* **1** Ação ou resultado de interpolar **2** Intercalação, num texto, de palavras ou frases **3** Descontinuação, interrupção **4** *Mat.* Processo em que se determina o valor de uma função num ponto interno de um intervalo a partir dos valores da função nos extremos desse intervalo. [Cf. nesta acp.: *extrapolação*.] **5** *Mat.* Ver *ajustamento* [Pl.: *-ções*.] [F.: Do lat. *interpolatio, onis*.] ▪▪ **~ linear** *Mat.* A que é feita na suposição de ser linear a variação da função

interpolado (in.ter.po.*la*.do) *a.* **1** Que se interpolou; INTERCALADO **2** Que foi interrompido [F.: Part. de *interpolar*.]

interpolar (in.ter.po.*lar*) *v.* **1** Adicionar (palavras ou frases) num texto, modificando-o [*td.*: *Interpolou seus textos mais antigos.*] [*tda.*: *Interpolava diálogos no seu romance.*] [*tda.*] **2** Substituir(-se) alternadamente, revezar(-se) [*tdr.* + *com*: *Interpola a chefia da empresa com o sócio.*] [*int.*: *Na sua aula, conto e romance interpolavam-se.*] **3** Pôr fim a; interromper [*td.*: *Interpolou a reunião de condomínio*] **4** *Mat.* Efetuar esta operação (interpolação) numa sequência dada [*td.*] [▶ 1 interpolar] [F. Do v.lat. *interpolare*.]

interponível (in.ter.po.*ní*.vel) *a2g.* Que se pode interpor [Pl.: *-íveis*.] [F.: *interpor*, sob a f. *interpon-*, + *-ível*, seg. o mod. erudito.]

interpor (in.ter.*por*) *v.* **1** Colocar(-se) entre; meter(-se) no meio [*tda.*: *Interpôs as revistas no meio dos livros da prateleira; Interpus-me entre os lutadores.*] **2** Atuar como mediador [*tdr.* + *entre*: *Interpôs-se entre os meninos que brigavam.*] **3** *Jur.* Entrar em juízo com (recurso) [*td.*: *O advogado interpôs um recurso.*] **4** Pôr contra; contrapor [*tdi.* + *a*: *Interpôs obstáculos à construção da obra.*] [▶ 60 interpor] [F.: Do v.lat. *interponere*.]

interposição (in.ter.po.si.*ção*) *sf.* **1** Ação ou resultado de interpor(-se) **2** *Fig.* Intervenção, mediação **3** *Jur.* Ação de interpor (um recurso) [Pl.: *-ções*.] [F.: Do lat. *interpositio, onis*.] ▪▪ **~ de pessoa** *Jur.* Numa simulação de processo, substituição do verdadeiro interessado por terceiro, para ocultar a identidade daquele **~ de recurso** *Jur.* Ação de recorrer de decisão judicial numa instância dando conhecimento da causa a instância superior

interpositivo (in.ter.po.si.*ti*.vo) *sm.* **1** *Cin. Fot.* Cópia positiva especial, us. na produção de um internegativo *a.* **2** Que se interpõe; INTERPOSTO [F.: Do lat. *interpositus* (part. pas. de *interponere*, 'pôr') + *-ivo*.]

interposto (in.ter.*pos*.to) [ô] *a.* **1** Que se interpôs **2** *Fig.* Que serve de intermediário *sm.* **3** Ver *entreposto* [Pl.: [ó]. Fem.: ó].] [F.: Do lat. *interpositus, a, um*.]

interpotente (in.ter.po.*ten*.te) *a2g.* *Fís.* Diz-se da alavanca que tem a potência entre o ponto de apoio e a resistência [F.: *inter-* + *potente*. Cf. *interfixo* e *inter-resistente*.]

interpresa (in.ter.*pre*.sa) *sf.* *Antq.* Ataque de improviso com que se toma de assalto uma praça militar: "Narra o padre, como testemunha presencial, a interpresa e o incêndio daquele forte pelos ingleses na noite de 10 para 11 de novembro de 1744." (Joaquim da Silva, *Memórias sobre os limites do Brasil com a Guiana Francesa*): "Simultaneamente deu-se a interpresa dos holandeses contra a colônia." (José Veríssimo, *História da Literatura Brasileira*) [F.: Do espn. *interpresa*, posv.]

interpretação (in.ter.pre.ta.*ção*) *sf.* **1** Ação ou resultado de interpretar **2** *Cin. Teat. Telv.* Atuação dramática: *Sua interpretação do rei Lear mantém-se inexcedível.* **3** Explicação do que há de ambíguo ou de obscuro num texto: *A interpretação de uma lei.* **4** *Mús.* Execução musical: *Magnífica interpretação de Scriabin.* **5** *Psic.* Intervenção do psicanalista no sentido de apontar o conteúdo latente das palavras e condutas do paciente [Pl.: *-ções*.] [F.: Do lat. *interpretatio, onis*.] ▪▪ **~ simultânea** Tradução oral de fala de um idioma para outro, à medida que decorre. Us. em encontros internacionais, fóruns, congressos etc.; tradução simultânea

interpretado (in.ter.pre.*ta*.do) *a.* Que se interpretou [F.: Part. de *interpretar*.]

interpretador (in.ter.pre.ta.*dor*) [ô] *a.* **1** Que interpreta; INTERPRETANTE *sm.* **2** Aquele que interpreta; INTERPRETANTE **3** *Inf.* Programa que converte código de alto nível em código de máquina [F.: Do lat. *interpretator, oris*.]

interpretante (in.ter.pre.*tan*.te) *a2g.* *s2g.* O mesmo que *interpretador* [F.: *interpretar* + *-nte*.]

interpretar (in.ter.pre.*tar*) *v. td.* **1** Dar sentido a; explicar (palavra, texto, lei etc.): *Interpretar um texto de Shakespeare.* **2** Adivinhar ou especular a respeito de: *Interpretava os sonhos de seus pacientes.* **3** Representar como ator (papel, personagem etc.): *Interpretar personagens polêmicos.* **4** Tocar ou cantar (peça musical): *Interpretava sambas antigos.* **5** *P. us.* Traduzir de uma língua para outra **6** Dar um significado a; considerar, julgar: *Interpretou mal o gesto do professor.* [▶ 1 interpretar] [F.: Do lat. *interpretare*. Hom./Par.: *interprete(s)* (fl.), *intérprete* (s2g. [e pl]).]

interpretativo (in.ter.pre.ta.*ti*.vo) *a.* **1** Ref. a interpretação **2** Que contém interpretação; EXPLICATIVO **3** Que fornece elementos para se interpretar algo (teste interpretativo) [F.: *interpretar* + *-tivo*.]

interpretável (in.ter.pre.*tá*.vel) *a2g.* Que se pode interpretar, que se presta a interpretação [Pl.: *-veis*.] [F.: Do lat. *interpretabilis*. Hom./Par.: *interpretáveis* (pl.), *interpretáveis* (fl. de *interpretar*).]

intérprete (in.*tér*.pre.te) *s2g.* **1** Pessoa que interpreta *s2g.* **2** Indivíduo que trabalha como tradutor simultâneo entre duas ou mais pessoas que não falam a mesma língua **3** *Cin. Teat. Telv.* Ator ou atriz, pessoa que representa um personagem **4** *Mús.* Executante (intérprete de Villa-Lobos) **5** Pessoa que explica o sentido de um texto; COMENTARISTA; EXEGETA **6** *Fig.* Tudo o que serve para revelar o que está oculto; INDICADOR: *Os olhos são os intérpretes do coração.* [F.: Do lat. *interpres, etis.* Hom./Par. *intérprete* (s2g.), *interprete* (fl. de *interpretar*).]

interprovincial (in.ter.pro.vin.ci.*al*) ***a2g.*** Que se realiza entre províncias; comum a várias províncias [Pl.: *-ais.*] [F.: *inter-* + *provincial.*]

interproximal (in.ter.pro.xi.*mal*) [ss] ***a2g.*** **1** Situado entre partes ou superfícies adjacentes **2** *Od.* Interdental (cárie interproximal) [Pl.: *-ais.*] [F.: *inter-* + *proximal.*]

inter-racial (in.ter-ra.ci.*al*) ***a2g.*** Que se efetua ou se observa entre raças (integração inter-racial) [Pl.: *inter-raciais.*] [F.: *inter-* + *racial.*]

interregno (in.ter.*reg*.no) ***sm.*** **1** Interrupção ou cessação momentânea; INTERVALO: *o interregno entre a eleição e a posse.* **2** Num Estado monárquico, intervalo durante o qual o trono se conserva vago **3** *Fig.* Ausência de governo [F.: Do lat. *interregnum, i.*]

inter-relação (in.ter-re.la.*ção*) ***sf.*** Relação recíproca, bilateral ou multilateral (inter-relação de dados, inter-relação de situações, inter-relação de ideias): *Mostraram, uma vez mais, a inter-relação entre a miséria e a criminalidade.* [Pl.: *inter-relações.*] [F.: *inter-* + *relação.*]

inter-relacionado (in.ter-re.la.ci:o.*na*.do) ***a.*** Que se inter-relaciona [Pl.: *inter-relacionados.*] [F.: Part. de *inter-relacionar.*]

inter-relacionamento (in.ter-re.la.ci:o.na.*men*.to) ***sm.*** Ação ou resultado de inter-relacionar(-se) [Pl.: *inter-relacionamentos.*] [F.: *inter-relacionar* + *-mento.*]

inter-relacionar (in.ter-re.la.ci:o.*nar*) ***v. td.*** Estabelecer relação entre duas coisas, ou estabelecer relação de reciprocidade [***td.***: *Inter-relacionou os dois fatos imediatamente.*] [***int.***: *São princípios que se inter-relacionam.*] [▶ 1 inter-relacionar] [F.: *inter-* + *relacionar.*]

inter-renal (in.ter-re.*nal*) ***a2g.*** *Anat.* Que fica no interior do rim ou dos rins (tecido inter-renal) [Pl.: *inter-renais.*] [F.: *inter-* + *renal.*]

inter-resistente (in.ter-re.sis.*ten*.te) ***a2g.*** Cuja resistência fica entre o ponto de apoio (fulcro) e a força aplicada (diz-se de alavanca) [Pl.: *inter-resistentes.*] [F.: *inter-* + *resistente.* Cf.: *interfixo* e *interpotente.*]

intérrito (in.*tér*.ri.to) ***a.*** Que não tem medo ou terror; INTRÉPIDO [F.: Do lat. *interritus, a, um.*]

interrogação (in.ter.ro.ga.*ção*) ***sf.*** **1** Ação ou resultado de interrogar(-se); PERGUNTA **2** Gesto, expressão, sinal, entonação ou som interrogativos **3** *Gram.* Sinal gráfico (?) que indica indagação, pergunta **4** Incerteza, dúvida, questionamento: *O efeito dessas medidas é uma grande interrogação.* [Pl.: *-ções.*] [F.: Do lat. *interrogatio, onis.*] ■ **~ exclamativa** *Ling.* Sentença que, ao mesmo tempo, é uma interrogação e expressa admiração, entusiasmo etc. [Ex.: *Meu bebê não é uma gracinha?*] **~ retórica** *Ling.* Sentença que é uma interrogação na forma, mas que expressa uma afirmação [Ex.: *E o que tenho eu com isso?*, que na realidade afirma: *Não tenho nada com isso.*]

interrogado (in.ter.ro.*ga*.do) ***a.*** **1** Que se interrogou, questionou **2** *Jur.* Diz-se de quem foi submetido a interrogatório, em processo ou inquérito ***sm.*** **3** Aquele que foi interrogado, questionado **4** *Jur.* Aquele que foi submetido a interrogatório, em processo ou inquérito [F.: Do lat. *interrogatus, a, um.*]

interrogador (in.ter.ro.ga.*dor*) [ô] ***a.*** **1** Que interroga; INTERROGANTE **2** *Jur.* Diz-se de autoridade que, durante um processo, argui o réu ***sm.*** **3** Aquele que interroga; INTERROGANTE **4** *Jur.* Autoridade que, durante um processo, argui o réu [F.: Do lat. *interrogator, oris.*]

interrogante (in.ter.ro.*gan*.te) ***a2g. s2g.*** O mesmo que *interrogador* [F.: *interrogar* + *-nte.*]

interrogar (in.ter.ro.*gar*) ***v.*** **1** Fazer perguntas; PERGUNTAR [***td.***: *O supervisor interrogará as secretárias.*] [***tdr.*** + *sobre*: *Interrogaram-no sobre o furto.*] **2** Fazer indagações (a alguém, a algo ou a si mesmo); CONSULTAR(-SE) [***td.***: *Interrogara os filósofos/os livros em busca de um sentido.*] [***tdr.***: *Interrogava-se sobre seu futuro.*] [***int.***: *Ler é interrogar.*] **3** Realizar ou submeter a interrogatório; INQUIRIR [***td.***: *O delegado interrogará o suspeito.*] **4** Investigar, pesquisar; buscar conhecer [***td.***: *interrogar as razões de um crime.*] [▶ 14 interrogar] [F.: Do v.lat. *interrogare.*]

interrogativo (in.ter.ro.ga.*ti*.vo) ***a.*** **1** Que interroga ou indica interrogação; INTERROGATÓRIO: *Olhou-nos com um ar interrogativo.* **2** *Gram.* Que contém ou exprime interrogação (pronome interrogativo) [F.: Do lat. *interrogativus, a, um.*]

interrogatório (in.ter.ro.ga.*tó*.ri:o) ***sm.*** **1** Ação ou resultado de interrogar, ger. para apurar alguma coisa **2** *Jur.* Perguntas que a autoridade judicial faz ao réu ou às testemunhas ***a.*** **3** Que interroga ou indica interrogação; INTERROGATIVO [F.: Do lat. *interrogatorius, a, um.*]

interromper (in.ter.rom.*per*) ***v.*** **1** Pôr fim a; fazer parar [***td.***: *O juiz interrompeu o jogo; A doença interrompeu sua atividade literária.*] **2** Deixar de fazer (algo) por um período de tempo [***td.***: *Interrompeu seus estudos para procurar o irmão desaparecido.*] **3** Fazer parar ou parar um discurso, uma atividade; tirar a continuidade [***td.***: *Interrompeu o orador para fazer uma denúncia; Interrompeu-se no meio do discurso.*] [***tdi.*** + *em*: *Interrompeu a moça em seu trabalho.*] [***int.***: *Por favor, não fique interrompendo o tempo todo!*] **4** Ter quebra de continuidade; passar por interrupção [***int.***: *As filmagens interromperam-se por falta de luz.*] [▶ 2 interromper] [F.: Do v.lat. *interrumpere.*]

interrompido (in.ter.rom.*pi*.do) ***a.*** **1** Que sofreu interrupção (passeio interrompido); SUSPENSO **2** Que sofre interrupções constantes: "Helena velava à cabeceira durante o sono leve e interrompido da doente." (Machado de Assis, *Helena*) [F.: Part. de *interromper.* Ant. ger.: *continuado, contínuo.*]

interrompimento (in.ter.rom.pi.*men*.to) ***sm.*** O mesmo que *interrupção* [F.: *interromper* + *-imento.*]

interrupção (in.ter.rup.*ção*) ***sf.*** **1** Ação ou resultado de interromper(-se) (interrupção das atividades); SUSPENSÃO [Ant.: *continuidade.*] **2** Tudo o que pode ser causa da cessação de um ato ou de um estado **3** *Ret.* Interrupção (1) intencional de uma frase; APOSIOPESE [Pl.: *-ções.*] [F.: Do lat. *interruptio, onis.*]

interruptivo (in.ter.rup.*ti*.vo) ***a.*** Que interrompe; INTERRUPTOR [F.: *interrupto* + *-ivo.*]

interrupto (in.ter.*rup*.to) ***a.*** Interrompido, suspenso [Ant.: *ininterrupto.*] [F.: Do lat. *interruptus, a, um.*]

interruptor (in.ter.rup.*tor*) [ô] ***sm.*** **1** *Elet.* Dispositivo que serve para ligar e desligar um circuito elétrico; COMUTADOR **2** Aquele ou aquilo que interrompe ***a.*** **3** Que interrompe; INTERRUPTIVO [F.: Do lat. *interruptor, oris.*]

interseção (in.ter.se.*ção*) ***sf.*** **1** Encontro ou cruzamento de duas linhas, dois planos, duas ruas etc. **2** Ponto onde esse encontro se verifica **3** Corte, esp. quando é feito pelo meio do objeto **4** *Mat.* Operação pela qual se forma o conjunto de todos os elementos que são comuns a dois ou mais conjuntos **5** *Mat.* O conjunto assim formado; PRODUTO [Pl.: *-ções.*] [F.: Do lat. *intersectio, onis.* Hom./Par.: *intersecção* (sf.), *intercessão* (sf.). Tb. *intersecção.*]

intersecção (in.ter.sec.*ção*) ***sf.*** Ver *interseção*

intersseccional (in.ter.sec.ci:o.*nal*) ***a2g.*** Ver *intersecional*

intersecional (in.ter.se.ci:o.*nal*) ***a2g.*** Ref. a interseção ou intersecção [Pl.: *-nais.*] [F.: *interseção* (sob a f. *intersecion-* + *-al*[1], seg. o mod. erudito. Tb. *interseccional.*]

intersetorial (in.ter.se.to.ri.*al*) ***a2g.*** Ref. a ou que envolve diferentes setores, esp. de atividades (coordenação intersetorial) [Pl.: *-ais.*] [F.: *inter-* + *setorial.*]

intersexuado (in.ter.se.xu.*a*.do) [cs] ***a.*** *Biol.* Intersexual (1) [F.: *inter-* + *sexuado.*]

intersexual (in.ter.se.xu.*al*) [cs] ***a2g.*** **1** *Biol.* Diz-se do indivíduo que apresenta características de ambos os sexos; INTERSEXUADO **2** Que se dá entre sexos (disputa intersexual) [Pl.: *-ais.*] [F.: *inter-* + *sexual.*]

intersexualidade (in.ter.se.xu:a.li.*da*.de) [cs] ***sf.*** *Biol.* Condição de intersexual [F.: *intersexual* + *-(i)dade.*]

intersexualismo (in.ter.se.xu:a.*lis*.mo) [cs] ***sm.*** *Biol.* O mesmo que *intersexualidade* [F.: *intersexual* + *-ismo.*]

intersideral (in.ter.si.de.*ral*) ***a2g.*** Que se situa, realiza, verifica entre astros (viagem intersideral) [Pl.: *-rais.*] [F.: *inter-* + *sideral.*]

intersindical (in.ter.sin.di.*cal*) ***a2g.*** **1** Que se dá, que se realiza entre sindicatos (reunião intersindical) **2** Próprio de dois ou mais sindicatos [Pl.: *-cais.*] [F.: *inter-* + *sindical.*]

intersístole (in.ter.*sís*.to.le) ***sf.*** *Fisl.* Intervalo que se nota entre o fim da sístole auricular e o começo da sístole ventricular [F.: *inter-* + *sístole.*]

intersocial (in.ter.so.ci.*al*) ***a2g.*** Que se dá, que se verifica entre as várias camadas sociais ou entre sociedades: "Fala-se também da natureza intersocial da evolução. Não se daria isoladamente a evolução das sociedades, senão em contínuo contato de umas com as outras." (Mário Brockmann Machado, *Desenvolvimento político*) [Pl.: *-ais.*] [F.: *inter-* + *social.*]

interstelar (in.ters.te.*lar*) ***a2g.*** O mesmo que *interestelar* [F.: *inter-* + *(e)stelar*, posv. por infl. do fr. *interstellaire.*]

intersticial (in.ters.ti.ci.*al*) ***a2g.*** **1** Ref. a interstícios ou que nestes se situa **2** *Anat.* Situado nos interstícios de um órgão (diz-se de tecido) **3** *Ecol.* Diz-se de vida que se desenvolve entre os grãos de areia [Pl.: *-ais.*] [F.: *interstício* + *-al*[1].]

interstício (in.ters.*tí*.ci:o) ***sm.*** **1** Pequeno espaço vazio entre partes de uma coisa ou entre coisas ligadas: *interstício entre dois azulejos.* **2** Greta, fenda **3** *Jur.* Intervalo de tempo antes do qual determinado ato não se pode efetuar **4** *Dir. can.* Tempo que deve mediar entre a recepção de uma ordem eclesiástica e a outra imediatamente superior **5** *Bras.* Tempo que um funcionário, militar etc. tem de cumprir para poder ser promovido [F.: Do lat. *interstitium, ii.*]

intersubjetividade (in.ter.sub.je.ti.vi.*da*.de) ***sf.*** Qualidade ou característica de intersubjetivo [F.: *intersubjetivo* + *-(i) dade.*]

intersubjetivo (in.ter.sub.je.*ti*.vo) ***a.*** Que se dá entre dois ou mais sujeitos humanos; comum a dois ou mais indivíduos (relações intersubjetivas; compreensão intersubjetiva) [F.: *inter-* + *subjetivo.*]

intertexto (in.ter.*tex*.to) [ê] ***sm.*** *Liter.* Texto literário que é anterior a outro em cuja elaboração influencia direta ou indiretamente [F.: *inter-* + *texto.*]

intertextual (in.ter.tex.tu.*al*) ***a2g.*** *Liter.* Ref. a intertexto [Pl.: *-ais.*] [F.: *intertexto* + *-ual.*]

intertextualidade (in.ter.tex.tu:a.li.*da*.de) ***sf.*** *Liter.* Influência direta ou indireta de um ou mais textos literários preexistentes na elaboração de um novo texto: *No último poema do livro nota-se intertextualidade com o primeiro.* [F.: *intertextual* + *-(i)dade.*]

intertipo (in.ter.*ti*.po) ***sm.*** *Art. Gr.* Máquina de composição tipográfica semelhante à linotipo [F.: Do ing. *Intertype*, marca registrada.]

intertítulo (in.ter.*tí*.tu.lo) ***sm.*** *Jorn.* O mesmo que *entretítulo* [F.: *inter-* + *título.*]

intertribal (in.ter.tri.*bal*) ***a2g.*** Que se dá ou se verifica entre tribos ou entre sociedades tribais (relações intertribais) [Pl.: *-bais.*] [F.: *inter-* + *tribal.*]

intertrigem (in.ter.*tri*.gem) ***sf.*** *Med.* Inflamação eritematosa da pele nas regiões em que ocorre atrito; ASSADURA [Pl.: *-gens.*] [F.: Do lat. *intertrigo, inis.* Tb. *intertrigo.*]

intertropical (in.ter.tro.pi.*cal*) ***a2g.*** **1** Situado entre os trópicos (zona intertropical) **2** Ref. ou pertencente à zona tórrida [Pl.: *-cais.*] [F.: *inter-* + *tropical.*]

interurbano (in.te.rur.*ba*.no) ***a.*** **1** Que se dá, que se faz entre duas cidades ou localidades, regiões etc. (transporte/telefonema interurbano) ***sm.*** **2** *Bras.* Ligação telefônica entre duas cidades: *Fez um interurbano para Friburgo.* [F.: *inter-* + *urbano.*]

intervalado (in.ter.va.*la*.do) ***a.*** **1** Em que há intervalo(s) (de tempo ou de espaço) **2** Que sofre interrupções, nas quais algo é apresentado ou introduzido; ENTREMEADO; INTERCALADO: *Foi um diálogo intervalado por evocações da infância.* [F.: Do lat. *intervallatus, a, um.*]

intervalar[1] (in.ter.va.*lar*) ***a2g.*** Situado no intervalo entre dois objetos [F.: *intervalo* + *-ar*[1].]

intervalar[2] (in.ter.va.*lar*) ***v.*** **1** Ordenar, deixando espaços entre [***tda.***: *intervalar carros no estacionamento.*] **2** Alternar, entremear, revezar [***tdr.*** + *com, de*: *Intervalava alegria com depressão profunda; Intervalei as partes do bolo de recheio.*] **3** *Tip.* Deixar espaços mais largos que os normais [***td.***: *intervalar linhas, palavras.*] [▶ 1 intervalar] [F.: Do v.lat. *intervallare.* Hom./Par.: *intervalo* (fl.), *intervalo* (sm.).]

intervalo (in.ter.*va*.lo) ***sm.*** **1** Espaço ou distância entre dois pontos, dois lugares, duas coisas **2** Espaço de tempo entre dois momentos, dois fatos, duas épocas **3** Interrupção passageira; INTERMITÊNCIA **4** Interrupção de alguma atividade para descanso; PAUSA **5** *Esp.* Pausa entre competições ou entre partes de uma competição; no futebol, entre o primeiro e o segundo tempo **6** *Rád. Telv.* Espaço de tempo entre as partes de um programa, ger. reservado à exibição de comerciais **7** *Teat.* Entreato **8** *Fís.* Razão entre as frequências de duas ondas sonoras **9** *Mat.* Conjunto dos números reais existentes entre dois outros **10** *Mús.* Distância entre duas alturas, ou entre um som grave e outro mais agudo [F.: Do lat. *intervallum.*] ■ **~ aberto** *Mat.* Num grupo de números compreendido entre dois números determinados, o conjunto de todos os números, com exceção desses dois **~ centil** *Est.* Ver *Intervalo percentil* **~ fechado** *Mat.* Num grupo de números compreendido entre dois números determinados, o conjunto de todos os números, inclusive esses dois **~ geocronológico** *Geol.* Tempo decorrido entre dois eventos de natureza geológica **~ harmônico** *Mús.* Intervalo entre dois sons emitidos simultaneamente **~ melódico** *Mús.* Intervalo entre dois sons emitidos sequencialmente **~ percentil** *Est.* Qualquer dos intervalos que tem como limites dois percentis consecutivos; intervalo centil **~ simples** *Mús.* Intervalo entre dois sons menor que uma oitava **A ~s** Espaçadamente no tempo, de vez em quando, intermitentemente

intervenção (in.ter.ven.*ção*) ***sf.*** **1** Ação ou resultado de intervir; INTERFERÊNCIA: *Foi nomeado graças à intervenção do ministro; Sua intervenção no debate foi esclarecedora.* **2** Intromissão ou interferência de um Estado nos assuntos de outro: *a intervenção anglo-americana no Iraque.* **3** *Bras.* Ato que permite ao poder central intervir num estado da federação, ou ao governo estadual fazer o mesmo em relação ao município, em função de grave irregularidade [Pl.: *-ções.*] [F.: Do lat. *interventio, onis.*] ■ **~ cirúrgica** *Cir.* Procedimento médico que utiliza a cirurgia (acesso a órgão ou tecido e ação direta sobre ele) para diagnosticar ou para sanar enfermidade ou lesão **~ de terceiro** **1** *Jur.* Em processo judicial, intervenção de parte não participante dele, por ter legítimo interesse nele ou por ter sido intimada pela corte ou por um dos litigantes; assistência **2** Intromissão de um Estado nos assuntos de outro, violando sua independência **~ em instituições financeiras** *Com. Jur.* Aquela que se autoriza Banco Central a fazer em instituição financeira cuja gestão ou situação se suponha irregular, com prejuízos para o Estado ou o interesse público, e que pode redundar em liquidação ou falência da instituição **~ estadual** *Jur.* Autorização dada, em situação excepcional, a governo estadual para que interfira na administração de um município **~ federal** Intervenção feita, em situação excepcional, pela União no governo de um ou mais estados, por questão de ordem pública **~ humanitária** *Jur.* Princípio e dispositivo de direito internacional que admite a intervenção de organismo internacional, comunidade de Estados etc. em um ou mais Estados, em caso de ameaça real à vida ou integridade dos cidadãos desse(s) Estado(s)

intervencionismo (in.ter.ven.ci:o.*nis*.mo) ***sm.*** **1** *Econ.* Doutrina de política econômica que advoga a intervenção estatal em atividades da iniciativa privada; DIRIGISMO **2** *Pol.* Política externa tendente à ingerência econômica, política ou militar de uma nação nos negócios internos de outra [F.: Do fr. *interventionisme.*]

intervencionista (in.ter.ven.ci:o.*nis*.ta) ***a2g.*** **1** Ref. ao intervencionismo **2** Que é partidário do intervencionismo ***s2g.*** **3** Partidário do intervencionismo [F.: Do fr. *interventioniste.*]

interveniência (in.ter.ve.ni.*ên*.ci:a) ***sf.*** **1** Qualidade de interveniente **2** Ação ou resultado de intervir [F.: De *intervir* (sob a f. lat. *interveni[re]*, como em *interveniente*) + *-ência.*]

interveniente (in.ter.ve.ni.*en*.te) ***a2g.*** **1** Que intervém (forças intervenientes); INTERVENTOR ***s2g.*** **2** Aquele ou

aquela que intervém; INTERVENTOR [F.: Do lat. *interveniens, entis.*]
interventivo (in.ter.ven.*ti*.vo) ***a.*** Ref. a intervenção (poder interventivo) [F.: Do lat. *interventus* (part. pass. de *intervenire*) + *-ivo.*]
interventor (in.ter.ven.*tor*) [ô] ***a.*** **1** Interveniente (1) **2** Que representa o governo federal no processo de intervenção de um banco, instituições financeiras, empresas, etc. ***sm.*** **3** Este representante do governo federal **4** Aquele que foi designado pelo presidente da República para assumir provisoriamente o governo de um estado [F.: Do lat. *interventor, oris.*]
interventoria (in.ter.ven.to.*ri*.a) ***sf.*** Cargo ou função de interventor [F.: *interventor* + *-ia*¹.]
interversão (in.ter.ver.*são*) ***sf.*** **1** Mudança da ordem natural ou habitual; INVERSÃO **2** *Jur.* Mudança de um título ou posse precária a posse legítima, na qual o detentor passa a proprietário [Pl.: *-sões.*] [F.: Do lat. *interversio, onis.*]
intervertebral (in.ter.ver.te.*bral*) ***a2g.*** *Anat.* Que está situado entre as vértebras (cartilagens intervertebrais) [Pl.: *-brais.*] [F.: *inter-* + *vertebral.*]
interverter (in.ter.ver.*ter*) ***v. td.*** Alterar a ordem natural de; INVERTER: *Muitas vezes é arriscado interverter as etapas de um processo.* [▶ 2 interverter.] [F.: Do v.lat. *intervertere.*]
intervir (in.ter.*vir*) ***v.*** **1** Atuar com o intuito de influir (sobre questão ou matéria) [***tr.*** *+ em: Não quer intervir em questões familiares.*] [***int.:*** *Os bombeiros intervieram e evitaram a tragédia.*] **2** Fazer valer o seu poder ou a sua autoridade [***tr.*** *+ em: O governo interveio no mercado financeiro.*] [***int.:*** *A fim de acabar com a rebelião de presos, a polícia interveio.*] **3** Expressar, emitir opinião; OPINAR [***tr.*** *+ em: É melhor não intervir na discussão entre marido e mulher.*] [***int.:*** *Consultados os médicos, todos intervieram.*] **4** Acontecer incidentalmente [***int.:*** *Durante a travessia, interveio uma tempestade.*] **5** Estar presente; ASSISTIR; PRESENCIAR [***tr.*** *+ em: Algumas pessoas intervieram no reencontro de pai e filho.*] [▶ 42 intervir Part.: *intervindo.* Acentua-se o *e* nas 2ª e 3ª pess. sing. do pres. do ind. e na 2ª pess. sing. do imper. afirm.] [F.: Do v.lat. *intervenire.* Ant. ger.: *desintervir.*]
⊕ ***inter vivos*** (*Lat.* /ínter vívos/) ***loc. a.*** *Jur. Med.* Diz-se daquilo que se realiza entre pessoas vivas (transmissão inter vivos; transplante inter vivos) [Cf.: *causa mortis.*] [F.: De *inter* (prep.) e *vivos*, ac. pl. de *vivos, a, um.*]
intervocálico (in.ter.vo.*cá*.li.co) ***a.*** *Gram.* Que se situa entre duas vogais (p. ex., a consoante *v* em *nuvem*) [F.: *inter-* + *vocálico.*]
intestinal (in.tes.ti.*nal*) ***a2g.*** **1** Ref. a intestino (obstrução intestinal) **2** Que se localiza no intestino (flora intestinal); que se desenvolve no intestino ou ataca esse órgão (infecção intestinal) [Pl.: *-nais.*] [F.: *intestino* + *-al*¹.]
intestino (in.tes.*ti*.no) ***sm.*** **1** *Anat.* Víscera do tubo digestivo, que se estende do estômago ao ânus ***a.*** **2** Que está ou se passa no interior de um país (revolução intestina); CIVIL; NACIONAL **3** Interno, íntimo: *Travou-se nele uma luta intestina entre as duas paixões.* [F.: Do lat. *intestinus, a, um.* Ideia de 'intestino': *enter(o)-* (*enterologia*).] ■ **~ delgado** *Anat.* Parte do intestino que vai do piloro ao ceco (compreendendo o duodeno, o jejuno e o íleo) na qual se completa o processo digestivo **~ grosso** *Anat.* Parte do intestino que vai do íleo ao ânus (compreende o ceco, o colo, o reto e o canal anal), na qual os restos não aproveitados do alimento são processados em fezes, e expelidos do organismo **~ primitivo** *Emb.* A parte no corpo do embrião da qual se originará o tubo digestivo
intifada (in.ti.*fa*.da) ***sf.*** Insurreição popular palestina contra a ocupação da faixa de Gaza e da Cisjordânia pelos israelenses [F.: Do ár. *intifada*, 'levante'.]
intimação (in.ti.ma.*ção*) ***sf.*** **1** Ação ou resultado de intimar ou de ser intimado **2** *Jur.* Ato judicial com que se notifica alguém dos termos de um processo **3** *S. Pop.* Bazófia, ostentação [Pl.: *-ções.*] [F.: Do lat. *intimatio, onis.*]
intimado (in.ti.*ma*.do) ***a.*** **1** Que recebeu intimação ***sm.*** **2** Aquele que recebeu intimação [F.: Part. de *intimar.*]
intimador (in.ti.ma.*dor*) [ô] ***a.*** **1** Que intima ***sm.*** **2** Aquele que intima [F.: Do lat. *intimator, oris.*]
intimar (in.ti.*mar*) ***v.*** **1** Ordenar de modo autoritário, incisivo [***tdr.*** *+ a: Intimou o motorista a usar o cinto de segurança.*] [***tdi.*** *+ a: Intimou ao motorista que usasse o cinto de segurança.*] **2** Falar com autoridade [***int.:*** *Façam já os trabalhos da escola! – intimou a mãe.*] **3** Determinar o comparecimento ou a atuação [***tdr.*** *+ a: Intimou o comerciante a dar explicações.*] **4** *Jur.* Fazer intimação a; CITAR; NOTIFICAR [***td.:*** *Uma de suas funções era intimar testemunhas.*] **5** Provocar sensação de [***tdr.*** *+ em: Sua sabedoria intima respeito nos colegas.*] **6** *Bras. N. Pop.* Propor uma luta a; DESAFIAR [***td.:*** *Intimou o oponente para uma luta.*] [***tr.*** *+ com: Intimava com o adversário.*] **7** *Bras. N. Pop.* Insultar com palavras; ULTRAJAR [***td.:*** *Intimavam-na injustamente.*] [▶ 1 intimar] [F.: Do lat. *intimare.* Hom./Par.: *intima(s)* (fl.), *íntima(s)* (adj. fem. *íntimo* [pl.]); *intimo* (fl.), *íntimo* (a. sm.).]
intimativa (in.ti.ma.ti.va) ***sf.*** **1** Palavra, frase ou gesto com força de intimação (1) **2** Arrogância no modo de se expressar: *perguntar com intimativa.* [F.: Fem. substv. de *intimativo.*]
intimativo (in.ti.ma.*ti*.vo) ***a.*** Que intima, que tem caráter de intimação (gesto intimativo); IMPERATIVO; AUTORITÁRIO [F.: *intimar* + *-tivo.*]
intimidação (in.ti.mi.da.*ção*) ***sf.*** Ação ou resultado de intimidar(-se) [Pl.: *-ções.*] [F.: *intimidar* + *-ção.*]
intimidade (in.ti.mi.*da*.de) ***sf.*** **1** Qualidade ou característica do que é íntimo **2** Vida íntima; PRIVACIDADE: *O livro revela um pouco da intimidade do autor.* [Us. tb. no pl.] **3** Relação de amizade muito próxima: *Ter intimidade com alguém.* **4** Ambiente, local próprio de alguém: *Vive recolhido na intimidade de seu quarto.* **5** Familiaridade: *Não tem a menor intimidade com a bola.* **6** Atrevimento, confiança: *Que intimidades são essas?* [Mais us. no pl.] **7** O sexo, as partes íntimas: *A onda arrancou-lhe o biquíni, deixando à mostra suas intimidades.* [Mais us. no pl.] [F.: *íntimo* + *-(i)dade.*]
intimidado (in.ti.mi.*da*.do) ***a.*** **1** Que se intimidou; AMEDRONTADO **2** Inibido, constrangido [F.: Part. de *intimidar.*]
intimidador (in.ti.mi.da.*dor*) [ô] ***a.*** **1** Que intimida ***sm.*** **2** Aquele que intimida [F.: *intimidar* + *-dor.*]
intimidante (in.ti.mi.*dan*.te) ***a2g.*** Intimidador (1) [F.: *intimidar* + *-nte.*]
intimidar (in.ti.mi.*dar*) ***v.*** **1** Despertar ou sentir receio ou temor [***td.:*** *Sua postura intimidava os inimigos.*] [***int.:*** *As ameaças não intimidam mais.*] [***tr.*** *+ com: Intimidou-se com a arrogância do advogado.*] **2** Provocar ou sentir inibição, timidez [***td.:*** *A eloquência do orador intimidava os colegas.*] [***int.:*** *Intimida-se ao dar entrevistas.*] [▶ 1 intimidar] [F.: Do lat. medv. *intimidare.*]
intimidativo (in.ti.mi.da.*ti*.vo) ***a.*** Que intimida ou indica intimidação; INTIMIDADOR [F.: *intimidar* + *-tivo.*]
intimismo (in.ti.*mis*.mo) ***sm.*** **1** *Liter.* Estilo literário em que se procura exprimir os mais íntimos sentimentos num tom confidencial e discreto **2** Qualidade ou característica do que é íntimo; INTIMIDADE **3** *Fig.* Simplicidade, espontaneidade [F.: Do fr. *intimisme.*]
intimista (in.ti.*mis*.ta) ***a2g.*** **1** Ref. a intimismo (1) **2** Que é adepto do intimismo (1) **3** *Fig.* Que é simples, espontâneo, natural: *um show intimista.* ***s2g.*** **4** Pessoa adepta do intimismo (1) [F.: *íntimo* + *-ista.*]
íntimo (*ín*.ti.mo) ***a.*** **1** Que é de dentro, da essência de cada um, do interior das pessoas (segredo íntimo): "...a iludida mente, que só se orna/ Das flores lívidas/ Do íntimo abismo." (Fernando Pessoa, *Odes de Ricardo Reis*) **2** Ligado por estreita amizade (amigo íntimo) **3** Que é da família, ou de quem a frequenta (almoço íntimo) **4** Que está estreitamente ligado, que é inseparável: *A educação tem íntima relação com o desenvolvimento.* **5** Ref. à sexualidade (relações/partes íntimas) ***sm.*** **6** Âmago, interior: *No íntimo, não gostava daquela gente.* **7** Pessoa da intimidade: *Só chamou os íntimos.* [F.: Do lat. *intimus, a, um.* Hom./Par.: *íntimo* (a. sm.), *intimo* (fl. de *intimar*); *íntima* (fem.), *intima* (fl. de *intimar*).]
intimorato (in.ti.mo.*ra*.to) ***a.*** Sem temor; CORAJOSO; DESTEMIDO [Ant.: *timorato.*] [F.: *in-*² + *timorato.* Hom./Par.: *intimorato* (a.), *intemerato* (a.).]
intinção (in.tin.*ção*) ***sf.*** *Litu.* Mistura que o padre faz, antes da comunhão, de uma parte da hóstia com o vinho consagrado [Pl.: *-ções.*] [F.: Do lat. *intinctio, onis.*]
intitulação (in.ti.tu.la.*ção*) ***sf.*** Ação ou resultado de intitular [Pl.: *-ções.*] [F.: *intitular* + *-ção.*]
intitulado (in.ti.tu.*la*.do) ***a.*** Que se intitulou; DENOMINADO [F.: Part. de *intitular.*]
intitulamento (in.ti.tu.la.*men*.to) ***sm.*** O mesmo que *intitulação* [F.: *intitular* + *-mento.*]
intitular (in.ti.tu.*lar*) ***v.*** **1** Dar título ou nome a; NOMEAR [***td.:*** *Preferiu não intitular seu romance.*] [***tdp.:*** *Intitularam Pelé (de) o 'rei do futebol'.*] **2** Tomar ou ter como nome ou título; DENOMINAR-SE [***tdp.:*** *Intitula-se Don Juan.*] [▶ 1 intitular] [F.: Do v.lat. *intitulare.*]
intocável (in.to.*cá*.vel) ***a2g.*** **1** Em que se não pode tocar (relíquias intocáveis); INTANGÍVEL **2** Inalterável, imutável (regulamento intocável) **3** Inatacável, ilibado (reputação intocável) **4** *Irôn.* Que não é passível de crítica (por ter enorme prestígio), ou de punição (por ter a proteção de alguém) ***s2g.*** **5** Pessoa intocável (3 e 4); tb. (1), quando se refere aos párias da Índia [Pl.: *-veis.*] [F.: *in-*² + *tocável.*]
intolerância (in.to.le.*rân*.ci:a) ***sf.*** **1** Qualidade ou característica do que é intolerante ***sf.*** **2** Falta de tolerância; INTRANSIGÊNCIA: *intolerância com os erros dos outros.* **3** Atitude agressiva ou repressora para com as diferenças de outrem relativamente a etnia, crença, opinião, modo de vida etc. (intolerância religiosa/ideológica) [F.: Do lat. *intolerantia, ae.* Ant. ger.: *tolerância.*] ■ **~ medicamentosa** *Med.* Incompatibilidade do organismo com certos medicamentos, que o impossibilita de metabolizá-los
intolerante (in.to.le.*ran*.te) ***a2g.*** **1** Que não tolera; falto de tolerância; INTRANSIGENTE **2** Que não aceita atitude, crença, opinião etc. diferente da sua ***s2g.*** **3** Pessoa intolerante (1 e 2) [F.: Do lat. *intolerans, antis.* Ant. ger.: *tolerante.*]
intolerável (in.to.le.*rá*.vel) ***a2g.*** **1** Que não se pode tolerar (barulho intolerável); INSUPORTÁVEL [Ant.: *tolerável.*] **2** Diz-se de pessoa de trato particularmente difícil, desagradável [Pl.: *-veis.*] [F.: Do lat. *intolerabilis, e.*]
intonso (in.*ton*.so) ***a.*** **1** Que não foi tosquiado ou aparado (barba intonsa) **2** *Fig.* Silvestre, agreste **3** *Art. gr.* Diz-se de livro que não foi aparado [F.: Do lat. *intonsus, a, um.*]
⊕ ***in totum*** (*Lat.* /in tótum/) ***loc. adv.*** Em seu conjunto total; COMPLETAMENTE
intoxicação (in.to.xi.ca.*ção*) [cs] ***sf.*** Ação ou resultado de intoxicar(-se); ENVENENAMENTO [Ant.: *desintoxicação.*] [Pl.: *-ções.*] [F.: *intoxicar* + *-ção.*]
intoxicado (in.to.xi.*ca*.do) [cs] ***a.*** Que se intoxicou; ENVENENADO [F.: Part. de *intoxicar.*]
intoxicamento (in.to.xi.ca.*men*.to) [cs] ***sm.*** O mesmo que *intoxicação*: "Os boletins médicos (...) denunciavam (...) a ascensional gradação do intoxicamento." (Paulo Setubal, *A marquesa de Santos*) [F.: *intoxicar* + *-mento.*]
intoxicante (in.to.xi.*can*.te) [cs] ***a2g.*** Que intoxica, envenena [Ant.: *desintoxicante.*] [F.: *intoxicar* + *-nte.*]
intoxicar (in.to.xi.*car*) [cs] ***v.*** **1** Impregnar(-se) com substância tóxica; causar envenenamento ou envenenar(-se) [***td.:*** *O camarão estragado intoxicou toda a família.*] [***int.:*** *A criança intoxicou-se, mas foi socorrida imediatamente; Remédios em excesso também intoxicam.* Ant.: *desintoxicar.*] **2** *Fig.* Causar aborrecimento a ou sentir-se perturbado com [***td.:*** *A presença da ex-mulher intoxicava-o.*] [***tr.*** *+ com: Intoxicou-se com fofocas.*] [▶ 11 intoxicar] [F.: *in-*¹ + *tóxico* + *-ar*².]
◎ **intra-** ***pref.*** = 'dentro de', 'no interior de': *intracelular, intrauterino, intravenoso* [Seg. o AOLP, apenas antes de palavra ou elemento iniciados por *a* ou *h*, usa-se com hífen: *intra-abdominal, intra-hepático*; quando anteposto a palavra iniciada por *r* ou *s*, estes devem ser duplicados: *intrarregional, intrassegmentar.*] [F.: Do lat. *intra.*]
intra-abdominal (in.tra-ab.do.mi.*nal*) ***a2g.*** *Anat.* Ref. ao interior do abdome [Pl.: *intra-abdominais.*] [F.: *intra-* + *abdominal.*]
intra-alveolar (in.tra-al.ve:o.*lar*) ***a2g.*** Que se situa no interior do alvéolo: *Ausência de coágulo intra-alveolar.* [F.: *intra-* + *alveolar.*]
intra-arterial (in.tra-ar.te.ri.*al*) ***a2g.*** *Anat.* Que está ou ocorre no interior de uma artéria [Pl.: *intra-arteriais.*] [F.: *intra-* + *arterial.*]
intra-auricular (in.tra-au.ri.cu.*lar*) ***a2g.*** Que se coloca no interior do ouvido (fone intra-auricular) [F.: *intra-* + *auricular.*]
intrabucal (in.tra.bu.*cal*) ***a2g.*** *Anat.* Ref. ao interior da boca [Pl.: *-cais.*] [F.: *intra-* + *bucal.*]
intracelular (in.tra.ce.lu.*lar*) ***a2g.*** *Cit.* Ref. ao interior da(s) célula(s), ou que ali se situa ou se realiza (metabolismo intracelular) [F.: *intra-* + *celular.*]
intracerebral (in.tra.ce.re.*bral*) ***a2g.*** *Anat.* Ref. ao interior do cérebro [Pl.: *-brais.*] [F.: *intra-* + *cerebral.*]
intracraniano (in.tra.cra.ni.*a*.no) ***a.*** *Anat.* Ref. ao interior do crânio, ou que ali se situa ou se realiza (pressão intracraniana) [F.: *intra-* + *craniano.*]
intradérmico (in.tra.*dér*.mi.co) ***a.*** *Anat.* Ref. ao interior da pele, ou que ali se situa ou se realiza (injeção intradérmica) [F.: *intra-* + *dérmico.*]
intraduzível (in.tra.du.*zí*.vel) ***a2g.*** **1** Que se não pode traduzir (diz-se de texto, dito, pronunciamento etc.): "Mais intraduzível se mostrava uma canção de Petöfi." (Paulo Rónai, *A tradução vivida*) **2** *P. ext.* Que se não pode exprimir (emoção intraduzível) [Pl.: *-veis.*] [F.: *in-*² + *traduzível.*]
intrafamiliar (in.tra.fa.mi.li.*ar*) ***a2g.*** Que se passa ou se dá no interior do grupo familiar (violência intrafamiliar; hierarquias intrafamiliares; conflitos intrafamiliares) [Pl.: *-ares.*] [F.: *intra-* + *familiar.*]
intrafegável (in.tra.fe.*gá*.vel) ***a2g.*** Que não se pode trafegar (estrada/trecho intrafegável); INTRANSITÁVEL [Ant.: *trafegável*] [Pl.: *-veis.*] [F.: *in-*² + *trafegável.*]
intragável (in.tra.*gá*.vel) ***a2g.*** **1** Que não se pode tragar, engolir (comida intragável) **2** *Fig.* Insuportável, intolerável (indivíduo/filme intragável) [Pl.: *-veis.*] [F.: *in-*² + *tragável.*]
intramuros (in.tra.*mu*.ros) ***adv.*** **1** Do lado de dentro ou nos limites de uma cidade, vila, recinto etc.: *Tentaram resolver, intramuros, os problemas do hotel.* ***a2g2n.*** **2** Do lado de dentro ou nos limites de uma cidade, vila, recinto etc. (debates intramuros) [F.: Do lat. *intra muros.* Ant. ger.: *extramuros.*]
intramuscular (in.tra.mus.cu.*lar*) ***a2g.*** **1** Que se dá ou se aplica no interior de um músculo (injeção intramuscular; fluidos intramusculares) **2** Ref. ao interior de um músculo [F.: *intra-* + *muscular.*]
intranet (in.tra.*net*) ***sf.*** *Inf.* Rede de computadores interna, limitada a uma instituição, empresa etc. e ger. ligada à internet [F.: Do ing. *intranet*, f. red. de *intranetwork.*]
intranquilidade (in.tran.qui.li.da.*de*) [ü] ***sf.*** Falta de tranquilidade; INQUIETAÇÃO; DESASSOSSEGO [Ant.: *tranquilidade.*] [F.: *in-*² + *tranquilidade* ou de *intranquilo* + *-(i)dade.*]
intranquilizador (in.tran.qui.li.za.*dor*) [qui-ô] ***a.*** Que intranquiliza; INQUIETADOR [Ant.: *tranquilizador.*] [F.: *intranquilizar* + *-dor.*]
intranquilizar (in.tran.qui.li.*zar*) [ü] ***v.*** Tornar(-se) intranquilo; INQUIETAR(-SE) [***td.:*** *Com seu mau humor, intranquilizava a família.*] [***int.:*** *Intranquiliza-se por qualquer motivo.*] [▶ 1 intranquilizar] [F.: *intranquilo* + *-izar.*]
intranquilo (in.tran.*qui*.lo) [ü] ***a.*** Sem tranquilidade; a/em que falta calma, paz, sossego; INQUIETO [Ant.: *tranquilo.*] [F.: *in-*² + *tranquilo.*]
intransferível (in.trans.fe.*rí*.vel) ***a2g.*** Que não se pode transferir; INTRANSMISSÍVEL [Ant.: *transferível.*] [Pl.: *-veis.*] [F.: *in-*² + *transferível.*]
intransgredível (in.trans.gre.*dí*.vel) ***a2g.*** Que não se pode transgredir: *As leis da natureza são intransgredíveis. Desconsiderar isso é condenar nosso planeta à morte.* [Pl.: *-veis.*] [F.: *in-*² + *transgredível.*]
intransigência (in.tran.si.*gên*.ci:a) ***sf.*** **1** Falta de transigência; INTOLERÂNCIA **2** Austeridade, rigor, severidade [F.: *in-*² + *transigência.* Ant. ger.: *transigência.*]

intransigente (in.tran.si.*gen*.te) ***a2g.*** **1** Que não transige, que não faz nenhuma concessão; INTOLERANTE **2** Austero, rigoroso, severo ***s2g.*** **3** Pessoa intransigente (1 e 2) [F.: *in-*[2] + *transigente*. Ant. ger.: *transigente*.]

intransitabilidade (in.tran.si.ta.bi.li.*da*.de) ***sf.*** Condição ou estado do que não é transitável: *Aquelas são áreas de difícil acesso dada a intransitabilidade das vias.* [F.: *in-*[2] + *transitabilidade*.]

intransitável (in.tran.si.*tá*.vel) [zi] ***a2g.*** **1** Por onde não se consegue passar, transitar: *Com as chuvas, a estrada ficou intransitável.* **2** Cujo trânsito é proibido [Pl.: *-veis*.] [F.: *in-*[2] + *transitável*.]

intransitividade (in.tran.si.ti.vi.*da*.de) ***sf.*** **1** *Ling.* Condição de intransitivo que possuem certos verbos: "A intransitividade é demonstrada também pelo fato de os elementos nominais acompanhantes não serem marcados pelos enclíticos-a ou -ra..." (Shirley Chapman, "Significação e Função de Margens Verbais na Língua Paumari") **2** *Psi.* A incapacidade de passar ou transmitir a outrem um sentimento: "O discurso delirante apareceria como o único apelo através do qual o psicótico tenta sustentar em si uma certa intransitividade do sujeito." (Marcia Goidanich, "Configurações do corpo nas psicoses") [F.: *intransitivo* + *-(i)dade*.]

intransitivo (in.tran.si.*ti*.vo) ***a.*** **1** *Gram.* Diz-se de verbo que se usa sem objeto [P. opos. a *transitivo*.] **2** Que é próprio de verbo intransitivo (forma intransitiva) **3** Intransmissível **4** *Fig.* Independente, livre: "...a simpática história de Melim-Meloso, filho das serras, intransitivo, deslizado..." (Guimarães Rosa, "Melim-Meloso" *in Tutameia*) ***sm.*** **5** Verbo intransitivo (1) [F.: Do lat. *intransitivus, a, um*. Hom./Par.: *intransitivo* (a. sm.), *intransitivo* (fl. de *intransitivar*).]

intransmissibilidade (in.trans.mis.si.bi.li.*da*.de) ***sf.*** Caráter ou qualidade do que é intransmissível: *O Código Civil fala em intransmissibilidade passiva da obrigação alimentar.* [F.: *intransmissível* (sob a f. *intransmissibil-*) + *-(i)dade*, seg. o mod. erudito.]

intransmissível (in.trans.mis.*sí*.vel) ***a2g.*** Não transmissível; que não se pode transmitir a outrem (direitos intransmissíveis); INTRANSITIVO [Ant.: *transmissível*.] [Pl.: *-veis*.] [F.: *in-*[2] + *transmissível*.]

intransparência (in.trans.pa.*rên*.ci:a) ***sf.*** Qualidade ou característica de intransparente; falta de transparência; OPACIDADE: "...trata-se de recusar a intransparência burocrática do processo de construção da unidade europeia..." (Marcos Nobre, "Como assim, 'não'?") [Ant.: *transparência*.] [F.: *in-*[2] + *transparência*.]

intransplantável (in.trans.plan.*tá*.vel) ***a2g.*** Não transplantável, impossível de transplantar [Ant.: *transplantável*] [Pl.: *-veis*.] [F.: *in-*[2] + *transplantável*.]

intransponibilidade (in.trans.po.ni.bi.li.*da*.de) ***sf.*** Condição, estado ou característica do que é intransponível: "E a ciência, ou a medicina, só acrescenta cada vez mais novos e intrigantes detalhes que provam a intransponibilidade da diferença." (Fabíola Rohden, "O gênero na ciência") [F.: *intransponível* (sob a f. *intransponibil-*) + *-(i)dade*, seg. o mod. erudito.]

intransponível (in.trans.po.*ní*.vel) ***a2g.*** Que não se pode ou não se consegue transpor [Ant.: *transponível*.] [Pl.: *-veis*.] [F.: *in-*[2] + *transponível*.]

intransportável (in.trans.por.*tá*.vel) ***a2g.*** Que não se pode transportar: *O modelo brasileiro é intransportável para a França.* [Pl.: *-veis*.] [F.: *in-*[2] + *transportável*.]

intranuclear (in.tra.nu.cle.*ar*) ***a2g.*** Que se situa no interior de um núcleo ou a ele se refere (espaço intranuclear; divisão intranuclear; inclusão intranuclear) [F.: *intra-* + *nuclear*.]

intraocular (in.tra.o.cu.*lar*) ***a2g.*** *Med.* Ref. ao interior do olho, ou que ali se situa ou se realiza [F.: *intra-* + *ocular*.]

intraoral (in.tra.o.*ral*) ***a2g.*** *Anat.* Ref. ao interior da boca, ou que nele está situado [Pl.: *-rais*.] [F.: *intra-* + *oral*.]

intraorganizacional (in.tra.or.ga.ni.za.ci:o.*nal*) ***a2g.*** Que se passa no interior de uma organização ou instituição (cooperação intraorganizacional) [Pl.: *-nais*.] [F.: *intra-* + *organizacional*.]

intraósseo (in.tra.*ós*.se:o) ***a.*** *Anat.* Que está ou ocorre no interior do osso [F.: *intra-* + *ósseo*.]

intraparietal (in.tra.pa.ri:e.*tal*) ***a2g.*** *Med.* Que se dá no interior de um órgão (vascularização/sulco intraparietal; hemorragias intraparietais) [Pl.: *-tais*.] [F.: *intra-* + *parietal*.]

intraperitoneal (in.tra.pe.ri.to.ne.*al*) ***a2g.*** Que se aplica ou se situa no interior do peritônio (injeção/abscesso intraperitoneal; órgãos intraperitoneais) [Pl.: *-ais*.] [F.: *intra-* + *peritoneal*.]

intrapessoal (in.tra.pes.so.*al*) ***a2g.*** Que se passa no íntimo de uma pessoa: "A comunicação intrapessoal reflete e alimenta nossas crenças, cultura, valores, hábitos, virtudes, defeitos e infinitos condicionamentos..." (Carlos Hilsdorf, "O Poder Mágico do Relacionamento") [Pl.: *-ais*.] [F.: *intra-* + *pessoal*.]

intrapleural (in.tra.pleu.*ral*) ***a2g.*** Relativo ao interior da pleura, ou que nele se situa (pressão intrapleural) [Pl.: *-rais*.] [F.: *intra-* + *pleural*.]

intrapulmonar (in.tra.pul.mo.*nar*) ***a2g.*** Que se passa ou se situa no interior do pulmão (vasodilatação intrapulmonar; cisto intrapulmonar; reflexos intrapulmonares) [F.: *intra-* + *pulmonar*.]

intrarracial (in.trar.ra.ci.*al*) ***a2g.*** Que ocorre entre indivíduos ou elementos de uma mesma raça [Pl.: *-ais*.] [F.: *intra-* + *racial*.]

intrarregional (in.trar.re.gi:o.*nal*) ***a2g.*** Que se realiza no interior de uma região (comércio intrarregional) [Pl.: *-nais*.] [F.: *intra-* + *regional*.]

intrassetorial (in.tras.se.to.ri.*al*) ***a2g.*** Que se dá ou se verifica no interior de um setor, esp. de atividades [Pl.: *-ais*.] [F.: *intra-* + *setorial*.]

intratabilidade (in.tra.ta.bi.li.*da*.de) ***sf.*** Caráter ou qualidade de intratável (intratabilidade clínica) [Ant.: *tratabilidade*] [F.: *intratável* (sob a f. *intratabil-*) + *-(i)dade*, seg. o mod. erudito.]

intratável (in.tra.*tá*.vel) ***a2g.*** **1** Que ou de que não se pode tratar (doença intratável, assunto intratável) [Ant.: *tratável*.] **2** Diz-se daquele com quem não se pode ter trato, conversar, fazer acordo etc.; INSOCIÁVEL: *É uma pessoa intratável, sempre mal-humorada e arrogante.* **3** Diz-de metal difícil de derreter **4** *Fig.* Intransitável (estradas intratáveis) [Pl.: *-veis*.] [F.: Do lat. *intractabilis, e*.]

intratextual (in.tra.tex.tu.*al*) ***a2g.*** Que se situa ou existe no interior do texto (referência/espaço intratextual) [Pl.: *-ais*.] [F.: *intra-* + *textual*.]

intrauterino (in.tra.u.te.*ri*.no) ***a.*** **1** Ref. ao interior do útero, ou que ali se situa ou se realiza (gravidez intrauterina) **2** Diz-se do dispositivo que se coloca no útero para evitar a gravidez; DIU [F.: *intra-* + *uterino*.]

intravascular (in.tra.vas.cu.*lar*) ***a2g.*** *Med.* Que se passa ou se situa no interior de um vaso (coagulação intravascular; cateter intravascular; dispositivos intravasculares) [F.: *intra-* + *vascular*.]

intravenoso (in.tra.ve.*no*.so) [ô] ***a.*** **1** *Anat.* Ref. ao interior das veias **2** Aplicado na veia (injeção intravenosa) [Pl.: [ó]. Fem.: [ó].] [F.: *intra-* + *venoso*. Sin. ger.: *endovenoso*.]

intraventricular (in.tra.ven.tri.cu.*lar*) ***a2g.*** Que se situa ou se passa no interior do ventrículo (fluxo intraventricular; pressão intraventricular; bloqueios intraventriculares) [F.: *intra-* + *ventricular*.]

intrepidez (in.tre.pi.*dez*) [ê] ***sf.*** Qualidade ou característica de intrépido; coragem, firmeza diante do perigo [Ant.: *covardia*.] [F.: *intrépido* + *-ez*.]

intrépido (in.*tré*.pi.do) ***a.*** **1** Que é destemido, corajoso ***sm.*** **2** Aquele que é destemido, corajoso [F.: Do lat. *intrepidus, a, um*.]

intrespassável (in.tres.pas.*sá*.vel) ***a2g.*** Que não é trespassável, impossível de trespassar (couraça intrespassável); INTRANSPASSÁVEL [Ant.: *trespassável; transpassável*.] [Pl.: *-veis*.] [F.: *in-*[2] + *trespassável*.]

intributável (in.tri.bu.*tá*.vel) ***a2g.*** Que não se pode tributar, não tributável: *O ato cooperativo é essencialmente intributável.* [Ant.: *tributável*.] [Pl.: *-veis*.] [F.: *in-*[2] + *tributável*.]

intricado (in.tri.*ca*.do) ***a.*** Ver *intrincado*

intricamento (in.tri.ca.*men*.to) ***sm.*** Ver *intrincamento*

intricar (in.tri.*car*) ***v. td. int.*** Ver *intrincar* [F.: Do lat. *intricare*.]

intriga (in.*tri*.ga) ***sf.*** **1** Relato, mentiroso ou verdadeiro, feito, porém, para obter alguma vantagem ou para prejudicar alguém (intrigas palacianas) **2** Mexerico, bisbilhotice [Col. nestas acps.: *intrigalhada*.] **3** *Liter.* Enredo, trama **4** Desentendimento, desavença [Dim.: *intriguelha*.] [F.: Do fr. *intrigue* (do v. fr. *intriguer*) ou dev. de *intrigar* (ver).]

intrigado (in.tri.*ga*.do) ***a.*** **1** Curioso, desconfiado, cismado: *Ficou intrigado com aquela notícia.* **2** Brigado, indisposto, desavindo: *Vive intrigado com os vizinhos.* **3** Em que há intriga ***sm.*** **4** *Bras.* Inimigo, desafeto [F.: Part. de *intrigar*.]

intrigante (in.tri.*gan*.te) ***a2g.*** **1** Que desperta curiosidade, interesse ou desconfiança (caso intrigante) **2** Que faz intriga; MEXERIQUEIRO ***s2g.*** **3** Aquele ou aquela que faz intrigas; MEXERIQUEIRO [F.: *intrigar* + *-nte*.]

intrigar (in.tri.*gar*) ***v.*** **1** Fazer ou provocar intrigas, inimizades (em); INDISPOR(-SE) [***td.:*** *Tinha o costume de intrigar os colegas.*] [***tdr.*** + *com*: *Intrigou os funcionários com o gerente.*] [***tr.*** + *com*: *Aproveitava qualquer oportunidade para intrigar.*] [***tr.*** + *com*: *Intrigou-se com os familiares.*] **2** Fazer ficar ou ficar desconfiado, desconcertado [***td.:*** "...saltaram lágrimas de seus olhos, o que muito me (...) intrigou..." (Antonio Callado, *Reflexos do baile*)] [***tr.*** + *com*: *Intrigou-se com o desaparecimento dos livros.*] [***int.:*** *Intrigou-se quando viu as luzes do céu; O aparecimento desses peixes no litoral nordestino é um fenômeno que intriga.*] [▶ **14 intrigar**] [F.: Do lat. *intrigare*. Hom./Par.: *intriga* (fl.), *intriga* (sf.).]

intriguista (in.tri.*guis*.ta) ***a2g.*** **1** Diz-se de pessoa que é dada a fazer intrigas ***s2g.*** **2** Essa pessoa: *Madalena não devia adotar uma postura tão meiguinha para com o intriguista.* [F.: *intriga* (*g* = *gu*) + *-ista*.]

intrincado (in.trin.*ca*.do) ***a.*** **1** Enredado, embaraçado, emaranhado (floresta intrincada) **2** Obscuro, confuso, complicado (problema intrincado; história intrincada) [F.: Part. de *intrincar* ou *intricar*. Ant. ger.: *desintrincado*.]

intrincamento (in.trin.ca.*men*.to) ***sm.*** Ação ou resultado de intrincar; EMBARAÇO; ENREDAMENTO [F.: *intrincar* + *-mento*. Tb. *intricamento*.]

intrincar (in.trin.*car*) ***v.*** **1** Tornar(-se) emaranhado; ENREDAR(-SE) [***td.:*** *O primeiro eletricista intrincou os fios da instalação elétrica.*] [***int.:*** *Os finos cordões intrincaram-se.*] **2** Tornar(-se) complicado e/ou confuso; CONFUNDIR(-SE); COMPLICAR(-SE) [***td.:*** *A testemunha intrincou a investigação.*] [***int.:*** *O delegado intrincou-se.*] [▶ **11 intrincar**] [F.: F. nasalizada de *intricar*, esta do v.lat. *intricare*. Ant. ger.: *desintrincar*.]

intrínseco (in.*trín*.se.co) ***a.*** **1** Que se encontra no interior, no íntimo de alguém ou de algo **2** Inerente, essencial a alguém ou alguma coisa: *A tolerância é intrínseca à democracia.* **3** Que é real e independe de convenção (valor intrínseco) **4** *Anat.* Diz-se de músculo cuja origem e inserção encontra-se no membro de atuação [F.: Do lat. *intrinsecus, a, um*. Ant. ger.: *extrínseco*.]

◎**intro-** ***pref.*** = 'para dentro, para o interior (de)': *introjetar, intrometer, intromissão, introspecção*. [F.: Do lat. *intro*.]

introdução (in.tro.du.*ção*) ***sf.*** **1** Ação ou resultado de introduzir(-se): "...Costuma datar-se desta obra [*Camões*, de Garrett] a introdução do romantismo em Portugal..." (Antônio J. Saraiva, *História da literatura portuguesa*) **2** Texto preliminar, ger. breve, que apresenta uma obra escrita ao leitor; PREFÁCIO; PREÂMBULO **3** Obra escrita que serve de base para o aprofundamento em uma matéria: *introdução à filosofia.* **4** *Mús.* Parte inicial de uma composição musical [Pl.: *-ções*.] [F.: Do lat. *introductio, onis*.]

introdutivo (in.tro.du.*ti*.vo) ***a.*** O mesmo que *introdutório* [F.: Do lat. *introductivus, a, um*.]

introdutor (in.tro.du.*tor*) [ô] ***a.*** **1** Que introduz ***sm.*** **2** Aquele que introduz: *Cruz e Souza é considerado o introdutor do simbolismo no Brasil.* [F.: Do lat. tard. *introductor, oris*.]

introdutório (in.tro.du.*tó*.ri:o) ***a.*** Que serve de introdução, abertura, apresentação (capítulo/curso introdutório); INTRODUTIVO [F.: Do lat. *introductorius, a, um*.]

introduzir (in.tro.du.*zir*) ***v.*** **1** Fazer entrar; ENFIAR; PENETRAR [***tda.:*** *Introduziu a lâmpada no bocal/ a espada na bainha.*] **2** Levar(-se) para dentro (de algum lugar ou região) [***tda.:*** *Alguns vermes introduzem-se pela pele;* "Na saleta, onde Lemos introduziu seus amigos..." (José de Alencar, *Senhora*)] **3** Fazer alguém ou a si próprio ser aceito em (associação, grupo etc.) [***tda.:*** *Introduziu o irmão no elenco da nova peça; Introduziu-se na associação de moradores.*] **4** Colocar em voga; ESTABELECER [***td.:*** *introduzir novos conceitos.*] [***tda.:*** *Introduziu o passe escolar no município.*] **5** Assinalar o início de; COMEÇAR [***td.:*** *O travessão introduz a fala.*] **6** Fazer conhecer ou aceitar; ADOTAR [***td.:*** *O governo acaba de introduzir novas leis.*] **7** Transmitir a alguém os primeiros passos em (filosofia, religião etc.) [***tdr.*** + *em*: *Introduziu os filhos no pensamento de Nietzsche.*] **8** Fazer inserção; INCLUIR [***tdi.*** + *em*: *A Câmara do Deputados introduziu modificações na Constituição; O Congresso debateu a lei e introduziu-lhe mudanças.*] [▶ **57 introduzir**] [F.: Do lat. *introducere*.]

introito (in.*troi*.to) ***sm.*** **1** Entrada, princípio, começo: "São assim quase todos os introitos da falsa felicidade." (Camilo Castelo Branco, *Caveira*) **2** *Litu.* Oração que dá início à missa católica [F.: Do lat. *introitus, us*.]

introjeção (in.tro.je.*ção*) ***sf.*** **1** *Psic.* Processo inconsciente de identificação pelo qual uma pessoa incorpora ao próprio ego objetos e qualidades a estes inerentes; INTERIORIZAÇÃO **2** *Soc.* Processo pelo qual um indivíduo adota e se deixa influenciar por crenças, valores etc. de outros indivíduos ou grupos [Pl.: *-ções*.] [F.: Do al. *Introjektion*.]

introjetar (in.tro.je.*tar*) ***v. td.*** *Psi.* Fazer a introjeção, a interiorização de: *Introjetava todos os ensinamentos que recebia.* [▶ **1 introjetar**] [F.: Adaptç. do ing. (*to*) *introject*.]

intrometer (in.tro.me.*ter*) ***v.*** **1** Meter-se em algo a que não se está chamado; INGERIR-SE [***td.:*** *Intrometer-se na vida alheia.*] **2** Pôr(-se) entre ou por entre algo [***tda.:*** *Intrometer estampas entre as folhas de um livro.*] [***tdr.*** + *em*: *Um ladrão intrometeu-se na multidão.*] **3** *Ant.* Colocar no interior de; introduzir [***tda.:*** *Intrometeu os papéis na gaveta.*] **4** *P. us.* Situar-se [***ta.:*** *A casa se intrometia entre duas montanhas.*] [▶ **2 intrometer**] [F.: Do v.lat. *intromittere*.]

intrometido (in.tro.me.*ti*.do) ***a.*** **1** Metido entre ou por entre algo **2** Que se mete no que não lhe diz respeito; METEDIÇO ***sm.*** **3** Aquele que tem por hábito intrometer-se em assunto ou questão que não lhe dizem respeito; METEDIÇO [F.: Part. de *intrometer*.]

intrometimento (in.tro.me.ti.*men*.to) ***sm.*** **1** Ação ou resultado de intrometer(-se); INTROMISSÃO **2** Ação, dito ou modos de pessoa intrometida [F.: *intrometer* + *-imento*.]

intromissão (in.tro.mis.*são*) ***sf.*** **1** Intrometimento (1) **2** Introdução de um corpo em outro [Pl.: *-sões*.] [F.: Do lat. *intromissio, onis*.]

introrso (in.*tror*.so) [ô] ***a.*** **1** *Bot.* Voltado para o interior (diz-se particularmente das anteras cuja direção ou abertura projetam-se para a parte central da flor) **2** *Fig.* Voltado para si mesmo, isolando-se do mundo exterior [F.: Do adv.lat. *introrsum* ou *introrsus*, 'para dentro'. Ant. ger.: *extrorso*.]

introspecção (in.tros.pec.*ção*) ***sf.*** Exame íntimo da consciência; observação que uma pessoa faz de seus próprios atos, de seu comportamento etc.; INTROVERSÃO [Pl.: *-ções*.] [F.: Do lat. *introspectio, onis*. Tb. *introspeção*.]

introspectividade (in.tros.pec.ti.vi.*da*.de) ***sf.*** Propriedade ou condição do que é introspectivo: *A introspectividade de seu texto é fluida e cativante.* [F.: *introspectivo* + *idade*. Tb. *introspetividade*.]

introspectivo (in.tros.pec.*ti*.vo) ***a.*** **1** Ref. a introspecção (psicologia introspectiva) **2** Em que há introspecção (momentos introspectivos) [F.: Do ing. *introspective*. Tb. *introspetivo*.]

introversão (in.tro.ver.*são*) ***sf.*** **1** Ação ou resultado de se voltar para si mesmo **2** Introspecção **3** *Psic.* Direcionamento da energia psíquica do indivíduo para o seu mundo interior, em detrimento do exterior [Pl.: *-sões*.] [F.: Do lat. cient. *introversio, onis*. Ant. ger.: *extroversão*.]

introverter (in.tro.ver.*ter*) ***v.*** **1** Voltar(-se) para dentro [***td.:*** *O empregado introverteu as abas da caixa.*] [***int.:*** *Quando tocadas, algumas plantas introvertem-se.*] **2** *Fig.* Tornar-se introvertido; voltar(-se) para dentro de si mesmo; ENSI-

MESMAR-SE; FECHAR-SE; RETRAIR-SE [***td.***: *A leitura do romance a introvertia; Diante de estranhos, costuma introverter-se.*] [▶ 2 introverter] [F.: *intro-* + *verter.*]

introvertido (in.tro.ver.*ti*.do) ***a.*** 1 Voltado para si mesmo; ENSIMESMADO 2 *Psic.* Que é dado à introversão (3) 3 Voltado para dentro ***sm.*** 4 Aquele que é introvertido (1 e 2) [F.: Part. de *introverter*. Ant. ger.: *extrovertido.*]

intrudir (in.tru.*dir*) ***v. td.*** Meter com força (uma massa em outra) [▶ 3 intrudir] [F.: Do v.lat. *intrudere.*]

intrujão (in.tru.*jão*) ***a.*** 1 Que se intromete com outros para lográ-los, enganá-los; TRAPACEIRO: "...E não gostei nunca de homem intrujão, com esses não começo conversa..." (Guimarães Rosa, *Grande sertão: veredas*) 2 *Bras.* Que recebe objetos furtados para comercializá-los [Pl.: *-jões.* Fem.: *-jona.*] ***sm.*** 3 Indivíduo intrujão (1); TRAPACEIRO 4 *Bras.* Receptador de objetos roubados [Pl.: *-jões.* Fem.: *-jona.*] [F.: *intrujar* + *-ão*^{2}.]

intrujar (in.tru.*jar*) ***v.*** 1 Enganar ou tirar proveito de alguém; explorar (alguém) astuciosamente; LOGRAR; LUDIBRIAR [***td.***: *Tentou intrujar o patrão, mas não conseguiu.*] 2 Ter entendimento de (algo); COMPREENDER; ENTENDER [***td.***: *Muitos filhos não intrujam os conselhos dos pais.*] [***int.***: *O sistema não era fácil de intrujar.*] 3 Contar mentiras [***int.***: *Ninguém confia nele, pois vive a intrujar.*] 4 *Bras.* Negociar com objetos furtados [***int.***: *Foi preso por intrujar.*] [▶ 1 intrujar] [F.: De or. obsc.]

intrujice (in.tru.*ji*.ce) ***sf.*** Ação de intrujar; LOGRO; TRAPAÇA [F.: *intrujar* + *-ice.*]

intrujona (in.tru.*jo*.na) ***sf.*** Fem. de *intrujão.*

intrusão (in.tru.*são*) ***sf.*** 1 Ação de intruso [Ant.: *extrusão.*] 2 Posse ilegal ou violenta; USURPAÇÃO 3 *Geol.* Penetração do magma em rochas preexistentes [Pl.: *-sões.*] [F.: Do lat. medv. *intrusio, onis.*]

intrusivo (in.tru.*si*.vo) ***a.*** 1 Que resultou de intrusão; em que há intrusão 2 *Geol.* Diz-se de corpo rochoso, ger. ígneo, que se encaixa em rochas preexistentes: *Estudo geoquímico do complexo intrusivo de Várzea Alegre.* [F.: *intruso* + *-ivo.*]

intruso (in.*tru*.so) ***a.*** 1 Que se introduz sem direito ou anuência em lugar, assunto, função etc. não seus, ou apodera-se de cargos, benefícios etc. 2 Intrometido, metediço ***sm.*** 3 Indivíduo intruso (1 e 2) 4 Aquele que entra em lugar de acesso restrito ou privativo sem autorização prévia [F.: Do lat. *intrusus, a, um.*]

intubação (in.tu.ba.*ção*) ***sf.*** *Med.* Introdução de tubo em canal ou cavidade de organismo (intubação traqueal) [Pl.: *-ções.*] [F.: *intubar* + *-ção.*]

intubar (in.tu.*bar*) ***v. td.*** Ver *entubar* [▶ 1 intubar] [F.: *in-*^{1} + *tubo* + *-ar*^{2}.]

intuição (in.tu:i.*ção*) ***sf.*** 1 Percepção pronta e clara; instinto, sexto sentido 2 Pressentimento sobre acontecimento futuro; PRESSÁGIO 3 *Fil.* Forma de conhecimento imediato, independente de qualquer processo de raciocínio [Pl.: *-ções.*] [F.: Do lat. *intuitio, onis.*] ▪ **~ linguística** *Ling.* Capacidade intuitiva de o falante de uma língua perceber e aceitar a estrutura semântica e gramatical de sentenças nessa língua como expressão de determinados significados, de estabelecer analogias com outras formas de expressão desses significados, de reconhecer ambiguidades e indefinições etc.

intuicionismo (in.tu:i.ci:o.*nis*.mo) *Fil.* ***sm.*** 1 Doutrina que privilegia a intuição no processo de conhecimento 2 Aspecto central da teoria do filósofo francês Henri Bergson (1859-1941), segundo a qual somente por intermédio da intuição é possível conhecer a realidade absoluta, sendo o racionalismo científico ineficiente ou inadequado para apreendê-la 3 *Mat.* Teoria do matemático L. Brower (1881-1966) segundo a qual as entidades lógico-matemáticas são constituídas pela intuição humana, independentemente de empirismos [F.: *intuição* + *-ismo*, segundo o padrão erudito; fr. *intuitionisme.*]

intuicionista (in.tu:i.ci:o.*nis*.ta) ***a2g.*** 1 Próprio do intuicionismo (interpretação/lógica intuicionista) ***s2g.*** 2 Pessoa adepta do intuicionismo: *Para os intuicionistas é possível a construção de enunciados dotados de sentido sem que sejam verdadeiros ou falsos.* [F.: *intuição* + *-ista*, segundo o padrão erudito.]

intuído (in.tu.*í*.do) ***a.*** Que se intuiu, que foi percebido por intuição [F.: Part. de *intuir.*]

intuir (in.tu.*ir*) ***v.*** Ter a intuição de, pressentir, ou concluir por intuição [***td.***: *Intuiu nossa presença.*] [***int.***: *Como é inteligente, intui.*] [▶ 56 intuir] [F.: Do lat. *intuere.*]

intuitividade (in.tu:i.ti.vi.*da*.de) ***sf.*** *Inf.* Propriedade de um sistema informático de proporcionar fácil adaptação do usuário ao mesmo: "...a qualidade do design de um sistema hipermédia se funda na organização visual, na facilidade de navegação, na intuitividade de funcionamento e na uniformidade visual." (Jorge Pedro de Sousa, "Qualidade percebida de quatro jornais on-line brasileiros") [F.: *intuitivo* + *-(i)dade*; ing. *intuitiveness.*]

intuitivismo (in.tu:i.ti.*vis*.mo) ***sm.*** *Fil.* Doutrina fundamentada na ideia de que todos os conhecimentos têm como base a intuição: "Essa defesa da autonomia construtiva do poema, contra o intuitivismo tradicional, chocava-se com a prática daquele Décio, que tinha por matéria-prima as expressões do eu..." (Luiz Costa Lima, "Os nervos da nova anatomia" *in Mais! Folha de S.Paulo*, 08.12.1996) [F.: *intuitivo* + *-ismo.*]

intuitivo (in.tu:i.*ti*.vo) ***a.*** 1 Ref. a intuição (percepção intuitiva) 2 Dotado de intuição (espírito intuitivo) 3 Que se percebe por mera intuição; CLARO; EVIDENTE: "...Era intuitivo que a Maria Aires tinha em mente forjar um álibi..." (Aquilino Ribeiro, *Volfrâmio.*) [F.: Do lat. medv. *intuitivus.*]

intuito (in.*tui*.to) ***sm.*** Intenção, objetivo, fim, escopo [F.: Do lat. *intuitus.*]

intumescência (in.tu.mes.*cên*.ci:a) ***sf.*** 1 Ação ou resultado de intumescer(-se) 2 *Med.* Inchação, tumefação [F.: *intumescer* + *-ência.* Sin. ger.: *intumescimento.*]

intumescente (in.tu.mes.*cen*.te) ***a2g.*** Que começa a intumescer, inchar; TUMESCENTE; TURGESCENTE [F.: Do lat. *intumescens, entis.*]

intumescer (in.tu.mes.*cer*) ***v.*** 1 Tornar(-se) túmido ou inchado; INCHAR(-SE) [***td.***: *O choque intumesceu seu braço.*] [***int.***: *Seus pés intumesceram(-se) na longa viagem.*] 2 *Fig.* Encher-se de orgulho; ENVAIDECER-SE [***td.***: *O bom desempenho do filho intumescia-o.*] [***tr.*** + *com*: *Intumesceu-se com o sucesso da defesa de tese.*] [***int.***: *Bastava um pequeno elogio para intumescer(-se).*] 3 Tornar(-se) agitado, encapelado; ENCAPELAR [***td.***: *A ventania intumescia o mar.*] [***int.***: *Com os ventos fortes, as ondas intumesceram(-se).*] [▶ 33 intumescer] [F.: Do lat. *intumescere.* Ant. ger.: *desintumescer.*]

intumescido (in.tu.mes.*ci*.do) ***a.*** Que intumesceu; TÚMIDO; INCHADO [Ant.: *desintumescido.*] [F.: Part. de *intumescer.*]

intumescimento (in.tu.mes.ci.*men*.to) ***sm.*** O mesmo que *intumescência* [Ant.: *desintumescimento.*] [F.: *intumescer* + *-imento.*]

inturgescência (in.tur.ges.*cên*.ci:a) ***sf.*** 1 Qualidade ou condição de inturgescente; INTUMESCÊNCIA; TURGESCÊNCIA: *O afluxo de sangue no tecido esponjoso do pênis produz sua inturgescência que o faz duplicar ou triplicar seu tamanho.* 2 Inchação [F.: *inturgescer* + *-ência.*]

inturgescer (in.tur.ges.*cer*) ***v. td.*** Tornar(-se) túrgido ou inchado; intumescer(-se) [▶ 33 inturgescer] [F.: Do lat. tard. *inturgescere.*]

inube (i.*nu*.be) ***a2g.*** Sem nuvem, não nublado, desencoberto; claro, sereno (céu inube) [F.: Do lat. *innubis, e.*]

inúbil (i.*nú*.bil) ***a2g.*** Que não é núbil, que ainda não está em idade de se casar [Pl.: *-beis.*] [F.: *i-*^{2} + *núbil.*]

inultrapassável (i.nul.tra.pas.*sá*.vel) ***a2g.*** Que não se pode ultrapassar ou exceder; INTRANSPONÍVEL: "A vista do arco cruzeiro e do zimbório é de uma inultrapassável amplidão e solenidade." (Ricardo Jorge, *Canhenho de um vagabundo*) [Ant.: *ultrapassável; excedível.*] [Pl.: *-veis.*] [F.: *in-*^{2} + *ultrapassável.*]

inumação (i.nu.ma.*ção*) ***sf.*** Ação ou resultado de inumar; ENTERRO; SEPULTAMENTO [Ant.: *exumação.*] [Pl.: *-ções.*] [F.: *inumar* + *-ção.*]

inumado (i.nu.*ma*.do) ***a.*** Que se inumou; ENTERRADO; SEPULTADO [Ant.: *exumado.*] [F.: Part. de *inumar.*]

inumanidade (i.nu.ma.ni.*da*.de) ***sf.*** Qualidade de inumano; DESUMANIDADE [Ant.: *humanidade.*] [F.: Do lat. *inhumanitas, atis.*]

inumano (i.nu.*ma*.no) ***a.*** Falto de humanidade; DESUMANO; CRUEL [Ant.: *humano.*] [F.: Do lat. *inhumanus.*]

inumar (i.nu.*mar*) ***v. td.*** Enterrar (cadáver); SEPULTAR [▶ 1 inumar] [F.: Do lat. *inhumare.* Ant. ger.: *exumar.*]

inumerável (i.nu.me.*rá*.vel) ***a2g.*** 1 Que não se pode contar, calcular 2 Extremamente numeroso [Pl.: *-veis.*] [F.: Do lat. *innumerabilis.* Sin. ger.: *inúmero.* Hom./Par.: *inumerável* (a2g.), *enumerável* (a2g.).]

inúmero (i.*nú*.me.ro) ***a.*** O mesmo que *inumerável* [F.: Do lat. *innumerus.*]

inundação (i.nun.da.*ção*) ***sf.*** 1 Ação ou resultado de inundar(-se) 2 Ocupação desordenada de uma região por águas pluviais, marinhas, fluviais etc.; ENCHENTE; CHEIA: *A chuva causou a inundação de várias ruas.* 3 *Fig.* Grande afluência ou concentração de pessoas ou animais [Pl.: *-ções.*] [F.: Do lat. *inundatio, onis.*]

inundado (i.nun.*da*.do) ***a.*** 1 Que se inundou; ALAGADO 2 Molhado, banhado (inundado de suor) ***sm.*** 3 Vítima de inundação [F.: Part. de *inundar.*]

inundante (i.nun.*dan*.te) ***a2g.*** Que inunda, que alaga [F.: Do lat. *innundans, antis.*]

inundar (i.nun.*dar*) ***v.*** 1 Cobrir de água; ALAGAR; SUBMERGIR [***td.***: *As últimas enchentes inundaram as vilas ribeirinhas.*] 2 Encher de água ou de outro líquido [***td.***: *A saliva inundou sua boca e ele mal conseguiu falar.*] 3 Molhar(-se), banhar(-se) [***td.***: *As lágrimas inundaram seu rosto.*] [***tdr.*** + *de*: *Por causa da febre, a criança inundou de suor o colo da mãe.*] [***tr.*** + *de*: *Inundou-se de suor com o esforço.*] 4 *Fig.* Invadir, ocupar ou tomar completamente [***td.***: *Os mouros inundaram a Espanha.*] 5 Transbordar; sair dos limites [***int.***: *Este riacho inunda anualmente.*] 6 *Fig.* Encher totalmente; SATURAR [***tdr.*** + *de*: *Inundou o acusado de perguntas.*] 7 *Fig. P. ext.* Espalhar(-se) ocupando espaços; ALASTRAR(-SE) [***td.***: *A fumaça inundou o ambiente.*] [***tr.*** + *de*: *A sala inundou-se de luz.*] [▶ 1 inundar] [F.: Do lat. *inundare.*]

inundável (i.nun.*dá*.vel) ***a2g.*** Que pode inundar-se, que pode sofrer inundação (terreno inundável) [Pl.: *-veis.*] [F.: *inundar* + *-vel.* Hom./Par.: *inundáveis* (pl.), *inundáveis* (fl. de *inundar*).]

inusitado (i.nu.si.*ta*.do) ***a.*** 1 Que não é usual; que é incomum (hábito inusitado); INSÓLITO ***sm.*** 2 Caráter do que é inusitado, incomum; INEDITISMO: *O inusitado da situação emocionou-o.* [F.: Do lat. *inusitatus.*]

inusual (i.nu.su:*al*) ***a2g.*** Incomum, estranho [Ant.: *usual.*] [Pl.: *-ais.*] [F.: *in-*^{2} + *usual.*]

inútil (i.*nú*.til) ***a2g.*** 1 Que não é útil, que não tem préstimo (despesa inútil); DESNECESSÁRIO 2 Infrutífero, estéril, vão (esforço inútil) 3 Que nada faz ou produz (diz-se de pessoa); IMPRESTÁVEL [Pl.: *-teis.*] ***s2g.*** 4 Pessoa inútil (3) [Pl.: *-teis.*] [F.: Do lat. *inutilis.*]

inutilidade (i.nu.ti.li.*da*.de) ***sf.*** 1 Qualidade do que é inútil; falta de utilidade: "A mãe, reconhecendo a inutilidade dos seus rogos, contemplava-a." (Pedro Ivo, *Contos*) 2 Incapacidade, impossibilidade de ser útil [Ant.: *utilidade.*] 3 Ação, comportamento ou fato que não resultam em algo válido ou útil 4 Indivíduo ou coisa inútil, sem préstimo ou valor [F.: Do lat. *inutilitas, atis.*]

inutilização (i.nu.ti.li.za.*ção*) ***sf.*** Ação ou resultado de inutilizar [Pl.: *-ções.*] [F.: *inutilizar* + *-ção.*]

inutilizado (i.nu.ti.li.*za*.do) ***a.*** 1 Que se inutilizou, que perdeu a utilidade 2 Frustrado, baldado 3 Danificado, destruído [F.: Part. de *inutilizar.*]

inutilizar (i.nu.ti.li.*zar*) ***v.*** 1 Tornar(-se) inválido por deficiência física ou mental [***td.***: *O acidente o inutilizou.*] [***int.***: *Por causa da doença, inutilizou-se.*] 2 Causar dano; DANIFICAR [***td.***: *A maresia pode inutilizar o motor.*] 3 Tornar baldo, inútil; ANULAR; BALDAR; FRUSTRAR [***td.***: *Um imprevisto inutilizou seus esforços.*] [▶ 1 inutilizar] [F.: *inútil* + *-izar.* Ant. ger.: *utilizar.* Hom./Par.: *inutilizáveis* (fl.), *inutilizáveis* (pl. de *inutilizável* [a2g.]).]

inutilizável (i.nu.ti.li.*zá*.vel) ***a2g.*** 1 Não utilizável, impossível de se utilizar 2 Que pode ou deve ser inutilizado [Pl.: *-veis.*] [F.: *inutilizar* + *-vel.* Hom./Par.: *inutilizáveis* (pl.), *inutilizáveis* (fl. de *inutilizar*).]

invadir (in.va.*dir*) ***v. td.*** 1 Entrar pela força num lugar e ocupá-lo: *O exército invadiu o país vizinho.* 2 Infestar, tomar: *Os gafanhotos invadiram as colheitas.* 3 *Fig.* Ultrapassar o limite de (de algo delimitado): *Invadir direitos alheios.* 4 *Fig.* Alastrar-se dominando: *O rap invadiu o país; Depois do almoço, invadiu-me o sono.* [▶ 3 invadir] [F.: Do v.lat. *invadere.*]

invaginação (in.va.gi.na.*ção*) ***sf.*** 1 *Med.* Penetração do segmento de um órgão em outro segmento do mesmo órgão (invaginação intestinal) 2 *Bot.* Modo de crescimento ou de desenvolvimento de certos órgãos que se apresentam formando como que uma bainha [Pl.: *-ções.*] [F.: *invaginar* + *-ção.*]

invaginante (in.va.gi.*nan*.te) ***a2g.*** 1 *Bot.* Diz-se de folha cuja bainha envolve o caule, como a folha do milho 2 *Cir.* Em que as bordas da ferida ficam voltadas para dentro da incisão (sutura invaginante) [F.: *invaginar* + *-nte.*]

invaginar (in.va.gi.*nar*) ***v. td.*** 1 Unir(-se) por meio de invaginação 2 *Cir.* Fazer invaginação em [▶ 1 invaginar] [F.: *in-*^{1} + *vagina* + *-ar*^{2}.]

invalidação (in.va.li.da.*ção*) ***sf.*** Ação ou resultado de invalidar ou de ficar invalidado; ANULAÇÃO [Ant.: *validação.*] [Pl.: *-ções.*] [F.: *invalidar* + *-ção.*]

invalidade (in.va.li.*da*.de) ***sf.*** Falta de validade (invalidade do matrimônio/ do voto/ do contrato); NULIDADE: "A invalidade do instrumento não induz a do negócio jurídico sempre que este puder provar-se por outro meio." (*Código Civil*, Parte Geral Livro III, art. 183) [Ant.: *validade.*] [F.: *in-*^{2} + *validade.*]

invalidado (in.va.li.*da*.do) ***a.*** Que se invalidou, que se tornou nulo; ANULADO [F.: Part. de *invalidar.*]

invalidar (in.va.li.*dar*) ***v.*** 1 Tirar ou perder a validade; tornar(-se) nulo; ANULAR(-SE) [***td.***: *Invalidar uma eleição.*] [***int.***: *O contrato já se invalidou.*] 2 Tornar(-se) inapto ou inválido [***td.***: *A doença o invalidou.*] [***int.***: *Invalidou-se no desastre.*] 3 Fazer perder a credibilidade [***td.***: *As notícias sensacionalistas invalidaram o jornal.*] [▶ 1 invalidar] [F.: *inválido* + *-ar*^{2}. Hom./Par.: *invalida* (fl.), *inválida* (fem. de *inválido* [a. sm.]); *invalidas* (fl.), *inválidas* (pl. do fem.); *invalido* (fl.), *inválido* (a. sm.).]

invalidez (in.va.li.*dez*) ***sf.*** 1 Caráter, condição ou estado de inválido 2 Estado ou condição de pessoa impossibilitada permanentemente de exercer atividade profissional, por questões físicas ou mentais [F.: *inválido* + *-ez.*]

inválido (in.*vá*.li.do) ***a.*** 1 Sem valor, nulo; sem validade (contrato inválido; bilhete inválido; ingresso inválido) [Ant.: *válido.*] 2 Que não está apto, por questões de saúde, ao trabalho (diz-se de indivíduo) 3 Portador de algum defeito físico ou mental 4 Que perdeu o vigor físico ou moral ***sm.*** 5 Aquele que está temporária ou permanentemente inválido (2 e 3) [F.: Do lat. *invalidus, a, um.* Hom./Par.: *inválido* (a. sm.), *invalido* (fl. de *invalidar*); *inválida* (fem.), *invalida* (fl. de *invalidar*).]

invariabilidade (in.va.ri.a.bi.li.*da*.de) ***sf.*** Qualidade do que é invariável; IMUTABILIDADE [Ant.: *variabilidade.*] [F.: *invariável* (sob a f. *invariabil-*) + *-(i)dade*, seg. o mod. erudito.]

invariância (in.va.ri:*ân*.ci:a) ***sf.*** 1 Invariabilidade 2 *Fís.* Propriedade que tem uma grandeza física de permanecer inalterada em meio às transformações de um sistema [F.: *in-*^{2} + *variância.*]

invariante (in.va.ri.*an*.te) ***a2g.*** 1 Que não varia 2 *Fís.* Diz-se de uma grandeza ou de uma variável física que apresenta invariância (2) 3 *Mat.* Diz-se de uma função de coeficientes que não varia ***s2g.*** 4 *Fís.* Grandeza ou variável física que apresenta invariância (2) 5 *Mat.* Função invariante (3) [F.: *in-*^{2} + *variante.*]

invariável (in.va.ri.*á*.vel) ***a2g.*** 1 Que não varia, que é sempre igual; IMUTÁVEL 2 Firme, constante 3 *Gram.* Diz-se do vocábulo que não tem flexão de feminino, plural ou pessoa (p. ex.: a preposição, a interjeição) [Pl.: *-veis.*] [F.: *in-*^{2} + *variável.* Ant. ger.: *variável.*]

invasão (in.va.*são*) ***sf.*** 1 Ação ou resultado de invadir 2 *Fig.* Intromissão desrespeitosa na vida de outrem: "Precisava ter a cabeça fria. Aquela invasão brusca e amistosa só vinha perturbá-lo..." (Aníbal Machado, "O iniciado do vento" *in Histórias reunidas*) **3** *Bras.* Ocupação ilegal de propriedade particular: *A cada dia surgem novas invasões.* **4** *BA* Favela **5** *Fig.* Difusão súbita e geral (invasão de estrangeirismos) **6** *Esp.* No vôlei, infração cometida pelo jogador que invade o campo adversário sobre a rede [Pl.: *-sões.*] [F.: Do lat. *invasio, onis.*]

invasivo (in.va.*si*.vo) *a.* **1** Caracterizado por invasão, em que há invasão (guerra invasiva); HOSTIL **2** Que tende a se alastrar e invadir áreas vizinhas (p. ex. ervas daninhas, tumores etc.) **3** *Med.* Em que há penetração, invasão de um organismo por um instrumento: *A angioplastia é um procedimento médico invasivo.* **4** Que desrespeita a privacidade de outrem [F.: Do lat. medv. *invasivu.*]

invasor (in.va.*sor*) [ô] *a.* **1** Que invade (tropa invasora; insetos invasores) *sm.* **2** Aquele que invade [F.: Do lat. *invasor, oris.*]

invectiva (in.vec.*ti*.va) *sf.* Discurso veemente, injurioso, contra algo ou alguém; INSULTO; OFENSA [F.: Fem. substv. de *invectivo.*]

invectivar (in.vec.ti.*var*) *v.* Atacar com invectiva(s) (algo ou alguém) [*td.*: *invectivar um adversário.*] [*tr.* + *contra*: *Invectivou longo tempo contra o projeto.*] [▶ **1** invectivar] [F.: *invectiva* + *-ar*^{2}. Hom./Par.: *invectiva* (fl.), *invectiva* (sf.); *invectivas* (fl.), *invectivas* (pl. do sf.); *invectivo* (fl.), *invectivo* (a.).]

invectivo (in.vec.*ti*.vo) *a.* **1** Que tem o caráter de invectiva; concernente a invectiva; INJURIOSO; INSULTUOSO **2** Que expressa, manifesta ou profere invectiva(s); INJURIOSO; INSULTUOSO: "Não seja brincalhão e invectivo, tampouco tristonho e melancólico – senão [simplesmente] alegre." (*Leis do Comportamento da Torá*, Cap. 2, 13) **3** Agressivo, hostil [F.: Do lat. *invectivus, a, um.* Hom./Par.: *invectivo* (a.), *invectivo* (fl. de *invectivar*).]

invedável (in.ve.*dá*.vel) *a2g.* Que não se pode vedar [Ant.: *vedável*] [Pl.: *-veis.*] [F.: *in-*^{2} + *vedável.*]

inveja (in.*ve*.ja) *sf.* **1** Misto de desgosto e ódio provocado pelo sucesso ou pelas posses de outrem **2** Desejo intenso de possuir os bens de alguém ou de usufruir sua felicidade: "Maria via tudo aquilo embasbacada (...) examinando com inveja cada objeto que seus olhos deparavam..." (Adolfo Caminha, *A normalista*) **3** A coisa que é objeto de inveja: *Sua casa de veraneio era a inveja de todos.* [F.: Do lat. *invidia, ae*, por via popular. Hom./Par.: *inveja* (sf.), *inveja* (fl. de *invejar*).] ▪ **~ do pênis** *Psic.* Na psicanálise freudiana, sentimento experimentado por meninas ao constatarem que os meninos têm pênis e elas não, o que é interpretado como uma lesão e redunda no desejo de ter um pênis dentro de si (o pênis do parceiro sexual, um filho) **Matar de ~** Causar grande inveja a **Morrer de ~** Sentir grande inveja **Ter/sentir ~ (de)** Invejar

invejado (in.ve.*ja*.do) *a.* **1** Que é objeto de inveja **2** Que é sumamente apreciado [F.: Part. de *invejar.*]

invejar (in.ve.*jar*) *v. td.* **1** Ter inveja de (alguém): *invejar os pais, o amigo, o vizinho.* **2** Cobiçar (o que é de outrem): *Sempre invejou o trabalho de seu irmão.* [▶ **1** invejar] [F.: *inveja* + *-ar*^{2}. Hom./Par.: *inveja* (fl.), *inveja* (sf.); *invejas* (fl.), *invejas* (pl. do sf.); *invejáveis* (fl.), *invejáveis* (pl. de *invejável* [a2g.]).]

invejável (in.ve.*já*.vel) *a2g.* **1** Digno de invejar-se **2** Precioso, apreciável [Pl.: *-veis.*] [F.: *invejar* + *-vel.* Hom./Par.: *invejáveis* (pl.), *invejáveis* (fl. de *invejar*).]

invejoso (in.ve.*jo*.so) [ô] *a.* **1** Que sente ou demonstra inveja (menina invejosa; olhares invejosos) [Pl.: [ó]. Fem.: [ó].] *sm.* **2** Aquele que sente ou é dado a sentir inveja [Pl.: [ó]. Fem.: [ó].] [F.: Do lat. *invidiosus, a, um.*]

invenal (in.ve.*nal*) *a2g.* **1** Que não é venal, que não se vende **2** Que não se deixa corromper ou subornar; HONESTO; INSUBORNÁVEL [F.: Do lat. *invenalis, e.*]

invenção (in.ven.*ção*) *sf.* **1** Ação ou resultado de inventar, de criar, de engendrar (algo); CRIAÇÃO: *a invenção do avião.* **2** Habilidade de inventar; CRIATIVIDADE; INVENTIVIDADE **3** Ficção, mentira, invencionice: *Tudo que se diz dele são invenções.* **4** A coisa inventada; INVENTO: *A roda foi uma grande invenção.* **5** *Mús.* Pequena peça instrumental composta em estilo de contraponto **6** *Jur.* Ato de achar coisa alheia perdida por seu possuidor **7** *Litu.* Achado, descoberta (esp. de relíquia) [Pl.: *-ções.*] [F.: Do lat. *inventio, onis.*]

invencibilidade (in.ven.ci.bi.li.*da*.de) *sf.* Qualidade do que é invencível [F.: *invencível* (sob a f. *invencibil-*) + *-(i)dade*, seg. o mod. erudito.]

invencionice (in.ven.ci:o.*ni*.ce) *sf.* Mentira, embuste, intriga [F.: *invenção* (sob a f. *invencion-*) + *-ice*, seg. o mod. erudito.]

invencível (in.ven.*cí*.vel) *a2g.* **1** Que não pode ser vencido (dificuldades invencíveis); INSUPERÁVEL: "...Esperava também que não me deixassem morrer de fome, na repugnância invencível à boia sórdida exposta sobre as tábuas negras dos cavaletes..." (Graciliano Ramos, *Memórias do cárcere*) [Ant.: *vencível.*] **2** Que não pode ser levado a cabo (tarefa invencível); IMPRATICÁVEL **3** Indomável, irresistível (sono invencível) **4** Irremediável, irreparável (ignorância invencível) [Pl.: *-veis.*] [F.: Do lat. *invincibilis, e.*]

invendável (in.ven.*dá*.vel) *a2g.* Que não é fácil de vender: *Casacos de pele são invendáveis no Rio de Janeiro.* [Ant.: *vendável.*] [Pl.: *-veis.*] [F.: *in-*^{2} + *vendável.*]

invendível (in.ven.*dí*.vel) *a2g.* Que não se pode ou não se deve vender: *A honestidade é invendível.* [Ant.: *vendível.*] [Pl.: *-veis.*] [F.: Do lat. *invendibilis, e.*]

inventar (in.ven.*tar*) *v.* **1** Criar, descobrir (algo novo) [*td.*: *inventar a lâmpada, o motor a explosão.*] **2** Imaginar (algo irreal); FANTASIAR [*td.*: *As crianças inventam mundos fabulosos.*] [*int.*: *Faça como manda o figurino, não invente.*] **3** Pretextar ou divulgar como verdadeiro (o que não o é); MENTIR [*td.*: *inventar problemas.*] [*tdr.* + *para*: *Inventou para o chefe uma doença.*] [*int.*: *É impossível confiar em quem vive inventando.*] **4** Insistir em fazer (algo); tomar uma resolução; CISMAR; DECIDIR [*tr.* + *de*: *Logo hoje, com o tempo ruim, inventaram de ir à praia.*] **5** Conceber, elaborar mentalmente (algo); ARQUITETAR [*td.*: *Ele sempre inventa um modo de enganar a mulher.*] **6** Encontrar (algo que se busca) [*td.*: *inventar um nome para uma peça teatral.*] [▶ **1** inventar] [F.: Do lat. *inventum*, 'invenção', + *-ar*^{2}. Hom./Par.: *invento* (fl.), *invento* (sm.); *inventáveis* (fl.), *inventáveis* (pl. de *inventável* [a2g.]).]

inventariado (in.ven.ta.ri.*a*.do) *a.* **1** Que se inventariou, que foi sujeito a inventário *sm.* **2** Aquele cujos bens foram descritos no inventário [F.: Part. de *inventariar.*]

inventariante (in.ven.ta.ri:*an*.te) *a2g.* **1** Que faz inventário *s2g.* **2** Aquele ou aquela que faz inventário **3** *Jur.* Pessoa nomeada pelo juiz para arrolar e administrar uma herança [F.: *inventariar* + *-nte.*]

inventariar (in.ven.ta.ri.*ar*) *v. td.* **1** *Jur.* Fazer o inventário ou a relação de: *inventariar os bens do falecido.* **2** Catalogar, listar (coisas, pessoas etc.): *Inventariava as empresas a que poderia pedir auxílio.* **3** *P. ext. Fig.* Relatar, enumerar minuciosamente: *Sentaram em roda e começaram a inventariar suas impressões da viagem.* [▶ **1** inventariar] [F.: *inventário* + *-ar*^{2}. Hom./Par.: *inventario* (fl.), *inventário* (sm.).]

inventário (in.ven.*tá*.ri:o) *sm.* **1** Relação dos bens deixados por alguém que morreu **2** *Jur.* Ação de pôr em inventário esses bens, para sua posterior partilha entre os herdeiros e sucessores do falecido **3** Lista discriminada de mercadorias, bens etc. **4** Descrição minuciosa de algo: *Passou ao amigo o inventário de suas paixões.* **5** *Com.* Levantamento do ativo e do passivo de uma empresa comercial [F.: Do lat. *inventarium, ii.* Hom./Par.: *inventário* (sm.), *inventario* (fl. de *inventariar*).] ▪ **~ cultural** Levantamento sistemático e arrolamento dos bens culturais de certa cultura, visando a conhecê-los e preservá-los

inventável (in.ven.*tá*.vel) *a2g.* Que se pode inventar: "... Grandeza inventada e inventável, e indomável, o tempo. Porque não era contado, não passava." (Simone Paterman, *Paixão náufraga*) [Pl.: *-veis.*] [F.: *inventar* + *-vel.* Hom./Par.: *inventáveis* (pl.), *inventáveis* (fl.).]

inventiva (in.ven.*ti*.va) *sf.* **1** Talento para inventar ou criar; poder inventivo; INVENÇÃO; INVENTIVIDADE **2** Ação ou resultado de inventar [F.: Fem. substv. de *inventivo.*]

inventividade (in.ven.ti.vi.*da*.de) *sf.* Caráter ou qualidade de inventivo; CRIATIVIDADE; INVENTIVA [F.: *inventivo* + *-(i)dade.*]

inventivo (in.ven.*ti*.vo) *a.* **1** Engenhoso, dotado de invenção (artista inventivo) **2** Que denota engenho, que indica uma brilhante imaginação (solução inventiva) [F.: *inventar* + *-ivo.* Sin. ger.: *criativo.*]

invento (in.*ven*.to) *sm.* **1** Ação ou resultado de inventar; INVENÇÃO **2** Objeto da invenção de alguém; coisa inventada; INVENÇÃO [F.: Do lat. *inventum, i.* Hom./Par.: *invento* (sm.), *invento* (fl. de *inventar*).]

inventor (in.ven.*tor*) [ô] *sm.* **1** Aquele que inventa, que cria algo novo **2** Autor de invenções importantes (científicas, técnicas etc.) **3** *Jur.* Aquele que acha coisa alheia perdida e tem a obrigação de devolvê-la **4** *Pop. Pej.* Aquele que inventa falsidades, que mente *a.* **5** Que inventa; INVENTIVO [F.: Do lat. *inventor, oris.*]

inveracidade (in.ve.ra.ci.*da*.de) *sf.* Falta de veracidade; INVERDADE: *Comprovada a inveracidade de qualquer informação, o estudante não poderá concorrer à bolsa.* [Ant.: *veracidade.*] [F.: *in-*^{2} + *veracidade.*]

inveraz (in.ve.*raz*) *a2g.* Não veraz, não verdadeiro; INVERÍDICO: "Um fato confessado pode vir a ser demonstrado inveraz, ou mesmo pode o juiz desconsiderar a confissão, se entender inverossímil o fato confessado." (André Wagner Melgaço Reis & Fabrício Muniz Sabage, *Confissão no processo civil*) [Ant.: *veraz.*] [F.: *in-*^{2} + *veraz.*]

⊕ ***in verbis*** (*Lat.* /in verbis/) *loc. adv.* Textualmente; nestes termos

inverdade (in.ver.*da*.de) *sf.* Ausência de verdade; FALSIDADE; MENTIRA [F.: *in-*^{2} + *verdade.*]

inverídico (in.ve.*rí*.di.co) *a.* Que não é verídico, exato; que não diz a verdade (depoimento inverídico) [F.: *in-*^{2} + *verídico.*]

inverificável (in.ve.ri.fi.*cá*.vel) *a2g.* Que não se pode verificar; INAVERIGUÁVEL [Ant.: *verificável.*] [Pl.: *-veis.*] [F.: *in-*^{2} + *verificável.*]

invernação (in.ver.na.*ção*) *Bras. S. sf.* Ação de invernar (o gado); INVERNAGEM [Pl.: *-ções.*] [F.: *invernar* + *-ção.*]

invernada (in.ver.*na*.da) *sf.* **1** Inverno rigoroso; INVERNIA **2** Longa duração de mau tempo, com frio, neve, vento, como no inverno **3** *Bras.* Chuvas prolongadas durante a estação impropriamente chamada de inverno no Norte e no Nordeste [F.: Fem. substv. de *invernado.*]

invernagem (in.ver.*na*.gem.) *sf.* **1** *RS* Encerramento do gado na invernada para engordar, para alguma criação especial etc.: "As fazendas dos Campos Gerais estavam (...) envolvidas com o criatório e a invernagem do gado trazido do sul." ("Dicionário Histórico e Geográfico dos Campos Gerais") **2** Temporada hibernal: "...Klink falará de suas experiências náuticas e de seus diversos projetos, entre eles (...) a invernagem polar..." (Notícias do Minc, "Seminário de Patrimônio Naval") [F.: *invernar* + *-agem*^{2}.]

invernal (in.ver.*nal*) *a2g.* Ref. a inverno; HIBERNAL [Pl.: *-nais.*] [F.: *inverno* + *-al*^{1}.]

invernar (in.ver.*nar*) *v.* **1** Passar o inverno [*ta.*: *invernar no sul do país.*] **2** Passar o inverno em local adequado, para escapar aos rigores do frio [*int.*: *Os ursos invernam.*] **3** Fazer inverno ou mau tempo [*int.*: *Começou a invernar.*] **4** *Bras. S.* Colocar em lugar próprio (o gado) na invernada [*td.*: *É fundamental invernar os animais.*] [*int.*: *O gado necessita de cuidados após invernar.*] **5** *Bras. S.* Dedicar-se a invernar animais [*int.*] **6** *Bras. S. Fig.* Permanecer em algum lugar mais do que o devido [*ta.*: *Prometeu chegar cedo, mas invernou na casa dos primos.*] [▶ **1** invernar] [F.: *inverno* + *-ar*^{2}. Hom./Par.: *inverno* (fl.), *inverno* (sm.).]

invernia (in.ver.*ni*.a) *sf.* **1** Invernada (1) **2** Tempo chuvoso e frio como o do inverno [F.: *inverno* + *-ia*^{1}.]

invernista (in.ver.*nis*.ta) *s2g. Bras. S.* Aquele que se dedica a invernar animais para engorda; INVERNADOR [F.: *inverno* + *-ista.*]

inverno (in.*ver*.no) *sm.* **1** Estação mais fria do ano, entre o outono e a primavera [No hemisfério Sul (que inclui o Brasil), inicia-se em 21 de junho e termina em 22 de setembro; no hemisfério Norte, tem início em 21 de dezembro e termina em 20 de março.] **2** Tempo frio; INVERNIA **3** *Bras. N.NE.* A estação chuvosa, ger. no verão e no outono **4** *Fig.* Velhice, última fase da vida [F.: Do lat. *hibernus.* Hom./Par.: *inverno* (sm.), *inverno* (fl. de *invernar*).]

invernoso (in.ver.*no*.so) [ô] *a.* Ref. a ou próprio de inverno; HIBERNAL [Pl.: [ó]. Fem.: [ó].] [F.: *inverno* + *-oso.*]

inverossímil (in.ve.ros.*sí*.mil) *a2g.* **1** Que não parece ser verdadeiro ou em que não se pode acreditar: "...Achava a suspeita sem fundamento, absurda, inverossímil..." (Machado de Assis, *Quincas Borba*) [Ant.: *verossímil.*] [Pl.: *-meis.* Superl.: *inverossimílimo, inverissimílimo.*] *sm.* **2** Aquilo que é inverossímil [Pl.: *-meis.*] [F.: *in-*^{2} + *verossímil.*]

inverossimilhança (in.ve.ros.si.mi.*lhan*.ça) *sf.* Qualidade ou condição de inverossímil: "...E querendo levar a minha infâmia até à inverossimilhança, declararam (...) que eu era bexigoso..." (Camilo Castelo Branco, *Ecos humorísticos*) [Ant.: *verossimilhança.*] [F.: *in-*^{2} + *verossimilhança.*]

inverossimílimo (in.ve.ros.si.*mí*.li.mo) *a.* Superlativo abs. sint. de *inverossímil* [F.: *inverossímil* + *-imo.*]

inversa (in.*ver*.sa) *sf. Mat.* Proposição inversa ou cujos termos estão invertidos: *Para existência da inversa de uma matriz é necessário que a matriz seja quadrada e seu determinante diferente de zero.* [F.: Fem. substv. de *inverso.*]

inversão (in.ver.*são*) *sf.* **1** Ação ou resultado de inverter(-se), de mudar(-se) a ordem, direção, condição ou prioridade **2** *Ling.* Mudança da ordem usual ou direta das partes de uma frase (p. ex.: *"A chuva, manda Deus que caia sobre justos e injustos"* ao invés de *"Deus manda que a chuva caia sobre justos e injustos"*) **3** *Econ.* Aplicação de dinheiro com objetivo de ganho; INVESTIMENTO **4** Homossexualismo **5** *Anat.* Localização de uma víscera do lado contrário ao normal **6** *Elet.* Conversão de corrente unidirecional em corrente alternada [Pl.: *-sões.*] [F.: Do lat. *inversio, onis.*] ▪ **~ brasileira** *Bras. Hist.* Período (entre 1808 a 1821) no qual o Brasil passou de colônia a metrópole, graças à permanência no país da família real portuguesa **~ cromossômica** *Gen.* Inversão na posição de um fragmento de cromossomo, que se desliga, gira sobre si mesmo 180° e torna a se ligar **~ em seu contrário** *Psi.* Inversão de uma tendência psíquica quando passa da passividade à atividade, ou vice-versa [Ex.: depressão x mania; masoquismo x sadismo.] **~ térmica** *Met.* Fenômeno no qual, ao invés de as camadas superiores de ar na atmosfera serem as menos quentes, uma camada de ar quente se sobrepõe ao ar frio, o que forma uma barreira fria que impede que os poluentes na camada mais baixa do ar sejam carregados para cima acompanhando o ar quente, menos denso, que sobe

inversivo (in.ver.*si*.vo) *a.* Que inverte ou em que há inversão [F.: *inverso* + *-ivo.*]

inverso (in.*ver*.so) *a.* **1** Que está em sentido oposto ou contrário a determinada ordem ou direção natural ou anteriormente mencionada; INVERTIDO: *Tomou o caminho inverso.* **2** Oposto, contrário, diferente em tudo: *As medidas tiveram efeito inverso do esperado.* **3** *Lóg.* Diz-se da proposição cujos termos estão invertidos em relação aos de outra proposição **4** *Ling.* Diz-se da ordem contrária à direta *sm.* **5** O oposto, o contrário: *Fez justamente o inverso do que lhe recomendaram.* **6** O avesso de algo; o lado que não está destinado a ser visto [F.: Do lat. *inversus, a, um.*] ▪ **~ aditivo** *Mat.* Inverso na operação de adição; simétrico

inversor (in.ver.*sor*) [ô] *a.* **1** Que inverte; INVERSIVO *sm.* **2** O que inverte **3** *Elet.* Aparelho ou dispositivo que transforma corrente contínua em alternada **4** *Eletrôn.* Amplificador que inverte a polaridade do sinal de entrada [F.: *inverso* + *-or.*]

invertebrado (in.ver.te.*bra*.do) *a.* **1** Diz-se de animal desprovido de coluna vertebral, como os insetos, os crustáceos, os moluscos etc. **2** *Fig.* Que não apresenta traços característicos *sm.* **3** Animal invertebrado [F.: Do lat. cient. *invertebratus.* Cf.: *vertebrado.*]

inverter (in.ver.*ter*) *v.* **1** Pôr(-se) em ordem ou sentido contrários [*td.*: *Inverter a mão de uma rua.*] [*int.*: *A placa inverteu-se com o vento.*] **2** Alterar ou transtornar [*td.*: *Inverter papéis sociais.*] [*int.*: *Aqui os valores inverteram-se.*] **3** Investir (capitais) [*tdr.* + *em*: *Inverteu boa soma* *na produção do filme.*] **4** Alterar, trocar [**td.**: *Inverteu a posição das poltronas.*] **5** *Mús.* Colocar (frase melódica) na direção contrária à original [**td.**] [▶ 2 inverter] [F.: Do v.lat. *invertere.*]

invertido (in.ver.*ti*.do) ***a.*** **1** Que se inverteu, que se colocou em uma posição contrária à habitual, à natural ou à anterior; INVERSO **2** Que tem relações sexuais com pessoa do mesmo sexo; HOMOSSEXUAL ***sm.*** **3** Indivíduo invertido (2); HOMOSSEXUAL [F.: Part. de *inverter.*]

invés (in.*vés*) ***sm.*** Lado oposto, contrário [Us. nas locuções *ao invés* e *ao invés de.*] [F.: Do lat. *inversum.* Cf.: *em vez de.*] **■ Ao ~ (de)** Ao contrário (de): *Devia sair correndo mas, ao invés, ficou parado; e ao invés de um prêmio, ganhou uma bronca por isso.*

investida (in.ves.*ti*.da) ***sf.*** **1** Ação ou resultado de investir, atacar, arremeter **2** Tentativa, ensaio: *Bom contista, fez algumas investidas na poesia.* **3** Abordagem persuasiva: *As investidas junto ao chefe não resultaram em aumento.* **4** Brincadeira, motejo [F.: *investir* + *-ida*².]

investido (in.ves.*ti*.do) ***a.*** **1** Que (se) investiu **2** Aplicado ou posto para render (capital investido) **3** Que recebeu investidura; empossado, posto de posse: *Servidor investido em mandato eletivo há somente dois meses.* **4** Atacado, acometido, tomado de assalto [F.: Part. de *investir.*]

investidor (in.ves.ti.*dor*) [ô] ***a.*** **1** Que investe ***sm.*** **2** Aquele que investe **3** *Econ.* Agente ou instituição que realiza investimentos financeiros [F.: *investir* + *-dor.*]

investidura (in.ves.ti.*du*.ra) ***sf.*** **1** Ação ou resultado de investir, de dar posse a alguém em algum cargo **2** A cerimônia em que se realiza esse ato [F.: *investir* + *-dura.*]

investigação (in.ves.ti.ga.*ção*) ***sf.*** **1** Ação ou resultado de investigar **2** Averiguação, inquirição, apuração (investigações policiais) **3** Estudo metódico sobre tema científico, artístico etc.; PESQUISA [Pl.: *-ções.*] [F.: Do lat. *investigatio, onis.*]

investigado (in.ves.ti.*ga*.do) ***a.*** **1** Submetido a investigação **2** Que diz respeito ao indivíduo que passa por processo de investigação ***sm.*** **3** O indivíduo que se investiga [F.: Part. de *investigar.*]

investigador (in.ves.ti.ga.*dor*) [ô.] ***a.*** **1** Que investiga; INVESTIGANTE ***sm.*** **2** Aquele que investiga **3** *Bras.* Agente de polícia [F.: Do lat. *investigator, oris.*]

investigar (in.ves.ti.*gar*) ***v. td.*** **1** Buscar desvendar; fazer diligência para descobrir; INQUIRIR: *investigar o sumiço das joias.* **2** Buscar descobrir (algo) por meio de exame e observação; PESQUISAR: *investigar um tratamento, a causa de uma doença.* **3** Seguir a pista de: *investigar um suspeito.* **4** Observar atentamente; ESQUADRINHAR: "Investigando com seu olhar de marinheiro o espaço." (Pedro Ivo, *Contos*) [▶ 14 investigar] [F.: Do v.lat. *investigare.*]

investigativo (in.ves.ti.ga.*ti*.vo) ***a.*** **1** Que investiga, que examina minuciosamente (olhar/jornalismo investigativo) **2** Próprio para investigar (método investigativo) [F.: *investigar* + *-tivo.*]

investigável (in.ves.ti.*gá*.vel) ***a2g.*** Que pode ou merece ser investigado [Pl.: *-ções.*] [F.: Do lat. *investigabilis, e.* Hom./Par.: *investigáveis* (pl.), *investigáveis* (fl. de *investigar*).]

investimento (in.ves.ti.*men*.to) ***sm.*** **1** *Econ.* Ação ou resultado de investir, de aplicar capital ou recursos: *A fábrica fez um grande investimento na linha de produção.* **2** *Econ.* Aplicação de dinheiro com a intenção de obter lucros futuros (investimento em ações) **3** O dinheiro assim aplicado **4** *Fig.* Aplicação de esforço, recurso, tempo etc., a fim de atingir algum objetivo **5** *Psic.* Catexia [F.: *investir* + *-mento.*] **■ ~ bruto** *Econ.* O total de todos os gastos de uma empresa, num certo período, com bens de capital, máquinas e instalações, formação de estoques etc. **~ líquido** *Econ.* O investimento bruto, excluindo gastos com reposição e manutenção de máquinas e equipamentos

investir (in.ves.*tir*) ***v.*** **1** Lançar-se subitamente; ATACAR; ACOMETER [**td.**: *Investiram a fortaleza.*] [**tr.** + *contra*: *Investiu ferozmente contra o invasor.*] [**int.**: *Ao cair da noite, toda a infantaria investira.*] **2** Empatar capital (ou recursos, tempo, esforço.) [**tr.** + *em*: *Passou a investir na criação de búfalos.*] [**tdr.** + *em*: *Investiu toda a sua saúde naquela pesquisa.*] **3** Nomear, empossar [**tdp.**: *Investiram-no imperador.*] [**tdr.** + *em*: *A diretoria o investiu na presidência.*] **4** Conferir, revestir, emprestar [**tdr.** + *de*: *A farda investia-nos de poder.*] **5** Armar-se, dotar-se [**tdr.** + *de*: *Investiu-se de muito humor para suportar a reunião.*] **6** *Psic.* Vincular (certa energia psíquica) a uma pessoa, a uma representação, parte do corpo etc. [▶ 50 investir] [F.: Do lat. *investire.*]

inveterado (in.ve.te.*ra*.do) ***a.*** **1** Muito antigo (inimigos inveterados) **2** Muito arraigado, entranhado (hábitos inveterados) **3** Diz-se de quem tem determinado hábito, vício ou comportamento inveterado (2) (leitora inveterada; bêbado inveterado) [F.: Do lat. *inveteratus, a, um.*]

inveterar (in.ve.te.*rar*) ***v.*** **1** Tornar velho, antigo, antiquado [**td.**] **2** Fixar (algo) com o passar do tempo; arraigar-se com o tempo [**tdr.** + *em*: *Aqueles castigos inveteraram nos rapazes um grande horror à violência.*] [F.: Do v.lat. *inveterare.*]

inviabilidade (in.vi:a.bi.li.*da*.de) ***sf.*** Qualidade ou característica do que é inviável [F.: *inviável*, sob a f. *inviabil-*, + *-(i)dade*, seg. o mod. erudito.]

inviabilização (in.vi:a.bi.li.za.*ção*) ***sf.*** Ação ou resultado de inviabilizar [Ant.: *viabilização.*] [Pl.: *-ções.*] [F.: *inviabilizar* + *-ção.*]

inviabilizado (in.vi:a.bi.li.*za*.do) ***a.*** Que se tornou inviável: "Roraima, explicou [o gen. Lessa], é um estado inviabilizado economicamente..." ("General Lessa" *in General Lessa discutiu Amazônia no PDT*) [F.: Part. de *inviabilizar.*]

inviabilizar (in.vi:a.bi.li.*zar*) ***v. td.*** Tornar(-se) inviável, irrealizável: *Tanto fizeram que inviabilizaram o projeto.* [▶ 1 inviabilizar] [F.: *in-*² + *viabilizar.*]

inviável (in.vi.*á*.vel) ***a2g.*** **1** Que não é viável, que não pode ser realizado (tarefa inviável); INEXEQUÍVEL **2** Diz-se de qualquer local por onde não se pode passar; INTRANSITÁVEL: *Com as chuvas, aquela estrada ficou inviável.* [Pl.: *-veis.*] [F.: *in-*² + *viável.*]

invicto (in.*vic*.to) ***a.*** **1** Que não foi vencido (time invicto) **2** Que não se pode ou não se consegue vencer; INVENCÍVEL [F.: Do lat. *invictus, a, um.* Hom./Par.: *invicto* (a.), *invito* (fl. de *invitar*).]

invídia (in.*ví*.di:a) ***sf.*** O mesmo que *inveja*: "...Há ainda o ciúme doentio, o ódio injustificado, a libido profana, a invídia estimulante, a desazada ingratidão." (Júlio Tanga, *Tanga, Asciata e outras coisas*) [F.: Do lat. *invidia, ae*, por via erudita.]

invigilância (in.vi.gi.*lân*.ci:a) ***sf.*** Falta de vigilância; desmazelo, descuido ou negligência de quem está encarregado de vigiar [Ant.: *vigilância.*] [F.: *in-*² + *vigilância.*]

invigilante (in.vi.gi.*lan*.te) ***a2g.*** **1** Não vigilante, sem vigilância **2** Que não vigia zelosamente; IMPRUDENTE ***sm.*** **3** Aquele que se descuida, por negligência, da vigilância [F.: *in-*² + *vigilante.*]

ínvio (*ín*.vi:o) ***a.*** **1** Em que não existem caminhos (matas ínvias) **2** Em que não se pode passar, transitar (diz-se de caminho, estrada etc.) [F.: Do lat. *invius, a, um.* Sin. ger.: *intransitável, impérvio.*]

inviolabilidade (in.vi.o.la.bi.li.*da*.de) ***sf.*** **1** Qualidade ou característica do que é inviolável (inviolabilidade da correspondência) **2** Prerrogativa que põe certas pessoas (diplomatas, parlamentares) acima da ação da justiça; IMUNIDADE [F.: *inviolável*, sob a f. *inviolabil-*, + *-(i)dade*, seg. o mod. erudito.]

inviolado (in.vi:o.*la*.do) ***a.*** Que não foi violado; INTACTO; ÍNTEGRO [F.: Do lat. *inviolatus, a, um.*]

inviolável (in.vi:o.*lá*.vel) ***a2g.*** **1** Que não pode ou não deve ser violado (segredo inviolável; cofre inviolável) **2** *Jur.* Que goza da prerrogativa de não estar sujeito à ação da justiça [Pl.: *-veis.*] [F.: Do lat. *inviolabilis, e.*]

inviril (in.vi.*ril*) ***a2g.*** **1** Sem virilidade, sem vigor, sem energia **2** Falto de masculinidade; EFEMINADO [Ant.: *viril.*] [Pl.: *-ris.*] [F.: *in-*² + *viril.*]

invirtuoso (in.vir.tu:*o*.so) [ô] ***a.*** Não virtuoso; DESVIRTUOSO [Pl.: [ó]. Fem.: [ó].] [F.: *in-*² + *virtuoso.*]

invisceração (in.vis.ce.ra.*ção*) ***sf.*** Ação de inviscerar; ENRAIZAMENTO: "O importante é que esse grupo tenha uma inserção: um pé na esfera política (...) e outro pé na esfera eclesial (...) Há, pois, aí uma dupla invisceração... uma política e outra eclesial." (Clodovis Boff, *Os cristãos e a questão partidária*) [Pl.: *-ções.*] [F.: Do lat. *invisceratio, onis.*]

inviscerar (in.vis.ce.*rar*) ***v. td.*** Inserir (alguma coisa) nas vísceras; ENTRANHAR [▶ 1 inviscerar] [F.: Do v.lat. *inviscerare.*]

invisibilidade (in.vi.si.bi.li.*da*.de) ***sf.*** Qualidade, característica ou condição do que é invisível [Ant.: *visibilidade.*] [F.: Do lat. *invisibilitas, atis.*]

invisível (in.vi.*sí*.vel) ***a2g.*** **1** Que não pode ser visto (por sua própria natureza) ou que é muito difícil de ver (por ser minúsculo, pelo contexto etc.) (tinta invisível; átomos invisíveis) [Ant.: *visível.*] **2** De que não se tem conhecimento real (ameaça invisível) **3** *Fig.* Que se esconde, que não quer ser visto: *Ultimamente a atriz tem estado invisível.* [Pl.: *-veis.*] ***sm.*** **4** O que é invisível (1) [Ant.: *visível.*] **5** *Bras. N.N.E.* Grampo minúsculo ou rede muito fina, us. para prender os cabelos [Pl.: *-veis.*] [F.: Do lat. *invisibilis, e.*]

inviso (in.*vi*.so) ***a.*** **1** Invisível, não visto: "...até Deus mesmo, inviso como os panoramas íntimos do coração, mas presente ao céu e à terra..." (Rui Barbosa, *Oração aos moços*) **2** Nunca antes visto **3** Aborrecido, entediante [F.: Do lat. *invisus, a, um.*]

invite (in.*vi*.te) ***sm.*** **1** *P. us.* Ato de convidar; CONVITE **2** Ação de duplicar valor de aposta em jogo [F.: Dev. de *invitar.* Hom./Par.: *invite* (sm.), *invite* (fl. de *invitar*).] **■ De ~** Por desafio, repto, provocação

⊕ **in vitro** (*Lat. /in vítru/*) ***loc. adv.*** *Med.* Que ocorre em meio artificial, p. ex. em um tubo de ensaio, e pode ser observado (fertilização in vitro) [F.: prep. *in* 'em' e *vitro* abl. sing. de *vitrum, i* 'vidro'.]

invocação (in.vo.ca.*ção*) ***sf.*** **1** Ação ou resultado de invocar **2** Chamamento em auxílio, pedido de socorro **3** Pedido de proteção divina para a fundação de um templo ou instituição **4** *Bras. Pop.* Manifestação de irritação ou antipatia **5** *Poét.* Súplica que o poeta épico dirige à divindade ou às musas, pedindo inspiração para compor **6** *Jur.* Ato de aduzir como prova do que se diz; ALEGAÇÃO [Pl.: *-ções.*] [F.: Do lat. *invocatio, onis.*]

invocado (in.vo.*ca*.do) ***a.*** **1** Que se invocou, que foi motivo de invocação **2** *Bras. Pop.* Desconfiado, cismado **3** *Bras. Pop.* Irritado, enraivecido [F.: Part. de *invocar.*]

invocador (in.vo.ca.*dor*) [ô] ***a.*** **1** Que invoca ***sm.*** **2** Aquele que invoca [F.: Do lat. *invocator, oris.*]

invocante (in.vo.*can*.te) ***a2g.*** O mesmo que *invocador* [F.: Do lat. *invocans, ntis*, part. pres. de *invocare.*]

invocar (in.vo.*car*) ***v.*** **1** Chamar (divindade, santo etc.) em sua proteção ou auxílio [**td.**: *Os gregos antigos invocavam os deuses.*] **2** Pedir ajuda, assistência, auxílio [**td.**: *Desempregado, invocou a ajuda do pai.*] **3** Evocar ou citar em seu favor [**td.**: *invocar o testemunho de vizinhos.*] **4** *Bras. Gír.* Irritar(-se), causar ou sentir antipatia por [**td.**: *Sua falta de respeito me invocou.*] [**tr.** + *com*: *A atriz (se) invocou com os fotógrafos.*] [▶ 11 invocar] [F.: Do v.lat. *invocare.*]

invocativo (in.vo.ca.*ti*.vo) ***a.*** **1** Que invoca ou serve para invocar **2** Que contém invocação [F.: Do lat. *invocativus, a, um.* Sin. ger.: *invocatório.*]

involução (in.vo.lu.*ção*) ***sf.*** **1** Movimento ou processo gradual e regressivo; REGRESSÃO [Ant.: *evolução.*] **2** *Med.* Modificação regressiva de um órgão, um organismo, um tumor: *a involução do útero após o parto.* **3** *Fil.* Passagem do heterogêneo ao homogêneo, do diverso ao igual etc. **4** *Mat.* Movimento de transformação que é idêntico a seu inverso [Pl.: *-ções.*] [F.: Do lat. *involutio, onis.*]

invólucro (in.*vó*.lu.cro) ***sm.*** **1** O que serve para envolver, cobrir; ENVOLTÓRIO; COBERTURA; REVESTIMENTO **2** *Bot.* Reunião dos órgãos florais da mesma espécie dispostos de modo a formar um envoltório [F.: Do lat. *involucrum, i.*]

involuir (in.vo.lu.*ir*) ***v. int.*** Sofrer involução; REGREDIR: *O aluno involuiu; A doença deixou de involuir.* [▶ 56 involuir] [F.: Posv. criado com base em *evoluir.*]

involuntário (in.vo.lun.*tá*.ri:o) ***a.*** **1** Que não depende da vontade, que não é voluntário ou intencional (movimento involuntário) [Ant.: *voluntário, intencional.*] **2** *P. ext.* Que se viu forçado ou obrigado a algo [F.: Do lat. *involuntarius, a, um.*]

involutivo (in.vo.lu.*ti*.vo) ***a.*** **1** Que diz respeito a involução **2** Em que há involução [F.: Do lat. *involutus, a, um,* + *-ivo.*]

involuto (in.vo.*lu*.to) ***a.*** *Bot.* Diz-se das folhas jovens ainda enroladas sobre o lado interno; INVOLUTOSO [P. opos. a *revoluto.*] [F.: Do lat. *involutus, a, um.*]

invulgar (in.vul.*gar*) ***a2g.*** Que não é comum, vulgar; INCOMUM [F.: *in-*² + *vulgar.*]

invulnerabilidade (in.vul.ne.ra.bi.li.*da*.de) ***sf.*** Qualidade ou característica do que é invulnerável [Ant.: *vulnerabilidade.*] [F.: *invulnerável*, sob a f. *invulnerabil-*, + *-(i)dade*, seg o mod. erudito.]

invulnerável (in.vul.ne.*rá*.vel) ***a2g.*** **1** Que não pode ser ferido, atacado, prejudicado etc. (física ou moralmente): *Com a blindagem o carro ficou invulnerável; Sua reputação é invulnerável.* **2** Que não se deixa tentar ou atingir: *invulnerável a subornos.* [Pl.: *-veis.*] [F.: Do lat. *invulnerabilis, e.* Ant. ger.: *vulnerável.*]

inzona (in.*zo*.na) [ô] *Bras. Pop.* ***sf.*** **1** Intriga, mexerico **2** Embuste, logro [F.: Var. de *enzona*, 'fuxico'.]

inzonar (in.zo.*nar*) ***v. td.*** *Bras. Pop.* Fazer intrigas; ENREDAR [**td.**: *A mulher inzonou todo mundo em suas calúnias.*] [**int.**: *Nada faz na vida, razão porque vive a inzonar.*] [▶ 1 inzonar] [F.: *inzona* + *-ar*². Hom./Par.: *inzona(s)* (fl.), *inzona(s)* (sf. [pl.]); *inzonar* (v.), *enzonar* (todas as fl.).]

inzoneiro (in.zo.*nei*.ro) *Bras. Pop.* ***a.*** **1** Que faz inzona, intriga **2** Que é sonso, manhoso: "...meu mulato inzoneiro..." (Ary Barroso, *Aquarela do Brasil*) ***sm.*** **3** *Bras. Pop.* Indivíduo inzoneiro (1 e 2) [F.: *inzona* + *-eiro.*]

◎ **-io¹** ***suf.*** Ideia de reunião, coleção: *mulherio, gentio, rapazio*

◎ **-io²** ***suf.*** Ideia de modo de ser, referência, tendência: *doentio, escorregadio, fugidio*

◎ **-io³** ***suf.*** nom. Formador de voc. eruditos ou científicos: *amônio, aclídio* [F.: Do suf. lat. *-ius, -ia, -ium.*]

iodação (i:o.da.*ção*) ***sf.*** Ação ou resultado de iodar [Pl.: *-ções.*] [F.: *iodar* + *-ção.*]

iodado (i:o.*da*.do) *Quím.* ***a.*** **1** Que possui iodo em sua composição **2** A que foi adicionado iodo (sal/álcool iodado) [F.: Part. de *iodar.*]

iodar (i:o.*dar*) ***v. td.*** Colocar iodo em ou cobrir (algo) com iodo [▶ 1 iodar] [F.: *iodo* + *-ar*². Hom./Par.: *iode* (fl.), *iode* (sm.); *iodes* (fl.), *iodes* (pl. do sm.); *iodo* (fl.), *iodo* /ô/ (sm.).]

iodato (i:o.*da*.to) ***sm.*** *Quím.* Sal do ácido iódico [F.: *iodo* + *-ato*².]

iodeto (i:o.*de*.to) [ê] ***sm.*** *Quím.* O ânion do iodo ou qualquer sal que o contenha [F.: *iod(o)-* + *-eto*².]

iódico (i.*ó*.di.co) ***a.*** **1** *Quím.* Diz-se de ácido (HI^3) muito oxidante, que é us. como desinfetante ***sm.*** **2** Esse ácido [F.: *iod(o)-* + *-ico*².]

◎ **iod(o)-** ***el. comp.*** = 'iodo': *iodofórmio, iodopsina* (< ingl.) [F.: Do fr. *iode*, do gr. *iódes, es, es*, 'violeta'.]

iodo (i:*o*.do) [ô] ***sm.*** **1** *Quím.* Elemento químico de número atômico 53 [Símb.: *I.*] **2** *Pop.* Tintura de iodo, produto farmacêutico us. como antisséptico [F.: Do fr. *iode.* Hom./Par.: *iodo* (sm.), *iodo* (fl. de *iodar*). Ideia de 'iodo': *iod(i/o)-* (*iódico*).]

iodofórmio (i:o.do.*fór*.mi:o) ***sm.*** *Quím.* Substância (CHI^3) us. como antisséptico e anestésico local [F.: *iod(o)-* + *-fórmio.*]

iodopsina (i:o.do.*psi*.na) ***sf.*** *Oft.* Pigmento dos cones da retina, que permite diferenciar os diferentes comprimentos de onda das cores [F.: Do ingl. *iodopsin.*]

⊠ **IOF** Sigla de *Imposto sobre Operações Financeiras*

iofobia (i:o.fo.*bi*:a) ***sf.*** *Psiq.* Horror patológico a venenos [F.: Do gr. *iós, ioû*, 'veneno', + *-fobia.*]

iofóbico (i:o.*fó*.bi.co) ***a.*** **1** *Psiq.* Referente a iofobia **2** Que sofre de iofobia; IÓFOBO ***sm.*** **3** Aquele que sofre desse tipo de fobia; IÓFOBO [F.: *iofobia* + *-ico*².]

iófobo (i.*ó*.fo.bo) ***a.*** **1** *Psiq.* Que sofre de iofobia; IOFÓBICO ***sm.*** **2** Aquele que sofre dessa fobia; IOFÓBICO [F.: Do gr. *iós, ioû*, 'veneno', + *-fobo.*]

ioga (i:*o*.ga) [ó] ou [ô] *sf.* **1** *Fil.* Filosofia e conjunto de práticas físicas, psíquicas e ritualísticas, originárias da Índia, que buscam um estado de harmonia e equilíbrio físico e mental, com o fim de obter a iluminação **2** Os exercícios de postura e respiração que fazem parte dessa prática; HATA-IOGA [F.: Do sânsc. *yoga*.]

iogue (i:*o*.gue) [ó] ou [ô] *s2g.* **1** Adepto da ioga **2** Pessoa que pratica a ioga *a2g.* **3** Ref. à ou da ioga [F.: Do sânsc. *yogin*.]

iogurte (i:o.*gur*.te) *sm.* Alimento preparado com leite coalhado por fermento lácteo [F.: Do turco *yoghurt*.]

ioiô[1] (io.*iô*) *sm. Lud.* Brinquedo que se compõe de dois discos paralelos unidos por um eixo central, no qual um fio, ao se enrolar e desenrolar, faz o duplo disco subir até à mão de quem o maneja e depois descer, sucessivamente [F.: Do fr. *yo-yo*.]

ioiô[2] (io.*iô*) *sm. Bras.* Tratamento que os escravos davam aos senhores; NHONHÔ [Fem.: *iaiá*.] [F.: Alter. de *senhor, sinhô*.]

iole (i:*o*.le) [ó] *sf. Mar.* Embarcação esportiva a remo, leve e estreita [F.: Do fr. *yole*, do holandês *jol* e, este, do dinamarquês *jolle*.]

íon (*í*:on) *sm. Fís. Quím.* Átomo ou grupo de átomos eletricamente carregado; IONTE [F.: Do gr. *ion*.] ■ **~ dipolar** *Quím.* Substância que contém uma carga positiva e uma negativa, separadas uma da outra

iônico[1] (i.*ô*.ni.co) *a.* Ref. a íon; IÔNTICO [F.: *íon* + *-ico*².]

iônico[2] (i.*ô*.ni.co) *a. sm.* Ver *jônico*

ionização (i:o.ni.za.*ção*) *sf.* **1** *Fís. -quím.* Processo pelo qual uma molécula ou um átomo se torna portador de uma carga elétrica positiva ou negativa, formando íons **2** *Med.* Iontoforese [Pl.: *-ções*.] [F.: *ionizar* + *-ção*.]

ionizado (i.o.ni.*za*.do) *a. Fís-quím.* Em que ocorreu ionização [F.: Part. de *ionizar*.]

ionizante (i.o.ni.*zan*.te) *Fís-quím. a2g.* **1** Que forma íons *s2g.* **2** Aquilo que forma íons [F.: *ionizar* + *-nte*.]

ionizar (i.o.ni.*zar*) *v. td. Fís. Quím.* Transformar (átomo ou molécula) em íon: *ionizar um átomo.* [▶ **1 ionizar**] [F.: *íon* + *-izar*.]

ionosfera (i:o.nos.*fe*.ra) *sf. Geof.* Região ionizada da atmosfera terrestre, localizada acima da estratosfera [F.: Do ing. *ionosphere*.]

ionte (i.*on*.te) *sm. P. us. Fís.* Mesmo que *íon* [F.: Do lat. cient. *ion, iontes*.]

iôntico (i.*ôn*.ti.co) *a.* Relativo a ionte [F.: *ionte* + *-ico*.]

iontização (i.on.ti.za.*ção*) *sf.* Mesmo que *ionização* [Pl.: *-ões*.]

ioruba (io.*ru*.ba) *a2g. s2g.* O mesmo que *iorubá*

iorubá (i:o.ru.*bá*) *s2g.* **1** Indivíduo pertencente a um povo que habita parte da Nigéria e do Benim; IORUBANO; NAGÔ *sm.* **2** *Gloss.* A língua falada por esse povo; NAGÔ *a2g.* **3** Ref. ou pertencente aos iorubás (1), ou ao iorubá (2) [F.: Do ior. *yoruba*. Tb. *ioruba*.]

iorubano (i:o.ru.*ba*.no) *a. sm.* O mesmo que *iorubá* [F.: *iorub* (*a*) + *-ano*.]

iota (i:*o*.ta.) [ó] *sm.* A nona letra do alfabeto grego. Corresponde ao *j* latino [F.: Do gr. *iôta*, pelo lat. *iota*.]

iotacismo (i.o.ta.*cis*.mo) *sm. Ling.* Numa língua, uso em excesso do som *i* ou a evolução de um som para esta vogal ou semivogal correspondente [F.: Do gr. *iotakismós*, pelo lat. *iotacismus*.]

⊠ **IP** *sm.* **1** *Inf.* Sigla do inglês *Internet Protocol*, o número que representa o endereço, isto é, que indica qual é o equipamento (ger. um computador) que acessa uma rede virtual pública ou privada *a.* **2** Diz-se desse endereço

⊠ **IPC** *sm. Econ.* Sigla de *Índice de Preços ao Consumidor*

⊠ **IPCA** Sigla de *Índice Nacional de Preços ao Consumidor Amplo*

ipê (i.*pê*) *sm. Bras. Bot.* Designação comum a diversas árvores da fam. das bignoniáceas, esp. do gên. *Tabebuia*, de madeira muito resistente e flores amarelas, róseas ou brancas [Árvore considerada símbolo nacional do país.] [F.: Do tupi *i'pe*. Tb. *ipé*.]

ipê-amarelo (i.pê-a.ma.*re*.lo) *Bras. Angios. sm.* Nome comum a várias espécies de tabebuia, como a *Tabebuia chrysantha* e a *Tabebuia umbellata*, da família das bignoniáceas, de flores amarelas [Pl.: *ipês-amarelos*.]

ipeca[1] (i.*pe*.ca) *sf. Angios.* Mesmo que *ipecacuanha* [F.: red. de *ipecacuanha*.]

ipeca[2] (i.*pe*.ca) *sm. Bras. Ornit.* Qualquer tipo de pato [F.: Do tupi *i'peka*, 'pato'.]

ipecacuanha (i.pe.ca.cu:*a*.nha) *sf. Bras. Bot.* Erva da fam. das rubiáceas (*Psychotria ipecacuanha*); nativa do Brasil; de larga utilização terapêutica; RAIZ-DO-BRASIL [F.: Do tupi *ïpeka'kwaña*.]

⊠ **Ipen** Sigla de *Instituto de Pesquisa Energética e Nuclear*

ipê-rosa (i.pê-*ro*.sa) *sm. Bras. Bot.* Árvore da fam. das bignoniáceas (*Tabebuia avellanedae*); natural do Brasil; de folhas digitadas e flores; que podem variar do rosa ao roxo-claro; em cachos; IPÊ-ROXO; PEÚVA; PEÚVA-ROXA [Pl.: *ipês-rosas*.]

ipê-roxo (i.pê-*ro*.xo) *Bras. Angios. sm.* **1** Árvore da fam. das bignoniáceas (*Tabebuia heptaphylla*), de casca cinza, folhas digitadas e flores róseas **2** Árvore da mesma família (*Tabebuia impetiginosa*), de casca adstringente e amarga, us. em marcenaria **3** Mesmo que ipê-rosa (*Tabebuia avellanedae*) [Pl.: *ipês-roxos*.]

ipê-tabaco (i.pê-ta.*ba*.co) *Bras. Angios. sm.* **1** Árvore da fam. das bignoniáceas (*Tabebuia chrysotricha*), originária do Brasil, de casca adstringente e flores amarelas [sua serragem já foi us. como pó de tabaco]; ipê-açu, ipê-amarelo, ipê-d'arco **2** Mesmo que *ipê-comum* (*Tabebuia longiflora*) [Pl.: *ipês-tabacos, ipês-tabaco*.]

⊠ **Iphan** Sigla de *Instituto do Patrimônio Histórico e Artístico Nacional*

⊠ **IPI** *Jur.* Sigla de *Imposto sobre Produtos Industrializados*

⊠ **IPM** Sigla de *Inquérito Policial Militar*

ipsilateral (ipsi.la.te.*ral*) *a2g.* **1** *Anat.* Diz-se de partes do organismo que se encontram no mesmo lado do corpo; HOMOLATERAL **2** *Neur.* Diz-se de distúrbio que ocorre do mesmo lado que a lesão cerebral que o provocou [Pl.: *-rais*.] [F.: *ipsi-* (do lat. *ipse, a, um*, 'mesmo') + *lateral*.]

ipsilo (ip.*si*.lo) *sm.* O mesmo que *ípsilon*

ipsílon (ip.*sí*.lon) *sm.* Ver *ípsilon* [Pl.: *ipsílones, ipsílons*.] [F.: Ver em *ípsilon*.]

ípsilon (*ip*.si.lon) *sm.* **1** A 20ª letra do alfabeto grego (Y). Correspondente ao *y* latino **2** Nome da letra *y* [Pl.: *ipsílones, ípsilons*.] [F.: Do gr. *hy psilón*, pelo lat. *hypsilon*.]

ipsilone (ip.si.*lo*.ne) [ô] *sm.* Ver *ípsilon* [F.: Ver em *ípsilon*.]

■ **Cheio de ~s** *Pop.* Diz-se de quem dá muita atenção (exagerando) a detalhes, formalismo etc., mesmo quando não são tão importantes; afetado, cheio frescura, cheio de nove-horas

⊕ ***ipsis litteris*** (*Lat. /ipsis literis/*) *loc. adv.* Assim como está escrito; nos mesmos termos

⊕ ***ipsis verbis*** (*lat.*) *loc. adv.* Com as mesmas palavras; TEXTUALMENTE: *Isso foi o que ele escreveu, ipsis verbis.*

⊕ ***ipso facto*** (*lat.*) *loc. adv.* Por isso mesmo; pelo próprio fato

⊕ ***ipso jure*** (*lat.*) *Jur. loc. adv.* Pela própria lei; por força do direito

⊠ **IPTR** Sigla de *Imposto sobre Propriedade Territorial Rural*

⊠ **IPTU** Sigla de *Imposto Predial e Territorial Urbano*

ipu[1] (*i*.pu) *sm. Bras. Angios.* Planta dicotiledônea nativa tb. do Brasil, com raiz purgativa; tb. *jalapa-de-são-paulo* [F.: De orig. obsc.]

ipu[2] (*i*.*pu*) *sm. Bras. Angios.* Planta (*Piptostegia pisonis*), da fam. das convolvuláceas, com raiz tuberosa us. como purgativa, de folhas cordiformes, flores branco-rosadas no exterior e púrpureas por dentro, e cápsulas com sementes negras; nativa do norte do Brasil e da Guiana Francesa [F.: De or. obsc. talvez red. e alter de *ipomeia*.]

ipueira (i.pu:*ei*.ra) *sf.* **1** *Bras.* Charco formado pelas águas que transbordam dos rios nos lugares baixos **2** *MA* Qualquer pântano **3** *GO* Pequena lagoa [F.: Do tupi *ï'pwera*.]

⊠ **IPVA** Sigla de *Imposto sobre a Propriedade de Veículos Automotores*

iquebana (i.que.*ba*.na) *sf.* **1** Arte tradicional japonesa de arranjos florais **2** Arranjo floral montado segundo essa arte [F.: Do jap. *ikebana*.]

◎ **-ir** = desin. dos v. de tema i, da 3ª conjugação (*ir, rir, vir, sorrir, pedir* etc.)

◎ **ir-**[1] ***el. comp.*** = em-²: *irromper*

◎ **ir-**[2] ***el. comp.*** = in-²: *irreal, irrequieto.*

ir[1] *v.* **1** Dirigir-se (andando ou viajando) a, locomover-se, deslocar-se de um ponto para outro [*ta.: Nunca foi ao Nordeste.*] [*int.: Lá se vai o helicóptero.* Ver nota na locução *Ir atrás de*.] **2** Sair ou partir [*int.: Já (se) vai, Marcelo?*] **3** Seguir certo caminho, direção ou orientação, com algum objetivo ou visando uma ação [*tr.* + *a, em, por*: *Ela foi por aquela estrada; Os policiais foram ao/no encalço do ladrão.*] **4** Transferir-se ou mudar-se [*ta.: A capital foi para Brasília.*] **5** Ser despachado, remetido ou conduzido; ser posto em [*int.: A encomenda já foi.*] **6** Fazer-se presente; COMPARECER; FREQUENTAR [*ta.: Não pôde ir à reunião; Não costuma ir a festas.*] **7** Prolongar-se, estender-se, ou levar, conduzir (tb. *Fig.*) [*ta.: A conversa foi até o sol raiar; Seu humor vai da melancolia ao arrebatamento.*] **8** Chegar a; ATINGIR [*ta.: Este mês as despesas foram à estratosfera; O desejo foi além do que esperara.*] **9** Dar início, ou passar [*tr.* + *a*: *Vamos ao que interessa.*] **10** Ir de encontro a, ou investir [*tr.* + *contra*: *O carro foi contra o poste.*] **11** Ter simpatia por; SIMPATIZAR [*tr.* + *com*: *Foi logo com a cara dela.*] **12** Harmonizar-se, combinar [*tr.* + *com*: *Este quadro não vai (bem) com a mobília.*] **13** Decorrer, passar ou perfazer [*tr.* + *para*: *Vai para dez anos que me formei.*] [*int.: Vão-se os dias.*] **14** Acabar ou extinguir-se [*int.: Já (se) foi o tempo da delicadeza.*] **15** Morrer, falecer [*int.: Nada fez contra a doença, e foi-se.*] **16** Destinar-se a, ficar para, ou caber a [*tr.* + *para*: *O prêmio irá para o filme russo.*] **17** Pautar-se ou deixar-se levar por [*tr.* + *com, em, por*: *Vai sempre pela cabeça dos outros; Não vá na conversa dele.*] **18** Acontecer, suceder [*ta.: Agora quer saber o que vai pela Alemanha.*] **19** Sair-se, ou achar-se [*ta.: Júlia foi muito mal no vestibular; Seus pais vão bem?*] **20** Estudar para, seguir a carreira de [*ti.* + *para*: *Ela não quis ir para a medicina.*] **21** Agir ou comportar-se [*tp.: Assim, as crianças não vão bem.*] **22** Agir sem pensar e de um momento para o outro (us. como intensificador) [*int.: Ele foi e deu-lhe um beijo na boca.*] **23** Ter relações sexuais com [*ti.* + *com*: *Ela ia com todo mundo.*] [▶ **38 ir.** NOTA: Us. tb. como v. auxiliar: a) seguido de v. no infinit., com o sentido de 'mover-se a': *Eles foram passear*; b) seguido de v. no infinit., para exprimir tempo futuro: *O escritor vai ser homenageado*; c) seguido de v. no gerúndio, para indicar, em conjunto com o v. principal, ação continuada ou progressiva: *A praga ia devastando as plantações.*] [F.: Do lat. *ire*.] ■ **~ atrás de** Perseguir: *Foi atrás do punguista até alcançá-lo* [Note-se a diferença no uso de *ir atrás de* neste exemplo da locução, com sentido de *perseguir*, e na frase: *Viajei de ônibus, e fui atrás do motorista* (na qual o verbo *ir* tem o sentido da acp. 1 (locomover-se viajando), seguido de adjunto adverbial *atrás do motorista*).]

⊠ **IR**[2] Sigla de *Imposto de Renda*

ira (*i*.ra) *sf.* **1** Sentimento muito intenso de raiva, de ódio, de rancor, de indignação, que resulta ger. de alguma ofensa, injúria, ou atentado físico ou moral, sofridos, ou de fato, acontecimento ou situação que causa revolta, grande desgosto etc.; CÓLERA, FÚRIA **2** Manifestação ou expressão desse sentimento **3** Vingança ou desejo de vingança: *Maltratado, alimentou secretamente sua ira.* [F.: Do lat. *ira, ae*.]

iracúndia (i.ra.*cún*.di:a) *sf.* Qualidade ou estado de iracundo; IRASCIBILIDADE [F.: Do lat. *iracundia, ae*.]

iracundo (i.ra.*cun*.do) *a.* Que é propenso a sentir ou a demonstrar ira; IRASCÍVEL, IROSO [F.: Do lat. *iracundus, a, um*.]

irado (i.*ra*.do) *a.* **1** Que está tomado pela ira; ENRAIVECIDO, FURIOSO **2** *Fig.* Extremamente agitado, revolto (mar *irado*) **3** *Gír.* Muito bom, ou muito legal, ou muito bonito, ou muito interessante, ou muito excitante, ou muito moderno etc. (tênis irado; viagem irada; menino irado; PC irado); SINISTRO: *Ganhou um presente irado do pai.* [F.: Part. de *irar*.]

iraniano (i.ra.ni:*a*.no) *sm.* **1** Pessoa nascida ou que vive no Irã **2** *Gloss.* Língua falada no Irã *a.* **3** Do Irã (Ásia); típico desse país ou de seu povo [F.: Do top. *Irã* + *-iano*, seg. o mod. erudito.]

iraquiano (i.ra.qui:*a*.no) *sm.* **1** Pessoa nascida ou que vive no Iraque **2** *Gloss.* Certo dialeto árabe falado no Iraque *a.* **3** Do Iraque (Ásia); típico desse país ou de seu povo [F.: Do top. *Iraque* + *-iano*.]

irar (i.*rar*) *v.* Provocar ou sentir ira, fúria; ENFURECER(-SE) [*td.: Esse novo desconto vai irar os trabalhadores.*] [*int.: Irava-se sempre que perdia um jogo.*] [▶ **1 irar**] [F.: *ira* + *-ar*². Hom./Par.: *ira* (fl.), *ira* (sf.); *ira(s)* (fl.), *irá(s)* (fl. *ir*, sm. [pl.]).]

irara (i.*ra*.ra) *sf. Bras. Zool.* Mamífero carnívoro (*Eira barbara*), da fam. dos mustelídeos, das Américas do Sul e Central, de corpo longo e esguio, pernas curtas, cauda longa e pelagem ger. negra sendo a cabeça cinzenta; PAPAMEL [F.: Do tupi *(e)i'rara*.]

irascibilidade (i.ras.ci.bi.li.*da*.de) *sf.* Qualidade ou estado de irascível; IRRITABILIDADE [F.: *irascível*, sob a f. *irascibil-*, + *-(i)dade*, seg. o mod. erudito.]

irascível (i.ras.*cí*.vel) *a2g.* Que demonstra irritação ou que se irrita facilmente (motorista *irascível*); IRACUNDO [Pl.: *-veis*.] [F.: Do lat. *irascibilis, e*.]

irenismo (i.re.*nis*.mo) *sf.* **1** *Rel.* Atitude de conciliação, compreensão e caridade, que tem por fim superar as disputas e diferenças religiosas, esp. entre cristãos **2** *P. ext.* Valorização da paz e da concórdia para melhor relacionamento entre os seres humanos [F.: Do gr. *eiréne*, 'paz', + *-ismo*. Cf.: *ecumenismo*.]

irenista (i.re.*nis*.ta) *a2g.* **1** Referente ao irenismo **2** Seguidor do irenismo *s2g.* **3** Aquele que é adepto do irenismo [F.: *irenismo* + *-ista*.]

irerê (i.re.*rê*) *s2g. Bras. Zool.* Marreca encontrada na África e América do Sul (*Dendrocygna viduata*), de asas negras e máscara branca; ASSOBIADEIRA; ASSOVIADEIRA; PATURI [F.: Do tupi *ire're*.]

ir e vir *sm.* O ato de se deslocar muito de um lado para outro, de se movimentar incessantemente: *Não sei como ele aguenta esse ir e vir diário!* [Pl.: *ires e vires*.]

iriado (i.ri:*a*.do) *a.* Que tem as cores do arco-íris; IRISADO; MATIZADO: "Parecia-lhe vê-la pela primeira vez entre os nimbos iriados da sua beleza." (Camilo Castelo Branco, *Corja*) [F.: Part. de *iriar*.]

iriar (i.ri:*ar*) *v.* Fazer apresentar ou apresentar as cores do arco-íris; matizar(-se); IRISAR [*td.: O sol iriava as folhas do jardim.*] [*int.: A lagoa iriava sob a última luz da tarde; Seus cabelos iriavam-se à luz da manhã.*] [▶ **1 iriar**] [F.: *iri(s)* + *-ar*². Hom./Par.: *iria* (fl.), *iria* (fl. de *ir* [v.]); *irias* (fl.), *irias* (fl. *ir*); *iriam* (fl.), *iriam* (fl. *ir*); *iriamos* (fl.), *iríamos* (fl. *ir*); *irieis* (fl.), *iríeis* (fl. *ir*).]

iridectomia (i.ri.dec.to.*mi*:a) *sf. Oft. Cir.* Ressecação de parte da íris para tratamento de infecções, ou para dar passagem aos raios luminosos [F.: *irid(o)-* + *-ectomia*.]

iridectopia (i.ri.dec.to.*pi*:a) *sf. Pat.* Posição anormal da íris [F.: *irid(o)-* + *-ectopia*.]

iridemia (i.ri.de.*mi*.a) *Oft. sf.* Hemorragia que ocorre na íris [F.: *irid(o)-* + *-emia*.]

iridêmico (i.ri.*dê*.mi.co) *a. Oft.* Referente a iridemia [F.: *iridemia* + *-ico*².]

iridescência (i.ri.des.*cên*.ci:a) *sf.* Característica do que é iridescente; conjunto de reflexos brilhantes que se percebe no arco-íris, em algumas superfícies, bolhas de sabão etc. [F.: Do ingl. *iridescence*.]

iridescente[1] (i.ri.des.*cen*.te) *a2g.* Que tem ou reflete as cores do arco-íris [F.: Do ingl. *iridescent*.]

iridiano (i.ri.di.*a*.no) *a. Oft.* Relativo a íris [F.: *irid(o)-* + *-iano*.]

irídio *sm. Quím.* Elemento de número atômico 77, denso, metálico, brilhante, muito us. em formação de ligas, catalisadores etc. [Simb.: *Ir*.] [F.: Do lat. cient. *iridium*.]

◎ **irid(o)-** ***el. comp.*** = 'arco-íris', 'halo'; 'íris, membrana do olho': *iridescente* [F.: Do gr. *îris, íridos*.]

iridologia (i.ri.do.lo.*gi*:a) *sf. Med.* Avaliação ou diagnóstico de problemas orgânicos por meio do exame da íris [F.: *irid(o)-* + *-logia*.]

iridologista (i.ri.do.lo.*gis*.ta) ***a2g.*** Especialista em iridologia [F.: *irid(o)-* + *-logista.*]
iridotomia (i.ri.do.to.*mi*:a) *sf. Oft.* Cirurgia em fibras da íris para produzir pupila artificial; COROTOMIA [F.: *irid(o)-* + *-tomia.*]
iridotômico (i.ri.do.*tô*.mi.co) ***a.*** Referente a iridotomia [F.: *iridotomia* + *-ico.*]
íris[1] (*í*.ris) ***s2g2n.*** **1** *Anat.* Membrana circular do olho, de pigmentação vária, situada entre a córnea e o cristalino, e que regula a entrada de luz no olho através de uma abertura central, chamada pupila **2** O espectro do sol; ARCO-ÍRIS **3** Halo de luz que aparece ao redor dos objetos (visível com óculo que possibilita sua visualização) **4** *Min.* Pedra que tem reflexos irisados **5** *Ent.* Borboleta (*Apatura iris*) da família dos ninfalídeos, da Europa, de cor cinza tirante a azul **6** *Ent.* Pigmentação que circunda as asas de certas borboletas [F.: Do gr. *íris, írídos*, pelo lat. *iris, idis.*]
íris[2] (*í*.ris) ***sf2n.*** **1** *Bot.* Nome comum às espécies do gên. *Iris*; da fam. das iridáceas; plantas herbáceas nativas da Europa, Ásia, Norte da África e América do Norte; muito apreciadas e cultivadas em função das cores vivas de suas flores **2** A flor dessas plantas [F.: Do lat. cient. *Iris.*]
irisação (i.ri.sa.*ção*) *sf.* **1** Ação ou resultado de irisar(-se) **2** *Fís.* Propriedade, apresentada por certos corpos, de decompor a luz, produzindo raios coloridos como os do arco-íris **3** *P. ext.* O conjunto desses reflexos [F.: *irisar* + *-nte.*]
irisado (i.ri.*sa*.do) ***a.*** O mesmo que *iriado* [F.: Part. de *irisar.*]
irisar (i.ri.*sar*) ***v.*** Matizar(-se) com as cores do arco-íris [***td.:*** *A luz do sol irisa o cristal.*] [***int.:*** *A cachoeira irisava(-se) ao sol da manhã.*] [▶ **1 irisar**] [F.: *íris* + *-ar*[2]. Hom./Par.: *irisar* (v.), *irizar* (todas as fl.).]
⊕ **irish coffee** (*ing. /áirish cófi/*) ***loc. subst.*** *Cul.* Bebida feita com café bem quente, uísque, açúcar e creme de leite [F.: Do ing. *irish* + *coffee*, café irlandês.]
irite (i.*ri*.te) *sf. Med.* Inflamação da íris[1] (1) [F.: *íri(s)*[1] + *-ite*[1].]
irlandês (ir.lan.*dês*) ***sm.*** **1** Pessoa nascida ou que vive na República da Irlanda ou na Irlanda do Norte **2** *Gloss.* Língua oficial da República da Irlanda, tb. falada na Irlanda do Norte ***a.*** **3** Da República da Irlanda (Eire) ou da Irlanda do Norte (país do Reino Unido); típico desses países ou de seus povos [Pl.: *-deses.* Fem.: (*das acps. 1 e 3*) *-desa.*] [F.: Do top *Irlanda* + *-ês.*]
irmã (ir.*mã*) *sf.* **1** Filha dos mesmos pais que uma outra pessoa, ou só da mesma mãe, ou só do mesmo pai que esta **2** Aquela que é criada como irmã de outrem e assim é tratada **3** Pessoa do sexo feminino ligada a outra pessoa por sentimentos de grande fraternidade, amizade etc. **4** *Rel.* Aquela que é faz parte de congregação feminina da Igreja Católica e devotou sua vida a Cristo e à Caridade Cristã **5** Mulher que participa de congregação ou grupo religioso [Forma de tratamento us. para determinar o princípio de fraternidade e humildade que deve prevalecer entre todos.] [Fem. de *irmão.*] [F.: Do lat. *germana*, substv. do fem. do lat. *germanus, a, um.*] ▪ **~ de caridade** Religiosa que se dedica ao tratamento de enfermos; irmã hospitaleira **~ hospitaleira** Irmã de caridade **~ Paula 1** Mulher extremamente caridosa **2** *P. ext.* Qualquer pessoa caridosa em extremo **As nove ~s** *Poét.* As musas
irmanação (ir.ma.na.*ção*) *sf.* Ação ou resultado de irmanar(-se); UNIÃO: "Amor é irmanação das almas em face da alegria, da dor, da vida e da morte." (Sarmento de Beires, *Trajetórias*) [Pl.: *-ões.*] [F.: *irmanar* + *-ção.*]
irmanado (ir.ma.*na*.do) ***a.*** Unido como irmão [F.: Part. de *irmanar.*]
irmanar (ir.ma.*nar*) ***v.*** **1** Tornar(-se) unido e fraterno como irmão(s) [***td.:*** *A luta comum os irmanou.*] [***tr.*** *+ a, com, em: Irmanaram-se no sofrimento.*] **2** Harmonizar(-se), unir(-se) [***td.:*** *Sua arte irmana emoção e razão.*] [***tr.*** *+ a, com, em: Os dois países irmanam-se num objetivo comum; Seu talento irmana com o do primo.*] [▶ **1 irmanar**] [F.: *irmão* (sob a f. rad. *irman-*) + *-ar*[2].]
irmandade (ir.man.*da*.de) *sf.* **1** Parentesco ou sentimento entre irmãos; FRATERNIDADE **2** Confraria religiosa **3** Reunião de pessoas em torno de um mesmo objetivo [F.: Do lat. *germanitas, atis*, por via popular.]
irmão (ir.*mão*) ***sm.*** **1** Filho do mesmo pai e/ou da mesma mãe em relação a outro filho **2** *Rel.* Religioso que não recebe as ordens sacras **3** Forma de tratamento entre membros de uma mesma congregação religiosa, confraria ou irmandade **4** *Fig.* Pessoa muito próxima por laço de amizade, sentimentos, inclinações etc. [Pl.: *-mãos.* Fem.: *-mã.*] [F.: Do lat. *germanus*, substv. do adj. *germanus, a, um.*] ▪ **~ bilateral** Aquele que tem, com outro, o mesmo pai e a mesma mãe; irmão germano **~ consanguíneo** Aquele que tem, com outro, o mesmo pai mas não a mesma mãe [Cf.: *Irmão uterino.*] **~ de armas 1** *Ant.* Soberano, em relação a outro soberano com que firmou pacto de guerra **2** Camarada de guerra ou de batalha **~ germano** Ver *Irmão bilateral* **~ colaço** Pessoas que foram amamentadas pela mesma pessoa, embora não sejam ambas (ou uma delas) filhas desta; irmãos de leite **~s de criação** Pessoas criadas juntas sem serem filhas dos mesmos pais **~s de leite** Ver *Irmãos colaços* **~s gêmeos** Aqueles que nascem no mesmo parto **~s morávios** *Hist. Rel.* Membros de seita cristã dissidente, precursora da reforma protestante extinta em 1620, muitos de seus adeptos foram missionários na Europa (Alemanha) e na América (EUA e América do Sul **~s siameses** Termo que designa gêmeos que nascem ligados um ao outro por algum órgão, ou parte do corpo comum; xifópagos [O termo deriva de serem siameses os primeiros gêmeos conhecidos por essa anomalia, Chang e Eng, em 1811] **~ unilateral** Aqueles que tem, com outro, ou o mesmo pai ou a mesma mãe **~ uterino** Aqueles que tem, com outro, a mesma mãe, mas não o mesmo pai [Cf.: *Irmão consanguíneo.*]
irmão de leite (ir.mão de *lei*.te) ***sm.*** Relação de irmandade que resulta do fato de uma criança ser amamentada por uma mulher que tem um ou mais filhos, dos quais a criança se torna irmão não consanguíneo; IRMÃOS COLAÇOS [Pl.: *irmãos de leite.*]
ironia (i.ro.*ni*.a) *sf.* **1** Dito fino e dissimulado; SARCASMO **2** *Ling.* Figura de linguagem, ger. us. para fazer graça ou mostrar irritação, em que se declara o contrário do que se pensa **3** Acontecimento ou desfecho contrário ao que se esperaria das circunstâncias: *Por ironia do destino, ela que gosta tanto de crianças não pôde ter filhos.* [F.: Do lat. *ironia, ae*, do gr. *eironeía, as.*] ▪ **~ socrática** *Fil.* A atitude de (como o fazia Sócrates [s. V a.C.] nos diálogos e debates filosóficos) aparentar desconhecimento ou ingenuidade e, com perguntas habilmente dirigidas ao interlocutor, levá-lo a expor suas contradições ou a própria ignorância
irônico (i.*rô*.ni.co) ***a.*** **1** Referente a ironia **2** Que denota ironia em seu comportamento, modo de agir, falar, escrever etc. (resposta irônica) **3** Que escarnece, zomba (sorriso irônico); SARCÁSTICO [F.: *ironia* + *-ico.*]
ironismo (i.ro.*nis*.mo) ***sm.*** Tendência para empregar frequentemente a ironia, esp. em textos [F.: *ironia* + *-ismo.*]
ironista (i.ro.*nis*.ta) ***a.*** **1** Referente ao ironismo ***a2g.*** **2** Que faz uso frequente da ironia, esp. em textos ***s2g.*** **3** Aquele que é dado a essa prática (um requintado ironista) [F.: *ironia* + *-ista.*]
ironizar (i.ro.ni.*zar*) ***v.*** **1** Tratar (alguém ou algo) com ironia [***td.:*** *ironizar um político/ um discurso.*] [***int.:*** *Não sabe ironizar com fineza.*] **2** Falar, dizer com ironia [***td.:*** *Tinha por hábito ironizar tudo o que escrevia.*] [***int.:*** *Acredita que, para fazer-se entender, precisa ironizar.*] **3** Fazer ironia [***int.:*** *Não o levam a sério quando ironiza.*] [▶ **1 ironizar**] [F.: *ironia* + *-izar.*]
iroquês (i.ro.*quês*) ***sm.*** **1** Indivíduo dos iroqueses, grupo indígena do nordeste dos EUA **2** Cada uma das seis tribos pertencentes a esse grupo **3** *Ling.* Grupo de línguas indígenas dos EUA, que inclui o *cherokee* e o *oneida* [Pl.: *iroqueses* (*ê*). Fem.: *iroquesa* (*ê*)] ***a.*** **4** Referente ou pertencente aos iroqueses [F.: Do fr. *iroquois.*]
iroso (i.*ro*.so) [ô] ***a.*** **1** Cheio de raiva, de ira, de ódio **2** *Fig.* Tormentoso, revolto [Pl.: [ó]. Fem.: [ó].] [F.: *ira* + *-oso.*]
irra (*ir*.ra) ***interj.*** Exprime raiva, desprezo, repulsa: *Irra! Saia da minha frente!* [F.: Voc. express.]
irracional (ir.ra.ci.o.*nal*) ***a2g.*** **1** Em que não há raciocínio (conclusão irracional); ILÓGICO **2** Que foge ao bom-senso (discussão irracional); INSENSATO **3** Destituído de raciocínio, de razão (diz-se de animal) **4** *Mat.* Que não pode ser expresso exatamente como a razão entre dois números inteiros (diz-se de número) [Pl.: *-nais.*] [F.: Do lat. *irracionalis, e.* Ant. ger.: *racional.*]
irracionalidade (ir.ra.ci:o.na.li.*da*.de) *sf.* **1** Qualidade do que é irracional ou desarrazoado **2** Ausência de racionalidade, de razão: *Discurso caracterizado pela irracionalidade.* **3** Perda da razão, da lógica, da coerência de ideias: *Ele deu para fazer tudo errado, caiu na irracionalidade.* **4** Característica daquilo que contraria o bom-senso, a razão: *Essa atitude foi de uma irracionalidade incomum!* [F.: *irracional* + *-(i) dade.* Ant. ger.: *racionalidade.*]
irracionalismo (ir.ra.ci:o.na.*lis*.mo) ***sm.*** **1** O mesmo que *irracionalidade* **2** *Fil.* Doutrina filosófica que relega a segundo plano o conhecimento proveniente da razão e da ciência, e fundamenta-se em outras formas de aquisição de conhecimento tais como o instinto, a intuição e a revelação; ANTI-INTELECTUALISMO [F.: *irracional* + *-ismo.* Cf. *intuicionismo.*]
irracionalista (ir.ra.ci.o.na.*lis*.ta) ***a2g.*** **1** Relativo ao irracionalismo, à ausência de razão **2** Referente ao irracionalismo filosófico: *Defendia princípios morais nitidamente irracionalistas.* **3** Que se deixa dominar por formas de irracionalismo no pensamento, na conduta etc.: *Nunca vira comportamento tão irracionalista.* **4** Que é adepto do irracionalismo filosófico (pensador irracionalista) ***s2g.*** **5** Indivíduo irracionalista: *Os irracionalistas aprovarão a medida.* [F.: *irracional* + *-ista.*]
irracionável[1] (ir.ra.ci.o.*ná*.vel) ***a2g.*** Que está em desacordo com a razão; DESARRAZOADO [F.: Do lat. *irrationabilis, e.*]
irracionável[2] (ir.ra.ci:o.*ná*.vel) ***a2g.*** Que não é possível nem recomendável racionar (mantimentos irracionáveis) [Pl.: *-veis.*] [F.: *in-*[2] + *racionável*[2].]
irradiação (ir.ra.di:a.*ção*) *sf.* **1** Ação ou resultado de irradiar(-se); DIFUSÃO, PROPAGAÇÃO **2** *Fís. nu.* Exposição de um elemento ao bombardeio de um feixe de partículas **3** *Ter.* Exame ou tratamento feito com o uso de radiação (raios X e outras formas) [Pl.: *-ções.*] [F.: *irradiar* + *-ção.*]
irradiado (ir.ra.di.*a*.do) ***a.*** **1** Que se irradiou **2** Que se propagou ou difundiu **3** Que foi divulgado **4** Que foi transmitido por radiofonia [F.: Part. de *irradiar.*]
irradiador (ir.ra.di.a.*dor*) [ô] ***a.*** **1** Que irradia **2** Diz-se de qualquer aparelho que irradia calor, luz, som etc. ***sm.*** **3** Aquele ou aquilo que irradia [F.: *irradiar* + *-dor.*]
irradiância (ir.ra.di.*ân*.ci.a) *sf. Fís.* Quantidade de energia solar incidente, por unidade de tempo, numa superfície unitária, ger. medida por metro quadrado, em watt [F.: *irradiar* + *-ância.*]
irradiante (ir.ra.di:*an*.te) ***a2g.*** **1** Que irradia **2** Que se propaga, difunde em todas as direções **3** *Fig.* Que brilha, que é muito brilhante; FULGURANTE, LUMINOSO [F.: *irradiar* + *-nte.*]
irradiar (ir.ra.di.*ar*) ***v.*** **1** Emitir de si ou ser emitido (raios ou ondas de luz, calor etc.); PROPAGAR(-SE) [***td.:*** *As estrelas irradiavam seu brilho.*] [***int.:*** *O calor do incêndio irradiou(-se).*] **2** *Fig.* Transmitir ou ser transmitido amplamente em várias direções (ideia, sensação, sentimento etc.); DIFUNDIR(-SE); PROPAGAR(-SE) [***td.:*** *Suas palavras irradiam esperança:* "...É como se Deus irradiasse uma forte energia..." (Gilberto Gil, *De onde vem o baião*)] [***ta.:*** *Uma sensação de alívio irradiou-se por toda a cidade; As dores do punho irradiavam para os dedos.*] **3** *Rád.* Transmitir ou difundir por meio radiofônico [***td.:*** *irradiar notícias/ um jogo de futebol.*] **4** *Fís. nu.* Submeter (matéria, substância) à ação de raios X ou de feixes de partículas [***td.***] **5** Convergir ou divergir (de ou para um ponto central) [***tr.*** *+ a, para: As filas irradiam para a porta do banco.*] [▶ **1 irradiar**] [F.: Do lat. *irradiare.*]
irreal (ir.re.*al*) ***a2g.*** **1** Que não é ou não parece real **2** Que não é realista, que não condiz com a realidade: *Na conjuntura atual, seus planos são irreais.* **3** Que é fruto da imaginação, da criatividade humana [Pl.: *-ais.*] [F.: *ir-*[2] + *real.* Ant. ger.: *real.*]
irrealidade (ir.re:a.li.*da*.de) *sf.* **1** Qualidade ou condição do que é irreal **2** Fuga à realidade; IRREALISMO: *Precisam levar em conta a total irrealidade do projeto.* [F.: *irreal* + *-(i)dade.* Ant. ger.: *realidade.*]
irrealismo (ir.re:a.*lis*.mo) ***sm.*** O mesmo que *irrealidade* [F.: *irreal* + *-ismo.*]
irrealista (ir.re:a.*lis*.ta) ***a2g.*** **1** Afastado da realidade (concepção irrealista) **2** Diz-se de quem tem uma falsa noção da realidade ***s2g.*** **3** Pessoa irrealista [F.: *irreal* + *-ista.* Ant. ger.: *realista.*]
irrealizado (ir.re.a.li.*za*.do) ***a.*** **1** Que não foi realizado, acabado, concluído (livro irrealizado) **2** Que malogrou ou falhou: *É um filme bem dirigido, mas irrealizado.* **3** Que não conseguiu efetivar seu ideal, projeto etc.; que não satisfez um desejo, uma aspiração: *Era um homem irrealizado na profissão e no casamento.* [F.: *ir-*[2] + *realizado.*]
irrealizável (ir.re:a.li.*zá*.vel) ***a2g.*** Não realizável; que não pode ser realizado (sonho irrealizável) [Ant.: *realizável.*] [Pl.: *-veis.*] [F.: *ir-*[2] + *realizável.*]
irrebatível (ir.re.ba.*tí*.vel) ***a2g.*** **1** Que não se pode rebater **2** Que não se pode contestar (argumento irrebatível); INCONTESTÁVEL [Pl.: *-veis.*] [F.: *ir-*[2] + *rebatível.* Ant. ger.: *rebatível.*]
irreclamável (ir.re.cla.*má*.vel) ***a2g.*** De que não se pode ou não se deve reclamar [Ant.: *reclamável.*] [Pl.: *-veis.*] [F.: *ir-*[2] + *reclamável.*]
irrecobrável (ir.re.co.*brá*.vel) ***a2g.*** Que não pode ser recobrado; que não é recuperável [F.: *ir-*[2] + *-recobrável.*]
irreconciliabilidade (ir.re.con.ci.li.a.bi.li.*da*.de) *sf.* Qualidade ou característica do que é irreconciliável, do que não pode ser reconciliado [F.: *irreconciliável*, sob a f. *irreconciliabil-*, + *-(i)dade*, seg. o mod. erudito.]
irreconciliável (ir.re.con.ci.li.*á*.vel) ***a2g.*** Que não se pode ou não se quer reconciliar [Ant.: *reconciliável.*] [Pl.: *-veis.*] [F.: *ir-*[2] + *reconciliável.*]
irreconhecível (ir.re.co.nhe.*cí*.vel) ***a2g.*** **1** Impossível de reconhecer [Ant.: *reconhecível.*] **2** *Fig.* Que mudou demais; que passou por grande transformação e por isso não pode ser mais reconhecido [Pl.: *-veis.*] [F.: *ir-*[2] + *reconhecível.*]
irreconstituível (ir.re.cons.ti.tu.*í*.vel) ***a2g.*** Que não pode ser reconstituído: *Esse rostinho do passado é irreconstituível.* [Pl.: *-veis.*] [F.: *ir-*[2] + *reconstituível.*]
irrecorrível (ir.re.cor.*rí*.vel) ***a2g.*** **1** Que não se pode recorrer **2** *Jur.* Diz-se de decisão judicial que não aceita apelação ou recurso [Ant.: *recorrível.*] [Pl.: *-veis.*] [F.: *ir-*[2] + *recorrível.*]
irrecuperabilidade (ir.re.cu.pe.ra.bi.li.*da*.de) *sf.* Condição ou estado de irrecuperável, do que não pode mais ser recuperado [F.: *irrecuperável*, sob a f. *irrecuperabil-*, + *-(i)dade*, seg. o mod. erudito.]
irrecuperável (ir.re.cu.pe.*rá*.vel) ***a2g.*** Que não se pode recuperar [Ant.: *recuperável*] [Pl.: *-veis.*] [F.: *ir-*[2] + *recuperável.*]
irrecusabilidade (ir.re.cu.sa.bi.li.*da*.de) *sf.* Qualidade ou condição do que é irrecusável [F.: *irrecusável*, sob a f. *irrecusabil-*, + *-(i)dade*, seg. o mod. erudito.]
irrecusável (ir.re.cu.*sá*.vel) ***a2g.*** **1** Que não se pode ou não se deve recusar, por ser conveniente (proposta irrecusável) **2** Que não se pode contestar ou negar: *Apresentou evidências irrecusáveis de seu envolvimento.* [Pl.: *-veis.*] [F.: *ir-*[2] + *recusável.* Ant. ger.: *recusável.*]
irredentismo (ir.re.den.*tis*.mo) ***sm.*** **1** Movimento dos irredentistas, italianos nacionalistas que, do final do séc. XIX a princípios do séc. XX, lutaram para incorporar à Itália regiões sob domínio estrangeiro **2** Política que defende a incorporação de um território que se julga pertencer a um país e que fora tomado ou dominado por país ou países estrangeiros **3** Política de libertar povos com afinidades étnicas ou culturais de poder estranho a essas afinidades [F.: Do it. *irredentismo.*]
irredentista (ir.re.den.*tis*.ta) ***a2g.*** **1** Ref. ao irredentismo **2** Que é partidário do irredentismo ***s2g.*** **3** Partidário do irredentismo [F.: Do it. *Irredentista.*]
irredimível (ir.re.di.*mí*.vel) ***a2g.*** Que não se pode remir ou redimir; IRREMÍVEL [Ant.: *redimível, remível.*] [Pl.: *-veis.*] [F.: *ir-*[2] + *redimível.*]
irredutibilidade (ir.re.du.ti.bi.li.*da*.de) *sf.* **1** Qualidade ou caráter do que é irredutível **2** Impossibilidade de redução (irredutibilidade salarial) [F.: *irredutível*, sob a

f. *irredutibil-*, + -*(i)dade*, seg. o mod. erudito. Ant. ger.: *redutibilidade.*]

irredutível (ir.re.du.*tí*.vel) ***a2g.*** **1** Que não se pode reduzir, diminuir (preço irredutível) **2** Que não se pode dividir ou decompor (fração irredutível) **3** *Fig.* Que não muda de opinião ou de posição, que não se submete; INFLEXÍVEL: "Irredutíveis, (...) os servidores não (...) pretendem voltar ao trabalho." (*O Dia*, 20.7.2003) [Pl.: *-veis.*] [F.: *ir-*^{2} + *redutível.*]

irreduzível (ir.re.du.*zí*.vel) ***a2g.*** O mesmo que *irredutível* [Ant.: *reduzível, redutível.*] [Pl.: *-veis.*] [F.: *ir-*^{2} + *reduzível.*]

irrefletido (ir.re.fle.*ti*.do) ***a.*** **1** Que não produz reflexo (vidro irrefletido) **2** Que não pondera (adolescente irrefletido); IMPONDERADO **3** Que não foi objeto de reflexão (opinião irrefletida); IMPENSADO [Ant.: *refletido.*] [F.: *ir-*^{2} + *refletido.*]

irreflexão (ir.re.fle.*xão*) ***sf.*** Ausência de reflexão, de ponderação sobre algo; comportamento que revela precipitação; IMPRUDÊNCIA [Ant.: *reflexão.*] [Pl.: *-xões.*] [F.: *ir-*^{2} + *reflexão.*]

irreflexivo (ir.re.fle.*xi*.vo) [cs] ***a.*** **1** Que não reflete **2** Que denota falta de reflexão: "...se ainda não vivesse em mim o sentimento moral, sentimento irreflexivo, último, todavia..." (Alexandre Herculano, *Eurico, o presbítero*) [F.: *ir-*^{2} + *reflexivo.* Sin. ger.: *irrefletido.*]

irreformável (ir.re.for.*má*.vel) ***a2g.*** Que não pode ser reformado [Pl.: *-veis.*] [F.: Do lat. *irreformabilis, e.*]

irrefragável (ir.re.fra.*gá*.vel) ***a2g.*** Que não pode ser contestado ou negado; INCONTESTÁVEL; IRREFUTÁVEL: "Contenta-te pois (...) com a autoridade irrefragável do nosso manuscrito." (Almeida Garrett, *O arco de Sant'ana*) [Pl.: *-veis.*] [F.: Do lat. *irrefragabilis, e.*]

irrefrangível (ir.re.fran.*gí*.vel) ***a2g.*** Não refrangível; que não sofre refração [Pl.: *-veis.*] [F.: *ir-*^{2} + *refrangível.*]

irrefreabilidade (ir.re.fre:a.bi.li.*da*.de) ***sf.*** Qualidade do que é irrefreável [F.: *irrefreável*, sob a f. *irrefreabil-*, + -*(i)dade*, seg. o mod. erudito.]

irrefreável (ir.re.fre.*á*.vel) ***a2g.*** Que não se pode refrear; IRREPRIMÍVEL: *vontade irrefreável de comer chocolate.* [Ant.: *refreável.*] [Pl.: *-veis.*] [F.: *ir-*^{2} + *refreável.*]

irrefutabilidade (ir.re.fu.ta.bi.li.*da*.de) ***sf.*** Qualidade do que é irrefutável; INCONTESTABILIDADE: "...a opinião de Topsius (...) brilha com a irrefutabilidade do sol." (Eça de Queirós, *A relíquia*) [Ant.: *refutabilidade.*] [F.: *irrefutável*, sob a f. *irrefutabil-*, + -*(i)dade*, seg. o mod. erudito.]

irrefutável (ir.re.fu.*tá*.vel) ***a2g.*** Que não se pode refutar (argumento irrefutável); INCONTESTÁVEL [Ant.: *refutável*] [Pl.: *-veis.*] [F.: *ir-*^{2} + *refutável.*]

irregenerável (ir.re.ge.ne.*rá*.vel) ***a2g.*** Que não se pode regenerar; INCORRIGÍVEL [Ant.: *regenerável.*] [Pl.: *-veis.*] [F.: *ir-*^{2} + *regenerável.*]

irregressível (ir.re.gres.*sí*.vel) ***a2g.*** **1** Que não admite regresso **2** De onde não se pode regressar: "Lá o via todo, feliz e calmo, lá longe, no irregressível." (Coelho Neto, *O turbilhão*) [Pl.: *-veis.*] [F.: Do lat. *irregressibilis, e.*]

irregular (ir.re.gu.*lar*) ***a2g.*** **1** Que não é regular, que carece de rotina (alimentação irregular) **2** Que desobedece à lei ou aos regulamentos: *A Justiça fechou uma faculdade irregular em São Paulo.* **3** Que é variável, instável (humor irregular) **4** De formato ou tamanho desiguais (dentes irregulares) **5** Que não tem regularidade ou continuidade **6** Que não consegue manter sempre o mesmo rendimento, a mesma qualidade no seu trabalho, função, tarefa (autor irregular) **7** *Gram.* Que se desvia do seu paradigma de flexão ou conjugação (no caso de verbo), esp. por apresentar mudanças no radical [Ant.: *regular.*] [F.: *ir-*^{2} + *regular.*]

irregularidade (ir.re.gu.la.ri.*da*.de) ***sf.*** **1** Característica do que foge ao que é regular **2** Falta de regularidade: *irregularidade na frequência.* **3** Ação, comportamento ou situação irregular: *irregularidade no uso do dinheiro público.* [Ant.: *regularidade.*] [F.: *irregular* + -*(i)dade.*]

irreiterável (ir.re:i.te.*rá*.vel) ***a2g.*** Que não se pode reiterar [Ant.: *reiterável.*] [Pl.: *-veis.*] [F.: *ir-*^{2} + *reiterável.*]

irrelevância (ir.re.le.*vân*.ci:a) ***sf.*** Falta de relevância, de importância [Ant.: *relevância.*] [F.: *ir-*^{2} + *relevância.*]

irrelevante (ir.re.le.*van*.te) ***a2g.*** Que tem pouca ou nenhuma relevância, sem importância (discussão irrelevante) [Ant.: *relevante.*] [F.: *ir-*^{2} + *relevante.*]

irreligiosidade (ir.re.li.gi:o.si.*da*.de) ***sf.*** **1** Qualidade do que é irreligioso **2** Falta de religião; IRRELIGIÃO: "...não é um ato de contrição de sua irreligiosidade passada..." (Lima Barreto, *Marginália*) [F.: *ir-*^{2} + *religiosidade.* Ant. ger.: *religiosidade.*]

irreligioso (ir.re.li.gi.*o*.so) [ô] ***a.*** **1** Que não é religioso **2** Que é contrário à religião; ATEU, HEREGE [Ant.: *religioso.*] [Pl.: [ó]. Fem.: [ó].] [F.: Do lat. *irreligiosus, a, um.*]

irremediável (ir.re.me.di.*á*.vel) ***a2g.*** **1** Que não se pode remediar; que não tem solução ou conserto (crise irremediável); IRREPARÁVEL **2** Que não pode ser evitado (encontro irremediável); INEVITÁVEL [Pl.: *-veis.*] [F.: Do lat. *irremediabilis, e.* Ant. ger.: *remediável.*]

irremissibilidade (ir.re.mis.si.bi.li.*da*.de) ***sf.*** Qualidade do que é irremissível: *a irremissibilidade de um crime.* [Ant.: *remissibilidade.*] [F.: *irremissível*, sob a f. *irremissibil-*, + -*(i)dade*, seg. o mod. erudito.]

irremissível (ir.re.mis.*sí*.vel) ***a2g.*** **1** Que não pode ou não deve ser remitido ou perdoado (crime irremissível) **2** Que não se pode evitar; INFALÍVEL; INEVITÁVEL: "...irremissível desgosto de não ter sido em tempo o teu marido..." (Aluísio de Azevedo, *Livro de uma sogra*) [Pl.: *-veis.*] [F.: Do lat. *irremissibilis, e.* Ant. ger.: *remissível e perdoável.*]

irremível (ir.re.*mí*.vel) ***a2g.*** O mesmo que *irredimível* [Pl.: *-veis.*] [F.: *ir-*^{2} + *remível.*]

irremovível (ir.re.mo.*ví*.vel) ***a2g.*** **1** Que não pode ser afastado ou removido (obstáculo irremovível) **2** *Fig.* Que não pode ser evitado (problema irremovível) [Ant.: *removível.*] [Pl.: *-veis.*] [F.: *ir-*^{2} + *removível.*]

irremunerável (ir.re.mu.ne.*rá*.vel) ***a2g.*** Que não se pode remunerar; que não tem remuneração possível; IMPAGÁVEL [Ant.: *remunerável.*] [Pl.: *-veis.*] [F.: Do lat. *irremunerabilis, e.*]

irrenunciável (ir.re.nun.ci.*á*.vel) ***a2g.*** A que não se pode renunciar; INABDICÁVEL: "...essa procuração tácita impõe-nos uma obrigação irrenunciável..." (Joaquim Nabuco, *O abolicionismo*) [Ant.: *renunciável.*] [Pl.: *-veis.*] [F.: *ir-*^{2} + *renunciável.*]

irreparabilidade (ir.re.pa.ra.bi.li.*da*.de) ***sf.*** Qualidade do que é irreparável: *a irreparabilidade de uma afronta.* [Ant.: *reparabilidade.*] [F.: *irreparável*, sob a f. *irreparabil-*, + -*(i)dade*, seg. o mod. erudito.]

irreparável (ir.re.pa.*rá*.vel) ***a2g.*** Que não pode ser reparado (dano irreparável); IRREMEDIÁVEL [Ant.: *reparável.*] [Pl.: *-veis.*] [F.: Do lat. *irreparabilis, e.*]

irreplegível (ir.re.ple.*gí*.vel) ***a2g.*** **1** Que não se pode encher **2** Que não se pode saciar; INSACIÁVEL [Pl.: *-veis.*] [F.: Posv. do lat. **irreplegibilis, e.*]

irreplicável (ir.re.pli.*cá*.vel) ***a2g.*** A que não se pode replicar (argumento irreplicável); IRRESPONDÍVEL [Ant.: *replicável*] [Pl.: *-veis.*] [F.: *ir-*^{2} + *replicável.*]

irrepreensível (ir.re.pre:en.*sí*.vel) ***a2g.*** Que não merece ser repreendido ou censurado (comportamento irrepreensível); CORRETO, PERFEITO [Ant.: *repreensível.*] [Pl.: *-veis.*] [F.: *ir-*^{2} + *repreensível.*]

irrepresentável (ir.re.pre.sen.*tá*.vel) ***a2g.*** **1** Que não pode ser representado **2** Que não pode ter representante **3** Que é incapaz ou impróprio de ser apresentado em cena (drama irrepresentável) [Pl.: *-veis.*] ***sm.*** **4** Aquilo que não pode ser representado: "...cada qual querendo resgatar a positividade do irrepresentável e do indizível..." (*Folha de S.Paulo*, 14.8.1999) [Pl.: *-veis.*] [.: *ir-*^{2} + *representável.* Ant. ger.: *representável.*]

irreprimido (ir.re.pri.*mi*.do) ***a.*** Que não se reprimiu; não reprimido (paixões irreprimidas); INCONTIDO [Ant.: *reprimido.*] [F.: *ir-*^{2} + *reprimido.*]

irreprimível (ir.re.pri.*mí*.vel) ***a2g.*** Que não se pode reprimir, refrear (riso irreprimível); IRREFREÁVEL [Ant.: *reprimível.*] [Pl.: *-veis.*] [F.: *ir-*^{2} + *reprimível.*]

irreprochável (ir.re.pro.*chá*.vel) ***a2g.*** Que não merece reproche, crítica (atitude irreprochável) [Ant.: *reprochável.*] [Pl.: *-veis.*] [F.: *ir-*^{2} + *reprochável.*]

irreproduzível (ir.re.pro.du.*zí*.vel) ***a2g.*** **1** Que não pode ser reproduzido; não reproduzível **2** Que não deve ser repetido ou publicado por ser ofensivo e chulo (palavrões irreproduzíveis) [Pl.: *-veis.*] [F.: *ir-*^{2} + *reproduzível.* Ant. ger.: *reproduzível.*]

irreprovável (ir.re.pro.*vá*.vel) ***a2g.*** Que não merece reprovação [Ant.: *reprovável.*] [Pl.: *-veis.*] [F.: *ir-*^{2} + *reprovável.*]

irrequietação (ir.re.qui:e.ta.*ção*) ***sf.*** Qualidade ou estado de irrequieto; IRREQUIETUDE [Ant.: *quietação, sossego.*] [Pl.: *-ções.*] [F.: De um v. *irrequietar* (*irrequieto* + *-ar*^{2}) + *-ção.*]

irrequieto (ir.re.qui.*e*.to) ***a.*** **1** Que nunca está quieto, sossegado (menino irrequieto) **2** Que não para de se mexer, ou que revela inquietação (olhar irrequieto) [F.: Do lat. *irrequietus, a, um.* Ant. ger.: *sossegado, tranquilo.*]

irrequietude (ir.re.qui:e.*tu*.de) ***sf.*** Falta de quietude; IRREQUIETAÇÃO [Ant.: *quietude.*] [F.: *irrequieto* + *-ude.*]

irrescindível (ir.res.cin.*dí*.vel) ***a2g.*** Não rescindível; impossível de rescindir (contrato irrescindível) [Ant.: *rescindível.*] [Pl.: *-veis.*] [F.: *ir-*^{2} + *rescindível.*]

irresgatável (ir.res.ga.*tá*.vel) ***a2g.*** Que não pode ser resgatado [Ant.: *resgatável.*] [Pl.: *-veis.*] [F.: *ir-*^{2} + *resgatável.*]

irresignação (ir.re.sig.na.*ção*) ***sf.*** Falta de resignação [Pl.: *-ções.*] [F.: *ir-*^{2} + *resignação.*]

irresignado (ir.re.sig.*na*.do) ***a.*** Que não se resigna ou não se resignou; INCONFORMADO [Ant.: *resignado.*] [F.: *ir-*^{2} + *resignado.*]

irresignável (ir.re.sig.*ná*.vel) ***a2g.*** **1** Incapaz de resignar-se ou conformar-se **2** Que não pode ser resignado ou renunciado (função irresignável) [Pl.: *-veis.*] [F.: *ir-*^{2} + *resignável.* Ant. ger.: *resignável.*]

irresistibilidade (ir.re.sis.ti.bi.li.*da*.de) ***sf.*** Qualidade do que é irresistível: "As suas façanhas não provinham da irresistibilidade da sua força, mas da evidência da sua justiça." (Eça de Queirós, *Últimas páginas*) [Ant.: *resistibilidade.*] [F.: *irresistível*, sob a f. *irresistibil-*, + -*(i)dade*, seg. o mod. erudito.]

irresistível (ir.re.sis.*tí*.vel) ***a2g.*** **1** A que não se pode resistir, ger. por sua força ou encantamento (beleza irresistível) **2** Que não se pode dominar ou conter; IRREPRIMÍVEL: *vontade irresistível de comer um doce.* [Ant.: *resistível.*] [Pl.: *-veis.*] [F.: *ir-*^{2} + *resistível.*]

irresolução (ir.re.so.lu.*ção*) ***sf.*** Falta de resolução; HESITAÇÃO, INDECISÃO [Ant.: *resolução.*] [Pl.: *-ções.*] [F.: *ir-*^{2} + *resolução.*]

irresoluto (ir.re.so.*lu*.to) ***a.*** **1** Que não foi resolvido (enigma irresoluto) **2** Que revela indecisão (caráter irresoluto); HESITANTE [Ant.: *resoluto.*] [F.: Do lat. *irresolutus, a, um.*]

irresolvido (ir.re.sol.*vi*.do) ***a.*** Que ainda não foi resolvido (enigma irresolvido) [Ant.: *resolvido.*] [F.: *ir-*^{2} + *resolvido.*]

irresolvível (ir.re.sol.*ví*.vel) ***a2g.*** Não resolvível; que não se pode resolver; IRRESOLÚVEL [Ant.: *resolvível, resolúvel.*] [F.: *ir-*^{2} + *resolvível.*]

irrespeitabilidade (ir.res.pei.ta.bi.li.*da*.de) ***sf.*** Qualidade do que é irrespeitável [Ant.: *respeitabilidade.*] [F.: *irrespeitável*, sob a f. *irrespeitabil-*, + -*(i)dade*, seg. o mod. erudito.]

irrespeitável (ir.res.pei.*tá*.vel) ***a2g.*** Não respeitável; que não é digno de respeito [Ant.: *respeitável.*] [Pl.: *-veis.*] [F.: *ir-*^{2} + *respeitável.*]

irrespirável (ir.res.pi.*rá*.vel) ***a2g.*** **1** Que não se pode ou não se deve respirar (ar irrespirável) **2** Em que não é possível ou é difícil respirar (cidade irrespirável) [Pl.: *-veis.*] [F.: *ir-*^{2} + *respirável.* Ant. ger.: *respirável.*]

irrespondível (ir.res.pon.*dí*.vel) ***a2g.*** Que não tem resposta possível; IRREPLICÁVEL; IRREFUTÁVEL: "...argumento que o dr. Paulino de Sousa Júnior declarou irrespondível." (Machado de Assis, *A semana*) [Ant.: *respondível.*] [Pl.: *-veis.*] [F.: *ir-*^{2} + *respondível.*]

irresponsabilidade (ir.res.pon.sa.bi.li.*da*.de) ***sf.*** **1** Falta de responsabilidade **2** Ação ou dito irresponsável [Ant.: *responsabilidade*] [F.: *irresponsável*, sob a f. *irresponsabil-*, + -*(i)dade*, seg. o mod. erudito.]

irresponsável (ir.res.pon.*sá*.vel) ***a2g.*** **1** Que não pode ser responsabilizado **2** Que revela falta de responsabilidade **3** Que age de maneira leviana, sem seriedade [Pl.: *-veis.*] ***s2g.*** **4** Pessoa que age irresponsavelmente [Ant.: *responsável.*] [Pl.: *-veis.*] [F.: *ir-*^{2} + *responsável.*]

irrestaurável (ir.res.tau.*rá*.vel) ***a2g.*** Que é impossível de restaurar [Ant.: *restaurável.*] [Pl.: *-veis.*] [F.: *ir-*^{2} + *restaurável.*]

irrestringível (ir.res.trin.*gí*.vel) ***a2g.*** Que não se pode restringir, limitar [Ant.: *restringível*] [Pl.: *-veis.*] [F.: *ir-*^{2} + *restringível.*]

irrestrito (ir.res.*tri*.to) ***a.*** Que não tem restrição (apoio irrestrito); AMPLO, ILIMITADO [Ant.: *restrito.*] [F.: *ir-*^{2} + *restrito.*]

irretocável (ir.re.to.*cá*.vel) ***a2g.*** **1** Que não precisa de retoque; PERFEITO [Ant.: *retocável.*] **2** *Fig.* Não passível de reparos, correções, críticas ou observações: "...o resultado das investigações teve de ser irretocável." (*Folha de S.Paulo*, 6.11.1999) [Pl.: *-veis.*] [F.: *ir-*^{2} + *retocável.*]

irretornável (ir.re.tor.*ná*.vel) ***a2g.*** *P. us.* Não retornável [Pl.: *-veis.*] [F.: *ir-*^{2} + *retornável.*]

irretorquível (ir.re.tor.*quí*.vel) ***a2g.*** A que não se pode retorquir, ou que não permite argumentação em contrário; IRRESPONDÍVEL [Ant.: *retorquível.*] [Pl.: *-veis.*] [F.: *ir-*^{2} + *retorquível.*]

irretratável (ir.re.tra.*tá*.vel) ***a2g.*** **1** Em que não cabe retratação **2** Diz-se do que não pode ser retratado: *Aquele belo rosto é irretratável.* [Ant.: *retratável.*] [Pl.: *-veis.*] [F.: *ir-*^{2} + *retratável.*]

irretroatividade (ir.re.tro:a.ti.vi.*da*.de) ***sf.*** Qualidade de irretroativo, do que não tem efeito retroativo [Ant.: *retroatividade.*] [F.: *irretroativo* + -*(i)dade.*]

irretroativo (ir.re.tro:a.*ti*.vo) ***a.*** Que não retroage [Ant.: *retroativo.*] [F.: *ir-*^{2} + *retroativo.*]

irrevelado (ir.re.ve.*la*.do) ***a.*** Que não se revelou ou divulgou [Ant.: *revelado.*] [F.: *ir-*^{2} + *revelado.*]

irrevelável (ir.re.ve.*lá*.vel) ***a2g.*** Que não se pode revelar ou divulgar [Ant.: *revelável.*] [Pl.: *-veis.*] [F.: *ir-*^{2} + *revelável.*]

irreverência (ir.re.ve.*rên*.ci:a) ***sf.*** **1** Qualidade ou característica de quem é irreverente **2** Ação ou dito irreverente: *Cometeu algumas irreverências na presença da realeza.* [Ant.: *reverência, respeito.*] [F.: Do lat. *irreverentia, ae.*]

irreverente (ir.re.ve.*ren*.te) ***a2g.*** **1** Que não demonstra reverência, respeito **2** *P. ext.* Sem formalidades (apresentação irreverente); DESCONTRAÍDO **3** *Fig.* Que revela descontração ao tratar de coisas tidas como sérias, ou que visa a satirizar a ordem estabelecida, as regras, e as ideias do senso comum (humor irreverente) **4** *P. ext.* Que é dado a fazer brincadeiras, esp. as que fogem ao recato ***s2g.*** **5** Pessoa irreverente [Ant.: *reverente.*] [F.: Do lat. *irreverens, entis.*]

irreversibilidade (ir.re.ver.si.bi.li.*da*.de) ***sf.*** Característica ou propriedade do que é irreversível [Ant.: *reversibilidade*] [F.: *irreversível*, sob a f. *irreversibil-*, + -*(i)dade*, seg. o mod. erudito.]

irreversível (ir.re.ver.*sí*.vel) ***a2g.*** Que não pode ser revertido; que não pode voltar ao estado anterior (processo irreversível) [Pl.: *-veis.*] [F.: *ir-*^{2} + *reversível.*]

irrevocabilidade (ir.re.vo.ca.bi.li.*da*.de) ***sf.*** Ver *irrevogabilidade*

irrevocável (ir.re.vo.*cá*.vel) ***a2g.*** Ver *irrevogável*

irrevogabilidade (ir.re.vo.ga.bi.li.*da*.de) ***sf.*** Qualidade do que é irrevogável ou irrevocável: *a irrevogabilidade do mandato político; a irrevogabilidade das operações financeiras pactuadas.* [F.: *irrevogável* + *-idade*, seg. o mod. erudito; Ant.: *revogabilidade, revocabilidade.* Tb. *irrevocabilidade.*]

irrevogável (ir.re.vo.*gá*.vel) ***a2g.*** Que não pode ser revogado, anulado (resolução irrevogável). [Ant.: *revogável, revocável.*] [Pl.: *-veis.*] [F.: Do lat. *irrevocabilis, e.* Tb. *irrevocável.*]

irrigação (ir.ri.ga.*ção*) ***sf.*** **1** Ação ou resultado de irrigar **2** Rega artificial, esp. em locais em que não há muita água: *irrigação de terra para plantio.* **3** Ação de conduzir esp. sangue e linfa para determinada área do organismo [Pl.: *-ções.*] [F.: Do lat. *irrigatio, onis.*]

irrigador (ir.ri.ga.*dor*) [ô] ***sm.*** **1** Aquilo que se usa para irrigar: *Comprou um conjunto de escova elétrica e irrigador* *dental.* **2** Utensílio us. para regar plantas; REGADOR *a.* **3** Que irriga (tanque irrigador) [F.: Do lat. *irrigator, oris.*]

irrigar (ir.ri.*gar*) *v. td.* **1** Regar, molhar (terreno, plantação etc.) (tb. artificialmente): *Instalou novo sistema para irrigar a horta.* **2** *Med.* Levar sangue ou linfa a: *As artérias irrigam os tecidos do corpo.* **3** *Med.* Levar líquido ou medicamento a (parte do corpo etc.): *O dentista irriga o dente com uma solução adequada.* [▶ 14 irrigar] [F.: Do v.lat. *irrigare.* Hom./Par.: *irrigáveis* (fl.), *irrigáveis* (pl. de *irrigável* [a2g.]).]

irrigável (ir.ri.*gá*.vel) *a2g.* Que se pode irrigar (campos irrigáveis) [Pl.: *-veis.*] [F.: *irrigar* + *-vel.*]

irrisão (ir.ri.*são*) *sf.* **1** Ação ou resultado de rir com desdém; ESCÁRNIO, ZOMBARIA **2** O que é alvo de zombarias, motejos ou de desdém **3** Acontecimento sem importância ou passível de desdém [Pl.: *-sões.*] [F.: Do lat. *irrisio, onis.*]

irrisório (ir.ri.*só*.ri:o) *a.* **1** Dito ou feito para provocar irrisão; RISÍVEL **2** Que é insignificante; que não se precisa levar em consideração (quantia irrisória) [F.: Do lat. *irrisorius, a, um.*]

irritabilidade (ir.ri.ta.bi.li.*da*.de) *sf.* **1** Qualidade do que é irritável; propensão para irritar-se ou sentimento de grande irritação: "...alguns minutos antes do ataque, ela numa grande irritabilidade, lhe dissera que fugia para Vilalva..." (Camilo Castelo Branco, *A brasileira de Prazins*) **2** *Fisl.* Propriedade que possuem os órgãos e tecidos de reagir a uma estimulação: "Os impulsos que desencadeiam a dor podem alcançar outras regiões do cérebro, provocando irritabilidade ao som e à luz..." (*Folha S.Paulo*, 30.10.1999) [F.: Do lat. *irritabilitas, atis.*]

irritação (ir.ri.ta.*ção*) *sf.* **1** Condição ou estado do que está irritado **2** Estado de exasperação ou nervosismo **3** *Med.* Reação intensa dos tecidos a uma lesão (irritação na garganta, na pele) [Pl.: *-ções.*] [F.: Do lat. *irritatio, onis.*]

irritadiço (ir.ri.ta.*di*.ço) *a.* Que se irrita facilmente; IRRITÁVEL [F.: *irritado* + *-iço.*]

irritado (ir.ri.*ta*.do) *a.* **1** Que se irritou **2** Que está com ou sente raiva, grande impaciência, causados por algo ou alguém exasperante **3** Que demonstra irritação, nervosismo (jeito irritado) **4** Diz-se de parte do corpo que mostra sinais de lesões ou inflamação (olhos irritados) [F.: Do lat. *irritatus, a, um.*]

irritante (ir.ri.*tan*.te) *a2g.* **1** Que provoca irritação, nervosismo; ENERVANTE [Ant.: *calmante*] *s2g.* **2** Substância que causa irritação [F.: Do lat. *irritans, antis.*]

irritar (ir.ri.*tar*) *v.* **1** Provocar ou sentir irritação ou agastamento; AGASTAR(-SE); ENERVAR(-SE) [*td.*: *Essas mentiras irritaram-na.*] [*tr.* + *com*: *Irritei-me com aquela proposta indecorosa.*] **2** Tirar a paciência de; ABORRECER; IMPORTUNAR [*td.*: *A empregada irritava-me.*] **3** *Fig.* Exacerbar ou excitar [*td.*: *irritar os ânimos / as paixões.*] **4** *Med.* Causar irritação (em órgão), ou sofrê-la [*td.*: *Esse remédio irrita o estômago.*] [*int.*: *Minha pele se irrita quando faz muito calor.*] **5** *Med.* Provocar ação ou reação por parte de órgão, tecido [*td.*: *irritar um músculo.*] [▶ 1 irritar] [F.: Do lat. *irritare.* Hom./Par.: *irrito* (fl.), *írrito* (sm.).]

irritativo (ir.ri.ta.*ti*.vo) *a.* Que irrita ou causa irritação; IRRITANTE [F.: *irritar* + *-tivo.*]

irritável (ir.ri.*tá*.vel) *a2g.* **1** Que se pode irritar **2** O mesmo que *irritadiço* [Pl.: *-veis.*] [F.: *irritar* + *-vel.* Hom./Par.: *irritáveis* (pl.), *irritáveis* (fl. de *irritar*).]

írrito (*ír*.ri.to) *a.* Que se tornou sem efeito; NULO [F.: Do lat. *irritus, a, um.*]

irrogar (ir.ro.*gar*) *v. tdi.* **1** Infligir (pena, castigo, punição etc.) a (alguém) **2** Atribuir ou fazer recair (algo) sobre (alguém ou alguma coisa): *Irrogaram ao professor a reprovação do aluno.* [▶ 14 irrogar] [F.: Do v.lat. *irrogare.*]

irromper (ir.rom.*per*) *v.* **1** Entrar com violência ou com ímpeto; INVADIR [*ta.*: *As crianças irromperam no parque; Com as fortes chuvas, a água irrompeu no sótão.*] **2** Aparecer, agir ou sobrevir de repente [*ta.*: "...irrompia dos galhos e das folhas verdes o alarido dos pássaros..." (Josué Montello, *Sempre serás lembrada*)] **3** Começar a vazar [*int.*: *Com as mamas pesadas, o leite irrompia.*] [*ta.*: *Com o cano furado, a água irrompia da parede do banheiro.*] [▶ 2 irromper] [F.: Do v.lat. *irrumpere.*]

irrupção (ir.rup.*ção*) *sf.* **1** Aparição ou intervenção súbita, tempestuosa: *A irrupção daqueles vândalos tumultuou a festa.* **2** *P. ext.* Surgimento repentino: *irrupção de um ódio não esperado.* [Pl.: *-ções.*] [F.: Do lat. *irruptio, onis.*]

irruptivo (ir.rup.*ti*.vo) *a.* Que produz irrupção [F.: Do lat. *irruptus*, 'não rompido', + *-ivo.* Hom./Par.: *irruptivo* (a.), *eruptivo* (a.).]

◎ **-isa** *suf.* = formador de feminino: *poetisa, profetisa*

isabel[1] (i.sa.*bel*) *sf.* **1** *Bot.* Variedade de videira-americana muito comum nos Açores e no Rio Grande do Sul [Pl.: *-béis.*] *a2g.* **2** Diz-se do vinho feito com as uvas dessa videira [Pl.: *-béis.*] [F.: Do antr. *Isabel* (*Gibs*), introdutora dessa videira na Europa.]

isabel[2] (i.sa.*bel*) *sm.* **1** A cor da camurça [Pl.: *-béis.*] *a2g.* **2** Que é da cor isabel (1) (canário isabel) **3** Diz-se dessa cor **4** Diz-se do cavalo de cor branco-amarelada [Pl.: *-béis.*] [F.: Do antr. *Isabel*, ou da rainha *Isabel*, a Católica, ou da arquiduquesa *Isabel*, filha de Filipe II da Espanha, posv.]

isagoge (i.sa.*go*.ge) *P. us. sf.* **1** Introdução, prefácio, prólogo **2** Primeiras noções; RUDIMENTOS **3** Para alguns teólogos, o estudo da Bíblia [F.: Do gr. *eisagogé, ês.*]

isagógico (i.sa.*gó*.gi.co) *P. us. a.* Ref. a isagoge [F.: Do gr. *eisagogikós, é, ón.*]

⊠ **ISBN** *Doc.* Sigla do ing. *International Standard Book Number*, registro us. internacionalmente para identificação de livros

isca (*is*.ca) *sf.* **1** Chamariz que se coloca no anzol para atrair o peixe **2** *Fig.* Qualquer coisa que sirva para atrair alguém: *O show serviu de isca para aumentar o público do comício.* **3** Mecha de isqueiro **4** *Cul.* Tira pequena de fígado bovino temperada e frita [F.: Do lat. *esca, ae.*] ∎ **Comer a ~ e cagar no anzol** *Bras. Tabu.* Ser ingrato com quem o ajudou ou lhe prestou favor; ser mal-agradecido **Morder a ~** *Fig.* Ser atraído por algo feito ou mostrado especialmente para enganar; cair na armadilha; ser logrado ou seduzido

◎ **-iscar** *suf.* = ação frequentativa; diminutiva: *chuviscar, lambiscar*

iscar (is.*car*) *v. td.* **1** Pôr isca em: *iscar o anzol.* **2** *Fig.* Atrair com engodo; ENGANAR; ENGODAR: *Iscou a criança com um pacote de balas.* **3** Contaminar, eivar, infectar (tb. *Fig.*): *A gripe iscou toda a família.* **4** Aplicar qualquer matéria em; UNTAR: *Iscou a madeira com breu e azeite.* **5** *Bras.* Açular, instigar (cães): *Iscou o cão com um pedaço de madeira.* [▶ 11 iscar] [F.: *isca* + *-ar*[2]. Hom./Par.: *isca(s)* (fl.), *isca(s)* (sf. [pl.]); *iscara(s)* (fl.), *escara(s)* (sf. [pl.]).]

◎ **-isco**[1] *Suf. nom.* = diminuição: *chuvisco, marisco* [F.: Do gótico *-isk*, ou, com menos probabilidade, do gr. *-iskós.*]

◎ **-isco**[2] *suf.* = -esco: *mourisco*

◎ **isc(o)-** *el. comp.* = 'reter', 'diminuir', 'suspender': *iscoblenia, iscomenia* [F.: Do v. gr. *ískho.*]

iscoblenia (is.co.ble.*ni*.a) *sf. Pat.* Retenção ou suspensão de um fluxo mucoso [F.: *isc(o)-* + *-blenia.*]

iscomenia (is.co.me.*ni*.a) *sf. Ginec.* Retenção ou suspensão do fluxo menstrual [F.: *isc(o)-* + *-menia.*]

iscúria (is.*cú*.ri.a) *sf. Pat.* Retenção da urina [F.: Do lat. *ischuria, ae*, do gr. *iskhouría, as.*]

isenção (i.sen.*ção*) *sf.* **1** Ação ou resultado de isentar(-se), desobrigar(-se) **2** Nobreza ou independência de caráter; DIGNIDADE, NOBREZA **3** Qualidade ou condição de quem é imparcial, neutro; IMPARCIALIDADE [+ *para com*, *em*: *Os jurados demonstraram isenção para com o réu; o articulista demonstra isenção em suas observações.*] **4** *Fig.* Liberação de responsabilidade ou do cumprimento de uma obrigação: *isenção de pagamento do imposto de renda.* [Pl.: *-ções.*] [F.: Do lat. *exemptio, onis*, por via popular.] ∎ **~ de pena** *Jur.* Decisão judicial – e sua argumentação – de eximir réu, mesmo se considerado culpado, de cumprimento de pena **~ fiscal** *Econ.* Dispensa, apoiada em lei, do pagamento de imposto ou tributo

isentar (i.sen.*tar*) *v.* Tornar(-se) isento, desobrigado, livre de; DESOBRIGAR(-SE); EXIMIR(-SE) [*tdr.* + *de*: *As testemunhas o isentaram de qualquer culpa.*] [*tr.* + *de*: *Protocolou o requerimento e isentou-se da multa.*] [▶ 1 isentar Part.: *isento, isentado.*] [F.: *isento* + *-ar*[2]. Ant. ger.: *obrigar.* Hom./Par.: *isento* (fl.), *isento* (a.).]

isento (i.*sen*.to) *a.* **1** Dispensado, livre de dever ou obrigação (esp. de recolhimento de imposto, taxa etc.) **2** Que se mostra imparcial, neutro, justo **3** Falto, desprovido (isento de culpa) [F.: Do lat. *exemptus, a, um*, por via popular.]

islã (is.*lã*) *sm.* **1** *Rel.* A religião islâmica; ISLAMISMO **2** A totalidade das nações modernas que têm o islamismo como religião dominante [F.: Do fr. *islam*, do ár. *islam.*]

islame (is.*la*.me) *sm.* Ver *islã*

islâmico (is.*lâ*.mi.co) *a.* Ref. aos islamitas ou ao islamismo [F.: *islã, islame* + *-ico*[2], seg. o mod. erudito.]

islamismo (is.la.*mis*.mo) *sm. Rel.* Religião monoteísta fundada pelo profeta Maomé, cujo livro sagrado é o Corão; ISLÃ; ISLAME; ISLAMISMO [F.: De *islã, islame* + *-ismo*, seg. o mod. erudito.]

islamista (is.la.*mis*.ta) *s2g.* **1** Adepto do islamismo, ou ativista religioso ou político do islamismo *a2g.* **2** Ref. a ou de islamista (1) [F.: *islame* + *-ista.*]

islamita (is.la.*mi*.ta) *s2g.* Seguidor do islamismo; MUÇULMANO [F.: *islame* + *-ita*[2].]

islamização (is.la.mi.za.*ção*) *sf.* Ação ou resultado de islamizar(-se) [Pl.: *-ções.*] [F.: *islamizar* + *-ção.*]

islamizado (is.la.mi.*za*.do) *a.* **1** Que se integrou ao Islã **2** Que adquiriu aspectos ou costumes islâmicos [F.: Part. de *islamizar.*]

islamizar (is.la.mi.*zar*) *v. td.* **1** Converter(-se) ao Islã **2** Conceder ou adquirir traços característicos da cultura e dos costumes islâmicos: *Alguns músicos de jazz islamizaram seus nomes; O pianista islamizou-se de vez.* [▶ 1 islamizar] [F.: *islame* + *-izar.*]

islandês (is.lan.*dês*) *sm.* **1** Pessoa nascida ou que vive na Islândia (Europa) **2** *Gloss.* Língua falada na Islândia *a.* **3** Da Islândia; típico desse país ou de seu povo **4** Do ou ref. ao islandês (2) [F.: Do top. *Islândia* + *-ês.*]

ismaelita (is.ma:e.*li*.ta) *s2g.* **1** Segundo a Bíblia, descendente de Ismael (filho de Abraão e da escrava Hagar) **2** Pessoa pertencente a um povo antigo do Oriente Médio considerado descendente de Ismael *a2g.* **3** Dos ou ref. aos ismaelitas [F.: Do antr. *Ismael* + *-ita*[2].]

◎ **-ismo** *suf. nom.* Formador de nomes de doutrinas, princípios, teorias e sistemas filosóficos, religiosos, artísticos, científicos, econômicos e políticos ou de governo (p. ex.: *animismo, existencialismo, instrumentalismo* [< ingl.], *materialismo, platonismo* [< fr. -1672], *pragmatismo* [< ingl.], *anabatismo, ateísmo, druidismo, espiritualismo, estruturalismo, classicismo, acidentalismo* [< ingl.], *humoralismo, capitalismo, comunismo, liberalismo, mercantilismo, neoliberalismo, absolutismo, anarquismo, fascismo* [< it.], *maquiavelismo, revisionismo, socialismo*), o suf. *-ismo*, que no grego formava o nome de ação de verbos em *-ízo* (por vezes *-ío*), apresenta ainda inúmeras outras noções, tais como: **a)** 'escola, técnica, pensamento ou movimento artísticos': *cubismo, expressionismo, fovismo, futurismo, impressionismo, modernismo, romantismo, simbolismo, surrealismo* (< fr.); **b)** '(da ideia de doutrina filosófico-religiosa) sistema religioso, religião, ou seita': *budismo, catolicismo, espiritismo, islamismo, judaísmo* (< lat. < gr.), *metodismo, umbandismo*; **c)** '(da ideia de filosofia ou sistema político) forma ou regime de governo': *autoritarismo, descentralismo, feudalismo, parlamentarismo, pluripartidarismo, presidencialismo*; **d)** 'ação, prática, movimento ou pensamento políticos ou período de governo (de certo político ou governante)': *castrismo, chaguismo, fidelismo, franquismo, getulismo, lacerdismo, salazarismo*; **e)** 'caráter ou qualidade de um povo, ou as características ou costumes que lhes são próprios'; 'o sentimento de amor desse povo à sua pátria ou região (cidade, estado etc.)'; 'o conjunto dos indivíduos dessa nação, região, cidade etc.': *americanismo, baianismo, britanismo, espanholismo, mineirismo*; **f)** 'modo de escrever ou falar próprio de uma língua' ou 'palavra, expressão ou estrutura característica de dada língua ou de uma variante/variedade linguística': *açorianismo, anglicismo, angolanismo, brasileirismo, galicismo, helenismo, latinismo, lusismo, regionalismo, tupinismo*; **g)** 'pronúncia viciosa (de dada letra [fonema])': *lambdacismo* (< gr.), *rotacismo*; **h)** 'comportamento, procedimento ou ação de (aquele a que se refere o rad. da palavra original [terminada ou não em *-ista*])': *acacianismo, aristocratismo, arrivista, banditismo* (< it.), *carolismo, chaleirismo, companheirismo, fanatismo* (< fr.), *heroísmo, inconformismo, machismo, mau-caratismo, radicalismo, vandalismo, vedetismo*; **i)** 'comportamento, condição, opção ou preferência sexual de': *bissexualismo, homossexualismo, lesbianismo*; **j)** 'dada ação ou comportamento que constitui proteção (ou favoritismo)': *aciolismo, afilhadismo, clientelismo, favoritismo, nepotismo, paternalismo*; **l)** 'ato ou prática de': *terrorismo*; **m)** 'esporte, prática ou modalidade esportiva': *aeromodelismo, atletismo, ciclismo, iatismo, pugilismo, skatismo/esqueitismo*; **n)** 'doença, quadro ou estado mórbidos ou condição patológica': *acefalismo, atimismo, favismo, linfatismo* (< fr.), *menierismo, parkinsonismo, raquitismo, reumatismo, sonambulismo* (< fr.); **o)** 'vício ou estado patológico derivante de vício ou intoxicação (ou envenenamento)': *absintismo, alcoolismo, barbiturismo, ergotismo, iodismo, morfinismo, plumbismo, tabagismo*; **p)** 'qualidade, estado, característica ou condição de': *analfabetismo, automatismo, barbarismo, celibatarismo, irrealismo, laicismo, mutismo, naturalismo, realismo*; **q)** 'dada propriedade': *acromatismo, actinismo, antiferromagnetismo, aplanetismo, autotrofismo, ferromagnetismo*; **r)** 'sentimento ou estado de espírito de (indivíduo com dada qualidade)': *ceticismo, indiferentismo, macambuzismo, nervosismo, saudosismo*; **s)** 'amor (exacerbado ou não) ou devoção a': *chauvinismo, humanitarismo, narcisismo, patriotismo, tradicionalismo* [F.: Do gr. *-ismós, oû*, de nomes de ação de verbos em *-ízo* (1ª pess.), equivalente no port. a *-izar* (f. latinizante). No português, segundo o modelo helênico, portanto, erudito, vocábulos em *-ismo* formam nomes de agentes em *-ista* (< gr. *-istés, oû*); os adj. referentes ao nome em *-ismo* ou *-ista* são formados com *-ico*[2] (< *-ikós, é, ón*), gerando formas em *-ístico* (q. v.), tais como: *budismo/budista/budístico; calvinismo/calvinista/calvinístico.*]

◎ **is(o)-** *el. comp.* = 'igual'; 'idêntico'; 'da mesma natureza ou da mesma forma'; (*Quím.*) 'similaridade de compostos'; 'isomeria': *isocarpo, isocianato, isócolo* (< gr.), *isocromia, isodinamia, isogamia, isômero* (< gr.), *isometria, isomorfia, isotermia* [F.: Do gr. *iso-*, do gr. *isos, e, on*, 'igual'; 'igual em número ou em força'.]

⊠ **ISO** Sigla do ing. *International Organization for Standardization*, organização internacional que trata da normalização de procedimentos, medidas e materiais nos domínios da atividade produtiva

isóbara (i.*só*.ba.ra) *sf. Fís.* Num diagrama qualquer, curva que passa pelos pontos onde a pressão tem um mesmo valor constante; ISOBÁRICA [F.: Do fr. *isobare* ou fem. substv. de *isóbaro.*]

isobárica (i.so.*bá*.ri.ca) *Fís. sf.* O mesmo que *isóbara* [F.: Fem. substv. de *isobárico.*]

isobárico (i.so.*bá*.ri.co) *a. Fís.* Diz-se de processo em que a pressão do sistema se mantém constante [F.: *isóbaro* + *-ico*[2].]

isóbaro (i.*só*.ba.ro) *Fís. nu. a.* **1** Diz-se de cada um dos nuclídeos cujos números atômicos são diferentes e cujo número de massa é o mesmo *sm.* **2** Esse nuclídeo [F.: *is(o)-* + *-baro.*]

isóbata (i.*só*.ba.ta) *sf.* Nas cartas hidrográficas, linha imaginária que liga os pontos de igual profundidade no relevo submarino [F.: *is(o)-* + *-bata*[2].]

isocarpo (i.so.*car*.po) *a. Bot.* Diz-se das plantas cujos frutos são todos iguais; HOMOCARPO [F.: *is(o)-* + *-carpo.*]

isocianato (i.so.ci.a.*na*.to) *sm.* Nome comum aos sais e ésteres de radical -NCO [F.: *is(o)-* + *cianato.*] ∎ **~ de metila** *Quím.* Líquido incolor, volátil e inflamável, us. por suas propriedades tóxicas como agente ativo em defensivos agrícolas [Em 1984, provocou, num acidente, milhares de mortes na Índia.]

isoclino (i.so.*cli*.no) *a.* Ver *isóclino*

isóclino (i.*só*.cli.no) *a.* Diz-se de ponto sobre a superfície terrestre com a mesma inclinação magnética que outro

[F.: Do gr. *isoklinés, és, és*, 'que pende igualmente', ou de *is(o)-* + *-clino*. Tb. *isoclino*.]

isocórica (i.so.*có*.ri.ca) ***sf.*** *Fís.* Transformação de um sistema em que o volume se mantém constante; transformação isocórica [F.: Fem. substv. de *isocórico*.]

isocórico (i.so.*có*.ri.co) ***a.*** *Fís.* Diz-se de processo termodinâmico em que o volume se mantém constante; ISOVOLUMÉTRICO [F.: Do gr. *isókhoros, os, on*, 'do mesmo tempo'; 'igual em duração', + *-ico*[2].]

isocromático (i.so.cro.*má*.ti.co) ***a.*** De coloração uniforme; ISOCRÔMICO [F.: *is(o)-* + *cromático*.]

isocromia (i.so.cro.*mi*.a) ***sf.*** **1** Processo que imita a pintura a óleo, por meio de recursos litográficos; LITOCROMIA **2** Imagem transparente, coberta de verniz, por detrás da qual se aplicaram cores a óleo em camadas igualmente grossas [F.: *is(o)-* + *-cromia*.]

isocronismo (i.so.cro.*nis*.mo) ***sm.*** Qualidade do que é isócrono: *o isocronismo das oscilações do pêndulo*. [F.: *isócrono* + *-ismo*.]

isócrono (i.*só*.cro.no) ***a.*** **1** Que se realiza ao mesmo tempo ou com intervalos de tempo iguais (movimentos isócronos) **2** *Mús.* Que tem a mesma duração (compasso isócrono) **3** Cujos movimentos são simultâneos ao de outro: *No nado sincronizado, as atletas precisam ser isócronas.* **4** *Geol.* Diz-se de linha imaginária, em um mapa, que delimita as áreas petrográficas de igual idade **5** *Geol.* Diz-se de linha imaginária que liga pontos a partir dos quais uma onda sísmica leva o mesmo tempo para propagar-se até a superfície terrestre [F.: *is(o)-* + *-crono*.]

isodinamia (i.so.di.na.*mi*.a) ***sf.*** *Med.* Equivalência entre diferentes alimentos em termos do número de calorias [F.: *is(o)-* + *-dinamia*.]

isodinâmico (i.so.di.*nâ*.mi.co) ***a.*** **1** Ref. a isodinamia **2** *Fís.* Que tem a mesma intensidade magnética [F.: *is(o)-* + *-dinam(o)-* + *-ico*[2].]

isoelétrico (i.so:e.*lé*.tri.co) ***a.*** Que tem o mesmo potencial elétrico [F.: *is(o)-* + *elétrico*.]

isoeletrônico (i.so:e.le.*trô*.ni.co) ***a.*** *Fís. nu.* Ref. a átomos, moléculas ou íons que têm o mesmo número de elétrons e a mesma configuração eletrônica no estado padrão [F.: *is(o)-* + *eletrônico*.]

isofilia (i.so.fi.*li*.a) ***sf.*** *Bot.* Igualdade das folhas de um ramo [P. opos. a *anisofilia*.] [F.: *is(o)-* + *-filia*[2]. Cf.: *heterofilia*.]

isofílico (i.so.*fí*.li.co) ***a. sm.*** *Bot.* O mesmo que *isofilo* [F.: *isofilia* + *-ico*[2].]

isofilo (i.so.*fi*.lo) *Bot.* ***a.*** **1** Diz-se de vegetal cujas folhas são iguais ***sm.*** **2** Vegetal cujas folhas são iguais [F.: *is(o)-* + *-filo*[2]. Sin. ger.: *isofílico*.]

isofono (i.so.*fo*.no) ***a.*** Ver *isófono*

isófono (i.*só*.fo.no) ***a.*** Que tem voz semelhante a uma outra, ou que tem o mesmo timbre de voz [F.: *is(o)-* + *-fono*. Tb. *isofono*.]

isofoto (i.so.*fo*.to) ***a. sm.*** Ver *isófoto*

isófoto (i.*só*.fo.to) ***sm.*** **1** Conjunto de pontos nos quais a intensidade da luz é igual ***a.*** **2** Ref. a ou próprio desse conjunto [F.: *is(o)-* + *-foto*[1]. Tb. *isofoto*.]

isogameta (i.so.ga.*me*.ta) ***sm.*** *Biol.* Gameta morfologicamente igual a outro [F.: *is(o)-* + *gameta*. NOTA: P. opos. a *heterogameta*.]

isogamia (i.so.ga.*mi*.a) ***sf.*** **1** *Antr.* Casamento entre pessoas que pertencem ao mesmo grupo social, econômico ou religioso **2** *Biol.* Fusão de gametas iguais [Opõe-se a *anisogamia*.] [F.: *is(o)-* + *-gamia*.]

isógamo (i.*só*.ga.mo) ***a.*** **1** Ref. a ou caracterizado por isogamia **2** *Antr.* Diz-se de indivíduo que casa com outro de classe social semelhante à sua ***sm.*** **3** *Antr.* Esse indivíduo [F.: *is(o)-* + *-gamo*. Cf.: *anisógamo*.]

isogeotérmico (i.so.ge:o.*tér*.mi.co) ***a.*** *Geol.* Diz-se de cada um dos pontos de mesma temperatura no interior do globo terrestre [F.: *is(o)-* + *-ge(o)-* + *-term(o)-* + *-ico*[2].]

isógono (i.*só*.go.no) ***a.*** *Geom.* Diz-se de figura geométrica que apresenta todos os ângulos iguais [F.: *is(o)-* + *-gono*[1].]

isoimunização (i.so.i.mu.ni.za.*ção*) ***sf.*** *Med.* Alteração imunológica caracterizada pela incompatibilidade sanguínea entre a mãe e o feto [Pl.: *-ções*.] [F.: *is(o)-* + *imunização*. Cf.: *eritroblastose fetal*.]

isolação (i.so.la.*ção*) *P. us.* ***sf.*** **1** Ação ou resultado de isolar(-se) (isolação acústica); ISOLAMENTO **2** Situação ou condição de quem vive isolado; ISOLAMENTO: "...Donzelas até, quantas naquele instante, não se estorceriam no leito e não morderiam os travesseiros, desvairadas pela isolação?" (Aluísio de Azevedo, *Casa de pensão*) [Pl.: *-ções*.] [F.: *isolar* + *-ção*.]

isolacionismo (i.so.la.ci:o.*nis*.mo) ***sm.*** *Pol.* Doutrina que prega o isolamento de um país, mediante a recusa em formar alianças políticas ou econômicas ou em assinar acordos com outros países [F.: Do ing. *isolationism*.]

isolacionista (i.so.la.ci:o.*nis*.ta) *Pol.* ***s2g.*** **1** Partidário do isolacionismo ***a2g.*** **2** Ref. ao isolacionismo, ou dele próprio **3** Que defende o isolacionismo [F.: Do ing. *isolationist*.]

isolado (i.so.*la*.do) ***a.*** **1** Separado, destacado dos demais **2** Posto em isolamento (doente isolado) **3** Que se caracteriza por sua particularidade ou singularidade; que não tem similares nem estabelece relação ou ligação com outros (fato isolado) **4** Que está ou fica em local ermo (bairro isolado) **5** De opinião, posição ou política contrária a dos demais membros de convenção, pacto, assembleia etc. ou dos partícipes de um mesmo cenário político ou intelectual **6** Que não está em contato com condutor elétrico ou térmico, ou que recebeu material isolante **7** *Gír. Esp.* Atirado longe (bola isolada) [F.: Part. de *isolar*.]

isolador (i.so.la.*dor*) [ô] ***a.*** **1** Que isola; ISOLANTE **2** *Elet.* Que isola um circuito elétrico ou eletrônico do exterior (diz-se de peça, dispositivo etc.) ***sm.*** **3** O que isola [F.: *isolar* + *-dor*.]

isolamento (i.so.la.*men*.to) ***sm.*** **1** Ação ou resultado de isolar(-se) **2** Estado ou condição do que vive isolado **3** Condição de vila, cidade, região etc. que se situa muito longe das demais ou em lugar de difícil acesso **4** Separação de um elemento do seu meio ou contexto **5** *P. ext.* Aplicação de isolante em um corpo **6** Ação de isolar área em local de acidente, sinistro ou crime, para impedir a circulação indevida de pessoas, carros etc. **7** *Pol.* Adoção de política ou voto que contraria o que defende ou delibera a maioria de um grupo ou a maioria em votação, convenção, assembleia, reunião etc. **8** *Cons.* Ação de impermeabilizar parte de ou edificação, de modo a evitar que a chuva penetre na sua estrutura **9** Proteção feita em edificação para prevenir a propagação de incêndio próximo **10** *Med.* Pavilhão hospitalar reservado a doentes portadores ou suspeitos de portar moléstias infectocontagiosas **11** Área em presídio, penitenciária, ou instituição similar, para onde são encaminhados detentos com problemas de comportamento [F.: *isolar* + *-mento*.]

isolante (i.so.*lan*.te) ***a2g.*** **1** Que isola; ISOLADOR **2** *Elet.* Que não conduz ou conduz muito pouca eletricidade (diz-se de substância, material etc.) **3** *Fís.* Que impede a passagem de calor ou som (diz-se de material, dispositivo etc.) **4** *Ling.* Diz-se de língua com palavras sujeitas a poucas variações: *O chinês é uma língua isolante.* ***sm.*** **5** O que isola [F.: *isolar* + *-nte*.]

isolar (i.so.*lar*) ***v.*** **1** Pôr(-se) à parte ou em isolamento [***td.***: *isolar os pacientes com doença contagiosa*.] [***tdr.*** + *de*: *isolar os filhos de más companhias; isolou-se do mundo*.] **2** Tornar desunido; EXTRAIR; SEPARAR [***td.***: *isolar uma substância, um vírus*.] [***tdr.*** + *de*: *isolar uma substância de um composto*.] **3** *Gír. Fut.* Mandar (a bola) para longe [***td.***: *O jogador isolou a bola nos torcedores*.] **4** *Bras. Pop. Fís.* Pôr (algum corpo) em condições de não transmitir eletricidade; aplicar o isolador a [***td.***: *Isolei o fio do ventilador*.] **5** *Bras. Gír.* Neutralizar o azar ou mau-olhado [***int.***: *Não fico aqui nem mais um minuto. Isola!* Us. interjetivamente na 3ª p. sing.] [▶ **1 isolar**] [F.: Do fr. *isoler*. Hom./Par.: *isoláveis* (fl.), *isoláveis* (pl. de *isolável* [a2g.]).]

isolável (i.so.*lá*.vel) ***a2g.*** Que se pode isolar; SEPARÁVEL: *O isopor tornou isoláveis do calor as partes da laje revestidas com esse material.* [Pl.: *-veis*.] [F.: *isolar* + *-vel*. Hom./Par.: *isoláveis* (a2g. pl.), *isoláveis* (fl. de *isolar*).]

isoleucina (i.so.leu.*ci*.na) ***sf.*** *Bioq.* Aminoácido ($C_6H_{13}NO_2$) de cadeia lateral alifática, composto por substâncias bioquímicas hidrofóbicas, e encontrado primariamente no interior de proteínas e enzimas [F.: *is(o)-* + *leucina*.]

isomeria (i.so.me.*ri*.a) ***sf.*** **1** *Quím.* Característica de uma substância que possui peso molecular igual ao de outra, mas apresenta estrutura e propriedades diferentes; ISOMERISMO **2** *Bot.* Condição de um órgão ou estrutura que apresenta o mesmo número de elementos ou peças integrantes quando comparado a outro [F.: *isômero* + *-ia*[1].] ■ **~ nuclear** *Fís. nu.* Propriedade de dois nuclídeos que têm o mesmo número de massa e o mesmo número atômico, mas níveis diferentes de energia (um mais excitado que o outro) [Tb. apenas *isomeria*.] **~ óptica** *Fís.-quím.* Propriedade de isômeros que, embora não sejam estruturalmente superpostos, se apresentam como imagens de espelho uns dos outros

isomérico (i.so.*mé*.ri.co) ***a.*** **1** Ref. a isomeria **2** Diz-se do que apresenta as mesmas condições ou o mesmo número de elementos de outro [F.: *isomeria* + *-ico*[2].]

isomerismo (i.so.me.*ris*.mo) ***sm.*** *Quím.* O mesmo que *isomeria* (1) [F.: *isômero* + *-ismo*.]

isômero (i.*sô*.me.ro) ***sm.*** **1** *Fís.-quím.* Cada uma das substâncias que diferem em estrutura e em propriedades mas possuem composição de elementos e peso molecular iguais [Mais us. no pl.] ***a.*** **2** Diz-se dessa substância [F.: Do gr. *isomerés, és, és*.] ■ **~ óptico** *Quím.* Ver *enantiômero*

isometria (i.so.me.*tri*.a) ***sf.*** **1** Qualidade de isométrico, que apresenta igualdade de dimensões (cristais isométricos) **2** *Álg.* Correspondência biunívoca de um plano sobre outro que preserva distância entre dois pontos **3** *Fisl.* Contração muscular estática em que há aumento de tensão do músculo sem movimento articular **4** *Estét.* Tratamento que estimula a ação muscular para enrijecer partes do corpo [F.: Do gr. *isometrías, as*, 'medida igual', ou de *is(o)-* + *-metria*[1].]

isométrica (i.so.*mé*.tri.ca) ***sf.*** *Fís.* Transformação que ocorre entre estados sucessivos em um processo isocórico; tb. *transformação isométrica*. [F.: Fem. substv. de *isométrico*.]

isométrico (i.so.*mé*.tri.co) ***a.*** **1** Ref. a isometria **2** Diz-se dos corpos que têm dimensões iguais **3** *Des.* Que é representado sem deformações de medidas (perspectiva isométrica; desenho isométrico; jogo isométrico) **4** *Zool.* Diz-se do crescimento sem alteração das dimensões relativas das várias partes de um corpo **5** *Crist.* Diz-se do sistema cristalino caracterizado por três constantes cristalográficas de iguais dimensões e quatro eixos ternários de simetria principal; CÚBICO **6** *Poét.* Diz-se da estrofe que apresenta versos com medida igual: "...os dois quartetos e dois tercetos que integram o soneto clássico são considerados isométricos porque compostos de versos iguais na medida." (Massaud Moisés, *Dicionário de termos literários*) **7** *Fís.* Diz-se do processo termodinâmico que mantém constante o volume do sistema; ISOCÓRICO; ISOVOLUMAR; ISOVOLUMÉTRICO **8** *Fisl.* Diz-se da contração muscular estática [F.: *is(o)-* + *-metr(o)-*[1] + *-ico*[2].]

isomorfia (i.so.mor.*fi*.a) ***sf.*** Qualidade de isomórfico, o mesmo que *isomorfismo* [Opõe-se a *heteromorfia*.] [F.: *is(o)-* + *-morfia*.]

isomórfico (i.so.*mór*.fi.co) ***a.*** Que apresenta isomorfismo, o mesmo que *isomorfo* [F.: *is(o)-* + *-morf(o)-* + *-ico*[2].]

isomorfismo (i.so.mor.*fis*.mo) ***sm.*** **1** *Álg.* Bijeção entre os elementos de dois grupos que preserva as operações de ambos **2** *Min.* Característica de minerais que, embora diferentes na composição química, apresentam igualdade na estrutura ou forma cristalina **3** *Biol.* Similaridade na forma e na aparência entre indivíduos de diferentes espécies ou raças **4** *Psi.* Similaridade entre o fenômeno físico e o psíquico **5** *Fig.* Correspondência entre dois ou mais objetos (de natureza igual ou não): "Poucas vezes, o isomorfismo dia/vida/jornal foi tão bem expresso..." (*Folha de S.Paulo*, 27.08.1997) [F.: *isomorfo* + *-ismo*.]

isomorfo (i.so.*mor*.fo) ***a.*** Que apresenta isomorfismo; ISOMÓRFICO [F.: *is(o)-* + *-morfo*. Opõe-se a *heteromorfo*.]

isonomia (i.so.no.*mi*.a) ***sf.*** **1** *Jur.* Princípio, assegurado pela Constituição, segundo o qual todos são iguais perante a lei, não podendo haver nenhuma distinção em relação a pessoas que estejam na mesma situação **2** A aplicação desta lei (isonomia salarial) **3** Condição ou estado daqueles que são governados pelas mesmas leis [F.: Do gr. *isonomía, as*.] ■ **~ salarial** Conceito de lei trabalhista segundo o qual deve haver remunerações iguais para atividades ou funções semelhantes na mesma empresa ou instituição

isonômico (i.so.*nô*.mi.co) ***a.*** Ref. a, ou que apresenta isonomia [F.: Do gr. *isonomikós, é, ón*.]

isopata (i.so.*pa*.ta) ***s2g.*** Aquele que exerce a isopatia ou que a recomenda como sistema terapêutico [F.: *is(o)-* + *-pata*. Tb. *isópata*.]

isópata (i.*só*.pa.ta) ***s2g.*** Ver *isopata*

isopatia (i.so.pa.*ti*.a) ***sf.*** *Ter.* Método de tratamento por meio dos iguais, no qual a doença é tratada pelo agente que a produz [F.: *is(o)-* + *-patia*. Cf.: *homeopatia* e *alopatia*.]

isopia (i.so.*pi*.a) ***sf.*** *Oft.* Capacidade igual de visão nos dois olhos [F.: *is(o)-* + *-opia*.]

isópode[1] (i.*só*.po.de) *Zool.* ***a2g.*** Que tem patas iguais [F.: *is(o)-* + *-pode*.]

isópode[2] (i.*só*.po.de) *Zool.* ***sm.*** **1** Espécime dos isópodes, ordem de crustáceos de vida livre, bentônicos ou parasitas, de tamanho entre 5 e 15 mm, corpo achatado dorsoventralmente, sem carapaça, com o primeiro par de apêndices torácicos modificados e os restantes semelhantes entre si ***a2g.*** **2** Ref. ou pertencente aos isópodes [F.: Adaptç. do lat. cient. *Isopoda*.]

isopor (i.so.*por*) [ô] ***sm.*** **1** Nome popular e comercial do poliestireno **2** Qualquer utensílio feito com esse material, esp. caixas vedadas ou recipientes us. para conservar algo [A marca registrada, com inicial maiúsc.] [F.: Marca registrada (*Isopor*®).]

isopórica (i.so.*pó*.ri.ca) ***sf.*** Na superfície do globo terrestre, linha em que é constante a variação do campo magnético num intervalo de tempo fixo; linha isopórica [F.: Do fem. substv. de *isopórico*.]

isopórico (i.so.*pó*.ri.co) ***a.*** Diz-se de linha imaginária na qual a variação do campo magnético, em dado período, é constante [F.: Do ing. *isoporic*.]

isopreno (i.so.*pre*.no) *Quím.* ***sm.*** Líquido incolor (C_5H_8) us. na produção de borrachas sintéticas [F.: *is(o)-* + *pr(opila)* + *-eno*.]

isóptero[1] (i.*sóp*.te.ro) *Zool.* ***a.*** Que tem asas iguais [F.: *is(o)-* + *-ptero*.]

isóptero[2] (i.*sóp*.te.ro) *Zool.* ***sm.*** **1** Espécime dos isópteros, ordem de insetos com aparelho bucal mastigador, vulgarmente conhecidos por cupins; de vida social baseada em castas, com indivíduos ápteros (soldado e operário) ou alados (destinados à reprodução), estes dotados de quatro asas membranosas iguais, estreitas e quase sem nervuras transversais, que são eliminadas após o voo de dispersão ***a.*** **2** Ref. ou pertencente aos isópteros [F.: Adaptç. do lat. cient. *Isoptera*.]

isósceles (i.*sós*.ce.les) *Geom.* ***a2g2n.*** ***a2g.*** **1** Diz-se de triângulo com dois lados iguais e, consequentemente, dois ângulos iguais **2** Diz-se de trapézio cujos lados não paralelos são iguais [F.: Do gr. *isoskelés, és*. Tb. *isócele*.]

⊕ **isospin** (*Ing. /aiséspin/*) *Fís. quânt.* ***sm.*** *Spin isotópico.*

isostasia (i.sos.ta.*si*.a) *Geol.* ***sf.*** Fenômeno de equilíbrio, por flutuação, dos diversos compartimentos da crosta terrestre [F.: *is(o)-* + *-stasia*.]

isostêmone (i.sos.*tê*.mo.ne) *Bot.* ***a2g.*** Diz-se da flor ou do androceu que apresenta o mesmo número de estames, pétalas ou sépalas [F.: *is(o)-* + *-stêmone*.]

isoterma (i.so.*ter*.ma) ***sf.*** *Fís. Met.* Linha representada em um diagrama qualquer que une, na superfície terrestre, os pontos com o mesmo índice de temperatura [F.: Fem. substv. de *isotermo*.]

isotermia (i.so.ter.*mi*.a) ***sf.*** *Fís.* Condição de temperatura constante de um corpo, independentemente da temperatura exterior [F.: *is(o)-* + *-termia*.]

isotérmica (i.so.*tér*.mi.ca) ***sf.*** *Fís.* Transformação que se realiza sob temperatura constante, tb. *transformação isotérmica* [F.: Fem. substv. de *isotérmico*.]

isotérmico (i.so.*tér*.mi.co) ***a.*** *Fís.* Diz-se de processo que, sob temperatura constante, se caracteriza por modificações de volume ou pressão [F.: *is(o)-* + *térmico*.]

isotermo (i.so.*ter*.mo) *a.* O mesmo que *isotérmico* [F.: *is(o)-* + *-termo*.]
isótipo (i.*só*.ti.po) *sm. Biol.* Espécime (ou fragmento de um espécime) que forneceu o tipo para descrição de sua própria espécie [F.: *is(o)-* + *-tipo*.]
isotonia (i.so.to.*ni*.a) *sf.* **1** *Fís.-quím.* Igualdade de pressão osmótica entre duas soluções **2** *Fisl.* Contração muscular dinâmica em que há movimento articular sem a alteração da tensão máxima do músculo **3** *Med. Estét.* Tratamento que estimula a ação muscular para a queima de gordura localizada [F.: *is(o)-* + *-tonia*.]
isotônico (i.so.*tô*.ni.co) *a.* **1** Ref. a isotonia **2** *Fís.-quím.* Que apresenta isotonia **3** *Fisl.* Diz-se de contração muscular que ocorre normalmente [F.: *isotonia* + *-ico*[2].]
isotópico (i.so.*tó*.pi.co) *a. Fís. nu.* Ref. a isótopo [F.: *isótopo* + *-ico*[2].]
isótopo (i.*só*.to.po) *sm.* **1** *Fís. nu.* Cada um dos átomos de um mesmo elemento cujo núcleo possui o mesmo número de prótons e número diferente de nêutrons [Mais us. no pl.] *a.* **2** Diz-se desse átomo [F.: *is(o)-* + *-topo*.]
isotrópico (i.so.*tró*.pi.co) *a.* Diz-se de meio cujas propriedades físicas são iguais, qualquer que seja a direção considerada; ISÓTROPO [F.: *isotropia* + *-ico*[2].]
isótropo (i.*só*.tro.po) *a.* O mesmo que *isotrópico* [F.: *is(o)-* + *-tropo*.]
isovolumétrico (i.so.vo.lu.*mé*.tri.co) *a.* Diz-se do processo termodinâmico em que o volume do sistema se mantém constante, tb. *isocórico* [F.: *is(o)-* + *volu(me)* + *-metr(o)-*[1] + *-ico*[2].]
isqueiro (is.*quei*.ro) *sm.* Dispositivo que produz chama, us. para acender cigarros, charutos etc. [F.: *isca* + *-eiro*.]
isquemia (is.que.*mi*.a) *sf. Med.* Insuficiência de irrigação sanguínea causada pela obstrução arterial ou vasoconstrição (isquemia cerebral) [F.: Do lat. cient. *ischemia*, do gr. *ískhaimos, on*, 'capaz de deter o sangue'.]
isquêmico (is.*quê*.mi.co) *a.* Ref. a ou causado por isquemia [F.: *isquemia* + *-ico*[2].]
isquialgia (is.qui:al.*gi*.a) *sf. Med.* Dor no quadril ou na região da bacia [F.: *isqui(o)-* + *-algia*.]
◎ **isqui(o)-** *el. comp.* = 'bacia', 'quadril', 'ísquio': *isquialgia, isquiopagia* [F.: Do gr. *iskhíon, ou*, 'osso da bacia em que se prende o fêmur'.]
ísquio (*ís*.qui:o) *sm. Anat.* A parte inferior e posterior do osso ilíaco [F.: Do gr. *iskhíon, ou*.]
isquiopagia (is.qui:o.pa.*gi*.a) *sf. Med.* Anomalia ou malformação que consiste na união dos corpos de dois gêmeos pela região do ísquio [F.: *isqui(o)-* + *-pagia*.]
israelense (is.ra:e.*len*.se) *s2g.* **1** Aquele ou aquela que nasceu ou que vive no Estado de Israel (Ásia) *a2g.* **2** De Israel; típico desse país ou de seu povo [F.: Do top. *Israel* + *-ense*.]
israelita (is.ra:e.*li*.ta) *s2g.* **1** Indivíduo pertencente à comunidade judaica; JUDEU *a2g.* **2** Da comunidade judaica; JUDEU **3** *Rel.* Ref. ou pertencente à religião judaica (ritual israelita); JUDAICO, JUDEU [F.: Do top. *Israel* + *-ita*[2].]
⊠ **ISS** Sigla de *Imposto Sobre Serviços*
issei (is.*sei*) *sm.* Japonês que emigra para a América [F.: Do jap. *issei*, 'primeira geração'.]
◎ **-íssimo** *suf.* = superlativo = -imo: *agilíssimo, crudelíssimo, probabilíssimo*
⊠ **ISSN** *Doc.* Sigla do ing. *International Standard Serial Number*, registro us. internacionalmente para identificação de publicações seriadas (jornais, revistas, anuários etc.)
isso (*is*.so) *pr. dem.* **1** Indica objeto próximo do ouvinte ou com ele relacionado: *O que é isso aí?* **2** Refere-se a algo que acabou de ser mencionado no discurso: *Ela nem me agradeceu, mas isso é o de menos.* **3** Refere-se a lugar, pessoa ou coisa tratada com reprovação, desprezo: *É isso que você chama de amizade?* [No uso popular, *isso* ger. substitui *isto*.] *interj.* **4** Manifesta apoio, aplauso, aprovação: *Isso! Assim mesmo! Muito bem!* [F.: Do lat. *ipsum*, neutro de *ipse, a, um*.] ■ **Não por ~** Us. como resposta gentil a um agradecimento verbal recebido; equivale a *de nada* ou *por nada* **Nem por ~** **1** Equivale a: 'isso não é motivo suficiente para (algo mencionado a seguir)'; 'não, apesar de tudo'; 'não por essa razão ou por essas razões'. (Us. para dizer que algo não é ou não acontece do modo como se pensava ou se queria que fosse, ou apesar das tentativas ou dos motivos para que fosse diferente.) **2** Nem tanto (quanto se pensava); nem mesmo assim **Por ~** Como consequência daquilo que foi dito ou mostrado; por esse motivo; em vista disso
◎ **-ista** *suf. nom.* = 'partidário ou simpatizante de religião, doutrina, escola etc.'; 'praticante de atividade, esporte etc.'; 'especialista ou profissional em algum ramo de arte, ciência etc.'; 'aquele que toca certo instrumento (esp. com habilidade, prática etc.)'; 'operador de equipamento'; 'que tem ou adota certa conduta ou comportamento'; 'que segue curso ou série'; 'oriundo de certo local': *budista, positivista, socialista, eletricista, ciclista, taxidermista, ginecologista, violinista, maquinista, racista, calculista, quartanista, santista* [F.: Do suf. gr. *-istés, oû*, conexo com o suf. gr. *-ismós, ou*, formador de nomes de ação de verbos com o suf. gr. *-ízein* (*-izo*, na 1ª pess.).]
istmo (*ist*.mo) *sm.* **1** *Geog.* Faixa de terra, ger. estreita, que liga uma península a um continente **2** *Anat.* Formação ou estrutura que liga, une duas formações ou estruturas maiores [F.: Do gr. *isthmós, oû*.] ■ **~ das fauces** *Anat.* Abertura entre a cavidade da boca e a faringe **~ da tireoide** *Anat.* Tecido que une os lobos direito e esquerdo da tireoide **~ do encéfalo** *Anat.* Ligação (os órgãos que a constituem) do cérebro com o cerebelo e destes com o bulbo **~ do útero** *Anat.* Ligação, estreita, do colo com o resto do útero
isto (*is*.to) *pr. dem.* **1** Indica objeto próximo do falante ou com ele relacionado: *Não estou reconhecendo isto aqui.* **2** Refere-se a algo que acabou de ser mencionado no discurso, ou que está sendo ou será mencionado por quem fala: *"Deixe-me em paz", foi apenas isto que ela falou; Isto que vou falar é importante.* **3** Refere-se a lugar, ação, coisa ou pessoa tratada com reprovação, desprezo: *Isto é coisa que se faça?!* *interj.* **4** Exprime apoio, aplauso, aprovação [F.: Do lat. *istud*, neutro de *iste, ista, istud*.] ■ **~ é** **1** Us. para, a seguir, dar uma explicação ou esclarecimento sobre o que se acaba de dizer: *Ajuste o relógio para o horário de verão, isto é, adiante-o uma hora.* **2** Us. antes de corrigir ou retificar aquilo que se acaba de dizer: *Apresento-lhes o gerente, isto é, o diretor de vendas da empresa.* **Um ~** Nada, nem um pouco: *Ficamos lá durante uma hora, mas eles nos deram um isto de atenção.*
isuria (i.su.*ri*.a) *sf.* Ver *isúria*
isúria (i.*sú*.ri:a) *sf. Med.* Emissão de urina em quantidades regulares [F.: *is(o)-* + *-úria*. Tb. *isuria*.]
🌐 **it** (*Ing. /it/*) *sm.* Magnetismo pessoal; algo que fascina, que atrai; CHARME; ENCANTO; FASCÍNIO: "Eu sou brasileira/ meu it revela/ que minha bandeira/ é verde e amarela." (Vicente Paiva e Aníbal Cruz, "Diz que tem".)
◎ **-ita**[1] *suf. nom.* = *-ito* (fem.)
◎ **-ita**[2] *suf.* = origem, pertinência: *israelita, saudita, iemenita*
ita[1] (*i*.ta) *Bras. sm.* Embarcação que fazia navegação costeira no Brasil e transportava carga e passageiros: "Peguei um ita no norte / Pra vim pro Rio morar" (Dorival Caymmi, *Peguei um ita no norte*) [F.: Red. das sílabas inicias de *Itaquatiara, Itanajé, Itapajé, Itapé, Itaquicé, Itassucé*, navios da antiga Companhia Nacional de Navegação Costeira. Hom./Par.: *itá* (sm.), *ITA* (sigla), *itá* (sm.), *itã* (sf.).]
⊠ **ITA**[2] Sigla de Instituto Tecnológico de Aeronáutica [Hom./Par.: *ITA* (sigla), *ita* (sm.), *itá* (sm.), *itã* (sf.).]
◎ **-ita**[3] *Min. suf.* Us. em nomes de espécies minerais: *azurita, malaquita*
itá (i.*tá*) *Bras. Rel. sm.* Nas religiões afro-brasileiras, meteorito que serve de fetiche de Xangô; OTÁ [F.: Do tupi *i'ta*. Hom./Par.: *itá* (sm.), *ita* (sm.), *ITA* (sigla), *itã* (sf.).]
itã (i.*tã*) *Bras. sf.* **1** Ornato de pedra polida que se encontra nas urnas funerárias dos antigos aborígines; INTÃ **2** Espécie de concha bivalve: "Mas este é um bicho vivo, uma itã. No córrego tem muitos iguais..." (Guimarães Rosa, "Minha gente" *in Sagarana*) [F.: Do tupi *i'tã*. Hom./Par.: *itá* (sf.), *ita* (sm.), *ITA* (sigla), *itá* (sm.).]
itabirito (i.ta.bi.*ri*.to) *sm. Geol.* Rocha metamórfica, xistosa, de cor vermelha, formada de lamelas alternadas com grão de quartzo e palhetas de hematita micácea [F.: Do top. *Itabira* + *-ito*.]
itacolomito (i.ta.co.lo.*mi*.to) *sm. Geol.* Variedade de quartzito: "...caráter das rochas, exposto nas abas dos cerros de quartzito, ou nas grimpas em que se empilham as placas do itacolomito avassalando as alturas..." (Euclides da Cunha, *Os sertões*) [F.: Do top. *Itacolomi* + *-ito*.]
italianada (i.ta.li:a.*na*.da) *sf.* **1** Reunião de italianos: "Antes mesmo de cruzarmos a linha do Equador, já me dava bem com a italianada de bordo." (Luís de Aquino, *Impressões da Terra Santa*) **2** Os italianos de modo geral [F.: *italiano* + *-ada*[1].]
italianidade (i.ta.li:a.ni.*da*.de) *sf.* Qualidade ou condição do que é ou de quem é italiano [F.: *italiano* + *-(i)dade*.]
italianismo (i.ta.li:a.*nis*.mo) *sm.* **1** Característica do que é próprio da Itália ou dos italianos **2** Qualquer tipo de manifestação peculiar à língua ou aos costumes italianos **3** Admiração por tudo que diz respeito à Itália ou aos italianos **4** Palavra ou expressão da língua italiana us. em outra língua [F.: *italiano* + *-ismo*.]
italianizar (i.ta.li.a.ni.*zar*) *v. td.* Fazer adquirir ou adquirir caráter italiano: *Imigrantes italianizaram certos costumes locais; O turista italianizou-se.* [▶ **1** italianizar] [F.: *italiano* + *-izar*.]
italiano (i.ta.li:*a*.no) *a.* **1** Da Itália (Europa); típico desse país ou de seu povo; ITÁLICO, ÍTALO **2** Da ou ref. à língua italiana *sm.* **3** Pessoa nascida ou que vive na Itália; ITÁLICO, ÍTALO **4** *Gloss.* Língua falada na Itália [F.: Do top. *Itália* + *-ano*[1].]
italianófilo (i.ta.li:a.*nó*.fi.lo) *a.* **1** Que denota amizade ou simpatia pela Itália, seu povo e seus costumes *sm.* **2** Aquele que demonstra esses sentimentos [F.: *italiano* + *-filo*[1].]
itálico (i.*tá*.li.co) *a.* **1** O mesmo que *italiano* (1) **2** Ref. à Itália antiga **3** *Art. gr.* Diz-se do tipo com realce inclinado para a direita; GRIFO *sm.* **4** Pessoa nascida na Itália (antiga ou moderna) **5** *Art. gr.* Tipo itálico (3) [F.: Do lat. *italicus, a, um*.]
italiota (i.ta.li:*o*.ta) *s2g.* **1** Pessoa que nasceu ou viveu na antiga Itália central *a2g.* **2** Da antiga Itália central; típico dessa região ou de seu povo [F.: Do gr. *italiotes, ou*.]
ítalo (*í*.ta.lo) *a. sm.* O mesmo que italiano (1 e 3) [F.: Do lat. *italus, a, um*.]
◎ **-itano** *suf. nom.* = 'natural ou habitante de (dada cidade, região etc.)'; 'ref. ou relativo a (dada cidade, região etc.)': *adrianopolitano, carmopolitano, constantinopolitano* (< lat.), *ebusitano* (< lat.), *emeritano* (< lat.), *gabalitano* (< lat.), *laminitano* (< lat.), *malacitano* (< lat.), *salernitano* (< lat.) [F.: Do suf. lat. *-itanus, a, um* (integração no lat. dos suf. correspondentes a *-ita*[2] e *-ano*[1]). Ver *-politano*.]
itaoca (i.ta.*o*.ca) [ó] *sf. Bras.* Caverna, gruta, furna [F.: Do tupi *i'ta*, 'pedra', + tupi, *'oka*, 'casa'.]
itapeba (i.ta.*pe*.ba) [é] *sf. N.* Recife de pedra que segue paralelo à margem de rio [F.: Do tupi *i'ta*, 'pedra', + tupi, *'pewa*, 'chato'.]
◎ **-itar** *suf.* = ação frequentativa, às vezes diminutiva: *capacitar, exercitar, licitar, dormitar*
itararé (i.ta.ra.*ré*) *sm.* Rio subterrâneo que corre através de rochas calcárias [F.: Do tupi *i'tá. ra'ré*.]
◎ **-ite**[1] *suf.* = inflamação de: *apendicite, bronquite, otite*; depreciativo ou irônico: *paixonite, juizite*; formador de nomes de substâncias naturais ou artificiais: *ebonite, reboquite*; aparece em palavras oriundas do grego e do latim tardio: *estalactite, estalagmite*
◎ **-ite**[2] *suf.* = formador de termos de mineralogia: *garamantite, grafite, linhite*
ité (i.*té*) *a2g. Bras.* Que não tem gosto; INSÍPIDO [F.: Do tupi *i'te*, 'não amadurecido', posv.]
item (*i*.tem) *sm.* **1** Cada um dos artigos ou incisos de um relato, regulamento, contrato etc. **2** *P. ext.* Cada unidade em uma enumeração [Pl.: *itens*.] [F.: Do lat. *item*, 'do mesmo modo'.] ■ **~ lexical** *Ling.* Unidade significativa de uma língua, como uma palavra ou uma palavra composta
iteração (i.te.ra.*ção*) *sf.* Repetição de um ato [Pl.: *-ções*.] [F.: Do lat. *iteratio, onis*.]
iterar (i.te.*rar*) *v. td.* **1** Dizer ou fazer de novo; REITERAR; REPETIR: *Itero minhas condições.* **2** *Álg.* Fazer uso de iteração em [F.: Do lat. *iterare*.]
iteratividade (i.te.ra.ti.vi.*da*.de) *sf.* Qualidade do que é iterativo, do que é repetido e reiterado [F.: *iterativo* + *-(i)dade*, Hom./Par.: *interativo*.]
iterativo (i.te.ra.*ti*.vo) *a.* **1** Que se faz mais de uma vez; REPETIDO, REITERADO **2** *Gram.* Diz-se de verbo, nome, oração etc. que expressa ações repetitivas [F.: Do lat. *iterativus, a, um*.]
itérbio (i.*tér*.bi:o) *sm. Quím.* Elemento químico de número atômico 70, pertencente aos latanídeos, usado em raios laser e raios X [Simb.: Yb] [Esta palavra não é us. no pl.] [F.: Do lat. cient. *Yterbium*. Cf.: *tabela periódica*.]
iterícia (i.te.*rí*.ci:a) *sf. Pat.* Ver *icterícia*
◎ **-ítico** *suf.* = relação, propriedade
itinerante (i.ti.ne.*ran*.te) *a2g.* **1** Que viaja, percorre itinerários, se desloca constantemente (circo itinerante) **2** Diz-se de atividade que requer deslocamentos sucessivos (feira itinerante) *sm.* **3** Pessoa que está em deslocamento: *Os itinerantes acamparam na serra.* [F.: Do lat. *itinerans, antis*.]
itinerário (i.ti.ne.*rá*.ri:o) *sm.* **1** Caminho ou trajeto a ser percorrido para ir de um lugar a outro: *O itinerário desse ônibus é muito longo.* **2** Trajeto de uma estrada de ferro; a sequência das estações que fazem parte de uma estrada de ferro **3** Roteiro preestabelecido de viagem: *itinerário para as férias.* [F.: Do lat. *itinerarius*, a, um, 'de estrada', 'de viagem'.]
◎ **-ito** *suf.* = formador de diminutivo: *cabrito, palito*
itororó (i.to.ro.*ró*) *sm. MT* Pequena cachoeira [F.: Do tupi *i'*, 'água', 'rio', + *toro'ro*, 'ruidoso', 'barulhento'.]
iugoslavo (iu.gos.*la*.vo) *a.* **1** Da antiga Iugoslávia (Europa), hoje desmembrada em vários países (Sérvia, Bósnia e Herzegovina, Croácia, Eslovênia, Macedônia, Montenegro); típico desse país ou de seu povo *sm.* **2** Indivíduo nascido nesse país, hoje designado pelo nome do país desmembrado da Iugoslávia [F.: Do top. *Iugoslávia*.]
◎ **-ível** *suf. nom.* Ver *-vel*: *acendível, apetecível, atendível* [F.: *-i-* + *-vel*. Há mormente em tais casos a alternância da vogal temática do verbo do qual derivam (de e > i).]
◎ **-ivo** *suf.* = condição, capacidade, qualidade: *altivo, erosivo, esportivo*
ixe (*i*.xe) *interj. N.E.* Exclamação de espanto, ironia ou desprezo: *Ixe, meu filho, você está precisando de um banho!* [F.: Alter. de *virgem*, em *Virgem Maria!*]
◎ **-izar** *suf.* = ação de fazer, tornar: *realizar, enraizar*

As letras *i* e *j* originaram-se no *yod* fenício, e durante muito tempo não houve diferenciação entre as duas letras. Tanto o *i* quanto o *j* representavam os sons de *i* e de *y*. Foi somente no latim medieval que o *j* ganhou identidade própria, sendo usado sobretudo como letra maiúscula, preferencialmente ao *i*, para iniciar frases.

	Fenício
	Grego
	Grego
	Etrusco
	Romano
	Romano
	Minúscula carolina
J	Maiúscula moderna
j	Minúscula moderna

j (*jota*) ***sm.*** **1** A décima letra do alfabeto **2** A sétima consoante do alfabeto **3** *Fon.* Símbolo do alfabeto fonético us. na transcrição do fonema /j/ (consoante fricativa palatoalveolar sonora) **4** *Fon.* Esse fonema ou som **5** *Num.* O décimo em uma série (loja J) [F.: Letra do alfabeto lat. representada por *j* ou *J.*]

já ***adv.*** **1** Neste momento, agora: *Já estamos a meio caminho de lá.* **2** Em algum momento ou período no passado; anteriormente, antes: *Já li muito suspense; Encontrei a janela já aberta.* **3** Imediatamente, agora mesmo: *Desligue já essa televisão!* **4** Logo, dentro em pouco: *Diga que já o atendo.* **5** Mais: *Ele foi tão grosseiro, que ela já não queria vê-lo.* **6** Em parte, até: *Se ele aceitar o cargo, já é um progresso.* **7** De antemão, com antecedência: *Como terei visitas à noite, já deixei a casa arrumada.* [F.: Do lat. *jam.*] ■ **De ~ hoje** **1** Há muito tempo, há muito tempo; desde muito **2** Hoje; ainda hoje **Desde ~** **1** A partir de agora, deste momento em diante; doravante **2** Já neste momento (e antecipadamente em relação a algo): *Agradeço desde já qualquer ajuda que possam conceder; As férias terminam na semana que vem, mas ela está desde já nervosa com a volta ao trabalho.* **~, ~** Logo, imediatamente, sem demora **~ que** Us. antes de se mencionar a causa de algo, aquilo que é motivo para se fazer ou querer alguma coisa, ou a razão para se pensar de determinado modo: *Já que todos estão de acordo, podemos encerrar o debate.*

jabá[1] (ja.*bá*) *Bras.* ***s2g.*** Carne bovina salgada e prensada em manta; CARNE-SECA; CHARQUE [F.: Do tupi *yabá*. Cf.: *carne de sol.*]

jaba[2] (ja.*bá*) *Bras. Pop.* ***sm.*** O mesmo que *jabaculê* [Talvez f. red. de *jabaculê.*]

jabaculê (ja.ba.cu.*lê*) *Bras. Pop.* ***sm.*** **1** Propina oferecida para se obter privilégios **2** Suborno, em forma de presente ou propina, oferecido por gravadoras e distribuidoras a DJs, jornalistas e emissoras de rádio, em troca da divulgação de uma música ou de um artista: *O jabaculê distribuído à imprensa, dezenas de i-pods, foi devolvido por muitos.* **3** *Joc.* Material (CDs, DVDs, livros) fornecido a jornalistas de cultura para avaliação e crítica **4** Gorjeta, gratificação **5** Qualquer soma de dinheiro [F.: Talvez de or. banta, do rad. *baku*. Sin. ger.: *jabá.*]

jabiraca (ja.bi.*ra*.ca) ***sf.*** **1** *Bras. Pej.* Mulher feia e má; JARARACA **2** *Bras. N.E.* Bruxa velha ou malfeita

jabiru (ja.bi.*ru*) ***sm.*** *Zool.* Ver *jaburu*

jabô (ja.*bô*) ***sm.*** Espécie de gravata com babado, hoje de uso somente feminino [F.: Do fr. *jabot.*]

jaborandi (ja.bo.ran.*di*) *Bras. Angios.* ***sm.*** **1** Arbusto (*Pilocarpus jaborandi*), do gên. *Pilocarpus*, da fam. das rutáceas, de cujas folhas se extrai a pilocarpina, de uso medicinal **2** Arbusto da família das piperáceas (*Othonia corcovadensis*), cuja folhas, quando mascadas, tem efeito anestésico sobre a mucosa bucal **3** Planta da família das piperáceas (*Piper eucalyptifolium*), natural da Amazônia; tb. *bétis* [F.: Do tupi *yambïra'ndi.*]

jabota (ja.*bo*.ta) ***sf.*** *Bras. Zool.* Fêmea do jabuti [F.: Fem. irregular de *jaboti.*]

jaburu (ja.bu.*ru*) ***sm.*** **1** *Zool.* Denominação comum às aves da fam. dos ciconiídeos, gên. *Mycteria* e *Jabiru*, encontradas em rios grandes, lagoas e pantanais; JABIRU **2** *Zool.* Ave (*Jabiru mycteria*) de plumagem branca, enorme bico preto curvado para cima e pescoço nu negro, com a base vermelha, que ocorre da América Central ao Norte da Argentina e no Brasil; TUIUIÚ **3** *Bras. Pej. Pop.* Pessoa esquisita, feia, desajeitada **4** *Bras. Pop. Lud.* Roleta portátil com 25 casas, cada qual com a figura de um dos 25 animais do jogo do bicho em lugar de números [F.: Do tupi *yambi'ru.*]

jabuti (ja.bu.*ti*) ***sm.*** **1** *Zool.* Denominação comum aos quelônios, répteis da fam. dos testudinídeos, terrestres e herbívoros com carapaça alta, patas tubulares e dedos curtos **2** *Zool.* Quelônio, da fam. dos testudinídeos, espécie de tartaruga terrestre (*Geochelone carbonaria*), de carapaça alta com desenhos em relevo, cabeça retrátil, que vive nas matas do Panamá ao Norte da Argentina; CÁGADO; JABUTIPIRANGA; JABUTITINGA **3** *Angios.* Planta voquisiácea (*Vochysia vismiaefolia*, Warm.); tb. *quarubarana.* **4** *N.E.* Engenho rudimentar us. para descaroçar algodão [Na acp. 1, *jabota.*] [F.: Do tupi *yauo 'ti peua.*]

jabutiboia (ja.bu.ti.*boi*.a) ***sf.*** *Herp.* Cobra (*Leimadophis reginae*) da fam. dos colubrídeos [F.: Do tupi *jabuti* + *-boia.*]

jabuticaba (ja.bu.ti.*ca*.ba) *Bras. Bot.* ***sf.*** **1** Fruto arredondado e pequeno, de casca preta, com polpa branca de sabor adocicado, produzido pela jabuticabeira; FRUITA; JABOTICABA **2** O mesmo que *jabuticabeira* [F.: Do tupi *yauoti 'kaua.*]

jabuticabal (ja.bu.ti.ca.*bal*) *Bras.* ***sm.*** Plantação de jabuticabeiras [Pl.: *-bais.*] [F.: *jabuticaba* + *-al.*]

jabuticabeira (ja.bu.ti.ca.*bei*.ra) *Bras. Bot.* ***sf.*** Árvore da fam. das mirtáceas (*Myrciaria cauliflora*), nativa do Brasil e cujo fruto, a jabuticaba, é comestível; JABOTICABA; JABUTICATEIRA [F.: *jabuticaba* + *-eira*. Col.: *jabuticabal.*]

jabutipiranga (ja.bu.ti.pi.*ran*.ga) ***sm.*** *Zool.* Ver *jabuti* (*Geochelone carbonaria*)

jabutitinga (ja.bu.ti.*tin*.ga) ***sm.*** *Zool.* Ver *jabuti* (*Geochelone carbonaria*)

jaca (ja.ca) ***sf.*** **1** *Bot.* Fruto grande, de casca verde, gomos amarelados, com odor característico e sabor adocicado, produzido pela jaqueira **2** *Bot.* O mesmo que *jaqueira* **3** *Bras.* Cartola (1) **4** *Bras. Gír.* Aprovação facilitada em exames escolares; JAQUEIRA **5** *AL Pop. Joc.* Bunda, esp. de mulher ***sm.*** **6** *Etnog.* Chefe supremo de várias tribos africanas [F.: Do malaiala *chakha.*] ■ **Cortar ~** *PE AL Gír.* Elogiar exageradamente, para agradar; adular, bajular, lisonjear **Enfiar o pé na ~** **1** *Bras. Gír.* Embriagar-se; tomar um porre, ficar de pileque **2** *P.ext.* Cair na farra, esbaldar-se **3** *P.ext.* Não se comedir, não se controlar; exceder-se de alguma forma no comportamento

jacá (ja.*cá*) *Bras.* ***sm.*** Cesto feito de taquara ou cipó us. para transportar carga, esp. comestíveis, preso ao lombo de animais [F.: Do tupi *aya 'ka.*]

jaça (ja.ça) ***sf.*** **1** *Min.* Imperfeição ou mancha em uma pedra preciosa **2** *Fig. P.ext.* Mácula, defeito em pessoa: *Um homem de caráter sem jaça.* [F.: De or. obsc.]

jacami (ja.ca.*mi*) *Bras.* ***sm.*** **1** *Zool.* Denominação comum a diversas spp. de aves, da fam. dos psofiídeos, gên. *Psophia*, nativas da região amazônica, de cabeça pequena, pescoço curvo, bico forte, pernas compridas, e penas curtas e eretas na cabeça e pescoço **2** *Angios.* Árvore (*Aspidosperma inundatum*), da fam. das apocináceas, nativa do Pará, de folhas agregadas na ponta dos ramos, flores tubulosas, e cujo fruto é um folículo grande e lenhoso [F.: Do tupi *yaka 'mi*. Tb. *jacamin.*]

jacamim (ja.ca.*mim*) ***sm.*** Ver *jacami* [Pl.: *-mins.*]

jaçanã ***sf.*** **1** *Bras. Zool.* Ave paludícola, da fam. dos jacanídeos (*Jacana jacana*), de dorso vermelho-castanho vivo, cabeça, nuca e parte inferior pretas, e bico amarelo com escudo frontal vermelho, tem pernas longas e dedos compridos e bem abertos, adaptados a andar sobre a vegetação aquática; CAFEZINHO; PIAÇOCA **2** *Bot.* O mesmo que *vitória-régia* [F.: Do tupi *yasa 'nã.*]

jacarandá (ja.ca.ran.*dá*) *Bot.* ***sm.*** **1** Nome comum a várias árvores da fam. das leguminosas, subfam. papilionóidea, de diversos gên., esp. *Dalbergia* e *Machaerium*, que fornecem madeira nobre, ger. escura e dura **2** Árvore (*Dalbergia nigra*) nativa do Brasil, considerada o mais nobre dos jacarandás, us. em obras de marcenaria requintadas e na fabricação de pianos; JACARANDÁ-DA-BAÍA **3** Árvore (*Machaerium villosum*) comum no Brasil, de flores pequenas e violáceas, e que fornece madeira de lei similar à da espécie *Dalbergia nigra*; JACARANDÁ-PAULISTA **4** O mesmo que *cipó-violeta*. **5** O mesmo que *faveiro* (2) [F.: Do tupi *iakar'na.*]

jacaré (ja.ca.*ré*) ***sm.*** **1** *Bras. Zool.* Denominação comum a diversas spp. de répteis crocodilianos, da fam. dos aligatorídeos, com focinho achatado e largo, que ocorrem nos rios e áreas pantanosas das Américas do Sul e Norte [Epiceno.] **2** *Zool.* Aligatorídeos (*Caiman crocodilus*), crocodilo de menores dimensões, até 3 m de comprimento, que ocorre desde o México até a Argentina **3** *Cul.* Iguaria preparada com a carne desse réptil **4** *Bot.* Nome comum a algumas árvores da fam. das leguminosas, subfam. mimosoídea, como, p.ex., *Piptadenia gonoacantha*, árvore de ramos alados, com espinhos, flores alvas em espigas cilíndricas, melíferas, e vagem achatada e coriácea; ANGICO-BRANCO; MONJOLO **5** *Cons.* Espécie de colher de pedreiro us. para aplicar a argamassa nas juntas das alvenarias **6** *SP* Espécie de chave-inglesa us. para segurar objetos roliços ou cilíndricos **7** No jogo do bicho, o grupo 15, a que pertencem as dezenas 57, 58, 59 e 60 **8** Espécie de candeeiro que funciona com querosene **9** *Bras.* Certo facão sertanejo **10** *Bras.* Peça fixa que se coloca no desvio dos trilhos ferroviários **11** *GO* Grampo que emenda correias planas industriais **12** *Amaz. Min.* Nome comum de arenitos ou conglomerados de limonita que apresentam aspecto semelhante a de um jacaré **13** Dispositivo que, em farmácias e laboratórios, dá forma ao diâmetro das rolhas de cortiça **14** *GO* Espuma que se forma na superfície da cerveja ou do chope; *Bras. Pop.* COLARINHO **15** Cano que, situado em telhados, recolhe e despeja as águas da chuva **16** *Bras.* Esporte que consiste em deslizar na crista de ondas que avançam em direção à praia **17** *Gír.* Indivíduo que, na porta das igrejas, aguarda a passagem da namorada **18** *Bras. Pop. Mar.* Material que se rouba do navio ou da corporação **19** Terminal elétrico utilizado para ligações provisórias e cuja forma lembra a cabeça de um jacaré **20** Despacho, feitiço **21** *Art.gr.* Peça que, no linotipo, recolhe os espaços automáticos e os remete de volta à respectiva caixa **22** Triturador, na indústria de papel [F.: Do tupi *yaka 're.*] ■ **Pegar ~** *RJ Pop.* Acompanhar uma onda, ao mesmo tempo nadando e sendo impelido por ela, no movimento em direção à praia, até a arrebentação

jacaré-de-papo-amarelo (ja.ca.ré-de-pa.po-a.ma.*re*.lo) ***sm.*** *Bras. Zool.* Jacaré (*Caiman latirostris*) com até 3,5 m de comprimento, de cabeça larga e cor escura, encontrado em rios e pântanos do Brasil; ARUÁ; URURAU [Pl.: *jacarés-de-papo-amarelo.*]

jacareí (ja.ca.re.*í*) ***sm.*** *Bras. Bot.* Planta (*Gonania apendiculata*) da fam. das ramnáceas [F.: Do tupi.]

jacaretinga (ja.ca.re.*tin*.ga) ***sm.*** *Bras. Herp.* Jacaré (*Caiman sclerops*) de focinho comprido e mandíbula com manchas negras, tb. chamado *jacaré-de-óculos* [F.: Do tupi *yakare'tinga.*]

jacareúba (ja.ca.re.*ú*.ba) ***sf.*** *Bras. Bot.* Árvore (*Calophyllum brasiliense*) da fam. das gutíferas, tb. chamada *guanandi*, que fornece boa madeira [F.: Do tupi *yakare'iwa.*]

jacinto (ja.*cin*.to) ***sm.*** **1** *Bot.* Designação comum às plantas do gên. *Hyacinthus*, bulbíferas, da fam. das hiacintáceas, cultivadas como ornamentais **2** *Bot.* Espécie (*Hyacinthus orientalis*) desse gên., nativa da Síria e do Iraque, cujas flores, dispostas em cachos, podem ser azuis, brancas ou rosas; é muito cultivada como ornamental, esp. nas regiões serranas do Brasil **3** Flor dessas plantas **4** *Min.* Pedra preciosa que constitui uma variedade de zircão [F.: Do tax. *Hyacinthus* < lat. *hyacinthus*, deriv. do gr. *huákinthos,ou.*]

jacksoniano (jack.so.ni.*a*.no) ***a.*** *Med.* Diz-se de um tipo de epilepsia parcial limitada a um lado do corpo, sem perda dos sentidos [F.: Do antr. (*John H.*) *Jackson*, médico inglês (1834-1911).]

jacobinismo (ja.co.bi.*nis*.mo) ***sm.*** **1** *Hist. Pol.* Doutrina de uma associação política revolucionária fundada em Paris durante a Revolução Francesa, o Clube dos Jacobinos, que defendia ideias democráticas radicais **2** *Fig.* Espírito, inclinação jacobina; ato, dito ou procedimento próprio de jacobino **3** *Pej.* Ideias ou opiniões políticas revolucionárias; RADICALISMO [F.: Do fr. *jacobinisme.*]

jacobinista (ja.co.bi.*nis*.ta) ***a2g.*** **1** Do ou ref. ao jacobinismo **2** *Bras. Pej.* O mesmo que *xenófobo* [F.: *jacobin(o)* + *-ista.*]

jacobino (ja.co.*bi*.no) ***sm.*** **1** *Hist. Pol.* Membro do Clube dos Jacobinos, associação política revolucionária criada durante a Revolução Francesa **2** *Hist. Pol.* Partidário do jacobinismo **3** *Pol.* Democrata radical, revolucionário **4** *Bras.* Pessoa extremamente nacionalista; XENÓFOBO ***a.*** **5** *Hist. Pol.* Ref., pertencente a ou próprio dos jacobinos (ideias jacobinas; partido jacobino) **6** Que tem ideias e posturas políticas radicais [F.: Do fr. *jacobin*, deriv. do lat. *Jacobus.*]

⊕ **jacquard** (*Fr. /jacár/*) ***sm.*** **1** *Emec.* Tear inventado pelo francês Joseph Jacquard **2** *Têxt.* Tecido grosso feito de malhas de várias cores, formando desenhos ger. geométricos [Us. tb. como adj.: tricô jacquard.]

jactação (jac.ta.*ção*) ***sf.*** *Ant. Med.* Perturbação nervosa que se manifesta por gestos e movimentos desordenados [Pl.: *-ções.*] [F.: Do lat. *jactatio, onis.*]

jactância (jac.*tân*.ci:a) ***sf.*** **1** Atributo ou atitude de quem se julga superior e faz alarde de suas qualidades e proezas **2** Altivez, arrogância [F.: Do lat. *jactantia*. Ant. ger.: *humildade, modéstia.*]

jactancioso (jac.tan.ci:*o*.so) [ô] ***a.*** **1** Que faz alarde de suas qualidades ou proezas [Ant.: *humilde, modesto.*] **2** Que revela arrogância (discurso jactancioso) [Pl.: [ó]. Fem.: [ó].] [F.: *jactância* + *-oso.*]

jactante (jac.*tan*.te) ***a2g.*** **1** Cheio de jactância; JACTANCIOSO **2** *Ant. Med.* Que sofre de jactação [F.: Do lat. *jactans, antis.*]

jactar-se (jac.*tar*-se) ***v.*** Ter e expressar jactância, orgulho exagerado; GABAR [*tr.* + *de*: *Jactava-se de seus mais recentes sucessos.*] [▶ 1 jactar-se] [F.: Do lat. *jactare.*]

jacto (*jac*.to) ***sm.*** Ver *jato*

jacu (ja.*cu*) ***sm.*** *Bras. Zool.* Ave florestal da fam. dos cracídeos, do gên. *Penelope*, que vive em pequenos bandos, com plumagem parda ou preta, garganta nua com barbela colorida, esp. nos machos e bico preto; se alimenta de brotos, frutas e folhas [F.: Do tupi *ya 'ku.*]

jacuba (ja.*cu*.ba) *Bras. Cul. sf.* Bebida ou pirão preparado com água, farinha de mandioca e açúcar, às vezes temperado com cachaça; CHIBÉ; GARAPA; SEBEREBA; TIQUARA [F.: De or. duvidosa, talvez do tupi *jecu'acuba.*]

jacuguaçu (ja.cu.gua.*çu*) *sm. Bras. Ornit.* Ave (*Penelope obscura*) da fam. dos cracídeos [F.: Do tupi *yakugwa'su.*]

jacuí (ja.cu.*í*) *sm. Bras. Ornit.* Espécie de jacu pequeno [F.: Do tupi *yaku'í.*]

jaculação (ja.cu.la.*ção*) *sf.* **1** O mesmo que *ejaculação* **2** Ação de jacular; ARREMESSO **3** *Ant.* Tiro de artilharia **4** *Ant.* A distância percorrida pelo tiro [Pl.: *-ções.*] [F.: Do lat. *jaculatio, onis.*]

jaculador (ja.cu.la.*dor*) [ô] *a.* **1** Que atira ou arremessa com arma ofensiva *sm.* **2** Aquele que atira ou arremessa com arma ofensiva [F.: Do lat. *jaculator, oris.*]

jacular (ja.cu.*lar*) *v.* **1** O mesmo que ejacular [*td.*] [*int.*] **2** Arremessar a distância, com força [*td.*: *Jacular uma lança.*] **3** Causar ferimento com arma de arremesso [*td.*: *Jaculou o adversário com a lança.*] [F.: Do lat. *jaculari.*]

jaculatória (ja.cu.la.*tó*.ri:a) *sf.* **1** *Litu.* Oração curta, em frase única e em verso, ger. de invocação a Deus (p.ex.: "meu Deus, meu Pai"); REZA **2** *NE. Etnog.* Reza popular para determinados fins (p.ex.: espantar bicho no mato, agradecer o pão de cada dia etc.) [F.: Fem. substv. de *jaculatório.*]

jaculatório (ja.cu.la.*tó*.ri:o) *a.* **1** Que lança jatos (fonte jaculatória) **2** Próprio para arremessar *sm.* **3** *Litu.* O mesmo que *jaculatória* [F.: Do lat. *jaculatorius, a, um.*]

jáculo (*já*.cu.lo) *sm. Ant.* Arremesso, lançamento [F.: Do lat. *jaculum, i.*]

jacumã (ja.cu.*mã*) *sm.* **1** *AM* Tipo de pá indígena us. como remo ou leme **2** Banco de popa, de onde se manipula esse tipo de leme e se governa a embarcação **3** *PE* Andaime de três paus e ligados a dois terços da altura, us. na construção de currais de peixe [F.: Do tupi *ñaku 'mã* ou *yaku 'mã.*]

jacundá (ja.cun.*dá*) *Bras. sm.* **1** *Ict.* Nome comum a vários peixes de rio da fam. dos ciclídeos, do gên. *Crenicichla*, tb. chamados *guenza* **2** *Bot.* Erva (*Calathea ornata*) da fam. das marantáceas, cultivada como ornamental **3** *AM Etnog.* Dança indígena na qual se representa a pesca do jacundá (1) [F.: Do tupi *yaku'nda.*]

jacupemba (ja.cu.*pem*.ba) *sm. Ornit.* Ave (*Penelope superciliaris*) da fam. dos cracídeos [F.: Do tupi *yaku'pemba.*]

jacutinga (ja.cu.*tin*.ga) *Bras. sf.* **1** *Zool.* Denominação comum às aves, da fam. dos cracídeos, gên. *Pipile* **2** *Zool.* Ave florestal da fam. dos cracídeos (*Pipile jacutinga*), de plumagem negra, com o topo da cabeça e asas brancas, coloração azul na base do bico e em torno dos olhos, pés e pernas rosados e com barbela vermelha bem evidente; é uma espécie rara, ameaçada de extinção, privativa da Mata Atlântica **3** *Min.* Minério de ferro aurífero, hematítico, pulverulento, em processo de decomposição [F.: Do tupi *yaku 'tinga.*]

jacutupé (ja.cu.tu.*pé*) *sm. Bras. Bot.* Planta trepadeira (*Pachyrhzus tuberosus*) da fam. das leguminosas, de raízes comestíveis [F.: Do tupi *yakatu'pe*, posv. Tb. *jacatupé.*]

jacuzzi(r) (ja.*cuz*.zi) *sf.* Banheira, ou pequeno tanque, equipada com jatos de água sob pressão, us. para relaxamento e hidromassagem [A marca registrada, com inic. maiúsc.] [F.: Do antr. *Jacuzzi.*]

jade (*ja*.de) *Min. sm.* Designação comum a certos minerais de cor esverdeada, us. em objetos de adorno, estatuetas etc. [F.: Do fr. *jade* < esp. *piedra de la ijada*, deriv. do lat. *ilia,ium.*]

jadeíta (ja.de.*í*.ta) *sf. Min.* Mineral do grupo dos piroxênios, silicato de alumínio e sódio, de coloração verde ou esbranquiçada: "...porque ainda não se conheciam na América, jazidas de jadeíta..." (Gastão Cruls, *Amazônia misteriosa*) [F.: *jade* + *-ita.*]

jaez (ja.*ez*) [ê] *sm.* **1** *Fig.* Qualidade, natureza, laia: *Era gente do pior jaez.* **2** *Fig.* Tipo, espécie: *Os crimes fiscais e outros desse jaez devem ser punidos com rigor.* **3** Aparelho e adorno de cavalgadura; ARREIO [Pl.: *-ezes.*] [F.: Do ár. *gehêz.* Hom./Par.: *jaezes* (pl.), *jaezes* (fl. de *jaezar*).]

jagas (*ja*.gas) *smpl. Etnol.* Povo antigo do Congo [F.: Do banto *yaka.*]

jagodes (ja.*go*.des) *sm2n.* **1** *Pej. Pop.* Pessoa importuna ou apalermada **2** *Bras.* Figura de louça que representa um chinês barrigudo cuja boca é a entrada de uma caixa de cartas [F.: De or. obsc.]

jaguané (ja.gua.*né*) *a2g.* **1** *RS* Que tem o fio do lombo e a barriga brancos, e os flancos pretos ou vermelhos (diz-se de gado vacum) **2** *Lud.* Que é feito errado, por equívoco ou por má-fé (diz-se de jogo de cartas ou de víspora) *sm.* **3** Esse jogo **4** *Zool.* O mesmo que *zorrilho* (1) [F.: Do tupi *yagwa're*, posv. Na acp. 4, tb. *jaguaré.*]

jaguar (ja.*guar*) *Zool. sm.* Ver *onça-pintada* (*Panthera onca*) [F.: Do tupi *ya 'guara.* Hom./Par.: *jaguara* (sm.).]

jaguaré (ja.gua.*ré*) *sm.* O mesmo que *zorrilho* (1)

jaguaretê (ja.gua.re.*tê*) *sm. Bras. Zool.* O mesmo que *onça-pintada* (*Panthera onca*) [F.: Do tupi *yagware'te.*]

jaguatirica (ja.gua.ti.*ri*.ca) *Bras. Zool. sf.* Mamífero da fam. dos felídeos (*Leopardus pardalis*), espécie de gato selvagem, com cerca de 80 cm e 9 kg, de pelo pardo-amarelado no dorso, ventre branco e com manchas pretas em todo o corpo, que habita as florestas do Sul dos EUA ao norte da Argentina; GATO-DO-MATO-GRANDE [F.: Do tupi *yaguati 'rika.*]

jagube (ja.*gu*.be) *sm. Bras. Bot.* Cipó (*Banisteriopsis caapi*) da fam. das malpighiáceas, de que se extrai um alcaloide alucinógeno us. por tribos amazônicas em rituais religiosos; CAAPI [F.: De or. obsc.]

jagunçada (ja.gun.*ça*.da) *Bras. sf.* **1** Grupo de jagunços **2** Os jagunços **3** O que é próprio de jagunço [F.: *jagunç(o)* + *-ada*².]

jaguncismo (ja.gun.*cis*.mo) *sm. Bras.* Modo de vida dos jagunços; CANGAÇO [F.: *jagunç(o)* + *-ismo.*]

jagunço (ja.*gun*.ço) *Bras. sm.* **1** Homem que serve de guarda-costas a fazendeiros ou pessoas influentes, no interior do Brasil; CAPANGA **2** *N.E.* Pistoleiro contratado para matar **3** *AL PE* Arma que consiste em um pau com uma ponta de ferro aguçada; CHUÇO **4** *Hist.* Indivíduo do grupo de Antônio Conselheiro (1828-1897), no episódio de Canudos (1896-1897) [F.: Posv. de *zaguncho.*]

jaina (*jai*.na) *s2g.* O mesmo que *jainista* [F.: Do sânsc. *jaina.*]

jainismo (jai.*nis*.mo) *sm. Rel.* Religião heterodoxa da Índia, fundada no séc. VI a.C. em oposição ao vedismo e ao hinduísmo [F.: *jain(a)* + *-ismo*, por infl. do ing. *jainism.*]

jainista (jai.*nis*.ta) *a2g.* **1** Ref. ao jainismo **2** Que é adepto do jainismo *s2g.* **3** Adepto do jainismo [F.: *jain-* (rad. de *jainismo*) + *-ista.* Sin. ger.: *jaina.*]

jakobsoniano (ja.kob.so.ni:*a*.no) *a.* Ref. a Roman Jakobson, linguista russo, ou às teorias por ele formuladas [F.: Do antr. (*Roman*) *Jakobson* + *iano.*]

jalapa (ja.*la*.pa) *sf. Bot.* Nome comum a várias plantas da fam. das convolvuláceas (esp. *Ipomoea purga*) e da fam. das apocináceas, cujas raízes são us. como purgativos [F.: Do top. *Jalapa* (México).]

jalde (*jal*.de) *a.sm.* Amarelo vivo, cor de ouro; tb. *jalne*

jaleca (ja.*le*.ca) *sf.* O mesmo que *jaleco* (2)

jaleco (ja.*le*.co) *sm.* **1** *Vest.* Espécie de avental branco us. por médicos, dentistas etc. por cima da roupa, ger. de algodão fino, podendo ir até os quadris ou joelhos **2** *Vest.* Jaqueta curta **3** *Vest.* Jaqueta, ger. de couro, us. por vaqueiros **4** *Vest.* Vestimenta us. por soldados para fazer faxina **5** *Bras. Antq. Pej.* Emigrante português [F.: Do cast. *jaleco* < turco *jelek.* Na acp. 2, tb. *jaleca.*]

jalne (*jal*.ne) *sm.* **1** A cor do amarelo-ouro *a2g.* **2** Que é dessa cor (tecido jalne) **3** Diz-se dessa cor [F.: Do fr. ant. *jalne* (atual *jaune*). Tb. *jalde.*]

jalofo (ja.*lo*.fo) *sm.* **1** *Etnol.* Pessoa pertencente a um povo da região do rios Senegal e Gâmbia (África) **2** *Gloss.* Língua falada por esse povo *a.* **3** Do ou ref. ao jalofo (1 e 2) **4** *Pej.* Que é boçal, rude, grosseiro [F.: Do antr. africano *Jalof.*]

jamaicano (ja.ma:i.*ca*.no) *sm.* **1** Pessoa nascida ou que vive na Jamaica (ilha das Antilhas) *a.* **2** Da Jamaica; típico desse país ou de seu povo [F.: Do top. *Jamaica* + *-ano.*]

jamais (ja.*mais*) *adv.* **1** Em nenhum momento; NUNCA: "O que me importa / sua voz chamando / se pra você jamais / eu fui alguém..." (Cury, *O que me importa*) [Ant.: *sempre.*] **2** Em alguma ou qualquer ocasião; JÁ: *O ataque terrorista mais bárbaro que jamais se viu.* **3** De nenhuma maneira: *Queria um tecido que jamais amarrotasse.* [F.: Do lat. *jam magis* < *jam-* + *-magis.*]

jamamadi (ja.ma.*ma*.di) *s2g.* **1** *Etnol.* Pessoa pertencente a um povo indígena que habita o sul do Amazonas *sm.* **2** *Gloss.* Língua falada por esse povo *a2g.* **3** Do ou ref. a jamamadi (1) ou ao jamamadi (2)

jamanta (ja.*man*.ta) *Bras. sf.* **1** Caminhão grande, com longa carroceria separada da cabine, esp. projetada para o transporte de automóveis; CARRETA **2** *Zool.* Peixe da fam. dos miliobatídeos (*Manta birostris*), espécie de arraia com até 8 m de envergadura, que habita mares tropicais, com dorso escuro e ventre branco, corpo no formato de um losango, sendo a cabeça achatada, as nadadeiras peitorais prolongadas lateralmente e uma cauda longa provida de um espinho na base **3** Certo tipo de sapato **4** *MA Lud.* Certo tipo de papagaio (4), de grandes proporções *s2g.* **5** *Bras. Pej.* Pessoa grandalhona e desajeitada [É ofensivo.] [F.: De or. obsc.]

jamaxi (ja.ma.*xi*) *sm. Bras.* Espécie de cesto que se leva às costas, preso à testa ou aos ombros por uma alça [F.: Do tupi, posv.]

jambalaia (jam.ba.*lai*.a) *sf. Cul.* Prato típico da Lousiana (EUA), feito de arroz cozido com presunto, salsichas, frango e camarões ou ostras, temperados com ervas [F.: Do provç. *jambalaia.*]

jambeiro (jam.*bei*.ro) *Bot. sm.* Nome comum a várias árvores da fam. das mirtáceas, como, p.ex., *Syzygium jambos*, nativa da Ásia e muito cultivada em várias regiões tropicais, como ornamental e esp. pelo fruto comestível, o jambo, de polpa clara, aromática e suculenta e cuja casca pode ser rósea, amarelada ou roxa; EUGÊNIA; JAMBO; JAMBO-ROSA [F.: *jambo* + *-eiro.*]

jambete (jam.*be*.te) *sf. Bras. Joc.* Mulata jovem [F.: *jamb(o)* + *-ete.*]

jâmbico (*jâm*.bi.co) *Poét. a.* O mesmo que *iâmbico* [F.: Do lat. *iambicus*, do gr. *iambikós.*]

⊕ **jambière** (*Fr./jambiér*) *sf.* Calça feminina que vai das coxas aos tornozelos, com rendas

jambo (*jam*.bo) *Bot. sm.* **1** Fruto do jambeiro **2** O mesmo que *jambeiro* *a2g2n.* **3** Que é bem moreno, da cor do jambo **4** *Poét.* No sistema de versificação greco-latino, pé métrico formado de uma unidade breve seguida de uma longa [F.: Do sânsc. *jambu.*]

⊕ **jamboree** (*Ing. /djamborí/*) *sm.* Congresso de escoteiros, ger. internacional

jamegão (ja.me.*gão*) *Bras. Pop. sm.* Assinatura, rubrica: *Pôs seu jamegão no documento.* [Pl.: *-gões.*] [F.: De or. obsc.]

jamelão (ja.me.*lão*) *Bot. sm.* **1** Árvore da fam. das mirtáceas (*Syzygium cumini*), nativa da Ásia e Oceania, muito cultivada como ornamental e pelos frutos, roxos e comestíveis; JAMBOLÃO; JALÃO **2** Fruto dessa árvore [Pl.: *-lões.*] [F.: Var. de *jambolão* < conc. *jambulam* < sânsc. *jambula.*]

jaminauá (ja.mi.nau.*á*) *s2g.* **1** *Etnol.* Pessoa pertencente a um povo indígena da região do alto rio Juruá (AM) *sm.* **2** *Gloss.* Língua falada por esse povo *a2g.* **3** Do ou ref. a jaminauá (1) ou ao jaminauá (2)

⊕ **jam session** (*Ing. /djâm séchon/*) *loc.subst. Mús.* Apresentação de música popular (esp. *jazz*, *blues* ou *rock*) em que os músicos tocam improvisações juntos

Janaína (Ja.na.*í*.na) *Bras. Umb. sf.* Ver *Iemanjá* [F.: Do ior. *iya-* + *-naa* + *-iyin.*]

jandaia (jan.*dai*.a) *Zool. sf.* **1** Designação comum a algumas espécies de aves do gên. *Aratinga sf.* **2** Ave da fam. dos psitacídeos (*Aratinga jandaya*) com a cabeça e ventre amarelo-alaranjado, dorso verde, asas verde-azuladas, tipo de periquito que vive em bandos, restrito ao norte, nordeste e centro-oeste do Brasil [F.: Do tupi *ya'nay.* Sin. ger.: *maritaca, nhandaia, nandaia, periquito-rei.*]

janeiro (ja.*nei*.ro) *sm. Cron.* O primeiro mês do ano. (Com 31 dias.) [F.: Do lat. *januarius, ii.*]

janela (ja.*ne*.la) *sf.* **1** Abertura na parede de um edifício, casa etc. ou na de um veículo (trem, automóvel, avião etc.) a certa altura do piso que permite a iluminação e/ou o arejamento do ambiente e dá vista para o exterior **2** Caixilho ou peça de madeira ou de metal que fecha essa abertura **3** *Bras. Pop.* Qualquer tipo de abertura feita numa superfície ou material; rasgão, buraco, fresta, fenda: *uma janela na roupa; A erosão abriu uma janela no solo.* **4** *Bras. Fig.* Tempo livre entre dois compromissos previamente estabelecidos: *As aulas eram seguidas, sem janela; Não havia uma janela no horário do médico.* **5** *Inf.* Área retangular da tela de uma unidade de exibição visual destinada a facilitar o acesso a um programa ou função particular **6** *Bras. Bibl.* Espaço em um texto, correspondente a uma palavra ausente e que deve ser escrita **7** *Bras. Art.gr.* Abertura feita em folha de papel, cartão etc., ger. protegida por material transparente, para permitir a visão do que está por baixo (p. ex.: envelope de janela) **8** *Publ. Rád. Telv.* Espaço deixado nos programas (gravados ou ao vivo) para inserção de comerciais, com a modificação de áudio e/ou vídeo, sem que seja necessário refazer o resto da gravação [F.: Do lat. vulg. *januella*, dim. de *janua.*] ■ **Entrar pela ~** *Fig.* Ser admitido em uma instituição pública (p.ex., como aluno, ou como funcionário regular) sem passar pelo processo usual de admissão, prestação de concurso etc., graças à influência de autoridade ou por algum meio irregular **~ ativa** *Inf.* Das janelas gráficas da interface, aquela que está sendo us. ou que está selecionada pelo usuário **~ basculante** Janela com um ou vários segmentos horizontais [moldura(s) envidraçada(s)] que se podem abrir ou fechar ao mesmo tempo sobre eixos horizontais, acionados por uma haste e uma alavanca (básculo) **~ de contrapeso** Janela de guilhotina que tem cada caixilho preso a um contrapeso, o que permite que se mantenha em qualquer posição em que se o coloque **~ de correr** *Arq.* Aquela que se abre e fecha deslizando horizontalmente sobre trilhos ou ranhuras **~ de guilhotina** Janela composta de dois meio-caixilhos verticais e paralelos próximos um do outro, com venezianas ou vidro, que deslizam em trilhos ou ranhuras verticais separados, de maneira que se ambos estão baixados ou levantados fica aberto um vão, e se um está totalmente abaixado e o outro levantado, o vão da janela fica totalmente fechado **~ de lançamento** *Astnáut.* Período de tempo durante o qual são mais favoráveis as condições para determinado lançamento de engenho espacial **~ de peito** Janela cujo peitoril fica acima do nível do piso, ger. à altura do peito de quem nele se debruça **~ de sacada** Janela com dobradiças, que se abre em par e vai até o chão, dando passagem para uma varanda ou sacada; janela francesa **~ francesa** Ver *Janela de sacada* **~ galáctica** *Astron.* Região do céu na qual não se visualizam muitos objetos da Via-Láctea, que faculta que nela se observem com galáxias externas **~ inglesa** Ver *Janela pivotante* **~ oval** *Anat. Otor.* Ver *Janela vestibular* **~ pivotante** Janela que gira em torno de eixo vertical **~ redonda** *Anat. Otor.* Na orelha média, abertura para a cóclea, ou caracol **~ vestibular** *Anat. Otor.* Na orelha média, abertura oval para o vestíbulo, em cuja membrana insere-se a base do estribo; janela oval

janelão (ja.ne.*lão*) *sm.* Janela grande [Pl.: *-lões.*] [F.: *janel(a)* + *-ão*¹.]

janelar (ja.ne.*lar*) *v. int.* Ficar à janela [► **1 janelar**] [F.: *janel(a)* + *-ar.*]

janeleira (ja.ne.*lei*.ra) *Lus. Pop. sf.* **1** Mulher que costuma ficar à janela **2** Mulher namoradeira [F.: *janela* + *-eira.*]

janeleiro (ja.ne.*lei*.ro) *a.* **1** Que tem o hábito de ficar à janela *sm.* **2** Quem tem esse hábito [F.: *janel(a)* + *-eiro.*]

jangada (jan.*ga*.da) *sf.* **1** *Bras.* Embarcação constituída por uma plataforma de troncos de árvores, unidos com cavilhas de madeira, e uma vela triangular, us. para a pesca, esp. no Nordeste do Brasil: "Minha jangada já saiu no mar/um peixe bom eu vou trazer..." (Dorival Caymmi, *Jangada*) **2** Plataforma flutuante feita com tábuas, troncos de árvores etc., destinada ao transporte de carga sobre a água; CARANGUEJOLA **3** Armação feita com as madeiras de um navio, para salvamento de náufragos **4** Conjunto de embarcações pequenas, ligadas umas às outras [F.: Do malaiala *changadam*, de or. sânscr.] ▪▪ **~ do alto** *N.E.* Jangada resistente, capaz de navegar em alto-mar

jangadeiro (jan.ga.*dei*.ro) ***sm.*** Dono, patrão ou condutor de jangada [F.: *jangada* + *-eiro*.]

jângal (*jân*.gal) ***sm.*** Conjunto de árvores em vasta extensão de terra; JÂNGALA; FLORESTA; SELVA [Pl.: *-gales*.] [F.: Do ingl. *jungle* < hindi *j angal* < sânscr. *jangala*.]

jango (*jan*.go) ***sm.*** *Ang.* Abrigo circular us. para reuniões em certas aldeias [F.: Do umbundo, posv.]

janguismo (jan.*guis*.mo) ***sm.*** **1** Ideário ou prática política de João Goulart, dito Jango, presidente do Brasil de 1961 a 1964 **2** Adesão ao janguismo (1) [F.: Do antr. *Jango* + *-ismo*.]

janguista (jan.*guis*.ta) ***a2g.*** **1** Ref. ao janguismo **2** Diz-se de indivíduo adepto do janguismo ***s2g.*** **3** Esse indivíduo [F.: Do antr. *Jango*, por *João Goulart*, + *-ista*.]

janicéfalo (ja.ni.*cé*.fa.lo) ***sm.*** *Ter.* Monstro que tem uma cabeça com dois rostos opostos [F.: De *Jano* (deus romano de duas faces) + *-i-* + *-céfalo*.] ▪▪ **~ assimétrico** *Ter.* Aquele que tem um rosto perfeito e o outro não **~ parasito** *Ter.* Aquele que tem a cabeça parciamente duplicada no plano frontal

janismo (ja.*nis*.mo) ***sm.*** **1** Ideário ou prática política de Jânio Quadros, presidente do Brasil de janeiro a agosto de 1961 **2** Adesão ao janismo (1) [F.: Do antr. *Jânio (Quadros)* + *-ismo*.]

janista (ja.*nis*.ta) ***a2g.*** **1** Ref. ao janismo **2** Diz-se de indivíduo adepto do janismo ***s2g.*** **3** Esse indivíduo [F.: Do antr. *Jânio (Quadros)* + *-ista*.]

janízaro (ja.*ní*.za.ro) ***sm.*** **1** Soldado de um antigo corpo de infantaria turco da guarda do sultão **2** *Fig.* Guarda-costas de um tirano **3** *Fig.* Guarda ou tropa empregada violentamente contra o povo; BELEGUIM; ESBIRRO [F.: Do turco *ianixari, ianixeri*, pelo it. *giannizzaro, giannizero*.]

janota (ja.*no*.ta) ***a2g.*** **1** Que dá muita importância à aparência, esmerando-se excessivamente no vestir **2** Que é elegante ***s2g.*** **3** Indivíduo janota [F.: Do fr. *janot*.]

jansenismo (jan.se.*nis*.mo) ***sm.*** **1** Doutrina do teólogo holandês Cornélio Jansênio (1585-1638), que exagerava as ideias acerca da graça divina para conseguir o bem, em detrimento da liberdade humana **2** *Fig.* Extremo rigor moral [F.: Do fr. *jansénisme*.]

jansenista (jan.se.*nis*.ta) ***a2g.*** **1** Ref. ao jansenismo **2** Que é partidário do jansenismo **3** *Fig.* Rigoroso, austero ***s2g.*** **4** Partidário do jansenismo **5** *Fig.* Indivíduo de moral rígida e costumes austeros [F.: Do fr. *janséniste*.]

janta (*jan*.ta) ***sf.*** *Pop.* O mesmo que *jantar* [F.: Dev. de *jantar*. Hom./Par.: *janta(s)* (sf.[pl.]), *janta(s)* (fl. de *jantar*).]

jantado (jan.*ta*.do) ***a.*** Diz-se de quem jantou [F.: Part. de *jantar*.]

jantar (jan.*tar*) ***v.*** **1** Comer o jantar ou fazer essa refeição à noite [***td.***: *Jantou um bife com batatas coradas*.] [***int.***: *No aniversário, levou a família para jantar*.] **2** *Fig. Gír.* Superar o adversário ou derrotá-lo, ger. com grande facilidade [***td.***: *O time reserva jantou os titulares*.] [▶ **1 jantar**] ***sm.*** **3** Refeição completa feita à noite; JANTA: *No jantar só como comidas leves*. **4** A comida que compõe essa refeição: *O jantar está na mesa*. **5** Evento ou programa social que constitui jantar (3): *Comemorou o aniversário com um jantar para os amigos*. [F.: Do lat.vulg. *jantare*, láss. *jentare*, 'almoçar', 'comer o desjejum'. Hom./Par.: *janta* (fl. do v.), *janta* (sf.); *jantas* (fl.), *jantas* (pl. do sf.).]

jantarola (jan.ta.*ro*.la) ***sf.*** *Bras. S* Jantar animado e farto [F.: *jantar* + *-ola*.]

jante (*jan*.te) ***sf.*** Aro da roda de veículo automóvel [F.: Do fr. *jante*. Hom./Par.: *jante(s)* (sf.[pl.]), *jante(s)* (fl. *jantar*).] ▪▪ **Na ~** *AL Pop.* Em situação muito ruim; na pior

jaó (ja.*ó*) ***s2g.*** **1** *Bras. Zool.* Denominação comum às duas spp. de aves da fam. dos tinamídeos, do gên. *Crypturellus* **2** ave da fam. dos tinamídeos (*Crypturellus undulatus*) que ocorre na Amazônia e Brasil central, inclusive no Paraguai até a Argentina, com plumagem estriada, garganta branca e pernas esverdeadas; MACUCAUA **3** ave da fam. dos tinamídeos (*Crypturellus noctivagus*) encontrada apenas nas florestas do Brasil Oriental, com plumagem amarronzada, garganta amarelada e peito vermelho; ZABELÊ [F.: De or. onom.]

japa (*ja*.pa) ***sf.*** *Bras. S* O mesmo que *inhapa* [F.: Var. de *inhapa*. Hom./Par.: *japa* (sf.), *japá* (sm.).]

japacanim (ja.pa.ca.*nim*) ***sm.*** **1** Ave passeriforme (*Donacobius atricapillus*) da fam. dos trogloditídeos **2** Espécie de gavião (*Rupornis magnirostris*) [F.: Do tupi *yapaka'ni*.]

japecanga (ja.pe.*can*.ga) ***sf.*** *Bras. Bot.* Nome comum a várias plantas da fam. das liliáceas, do gên. *Smilax*; SALSAPARRILHA [F.: Do tupi *yapi'kanga*.]

japiim (ja.pi.*im*) ***sm.*** Ver *japim*

japim (ja.*pim*) *Bras. Zool.* ***sm.*** Pássaro, da fam. dos icterídeos (*Cacicus cela*), bastante comum desde a América Central até a Bolívia; no Brasil é comum na Amazônia, mas tb. ocorre no Brasil Central e no Nordeste, canoro, com plumagem negra, dorso inferior, coberteiras das asas, base da cauda e bico amarelos; XEXÉU [Pl.: *-pins*.] [F.: Do tupi *yapi'i*. Tb. *japiim*.]

japona (ja.*po*.na) ***sf.*** **1** *Mar.* Casaco de lã pesado, azul-marinho, us. por oficiais e praças por cima do uniforme **2** *Vest.* Casaco esportivo de lã grossa ou material sintético ***s2g.*** **3** *Bras. Pop.* Alcunha dada aos japoneses [F.: Substv. de *japona*, fem. ant. de *japão*, do top *Japão*.]

japonês (ja.po.*nês*) ***sm.*** **1** Pessoa nascida ou que vive no Japão (Ásia) **2** *Gloss.* Língua falada no Japão [Pl.: *-neses*. Fem.: *-nesa*.] ***a.*** **3** Do Japão; típico desse país ou de seu povo (filme japonês, comida japonesa); NIPÔNICO **4** *Gloss.* Do ou ref. ao japonês [Pl.: *-neses*. Fem.: *-nesa*.] [F.: Do top. *Japão*, sob a f. *japon-* l + *-ês*.]

japonesada (ja.po.ne.*sa*.da) *Pej.* ***sf.*** **1** Grupo de japoneses **2** Conjunto dos japoneses **3** Ato ou dito próprio dos japoneses [F.: *japonês* + *-ada*[2].]

japonizar (ja.po.ni.*zar*) ***v. td.*** Fazer adquirir ou adquirir modo de ser dos japoneses; tornar(-se) semelhante aos japoneses [***int.***: *Viveu dez anos no Japão e japonizou-se totalmente*.] [***td.***: *Seu longo convívio com os nisseis japonizou-a, afinal*; .] [F.: Do top. *Japão* + *-izar*.]

japu (ja.*pu*) *Bras. Zool.* ***sm.*** Pássaro da fam. dos icterídeos, gên. *Psarocolius*, canoro, de grande porte com laterais da longa cauda e bico amarelos; JOÃO-CONGO; REI-CONGO [F.: Do tupi *ya'pi*.]

jaqueira (ja.*quei*.ra) ***sf.*** **1** *Bot.* Árvore de grande porte, da fam. das moráceas (*Artocarpus heterophylla*), originária da Ásia e bastante difundida no Brasil, com flores em cachos compactos que dão origem a um fruto grande e pesado, a jaca, com gomos amarelados, carnosos, viscosos e doces; JACA **2** *Bras. Pop. Antq.* O mesmo que *jaca* (4) [F.: *jaca* + *-eira*.]

jaqueta (ja.*que*.ta) [ê] ***sf.*** **1** *Vest.* Casaco esportivo, de algodão, náilon, couro etc., freq. com zíper na frente, podendo chegar até a cintura ou aos quadris: *Gostei dessa jaqueta jeans rosa*. **2** *Enc.* Sobrecapa de um conjunto impresso **3** *Od.* Revestimento feito em um dente, para reforço ou fins estéticos [F.: Do fr. *jaquette*.]

jaquetão (ja.que.*tão*) ***sm.*** **1** *Vest.* Casaco para proteger do frio, que vai até os joelhos, trespassado na frente, com abotoamento duplo **2** *Vest.* Paletó trespassado na frente, à moda do jaquetão (1) **3** *Cir.* Técnica cirúrgica que reestrutura as mamas flácidas, devolvendo contorno e volume, e que consiste na sobreposição dos tecidos internos de cada mama [Pl.: *-tões*.] [F.: *jaqueta* + *-ão*[1].]

jaracatiá (ja.ra.ca.ti.*á*) ***sm.*** *Bras. Bot.* Árvore frutífera (*Jacaratia dodecaphylla*) da fam. das caricáceas, tb. chamada *mamoeiro-do-mato* [F.: Do tupi *yarakati'a*.]

jaraguá (ja.ra.*guá*) ***sm.*** **1** *Bras. Bot.* Erva da fam. das gramíneas (*Hyparrhenia rufa*), de or. africana, bastante difundida no Brasil, com inflorescências cor de ferrugem, us. como forragem para o gado bovino; CAPIM-PROVISÓRIO; PROVISÓRIO **2** *GO* Campo onde viceja esse capim **3** *Folc.* Personagem fantástico do bumba meu boi e de folguedos de S. João, sob diversas formas e atitudes, entre elas a de homem dançando com caveira de cavalo na cabeça e camisolão até os pés [F.: Do tupi *yara'ua*.]

jararaca (ja.ra.*ra*.ca) *Bras.* ***sf.*** **1** *Zool.* Denominação comum a diversas serpentes da fam. dos viperídeos, do gên. *Bothrops*, que ocorrem na América do Sul, com cauda afilada e cabeça triangular, que se alimenta de roedores e outros animais de pequeno porte e são muito venenosas **2** *Zool.* Espécie de jararaca (*Bothrops jararaca*) mais comum no Brasil **3** *Pop. Pej.* Mulher má ou de gênio ruim; MEGERA; VÍBORA **4** *CE Pop. Antq.* Roupa escura [F.: Do tupi *yara'raka*.]

jararacuçu (ja.ra.ra.cu.*çu*) ***sf.*** *Bras. Zool.* Grande cobra venenosa sul-americana (*Bothrops jararacussu*), com até 2 m de comprimento e dorso com manchas triangulares marrom-escuras; CABEÇA-DE-SAPO; SURUCUCU-TAPETE; URUTU-ESTRELA [F.: *jararaca* + *-uçu*.]

jaratataca (ja.ra.ta.*ta*.ca) ***sf.*** *Bras. Zool.* O mesmo que *jaritataca* (*Conepatus semistriatus*) [F.: Do tupi.]

jarda (*jar*.da) *Metrol.* ***sf.*** Unidade de medida de comprimento do sistema inglês, que equivale a 3 pés ou 91,44 cm [Símb.: yd] [F.: Do ing. *yard*.]

jardim (jar.*dim*) ***sm.*** **1** Área ger. fechada por grades ou muros, em propriedade particular ou espaço público, na qual se cultivam plantas ornamentais e flores **2** F. red. de jardim de infância [Pl.: *-dins*. Dim.: *jardinete, jardineto*] [F.: Do fr. *jardin*, der. frânc. *gard*.] ▪▪ **~ botânico** Terreno em que são cultivadas e expostas variadas espécies de plantas **~ zoológico** Lugar onde (ger. dentro de uma cidade) são mantidos em cativeiro e expostos ao público animais selvagens, de espécies raras, exóticas ou consideradas de interesse [Tb. apenas *zoológico* e *zoo*.]

jardim de infância (jar.dim de in.*fân*.ci:a) ***sm.*** Estabelecimento de ensino para crianças em idade pré-escolar (de até seis anos de idade), em que elas recebem os primeiros rudimentos de instrução, ger. por meio de jogos educativos [Tb. se diz apenas *jardim*.] [Pl.: *jardins de infância*.]

jardim de inverno (jar.dim de in.*ver*.no) ***sm.*** Área de estar de uma casa, ger. envidraçada, onde se cultivam pequenas plantas ornamentais e flores [Pl.: *jardins de inverno*.]

jardinagem (jar.di.*na*.gem) ***sf.*** **1** A arte e prática de cultivar plantas, jardins e cuidar de sua manutenção: *livro de jardinagem*. **2** Procedimento adotado em silvicultura que consiste em cortar árvores maduras, doentes ou que estejam prejudicando o desenvolvimento de outras [Pl.: *-gens*.] [F.: *jardinar* + *-agem*.]

jardinar (jar.di.*nar*) ***v.*** **1** Cultivar jardim, cultivar um terreno [***td.***: *Jardinou um terreno atrás da casa*.] [***int.***: *Ele gostava de jardinar*.] **2** Praticar jardinagem [***int.***: *Esquecia da vida quando jardinava*.] [▶ **1 jardinar**] [F.: *jardim* + *-ar*[2].]

jardineira (jar.di.*nei*.ra) ***sf.*** **1** Mulher que cuida de jardins **2** Espécie de vaso onde se cultivam plantas e flores **3** *Bras.* Saia, calça ou *short*, com frente cobrindo o peito e suspensórios abotoando atrás, us. por cima de uma blusa **4** *Cul.* Prato de legumes variados, picados e cozidos, a que se acrescenta ou não carne picada e cozida **5** *Bras.* Espécie de caminhonete com bancos paralelos destinada a transporte coletivo **6** *RS* Carro de quatro rodas, puxado a cavalo, us. nas estâncias **7** *MG Bot.* Nome comum dado a plantas da fam. das geraniáceas **8** *Bot.* Planta geraniácea (*Pelargonium odoratissimum*, Ait.); tb. *malva-maçã* **9** *Bras.* Professora de jardim de infância **10** *Zool.* Formiga operária encontrada nos sauveiros trituradora de folhas para cultivo dos fungos **11** *Zool.* Denominação comum a borboletas da fam. dos pierídeos **12** *Bras. Dnç.* Dança popular onde os pares levam arcos floridos; BALAINHA [F.: *jardim* + *-eira*.]

jardineiro (jar.di.*nei*.ro) ***sm.*** **1** Homem cuja profissão consiste em semear, plantar, podar e regar as plantas de um jardim **2** Pessoa que entende de jardinagem e/ou cultiva um jardim [F.: *jardim* + *-eiro*.]

jargão[1] (jar.*gão*) ***sm.*** **1** Linguagem corrompida, viciada, que expressa conhecimento precário ou imperfeito de uma língua **2** Linguagem alterada, ger. como resultado da presença de palavras de outros idiomas **3** Linguagem própria de um grupo profissional ou sociocultural, com vocabulário específico, difícil de ser entendida por quem não se iniciou na sua prática **4** Linguagem us. por um grupo mais ou menos fechado, com convenções próprias, justamente para não ser entendida por quem não pertence a esse grupo, como ocorre, p.ex., entre alguns meliantes **5** Discurso ou fala hermética, de difícil compreensão **6** Linguagem estropiada, formada por elementos de origens diversas **7** Qualquer linguagem que não se consegue compreender [Pl.: *-ões*.] [F.: Do fr. ant. *jargon*.]

jargão[2] (jar.*gão*) ***sm.*** *Min.* Variedade transparente ou vermelha de zirconita [Pl.: *-gões*.] [F.: Do fr. *jargon*.]

jaritataca (ja.ri.ta.*ta*.ca) ***sf.*** *Bras. Zool.* O mesmo que *cangambá* (*Conepatus semistriatus*) [F.: Do tupi.]

jarra (*jar*.ra) ***sf.*** **1** Vaso próprio para flores; JARRO **2** Recipiente com asa e bico, para água, vinho, refrescos etc; JARRO **3** Quantidade de líquido contido nesse recipiente; JARRO: *Depois da ginástica bebo uma jarra de água*. **4** Pessoa malvestida ou que usa roupas antiquadas; JARRETA **5** *Antq. Mar.* Tanque de ferro de onde os marinheiros tiravam água para beber [F.: Do ár. *djárra*.]

jarretar (jar.re.*tar*) ***v.*** **1** *Cir.* Cortar os jarretes, os tendões posteriores da coxa a [***td.***: *jarretar um cavalo*.] **2** *P.ext. Cir.* Amputar, decepar (um membro) [***td.***: *O médico jarretou o pé do diabético*.] **3** *P.us.* Eliminar, excluir (algo) do todo em que se insere [***tdi.*** + *de*: *O diretor jarretou as cenas mais picantes do filme*.] **4** *P.us.* Promover a destruição; ANIQUILAR; DESTRUIR [***td.***: *Os baderneiros jarretaram os templos*.] **5** Tornar (algo) inviável, impossível de ser realizado [***td.***: *O mau tempo jarretou nossos planos*.] [▶ **1 jarretar**] [F.: *jarrete* + *-ar*[2]. Hom./Par.: *jarreta(s)* (fl.), *jarreta(s)* [ê] (a2g.s2g.[pl.]); *jarrete(s)* (fl.), *jarrete(s)* [ê] (sm.[pl.]).]

jarrete (jar.*re*.te) [ê] ***sm.*** **1** *Anat.* Parte posterior da perna, oposta ao joelho **2** *Zool.* Nos bovinos e nos equinos, nervo ou tendão da perna; CURVILHÃO [F.: Do fr. *jarret*, deriv. do gaulês *garra*. Hom./Par.: *jarrete* (fl. de *jarretar*).]

jarreteira (jar.re.*tei*.ra) ***sf.*** **1** *Ant. Vest.* Liga para prender as meias às pernas **2** Ordem de cavalaria da Inglaterra, instituída por Eduardo III em 1348 e cujo emblema é uma liga [F.: Do fr. *jarretière*.]

jarro (*jar*.ro) ***sm.*** **1** Vaso alto e bojudo, com asa e bico, de cerâmica, vidro ou outro material, onde se põe água, vinho, refresco etc. **2** Vaso para decoração ou para se colocar flores [F.: De *jarra*, do ár. *djárra*. Sin. ger.: *jarra*.]

jasmim (jas.*mim*) *Bot.* ***sm.*** **1** Designação comum às plantas do gên. *Jasminum*, da fam. das oleáceas, de flores brancas, amarelas ou rosas, perfumadas, cultivadas como ornamentais, assim como para aromatizar chá e extrair óleo, o qual é muito utilizado em perfumaria; JASMINEIRO **2** Flor dessas plantas [Pl.: *-mins*.] [F.: Do ár. *yasãmin* < persa *yasãmin*, poss. pelo fr. *jasmin*.]

jasmim-do-cabo (jas.mim-do-*ca*.bo) *Bot.* ***sm.*** **1** Arbusto da fam. das rubiáceas (*Gardenia jasminoides*), nativo da China, com flores brancas, cultivado como ornamental e para extração de tintura e essência us. em perfumaria; GARDÊNIA **2** Ver *gardênia*. [Pl.: *jasmins-do-cabo*.]

jasmineiro (jas.mi.*nei*.ro) *Bot.* ***sm.*** Ver *jasmim* (1) [F.: *jasmim* + *-eiro*.]

jaspe (*jas*.pe) *Min.* ***sm.*** Variedade de quartzo duro e opaco, de cores diversas, sendo a vermelha a mais comum; JASPERITA [F.: Do lat. *iaspis*, deriv. do gr. *iaspis*.]

jataí[1] *Bot.* ***sm.*** O mesmo que *jatobá* [Do tupi.]

jataí[2] (ja.*taí*) ***sf.*** *Bras. Ent.* Espécie de abelha (*Tetragonisca angustula*) cujo mel é muito apreciado; tb. denominada sete-portas e três-portas [F.: Do tupi *yate'i*.]

jateado (ja.te.*a*.do) ***a.*** **1** Que passou por processo de jateamento **2** Que foi trabalhado por meio de jatos de areia (vidro jateado)

jateamento (ja.te:a.*men*.to) ***sm.*** Ação ou resultado de jatear [F.: *jatear* + *-mento*.]

jatear (ja.te.*ar*) ***v. td.*** Lançar jato de qualquer substância líquida ou em pó [▶ **13 jatear**] [F.: *jat(o)* + *-ear*.]

jati (*ja*.ti) *Bras. Ent.* ***sf.*** *Bras.* Abelha pequena (*Melipona mosquito*) que nidifica em buracos nas árvores e rochas, tb. denominada *abelha-mosquito* [F.: De *jataí*.]

jatinho (ja.*ti*.nho) ***sm.*** *Aer.* Pequeno avião a jato [F.: *jato* + *-inho*[1].]

jato (*ja*.to) ***sm.*** **1** Saída impetuosa de um líquido que está comprimido ou sob pressão; ESGUICHO; JORRO: *um jato de sangue/água*. **2** O fluido assim lançado: *O sangue saiu* *em jato.* 3 Expulsão de um gás através de uma abertura estreita 4 Emissão repentina de um feixe luminoso: *um jato de luz na escuridão.* 5 *Bras.* Avião a jato 6 *Fig.* Manifestação súbita e enérgica de um sentimento: *Num jato de cólera, esmurrou a mesa.* [F.: Do lat. *jactus -us.* Tb. *jacto.*] ∎ **A ~** *Fig.* Em grande velocidade; com muita rapidez; com muitíssima pressa **De um ~** *Fig.* Num só impulso; de uma só vez; rapidamente, e sem interrupção do início ao fim **~ de luz** Aparição rápida e súbita de um feixe ou raio de luz

jatobá (ja.to.*bá*) *Bras. Bot. sm.* 1 Árvore da fam. das leguminosas, subfam. cesalpinioídea (*Hymenaea courbaril*), nativa do México ao Brasil, com pequenas flores brancas e frutos negros com polpa farinácea comestível, e cujo tronco fornece resina própria para fabricação de verniz; JATAÍ; JUTAÍ 2 A madeira dessa árvore [F.: Do tupi *yetï'ua* < *yeta'i.*]

jatopropulsão (ja.to.pro.pul.*são*) *sf.* 1 *Fís.* Propulsão resultante da reação a um jato (3) 2 *Emec. Eng.ind.* Sistema de propulsão que usa jatopropulsão [Pl.: *-sões.*] [F.: *jato* + *-propulsão.*]

jaú¹ (ja.*ú*) *Bras. Zool. sm.* Grande bagre da fam. dos pimelodídeos (*Paulicea luetkeni*), com até 2 m de comprimento, encontrado nas bacias dos rios Amazonas e Paraná; JUNDIÁ; MANGURIÚ [F.: Do tupi *ya'u.*]

jaú² (ja.*ú*) *Bras. Cons. sm.* Andaime preso por cordas no alto de um edifício, dotado de uma roldana que permite que ele se mova verticalmente; é us. para serviços de pintura e reparos externos [F.: Do tupi *ya'u.*]

jaula (*jau*.la) *sf.* 1 Compartimento, ger. gradeado, em que se aprisionam feras 2 *Pop.* Cadeia, xadrez [F.: Do fr. ant. *jaiole* (atual *geôle*) < lat. tard. *caveola*, dim. de *cavea.*]

javaés (ja.va:*és*) *smpl. Bras. Etnol.* Povo indígena do subgrupo dos carajás que habita a ilha do Bananal (TO)

javali (ja.va.*li*) *sm.* 1 *Zool.* Grande porco selvagem do Velho Mundo (*Sus scrofa*), ancestral das raças domésticas de porcos; JAVARDO; PORCO-BRAVO; PORCO-MONTÊS 2 *Cul.* Iguaria preparada com a carne de javali [Fem.: Da acp. 1: *jironda, javalina, tarimba.*] [F.: Do ár. *gabali.*]

javanês (ja.va.*nês*) *sm.* 1 Pessoa nascida ou que vive na ilha de Java (Indonésia) 2 *Gloss.* Língua do grupo malaio-polinésio falada em Java *a.* 3 De Java; típico dessa ilha ou de seu povo 4 *Gloss.* Do ou ref. ao javanês [F.: Do fr. *javanais* < malaio *jāu.* Sin.ger.: *jau.*]

javardo (ja.*var*.do) *sm.* 1 *Zool.* O mesmo que *javali* (*Sus scrofa*): "Ainda conheci as famosas charnecas do Alentejo, (...) reduto quase inexpugnável de lobos e javardos." (Brito Camacho, *Cerros e vales*) 2 *Lus. Fig.* Homem grosseiro; BRUTAMONTES *a.* 3 *Lus. Fig.* Imundo, nojento [F.: *jav* (*ali*) + *-ardo.*]

javari (ja.*va*.ri) *sm. Bras. Bot.* Espécie de palmeira (*Astrocaryum javari*) [F.: Do tupi *yawa'ri.*]

Javé (Ja.*vé*) *sm. Rel.* O mesmo que *Jeová* [Us. com inicial maiúsc.]

jazente (ja.*zen*.te) *a2g.* 1 O mesmo que *jacente. sf.* 2 *Cnav.* Peça ou armação de ferro que serve de apoio a um canhão, torre, máquina etc. [F.: *jazer* + *-nte.*]

jazer (ja.*zer*) *v.* 1 Estar deitado ou prostrado (esp. em cama ou no chão): "O ministro jazia imerso em sono profundo." (Josué Montello, *Um rosto de menina*) [*int.*: *Há dias jaz.*] 2 *Fig.* Estar ou parecer morto; estar prostrado [*int.*: *Mortos e feridos jaziam no campo de batalha.*] 3 Estar enterrado ou inumado [*ta.*: *Seus restos mortais jazem na Espanha.*] 4 *Fig.* Já não ter existência, ou estar sepultado no esquecimento [*int.*: *Seus grandes sonhos jaziam no passado.*] 5 Encontrar-se, situar-se (em determinado lugar) [*tp.*: *O pequeno vilarejo jazia entre altas montanhas; Ali jaz uma pequena cidade.*] 6 *Fig.* Ter base ou fundamento em [*ta.*: *Sua felicidade jaz nesse recanto da praia.*] [*tr.* + em: *Suas esperanças jaziam no estudo.*] 7 *Fig.* Ficar em determinado estado; conservar-se, manter-se [*tp.*: *Toda aquela gente jazia ignorante de grande atraso cultural.*] 8 Encontrar-se calmo, quieto [*int.*: *A favela jaz agora como se não tivesse havido invasão.*] [▶ 23 jazer] [F.: Do lat. *jacere.*]

jazida (ja.*zi*.da) *sf.* 1 Ação ou resultado de jazer, de se deitar 2 Posição de quem jaz; DECÚBITO 3 O mesmo que *sepultura*; JAZIGO 4 *Bras. Geol.Min.* Depósito natural de minério, no solo ou subsolo 5 *Fig.* Ausência de perturbação; QUIETUDE; SERENIDADE; TRANQUILIDADE [F.: *jazer* + *-ida*².] ∎ **~ arqueológica** Local onde se encontram materiais de interesse arqueológico, vestígios remanescentes de antiga presença humana; = sítio arqueológico **~ mineral** *Min.* Depósito natural de camadas de material, mineral ou não, na superfície ou no interior do solo, ger. em quantidades que viabilizam sua exploração econômica **~ paleontológica** Local em que há vestígios fósseis de animais ou vegetais de outras épocas geológicas; sítio paleontológico

jazigo (ja.*zi*.go) *sm.* 1 Lugar onde é sepultada uma pessoa (ger. num cemitério); SEPULTURA; TÚMULO 2 Pequena edificação num cemitério, onde são sepultados vários familiares 3 *Fig.* Abrigo; refúgio 4 *Lus. Geol. Min.* Depósito natural de um minério *Bras;* JAZIDA [F.: De or. inc., talvez deriv. irreg. de *jazer.*]

jazimento (ja.zi.*men*.to) *sm.* 1 Ação ou resultado de jazer 2 *Min.* Jazida ou depósito mineral [F.: *jazer* + *-imento.*]

jazístico (ja.*zís*.ti.co) *a.* Ver *jazzístico*

🌐 **jazz** (*Ing.* /djéz/) *Mús. sm.* Música afro-americana que ganhou ampla difusão no mundo, esp. depois da Primeira Guerra Mundial, caracterizada por improvisações e pelos ritmos e sonoridade sincopados, incorporados do *ragtime* e do *blues* [Pl.: *jazzes.*] [Hom./Par.: *jazzes* (pl.), *jazes* (fl. de *jazer*).]

🌐 **jazz-band** (*ing.* /djaez-baend/) *sf.* 1 *Mús.* Orquestra de *jazz*, composta por instrumentos de sopro, ger. clarinetas, saxofones, trombones e trompetes, marcados por uma base rítmica formada ger. por bateria, contrabaixo e piano *sm.* 2 *Mús.* Conjunto instrumental de música popular, esp. das décadas de 1920 e 1930, nos Estados Unidos da América [Pl.: *jazz-bands.*]

jazzificar (jaz.zi.fi.*car*) *v. td.* 1 *Mús.* Dar feição jazzística a: *Jazzificou sua interpretação de Love Letters.* 2 Adaptar para o jazz: *Jazzificou uma peça de Debussy.* [▶ 11 jazzificar] [F.: *jazz* + *-i-* + *-ficar.*]

jazzismo (jaz.*zis*.mo) *sm. Pus. Mús.* Conjunto dos elementos que caracterizam uma composição de *jazz* [F.: *jazz* + *-ismo.*]

jazzista (jaz.*zis*.ta) *a2g.* 1 *Mús.* Diz-se de músico ou conhecedor de *jazz s2g.* 2 *Mús.* Músico de *jazz* ou grande conhecedor desse estilo de música [F.: *jazz* + *-ista.* Sin. ger.: *jazzeiro.*]

jazzístico (jaz.*zís*.ti.co) *Mús. a.* 1 Relativo a *jazz* 2 Que apresenta influência musical do *jazz* (samba jazzístico) [F.: *jazzista* + *-ico*².]

jazzmaníaco (jazz.ma.*ní*.a.co) *sm. Mús.* Aquele que é maníaco por *jazz*, que adora *jazz* [F.: *jazz* + *maníaco.*]

jazzófilo (jaz.*zó*.fi.lo) *a.* 1 *Mús.* Que conhece ou gosta muito de *jazz sm.* 2 *Mús.* Grande admirador e/ou conhecedor de *jazz*; amante da música de *jazz* [F.: *jazz* + *o* + *-filo.*]

jê *sm.* 1 *Bras. Ling.* Família linguística do tronco Macro-Jê, cujas línguas são faladas por vários indígenas que habitam o Centro-Sul do Brasil *a2g.* 2 *Bras. Ling.* Do ou ref. ao jê [Hom./Par.: *gê* (sm.). Tb. *jé.*]

jeans (*Ing.* /djínz/) *sm2n.* 1 *Têxt.* Tecido de algodão resistente, tipo de brim, fustão, ganga ou zuarte, ou semelhantes, us. na confecção de calças, jaquetas, macacões etc. 2 *Vest.* Calças de corte justo com costura reforçada, de uso informal, feitas com esse tecido; red. de *blue jeans*: *Vestia um jeans de marca. a2g2n.* 3 *Têxt.Vest.* Confeccionado com tecido jeans, num estilo próprio (macacões jeans, calças jeans)

jeba (*je*.ba) [é] *Bras. sf. S Tabu.* O órgão genital do homem; pênis [F.: De or. obsc. Hom./Par: *geba* [é] (fl. de *gebar*).]

jebuseus (je.bu.*se*:us) *smpl.* 1 *Hist.* Antigo povo que habitava Canaã, antes da conquista da Palestina pelos hebreus [Fem.: *-seia.*] *a.* 2 *Hist.* Ref. aos jebuseus (cultura jebuseia) [Fem.: *-seia.*] [F.: Do lat. *jebusaei, orum.*]

jeca (*je*.ca) *a2g.* 1 *Bras. Pej.* Diz-se de quem ou que vive no meio rural; MATUTO; ROCEIRO; CAIPIRA 2 Diz-se de que ou quem tem mau gosto, falta de refinamento; BREGA [Ant.: *chique.*] *s2g.* 3 *Bras. Pej.* Aquele que é matuto, roceiro, caipira [F.: F. red. de *jeca-tatu.* Denota preconceito.]

jeca-tatu (je.ca-ta.*tu*) *sm. Bras. Pej.* Denominação genérica do caboclo do interior do Brasil; habitante pobre e humilde das zonas rurais: "Pobre Jeca-Tatu! como é bonito no romance e feio na vida real." (Monteiro Lobato, "Urupês" *in Urupês*) [Pl.: *jecas-tatus.*] [F.: Deriv. do personagem criado por Monteiro Lobato no artigo "Velha praga" (1917) e firmado no conto "Urupês" (1918).]

jeffersoniano (jef.fer.so.ni.*a*.no) *a.* 1 *Hist.* Ref. a Thomas Jefferson (1743-1826), estadista norte-americano que foi presidente dos Estados Unidos da América 2 Diz-se de pessoa que é adepta, estudiosa ou admiradora desse estadista *sm.* 3 Indivíduo admirador do estadista americano e/ou que estuda sua vida e seus feitos [F.: Do antr. *Jefferson* + *-iano.*]

jegue (*je*.gue) [é] *sm.* 1 *Bras. Zool.* Mamífero (*Equus asinus*) usado para tração e transporte de carga, o mesmo que *jumento*; BURRO; JERICO: "E quando o jegue empacava – porque, como todo jumento, ele era terrível de queixo-duro" (Guimarães Rosa, "A hora e vez de Augusto Matraga" *in Sagarana*) 2 *Pej.* Indivíduo estúpido, imbecil ou tolo [F.: Orig. contrv.]

jeira (*jei*.ra) *sf.* 1 Medida agrária que equivale, no Brasil a 0,2 hectare 2 Terreno lavrado em um dia por uma junta de bois; JUGADA 3 Salário por um dia de serviço; DIÁRIA 4 Na Roma antiga, unidade agrária que correspondia a 28.800 pés quadrados [F.: Do lat. *diaria.*] ∎ **à ~** Com remuneração diária: *Trabalhava à jeira como motorista.*

jeitão (jei.*tão*) *sm.* 1 *Pop.* Feitio, feição característica e original de uma pessoa: *Esse é o jeitão típico dele.* 2 Modo, maneira como uma pessoa se relaciona: *Ele tem um jeitão muito simpático de falar com a gente.* 3 Modo elegante, garboso, de andar, vestir, falar etc. [Pl.: *-tões.*] [F.: *jeito* + *-ão*¹.]

jeito (*jei*.to) *sm.* 1 Modo, maneira específica de fazer algo 2 Aspecto, feição, feitio de alguém ou de alguma coisa: *Tem um jeito meio desmazelado.* 3 Caráter, modo de ser: *Cativava todos com seu jeito suave.* 4 Único meio, solução: *O jeito é estudar muito.* 5 Talento, pendor; vocação: *Tem muito jeito para falar em público.* 6 Habilidade, destreza: *Com muito jeito, consertou o relógio.* 7 Torcedura, luxação em músculo, tendão etc.: *Tropeçou e deu um jeito no tornozelo.* 8 *Fam.* Arrumação, arranjo: *É bom dar um jeito na casa; Vou dar um jeito no cabelo.* 9 Movimento ou gesto rápido para comunicar alguma coisa: *Com um jeito de cabeça mostrou que estava de acordo.* 10 Solução para algum problema, defeito etc.: *O jeito que tem é proibir-lhe de comer entre as refeições.* [F.: Do lat. *jactus, us.*] ∎ **A ~** A calhar, a propósito: *Este sanduíche veio bem a jeito, eu já estava com fome.* **Ao ~ de** De modo semelhante ao de (alguém); com aspecto ou estilo que lembra o de (outra pessoa); em imitação a, ou baseado no modelo ou exemplo de (alguém): *Vou fazer isso ao meu jeito; Foi uma solução bem ao jeito dele: simples e rápida.* **Com ~** 1 Com habilidade; com cuidado e atenção, ou com prudência e cautela; sem recorrer à força, a ações enérgicas ou impulsivas: *Desarmou a bomba com muito jeito, e evitou uma tragédia.* 2 Com delicadeza, sem procurar impor sua vontade ou opinião, sem ofender ou causar constrangimento, mágoa etc.: *Conduziu o debate e, com jeito, conseguiu harmonizar as posições.* **Daquele ~** 1 *Bras. Fam.* Us. para dar ideia de desaprovação ou reprovação: *Fez o serviço daquele jeito* (= *'mal, pessimamente'*)*; Depois da festa, a casa estava daquele jeito* (= *'em mau estado, desarrumada'*). 2 Us. para dar ênfase, ideia de intensidade (em tom positivo, negativo ou ambíguo), ao falar do estado de alguém, da sua maneira de ser ou de agir, mas sem descrevê-lo diretamente: *Ele estava daquele jeito* (= *'muito nervoso, irritado'*) *ninguém conseguiu acalmá-lo; A conversa à mesa era séria, mas ela estava daquele jeito* (= *'muito alegre', ou 'bêbada' etc...*). **Dar um ~ (de/para)** Contornar uma dificuldade ou solucionar um problema (seja por meios usuais ou alternativos) tomando as providências necessárias: *Como está, não pode continuar, precisamos dar um jeito; Vamos dar um jeito de vir amanhã para terminar o trabalho; Não se desespere, para tudo dá-se um jeito.* **Dar um ~ em** 1 *Bras.* Fazer alguém comportar-se devidamente, impor disciplina a: *Está levado demais, vou ter de dar um jeito nele.* 2 Pôr em condição ou estado adequados; consertar, arrumar, ajeitar, reparar, compor [Por vezes, pode trazer conotação de que a solução é provisória, paliativa ou improvisada.] *Foi ao cabeleireiro mas não quis mudar o penteado, só deu um jeito no cabelo* [i.e., aparou as pontas etc.]. *Tente dar um jeito no escritório, antes de ir embora* [i.e., arrume-o.] **De ~ a/que** De modo a/que **Desculpar o mau ~** 1 Us. (como fórmula entre educada e irônica) antes de contradizer ou fazer críticas ou objeções a alguém: *Desculpem o mau jeito, mas discordo inteiramente do que disseram.* 2 Us. como pedido de desculpa por algum transtorno causado a alguém, ou por alguma atitude que poderia ser considerada desrespeitosa: *Você me desculpa o mau jeito? Tive de abrir sua bolsa para pegar as chaves.* **Fazer ~** Ser adequado, útil, conveniente **Levar ~ (para)** Ter as qualidades físicas ou mentais, habilidade, sensibilidade etc. para realizar bem certo tipo de atividade: *Ela nunca estudou música, mas leva jeito; A mãe queria que o filho fosse advogado, mas ele levava jeito para as ciências.* **Mau ~** Qualquer ação ou expressão que pode ser incômoda ou ofensiva a alguém, mas sem a intenção de prejudicar ou desrespeitar: *Fui obrigado a desmenti-lo diante dos outros, espero que ele desculpe o mau jeito.* [Ger. us. ao se pedir desculpa, ou ao concedê-la.] **Pelo ~** Ao que tudo indica, a considerar as circunstâncias: *Pelo jeito, hoje não vai chover.* **Sem ~** 1 Sem saber como se comportar, ou sem conseguir agir espontaneamente; acanhado, embaraçado, constrangido: *Ela chegou sem jeito, mas aos poucos foi ficando à vontade e conversou com todos.* 2 Sem habilidade ou desenvoltura (para uma atividade, uma tarefa etc.): *Sou completamente sem jeito para trabalhos manuais.* **Ser de ~** Ser possível ou plausível: *Esforçou-se muito para obter o prêmio, mas não foi de jeito.* **Ter/não ter ~** 1 Ter/não ter solução; ser/não ser passível/de correção, melhora; ser/não ser (uma situação) reversível, modificável: *Agora não tem jeito, já confirmamos a viagem e é impossível cancelá-la.* 2 Ser (uma pessoa) capaz/incapaz de modificar para melhor seu comportamento, ou outras características morais ou de personalidade: *Você ainda tem jeito? Ao menos faça um esforço....* [Por vezes us. como forma branda de crítica.] 3 *Restr.* Us. ger. na negativa, e de forma irônica, para manifestar apreço por insistência de alguém em agir de modo gentil etc.: *Você não tem jeito! Não precisava ter todo esse trabalho por nossa causa....* **Ter ~ (para)** Ver *Levar jeito* (*para*): *Tem muito jeito para as artes.* **Tomar ~** 1 Modificar (uma pessoa) seu comportamento para melhor, deixar de insistir em certo tipo de atitude ou abandonar certas opiniões ou convicções: *Ele tem sido irresponsável, mas decidiu tomar jeito na vida.* 2 Us. por vezes sem conotação pejorativa, ou em tom de crítica amigável etc.: *Você não toma jeito! Esqueceu de novo a data dos pagamentos.*

jeitoso (jei.*to*.so) [ô] *a.* 1 Habilidoso, maneiroso [+ *com, para*: *empregada jeitosa com crianças; rapaz jeitoso para desenhar.* Ant.: *desajeitado.*] 2 *Fig.* De bom aspecto, elegante (menina jeitosa); GRACIOSO [Ant.: *feio.*] 3 *Fig.* Conveniente, adequado (apartamento jeitoso) [Pl.: [ó]. Fem.: [ó].] [F.: *jeito* + *-oso.*]

jeje (*je*.je) [ê] *s2g.* 1 *Etnol.* Indivíduo que pertence ao povo jeje, que habita o Togo, Benin, Gana e outras regiões da África *sm.* 2 *Ling.* Língua falada, esp. no Togo e em Gana, que é tida como origem do grupo linguístico Kwa 3 *BA P.ext.* Nome que se dá, esp. na Bahia, a indivíduo originário da antiga Costa dos Escravos *a2g.* 4 *Etnol.* Ref. a jeje (cultura jeje; ritual jeje) *a2g.* 5 *Bras. Rel.* Diz-se de candomblé que utiliza o ritual e as divindades que esse povo trouxe para o Brasil [F.: Do ior. *ajeji.* Hom./Par.: *jejé* (sm.).]

jeje-nagô (je.je-na.*gô*) *a2g. Rel.* Diz-se de cerimônia, liturgia, ritual etc. que apresenta características comuns a jejes e nagôs (iorubas); que tem elementos tanto de um quanto do outro grupo étnico [Pl.: *jejes-nagôs.*]

jejuador (je.ju.a.*dor*) [ô] *a.* 1 Que tem o hábito de jejuar; JEJUANTE *sm.* 2 Aquele que costuma praticar o jejum; JEJUANTE [F.: Do lat. tard. *jejunator, oris.*]

jejuar (je.ju.*ar*) *v.* **1** Fazer jejum, voluntariamente ou não [*int.*: *O médico mandou que ele jejuasse.*] **2** *P.ext.* Deixar de se alimentar por prescrição religiosa ou por mortificação [*int.*: *Os monges jejuavam em certos dias da semana.*] **3** *Fig.* Abster-se ou ser privado de algo que dá prazer [*tr.* + *de*: *Jejuou de sexo durante meses.*] **4** *Fig. P.us.* Permanecer na ignorância de [*tr.* + *de, em*: *Jejuava de filosofia; É bom em português, mas jejua em matemática.*] [▶ 1 jejuar] [F.: Do lat. tardio *jejunare.*]

jejum (je.*jum*) *sm.* **1** Abstinência total ou parcial de alimentação, por penitência ou prescrição religiosa ou médica **2** *Fig.* Abstenção; privação de algo; CONTINÊNCIA: *Está fazendo jejum de qualquer tipo de leitura.* [Ant.: *incontinência.*] **3** *Rel.* Para os católicos, abstinência de carne durante certos dias ou períodos do calendário litúrgico **4** *P. ext.* Estado em que se encontra quem não come desde o dia anterior: *Já são dez horas e ele ainda está em jejum.* **5** *Pop.* Desconhecimento de determinado assunto: *Seu jejum de história é notório.* [Pl.: *-juns.*] [F.: Do lat. *jejunus, a, um* do lat. vulg. *jajunus.* Ant. ger.: *desjejum.*] ∎ **Quebrar o ~ 1** Pôr fim ao jejum, ingerindo bebida ou alimento **2** Comer ou beber antes de terminar o período estabelecido para o jejum; *N.E.* quebrar o cuspe **3** *Fig.* Conseguir finalmente algo que conseguia há tempos: *O time quebrou o jejum (de vitórias) e finalmente venceu.*

jejunal (je.ju.*nal*) *a2g. Anat.* Ref. a ou próprio de jejuno, de intestino [Pl.: *-nais.*] [F.: *jejuno* + *-al.*]

jejuno (je.*ju*.no) *a.* **1** Que está em jejum **2** *Fig.* Que é leigo, ignorante em alguma coisa: *Político jejuno em psicologia das massas.* *sm.* **3** *Anat.* Porção do intestino delgado que se segue ao duodeno e antecede o íleo [F.: Do lat. *jejunus, a, um.*]

jejunoíleo (je.ju.no.*í*.le.o) *sm. Anat.* Parte do intestino delgado formada pelo jejuno e pelo íleo [F.: *jejuno* + *-íleo.*]

jejunostomia (je.ju.nos.to.*mi*.a) *sf. Cir.* Procedimento cirúrgico em que se cria um orifício no jejuno (intestino) para alimentar o paciente que está com retração estomacal [F.: *jejuno* + *-stomia.*]

jejunostômico (je.ju.nos.*tô*.mi.co) *a. Cir.* Ref. a jejunostomia (intervenção jejunostômica) [F.: *jejunostomia* + *-ico*[2].]

jembê (jem.*bê*) *sm. MG Cul.* Guisado de quiabo, com ervas, lombo salgado e angu [F.: Do quimb. *ji-bembe.*]

jenipapeiro (je.ni.pa.*pei*.ro) *Bras. Bot. sm.* Árvore da fam. das rubiáceas (*Genipa americana*), nativa das Américas e difundida em todo o Brasil, de madeira clara e de qualidade, cujo fruto, o jenipapo, é uma baga globosa; JENIPAPO [F.: *jenipapo* + *-eiro.*]

jenipapina (je.ni.pa.*pi*.na) *sf. Bras.* Bebida feita com jenipapo [F.: *jenipap(o)* + *-ina.*]

jenipapo (je.ni.*pa*.po) *sm.* **1** *Bras. Bot.* Fruto do jenipapeiro, de polpa doce, ácida, aromática e suculenta, de que são feitos doces, xaropes e um licor muito popular no *N* e *NE*, e do qual também se extrai tinta preta, us. pelos indígenas para pintura corporal: "O nhambiquara, de rosto escuro, zigomas pintados a jenipapo" (Guimarães Rosa, "Ritmos selvagens" *in Magma*) **2** *Bot.* Jenipapeiro **3** *NE.* Mancha pigmentar congênita, esp. nas costas, tida como sinal de mestiçagem [F.: Do tupi *yandi'paua.*]

jenneriano (jen.ne.ri.*a*.no) *a.* **1** Relativo ao médico inglês Edward Jenner (1749-1823), que descobriu a vacina antivariólica **2** *Med.* Diz-se dessa vacina [F.: Do antr. Edward *Jenner* + *-iano.*]

jennerização (jen.ne.ri.za.*ção*) *sf. Med.* Processo de imunização de uma doença utilizando o próprio vírus, atenuando desse modo o que causa essa doença [Pl.: *-ções.*] [F.: Do antr. Edward *Jenner* + *-izar* + *-ção.*]

Jeová (Je:o.*vá*) *Rel. sm.* Nome atribuído ao Deus judaico; design. de Deus no Antigo Testamento; Javé [Formado por quatro letras (IHVH, JHVH, JHWH, YHVH ou YHWH) que designavam Deus, cujo nome tão sagrado não podia ser pronunciado em voz alta, somente em oração.] [F.: Do hebr. *Jehovah*, transliteração *Yahweh.*]

jeovismo (je.o.*vis*.mo) *sm.* **1** *Hist. Rel.* Tradição religiosa do povo hebreu, tal como descrita no Antigo Testamento, e no qual Deus é chamado de *Jeová* **2** *Hist. Rel.* Época histórica que corresponde a essa tradição **3** *Rel.* O culto de Jeová [F.: *Jeová* + *-ismo.*]

jeovista (je.o.*vis*.ta) *Hist. Rel. a2g.* **1** Relativo ao jeovismo **2** Que segue o jeovismo **3** Diz-se de textos do Pentateuco, em que Deus recebe o nome de Jeová **4** Diz-se do exegeta que estuda esses textos *s2g.* **5** *Hist. Rel.* O exegeta dos textos do Pentateuco **6** *Hist. Rel.* O adepto de jeovismo [F.: Do antr. *Jeová* + *-ista.*]

jequi (*je*.qui) *sm.* **1** *NE.* Cesto oblongo e afunilado, de varas finas e flexíveis, para apanhar peixe; cacuri, jiqui, jiquiá, juquiá *a2g.* **2** *AM. Fig. Pop.* Apertado, estreito, curto (carro jequi, roupa jequi) [F.: Do tupi *yeke'i.*] ∎ **Botar num ~** *AL Fig.* Pôr em apuros, deixar (alguém) em dificuldades

jequiá (je.qui:*á*) *sm. Bras.* Ver *jequi* [F.: Do tupi.]

jequice (je.*qui*.ce) *Bras. sf.* Ato ou modos de jeca; BREGUICE; CAIPIRICE [F.: *jeca* + *-ice.*]

jequitibá (je.qui.ti.*bá*) *Bras. Bot. sm.* **1** Nome comum a várias espécies do gên. *Cariniana*, da fam. das lecitidáceas, árvores nativas da América do Sul, de tronco grosso e madeira de qualidade, esp. *Cariniana legalis*, nativa da região *SE* e do Mato Grosso do Sul, tb. chamada de jequitibá-rosa, e uma das mais altas árvores do Brasil **2** Madeira nobre e rosada dessa árvore, muito us. em marcenaria e carpintaria [F.: Do tupi *yikiti'ua.*]

jequitibá-rosa (je.qui.ti.bá-*ro*.sa) *sf. Bot.* Árvore (*Cariniana legalis*) da fam. das lecitidáceas, de madeira nobre, casca adstringente da qual se faz estopa, com pequenas flores alvas, comprimento de até 50 m, considerada uma das maiores do Brasil, de onde é nativa [Pl.: *jequitibás-rosa.*]

jequitiranaboia (je.qui.ti.ra.na.*boi*.a) *Bras. Ent. sf.* Designação comum a vários insetos homópteros fulgorídeos (*Fulgoria lanternaria*), espécie de borboleta com cabeça parecida com a de um lagarto, tido como perigoso, apesar de inofensivo; jaquiranaboia, jitiranaboia, jiquitiramboia [F.: Do tupi *yakï'rana'mboya.*]

jereba (je.*re*.ba) *Bras. s2g.* **1** Equídeo frágil, fraco, ruim de montar; PANGARÉ **2** Conjunto das peças com as quais se prepara a montaria; ARREIOS **3** Indivíduo desleixado ou desajeitado **4** Indivíduo insignificante, reles, desprezível **5** *GO* Cavalo caracterizado pela dureza de sua marcha *sf.* **6** *SP Pop.* Meretriz, prostituta **7** *GO Pop.* Escabiose, sarna **8** *Bras.* Arame dotado de um tecido enrolado em sua extremidade, us. para a limpeza de canalizações [F.: Do tupi *ye'rebae.*]

jerebita (je.re.*bi*.ta) *sf. Bras. Pop.* Aguardente de cana; cachaça [F.: Prov. de or. africana. Tb. *jeribita.*]

jeremiada (je.re.mi.*a*.da) *sf.* Lamúria que importuna e insistente, que não surte efeito; LAMENTAÇÃO [F.: Do fr. *jérémiade.*]

jereré (je.re.*ré*) *Bras. sm.* Rede fina em forma de saco, presa a um semicírculo de madeira com cabo longo, us. para a pesca de peixes pequenos e crustáceos; landuá [F.: Do tupi *yere're.* Cf.: *puçá.*]

jereziano[1] (je.re.zi:*a*.no) *sm.* **1** Indivíduo nascido ou que vive em Jerez (México) *a.* **2** De Jerez; típico dessa cidade ou de seu povo [F.: Do top. *Jerez* + *-iano.*]

jereziano[2] (je.re.zi:*a*.no) *sm.* **1** Indivíduo nascido ou que vive em Jerez de la Frontera (Espanha) *a.* **2** De Jerez de la Frontera; típico dessa cidade ou de seu povo [F.: Do top. *Jerez* (de la Frontera) + *-iano.*]

jeribá (je.ri.*bá*) *sm. Bot.* Palmeira (*Syagrus romanzoffiana*), nativa do Uruguai, Paraguai, Argentina e Brasil, de estirpe ereta, cilíndrica, de folhas verde-escuras e crespas, cujo comprimento pode chegar até 30 m, frutos comestíveis, dos quais se obtém xarope expectorante; JERIBAZEIRO [F.: Do tupi *yeri'wa.* Tb. *jerivá.*]

jeribita (je.ri.*bi*.ta) Ver *jerebita*

jerico (je.*ri*.co) *sm.* **1** *Bras. Zool.* Mamífero (*Equus asinus*) usado para tração e transporte, o mesmo que *jumento*; JEGUE **2** *Fig.* Pessoa pouco inteligente; ESTÚPIDO [F.: De or. obsc.]

jericuntino (je.ri.cun.*ti*.no) *sm.* **1** Indivíduo nascido ou que vive em Jericó (cidade bíblica, hoje em território palestino) *a.* **2** De Jericó; típico dessa cidade ou de seu povo [F.: Do top. *Jericó* + *-tino.*]

jerimum (je.ri.*mum*) *N. NE. Bot. sm.* **1** O mesmo que *abóbora*; MORANGA **2** O mesmo que *aboboreira* **3** O mesmo que *moranga* [Pl.: *-muns.*] [F.: Do tupi *yuru'm u.*]

jerivá (je.ri.*vá*) *sm. Bot.* Ver *jeribá*

jeriza (je.*ri*.za) *sf. Bras. Ant.* Ver *ojeriza*: "Às vezes, corno naquilo, ele me produzia jeriza, verdadeira." (João Guimarães Rosa, *Grande sertão: veredas*) [F.: De *ojeriza*, com aférese.]

jeroglífico (je.ro.*glí*.fi.co) *a.* Ver *hieroglífico*

jeróglifo (je.*ró*.gli.fo) *sm.* Ver *hieróglifo*

jeropiga (je.ro.*pi*.ga) *sf.* **1** Bebida preparada com mosto, açúcar e aguardante **2** *Enol.* Vinho de fermentação alterada pela adição de aguardante **3** Vinho de má qualidade; ZURRAPA [F.: De or. obsc.]

jerosolimita (je.ro.so.li.*mi*.ta) *s2g. a2g.* Ver *hierosolimita*

jerosolimitano (je.ro.so.li.mi.*ta*.no) *sm. a.* Ver *hierosolimitano*

jerra (*jer*.ra) *sf. RS* Ver *piquenique* [F.: Do espn. *yerra.*]

jérsei (*jér*.sei) *sm.* **1** *Têxt. Vest.* Tecido de malha, fino e maleável, feito à máquina com linha de algodão, lã ou seda, natural ou sintética, vendido em peças ou em roupas confeccionadas **2** *Zool.* Raça de gado leiteiro proveniente da ilha de Jérsei (Inglaterra) [F.: Do top. ingl. *Jersey.*]

jesuíta (je.su:*í*.ta) *sm.* **1** *Rel.* Membro da Companhia de Jesus, ordem religiosa fundada no séc. XVI por Santo Inácio de Loyola **2** *Pej.* Indivíduo dissimulado, falso, hipócrita *a2g.* **3** *Rel.* Ref. à ordem religiosa ou a seus seguidores (colégio jesuíta) [F.: Do it. *gesuita* < lat. mod. *jesuita.* Sin. ger.: *inaciano.*]

jesuítico (je.su:*í*.ti.co) *a.* **1** *Arq. Rel.* Ref., inerente ou pertencente aos jesuítas ou à sua ordem religiosa; JESUÍTA **2** Que segue os princípios e opiniões da Companhia de Jesus **3** *Arq.* Diz-se do estilo de arquitetura religiosa derivado dos modelos italianos da Contrarreforma ou do Barroco, em voga no séc. XVI na Europa e depois na América Latina **4** *Pej.* Fingido, dissimulado [Ant.: *sincero.*] **5** *Fig.* Fanático, sectário [F.: *jesuíta* + *-ico*[2].]

jesuitismo (je.su.i.*tis*.mo) *sm.* **1** *Rel.* Doutrina religiosa e moral dos jesuítas **2** *Pej.* Atitude de quem se expressa de forma evasiva, dissimulada ou hipócrita **3** *Pej.* Fanatismo partidário; FACCIOSISMO [F.: Prov. do fr. *jésuitisme.*]

jesuitização (je.su.i.ti.za.*ção*) *sf. Rel.* Ação ou resultado de jesuitizar-se [Pl.: *-ções.*] [F.: *jesuitizar* + *-ção.*]

jesuitizar-se (je.su.i.ti.*zar*-se) *v. td.* Tornar-se membro da Companhia de Jesus, jesuíta [F.: *jesuít(a)* + *-izar.*]

Jesus (Je.*sus*) *sm.* **1** *Rel.* Nas religiões cristãs, filho divinizado de Deus, crucificado para salvar a humanidade; CRISTO *interj.* **2** Indica espanto, dor, surpresa, admiração: *Jesus! O que aconteceu aqui?* [F.: Do hebr. *Jesus*, de *Jesus Cristo.*]

⊕ **jet lag** (*Ing. /djét lég/*) *loc.subst. Fisl. Med.* Perturbação das funções biológicas (esp. do sono), devida à mudança de fuso horário em longas viagens de avião ou veículos espaciais

jetom (je.*tom*;) *sm.* **1** Gratificação em dinheiro que se dá aos membros de um grupo ou órgão colegiado (parlamentos, conselhos diretores, academias de letras etc.) pelo comparecimento a sessões ou reuniões: *Os deputados receberão jetom pela sessão extraordinária.* **2** *Lud.* Ficha de jogo **3** *Ant.* Enfeite de mesa, us. geralmente em festas de aniversário, ou no Carnaval, que consistia em uma bala ou confeito embrulhado em papel de seda cortado em tiras na extremidade, para ser atirado ao ar, como a serpentina [Pl.: *-tons.*] [F.: Do fr. *jeton.* Tb. *jeton.*]

jeton (je.*ton*) *sm.* Ver *jetom*

⊕ **jet-set** (*ing./jet-set*) *sm.* Comunidade internacional, constituída por pessoas de muitas posses; elite social

⊕ **jet ski** (*Ing. /djét squi/*) *loc.subst.* **1** Veículo motorizado, espécie de motocicleta montada sobre esquis, que desliza sobre a água **2** *Esp.* Esporte praticado com esse veículo

jia (*ji*:a) *sf.* **1** *Zool.* Designação regional dada às rãs de maior tamanho como aquelas do gên. *Leptodactylus.*: "Gente que pendura o chapéu em asa de corvo e guarda dinheiro em boca de jia" (Guimarães Rosa, "A volta do marido pródigo" *in Sagarana*) **2** *Zool.* Ver *jia* **3** *AL PE Pop.* Produto de roubo; furto [F.: Do tupi *yu'i.*]

jiboia (ji.*boi*.a) *sf.* **1** *Zool.* Grande serpente da fam. dos boídeos (*Boa constrictor*), não venenosa e constritora, que pode chegar a mais de 4 m de comprimento e é encontrada nas Américas do Sul e Central; COBRA-DE-VEADO: "A ponto de ficarem disformes e pesados como as jiboias depois da refeição" (Henrique Galvão, *Curica*) [Epiceno] **2** *Bot.* Planta da fam. das aráceas (*Scindapsus aureus*), nativa das Ilhas Salomão, de folhas coriáceas, com a forma semelhante à do coração, manchadas de branco ou amarelo nas plantas mais velhas e muito cultivada como trepadeira ou como forração [F.: Do tupi *yï'mboya.* Hom./Par: *jiboia* (flex. de *jiboiar*).]

jiboiar (ji.boi.*ar*) *v. Bras.* Digerir (uma refeição farta) em repouso [*td.*: *Passou a tarde deitado, jiboiando o almoço.*] [*int.*: *Jiboiava ouvindo música.*] [▶ 1 jiboiar] [F.: *jiboia* + *-ar*[2]. Hom./Par.: *jiboia(s)* (fl.), *jiboia(s)* (sf.[pl.]).]

⊕ **jihad** (*ár. /dzihad/*) *Hist. Rel. sm.* **1** Guerra santa dos muçulmanos movida contra os inimigos do Islã **2** Dever, obrigação do muçulmano de lutar pelo Islã [F.: Do ár. *djihad.*]

jiló (ji.*ló*) *Bras. Bot. sm.* **1** Erva da fam. das solanáceas (*Solanum gilo*), de origem incerta, de ramos com pelos e cujo fruto, vermelho quando maduro, é uma baga redonda ou ovalada; JILOEIRO; JINJILO **2** O fruto comestível dessa planta, de sabor amargo e com propriedades terapêuticas [F.: Do quimb. *njimbu.*]

jiloeiro (ji.lo:*ei*.ro) *Bras. Bot. sm.* Ver *jiló* (1); JILÓ; JINJILO [F.: *jiló* + *-eiro.*]

jimbo (*jim*.bo) *sm.* **1** Concha us. como moeda no antigo reino do Congo (África ocidental); ZIMBO **2** *Bras. Pop.* Dinheiro [F.: Do quimb. *njinbu.*]

⊕ **jingle** (*Ing. /djingou/*) *sm.* **1** *Comun. Publ. Rád. Telv.* Peça de propaganda em forma de música cantada com a mensagem publicitária, ger. simples e curta para ser facilmente memorizada **2** A música us. nesse tipo de propaganda (compositor de jingles)

jinglista (jin.*glis*.ta) *sm. Publ. Rád. Telv.* Autor de *jingle*, de mensagem musicada de propaganda [F.: *jingle* + *-ista.*]

jinjibirra (jin.ji.*bir*.ra) *sf. Bras.* Bebida fermentada semelhante à cerveja, feita com gengibre, frutos, açúcar, ácido tartárico, fermento de pão e água [F. par. *gengibirra.* F.: Do ingl. *ginger beer.*]

jipão (ji.*pão*) *sm. Bras.* Jipe de grande tamanho, às vezes composto de carroceria em que cabem várias pessoas, ger. us. por militares em serviço [Pl.: *-pões.* Aum. de *jipe.*] [F.: *jipe* + *-ão.*]

jipe (*ji*.pe) *sm.* **1** *Mil.* Pequeno carro com tração nas quatro rodas, criado durante a Segunda Guerra Mundial como veículo militar para ser us. em terrenos acidentados **2** Veículo motorizado semelhante ao jipe (1), us. em serviços rurais e tb. como veículo urbano: "Ao que, mais, no carro de bois, levam muitos dias, para vencer o que em horas o senhor em seu jipe resolve" (Guimarães Rosa, *Grande sertão: veredas*) [A marca registrada é Jeep®.] [F.: Do ingl. *jeep*, palavra formada pelas iniciais *GP*, de *general purpose.*]

jipeiro (ji.*pei*.ro) *sm.* Aquele que tem grande prazer em dirigir jipes; aquele que é maníaco por jipes [F.: *jipe* + *-eiro.*]

jipioca (ji.pi.*o*.ca) [ó] *Bot. sf.* **1** Trepadeira (*Entada paranaguana*) da fam. das leguminosas, de raízes agridoces (us. contra a caspa), folhas penadas e flores esbranquiçadas, nativa do Brasil **2** Arbusto (*Entada polyphylla*) da mesma fam., de flores amarelas e vagens coriáceas, originário da Guianas e do Brasil; CIPÓ-ESCOVA [F.: Prov. do *tupi.*]

jiquipango (ji.qui.*pan*.go) *sm. N.E. Pop.* Festa barulhenta, diversão, pândega; JIQUIPANGA [F.: De or. obsc.]

jirau (ji.*rau*) *sm.* **1** *Bras. Cons.* Armação feita com varas us. como suporte para construção de casas em lugares úmidos ou alagados **2** Estrado us. como suporte de cama: *Os vasos foram postos sobre o jirau.* **3** Espécie de estrado de madeira que serve de depósito no interior dos cômodos **4** *Arq.* Em compartimento de habitação, loja etc., segundo piso a meia altura, que cobre parte da área térrea **5** *Bras.* Nas jangadas, banco que serve de assento aos pescadores **6** Armação de madeira construída junto a árvore de grande porte para facilitar seu corte em segmentos pelo lenhador [F.: Do tupi *yu'ra.*]

jiripoca (ji.ri.*po*.ca) *Bras. Zool.* Ver *jurupoca*

jitirana (ji.ti.*ra*.na) *sf.* **1** *Bras. Bot.* Trepadeira ornamental (*Ipomoea coccinea*) da fam. das convolvuláceas, de flores afuniladas, brancas ou vermelhas, fruto capsular e raízes tuberosas, das quais se extrai fécula purgativa **2** Trepadeira ornamental (*Merremia glabra*) da fam. das convolvuláceas, de ocorrência pantropical, de flores vermelhas e cápsulas globosas [F.: Do tupi *yeti'rana*. Sin. ger.: *jetirana*.]

jitiranaboia (ji.ti.ra.na.*boi*.a) *sf. Bras. Zool.* Ver *jequitiranaboia* [F.: Do tupi *yakïrana'mboya*.]

jiu-jítsu (jiu-*jít*.su) *Esp. sm.* Modalidade de luta corporal, proveniente das artes marciais orientais, que envolve diversas técnicas de ataque e defesa, com o objetivo de imobilizar o adversário [Pl.: *jiu-jítsus*.] [F. par. *jiujutsu*. F.: Do jap. *jujutsu*, pelo ingl. *jiu-jitsu*.]

joalharia (jo:a.lha.*ri*.a) *sf.* Ver *joalheria*

joalheiro (jo:a.*lhei*.ro) *sm.* **1** Pessoa que trabalha no fabrico ou na comercialização de joias; OURIVES **2** Cravador de pedras preciosas *a.* **3** Ref. ou inerente a joia (comércio joalheiro, riqueza joalheira) [F.: Adapt. do fr. *joaillier*.]

joalheria (jo:a.lhe.*ri*.a) *sf.* **1** *Com.* Loja especializada na venda de joias **2** Conjunto dos objetos com que negocia o joalheiro **3** Ofício, arte ou profissão de joalheiro [F.: Adapt. do fr. *joaillerie*. Tb. *joalharia*.]

joanete (jo:a.*ne*.te) [ê] *sm.* **1** *Ort.* Espécie de caroço que cresce na articulação do primeiro dedo do pé (o dedão), ger. devido à compressão dos calçados **2** *Med.* Bursite do primeiro artelho do pé **3** *Náut.* Cada um dos mastaréus, vergas, velas fixados sobre o mastaréu da gávea (joanete de proa, joanete grande) [F.: Do cast. *juanete*, adapt. do antr. *Juan*.]

joaninha (jo:a.*ni*.nha) *sf.* **1** *Bras. Zool.* Denominação geral a diversos pequenos besouros, da fam. dos coccinelídeos, de corpo ovalado, ger. de cor brilhante e com desenhos variados; algumas spp. são utilizadas no combate a cochonilhas e pulgões **2** *S.E.* Fusca, pintado de azul e branco, com sirena, us. pela polícia militar; patrulhinha **3** Mesmo que alfinete de segurança [F.: Do antr. *Joana-* + *-inha*.]

joanino (jo:a.*ni*.no) *a.* **1** Ref. ou inerente a João ou a Joana: *Com a chegada de d. João VI, o Brasil entra no período joanino.* [Na maioria dos casos (*Hist.*), us. em ref. a reis, príncipes e reinados de D. João, esp. de Portugal.] **2** *Rel.* Ref. a são João, o evangelista (Evangelho joanino) **3** *Rel.* Ref. ou inerente a são João Batista, contemporâneo e precursor de Jesus **4** Ref., inerente ou pertencente às cidades de São João Batista (MA), João Ramalho (SP) e São João d'Aliança (GO) (cidadão joanino) *sm.* **5** Indivíduo natural ou hab. das cidades de São João Batista (MA), João Ramalho (SP) e São João d'Aliança (GO) [F.: Do antr. *João* ou *Joana*, sob a f. rad. *joan-* + *-ino*.]

joão-bobo (jo.ão-*bo*.bo) [ô] *Zool. sm.* **1** *Bras.* Ave piciforme (*Nystalus chacuru*) da fam. dos buconídeos, de plumagem dorsal marrom e negra, bico vermelho, com cerca de 20 cm de comprimento, encontrada no Brasil e na Argentina **2** *RJ* Ver *alegrinho* (*Serpophaga subcristata*) [Pl.: *joões-bobos*.]

joão-congo (jo.ão-*con*.go) *sm. Zool.* Ver *japu* [Pl.: *joões-congos*.]

joão-de-barro (jo:ão-de-*bar*.ro) *Bras. Zool. sm.* Pássaro da fam. dos furnariídeos (*Furnarius rufus*), comum em regiões campestres e áreas urbanas da América do Sul, de plumagem dorsal marrom-ferrugínea e partes inferiores esbranquiçadas; constrói ninho de barro em forma de forno; BARREIRO; FORNEIRO [Pl.: *joões-de-barro*.]

joãogilbertiano (jo.ão.gil.ber.ti.*a*.no) *Mús. a.* **1** Ref. a João Gilberto (1931-), cantor e violonista baiano que influenciou, com seu ritmo e estilo de interpretação, vários músicos brasileiros, sendo um dos principais divulgadores da Bossa-nova **2** Que apresenta infuência do estilo de João Gilberto ou é estudioso ou admirador do cantor baiano [F.: Do antr. *João Gilberto* + *-iano*.]

joão-grande (jo.ão-*gran*.de) *sm. Zool.* Ver *tesourão* (*Fregata magnificens*) [Pl.: *joões-grandes*.]

joão-ninguém (jo:ão-nin.*guém*) *Pej. Pop. sm.* Aquele que é considerado sem valor por não ter instrução, prestígio social, dinheiro; indivíduo insignificante, sem importância; ZÉ-NINGUÉM; POBRE-DIABO; BANGALAFUMENGA; PÉ-RAPADO [Pl.: *joões-ninguém, joões-ninguéns*.] [F.: F. hist. *jan-ninguém*. É depreciativo e preconceituoso.]

joão-pestana (jo:ão-pes.*ta*.na) *Bras. Pop. sm.* Necessidade ou vontade de dormir; sono [Pl.: *joões-pestanas*.] [F.: Or. obsc.]

joão-pinto (jo.*ão*-pin.to) *sm. Bras. Ornit.* Ver *corrupião* (*Icterus jamacaii croconotus*) [Pl.: *joões-pintos*.]

joão-teimoso (jo.ão-tei.*mo*.so) [ô] *sm. Lud.* Boneco leve de borracha ou plástico, com base pesada o suficiente para permitir que ele, ao ser empurrado, balance de um lado para outro ou para frente e para trás, sem jamais cair [Pl.: *joões-teimosos*.]

⊕ **job** (*ing. /dzab/*) *sm. Inf.* Conjunto de operações que são executadas simultaneamente [Pl.: *jobs* (*ing.*).]

jobiniano (jo.bi.ni.*a*.no) *Mús. a.* **1** Ref. a Antônio Carlos Jobim (1927-1994), tb. conhecido como Tom Jobim, um dos mais renomados compositores brasileiros no exterior e um dos principais expoentes da Bossa-nova **2** Que tem o caráter ou o estilo das músicas desse compositor (composição jobiniana) **3** Que é admirador e/ou estudioso da obra musical deste compositor carioca [F.: Do antr. Antônio Carlos *Jobim* + *-iano*.]

joça (*jo*.ça) [ó] *sf.* **1** *Bras. Gír. Pej.* Aquilo que não se consegue definir com precisão, por desconhecimento ou por esquecimento momentâneo do seu nome: *Nunca soube para que servia aquela joça!* **2** Aquilo que é confuso, incompreensível, malfeito ou de má qualidade; geringonça: *Esse texto está uma joça.* [F.: Do prov. minhoto e alentejano *jouça*, ou do prov. da Beira Alta *joiça*. Sin. ger.: *troço*.]

jocosidade (jo.co.si.*da*.de) *sf.* **1** Característica ou qualidade de jocoso; comicidade, graça: *Chegou na festa e, com sua jocosidade, fez rir a todos.* **2** Gracejo, gozação, chiste [F.: *jocoso* + *-(i)dade*.]

jocoso (jo.*co*.so) [ô] *a.* **1** Que zomba de algo ou de alguém; divertido (comentário jocoso); IRÔNICO **2** Que faz rir, que provoca o riso; ENGRAÇADO: *o lado jocoso dos erros de gravação.* [Pl.: [*ó*]. Fem.: [*ó*].] [F.: Do lat. *jocosus, a, um*.]

joeira[1] (jo:*ei*.ra) *Agr. sf.* **1** Peneira com a qual se separa o trigo ou outro cereal do joio; CRIVO **2** Aparelho usado para peneirar a farinha de trigo [F.: *joio* + *-eira*. Hom./Par.: *joeira* (flex. de *joeirar*).]

joeira[2] (jo:*ei*.ra) *sf.* Ação ou resultado de peneirar algo selecionando a parte aproveitável; joeiramento, peneiramento: *joeira do milho e do caruncho.* [F.: Regr. de *joeirar*. Hom./Par.: *joeira* (flex. de *joeirar*).]

joeirar (jo.ei.*rar*) *v.* **1** Separar o joio do trigo [*td.*: *Joeirava o trigo.*] [*int.*: *Passava as tardes joeirando.*] **2** *P.ext.* Passar pela peneira, para eliminar impurezas; PENEIRAR [*td.*: *Joeirava a farinha de mandioca.*] **3** *P.ext.* Separa o ruim do bom [*td.*: *O chefe joeirou os que se apresentaram e escolheu os melhores.*] **4** *P.ext.* Examinar de maneira minuciosa; ESQUADRINHAR [*td.*: *Joeirou o passado do rapaz e fez lamentáveis descobertas.*] [▶ **1 joeirar**] [F.: *joeira* + *-ar*[2]. Hom./Par.: *joeira(s)* (fl.), *joeira(s)* (sf.[pl.]).]

joeireiro[1] (jo:ei.*rei*.ro) *sm.* Aquele que faz ou fabrica joeiras[1]; peneireiro [F.: *joeira*[1] + *-eiro*.]

joeireiro[2] (jo:ei.*rei*.ro) *Agr. sm.* Aquele que joeira o trigo, que executa a joeira[2] [F.: *joeira*[2] + *-eiro*.]

joelhaço (jo.e.*lha*.ço) *sm.* **1** Joelho grande **2** *P.ext.* Golpe desferido com o joelho [Aum. irreg. de *joelho*.] [F.: *joelho* + *-aço*.]

joelhada (jo:e.*lha*.da) *sf.* **1** Golpe ou pancada, dados ou recebidos, com o joelho, em luta corporal, na prática de esporte etc. **2** *Bras. Cap.* Golpe do capoeirista com o joelho, aproveitando de descuido do adversário [F.: *joelho* + *-ada*[1].]

joelheira (jo:e.*lhei*.ra) *sf.* **1** Proteção acolchoada para o joelho, contra o frio, distensão etc. ger. us. por esportistas, ou por recomendação médica para ajudar em tratamento específico: "Ia desfazendo as joelheiras das calças e esticando as mangas do redingote" (Xavier Marques, *Feiticeiro*) **2** *Bras. Fam.* Deformação ou saliência provocada pelos joelhos nas calças depois de seu uso prolongado **3** Peça de couro para proteger os joelhos de cavalgaduras **4** Parte da armadura que protege o joelho **5** Peça de madeira em que se encaixam os joelhos enquanto se realizam certos trabalhos domésticos **6** *Vet.* Sinal de contusão ou ferida no joelho das bestas, resultante de queda **7** *Vet.* Calva mais ou menos extensa e arredondada na frente do joelho dos equinos, às vezes calosa ou recoberta por pelos brancos **8** *Hip.* Parte da bota de montar que cobre o joelho [F.: *joelho* + *-eira*.]

joelho (jo:*e*.lho) [ê] *sm.* **1** *Anat.* Articulação óssea que liga a coxa à parte inferior da perna, da qual participam o fêmur, a tíbia e a rótula **2** Região da perna ou da calça onde se localiza essa articulação: *Caiu e rasgou a calça no joelho.* **3** Parte inferior da coxa, próxima ao joelho; COLO; REGAÇO: "Se tivesse aqui sobre os meus joelhos um filho e o cobrisse de beijos" (D. Antônio da Costa, *No Minho*) **4** *Fig.* Peça de armação mecânica que articula duas outras, ger. uma convexa e outra côncava **5** Aparelho que ajusta o teodolito ao tripé **6** *Cin. Fot.* Articulação que prende a câmera fotográfica ou cinematográfica ao tripé **7** Junção de dois canos, ger. formando um ângulo **8** Salgado feito de massa recheada com queijo ou queijo e presunto [F.: Do lat. tard. *genuclu*, dim. de *genu*, pela f. arc. *geollo*.] ■ **Ajuntar ~s** *BA MG Pop.* Estar sem trabalho, inativo [Mais us. na região do rio São Francisco.] **Cair de ~s 1** Ajoelhar-se **2** *Fig.* Implorar perdão, arrepender-se **De ~s 1** Ajoelhado **2** *Fig.* Submisso, vencido; humilhado **Dobrar os ~s 1** Cair ajoelhado **2** *Fig.* Render-se, submeter-se, humilhar-se

joelhudo (jo.e.*lhu*.do) *a.* Que tem joelhos grandes, ossudos [F.: *joelho* + *-udo*.]

jogabilidade (jo.ga.bi.li.*da*.de) *sf.* **1** Maleabilidade corporal; flexibilidade, agilidade: *Faltava jogabilidade aos seus meneios.* **2** *Lud.* Qualidade ou condição de um jogo (esp. jogo eletrônico) que o tornam fácil de ser jogado (no controle de suas funções, na rapidez de suas respostas à ação do jogador, na clareza de seus objetivos e métodos etc.) [F.: *jogar* + *-bilidade*.]

jogaço (jo.ga.ço) *sm. Bras. Pop.* Jogo esportivo ou de azar cheio de lances inesperados ou espetaculares: *O Fla x Flu foi um jogaço.* [Aum. irreg. de *jogo*.] [F.: *jogo* + *-aço*.]

jogada (jo.*ga*.da) *sf.* **1** *Lud.* Ação ou resultado de jogar: *Sacudiu os dados antes da jogada.* **2** *Esp. Lud.* Lance de jogo: *Driblou três numa jogada genial.* **3** *Pop.* Esquema, às vezes ilegal ou desonesto, para conseguir algo (dinheiro, vantagem etc.); CARTADA: *Numa jogada arriscada, investiu tudo no negócio.* [+ *de, com, para*: *Foi mesmo uma jogada de sorte; Fez a jogada com o parceiro; Armou uma jogada para desviar dinheiro da firma.*] [F.: *jogar-* + *-ada*[1].] ■ **~ de corpo** *Fut.* Movimento de corpo que engana o adversário **Morar na ~** *Bras. Gír.* Perceber uma situação, dar-se conta do que está acontecendo **Tirar da ~ 1** *Fig. Pop.* Não deixar que (alguém) participe de certa atividade, plano, empreendimento, junto com outros; excluir, descartar **2** Livrar-se de (algo), descartar; liquidar, eliminar

jogado (jo.*ga*.do) *a.* **1** Arremessado em algum lugar ou à distância; ATIRADO: *Encontramos cadeiras jogadas no jardim.* **2** Sem organização; DESARRUMADO: *roupas jogadas na gaveta.* **3** Sem iniciativa, por contusão, abatimento etc; INERTE; LARGADO: *Encontrei-o jogado, apático.* **4** *Lud.* Apostado em jogo: *dinheiro jogado no pôquer.* **5** *Esp.* Executado em jogo: *Gosto de ver futebol bem jogado.* **6** *Bras.* Abandonado, desamparado: *meninos de rua jogados à própria sorte.* [F.: Part. de *jogar*.]

jogador (jo.ga.*dor*) [ô] *a.* **1** *Lud.* Que joga, por hábito, profissão ou vício: *O cassino vive de turistas jogadores.* *sm.* **2** *Lud.* Aquele que joga (jogo de azar) ou é viciado em jogo: *Ele é um jogador incorrigível.* **3** *Esp.* Aquele que joga (jogo esportivo) ou integra uma equipe de esporte coletivo: *Dois jogadores da seleção estão contundidos.* **4** *Esp. Lud.* Indivíduo que sabe jogar [F.: *jogar* + *-dor*.]

jogar (jo.*gar*) *v.* **1** Participar de jogo ou partida (de); praticar (jogo ou esporte), profissionalmente ou como entretenimento [*td.*: *jogar tênis/ gamão/ batalha-naval.*] [*int.*: *Brasil e Argentina jogam esta noite; Leia as instruções para saber como jogar.*] [*tr.* + *contra*: *O Brasil jogou contra o Peru.*] [*ta.*: *O zagueiro jogou mal ontem.*] **2** Participar de (jogos de azar), ger. apresentando um comportamento viciado [*td.*: *Não passa uma noite sem jogar pôquer.*] [*int.*: *Fica o dia inteiro nesse bar bebendo e jogando; Não conseguia parar de jogar.*] **3** Fazer apostas ou ter o vício de apostar (em jogos de azar) [*tr.* + *em*: *Jogava na roleta e nos cavalos.*] **4** *Fig.* Aventurar, arriscar temerariamente, expor à sorte (dinheiro, bens etc.) [*tdr.* + *em*: *Jogou todas as suas economias no mercado de ações; Jogou seu bom nome num negócio moralmente discutível; Decidiu jogar suas fichas no 25.*] **5** Atirar, arremessar [*td.*: *jogar lanças/ pedras.*] [*tda.*: *Quando o dente de leite caiu, jogou-o no telhado.*] **6** Empurrar (algo ou alguém), ou saltar, pular, lançar-se [*ti.* + *a*: *Jogara o carrinho ladeira abaixo; Foi suicídio, ninguém o jogara da cobertura; Jogou-se no mar.*] **7** Manejar com destreza ou conforme as regras [*td.*: *Jogava a espada como um autêntico esgrimista; jogar as armas/ o florete.*] **8** Balançar, como aceno ou coreografia [*td.*: *Jogava os braços para o alto, pedindo socorro; A passista seguia o batuque jogando as cadeiras.*] **9** Balançar-se, agitar-se, oscilar [*int.*: *O barco jogou muito na viagem de volta;* "Negros fantasmas, indistintos, sem forma ondulam, jogam." (Brás de Oliveira, *Narrativas navais*)] **10** Ter como escolha; optar por; investir [*tr.* + *em*: *Para atingir um novo público, a empresa jogou nas tendências europeias.*] **11** Dar destaque a; servir-se de [*tr.* + *com*: *Esse quarteto de percussionistas joga muito com o ritmo.*] **12** Utilizar ou combinar (ger. com propósito artístico) [*tr.* + *com*: *Era um pintor que jogava bem com as cores vivas e as sombras.*] **13** Estar em harmonia; combinar-se; condizer [*tr.* + *com*: *A cor das paredes não jogava bem com a mobília.*] **14** Funcionar, mover-se [*int.*: *As molas jogam bem.*] [▶ **14 jogar**] [F.: Do lat. *joco, as, avi, atum, are*. Hom./Par.: *jogue(s)* (fl.), *jogue(s)* (a2g. s2g.[pl.]); *jogo* (fl.), *jogo* (sm.); *joga(s)* (fl.), *joga(s)* (sf.[pl.]); *jogar, jugar* (em várias fl.).] ■ **~ fora 1** Não continuar a ter, guardar ou usar algo que não se quer mais, ou que já não serve ou não tem valor; desfazer-se de algo, descartar **2** *Restr.* Remover, levar ou deixar que se leve algo junto com outros restos, resíduos, sujeira etc; jogar no lixo **3** *Fig.* Usar mal, não aproveitar bem; desperdiçar; perder: *O time empatou, e jogou fora a oportunidade de sagrar-se campeão.*

jogatina (jo.ga.*ti*.na) *Pej. sf.* **1** O jogo, sobretudo o de azar **2** *Lud.* Prática do jogo de azar (casa de jogatina) **3** Vício que envolve essa prática continuada: *Ele vive na jogatina.* [F.: Do it. *giocatina*.]

⊕ **jogging** (*Ing. /djóguin*) *sm.* **1** *Esp.* Exercício físico que consiste em correr em ritmo moderado, ao ar livre **2** *Vest.* Conjunto de calça e blusão, de moletom ou malha, ger. us. para fazer *jogging* (1)

jogo (*jo*.go) [ô] *sm.* **1** *Lud.* Recreação individual ou em grupo (jogos infantis; jogo de palavras cruzadas, jogos de computador) **2** *Esp. Lud.* Atividade mental ou física, regida por regras, que envolve alguma forma de competição ou de aposta e da qual resulta ganho ou perda (jogo de xadrez, jogo de bola, jogo de tênis) **3** *Lud.* O material (tabuleiro, peças etc.) que se usa numa dessas competições: *Ganhou um jogo de damas.* **4** *Lud.* Conjunto de peças ou cartas recebidas no jogo por um jogador: *Não deixe ninguém ver seu jogo!* **5** *Lud.* Combinação de números ou elementos variáveis em que se aposta, em sistema de sorteios ou de previsão de resultados; o registro e comprovante da aposta: *Já fiz meu jogo na loteria esportiva; Aqui está meu jogo, pode conferir.* **6** *Lud.* Jogo de azar: *Perdeu uma fortuna no jogo.* **7** *Lud.* O vício do jogo (5): *O jogo ainda vai arruiná-lo.* **8** *Esp.* Combate, luta (jogo da capoeira) **9** *Esp.* Maneira de um jogador exercer sua atividade: *Mantém o mesmo jogo rápido da juventude.* **10** *Fig.* Inconstância, capricho (jogo da vida) **11** *Fig.* Manipulação ou trapaça para alcançar um objetivo: *Não caiu no jogo do adversário.* **12** Série de coisas que formam um conjunto (jogo de talheres) **13** *Emec. Mec.* Conjunto de peças articuladas, esp. em um maquinismo (jogo da suspensão) **14** *Emec. Mec.* Mecanismo de direção de um veículo **15** Movimento para os lados; BALANÇO: *O jogo do barco deixou-me enjoado.* **16** *Teat.* Composição dramática da Idade Média, esp. na Alemanha, França e Espanha, de breves diálogos, cenas ou recitações e representações de trovadores e jograis em praça pública [Pl.: [ó].] [F.: Do lat. *jocus,i* 'gracejo'. Hom./Par.: *jogo* (fl. de *jogar*). Ideia de 'jogo': *lud(i)-* e suf. *-lúdio*. *jogo do bicho*. *Os bichos que representam as 100 dezenas nas quais se aposta no jogo do bicho são: avestruz, águia, burro, borboleta, cachorro, cabra, carneiro, camelo, cobra, coelho, cavalo, elefante, galo, gato, jacaré, leão, macaco, porco, pavão, peru, touro, tigre, urso, veado, vaca.*] ■ **Abrir o ~ 1** Iniciar um jogo ou partida, realizando o primeiro lance ou jogada [Us. em jogos de tabuleiro etc.] **2** Em certos jogos de cartas (p.ex., o pôquer), mostrar as cartas aos demais participantes; pôr as cartas na mesa **3** *Fig.* Tornar claro ou evidente algo que era ocultado ou mantido em segredo **4** *Fig.* Falar com sinceridade, de modo franco, aberto **5** *Bras.* Desfazer a aposta **6** No futebol, passar a bola para jogador próximo à lateral, quando há muitos jogadores na parte central do campo **Amarrar o ~** *Esp.* Reter a bola, ou cometer infrações, para manter o resultado de partida enquanto o tempo vai passando **Cantar o ~ 1** Passar informação sobre a jogada adequada a ser feita (esp. em jogo de cartas) **2** *P.ext.* Prever o desenvolvimento de uma situação, o que vai ocorrer etc. **Entrar no ~ 1** Começar a participar de um jogo, ou aceitar participar **2** *Fig.* Aderir a uma trama, atividade etc., ou aceitar participar nelas **Entregar o ~ 1** Desistir de tentar ganhar um jogo, deixar de esforçar-se num jogo **2** *Fig.* Desistir de algo, deixar de empenhar-se **Esconder o ~** *Bras. Gír.* Ocultar as verdadeiras intenções de um comportamento, de uma atitude etc. **Estar em ~** Estar em causa ou em perigo, estar por ser decidido: *O que está em jogo com este projeto é o futuro da companhia.* **Fazer o ~ de** Atuar de modo a beneficiar (conscientemente ou não) as intenções de (alguém): *Ao aceitar a mudança das regras, ele acabou fazendo o jogo do adversário.* **Fora de ~ 1** *Esp.* Situação da bola de jogo que ultrapassa uma das quatro linhas do campo **2** *Fut.* Situação de jogador que recebe passe no ataque, quando no momento do passe está no campo adversário, à frente do jogador que dá o passe e sem ter ao menos dois jogadores adversários entre a linha de fundo e a linha imaginária, paralela àquela, que passa pelo ponto em que ele está no momento do passe; impedido **~ americano** *Bras.* Conjunto de pequenas peças de mesa (de pano, plástico ou outro material) sobre as quais cada comensal tem, individualmente, seu prato, seus talheres, copos, guardanapos etc. **~ cênico** *Teat.* Aproveitamento e coordenação dos diversos elementos que compõem uma representação teatral e determinam seu efeito sobre os espectadores **~ da pela** *Ant.* Antigo jogo, no qual uma bola (a pela) era lançada de um lado para o outro, com a mão ou com raquete, bastão, pandeiro etc. [Tb. apenas *pela*.] **~ das escondidas** Esconde-esconde **~ da verdade** Jogo de salão no qual cada participante se compromete a responder com sinceridade a qualquer pergunta que lhe for feita **~ de água(s)** Efeito decorativo obtido com jorros de água, ou esguichos, verticais que se movimentam, iluminados por luzes que mudam de cores **~ de azar** Jogo (como dados, roleta, certos jogos de cartas) em que ganhar ou perder depende mais da sorte (ou do azar) do que do talento ou qualidade do jogador **~ de botão** Futebol de botão **~ de cama** Conjunto de peças (lençóis, fronhas) para forrar colchão na cama, travesseiros etc. **~ de cena 1** *Teat.* Ver *Jogo cênico* **2** Comportamento teatral, simulado: *A discussão entre os dois era na verdade um jogo de cena para impressionar os jornalistas.* **~ de cintura 1** *Bras. Pop. Esp. Fut.* Flexibilidade corporal, agilidade e destreza com que, com movimentos de corpo, jogador engana adversário, rouba a bola ou a controla etc. **2** *Fig.* Flexibilidade no comportamento, facilidade de se adaptar a situações diferentes mudando de ideia, atitude etc. **~ de corpo** *Esp.* Movimento ágil do corpo para enganar adversário; drible de corpo **~ de empurra** Situação em que, sucessivamente, vai se passando a outrem tarefa ou responsabilidade **~ de fios** Jogo no qual se estende e manipula uma argola de fio ou barbante entre os dedos das mãos (e eventualmente dos pés) formando figuras; cama de gato **~ de mímica** Jogo de salão no qual uma pessoa, recorrendo apenas a gestos, tenta transmitir a outras o significado de uma palavra previamente escolhida **~ de palavras** Combinação engenhosa de palavras de modo a criar, pela semelhança fonética com outras, ou pela ambiguidade de seu sentido, um significado inesperado e às vezes divertido [Ex.: *Depois de fundar a empresa, ele afundou a empresa.*] **~ de palitinhos** *Bras.* Porrinha **~ de salão** Jogo ou passatempo adequado a reuniões sociais, com o único objetivo de recrear e divertir, como adivinhações, mímica, berlinda etc. **~ do bicho** *Bras.* Jogo de sorteio, não oficial, no qual se aposta em dezenas a serem sorteadas no sorteio da loteria oficial (de 0000 a 9999), sendo as 100 dezenas possíveis divididas em 25 grupos de 4 dezenas cada um, cada grupo correspondendo a um animal. Assim o grupo 1 (avestruz) vai de 01 a 04, o grupo 2 (águia) de 05 a 08 etc. [Tb. apenas *bicho*.] **~ do osso** *RS* Tava (2) **~ dramático** *Teat.* Ver *Jogo cênico* **~ duplo** *Fig.* Ação de atuar simultaneamente em apoio a dois adversários, ocultando o fato de ambos **~ eletrônico** (Qualquer jogo em que um ou mais jogadores manejam, de modo interativo, algum tipo de) aparelho que tem circuitos eletrônicos programados, memória e, ger., uma tela com figuras que vão sendo modificadas conforme as ações ou o desempenho de quem joga **~ limpo 1** Jogo, negociação, disputa, entendimento etc. em que prevalece a lealdade e se respeitam as regras **2** *Fig.* Aceitação serena de resultado ou situação adversos **~s de prendas** Jogos em que o jogador que não cumprir bem uma tarefa que lhe é confiada deve entregar uma prenda, e esta só lhe será devolvida depois que cumprir determinada pena **~s equírios** Corridas de cavalo na Roma antiga, em homenagem a Marte **~s florais** Na Roma antiga, jogos em homenagem a Flora, deusa das flores e dos jardins [Tb. apenas *florais*.] **~s malabares** Jogos e exercícios de destreza e agilidade, como saltos, manutenção de equilíbrio, habilidade em manipular no ar vários objetos simultaneamente etc; malabarismo **~s olímpicos 1** Na Grécia antiga, jogos esportivos realizados de quatro em quatro anos, em homenagem a Zeus **2** Competições em inúmeras modalidades esportivas realizadas de quatro em quatro anos em cidade previamente escolhida, com a participação da maioria dos países do mundo; olimpíadas [É a mais importante e prestigiada competição esportiva do mundo.] **~ sujo** Jogo, negociação, disputa, entendimento etc. em que não prevalece a lealdade e não se respeitam as regras **Ter ~ de cintura 1** *Fig.* Ter habilidade, capacidade de improviso etc. para livrar-se de problemas, para contornar dificuldades **2** *P.ext.* Não ser rígido ou estrito demais, ao agir ou ao seguir certas regras ou princípios, adaptando-se (ou adaptando-os) às circunstâncias; ser ou mostrar-se flexível, tolerante **Virar o ~** Depois de estar perdendo, ganhar um jogo, uma partida

jogo da velha (jo.go da *ve*.lha) *Bras. Lud. sm.* **1** Jogo para duas pessoas no qual os competidores preenchem, alternadamente (um jogador, com um xis, o outro, com um círculo) as casas de uma figura (duas paralelas verticais que cortam duas paralelas horizontais formando nove espaços para colocação dos xis e dos círculos), visando cada um ser o primeiro a alinhar três de seus sinais (na vertical, horizontal ou diagonal) **2** Sinal gráfico (#) que reproduz o diagrama do jogo da velha (1), em tamanho pequeno, ger. inclinado, e que serve como marca classificatória para certos registros escritos, ou como signo, ícone etc. [T. chamado *tralha* e, em informática, *cerquilha*.] [Pl.: *jogos da velha*.]

jogo-treino (jo.go-*trei*.no) *sm. Esp.* Partida amistosa disputada com propósito de treinamento da equipe: *Seleção perde jogo-treino contra os reservas.* [Pl.: *jogos-treino, jogos-treinos*.]

jogral (jo.*gral*) *sm.* **1** *Hist.* Artista que, na Idade Média, declamava poemas e cantava canções, fazendo-se acompanhar por um instrumento musical **2** Na Idade Média, artista que se apresentava nos palácios e nas praças públicas com números de acrobacia, mágicas e gracejos: "No pátio, os jograis, atirando bolas, dançando na corda, erguendo pesos..." (Eça de Queirós, *Últimas páginas*) **3** Artista popular itinerante; SALTIMBANCO; TRUÃO **4** *Mús. Teat.* Grupo que declama, em conjunto e/ou a vozes alternadas, um texto, um poema etc., ou canta canção, cantiga; declamador, trovador **5** *Poét.* O texto assim declamado **6** *Fig.* Bufão, farsista, histrião [Pl.: *-grais*. Fem.: *-lesa*] [F.: Do provç. *joglar*.]

jogralesco (jo.gra.*les*.co) [ê] *a. Liter. Mús.* Ref. a ou próprio de jogral [F.: *jogral* + *-esco*.]

joguete (jo.*gue*.te) [ê] *sm.* **1** Pessoa que é manipulada por outra: *Tornou-se um joguete nas mãos dos poderosos.* **2** Pessoa, animal ou coisa submetida a forças que lhe são muito superiores e com as quais não consegue lidar: *Era um joguete de seus próprios sonhos; A andorinha era um joguete do vento.* **3** O mesmo que *brinquedo* [F.: Do cast. *juguete*.]

joguetear (jo.gue.te.*ar*) *v.* **1** Fazer gracejos, troças [*td.*: *Ele gosta de joguetear os irmãos.*] [*int.*: *É muito hábil em joguetear.*] **2** Esgrimir na brincadeira, sem levar a sério [*int.*: *Num dos atos, os bufões jogueteiam e dançam.*] [▶ 13 joguet**ear**] [F.: *joguet(e)* + *-ear*.]

joia (*joi*.a) *sf.* **1** *Our.* Objeto de adorno pessoal, ger. feito com material valioso (ouro ou prata, pedra preciosa ou semipreciosa etc.) **2** *Bras.* Quantia paga para admissão ao quadro social de associações, clubes etc. **3** *Fig.* Pessoa ou coisa de ótima qualidade ou merecedora de admiração ou estima: *Esta secretária é uma joia.* ***a2g.*** **4** *Gír.* Muito bom, excelente, ótimo: *Comprei um CD joia.* [F.: Do fr. ant. *joie*, do fr. *joiel*, este do lat. *jocalis*.]

⊕ ***joint venture*** (*Ing.* /djoint vêntchur/) ***loc.subst.*** *Com. Econ.* Acordo provisório entre empresas, que dividem responsabilidades e lucros em um negócio específico, sem perda de suas respectivas personalidades jurídicas; contrato de risco

joio (*joi*.o) [ô] *sm.* **1** *Bot.* Denominação comum às plantas do gên. *Lolium*, da fam. das gramíneas, com três espécies mais conhecidas: *Lolium temulentum*, nativa da Europa e Ásia e daninha às plantações por ter os frutos infestados de fungos, *L. perene*, tb. de origem euro-asiática e *L. multiflorum*, nativa da Itália, ambas muito utilizadas como pastagem **2** *Fig.* Aquilo que pode prejudicar ou corromper as coisas boas com as quais se mistura [F.: Do lat. vulg. *lolium*, do lat. class. *lolium*.] ■ **Separar o ~ do trigo** Num conjunto de fatos, condições etc., discernir, separando o que é bom do que é mau

jojoba (jo.*jo*.ba) [ó] *sf. Bot.* Planta arbustiva da fam. das buxáceas (*Simmondsia chinensis*), orig. dos Estados Unidos e México, cultivada pelas sementes, das quais se extrai óleo us. na fabricação de xampus, hidratantes etc., e pela folhagem que serve de alimento ao gado [F.: Do espn. do México *jojoba*.]

jongo (*jon*.go) *sm.* **1** *ES MG RS SP Dnç.* Dança de roda, antecessora do samba, com estrofes cantadas por um solista e refrão repetido em coro, ao ritmo de palmas e batidas de tambores; CAXAMBU; CORIMÃ **2** *Mús.* A música que acompanha essa dança [F.: Do quimb. *jihungu*.]

jongueiro (jon.*guei*.ro) *Bras. Dnç. Mús. sm.* **1** Aquele que frequenta jongos **2** Aquele que dança e/ou canta jongos [F.: *jongo* + *-eiro*.]

jônico (*jô*.ni.co) *a.* **1** Ref., inerente ou pertencente a Jônia (antiga colônia grega); típico da Jônia ou de seu povo; JÔNIO **2** *Arq.* Ref. a certo estilo, ou ordem, de arquitetura clássica (colunas jônicas) **3** *Poét.* No verso grego ou latino, o metro formado por duas sílabas longas e duas breves **4** *Fil.* Diz-se do filósofo grego ligado à escola jônica **5** *Gloss.* Ref., inerente ou próprio do dialeto grego falado na Jônia, no qual se expressaram autores como Homero, Heráclito, Hipócrates e Heródoto; JÔNIO ***sm.*** **6** *Gloss.* O dialeto grego que era falado na Jônia [F.: Do lat. *ionicus*, deriv. do gr. *ionikós*.]

jônio (*jô*.ni:o) *a.* **1** O mesmo que *jônico* (1) **2** *Gloss.* Língua falada na antiga Jônia, o mesmo que *jônico sm.* **3** *Etnog.* Indivíduo natural da Jônia (antiga colônia grega) **4** *Gloss.* A língua jônica [F.: Do lat. *ionius*, deriv. do gr. *iónios*.]

jóquei (*jó*.quei) *sm.* **1** *Turfe* Profissional que monta cavalos de corrida em competições; ginete **2** Red. de jóquei-clube, clube de corridas de cavalos [F.: Do ingl. *jockey*.]

jóquei-clube (jó.quei-*clu*.be) *sm.* Clube com hipódromo para corridas de cavalos [Tb. se diz apenas *jóquei*.] [Pl.: *jóqueis-clubes e jóqueis-clube*.] [F.: Do ing. *jockey-club*.]

joqueta (jo.*que*.ta) [ê] *sf. Bras. Hip.* Mulher que monta cavalos de corrida [Fem. irreg. de *jóquei*.] [F.: *jóquei* + *-eta*.]

jordaniano (jor.da.ni:*a*.no) *a.* **1** Ref., inerente ou pertencente a Jordânia (Oriente Médio) e à cidade de Jordânia (MG); jordaniense **2** Típico do país e da cidade ou de seu povo (idioma jordaniano; culinária jordaniana) ***sm.*** **3** *Etn.* Indivíduo natural ou hab. do país asiático e da cidade mineira [F.: Do antr. *Jordan* + *-iano*.]

jorna (*jor*.na) [ó] *sf.* **1** *Pop.* Remuneração salarial por dia de trabalho; DIÁRIA; JORNAL **2** *S.* Estado de embriaguez; BEBEDEIRA; *Pop.* PILEQUE [F.: Deriv. regress. de *jornal*.] ■ **À ~** Com remuneração diária: *Ela é diarista, trabalha à jorna.*: "Soube depois que se sujeitara a trabalhar à jorna." (Fernando Namora, *Retalhos da Vida de um Médico, p. 258*) **Tomar uma ~** *S.* Embebedar-se

jornada (jor.*na*.da) *sf.* **1** Viagem por terra: *Vamos fazer uma jornada através da Europa.* **2** Distância percorrida em um dia de viagem: *Acamparam ao anoitecer, depois de uma difícil jornada.* **3** Dia de trabalho: *Saiu tarde da oficina, após cansativa jornada.* **4** Ação militar; campanha, expedição **5** *NE. Folc.* Cena cantada diante do presépio, nos pastoris **6** *Teat.* No antigo teatro espanhol e português, cada uma das peças que eram encenadas [F.: Do provç. *jornada*.]

jornal[1] (jor.*nal*) *Comun.Jorn. sm.* **1** Publicação diária com notícias recentes, artigos, informações de utilidade pública etc. **2** Qualquer publicação periódica (semanal, mensal etc.) que divulga notícias **3** *Cin. Inf. Rád. Telv.* Programa em que se transmitem notícias; qualquer tipo ou formato de noticiário por meio do rádio, televisão, cinema, quadro mural, internet etc. (assistir ao jornal, ouvir o jornal, jornal on-line) **4** Texto em que se relatam os acontecimentos diários [Pl.: *-nais*.] [F.: Do lat. *diurnalis* pelo fr. *journal*.] ■ **~ da tela** *Jorn.* Cinejornal **~ mural** *Jorn.* Informativo na forma de notícias, comentários, avisos etc. escritos, pregados em quadro por sua vez fixado em parede, muro etc. **~ on-line** *Jorn.* Jornal[1] publicado em mídia digital

jornal[2] (jor.*nal*) *sm.* **1** Pagamento por um dia de trabalho; diária, féria: "Uma nesga de terra, meu rico senhor, uma nesga de terra! E depois as décimas, os jornais." (Eça de Queirós, *O crime do padre Amaro*) **2** *Hist.* Antiga medida de superfície para terras aradas, correspondente à área cultivável por uma parelha em um dia de trabalho [Pl.: *-nais*.] [F.: Do lat. *diurnalis* pelo fr. *journal*.]

jornaleco (jor.na.*le*.co) *Pej. Jorn. sm.* **1** Jornal de pouca divulgação, má qualidade, malfeito e mal redigido, de pouca credibilidade **2** Jornal em formato pequeno ou com tiragem pequena [F.: *jornal*[1] + *-eco*.]

jornaleiro[1] (jor.na.*lei*.ro) *a.* **1** Diz-se de quem trabalha vendendo ou entregando jornais ***sm.*** **2** Aquele que vende ou entrega jornais; entregador [F.: *jornal*[1] + *-eiro*.]

jornaleiro[2] (jor.na.*lei*.ro) *a.* **1** Diz-se de trabalhador que é pago por jornada (3) **2** Que se faz ou que acontece todos os dias; que é cotidiano (tarefa jornaleira) ***sm.*** **3** Trabalhador que é pago por jornal[2] (jornaleiros da fábrica); DIARISTA: "aí eu entendi a gana dele: que nós, Zé Bebelo, eu, Diadorim, e todos os companheiros, que a gente pudesse dar os braços, para capinar e roçar, e colher, feito jornaleiros dele" (Guimarães Rosa, *Grande sertão: veredas*) [F.: *jornal*[2] + *-eiro*.]

jornalismo (jor.na.*lis*.mo) *sm. Comun.* **1** Atividade profissional de levantamento, apuração e transmissão de notícias e comentários através de diversos meios de comunicação **2** Curso superior de formação de jornalistas **3** Conjunto dos jornalistas e dos meios de difusão de notícias; IMPRENSA: *Essas pessoas integram a elite do jornalismo brasileiro.* [F.: *jornal*[1] + *-ismo*.]

jornalista[1] (jor.na.*lis*.ta) *Jorn. s2g.* Pessoa que é formada em jornalismo, que escreve para jornais ou exerce atividade jornalística (como redator, repórter, fotógrafo, editor etc.) [F.: *jornal*[1] + *-ista*.]

jornalista[2] (jor.na.*lis*.ta) *a2g.* **1** Diz-se de que ou quem faz trabalho diário; DIARISTA ***s2g.*** **2** Aquele que faz trabalho diário; DIARISTA; JORNALEIRO [F.: *jornal*[2] + *-ista*.]

jornalístico (jor.na.*lís*.ti.co) *Comun.Jorn.* **a.** 1 Ref., inerente ou próprio de jornal ou jornalismo (cobertura jornalística) 2 Ref., inerente ou próprio de jornalista(s) (gíria jornalística) [F.: *jornal*[1] + *-ist(a)-* + *-ico*[2].]

jorrante (jor.*ran*.te) ***a2g.*** Que jorra; BORBOTOANTE; ESGUICHANTE: "O poço é jorrante. A água sai naturalmente (...)." (*Folha de São Paulo*, 26.05.1996) [F.: *jorrar* + *-nte.*]

jorrar (jor.*rar*) *v.* 1 Lançar de si ou brotar com jorro ou ímpeto [*td.*: *O vulcão jorra lava.*] [*int.*: *O petróleo jorrava com muito ímpeto.*] [*ta.*: *O petróleo jorrava do chão.*] 2 *Fig.* Fluir com abundância; EMANAR; MANAR [*ta.*: *Os mais belos versos jorram de sua pena.*] 3 Emitir luminosidade, raios luminosos [*ta.*: *A luz jorrava do alto do farol.*] 4 *Fig.* Comunicar, espalhar, externar [*td.*: *É uma pessoa que jorra alegria.*] 5 Formar lojo [*int.*: *Com as fortes chuvas, as paredes da casa jorraram.*] [▶ 1 jorrar] [F.: Orig. obsc. Hom./Par.: *jorra(s)* (fl.), *jorra(s)* (sf.[pl.]); *jorro* (fl.), *jorro* [ô] (sm.).]

jorro (*jor*.ro) [ô] ***sm.*** 1 Ação ou resultado de jorrar, de brotar ou irromper com ímpeto; borbotão (jorro de luz) 2 Saída impetuosa de um líquido; jorramento, esguicho (jorro de sangue) 3 *Cons.* Aumento de espessura na parte inferior de uma obra de alvenaria; JORRAMENTO [F.: Prov. do cast. *chorro.* Sin. ger.: *jato.* Hom./Par.: *jorro* (flex. de *jorrar*).]

jota[1] (*jo*.ta) [ó] ***sm.*** 1 Nome da letra *j* 2 *Lus.* Pouca coisa, bocado [F.: Do lat. *iota* < gr. *iôta.*]

jota[2] (*jo*.ta) [ó] ***sf.*** 1 *Dnç. Mús.* Canto e dança popular espanhola, executada por um ou mais pares de dançarinos, acompanhadas por castanholas: "Vi-a dançar a jota com requebros de escandescente despejo (...)." (Camilo Castelo Branco, *Coração, cabeça e estômago*) 2 *Mús.* Música em compasso ternário que acompanha essa dança [F.: Do espn. *jota.*]

joule (*jou*.le) *Fís.* ***sm.*** Unidade de trabalho, de energia e de quantidade de calor equivalente ao trabalho realizado por uma força constante de um newton, cujo ponto de aplicação se desloca da distância de um metro na direção da força [Símb.: J.] [F.: Do antr. (James Prescott) *Joule* (físico inglês, 1818-1889).]

jovem (*jo*.vem) ***a2g.*** 1 Que está na juventude; MOÇO 2 Que é feito por jovens (8) ou a eles destinado: *moda jovem.* 3 Que tem aspecto, caráter ou comportamento de jovem: *Apesar da idade, tem o espírito jovem.* 4 Que se compõe de jovens, em sua maioria ou na totalidade: *Um público jovem lotou o teatro.* 5 Diz-se de animal ou vegetal que ainda não chegou ao seu desenvolvimento máximo 6 Que começou a existir há pouco tempo: *empresa jovem.* 7 *Enol.* Diz-se de vinho novo, fresco [Superl.: *juveníssimo.*] ***s2g.*** 8 Pessoa que está na juventude [Pl.: *-vens.*] [F.: Do lat. *juvenis,e.* Col.: *juventude, moçada.* Ant. ger.: *velho.* Ideia de 'jovem': usar antepos. *juven-.*]

jovem-guarda (jo.vem-*guar*.da) ***sf.*** 1 *Pop.* Designação pouco precisa adotada a partir dos anos 1960 para opor-se à velha-guarda, esta a dos antigos frequentadores dos mesmos e determinados locais e seguidores de hábitos comuns 2 *Bras. Hist. Mús.* Gênero musical conhecido como iê-iê-iê, marcado pelo ritmo do *rock* dos anos 60 e por melodias *pop* românticas 3 *Bras. P.ext. Mús.* O conjunto dos compositores e cantores desse gênero musical que marcou os anos 60/70

jovial (jo.vi:*al*) ***a2g.*** 1 Alegre, bem-humorado; feliz (grupo jovial) 2 Que expressa alegria, bom humor etc. (canto jovial) 3 Que tem graça, que diverte; engraçado, jocoso (interlocutor jovial); ESPIRITUOSO [Pl.: *-ais.*] [F.: Do lat. tard. *jovialis.* Ant. ger.: *triste.*]

jovialidade (jo.vi:a.li.*da*.de) ***sf.*** 1 Característica ou qualidade de jovial 2 Alegria, bom humor; FELICIDADE [Ant.: *tristeza*] 3 Dito jovial, gracejo, brincadeira [F.: *jovial* + *-(i)dade.*]

jovializar (jo.vi.a.li.*zar*) *v.* 1 Tornar jovial, alegre (uma pessoa, um ambiente) [*td.*] 2 Mostrar-se jovial, alegre, desembaraçado [*int.*] [▶ 1 jovializar] [F.: *jovial* + *-izar.*]

joviano (jo.vi:*a*.no) ***a.*** 1 Ref. ao planeta Júpiter; JUPITERIANO 2 *Fig.* Altivo, dominador [F.: Do fr. *jovien.*]

⊕ **joystick** (*Ing.* /djóistic/) *Inf. Lud.* ***sm.*** Controlador, us. em jogos de *videogame*, que permite indicar direções, velocidade etc. por meio de comando direcional e botões

juá (ju:*á*) ***sm.*** 1 *Bras Bot.* Fruto do juazeiro: "Havia um pé de juá pertinho. Aí o homem parou" (José Lins do Rego, *Pedra Bonita*) 2 O mesmo que *juazeiro* 3 O mesmo que *arrebenta-cavalo* 4 O mesmo que *juciri* [Pl.: *juás.*] [F.: Do tupi *yu'a.*]

juá-bravo (ju.*á*-bra.vo) *Bot.* ***sm.*** 1 Designação comum a algumas plantas do gên. *Solanum*, da fam. das solanáceas 2 Ver *arrebenta-cavalo* (*Solanum aculeatissimum*) 3 Arbusto (*Solanum insidiosum*) da fam. das solanáceas, nativo do Brasil. Tb. *jurubeba-de-espinho* [Pl.: *juás-bravos.*]

juazeiro (ju:a.*zei*.ro) ***sm.*** *Bras. Bot* Árvore alta da fam. das ramnáceas (*Ziziphus joazeiro*), nativa do Piauí a Minas Gerais, de folhas trinérveas, flores pequeninas em cachos globosos, frutos amarelos e comestíveis, e casca adstringente, us. como sabão e dentifrício, e febrífuga; JUÁ [F.: *juá-* + *-z-* + *-eiro.*]

juba (*ju*.ba) ***sf.*** 1 Pelos volumosos que rodeiam a cabeça e o pescoço do leão 2 *Fig. Pop.* Cabeleira farta e despenteada: *Ele passa horas penteando a juba.* [F.: Do lat. *juba, ae.*]

jubarte (ju.*bar*.te) ***sf.*** *Zool.* Baleia da fam. dos balenopterídeos (*Megaptera novaeangliae*), conhecida por seu temperamento dócil, pelas acrobacias que realiza e por um desenvolvido sistema de vocalização; encontrada em todos os oceanos, pode atingir 16 m de comprimento e mais de 30 t de peso, apresenta coloração negra ou cinza-escuro, com áreas brancas no ventre e nas nadadeiras peitorais, sendo estas extremamente longas, medindo quase um terço do comprimento total do corpo; BALEIA-CORCUNDA [F.: De or. obsc.]

jubilação (ju.bi.la.*ção*) ***sf.*** 1 Alegria, contentamento intensos ou a manifestação desses sentimentos; JÚBILO 2 Aposentadoria de professor ou servidor público; BAIXA 3 Desligamento de um estudante de escola ou universidade em função de excesso de reprovações, de faltas ou por ter ultrapassado o período máximo para conclusão do curso [Pl.: *-ções.*] [F.: Do lat. *jubilatio,onis.*]

jubilado (ju.bi.*la*.do) ***a.*** 1 Que se aposentou (professor jubilado) 2 Diz-se de estudante impedido de renovar sua matrícula por faltas, reprovações ou duração excessiva do tempo de estudos [F.: Part. de *jubilar.*]

jubilante (ju.bi.*lan*.te) ***a2g.*** Que jubila; RADIANTE: "(...) o presidente frenético e jubilante, como um Napoleão civil (...)." (*Folha de São Paulo*, 06.06.1996) [F.: Do lat. *jubilans, antis.*]

jubilar (ju.bi.*lar*) *v.* 1 Encher(-se) de júbilo, de grande alegria; REGOZIJAR(-SE) [*td.*: *A notícia da vitória jubilou o vencedor.*] [*tr.* + *com*: *Jubilamos com sua reabilitação.*] 2 Conceder ou obter aposentadoria; APOSENTAR(-SE) [*td.*: *O governo jubilou-a aos setenta anos.*] [*int.*: *Jubilou-se após trinta anos de serviço.*] 3 Fazer perder, ou perder (aluno) o direito à matrícula por causa de faltas, reprovações seguidas etc. [*td.*: *A faculdade jubilou o aluno por sucessivas reprovações.*] [*int.*: *O aluno jubilou-se por faltas.*] [▶ 1 jubilar] [F.: Do lat. *jubilare.* Hom./Par.: *jubilo* (fl.), *júbilo* (sm.).]

jubileu (ju.bi.*leu*) ***sm.*** 1 Aniversário de cinquenta anos de algo (fato marcante, instituição etc.) 2 *P.ext. Pop.* Data de aniversário de empresa, instituição, estabelecimento etc. 3 *Rel.* No catolicismo, perdão geral de pecados concedido eventualmente pelo papa 4 *Rel.* O evento no qual esse perdão é concedido [F.: Do lat. *jubilaeus, i.*] ■ **~ de coral** O 35º aniversário de evento, instituição etc. **~ de diamante** O 60º aniversário de evento, instituição etc. **~ de prata** O 25º aniversário de evento instituição etc.

júbilo (*jú*.bi.lo) ***sm.*** Grande alegria; CONTENTAMENTO; ENTUSIASMO; REGOZIJO [+ *com, por*: *júbilo com a/pela boa notícia.* Ant.: *dissabor, consternação, tristeza.*] [F.: Do lat. *jubilum, i.* Hom./Par.: *jubilo* (fl. de *jubilar*).]

jubiloso (ju.bi.*lo*.so) [ô] ***a.*** 1 Cheio de júbilo; ALEGRE; CONTENTE; FELIZ [+ *com, por*: *jubiloso com o negócio realizado; jubiloso pelo sucesso da empreitada.* Ant.: *aborrecido, descontente, satisfeito.*] 2 Que expressa júbilo (olhar jubiloso); RADIANTE [Ant.: *descontente.*] [Pl.: [ó]. Fem.: [ó].] [F.: *júbilo* + *-oso.* Ant.ger.: *triste.*]

juboso (ju.*bo*.so) [ô] ***a.*** Que tem juba (leão juboso); JUBADO [Pl.: [ó]. Fem.: [ó].] [F.: *jub(a)* + *-oso.*]

jucá (ju.*cá*) ***sm.*** *Bras. Bot.* O mesmo que *pau-ferro* [F.: Do tupi *iu'ka* 'matar', pois os índios utilizavam tacapes dessa madeira para matar os inimigos.]

juçana (ju.*ça*.na) *Bras.* ***sf.*** 1 Armadilha para capturar pássaros 2 *Fig. Pop.* Estratagema para se obter algo; trapaça [F.: Do tupi *yu'sana.*]

juçara (ju.*ça*.ra) *Bras. Bot.* ***sf.*** 1 Espécie de palmeira (*Euterpe edulis*) nativa do Brasil, Argentina e Paraguai, com altura de até 12 m, estipe fino, frutos globosos, arroxeados ou negros e palmito de qualidade 2 O mesmo que *açaí* [F.: Do tupi *yi'sara.*]

juçaral (ju.ça.*ral*) ***sm.*** *Bras.* Plantação de juçaras [Pl.: *-rais.* Col. de *juçara.*] [F.: *juçara* + *-al.*]

juçareira (ju.ça.*rei*.ra) ***sf.*** *Bot.* Ver *juçara* (*Euterpe edulis*) [F.: *juçara* + *-eira.*]

juciri (ju.ci.*ri*) ***sm.*** *Bras. Bot.* Erva da fam. das solanáceas (*Solanum juciri*), nativa do *S.E.* e *S.* do Brasil, com folhas penadas, flores brancas vistosas, bagas globosas e cujas raízes têm uso terapêutico calmante; CARURU-DE-ESPINHO; JEQUIRIOBA; JUÁ; JUQUERI [F.: Do tupi *yusi'ri.*]

jucunas (ju.*cu*.nas) ***sm.*** *Bras. Etnog.* Tribo indígena do tronco aruaque, que habita a margem esquerda do rio Japurá, na Amazônia [F.: Do tupi *yukunas.*]

jucundidade (ju.cun.di.*da*.de) ***sf.*** Qualidade ou característica própria de jucundo; ALEGRIA; CONTENTAMENTO; GOZO [Ant.: *descontentamento, desgosto.*] [F.: Do lat. *jucunditas,atis.*]

jucundo (ju.*cun*.do) ***a.*** 1 Que transmite alegria; ALEGRE; DIVERTIDO; FELIZ [Ant.: *abatido, triste.*] 2 Aprazível, agradável [Ant.: *desagradável, duro, penoso.*] [F.: Do lat. *jucundus, a, um.*]

judaico (ju.*dai*.co) ***a.*** Ref. a, dos ou próprio dos judeus ou do judaísmo (filosofia judaica); HEBRAICO; JUDEU [F.: Do lat. *judaicus,a,um.*]

judaísmo (ju.da.*ís*.mo) ***sm.*** 1 *Rel.* Religião dos judeus 2 O conjunto de fatores que determinam a identidade judaica, como a religião, as tradições, a cultura 3 A comunidade dos judeus [F.: Do lat. *judaismus, i.*] ■ **~ conservador** Corrente moderna do judaísmo para a qual o judaísmo pode assimilar aspectos culturais universais e contemporâneos sem abandonar sua liturgia e práticas tradicionais **~ liberal** Corrente moderna do judaísmo que mantém os fundamentos essenciais da crença e dos rituais judaicos, enquanto admite uma reinterpretação e adaptação das expressões rituais e formais de seu cumprimento e prática **~ ortodoxo** Corrente do judaísmo que considera imutáveis no conteúdo e na forma as leis e regras escritas e orais do judaísmo tradicional, que, portanto, devem ser rigorosamente cumpridas **~ reformista** Corrente moderna do judaísmo que admite a introdução de novos conceitos e práticas na religião judaica em sua adaptação aos tempos modernos, o que implica sua maior universalização e modernização

judaizante (ju.da:i.*zan*.te) ***a2g.*** 1 Que judaíza (comportamento judaizante) 2 Que converte ou tenta converter alguém ao judaísmo (poeta judaizante) 3 Que pratica o judaísmo ***s2g.*** 4 Indivíduo judaizante [F.: Do lat. *judaizans, antis.*]

judaizar (ju.da:i.*zar*) *v.* 1 Converter ao judaísmo [*td.*: *Judaizar um grupo de pessoas.*] 2 Adotar as práticas do judaísmo, seus ritos e suas leis [*int.*: *Antes do casamento, judaizou-se.*] 3 *Pej.* Emprestar com mesquinhez, com usura [*td.*: *Judaizou pequena quantia.*] [▶ 1 judaizar O 'i' recebe acento agudo nas f. rizotônicas, conforme o paradigma 18 (*judaíza, judaízem* etc.).] [F.: Do lat. *judaizare,* deriv. do gr. *ioudaízein* 'imitar os judeus, conformar-se com suas crenças'.]

judas (*ju*.das) ***sm2n.*** 1 *Fig. Pej.* Amigo falso e traidor 2 Boneco que é malhado no Sábado de Aleluia [F.: Do antr. *Judas*, discípulo que, segundo o Novo Testamento, traiu Jesus Cristo.] ■ **Onde ~ perdeu as botas** *Bras. Pop.* Muito longe **Pegar (alguém) para ~** *Bras. Pop.* Atormentar, afligir, suplíciar (alguém)

judeo-alemão (ju.deo-a.le.*mão*) *Gloss.* ***a.sm.*** *Gloss.* Ver *idiche* [Pl.: *judeo-alemães.* Fem.: *judeo-alemã.* F. não preferencial: *judeu-alemão.*]

judeo-cristão (ju.deo-cris.*tão*) ***sm.*** 1 *Hist. Rel.* Judeu que se converteu ao cristianismo ***a.*** 2 *Hist. Rel.* Ref. ao judeo-cristianismo 3 *Hist. Rel.* Diz-se de judeu que se converteu ao cristianismo 4 Que é comum aos judeus e aos cristãos [Pl.: *judeo-cristãos.* Fem.: *judeo-cristã.* F. não preferencial: *judeu-cristão.*]

judeo-cristianismo (ju.deo-cris.ti:a.*nis*.mo) ***sm.*** *Hist. Rel.* Doutrina dos primeiros tempos do cristianismo, segundo a qual a iniciação no judaísmo era indispensável para a adoção do cristianismo [Pl.: *judeo-cristianismos.* F. não preferencial: *judeu-cristianismo.*]

judeo-espanhol (ju.deo-es.pa.*nhol*) *Gloss.* ***a.sm.*** *Gloss.* Ver *ladino* [Pl.: *judeo-espanhóis.* F. não preferencial: *judeu-espanhol.*]

judeofobia (ju.deo.fo.*bi*.a) ***sf.*** Intolerância ou aversão aos judeus; ANTISSEMITISMO: *A judeofobia foi um dos sustentáculos do nazismo.* [F.: *judeu* + *fobia.*]

judeo-provençal (ju.deo-pro.ven.*çal*) ***sm.*** 1 *Gloss.* Língua que era falada entre judeus, esp. na região de Avinhão (França) ***a.*** 2 Ref. a ou do judeo-provençal [Pl.: *judeo-provençais.* F. não preferencial: *judeu-provençal.*]

judeu (ju.*deu*) ***sm.*** 1 *Hist.* Pessoa da antiga tribo de Judá 2 *Hist.* Pessoa do antigo reino hebreu de Judá (Sul da Palestina) 3 *Hist.* Pessoa nascida ou que vivia na Judeia, antiga região da Palestina 4 Quem pratica o judaísmo: *Os judeus confraternizaram-se com os cristãos no culto ecumênico.* 5 *Bras. Cul.* Variedade de bolo de milho 6 *MG Cul.* Virado de frango ao molho pardo e carne de porco 7 *MG* Refeição noturna; CEIA ***a.*** 8 Ref. à antiga tribo de Judá 9 Ref. ao antigo reino hebreu de Judá (c. 930-586 a.C.), na Palestina 10 Do povo originado dessa tribo, desse reino ou dessa região; HEBREU; ISRAELITA 11 Que pratica ou se identifica com o judaísmo; HEBREU; ISRAELITA: *Os brasileiros judeus apoiaram a medida.* 12 Dos judeus (1) (povo judeu) [Nesta acp., refere-se ger. a pessoas; para referência a coisas, ver *judaico.*] [Fem.: *-dia.*] [F.: Do lat. *judaeus,a,um.*] ■ **~ errante** 1 *Fig.* Segundo lenda medieval de origem católica, judeu que teria sido condenado a errar pelo mundo através dos tempos, até a segunda vinda de Jesus 2 *Fig.* Pessoa que não se fixa num lugar, que muito viaja ou muda de residência

judia (ju.*di*.a) ***a.*** 1 Diz-se de mulher de origem judaica [Nesta acp., o masc. é *judeu.*] ***sf.*** 2 Mulher de origem judaica [Nesta acp., o masc. é *judeu.*] 3 *Vest.* Tipo de capa mourisca, curta e enfeitada, us. durante o séc. XIX 4 *Lus. Ict.* Peixe ornamental, teleósteo, perciforme, da fam. dos labrídeos (*Coris julis*), com ocorrência na costa atlântica europeia, de corpo com tonalidades de azul e amarelo [F.: Do lat. *judaea, ae.* Hom./Par.: *judia* (fl. de *judiar*).]

judiação (ju.di:a.*ção*) ***sf.*** 1 Ação de maltratar ou zombar de alguém; JUDIARIA: *Os veteranos fizeram uma judiação com os calouros.* 2 Desperdício de talento, oportunidade etc.: *Foi uma judiação ele ter abandonado a escola.* [Pl.: *-ções.*] [F.: *judiar* + *-ção.* Ver observação em *judiar.*]

judiar (ju.di.*ar*) *v.* 1 Fazer sofrer, tratar mal; ATORMENTAR; MALTRATAR [*tr.* + *de*: *Era uma mulher má, judiava do menino.*] 2 Tratar com zombaria; ESCARNECER; ZOMBAR [*tr.* + *com*: *Nunca judie com os pobres.*] 3 O mesmo que *judaizar* (adotar práticas judaicas) [*int.*: *Para casar, foi preciso judiar-se.*] [▶ 1 judiar] [F.: *judeu* + *-ar*[2]. Hom./Par.: *judia(s)* (fl.), *judia(s)* (sf.[pl.]); *judiaria(s)* (fl.), *judiaria(s)* (sf.[pl.]). Pode ter conotação preconceituosa para com os judeus se entendido como ações atribuídas a eles, e não sofridas por eles.]

judiaria[1] (ju.di:a.*ri*.a) ***sf.*** 1 *Hist.* Bairro de judeus 2 Grupo de judeus [F.: *judeu* + *-aria*, com alternância vocálica *e/i.*]

judiaria[2] (ju.di:a.*ri*.a) ***sf.*** Ação ou resultado de judiar; JUDIAÇÃO [F.: *judiar* + *-ia.* Ver observação em *judiar.*]

judicante (ju.di.*can*.te) ***a2g.*** Que julga, atua como; JUDICATIVO [F.: Do lat. *judicans, ntis.*]

judicar (ju.di.*car*) *v.* ***td. int.*** Fazer julgamento sobre (alguém ou algo); JULGAR [▶ 11 judicar]

judicativo (ju.di.ca.*ti*.vo) ***a.*** 1 Ver *judicante* 2 Que contém julgamento (comentários judicativos) [F.: *judicar* + *-tivo.*]

judicatório (ju.di.ca.*tó*.ri:o) ***a.*** 1 Ref. a julgamento (erro judicatório) 2 Próprio para julgar (ato judicatório) [F.: Do lat. *judicatorius, a, um.*]

judicatura (ju.di.ca.*tu*.ra) *Jur. sf.* 1 Exercício do poder de julgar: *A judicatura é prerrogativa dos juízes.* 2 Cargo, função ou dignidade de juiz: *Por mérito, foi elevado à judicatura.* 3 Período durante o qual alguém ocupa o cargo de juiz 4 Conjunto dos juízes [F.: Do lat. medv. *judicatura*. Sin. ger.: *magistratura*.]

judicial (ju.di.ci.*al*) *a2g.* 1 Ref. a juiz ou a justiça; JUDICIÁRIO 2 Ref. a tribunal, ao foro, à justiça (processo judicial); FORENSE [Pl.: *-ais*.] [F.: Do lat. *judicialis, e*.]

judiciário[1] (ju.di.ci:*á*.ri:o) *a.* Ref. à justiça ou a juiz (sistema judiciário); JUDICIAL [F.: Do lat. *judiciarius, a, um*. Hom./Par.: (f.) judiciária, *judiciaria* (fl. de *justiciar*).]

Judiciário[2] (Ju.di.ci:*á*.ri:o) *sm.* O Poder Judiciário, encarregado de aplicar as leis da Constituição de um país [F.: ver *judiciário*[1]. Hom./Par.: ver *judiciário*[1].]

judicioso (ju.di.ci:o.so) [ô] *a.* 1 Que julga com critério e sensatez (rei judicioso); AJUIZADO; CRITERIOSO 2 Que demonstra bom-senso (sentença judiciosa); SENSATO [Ant.: *imprudente, insensato*.] [Pl.: [ó]. Fem.: [ó].] [F.: Do lat. *judicium*" juízo"+ *-oso*.]

judô (ju.*dô*) *sm. Esp.* Modalidade de luta, derivada do antigo jiu-jítsu, cujo objetivo é, basicamente, derrubar o adversário de costas no chão [F.: Do jap. *judo*.]

judoca (ju.*do*.ca) *s2g. Bras. Esp.* Aquele que pratica o judô [F.: Do jap. *judoka*.]

judoísta (ju.do:*ís*.ta) *s2g. Bras. Esp.* Ver *judoca* [F.: *judô* + *-ista*.]

juerana (ju:e.*ra*.na) *sf. BA Bot.* Árvore leguminosa-mimosácea (*Parkia pendula*, Benth.), que fornece excelente madeira para construções civis e navais. Tb. *fava-de-bolota* [F.: Posv. alter. de *juarana* (< tupi *yua'rana*, 'semelhante ao juá', posv.).]

jugada (ju.*ga*.da) *sf.* 1 *Agr.* Espaço de terreno que uma junta de bois pode lavrar em um único dia; JEIRA 2 *Antq. Agr. Jur.* Direito real, imposto nas propriedades lavradias, ordinariamente baseado no número de jugos ou juntas de bois com que o colono aparelhava a propriedade [F.: *jugo* + *-ada*. Hom./Par.: *jugada* (sf.), *jogada* (sf.), *julgada* (a.f.).]

jugo (*ju*.go) *sm.* 1 Peça de madeira colocada sobre a cabeça dos bois e que os atrela a uma carroça, arado etc; CANGA 2 *Fig.* Situação de submissão a alguém por meio de violência; OPRESSÃO; SUJEIÇÃO: *Encontravam-se sob o jugo do ditador.* 3 *Fig.* Relação de subserviência e obediência: *As crianças encontram-se sob o jugo dos pais.* 4 *Bot.* Par de folíolos em uma folha composta, que ficam opostos no eixo da inflorescência 5 *Zool.* Nos lepidópteros, pequeno lobo na base da asa anterior [F.: Do lat. *jugum, i*.]

jugulação (ju.gu.la.*ção*) *sf.* Ação ou resultado de jugular; DEGOLAÇÃO; DECAPITAÇÃO [F.: *jugular* + *-ção*.]

jugular[1] (ju.gu.*lar*) *sf.* 1 *Anat.* Cada uma das quatro veias principais que passam pelo pescoço *a2g.* 2 Ref. à região do pescoço por onde passam essas veias [F.: Do lat. *jugulus*, 'garganta', + *-ar*.]

jugular[2] (ju.gu.*lar*) *v. td.* 1 Cortar o pescoço de: *Mandou que jugulassem o condenado.* 2 *P.ext.* Provocar a morte de; ASSASSINAR: *Jugularam o prisioneiro.* 3 Impedir a manifestação de (epidemia, inflação, motim etc.); EXTINGUIR: *A polícia jugulou a revolta.* 4 *Fig.* Dominar moralmente ou pela força: *Com seu temperamento difícil, jugula os filhos.* [▶ 1 jugular] [F.: Do lat. tardio *jugulare*. Hom./Par.: *jugula(s)* (fl.), *júgula(s)* (sf.[pl.]).]

juiz (ju:*iz*) *sm.* 1 Quem tem o poder de julgar e/ou de decidir impasses 2 *Jur.* Autoridade do Poder Judiciário que preside um juizado 3 *Esp.* O responsável pela aplicação das regras em uma competição esportiva; ÁRBITRO: *O juiz roubou o meu time de novo.* 4 Membro de qualquer júri de premiação: *Foi juiz de escolas de samba nesse carnaval.* 5 *Fig.* Pessoa que preside uma festa religiosa [Pl.: *juízes*. Fem.: *juíza*.] [F.: Do lat. *judex, icis*.] ■ **Casar no ~** *Bras. Pop.* Casar-se em cerimônia civil **~ classista** *Dir.* Juiz leigo, que representa trabalhadores e empregadores, em causa trabalhista **~ corregedor** *Jur.* Juiz que fiscaliza andamento de processos e atuação de juízos de um tribunal **~ de alçada** *Jur.* Juiz de competência específica para certas causas, em função de seu valor **~ de casamento** *Bras.* Juiz não togado, que julga as habilitações de nubentes perante o qual se realiza o casamento **~ de Direito** 1 *Jur.* Juiz togado, que, em sua comarca, julga as causas segundo as evidências apresentadas e sua interpretação da lei 2 Juiz togado de primeira instância **~ de fato** *Jur.* Cidadão que compõe (ger. por sorteio) o tribunal do júri, e que participa, votando, da decisão sobre a causa em juízo; jurado **~ de fora** *Ant.* Juiz brasileiro na época colonial **~ de linha** *Fut.* Cada um dos dois auxiliares do juiz que ficam junto à linha lateral de uma metade do campo, à direita do time que ataca; bandeirinha **~ de paz** *Antq.* Autoridade judicial (nem sempre formada em Direito) que era eleita num distrito e a quem cabia julgar pequenas causas, passíveis de subir, em recurso, a instância de juízes de Direito **~ togado** *Jur.* Juiz formado em Direito, membro permanente dos quadros do poder judiciário **~ vinculado** *Jur.* Aquele que, tendo dado início aos atos de um processo, terá, obrigatoriamente, de julgar o mérito da causa

juizado (ju:i.*za*.do) *Jur. sm.* 1 Instituição pública em que o juiz exerce seu cargo 2 O cargo de juiz [F.: *juiz* + *-ado*.] ■ **~ de menores** *Antq. Jur.* Antigo nome do atual Juizado da Infância e da Juventude, órgão do judiciário ao qual incumbe dar proteção e defesa a menores de 18 anos, assim como instaurar processo e julgamento dos delinquentes menores dessa idade **~ (especial) de pequenas causas** Órgão especial para tratar, com rapidez, de litígios que envolvem ressarcimentos, indenizações etc. de pouco valor

juízo (ju:*í*.zo) *sm.* 1 Capacidade de avaliar e discernir as coisas; BOM-SENSO; DISCERNIMENTO; PONDERAÇÃO [Ant.: *imponderação, incúria, leviandade*.] 2 A avaliação que se faz de algo; APRECIAÇÃO; JULGAMENTO; OPINIÃO: *Fizeram mau juízo sobre ele.* 3 *Jur.* Tribunal em que se apreciam e decidem questões judiciais: *Comparecerei em juízo para testemunhar.* 4 *Jur.* Conjunto dos atos praticados pelos juízes no desempenho de suas funções (Juízo de Instrução) 5 Qualidade de quem reflete e age com consciência e responsabilidade; EQUILÍBRIO; PRUDÊNCIA [Ant.: *imprudência, precipitação*.] 6 *Pop.* A mente de uma pessoa; CABEÇA: "Se ele (...) continuar me infernizando o juízo..." (João Ubaldo Ribeiro, *Diário do farol*) [F.: Do lat. *judicium*.] ■ **~ administrativo** *Jur.* Órgão do poder executivo habilitado a julgar causas de seu interesse, que serão posteriormente analisadas pelo poder judiciário **~ ad quem** *Jur.* Aquele para o qual são encaminhados, em recurso, processos julgados em instância inferior **~ afirmativo** *Fil.* No kantismo, juízo de qualidade, na forma de uma afirmação de predicado atribuído a sujeito [Ex.: *Esta árvore é alta*.] **~ analítico** *Fil.* No kantismo, juízo em que o predicado faz parte da definição ou do conceito do sujeito, e que não acrescenta informação ou conhecimento, servindo apenas para esclarecer a noção a respeito daquele sujeito [Cf.: *Juízo sintético*.] **~ a quo** *Jur.* Aquele de onde procede processo encaminhado, em recurso, a instância superior **~ arbitral** *Jur.* Órgão ao qual partes em litígio atribuem, de comum acordo, capacidade de arbitrar e julgar quanto a esse litígio **~ coletivo** *Jur.* Aquele constituído de três ou mais membros, que julgam conjuntamente uma causa **~ comum** *Jur.* Aquele com atribuições e competência para julgar causas não sujeitas a tribunal especial; juízo ordinário **~ contencioso** *Jur.* Aquele que julga causa litigiosa na qual a decisão em favor de uma das partes o é em detrimento da outra **~ de delibação** *Jur.* Aquele que julga causa litigiosa na qual a decisão em favor de uma das partes o é em detrimento da outra **~ de delibação** *Jur.* Aquele, de competência do Supremo Tribunal Federal, que verifica se uma sentença de tribunal estrangeiro pode ser homologada no território nacional **~ de Deus** *Hist* Na Idade Média, atribuição de inocência ou de culpa a um acusado em função de sua resistência e sobrevivência a sujeição ao fogo, à água fervendo, a um duelo etc; ordálio **~ de exceção** 1 *Jur.* Aquele que, por sua competência, não seria o indicado a julgar a uma causa, mas o é em função dos resultados desejados no caso específico 2 Aquele criado para julgar fatos anteriores a sua criação **~ de menores** *Jur.* Ver *Juizado de menores* no verbete *juizado*. **~ de realidade** *Fil.* O que se refere a fatos, ou a relação entre eles [P.op. a *juízo de valor*.] **~ de Salomão** Juízo, julgamento ou decisão em que o senso de justiça, o bom-senso, a sabedoria predominam sobre o conhecimento estrito da lei, como se depreende dos julgamentos do rei Salomão, como relatados na Bíblia **~ de valor** *Fil.* O que se refere à opinião ou à interpretação particular a respeito dos fatos e de seus significados [P.op. a *juízo de realidade*.] **~ especial** *Jur.* Aquele com atribuição específica para julgar certas pessoas, devido a cargos ou funções que elas exercem **~ extraordinário** *Jur.* Aquele não permanente, constituído para julgar determinadas causas de cunho extraordinário ou privilegiado **~ final** *Rel.* Segundo visão escatológica comum a várias religiões, o julgamento final dos homens por Deus quando do fim do mundo, que dará o prêmio eterno aos justos, o castigo eterno aos ímpios **~ singular** *Jur.* Aquele constituído de um só juiz [P.op. a *juízo coletivo*.] **~ sintético** *Fil.* No kantismo, juízo em que o predicado atribuído ao sujeito não faz parte do conceito ou definição deste, acrescentando algo ao conhecimento que se tem acerca dele [Cf.: *Juízo analítico*.] **~ universal** 1 *Jur.* Aquele que, por lei, tem competência para julgar todas as questões que lhe digam respeito. [Ex.: juízo de falência, de concurso de credores etc.] 2 *Fil.* No kantismo, juízo de quantidade, pelo qual atribui-se o predicado a todos os elementos que constituem o sujeito de uma afirmação. [Ex.: *Todos os homens são mortais*.]

jujuba (ju.*ju*.ba) *sf.* 1 *Bot.* Árvore da fam. das ramnáceas (*Ziziphus jujuba*), de origem asiática, semelhante ao juazeiro, de folhagem vistosa e frutos comestíveis, suculentos e dos quais se faz xarope expectorante; JUJUBEIRA 2 O fruto dessa árvore 3 Tipo de bala de goma, feita a partir da massa ou do suco desse fruto [F.: Do fr. *jujube*, do lat. medv. *jujuba*.]

jujubeira (ju.ju.*bei*.ra) *sf. Bot.* Ver *jujuba* (1) [F.: *jujuba* + *-eira*.]

⊕ ***juke-box*** (*Ing. /diuque-bócs/*) *s2g.* 1 Máquina com capacidade para armazenar uma coleção de discos ou CDs, DVDs etc., provida de toca-discos (nesses formatos), e caixas de som; acionada ger. por meio de moedas ou fichas, utilizadas pelo usuário para escolher a música pretendida 2 *Inf.* Programa de computador us. para organizar e tocar diversos arquivos de música

julgado (jul.*ga*.do) *sm.* 1 *Jur.* A decisão do juiz ou de um júri; SENTENÇA 2 *Lus. Jur.* Área da jurisdição de juízes municipais *a.* 3 Que passou por julgamento (processo julgado) 4 Que obteve sentença final: *ré julgada e absolvida.* 5 Que se considera; ACHADO; CONSIDERADO; REPUTADO: *aluno julgado inteligente.* [F.: Part. de *julgar*.] ■ **Passar/transitar em ~** 1 *Jur.* Tornar-se (sentença) irrecorrível por não haver mais instância para recurso ou por ter decorrido o prazo legal para recurso 2 *P.ext.* Dar (um assunto) por encerrado

julgador (jul.ga.*dor*) [ô] *a.* 1 Que julga *sm.* 2 Pessoa que julga [F.: *julgar* + *-dor*.]

julgamento (jul.ga.*men*.to) *sm.* 1 Ação ou resultado de julgar, de formar opinião sobre algo 2 *Jur.* Processo de apreciação e decisão de uma questão levada a um juizado 3 *Jur.* Sessão em que se realiza esse processo; AUDIÊNCIA: *Depois do recesso, o julgamento passará à fase final.* 4 *Jur.* A decisão final de um juiz ou de um júri; DELIBERAÇÃO; SENTENÇA; VEREDICTO: *O julgamento foi favorável ao réu.* [F.: *julgar* + *-mento*.] ■ **~ prejudicial** *Bras. Jur.* No processo civil, aquele prévio da ação penal, e que pode prejudicar a ação reparatória do dano causado pelo crime em julgamento [Tb. apenas *prejudicial*.]

julgar (jul.*gar*) *v.* 1 *Jur.* Decidir, na condição de juiz [*int.*: *Teve de julgar severamente*.] 2 *Jur.* Pronunciar sentença sobre réu [*tdp.*: *O júri julgou o réu inocente*.] 3 Emitir parecer ou opinião sobre algo ou alguém; CONSIDERAR [*td.*: *Os críticos julgaram erradamente a sua teoria*.] 4 Supor(-se), considerar(-se), imaginar(-se) [*td.*: "...o homem julgou que ele já estivesse dormindo." (França Júnior, *Os dois irmãos*)] [*tdp.*: *Ele se julgava imune a críticas; Julgaram errôneo o seu parecer*.] 5 Decidir, resolver-se a [*td.*: *Julgaram que o melhor era continuar a viagem*.] 6 Avaliar, ajuizar [*tr.* + *de*: *Insistia em julgar da honestidade dos outros*.] [▶ 14 julgar] [F.: Do lat. *judicare*.]

julho (*ju*.lho) *sm. Cron.* O sétimo mês do ano. (Com 31 dias.) [F.: Do lat. *julius, ii*.]

juliano (ju.li:*a*.no) *a.* 1 *Hist.* Ref. a Caio Júlio César (imperador romano, 101 a.C./44 a.C.), a seu governo ou à sua época (período juliano) 2 Ref. à reforma cronológica feita por esse imperador, inaugurando o ano de 365,25 dias (calendário juliano) [F.: Do lat. *julianus,a,um*.]

jumentada (ju.men.*ta*.da) *sf.* 1 Conjunto de jumentos 2 *P.ext. Fig.* Ação tola, ger. impensada e repentina; ASNEIRA; BURRADA; JUMENTICE; TOLICE [Col. de *jumento*.] [F.: *jumento* + *-ada*[2].]

jumentice (ju.men.*ti*.ce) *sf.* Ver *jumentada* (2): "(...) oferece aos torcedores um Campeonato Brasileiro que é da mais deslavada jumentice (...)." (*Folha de São Paulo*, 23.08.1994) [F.: *jumento* + *-ice*.]

jumento (ju.*men*.to) *sm.* 1 *Zool.* Mamífero da fam. dos equídeos (*Equus asinus*), de or. africana, mas que se encontra atualmente presente em todo o mundo por ser facilmente domesticável, podendo ser usado no transporte de carga e como animal de tração; ASNO; BURRO; JEGUE; JERICO 2 *Fig. Pop.* Indivíduo pouco inteligente [F.: Do lat. *jumentum, i*.]

⊕ ***jumping*** (*Ing. /djâmpim/*) *sm. Esp.* No basquete, arremesso de bola feito por um jogador no meio do salto [F.: F. subst v. de *jumping*, fl. do v. ing. *to jump* 'saltar, pular'.]

juncado (jun.*ca*.do) *a.* 1 Coberto com juncos 2 Coberto com folhas, ramos ou quaisquer outros materiais (diz-se de campo, praia, estrada etc.): *Ao fim da luta o campo ficou juncado de corpos*; "O chão estava regado e juncado de erva-doce e de folhas de anêmonas." (Eça de Queirós, *A Relíquia*) [F.: *Part.* de *juncar*.]

juncal (*jun*.cal) *sm.* Porção de juncos próximos entre si; JUNQUEIRA [Pl.: *-cais*.] [F.: *junco*[1] + *-al*. Hom./Par.: *juncais* (pl.), *juncais* (fl. de *juncar*).]

◎ **-junção** *el. comp* = 'união'; 'aderência'; 'coerência': *abjunção, adjunção* (< lat.), *conjunção* (< lat.), *injunção* (< lat.), *subjunção, unijunção* [F.: Do lat. *junctio, onis*, do rad. do lat. *junctum*, supino do v.lat. *jungere*, 'pôr no mesmo jugo'; 'jungir'; 'prender'; 'unir'; 'juntar'; 'ligar', + suf. lat. *-io, onis* (ver *-ão*[3]). Esse elemento, resultado da integração do rad. do supino e o suf. lat., é o padrão formacional para nomes de ação dos verbos terminados em *-jungir*.]

junção (jun.*ção*) *sf.* 1 Ação ou resultado de juntar(-se); reunião de duas ou mais partes; JUNTURA; UNIÃO [Ant.: *disjunção, separação*.] 2 Lugar onde essas partes se juntam; AFLUÊNCIA; CONVERGÊNCIA; ENCONTRO: *junção de duas ruas.* [Pl.: *-ções*.] [F.: Do lat. *junctio,onis*. Ideia de 'junção', usar pref. *sinap(s/t)-* e *sinde(s/t)-*.] ■ **~ mioneural** *Histl. Fisl.* Terminação nervosa de fibra muscular, transmissora do impulso nervoso que causa a contração do músculo **~ PN** *Eletrôn.* Num semicondutor, limite entre uma área de dopagem P (ou seja, na qual se introduziram impurezas aceitadoras, átomos com elétron a menos) e de dopagem N (ou seja, na qual se introduziram impurezas doadoras, átomos com elétron a mais)

juncar (jun.*car*) *v.* 1 Cobrir com juncos [*td.*: *Juncou o piso do barraco*.] 2 Cobrir, encher de flores, folhas, ramos [*td.*: *Folhas secas juncavam o caminho*.] [*tdr.* + *de*: *O outono juncou de folhas secas o pátio da igreja*.] 3 *P. ext.* Cobrir, revestir [*td.*: *Tapetes finos juncavam o piso do corredor*.] [▶ 11 juncar] [F.: *junco* + *-ar*[2]. Hom./Par.: *juncais* (f l.), *juncais* (pl. de *juncal* [sm.]); *junco* (fl.), *junco* (sm.).]

juncional (jun.ci:o.*nal*) *a. Med.* Diz-se de fenômeno ou lesão que ocorre no limite de dois tecidos orgânicos distintos [F.: *junção* + *-al*, seg. o modelo erudito.]

junco[1] (*jun*.co) *sm. Bot.* Designação comum a várias plantas herbáceas das famílias das ciperáceas e juncáceas, flexíveis e lisas, que crescem em lugares úmidos e cujas folhas, trançadas, servem de material para fabricação de cestas, assentos, encostos de cadeiras etc. [F.: Do lat. cient. gên. *Juncus*. Hom./Par.: *junco* (fl. de *juncar*).]

junco[2] (*jun*.co) *sm.* 1 *Ant.* Antiga embarcação chinesa da época dos descobrimentos portugueses, empregada na guerra e no comércio, dotada de um a cinco mastros e velas distendidas 2 Nome que dão os europeus a diversas embarcações chinesas, com popa mais elevada que a proa, dois ou três mastros inteiriços, dotadas de velas latinas ou movidas a motor [F.: Do malaio *jung*.]

jundiá (jun.di.*á*) *sm. Bras. Ict.* Designação comum a vários peixes de couro da fam. dos pimelodídeos; JAÚ (1); MANGURIÚ [F.: Do tupi *yundi'a*.]

jundu (jun.*du*) *sm. Bras.* Vegetação arbustiva e arbórea densa adjacente às dunas ou praias; NHUNDU [F.: Do tupi *jun'du*.]

jungermanniale (jun.ger.man.ni.*a*.le) *sf. Biol.* Espécime das jungermanniales, ordem de hepáticas que reúne mais de 40 famílias, quase todas de talo folhoso, com duas fileiras de folhas laterais, encontradas em regiões tropicais [F.: Do tax. *Jungermanniales*.] ■ **~s acróginas** *Bot.* Na antiga classificação botânica, primeira ordem das hepáticas, que apresentam simetria bilateral e esporogônio terminal **~s anacróginas** *Bot.* Na antiga classificação botânica, segunda ordem das hepáticas, com folhas de formato indefinido e esporogônio dorsal

jungido (jun.*gi*.do) *a.* Que se jungiu; SUBJUGADO; SUBMETIDO: "...Era um servo jungido à tarefa dura..." (Euclides da Cunha, *Os sertões*) [F.: Part. de *jungir*.]

jungir (jun.*gir*) *v.* 1 Fazer junção de; LIGAR; JUNTAR; UNIR [*td.*: *Jungir objetos díspares*.] [*tdr.* + *a*.: *Jungir a emoção à razão*.] 2 *Fig.* Colocar lado a lado (animais) por meio de jugo [*td.*: *Jungiu os mulos para a tarefa*.] [*tdr.* + *a*.: *Jungem o búfalo ao arado*.] 3 Subjugar pela força, agrilhoar [*td.*: *Jungiu todas as tribos da região*.] [*tdi.* + *a*.: *Jungiu a tripulação à loucura do capitão*.] [▶ 46 jungir] [F.: Do lat. *jungere*.]

junguiano (jun.gui.*a*.no) *Psi. a.* 1 Ref. ao psicólogo e psiquiatra suíço Carl Gustav Jung (1875-1961), ou próprio de sua obra ou conceitos 2 Que segue os conceitos e métodos de Jung *sm.* 3 Admirador e/ou estudioso da obra de Jung 4 Especialista que segue os conceitos e métodos de Jung [F.: Do antr. (Carl Gustav) *Jung* + *-iano*.]

junho (*ju*.nho) *sm. Cron.* O sexto mês do ano. (Com 30 dias.) [F.: Do lat. *junius, ii*.]

junino (ju.*ni*.no) *a.* Ref. ao mês de junho ou aos festejos que nele se realizam (festa junina) [F.: *junho* (< lat. *junius*) + *-ino*.]

júnior (*jú*.ni:or) *a.* 1 Diz-se de pessoa que é mais jovem em relação a outra [É us. com inicial maiúsc. posposto a um antropônimo (por extenso ou de forma abreviada) para indicar que aquele é o mais jovem de dois parentes homônimos, ger. pai e filho (*Raul Freitas* e *Raul Freitas Jr.*).] 2 Diz-se de quem ainda está aprendendo uma atividade ou se encontra no início da carreira (pesquisador júnior, executivo júnior); INICIANTE 3 *Esp.* Que é principiante em certas atividades esportivas 4 *Adm. Econ.* Diz-se de organização empresarial formada por estudantes universitários de administração e economia que, auxiliados por professores, desenvolvem projetos de consultoria para empresas nas áreas financeira, organizacional e mercadológica [Pl.: *juniores* [ô]. Por oposição a *sênior*.] *sm.* 5 Qualquer uma dessas pessoas 6 *Esp.* Atleta que participa de categoria destinada a jovens: *Os juniores perderam mais uma partida*. [Pl.: *juniores* [ô]. Por oposição a *sênior*.] [F.: Do lat. *junior, oris*, comparativo de *juvenis, e*.]

juniores (ju.ni.*o*.res) [ô] *smpl.* 1 *Esp.* Classificação dada a equipes formadas por atletas com menos de 20 anos: *campeonato brasileiro de juniores*. 2 O conjunto desses atletas [F.: Pl. de *júnior*.]

junípero (ju.*ní*.pe.ro) *sm. Bot.* Ver *zimbro* [F.: Do lat. cient. gên. *Juniperus*.]

⊕ **junk bond** (*Ing.* /*diânqui bond*/) *loc.subst. Econ.* Título de alto risco, emitido ger. por empresa de baixa credibilidade no mercado, que oferece rendimentos elevados

⊕ **junk food** (*Ing.* /*diânqui fud*/) *loc.subst. Cul.* Alimento muito calórico com baixo valor nutricional: "...Comer 'junk food' e ainda 'fora de hora' pode provocar problemas digestivos, que incluem gastrite e até mesmo úlcera..." (*Folha de S. Paulo*, 28.01.1998)

junqueira[1] (jun.*quei*.ra) *sm.* O mesmo que *juncal* [F.: *junco* + *-eira*.]

junqueira[2] (jun.*quei*.ra) *sf. Bras.* Variedade de gado vacum, forte e corpulenta, procedente do N. de MG, cujos longos chifres eram us. na fabricação de berrantes [F.: Do antr. *Junqueira*, nome de um criador de gado.]

junqueiro (jun.*quei*.ro) *a. Bras.* Diz-se de certo tipo de gado bovino produzido por seleção do gado caracu [F.: Alter. de *junqueira*[2].]

junquilho (jun.*qui*.lho) *Bot. sm.* 1 Erva ornamental da fam. das amarilidáceas (*Narcisus jonquilla*), nativa da Europa, de flores amareladas e perfumadas 2 Erva bulbosa da fam. das amarilidáceas (*Zephyranthes grandiflora*), nativa do México, Guatemala, Jamaica e Cuba, cultivada como ornamental, com folhas lineares e flores róseas 3 A flor dessas ervas [F.: Do cast. *junquillo*.]

junta (*jun*.ta) *sf.* 1 *Anat.* Cada região do corpo em que dois ossos se articulam entre si por meio de tendões, ligamentos e outros tecidos; ARTICULAÇÃO 2 Grupo de pessoas convocadas para realizar ger. uma tarefa especializada: *Organizou-se uma junta médica para cuidar do paciente*. 3 Parelha de animais de tração (junta de bois) 4 *Cons.* Área estreita entre azulejos, tijolos, pedras etc. que ger. é preenchida por argamassa 5 *Mar.* Ligação entre superfícies planas de metal ou madeira que pode ser vedada com material de vedação, como borracha, amianto etc. 6 *Mar.* Esse material de vedação 7 Ponto ou superfície em que se aderem dois objetos; CONFLUÊNCIA 8 *PE BA MG* Ver *mutirão* 9 *Geol.* Ponto de contato entre duas camadas de rocha [F.: Fem. substv. do adj. *junto*. Hom./Par.: *junta* (fl. de *juntar*).] ■ **Cortar na ~** *Bras.* Chegar a um lugar (p.ex., para uma visita) exatamente na hora da refeição **~ comercial** *Bras.* Órgão administrativo encarregado do registro público de firmas comerciais, registro de seus contratos etc. **~ de bois** Parelha de bois unidos por jugo para o trabalho **~ de conciliação e julgamento** *Bras. Jur.* Órgão que julga em primeira instância causas da Justiça do Trabalho [É constituído por um juiz-presidente e dois vogais, um representando os empregadores, o outro os empregados.] **~ de dilatação** *Cons.* Fresta deixada entre partes de uma estrutura, entre as extremidades de seções de trilhos etc., para permitir a dilatação térmica do material sem provocar trincamento ou acavalamento **~ eleitoral** *Jur* Comissão que, nas seções eleitorais, em dia de eleições, orienta os eleitores e é responsável pela boa condução do processo eleitoral **~ médica** *Med.* Grupo de médicos, ger. especialistas, convocado por médico que trata de um paciente, para deliberar e decidir sobre diagnóstico e/ou tratamento do mesmo, em casos difíceis

juntada (jun.*ta*.da) *sf. Jur.* Termo de junção em um processo judicial: "A secretaria tinha exigido selos de juntada em tais documentos..." (Lima Barreto, *Os bruzundangas*) [F.: *juntar* + *-ada*[1].]

juntamento (jun.ta.*men*.to) *sm.* 1 O mesmo que *ajuntamento*: "Maurícia propôs um passeio pela estrada, e a sua proposta foi aceita. Dividiu-se o juntamento deste modo..." (Franklin Távora, *O sacrifício*) 2 *ES* Mobilização coletiva para auxílio mútuo; MUTIRÃO [F.: *junta(r)* + *-mento*.]

juntar (jun.*tar*) *v.* 1 Pôr(-se) junto, ajuntar; UNIR(-SE); REUNIR(-SE) [*td.*: *Juntou as coisas e caiu fora*.] [*tdr.* + *com*: *Juntou os livros com os discos*.] 2 Acrescentar; ADICIONAR; ANEXAR; ADIR [*tdi.* + *a*: *O juiz juntou novas provas ao processo*.] 3 Juntar uma coisa a outra de modo que se completem ou formem um só objeto [*td.*: *Juntou os cacos para tentar recompor a xícara*.] [*tdi.* + *a*: *Juntou o colarinho ao corpo da camisa*.] 4 Reunir (coisas) em algum lugar [*tda.*: *Juntou as camisas na parte superior do armário*.] 5 Economizar, amealhar [*td.*: *Juntara o dinheiro com dificuldade*.] 6 Coabitar, unir(-se) [*int.*: *Não queriam casamento: só se juntar*.] 7 Colecionar [*td.*: *Juntava selos desde criança*.] 8 Cruzar, acasalar animais [*td.*: *Juntou o casal de gatos*.] 9 *RJ MG Pop.* Agredir, sovar [*td.*: *À noite, mandou juntar o pobre do rapaz*.] [▶ 1 juntar] [F.: *junt(o)* + *-ar*[2]. Hom./Par.: *junta* (3ªp.s.), *juntas* (2ªp.s.), *junta* (sf. a. [pl.]); *junto* (1ªp.s.), *junto* (sm. e a.). Ant. ger.: *disjuntar*.]

junteira (jun.*tei*.ra) *sf.* 1 *Carp.* Plaina us. para abrir juntas nas bordas das tábuas; JUNTOURA 2 *Bot.* Planta da família das comelináceas (*Cartonema anomala*), nativa da Austrália [F.: *junta* + *-eira*.]

juntivo (jun.*ti*.vo) *Ling. a.* 1 Diz-se de palavra que marca a junção entre palavras, sintagmas ou frases *sm.* 2 Essa palavra [O juntivo corresponde à conjunção coordenativa da gramática tradicional.] [F.: Do fr. *jonctif*.]

junto (*jun*.to) *a.* 1 Que está a pouca distância (de outrem ou de outro); ADJACENTE; PRÓXIMO: *Eram terrenos juntos, por isso interessaram-no*. [Ant.: *afastado, distante*.] 2 Ligado, em contato físico; PEGADO: *De mãos juntas, implorava seu perdão*. [Ant.: *separado*.] 3 Reunido em par ou grupo; AGRUPADO; UNIDO: *Estão juntos há 20 anos; A turma estava junta para partir em excursão*. [Ant.: *afastado, separado*.] *adv.* 4 Perto ou ao lado de alguém ou algo: *Construiu a casa junto à praia*. [Ant.: *distante, longe*.] 5 Em anexo a, com acompanhamento de algo ou alguém; JUNTAMENTE: *Mandou o dinheiro junto com as instruções*. [Ant.: *separadamente*.] [F.: Do lat. *junctus, a, um*. Hom./Par.: junto (fl. de *juntar*).] ■ **Por ~** 1 Conjuntamente, de uma vez; ao mesmo tempo 2 Por atacado; em grosso

juntoura (jun.*tou*.ra) *sf.* 1 *Cons.* Pedra que vai de uma extremidade a outra de uma parede ou pilar 2 *Carp.* Plaina pequena, m. que *junteira* [F.: *juntouro* (*o* > *a*).]

juntura (jun.*tu*.ra) *sf.* 1 Ver *junção* (1) 2 Lugar onde duas peças se juntam 3 *Med.* O conjunto dos tendões, ligamentos e superfícies que ficam no encontro entre ossos, fazendo com que eles fiquem articulados entre si; ARTICULAÇÃO; JUNTA [F.: Do lat. *junctura,ae*. Ideia de 'juntura', usar antepos. *articul-* e *artr(i/o)-*.]

jupará (ju.pa.*rá*) *sm. Bras. Zool.* Mamífero arborícola da fam. dos procionídeos (*Potos flavus*), de hábitos noturnos, cujo comprimento do corpo varia entre 40 a 80 cm; encontrado do México ao Sudeste do Brasil, possui pelagem densa e macia, de cor marrom-avermelhada ou amarelada, cara arredondada, orelhas curtas, língua fina e alongada (que usa na captura de insetos, mel e néctar), e cauda longa e preênsil (que o auxilia na locomoção entre as copas das árvores); MACACO-DA-MEIA-NOITE; MACACO-DA-NOITE [F.: Do tupi *yupa'ra*.]

júpiter (*Jú*.pi.ter) *sm. Astron.* Quinto planeta do sistema solar a partir do Sol, e o maior deles [Com inicial maiúscula.] [F.: Do lat. *Jupiter*.]

📖 Júpiter é o maior planeta do sistema solar, com um volume cerce de 1.500 vezes maior que o da Terra, e o quinto mais distante do Sol, variando a distância, de acordo com a posição em sua órbita, entre 600 e 960 milhões de quilômetros. No entanto, sua densidade é 4 vezes menor que a da Terra, pois é formado em parte por gases. Em consequência disso, a velocidade de rotação varia, de acordo com a distância ao equador do planeta, mas na média é a maior entre as de todos os planetas: 12km/seg. Além da Terra, Júpiter é o único planeta que tem um campo magnético, que vai até 3 milhões de quilômetros de distância. A superfície apresenta várias faixas coloridas paralelas a seu equador, e há sinais da presença de água. Tem 27 satélites e anés como em Saturno, mas muito mais estreitos e ralos, formados por corpos minúsculos. Sondas, lançadas pelos Estados Unidos, já alcançaram Júpiter para estudá-lo: as Pioneer 10 e 11 (1974 e 1979), as Voyager 1 e 2 (1979), a Ulisses (1992) e a Galileu (1995)

jupiteriano (ju.pi.te.ri.*a*.no) *a.* 1 Ref. ou pertencente ao planeta Júpiter; JOVIANO 2 *Fig.* Altivo, imperioso, dominador [F.: *Júpiter* + *-iano*.]

juquiá (ju.qui.*á*) *Bras. sm.* 1 Artefato para pescaria us. nos lugares rasos e lodosos dos rios e lagoas; CUVU 2 *P. ext.* Armadilha feita de tábuas de taquara ou cipó us. para caçar ou pescar [F.: Posv. alter. de *jequiá* (q.v.).]

juquiraí (ju.qui.ra.*í*) *sm. Bras. Cul.* Pimenta moída com sal, us. como condimento pelos índios [F.: Do tupi *yukira'i*.]

juquiri (ju.qui.*ri*) *sm. Bras. Bot.* Árvore ou arbusto da fam. das leguminosas, subfam. papilionóidea (*Machaerium ferox*), encontrado na Amazônia, de madeira dura e escura e de cujas folhas se faz uma pasta com propriedade anti-inflamatória [F.: Do tupi *yuki'ri*.]

jura (*ju*.ra) *sf.* 1 Ação ou resultado de jurar; JURAMENTO 2 Promessa que se faz em tom solene ou a frase usada para esse fim; COMPROMISSO; VOTO 3 Ação ou resultado de amaldiçoar; MALDIÇÃO [Ant.: *bênção*.] [F.: Dev. de *jurar*. Hom./Par.: *jura* (fl. de *jurar*).]

jurado (ju.*ra*.do) *a.* 1 Que se prometeu solenemente 2 *Bras.* Que foi ameaçado de agressão ou morte: *bandido jurado pelos rivais*. *sm.* 3 Cada um dos componentes de um júri [F.: Do lat. *juratus, a, um*.]

juramentado (ju.ra.men.*ta*.do) *a.* Que prestou juramento (tradutor juramentado); AJURAMENTADO [F.: Part. de *juramentar*.]

juramentar (ju.ra.men.*tar*) *Jur. v.* 1 Tomar juramento de (réu, testemunha etc.) [*td.*: *Juramentar a testemunha*.] 2 Fazer jurar, ou obrigar a si mesmo por juramento [*td.*: *Juramentou o indiciado para levá-lo a contar a verdade*.] [*tdr.* + *de*: *Juramentou-se de não contar o triste episódio à mulher*.] 3 Declarar ou revelar sob juramento [*td.*: *Juramentou sua versão do fato*.] [▶ 1 juramentar] [F.: *juramento* + *-ar*[2]. Hom./Par.: *juramento* (fl.), *juramento* (sm.).]

juramento (ju.ra.*men*.to) *sm.* 1 Ação ou resultado de jurar: *A cerimônia encerrou-se com o juramento dos formandos*. 2 Promessa solene, ger. em nome de algo sagrado ou de alto valor moral 3 A fórmula dessa promessa: *Os professores renovaram o juramento feito na formatura*. [F.: Do lat. *juramentum, i*. Hom./Par.: *juramento* (fl. de *juramentar*).] ■ **~ de sangue** Promessa, compromisso ou pacto em que a pessoa derrama um pouco do próprio sangue para simbolizar a força e permanência da obrigação assumida **~ hipocrático** 1 Conjunto de deveres, princípios ou preceitos que orientam o médico no uso de seu saber e no exercício da profissão 2 Ato pelo qual o médico, ao se formar, compromete-se a obedecer a tais princípios e deveres

jurão (ju.*rão*) *sm. Bras.* Casa erguida sobre esteios para resistir às enchentes dos rios [Pl.: *-ãos*.] [F.: Posv. alter. de *jirau* (q.v.).]

jurar (ju.*rar*) *v.* 1 Afirmar ou prometer com plena segurança [*td.*: *Juraram sua inocência no tribunal*.] [*tdi.* + *a*: *Jurou fidelidade ao partido*; *Jurou-lhe amor para sempre*.] [*int.*: *Estava disposto a jurar sobre a Bíblia*.] 2 Asseverar, afiançar [*td.*: *Ele jurou que nunca mais bateria no garoto*: "Todo mundo juraria que ele foi meu amante." (Josué Montello, *Sempre serás lembrada*)] [*tdi.* + *a*: *Jurou a meu pai que jamais faria aquilo*.] 3 Acreditar em afirmação ou declaração de outrem [*tr.* + *em*: *Jurou nas declarações do depoente*.] 4 Chamar, invocar (o nome de uma divindade) [*td.*: *Jura o nome de Deus a todo instante*.] 5 Imprecar, praguejar [*tr.* + *contra*: *Jurava contra a sorte adversa*.] 6 Imbuir-se de uma decisão, de uma resolução [*tr.* + *de*: *Jurou de matá-lo*.] [▶ 1 jurar] [F.: Do lat. *jurare*. Hom./Par.: *jura* (3ª p.s.), *juras* (2ª p.s.), *jura* (sf. [pl.]); *juro* (1ª p.s.), *juro* (sm.); *jure* (1ª e 3ª p.s.), *júri* (sm.).]

jurássico (ju.*rás*.si.co) *a.* 1 *Geol.* Diz-se de período geológico da era mezosoica da Terra, caracterizado pelo depósito de espessas camadas calcárias e no qual predominaram os répteis 2 *Fig.* Que é muito velho ou ultrapassado: *Meu tio retirou seus discos jurássicos do baú*. *sm.* 3 *Geol.* O período jurássico (1) [Nesta acp., com inicial maiúscula.] [F.: Do fr. *jurassique*.]

📖 O jurássico é um período geológico da Terra que teve início há cerca de 200 milhões e durou cerca de 65 milhões de anos. Nele predominaram os répteis, principalmente os dinossauros (ver achega enciclopédica em dinossauro), algumas de cujas espécies foram os maiores animais que já houve na Terra. Havia também répteis alados e marinhos (ictiossauros e plesiossauros). Muitas das áreas de terra firme de hoje, em todos os continentes, estavam então cobertas pelo mar. As rochas do jurássico são hoje intensamente exploradas, ricas que são em sal, petróleo, carvão e metais. No jurássico surgiram as aves e os mamíferos, e muitas ordens de insetos (inclusive a mosca e a formiga)

jurema (ju.*re*.ma) *Bras. sf.* **1** *Bot.* Árvore da fam. das leguminosas, subfam. mimosoídea (*Pithecellobium tortum*), nativa do Brasil, armada de espinhos, com caule e ramos tortuosos, madeira dura e vagens escuras, rígidas e arqueadas **2** Bebida alucinógena feita com essa planta e us. em ritos religiosos **3** *PA Rel.* Seita que mescla elementos indígenas e africanos **4** *SP Gír.* Trabalho difícil e cansativo [F.: Do tupi.]

júri (*jú*.ri) *sm.* **1** *Jur.* Colegiado presidido por um juiz e formado por cidadãos convocados para, em conjunto, decidirem em um assunto que julga os candidatos ou suas obras em concursos literários, artísticos, de beleza etc; BANCA; JUNTA [F.: Do ing. *jury*.]

juricidade (ju.ri.ci.*da*.de) *sf.* O mesmo que *juridicidade* [F.: F. sincopada de *juridicidade*.]

juridicidade (ju.ri.di.ci.*da*.de) *sf.* **1** Qualidade ou caráter do que é jurídico **2** Conformidade ao direito, à lei; LEGALIDADE; LICITUDE [F.: *jurídico* + -*(i)dade*. Var.: *juricidade*.]

juridicismo (ju.ri.di.*cis*.mo) *sm.* Atitude que consiste em aferrar-se à fria letra da lei, sem procurar interpretá-la [F.: *juridic(o)* + -*ismo*.]

juridicista (ju.ri.di.*cis*.ta) *a2g.* Ref. ao ou conforme o juridicismo (expediente juridicista; prática juridicista) [F.: *juridicismo* + -*ista*.]

jurídico (ju.*rí*.di.co) *a.* **1** Ref. ao direito e ao que a ele concerne (parecer jurídico) **2** De acordo com os princípios e as disposições do direito; LEGAL; LÍCITO [Ant.: *ilegal, ilícito*.] [F.: Do lat. *juridicus,a,um*. Ant.ger.: *antijurídico, injurídico*.]

jurisconsulto (ju.ris.con.*sul*.to) *sm. Jur.* Quem é especializado em direito e dá parecer sobre questões jurídicas; JURISTA; JURISPRUDENTE [F.: Do lat. *jurisconsultus, i*.]

jurisdição (ju.ris.di.*ção*) *sf.* **1** Poder, decorrente da soberania de um Estado, para editar leis e ministrar a justiça **2** Autoridade concedida a instituições ou indivíduos para fiscalizar o cumprimento de determinadas leis e punir os infratores: *A sua jurisdição é sobre questões trabalhistas.* **3** Área na qual essa autoridade é válida **4** *Jur.* Cada uma das divisões do poder judiciário (jurisdição civil; jurisdição militar) **5** *Fig.* Campo ou área de atuação ou de conhecimento; ALÇADA; COMPETÊNCIA: *Cosmologia está definitivamente fora da minha jurisdição.* **6** *Rel.* Concessão dada a um religioso para exercer as ordens em determinada diocese **7** *CE* Área da fazenda sob a responsabilidade de um vaqueiro [Pl.: -*ções*.] [F.: Do lat. *jurisdictio, onis*.] ■ **~ contenciosa** *Jur.* Aquela exercida por juiz que julga questões ou partes em litígio; jurisdição *inter nolentes* **~ graciosa** *Jur.* Aquela exercida por juiz sobre fatos que não são objeto de litígio, quanto aos quais não há contestação; jurisdição *inter volentes*; jurisdição voluntária; **~ inter nolentes** *Jur.* Ver *Jurisdição contenciosa* **~ inter volentes** *Jur.* Ver *Jurisdição graciosa*. **~ voluntária** *Jur.* Ver *Jurisdição graciosa*

jurisdicional (ju.ris.di.ci:o.*nal*) *a2g.* Pertencente ou concernente a jurisdição [Pl.: -*nais*.] [F.: *jurisdição* (rad. *jurisdicion-*) + *al*.]

jurisdicionar (ju.ris.di.ci:o.*nar*) *v. td.* Exercer jurisdição sobre [► 1 jurisdicionar] [F.: *jurisdição* na *f. jurisdicion* + -*ar*.]

🌐 ***juris et de jure*** (*Lat./jurisêdejure*) *loc.adv.* **1** *Jur.* De direito e por direito; estabelecido por lei como verdade **2** Diz-se da presunção legal tida como expressão da verdade, que não admite prova em contrário

jurisprudência (ju.ris.pru.*dên*.ci:a) *sf.* **1** *Jur.* Interpretação da lei baseada em decisões de julgamentos anteriores, que formam uma tradição de decisões sobre causas semelhantes **2** Ciência que estuda as leis [F.: Do lat. *jurisprudentia, ae*.]

jurisprudencial (ju.ris.pru.den.ci.*al*) *a2g. Jur.* Ref. ou inerente à jurisprudência (decisão jurisprudencial; sanções jurisprudenciais) [Pl.: -*ais*.] [F.: *jurisprudência* + -*al*.]

jurisprudente (ju.ris.pru.*den*.te) *s2g.* Ver *jurisconsulto* [F.: Do lat. *jurisprudens, entis*.]

jurista (ju.*ris*.ta) *s2g.* Ver *jurisconsulto* [F.: Do fr. *juriste*.]

🌐 ***juris tantum*** (*Lat./júris tantum*) *Jur. loc.adv.* **1** Que diz respeito somente ao direito **2** Que resulta do próprio direito **3** Diz-se da presunção legal que mesmo estabelecida como verdadeira admite prova em contrário [F.: Do lat. *juris-* genit. sing. de *jus,juris* 'direito' + -*tantum* 'somente, apenas'.]

juriti (ju.ri.*ti*) *sf. Bras. Zool.* Nome comum a algumas spp. de pequenas pombas sul-americanas, esp. aquelas do gên. *Leptotila*, com cerca de 25 cm de comprimento e plumagem marrom, encontradas habitualmente no chão da mata, onde procuram alimento; JERUTI [F.: Do tupi *yuru'ti*. Tb. *juruti*.]

juro (*ju*.ro) *sm.* **1** Porcentagem acrescentada ao total de um empréstimo ou de uma compra a prazo, a ser paga pelo devedor: *juros de 4% ao mês.* **2** Rendimento de capital investido (juros da poupança) [Tb. fig. (*receber o amor de volta com juros*). Nas duas acp., mais us. no pl.] [F.: Do lat. *jus,juris* 'direito'.] ■ **~ composto** *Econ.* O que se calcula sobre o principal já acrescido de juros anteriores **~ de mora** *Econ.* Valor acrescentado ao juro normal como multa por atraso no pagamento **~ simples** *Econ.* O que se calcula apenas sobre o principal, sem acréscimo de juros, taxas etc. **Pagar com ~s** *Bras. Pop.* Sofrer castigo ou vingança mais fortes do que o mal causado; pagar caro

jurubeba (ju.ru.*be*.ba) *sf.* **1** *Bras. Bot.* Nome comum a várias espécies de plantas do gênero *Solanum*, da família das solanáceas, cujas raízes, folhas e frutos são us. como remédio ou na preparação de chás ou bebidas alcoólicas **2** *PI Gír.* Gratificação sobre salário [F.: Do tupi *yuru'wewa*.]

jurujuba (ju.ru.*ju*.ba) *sf. Bras. Bot.* Arbusto (*Verbena chamaedryfolia*), da fam. das verbenáceas, nativo do Brasil, de folhas membranáceas ovadas ou oblongas e grandes flores escarlates em espigas, de uso medicinal e cultivada como ornamental; CAMARADINHA; FORMOSO-SEM-DOTE; VERBERÃO [F.: Do tupi *ayuru'yuwa*.]

jurunas (ju.*ru*.na) *s2g.* **1** *Bras. Etnog.* Indivíduo dos jurunas, grupo indígena, do tronco linguístico tupi, que habita do alto rio Xingu (MT) e a margem direita do baixo rio Xingu (PA) *sm.* **2** *Gloss.* Família linguística do tronco tupi *a2g.* **3** Ref. aos jurunas ou à família linguística juruna [F.: Do tupi *ayuru'una*.]

jurupari (ju.ru.pa.*ri*) *sm.* **1** *Bras. Rel.* Entidade religiosa indígena, de caráter demoníaco **2** *Rel. Etnol.* Espírito mau, diabo, entre os missionários católicos do séc. XVI **3** *Bot.* Árvore da fam. das leguminosas, subfam. cesalpinioídea (*Eperua grandiflora*), nativa da Amazônia, de folíolos coriáceos e flores violáceas **4** *Etnog.* Dança indígena de que não participam as mulheres **5** *Mús.* Trompa comprida dos indígenas do alto Amazonas **6** *Zool.* Peixe da família dos ciclídeos (*Geophagus daemon*), encontrado no rio Negro, que atinge em média 20cm e tem o corpo de coloração vermelho-amarelada [F.: Do tupi *yurupa'ri*.]

jurupensém (ju.ru.pen.*sém*) *sm. Bras. Ict.* Ver *jurupoca* [F.: Do tupi *yuru-pensee*.]

jurupoca (ju.ru.*po*.ca) *sm. Bras. Ict.* Peixe teleósteo, siluriforme, da família dos pimelodídeos (*Hemisorubim platyrhynchus*), com ampla distribuição no Brasil, esp. nos rios da Amazônia, de coloração escura com manchas amareladas, boca prógnata, e cuja carne é muito apreciada; JURUPENSÉM; BOCA-DE-COLHER [F.: Do tupi *yuru'poka*. Var.: *jerupoca, jiripoca*.]

jururu (ju.ru.*ru*) *a2g.* **1** *Bras.* Que se encontra abatido, desanimado; ACABRUNHADO: *Ela estava jururu num canto da sala, esperando o namorado.* [Ant.: *animado, motivado*.] **2** Triste, melancólico, cabisbaixo [Ant.: *alegre, contente, feliz*.] [F.: Posv. do tupi *yuru-ru* 'pescoço pendido'.]

juruti (ju.ru.*ti*) *sf.* Ver *juriti*

jus *sm.* Direito a algo; MERECIMENTO; PRERROGATIVA [Us. esp. na loc. *fazer jus a*.] [F.: Do lat. *jus,juris* 'direito'.] ■ **Fazer ~ a** **1** Fazer o que é necessário para receber ou ter direito a (algo): *A candidata fez jus ao prêmio obtido.* **2** Merecer; corresponder a (designação, qualificação etc.): *Não faz jus à fama de desonesto.*

jusante (ju.*san*.te) *sf.* **1** Sentido da correnteza de um rio, desde que nasce até sua foz **2** *Desus.* Maré baixa, baixa-mar, vazante; BAIXA-MAR [Ant.: *maré-cheia, montante, preamar*.] [F.: Do fr. *jusant*.] ■ **A ~** Em direção ao lado em que vaza a maré, ou para onde corre um curso de água

juscelinismo (jus.ce.li.*nis*.mo) *sm.* **1** *Bras. Pol.* Pensamento, conjunto de ideias ou ação política do brasileiro Juscelino Kubitschek de Oliveira (1902-1976), presidente da República de 1956 a 1961 **2** Adesão ou apoio aos ideais e/ou à prática do juscelinismo [F.: Do antr. *Juscelino* (Kubitschek) + -*ismo*.]

juscelinista (jus.ce.li.*nis*.ta) *Bras. a2g.* **1** *Pol.* Ref. ao ou próprio do juscelinismo **2** Que é partidário do juscelinismo (partido juscelinista) *s2g.* **3** *Pol.* Pessoa partidária do juscelinismo: *Ele é um juscelinista histórico.* [F.: *juscelinismo* + -*ista*.]

🌐 ***jus eundi*** (*Lat./jus êundi*) *loc.subst. Jur.* Direito de ir e vir

jusfilósofo (jus.fi.*ló*.so.fo) *sm. Fil.* Filósofo especialista em direito [F.: *jus-* (< lat. *jus, juris* 'direito', 'justiça') + *filósofo*.]

jusnaturalismo (jus.na.tu.ra.*lis*.mo) *sm. Fil. Jur.* O mesmo que *direito natural* (ver no verbete *direito*) [F.: *jus* + *naturalismo*.]

jusnaturalista (jus.na.tu.ra.*lis*.ta) *Jur. a2g.* Ref. ou inerente ao jusnaturalismo (tese jusnaturalista) [F.: *jusnaturalismo* + -*ista*.]

juspositivismo (jus.po.si.ti.*vis*.mo) *sm.* **1** *Fil. Jur.* Corrente de pensamento, surgida no séc. XVII, que negava a racionalidade divina como legitimadora do poder despótico e tomava os direitos individuais como centro de referência da organização social; positivismo jurídico *sm.* **2** *Jur.* Reconhecimento do direito ditado pelas leis [F.: *jus-* + *positivismo*.]

juspositivista (jus.po.si.ti.*vis*.ta) *a2g.* **1** Ref. ao juspositivismo **2** Que é adepto do juspositivismo *s2g.* **3** Adepto do juspositivismo [F.: *juspositiv(ismo)* + -*ista*.]

🌐 ***jus sanguinis*** (*Lat./jussânguinis*) *loc.subst.* Princípio jurídico internacional que atribui nacionalidade a uma pessoa de acordo com a de seus pais [Cf.: *jus soli*.]

jussivo (jus.*si*.vo) *Gram. a.* **1** Diz-se das proposições que exprimem ordem *sm.* **2** O mesmo que *modo imperativo* (q.v.) [F.: Do lat. *jussus-*, rad. do part. pass. de *jubere*, 'ordenar' + -*ivo*.]

🌐 ***jus soli*** (*Lat./jus sóli*) *loc.subst.* Princípio jurídico internacional segundo o qual a nacionalidade de uma pessoa é determinada pelo país onde nasce [Cf.: *jus sanguinis*.]

◎ **just(a)-** *pref.* = contíguo, junto a, lado a lado: *justafluvial, justaposição*.

justa (*jus*.ta) *sf.* **1** *Hist.* Combate medieval entre dois cavaleiros que, com lanças, tentavam derrubar o oponente; TORNEIO **2** Disputa ou luta física entre dois oponentes **3** Grande polêmica; DISCUSSÃO **4** *Bras. Gír.* A polícia [F.: Dev. de *justar*. Hom./Par.: *justa* (fl. de *justar*).] ■ **À ~** Com exatidão, rigorosamente, nem mais nem menos

justafluvial (jus.ta.flu.vi:*al*) *a2g.* Que fica próximo de ou nas margens de um rio; RIBEIRINHO [Pl.: -*ais*.] [F.: *just(a)-* + *fluvial*.]

justalinear (jus.ta.li.ne:*ar*) *a2g.* Diz-se de tradução em que o texto correspondente a cada linha fica logo ao lado ou abaixo da mesma [F.: *justa-* + *linear*.]

justamarítimo (jus.ta.ma.*rí*.ti.mo) *a.* Que está localizado ao lado do mar [F.: *just(a)-* + *marítimo*.]

justapor (jus.ta.*por*) *v.* Pôr(-se) junto ou em contiguidade [*td.*: *Justapor objetos / cores.*] [*tdr.* + *a, sobre*: *Justapor um tijolo a outro; Justapor uma cor sobre outra.*] [*int.*: *Em Copacabana, os edifícios se justapõem.*] [►60 justapor] [F.: *just(a)-* + *pôr*.]

justaposição (jus.ta.po.si.*ção*) *sf.* **1** Ação ou resultado de justapor(-se); APOSIÇÃO; SUPERPOSIÇÃO **2** Condição de contiguidade ou adjacência de duas coisas postas juntas **3** *Gram.* Reunião de palavras para criar uma nova palavra (p.ex.: *bem-amado, passatempo*.) [Cf.: *composição* e *aglutinação*.] **4** *Gram.* Processo sintático em que orações são colocadas uma ao lado da outra, sem qualquer conectivo que as ligue (*Liguei o computador, abri um arquivo, corrigi um parágrafo.*); PARATAXE **5** *Biol.* Modo de crescimento, observado nos corpos inorgânicos, que se caracteriza pela adição de novas camadas à sua superfície [Pl.: -*ções*.] [F.: *justa-* + *posição*. Ideia de 'justaposição', usar pref. *en-*.]

justaposto (jus.ta.*pos*.to) [ô] *a.* Que está posto junto ou em contiguidade [+ *a*: *uma oração justaposta à outra*.] [F.: Do lat. *juxtapositus, a, um*.]

justar (jus.*tar*) *v.* **1** Participar de justa ou torneio [*int.*: *Era um cavaleiro que sabia justar com dignidade.*] **2** Jogar ou manejar (espada, florete etc.); ESGRIMIR [*td.*: *Justaram suas espadas e partiram para o confronto.*] [*tdr.* + *contra*: *Justou armas contra a corrupção.*] [► 1 justar] [F.: Do espn. *justar*, deriv. do cat. *justar* e do lat. *juxtare* 'pôr junto'. Hom./Par.: *justa(s)* (fl.), *justa(s)* (sf.[pl.]); *justo* (fl.), *justo* (a.sm.adv.).]

🌐 ***juste-milieu*** (*Fr./jüste miliê*) *sm.* **1** Meio-termo, posição equidistante de dois extremos opostos **2** *Pol.* Estilo de governo que consiste em manter equidistância com relação a partidos de direita e de esquerda [Pl.: (*fr.*) *justes-milieux*.]

justeza (jus.*te*.za) [ê] *sf.* **1** Qualidade própria daquilo em que há justiça: *a justeza da decisão.* **2** Característica presente onde não há folga, espaço ou tempo: *justeza da calça; justeza do horário.* **3** Precisão em um cálculo ou avaliação; EXATIDÃO [F.: Do lat. *justitia*.]

justiça (jus.*ti*.ça) *sf.* **1** Situação em que cada um recebe o que lhe cabe, como resultado de seus atos ou de acordo com os princípios e a lei da sociedade em que vive [Ant.: *injustiça*.] **2** Capacidade ou virtude de ser imparcial ao julgar e de ser conforme à lei e à ética; ISENÇÃO [Ant.: *injustiça*.] **3** Funcionamento harmonioso de uma sociedade, com direitos e deveres iguais para todos os cidadãos; EQUIDADE [Ant.: *injustiça*.] **4** Conjunto de instituições e profissionais responsáveis pela aplicação das leis de uma sociedade **5** O poder judiciário [Inicial maiúsc.] **6** O exercício desse poder **7** Cada jurisdição encarregada de exercer esse poder (Justiça Militar); ALÇADA; FORO; INSTÂNCIA **8** Reconhecimento do valor de alguém ou de algo: *O tempo é que irá fazer-lhe justiça.* [F.: Do lat. *justitia,ae*. Hom./Par.: *justiça* (fl. de *justiçar*).] ■ **~ do trabalho** *Jur.* Conjunto das instituições judiciárias (no Brasil, de âmbito federal) responsáveis pela resolução de controvérsias nas relações de trabalho entre patrões e empregados – seja quanto à realização do trabalho e à garantia de condições para este, seja quanto à remuneração etc. **Fazer ~ pelas próprias mãos** Assumir alguém, pessoalmente e à sua discrição, a punição de crime cujo julgamento e sentença caberiam à Justiça

justiçado (jus.ti.*ça*.do) *a.* **1** Diz-se de quem foi supliciado ou punido até a morte *sm.* **2** Indivíduo justiçado [F.: Part. de *justiçar*.]

justiçador (jus.ti.ça.*dor*) [ô] *sm.* Aquele que faz justiça [F.: *justiça(r)* + -*dor*.]

justiçamento (jus.ti.ça.*men*.to) *sm.* Ação ou resultado de justiçar [F.: *justiça(r)* + -*mento*.]

justiçar (jus.ti.*çar*) *v. td.* **1** Punir (alguém) com morte ou com suplício corporal: *Justiçou o bandido com um tiro no peito.* **2** *Ant.* Aplicar justiça com grande severidade: *O professor justiçou os alunos que conversavam em aula.* [► 12 justiçar] [F.: *justiça* + -*ar*².] Hom./Par.: *justiça(s)* (fl.), *justiça(s)* (sf.[pl.]).]

justiceiro (jus.ti.*cei*.ro) *a.* **1** Que aplica a justiça **2** Que é rigoroso na observação das leis e na punição de infratores; DURO; SEVERO [Ant.: *flexível, indulgente*.] *sm.* **3** Pessoa que se encarrega de fazer justiça pelas próprias mãos [F.: *justiça* + -*eiro*.]

justicialismo (jus.ti.ci:a.*lis*.mo) *sm.* **1** *Pol.* Doutrina política de Juan Domingo Perón (1895-1974), presidente da Argentina três vezes (em 1946, 1949 e 1951) **2** Pensamento e ação política dos justicialistas [F.: De um espn. **justicialismo* (neologismo criado por Perón). Sin. ger.: *peronismo*.]

justicialista (jus.ti.ci:a.*lis*.ta) *a2g.* **1** *Pol.* Ref. ou pertencente ao justicialismo **2** Que é partidário do justicialismo *s2g.* **3** *Pol.* Pessoa partidária do justicialismo [F.: Do espn. *justicialista*. Sin. ger.: *peronista*.]

justificação (jus.ti.fi.ca.*ção*) *sf.* **1** Ação ou resultado de justificar(-se) **2** Conjunto de argumentos ou razões que são apresentados em favor ou contra alguma coisa: *A justificação da teoria era muito complexa.* **3** Conjunto de razões ou motivos apresentados para justificar um comportamento; JUSTIFICATIVA: *Sua justificação para o desvio de recursos não convenceu ninguém.* **4** *Jur.* Apresentação de provas durante um processo **5** *Jur.* Prova judicial de um fato alegado mediante exibição de documentos ou testemunhas **6** Reabilitação, regeneração: *Absolvido, obteve a promessa de justificação de seu nome.* [Ant.: *degeneração, desonra.*] **7** *Tip.* Composição em linhas de igual comprimento, alinhadas à esquerda e à direita (justificação de texto) [Pl.: -*ções.*] [F.: Do lat. *justificatio, onis.*]

justificado (jus.ti.fi.*ca*.do) *a.* **1** Que teve ou tem justificação *a.* **2** Demonstrado por argumentos plausíveis; FUNDAMENTADO; LEGITIMADO **3** *Art.gr.* Diz-se da composição, sob determinada medida, de um texto ou de coluna que tem todas as linhas alinhadas à direita e à esquerda *sm.* **4** *Jur.* Aquele que é citado numa justificação judicial, para prova, como parte **5** *Teol.* O cristão em estado de graça ou de justiça [F.: Do lat. *justificatus, a, um*, part. pass. do v. *justificare* 'fazer justo, justificar'.]

justificador (jus.ti.fi.ca.*dor*) [ó] *a.* **1** Que justifica **2** Que serve para justificar **3** *Teol.* Que torna justo interiormente *sm.* **4** O que justifica **5** *Art.gr.* Aparelho próprio para dar o espacejamento das linhas de matrizes em certas máquinas compositoras **6** *Art.gr.* Operário gráfico encarregado da justificação da composição [F.: Do lat. *justificator, oris* 'aquele que justifica'.]

justificar (jus.ti.fi.*car*) *v. td.* **1** Provar a inocência de (alguém ou si próprio) **2** *Jur.* Provar em juízo **3** Demonstrar a necessidade, a justeza ou as razões de; FUNDAMENTAR: *Nem sempre os fins justificam os meios; Justifica sua tese com argumentos de autoridades; Errou e tentou justificar-se.* **4** Tornar legítimo, válido; LEGITIMAR: *Nada pode justificar uma ditadura.* **5** Apresentar argumento que sirva como motivo, como desculpa: *Essas ofensas graves justificaram a agressão.* **6** Apresentar razões para explicar os próprios atos: *Falou muito, mas não conseguiu justificar-se.* **7** *Art. gr.* Alinhar as margens de um texto, modificando o espaço entre as letras e/ou palavras [▶ **11** justifi**car**] [F.: Do lat. *justificare.* Hom./par.: *justificáveis* (fl.), *justificáveis* (pl. justificável [adj.2g.]).]

justificativa (jus.ti.fi.ca.*ti*.va) *sf.* Argumento, documento etc. que constitui prova de veracidade de um fato ou da justiça de uma ação ou situação: *Apresentou um atestado médico como justificativa da falta.* [+ *de, para*: *Qual a justificativa de/para seu atraso?*] [F.: Fem. substv. de *justificativo.*]

justificativo (jus.ti.fi.ca.*ti*.vo) *a.* Que serve como justificativa ou que apresenta justificativas (memorial justificativo) [F.: *justificar* + -*tivo.*]

justificatório (jus.ti.fi.ca.*tó*.ri:o) *a.* Que serve para justificar (ideologia justificatória) [F.: *justificado* (rad. lat. *justificat-*) + -*ório.*]

justificável (jus.ti.fi.*cá*.vel) *a2g.* Que se pode justificar (comportamento justificável) [Pl.: -*veis.*] [F.: *justificar* + -*vel.* Hom./Par.: (pl.) justificáveis, justificáveis (fl. de *justificar*).]

justilho (jus.*ti*.lho) *sm. Vest.* Espécie de colete muito justo [F.: Do espn. *justillo.*]

justo (*jus*.to) *sm.* **1** Pessoa que se comporta de acordo com a justiça, a equidade e a razão **2** *Teol.* Pessoa que se revela pura perante Deus: "*Os justos herdarão a terra e nela habitarão para sempre*" (Salmo 37: 29). *a.* **3** Que é ou está conforme à justiça e à equidade (causa justa) [+ (*para*) *com*: *professor justo (para) com os alunos.*] **4** Que é imparcial (policial justo); ISENTO [Ant.: *injusto, parcial.*] **5** Que tem precisão, rigor; EXATO; PRECISO: *A bailarina executava movimentos justos.* [+ *em*: *discurso justo nos seus termos.* Ant.: *impreciso, inexato.*] **6** Em que não há folga, de espaço ou de tempo (calça justa, cronograma justo) [+ (*para*) *com*: *professor justo (para) com os alunos.*] **7** Que é apropriado; ADEQUADO; CONVENIENTE; OPORTUNO: *Sabia falar na hora justa.* [Ant.: *descabido, inadequado, inconveniente.*] **8** Que foi ajustado, combinado, tratado [Ant.: *descombinado.*] *adv.* **9** Logo, exatamente, precisamente: *Fiquei doente justo nas férias.* [F.: Do lat. *justus, a, um.* Hom./Par.: *justo* (fl. de *justar*). Ideia de 'justo', usar suf. -*diceia.*] ▌**Pagar o ~ pelo pecador** Receber castigo ou repreensão por erro, falta ou delito cometido por outrem. (Usa-se quando alguém inocente é punido no lugar do verdadeiro culpado, ou quando, por causa do erro de um ou de alguns que não puderam ser identificados, um grupo inteiro é castigado.)

juta (*ju*.ta) *sf.* **1** *Bot.* Erva alta, da fam. das tiliáceas (*Corchorus capsularis*), originária da Índia, de cujo caule se extraem fibras us. na fabricação de tecidos **2** *Bot.* As fibras dessa planta **3** O tecido feito com essas fibras [F.: Do ing. *jute.*]

juvenato (ju.ve.*na*.to) *sm.* **1** *Rel.* Estágio de estudos e formação, em certas ordens ou congregações católicas, de jovens para a vida eclesiástica e exercício do magistério religioso **2** Estabelecimento de ensino e preparação de jovens para a carreira religiosa [F.: Do lat. *juvenis*, 'jovem', + -*ato¹*.]

juvenil (ju.ve.*nil*) *a2g.* **1** Ref. a jovem ou juventude (público juvenil) **2** Que é destinado a jovens (literatura juvenil) **3** Que é praticado por jovens (criminalidade juvenil) **4** Que aparece durante a puberdade (acne juvenil) **5** *Esp.* Que é composto por jovens entre 16 e 17 anos (seleção juvenil) *sm.* **6** *Esp.* O jovem entre 16 e 17 anos que pratica um esporte coletivo em uma equipe destinada a essa faixa etária: *Os juvenis do meu time ganharam mais um campeonato.* **7** *Esp.* Essa equipe ou categoria esportiva: *Joga no juvenil do Flamengo.* [Pl.: -*is.*] [F.: Do lat. *juvenilis, e.*]

juvenilidade (ju.ve.ni.li.*da*.de) *sf.* Ver *juventude* [F.: Do lat. *juvenilitas, atis.*]

juvenilização (ju.ve.ni.li.za.*ção*) *sf.* Ação ou resultado de tornar(-se) juvenil, de rejuvenescer [Pl.: -*ções.*] [F.: *juvenilizar* + -*ção.*]

juventude (ju.ven.*tu*.de) *sf.* **1** Qualidade ou condição de jovem: *o vigor da juventude.* **2** Fase da vida que começa na adolescência e termina na idade adulta; MOCIDADE; JUVENILIDADE: *A juventude foi a melhor época da minha vida.* [Ant.: *maturidade, velhice.*] **3** A gente jovem, como um todo; GAROTADA; MOÇADA: *A juventude dos anos 70 foi muito contestadora.* [Ant.: *velharia.*] **4** Fase na qual um animal ou uma planta ainda está alcançando seu completo desenvolvimento [F.: Do lat. *juventus, utis.*]

K k

↓	Fenício
ꓘ	Grego
K	Grego
ꓘ	Etrusco
ꓘ	Romano
K	Romano
—	Minúscula carolina
K	Maiúscula moderna
k	Minúscula moderna

O *k* é provavelmente umas das letras que menos sofreram alterações. O *kaph*, seu antecessor semita, representava a palma de uma mão aberta. O *kaph* assumiu diversas formas, sobretudo entre os fenícios, até ser empregado pelos gregos, que tornaram seu desenho mais simétrico. Entre os gregos, a letra foi chamada de capa, tendo sido subsequentemente adotada pelos etruscos e romanos.

k¹ [cá] *sm.* **1** Letra proveniente do alfabeto latino, presente no alfabeto da língua portuguesa (a partir do AOLP), us. em abreviatura, estrangeirismos e nomes próprios: *kg* (*quilograma*), *ketchup*, *Karen*, *Karina* num. **2** O undécimo em uma série (alínea k)
⊠ **K²** *Quím.* Símb. de *potássio* **2** *Fís.* Símb. de *kelvin*
⊕ **kabuki** (*Jap. /kabuki/*) *sm. Teat.* Ver *cabúqui*
⊕ **kadish** (*Aram. /kadij/*) *sm.* **1** *Litu.* Prece que os judeus enlutados recitam durante os serviços religiosos na sinagoga por 11 meses, após o falecimento do pai ou da mãe; é uma oração de reflexão, um hino de louvor a Deus para a elevação da alma **2** *Rel.* Oração judaica em sinal de luto pelos mortos
kafkiano (kaf.ki.*a*.no) *a.* **1** Ref. a ou próprio de Franz Kafka (1883-1924), escritor nascido em Praga, então Tchecoslováquia, hoje República Tcheca (narrativa kafkiana, filme kafkiano) **2** Que, à maneira de Kafka, apresenta uma atmosfera de pesadelo e uma angústia peculiar que remete ao absurdo da existência humana na civilização atual: *detalhe surrealista em um enredo kafkiano* [Ant.: *plausível*, *real*.] *sm.* **3** Aquele que é grande admirador de Kafka e/ou especialista em sua obra [F: Do antr. Franz *Kafka* + -*iano*.]
kaiser (*Al. /cáiser/*) *sm.* Designação e título do imperador do Sacro Império Germânico (962-1806) e esp. da Alemanha do séc. XIX [Com inicial maiúsc. em alemão.]
kakuro (*Jap./kakuro/*) *sm.* Jogo de raciocínio lógico formado por uma grade composta de célula preenchidas (divididas por um traço diagonal que separa dois números, chamados de dica) e células brancas (chamadas entradas); nestas deve-se colocar números de 1 a 9 de tal forma que a soma dos números (devem ser números distintos) das entradas de cada linha ou coluna seja igual ao número da dica associada
kalapalo (ka.la.*pa*.lo) *smpl. Bras. Etnol.* Ver *calapalos*
⊕ **kamikaze** (*Jap. /camicáse/*) *sm.* **1** Piloto suicida japonês, na Segunda Guerra Mundial **2** O avião us. em ataques suicidas
⊕ **kana** (*Jap. /kana/*) *sm. Ling.* No moderno sistema caligráfico japonês, cada um dos dois silabários desenvolvidos para complementação dos ideogramas chineses (*kanji*): o *hiragana* e o *katakana*
kantiano (kan.ti.*a*.no) *a.* **1** Ref. a ou pertencente ao filósofo alemão Immanuel Kant (1724-1804) ou à sua obra **2** Que segue as ideias, o pensamento de Kant *sm.* **3** Grande admirador ou estudioso de Kant [F.: Do antr. al. (*Imannuel*) *Kant* + -*iano*. Sin.ger: *kantista*.]
kantismo (kan.*tis*.mo) *sm. Fil.* Sistema filosófico do pensador alemão Immanuel Kant (1724-1804), chamado crítico por ter sido apresentado sob a forma de três *Críticas*, a da *Razão Pura* (1781), a da *Razão Prática* (1788) e o do *Juízo* (1790), e caracterizado principalmente pelo criticismo transcendental, ou exame das faculdades cognoscitivas com o objetivo de determinar os elementos *a priori* do conhecimento [F.: Do antr. al. (*Immanuel*) *Kant* + -*ismo*.]
kantista (kan.*tis*.ta) *a2g.* **1** Ref. a Immanuel Kant (1724-1804, filósofo alemão) ou ao kantismo **2** Que é sectário do kantismo *s2g.* **3** Sectário do kantismo [F.: Do antr. al. (*Immanuel*) *Kant* + -*ista*.]
káon (*ká*.on) *sm. Fís.nu.* Denominação que se dá aos mésons de massa equivalente à metade da massa do próton e que contém um *quark* e um antiquark estranho. [Símb.: K]
⊕ **karaokê** (*Jap. /caraoquê/*) *sm.* Ver *caraoquê*
kardecismo (kar.de.*cis*.mo) *sm. Rel.* Doutrina religiosa que prega a reencarnação do espírito, codificada pelo francês Allan Kardec (1804-1869) [F.: Do antr. (*Alan*) *Kardec* + -*ismo*. Cf. *espiritismo*.]
kardecista (kar.de.*cis*.ta) *a2g.* **1** Ref. a Allan Kardec ou ao kardecismo **2** Diz-se de pessoa que segue a doutrina de Allan Kardec *s2g.* **3** Essa pessoa [F.: Do antr. (*Alan*) *Kardec* + -*ista*.]
⊕ **kart** (*Ing. /cart/*) *sm. Aut.* Automóvel pequeno de competição, com embreagem automática e sem carroceria, câmbio de marchas ou suspensão
kartismo (kar.*tis*.mo) *sm. Aut.* Tipo de competição esportiva constituída por corridas de *karts* [F.: *kart* + -*ismo*.]
kartista (kar.*tis*.ta) *a2g.* **1** Ref. ao kartismo (competição kart-ista) e que o pratica *s2g.* **2** Aut. Piloto de *kart* [F.: *kart* + -*ista*.]
kartódromo (kar.*tó*.dro.mo) *sm.* **1** *Aut.* Pista desenhada e construída esp. para corridas de *kart*: *Um kartódromo deve ter traçado específico, ampla área de escape e muita segurança*.
2 O local onde se disputam essas corridas: *o kartódromo do Rio de Janeiro*. [F.: *kart* + -*o*- + -*dromo*.]
⊠ **kb¹** *Inf.* Símb. de *kilobit*
⊠ **kB²** *Inf.* Símb. de *kilobyte*
⊠ **kcal** *Fís.* Símb. de *quilocaloria*
⊕ **keds** (®) (*Ing. /quéds/*) *sm.* Calçado de modelo simples, feito de lona ou de couro, com sola de borracha flexível
kelvin (*kel.*vin) *sm. Fís.* Unidade internacional de medida de temperatura, na qual zero grau é o "zero absoluto" e equivale a -273,16 °C [Símb.: K] [F.: Do título (*barão de*) *Kelvin*, de William Thonson (1824-1907), físico inglês.]
kemalismo (ke.ma.*lis*.mo) *sm. Pol.* Movimento nacionalista turco fundado por Mustafa Kemal Atatürk (1881-1938, estadista e primeiro presidente da República da Turquia) e apoiado pelo partido republicano que mantinha o poder [F.: Do antr. (*Mustafa*) *Kemal* (*Atatürk*) + -*ismo*.]
kemalista (ke.ma.*lis*.ta) *a2g.* **1** Ref. ao kemalismo, regime político liderado por Mustafa Kemal Atatürk (1881-1938, estadista turco) **2** Que é seguidor desse regime político *s2g.* **3** Aquele que é adepto do kemalismo [F.: Do antr. (*Mustafa*) *Kemal* (*Atatürk*) + -*ista*.]
kepleriano (ke.ple.ri.*a*.no) *a.* Ref. a ou próprio dos estudos e teorias do astrônomo alemão Johannes Kepler (1571-1638), descobridor do movimento elíptico das órbitas planetárias [F.: Do antr. (*Johannes*) *Kepler* + -*iano*.]
⊕ **kerning** (*Ing. /quérning/*) *sm. Edit. Inf.* Adaptação automática do espaço entre caracteres a fim de se obter um efeito óptico agradável e melhor legibilidade [F.: Do ing. *kern*, 'parte lateral saliente de uma letra tipográfica' + suf. ing. -*ing*.]
⊕ **ketchup** (*Ing. /quétchap/*) *sm. Cul.* Molho espesso feito de tomate, vinagre e especiarias, com leve sabor adocicado [F.: Do ing. *ketchup*.]
⊕ **keV** *Fís.* Símb. de *quiloelétron-volt*
keynesianismo (key.ne.si.a.*nis*.mo) *sm. Econ.* Elenco de proposições apresentadas pelo economista inglês John Maynard Keynes (1883-1946) que previa uma agressiva intervenção do Estado na economia, objetivando maximizar o nível de emprego e controlar com eficiência a inflação [F.: *keynesiano* + -*ismo*.]
keynesiano (key.ne.si.*a*.no) *a.* **1** Ref. ao economista britânico John Maynard Keynes (1883-1946) ou à sua teoria **2** Que é adepto de sua teoria econômica *sm.* **3** Aquele que concorda com as suas teses ou as utiliza [F.: Do antr. ing. (*John Maynard*) *Keynes* + -*iano*.]
⊠ **kg** *Fís.* Símb. de *quilograma*
⊠ **kgf** *Fís.* Símb. de *quilograma-força*
⊠ **kgfm** *Fís.* Símb. de *quilogrâmetro*
⊕ **khmer** (*khmer /kimér/*) *a2g. s2g.* **1** Ver *cambojano sm.* **2** *Gloss.* Ver *cambojano*
⊠ **kHz** *Fís.* Símb. de *quilo-hertz*
⊕ **kibutz** (*Hebr. /quibúts/*) *sm.* Fazenda em Israel, economicamente independente, na qual tanto a administração quanto o trabalho são coletivos [Pl.: *kibutzim*.]
kierkegaardiano (ki:er.ke.ga.ar.di.*a*.no) *a.* **1** Ref. ao escritor, filósofo e teólogo dinamarquês Sören Aabye Kierkegaard (1813-1855), ou à sua teoria e pensamento sobre o existencialismo **2** Que é seguidor de sua doutrina ou conhecedor de sua obra *sm.* **3** Aquele que é seguidor da doutrina de Kierkegaard ou conhecedor de sua obra [F.: Do antr. dinamarquês (*Sören Aabye*) *Kierkegaard* + -*iano*.]
⊕ **kikongo** (ki.*kon*.go) *sm. Gloss.* Ver *quicongo*
⊕ **kilobit** (*Ing. /quílobit/*) *sm. Inf.* Unidade de medida de informação equivalente a 1.024 bits [Símb.: kb]
⊕ **kilobyte** (*Ing. /quílobait/*) *sm. Inf.* Unidade de medida de informação equivalente a 1.024 bytes [Símb.: kB]
⊕ **kilt** (*Ing. /quilt/*) *sm.* Saiote típico do traje masculino escocês, cuja barra fica à altura dos joelhos, feito de lã com desenho xadrez
kimberlito (kim.ber.*li*.to) *sm. Min.* Rocha magmática vulcânica, composta principalmente de olividina e flogopita, encontrada nas chaminés diamantíferas de Kimberley (África do Sul), e que constitui a rocha matriz do diamante [F.: Do top. *Kimberley* + -*ito²*.]
kiribatiano (ki.ri.ba.ti.*a*.no) *sm.* **1** Aquele que nasceu ou que vive no Kiribati (sudoeste do oceano Pacífico) *a.* **2** Do Kiribati; típico desse país ou de seu povo [F.: Do top. *Kiribati* + -*ano¹*.]

⊕ **kirsch** (*Al. /kirch/*) *sm.* Bebida típica da Europa Central, significa literalmente "água de cereja". Destilado do suco fermentado de cerejas pretas cultivadas ao longo do rio Reno, é uma bebida seca, incolor e de sabor frutado com, no mínimo, 45% de álcool, devendo ser consumido preferencialmente gelado, como digestivo. Utilizado tb. na preparação de drinques, musses, bolos e esp. na *fondue* de queijo [Em al. com inicial maiúscula.]
⊕ **kit** (*Ing. /quit/*) *sm.* **1** Conjunto de peças, agrupadas em embalagem única, que têm entre si uma relação estreita e um objetivo comum (kit de maquiagem, kit de primeiros socorros) **2** Conjunto de elementos para montagem de uma peça que tem finalidade lúdica (kit de aeromodelismo, kit de automobilismo)
⊕ **kitchenette** (*Ing. /quítchinet/*) *sf.* Ver *quitinete*
⊕ **kitesurf** (*Ing. /cáitsarf/*) *sm. Esp.* Modalidade de surfe em que a prancha é puxada por um parapente
kitesurfista (ki.te.sur.*fis*.ta) *s2g. Esp.* Aquele ou aquela que pratica *kitesurf*. [F.: *kitesurf* + -*ista*.]
⊕ **kitsch** (*Al. /quitch/*) *a2g2n.* **1** Diz-se de estilo, manifestação artística, objeto etc. considerado de mau gosto e de apelo popular: *uma poltrona kitsch*. *sm2n.* **2** Esse estilo [Nesta acp., com inicial maiúsc.] [F.: No al. *Kitsch* (lit.), 'lixo'.]
⊕ **kiwi** (*Ing. /quiuí/*) *sm.* **1** *Bot.* Fruto (*Actinidia deliciosa*) originário do sudoeste Asiático, de polpa verde, e cuja casca marrom e fina apresenta ligeira penugem **2** *Zool.* Nome comum às aves, não voadoras, da fam. dos apterigídeos (gên. *Apteryx*), encontradas unicamente na Nova Zelândia; têm o tamanho de uma galinha-doméstica, patas curtas e fortes, bico longo e curvo, asa vestigiais e cauda ausente
⊕ **klaxon** (*Ing. /klákson*.) *sm.* Buzina de automóveis: "Hoje, exige-se a pista, qual patrão, usando o klaxon com estridência que, há poucos anos, podia dar cadeia." (Paulo Cesar Sandler, *Instituições e guerra*) [F.: Da marca registrada ing. *Klaxon*.]
⊠ **km** Símb. de *quilômetro*
⊠ **km/h** Símb. de *quilômetro por hora*
⊕ **knob** (*Ing. /nab/*) *sm. Radt.* Peça giratória fixada na extremidade do pino central de um potenciômetro, para ajuste de volume em rádios, aparelhos de som, instrumentos elétricos, etc.; BOTÃO
⊕ **know how** (*Ing. /nôu-rau/*) *sm.* Conhecimento que se tem em determinada área ou habilidade técnica para exercê-lo: *Temos know-how em informática*.
⊠ **K.O.** Abrev. do ing. *knock-out*, ver *nocaute*
⊕ **kômbi** (*kôm*.bi) *sf.* Automóvel utilitário para transporte de passageiros ou carga fabricado pela Volkswagen do Brasil nas versões Furgão, Standard, Escolar e Lotação [F.: Do al. *kombinationskraftwagen* (veículo combinado).]
⊕ **kóre** (*Gr. /Kóre/*) *sf. Esc.* Estátua grega que representava uma moça coberta com um manto, ao contrário de *koûros*, que era uma forma masculina esculpida de pé e totalmente despida [Pl.: (*gr.*) *kórai*.]
⊕ **kosher** (*Idiche /cósher/*) *a2g2n.* **1** *Cul.* Diz-se de comida preparada de acordo com a lei judaica **2** Diz-se de pessoa que se comporta conforme a lei judaica **3** Diz-se de pessoa honesta
kosovar (ko.so.*var*) *s2g.* **1** Pessoa nascida ou que vive em Kosovo, província da Sérvia que proclamou independência em 2008 *a2g.* **2** De Kosovo, típico dele ou de seu povo [F.: Do top. *Kosovo* + -*ar¹*.]
⊕ **koûros** (*Gr. /koûros/*) *sm. Esc.* Estátua grega que representava um rapaz totalmente despido, ao contrário de *kóre*, que era a forma feminina coberta com um manto [Pl.: (*gr.*) *koûroi*.]
⊠ **Kr** *Quím.* Símb. de *criptônio*
⊕ **kremlim** (*Rus. /kremlin/*) *sm.* **1** Bairro central fortificado das cidades russas antigas **2** Antiga residência dos czares, sede administrativa e política ao tempo da União Soviética e atual centro do governo russo **3** *P.ext.* O governo da Rússia
⊕ **krill** (*Ing. /cril/*) *sm. Zool.* Nome comum aos crustáceos marinhos da ordem dos eufausiáceos, semelhantes a pequenos camarões e encontrados em águas frias. Constitui importante item alimentar de algumas spp. de baleias
⊠ **Ku** Símb. de *kurchatóvio*
kubitschekiano¹ (ku.bi.tsche.ki.*a*.no) *a.* **1** Ref. a Juscelino Kubitschek de Oliveira (1902-1976), presidente do Brasil entre 1956 e 1961, ou à sua vida política, seus atos, sua obra, sua administração etc.: "O embaixador Otávio Dias Carneiro, uma das mais poderosas inteligências que já conheci, cunhou uma expressão para definir essa peculiaridade: kubits-chekiano." (Juscelino Kubitschek, *A escalada política*) **2** Simpatizante do presidente Juscelino Kubitschek de Oliveira, ou de suas concepções políticas [F.: Do antr. (*Juscelino*) *Kubitschek* (*de Oliveira*) + -*iano*.]
kubitschekiano² (ku.bits.che.ki.*a*.no) *a.* Que se refere a Presidente Kubitschek (MG) [F.: Do top *Kubitschek* + -*iano*.]
⊕ **kudu** (*Ing. /kiudu/*) *sm. Zool.* Antílope africano (*Tragelaphus strepsiceros*), que pode medir até 1,5 m de altura, de coloração avermelhada com listras brancas verticais, visão aguçada, longos chifres retorcidos, atinge grandes velocidades e seu *habitat* vai desde a África do Sul até a Etiópia [F.: Do africâner *koedoe*.]
⊕ **ku-klux-klan** (*Ing. /ku-klux-klan/*) *sf. Hist.* Sociedade secreta racista e terrorista fundada no sul dos Estados Unidos, após a abolição da escravidão, com o término da Guerra de Secessão, objetivando impedir a integração dos negros com homens livres e com direitos adquiridos e garantidos por lei. Para impedir o reconhecimento de seus membros em crimes por eles praticados contra negros, judeus, católicos e tudo que se opunham aos seus interesses, usavam capuzes cônicos e longos mantos brancos

⊕ **kümmel** (Al. /químel/) *sm.* Licor à base de álcool, aromatizado com cominho e fabricado esp. na Alemanha e na Rússia [Com inicial maiúsc. em alemão.]
⊕ **kung fu** (Chin. /cung-fú/) *sm.* Arte marcial chinesa
kurchatóvio (kur.cha.tó.vi:o) *sm. Ant. Quím.* Elemento de número atômico 104 da Tabela Periódica [símb.: *Ku*], assim denominado em honra do físico nuclear russo Igor Kurchatov. [Posteriormente esse elemento foi chamado de *rutherfórdio* [símb.: *Rf*], pelos americanos, em homenagem a Ernest Rutherford, físico neozelandês, aquele que primeiro explicou a natureza da radioatividade e ganhou o Prêmio Nobel de Química em 1908.] [F.: Do antr. (*Igor*) *Kurchatov* + -*io*³.]
kuwaitiano (ku:wai.ti.a.no) *sm.* **1** Aquele que nasceu ou que vive no Kuwait (Golfo Pérsico) *a.* **2** Do Kuwait; típico desse país ou de seu povo [F.: Do top. *Kuwait* + -*iano*.]
⊠ **kVA** *Elet.* Símbolo de *quilovolt-ampère*
⊠ **kW** *Elet. Fís.* Símb. de *quilowatt*
⊠ **kWh** *Fís.* Símb. de *quilowatt-hora*
⊕ **kyrie** (Gr. /kyrie/) *sm2n.* **1** *Litu.* No catolicismo, parte da missa que se inicia com a invocação *Senhor, tende piedade* (*Kyrie, eléison*) **2** *Mús.* Cântico lírico gregoriano entoado durante a missa e iniciado pelas expressões Kyrie, eléison, Christe, eléison, Kyrie, eléison [Em todas as acps. com inicial maiúsc.] [F.: Red. da loc. gr. *Kýrie, eléeson*, 'Senhor, tende piedade'.]

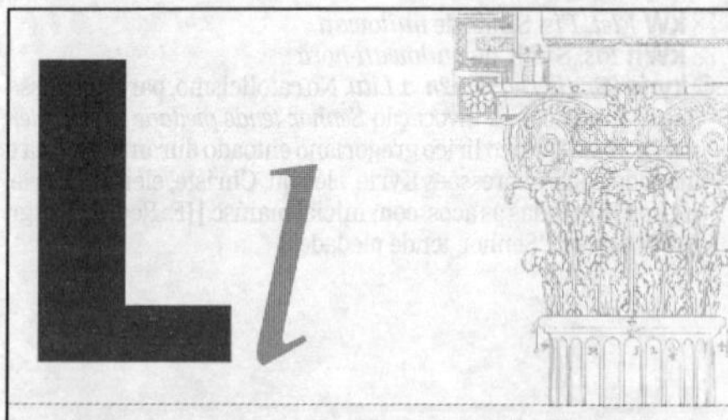

L l

O antecessor fenício do nosso *l* chamava-se *lamed*. Os gregos tomaram emprestada a forma básica do caractere fenício e, com algumas alterações, passaram a chamá-lo de *lambda*. Chegando aos romanos, esta letra evoluiu até tornar-se o caractere composto por um traço vertical e um horizontal, que aparece na coluna de Trajano e que usamos até hoje.

Fenício
Grego
Grego
Etrusco
Romano
Romano
Minúscula carolina
L Maiúscula moderna
l Minúscula moderna

l[1] [éle] ***sm.*** **1** A décima segunda letra do alfabeto **2** A nona consoante do alfabeto ***num.*** **3** O duodécimo em uma série (casa <u>L</u>)

⊠ **L**[2] Símb. do número *cinquenta*, em algarismos romanos

⊠ **l**[3] Símb. de *litro*

⊠ **L**[4] Abrev. de *leste*

la[1] ***art. def. pr. dem.*** **1** *Antq.* O mesmo que *a*[3] (4) ***pr. pess.*** **2** Fem. de *lo* [F.: Do lat. *illa*. Hom./Par.: *lá* (adv.), *lá* (sm.).]

La[2] *Quím.* Símb. de *lantânio*

lá[1] ***adv.*** **1** Naquele lugar, distante do falante e do ouvinte: *Chegou <u>lá</u> em sua terra muito abatido.* **2** Para aquele lugar; àquele lugar: *Iam sempre <u>lá</u>.* **3** Em lugar próximo do falante e do ouvinte; ALI: *Deixe o embrulho <u>lá</u> na mesa.* [Ant. das 3 acp.: *aqui, cá.*] **4** Naquele tempo (passado ou futuro); ENTÃO: *De <u>lá</u> para cá, tudo melhorou.* **5** Aproximadamente: *<u>Lá</u> pelas 11 horas, a chuva passou.* **6** De fato, verdadeiramente: *Ele não era <u>lá</u> um bom marido.* **7** Não: *Sei <u>lá</u> como foi, o fato é que fizeram as pazes.* [Coloca-se antes de advérbios de lugar: *<u>lá</u> dentro; <u>lá</u> fora.*] [F.: Do lat. *ad illac*, pelo arcaico *alá*.] ▪ **~ de dentro** *RS* Us., nas localidades da região de fronteira do RS, para falar dos habitantes das áreas litorânea e setentrional do estado **~ de fora** **1** Estrangeiro, de outros países **2** *RS* Us., na região da campanha, para falar dos habitantes da região da fronteira: "...só pudera fornecer...a marquesa de palhinha... para servir a algum desses esquisitos <u>lá de fora</u> que não gostam de dormir em rede." (Inglês de Souza, *O missionário*) **~ fora** No estrangeiro, fora do país **Meio ~, meio cá** **1** Hesitante, indeciso; em estado de dúvida ou incerteza quanto ao que fazer ou dizer **2** Em condições não muito boas; diz-se de pessoa um pouco doente ou indisposta, ou de coisa em mau estado (porém não imprestável) **Para ~ de** Us. para dar ideia de superioridade numérica, quantitativa, ou para dar ideia de intensidade, excesso; mais do que: *Andou <u>para</u> <u>lá</u> de dez quilômetros; Ficamos <u>para</u> <u>lá</u> de contentes; Uma cena <u>para</u> <u>lá</u> de assustadora.*

lá[2] ***sm.*** **1** *Mús.* A sexta nota da escala de dó **2** Sinal que representa essa nota na pauta [F.: Do it. *la*.]

lã ***sf.*** **1** Pelo de certos animais, esp. do carneiro **2** Tecido feito desse pelo **3** Lanugem que cobre certas plantas **4** *Pej. Pop.* Carapinha [F.: Do lat. *lana, ae*.] ▪ **Ir buscar ~ e sair/vir tosquiado** 1 Tentar enganar e, em vez disso, ser enganado 2 Tentar provocar, troçar, prejudicar (algo ou alguém), e, em vez disso, ser provocado, objeto de troça, prejudicado **~ de aço** Emaranhado de aparas finas de aço, us. para arear, polir etc.; palha de aço [Às vezes identificado pelo nome comercial *bombril*®.] **~ de escória** Fibra obtida com a passagem de um sopro de ar sobre escória fundida [Us. em isolantes térmicos e acústicos.] **~ de ponta** *S.* Lã de má qualidade (por ter fios longos) **~ de vidro** Material feito de filamentos finos de vidro, us. como isolante, em estruturas moldáveis, material de embalagem etc. **~ mineral** Material semelhante à lã, obtido da ação de vapor de água sobre escória de altos fornos, us. como isolante térmico **~ vegetal** Material semelhante a tecido, obtido de folhas de pinheiro, us. ger. em embalagens

labareda (la.ba.*re*.da) [ê] ***sf.*** **1** Chama de grandes proporções; língua de fogo **2** *Fig.* Ardor, impetuosidade: *as <u>labaredas</u> do ódio.* [F.: De or. obsc.]

lábaro (*lá*.ba.ro) ***sm.*** **1** Estandarte, bandeira: "...o <u>lábaro</u> que ostentas estrelado..." (Joaquim Osório Duque Estrada, *Hino Nacional Brasileiro*) **2** Estandarte militar us. pelos antigos romanos [F.: Do lat. *labarum, i*.]

labelado (la.be.*la*.do) ***a.*** Que tem a forma de lábio; LABIADO [F.: *labelo* + *-ado*[2].]

labelo (la.*be*.lo) ***sm.*** **1** Pequeno lábio **2** *Bot.* Pétala da orquídea, e de outras flores de espécies das leguminosas e das labiadas, maior e mais vistosa que as demais, e que serve muitas vezes de plataforma para insetos polinizadores **3** *Anat. Zool.* Bordo interno que se prolonga e apresenta a forma de um lábio em certas conchas univalves **4** *Anat. Zool.* Parte expandida da armadura bucal dos insetos dípteros [F.: Do lat. *labbellum, i*.]

labéu (la.*béu*) ***sm.*** Mácula na honra de alguém; DESONRA; DESDOURO: "...vem remir dos mais torpes <u>labéus</u>..." (Medeiros e Albuquerque, *Hino da Proclamação da República*) [Ant.: *honra, louvor.*] [F.: De or. obsc.]

lábia (*lá*.bi:a) ***sf.*** Conversa cheia de astúcia para convencer ou enganar; PALAVRÓRIO [F.: Posv. do lat. *labia*, neutro pl. de *labium, ii*.]

labiada (la.bi:*a*.da) ***sf.*** *Bot.* Espécime das labiadas (família *Labiatae*), de plantas cujas flores têm corola em forma de lábios, muitas delas cultivadas como condimentos (p. ex.: a hortelã, o orégano, o manjericão etc.) [F.: Do lat. lat. cient. fam. *Labiatae*.]

labial (la.bi:*al*) ***a2g.*** **1** Ref. aos lábios **2** *Fon.* Diz-se de consoante que se pronuncia com o(s) lábio(s) [Pl.: *-ais*.] ***sf.*** **3** Consoante labial [F.: Do lat. medv. *labialis*, ou *lábio* + *-al*[1].]

labialismo (la.bi:a.*lis*.mo) ***sm.*** Falar defeituoso por emprego exagerado de sons labiais [F.: *labial* + *-ismo*.]

lábil (*lá*.bil) ***a2g.*** **1** Que cai ou escorrega facilmente **2** Instável, variável (humor <u>lábil</u>) [Ant.: *estável.*] **3** Transitório, passageiro [Ant.: *permanente.*] [Pl.: *-beis*.] [F.: Do lat. *labilis, e*.]

labilidade (la.bi.li.*da*.de) ***sf.*** Qualidade ou estado do que é lábil; INSTABILIDADE: "...nação refém da <u>labilidade</u> das Bolsas..." (*Folha de S.Paulo*, 07.09.1998) [F.: *lábil* + *-(i)dade*.] ▪ **~ emocional** *Psiq. Pat.* Distúrbio psíquico no qual se manifesta instabilidade emocional, com o desencadear de emoções e arroubos ger. incontrolados em suas exteriorizações, na forma de riso ou choro **~ neurovegetativa** *Psiq. Pat.* Expressão neurovegetativa da labilidade emocional, como palpitações, suor, tremores etc.

lábio (*lá*.bio) ***sm.*** **1** *Anat.* Cada uma das partes externas e carnudas do contorno da boca dos homens e vertebrados; BEIÇO **2** *Anat.* Dobra da pele externa da vulva da mulher e fêmeas de mamíferos (grandes <u>lábios</u>) **3** Qualquer parte ou objeto em forma de lábio **4** Cada borda de um ferimento **5** *Fig.* Linguagem, palavras: *A persuasão está sempre em seus <u>lábios</u>.* [Nesta acp., mais us. no pl.] **6** *Bot.* Cada uma das duas partes em que se divide a corola de certas flores [Dim.: *labelo*] [F.: Do lat. *labium, ii*.] ▪ **~ leporino** *Pat.* Defeito congênito na formação do lábio superior da boca, na forma de uma fenda entre este o nariz, que pode se estender à abóbada palatina **Grandes ~s** *Anat.* As bordas externas, em forma de dobras, da vulva da mulher **Pequenos ~s** *Anat.* Dobras internas na vulva da mulher (e das fêmeas de mamíferos em geral), entre os grandes lábios e a abertura da vulva

labiodental (la.bi:o.den.*tal*) *Fon.* ***a2g.*** **1** Ref. a lábio(s) e dente(s), ao mesmo tempo **2** Diz-se de consoante que se pronuncia encostando o lábio inferior nos dentes incisivos superiores ***s2g.*** **3** Consoante labiodental [Pl.: *-tais*.] [F.: *lábio* + *dental*.]

labiopalatal (la.bi:o.pa.la.*tal*) ***a2g.*** *Anat.* Ref. ao lábio e ao palato [Pl.: *-ais*.] [F.: *lábio* + *palatal*.]

labioso[1] (la.bi:*o*.so) [ô] ***a.*** Que tem lábios grandes; BEIÇUDO [F.: Do lat. *labiosus, a, um*.]

labioso[2] (la.bi:*o*.so) [ô] ***a.*** **1** Que tem lábia: "O castelhano, no entanto, era astuto e <u>labioso</u>" (Paulo Setúbal, *O sonho das esmeraldas*) **2** Em que há lábia (conversa <u>labiosa</u>) [F.: *lábia* + *-oso*.]

labiríntico (la.bi.*rín*.ti.co) ***a.*** **1** Ref. a labirinto **2** *Fig.* Tortuoso, sinuoso (caminho <u>labiríntico</u>) **3** *Fig.* Enredado ou intricado como um labirinto: "São Paulo é mostrada como um grande mosaico onde se juntam partes de um todo desconexo, <u>labiríntico</u> e irreconciliável" (*Folha de S.Paulo*, 14.12.1998) **4** *Anat.* Ref. ao labirinto da orelha interna [F.: Do lat. *labyrinthicus, a, um*.]

labirintite (la.bi.rin.*ti*.te) ***sf.*** *Med.* Inflamação do labirinto (4) [F.: *labirinto* + *-ite*[1].]

labirinto (la.bi.*rin*.to) ***sm.*** **1** Lugar, construção, jardim etc. com muitas divisões e passagens interligadas, em que é possível se perder ou não encontrar a saída **2** Representação gráfica esquemática de um labirinto, ger. como passatempo (achar o caminho para entrar ou sair) **3** *Fig.* Grande confusão, complicação; EMARANHADO: *um <u>labirinto</u> de problemas.* **4** *Fig.* Disposição irregular e complicada: *um <u>labirinto</u> de ilhas.* [Sin. ger. nas 3 primeiras acp.: *dédalo.*] **5** *Anat.* Conjunto de cavidades que formam a orelha interna **6** *Bras. N.E.* Bordado de bastidor; CRIVO [F.: Do gr. *labýrinthos, ou*.] ▪ **~ membranoso** *Anat.* Estrutura membranosa no interior do labirinto ósseo, e que contém um líquido chamado endolinfa **~ ósseo** *Anat.* Estrutura óssea em cada orelha interna, composta de canais semicirculares, o vestíbulo e a cóclea, e que contém um líquido chamado perilinfa

labor (la.*bor*) [ô] ***sm.*** Trabalho, esp. árduo e prolongado; LABUTA [F.: Do lat. *labor, oris*. Hom./Par.: (*pl.*) *labores* (fl. de *laborar*).]

laboral (la.bo.*ral*) ***a2g.*** **1** Ref. ao labor, ao trabalho; TRABALHISTA **2** Diz-se de ginástica realizada no ambiente de trabalho para promover a saúde, evitar lesões por esforços repetitivos e doenças ocupacionais [Pl.: *-ais*.] [F.: *labor* + *-al*.]

laborar (la.bo.*rar*) ***v.*** **1** Ver *labutar.* **2** Cultivar (a terra, o campo) com instrumentos agrícolas; LAVRAR [***td.:*** *<u>laborar</u> uma terra.*] **3** *P. us.* Ocupar-se em algum ofício, trabalho [***td.:*** *<u>laborar</u> um texto.*] [***int.:*** *Para ganhar mais, é preciso <u>laborar</u>.*] **4** *Lus.* Trabalhar (um cabo) em gomes, cabrestante ou guincho [***int.***] **5** Incorrer, incidir em (equívoco, erro) [***tr.*** *+ em: Os dois pesquisadores <u>laboraram</u> <u>no</u> mesmo erro.*] [▶ 1 labor**ar**] [F.: Do lat. *laborare*. Hom./Par.: *labores* (fl.), *labores* [ô] (pl. de *labor* [sm.]); *laboro* (fl.), *laboro* [ô] (sm.).]

laboratorial (la.bo.ra.to.ri:*al*) ***a2g.*** Ref. ou pertencente a laboratório (exame <u>laboratorial</u>) [Pl.: *-ais*.] [F.: *laboratório* + *-al*.]

laboratório (la.bo.ra.*tó*.ri:o) ***sm.*** **1** Lugar equipado para a realização de pesquisas científicas ou industriais, preparo de medicamentos, análises clínicas, trabalhos fotográficos etc. **2** *Fig.* Situação ou atividade envolvendo observação, estudo e/ou experimentação (<u>laboratório</u> de teatro) **3** Parte de um forno de revérbero em que há trocas de calor ou reações químicas [F.: Do lat. medv. *laboratorium*, posv. pelo fr. *laboratoire*.]

laboratorista (la.bo.ra.to.*ris*.ta) ***s2g.*** *Bras.* Técnico que trabalha em laboratório, esp. de análises clínicas [F.: *laboratório* + *-ista*.]

laboriosamente (la.bo.ri:o.sa.*men*.te) ***adv.*** De modo laborioso; EXAUSTIVAMENTE: *Seu discurso era <u>laboriosamente</u> construído.* [F.: Fem. de *laborioso* + *-mente*.]

laboriosidade (la.bo.ri:o.si.*da*.de) ***sf.*** **1** Qualidade do que é laborioso **2** Empenho, esforço, zelo: "Por outro lado, quer como compositor, quer como pianista, sua <u>laboriosidade</u> é invejável" (*Folha de S.Paulo*, 17.12.1996) [F.: *laborioso* + *-(i)dade*.]

laborioso (la.bo.ri:*o*.so) [ô] ***a.*** **1** Que trabalha muito e com dedicação; DILIGENTE; ESFORÇADO [Ant.: *indolente, preguiçoso.*] **2** Que requer muito esforço (exercício <u>laborioso</u>); ÁRDUO; CUSTOSO [Ant.: *fácil, leve.*] [Pl.: [ó]. Fem.: [ó].] [F.: Do lat. *laboriosus, a, um*.]

laborista (la.bo.*ris*.ta) ***a2g.*** **1** Ref. ou pertencente ao Partido Trabalhista inglês (*Labour Party*) ***s2g.*** **2** Aquele que é militante ou simpatizante desse partido [F.: Adapt. do ing. *labourist*.]

laborterapia (la.bor.te.ra.*pi*.a) ***sf.*** *Psi.* Terapia ocupacional [F.: *labor* + *terapia*.]

laborterápico (la.bor.te.*rá*.pi.co) ***a.*** Ref. a laborterapia [F.: *laborterapia* + *-ico*[2].]

labrador (la.bra.*dor*) [ô] *Cinol.* ***sm.*** **1** Raça de cães do grupo *retriever*, de grande porte, robusto, tronco curto, crânio largo, pelagem curta e densa, e coloração totalmente amarelada, marrom-escura ou preta **2** *P. ext.* Cão dessa raça [F.: Do top. *Labrador* (península do Canadá).]

labradorita (la.bra.do.*ri*.ta) ***sf.*** *Min.* Feldspato do grupo dos plagioclásios, comum em rochas ígneas, us. como gema ou pedra ornamental [F.: Do top. *Labrador* (península do Canadá) + *-ita*.]

labrear (la.bre.*ar*) *Bras.* ***v. td.*** *N.E.* Sujar(-se), emporcalhar(-se) [▶ 13 labr**ear**] [F.: orig. obsc.]

labrego (la.*bre*.go) [ê] ***a.*** **1** Que é grosseiro, rude **2** Ignorante, bronco ***sm.*** **3** Indivíduo rude, grosseiro **4** Pessoa ignorante **5** Arado que retira raízes da terra **6** *BA Pop.* Quartzo citrino [F.: Posv. do espn. *labriego*.]

labro (*la*.bro) ***sm.*** **1** Lábio superior: "Na boca, em carne humana ensanguentada, [...] / E o <u>labro</u> de vis pedras embutido" (José de Santa Rita Durão, *Caramuru*) **2** *Anat. Zool.* Nos insetos, lábio superior, parte da peça bucal que fica abaixo do clípeo **3** *Anat. Zool.* Lábio superior dos mamíferos [F.: Do lat. *labrum, i*.]

labrusca (la.*brus*.ca) ***sf.*** *Lus. Vit.* Casta de uva portuguesa [F.: Do lat. *labrusca, ae*, 'videira selvagem'.]

labrusco[1] (la.*brus*.co) ***a.*** **1** Que é inculto, rude, agreste, grosseiro: "Parecia que desse bolônio informe e <u>labrusco</u> surgira por estranha mutação uma vípera terrível..." (José de Alencar, *Til*) ***sm.*** **2** Indivíduo inculto, rude, agreste, grosseiro [F.: Do lat. *labruscus, a, um*.]

labrusco[2] (la.*brus*.co) ***sm.*** *Lus. Vit.* O mesmo que *labrusca* [F.: Do lat. *labruscum, i*.]

labuta (la.*bu*.ta) ***sf.*** Ação ou resultado de labutar; LABOR; LIDA; TRABALHO [F.: Dev. de *labutar*. Hom./Par.: *labuta* (fl. de *labutar*).]

labutar (la.bu.*tar*) ***v.*** **1** Trabalhar com sacrifício e perseverança; LABORAR [***int.:*** *<u>Labutava</u> muito para sustentar a família.*] **2** *Fig.* Demonstrar empenho (na obtenção de algo); ESFORÇAR-SE [***tr.*** *+ por: <u>Labutava</u> <u>por</u> uma oportunidade no serviço público.*] **3** Ter de suportar [***td.:*** *<u>Labutava</u> uma vida de muitos sacrifícios.*] [▶ 1 labut**ar**] [F.: Or. obsc. Posv. de labor, com infl. de *luta*. Hom./Par.: *labuta*(*s*) (fl.), *labuta*(*s*) (sf. [pl.]).]

laca (*la*.ca) ***sf.*** **1** Resina avermelhada que se extrai de certas árvores; GOMA-LACA **2** Espécie de verniz us. na pintura de objetos, móveis etc.; CHARÃO **3** Substância obtida pela desidratação da fêmea de certas espécies de cochonilha [F.: Do ár. *lakk*.]

laçaço (la.*ça*.ço) ***sm.*** *RS* Golpe desferido com o laço: "Gostava de sentar um <u>laçaço</u> num cachorro, mas desses <u>laçaços</u> de apanhar da paleta à virilha..." (João Simões Lopes Neto, "Contrabandista" *in Contos gauchescos*) [F.: Do espn. platino *lazazo*, aum. de *lazo* 'laço'. Hom./Par.: *laçaço* (sm.), *lançaço* (sm.).]

laçada (la.*ça*.da) ***sf.*** **1** Nó corrediço, com uma só alça, e que se desamarra facilmente [Cf. *laço*.] **2** Em tricô ou crochê, alça formada ao passar a linha na agulha sem executar o ponto [F.: *laçar* + *-ada*[1].]

lacado (la.*ca*.do) *a.* Revestido de laca; LAQUEADO [F.: *laca* + *-ado*².]

laçador (la.ça.*dor*) [ô] *RS a.* **1** Diz-se de indivíduo hábil no manejo do laço *sm.* **2** Esse indivíduo [F.: *laçar* + *-dor*.]

lacaio (la.*cai*.o) *sm.* **1** Criado, com ou sem libré, que acompanha o amo **2** *Pej.* Pessoa subserviente e aduladora **3** *BA* Quartzo cinza escuro [F.: Do espn. *lacayo*.]

lacaniano (la.ca.ni.*a*.no) *Psic. a.* **1** Ref. ao psicanalista francês Jacques Lacan (1901-1981), ou próprio de sua obra ou conceito **2** Que segue os conceitos e métodos de Lacan *sm.* **3** Admirador e/ou estudioso da obra de Lacan **4** Especialista que segue os conceitos e métodos de Lacan [F.: Do antr. Jacques *Lacan* + *-iano*.]

laçar (la.*çar*) *v. td.* **1** Prender ou aprisionar com laço (animal em movimento): *Laçou um bezerro.* **2** Dar um laço em: *Laçou os cadarços do tênis.* **3** Pôr um laço em: *Laçou o presente com uma fita vermelha; Laçou os cabelos.* [▶ 12 laçar] [F.: *laço* + *-ar*². Hom./Par.: *laçar* (v.), *lassar* (todas as fl.); *laçaria(s)* (fl.), *laçaria(s)* (sf. [pl.]); *laço* (fl.), *lasso* (a.), *laço* (sm.).]

laçaria (la.ça.*ri*.a) *sf.* **1** *Arq.* Enfeites esculpidos ou pintados em forma de laço (1) **2** Porção de laços; fitas enlaçadas [F.: *laço* + *-aria*. Hom./Par.: *laçaria* (fl. de *laçar*).]

laçarote (la.ça.*ro*.te) *sm.* Laço (1) vistoso, com grandes pontas [F.: *laça-* + *-r-* + *-ote*.]

lacear (la.ce.*ar*) *v.* **1** Pôr laço(s) em [*td. tda.*: *Laceou o vestido (com fitas coloridas).*] **2** Alargar(-se) calçado para caber ou ficar confortável no pé [*td.*: *Laceou a bota usando uma forma.*] [*int.*: *Com o tempo e com o uso, o sapato laceou.*] [▶13 lacear] [F.: *laço* + *-ear*².]

lacedemônio (la.ce.de.*mô*.ni:o) *sm.* **1** Pessoa que nasceu ou que viveu na Lacedemônia, Lacônia ou Esparta (Grécia Antiga) **2** Da Lacedemônia, Lacônia ou Esparta; típico dessa região ou de seu povo [F.: Do lat. *lacedaemonius, a, um.* Sin. ger.: *lacônio, espartano*.]

laceração (la.ce.ra.*ção*) *sf.* **1** Ação ou resultado de lacerar **2** *Biol.* Tipo de reprodução que ocorre por fragmentação traumática do corpo de alguns seres vivos (como as planárias), na qual cada pedaço regenera a parte fragmentada correspondente [Pl.: *-ções*.] [F.: Do lat. *laceratio, onis*.]

lacerante (la.ce.*ran*.te) *a2g.* Ver *dilacerante* [F.: Do lat. *lacerans, antis*.]

lacerar (la.ce.*rar*) *v. td.* O mesmo que *dilacerar* [F.: Do lat. *lacerare*.]

lacerável (la.ce.*rá*.vel) *a2g.* Que se pode lacerar ou rasgar [Pl.: *-veis*.] [F.: Do lat. *lacerabilis, e.* Hom./Par.: *laceráveis* (pl.), *laceráveis* (fl. de *lacerar*).]

lacerdinha (la.cer.*di*.nha) *sm. Bras. Zool.* Inseto tisanóptero, da fam. dos fleotripídeos (*Gynaikothrips ficorum*), de origem asiática e introduzido no Brasil na década de 1960, vive principalmente em copas de fícus-benjamim; é considerado praga em grandes infestações, pois nessas condições caem sobre as pessoas, picando-as e causando ardência nos olhos; AMINTINHA; AZUCRINOL; BARBUDINHO [F.: Do antr. Carlos *Lacerda* (1914-1977, político brasileiro) + *-inha*.]

lacerdismo (la.cer.*dis*.mo) *Bras. Pol. sm.* **1** Atitude ou pensamento político de Carlos Lacerda (1914-1977), governador do antigo Estado da Guanabara **2** Corrente política baseada no lacerdismo (1) [F.: Do antr. Carlos *Lacerda* + *-ismo*.]

lacerdista (la.cer.*dis*.ta) *Bras. Pol. a2g.* **1** Referente ao lacerdismo, estilo e prática política desenvolvida por Carlos Lacerda (1914-1977), jornalista polêmico, político, governador do extinto Estado da Guanabara *a2g.* **2** Que é adepto do lacerdismo *s2g.* **3** O adepto do lacerdismo [F.: *lacerd(ismo)* + *-ista*.]

lacertílio (la.cer.*tí*.li:o) *Zool. a. sm.* Ver *sáurio* [F.: Do lat. cient. *Lacertilia*.]

lachê (la.*chê*) *sm. Aer.* Primeiro voo solo de um piloto [F.: Do fr. *laché*.]

◎ **laco-¹** *pref.* = 'sorte', 'destino': *lacomancia, lacomante* [F.: Do gr. *lákhos*.]

◎ **laco-²** *pref.* = 'cisterna', 'poço': *lacólito* [F.: Do gr. *lákkos*.]

laço (*la*.ço) *sm.* **1** Nó com uma ou mais alças e que se desamarra facilmente: *Dar um laço na gravata.* [Cf. *laçada*.] **2** *Bras.* Corda com nó corredio numa ponta, us. para laçar cavalos e bois **3** *Fig.* Ligação, vínculo (laços de amizade) **4** *Fig.* Armadilha, ardil (cair no laço) **5** *Geom.* Em curva com ponto nodal, qualquer segmento que limita uma região fechada [Aum.: *laçarrão*. Dim.: *lacete*.] [F.: Do lat. vulg. **laceus* por *laqueus, i.* Hom./Par.: *lasso* (adj.).] ▪▪ **~ de quatro tentos** *RS* Laço feito de quatro tiras de couro trançadas, us. por vaqueiros gaúchos **~ dos ofícios** *Lus.* Dança em que os dançarinos imitam, com pauzinhos enfeitados com laços, os gestos característicos dos vários ofícios **Em cima do ~** *Bras. Pop.* Imediatamente, na mesma hora, logo em seguida, sem demora; sem hesitação ou vacilo **Pegado a ~** *Bras.* Pouco inteligente, bronco, estúpido

lacomancia (la.co.man.*ci*.a) *sf. Oct.* Adivinhação por meio de dados [F.: *laco-¹* + *-mancia*.]

lacomante (la.co.*man*.te) *s2g.* Aquele que pratica a lacomancia [F.: *laco-¹* + *-mante*.]

lacônico (la.*cô*.ni.co) *a.* Expresso com poucas palavras (resposta lacônica); CONCISO; RESUMIDO; SUCINTO [Ant.: *extenso, longo, prolixo*.] [F.: Do lat. *laconicus, a, um*.]

laconismo (la.co.*nis*.mo) *sm.* Maneira de falar ou escrever usando poucas palavras; BREVIDADE; CONCISÃO [Ant.: *prolixidade, verbosidade*.] [F.: Do gr. *lakonismós, ou*.]

lacraia (la.*cra*.ia) *Zool. sf.* **1** *Bras.* Denominação comum a diversas spp. de insetos, da classe dos quilópodes, com mais de 2.000 spp., vermiformes, com o corpo segmentado e 15 ou mais pares de patas, com até 20 cm de comprimento. São animais peçonhentos amplamente distribuídos e que ger. picam através de ferrões localizados na mandíbula **2** Ver *centopeia* [F.: Do ár. *al-'aqrab*.]

lacrar (la.*crar*) *v. td.* **1** Selar ou fechar com lacre: *Lacrou o envelope.* **2** *Bras.* Colocar selo de chumbo em (placa numérica de veículo) para efetuar sua identificação: *Lacrou a chapa de seu carro.* [▶ 1 lacrar] [F.: *lacre* + *-ar*². Hom./Par.: *lacre(s)* (fl.), *lacre(s)* (sm. [pl.]).]

lacrau (la.*crau*) *sm. Bras. Zool.* Ver *escorpião* [F.: Ver em *lacraia*.]

lacre (*la*.cre) *sm.* **1** Mistura de resinas e corantes us. para selar cartas, garrafas, embalagens etc. e garantir sua inviolabilidade **2** *P. ext.* Qualquer fecho ou selo inviolável **3** *Bras. Bot.* Nome comum a várias árvores do gên. *Vismia*, da fam. das gutíferas, que exsudam resina **4** *N.E.* Área de mato ralo e alto, típico do agreste [F.: Do ár. *lakk*. Hom./Par.: *lacre* (fl. de *lacrar*).]

lacrear (la.cre.*ar*) *v. td.* **1** Cobrir ou adornar com lacre, e corantes **2** Dar cor de lacre a [▶ 13 lacrear] [F.: *lacre* + *-ar*.]

◎ **lacrim-** *pref.* = lágrima: *lacrimejante, lacrimogêneo*

lacrimação (la.cri.ma.*ção*) *sf.* Ação ou resultado de lacrimar ou lagrimar [Pl.: *-ções*.] [F.: Do lat. *lacrimatio, onis.* Tb. *lagrimação*.]

lacrimal (la.cri.*mal*) *a2g.* **1** *Anat.* Diz-se de órgão que produz ou conduz lágrimas (canal lacrimal) **2** Ref. a lágrima *sm.* **3** *Bras.* Olho-d'água, fonte **4** *Arq.* Ver *pingadeira* [Pl.: *-mais*.] [F.: lágrima sob a f. rad. lat. *lacrim-* + *-al*¹. Tb. *lagrimal*.]

lacrimar (la.cri.*mar*) *v.* Chorar, derramar lágrimas; lagrimar. [Conjug.: 1 lacrimar]

lacrimatório (la.cri.ma.*tó*.ri:o) *a.* **1** Ref. a lágrimas *sm.* **2** Pequeno vaso de vidro ou de barro cozido, encontrado nas sepulturas romanas, e que supostamente era us. para recolher lágrimas vertidas nos funerais [F.: Do lat. tardio *lacrimatorius, a, um*.]

lacrimável (la.cri.*má*.vel) *a2g. P. us.* Digno de compaixão; LAMENTÁVEL: "Era de um ridículo lacrimável" (Camilo Castelo Branco, *A brasileira de Prazins*) [Pl.: *-veis*.] [F.: *lacrimabilis, e.* Hom./Par.: *lacrimáveis* (pl.), *lacrimáveis* (fl. de *lacrimar*).]

lacrimejamento (la.cri.me.ja.*men*.to) *sm.* Ação ou resultado de lacrimejar [F.: *lacrimejar* + *-mento*. Tb. *lagrimejamento*.]

lacrimejante (la.cri.me.*jan*.te) *a2g.* Que lacrimeja ou faz lacrimejar (olhos lacrimejantes) [F.: *lacrimejar* + *-nte*.]

lacrimejar (la.cri.me.*jar*) *v.* **1** Encher-se os olhos de lágrimas [*int.*: *Prendia o choro, mas seus olhos lacrimejavam.*] **2** Escorrerem lágrimas dos olhos em decorrência de irritação ocular [*int.*: *A fumaça dos carros o fazia lacrimejar.*] **3** Lamentar-se, choramingar [*td.*: *Começou a lacrimejar a sua falta de sorte.*] [*int.*: *Não fique lacrimejando o tempo todo!*] [▶ 1 lacrimejar] [F.: *lágrima* sob a f. rad. latina *lacrim(o)-* + *-ejar*. Hom./Par.: *lacrimejo* (fl.), *lacrimejo* [ê] (sm.).]

lacrimogêneo (la.cri.mo.*gê*.ne:o) *a.* Ver *lacrimogênio* [F.: *lacrim-* + *-o-* + *-gêneo*.]

lacrimogênio (la.cri.mo.*gê*.ni:o) *a.* **1** Que causa lágrimas (gás lacrimogênio) **2** Que faz chorar; LACRIMOSO *sm.* **3** Aquilo que causa lágrimas **4** Aquilo que faz chorar [F.: *lacrim-* + *-o-* + *-gênio*. Tb. *lacrimogêneo*.]

lacrimoso (la.cri.*mo*.so) [ô] *a.* **1** Que verte lágrimas (olhos lacrimosos); CHOROSO; LACRIMEJANTE **2** Que provoca o choro (dramalhão lacrimoso); LACRIMOGÊNIO (1) **3** Que revela aflição (queixa lacrimosa); AFLITO; LASTIMOSO [Pl.: [ó]. Fem.: [ó].] [F.: Do lat. *lacrimosus, a, um*.]

lactação (lac.ta.*ção*) *Fisl. sf.* **1** Ação ou resultado de lactar; AMAMENTAÇÃO **2** Formação, secreção e excreção do leite [Pl.: *-ções*.] [F.: Do lat. *lactatio, onis*.]

lactalbumina (lac.tal.bu.*mi*.na) *sf. Bioq.* Ver *lactoalbumina*

lactância (lac.*tân*.ci:a) *sf.* **1** Alimentação da criança por meio do leite materno **2** Período da vida em que a criança é amamentada [F.: *lactar* + *-ância*.]

lactante (lac.*tan*.te) *a2g.* **1** Que dá ou produz leite *sf.* **2** Mulher que amamenta [F.: Do lat. *lactans, antis.* Cf.: *lactente*.]

lactar (lac.*tar*) *v.* **1** Dar de mamar [*td.*] **2** Sugar o leite de mama ou teta (ou similar [mamadeira]) [*int.*] [▶ 1 lactar] [F.: Do v.lat. *lactare*.]

lactário (lac.*tá*.ri:o) *sm.* **1** Instituição de assistência que distribui leite a lactentes *a.* **2** Ref. ao leite ou à amamentação **3** Que segrega suco leitoso [F.: Do lat. *lactarius, a, um.* Hom./Par.: *lactária* (*fem.*), *lactaria* (fl. de *lactar*).]

lactase (lac.*ta*.se) *sf. Bioq.* Enzima que provoca o desdobramento da lactose em glicose e galactose [F.: *lact(o)-* + *-ase*; *láctase* é a melhor f., porém menos us.]

lactato (lac.*ta*.to) *sm. Quím.* Designação comum dos sais ou ésteres do ácido láctico [F.: *lact(i)-* + *-ato*².]

lactente (lac.*ten*.te) *s2g.* **1** Bebê ou filhote que ainda mama *a2g.* **2** Que ainda mama [F.: Do lat. *lactens, entis.* Hom./Par.: *lactente* (s2g. a2g.), *latente* (adj.). Cf. *lactante*.]

lácteo (*lác*.te:o) *a.* **1** Ref. ao leite **2** Que é semelhante ao leite; da cor do leite ou de aspecto ou consistência similar; LEITOSO **3** Que contém ou produz leite (indústria láctea) **4** À base de leite (dieta láctea) [F.: Do lat. *lacteus, a, um.* Tb. *láteo*.]

lactescência (lac.tes.*cên*.ci:a) *sf.* **1** Qualidade ou característica do que é lactescente **2** Aquilo que tem aspecto lácteo, que caracteriza a lactescência (1): "A Lua, como estranha rosa branca, perfumando o ar, derramando lactescências luminosas nos campos..." (Cruz e Sousa, *Missal*) [F.: lactescência, de *lactescente* + *-ia*², seg. o mod. analógico, e latescência, var. de *lactescência*.]

lactescente (lac.tes.*cen*.te) *a2g.* **1** Que segrega leite ou substância ou líquido semelhante **2** *Bot.* Que contém látex (árvore lactescente); LACTÍFERO **3** Branco como o leite ou de consistência semelhante à do leite; LEITOSO [F.: Do lat. *lactescens, entis.* Tb. *latescente*.]

◎ **lact(i)-** *el. comp.* = 'leite': *lactar* (< lat.), *lactase, láctase, lactífago, lactífero* (< lat.), *lactífugo, lactoalbumina, lactalbumina, lactômetro, lactose, lactovegetariano* [F.: Do lat. *lac, lactis*. F. conexa: *galact(o)-*.]

lacticínio (lac.ti.*cí*.ni:o) *sm.* Ver *laticínio*

lacticinista (lac.ti.ci.*nis*.ta) *a2g. s2g.* Ver *laticinista*

láctico (*lác*.ti.co) *a.* **1** Ref. ao leite **2** *Quím.* Diz-se de ácido ($C_3H_6O_3$) com importante função metabólica no organismo humano *sm.* **3** Esse ácido [F.: Do fr. *lactique*. Tb. *lático*.]

lacticultura (lac.ti.cul.*tu*.ra) *sf.* Produção industrializada do leite e, por extensão, de seus derivados [F.: *lact(i)-* + *-cultura*.]

lactífago (lac.*tí*.fa.go) *a.* Que se alimenta de leite; GALACTÓFAGO; LACTÍVORO [F.: *lact(i)-* + *-fago*.]

lactífero (lac.*tí*.fe.ro) *a.* **1** Que produz ou conduz leite ou suco leitoso **2** *Anat.* Diz-se de cada um dos canais que conduzem o leite até os mamilos; GALACTÓFORO **3** *Bot.* O mesmo que *lactescente* (2) [F.: Do lat. *lactifer, fera, ferum*.]

lactiforme (lac.ti.*for*.me) *a2g.* Semelhante ao leite [F.: *lact(i)-* + *-forme*.]

lactífugo (lac.*tí*.fu.go) *a.* **1** Que seca ou provoca a diminuição da secreção de leite nas fêmeas *sm.* **2** Medicamento lactífugo [F.: *lact(i)-* + *-fugo*.]

lactígeno (lac.*tí*.ge.no) *a.* Que estimula a produção de leite; GALACTAGOGO [F.: *lact(i)-* + *-geno*.]

lactívoro (lac.*tí*.vo.ro) *a.* O mesmo que *lactífago* [F.: *lact(i)-* + *-voro*.]

◎ **lact(o)-** *el. comp.* Ver *lact(i)-*

lactoalbumina (lac.to.al.bu.*mi*.na) *sf. Bioq.* Albumina do leite [F.: *lact(o)-* + *albumina*. Tb. *lactalbumina*.]

lactobacilo (lac.to.ba.*ci*.lo) *sm. Bac.* Bactéria do gênero *Lactobacillus*, que coagula o leite e é us. na produção de iogurte [F.: *lact(o)-* + *bacilo*.]

lactocromo (lac.to.*cro*.mo) *sm. Antq. Bioq.* Pigmento amarelo, fluorescente e hidrossolúvel isolado a partir do soro do leite [F.: *lact(o)-* + *-cromo*. Cf.: *lactoflavina* e *riboflavina*.]

lactodensimetria (lac.to.den.si.me.*tri*.a) *sf.* Medição da densidade do leite, esp. a partir do lactodensímetro [F.: *lact(o)-* + *-dens(i)-* + *-metria*¹.]

lactodensímetro (lac.to.den.*sí*.me.tro) *sm.* Instrumento us. na medição da densidade do leite [F.: *lact(o)-* + *-dens(i)-* + *-metro*.]

lactoflavina (lac.to.fla.*vi*.na) *sf. Bioq.* Pigmento fluorescente do leite, antes chamado *lactocromo*, e que, posteriormente, passou a ser denominado *riboflavina* [F.: Do ing. *lactoflavin*.]

lactoglobulina (lac.to.glo.bu.*li*.na) *sf. Bioq.* Proteína do leite obtida após a precipitação da caseína [F.: *lact(o)-* + *globulina*.]

lactômetro (lac.*tô*.me.tro) *sm.* Instrumento que serve para medir o volume e a densidade do leite; GALACTÔMETRO [F.: *lact(o)-* + *-metro*.]

lactona (lac.*to*.na) *sf. Quím.* Designação comum aos ésteres cíclicos, formados a partir da perda intramolecular de água de um ácido hidroxicarboxílico [F.: *lact(i)-* + *-ona*².]

lactose (lac.*to*.se) *sf. Quím.* O açúcar ($C_{12}H_{22}O_{11}$) encontrado no leite dos mamíferos [F.: *lact(o)-* + *-ose*².]

lactosúria (lac.to.*sú*.ri.a) *sf. Pat.* Presença de lactose na urina [F.: *lactose* + *-úria*. Tb. *lactosuria*]

lactovegetariano (lac.to.ve.ge.ta.ri.*a*.no) *sm.* Vegetariano cuja dieta inclui laticínios [F.: *lact(o)-* + *vegetariano*.]

lactulose (lac.tu.*lo*.se) *sf. Farm.* Dissacarídeo sintético, composto de moléculas de galactose e frutose, us. em medicamentos laxativos [F.: Do ing. *lactulose*.]

lacuna (la.*cu*.na) *sf.* **1** Espaço vazio, falta de algum elemento numa sequência, num conjunto; VÃO; VAZIO **2** Omissão, falha: *um texto cheio de lacunas.* **3** *Anat. Bot.* Cavidade intercelular **4** *Fís.* Vacância móvel na banda de valência de um semicondutor, equivalente a um pósiton; BURACO **5** *Anat.* Pequena cavidade: *uma lacuna cartilaginosa.* **6** *Pat.* Lesão no cérebro ou cerebelo **7** *Jur.* Falta de preceito legal sobre algum ponto (lacuna na lei) [F.: Do lat. *lacuna, ae*.]

lacunar (la.cu.*nar*) *a2g.* Ref. a ou que contém lacunas (texto lacunar); LACUNOSO [F.: *lacuna* + *-ar*¹.]

lacunosidade (la.cu.no.si.*da*.de) *sf.* Qualidade ou estado do que é lacunoso [F.: *lacunoso* + *-(i)dade*.]

lacunoso (la.cu.*no*.so) [ô] *a.* **1** Que contém lacunas **2** Que tem falhas [F.: Do lat. *lacunosus, a, um.* Sin. ger.: *lacunar*.]

lacustre (la.*cus*.tre) *a2g.* **1** Ref. a lago **2** Que está nas águas ou às margens de um lago (vegetação lacustre) **3** Que fica perto de um lago (habitação lacustre) [F.: Do fr. *lacustre*.]

lada¹ (*la*.da) *sf.* **1** Faixa de rio navegável, paralela à margem **2** Corrente de água na qual podem navegar barcos de pequeno porte **3** *Antq.* Margem de um rio [F.: *lado* (-o > -a).]

lada² (*la*.da) *sf. Bot.* Ver *estevão* (*Cistus populifolius*) [F.: Do lat. *lada, ae*.]

ladainha (la.da.*i*.nha) *sf.* **1** *Rel.* Oração repetitiva, em que se alternam invocações e respostas; LITANIA; PRECE **2** *Fig.* Falação insistente e monótona; ARENGA; CANTILENA; LENGALENGA **3** *Bras. Cap.* Canto inicial de uma roda de capoeira [F.: Do lat. *litania, ae*.]

ladeado (la.de.*a*.do) *a.* **1** Que tem alguém ou algo a seu lado: *caminho ladeado de árvores.* **2** *Her.* Diz-se de peça principal alinhada paralelamente entre outras duas peças secundárias [F.: Part. de *ladear*.]

ladear (la.de.*ar*) *v.* **1** Seguir ao lado de, ou correr paralelamente a [*td.*: *O técnico ladeava o corredor durante o treinamento.*] **2** Estar situado ao lado de ou junto a [*td.*: *Um canteiro de flores ladeia a passagem lateral.*] **3** Evitar (pessoa, assunto, situação etc.); usar de subterfúgios para contornar (algo) [*td.*: *Ladeava os problemas em vez de resolvê-los.*] **4** Atacar pelos flancos; FLANQUEAR [*td.*: *As tropas ladearam os rebeldes.*] **5** *Hip.* Caminhar (o cavalo) lançando-se para os lados [*int.*: *O cavalo corria muito, mas não parava de ladear.*] [▶ 13 ladear] [F.: *lado* + *-ear*².]

ladeira (la.*dei*.ra) *sf.* **1** Rua ou caminho muito inclinado, íngreme **2** Inclinação de terreno **3** Encosta, vertente de montanha [F.: *lado* + *-eira*.] ■■ **~ de subida** *Bras.* Termo que designa toda depressão na escarpa leste da serra de Ibiapaba (*CE*)

ladeirento (la.dei.*ren*.to) *a.* Que tem ladeira ou declive; DECLIVOSO; INCLINADO; ÍNGREME: "...começou a desfilar pelas veredas ladeirentas..." (Euclides da Cunha, *Os sertões*) [F.: *ladeira* + *-ento*.]

ladeiro (la.*dei*.ro) *a.* **1** Posto de lado **2** Pendente para o lado **3** *Lus.* Diz-se de prato de borda larga e pouco fundo *sm.* **4** Caminho íngreme; LADEIRA [F.: *lado* + *-eiro*.]

ladeiroso (la.dei.*ro*.so) [ô] *a.* Ver *ladeirento* [Pl.: [ó]. Fem.: [ó].] [F.: *ladeira* + *-oso*.]

ladinice (la.di.*ni*.ce) *sf.* **1** Qualidade do que é ladino, esperto; ASTÚCIA; MANHA: *inteligência e ladinice são às vezes confundidas.* **2** Ação de quem é ladino [F.: *ladino* + *-ice*. Sin. ger.: *esperteza, ladinagem, ladineza*.]

ladino (la.*di*.no) *a.* **1** Que é astuto, esperto; FINÓRIO [Ant.: *abobalhado, parvo*.] **2** Ref. a ladino (4 e 5) **3** *Bras.* Dizia-se de escravo ou índio que já tinha alguma instrução *sm.* **4** Indivíduo ladino (1); ESPERTALHÃO; PILANTRA [Ant.: *bestalhão, pateta*.] **5** *Gloss.* Língua da família indo-europeia, grupo latino, falada por cerca de um milhão de pessoas no Leste da Suíça e Norte da Itália **6** *Gloss.* Língua falada na Europa central e meridional por judeus de origem ibérica, tb. chamada judeu-espanhol [F.: Do lat. *latinus, a, um*.]

lado (*la*.do) *sm.* **1** Parte ou região lateral de qualquer coisa, em relação a uma linha divisória e a outra parte ou região (o lado ocidental): *Fique deste lado da rua; o fígado fica no lado direito do corpo.* **2** Qualquer das faces de um objeto, de um sólido etc.; SUPERFÍCIE: *os lados de um cubo.* **3** Direção, rumo: "– Se eu soubesse ao menos para que lado mora ela!" (José de Alencar, *A pata da gazela*) **4** Espaço, lugar à direita ou à esquerda de algo ou alguém: *Sente-se aqui a meu lado.* **5** Partido, grupo de pessoas com a mesma posição, opinião etc.; FACÇÃO: *Passou para o lado conservador.* **6** Aspecto, ângulo: *o lado moral de uma questão.* **7** Linha de parentesco (lado materno); PARTE **8** *Geom.* Cada uma das duas linhas que formam um ângulo; qualquer das linhas que formam um polígono [F.: Do lat. *latus, eris*.] ■■ **Ao ~ de 1** Próximo de (algo ou alguém) e na direção da esquerda ou da direita, sem estar nem à frente nem atrás: *Sentou-se ao lado do amigo; A árvore está ao lado da casa.* **2** *Fig.* Us. para dar ideia de concordância com, ou apoio ou favorecimento a (outrem), em oposição a terceiros; do lado de: *Nesta questão fico ao lado dos alunos, para o que der e vier.* **3** Comparado com: *Sua tarefa é fácil, ao lado da minha.* **Cortar pelos dois ~s** *Bras. Tabu.* Ser homossexual ativo e passivo **De ~ 1** De esguelha, enviesadamente **2** Sobre o flanco, um lado do corpo: *dormir de lado.* **De ~ a ~** De ponta a ponta, de um extremo a outro **Do ~ de** Ver *Ao lado de* (2): *Estou do seu lado e não abro.* **~ a ~** Um ao lado do outro, um junto ao outro; ombro a ombro: *Trabalharam o dia inteiro lado a lado, mas sem se falarem.* **~ da Epístola** *Litu.* Nas igrejas, o lado direito do altar (do ponto de vista dos que assistem à missa); epístola (4) [Opõe-se a *lado do evangelho*.] **~ de laçar** *RS* O lado do cavalo no qual se conduz e arremessa o laço (ger. o direito) **~ de montar** *RS* O lado do cavalo por onde se monta (ger. o esquerdo) **~ do Evangelho** Nas igrejas, o lado esquerdo do altar (do ponto de vista do público), de onde são lidos os evangelhos, na missa. (O lado direito é o *lado da epístola*.) **Olhar de ~** Olhar com desprezo, ou com desconfiança **Pôr de ~ 1** Desconsiderar, não dar atenção a, não levar em conta: *Pôs de lado o relatório e redigiu outro.* **2** Deixar (algo) para ser considerado depois: *Vou pôr de lado esta proposta para ler com calma depois.* **3** Separar como reserva: *Todo mês conseguia pôr de lado algum dinheiro.*

ladra (*la*.dra) *a.* **1** Diz-se de mulher que furta ou rouba: "À noite, a suçuarana traiçoeira e ladra, que lhe rouba os bezerros e os novilhos..." (Euclides da Cunha, *Os sertões*) *sf.* **2** Aquela que furta ou rouba: "...depois de todo esse tempo, é que a fui encontrar pela primeira vez ali, na Casa de Correção e presa como ladra..." (Aluísio Azevedo, *Mattos, Malta ou Matta?*) **3** Vara rachada ou recurvada em um dos extremos, us. para colher frutas em árvores; CAMBO **4** Em apicultura, abelha que entra na colmeia de outra família para saquear o mel **5** *Vet.* Cisticerco de *Taenia solium* que causa a ladraria (cisticercose do porco) [F.: Fem. de *ladro*. Sin. nas acps. 1 e 2: *ladroa, ladrona*. Hom./Par.: *ladra* (fl. de *ladrar*).]

ladrado (la.*dra*.do) *sm.* **1** *Pop.* Latido, ladrido **2** *Fig.* Maledicência, calúnia [F.: Do lat. *latratus -us*.]

ladrador (la.dra.*dor*) [ô] *a.* **1** Diz-se de animal que ladra ou late (cão ladrador) *sm.* **2** Esse animal: *um ladrador implicante com os estranhos.* [F.: Do lat. *latrator, oris*.]

ladrão (la.*drão*) *a.* **1** Que furta ou rouba **2** *N.E.* Diz-se de animal, esp. bovino, que arrebenta a cerca para invadir plantação (boi ladrão) [Pl.: *-drões*.] *sm.* **3** Aquele que furta ou rouba **4** Tubo para escoamento automático do líquido excedente de caixa-d'água, radiador etc. **5** *Lus.* Nas adegas, recipiente em que se recolhe o vinho ou o azeite que escorre ou transborda das pipas **6** *Bot.* Broto que surge numa planta e lhe rouba a seiva [F.: Do lat. *latro, onis* Fem. das acp. 1 e 3: *ladra, ladrona, ladroa*. Aumentativo das acp. 1 e 3: *ladravaz, ladravão, ladroaço*.] ■■ **Botar pelo ~ 1** *MA* Vomitar **2** Reunir em grande quantidade (público, dinheiro etc.): *Ganhou sozinho na sena, hoje ele bota pelo ladrão.* **Sair pelo ~** *Bras.* Existir ou estar presente em grande quantidade: *Estava lotado, saía gente pelo ladrão.*

ladrar (la.*drar*) *v.* **1** Dar latidos; LATIR [*int.*: *Os cães ladram e a caravana passa.*] **2** Gritar muito; ESGANIÇAR-SE [*int.*: *Raivoso, descontrolado, ladrava sem parar.*] **3** Lançar injúrias, pragas, de modo violento [*td.*: *Entrou no salão ladrando as piores ofensas.*] [*int.*: *O vigilante ladrava enquanto perseguia o pivete.*] [▶ 1 ladrar] [F.: Do lat. *latrare*. Hom./Par.: *ladra(s)* (fl.), *ladra(s)* (sf. [pl.]); *ladraria(s)* (fl.), *ladraria(s)* (sf. [pl.]); *ladro* (fl.), *ladro* (a. sm.).]

ladravaz (la.dra.*vaz*) *sm.* Grande ladrão; LADRONAÇO [Aum. irregular de *ladrão*.] [F.: De or. incerta; do espn. *ladrabaz*, posv.]

ladrido (la.*dri*.do) *sm.* Latido, ladrado [F.: *ladrar* sob a f. *ladr-* + *-ido*, prov. por infl. de *latido*.]

ladrilhado (la.dri.*lha*.do) *a.* Revestido com ladrilhos: "...penetrara por aquele pórtico de colunas dóricas, atravessara o átrio ladrilhado..." (Lima Barreto, *Triste fim de Policarpo Quaresma*) [F.: Part. de *ladrilhar*.]

ladrilhador (la.dri.lha.*dor*) [ô] *a.* **1** Que ladrilha *sm.* **2** O que ladrilha: *Procura-se ladrilhador para construção civil.* [F.: *ladrilhar* + *-dor*.]

ladrilhagem (la.dri.*lha*.gem) *sf.* Ação ou resultado de ladrilhar: *Ficou perfeita a ladrilhagem do banheiro.* [Pl.: *-gens*.] [F.: *ladrilhar* + *-agem*[1].]

ladrilhar (la.dri.*lhar*) *v.* **1** Revestir (parede ou piso) com ladrilhos [*td.*: *Ladrilhou a cozinha.*] **2** Desempenhar a função de ladrilhador [*int.*: *Esse rapaz ladrilha com perfeição.*] **3** *Fig.* Ocupar totalmente; COBRIR [*td.*: *Os persas ladrilharam os campos gregos.*] [▶ 1 ladrilhar] [F.: *ladrilho* + *-ar*[2]. Hom./Par.: *ladrilho* (fl.), *ladrilho* (sm.).]

ladrilheiro (la.dri.*lhei*.ro) *sm.* Aquele que fabrica ou assenta ladrilhos (1) [F.: *ladrilho* + *-eiro*.]

ladrilho (la.*dri*.lho) *sm.* **1** Pequena placa de cerâmica, barro cozido etc., ger. quadrada ou retangular e esmaltada, us. para revestir pisos ou paredes **2** Piso ladrilhado **3** Doce ou bolo em forma de ladrilho [F.: Do espn. *ladrillo*.] ■■ **~ hidráulico** Ladrilho de cimento, feito na prensa hidráulica

ladro (*la*.dro) *a.* **1** Que furta ou rouba; LADRÃO (1); LARÁPIO **2** Próprio de ladrão (3): *Usava um linguajar ladro.* [F.: Do lat. *latro, onis*. Hom./Par.: *ladro* (fl. de *ladrar*).]

ladroagem (la.dro:*a*.gem) *sf.* **1** Ver *ladroeira* (1) **2** A classe dos ladrões [Pl.: *-gens*.] [F.: *ladrar* + *-agem*.]

ladroar (la.dro.*ar*) *v.* Mesmo que *furtar* [▶ 16 ladroar] [F.: *ladrão* + *-ar*.]

ladroeira (la.dro:*ei*.ra) *sf.* **1** Ação ou resultado de roubar; FURTO; LADROAGEM; ROUBALHEIRA: *Continua a ladroagem na empresa.* **2** Extorsão contínua; EXPLORAÇÃO **3** Esconderijo de ladrões [F.: *ladro* + *-eira*.]

ladroísmo (la.dro.*is*.mo) *sm.* A prática, o costume da ladroagem: *Intensificou-se o combate ao ladroísmo e à corrupção.* [F.: *ladrão* (f. *ladro-*) + *-ismo*.]

ladrona (la.*dro*.na) *a.* **1** Diz-se de mulher que furta ou rouba: "Por sinal que a família Labareda era muito ladrona..." (Inglês de Sousa, *O missionário*) *sf.* **2** Essa mulher [F.: *ladrão* (f. *ladro-*) + *-ona*. Sin. ger.: *ladra, ladroa*.]

ladronaço (la.dro.*na*.ço) *sm.* *RS* Ver *ladravaz* [Aum. irregular de *ladrão*.] [F.: *ladrão* (f. *ladron -*) + *-aço*.]

⊕ **lady** (*Ing.* /lêidi/) *sf.* **1** Título que se dá a senhora da nobreza inglesa (Lady Diana) [Com inicial maiúsc. nesta acp.] **2** Tratamento dado à senhora de posição social elevada e/ou que é muito educada, refinada, elegante [Pl.: *ladies*.]

lagamar (la.ga.*mar*) *sm.* **1** Recanto abrigado às margens de rio ou em enseada **2** Lagoa de água salgada, esp. a cercada por um cordão de coral **3** Escavação no fundo de mar ou rio [F.: Posv. de *lag(o)* + *-a-* + *mar*.]

lagar (la.*gar*) *sm.* **1** Tanque em que se espremem frutos, esp. uvas e azeitonas **2** Oficina com as instalações próprias para esse procedimento (lagar de vinho) [Dim.: *lagariça*.] [F.: De or. contrv.]

lagarta (la.*gar*.ta) *sf.* **1** *Zool.* Nome comum dado a larva de borboletas e mariposas **2** *Zool.* A primeira fase da vida desses insetos, e que dura até se transformarem em crisálidas **3** *Mec.* Esteira articulada que envolve as rodas de tanques e tratores permitindo-lhes deslocar-se em terreno acidentado [F.: Posv. do lat. **lacarta* por *lacerta, ae*. Ideia de 'lagarta', usar pref. *eruc(i)-*.]

lagarta-cabeluda (la.gar.ta-ca.be.*lu*.da) *sf.* *Zool.* Ver *taturana* [Pl.: *lagartas-cabeludas*.]

lagarta-de-fogo (la.gar.ta-de-*fo*.go) *sf.* *Bras. Zool.* Ver *taturana* [Pl.: *lagartas-de-fogo*.]

lagarta-rosada (la.gar.ta-ro.*sa*.da) *sf.* *Ent.* Lagarta da mariposa *Pectinophora gossypiella*, uma das maiores pragas da semente do algodoeiro; suas larvas, no estágio inicial, perfuram as maçãs do algodão e atingem as sementes, onde, após a última ecdise, sua coloração torna-se róseo-amarelada e se desenvolvem até ficar com cerca de 12 mm de comprimento [Pl.: *lagartas-rosadas*.]

lagartear (la.gar.te.*ar*) *v. int.* **1** *Bras.* Deixar-se aquecer sob o sol, como um lagarto: *Ficava deitado na praia, lagarteando.* **2** Rachar-se em linha quebrada, ziguezagueante, como o andar do lagarto: *O jarro lagarteou de cima abaixo; Após o terremoto, a terra lagarteou.* [▶ 13 lagartear] [F.: *lagarto* + *-ear*[2].]

lagarteira (la.gar.*tei*.ra) *sf.* Toca onde se recolhem os lagartos [F.: *lagarto* + *-eira*.]

lagartixa (la.gar.*ti*.xa) *sf.* **1** *Zool.* Nome comum a diversos lagartos insetívoros e trepadores, da fam. dos geconídeos, de pele delicada, revestida de tubérculos, encontrados em todas as partes do mundo **2** *Bras. Pop.* Mulher magra que se movimenta e se agita muito **3** *Pop.* Indivíduo que está sempre disposto a ingerir bebida alcoólica **4** *Bras. Pop.* Insígnia que se coloca em manga de uniforme militar **5** *Ant. Mar.* Pequena peça de artilharia us. no passado *s2g.* **6** *RJ Pop. Esp.* Alpinista, montanhista [F.: Do lat. **lacartus*, psv. pelo espn. *lagartija*.]

lagarto (la.*gar*.to) *sm.* **1** *Zool.* Denominação comum a vários répteis da subordem dos sáurios, de corpo delgado, cauda longa e membros presentes, distribuídos por todos os continentes, com exceção da Antártida. Possuem hábitos arborícolas, terrícolas, fossoriais ou semiaquáticos **2** *Bras.* Certo corte de carne bovina, duro, próprio para assar; LOMBO-PAULISTA **3** *Farm.* Aparelho para dar forma a rolhas; JACARÉ [F.: Posv. do lat. **lacartus, por lacertus, i*. Ideia de 'lagarto', usar pref. *lacert(i)-, lagart-* e *saur(o)-* e suf. *-sáurio* e *-sauro*.]

◎ **-lagnia** *el. comp.* = 'excitação sexual'; 'atração ou desejo sexual': *algolagnia, cleptolagnia, coprolagnia, zoolagnia* [F.: Do gr. *lagneía, as*, 'coito', 'cópula'; 'libertinagem'.]

◎ **lag(o)-** *el. comp.* = 'lebre': *lagoftalmo, lagomorfo* (< lat. cient.) [F.: Do gr. *lagós, oû*, 'lebre'.]

lago (*la*.go) *sm.* **1** *Geog.* Extensão de água cercada de terra [Cf. *lagoa* e *laguna*.] **2** Tanque de água decorativo, em parque ou jardim **3** Grande poça de água: *O temporal fez um lago na frente de casa.* [F.: Do lat. *lacus, us*. Ideia de 'lago', usar pref. *lac-* e *limn(o)-*.] ■■ **~ coberto** *MA* Brejo coberto de buritis **~ de barragem** Lago de águas represadas em terreno ou praia, junto ao mar **~ de cratera** Lago formado por águas de chuva acumuladas em cratera vulcânica **~ de erosão** Aquele que se forma por acúmulo de água em depressões no terreno causadas por erosão **~ eutrófico** *Ecol.* Lago de pouca profundidade, rico em nutrientes **~ lacrimal** *Anat.* Espaço entre as pálpebras, no canto interno do olho **~ oligotrófico** *Ecol.* Lago de grande profundidade, pobre em nutrientes **~ residual** Lago resultante da secagem de antigos mares **~ tectônico** *Geol.* Lago que se forma entre falhas de camadas geológicas, ger. de origem tectônica

lagoa (la.*go*.a) *Geog.* *sf.* **1** Pequeno lago (1) **2** Charco, pântano [Aum.: *lagoão* Dim.: *lagoaça, lagoacho*] [F. Do lat. *lacuna, ae*. Ideia de 'lago', usar pref. *lac-* e *limn(o)-*.]

lagoeiro (la.go:*ei*.ro) *sm.* **1** Água de chuva acumulada em depressão de terreno **2** Lugar alagado [F.: *lago* + *-eiro*.]

lagoftalmia (la.gof.tal.*mi*.a) *Med.* *sf.* Paralisia do orbicular ou retração da pálpebra superior que impede o fechamento das pálpebras; LAGOFTALMO [F.: *lag(o)-* + *-oftalmia*.]

lagoftalmo (la.gof.*tal*.mo) *sm.* *Med.* O mesmo que *lagoftalmia* [F.: *lag(o)-* + *-oftalmo*.]

lagópode (la.*gó*.po.de) *a2g.* **1** *Zool.* Que tem patas emplumadas ou pilosas, semelhantes às da lebre **2** *Bot.* Que tem o rizoma recoberto de pelos ou de cotão, lembrando a pata de uma lebre [F.: *lag(o)-* + *-pode*.]

lagosta (la.*gos*.ta) [ô] *sf.* **1** *Zool.* Denominação comum a vários crustáceos decápodes marinhos, esp. aqueles da fam. dos palinurídeos e nefropídeos, com corpo alongado, carapaça dura, longas antenas e carne comestível **2** *Cul.* Prato preparado com lagosta **3** *Fig.* Pessoa de pele avermelhada [F. Posv.lat. lusitano **lagusta*, pelo lat. cl. *locusta, ae*.]

lagosteiro (la.gos.*tei*.ro) *sm.* **1** Pescador de lagosta *a.* **2** Ref. a lagosta (setor lagosteiro) [F.: *lagosta* + *-eiro*.]

lagostim (la.gos.*tim*) *sm.* *Zool.* Denominação comum a vários crustáceos decápodes semelhantes à lagosta, porém menores e sem antenas [Pl.: *-tins*.] [F.: *lagosta* + *-im*.]

lágrima (*lá*.gri.ma) *sf.* **1** *Fisl.* Gota de líquido incolor e salgado, produzido pelas glândulas lacrimais, que umedece a conjuntiva e a córnea e mantém os olhos livres de poeira e corpos estranhos **2** *Fig.* Pequena quantidade de um líquido (lágrimas de orvalho); GOTA **3** Qualquer coisa em forma de lágrima: *Seus brincos eram lágrimas de pérola.* **4** Resina ou goma que exsuda do tronco de algumas árvores [F. Do lat. *lacrima, ae*. Hom./Par.: *lagrima* (fl. de *lagrimar*). Ideia de 'lágrima', usar pref. *dacri(o)-* e *lacrim-*.] ■■ **~ sabeia** Incenso, resina aromática que se queima para perfumar o ambiente

lagrimação (la.gri.ma.*ção*) *sf.* Ver *lacrimação* [Pl.: *-ções*.] [F.: *lagrimar* + *-ção*.]

lagrimal (la.gri.*mal*) *a2g. sm.* Ver *lacrimal* [F.: *lágrima* + *-al*[1].]

lagrimar (la.gri.*mar*) *v. int.* O mesmo que *lacrimar*: *Meus olhos não param de lagrimar.* [▶ 1 lagrimar] [F.: *lágrima* + *-ar*[2]. Hom./Par.: *lagrima(s)* (fl.), *lágrima(s)* (sf. [pl.]).]

lágrimas (*lá*.gri.mas) *sfpl.* **1** Choro, pranto: *Eram lágrimas que expressavam toda a sua dor.* **2** *Fig.* Sofrimento, tristeza: "...cuja ausência a fazia infeliz e lhe enchia a existência de lágrimas." (Machado de Assis, *Dom Casmurro*) [F.: Pl. de *lágrima*.] ■■ **Chorar ~ de sangue 1** *Fig.* Ser acometido por choro intenso, doloroso **2** Arrepender-se ou afligir-se profundamente **Chorar/verter ~ de crocodilo** *Fig.* Simular choro; fingir que se sente mágoa, tristeza etc. **~ de crocodilo** *Fig.* Choro que não é sincero; expressão fingida de tristeza ou sofrimento

lagrimejamento (la.gri.me.ja.*men*.to) *sm.* Ver *lacrimejamento* [F.: *lagrimejar* + *-mento*.]

lagrimoso (la.gri.*mo*.so) [ô] *a.* Ver *lacrimoso*: "Ó menina, não deixarás este ar triste e lagrimoso em que andas?" (Martins Pena, *O noviço*) [Pl.: [ó]. Fem.: [ó].] [F.: *lágrima* + *-oso*.]

laguna (la.*gu*.na) *sf.* **1** *Geog.* Lago (1) de água salgada, pouco profundo, perto do litoral **2** *Geog.* Braço de mar pouco profundo entre bancos de areia ou ilhas, na embocadura de certos rios: *As lagunas de Veneza.* **3** *Amaz.* Baixada inundada à beira de um rio [F. Do lat. *lacuna, ae*.]

lai *sm.* *Liter.* Pequeno poema narrativo ou lírico, em versos octossílabos, que cantavam os jograis da Idade Média, ger. acompanhados pelo som da harpa ou da viola [F.: Do fr. *lai*.]

laia (*lai*.a) *sf.* **1** Espécie, feitio, classe: *gente da mesma laia* [Ger. us. com sentido pejorativo.] [F. De or. obsc.] ■■ **À ~ de** Ao modo de, de maneira semelhante a

laiana (lai.*a*.na) *s2g.* **1** Pessoa pertencente a um povo aruaque do MS *s2g.* **2** Do ou ref. aos laianas [F.: Do aruaque *layana*.]

laical (lai.*cal*) *a2g.* **1** Que não foi ordenado (3); LEIGO; SECULAR; TEMPORAL [Ant.: *clerical*.] **2** Que não se refere à classe eclesiástica (escola laical) [Ant.: *eclesiástico, religioso.*] [Pl.: *-ais.*] [F.: *laico* + *-al.*]

laicato (lai.ca.to) *sm.* **1** Ver *laicismo* (1) **2** Grupo de cristãos laicos: *o laicato de uma diocese.* [F.: *laico* + *-ato*².]

laicidade (lai.ci.*da*.de) *sf.* Qualidade de laico [F.: *laico* + *-i-* + *-dade.*]

laicismo (lai.*cis*.mo) *sm.* **1** Doutrina contrária à influência religiosa nas instituições sociais **2** Estado ou qualidade de laico [F.: *laico* + *-ismo.*]

laicista (lai.*cis*.ta) *a2g.* **1** Ref. ou pertencente a laicismo **2** Diz-se de indivíduo adepto do laicismo *s2g.* **3** Esse indivíduo [F.: *laico* + *-ista.*]

laicização (lai.ci.za.*ção*) *sf.* Ação ou resultado de laicizar: *a laicização da escola pública.* [Pl.: *-ções.*] [F.: *laicizar* + *-ção.*]

laicizar (lai.ci.*zar*) *v. td.* Tornar laico, leigo, retirando o componente religioso ou eclesiástico de: *Laicizar o ensino.* [▶ 1 laicizar] [F.: *laic(o)* + *-izar.*]

laico (*lai*.co) *a.* **1** Não religioso (educação laica) **2** Secular (em oposição a *eclesiástico*) [Ant.: *clerical, religioso.* Sin. das acp. 1 e 2: *leigo.*] *sm.* **3** Partidário do laicismo [F. Do lat. *laicus, a, um.*]

laicra (*lai*.cra) *sf.* Ver *lycra*®

lais *sm. Mar.* Qualquer uma das duas extremidades de uma verga [F.: De or. obsc.] ■ **~ de guia** Nó de marinheiro, ou de escoteiro, que forma uma laçada e é fácil de fazer e de desfazer

⊕ ***laissez-faire*** (*Fr. /lessê-fer/*) *sm2n.* **1** *Econ.* Doutrina ou prática de não interferência do Estado nas atividades econômicas **2** Atitude ou conceito de não intervir em processo, atividade etc.

laivo (*lai*.vo) *sm.* **1** Mancha, nódoa, sinal **2** Veio (laivos da madeira) [F.: De or. duvidosa.]

laivos (*lai*.vos) *smpl.* **1** Vestígios, traços (laivos de ironia) **2** *Fig.* Noções superficiais: *Tem uns laivos de história e informática.* [F.: Pl. de *laivo.*]

laje (*la*.je) *sf.* **1** Placa de cerâmica, mármore ou outro material resistente, us. para revestir pisos, paredes etc. **2** *Cons.* Cobertura ou piso de cimento armado [Aum.: *lajão, lajeão* Dim.: *lajeola, lajota*] [F.: De or. contrv. Posv. do lat. hisp. *lagena.* Sin. ger.: *lájea.* Tb. *lagem.*] ■ **~ nervurada** *Cons.* Laje reforçada com vigas, espaçadas regularmente, podendo os espaços entre elas serem vazados ou preenchidos com algum material (tijolos furados, p. ex.)

lajeado (la.je:*a*.do) *a.* **1** *Cons.* Revestido de lajes *sm.* **2** *Cons.* Superfície (teto, parede) forrada com lajes **3** *Cons.* Piso feito de lajes; LAJEDO **4** *Bras.* Regato cujo leito é de rocha [F. Part. de *lajear.*]

lajedo (la.*je*.do) [ê] *sm.* Ver lajeado (3) [F.: *laje* + *-edo.*]

lajeiro (la.*jei*.ro) *Bras. sm.* **1** Afloramento de rocha, de tamanho variado e que se assemelha com uma laje por ser mais ou menos plano *PE AL BA*; LAJEADO; LAJEDO **2** *Cons.* Pavimento revestido de lajes [F.: *laje* + *-eiro.*]

lajem (*la*.jem) *sf.* Ver *laje*

lajota (la.*jo*.ta) [ó] *sf.* **1** Pequena laje, esp. a us. para revestir pisos **2** Ladrilho (1) de dimensões maiores us. para revestir pisos interiores e exteriores [F.: *laje* + *-ota.*]

lajoteiro (la.jo.*tei*.ro) *sm. Bras.* Pessoa que fabrica, vende ou assenta lajotas [F.: *lajota* + *-eiro.*]

◎ **-lalia** *el. comp.* = 'pronúncia'; 'palavra'; 'fala'; 'expressão'; 'distúrbio ou disfunção da fala ou da linguagem'; 'compulsão ligada a fala': *alalia, alolalia, bradilalia, coprolalia, dislalia, ecolalia* (< fr.), *embololalia, estomatolalia, eulalia, glossolalia, heterolalia, mogilalia, neolalia, oxilalia, palilalia, paralalia, pasilalia, rinolalia* [F.: Do gr. *laliá, âs,* 'tagarelice'; 'loquacidade'; 'balbucio'; 'discussão literária'; 'palavra'; 'pronúncia' etc., do gr. *lálos, os, on,* 'loquaz'; 'falante'; 'tagarela'. F. conexa: *lalo-.*]

◎ **lalo-** *el. comp.* = 'loquaz', 'falante', 'tagarela'; '(*p. ext.*) loquacidade': *lalofobia, lalófobo, lalomania, laloplegia* [F.: Do gr. *lálos, os, on,* 'loquaz', 'falante', 'tagarela'. F. conexa: *-lalia.*]

lalofobia (la.lo.fo.*bi*.a) *sf. Psiq.* Medo de falar; LOGOFOBIA [F.: *lalo-* + *-fobia.*]

lalofóbico (la.lo.*fó*.bi.co) *Psiq. a.* **1** Ref. a lalofobia; LOGOFÓBICO **2** Diz-se de indivíduo que sofre de lalofobia; LALÓFOBO *sm.* **3** *Psiq.* Esse indivíduo; LALÓFOBO [F.: *lalofobia* + *-ico*².]

lalófobo (la.*ló*.fo.bo) *a. sm. Psiq.* O mesmo que *lalofóbico* (2 e 3) [F.: *lalo-* + *-fobo.* Sin. ger.: *logófobo.*]

lalomania (la.lo.ma.*ni*.a) *sf. Psiq.* Mania de discursar; loquacidade doentia; LOGORREIA [Ant.: *mutismo.*] [F.: *lalo-* + *-mania.*]

lalomaníaco (la.lo.ma.*ní*.a.co) *Psiq. a.* **1** Ref. a ou que tem lalomania **2** Diz-se daquele que apresenta lalomania *sm.* **3** *Psiq.* Esse indivíduo [F.: *laloman(ia)* + *-íaco.*]

laloplegia (la.lo.ple.*gi*.a) *sf. Med.* Paralisia que acomete os órgãos da fala [F.: *lalo-* + *-plegia.*]

laloplégico (la.lo.*plé*.gi.co) *Med. a.* **1** Ref. a laloplegia **2** Diz-se daquele que apresenta laloplegia *sm.* **3** *Med.* Esse indivíduo [F.: *laloplegia* + *-ico*².]

lama¹ (*la*.ma) *sf.* **1** Mistura de argila, água e matéria orgânica; BARRO; LODO **2** *Fig.* Degradação, baixeza (viver na lama) [F. Do lat. *lama, ae.*] ■ **~ vermelha** *Ecol.* Resíduo do processamento da bauxita

lama² (*la*.ma) *sm. Rel.* Sacerdote budista, no Tibete e na Mongólia [F. Do tibetano *blama.*]

lama³ (*la*.ma) *sf. Zool.* Ver *lhama*

lamaçal (la.ma.*çal*) *sm.* **1** Lugar cheio de lama¹; ATOLEIRO; LAMACEIRA; LAMEIRO [Ant.: *sequeiro.*] **2** *Fig.* Algo que provoca desonra; DEGRADAÇÃO: *Tirou-o do lamaçal em que as drogas o puseram.* [Pl.: *-çais.*] [F.: *lama*¹ + *-açal.*]

lamaceira (la.ma.*cei*.ra) *sf.* Ver *lamaçal* [F.: *lamaç(al)* + *-eira.*]

lamacento (la.ma.*cen*.to) *a.* **1** Que está cheio de lama¹ (rua lamacenta); ENLAMEADO; LAMOSO; LODOSO **2** Que parece lama¹ (creme lamacento) [F.: *lamaç(al)* + *-ento.*]

lamaico (la.*mai*.co) *a.* Ref. a lamaísmo [F.: *lama*² + *-ico.*]

lamaísmo (la.ma.*ís*.mo) *sm. Rel.* Religião de origem budista, que predomina no Tibete e tem como chefe supremo o Dalai Lama [F.: *lama*² + *-ismo.*]

lamaísta (la.ma.*ís*.ta) *a2g.* **1** Ref. a lamaísmo **2** Diz-se de pessoa que é sectária do lamaísmo *s2g.* **3** Essa pessoa [F.: *lama*² + *-ista.*]

lamarckiano (la.marc.ki.*a*.no) *a. sm.* O mesmo que *lamarckista* [F.: Do antr. *Lamarck* + *-i-* + *-ano.*]

lambada (lam.*ba*.da) *sf.* **1** Golpe dado com chicote, tira de couro ou material assemelhado: *Davam lambadas nos escravos.* **2** *Bras. Mús.* Ritmo musical brasileiro animado ou a dança que acompanha esse ritmo **3** *Bras. Pop.* Gole de bebida alcoólica; GOLADA **4** *Fig.* Descompostura, repreensão [F. Posv. var. de *lombada,* 'pancada no lombo'.]

lambadeiro (lam.ba.*dei*.ro) *Bras. Mús. sm.* **1** Dançarino de lambada (2) **2** Compositor ou cantor de lambada (2) [F.: *lambada* + *-eiro.*]

lambaio (lam.*bai*.o) *Bras. sm.* **1** Vassoura feita de panos ou estopa presa à extremidade de uma vara, us. para lavar fornos de padaria **2** Vassoura de embira, us. nos engenhos de banguê para limpar as espumas que se formam na borda dos tachos com melaço fervente **3** Vassoura de aniagem, us. para lavar alguidares e tachos **4** Criado ou servente de baixa condição [F.: De or. contrv., posv. de *lamber.*]

lambança (lam.*ban*.ça) *sf.* **1** *Bras. Fig.* Trabalho malfeito, sem capricho: *O pedreiro fez uma lambança na cozinha.* **2** *Bras.* Sujeira, imundície: "Enquanto isso, os outros devoravam, com muita esganação e lambança." (Guimarães Rosa, *Sagarana*) **3** Coisa que se pode lamber ou comer **4** *Bras.* Jactância, bazófia **5** *Bras.* Trapaça no jogo **6** *Fig.* Algazarra, tumulto **7** *Bras.* Recriminação, crítica **8** *Bras.* História mentirosa; ENREDO; INTRIGA: "Que República Velha! Não me venha com lambanças." (Marques Rebelo, *Marafa*) **9** *Bras.* Bajulação, puxa-saquismo **10** *Bras.* Ladroagem, roubalheira **11** *Bras.* Aversão ao trabalho; VADIAGEM; VAGABUNDAGEM [F.: *lamb(er)* + *-ança.*]

lambanceiro (lam.ban.*cei*.ro) *a.* **1** Diz-se do que faz lambança (criança lambanceira) *sm.* **2** Aquele ou aquilo que faz lambança [F.: *lambança* + *-eiro.*]

lambão (lam.*bão*) *a.* **1** Diz-se de pessoa pouco caprichosa ao realizar um trabalho (marceneiro lambão) [Ant.: *cuidadoso, diligente.*] **2** Diz-se de pessoa que se lambuza quando come **3** Diz-se de pessoa gulosa, comilona [Ant.: *enfastiado, inapetente.*] *sm.* **4** Indivíduo lambão (1, 2 e 3) [Pl.: *-bões.*] [F.: *lamb(er)* + *-ão.*]

lambareiro (lam.ba.*rei*.ro) *a.* **1** Que é guloso (meninos lambareiros); COMILÃO; GLUTÃO **2** Que não guarda segredos; BOQUIRROTO; FALADOR; TAGARELA [Ant.: *discreto.*] *sm.* **3** Indivíduo guloso; GLUTÃO: "...anunciou a um dos convivas, grande lambareiro, um certo doce particular." (Machado de Assis, "Adão e Eva" *in Várias histórias*) **4** Aquele que não guarda segredos **5** *Ant. Mar.* Cabo com um gato (8) em um dos chicotes e com um aro de ferro no outro, us. para engatar na âncora e trazê-la a seu lugar acima da borda [F.: *lamber* (f. rad. *lamba-*) + *-r-* + *-eiro.* Sin. nas acps. 2 e 4: *bisbilhoteiro, mexeriqueiro.*]

lambari (lam.ba.*ri*) *Bras. sm.* **1** *Ict.* Nome comum a diversas espécies de peixes pequenos, com escamas e dentes em forma de serra, que se encontram nos rios brasileiros **2** Serrote de lâmina estreita [F.: Posv. do tupi.]

lambateria (lam.ba.te.*ri*.a) *sf. Bras.* Estabelecimento comercial onde se dança, principalmente, lambada (2) [F.: *lamba(da)* + *-t-* + *-eria.*]

lambda (*lamb*.da) *sm.* A 11ª letra do alfabeto grego. Corresponde ao *l* latino (Λ, λ) [F.: Do gr. *lambda.*]

lambdacismo (lamb.da.*cis*.mo) *sm. Ling.* Na pronúncia de algumas palavras, a substituição do som do 'r' pelo 'l' [F. Do gr. *lambdakismós, ou.*]

lambe-botas (lam.be-*bo*.tas) *s2g2n.* O mesmo que *bajulador*

lambe-cu (lam.be-*cu*) *s2g. Vulg.* O mesmo que *bajulador* [Pl.: *lambe-cus.*]

lambedor (lam.be.*dor*) [ô] *a.* **1** Que lambe ou gosta de lamber **2** *Bras. Fig.* Que bajula outrem; ADULADOR; PUXA-SACO *sm.* **3** Aquele que lambe ou gosta de lamber **4** *Bras.* Indivíduo bajulador; CAPACHO **5** *N.E.* Denominação comum a vários xaropes feitos de mel e produtos naturais **6** *BA* Terreno salgado e alagadiço [Fem.: *Nas acps. 3 e 4: lambedeira*] [F.: *lamber* + *-dor.*]

lambe-lambe (*lam*.be-*lam*.be) *s2g.* **1** *Bras. Pop.* Fotógrafo que trabalha nas ruas, parques e praças **2** *RJ* A primeira fila da plateia no teatro de revistas [Pl.: *lambe-lambes.*] [F.: Repetição da 3ª pessoa do pres. ind. do v. *lamber.*]

lamber (lam.*ber*) *v.* **1** Passar a língua sobre (algo, alguém ou si próprio) [*td.*: *lamber os beiços; O gato lambeu-se todo.*] **2** *Bras. Fig. Pop.* Bajular, adular [*td.*: *Vivia lambendo o chefe.*] **3** *Fig.* Arrasar, consumir, incendiar [*td.*: *O fogo lambeu rapidamente a mata.*] **4** *Fig.* Aperfeiçoar (uma obra) com cuidados excessivos [*td.*: *Lambia sem parar seu texto de estreia; A gata lambia seu filhote.*] **5** *Bras.* Pegar fogo (o balão) [*int.*: *O balão veio caindo e de repente lambeu todo.*] **6** Passar a língua em um alimento para prová-lo e comê-lo [*td.*: *Lambia o sorvete com gosto.*] **7** Comer com sofreguidão; DEVORAR [*td.*: *Lambeu toda a comida da panela.*] **8** *Fig.* Propiciar regalo ou prazer a (alguém ou si mesmo); REGALAR-SE [*tdr.* + *de*: *Lambia-se de prazer quando sua garota chegava.*] [▶ 2 lamber] [F.: Do lat. *lambere.* Hom./Par.: *lamba(s)* (fl.), *lamba(s)* (sf. [pl.]); *lambeis* (fl.), (pl. de *lambel* [sm.]).]

lambida (lam.*bi*.da) *sf.* O mesmo que *lambidela* [F.: *lamber* + *-ida*¹.]

lambidela (lam.bi.*de*.la) *sf.* **1** Ação ou resultado de lamber, de passar a língua em algo ou em alguém **2** *Fig.* Ação de bajular ou adular alguém, para conseguir favor ou benefício; ADULAÇÃO; BAJULAÇÃO **3** *Fig. Pop.* Ação ou resultado de gratificar alguém, esp. por algum serviço ou favor prestado; GORJETA; GRATIFICAÇÃO [F.: *lambida* + *-ela.* Sin. ger.: *lambida.*]

lambido (lam.*bi*.do) *a.* **1** Que se lambeu **2** *Bras. Pop.* Muito liso (diz-se de cabelo) [Ant.: *cacheado, encaracolado.*] **3** *Bras. Pop.* Desprovido de graça; DESENXABIDO; INSOSSO **4** Diz-se de obra de arte ou literária exageradamente retocada (versos lambidos) [F.: Part. de *lamber.*]

lambiscada (lam.bis.*ca*.da) *sf.* Ação ou resultado de lambiscar: *Sem fome, deu apenas uma lambiscada no almoço.* [F.: Fem. substv. de *lambiscado.*]

lambiscar (lam.bis.*car*) *v.* Comer pequena porção de ou um pouco de cada vez entre as refeições; BELISCAR [*td.*: *Só lambiscou uns biscoitinhos e saiu para trabalhar.*] [*int.*: *Ficou lambiscando antes do almoço e perdeu a fome.*] [▶ 11 lambiscar] [F.: Rad. do v. *lamber* + *-iscar.* Hom./Par.: *lambiscaria(s)* (fl.), *lambiscaria(s)* (sf. [pl.]); *lambisco* (fl.), *lambisco* (sm.).]

lambisco (lam.*bis*.co) *sm.* **1** *Pop.* Pequena quantidade de comida **2** *P. ext.* Coisa pouca; INSIGNIFICÂNCIA; NINHARIA [F.: Dev. de *lambiscar.* Hom./Par.: *lambisco* (fl. de *lambiscar*).]

lambisgoia (lam.bis.*goi*.a) *Pej. sf.* **1** Mulher antipática ou atrevida, ger. magra e sem graça **2** Pessoa (esp. mulher) intrometida [F.: Posv. de *lamber.*]

lambrequim (lam.bre.*quim*) *sm.* **1** Ornato recortado de madeira ou metal us. em beiras de telhados, cortinas etc. [Nesta acp. us. ger. no pl.] **2** *Her.* Cada um dos ornatos que pendem do elmo sobre o escudo ou que o rodeiam [Mais us. no pl.] [Pl.: *-quins.*] [F.: Do fr. *lambrequin.*]

lambreta (lam.*bre*.ta) [ê] *sf.* Tipo de motocicleta pequena e pouco potente; MOTONETA [F Do it. *Lambretta,* marca comercial.]

lambretista (lam.bre.*tis*.ta) *s2g.* Pessoa que dirige lambreta [F.: *lambreta* + *-ista.*]

lambri (lam.*bri*) *sm. Decor.* Revestimento de madeira ou outro material, us. até certa altura em paredes internas [Us. ger. no pl.] [F.: Do fr. *lambris.* Tb. *lambril.*]

lambril (lam.*bril*) *sm.* Ver *lambri* [Pl.: *-bris.*]

lambrisar (lam.bri.*sar*) *v. td. Bras.* Forrar (ger. parede) de lambris [▶ 1 lambrisar] [F.: *lambris* + *-ar.*]

lambuja (lam.*bu*.ja) *sf.* **1** *Bras.* Algo que se ganha ou se dá, além do esperado; QUEBRA: *Comprou dez balas e ganhou mais duas de lambuja.* **2** Vantagem que se oferece em jogo, aposta ou negócio: *Eu te darei dois gols de lambuja.* **3** Guloseima, gulodice **4** Resto de comida que fica nos pratos [F.: De *lamber.* Tb. *lambujem.*]

lambujem (lam.bu.jem) *sf.* Ver *lambuja* [Pl.: *-jens.*]

lambuzada (lam.bu.za.da) *Pop. sf.* **1** Ação ou resultado de lambuzar(-se) **2** Coisa que suja **3** Nódoa, mancha ou vestígio de comida ou de bebida; LAMBUZADELA [F.: Fem. substv. de *lambuzado.*]

lambuzadela (lam.bu.za.*de*.la) *sf.* **1** Leve lambuzada (1) **2** O mesmo que *lambuzada* (3) **3** Pintura ligeira **4** *Fig.* Conhecimentos vagos e superficiais: *Recebeu lambuzadelas de inglês no curso pré-vestibular.* [F.: *lambuzada* + *-ela.*]

lambuzado (lam.bu.*za*.do) *a.* Que se lambuzou; ENODOADO; MANCHADO; SUJO [Ant.: *desenodoado, limpo.*] [F.: Part. de *lambuzar.*]

lambuzão (lam.bu.*zão*) *Bras. a.* **1** Diz-se de pessoa que é pouco asseada, desleixada ou desalinhada no vestir; PORCALHÃO **2** Que se lambuza ao comer *sm.* **3** Indivíduo desleixado, desalinhado: "...pôs a barba abaixo, conservando apenas o bigode, que ele agora tratava com brilhantina todas as vezes que ia ao barbeiro. Já não era o mesmo lambuzão!" (Aluísio de Azevedo, *O cortiço*) **4** Aquele que se lambuza ao comer [F.: *lambuz(ar)* + *-ão*¹. Sin. ger.: *lambão.*]

lambuzar (lam.bu.*zar*) *v. td.* **1** Sujar(-se) de comida, graxa, tinta etc.: *Lambuzou-se todo ao engraxar os sapatos.* **2** Deixar manchas em (esp. de gordura): *Lambuzou as mãos ao mexer nas panelas.* [▶ 1 lambuzar] [F.: Posv. de *lamber.*]

lambuzeira (lam.bu.*zei*.ra) *sf.* Sujeira produzida por substância cremosa ou viscosa; MELANÇA; MELEIRA [F.: *lambuz(ar)* + *-eira.*]

lamê (la.*mê*) *a.* **1** Diz-se de tecido brilhoso por nele se entremearem fios metálicos ou de fibra sintética *sm.* **2** Esse tecido [F.: Do fr. *lamé.*]

lamecense (la.me.*cen*.se) *s2g.* **1** Aquele ou aquela que nasceu ou que vive em Lamego (Portugal) *a2g.* **2** De Lamego; típico dessa cidade ou de seu povo [F.: Do lat. * *lamaecense.*]

lamego (la.*me*.go) [ê] *sm.* **1** *Agr.* Arado com um varredouro entre as aivecas, us. para limpar a terra das raízes; LABREGO **2** *SP Cul.* Pão coberto de creme [F.: De or. contrv; do top. *Lamego,* posv.]

lameira (la.*mei*.ra) *sf.* **1** Lamaçal, atoleiro **2** Terreno alagadiço onde cresce pasto; LAMEIRO [F.: *lama*¹ (1) + *-eira.*]

lameiro (la.*mei*.ro) *sm.* **1** Local cheio de lama¹ (1); LAMAÇAL; LODAÇAL [Ant.: *sequeiro.*] **2** *Náut.* Embarcação que carrega lama retirada de dragagem do porto **3** Terra encharcada em que cresce pasto abundante **4** Terreno de vazante de rio us. para cultivo *a.* **5** *Pop.* Que corre melhor na lama (diz-se de cavalo) [F.: *lama*¹ (1) + *-eiro.*]

lamela (la.*me*.la) *sf.* **1** Pequena lâmina ou folha muito fina **2** *Anat. Zool.* Escama, placa ou membrana delgada **3** *Anat. Zool.* Estrutura delgada das brânquias dos bivalves e peixes **4** *Biol.* Designação comum a qualquer estrutura com a forma de uma pequena lâmina **5** *Ópt.* O mesmo que *lamínula* [F.: Do lat. *lamella, ae.* Hom./Par.: *lamela* (fl. de *lamelar*).] ■

~ média *Bot.* Na célula vegetal, camada mais externa da parede celular **~ óssea** *Histl.* Lâmina formada por fibras de colágeno, que se apresentam em camadas paralelas ou concêntricas

lamelar (la.me.*lar*) *a2g.* Ref. a ou provido de lâmina(s) (ceratoplastia lamelar) [F.: *lamel(i)-* + *-ar*[1].]

◎ **lamel(i)-** *el. comp.* = 'lâmina (pequena)'; 'lâmina ou membrana muito delgada'; 'estrutura delgada das brânquias dos bivalves e dos peixes': *lamelibrânquio* (< lat. cient.), *lamelicórneo* (< lat. cient.), *lamelífero, lameliforme, lamelípede, lamelirrostro* (< lat. cient.), *lameloso* [F.: Do lat. *lamella, ae*, 'laminazinha'.]

lamelibrânquio (la.me.li.*brân*.qui:o) *sm.* **1** *Zool.* Espécime dos lamelibrânquios, subclasse de moluscos bivalves, com brânquias em forma de W; ver *bivalve* *a.* **2** *Zool.* Ref. ou pertencente aos lamelibrânquios [F.: Adapt. do lat. cient. *Lamellibranchia*; ver *lamel(i)-* e *-brânquio.*]

lamelicórneo (la.me.li.*cór*.ne:o) *sm.* **1** *Zool.* Espécime dos lamelicórneos, subordem de insetos coleópteros que reúne famílias de besouros de tarsos pentâmeros e antenas curtas com segmentos terminais prolongados para dentro do eixo antenal *a.* **2** *Zool.* Ref. ou pertencente aos lamelicórneos [F.: Adapt. do lat. cient. *Lamellicornia*; ver *lamel(i)-* e *-córneo.*]

lameliforme (la.me.li.*for*.me) *a2g.* Que tem forma de lâmina [F.: *lamel(i)-* + *-forme.*]

lameloso (la.me.*lo*.so) [ô] *a.* Que tem lâminas; LAMELAR [Pl.: [ó]. Fem.: [ó].] [F.: *lamela* + *-oso*; ver *lamel(i)-.*]

lamentação (la.men.ta.*ção*) *sf.* **1** Ação ou resultado de lamentar(-se) **2** Manifestação queixosa de sofrimento ou dor; LAMENTO; LAMÚRIA; QUEIXUME **3** Canto triste ou fúnebre; CARPIDURA; ELEGIA; NÊNIA [Pl.: *-ções.*] [F.: Do lat. *lamentatio, onis.*]

lamentar (la.men.*tar*) *v.* **1** Expressar(-se) por lamentos ou lamúrias [*int.*: *Aquele chato não para de se lamentar.*] [*tr.* + *de*: *Procurou o amigo para lamentar-se do fracasso amoroso.*] **2** Sentir angústia ou aflição por (algo); LASTIMAR [*td.*: *Lamentava não poder ajudar a irmã.*] **3** Sentir aflição, angústia; afligir por; DEPLORAR [*td.*: *Todos lamentavam aquela perda*: "... que você lamenta e chora/ a nossa separação." (Noel Rosa, *Último desejo*)] [▶ **1** lamentar] [F.: Do lat. tardio *lamentare.*]

lamentável *a2g.* **1** Que inspira compaixão e pena; LAMENTOSO; LASTIMOSO: *A doença deixou-o em estado lamentável.* **2** Que é digno de censura e repreensão; CONDENÁVEL; DEPLORÁVEL: *As torcidas tiveram um comportamento lamentável.* [Ant.: *apreciável, louvável.*] [Pl.: *-veis.*] [F.: Do lat. *lamentabilis, e.* Sin. ger.: *lastimável.* Hom./Par.: (pl.) *lamentáveis* (fl. de *lamentar*).]

lamento (la.*men*.to) *sm.* **1** Lamentação (2) **2** Pranto, choro **3** *Mús.* Canto de caráter triste, choroso [F.: Do lat. *lamentum, i.* Hom./Par.: *lamento* (fl. de *lamentar*).]

lamentoso (la.men.*to*.so) [ô] *a.* **1** Que contém ou expressa lamento **2** Que produz som triste, lastimoso; CHOROSO; PLANGENTE **3** Lamentável (1) [Pl.: [ó]. Fem.: [ó].] [F.: *lamento* + *-oso.*]

lâmia (*lâ*.mi:a) *sf.* **1** *Mit.* Monstro mítico que se arrastava até os lugares onde havia crianças para matá-las, e que tb. seduzia jovens belos e fortes para depois sugar-lhes o sangue até a morte: "Os beijos convidava. Era o modelo/ Da luxuosa Lâmia, – aquela moça." (Machado de Assis, "Clódia" *in Ocidentais*) [Tb. us. no pl. *lâmias*, pois tinha o poder de se transformar em mais de uma figura ao mesmo tempo.] **2** *P. ext.* Feiticeira, maga, bruxa [F.: Do lat. *lamia, ae.*]

lâmina (*lâ*.mi.na) *sf.* **1** Parte cortante de espada, faca, canivete etc.; FIO; GUME **2** Chapa fina de metal **3** Pequena placa de vidro us. para análise ou exame de laboratório **4** Qualquer fragmento chato e delgado; LASCA [Dim.: *lamínula*] [F.: Do lat. *lamina, ae.* Hom./Par.: *lamina* (fl. de *laminar*). Ideia de 'lâmina', *elasm(o)-*, *lamel(i)-* e *lamin-.*] ■ **~ basal** *Histl.* Produto de células epiteliais, realiza a nutrição do tecido epitelial e está presente na aderência das células a estruturas adjacentes **~ bimetálica** *Elet.* Lâmina feita com dois metais diferentes, soldados, que fecha ou desfaz circuito em termostatos ou em chave térmica de retardo **~ da língua** *Anat.* Porção anterior da língua logo depois da ponta **~ de pagamento** *Bras.* Impresso expedido por instituição financeira, firma etc., no qual estão registradas as especificações de uma dívida (quantia, devedor, data de pagamento) e que serve, quando autenticada, como comprovante de pagamento **~ vertebral** *Anat.* Cada um de dois segmentos planos de uma vértebra que se juntam e soldam em sua parte posterior e média, configurando a cavidade vertebral

laminação (la.mi.na.*ção*) *sf.* **1** Ação ou resultado de laminar[2]; LAMINAGEM **2** *Metal.* Transformação de um bloco de metal em lâminas **3** *Pap.* Redução da espessura do papel [Pl.: *-ções.*] [F.: *laminar* + *-ção.*]

laminado (la.mi.*na*.do) *a.* **1** Composto por várias camadas ou lâminas (vidro laminado) **2** Que apresenta formato de lâmina **3** Diz-se de chapa de madeira ou metal produzida pela compressão de lâminas *sm.* **4** Essa chapa [F.: Part. de *laminar.*]

laminador (la.mi.na.*dor*) *a.* **1** Diz-se de operário que produz ou comprime lâminas **2** Diz-se de máquina em que se colocam blocos de metal para laminar *sm.* **3** Esse operário **4** Essa máquina [F.: *laminar*[2] + *-dor.*]

laminar[1] (la.mi.*nar*) *a2g.* **1** Que tem a forma de uma lâmina ou em que há lâmina(s) (estrutura laminar); LAMINOSO **2** *Anat.* Ref. à lâmina da língua [F.: *lâmina* + *-ar*[1].]

laminar[2] (la.mi.*nar*) *v. td.* **1** Usinar (metal) em lâmina **2** Diminuir a espessura de (um objeto, um material) **3** Submeter (folha de papel) a processo de laminação **4** Revestir os lados de (cartão, estampa etc.) com material transparente [▶ **1** laminar] [F.: *lâmina* + *-ar*[2]. Hom./Par.: *lamina* (fl.), *lâmina* (sf.); *laminas* (fl.), *lâminas* (pl. do sf.); *laminaria* (fl.), *laminária* (sf.); *laminarias* (fl.), *laminárias* (pl. do sf.).]

laminectomia (la.mi.nec.to.*mi*.a) *sf.* *Cir.* Ablação de lâmina vertebral [F.: *lâmina* + *-ectomia.*]

lamínula (la.*mí*.nu.la) *sf.* **1** Pequena lâmina ou lâmina muito fina **2** *Ópt.* Lâmina de vidro, muito delgada, que se coloca sobre as preparações a serem observadas no microscópio; LAMELA [Dim. irregular de *lâmina.*] [F.: *lâmina* + *-ula.*] ■ **~ de fase** *Ópt.* Lamínula (2) que, numa observação ao microscópio com contraste de fase, ao interceptar os raios luminosos que incidem na lâmina determinam a fase e tornam perceptíveis as características do material observado **~ de meia-onda** *Ópt.* Lamínula de onda que cria uma diferença de fase equivalente a meio comprimento de onda ou um quarto de comprimento de onda entre os raios refratados de uma radiação luminosa monocrômica (de certo comprimento de onda) que a atravessa **~ de onda** *Ópt.* Lamínula (2) feita de material birrefringente, com duas faces paralelas, que ao ser atravessada por radiação monocromática a decompõe em raio ordinário e extraordinário, com uma diferença de fase entre eles

lamiré (la.mi.*ré*) *sm.* **1** *Mús.* Instrumento metálico que, posto em vibração, produz um som de altura determinada que serve para afinar vozes e instrumentos; AFINADOR; DIAPASÃO **2** *P. ext.* Sinal para começar alguma coisa **3** *Fig. Pop.* Repreensão, censura **4** *Amaz. Fig.* Conversa fiada; CASCATA **5** *Lus. Fig.* Indício ou breve informação que traz o conhecimento imediato de algo: "...não fosse a sangria dar o lamiré e estragar a tramoia." (Armando Tavares, "A cruz tombada" *in Marão*) [F.: *lá* + *mi* + *ré*, notas musicais.] ■ **Dar o ~** **1** *Mús.* Numa execução musical, dar sinal de início; dar o tom, fazendo soar a nota de referência **2** *P. ext. Fig.* Dar o tom (de algo), indicar o caráter, a maneira com que algo será tratado, desenvolvido, executado etc. **Dar um ~** *Fig.* Dar indicações que evoquem algo, ou despertem a memória de algo

lamoso (la.*mo*.so) [ô] *a.* Que contém lama[1] (1); LAMACENTO; LODOSO; PANTANOSO [Pl.: [ó]. Fem.: [ó].] [F.: *lama*[1] + *-oso.*]

lampa[1] (*lam*.pa) *sf.* *Pop.* Ver *lâmpada*: "Ateia o lume das lampas..." (Castro Alves, "Pedro Ivo" *in Espumas Flutuantes*) [F.: Alt. de *lâmpada.*] ■ **Levar as ~s a** Levar vantagem sobre (algo ou alguém), ficar-lhe superior, deixá-lo para trás, vencê-lo

lampa[2] (*lam*.pa) *sm.* **1** Qualquer fruto colhido na noite de São João **2** Figo temporão colhido nessa mesma noite *sf.* **3** *Bot.* Variedade de figueira [F.: Fem. subst. de *lampo*[2].]

lampa[3] (*lam*.pa) *sf.* *Têxt.* Seda estampada oriunda da China [F.: De or. contrv; do fr. *lampas*, posv.]

lâmpada (*lâm*.pa.da) *sf.* **1** Globo ou tubo de vidro com dispositivo que produz luz com a passar da corrente elétrica (lâmpada fluorescente; lâmpada incandescente) **2** Recipiente, us. para iluminação, que contém pavio imerso em substância combustível (lâmpada de querosene) **3** Qualquer aparelho para iluminar **4** O conjunto formado pelo suporte, o refletor e a fonte luminosa **5** *Fís.* Fonte de radiação eletromagnética visível, infravermelha ou ultravioleta [Dim.: *lamparina*] [F.: Do lat. *lampada, ae.*] ■ **~ de arco** *Elet.* Lâmpada elétrica na qual um gás ionizado existente entre dois eletrodos gera um arco luminoso entre estes, ao ser atravessado por uma corrente **~ de incandescência** Ver *Lâmpada incandescente* **~ de mercúrio** Lâmpada que contém vapor de mercúrio, o qual emite radiação luminosa quando atravessado por corrente elétrica **~ de segurança** Lâmpada us. em minas de carvão, protegida por uma rede metálica a sua volta de possível explosão causada por gases inflamáveis **~ de sódio** Lâmpada que contém vapor de sódio, o qual emite radiação luminosa quando atravessado por corrente elétrica. **~ dicroica** Lâmpada pequena, mas de relativamente grande luminosidade, na qual um refletor dicroico concentra o feixe luminoso **~ elétrica** Ver *Lâmpada incandescente* **~ espectral** *Ópt.* Lâmpada em forma de tubo cheio de gás através do qual passa corrente elétrica, us. para estudar o espectro do gás **~ fluorescente** *Ópt.* Tubo de vidro com vapor de mercúrio, que ao ser ionizado pela corrente produz uma radiação que ativa uma camada fluorescente na parede interna do tubo **~ halógena** Lâmpada incandescente com halogênio em seu interior, o qual protege o filamento incandescente de tungstênio **~ incandescente** Lâmpada em cujo interior a vácuo um filamento metálico torna-se incandescente (emitindo luz) quando atravessado por corrente elétrica; lâmpada elétrica [Tb. apenas *lâmpada.*] **~ infravermelha** Lâmpada incandescente de baixa voltagem que funciona a alta temperatura (mais de 2.000 °C) e emite energia eletromagnética na faixa infravermelha do espectro **~ ultravioleta** Lâmpada cuja radiação está em grande parte na faixa ultravioleta

lampadário (lam.pa.*dá*.ri:o) *sm.* **1** Espécie de lustre em que podem ser colocadas várias lâmpadas; CANDELABRO; CASTIÇAL **2** Peça us. na iluminação pública, ger. instalada sobre um suporte vertical e de grande intensidade luminosa [F.: *lâmpada* + *-ário.*]

lamparina (lam.pa.*ri*.na) *sf.* **1** Utensílio composto de recipiente com querosene ou óleo, e um pavio que, ao ser aceso, produz pequena chama que ilumina; GRISETA **2** Lâmpada pequena **3** *Pop.* Bofetada, ger. na orelha **4** Maçarico a gasolina us. em solda [F.: Do espn. *lamparilla.*] ■ **Acender a ~** *Bras. Pop.* Encher copo vazio com bebida alcoólica (e bebê-la); embebedar-se

lampeiro (lam.*pei*.ro) *a.* **1** Que apresenta certa agitação, alegria e atrevimento; ASSANHADO; IRREQUIETO; SERELEPE: *As adolescentes lampeiras chamavam a atenção de todos.* [Ant.: *apático, quieto.*] **2** Diz-se de fruto que dá fora do tempo; LAMPO; TEMPORÃO **3** Açodado, apressado [Ant.: *lento, vagaroso.*] [F.: *lampo*, 'fruto que vem antes do tempo' + *-eiro.*]

lampejante (lam.pe.*jan*.te) *a2g.* Que lampeja: "...envolta em vestes lampejantes, onde o que não fosse ouro e prata era de flores de brilhantes..." (Cecília Meireles, *Romanceiro da Inconfidência*) [F.: *lampejar* + *-nte.*]

lampejar (lam.pe.*jar*) *v.* **1** Emitir lampejo ou clarão momentâneo [*int.*: *O céu lampejava.*] **2** Emitir, lançar [*td.*: *O céu lampejava clarões.*] **3** Lançar faíscas [*int.*: *O fósforo não acendia, apenas lampejava.*] [▶ **1** lampejar] [F.: *lampo*, 'relâmpago' + *-ejar.* Hom./Par.: *lampejo* (fl.), *lampejo* (sm.).]

lampejo (lam.*pe*.jo) [ê] *sm.* **1** Ação ou resultado de lampejar: "E na manhã seguinte a vista extinta lhe revive, acendendo-se no primeiro lampejo do levante..." (Euclides da Cunha, *Os sertões*) **2** Claridade intensa e instantânea (lampejo do relâmpago); CLARÃO **3** Centelha, chispa, fagulha, faísca **4** *Fig.* Pálido reflexo: "...e nos olhos uma concentração de luz, que era, por assim dizer, o último lampejo da alma expirante." (Machado de Assis, *Memórias póstumas de Brás Cubas*) **5** *Fig.* Manifestação brilhante e momentânea de uma ideia ou de quaisquer sentimentos: "Tudo é que o dono tenha um lampejo de imaginação para ajudar a memória a esquecer Caracas e Cármen..." (Machado de Assis, *Esaú e Jacó*) [F.: Dev. de *lampejar.* Hom./Par.: *lampejo* (fl. de *lampejar*).]

lampião (lam.pi:*ão*) *sm.* **1** Utensílio de iluminação, fixo ou portátil, de corpo metálico bojudo, contendo substância combustível, e parte superior de vidro, que protege a mecha incandescente **2** *Antq.* Poste de iluminação pública [Pl.: *-ões.*] [F.: Do it. *lampione.*] ■ **~ de esquina** *Bras. Pop.* Penitência no jogo de berlinda, na qual o penitente fica de pé, assumindo posturas determinadas pelos demais participantes

lampírio (lam.*pí*.ri:o) *sm.* *Ent.* O mesmo que *vaga-lume* [F.: *lampiro*, do gr. *lampurís, ídos* + *-io*[2].]

lampo[1] (*lam*.po) *sm.* *Lus.* Ver *relâmpago* [F.: Alt. de *lampa*[1], posv.]

lampo[2] (*lam*.po) *a.* **1** Diz-se de fruto que vem antes do tempo; TEMPORÃO **2** Diz-se de uma qualidade de figos brancos que são os primeiros a amadurecer [F.: De or. contrv.]

lampreia (lam.*prei*.a) *sf.* *Zool.* Denominação comum à diversas spp. de peixe marinho, da fam. dos petromizontídeos com corpo alongado e cilíndrico que se fixa com a boca que apresenta muitos dentes córneos no corpo de outros peixes. Vivem em águas frias [Há variação de timbre no ditongo tônico desta palavra (/ei/ fechado e /éi/ aberto, este o mais comum).] [F.: Do lat. vulg. *lampreda.*]

lamúria (la.*mú*.ri:a) *sf.* **1** Expressão chorosa de queixa ou sofrimento; LAMENTO; QUEIXUME **2** Falação insistente com o fim de se conseguir o que se pede; CANTILENA; LENGA-LENGA [F.: Do lat. *Lemuria, orum.* pl. 'lemúrias, festividades em honra dos Lêmures ou almas do outro mundo'. Hom./Par.: *lamuria* (fl. de *lamuriar*).]

lamuriante (la.mu.ri:*an*.te) *a2g.* **1** Que tem caráter de lamúria (tom lamuriante) **2** Que emprega lamúria para conseguir alguma coisa [F.: *lamuriar* + *-nte.* Sin. ger.: *lamuriento, lamurioso, queixoso.*]

lamuriar (la.mu.ri.*ar*) *v.* Lamentar(-se) por lamúria ou choradeira; LASTIMAR(-SE) [*td.*: *Lamuriava o brinquedo quebrado.*] [*int.*: *Sempre o vejo lamuriar(-se).*] [▶ **1** lamuriar] [F.: *lamúria* + *-ar*[2]. Hom./Par.: *lamuria(s)* (fl.), *lamúria(s)* (sf. [pl.]).]

lamuriento (la.mu.ri:*en*.to) *a.* Ver *lamuriante* [F.: *lamúria* + *-ento.*]

lamurioso (la.mu.ri:*o*.so) *a.* Ver *lamuriante* [Pl.: [ó]. Fem.: [ó].] [F.: *lamúria* + *-oso.*]

⊠ **LAN** Sigla do ing. para *Local Area Network*, rede local restrita a um espaço físico (como um escritório ou uma empresa) que interliga entre si vários computadores e periféricos

lana-caprina (la.na-ca.*pri*.na) *sf.* Coisa de pouco valor, sem importância; BAGATELA; NINHARIA [Pl.: *lanas-caprinas.*] [F.: Do lat. *lana, ae* 'lã' + lat. *caprinus, a, um*, 'ref. às cabras, caprino'.] ■ **De ~** Insignificante, sem importância

lanar (la.*nar*) *a2g.* Ref. a lã; LANÍGERO: *vestimentas lanares.* [Pl.: *-res.*] [F.: Do lat. *lanaris, e.*]

lança (*lan*.ça) *sf.* **1** Arma com haste longa e ponta aguda de metal, que pode ser arremessada ou introduzida no corpo: "Faziam-se acompanhar por muitos cães e tinham nas mãos lanças com ponta de chifre ou osso..." (Alberto da Costa e Silva, *A manilha e o libambo*) **2** Soldado armado de lança **3** Varal que fica entre os cavalos de uma carruagem *sm.* **4** *Bras. Gír.* Punguista **5** *N.E.* Alavanca de bonde [F.: Do lat. *lancea, ae.* Hom./Par.: *lança* (fl. de *lançar*). Ideia de 'lança', usar pref. *hast(i)-.*] ■ **Abaixar a ~** *Fig.* Capitular, desistir de enfrentar, dar-se por vencido **Meter uma ~ em África** Realizar proeza, conseguir algo antes considerado quase impossível **Quebrar ~s por** Lutar, empenhar-se, esforçar-se por (algo ou alguém)

lança-bombas (lan.ça-*bom*.bas) *sm2n.* **1** Pequeno canhão de cano curto ou morteiro de trincheiras us. para lançar bombas **2** Dispositivo para lançar bombas us. em aviões de bombardeio ou navios de guerra

lança-chama (lan.ça-*cha*.ma) *sm.* Ver *lança-chamas* [Pl.: *lança-chamas.*] [Tb. *lança-chamas.*]

lança-chamas (lan.ça-*cha*.mas) *sm2n.* *Mil. Quím.* Arma que arremessa líquido inflamado com o objetivo de destruir pelo fogo [Tb. *lança-chama.*]

lançaço (lan.*ça*.ço) *sm.* *Bras.* O mesmo que *lançada* [F.: Do espn. platino *lanzazo.* Hom./Par.: *laçaço* (sm.).]

lançada (lan.*ça*.da) *sf.* **1** Golpe dado com lança (1) **2** Ferida provocada por lança (1) **3** *Her.* Crescente pequeno, ger. a gotejar sangue, que representa a ferida causada por lança (1) [F.: *lança* (1) + *-ada*[1]. Sin. nas acps. 1 e 2: *lançaço.*]

lançadeira (lan.ça.*dei*.ra) *sf.* **1** Peça de tear ou de máquina de costura por que passa o fio us. para tecer ou coser **2** *Astnáut.* Veículo espacial recuperável, us. para colocar em órbita satélites ou naves [F.: *lançar* + *-deira.*] ■ **~ espacial** *Astnáut.*

Nave espacial us. para viagens entre a Terra e uma órbita terrestre, e que pode ser recuperada para novas missões [Tb. apenas *lançadeira*.]

lançado (lan.*ça*.do) *a.* 1 Que se lançou, direcionou (olhar lançado) 2 Diz-se de produto inédito colocado no mercado (livro lançado; filme lançado) 3 Projetado mediante dispositivo propulsor (foguete lançado) 4 Jogado, arremessado, atirado (bola lançada) 5 Constituído, disposto, feito: "Projeto lançado em 94 complementa orçamento de famílias pobres." (*Folha de S.Paulo*, 16.01.1997) 6 Que foi escriturado: *lançado em livro-caixa.* 7 Que foi registrado com objetivo de arrecadação fiscal (imposto lançado) 8 *Jur.* Que passou do prazo para apresentação de documentos ou provas; EXPIRADO 9 Atribuído, imputado: *O ônus lançado sobre ele era injusto.* *sm.* 10 Aquilo que se lançou; VÔMITO 11 Coisa vomitada [F.: Part. de *lançar*.]

lançador (lan.ça.*dor*) [ô] *a.* 1 Que lança, arremessa 2 Diz-se de foguete que leva ao espaço uma lançadeira 3 Diz-se de indivíduo, esp. combatente, armado com lança *sm.* 4 Esse indivíduo 5 Funcionário do fisco que registra os lançamentos de impostos 6 Foguete lançador (2) 7 Pessoa que faz lances em leilões [F.: *lançar* + *-dor*.]

lançamento (lan.ça.*men*.to) *sm.* 1 Ação ou resultado de lançar(-se); LANCE; LANÇO 2 Apresentação ao público, venda ou exibição de produto ou atração inéditos: *O lançamento do filme foi concorrido.* 3 Aquilo que foi lançado: *os lançamentos de Natal da editora.* 4 *Publ.* Período inicial de uma campanha publicitária 5 Formalização da obrigação de pagamento de determinado tributo por um contribuinte 6 *Jur.* Procedimento pelo qual um juiz declara expirado o prazo para apresentação de provas ou documentos a um processo 7 *Astnáut.* Envio ao espaço de nave, foguete ou satélite, por meio de mecanismo de propulsão 8 *Cont.* Anotação feita em livro contábil 9 *Esp.* Arremesso (no atletismo, de peso, dardo, disco e martelo); passe 10 *Cons.* Colocação das peças de uma construção; AJUSTAMENTO; ASSENTAMENTO 11 *Fut.* Passe que percorre grande distância 12 *Bot.* O rebento, o gomo das árvores [F.: *lançar* + *-mento*.] ■ **~ de dardo** *Atl.* Prova na qual o atleta arremessa um dardo com uma das mãos, à maior distância possível **~ de disco** *Atl.* Prova na qual o atleta arremessa um disco com uma das mãos depois de girar o corpo sobre o próprio eixo 180º, à maior distância possível **~ de martelo** *Atl.* Prova masculina na qual o atleta arremessa um martelo (uma esfera de metal presa num cabo de aço, cuja outra ponta tem uma argola que é empunhada pelo atleta com as duas mãos) depois de girar o corpo sobre o próprio eixo, à maior distância possível **~ de peso** *Atl.* Prova na qual o atleta lança, com uma das mãos, uma esfera de metal com peso predeterminado, à maior distância possível

lançante (lan.*çan*.te) *a2g.* 1 Que lança (maré lançante) *sm.* 2 *S* Declive de montanha; ENCOSTA; VERTENTE: *propriedades compridas no sentido do lançante das águas.* 3 *MG RS MT* Declive acentuado em cerro ou coxilha: "O Major tinha construído uma bonita e asseada casinha no lançante de uma colina..." (Bernardo Guimarães, *O garimpeiro*) 4 *Bras. Cnav.* Espia[2] que sai de bordo, de meia-nau para vante ou para ré, us. na amarração de uma embarcação ao cais ou a uma outra embarcação [F.: *lançar* + *-nte*.]

lança-perfume (lan.ça-per.*fu*.me) *sm.* 1 *Bras.* Cilindro contendo éter perfumado sob pressão, us. antigamente no carnaval para borrifar foliões 2 O conteúdo desse cilindro [Pl.: *lança-perfumes*.]

lançar (lan.*çar*) *v.* 1 Arremessar, visando um alvo [*tda.*: *Lançou a pedra no mar.*] 2 Projetar, mediante propulsão [*tda.*: *Os chineses lançaram mais um foguete ao espaço sideral.*] 3 Jogar, estendendo [*tda.*: *Lançou a rede (no rio).*] 4 *Fig.* Arrojar(-se), jogar(-se), precipitar(-se) [*tda.*: *Lançou longe o presente; Lançou-se à cama dolorido, já com febre.*] 5 Desprender, emitir, ou exalar [*td.*: *lançar raios; lançar gritos; lançar líquido ou vapor.*] 6 Dirigir, voltar (o olhar) [*tdi.* + *a*: *Lançou uma rápida olhada ao rapaz.*] 7 Despejar, entornar, verter (líquido) [*tda.*: *O rio lançava suas águas no mar; O Amazonas lança-se no Atlântico.*] 8 Fazer brotar ou germinar; PRODUZIR [*td.*: *A tangerineira lançou seus primeiros frutos.*] 9 Pôr em voga (ideia, moda) ou promover (outrem ou a si mesmo) [*td.*: *A empresa lançou uma nova aeronave.*] [*tdp.*: *O ator lançou-se como comediante.*] 10 Introduzir (novo produto) no mercado ou estrear (filme, peça, livro) [*td.*: *Lançaram um novo filme de Tornatore; A editora finalmente lançara o romance.*] 11 Imputar, atribuir [*tdr.* + *em*: *Lançaram a culpa no inocente.*] 12 Enviar ou publicar manifesto, ultimato etc. [*td.*: *Lançaram nova lista de reivindicações.*] 13 *Esp.* Fazer lançamento ou arremesso [*tdi.* + *a*, *para*: *Lançou a bola ao companheiro; Lançou a bola para o zagueiro.*] [*tda.* + *em*: *Lançou a pelota nas fuças do perseguidor.*] 14 Atirar-(se), jogar(-se) a (algo) com coragem, ousadia [*tdr.* + *em*: *Lançou o companheiro nos riscos da empreitada.*] [*tdr.* + *a*: *Lançou-se com ímpeto ao ataque.*] 15 Atirar-se com dedicação a [*tdr.* + *a*: *Primeiro hesitou, depois lançou-se ao trabalho.*] 16 Vomitar, deitar pela boca [*td.*: *Em casa, teve de lançar fora o jantar.*] 17 Apresentar, expor pela primeira vez [*td.*: *Lançou a ideia no meio da discussão.*] 18 Espalhar, semear [*td.*: *Onde chegava, lançava a discórdia e a agressividade.*] 19 Escriturar, registrar em livro de contabilidade ou equivalente [*td.*: *Lançava, à noite, todas as despesas.*] 20 *Rest.* Fazer lanço de leilão [*td.*: *Lançou logo o dobro do que pediam pela peça.*] 21 *Mar.* Levar para o mar, inaugurar (o barco até então no estaleiro) [*td.*: *Lançaram o submarino com grande entusiasmo.*] 22 Escrever [*tda.*: *De manhã, lançou novas palavras na novela.*] 23 *Pol.* Sugerir, propor (candidatura, função pública) [*tdp.*: *Lançaram o ladravaz como candidato a deputado; O ladravaz se lançou como pleiteante à tesouraria.*] [▶ 12 lançar] [F.: Do lat. *lanceare*. Hom./Par.: *lance(s)* (fl.), *lance(s)* (sm. [pl.]); *lanço* (fl.), *lanço* (sm.).]

lança-torpedos (lan.ça-tor.*pe*.dos) *sm2n.* Aparelho de disparo de torpedos presente em submarinos e navios de guerra

lance (*lan*.ce) *sm.* 1 *Gír. Pop.* Aquilo que ocorre ou ocorreu; ACONTECIMENTO; FATO: *Vou contar um lance impressionante que vi ontem.* 2 *Esp. Fut.* Lançamento, arremesso 3 Situação difícil, complicada ou ilegal; PERIGO; RISCO 4 Rasgo, ímpeto (lance de coragem) 5 Oferta de preço proposta em leilão; LANÇO: *Fez um lance de cem reais pela peça.* 6 *Esp. Fut.* Jogada em uma partida: "...logo no primeiro lance perdeu um gol..." (*O Dia*, 21.04.2003) 7 Situação dramática em enredo de filme, peça de teatro ou novela 8 *Lud.* Ação de mover uma peça em jogo de tabuleiro 9 Ação de jogar a rede no mar para pescar [F.: Dev. de *lançar*. Hom./Par.: *lance* (fl. de *lançar*).] ■ **De um ~** Em um só movimento, de uma vez só **Dois ~s** *Fut.* Tipo de cobrança de falta no qual não pode haver tiro direto a gol **Em cima do ~** No mesmo instante, bem na hora; na bucha **Errar o ~** Não acertar, errar, falhar **~ de casas** Sequência de casas, uma ao lado da outra **~ de olhos/vista** 1 Aquilo que se vê num olhar rápido, de relance 2 *Fig* Análise ou avaliação rápida, superficial **~ dramático** *Teat.* Situação dramática no desenvolvimento de uma peça, de um roteiro **~ extremo** Momento de extremo perigo em que está em risco uma vida, uma carreira, uma reputação etc. **~ livre** *Basq.* Arremesso livre à cesta de um ponto no centro da cabeça do garrafão, como penalidade por falta cometida por adversário

lanceada[1] (lan.ce.*a*.da) *sf. MA* Duelo entre papagaios, pipas, pandorgas [F.: *lancear*[1] + *-ada*[1].]

lanceada[2] (lan.ce.*a*.da) *sf. PA* Pescaria com rede de arrasto [F.: *lancear*[2] + *-ada*[1].]

lanceador (lan.ce:a.*dor*) [ô] *a.* 1 Que lanceia; que fere com lança: "...enquanto o chiru se deitava no pescoço do cavalo e uma lança de três pontas escorregava-lhe por cima do espinhaço, o Costinha, com um tiro de pistola, derrubava um gadelhudo lanceador..." (João Simões Lopes Neto, "Melancia – coco verde" *in Contos gauchescos*) *sm.* 2 Aquele que lanceia [F.: *lancear*[1] + *-dor*. Sin. ger.: *alanceador*.]

lancear[1] (lan.ce.*ar*) *v. td.* 1 Atingir(-se) com lança; alancear; GOLPEAR(-SE): *Lanceou o invasor sem hesitação.* 2 *Fig.* Atormentar, torturar: *Lanceava sempre a vizinha no elevador.* [▶ 13 lancear] [F.: Do v.lat. tard. *lanceare*.]

lancear[2] (lan.ce.*ar*) *v. int. Bras. PA* Pescar com rede de arrasto [▶ 13 lancear] [F.: *lanço* + *-ear*[2].]

lanceiro (lan.*cei*.ro) *sm.* 1 Guerreiro armado de lança; soldado que fazia parte da antiga cavalaria que se armava de lanças *sm.* 2 Espécie de cabide apropriado para se colocar lanças; ARMEIRO 3 Fabricante de lanças 4 *Bras. Gír.* O mesmo que *punguista* 5 *Lus.* Cabide móvel em que se penduram roupas [F.: Do lat. tard. *lancearius*.]

lanceolado (lan.ce:o.*la*.do) *a.* 1 Que tem forma semelhante à da ponta da lança 2 *Bot.* Diz-se de folha cujo feitio se assemelha ao da ponta de uma lança, a base larga, o afinamento em direção à outra extremidade 3 *Arq.* Diz-se do arco ogival em forma de ferradura [F.: Do lat. *lanceolatus, a, um*. Sing. ger.: *lanceolar*.]

lanceolar (lan.ce:o.*lar*) *a2g.* O mesmo que *lanceolado* [F.: Do lat. *lanceola, ae*, 'pequena lança', + *-ar*[1].]

lanceta (lan.*ce*.ta) [ê] *sf.* 1 *Cir.* Instrumento de lâmina dupla e curta, us. em pequenas cirurgias 2 Cutelo pontiagudo com que se abatem reses no matadouro 3 *Bot.* Planta ornamental da família das compostas (*Solidago chilensis*), de flores amarelas 4 *Ict.* Ver *cavalinha* (2) [F.: Do fr. *lancette*. Hom./Par.: *lancetas* (pl.), *lanceta*, *lancetas* (fl. de *lancetar*).]

lancetada (lan.ce.*ta*.da) *sf.* Incisão com lanceta (1) [F.: *lanceta* + *-ada*[2].]

lancetar (lan.ce.*tar*) *v. td.* 1 Cortar ou abrir com lanceta (veio, abcesso etc.): *O médico lancetou o furúnculo;* "O meu avô Rubém havia me prometido um cavalinho de sua fazenda (...) se eu deixasse lancetarem o meu pé..." (José J. Veiga, *Os cavalinhos de Platiplanto*) 2 Golpear ou ferir com arma branca: *Pegou o canivete e lancetou o impostor.* [▶ 1 lancetar] [F.: *lanceta* + *-ar*. Hom./Par.: *lanceta(s)* (fl.), *lanceta(s)* [ê] (sf. [pl.]).]

lancha (*lan*.cha) *sf.* 1 *Mar.* Nome de diversos tipos de embarcação, desde as menores, a motor de explosão, ou as de máquina a vapor us. em cabotagem, até barcos de patrulha da marinha de guerra, fortemente armados 2 *Bras. Fam.* Sapato muito grande ou alargado pelo uso 3 *Bras. Fam.* Pé avantajado; PRANCHA; PÉ DE ANJO [F.: Do malaio *lantxaran* 'ágil, rápido'. Hom./Par.: *lancha* (sf.), *lancha* (fl. de *lanchar*).]

lanchão[1] (lan.*chão*) *sm. Mar.* Lancha de grande porte; BOI [Pl.: *-chões*. Aum. de *lancha*.] [F.: *lancha* + *-ão*[1].]

lanchão[2] (lan.*chão*) *sm. Bras. Pop.* Sanduíche grande e bem recheado [Pl.: *-chões*. Aum. de *lanche*.] [F.: *lanche* + *-ão*[1].]

lanchar (lan.*char*) *v.* 1 Fazer uma refeição leve no meio da tarde [*int.*: *Não lanchou para jantar mais cedo.*] 2 Comer (algo) como lanche [*td.*: *lanchar pão com manteiga e café.*] [▶ 1 lanchar] [F.: *lanche* + *-ar*[2]. Hom./Par.: *lancha* (fl.), *lancha* (sf.), *lanchas* (fl.), *lanchas* (pl.), *lanche* (fl.), *lanche* (sm.), *lanches* (fl.), *lanches* (pl.).]

lancha-torpedeira (lan.cha-tor.pe.*dei*.ra) *sf. Mar. G.* Lancha de guerra, muito veloz, provida de lança-torpedos [Pl.: *lanchas-torpedeiras*.]

lanche (*lan*.che) *sm.* 1 Refeição pequena, entre o almoço e o jantar; MERENDA 2 *P. ext.* Qualquer refeição ligeira [F.: Do ing. *lunch*. Hom./Par.: *lanche* (sm.), *lanche* (fl. de *lanchar*).]

lancheira (lan.*chei*.ra) *sf.* Maleta de plástico, us. ger. por escolares, para carregar o lanche; MERENDEIRA [F.: *lanch(e)* + *-eira*.]

lancheiro[1] (lan.*chei*.ro) *sm.* 1 *Bras.* Tripulante de baleeira 2 *S.* Chefe de guarnição de uma lancha [F.: *lancha* + *-eiro*.]

lancheiro[2] (lan.*chei*.ro) *sm. Bras.* Aquele que prepara lanches em lanchonetes, bares etc.: "A trajetória profissional geralmente começa como balconista de um bar, passa a chapeiro, lancheiro e depois garçom." (*Folha de S.Paulo*, 28.01.1996) [F.: *lanche* + *-eiro*.]

lanchonete (lan.cho.*ne*.te) *sf. Bras.* Estabelecimento que serve, ger. no balcão, refeições ligeiras [F.: Do ing. *luncheonette*.]

lancinante (lan.ci.*nan*.te) *a2g.* 1 Que lancina 2 Que se faz sentir por pontadas, fisgadas internas (dor lancinante) 3 *Fig.* Que atormenta, obseda (angústia lancinante); CRUCIANTE; PUNGENTE [F.: Do lat. *lancinans, antis*, part. pres. de *lancinare*, 'despedaçar, retalhar, golpear'.]

lancinar (lan.ci.*nar*) *v. td.* 1 Provocar um golpe ou ferimento na carne de, com lança ou qualquer objeto cortante; FERIR; GOLPEAR 2 Causar grande sofrimento a; AFLIGIR; ATORMENTAR; TORTURAR [▶ 1 lancinar] [F.: Do lat. *lancinare*.]

lanço (*lan*.ço) *sm.* 1 Ação ou resultado de lançar; LANÇAMENTO; LANCE; ARREMESSO 2 Oferta de preço em leilão, consórcio e outros tipos de venda; LANCE 3 *Pop.* Vômito 4 Sequência de casas contíguas; lance de casas 5 Lado de um corredor, de uma rua 6 Parte de uma escada, entre dois patamares; LANCE 7 Porção de peixes que se apanha de uma só vez, na rede 8 *Esp.* Qualquer manobra, executada individualmente ou em grupo, que influencia o resultado do jogo; JOGADA 9 *Lud.* Ação de jogar os dados ou cartas na mesa; JOGADA 10 *P. ext. Lud.* Os pontos dos dados, em cada arremesso 11 *Arq. Cons.* Porção de parede, muro, piso, fachada etc. entre determinados elementos arquitetônicos, como os cantos 12 *Têxt.* Interposição de um fio da trama pela urdidura ou uma volta da lançadeira 13 *Hip.* Ato de o cavalo apoiar-se sobre os pés 14 Casualidade, sorte 15 Acontecimento, episódio [F.: Dev. de *lançar*. Hom./Par.: *lanço* (sm.), *lanço* (fl. de *lançar*).] ■ **~ de casas** Ver *Lance de casas* **A ~** De maneira oportuna, a propósito, a feição **A poucos ~s** Perto, próximo

landau (lan.*dau*) *sm.* 1 Carruagem de quatro rodas, coberta com capota dupla, em forma de fole, e que se abre ao meio e pode ser arriada ou levantada de modo independente: "No cais Pharoux esperavam por eles três carruagens, dous coupés e um landau, com três belas parelhas de cavalos." (Machado de Assis, *Esaú e Jacó*) 2 Antigo automóvel luxuoso com um ornamento em forma de dobradiça na coluna traseira, sobre o vinil do teto, que lembra a dobradiça us. na capota do landau (1) [F.: Do fr. *landau*; este do top. *Landau* (Alemanha). Sin. ger.: *landó, landô*.]

landgrave (land.*gra*.ve) *sm.* Título ou dignidade de alguns nobres e príncipes alemães [Fem.: *landgravina*.] [F.: Do al. *Landgraf*.]

landim[1] (*lan*.dim) *s2g.* 1 *Antq.* Pessoa que nasceu ou viveu na antiga Lourenço Marques, atual Maputo (Moçambique) [Pl.: *-dins*.] *sm.* 2 *Gloss.* Língua falada pelos rongas (povo banto que habita o Sul de Moçambique) [Pl.: *-dins*.] *a2g.* 3 *Antq.* De Lourenço Marques; típico dessa cidade ou de seu povo 4 Do ou ref. a landim (2) [Pl.: *-dins*.] [F.: De or. obsc.]

landim[2] (*lan*.dim) *sm. Bras. Bot.* Árvore de grande porte (*Calophyllum brasiliense*), da fam. das gutíferas, que ocorre desde o México até o Paraguai; de copa larga e arredondada, com folhagem verde-escura e flores brancas, pode atingir 40 m de altura; a madeira apresenta múltiplos usos (construção civil, construção naval, marcenaria etc.) e a casca produz uma resina pegajosa de coloração amarelo-esverdeada, chamada bálsamo de landim, que é us. na medicina popular; GUANANDI; JACAREÚBA; OLANDI; LANDI [Pl.: *-dins*.] [F.: Do tupi.]

landó (lan.*dó*) *sm.* O mesmo que *landau* (1) [F.: Alter. de *landau*. Tb. *landô*.]

lanfranhudo (lan.fra.*nhu*.do) *Bras. Pop. a.* 1 Que é muito valente, ousado, corajoso [Ant.: *covarde, medroso*.] 2 Diz-se de quem tem mau gosto ou é desajeitado; MAL-AMANHADO; MAL-AJAMBRADO [Ant.: *arrumado, bem-apresentado*.] *sm.* 3 Indivíduo muito valente; VALENTÃO [Ant.: *fracalhão, poltrão*.] 4 Aquele que tem mau gosto ou é desajeitado; JECA [Ant.: *dândi*.] [F.: De or. obsc.]

langanho (lan.*ga*.nho) *Bras. sm.* 1 Carne de má qualidade, com muito nervo e pelanca 2 *Pop.* Coisa repugnante, pegajosa 3 *N.E. Zool.* V. *caravela* (5) [F.: De or. obsc. Cf.: *langonha*.]

⊕ **langley** (*Ing. /lãngli/*) *sm. Fís.* Unidade equivalente a uma caloria por centímetro quadrado, us. para medir a radiação solar

langor (lan.*gor*) [ô] *sm.* O mesmo que *languidez* [F.: Do lat. *languor, oris*.]

langoroso (lan.go.*ro*.so) [ô] *a.* 1 Sem forças, sem viveza; ABATIDO; EXTENUADO; LÂNGUIDO 2 Voluptuoso, sensual, lânguido [Pl.: [ó]. Fem.: [ó].] [F.: *langor* + *-oso*.]

languescente (lan.gues.*cen*.te) *a2g.* Que languesce; que se torna lânguido: "Bocejo torvo de desejos turvos, / Languescente bocejo..." (Cruz e Sousa, "Tédio" *in Faróis*) [F.: Do lat. *languescens, entis*.]

languescer (lan.gues.*cer*) *v. int.* 1 Tornar-se lânguido; perder as forças; ELANGUESCER; ENFRAQUECER 2 Adoecer, definhar-se: "...de respeitoso terror de cujo centro languescia... a pobre vítima..." (Castilho, *A chave do enigma*) 3 *Fig.* Afrouxar, diminuir de zelo e atividade [▶ 2 languescer] [F.: Do lat. *languescere*.]

languidez (lan.gui.*dez*) [ê] *sf.* 1 Qualidade ou estado do que é lânguido 2 Diminuição do ânimo ou do vigor; FROUXIDÃO 3 Enfraquecimento ou prostração moral; APATIA 4 *Fig.* Qualidade do que é doce, delicado, afável; DOÇURA 5 *Fig.* Qualidade de quem é voluptuoso, sensual; VOLUPTUOSIDADE [F.: *lânguid(o)* + *-ez*. Sin. ger.: *langor*.]

lânguido (*lân*.gui.do) *a.* 1 Que se acha em estado de abatimento, fraqueza física e emocional; sem forças; ABATIDO; EXTENUADO; LANGOROSO 2 Que se mostra mórbido, doentio

3 *Fig.* Que inspira doçura, suavidade 4 *Fig.* Sensual, voluptuoso, langoroso [F.: Do lat. *languidus, a, um.* Var. pros.: *languido.* Sin. ger.: *langue, languente.*]

languinhento (lan.gui.*nhen*.to) *a.* 1 Sem firmeza, sem energia (voz languinhenta); FRACO [Ant.: *firme, forte.*] 2 Sem vigor físico; DEBILITADO; FRACO: *corpo languinhento e exausto.* [Ant.: *forte, robusto, vigoroso.*] 3 Pegajoso, peganhento, viscoso (fruta languinhenta) 4 Que é mole e úmido: "Aquela guedelha de trovador, e a horrenda bigodeira negra, e o olho languinhento a pingar namoro..." (Eça de Queirós, *A ilustre casa de Ramires*) 5 Que come pouco; DEBIQUEIRO [Ant.: *comilão, glutão.*] [F.: De or. contrv; posv. cruzamento de *languir* ('debilitar, enfraquecer') e *langanho* ('coisa viscosa e repugnante').]

lanhado (la.*nha*.do) *a.* 1 Que se lanhou; FERIDO; GOLPEADO 2 Coberto de lanhos (corpo lanhado); RASGADO; TALHADO 3 *Fig.* Magoado, aborrecido, aflito: "Ao coração lanhado imagens ternas/ Tão tristes, que ante mim se desenrolam..." (Gonçalves de Magalhães, "A meu amigo D. J. G. de Magalhães" *in Suspiros poéticos e saudades*) [Ant.: *alegre, contente.*] [F.: Do lat. *laniatus, a, um.*]

lanhar (la.*nhar*) *v.* 1 Fazer lanhos ou incisões em (alguém, algo ou si mesmo); CORTAR(-SE) [*td.*: *O arame farpado lanhou seus ombros; Raspou as unhas sobre a pintura, lanhando a tela.*] [*int.*: *Lanhou-se ao andar por entre as roseiras.*] 2 Fazer talhos no corpo de (peixe), para introduzir o sal [*td.*: *Lanhou o robalo com cinco cortes.*] 3 Chicotear, deixando marcas na pele [*td.*] 4 Mortificar(-se), ferir(-se), magoar(-se) [*td.*: *O acontecimento lanhou seu prestígio.*] [*int.*: *Lanhou-se ao ser duramente advertido.*] 5 *Fig.* Usar incorretamente [*td.*: *Lanhava o inglês, mas de italiano entendia alguma coisa.*] [▶ 1 lanhar] [F.: Do lat. *laniare.* Hom./Par.: *lanho* (fl. de *lanhar*), *lanho* (sm.).]

lanho (*la*.nho) *sm.* 1 Ferida feita por instrumento cortante; CORTE 2 Marca deixada na pele pelo chicote 3 *Fig.* Abertura em qualquer superfície; FENDA 4 *Bras.* Tira de carne; LARDO [F.: Dev. de *lanhar.* Hom./Par.: *lanho* (sm.), *lanho* (fl. de lanhar).]

⊕ ***lan house*** (*Ing.* /lan háus/) *sf.* Estabelecimento onde pessoas pagam para utilizar um computador com acesso à internet e a uma rede local

◎ **lan(i)-** *el. comp.* = 'lã': *lanífero, lanifício, lanígero* [F.: Do lat. *lana, ae.*]

lanífero (la.*ní*.fe.ro) *a.* O mesmo que *lanígero* [F.: Do lat. *lanifer, era, erum;* ver *lan(i)-* e *-fero.*]

lanifício (la.ni.*fí*.ci:o) *sm.* 1 Ação ou resultado de fabricar lã 2 Fábrica onde se produzem fios ou tecidos de lã 3 *P. ext.* Tecido ou produto de lã: *Havia várias casas de lanifício.* [F.: Do lat. *lanificium, ii;* ver *lan(i)-* e *-fício.* Hom./Par.: *lanifício* (sm.), *linifício* (sm.).]

lanígero (la.*ní*.ge.ro) *a.* 1 Que tem ou produz lã (gado lanígero) 2 Coberto de pelos semelhantes à lã ou à lanugem (erva lanígera) [F.: Do lat. *laniger, era, erum.* Hom./Par.: *lanígero* (a.), *linígero* (a.). Sin. ger.: *lanífero.*]

lanolina (la.no.*li*.na) *sf. Quím.* Substância gordurosa extraída da lã e us. como base de certos cosméticos, lubrificantes, pomadas, amaciantes de roupas etc. [F.: *lã* (f. rad. *lan-*) + *-ol*[2] + *-ina.*]

lanoso (la.*no*.so) [ô] *a.* 1 Ref. a lã 2 Semelhante à lã (cobertor lanoso) 3 Que tem muita lã (ovelha lanosa) [Sin. nessas acps.: *lanudo, lanzudo.*] 4 *Bot.* De pelos longos e crespos, que lembram a lã (folha lanosa) [Pl.: [ó]. Fem.: [ó].] [F.: Do lat. *lanosus, a, um.*]

lantanídeo (lan.ta.*ní*.de:o) *Quím. a.* 1 Ref. a lantanídeo *sm.* 2 Designação comum a qualquer elemento do grupo dos lantanídeos [F.: *lantânio* + *-ideo.*]

lantanídeos (lan.ta.*ní*.de:os) *smpl. Quím.* Grupo de elementos químicos da tabela periódica, com número atômico entre 57 e 71 [De propriedades semelhantes, são metais reativos e prateados, e compreendem: *lantânio (La), cério (Ce), praseodímio (Pr), neodímio (Nd), promécio (Pm), samário (Sm), európio (Eu), gadolínio (Gd), térbio (Tb), disprósio (Dy), hólmio (Ho), érbio (Er), túlio (Tm), itérbio (Yb)* e *lutécio (Lr).*] [F.: Pl. de *lantanídeo.*]

lantejoila (lan.te.*joi*.la) *sf.* O mesmo que *lentejoula* [Tb. *lantejoula.*]

lantejoilamento (lan.te.joi.la.*men*.to) *sm.* Ver *lentejoulamento* [Tb. *lantejoulamento.*]

lantejoilar (lan.te.joi.*lar*) *v.* Ver *lentejoular* [Tb. *lantejoilar.*]

lantejoula (lan.te.*jou*.la) *sf.* Ver *lentejoula* [Tb. *lantejoila.*]

lantejoulamento (lan.te.jou.la.*men*.to) *sm.* Ver *lentejoulamento* [Tb. *lantejoilamento.*]

lantejoular (lan.te.jou.*lar*) *v.* Ver *lentejoular* [Tb. *lantejoilar.*]

lanterna (lan.*ter*.na) *sf.* 1 Utensílio portátil de iluminação com lâmpada elétrica e pilhas eletroquímicas 2 Aparelho de iluminação protegido do vento com vidro, plásticos ou papel e us. em casas, logradouros, embarcações 3 Dispositivo de iluminação e sinalização de cor variada, instalado nas partes da frente e de trás dos veículos automotores, locomotivas, aeronaves etc. 4 Parte de cima do farol, onde se acha o foco luminoso 5 *Arq.* Claraboia em cúpula ou zimbório 6 *Bras. Esp.* Última posição em campeonato *s2g.* 7 *Bras. Esp.* Atleta ou time na lanterna (6); LANTERNINHA [F.: Do lat. *lanterna* (< gr. *lamptér*).] ▪ **~ chinesa** Armação leve coberta com papel colorido translúcido em cujo interior se acende uma luz (chama ou lâmpada elétrica) **~ furta-fogo** Lanterna com dispositivo que impede seja iluminada a pessoa que a conduz. **~ mágica** Instrumento óptico que reflete e projeta, ampliando, imagens aplicadas numa placa de vidro **~ veneziana** Lanterna feita com papel translúcido plissado, em cujo interior fica a fonte luminosa, chama ou lâmpada elétrica

lanternagem (lan.ter.*na*.gem) *sf.* 1 Reparo de partes amassadas na lataria dos carros 2 Oficina ou parte da oficina onde se faz esse reparo [Pl.: *-gens.*] [F.: *lantern(a)* + *-agem*[1].]

lanternar (lan.ter.*nar*) *v. td. Bras. P. us.* Fazer lanternagem, conserto de lataria, em: *Lanternar a carroceria do ônibus.* [▶ 1 lanternar] [F.: *lanterna* + *-ar.* Hom./Par.: *lanterna(s)* (fl.), *lanterna* (sf.) e pl.]

lanterneiro (lan.ter.*nei*.ro) *sm.* 1 *Bras.* Profissional especializado em lanternagem, conserto da lataria de veículos automotores 2 Fabricante de lanternas 3 Aquele que leva lanterna nas procissões 4 Funcionário incumbido dos serviços de manutenção da iluminação pública [F.: *lantern(a)* + *-eiro.*]

lanternim (lan.ter.*nim*) *sm.* 1 Lanterna pequena 2 Pequeno cilindro encavado no eixo da mó no qual engrena uma roda dentada, que dá movimento às velas do moinho ou às rodas das azenhas 3 *Arq.* Pequena torre vazada projetada sobre uma cúpula para dar maior iluminação ao compartimento inferior 4 *Arq.* Cobertura tipo chapéu sobreposta à cumeeira para permitir a renovação contínua do ar e melhorar o conforto ambiental [F.: Do it. *lanternino.*]

lanterninha (lan.ter.*ni*.nha) *Bras. s2g.* 1 Funcionário de teatro ou cinema que, na penumbra, orienta os espectadores com a luz de uma lanterna; VAGA-LUME 2 *Esp.* Último colocado em competição ou campeonato; LANTERNA [F.: *lantern(a)* + *-inha.*]

lanudo (la.*nu*.do) *a.* Ver *lanoso* (3) [F.: *lan(i)-* + *-udo.*]

lanugem (la.*nu*.gem) *sf.* 1 Camada de pelos finos no rosto do adolescente, que antecipam o aparecimento da barba e do bigode; BUÇO 2 Pelo fino, aveludado; PENUGEM 3 *Emb.* Camada de pelos finos e macios que recobre o feto e, por vezes, o recém-nascido 4 *Bot.* Camada de pelos crespos e macios que recobre a superfície de certas folhas ou frutos [Pl.: *-gens.*] [F.: Do lat. *lanugo, ines.*]

lanugento (la.nu.*gen*.to) *a.* Que tem lanugem; LANUGINOSO: *gatos de pelo curto e lanugento.* [F.: *lanuge(m)* + *-ento.*]

lanuginoso (la.nu.gi.*no*.so) [ô] *a.* 1 O mesmo que *lanugento* 2 Coberto de lanugem ou penugem (caule lanuginoso) 3 Que é da natureza da lã ou do algodão (camurça lanuginosa) [Pl.: [ó]. Fem.: [ó].] [F.: Do lat. *lanuginosus, a, um.*]

lanzudo (lan.*zu*.do) *a.* 1 O mesmo que *lanudo* 2 *Pop.* Diz-se de quem não tem educação nem princípios; GROSSEIRO; RUDE: *É lanzudo, apesar de ter muito dinheiro.* [Ant.: *civil, cortês, educado.*] 3 *Bras. Pop.* Que tem sorte; EMPELICADO; PELUDO; SORTUDO: *No jogo, é um sujeito lanzudo.* [Ant.: *azarado.*] *sm.* 4 *Pop.* Indivíduo mal-educado, casca-grossa 5 *Bras. Pop.* Pessoa sortuda [F.: *lã* (f. rad. *lan-*) + *-z-* + *-udo.*]

laosiano (la:o.si:*a*.no) *sm.* 1 Pessoa nascida ou que vive na República Popular Democrática do Laos (sudoeste da Ásia) 2 *Gloss.* Língua falada nesse país *a.* 3 Do Laos; típico desse país ou de seu povo 4 *Gloss.* Da ou ref. à língua falada no Laos [F.: Do top. *Laos* + *-iano.* Sin. ger.: *laociano, laotiano.*]

lapa (*la*.pa) *sf.* 1 Grande pedra ou laje que pode servir de abrigo; GRUTA 2 *Bras.* Chão de uma mina que está sendo explorada. [O teto denomina-se *capa* e as partes laterais, *pés-direitos.*] 3 *Lus. Zool.* Nome de diversos moluscos gastrópodes patelídeos do Mediterrâneo, do Atlântico e Adriático 4 *N.E. Bras.* Lapo, naco, pedaço [F.: De or. contrv; posv. do pré-céltico *lappa.*]

lapada (la.*pa*.da) *sf.* 1 *N.N.E.* O mesmo que *lambada* (1): "Domício contou tudo. A surra no pai, na mãe, a prisão dele, as lapadas na cara de Bentinho." (José Lins do Rego, *Pedra bonita*) 2 *Lus.* Bofetada, tapa 3 *Lus.* Pedrada [F.: *lapa* + *-ada.*]

lapão (la.*pão*) *sm.* 1 Pessoa nascida ou que vive na Lapônia (extremo norte da Europa); LAPÔNIO 2 *Gloss.* O complexo de línguas ugro-finesas faladas na Lapônia *a.* 3 Da Lapônia; típico dessa região ou de seu povo; LAPÔNIO 4 *Gloss.* Do ou ref. ao complexo de línguas faladas na Lapônia [Pl.: *-pões.* Fem.: *-poa.*] [F.: Do lat. med. *lapo, onis,* der. do sueco *lapp,* pessoa]

◎ **lapar(o)-** *el. comp.* = 'cavidade abdominal': *laparoscopia, laparoscópio, laparostomia, laparotomia* [F.: Do gr. *lapáre, es,* 'ventre'; 'cavidade abdominal'.]

láparo (*lá*.pa.ro) *sm.* 1 Filhote de coelho 2 Macho da lebre até os três anos [F.: De or. contrv.]

laparoscopia (la.pa.ros.co.*pi*:a) *sf. Med.* Exame com laparoscópio da cavidade abdominal, realizado sob anestesia geral; ABDOMINOSCOPIA [F.: *lapar(o)-* + *-scopia.*]

laparoscópio (la.pa.ros.*có*.pi:o) *sm. Med.* Equipamento composto de um tubo metálico rígido, que tem acoplada a uma das extremidades uma microcâmera com um sistema de lentes para a captação de imagens e feixe de fibras óticas para condução de luz, e que é introduzido na cavidade abdominal do paciente para a realização de exame ou de procedimento cirúrgico [F.: *lapar(o)-* + *-scópio.*]

laparostomia (la.pa.ros.to.*mi*:a) *sf. Cir.* Intervenção cirúrgica que deixa intencionalmente aberturas na parede abdominal, como meio de tratar certos casos, graves, de peritonite [F.: *lapar(o)-* + *-stomia.*]

laparostômico (la.pa.ros.*tô*.mi.co) *a. Cir.* Ref. a laparostomia [F.: *laparostomia* + *-ico*[2]. Hom./Par.: *laparostômico* (a.), *laparotômico* (a.).]

laparotomia (la.pa.ro.to.*mi*.a) *sf. Cir.* Incisão cirúrgica em cavidade abdominal [F.: *lapar(o)-* + *-tomia.*]

laparotômico (la.pa.ro.*tô*.mi.co) *a. Cir.* Ref. a laparotomia [F.: *laparotomia* + *-ico*[2].]

lapela (la.*pe*.la) *sf.* Parte da frente e de cima de um casaco, paletó etc., dobrada para fora; REBUÇO: *Estava sorridente, bem-disposto, com um cravo vermelho na lapela.* [F.: De or. obsc.]

lapiana (la.pi.*a*.na) *sf. Bras. Pop.* Faca de ponta, estreita e comprida; LAMBEDEIRA: "E João Leme, imperturbável, com as mãos tintas de sangue, vai ali, a golpes de lapiana, castrando friamente o miserável que se estorce." (Paulo Setúbal, "Os irmãos Leme" *in No pouso do Campuã*) [F.: De or. obsc.]

lapidação (la.pi.da.*ção*) *sf.* 1 Ação ou resultado de lapidar; LAPIDAGEM 2 Processo de cortar e polir pedras preciosas, buscando a forma que melhor realce sua beleza e brilho 3 *P. ext.* Oficina onde se faz esse trabalho 4 *Fig.* Aprimoramento de algo ou de alguém (lapidação do aluno, lapidação do texto); APERFEIÇOAMENTO 5 Antigo suplício que consistia em apedrejar o criminoso; APEDREJAMENTO [Pl.: *-ções.*] [F.: Do lat. *lapidatio, onis.*]

lapidado (la.pi.*da*.do) *a.* 1 Diz-se de pedra preciosa que sofreu lapidação: *um diamante lapidado.* [Ant.: *bruto, natural.*] 2 *Ant.* Apedrejado, linchado 3 Aperfeiçoado, aprimorado, melhorado: *O ser humano deve ser lapidado em seu desenvolvimento para que na idade adulta seja uma pessoa amável e generosa.* [Ant.: *piorado.*] [F.: Part. de *lapidar*[2].]

lapidador (la.pi.da.*dor*) [ô] *a.* 1 Que lapida (instrumento lapidador) *sm.* 2 Aquele que lapida: *o lapidador de diamantes; um lapidador de atitudes.* [F.: *lapidar*[2] + *-dor.*]

lapidar[1] (la.pi.*dar*) *a2g.* 1 Ref. a lápide 2 Diz-se de inscrição gravada em pedra 3 *Fig.* Diz-se de verso, frase, declaração tão clara no significado e na concisão como o que se inscreve na pedra 4 *Fig.* Primoroso, perfeito [F.: Do lat. *lapidaris, e.* Hom./Par.: *lapidares* (pl.), *lapidares* (fl. de lapidar).]

lapidar[2] (la.pi.*dar*) *v. td.* 1 Submeter (pedra preciosa bruta) a processo de lapidação; LAVRAR: *Lapidou o diamante bruto.* 2 *Fig.* Aprimorar, aperfeiçoar, polir: *Lapidou o texto para torná-lo mais elegante.* 3 *Fig.* Dar educação, polimento: *Lapidou a mulher para transformá-la numa dama.* 4 Atacar ou matar com pedradas; APEDREJAR: *Lapidou os cães com meia dúzia de pedras.* [▶ 1 lapidar] [F.: Do lat. *lapidare.* Hom./Par.: *lapidares* (fl. de *lapidar*), *lapidares* (a2g.).]

lapidaria (la.pi.da.*ri*:a) *sf.* 1 Arte, técnica e indústria da lapidação 2 Estabelecimento ou oficina de lapidário [F.: *lápide* + *-aria.* Hom./Par.: *lapidaria* (sf.), *lapidária* (a. sf.) e *lapidaria* (fl. de *lapidar*).]

lapidária (la.pi.*dá*.ri:a) *sf.* 1 Ver *epigrafia* 2 Na Idade Média, descrição da simbologia, das propriedades e virtudes supostamente medicinais das pedras preciosas [F.: Fem. substv. de *lapidário.* Hom./Par.: *lapidária* (sf.), *lapidaria* (sf. e fl. de *lapidar*).]

lapidário (la.pi.*dá*.ri:o) *sm.* 1 Profissional que corta e dá polimento a pedras preciosas 2 Instrumento de polir pedras preciosas e trabalhar em peças de relojoaria *a.* 3 Ref. a inscrições em lápides [F.: Do lat. *lapidarius, a, um.* Hom./Par.: *lapidária* (fem.), *lapidaria* (fl. de lapidar e sf.).]

lápide (*lá*.pi.de) *sf.* 1 Pedra com inscrição comemorativa ou em memória de alguém 2 Laje colocada sobre sepultura [F.: Do lat. *lapis, idis.* Hom./Par.: *lápide* (sf.), *lapide* e *lapida* (fl. de lapidar). Var.: *lápida.*]

◎ **lapid(i)-** *el. comp.* = 'pedra'; 'rocha': *lapidícola, lapidificar, lapidífico* [F.: Do lat. *lapis, idis.*]

lapidificação (la.pi.di.fi.ca.*ção*) *sf.* Ação ou resultado de lapidificar(-se), de petrificar(-se); PETRIFICAÇÃO [Pl.: *-ções.*] [F.: *lapidificar* + *-ção.*]

lapidificar (la.pi.di.fi.*car*) *v. td.* 1 *Geol.* Dar consistência de pedra a (elementos naturais) 2 *Fig.* Dar ou adquirir a dureza da pedra: *Lapidificou seu coração; Seu coração lapidificou-se.* [▶ 11 petrificar] [F.: *lapid(i)-* + *-ficar.* Hom./Par.: *lapidifico* (fl.), *lapidífico* (a.).]

lapinha (la.*pi*.nha) *Bras. sf.* 1 *N.E.* Presépio montado para as festas natalinas e de Reis 2 *Folc.* Representação popular que era encenada diante do presépio e que deu origem ao pastoril [F.: *lap(a)* + *-inha.*]

lápis (*lá*.pis) *sm2n.* 1 Instrumento de escrever ou desenhar que consiste em um estilete de grafite revestido por proteção cilíndrica ou oitavada ger. de madeira ou de material sintético 2 Qualquer substância de configuração oblonga, revestida ou não de invólucro, que sirva para riscar, desenhar ou escrever 3 Qualquer objeto em forma de lápis 4 Desenho a lápis 5 *Alq.* Substância não volátil [F.: Do it. *lapis* (< lat. *lapis, idis* 'pedra').] ▪ **~ de cor** Lápis cuja mina é de material colorido, e que portanto faz traços coloridos **~ dermográfico** Lápis us. para marcações na pele (p. ex., em cirurgias plásticas) **~ de sobrancelhas** Tipo de lápis dermográfico us. para retocar sobrancelha, ou para dar-lhe um desenho **~ de vídeo** *Inf.* Instrumento em forma de lápis que interage com computador (transmitindo ou lendo informações) ao qual está ligado ao se tocar com ele em uma tela catódica, como o próprio monitor **~ hemostático** Alume em forma de pequeno bastão, us. para estancar sangramentos superficiais **~ infernal** Nitrato de prata em forma cilíndrica, us. para remover verrugas **~ litográfico** *Grav.* Lápis gorduroso us. para desenhar sobre placas de zinco, alumínio, superfície calcária etc.

lapisar (la.pi.*sar*) *v. td.* Desenhar ou escrever com lápis: *Os arquitetos gostam de lapisar seus projetos.* [▶ 1 lapisar] [F.: *lápis* + *-ar*[2].]

lapiseira (la.pi.*sei*.ra) *sf.* 1 Instrumento de escrever ou desenhar semelhante ao lápis, mas com dispositivo que movimenta a grafite, para recolhê-la ou torná-la disponível 2 Estojo onde se guardam lápis 3 *BA* Ver *apontador.* [Sin. nas acps 1 e 2: *porta-lápis.*] [F.: *lápis* + *-eira.*]

lápis-lazúli (lá.pis-la.*zú*.li) *sm. Min.* O mesmo que *lazurita.* Silicato de sódio e alumínio muito usado em adereços e decorações [Pl.: *lápis-lazúlis.*] [F.: Do it. *lapislazzuli.*]

lápis-tinta (lá.pis-*tin*.ta) *sm.* Lápis, cuja mina, de matéria composta por uma mistura de grafita, caulim, goma-arábica e roxo de anilina, incorpora um traço indelével que permite os mesmos empregos que a tinta de cópia [Pl.: *lápis-tintas, lápis-tinta.*]

laplaciano (la.pla.ci.*a*.no) *a.* 1 Ref. a Pierre Simon Laplace (1749-1827), astrônomo e matemático francês, ou a seus estudos 2 Diz-se de pessoa que é partidária ou estudiosa das teorias de Laplace *sm.* 3 Essa pessoa 4 *Mat.* Operador que mede as saliências dos campos escalares bidimensionais ou tridimensionais [F.: Do antr. Pierre Simon *Laplace* + *-iano.*]

laplatense (la.pla.*ten*.se) *s2g.* **1** Aquele ou aquela que nasceu ou que vive em La Plata (Argentina) *a2g.* **2** De La Plata; típico dessa cidade ou de seu povo [F.: Do top. *La Plata* + *-ense*.]

lapo (*la*.po) *N N.E. sm.* **1** Tira de couro que se coloca na ponta dos relhos e chicotes; AÇOITEIRA **2** Naco, pedaço: "Ô, amiga onça, me dá um lapo de couro aí pra mo'de eu vô fazê um sapato..." (Laboratório Intercultural da UFMG, *Histórias de bichos falantes – O bode, a onça e o leão*) **3** Lapada, lambada: *Quando deu por si, já tinha levado um lapo nas costas.* **4** Facada, lanho, corte de faca: *Corria sangue do lapo que levou no braço.* [F.: Posv. de or. onom.]

lapônio[1] (la.*pô*.ni:o) *a.* **1** Que diz respeito à Lapônia; o mesmo que lapão (3, 4) *sm.* **2** Natural ou habitante dessa região; LAPÃO [F.: Do top. *Lapônia*, com alter. da term. para *-io*.]

lapônio[2] (la.*pô*.ni:o) *a.* **1** *Pej.* Diz-se de quem é grosseiro, rude [Ant.: *educado, fino, polido*.] *sm.* **2** *Pej.* Indivíduo sem educação [F.: De or. obsc. Sin. ger.: *labrego, lapão, lapuz*.]

lapso (*lap*.so) *sm.* **1** Decurso de tempo; INTERVALO: *Houve um lapso de sete horas entre as duas cerimônias.* **2** Erro ou engano involuntário: *Foi um pequeno lapso que logo ela corrigiu.* **3** *P. ext.* Falha, interrupção ger. casual (lapso de memória, lapso de programação) *a.* **4** Que incorreu em erro, culpa ou pecado [F.: Do lat. *lapsus, a, um*.]

⊕ **laptop** (*Ing.* /léptop/) *sm.* Microcomputador portátil, que funciona ligado a tomada ou com bateria [Cf.: *desktop* e *notebook*.]

laquê (la.*quê*) *sm. Bras. Cosm.* Produto que se borrifa sobre os cabelos para assentar o penteado [F.: Do fr. *laqué*.]

laqueado[1] (la.que.*a*.do) *a.* **1** *Bras.* Que se laqueou; coberto ou pintado com laca: *armário e cama laqueados.* **2** Diz-se de pato ou frango coberto com uma mistura de molho de soja e mel e levado ao forno para caramelizar, criando uma crosta brilhante semelhante à cobertura com laca [F.: Part. de *laquear*[1].]

laqueado[2] (la.que.*a*.do) *a.* Diz-se de vaso sanguíneo que foi ligado para conter hemorragia (artéria laqueada); JUNTADO [F.: Do lat. *laqueatus, a, um*.]

laqueado[3] (la.que.*a*.do) *a. Bras.* Diz-se de cabelo que foi vaporizado com laquê [F.: *laquê* + *-ado*.]

laqueador (la.que:a.*dor*) [ô] *a.* **1** Diz-se de profissional que faz laqueação em móveis ou em qualquer outro artefato *sm.* **2** Profissional que trabalha laqueando móveis e objetos em geral: *Depois do trabalho do laqueador, o armário parecia novo.* [F.: *laquear*[1] + *-dor*.]

laqueadura (la.que:a.*du*.ra) *sf.* Ação ou resultado de laquear[2]; LIGADURA [F.: *laquear*[2] + *-dura*.]

laquear[1] (la.que.*ar*) *Mob. v. td.* Revestir com laca ou com tinta esmaltada: *laquear móveis.* [▶ 13 laquear] [F.: *laca* + *qu* + *-ear*.]

laquear[2] (la.que.*ar*) *Cir. v. td.* **1** Obstruir (uma artéria, uma veia etc.) através da constrição **2** Cortar ou obstruir (as trompas de Falópio) para interromper a passagem do óvulo e/ou do espermatozoide, e, assim, evitar a fecundação; LIGAR **3** Em um parto, cortar e atar (o cordão umbilical) [▶ 13 laquear] [F.: Do lat. *laqueare*, *de laqueus*.]

lar *sm.* **1** A casa de habitação **2** Lugar da cozinha onde se acende o fogo; LAREIRA **3** *Fig.* Família, núcleo familiar [*Aqueles que em geral vivem sob o mesmo teto*.] **4** *Fig.* Pátria, terra natal **5** Ninho de aves ou toca de animal **6** Em um forno de assar pão, superfície sobre a qual se assenta a massa [F.: Do lat. *Lar, Laris*, 'espírito tutelar, *i.e.*, espírito protetor da casa, da família'; 'lareira'; 'lar'. Ver tb. *lares*.] ∎∎ **~ da prensa** Na prensa de um lagar, a superfície na qual se apoia o bagaço da uva **~ do pão** Na assadura do pão, a parte da massa que fica apoiada no lar do forno **Do ~** Qualificação dada a quem (ger., mulher) não tem formação nem atividade profissional e se ocupa de tarefas domésticas

laranja (la.*ran*.ja) *sf.* **1** *Bot.* Fruto redondo e sumarento da laranjeira, de intenso amarelo até avermelhado quando maduro **2** Pessoa ingênua ou sem importância *sm.* **3** A cor da laranja (1) **4** Por metonímia, roupa dessa cor: *Os torcedores holandeses vestiam laranja.* **5** Pessoa que serve de intermediária em transações financeiras fraudulentas, usando o próprio nome para ocultar a identidade de quem a contrata: *Usava o vizinho como laranja.* *a2g2n.* **6** Que tem a cor da laranja (1): *o uniforme laranja dos garis.* **7** Diz-se dessa cor: *a cor laranja do suco de tangerina.* [F.: Do ár. *narandja* < persa *narang*.]

laranja-cravo (la.ran.ja-*cra*.vo) *sf.* **1** *Bras.* O mesmo que *tangerina* **2** *Bot.* O mesmo que *tangerineira* (*Citrus reticulata*) [Pl.: *laranjas-cravos, laranjas-cravo*.]

laranjada (la.ran.*ja*.da) *sf.* **1** Refresco feito com sumo de laranja, água e açúcar **2** *Cul.* Doce de laranja **3** Grande quantidade de laranjas **4** Arremesso de laranjas [F.: *laranj(a)* + *-ada*[2].]

laranja-da-baía (la.ran.ja-da-ba.*í*.a) *sf.* **1** *Bras. Bot.* Variedade de laranjeira (*Citrus sinensis*) **2** O fruto dessa laranjeira [Pl.: *laranjas-da-baía*.]

laranja-da-china (la.ran.ja-da-*chi*.na) *sf.* **1** *Bras. Bot.* O mesmo que *laranjeira* (*Citrus sinensis*) **2** *Bras.* O fruto dessa árvore [Pl.: *laranjas-da-china*.]

laranja-da-terra (la.ran.ja-da-*ter*.ra) *sf.* **1** *Bras. Bot.* Árvore da família das rutáceas (*Citrus aurantium*), nativa da Ásia, que dá frutos esféricos de casca grossa alaranjada, muito aromática e amarga **2** *Bras.* O fruto dessa árvore, que tem uso medicinal e de que se fazem doces e compotas [Pl.: *laranjas-da-terra*.]

laranjal (la.ran.*jal*) *sm.* Plantação de laranjeiras [Pl.: *-jais*.] [F.: *laranj(a)* + *-al*.]

laranja-lima (la.ran.ja-*li*.ma) *sf.* **1** *Bot.* Variedade de laranjeira **2** O fruto dessa árvore, sumarento e doce, próprio para fazer suco [Pl.: *laranjas-limas, laranjas-lima*.]

laranja-pera (la.ran.ja-*pe*.ra) *sf.* **1** *Bot.* Variedade de laranjeira **2** O fruto dessa árvore, de polpa ácida e casca lisa [Pl.: *laranjas-peras* (ê), *laranjas-pera*.]

laranja-seleta (la.ran.ja-se-*le*-ta) *sf.* **1** *Bot.* Variedade de laranjeira obtida por enxertia **2** O fruto dessa árvore, alaranjado claro e com polpa ligeiramente ácida, muito us. em sucos [Pl.: *laranjas-seletas*.]

laranjeira (la.ran.*jei*.ra) *sf. Bot.* Nome comum a diversas árvores do gên. *Citrus*, da fam. das rutáceas, cujo fruto, a laranja, é apreciado e consumido no mundo inteiro [F.: *laranj(a)* + *eira*.]

laranjeiro (la.ran.*jei*.ro) *sm.* **1** Vendedor de laranjas **2** *RJ SP* Plantador de laranjeiras [F.: *laranj(a)* + *-eiro*.]

laranjinha (la.ran.*ji*.nha) *sf.* **1** Laranja pequena **2** *Ant.* Espécie de brincadeira popular, esp. nos carnavais cariocas antigos, em que bolas de cera cheias de água perfumada eram atiradas por foliões, uns nos outros [Essa diversão permaneceu até o surgimento das ampolas de lança-perfume.] **3** *Bras.* Aguardente de cana aromatizada com casca de laranja **4** *Bras. Bot.* Variedade de laranjeira típica do Pantanal (*Pouteria glomerata*), muito conhecida pelos pescadores, que usam seus frutos para pescar pacu **5** *Bot.* Árvore (*Polygala klotschii*) das poligaláceas, nativa do Brasil; tb. *limãozinho* (CE), *catuaba-de-espinho* (MA) **6** *Bot.* Árvore rutácea (*Zanthoxylum petiolare*); tb. *pau-barrão* (PE), mamica-de-cadela (RS) **7** *Bot.* Árvore rutácea (*Zanthoxylum rhoifolium*). Tb. *espinho-de-vintém, mamica-de-porca, tambatarão* (S. E. e S. do Brasil) **8** *Bot.* Árvore rutácea (*Zanthoxylum stelligerum*). Tb. *umbuzeiro-brabo* (PI, PE), *laranjeira-braba* (BA), *jurubeba-de-chapada* (PI) **9** *Bot.* Planta herbácea solanácea (*Solanum pseudocapsicum*). Tb. *ginjeira-da-terra* (CE) **10** *Bot.* Arbusto espinhoso (*Zanthoxylum tingoassuiba*), com vários usos na medicina popular; tb. *tinguaciba* **11** *Pop. P. us.* Bomba explosiva, do tamanho e formato de uma laranja **12** *Lus. Esp.* Mesa de jogo, tb. chamada bilhar russo [F.: *laranja* + *-inha*.]

laranjo (la.*ran*.jo) *a.* **1** *P. us.* Da cor da laranja: "As nuvens formavam rebuços de tons laranjos e purpurinos..." (Xavier Marques, *Sargento Pedro*) **2** *RS* Diz-se de bovino que tem essa cor *sm.* **3** *RS* Esse animal [F.: *laranj(a)* + *-o*.]

larápio (la.*rá*.pi:o) *sm.* Indivíduo que furta, ou rouba; GATUNO; LADRÃO [F.: De or. obsc. Hom./Par.: *larápio* (sm.), *larapio* (fl. de *larapiar*).]

lardear (lar.de.*ar*) *v.* **1** *Cul.* Entremear (peça de carne) com pedaços de toucinho [*td.*] **2** *Fig.* Intercalar, entremear [*tdr.* + *em*: *Lardeava muitas pilhérias em seus conselhos.*] **3** *Fig.* Passar de um lado a outro; CRAVAR; FINCAR [*td.*: *Lardeou-lhe a ilharga com o florete.*] [*tdr.* + *de*: *Lardeara de facadas o desafeto.*] [▶ 13 lardear] [F.: *lard(o)* + *-ear*.]

lardo (*lar*.do) *sm.* **1** Toucinho, esp. em tiras **2** *Fig.* Aquilo que realça um efeito, que dá tempero; PITADA: *O artigo tinha um lardo de humor.* **3** *Bras.* Carne em tiras; LANHO [F.: Do lat. *lardum*.]

laré (la.*ré*) *sm. Lus.* Quem não sabe dançar, ou dança mal ∎∎ **Andar ao ~** **1** *Pop.* Ter vida de ócio ou diversão **2** Não se processar ou funcionar de modo satisfatório ou regular **3** Estar em má situação

lareira (la.*rei*.ra) *sf.* **1** Vão de parede ligado a uma chaminé e onde se acende fogo para aquecer o ambiente; CHAMINÉ **2** O fogo da lareira **3** *Ant.* Laje sobre a qual se acendia fogo para cozinhar ou aquecer; LAR [F.: *lar* + *-eira*.]

lares (*la*.res) *smpl.* Para os etruscos e os romanos, deuses domésticos que protegiam o lar e a família [F.: Do lat. *lares, ium*.]

larga[1] (*lar*.ga) *sf.* **1** Ação ou resultado de largar **2** *Fig.* Expansão, ampliação: *Ao se lembrar de Érica, deu largas à imaginação.* [Mais us. no pl.] **3** Ação ou resultado de soltar, libertar; soltura, liberdade: *Deu largas à criança e por isso fugiu.* [Mais us. no pl.] **4** *Bras. Fig.* Campo aberto, sem cercadura, sem divisórias **5** *Taur.* Lance em que o toureiro estende a capa diante do touro, segurando-a por uma extremidade [F.: Dev. de *largar*. Hom./Par.: *larga* (sf.), *larga* (fl. de *largar*, a. e interj.).] ∎∎ **À ~** Com abundância, com largueza, sem medir gastos ou contenções: *Vivia à larga, sem se preocupar com o futuro.* **Criar na ~** *Bras.* Criar (ger. animal) sem cercas, solto **Dar ~ s a** Permitir a livre expansão ou expressão de; dar asas a: *Pressionado pelo amigo, deu largas a todos os seus temores.*

larga[2] (*lar*.ga) *interj.* **1** *Mar.* Comando para soltar panos (os marinheiros) **2** Comando para afastar do cais proa de embarcação [F.: Fl. do v. *largar*.]

largada (lar.*ga*.da) *sf.* **1** Ação ou resultado de largar: "Muitos dos que estavam a bordo volviam ao cais e todo o navio se alvoroçava nesse instante último da largada..." (Ferreira de Castro, *Selva*) **2** *RS Fig. Pop.* Chiste, piada **3** *Bras.* Ação de dar a partida a uma corrida de cavalos, motos, automóveis etc.: *Foi dada a largada!* **4** *Hip.* Arranco de uma montaria no momento de dar-lhe as rédeas **5** *RS Pop.* Façanha, proeza, tirada **6** *Esp.* No voleibol, jogada em que o atleta de uma das equipes, repentinamente, dá um leve toque na bola, colocando-a do outro lado da quadra e surpreendendo a equipe adversária; PINGADA [F.: Fem. substv. de *largado*.]

largadamente (lar.ga.da.*men*.te) *adv.* **1** De modo largado, solto, distenso **2** De maneira largada, prostrada, sem disposição: "Descansavam agora, largadamente, depois daquela canseira bruta. Era dolorosa a cena." (Paulo Setúbal, *O Príncipe de Nassau – O combate da Casa-Forte*) [F.: Fem. de *largado* + *-mente*.]

largado (lar.*ga*.do) *a.* **1** Que se largou **2** *Bras.* Desprezado, abandonado **3** *Bras.* Que se acha perdido, sem rumo: *Era um andarilho largado no mundo.* **4** *Bras.* Que aparenta displicência no traje ou na conduta: *Tem um jeito largado de se apresentar.* **5** *Bras.* Abandonado pelo cônjuge: *Perguntaram se era casada e respondeu: largada.* **6** *Bras.* Diz-se do cavalo indomável que já se deixou de mão ou do cavalo manso que há muito não é montado **7** *Bras.* Desordeiro, valentão **8** *Bras.* Desmaiado, desfalecido [F.: Part. de *largar*.]

largar (lar.*gar*) *v.* **1** Parar de segurar ou deixar cair (o que se trazia na mão); SOLTAR [*td.*: *Com a emoção, largou a xícara; Ante a aparição, o policial largou a arma e correu.*] **2** Pôr em liberdade ou deixar partir [*td.*: *Largara a ave e ela voara para longe.*] **3** Deixar ou esquecer algo ou alguém, abandonar [*td.*: *Acabou largando o curso e o trabalho para viajar.*] **4** Sair de trabalho, faculdade, escola, ao fim de determinado tempo [*int.*: *Ontem, largou cedo.*] [*tr.* + *de*: *Hoje, largou mais cedo do serviço.*] **5** *Esp.* Dar a partida; arrancar [*int.*: *O cavalo largou mal e perdeu; O carro já largou quase sem freios.*] **6** Deixar escapar, fugir [*td.*: *O guarda não largava o preso para nada.*] **7** Deixar (algo) em algum lugar por esquecimento [*tda.*: *Largou a valise no teatro.*] **8** Deixar de dar prosseguimento a ação, comportamento etc. [*tda.*: *Largue de bobagem e vamos beber em paz.*] **9** Deixar de estar junto ou na companhia de [*tr.* + *de*: *Não largava da mulher um só minuto.*] **10** Deixar escapar; emitir, soltar [*td.*: *Lá na frente, largou uma gargalhada retumbante.*] **11** *Bras.* Ter a cor diminuída; desbotar [*int.*: *Essa cor é firme, não larga com facilidade.*] **12** *Mar.* Fazer-se (a embarcação) ao mar [*ta.*: *O navio largou do cais às cinco da manhã.*] [*int.*: *A lancha largou rapidamente.*] **13** Desprender-se, soltar [*tr.* + *de*: *A mancha não largou da camisa.*] **14** Deixar sozinho ou ao desamparo [*td.*: *Largou a mulher e os dois filhos.*] **15** *Pop.* Dizer, soltar [*td.*: *Largou uma piada inconveniente no meio do salão.*] **16** *Pop.* Desfechar, desferir (golpe) [*tdr.* + *em*: *Largou a mão na cara do rapaz.*] **17** *Mar.* Desfraldar [*td.*: *O barco largou as velas.*] **18** *Mar.* Desprender, desamarrar [*td.*: *Largaram as amarras ao cair da noite.*] **19** Ir embora, ausentar-se [*ta.*: *Largaram aqui de casa de manhã cedo.*] **20** Deixar à solta ou impedir, atiçar [*tda.*: *Largava os cachorros no quintal; E, ontem, os largou em cima do intruso.*] **21** Deixar escapar ventosidade; peidar [*int.*: *O garoto não parava de largar.*] [▶ 14 largar NOTA: Usa-se como auxiliar seguido de 'a' + infinitivo para exprimir começo de uma ação ou hábito (*Largou a falar mal de todo o mundo.*).] [F.: *largo* + *-ar*[2]. Hom./Par.: *larga(s)* (fl.), *larga(s)* (fem. de *largo* e pl.); *largo* (fl.), *largo* (adj., adv. e sm.). Ant. ger.: *agarrar*.]

largo[1] (*lar*.go) *a.* **1** Que tem grande extensão na largura (2) (avenida larga) [Ant.: *estreito*.] **2** De vasta dimensão; AMPLO; ESPAÇOSO; EXTENSO: *Via um largo horizonte de sua varanda.* [Ant.: *estreito, exíguo, pequeno*.] **3** Que envolve ou veste com folga; não apertado (vestido largo); FOLGADO [Ant.: *apertado, estreito, justo*.] **4** Que é considerável, abundante, importante (larga prática; largos elogios): "Fazia-se largo consumo de cerveja..." (Aluísio Azevedo, *O cortiço*) [Ant.: *escasso, insignificante*.] **5** Que se prolonga; DEMORADO; PROLONGADO; LONGO: *Conversaram por um largo tempo.* [Ant.: *breve, curto, rápido*.] **6** Generoso, magnânimo: *Era rigoroso no receber, e largo no distribuir.* [Ant.: *mesquinho*.] **7** Que não é restrito; que tem limites bem amplos; AMPLO; IRRESTRITO: *um governo provisório com largos poderes.* [Ant.: *limitado, reduzido, restrito*.] **8** Que tem visão; que não se prende a pormenores: *pessoa de propósitos largos.* [Ant.: *tacanho*.] **9** *Bras. Pop.* Diz-se de quem tem muita sorte no jogo; ABERTO [Ant.: *azarado, malfadado*.] **10** *Tip.* Diz-se de tipo que apresenta largura maior do que a medida normal [Ant.: *estreito*.] *sm.* **11** Área urbana espaçosa, ger. no cruzamento de ruas; PRAÇA: *Mora defronte a um largo bem arborizado.* **12** O mesmo que *largura* (2): *A rua tem seis metros de largo.* **13** Qualquer ponto do mar muito afastado da costa; ALTO-MAR [F.: Do lat. *largus, a, um*. Hom./Par.: *largo* (fl. de *largar*). Ideia de 'largo', usar pref. *euri-*, *lat(i)-* e *plat(i)-*.] ∎∎ **Ao ~** **1** Em alto-mar, longe da costa **2** Detalhadamente, com pormenores, minuciosamente **3** Sem muita intimidade, cerimoniosamente, mantendo distância **Ao ~ de** À distância (de), longe (de): *Contornou a praça, passando ao largo da multidão.* **Fazer-se ao ~** **1** *Mar.* Navegar afastando-se do litoral: *Com uma hora de atraso, o navio fez-se ao largo.* **2** *Fig.* Sair de um lugar, partir **Passar ao/de ~** **1** *Mar.* Passar (embarcação) longe da costa **2** *FIg.* Deixar de tratar (assunto) ou de tratar em profundidade **Prometer ~ e dar estreito** Ao cumprir promessa, fazer ou dar muito menos do que prometera

largo[2] (*lar*.go) *Mús. sm.* **1** Andamento muito pausado, largo **2** Trecho musical composto nesse andamento *adv.* **3** Em andamento muito vagaroso [F.: Do it. *largo*.]

largueza (lar.*gue*.za) [ê] *sf.* **1** Ver *largura* (1) **2** *Fig.* Atitude de quem é largo, generoso; GENEROSIDADE; LIBERALIDADE: *Pagava os empregados com largueza.* [Ant.: *mesquinhez*.] **3** Abundância de meios ou provisões; ABASTANÇA **4** Comportamento de quem esbanja; DESPERDÍCIO; ESBANJAMENTO: *Com sua largueza, dissipou todos os bens.* [F.: *largo* + *-eza*.]

largura (lar.*gu*.ra) *sf.* **1** Qualidade do que é largo; LARGUEZA: *A largura da rua facilita o trânsito.* **2** A dimensão perpendicular ao comprimento ou à altura (largura da mesa) **3** *Tip.* Medida de linha de qualquer composição tipográfica **4** *Tip.* Distância entre as duas faces laterais do tipo (9) [F.: *largo* + *-ura*.] ∎∎ **De duas ~s** Cuja largura é o dobro da usual (diz-se de peça de tecido) **~ de banda** **1** *Telc.* Diferença entre as frequências máxima e mínima num canal de transmissão [É fator determinante da capacidade ou da qualidade da transmissão.] **2** *Inf.* Em uma conexão, quantidade de dados (em *bips*) que ela é capaz de transmitir por unidade de tempo (em segundos) [Unidade: *bps*.] **~ de pulso** *Elet. Eletrôn.* Intervalo de tempo (ger. muito curto) no qual ocorre um pulso, brusca variação de uma grandeza elétrica

larica (la.*ri*.ca) *sf.* **1** *Bot.* O mesmo que *joio* (*Lolium temulentum*) **2** *Pop.* Fome, apetite: *Estava com uma bruta larica, quando chegou em casa.* [F.: De or. obsc.]

laringe (la.*rin*.ge) *s2g. Anat.* Conduto entre a faringe e a traqueia, membranoso e cartilaginoso, que contém as cordas vocais [Em Portugal, é palavra exclusivamente feminina.] [F.: Do gr. *lárynks, láryngos*. Ideia de 'laringe': *laring(o)-* (*laringoscopia*).]

laríngeo (la.*rín*.ge:o) *a.* **1** *Anat.* Da, ref. à, ou situado na laringe; LARINGIANO **2** *P. ext.* Que afeta a laringe **3** *Fon.* Diz-se de som cuja articulação primária ou secundária ocorre na laringe; GLOTAL [F.: *laring(o)-* + *-eo.*]

laringiano (la.rin.gi.*a*.no) *a.* O mesmo que *laríngeo* (1) [F.: *laring(o)-* + *-iano.*]

laringite (la.rin.*gi*.te) *sf. Otor.* Inflamação da mucosa da laringe [F.: *laringe* + *-ite*¹; ver *laring(o)-*.]

◎ **-laring(o)-** *el. comp.* Ver *laring(o)-*

◎ **laring(o)-** *el. comp.* = 'garganta'; 'laringe': *laringalgia, laríngeo, laringiano, laringite, laringocele, laringoespasmo, laringografia, laringologia, laringologista, laringoscopia, laringoscópio, laringotomia* (< gr.); *otorrinolaringologia, traqueolaringotomia* [F.: Do gr. *laryngo-*, do gr. *lárynks, yngos*, 'laringe, garganta'.]

laringocele (la.rin.go.*ce*.le) *sf.* **1** *Otor.* Tumor gasoso na laringe **2** *Otor.* Hérnia da mucosa laríngea através do espaço cricotireóideo [F.: *laring(o)-* + *-cele*¹.]

laringoespasmo (la.rin.go:es.*pas*.mo) *sm. Otor.* Obstrução das vias aéreas provocada por contração momentânea ou prolongada da musculatura da laringe, ocasionando uma variação no volume dessa cavidade e produzindo dificuldades respiratórias e tosse rouca e profunda [F.: *laring(o)-* + *espasmo.*]

laringografia (la.rin.go.gra.*fi*:a) *sf.* **1** *Otor.* Estudo sistemático da laringe **2** *Med.* Exame radiográfico da laringe mediante instilação, neste órgão, de substância de contraste [F.: *laring(o)-* + *-grafia.*]

laringográfico (la.rin.go.*grá*.fi.co) *a.* Ref. a laringografia [F.: *laringografia* + *-ico*².]

laringologia (la.rin.go.lo.*gi*:a) *sf. Med.* Ramo da medicina que se ocupa da laringe em todos os seus aspectos [F.: *laring(o)-* + *-logia.*]

laringológico (la.rin.go.*ló*.gi.co) *a. Med.* Ref. ou pertencente a *laringologia* [F.: *laringologia* + *-ico*².]

laringologista (la.rin.go.lo.*gis*.ta) *Med. a2g.* **1** Que se dedica ao estudo e à prática da laringologia *s2g.* **2** *Med.* Especialista em laringologia [F.: *laringologia* + *-ista*, seg. o mod. gr.]

laringoplegia (la.rin.go.ple.*gi*.a) *sf. Otor.* Paralisia da musculatura da laringe [F.: *laring(o)-* + *-plegia.*]

laringoscopia (la.rin.gos.co.*pi*.a) *sf. Otor.* Exame da laringe por meio de laringoscópio [F.: *laring(o)-* + *-scopia.*]

laringoscópio (la.rin.gos.*có*.pi:o) *sm. Otor.* Instrumento que permite a observação direta, pela boca, do interior da laringe [F.: *laring(o)-* + *-scópio.*]

larva (*lar*.va) *sf.* **1** *Zool.* Estágio imaturo pós-embrionário de certos animais quando são bem diferenciados dos adultos **2** *Arq.* Barrote que sustenta a tacaniça; LAROZ **3** No ocultismo, e na Roma antiga, espectro de pessoa que teve morte violenta e passa a vagar entre os vivos, como uma espécie de parasita ou aparição aterrorizante [F.: Do lat. *larva, ae* 'espectro, fantasma; máscara de fantasma'.]

larvado (lar.*va*.do) *a.* **1** *Med.* Diz-se de doença que ainda não se desenvolveu completamente ou que apresenta sintomas atípicos **2** *P. ext.* Que se manifesta por intermitência; DESCONTINUADO **3** *Fig.* Desequilibrado, com intervalos de lucidez [F.: Do lat. *larvatus, a, um.*]

larval (lar.*val*) *a2g.* **1** Ref. a larva; LARVAR; LARVÁRIO **2** Ref. a fantasma **3** *Fig.* Aterrorizante, assustador [Pl.: *-vais.*] [F.: Do lat. *larvalis, e*; ver *larv(i)-*.]

larvar (lar.*var*) *a2g.* O mesmo que *larval* (1); LARVÁRIO [F.: *larv(i)-* + *-ar*¹.]

larvário (lar.*vá*.ri:o) *a.* **1** Que diz respeito a larva; LARVAR *sm.* **2** *Zool.* Ninho construído por larva de inseto [F.: *larv(i)-* + *-ário.*]

◎ **larv(i)-** *el. comp.* = 'estágio imaturo de um animal': *larval* (< lat.), *larvar, larvário, larvicida, larvícola, larvicultura, larviforme, larvófago* [F.: Do lat. *larva, ae*, 'fantasma, espectro'; 'máscara de fantasma'.]

larvicida (lar.vi.*ci*.da) *a2g.* **1** Que destrói larvas *sm.* **2** Substância ou produto que destrói ou elimina larvas [F.: *larv(i)-* + *-cida.*]

larviforme (lar.vi.*for*.me) *a2g.* Que tem forma, aspecto ou aparência de larva [F.: *larv(i)-* + *-forme.*]

◎ **larvo-** *el. comp.* Ver *larv(i)-*

larvófago (lar.*vó*.fa.go) *a. Zool.* Diz-se de animal que se alimenta de larvas; LARVÍVORO [F.: *larvo-* + *-fago.*]

lasanha (la.*sa*.nha) *Cul. sf.* **1** Massa alimentícia cortada em tiras largas **2** Iguaria que se faz com essa massa, disposta em camadas em que se alternam carne bovina (ou presunto, ou frango), mozarela e molho branco ou de tomate, e se leva ao forno para gratinar [F.: Do it. *lasagna.*]

lasca (*las*.ca) *sf.* **1** Fragmento de madeira, metal ou pedra **2** *P. ext.* Qualquer pedaço pequeno; fatia fina; TASCO **3** *Fig.* Um tanto, um pouco de: *Guardou uma lasca de ressentimento.* **4** *Lud.* Espécie de jogo de azar; LANSQUENÊ **5** *Bras.* Rachadura, fenda **6** Peça de madeira na borda da embarcação, por onde passa a linha de pescar **7** *Bras. Tabu.* A vulva [Dim.: *lasquialha*] [F.: De or. obsc.]

lascado (las.*ca*.do) *a.* **1** Que se lascou, que perdeu parte ou pedaço por choque com outro objeto: *O prato estava lascado na borda.* **2** Rachado ou quebrado em lascas; MUTILADO: *um galho de árvore lascado pela ventania.* **3** *Bras. Pop.* Que tem níveis extremos de virtudes ou defeitos (poeta lascado; bandido lascado) **4** *Bras. Pop.* Desmedido, excessivo, incrível: *uma paixão lascada, um calor lascado.* **5** *Bras. Pop.* Diz-se de quem dirige, corre ou anda aceleradamente: *Vinha lascado para chegar cedo em casa.* [Nesta acp., usa-se tb. adverbialmente.] **6** *N.E. Pop.* Bastante alegre, animado: *O baile estava lascado, dancei a noite toda.* **7** *N.E. Pop.* Intenso, forte: *Está com uma gripe lascada, nem sai da cama.* **8** *Bras. Pop.* Desprovido de qualquer recurso; PERDIDO: *Viu-se lascado, no fim do jogo.* [F.: Part. de *lascar.*] ■ **Estar ~** *N.E. Pop.* Estar em situação ruim; estar ferrado

lascar (las.*car*) *v.* **1** Tirar lasca(s) de (algo) ou partir(-se) em lascas [*td.*: *A martelada lascou a madeira.*] [*int.*: *O prato lascou -se no choque com a pia.*] **2** *Bras.* Aplicar, dar ou produzir (algo), de repente [*tdi.* + *em*: *Não se conteve e lascou-lhe um beijo.*] **3** *Bras.* Agredir fisicamente (alguém) com [*tdi.* + *em*: *Lascou uma bofetada no atrevido.*] **4** *Bras.* Dizer subitamente, num ímpeto [*td.*: *Fechou a cara e lascou um furioso "suma daqui!"*] **5** *Bras. Pop.* Não obter resultado satisfatório; dar-se mal [*int.*: *Foi fazer o que não sabia, e se lascou.*] [▶ **11 lascar**] [F.: *lasca* + *-ar*².] ■ **De ~ 1** *Bras. Pop.* Muito desagradável, importuno, aborrecido etc.; difícil de suportar ou de superar: *Um calor de lascar; A prova foi de lascar.* **2** Muito ruim; altamente reprovável, condenável; decepcionante, revoltante

lascívia (las.*cí*.vi:a) *sf.* **1** Qualidade ou caráter de lascivo **2** Luxúria, sensualidade, libidinagem: "Na horrorosa avulsão da forma nívea/ Dizer ainda palavras de lascívia..." (Augusto dos Anjos, *Eu e outras poesias*) **3** Modos de lascivo [F.: Do lat. *lascivia, ae.*]

lascivo (las.*ci*.vo) *a.* **1** Que gosta dos prazeres do sexo, da luxúria; LIBIDINOSO; LÚBRICO **2** Em que há lascívia, sensualidade; SENSUAL: "Lançaste no papel/ As mais lascivas frases" (Cesário Verde, *O livro de Cesário Verde*) **3** *P. us.* Brincalhão, travesso *sm.* **4** Aquele que se devota à luxúria, ao amor físico [F.: Do lat. *lascivus, a, um.*]

⊕ **laser** (*Ing.* /lêiser/) *sm.* **1** Dispositivo que emite radiação monocromática intensa, concentrada e altamente controlável, com inúmeras aplicações na indústria, na engenharia e na medicina *a2g2n.* **2** Diz-se dessa radiação (raios *laser*) [F.: Do ing. *laser*, das iniciais de *light amplification by stimulated emission of radiation*. Cf.: *maser*.]

lasquinha (las.*qui*.nha) *Bras. sf.* **1** Pequena lasca de algum material; farpa de madeira **2** *P. ext.* Parte ou fatia muito pequena que se corta ou separa de algo **3** *Bras.* Algo muito pequeno ou em pouca quantidade; quinhão minúsculo ■ **Tirar uma ~ 1** *Bras. Pop.* Aproveitar-se de algo bom ou vantajoso de outrem, ou conseguido por outrem: *Esse teu sorvete parece delicioso, posso tirar uma lasquinha?; Ia a todos os bailes com a irmã, tirando uma lasquinha da popularidade dela.* **2** Aproveitar rápida oportunidade para acariciar, beijar etc., com fins amorosos ou libidinosos; roçar, encostar-se em alguém furtivamente **3** Aproveitar um tempinho para dormir ou cochilar

lassidão (las.si.*dão*) *sf.* **1** Característica, estado ou condição de lasso **2** Cansaço, esgotamento físico ou mental; FADIGA; PROSTRAÇÃO **3** Cansaço parcial de um órgão ou membro do corpo **4** Sensação de tédio, desinteresse pelas coisas [Ant. nas acps 2 e 4: *ânimo, disposição.*] [Pl.: *-dões.*] [F.: Do lat. *lassitudo, ines*, por via popular. Sin. ger.: *lassitude.*]

lassitude (las.si.*tu*.de) *sf.* O mesmo que *lassidão.* [F.: Do lat. *lassitudo, ine*, por via semierudita.]

lasso (*las*.so) *a.* **1** Que está esgotado física ou mentalmente; CANSADO; FATIGADO **2** Que está meio solto, mal amarrado; FROUXO **3** Que tem ou revela maus costumes; DEGENERADO; DEVASSO [Ant.: *casto.*] **4** Relaxado, distendido (ventre lasso) **5** Gasto, laxo (fechadura lassa) [F.: Do lat. *lassus, a, um.* Hom./Par.: *lasso* (a.), *lasso* (fl. de *lassar*), *laço* (fl. de *laçar* e sm.).]

lástima (*lás*.ti.ma) *sf.* **1** Sentimento de pena ou compaixão: "Desviou os olhos com frieza e lástima..." (Antônio Callado, *Bar D. Juan*) **2** O que merece ser lastimado; PENA: *É uma lástima ver os hospitais públicos nesse estado.* **3** *Pej.* Algo ou alguém sem valor, lastimável: *O médico que o atendeu era uma lástima.* **4** Lamúrias, queixas: *Veio com uma feira de lástimas.* [F.: Dev. de *lastimar.* Hom./Par.: *lástima* (sf.), *lastima* (fl. de *lastimar*).]

lastimado¹ (las.ti.*ma*.do) *a.* **1** Angustiado, atormentado, entristecido: "Mas um peito lastimado,/ que tem em pouco essas sobras,/ dirá, pois chora por dobras,/ que o deixem chorar dobrado..." (Gregório de Matos, *Obra poética*) [Ant.: *alegre, contente, feliz.*] **2** Apiedado, compadecido, condoído: *Tinha as feições lastimadas pela morte do amigo.* [Ant.: *indiferente.*] **3** Deplorado, lamentado: *desaparecimento lastimado por todos que o conheciam.* [F.: Part. de *lastimar*¹.]

lastimado² (las.ti.*ma*.do) *a. RS* Contundido, ferido, machucado: "Tatua, minha Tatua, /Acuda, senão eu morro!/Venho todo lastimado /Das dentadas de um cachorro." (Augusto Meyer, "O tatu", *in Cancioneiro gaúcho*) [F.: Part. de *lastimar*².]

lastimar¹ (las.ti.*mar*) *v.* **1** Manifestar ou sentir lástima por (algo ou alguém); DEPLORAR; LAMENTAR [*td.*: "...só me resta lastimar o fato de não ter fechado o negócio..." (Marques Rebelo, *Contos reunidos*)] **2** Causar ou sentir pena, dor, angústia etc. [*td.*: *Muito me lastima essa perda.*] [*tr.* + *com*: *Lastimamo-nos com sua desgraça.*] **3** Lamentar-se, queixar-se [*int.*: *Ele está sempre se lastimando.*] [▶ **1 lastimar**] [F.: Do lat. vulg. *blasfemare.* Hom./Par.: *lastima(s)* (fl. de *lastimar*), *lástima* (sf.), *lástimas* (pl.).]

lastimar² (las.ti.*mar*) *v. td. int. RS* Provocar ou sofrer ferimento, contusão; machucar(-se) [▶ **1 lastimar**] [F.: Do espn. plat. *lastimar.* Hom./Par.: ver *lastimar*¹.]

lastimável (las.ti.*má*.vel) *a2g.* **1** Que é digno de lástima, que inspira lástima; LASTIMOSO: *Vive em condições lastimáveis.* **2** Digno de censura e repreensão: *Teve uma atitude lastimável.* [Pl.: *-veis.*] [F.: *lastima(r)* + *-vel.* Sin. ger.: *lamentável, deplorável.* Hom./Par.: *lastimáveis* (pl.), *lastimáveis* (fl. de *lastimar*).]

lastimoso (las.ti.*mo*.so) [ô] *a.* **1** Que causa dó, lástima; DEPLORÁVEL; LAMENTÁVEL; LASTIMÁVEL **2** Que se lastima; CHOROSO: *Embarcou lastimoso, como um condenado.* **3** Que exprime lástima (pranto lastimoso, gritos lastimosos) [Pl.: [ó]. Fem.: [ó].] [F.: *lástim(a)* + *-oso.*]

lastrado (las.*tra*.do) *a.* **1** Em que se pôs lastro, peso (balão lastrado); LASTREADO **2** *Mar.* Que contém lastro, carregado com lastro (navio lastrado); LASTREADO **3** *Fig.* Carregado, cheio: "Ferramentas atiradas pelo chão lastrado de cavacos e serragem..." (Xavier Marques, *Sargento Pedro*) **4** *Fig.* Impregnado, incorporado: "O espírito bem lastrado de sadios conceitos quanto à moral e dever de cada um." (Aquilino Ribeiro, *Volfrâmio*) **5** Que se espalhou, se alastrou (peste lastrada); ALASTRADO; PROPAGADO [F.: Part. de *lastrar.*]

lastragem (las.*tra*.gem) *sf.* Ação ou resultado de lastrar, de pôr lastro; LASTREAMENTO [Pl.: *-gens.*] [F.: *lastr(ar)* + *-agem*¹.]

lastrar (las.*trar*) *v.* **1** *Mar.* Pôr lastro¹ em (embarcação ou aeróstato); LASTREAR [*td.*: *Lastrou o dirigível.*] **2** Acrescentar peso para dar mais firmeza, estabilidade a; LASTREAR [*td.*: *Lastrar uma picape.*] **3** *Fig.* Espalhar ou multiplicar com rapidez; DIFUNDIR-SE; PROLIFERAR-SE [*int.*: *A epidemia lastrou pela cidade.*] [▶ **1 lastrar**] [F.: *lastro* + *-ar*. Hom./Par.: *lastra* (fl. de *lastrar*), *lastra* (sf.), *lastras* (fl. de *lastrar*), *lastras* (pl.), *lastro* (fl. de *lastrar*), *lastro* (sm.).]

lastreamento (las.tre:a.*men*.to) *sm.* Ver *lastragem* [F.: *lastrea(r)* + *-mento.*]

lastrear (las.tre.*ar*) *v.* Ver *lastrar.* [▶ **13 lastrear**] [F.: *lastro* + *-ear.*]

lastro (*las*.tro) *sm.* **1** *Mar.* Material pesado, muitas vezes água, us. no fundo das embarcações, para controlar suas condições de equilíbrio **2** Carga de areia que serve para controlar o movimento de ascensão dos aeróstatos **3** *Fig.* Porção de alimento que se ingere para enganar o estômago antes da refeição ou de bebida alcoólica **4** *Fig.* Embasamento que garante e legitima algo; BASE; FUNDAMENTO: *Seu trabalho tem um lastro filosófico.* **5** *Econ.* Depósito em ouro para assegurar o valor do papel-moeda **6** Cada uma das placas de chumbo que ajudam a manter submerso o escafandrista **7** Peça de trator ou de máquina agrícola que permite maior estabilidade e penetração no solo; CONTRAPESO **8** *Bras. N.E.* O conjunto de paus que compõem o corpo das jangadas **9** *MG* Locomotiva us. em trabalhos de manobras ou na prestação de pequenos socorros [F.: Do hol. *last* 'carga, peso', pelo fr. ant. *last* (moderno lest).] ■ **Em ~** *Mar. Merc.* Sem carga, levando somente lastro (embarcação em viagem)

lata (*la*.ta) *sf.* **1** O mesmo que *folha de flandres* **2** Recipiente, vasilha feita desse material: *Pegou uma lata usada e fez um ninho para a cambaxirra.* **3** *Lus.* Cada vara transversal de uma parreira **4** *Mar.* Cada uma das vigas de madeira que vão de um bordo a outro do navio **5** *Têxt.* Canudo para onde vai o algodão depois de sair das cardas **6** *Pop.* Rosto, cara: *Virou-se e meteu a mão na lata do coitado.* **7** *Bras. Pop.* Recusa amorosa; FORA **8** *Lus.* Descaramento, desfaçatez **9** *Bras. Pop.* Dispensa do emprego **10** *Bras. Pop.* Ver calhambeque (2) [Aum.: *latão*] [F.: Do it. *latta*, der. do lat. med. *latta.*] ■ **Amarrar a ~** *Bras. Pop.* Ver *Dar a lata.* **Dar a ~ 1** *Bras. Pop.* Rejeitar namoro ou paquera; dar o fora (em alguém) **2** Despedir, exonerar **Na ~** *Gír.* De pronto, sem rodeios

latada (la.*ta*.da) *sf.* **1** Grade ou armação feita de varas, bambu, arame etc. para sustentar plantas trepadeiras **2** *Bras.* Pequeno caramanchão **3** Pancada dada com lata **4** Assuada feita a recém-casados, com latas e panelas, na noite do casamento **5** *Bras. N.E.* Abrigo improvisado (comumente com folhas de coqueiro) **6** *Pop.* Bofetada, tapa [F.: *lat(a)* + *-ada*².]

latagão (la.ta.*gão*) *sm.* Homem jovem, forte e grandalhão [Pl.: *-gões.* Fem.: *-gona.*] [F.: De or. obsc.]

latão (la.*tão*) *sm.* **1** Lata grande **2** Liga de cobre e zinco em proporções variadas, de enorme utilidade no fabrico de objetos de todo tipo **3** *Bras.* Vasilha cilíndrica de zinco, estanhada por dentro, para o transporte de leite [Pl.: *-tões.*] [F.: Do ár. *latum*, pelo fr. ant. *laton* (moderno *laiton*).] ■ **~ almirantado** Latão com teor de cobre de 77%, resistente à corrosão **~ amarelo** Latão com teor de cobre entre 63% e 66%, dúctil e resistente **~ vermelho** Latão com teor de cobre de 85%, muito resistente à corrosão

lataria (la.ta.*ri*:a) *Bras. sf.* **1** Grande quantidade de latas **2** *P. ext.* Conjunto de alimentos enlatados **3** Carroceria dos veículos automóveis [F.: *lat(a)* + *-aria.*]

latear (la.te.*ar*) *v. td.* Cobrir ou enfeitar com folhas de flandres [▶ **13 latear**] [F.: *lat(a)-* + *-ear.*]

látego (*lá*.te.go) *sm.* **1** Açoite ger. feito de corda e correia; CHICOTE; RELHO; AZORRAGUE **2** Punição infligida a seres humanos ou animais; CASTIGO: *o látego da intolerância.* **3** *Fig.* Estímulo, acicate **4** Corda com que se aperta a carga das azêmolas; INQUERIDEIRA **5** *RS* Correia, guasca us. para apertar os arreios [F.: De or. contv; posv. do gót. **laittug.*]

latejamento (la.te.ja.*men*.to) *sm.* Ação ou resultado de latejar; LATEJO [F.: *lateja(r)* + *-mento.*]

latejante (la.te.*jan*.te) *a2g.* Que lateja [F.: *lateja(r)* + *-nte.*]

latejar (la.te.*jar*) *v. int.* **1** Palpitar, pulsar perceptivelmente: *Suas têmporas latejavam de dor de cabeça* **2** Arfar, arquejar: *Andara muito, e sentia o peito latejar.* [▶ **1 latejar**] [F.: De or. obsc. Hom./Par.: *latejo* (fl. de *latejar*), *latejo* (sm.).]

latejo (la.*te*.jo) [ê] *sm.* **1** Ação ou resultado de latejar; LATEJAMENTO **2** *AL* Grande agitação; AZÁFAMA; LUFA-LUFA **3** *AL* Vozerio, zoada [F.: Dev. de *latejar.* Hom./Par.: *latejo* (sm.), *latejo* (fl. de *latejar*).]

latência (la.*tên*.ci:a) *sf.* **1** Caráter ou estado do que está latente **2** *Fisl. Med.* Período de inatividade entre um estímulo e o início da reação por ele provocada **3** *P. ext.* Período durante o qual algo se elabora, antes de assumir existência efetiva; INCUBAÇÃO **4** *Psiq.* Elemento psíquico que pode ressurgir da esfera subliminar da consciência, onde esteve esquecido **5** *Inf. Comun.* Medida do tempo decorrido entre o início de uma atividade e a sua conclusão: *mecanismo desenvolvido para minimizar a latência e o tempo de resposta na comunicação entre clientes e servidores de sistemas paralelos.* [F.: *latente* (rad. *lat-*) + *-ência.*]

latente (la.*ten*.te) ***a2g.*** **1** Não manifesto; não aparente; OCULTO; ENCOBERTO: *Havia ali uma ameaça latente.* **2** *P. ext.* Que se mantém reprimido, disfarçado (conflito latente) **3** Presente de forma inativa, mas passível de vir à tona; POTENCIAL; VIRTUAL [Ant. nessas acps.: *claro, manifesto.*] **4** *Med.* Diz-se de doença cujo diagnóstico é obscuro ou que não apresenta sintomas definidos e característicos [F.: Do lat. *latens, entis*, part. pres. de *latere.* Hom./Par.: *latente* (a2g.), *lactente* (a2g. s2g.).]

láteo (*lá*.te:o) ***a.*** Ver *lácteo*

lateral (la.te.*ral*) ***a2g.*** **1** Ref. ao lado ou próprio deste (visão lateral) **2** Que se situa ao lado (poltronas laterais) **3** *Fig.* Que se acha à margem de algo (considerações laterais) ***sf.*** **4** *Esp.* Em vários esportes, cada linha lateral do campo ou da quadra ***s2g.*** **5** *Fut.* Jogador que atua junto à linha que limita um dos lados do campo; ALA ***sm.*** **6** *Esp.* Infração cometida quando um jogador lança a bola além da linha lateral **7** *Fut.* Arremesso com as mãos, para repor a bola em jogo após essa infração [Pl.: *-rais.*] [F.: Do lat. *lateralis, e.*]

lateralidade (la.te.ra.li.*da*.de) ***sf.*** **1** Caráter ou qualidade de lateral **2** *Neur.* Predomínio motor de uma das metades do corpo sobre a outra, em razão da dominância exercida por um hemisfério cerebral **3** *Neur.* Habilidade de controlar os dois lados do corpo de modo simultâneo ou individual [F.: *lateral + -i- + -dade.*]

◎ **later(i)-** ***el. comp.*** = 'lado': *latericostal, lateridorsal, laterriflexão, laterifólio, laterígrado, laterinérveo, lateriposição, lateripulsão* [F.: Do lat. *latus, eris.* F. conexa: *-látero.*]

laterita (la.te.*ri*.ta) ***sf.*** *Geol.* Produto residual da alteração que, nos climas úmidos e tropicais, se realiza em qualquer tipo de rocha pelo processo de laterização, e cujos principais elementos são o hidróxido de alumínio e o de ferro [Esta denominação se estende aos solos vermelhos ou crosta ferruginosa constituídos de laterita.] [F.: *Later(i)- + -ita.*]

laterização (la.te.ri.za.*ção*) ***sf.*** *Geol.* Processo característico das regiões tropicais de clima úmido, em que há hidratação e oxidação dos elementos minerais, remoção da sílica e consequente enriquecimento das rochas e solos em óxidos de ferro e alumínio [Pl.: *-ções.*] [F.: *later(i)- + -izar + -ção.*]

◎ **-látero** ***el. comp.*** = 'lado': *ambilátero, equilátero* (< lat.), *multilátero* (< lat.), *quadrilátero* (< lat.), *trilátero* (< lat.) [F.: Do lat. *-laterus, a, um*, do lat. *latus, eris*, 'lado'. F. conexa: *later(i)-.*]

latescência (la.tes.*cên*.ci:a) ***sf.*** Ver *lactescência*

latescente (la.tes.*cen*.te) ***a2g.*** Ver *lactescente*

látex (*lá*.tex) [cs] ***sm2n.*** *Bot.* Substância líquida, coagulável, às vezes de aparência leitosa, mas também amarela, alaranjada, vermelha, que escorre de muitos vegetais quando lhes ferem o caule ou as folhas (p. ex.: seringueira, sapotizeiro) [F.: Do lat. *latex, icis.* F. par.: *látice.* Ideia de 'látex': *latic(i)-* (*laticífero*).]

◎ **lat(i)-** ***el. comp.*** = 'amplo'; 'largo'; 'extenso': *laticórneo, laticlavo* (< lat.), *laticolo, latifloro, latifoliado, latifólio* (< lat.), *latifúndio* (< lat.) [F.: Do lat. *latus, a, um*, 'largo', 'amplo'.]

laticínio (la.ti.*cí*.ni:o) ***sm.*** Qualquer produto alimentício derivado do leite, como a manteiga, os queijos, os requeijões [F.: Var. de *lacticínio*, e este do lat. tard. *lacticinium, ii*, 'iguarias feitas com leite'. Tb. *lacticínio.*]

laticlavo (la.ti.*cla*.vo) *Hist.* ***sm.*** **1** Entre os antigos romanos, larga faixa de cor púrpura que ornava a túnica de senadores e de altas personagens da nobreza **2** *P. ext.* A túnica usada por senadores romanos **3** *P. ext.* O cargo ou a posição de senador [F.: Do lat. *laticlavus, i.*]

lático (*lá*.ti.co) ***a.*** ***sm.*** Ver *láctico*

latido (la.*ti*.do) ***sm.*** **1** Ação ou resultado de latir (o canídeo); LADRADO; LADRIDO: *O latido é um meio de comunicação entre os cães, e deles com os seres humanos.* **2** *Fig.* Voz interna (latido da consciência); APELO; GRITO **3** *Fig.* Afirmação mentirosa, dizer vão: *Como testemunha de acusação, ainda teve de ouvir os latidos daquele criminoso cruel e sanguinário.* [F.: Part. de *latir.*]

latifloro (la.ti.*flo*.ro) ***a.*** *Bot.* Que é dotado de folhas largas [F.: *lat(i)- + -floro.*]

latifoliado (la.ti.fo.li.*a*.do) ***a.*** *Bot.* O mesmo que *latifólio* [F.: *lat(i)- + foliado.*]

latifólio (la.ti.*fó*.li:o) *Bot.* ***a.*** Que apresenta folhas largas; LATIFOLIADO [F.: Do lat. *latifolius, a, um.*]

latifundiário (la.ti.fun.di.*á*.ri:o) ***a.*** **1** Ref. a latifúndio (problema latifundiário) ***sm.*** **2** Proprietário de latifúndio [F. opos. a *minifundiário.*] [F.: *latifúndi(o) + -ário.*]

latifúndio (la.ti.*fún*.di:o) ***sm.*** **1** Propriedade rural de grande extensão, constituída principalmente de terras não cultivadas e/ou exploradas com técnicas de baixa produtividade [F. op. a *minifúndio.*] **2** Na Roma antiga, grande propriedade agrária de aristocrata, com a produção assentada no trabalho escravo [F.: Do lat. *latifundium.*]

latim (la.*tim*) ***sm.*** **1** Língua indo-europeia, falada pelos habitantes do Lácio e, depois, em todo o Império Romano, do séc. VII a.C. ao V da era cristã, sendo, até hoje, a língua oficial da Igreja Católica **2** *Fig. Pop.* Palavreado difícil de entender; GREGO: *Não entende nada, para ele isso é latim.* [Pl.: *-tins.*] [F.: Do lat. *latine* 'em língua latina'.] ▪▪ **~ arcaico** *Gloss.* Latim escrito nos primeiros documentos nessa língua (séc. VII a.C.), e até o início do latim clássico (séc. II a.C.) **~ bárbaro** *Gloss.* Forma do latim em que se misturam elementos trazidos por outras línguas (de outros povos, que os romanos chamavam bárbaros), que redundou no latim cartorial **~ cartorial** *Gloss.* Juntamente com o latim bárbaro, latim us. na baixa Idade Média no registro notarial de documentos, contratos etc. **~ científico** *Gloss.* Conjunto de termos latinos us. por cientistas (médicos, botânicos, zoólogos etc.), a partir do grego e de outras línguas, para formar uma nomenclatura classificatória científica que servisse de referência a cientistas de todo o mundo, e constituindo por isso um glossário internacional **~ clássico** *Gloss.* Latim literário que seguiu ao arcaico, us. por escritores e oradores romanos, como César, Cícero, Virgílio e Horácio, até a segunda década do século I d.C. **~ cristão** *Gloss.* O latim us. por escritores cristãos a partir do séc. II d.C. **~ de cozinha** *Pop.* Mau latim **~ de missa** Latim fácil de se entender, ler etc. **~ eclesiástico** *Gloss.* O latim que, a partir da oficialização do cristianismo como a religião de Roma, foi us. como língua oficial da Igreja católica, escrita e falada, em sua liturgia, seus cânones etc. **~ escolástico** *Gloss.* O latim falado e escrito nas universidades, e pelos escolásticos da Idade Média **~ hipotético** *Gloss.* Latim induzido de formas linguísticas orais que se supõe terem existido para explicar as formas modernas [Nas citações de fontes latinas, a forma hipotética é identificada com um asterisco que a antecede.] **~ imperial** *Gloss.* O latim escrito que sucedeu ao latim clássico, do séc. I d.C. até o séc. IV d.C., introduzindo mudanças sob a influência do latim falado. É o latim de Tácito, Sêneca, Plínio, o Jovem, Juvenal etc. **~ literário** *Gloss.* Termo genérico para algumas formas do latim escrito **~ macarrônico** Latim escrito com intenções farsescas, irônicas, inclusive com uso de palavras de outras línguas às quais se acrescentam desinências latinas **~ medieval** *Gloss.* O latim falado e escrito durante a Idade Média **~ tardio** **1** *Gloss.* O latim literário da era cristã e que chega ao séc. VI, us. pelos primeiros padres da Igreja **2** O latim dos monges da Idade Média; baixo-latim **~ vulgar** *Gloss.* Língua efetivamente falada pelos romanos, com diferenças regionais nas províncias romanas, que evoluíram nas diferentes línguas românicas, ou neolatinas **Perder o seu ~** **1** Perder tempo tentando, inutilmente, explicar algo, ou ensinar algo a alguém que não consegue ou não quer entender. **2** Esforçar-se por algo sem obter resultado

latímano (la.*tí*.ma.no) ***a.*** *Zool.* Que tem mãos largas [F.: *lat(i)- + -mano²*.]

latina (la.*ti*.na) ***sf.*** **1** *Náut.* Vela de forma triangular **2** *Tip.* Tipo de letra **3** *Art. gr.* Recipiente em que são lavadas as formas(ô) após a impressão [F.: Fem. substv. do adj. *latino.*]

latinar (la.ti.*nar*) ***v.*** **1** Falar ou escrever em latim [*int.*] **2** Traduzir do latim [*int.*] **3** Traduzir para o latim [*td.*] [▶ **1** latinar] [F.: Do lat. tard. *latinare.*]

latinidade (la.ti.ni.*da*.de) ***sf.*** **1** A língua latina, o latim **2** O conjunto das normas para se falar e escrever latim **3** Estudo dos clássicos latinos **4** Construção gramatical em harmonia com as regras do latim **5** Comunidade dos povos latinos **6** Caráter latino [F.: Do lat. *latinitas, atis.*]

latinismo (la.ti.*nis*.mo) ***sm.*** *Ling.* Frase, locução ou construção gramatical típicas do latim; ROMANISMO [F.: *latim + -ismo*, seg. o modelo erudito; fr. *latinisme.*]

latinista (la.ti.*nis*.ta) ***s2g.*** Pessoa versada no conhecimento da língua e literatura latinas *P. us.*; LATINO [F.: *latim + -ista*, seg. o modelo erudito; fr. *latiniste.*]

latinização (la.ti.ni.za.*ção*) ***sf.*** **1** Ação ou efeito de latinizar: *a progressiva latinização cultural dos Estados Unidos.* **2** Tradução para o latim: *a latinização de termos gregos.* **3** Introdução de expressões latinas em um texto [Pl.: *-ções.*] [F.: *latinizar + -ção.*]

latinizado (la.ti.ni.*za*.do) ***a.*** **1** Que se latinizou: *a maioria das populações da Europa ocidental só foram latinizadas do ponto de vista linguístico na Alta Idade Média.* **2** Que tomou a forma latina; traduzido para o latim: *René Descartes latinizado como Renatus Cartesius.* **3** Que adotou os ritos da Igreja católica romana [F.: Part. de *latinizar.*]

latinizante (la.ti.ni.*zan*.te) ***a2g.*** **1** Que latiniza (expressão latinizante) **2** Que segue o rito latino ou cristão em país cismático ***s2g.*** **3** Aquele ou aquilo que latiniza **4** Seguidor do ritual católico latino em países cismáticos ou não cristãos [F.: *latinizar + -nte.*]

latinizar (la.ti.ni.*zar*) ***v.*** **1** Traduzir para o latim [*td.*] **2** Tornar latino; dar aspecto latino a; ALATINAR [*td.*] **3** Dar inflexão latina a uma palavra (de qualquer língua) [*td.*] **4** Falar latim ou empregar expressões latinas [*int.*] **5** Seguir ritos, ideias, costumes latinos [*td.*] [▶ **1** latinizar] [F.: do lat. *latinizare.*]

latino (la.*ti*.no) ***a.*** **1** Ref. ao latim (literatura latina) **2** Ref. aos povos de língua neolatina (Europa latina, amante latino) **3** *Mar.* Diz-se de vela triangular ou quadrangular içada de proa a popa, em mastro, verga ou estai **4** *P. ext.* Diz-se de navio de velas latinas **5** Ref. à Igreja romana do Ocidente **6** *Ling.* Diz-se de um dos subgrupos do itálico (1) **7** Ref. ao Lácio, antigo país da península Itálica, na costa do mar Tirreno, ou a seus habitantes ***sm.*** **8** Antigo habitante do Lácio **9** Pessoa nascida ou que vive em qualquer dos países latinos **10** Vela latina **11** *Ling.* O subgrupo linguístico latino **12** *P. us.* Latinista [F.: Do lat. *latinus, a, um.* Hom./Par.: *latino* (a. sm.), *latino* (fl. de *latinar*). Ideia de 'latino': *latin(i)-* (*latinidade*).]

◎ **latino-** ***El. comp.*** 'latim', 'latino', 'neolatino': *latino-americano, latinolatria.* [F.: Do lat. *latinus, a, um.*]

latino-americano (la.ti.no-a.me.ri.*ca*.no) ***sm.*** **1** Pessoa nascida ou que vive em qualquer dos países americanos de línguas neolatinas ***a.*** **2** Dos ou ref. aos países da América em que se falam línguas neolatinas [Pl.: *latino-americanos.*] [Cf.: *ibero-americano.*]

latinório (la.ti.*nó*.ri:o) ***sm.*** *Pop.* O uso impróprio de expressões latinas; mau latim: *Era obrigado a ouvir aqueles latinórios todo dia.* [Mais us. no pl.] [F.: *latim* (f. *latin-*) + *-ório.*]

latípede (la.*tí*.pe.de) ***a2g.*** *Zool.* Que tem pés largos [F.: Do lat. *latipes, edis.*]

latir (la.*tir*) ***v. int.*** **1** Soltar latidos; LADRAR: *O cachorro pôs-se a latir furiosamente.* **2** Dar gritos, berros; BERRAR; GRITAR: *O homem latia de dor.* [▶ **58** **latir** Verbo defectivo, conjuga-se apenas na 3ª pess.] [F.: Do lat. *glattire.* Hom./Par.: *lata* (fl. de *latir*), *lata* (sf.), *latas* (fl. de *latir*), *latas* (pl.), *late* (fl. de *latir*), *late* (fl. de *later*), *latem* (fl. de *latir*), *latem* (fl. de *later*).]

latirismo (la.ti.*ris*.mo) ***sm.*** *Med.* Intoxicação por ingestão de plantas do gênero *Lathyrus* ou de produtos fabricados com as substâncias nelas contidas [F.: *látiro + -ismo.*]

látiro (*lá*.ti.ro) ***sm.*** *Bot.* Nome geral dado às plantas do gên. *Lathyrus*, da fam. das leguminosas, trepadeiras cultivadas como ornamentais ou forrageiras, cujas favas e sementes podem causar intoxicação se ingeridas pelo homem [Cf.: *latirismo.* F.: do lat. cient. *Lathyrus.*]

latitude (la.ti.*tu*.de) ***sf.*** **1** Qualidade ou condição de lato ou largo; LARGURA; LARGUEZA **2** *Fig.* Importância relativa, numa escala: *Suscitaram uma questão de latitude maior.* **3** *Fig.* Liberdade de ação: *Costuma dar a todos a latitude necessária para desenvolver bons projetos.* **4** *Geog.* Distância angular entre um ponto qualquer da esfera terrestre e o equador, contada sobre o meridiano que passa por esse ponto **5** *Astr.* Distância angular de um astro a partir da eclíptica **6** *Fig.* Clima, condições ambientes: *Estava acostumado a diversas latitudes.* [F.: Do lat. *latitudo, ines.* Ver *lat(i)-.*] ▪▪ **alta ~** *Geog.* Latitude mais afastada do equador e mais próxima de um polo **baixa ~** *Geog.* Latitude mais afastada de um polo e mais próxima do equador **~ calculada** *Náut.* A que se determina observando os astros e usando o sextante **~ celeste** *Astron.* Em relação a um ponto na esfera celeste, ângulo que a direção desse ponto faz com a eclíptica (o plano da órbita da Terra); latitude eclíptica **~ crescida** *Náut.* Distância em minutos ao equador da projeção (de Mercator) de uma latitude **~ eclíptica** *Astron.* Ver *Latitude celeste* **~ geocêntrica** *Astron.* A latitude de um corpo celeste medida tendo como referência o centro da Terra **~ geográfica** *Astron.* Em relação a um ponto da superfície terrestre, é a distância angular, medida sobre o meridiano que passa pelo ponto, entre este e o plano do equador medida sobre o meridiano **~ heliocêntrica** *Astron.* Latitude de um corpo celeste tendo como referência o centro do Sol **~ norte** *Geog.* Latitude de um ponto entre o equador e o polo norte, medida a partir do equador **~ sul** *Geog.* Latitude de um ponto entre o equador e o polo sul, medida a partir do equador

latitudinal (la.ti.tu.di.*nal*) ***a2g.*** **1** Que diz respeito a latitude; que se estende em largura (medida latitudinal) **2** Transversal: *plano latitudinal de um navio.* [Pl.: *-nais.*] [F.: Do rad. lat. *latitudin-* (< *latitudo, inis*) + *-al.*]

lato (*la*.to) ***a.*** Que tem grande amplitude; não restrito; LARGO: *o sentido lato de uma palavra; lato conhecimento da história.* [F.: Do lat. *latus, a, um.* Ant.: *restrito.* Ver *lat(i)-.*]

latoaria (la.to:a.*ri*:a) ***sf.*** **1** Local onde se fabricam ou vendem latas, objetos de latão etc. **2** Ofício de latoeiro [F.: *latão + -aria*, com desnasalização.]

latoeiro (la.to:*ei*.ro) ***sm.*** *P. us.* Pessoa que fabrica, vende ou conserta objetos de lata e/ou de latão; FUNILEIRO [F.: *latão + -eiro*, com desnasalização.]

latomia¹ (la.to.*mi*.a) ***sf.*** **1** Pedreira de onde se extraía o calcário utilizado na construção de estátuas e monumentos **2** *Ant.* Prisão em que se transformavam essas pedreiras, quando abandonadas [F.: Do gr. *latomía, as.*]

latomia² (la.to.*mi*.a) ***sf.*** **1** *N.E. GO MG Pop.* Assuada, barulho, ruído: *Com toda aquela latomia, não dava para se ouvir nada do que diziam.* **2** *N.E. GO MG* Cantoria monótona de ladainha: "Mude o ruma de sua cantoria!/Aos desejos da Musa eu me apego, / sou treinado em desatar nó cego, / mas você vive nesta latomia!..." (Astier Basílio e Glauco Mattoso, *Lenha na Linha*, 08.11.2004) **3** *N.E. GO MG* Choradeira, lamentação: "... Durante uma semana uma latomia,/ multiplicada pelas sete assim ecoou:/"Você não gosta de mim mais não!"..." (Pedro Paulo da Gama Bentes, *Recontando Barba Azul*, 01.09.2005) **4** *S.* Conversa fiada: *Vamos deixar de lado essa latomia, e falar sério.* [F.: De or. obsc.]

⊕ **lato sensu** (*Lat.* /*láto sênsu*/) ***loc. adv.*** Em sentido amplo [Ant.: *stricto sensu.*] [F.: Do lat. *lato*, abl. masc. sing. do adj. *latus, a, um*, 'largo, amplo', e *sensu*, abl. sing. de *sensus, us*, 'sentido'.]

◎ **-latra** ***el. comp.*** = 'que tem adoração por (aquilo que é expresso pelo rad.) ou pratica dado culto (ger. expresso por voc. em *-latria*)'; 'que tem paixão ou grande amor por (algo)'; 'que se dedica por gosto a assuntos ref. a (algo ou alguém); 'que tem o hábito de consumir (algo) em demasia, ou é viciado em'; 'adepto ou defensor de (certa doutrina ou sistema [designados por voc. em *-latria*])': *andrólatra, angelólatra, cristólatra, dendrólatra, hidrólatra, hagiólatra, heliólatra, iconólatra; bibliólatra, camonólatra, ególatra; afrólatra, francólatra, grecólatra, galólatra, helenólatra; alcoólatra, chocólatra, sexólatra; estatólatra* [F.: Do gr. *-látres, ou*, do gr. *latreía, as*, 'serviço', 'trabalho assalariado'; 'serviço a um deus, a uma divindade'; 'adoração, veneração, culto à divindade'. F. conexa: *-latria.*]

◎ **-latria** ***el. comp.*** = 'adoração', 'culto', 'veneração'; 'paixão ou grande amor por algo ou alguém'; 'hábito de consumir ou fazer algo em demasia, em excesso; vício'; 'sistema ou doutrina': *androlatria, angelolatria, cristolatria, dendrolatria, hagiolatria, heliolatria, hidrolatria, iconolatria; bibliolatria, francolatria, galolatria, grecolatria, helenolatria; autolatria, egolatria; alcoolatria, chocolatria, sexolatria; estatolatria* [F.: Do gr. *latreía, as*, 'serviço'; 'trabalho assalariado'; 'serviço a um deus'; 'culto, veneração, adoração à divindade'. F. conexa: *-latra.*]

latria (la.*tri*:a) ***sf.*** **1** *Teol.* Culto de adoração a Deus. [Cf.: *dulia.*] **2** *P. ext.* Adoração, amor demasiado a qualquer coisa ou ser [F.: Do gr. *latreía, as*, pelo lat. *latria, ae.*]

latrina (la.*tri*.na) ***sf.*** **1** *Antq.* Lugar público para dejeções; esgoto, cloaca (tb. us. no pl.) **2** Peça de louça vidrada, que recebe urina e fezes expelidas, descarregando-as em canos que levam ao esgoto, à fossa ou vala aberta; vaso sanitário **3** Compartimento dotado de vaso e encanamento para dejeções; BANHEIRO; SANITÁRIO; PRIVADA; CASINHA; TOALETE; SEN-

TINA: "No primeiro dia, as emanações da latrina, nojentas, enchiam o ar e enchiam toda a cadeia." (João Antônio, *Malagueta, perus e bacanaço*) [F.: Do lat. *latrina, ae.*]

latrinário (la.tri.*ná*.ri.o) *a.* **1** Ref. ou inerente a latrina (fedor latrinário) **2** Diz-se de ser que vive ou se cria nas latrinas (verme latrinário) **3** *Fig.* Repugnante, sórdido, imundo [Ant.: *asseado, limpo.*] [F.: *latrina-* + *-ário.*]

latrineiro (la.tri.*nei*.ro) *sm.* Aquele que é encarregado da guarda, limpeza ou manutenção de latrinas [F.: *latrina-* + *-eiro.*]

latrocínio (la.tro.*cí*.ni:o) *sm.* **1** *Jur.* Assalto à mão armada, mesmo que a arma seja us. somente para intimidação **2** Roubo seguido de homicídio ou graves lesões corporais da vítima [F.: Do lat. *latrocinium, ii.*]

lauda (*lau*.da) *sf.* **1** Página de livro impressa ou em branco **2** Cada lado de uma folha de papel **3** *Edit.* Cada folha de um original (10) escrita de um lado só **4** *Edit.* Página (de papel ou eletrônica) us. como padrão para os originais a serem entregues a uma editora ou jornal, dividida em número convencionado de toques e de linhas [F.: De or. incerta, posv. do lat. *laudare.*]

láudano (*láu*.da.no) *sm.* **1** *Farm.* Tintura de ópio, de efeito sedativo **2** *Med. Ter.* Medicamento feito com base no ópio misturado a outros ingredientes **3** *Fig.* Algo que alivia, relaxa; BÁLSAMO: *A conclusão do caso foi-lhe um verdadeiro láudano.* [F.: Do lat. cient. *laudanum.*]

laudativo (lau.da.*ti*.vo) *a.* O mesmo que *laudatório* [F.: Do lat. *laudativus, a, um.*]

laudatório (lau.da.*tó*.ri:o) *a.* **1** Ref. a louvor *a.* **2** Que contém louvor (discurso laudatório) [F.: Do lat. *laudatorius, a, um.* Sin. ger.: *laudatício, laudativo.*]

laudável (lau.*dá*.vel) *a2g.* **1** *P. us.* O mesmo que *louvável* [Ant.: *repreensível.*] **2** *Med.* Diz-se de sangue, linfa ou pus de bom aspecto [Pl.: *-veis.* Superl.: *laudabilíssimo.*] [F.: Do lat. *laudabilis, e.*]

laudêmio (lau.*dê*.mi:o) *sm.* **1** *Econ.* Pagamento devido ao senhorio direto, na alienação de propriedade imobiliária usufruída em regime de enfiteuse **2** *Jur.* Compensação que o enfiteuta alienante pagava ao senhorio direto por sua renúncia ao direito de opção na transferência do domínio útil da coisa aforada (laudêmio de quarentena; laudêmio de vintena) [F.: Do it. *laudemio.*]

laudo (*lau*.do) *sm.* Texto com parecer técnico (de médico, engenheiro, perito) como conclusão de exame, perícia, avaliação [F.: Do lat. *laudo* 'eu louvo', do v. *laudare*, substv.]

laurácea (lau.*rá*.ce:a) *sf.* *Bot.* Espécime das lauráceas, fam. (*Lauraceae*) de arbustos e árvores da ordem das ranales, subordem das magnoliales, nativas de regiões tropicais e subtropicais, esp. do Sudeste da Ásia e do Brasil, de folhas simples, ger. coriáceas, flores freq. hermafroditas com estames dispostos em várias séries de três, sépalas mais ou menos unidas, sem pétalas e um só pistilo, frutos bacáceos monospérmicos, como o abacateiro; algumas espécies são cultivadas para a produção de temperos, como o loureiro e a canela-da-índia, e tb. como medicinais e pelas madeiras [F.: Adapt. do lat. cient. *Lauraceae*; ver *laur(i)-* e *-ácea.*]

láurea (*láu*.re:a) *sf.* **1** Ver *laurel* **2** Conclusão de curso acadêmico [F.: Do lat. *laurea, ae.*] ■ **~ de doutor** O barrete de doutor

laureado (lau.re.*a*.do) *a.* **1** Coroado de louros **2** *Fig.* Festejado, homenageado: *Viu-se logo laureado pelos confrades.* **3** Que obteve laurel, prêmio, ou uma láurea acadêmica *sm.* **4** Aquele que obteve laurel, prêmio, ou uma láurea acadêmica [F.: Do lat. *laureatus, a, um.*]

laurear (lau.re.*ar*) *v. td.* **1** Pôr coroa de louros em (alguém) **2** Conferir prêmio ou prestar homenagem a (alguém ou algo) por mérito artístico, científico, político etc.: *Laurearam o cientista pela grande descoberta; O Prêmio Super vai laurear os melhores projetos para a conservação da natureza.* **3** *Fig.* Tornar (algo) atraente, belo; servir de enfeite a: *Rosas vermelhas laureavam a varanda.* **4** Recompensar: *O reconhecimento público laureou sua dedicação ao clube.* [▶ 13 laurear] [F.: Do lat. tardio *laureare.*]

laurel (lau.*rel*) *sm.* **1** Coroa de louros; LAURÉOLA; LÁUREA **2** *Fig.* Prêmio, homenagem que se concede a talento, mérito ou virtude; GALARDÃO; LÁUREA; LAURÉOLA **3** *Fig.* Julgamento favorável, homenagem, louvor [Pl.: *-réis.*] [F.: Do provç. *laurier*, pelo esp. *laurel.*]

láureo (*láu*.re:o) *a.* Ref. a louro ou feito dele; LAURINO; LAURÊNTINO [F.: Do lat. *laureus, a, um.*]

◎ **laur(i)-** *el. comp.* = 'loureiro': *láureo* (< lat.), *lauricomo* (< lat.), *laurífero* (< lat.), *laurifólio* [F.: Do lat. *laurus, i*, 'loureiro'; 'prêmio'; 'louvor'.]

laurífero (lau.*rí*.fe.ro) *a.* **1** *Poét.* Coroado de louros; que leva louros (esforço laurífero; conquista laurífera) **2** Que tem ou produz louros [F.: Do lat. *laurifer, era, erum.*]

lauro (*lau*.ro) *sm.* **1** *Bot.* Designação comum às árvores e arbustos do gên. *Laurus*, da fam. das lauráceas, a que pertencem os loureiros típicos (*Laurus nobilis*), de folhas alternas e pequeninas flores tretrâmeras, frutos basáceos ovoides *a.* **2** *Poét. P. us.* O mesmo que *louro* [F.: Do lat. cient. *Laurus.*]

lauto (*lau*.to) *a.* Suntuoso, esplêndido, abundante, opíparo (lauta mesa, lauto jantar) [F.: Do lat. *lautus, a, um.*]

lava (*la*.va) *sf.* **1** *Pet.* Magma naturalmente fundido nas erupções vulcânicas, material rochoso e incandescente que jorra da cratera, causando às vezes devastação à sua volta, até se solidificar na superfície **2** *Fig.* Enxurrada, torrente **3** *Fig.* Ardor, chama [F.: Do napolitano *lava* 'massa fluida de aluvião', der. do lat. *labes, is* 'estrago, ruína', de *labor.*] ■ **~ aglomerada** *Pet.* Fragmentos de lava solidamente aglutinados **~ almofadada** *Pet.* Lava cordada que se resfria rapidamente ao atingir o fundo do oceano, assumindo o aspecto de almofadas contínuas **~ cordada** *Pet.* Lava cuja superfície tem o aspecto de uma série de cordas **~ em bloco** *Pet.* Lava que se solidifica na forma de blocos **~ em corda** *Pet.* Ver *Lava cordada*

lava a jato (la.va a *ja*.to) *sm2n.* *Bras.* Instalação dotada de equipamentos e dispositivos automáticos próprios para lavar carros; LAVA-RÁPIDO

lavabo (la.*va*.bo) *sm.* **1** Pia à entrada ou num dos cantos de sacristia, refeitório, restaurante; LAVATÓRIO **2** Recinto onde, além de pia, há vasos sanitários; BANHEIRO; TOALETE **3** *Litu.* Ato de o sacerdote católico lavar os dedos na celebração da missa **4** *Litu.* Oração rezada nesse momento **5** *Litu.* Quadro onde está impressa a oração do lavabo **6** *Litu.* Pano com que, após o ofertório, o padre enxuga os dedos lavados **7** Nos mosteiros, fonte de pedra para as abluções dos monges [F.: Do lat. *lavabo* 'lavarei'.]

lavação (la.va.*ção*) *sf.* Ação ou resultado de lavar(-se); LAVAGEM [Pl.: *-ções.*] [F.: Do lat. *lavatio, onis.*]

lavada (la.*va*.da) *sf.* **1** Ação ou resultado de lavar(-se); LAVAÇÃO **2** Tipo de rede de pescar, us. no Algarve **3** *Bras. Gír. esp.* Vitória com grande vantagem sobre o adversário; LAVAGEM: *A seleção deu uma lavada nos rivais.* [F.: Fem. substv. de *lavado.*]

lavadeira (la.va.*dei*.ra) *sf.* **1** Mulher cujo ofício é lavar roupas **2** Máquina para lavar lã (nas fábricas de lanifícios) **3** O mesmo que *lavadora* **4** *Zool.* Ver *libélula* **5** *BA* Tanque onde se lava o cascalho, nas lavras diamantinas [F.: Fem. substv. de *lavadeiro.*]

lavado (la.*va*.do) *a.* **1** Que se lavou; que passou por processo de lavagem (roupa lavada) **2** Banhado, limpo, asseado [Ant.: *emporcalhado, sujo.*] **3** Muito molhado, encharcado (terreno lavado); EMBEBIDO; ENSOPADO [Ant.: *enxuto, seco.*] **4** *Fig.* Desembaraçado, aliviado, livre (alma lavada): *criminoso lavado de culpa.* [Ant.: *cheio, pesado, repleto.*] **5** Límpido, claro (céu lavado) [Ant.: *carregado, escuro.*] **6** *Art. pl.* Diz-se de cor ou tinta dissolvida em água: *blusa de um azul lavado.* **7** *Art. gr. Fot.* Diz-se de imagem ou fotografia de tons esmaecidos, sem contrastes **8** Diz-se de pelagem de mamíferos, esp. de cavalos, descolorida em certas partes, como que desbotada **9** *Fig.* Diz-se do que indica ou denota franqueza; FRANCO; LHANO *sm.* **10** *Pat.* Material colhido depois da lavagem de uma cavidade do organismo, e que pode conter células de características importantes para o diagnóstico de uma doença **11** *S.* Aquilo que se lavou [F.: Do lat. *lavatus, a, um.*]

lavador (la.va.*dor*) [ô] *a.* **1** Diz-se de quem ou do que lava *sm.* **2** Aquele ou aquilo que lava **3** *Agr.* Instrumento agrícola us. para preparar alimento vegetal incorporado a ração de animais **4** *SP Agr.* Grande calha com água corrente us. para retirar as impurezas que ainda permanecem nos grãos de café, depois do joeiramento [F.: Do lat. *lavator, oris.*]

lavadora (la.va.*do*.ra) [ô] *sf.* *Bras.* Máquina de lavar roupa ou louça, de uso doméstico ou comercial; LAVADEIRA [F.: *lavar* + *-dora.*]

lavadouro (la.va.*dou*.ro) *sm.* **1** Local ou tanque em que se costuma fazer a lavagem de roupa **2** Pedra sobre a qual se ensaboa roupa **3** *P. ext.* Lugar us. para a lavagem de qualquer coisa: *lavadouro industrial de lãs.* [F.: *lavado* + *-ouro.* Sin. ger.: *lavadoiro.*]

lavadura (la.va.*du*.ra) *sf.* **1** Ação ou resultado de lavar(-se); LAVAMENTO; LAVAGEM; LAVAÇÃO **2** Água em que se lavou louça e, em certos lugares, vai para os porcos; LAVAGEM **3** Comida aguada e de má qualidade **4** *Antq. Art. pl.* Ver *aquarela* [F.: *lava(r)* + *-dura.*]

lavagem (la.*va*.gem) *sf.* **1** Ação ou resultado de lavar(-se); LAVAÇÃO; LAVADA; LAVADURA; LAVAMENTO **2** Comida que se dá aos porcos; LAVADURA **3** *P. ext.* Comida de péssima qualidade **4** *Min.* Operação pela qual se separam, por meio de água, partes terrosas ou pedregosas das partes metálicas **5** *BA* Cascalho diamantífero já revolvido, que se encontra em garimpos mal trabalhados **6** *Med.* Irrigação de órgão interno, esp. intestinos e estômago, a fim de livrá-lo de substâncias tóxicas ou corpo estranho; CLISTER **7** *Bras.* Repreensão violenta; DESCOMPOSTURA **8** *Fot.* Etapa final do processo de revelação, na qual se submete o filme a banho em água corrente para remover resíduos químicos **9** *Bras. Esp.* Vitória fácil, com larga vantagem sobre o adversário [Pl.: *-gens.*] [F.: *lav(ar)* + *-agem.*] ■ **~ a seco** Limpeza de roupas por meio de produtos químicos **~ cerebral** **1** Processo de convencer alguém, por meios físicos e psicológicos (tortura, agentes químicos, cansaço, pressão), a abraçar ideias e/ou atitudes que não abraçaria por índole própria. **2** Método de interrogatório centrado no enfraquecimento da vontade e da personalidade do interrogado, levando-o a admitir culpas e confessá-las **3** *Fig. Irôn.* Referência ao poder de convencimento dos meios de publicidade e de comunicação de massa e aos métodos por eles utilizados **~ da cabeça** *Bras. Rel.* Prática religiosa da umbanda, de purificar a cabeça dos médiuns com suco de ervas macerado em água pura **~ das contas** *Bras. Rel.* Purificação de colares e contas rituais (no candomblé e na umbanda) **~ de dinheiro** *Fig.* Ação ou resultado de associar dinheiro ganho ilicitamente a atividade econômica legal, de modo a se poder dispor dele como se lícito fosse

lava-jato (la.va-*ja*.to) *sm.* **1** Espécie de mangueira[1] (1) acoplada a dispositivo compressor, que emite forte jato de líquido **2** Posto de lavagem de automóveis com dispositivos lava-jato (1) Tb. *lava a jato* [Pl.: *lava-jatos.*]

lava-louça (la.va-*lou*.ça) *sf.* *Bras.* Aparelho eletrodoméstico para lavagem de pratos, talheres, copos etc. [F.: *lavar* + *louça.* Tb. us. no pl. *lava-louças.*]

lava-louças (la.va-*lou*.ças) *sf2n.* Ver *lava-louça.* [F.: *lavar* (na 3ª pess. sing. pres. ind.) + pl. de *louça.*]

lavanda (la.*van*.da) *sf.* **1** *Bot.* Ver *alfazema* **2** Água-de-colônia preparada com essência de diversas variedades de lavanda, ou com substâncias de aroma semelhante **3** Taça de água morna posta na mesa para os convivas lavarem os dedos, durante ou depois das refeições [F.: Do it. *lavanda* < lat. *lavanda, ae*, gerundivo substv. do v. *lavare.*]

lavandaria (la.van.da.*ri*.a) *sf.* Ver *lavanderia*

lavandeira (la.van.*dei*.ra) *sf.* **1** O mesmo que *lavadeira* (1) **2** *Bras. Ornit.* Ave passeriforme, da família dos tiranídeos (*Xolmis dominicana*), do S do Brasil, de coloração branca, coroa da cabeça pardo-avermelhada, dorso pardo-escuro, cauda e asas pretas **3** *Bras. Ent.* O mesmo que *libélula* [F.: *lavandaria* (f. *lavand-*) + *-eira.*]

lavanderia (la.van.de.*ri*:a) *sf.* **1** Estabelecimento comercial onde se lavam e passam roupas de todo tipo; TINTURARIA **2** Dependência de uma casa, hotel, navio, caserna, hospital, onde se lava e passa roupa [F.: Do fr. *lavandérie* 'local onde se lava a roupa da casa', do v.lat. *lavare.* Tb. *lavandaria*, forma p. us. no Brasil.]

lava-pés (la.va *-pés*) *sm2n.* **1** *Litu.* Cerimônia realizada na Quinta-feira Santa em que o sacerdote lava o pé direito de 13 homens, como fez Jesus Cristo aos seus discípulos, na Última Ceia **2** *Ent.* Nome dado a diversas espécies de formigas do gênero *Solenopsis*, pequenas, avermelhadas, muito agressivas, de ferroada que arde e empola; FORMIGA-DE-FOGO; FORMIGA-LAVA-PÉS; LAVA-PÉ **3** *Bras.* Nos rios da bacia Amazônica, últimos repiquetes produzidos quando se acentua a vazante, entre os meses de abril e maio [F.: *lavar* (na 3ª pess. sing. pres. ind.) + o pl. de *pé.*]

lavar (la.*var*) *v.* **1** Limpar(-se) com líquido (ger. água) [**td.**: *lavar as mãos; Lavou-se com sabão medicinal.*] **2** *Fig.* Purificar; inocentar [**td.**: *Lavou o nome ao provar sua inocência.*] **3** Tornar legal (dinheiro ganho ilegalmente) [**td.**: *Lavava o dinheiro do contrabando em casas de diversão.*] **4** Lavar (1) roupa como profissão [**int.**: *Lavava para toda a família.*] **5** Tornar limpo, retirando mancha ou sujeira [**td.**: *O criminoso lavara eficientemente as manchas de sangue.*] **6** Retirar as impurezas de (um material) [**td.**: *Lavava imediatamente as pedras que retirava da mina.*] **7** *Fig.* Eliminar nódoas que comprometem a moral, o bom nome [**td.**: *Só a Igreja poderia lavar-lhe os pecados.*] [**tdr.** + *de*: *Só a Igreja poderia lavar-lhe os pecados.*] **8** Escorrer sobre [**td.**: *Ondas enormes lavaram o ancoradouro.*] **9** Passar às margens ou junto de; banhar [**td.**: *O mar lavava toda a costa oeste da região.*] **10** *Pint.* Diluir (uma cor) em água para torná-la menos forte [**td.**: *Lavou o verde antes de pintar o arvoredo.*] **11** *Pint.* Espalhar tinta aguada para colorir [**td.**: *Lavou a tela com suave mancha azulada.*] [▶ 1 lavar] [F.: Do lat. *lavare.* Hom./Par.: *lava(s)* (fl.), *lava(s)* (sf. [pl.]); *laváveis* (fl.), *laváveis* (pl. de *lavável* [a2g.]).]

lava-rápido (la.va-*rá*.pi.do) *sm2n.* O mesmo que *lava a jato*

lava-roupa (la.va-*rou*.pa) *sf.* **1** *Tec.* Máquina ou equipamento que faz lavagem de roupas; LAVADEIRA; LAVADORA [Pl.: *lava-roupas.*] *sm.* **2** Produto químico us. na lavagem de roupas: *Pegou na despensa um lava-roupa e despejou um pouco do produto no balde.* [Pl.: *lava-roupas.*] [F.: *lavar* (na 3ª pess. sing. pres. ind.) + *roupa.* Tb. us. no pl. *lava--roupas.*]

lavatório (la.va.*tó*.ri:o) *sm.* **1** Ação ou resultado de lavar(-se); LAVADURA; LAVAMENTO **2** Utensílio ou móvel com apetrechos para lavar as mãos e o rosto **3** *Bras.* Pia com água corrente, us. para a mesma finalidade **4** *Bras. P. ext.* Banheiro, ger. com lavatório; LAVABO **5** *Fig.* Limpeza, purificação **6** *AM* Pequeno lago onde os animais se banham [F.: Do lat. tardio *lavatorium.*]

lavável (la.*vá*.vel) *a2g.* Que pode ser lavado sem problema (piso lavável; vestes laváveis) [Pl.: *-veis.*] [F.: *lavar* + *-vel.* Hom./Par.: (pl.) *laváveis, laváveis* (fl. de *lavar*).]

lávico (*lá*.vi.co) *a.* *Geol.* Ref. ou inerente à lava; próprio de lava (terreno lávico; erupção lávica) [F.: *lava-* + *-ico*[2].]

lavor (la.*vor*) [ô] *sm.* **1** Trabalho, qualquer ocupação manual; LABOR **2** *P. ext.* Trabalho intelectual (lavor poético, lavor ensaístico) **3** Trabalho de agulha conforme desenho padrão: *toalhas de fino lavor.* **4** *Art. pl.* Ornato em relevo e outras obras de efeito artístico: *lavor em mármore.* **5** Cristalização superficial nas salinas, que impede a formação do sal [F.: Do lat. *labor, oris.* Hom./Par.: *lavores* (ô) (pl.), *lavores* (fl. de *lavorar*).]

lavoura (la.*vou*.ra) *sf.* **1** Preparo da terra para o cultivo; LAVRA **2** O cultivo da terra; LAVRA; LAVRANÇA; LAVRAMENTO; LAVRADIO; AGRICULTURA **3** *P. ext.* Extensão de terra cultivada; LAVRA: *Tínhamos, ali, uma lavoura de milho.* **4** *Bras.* Trabalho habitual; PROFISSÃO [F.: De or. contrv., posv. do lat. **laboria*, de *labor*, ou então, posv., dev. de um ant. v. *lavorar*, do lat *laborare* 'trabalhar'.]

lavourar (la.vou.*rar*) *v.* Trabalhar como lavrador; CULTIVAR; LAVRAR [**td. int.**] [▶ 1 lavourar] [F.: *lavoura* + *-ar.* Hom./Par.: *lavoura(s)* (fl.), *lavoura* (sf. [e pl.]).]

lavra (*la*.vra) *sf.* **1** Ação ou resultado de lavrar **2** A preparação e o cultivo da terra; LAVOURA; AGRICULTURA **3** A terra lavrada e cultivada; LAVOURA **4** *Min.* Extração de metais **5** *Min.* Lugar de onde se extraem metais ou pedras preciosas **6** Faculdade de criar; AUTORIA, INVENÇÃO: *Este poema é de sua lavra.* [F.: Dev. de *lavrar.* Hom./Par.: *lavra* (sf.), *lavra* (fl. de *lavrar*). Ideia de 'terra lavrada': *arv(i)-* (*arvicultor*).] ■ **Ser da ~ de** Ser de autoria, de execução de

lavração (la.vra.*ção*) *sf.* *Agr. Min.* Ação ou resultado de lavrar; LAVRAGEM; LAVRAMENTO [Pl.: *-ções.*] [F.: *lavrar* + *-ção.*]

lavradio (la.vra.*di*:o) *a.* **1** Próprio para se lavrar; ARÁVEL: *Ali se encontram vários terrenos lavradios.* *sm.* **2** Ação de lavrar, de cultivar a terra; LAVOURA: *Terra de lavradio.* [F.: Rad. de *lavrado* + *-io*[2].]

lavrado (la.*vra*.do) *a.* **1** *Agr.* Que se lavrou (gleba lavrada; campo lavrado); ARADO; CULTIVADO; PLANTADO **2** *Artesn.* Diz-se de lavor (3, 4) confeccionado com agulha ou talhado a cinzel, formão, goiva etc. **3** *Doc.* Diz-se de sentença, termo etc. registrado em atas ou demais livros de registro; ESTABELE-

CIDO: *escritura lavrada em cartório.* **sm.** **4** *Agr.* Terra lavrada; LAVOURA; PLANTAÇÃO **5** *Artesn.* Lavor de agulha; BORDADO: *recursos genéticos animais do lavrado.* **6** *PA* Campo extenso, sem vegetação arborescente ou com raras árvores; DESCAMPADO **7** *MG Min.* Terreno de cascalho, região ou local de lavras de ouro ou diamante **8** *MT MS Our.* Joia de ouro maciço **9** *RO* Savana de gramíneas [F.: Part. de *lavrar.*]

lavrador (la.vra.*dor*) [ô] **a.** **1** Que lavra a terra, ou serve para lavrar **sm.** **2** Aquele que lavra, que trabalha na lavoura; AGRICULTOR **3** Aquele que tem propriedades lavradias; AGRICULTOR **4** *N.E.* Aquele que planta cana-de-açúcar em terreno de outrem, a quem paga com parte de sua produção [F.: *lavrar* + *-dor.*] ■ **~ de condição** *PE* Aquele que é autorizado a cultivar terreno de outrem, mediante compromisso de trabalhar na lavoura deste em certo(s) dia(s) da semana por salário menor que o habitual

lavragem (la.*vra*.gem) **sf.** **1** Ação ou resultado de lavrar; LAVRA; LAVRAMENTO **2** Cultivo da terra; LAVOURA **3** *Artesn.* Lavor em madeira [Pl.: *-gens.*] [F.: *lavr(ar)* + *-agem*[2].]

lavramento (la.vra.*men*.to) **sm.** **1** *Agr.* Ação ou resultado de lavrar, de abrir regos na terra com arado ou charrua; ARAGEM; LAVRAMENTO; LAVRANÇA **2** *Num.* Cunhagem de moedas **3** Aplainamento da madeira **4** *Jur.* Ato de registrar por escrito: *Procedeu-se ao lavramento da escritura.* [F.: *lavrar-* + *-mento.*]

lavrança (la.*vran*.ça) **sf.** **1** *Agr.* Ação ou processo de lavrar; cultivo de terra; LAVRAGEM; LAVRAMENTO **2** *Bras. P. ext. Agr.* Terra apropriada para lavoura; GLEBA [F.: *lavrar-* + *-ança.*]

lavrante (la.*vran*.te) **a2g.** **1** *Min. Our.* Diz-se de que ou quem lavra **sm.** **2** *Our.* Ourives ou artista que trabalha em ouro e prata [F.: *lavrar-* + *-nte.*]

lavrar (la.*vrar*) **v.** **1** Sulcar e revolver (a terra) com ferramenta agrícola; ARAR [**td.**: *Lavrou a terra que herdara.*] **2** Fazer lavores ou ornatos em; BORDAR [**td.**: *lavrar um tecido; lavrar uma faixa de couro.*] **3** *Fig.* Corroer, sulcar ou gravar [**tdr.** + *em*: *O sofrimento lavrou-lhe rugas no rosto.*] **4** *Fig.* Propagar-se, grassar [**ta.**: *O vício lavra onde não é combatido.*] **5** *Jur.* Ordenar por escrito; DECRETAR [**td.**: *lavrar uma sentença.*] **6** *Jur.* Emitir por escrito ou verbalmente [**td.**: *Os jornalistas lavraram um protesto.*] **7** Produzir corrosão; GASTAR [**td.**: *Nessa região, os ventos lavram as encostas.*] **8** Cunhar (moeda) [**td.**] **9** Escrever, gravar [**td.**: *Lavraram uma bela frase no frontispício do palácio.*] **10** Trabalhar em ou explorar (minas) [**td.**] [▶ **1 lavrar**] [F.: Do lat. *laborare.* Hom./Par.: *lavra(s)* (fl. de *lavrar*), *lavra(s)* (sf. [pl.]).]

lavratura (la.vra.*tu*.ra) **sf.** *Bras. Jur.* Ação de lavrar documentos, com a participação de serventuário e, às vezes, de juiz [F.: *lavra(r)* + *-tura.*]

laxante (la.*xan*.te) **a2g.** **1** Que serve para tratar a prisão de ventre, a constipação intestinal **2** Que laxa, afrouxa, dilata **sm.** **3** *Med.* Purgante de ação branda [F.: Do lat. *laxans, antis*, part. pres. do v. *laxare.* Ou de *laxar* + *-nte.* Sin. ger.: *laxativo.*]

laxar (la.*xar*) **v.** **1** Tornar frouxo, laxo; AFROUXAR [**td.**: *Comeu tanto que precisou laxar o cinto.*] **2** Tornar livre, desimpedido, solto; ESCOAR(-SE); SOLTAR(-SE) [**td.**: *Tomou um remédio para laxar os intestinos.*] [**int.**: *Os intestinos laxaram-se.*] **3** *Fig.* Tornar enfraquecido; tirar a força de; AFROUXAR; QUEBRANTAR [**td.**: *Tentou laxar seu desejo de mudança, em vão.*] [**int.**: *Nunca deixou sua esperança laxar.*] **4** Tornar maior, mais longo; DILATAR; PROLONGAR [**td.**: *O professor laxou o prazo para entrega dos trabalhos.*] [▶ **1 laxar**] [F.: Do lat. *laxare.* Hom./Par.: *laxa(s)* (fl.), *lacha(s)* (sf. [pl.]); *laxo* (fl.), *laxo* (a.).]

laxativo (la.xa.*ti*.vo) **a. sm.** O mesmo que *laxante* [F.: Do lat. *laxativus, a, um.*]

◎ **lax(i)-** (la.*xi*-) [cs] **el. comp.** = 'frouxo', 'solto': *laxifloro, laxifólio, laxismo* (< fr.), *laxista* (< fr.) [F.: Do lat. *laxus, a, um.*]

laxismo (la.*xis*.mo) [cs] **sm.** **1** *Teol.* Doutrina ou atitude favorável ao relaxamento das restrições e obrigações da ordem moral cristã **2** *Fil.* Sistema filosófico aplicado à política, economia, ideologia etc., que sustenta conceitos pouco rigorosos e preconiza ideias conciliatórias **3** *P. ext.* Tendência ou atitude de limitar e atenuar obrigações determinadas pela moral; ausência de restrições; PERMISSIVIDADE; LICENCIOSIDADE; TOLERÂNCIA [p. opos. a *rigorismo.*] [F.: Do fr. *laxisme*; ver *lax(i)-* e *-ismo.*]

laxista (la.*xis*.ta) [cs] **a2g.** **1** *Fil. Teol.* Ref., inerente, ou pertencente ao laxismo (pensamento laxista; convicção laxista) **s2g.** **2** *Fil. Teol.* Aquele ou aquela que segue os preceitos do laxismo quanto à moral, filosofia etc. [F.: Do fr. *laxiste.*]

laxo (*la*.xo) **a.** **1** Frouxo, bambo **2** Sem força, sem vigor **3** Gasto [F.: Do lat. *laxus, a, um.* Hom./Par.: *laxo* (a.), *laxo* (fl. de *laxar*). Sin. ger.: *lasso.*]

⊕ **layout** (*Ing. /lêiaut/*) **sm.** *Publ.* Ver *leiaute*

lazarento (la.za.*ren*.to) **a.** **1** Ver *hanseniano* (1) **2** Que tem chagas; CHAGUENTO; PUSTULENTO; LÁZARO **3** *Bras.* Diz-se de pessoa repulsiva, de hábitos infames (político lazarento) **sm.** **4** Ver *hanseniano* (2) **5** *Bras.* Pessoa repulsiva, de hábitos infames; PÚSTULA: *O lazarento desviou parte da verba.* [F.: Do antr. Lázaro, o homem coberto de chagas do Evangelho de São Lucas, + *-ento.*]

lazareto (la.za.*re*.to) [ê] **sm.** **1** O mesmo que *leprosário.* **2** Edifício distante da cidade, ou navio ancorado ao largo, em que se mantêm de quarentena pessoas suspeitas de ter doença contagiosa [F.: Do it. *lazzaretto.*]

lazarina (la.za.*ri*.na) **sf.** *Bras. Arm.* Tipo de espingarda de pequeno calibre, de um cano só, us. pelo sertanejo nordestino para caçar passarinhos; PICA-PAU: "Todos estavam com alguma garantia: que eram lazarinas, bocudas, baludas, garruchas e bacamartes..." (Guimarães Rosa, *Grande sertão: veredas*) [F.: do antr. *Lázaro*, antigo armeiro de Braga (Portugal) que foi o primeiro fabricante dessa arma.]

lazarista (la.za.*ris*.ta) **a2g.** **1** Ref. ou inerente a lazarismo (devoção lazarista; primado lazarista) **2** *P. ext.* Diz-se de que ou quem cuida de leprosos (entidade lazarista) **s2g.** **3** Membro da ordem religiosa de São Lázaro de Jerusalém, fundada em 1625 por são Vicente de Paulo para a formação de missionários e evangelização de camponeses [F.: Do fr. *lazariste*; do antr. (são) *Lázaro-* + *-ista.*]

lázaro (*lá*.za.ro) **sm.** **1** Aquele que tem chagas ou pústulas no corpo; LAZARENTO **2** Aquele que tem lepra; LEPROSO **3** *Fig.* Aquele que está à margem da sociedade; PÁRIA **a.** **4** Que está à margem da sociedade; PÁRIA [F.: Do antr. lat. *Lazarus*, o pobre coberto de chagas citado no Evangelho de São Lucas.]

lazeira (la.*zei*.ra) **sf.** **1** Qualquer tipo de mal ou infelicidade; MISÉRIA; DESGRAÇA **2** *Pat.* Hanseníase, lepra **3** *Pop.* Sensação de fome, carência alimentar **4** *Mar.* Espaço para acomodar carga ou para fazer manobra **5** *Mar.* Distância suficiente para que a embarcação navegue em segurança em relação a um obstáculo **6** *Lus.* Preguiça, prostração [F.: De or. contrv., do lat. vulg. *laceria, de lacerare, posv.]

lazeirento (la.zei.*ren*.to) **a.** **1** Que tem lazeira ou lepra; LAZARENTO; LEPROSO **2** *Pop.* Que tem lazeira ou fome; ESFOMEADO; FAMÉLICO; FAMINTO **3** Chagado, ulcerado [F.: *lazeir(a)* + *-ento.*]

lazer (la.*zer*) [ê] **sm.** **1** Tempo de folga, de descanso ou entretenimento **2** Atividade praticada nesse tempo; DISTRAÇÃO; DIVERTIMENTO [F.: Posv. do lat. *licere* 'ser lícito', pelo arc. *lezer* 'ócio, passatempo'.]

lãzinha (lã.*zi*.nha) **sf.** *Têxt.* Tecido de lã fino e leve, pouco consistente, us. para confecção de bandeiras, vestidos etc. [F.: *lã-* + *-zinha.*]

lazurita (la.zu.*ri*.ta) **sf.** *Min.* Mineral monométrico, silicato de alumínio e sódio e sulfato de sódio, e mais enxofre cúbico e azul-ultramar, constituinte do lápis-lazúli, us. em objetos ornamentais [F.: Do lat. med. *lazur*, 'lápis-lazúli', + *-ita.* Tb. *lazurite.*]

lazurite (la.zu.*ri*.te) **sf.** Ver *lazurita*

⊠ **lb** **sm.** *Fís. Metrol.* Símbolo de libra (2)

⊠ **LBA** **sf.** *Bras.* Sigla da *Fundação Legião Brasileira de Assistência*

⊠ **lcd** **sf.** *Elet.* Sigla da expressão ing. *Liquid Crystal Display* (monitor de cristal líquido), que designa um tipo de tela com uma película de cristal líquido, ger. transparente, entre duas lâminas de vidro, us. em relógio digital, calculadora de bolso, computador portátil etc.

⊠ **LDL** **sf.** *Bioq.* Abrev. do ingl. *Low Density Lipoprotein*, (lipoproteína de baixa densidade), lipoproteína plasmática com reduzido percentual de proteínas e com altos níveis de colesterol

⊠ **LDO** **sf.** *Bras.* Sigla de *Lei de Diretrizes Orçamentárias*, elaborada pelo Executivo e votada pelo Legislativo, que estabelece e organiza o Orçamento da União

lé (*lê*) **sm.** Us. na expressão 'lé com lé, cré com cré' [F.: de orig. contrv. Cf.: *lê* (sm; fl. de ler); lé (sm.).] ■ **~ com ~, cré com cré** Cada um com seu igual, com seu semelhante [Tb. se diz *cré com cré, lé com lé.*]

lê (*lê*) **sm.** Fonema correspondente à letra **L** [tb. se diz *ele* (é).] [Pl.: *lês ou LL, ll.*] [F.: sinal *l, L*, 11ª letra do alfabeto lat. Hom.: *lê* (fl. de *ler*) Par.: *lé* (sm.).]

⊕ **lead** (*Ing. /lid/*) **sm.** **1** *Jorn.* Ver *lide*[2] **2** *Teat.* Personagem principal de uma peça

leal (le:*al*) **a2g.** **1** Que é honesto e sincero **2** Que honra os compromissos assumidos; FIEL **sm.** **3** *Num.* Nome de duas moedas portuguesas, uma do tempo de d. João I e outra cunhada em Goa, por Afonso de Albuquerque [Pl.: *-ais.*] [F.: Do lat. *legalis, e*, 'digno, fiel'. Hom./Par.: *leais* (pl.), *leiais* (fl. de *ler*) e *liais* (fl. de *liar*).]

lealdade (le:al.*da*.de) **sf.** **1** Qualidade do que é leal **2** Procedimento conforme às leis da honra e do dever **3** Fidelidade aos compromissos assumidos [F.: *leal* + *-dade.* Ant.: *deslealdade.*]

lealdar (le.al.*dar*) **v. td.** Declarar (mercadorias importadas) na alfândega, para atender a exigências de regulamentos fiscais; alealdar; REGISTRAR [▶ **1 lealdar**] [F.: Do lat. *legalitare.]

lealismo (le:a.*lis*.mo) **sm.** **1** O mesmo que lealdade **2** *Pol.* Fidelidade ao governante ou ao regime estabelecido no país **3** Acatamento às leis [F.: *leal-* + *-ismo.*]

leão (le:*ão*) **sm.** **1** *Zool.* Mamífero carnívoro da família dos felídeos (*Panthera leo*), cujo macho pesa até 200kg e mede até 2,20 m, sem a cauda, e ostenta uma juba espessa característica. Atualmente só ocorre na África e no sul da Ásia. Tem cor entre o castanho-claro e o acinzentado, é o mais forte e vigoroso predador e ger. quem caça são as fêmeas, cujas presas são principalmente zebras e antílopes **2** *Fig.* Homem vigoroso, corajoso, valente, determinado em seus objetivos: *Ele é um leão no trabalho.* **3** *Fig.* Homem de mau gênio, áspero, intratável **4** *Fig.* Indivíduo dado a conquistas amorosas **5** *Fig.* Pessoa que é o alvo das atenções **6** *Bras. Pej.* Órgão que arrecada o imposto de renda **7** Membro da *International Association of Lions Clubs* [Nesta acp., fem.: *domadora.*] **8** *Bras. Lud.* O grupo 16 no jogo do bicho, formado pelas dezenas 61, 62, 63 e 64 **9** *Astron.* Quinta constelação do zodíaco, situada entre Câncer e Virgem [Com inicial maiúsc. nesta acp.] **10** *Astrol.* Signo (do zodíaco) das pessoas nascidas entre 23 de julho e 22 de agosto [Com inicial maiúsc. nesta acp.] [Pl.: *-ões.* Fem.: *-oa.* Dim.: *leãozete, leônculo.*] [F.: Do lat. *leo, onis.* Ideia de 'leão': *leon(i)-* (*leonino*), *leont(i/o)-* (*leontíase*).] ■ **~ do Norte** O Estado de Pernambuco [Com inicial maiúscula.] **~ Menor** *Astron.* Pequena constelação boreal, ao N. do Leão e ao S. da Ursa Maior [Com inicial maiúscula.]

leão de chácara (le:ão de *chá*.ca.ra) *Bras. Pop.* **sm.** Pessoa que cuida da segurança em boates, discotecas, bingos etc. [Pl.: *leões de chácara.*]

leão do mar (le.*ão* do mar) **sm.** *Mar.* Marinheiro totalmente integrado à vida do mar e experiente na vivência no mar; lobo do mar [Pl.: *leões do mar.*] [F.: *leão* + *do* + *mar.*]

leão-marinho (le:ão-ma.*ri*.nho) *Zool.* **sm.** Nome comum a várias spp. de mamíferos pinípedes, da fam. dos otariídeos, que ocorrem nas regiões polares e temperadas dos oceanos. Têm membros locomotores modificados em nadadeiras e os posteriores podem voltar-se para a frente, o que facilita a locomoção em terra e os distingue das focas, junto com as pequenas orelhas e, nos machos, a espessa juba; LOBO-MARINHO [Pl.: *leões-marinhos.*]

⊕ **leasing** (*Ing. /lízin/*) **sm.** *Econ.* Sistema de aluguel, ger. de carros, aviões, máquinas, com opção de compra ao final do contrato

⊕ **lebensraum** (*Al. / lêbensroim*) **sm.** **1** Espaço vital necessário à vida e à evolução humana **2** *Pol.* Doutrina apropriada pelo nazismo para definir 'espaço para a autossuficiência econômica de uma população em expansão'

lebracho (le.*bra*.cho) **sm.** *Zool.* O macho da lebre quando novo [F.: *lebr(e)* + *-acho.* Cf. *lebrão.*]

lebrão (le.*brão*) *Zool.* **sm.** O macho da lebre [Pl.: *-brões.*] [F.: *lebr(e)* + *-ão*[1]. Cf.: *lebracho.*]

lebre (*le*.bre) **sf.** **1** *Zool.* Nome comum aos mamíferos lagomorfos, fam. dos leporídeos, do gên. *Lepus*, que ocorrem no hemisfério norte e se distinguem dos coelhos pelas patas posteriores mais desenvolvidas, adaptadas para o salto, pelas orelhas mais longas [Masc.: *lebrão* e *lebracho.*] **2** *Cul.* Prato preparado com a carne desse animal **3** *Bras. Zool.* Ver *tipiti* (4) **4** *Astrôn.* Constelação do hemisfério austral situada ao sul de Órion [Com inicial maiúsc. nesta acp.] [F.: Do lat. *lepus, oris.* Hom./Par.: *lebre* (sf.), *lebré* (sm.). Ideia de 'lebre': *lag(o)-* (*lagomorfo*), *lebr-* (*lebreiro*).]

lebreiro (le.*brei*.ro) **sm.** Que caça lebres (diz-se de cão) [F.: *lebr(e)* + *-eiro.*]

lebréu (le.*bréu*) **sm.** Cão amestrado na caça de lebres; LEBRÉ; LEBREL [F.: *lebr(e)* + *-éu.*]

lebroto (le.*bro*.to) [ô] **sm.** Filhote de lebre [F.: *lebre* + *-oto.*]

◎ **-leção** **suf.** = escolha: *coleção, predileção, seleção.*

lecionar (le.ci:o.*nar*) **v.** **1** Dar aulas (de); ENSINAR [**td.**: *Lecionou matemática por muitos anos.*] [**tdi.** + *a, para*: *Leciona espanhol para principiantes.*] [**int.**: *Recentemente passou a lecionar numa escola pública.*] **2** Exercer a profissão de professor, dedicar-se ao ensino [**int.**: *Lecionava no período em que viveu no exterior.*] **3** Ensinar, instruir [**ti.** + *a*: *Ela leciona a crianças carentes.*] [▶ **1 lecionar**] [F.: Rad. do lat. *lection-* < *lectio, onis*, 'lição', + *-ar.*]

lecionista (le.ci:o.*nis*.ta) **s2g.** *Pedag.* Pessoa que leciona em particular; professor particular, explicador [F.: rad. de lição sob a f. alat. *lecion-* + *-ista.*]

lecitina (le.ci.*ti*.na) *Bioq.* **sf.** Fosfolipídio essencial para o metabolismo das gorduras, encontrado na gema do ovo e nas células animais e de muitos vegetais; FOSFATIDILCOLINA [F.: Do fr. *lécithine* < gr. *lékithós* 'gema de ovo' + *-ine.*]

◎ **-lécito** **el. comp.** Ver *lecit(o)-*[2]

◎ **lecit(o)-**[1] **el. comp.** = 'frasco', 'em forma de garrafa': *lecitidácea* (< lat. cient.), *lecitidáceo* [F. Do gr. *lékythos, ou*, 'vaso em forma de garrafa'.]

◎ **lecit(o)-**[2] **el. comp.** = 'vitelo, material nutritivo contido nos óvulos dos animais'; 'óvulo': *lecitina* [F.: Do gr. *lékithos, ou*, 'gema de ovo'; 'vitelo'. Tb. *-lécito* (*centrolécito, heterolécito, oligolécito*).]

leco (*le*.co) [é] **a.** *Bras. Pop.* Fraco, desamparado; desafortunado, sem sorte [F.: de orig. obsc.]

lectidácea (lec.ti.*dá*.ce:a) **sf.** *Bot.* Espécime das lectidáceas, fam. de árvores dicotiledôneas, de folhas ovado-oblongas serradas, flores grandes e atraentes, frutos capsulares [F.: Adapt. do lat. cient. *Lectidacea.*]

ledice (le.*di*.ce) **sf.** **1** Característica ou qualidade de ledo **2** Alegria, contentamento, júbilo; PRAZER: *ledice de estar de volta ao país.* **sfpl.** **3** Ditos ou atitudes galantes, com trejeitos, facécias; GALANTEIO [F.: Do lat. *laetitia, ae* 'alegria, contentamento'.]

ledo (*le*.do) [ê] **a.** Alegre, contente, exultante: "Naquele engano da alma, ledo e cego,/ Que a fortuna não deixa durar muito..." (Luís de Camões, *Os lusíadas*) [Ant.: *desolado, infeliz, triste.*] [F.: Do lat. *laetus, a, um.*]

ledor (le.*dor*) [ô] **a.** **1** Que lê **sm.** **2** Aquele que lê [F.: *le(r)* + *-dor.* Sin. ger.: *leitor.*]

legação (le.ga.*ção*) **sf.** **1** Missão composta de funcionários diplomáticos, responsáveis por negócios, ou representantes extraordinários, encarregada por um governo ou chefe de Estado de representá-lo num país estrangeiro **2** Ação ou resultado de legar **3** *Dipl.* Missão diplomática de caráter permanente, de nível hierárquico inferior à embaixada, dirigida por um ministro **4** *Dipl.* Residência oficial e escritório de um ministro diplomático e seus assistentes **5** *Dipl.* O ministro diplomático e seus assistentes; LEGACIA **6** Tempo durante o qual um ministro exerce as funções de legado **7** Cargo ou dignidade de legado; LEGACIA [Pl.: *-ções.*] [F.: Do lat. *legatio, onis.*]

legado[1] (le.*ga*.do) **sm.** **1** *Fig.* Qualquer coisa, conhecimento ou bens materiais ou culturais, que se transmite às gerações seguintes: "– Não tive filhos, não transmiti a nenhuma criatura o legado da nossa miséria." (Machado de Assis, *Memórias póstumas de Brás Cubas*) **2** *Jur.* Quantia ou bem predeterminados que alguém deixa por testamento [F.: Do lat. *legatum, i*, 'donativo deixado em testamento'.]

legado[2] (le.*ga*.do) **sm.** **1** *Dipl.* Enviado de um governo ou chefe de Estado a outro país para tratar de seus interesses **2** *Ecles.* Representante eclesiástico encarregado pelo papa de governar territórios pontifícios **3** Na Roma antiga, comissário do Senado que fiscalizava a administração das províncias **a.** **4**

Diz-se de enviado de um governo ou chefe de Estado a outro país para tratar de seus interesses [F.: Do lat. *legatus, us*, 'embaixador', 'enviado'.] ■ **~ a latere** *Ecles.* Cardeal que representa pessoalmente o papa em missão específica, como a de presidir solenidade, congresso etc.

legal (le.*gal*) *a2g.* **1** Ref. ou conforme à lei: *adotar medidas legais contra os abusos.* **2** *Bras. Pop.* Em ordem, sem problemas, regularizado: *Molhei meu relógio e agora ele não está legal.* **3** *Bras. Pop.* Palavra-ônibus us. para qualificar pessoa ou coisa positivamente: bonito (sandália legal), compreensivo (pai legal), correto (atitude legal), leal (amigo legal) [Pl.: *-gais.*] *adv.* **4** *Bras. Pop.* Muito bem: *Saiu-se legal na apresentação.* [F.: Do latim *legalis, e.*]

legalidade (le.ga.li.*da*.de) *sf.* **1** Qualidade, caráter ou condição do que é legal, do que está de acordo com a lei; LEGITIMIDADE **2** Ver *juridicidade* **3** Sistema, partido ou grupo dos que apoiam um governo legal [F.: Do lat. *legalitas, atis*, ou *legal* + *-idade.* Ant. ger.: *ilegalidade.*]

legalismo (le.ga.*lis*.mo) *sm.* Obediência estrita, literal ou excessiva à lei ou a quaisquer normas [F.: *legal* + *-ismo*; fr. *légalisme.*]

legalista (le.ga.*lis*.ta) *a2g.* **1** Ref. à lei, às disposições legais **2** Que defende o cumprimento estrito das leis ou de quaisquer normas **3** Que apoia o governo legal *s2g.* **4** Indivíduo legalista [F.: *legal* + *-ista*; fr. *légaliste.*]

legalização (le.ga.li.za.*ção*) *sf.* Ação ou resultado de legalizar [Pl.: *-ções.*] [F.: *legalizar* + *-ção*; fr. *légalisation.*]

legalizado (le.ga.li.*za*.do) *a.* **1** Autorizado, permitido, sancionado por lei **2** Reconhecido como autêntico, verdadeiro, lídimo; AUTENTICADO; LEGITIMADO [F.: Part. de *legalizar.*]

legalizador (le.ga.li.za.*dor*) [ô] *a.* Que legaliza, torna legal; que autentica [F.: *legalizar-* + *-dor.*]

legalizar (le.ga.li.*zar*) *v. td.* **1** Tornar legal, permitido pela lei: *legalizar o jogo/um negócio/o aborto.* **2** Certificar a autenticidade de um documento, um ato, uma assinatura; AUTENTICAR: *legalizar uma procuração.* [▶ 1 legalizar] [F.: *legal* + *-izar.*]

legar (le.*gar*) *v.* **1** Deixar como legado ou herança [*tdi.* + *a*: *Legou uma fortuna aos netos.*] **2** Passar ou transmitir (algo) a (alguém) [*tdi.* + *a*: *Legou notáveis exemplos de coragem aos filhos*] [▶ 14 legar] [F.: Do lat. *legare.*]

legatário (le.ga.*tá*.ri.o) *sm. Jur.* Aquele que é contemplado por legado, herdeiro testamentário: "Correu a pedir-lhe que aceitasse a procuração de legatário, ajustando logo os honorários e as despesas." (Machado de Assis, *Esaú e Jacó*) [F.: Do lat. *legatariu* 'o que recebeu um legado por testamento', posv. pelo fr. *légataire.*]

legato (le.*ga*.to) *adv.* **1** *Mús.* Modo e estilo de execução musical em que as notas de uma passagem se sucedem com fluidez, sem interrupções; LIGADO *sm.* **2** *Mús.* Em instrumentos de arco, movimento de execução de uma nota sem mudança de direção **3** Tipo de clavicórdio em que cada corda é tangenciada por duas ou mais teclas [F.: Do it. *legato.*]

legenda (le.*gen*.da) *sf.* **1** *Art. gr.* Pequeno texto que explica, comenta ou intitula uma imagem ilustrativa em uma publicação **2** *Cin. Telv.* Texto superposto e sincronizado à imagem de filme ou programa estrangeiro, ger. situado na parte inferior da tela, com a tradução das falas para a língua do país onde é exibido **3** *Pol.* Partido ou grupamento político, ou sua sigla: *O presidente elegeu-se pela legenda do Partido dos Trabalhadores (PT).* **4** Ver *lenda*(1 a 3) **5** Relato da vida de santos **6** Obra que contém a coletânea desses relatos; LEGENDÁRIO **7** Inscrição em moeda ou medalha **8** Lista que define os sinais convencionais adotados num mapa, numa planta etc., e que permite sua utilização e compreensão **9** Letreiro, rótulo, inscrição, dístico [F.: Do lat. *legenda*, fem. substv. de *legendus, a, um*, 'o que deve ser lido', posv. pelo fr. *légende.*]

legendação (le.gen.da.*ção*) *sf. Art. gr. Cin. Telv.* Ação ou resultado de legendar (legendação dos quadrinhos; legendação do filme; legendação da fita); LEGENDAGEM [Pl.: *-ções.*] [F.: *legendar-* + *-ção.*]

legendado (le.gen.*da*.do) *a. Cin. Telv. Art. gr.* Provido de legenda (1,2) [F.: Part. de *legendar.*]

legendar (le.gen.*dar*) *v. Art. gr. Cin. Telv.* Pôr legenda, texto ou dizeres em: *legendar um filme.* [▶ 1 legendar] [F.: *legenda* + *-ar.* Hom./Par.: *legendaria* (fl. de *legendar*), *legendária* (a.), *legendarias* (fl. de *legendar*), *legendárias* (a. pl.).]

legendário (le.gen.*dá*.ri:o) *a.* **1** Ver *lendário* **2** Ref. a legenda *sm.* **3** Coleção de legendas ou relatos da vida de santos **4** Autor de legendas (5, 6) [F.: *legenda* + *-ário*; fr. *legendaire.* Hom./Par.: *legendária* (fem.), *legendaria* (fl. de *legendar*).]

⊕ ***legging*** (*Ing.* /léguin/) *s2g.* Calça colante, de tecido elástico

legião (le.gi.*ão*) *sf.* **1** Grande número de pessoas: "O resultado é a comida que conquista uma legião de fãs" (*O Globo*, 26.5.2005) **2** *Mil.* Corpo ou divisão de exército **3** *Mil.* No exército romano, corpo de tropas composto de infantaria e cavalaria **4** *Teol.* Grande número de anjos ou demônios **5** Corporação de caráter político ou assistencial [Pl.: *-ões.*] [F.: Do lat. *legio, onis.*] ■ **~ de honra** Ordem honorífica francesa e respectiva condecoração **~ estrangeira** Corpo de voluntários estrangeiros do exército francês

legibilidade (le.gi.li.bi.*da*.de) *sf.* Qualidade do que é legível [F.: *legível* + *-(i)dade*, seg. o modelo erudito.]

legibilíssimo (le.gi.bi.*lís*.si.mo) *a.* **1** *Gram.* Superl. abs. sint. de legível **2** Muito legível (escrita legibilíssima) [Ant.: *ilegibilíssimo.*] [F.: *legível* (com o suf. *vel* sob a f. lat. *-bil(i)-*) + *-íssimo.*]

legiferação (le.gi.fe.ra.*ção*) *sf.* Ação ou resultado de legiferar, de legislar [Pl.: *-ções.*] [F.: *legiferar-* + *-ção.*]

legiferante (le.gi.fe.*ran*.te) *a2g.* **1** *Jur.* Ref. ou inerente à elaboração de leis (prática legiferante; dever legiferante) **2** Diz-se de que ou quem legifera, que estabelece leis (magistrado legiferante; corte legiferante) [F.: *legiferar-* + *-nte.*]

legiferar (le.gi.fe.*rar*) *v.* Estabelecer leis; LEGISLAR [*td.*] [*int.*] [▶ 1 legisferar] [F.: *legífero* + *-ar.*]

◎ **-légio** *suf.* = coleção, reunião: *colégio, privilégio*

legionário (le.gi:o.*ná*.ri:o) *Mil. a.* **1** Ref. ou pertencente a legião *sm.* **2** Militar que pertence a legião [F.: Do lat. *legionarius, a, um.*]

legislação (le.gis.la.*ção*) *sf.* **1** Conjunto das leis de um país ou de algum ramo do direito **2** Conjunto das leis que regulam certa matéria **3** A ciência do direito, das leis **4** Ato de legislar; LEGISLATURA [Pl.: *-ções.*] [F.: Do lat. *legislatio, onis.*]

legislador (le.gis.la.*dor*) [ô] *a.* **1** Que legisla; LEGISLATIVO *sm.* **2** Aquele que legisla; autor de leis **3** Membro de órgão legislativo [F.: Do lat. *legislator, oris.* Col.: *congresso.*]

legislar (le.gis.*lar*) *v.* **1** Elaborar ou estabelecer (leis, normas etc.) [*td.*: *O estatuto da criança legislou novas regras.*] [*tr.* + *contra, sobre*: *legislar contra o crime organizado.*] [*int.*: *O Poder Legislativo foi eleito para legislar.*] **2** Regulamentar por meio de lei(s) [*tr.* + *sobre*: *A competência para legislar sobre o funcionamento dos estabelecimentos bancários é da União.*] [*int.*: *As Medidas Provisórias conferem ao presidente o poder de legislar.*] [▶ 1 legislar] [F.: Voc. reduzido de *legislador.*]

legislativo (le.gis.la.*ti*.vo) *a.* **1** Ref. ao poder de legislar ou à legislação; LEGISLATÓRIO **2** Que legisla; LEGISLADOR **3** Que tem força de lei (medida legislativa) *sm.* **4** Poder legislativo [F.: *legisla(r)* + *-tivo*; fr. *législatif.*]

legislatório (le.gis.la.*tó*.ri:o) *a.* **1** Ref. ao poder de legislar ou à legislação; LEGISLATIVO **2** Que tem força de lei; que obriga, na qualidade de lei; LEGISLATIVO: *medida ou disposição legislatória.* [F.: *legisla(r)* + *-tório.*]

legislatura (le.gis.la.*tu*.ra) *sf.* **1** Assembleia de deputados e senadores que compõem o Poder Legislativo **2** Período para o qual são eleitos os membros das assembleias legislativas: "...o primeiro deputado federal a perder o mandato na atual legislatura." (*Veja*, 11.5.2005) **3** Atuação como membro de assembleia legislativa: *Aquele senador tem 30 anos de legislatura.* **4** Ato de legislar; LEGISLAÇÃO [F.: Do ing. *legislature*, pelo fr. *législature.*]

legista (le.*gis*.ta) *a2g.* **1** Que é profundo conhecedor de leis **2** Indivíduo legista [F.: Do lat. med. *legista*, posv. pelo fr. *légiste.* Sin. ger.: *legisperito.*]

legístico (le.*gís*.ti.co) *a. Jur.* Ref. ou inerente às leis; legislativo (preceitos legísticos; observância legística) [F.: *legi(s)-* + *-t-* + *-ico.* Hom./Par.: *logístico.*]

legítima (le.*gí*.ti.ma) *sf.* **1** *Jur.* Parte da herança destinada por lei aos herdeiros ascendentes ou descendentes e da qual não se pode dispor **2** Uma das divisões das salinas [F.: Fem. substv. de *legítimo.* Hom./Par.: *legítima* (sf.), *legitima* (fl. de *legitimar*).]

legitimação (le.gi.ti.ma.*ção*) *sf.* **1** Ação ou resultado de legitimar(-se) **2** Autenticação, validação **3** Autorização ou amparo da lei **4** Justificativa, fundamentação: *Hitler buscou legitimação científica para o genocídio.* [Pl.: *-ções.*] [F.: Do lat. *legitimatio, onis.*]

legitimado (le.gi.ti.*ma*.do) *a.* **1** Tornado legítimo **2** Justificado, desculpado: *Essa agressão não pode ser legitimada.* **3** *Jur.* Diz-se de filho ilegítimo que, por circunstâncias matrimoniais, fica equiparado ao(s) filho(s) legítimo(s) *sm.* **4** *Jur.* Filho legitimado [F.: Part. de *legitimar.*]

legitimador (le.gi.ti.ma.*dor*) [ô] *a.* **1** Que legitima *sm.* **2** Aquele que legitima [F.: *legitima(r)* + *-dor.*]

legitimar (le.gi.ti.*mar*) *v. td.* **1** Tornar(-se) legítimo, legal; LEGALIZAR(-SE): *legitimar uma posse; O novo regime ainda não se legitimou.* **2** *Jur.* Dar a (filho ilegítimo) situação de legítimo **3** Demonstrar como justificável ou válido; JUSTIFICAR: *Os acontecimentos legitimaram seus presságios.* [▶ 1 legitimar] [F.: Do lat. medv. *legitimare.* Ant. ger.: *deslegitimar.* Hom./Par.: *legitima* (fl. de *legitimar*), *legítima* (a. sf.), *legitimas* (fl. de *legitimar*), *legítimas* (pl.), *legitimaria* (fl. de *legitimar*), *legitimária* (a.), *legitimarias* (fl. de *legitimar*), *legitimárias* (pl.), *legitimo* (fl. de *legitimar*), *legítimo* (a.).]

legitimário (le.gi.ti.*má*.ri.o) *a.* **1** *Jur.* Ref. ou inerente à legítima (1) (parte legitimária; acordo legitimário) **2** Diz-se do herdeiro, necessário ou forçado, a quem cabe a legítima (1): "Eu mesmo é que tenho de ser o dono legitimário, legal, deste estrago..." (Guimarães Rosa, "A estória do homem do pinguelo", *in Estas estórias*) [F.: Do fr. *légitimaire.* Par.: *legitimária* (f.), *legitimaria* (fl. de *legitimar*).]

legitimidade (le.gi.ti.mi.*da*.de) *sf.* **1** Qualidade, caráter ou estado do que é legítimo **2** Ver *legalidade* (2) **3** Conformidade com princípios justos, sejam legais, sejam morais **4** Direito de sucessão por ordem de primogenitura numa monarquia **5** Doutrina política dos legitimistas [F.: *legítim(o)* + *-(i)dade.*]

legitimismo (le.gi.ti.*mis*.mo) *sm.* **1** *Pol.* Opinião ou partido dos legitimistas (6, 7) **2** *Hist.* Pensamento e movimento político na França em favor do ramo dos Bourbons **3** *Hist.* Em Portugal, movimento político a favor da subida ao trono de d. Miguel de Bragança e seus descendentes; MIGUELISMO [F.: *legítimo-* + *-ismo.*]

legitimista (le.gi.ti.*mis*.ta) *a2g.* **1** Ref. ou inerente a legitimidade (preceito legitimista; ação legitimista) **2** Diz-se de que ou quem defende o princípio da dinastia legítima **3** *Hist.* Ref. ou inerente ao legitimismo português, representado por d. Miguel de Bragança ou seus descendentes; MIGUELISTA: "Chefe da dissidência legitimista de 1851." (Júlio Dantas, *Eles e elas*) **4** Ref. ao legitimismo francês, representado pelo ramo mais velho dos Bourbons **5** Diz-se de partidário do legitimismo, português ou francês *s2g.* **6** Defensor do princípio da legitimidade e do direito de sucessão **7** Partidário do legitimismo português ou do legitimismo francês [F.: *legítimo-* + *-ista.*]

legítimo (le.*gí*.ti.mo) *a.* **1** Reconhecido pela lei (herdeiro legítimo); LEGAL **2** Conforme à lei; fundado ou amparado na lei (democracias legítimas); LEGAL; LÍCITO [Ant.: *ilegal, ilícito.*] **3** Genuíno, verdadeiro, autêntico (ouro legítimo) [Ant.: *adulterado, falsificado.*] **4** Fundado na razão, no bom-senso; JUSTIFICADO; COMPREENSÍVEL; PROCEDENTE: *A reclamação legítima foi atendida.* [Ant.: *absurdo, infundado.*] [F.: Do lat. *legitimus, a, um.* Hom./Par.: *legítimo* (a.), *legitimo* (fl. de *legitimar*).]

legível (le.*gí*.vel) *a2g.* **1** Que se pode ler **2** Que está escrito com caracteres nítidos [Pl.: *-veis.* Superl.: *legibilíssimo.*] [F.: Do lat. tard. *legibilis, e.*]

legorne (le.*gor*.ne) [ó] *a2g.* **1** *Avic.* Diz-se da espécie ou da raça de galinha poedeira oriunda de Livorno, no Mediterrâneo italiano *s2g.* **2** *Avic.* Espécime da raça legorne [F.: Do top. *Leghorn*, nome ing. de Livorno.]

légua (*lé*.gua) *Metrol. sf.* Medida de distância que, no Brasil, equivale a 6.600 m [F.: Do lat. tard. *leuga* (*leuca*), de or. céltica.] ■ **Às ~s** A toda pressa, apressadamente **Às sete ~s** Ver *Às léguas* **De ~ e meia** Muitíssimo grande ou extenso, imenso **De sete ~s** Ver *Às léguas.* **~ brasileira** *Metrol.* Unidade itinerária brasileira equivalente a 6.600 m [Tb. apenas *légua.*] **~ de beiço** *Bras.* Gesto que pretende indicar vagamente uma distância, provavelmente mais de uma légua, feito ger. por homem da roça ao estender o lábio inferior na direção a ser percorrida **~ de sesmaria** **1** *Metrol.* Medida linear, equivalente a 6.600 m **2** Antiga unidade agrária de superfície agrária, equivalente a um quadrado de 3.000 braças (6.600 m), portanto com 4.356 ha **~ marítima** *Ant. Metrol.* Medida itinerária de valor variável, de acordo com o país. No Brasil, correspondia a 3 milhas, ou 5,5 km **~ terrestre** *Ant. Metrol.* Antiga medida linear brasileira, equivalente a 4.828 m

leguleio (le.gu.*lei*:o) *sm.* **1** *Jur.* Aquele que observa rigorosa e servilmente a letra da lei e as formalidades legais, interpretando a lei ao pé da letra, independente do legislador [Forma paral. *leguejo.*] **2** *Fig.* Advogado chicaneiro; RÁBULA [F.: Do lat. *leguleius, i* (cumpridor exato das formalidades legais).]

legume (le.*gu*.me) *sm.* **1** *Bot.* Fruto deiscente, seco quando maduro, composto de um só carpelo, que se abre em suas suturas laterais em duas valvas, característico de plantas da família das leguminosas; VAGEM **2** *Bras.* Ver *hortaliça* **3** *N.E.* No sertão, qualquer cereal **4** *PB Pop.* Ver *cachaça* **5** *RS Pop.* Ver *dinheiro* [F.: Do lat. *legumen, inis.* Ideia de 'legume': *legumini-* (*leguminosa*).]

legumina (le.gu.*mi*.na) *sf. Quím.* Albumina vegetal, proteína extraída dos grãos das leguminosas, semelhante à caseína vegetal [F.: *legume-* + *-ina.*]

leguminário (le.gu.mi.*ná*.ri.o) *a. Hort.* Ref. ou inerente a legumes (cultura leguminária; cardápio leguminário) [F.: Do lat. *leguminarius, a, um.*]

◎ **legumin(i)-** *el. comp.* = 'legume': *leguminário* (< lat.), *leguminiforme, leguminívoro, leguminoso* (< lat.) [F.: Do lat. *legumen, inis*, 'legume'; 'hortaliça (com vagem)'.]

leguminiforme (le.gu.mi.ni.*for*.me) *a2g. Bot.* Diz-se de órgão vegetal que se assemelha a um legume, na forma ou no aspecto [F.: *legumin(i)-* + *-forme.*]

leguminívoro (le.gu.mi.*ní*.vo.ro) *a.* Que se alimenta de legumes [F.: *legumin(i)-* + *-voro.*]

leguminosa (le.gu.mi.*no*.sa) *Bot. sf.* Espécime das leguminosas, fam. de plantas dicotiledôneas que abrange árvores, arbustos, ervas e trepadeiras, e cujo fruto é o legume; divide-se em três subfamílias: mimosoídeas, cesalpinioídeas e papilionoídeas [F.: Adapt. do lat. cient. *Leguminosae.*]

leguminoso (le.gu.mi.*no*.so) [ô] *a.* **1** Que frutifica em legume ou vagem **2** *Bot.* Ref. ou pertencente à família das leguminosas [Pl.: [ó]. Fem.: [ó].] [F.: Do lat. *leguminosus, a, um.* Ver *legumin(i)-.*]

lei *sf.* **1** Norma ou conjunto de normas que emanam de um poder soberano e que regulam a conduta de uma sociedade, estabelecendo sanções para os desvios **2** Norma ou conjunto de normas elaboradas pelo Poder Legislativo e promulgadas pelo Poder Executivo **3** Obrigações estabelecidas na convivência dos homens em qualquer sociedade e que servem para torná-la possível ou mais fácil, por estabelecerem um padrão de conduta: *as leis do dever, da honra, da delicadeza.* **4** *Fil.* Relação constante entre fenômenos ou fases de um fenômeno; padrão constante na manifestação de um fenômeno: *as leis da termodinâmica, da genética, da oferta e da procura.* **5** *Fil.* Relação ou padrão constante entre elementos de um sistema: *as leis de um ecossistema, da matemática.* **6** *P. ext.* Domínio, poder, mando: *lei do mais forte; lei da família.* **7** *P. ext.* Convenções estabelecidas em um dado assunto ou matéria: *as leis da gramática, da poética.* **8** *Teol.* Religião, crença, fé: *a lei cristã; a lei judaica.* **9** Condição imposta pelas circunstâncias: *a lei da vida.* **10** Proporção, estabelecida pelo Estado, do metal mais valioso numa liga para cunhagem de moedas (prata de lei) [F.: Do lat. *lex, legis.* Col.: *código, consolidação, corpo, legislação, polícia, repertório.*] ■ **À ~ de** De acordo com as regras ou os costumes de: *Viver à lei de seu tempo.* **De ~** *Bras.* De qualidade, autêntico: *ouro de lei, madeira de lei.* **~ adjetiva** *Jur.* Lei que estabelece regras processuais **~ Áurea** *Bras. Hist.* Lei assinada em 13 de maio de 1888 pela princesa Isabel, que aboliu a escravatura no Brasil [Nesta acp., com iniciais maiúsculas.] **~ básica** A constituição de um país; lei fundamental **~ civil** *Jur.* A que regula as normas da sociedade para as relações entre indivíduos e suas atividades, seus direitos e deveres como cidadão **~ da boa razão** *Ant.* Lei interpretativa das Ordenações Filipinas (1769) **~ da gravitação universal** *Fís.* Lei de autoria de Isaac Newton, que estabelece que entre duas partículas quaisquer no Universo que tenham massa existe uma força de atração proporcional às massas e inversamente proporcional ao quadrado da distância que as separa ~ **da oferta e da procura** *Econ.* Princípio geral de economia de mercado segundo o qual o preço de um produto varia de acordo com a relação oferta/procura; sobe quando a procura é maior que a oferta, cai em caso contrário ~ **da rolha** *Bras.* Lei que estabelece a censura à imprensa ~ **da selva** Predomínio da violência e da força numa sociedade ou segmento: *Nesse bairro prevalece a lei da selva, manda quem tem mais força.* ~ **de ação e reação** *Fís.* Lei estabelecida por Isaac Newton segundo a qual a cada ação de um corpo sobre outro corresponde uma reação de intensidade igual e em sentido contrário ~ **de Bode** *Astron.* Ver *Lei de Titius-Bode* ~ **de conservação** *Fís. nu.* Lei segundo a qual o valor total de uma grandeza física (massa, energia etc.) numa reação permanece inalterado, mesmo que se altere sua distribuição entre os componentes do sistema em que ocorre a reação ~ **de contravenções penais** *Bras. Jur.* Corpo de artigos de lei que trata de condutas não criminosas mas ofensivas a direito alheio e por isso passíveis de punição ~ **de Coulomb** *Elet.* Lei que estabelece que a força de atração ou repulsão entre duas cargas elétricas é proporcional ao produto das cargas e inversamente proporcional ao quadrado da distância que as separa ~ **de exceção** *Jur.* Lei que, devido a situações emergenciais específicas, foge aos fundamentos jurídicos vigentes ~ **de Gauss** *Elet.* Lei que estabelece que o fluxo de um campo elétrico numa superfície fechada é proporcional à carga elétrica na mesma ~ **de Hubble** *Cosm.* Lei aplicável em situações de velocidade inferior à da luz, segundo a qual a distância entre a Terra e as galáxias é linearmente proporcional ao desvio para o vermelho dessas galáxias (ver *Desvio para o vermelho* no verbete *desvio*) ~ **de Kepler** *Fís.* Qualquer das três leis de Johannes Kepler sobre o movimento dos planetas em volta do Sol [Estabelecem a natureza elíptica das órbitas e as relações entre a velocidade de translação, a amplitude da órbita e a proximidade do Sol.] ~ **delegada** *Jur.* Lei exarada pelo presidente da República ao usar de atribuição específica dada pelo Congresso ~ **de meios** 1 *Econ.* Lei que aprova o orçamento da União; lei orçamentária 2 *Bras.* O orçamento da União ~ **de Murphy** Termo genérico para certo tipo de aforismo que define situações nas quais o mau resultado é inevitável ~ **de Ohm** *Elet.* Lei que estabelece que a corrente elétrica num circuito contínuo é proporcional à tensão aplicada e inversamente proporcional à resistência do circuito ~ **de talião** *Ant.* Antigo conceito e prática, segundo os quais a pena aplicada com castigo a quem causou mal ou prejuízo a alguém deve ser equivalente a esse mal ou prejuízo ~ **de Titius-Bode** *Astron.* Lei empírica que estabelece uma relação de proporções fixas entre as distâncias dos planetas do sistema solar ao Sol, deduzida das distâncias aproximadas aferidas ~ **do caboclo** *Bras. Rel.* Ritual de candomblé que mistura elementos africanos com ameríndios e de outras origens ~ **do inquilinato** *Dir.* Lei federal que estabelece normas para a locação de imóveis urbanos ~ **do menor esforço** 1 *Med.* A que estabelece o conceito de que o organismo tende a só despender a energia necessária a sua sobrevivência e funcionamento 2 Atitude comodista ou preguiçosa de se esforçar o mínimo possível na realização de tarefa, mesmo em prejuízo do resultado ~ **dos grandes números** *Est.* Lei que estabelece ser a probabilidade de ocorrência de um evento o limite de sua possibilidade, que cresce com o aumento das tentativas ~ **dos sexagenários** *Bras. Hist.* Lei assinada em 28 de setembro de 1885, que declarava livres os escravos com mais de 60 anos de idade ~ **do ventre livre** *Bras. Hist.* Lei assinada em 28 de setembro de 1871, que declarava serem livres os filhos de escravos nascidos a partir daquela data ~ **extravagante** Cada uma das que não se achavam inseridas nas ordenações ou códigos portugueses ~ **formal** *Jur.* Ver *Lei adjetiva* ~ **fundamental** Ver *Lei básica* ~ **maior** A Constituição ~ **marcial** *Jur.* Lei instituída por força militar em situação emergencial de perigo, na qual intervém em substituição à legislação ordinária ~ **material** *Jur.* Aquela que estabelece conceitos genéricos e normas de comportamento para as relações sociais e para a vida em sociedade; lei substantiva ~ **moral** *Fil.* Aquela que se apoia nos princípios éticos e morais da prática do bem, como percebidos pela consciência ~ **natural** *Fil.* Princípio ou conceito filosófico, religioso etc. baseado na equidade, na razão, na garantia da dignidade individual etc., como fundamento ético obrigatório de uma sociedade culturalmente desenvolvida ~ **orçamentária** *Econ.* Ver *Lei de meios* ~ **ordinária** *Jur.* Lei de âmbito específico, p. op. às leis fundamentais e genéricas de natureza constitucional ~ **orgânica** *Jur.* A que cria e regulamenta órgãos e instituições públicos ~ **processual** *Jur.* Ver *Lei adjetiva* ~**s do espírito** *Fil.* Leis do pensamento ~**s do pensamento** *Fil.* Princípios que orientam a linha de pensamento lógico [São os princípios da *identidade*, *de contradição* e do *terceiro excluído*.] ~ **seca** Lei que proíbe a fabricação e a comercialização (e, eventualmente, consumo) de bebidas alcoólicas, como a que vigorou nos Estados Unidos no início do século XX ~ **substantiva** Ver *Lei material* ~ **suntuária** Lei de exceção que, em época de crise econômica, restringe gastos do governo e particulares em itens luxuosos ou supérfluos **Sem ~ nem grei** Ver *Sem lei nem rei* **Sem ~ nem rei** Sem rumo, desgovernado; sem lei nem grei; sem lei nem rei nem roque **Sem ~ nem rei nem roque** Ver *Sem lei nem rei*

leiautar (lei.au.*tar*) *v. td. Bras.* Produzir o leiaute de: *Leiautou a capa do livro.* [▶ 1 leiautar] [F.: *leiaute* + *-ar²*. Hom./Par.: *leiaute(s)* (fl.), *leiaute(s)* (sm. [pl.]).]

leiaute (lei.*au*.te) *sm.* 1 *Art. gr. Inf.* Esboço final do projeto gráfico de material publicitário ou editorial, a ser reproduzido em papel ou em meio digital 2 *P. ext. Art. gr. Inf.* Projeto gráfico; DESIGN 3 Disposição dos elementos num ambiente para um fim específico, tendo em vista sua funcionalidade: *O leiaute da loja deixou-a mais espaçosa.* [F.: Do ing. *layout.*]

leiautista (lei.au.*tis*.ta) *Bras. s2g. Edit. Art. gr. Publ.* Profissional que faz leiaute [F.: *leiaut(e)* + *-ista.*]

leibniziano (leib.ni.zi.*a*.no) (*láibniziano*) *a.* 1 *Fil.* Ref. ou inerente a, ou pertencente a Gottfried Wilhelm Leibniz (1646-1716), filósofo, matemático e lógico alemão 2 Diz-se de que ou quem é admirador, adepto ou seguidor do leibnizianismo *sm.* 3 *Fil.* Sectário do leibnizianismo [F.: Do antr. *Leibniz-* + *-iano.*]

leigar (lei.*gar*) *v. Ant.* Transformar(-se) em leigo, laico; LAICIZAR [*td.*: *leigar as instituições de ensino.*] [*int.*: *O padre se leigou para casar.*] [▶ 14 leigar] [F.: *leigo* + *-ar²*.]

leigo (*lei*.go) *a.* 1 Que é ligado à religião mas não pertence ao corpo de sacerdotes: *Budistas monges e leigos fazem esses votos.* [Ant.: *clérigo.*] 2 Que não pertence ou não está sujeito a nenhuma religião (ensino leigo); LAICAL; LAICO; SECULAR [Ant.: *religioso.*] 3 *Fig.* Que desconhece ou conhece pouco determinado assunto (leitores leigos): *Sou leigo em direito criminal.* [Ant.: *conhecedor, experiente.*] *sm.* 4 Pessoa leiga [F.: Do lat. *laicus, a, um.*]

leilão (lei.*lão*) *sm.* 1 Venda pública de objetos que são arrematados por quem oferecer o maior lance; ALMOEDA; ARREMATAÇÃO; HASTA 2 *Bras. Jur.* Hasta pública [Pl.: *-lões.*] [F.: Do ár. vulg. *ala'lam*, 'estandarte, aviso, tabuleta'. Cf.: *licitação.*]

leiloar (lei.lo.*ar*) *v. td.* 1 Colocar em leilão: *Leiloou suas obras de arte.* 2 Anunciar em voz alta num leilão (os bens à venda); APREGOAR [▶ 16 leiloar] [F.: *leilão* + *-ar²*.]

leiloeiro (lei.lo.*ei*.ro) *sm.* 1 Pregoeiro em leilões 2 Organizador de leilões [F.: *leilão* + *-eiro*, com desnasalização.]

leira (*lei*.ra) *Bras. Agr. sf.* 1 *Agr.* Sulco aberto na terra para receber semente ou muda 2 *Agr.* Canteiro no meio de dois regos de água 3 *P. ext.* Elevação da terra entre dois sulcos 4 *Agr.* Pequeno campo em que se cultivam vegetais: "...o próprio Zé Bebelo se via principiando a ter de falar com ele em todas as pestes de gado, e nas boas leiras de vazante..." (Guimarães Rosa, *Grande sertão: veredas*) [F.: do lat. *glarea, ae.*]

leirão (lei.*rão*) *sm. N.E. Agr.* Grande leira (3) bem elevada e contínua, feita ger. em terreno úmido para drenagem do solo e permitir o plantio de tubérculos [Pl.: *-rões.*] [F.: *leira-* + *-ão.*]

leirar (lei.*rar*) *v. td.* 1 Dividir (terreno) em leiras; aleirar 2 Arar, sulcar (a terra) [▶ 1 leirar] [F.: *leir(a)* + *-ar.*]

leiriense (lei.ri.*en*.se) *s2g.* 1 Aquele ou aquela que nasceu ou que vive em Leiria (Portugal) *a2g.* 2 De Leiria; típico dessa cidade ou de seu povo [F.: Do top. *Leiria* + *-ense.*]

leishmânia (leish.*mâ*.ni:a) *sf.* 1 Gênero de protozoários do gên. *Leishmania*, que reúne parasitas do homem e de alguns animais domésticos e provocam várias formas de leishmaniose 2 Qualquer espécime desse gênero [F.: do antrop. W.B. *Leishman* (1865-1926), bacteriologista escocês.]

leishmaniose (leish.ma.ni.*o*.se) *Pat. sf.* Doença causada por protozoários do gênero *Leishmania*, transmitidos por mosquitos [F.: *leishmânia* + *-ose²*.] ∎ ~ **visceral** *Med.* Doença grave, causada por parasita *Leishmania donovanii* e transmitida por mosquito, manifesta-se com febre, aumento do baço e do fígado, derrames etc.

leitão (lei.*tão*) *sm.* 1 Porco novo; BÁCORO; BACORINHO 2 *Cul.* Prato preparado com esse animal [Pl.: *-tões*. Fem.: *-toa.*] [F.: Do lat. **lacto, onis*. Ou *leite* + *-ão¹*.]

leitar (lei.*tar*) *a2g.* 1 Que tem a cor branca do leite; leitoso 2 Ref. a leite [F.: *leit(e)* + *-ar.*]

leitaria (lei.ta.*ri*.a) *sf.* O mesmo que *leiteria* [F.: *leit(e)* + *-aria.*]

leite (*lei*.te) *sm.* 1 Líquido branco, opaco, segregado pelas glândulas mamárias das fêmeas dos mamíferos 2 *P. ext.* Líquido leitoso de certas plantas ou certos frutos 3 *P. ext.* Qualquer líquido leitoso [F.: Do lat. *lac* ou *lacte lactis*, relacionado com o gr. *gála-aktos*. Ideia de 'leite': *galact (o)-* (*galactorreia*), *lact-* (*lactífero*).] ∎ **A ~ de pato** 1 *Bras. Joc. Pop.* Sem remuneração: *Fui voluntário, e trabalhei a leite de pato; Jogamos pôquer a leite de pato.* 2 Sem apostar dinheiro **Dar o ~** 1 *PB* Passar informações 2 *Bras. Pop.* Ocultar algo, dissimular (esp. suas posses, seus planos etc.) [Cf.: *café pingado* no verbete *café.*] 3 *Bras. Pop.* Negar o que prometera 4 *RS Pop.* Revelar sua covardia, amarelar ~ **condensado** Termo us. para leite processado industrialmente, enlatado após concentração (evaporação da água) e acréscimo de sacarose ~ **de cal** Pasta feita de cal virgem diluída em água, us. em caiações ~ **de gado** *CE* Leite de vaca ~ **de magnésia** Solução de hidróxido de magnésio, us. como antiácido e laxante ~ **desnatado** Líquido residual após separação da nata do leite, sem gorduras, us. na fabricação do leite em pó; leitelho ~ **homogeneizado** Leite que foi submetido a homogeneizador tendo reduzido o tamanho de seus glóbulos ~ **magro** Ver *Leite desnatado* ~ **pingado** *Bras.* Leite ao qual se adicionou um pouco de café **Tirar ~ de pedra** Realizar algo muito difícil, quase impossível **Tirar ~ de vaca morta** *RS* Lamentar-se do que já é irremediável

leite de soja (lei.te.de.*so*.ja) *sm.* Alimento derivado da soja, us. como substitutivo do leite [Pl.: *leites de soja.*]

leiteira (lei.*tei*.ra) *sf.* 1 Panela própria para ferver leite 2 Vasilha us. para servir leite à mesa 3 Vendedora de leite 4 *Lus.* Ver *leiteria* 5 *Bot.* Nome comum a várias plantas de folhas muito lactescentes e com pequenas flores dispostas em espiga, da fam. das euforbiáceas, esp. dos gêneros *Sapium* e *Euphorbia*, muitas delas tb. conhecidas como burra-leiteira; LEITEIRO 6 *Bot.* Nome comum a vários arbustos da fam. das apocináceas, esp. os do gênero *Tabernaemontana*, que produzem muito látex; LEITEIRO 7 *Bras. Ent.* Formiga (*Crematogaster quadriformis*) da subfamília dos mirmicíneos, encontrada no Sudeste brasileiro [F.: *leit(e)* + *-eira.*]

leiteiro (lei.*tei*.ro) *a.* 1 Que produz leite (gado leiteiro) 2 Ref. ao leite (indústria leiteira) 3 Que transporta leite (caminhão leiteiro) 4 *Bot.* Ver *leiteira* 5 *Bras. Pop.* Que tem sorte, esp. no jogo *sm.* 6 Pessoa que vende ou entrega leite [F.: *leit(e)* + *-eiro.*]

leitelho (lei.*te*.lho) *sm.* Líquido pobre em gorduras que permanece como resíduo depois da batedura da nata para o fabrico da manteiga, tab. us. como leite em pó; LEITE DESNATADO [F.: *leite* + *-elho.*]

leiteria (lei.te.*ri*.a) *sf.* 1 Pequeno restaurante especializado em comidas à base de leite (pudins, coalhadas, queijos, canjicas etc.) 2 Loja especializada na venda de leite e laticínios 3 Estabelecimento onde o leite é tratado para consumo ou para a fabricação de derivados 4 *Bras. Pop.* Boa sorte, esp. no jogo [F.: Do fr. *laiterie*, ou *leite* + *-eria*. A forma *leitaria* é mais us. em Portugal.]

⊕ **leitmotiv** (*laitmotif*) *sm.* 1 *Mús.* Tema melódico que, no decorrer de uma obra de cinema, teatro etc., aparece associado a um personagem, uma situação, um sentimento etc. 2 *Liter.* Tema que se repete no decurso de uma obra literária, envolvido de um significado que pode ter um valor simbólico ou metafórico 3 *Cin.* Repetição de imagem ou série de imagens que contribui para a compreensão do sentido geral de um filme 4 *P. ext.* Ideia, tema, assunto que se repete com insistência [F.: do al. *Leitmotiv* (com inicial maiúsc. em al.).]

leito (*lei*.to) *sm.* 1 Armação de madeira ou outro material, que sustenta o estrado e o colchão da cama 2 A própria cama 3 Qualquer estrutura de apoio ou superfície preparada para sobre ela se assentar um revestimento ou outra estrutura (leito da estrada, da ferrovia) 4 Superfície sobre a qual corre ou repousa, em condições normais, um certo volume de água (p. ex.: em rio, lagoa, represa, canal, mar etc.); ÁLVEO 5 Tudo aquilo sobre o qual se pode descansar deitado: "Façamos de feno um brando leito, prendamo-nos, Marília, em laço estreito..." (Tomás Antônio Gonzaga, *Marília de Dirceu*) 6 *Geol.* O mesmo que *estrato* 7 Camada de cimento sobre a qual se assentam tijolos ou pedras de construção 8 *Fig. Jur.* Matrimônio, casamento: *filhos do primeiro leito.* 9 *Antq.* Grade de ferro sobre a qual eram deitados os condenados para os torturar ateando-lhes fogo por baixo [F.: Do lat. *lectus, i.*] ∎ **Em seu ~ de morte** Em agonia, prestes a falecer **Guardar o ~** Estar acamado, doente ~ **de enchente** *Geog.* Ver *Leito maior* ~ **de espinhos** *Fig.* Situação de grande aflição ou angústia ~ **de estiagem** *Geog.* Ver *Leito menor* ~ **de Procusto** 1 *Mit.* Na mitologia grega, leito no qual o salteador Procusto torturava suas vítimas, estendendo-as sobre ele e cortando a parte excedente de pés e pernas daqueles mais compridos que o leito, e estirando o corpo dos menores, até alcançarem suas medidas 2 *P. ext.* Situação em que se tenta encaixar uma proposta, pensamento etc. à força em um contexto no qual não tem cabimento ~ **de rosas** *Fig.* Situação prazerosa, agradável ~ **do vento** Direção em que sopra o vento ~ **maior** *Geog.* A máxima largura do leito de um rio ou curso de água; leito de enchente ~ **médio** A largura média do leito de um rio ou curso de água ~ **menor** A largura mínima do leito de um rio ou curso de água; leito de estiagem ~ **ungueal** *Anat.* Tecido sobre o qual se apoia cada unha **Sair do ~** Transbordar em enchente (rio, curso de água)

leitoa (lei.*to*.a) [ô] *sf.* 1 *Zool.* A fêmea do leitão 2 *MG Pop.* Qualquer tipo de abóbora [F.: *leit(e)* + *-oa.*]

leitoada (lei.to.*a*.da) *sf.* 1 Conjunto dos leitões nascidos de um só parto, o mesmo que *leitegada*. 2 Refeição em que o leitão é o prato principal [F.: *leitão* + *-ada.*]

leitor (lei.*tor*) [ô] *a.* 1 Que lê; LEDOR *sm.* 2 Pessoa que lê; LEDOR 3 Pessoa que lê textos escritos para outrem, em voz alta, ou para si, mentalmente 4 Pessoa que tem o costume de ler determinado autor, periódico ou gênero de literatura (leitor de Machado de Assis, leitor de biografias) 5 Pessoa que utiliza os serviços de uma biblioteca, arquivo ou serviço de documentação 6 Pessoa que sabe ler sinais convencionais de notação musical 7 Professor encarregado de lecionar numa universidade estrangeira a língua e a literatura de seu país 8 *Tec.* Dispositivo eletrônico capaz de ler, decodificar e reproduzir som, imagem ou dados armazenados num suporte (leitor de CD) 9 *Cin. Edit. Teat. Telv.* Pessoa incumbida de ler e dar parecer sobre os originais enviados pelos autores 10 *Ecles.* Aquele que recebeu o segundo grau na hierarquia das ordens menores da Igreja católica e que lê os textos sagrados durante a missa 11 *Ecles.* Clérigo encarregado da leitura de textos durante as refeições nos conventos, seminários etc. [F.: Do lat. *lector, oris.*]

leitora (lei.*to*.ra) [ô] *sf.* 1 *Elet.* Dispositivo com o qual se obtêm dados armazenados em fitas e outros suportes externos, convertendo esses dados em sinais elétricos codificados 2 *Elet.* Dispositivo que permite a reprodução, em tela, da imagem ampliada e legível de um microfilme [Fem.: *leitor.*] [F.: *leitor* + *a.*]

leitorado (lei.to.*ra*.do) *sm.* 1 Função ou ofício de leitor (7) 2 O tempo de permanência nesse cargo 3 *Ecles.* Na hierarquia eclesiástica, grau de leitor (10) [F.: *leitor* + *-ado* Hom./Par. *eleitorado.*]

leitoral (lei.to.*ral*) *a2g. P. us.* Referente a leitor [F.: *leitor* + *-al.* Hom./Par.: *eleitoral.*]

leitoril (lei.to.*ril*) *sm. Mob.* Móvel destinado a receber livro ou folha de papel de forma inclinada, para facilitar a leitura, o mesmo que *atril* [F.: *leitor* + *il.*]

leitoso (lei.*to*.so) [ô] *a.* 1 Que tem a cor ou a consistência do leite (sobremesa leitosa); LACTESCENTE 2 Que produz ou possui uma substância semelhante ao leite (fruto leitoso); LÁCTEO 3 Ref. ao leite; LÁCTEO [F.: *leit(e)* + *-oso*. Ideia de 'leitoso', usar *antepos. galact(o).*]

leitura (lei.*tu*.ra) *sf.* 1 Ação ou resultado de ler 2 Hábito de ler 3 Aquilo que se lê; OBRA; TEXTO: *Essa revista, uma leitura* *leve, me distrai.* 4 Modo de interpretar, forma como se vê ou compreende uma obra ou uma situação; INTERPRETAÇÃO: "...uma personagem de vida confusa o suficiente para suportar duas leituras, uma cômica e outra trágica..." (*O Estado de S. Paulo*, 27.5.2005) 5 Obras lidas: *Tornou-se mais crítico com tanta leitura.* 6 *Fís.* Registro das informações dadas por um instrumento de medida 7 *Tec.* Processo de reconhecimento, decodificação e reprodução, por meio de dispositivo apropriado, de som, imagem ou dados armazenados num suporte 8 *Rel.* Texto, ger. extraído da Bíblia, lido ou cantado por uma só pessoa 9 Matéria de ensino elementar [F.: Do lat. med. *lectura.*] ⊞ ~ **à primeira vista** *Mús.* Execução de trecho musical ao se ler a partitura pela primeira vez, sem estudo prévio ~ **da fala** Ver *Leitura labial* ~ **dinâmica** Método de leitura que, por meio de várias técnicas, visa a uma apreensão mais rápida e eficiente dos significados do texto, utilizando não a varredura visual linear das palavras, palavra por palavra, com saltos nas mudanças de linha, mas por captação de blocos, ou pela ampliação do ângulo de visão do texto etc.; leitura fotográfica; leitura rápida ~ **dramática** *Teat.* Leitura do texto de uma peça diante do público, com todas as inflexões vocais e descrições necessárias, mas sem ação cênica no palco ~ **fotográfica** Ver *Leitura dinâmica* ~ **labial** Percepção que tem um surdo da fala de alguém pela interpretação dos movimentos de seus lábios, da mandíbula e dos músculos faciais; leitura da fala ~ **nova** 1 Acervo de documentos portugueses, copiados em letra caligráfica cursiva por ordem de d. Manuel I. 2 *P. ext.* Cópia do texto de documento em letra vigente na época da cópia ~ **rápida** Ver *Leitura dinâmica*

leiturista (lei.tu.*ris*.ta) *s2g.* Funcionário que faz a leitura do consumo de água, luz ou gás [F.: *leitura* + *-ista.*]

leiva (*lei*.va) *sf.* 1 Porção de terra amontoada entre sulcos cavados no solo por pá, arado, enxada etc. 2 Sulco assim criado 3 Pedaço de terra, torrão tirado do solo de uma vez com ferramenta (pá, arado, enxada etc.) 4 Cada torrão de terra gramada us. como transplante para formar gramado, relvado etc., em jardim, parque, campo de futebol etc. 5 Terra própria para cultivo; GLEBA 6 *Lus.* Aduela, cada uma das tábuas curvas que formam o corpo de um barril [F.: Posv. do lat. cláss. *gleba*, pelo lat. *glebea.*]

leixamento (lei.xa.*men*.to) *sm.* 1 *Ant.* Ação ou resultado de leixar 2 Ausência de amparo, abandono: "Ai-de, ao horror de tanto, atontavam-se e calaram-se, todos, no amedronto de que um homem desses, serafim, no leixamento pudesse finar-se." (Guimarães Rosa, "Nada e a nossa condição" in *Primeiras estórias*) [F.: *leixar* + *-mento.*]

leixar (lei.*xar*) *v. tdi. Ant.* Ver *deixar* [▶ 1 leixar] [F.: do lat. *laxare.*]

lelé (le.*lê*) *a2g.* 1 *Bras. Cver. Gír.* Que apresenta sinais de loucura; BIRUTA; DOIDO; MALUCO: *Ele ficou meio lelé. s2g.* 2 *Bras. Cver. Gír.* Pessoa lelé [F.: De or. obsc.] ⊞ ~ **da cuca** *Bras. Cver. Gír.* Lelé, doido, maluco

◎ **-lema** *suf.* = premissa: *dilema.*

lema (*le*.ma) *sm.* 1 *Lóg.* Proposição cuja demonstração facilita ou prepara a de outra 2 *Fig.* Frase que serve de regra de conduta ou de motivação; DIVISA; EMBLEMA; MOTE: "Chegou a compor de cabeça um sinete para seu uso, com este lema: Ao vencedor, as batatas." (Machado de Assis, *Quincas Borba*) 3 *Mús.* Ver *inscrição* 4 *Lex.* Ver *entrada* (7) 5 *Bot.* Glumela inferior da espigueta das gramíneas [F.: Do gr. *lêmma, atos*, pelo lat. *lemma, atis.*]

lembar (lem.*bar*) *v. td. Ang.* Casar segunda a tradição angolana de se oferecer alembamento à família da noiva; tb. *alembar* [▶ 1 lembar] [F.: Do quimb. *lemba* + *-ar.*]

lembrado (lem.*bra*.do) *a.* 1 Que se lembrou, que teve memória de algo: "Lembrado dos benefícios..." (Carneiro Ribeiro, *Serões gramaticais*) 2 Que permaneceu na memória: "...tão lembrado do amigo como da primeira camisola..." (Aquilino Ribeiro, *A batalha sem fim*) 3 Que deixou marca na memória; memorável (fato sempre lembrado) 4 Que se encontra atento, alerta, acordado: *Sempre lembrados de que o fundamento da liberdade é a coragem.* 5 Que foi pensado ou sugerido: *A solução foi lembrada pela menina.* [F.: part. de *lembrar.*]

lembrança (lem.*bran*.ça) *sf.* 1 Ato ou efeito de lembrar [Ant.: *esquecimento.*] 2 O que vem à memória 3 O que se guarda na memória; RECORDAÇÃO; REMINISCÊNCIA: "Entretanto, se eu me ativer só à lembrança da sensação, não fico longe da verdade..." (Machado de Assis, *Dom Casmurro*) 4 Objeto que se dá ou se guarda para fazer lembrar alguém ou algo; PRESENTE; SUVENIR: "...e se tem algum trapinho que me deixe em lembrança, [...] qualquer cousa, um botão de colete..." (Machado de Assis, *Dom Casmurro*) 5 Ver *lembrete* 6 Ideia, inspiração, pensamento: *lembrança de fazer um bolo de aniversário.* 7 Aquilo que comprova a ocorrência de um fato passado [F.: *lembr(ar)* + *-ança.* Ideia de 'lembrança': usar *antepos.* memor-; *pospos.* -mnésia.] ⊞ **Dar/mandar ~s** Pedir à pessoa com quem se fala ou a quem se escreve que cumprimente ou transmita saudação a outrem (em nome daquele que fala ou escreve): *Como vai sua família? Por favor, mande lembranças a todos; "Um beijo na família, na Cecília e nas crianças,/ O Francis aproveita pra também mandar lembranças..."* (Francis Hime, Chico Buarque, *Meu caro amigo*) [O próprio pedido de mandar lembranças já serve como cumprimento ou saudação, ou como fórmula ou demonstração de cortesia. É frequente o emprego dessa fórmula de cortesia no momento de se despedir.] **Ter ~ de** Lembrar-se de, ter recordação de

lembranças (lem.*bran*.ças) *sfpl.* Saudações ou cumprimentos que se mandam a alguém; RECOMENDAÇÕES: *Lembranças à família!* [F.: Pl. de *lembrança.*]

lembrar (lem.*brar*) *v.* 1 Trazer à memória de ou ter na memória; RELEMBRAR; RECORDAR [*td.*: *lembrar bons momentos/a infância.*] [*tdi.* + *a*: *Essa música me lembra você.*] [*tr.* + *de*: *Já não se lembrava de onde tinha posto a chave.*] 2 Dar ideia de; SUGERIR [*td.*: *O estilo do pintor lembrava o de Van Gogh.*] [*tdr.* + *de*: *O filme lembrou-nos das velhas produções de Hollywood.*] 3 Advertir, avisar, prevenir [*tdi.* + *a, de*: *O juiz lembrou ao jogador que na próxima falta seria expulso.*] [*tdr.* + *de*: *Lembrou o empregado de suas obrigações.*] 4 Mencionar (algo) a (alguém), para que não seja esquecido [*tdi.* + *a*: *Lembrou ao marido que a conta de luz tinha que ser paga.*] [*tdr.* + *de*: *Lembrei-o do documento que tinha que assinar.*] 5 Mandar lembranças [*tdi.* + *a*: *Lembre-nos a seu pai.*] [▶ 1 lembrar] [F.: Do lat. *memorare.*]

lembrável (lem.*brá*.vel) *a2g.* Que pode ser lembrado sem muito esforço [Pl.: *-eis.*] [F.: *lembrar* + *-vel.*]

lembrete (lem.*bre*.te) [ê] *sm.* 1 Papel com anotação para lembrar que algo deve ser feito: *lembrete da professora.* 2 Qualquer recurso que cumpra essa finalidade; LEMBRANÇA 3 A anotação feita nesse papel: *Os lembretes da namorada pareciam poemas.* 4 *Fam.* Castigo leve, repreensão branda; ADMOESTAÇÃO; REPRIMENDA [F.: *lembr(ar)* + *-ete.*]

leme (*le*.me) *sm.* 1 *Cnav.* Peça situada na popa da embarcação e que determina sua direção 2 Equipamento situado na cauda do avião e que serve para orientar sua direção 3 *Fig.* Direção, governo, comando: *A empresa cresceu desde que ele assumiu o leme.* 4 *Arm. Mil.* A alavanca do reparo, peça de artilharia [F.: De or. obsc.] ⊞ ~ **de direção** *Aer.* Leme, ger. na parte posterior do avião, que determina a direção horizontal do voo ~ **de profundidade** *Aer.* Leme, ger. na parte posterior do avião, que determina a direção vertical do voo; profundor ~ **horizontal** *Cnav.* Cada leme que determina a direção vertical (profundidade) de um submarino ~ **vertical** *Cnav.* Cada leme que determina a direção horizontal (rumo) de um submarino **Perder o ~** *Fig.* Ficar desorientado, sem saber que fazer ou como agir **Ter o ~** Orientar, exercer a direção, administrar, governar

lêmingue (*lê*.min.gue) *sm. Zool.* Designação de vários roedores da família dos murídeos, da região ártica (esp. os dos gên. *Lemmus* e *Dicrostonyx*), dos quais a espécie europeia (esp. da Noruega) *Lemmus lemmus* é conhecida por sua migração em massa rumo ao mar, onde se afogam em grande quantidade [Tb. *lemingue.*] [F.: Do norueguês *lemming.*]

lemiste (le.*mis*.te) *sm.* Tecido fino e preto de lã [F.: do top. *Lemster*, cidade inglesa em que se fabricava esse tecido.]

lemnácea (lem.*ná*.ce.a) *sf. Angios.* Espécime das lemnáceas [F.: do lat. cient. fam. *Lemnaceae.*]

lemniscata (lem.nis.*ca*.ta) *sf. Geom.* Curva em forma de S, em que o produto das distâncias de cada um dos seus pontos a dois outros fixos é constante e igual ao quadrado da metade da distância dos dois últimos [F.: do lat. *lemniscata.*]

lemnisco (lem.*nis*.co) *sm.* 1 *Ant.* Fita que pendia da coroa e das palmas dos vencedores 2 Tira ger. de seda que prende selos a diplomas, cartas etc. 3 *Art. gr.* Sinal formado por um traço com dois pontos, um por cima e outro por baixo, que assinala uma passagem retirada da Bíblia 4 Sinal gráfico formado por um traço com dois pontos em cima, indicativo de transposição de palavras ou de períodos 5 *Anat.* Nome que designa feixe de fibras do sistema nervoso central [F.: do gr. *lemnískos.*]

lempira (lem.*pi*.ra) *sf.* 1 *Econ.* Meio pelo qual se efetuam transações monetárias em Honduras, país da América Central 2 *P. ext.* Unidade monetária (cédula e moeda) de Honduras [F.: do hisp. -amer. *lempira* < antr. *Lempira.*]

lêmure (*lê*.mu.re) *sm.* 1 *Zool.* Denominação comum a diversos primatas africanos, da fam. dos lemurídeos, esp. arborícolas, de hábitos diurnos e noturnos, com corpo e membros esguios, pelagem densa, cauda e focinho longos, que vivem em Madagascar 2 *Pop.* Assombração, fantasma: "...o universo se convenceu de que a China não passava de um vasto cemitério povoado de lêmures sem carnes, de pobres avantesmas condenados a viver sem viver." (Olavo Bilac, *Obra reunida*) [F.: do lat. *lêmures, um.* Ideia de 'lêmure': usar *antepos.* lemur(i)-.]

lêmure-voador (lê.mu.re-vo:a.*dor*) [ô] *sm. Mastz.* Nome comum dos mamíferos da ordem dos dermópteros, encontrados nas florestas tropicais da Ásia, herbívoros, de hábitos noturnos e arborícolas, que apresentam os membros ligados por uma membrana, o que lhes permite planar e até realizar pequenos voos [Pl.: *lêmures-voadores.*]

lemurídeo (le.mu.*rí*.de:o) *sm.* 1 *Zool.* Espécime dos lemurídeos, fam. de primatas, noturnos e arborícolas, que compreende os lêmures *a.* 2 *Zool.* Ref. ou pertencente aos lemurídeos [F.: Adapt. do lat. cient. *Lemuridae.*]

lemuriforme (le.mu.ri.*for*.me) *sm.* 1 *Zool.* Espécime dos lemuriformes, infraordem de primatas que inclue os lemurídeos *a2g.* 2 *Zool.* Ref. ou pertencente aos lemuriformes [F.: Adapt. do lat. cient. *Lemuriformes.*]

lemuroide (le.mu.*roi*.de) *sm.* 1 *Zool.* Espécime dos lemuroides, grupo de primatas que inclui os lêmures, entre outros *a2g.* 2 *Zool.* Ref. ou pertencente aos lemuroides [F.: Adapt. do lat. cient. *Lemuroidea.*]

lenço (*len*.ço) *sm.* 1 Pedaço quadrado de tecido us. para assoar o nariz, enxugar o suor do rosto etc. 2 *Vest.* Pedaço quadrado de tecido us. para ornar ou resguardar o pescoço ou a cabeça 3 *Ant.* Tecido de linho ou de algodão 4 Parte do tronco da árvore protegida pela casca 5 *Marc.* Cada um dos lados da gaveta 6 *Cons.* Ver *lanço* [Col.: *lençaria.*] [F.: Do lat. *lenteum*, por *linteum.*]

lenço de papel (len.ço de pa.*pel*) *sm.* Lenço (1) descartável, de papel absorvente e macio; LENÇO-PAPEL [Pl.: *lenços de papel.*]

lençol (len.*çol*) *sm.* 1 Cada uma das duas peças de algodão ou de outro tecido leve us. para forrar o colchão e como coberta 2 Extenso depósito de água ou outro líquido situado na superfície ou depressão de terreno ou sob o solo (lençol petrolífero) 3 *Fig. P. ext.* Qualquer coisa que recobre uma superfície como um lençol (1) (lençol de neve): "Sintra pendura-se pela montanha entre lençóis de águas..." (Alexandre Herculano, *Arras por foro de Espanha*) 4 *Bras. Fut.* Jogada em que se arremessa a bola sobre o adversário e a recupera adiante; CHAPÉU 5 *Ant.* Ver *mortalha* 6 *Lus. Pop.* Cédula de valor alto; dinheiro [Pl.: *-çóis.*] [F.: Do lat. *lenteolum*, de *linteolum.*] ⊞ ~ **aquífero** Lençol de água subterrâneo, retido entre camadas impermeáveis de rocha ~ **de água** Ver *Lençol freático* ~ **de água subterrâneo** Ver *Lençol aquífero* ~ **de lava** Grande extensão de um derrame de lava ~ **freático** Lençol subterrâneo de água situado a pouca profundidade; lençol superficial, lençol de água ~ **petrolífero** Grande jazida de petróleo entre camadas geológicas de variada profundidade e extensão ~ **superficial** Ver *Lençol freático* ~ **profundo** Lençol de água formado a grande profundidade

lenda (*len*.da) *sf.* 1 História fantasiosa acerca de personagens exemplares ou seres sobrenaturais e que faz parte da tradição de um povo (lenda do saci-pererê) 2 Narrativa de ações praticadas por santos ou heróis em que os fatos históricos adquirem feição fantástica devido a interpretações guiadas pela livre imaginação popular; LEGENDA 3 *Fig. P. ext.* História fantasiosa acerca de pessoa famosa, criada pela imaginação popular ou por especulação da mídia: *Conta a lenda que Renato Russo odiava cantar em público.* 4 *P. ext.* Tradição popular 5 Personagem lendário: *Garrincha é uma lenda do futebol.* 6 *Fig.* Engodo, lorota, mentira 7 *Fig.* Narrativa monótona e fastidiosa; LADAINHA; LENGA-LENGA [F.: Do lat. medv. *legenda.* Cf.: *mito.* Ideia de 'lenda': usar *antepos.* mit(i/o)-.]

lendário (len.*dá*.ri:o) *a.* 1 Que tem caráter de lenda 2 Ref. a lenda; LEGENDÁRIO 3 Muito famoso; CÉLEBRE; NOTÓRIO [Ant.: *desconhecido, obscuro.*] 4 Personagem de lenda: *o lendário Rei Artur.* 5 Fictício, fabuloso, irreal [Ant.: *real, verdadeiro.*] *sm.* 6 *Bras.* Compilação de lendas [F.: *lend(a)* + *-ário.*]

lêndea (*lên*.de:a) *sf.* 1 *Zool.* Ovo do piolho (*Pediculus humanos*), que adere aos cabelos ou pelos 2 *N.E.* Migalha; insignificância [F.: Do lat. **lendina*, deriv. do lat. tard. *lendis, dinis.*]

lenga-lenga (len.ga-*len*.ga) *sf.* 1 *Pop.* Conversa, discurso ou narrativa monótona e tediosa; ARENGA; CANTILENA; LADAINHA 2 *P. ext.* O que é demorado, enfadonho [Pl.: *lenga-lengas.*] [F.: Palavra expressiva.]

lenha (*le*.nha) *sf.* 1 Pedaço de madeira, de ramos ou de tronco de árvore destinado ao uso como combustível 2 *Fig. Pop.* Aquilo que é difícil, trabalhoso, árduo; COMPLICAÇÃO; DIFICULDADE: *Essa prova vai ser lenha.* 3 *Fig. Pop.* Crítica negativa; reprovação; MALHAÇÃO 4 *Fig.* Pancadaria, sova, surra: *O jogador de futebol meteu a lenha no juiz.* 5 *Bras. Gír.* Prova automobilística 6 *Bras. Pop. Antq.* Ver bengala (1) [Col.: *braçada, feixe, lenhada.*] [F.: Do lat. *ligna, orum*, pl. de *lignum, i.* Hom./Par.: *lenha* (fl. de *lenhar*).] ⊞ **Baixar/meter a ~ (em)** 1 *Bras. Pop.* Surrar (alguém) 2 Criticar duramente (alguém) **Botar/deitar/pôr ~ na fogueira** Atiçar um conflito, uma discórdia **Entrar na ~** 1 *Bras.* Levar uma surra 2 *Bras. Mar. G.* Causar avaria em embarcação ao manobrá-la mal 3 *Hip.* Em prova hípica de saltos, cometer falta, ao derrubar obstáculo **Fazer ~** *Aut.* Disputar corrida de automóvel

lenhador (le.nha.*dor*) [ô] *sm.* 1 Aquele que colhe, corta ou racha lenha; LENHEIRO; MATEIRO 2 Pessoa que participa de prova automobilística *a.* 3 Ref. a lenhador [F.: Do lat. *lignator, oris.* Ou *lenhar* + *-dor.*]

lenhar (le.*nhar*) *v.* 1 Cortar, rachar toras para fazer lenha [*int.*] 2 Apanhar lenha, esp. para uso doméstico [*int.*] 3 *Bras. Gír.* Apostar corrida de automóvel; fazer lenha 4 *N.E. Tabu.* Manter relações sexuais; COPULAR [*ti.*] 5 *BA Pop.* Causar ou sofrer desgraça; sair-se mal [*td.*] [▶ 1 lenhar] [F.: *lenha* + *-ar.* Hom./Par.: *lenha* (fl. de *lenhar*), *lenha* (sf.), *lenhas* (fl. de *lenhar*), *lenhas* (pl.), *lenho* (fl. de *lenhar*), *lenho* (sm.).]

lenheiro (le.*nhei*.ro) *sm.* 1 Ver *lenhador* 2 Negociante de lenha; LENHATEIRO 3 *Bras.* Lugar onde se guarda lenha 4 *Bras. Ornit.* Ave da fam. dos furnariídeos (*Asthenes baeri*), comum na América do Sul, com a plumagem (ger. parda) mais clara nas partes inferiores e garganta [F.: *lenh(a)* + *-eiro.* Hom./Par.: *linheiro* (*sm.*).]

lenho (*le*.nho) *sm.* 1 *Bot.* Principal tecido de sustentação do caule e da raiz da planta e de condução da seiva bruta; XILEMA 2 Tronco grosso de árvore ou peça grossa de madeira; MADEIRO 3 Pedaço de pau bruto 4 *Fig.* Embarcação, navio, barco: "Três entes respiram sobre o frágil lenho que vai singrando veloce, mar em fora..." (José de Alencar, *Iracema*) [F.: Do lat. *lignum, i.* Hom./Par.: *lenho* (fl. de *lenhar*). Ideia de 'lenho': usar *pospos.* -pari.] ⊞ **Sagrado ~** *Rel.* Ver *Santo Lenho* [Com iniciais maiúsculas ou minúsculas.] **Santo ~** *Rel.* A cruz na qual Jesus foi crucificado [Com iniciais maiúsculas ou minúsculas.]

lenhoso (le.*nho*.so) [ô] *a.* 1 Que tem consistência ou aspecto de lenho, de madeira; LÍGNEO 2 Ref. a lenho 3 *Bot.* Que apresenta as paredes celulares enrijecidas devido ao acúmulo de lignina (planta lenhosa, tecido lenhoso) 4 *Ecol.* Em que preponderam as plantas de tecidos lenhificados (vegetação lenhosa) [Pl.: [ó]. Fem.: [ó].] [F.: *lenh(o)* + *-oso.* Hom./Par.: *linhoso.*]

◎ **len(i)-** *el. comp.* = 'brando'; 'leve'; 'suave'; 'lene': *lenidade* (< lat.), *lenificar, lenizar* [F.: Do lat. *lenis, e.*]

lenição (le.ni.*ção*) *sf. Ling. Fon.* Abrandamento, o mesmo que *lenização.* [F.: *lenir* + *-ção.*]

leniência (le.ni.*ên*.ci.a) *sf.* 1 Lentidão, suavidade, leniência 2 *P. ext.* Excessiva tolerância: *A leniência dos legisladores e da Justiça é que incentiva o crime.* [F.: *leniente* + *-ia.*]

leniente (le.ni.*en*.te) *a2g.* 1 Que revela lenidade, suavidade 2 Que torna mais calmo, mais suave 3 Excessivamente tolerante *s2g.* 4 Aquilo que acalma, que torna mais suave [F.: Do lat. *leniens, entis.*]

lenígrafo (le.*ní*.gra.fo) ***sm.*** Instrumento que regula os níveis de água em função do tempo

lenimento (le.ni.*men*.to) ***sm.*** 1 Aquilo que abranda, suaviza, alivia 2 *Ter.* Remédio para abrandar, aliviar, dores [F.: Do lat. *lenimentum, i.* Sin. ger.: *lenitivo*. Hom./Par.: *linimento* (sm.).]

leninismo (le.ni.*nis*.mo) ***sm.*** Doutrina ou conjunto de ideias políticas decorrentes do marxismo, elaborada por Lênin, pseudônimo de Vladimir Ulich Ulianov (1870-1924), um dos líderes da revolução soviética de 1917 [Pregava a tomada do poder pelo proletariado, em colaboração com os camponeses, com o fim de estabelecer uma sociedade socialista de organização social superior à do capitalismo, que considerava o grande inimigo da justiça social.] [F.: Do antrop. *Lenin(e)* + *ismo.*]

leninista (le.ni.*nis*.ta) ***a2g.*** 1 Referente ao leninismo: *Livro de inspiração leninista.* 2 Que é partidário do leninismo ***s2g.*** 3 Partidário do leninismo [F.: Do antrop. *Lenin(e)* + *-ista.*]

lenir (le.*nir*) ***v. td.*** Tornar mais brando; APLACAR; LENIFICAR; SUAVIZAR [▶ **59 lenir**] [F.: Do lat. *lenire.*]

lenitivo (le.ni.*ti*.vo) ***sm.*** 1 Coisa que suaviza, que alivia, dores físicas ou morais: "Com isto me darás no meu tormento um doce lenitivo." (Tomás Antônio Gonzaga, *Marília de Dirceu*) 2 *Ter.* Laxante suave ***a.*** 3 Que serve para lenir, acalmar (remédio lenitivo); CALMANTE [F.: Do lat. *lenitus* + *-ivo*. Ou *leni(r)* + *-tivo.*]

lenização (le.ni.za.*ção*) *Ling.* ***sf.*** 1 *Fon.* Relaxamento muscular durante a articulação de um fonema 2 *Fon.* Passagem de uma consoante oclusiva para fricativa [F.: De **lenizar* (< *lene* + *-izar*) + *-ção.*]

lenocínio (le.no.*cí*.ni:o) ***sm.*** 1 Crime que consiste na exploração da prostituição, ou no estímulo de alguém à sua prática 2 *P. ext.* O que seduz ou desperta interesse [F.: Do lat. *lenocinium*. Cf.: *proxenetismo, rufianismo.*]

lenquência (len.*quên*.ci.a) ***sf.*** 1 *RN Pop.* Desembaraço e desenvoltura no falar; ELOQUÊNCIA 2 Discurso demorado, tedioso; DISCURSEIRA [F.: Alt. de *eloquência.*]

lentar (len.*tar*) ***v.*** 1 Tornar(-se) mole, frouxo, arrastado; AMOLENTAR [***int.***] [***td.***] 2 Tornar(-se) um pouco úmido; UMEDECER [***td.***] [***int.***] 3 Transpirar levemente [***int.***] [▶ **1 lentar**] [F.: Do lat. *lentare.*]

lente¹ (*len*.te) ***sf.*** 1 *Ópt.* Corpo feito de material transparente (vidro, acrílico etc.) e capaz de alterar a direção dos raios de luz nele incidentes, causando diferentes distorções na imagem (aumento, diminuição etc.) em função das possíveis curvaturas de suas duas superfícies principais 2 *Anat.* Estrutura lentiforme transparente, biconvexa, situada entre o corpo vítreo e a íris, e que faz parte do mecanismo de refração ocular [Substituiu *cristalino* na nova terminologia anatômica.] 3 *Geol.* Depósito de matérias fósseis, em forma de uma lente biconvexa interposta entre as camadas estratificadas [Dim.: *lentícula.*] [F.: Do lat. *lens, lentis.*] ▪ **~anastigmática** *Ópt.* Lente composta ou sistema de lentes com correção para astigmatismo **~ anesférica** *Ópt.* Lente de superfície não exatamente esférica, para reduzir aberrações **~ aplanética** *Ópt.* Lente corrigida para evitar aberração esférica e coma (aparecimento de uma 'cauda' na imagem) **~ apocromática** *Ópt.* Lente corrigida para evitar aberração cromática em dois comprimentos de onda e coma em um só comprimento **~ bicôncava** *Ópt.* Lente cujas duas superfícies são côncavas (portanto com bordas mais grossas que o centro) e que refrata os raios luminosos fazendo-os divergir **~ biconvexa** *Ópt.* Lente cujas duas superfícies são convexas (portanto com bordas mais finas que o centro) e que refrata os raios luminosos fazendo-os convergir **~ bifocal** *Ópt.* Lente em que cada superfície tem diferentes curvaturas, obtendo com isso dois focos **~ coletora** *Ópt.* Ver *Lente de campo* **~ colimadora** *Ópt.* Lente que num sistema óptico, refrata os raios luminosos tornando-os paralelos **~ composta** *Ópt.* Sistema de lentes justapostas, acopladas etc., de modo a corrigir, no conjunto, as aberrações que cada lente produz **~ convergente** *Ópt* Lente que faz convergirem num foco os raios luminosos que refrata **~ de campo** *Ópt.* Na ocular de um instrumento óptico, a lente mais próxima da objetiva, que amplia o campo de visão; lente coletora **~ de contato** *Oft. Ópt* Pequena lente corretiva da visão que se aplica diretamente sobre a córnea, onde flutua na lágrima **~ de Fresnel** *Ópt.* Lente formada por anéis concêntricos justapostos, mantendo cada um na superfície convexa a mesma curvatura que teriam numa lente inteiriça, mas com espessuras reduzidas (em relação à que teria a lente inteiriça), principalmente no centro. Cria-se assim uma estrutura em 'degraus', que distorceria uma imagem, mas não interfere na ação iluminadora, sendo por isso adequada a faróis **~ delgada** *Ópt.* Aquela na qual a distância entre os planos principais é muito pequena, sendo por isso pequena sua espessura **~ divergente** *Ópt.* Lente que faz divergirem os raios luminosos que refrata, formando no infinito a imagem virtual de um objeto **~ eletrônica** *Eletrôn.* Dispositivo que usa campos elétricos e/ou magnéticos para defletir feixes de elétrons, de maneira semelhante àquela com que uma lente age sobre raios luminosos **~ eletrostática** *Eletrôn.* Dispositivo que usa campos eletrostáticos para agir sobre partículas carregadas de maneira semelhante àquela com que uma lente age sobre raios luminosos **~ esférica** *Ópt.* Lente na qual uma ou ambas as superfícies de refração têm curvaturas idênticas à de uma calota esférica **~ espessa** *Ópt.* Aquela na qual a distância entre os planos principais é grande, sendo por isso grande sua espessura **~ gravitacional** *Astron. Fís.* Propriedade ou fenômeno nos quais um corpo celeste, por sua grande força gravitacional, é capaz de desviar raios luminosos, num efeito semelhante ao de uma lente óptica **~ hemissimétrica** *Ópt.* Lente composta com dois elementos, sendo um o simétrico especular e ampliado do outro **~ hipercromática** *Ópt.* Lente que apresenta algum cromatismo (capacidade de refratar diferentemente as várias cores do espectro visível) para certas frequências do espectro, que corrige aberração cromática de outras frequências **~ holossimétrica** *Ópt.* Lente hemissimétrica em que não há diferença de tamanho entre os elementos **~ plano-convexa** *Ópt.* Lente na qual uma das superfícies é plana, a outra esférica e côncava, ou seja, suas bordas são mais espessas que o centro **~ plano-convexa** *Ópt.* Lente na qual uma das superfícies é plana, a outra esférica e convexa, ou seja, suas bordas são menos espessas que o centro **~ supercromática** *Ópt.* Lente sem aberração cromática numa grande faixa do espectro **~ toroidal** *Ópt.* Lente na qual uma das superfícies refratoras é toroidal

📖 Uma lente, fabricada ger. no formato aproximado de um disco (que pode ter as bordas recortadas para encaixar em aros de óculos, molduras etc. de outro formato), tem duas superfícies principais e uma certa espessura. Pelo menos uma das superfícies é curva (esférica, dilíndrica ou parabólica), e é em função da combinação das formas dessas duas superfícies e de seu grau de curvatura que se verifica a a refração (desvio de direção do raio de luz) que se provoca o efeito óptico. Além do uso de lentes simples para diferentes fins (lentes corretivas nos óculos, lentes de aumento nas lupas etc.), a combinação de lentes de diferentes graus de refração multiplica seu efeito com grande ampliação de objetos distantes (como nos binóculos e telescópios) e próximos (como nos microscópios), ou ainda na captura de imagens (como nas câmeras fotográficas e cinematográficas).

lente² (*len*.te) ***s2g.*** 1 *Lus. Antq.* Professor universitário ou do ensino médio 2 *Ant.* Ver *leitor* (2) ***a.*** 3 *Ant.* Que lê; LEITOR [F.: Do lat. *legens, entis.*]

lentejoila (len.te.*joi*.la) ***sf.*** Ver *lentejoula* [Tb. *lantejoula, lantejoila.*]

lentejoula (len.te.*jou*.la) ***sf.*** Pequena placa redonda, bem fina, ger. de metal ou de plástico com tinta metálica, de cor vibrante, com um furo no centro, que se prega, como adorno, sobre tecido, esp. em roupas festivas e fantasias [F.: Do espn. *lentejuela* (dim. de *lenteja* < lat. *lenticula*), e suas var.: *lentejoila, lantejoula* (f. mais us.) e *lantejoila.*]

lentejoulamento (len.te.jou.la.*men*.to) ***sm.*** Ação ou resultado de lentejoular [F.: *lentejoular* + *-mento*. Tb.: *lentejoilamento, lantejoulamento, lantejoilamento.*]

lentejoular (len.te.jou.*lar*) ***v.*** 1 Adornar com lentejoulas, ou lantejoulas [***td.***] 2 Brilhar como lentejoula [***int.***] [▶ **1 lentejoular**] [F.: *lentejoula* + *-ar²*. Tb.: *lentejoilar, lantejoular, lantejoilar*. Hom./Par.: *lentejoula(s* (fl.), *lentejoula(s*), (s. f. [pl.]).]

◎ **lent(i)-** ***el. comp.*** = 'lentilha'; 'lente': *lentiforme* [F.: Do lat. *lens, lentis.*]

lenticela (len.ti.*ce*.la) ***sf.*** *Bot.* Pequena abertura na periderme dos eixos vegetais, constituída de células suberizadas e fracamente agregadas, que permite que o ar circule entre a atmosfera e os tecidos subjacentes; LENTÍCULA [F.: Do fr. *lenticelle.*]

lentícula (len.*tí*.cu.la) ***sf.*** 1 Pequena lente 2 *Bot.* O mesmo que *lenticela* [F.: Do lat. tard. *lenticula, ae.*]

lenticular (len.ti.cu.*lar*) ***a2g.*** 1 Que é semelhante a lente ou lentilha 2 Mesmo que *lentiforme* 3 *Anat.* Relativo a cristalino ou a lente 4 *Anat.* Diz-se de pequeno osso da orelha média, entre o martelo e a bigorna ***sm.*** 5 *Anat.* Pequeno osso da orelha média, entre o martelo e a bigorna 6 Instrumento us. para furar o casco dos animais [F.: Do lat. *lenticulare.*]

lentidão (len.ti.*dão*) ***sf.*** 1 Qualidade do que é lento 2 Falta de rapidez; MOROSIDADE; LERDEZA; VAGAR; VAGAREZA [Ant.: *pressa, velocidade.*] 3 *P. ext.* Pachorra, preguiça, indolência [Ant.: *prontidão.*] 4 Leve umidade [Pl.: *-dões.*] [F.: Do lat. *lentitudo, inis.*]

lentiforme (len.ti.*for*.me) ***a2g.*** Que apresenta forma de lente ou lentilha; LENTICULAR [F.: *lent(i)-* + *-forme.*]

lentigem (len.*ti*.gem) ***sf.*** *Derm.* Mesmo que *efélide* (sarda) [F.: Do lat. *lentigo, iginis.*]

lentígrado (len.*tí*.gra.do) ***a.*** Que se move lentamente; TARDÍGRADO [F.: *lento* + *-i-* + *-grado.*]

lentilha (len.*ti*.lha) ***sf.*** 1 *Bot.* Planta trepadeira da família das leguminosas (*Lens esculenta*), nativa da Ásia, cujo legume contém uma ou duas sementes discoides comestíveis; LENTILHEIRA 2 *Bot.* A semente de cor marrom ou verde dessa planta 3 *Geol.* Forma que adquirem certos depósitos entre estratos 4 *Farm.* Ver pellet (2) [Col.: *lentilhoso.*] [F.: Do lat. *lenticula, ae.* Ideia de: 'lentilha', usar *antepos.* fac(o)-, facot- e lent(i)-.]

lentivírus (len.ti.*ví*.rus) ***sm2n.*** *Micbiol.* Qualquer vírus do gênero *Lentivirus*, da família dos retrovírus, que causa infecções com longo período de latência clínica, replicação viral persistente e envolvimento dos sistemas nervoso central e imunológico. Incluem o HIV, e os vírus da imunodeficiência felina e símia [F.: Do lat. cient. *Lentivirus.*]

◎ **-lento** ***suf.*** = realce de qualidade, pleno de: *corpulento, sonolento, virulento.*

lento (*len*.to) ***a.*** 1 Sem rapidez; DEMORADO; MOROSO [Ant.: *ligeiro, rápido, veloz.*] 2 Que ocorre ou se processa devagar (evolução lenta); DURADOURO; PROLONGADO [Ant.: *ligeiro, rápido.*] 3 Espaçado, pausado, compassado 4 Pouco agitado; BRANDO 5 Preguiçoso, pachorrento, indolente [Ant.: *ativo, ligeiro.*] 6 Com certa umidade 7 Cujas reações carecem de agilidade; LERDO [Ant.: *ágil.*] 8 Bambo, frouxo, mole 9 *Mús.* Peça musical executada em andamento lento ***adv.*** 10 *Mús.* Em andamento vagaroso [F.: Do lat. *lentus, a, um.* Ideia de 'lento': *bradi-* e *tard(i)-*.] ▪ **~ e ~** Gradualmente, aos pouquinhos **~ ~** Ver *Lento e lento*

lentura (len.*tu*.ra) ***sf.*** 1 Baixa umidade 2 Umidade do orvalho 3 *Pop.* Líquido que se destila pelos poros da pele; SUOR [F.: *lento* + *-ura.*]

leoa (le.*o*:a) [ô] ***sf.*** 1 *Zool.* A fêmea do leão (1) 2 *P. ext.* Mulher vistosa, muito enfeitada 3 *Fig.* Mulher cuja sensualidade transmite uma certa agressividade 4 *Fig.* Mulher corajosa, que luta com firmeza por seus objetivos 5 *Fig. Pej.* Mulher de mau gênio 6 *Fig. Pej.* Mulher perversa, cruel [F.: leão sob a f. rad. *leo* + *-a.*]

leônculo (le.*ôn*.cu.lo) ***sm.*** Leão de pequeno tamanho; LEÃOZETE; LEÃOZINHO [F.: *leon* (leão) + *-culo.*]

leônico (le.*ô*.ni.co) ***a.*** 1 Referente ou próprio de leão; LEONINO 2 *Ant. Anat.* Diz-se de cada uma das veias que se encontram na parte inferior da língua [F.: *leon-* (leão) + *-ico.*]

leonino (le:o.*ni*.no) ***a.*** 1 Ref. ou semelhante ao leão, ou que o lembra em seu aspecto, em seu vigor, sua coragem, ferocidade etc. (cabeleira leonina, determinação leonina) 2 *Fig.* Desleal, pérfido, traiçoeiro 3 *P. ext.* Em que só lucra uma das partes; em que há intenção de prejudicar, subjugar, explorar outrem (contrato leonino); DOLOSO 4 *Astrol.* Ref. ao signo de Leão, ou às qualidades ou influências a ele atribuídas, segundo a astrologia (personalidade leonina) 5 *Astrol.* Que nasceu sob o signo de Leão 6 *Poét.* Diz-se de verso no qual a sílaba da cesura (acentuada) rima com a última 7 *Hist.* Ref. a qualquer um dos papas chamados Leão ***sm.*** 8 *Astrol.* Aquele que nasceu sob o signo de Leão [F.: Do lat. *leoninus, a, um.*]

leontíase (le.on.*tí*.a.se) ***sf.*** *Imun.* Fácies leonina que se observa no processo criado pela lepra lepromatosa, fenômeno produzido pela invasão nodular subcutânea da face, o que lhe confere aspecto semelhante ao de um leão; face leonina [F.: Do gr. *leontíasis, eos.*] ▪ **~óssea** *Med.* Hipertrofia óssea simétrica em ambos os lados da face e do crânio, que dá à cabeça aspecto semelhante à de um leão

leopardo (le:o.*par*.do) ***sm.*** 1 *Zool.* Grande felino da África e Ásia (*Panthera pardus*), de hábitos noturnos e pelagem amarela com manchas negras de diversos formatos 2 O pelame desse animal: *Comprou um casaco de leopardo.* 3 *Fig.* A Inglaterra [Porque nas armas dessa nação figuram três leopardos.] [F.: Do gr. tard. *leópardos*, pelo lat. tard. *leopardus*. Cf.: *pantera.*]

◎ **-lépide** ***el. comp.*** Ver *lepid(o)-*

lepidez (le.pi.*dez*) [ê] ***sf.*** Qualidade de lépido; AGILIDADE; LIGEIREZA; RAPIDEZ [F.: *lépido* + *-ez.*]

◎ **-lepid(o)-** ***el. comp.*** Ver *lepid(o)-*

◎ **lepid(o)-** ***el. comp.*** = 'aquilo que cobre, reveste'; 'escama'; 'casca': *lepidocarpo, lepidócero, lepidodendrácea, lepidóptero, lepidoto* (< gr.); *plecolepídio; monolépido, monolépide, octolépide* [F.: Do gr. *lepís, ídos.*]

◎ **-lépido** ***el. comp.*** Ver *lepid(o)-*

lépido (*lé*.pi.do) ***a.*** 1 Ligeiro, ágil, rápido [Ant.: *arrastado, lento, vagaroso.*] 2 Alegre, jovial, espirituoso [Ant.: *carrancudo, melancólico, taciturno.*] [F.: Do lat. *lepidus, a, um.*]

lepidocarpo (le.pi.do.*car*.po) ***a.*** *Bot.* Que tem frutos escamosos [F.: *lepid(o)-* + *-carpo.*]

lepidócero (le.pi.*dó*.ce.ro) ***a.*** *Zool.* Que exibe pequenas escamas nas antenas [F.: *lepid(o)-* + *-cero.*]

lepidodendrácea (le.pi.do.den.*drá*.ce:a) ***sf.*** *Bot.* Espécime das lepidodendráceas, fam. de pteridófitas que tiveram grande desenvolvimento do devoniano ao carbonífero [F.: Adapt. do lat. cient. *Lepidodendraceae*; ver *lepid(o)-, -dendr(o)-* e *-ácea.*]

lepidóptero (le.pi.*dóp*.te.ro) *Zool.* ***sm.*** 1 Espécime dos lepidópteros, ordem de insetos que reúne as borboletas e mariposas, dotados de peças bucais que permitem a sucção ***a.*** 2 Ref. ou pertencente aos lepidópteros [F.: Adapt. do lat. cient. *Lepidoptera;* ver *lepid(o)-* e *-ptero.*]

lepidopterologia (le.pi.dop.te.ro.lo.*gi*.a) ***sf.*** *Zool.* Parte da entomologia que tem os insetos lepidópteros como objeto de estudo [F.: *lepidóptero* + *-logia.*]

lepidopterologista (le.pi.dop.te.ro.lo.*gis*.ta) *Zool.* ***a2g.*** 1 Que é profissional ou estudioso de lepidopterologia ***s2g.*** 2 Esse ou essa profissional [F.: *lepidopterologia* + *-ista*, seg. o mod. o gr.]

lepidoto (le.pi.*do*.to) ***a.*** 1 *Bot.* O mesmo que *escamoso* (2) 2 *Zool.* Que é coberto de pequenas escamas [F.: Do gr. *lepidotós, é, ón.*]

leporino (le.po.*ri*.no) ***a.*** 1 De ou ref. a lebre 2 *Pat.* Que tem fenda congênita [Diz-se de um dos lábios, ger. o superior.] [F.: Do lat. *leporinus, a, um.*]

lepra (*le*.pra) ***sf.*** 1 *Hist. Med.* Na Antiguidade, denominação comum para as infecções de pele, mucosas e nervos periféricos, ger. de caráter crônico e contagioso ***sf.*** 2 *Pat.* Ver *hanseníase* 3 *Pop.* Sarna de cachorro 4 *Fig.* Qualquer coisa que se propaga como a lepra: *A lesão por esforço repetitivo é a lepra de nossa era.* 5 *Bras. S. Fig.* Pessoa imprestável, ruim 6 *Pop. Fut.* Jogador ruim; PERNA DE PAU [F.: Do gr. *lépra, as*, pelo lat. *lepra, ae.*]

◎ **lepr(o)-** ***el. comp.*** = 'lepra', 'hanseníase': *leprologia, lepralgia, leproide, leproma, leprosário* [F.: Do lat. *lepra, ae* (< gr. *lépra, as*).]

leprologia (le.pro.lo.*gi*.a) ***sf.*** *Med.* Parte da medicina que estuda a hanseníase, a lepra [F.: *lepr(o)-* + *-logia.*]

leprologista (le.pro.lo.*gis*.ta) *Med.* ***a2g.*** 1 Que é especialista no tratamento da lepra, da hanseníase ***s2g.*** 2 Esse ou essa especialista [F.: *leprologia* + *-ista*, seg. o mod. gr.]

leproma (le.*pro*.ma) ***sm.*** *Med.* Nódulo granulomatoso cutâneo que caracteriza a lepra [F.: *lepr(o)-* + *-oma¹.*]

lepromatoso (le.pro.ma.*to*.so) [ô] *Med.* ***a.*** 1 Ref. a leproma ***a.*** 2 Que tem leproma ***sm.*** 3 Aquele que tem leproma [F.: Do gr. *lépra, as* 'lepra' + *ógkoma, atos* 'tumor' + *-oso.*]

leprosário (le.pro.*sá*.ri:o) *sm. Antq.* Hospital para isolamento e tratamento de leprosos; GAFARIA; LEPROSARIA; LAZARETO [F.: *leproso* + *-ário*.]

leprose (le.*pro*.se) *sf. Bot.* Doença dos limoeiros causada por vírus, e que se caracteriza por manchas nos frutos e sinais amarelados nas folhas e ramos [F.: *lepra* + *-ose*.]

leproso (le.*pro*.so) [ô] *a.* **1** *Pat.* Ref. ou semelhante a lepra (pele leprosa) **2** *Pat.* Ver *hanseniano* **3** *Fig.* Que provoca nojo, asqueroso **4** *Fig.* Contaminado de vícios, pernicioso **5** *Fig.* Maléfico, perverso, ruim **6** *Fig. Ant.* Que não oferece resistência, dócil **7** *Fig.* Pessoa desagradável, perversa, ruim *sm.* **8** *Pat.* Ver *hanseniano* [Pl.: [ó]. Fem.: *ó*] [F.: Do lat. *leprosus, a, um*.]

◎ **-lepse** *el. comp.* = 'ação de agarrar, de receber'; 'acesso'; 'perda ou diminuição'; '(dada) figura de linguagem (caracterizada pelo pref. ou elemento que antecede)': *analepse, anfilepse, antimetalepse, epanalepse, metalepse, prolepse, silepse* [F.: Do gr. *-lepsis, eos*, do gr. *lêpsis, eos*. F. conexa: *-lepsia*.]

◎ **-lepsia** *el. comp.* = 'ação de agarrar'; 'ação de receber, recepção'; 'apreensão'; 'possessão'; 'queda, perda ou diminuição': *catalepsia, deolepsia, diabolepsia, epilepsia, histeroepilepsia, metalepsia, metilepsia, narcolepsia, psicolepsia* [F.: Do gr. *-lepsía, as*, do gr. *lêpsis, eos*, 'ação de agarrar', 'ato de receber ou de apoderar-se de algo'. F. conexa: *-lepse*.]

◎ **-léptico** *suf.* = parada: *epiléptico*.

◎ **lept(o)-** *el. comp.* = 'delgado'; 'fino'; 'estreito'; 'pequeno'; 'fraco': *leptina, leptocefalia, leptofilo, leptodonte, leptologia, leptomeninge, leptoprosopia, leptorrino, leptospira* (< lat. cient.), *leptossômico* [F.: Do gr. *leptós, é, ón*, 'destituído de pele'; 'sutil', 'delgado', 'fino'.]

leptodérmico (lep.to.*dér*.mi.co) *a.* Que tem células epidérmicas delgadas [F.: *lept(o)-* + *dérmico*.]

leptologia (lep.to.lo.*gi*.a) *sf.* **1** *Ret.* Discurso delicado, sutil, minucioso **2** Estilo fino, culto [F.: Do gr. *leptología, as*.]

leptológico (lep.to.*ló*.gi.co) *a.* Ref. a leptologia [F.: *leptologia* + *-ico*².]

leptomeninge (lep.to.me.*nin*.ge) *sf. Anat.* A aracnoide e a pia-máter consideradas em conjunto [F.: *lept(o)-* + *meninge*.]

lépton (*lép*.ton) *sm. Fís.* Designativo de qualquer das partículas elementares que fazem parte das interações fracas e eletromagnéticas, e que consistem em elétron, múon e tau, bem como nos neutrinos associados a cada uma dessas partículas [Pl.: *léptones, léptons*. Forma us. em Portugal: *leptão*.] [F.: Do gr. *leptós, é, ón* 'delgado, fino', pelo ing. *lepton*.]

leptorrino (lep.tor.*ri*.no) *Antr. a.* **1** Diz-se de indivíduo de nariz comprido e estreito, e cujo índice nasal está abaixo de 48 *sm.* **2** Indivíduo leptorrino [F.: *lept(o)-* + *-rino*. Cf.: *mesorrino, platirrino*.]

leptospira (lep.tos.*pi*.ra) *Bac. sm.* **1** Nome comum dado às bactérias do gên. *Leptospira*, que têm forma espiral e são Gram-positivas **2** Qualquer espécie desse gênero, como a *L. interrogans* e a *L. biflexa*, que provocam a leptospirose [F.: Do tax. *Leptospira*.]

leptospirose (lep.tos.pi.*ro*.se) *Pat. sf.* **1** Doença infecciosa aguda causada pela bactéria *Leptospira interrogans*, transmitida pela urina de rato e caracterizada por insuficiência renal e hepática *sf.* **2** Infecção causada por bactérias do gênero *Leptospira* [F.: *Leptospir (a)* + *-ose*².]

leptossômico (lep.tos.*sô*.mico) *a.* **1** Conforme a classificação biotipológica do psiquiatra alemão Ernst Kretschmer (1888-1964), diz-se de tipo corporal magro e esbelto (um dos quatro tipos constitucionais básicos), que corresponde ao caráter esquizotímico *sm.* **2** Esse tipo [F. *leptossomo* + *-ico*². Sin. ger.: *leptossomo, longilíneo*. Cf.: *pícnico*.]

leque (*le*.que) *sm.* **1** Abano feito de pequenas hastes sobrepostas, cobertas de papel ou de pano, articuladas na extremidade inferior por um eixo comum, de modo que se pode abrir e fechar facilmente **2** *Fig.* Conjunto, gama, variedade de coisas: *um leque de possibilidades.* **3** *Fig.* Qualquer coisa que tem forma de leque (1) aberto: *o pavão abriu o leque da cauda.* **4** *Arq.* Conjunto de degraus, dispostos em curvatura, que conecta dois lanços de escada **5** *Art. gr.* Defeito de composição, em que uma das margens do texto apresenta entrelinhamento maior que a outra **6** *Art. gr.* Nas impressoras de cilindro, série de palhetas de madeira justapostas que transferem a folha impressa para a mesa receptora; PENTE **7** *Zool.* Nome comum aos moluscos bivalves da família dos pectinídeos, marinhos, de valvas equiláteras e em forma de leque (1), ger. comestíveis; PENTE; VIEIRA **8** *Zool.* Nome de dois moluscos da fam. dos pectinídeos (*Lyropecten nodosus* e *Pecten ziczac*), marinhos, comestíveis e que ocorrem dos Estados Unidos até o sul do Brasil [F.: De abano *léquio*, adaptação do chinês *Lieu Khieu*, arquipélago japonês que os portugueses do século XVI chamavam de 'ilhas léquias'.] ■ **Em ~** No formato de um leque, abrindo ângulo a partir de um ponto: *O fogo espalhou-se em leque pela clareira.* **~ aluvional/de aluvião** *Geol.* Ver *Cone de aluvião* no verbete *cone*

ler¹ *v.* **1** Percorrer com a vista ou tato (signos, palavras, texto), apreendendo-lhes o significado e enunciando-os ou não em voz alta [*td.*: *ler um livro; ler francês, italiano.*] [*tdi.* + *para*: *Toda noite lia histórias para os filhos.*] [*int.*: *Poucos, ali, sabiam ler.*] **2** Estudar (texto) [*td.*: *Teve de ler dois capítulos do livro para a prova.*] **3** Interpretar um escrito (em prosa ou verso) em voz alta; RECITAR; PROFERIR [*td.*: *Leu o poema com precisão e ternura; Lia os discursos sem nenhuma ênfase.*] **4** Percorrer escrita de signos não linguísticos, compreendendo-lhe o significado; DECIFRAR [*td.*: *Lera, enlevado, as partituras das Bachianas Brasileiras.*] **5** Observar sinais, marcas, movimentos de outras linguagens, compreendendo-lhes o sentido [*td.*: *Lia os lábios da moça e entendia tudo.*] **6** Adivinhar, predizer [*td.*: *Leu o futuro do pascácio em suas mãos.*] **7** Interpretar os resultados de chapa radiográfica, eletrocardiograma etc. [*td.*: *O médico leu-lhe o eletro com indiferença.*] **8** Captar, perceber, sentir [*td.*: *Em seu olhar, leu aceitação e nenhuma hostilidade.*] **9** Captar imagens ou sons, falando-se de certos aparelhos [*td.*: *O gravador não conseguia ler fita tão gasta.*] **10** *Inf.* Copiar informação armazenada para a memória principal do computador [*td.*] **11** Antever ou antecipar algo, a partir de certos indícios [*td.*: *No conjunto de depoimentos, leu a condenação do réu.*] [▶ 34 ler] [F.: Do lat. *legere*. Hom./Par.: *leste(s)* (fl.), *leste(s)* (a2g. sm. [pl.]), *lestes* (a2g2n.); *leu* (fl.), *leu* (sm.); *li* (fl.), *li* (sm.); *lia* (fl.), *lia* (sf. e fl. de *liar*), *Lia* (antr. f.); *liam* (fl.), *liam* (fl. de *liar*); *lias* (fl.), *lias* (fl. de *liar*); *lê* (fl.), *lé* (sm.); *leiais* (fl.), *leais* (pl. de *leal* [a2g.]); *leria(s)* (fl.), *léria(s)* (sf. [pl.]); *leu* (fl.), *léu* (sm.); *líamos* (fl.), *liamos* (fl. de *liar*); *líeis* (fl.), *lieis* (fl. de *liar*).]

⊠ **LER** Sigla de *Lesão de Esforço Repetitivo*, síndrome de dor, ger. em alguma parte de um membro superior, causada pelo uso dessa parte em trabalhos ou tarefas recorrentes, com solicitação continuada dos mesmos músculos e tendões

lerdear (ler.de.*ar*) *Bras. v. int.* **1** Mostrar-se lerdo **2** *Fig.* Deixar o tempo passar; perder tempo [▶ 13 lerdear] [F.: *lerdo* + *-ear*².]

lerdeza (ler.*de*.za) [ê] *sf.* **1** Característica do que é lerdo **2** Lentidão, morosidade, vagareza [Ant.: *agilidade, ligeireza, rapidez*.] **3** *Bras. Pop.* Falta de discernimento, de rapidez no raciocínio e/ou nos movimentos; ESTUPIDEZ; IDIOTICE [Ant.: *argúcia, esperteza, sagacidade*.] [F.: *lerdo* + *-eza*. Sin. ger.: *lerdice*.]

lerdice (ler.*di*.ce) *sf. Bras.* O mesmo que *lerdeza* [F.: *lerdo* + *-ice*.]

lerdo (*ler*.do) [é] *a.* **1** Pesado ou lento de movimentos; MOROSO; VAGAROSO [Ant.: *ágil, expedito, lesto, rápido*.] **2** De raciocínio lento; falto de sagacidade; ESTÚPIDO; IDIOTA; TOLO [Ant.: *arguto, sagaz*.] **3** Bruto, grosseiro, rude; DELICADO; REFINADO [Aum.: *lerdaço*.] [F.: De or. obsc. Posv. do espn. *lerdo*.]

lereia (le.*rei*:a) *sf. Bras.* Conversa sem utilidade, conversa mole; LÉRIA [F.: De orig. obsc.]

léria (*lé*.ri:a) *sf.* **1** Conversa ou história com que se pretende iludir a boa-fé de uma pessoa ou dela conseguir algo; FALÁCIA; LÁBIA **2** Conversa sem conteúdo relevante ou sem objetivo; CONVERSA MOLE; LENGA-LENGA; LERO-LERO; PALAVRÓRIO *s2g.* **3** Pessoa que fala muito, mas não faz nada de útil [F.: De or. obsc. Hom./Par.: *leria* (fl. de *ler*).]

lero (*le*.ro) *sm. Gír.* Conversa, papo: *Vamos levar um lero antes do jantar!* [F.: De or. contrv., posv. do quic. *lelo* 'boca'.]

lero-lero (le.ro-*le*.ro) *sm.* Conversa inútil, vazia, à toa; CONVERSA MOLE; LÉRIA; PALAVRÓRIO [Pl.: *lero-leros*.] [F.: Voc. expressivo.]

lés *sm.* Extremidade, ponta; us. apenas nas locs. *de lés a lés* e *lés a lés* ■ **De ~ a ~** De lado a lado, de uma extremidade a outra, de ponta a ponta: *Para testar o asfalto, percorreu a pista de lés a lés.* **~ a ~** O mesmo que *de lés a lés*: *Esquadrinhou o lugar lés a lés.*

lesado (le.*sa*.do) *a.* **1** Que sofreu lesão física (joelho lesado); CONTUNDIDO; FERIDO; MACHUCADO **2** Prejudicado financeira ou moralmente: *Ele sentiu-se lesado por causa do divórcio.* [Ant.: *beneficiado, favorecido*.] **3** *Bras. Pop. Pej.* Amalucado ou muito esquecido; ABOBALHADO; ADOIDADO; LESO [Ant.: *ajuizado, equilibrado*.] [F.: Part. de *lesar*.]

lesa-humanidade (le.sa-hu.ma.ni.*da*.de) *sf.* F. red. de *crime de lesa-humanidade* [Pl.: *lesas-humanidades*.]

lesa-majestade (le.sa-ma.jes.*ta*.de) *sf.* Crime contra o rei, contra um membro da família real ou contra o poder soberano de um Estado [Pl.: *lesas-majestades*.]

lesante (le.*san*.te) *a2g.* **1** Que lesa *s2g.* **2** Aquele que lesa ou prejudica [F.: *lesa(r)* + *-nte*.]

lesão (le.*são*) *sf.* **1** Ação ou resultado de lesar(se) **2** *Pat.* Dano em qualquer órgão ou estrutura corporal [+ *de, em*: *lesão do / no pé.*] **3** *Pat.* Uma das partes do corpo onde se manifesta uma doença sistêmica **4** Prejuízo moral ou material [+ *a*: *lesão à honra/ lesão aos cofres públicos.*] **5** *Jur.* Violação de um direito praticada com intenção ou por negligência [+ *de, em*: *lesão dos /nos direitos de cidadão.*] **6** *Jur.* Em direito penal, dano à integridade física de alguém [Pl.: *-sões*.] [F.: Do lat. *laesio, onis*.] ■ **~ corporal** *Jur.* Dano à saúde ou à integridade física de alguém **~ de esforço repetitivo** Síndrome de dor causada, ger. em parte de membro superior, por esforço recorrente em tarefas que utilizam sempre os mesmos músculos e tendões. Tb, conhecida como LER **~ funcional** *Med.* Alteração na função de órgão, tecido etc., sem que haja alteração anatômica **~ orgânica** *Med.* Lesão em órgão, tecido etc., com alteração anatômica

lesa-pátria (le.sa-*pá*.tri:a) *sf.* Crime contra a soberania e a segurança da pátria; LESO-PATRIOTISMO [Pl.: *lesas-pátrias*.]

lesar (le.*sar*) *v.* **1** Provocar ou sofrer lesão física; FERIR(-SE); LESIONAR(-SE) [*td.*: *Lesou o joelho na queda; Lesou-se ao mexer na panela.*] [*int.*: *A criança lesou-se ao cair da cadeira.*] **2** Provocar ou sofrer lesão moral [*td.*: *Lesaram o bom nome daquele jornalista.*] [*int.*: *Lesou-se com a calúnia de que foi alvo.*] **3** Violar (constituição, direito, lei etc.) [*td.*: *lesar a constituição.*] **4** Cometer fraude; FRAUDAR; ROUBAR [*td.*: *lesar os cofres públicos.*] **5** *P. us.* Revelar-se bobo, pateta, tolo [*int.*: *Por acreditar em qualquer um, acabou lesando.*] **6** Andar sem ter nenhum destino; ERRAR; VAGUEAR [*int.*: *Não faz nada, vive lesando por aí!*] [▶ 1 lesar] [F.: Do lat. *laesare*, no lat. clássico *laedere*. Hom./Par.: *lese(s)* (fl.), *lese(s)* (sf. [pl.]); *leso* (fl.), *leso* (a.).]

lesbianismo (les.bi:a.*nis*.mo) *sm.* Homossexualismo feminino; SAFISMO [F.: *lesbian(o)* + *-ismo*.]

lesbiano (les.bi.*a*.no) *a.* **1** Ver *lésbico* (1) **2** Ver *lésbico* (2) **3** *Pej.* Depravado, devasso [F.: Do top. *Lesbos* (ilha da Grécia) + *-iano*.]

lésbica (*lés*.bi.ca) *sf.* Mulher homossexual; SAFISTA [Tb. se diz *lésbia, lesbiana*.] [F.: Do top. gr. *Lesb(os)* + *-ico*².]

lésbico (*lés*.bi.co) *a.* **1** De Lesbos; típico dessa ilha grega ou de seu povo; LESBIANO; LESBÍACO; LÉSBIO *a.* **2** Diz-se do amor de uma mulher por outra; LESBÍACO; LESBIANO; LÉSBIO **3** Diz-se de mulher que sente atração sexual por outra [F.: Do top. *Lesbos* (ilha da Grécia) + *-ico*².]

lesco-lesco (les.co-*les*.co) *sm. Bras. Gír.* A lida cotidiana; trabalho pesado, cansativo [Pl.: *lesco-lescos*.] [F.: De or. expressiva.]

leseira (le.*sei*.ra) *sf.* **1** *Bras.* Falta de disposição, de ânimo; INDOLÊNCIA; MOLEZA **2** *N.E.* Qualidade ou ação de pessoa lesa ou tola; ESTUPIDEZ; IDIOTICE: "Quem sabe, Diocléio, se toda aquela gente não existia e tudo não passava de leseira da tua cabeça." (José Lins do Rego, *Pedra Bonita*) *s2g.* **3** *N.E.* Indivíduo leso ou tolo; IDIOTA; IMBECIL; PALERMA; PASPALHÃO [Ant.: *esperto*.] [F.: *les(o)* + *-eira*.]

lesionado (le.si:o.*na*.do) *a.* Que sofreu lesão, contusão; LESADO [F.: Part. de *lesionar*.]

lesionar (le.si.o.*nar*) *v.* Causar lesão física ou sofrê-la; LESAR [*td.*: *A queda lesionou seu pulso.*] [*int.*: *Lesionou-se na queda da escada.*] [▶ 1 lesionar] [F.: Rad. de *lesão*, sob a f. *lesion* + *-ar*².]

lesivo (le.*si*.vo) *a.* **1** Que causa ferimento ou traumatismo [+ *a, de*: *remédio lesivo ao / do estômago.*] **2** Que causa prejuízo ou dano [+ *a, de*: *atos lesivos ao /do meio ambiente.*] [F.: *les(ar)* + *-ivo*.]

lesma (*les*.ma) [ê] *sf.* **1** *Zool.* Nome comum a diversos moluscos gastrópodes terrestres da fam. dos limacídeos, que têm concha muito pequena e coberta pelo manto. Vivem em lugares muito úmidos e deixam por onde passam um humor viscoso **2** *Zool.* Ver *planária* **3** *Fig. Pej.* Pessoa vagarosa no agir e no pensar **4** *Fig. Pej.* Pessoa sem atrativos, sem graça [F.: De or. contrv. Posv. do lat. *limax, acis*. Hom./Par.: *lesma* (fl. de *lesmar*).]

lesmento (les.*men*.to) *a.* **1** *Bras. Pop.* Ref. ou concernente a lesma **2** *Fig.* Que é vagaroso, lento, preguiçoso (criança lesmenta) **3** *Fig.* Que é pegajoso, viscoso, que gruda nas mãos (sopa lesmenta) [F.: *lesm(a)* + *-ento*.]

leso (*le*.so) [é] *a.* **1** Que sofreu lesão física, moral ou material **2** Tolhido, paralítico: *Ficou leso de um braço.* **3** *Fig.* Sem ação; atordoado, desnorteado **4** *Bras. Fig.* Amalucado, apatetado, lesado *sm.* **5** *Bras. Fig.* Indivíduo leso, tolo [F.: Do lat. *laesus, a, um*. Hom./Par.: *leso* (fl. de *lesar*).]

lesoto (le.*so*.to) *sm.* **1** Indivíduo nascido ou que vive em Lesoto (África) *a.* **2** De Lesoto; típico desse país ou de seu povo [F.: Do top. *Lesoto*.]

leste (*les*.te) *sm.* **1** *Astr.* Direção no globo terrestre onde nasce o Sol, à direita de quem está de frente para o norte. [Abrev.: *E., L.*] **2** Região ou conjunto de regiões a leste (1) **3** *Geog.* O ponto cardeal que indica a direção leste (1). [Abrev.: *E., L.*] **4** *Lud.* Peça do majongue, jogo originado na China *a2g2n.* **5** Ref. ao ou que vem do leste (1) (longitude leste, vento leste) **6** Que se situa a leste (1): *a costa leste dos EUA.* [Ant.: *ocaso, ocidente, poente*.] [F.: Do fr. *l'est*. Hom./Par.: *lestes* (*pl.*), *leste* (ê) e *lestes* (ê) (fl. de *ler*). Ant. ger.: *oeste*.]

lesto (*les*.to) [é] *a.* **1** Que mostra ligeireza, agilidade, que é expedito, desembaraçado; ÁGIL; LÉPIDO; LIGEIRO [Ant.: *lento, lerdo*.] **2** Que se mostra pronto, preparado (time lesto) **3** *Fig.* Que mostra eficiência e rapidez na resolução de problemas (funcionário lesto); ESPERTO **4** *Fig.* Que possui ânimo, disposição **5** *Mar.* Pronto para executar tarefa ou manobra (embarcação lesta) *adv.* **6** De modo lesto; LESTAMENTE; RAPIDAMENTE [F.: De or. obsc.]

letal (le.*tal*) *a.* **1** Que se refere à morte ou a ocasiona (veneno letal); LETÍFERO; MORTAL; MORTÍFERO **2** *Fig.* Que prejudica irremediavelmente: *A expulsão do goleiro foi letal para o time.* [Pl.: *-tais*.] [F.: Do lat. *letalis, e*.]

letalidade (le.ta.li.*da*.de) *sf.* **1** Qualidade do que é letal: *A letalidade de uma bomba.* **2** Número de óbitos; MORTALIDADE [F.: *letal* + *-(i)dade*.]

letão (le.*tão*) *sm.* **1** Pessoa nascida ou que vive na Letônia (Europa) **2** *Gloss.* Língua falada na Letônia *a.* **3** Da Letônia; típico desse país ou de seu povo **4** Do ou ref. ao letão (2) [Pl.: *-tões*. Fem.: *letã*.] [F.: Do letão *latvi*, pelo lat. moderno *letto, onis*, posv. pelo fr. *letton*. Sin. ger.: *leto*. Hom./Par.: *litão* (sm.).]

letargia (le.tar.*gi*.a) *sf.* **1** *Psiq. Pat.* Estado de prostração patológico semelhante a um sono profundo do qual o paciente só desperta com muita dificuldade e por breves períodos **2** Sono profundo **3** *Fig.* Apatia profunda; DESINTERESSE; INÉRCIA **4** *Fig.* Estado de debilidade física ou moral; depressão; PROSTRAÇÃO [Ant.: *vigor*.] [F.: Do gr. *lethargía*. Sin. ger.: *letargo*. Ideia de 'letargia': usar *antepos*. sopor(i)-.]

letárgico (le.*tár*.gi.co) *a.* **1** Ref. a letargia **2** Afetado de letargia [F.: Do gr. *lethargikós, e, ón*, pelo lat. *lethargicus, a, um*. Ant. ger.: *ativo, rápido*.]

letargo (le.*tar*.go) *sm.* Ver *letargia* [F.: Do gr. *lethargos, os, on*, pelo lat. *lethargus*.]

◎ **leteo-** *el. comp.* = 'que faz esquecer': *leteomania, leteomaníaco* [F.: Do gr. *lethaîos, a, on*.]

leteomania (le.te:o.ma.*ni*.a) *sf. Psiq.* Ingestão excessiva de tranquilizantes [F.: *leteo-* + *-mania*.]

leteomaníaco (le.te:o.ma.*ní*.a.co) *a.* **1** Ref. a leteomania **2** Que faz uso frequente e excessivo de substâncias tranquilizantes; LETEÔMANO *sm.* **3** Aquele que toma tranquilizantes em excesso; LETEÔMANO [F.: *leteoman(ia)* + *-íaco*.]

leteômano (le.te.*ô*.ma.no) *a. sm.* O mesmo que *leteomaníaco* (2 e 3) [F.: *leteo-* + *-mano*¹.]

letícia (le.*tí*.ci.a) *sf.* Estado de grande satisfação; JÚBILO; REGOZIJO [F.: do lat. *laetitia, ae* 'alegria', por via semierudita.]

letivo (le.*ti*.vo) *a.* **1** Em que há aulas (ano letivo) **2** Ref. às atividades escolares [F.: Do lat. *lectum* + *-ivo*.]

◎ **-leto** *el. comp.* = 'sistema linguístico'; 'variedade linguística': *acroleto, basileto, idioleto, mesoleto, socioleto* [F.: Do lat. *(dia)lectos* ou *(dia)lectus, i*, 'dialeto'; 'linguagem particular de um país ou região', do gr. *diálektos, ou*, 'conversação'; 'linguagem'; 'maneira de falar'; 'linguagem de um país'.]

leto-lituano (le.to-li.tu:*a*.no) *sm.* **1** Indivíduo nascido ou que vive em Letônia e Lituânia (Europa) [Pl.: *leto-lituanos.*] *a.* **2** De Letônia e Lituânia; típico desses países ou de seus povos [Pl.: *leto-lituanos.*] [F.: Do top. *Letô(nia)* (e) *Litu(ânia)* + *-ano*[1].]

letomania (le.to.ma.*ni*.a) *sf. Antq. Psiq.* Insistente preocupação com o suicídio [F.: *leto-* + *-mania*.]

letomaníaco (le.to.ma.*ni*.a.co) *Antq. a.* **1** Ref. a letomania **2** Que sofre de letomania; LETÔMANO *sm.* **3** Indivíduo letomaníaco; LETÔMANO [F.: *letoman(ia)* + *-íaco*.]

letra (*le*.tra) [ê] *sf.* **1** Cada um dos sinais gráficos que representam os fonemas de uma língua **2** Maneira como cada pessoa escreve esses sinais (letra legível); CALIGRAFIA **3** Esses sinais, considerados quanto às diferentes formas de escrita (letra gótica, letra minúscula) **4** O sentido literal expresso pelo texto: *O juiz deve ser fiel à letra da lei.* **5** O texto, ger. em versos, de uma canção, um hino etc.: *A letra dessa música é linda.* **6** Coisa escrita: *letra do contrato.* **7** Texto gravado ou esculpido: *Uma letra proibia a entrada de cães no parque.* **8** Ver *letra de câmbio* **9** *Bras. Fut.* Jogada em que se chuta a bola com um pé por trás do outro **10** *Art. gr.* Ver *tipo* (9) [F.: Do lat. *littera*. Ideia de 'letra': *grama(t)-* e *liter-*; *-lítero*.] ⊞ **À ~ 1** Textualmente, literalmente, palavra por palavra: *Transmita à letra o meu recado.* **2** *Fig.* Com rigor e precisão; à risca: *Cumpriu à letra as ordens recebidas.* **As ~s sagradas** *Rel.* A Bíblia **Boas ~s** As belas-letras **Com todas as ~s** Explicitamente, com todos os detalhes **De ~** *Bras. Pop. Fut.* Com o pé que chuta por trás do pé de apoio (diz-se de chute ou passe) **De ~s gordas 1** Que mal sabe ler e escrever (diz-se de pessoa) **2** Inculto, sem preparo (diz-se de pessoa) **~ aberta** Ver *Letra vazada* **~ a ~** Ver *À letra*: *Copiou letra a letra a redação do colega.* **~ anelada** *Art. gr.* Letra cujo traçado inclui um anel, como as formas manuscritas do *a*, do *l*, do *q* etc. **~ antropomorfa** *Art. gr.* Letra ornamental cujo traçado imita o de figura(s) humana(s) **~ ascendente** *Tip.* Toda letra cuja haste é ascendente, como *b, d, f, h, j, l, t.* [Cf.: *letra descendente*; *letra plena*. Tb. apenas *ascendente*.] **~ bastarda** *Art. gr.* Tipo de letra que não tem características padronizadas que a identifiquem como pertencente a uma certa família **~ binária** *Art. gr.* Ver *Letra de dois pontos* **~ capital 1** *Art. gr.* Ver *Letra de caixa-alta* [Tb. apenas *capital*.] **2** Ver *Letra capitular* **~ capitular 1** *Art. gr.* Letra, ger. maiúscula, de tamanho maior que as demais, que inicia capítulo, artigo, parágrafo etc.; letra capital, letra inicial [Tb. apenas *capitular*.] **2** Ver *Letra maiúscula* **~ caudata** *Art. gr.* Letra desenhada com traços decorativamente prolongados, em forma de cauda **~ chanceleresca** *Palg.* Letra humanística desenvolvida na Itália no séc. XV, já com algumas características de letra cursiva, adotada nas chancelarias de principados italianos, mais tarde de uso generalizado **~ chanceleresca cursiva** *Palg.* Versão cursiva da letra chanceleresca, inclinada para a direita, e que deu origem ao itálico; letra humanística cursiva **~ chanceleresca formada** *Palg.* Estilização da letra chanceleresca, us. em documentos diplomáticos medievais posterior ao séc. X **~ corrida** *Art. gr.* Caractere impresso fora do entrelinhamento normal **~ cortesã** *Palg.* Letra compacta, redonda, pequena, com ligadura, us. na Península Ibérica nos sécs. XV e XVI **~ crenada** *Tip.* Caractere com relevo que se projeta além da haste **~ curta** *Tip.* Ver *Letra média* **~ de caixa-alta 1** *Art. gr.* Maiúscula tipográfica, cujo tipo era guardado na parte alta da caixa de tipos; letra capital; letra versal [Tb. apenas *caixa-alta*.] **2** *P. ext.* Letra maiúscula **~ de caixa-baixa 1** *Tip.* Minúscula tipográfica, cujo tipo era guardado na parte inferior da caixa de tipos [Tb. apenas *caixa-baixa*.] **2** *P. ext.* Letra minúscula **~ de câmbio** *Econ.* Título de crédito no qual um credor (sacador) ordena ao devedor (sacado) que lhe pague, ou a terceiro, uma quantia especificada num dia especificado **~ de câmbio marítimo** Documento que especifica um contrato de câmbio marítimo ou um empréstimo de dinheiro a risco; letra de risco **~ de chancelaria** *Palg.* Ver *Letra chanceleresca* **~ de comércio** *Econ.* Ver *Letra de câmbio* **~ de dois pontos** *Art. gr.* Letra ornamental inicial (ger. de capítulo) que ocupa duas linhas de texto; letra binária **~ de forma** [ô] Tipo de letra gótica geométrica, us. por Gutenberg em sua Bíblia, muita us. em livros litúrgicos na Idade Média, e modelo para os tipos us. no início da imprensa **~ de forma** [ô] **1** O formato da letra us. em tipografia e sistemas modernos de impressão de livros e documentos; letra de imprensa **2** Letra maiúscula manuscrita, no formato das letras tipográficas; letra de imprensa **~ de imprensa** Ver *Letra de forma* [ô] (2) **~ de médico** *Pop.* Letra manuscrita muito ruim, de difícil leitura. **~ de risco** Ver *Letra de câmbio marítimo* **~ descendente** *Tip.* Toda letra cuja haste, ou outra parte dela, é descendente, como *f, g, j, p, q.* [Cf.: *letra ascendente*.] **~ de soma** *Art. gr.* Tipo de letra us. na Europa a partir do final do séc. XV, menos angulosa que a letra de forma (ô) e semelhante à gótica **~ dominical 1** *Cron.* Cada uma das sete primeiras letras do alfabeto latino que, sucessivamente, designavam no calendário romano os primeiros domingos de cada um de sete anos comuns (com 52 semanas cada um) sucessivos **2** Cada uma das sete primeiras letras do alfabeto latino que no calendário eclesiástico, designam os dias de semana **~ do tesouro** Título emitido pelo governo, com rendimento de juros, para captação de dinheiro do mercado **~ empastelada** *Tip.* Tipo ou matriz de compositora, linotipo etc. misturado aos de outro padrão ou de outra fonte **~ encravada** *Tip.* Tipo cujo olho, entupido por resto de tinta ou sujeira, suja a impressão **~ escolástica** *Ant.* Ver *Letra gótica* **~ francesa** *Palg.* Letra pequena, arredondada, com poucas ligaduras, típica do Renascimento europeu; minúscula carolina (ver no verbete *minúscula*) [Cf.: *Letra chanceleresca*; *Letra chanceleresca cursiva*; *Minúscula carolina*.] **~ garrafal** *Art. gr.* Letra muito grande e muito legível **~ glífica** *Ant.* Hieróglifo **~ gorda** Letra mal desenhada, grosseira **~ gótica** *Art. gr. Palg.* Tipo de letra com traços angulosos, cheios, quebrados, com ornamentos nas pontas, adotado no início da imprensa, e nos livros litúrgicos medievais. Foi até o séc. XX o tipo us. no alfabeto alemão **~ grífica** *Art. gr.* Tipo de letra inclinada us. como grifo; itálico **~ hipotecária** *Econ.* Título de crédito transmissível por endosso, emitido (por banco, instituição financeira etc.) sob empréstimo garantido por hipoteca [Cf.: *Cédula hipotecária*.] **~ historiada** *Art. gr.* Letra inicial que contém figuras ornamentais alusivas ao texto **~ humanística** *Palg.* Tipo de letra de traço fino e de corpo redondo, criado em Florença (Itália) no século XV, a partir da *Letra francesa*, e que mais tarde evoluiu para o tipo romano **~ humanística cursiva** *Palg.* Ver *Letra chanceleresca cursiva* **~ imobiliária** *Econ.* Título que representa promessa de pagamento, emitido por sociedade de crédito imobiliário **~ inglesa** *Art. gr.* Letra manuscrita inclinada (ger. para a direita), como na escrita caligráfica comum [Tb. apenas *inglesa*.] **~ inicial** *Art. gr.* Ver *Letra capitular* **~ italiana** *Art. gr.* Tipo de letra com desenho vistoso e claro, retangular ou quadrado, serifas ger. retas, traços horizontais bem marcados, muito us. em máquinas de escrever [Tb. apenas *italiana*. Cf.: *mecanal*.] **~ itálica** Ver *Letra grífica*; itálico **~ lapidar** *Palg.* Ver *Letra monumental* **~ latina** *Art. gr.* Termo atribuído na França, no séc. XIX, a tipo de letra us. em monumentos romanos, no qual a serifa se abre em triângulo pontudo a partir de um espessamento na extremidade da haste [Tb. apenas *latina*.] **~ longa** *Tip.* Ver *Letra plena* **~ lunar** Qualquer das 14 letras do alfabeto árabe que não tem o fonema que representa assimilado pelo fonema do artigo definido /l/ **~ maiúscula** Tipo de letra maior que o us. na maior parte de textos escritos, com desenho próprio, us. como inicial de nomes próprios, em início de frase ou oração, ou como destaque; letra capital; letra capitular (2) [Tb. apenas *maiúscula*.] **~ média** *Art. gr.* Letra que não é ascendente nem descendente, como *a, c, e, i, m, n, o, r, s, u, v, x, z*; letra curta **~ minúscula** *Art. gr.* Letra de tamanho menor que o da letra maiúscula, de formato próprio, us. na maior parte dos textos corridos [Tb. apenas *minúscula*.] **~ moçárabe** *Palg.* Ver *Letra toledana* **~ montante** *Art. gr.* Letra inicial que se sobrepõe às demais, ger. em início de capítulo **~ monumental** *Palg.* Letra us. em inscrições de monumentos, lápides etc.; letra lapidar **~ morta** Conceito, compromisso, preceito etc., ger. escritos, que perdeu o valor, a autoridade etc., por não ter sido realizado e/ou por ter-se revelado inadequado, superado etc.: *Tudo de que falara, tudo que prometera, já não passava de letra morta.* **~ plena** *Tip.* Letra que é, ao mesmo tempo, ascendente e descendente, como o *f* e o *j*; letra longa **~ processual** *Palg.* Letra semelhante à letra cortesã, maior e com mais ligaduras, us. na Península Ibérica do séc. XV ao XVII **~ projetada** *Art. gr.* Ver *Letra crenada* **~ promissória** *Econ.* Título que representa promessa de pagamento de devedor a credor, na quantia e data estipuladas; nota promissória **~ redonda** *Art. gr.* Tipo comum de letra de qualquer família, em linotipo, fotocomposição, editores de texto etc. **~s enlaçadas** *Art. gr.* Letras unidas por um ponto ou traço comum, como *e6* e *9c* **~s monogramáticas** Letras iniciais de um nome entrelaçadas ou em outra disposição, us. como marca desse nome; monograma **~ solar** Qualquer das 14 letras do alfabeto árabe que tem o fonema que representa assimilado pelo fonema do artigo definido /l/ **~ sombreada** *Art. gr.* Letra a cujo desenho se acrescenta o contorno de uma sombra **~ superior** *Palg.* Abreviatura na forma de pequena letra (ou grupo de letras) elevada, que indica supressão de letras entre o ela e o início da palavra [Ex.: *Il.*^{mo} por *ilustríssimo*; *Sr.*^{a} por *senhora*.] **~ tabelioa** Letra larga e malfeita **~ tirada** Letra us. em escrita corrente, ger. sem levantar pena ou lápis do papel **~ toledana** *Palg.* Variante na Península Ibérica da letra cursiva latina, muito us. em Toledo; letra moçárabe **~ travada** Letra que se une a outra(s) por ligadura **~ vazada** *Art. gr.* Letra de boa espessura, traçada pelas linhas do contorno, deixando em branco os espaços internos de suas hastes e curvas; letra aberta **~ versal** *Art. gr.* Ver *Letra de caixa-alta* [Tb. apenas *versal*.] **Levantar ~s** *Art. gr.* Registrar texto dispondo sucessivamente as letras que o compõem; compor **Passar à ~** *Enc.* Verificar se livros foram corretamente alceados, antes da costura; colacionar **Primeiras ~s** As noções básicas para o aprendizado e o conhecimento, como saber ler, escrever e fazer as operações aritméticas **Tirar de ~** *Pop.* Fazer algo com toda a facilidade, sem esforço

letrado (le.*tra*.do) *a.* **1** Que possui vasta erudição; CULTO; DOUTO; ERUDITO [Ant.: *desletrado, iletrado*.] **2** Que possui vasto conhecimento literário; LITERATO **3** *Pedag.* Que é capaz de usar vários tipos de material escrito *sm.* **4** Pessoa letrada **5** *P. ext.* Ver *jurisconsulto* [F.: *letr(a)* + *-ado*.]

letramento (le.tra.*men*.to) *sm.* **1** A condição que se tem, uma vez alfabetizado, de usar a leitura e a escrita como meios de adquirir conhecimentos, cultura etc., e estes como instrumentos de aperfeiçoamento individual e social **2** *Pedag.* Ver *alfabetização* **3** *Pedag.* Conjunto de práticas que indicam a capacidade de uso de vários tipos de material escrito [F.: *letrar* + *-mento*.]

📖 O termo 'letramento', de uso recente no campo da pedagogia e da educação, deriva do inglês *literacy*, em sua acepção de 'condição de quem sabe ler e escrever'. Na verdade, não se refere a condição técnica de saber ler e escrever (ao que corresponde o termo 'alfabetismo' ou 'alfabetização'), mas à condição, capacidade de e disposição para, uma vez dominada a técnica de ler e escrever, usá-la para assimilar e transmitir informação, conhecimento etc. Assim, o letramento é uma continuação possível e desejável da alfabetização, e é através dele que o potencial do alfabetismo pode se transformar em conhecimento e cultura.

letrar (le.*trar*) *v. td.* **1** Tornar(-se) letrado ou versado em letras ou culto **2** *Mús.* Criar letra para uma melodia: "Chico admite a falta de segurança em suas primeiras parcerias com Tom e confessa que foi ao lado de Francis Hime que ele aprendeu, realmente, a letrar música alheia." (João Máximo, *O Globo*, 23.01.2005) [▶ **1 letrar**] [F.: *letra* + *-ar*[2].]

letras (*le*.tras) [ê] *sfpl.* **1** O conjunto dos conhecimentos literários e linguísticos **2** Curso em que são ministrados esses conhecimentos **3** As obras consagradas da literatura **4** *Ant.* Carta, missiva, epístola [F.: Pl. de *letra*.]

⊠ **letraset** (le.tra.*set*) *sf. Art. gr.* Folha de papel com caracteres tipográficos e/ou desenhos transferíveis, us. no processo tipofsete [F.: *marca registrada*.]

letreiro (le.*trei*.ro) *sm.* **1** Inscrição em tabuleta ou em algum lugar com o objetivo de informar (avisos, sinalização de ruas, nomes de estabelecimentos comerciais, de empresas etc.) **2** Texto projetado em tela, como, p. ex., os créditos de apresentação de um filme **3** *Cin. Telv.* Texto que apresenta os diálogos de um filme ou explica as situações vividas pelos personagens (esp. no cinema mudo), ou que fornece a tradução dos diálogos, nos filmes sonorizados; LEGENDA **4** *Bras.* Cada uma das inscrições descobertas em rochas, como pinturas, sinais etc. *smpl.* **5** *Cin. Telv.* Os créditos de apresentação ou de finalização de um filme, novela de televisão, telejornal etc. [F.: *letr(a)* + *-eiro*.]

letrina (le.*tri*.na) *sf.* Letra ornamental, de grande tamanho, que inicia capítulo ou parágrafo de livro [F.: Do fr. *lettrine*. Cf. *letra capitular*.]

letrista (le.*tris*.ta) *a2g.* **1** *Bras.* Que desenha ou pinta letras em tabuletas, fachadas etc. **2** *Des. ind.* Diz-se de especialista no desenho de letras **3** *Mús.* Que compõe letras musicais *s2g.* **4** Pessoa que desenha ou pinta letras **5** Pessoa que compõe letras musicais [F.: *letr(a)* + *-ista*.]

léu *sm.* **1** Ociosidade, inércia **2** Ensejo, oportunidade: *Teve léu suficiente para conhecer toda a região.* [F.: Do provç. *leu*, este do lat. *levis, e*. Hom./Par.: *leu* (fl. de *ler* e sm.).] ⊞ **Ao ~ 1** *Pop.* À toa, ao acaso: *Foi andando sem destino, ao léu.* **2** Sem cobertura: *Ia com a cabeça ao léu, os cabelos revoltos.* **Ao ~ de** Ao sabor de, ao capricho de: *Aventurou-se no barquinho, ao léu das ondas.*

leucemia (leu.ce.*mi*:a) *sf. Med.* Doença que se caracteriza pela proliferação desordenada e maligna de leucócitos no sangue e na medula óssea [F.: Do al. *Leukämie*, pelo fr. *leucémie*; ver *leuc(o)-* e *-emia*.]

leucêmico (leu.*cê*.mi.co) *Med. a.* **1** Relativo a ou próprio da leucemia **2** Que sofre de leucemia *sm.* **3** *Med.* Aquele que sofre de leucemia [F.: *leucemia* + *-ico*[2].]

leucina (leu.*ci*.na) *sf. Bioq.* Aminoácido cristalino, essencial, encontrado nas proteínas sob forma combinada [fórm.: $C_6H_{13}NO_2$ [F.: *leuc(o)-* + *-ina*[2].]

◎ **leuc(o)-** *el. comp.* = 'branco'; 'claro': *leucemia, leucina, leucócito, leucodermia, leucodistrofia, leucopenia, leucoplasia, leucotomia* [F.: Do gr. *leukós, é, ón*, 'brilhante'; 'claro'; 'puro'; 'branco'.]

leucocitário (leu.co.ci.*tá*.ri:o) *a.* Ref. ou pertencente ao leucócito [F.: *leucócito* + *-ário*.]

leucócito (leu.*có*.ci.to) *sm. Histl.* Célula sanguínea incolor que faz parte da defesa imunitária do organismo; glóbulo branco de sangue. [Os leucócitos podem ser classificados em granulócitos e agranulócitos.] [F.: *leuc(o)-* + *-cito*.] ⊞ **~ polimorfonuclear** *Histl.* Leucócito cujo núcleo tem formato irregular e que apresenta grânulos em seu citoplasma; granulócito [Há três tipos desses leucócitos: basófilos, eosinófilos e neutrócitos.]

leucocitose (leu.co.ci.*to*.se) *sf. Hem.* Aumento anormal da taxa sanguínea de leucócitos [F.: *leucocito* + *-ose*[1].]

leucodermia (leu.co.der.*mi*.a) *sf. Derm.* Ausência localizada de pigmento na pele, que se assemelha ao vitiligo e pode ser adquirida ou ter caráter hereditário; LEUCOPATIA [F.: *leuc(o)-* + *-dermia*.] ⊞ **~ congênita** *Med.* O mesmo que *albinismo*.

leucodérmico (leu.co.*dér*.mi.co) *a. Derm.* Ref. à ou próprio da leucodermia [F.: *leucodermia* + *-ico*[2].]

leucodistrofia (leu.co.dis.tro.*fi*.a) *sf. Med.* Doença que tem como característica a degenerescência progressiva da substância branca do cérebro [F.: *leuc(o)-* + *distrofia*.]

leucograma (leu.co.*gra*.ma) *sm.* Exame laboratorial dos glóbulos brancos do sangue [F.: *leuc(o)-* + *-grama*.]

leucopatia (leu.co.pa.*ti*.a) *sf. Med.* O mesmo que *leucodermia* [F.: *leuc(o)-* + *-patia*.] ⊞ **~ adquirida** *Med.* Vitiligo

leucopenia (leu.co.pe.*ni*.a) *sf. Hem.* Redução anormal do número de leucócitos no sangue circulante [F.: *leuc(o)-* + *-penia*.]

leucopênico (leu.co.*pê*.ni.co) *a. Hem.* Ref. ou pertencente a leucopenia [F.: *leucopenia* + *-ico*[2].]

leucoplasia (leu.co.pla.*si*.a) *sf. Pat.* Formação de placas esbranquiçadas na mucosa bucal, lingual, labial ou, mais raramente, genital, devido à ação de algum fator irritante, como tabagismo, próteses mal-ajustadas etc. [F.: *leuc(o)-* + *-plasia*.]

leucose (leu.*co*.se) *sf. Hem.* Proliferação do tecido que forma leucócitos [F.: *leuc(o)-* + *-ose*[1].]

leucotomia (leu.co.to.*mi*.a) *sf. Psiq.* Lobotomia frontal [F.: *leuc(o)-* + *-tomia*.]
leucótomo (leu.*có*.to.mo) *sm. Psiq.* Instrumento com que se realiza a leucotomia [F.: *leuc (o)-* + *-tomo*.]
lev *Econ. sm.* **1** Nome do dinheiro us. na Bulgária **2** Unidade dos valores em lev, us. em notas e moedas. [Submúltiplo: *stotinri*.] [Pl.: *leva*.] [F.: Do búlg. *lev*.]
leva (*le*.va) *sf.* **1** Grupo de pessoas; AJUNTAMENTO: *Uma leva de pessoas foi transportada às pressas.* **2** *Mil.* Alistamento de recrutas; RECRUTAMENTO **3** *P. us.* Condução de um grupo de presos ou de militares **4** *Ant. Mar.* Ato de levantar a âncora para navegar **5** *Cver.* Grupo de retirantes que se locomove em época de fome **6** *Pop.* Ver *andadura* **7** *Náut.* Cabo delgado que passa por um furo do costado do navio e prende os arganéus das portas **8** Cabo fino utilizado para iniciar o levantamento de redes e outros apetrechos de pesca [F.: Regress. de *levar*. Hom./Par.: *leva* (fl. de *levar*).]
levada (le.*va*.da) *sf.* **1** Ação ou resultado de levar **2** Corrente de água desviada de um rio para irrigar terreno, mover moinhos etc. **3** Cascata, cachoeira **4** *N.* Elevação de terreno **5** *BA.* Rego ou canal que conduz a água das chuvas para os tanques **6** *CE.* Rego ou canal que conduz água para irrigação **7** Pulo repentino dado pela cavalgadura **8** Levantamento de cerco feito a uma praça, uma vila, uma cidade; LEVANTAMENTO **9** *BA* Corte feito na orelha dos animais quadrúpedes us. na alimentação do homem, para que sejam identificados pelos proprietários **10** *Ant.* Investida súbita; bote, golpe [F.: Do lat. *levata*.]
levadiça (le.va.*di*.ça) *sf.* F. red. de *ponte levadiça* [F.: Fem. subst. de *levadiço*.]
levadiço (le.va.*di*.ço) *a.* **1** Que se pode baixar e levantar facilmente (ponte levadiça) **2** Que apresenta mobilidade; que se pode mover (tenda levadiça); MOVEDIÇO; MÓVEL [F.: *levad(o)* + *-iço*.]
levado (le.*va*.do) *a.* **1** Que foi transportado de um lugar para outro: *levado para outra cela.* **2** Que foi transportado de um local, sem o conhecimento de outrem: *A criança foi levada por um desconhecido.* **3** Que foi roubado, furtado **4** Que foi guiado, orientado, conduzido: *levado pela música.* **5** Que foi vítima de ardil, golpe **6** *Fig. Pop.* Que faz travessuras (menino levado); IRREQUIETO; MOLEQUE; TRAQUINAS; TRAVESSO *sm.* **7** *Fig. Pop.* Pessoa que faz travessuras [F.: Part. de *levar*.]
leva e traz (le.va e *traz*) *s2g2n.* Pessoa intrigante, fofoqueira, mexeriqueira: *Os leva e traz logo começaram a falar da viúva.*
levantada (le.van.*ta*.da) *sf.* **1** Ação de levantar(-se) **2** Ação de levantar-se da cama **3** *Lus.* Ação de levantar as redes de pesca **4** *Lus.* A porção de peixe colhida numa rede ou trazida no barco **5** *Esp.* Ver *levantamento* (8) [F.: *levantar* + *-ada*[1].]
levantado (le.van.*ta*.do) *a.* **1** Posto em pé **2** Alto, elevado: *Uma das mais levantadas serranias.* **3** Sublime, nobre: *Estilo levantado.* **4** Insubordinado, insurrecionado **5** Doidivanas, estroina, leviano **6** Diz-se do mar áspero, cavado, picado [F.: part. de *levantar*.]
levantador (le.van.ta.*dor*) [ô] *a.* **1** Que levanta ou se destina a levantar algo **2** Que conduz à revolta, ao motim **3** Que põe mais alto; que eleva **4** Que exalta, anima, encoraja **5** *Anat.* Diz-se de músculo que eleva alguma parte do corpo **6** *Esp.* Que tem a função, em certos jogos (como o vôlei), de levantar a bola para um companheiro *sm.* **7** Aquele ou aquilo que levanta **8** *Esp.* Jogador que levanta a bola **9** *Cir.* Instrumento utilizado para levantar do cérebro os fragmentos dos ossos fraturados do crânio [F.: *levantar* + *-dor*. Sin. ger.: *alevantador*.]
levantamento (le.van.ta.*men*.to) *sm.* **1** Ação ou resultado de levantar(-se) **2** Ato de pôr de pé, de levantar **3** Pesquisa ou estatística de algo: *Fez um levantamento do número de pessoas desempregadas.* **4** Lista de pessoas ou coisas; LISTAGEM: *Fez um levantamento dos frequentadores do bar.* **5** Investigação, sondagem (levantamento de preços) **6** Acréscimo, aumento, reforçamento (levantamento de voz) **7** *Fig.* Qualidade do que é elevado, nobre **8** *Esp.* No vôlei, ação de erguer a bola junto à rede para que um companheiro a golpeie para o campo adversário **9** *Mil.* Ação de levantar um cerco imposto a uma vila, cidade etc.; LEVADA **10** *Mil.* Rebelião, revolta, insurreição **11** *Est.* Operação que tem a finalidade de determinar as características de um fenômeno de massa [F.: *levantar* + *-mento*. Sin. ger.: *levantadura*.] ■ **~ arquitetônico** *Arq.* Medição das dimensões de uma construção e sua representação em planta, corte, elevação, detalhe etc. **~ topográfico** *Eng.* Medição de distâncias, ângulos etc., e sua representação em planta topográfica
levantar (le.van.*tar*) *v.* **1** Pôr(-se) de pé [*td.*: *Levantou o homem que havia caído.*] [*pr.*: *Caiu, mas levantou-se rápido.*] **2** Deixar o leito após despertar do sono [*int.*: *São dez horas e ele ainda não levantou?*] [*tr.* + *de*: *Levanta dessa cama, já são 10h!*] **3** Surgir no horizonte; RAIAR [*int.*: *O sol ainda não levantou.*] **4** Elevar(-se), erguer(-se), ou dirigir para o alto [*td.*: *levantar a cabeça; O vento levantava a poeira; Levantou o olhar para o céu.*] [*pr.*: *Sua saia levantou-se com o vento.*] **5** Erigir ou construir [*td.*: *Levantaram parte das arquibancadas.*] **6** Aumentar a altura de [*td.*: *Levantar um muro.*] **7** Dar mais realce a; aumentar a intensidade de [*td.*: *Levante um pouco o tom de sua voz; Nunca levante a voz para seus pais.*] **8** *Fig.* Elevar ou estimular [*td.*: *A notícia levantou o moral das tropas.*] **9** Recuperar-se (de doença, mal-estar etc.) [*int.*: *Ainda não se levantou da doença.*] **10** Fazer surgir ou avultar; PROVOCAR; SUSCITAR [*td.*: *Sua posição política levantava dúvidas; Suas opiniões levantaram discussões.*] **11** Fazer lista ou rol, arrolar (dados, informações etc.) para pesquisa ou a partir de pesquisa [*td.*: *levantar informações.*] **12** Angariar, arrecadar (quantia, recursos etc.), como doação, empréstimo, financiamento etc. [*td.*: *Levantou um milhão para produzir um filme.*] **13** Tornar sem efeito, anular, cancelar; REVOGAR; SUSPENDER [*td.*: *Levantou as proibições antes impostas.*] **14** *Fig.* Sublevar(-se), revoltar(-se) ou opor(-se) [*td.*: *Conseguiu levantar os presos contra o diretor.*] [*pr.*: *Levantaram-se contra uma injustiça.*] **15** *Esp.* No vôlei, lançar a bola junto à rede para que um companheiro de time ataque, lançando-a no campo adversário [*td.*: *Levantou a bola afastada da rede, para um ataque do fundo.*] [*int.*: *Levantou para o companheiro cortar.*] **16** Edificar, erigir [*td.*: *Os operários já levantaram as paredes da casa; Levantaram a lona do circo.*] **17** Hastear, içar [*td.*: *levantar bandeira.*] **18** Dar por finalizado; ENCERRAR [*td.*: *O juiz levantou o jogo antes do tempo.*] **19** Apresentar como ideia ou sugestão; lembrar, sugerir, propor [*td.*: *Levantou uma hipótese bem aceitável.*] **20** Fazer aparecer ou se movimentar [*td.*: *Soltaram os cachorros para levantar a caça.*] **21** Dar vida, avivar [*td.*: *A maquiagem levantou a fisionomia da moça.*] **22** Afastar, remover, superar [*td.*: *Levantou os empecilhos que atrapalhavam seus planos.*] **23** Conquistar, obter [*td.*: *Já levantou muitos prêmios com sua obra literária.*] **24** *Tabu.* Ficar endurecido e ereto (o pênis) [*td.*: *O pinto desse cara não levanta mais!*] **25** Surgir repentinamente e com força, ímpeto [*td. pr.*: *Levantou-se de súbito uma furiosa tempestade de areia.*] **26** Tornar-se melhor, mais estável (o tempo) [*int.*: *O tempo levantou novamente.*] **27** Começar a correr (o vento) [*td.*: *À tardinha, levantou-se uma suave aragem.*] **28** Fazer que (algo) se torne mais vivo, mais vistoso [*td.*: *Vamos colocar uma cortina que levante essa sala.*] **29** Tornar-se mais caro [*int.*: *Os preços levantaram outra vez.*] **30** Recuperar a saúde; CONVALESCER [*int.*: *Esteve acamado mais de uma semana, mas já (se) levantou.*] **31** Colher (cereais) [*td.*] **32** Assacar sem base (algo condenável) contra (alguém) [*tdi.* + *contra*: *Levantou calúnias contra a mulher.*] **33** Tornar-se agitado, tempestuoso [*int.*: *Sem que ninguém esperasse, o mar levantou com fúria.*] **34** Alçar, elevar [*tdi.*: *Levantou seu coração a Deus.*] **35** *RS* Retirar (o gado) do campo para conduzi-lo a outro lugar [*tdi.* + *a*: *Levantou a boiada e a levou para o rio.*] [▶ **1** levantar] [F.: Do lat. *levantare*, de *levare*. Hom./Par.: *levante(s)* (fl.), *levante(s)* (sm. [pl.]).]
levante[1] (le.*van*.te) *sm.* **1** Ponto do horizonte onde o Sol nasce, que é um dos quatro pontos cardeais **2** Região da Terra situada do lado onde o Sol nasce; ORIENTE [Com inicial maiúscula.] **3** Vento do este no Mediterrâneo [F.: Do it. *levante*. Hom./Par.: *levante* (sm.), *levante* (fl. de *levantar*).] ■ **De ~** **1** Irrefletidamente, sem prévia consideração ou análise **2** Sem constância, insistência, perseverança **3** Sem paz de espírito, agitadamente **4** A ponto de sair, prestes a partir
levante[2] (le.*van*.te) *sm.* **1** Ato de levantar(-se); ALEVANTE **2** *P. ext.* Ação coletiva de insurgência contra a ordem ou a autoridade estabelecida; MOTIM; REVOLTA **3** *Bot.* Ver *hortelã* (*Mentha sylvestris*) *a.* **4** Diz-se de ponte móvel, capaz de erguer-se paralelamente a si mesma **5** *Her.* Diz-se do Sol quando se move do ângulo direito [F.: Regress. de *levantar*.]
levantino (le.van.*ti*.no) *a.* **1** Relativo ao Levante; ORIENTAL **2** Do Levante (conjunto dos países do Mediterrâneo oriental); típico dessa região ou de seu povo; LEVÂNTICO *sm.* **3** Pessoa nascida na região do Levante [F.: *Levant(e)* + *-ino*.]
levar (le.*var*) *v.* **1** Fazer passar (de um lugar) para (outro); transportar [*tda.*: *Ele levou a poltrona para a sala.*] [*tda.* + *de, para*: *Levou a estante do escritório para a sala.*] [*ta.*: *Este ônibus leva aos subúrbios.*] [*tdi.* + *a, para*: *A nova tubulação levará gás à população.*] **2** *Restr.* Retirar do local, do recinto (em que se encontra o falante), afastando ou conduzindo para outro lugar [*td.*: *Levem-no! disse o policial.*] [*tda.*: *Levem-no daqui!!!*] **3** Tirar ou afastar (algo ou alguém) de (determinado lugar) [*tda.*: *Levaram as mensagens do escaninho; Depois da confusão, levaram-no do bar.*] **4** Fazer-se acompanhar de [*td.*: *Levou a esposa na viagem.*] **5** Carregar consigo para dar ou entregar a (alguém); fazer as vezes de mensageiro de algo [*tdi.*: *Levou a carta para o namorado da jovem; Levei-lhe um buquê de flores; Levou um recado para o irmão da amiga.*] **6** Carregar consigo; transportar, carregar (esp. para uso ou consumo próprio) [*td.*: *Por sorte, levava pouco dinheiro quando foi assaltado.*] **7** *Fig.* Ter ou trazer no seu íntimo (sentimento, lembrança etc.) [*tda.*: *Levava grandes alegrias no coração.*] **8** Mover (em determinada direção), aproximando ou colocando sobre [*tda.*: *O rapaz levou a mão ao rosto.*] **9** *Fig.* Dar acesso, conduzir (a algum lugar) [*ta.*: *Esse caminho leva ao restaurante; O túnel levava a uma terra misteriosa.*] **10** Conduzir, guiar; encaminhar [*td.*: "E deixa a vida me levar/ Vida leva eu/ Tô feliz e agradeço/ por tudo que Deus me deu." (Serginho Meriti, *Deixa a vida me levar*)] [*tda.*: *Levaram-na à sala do diretor.*] **11** *Fig.* Impelir, conduzir (a algo); mover a [*tdr.* + *a*: *O técnico levou o time à vitória.*] **12** *Fig.* Deixar-se dominar por (um sentimento) [*tr.* + *por, de*: *levar-se pela paixão.*] **13** Arrancar, arrebatar [*td.*: *A ventania levou os casebres.*] **14** *Fig.* Tirar (algo) de alguém ou fazê-lo perder [*td.*: "O meu amor me deixou / Levou minha identidade..." (Antônio Cícero e Paulo Machado, *Maresia*)] **15** Roubar, furtar [*td.*: *Depois que levaram seu carro, passou a andar de metrô.*] **16** Comprar, adquirir (mercadoria) [*td.*: *O cliente não levou o tênis, preferiu o sapato; Resolveu levar a camisa de seda, depois de experimentar várias outras.*] **17** Conquistar (para si) [*td.*: *Fizeram um gol no último minuto e levaram a taça.*] **18** Ganhar por favor ou sorte [*td.*: *Levou o primeiro prêmio, uma verdadeira fortuna; Ganhou o combinado pelo serviço e ainda levou um belo agrado.*] **19** Fazer sumir ou desaparecer; apagar [*td.*: *O tempo tudo leva; A água com sabão levou a mancha.*] **20** Ser atingido (física ou moralmente) por; ser o alvo de (golpe, ação ou crítica); receber, ganhar [*td.*: *Ele vai acabar levando uma surra; O rapaz levou um soco; A menina levou uma bronca.*] [*tdi.* + *de*: *O menino levou uma repreensão da mãe.*] **21** *Restr.* Receber; GANHAR: "Mas se eu já levei um fora do alfabeto inteiro/ Quê que tem levar um 'Não' dela também – Alô! Zulmira?" (Gabriel, O Pensador, *2345meia78*) **22** Tomar (susto) com algo ou alguém inesperado [*td.*: *Levou um susto na saída do show.*] [*tdr.* + *com*: *Levamos um susto com a explosão.*] **23** Sofrer (queda, tombo, topada etc.) involuntariamente [*td.*: "Me deixem, ataque equivocado/ Por um falso alarme/ Quebrando objetos inúteis/ Como quem leva uma topada." (Lobão e Cazuza, *Mal nenhum*)] **24** Apanhar [*int.*: *Tantas ele fez que acabou levando; Levou porque agiu mal com quem não devia.*] **25** Ter algo (responsabilidade, culpa etc.) atribuído a si (e sofrer, portanto, as consequências); ser-lhe imputado [*td.*: *A moça levou a culpa.*] **26** Despender (dado tempo) em certa ação, tarefa, atividade [*td.*: *Levou horas na fila do banco; Leva horas se vestindo; Levamos duas horas para chegar ao sítio.*] **27** Ter, experimentar [*td.*: *Ela leva uma vida de madame.*] **28** Tirar a vida a (alguém); MATAR [*td.*: *As drogas vão acabar por levá-lo.*] **29** Ter em cartaz, exibir [*td.*: *O cinema da esquina está levando um novo filme.*] **30** Ter capacidade para; COMPORTAR [*td.*: *O ônibus leva 33 passageiros sentados.*] **31** Receber em sua elaboração, ter em sua constituição [*td.*: *Esta torta leva creme de leite.*] **32** Ter certa compreensão, entendimento ou comportamento em relação a (certo fato, acontecimento, atividade, ação etc.) [*td.*: *Ela leva tudo na brincadeira; Vocês levam tudo a sério; Ele leva a vida na maciota; Levou a conversa a ferro e fogo.*] [▶ **1** levar] [F.: Do v.lat. *levare*. Hom./Par.: *leva(s)* (fl.), *leva(s)* (sf. [pl.]); *leve* (fl.), *leve* (a2g. adv.); *leves* (fl.), *leves* (pl. de *leve* [a 2g.] e smpl.). Ideia de 'que leva': *-fora* e *-foro*.] ■ **Deixar-se ~** **1** Deixar-se enganar, iludir; deixar-se convencer ou influenciar **2** Deixar-se vencer, desistindo de combater, ou de controlar as próprias ações: *Deixou-se levar pelo desânimo, e abandonou a tarefa.* **~ a bem** **1** Dar consentimento, aprovar **2** Tomar como positivo, no bom sentido; não se ofender ou melindrar **~ adiante** Tocar para a frente, realizando, fazendo progredir (projeto, ideia, tarefa etc.) **~ a mal** **1** Não dar consentimento, reprovar **2** Interpretar como mal-intencionado, tomar num mau sentido; ofender-se: "Quis brigar comigo, que perigo, mas não ligo/ O meu pedaço me domina, me fascina, ele é o tal/ Por isso não levo a mal" (Ary Barroso, *Camisa amarela*)
leve (*le*.ve) *a2g.* **1** Que tem pouco peso ou densidade (bagagem leve, metal leve) **2** Que se movimenta com agilidade (bailarina leve) **3** Que é suave, delicado (maquiagem leve) **4** Sem profundidade (conversa leve, música leve) **5** Que está aliviado, desoprimido (alma leve) **6** De fácil digestão (almoço leve) **7** Pouco espesso (casaco leve, tecido leve) **8** Que não cansa; fácil de executar (serviço leve) **9** Que tem pouca densidade (leve camada de verniz) **10** Quase imperceptível (leve ruído) **11** Que é agradável; prazenteiro (brisa leve) **12** Divertido, que causa contentamento (filme leve, canção leve) **13** Sem pretensão, fácil de compreender (crônica leve) **14** Que tem formas simples, elegantes: *linhas leves de uma construção* **15** Diz-se de sono que se interrompe facilmente **16** Que tem baixo teor alcoólico (bebida leve) **17** Que é de fácil digestão (refeição leve) **18** Que não tem gravidade (pancada leve) **19** *Mil.* Que tem tamanho, peso ou importância inferiores aos de outras unidades do mesmo tipo (embarcação leve) *adv.* **20** Sem força ou superficialmente: *Tocar leve um tema; Bateram leve à porta.* [F.: Do lat. *levis*, ideia de 'leve': *lev(i)-* (*leveza, levitar*). Ant. ger.: *pesado*.] ■ **Ao de ~** Ver *De leve* **De ~** **1** Suavemente, sem pressionar: *Passou os dedos de leve em sua cabeça; ao de leve.* **2** Superficialmente: *Estudou de leve a questão; ao de leve.*
levedado (le.ve.*da*.do) *a.* Que fermentou; que se tornou fermentado (bebida levedada); LÊVEDO [F.: Part. de *levedar*.]
levedar (le.ve.*dar*) *v.* **1** Tornar(-se) lêvedo ou fermentado; FERMENTAR [*td.*: *levedar a massa.*] [*int.*: *Levedar a massa para preparar o pão; A massa está (se) levedando.*] **2** *Fig.* Tornar-se maior, melhor; APERFEIÇOAR(-SE) [*int.*: *Levedaram(-se) com a experiência adquirida.*] [▶ **1** levedar] [F.: *lêvedo* + *-ar*[2]. Hom./Par.: *levedo* (fl.), *levedo* [ê] (sm.); *levedo* (fl., sm.), *lêvedo* (a. sm.).]
levedo (le.*ve*.do) [ê] *sm. Bras.* O mesmo que *levedura* [Pl.: *levedos* (ê).] [F.: ver *lêvedo*. Hom./Par.: *levedo* (sm.), *levedo* (fl. de *levedar*).]
lêvedo (*lê*.ve.do) *a.* **1** Que fermentou; LEVEDADO *sm.* **2** *Bot.* Nome que se dá a certos fungos unicelulares da fam. das sacaromicetáceas, agentes responsáveis por processos de fermentação, empregados na preparação de pães e bebidas alcoólicas; LEVEDURA [F.: Do lat. *levitus*, por *levatus, a, um*. Hom./Par.: *levedo* (fl. de *levedar*).]
levedura (le.ve.*du*.ra) *sf.* **1** Ver *fermento* **2** Ver *lêvedo* (2) [F.: *Leved(o)* + *-ura*. Ideia de 'levedura': usar antepos. *ferment-*.]
leveiro (le.*vei*.ro) *a.* **1** Pouco pesado **2** Que tem pouca intensidade ou força **3** Em que há grande rapidez **4** *Fig.* Que se encontra sereno, despreocupado, tranquilo **5** *Fig.* Suportável, tolerável [F.: *leve* + *-eiro*.]
leveza (le.*ve*.za) [ê] *sf.* **1** Qualidade ou condição do que é leve, do que pesa pouco **2** *Fig.* Condição do que é delicado, singelo: *A leveza de seus movimentos.* **3** *Fig. Pej.* Caráter de procedimento leviano, irrefletido [Ant.: *consistência, prudência*.] [F.: *lev(e)* + *-eza*.]
levezinho (le.ve.*zi*.nho) *adv.* Muito de leve; delicadamente, suavemente [F.: *leve* + *-zinho*.] ■ **De ~** Muito de leve
leviandade (le.vi.an.*da*.de) *sf.* **1** Qualidade ou condição de leviano; falta de seriedade **2** Comportamento, gesto ou palavra leviana; INSENSATEZ; IRREFLEXÃO: *Não aguentava mais as leviandades do marido.* [Ant.: *circunspeção, ponderação*.] [F.: *levian(o)* + *-i-* + *-dade*.]
leviano (le.vi.*a*.no) *a.* **1** Que tem comportamento insensato, irrefletido, irresponsável; que não tem seriedade (mulher leviana) [Ant.: *ponderado, refletido, sensato*.] **2** Que não tem constância; VOLÚVEL **3** Que sugere leviandade (atitude leviana, decisão leviana) *sm.* **4** Aquele que age de modo

leviano: *Os levianos aprovaram aquele ato irresponsável.* 5 Que tem pouca carga, leve (carreta leviana) 6 Que demanda pouco esforço (tarefa leve) [F.: Do lat. vulg. *levianus*.]

leviatã (le.vi.a.*tã*) *sm.* 1 *Mit.* Monstro mitológico fenício, citado na Bíblia como animal aquático ou réptil 2 *Fig.* Ser ou coisa de dimensões colossais 3 *Fig.* Ser colossal de aspecto monstruoso 4 *P. ext. Pol.* O Estado reconhecido como soberano absoluto pelos seus súditos através do pacto social [Thomas Hobbes (1588-1679) utilizou o termo para ressaltar o poder absoluto do Estado moderno e não sua natureza despótica.] 5 *P. ext. Pol.* O Estado totalitário regido pela burocracia [F.: Do lat. bíblico *Leviathan*.]

levirato (le.vi.*ra*.to) *sm. Antr. Hist.* Prática, prescrita entre alguns povos, que obriga uma viúva a casar com o irmão de seu marido quando este não deixa descendência masculina [Este costume é descrito no Antigo Testamento como uma das leis de Moisés] [F.: Do lat. *levir* + *-ato*. Sin. ger.: *levirado*.]

levita (le.*vi*.ta) *sm.* 1 *Rel.* Membro da tribo hebreia de Levi 2 Sacerdote da antiga Jerusalém, que desempenhava funções auxiliares ao culto; DIÁCONO 3 *P. ext.* Eclesiástico, sacerdote [F.: Do lat. *levita* ou *levites, ae*.]

levitação (le.vi.ta.*ção*) *sf.* 1 Ação ou resultado de levitar 2 *Espt.* Fenômeno psíquico, ou mediúnico, em que uma coisa ou uma pessoa se ergue do solo sem aparente razão, supostamente pelo uso da força mental 3 Sensação subjetiva de flutuar no espaço, o que ocorre por vezes em sonho [Pl.: *-ções*.] [F.: *levita(r)* + *-ção*.]

levitacional (le.vi.ta.ci:o.*nal*) *a.* Ref. a levitação (força levitacional) [Pl.: *-ais*.] [F.: *levitação* + *-al*, seg. o modelo erudito.]

levitar (le.vi.*tar*) *v. int.* Erguer-se (algo ou alguém) acima do solo, sem que nenhuma força visível o sustenha [F.: Talvez do lat. *levare*.]

levítico (le.vi.ti.co) *a.* 1 Ref. ou pertencente aos levitas *sm.* 2 *Rel.* O terceiro livro do *Pentateuco*, que trata das leis rituais dos levitas. [Nesta acp., com inicial maiúsc.] [F.: *levit(a)* + *-ico*[2].]

◎ **lev(o)-** *el. comp.* = 'esquerdo', 'do lado esquerdo': *levofobia, levófobo, levogiro* [F.: Do lat. *laevus, a, um*.]

levofobia (le.vo.fo.*bi*.a) *sf. Psiq.* Medo patológico de tudo que fica do lado esquerdo de quem sofre dessa fobia [F.: *lev(o)-* + *-fobia*.]

levofóbico (le.vo.*fó*.bi.co) *Psiq. a.* 1 Ref. a levofobia 2 Que tem levofobia; LEVÓFOBO *sm.* 3 *Psiq.* Aquele que sofre de levofobia; LEVÓFOBO [F.: *levofobia* + *-ico*[2].]

levófobo (le.*vó*.fo.bo) *a. sm. Psiq.* O mesmo que *levofóbico* (2 e 3) [F.: *lev(o)-* + *-fobo*.]

levogiro (le.vo.*gi*.ro) *a. Fís. -quím.* Que desvia para a esquerda o plano de polarização da luz. [Opõe-se a *dextrogiro*, e representa-se pelos símbolos ou (-).] [F.: *lev(o)-* + *-giro*.]

⊠ **lex(e/i)-** *pref.* = *palavra, léxico*: *lexicógrafo, lexicologia*

lexema (le.*xe*.ma) [cs] *Ling. sm.* 1 Unidade básica do léxico, que pode ser um morfema, palavra ou locução 2 Semantema, radical [F.: *lex (e / i)-* + *-ema*.]

◎ **-lexia** *el. comp.* = 'palavra escrita ou falada'; 'escrita'; 'fala'; 'distúrbio da leitura': *alexia, barbarolexia, dislexia, mogilexia, ortolexia, paralexia* [F.: Do gr. *léksis, eos*, 'palavra'; 'ação de falar', 'elocução'; 'léxico', + *-ia*[1].]

lexia (le.*xi*.a) [cs] *sf.* 1 *Ling.* Qualquer unidade do léxico (palavra, locução etc.) 2 Unidade lexical que encerra um significado [Pode ser simples, composta ou complexa.] ■ **~ complexa** A que expressa em expressão idiomática, locução etc. [P. ex.: *tirar de letra, dar pé, coração de ouro*.] **~ composta** *Ling.* A que se expressa em palavras reunidas [P. ex.: *guarda-chuva, bate-pronto, mestre de cerimônias*.] **~ simples** *Lig.* A que se expressa num único vocábulo [P. ex.: *chuva, amor, profundo*.]

lexical (le.*xi*.cal) [cs] *a2g.* 1 *Ling.* Ver *léxico* (1) 2 *Ling.* Ref. a palavra; VOCABULAR 3 *Ling.* Que simboliza a delimitação do ambiente biossocial feita por certa língua (morfema lexical) [Pl.: *-cais*.] [F.: *léxi(o)* + *-al*.]

◎ **lexico-** *el. comp.* 'Referente às palavras'; 'léxico': *lexicografia, lexicógrafo* [F.: Do gr. *lexikós, e, on* < gr. *léksis, eos* 'palavra', 'elocução'. Ver tb. *lex(e/i)-*.]

léxico (*lé*.xi.co) [cs] *a.* 1 *Ling.* Próprio das palavras ou referente a elas; LEXICAL *sm.* 2 *Ling.* O repertório de palavras de uma língua ou de um texto; VOCABULÁRIO 3 *P. ext.* Obra de compilação de uma parte (reduzida ou extensa) dos vocábulos de uma língua e seus significados; DICIONÁRIO 4 Dicionário de antigas línguas clássicas 5 *P. ext.* Relação de palavras us. por um autor ou por uma escola ou movimento literário 6 *Ling.* Conjunto dos lexemas da língua (proposto por Saussure), oposto ao conjunto de vocábulos 7 *P. ext. Gram.* Componente da gramática internalizada de um falante que abarca todo o seu conhecimento das palavras (esp. sua pronúncia, significação e emprego numa sentença) [F.: Do gr. *leksikós, e, on*.]

lexicografar (le.xi.co.gra.*far*) [cs] *v.* 1 Incluir em dicionário [*td.*: *Lexicografou centenas de etnônimos*.] 2 Organizar dados conforme critérios lexicográficos [*td.*: *Lexicografou todos os verbos defectivos*.] 3 Fazer dicionário [*int.*: *Começou a lexicografar ainda adolescente*.] [▶ 1 lexicografar] [F.: *lexicógraf(o)* + *-ar*. Hom./Par.: *lexicografo* (1ª p. s.)/ *lexicógrafo* (s. m.).]

lexicografia (le.xi.co.gra.*fi*.a) [cs] *sf.* 1 *Lex. Ling.* A técnica de elaboração de dicionários 2 O trabalho de compilação de vocabulários, definições etc. 3 A análise e conceituação teórica desse trabalho 4 Estudo científico dos critérios envolvidos no trabalho de elaboração de dicionários [F.: *léxic(o)* + *-grafia*.]

lexicográfico (le.xi.co.*grá*.fi.co) [cs] *a.* Relativo a lexicografia ou a lexicógrafo (teoria lexicográfica) [F.: *lexicograf(ia)* + *-ico*.]

lexicógrafo (le.xi.*có*.gra.fo) [cs] *sm. Lex. Ling.* Aquele que pratica a lexicografia; DICIONARISTA [F.: Do gr. *leksikográphos*. Hom./Par.: *lexicografo* (fl. de *lexicografar*).]

lexicologia (le.xi.co.lo.*gi*.a) [cs] *sf. Lex. Ling.* Estudo das palavras quanto ao seu significado, constituição, variações flexionais, classificação; LEXIOLOGIA [F.: *léxico* + *-logia*.]

lexicológico (le.xi.co.*ló*.gi.co) [cs] *a.* Relativo a lexicologia ou a lexicólogo; LEXIOLÓGICO [F.: *lexicolog(ia)* + *-ico*.]

lexicólogo (le.xi.*có*.lo.go) [cs] *sm. Ling.* Especialista em lexicologia; técnico na feitura de dicionários [F.: *léxico* + *-logo*.]

léxicon (*lé*.xi.con) [cs] *sm.* 1 Ver *léxico* 2 *Lex.* Coleção de locuções e expressões na Idade Média e na Renascença [Pl.: *lexícones, léxicons*.] [F.: Do gr. *lexikón*.]

⊠ **LF** *Elet.* Símbolo de *Frequência Baixa* [F.: Ingl. LF, abrev. de *low frequency* 'frequência baixa'.]

⊠ **lg** *Mat.* Abrev. de *logaritmo decimal* (Ver *logaritmo*)

lhama (*lha*.ma) *s2g. Zool.* Mamífero ruminante da fam. dos camelídeos (*Lama glama*), de pelagem comprida e lanosa, encontrado no Peru e na Argentina e us. como animal de carga [F.: Do quích *llama*.]

lhaneza (lha.*ne*.za) [ê] *sf.* Qualidade do que é lhano, do que demonstra afabilidade, sinceridade, candura: *Tratava a todos com lhaneza*. [Ant.: *afetação, fingimento*.] [F.: *lhan(o)* + *-eza*.]

lhano (*lha*.no) *a.* 1 Que é sincero e franco; VERDADEIRO 2 Que revela sinceridade, despretensão 3 Que tem caráter amável, gentil [Ant.: *afetado, indelicado, rebuscado*.] [F.: Do espn. *lhano*.]

lhanos (*lha*.nos) *smpl. Geog.* Planícies de vegetação herbácea encontradas na América do Sul [F.: Do espn. *llanos*.]

lhanura (lha.*nu*.ra) *sf.* 1 *Antq.* A superfície de um terreno; PLANURA 2 *P. us.* Ver *lhaneza*. [F.: *llan(o)* + *-ura*.]

lhe *pr. pess.* 1 A ele, a ela (e tb. a você, ao senhor a V. S.ª etc.): *Não lhe devo explicações, senhor!* 2 Dele, dela, do senhor etc.: *Achou-lhe o rosto muito feio.* 3 Nele, nela, no senhor etc.: *Essa moça, não lhe achei graça nenhuma!* 4 Para ele, para ela, para o senhor etc.: *Quanto ao filho, deu-lhe uma nova bicicleta.* 5 Ante ele, ante ela, ante ao senhor etc.: *As lembranças surgiam-lhe de maneira desconcertante.* 6 Substitui os possessivos seu, sua, dele, dela: *Trouxe a filha para o quarto e cortou-lhe os cabelos* (= *cortou seus cabelos*). [Pl.: *lhes*.] [F.: Do dat. lat. *illi*.]

lheguelhé (lhe.gue.*lhé*) *s2g.* Maltrapilho. meco, badameco, farroupilha; joão-ninguém

lho Contração do pr. pess. lhe com o pr. pess. o: *Se pediam dinheiro, davam-lho*. [No Brasil, as formas *lho, lha, lhos, lhas* não são us. na linguagem corrente e raramente em literatura.]

lhufas (*lhu*.fas) *Bras.* Pron. indef.: coisa nenhuma; nada: *Não entende lhufas de matemática*. [F.: red. de *bulhufas*.]

⊠ **Li** *Quím.* Símb. de *lítio*

liaça (li.*a*.ça) *sf.* Feixe de palhas us. para proteger materiais frágeis durante o transporte [F.: Do fr. *liasse*.]

liamba (li.*am*.ba) *sf.* 1 *Bras. Ang.* O mesmo que *maconha* (droga) 2 *Bot.* O mesmo que *cânhamo* (*Cannabis sativa*) [F.: Do quimb. *liamba*. Sin. ger.: *diamba*.]

liame (li:*a*.me) *sm.* 1 Ação ou resultado de liar(-se) 2 Aquilo que une ou prende uma pessoa ou coisa a outra; LIGAÇÃO; VÍNCULO: *Confiava nos seus liames de amizade*. 3 *Ant. Mar.* Ver *cavername* [F.: Do lat. *ligamen, inis*.]

liana (li.*a*.na) *sf. Bot.* Cipó [F.: Do fr. *liane*.]

libação (li.ba.*ção*) *sf.* 1 Ação de libar, ou beber 2 Derramamento de um líquido como oferenda a uma divindade 3 O líquido assim derramado 4 Ação de beber, esp. bebidas alcoólicas, por prazer ou para se fazerem brindes [Pl.: *-ções*.] [F.: Do lat. *libatio, onis*.]

libambo (li.*bam*.bo) *sm.* 1 *N. N.E.* Corrente de ferro que prendia condenados e escravos pelo pescoço, ger. durante seus deslocamentos 2 Ajuntamento de várias pessoas; BANDO; TURBA [F.: Do quimb. *libambu*. Hom./Par.: *libombo* (*sm.*).]

libanês (li.ba.*nês*) *a.* 1 Do Líbano (Ásia); típico desse país ou de seu povo *sm.* 2 Indivíduo nascido ou que vive no Líbano [Pl.: *-neses*. Fem.: *-nesa*.] [F.: Do top. *Líbano*, do lat. *libanus*.]

libar (li.*bar*) *v.* 1 Beber ou sugar o conteúdo de [*td.*: *Libou um pouco de suco; As borboletas libam o néctar*.] 2 *Fig.* Fazer libações em homenagem a uma divindade [*int.*: *Os gregos estavam acostumados a libar*.] [*tr.* + *a, para*: *Antes das refregas, os guerreiros libavam ao deus da guerra*.] 3 Degustar o conteúdo de [*td.*: *libar uma taça de champanhe*.] 4 *Fig.* Desfrutar de algo prazeroso; EXPERIMENTAR; GOZAR [*td.*: *Libava os costumes tranquilos do campo nos finais de semana*.] [▶ 1 libar] [F.: Do lat. *libare*.]

libatório (li.ba.*tó*.ri:o) *sm.* Entre os antigos romanos, vaso próprio para libações [F.: *liba(r)* + *-tório*.]

libelista (li.be.*lis*.ta) *s2g.* 1 Indivíduo que faz libelos 2 Indivíduo que formula acusações [F.: *libelo* + *-ista*.]

libelo (li.*be*.lo) [é] *sm.* 1 *Jur.* Exposição apresentada pelas partes a um magistrado antes de iniciar o processo, na qual se reúnem os tópicos fundamentais da acusação ou da defesa 2 *Jur.* Acusação por escrito 3 Texto de cunho satírico, difamatório, injurioso, ger. curto 4 *Hist.* Na Roma do séc. III, espécie de certificado que punha a salvo de perseguições os cristãos apóstatas [F.: Do lat. *libellum*.]

libélula (li.*bé*.lu.la) *sf. Ent.* Nome comum aos insetos da ordem dos odonatos, de quatro asas longas e transparentes, abdome estreito e comprido, e que se alimentam de insetos e outros organismos; LAVADEIRA [F.: Do fr. *libellule*, do lat. cient. *libellula*.]

líber (*lí*.ber) *sm. Bot.* Nos vegetais vasculares, tecido condutor da seiva elaborada ou orgânica, que se acha localizado para fora do lenho; FLOEMA [Pl.: *líberes*.] [F.: Do lat. *liber, libri*. Hom./Par.: *liberes* (fl. de *liberar*).]

liberação (li.be.ra.*ção*) *sf.* 1 Ação ou resultado de liberar(-se); LIBERTAÇÃO 2 Extinção de dívida, de obrigação, de compromisso 3 *Com.* Supressão de certas restrições ao livre comércio de mercadorias 4 *Bras. Com.* Ordem para que seja entregue ao comprador uma mercadoria sujeita à fiscalização oficial 5 *Jur.* Concessão de liberdade ao condenado que já cumpriu pena, ou por antecipação do livramento [Pl.: *-ções*.] [F.: Do lat. *liberatio, onis*.]

liberado (li.be.*ra*.do) *a.* 1 Que se liberou; que ficou livre 2 Que foi dispensado; que se encontra desobrigado: *Ficou liberado de ir ao trabalho todos os dias*. 3 *Com.* Que ficou livre de ônus ou restrições 4 Que se liberou de certas convenções sociais e morais seguidas pela maioria: *Era uma mulher sexualmente liberada*. 5 *Jur.* Que obteve novamente sua liberdade por efeito de medida legal *sm.* 6 *Jur.* Aquele que foi libertado por medida legal [+ *de*] [F.: Do lat. *liberatu*; part. de *liberar*.]

liberal (li.*be*.ral) *a2g.* 1 Que demonstra generosidade; DADIVOSO; PRÓDIGO; GENEROSO: *Ele é liberal com os filhos*. [Ant.: *avarento, sovina*.] 2 Que é adepto de ideias liberais ou nelas se fundamenta: *Na crise política, assumiu uma posição liberal*. 3 Que demonstra tolerância; que tem ideias libertárias 4 Diz-se de profissionais de nível superior (advocacia, medicina, ensino etc.) que não possuem vínculo empregatício ou vinculação hierárquica 5 Que é voltado para o aprimoramento das faculdades intelectuais, estéticas e morais (educação liberal) 6 Relativo à doutrina do liberalismo 7 Que respeita a liberdade de opinião, que aceita padrões de pensamento ou de comportamento diversos dos seus; que respeita a liberdade de (pessoa ou grupo) ser diferente: *Ela é liberal em questões de sexo*. [Ant.: *conservador, moralista, retrógrado*.] *s2g.* 8 Pessoa que tem esse tipo de pensamento 9 Partidário do liberalismo [+ *para, com, em*] [Pl.: *-rais*.] [F.: Do lat. *liberalis, e*.]

liberalidade (li.be.ra.li.*da*.de) *sf.* 1 Característica ou condição de quem é liberal; GENEROSO; PRÓDIGO 2 *P. ext.* Essa característica atribuída a coisas: *a liberalidade do evento de rock*. 3 Atitude de quem, por ideias ou atos, demonstra grandeza de espírito: "...para logo ceder à reflexão; e finalmente as liberalidades com que ela desculpava suas travessuras..." (José de Alencar, *Sonhos d'ouro*) 4 Doação de algo por pessoa liberal ou generosa: *Essa foi a maior liberalidade desse empresário*. 5 *Jur.* Ação que confere a alguém (ou a um grupo de pessoas) vantagens, bens e direitos: *Nunca pensei que fosse ganhar essas liberalidades*. [Ant.: *avareza, mesquinhez*.] [F.: Do lat. *liberalitas, tis*.]

liberalismo (li.be.ra.*lis*.mo) *sm.* 1 *Econ. Fil. Pol.* Doutrina que se baseia na liberdade individual, econômica, política, religiosa e intelectual dentro da sociedade e contra intervenções coercitivas do Estado [As origens dessa doutrina remontam ao escritor inglês John Locke (1632-1704), que tinha como fundamento a ideia da liberdade do ser humano.] 2 Qualidade ou condição de quem é liberal 3 Comportamento que revela prodigalidade, liberalidade 4 *Rel. Teol.* Tendência a questionar, do ponto de vista da razão, doutrinas e dogmas comumente aceitos, visando aos métodos comuns de interpretação à Bíblia e a outros textos sagrados [F.: *libera(l)* + *-ismo*.] ■ **~ econômico** *Econ.* Doutrina liberal aplicada à economia, fundamentada na ideia da livre competição, do predomínio da oferta e da procura na determinação dos preços e das relações econômicas, da não intervenção do estado na economia etc. **~ político** *Pol.* Doutrina fundamentada na ideia de liberdade política individual em relação ao Estado, com igualdade de oportunidades para todos

liberalista (li.be.ra.*lis*.ta) *a2g.* 1 Relativo ao liberalismo ou que dele é adepto *s2g.* 2 Adepto do liberalismo [F.: *libera(l)* + *-ista*.]

liberalização (li.be.ra.li.za.*ção*) *sf.* Ação ou resultado de liberalizar(-se) [Pl.: *-ões*.] [F.: *liberaliza(r)* + *-ção*.]

liberalizador (li.be.ra.li.za.*dor*) [ô] *a.* 1 Que liberaliza; LIBERALIZANTE *sm.* 2 O que liberaliza [F.: *liberaliza(r)* + *-dor*.]

liberalizante (li.be.ra.li.*zan*.te) *a2g.* Que promove liberalização ou para ela contribui (procedimentos liberalizantes) [F.: *liberaliza(r)* + *-nte*.]

liberalizar (li.be.ra.li.*zar*) *v.* 1 Dar ou distribuir com liberalidade; PRODIGALIZAR [*td.*: *liberalizar benesses*.] [*tdi.* + *a*: *Ele liberalizava esmolas aos miseráveis*.] 2 Tornar(-se) liberal, pródigo [*td. pr.*: *Depois de uma fase puritana, liberalizou-se*.] [▶ 1 liberalizar] [F.: *liberal* + *-izar*.]

liberalmente (li.be.ral.*men*.te) *adv.* 1 De modo liberal 2 Em harmonia com os princípios liberais 3 Com liberalidade; GENEROSAMENTE [F.: *liberal* + *-mente*.]

liberar (li.be.*rar*) *v.* 1 Desobrigar(-se) de dever, compromisso, dívida [*tdr.* + *de*: *Liberou o credor de todos os encargos; Não conseguiu liberar-se do marido*.] 2 Libertar(-se), livrar(-se) [*tdr.* + *de*: *Liberou o analisando de sua fobia; Liberou-se de suas inibições*.] 3 Suspender proibição ou restrição a [*tdi.* + *a, para*: *Liberaram o viaduto para os caminhões*.] 4 *Bras.* Tornar disponível; DISPONIBILIZAR [*td.*: *liberar verbas*.] [*tdi.* + *para*: *liberar recursos para as bibliotecas*.] 5 Conceder dispensa a [*td.*: *A empresa liberou o pessoal mais cedo*.] 6 Autorizar o livre comércio de determinadas mercadorias [*td.*: *Finalmente liberaram a exportação dos calçados*.] 7 Conseguir ou permitir a liberação de (objetos, documentos etc.) [*td.*: *O consulado liberou os passaportes*.] 8 *Bras.* Suspender qualquer limitação [*td.*: *liberar o ingresso; liberar o preço*.] [▶ 1 liberar] [F.: Do lat. *liberare*. Hom./Par.: *liberes* (fl.), *líberes* (pl. de *líber* [sm.]); *libero* (fl.), *Líbero* (antr.) e *líbero* (sm.).]

liberatório (li.be.ra.*tó*.ri:o) *a.* 1 Ref. a liberação 2 Que libera, que desobriga (atestado liberatório) 3 *Jur.* Que é próprio para desobrigar ou quitar uma dívida [F.: *libera(r)* + *-tório*.]

liberdade (li.ber.*da*.de) *sf.* 1 Possibilidade de agir conforme a própria vontade, mas dentro dos limites da lei e das normas racionais socialmente aceitas 2 Estado ou condição de quem é livre 3 Supressão das formas de opressão anormais, ilegítimas e imorais 4 Autonomia, independência: *Lutou pela liberdade política do país*. 5 Condição de quem não está submetido a nenhum constrangimento físico ou moral: *Ela tinha ampla liberdade de ir e vir.* 6 Licença, permissão: *Você tem toda a liberdade de falar.* 7 Atitude de quem tem familiaridade (às vezes um tanto atrevida) com a pessoa ou pessoas com quem fala: *Tomei a liberdade de trazer-lhe este presente.* 8 Estado daquilo que está com os movimentos livres: *Arregaçou as mangas para dar mais liberdade aos braços.* 9 Condição de homem livre: *O sequestrado obteve a liberdade.* 10 *Fil.* Condição de um ser que se encontra livre para expressar os diversos aspectos de sua natureza ou de sua essência *sfpl.* 11 Autonomia de que desfrutam certos grupos sociais; FRANQUIA 12 Maneira mais ou menos atrevida ou audaciosa de agir: *Não tolero certas liberdades!* [F.: Do lat. *libertas, atis.*] ■ **~ assistida** *Jur.* Aquela concedida a menor infrator da lei, com a condição de ser acompanhado por um orientador durante período mínimo de seis meses **~ civil** A liberdade individual, condicionada à subordinação à lei e ao respeito aos direitos alheios **~ condicional** *Jur.* Liberdade concedida a condenado a prisão, mediante cumprimento de condições preestabelecidas, e durante a qual ele está submetido ao controle e vigilância de agentes da justiça **~ de cátedra** *Jur.* Liberdade que têm juízes para manifestação de seu pensamento no exercício do magistério **~ de imprensa** Direito de que desfruta a imprensa de publicar e emitir opiniões sem censura prévia, sujeitas a critérios éticos e respeito às leis vigentes **~ de indiferença** *Fil.* Liberdade de tomar decisões motivadas unicamente por critérios próprios, sem influência externa de qualquer natureza; livre-arbítrio **~ de linguagem** 1 Não obediência a regras gramaticais, sintáticas ou estilísticas 2 Uso de termos grosseiros ou vulgares, no falar ou no escrever **~ de pensamento** Direito individual de cultivar e externar as próprias opiniões, julgamentos, crenças etc. **~ negativa** *Fil. Pol.* No liberalismo, o não exercício de poder de coerção da sociedade sobre o indivíduo, como se expressa nas liberdades individuais de opinião, de propriedade etc. **~ positiva** *Fil. Pol.* Ação participativa autônoma do indivíduo na sociedade, sua organização, sua política etc. **~ provisória** *Jur.* Liberdade temporária concedida a réu durante o processo de seu julgamento, quando essa liberdade não compromete o bom andamento do julgamento **~ sob palavra** *Jur.* Autorização dada a prisioneiro para que circule fora do recinto da prisão, mediante seu compromisso de que não tentará fugir **~ vigiada** *Jur.* Liberdade provisória concedida a menor delinquente internado em escola reformatória, para que fique com os pais ou com tutor responsável por ele, e sob vigilância de um juiz

liberdades (li.ber.*da*.des) *sfpl.* 1 Imunidades, franquias, regalias concedidas a certos grupos sociais 2 Comportamento petulante 3 *Restr.* Intimidades amorosas [F.: Pl. de *liberdade.*]

liberiano[1] (li.be.ri.*a*.no) *a.* 1 Da Libéria (África); típico desse país ou de seu povo *sm.* 2 Pessoa nascida ou que vive na Libéria [F.: Do top. *Libéri(a)* + *-ano.*]

liberiano[2] (li.be.ri.*a*.no) *a. Bot.* Ref. ao líber [F.: De *líber* + *i* + *-ano.*]

líbero (*lí*.be.ro) *sm.* 1 *Bras. Fut.* Função tática (e o jogador que a exerce) que consiste em, sem ter uma posição fixa de marcação, dar cobertura aos zagueiros ou volantes e recuperar as sobras de bola na zona de defesa 2 *Esp.* No vôlei, função tática (e o jogador que a exerce) especializada na recepção, no passe e na defesa, não sendo permitido o ataque nem a transposição da linha dos 3 m na direção da rede; o jogador deve ter uniforme que o diferencie dos demais [F.: Do it. *libero* 'que tem plena liberdade de ação', 'livre'. Hom./Par.: *libero* (sm.), *libero* (fl. de *liberar*).]

libérrimo (li.*bér*.ri.mo) *a.* Superlativo absoluto sintético de *livre*; muitíssimo livre; LIVRÍSSIMO [F.: Do lat. *liberrimus* sup. de *liber.*]

libertação (li.ber.ta.*ção*) *sf.* Ação ou efeito de pôr(-se) em liberdade; LIBERAÇÃO [Pl.: *-ções.*] [F.: *liberta(r)* + *-ção.*]

libertado (li.ber.*ta*.do) *a.* Que se libertou, que se tornou livre; LIBERTO [F.: Part. de *libertar.*]

libertador (li.ber.ta.*dor*) [ô] *a.* 1 Que liberta, que deixa livre; LIBERTANTE 2 *Bras. Pol.* Pertencente ou relativo ao Partido Libertador, extinto em 1965 *sm.* 3 Aquele que pertenceu a esse partido 4 Aquele que liberta, que dá liberdade a alguém; LIVRADOR; SALVADOR [F.: *libertad(o)* + *-or.*]

libertar (li.ber.*tar*) *v.* 1 Tornar(-se) livre ou liberto [*td.*: *Libertaram o preso; O prisioneiro libertou-se.*] [*tdr.* + *de*: *Fizeram uma revolução para libertar o Iraque da dominação estrangeira.*] 2 Livrar(-se), desembaraçar(-se) de algo que incomoda [*tdr.* + *de*: *Fez o possível para libertar o filho das inibições;* "...não poderia se libertar do marido porque dependia dele..." (Ana Maria Machado, *A audácia dessa mulher*)] 3 Soltar, livrar de inibição o que estava reprimido [*td.*: *Libertou afinal seus anseios sexuais.*] [▶ 1 libertar] [F.: Do lat. medv. *libertare.* Hom./Par.: *liberto* (fl.), *liberto* (a. sm.); *libertaria(s)* (fl.), *libertária(s)* (fem. de *libertário* [a. sm.]).]

libertário (li.ber.*tá*.ri:o) *a.* 1 Que apoia as ideias de que defendem ou aspiram à liberdade absoluta 2 Que apoia ou aspira ao anarquismo; ANARQUISTA *sm.* 3 Pessoa libertária (1, 2) [F.: *libert(ar)* + *-ário*; fr. *libertaire.* Hom./Par.: *libertária* (fem.), *libertaria* (fl. de *libertar*).]

libertarismo (li.ber.ta.*ris*.mo) *sm. Pol.* Corrente política que defende a maximização dos direitos individuais, em especial aqueles relacionados ao funcionamento do livre mercado, e a minimização do papel do Estado, o qual deve apenas zelar pela manutenção da ordem e realizar certos serviços públicos [F.: *libertar* + *-ismo.*]

libertatório (li.ber.ta.*tó*.ri:o) *a.* Que liberta; que promove libertação (discurso libertatório) [F.: *liberta(r)* + *-t-* + *-ório*[1].]

◎ **libert(i)-** *el. comp.* = 'liberdade': *liberticida, liberticídio* [F.: Do rad. lat. *libert-*, de *libertas, atis.*]

liberticida (li.ber.ti.*ci*.da) *a2g.* 1 Que investe contra ou que destrói as liberdades de uma sociedade, de um povo, de um país *s2g.* 2 Quem investe contra ou quem destrói as liberdades de uma sociedade, de um povo, de um país [F.: *libert(i)-* + *-cida.*]

liberticídio (li.ber.ti.*cí*.di:o) *sm.* Destruição das liberdades políticas de um país [F.: *libert(i)-* + *-cídio.*]

libertinagem (li.ber.ti.*na*.gem) *sf.* 1 Conduta de pessoas que se entregam imoderadamente aos prazeres sexuais; DEVASSIDÃO: *Os moradores daquela casa viviam em libertinagem total.* 2 *Ant.* Desconsideração das crenças e dos dogmas religiosos oficialmente aceitos 3 *Fig.* Insubmissão, insubordinação [Pl.: *-gens.*] [F.: *libertin(o)* + *-agem.* Sin. ger.: *indecência.* Ant. ger.: *pudicícia.*]

libertinismo (li.ber.ti.*nis*.mo) *sm.* 1 Licenciosidade de costume; a prática da libertinagem 2 *Fil.* Perspectiva que visa proteger a realidade do livre-arbítrio (q. v.) humano pela suposição de que uma escolha não é casualmente determinada, mas também não é aleatória; e que é antes preciso conceber uma intervenção racional no curso das coisas [F.: *libertino* + *-ismo.*]

libertino (li.ber.*ti*.no) *a.* 1 Que leva uma vida voltada para os prazeres do sexo; DEVASSO; DISSOLUTO; LIBIDINOSO: *Libertino, o rapaz não dormia com menos de duas mulheres.* 2 Que não cumpre com deveres e obrigações (aluno libertino) 3 Que desconsidera regras e dogmas religiosos; ÍMPIO *sm.* 4 Indivíduo libertino: *O libertino narrava suas aventuras para os amigos.* [F.: Do lat. *libertinus, a, um.* Ideia de 'libertino': usar *antepos.* crapul-.]

liberto (li.*ber*.to) *a.* 1 Que foi libertado ou vive em liberdade; LIVRE; SOLTO 2 Diz-se do escravo que obteve a liberdade: *Os escravos libertos entraram em fila.* 3 Que não tem preconceitos ou superstições: *Tinha um espírito liberto.* 4 Livre de sujeição, salvo: *Passou a sentir-se calma, liberta da insônia. sm.* 5 Escravo que foi liberto: *Os libertos cantavam de alegria.* [F.: Do lat. *libertus, i.* Ant. ger.: *cativo, escravo.* Hom./Par.: *liberto* (fl. de *libertar*).]

libidinagem (li.bi.di.*na*.gem) *sf.* 1 Ato ou comportamento marcado por atitudes libidinosas: *Sempre havia libidinagem em seus gestos e olhares.* 2 Procura desenfreada de vida sexual plena: *Dedicava-se à busca da libidinagem;* "Dona Salustiana, mesmo antes de saber que aquela moça era mais uma vítima da libidinagem do filho, quase não a olhava..." (Lima Barreto, *Clara dos Anjos*) 3 Comportamento característico de que ou de quem é sensual, lascivo, voluptuoso [Pl.: *-gens.*] [F.: Do lat. *libido, inis.*]

libidinal (li.bi.di.*nal*) *a2g. Psic.* Ref. a libido [Pl.: *-nais.*] [F.: Do lat. *libido, inis* 'desejo violento, paixão'.]

libidinoso (li.bi.di.*no*.so) [ô] *a.* 1 Relativo ao prazer sexual (relação libidinosa) 2 Que tem desejos sexuais com grande frequência; DEVASSO; LIBERTINO: *Casara-se com uma mulher libidinosa. sm.* 3 Aquele que tem grande desejo sexual: *O libidinoso vivia perseguindo mulheres.* [Pl.: [ó]. Fem.: [ó].] [F.: Do lat. *libidinosus, a, um.* Sin. ger.: *voluptuoso.* Ant. ger.: *pudico.*]

libido (li.*bi*.do) *sf.* 1 Instinto ou desejo sexual; TESÃO: *O professor tinha uma libido forte.* 2 *Psic.* Conforme as teorias de Sigmund Freud, a energia que está na base da agressividade e da criatividade humana; energia vital [F.: Do lat. *libidus, inis.*]

líbio (*lí*.bi:o) *a.* 1 Da Líbia (África); típico desse país ou de seu povo; LÍBICO 2 *Gloss.* Referente ao dialeto árabe falado na Líbia *sm.* 3 *Ling.* Esse dialeto 4 Pessoa nascida ou que vive na Líbia [F.: Do lat. *libyes, ium.*]

libor (*li*.bor) *sf. Econ.* Taxa de juro us. como referência internacional para contratos de financiamento [Criada no mercado financeiro inglês, sigla de *London Inter-Bank Offered Rate.*]

libra[1] (*li*.bra) *sf.* 1 Medida de massa do sistema inglês de pesos e medidas 2 Nome do dinheiro us. na Inglaterra, Chipre, Egito, Líbano, Sudão e Síria 3 Unidade dos valores em libras, us. em notas e moedas [1 libra = 100 pences] [F.: Do lat. *libra.* Hom./Par.: *libra* (sf.) *libra* (fl. de *librar*).] ■ **~ esterlina** A libra, padrão monetário e dinheiro do Reino Unido da Grã-Bretanha e Irlanda do Norte

libra[2] (*li*.bra) *sf.* 1 *Astrol.* No zodíaco, signo das pessoas nascidas entre 23 de setembro e 22 de outubro; BALANÇA 2 *Astron.* Sétima constelação zodiacal, localizada entre Leão e Escorpião; BALANÇA *s2g.* 3 Pessoa nascida sob o signo de Libra; LIBRIANO: *Minha neta é Libra.* [F.: Do lat. *libra.* Hom./Par.: *libra* (sf., s2g.), *libra* (fl. de *librar*). Com inicial maiúscula em todas as acps.]

libração (li.bra.*ção*) *sf.* 1 Ato ou efeito de equilibrar(-se) 2 *Fís.* Movimento oscilatório de um corpo até ficar em equilíbrio, como por ex. o do pêndulo 3 *Astron.* Oscilação, aparente ou real, de um eixo de um corpo celeste, tal como se observa na Lua, o que faz variar levemente a parte visível e a posição das manchas do seu disco [A *libração lunar*, ou da Lua, pode ser *em latitude* ou *em longitude*, em função da direção do deslocamento do ponto central do disco visível; se a libração é real, é chamada *libração física*; a *libração óptica* é a soma das librações em longitude e em latitude.] [F.: Do lat. *libratio, onid* 'nivelamento; movimento regular, oscilação'.]

librar (li.*brar*) *v.* 1 Pôr(-se) em equilíbrio; EQUILIBRAR(-SE) [*td.*: *Os pássaros libravam seus corpos em meio à ventania; Libravam -se com graça e desenvoltura.*] 2 Ter como base, fundamento [*tdr.* + *em*: *Os homens de bem libram seu caráter no respeito aos valores morais.*] [▶ 1 librar] [F.: Do lat. *librare.* Hom./Par.: *libra(s)* (fl.), *libra(s)* (sf. [pl.]); *libré(s)* (fl.), *libré(s)* (sf. [pl.]).]

libré (li.*bré*) *sf.* 1 Uniforme com galões us. por empregados em casas nobres 2 *P. ext.* Farda, uniforme 3 *P. ext.* Roupa, vestimenta, terno 4 *Fig.* Aparência, aspecto exterior [F.: Do fr. *livrée.* Hom./Par.: *lebré* (sm.), *libre* (fl. de librar).]

libretista (li.bre.*tis*.ta) *a2g.* 1 Que escreve libreto(s) *s2g.* 2 Pessoa que escreve libreto(s) [F.: *librет(o)* + *-ista.*]

libreto (li.*bre*.to) [ê] *sm.* 1 Texto ou argumento em que se baseia uma ópera, oratório etc.: *O autor do libreto estava presente.* 2 O livro ou impresso que contém esse texto: *Estava com o libreto debaixo do braço.* [F.: Do it. *libretto.* Cf.: *livreto.*]

libriano (li.bri.*a*.no) *Astrol. a.* 1 Que nasceu sob o signo de Libra 2 Ref. a esse signo ou às qualidades ou influências a ele atribuídas, segundo a astrologia *sm.* 3 Aquele que nasceu sob o signo de Libra [F.: *libr(a)* + *-iano.*]

librina (li.*bri*.na) *sf. Bras. Pop.* O mesmo que *neblina*; chuvisco, garoa [F.: Alter. de *neblina.* Hom./Par.: *librina* (sf.), *librina* (fl. de *librinar*).]

librinar (li.bri.*nar*) *v. int. Bras. Pop.* V. *neblinar.* [▶ 1 librinar] [F.: *librin(a)* + *-ar.* Hom./Par.: *librina(s)* (fl.), *librina(s)* (sf. [pl.]).]

liça (*li*.ça) *sf.* 1 Local cercado em torno dos castelos medievais destinado aos torneios, competições, combates etc. 2 A cerca que impedia o acesso a esses castelos 3 Embate, luta 4 *Fig.* Lugar onde se avaliam questões sérias 5 *Fig.* Campo em que se travam disputas: *Entrou na liça da campanha eleitoral.* [F.: Do fr. *lice.* Hom./Par.: *lissa* (sf.).]

licantropia (li.can.tro.*pi*.a) *sf.* 1 *Psiq.* Perturbação mental obsessiva, na qual a pessoa acredita que se transformou em lobo; LICOMANIA 2 Suposta transformação de pessoa em lobo, segundo antiga crendice [F.: Do gr. *lykanthropía, as.*]

licantropo (li.can.*tro*.po) [ô] *sm.* 1 *Psiq.* Aquele que sofre de licantropia (1); LICOMANÍACO; LICÔMANO 2 Lobisomem [F.: Do gr. *lykánthropos, os, on.*]

lição (li.*ção*) *sf.* 1 Matéria ministrada pelos professores aos alunos; AULA 2 Assunto que, retirado de um livro, é entregue a um aluno para que ele o estude 3 Matéria ou tarefa que o aluno prepara para apresentar ao professor: *A lição de casa foi feita rapidamente.* 4 Cada unidade didática de um curso, destinada ao ensino e ministrada por um professor; AULA: *O curso teve doze lições.* 5 Exposição feita por professor ou profissional capacitado para um público particular; CONFERÊNCIA; CURSO: *as lições de Ariano Suassuna sobre cultura popular.* 6 *Fig.* Ensinamento adquirido por meio de um fato vivenciado ou conselho relativo à conduta dado por uma pessoa a outra: *Ele gostava de dar lições de vida.* 7 *Fig.* Experiência que serve de exemplo: *Aquilo me serviu de lição;* "Os amores na mente, as flores no chão, / A certeza na frente, a história na mão, / Aprendendo e ensinando uma nova lição." (Geraldo Vandré, *Pra não dizer que não falei das flores*) 8 *Fig.* Repreensão, castigo; REPRIMENDA: *Passou uma lição no garoto insubordinado.* 9 *Fig.* Ação que serve de exemplo: *lição de integridade.* 10 *Rel.* A leitura litúrgica feita durante o ofício das matinas 11 *Fig.* Variante de uma palavra, frase ou passagem escrita; VERSÃO [Pl.: *-ções.*] [F.: Do lat. *lectio, onis.*]

licença (li.*cen*.ça) *sf.* 1 Autorização, permissão: "Sem pedir licença nem perdão/ Veio louca pra me enlouquecer." (Toquinho e Mutinho, *Escravo da alegria*) 2 Autorização que se dá a empregado para que ele não compareça um ou mais dias ao trabalho: *Aproveitou a licença de oito dias para viajar.* 3 Consentimento, dado por autoridade competente, para o exercício de certas atividades: *licença para dirigir veículos motorizados.* 4 Permissão concedida a estabelecimento industrial ou comercial para que se inicie suas atividades em troca do pagamento de uma taxa 5 Documento que assevera a autenticidade da concessão de uma licença (3 e 4): *Já posso abrir a loja, estou com a licença nas mãos.* 6 *Fig.* Quebra de padrões ou convenções sociais; ABUSO 7 *Fig.* Liberdade que tem um artista de desrespeitar certas normas estéticas [F.: Do lat. *licentia, ae.*] ■ **Com ~ da má palavra** Com seu perdão pela palavra grosseira empregada **Com sua ~** Com sua permissão; se não o incomoda **Dar ~** Permitir, consentir **~ de corso** Em situação de beligerância entre países, autorização dada para que navios mercantes se armem e participem de ações de guerra; carta de corso **~ especial** *Bras.* Autorização para faltar ao serviço sem vencimentos, durante certo tempo **~ poética** 1 Liberdade que escritor se concede de não seguir regras gramaticais, sintáticas, ortográficas etc. para, em sua visão, melhor expressar suas ideias 2 *P. ext. Fig.* Afirmação, conceito, ideia etc. que se desviam da verdade para beneficiar uma opinião, uma posição etc.: *Dizer que seu time jogou bem é licença poética.*

licença-maternidade (li.cen.ça-ma.ter.ni.*da*.de) *sf.* Licença remunerada de 120 dias a que tem direito uma mulher a partir do nono mês de gravidez; LICENÇA-GESTANTE [Pl.: *licenças-maternidades, licenças-maternidade.*]

licença-paternidade (li.cen.ça-pa.ter.ni.*da*.de) *sf.* Licença remunerada de cinco dias a que tem direito um pai quando do nascimento do filho [Pl.: *licenças-paternidades e licenças-paternidade.*]

licença-prêmio (li.cen.ça-*prê*.mi:o) *sf. Bras.* Afastamento do trabalho a que têm direito certos trabalhadores após algum tempo de serviço [Pl.: *licenças-prêmios e licenças-prêmio.*]

licenciado (li.cen.ci.*a*.do) *a.* 1 Que está autorizado (a fazer ou realizar alguma coisa) por licença 2 Que tem licenciatura *a.* 3 Que foi dispensado ou despedido *sm.* 4 Aquele que tem licenciatura [F.: Part. de *licenciar.*]

licenciamento (li.cen.ci:a.*men*.to) *sm.* Ação ou resultado de licenciar(-se); LICENCIATURA [F.: *licenciar* + *-mento.*]

licenciar (li.cen.ci.*ar*) *v.* 1 Dar ou obter licença para ausentar-se de (aulas, serviço etc.) [*tdr.* + *de*: *Licenciou os alunos das aulas de religião.*] [*int.*: *Licenciou-se para fazer tratamento de saúde.*] 2 Obter licenciatura; receber o grau de licenciado [*td.*: *Esta faculdade licencia muitos alunos todos os anos.*] [*tr.* + *em*:

Licenciaram-se em História.] 3 Dar ou obter licença para automóvel [*td.: Depois de licenciar seu carro, viajou tranquilo.*] 4 Demitir, mandar embora do emprego; DESPEDIR [*td.: O patrão licenciou o empregado por justa causa.*] [▶ 1 licenciar] [F.: Do lat. medv. *licentiare.*]

licenciatura (li.cen.ci:a.*tu*.ra) *Bras. sf.* 1 Grau universitário que faculta o magistério no ensino médio 2 Ato de conferir esse grau 3 Licenciamento [F.: *licenciar* + *-tura.*]

licenciável (li.cen.ci.*á*.vel) *a2g.* Que é passível de obter licença (para funcionamento, exercício de atividade etc.): *Um empreendimento incluído como atividade licenciável na área ambiental.* [Pl.: *-veis.*] [F.: *licencia(r)* + *-vel.*]

licenciosidade (li.cen.ci:o.si.*da*.de) *sf.* Qualidade do que é licencioso [F.: *licencios(o)* + *-(i)dade.*]

licencioso (li.cen.ci:*o*.so) [ô] *a.* 1 Que não respeita normas; DESREGRADO; INDISCIPLINADO 2 Que é sensual, libidinoso (versos licenciosos) 3 Que demonstra desregramento moral e/ou sexual (conduta licenciosa); DEVASSO; DEPRAVADO *sm.* 4 Indivíduo licencioso [Pl.: [ó]. Fem.: [ó].] [F.: Do lat. *licentiosus, a, um.*]

liceu (li.*ceu*) *sm.* 1 Estabelecimento de ensino médio e/ou profissionalizante 2 Curso feito nesse estabelecimento 3 Agremiação cultural que tem fins didáticos 4 *MG Pop.* Prostíbulo [F.: Do lat. *lyceum.*]

lichia (li.*chi*.a) *sf.* 1 *Bot.* Árvore da fam. das sapindáceas (*Litchi chinensis*), originária da China ao Oeste da Malásia e cultivada por seus frutos comestíveis 2 O fruto globoso e de casca rugosa dessa árvore [F.: Do chin. *li-chi.*]

licitação (li.ci.ta.*ção*) *sf.* 1 Ação ou resultado de licitar 2 Oferta de preço em leilão 3 Ação ou resultado de pôr (algo) em leilão 4 *Adm.* Escolha de fornecedores de bens e/ou serviços para órgãos públicos feita por meio de concorrência 5 *Jur.* Venda em leilão (entre coerdeiros ou coproprietários) de bens que não podem ser divididos [Pl.: *-ções.*] [F.: Do lat. *licitatio, onis.*]

licitado (li.ci.*ta*.do) *a.* Que foi objeto de licitação, de concorrência pública [F.: Part. de *licitar.*]

licitante (li.ci.*tan*.te) *a2g.* 1 Que licita; LICITADOR *s2g.* 2 Aquele que licita; LICITADOR [F.: *licitar* + *-nte.*]

licitar (li.ci.*tar*) *v.* 1 Colocar em leilão, ou em concorrência pública [*td.: licitar a contratação de obras para o município.*] 2 Oferecer ou cobrir quantia em leilão para arrematar (bem leiloado) [*td.: Conseguiu afinal licitar o quadro.*] [*int.: Interessado na peça, não hesitou em licitar.*] 3 *Jur.* Colocar em licitação ou hasta pública os bens deixados entre os coerdeiros e o cônjuge [*td.: Resolveram licitar os bens do pai.*] [▶ 1 licitar] [F.: Do lat. *licitare.* Hom./Par.: *licito* (fl.), *lícito* (a. sm.).]

licitatório (li.ci.ta.*tó*.ri:o) *a.* Ref. a licitação [F.: *licita(r)* + *-tório.*]

lícito (*lí*.ci.to) *a.* 1 *Jur.* Que está de acordo com a lei, com os princípios do direito 2 Que está nos limites do justo; que é permitido 3 Que é admissível, justificável: *É lícito esperar que ela me procure. sm.* 4 O que é justo, o que é permitido [F.: Do lat. *licitus, a, um.* Ant. ger.: *ilícito.* Hom./Par.: *lícito* (a. sm.), *licito* (fl. de *licitar*).]

licitude (li.ci.*tu*.de) *sf.* 1 Qualidade ou condição daquilo que é lícito ou permitido 2 *Jur.* De acordo com o direito; JURIDICIDADE; LEGALIDADE [F.: *lícit(o)* + *-(t)ude.*]

◎ **lic(o)-** *el. comp.* = 'lobo': *licantropia, licantropo, licopódio* (< lat.) [F.: Do gr. *lýkos, ou.*]

licopeno (li.co.*pe*.no) *sm. Quím.* Pigmento vermelho ($C_{40}H_{56}$) encontrado em certos vegetais, como o tomate [F.: Do lat. cient. *Lycop(ersicon)* + *-eno.* Ver *lic(o)-*.]

licopódio (li.co.*pó*.di:o) *sm. Bot.* Nome comum das plantas do gên. *Lycopodium*, da fam. das licopodiáceas, e suas espécies; são de regiões temperadas e tropicais e têm amplo uso como medicinais, ornamentais, fornecedoras de fibras, e pelos esporos (tinturas e fogos de artifício) [F.: Do lat. cient. *Lycopodium.*]

licor (li.*cor*) [ô] *sm.* 1 Bebida alcoólica doce e espessa, obtida por destilação ou adição de certos vegetais aromáticos (licor de cacau) 2 Uma dose de licor (1): *Perdeu a conta dos licores que tomou.* 3 *Farm. Quím.* Designação comum a vários líquidos, esp. àqueles que contêm álcool 4 Qualquer líquido [F.: Do lat. *liquor, oris.* Cf.: *líquor.*]

licoreira (li.co.*rei*.ra) *sf.* 1 Frasco apropriado para servir licor 2 O conjunto formado por uma garrafa de licor e cálices para bebê-lo [F.: *licor* + *-eira.* Sin. ger.: *licoreiro.*]

licoreiro (li.co.*rei*.ro) *sm.* O mesmo que *licoreira* [F.: *licor* + *-eiro.*]

licorne (li.*cor*.ne) *sm.* 1 Animal fabuloso, semelhante a um cavalo, com um único chifre na testa; na mitologia, símbolo de virtudes e de pureza, e cuja presença afastava o mal; UNICÓRNIO 2 *Bras. Zool.* Ver anhuma 3 *Astr.* Constelação do hemisfério austral [F.: Do lat. *unicórnis*, e 'de um só corno'.]

licoroso (li.co.*ro*.so) [ô] *a.* Que tem a consistência espessa, o aroma e a doçura do licor [Pl.: [ó]. Fem.: [ó].] [F.: *licor* + *-oso.*]

licuri (li.cu.*ri*) *sm. Bras. Bot.* O mesmo que *ouricuri* [F.: F. dissimilada de *ouricuri* (q. v.).]

lida[1] (*li*.da) *sf.* 1 Ação ou resultado de lidar 2 Trabalho, faina, labuta: *Está enfrentando a lida diária.* [F.: Dev. de *lidar.* Hom./Par.: *lida* (sf.), *lida* (fl. de *lidar*).]

lida[2] (*li*.da) *sf. Bras.* Leitura mais ou menos rápida, ou superficial: *Vou dar uma lida no jornal.* [F.: *ler* + *-ida.*]

lidador (li.da.*dor*) [ô] *a.* 1 Que lida ou combate; GUERREIRO 2 Que lida ou labuta; TRABALHADOR 3 Que toureia *sm.* 4 Aquele que lida ou combate; GUERREIRO *sm.* 5 Aquele que lida ou labuta; TRABALHADOR 6 Aquele que toureia [F.: *lidar* + *-dor.*]

lidar (li.*dar*) *v.* 1 Tratar com, ou ocupar-se de [*tr.* + *com: A mãe lidava carinhosamente com o filho;* "O acordo voluntário denominado Abordagem Estratégica para Gestão Internacional de Produtos Químicos (SAICM, da sigla em inglês) abrange (...) maneiras de lidar com produtos obsoletos e estocados." (Andréa Wolffenbüttel, "Seção Giro", *in Desafios, ano 3, nº 20 – março de 2006*)] 2 Enfrentar, pelejar [*tr.* + *com: Sabia lidar com bandidos.*] 3 Entregar-se a lida ou labuta [*int.: Eles lidam duro todos os dias.*] 4 Participar de batalha ou de duelo; DUELAR; ESFALFAR(-SE) [*int.: Foi aqui que nossos soldados lidaram.*] 5 Trabalhar com afinco [*tr.* + *por, para: Lidou muito por fazer fortuna.*] [*int.: Esses trabalhadores lidam dia e noite.*] 6 Manter combate moral [*tr.* + *com: Lidava com as próprias insuficiências.*] 7 *Taur.* Lutar com o touro; TOUREAR [*td.: lidar o touro.*] [▶ 1 lidar] [F.: De or. contrv. Posv. do lat. *litigare.* Hom./Par.: *lida(s)* (fl.), *lida(s)* (sf. [pl.]); *lide(s)* (fl.), *lide(s)* (sf. [pl.] e sm. [pl.]); *lido* (fl.), *lido* a. sm.).]

lide[1] (*li*.de) *sf.* 1 Trabalho duro, pesado; FAINA; LABUTA 2 Combate, luta 3 *Jur.* Questão judicial; DEMANDA; LITÍGIO 4 Ato de enfrentar o touro [F.: Do lat. *lis, lidis.* Hom./Par.: *lide* (sf.), *lide* (fl. de *lidar*).]

lide[2] (*li*.de) *sm. Jorn.* Pequeno texto que aborda ou resume os principais temas de uma matéria jornalística; LEAD [F.: Do ing. *lead.*]

líder (*lí*.der) *s2g.* 1 Pessoa com autoridade e carisma para comandar outras: *O líder da tropa era inflexível.* 2 Pessoa que, por seu prestígio e influência, comanda, orienta, incentiva outras em suas atividades: *Tornou-se o líder da comunidade.* 3 Chefe de partido ou movimento político: *o líder da bancada governista; um líder revolucionário.* 4 Indivíduo de maior evidência em um movimento religioso, científico, artístico etc. 5 Empresa ou produto que se destaca em seu setor: *O telejornal é líder em audiência nesse horário.* 6 *Esp.* Atleta ou equipe que ocupa o primeiro lugar numa competição [F.: Do ing. *leader.* Hom./Par.: *líderes* (pl.), *lideres* (fl. de *liderar*).]

liderado (li.de.*ra*.do) *a.* 1 Que está sob a condução ou orientação de um líder *sm.* 2 Aquele ou aquilo que está sob a condução ou orientação de um líder [F.: Part. de *liderar.*]

liderança (li.de.*ran*.ça) *sf.* 1 Posição, função ou caráter de líder 2 Capacidade de liderar; AUTORIDADE; ASCENDÊNCIA 3 Aquele que possui tal capacidade; LÍDER: *as lideranças sindicais.* [F.: *liderar* + *-ança.*]

liderar (li.de.*rar*) *v. td.* 1 Conduzir ou dirigir como líder: *liderar um motim / uma passeata / um protesto.* 2 Estar em primeiro lugar em: *O cantor liderava as pesquisas de popularidade.* [▶ 1 liderar] [F.: *líder* + *-ar*[2]. Hom./Par.: *lideres* (fl.), *líderes* (pl. de *líder* [s2g. sm.]).]

lidimar (li.di.*mar*) *v. td.* O mesmo que *legitimar*: *O homem lidimou os filhos adotivos; lidimar um título de propriedade.* [▶ 1 lidimar] [F.: *lídimo* + *-ar*[2].]

lídimo (*lí*.di.mo) *a.* 1 Que é tido como autêntico, genuíno, legítimo: *um lídimo representante do modernismo.* [Ant.: *ilídimo.*] 2 Diz-se de palavra ou expressão pura, genuína, vernácula [F.: Do lat. *legitimus, a, um.* Hom./Par.: *lídimo* (a.), *lidimo* (fl. de *lidimar*).]

lídio (*lí*.di:o) *sm.* 1 Pessoa nascida ou que viveu na Lídia, antiga região da Ásia Menor 2 *Gloss.* Língua indo-europeia que era falada na Lídia 3 *Mús.* Primeiro dos modos médios entre os antigos gregos *a.* 4 Da Lídia, típico desse país da Antiguidade ou de seu povo 5 *Gloss.* Do ou ref. ao lídio (2) [F.: Do lat. *lydius, a, um.*]

lido (*li*.do) *a.* 1 Que tem conhecimentos obtidos por leituras; CULTO; ERUDITO: "Elas haviam acabado de sair do Colégio Sion, em Petrópolis, já muito lidas nos romances de Mlle. Zenaide Fleuriot" (Afrânio Peixoto, *A esfinge*) 2 Que se leu ou se lê: *A coluna mais lida no jornal.* [F.: Part. de *ler.* Hom./Par.: *lido* (a.), *lido* (fl. de *lidar*).]

lidroso (li.*dro*.so) [ô] *a.* Diz-se da lã suja que reveste os testículos do carneiro [Pl.: [ó]. Fem.: [ó].] [F.: F. corr. de *ludroso.*]

liechtensteinense (li:ech.tens.tei.*nen*.se) *a2g.* 1 Ref. ao Principado de Liechtenstein (Europa ocidental) *s2g.* 2 Aquele ou aquela que nasceu ou que vive no Principado de Liechtenstein [F.: Do top. (*Principado de*) *Liechtenstein* + *-ense.*]

◎ **-lien(o)-** *el. comp.* Ver *lien(o)-*

◎ **lien(o)-** *el. comp.* = 'baço': *lienite, lienocele; alienia* [F.: Do lat. *lien* ou *lienis, is.*]

lienocele (li.e.no.*ce*.le) *sf. Pat.* Hérnia do baço [F.: *lien(o)-* + *-cele*[1].]

liforme (li.*for*.me) *sm. Bras. Pop.* Ver *uniforme* (1) [F.: *uniforme*, com aférese e dissimilação.]

⊕ **lifting** (*Ing. /liftin/*) *sm. Cir.* Intervenção cirúrgica para corrigir efeitos do envelhecimento no rosto e no pescoço [F.: Do ing. *lifting*, part. pres. de *to lift* 'levantar, elevar'.]

liga[1] (*li*.ga) *sf.* 1 Ato ou efeito de ligar; LIGAÇÃO 2 Aliança, união, pacto 3 Associação de indivíduos ou de grupos ou partidos para defesa de interesses comuns, ou para alcançar determinados fins, de ordem social, política, filantrópica, cultural etc. 4 Facção, bando, partido 5 Aliança ou confederação de Estados para fins defensivos ou agressivos; COLIGAÇÃO: *Liga de defesa nacional.* 6 Tira elástica, que cinge a meia à perna, ou presilha de elástico, unida a um cinto ou a uma cinta, que segura o alto das meias, a fim de conservá-las esticadas nas pernas *Ant.;* JARRETEIRA 7 Tira de pano grosso e entrançado 8 *Metal. Quím.* União atômica de vários metais, e em certos casos com a inclusão de elementos não metálicos, com propriedades diferentes dos seus constituintes 9 *Metal.* O corpo metálico que resulta dessa composição *s2g.* 10 *Bras.* Amigo inseparável; CAMARADA; COMPANHEIRO [F.: Dev. de *ligar.* Hom./Par.: *liga* (sf.), *liga* (fl. de *ligar*), *ligá* (sm.).]

liga[2] (*li*.ga) *sf.* Dita, boa sorte, felicidade no amor, no jogo, em empreendimento etc.; LIGAÇÃO [F.: Do cast. platense *liga*, dev. de *ligar* 'ter sorte'.]

ligação (li.ga.*ção*) *sf.* 1 Ação ou resultado de ligar(-se); LIGADURA; LIGAMENTO [+ *a, com, entre.*] 2 Junção ou união entre pessoas ou coisas: *Havia uma ligação forte entre os frequentadores do bar.* 3 Aquilo que liga; LIGAMENTO 4 Condição do que se encontra ligado 5 Aquilo que estabelece uma associação ou relação entre coisas; CONEXÃO; NEXO 6 *Fig.* Vínculo entre pessoas: *Tinha várias ligações de amizade.* 7 *Bras.* Relação entre amantes: *Ela tinha uma ligação com um médico.* 8 Comunicação regular entre dois lugares por meio de trem, ônibus, avião, navio etc.: *Há ligação ferroviária entre Porto Alegre e Pelotas?* 9 Indivíduo que serve de vínculo de aproximação entre pessoas ou grupo de pessoas: *Era ele a ligação entre os novos jogadores e o clube.* 10 *Elet.* Ação de colocar dois circuitos elétricos em comunicação ou de unir uma rede de eletricidade a outra 11 *Gram.* Som que resulta da pronúncia da última consoante de uma palavra com a vogal que começa a seguinte (p. ex. *todo-zo-zomens* 'todos os homens'.) 12 Comunicação por meio de telegrafia, telefonia etc.: *Pegou o telefone e fez uma ligação.* [Pl.: *-ções.*] [F.: do lat. *ligatio, onis.*] ▪▪ **Cair a ~** *Bras.* Interromper-se uma ligação telefônica devido a problemas na transmissão do sinal **~ coordenada** *Fís.-quím.* Ligação covalente na qual o par de elétrons pertence a um dos átomos; ligação dativa **~ covalente** *Fís.-quím.* Ligação entre átomos pelo compartilhamento entre eles de um par de elétrons de valência, um de cada átomo; ligação homopolar **~ dativa** *Fís.-quím.* Ver *Ligação coordenada* **~ direta** *Mec.* Em veículo automotivo, conexão elétrica feita diretamente entre o fio que conduz a carga da bateria e o que leva ao motor de arranque, permitindo ligar o veículo sem usar o mecanismo de ignição: "...Arromba uma porta | Faz ligação direta | Engata uma primeira..." (Francis Hime, Chico Buarque, *Pivete*) **~ dupla** *Fís.-quím.* Ligação covalente entre dois átomos, resultante de uma ligação sigma e uma pi **~ eletrovalente** *Fís.-quím.* Ligação química entre íons de cargas contrárias; ligação heteropolar; ligação iônica **~ em delta** *Elet.* Conexão em forma de triângulo dos condutores de um circuito trifásico **~ em estrela** *Elet.* Conexão em forma de estrela de três pontas dos condutores de um circuito trifásico **~ em paralelo** *Elet.* Conexão de dois ou mais componentes de um circuito de modo que os terminais de entrada estão ligados entre si, e os de saída estão ligados entre si **~ em série** *Elet.* Conexão de dois ou mais componentes de um circuito de modo que o terminal de saída de cada um está ligado ao de entrada do seguinte **~ heteropolar** *Fís.-quím.* Ver *Ligação eletrovalente* **~ homopolar** *Fís.-quím.* Ver *Ligação covalente* **~ iônica** *Fís.-quím.* Ver *Ligação eletrovalente* **~ metálica** *Fís.-quím.* Ligação entre átomos de um metal que tem dos elétrons distribuídos em toda uma rede de padrões simétricos e repetidos (rede cristalina) **~ não localizada** *Fís.-quím.* Ligação na qual os elétrons distribuem-se por toda a molécula, não se localizando entre dois átomos **~ peptídica** *Bioq.* Numa molécula de proteína, ligação química entre dois aminoácidos **~ pi (p)** *Fís.-quím* Tipo de ligação covalente no qual as órbitas dos elétrons partilhados interpenetram-se em paralelo, simetricamente ao eixo formado pelos dois átomos ligados **~ sigma(s)** *Fís.-quím.* Tipo de ligação covalente no qual as órbitas dos elétrons interpenetram-se no mesmo eixo, formado pelos dois átomos ligados; ligação simples **~ simples** *Fís.-quím.* Ver *Ligação sigma* **~ tripla** *Fís.-quím.* Ligação covalente entre dois átomos, com compartilhamento de três pares de elétrons, formando uma ligação sigma e duas ligações pi

ligada (li.*ga*.da) *sf. Bras. Pop.* Ver *telefonema* (1) [F.: *lig(ar)* + *-ada*[1].]

ligado (li.*ga*.do) *a.* 1 Que se ligou; JUNTO; UNIDO 2 Que tem conexão: *Circuitos elétricos ligados.* 3 Que tem relação; RELACIONADO 4 *Fig.* Com fortes vínculos que prendem a um lugar, atividade, pessoa etc.: *Muito ligado em política.* 5 Diz-se de metal que se uniu a outro(s) para formar uma liga 6 *Bras. Gír.* Que está sob efeito de droga 7 *Bras. Gír.* Absorto, concentrado [Ant.: *desligado.*] 8 *Mús.* Executado sem interrupções *sm.* 9 Maneira de executar uma linha melódica com fluidez, sem interrupções [F.: Do lat. *ligatus, a, um* 'ligado, atado, preso'. Ideia de 'ligado': *-pago* (*xifópago*).]

ligadura (li.ga.*du*.ra) *sf.* 1 Ligação (1) [Ant.: *desligadura.*] 2 Faixa ou atadura em volta de uma parte do corpo 3 *Cir.* Operação cirúrgica que consiste em apertar com um fio um vaso sanguíneo ou órgão oco para causar seu fechamento (ligadura de trompa) 4 *Cir.* O fio us. nesse tipo de operação 5 *Mús.* Sinal em forma de arco us. para indicar ligação de duas ou mais notas [F.: Do lat. *ligatura, ae.*]

ligame (li.*ga*.me) *sm.* 1 Vínculo, laço, união 2 Impedimento de matrimônio [F.: Do lat. *ligamen, inis* 'laço, cordão; atadura'.]

ligamentar (li.ga.men.*tar*) *a2g. Anat.* Ref. ao(s) ligamento(s) (3), ou dele(s) próprio [F.: *ligamento* + *-ar*[1].]

ligamento (li.ga.*men*.to) *sm.* 1 Ação ou resultado de ligar(-se); LIGAÇÃO [Ant.: *desligamento.*] 2 Tudo o que serve para ligar ou unir; LIAME; CONEXÃO 3 *Anat.* Cordão fibroso de grande resistência que liga entre si os ossos das articulações (ligamentos do joelho) 4 *Anat.* Dobra ou prega do peritônio que serve de apoio a algumas das vísceras abdominais 5 *Cons.* Argamassa [F.: Do lat. *ligamentum, i.*] ▪▪ **~ inguinal** *Anat.* Feixe fibroso que liga a parte anterosuperior da espinha ilíaca ao púbis **~ lacunar** *Anat.* Feixe fibroso que liga, horizontalmente, o ligamento inguinal ao púbis **~ pectíneo** *Anat.* Feixe fibroso espesso e forte que passa pela borda anterossuperior do púbis, junto ao ligamento lacunar **~ sacroilíaco** *Anat.* Qualquer dos três fortes ligamentos que unem o sacro aos ilíacos [São eles o interósseo, o dorsal e o ventral.] **~ suspensor do cristalino** *Anat. Oft.* Conjunto de fibras que, em cada olho, vai do corpo ciliar ao cristalino

ligante (li.*gan*.te) *a2g.* 1 *Fís.-Quím.* Diz-se de elemento, ser ou conceito pertinente a uma ligação química estável 2 *Bioq.* Diz-se de molécula que se liga a uma proteína *sm.* 3 Aquilo que liga 4 *Quím.* Ânion ou molécula neutra que se liga a um cátion metálico por meio da doação de um par de elétrons [F.: *liga(r)* + *-nte.*] ■ ~ **betuminoso** *Cons.* Betume de forte ação aglutinante ~ **hidráulico** *Cons.* Pó que forma, quando misturado à água, uma pasta de ação aglomerante sobre materiais como areia, cascalho etc.

ligar (li.*gar*) *v.* **1** Prender, unir seres ou coisas; JUNTAR; ATAR [*td.*: *Ligava achas de lenha com uma corda.*] [*tdr.* + *a, em*: *ligar uma extremidade à outra.*] **2** Fazer conexão elétrica ou eletrônica [*tdr.* + *a, em*: *ligar a televisão na tomada.*] **3** Aglutinar(-se), combinar(-se) ou misturar(-se) [*td.*: *ligar metais fundidos.*] [*int.*: *A prata e o ouro ligam-se bem.*] **4** Pôr em comunicação, ou dar acesso a [*td.*: *A TV a cabo liga todas as partes do mundo.*] [*tdr.* + *a*: *O pátio ligava a casa à alameda que terminava na mata.*] **5** *Fig.* Associar, relacionar [*td.*: *ligar fatos.*] [*tdr.* + *a*: *Ligou um fato ao outro e tirou suas conclusões.*] [*tr.* + *a*: *Esta crise política se liga a complexos problemas econômicos.*] **6** *Fig.* Unir(-se) em sentido moral ou afetivo [*td.*: *Os dois se ligaram desde que se conheceram.*] **7** Levar em consideração, dar importância a, interessar-se por [*tr.* + *para*: "Não ligue para o que ele está falando! Ele está bêbado..." (França Júnior, *Os dois irmãos*)] **8** Discar (número telefônico) ou telefonar [*td.*: *Ligou o número errado.*] [*ti.* + *para*: *Ligarei para o teatro.*] **9** Funcionar (o telefone) [*int.*: *O aparelho parou de ligar.*] **10** Colocar em funcionamento (sistema ou aparelho elétrico, motor ou veículo automóvel) [*td.*: *ligar o carro/a televisão/o ventilador.*] **11** *Cir.* Fazer ligadura (3) de [*td.*: *ligar as trompas.*] **12** Fazer aderir [*td.*: *Usou o cimento para ligar os tijolos.*] [▶ **14** **ligar**] [F.: Do lat. *ligare.* Hom./Par.: *liga(s)* (fl.), *liga(s)* (sf. [pl.]); *ligais* (fl.), *ligais* (pl. de *ligal* [sm.]); *ligar* (part.), *ligar* (sm.). Ideia de 'ligar': *hapt(i/o)-*.]

ligeira (li.*gei*.ra) *sf.* **1** Qualidade ou estado do que é ligeiro, rápido; ligeireza, rapidez **2** *GO* Em desafio cantado, estrofe de quatro versos, cada verso com sete sílabas, com uma só rima, sendo dois versos cantados por um dos cantadores, dois como resposta do outro **3** *PA* Na ilha de Marajó, corda com que prende rês bravia pelos chifres, para só soltá-la quando o vaqueiro já não corre o risco de ser chifrado **4** *N.E.* Cabo que na jangada sustenta a verga no balanço **5** *N.* Espécie de chicote para açoitar cavalos **6** *Lus.* Corda que pedreiros usam para firmar os paus que sustentam o calabre de içar predras **7** *CE Pop.* Diarreia [F.: Fem. subst. de *ligeiro.*]

ligeireza (li.gei.*re*.za) [ê] *sf.* **1** Qualidade ou condição de ligeiro; CELERIDADE; RAPIDEZ [Ant.: *lentidão.*] **2** Agilidade, destreza, habilidade: *Admirava a ligeireza dos bailarinos.* **3** *Fig.* Leviandade, superficialidade **4** *Bras.* Esperteza, velhacaria [F.: *ligeir(o)* + *-eza.*]

ligeiro (li.*gei*.ro) *a.* **1** Que se movimenta em velocidade (passos ligeiros); CÉLERE; VELOZ [Ant.: *lento, lerdo, vagaroso.*] **2** Leve, tênue, delicado (brisa ligeira; nuvem ligeira) [Ant.: *condensado, denso.*] **3** Ágil, lesto, desembaraçado [Ant.: *desajeitado, lento.*] **4** Fugaz, vago, discreto: *uma ligeira sombra de tristeza no olhar.* **5** Que quase não se percebe; que é pouco intenso; IMPERCEPTÍVEL; SUTIL: *uma ligeira alta de preços; um ligeiro tremor de terra.* [Ant.: *forte, intenso.*] **6** Que não é preocupante nem grave (ligeiro mal-estar); PEQUENO [Ant.: *importante, inquietante, sério*] **7** De pouca espessura; LEVE: *Usava um casaquinho ligeiro.* [Ant.: *grosso, pesado.*] **8** Diz-se de refeição rápida e de leve digestão; FRUGAL **9** Que é feito de maneira rápida (leitura ligeira; visita ligeira); BREVE; CURTO **10** De conteúdo simples, fácil, acessível: *Prefere comédias ligeiras.* [Ant.: *denso, profundo.*] **11** *Mil.* Que tem armamento leve e se locomove com rapidez (infantaria ligeira) **12** *Mús.* Diz-se da voz que atinge os registros agudos com facilidade (soprano ligeira) **13** Que é volúvel, inconstante, leviano [Ant.: *duradouro, longo.*] *sm.* **14** *Amaz.* Remador de igarité ou outra embarcação indígena **15** *S.* Andarilho de trilhos de estrada de ferro. *adv.* **16** Com rapidez; APRESSADAMENTE; CELEREMENTE; DEPRESSA; RAPIDAMENTE: *Ele fala e age ligeiro.* [F.: Do fr. *léger.*]

⊕ **light** (*Ing.* /láit/) *a2g2n.* **1** Diz-se de alimento de baixo valor calórico **2** Diz-se de bebida com menor teor alcoólico que o normal **3** Cuja composição é supostamente menos nociva (cigarros light) **4** De sabor pouco pronunciado: *Fez uma refeição light.* [F.: Do ing. *light.*]

◎ **lign(i)-** *el. comp.* = 'madeira': *lignificar, lignina, lignito, lignívoro* [F.: Do lat. *lignum, i.*]

lignificação (lig.ni.fi.ca.*ção*) *sf. Bot.* Deposição de lignina e outras substâncias nas paredes celulares de certos vegetais, dando aos tecidos consistência de madeira; LENHIFICAÇÃO [Pl.: *-ções.*] [F.: *lignificar* + *-ção.*]

lignificar (lig.ni.fi.*car*) *v. Bot.* Encher(-se) de lignina; converter(-se) em madeira; LENHIFICAR [*td.*: *Um longo processo lignificou a árvore.*] [*int.*: *A planta lignificou-se, tornou-se rija e ereta.*] [▶ **11** **lignificar**] [F.: *lign(i)-* + *-ficar.*]

lignina (lig.*ni*.na) *sf. Bot.* Substância que se acumula nas paredes celulares, unindo-se às fibras de celulose, e confere rigidez ao tecido vegetal; a lignina e a celulose são os principais constituintes da madeira; LENHINA [F.: *lign(i)-* + *-ina*².]

lignito (lig.*ni*.to) *sm. Geol.* O mesmo que *linhito* [F.: *lign(i)-* + *-ito*, ou do fr. *lignite.*]

lignívoro (lig.*ní*.vo.ro) *Zool. a. sm.* O mesmo que *xilófago* [F.: *lign(i)-* + *-voro.*]

ligofilia (li.go.fi.*li*.a) *sf. Psiq.* Atração mórbida por lugares escuros, sombrios [F.: Do gr. *lyg(aíos)* 'sombrio', 'obscuro' + *-o-* + *-filia.*]

ligofílico (li.go.*fí*.li.co) *a. Psiq.* Ref. a ligofilia [F.: *ligofil(ia)* + *-ico*².]

lígula (*lí*.gu.la) *sf.* **1** *Zool.* Estrutura situada entre os palpos labiais dos insetos **2** *Bot.* Corola das flores periféricas do capítulo das compostas; BÁRBULA; HEMIFLÓSCULO; SEMIFLÓSCULO *sf.* **3** *Bot.* Nas folhas das gramíneas, apêndice piloso ou membranáceo situado entre o limbo e a bainha; CRISTA [F.: Do lat. cient. *ligula* < lat. *ligula, ae* 'correia de sapato', 'colher', 'medida para líquidos'. Ideia de 'lígula': *ligul(i)-*.]

lígure (*lí*.gu.re) *s2g.* **1** Indivíduo dos lígures, povo primitivo que, até o séc. VI a.C., vivia em extenso território ao N. da Península Itálica **2** Pessoa nascida ou que habita a região da Ligúria (N. da Itália) *sm.* **3** *Gloss.* Língua galo-românica falada na região da Ligúria (N. da Itália), em algumas ilhas da costa da Sardenha (Itália), em Bonifácio (Córsega) e em Mônaco *a2g.* **4** Ref. ou pertencente à Ligúria, ou aos lígures [F.: Do lat. *ligur* e *ligus, uris.*]

ligustro (li.*gus*.tro) *sm. Bot.* Designação comum às árvores e aos arbustos do gên. *Ligustrum*, da fam. das oleáceas, que reúne várias espécies, entre as quais o alfeneiro [F.: Do lat. cient. *Ligustrum.*]

lilá (li.*lá*) *a2g. sm.* Ver *lilás*

lilás (li.*lás*) *sm.* **1** *Bot.* Arbusto da fam. das oleáceas (*Syringa vulgaris*) que dá flores violeta-claras, azuladas ou brancas dispostas em cachos **2** *Bot.* Essa flor **3** A cor violeta-clara do lilás (2): *O lilás é a cor da espiritualidade.* **4** Por metonímia, roupa dessa cor: *A aniversariante estava de lilás.* [Pl.: *-lases.*] *a2g.* **5** Que é da cor violeta-clara do lilás (2) (blusa lilás) **6** Diz-se dessa cor: *A bicicleta da menina era de cor lilás.* [Pl.: *-lases.*] [F.: Do fr. *lilas.* Tb. *lilá.*]

liliácea (li.li.*á*.ce:a) *sf. Bot.* Espécime das liliáceas, fam. de plantas monocotiledôneas, de flores quase sempre hermafroditas e actinomórficas, cujos frutos são, de ordinário, cápsulas, e que compreende numerosas espécies, em sua maior parte ervas perenes com rizomas ou bulbos escamosos, onde armazenam substâncias de reserva. São cultivadas como ornamentais, para alimentação e tb. para uso medicinal, entre outros [F.: Adapçt. do lat. cient. *Liliaceae.*]

liliáceo (li.li.*á*.ce:o) *a.* **1** *Bot.* Que tem a aparência do lírio **2** Ref. às liliáceas [F.: Do lat. *liliaceus, a, um* 'de lírio'.]

liliputiano (li.li.pu.ti.*a*.no) *a.* **1** Ref. a Lilipute, ilha imaginária do romance *Viagens de Gulliver*, do escritor inglês Jonathan Swift (1667-1745), onde os habitantes medem cerca de seis polegadas **2** *P. ext.* Extremamente pequeno **3** *Fig.* Mesquinho, medíocre (mentalidade liliputiana) *sm.* **4** O habitante da ilha imaginária de Liliput [F.: Do ing. *lilliputian.*]

lima¹ (*li*.ma) *sf.* **1** Ferramenta de aço us. para polir, raspar, desbastar ou serrar metais ou outros materiais duros **2** *Fig.* Tudo o que corrói ou desgasta: *a lima do tempo.* [Aum.: *limatão.*] [F.: Do lat. *lima, ae.* Hom./Par.: *lima* (sf.), *lima* (fl. de *limar*).]

lima² (*li*.ma) *Bot. sf.* Fruto da limeira; LIMA-DA-PÉRSIA [F.: Do ár. *limâ.*]

limada (li.*ma*.da) *sf. Bras.* Refresco de lima² [F.: *lima*² + *-ada.*]

limado (li.*ma*.do) *a.* **1** Desbastado ou polido com lima **2** Que se gastou; CORROÍDO; DESGASTADO; CARCOMIDO **3** *Fig.* Que denota educação refinada; ESMERADO; POLIDO **4** *Fig.* Isento de erro; CASTIÇO; VERNÁCULO: "...José Basílio não escreveu *Eneidas* nem *Ilíadas*, mas o *Uruguai* é obra de um grande e doce poeta, precursor de Gonçalves Dias... Não tem este a popularidade de *Marília de Dirceu*, sendo-lhe, a certos respeitos, superior, por mais incompleto e menos limado que o ache Garret" (Machado de Assis, *A semana*) [F.: Part. de *limar.*]

limador (li.ma.*dor*) [ô] *a.* **1** Que lima *sm.* **2** Aquele que lima **3** Aparelho próprio para limar (limador automático) **4** *Fig.* O que aperfeiçoa [F.: *lima(r)* + *-dor.*]

limagem (li.*ma*.gem) *sf.* **1** Ação ou resultado de limar **2** *Fig.* Polimento, aperfeiçoamento [Pl.: *-gens.*] [F.: *limar* + *-agem*¹. Sin. ger.: *limadura.*]

limalha (li.*ma*.lha) *sf.* **1** Pó ou partículas resultantes da limagem de um metal **2** *Bras. N.E. Pirot.* Espécie de busca-pé grande [F.: Do fr. *limaille.*]

limão (li.*mão*) *sm.* **1** *Bot.* Fruto do limoeiro, azedo e ácido; LIMÃO-AMARGO; LIMÃO-AZEDO **2** *Bot.* Limoeiro **3** A cor verde-amarelada do limão (1) **4** *Bras. N.E. Ent.* Abelha (*Melipona limão*) que exala um cheiro de limão; IRAXIM *a2g2n.* **5** Que é da cor do limão (1) (saias limão) **6** Diz-se dessa cor [F.: Do persa *limu* ou *laimun.* Ideia de 'limão': *citr(i)-* (*citricultura*).]

limão de cheiro (li.mão de *chei*.ro) *sm. Bras.* Pequena esfera oca, ger. de cera, cheia de água aromatizada, e que era atirada nos transeuntes nas brincadeiras do entrudo; LARANJINHA; LIMA; LIMA DE CHEIRO [Pl.: *limões de cheiro.*]

limão-doce (li.mão-*do*.ce) *sm. Bras. Pop.* O mesmo que lima² [Pl.: *limões-doces.*]

limão-galego (li.mão-ga.*le*.go.) [ê] *sm.* **1** *Bras. Bot.* Pequena árvore espinhosa e aromática, da família das rutáceas (*Citrus medica*), originária da Pérsia, de folhas com pecíolo alado, aromáticas, flores alvas e vistosas, em cimeiras, e muito cultivada graças aos frutos; LIMOEIRO-GALEGO **2** O fruto dessa árvore [Pl.: *limões-galegos* [ê].]

limar (li.*mar*) *v. td.* **1** Desgastar ou polir com lima: *Limou as unhas das mãos.* **2** *Fig.* Tornar polido, perfeito; APRIMORAR; POLIR: *limar um texto.* **3** *Fig.* Dar sociabilidade, traquejo social: *Sua entrada na universidade limou suas arestas de rudeza.* **4** *Fig.* Efetuar a corrosão de; corroer: *Com o tempo, as ondas do mar limaram a rocha.* **5** *Lus.* Polir (unhas) com lixa: *limar as unhas.* [▶ **1** **limar**] [F.: Do lat. *limare*, ou *lima*¹ + *-ar*². Hom./Par.: *lima(s)* (fl.), *lima(s)* (sf. [pl.]); *limo* (fl.), *limo* (sm.).]

limatão (li.ma.*tão*) *sm.* **1** Lima¹ comprida e muito larga, com seção quadrada ou redonda, us. por ferreiros e outros artífices **2** *Mec.* Haste piramidal de aço, de superfície áspera, e que serve para alargar furos [F.: Do espn. *limatón.*]

límbico (*lím*.bi.co) *a.* Ref. a limbo [F.: *limbo* + *-ico*².]

limbo (*lim*.bo) *sm.* **1** *Rel.* Na religião católica, lugar para onde vão as crianças que morrem antes de serem batizadas **2** *Fig.* Condição do que está indefinido ou esquecido: *Meu projeto de viagem ainda está no limbo.* **3** Margem, borda, rebordo **4** *Astron.* Contorno luminoso do disco de um astro **5** *Bot.* Parte laminar da folha **6** Bordo exterior e graduado do disco de um instrumento de medição [F.: Do lat. *limbum, i.*]

limeira (li.*mei*.ra) *sf. Bot.* Árvore pequena da fam. das rutáceas (*Citrus aurantifolia*), nativa da Ásia, de ramos espinhosos, flores pequenas e aromáticas em cachos e cujo fruto, a lima², tem casca fina, amarelo-clara e polpa esverdeada; LIMEIRA-DA-PÉRSIA [F.: *lim(a)*² + *-eira.*]

limenho (li.*me*.nho) *sm.* **1** Pessoa nascida ou que vive em Lima, capital do Peru *a.* **2** Pertencente ou ref. a Lima; típico dessa cidade ou de seu povo: "...Embora nunca houvesse estado aqui, Pedro Camacho lhe falara da alma limenha..." (Mario Vargas Llosa, *Tia Júlia e o escrevinhador*) [F.: Do top. *Lima* + *-enho.*]

limerência (li.me.*rên*.ci:a) *sf.* Termo cunhado pela psicóloga e escritora norte-americana Dorothy Tennov (1928-2007) para expressar o estado consciente e involuntário de quem está apaixonado por outra pessoa e é obsessivamente carente de ser correspondido, com todas as implicações emocionais daí decorrentes [Do ing. *limerence.*]

limerente (li.me.*ren*.te) *a2g.* **1** Ref. a limerência **2** Ref. a quem está envolvido em limerência, a sente, a manifesta *s2g.* **3** Aquele que tem ou manifesta limerência [F.: Do ing. *limerent.*]

limiar (li.mi.*ar*) *sm.* **1** Peça de pedra ou de madeira que fica embaixo da porta, ao nível do piso; SOLEIRA **2** Espaço ou patamar junto à porta **3** *Fig.* Entrada, início, começo: *limiar do século XXI.* [F.: Do lat. *liminaris, e.*] ■ ~ **absoluto** *Fisl.* O menor estímulo capaz de suscitar uma sensação ~ **de audibilidade** *Fís.* A menor intensidade sonora que, naquela frequência, pode ser percebida pelo ouvido humano ~ **diferencial** *Fisl.* A menor variação possível num estímulo que suscite a percepção de uma variação ~ **fotelétrico** *Fís.* A menor frequência de uma radiação capaz de provocar efeito fotelétrico

limícola (li.*mí*.co.la) *a2g. Zool.* Diz-se de animal que vive na lama ou em charcos [F.: Do lat. tard. *limicola* 'que vive na lama'.]

liminar (li.mi.*nar*) *a2g.* **1** Que vem antes do assunto principal; PRELIMINAR **2** Ref. a ou que está no limite ou passagem (entre dois lugares, períodos, situações etc.) **3** *Jur.* Diz-se de medida provisória concedida por juiz no início de uma ação, que pode ser confirmada ou revogada na sentença *sf.* **4** *Jur.* Medida liminar (3) [F.: Do lat. *liminaris, e.*]

liminaridade (li.mi.na.ri.*da*.de) *sf.* **1** Qualidade ou condição do que é liminar **2** Posição ou situação liminar [F.: *liminar* + *-(i)dade.*]

liminarmente (li.mi.nar.*men*.te) *adv.* **1** De antemão; PRELIMINARMENTE; ANTEMÃO **2** *Fig.* Superficialmente **3** Em absoluto **4** *Jur.* Por meio de liminar [F.: *liminar* + *-mente.*]

limitação (li.mi.ta.*ção*) *sf.* **1** Ação ou resultado de limitar(-se) **2** Fixação, delimitação: *a limitação de um prazo/de um terreno.* **3** *Fig.* Ação de conter dentro de certos limites (limitação de poderes; limitação nos gastos); CONTENÇÃO; RESTRIÇÃO **4** *Fig.* Imperfeição, insuficiência, limite: *Conhecia bem suas limitações como artista.* [*É preciso impor limitações ao poder.* Us. ger. no pl.] **5** *Fig.* Caráter do que é finito; FINITUDE [Pl.: *-ções.*] [F.: Do lat. *limitatio, onis.*]

limitado (li.mi.*ta*.do) *a.* **1** Que tem limites ou limitações: *Seus recursos financeiros eram limitados.* [Ant.: *ilimitado.*] **2** Que é fixado, delimitado (horário limitado) **3** Que é reduzido, restrito (edição limitada) **4** Que tem pouca aptidão ou capacidade (ator limitado) **5** Que é finito, transitório [F.: Do lat. *limitatus, a, um.*]

limitador (li.mi.ta.*dor*) [ô] *a.* **1** Que limita; LIMITANTE *sm.* **2** *Eletrôn.* Dispositivo que limita a amplitude de um sinal eletrônico **3** *Eng. Eletrôn.* Qualquer dispositivo que limita uma ação elétrica ou mecânica **4** *Ópt.* Diafragma que controla a abertura de um instrumento óptico [F.: *limitad(o)* + *-or.*]

limitante (li.mi.*tan*.te) *a2g.* Que limita; LIMITADOR; LIMITATIVO [F.: Do lat. *limitans, antis.*]

limitar (li.mi.*tar*) *v.* **1** Estabelecer os limites de, ou servir para indicá-los [*td.*: *Limitou o terreno com uma cerca.*] **2** Fazer fronteira (com); CONFINAR [*tr.* + *com*: *Portugal limita-se apenas com a Espanha.*] **3** Restringir(-se) ou circunscrever(-se) [*td.*: *A imprensa limitou a importância do fato.*] [*tdr.* + *a*: *Limitaram o ingresso aos associados.*] [*tr.* + *a*: "...limitou -se a chorar em silêncio a sua desgraça..." (Franklin Távora, *O cabeleira*)] **4** Restringir a quantidade de [*td.*: *O estádio limitou o número de espectadores.*] **5** Procurar fixar os limites de algo abstrato [*td.*: *limitar a liberdade de pensamento.*] [*tdr.* + *a*: *Limitava sua cordialidade a alguns gestos secos.*] **6** Estabelecer limites para si próprio [*tr.* + *a*: *Limitava -se a falar o essencial.*] [▶ **1** **limitar**] [F.: Do lat. *limitare.* Hom./Par.: *limite(s)* (fl.), *limite(s)* (sm. [pl.]).]

limitativo (li.mi.ta.*ti*.vo) *a.* Que limita ou serve de limite a alguma coisa (cláusula limitativa); RESTRITIVO [F.: *limitar* + *-tivo.*]

limite (li.*mi*.te) *sm.* **1** Linha ou ponto, real ou imaginário, que marca a separação entre duas coisas, esp. entre dois territórios; DIVISA; FRONTEIRA: *limite entre dois terrenos; os limites do estado do Rio.* **2** Ponto extremo ou final de alguma coisa; FIM; TÉRMINO: *Chegamos ao limite do caminho; a conversa comprida não tinha limites.* **3** Local que assinala o fim de uma extensão espacial; BEIRA; CONFIM: *Moravam nos limites da cidade.* **4** *Fig.* Momento ou época que marca o início ou o fim de um período de tempo: *Estava no limite da idade madura.* **5** *Fig.* Ponto além do qual não se pode ou não se deve prosseguir: *Liberdade também tem limite.* **6** *Fig.* Insuficiência, limitação: *Como escritor, conhecia seus limites.* **7** *Mat.* Valor fixo do qual uma grandeza variável se pode aproximar sucessivamente, sem jamais o igualar [F.: Do lat. *limes itis* 'atalho'. Hom./Par.: *limite* (fl. de *limitar*). Mais us. no pl. Posposto a outro subst., a que se liga por hífen, é um especificador invariável, com sentido de 'final', 'último', 'extremo' etc.: *data(s)-limite, situação(ões)-limite.*] ■ **~ de elasticidade** *Fís.* Para um certo sólido, o maior esforço que ele possa suportar sem sofrer deformação permanente

limítrofe (li.*mí*.tro.fe) *a2g.* **1** Diz-se do país ou território que se limita com outro; CONFINANTE: *Brasil e Uruguai são limítrofes.* **2** Que está na fronteira (tb. *Fig.*): *as populações limítrofes; a indignação é limítrofe da raiva.* [F.: Do lat. tard. *limitrophus, a, um.*]

límnea (*lím*.ne:a) *sf. Zool.* Gênero de moluscos gastrópodes de água doce, pulmonados, cujas conchas são em espiral e pontudas [F.: Do gr. *Limnaios.*]

limneídeo (lim.ne.*í*.de:o) *sm. Zool.* Espécime dos limneídeos, moluscos gastrópodes pulmonados que vivem em água doce; algumas de suas espécies são hospedeiras de vermes *Fasciola hepatica* [F.: Do lat. cient. *Limnaeideae.*]

limnético (lim.*né*.ti.co) *a.* **1** Ref. à região de uma lagoa ou lago, situada longe das margens ou do fundo **2** Pertencente aos lagos ou a qualquer outra extensão de água doce parada [F.: el. comp. *limnet-* < gr. *limnetes, ou,* 'que vive em pântano ou em lago', + *-ico*[2].]

◎ **limn(o)-** *el. comp.* = 'pântano'; 'lago'; 'lagoa': *limnologia, limnometria* [F.: Do gr. *límne, es.*]

limnologia (lim.no.lo.*gi*.a) *Biol. sf.* **1** Parte da biologia que estuda tudo que se refere às águas doces, como lagos, pântanos etc., esp. nos seus aspectos ecológicos **2** *Ecol.* O estudo das comunidades bióticas de lagos, rios, reservatórios de água, em termos de reações funcionais e produtividade [F.: *limn(o)-* + *-logia.*]

limnológico (lim.no.*ló*.gi.co) *a. Biol.* Ref. a limnologia [F.: *limnologia* + *-ico*[2].]

limnometria (lim.no.me.*tri*.a) *sf.* Estudo das variações periódicas do nível dos lagos e cursos de água mediante o emprego do limnômetro; LIMNIMETRIA; LIMNOGRAFIA [F.: *limn(o)-* + *-metria*[1].]

limnométrico (lim.no.*mé*.tri.co) *a.* Ref. à limnometria [F.: *limnometria* + *-ico*[2].]

limo (*li*.mo) *sm.* **1** *Bot.* Colônia de algas microscópicas que forma massa esverdeada em superfícies muito úmidas **2** Barro, lodo, lama **3** *Fig.* Sujeira esverdeada nos dentes **4** *Fig.* Baixeza, vileza, sordidez [F.: Do lat. *limus, i.* Hom./Par.: *limo* (sm.), *limo* (fl. de *limar*).]

limoal (li.mo.*al*) *sm.* Plantação de limoeiros [Pl.: *-ais.*] [F.: *lim(ão)* + *-al.*]

limoeiro (li.mo.*ei*.ro) *sm. Bot.* Árvore pequena da fam. das rutáceas (*Citrus limon*), originária da Índia, de ramos espinhosos, e cujo fruto, o limão, amarelo quando maduro, tem casca fina e polpa verde-clara e muito ácida; LIMÃO; LIMÃO-AMARGO; LIMÃO-AZEDO; LIMOEIRO-AMARGO [Col.: *limoal.*] [F.: *lim(ão)* + *-eiro.*]

limonada (li.mo.*na*.da) *sf.* **1** Bebida feita de sumo de limão, água e açúcar **2** *P. ext.* Qualquer bebida ácida refrigerante [F.: *limão* + *-ada*[2], seg. o mod. erudito.]

limoneno (li.mo.*ne*.no) *sm. Quím.* Terpeno ($C_{10}H_{16}$) encontrado em essências de frutas cítricas, como laranja, limão e bergamota, us. como aromatizante em perfumes, umectante etc. [F.: *limão* sob a f. rad. *limon-* + *-eno*; fr. *limonène.*]

limonita (li.mo.*ni*.ta) *sf. Min.* Óxido de ferro hidratado, de cor amarelo-ocre ou marrom, brilho metálico, formado por oxidação de minérios de ferro e us. como gema, pigmento e fonte de ferro; HEMATITA-PARDA [F.: Do fr. *limonite*, de *limon* 'terra de aluvião', do lat vulg. **limo-onis*, de *limus -i.* Tb. *limonito.*]

limonito (li.mo.*ni*.to) *sm.* Var. de *limonita*

limosidade (li.mo.si.*da*.de) *sf.* **1** Característica do que é ou está limoso **2** Excesso de limo [F.: Do lat. *limositas, atis* 'estado de lamacento'.]

limoso (li.*mo*.so) [ô] *a.* **1** Que tem limo; cheio de limo **2** Lamacento, lodoso [Pl.: [ó]. Fem.: [ó].] [F.: Do lat. *limosus, a, um.*]

limpa (*lim*.pa) *sf.* **1** Ação ou resultado de limpar(-se); LIMPEZA **2** Retirada de plantas daninhas ou galhos inúteis de um jardim ou de uma plantação; ALIMPA **3** *Bras. Gír.* Roubo em que se leva tudo: *O ladrão fez uma limpa na joalheria.* [F.: Dev. de *limpar*. Hom./Par.: *limpa* (sf.), *limpa* (fl. de *limpar*).] ■ **fazer (a/uma) ~** *Pop. Bras.* Roubar tudo (de alguém, de uma casa etc.) **~ de enxada** *N.E.* Limpamento de mato em que usa a enxada **~ de mão** *N.E.* Limpamento à mão de cultura (como a do arroz em alagadiço) em que não se pode usar enxada

limpadela (lim.pa.*de*.la) *sf.* Limpeza ligeira; LIMPADA: *Deu uma limpadela no quarto antes de dormir.* [F.: *limpar* + *-dela.*]

limpado (lim.*pa*.do) *sm. Bras.* Terreno capinado, do qual se retirou mato [F.: Part. de *limpar.*]

limpador (lim.pa.*dor*) [ô] *a.* **1** Que limpa *sm.* **2** Aquele ou aquilo que limpa,: *Chamou o limpador de janelas, mas ele não apareceu; Comprou um novo limpador de metais.* **3** *Agr.* Máquina para limpar trigo e outros cereais [F.: *limpar* + *-dor.*] ■ **~ a jato de vapor** *Tec.* Aparelho que usa vapor de água sob pressão para limpar tapetes, pisos, paredes etc.; vaporeto **~ de para-brisas** Vareta ou sistema de varetas com lâmina de borracha ao longo de seu comprimento que, acionadas por motor, oscilam em movimento de vaivém sobre a face exterior de para-brisas ou vidro traseiro de veículo automotivo, limpando-os de água da chuva, gotículas de neblina, lama etc.

limpadora (lim.pa.*do*.ra) [ô] *sf.* Empresa especializada em serviços de limpeza [F.: *limpa(r)* + *-dora.*]

limpadura (lim.pa.*du*.ra) *sf.* O mesmo que *limpamento* [F.: *limpar* + *-dura.*]

limpamento (lim.pa.*men*.to) *sm.* Ação ou resultado de limpar(-se); LIMPA; LIMPADURA; LIMPEZA [F.: *limpar* + *-mento.*]

limpar (lim.*par*) *v.* **1** Tornar(-se) limpo, remover a sujeira de [*td.*: *Limpamos a casa toda.*] [*tdr.* + *de*: *Limpou a bicicleta da lama daqueles dias; Limpou-se da graxa.*] **2** Separar impurezas de; purificar; JOEIRAR; CATAR [*td.*: *limpar cereais.*] **3** Fazer a assepsia de; DESINFETAR [*td.*: *limpar um ferimento.*] **4** Esvaziar o conteúdo de [*td.*: *Limpou o prato.*] [*tdr.* + *de*: *Limpou o quintal do entulho.*] **5** Retirar as vísceras ou escamas de [*td.*: *limpar o peixe.*] **6** Tornar(-se) claro ou límpido (o céu, o ar etc.) [*td.*: "A chuva de véspera limpara a atmosfera..." (Aluísio Azevedo, *Casa de pensão*)] [*int.*: *O céu limpou.*] **7** *Fig.* Livrar (lugar) de (alguém ou algo nocivo) [*tdr.* + *de*: *É preciso limpar o país dos preconceitos e privilégios.*] **8** *Bras.* Levar tudo de; esvaziar furtando, roubando [*td.*: *Limpou a casa do empresário/ o cofre.*] **9** Recuperar ou fazer recuperar a dignidade, a consideração [*td.*: *Queria limpar seu nome; Limpou-se com os amigos.*] **10** Dar brilho a; polir [*td.*: *Limpou a torneira da cozinha.*] **11** Perder o pelo (falando-se de animal) [*int.*] **12** Perder a lanugem (falando-se de frutos) [*int.*] [▶ **1** limpar] [F.: *limpo* + *-ar*[2]. Hom./Par.: *limpa(s)* (fl.), *limpa(s)* (sf. [pl.]); *limpo* (fl.), *limpo* (a. sm.).]

limpa-trilhos (lim.pa-*tri*.lhos) *sm2n. Bras.* Grade de ferro que, colocada na parte da frente das locomotivas, serve para remover obstáculos que se encontram nos trilhos; GRELHA; SACA-BOI [F.: *limpar* (na 3ª pess. sing. pres. ind.) + o pl. de *trilho.*]

limpa-vidros (lim.pa-*vi*.dros) *sm2n.* **1** Substância ou produto us. para limpar vidros **2** *Lus.* Limpador de para-brisa [F.: *limpar* (na 3ª pess. sing. pres. ind.) + pl. de *vidro.*]

limpeza (lim.*pe*.za) [ê] *sf.* **1** Ação ou resultado de limpar(-se); LIMPA; LIMPAMENTO: *Fez uma limpeza completa na cozinha.* **2** Qualidade do que está limpo; ASSEIO: *Elogiaram a limpeza do hospital.* [Ant.: *sujeira.*] **3** Esmero, apuro: "...as cabeças formosas pela serenidade, limpeza de formas..." (Alberto Costa e Silva, *A manilha e o libambo*) **4** *Fig.* Decência, probidade, pureza (limpeza de alma) **5** *Bras. Gír.* Roubo total; LIMPA: *Os ladrões fizeram uma limpeza na loja.* **6** *Bras. Gír.* Prisão em massa: *A polícia fez uma limpeza nas ruas.* **7** *Fig.* Matança, massacre (limpeza étnica) [F.: *limp(o)* + *-eza.*] ■ **Dar/fazer uma ~** **1** Limpar, remover sujeira [Pode adquirir conotação preconceituosa e/ou elitista em certos usos e circunstâncias.] **2** *Bras. Gír.* Roubar, fazer uma limpa **3** *Bras.* Expurgar (de empresa, sistema, associação etc.) os elementos indesejáveis ou prejudiciais **Estar ~** *Bras. Gír.* Estar tudo bem, não haver problema **~ de mãos** *Fig.* Honestidade, probidade, honradez [Ger. us. por delinquentes, marginais.] **~ de sangue** *Fig.* Boa linhagem, descendência nobre **~ étnica** Termo que designa a eliminação (por preconceito, racismo etc.) de um grupo étnico de uma sociedade, país etc., por expulsão, genocídio, segregação etc. **~ pública** Serviço (e o órgão público dele encarregado) de manter a limpeza de logradouros públicos, e da remoção do lixo de residências, casas comerciais etc.

limpidez (lim.pi.*dez*) [ê] *sf.* **1** Qualidade do que é límpido; NITIDEZ; TRANSPARÊNCIA **2** *Fig.* Inocência, pureza [F.: *límpid(o)* + *-ez.*]

límpido (*lím*.pi.do) *a.* **1** Claro, transparente (águas límpidas): "– Não entendo! dissera Guida fitando o seu límpido olhar no semblante da senhora." (Lima Barreto, *Clara dos Anjos*) **2** Falto de nuvens (céu límpido); DESANUVIADO **3** Puro, limpo, nítido (voz límpida; estilo límpido) **4** Brilhante, polido **5** Que é puro, singelo, inocente (sorriso límpido): *Vinha da igreja o som de canções límpidas.* [F.: Do lat. *limpidus, a, um.*]

limpo (*lim*.po) *a.* **1** Que não tem manchas ou sujeira: *O casaco está limpo.* **2** Que não tem mistura de substâncias estranhas (arroz limpo) **3** Asseado, higiênico: *Nossa cozinheira é muito limpa.* **4** Claro, transparente, límpido: *O céu está limpo.* **5** *Fig.* Livre de culpa; sem mácula (consciência limpa) **6** *Fig.* Honesto, honrado: *Todos os seus negócios são limpos.* **7** Bem-acabado, esmerado, apurado (texto limpo) **8** *Bras. Gír.* Sem dinheiro; DURO; TESO **9** *Fig.* Livre de descontos; LÍQUIDO: *Ofereceu-lhe 10 mil reais limpos.* **10** *Bras. Gír.* Que não carrega consigo nada ilegal (arma, droga etc.), ou que não está bêbado ou drogado: *Os policiais o revistaram, mas ele estava limpo.* **11** Que não causa poluição (tecnologia limpa) **12** Livre de ervas daninhas (terrenos limpos); MONDADO *sm.* **13** *Bras.* Faixa de terra em que não há vegetação *adv.* **14** Limpamente, honestamente: *Esse rapaz joga limpo!* [Ant.: *sujo.* Ant.: *desonesto, sujo.* F.: Do lat. *limpidus, a, um.* Hom./Par.: *limpo* (a. sm.), *limpo* (fl. de *limpar*).] ■ **Estar/ficar ~** **1** *Bras. Pop.* Estar/ficar sem dinheiro algum **2** Estar ou ficar isento de culpa ou de acusação de culpa **No ~** **1** Sem vegetação alguma (terreno) **2** Pronto (terreno) para o plantio **Passar a ~** **1** Recopiar (texto, matéria etc.) de modo a ficar mais apresentável **2** *Fig.* Esclarecer, resolver (assunto, pendência etc.): *Passaram a limpo suas divergências.* **Pôr a ~** Esclarecer (informações, aspectos obscuros ou confusos de): *Vamos pôr a limpo esses fatos.* **Tirar a ~** Esclarecer, tirar as dúvidas quanto a: *É preciso tirar a limpo as declarações da testemunha.*

limusine (li.mu.*si*.ne) *sf.* Modelo de automóvel de passeio, de quatro ou mais portas, fechado, luxuoso, com espaço para até seis pessoas, ger. us. em ocasiões especiais [F.: Do fr. *limousine.*]

limusino (li.mu.*si*.no) *sm.* **1** Indivíduo nascido ou que vive em Limoges, ou Limusino (França) *a.* **2** De Limoges, ou Limusino; típico dessa cidade ou de seu povo [F.: Do top. *Limusino.*]

lináceas (li.*ná*.ce:as) *sfpl. Bot.* Fam. de árvores, arbustos e ervas, algumas cultivadas como ornamentais, pelas madeiras e para extração de fibra têxtil, como o linho [F.: Do lat. cient. *Linaceae.*]

lince (*lin*.ce) *sm.* **1** *Zool.* Mamífero carnívoro da fam. dos felídeos (*Felis lynx*), ao qual se atribui excelente visão **2** *Astr.* Constelação do hemisfério boreal **3** *Fig.* Pessoa que vê muito bem **4** *Fig.* Pessoa muito perspicaz, inteligente [F.: Do lat. *lynx, cis*, do gr. *lýgx, gkós.*]

linchado (lin.*cha*.do) *a.* Que se linchou; que foi justiçado sem julgamento [F.: Part. de *linchar.*]

linchador (lin.cha.*dor*) [ô] *a.* **1** Que lincha *sm.* **2** Aquele que lincha [F.: *linchar* + *-dor.*]

linchamento (lin.cha.*men*.to) *sm.* **1** Ação ou resultado de linchar; LINCHAGEM **2** Assassínio de um criminoso pela multidão [F.: *linchar* + *-mento.*]

linchar (lin.*char*) *v. td.* **1** Executar (criminoso ou suspeito de crime) por ação coletiva e sem julgamento prévio: *A multidão linchou o ladrão.* **2** *Fig.* Condenar ou caluniar publicamente (alguém ou uma instituição): *Linchou o bom nome da empresa.* [▶ **1** linchar] [F.: Do ing. *to lynch*, do antr. Charles (ou William Lynch).]

lindaço (lin.*da*.ço) *a. Bras. Pop.* Muito lindo, *lindão*; DESLUMBRANTE; LINDÍSSIMO [aum. irregular de lindo.] [Aum.: *irregular de lindo.*] [F.: aument. de lindo, talvez por infl. do espn. plat. *lindazo.*]

lindão (lin.*dão*) *a. Pop.* Muito lindo; LINDAÇO [Pl.: *-dões.*] [F.: *lind(o)* + *-ão*[1].]

linde (*lin*.de) *sm.* O mesmo que *limite* [F.: Do lat. *limes, itis.* Hom./Par.: *linde* (sm.), *linde* (fl. de *lindar*).]

lindeiro (lin.*dei*.ro) *a.* **1** Ref. a linde ou limite **2** Limítrofe [F.: *lind(e)* + *-eiro.*]

lindenberguense (lin.den.ber.*guen*.se) *s2g.* **1** Aquele ou aquela que nasceu ou que vive em Governador Lindenberg (ES) *a2g.* **2** De Governador Lindenberg; típico dessa cidade ou de seu povo [F.: Do top. (*Governador*) *Lindenberg* + *-ense.*]

lindeza (lin.*de*.za) [ê] *sf.* **1** Qualidade do que é lindo; BELEZA; FORMOSURA [Ant.: *fealdade.*] **2** Primor, encanto, graça: *Não é uma lindeza esta menina?* [F.: *lind(o)* + *-eza.*]

lindo (*lin*.do) *a.* **1** Muito bonito; BELO; FORMOSO: *um lindo rosto; uma paisagem linda.* **2** Perfeito, primoroso: *O maestro compôs lindos arranjos.* **3** Gracioso, elegante, harmonioso: *Ela usava um lindo vestido de seda.* **4** Comovente, tocante (lindos versos; linda canção) **5** Agradável, prazeroso: *Demos um lindo passeio pelo campo.* [Aum.: *lindaço.* Dim.: *lindote.*] [F.: De or. incerta; posv. do lat. *limpidus*, ou do lat. *legitimus.*] ■ **~ de morrer** *Bras. Pop.* Muito bonito, de uma beleza fora do comum

lindura (lin.*du*.ra) *sf. Bras. Pop.* O mesmo que *lindeza* [F.: *lind(o)* + *-ura.*]

lineamento (li.ne:a.*men*.to) *sm.* **1** Linha, traço, contorno **2** Ato de produzir essas linhas e traços [F.: Do lat. *lineamentum, i.* Ver tb. *lineamentos.*]

lineamentos (li.ne:a.*men*.tos) *smpl.* **1** Ideia geral; ESBOÇO; DELINEAMENTO: "Um poeta dizia que o menino é o pai do homem. Se isto é verdade, vejamos alguns lineamentos do menino." (Machado de Assis, *Memórias póstumas de Brás Cubas*) **2** As linhas do rosto ou do corpo humano **3** Primeiras noções ou rudimentos [F.: Pl. de *lineamento*. Ver tb. *lineamento.*]

linear (li.ne:*ar*) *a2g.* **1** Referente a linha (traço linear) **2** Que tem a disposição de uma linha (movimento linear) **3** Que pode ser representado por meio de linha (registro linear) **4** Que é claro, direto, simples, como uma linha reta (texto linear) **5** *Antr.* Diz-se de parentesco traçado em linha direta, por uma série de relações sucessivas de filiação (sucessão linear) **6** Que tem elementos que se seguem à maneira de uma linha (índice linear) **7** Que é muito estreito e tem largura uniforme, assemelhando-se a uma linha (folha linear) **8** Que se caracteriza pelo desenvolvimento sequencial, direto, sem digressões (história linear) **9** *Álg.* Diz-se das funções do primeiro grau, cujas variações podem ser representadas por uma linha reta (função linear) **10** *Álg.* Diz-se de uma relação em que uma variação das quantidades encontra correspondência em variação proporcional de outra quantidade (proporção linear) **11** *Art. pl.* Diz-se de estilo artístico que usa formas claramente definidas por uma linha (estilo linear) **12** *Mat.* Que é possível medir em uma única dimensão (medida linear) **13** *Mús.* Diz-se de uma série de sons que formam uma melodia, ao contrário dos sons simultâneos que formam harmonias (sons lineares) **14** Diz-se de escrita silábica, us. em Cnossos e na Grécia continental, entre os séc. XV e XII a.C. (escrita linear) *sm.* **15** Escrita do tipo silábica us. em Cnossos e na Grécia continental, entre os séc. XV e XII a.C., uma das quais, o Linear B, já decifrado, em 1953, pelo arqueólogo inglês Michael Ventris: *No Linear B, foram encontradas partes do arquivo real dos aqueus.* [F.: Do lat. *linearis, e.*] ■ **~ A** A mais antiga das duas formas de escrita grega descobertas em Creta, que data do século XVII ao século XV a.C. [Com inicial maiúscula. Ver *Linear B.*] **Linear B** A mais recente das duas formas de escrita grega descobertas em Creta, que data do século XIV ao século XII a.C. [Com inicial maiúscula. Ver *Linear A.*] **Não ~** **1** Que não tem a forma ou as características de uma linha **2** *Fig.* Cujo desenvolvimento ou trajetória não é uniforme, é pontuado de incidentes, desvios etc.: *A economia teve um desempenho não linear, cheio de altos e baixos.* **3** *Fig.* De desenvolvimento complicado, não simples, difícil de entender por sua complexidade: *É um filme difícil, com um roteiro não linear e uma temática complicada.*

linearidade (li.ne:a.ri.*da*.de) *sf.* Qualidade ou condição do que é linear [F.: *linear* + *-(i)dade.*]

◎ **-líneo** *suf.* = linha: *curvilíneo, longilíneo, retilíneo*

líneo (*lí*.ne.o) *a.* Ref. a linho [F.: Do lat. *lineus, a, um.* Hom./Par.: *líneo* (a.), *lígneo* (a.).]

⊕ **lineup** (*Ing.* /láinap/) *sm.* Relação de pessoas ou coisas (grifes, canais de tevê etc.) que fazem parte de uma organização (festival, competição, evento de moda, rede de tevê etc.)

◎ **-linfa** *el. comp.* Ver *linf(o)-*

linfa (*lin*.fa) *sf.* **1** *Histl.* Líquido orgânico incolor que circula nos vasos linfáticos e contém glóbulos brancos, esp. linfócitos **2**

Qualquer humor aquoso semelhante à linfa **3** *Poét.* A água [F.: Do lat. *lympha, ae.* Ideia de 'linfa': *linf(o)-* (*linfoide*).]
linfadenectomia (lin.fa.de.nec.to.*mi*.a) *sf. Cir.* Remoção cirúrgica de nodo linfático, realizada esp. a fim de evitar metástases ganglionares em casos de câncer [F.: *linf(o)-* + *-aden(o)-* + *-ectomia.*]
linfadenectômico (lin.fa.de.nec.*tô*.mi.co) *a. Cir.* Ref. a linfadenectomia [F.: *linfadenectomia* + *-ico*².]
linfadenia (lin.fa.de.*ni*:a) *sf. Pat.* Doença que se caracteriza pela formação excessiva de tecido linfoide [F.: *linf(o)-* + *-aden(o)-* + *-ia*¹.]
linfadenite (lin.fa.de.*ni*.te) *sf. Med.* Inflamação dos gânglios linfáticos [F.: *linf(o)-* + *-aden(o)-* + *-ite*¹.]
linfadenoma (lin.fa.de.*no*.ma) *sm. Pat.* Hiperplasia do tecido adenoide; LINFOMA [F.: *linf(o)-* + *-aden(o)-* + *-oma*¹.]
linfadenomegalia (lin.fa.de.no.me.ga.*li*:a) *sf. Med.* Aumento de gânglio linfático [F.: *linf(o)-* + *-aden(o)-* + *-megalia.*]
linfadenopatia (lin.fa.de.no.pa.*ti*.a) *sf. Med.* Qualquer doença dos gânglios linfáticos [F.: *linf(o)-* + *-aden(o)-* + *-patia.*]
linfadenopático (lin.fa.de.no.*pá*.ti.co) *Med. a.* **1** Ref. à linfadenopatia **2** Que apresenta linfadenopatia [F.: *linfadenopatia* + *-ico*².]
linfangiografia (lin.fan.gi:o.gra.*fi*:a) *sf. Med.* Radiografia dos vasos linfáticos [F.: *linf(o)-* + *-angi(o)-* + *-grafia.*]
linfangioma (lin.fan.gi.*o*.ma) *sm. Pat.* Tumor congênito formado por vasos linfáticos dilatados [F.: *linf(o)-* + *-angi(o)-* + *-oma*¹.]
linfangite (lin.fan.*gi*.te) *sf. Med.* Inflamação dos vasos linfáticos [F.: *linf(o)-* + *-angi(o)-* + *-ite*¹.]
linfático (lin.*fá*.ti.co) *a.* **1** *Histl.* Ref. à linfa (tecido linfático) **2** Que contém ou conduz a linfa (gânglios/vasos linfáticos) **3** *Fig.* Sem vida, sem vigor; APÁTICO: "...disse-me ele que sendo naturalmente linfático e mesmo tímido..." (Eça de Queirós, "Singularidades de uma rapariga loura" *in Contos*) [F.: Do lat. *limphaticus, a, um.*]
linfatismo (lin.fa.*tis*.mo) *sm.* **1** Estado caracterizado por apatia, falta de energia **2** *Antq. Med.* Constituição ou temperamento linfático [F.: *linfático* + *-ismo*, seg. o mod. gr.]
linfedema (lin.fe.*de*.ma) *sm. Pat.* Inchação de tecido subcutâneo devido ao acúmulo anormal de linfa, ger. causada por obstrução dos vasos linfáticos [F.: *linf(o)-* + *edema.*]
◎ **-linf(o)-** *el. comp.* Ver *linf(o)-*
◎ **linf(o)-** *el. comp.* = 'água'; 'líquido'; 'linfa'; 'linfático': *linfadenectomia, linfadenia, linfangioma, linfedema, linfócito, linfoma; angiolinfite; endolinfa, hemolinfa, neurolinfa, perilinfa* [F.: Do lat. *lympha, ae*, 'água'.]
linfoblasto (lin.fo.*blas*.to) *sm. Histl.* Célula formadora de linfócito e capacitada a reagir contra antígeno; IMUNOBLASTO [F.: *linf(o)-* + *-blasto.*]
linfocina (lin.fo.*ci*.na) *sf. Imun.* Qualquer uma das substâncias segregadas por linfócitos de modo a controlar a atuação imunológica das células linfáticas [F.: *linf(o)-* + *-cina.*]
linfocitário (lin.fo.ci.*tá*.ri:o) *a.* Ref. a linfócito [F.: *linfócito* + *-ário.*]
linfócito (lin.*fó*.ci.to) *sm. Histl.* Célula presente no sangue e na linfa que atua no sistema imunológico [F.: *linf(o)-* + *-cito.*] ■ **~ B** *Histl. Imun.* Linfócito produzido na medula óssea, e que sintetiza anticorpos humorais **~ T** *Histol. Imun.* Linfócito produzido na medula óssea, que se completa no timo e é responsável pela imunidade conduzida por via celular
linfocitopenia (lin.fo.ci.to.pe.*ni*.a) *sf. Pat.* Redução anormal do número de linfócitos no sangue [F.: *linfócito* + *-penia.*]
linfogranuloma (lin.fo.gra.nu.*lo*.ma) *sm. Pat.* Granuloma dos gânglios linfáticos [F.: *linf(o)-* + *granuloma.*] ■ **~ inguinal** *Pat.* Ver *linfogranuloma venéreo* **~ maligno** *Pat.* Ver *Doença de Hodgkin*, no verbete *doença* **~ venéreo** *Pat.* Doença venérea transmitida por clamídia, cuja primeira manifestação é uma lesão ulcerativa passageira em órgão genital e aumento dos gânglios, podendo evoluir para elefantíase do órgão genital externo; doença de Nicolas-Favre
linfogranulomatose (lin.fo.gra.nu.lo.ma.*to*.se) *sf. Pat.* Doença que se caracteriza pela formação de múltiplos linfogranulomas [F.: *linfogranuloma* (sob a f. *linfogranulomat-*) + *-ose*¹, seg. mod. gr.] ■ **~ maligna** *Pat.* O mesmo que *linfogranuloma maligno*; ver *Doença de Hodgkin*, no verbete *doença*
linfoide (lin.*foi*.de) *a2g.* Ref. ou semelhante à linfa [F.: *linf(o)-* + *-oide.*]
linfoma (lin.*fo*.ma) *sm. Med.* Tumor, ger. maligno, dos tecidos linfáticos [F.: *linf(o)-* + *-oma*¹.]
linfonodo (lin.fo.*no*.do) *sm. Anat.* Nodo ou gânglio linfático [F.: *linf(o)-* + *nodo.*]
linforragia (lin.for.ra.*gi*.a) *sf. Med.* Derrame de linfa devido a corte ou ruptura de vaso(s) linfático(s) [F.: *linf(o)-* + *-ragia.*]
linfossarcoma (lin.fos.sar.*co*.ma) *sm. Med.* Neoplasma maligno de tecido linfoide [F.: *linf(o)-* + *sarcoma.*]
linga[1] (*lin*.ga) *sf. Mar.* Representação dos órgãos sexuais masculinos em amuletos, emblemas etc., simbolizando o deus Xiva, cultuado na Índia [F.: Do sânsc. *linga.* Hom./Par.: *linga* (fl. *lingar*).]
linga[2] (*lin*.ga) *sm. Lus. Mar.* Anel ou cadeia de corda que se passa em volta de fardos pesados para serem içados por guindastes, mesmo que *eslinga* [F.: De *eslinga*, com aférese. Hom./Par.: ver *linga*¹.]
lingada (lin.*ga*.da) *sf. Mar.* A quantidade de carga que a linga² levanta de cada vez [F.: *ling(a)* + *-ada*².]
⊕ ***lingerie*** (*Fr.* /langerri/) *sf.* **1** Roupa íntima feminina, como calcinha, sutiã, camisola etc., ger. em tecido fino e leve **2** Esse tecido
lingotamento (lin.go.ta.*men*.to) *sm. Bras.* Ação ou resultado de moldar em lingotes o metal derretido [F.: *lingote* + *-ar*² + *-mento*. Tb. *lingoteamento.*]
lingote (lin.*go*.te) [ó] *sm.* **1** Barra ou lâmina de metal fundido em estado bruto e sem polimento **2** *Art. gr.* Lâmina de metal us. na separação de linhas da composição e de maior espessura que a da entrelinha [F.: Do fr. *lingot.*]
lingoteamento (lin.go.te.a.*men*.to) *sm.* Ver *lingotamento*
lingoteira (lin.go.*tei*.ra) *sf. Metal.* Molde us. para dar forma de lingotes aos metais em fusão [F.: *lingote* + *-eira*, cp. do fr. *lingotière.*]
língua (*lín*.gua) *sf.* **1** *Anat.* Órgão muscular móvel, situado na boca, que serve para sentir os sabores, deglutir e articular sons **2** Qualquer coisa cuja forma lembra a desse órgão: "... Apareceram-lhes, então, línguas como de fogo..." ("Atos dos apóstolos" *in A Bíblia de Jerusalém*) **3** *Ling.* Sistema de comunicação e expressão verbal de um povo, nação, país etc., que permite aos usuários expressar pensamentos, desejos e emoções; IDIOMA **4** O idioma vernáculo **5** Maneira de falar ou escrever característica de um autor, movimento ou época; LINGUAGEM: *a língua dos romancistas.* **6** Maneira de se referir a outras pessoas: *Tinha uma língua ferina.* [Aum.: *lingueirão.* Dim.: *lingueta.*] *sm.* **7** Intérprete, tradutor *s2g.* **8** *Bras.* Pessoa que fala muito: "Era a maior língua do Açu. De tudo sabia." (José Lins do Rego, *Pedra Bonita*) [F.: Do lat. *lingua, ae.* Ideia de 'língua': *gloss(o)-* (*glossite*); *glot(o)-* (*glotocentrismo*); *-língue* (*monolíngue*).] ■ **Bater/dar com a ~ nos dentes** Revelar segredo, contar o que não devia, confessar **Com a ~ de fora** Ofegante, ou em estado de grande e evidente cansaço; exausto **Com ~ de palmo** A contragosto, de má vontade: *Mesmo que seja com língua de palmo, terá de cumprir a tarefa.* **Cortar ~** *Bras. Pop.* Expressar-se ou comunicar-se usando língua estrangeira **Dar a ~** *Fig.* Mostrar a língua (para alguém), estendendo-a para fora da boca, em sinal de desafio, desagrado, insulto, ou, também, como gracejo **Dar à/de ~ 1** *Fig. Pop.* Conversar descontraidamente, bater papo **2** Ver *bater/dar com a língua nos dentes* **Dar com a ~ nos dentes** Ver *bater/dar com a língua nos dentes* **Dar de ~ 1** Ver *dar à/de língua.* **2** Ver *bater/dar com a língua nos dentes* **De ~ passada** *Fig. Pop.* Previamente informado (sobre algo); conluiado (com alguém) **Desenferrujar a ~** *Pop.* Após longo tempo calado, falar muito **Dobrar a ~ 1** *Fig. Pop.* Retirar ou corrigir o que se disse (ger. algo desrespeitoso, por solicitação do interlocutor): *Dobre a língua quando se referir a meu irmão!* **2** *Bras.* Tratar (alguém) ou falar (a alguém) com respeito, esp. retratando-se após advertência: *Dobre a língua, seu atrevido, respeite os mais velhos!* **Engolir a ~** *Fig. Pop.* Conter o impulso ou a vontade de dizer algo, de dar opinião, de se manifestar **Enrolar a ~ 1** *Bras. Fig. Pop.* Ficar calado **2** Ao falar, não pronunciar completamente as palavras, por estar embriagado, drogado, neurologicamente comprometido etc. **Estar com a ~ coçando** Querer muito falar algo, se manifestar, mesmo não podendo ou não devendo **~ afiada** Ver *Língua de palmo* **~ aglutinante** *Ling.* Língua em que se combinam numa mesma palavra dois ou mais elementos que também existem de forma independente, com seus significados próprios [Ex.: o japonês, o turco.] **~ aglutinativa** *Ling.* Ver *Língua aglutinante* **~ ágrafa** *Ling.* Língua natural que não tem forma escrita **~ analítica** *Ling.* Ver *Língua isolante* **~ artificial** *Ling.* Língua criada para servir como língua auxiliar, entre grupos determinados, ou falantes de línguas diferentes, e que, embora possa conter elementos de línguas naturais, não tem falantes nativos nem se desenvolve espontaneamente [Ex.: o esperanto, criado por Ludwig Zamenhoff. P. opos. a *língua natural.*] **~ auxiliar (de comunicação) 1** *Ling.* Língua us. como meio de comunicação entre falantes de línguas diferentes; língua franca; língua internacional [Ex.: o latim na Antiguidade, o inglês atualmente.] **2** Língua us. internacionalmente como meio de comunicação numa área específica **3** Ver *Língua artificial* **~ azul 1** *Gloss.* Nome de uma língua artificial criada em 1899 **2** *Vet.* Certa doença de aves, em que a língua e mucosas da boca ficam azuis **3** *Vet.* Certa virose que ataca gado bovino e ovino **~ brasileira de sinais** Língua brasileira de signos gestuais us. ger. por surdos **~ brasílica** *Antq. Gloss.* Termo atribuído nos sécs. XVII e XVIII a qualquer língua indígena do Brasil **~ casual** *Ling.* Aquela cujos nomes podem ter afixos (ger. sufixos) que representam funções, ou casos, gramaticais; língua declinativa [Ex.: o alemão, o latim.] **~ comprida** Ver *Língua de palmo* **~ comum 1** *Ling.* Língua que elimina diferenças regionais para servir de meio de comunicação entre os habitantes dessas regiões **2** Conjunto de elementos linguísticos comuns entre dialetos semelhantes, us. por seus falantes como meio de facilitar a comunicação entre eles **3** No processo de evolução de uma língua, estágio anterior ao de sua divisão em línguas e dialetos diferentes [Ex.: o latim é língua comum em relação às línguas neolatinas.] **~ da geleira** *Geog.* Rio gelado que provém de áreas nevadas **~ declinativa** Ver *Língua casual* **~ de comércio** *Ling.* Pídgin **~ de contato** *Ling.* Língua que se forma e consequentemente se usa no contacto entre falantes de línguas diferentes; pídgin **~ de cultura** *Ling.* Língua de povos civilizados e cultos, na qual foram escritas as obras de sua literatura **~ de fogo** Chama, labareda **~ de gato 1** Buril com ponta em losango, para retoques em gravura **2** Chocolate na forma de uma língua de gato **~ de palmo 1** *Fig.* A língua do fofoqueiro e mexeriqueiro, do indiscreto, do caluniador **2** O fofoqueiro, o indiscreto, o caluniador [Sin. ger.: *língua afiada, língua comprida, língua de prata, língua de trapo.*] **~ de palmo e meio** *Fig.* A língua do tagarela, do falastrão **~ de prata** Ver *Língua de palmo* **~ de peba** *N.E. Joc.* Punhal comprido **~ de sinais** *Ling.* Aquela que cujos signos significativos são sinais e gestos (feitos com as mãos e o corpo, expressões faciais etc.) us. por deficientes auditivos, interlocutores de línguas diferentes etc. [Pode expressar estruturas complexas, a exemplo da língua falada. Ver tb. *Língua brasileira de sinais*] **~ de trapo** Ver *Língua de palmo* **~ d'oc 1** *Gloss.* Língua ou dialeto românico da região do sul do rio Loire, hoje província do Languedoc (França) [Cf.: *Língua* d'oïl.] **2** *Gloss.* O dialeto da Occitânia medieval, ou occitano **~ d'oïl** *Gloss.* A língua francesa medieval e seus dialetos, falados do norte da França até o rio Loire, ao sul do qual se falava a *língua d'oil* [Cf.: *Língua* d' oc.] **~ do pê** Língua lúdica na qual a cada sílaba de uma palavra se acrescenta outra com os mesmos fonemas, mas na qual se substitui a primeira consoante por um *p*, ou se a antecede de um *p* se começar em vogal [Cf.: *Língua falada.*] **~ escrita 1** *Ling.* Transcrição de um conteúdo linguístico em signos gráficos de escrita (letras, sinais etc.) que representam os fonemas dessa língua num determinado sistema desses signos [Ex.: língua de delinquentes, língua de policiais; língua de vaqueiros gaúchos etc.] **2** A estrutura, forma, maneira de expressão da língua escrita (1), diferente daquelas da língua falada, por ser ger. mais precisa e formal [Cf.: *Língua morta.*] **~ especial** Língua (mais precisamente o acervo vocabular de uma língua) que abrange termos us. especificamente por certo grupo profissional, regional, social etc. [Cf.: *Língua escrita.*] **~ extinta** Língua que deixou de existir, e da qual não há documentos **~ falada** *Ling.* A língua tal como é us. na comunicação oral, e cujas estrutura, forma, maneira de expressão diferem das da língua escrita, por ser menos precisa e formal **~ flexional** *Ling.* Aquela na qual as variações gramaticais têm expressão em diferentes formas que assume a estrutura interna das palavras, ger. por meio de afixos que indicam essa variação; língua sintética, língua fusionante **~ franca 1** *Ling.* Ver *Língua auxiliar (de comunicação)* (1) **2** Termo que designa, especificamente, língua de contato constituída de elementos do árabe, espanhol, grego, italiano e turco, e que desapareceu no início do séc. XX. Sabir (1) **~ geográfica** *Med.* Língua (órgão na boca) na qual houve perda de epitélio, o que resulta na formação de placas cercadas de espessamentos salientes do epitélio [Nesta acp., tb. (em épocas posteriores) *tupi, tupi antigo, tupinambá, guarani, tupi-guarani.*] **~ geral 1** *Gloss.* Termo com que portugueses e espanhóis designavam línguas nativas do continente americano **2** Termo com que se designavam, nos sécs. XVI e XVII, línguas tupis faladas no litoral brasileiro, e em uma parte do sertão; língua brasílica **3** Termo que, a partir do século XVIII, designa língua de contato, baseada nas palavras do tupi e com estrutura mais simples, falada entre índios falantes de línguas diversas, e entre estes e não índios **4** Ver *Língua franca* **~ geral amazônica** *Gloss.* Língua derivada do tupinambá e extensamente falada na Amazônia brasileira, até as fronteiras de Colômbia, Peru e Venezuela; língua geral do Norte; nheengatu **~ geral de Mina** *Gloss.* Língua geral falada por escravos em Minas Gerais, no séc. XVIII **~ geral do Norte** *Gloss.* Ver *Língua geral amazônica* **~ geral do Sul** *Gloss.* Ver *Língua geral paulista* **~ geral paulista** *Gloss.* Língua geral desenvolvida do tupi, falada na região do alto rio Tietê e em S. Vicente; desapareceu de S. Vicente e do alto rio Tietê a partir do séc. XVIII; língua geral do Sul **~ gestual** *Lus. Ling.* Ver *Língua de sinais* **~ histórica** *Ling.* Toda língua que, por ter sido documentada por escrito, permite o estudo em qualquer fase de sua evolução e ao longo dessa evolução **~ internacional** *Ling.* Ver *Língua auxiliar de comunicação* **~ irmã** *Ling.* Cada língua de uma família de línguas derivadas de uma língua de origem comum [O latim é a língua mãe do português.] **~ isolada** *Ling.* Na classificação das línguas, língua não associável a línguas irmãs, constituindo, assim, sozinha, uma família [Cf.: *língua nativa* e *língua primária.*] **~ mãe** *Ling.* Em relação a uma língua qualquer, língua da qual esta deriva **~ materna** *Ling.* Para uma pessoa, a primeira língua que ela aprende, ger. por ser a de sua mãe, e falada no ambiente no qual nasceu **~ morta** *Ling.* Língua não mais em uso, por motivos diversos, como o desaparecimento de todos os seus falantes, ou por ter se tornado minoritária num contexto multilíngue (como o gaélico), ou por ter evoluído para outras línguas (como o latim) [Cf.: *língua materna.*] **~ não natural** *Ling.* Ver *Língua artificial* [P. op. a *língua artificial.*] **~ nativa** *Ling.* Língua que por origem é a de referência de um indivíduo para com uma comunidade e sua cultura, ger. (mas não necessariamente) a língua materna **~ natural** *Ling.* Toda língua que se desenvolveu naturalmente da capacidade humana de expressão verbal e das necessidades de comunicação que as relações humanas implicam **~ negra** *Bras.* Transbordamento de esgoto que atinge a areia da praia [Em certos casos pode haver mais de uma.] **~ neolatina** *Ling.* Qualquer das línguas derivadas do latim (como o português, o catalão, o dalmático, o espanhol, o francês, o franco-provençal, o galego, o gascão, o italiano, o provençal, o reto-romeno, o romeno, o sardo); língua românica **~ oficial 1** *Ling.* A língua adotada nos órgãos de domínio público de um país, seus documentos, seus pronunciamentos etc. **2** Língua autorizada por organismo internacional para uso no âmbito desse organismo, em seus pronunciamentos, suas publicações etc. [Cf. *língua aglutinante* e *língua flexional.*] **~ pídgin** *Ling.* Língua de contato que reúne elementos de várias línguas, us. ger. para fins comerciais; língua de comércio **~ polissintética** *Ling.* Língua ao mesmo tempo flexional e aglutinante (como o náuatle) **~ presa** *Pop. Med.* Anormalidade anatômica congênita na qual a língua está aderente ao palato ou ao assoalho da boca **~ romance** *Gloss.* Ver *língua românica* **~ românica** *Gloss.* Ver *língua neolatina*; língua romance **~s clássicas** *Ling.* Termo que designa o latim e o grego [Cf. *língua-suja.*] **~ solta** *Bras. Pop.* Atrevimento ou descomedimento no falar; aquele que a pratica **~ suja** *Fig.* Linguagem obscena, uso descomedido de linguajar vulgar, de palavrões **~ tonal** *Ling.* Língua na qual diferentes entonações dão distintos significados a

palavras que, fora isso, são iguais entre si **~ veicular** *Ling.* Ver *segunda língua* **~ vernacular** *Ling.* Ver *língua materna* **~ viperina** 1 *Fig.* Malícia ou maldade no uso das palavras; o caráter de quem fala mal dos outros com más intenções, que diz calúnias ou faz intrigas 2 Pessoa maliciosa, que fala mal dos outros **~ viva** Aquela que, estando em pleno uso como meio de comunicação natural, está sempre em transformação, com o surgimento de novas palavras ou novos significados, ou a obsolescência de outros, ou com variações de estruturas sintáticas etc. **Má ~** *Fig.* Maledicência, fofoca [Mais us. no pl.] **Meter a ~** *Fig. Pop.* Criticar, maldizer **Meter a ~ no fim do espinhaço** *Bras. Chulo* Calar-se **Morder a ~** Conter-se e não dizer o que já ia dizendo **Na ponta da ~** 1 *Fig.* Sabido, compreendido, bem estudado ou decorado, e por isso bem presente na memória para ser expresso, comunicado, respondido etc.: *Foi à entrevista com todo o seu projeto na ponta da língua; Tinha seu papel na peça na ponta da língua.* 2 Sem demora, de imediato (ao responder): *Ouviu a acusação e contestou-a na ponta da língua.* **Não falar a mesma ~** *Fig.* Ter ideias ou interesses diferentes (dos de outrem), ou não se entender (com outrem) **Não ter papas na ~** *Pop.* Falar sem rodeios; dizer tudo o que sabe **Pagar pela ~** *Fam.* Passar por dissabores, constrangimentos etc. a que se referiu como sendo de outra(s) pessoa(s) ao falar mal dela(s), fofocar, fazer previsões gratuitas etc. ou que não considerou em suas previsões: *Criticou o desempenho do colega e pagou pela língua, ele é quem foi advertido; Fez planos mirabolantes e pagou pela língua, nada deu certo.* **Pegar-se a ~ (a alguém)** Não ocorrer a alguém o que tem para dizer; gaguejar, tartamudear **Puxar pela ~ de** 1 Estimular alguém a falar, a dar opinião 2 Levar alguém a dizer algo, recorrendo a manobra ou ardil **Segunda ~** *Ling.* Em relação a alguém, outra língua que não a materna, us. ger. em certas circunstâncias ou para fim específico **Solto de ~** Tagarela, desbocado, mexeriqueiro, fofoqueiro etc. **Ter a ~ maior que o corpo** *Fam.* Ser tagarela, indiscreto, mexeriqueiro **Ter debaixo da ~** *Fig. Pop.* Estar quase a se lembrar de algo a ser dito **Trocar de ~** Conversar, bater papo

língua de trapo (lín.gua de *tra*.po) ***s2g.*** 1 Indivíduo mexeriqueiro, linguarudo 2 Pessoa que fala de modo atrapalhado, confundindo as palavras 3 Criança que ainda não fala corretamente [Pl.: *línguas de trapos.*]

linguado (lin.*gua*.do) ***sm.*** 1 *Zool.* Denominação comum a diversas spp. de peixes, ger. marinhos, caracterizados pelo corpo chato e ovalado e pela localização dorsal dos olhos e narinas; SOLHA 2 Lâmina comprida 3 Barra de ferro fundido 4 Tira de papel em que se manuscreviam os textos destinados à publicação na imprensa 5 *Pop.* Língua grande [F.: *língu(a) + -ado*[2].]

linguafone (lin.gua.*fo*.ne) ***sm.*** Método de ensinar uma língua usando discos ou fitas fonográficas [F.: *língua + -fone.*]

linguagem (lin.*gua*.gem) ***sf.*** 1 *Ling.* Sistema de sinais us. pelo homem para expressar seu pensamento tanto na fala quanto na escrita 2 Qualquer conjunto de símbolos us. para codificar e decodificar dados (linguagem de computação) 3 Forma de expressão própria de um grupo social ou profissional; JARGÃO 4 Fala, linguajar 5 Língua (5) 6 Tudo que serve para exprimir sensações ou ideias (linguagem corporal) 7 Voz dos animais [Pl.: *-gens.*] [F.: *língua + -agem*[2], cunhado no provç. *lenguatge.* Hom./Par.: *linguagem* (sf.), *linguajem* (fl. de *linguajar*).] ▪▪ **~ afetiva** A que visa transmitir ou provocar emoção entre interlocutores **~ artificial** Linguagem criada especificamente para estabelecer comunicação em certa área de atividade ou conhecimento (como a informática, a lógica matemática etc.) [Cf.: *Linguagem natural.*] **~ assembly** *Inf.* Linguagem de programação de baixo nível, específica para determinado hardware, na qual a cada instrução corresponde uma operação [Tb. apenas (ing.) *assembly.*] **~ auditiva** *Ling.* Em semiologia, sistema de linguagem cujos signos representativos de significados são percebidos pela audição **~ corporal** Em semiologia, sistema de linguagem cujos signos são gestos, posturas e movimentos corporais etc. **~ de máquina** *Inf.* Linguagem de programação em baixo nível, em que as instruções e os dados são expressos em números representados por sequências de dígitos binários (bits), lidos diretamente pelo computador **~ de programação** *Inf.* Conjunto de signos (palavras, números, expressões etc.) e de regras para seu encadeamento lógico, com os quais se montam uma sequência de instruções (um programa) que podem ser decodificadas e executadas por computador **~ de programação de alto nível** *Inf.* Linguagem de programação cujos signos e estrutura de encadeamento (sintaxe) são legíveis e inteligíveis para o raciocínio humano, o que agiliza a programação, mas torna necessário o uso de compilador para traduzi-la em linguagem de máquina **~ de programação de baixo nível** *Inf.* Linguagem de programação cujos signos e estrutura de encadeamento são mais adequados à leitura direta pelo computador (como a linguagem de máquina), e consequentemente menos próximos da linguagem humana **~ falada** *Ling.* Linguagem que utiliza signos orais, com uma língua em sua expressão oral, ou falada **~ familiar** Linguagem cujos signos e estruturas se formam no ambiente familiar ou são típicos dele **~ figurada** *Ling.* Forma de expressão que utiliza figuras de palavra, nas quais palavra ou expressão adquirem outro sentido que seu sentido literal, como na metáfora, na metonímia etc. **~ gestual** Ver *Língua de sinais* **~ infantil** 1 *Ling.* Variante de uma língua, com termos e estruturas us. por crianças pequenas, e tb. por adultos quando a elas se dirigem 2 O conjunto de termos e expressões (criado pelas crianças ou por adultos visando as crianças) que caracterizam essa variante (como os termos *pipi, nanã, bumbum, dodói* etc.) **~ lúdica** Tipo de linguagem com elementos de diversão ou recreação, como a *língua do pê* (ver no verbete *língua*) **~ natural** 1 Toda linguagem que, como forma de comunicação genérica ou específica de um grupo humano ou animal, surge e se desenvolve espontaneamente [P. op. a *Linguagem artificial.*] 2 O conjunto de sinais produzidos e interpretados intuitivamente pelos homens para se comunicarem, como a fala, os gestos, os gritos, os olhares etc. **~ orientada a objetos** *Inf.* Linguagem de programação que se baseia na classificação, identificação e acionamento de áreas de informação e ação bem caracterizadas (objetos) **~ visual** *Semiol.* Em semiologia, sistema de linguagem cujos signos representativos de significados são percebidos diretamente pela visão, como ícones, símbolos gráficos etc.

> 📖 Linguagem é qualquer sistema de sinais, ou signos, através dos quais dois seres se comunicam entre si para transmitir e receber informações, avisos, expressões de emoção ou sentimento etc. Embora existam sistemas de linguagem entre animais e até vegetais, é no homem que ela atinge altos níveis de aperfeiçoamento, que se expressam em grande acuidade, expressividade e potencial de armazenamento e memorização, condição básica para a construção de conhecimento e formação de cultura. Entre as várias formas de linguagem (oral, gestual e escrita), é a oral que mais potencial apresenta, e se desenvolveu na forma de línguas, ou seja, um sistema baseado na emissão e recepção de sons, cuja combinação forma os signos significativos das coisas (palavras), e estas, arrumadas em determinadas estruturas, montam as ideias. Neste caso, a língua escrita é a representação gráfica desses sons (letras ou símbolos), agrupados em palavras. A língua é, assim, um sistema de códigos representativos de coisas, e a comunicação se faz pelo conhecimento desse código tanto pelo emissor quanto pelo receptor da mensagem.

linguagem-fonte (lin.gua.gem-*fon*.te) ***sf.*** *Inf.* Linguagem original de um programa de computador, antes de ele ser codificado [Pl.: *linguagens-fonte, linguagens-fontes.*]

linguagem-objeto (lin.gua.gem-ob.*je*.to) ***sf.*** 1 *Inf.* Linguagem em que está codificado um programa, de modo a permitir que suas instruções sejam executadas pelo computador 2 *Ling.* A linguagem estudada, cuja estrutura é descrita em metalinguagem [Pl.: *linguagens-objeto, linguagens-objetos.*]

linguajar (lin.gua.*jar*) ***sm.*** Maneira de falar; FALA; LINGUAGEM: *o linguajar dos adolescentes; um linguajar grosseiro.* [F.: *linguag(em) + -ar*[2].]

lingual (lin.*gual*) ***a2g.*** 1 Ref. à língua 2 Diz-se do som articulado pela língua [Pl.: *-guais.*] [F.: Do lat. medv. *lingualis, e.*]

linguarada (lin.gua.*ra*.da) *Pej.* ***sf.*** 1 Palavrão ou palavrões 2 Linguagem insolente e indecorosa [F.: *língua + -r- + -ada*[2].]

linguareiro (lin.gua.*rei*.ro) ***a.*** O mesmo que *linguarudo* [F.: *língua + -r- + -eiro.*]

linguarudo (lin.gua.*ru*.do) ***a.*** 1 Que tem a língua solta, que fala demais; FALADOR; MEXERIQUEIRO ***sm.*** 2 Indivíduo linguarudo 3 *Zool.* Molusco gastrópode (*Lintricula airucularia*) ger. us. como isca; PAVACARÉ [F.: *língua + -r- + -udo.*]

língua-suja (lín.gua-*su*.ja) ***s2g.*** Indivíduo desbocado, que costuma dizer palavrões [Pl.: *línguas-sujas.*]

◎ **-língue** ***el. comp.*** = 'cuja língua (órgão) apresenta dada característica'; 'que fala x língua(s)': *bilíngue, crassilíngue, monolíngue.* [F.: Do lat. *-linguis, e*, do lat. *lingua, ae.*]

lingueta (lin.*gue*.ta) [ê] ***sf.*** 1 Qualquer objeto parecido com uma língua 2 Pequena aba, em tênis e alguns sapatos, que fica sobre o peito do pé 3 Peça da fechadura que, quando movida pela chave, serve para trancar a porta: "...Fechaduras de broca, pesadas, quadradas, lingueta desconforme, desusada..." (Cora Coralina, "Do beco da Vila Rica" *in Poemas dos becos de Goiás e estórias mais*) 4 Ferrolho us. para fechar portas ou janelas sem auxílio da chave 5 Pedaço de couro ou plástico, us. como fecho de bolsas, pastas, carteiras etc. 6 O fiel da balança 7 *Mús.* Palheta us. em certos instrumentos de sopro 8 *PE* Rampa natural que se inclina para o mar ou para o rio 9 *P. us.* Língua pequena [F.: *língua + -eta.*]

linguiça (lin.*gui*.ça) ***sf.*** 1 Tripa recheada de carne de porco ou de vaca 2 *Bras. Gír. Jorn.* Acúmulo de notícias sem interesse [F.: De or. contrv.] ▪▪ **~ de padre** *Bras. Pop.* Paio **Encher ~** 1 *Fam.* Dizer ou escrever ou fazer coisas que não vêm ao caso, para preencher tempo ou espaço 2 Ocupar tempo com algo que não interessa muito, e que não é o que se esperava ou o que se combinara

linguífero (lin.*guí*.fe.ro) ***a.*** Que tem língua ou órgão(s) em forma de língua [F.: *língu(a) + -ífero.*]

linguiforme (lin.gui.*for*.me) ***a2g.*** Que tem forma de língua [F.: *língu(a) + -i- + -forme.*]

linguista (lin.*guis*.ta) ***s2g.*** 1 Pessoa que se especializou em linguística 2 Pessoa versada no estudo de línguas [F.: *língu(a) + -ista.*]

linguística (lin.*guís*.ti.ca) ***sf.*** *Ling.* Estudo da linguagem e dos princípios gerais de funcionamento e evolução das línguas [F.: Do fr. *linguistique.* Cf.: *linguagem* e *língua.*] ▪▪ **~ antropológica** *Ling.* Estudo de línguas em função de seu relacionamento com a cultura de seus falantes **~ aplicada** *Ling.* Parte da linguística que trata da solução de problemas práticos do uso da língua (métodos de ensino, princípios para tradução etc.) **~ comparada** *Ling.* Ver *Gramática comparada* no verbete *gramática* **~ descritiva** *Ling.* Parte da linguística que estuda os fatos internos de línguas particulares **~ diacrônica** *Ling.* A que estuda os fatos de uma língua ao longo de seu desenvolvimento no tempo [P. op. a *Linguística sincrônica.*] **~ educacional** *Ling.* Linguística como fonte de conceitos e métodos aplicados no ensino de línguas **~ estrutural** *Ling.* Conceito e doutrina comum a várias correntes linguísticas, segundo os quais todo fato linguístico só pode ser considerado e interpretado dentro do sistema linguístico a que pertence **~ geral** *Ling.* Ramo da linguística que trata dos princípios gerais da linguagem humana como expressão de significados, e de como se aplicam nas linguagens e línguas particulares **~ gerativa** Ver *Gramática gerativa/generativa* **~ histórica** *E. Ling.* O estudo da evolução das línguas, de uma família de línguas ou de uma língua particular [Cf.: *Gramática histórica.*] **~ neurológica** *E. Ling.* Parte da linguística que considera e estuda a estrutura e a função cerebral na aquisição de linguagem, no uso da língua e nas desordens que ocorrem nesse uso **~ quantitativa** *E. Ling.* Ramo da linguística que mede e analisa, por meio de estatística, a frequência e a distribuição de fatos linguísticos dentro do *corpus* de uma língua **~ sincrônica** *Ling.* A que estuda os fatos de uma língua que ocorrem simultaneamente num determinado momento de sua evolução

linguístico (lin.*guís*.ti.co) ***a.*** 1 Ref. à linguística ***a.*** 2 Ref. à língua: "...Há uma resistência coletiva a toda inovação linguística, pois a língua constitui um patrimônio comum..." (Ieda Maria Alves, *Neologismo – criação lexical*) [F.: *linguist(a) + -ico*[2].]

língula (*lín*.gu.la) ***sf.*** *Anat.* Termo genérico que designa qualquer formação anatômica semelhante a uma pequena língua [F.: Do lat. *lingula.*] ▪▪ **~ pulmonar** *Anat.* Língula na base do lobo superior do pulmão esquerdo

linha (*li*.nha) ***sf.*** 1 Traço contínuo: *Assine seu nome nesta linha.* 2 Disposição em série e contínua de coisas: *arrumou os livros em linha.* 3 Traço feito sobre uma superfície, ou imaginário, que demarca uma área, região ou seu limite: *a linha do equador.* 4 Cada um dos traços na palma da mão 5 Fio us. em costuras e bordados 6 Fio que se prende ao anzol para pescar: "...outra vez bambu para baixo até que a linha chegasse à horizontal, completando ambas, linha e vara, uma reta só..." (Mário Palmério, *Vila dos Confins*) 7 Qualquer fio ou barbante us. para fins diversos: *Arrebentou a linha da pipa.* 8 Trilho: *O trem saiu da linha, causando sério acidente.* 9 Conexão telefônica: *Meu telefone não está dando linha.* 10 Conjunto de palavras dispostas em linha em um texto: *Há um erro na quinta linha.* 11 Itinerário feito por transporte público: "... Trabalha agora na Sociedade de Transportes Rui Barbosa Ltda. Na mesma linha: praça do Patriarca – Lapa..." (Antônio de Alcântara Machado, "Tiro de guerra nº 35" *in Brás, Bexiga e Barra Funda*) 12 *Design*, estilo: *móveis de linha moderna.* 13 Modo de se fazer algo; orientação: *O aprendiz segue a linha do mestre.* 14 Série de produtos: *nova linha de maquiagem.* 15 Conduta elegante; CLASSE: *Ele foi grosseiro, mas ela manteve a linha.* 16 *Esp.* No futebol, jogadores de ataque que atuam em linha: "...A bola foi bater em Tedesco, que saiu correndo com ela. E a linha toda avançou..." (Antônio de Alcântara Machado, "Corínthians (2) Vs. Palestra (1)" *in Brás, Bexiga e Barra Funda*) [F.: Do lat. *linea.*] ▪▪ **Andar na ~** Comportar-se como esperado ou como conveniente **~ aérea** Transporte aéreo entre duas cidades provido regularmente por serviço de transportes aéreos, como companhias de aviação **Dar ~** Afrouxar, deixando correr entre os dedos, linha que prende pipa, animal, anzol e isca etc., permitindo que estes se afastem mais **Entrar na ~** *Fig. Pop.* Passar a comportar-se de acordo com certos padrões, ger. deixando de ser rebelde, indisciplinado, desorganizado etc. **~ agônica** *Geof.* Linha imaginária que é o lugar geométrico de todos os pontos da superfície terrestre nos quais a declinação magnética é nula, ou seja, nos quais o norte magnético coincide com o norte verdadeiro **~ ascendente** *Jur.* Linha de filiação no sentido do filho para o pai, deste para o avô etc. **~ atacante/de zagueiros/média** *Fut.* Termos que, no futebol, designavam o alinhamento aproximado (ao longo da largura do campo) dos jogadores de cada setor tático de um time, respectivamente o dos jogadores encarregados de atacar, o dos encarregados da última linha de defesa e o dos encarregados da ligação da defesa com o ataque e do primeiro combate aos atacantes adversários **~ branca** 1 *Com.* Linha de aparelhos eletrodomésticos de maior porte, como geladeira, *freezer*, máquina de lavar roupa, fogão etc. [Tradicional e frequentemente produzidos com pintura branca.] 2 *Bras. Rel.* O conjunto de atos e procedimentos da umbanda que se consideram voltados para o bem **~ burra** *Joc. Fut.* A disposição dos quatro zagueiros numa só linha, sem cobertura, o que propicia o avanço livre de um atacante que passe por apenas um deles **~ centrada** *Art. gr.* Linha de composição que, sem ocupar toda a largura de coluna ou de mancha gráfica, deixa à direita e à esquerda, em relação a estas, espaços iguais **~ cheia** *Art. gr.* Linha que preenche toda a medida da coluna ou da mancha gráfica **~ colateral** *Jur.* No direito de família, parentesco até o sexto grau no mesmo tronco, inclusive entre pessoas não relacionadas por descendência direta (como irmãos, tios, sobrinhos etc.); linha indireta, linha transversal, linha oblíqua [P. op. a *Linha direta.*] **~ cotidal** *Geof.* Linha imaginária que é o lugar geométrico dos pontos da superfície terrestre nos quais a preamar ocorre na mesma hora **~ cruzada** 1 *Telc.* Interferência de ligações telefônicas, uma na outra 2 *Bras. Rel.* Ritual religioso com características cruzadas de rituais de diferentes origens; linha traçada **~ curta** 1 *Art. gr.* Linha que não ocupa toda a medida da coluna ou da mancha gráfica 2 *P. ext. Art. gr.* Linha que, sem ocupar toda a medida, termina um parágrafo completo **~ curva** 1 *Geom.* Linha que não é reta nem formada por segmentos de reta 2 Linha que muda continuamente de direção [Tb. apenas *curva.*] **~ das apsides** *Astron.* Linha imaginária que une os pontos de maior e menor afastamento da órbita de um astro em relação ao corpo celeste em torno do qual gravita [Pontos chamados, respectivamente, apoastro e periastro.] **~ de agulha** *N.E.* Linha de pesca para o peixe-agulha, com uma bolinha de linha no lugar de anzol e isca **~ de alta tensão** *Elet.* Sistema de fios, cabos, isoladores etc. para transporte de energia elétrica, com tensão de alta voltagem **~ de batalha** **1** *Mil.* Formação de tropas, unidades de combate, equipamento etc., em alinhamento de combate **2** *Mar. G.* Alinhamento de navios de guerra em posição de combate para enfrentar navios inimigos **~ de bubuia** *N.E.* Linha sem chumbada, que desce na água apenas pelo peso de anzol e da isca, ger. sem atingir o fundo [Muito us. por jangadeiros.] **~ de caboclo** *RJ Rel.* Ritual de candomblé de caboclo, ao qual se incorporaram elementos diversos de origem ameríndia, de magia africana, do espiritismo etc. **~ de campo** *Fís.* Num campo vetorial, linha que em qualquer de seus pontos é tangente a um vetor desse campo **~ de carga** *Mar.* Marca traçada no casco de embarcação para indicar o ponto máximo de afundamento com a carga que ela carrega **~ de chumbada** *N.E.* Linha com chumbada de meio quilo [Muito us. por jangadeiros.] **~ de comando** *Inf.* Linha digitada por usuário de computador (em janela, *prompt* ou caixa de diálogo) que será interpretada como instrução para uma determinada ação do computado **~ de corso** *N.E.* Linha com anzóis que se lança de uma jangada em movimento ao mar, para fisgar certos peixes que perseguem iscas móveis **~ de corte** *Art. gr.* Linhas curtas nas margens de uma arte-final, que delimitam o formato final da página e servem como guia para o corte no acabamento **~ de crédito** *Econ.* Reserva de recursos, até determinado limite e durante determinado prazo, que instituição financeira põe à disposição de cliente para tomada de empréstimos em condições prefixadas **~ dedicada** *Telc.* Conexão telefônica permanentemente aberta entre dois pontos, portanto operável a qualquer momento **~ de dobra** *Art. gr.* Linha tracejada que marca, em arte-final, a linha pela qual a folha de papel deve ser dobrada no acabamento **~ de flutuação** *Cnav.* Linha de interseção do casco de uma embarcação com a superfície da água, cuja altura no casco depende da carga da embarcação, sendo tanto mais alta quanto mais carregada estiver esta **~ de força** **1** *Fís.* Linha de campo num campo vetorial que é um campo de força **2** No xadrez, cada uma das linhas formada pelas casas consecutivas que podem ser percorridas num mesmo movimento pela torre (linhas ortogonais do tabuleiro), pelo bispo (linhas diagonais) ou pela rainha (linhas ortogonais e diagonais) **~ de frente** **1** *Mil.* O setor mais avançado de uma disposição de tropas, portanto mais próximo das linhas inimigas **2** *Fig.* O segmento mais avançado em ideias, desenvolvimento, capacidades etc. de um campo de atividade, de uma sociedade etc. **3** *Bras. Gír.* Na gíria de delinquentes, hábil batedor de carteiras **~ de fundo** *Bras. Esp.* Num campo de jogo (futebol, basquete, handebol etc.), cada uma das duas linhas paralelas (uma em cada extremidade) que, no sentido da largura do campo, demarcam o limite de seu comprimento **~ de indução** **1** *Fís.* Linha de campo num campo vetorial que é um campo magnético **2** A unidade de medida de um fluxo de indução magnética (no sistema cgs) [Tb. chamada *maxwell*. Símb.: *Mx*] **~ de isoamplitude** *Geog.* Cada linha imaginária que une pontos da superfície terrestre de igual amplitude térmica anual **~ de lado** *Esp.* Ver *Linha lateral* **~ de mira** Linha imaginária que vai do olho de um atirador com arma de fogo ao alvo, passando pela mira da arma **~ de montagem** *Ind.* Conjunto e disposição de máquinas, peças, matéria-prima, operários etc. que, em operações sequenciais, montam os componentes de um certo produto até deixá-lo pronto e acabado para ir ao mercado **~ de mulata** *Bras.* Certo biscoito feito com mandioca, ovos e açúcar **~ de navegação** Transporte marítimo entre dois determinados portos provido regularmente por companhias de navegação **~ de parentesco** *Jur.* O conjunto das gerações sucessivas de uma família em função de sua relação de parentesco **~ de passe** *Fut.* Brincadeira de grupo de jogadores, que consiste em, cada um em seu lugar, passar a bola de um para outro sem deixá-la tocar o chão **~ de piso** *Arq.* Linha imaginária sobre a qual caminha uma pessoa que sobe ou desce escada junto ao corrimão **~ de prumo** *Mar.* Linha com chumbada e com graduações, que serve para medir profundidade **~ de respeito** *Jur.* Linha imaginária ao longo do litoral de um país que marca o limite de suas águas territoriais **~ de rumo constante** **1** *Geom.* Curva não contida num plano e que corta planos de um feixe sempre no mesmo ângulo **2** *Mar.* *A* linha curva (no sentido da curvatura da Terra) descrita por embarcação em rota constante **~ descendente** *Jur.* Linha de filiação no sentido do pai para o filho, deste para o neto etc. **~ de terra** *Geom.* Em geometria descritiva, a linha de interseção entre os planos vertical e horizontal, inclusive na épura **~ de tiro** **1** *Bras. Mil.* Lugar propício para (ou onde se realiza) treinamento de tiro com armas portáteis **2** Linha imaginária que vai da saída da boca de arma de fogo ao alvo mirado **~ de transmissão** *Eng. Elet.* Sistema de fios, condutores, isoladores, suportes etc. que transporta energia elétrica entre dois pontos **~ de umbanda** *Bras. Rel.* Conjunto dos rituais da umbanda, esp. no RJ, e aqueles voltados para o bem **~ de universo** *Fís.* Linha descrita na dimensão tempo por um ponto de coordenadas espaciais fixas **~ dianteira** *Fut.* Ver *Linha atacante/de zagueiros/média* [Refere-se a *linha atacante*.] **~ direta** **1** Conexão (ger. telefônica) direta entre um consulente e um atendente, ou entre dois pontos quaisquer **2** *Jur.* Linha ascendente ou descendente de parentesco em nível de pais para filhos e vice-versa; linha reta [F. op. a *Linha colateral* ou *indireta*.] **~ divisora de águas** Faixa linear de terreno que separa duas bacias hidrográficas; divisor de águas **~ divisória** *Fut.* Linha no sentido da largura que divide o campo de jogo em duas metades iguais **~ dura** **1** *Bras.* Pensamento e atitude política, social etc. de natureza radical e intransigente, sem concessões a possíveis adversários e oponentes: *Muita gente, ante tanta violência, torna-se adepta da linha dura.* **2** *P. ext.* Linha enérgica e impositiva de ação, em qualquer contexto: *A empresa adotou linha dura na contenção de despesas.* **3** Facção ou conjunto de indivíduos, grupos, partidos etc. que adotam ou orientam essa linha: *A linha dura do governo reuniu-se para acertar propostas concretas.* **4** O plano de ação e o conjunto de ações de acordo com essa linha: *A polícia federal acionou uma linha dura contra o crime organizado.* **~ editorial** **1** *Edit. Jorn.* Posição política, ética, social etc. e o conceito jornalístico que orienta a seleção e priorização das matérias de órgão de imprensa, seu teor, sua abordagem etc. **2** A maneira de apresentar as informações (estilo, cobertura, organização, disposição etc.) em publicação, programa, *site* de internet etc. **~ enforcada** *Art. gr.* Linha tipográfica fora dos padrões e das normas consideradas boas e estéticas, como, p. ex., uma linha muito curta no alto de coluna ou início de página **~ espectral** *Fís.* A faixa de um espectro em que há emissão ou absorção de radiação com uma frequência, que a caracteriza **~ férrea** **1** Conjunto de instalações (trilhos, sinalização, estações etc.) para transporte ferroviário por meio de trens que levam carga ou passageiros **2** Companhia de transporte ferroviário **~ focal** *Ópt.* Qualquer dos segmentos de reta que representam a imagem de um ponto num sistema óptico astigmático (no qual as imagens de pontos são segmentos de reta) **~ geodésica** Ver *Curva geodésica* no verbete *curva* **~ indireta** *Jur.* Ver *Linha colateral* **~ intermediária** *Fut.* Ver *Linha divisória* **~ internacional de mudança de data** *Astron.* Linha imaginária, estabelecida por convenção internacional, que corresponde aproximadamente ao meridiano de 180° (oposto ao de Greenwich), que serve de referência para a passagem de uma data para outra [Para um ponto qualquer que cruzar essa linha (à meia-noite, e de oeste para leste, segundo a rotação da Terra), a data será acrescida de um dia. Se alguém cruzar essa linha de leste para oeste, estará passando para uma data anterior à que estava antes.] **~ isopórica** *Geog.* Linha imaginária na superfície terrestre ao longo da qual a variação do campo magnético terrestre durante um ano (ou outro período escolhido) é constante; isópora **~ isoterma** *Met.* Cada linha imaginária que une pontos da superfície terrestre (representados num mapa) de igual temperatura [Tb. apenas *isoterma*.] **~ lateral** *Bras. Esp.* Num campo de jogo (futebol, basquete, handebol etc.), cada uma das duas linhas paralelas (uma em cada extremidade) que, no sentido do comprimento do campo, demarcam o limite de sua largura [T. apenas *lateral*.] **~ média** *Fut.* Ver *Linha atacante/de zagueiros/média* **~ mediana** *Anat.* Linha imaginária que divide verticalmente o corpo humano em duas partes iguais e simétricas, e que serve de referência para anatomistas e cirurgiões **~ melódica** *Mús.* Grupo de sons, ou notas, que, em sucessão e num ritmo próprio, constituem o desenvolvimento de um tema musical; melodia **~ mestra** A linha de orientação básica de um conceito, uma ideia ou sistema de ideias etc.: *A linha mestra da psicanálise é a teoria freudiana.* **~ mista** *Geom.* Linha formada sequencialmente por segmentos de reta e de curva **~ oblíqua** *Jur.* Ver *Linha colateral* **~ poligonal** *Geom.* Linha formada por uma sequência de segmentos de reta **~ quebrada** **1** *Geom.* Ver *Linha poligonal* **2** *Art. gr.* Linha em fim de parágrafo que não chega à margem direita da coluna ou da mancha gráfica; viúva **~ reta** **1** *Geom.* Conceito básico da geometria, definido por dois pontos **2** *Geom.* O menor percurso possível entre dois pontos **3** *Jur.* Ver *Linha direta* (2) **~s nodais** Linhas e figuras formadas por areia fina colocada sobre uma membrana ou chapa fina de metal que faz vibrar ao som de uma nota de certa frequência **~ suplementar** *Mús.* Cada uma de pequenas linhas paralelas que se escrevem acima ou abaixo da pauta, como se fossem pequenas pautas suplementares, para, sobre ou entre elas, registrar as notas que, por serem muito agudas ou muito graves, não são registráveis na pauta de 5 linhas **~ transversal** *Jur.* Ver *Linha colateral* [Tb. apenas *transversal*.] **~ trigonométrica** *Mat.* Segmento de reta relacionado, por funções trigonométricas, a um arco de circunferência [São seno e cosseno, tangente e cotangente, secante e cossecante.] **Na ~** *Fig. Pop.* Bem-arrumado, bem-vestido **Perder a ~** *Fig.* Descontrolar-se, perder a compostura **Por ~s transversas** *Fig.* Tortuosamente, indiretamente: *Nunca era claro, só se expressava por linhas transversas.* **Por uma ~** Quase, por pouco, por um triz **Saber as ~s com que se cose** Ter consciência das próprias limitações, ou dificuldades **Sair da ~** Comportar-se (mal) ao contrário do esperado ou do conveniente **Tirar uma ~** **1** *Bras. Antq. Fig. Pop.* Flertar, paquerar **2** Espiar, dar uma olhada **3** Observar como algo ou alguém se comporta

linhaça (li.*nha*.ça) *sf.* **1** *Bot.* A semente do linho **2** A farinha dessa semente, us. no preparo de cataplasmas [F.: *linho* + *-aça*.]

linhada (li.*nha*.da) *Bras. sf.* **1** Ação de lançar o anzol **2** Linha de pescar **3** *Fig.* Olhada, espiadela **4** Namoro a distância [F.: *linh(a)* + *-ada*[2].]

linha-d'água (li.nha-*d'á*.gua) *sf.* **1** *Cnav.* Faixa pintada nos cascos dos navios, da popa à proa, na altura em que ele flutua quando totalmente sem carga **2** *Pap.* Cada um dos traços verticais e horizontais, visíveis por transparência, em certo tipo de papel [Pl.: *linhas-d'água*.]

linhagem[1] (li.*nha*.gem) *sf.* **1** Conjunto dos antepassados e descendentes em uma família; linha de parentesco; GENEALOGIA; ESTIRPE: "...na sucessão dos seus bens e na pureza de sua linhagem aristocrática..." (Gilberto Freyre, *Casa grande e senzala*) **2** *Fig.* Classe, condição social [Pl.: *-gens*.] [F.: Do fr. *lignage*.]

linhagem[2] (li.*nha*.gem) *sf.* *Têxt.* Tecido grosso de linho, us. em embalagens [Pl.: *-gens*.] [F.: *linh(o)* + *-agem*[2].]

linhão (li.*nhão*) *sm.* Tecido semelhante ao linho, porém mais grosso e de malhas mais abertas [Pl.: *-nhões*.] [F.: *linh(o)* + *-ão*.]

linheira (li.*nhei*.ra) *sf.* **1** Mulher que prepara o linho para ser fiado **2** Mulher que vende linho [F.: *linh(o)* + *-eira*. Hom./Par.: *linheira* (sf.), *lenheira* (sf.).]

linheiro (li.*nhei*.ro) *sm.* **1** Aquele que prepara o linho para ser fiado **2** Aquele que vende linho **3** *Bot.* O mesmo que *linho* (1) [F.: *linh(o)* + *-eiro*. Hom./Par.: *linheiro* (sm.), *lenheiro* (sm.).]

linhita (li.*nhi*.ta) *sf.* Ver *linhito* [F.: Do fr. *lignite*.]

linhito (li.*nhi*.to) *sm.* *Geol.* Carvão fóssil, de formação terciária, de cor preta ou marrom-escura, cuja capacidade de queima é pequena; LINHITA; LIGNITO [F.: Do fr. *lignite*.]

linho (*li*.nho) *sm.* **1** *Bot.* Planta herbácea da fam. das lináceas (*Linum usitatissimum*), originária da Europa Ocidental, cujo caule fornece fibra têxtil e de cujas sementes se extrai um óleo us. na produção de tintas, medicamentos etc. [Col.: *linhal*.] **2** *Bot.* Fibra que se obtém do caule dessa planta us. na fabricação de tecidos **3** Tecido feito com a fibra do linho [F.: Do lat. *linum, i*.]

linhoso (li.*nho*.so) [ô] *a.* Que é da natureza do linho ou parecido com ele [Pl.: [ó]. Fem.: [ó].] [F.: *linh(o)* + *-oso*. Hom./Par.: *linhoso* (a.), *lenhoso* (a.).]

linhote (li.*nho*.te) *sm.* Trave ou viga que vai de uma parede a outra para segurá-las [F.: *linh(a)* + *-ote*.]

linifício (li.ni.*fi*.ci:o) *sm.* **1** Fabricação do linho **2** Qualquer artigo de linho [F.: *lin(i)-* + *-fício*. Hom./Par.: *linifício* (sm.), *lanifício* (sm.).]

linígrafo (li.*ní*.gra.fo) *sm.* Aparelho que se destina a registrar a variação do nível de água dos lagos; linímetro; LINÍMETRO

linimento (li.ni.*men*.to) *sm.* **1** *Farm.* Óleo medicinal us. em massagens na pele com finalidade analgésica **2** *Fig.* Qualquer coisa que serve para acalmar ou suavizar: *As palavras do amigo foram um linimento para a sua tristeza.* [F.: Do lat. *linimentum, i*. Hom./Par.: *linimento* (sm.), *linimento* (fl. de *linimentar*), *lenimento* (sm.).]

linímetro (li.*ní*.me.tro) *sm.* Aparelho destinado a medir o nível da água dos lagos; LINÍGRAFO [F.: *lin(i/o)-* + *-metro*.]

◎ **lin(i/o)-** *el. comp.* = 'linho': [F.: Do lat. *linum, i*.]

⊕ **link** (*Ing.* /linc/) *sm.* *Inf.* Trecho, palavra ou ícone que conecta um ponto a outro em documentos e *sites* [Cf.: *hyperlink*.]

◎ **lin(o)-** *el. comp.* = 'linha': *linotipo*. [F.: Do lat. *linea, ae*.]

linografia (li.no.gra.*fi*.a) *sf.* **1** Processo de impressão sobre pano **2** Tipo de gravura sobre tela ou tecido (ger. reprodução fotográfica), que depois se pinta a óleo [F.: Do fr. *linographie*.]

linográfico (li.no.*grá*.fi.co) *a.* Ref. a linografia [F.: *linografia* + *-ico*[2].]

linoleico (li.no.*lei*.co) *sf.* *Quím.* Diz-se de ácido graxo comum em diversos óleos vegetais; LINOLÊNICO [É empregado na fabricação de tintas, margarinas e certos medicamentos. Fórm.: $C_{18}H_{32}O_2$. No Brasil predomina a forma linoleico (êi).] [F.: Do ing. *linoleic (acid)*.]

linóleo (li.*nó*.le:o) *sm.* **1** Tecido impermeável feito de juta misturada com óleo de linhaça, resina e cortiça em pó **2** Tapete feito com esse tecido [F.: Do ing. *linoleum*. Cf.: *oleado*.]

linoleografia (li.no.le.o.gra.*fi*.a) *sf.* *Art. Pl.* Gravura feita em linóleo colado a uma base de madeira [F.: *linóleo* + *-grafia*.]

linotipia (li.no.ti.*pi*.a) *Art. gr. sf.* **1** Arte e técnica de composição em linotipo [Cf.: *fotocomposição* e *mecanotipia*.] **2** Trabalho feito com linotipo **3** Seção ou oficina em que se faz esse tipo de composição [F.: *linotip(o)* + *ia*[1].]

linotipista (li.no.ti.*pis*.ta) *s2g.* Pessoa que trabalha com linotipo [F.: *linotip(o)* + *-ista*.]

linotipo (li.no.*ti*.po) *sf.* *Art. gr.* Máquina de compor textos em linhas inteiras a partir de um teclado [F.: Do ing. *linotype*. Hom./Par.: *linotipo* (sm.), *linotipo* (fl. de *linotipar*).]

◎ **li(o)-** *el. comp.* = 'dissolução': *liofilizar* [F.: Do v. gr. *lýo*, 'dissolver'.]

lio (*li*:o) *sm.* **1** Liame, atilho **2** Molho, feixe [F.: Dev. de *liar*. Hom./Par.: *lio* (sm.), *lio* (fl. de *liar*).]

◎ **lio-** *el. comp.* = 'liso'; 'unido'; 'polido': *liodermo, liótrico* [F.: Do gr. *leîos, as, on*.]

liodermo (li:o.*der*.mo) [é] *a.* *Zool.* Diz-se do animal que tem a pele lisa [F.: *li(o)-* + *-dermo*.]

liofilizar (li:o.fi.li.*zar*) *v. td.* *Quím.* Submeter (algo) a liofilização [▶ **1** liofilizar] [F.: *liófil(o)* + *-i-* + *-zar*.]

liomioma (li:o.mi.*o*.ma) *sm.* *Med.* Tumor benigno constituído de fibras musculares lisas [F.: *lio-* + *-mi(o)-* + *-oma*[1].]

lionês (li.o.*nês*) *sm.* **1** Pessoa nascida ou que vive em Lião (França) [Pl.: *-neses*. Fem.: *-nesa*.] *a.* **2** De Lião; típico dessa cidade ou de seu povo [Pl.: *-neses*. Fem.: *-nesa*] [F.: Do fr. *lyonnais*.]

⊕ **lip** (*Ing.* /lip/) *sm.* *Esp.* Para surfistas, a crista da onda

lipase (li.*pa*.se) *sf.* *Bioq.* Qualquer enzima que catalisa a hidrólise de lipídios [F.: *lip(o)-* + *-ase*.]

lipemia (li.pe.*mi*.a) *sf.* *Med.* Presença de gordura ou lipídios no sangue [F.: *lip(o)-* + *-emia*.]

lípide (*lí*.pi.de) *sm.* *Bioq.* O mesmo que *lipídio* [F.: *lip(o)-* + *-ide*.]

lipídico (li.*pí*.di.co) *a.* Ref. a lipídio [F.: *lipídi(o)* + *-ico*[2].]

lipídio (li.*pí*.di:o) *sm.* *Bioq.* Substância orgânica presente nas gorduras (como, p. ex., no leite, na manteiga, no azeite); LÍPIDE *Lus.*; LÍPIDO [F.: *lip(o)-* + *-ídio*.]

lipidograma (li.pi.do.*gra*.ma) *sm.* *Med.* Exame que mostra o teor de lipídios no sangue [F.: *lipíd(io)* + *-o-* + *-grama*.]

◎ **-lip(o)-** *el. comp.* Ver *lip(o)-*

◎ **lip(o)-** *el. comp.* = 'gordura (animal)'; 'lipídio': *lipemia, lipoaspirar, lipoescultura, lipograma, lipólise, lipoproteína, lipossolúvel, lipúria, lipuria; eletrolipoforese* [F.: Do gr. *lípos, eos-ous.*]

lipo (*li*.po) *sf. Cir.* F. red. de *lipoaspiração*

◎ **lipo-** *el. comp.* = 'cessação'; 'interrupção'; 'perda': *lipotimia, lipograma* [F.: Do v. gr. *leípo*, 'deixar'; 'abandonar'; 'cessar'; 'ficar privado de algo'.]

lipoaspiração (li.po:as.pi.ra.*ção*) *sf. Cir.* Operação destinada a remover, por aspiração a vácuo, o excesso de gordura em certa região do corpo humano [Pl.: *-ções.*] [F.: *lip(o)- + aspiração.* Tb. *lipo.*]

lipoaspirado (li.po:as.pi.*ra*.do) *a.* Que se submeteu a lipoaspiração [F.: Part. de *lipoaspirar.*]

lipoaspirar (li.po.as.pi.*rar*) *v. td. Cir.* Realizar lipoaspiração em (alguém ou em parte do corpo de alguém) [▶ 1 lipoaspirar] [F.: *lip(o)- + aspirar.*]

lipodistrofia (li.po.dis.tro.*fi*.a) *sf. Pat.* Alteração nas gorduras corporais, esp. em pacientes soropositivos, caracterizada por concentração de gordura em certas partes (rosto, abdome, nuca) e escassez em outras (pernas, braços, nádegas) [F.: *lip(o)- + distrofia.*]

lipoescultura (li.po:es.cul.*tu*.ra) *sf. Cir.* Procedimento cirúrgico us. para remodelar certas partes do corpo (seios, nádegas etc.), por meio de retirada ou implante de tecido adiposo do próprio indivíduo [F.: *lip(o)- + escultura.*]

lipofílico (li.po.*fí*.li.co) *a. Quím.* Que se dissolve em gordura, ou que tem com ela afinidade química [F.: *lip(o)- + -fil(o)- + -ico*[2].]

lipograma (li.po.*gra*.ma) *sm. Liter.* Obra literária em que o autor não usa intencionalmente determinada(s) letra(s) do alfabeto [F.: *lipo- + -grama.*]

lipoide (li.*poi*.de) *a2g.* Ref. ou semelhante a gordura [F.: *lip(o)- + -oide.*]

lipólise (li.*pó*.li.se) *sf. Bioq.* Desdobramento de lipídios em ácidos graxos e sais [F.: *lip(o)- + -lise.*]

lipoma (li.*po*.ma) [ô] *sm. Pat.* Tumor benigno formado pelo acúmulo de células gordurosas; ADIPOMA [F.: *lip(o)- + -oma*[1].]

lipomatoso (li.po.ma.*to*.so) [ô] *a.* Que é da natureza do lipoma [Pl.: [ó]. Fem.: [ó].] [F.: *lipoma* (sob a f. *lipomat-*) + *-oso.*]

lipoproteico (li.po.pro.*tei*.co) *a. Bioq.* Ref. a ou que contém lipoproteína [F.: *lipoprote(ína) + -ico*[2].]

lipoproteína (li.po.pro.te.*í*.na) *sf. Bioq.* Molécula composta de proteína e lipídio [F.: *lip(o)- + proteína.*]

lipossolúvel (li.pos.so.*lú*.vel) *a2g. Quím.* Diz-se da substância que é solúvel em gordura [Pl.: *-veis.*] [F.: *lip(o)- + solúvel.*]

lipossoma (li.pos.*so*.ma) *sm. Bioq.* Glóbulo de gordura no interior da célula [F.: *lip(o)- + -soma.* Tb. *lipossomo.*]

lipossomo (li.pos.*so*.mo) *sm.* Ver *lipossoma*

lipotimia (li.po.ti.*mi*.a) *sf. Med.* Perda súbita e temporária de consciência; DESMAIO; SÍNCOPE [F.: Do gr. *lipothymía, as.*]

lipúria (li.*pú*.ri:a) *sf. Urol.* Presença de gordura na urina [F.: *lip(o)- + -úria.* Tb. *lipuria.*]

liquefação (li.que.fa.*ção*) *sf.* **1** Ação ou resultado de liquefazer(-se) **2** *Fís.* Passagem de uma substância gasosa ao estado líquido [Pl.: *-ções.*] [F.: Do lat. tardio *liquefactio, onis.*]

liquefazer (li.que.fa.*zer*) *v.* **1** Fazer passar ou passar do estado sólido ou gasoso ao estado líquido; tornar(-se) liquefeito; DERRETER(-SE); LIQUESCER(-SE) [*td.: um expectorante que ajuda a liquefazer e eliminar o muco dos pulmões; liquefazer gases.*] [*int.: O gelo liquefez-se.*] **2** *Fig.* Fazer perder ou perder a consistência, energia, força etc.; ENFRAQUECER(-SE) [*td.:* "...o sol... a liquefazer-lhes os grandes olhos meigos..." (Cecília Meireles, "Índia florida" *in Crônicas de viagem 2*)] [*int.: Sua vida se liquefez diante das dificuldades.*] [▶ 22 liquefazer] [F.: Do lat. *liquefacere.* Ant. ger.: *solidificar.*]

liquefeito (li.que.*fei*.to) *a.* Que se tornou líquido [F.: Do lat. *liquefactus, a, um.*]

líquen (*lí*.quen) *sm.* **1** *Bot.* Espécime dos liquens, divisão (*Lichen*) do reino vegetal que reúne organismos resultantes da associação simbiótica de um fungo com uma alga **2** *Med.* Doença da pele caracterizada por pequenas erupções próximas umas das outras [Pl.: *liquens e (p. us. no Brasil) líquenes.*] [F.: Do gr. *leichén, ênos,* pelo lat. *lichen, enis.*]

liquênico (li.*quê*.ni.co) *a. Quím.* Diz-se do ácido fumárico, quando extraído de liquens [F.: *líquen + -ico*[2].]

liquescente (li.ques.*cen*.te) *a2g.* Que é ou tende a tornar-se líquido [F.: Do lat. *liquescens, entis.*]

liquidação (li.qui.da.*ção*) *sf.* **1** Ação ou resultado de liquidar **2** Operação em que se acertam contas ou se quitam débitos etc. (liquidação de dívida) **3** *Com.* Venda de produtos a preços baixos **4** *Econ.* Nas bolsas de valores, entrega de títulos adquiridos ou pagamento da diferença de cotações **5** *Jur.* Série de procedimentos tomados na dissolução de sociedades civis ou mercantis [Pl.: *-ções.*] [F.: *liquidar + -ção.*] ■ **Em ~** *Com.* À venda (produtos no comércio) por preços abaixo dos usualmente praticados, ger. para acabar com estoques **~ amigável** *Jur.* Liquidação extrajudicial de compromisso, por acordo entre as partes **~ da sentença** *Jur.* Após decisão judicial transitada em julgado que condena uma parte a um pagamento, fixação do valor da condenação, quando não mencionado na sentença **~ extrajudicial** *Jur.* Resgate de dívida, compromisso, indenização etc. realizada fora de juízo, ger. controlada por liquidante nomeado pelo governo **~ forçada** *Jur.* Liquidação de dívidas e compromissos (inclusive mediante alienação de ativos) que é imposta por lei ou autoridade a empresa, sociedade etc. **~ judicial** *Jur.* Liquidação contenciosa sentenciada na Justiça

liquidado (li.qui.*da*.do) *a.* **1** Que se liquidou, saldou (dívida liquidada); PAGO **2** *Fig.* A que se pôs fim; ACABADO; ENCERRADO **3** *Fig.* Destruído, arrasado, arruinado **4** *Fig.* Morto, assassinado [F.: Part. de *liquidar.*]

liquidante (li.qui.*dan*.te) *a2g.* **1** Que liquida **2** Conclusivo, terminante *s2g.* **3** *Jur.* Pessoa física ou jurídica que efetua a liquidação (5) de uma empresa [F.: *liquidar + -nte.*]

liquidar (li.qui.*dar*) *v.* **1** Pagar (conta) ou saldar (débito, dívida, obrigação) [*td.: Preciso liquidar as dívidas.*] **2** *Econ.* Dar fim a (negócio ou empresa) [*td.: Por causa das dívidas, teve de liquidar a firma.*] **3** *Econ.* Fazer acerto de (operação a termo), na bolsa de valores [*td.: liquidar ações.*] **4** *Econ.* Vender a preços baixos; fazer uma liquidação comercial; QUEIMAR [*td.: Terminado o verão, liquidou o estoque de biquínis e maiôs.*] **5** Cair em apuros financeiros; arruinar-se [*int.: Sua empresa foi mal administrada, e ele se liquidou.*] **6** *Fig.* Matar, assassinar ou exterminar [*td.: Tornou-se proprietário de muitas fazendas liquidando seus inimigos.*] **7** *Fig.* Acabar com, pôr fim a ou derrotar [*td.: O governador liquidou seus adversários políticos.*] **8** Causar a própria destruição; tirar a própria vida; MATAR-SE [*td.: Não hesitou em liquidar-se.*] **9** Dar por encerrado [*td.: Liquidou o assunto com uma frase de impacto.*] [▶ 1 liquidar] [F.: Do lat. *liquidare.* Hom./Par.: *liquido* (fl.), *líquido* (a. sm.).]

liquidável (li.qui.*dá*.vel) *a2g.* Que se pode liquidar [Pl.: *-veis.*] [F.: *liquidar + -vel.*]

liquidez (li.qui.*dez*) [ê] *sf.* **1** Qualidade ou estado de líquido **2** *Econ.* Facilidade que tem um bem ou título de ser transformado em dinheiro: *Os imóveis têm menos liquidez do que as ações.* **3** *Econ.* Disponibilidade de dinheiro em caixa e/ou de títulos com liquidez (2): *empresa/mercado com alta liquidez.* **4** *Jur.* Qualidade ou estado da obrigação que é certa quanto à sua existência e determinada quanto ao seu objeto [F.: *líquido + -ez.*]

liquidificador (li.qui.di.fi.ca.*dor*) [ô] *a.* **1** Que liquidifica; LIQUIDIFICANTE *sm.* **2** Utensílio elétrico para liquefazer legumes, frutas etc. [F.: *liquidificar + -dor.*]

liquidificar (li.qui.di.fi.*car*) *v. td.* **1** Ver *liquefazer.* **2** Liquefazer ou misturar (alimentos) em liquidificador: *liquidificar a massa do bolo.* [▶ 11 liquidificar] [F.: *líquido + -(i)ficar.*]

líquido (*lí*.qui.do) *a.* **1** Que flui, e que toma a forma do recipiente em que está [P. opos. a *sólido* e a *gasoso.*] **2** *Econ.* Que está livre de descontos ou encargos (preço/rendimento líquido) [Ant.: *bruto.*] **3** *Econ.* Que tem liquidez, ou cujo valor se converteu em dinheiro [Ant.: *ilíquido.*] **4** Que não inclui o peso de embalagem ou recipiente (diz-se de peso) [Ant.: *bruto.*] **5** *Gram.* Diz-se de consoante que se combina facilmente com outras, como o *l* e o *r* *sm.* **6** Substância líquida (1) **7** Qualquer alimento líquido: *Devemos tomar muito líquido no verão.* [F.: Do lat. *liquidus, a, um.* Hom./Par.: *liquido* (a. sm.), *liquido* (fl. de *liquidar*).] ■ **~ amniótico** *Emb. Obst.* Líquido claro na cavidade amniótica que protege o feto nele imerso **~ cefalorraquiano/cefalorraquidiano** *Anat. Med.* Ver *Líquido cerebrospinal* [Simb.: *LCE.*] **~ cerebrospinal** *Anat. Med.* Líquido produzido no encéfalo, que preenche os ventrículos cerebrais, o espaço entre as duas membranas mais internas que envolvem o cérebro (a pia-máter e a aracnoide) e o da medula espinhal; liquor cerebrospinal **~ e certo** Não sujeito a qualquer dúvida, absolutamente certo **~ extracelular 1** *Fisl. Med.* Designação de qualquer líquido corporal não contido em células (p. ex.: linfa, plasma) **2** *Biol.* Líquido que, inicialmente no interior das células, passa para seu exterior para ser retido (ex.: o líquido cerebrospinal) ou eliminado (ex.: o suor) **~ folicular** *Biol.* Líquido que se encontra no interior de folículo de Graaf **~ ideal** *Fís.* Líquido de viscosidade nula (e que por isso flui sem despender energia) e incompressível **~ intersticial** *Histl.* Líquido contido nos espaços entre as células dos tecidos **~ intracelular** *Biol.* Líquido contido no citoplasma das células; líquido protoplasmático **~ prostático** *Urol.* Secreção da próstata, formadora do sêmen **~ protoplasmático** *Biol.* Ver *Líquido intracelular* **~ sinovial** *Histl.* Líquido transparente e viscoso que lubrifica as articulações **O precioso líquido** A água

liquor (li.*quor*) [ô] *sm. Farm. Quím.* Nome dado a vários líquidos compostos, esp. aos que contêm álcool; LICOR [F.: Do lat. *liquor, oris.* Hom./Par.: *liquor* (sm.), *licor* (sm.).] ■ **~ cerebrospinal** *Anat. Med.* Ver *Líquido cerebrospinal* no verbete *líquido*

liquórico (li.*quó*.ri.co) *a.* Ref. a liquor [F.: *liquor + -ico*[2].]

lira[1] (*li*.ra) *sf.* **1** *Mús.* Antigo instrumento de cordas, em forma de U **2** *Fig.* Inspiração poética: "...o poeta não sente necessidade de acomodar sua lira ao ritmo da arte circundante..." (Wilson Castelo Branco, "Lira dos cinquent'anos – Nota preliminar" *in Manuel Bandeira, poesia completa e prosa*) **3** *Bras. Pop.* Banda de música **4** *Bras. Pop.* Coletânea de letras de canções populares **5** *N.E.* A viola dos cantadores **6** *Ornit.* Ave (*Menura lyra*) cuja cauda de penas longas lembra uma lira **7** *Astron.* Constelação do hemisfério setentrional [F.: Do lat. *lyra, ae.*]

lira[2] (*li*.ra) *sf.* **1** Nome do dinheiro us. na Itália, São Marino e Vaticano, antes da adoção do euro **2** Nome do dinheiro us. no Chipre, República de Malta e Turquia [F.: Do lat. *libra, ae.*]

lirial (li.ri:*al*) *a2g.* **1** Que é branco ou puro como o lírio [Pl.: *-ais.*] *sm.* **2** Lugar onde crescem muitos lírios [Pl.: *-ais.*] [F.: *líri(o) + -al.*]

lírica (*lí*.ri.ca) *sf.* **1** *Poét.* Poesia lírica: "...Com ele (Castro Alves) fluem sem meandros as correntes de uma renovada lírica erótica..." (Alfredo Bosi, *História concisa da literatura brasileira*) **2** Coleção de poemas líricos de um autor ou período (lírica medieval) [F.: Fem. substv. de *lírico.* Hom./Par.: *lírica* (sf.), *lirica* (fl. de *liricar*).]

lírico (*lí*.ri.co) *a.* **1** Diz-se da poesia em que o autor expressa suas emoções, revela seu íntimo **2** Ref. a ópera (cantora lírica) **3** Diz-se da ópera cujo enredo se centra nas emoções e sentimentos íntimos de seus personagens **4** *Fig.* Sentimental, apaixonado **5** Ref. a lira[1] (1) *sm.* **6** Poeta que compõe poesia lírica [F.: Do lat. *lyricus, a, um.*]

lírio (*lí*.ri:o) *Bot. sm.* **1** Nome comum a numerosas plantas de diferentes gêneros e famílias, esp. às do gên. *Lilium*, da fam. das liliáceas, de flores belas e perfumadas, muito cultivadas como ornamentais e também conhecidas como açucena ou lis; AÇUCENA-BRANCA **2** A flor dessas plantas; AÇUCENA; LIS **3** Ver *lírio-branco* [F.: Do lat. *lilium, ii.*]

lírio-branco (lí.ri:o-*bran*.co) *sm.* **1** *Bot.* Planta da fam. das liliáceas (*Lilium candidum*), procedente da Ásia, muito apreciada por suas flores brancas, em forma de sino e aromáticas; AÇUCENA; AÇUCENA-BRANCA; COPO-DE-LEITE; LÍRIO-BRANCO; LIS **2** A flor dessa planta; AÇUCENA; AÇUCENA-BRANCA; COPO-DE-LEITE; LÍRIO-BRANCO; LIS [Pl.: *lírios-brancos.*]

lírio-do-vale (li.ri:o-do-*va*.le) *sm. Bot.* Planta herbácea da fam. das convaláriáceas (*Convallaria majalis*), nativa da Europa, de flores em forma de sino, pendentes, brancas e aromáticas, muito cultivada como ornamental, embora toda a planta seja tóxica; CONVALÁRIA; FLOR-DE-MAIO; LÍRIO-CONVALE [Pl.: *lírios-do-vale.*]

lirismo (li.*ris*.mo) *sm.* **1** Qualidade de lírico; caráter de poesia lírica: "Estou farto do lirismo comedido..." (Manuel Bandeira, "Poética" *in Libertinagem*) **2** Conjunto de poesia lírica (lirismo brasileiro) **3** Modo poético de apresentar ou descrever algo **4** *Fig.* Maneira de sentir e de exprimir-se de forma apaixonada [F.: *lira*[1] + *-ismo.*]

lirista (li.*ris*.ta) *s2g.* **1** Tocador de lira[1] **2** *Pej.* Poeta frívolo [F.: Do lat. *lyrista*, do gr. *lyristés.*]

lis *Bot. sm.* **1** O mesmo que *lírio.* **2** O mesmo que flor-de-lis [F.: Do fr. *lis.*]

lisboano (lis.bo:*a*.no) *a. sm.* O mesmo que *lisboeta* [F.: Do top. *Lisboa + -ano.*]

lisboeta (lis.bo:*e*.ta) [ê] *a2g.* **1** De Lisboa, capital de Portugal (Europa); típico dessa cidade ou de seu povo; LISBOANO; LISBONENSE; LISBOENSE *s2g.* **2** Pessoa nascida ou que vive em Lisboa: "Isso são os lisboetas – disse Craft" (Eça de Queirós, *Os Maias*) [F.: Do top. *Lisboa + -eta* [ê].]

lisbonina (lis.bo.*ni*.na) *sf. Num.* Antiga moeda de ouro portuguesa [F.: Fem. substv. de *lisbonino.*]

◎ **-lise** *el. comp.* = 'dissolução', 'decomposição', 'desagregação'; 'desprendimento'; 'destruição'; 'transformação ou formação'; 'remoção'; 'lise (1 e 2)'; 'reação': *acantólise, acetólise, amilólise, aminólise, análise*[1], *atmólise, autólise, bacteriólise, biólise, catálise* (< gr.), *citólise, cromatólise, eletrólise, fotólise, glicólise, halmirólise, hemólise, hepatólise, hidrólise, histaminólise, histólise, onicólise, osteólise, pirólise* [F.: Do gr. *-lýsis, eos*, do gr. *lýsis, eos*, 'ação de separar, de dissolver'; 'dissolução'; 'liberação' etc., do v. gr. *lýo*, 'desligar'; 'desprender'; 'libertar'; 'dissolver'; 'dar fim a' etc. Segundo o modelo gr., os adjetivos para nomes com esse el. se fazem em *-ico*[2], sob a f. do rad. do adj. verbal *lytós, é, ón.* Ver *-lítico*[2].]

lise (*li*.se) *sf.* **1** *Cir.* Processo de liberação de um órgão de suas aderências **2** *Bioq.* Destruição de células e de bactérias por uma lisina específica **3** *Med.* Declínio gradativo dos sintomas de uma doença **4** *Med.* Diminuição gradativa da febre [F.: Do fr. *lyse*, do gr. *lýsis.*]

lisérgico (li.*sér*.gi.co) *a.* **1** Diz-se de ácido ($C_{16}H_{16}N_2O_2$) com propriedades alucinógenas **2** Ref. ao ou que lembra o efeito alucinógeno desse ácido (imagens lisérgicas) *sm.* **3** Ácido lisérgico (1) [F.: Do ing. *lisergic* ou de *lis(i)- + -erg(o)-*[2] *+ -ico*[2].]

◎ **lis(i)-** *el. comp.* = ação de separar; dissolução; decomposição; lise: *lisímetro; lisofórmio; análise, catálise, eletrólise, hemodiálise, hidrólise.* [F.: Do gr. *lýsis, -eos.*]

lisina (li.*si*.na) *Bioq. sf.* **1** Anticorpo capaz de destruir as células orgânicas e as bactérias **2** Aminoácido que entra na composição das proteínas [F.: Do fr. *lysine.*]

◎ **lis(o)-** *el. comp.* Ver *lis(i)-*

liso (*li*.so) *a.* **1** Que não tem saliências, ondulações, elevações, depressões (terreno liso; chão liso); PLANO **2** Que não tem asperezas, nem rugas, ou pregas etc. (tecido liso; pele lisa) **3** *P. ext.* De superfície ou exterior regular, sem ornatos, motivos (copo liso; prato liso) **4** Diz-se do cabelo que não é ondulado ou crespo: "De que vale o seu cabelo liso e as ideias enroladas/ Dentro da sua cabeça?" (Ana Carolina, *Implicante*) **5** Sem estampas ou desenhos; de uma única cor (camiseta lisa) **6** *Fig.* Que tem ou revela retidão, correção, integridade, idoneidade, decência (sujeito liso; gesto liso) **7** *Fig.* Franco, sincero, verdadeiro **8** *Anat.* Diz-se de músculo cujas fibras não apresentam estriações e apresenta movimento involuntário; INVOLUNTÁRIO **9** *Aut.* Diz-se de pneu próprio para piso liso e seco, por oferecer uma superfície de contato maior **10** *Bras. Gír.* Que não tem dinheiro nenhum; DURO; TESO [F.: Do lat. vulg. **lisius*, de or. incerta.] ■ **~, leso e louco** *N.E. Pop.* Sem dinheiro algum, quebrado, a nenhum

lisonja (li.*son*.ja) *sf.* **1** Ação ou resultado de lisonjear **2** Elogio exagerado e interesseiro; BAJULAÇÃO **3** *Fig.* Carícia, mimo, afago [F.: Do espn. *lisonja.*]

lisonjeado (li.son.je.*a*.do) *a.* Que foi alvo de lisonja, de elogio [F.: Part. de *lisonjear.*]

lisonjeador (li.son.je:a.*dor*) [ô] *a.* **1** Que lisonjeia; LISONJEIRO *sm.* **2** Pessoa que gosta de lisonjear; ADULADOR [F.: *lisonjear + -dor.*]

lisonjear (li.son.je.*ar*) *v.* **1** Agradar ou tentar agradar com lisonja ou adulação para obtenção de favores, privilégios etc.; ADULAR [*td.: Gostava de lisonjear as mulheres.*] **2** Aprazer(-se), satisfazer(-se) ao receber agrado ou lisonja [*td.: Muito me lisonjeia sua atenção.*] [*tr. + com: Lisonjeava-se com cada palavra elogiosa.*] [▶ 13 lisonjear] [F.: *lisonja + -ear*[2].]

lisonjeiro (li.son.*jei*.ro) *a.* **1** Que lisonjeia; LISONJEADOR: *Você é muito lisonjeiro.* **2** Que revela lisonja (gesto lisonjeiro) **3** *Fig.* Agradável, aprazível (recordações lisonjeiras) **4** *Fig.* Digno de elogios, de lisonja; que merece aprovação, apreço, respeito etc.: *O que sei dele é muito pouco lisonjeiro.* [Us. para indicar um juízo sobre alguém ou algo, como se houvesse na coisa ou na pessoa em questão a propensão a ser objeto de lisonja, de elogio ou não.] [F.: *lisonja* + *-eiro.*]

lisozima (li.so.*zi*.ma) *sf.* Enzima com propriedades bactericidas, presente na saliva, nas lágrimas e em outras secreções [F.: Do ing. *lysozime.*]

⊠ **LISP** *Inf.* Sigla do ing. *processing list* (linguagem de programação que se baseia no processamento de listas de dados, us. em pesquisas no campo da inteligência artificial)

◎ **liss(o)-[1]** *el. comp.* = 'liso': *lissótrico* [F.: Do gr. *lissós, e, ón.*]

◎ **liss(o)-[2]** *el. comp.* = 'raiva': *lissofobia, lissófobo* [F.: Do gr. *lýssa, es.*]

lissofobia (lis.so.fo.*bi*.a) *sf. Psiq.* Receio mórbido da raiva, de ser mordido por um cão hidrófobo [F.: *liss(o)-*[2] + *-fobia.*]

lissofóbico (lis.so.*fó*.bi.co) *Psiq. a.* **1** Ref. a lissofobia **2** Que tem lissofobia; LISSÓFOBO *sm.* **3** Aquele que tem lissofobia; LISSÓFOBO [F.: *lissofobia* + *-ico*[2].]

lissófobo (lis.*só*.fo.bo) *Psiq. a. sm.* O mesmo que *lissofóbico* (2 e 3) [F.: *liss(o)-*[2] + *-fobo.*]

lissótrico (lis.*só*.tri.co) *a.* Quem tem cabelos lisos e escorridos: *Os chineses são lissótricos.* [F.: *liss(o)-*[1] + *-trico.*]

lista (*lis*.ta) *sf.* **1** Enumeração de nomes de pessoas ou de coisas; LISTAGEM; RELAÇÃO: *O livro estava na lista dos mais vendidos.* **2** Faixa comprida e estreita de qualquer material: *Fazia enfeites com listas de papel.* **3** *Bras.* Faixa de cor diferente em tecido; LISTRA; RISCA: *vestido de listas azuis.* **4** *Bras.* Faixa horizontal ou vertical sobre uma superfície; LISTRA **5** *Bras. P. us.* O mesmo que *cardápio* [F.: Do fr. *liste.*] ■ **~ civil** Verba que uma nação aloca a chefe de Estado, família real etc. **~ classificada** Lista telefônica não residencial, estruturada alfabeticamente por tipo de atividade ou de empresa, profissão etc. **~ de discussão** **1** *Inf.* Grupo de pessoas que se organizam para trocar, por correio eletrônico, ou em *sites* ou *blogs*, comentários, opiniões, informações etc. sobre algum assunto **2** A relação dessas pessoas, disponível nos endereços em que essa troca se realiza **~ de espera** Lista, por ordem de chegada, de pessoas interessadas em produto, serviço, benefício etc. cujo fornecimento já se esgotou, na expectativa de que desistências dos já inscritos permitam serem atendidas **~do bicho** *Bras.* Lista das apostas feitas no jogo do bicho anotada pelo bicheiro **~ eletrônica** *Inf.* Ver *Lista de discussão* **~ negra** **1** Relação de pessoas ou instituições consideradas (pelo autor da relação) prejudiciais a seus interesses, e por isso por ele boicotadas **2** *Fig.* Relação de pessoas ou coisas com as quais se quer evitar qualquer contato, por qualquer motivo: *Não o convide para a festa, ele está em minha lista negra.* **~ telefônica** Publicação na qual se listam os assinantes de determinado serviço telefônico, por diferentes possíveis critérios: pela ordem alfabética de seus sobrenomes, pela ordem numérica de casas e apartamentos em cada rua, pela atividade exercida ou por tipo de produto ou serviço

listado[1] (lis.*ta*.do) *a.* **1** Que se listou **2** Que faz parte de uma lista: *os itens listados abaixo.* **3** O mesmo que *listrado* [F.: Part. de *listar.*]

listado[2] (lis.*ta*.do) *a.* Incluído em lista; ARROLADO [F.: Part. de *listar.*]

listagem (lis.*ta*.gem) *sf.* **1** Relação, lista **2** Relação de dados ou do código-fonte impressa em papel [Pl.: *-gens.*] [F.: *lista* + *-agem.*]

listão (lis.*tão*) *sm.* **1** Lista ou relação muito extensa: *o listão dos aprovados no vestibular.* **2** Lista comprida e larga **3** Faixa, tira **4** *Carp.* Ripa de madeira us. como régua por carpinteiros **5** Esteira ou sulco deixado por embarcação *a.* **6** Diz-se de touro que tem no dorso uma listra de cor diferente da do resto do corpo [F.: *list(a)* + *-ão*[1].]

listar (lis.*tar*) *v. td.* Relacionar em uma listagem; ARROLAR: *listar todos os convidados.* [▶ **1** listar] [F.: *lista* + *-ar*[2].]

listel (lis.*tel*) *sm.* Moldura estreita e lisa que acompanha ou coroa uma moldura maior ou que separa as caneluras de uma coluna; FILETE [Pl.: *-téis.*] [F.: Do fr. *listel.*]

listeriose (lis.te.ri:*o*.se) *sf. Pat.* Doença infecciosa que ataca os animais e, às vezes, o homem, causada pela bactéria *Listeria monocytogenes* [F.: Do lat. cien. *listeriosis.*]

listra (*lis*.tra) *sf.* **1** Num tecido, risca de cor diferente da cor do fundo **2** Risca, traço [F.: Var. epentética de *lista.*]

listrado (lis.*tra*.do) *a.* Que contém listras; RISCADO [F.: Part. de *listrar.* Tb. *listado.*]

listrar (lis.*trar*) *v. td.* Entremear ou ornar com listras: *Mandou listrar o tecido.* [▶ **1** listrar] [F.: *listra* + *-ar*[2].]

lisura (li.*su*.ra) *sf.* **1** Qualidade ou característica do que é liso **2** *Fig.* Qualidade ou caráter de pessoa íntegra, correta, idônea, honesta **3** *Fig.* Ação ou procedimento próprios de pessoa íntegra, virtuosa, digna, que tem retidão: *Apesar de toda crise, ele foi de uma lisura impressionante.* **4** *Fig.* Franqueza, sinceridade, honestidade [F.: *liso* + *-ura.*]

◎ **-lita** *el. comp.* = 'pedra'; 'mineral': *actinolita, adelfolita, alalita, criolita* (< fr.) [F.: Do gr. *líthos, ou*, 'pedra', esp. por infl. de correspondentes em outras línguas (esp. em fr.) em *-lithe* ou *-lith* (ingl. e al.). Outras f.: *lit(o)-* e *-lite*. F. conexas: *-litíase* e *-lítico*[1].]

litagogo (li.ta.*go*.go) *a.* **1** Diz-se do medicamento que tem a propriedade de expelir cálculos dos rins e da bexiga *sm.* **2** Esse medicamento [F.: *lit(o)-* + *-agogo.*]

litania (li.ta.*ni*.a) *sf.* O mesmo que *ladainha* [F.: Do lat. *litania, ae*, por via erudita.]

◎ **-lite** *el. comp.* = 'pétreo'; 'fóssil'; 'fossilizado': *dendrolite, helmintólite, ictiodorilite, zoólite* [Embora o gr. postule formas proparoxítonas, dá-se a flutuação entre formas proparoxítonas e paroxítonas, estas com prov. infl. do suf. *-ite.*] [F.: Do ingl. *-lithe*, do gr. *líthos, ou*, 'pedra', esp. em voc. de paleontologia. Ver *lit(o)-.*]

liteira (li.*tei*.ra) *sf.* Cadeira coberta sustentada por barras laterais para ser conduzida por dois homens ou duas cavalgaduras: "trouxe-me ao colo até à porta da rua, onde estava uma liteira com cortinas de oleado" (Eça de Queirós, *A relíquia*) [F.: Do fr. *litière.*]

liteireiro (li.tei.*rei*.ro) *sm.* Aquele que conduz ou guia a liteira: "O liteireiro, furioso, praguejava, sacudindo o archote aceso." (Eça de Queirós, *A relíquia*) [F.: *liteir(a)* + *-eiro.*]

literal (li.te.*ral*) *a2g.* **1** Ref. a letra **2** Que reproduz letra por letra, palavra por palavra de um texto ou de uma parte dele; que reproduz um texto ou uma fala na sua integridade **3** Diz-se do sentido, do significado primeiro, genuíno de uma palavra, aquele que lhe é próprio, que não é fruto de evoluções semânticas nem resulta de combinações textuais: *Usou a palavra no seu sentido literal.* **4** Conforme o sentido próprio ou genuíno da(s) palavra(s) (empregada[s]), e sem o recurso ou a intenção do uso figurado (uso literal) **5** Que é feito, interpretado, entendido ou reproduzido ao pé da letra, à risca, em sentido estrito (sem atentar para questões contextuais ou para o uso figurado de certos termos): *tradução excessivamente literal.* [Pl.: *-rais.*] [F.: Do lat. *litteralis, e.*]

literalidade (li.te.ra.li.*da*.de) *sf.* **1** Qualidade ou caráter do que é literal **2** Qualidade do que é us. em sentido literal (3), não figurado **3** *P. ext.* Qualidade ou característica de literal (5) **4** *Jur.* Atributo do título de crédito que torna indiscutível o que nele estiver estipulado [F.: *literal* + *-(i)dade.*]

literalismo (li.te.ra.*lis*.mo) *sm.* Processo de interpretação literal [F.: *literal* + *-ismo.*]

literalista (li.te.ra.*lis*.ta) *a2g.* **1** Que se atém à interpretação literal de um texto *s2g.* **2** Aquele que se atém à interpretação literal [F.: *literal* + *-ista.*]

literariedade (li.te.ra.ri:e.*da*.de) *sf.* Qualidade do que é literário [F.: *literári(o)* + *-edade.*]

literário (li.te.*rá*.ri:o) *a.* **1** Ref. às letras ou à literatura em geral **2** Da literatura, da poesia e da prosa ficcional **3** Que tem profissão ou atividade ligada à literatura: *consultor literário de um projeto.* **4** Que revela gosto, inclinação ou aptidão para a literatura (vocação literária) **5** Dedicado à literatura ou àquilo que lhe é próprio (corredor literário; café literário; sarau literário; *site* literário) **6** De características linguísticas e semânticas inerentes às obras de literatura (estilo literário; texto literário) **7** Que se adquiriu por meio da leitura, através dos livros etc.: *Sua cultura é totalmente literária, nunca teve chance de frequentar um curso, uma escola.* **8** Pertencente aos ou próprio dos escritores (meio literário) [F.: Do lat. *litterarius, a, um.*]

literatice (li.te.ra.*ti*.ce) *Pej. sf.* **1** Literatura ruim, pretensiosa ou ridícula **2** Qualidade de literato ridículo [F.: *literat(o)* + *-ice.*]

literato (li.te.*ra*.to) *sm.* Pessoa que se dedica à literatura, ou a escrever; ESCRITOR; LETRADO: "Dentre os literatos brasileiros que têm enriquecido o acervo lexical da variante portuguesa falada no Brasil" (Ieda Maria Alves, *Neologismo – criação lexical*) [F.: Do lat. *litteratus, a, um.*]

literatura (li.te.ra.*tu*.ra) *sf.* **1** *Liter.* Arte que usa a linguagem escrita como meio de expressão **2** Teoria ou estudo da composição literária **3** Conjunto da produção literária de um país, de uma época etc. (literatura francesa) **4** Conjunto das obras que tratam de determinado tema; BIBLIOGRAFIA: "É ao patriarca da literatura médica no Brasil, o Dr. João Ferreira da Rosa" (Gilberto Freyre, *Casa grande e senzala*) **5** *Fig.* Os escritores, os poetas de uma sociedade, país etc. **6** O conjunto dos conhecimentos sobre obras e autores literários; disciplina, matéria, curso sobre esses conhecimentos: *Passou com ótima nota em literatura.* **7** *Fig.* A carreira ou a profissão, o ofício das letras **8** *Pop. Pej.* Irrealidade, inverdade, ficção **9** As instruções, ger. em folheto, que acompanham certo produto [F.: Do lat. *litteratura, ae.*] ■ **~ comparada** Comparação analítica entre duas ou mais literaturas numa determinada época ou ao longo de várias épocas **~ de cordel** **1** Tipo de literatura popular do Brasil, apresentada em folhetos simples, ger. expostos para venda pendurados num cordel, em feiras e logradouros públicos do Nordeste **2** Folheto ou livreto com essa literatura **~ de vanguarda** *Liter.* Ver *Arte de vanguarda* no verbete *arte* **~ oral** O conjunto das lendas, fábulas, histórias etc. não escritas, transmitidas oralmente e pertencentes a uma tradição cultural **~ popular** Tipo de literatura de origem e de inspiração popular em seus temas e em sua forma de expressão, muitas vezes anônima ou de raízes folclóricas, e que por sua criatividade e originalidade desperta interesse literário

literomania (li.te.ro.ma.*ni*.a) *sf.* Mania de escrever, de querer ser literato [F.: Do lat. *littera*, 'letra', + *-o-* + *-mania.*]

literômano (li.te.*rô*.ma.no) *a.* **1** Que tem literomania *sm.* **2** Aquele que tem literomania [F.: Do lat. *littera*, 'letra', + *-o-* + *-mano.*]

literomusical (li.te.ro.mu.si.*cal*) *a2g.* Ref. ao mesmo tempo à literatura e à música (espetáculo literomusical) [Pl.: *-cais.*] [F.: Do lat. *littera*, 'letra', + *-o-* + *musical.*]

◎ **-litíase** *el. comp.* = '(*pat.*) presença ou formação de cálculo (4) ou concreção em (dado órgão ou estrutura)': *colelitíase, gastrolitíase, nefrolitíase, pneumolitíase, ureterolitíase* [F.: Do lat. cient. *lithiasis*, do gr. *lithíasis, eos*, 'calculose', do v. gr. *lithiáo*, 'ter calculose', do gr. *líthos, ou*, 'pedra'. F. conexa: *lit(o)-.*]

litíase (li.*tí*.a.se) *sf. Pat.* Formação de pedras ou cálculos nas vias urinárias, biliares, salivares etc. [F.: Do gr. *lithíasis, eos*, 'calculose', do v. gr. *lithiáo*, 'ter calculose', do gr. *líthos, ou*, 'pedra'.] ■ **~ biliar** *Pat.* Formação e/ou retenção de cálculos nas vias biliares **~ pancreática** *Pat.* Formação e/ou retenção de cálculos no pâncreas, que pode provocar infecção e obstrução do canal pancreático **~ urinária** *Pat.* Formação e presença de cálculos no trato urinário (rim, ureteres, bexiga e uretra)

◎ **-lítico[1]** *el. comp.* = 'de ou ref. a pedra'; 'diz-se de ou período geológico (no qual as rochas do sistema geológico correspondente formaram-se)': *antracolítico, calcolítico, eolítico, mesolítico, neolítico* ('da pedra polida'), *paleolítico* ('da pedra lascada') [F.: Do gr. *lithikós, é, ón*, 'concernente às pedras', do gr. *líthos, ou*, 'pedra'. F. conexa: *lit(o)-.*]

lítico[1] (*lí*.ti.co) *a.* **1** Ref. a, de, ou típico de pedra (sítio lítico; oficina lítica) **2** *Min.* Que contém fragmentos de rochas **3** *P. us. Med.* Diz-se do ácido úrico (por ser encontrado tb. nos cálculos renais) [F.: Do gr. *lithikós, é, ón*, 'pétreo', do gr. *líthos, ou*, 'pedra'.]

◎ **-lítico[2]** *el. comp.* = 'ref. a ou próprio de, ou que causa (ou resulta de) ação, fenômeno, processo etc. expresso por palavra terminada em *-lise* (qv.)'; 'que dissolve, degrada': *acantolítico, acetolítico, amilolítico, autolítico, bacteriolítico, biolítico, catalítico* (< gr.), *cetolítico, fotolítico, hemolítico, hepatolítico, histolítico* [F.: Do gr. *-lytikós, é, ón*, formador de adj. de nomes em *-lýsis, eos* (ver *-lise*), a partir do rad. *lyt-* (adj. verbal *lytós, é, ón*), do v. gr. *lýo*, 'desligar'; 'dissolver' etc. No port. e em outras línguas de cultura, os cultismos em *-lise* seguem o padrão formacional helênico para adj.]

lítico[2] (*lí*.ti.co) *a. Quím.* Do ou ref. ao lítio, ou em que há lítio [F.: *lít(io)* + *-ico*[2].]

lítico[3] (*lí*.ti.co) *a.* **1** *Med. Biol.* Ref. a, próprio de lise, ou em que há ou que se dá por lise (infecção lítica; ciclo lítico) **2** Diz-se de uma substância que atua sobre os nervos parassimpáticos [F.: Do gr. *lytikós, é, ón*, do v. gr. *lýo*, 'desligar'; 'liberar'; 'dissolver', fonte tb. do gr. *lýsis, eos*, 'dissolução'.]

lítico[4] (*lí*.ti.co) *Bras. Pop. a.* **1** Puro, autêntico, verdadeiro **2** Sem mistura [F.: De or. incerta.]

litigação (li.ti.ga.*ção*) *sf.* Ato de litigar; LITIGÂNCIA [Pl.: *-ões.*] [F.: *litigar* + *-ção.*]

litigante (li.ti.*gan*.te) *a2g.* **1** Ref. a, em que há litígio **2** Que litiga *s2g.* **3** Pessoa que litiga ou que sustenta litígio nos tribunais [F.: Do lat. *litigans, antis.*]

litigar (li.ti.*gar*) *v.* **1** *Jur.* Abrir litígio contra (algo), contestando demanda de outrem [*td.*: *litigar a partilha de bens.*] **2** Entrar em disputa; CONTENDER; PELEJAR [*int.*: *Os dois líderes litigam há muito tempo.*] [*tr.* + *contra, por*: *Litigava contra o ministro por mais verbas.*] [▶ **14** litigar] [F.: Do lat. *litigare.* Hom./Par.: *litigáveis* (fl.), *litigáveis* (pl. de *litigável* [a2g.]).]

litígio (li.*tí*.gi:o) *sm.* **1** *Jur.* Pendência judicial que se estabelece a partir da contestação da demanda **2** *P. ext.* Qualquer disputa, divergência entre pessoas, grupos etc. [F.: Do lat. *litigium, ii.*]

litigioso (li.ti.gi:*o*.so) [ô] *a.* **1** Ref. a, ou que envolve, ou que é objeto de litígio (divórcio litigioso) **2** Que depende de sentença do juiz **3** *Fig.* Que é dado a litígios [Pl.: [ó]. Fem.: [ó].] [F.: Do lat. *litigiosus, a, um.*]

lítio (*lí*.ti:o) *sm. Quím.* Metal alcalino branco, o mais leve de todos os metais [Simb.: *Li.*] [F.: Do lat. cient. *lithium.*]

◎ **litis-** *el. comp.* = 'processo'; 'demanda'; 'duração de um processo': *litisconsórcio, litispendência* [F.: Do lat. *lis, litis.*]

litisconsórcio (li.tis.con.*sór*.ci:o) *sm. Jur.* Existência de duas ou mais partes vinculadas num processo, mas cada qual considerada como um litigante distinto em suas relações com a parte contrária [F.: *litis-* + *consórcio.*]

litispendência (li.tis.pen.*dên*.ci.a) *Jur. sf.* **1** Situação de processo que se encontra tramitando em juízo **2** Duração de um processo em juízo **3** Ocorrência simultânea de duas ou mais demandas litigiosas em tribunais do mesmo grau, o que suscita a retirada dessa demanda de um deles [F.: *litis-* + *dependência.*]

◎ **-lit(o)-** *el. comp.* Ver *lit(o)-*

◎ **-lito[1]** *el. comp.* Ver *lit(o)-*

◎ **-lito[2]** *el. comp.* = 'que pode ser dissolvido ou decomposto': *católito, eletrólito* [F.: Do gr. *lytós, é, ón*, 'que pode ser dissolvido ou desligado', do v. gr. *lýo*, 'desligar'; 'dissolver'.]

◎ **lit(o)-** *el. comp.* = 'pedra'; 'rocha'; 'pétreo'; '(*pat.*) cálculo (4)'; 'concreção'; 'fóssil (ou fossilizado)': *litagogo, litíase* (< gr.), *litófilo, litoglifia* (< gr.), *litografia, litogravura*; *cromolitografia*; *acrólito* (< lat. < gr.), *avenólito, biólito, carpólito, caustobiólito, cistólito, colécito, coprólito, hipólito, ictiólito, megálito, otólito, sarcólito, zoólito* [O iota breve do gr. preconiza no port. formas proparoxítonas (*monólito, odontólito, pisólito, urólito*); registram-se, entretanto, algumas var. paroxítonas (*monolito, odontolito*).] [F.: Do gr. *líthos, ou*, 'pedra' (com *i* breve). Tb.: *-lita* e *-lite*. F. conexa: *-litíase* e *-lítico*[1].]

litoclasia (li.to.cla.*si*.a) *sf. Cir.* O mesmo que *litoclastia.* [F.: *lit(o)-* + *-clasia.*]

litoclastia (li.to.clas.*ti*.a) *sf. Cir.* Operação para fragmentar os cálculos da bexiga; LITOCLASIA [F.: *lit(o)-* + *-clastia.*]

litocromia (li.to.cro.*mi*.a) *Art. Pl. sf.* **1** Técnica de reprodução de uma pintura a óleo por meio de gravura; OLEOGRAVURA **2** O mesmo que *cromolitografia* **3** Processo pelo qual se imita a pintura a óleo por meio de litografias; ISOCROMIA [F.: *lit(o)-* + *-cromia.*]

litófilo (li.*tó*.fi.lo) *a.* **1** Que vive ou se desenvolve nas rochas; RUPESTRE **2** *Restr. Bot.* Diz-se de planta que cria raízes em substrato rochoso em meio aquático **3** *Geol. Quím.* Diz-se de elemento químico que tende a combinar-se com oxigênio [Esse tipo de elemento concentra-se esp. em minerais silicatados.] [F.: *lit(o)-* + *-filo*[1].]

litoglifia (li.to.gli.*fi*.a) *sf. Grav.* Arte de gravar sobre pedra [F.: Do gr. *lithoglyphía, as.*]

litografar (li.to.gra.*far*) *v.* **1** Gravar ou reproduzir (desenho, escrito) em litografia: *litografar panfletos.* [*td.*] **2** *Fig.* Imprimir, fixar à maneira de litografia [*tr.* + *em*: *O autor litografou em seus poemas suas angústias.*] [▶ 1 litografar] [F.: *lit(o)-* + *-graf(o)-* + *-ar*². Hom./Par.: *litografo* (fl.), *litógrafo* (sm.).]

litografia (li.to.gra.*fi*.a) *sf.* **1** Arte e técnica de gravar imagens sobre pedras **2** Figura obtida por esse procedimento; LITOGRAVURA: "nas paredes havia paisagens de cidades alemãs, litografias de velhas revistas" (Érico Veríssimo, *Olhai os lírios do campo*) **3** Oficina em que se utiliza este modo de imprimir [F.: *lit(o)-* + *-grafia.*]

litográfico (li.to.*grá*.fi.co) *a.* Ref. à litografia (gravura litográfica) [F.: *litografia* + *-ico*².]

litógrafo (li.*tó*.gra.fo) *sm. Art. pl.* Aquele que grava, desenha ou imprime pelos processos da litografia [F.: *lit(o)-* + *-grafo.*]

litogravura (li.to.gra.*vu*.ra) *sf.* O mesmo que *litografia* (2) [F.: *lit(o)-* + *gravura.*]

litologia (li.to.lo.*gi*.a) *sf.* **1** *Geol.* Ciência que estuda as rochas; PETROLOGIA **2** Natureza mineral das rochas que constituem uma formação geológica **3** *Med.* Especialidade médica referente à formação de cálculos no organismo [F.: *lit(o)-* + *-logia.*] ■ **~ humana** *Med.* Tratado acerca da formação de cálculos no organismo humano **~ submarina** *Oc.* Ramo da oceanografia física que estuda a formação, a transformação e o transporte de sedimentos no fundo oceânico

litológico (li.to.*ló*.gi.co) *a. Geol. Med.* Ref. à litologia [F.: *litologia* + *-ico*².]

litologista (li.to.lo.*gis*.ta) *s2g. Geol.* Aquele que se especializou em litologia (1); LITÓLOGO [F.: *litologia* + *-ista*, seg. o mod. gr.]

litólogo (li.*tó*.lo.go) *sm. Geol.* O mesmo que *litologista* [F.: *lit(o)-* + *-logo.*]

litor (li.*tor*) [ô] *sm. Hist.* Oficial que seguia os magistrados romanos, levando na mão um feixe de varas e uma machadinha para as execuções da justiça [F.: Do lat. *lictor, oris.*]

litoral (li.to.*ral*) *a2g.* **1** O mesmo que *litorâneo sm.* **2** Zona de contato entre a terra e o mar; COSTA **3** Conjunto de costas de um país (o litoral brasileiro) [Pl.: *-rais.*] [F.: Do lat. *litoralis, e.*]

litorâneo (li.to.*râ*.ne:o) *a.* **1** Ref. a litoral **2** Situado à beira-mar; LITORAL: *A população litorânea aumenta no verão.* [F.: Do rad. lat. *litor-* (< lat. *litus, oris*, 'margem', 'praia') + *-âneo.*]

litorina (li.to.*ri*.na) *sf. Bras.* Vagão provido de motor; AUTOMOTRIZ [F.: Do it. *littorina.*]

litosfera (li.tos.*fe*.ra) *sf. Geof.* Camada exterior sólida da superfície da Terra, com 50 km a 200 km de espessura, dura e resistente [Compreende a crosta e a parte superior do manto terrestre.] [F.: *lit(o)-* + *-sfera.*]

lítotes (*lí*.to.tes) *sf. Ret.* Figura de retórica que consiste em sugerir uma ideia pela negação de seu contrário (p. ex.: *isso não é nada mal* por *isso é muito bom.*) [F.: Do gr. *litótes, etos.*]

litotomia (li.to.to.*mi*.a) *sf. Cir. Urol.* Incisão cirúrgica na bexiga para extrair cálculos [F.: *lit(o)-* + *-tomia.*]

litotômico (li.to.*tô*.mi.co) *a. Cir. Urol.* Ref. a litotomia [F.: *litotomia* + *-ico*².]

litotrícia (li.to.*trí*.ci:a) *sf. Cir. Urol.* Intervenção cirúrgica que consiste na fragmentação ou pulverização de cálculos formados na bexiga, com o uso de um litotritor; LITOTRIPSIA [F.: Adapt. do fr. *lithotritie.*]

litotripsia (li.to.trip.*si*.a) *sf. Cir. Urol.* O mesmo que *litotrícia* [F.: *lit(o)-* + *-tripsia.*]

litotríptico (li.to.*tríp*.ti.co) *Urol. a.* **1** Ref. a litotripsia *a.* **2** Diz-se de substância capaz de dissolver cálculos urinários [F.: *litotripsia*, sob a f. do rad. *litotript-*, + *-ico*², seg. o mod. erudito.]

litotritor (li.to.tri.*tor*) [ô] *a.* **1** *Cir.* Diz-se de instrumento que tem a finalidade de fragmentar cálculos na bexiga *sm.* **2** *Cir.* Instrumento cirúrgico us. para fragmentar cálculos na bexiga [F.: Do ingl. *lithotriptor.*]

litragem (li.*tra*.gem) *sf.* **1** Quantidade de um líquido considerada em litros **2** Ação de medir por litros **3** Capacidade que um recipiente possui em litros [Pl.: *-gens.*] [F.: *litro* + *-agem.*]

litro (*li*.tro) *sm.* **1** *Metrol.* Unidade de capacidade para líquidos e substâncias secas equivalente a um decímetro cúbico [Símb.: *l.*] **2** Quantidade de líquido que cabe nessa medida: *um litro de suco.* **3** Garrafa que pode conter até um litro: *encher os litros vazios.* **4** *Fig.* Superfície de terreno necessária para plantar um litro de determinado grão: "Distância de dois, três litros de planta [...] aumentemos ainda a roça de uns quinze litros" (Guimarães Rosa, "Uma estória de amor" *in Manuelzão e Miguilim*) [F.: Do fr. *litre.*]

lituano (li.tu.*a*.no) *sm.* **1** Indivíduo nascido ou que vive na República da Lituânia (Europa) **2** *Gloss.* Língua báltica indo-europeia falada nesse país *a.* **3** Da Lituânia, típico desse país ou de sua cultura **4** *Gloss.* Diz-se da língua falada na Lituânia [F.: Do top. *Lituânia* + *-ano.*]

liturgia (li.tur.*gi*.a) *sf.* **1** *Litu.* Conjunto de práticas e elementos religiosos instituídos por uma igreja para se prestar culto a Deus; RITUAL **2** *Fig.* Conjunto das práticas protocolares inerentes a certos cargos: *a liturgia da presidência.* [F.: Do gr. *leitourgía, as*, pelo lat. medv. *liturgia.*]

litúrgico (li.*túr*.gi.co) *Rel. a.* **1** Ref. à liturgia (calendário litúrgico) **2** Que segue as prescrições da liturgia ou que é de uso próprio para celebração dessa natureza (ornamento litúrgico) **3** Em que é permitido celebrar missa (diz-se de dia) **4** Em que há o rito a observar, as orações e os cantos a seguir durante a liturgia (livreto litúrgico) [F.: Do gr. *leitourgikós, é, ón*, 'próprio do serviço do culto', do gr. *leitourgía, as*, 'função ou serviço públicos'; 'serviço de culto aos deuses'; 'serviço de culto'.]

liturgista (li.tur.*gis*.ta) *Rel. s2g.* **1** Indivíduo versado em liturgia; LITURGO *a2g.* **2** Diz-se desse indivíduo [F.: *liturgia* + *-ista.*]

liturgo (li.*tur*.go) *sm. Rel.* O mesmo que *liturgista* (1) [F.: Do gr. *leitourgós, ós, ón*, 'que ocupa um cargo público'; '(subst.) ministro de um culto'.]

lividez (li.vi.*dez*) [ê] *sf.* **1** Qualidade do que é lívido; LIVOR; PALIDEZ **2** *Med.* Descoramento da pele por gravitação do sangue [F.: *lívido* + *-ez.*] ■ **~ cadavérica** *Med. leg.* Ausência de cor nas partes pendentes de um cadáver, devido à cessação da circulação sanguínea e consequente estagnação e depósito do sangue

lívido (*lí*.vi.do) *a.* **1** Que está muito pálido (rosto lívido) **2** De cor achumbada, ou entre a cor preta e a roxa: *Uma pancada deixou sua canela lívida.* **3** De uma cor azul desbotada, esmaecida: "Um trovão estourou aqui sobre a ermida e encheu-a de claridade lívida" (Rebelo da Silva) **4** Diz-se de qualquer dessas cores: *Estava tão frio que suas unhas ficaram com uma tonalidade lívida.* [F.: Do lat. *lividus, a, um.*]

⊕ **living** (*Ing.* /*lívin*/) *sm.* Ver *sala de estar.* [F.: Red. do ing. *living room.*]

livoniano (li.vo.ni:*a*.no) *sm.* **1** Indivíduo nascido ou que vive em Livônia (região da Letônia e da Lituânia) *a.* **2** De Livônia; típico dessa região ou de seu povo [F.: Do top. *Livôni(a)* + *-ano*¹.]

livor (li.*vor*) [ô] *sm.* Estado do que é ou se encontra lívido, pálido; LIVIDEZ [F.: Do lat. *livor, oris.*]

livoroso (li.vo.*ro*.so) [ô] *a.* Que apresenta livor, lividez; PÁLIDO; LÍVIDO [Pl.: [ó]. Fem.: [ó].] [F.: Do lat. tard. *livorosus, a, um.*]

livralhada (li vra.*lha*.da) *sf. Pop.* O mesmo que *livrarada* [F.: *livro* + *-alhada.*]

livramento (li.vra.*men*.to) *sm.* **1** Ação ou resultado de livrar(-se) **2** Soltura de pessoa que se encontrava presa **3** *Jur.* Alvará de soltura **4** *Med.* Expulsão da placenta e das membranas após o parto [F.: *livrar* + *-mento.*] ■ **~ condicional** *Jur.* Soltura de condenado à prisão em data antecipada à do cumprimento final da pena, mediante cumprimento pelo beneficiado de certas condições, sem o que esse livramento é passível de anulação

livrar (li.*vrar*) *v.* **1** Libertar(-se) ou soltar(-se) [*td.*: *livrar um prisioneiro.*] [*tdr.* + *de*: *livrar um animal da jaula; Livrou-se das algemas.*] **2** Salvar(-se) ou safar(-se) de embaraço, perigo, dificuldade etc. [*tdr.* + *de*: *Conseguiu livrar-se das multas; o acordo que livrou o deputado de perder seu mandato; Livrar-se de um mal/de uma acusação.*] **3** Guardar, preservar [*td.*: *Deus me livre!*] [*tdr.* + *de*: *Deus nos livre de tamanha desgraça!*] [▶ 1 livrar] [F.: Do lat. *liberare.* Hom./Par.: *livre* (fl. de *livrar*), *livre* (a2g.), *livres* (fl. de *livrar*), *livres* (pl.), *livro* (fl. de *livrar*), *livro* (sm.); *livraria* (fl. de *livrar*), *livraria* (sf.), *livrarias* (fl. de *livrar*), *livrarias* (pl.).] ■ **~-se solto** Defender-se (réu ou indiciado) seja ou não com pagamento de fiança

livraria (li.vra.*ri*.a) *sf.* **1** Loja onde se vendem livros **2** *Pop.* Quantidade apreciável de livros [F.: *livro* + *-aria.* Hom./Par.: *livraria* (sf.), *livraria* (fl. de *livrar*).]

livre (*li*.vre) *a2g.* **1** Que pode decidir o que fazer e como fazer (país livre); INDEPENDENTE **2** Que não está preso (pássaro livre); SOLTO **3** Que não está sujeito a um senhor: *Os escravos queriam ser livres.* **4** Que não está ocupado (tempo livre); DISPONÍVEL **5** Que foi absolvido de um crime **6** Que goza de direitos civis e políticos (cidadão livre) **7** Dispensado, isento (livre de multa) **8** Desprovido, privado, sem (livre de preconceitos) **9** Que não está casado ou comprometido **10** Sem proibições ou limites: *O pensamento é livre.* **11** Que não se baseia literalmente no original: *livre adaptação de uma peça.* **12** *Inf.* Diz-se de software que pode ser executado, adaptado, aperfeiçoado, reproduzido ou comercializado sem que o usuário tenha que pedir ou pagar ao desenvolvedor para fazê-lo [Neste tipo de programa o acesso ao código-fonte é liberado, o que torna possível a sua utilização e alteração de tal forma.] [Superl.: *libérrimo, livríssimo.*] [F.: Do lat. *liber, libera, liberum.*] ■ **~ de canto** *Lus. Fut.* Cobrança de córner **~ e desembaraçado** Isento de dívida, de compromisso, ou de qualquer obrigação assumida especificamente

livre-arbítrio (*li*.vre-ar.*bí*.tri:o) *sm. Fil. Rel.* Poder ou possibilidade de tomar decisões seguindo somente o próprio discernimento [Pl.: *livres-arbítrios.*]

livreco (li.*vre*.co) *sm.* **1** Pequeno livro **2** *Pej.* Livro ruim, sem valor cultural [F.: *livro* + *-eco.*]

livre-comércio (li.vre-co.*mér*.ci.o) *sm. Econ.* A liberdade de comércio, a faculdade de comerciar sem sujeição a regulamentos restritivos e aduaneiros; tb. *livre-câmbio* [Cf. *protecionismo.*] [Pl.: *livres-comércios.*]

livre-docência (*li*.vre-do.*cên*.ci:a) *sf.* **1** *Bras.* Título universitário obtido por concurso ou por merecimento **2** Concurso por meio do qual se obtém este título [Pl.: *livres-docências.*]

livre-docente (li.vre-do.*cen*.te) *a2g.* **1** Ref. a livre-docência *s2g.* **2** Pessoa que obteve a livre-docência [Pl.: *livres-docentes.*]

livre-iniciativa (li.vre-i.ni.ci.a.*ti*.va) *sf. Econ.* Doutrina, muito em voga entre os adeptos do neo-liberalismo, que defende a ideia de um sistema econômico baseado na iniciativa individual, sem ingerência do governo [Pl.: *livres-iniciativas.*]

livreiro (li.*vrei*.ro) *a.* **1** Ref. à produção ou venda de livros (mercado livreiro); LIVRESCO *sm.* **2** Dono de livraria [F.: *livro* + *-eiro.*]

livre-pensador (*li*.vre-pen.sa.*dor*) [ô] *sm.* Pessoa que não se deixa influenciar por outras, que segue apenas a própria razão, esp. em assuntos religiosos [Pl.: *livres-pensadores.*]

livresco (li.*vres*.co) [ê] *a.* **1** Ref. a livros (comércio livresco) **2** Que se adquiriu somente através de leituras, sem a participação da experiência [F.: *livro* + *-esco.*]

livro (*li*.vro) *sm.* **1** Reunião de cadernos manuscritos ou impressos, cosidos ou colados por uma das extremidades e brochados ou encadernados **2** Obra literária, artística ou científica reunida em um ou mais volumes **3** Essa obra em qualquer suporte (disquete, CD etc.) **4** Cada uma das partes em que se divide um obra de grandes proporções: *estudo do livro de Mateus.* **5** *Com.* Registro onde estão assentadas as operações comerciais; livro-caixa **6** *Fig.* Tudo que ensina ou instrui como se fosse um livro: *aprendeu no livro da vida.* [F.: Do lat. *liber, bri.*] ■ **~ brochado** *Enc.* Livro costurado e com capa de papel ou cartão; brochura **~ cartonado** *Enc.* Livro encadernado com capa de cartão revestida de papel (nele colado), ger. impresso na lombada e nas pastas **~ comercial** Livro no qual se registram e contabilizam operações mercantis **~ de arte** *Art. gr. Edit.* Livro caracterizado pela priorização de elementos visuais e pela qualidade gráfica (projeto gráfico, papel, impressão e acabamento de qualidade, ger. de formato grande etc.) **~ de bolso** *Art. gr. Edit.* Livro de formato pequeno, ger. uma nova edição de livro já publicado em outro formato, projetado para ser barato e, portanto, de boa venda [Em ing.: *pocket-book.*] **~ de cabeceira** **1** *Fig.* O livro favorito de alguém, ou aquele que a pessoa releu ou relê várias vezes com prazer **2** *Fig.* Obra que tem sobre alguém grande influência, à qual a pessoa sempre recorre como fonte de ensinamentos, inspiração, orientação etc. **~ de horas** *Litu.* Livro que contém as orações das horas canônicas e outros textos de culto **~ de ocorrências** **1** Aquele no qual se registram os fatos relevantes ocorridos em uma instituição **2** Em delegacia de polícia, aquele no qual se registram queixas, delitos e ocorrências policiais em geral, que podem vir a ser a base factual de inquérito ou ação **~ de ouro** **1** Aquele no qual se registram contribuições para certa causa, comentários, assinaturas de apoio etc. **2** Aquele no qual se registram nomes e fatos importantes em determinado contexto **~ de ponto** Aquele no qual funcionários de firma ou instituição apõem diariamente sua assinatura como registro e comprovante de sua presença [Tb. apenas *ponto.*] **~ de protocolo** Aquele us. em empresas, instituições, repartições públicas etc., para receber a assinatura do destinatário de encomenda, comunicado, documento etc. como comprovante de seu recebimento, e onde se anotam informações sobre se trâmite **~ de registro** Aquele que, em bibliotecas, museus, arquivos etc., registra a aquisição e a incorporação ao acervo de livros, documentos, peças de coleção etc.; livro de tombo **~ de registro civil** *Jur.* Aquele no qual se registram nascimentos, casamentos e óbitos [Tb. apenas *registro civil.*] **~ de texto** Ver *Livro didático* **~ de tombo** Ver *Livro de registro* **~ didático** Aquele que visa ao ensino de determinada matéria, de acordo com currículos e programas escolares; livro de texto **~ dos mortos** *Ant.* No antigo Egito, livro de orações e exorcismos que visava a orientar os mortos no além **~ eletrônico** Versão de um livro publicada em mídia digital, como, p. ex., CD-ROM **~ encadernado** *Enc.* Livro de capa dura, costurado, com miolo preso a capa por meio de guarda colada, e cuja capa é feita de cartão forrado de couro, tecido, percalina etc., gravada ou não (a seco, com ouro ou outro material etc.) **~ fiscal** *Cont.* Livro de escrituração de todas as operações sujeitas a tributo **~ tabular/tabulário** Ver *Livro xilografado* **~ xilografado/xilográfico** *Antq.* Livro que era impresso diretamente de matrizes de madeira com texto e imagens gravadas em relevo, de um lado só de cada folha de papel, colando-se duas dessas folhas para se obter uma folha com frente e verso; livro tabular, livro tabulário **Ser um ~ aberto** **1** Não ter ou pretender não ter segredos: *Marta é um livro aberto, não tem segredos para ninguém.* **2** Ser do conhecimento geral: *As opiniões dele sobre o governo são um livro aberto.*

📖 O primeiro livro impresso com tipos móveis conhecido é a Bíblia de Gutenberg, do séc. XV. Até então, o registro escrito tivera como suporte as tábuas de argila da Mesopotâmia, gravadas em escrita em forma de cunha (c. 4000 a.C.), os papiros escritos em hieróglifos no Egito (c. 3000 a.C.), os pergaminhos gregos e romanos, as tábuas de madeira e depois a seda com seus dizeres em ideogramas, na China. Foi no séc. II que, na China, foi inventado o papel. No séc. IV, o formato em rolo dos pergaminhos grego e romano foi substituído pelo códice, precursor do formato atual do livro, no qual o pergaminho era cortado em folhas e estas agrupadas entre duas capas de couro ou de madeira. No início da Idade Média, o acesso aos livros, copiados à mão, era prerrogativa da Igreja e dos mais ricos. Mas crescia a difusão do livro como portador de ideias e de conhecimento, beneficiada pelo uso do papel em lugar do pergaminho. A prensa de tipos móveis de Gutenberg e consequente serialização da reprodução dos livros, e a impressão nos dois lados do papel com tinta de secagem rápida marcaram uma nova época para o livro e para a difusão da cultura.

livrório (li.*vró*.ri:o) *sm.* **1** Livro de grandes dimensões **2** *Pej.* Livro grande e de pouco valor literário [Ant.: *livreco*] [F.: *livro* + *-ório.*]

livusia (li.vu.*si*.a) *sf.* Assombração: "(...) faz livusia se amoitar num canto / secura tanta que racha um pote / carcará se converte em santo / e segura navalhas para mais um mote." (João Batista Fernandes Filho, *Três ponteados e uma sabença*)

lixa (*li*.xa) *sf.* **1** Papel ou tecido revestido de material abrasivo, empregado para polir madeira, metais etc. **2** *Zool.* Nome comum aos peixes do gênero *Esqualo*, de pele áspera e rugosa, como o cação **3** A pele desse peixe, usada como lixa **4** *Fig.* Tudo que serve para lixar e alisar: "Nos corais, nos seixos rolados/ e em tantas coisas esculpidas/ cujas formas simples são obras/ de mil inacabáveis lixas" (João Cabral de Melo Neto, "O ovo de galinha", *in Antologia poética*) [F.: De or. incerta. Hom./Par.: *lixa* (sf.), *lixa* (fl. de *lixar*).] ■ **~ de água** Lixa muito fina que se usa em trabalhos delicados, ger. umedecendo-a com água

lixadeira (li.xa.*dei*.ra) *sf.* Máquina que serve para lixar madeira, metal etc. [F.: *lixa* + *-deira*.]

lixamento (li.xa.*men*.to) *sm. Bras.* Operação de lixar; tb. *lixação* [F.: *lixar* + *-mento*.]

lixão (li.*xão*) *sm.* **1** Lugar que serve de depósito a grandes quantidades de lixo **2** Aterro sanitário onde se deposita em camadas o lixo compactado [Pl.: *-xões*.] [F.: *lixo* + *-ão*¹.]

lixar (li.*xar*) *v.* **1** Desbastar ou alisar com lixa [*td.*: *lixar as unhas/uma porta/a parede*.] **2** *Bras. Fig.* Arruinar-se, danar-se [*int.*: *Ele quer que todos se lixem!*] **3** *Bras.* Não se incomodar com, não dar importância a [*tr.* + *para*: *Estava se lixando para os problemas*.] [F.: De or. incerta. Hom./Par.: *lixa* (fl. de *lixar*), *lixa* (sf.), *lixas* (fl. de *lixar*), *lixas* (pl.), *lixo* (fl. de *lixar*), *lixo* (sm.).]

lixeira¹ (li.*xei*.ra) *sf. Bot.* Árvore da fam. das dileniáceas (*Curatella americana*), nativa do Brasil e das Guianas, de madeira compacta e cujas folhas, muito ásperas, servem. como lixa; SAMBAÍBA; SAMBAÍBA-DE-MINAS-GERAIS [F.: *lixa* + *-eira*.]

lixeira² (li.*xei*.ra) *sf.* **1** Recipiente em que se coloca lixo (lata, latão, vasilha etc.) **2** Conduto, existente em cada um dos andares dos prédios públicos ou particulares, por onde se joga o lixo a ser recolhido posteriormente **3** Em prédios ou condomínios, local onde se armazena o lixo coletivo, antes de entregá-lo à coleta **4** Grande quantidade de lixo **5** *P. ext. Fig.* Lugar imundo ou sórdido **6** *Pop.* Qualquer coisa mal feita ou de má qualidade: *Este trabalho está uma lixeira!* [F.: *lixo* + *-eira*.]

lixeiro (li.*xei*.ro) *sm.* Profissional encarregado de recolher e transportar o lixo; GARI [F.: *lixo* + *-eiro*.]

lixento (li.*xen*.to) *a.* **1** Em que há muito lixo **2** Que está muito sujo; IMUNDO **3** *Fig.* Que é sórdido, que enoja, que é infame; ABJETO; VIL [F.: *lixo* + *-ento*. Sin. ger.: *lixoso*.]

lixívia (li.*xí*.vi:a) *sf.* **1** Dissolução alcalina que serve para branquear a roupa; BARRELA: "Quem poderá ficar de pé quando ele aparecer? Porque ele é como o fogo do fundidor e como a lixívia dos lavadeiros" ("Livro do profeta Malaquias", *in A Bíblia de Jerusalém*) **2** *Quím.* Solução alcalina ou salina destinada à saponificação **3** Solução aquosa concentrada de carbonatos ou de hidróxidos de sódio ou de potássio, destinada à lavagem de tecido, remoção de tinta etc.: "Alaripe, com a baciinha de lixívia em areia, e com estopa [...] acendrava as armas" (Guimarães Rosa, *Grande sertão: veredas*) **4** Produto comercial detergente [F.: Do lat. tard. *lixivia, ae*.] ■ **~ negra** *Tec.* Na indústria papeleira, líquido que se forma no cozimento da polpa de celulose e que contém substâncias valiosas, que dele se podem separar por processos especiais

lixiviação (li.xi.vi.a.*ção*) *sf.* **1** Ação ou resultado de lixiviar **2** *Quím.* Operação que, por meio de lavagem, separa de certas substâncias os sais que elas contêm **3** *Quím.* Dissolução dos elementos solúveis que fazem parte de uma matéria pela ação de ácidos, solventes etc. [Pl.: *-ções*.] [F.: *lixivia(r)* + *-ção*.]

lixiviar (li.xi.vi.*ar*) *v. td.* **1** Lavar com lixívia, embranquecer (tecido) com lixívia **2** *Quím.* Extrair elementos solúveis de (substância) por meio de lixiviação **3** Dissolver elementos de rocha, solo etc. [▶ **1 lixiviar**] [F.: *lixívia* + *-ar*².]

lixo (*li*.xo) *sm.* **1** Aquilo que se joga fora após uma limpeza; ENTULHO **2** Tudo aquilo que perdeu o valor e pode ser jogado fora **3** Sujeira, porcaria **4** O lugar onde se joga o lixo [F.: De or. contrv.] ■ **~ atômico** *Fís. nu.* Toda substância que é resíduo de reação nuclear, não é reaproveitável e que por sua radioatividade deve ser isolada **~ espacial** O conjunto e cada um dos objetos espaciais (satélites desativados, ou qualquer outro artefato lançado pelo homem ao espaço) ou detritos deles provenientes, que ficam em órbita em torno da Terra **~ especial** Aquele que, pelo perigo de poluição ambiental que representa, exige coleta e tratamento diferenciados [Ex.: pilhas, certos resíduos industriais, aerossóis etc.] **~ radioativo** Ver *Lixo atômico*

⊠ **lm** Símb. de *lúmen*

⊠ **ln** Símb. de *logaritmo neperiano*

lo **1** Forma do pronome pessoal *o* na função de complemento depois de formas verbais terminadas em *r*, *s* ou *z* (p. ex.: fazer + o = *fazê-lo*; fazes + o = *faze-lo*; fiz + o = *fi-lo*) **2** Us. em língua formal depois de *nos* e *vos* (p. ex.: *no-lo*; *vo-lo*) **3** Us. depois do demonstrativo eis: *Ei-lo, como sempre atrasado.* [F.: Do lat. *illum*.]

ló¹ *sm.* **1** *Náut.* Lado da embarcação que se acha exposto ao vento; BARLAVENTO **2** Cada uma das metades da embarcação em sentido longitudinal [F.: Do fr. *lof*.]

ló² *sm.* Tecido leve em forma de tela muito fina: "Otacília no quarto [...] já aprontada para a noite, em camisola fina de ló" (Guimarães Rosa, *Grande sertão: veredas*) [F.: De or. incerta.]

loa (*lo*.a) [ô] *sf.* **1** Discurso em que se homenageia uma pessoa ou um acontecimento **2** *Fig.* Expressão verbal de admiração ou de reconhecimento; LOUVOR; ELOGIO [F.: Dev. de *loar*.]

loar (lo.*ar*) *v. td. Ant.* Ver *louvar* [F.: Do lat. *laudare*.]

⊕ **lob** (*Ing.* /lob/) *sm. Esp.* No jogo de tênis, lance que consiste em encobrir com a bola o adversário que está adiantado, próximo à rede, formando, desta forma, um arco com a bola

lobado (lo.*ba*.do) *a.* **1** Que é dividido em lobos [ó] ou que os apresenta **2** *Bot.* Diz-se da folha que tem recortes que não chegam a metade da distância entre a margem e a nervura central [F.: *lobo* [ó] + *-ado*.]

lobatiano (lo.ba.ti.*a*.no) *Liter. a.* **1** Referente ao escritor brasileiro Monteiro Lobato (1882-1948), renomado autor de literatura infantil, ou à sua obra **2** Que é estudioso, especialista em ou admirador de sua obra *sm.* **3** *Liter.* Estudioso, especialista ou admirador da obra do escritor Monteiro Lobato [F.: antrp. (Monteiro) *Lobato* + *-ano*.]

⊕ **lobby** (*Ing.* /lóbi/) *Pol. sm.* **1** Grupo de pessoas cuja profissão é influenciar as decisões de outras, esp. do poder público **2** A atividade desse grupo

lobectomia (lo.bec.to.*mi*.a) *sf. Cir.* Excisão do lobo de uma víscera, como tireoide, pulmão etc. [F.: *lobo* [ó] + *-ectomia*.]

lobélia (lo.*bé*.li.a) *sf. Angios.* Nome comum de ervas, arbustos e árvores do gên. Lobeia, da fam. das campanuláceas, com cerca de 300 spp. e nativas de regiões tropicais e subtropicais, esp. das Américas; em algumas das quais se encontram alcaloides e são us. como ornamentais [F.: Do lat. cient. *Lobelia*.]

lobelina (lo.be.*li*.na) *sf. Quím.* Substância ($C_{22}H_{27}NO_2$) que se encontra nas sementes da *Lobelia inflata*, de que resulta um alcaloide que atua como estimulante respiratório [F.: *lobélia* + *-ina*.]

lobete (lo.*be*.te) [é] *sf. Pej.* Mulher que faz *lobby*, mulher lobista [F.: *lobby* + *-ete*.]

lobinho¹ (lo.*bi*.nho) [ó] *sm. Pop.* Cisto sebáceo sob a pele; CALOMBO [F.: *lobo* + *-inho*.]

lobinho² (lo.*bi*.nho) [ô] *sm.* **1** *Bras.* Escoteiro principiante **2** *Zool.* Pequeno lobo [F.: *lobo* [ô] + *-inho*.]

lobismo (lo.*bis*.mo) *sm.* **1** *Pol.* Ato de pressão política de um grupo, partido etc., a fim de se alcançar um objetivo político **2** *Pol.* Ato de pressão de pessoa ou grupo organizado sobre pessoas ou poderes públicos, visando alcançar benefícios, vantagens para si ou para o grupo que se representa: *Na questão agrária, era notável o lobismo dos latifundiários.* **3** *P. ext.* Qualquer pressão com que se busca influenciar outrem em benefício próprio: *O lobismo dos alunos para que a escola não funcionasse após o feriado foi eficaz.* [F.: *lobby* + *-ismo*. Sin. ger.: *lobby* (ing.).]

lobisomem (lo.bi.*so*.mem) *sm. Folc.* Segundo crença popular, homem que se transforma em lobo nas noites de lua cheia: "estas, por sua vez, ficavam sujeitas a transformarem-se em lobisomens" (Simões Lopes Neto, *Contos gauchescos e lendas do sul*) [Pl.: *-mens*.] [F.: Alter. do lat. *lupus homo*, 'homem lobo'.]

lobista (lo.*bis*.ta) *s2g. Pol.* Pessoa que faz *lobby* [F.: *lobby* + *-ista*.]

lobístico (lo.*bís*.ti.co) *a.* Ref. a lobismo e a lobista (subst.) (comportamento lobístico; argumento lobístico) [F.: *lobista* + *-ico*.]

lobo¹ (*lo*.bo) [ó] *sm.* **1** *Anat.* Parte de um órgão (cérebro, pulmão etc.) marcada com uma certa nitidez (por sulco, forma específica etc.) **2** Região do cérebro compreendida entre dois sulcos ou fissuras **3** *Anat.* O mesmo que *lóbulo* (2) **4** *Od.* Cada uma das principais divisões da coroa do dente **5** *Bot.* Porção ger. arredondada de uma folha ou de outra estrutura laminar, cujo recorte, pouco profundo, não chega à metade entre a margem e o eixo central [Dim.: *lóbulo*] [F.: Do gr. *lobós, oû*.] ■ **~ frontal** *Anat.* Cada um de dois lobos cerebrais situados na parte anterior de cada hemisfério cerebral **~ occipital** *Anat.* Cada um de dois lobos cerebrais situados na parte posterior de cada hemisfério cerebral **~ parietal** *Anat.* Cada um de dois lobos cerebrais situados na parte mediana superior de cada hemisfério cerebral **~ temporal** *Anat.* Cada um de dois lobos cerebrais situados na parte lateral inferior de cada hemisfério cerebral

lobo² (*lo*.bo) [ô] *sm.* **1** *Zool.* Mamífero da fam. dos canídeos (*Canis lupus*), de hábitos gregários, por origem encontrado em quase todo o hemisfério norte, com até 1,5 m de comprimento e pelagem cinzenta **2** *Fig.* Homem cruel, de maus instintos **3** *Astron.* Constelação do hemisfério austral [Fem. (*de 1 e 2*): *loba*] [F.: Do lat. *lupus, i*.] ■ **Entre (o) lobo e (o) cão** De tardinha, ao escurecer

lobo do mar (lo.bo do *mar*) *sm.* **1** *Fig. Pop.* Marinheiro com muita experiência **2** *Zool.* Peixe teleósteo marinho, dos gên. *Anarhicas* e *Anarrichthys*, com mais de 2 m de comprimento e com grandes e fortes mandíbulas [Nesta acp., com hifens: *lobo-do-mar*.] [Pl.: *lobos do mar, lobos-do-mar*.]

lobo-guará (lo.bo-gua.*rá*) *sm. Zool.* Ver *guará* [Pl.: *lobos-guarás e lobos-guará*.]

lobotomia (lo.bo.to.*mi*.a) *sf. Cir.* Corte no lobo frontal do cérebro, us. antigamente em casos graves de esquizofrenia [F.: *lobo* [ó] + *-tomia*.]

lobotomizar (lo.bo.to.mi.*zar*) *v. td. Psiq. Cir.* Realizar lobotomia em (dado paciente) [▶ **1 lobotomizar**]

lôbrego (*lô*.bre.go) *a.* **1** Diz-se de lugar escuro, sombrio, em que (quase) não há claridade: "Flanar é [...] estar sem fazer nada e achar absolutamente necessário ir até um sítio lôbrego" (João do Rio, *A rua*) **2** De aspecto funesto, soturno; que inspira pavor, medo; LÚGUBRE **3** *Fig.* Que inspira, causa ou denota uma grande tristeza (canto lôbrego) [F.: De or. incerta; posv. de *lúgubre* com metátese.]

lobreguidão (lo.bre.gui.*dão*) *sf.* Qualidade do que é lôbrego [Pl.: *-dões*.] [F.: *lôbrego* + *-idão*.]

lobrigar (lo.bri.*gar*) *v. td.* **1** Enxergar com dificuldade, ver indistintamente; ENTREVER: *Lobrigou um vulto na penumbra.* **2** Ver casualmente; AVISTAR: *Virando-se, lobrigou o rapaz ainda parado no corredor.* **3** Perceber, notar: *Aceitou a proposta, sem lobrigar as verdadeiras intenções do outro.* [▶ **14 lobrigar**] [F.: De or. obsc.]

lobulação (lo.bu.la.*ção*) *sf.* Disposição em lóbulos [Pl.: *-ções*.] [F.: *lobula(r)* + *-ção*.]

lobular (lo.bu.*lar*) *a2g.* **1** Que tem a natureza do lóbulo **2** Que é dividido em lóbulos [F.: *lóbulo* + *-ar*¹.]

lóbulo (*ló*.bu.lo) *sm.* **1** *Anat.* Lobo de pequeno tamanho **2** Parte inferior, arredondada e mole do ouvido; LOBO [F.: *lobo* [ó] + *-ulo*.] ■ **~ de antena** *Telc.* Em antena direcional, área do diagrama que indica as direções em que a transmissão ou recepção de sinais de rádio têm suas máximas intensidades

lobuloso (lo.bu.*lo*.so) [ô] *a.* **1** Que possui lóbulos **2** Que está dividido em lóbulos [Pl.: [ó]. Fem.: [ó].] [F.: *lóbulo* + *-oso*.]

lobuno (lo.*bu*.no) *a. MG S* Diz-se de equino ou bovino de cor cinza-escura; LIBUNO [F.: *lobo* + *-uno*.]

loca (*lo*.ca) [ó] *sf.* **1** Esconderijo do peixe, debaixo da água, sob uma laje ou tronco submersos; TOCA: *Um indício de que tem polvo na loca são pedrinhas e cascas de mexilhão na sua entrada.* **2** Furna, lapa, gruta pequena: "Vamos lá para as bandas das furnas. Eu sei de uma loca que ninguém adivinha onde é." (José Lins do Rego, *Pedra bonita*) [F.: Do lat. *loca, orum*, neutro pl. de *locus, i*, 'lugar', tomado como fem. sing., posv.]

locação (lo.ca.*ção*) *sf.* **1** Ato ou efeito de locar (imóvel, carro, DVD, equipamentos etc.); ALUGUEL; ARRENDAMENTO **2** *Cons.* Demarcação, no terreno, do posicionamento exato das linhas e ângulos que definem a projeção de uma obra no solo **3** Implantação de estacas para marcar o leito de uma ferrovia ou rodovia em projeto **4** Marcação, por meio de estacaria, do terreno a ser ocupado por uma obra de arte **5** *Cin. Telv.* Lugar, fora do estúdio cinematográfico, onde se tomam cenas exteriores **6** *Teat.* Compra de bilhetes horas antes do espetáculo, e por isso onerados com uma percentagem **7** *Anat. Cir.* Ação de reduzir o osso deslocado [Pl.: *-ções*.] [F.: Do lat. *locatio, onis*.] ■ **~ vinculada** *Jur.* Aquela na qual o locatário é empregado do locador e cuja duração é a mesma deste vínculo empregatício

locado (lo.*ca*.do) *a.* Que se locou, que se alugou; ALUGADO: *Tinha alguns imóveis locados e outros vazios.* [F.: *loca(r)* + *-ado*.]

locador (lo.ca.*dor*) [ô] *sm.* Pessoa que, em um contrato de locação, se compromete a ceder o direito de uso de algo (imóvel, carro etc.) ou prestar um serviço [F.: Do lat. *locator, oris*.]

locadora (lo.ca.*do*.ra) [ô] *sf.* Estabelecimento comercial que aluga bens móveis (como carros, equipamentos, fitas de vídeo etc.) [F.: *locar* + *-dora*.]

local (lo.*cal*) *a2g.* **1** Ref. ou pertencente a determinado lugar ou que se refere a ele **2** Que se limita a uma área ou a uma região (jornal local; chamada local; anestesia local) *sm.* **3** Lugar relacionado com um fato ou que tem uma finalidade específica (local de nascimento; local de trabalho; local de entrega; local de votação) **4** Área de limites definidos ou que corresponde a uma parte de um todo *sf.* **5** Notícia dada por um jornal com respeito à localidade onde este se publica: *Li numa local a notícia do teu despacho.* **6** *P. ext.* Narrativa de qualquer fato ou acontecimento publicada no noticiário de um periódico: *Você leu ontem a local sobre o acidente na praça?* [Pl.: *-cais*.] [F.: Do lat. *localis, e*.]

localidade (lo.ca.li.*da*.de) *sf.* **1** Área circunscrita de um país, região, estado, cidade etc.: *Estão listadas as linhas e respectivas empresas de ônibus que passam por uma determinada localidade.* **2** Povoação, aldeia: *O tribunal anulou os resultados das eleições municipais realizadas em uma localidade da Faixa de Gaza.* [F.: Do lat. *localitas, atis*.]

localismo (lo.ca.*lis*.mo) *sm.* **1** Estado do que é próprio de um lugar **2** Intenso apego de uma pessoa ou um grupo de pessoas a determinado lugar (bairro, cidade, região etc.), expresso ger. por meio de uma defesa apaixonada deste lugar em detrimento de outro(s); BAIRRISMO [Cf. *cosmopolitismo*.] **3** *Gram. Ling.* Palavra de uso particular em determinado lugar; REGIONALISMO **4** *Esp.* No surfe, comportamento avesso dos surfistas que frequentam certa praia em relação àqueles que aparecem ocasionalmente para surfar no local [F.: *local* + *-ismo*.]

localista (lo.ca.*lis*.ta) *a2g.* **1** Ref. a um determinado lugar; LOCAL **2** Que revela sentimentos regionalistas, bairristas *s2g.* **3** *Jorn.* Jornalista cujo ofício é cobrir as notícias locais [F.: *local* + *-ista*.]

localização (lo.ca.li.za.*ção*) *sf.* **1** Ação ou resultado de localizar(-se): *As informações levaram à localização do criminoso.* **2** Lugar em que se situa alguém ou algo: *localização de uma casa.* **3** *Med.* Fenômeno pelo qual se concentra especialmente num determinado órgão ou parte do corpo a manifestação de um estado geral mórbido: *a localização da varíola na pele da face.* **4** A doutrina da sede dos centros funcionais (vista, ouvido, fala, olfato etc.) no cérebro **5** *Psi.* Referência de uma sensação a determinado lugar do corpo, ou de um objeto percebido a certo ponto do espaço [Pl.: *-ções*.] [F.: *localizar* + *-ção*.]

localizado (lo.ca.li.*za*.do) *a.* **1** Que está situado em determinado local **2** Ref. a apenas uma área, ou a uma parte (conflito localizado; gordura localizada) [F.: Part. de *localizar*.]

localizador (lo.ca.li.za.*dor*) [ô] *a.* **1** Que localiza, que identifica alguém ou algo: *Para descobrir a fonte dos telefonemas anônimos, precisava de um instrumento localizador.* *sm.* **2** Aquele ou aquilo que localiza [F.: *localiza(r)* + *-dor*.]

localizar (lo.ca.li.*zar*) *v.* **1** Descobrir o lugar ou paradeiro de (pessoa ou coisa) [*td.*: *Localizou os soldados, ao longe*.] **2** Identificar, detectar [*td.*: *Localizara um problema na asa esquerda*.] **3** Assentar(-se) ou situar(-se) em determinado local [*tda.*: *Localizou a loja numa esquina próxima*.] [*ta.*: *O hotel localiza-se na encosta do morro*.] **4** *Inf.* Adaptar programa ou aplicativo a condições locais (por tradução servil do ing. *localize* nesta acp.) [*td.*] **5** Estabelecer-se em determinada parte do corpo [*ta.*: *A infecção localizava-se na garganta*.] **6** Situar-se [*ta.*: *A casa localiza-se no final da rua*.] **7** Ajustar-se a determinado ambiente ou cenário; AMBIENTAR [*tda.*: *O cineasta localizou o filme na Sicília*.] **8** Identificar [*td.*: *Localizou rapidamente a origem do conflito*.] [▶ **1 localizar**] [F.: *local* + *-izar*.]

localizável (lo.ca.li.*zá*.vel) *a2g.* Que pode ser localizado [Ant.: *inlocalizável*.] [Pl.: *-veis*.] [F.: *localiza(r)* + *-vel*.]

locanda (lo.*can*.da) *sf.* **1** Taberna onde se vende vinho a varejo; BODEGA **2** Pensão rústica que serve refeições **3** Mercearia de pequeno tamanho [F.: Do it. *locanda*.]

loção (lo.*ção*) *sf.* **1** *Bras.* Solução líquida us. como cosmético ou medicamento (loção hidratante; loção capilar; loção cremosa; loção pós-barba) **2** *Med.* Ato de lavar uma parte qualquer do corpo passando-lhe por cima um pano ou uma esponja, que se embebe em água fria ou quente ou em um líquido medicamentoso **3** Lavagem, banho, ablução **4** Medicamento próprio para a loção (2) [Pl.: *-ções.*] [F.: Do lat. *lotio, onis.* Hom./Par.: *loção* (sf.), *loução* (sf.).]

locar (lo.*car*) *v.* **1** Alugar, arrendar [*td.: Locou a casa de praia.*] [*tdi.* + *a, para: Locava máquinas para agricultores.*] **2** Assentar(-se) ou situar(-se) em determinado local [*tda.: Pretendia locar-se naquela região.*] [▶ **11 locar**] [F.: Do lat. *locare.* Hom./Par.: *loco* (fl. de *locar*), *loco* (sm.), *louco* (a. sm.).]

locatário (lo.ca.*tá*.ri:o) *sm.* Pessoa que toma algo (imóvel, carro, equipamento etc.) de aluguel ou contrata a prestação de um serviço e paga ao locador pela coisa alugada ou serviço prestado; ARRENDATÁRIO; INQUILINO: *Cobra-se do locatário um adicional para entrega do veículo em outra cidade.* [F.: Do lat. tard. *locatarius, a, um.*]

locatício (lo.ca.*tí*.ci.o) *a.* Ref. à locação: *As ações locatícias só começariam na próxima semana.* [F.: *locar* + *-t-* + *-ício.*]

locativo (lo.ca.*ti*.vo) *a.* **1** Que determina a localização **2** Que é referente ou que envolve locação (contrato locativo; prestação locativa) **3** *Ling.* Diz-se de nome que designa um país, estado, cidade, região etc. **4** *Ling.* Ver *gentílico* [Cf. *etnônimo.*] *sm.* **5** *Ling.* Nome com que se designa uma localidade (país, estado, região, cidade, região etc.) **6** *Ling.* Ver *gentílico* [Cf. *etnônimo.*] [F.: Do fr. *locatif.*]

locaute (lo.*cau*.te) *sm. Econ.* Ver lockout [F.: Aport. do ing. *lockout.*]

locé (lo.*cé*) *sm.* Us. na loc. adv. *a locé* ■ **a ~** *N.E.* De maneira satisfatória e agradável: *As coisas estão indo a locé.*

lockiano (lo.cki.*a*.no) *Econ. Fil. a.* **1** Ref. ao filósofo inglês John Locke (1632-1704), um dos principais nomes do liberalismo e do empirismo em sua época **2** Que é estudioso ou seguidor de Locke *sm.* **3** *Econ. Fil.* O estudioso ou seguidor do pensamento de John Locke [F.: Do antr. John *Lock(e)* + *-iano.*]

⊕ **lockout** (*Ing. /lócaut/*) *sm.* **1** *Econ.* Fechamento de uma fábrica ou estabelecimento pela direção, a fim de impedir a entrada dos funcionários e pressioná-los a aceitar certas condições **2** *P. ext.* Qualquer iniciativa dos empregadores de paralisar um estabelecimento, fábrica ou setor us. como mecanismo de pressão

◎ **loc(o)-** *el. comp.* = lugar: *locomotiva, locomoção* [F.: Do lat. *locus, i.*]

locomoção (lo.co.mo.*ção*) *sf.* **1** Ação ou efeito de mover-se de um lugar para outro [Compreende a *marcha*, a *corrida*, o *salto*, o *voo*, a *natação* etc.] **2** Capacidade que muitos organismos têm de mover-se por meios próprios no seu *habitat* [Pl.: *-ções.*] [F.: *loc(o)-* + *-moção.*]

locomotiva (lo.co.mo.*ti*.va) *sf.* **1** Veículo automotor que reboca os vagões de um trem **2** *Pop. Fig.* Aquele ou aquela que promove, anima ou lidera a vida social ou a atividade econômica **3** *PE Dnç.* Um dos passos básicos do frevo, em que o dançarino, de cócoras, com os braços para a frente e segurando a sombrinha com a mão direita, saltita encolhendo e esticando alternadamente as pernas [F.: Do ing. *locomotive.*]

locomotividade (lo.co.mo.ti.vi.*da*.de) *sf.* Faculdade que os animais têm de se locomover [F.: *locomotivo* + *-i-* + *-dade.*]

locomotor (lo.co.mo.*tor*) [ô] *a.* **1** Ref. à locomoção **2** Que efetua a locomoção ou produz um movimento [Fem.: *-tora* e *-triz.*] [F.: De *loc(o)-* + *-motor* ou adpt. do fr. *locomoteur.*]

locomotriz (lo.co.mo.*triz*) *a.* **1** Ref. à locomoção (força locomotriz) **2** Que se destina a ou se utiliza para efetuar a locomoção [Fem. de *locomotor.*] [F.: Do fr. *locomoteur.*]

locomóvel (lo.co.*mó*.vel) *a2g.* **1** Que pode ser transportado ou mover-se de um lugar para outro *sm.* **2** Máquina a vapor, montada sobre rodas e portanto transportável, us. na indústria, esp. na agricultura e na indústria madeireira [Pl.: *-veis.*] [F.: *loc(o)-* + *-móvel.*]

locomover (lo.co.mo.*ver*) *v.* **1** Ir de um lugar ou de um ponto a outro; DESLOCAR-SE [*td.: No centro histórico da cidade, utilize o bonde para se locomover; O defeito impediu o veículo de se locomover.*] [*tda.: O hóspede precisará de condução para se locomover para o local do evento.*] **2** Andar, caminhar; mover-se [*td.: Não consegue se locomover sem a ajuda de alguém.*] [*tda.: a membrana aquática que permite insetos e aves se locomoverem sobre a água.*] [▶ **2** locomover] [F.: *loc(o)-* + *mover.*]

locução (lo.cu.*ção*) *sf.* **1** Modo particular de falar no que diz respeito à seleção das palavras e ao encadeamento do discurso; ESTILO; LINGUAGEM **2** Modo particular de falar no que diz respeito à articulação e à pronúncia; DICÇÃO **3** *Gram.* Conjunto de duas ou mais palavras que portam significado distinto daquele que advém da consideração das palavras isoladamente (p. ex.: *estrada de ferro; tinha viajado; a fim de.*) **4** *Cin. Rád. Telv.* Parte do roteiro que é dita pelo locutor **5** *Rád. Telv.* O ato de falar ou de dizer um texto para ser gravado ou transmitido ao vivo [Pl.: *-ções.*] [F.: Do lat. *locutio, onis.*] ■ **~ verbal** *Gram.* Locução formada por um verbo auxiliar e um verbo principal no infinitivo, gerúndio ou particípio passado, na qual se expressam nuanças da flexão temporal, ou se estabelece um contexto temporal que não tem expressão nas flexões normais do verbo principal [Ex.: *vou sair* (por *eu sairei*); *está andando* (por *ele anda* [numa ação contínua]); *já teremos saído* (por *nós estaremos no futuro num momento em que já saímos*).]

lóculo (*ló*.cu.lo) *sm.* **1** Pequena cavidade ou depressão **2** *Bot.* Cavidade de um órgão vegetal (ovário ou pericarpo) que encerra óvulos, sementes ou esporos; LOCULAMENTO **3** *Bot.* Ver *loja* [F.: Do lat. *loculus, i.*]

locupletação (lo.cu.ple.ta.*ção*) *sf.* **1** Ação ou resultado de locupletar(-se) **2** Ação de aumentar o próprio o patrimônio em prejuízo de outrem [Pl.: *-ções.*] [F.: Do lat. tard. *locupletatione.* Sin. ger.: *locupletamento.*]

locupletamento (lo.cu.ple.ta.*men*.to) *sf.* Ver *locupletação* [F.: *locupleta(r)* + *-mento.*]

locupletar (lo.cu.ple.*tar*) *v.* **1** Tornar(-se) rico ou mais rico; ENRIQUECER [*td.: A herança o locupletou; Locupletaram-se com negócios milionários.*] **2** Cumular(-se), encher(-se), abarrotar(-se) [*td.: A venda do jogador locupletou os cofres do clube.*] [*tdr.* + *de: Locupletaram a homenagem de atenções; Locupletou-a de presentes.*] [▶ **1** locupletar] [F.: Do lat. *locupletare.*]

⊕ **locus** (*Lat. /lócus/*) *sm. Gen.* Local em que um gene se localiza no cromossomo

locutor (lo.cu.*tor*) [ô] *sm.* **1** Pessoa que, em público, no rádio, na televisão ou no cinema, faz a leitura, narração, irradiação ou apresentação de textos, notícias, informações, anúncios, programas, eventos etc.: "fazia bico como locutor na maior e mais tradicional empresa de leilões de gado do país" (*Veja*, 2004) **2** *Ling.* Numa situação de comunicação, aquele que emite a mensagem (por oposição ao destinatário/receptor); EMISSOR [F.: Do lat. *locutor, oris.*] ■ **~ esportivo** *Jorn. Rád. Telv.* Profissional que, numa transmissão radiofônica ou de televisão, descreve e comenta o transcorrer do evento esportivo que está sendo transmitido

locutório (lo.cu.*tó*.ri:o) *sm. Arq.* Recinto cercado por grades, em prisões ou conventos, onde os internos conversam com as pessoas de fora; PARLATÓRIO: "Não é palestra de sacristia, nem mexerico de locutório" (Machado de Assis, *Obra crítica – Junqueira Freire: inspirações do claustro*) [F.: Do lat. *locutorium, ii.*]

lodaçal (lo.da.*çal*) *sm.* **1** Lugar cheio de lodo (1); LAMAÇAL; ATOLEIRO; CHARCO **2** *Fig.* Perdição moral; vida de devassidão: "Veio logo abaixo, ao lodaçal torpe da devassidão" (Coelho Neto, *Água de Juventa*) **3** *Fig.* Local degradante, ignominioso: "O mundo é um lodaçal perdido /cujo sol (quem mo dera!) é o dinheiro..." (Álvares de Azevedo, *Minha desgraça*) **4** *Fig.* Vida de devassidão, de desregramento [Pl.: *-çais.*] [F.: *lodo* + *-açal.*]

lodacento (lo.da.*cen*.to) *a.* **1** Em que há lodo ou que está cheio de lodo (caminho lodacento); LODOSO **2** Muito sujo, emporcalhado, imundo **3** *Fig.* Que se mostra vil, torpe (moral lodacenta) [F.: *lodo* + *-aço* + *-ento.*]

lódão (*ló*.dão) *Bot. sm.* **1** Nome comum de diversas plantas da fam. das ninfeáceas, do gên. *Nymphaea* **2** Árvore (*Celtis australis*) da fam. das ulmáceas, de frutos purpúreos comestíveis, e cuja madeira é aproveitada pela construção civil **3** Ver *jujuba* (*Ziziphus lotus*) [F.: Do lat. * *lotanus*, de *lotus*, deriv. do gr. *lotos.*]

lodeiro (lo.*dei*.ro) *sm.* Terreno encharcado; lameiro. Tb. *lodeira* [F.: *lodo* + *-eiro.*]

lodo (*lo*.do) [ô] *sm.* **1** Depósito terroso com mistura de restos de vegetais ou de matérias animais que se forma no fundo das águas; LAMA: "e o corpo fazia-se-me planta, e pedra, e lodo, e coisa nenhuma." (Machado de Assis, *Memórias póstumas de Brás Cubas*) **2** *Fig.* Vileza, degradação: "Princípios não morrem; os partidos que o esquecem expiram no lodo e na ignomínia." (Machado de Assis, *Quincas Borba*) [F.: Do lat. *lutum, i.*]

lodoso (lo.*do*.so) [ô] *a.* **1** Sujo de lodo, cheio de lodo; LAMACENTO: *O fundo do mar apresenta-se levemente lodoso e algumas partes cascalhadas* **2** *Fig.* Sujo, enxovalhado: "O doido é sagrado. Mas se endoida/de jogar pedra, vai preso no cubículo/mais tétrico e lodoso da cadeia." (Carlos Drummond de Andrade, *Doido*) [Pl.: [ó]. Fem.: [ó].] [F.: Do lat. *lutosus, a, um.*]

loendro (lo.*en*.dro) *sm. bot.* O mesmo que *espirradeira* [F.: Do gr. *rhodódendron*, pelo lat. *lorandrum.*]

loess *sm. Geol.* Limo calcário homogêneo, não estratificado, permeável, de cor que vai do bege ao cinza, cuja existência é atribuída a depósitos de poeira oriunda de ventos; LOESSE [F.: Do al. *Loss.*]

◎ **-lof(o)-** *el. comp.* Ver *lof(o)-*

◎ **-lofo** *el. comp.* Ver *lof(o)-*

◎ **lof(o)-** *el. comp.* = 'pescoço (de animal)'; 'penacho'; 'crista'; 'eminência'; 'colina': *lofócomo, lofóforo; dilofossauro* (< lat. cient.); *acantólofo, acrólofo* [F.: Do gr. *lóphos, ou.*]

lofócomo (lo.*fó*.co.mo) *a.* **1** Diz-se de indivíduo de cabelo eriçado, encrespado ou em forma de penacho *sm.* **2** Esse indivíduo [F.: *lof(o)-* + *-como.*]

lofóforo (lo.*fó*.fo.ro) *sm. Zool.* Órgão captador de alimento encontrado em diversos invertebrados aquáticos e formado por numerosos tentáculos ciliados que capturam o plâncton [F.: *lof(o)-* + *-foro.*]

⊕ **log**[1] (*Ing. /lóg/*) *sm. Inf.* Arquivo de computador que guarda automaticamente qualquer operação efetuada

⊠ **log**[2] *Mat.* Abrev. de *logaritmo decimal*

◎ **logad-** *el. comp.* = 'branco do olho, esclera, esclerótica'; 'conjuntiva': *logadectomia, logadite* [F.: Do gr. *logádes, on,* 'branco do olho'.]

logadectomia (lo.ga.dec.to.*mi*.a) *sf. Cir. Oft.* Ablação parcial da conjuntiva [F.: *logad-* + *-ectomia.*]

logadite (lo.ga.*di*.te) *sf. Oft.* Inflamação da esclerótica [Cf. *esclerite.*] [F.: *logad-* + *-ite*[1].]

logado (lo.*ga*.do) *a. Inf.* Que se logou, que obteve acesso a recurso computacional ao registrar nome de acesso, senha etc.: *Ela é uma internauta sempre logada, sempre a navegar.* [F.: Part. pass. de *logar.*]

logar (lo.*gar*) *v. Inf.* Adquirir acesso a (programa de computador, *site* na internet, recurso computacional etc.) mediante o registro de um nome de acesso, de uma senha etc.) [*int.: Para entrar neste site você tem de se logar primeiro.*] [*tr.* + *em: Loguei-me na página do clube e fiz toda a pesquisa lá.* Termo condenado por alguns, por ter o radical importado do inglês *log.*] [▶ **14 logar**] [F.: Do ing. *log* + *-ar*[2].]

logarítmico (lo.ga.*rít*.mi.co) *a.* Ref. a logaritmo (tabela logarítmica) [F.: *logaritmo* + *-ico*[2].]

logaritmo (lo.ga.*rit*.mo) *sm. Mat.* Expoente da potência a que é preciso elevar uma quantidade constante chamada base para dar o número proposto (por ex., o logaritmo de 100 é 2 porque se torna necessário elevar à segunda potência a base 10 para produzir o número 100) [Abrev.: *lg* e *log.*] [F.: Do lat. cient. *logarithmus.*] ■ **~ binário** *Mat.* O expoente a que se deve elevar o número 2 para se ter o número do qual se quer obter o logaritmo **~ de Briggs** *Mat.* Ver *Logaritmo decimal* **~ decimal** *Mat.* O expoente a que se deve elevar o número 10 para se ter o número do qual se quer obter o logaritmo; logaritmo de Briggs [Tb. apenas *logaritmo.* Símb.: *lg* e *log.*] **~ hiperbólico** *Mat.* Ver *Logaritmo neperiano* **~ natural** *Mat.* Ver *Logaritmo neperiano* **~ neperiano** *Mat.* O expoente a que se deve elevar o número *e* para se ter o número do qual se quer obter o logaritmo; logaritmo hiperbólico, logaritmo natural [Símb.: *ln*]

logastenia (lo.gas.te.*ni*.a) *sf. Neur.* O mesmo que *afasia* [F.: *log(o)-* + *-astenia.*]

◎ **-logia** *suf.* = discurso, estudo, coleção: *antologia, biologia, metodologia, museologia.*

lógica (*ló*.gi.ca) *sf.* **1** Forma de raciocinar coerente, em que se estabelecem relações de causa e efeito; a coerência desse raciocínio: *Use a lógica para analisar essa questão; explicação sem lógica.* **2** Modo de raciocinar próprio de alguém ou de um grupo: *a lógica dos adolescentes.* **3** Modo coerente pelo qual coisas ou acontecimentos se encadeiam: *a lógica da guerra.* **4** *Fil.* A parte da filosofia que estuda as leis do pensamento e que expõe as regras que devem ser observadas na exposição da verdade **5** O livro, compêndio ou tratado que ensina essa ciência [F.: Do gr. *logiké* (*tékhnē*) 'a ciência do raciocínio'.] ■ **~ aristotélica** *Fil.* Ver *Lógica formal* **~ booliana** *Mat. Inf.* Ver *Álgebra booliana* no verbete *álgebra* **~ das proposições** *Fil.* Na *Lógica formal* (2), a parte que trata do *Cálculo proposicional* (ver no verbete *cálculo*); lógica sentencial **~ das relações** *Fil.* Na *Lógica formal* (2), parte que trata do *Cálculo funcional* (ver no verbete *cálculo*) **~ dialética** *Fil.* Método lógico do hegelianismo, no qual a cada afirmação (tese) corresponde sua negação (antítese), desenvolvendo-se dessa contradição uma nova afirmação (síntese), e assim por diante **~ difusa** *Fil. Mat.* Derivação da *Lógica booliana*, na qual uma proposição pode assumir graus intermediários de veracidade ou falsidade, ou seja, pode ser representada por número intermediário entre 0 e 1; lógica *fuzzy* [Parametriza as variações e incertezas inerentes à linguagem natural.] **~ formal** **1** *Filos.* Na filosofia clássica, os conceitos, métodos etc. do raciocínio lógico, independentemente dos conteúdos que enuncia; lógica aristotélica **2** Na filosofia empirista e positivista, a parte que trata da estrutura das proposições e método pelo qual, a partir delas, se deduzem conclusões verdadeiras [Compreende a *Lógica das proposições* e a *Lógica das relações.*] **~ fuzzy** Ver *Lógica difusa* **~ matemática** *Fil.* Método, e seu estudo, de expressar as estruturas lógicas do pensamento em rigorosa linguagem matemática, a partir de alguns axiomas; lógica simbólica **~ material** *Fil.* Aquela que estuda os métodos e leis do pensamento para identificar aqueles que levam à conclusão verdadeira e aqueles que conduzem a conclusão falsa [Cf.: *lógica transcendental.*] **~ modal** *Fil.* A que contrapõe às proposições de simples afirmação e de negação as noções condicionantes de possibilidade e de necessidade **~ polivalente** *Lóg.* Sistema de pensamento lógico no qual se admite a existência de mais de dois valores de verdade **~ sentencial** *Fil.* Ver *Lógica das proposições* **~ simbólica** *Fil.* Ver *Lógica matemática* **~ transcendental** *Fil.* Método lógico do kantismo baseado na razão pura, ou seja, no princípio intrínseco do entendimento e do conhecimento, e de sua validade objetiva, independentemente da experiência, e anterior a ela [Cf.: *lógica material.*]

logicismo (lo.gi.*cis*.mo) *sm.* **1** *Fil.* Tendência a dar ênfase à lógica sobre os demais aspectos da filosofia **2** *Fil.* Sistema de pensamento para o qual as formulações lógicas são suficientes em si mesmas, descartando qualquer interferência de ordem psicológica **3** *Fil. Mat.* Teoria que afirma ser a matemática uma parte da lógica, podendo os axiomas matemáticos ser deduzidos a partir de construções lógicas rigorosamente verdadeiras [F.: *lógic(a)* + *-ismo.*]

logicizar (lo.gi.ci.*zar*) *v. td.* Submeter às regras da lógica, conferir logicidade a: *Teve de logicizar sua teoria, até então apenas intuitiva.* [F.: *lógic(o)* + *-izar.*]

lógico (*ló*.gi.co) *a.* **1** Ref. a lógica **2** *Fam.* Claro, evidente: *Pelas notas baixas, é lógico que ele não estudou* **3** Em que há coerência, nexo, harmonia entre as partes, as ideias etc.: "Ergueu no patamar quatro paredes mágicas/Tijolo com tijolo num desenho lógico" (Chico Buarque, *Construção*) **4** Que pensa com lógica, com coerência *sm.* **5** Especialista em lógica (4) [F.: Do gr. *logikós, é, ón.*]

⊕ **login** (*Ing. /loguín/*) *sm. Inf.* O mesmo que logon

logística (lo.*gís*.ti.ca) *sf.* **1** *Mat.* Entre os gregos, arte de calcular ou aritmética aplicada **2** *Fil.* Lógica simbólica, cujos princípios são os da lógica formal, e que emprega métodos e símbolos algébricos [F.: Do gr. *logistiké*, fem. de *logistikós, é, ón,* 'ref. ao cálculo'.]

logístico (lo.*gís*.ti.co) *a.* Ref. a logística[1] [F.: Do gr. *logistikós, é, ón.*]

logo[1] (*lo*.go) [ó] *adv.* **1** Já, imediatamente: *Atenda logo o telefone.* **2** Brevemente, num futuro próximo, cedo: *Logo essa criança estará andando.* **3** Indica um tempo seguido a outro: *Os pais chegaram logo depois do carro.* **4** Justamente, precisamente, exatamente: *Logo você foi causar esse transtorno; Foram escolher logo a mais feia.* *conj.* **5** Por conseguinte, por consequência, portanto, por isso: *Penso, logo existo; Nelson estudou muito, logo merece passar no concurso.* [NOTA: No uso popular, ger. é repetido enfaticamente: *Logo, logo essa criança estará andando.* F.: Do lat. *loco*, ablat. de *locus, i* 'lugar'.] ■ **Até ~ (mais)** Saudação de despedida que pressupõe um reencontro em breve **Desde ~** Já a partir desse momento: *Desde logo fique claro que não haverá exceções.* **~ após** Imediatamente depois de (no tempo ou no espaço): *Cheguei logo após Maria; Entrou na fila logo após o irmão.* **~, ~** Sem perda de tempo; já, já **~ mais** *Bras.* Mais tarde, daqui a pouco **~ que** No mesmo momento em que, assim que: *Faça o dever logo que você chegar.* **Para ~** Sem (mais) demora, para já: *Vá correndo, esta entrega é para logo.* **Tão ~** Logo que, assim que: *Tão logo chegue, faça o dever.*

◎ **-logo** *suf.* = que estuda, que coleciona: *antropólogo, astrólogo, biólogo*

◎ **log(o)-** *el. comp.* = linguagem, palavra, noção, razão, entendimento, conhecimento, raciocínio: *logosofia, logotipo* [F.: Do gr. *lógos, ou.*]

logo[2] (*lo*.go) [ô] *Antq. sm.* **1** Lugar, sítio **2** Lugar em que se habita; MORADA; RESIDÊNCIA [F.: Do lat. *locus.*]

logo[3] (*lo*.go) [ô] *sm.* Forma reduzida de *logotipo*

logocêntrico (lo.go.*cên*.tri.co) *a. Fil.* Ref. a ou próprio de logocentrismo [F.: *log (o)- + -cêntrico.*]

logocentrismo (lo.go.cen.*tris*.mo) *sm. Fil.* Sistema de pensamento que privilegia a palavra, empreendendo uma investigação ontológica da realidade [F.: *log(o)- + -centro + -ismo.*]

logocentrista (lo.go.cen.*tris*.ta) *Fil. a2g.* **1** Ref. ao logocentrismo **2** Que é adepto dos princípios do logocentrismo *s2g.* **3** *Fil.* O adepto do logocentrismo [F.: *logocentrismo + -ista.*]

⊕ **logoff** (*Ing. /logóf/*) *sm. Inf.* Procedimento para interromper a conexão com uma rede

logógrafo (lo.*gó*.gra.fo) *sm.* **1** *Ant.* Historiador e/ou escritor dos períodos mais remotos da Grécia antiga **2** Aquele que escrevia discursos ou demandas para outras pessoas **3** Autor de um glossário **4** O mesmo que *estenógrafo* [F.: Do gr. *logográphos, ou.*]

logograma (lo.go.*gra*.ma) *sm. Ling.* Nas escritas ideográficas, símbolo gráfico representativo de palavra ou morfema [F.: *log(o)- + -grama.* Cf. *ideograma, fonograma.*]

logogrifo (lo.go.*gri*.fo) *sm.* **1** Espécie de charada, em que das letras ou sílabas da palavra que serve de conceito, dispostas e combinadas de várias maneiras, se podem formar outras palavras **2** *Fig.* Linguagem obscura; exposição oral ou escrita de sentido enigmático: "Enchia duas laudas; dizia muitos, mas nada concluía; verdadeiro logogrifo epistolar, cuja decifração o autor deixava à perspicácia do Seixas." (José de Alencar, *Senhora*) [F.: *log(o)- + grifo*[3].]

logomania (lo.go.ma.*ni*.a) *sf.* **1** Amor exagerado às palavras, às letras, ao estudo **2** *Psiq.* O mesmo que *logorreia* [F.: *log(o)- + -mania.*]

logômano (lo.*gô*.ma.no) *a.* **1** Diz-se de quem tem logomania, que adora exageradamente os livros, as palavras etc. **2** *Psiq.* Que sofre de logomania; LOGORREICO *sm.* **3** Aquele que ama excessivamente os livros, as palavras etc. **4** *Psiq.* Aquele que sofre de logomania; LOGORREICO [F.: *log(o)- + -mano*[1].]

logomarca (lo.go.*mar*.ca) *sf. Publ.* O nome e o símbolo gráfico que constituem, juntos, a representação visual de uma marca (de produto, empresa etc.) [F.: *log(o)- + marca.* Cf.: *logotipo.*]

⊕ **logon** (*Ing. /logón/*) *sm. Inf.* Processo de conexão a uma rede que inclui a identificação e o controle da senha do usuário; LOGIN

logopedia (lo.go.pe.*di*.a) [é] *sf. Fon.* Ramo da foniatria que estuda e trata os distúrbios da fala [F.: *log(o)- + -pedia.*]

logopédico (lo.go.*pé*.di.co) *a. Fon.* Relativo a ou que apresenta logopedia [F.: *logopedia + -ico*[2].]

logopedista (lo.go.pe.*dis*.ta) *a2g.* **1** *Fon.* Diz-se de profissional que trata da logopedia *s2g.* **2** *Fon.* O especialista em logopedia [F.: *logopedia + -ista.*]

logorreia (lo.gor.*rei*.a) *sf.* **1** *Pej.* Conjunto de frases sem sentido; fala desordenada e contínua **2** *Psiq.* Compulsão para falar demais, com grande loquacidade; LOGOMANIA; VERBORRAGIA [Fenômeno que ocorre com pessoas dominadas por certos distúrbios emocionais.] [F.: *log(o)- + -reia.* Sin. ger.: *logopeia.*]

logorreico (lo.gor.*rei*.co) [é] *a.* **1** Ref. a logorreia *a.* **2** *Psiq.* Diz-se daquele que sofre de logorreia *sm.* **3** *Psiq.* Aquele que sofre de logorreia, apresentando distúrbio psíquico cujo sintoma é a compulsão para falar desordenada e continuamente; LOGOMANÍACO [F.: *logorreia + -ico*[2].]

logos (*lo*.gos) [ó] *sm2n.* **1** *Fil.* Ver *razão* **2** *Fil.* Princípio supremo que rege o universo **3** *Fil.* Para o filósofo grego Heráclito (séc. V a.C.), conjunto de leis e conexões que, comandando o universo, formam uma espécie de inteligência cósmica **4** *Fil.* Para a filosofia estoica, princípio que anima e organiza a matéria, agindo como força determinante do destino e da racionalidade humanas **5** *Rel.* No Evangelho de João, o Deus criador e seu filho, Jesus Cristo, que representam o poder e o saber absolutos da razão divina [Nesta acp., com inicial maiúsc.] [F.: Do gr. *lógos, ou.*]

⊕ **lógos** (*gr. /lógos/*) *sm. Fil. Rel.* Ver *logos*

logosofia (lo.go.so.*fi*.a) *sf. Fil.* Doutrina ético-filosófica fundada pelo pensador argentino Carlos Bernardo González Pecotche (1901-1963) que, mediante processos originais, ensina como o indivíduo deve proceder para realizar um processo evolutivo e consciente de autotransformação psicológica. Estabelece que os pensamentos são autônomos e independentes da vontade individual, e que nascem e cumprem suas funções sob a influência de estados psíquicos ou morais, próprios ou de outrem. Tem como finalidade libertar a faculdade de pensar das influências sugestivas, para que o indivíduo, pensando melhor, compreenda os verdadeiros objetivos da vida e descubra o Criador no conhecimento e cumprimento das leis universais [F.: *log(o)- + -sofia.*]

logosófico (lo.go.*só*.fi.co) *a. Fil.* Ref. a logosofia [F.: *logosofia + -ico*[2].]

logotecnia (lo.go.tec.*ni*.a) *sf.* Ciência ou estudo do significado e do emprego das palavras [F.: *log(o)- + -tecnia.*]

logotécnico (lo.go.*téc*.ni.co) *a.* **1** Ref. à logotecnia *sm.* **2** Especialista em logotecnia [F.: *logotecnia + -ico*[2].]

logotipia (lo.go.ti.*pi*.a) *sf. Art. gr.* Composição tipográfica que us. logotipos [F.: *logotipo + -ia*[1].]

logotipo (lo.go.*ti*.po) *sm.* **1** *Publ.* Símbolo que identifica uma empresa, marca, produto etc. constituído ger. por uma imagem e/ou estilização de letra(s) em desenho fixo e característico **2** *Tip.* Matriz ou tipo formado pela reunião, numa só peça, de duas ou mais letras [F.: *log(o)- + -tipo.* Cf.: *logomarca.*]

logrado (lo.*gra*.do) *a.* Vítima de logro (2); ENGANADO; INTRUJADO: "No dia em que a universidade me atestou, em pergaminho, uma ciência que eu estava longe de trazer arraigada no cérebro, confesso que me achei de algum modo logrado, ainda que orgulhoso." (Machado de Assis, *Memórias póstumas de Brás Cubas*) [F.: Part. de *lograr.*]

logrador (lo.gra.*dor*) [ô] *a.* **1** Diz-se de indivíduo que logra, que trapaceia; EMBUSTEIRO; ENGANADOR [Fem.: *logradeira.*] *sm.* **2** Indivíduo dado a enganar, trapacear, ludibriar outrem [Fem.: *logradeira.*] [F.: *lograr + -or.*]

logradouro (lo.gra.*dou*.ro) *sm.* **1** O que é ou pode ser fruído ou logrado por alguém: "Não era aquela mulher que lhe convinha. Tinha-a como um sonho, não a aceitava na realidade. Servia para logradouro da imaginação." (Coelho Neto, *Água de Juventa*) **2** Pastagem pública para o gado **3** Grande largo, rossio, terreiro; quintal que fica junto a alguma casa para servir de estrumeira ou para qualquer outro uso **4** Rua, praça, jardim, parque etc. de uso público: *O catálogo traz o nome de todos os logradouros.* [F.: *lograr + -douro.*]

logramento (lo.gra.*men*.to) *sm.* Ação ou resultado de lograr, de ludibriar; LOGRAÇÃO; LOGRO [Ant.: *deslogramento.*] [F.: *logra(r) + -mento.*]

lograr (lo.*grar*) *v.* **1** Obter, conseguir, alcançar [*td.*: *Com muito esforço, logrou formar-se em medicina.*] **2** Enganar, ludibriar, iludir [*td.*: *O máu-caráter costumava lograr os próprios amigos.*] **3** Desfrutar (algo) que se conquistou [*td.*: *O time logrou uma bela conquista.*] **4** Ter êxito [*int.*: *O projeto logrou.*] [▶ 1 lograr] [F.: Do lat. *lucrare.* Hom./Par.: *logro* (fl. de *lograr*), *logro* (sm.).]

logro (*lo*.gro) [ô] *sm.* **1** Ação ou resultado de lograr; FRUIÇÃO **2** Ato de má-fé para enganar alguém; ARDIL; FRAUDE; ENGANO: "Quando Afonso, arrebatado ao enlevo da carícia que já libava no hálito perfumado, deu acordo de si, tinha-lhe fugido a menina dentre os braços, e uma risada fresca e límpida trinava ali perto, entre as moitas. Este logro abateu o gênio folgazão do moço." (José de Alencar, *Til*) [F.: Do lat. *lucrum, i*, por via popular.]

loiça (*loi*.ça) *sf.* Ver *louça*

loira (*loi*.ra) *sf.* Ver *loura*

loiro (*loi*.ro) *a. sm.* Ver *louro*

loja (*lo*.ja) [ó] *sf.* **1** Casa comercial onde se expõem e vendem produtos **2** Pavimento térreo de qualquer prédio; casa térrea que serve de oficina, de armazém ou mesmo de habitação **3** Cocheira, átrio por onde entram as carruagens: "Desceu as lojas do palácio, e escondeu-se no desvão de uma velha cavalariça." (Camilo Castelo Branco, *O judeu*) **4** *Bot.* Cada uma das subdivisões de uma antera [F.: Do fr. *loge.*] ■ **~ de capela** *Lus.* Armarinho **~ de conveniência** **1** *Bras.* Loja, ger. em pontos de passagem (estradas, postos de gasolina etc.) e aberta 24 horas por dia, para venda de alguns produtos de consumo, como bebidas, cigarros, revistas etc. **2** Loja que se caracteriza pelo atendimento rápido e preços ger. menores que os vigentes nas lojas tradicionais **~ de departamentos** *Bras.* Loja de grande porte, dividida em seções especializadas por tipo de produto **~ de miudezas** *Bras.* Armarinho **~ de secos e molhados** Armazém de secos e molhados **~ maçônica** **1** Casa ou lugar no qual se reúnem membros de ordem maçônica **2** *P. ext.* Seção de ordem maçônica [Tb. apenas *loja* (nas duas acps.).]

loja-âncora (lo.ja-*ân*.co.ra) *sf.* Loja de grande porte e bem conhecida que funciona como suporte comercial de um *shopping center* [Tb. se diz apenas *âncora.*] [Pl.: *lojas-âncoras* e *lojas-âncora.*]

lojista (lo.*jis*.ta) *s2g.* **1** Dono ou empregado de loja *a2g.* **2** Ref. ao comércio de loja (comércio lojista) [F.: *loja*[1] *+ -ista.*]

lolita (lo.*li*.ta) *sf.* Jovem adolescente do sexo feminino considerada bela e sedutora [F.: Do antr. *Lolita*, ficcionímo. do livro de Nabokov que leva seu nome.]

lomba[1] (*lom*.ba) *sf.* **1** Cumeada, lombada de uma colina, serra ou monte: "dominado no ocidente pelas lombas mais altas de flancos em escarpas." (Euclides da Cunha, *Os sertões*) **2** Rua inclinada; LADEIRA **3** Crista arredondada **4** *RS* Declividade de morros ou coxilhas de pouca elevação; LOMBADA **5** Pequeno montículo de terra ou areia naturalmente existente ou formado pela ação do vento; DUNA [F.: De *lombo.*]

lomba[2] (*lom*.ba) *sf. Bras. Pop.* Falta de disposição para trabalhar ou para fazer qualquer coisa; INDOLÊNCIA; PREGUIÇA [F.: Red. de *lombeira.*]

lombada (lom.*ba*.da) *sf.* **1** *S S. E.* Protuberância transversal em rua ou estrada para forçar a redução da velocidade de veículos; QUEBRA-MOLAS **2** Aclive e declive acentuados em rua ou estrada **3** *Bibl.* Num livro, o lado oposto ao do corte vertical, onde se costuram ou colam os cadernos e onde, depois de encadernado, costuma-se ler o nome do autor e o título; DORSO; LOMBO **4** O dorso de um bovino em todo o seu comprimento **5** *RS* Declividade de coxilhas ou morros baixos; LOMBA [F.: *lombo + -ada*[1].]

lombalgia (lom.bal.*gi*.a) *sf. Med. Pat.* Dor lombar causada por problemas na coluna vertebral e afecções que atingem as vísceras daquela região [F.: *lomb(o)- + -algia.*]

lombar (lom.*bar*) *a2g. Anat.* Ref. ou pertencente ao lombo, a parte do dorso entre o tórax e a bacia (coluna lombar; dor lombar) [F.: *lombo + -ar*[1].]

lombardo[1] (lom.*bar*.do) *sm.* **1** Aquele que nasceu ou que vive na Lombardia (Itália) **2** *Gloss.* O dialeto da Lombardia *a.* **3** Da Lombardia; típico dessa região ou de seu povo [F.: Do it. *lombardo.*]

lombardo[2] (lom.*bar*.do) *a. Zool.* Diz-se do touro de pelagem negra, acastanhada no lombo [F.: Do cruz. de *lombo* e (*p*) *ardo.*]

lombeira[1] (lom.*bei*.ra) *sf. Pop.* Pouca disposição para a atividade; PREGUIÇA; INDOLÊNCIA: "Despertando, ouvindo o ruído manso da água tão limpa e tão fresca rolando sobre o pedregulho, tive ganas de me banhar; até perdi para quebrar a lombeira" (Simões Lopes Neto, *Contos gauchescos*) [F.: *lombo + -eira.*]

lombeira[2] (lom.*bei*.ra) *sf.* **1** *Lus.* Lombo, dorso **2** *Bras. Pop.* Indolência, preguiça **3** *Bras. Pop.* Estado de sonolência, de cansaço: "Eu olhava aquele bom suor, nas costas do Garanço. Ele atirava. Eu atirava. A vida era assim mesmo, coração quejando. Até me caceteou uma lombeira." (João Guimarães Rosa, *Grande sertão: veredas*) [F.: Fem. de *lombeiro.*]

lombeiro (lom.*bei*.ro) *a.* **1** *Pop. Anat.* Ref. a ou próprio da região lombar; LOMBAR *a.* **2** *Lus.* Diz-se de indivíduo preguiçoso, indolente *sm.* **3** *Lus.* Pelo ou couro de certos animais [F.: *lombo + -eiro.*]

lombilho (lom.*bi*.lho) *Bras. sm.* **1** O apero que, nos arreios, substitui a sela comum, o selim e o serigote **2** Músculo lombar da rês **3** *Cul.* Esse músculo preparado como iguaria, ger. assado no forno [F.: Do plat. *lomillo.*]

lombinho (lom.*bi*.nho) *sm.* **1** Pequeno lombo **2** *Bras.* Peça muito tenra de carne que se localiza na região lombar dos animais de corte **3** Essa peça de carne nos suínos **4** *Cul.* Essa mesma peça quando preparada como iguaria [Dim. de *lombo.*] [F.: *lomb(o) + -inho.*]

lombo (*lom*.bo) *sm.* **1** Costas, dorso **2** Parte carnosa muito tenra que fica entre a espinha dorsal e as costelas, tanto de um lado quanto do outro, da rês (lombo de boi) **3** Prato preparado com essa carne **4** *Enc.* Lombada (3) **5** A superfície exterior ou convexa da telha **6** Elevação, altura, eminência [F.: Do lat. *lumbus, i.*] ■ **Endurecer o ~** *S.* Contrair (cavalgadura) o lombo para corcovear **~ falso** *Enc.* Tira de papelão colada no lado interno da parte do revestimento da capa que corresponde à lombada, mantendo esta parte afastada do dorso dos cadernos; falso-dorso **Ter ~ para** *Fig. Pop.* Não obedecer, resistir a comando, rebelar-se **Ter ~ para** *Fig. Pop.* Ter resistência para (algo), ter capacidade de suportar

lombociatalgia (lom.bo.ci.a.tal.*gi*.a) *sf. Med. Pat.* Dor na região lombar, associada a uma nevralgia ciática [F.: *lombo + ciat(i/o)- + -algia.*]

lombodorsal (lom.bo.*dor*.sal) *a2g. Anat.* Ref. às regiões lombar e dorsal [Pl.: *-sais.*] [F.: *lombo + dorsal.*]

lombra (*lom*.bra) *sm. Bras. Gír.* Entre usuários de ou viciados em droga (esp. maconha), o(s) efeito(s) decorrente(s) de seu uso [F.: orig. obsc.]

lombrical (lom.bri.*cal*) *a2g.* Ver *lumbrical*

lombriga (lom.*bri*.ga) *sf. Zool.* Vermes nematódeo (*Ascaris lumbricoides*), parasita do intestino humano; BICHA: "Procurando bem/ Todo mundo tem pereba/ Marca de bexiga ou vacina/ E tem piriri, tem lombriga, tem ameba/ Só a bailarina que não tem" (Chico Buarque, *Ciranda da bailarina*) [F.: Do lat. *lumbricus, i.*]

lombrigueiro (lom.bri.*guei*.ro) *sm. Bras.* Vermífugo, medicamento para expelir lombrigas [F.: *lombriga + -eiro.*]

lombrosiano (lom.bro.si.*a*.no) *a.* **1** Que segue os princípios desenvolvidos pelo criminologista Cesare Lombroso (1835-1909) quanto aos componentes físicos da personalidade do criminoso (o *lombrosianismo*; tb. *lombrosianista*) **2** Diz-se de indivíduo que apresenta traços físicos, típicos de criminoso nato, segundo teoria, não mais aceita, do criminologista italiano Cesare Lombroso (1835-1909) *sm.* **3** Aquele que apresenta esses traços físicos **4** Aquele que é lombrosiano (1) [F.: Do antr. *Lombroso + -i- + -ano.*]

lombrou (lom.*brou*) *interj. RJ Gír.* Expressa que algo não ocorreu como o esperado [F.: Fl. de *lombrar.*]

lombudo (lom.*bu*.do) *a.* Que tem lombos grandes [F.: *lombo + -udo.*]

lona (*lo*.na) *sf.* **1** Tecido grosso e resistente próprio para coberturas, tendas, velas, sacos etc. **2** Tecido tratado à base de látex, us. na fabricação de pneus, freios etc. **3** Tenda sob a qual grupos artísticos apresentam espetáculos **4** *Lud.* No jogo da porrinha, o equivalente a zero ponto, quando o jogador nada tem na mão [F.: Do top. *Olonne*, cidade francesa onde esse tecido era fabricado.] ■ **Beijar a ~** *Pug.* Cair (boxeador) na lona do ringue, atingido por golpe do adversário **Na ~** *Pop.* Ver *Na última lona* **Na última ~** **1** *Bras. Pop.* Em mau estado, quase completamente desgastado **2** Sem dinheiro ou recursos; sem um tostão

lonca (*lon*.ca) *Bras. sf.* **1** *RS* Parte do couro de cavalo (ou burro, jumento etc.), nos flancos do animal, desde a base do pescoço até as ancas **2** *MG RS* Tira fina que se retira do couro raspado para fazer trançado [F.: Do espn. plat. *lonja.*] ■ **Dar a ~** *RS Pop.* Morrer

londrino (lon.*dri*.no) *sm.* **1** Aquele que nasceu ou que vive em Londres, capital da Inglaterra (Europa) *a.* **2** De Londres; típico dessa cidade ou de seu povo [F.: Do top. *Londr(es) + -ino*[1].]

longa (*lon*.ga) *sf.* **1** *Ant. Arm.* Arma de cano fino e comprido, que se carregava pela boca **2** *Ant. Mús.* Antigo instrumento musical de sopro; espécie de trombeta que se assemelhava à charamela (instrumento medieval de sopro) **3** *Mús.* Instrumento musical de percussão, de origem africana, us. em Portugal **4** *Bras. Vest.* Saia de comprimento longo: *O inverno* *será marcado pelas longas.* 5 *Fon. Gram.* Vogal ou sílaba em que a voz se prolonga por certo tempo e que equivale a duas breves [F.: fem. substv. de *longo*.]

longada (lon.*ga*.da) *sf. Ant.* Ação de se distanciar; ida para longe; AFASTAMENTO; DISTANCIAMENTO [F.: *longo* + *-ada*.] ∷ **De ~** 1 Durante muito tempo, demoradamente 2 Para muito longe, de viagem: *Partiram de longada, só voltam mês que vem.*

longa-metragem (lon.ga-me.*tra*.gem) *sm. Cin.* Filme cinematográfico com duração superior a 70 minutos, de caráter ficcional ou documental, que constitui o cerne de uma sessão comercial de cinema [Pl.: *longas-metragens*.] [F.: Do fem. de *longo* + *metragem*. Cf.: *curta-metragem*.]

longânime (lon.*gâ*.ni.me) *a2g.* 1 De grande generosidade; MAGNÂNIMO [Ant.: *mesquinho*.] 2 Corajoso, valente 3 Paciente, conformado [F.: Do lat. tard. *longanimis, e*.]

longanimidade (lon.ga.ni.mi.*da*.de) *sf.* 1 Qualidade de longânime 2 Disposição natural do ânimo para suportar com serenidade e resignação as contrariedades, insultos, vexames e ofensas: "Nunca se lhe ouvia um queixume, nunca articulou uma acusação contra Flores. Sofria todos os desmandos do marido com resignação e longanimidade." (Lima Barreto, *Clara dos Anjos*) 3 Esquecimento completo de males e reveses sofridos 4 Generosidade, magnanimidade [F.: Do lat. tard. *longanimitas, atis*.]

longarina (lon.ga.*ri*.na) *sf. Cons.* Viga longitudinal que serve de sustentação a qualquer estrutura (ponte, automóvel, vagão, barco, asa ou fuselagem de avião etc.) [F.: Do fr. *long(ue)rine*, posv. pelo it. *longarina* ou *longherina*.]

longa-vida (lon.ga-*vi*.da) *a2g.* Que é protegido do ar e da luz, conservando-se esterilizado, em perfeitas condições para o consumo, por estar acondicionado em embalagem adequada (leite, vinho etc.)

longe (*lon*.ge) *adv.* 1 A grande distância no espaço ou no tempo: *Minha formatura ainda está longe; Mora longe do trabalho.* *a2g.* 2 Muito afastado, no tempo ou no espaço; LONGÍNQUO: *histórias de terras e tempos longes.* *interj.* 3 Expressão de aversão ou repugnância [Ant.: *perto*. F.: Do lat. *longe*, 'ao longo'; 'ao longe'.] ∷ **Ao ~** A grande distância: *Ouviu ao longe o canto do galo.* **De ~** 1 De grande distância (no tempo ou no espaço): *Veio de longe, por isso demorou a chegar; Essas práticas são antigas, veem de longe.* 2 Com grande diferença de quantidade, tamanho, qualidade ou intensidade (para mais ou para menos), folgadamente: *O Maracanã era, de longe, o maior estádio do mundo; Ela é, de longe, a pior mentirosa da família, se atrapalha toda com as próprias mentiras.* **De ~ a/em ~** 1 Em pontos ou lugares muito distantes entre si; com grandes intervalos de espaço ou trechos de caminho 2 Uma vez ou outra, em ocasiões pouquíssimo frequentes **Enxergar/ver ~** Ter perspicácia para perceber o rumo das coisas, possíveis oportunidades ou problemas **Ir (muito) ~** 1 Avançar (no espaço) em relação ao ponto de partida, distanciar-se 2 *Fig.* Progredir (material ou espiritualmente, profissionalmente etc.), melhorar de vida: *É muito talentosa e diligente, sem dúvida irá longe.* 3 Desenvolver-se (situação) para melhor ou para pior: *Se não tomarmos providências, essa indisciplina irá longe.* 4 Exagerar no que faz ou diz, exceder-se: *Agora você foi (muito) longe nas críticas, e ofendeu o rapaz.* **~ de** 1 A grande distância de, distante de (no tempo, no espaço, na perspectiva): *Moro longe de você; Ainda estamos longe do fim do século; Ainda estamos longe de uma solução.* 2 *Fig.* Desligado de, afastado de, sem interesse em: *Prefiro continuar longe da política.* 3 *Fig.* Sem condições para, sem entendimento para: *Ela ainda está longe de dominar essa técnica.* 4 Ao contrário de, ao invés de: *Longe de se resignar, lutou até vencer a doença.*

longes (*lon*.ges) *smpl.* 1 *Art. pl.* Objetos que, representados em tela, parecem distantes 2 Traços imprecisos, vagos; indícios vagos de alguém ou algo: *Seu rosto tem uns longes típicos da mãe.* 3 Grandes distâncias, tanto de espaço, quanto de tempo: *O avião se perdeu até desaparecer nos longes da montanha; Este acontecimento remonta aos longes de 1910.* 4 *P. us.* Suspeitas, pressentimentos, presságios: *Tenho meus longes de que, mais cedo ou mais tarde, a inflação vai voltar.* [F.: Pl. subst. de *longe*.]

longevidade (lon.ge.vi.*da*.de) *sf.* 1 Longa duração de vida; maior duração da vida do que de ordinário: *Parte do segredo da longevidade está na alimentação e nos hábitos.* 2 *P. ext.* Durabilidade, resistência: *a longevidade de uma máquina; a longevidade de um conceito.* [F.: Do lat. tard. *longaevitas, atis*.]

longevo (lon.*ge*.vo) [é] *a.* 1 Que atingiu idade bastante avançada; de vida longa; IDOSO: "Que inda em flor da vida arranco/ Ao jovem, sem compaixão, / A donzela pudibunda/ Ou ao longevo ancião?" (Gonçalves Dias, *Primeiros cantos*) [Ant.: *jovem*] 2 *Fig.* Duradouro (crença longeva; militância longeva) [F.: Do lat. *longaevus, a, um*.]

◎ **longi-** *el. comp.* = 'longo'; 'extenso': *longicaule, longicórneo, longilíneo* [F.: Do lat. *longus, a, um*.]

longicórneo (lon.gi.*cór*.ne:o) *a.* 1 *Zool.* Que tem a antena tão longa ou mais longa que o corpo *sm.* 2 *Zool.* Inseto cuja antena é tão longa ou mais longa do que o próprio corpo [F.: *longi-* + *-córneo*.]

longilíneo (lon.gi.*lí*.ne:o) *a.* 1 De constituição comprida e delgada (figura longilínea) 2 Diz-se de animal cujo tronco e membros são mais afilados que a média da espécie [F.: *long(i)-* + *-líneo*.]

longínquo (lon.*gín*.quo) *a.* 1 Que está muito longe no espaço ou no tempo (lugar longínquo; época longínqua) 2 Que nos chega de uma grande distância aos sentidos: "Daí a pouco, porém, uma toada longínqua de harpas, doçainas e saltérios sussurrou a espaços trazida nas lufadas do vento." (Alexandre Herculano, *O bobo*) 3 Que há de vir muito tarde (sonho longínquo) 4 *Fig.* Remoto, quase imperceptível (longínqua semelhança) [Ant.: *próximo*.] 5 *Fig.* Alheado, absorto (expressão longínqua) [F.: Do lat. *longinquus, a, um*.]

longitude (lon.gi.*tu*.de) *sf.* 1 Grande extensão que separa um espaço do outro; lonjura, distância 2 *Geog.* Distância angular entre o meridiano 0º (Greenwich) e qualquer ponto da Terra: *O Rio de Janeiro está à longitude de 34º 53' a oeste de Greenwich.* [F.: Do lat. *longitudo, inis*.] ∷ **~ celeste** *Astron.* Na esfera celeste, a distância angular sobre a eclíptica entre o ponto vernal (ponto de interseção do equador da esfera celeste com a eclíptica) e o ponto em que o astro está sobre a eclíptica (interseção do meridiano celeste do astro com a eclíptica) **~ terrestre** *Geog.* Na esfera terrestre, distância angular no equador entre o ponto em que este é interceptado pelo meridiano de Greenwich e o ponto em que é interceptado pelo meridiano onde se encontra o observador

longitudinal (lon.gi.tu.di.*nal*) *a2g.* 1 Que tem o sentido do comprimento (corte longitudinal) 2 Ref. à longitude (distância longitudinal) 3 *Anat.* Que está dirigido no sentido do comprimento ou do eixo principal de um órgão, de um corpo ou de uma parte de algum corpo [Pl.: *-nais*.] [F.: Do lat. *longitudo, inis*, 'extensão em comprimento', + *-al*.]

longo (*lon*.go) *a.* 1 Bem comprido, de comprimento superior à média (cabelos longos) [Ant.: *curto*] 2 Que se estende a uma grande distância (longo percurso) 3 Que dura ou demora muito; duradouro, demorado (longas conversas) 4 *Fon.* Nas línguas em que a duração constitui um traço distintivo, diz-se do fonema ou sílaba de realização mais prolongada em relação a outros dessa mesma língua [Ant.: *breve*.] *sm.* 5 Comprimento: *A pista de decolagem tem quase três quilômetros de longo.* 6 Traje feminino, ger. formal, cuja saia chega até os pés: *A aniversariante vestia um longo de gaze amarela.* *adv.* 7 Com vagar, demoradamente: *O professor instruiu-a a respirar longo antes de repetir o exercício.* [F.: Do lat. *longus, a, um*.] ∷ **Ao ~ de** 1 Em movimento, posição ou percurso longitudinal, que segue ou acompanha o comprimento ou a altura de algo. *A bola rolou ao longo da linha lateral. O barco seguia, ao longo do rio;* "Indolentemente reclinado numa otomana, ao longo da qual estendera uma das pernas, Procópio Dias fumava com volúpia e falava com precaução..."(Machado de Assis, *Iaiá Garcia*) 2 Usa-se para dar ideia de sequência linear no espaço, de uma série de coisas dispostas junto de (algo comprido, como um caminho, estrada etc.) ou seguindo um percurso): *Para não se perderem, João e Maria jogaram pedrinhas ao longo do caminho pela floresta; Plantou árvores ao longo da estrada.* 3 Durante (certo tempo); no decurso de (período de tempo mencionado): *A situação foi mudando, ao longo dos últimos anos.* [Ger. expressa ideia de largo tempo transcorrido: *Ao longo de três intermináveis minutos, todos fizeram silêncio, em tensa expectativa.*] 4 Usa-se para dar ideia de repetição, de sucessão no tempo. *Ao longo dos anos, firma investiu em novos ramos de atividade.* **De ~ a ~** Do início ao fim, de ponta a ponta

longobardo (lon.go.*bar*.do) *a. sm.* Ver *lombardo* [F.: Do lat. medv. *longobardus*.]

⊕ ***long-play*** (*Ing.* /lôngplêi/) *sm.* Disco fonográfico, de 10 a 12 polegadas, gravado em microssulcos e tocado à velocidade de 33, 33 rotações por minuto; ELEPÊ [Pl.: *long-plays*.]

longuidão (lon.gui.*dão*) *P. us. sf.* Ver *longura* [F.: *longo* + *-idão*.]

longura (lon.*gu*.ra) *sf.* 1 Qualidade, condição ou característica do que é longo 2 A extensão no espaço de alguma coisa 3 *Fig.* Tempo excessivo de espera; DELONGA; DEMORA [F.: *longo* + *-ura*. Sin. ger.: *longuidão*.]

lonita (lo.*ni*.ta) *sf. Têxt.* Tecido grosso de algodão, menos encorpado e mais maleável que a lona [F.: *lona* + *-ita*.]

lonjura (lon.*ju*.ra) *sf.* 1 *Pop.* Grande distância: "...Teu olho cansado, / mas afeito a ler no campo/ uma lonjura de léguas,/ e na lonjura uma rês/ perdida no azul azul,/ entrava-nos alma adentro..." (Carlos Drummond de Andrade, *A mesa*) 2 Local muito distante (e por vezes até deserto, ermo) [F.: *longe* + *-ura*.]

lonquear (lon.que.*ar*) *v. td.* 1 *RS* Remover (pelo) de qualquer couro mediante raspagem à faca 2 Retirar (couro) de animais mortos no campo [▶ 13 loquear] [F.: Do plat. *lonjear*.]

lontra (*lon*.tra) *sf. Zool.* Designação comum a diversos mamíferos aquáticos da fam. dos mustelídeos, especialmente aqueles do gên. *Lutra*, de ampla distribuição mundial, corpo longo e cilíndrico, pernas curtas com patas palmadas e cauda achatada, o que os torna bons nadadores e mergulhadores [F.: Do lat. *lutra, ae*.]

⊕ ***loop*** (*ing.: /lup/*) *sm.* 1 Manobra de acrobacia aérea de um aeroplano, na qual, a partir de um voo horizontal, ele eleva seu bico, ascende numa trajetória circular até ficar em posição invertida (com a parte de cima voltada para baixo), e continua nessa trajetória, baixando, até de novo estar em posição normal e em trajetória horizontal 2 *Inf.* Num programa de computador, série de instruções na qual, a partir de certo ponto, volta-se ao ponto inicial da série, e assim indefinidamente ou até que se verifique determinada situação programada (certo número de retornos, a natureza da instrução seguinte à série etc.) 3 *Inf.* A execução dessa série na operação do computador ∷ **Aos ~s** Em zigue-zagues; em movimentos sinuosos **Encurtar os ~s** *S.* Não dizer palavra, ficar calado

⊕ ***looping*** (*ing.* /lupin/) *sm. Aer.* Acrobacia aérea em que um avião descreve círculos que o levam para baixo [Pl.: *loopings* (*ing.*).]

loquacidade (lo.qua.ci.*da*.de) *sf.* 1 Qualidade de loquaz; grande capacidade para falar, discursar, verbalizar; FACÚNDIA; ELOQUÊNCIA: "Jornalista, empresário, Schimdt era (...) o amigo constante (...) com o dom de atenuar-lhe os revezes com a veemência de sua loquacidade." (Josué Montello, *O Juscelino Kubitschek de minhas recordações*) 2 *Pej.* Verbosidade levada a extremos; VERBORREIA; TAGARELICE [F.: Do lat. *loquacitas, atis*.]

loquaz (lo.*quaz*) *a2g.* 1 Que fala muito, que não economiza palavras; FALADOR; VERBOSO; PALRADOR: "E olhei ansiosamente para o dr. Margaride, que, pelo loquaz padre Casimiro, conhecia talvez o testamento da titi." (Eça de Queirós, *A relíquia*) [Ant.: *calado*.] 2 *P. ext.* Eloquente (orador loquaz) [Superl.: *loquacíssimo*.] [F.: Do lat. *loquax, acis*.]

loque (*lo*.que) *sm. Farm. Med.* Xarope composto de mucilagem e emulsão, us. em infecções do aparelho respiratório [F.: Do lat. med. *lohac*.]

◎ **-loquia** *el. comp.* = 'fala'; 'discurso'; 'percepção': *pectoriloquia, ventriloquia* [F.: Do lat. *loquus, a, um* ou *-loquus, i* (ver *-loquo*) + *-ia*[1]. F. conexa: *-lóquio*.]

◎ **-lóquio** *el. comp.* = 'fala'; 'palavra', 'expressão'; 'conversa': *antelóquio, circunlóquio, colóquio, doctilóquio, elóquio, estultilóquio, prelóquio, prolóquio, solilóquio, turpilóquio, vanilóquio* [F.: Do lat. *-loquium, ii*, do v.lat. *loqui*, 'falar', 'discorrer'. F. conexa: *-loquo*.]

◎ **-loquo** *el. comp.* = 'que fala', 'que se expressa': *altíloquo, blandíloquo, brandíloquo, doctíloquo, dulcíloquo, fatíloquo, flexíloquo, grandíloquo, magníloquo, multíloquo, paucíloquo, soníloquo, suavíloquo, uníloquo, vaníloquo, ventríloquo* [F.: Do lat. *-loquus, i*, do v.lat. *loqui*, 'falar', 'discorrer'. F. conexa: *-lóquio*.]

lorantácea (lo.ran.*tá*.ce:a) *sf. Bot.* Espécime das lorantáceas, fam. de dicotiledôneas parasitas, formada por pequenos arbustos fixos nos ramos das árvores, com folhas opostas ou ternadas, flores muito grandes e vistosas, frutos bacáceos ou drupáceos; nativas de regiões tropicais e temperadas, algumas são conhecidas, no Brasil, como erva-de-passarinho [F.: Adapt. do lat. cient. *Loranthaceae*.]

lorde (*lor*.de) [ó] *sm.* 1 Na Grã-Bretanha, título honorífico de nobreza, que significa senhor e que garante assento no parlamento (Câmara Alta, ou Câmara dos Lordes) 2 Quem ostenta esse título 3 Título concedido a certas autoridades ou ministros britânicos no exercício do cargo 4 *Bras. Pop.* Homem elegante e educado: *O noivo é encantador, um lorde!* *a2g.* 5 *Bras. Pop.* Diz-se de quem aparenta viver no luxo, no fausto (vida de lorde; pinta de lorde) [F.: Do ing. *lord*.]

lordose (lor.*do*.se) *sf.* 1 *Anat.* Curvatura normal, com convexidade anterior, das regiões cervical e lombar da coluna vertebral *sf.* 2 *Med.* Curvatura exagerada, com convexidade anterior, de qualquer dessas regiões da coluna vertebral, podendo ser causada por lesão ou por compensação [F.: Do gr. *lórdosis*. Cf.: *cifose* e *escoliose*.]

loreno (lo.*re*.no) *sm.* 1 Indivíduo nascido ou que vive em Lorena (França) *a.* 2 De Lorena; típico dessa cidade ou de seu povo [F.: Do top. *Loren(a)* + *-eno*[1].]

⊕ ***lorgnon*** (*Fr.* /lornhón/) *sm.* Tipo antigo de óculos sem hastes laterais, cujo apoio consiste em uma haste vertical que se segura com a mão [Pl.: *lorgnons* (*fr.*).]

loriga (lo.*ri*.ga) *sf.* 1 *Mil. Vest.* Vestimenta militar antiga que consistia em uma espécie de saia de malha com lâminas de aço ou escamas de ferro, e que fazia parte da armadura dos guerreiros 2 Assistência, amparo que se concede a alguém [F.: Do lat. *lorica*.]

loro (*lo*.ro) [ó] *sm.* 1 Correia dupla que sustenta o estribo e que está afivelada à sela ou selim 2 Tira de couro que serve para prender ou atar alguma coisa 3 Parte da cabeça das aves, entre a base do bico e os olhos 4 Peça da boca de alguns insetos 5 Filamento de certos liquens [F.: Do lat. *lorum*.] ∷ **Aos ~s** Em zigue-zagues; em movimentos coleantes, sinuosos **Encurtar os ~s** *S.* Não dizer palavra, ficar calado

lorota (lo.*ro*.ta) *Bras. Pop. sf.* 1 Dito, história ou narração falsos; MENTIRA *sf.* 2 Bazófia, gabolice [F.: De or. obsc.]

loroteiro (lo.ro.*tei*.ro) *sm.* Pessoa que tende a contar lorotas; MENTIROSO [F.: *lorot(a)* + *-eiro*.]

lorpa (*lor*.pa) [ô] *s2g.* 1 Pessoa idiota, tola [Ant.: *esperto*] 2 Indivíduo grosseiro, boçal, rude [F.: De or. obsc.]

losângico (lo.*sân*.gi.co) *a.* Que tem forma de losango (espelho losângico) [F.: *losango* + *-ico*.]

losango (lo.*san*.go) *Geom. sm.* Quadrilátero de lados iguais com dois ângulos agudos e dois obtusos; ROMBO [F.: Do fr. *losange*.]

losangular (lo.san.gu.*lar*) *a2g.* Que se apresenta em forma de losango [F.: Posv. de *losângulo (cruz. de *losango* + *ângulo*) + *-ar*[1].]

losna (*los*.na) *sf. Bot.* Erva aromática de sabor amargo, us. para infusões, licores etc.; ABSINTO [F.: Do lat. tard. *aloxina*.]

lotação (lo.ta.*ção*) *sf.* 1 Ação ou resultado de lotar 2 Capacidade máxima de pessoas que um recinto ou um veículo podem comportar: *A lotação do cinema estava esgotada.* 3 Número de pessoas em determinado recinto: *Houve excesso de lotação no coquetel de abertura.* 4 Alocação de funcionário em órgão, setor etc., em que ele está alocado 5 Cálculo da capacidade de carga que um navio tem: *A lotação deste navio é de duas mil toneladas.* 6 Mistura de um vinho com outro ou outros, os quais vão dar ao primeiro qualidades que não tinha e que existem nestes em larga escala 7 Cômputo do que pode render um cargo ou emprego público 8 Grupos de bestas de carga, ger. não excedente a dez [Pl.: *-ções*.] [F.: *lota(r)* + *-ção*.]

lotada (lo.*ta*.da) *sf. Bras.* Prática ilegal que consiste no uso de vans e kombis particulares como meio de transporte de massa: *Apesar da proibição de fazer lotadas, vans transportam 550 mil passageiros por dia.* [F.: F em. substv. de *lotado*.]

lotado (lo.*ta*.do) *a.* 1 Que se lotou; completamente cheio (ônibus lotado) 2 Colocado em determinado setor, departamento etc.: *funcionário lotado no gabinete do prefeito.* [F.: Part. de *lotar*.]

lotador (lo.ta.*dor*) [ô] *a.* 1 Que faz lotações 2 Que divide área em lotes 3 *Arm.* Diz-se de aparelho ou dispositivo que divide a pólvora, após fabricada, em lotes, em função de suas propriedades *sm.* 4 Pessoa que faz lotações 5 Indivíduo que divide área(s) em lotes 6 *Arm.* Dispositivo ou aparelho us. para dividir a pólvora em lotes, após sua fabricação [F.: *lotar* + *-dor*.]

lotar (lo.*tar*) *v.* 1 Preencher ou ficar totalmente preenchida a capacidade de (um veículo ou recinto) [*td.*: *O público lotou o cinema; Os passageiros lotaram o ônibus.*] [*int.*: *O restaurante lotou rapidamente.*] 2 Calcular a lotação de [*td.*] 3 *Bras.* Alocar (funcionário) (em posto, função, setor etc.) [*tda.*: *Lotou o funcionário no departamento de vendas.*] 4 Dividir em lotes; fazer o loteamento de; LOTEAR [*td.*: *lotar um terreno.*] 5 Misturar (vinhos) de diferentes qualidades [*td.*] [▶ 1 lotar] [F.: *lote* + *-ar*. Hom./Par.: *lota* (fl. de *lotar*), *lota* (sf.), *lotas* (fl. de *lotar*), *lotas* (pl.), *lote* (fl. de *lotar*), *lote* (sm.), *lotes* (fl. de *lotar*), *lotes* (pl.), *loto* (fl. de *lotar*), *loto* (sm. e sf.), *loto* [ô] (sm.).]

lote¹ (*lo*.te) *sm.* 1 Parte de uma partilha que cabe a alguém; QUINHÃO 2 Grupo de objetos, mercadorias etc. do mesmo tipo ou incluídos na mesma operação (lote de medicamentos) 3 Grupo de objetos leiloados juntos 4 *Bras.* Porção de um terreno que foi loteado, e que constitui unidade independente: *Compramos um lote naquele condomínio.* 5 Grupo de pessoas; MAGOTE 6 Qualidade, espécie, tipo 7 *Bras.* Cada grupo de animais, com um condutor, em que se dividem as tropas de carga 8 *Inf.* Conjunto de dados, arquivos etc. a serem processados como uma só unidade [F.: Do fr. *lot*. Hom./Par.: *lote* (sm.), *lote* (f. de *lotar*).]

lote² (*lo*.te) *sm.* Porção de peixe que se vende em leilão; LOTA [F.: Deriv. de *lotar*.]

loteado (lo.te:*a*.do) *a.* Que se dividiu em lotes (terreno loteado) [F.: Part. de *lotear*.]

loteamento (lo.te:a.*men*.to) *sm.* Divisão de terreno ou propriedade em lotes, ger. para venda [F.: *lotea(r)* + *-mento*.]

lotear (lo.te.*ar*) *v. td. Bras.* Dividir (terreno, propriedade) em lotes; LOTAR: *Loteou as terras que herdara.* [▶ 13 lotear] [F.: *lote* + *-ar*.]

loteca (lo.*te*.ca) *sf. Bras. Pop.* Loteria esportiva [F.: *lot(eria)* + *-eca*.]

loteria (lo.te.*ri*.a) *sf.* 1 Jogo que promove o sorteio de prêmios por meio de bilhetes numerados 2 *Fig.* Negócio cujo desfecho é imprevisível 3 Páreo em que estão inscritos muitos cavalos, dificultando a indicação do provável vencedor [F.: Do it. *lotteria*.] ■ **~ esportiva** Loteria oficial em se aposta sobre o resultado de 13 jogos de futebol apresentados num volante, marcando para cada jogo o time vencedor ou o empate (podendo-se fazer escolha dupla ou tripla no mesmo jogo), e pagando-se pelo total de escolhas feitas; *Pop.* loteca **~ instantânea** *Bras.* Aquela cujo resultado se sabe na hora da aposta, sem sorteio ou dependência de eventos ulteriores [São as raspadinhas e congêneres.]

lotérica (lo.*té*.ri.ca) *sf.* Estabelecimento onde se vendem bilhetes de loterias e/ou onde se fazem apostas [F.: red. de *casa lotérica*.]

lotérico (lo.*té*.ri.co) *a.* 1 Ref. a loteria *sm.* 2 *Bras.* Funcionário de casa lotérica [F.: *loter(ia)* + *-ico*.]

loto¹ (*lo*.to) [ó] *Bras. Lud. sf.* Modalidade de loteria em que são sorteadas cinco dezenas (a quina), quatro das cinco dezenas (a quadra) ou três das cinco dezenas (o terno); o prêmio maior vai para os que acertarem a quina [F.: red. de *loteria*. Hom./Par.: *loto* (fl. de *lotar*), *loto* [ô] (s. m.).]

loto² (*lo*.to) [ô] *sm. Lud.* Jogo em que os números sorteados são marcados na cartela de cada participante; VÍSPORA [F.: Do it. *lotto*.]

loto³ (*lo*.to) [ô] *Bot. sm.* Ver *lótus* [F.: Do gr. *lotós*, pelo lat. *lotu*. Hom./Par.: *loto* (fl. de *lotar*), *loto* [ô] (sm.).]

loto⁴ (*lo*.to) [ô] *sm. PB Vulg.* Orifício corporal localizado nas nádegas por onde se expelem as fezes; ÂNUS

lotófago (lo.*tó*.fa.go) *a.* 1 Que come os frutos do lótus 2 Ref. a ou próprio dos lotófagos, povo que habita pequenas ilhas na costa africana do Mar Mediterrâneo e que deve seu nome a essa predileção culinária *sm.* 3 Indivíduo dos lotófagos 4 Pessoa que se alimenta dos frutos do lótus [F.: Do lat. *lotophagi, orum*, prov. do gr. *lotophagoi*.]

lótus (*ló*.tus) *Bot. sm2n.* 1 Nome comum a algumas plantas do gên. *Nymphaea*, da fam. das ninfeáceas, p. ex., *Nymphaea lotus*, nativa da África, de flores grandes e brancas, tb. chamadas de lótus-sagrado-do-egito, nenúfar e ninfeia, muito cultivada como ornamental e pelos rizomas e sementes comestíveis *sm2n.* 2 A flor dessa planta [F.: Do gr. *lotós*, pelo lat. *lotu*. Sin. ger: *loto1, lodo, lódão*. Hom./Par.: *loto* (fl. de *lotar*), *loto* [ô] (sm.).]

louca (*lou*.ca) *sf. Bras. Pop.* Estado de insanidade mental, ger. temporária; DOIDICE [F.: F. substv. de *louco*.] ■ **Dar a ~ (em)** 1 *Bras. Pop.* Ter (alguém) acesso de loucura, ficar desvairado: *Deu a louca no mundo.* 2 Usa-se para dar ideia de que alguém comete um ato insensato, ou muda acentuadamente de comportamento **Estar com a ~** *Bras. Pop.* Ter acesso de loucura, desequilíbrio emocional ou de comportamento

louça (*lou*.ça) *sf.* 1 Qualquer artefato de cerâmica, porcelana etc., para uso doméstico 2 Material com que se fazem esses objetos: *pratos de louça.* 3 Aparelho de chá, jantar etc. de porcelana ou material semelhante: *Ganhei uma bela louça para chá.* 4 Conjunto das peças sanitárias de um banheiro 5 Chocalho que o gado traz ao pescoço 6 *Bras.* Urinol 7 *CE* Cafezinho 8 *CE* Xícara em que o cafezinho é servido, nos bares [F.: De or. duvidosa. Tb. *loiça*.] ■ **~ de chacota** Louça de má qualidade **~ sanitária** Qualquer das peças sanitárias de banheiro, como pia, bidê, vaso, banheira etc.

louçainho (lou.ça:*i*.nho) *a.* Cheio de enfeites, de adornos; LOUÇÃO; GARRIDO; ENFEITADO; VISTOSO [F.: De *louçainha*.]

louçania (lou.ça.*ni*.a) *sf.* 1 Qualidade ou característica do que é loução 2 Aspecto elegante 3 Aspecto viçoso [F.: *loução* (*louçan-*) + *-ia*.]

loução (lou.*ção*) *a.* 1 Muito elegante; GARBOSO 2 Cheio de brilho e frescor (rosa louçã); VIÇOSO [Pl.: *-çãos*. Fem.: *-çã*.] [F.: Do lat. **lautianus*.]

louco (*lou*.co) *a.* 1 *Psiq.* Que sofre de perturbações psíquicas, que não está em seu juízo perfeito 2 Que não é razoável, que contraria a razão, sendo, por isso, surpreendente, absurdo ou arriscado; INSENSATO: *Meteu-se numa louca aventura.* 3 Que se comporta de maneira extravagante, exagerada etc.: *Essa mulher é louca de gastar tanto assim em roupas.* 4 Que tem paixão por algo ou alguém: "Estou louca por ti." (Aluísio Azevedo, *O cortiço*) 5 Diz-se de quem faz coisas loucas (2), arriscadas etc.; IMPRUDENTE: *Que motorista louco, não respeita os sinais!* 6 Muito irritado; furioso: *Essa tua falta de pontualidade me deixa louca! sm.* 7 *Psiq.* Pessoa que sofre de perturbações psíquicas: *Muitos loucos têm talento artístico.* 8 *P. ext.* Pessoa que comete atos insensatos [F.: De or. obsc. Sin. ger.: *doido, maluco*. Hom./Par.: *loco* (sm.), *loco* (fl. de *locar*), *loco* [ô] (sm.).] ■ **~ de pedra** Completamente louco; louco varrido **~ manso** Pessoa mentalmente desequilibrada mas inofensiva, não agressiva **~ varrido** Ver *Louco de pedra*

loucura (lou.*cu*.ra) *sf.* 1 *Psiq.* Estado ou condição de louco; insanidade mental: *O paciente apresenta sintomas de loucura.* 2 Ação ou comportamento louco (2); INSENSATEZ: *Fazer um empréstimo agora será uma loucura.* 3 Paixão intensa por alguém ou algo: *Tem verdadeira loucura pelo filho.* [F.: *louc(o)* + *-ura*.] ■ **Apanhar ~** *Moç.* Ficar louco, enlouquecer

louquice (lou.*qui*.ce) *sf.* Ver *loucura* [F.: *louco* + *-ice*.]

loura (*lou*.ra) *sf.* 1 Mulher de cabelos louros 2 *Bras. Gír.* Cerveja clara [F.: Fem. substv. de *louro*³. Tb. *loira*.]

louraça (lou.*ra*.ça) *sf.* 1 *Pop.* Mulher de cabelos louros muito atraente: "Uma louraça Lúcifer. Gostosona. Uma louraça Satanás. Gostosona e provocante." (Fausto Fawcet, Carlos Laufer, *Kátia Flávia, a godiva de Irajá*) *s2g.* 2 *Pop.* Pessoa bisonha, bonachona, simplória [F.: Fem. de *loura* + *-aça*.]

loureiro (lou.*rei*.ro) *sm. Bot.* Árvore da fam. das lauráceas (*Laurus nobilis*), originária do Mediterrâneo, cujas folhas fortemente aromáticas são usadas como condimento em todo o mundo; LOIREIRO; LOURO [F.: *lour(o)* + *-eiro*.]

lourejar (lou.re.*jar*) *v.* Tornar(-se) louro ou alourado; AMARELECER [*td.*] [*int.*] [▶ 1 lourejar] [F.: *lour(o)* + *-ejar*.]

lourice (lou.*ri*.ce) *sf.* Condição ou estado de quem é louro: *A lourice da atriz assegurou-lhe o papel.* [F.: *louro* + *-ice*. Tb. *loirice*.]

louro¹ (*lou*.ro) *a.* 1 De cor clara, entre o amarelo, o dourado e o castanho-claro (diz-se de cabelo ou de pelos do corpo) 2 Que tem o cabelo louro (1) (menino louro) *sm.* 3 Pessoa de cabelos louros: *Meu irmão é aquele louro alto ali.* 4 A cor clara, entre o amarelo, o dourado e o castanho-claro: *O cabelo dela é de um louro meio acinzentado.* [F.: Do lat. *laurus*. Sin. ger.: *loiro*.]

louro² (*lou*.ro) *Bot. sm.* 1 Designação comum às árvores do gênero *Laurus*, da família das laureáceas, das quais se extrai madeira de muito boa qualidade *sm.* 2 Ver *loureiro* 3 A folha do loureiro (*Laurus nobilis*), tb. como condimento [Na Antiguidade, entre gregos e romanos, uma coroa de louros era concedida a vencedores de competições, ou como reconhecimento de mérito a artistas etc.] [F.: Do lat. *laurus*.]

louro³ (*lou*.ro) *Pop. sm.* Ver *papagaio* (1) [F.: De or. contrv., talvez do maori *nori*.]

louro-pardo (lou.ro-*par*.do) *sm. Bras. Bot.* Espécie de árvore (*Cordia trichotoma*) da família das boragináceas, nativa do Brasil, que chega a atingir 35 m de altura e possui folhas amplas, oblongas e flores brancas, sendo sua madeira, de coloração escura e macia, usada para múltiplos fins [Pl.: *louros-pardos*.]

louros (*lou*.ros) *smpl.* 1 Folhas de louro trançadas como grinalda e us. para coroar os vencedores na antiga Grécia 2 *Fig.* Glórias alcançadas por obras ou feitos de grande valor: *os louros da vitória.* [F.: Pl. de *louro*.]

lousa (*lou*.sa) *sf.* 1 Placa de concreto, cimento etc., ger. us. em construção; LAJE 2 Nas escolas, cursos e universidades, placa de ardósia, de vários tamanhos, ger. com moldura de madeira, na qual o professor escreve com giz; QUADRO-NEGRO 3 Pedra rasa colocada sobre túmulo [F.: Do pré-romano **lausa*.] ■ **~ de maçacote** *Arq.* Laje de pouca espessura, feita de maçacote (concreto à base de cal) para revestir piso de terra

louva-a-deus (lou.va-a-*deus*) *sm2n. Zool.* Denominação comum aos insetos da fam. dos mantídeos, com pernas dianteiras longas, adaptadas para a captura de presas; caçam esperando pela presa com as pernas dianteiras erguidas e juntas, o que lhes valeu o nome popular; *N.E.*; PÕE-MESA; *MG*; BENDITO

louvabilíssimo (lou.va.bi.*lís*.si.mo) *a.* Muito louvável [Superlativo absoluto sintético de *louvável*.] [F.: *louvável* com o suf. *-vel* sob a forma latina *bil* + *íssimo*.]

louvação (lou.va.*ção*) *sf.* 1 Ação ou resultado de louvar; LOUVOR 2 *Jur.* Parecer abalizado; LAUDO 3 *Bras.* Elogio em versos, feito por poetas ou cantadores populares [Pl.: *-ções*.] [F.: Do lat. *laudationem*.]

louvado (lou.*va*.do) *a.* 1 Que merece gratidão por seus feitos: *os louvados heróis da pátria.* 2 Que é digno de elogios: *uma obra muito louvada. sm.* 3 *Jur.* Perito que faz louvação (2) [F.: Part. de *louvar*.] ■ **Tomar ~** *Bras.* Pedir a bênção

louvador (lou.va.*dor*) [ô] *a.* 1 Que louva *sm.* 2 Pessoa que louva [F.: Do lat. *laudator, oris*.]

louvaminha (lou.va.*mi*.nha) *sf.* Louvor exagerado; ADULAÇÃO; BAJULAÇÃO [F.: De or. duvidosa.]

louvar (lou.*var*) *v. td.* 1 Dirigir louvores ou elogios a (alguém ou si mesmo); ELOGIAR(-SE): *Louvou o amigo em caloroso discurso; Louvou-se publicamente, sem modéstia.* 2 Aprovar(-se) ou aplaudir(-se): *Louvar uma iniciativa; Louvou-se pelo acerto da escolha.* 3 Exaltar, bendizer: *Louvar (a) Deus.* 4 Ter como de si mesmo o juízo ou a consideração de outrem: *Para fazer tal afirmação, louvou-se nos argumentos de seu mestre.* 5 *Jur.* Chegar a uma decisão a partir de um laudo 6 *Jur.* Nomear como louvado, como avaliador em uma causa 7 Fazer a avaliação ou o cálculo de: *Precisava louvar o que o avô lhe deixara por herança.* [▶ 1 louvar] [F.: do lat. *laudare*, pelo port. arc. *loar*. Ant. ger.: *censurar, condenar*.] ■ **~-se em** 1 Aceitar como válido, tomar como base de sua própria opinião ou decisão (opinião ou decisão alheia, lei, princípio etc.): *Louvou-se no parecer do especialista para decidir mudar o tratamento.* 2 Manifestar confiança, acreditar em: *Louvemo-nos na justiça.*

louvável (lou.*vá*.vel) *a2g.* Que é digno de louvor, de elogio (iniciativa louvável; atitude louvável) [Ant.: *reprovável*.] [Pl.: *-veis*. Superl.: *louvabilíssimo*.] [F.: Do lat. *laudabile(m)*.]

louvor (lou.*vor*) [ô] *sm.* 1 Glorificação, exaltação: *missa em louvor a um santo.* 2 Manifestação de admiração; reconhecimento de mérito; ELOGIO: *O candidato foi aprovado com louvor.* [F.: De *louvar*.] ■ **Com ~** Qualificação de excelência: *Foi aprovado com louvor.*

lovelace (lo.ve.*la*.ce) *sm.* Homem que se utiliza de todos os recursos e estratégias para conquistar, seduzir mulheres [F.: Do fr. *lovelace*, deriv. do nome de um personagem sedutor de mulheres do romance *Clarisse Harlowe* (1749), de autoria do escritor inglês Samuel Richardson (1689-1761). Cf.: *donjuan*.]

◎ **-lox(o)-** *el. comp.* Ver *lox(o)-*

◎ **lox(o)-** *el. comp.* = 'oblíquo': *loxodromismo; histeroloxia* [F.: Do gr. *loksós, é, ón*.]

LP *sm. Mús.* Sigla de *long-play*

LSD *sm. Quím.* Substância alucinógena ($C_{20}H_{25}N_3O$), popularizada nos anos 1960, originalmente us. em tratamento de distúrbios mentais [F.: Do ing. *LSD*, sigla de *lysergic acid diethylamide*.]

Lu *Quím.* Simb. de *lutécio*

lua (*lu*.a) *sf.* 1 *Astron.* Satélite de qualquer planeta do sistema solar: *Marte tem duas luas.* 2 A lua (1) que gira em volta da Terra, descrevendo uma órbita elíptica no espaço de 28 dias [Com inicial maiúscula.] 3 Mês lunar 4 O mesmo que *luar* 5 Qualquer objeto similar ao disco lunar 6 Humor instável, imprevisível; mau humor 7 Menstruação 8 Cio dos animais 9 Parte dianteira e arqueada da sela [F.: Do lat. *luna*. Ideia de 'lua': *selen (i/o)-*; *-lúnio*.] ■ **Estar de ~** *Pop.* Estar emocionalmente instável, irritadiço, de mau humor **~ artificial** *P. us. Astnáut.* Qualquer artefato ou veículo espacial colocado em órbita em torno de um astro; satélite artificial **~ cheia** *Astron.* Fase da Lua na qual esta apresenta sua face visível na Terra totalmente iluminada pelo Sol; plenilúnio **~ nova** *Astr.* Fase da Lua na qual sua face visível na Terra não reflete a luz do Sol, ficando totalmente obscura **Na ~** *Fig.* Desatento, distraído, longe da realidade; no mundo da Lua **Ser de ~** Ser de temperamento instável, sujeito a variações de humor, opinião e comportamento: *Não se surpreenda se ele mudar de ideia, sempre foi de lua.*

📖 Único satélite da Terra, e 49 vezes menor do que ela, a Lua orbita a sua volta a uma distância média de 384.000 km, num período de cerca de quatro semanas (27 dias, 7 horas e 43 minutos). Como a rotação em torno de seu eixo tem a mesma duração, a Lua tem sempre a mesma face voltada para a Terra. Em sua translação, a Lua varia de posição em relação ao conjunto Terra-Sol, o que faz com que varie também a visão, da Terra, da parte iluminada da superfície lunar; isso determina o fenômeno das fases da Lua, que vão da lua nova à lua cheia, passando pelo quarto crescente, e de novo à lua nova, passando pelo quarto minguante. A atração da Lua é importante fator na formação das marés. O estudo da Lua e sua características teve grande impulso com o envio de satélites artificiais e veículos lunares, esp. as missões tripuladas Apolo. Em 1969, os astronautas da nave norte-americana Apolo 11 foram os primeiros homens a pisar em solo lunar.

luaceiro (lu.a.*cei*.ro) *sm.* Cor, tom, brilho, semelhante ao do luar; o que possui esse brilho: *O luaceiro frio rebrilhava no mármore polido das colunatas.* [F.: *lua* + *-eiro*.]

lua de mel (lu:a de *mel*) *sf.* 1 Início da vida em comum logo após o casamento 2 Viagem de núpcias 3 *Fig.* Período vivido com entusiasmo: *Está em lua de mel com o novo emprego.* [Pl.: *luas de mel*.]

luado (lu:*a*.do) *a.* 1 Que está frequentemente distraído ou desatento 2 Que é um pouco amalucado *sm.* 3 Pessoa aluada [F.: *lua* + *-ado*. Sin. ger.: *aluado*.]

luanda (lu.*an*.da) *s2g.* 1 Pessoa nascida em Luanda, cidade de Angola *sm.* 2 *Gloss.* Língua banta falada na região de Luanda [F.: Do top. *Luanda*.]

luandense (lu:an.*den*.se) *s2g.* 1 Aquele ou aquela que nasceu ou que vive em Luanda (capital de Angola) *a2g.* 2 De Luanda; típico dessa cidade ou de seu povo [F.: Do top. *Luanda* + *-ense*.]

luar (lu.*ar*) *sm.* O clarão da Lua; a claridade que ela espalha sobre a Terra [F.: Do lat. *lunaris*.]

luau (lu.*au*) *sm.* Festa noturna que se realiza na praia, com música, bebidas, dança etc. [F.: Do havaiano *luau*.]

lubambo (lu.*bam*.bo) *sm.* 1 *Bras. Pop.* Confusão, agitação barulhenta 2 Luta corporal prolongada 3 Série de intrigas ou fofocas [F.: Posv. do quimbundo.]

lubricar (lu.bri.*car*) *P. us. v. td.* 1 Tornar(-se) lúbrico (1), úmido, lubrificado 2 Tornar mais leve, mais atenuado (dever, trabalho, tarefa) 3 Laxar (o ventre) com purgante [▶ 11 lubricar] [F.: Do lat *lubricare*. Hom./Par.: *lubrico* (fl.), *lúbrico* (a.).]

lubricidade¹ (lu.bri.ci.*da*.de) *sf.* 1 Qualidade ou condição do que é lúbrico, escorregadio 2 *Fig.* Inclinação para a luxúria; LASCÍVIA [F.: Do lat. *lubricitatem*.]

lubricidade² (lu.bri.ci.*da*.de) *sf.* 1 Qualidade de lúbrico (escorregadio, úmido) 2 *Fig.* Forte sensualidade, luxúria; LASCÍVIA 3 Ausência de firmeza ou de estabilidade; RELAXAMENTO [F.: do lat. *lubricitas, atis*.]

lúbrico (*lú*.bri.co) *a.* 1 Que é liso, a ponto de fazer escorregar; ESCORREGADIO *a.* 2 Propenso à luxúria, à sensualidade, ou que as expressa (olhar lúbrico); SENSUAL [F.: Do lat. *lubricum*.]

lubrificação (lu.bri.fi.ca.*ção*) *sf.* Aplicação de óleo às engrenagens de um maquinismo para reduzir o atrito e facilitar seu funcionamento [Pl.: *-ções*.] [F.: *lubrifica(r)* + *-ção*.]

lubrificado (lu.bri.fi.*ca*.do) *a.* Que passou por um processo de lubrificação (motor lubrificado) [F.: Part. de *lubrificar*.]

lubrificador (lu.bri.fi.ca.*dor*) [ô] *a.* 1 Que lubrifica; LUBRIFICANTE *sm.* 2 Substância que serve para lubrificar; LUBRIFICANTE 3 Aparelho us. na lubrificação [F.: *lubrificar* + *-dor*.]

lubrificante (lu.bri.fi.*can*.te) *a2g.* 1 Que lubrifica (óleo lubrificante) *sm.* 2 Produto ou substância us. para lubrificar [F.: *lubrificar* + *-nte*.]

lubrificar (lu.bri.fi.*car*) *v. td.* 1 Tornar(-se) escorregadio ou lúbrico; LUBRICAR 2 Pôr óleo ou graxa em (mecanismo, engrenagem, superfície etc.), para a tornar deslizante ou fazê-la funcionar sem atrito; OLEAR; UNTAR: *lubrificar máquinas/ fechaduras*. [▶ 11 lubrificar] [F.: Do fr. *lubrifier*.]

lucarna (lu.*car*.na) *Arq. sf.* 1 Abertura no telhado ou no teto de uma casa, para deixar entrar luz e ar; LUCERNA 2 Fresta numa parede, para dar luz ao interior de um compartimento [F.: Do fr. *lucarne*. Sin. ger.: *lucarno, lucerna*.]

lucarno (lu.*car*.no) *sm.* Ver *lucarna*

lucerna (lu.*cer*.na) *sf.* 1 Candeeiro posto em lugar mais alto; LAMPIÃO 2 Candelabro, lampadário 3 *Arq.* O mesmo que *lucarna* [F.: Do lat. *lucerna*.]

luchar (lu.*char*) *v. td. Lus.* Sujar, emporcalhar [▶ 1 luchar] [F.: orig. obsc. Hom./Par.: luxar (todos os tempos do v.); *lucharia(s)* (fl.), *luxaria* (sf.) e pl; *lucho* (fl.), *luxo* (sm.).]

◎ **luc(i)-** *pref.* = luz: *lucífugo, lucilar, luciluzir*

lucidez (lu.ci.*dez*) [ê] *sf.* 1 Qualidade ou estado de que é lúcido: *Mesmo na velhice mantém a lucidez.* 2 Clareza e precisão de raciocínio e/ou de expressão: *Demonstra lucidez em suas opiniões.* 3 Facilidade e rapidez de compreensão [F.: *lúcid(o)* + *-ez*.]

lúcido (*lú*.ci.do) *a.* 1 Que conserva as faculdades do raciocínio; que compreende e capta as ideias com clareza: *É muito lúcido, apesar da idade.* 2 Que está bem expresso, bem formulado (razões lúcidas) [Ant.: *confuso*.] 3 Que tem luz, brilha ou é transparente [F.: Do lat. *lucidum*.]

lúcifer (*lú*.ci.fer) *sm.* 1 O chefe dos diabos; SATANÁS 2 O planeta Vênus; a estrela-d'alva [Nas acp. 1 e 2, ger. com inicial maiúsc.] 3 *Fig.* Pessoa endiabrada [Pl.: *lucíferes*.] [F.: Do lat. *lucifer, eri*.]

luciferário (lu.ci.fe.*rá*.ri:o) *sm.* Pessoa que leva a lanterna ou o archote em procissão [F.: Do lat. *lucifer, era, erum*.]

luciferiano¹ (lu.ci.fe.ri:*a*.no) *a.* 1 Ref. ou pertencente à seita herética fundada por Lúcifer (séc. IV d.C.), bispo de Cagliari; LUCIFERISTA *sm.* 2 O adepto dessa seita; LUCIFERISTA [F.: *lúcifer* + *-iano*.]

luciferiano² (lu.ci.fe.ri:*a*.no) *a.* Ref. a Lúcifer (1), o diabo; DEMONÍACO; DIABÓLICO; LUCIFERINO [F.: *Lúcifer* + *-iano*.]

luciferina (lu.ci.fe.*ri*.na) *sf. Bioq.* Substância presente em pirilampos e em outros animais, que produz reação bioluminescente quando sofre oxidação por uma enzima chamada luciferase [F.: Do lat. *lucifer, era, erum*.]

luciferismo (lu.ci.fe.*ris*.mo) *sm.* Culto prestado a Lúcifer como divindade; adoração ao Diabo; MAGIA NEGRA [F.: *Lúcifer* + *-ismo*.]

luciferista (lu.ci.fe.*ris*.ta) *a2g.* 1 Ref. a qualquer uma das seitas em que se adora Lúcifer *s2g.* 2 Membro de uma tal seita [F.: *Lúcifer* + *-ista*.]

lucífugo (lu.*cí*.fu.go) *a.* 1 Que foge da luz, que a evita 2 *P. ext.* Animal noctívago [F.: Do lat. *lucifugus*.]

lucilar (lu.ci.*lar*) *v.* 1 Refletir luz, brilhar pouco intensamente; LUZIR [*int.*: *O anel, de mau gosto, lucilou logo à entrada.*] 2 Tremeluzir [*int.*: *Viu o pequeno farol que lucilava.*] 3 Ver *luciluzir* [▶ 1 lucilar] [F.: *luz* na f. rad. *lu(c)-* + *-ilar*.]

luciluzir (lu.ci.lu.*zir*) *v. int. Bras.* Emitir luz de maneira intermitente; TREMELUZIR: *As luzes das lanternas luciluziam à distância.* [▶ 57 luciluzir] [F.: *luz* na f. rad. *lu (c)-* + *-i-* + *luzir*.]

lúcio (*lú*.ci:o) *sm. Ict.* Peixe carnívoro de água doce da família dos esocídeos (*Esox lucius*), com cabeça pontuda, corpo alongado e faixas pardacentas, natural da Europa, que chega a medir 1,2 m e pesar até 9 kg [F.: Do lat. *luciu, ii*.]

lucivelo (lu.ci.*ve*.lo) [é] *sm. Bras.* Tipo de luminária de mesa caracterizada pela presença de um anteparo que evita a exposição direta à luz; ABAJUR; LUCIVÉU [F.: De *luci-* + lat. *-velo*, 'véu'.]

lucrar (lu.*crar*) *v.* 1 Auferir (ganho econômico) [*td.*: *Lucrou muito dinheiro com o negócio*: "Na venda do produto (...) é possível lucrar mais de R$200 por mês..." (Jornal Extra, 08.02.2004)] [*int.*: *A firma deixou de lucrar; Lucrou com a venda da casa.*] 2 *Fig.* Ser beneficiado [*int.*: *Saiu lucrando por manter-se calado; Só tenho a lucrar com seus conselhos.*] 3 Adquirir conhecimento ou experiência [*int.*: *Lucrou muito com seu trabalho de campo.*] [▶ 1 lucrar] [F.: Do lat. *lucrare*. Hom./Par.: *lucro* (fl. de *lucrar*), *lucro* (sm.).]

lucratividade (lu.cra.ti.vi.*da*.de) *sf.* Qualidade, caráter do que é lucrativo [F.: *lucrativo* + *-i-* + *-dade*.]

lucrativo (lu.cra.*ti*.vo) *a.* 1 Que dá lucro, ganho (negócio lucrativo); RENDOSO 2 Que traz vantagem, proveito; VANTAJOSO [F.: Do lat. *lucrativu(m)*.]

lucro (*lu*.cro) *sm.* 1 Benefício material ou de outra natureza: *Seu investimento deu lucro.* 2 *Econ.* Rendimento obtido em transação econômica [F.: Do lat. *lucrum*. Ant. ger.: *prejuízo*.] ▪▪ **~ bruto** *Econ.* Diferença em dinheiro entre a receita de vendas (de um produto, do total de vendas de uma empresa etc.) e o custo (de fabricação, do total de gastos para produzir etc.) **~ cessante** *Jur.* Lucro potencial que se deixou de auferir **~ da doença** *Psic.* Vantagem ou benefício que alguém obtém, ou pensa obter, de sua doença **~ líquido** *Econ.* Diferença em dinheiro entre a receita de vendas (de um produto/de uma empresa) e as despesas totais (para fabricar, vender, pagar impostos etc. / para existir e funcionar) **~ não operacional** *Econ.* Aquele que uma empresa aufere numa atividade fora de seu ramo ou especialidade **~ operacional** *Econ.* Aquele que uma empresa aufere numa atividade de seu ramo ou especialidade

lucubração (lu.cu.bra.*ção*) *sf.* 1 Meditação profunda 2 Grande aplicação mental para criar e realizar um trabalho intelectual 3 *P. ext.* Especulação confusa e fantasiosa: *Não entendia as lucubrações daquela mulher ciumenta.* [Pl.: *-ções*.] [F.: Do lat. *lucubratio*. Sin. ger.: *elucubração*.]

lucubrar (lu.cu.*brar*) *v.* 1 Trabalhar de noite, sob luz artificial [*int.*] 2 Dedicar noite(s) ao estudo de algo, pesquisando ou meditando [*int.*] 3 Criar (algo) com intenso trabalho, meditação etc.; meditar longamente (sobre algo) [*int. td.*] [▶ 1 lucubrar] [F.: Do lat. *lucubrare*.]

◎ **lud(i)-** *pref.* = jogo, divertimento: *lúdico*. [F.: Do lat. *ludus, i*.]

ludibriado (lu.di.bri:*a*.do) *a.* 1 Enganado por falsas afirmações (eleitor ludibriado) 2 Tratado com ludíbrio, com zombaria [F.: Part. de *ludibriar*.]

ludibriante (lu.di.bri:*an*.te) *a2g.* Que ludibria, engana; ENGANADOR; ILUSÓRIO: *propaganda fantasiosa e ludibriante* [F.: *ludibriar* + *-nte*.]

ludibriar (lu.di.bri.*ar*) *v. td.* 1 Enganar, iludir, burlar: *Quadrilha usa religião para ludibriar famílias.* 2 Fazer ludíbrio ou zombaria de (algo ou alguém); ZOMBAR: *Ludibriava os mais caros princípios da moral.* [▶ 1 ludibriar] [F.: *ludíbrio* + *-ar*. Hom./Par.: *ludibrio* (fl. de *ludibriar*), *ludíbrio* (sm.).]

ludibriável (lu.di.bri:*á*.vel) *a2g.* Que se pode ludibriar [Pl.: *-veis*.] [F.: *ludibriar* + *-vel*.]

ludíbrio (lu.*dí*.bri:o) *sm.* 1 Ação de ludibriar *sm.* 2 Manifestação maldosa ou irônica; ZOMBARIA 3 Objeto de troça ou de desprezo [F.: Do lat. *ludibiu(m)*.]

lúdico (*lú*.di.co) *a.* Ref. a jogo ou brinquedo (atividades lúdicas) [F.: *lud(i)-* + *-ico*.]

ludismo¹ (lu.*dis*.mo) *sm.* 1 *Hist.* Movimento popular, surgido na Inglaterra em fins do séc. XVIII e princípios do séc. XIX, dedicado à destruição de máquinas e ao protesto contra a tecnologia em função da perda de empregos dela resultante 2 *P. ext.* Oposição a qualquer tipo de progresso tecnológico por considerá-lo nocivo à sociedade, sobretudo à classe operária [F.: Do ing. *luddism*, do antropônimo Ned Ludd, operário que em 1779 invadiu uma oficina para quebrar máquinas. Sin. ger.: *luditismo*.]

ludismo² (lu.*dis*.mo) *sm.* Qualidade, caráter ou condição de lúdico [F.: *lud(i)-* + *-ismo*.]

ludista (lu.*dis*.ta) *a2g.* 1 Ref. ou pertencente ao ludismo (1) *a2g.* 2 Diz-se do adepto ou defensor do ludismo (1) *s2g.* 3 Pessoa adepta ou entusiasta do ludismo [F.: Do ing. *luddite*.]

ludo (*lu*.do) *sm.* 1 Jogo em que os participantes – de dois a quatro – movem suas peças entre as casas de um tabuleiro de acordo com os números indicados pelo lançamento de dados 2 Qualquer jogo ou diversão [F.: Do lat. *ludus, -i*.]

ludopédio (lu.do.*pé*.di:o) *sm.* Ver *futebol*

ludoterapia (lu.do.te.ra.*pi*.a) *sf. Psiq.* Tratamento de distúrbios mentais ou emocionais através de jogos, brincadeiras ou divertimentos [F.: *lud(i)-* + *-o-* + *terapia*.]

ludoterápico (lu.do.te.*rá*.pi.co) *a.* Ref. a ludoterapia [F.: *ludoterapia* + *-ico*.]

lues (*lu*:es) *sf2n. Med.* Ver *sífilis* [F.: Do lat. *lues, -is* 'epidemia, doença contagiosa'.]

luético (lu:*é*.ti.co) *a.* 1 Que diz respeito a lues ou é próprio dela 2 Que sofre de lues; SIFILÍTICO [F.: *lues* + *-ico*.]

lufa (*lu*.fa) *sf.* 1 Aumento repentino e pouco duradouro na velocidade ou intensidade do vento; LUFADA; RAJADA 2 *Mar.* Vela que se iça quando o navio atravessa lufadas 3 A contração da vela quando tocada pelo vento 4 *Fig.* Afã, pressa, azáfama [F.: Do ing. *loof*. Hom./Par.: *lufa* (sf.), *lufa* (fl. de *lufar*).]

lufada (lu.*fa*.da) *sf.* Vento forte, repentino e passageiro; VENTANIA [F.: Do ing. *loof*.] ▪▪ **Às ~s** Com interrupções, intermitentemente: *Terminou a carta às lufadas, interrompendo a escrita para assistir ao jogo na TV.*

lufa-lufa (lu.fa-*lu*.fa) *sf.* Alvoroço, afã ao fazer algo; AZÁFAMA; CORRERIA: *O dia da mudança foi um dia de lufa-lufa.* [Pl.: *lufa-lufas*.]

lufar (lu.*far*) *v. int.* 1 Soprar com força (o vento) 2 Aparecer ou sair de repente: *O gato lufou pela sala adentro.* 3 Respirar de maneira irregular, com arquejos; OFEGAR 4 Falar de maneira hesitante, tropeçando nas palavras [▶ 1 lufar] [F.: *luf(a)* + *-ar*. Hom./Par.: *lufa(s)* (fl.), *lufa* (sf.) e pl.]

lugar (lu.*gar*) *sm.* 1 Espaço determinado; SÍTIO: *Aguardou o ônibus no lugar habitual.* 2 Posição no espaço ocupada ou que pode ocupar alguém ou algo: *Há lugar para duas camas no quarto.* 3 Assento determinado: *Havia 12 lugares na mesa.* 4 Área própria para ser ocupada por alguém ou alguma coisa: *lugar para bicicletas; lugar para descansar; lugar para férias.* 5 Posição, colocação numa classificação, escala ou hierarquia: *Conseguiu o primeiro lugar no vestibular.* 6 *Fig.* Emprego, cargo: *O rapaz procurava um lugar no comércio.* 7 País, cidade, região não especificada: *Viajou por vários lugares do mundo.* 8 Local frequentado por certas pessoas; AMBIENTE: *Entrou num lugar enfumaçado e suspeito.* 9 Posição, situação adequada a alguém: *Estudando muito, chegou ao lugar que queria.* 10 *Fig.* Momento próprio; OCASIÃO; OPORTUNIDADE: *Controlou-se para não dar lugar a brigas.* 11 Posição, posto: *O porteiro não estava em seu lugar.* 12 *Geom.* Conjunto de pontos que se caracterizam por uma ou mais propriedades 13 Espaço adequado para determinada finalidade: *Esse é o lugar ideal para colocar a cama!* 14 Categoria a que se pertence; posição que habitualmente se ocupa: *Pare de discutir e mantenha-se em seu lugar!* 15 Oportunidade, ocasião: *Não dava lugar, em seu coração, a sentimentos negativos.* 16 Trecho de um livro, narrativa, filme etc.: *Parei de ler naquele lugar que você marcou!* 17 Direção, caminho, destino: *Escolheu um lugar para sair e foi embora.* 18 Localidade, circunvizinhança: *Quer ia visitar Paris e os lugares próximos.* [F.: Do lat. *localis*, de *locus*. Hom./Par.: *lugar* (sm.), *lúgar* (sm.). Ideia de 'lugar': *coro-, loc(o)-* e *top(o)-*; *-coro, -topia* e *-topo*.] ▪▪ **Conhecer o seu ~** Reconhecer sua (suposta) inferioridade, ter consciência da (suposta) inferioridade de sua posição social ou econômica [A expressão tem cunho pejorativo e preconceituoso, ao implicar que existe um lugar para pessoas ou condições social ou economicamente inferiores.] **Dar ~ a** 1 Dar vez a; ser substituído por: *A tristeza, afinal, deu lugar à resignação.* 2 Dar motivo a, ser causa de: *Sua ausência deu lugar a muitas especulações.* **Em ~ de** 1 Como substituto de, ou como alternativa a; em vez de: *Escreva com lápis, em lugar de caneta.* 2 Us. para mencionar aquilo que não é ou que não ocorre (e que ger. era previsto que ocorresse), em contraste com aquilo que de fato se dá, mesmo não sendo esperado ou óbvio; em vez de: *Em lugar da chuva prevista pela meteorologia, tivemos sol no fim de semana.* **~ geométrico** *Geom.* Conjunto de pontos que têm determinada propriedade especificada (ou conjunto de propriedades) [A expressão é ger. us. na definição de figuras ou entidades; assim, uma circunferência de círculo é o lugar geométrico dos pontos equidistantes de dado ponto fixo, no plano. Tb. apenas *lugar*.] **~ mais limpo** *N.E. Fam.* Expr. que dá ideia de que algo ou alguém não é encontrado onde se pensava que estaria [Us., ger., de modo interjectivo, como frase completa ou sem combinar-se sintaticamente com o resto da oração: *Deixou a sacola junto à porta e, quando voltou, lugar mais limpo – alguém a havia roubado. Quando chegamos à casa da titia, era o lugar mais limpo, todos tinham saído.*] **Ir para bom ~** *Fig.* Morrer **Não conhecer o seu ~** *Fam.* Comportar-se como quem não percebe ou não aceita sua suposta inferioridade hierárquica ou social; permitir-se abusar; não se enxergar [A expressão tem cunho pejorativo e preconceituoso, ao implicar que existe um lugar para pessoas ou condições social ou economicamente inferiores.] **Não esquentar ~** Não permanecer muito tempo em cargo, emprego etc. [Cf.: *não esquentar o lugar*.] **Não esquentar o ~** Não prolongar se demorar em visita; não esquentar o banco [Cf.: *não esquentar lugar*.] **Pôr no seu (devido) ~** Comportar-se de acordo com sua posição social ou econômica (ger. quando tida como inferior) [A expressão tem cunho pejorativo e preconceituoso, ao implicar que existe um lugar para pessoas ou condições social ou economicamente inferiores.] **Ter ~** Acontecer, ocorrer, realizar-se, efetuar-se (atividade, evento etc.) **Ter seu ~** Ter cabimento, ser adequado às circunstâncias: *Neste momento tumultuado, uma chamada à responsabilidade de todos teria seu lugar.* **Um ~ ao sol** *Fig.* Situação na qual se usufruem condições de vida favoráveis, ou se reconhece o mérito ou o esforço se alguém, ou se consegue notoriedade etc.: *Esforçou-se muito para ter um lugar ao sol.*

lugar-comum (lu.gar-co.*mum*) *sm.* 1 Ideia, expressão ou argumento banal, sem originalidade; BANALIDADE; CLICHÊ: *um discurso cheio de lugares-comuns.* 2 Coisa trivial: *O futebol defensivo já é um lugar-comum.* [Pl.: *lugares-comuns*.]

lugareiro (lu.ga.*rei*.ro) *a.* Característico de um determinado lugar, região (música lugareira); LOCALISTA; REGIONALISTA [F.: *lugar* + *-eiro*.]

lugarejo (lu.ga.*re*.jo) [ê] *sm.* Região pouco habitada; POVOADO; VILAREJO [F.: *lugar* + *-ejo*.]

lugar-tenente (lu.gar-te.*nen*.te) *s2g.* Pessoa que ocupa temporariamente a posição de outra que lhe é imediatamente superior [Pl.: *lugar-tenentes*.] [F.: Adaptação do lat. medv. *locum tenens*.]

lúgubre (*lú*.gu.bre) *a2g.* 1 Que é sombrio, triste, soturno (lugar lúgubre) [Ant.: *alegre*.] 2 Que infunde tristeza ou pavor (sons lúgubres); MELANCÓLICO; PAVOROSO 3 Ref. à morte ou aos mortos; FÚNEBRE; FUNÉREO [F.: Do lat. *lugubre(m)*.]

lugubridade (lu.gu.bri.*da*.de) *sf.* Qualidade, condição ou estado do que é lúgubre, sombrio, sinistro [F.: *lúgubre* + *-i-* + *-dade*.]

luís (lu:*ís*) *sm.* 1 Antiga moeda de ouro francesa, cunhada sob o reinado de Luís XIII (1640) 2 Moeda de ouro francesa no valor de vinte francos, cunhada depois da Revolução Francesa [F.: Do fr. *louis*, designação abreviada de *louis d'or*, do nome do rei da França Louis XIII.]

lula (*lu*.la) *sf. Zool.* Nome comum dado a diversos moluscos marinhos, cefalópodes, ger. gregários, de corpo alongado, dotado de oito braços e dois tentáculos e concha interna; algumas spp. são comestíveis e têm valor comercial [F.: De or. contrv.]

lulismo (lu.*lis*.mo) *sm.* Movimento ou postura política de apoio a Luís Inácio Lula da Silva, ex-sindicalista, fundador do Partido dos Trabalhadores (PT) e presidente do Brasil de 2002 a 2010 [F.: Do antropônimo *Lula* + *-ismo*.]

lulista (lu.*lis*.ta) *a2g.* **1** Ref. ao lulismo (movimento lulista) **2** Que apoia Lula (militante lulista) *s2g.* **3** Adepto do lulismo: *Os lulistas gritavam palavras de ordem durante a votação da emenda parlamentar.* [F.: Do antropônimo *Lula* + *-ista*.]
lulu (lu.*lu*) *sm.* **1** Cão de pequeno porte, de pelo comprido e lustroso, focinho afilado e orelhas pontudas, originário da Pomerânia (Alemanha); lulu-da-pomerânia **2** Qualquer cão de pequeno porte, com temperamento dócil e afável: *Ela tinha mais amor a seus lulus que a seus filhos.* [F.: Do fr. *loulou*, este de *loup* 'lobo'.]
lumbago (lum.*ba*.go) *sm. Med.* Dor aguda na região lombar [F.: Do lat. *lumbago*.]
lumbrical (lum.bri.*cal*) *a2g.* **1** Ref. a lombriga **2** Que tem a forma de lombriga [Pl.: *-cais*.] [F.: *lumbric(i)-* + *-al*¹. Tb. *lombrical. l.*]
lume (*lu*.me) *sm.* **1** Fogo: *o calor do lume.* **2** Fonte de luz, de claridade: *o lume das estrelas.* **3** Clarão, brilho **4** *Fig.* Manifestação de inteligência; PERSPICÁCIA **5** Conhecimento vago, saber ou noção não muito profundos; vislumbre **6** *Fig.* Pessoa notável nas artes, nas letras ou na ciência **7** *Fig.* Guia; doutrina: *o lume da razão; o lume de nossa fé.* [F.: Do lat. *lumen*.] ▪▪ **Ao ~ de** À tona de (água) **Dar a ~** Publicar (esp. livro, obra) **Ter de ~** Ter conhecimento superficial, ou noção vaga acerca de (assunto etc.); saber um pouco, ou ter informações incompletas sobre (algo) **Tirar a ~** Ver *Dar a lume* **Trazer a ~** Tornar conhecido, evidente, patente; mostrar ou revelar aos demais **Vir a ~** Ser conhecido do público, ser difundido na sociedade; ser publicado (livro, obra); ver o dia; vir à luz
lúmen¹ (*lú*.men) *sm. Anat.* O espaço interno entre as paredes de um vaso sanguíneo ou do interior de um órgão [Pl.: *lúmens*.] [Hom./Par.: *lume* (sm.).]
lúmen² (*lú*.men) *sm. Fís.* Unidade de fluxo luminoso do Sistema Internacional, que correspondente ao fluxo luminoso de um ângulo sólido emitido por um foco pontual uniforme [Símb.: *lm*.] [F.: Do lat. *lumen, inis*. Hom./Par.: *lume* (sm.).]
lumiar (lu.mi:*ar*) *sm. Ant. Pop.* Ver *limiar*
luminador (lu.mi.na.*dor*) [ô] *a.* **1** Que torna possível a compreensão de algo (poeta luminador) *sm.* **2** Pessoa luminadora; ILUMINADOR [F.: *luminar* + *-dor*.]
luminal (lu.mi.*nal*) *a2g.* Que dá ou espalha luz; LUMINAR [F.: *lúmen* sob a f. rad. *lumin* + *-al*.]
luminância (lu.mi.*nân*.ci:a) *sf. Ópt.* Energia percebida por um observador de um ponto de luz, que se determina pela razão entre a intensidade luminosa emitida na direção de observação e a área de superfície aparente, sendo a sua unidade de medida a candela por metro quadrado (cd/m²) [F.: Do ing. *luminance*.] ▪▪ **~ energética** *Fís.* Considerando uma radiação luminosa numa certa direção, a intensidade luminosa da superfície de sua fonte por unidade de área de um plano perpendicular a essa direção
luminar (lu.mi.*nar*) *a2g.* **1** Que dá ou espalha luz, que ilumina *sm.* **2** *Fig.* Pessoa de grande saber; SÁBIO: *O médico era um luminar da medicina.* [F.: Do lat. *luminare, is*.]
luminária (lu.mi.*ná*.ri:a) *sf.* **1** Lustre, aplique etc. que ilumina por meio de eletricidade **2** Lamparina (1) **3** Lanterna pequena **4** *SP Cul.* Doce de coco servido em canudo feito de massa; *N.* QUEIJADINHA [F.: Do lat. *luminaria*.]
luminescência (lu.mi.nes.*cên*.ci:a) *sf.* **1** Qualidade do que é luminescente **2** *Fís.* Projeção de luz a partir de um corpo, originada por qualquer processo que não envolva aquecimento, como, p. ex., reação química **3** *Oc.* Luminosidade da água do mar ger. provocada por pequenos organismos [F.: Do ing. *luminescence*.]
luminescente (lu.mi.nes.*cen*.te) *a2g.* Que tem a propriedade de emitir raios luminosos, sem incandescência [F.: Do ing. *luminescent*.]
luminosidade (lu.mi.no.si.*da*.de) *sf.* **1** Qualidade do que é luminoso, do que emite luz própria: *a luminosidade das estrelas.* **2** Intensidade da luz emitida: *A luminosidade da biblioteca não é boa.* **3** Capacidade de emitir luz **4** *Fig.* Clareza, perspicácia [F.: *luminos(o)* + *(-i)dade*.]
luminoso (lu.mi.*no*.so) [ô] *a.* **1** Que tem luz própria, que irradia luz (meteoro luminoso; anúncio luminoso; mostrador luminoso); BRILHANTE *a.* **2** Em que há muita luz: "...luminosa manhã, por que tanta luz?" (Haroldo Barbosa e Luiz Reis, *Canção da manhã feliz*) **3** Que reflete a luz (tinta luminosa) **4** *Fig.* De grande originalidade (ideia luminosa); BRILHANTE; GENIAL *sm.* **5** Anúncio de rua iluminado [Pl.: [ó]. Fem.: [ó]] [F.: Do lat. *luminosu(m)*.]
lumioso (lu.mi:*o*.so) [ô] *a. Antq.* Ver *luminoso* [F.: Do lat. *luminosus*, por via popular.]
lumpectomia (lum.pec.to.*mi*.a) *sf. Cir.* Cirurgia que consiste na extração de tumor no seio, na qual só o tumor e pequena massa de tecido circundante são removidos, preservando o seio o máximo possível [F.: Do ing. *lump* 'protuberância', 'inchaço' + *-ectomia*.]
lumpemburguesia (lum.pem.bur.gue.*si*.a) *sf. Pol. Soc.* Burguesia empobrecida e sem consciência de classe: "Termina nos uivos raivosos da lumpemburguesia das nossas grandes metrópoles, com medo de perder o controle do poder de corrupção local." (*Folha de S.Paulo*, 05.11.2000) [F.: *lúmpen* + *burguesia*.]
lumpemproletariado (lum.pem.pro.le.ta.ri:*a*.do) *sm. Pol. Soc.* Segundo a sociologia marxista, grupo social proletário formado por pessoas que, por estarem fora do mercado formal de trabalho, vivem na mais profunda miséria, sendo destituídos de qualquer tipo de consciência de classe [F.: Do al. *Lumpenproletariat*.]
lúmpen (*lúm*.pen) *s2g.* **1** *Soc.* Pessoa pertencente ao lumpemproletariado **2** *Pop.* Pessoa sem ocupação profissional definida [Pl.: *lúmpens e lúmpenes*.] [F.: Do al. *Lumpen* 'trapo farrapo'.]
lumpesinar (lum.pe.si.*nar*) *Bras. Gír. v. int.* **1** Viver vida ociosa e errante, de lúmpen; VADIAR; VAGABUNDAR; VAGABUNDEAR **2** Viver sem trabalhar **3** Pedir esmolas; MENDIGAR [F.: *lumpesin(ato)* + *-ar*.]
lumpesinato (lum.pe.si.*na*.to) *sm. Bras. Pop.* O mesmo que *lumpemproletariado* [F.: *lúmpen* + *-sinato*, por analogia a *campesinato*.]
lunação (lu.na.*ção*) *sf. Astron.* Espaço de tempo entre duas luas novas consecutivas, com duração média de 29 dias e meio [Pl.: *-ções*.] [F.: Do lat. tard. *lunatio, onis*.]
lunar (lu.*nar*) *a2g.* **1** Ref à Lua (mês lunar) **2** Pertencente à ou próprio da Lua (ciclo lunar) *sm.* **3** Sinal congênito na pele de alguns indivíduos que os antigos atribuíam à influência da Lua [F.: Do lat. *lunaris, e*.]
lunário (lu.*ná*.ri:o) *sm. Cron.* Calendário que conta o tempo baseado nas fases da lua [F.: *lun(i)-* + *-ário*.]
lunático (lu.*ná*.ti.co) *a.* **1** Que está sujeito à influência da Lua **2** Que é amalucado, excêntrico, fantasista: "...os hóspedes sabiam da existência na casa dum sujeito lunático, que no dia atrás almoçara às quatro e meia e jantara às onze." (Miguel Torga, *Rua*) *sm.* **3** Indivíduo lunático [F.: Do lat. *lunaticus, a, um*.]
lunauta (lu.*nau*.ta) *s2g.* Astronauta que vai à Lua [F.: *lun(i)-* + *-nauta*, com haplologia.]
lundu (lun.*du*) *Bras. sm.* **1** Dança de origem africana **2** *Mús.* Música influenciada pela modinha, ger. de caráter cômico ou pitoresco [F.: De or. africana. Tb. *lundum*.] ▪▪ **~ chorado** *Dnç. Mús.* Lundu de andamento lento **~ de marruá** *Dnç. Mús.* Certa dança e música ao ritmo de castanholas do séc. XIX, na Bahia **~ das crioulas** Certo toque (alegre e comemorativo) de sinos
lundum (lun.*dum*) *sm.* Ver *lundu* [Pl.: *-duns*.]
luneta (lu.*ne*.ta) [ê] *sf.* **1** *Ópt.* Instrumento com lente de aumento para ver à distância **2** *CE* Óculos **3** *Arq.* Abertura circular ou oval numa parede **4** *Rel.* Parte redonda e transparente da custódia onde se expõe a óstia [F.: Do fr. *lunette*.] ▪▪ **~ astronômica** **1** *Astron. Ópt.* Originalmente, evolução da luneta refratora de Galileu, pela substituição da lente divergente na ocular por uma convergente; telescópio refrator **2** Aperfeiçoamento da primeira luneta astronômica, com o acréscimo de mais uma lente na ocular (que tb. corrige a inversão de imagem da primeira lente, convergente) **~ de Galileu** *Astron. Ópt.* Luneta refratora criada por Galileu para observação astronômica, cuja objetiva era uma lente convergente (convexa) e a ocular uma lente divergente (côncava)
lunfardo (lun.*far*.do) *sm.* **1** Gíria característica das classes baixas de Buenos Aires, muito utilizada em tangos **2** *Bras.* Ladrão, gatuno [F.: Do espn. plat. *lunfardo*.]
◎ **-lun(i)-** *el. comp.* Ver *lun(i)-*
◎ **lun(i)-** *el. comp.* = 'Lua': *lunação* (< lat.), *lunar* (< lat.), *lunário, lunático* (< lat.), *lunauta; luniforme, lunissolar; alunizar* [F.: Do lat. *luna, ae*.]
luniforme (lu.ni.*for*.me) *a2g.* **1** Que é semelhante à Lua, na forma **2** Em forma de meia-lua [F.: *lun(i)-* + *-forme*.]
lunissolar (lu.nis.so.*lar*) *a2g.* Referente simultaneamente à lua e ao sol [F.: *lun(i)-* + *solar*.]
lúnula (*lú*.nu.la) *sf.* **1** *Geom.* Figura geométrica limitada por dois arcos circulares de raios distintos cuja convexidade esteja voltada para o mesmo lado **2** *Astron.* Aspecto assumido pela Lua quando se encontra na passagem da fase nova para quarto crescente ou na fase cheia para quarto minguante **3** Qualquer objeto com essa forma de meia lua **4** *Astr.* Nome dado a cada um dos satélites de Júpiter e de Saturno, considerados como outras tantas pequenas luas **5** *Anat.* Mancha branca em formato de meia-lua localizada na base da unha **6** *Bot.* A parte de qualquer órgão que nas plantas apresenta a forma de lua crescente ou meia lua [F.: Do lat. *lunula, ae*.]
lupa¹ (*lu*.pa) *sf. Ópt.* Lente de aumento para observar objetos miúdos ou pequenos detalhes [F.: Do fr. *loupe*.]
lupa² (*lu*.pa) *sf.* **1** *Ópt.* Lente biconvexa que transmite uma imagem aumentada das coisas **2** *Pop.* Ação ou resultado de lupar, de vigiar; VIGIA; VISÃO [F.: do fr. *loupe*.]
lupa³ (*lu*.pa) *sf. Mar.* Trabalho braçal feito por grupo de homens para içar um cabo [F.: de orig. onom.] ▪▪ **À ~** *Mar.* Com puxões nos cabos ou cordas: *Os marinheiros içaram o fardo à lupa.*
lupanar (lu.pa.*nar*) *sm.* Bordel, prostíbulo [F.: Do lat. *lupanar*.]
lupercais (lu.per.*cais*) *sfpl.* Festas dos antigos romanos em honra do deus Pã, celebradas em 15 de fevereiro de cada ano [F.: Do lat. *lupercalia, ium, iorum*.]
lupino (lu.*pi*.no) *a.* Ref. a ou próprio de lobo [ô] (feições lupinas) [F.: Do lat. *lupinum*.]
lupo (*lu*.po) *sm. Med.* Afecção da pele, o mesmo que *lúpus*
lúpulo (*lú*.pu.lo) *sm.* **1** *Bot.* Planta trepadeira da fam. das canabáceas (*Humulus lupulus*), nativa do hemisfério norte, cuja inflorescência feminina, na forma de pequenas espigas, é coberta por um pó renisoso, us. na fabricação da cerveja e responsável pelo gosto amargo da bebida; ENGATADEIRA; PÉ-DE-GALO **2** *Bot.* Essa inflorescência **3** Pó resinoso extraído dessa inflorescência [F.: Do lat. medv. *lupulus, i*.]
lúpus (*lú*.pus) *sm2n. Med.* Afecção cutânea crônica, localizada quase sempre no rosto, caracterizada pela infiltração na derme de camadas justapostas de tecido tuberculoso. É também chamada de lúpus vulgar, tuberculoso ou de Willan. Existem ainda as variedades *lúpus eritomatoso crônico, lúpus eritomatoso disseminado* e *lúpus pérnio*, que é uma forma de sarcoidose cutânea [F.: Do lat. cient. *lupus, i*.] ▪▪ **~ eritematoso** *Med.* Doença autoimune do tecido conjuntivo, infecciosa, que se manifesta com febre, perda de apetite, manchas na pele (esp. nas faces, no formato de asas de borboleta) e que pode atingir vários órgãos (fígado, vísceras, pericárdio, pleura etc.) **~ tuberculoso** Ver *Lúpus vulgar* **~ vulgar** *Med.* Doença da pele que progride lentamente, e se manifesta com lesões, esp. nas proximidades de nariz e orelhas; tuberculose cutânea
lura (*lu*.ra) *sf.* **1** Buraco em que vivem ou se escondem coelhos e outros animais; TOCA **2** Qualquer buraco ou cova: "Não ousavem esquadrinhar nos pardieiros e subterrâneos da parte velha do palácio a lura do cobiçado tesouro." (Camilo Castelo Branco, *Judeu*) [F.: Or. contrv.]
lurex (lu.*rex*) [cs] *sm2n.* Fio têxtil recoberto de poliéster, característico por seu aspecto metálico [F.: Do ing. *Lurex*, marca registrada.]
lúrido (*lú*.ri.do) *a.* **1** Pálido, lívido, descorado **2** *Poét.* Escuro, sombrio **3** *Med.* Diz-se da cor amarelenta da pele em certas doenças [F.: Do lat. *luridus, a um*.]
lusco (*lus*.co) *a.* **1** Que tem desvio na direção dos eixos oculares; vesgo; estrábico **2** Que só tem um olho ou visão em um só olho **3** Que não enxerga bem **4** *Pop.* Que não enxerga; cego [F.: Do lat. *luscus*.] ▪▪ **Entre ~ e fusco** **1** Entre o fim da tarde e o início da noite; ao lusco-fusco **2** Sem instruções precisas ou conhecimento claro de algo
lusco-fusco (lus.co-*fus*.co) *sm.* **1** Período de pouca luz, durante o amanhecer; LUSQUE-FUSQUE **2** Hora crepuscular, momento de transição entre o dia e a noite, anoitecer **3** *RJ* Mulato pardo **4** *Fig.* Atitude de dissimulação [F.: Do lat. *luscus, a, um* 'que enxerga mal' + *fuscus, a, um* 'fosco'.]
lusíada (lu.*sí*.a.da) *a2g. s2g.* Ver *lusitano* [F.: Antropônimo *Luso*, filho de Baco, pretenso responsável pelo povoamento da porção ocidental da Península Ibérica, + *-i-* + *-ada*.]
lusiádiaco (lu.si.a.*dí*:a.co) *a.* **1** Que diz respeito aos *Lusíadas*, de Luís de Camões (episódio lusiádico) **2** Ref. a lusíada [F.: *Lusíadas* + *-iaco*.]
lusista (lu.*sis*.ta) *a2g.* **1** Ref. ao *lusismo* **2** Que se especializou no estudo de fenômenos linguísticos próprios do português falado em Portugal *s2g.* **3** Especialista nesses fenômenos [F.: *luso* + *-ista*.]
lusitanidade (lu.si.ta.ni.*da*.de) *sf.* **1** Qualidade, característica própria do que ou de quem é português **2** Sentimento de apego a Portugal **3** O conjunto dos portugueses [F.: *lusitano* + *-i-* + *-dade*.]
lusitanismo (lu.si.ta.*nis*.mo) *sm.* **1** Costume próprio dos lusitanos ou portugueses **2** *Ling.* Palavra, expressão ou construção sintática, falada ou escrita, típica dos portugueses; LUSISMO **3** Tendência a imitar a cultura e os costumes portugueses [F.: *lusitan(o)* + *-ismo*.]
lusitanista (lu.si.ta.*nis*.ta) *a2g.* **1** Ref. a lusitanismo **2** Que estuda a língua e os costumes lusitanos **3** Muito afeiçoado aos portugueses ou a Portugal *s2g.* **4** Especialista em lusitanismos; LUSISTA [F.: *lusitan(o)* + *-ista*.]
lusitano¹ (lu.si.*ta*.no) *sm.* **1** Aquele que nasceu ou viveu na Lusitânia, antiga região do oeste da península Ibérica, correspondente em grande parte ao atual território português **2** Aquele que nasceu ou que vive em Portugal; PORTUGUÊS; LUSO *a.* **3** Da Lusitânia; típico dessa região ou do povo pré-romano que ali habitou **4** De Portugal; típico desse país ou de seu povo; PORTUGUÊS **5** De origem ou ascendência portuguesa [F.: Do lat. *lusitanus, a, um*.]
lusitano² (lu.si.*ta*.no) *sm.* **1** Indivíduo que nasceu ou vive em Nova Lusitânia, SP *a.* **2** De ou relativo a Nova Lusitânia, SP; típico dessa cidade ou de seu povo [F.: Do top. (Nova) *Lusitân(ia)* + *-o*, de adj. e subst. masc.]
luso (*lu*.so) *a. sm.* O mesmo que *lusitano*; PORTUGUÊS [F.: Do antr. lat. *Lusus*.]
◎ **luso-** *el. comp.* Português: *luso-brasileiro, luso-espanhol.* [F.: Do antr. lat. *Lusus, i*.]
luso-africano (lu.so-a.fri.*ca*.no) *a.* **1** Ref. a Portugal e à África **2** De Portugal e da África; típico da cultura dos povos desses lugares **3** Ref. aos países, pessoas e povos africanos (e suas culturas) de origem ou influência portuguesa (esp. da língua portuguesa) [Pl.: *luso-africanos*.] *sm.* **4** Indivíduo luso-africano (3) [Pl.: *luso-africanos*.]
luso-brasileiro (lu.so-bra.si.*lei*.ro) *a.* **1** Ref. a Portugal e Brasil (acordo luso-brasileiro) **2** Ref. a portugueses e brasileiros *sm.* **3** Pessoa de origem portuguesa e brasileira **4** Pessoa que tem sangue brasileiro e português [Pl.: *luso-brasileiros*.] [F.: *luso-* + *brasileiro*.]
luso-espanhol (lu.so-es.pa.*nhol*) *sm.* **1** Pessoa que tem suas origens familiares tanto em Portugal quanto na Espanha *a.* **2** Ref. a Portugal e Espanha ou a portugueses e espanhóis: *As relações luso-espanholas intensificaram-se.* **3** Próprio, característico de Portugal e Espanha (folclore luso-espanhol) [Pl.: *luso-espanhóis*. Fem.: *luso-espanhola*.] [Sin. ger.: *luso-hispânico*.]
lusofilia (lu.so.fi.*li*.a) *sf.* Amor a Portugal e a tudo que se refere a este país; LUSITANOFILIA [Ant.: *lusofobia*.] [F.: *luso-* + *-filia*.]
lusófilo (lu.*só*.fi.lo) *a.* **1** Que tem amor a tudo que seja português *sm.* **2** Indivíduo que tem simpatia por Portugal, sua gente e seus costumes; LUSITANÓFILO [Ant.: *lusófobo*.] [F.: *luso-* + *-filo*.]
lusofobia (lu.so.fo.*bi*.a) *sf.* Aversão a Portugal e a tudo que se refere a este país; LUSITANOFOBIA [Ant.: *lusofilia*.] [F.: *luso-* + *-fobia*.]
lusófobo (lu.*só*.fo.bo) *a.* **1** Que tem horror a tudo que é português *sm.* **2** Indivíduo que tem aversão por Portugal, sua gente e seus costumes; LUSITANÓFOBO [Ant.: *lusófilo*.] [F.: *luso-* + *-fobo*.]
lusofonia (lu.so.fo.*ni*.a) *sf.* Conjunto de povos ou comunidades que falam a língua portuguesa [F.: *luso-* + *-fonia*.]

lusófono (lu.*só*.fo.no) *a.* **1** Que fala o português (comunidade lusófona) *sm.* **2** Indivíduo ou povo que tem o português como língua oficial ou predominante [F.: *luso-* + *-fono.*]

luso-holandês (lu.so-ho.lan.*dês*) *a.* **1** De, pertencente ou ref. a Portugal e à Holanda, ou de origem portuguesa e holandesa *sm.* **2** Indivíduo de origem portuguesa e holandesa [Pl.: *luso-holandeses.* Fem.: *luso-holandesa.*]

luso-inglês (lu.so-in.*glês*) *a.* **1** De, pertencente, ou ref. a Portugal e à Inglaterra *sm.* **2** Indivíduo de origem portuguesa e inglesa; LUSO-BRITÂNICO [Pl.: *luso-ingleses.* Fem.: *luso-inglesa.*]

lusque-fusque (lus.que-*fus*.que) *sm.* O mesmo que lusco-fusco [Pl.: *lusque-fusques.*]

lustração (lus.tra.*ção*) *sf.* **1** Ação ou resultado de lustrar, de dar brilho ou polimento **2** *Fig.* Transmissão de instrução ou conhecimento **3** Operação final de preparação de couros para comercialização, destinada a conferir brilho ao produto **4** Operação de polimento de uma superfície pintada ou envernizada com a fim de aumentar-lhe o brilho **5** *Fig.* Resplendor **6** *Rel.* Ritual de purificação ou iniciação de pessoa ou lugar por meio de lavagem com água lustral [Pl.: *-ções.*] [F.: Do lat. *lustratio, onis.*]

lustrada (lus.*tra*.da) *sf.* *Pop.* Ação ou resultado de polir, de fazer brilhar uma superfície: *Ele deu uma lustrada no sapato e foi para a festa.* [F.: Fem. substv. de *lustrado.*]

lustrado (lus.*tra*.do) *a.* **1** Que recebeu lustro[2], polimento; POLIDO **2** Que recebeu cera, graxa ou verniz **3** *Fig.* Que demonstra grande conhecimento; CULTO [F.: Part. de *lustrar.*]

lustrador (lus.tra.*dor*) [ô] *a.* **1** Que dá lustro[2] *sm.* **2** Substância ou aparelho que se usa para lustrar, polir **3** Profissional encarregado de lustrar e engraxar sapatos, bolsas e outros produtos de couro; ENGRAXATE [F.: *lustrad(o)* + *-or.*]

lustral (lus.*tral*) *a2g.* **1** Ref. a lustração, a cerimônias religiosas de purificação de lugares ou pessoas **2** *Rel.* Que purifica, que tem supostas propriedades purificantes **3** Diz-se da água us. no batismo católico **4** *Ant.* Na Roma antiga, festa realiza de cinco em cinco anos com propósitos de purificação [Pl.: *-trais.*] [F.: Do lat. *lustralis, e.*]

lustra-móveis (lus.tra-*mó*.veis) *sm2n.* Produto us. para limpar móveis e dar brilho em sua superfície

lustrar (lus.*trar*) *v.* **1** Dar lustre ou brilho a; ENGRAXAR; POLIR [*td.*: *O engraxate lustrou seus sapatos; Preferia lustrar os móveis com cera de abelha.*] **2** Brilhar [*int.*: *Sua pele lustrava de óleo bronzeador.*] **3** Tornar mais claro, culto ou respeitável [*td.*: *Queria lustrar seu livro com fotos antigas.*] **4** Examinar com atenção [*td.*: *Lustrou o terreno em busca de flores.*] **5** Visitar com frequência, com assiduidade [*td.*: *Gostava de lustrar a casa do chefe.*] **6** Instruir, ilustrar [*td.*: *Lustrava os filhos com muita paciência.*] **7** Limpar, purificar [*td.*] [▶ **1 lustrar**] [F.: *lustro* + *-ar.*]

lustre[1] (*lus*.tre) *sm.* **1** Brilho, polimento que se dá a um objeto ou que ele tem de si naturalmente; LUSTRO: *seda de bom lustre.* **2** *Fig.* Honra, glória, fama (lustre dos heróis) **3** *Fig.* Conjunto de conhecimentos: *É homem de muito lustre.* [F.: Do lat. *lustrum, i.*]

lustre[2] (*lus*.tre) *sm.* **1** Candelabro pendente do teto: "...pendam largas cortinas, penda o lustre do teto apainelado." (Tomás Antônio Gonzaga, *Marília*) **2** Artefato de iluminação elétrica, com várias lâmpadas, fixado no teto ou na parede [F.: Do fr. *lustre.*]

lustro[1] (*lus*.tro) *sm.* Período de cinco anos; QUINQUÊNIO [F.: Do lat. clássico *lustrum, i,* cerimônia de purificação na Roma antiga, realizada de cinco em cinco anos.]

lustro[2] (*lus*.tro) *sm.* Brilho natural ou artificial, o mesmo que lustre[1] [F.: Dev. de *lustrar.*]

lustroso (lus.*tro*.so) [ô] *a.* **1** Que tem lustre, brilho; BRILHANTE; LUZIDIO: *cavalo de pelo lustroso.* **2** *Fig.* Que se tornou brilhante pelo uso prolongado **3** *Fig.* Pomposo, cheio de esplendor **4** *Fig.* Ilustre, famoso [Pl.: [ó]. Fem.: [ó].] [F.: *lustro[2]* + *-oso.*]

luta (*lu*.ta) *sf.* **1** Combate corpo a corpo (tb. esportivo) **2** Conflito armado, guerra (luta civil) **3** Debate, controvérsia: "Paulo apresentava sinais visíveis da luta, que consigo tinha tido." (Sanches de Frias, *Ercília*) **4** Empenho, esforço: "Não adianta olhar pro céu/ Com muita fé e pouca luta." (Gabriel o Pensador, *Até quando?*) **5** Ação de duas forças que agem em sentidos opostos (a luta da lei contra o crime) **6** Oposição violenta entre pessoas ou facções (luta contra a ditadura, luta de classes) [F.: Do lat. *lucta, ae.*] ∎ **Ir à ~** *Bras. Pop.* Agir, esforçar-se para conseguir algo que se quer ou necessita, enfrentando condições adversas (sem esperar passivamente, sem desanimar ou lamentar etc.); ir à vida **~ de classes** **1** *Soc.* Conflito ou contradição de interesses entre distintas classes sociais **2** *Restr.* No marxismo, a relação de tensão e oposição econômica, social e ideológica entre as classes sociais, e que é entendida como princípio dinâmico de transformações históricas, e não como perda de complementaridade e equilíbrio ideais **~ livre** Luta entre dois contendores, na qual não há golpes proibidos, cujo objetivo maior é fazer encostar no chão as espáduas do adversário durante certo tempo **~ romana/greco-romana** Tipo de luta livre na qual só se permitem golpes aplicados da cintura para cima

lutador (lu.ta.*dor*) [ô] *a.* **1** Que luta, que se empenha por um objetivo: *Tem um espírito lutador, sempre disposto ao combate.* *sm.* **2** Aquele que tem a luta como esporte ou profissão **3** Pessoa combativa, que persevera e não se abate diante de dificuldades: *Oswaldo Cruz foi um lutador, graças a ele debelou-se a febre amarela.* [F.: Do lat. *luctator, oris.*]

lutar (lu.*tar*) *v.* **1** Travar ou praticar luta esportiva [*tr.* + *com, contra*: *O campeão de boxe lutou contra um desafiante.*] [*td.*: *Meu irmão luta caratê.*] [*int.*: *Ele lutou mal na última competição.*] [*tr.* + *por*: *A equipe lutou pelo título.*] **2** Desferir golpes; BRIGAR [*tr.* + *com*: *Lutou com o assaltante, arriscando a vida.*] [*int.*: *Começaram a lutar no meio da festa.*] **3** Participar em combate ou batalha; COMBATER [*tr.* + *com, contra*: *Lutaram contra os invasores.*] [*int.*: *As tropas lutaram até o fim.*] **4** Fazer frente ou resistir a [*tr.* + *contra*: *indivíduos que lutaram contra a ditadura frontalmente.*] **5** Batalhar, labutar [*int.*: "...médicos ainda lutam para salvar crianças e mulheres..." (*O Globo*, 24.2.2004)] **6** Trabalhar com afinco, para sobreviver ou obter compensações [*int.*: *Tem lutado para garantir o sustento da família.*] [*tr.* + *por*: *Lutava muito por um cargo melhor remunerado; uma empresa que luta por seu espaço no mercado.*] [▶ **1 lutar**] [F.: Do lat. *luctare* por *lucluct.* Hom./Par.: *luta* (fl. de *lutar*), *luta* (sf.), *lutas* (fl. de *lutar*), *lutas* (pl.), *luto* (fl. de *lutar*), *luto* (sm.).]

◎ **lute(i)-** *el. comp.* = 'amarelo': *luteicórneo, luteína* [F.: Do lat. *luteus, a, um.*]

luteína (lu.te.*í*.na) *sf.* Pigmento amarelo encontrado na gema do ovo, na cenoura etc.; XANTOFILA [F.: *lute(i)-* + *-ina[2].*]

luteinização (lu.te:i.ni.za.*ção*) *sf.* *Bioq.* Formação de luteína ou corpo-lúteo [Pl.: *-ções.*] [F.: *luteinizar* + *-ção.*]

luteinizante (lu.te.i.ni.*zan*.te) *a2g.* Diz-se de hormônio secretado pelo lóbulo anterior da glândula pituitária que, na mulher, estimula a ovulação e a formação do corpo-lúteo no folículo ovariano e, no homem, estimula as funções das células intersticiais testiculares, promovendo a produção de testosterona [F.: *luteinizar* (*luteína* + *-izar*) + *-nte.*]

luteinizar (lu.te:i.ni.*zar*) *v.* *td.* *Bioq.* Causar luteinização em [▶ **1 luteinizar**] [F.: *luteína* + *-izar.*]

lúteo[1] (*lú*.te:o) *a.* **1** Que tem a tonalidade amarela, esp. o amarelo-alaranjado ou avermelhado do corpo-lúteo **2** *P. ext.* Sem cor, pálido [F.: Do lat. *luteus, a, um.*]

lúteo[2] (*lú*.te.o) *a.* **1** Que apresenta tonalidade alaranjada **2** *P. ext.* Que ficou sem cor; que se tornou lívido [F.: Do lat. *luteus, a, um.*]

luteotrófico (lu.te:o.*tró*.fi.co) *a.* *Fisl.* Que age sobre o corpo-lúteo (fator luteotrófico) [F.: *luteo[1]* + *-trof(o)-* + *-ico[2].*]

luteranismo (lu.te.ra.*nis*.mo) *sm.* **1** *Rel.* Doutrina religiosa protestante de Martinho Lutero, teólogo e reformador alemão **2** *Rel.* Religião cristã que segue essa doutrina [F.: *luteran(o)* + *-ismo.*]

luterano (lu.te.*ra*.no) *a.* **1** Ref. a Lutero ou ao luteranismo **2** Que é adepto do luteranismo *sm.* **3** Pessoa que segue o luteranismo [F.: Do antr. Martinho *Luter(o)* + *-ano.*]

luteria (lu.te.*ri*.a) *sf.* **1** Arte e técnica de fabricação de instrumentos de corda que possuem caixa de ressonância, mas não dispõem de teclado; luteraria **2** O conjunto formado por esses instrumentos **3** Local onde se fabricam tais instrumentos [F.: Do fr. *lutherie.*]

lutier (lu.ti:*er*) *s2g.* *Mús.* Profissional dedicado à fabricação e conserto de instrumentos musicais de corda com caixa de ressonância, como violão, guitarra, violino etc. [F.: Do fr. *luthier.*]

luto (*lu*.to) *sm.* **1** Pesar pelo falecimento de algum ente querido **2** Roupa ou faixa, ger. preta, que exprime esse pesar **3** Tristeza profunda **4** *Fig.* A morte [F.: Do lat. *luctu(m).*] ∎ **Estar de ~** **1** Estar pesaroso por alguma perda, algum acontecimento triste **2** Manifestar esse pesar com alguns sinais externos, como vestir-se de preto (ou outra cor, conforme padrões culturais), evitar comemorações alegres etc. **Guardar ~** Respeitar as convenções de período de luto conforme os padrões de um grupo, uma comunidade etc. **~ aliviado** Expressão de luto (ou o período durante o qual ela se dá) em que o uso de roupas de cores pouco vistosas, mas não pretas, marca a intensidade moderada do sentimento (por se tratar de morte de parente afastado, ou por já ter passado algum tempo desde a morte do parente próximo) **~ fechado** Expressão de luto (ou o período durante o qual ela se dá), em que a intensidade do sentimento ou a proximidade do parente morto é marcada pelo uso de roupas pretas; luto pesado: *Enviuvou recentemente e ainda traz luto fechado.* **~ pesado** Ver *Luto fechado* **Pôr ~** Manifestar externamente o luto vestindo roupa preta (ou de outra cor, conforme o padrão cultural), ou uma braçadeira etc.

lutulento (lu.tu.*len*.to) *a.* **1** Que tem lodo, lama: "revertendo ao pulverulento e lutulento sua prevalecida jactância" (Guimarães Rosa, "Os chapéus transeuntes", *in Estas estórias*) **2** *Fig.* Que agride (discurso lutulento); OFENSIVO [F.: Do lat. *lutulentus, a, um.*]

lutuoso (lu.tu.*o*.so) [ô] *a.* **1** Coberto de luto **2** Fúnebre, mórbido [Pl.: [ó]. Fem.: [ó].] [F.: Do lat. *luctuosus, a, um.*]

luva (*lu*.va) *sf.* **1** Peça do vestuário que serve para vestir as mãos **2** Espécie de conexão hidráulica [F.: Do gótico *lôfa* 'palma da mão'.] ∎ **Assentar/cair como uma ~** **1** Ajustar-se (roupa, calçado etc.) ao corpo perfeitamente: *Esta jaqueta caiu como uma luva.* **2** *Fig.* Ser perfeitamente conveniente ou adequado: *Este projeto cai como uma luva em nossos planos.* **Atirar a ~** Desafiar **Cair como uma ~** Ver *Assentar/cair como uma luva* **Com ~ branca** **1** *Fig.* Com educação, refinamento, extrema civilidade; de modo gentil, delicado **2** Sem demonstração direta de hostilidade; sem ofensa, sem agressividade (na expressão de oposição ou contrariedade): *Respondeu com luva branca, demolindo as teorias de seu opositor.* **3** Diz-se de desafio, resposta, contestação, crítica etc. feitos ou ditos com delicadeza ou educação, mas também com ironia, mordacidade: *Depois de ouvir tantas calúnias, sua resposta calma foi uma bofetada com luva branca.* **Dar com ~ de pelica** Usar ironia, sarcasmo, mordacidade, mas em tom gentil ou delicado, para provocar ou responder a provocação **Com ~ de pelica** (Respondendo a ofensa, contestação, crítica, expressão de hostilidade etc.) com delicadeza e educação, acompanhada de ironia **Levantar a ~** Aceitar repto, desafio; reagir a ataque ou provocação

luvada (lu.*va*.da) *sf.* *Bras. Pop.* Golpe com a palma da mão (luvada explosiva); TAPA: *Levou uma luvada na cara* [: *Levou uma luvada de veludo, enrubesceu, calou-se.* Us. tb. na loc. *luvada de veludo/de pelica*, com o significado de repreensão suave e elegante porém desconcertante e incisiva.] [F.: *luva* + *-ada[2].*]

luvas (*lu*.vas) *sfpl.* Quantia extra em dinheiro que é paga por exigência do proprietário na assinatura de certos contratos de locação [F.: Pl. de *luva.*]

luveiro (lu.*vei*.ro) *sm.* Indivíduo que fabrica luvas e/ou vende [F.: *luva* + *-eiro.*]

lux [cs] *sm.* *Ópt.* Unidade de medida de luminosidade do Sistema Internacional equivalente à iluminação de uma superfície de um metro quadrado sob o fluxo luminoso de um lúmen, uniformemente distribuído [Símb.: *lx.*] [Pl.: *lux, luxes.*] [F.: Do lat. *lux, lucis.*]

luxação (lu.xa.*ção*) *sf.* **1** *Med.* Deslocamento da superfície articular de um osso: *O jogador teve uma luxação no ombro.* **2** Deslocamento de certos órgãos [Pl.: *-ções.*] [F.: Do lat. *luxatio, onis.*]

luxar[1] (lu.*xar*) *Med.* *v.* *td.* Deslocar(-se), desconjuntar(-se): *Na queda, luxou o tornozelo.* [▶ **1 luxar**] [F.: Do lat. *luxare.* Hom./Par.: *luxar* (v.), *luchar* (v.), *luxaria* (fl. de *luxar*), *luxaria* (sf.) *luxarias* (fl. de *luxar*), *luxarias* (pl.), *luxo* (fl. de *luxar*), *luxo* (sm.).]

luxar[2] (lu.*xar*) *v.* *int.* **1** Ostentar luxo; viver com luxo: *Ele gosta de ganhar dinheiro e de luxar.* **2** Recusar por afetação, sem sinceridade; fazer luxo [▶ **1 luxar**] [F.: *luxo* + *-ar.*]

luxaria (lu.xa.*ri*.a) *sf.* **1** Luxo demasiado, pompa: "Compadre, isso é luxaria demais para a minha pessoa. Preciso cingir-me às minhas circunstâncias – observou o negociante." (Sanchez de Frias, *Ercília*) **2** Aquilo que é de luxo; SUPERFLUIDADE [F.: *luxo* + *-aria.* Hom./Par.: *lucharia* (fl. de *luchar*) e *luxaria* (fl. de *luxar*).]

luxemburguês (lu.xem.bur.*guês*) *sm.* **1** Pessoa nascida no grão-ducado de Luxemburgo (Europa) *a.* **2** De Luxemburgo; típico desse grão-ducado ou de seu povo [F.: Do top. *Luxemburgo* + *-ês.*]

luxento (lu.*xen*.to) *a.* **1** Que se veste com luxo, ostentação **2** *Bras.* Que é exigente, cheio de luxos e melindres; DENGOSO [F.: *lux(o)* + *-ento.*]

luxo (*lu*.xo) *sm.* **1** Ostentação pomposa de riqueza [Ant.: *modéstia, simplicidade.*] **2** Prazer ou bem adquirido por alto preço: *Um carrão desses é um luxo excessivo.* **3** Extravagância, esquisitice: "...dando-se até o luxo de margens relativamente largas..." (Brito Camacho, *Cerros e vales*) **4** *Fig.* Abundância, profusão: *Contou tudo, com um luxo de pormenores.* [Ant.: *pobreza.*] **5** *Bras. Fig.* Exigência despropositada; AFETAÇÃO; MELINDRE: *Era um hóspede cheio de luxos.* **6** *Bras.* Negação fingida em fazer ou receber algo: *Fez luxo, mas queria realmente o presente.* [F.: Do lat. *luxus, us.*] ∎ **Cheio de ~** *Bras. Fam. Pej.* Cheio de frescura, cheio de manhas, pretensioso, implicante; cheio de nove-horas; cheio de novidades **Dar-se ao ~ de** Fazer (algo), agir de determinada forma, por capricho ou extravagância, ger. com segurança ou certeza de poder enfrentar as consequências: *Sem trabalho há meses, deu-se ao luxo de recusar o emprego.* **Fazer ~** *Bras. Pop.* Recusar com excessiva formalidade ou cerimônia, ou com afetação, algo que é oferecido: *Deixe de fazer luxo e aceite este salgadinho.* **Permitir-se o ~ de** Ver *Dar-se ao luxo de* **Um ~** Muito bom, bonito, suntuoso, exuberante etc.: *A fantasia dela era um luxo.* **Um ~ de** Grande quantidade de (coisas boas, bonitas etc.): *Esta pintura tem um luxo de detalhes e de efeitos de luz que impressiona.*

luxuosidade (lu.xu:o.si.*da*.de) *sf.* Caráter ou qualidade de luxuoso [F.: *luxuoso* + *-(i)dade.*]

luxuoso (lu.xu.*o*.so) [ô] *a.* **1** Que ostenta luxo, que é muito caro e requintado: *Essa avenida só tem prédios luxuosos.* *a.* **2** Que é farto, abundante [F.: *luxo* (*luxu-*) + *-oso.*]

luxúria (lu.*xú*.ri:a) *sf.* **1** Desregramento, excesso sexual; LASCÍVIA **2** *Rel.* Para os católicos, um dos sete pecados capitais **3** Magnificência, exuberância (falando de vegetação); VIÇO **4** *Fig. Pop.* Esperma [F.: Do lat. *luxuria, ae.*]

luxuriante (lu.xu.ri.*an*.te) *a2g.* **1** Que demonstra grande vigor e opulência **2** Diz-se de vegetação que se desenvolve com grande vigor; EXUBERANTE; VIÇOSO: "Elsa só via a verdura luxuriante, a grande, a estupenda geração vegetal que tudo avassalava e encobria." (Coelho Neto, *Água de Juventa*) **3** De grande capacidade criativa (imaginação luxuriante) [F.: Do lat. *luxurians, ntis.* Sin. ger.: *luxurioso.*]

luxuriar (lu.xu.ri.*ar*) *v.* **1** Crescer com viço, vigor; VICEJAR [*int.*] **2** Entregar-se à luxúria [*int.*] **3** Estimular a luxúria [*td.*] [▶ **1 luxuriar**] [F.: Do lat. *luxuriare.* Hom./Par.: *luxuria(s)* (fl.), *luxúria(s)* (sf. [pl.]).]

luxurioso (lu.xu.ri.*o*.so) [ô] *a.* **1** Que denota luxúria, o mesmo que luxuriante **2** Que vive na luxúria[1]; LIBERTINO; LÚBRICO [Pl.: [ó]. Fem.: [ó].] [F.: Do lat. *luxuriosus, a, um.*]

luz *sf.* **1** Claridade emitida ou refletida **2** O clarão dos corpos celestes, emitido (Sol, estrelas etc.) ou refletido (Lua): "Luz do sol que a folha traga e traduz em verde novo..." (Caetano Veloso, *Luz do sol*) **3** Objeto que tem a capacidade de iluminar (vela, lâmpada etc.) **4** Clarão, brilho emitido por esse objeto **5** *Fig.* Inteligência, esclarecimento: *luz do saber.* [Freq. us. no pl.] **6** *Fig.* Ponto de vista: *Examinou o caso sob a luz da ciência.* **7** *Fig.* Ideia, intuição da verdade: *Deu-lhe uma luz, para esclarecer o problema.* [F.: Do lat. *lucem.*] ∎ **À ~ de** **1** De acordo com o entendimento, os conhecimentos, opiniões, os princípios ou ensinamentos de (grupo de pessoas, campo de atividades, doutrina): *Fenômenos inexplicáveis à luz das teorias existentes.* **2** Levando-se em conta (determinadas informações, explicações, esclarecimentos): *Deixe de espe-*

cular e raciocine à luz dos fatos; À luz dessa informação, vou mudar meu programa. **Ao apagar das ~es** Fig. Nos últimos momentos, quando algo (período, evento, processo) está a ponto de terminar; no fim; na última hora: *Fez o gol da vitória ao apagar da luzes.* **A todas as ~es** Fig. Independentemente do ângulo, da perspectiva com que se observe ou examine algo; sob qualquer aspecto que se considere **Dar à ~ 1** Deixar ou fazer sair do ventre a(s) criança(s) ou filhote(s) de que estava grávida ou prenhe (diz-se de mulher ou de fêmea animal); parir **2** Fig. Ser o criador ou gerador de algo **3** Escrever e publicar (livro ou outra obra) **Dar uma ~** Dar uma opinião esclarecedora (de um assunto), apresentar uma ideia, uma alternativa de solução para um problema **Lançar ~ sobre** Fig. Apresentar explicações ou esclarecimentos sobre (fato, assunto etc.); permitir ou facilitar a compreensão de (alguma coisa, ação); esclarecer, elucidar **~ amarela** Em sinal de trânsito, farol, semáforo, sinal de advertência para a mudança iminente da luz verde (passagem livre) para a luz vermelha (passagem proibida), na forma de um luz amarela entre estas **~ antissolar** Astron. Luminosidade fraca e difusa de forma ovalada, que aparece no céu na direção oposta à do Sol, e no plano da eclíptica [Cf.: *Luz zodiacal*.] **~ artificial** Fot. Luz que não é a luz solar (seja esta direta ou refletida) **~ branca** Ópt. Luz que pode se decompor (p. ex., ao se refratar num prisma) num espectro de radiações de diferentes comprimentos de onda (de diferentes cores) **~ cinérea** Astr. Ver *Luz cinzenta* **~ cinzenta** Astron. Fraca luminosidade que vem da face não iluminada da Lua, ger. visível na lua nova e no quarto minguante. [É a luz solar que a Terra reflete na direção da Lua, e que esta reflete de volta.] **~ de navegação 1** Náut. Cada uma das luzes colocadas em posições determinadas e que, segundo convenções de navegação, uma embarcação deve mostrar quando há obscuridade, de modo a indicar suas dimensões e direção de movimento; é vermelha a bombordo (esquerda de que olha da popa para a proa) e verde a boreste (direita de quem olha da popa para a proa) **2** Avi. Cada uma das luzes que se acendem, depois de escurecer, nas pontas das asas e sob a cauda de avião, para sinalizar sua presença e direção de voo; é vermelha na ponta da asa esquerda, verde na ponta da asa direita, e branca sob a cauda **~ difusa** Fot. A que se espalha em várias direções antes de chegar aos objetos, e que por isso não provoca sombras muito marcadas em contraste com as áreas iluminadas; luz básica **~ fria** Fís. Luz produzida por fenômeno de luminescência, cuja emissão envolve baixa emissão de calor **~ monocromática** Ópt. Radiação luminosa com um só comprimento de onda, e que aparece com cor pura, sem mistura com outras cores **~ natural** Fot. A luz do Sol, quando usada como fonte única ou principal de iluminação **~ negra 1** Fís. Radiação na faixa do ultravioleta, com comprimento de onda entre 320 nanômetros e 400 nanômetros **2** Teat. Luz ultravioleta us. para iluminar, no escuro, partes do cenário ou objetos pintados com tinta fluorescente ou fosforescente, o que destaca esse efeito **~ planopolarizada** Ópt. Ver *Luz polarizada* **~ polarizada** Ópt. Luz na qual a vibração do vetor elétrico irradia-se sempre no mesmo plano e na mesma direção; luz planopolarizada **~ terrestre** Astron. A luz que a Terra reflete e que pode ser vista em outros astros (aplica-se principalmente à que chega a iluminar a Lua) **~ verde 1** Em sinal de trânsito, farol, semáforo, indicação, na forma de uma luz de cor verde de que a passagem está livre, desimpedida; sinal verde **2** Fig. Ausência ou inexistência de obstáculos, dificuldades, impedimentos **3** Fig. Permissão, consentimento, aquiescência, **~ vermelha 1** Em sinal de trânsito, farol, semáforo, indicação, na forma de uma luz de cor vermelha, de que a passagem está proibida; sinal vermelho **2** Fig. Indicação de obstáculos, dificuldades, impedimentos **3** Fig. Proibição, vedação, impedimento, **~ visível** Luz (1), assim designada como forma de marcar sua natureza física de radiação eletromagnética e distingui-la de radiações semelhantes porém não percebidas pelo olho humano (infravermelho, ultravioleta) **~ zodiacal** Astr. Fraca luminosidade visível na faixa do zodíaco, no oeste, após o ocaso, e no leste, antes de nascer do Sol [Cf.: *Luz antissolar*.] **Perder a ~ 1** Fig. Perder a visão; deixar de enxergar; ficar cego **2** Desmaiar, desfalecer; perder os sentidos **Perder a ~ da razão** Fig. Deixar de agir ou pensar de modo sensato; perder a razão, o bom-senso, o discernimento; enlouquecer **Sair à ~ 1** Ser publicado **2** Aparecer, mostrar-se **Vir à ~ 1** Nascer **2** P. ext. Divulgar-se, sair da obscuridade, tornar-se conhecido **3** Ver *Vir a lume* no verbete *lume*

📖 Muitas teorias se criaram ao longo do tempo sobre a natureza e a estrutura do fenômeno luminoso. Hoje se entende a luz, assim como o som, como uma propagação em forma de onda de uma perturbação, com frequência e velocidade muitos altas. Essa frequência é capaz de estimular a retina do olho a captar a onda luminosa, e, com ela, seu reflexo nas coisas, que definem a sua percepção. A velocidade da luz, que, ao contrário do som, se propaga no vácuo, é de 300.000 km/seg. A óptica é a parte da física que estuda a luz e os fenômenos luminosos. Além da sua óbvia importância como definidora da percepção visual das coisas, a luz, através da fotossíntese (ver achega em fotossíntese), transforma compostos inorgânicos em orgânicos, ou seja, literalmente, cria a vida.

luzecu (lu.ze.cu) sm. Bras. Ent. Ver *vaga-lume.*
luzeiro (lu.zei.ro) sm. **1** Emissão de luz; BRILHO; CLARÃO: "Da lua escorrem luzeiros opados, cor de pérola, cor de cinza." (Fialho de Almeida, *O país das uvas*) **2** Astro, estrela, ponto brilhante: "O luzeiro que aparece no céu a terra santa guiará nossos passos." (Fagundes Varela, *Obras*) **3** Algo que emite luz: *Seus olhos são luzeiros que me atraem.* **4** Pessoa que com o seu saber ilustra uma nação, uma instituição etc.; LUMINAR: *Santo Agostinho é um dos luzeiros da Igreja.* **5** Hip. Mancha branca e arredondada na testa do cavalo [F.: *luz + -eiro*.]
luzente (lu.zen.te) a2g. Que emite brilho; BRILHANTE; BRILHOSO [F.: Do lat. *lucens, ntis*.]
luzerna (lu.zer.na) sf. **1** Grande claridade; CLARÃO **2** Espécie de claraboia; abertura que se faz em um telhado para clarear: "O tombadilho, que das luzernas avermelha o brilho" (Castro Alves, "O navio negreiro" *in Os escravos*) [F.: Do lat. *lucerna, ae* 'candeeiro'.]
luzerno (lu.zer.no) sm. Bot. Aneto
luzes (lu.zes) sfpl. **1** Conhecimentos decorrentes do desenvolvimento, do progresso da ciência, esp. na época do Iluminismo [O séc. XVIII é denominado 'Século das Luzes', por ter sido o séc. em que as ideias iluministas atingiram seu apogeu.] **2** Inteligência, brilho intelectual: *Vera é uma jovem de muitas luzes.* **3** Fot. Áreas mais escuras de um negativo que representam os pontos luminosos [F.: Pl. de *luz*.]
luzia (lu.zi.a) sm. Bras. No início do segundo reinado, alcunha dada aos membros exaltados do antigo partido liberal de Minas Gerais que se opunha aos conservadores (saquaremas) [Originário do combate ocorrido em 1842, em Santa Luzia (MG), em que os mineiros foram derrotados pelas tropas legalistas sob o comando do então barão de Caxias.]
luzidio (lu.zi.di.o) a. Que é lustroso, brilhante (pelo luzidio); LUZIDO [F.: *luzido + -io²*.]
luzido (lu.zi.do) a. **1** Cheio de luz, vistoso, o mesmo que *luzidio* **2** De grande imponência (luzida figura); POMPOSO; VISTOSO: "A atmosfera doirada do Chiado, luzida de elegância" (Antero de Figueiredo, *Amor supremo*) [F.: Part. de *luzir*.]
luziluzir (lu.zi.lu.zir) v. int. Bras. Brilhar irregularmente, com intermitência, produzindo efeito semelhante ao dos pirilampos; luciluzir; TREMELUZIR [▶ 57 luziluzir] [F.: *luzi(r)- + luzir*.]
luzimento (lu.zi.men.to) sm. **1** Ação ou resultado de luzir sm. **2** Esplendor, brilho **3** Fausto, pompa: "Uma festa que se fazia sempre com grande luzimento." (Brito Camacho, *Gente rústica*) [F.: Do lat. *lucere*. Ant. acepc.: Hom./Par.: *luz* (fl. de *luzir*), *luz* (sf.), *luzes* (fl. de *luzir*), *luzes* (pl.).]
luzir (lu.zir) v. int. **1** Emitir ou refletir luz, brilho, claridade: *Luzem as estrelas no céu azul.* **2** Fig. Sobressair, brilhar [▶ 57 luzir] [F.: Do lat. *lucere*. Ant. acepc.: Hom./Par.: *luz* (fl. de *luzir*), *luz* (sf.), *luzes* (fl. de *luzir*), *luzes* (pl.).]
⊠ **lx** Ópt. Símbolo de *lux*
⊕ **lycra®** (*Ing. /laicra/*) sf. Fibra elástica us. na confecção de certas peças do vestuário (calças, maiôs etc.) [A marca registrada com inicial maiúsc.] [F.: Do ing. *Lycra*®, marca registrada.]

Com suas origens na escrita hierática egípcia, o *m*, que representava uma coruja, passou a se chamar *mem* (água) entre os fenícios e *mi* entre os gregos. O grego *mi* foi subsequentemente adotado pelos etruscos e romanos, para os quais também era um numeral correspondente a mil. A forma final do *m* data de época romana.

	Fenício
	Grego
	Grego
	Etrusco
	Romano
M	Romano
m	Minúscula carolina
M	Maiúscula moderna
m	Minúscula moderna

m[1] *sm.* **1** Consoante bilabial, nasal e sonora que constitui a décima terceira letra do alfabeto português **2** A décima consoante do alfabeto português **3** A forma e representação dessa letra, e o som por ela expresso [Pl. indicado pela duplicação da letra: *mm.*] **4** *Metrol.* Símb. do *metro* **5** *Metrol.* Símb. do prefixo *mega* **6** *Metrol. Fís.* Símb. de *massa* **7** Abrev. de *masculino* **8** *Vest.* Abrev. de tamanho *médio*, quando aplicado a peças do vestuário [Por oposição a P (tamanho pequeno) e G (tamanho grande).] **9** *Astr.* Abrev. de *meio-dia*, nas tábuas astronômicas *num.* **10** O 13º em uma série ordenada ou hierárquica de elementos designados pelas letras do alfabeto português (fila M) **11** O número mil em algarismos romanos [Us. em sua forma maiúscula: M] [F.: 13ª letra do alfabeto lat.]

⊠ **M**[2] **1** Símb. de *mega* **2** *Fís.* Símb. de número de *Mach*, ger. us. junto ao valor de uma velocidade

⊠ **m**[3] *Metrol.* Símbolo de *metro cúbico*

ma (*ma*) *Gram.* Contr. dos prons. *me* e *a*: *— Onde está minha borracha? — Você ma deu.* [F.: Contr. do pron.pes. oblíquo *me* + pron.dem.fem. *a*. Hom./Par.: *má* (a.).]

má *a.* Fem. de *mau* [F.: Do lat. *malus, mala, malum.*]

⊠ **maa** *Metrol.* Símb. de *miriare*

mabaça (ma.*ba*.ça) Ver *mabaço*

mabaço (ma.*ba*.ço) *s2g.* **1** Irmão ou irmã gêmea **2** Epíteto do orixá Ibeji [F.: Do quimb. e quicg. *ma'basa.* Tb. *mabaça.*]

maca (*ma*.ca) *sf.* **1** *Med.* Cama com rodinhas para o transporte de doentes **2** *Med.* Cama ger. de lona esticada entre duas varas, dobrável, para transporte de feridos, acidentados etc.; PADIOLA: "Disse-me que o Sr. Godinho, coitado, fora para o hospital numa maca" (Eça de Queirós, *A relíquia*) **3** *Mar. Náut.* Cama de lona onde dormem os marinheiros a bordo do navio, ou em embarcação: "O 'Tubarão' virava-se de um para outro lado da sua maca de lona, sem conseguir dormir..." (Aluísio de Azevedo, *Girândola*) **4** *N.* Saco de couro para roupa amarrado à garupa. us. em viagem [F.: Do espn. *hamaca.*] ■ **Meter na ~** *CE Pop.* Enganar, iludir, dissimular **Pôr a ~ abaixo** *Bras. Pop.* Ser sincero, falar com franqueza

maça (*ma*.ça) *sf.* **1** *Antq.* Pedaço de pau, com uma das extremidades mais grossa, us. como arma; CLAVA; MOCA **2** *Mil.* Arma antiga, feita de uma barra de ferro à qual se prende com uma corrente, numa das extremidades, uma bola de metal com pontas afiadas **3** *Têxt.* Instrumento em forma de pilão, us. para bater ou maçar o linho **4** Peça de madeira em forma de garrafa comprida us. pelos malabaristas **5** Espécie de martelo, ger. de madeira, com duas cabeças **6** Vareta de madeira para percutir o bombo **7** Polpa da noz-moscada [F.: Do lat. vulg. *matea* ou *mattea*, lat. class. *mateola.* Hom./Par.: *maça* (flex. de *maçar*) *massa* (sf.).]

maçã (ma.*çã*) *sf.* **1** *Bot.* O fruto da macieira, comestível, arredondado, de coloração vermelha ou verde **2** *Anat.* Parte mais saliente da bochecha; *maçã do rosto* **3** *Bras. Zool.* Carnosidade pilosa que se encontra no estômago de alguns animais e que se acreditava ter propriedades terapêuticas e atrair a sorte nas caçadas; *bezoar* **4** Maçaneta da sela **5** *Bras.* Variedade de cana-de-açúcar **6** O fruto proibido, na interpretação popular e equivocada da Bíblia, segundo a qual a maçã seria o fruto que Adão e Eva estavam proibidos de comer [Dim.: *maçanilha.*] [F.: Do lat. *matiana* ou *matti a na.*] ■ **~ da espada** Numa espada, a parte em se prende a lâmina, junto ao punho **~ do amor** Maçã caramelada enfiada na ponta de um palito de picolé **~ do peito** *Bras.* A parte superior da carne do peito do boi ou da vaca **~ do rosto** A parte do rosto abaixo dos olhos, um pouco saliente, correspondente ao osso malar

macabeu (ma.ca.*beu*) *a.* **1** Referente aos macabeus, família de sacerdotes judeus, descendente do sumo sacerdote Matias Macabeu, que reinou na Palestina de 142 a.C. a 63 a.C *sm.* **2** Indivíduo dessa família **3** *Rel.* Livros deuterocanônicos do Velho Testamento que contam a história dessa família [Neste caso, com inicial maiúscula e no plural.] [F.: Do lat. *Machabaeus*, do gr. *Makkabaîos*, do heb. *makabi.* Fem.: *macabeia.*]

macabíada (ma.ca.*bí*.a.da) *sf.* Série de competições esportivas realizadas em Israel, semelhantes às Olimpíadas [F.: De *macab(eus)* + *(olimp)íada.*]

macabrear (ma.ca.bre.*ar*) *v. int.* Armar macabrismos, coisas macabras: *Macabreava terrivelmente sobre a família.* [▶ 13 macabrear] [F.: *macabro* + *-ear*[2].]

macabro (ma.*ca*.bro) *a.* **1** Ref. ou inerente à morte ou aos mortos; que a expressa, anuncia ou evoca; FÚNEBRE **2** Que desperta horror ou medo (história macabra, figura macabra); TÉTRICO; SINISTRO **3** Diz-se da dança ritual em que a morte é representada com imagens e alegorias **4** Ligado a coisas ou sentimentos tristes (pensamentos macabros); LÚGUBRE; SOMBRIO *sm.* **5** Característica ou qualidade do que é macabro: *o macabro no cinema de horror.* [F.: Do fr. *macabre* (de *'danse macabre'*).]

macaca (ma.*ca*.ca) *sf.* **1** *Zool.* Fêmea do macaco **2** *Zool.* Designação comum aos primatas antropoides do gênero *Macaca*, como o macaco *Rhesus* **3** *N.E. Ict.* Espécie de linguado (*Solea lascaris*), usado como alimento ou como isca para peixes maiores **4** *Bras. Fig. Pej.* Mulher feia **5** *Bras. Pop.* Má sorte sistemática, infelicidade; urucubaca; MACACOA [Ant.: *sorte.*] **6** *N.E.* Chicote de cabo curto e grosso para açoitar animais **7** *CE* Vaca que não deu cria **8** *Lus. Fig. Pop.* Jogo da amarelinha; ACADEMIA **9** *Lus. Fig. Pop.* Carteira de notas [F.: Do tax. *Macaca* < port. *macaca.*] ■ **Estar com a ~** **1** *Pop.* Estar exageradamente agitado **2** Estar muito nervoso ou irritado **~ de auditório** **1** *Antq.* Pessoa que participa de programa de televisão, como parte da plateia presente no local da transmissão ou gravação, e que se comporta de modo agitado, gritando ou aplaudindo entusiasticamente os artistas que se apresentam **2** *Fig. Joc.* Admirador(a) entusiasta

macacada (ma.ca.*ca*.da) *sf.* **1** Bando de macacos; MACACARIA **2** *Bras. Pop.* Ação ou resultado de macaquear, de imitar ou arremedar; MACAQUICE **3** *Bras. Gír.* As pessoas da família, os amigos; a turma, a patota; galera [F.: *macaco-* + *-ada*[2].]

macaca de auditório (ma.ca.ca de au.di.*tó*.ri:o) *sf.* **1** *Bras. Pop.* Frequentadora entusiasta de programas de auditório de rádio e/ou televisão, que manifesta ruidosamente o apreço por determinados artistas **2** *P.ext.* Fã histeroide de artistas de cinema, esportistas etc. [Pl.: *macacas de auditório.*]

macacal (ma.ca.*cal*) *a2g.* Referente a macaco, ou que faz pensar em um macaco: *O sujeito era um pândego, cheio de gestos macacais.* [Pl.: *-ais.*] [F.: *macaco* + *-al.*]

macacão (ma.ca.*cão*) *sm.* **1** *Vest.* Peça de vestuário larga, inteiriça, de tecido resistente, originalmente feita para o uso de operários e hoje de uso generalizado **2** Qualquer roupa inteiriça, que inclua a blusa e a calça em uma só peça **3** *Bras. Gír.* Indivíduo feio e grotesco **4** *Bras. Gír.* Indivíduo astuto, manhoso **5** *Zool.* Macaco grande [Pl.: *-cões.*] [F.: *macaco* + *-ão*[1].]

macacaria (ma.ca.ca.*ri*.a) *sf.* **1** Bando de macacos, *macacada* **2** O mesmo que *macaquice* [F.: *macaco-* + *-aria.*]

macaco (ma.*ca*.co) *sm.* **1** *Zool.* Denominação comum aos primatas, com exceção do homem; SÍMIO **2** *Fig.* Quem macaqueia, quem imita ou arremeda, como alguns macacos (1) **3** *Fig.* Indivíduo muito feio; grotesco, disforme **4** *Náut.* Dispositivo us. para esticar e graduar a tensão de cabos e correntes fixos **5** *N.E.* Alcunha do policial das antigas milícias estaduais; MATA-CACHORRO **6** *Mec.* Aparelho hidráulico, de parafuso ou cremalheira, acionável por meio de alavanca, pedal ou manivela, para levantar e sustentar provisoriamente objeto pesado (p.ex. automóvel, para troca de pneu) **7** *N.E.* Ajudante de vaqueiro **8** *N.E.* Paralelepípedo de granito para calçamento de ruas e estradas *a.* **9** *Bras. Pej. Pop.* Diz-se do que ou quem é feio, desproporcional, simiesco **10** *Bras. Pop.* Diz-se do que ou quem aborrece, entedia, é enfadonho **11** *Bras. Pop.* Diz-se de quem ou o que é astuto, manhoso [F.: De or. duvidosa, prov. do banto *makako.*] ■ **Cada ~ no seu galho** (**provérbio**) *Pop.* Cada um na sua atribuição, no seu lugar, sem se meter no que não lhe diz respeito ou para o que não tem competência **Dar no ~** *BA Tabu.* Masturbar-se (o homem) **Ir pentear ~s** *Bras.* Deixar de importunar, ir importunar em outro lugar **~ velho** **1** *Bras.* Indivíduo experiente, que não se deixa enganar **2** Indivíduo esperto, ladino, astuto, matreiro, que sabe enganar os outros **~ velho não mete a mão em cumbuca** (**provérbio**) *Bras. Pop.* Quem é experiente não se deixa atrair por cilada, não é imprudente **Mandar pentear ~s** *Bras.* Mandar embora (para livrar-se de) alguém que está incomodando, importunando; mandar às favas (ver no verbete *fava*)

macacoa (ma.ca.*co*.a) [ô] *Bras. Pop. sf.* Qualquer doença sem gravidade, esp. enxaqueca e gripe ou resfriado; indisposição [F.: *macaco* + *-oa.*]

maçacote (ma.ça.*co*.te) *sm.* **1** Peça de ferro de forma cônica que serve para encostar os arrebites quando se cravam **2** *Cons.* Massa feita com areia, cal e farelo de pedra us. para reforçar paredes ou certas estruturas e ainda para revestir pisos de terra [F.: Do espn. *mazacote.*]

macacu (ma.ca.*cu*) *sm. Bras. Bot.* Nome comum de algumas árvores do gên. *Aldina*, da fam. das leguminosas, das quais se extrai tintura e cuja madeira é usada em construção naval [F.: or. obsc.]

maçada (ma.*ça*.da) *sf.* **1** Golpe desferido com maça, ou qualquer pancada; BORDOADA; CACETADA **2** Situação, conversa ou atividade maçante, enfadonha, e que não se pode recusar; ABORRECIMENTO: "aturei duas maçadas de primeira ordem, uma na câmara, outra na rua." (Machado de Assis, *Memórias póstumas de Brás Cubas*) **3** Trabalho penoso, coisa aborrecida **4** Surra, sova **5** *Gír.* Trapaça no jogo **6** Armação para pescar lampreias, camboa **7** *Gír.* Combinação secreta ou conluio entre duas pessoas para enganar ou fazer mal a outrem [F.: *maça-* + *-ada*[2].]

macadame (ma.ca.*da*.me) *Cons. sm.* **1** Processo de calçamento de ruas e estradas que utiliza mistura à base de pedra britada, que é aglutinada e comprimida **2** Denominação dada a essa mistura **3** Base de pavimento de estradas e ruas feita com essa mistura [F.: Do antr. (John London) *Mac Adam*, engenheiro inglês (1758-1836).]

macadâmia (ma.ca.*dâ*.mi:a) *sf.* **1** *Bot.* Árvore perene da fam. das proteáceas (*Macadamia ternifolia*), nativa da Austrália, Nova Zelândia e Malásia, muito cultivada pelos frutos comestíveis **2** *Bot.* O fruto dessa árvore; NOZ-MACADÂMIA [F.: Do antr. John *Macadam*, químico australiano.]

macadamizar (ma.ca.da.mi.*zar*) *v. td.* Cobrir, revestir (estradas, calçadas, ruas etc.) com macadame [F.: *macadame* + *-izar.*]

maçado (ma.*ça*.do) *a.* **1** Que foi batido com maça ou maço **2** Que foi surrado, espancado **3** *Fig.* Diz-se de quem foi vítima de maçada, de aborrecimento [F.: Part. de *maçar.*]

maçadura (ma.ça.*du*.ra) *sf.* **1** Golpe com o maço ou a maça, o mesmo que *maçada.* **2** Machucadura; marca de pancada deixada no corpo **3** Operação de quebrar a casca do linho, tb. se diz *maçagem* [F.: *maçado* + *-ura.*]

macaia (ma.*cai*.a) *Bras. sf.* **1** Tabaco de má qualidade **2** Conjunto das folhas us. em rituais nos terreiros de rito angola e congo **3** Mata em que se reúne o pessoal dos terreiros para realizar suas cerimônias religiosas [F.: Do quicg. *makaia.*] ■ **Pitar ~** *SP Pop.* Morrer

macaísta (ma.ca.*ís*.ta) *s2g.* **1** Indivíduo nascido ou que vive em Macau (China) *a2g.* **2** De Macau; típico dessa cidade ou de seu povo [F.: Do top. *Maca(u)* + *-ista.*]

macambira (ma.cam.*bi*.ra) *sf.* **1** *Angios.* Planta da fam. das bromeliáceas (*Bromélia laciniosa*) encontrada nas caatingas do Nordeste, us. como ração e para extração de fibras **2** Planta da mesma fam. (*Encholirium spectabile*) encontrada no PI e na BA, cujas fibras são utilizadas para a fabricação de redes [F.: Do tupi *maka'mbira.*]

macambúzio (ma.cam.*bú*.zi:o) *a.* **1** Que é, ou momentaneamente se mostra, taciturno, carrancudo, melancólico: "Ia rufar nos vidros - ou sentado, com um ar macambúzio, bamboleava a perna!" (Eça de Queirós, *O primo Basílio*) [Ant.: *alegre.*] *sm.* **2** *Moç.* Jovem guardador de gado [F.: De or. duvidosa.]

maçaneta (ma.ça.*ne*.ta) [ê] *sf.* **1** Peça de formato variado que se empunha para acionar o trinco de portas ou janelas, de grades etc., e que lhes serve de remate e de ornato **2** Esta peça us. como puxador de portas ou janelas **3** *Hip.* A parte mais alta da sela, na dianteira; *cepilho* **4** *Mús.* Baqueta de ponta ovalada para percutir o zabumba **5** *Her.* Peça esférica que serve de remate a outras peças [F.: *maçã* + *n* + *-eta.*]

macanjo (ma.*can*.jo) *a.* **1** *Gír.* Diz-se de quem é velhaco, tratante: "Olhe que ele é muito macanjo, meu pai!" (Camilo Castelo Branco, *A corja.*) **2** *Gír.* De má qualidade, vulgar, ordinário *sm.* **3** Pessoa em cujo caráter não se pode confiar **4** *Ant.* Patacão falso [F.: or. obsc.]

maçante (ma.*çan*.te) *a2g.* **1** Diz-se do que ou quem aborrece, provoca tédio (programa maçante, leitura maçante, cantor maçante); ENTEDIANTE; ENFADONHO; FASTIDIOSO; TEDIOSO [Ant.: *agradável.*] *s2g.* **2** Aquele ou aquilo que aborrece, que é tedioso; pessoa maçante; amolador, chato, maçador, muquirana, secador [F.: *maçar* + *-nte.*]

macanudo (ma.ca.*nu*.do) *a.* **1** *RS* Diz-se de pessoa dotada de grande inteligência, beleza, força e/ou poder **2** Diz-se de animal ou coisa que é muito boa [F.: Do espn. *macanudo.*]

maçapão (ma.ça.*pão*) *sm. Cul.* Bolo de farinha de trigo em que entram pasta de amêndoa, ovos e açúcar [Pl.: *-ães.*] [F.: Do espn. *mazapán.*]

macaparanoara (ma.ca.pa.ra.no.*a*.ra) *s2g. a2g.* O mesmo que *macaparanense.* [F.: Do top. *Macaparana* + *-oara.*]

macaqueação (ma.ca.que:a.*ção*) *sf.* **1** Ação ou resultado de macaquear **2** O mesmo que *macaquice* [Pl.: *-ções.*] [F.: *macaquear* + *-ção.*]

macaqueador (ma.ca.que.a.*dor*) [ô] *a.* **1** Diz-se de indivíduo que macaqueia, que imita (algo ou alguém) de maneira ridícula *sm.* **2** Esse indivíduo [F.: *macaquear* + *-dor.*]

macaquear (ma.ca.que.*ar*) *v.* **1** Imitar os gestos e os modos dos macacos [*int.*] **2** Imitar de maneira ridícula ou grotesca; ARREMEDAR; MACACAR [*td.*: *Divertiam-se entre si macaqueando os professores:* "...O que fazemos / É macaquear / A sintaxe lusíada." (Manuel Bandeira, "Evocação do Recife" *in Libertinagem*)] [▶13 macaquear] [F.: *macac(o)* (-*c* > -*qu* -) + -*ear.*]

macaqueiro (ma.ca.*quei*.ro) *a.* **1** Referente a macaco; MACACAL; SIMIESCO **2** Que é bajulador, que agrada ou acaricia por interesse **3** *Bras.* Diz-se de profissional canteiro, que sabe talhar macaco (paralelepípedo), para calçamento de ruas **4** *BA* Diz-se de trabalhador rural que atua nos cacauais *sm.* **5** Esse trabalhador **6** *Angios.* Árvore (*Guarea francavillana*) da fam. das meliáceas, cuja madeira é muito us. em carpintaria **7** *Angios.* Árvore da fam. das meliáceas (*Guarea guidonia*), tb. *carrapeta-verdadeira* **8** *BA Angios.* Árvore da fam. das leguminosas (*Parkia pendula*), tb. fava-de-bolota [F.: *macaco* (-*c*- > -*qu*-) + -*eiro.*]

macaquice (ma.ca.*qui*.ce) *sf.* **1** Macaqueação, postura ou gesticulação semelhante às dos macacos, momice; arremedo, cópia, imitação ridícula **2** Imitação malfeita ou ridícula **3** *Pop.* Adulação interesseira, lisonja falsa; comportamento hipócrita [F.: *macaco* + -*ice.*]

macaquinho (ma.ca.*qui*.nho) *sm.* **1** Pequeno macaco **2** *Vest.* Macacão feminino, de calças curtas, de us. informal e esportivo [F.: *macaco* + -*inho.*] ∎ **Ter ~s no sótão** *Fam.* Ser um tanto amalucado, biruta (2), abilolado

maçar (ma.*çar*) *v.* **1** *Fig.* Aborrecer (alguém) com conversas ou atitudes enfadonhas, repetitivas; tornar-se chato, inoportuno; CHATEAR; ABORRECER; ENTEDIAR; IMPORTUNAR [*td.*: *Costumava maçar os colegas com brincadeiras aborrecidas.*] [*int.*: *Quando ele começou a maçar, os convidados se retiraram.*] **2** Dar pancadas com maça ou maço [*td.*: *Os inimigos maçavam a muralha com toras de madeira.*] **3** *P.ext.* Golpear, bater com qualquer objeto ou instrumento [*td.*: *maçar o metal com um martelo.*] [▶ **12** maçar] [F.: *maç* (-*a*) ou (-*o*) + -*ar.* Hom./Par.: *maça* (fl. de *maçar*), *massa* (sf.), *maças* (fl. de *maçar*), *massas* (pl.).]

maçaranduba (ma.ça.ran.*du*.ba) *Bras. Bot. sf.* Nome comum a diversas árvores da fam. das sapotáceas, esp. do gên. *Manilkara*, conhecidas por sua madeira pesada, dura e resistente, como, p. ex., *Manilkara huberi*, nativa da Amazônia, de madeira vermelho escuro, muito valorizada, us. principalmente na construção externa, em dormentes, pisos industriais, etc.; MAÇARANDUVA; MAÇARANDUBA-DO-PARÁ;, MAÇARANDUBA-VERDADEIRA; MAÇARANDUBEIRA [F.: Do tupi *mosarani'ïua.*]

macarena (ma.ca.*re*.na) *sf.* **1** Dança mexicana de ritmo vivo **2** *Lus.* Cantilena, ladainha, lamúria [F.: or. desconhecida.]

macaréu (ma.ca.*réu*) *Bras. Geog. sm.* Em alguns estuários (1), onda de arrebentação próximo à foz pouco profunda, produzida pelo encontro da corrente descendente do rio com as águas da maré montante, acarretando às vezes devastação das margens; POROROCA [Pl.: -*réus.*] [F.: De or. obsc.]

maçarico (ma.ça.*ri*.co) *sm.* **1** *Mec.* Aparelho para soldar ou fundir metais que produz chama de temperatura muito elevada por combustão do hidrogênio (ou do acetileno) com o oxigênio **2** Lâmpada de pressão us. pelos funileiros **3** *N.E.* Nos engenhos de banguê, assentamento que dirige as chamas à chaminé **4** *Zool.* Denominação comum à diversas spp. de aves aquáticas das fam. dos caradriídeos e escolopacídeos, cosmopolitas e ger. migratórias; BATUÍRA **5** *Fut.* Calor muito forte durante uma partida [F.: De or. obsc.]

maçariqueiro (ma.ça.ri.*quei*.ro) *sm.* Aquele que trabalha com maçarico [F.: *maçari(co)* + -*qu*- + -*eiro.*]

maçaroca (ma.ça.*ro*.ca) *sf.* **1** Emaranhado de fios, cabelos, pelos ou linhas; MAÇO **2** Grande quantidade de coisas misturadas, embaralhadas: *uma maçaroca de jornais velhos.* **3** *Têxt.* Numa fiação, fio enrolado no fuso **4** Espiga de milho; rolo de cabelo com forma de espiga de milho **5** *N. Zool.* Extremidade cabeluda da cauda dos bovídeos **6** *S. Pop.* Intriga, mexerico **7** *Lus. Fig.* Pão cru ou encruado; maçaroco [F.: De orig. contrv., talvez do espn. *mazorca.* Ideia de '*numeroso*'; '*muitos*'; '*quantidade*': *mult(i)-* (*multilateral*); *plur(i)-* (*pluralismo*); *quant(i)-* (*quantitativo*).]

maçarocada (ma.ça.ro.*ca*.da) *sf.* Mistura de coisas diversas que se grudam ou interligam [F.: *maçaroca* + -*ada.*]

maçarocado (ma.ça.ro.*ca*.do) *a.* Grudado, ligado, emaranhado [F.: Part. de *maçarocar.*]

macarrão (ma.car.*rão*) *sm.* **1** Massa feita de farinha, ovos etc., que pode ter vários feitios e tamanhos, ger. cilindros finos e compridos **2** *Art.gr.* Bobina de papel de jornal us. na impressão de tabloides **3** *SP Fig.* Indivíduo mole, indolente, ocioso, inútil **4** *Náut.* Peça metálica vazada, presa ao convés ou a uma doca, us. como guia à passagem dos cabos [Pl.: -*rões.*] [F.: Do it. *maccherone.*]

macarronada (ma.car.ro.*na*.da) *sf. Cul.* Prato preparado com macarrão, em diversas formas, ao qual ger. se adiciona um molho ou ainda manteiga ou queijo [F.: *macarrão* + -*ada*[2].]

macarronar (ma.car.ro.*nar*) *v.* **1** Expressar-se de maneira macarrônica [*int.*] **2** Falar ou escrever mal uma língua [*td.*] [F.: macarrão, no rad. *macarron-* + -*ar.*]

macarrônico (ma.car.*rô*.ni.co) *a.* **1** Diz-se do gênero e estilo, escrito ou falado, de poesia ou prosa, em que à língua original se adicionam palavras e desinências latinas ou de outra língua: *Seu texto é francamente macarrônico.* **2** Diz-se de qualquer idioma falado ou escrito erradamente: *Falava um francês macarrônico.* **3** Irônico, sarcástico, burlesco, jocoso **4** Que escreve macarronicamente: *É um escritor macarrônico.* [F.: Do it. *maccheronico.*]

macarronismo (ma.car.ro.*nis*.mo) *sm.* Gênero macarrônico, modo de escrever burlesco e propositadamente confuso [F.: *macarrônico* + -*ismo.*]

macarronista (ma.car.ro.*nis*.ta) *a.* **1** Que se expressa em estilo macarrônico *sm.* **2** Aquele que assim se expressa [F.: *macarron(ismo)* + -*ista.*]

macarthismo (ma.car.*this*.mo) *sm.* **1** Prática política ferozmente anticomunista, liderada na década de 1950 pelo senador Joseph Raymond MacCarthy (1909-1957), que perseguiu e boicotou cidadãos norte-americanos em diversas áreas de atividade, sobretudo artistas, sob a acusação, geralmente falaciosa e dúbia, de atividades antiamericanas **2** *P.ext.* Prática de fazer acusações, esp. de caráter político-ideológico, sem o respaldo de provas concludentes [F.: Do antr. (Joseph) *MacCarthy* + -*ismo.*]

macarthista (ma.car.*this*.ta) *a2g.* **1** Referente ao macarthismo **2** Que é adepto do macarthismo *s2g.* **3** O adepto desse procedimento [F.: Do antr. *MacCarthy* + -*ista.*]

macau (ma.*cau*) *a.* **1** Diz-se de pessoa nascida ou que vive em Macau (China); MACAUENSE; MACAUÍSTA *sm.* **2** *Bras.* Certa raça de porco doméstico **3** *Ang.* Bebida feita com fubá fermentada [F.: prov. do top. *Macau* (China).]

macaúba (ma.ca.*ú*.ba) *sf.* **1** *Bras. Angios.* Espécie de palmeira (*Acrocomia aculeata*) também conhecida como *macaíba, bocaiuva* e *coco-de-catarro*: "A cafua — taipa e colmo, picumã e pau a pique — estava lá, bem na linha de queda da macaúba." (Guimarães Rosa, "São Marcos" *in Sagarana*) **2** Espécie de palmeira (*Acrocomia intumescens*), também conhecida como *palmeira-barriguda* [F.: Do tupi *ma'kai'ba.*]

macauês (ma.cau.*ês*) *sm. Ling.* A língua portuguesa falada em Macau (China); MACAUENHO; MACAÍSTA [F.: Do top. *Macau* + -*ês.*]

macaxeira (ma.ca.*xei*.ra) *sf. N.E. Bot.* Ver *mandioca* (1 e 3) [F.: Do tupi *maka'sera.*]

macaxeiral (ma.ca.xei.*ral*) *sm. Bras.* Plantação de macaxeiras [Pl.: -*ais.*] [F.: *macaxeira* + -*al.*]

macedônia (ma.ce.*dô*.ni.a) *sf.* **1** *Cul.* Prato que mistura frutas ou legumes picados **2** *Liter.* Mistura de temas diferentes em uma obra literária **3** Amontoado de coisas misturadas em desordem [F.: Do fr. *macédoine.*]

macedônio[1] (ma.ce.*dô*.ni.o) *sm.* **1** Pessoa nascida ou que vive na Macedônia, província setentrional grega **2** *Ling.* Língua falada na antiga Macedônia **3** Língua oficial da Macedônia, também falada em parte da Grécia *a.* **4** Da Macedônia, típico de seu povo ou de sua cultura [F.: Do lat. *macedonius, a, um.*]

macedônio[2] (ma.ce.*dô*.ni:o) *a.* *sm.* O mesmo que *macedoniense* [F.: Do top. *Macedônia* (SP), com var. suf.; ver -*io*[3].]

macega (ma.*ce*.ga) [é] *sf.* **1** Erva daninha que costuma nascer em áreas cultivadas: "A água do sereno me molhava, da macega, das folhas" (Guimarães Rosa, *Grande sertão: veredas*) **2** *S.* Capim alto e seco, que dificulta a movimentação, trânsito etc. no campo **3** *RS* Arbusto rasteiro que cresce nos campos de má qualidade **4** *SE. Fig.* Coisas embaralhadas, mal-ordenadas; maçaroca [F.: De or. obsc.]

macegal (ma.ce.*gal*) [ê] *Bras. sm.* Terreno coberto de macega [Pl.: -*gais.*] [F.: *macega* + -*al.*]

maceió (ma.cei.*ó*) *NE. Geog. sm.* Lagoeiro próximo ao litoral, formado pelas águas das marés e das chuvas; maçaió [F.: De or. contrv., prov. do tupi *mase'yo.*]

maceiro (ma.*cei*.ro) *sm.* **1** Em algumas cerimônias religiosas ou civis, indivíduo que carrega bastão ou maça, empunhando-o como distintivo **2** *Ant.* Soldado armado com maça [F.: *maça* + -*eiro.* Hom./Par.: *masseiro* (s.m.).]

macela (ma.*ce*.la) [é] *Bot. sf.* **1** Erva da fam. das compostas (*Achyrocline satureoides*), nativa do Brasil, cujas flores amarelas e perfumadas são us. para enchimento de travesseiros e almofadas; PAINA **2** Erva da fam. das compostas (*Chamaemelum nobile*), de flores amarelas e aromáticas, das quais se faz chá com efeito estimulante e digestivo; CAMOMILA **3** Camomila (1) [F.: De or. obsc.]

maceração (ma.ce.ra.*ção*) *sf.* **1** Ação ou resultado de macerar; maceramento **2** *Anat.* Decomposição, pelo contato longo com água corrente, das partes moles de um cadáver, para preparar um esqueleto **3** *Obst.* Processo de alterações degenerativas e amolecimento de tecidos, e eventual desintegração, em feto morto retido no útero **4** *Histl.* Processo de amolecimento e dissolução, por imersão em ácidos, de fibras de tecido conjuntivo e separação de componentes teciduais [Pl.: -*ções.*] [F.: Do lat. *macerationis.*]

macerado (ma.ce.*ra*.do) *a.* **1** Que sofreu maceração: "Semente de mamoninho-bravo, socada, macerada em aguardente" (Júlio Ribeiro, *A carne*) **2** *Med.* Diz-se do órgão ou tecido amolecido pela umidade ou por longa permanência em meio líquido: "Corpo macerado em arômatas preciosos" (Gastão Cruls, *Ao embalo da rede*) **3** *Fig.* Abatido, desgostoso, angustiado (olhar macerado, expressão macerada); MACILENTO *sm.* **4** *Farm.* Resultado líquido de maceração [F.: Part. de *macerar.*]

macerar (ma.ce.*rar*) *v.* **1** Amolecer com ação de um líquido ou por meio de pancadas [*td.*: *macerar o couro/a carne.*] **2** Permanecer (coisa sólida) por longo tempo em meio líquido ou úmido [*int.*: *O corpo do afogado macerava dentro da piscina.*] **3** Esmagar substância sólida para extrair-lhe o suco ou uma outra substância [*td.*: *macerar uvas para fazer o vinho.*] **4** Causar alteração em; machucar ou danificar (tecidos, pele) [*td.*: *O sabão grosseiro macerou a pele delicada de suas mãos.*] **5** *P.ext.* Causar a si mesmo maus-tratos; infligir-se sofrimentos, torturas, para alcançar elevação de espírito; MORTIFICAR-SE [*td.*: *macerar o corpo para elevar o espírito; Macerava-se para salvar a própria alma.*] **6** *Fig.* Sentir angústia, afligir-se [*int.*: *Longe do namorado, macerava-se e chorava.*] [▶ **1** macerar] [F.: Do lat. *macerare.* Apresenta o *e* aberto [é] nas formas rizotônicas.]

macéria (ma.*cé*.ri.a) *sf. Cons.* Obra de alvenaria sem barro ou argamassa [F.: Do lat. *maceria, ae.*]

macérrimo (ma.*cér*.ri.mo) *a.* Que é ou está extremamente magro; MAGÉRRIMO; MAGRÍSSIMO [Superl.: *Sup. absol. sint. de magro*] [F.: Do lat. *macerrimus, a, um.*]

maceta (ma.*ce*.ta) [ê] *sf.* **1** Martelo de cabo curto e cabeça pesada, ger. de ferro, us. por pedreiros, carpinteiros, escultores etc.; maço **2** *Mús.* Vara grossa e curta, de cabeça almofadada, com que se toca o bombo; maçaneta **3** Peça cilíndrica para desfazer e moer tinta endurecida [F.: *maça* + -*eta.*]

macetada (ma.ce.*ta*.da.) *sf.* Pancada ou golpe com maceta ou macete [F.: *maceta* + -*ada.*]

macetado (ma.ce.*ta*.do) *a.* *Pop.* Que faz uso de macetes, de truques; MACETEADO: *Era um filme enganador, muito macetado.* [F.: Do part. de *macetar.*]

macete (ma.*ce*.te) [ê] *sm.* **1** Martelo pequeno us. por carpinteiros e marceneiros para bater no cabo dos formões e por escultores no trabalho em madeira **2** *S.* Pau curto usado para sovar couro **3** *Bras. Pop.* Recurso criativo para atingir um objetivo ou resolver algum problema; ARTIMANHA; TRUQUE **4** Pequeno maço ou embrulho de notas ou papéis [F.: *maço* + -*ete.*]

⊕ **mach** *sf. Fís.* Red. de *número de Mach* [F.: Do antr. Ernest *Mach* (1838-1916), físico austríaco.]

machacaz (ma.cha.*caz*) *a.* **1** Que tem muito corpo; corpulento **2** Que é sagaz, esperto, finório *sm.* **3** Indivíduo corpulento: "Vão pelo padre, um machacaz espanhol... que vai para o altar com uma garrucha à cinta, e prega aos berros, mostrando os pulsos guedelhudos e esmurrando o púlpito." (Coelho Neto, *Água de Juventa*) **4** Indivíduo esperto, velhaco **5** *Lus. Ant.* Nome que se dava ao dançarino no teatro de São Carlos (Lisboa) [F.: *macho* + -*acaz.*]

machada (ma.*cha*.da) *sf.* **1** Pequeno machado que pode ser manejado com uma só mão **2** Machado largo, usado também como arma: "Tocara-os a quase todos... a machada dos podadores." (Júlio Dantas, *Eles e elas*) [F.: De *machado* + -*a.*]

machadada (ma.cha.*da*.da) *sf.* Golpe desferido com machado ou com machada: "Um moço de pescarias... atacou a machadadas um toro de madeira" (Xavier Marques, *Sargento Pedro*) [F.: *machado* + -*ada*[2].]

machadar (ma.cha.*dar*) *v.* **1** Trabalhar ou desfechar golpes com machado [*int.*] **2** Rachar lenha com machado [*td.*] **3** *Lus.* Enfraquecer com invectivas eficientes; amaciar [▶ **1** machadar] [F.: *machad(o)* + -*ar.*]

machadeiro (ma.cha.*dei*.ro) *Bras. sm.* **1** Indivíduo que trabalha como derrubador de árvores **2** Lenhador que corta madeira para a produção de carvão [F.: *machado* + -*eiro.*]

machadiano (ma.cha.di.*a*.no) *Liter. a.* **1** Ref., inerente ou próprio do escritor brasileiro Joaquim Maria Machado de Assis (1839-1908) (romance machadiano, crônica machadiana) **2** Típico ou peculiar de Machado de Assis: "A ficção machadiana constitui, pelo equilíbrio formal que atingiu, um dos caminhos permanentes da prosa brasileira na direção da profundidade e da universalidade" (Alfredo Bosi, *História concisa da literatura brasileira*) **3** Diz-se de quem é admirador, conhecedor ou estudioso da obra de Machado de Assis *sm.* **4** Admirador, conhecedor ou estudioso da obra de Machado de Assis: *Ele é um machadiano autêntico.* [F.: Do antr. *Machado* (de Assis) + -*iano.*]

machadinha (ma.cha.*di*.nha) *sf.* **1** Pequena machada **2** *Mar.* Machada pequena que os marinheiros traziam presa à cinta para cortar cabos nas abordagens ou em caso de desmastreamento **3** *Zool.* Pequeno cágado da Amazônia; JABUTI-MACHADO **4** *Bras. Esp.* Tipo de movimento us. no voleibol, em que o jogador une as mãos em concha, os braços semiflexionados e inclinados para trás, acima da cabeça, e toca na bola para levantá-la ainda mais e preparar uma jogada de ataque [F.: *machada* + -*inha.*]

machado (ma.*cha*.do) *sm.* **1** Instrumento cortante de ferro, com cabo de madeira, us. para rachar lenha, derrubar árvore etc. com golpes fortes **2** *Ant.* Instrumento com que o carrasco decepava a cabeça do condenado **3** *Mar.* Instrumento usado para cortar cabos ou mastaréus **4** *Bras. Zool.* Espécie de tartaruga da Amazônia [F.: Do lat. *marculatum*, de *marculus*, dim. de *marcus* (martelo).]

machão (ma.*chão*) *a.* **1** Orgulhoso ao extremo de sua masculinidade e virilidade; VALENTÃO **2** Que considera os homens superiores às mulheres e tem ideias conservadoras sobre posição e deveres da mulher: *O namorado machão não a deixa usar saia curta. sm.* **3** Homem de estatura grande e robusta, homenzarrão; homem machão **4** *Gír.* Mulher masculinizada; machona [Pl.: -*chões.*] [F.: *macho* + -*ão*[1].]

machê (ma.*chê*) *a.* Diz-se de papel que se reduz a uma polpa a que se acrescentam gesso e adesivos, us. esp. em modelagem [F.: Do fr. *mâché.*]

macheado (ma.che.*a*.do) *a.* **1** Diz-se de pregueado feito com machos **2** Diz-se de peça que na borda possui recortes que permitem o encaixe de peça semelhante ou contígua (p.ex.: os tacos ou as tábuas de um assoalho) **3** *Bot.* Diz-se de milharal em que predominam as flores masculinas *sm.* **4** Pregueado feito com machos [F.: Part. de *machear.*]

machear (ma.che.*ar*) *v.* **1** Preguear (tecidos, peças de costura) com machos [*td.*] **2** Copular (animal macho) com a fêmea; COBRIR [*td.*] **3** *Bras. N.E.* Ficar o milharal com maioria de flores masculinas [*int.*] [▶ 13 machear] [F.: *mach(o)* + *-ear.*]

machete (ma.*che*.te) [ê] *sf.* **1** Sabre curto, de artilheiro, com dois gumes **2** Faca de mato, de grande tamanho: "Ele descera do cavalo, pegou o machete, caçou um pau-terra." (Guimarães Rosa, "Buriti" *in Noites do sertão*) **3** *Mús.* Instrumento musical oriundo de Portugal, maior que o cavaquinho e menor que a viola, com quatro ou cinco cordas duplas **4** *Mús.* Instrumento musical de cordas, o mesmo que *cavaquinho.* [F.: Do espn. *machete;* cf. *manchete.*] ■ **~ de Braga** *Lus. Mús.* Cavaquinho (instrumento musical)

macheza (ma.*che*.za) [ê] *sf. Bras.* Qualidade ou comportamento de macho, de homem muito viril ou valentão, machura, machice: "Um ou dois, dos homens, não achavam nele jeito de macheza." (Guimarães Rosa, *Grande sertão: veredas*) [F.: *macho* + *-eza.*]

machismo (ma.*chis*.mo) *sm.* **1** Opinião ou procedimento discriminatórios que negam à mulher as mesmas condições sociais e direitos do homem **2** *Bras. Pop.* Qualidade, atitude ou modos de macho; macheza **3** Valentia exagerada e ostentatória [F.: *macho* + *-ismo.*]

machista (ma.*chis*.ta) *a2g.* **1** Ref. ou inerente ou que é adepto do machismo *s2g.* **2** Aquele que pratica ou é adepto do machismo; pessoa machista [F.: *macho* + *-ista.*]

macho (*ma*.cho) *a.* **1** *Biol. Bot. Zool.* Ref. ou inerente ao sexo masculino (humano, animal ou vegetal) [Ant.: *fêmea.*] **2** Que apresenta características próprias de homem; MÁSCULO; MASCULINO [Ant.: *feminino.*] *sm.* **3** *Biol. Zool.* O homem ou qualquer animal do sexo masculino **4** *Agr. Bot. Zool.* Diz-se de certos animais ou elementos vegetais que têm o mesmo nome para ambos os sexos (cobra macho, planta macho, flor macho) **5** *Bras. Pop.* Indivíduo valentão, forte, vigoroso [Ant.: *covarde, fraco.*] **6** *Tec.* Qualquer peça que tem parte saliente, para ser encaixada em reentrância de outra (tomada elétrica, colchete etc.) [F.: Do lat. *masculus.*]

machona (ma.*cho*.na) [ô] *a.* **1** *Bras. Pej. Pop.* Diz-se de mulher cuja aparência ou modos são masculinizados **2** *Bras. Pop.* Diz-se de mulher que é corajosa, valente **3** *Pej. Pop.* Homossexual do sexo feminino *sf.* **4** Mulher cuja aparência ou modos são masculinizados **5** Mulher corajosa, valente **6** Mulher homossexual [F.: *macho* + *-ona.* Sin. ger. (*Pej. Pop.*): *mulher-macho; machoa; marimacho; fanchona; paraíba, sapatão.*]

machorra (ma.*chor*.ra) *sf.* Fêmea que não procria, por ser estéril [F.: *macho* + *-orra.*]

machucação (ma.chu.ca.*ção*) *sf.* Ação ou resultado de machucar; MACHUCADURA; MACHUCÃO [Pl.: *-ões.*] [F.: *machuca* + *-ção.*]

machucado (ma.chu.*ca*.do) *a.* **1** *Med.* Que se machucou; que sofreu machucadura; FERIDO; CONTUNDIDO: *Minha perna ficou muito machucada.* **2** *Fig.* Que se abateu, que se magoou, que sofreu (perda, tristeza, frustração etc.); amargurado: "Machucado nos seus brios e de consciência tão atribulada como a de um galé" (Alberto Rangel, *Fura-mundo*) **3** Amassado, reduzido a uma pasta (banana machucada) **4** Deformado por pressão ou golpes, amolgado *sm.* **5** *Med.* Resultado da ação de machucar(-se); ferimento, contusão; MACHUCADURA: *O machucado no braço já sarou.* [F.: Part. de *machucar.*]

machucador (ma.chu.ca.*dor*) [ô] *a.* **1** Que machuca *sm.* **2** Aquilo que machuca **3** Utensílio, us. em cozinha, próprio para esmagar diversos produtos, como, p.ex., o alho **4** Aparelho para bater manteiga [F.: *machucado* + *-or.*]

machucadura (ma.chu.ca.*du*.ra) *sf.* **1** *Med.* Ação ou resultado de machucar(-se); machucado, ferimento **2** Contusão, pisadura **3** *Agr. Bot.* Amassadura ou sinal de pancada em fruta, planta etc.; amolgadura [F.: *machucado* + *-ura.*]

machucar (ma.chu.*car*) *v.* **1** Causar (em alguém ou a si mesmo) ou sofrer ferimento, contusão ou lesão; FERIR; CONTUNDIR [*td.*: *Na queda, machucou o joelho; Ela machucaria o filho se o puxasse pelo braço.*] [*int.*: *Essas brincadeiras violentas acabam machucando; Não corra para não se machucar.*] **2** Fazer sofrer, ou sofrer; MAGOAR(-SE) [*td.*: "...enquanto você me diz palavras que me machucam..." (Roberto Carlos e Erasmo Carlos, *Desabafo*)] **3** Deformar ou causar lesão em (algo), com golpe ou pressão (de peso ou de algo duro); AMASSAR; ESMAGAR [*td.*: *machucar as frutas.*] **4** *Bras. Pop.* Sair-se mal em alguma ação ou empreendimento [*int.*: *Ao entrar no negócio, ele sabia que poderia se machucar.*] [▶ 11 machucar]

macicez (ma.ci.*cez*) [ê] *sf.* **1** Qualidade de maciço **2** *Med.* Som que se obtém pela percussão dos órgãos mais maciços do corpo (como coração, fígado etc.), e que é mais abafado do que o que produzem, quando percutidas, as áreas vizinhas a esses órgãos [F.: *maciço* + *-ez.*]

maciço (ma.*ci*.ço) *a.* **1** Que não é oco nem aglomerado (madeira maciça); COMPACTO [Ant.: *oco*] **2** Que é denso ou espesso (neblina maciça); CERRADO [Ant.: *ralo.*] **3** *Fig.* Em grande quantidade: *O seminário teve presença maciça de público.* **4** *Fig.* Firme, consistente, inabalável (opinião maciça) *sm.* **5** *Geol.* Cadeia de montanhas agrupadas em torno de um ponto culminante; formação eruptiva de grandes dimensões: *o maciço das Agulhas Negras.* **6** Massa ou conjunto compacto; bloco (maciço de verduras) [F.: Do cast. *macizo.*]

macieira (ma.ci:*ei*.ra) *Bot. sf.* **1** Designação comum às árvores do gênero *Malus*, da família das rosáceas **2** Árvore própria dos climas temperados (*Malus silvestris*), da fam. das rosáceas, nativa da Europa e Ásia, de porte médio, folhas ovais, flores brancas, cultivada como ornamental e pelo fruto comestível, a maçã: "As macieiras cobriam-se de flor quando o papá chegou às veigas suaves de Entre-Minho-e-Lima" (Eça de Queirós, *A relíquia*) [F.: *maçã* + *-eira*, pelas f. *maçeneyra, maçineyra, mazeyra.*]

maciez (ma.ci:*ez*) [ê] *sf.* **1** Característica, qualidade ou estado de macio; moleza (maciez do colchão, maciez da esponja); MACIEZA: "...sentindo sob os pés a maciez dos tapetes..." (Coelho Neto, *Água de Juventa*) [Ant.: *aspereza, dureza.*] **2** *Fig.* Suavidade, brandura; DELICADEZA: *Chama a atenção pela maciez dos gestos.* [Ant.: *rudeza.*] [F.: *macio* + *-ez.*]

macieza (ma.ci.*e*.za) [ê] Ver *maciez*

maciíssimo (ma.ci.*ís*.si.mo) *a.* Muito macio, tb. *macilíssimo* [Superl.: *sup. abs. sint. de macio*] [F.: *macio* + *-íssimo.*]

macilento (ma.ci.*len*.to) *a.* **1** Que não tem brilho ou viço (pele macilenta) **2** Que é magro, esquelético, raquítico; DESCARNADO: "Veio abrir um homem magro e macilento..." (Aluísio de Azevedo, *Girândola*) [Ant.: *gordo.*] **3** Pálido, lívido, descorado [Ant.: *corado.*] [F.: Do lat. *macilentus, a, um.*]

macio (ma.*ci*:o) *a.* **1** Que não oferece muita resistência à pressão física (almofada macia, bife macio); MOLE; TENRO [Ant.: *duro.*] **2** Agradável ao tato, sem asperezas; fofo (pele macia, pano macio); LISO [Ant.: *áspero.*] **3** *Fig.* Brando, suave (voz macia); DELICADO [Ant.: *rude.*] [Superl.: *macilíssimo, maciíssimo.*] [F.: De or. obsc., poss. do ár.] ■ **No ~** *Bras.* Ver *Na maciota*

maciota ((ma.ci:o.ta) [ó] *Bras. Pop. sf.* **1** Descanso, repouso, folga: *Está há dois dias de maciota do emprego.* **2** Astúcia, manha [F.: *macio* + *-ota*[1].] ■ **Na ~** **1** *Bras.* Calmamente, tranquilamente, serenamente. **2** Sem dificuldades ou problemas

maço (*ma*.ço) *sm.* **1** Conjunto de coisas iguais, atadas ou contidas num mesmo invólucro ou presas; maçaroca (maço de cigarros, maço de notas); FEIXE **2** Maça **3** *Carp.* Martelo de madeira us. por carpinteiros, marceneiros etc. **4** *Art.gr. Enc.* Martelo de madeira, espécie de macete, us. por encadernadores e impressores para bater os cadernos e assentar formas tipográficas [F.: De *maça.* Cf.: *maceta; macete.* Ideia de *'quantidade': quant(i)- (quântico).*]

maçom (ma.*çom*) *sm.* Que é filiado à maçonaria, franco-maçom, pedreiro-livre [F. par. *mação.*] [Pl.: *-çons.*] [F.: Do fr. *maçon*, der. lat medv. *machio* < do frâncico *makjo.*]

maçonaria (ma.ço.na.*ri*.a) *sf.* **1** Sociedade secreta mundial, que adota como símbolos os instrumentos empregados em construção, e cujos membros, que professam princípios de igualdade e fraternidade, dão-se a conhecer entre si por meio de sinais esotéricos **2** *Fig. Pop.* Combinação, acordo secreto, entre duas ou mais pessoas: *Criaram uma verdadeira maçonaria entre eles.* **3** A arte do pedreiro e do construtor [F.: Do fr. *maçonnerie.*]

maconha (ma.*co*.nha) *sf.* **1** Produto preparado com folhas, flores e ramos do cânhamo (*Cannabis sativa*), secos e cortados, e que, fumado ou (mais raramente) ingerido provoca efeito entorpecente e alucinógeno em virtude do seu componente ativo, o tetraidrocanabinol; BAGULHO; ERVA; FUMO; LIAMBA; MARIJUANA **2** *Bot.* Ver *cânhamo* (1) [F.: Do quimb. *ma'kaña.*]

maconhado (ma.co.*nha*.do) *a.* **1** Diz-se de indivíduo que se encontra entorpecido pelo uso de maconha *sm.* **2** Esse indivíduo [F.: *maconha* + *-ado.*]

maconhar (ma.co.*nhar*) *v.* **1** Fumar maconha [*int.*: *Ficava à janela maconhando.*] **2** Levar (alguém ou si mesmo) a fumar maconha [*td.*: *Maconhou muitos amigos do bairro.*] [▶ 1 maconhar] [F.: *maconha* + *-ar.* Hom./Par.: *maconha* (3ªp.s.), *maconhas* (2ªp.s.)/ *maconha* (s.f.) e pl.]

maconheiro (ma.co.*nhei*.ro) *a.* **1** *Bras.* Diz-se de quem é viciado em maconha, ou faz uso dela; quem vende maconha *sm.* **2** Aquele que é viciado em fumar maconha, ou faz uso dela; vendedor de maconha; FUMEIRO; CHINCHEIRO [F.: *maconha* + *-eiro.*]

maçônico (ma.*çô*.ni.co) *a.* Ref., inerente ou pertencente a maçonaria (código maçônico, loja maçônica) [F.: *maçom* + *-ico*[2].]

macorongo (ma.co.*ron*.go) *sm. SP* Homem que explora a concubina [F.: Do prov. do banto; hom./par. *mocorongo.*]

macota (ma.*co*.ta) *a.* **1** *Bras.* Que é superior ou importante **2** Que é adequado, jeitoso *sm.* **3** Aquele é superior, importante **4** *BA* Indivíduo que organiza o maculelê *sf.* **5** *Bras. Pop.* Falta de sorte; azar **6** *Bras. Pop.* Mesmo que *hanseníase* [F.: Do quimb. *dikota.*]

macramê (ma.cra.*mê*) *sm.* **1** *Têxt.* Espécie de tecido feito de linha grossa entrelaçada, formando nós e desenhos **2** Tipo de linha ou fio para bordados, crochês etc. [F.: Do fr. *macramé* < it. *macrame* < ár. *mahrama.*]

macrencefalia (ma.cren.ce.fa.*li*.a) *sf.* Ver *macroencefalia*

macrencefálico (ma.cren.ce.*fá*.li.co) *a.* Ver *macroencefálico*

má-criação (má-cri:a.*ção*) *sf.* **1 1** Ato ou dito de pessoa malcriada; GROSSERIA; INDELICADEZA **2** Ação ou atitude grosseira ou de desrespeito para com outrem; MALCRIAÇÃO [Pl.: *más-criações e má-criações.*]

◎**macr(o)-** (ma.*cro*-) *el. comp.* = '(em ou de) grande dimensão, tamanho ou extensão'; 'de grande valor'; 'de dimensão, tamanho, extensão ou valor maior que o habitual'; '(que tem algo) em grande quantidade' '([aquilo] que trata de, ou diz respeito a, ou constitui, representa ou abrange a) totalidade (de algo)': *macrencefalia, macroencefalia, macroambiente, macroanálise, macróbio, macrobiótica, macrobjetiva, macrocefalia, macrocéfalo, macrócito, macroclima, macrodáctilo, macrodátilo, macrodecisão, macroeconomia, macrogastria, macroglossia, macrolécito, macromercado, macronúcleo, macronutriente, macro-organismo, macrorregião, macrósporo, macrossociologia, macrossomia* [F.: Do gr. *makrós, á, ón*, 'comprido'; 'longo'; 'grande'.]

macro (*ma*.cro) *s2g.* **1** *Inf.* A totalidade de instruções ou a série de comandos de um aplicativo que são passíveis de armazenamento em disco ou na memória como entes independentes, que podem ser solicitados a qualquer momento *sm.* **2** Computador de grande porte **3** *Fon.* Pequeno sinal horizontal que se coloca sobre uma vogal para indicar que é longa [Tb. *mácron* (nesta acp.).] [F.: Do gr. *makrós, á, ón.*]

macroanálise (ma.cro.a.*ná*.li.se) *sf. Adm. Econ.* Análise ampla de todos os setores de ação de uma empresa e de toda a sua estruturação [F.: *macr(o)-* + *análise.*]

macróbio (ma.*cró*.bi:o) *a.* **1** *Biol. Bot. Zool.* Diz-se do que ou quem vive por longo tempo (réptil macróbio, planta macróbia); LONGEVO [Ant.: *micróbio.*] **2** Idoso, velho, ancião [Ant.: *jovem.*] *sm.* **3** Aquele ou aquilo que vive muito [F.: Do gr. *makróbios, os, on.*]

macrobiótica (ma.cro.bi.*ó*.ti.ca) *sf.* **1** Parte da higiene que trata dos meios de prolongar a vida **2** Postura e estilo existencial lastreados na filosofia oriental do equilíbrio *yin-yang*, com o objetivo de tornar a vida mais saudável pela prática de determinadas regras de higiene e alimentação **3** Regime alimentar, fundamentado na medicina tradicional chinesa, que se baseia no consumo de cereais integrais, legumes e verduras [F.: Do gr. *makrobiotos, os, on*, 'de vida longa', + *-ica.*]

macrobiótico (ma.cro.bi.*ó*.ti.co) *a.* **1** Ref., inerente ou próprio da macrobiótica (regime macrobiótico, alimentação macrobiótica) **2** Diz-se de um regime alimentar vegetariano, composto de cereais, legumes e frutas *sm.* **3** Aquele que pratica e é adepto dos preceitos da macrobiótica; indivíduo macrobiótico [F.: De *macrobiótica*, com var. suf.; ver *-ico*[2].]

macrobjetiva (ma.crob.je.*ti*.va) *sf. Fot.* Objetiva fotográfica que aumenta o tamanho da pessoa ou do objeto fotografado [F.: *macr(o)-* + *objetiva.*]

macrocefalia (ma.cro.ce.fa.*li*.a) *sf.* **1** *Anat.* Condição de quem tem a cabeça anormalmente grande; MEGACEFALIA **2** Característica ou qualidade de macrocéfalo [F.: *macr(o)-* + *-cefalia.*]

macrocefálico (ma.cro.ce.*fá*.li.co) *a.* Ref. ou inerente a macrocefalia, ou a macrocéfalo (perfil macrocefálico, linhagem macrocefálica) [F.: *macrocefalia* + *-ico*[2].]

macrocéfalo (ma.cro.*cé*.fa.lo) *a.* **1** Diz-se de que ou quem tem a cabeça, ou parte dela, anormalmente grande (animal macrocéfalo, moça macrocéfala) *sm.* **2** Aquele que tem a cabeça, ou parte dela, anormalmente grande [F.: *macr(o)-* + *-céfalo.*]

macrócero (ma.*cró*.ce.ro) *a. Zool.* Que tem cornos ou antenas de grande comprimento: *O gnu é um animal macrócero.* [F.: *macr(o)-* + *-cero.*]

macrocítico (ma.cro.*cí*.ti.co) *a. Med.* Ref. a macrócito [F.: *macrócito* + *-ico*[2].]

macrócito (ma.*cró*.ci.to) *sm. Med.* Eritrócito desenvolvido em excesso, próprio das anemias perniciosas [F.: *macr(o)-* + *-cito.*]

macroclima (ma.cro.*cli*.ma) *sm. Clim.* Clima predominante em uma ampla região geográfica [F.: *macr(o)-* + *clima.*]

macroclimático (ma.cro.cli.*má*.ti.co) *a. Clim.* Ref. a macroclima [F.: *macr(o)-* + *climático.*]

macrocosmo (ma.cro.*cos*.mo) *sm.* **1** *Fil.* Doutrina filosófica que preconiza a correspondência entre as partes constitutivas do Universo e as partes constitutivas do homem, que tem o Universo como um todo orgânico integrado, em oposição ao ser humano; cosmos **2** *Soc.* O conjunto global, em relação a seus elementos (indivíduos, grupos) constitutivos (macrocosmo social, macrocosmo econômico) [F.: *macr(o)-* + *-cosmo.*]

macrodáctilo (ma.cro.*dác*.ti.lo) *a.* Ver *macrodátilo*

macrodátilo (ma.cro.*dá*.ti.lo) *a. Zool.* Diz-se do animal de dedos compridos [F.: *macr(o)-* + *-dátilo.* Tb. *macrodáctilo.*]

macroeconomia (ma.cro:e.co.no.*mi*.a) *Econ. sf.* Parte da economia que estuda o funcionamento do sistema econômico e seus fenômenos como um todo, entre eles o produto interno bruto, preços, emprego, poupança e investimentos, taxa de juros e balanço de pagamentos [F.: *macr(o)-* + *economia.*]

macroeconômico (ma.cro:e.co.*nô*.mi.co) *Econ. a.* Ref., inerente ou próprio da macroeconomia (programa macroeconômico, debate macroeconômico, soluções macroeconômicas) [F.: De *macroeconomia* + *-ico*[2].]

macroeconomista (ma.cro.e.co.no.*mis*.ta) *a2g.* **1** Diz-se de quem estuda ou se dedica a macroeconomia *s2g.* **2** Estudioso de macroeconomia [F.: *macroeconomia* + *-ista.*]

macroencefalia (ma.cro:en.ce.fa.*li*.a) *sf.* Volume excessivo do encéfalo, prov. por causas hereditárias [F.: *macr(o)-* + *encefalia.*]

macroencefalia (ma.cro:en.ce.fa.*li*.a) *sf.* Volume excessivo do encéfalo, prov. por causas hereditárias [F.: *macr(o)-* + *encefalia.*]

macroencefálico (ma.cro:en.ce.*fá*.li.co) *Med. a.* **1** Relativo a macroencefalia **2** Que apresenta macroencefalia [F.: *macroencefalia* + *-ico*[2]. Tb. *macrencefálico.*]

macroencefálico (ma.cro:en.ce.*fá*.li.co) *Med. a. Pat.* Ver *macrencefálico*

macroestesia (ma.cro.es.te.*si*.a) *sf. Pat.* Perturbação da sensibilidade que faz com que os objetos percebidos pareçam maiores do que são de fato [F.: *macr(o)-* + *-estesia.*]

macroestrutura (ma.cro.es.tru.*tu*.ra) *sf.* Estrutura de grande tamanho que engloba estruturas de menor porte ou que comporta muitos elementos [F.: *macr(o)-* + *estrutura.*]

macrófago (ma.*cró*.fa.go) *sm. Biol.* Célula que deriva do monócito do sangue e tem o poder de destruir corpos estranhos por meio da fagocitose [F.: *macr(o)-* + *-fago.*]

macrofauna (ma.cro.*fau*.na) *sf. Zool.* Parte da fauna que engloba os animais visíveis a olho nu [F.: *macr(o)-* + *fauna.*]

macrofilia (ma.cro.fi.*li*.a) *sf.* **1** Qualidade de macrofilo; MEGAFILIA **2** Ocorrência de folhas muito grandes [F.: *macr(o)-* + *-filia*[2].]

macrofilo (ma.*cro*.fi.lo) *a. Bot.* Diz-se do vegetal que apresenta folhas grandes [F.: *macr(o)-* + *-filo*[2].]

macrofotografia (ma.cro.fo.gra.*fi*.a) *sf.* Técnica fotográfica que permite, por meio de lentes especiais, ampliar consideravelmente fotos de objetos diminutos; FOTOMACROGRAFIA [F.: *macr(o)-* + *fotografia.*]

macrogastria (ma.cro.gas.*tri*.a) *sf. Med.* Dilatação do estômago [F.: *macr(o)-* + *-gastria.*]

macrogástrico (ma.cro.*gás*.tri.co) *a. Med.* Ref. a macrogastria [F.: *macrogastria* + *-ico*[2].]

macroglossia (ma.cro.glos.*si*.a) *sf. Med.* Aumento extraordinário do volume da língua [F.: *macr(o)-* + *-glossia.*]

macrografia (ma.cro.gra.*fi*.a) *sf.* Estudo das estruturas de metais e ligas a olho nu ou por meio de ampliações [F.: *macr(o)-* + *-grafia.*]

macrográfico (ma.cro.*grá*.fi.co) *a.* Ref. a macrografia [F.: *macrografia* + *-ico*[2].]

macrolécito (ma.cro.*lé*.ci.to) *a. Emb.* Diz-se de ovo que tem grande quantidade de vitelo(2) [F.: *macr(o)-* + *-lécito.*]

macrologia (ma.cro.lo.*gi*.a) *sf. Ling.* Prolixidade no discurso ou no estilo [F.: *macr(o)-* + *-logia.*]

macrológico (ma.cro.*ló*.gi.co) *a. Ling.* Ref. a macrologia [F.: *macrologia* + *-ico*[2].]

macromercado (ma.cro.mer.*ca*.do) *sm. Econ.* Extenso mercado econômico, do qual participam vários países [F.: *macr(o)-* + *mercado.*]

macrômero (ma.*crô*.me.ro) *sm. Biol.* Blastômero grande formado pela clivagem desigual de um ovo fertilizado [F.: *macr(o)-* + *-mero.*]

macromolécula (ma.cro.mo.*lé*.cu.la) *sf. Quím.* Molécula constituída por grande número de átomos e peso molecular entre 10 mil e 2 milhões [F.: *macr(o)-* + *molécula.*]

mácron (*má*.cron) *sm. Art.gr.* Ver *macro* (3) [Pl.: *mácrones* e *mácrons.*]

macronúcleo (ma.cro.*nú*.cle.o) *sm. Biol.* Nos cilióforos, núcleo volumoso que não participa nos processos reprodutivos [F.: *macr(o)-* + *núcleo.*]

macronutriente (ma.cro.nu.tri.*en*.te) *sm. Biol.* Cada um dos elementos químicos que um ser vivo precisa absorver em grande quantidade para desenvolver-se, como carbono, oxigênio, hidrogênio, magnésio, potássio etc. [F.: *macr(o)-* + *nutriente.*]

macro-organismo (ma.cro-or.ga.*nis*.mo) *sm. Anat.* Qualquer organismo animal ou vegetal cujas dimensões são visíveis a olho nu [Cf.: *micro-organismo.*] [F.: *macr(o)-* + *organismo.*]

macropia (ma.cro.*pi*.a) *sf. Psiq.* O mesmo que *macropsia.* [F.: *macr(o)-* + *-opia.*]

macrópode (ma.*cró*.po.de) *a2g. Zool.* Que tem pés, nadadeiras ou pedúnculos excessivamente longos [F.: *macr(o)-* + *-pode.*]

macropsia (ma.crop.*si*.a) *sf. Psiq.* Patologia mental que causa um agigantamento ilusório dos objetos, visualizados em tamanho maior do que o real; MACROPIA; MEGALOPIA; MEGALOPSIA [F.: *macr(o)-* + *-opsia.*]

macrorregião (ma.cror.re.gi.*ão*) *sf. Geog.* Extensa região constituída por territórios que apresentam características comuns (físicas, humanas, sociais, políticas etc.) [Pl.: *-ões.*] [F.: *macr(o)-* + *região.*]

macrorregional (ma.cror.re.gi.o.*nal*) *a2g.* Ref. a ou próprio de macrorregião [F.: *macr(o)-* + *região.*]

macroscopia (ma.cros.co.*pi*.a) *sf.* Observação abrangente de fenômenos, ocorrências, fatos [F.: *macr(o)-* + *-scopia.*]

macroscópico (ma.cros.*có*.pi.co) *a.* **1** *Econ. Fil. Lóg. Soc.* Que é considerado em sua abrangência; GERAL: *uma visão macroscópica dos problemas do país.* **2** Diz-se do que pode ser visto a olho nu **3** *Fig.* Diz-se de que é sumário, superficial, sem detalhes: *uma abordagem macroscópica da questão.* [F.: *macr(o)-* + *-scop-* + *-ico*[2]. Sin. ger.: *megascópico.* Ant. ger.: *microscópico.*]

macrósporo (ma.*crós*.po.ro) *a.* **1** *Biol.* De esporos grandes *sm.* **2** O mesmo que *megásporo.* [F.: *macr(o)-* + *-sporo.*]

macrossociologia (ma.cros.so.ci.o.lo.*gi*.a) *sf. Soc.* Estudo abrangente de grandes grupos sociais tomados em conjunto [F.: *macr(o)-* + *sociologia.*]

macrossociológico (ma.cros.so.ci.o.*ló*.gi.co) *a. Soc.* Ref. a macrossociologia [F.: *macrossociologia* + *-ico*[2].]

macrossomia (ma.cros.so.*mi*.a) *sf. Med.* Patologia que se caracteriza pelo crescimento exagerado das partes do corpo; MACROSSOMATIA [F.: *macro* + *-somia.*]

macrossômico (ma.cros.*sô*.mi.co) *a.* Ref. a macrossomia [F.: *macrossomia* + *-ico*[2].]

macruro (ma.*cru*.ro) *sm.* **1** *Zool.* Animal que apresenta cauda longa **2** Espécime dos macruros, subordem de crustáceos decápodes utilizada em classificações antigas, que incluía os camarões e lagostas *a.* **3** Rel. aos macruros [F.: Do lat. cient. *Macrura.*]

macu (*ma*.cu) *Bras. a2g.* **1** *Etnol.* Pertencente ou relativo aos macus, grupo indígena do Amazonas *sm.* **2** Indígena que pertence ao grupo dos macus **3** *Gloss.* Família linguística que reúne seis línguas faladas por povos indígenas em algumas regiões do Amazonas [F.: Do etn. bras. *Maku.*]

macucar (ma.cu.*car*) *SP Pop. v. int.* **1** Falar sozinho, demonstrando zanga **2** Ficar zangado, encolerizado [▶ 11 macucar] [F.: *macuc(o)* + *-ar.*]

macuco (ma.*cu*.co) *Bras. sm.* **1** *Zool.* Ave de grande porte da fam. dos tinamídeos (*Tinamus solitarius*), de dorso pardo-azeitonado e ventre cinza-claro, encontrada nas matas do Brasil oriental, mas ameaçada de extinção; MACUCA **2** Espécie de mandioca [F.: Do tupi *ma'kuku.*]

maçudo (ma.*çu*.do) *a.* **1** Que tem forma de maça **2** Que é grosso, volumoso; compacto (pacote maçudo) **3** Denso, espesso (nuvens maçudas); CERRADO [Ant.: *ralo, rarefeito.*] **4** *Fig.* Monótono, enfadonho, indigesto (texto maçudo, oratória maçuda) [F.: *maça* + *-udo.*]

mácula (*má*.cu.la) *sf.* **1** Mancha; NÓDOA **2** *Fig.* Erro que desonra ou mancha uma reputação; ESTIGMA; DESONRA: *Aquele processo é uma mácula em sua vida.* [Ant.: *honra.*] **3** *Fig.* Imperfeição, defeito **4** *Astron.* Mancha escura na superfície do Sol ou de qualquer outro astro luminoso **5** *Oft.* Opacidade da córnea, expressa por uma mancha cinzenta **6** *Derm.* Mancha cutânea, de coloração diferente do tecido que a circunda **7** *Oft.* Pequena área no centro da retina na qual a acuidade visual é máxima; mancha amarela [Tb. *mácula retiniana.*] [F.: Do lat. *macula.* Hom./Par.: *mácula(s)* (sf.), *macula(s)* (flex. de *macular*).]

maculado (ma.cu.*la*.do) *a.* **1** Manchado, enodoado (tecido maculado, parede maculada); SUJO [Ant.: *limpo.*] **2** *Fig.* Que tem ou teve a reputação comprometida; desonrado, aviltado; DEGRADADO [Ant.: *honrado.*] [F.: Do lat. *maculatu*, part. pass. do v. *maculare.* Ant. ger.: *imaculado.*]

macular (ma.cu.*lar*) *v. td.* **1** Pôr mancha ou nódoa em; SUJAR: *O café maculou a brancura da toalha.* **2** *Fig.* Comprometer (algo, alguém ou a si mesmo) com algo desonroso, infame; DESLUSTRAR(-SE); INFAMAR(-SE): *Maculou-se irremediavelmente ao aceitar suborno:* "...essas mentiras terminam por macular o processo eleitoral..." (*O Globo*, 06.09.2002) [Ant.: *honrar, nobilitar.*] [▶ 1 macular] [F.: Do lat. *maculare.* Sin. ger.: *manchar.* Hom./Par.: *macula(s)* (fl.), *mácula(s)* (sf. [pl.]); *maculáveis* (fl.), *maculáveis* (pl. de *maculável*).]

maculelê (ma.cu.le.*lê*) *sm. BA Etnog. Dnç. Lud.* Misto de jogo e bailado guerreiro, associado à festa de Nossa Senhora da Conceição, de que participam esp. afro-brasileiros do sexo masculino cantando e dançando ao som de tambores [F.: Do umbundo *maka-* + *-lele.*]

maculoso (ma.cu.*lo*.so) *a.* Salpicado de máculas, de manchas ou nódoas (lepra maculosa); MACULADO; MANCHADO [F.: Do lat. *maculosus, a, um.*]

macumba (ma.*cum*.ba) *Bras. Rel. Umb. sf.* **1** Denominação dada aos cultos afro-brasileiros e aos seus rituais, originários do nagô, e que receberam influências de religiões africanas, ameríndias, católicas, espíritas e ocultistas **2** Oferenda colocada nas encruzilhadas; DESPACHO [F.: Do quimb. *ma'kôba.*]

macumbeiro (ma.cum.*bei*.ro) *Bras. Rel. Umb. a.* **1** Diz-se do que ou quem é praticante ou frequentador da macumba **2** Chefe de terreiro de macumba *sm.* **3** Aquele que é adepto ou praticante da macumba **4** Tocador de macumba (ant. instrumento de percussão) [F.: *macumba* + *-eiro.*]

macunã (ma.cu.*nã*) *sf. Bras. Bot.* Árvore ornamental (*Macuna prurens*) nativa do Nordeste, de cuja casca se retira uma substância analgésica [F.: or. desconhecida.]

macunaíma (ma.cu.na.*í*.ma) *sm.* **1** *Bras.* Entidade da mitologia ameríndia, tido inicialmente como o criador de todas as coisas e mais tarde como herói astuto, amoral, inventivo e galhofeiro *sm.* **2** Indivíduo espertalhão e preguiçoso [F.: Do antr. *Macunaíma*, personagem do romance homônimo de Mário de Andrade.]

macunaímico (ma.cu.na.*í*.mi.co) *a.* Relat. a macunaíma: *O brasileiro pobre, com sua índole macunaímica, consegue sobrepor-se aos grandes desafios de sua condição precária.* [F.: *macunaíma* + *-ico.*]

macunaimismo (ma.cu.na.i.*mis*.mo) *sm.* Conjunto de traços que constituem o indivíduo macunaímico: esperteza, preguiça, amoralismo etc. [F.: *macunaíma* + *-ismo.*]

macuxi (ma.cu.*xi*) *Bras. a2g.* **1** Pertencente ou rel. aos macuxis, povo indígena que vive na bacia do rio Branco, em Roraima *s2g.* **2** *Etnol.* Indivíduo desse povo *sm.* **3** *Gloss.* Língua falada pelos macuxis, do grupo linguístico permom [F.: Do etn. bras. *Makuxi.*]

madagascarense (ma.da.gas.ca.*ren*.se) *a2g.* **1** De Madagascar (República Malgaxe, África); típico desse país ou de seu povo (governo madagascarense, música madagascarense) **2** *Gloss.* Da ou referente à língua falada nesse país *s2g.* **3** Pessoa natural ou que vive em Madagascar *sm.* **4** *Gloss.* A língua malaio-polinésia, idioma oficial de Madagascar [F.: Do top. *Madagascar* + *-ense.* Sin.ger.: *malgaxe.*]

madalena[1] (ma.da.*le*.na) *sf.* Mulher chorosa, triste, ou arrependida de pecados cometidos no passado: "Descoroçoado, o reverendo chorava como uma madalena" (Brito Camacho, *Cerros e vales*) [F.: Do antr. bíblico (*Maria*) *Madalena.*] ■ **~ arrependida** *Pop.* O mesmo que *madalena*[1] [É us. muitas vezes com tom irônico, pejorativo ou crítico.]

madalena[2] (ma.da.*le*.na) *sf. Cul.* Pequeno bolo de forma ovalada, leve, feito de farinha de trigo, ovos, manteiga, limão e açúcar [F.: Do fr. *madeleine*, de or. contrv.]

madama (ma.*da*.ma) *sf.* Ver *madame*

madame (ma.*da*.me) *sf.* **1** Dama, senhora; MADAMA **2** *Pop.* Dona de casa; PATROA **3** *Pop. Vulg.* Prostituta, meretriz **4** Dona de bordel; CAFTINA **5** *MG Pop.* Parteira **6** *MG Pop.* Mulher que costura; COSTUREIRA [F.: Do fr. *madame.*]

madamismo (ma.da.*mis*.mo) *sm.* **1** O conjunto das mulheres, das madames, tb. *damaísmo*: "...cheiros fortes que o madamismo das cidades usa com abundância, no propósito de prender pelo nariz os homens..." (Brito Camacho, *Cerros e vales*) **2** Grupo de senhoras [F.: *madame* + *-ismo.*]

madapolão (ma.da.po.*lão*) *sm.* **1** Tecido de grande consistência, branco, de linho ou algodão **2** *N.E.* Tecido de algodão fino, o mesmo que *morim* [F.: Do top. *Mádhavapalan* (Índia).]

madarose (ma.da.*ro*.se) *sf. Derm.* Afecção dermatológica que acarreta a perda dos cílios e/ou da sobrancelha [F.: Do gr. *madárosis, eos.*]

madeficar (ma.de.fi.*car*) *v. td.* **1** Umedecer substância para amolecê-la **2** Mergulhar em líquido; BANHAR [▶ 11 madeficar] [F.: De *made-*, do v.lat. *madere*, 'umedecer', + *-ficar.*]

madeira (ma.*dei*.ra) *sf.* **1** Cerne das árvores constituído pelo lenho **2** Esse cerne retirado das árvores, seco e cortado, matéria-prima para construção, móveis etc.; LENHO; MADEIRO **3** *RJ Gír.* Cacete, pau, porrete **4** *P.ext. Pop.* Árvore **5** *AM Bot.* A árvore da borracha, entre os seringueiros **6** *N.* Floresta, mata **7** *Bras.* Violão [F.: Do lat. *materia, ae.*] ■ **Bater na ~** *Bras. Fam.* Supostamente, afastar com frase ou gesto (inclusive o de efetivamente bater com o nó dos dedos em madeira) o azar, mau-olhado etc. **~ compensada** *Bras.* Compensado (5) **~ de dar em doido** *Bras.* Pessoa durona, valente, ousada **~ de lei** **1** Madeira rija, resistente, de grande durabilidade **2** *Fig.* Qualquer coisa resistente e de boa durabilidade **~ dura** Ver *Madeira de lei* (1) **Tocar na ~** *Bras. Fam.* Ver *Bater na madeira*

madeirado (ma.dei.*ra*.do) *a.* **1** Que imita a madeira **2** Que foi trabalhado ou armado com madeira [F.: *madeira* + *-ado.*]

madeiral (ma.dei.*ral*) *sm.* Mata de onde se extrai madeira [Pl.: *-ais.*] [F.: *madeira* + *-al.*]

madeirame (ma.dei.*ra*.me) *sm.* **1** Conjunto de madeiras **2** *Carp. Cons.* Conjunto das madeiras que constituem a armação de uma casa **3** *Carp. Cons.* Estrutura ou armação de madeira de um componente da construção (jirau, telhado etc.) [F.: *madeira* + *-ame.* Sin. ger.: *madeiramento.*]

madeiramento (ma.dei.ra.*men*.to) *sm.* Ver *madeirame* [F.: *madeirar* + *-mento.*]

madeireira (ma.dei.*rei*.ra) *sf.* Estabelecimento industrial ou comercial que produz e vende madeira [F.: Fem. substv. de *madeireiro.*]

madeireiro (ma.dei.*rei*.ro) *a.* **1** *Com. Econ.* Ref. ou inerente à indústria ou comércio de madeiras (setor madeireiro, economia madeireira) *sm.* **2** Empresário (industrial ou comerciante) do ramo da madeira **3** Indivíduo que trabalha em madeira **4** Cortador de madeira nas matas [F.: *madeira* + *-eiro.*]

madeiro (ma.*dei*.ro) *sm.* **1** Tronco de madeira, esp. peça grossa de madeira que sustenta as vigas dos sobrados e tetos; LENHO **2** Cruz de madeira, esp. aquela em que Jesus foi crucificado **3** *AM* Chifre dos bovinos **4** *Lus. Fig.* Indivíduo estúpido [F.: *madeira* + *-o.*]

madeixa (ma.*dei*.xa) *sf.* **1** Porção de cabelos; MECHA; MELENA: "E sobre os ombros nus da minha amada desenrolavam-se as madeixas do seu cabelo negro." (Eça de Queirós, *A relíquia*) **2** Pequena meada **3** Porção de lã, algodão, linho ou seda, reduzida a novelo; NEGALHO [F.: Do lat. *metaxa* ou *mataxa, ae.*]

⊕ **mademoiselle** (*fr.*) *sf.* Senhorita, tratamento cortês dado às mulheres solteiras jovens

madona (ma.*do*.na) [ô] *sf.* **1** *Rel.* Nossa Senhora; a mãe de Jesus [Inicial maiúsc.] **2** Pintura, escultura ou imagem que a representa: *as Madonas de Rafael.* **3** *P.ext.* Mulher ou figura feminina com rosto de grande beleza, traços suaves e regulares [F.: Do it. *madonna.*]

madorna (ma.*dor*.na) [ó] *sf.* Ver *modorra* [F.: Posv. de *modorra*, por dissimilação.]

madorra (ma.*dor*.ra) *sf.* Sonolência, o mesmo que *modorra* [F.: Do prov. de *modorra.* Hom./Par.: *madorra* (fl. de *madorrar*).]

madorrento (ma.dor.*ren*.to) *a.* Sonolento, o mesmo que *madorneiro* ou *modorrento* [F.: *madorra* + *-ento.*]

madraço (ma.*dra*.ço) *a.* **1** Diz-se de pessoa que não se empenha, que é preguiçosa, indolente; PREGUIÇOSO *sm.* **2** Essa pessoa [F.: De or. obsc., talvez do ár. *matrá.* Sin.ger.: *malandro, mandrião, vadio.* Ant.ger.: *diligente, esperto.*]

madras (*ma*.dras) *sm2n.* **1** Tecido que mistura seda e algodão, de cores fortes, ger. em padrões listrados ou axadrezados **2** Fazenda de fiação pouco cerrada, com desenhos em xadrez ou listras, muito us. em estofamentos, cortinas etc. [F.: Do fr. *madras*, do top. *Madras*, cidade da Índia onde esse tecido era fabricado.]

madrassa (ma.*dras*.sa) *sf.* **1** Escola islâmica **2** Antiga residência ou lugar de hospedagem de nobres ou ricos [F.: Do ár. *madras* 'lugar no qual se estuda'. Tb. *madraçal.*]

madrasta (ma.*dras*.ta) *sf.* **1** Mulher casada com o pai de uma pessoa, sem ser sua mãe **2** *Fig.* Mãe ou mulher má, pouco carinhosa, insensível [F.: Do lat.pop. *matrasta* 'mulher do pai'.]

madrasto (ma.*dras*.to) *sm.* **1** *Têxt.* Tecido, o mesmo que *madras* **2** *Têxt.* Tecido de algodão, o mesmo que *morim a.*

3 Diz-se do que é destituído de bondade, de generosidade: *O destino madrasto não lhe permitiu reunir-se aos seus.* [F.: Talvez do top. *Madrasto* (Índia).]

madre (*ma*.dre) *sf.* 1 *Ecles.* Integrante de congregação católica feminina; FREIRA; IRMÃ 2 *Ecles.* Superiora de comunidade religiosa feminina; PRIORA; SUPERIORA 3 Mãe: *a Santa Madre Igreja.* 4 *P.us. Anat.* Útero, ventre 5 *Arq.* Viga grande, resistente, que serve de apoio ao estrado nas pontes 6 *Arq.* Viga forte em que se apoia o vigamento do assoalho 7 *Cnav. Náut.* A parte central, mais grossa, que forma o mastro, o cabrestante e outras partes do aparelho do navio 8 Cabo de fibra vegetal em cuja volta se torcem os cordões de um cabo de bitola fina ou de arame 9 *Mús.* A corda enrolada de fio de aço, tripa ou seda, que forma os bordões dos instrumentos de corda 10 *Vit.* A parte mais grossa do vinho ou do vinagre, que assenta no fundo das vasilhas; MÃE [F.: Do lat. *mater, tris.*] ∎∎ **~ do leme** 1 *Cnav.* Eixo do leme que, através do casco do navio, liga-se ao mecanismo que o movimenta 2 Parte do leme com a qual se conectam suas ferragens

madrepérola (ma.dre.*pé*.ro.la) *sf.* Substância calcária, quimicamente composta de carbonato de cálcio que, depositado em camadas finíssimas constitui a parte interna da concha de certos moluscos [F.: *madre* + *pérola*, adapt. do it. *madreperla*.]

madreperolado (ma.dre.pe.ro.*la*.do) *a.* 1 Que apresenta semelhança com a madrepérola 2 Que foi ornado de madrepérola [F.: *madrepérola* + *-ado*.]

madrépora (ma.*dré*.po.ra) *sf.* Nome comum dos corais pétreos, formadores de recifes nos mares tropicais; ACRÓPORO [F.: Do it. *madrepora*.]

madreporito (ma.dre.po.*ri*.to) *sm.* Madrépora fossilizada, madreporite [F.: *madrépora* + *-ito*.]

madressilva (ma.dres.*sil*.va) *Bot. sf.* Trepadeira da fam. das caprifoliáceas (*Lonicera caprifolium*), nativa da Europa e da Ásia, cultivada pelas flores tubulares, amarelas, rosa-escuras ou brancas, em cachos, e muito perfumadas [F.: Do lat. medv. *matrisilva*.]

madrigal (ma.dri.*gal*) *sm.* 1 *Poét.* Gênero de poesia pastoril surgida no séc. XIV na Itália, concisa e ger. de caráter romântico, engenhosa e galante, destinada a ser musicada, e de grande difusão por toda a Europa no séc. XVI 2 *Mús.* Música composta para expressar essa poesia, escrita para uma ou até seis vozes, com acompanhamento instrumental de alaúde, clavicímbalo, harpa; um dos gêneros mais importantes da música renascentista italiana 3 Pequeno coro de cantores 4 *P.ext.* Cumprimento lisonjeiro; galanteio dirigido às damas [Pl.: *-gais*.] [F.: Do it. *madrigale*.]

madrigalesco (ma.dri.ga.*les*.co) *a. Liter.* Referente a madrigal ou do gênero do madrigal: "...um quadro — representava cena madrigalesca, arte de galantaria..." (Guimarães Rosa, "Os chapéus transeuntes" *in Estas estórias*) [F.: *madrigal* + *-esco*.]

madrigalista (ma.dri.ga.*lis*.ta) *a2g.* 1 Ref. a madrigal *s2g.* 2 Aquele que compõe madrigais [F.: *madrigal* + *-ista*.]

madrijo (ma.*dri*.jo) *sm. Bras.* Fêmea adulta da baleia, tb. *madrija* [F.: De or. obsc.]

madrilenho (ma.dri.*le*.nho) *a.* 1 De Madri, capital da Espanha (Europa); típico dessa cidade ou de seu povo (culinária madrilenha, sotaque madrilenho) *sm.* 2 Pessoa nascida ou que vive em Madri [F.: Do espn. *madrileño*. Sin.ger.: *madrileno, madrilense*.]

madrileno (ma.dri.*le*.no) *sm.* 1 Indivíduo nascido ou que vive em Madri, capital da Espanha, *madrilense* *a.* 2 De Madri: típico dessa cidade ou de seu povo [F.: Do espn. *madrileño*.]

madrinha (ma.*dri*.nha) *sf.* 1 *Rel.* Na religião católica, mulher escolhida como testemunha em batizado, crisma ou casamento 2 Mulher escolhida para inaugurar, batizar algo, ser símbolo de grupo ou corporação, acompanhar formando etc.(madrinha de formatura, madrinha do navio) 3 *P.ext.* Protetora, defensora 4 *BA Umb.* Mãe de santo, no candomblé de caboclo 5 *Bras.* Besta ou mula que caminha à frente da tropa, com sinos ou chocalhos ao pescoço, como pastora; ÉGUA-MADRINHA [F.: Do lat. *matrina, dim. de *mater, tris*.] ∎∎ **~ de apresentação** 1 *Bras* Em batizado, mulher que leva a criança no colo e a entrega à madrinha na igreja; madrinha de carrego 2 Mulher que, em cerimônia de batismo, substitui um dos padrinhos que não tenha comparecido **~ de carrego** *MG* Ver *Madrinha de apresentação* (1)

madruga (ma.*dru*.ga) *sf. Pop.* O mesmo que madrugada: "De lá foram por esse sul abaixo, via torta; de madruga, já por lá, no Buriti-Alegre..." (Guimarães Rosa, *Grande sertão: veredas*) [F.: F. reduzida de *madrugada*.]

madrugada (ma.dru.*ga*.da) *sf.* 1 *Cron.* Período compreendido entre o fim da noite (após meia-noite) e esp. a hora do amanhecer (por volta das seis horas da manhã) 2 *Fig.* Início, começo: *Ainda está na madrugada da vida.* [F.: Fem. substv. de *madrugado*, part. de *madrugar*.] ∎∎ **Pela ~!** Locução interjetiva de espanto

madrugar (ma.dru.*gar*) *v. int.* 1 Acordar e levantar-se da cama muito cedo ou antes do horário habitual: *Madruguei hoje para estudar.* 2 Alvorecer, amanhecer: *Mal começava a madrugar, os animais encaminhavam-se para o curral.* 3 *Fig.* Fazer algo antes do tempo devido: *Não adianta madrugar com a pesquisa, pois só poderemos entregá-la no final do mês.* 4 Manifestar-se antes do tempo próprio: *O desejo de independência madruga em alguns adolescentes.* [▶ 14 madrugar] [F.: Do lat. *maturicare < lat. *madurare*.]

madrugador (ma.dru.ga.*dor*) [ô] *a.* 1 Diz-se de pessoa que madruga, que acorda e inicia o dia cedo 2 *Fig.* Diz-se de pessoa diligente, que se antecipa a outra em qualquer ação ou serviço *sm.* 3 Qualquer dessas pessoas [F.: *madrugar* + *-dor*.]

madurão (ma.du.*rão*) *sm.* Homem bastante maduro, quase velho ou velho; MADURAÇO [Pl.: *-ões*.] [F.: *maduro* + *-ão*.]

madurar (ma.du.*rar*) *v.* Ver *amadurecer* [*td.*] [*int.*] [▶ 1 madurar] [F.: Do lat. *maturare*. Hom./Par.: *maduro* (1ª p.s.)/ *maduro* (adj.s.m.).]

madurecimento (ma.du.re.ci.*men*.to) *sm.* Mesmo que *amadurecimento* [F.: *madurecer* + *-i-* + *-mento*.]

madurês (ma.du.*rês*) *sm.* 1 Indivíduo nascido ou que vive em Madura, ilha da Indonésia 2 *Gloss.* Língua indonésia falada principalmente em Madura *a.* 3 De Madura; típico dessa ilha ou de seu povo 4 *Gloss.* Do ou ref. ao madurês (2) [F.: Do top. *Madura* + *-ês*.]

madurez (ma.du.*rez*) *sf. P.us.* Estado do que está maduro; MADUREZA; MATURIDADE [F.: *maduro* + *-ez*.]

madureza (ma.du.*re*.za) [ê] *sf.* 1 Característica ou condição de maduro (madureza da fruta, madureza de pensamentos); AMADURECIMENTO; MATURAÇÃO; SAZONAMENTO 2 Estado do que se encontra desenvolvido (madureza profissional); MATURIDADE; PLENITUDE [Ant.: *imaturidade*.] 3 Sensatez, prudência, cautela: *Analisou a questão com muita madureza.* [Ant.: *afoiteza, precipitação*.] [F.: *maduro* + *-eza*.]

maduro (ma.*du*.ro) *a.* 1 Diz-se de fruto que está pronto para ser colhido ou comido; AMADURECIDO; SAZONADO [Ant.: *imaturo, verde*.] 2 *Fig.* Totalmente desenvolvido, formado (pessoa madura) [Ant.: *imaturo, infantil*.] 3 *Fig.* Que resulta de ponderação e prudência (escolha madura) [Ant.: *imprudente, insensato*.] 4 Diz-se de pessoa que não é mais jovem; ADULTO [Ant.: *jovem, moço*.] [F.: Do lat. *maturus, a, um*. Ideia de 'maduro', usar pref. *matur-*.]

mãe *sf.* 1 Mulher que deu à luz e/ou que cria ou criou filho(s) 2 Fêmea de animal que deu cria, ou que cuida de filhote que não é seu 3 *Fig.* Instituição ou pessoa muito dedicada, generosa, benfazeja, ou que ampara quando é necessário: *O orfanato era a mãe daquelas crianças abandonadas; Madre Teresa de Calcutá foi a mãe dos pobres.* 4 *Fig.* Causa, motivação: *A ociosidade é a mãe de todos os vícios.* 5 *Fig.* Local em que algo se inicia, e de onde começa a evoluir ou difundir-se: *O morro é a mãe do samba; A Grécia é a mãe das belas-artes.* 6 *Fig.* O principal, o maior; o mais importante ou o que deu origem a todos os demais: *Que guerra é considerada a mãe de todas as guerras?* 7 Borra de vinho ou vinagre, que assenta no fundo do recipiente; MADRE 8 Leito de rio quando transborda e alaga as regiões ribeirinhas; MÃE DO RIO 9 *Pop.* O mesmo que *fechadura* ('maquinismo de metal') 10 *Fig.* O mesmo que *gazua* 11 *Bras. Pop. Esp.* No futebol, jogador ou conjunto de jogadores que, atuando mal, favorece o adversário: *A zaga foi uma mãe para o time adversário.* 12 *Fig.* Pessoa que age de forma a favorecer, beneficiar ou proteger alguém [Posposto a outro substantivo a que se liga por hífen é um especificador invariável, e significa 'início, fonte, origem' (célula-mãe) ou 'principal' (nave-mãe, estrela-mãe); se anteposto quer dizer 'que é mãe' (mãe-canguru).] ∎∎ **Ficar como a ~ de S Pedro** Não ter onde ficar **~ de aluguel** Mulher que concorda em desenvolver em seu útero a gestação de um embrião (ger. implantado) e dar à luz o bebê, que não ficará com ela **Mãe de Deus** *Rel.* No cristianismo, designação de Maria, mãe de Jesus; Nossa Senhora **~ de família** Mulher casada, com filhos, dos quais cuida **Nossa Mãe** 1 *Rel.* Ver *Mãe de Deus.* 2 Locução interjetiva de espanto (com ponto de exclamação); Nossa Senhora!

mãe-benta (mãe-*ben*.ta) *Bras. Cul. sf.* Bolinho assado em forminha, feito de farinha de arroz, manteiga, açúcar, ovos e coco-ralado [Pl.: *mães-bentas*.] [F.: *mãe* + antr. *Benta* (Maria da Conceição Torres), doceira famosa durante a Regência.]

mãe-coruja (mãe-co.*ru*.ja) *sf.* Mãe que tem a tendência de só ver qualidades nos próprios filhos [Pl.: *mães-corujas*.]

mãe-d'água (mãe-*d'á*.gua) *Bras. sf.* 1 *Folc.* Ser fantástico, metade mulher, metade peixe, que habita rios e lagos; IARA; UIARA 2 Fonte ou mina de água 3 *Fig.* Pessoa que chora com facilidade [Pl.: *mães-d'água*.]

mãe-da-lua (mãe-da-*lu*.a) *sf.* *Zool.* Denominação comum às aves, noturnas, da fam. dos nictibiídeos, gên. *Nyctibius*, encontradas nas Américas Central e do Sul, com cabeça-chata e larga, olhos grandes, com fendas nas pálpebras superiores através das quais a ave pode enxergar mesmo com os olhos fechados, boca ampla e bico adunco e pequeno; URUTAU: "O rapaz impressionou-se; o canto parecia vir de uma árvore fronteira à casa. Dir-se-ia uma voz de mulher e tinha uma melodia esquisita e monótona. Era o canto da mãe-da-lua." (Aluísio Azevedo, *O mulato*) [Pl.: *mães-da-lua*.]

mãe de santo (mãe de *san*.to) *Bras. Rel. Umb. sf.* Nos cultos afro-brasileiros, mulher que administra o terreiro e dirige os cultos aos orixás [Pl.: *mães de santo*. Masc.: *pai de santo*.]

mãe do rio (mãe do *ri*:o) *Bras. sf.* 1 Madre ou leito de um rio quando ele transborda e alaga os terrenos e matos ribeirinhos; MÃE 2 Igarapé que recebe água de outros cursos de água 3 *Etnog.* Ser fantástico em forma de serpente que habita os rios e faz virar as canoas, o mesmo que *boiuna* [Pl.: *mães do rio*.]

maestria (ma:es.*tri*.a) *sf.* Ver *mestria*

maestrina (ma:es.*tri*.na) *Mús. sf.* 1 Mulher que rege orquestra, coro ou banda; DIRETORA; REGENTE 2 Mulher que compõe peças musicais; COMPOSITORA [Fem. de *maestro*.] [F.: Do it. *maestrina*.]

maestro (ma.*es*.tro) *Mús. sm.* 1 Aquele que rege orquestra, coro, banda etc.; DIRETOR; REGENTE 2 Compositor de peças musicais [Fem.: *-trina*.] [F.: Do it. *maestro*.]

má-fé (má-*fé*) *sf.* Intenção de causar dolo ou prejuízo, de distorcer a verdade etc. [Pl.: *más-fés*.]

máfia (*má*.fi:a) *sf.* 1 Organização criminosa fundada na Itália, com ramificações em vários países [Ger. com inicial maiúsc.] 2 *P.ext.* Qualquer grupo que age criminosamente, fazendo prevalecer seus interesses e controlando atividades (máfia das propinas, máfia das drogas) [F.: Do dialeto siciliano *mafia* 'coragem'.]

mafioso (ma.fi:*o*.so) [ô] *a.* 1 Ref., inerente a ou próprio da Máfia (aspecto mafioso, prática mafiosa) 2 Diz-se de quem pertence à Máfia 3 *Fig.* Diz-se de pessoa sem escrúpulos ou integridade moral *sm.* 4 Membro da Máfia 5 Indivíduo sem escrúpulos, desprovido de integridade moral: *Sua postura foi de autêntico mafioso.* [Pl.: [*ó*]. Fem.: [*ó*].] [F.: Do it. *maffioso*.]

mafoma (ma.*fo*.ma) *sf.* 1 Escultura tosca de grande tamanho que representa uma figura humana 2 Nome que os cristãos davam a Maomé (com inicial maiúscula) [F.: Do antr. ár. *Muhammad*.]

má-formação (má-for.ma.*ção*) *sf. Pat.* Deformação (em órgão, membro etc.) de origem congênita ou hereditária que, muitas vezes, pode ser curada por cirurgia; MALFORMAÇÃO [Diferencia-se da deformação adquirida e da monstruosidade (incurável).] [Pl.: *más-formações*.]

mafuá (ma.fu:*á*) *sm.* 1 *RJ Pop.* Feira ou parque de diversões com música, jogos, prendas, torneios etc.: "O povo chama tais coisas de 'mafuás'. Não atino qual seja a origem desse termo..." (Lima Barreto, *Feiras e mafuás*) 2 *P.ext.* Bagunça, confusão, desordem, desarrumação: *Deixou o quarto em estado de mafuá.* [Ant.: *arrumação, ordem*.] 3 *Bras.* Baile popular [F.: De or. obsc., posv. do quicg. *mfwá* 'muito cheio'.]

maga (*ma*.ga) *sf.* Mulher que pratica magia (1); BRUXA; FEITICEIRA [F.: Fem. de *mago*.]

magalânico (ma.ga.*lâ*.ni.co) *sm.* 1 Indivíduo nascido ou que vive na província de Magalhães (Chile) *a.* 2 De Magalhães: típico dessa província ou de seu povo 3 Relativo ao estreito de Magalhães (Chile) [F.: Do top. Magalhães (esp. *Magalhanes*), sob a forma *Magalan* + *-ico²*.]

magana (ma.*ga*.na) *sf.* 1 Variedade de musica antiga, espécie de tocata 2 Mulher que sempre demonstra alegria, jovialidade 3 Mulher dissoluta ou lasciva *a.* 4 Alegre, travessa: "Maria da Glória se entusiasmava, magana, dada num descontraste..." (Guimarães Rosa, "Buriti" *in Noites do sertão*) [F.: De or. obsc.]

maganão (ma.ga.*não*) *a.* 1 Que é muito magano, que demonstra velhacaria e grande jovialidade: "O Leonardo, fazendo-se-lhe justiça, não era, nesse tempo de sua mocidade, mal-apessoado, e sobretudo era maganão." (Manuel Antônio de Almeida, *Memórias de um sargento de milícias*) *sm.* 2 Aquele que tem em excesso as qualidades do magano, que é muito ardiloso ou alegre, jovial: "Vejo então que é admirador do maganão das *Flores do Mal*..." (Eça de Queirós, *Fradique Mendes*) [F.: *magano* + *-ão*.]

maganice (ma.ga.*ni*.ce) *sm.* 1 Qualidade de magano; MAGANAGEM 2 Ausência de decoro, de decência; VILEZA [F.: *magano* + *-ice*.]

magano (ma.*ga*.no) *a.* 1 Diz-se de quem é trapaceiro; ARDILOSO; VELHACO [Ant.: *correto, honesto*.] 2 Diz-se de pessoa que gosta de fazer graça; BRINCALHÃO; JOVIAL [Ant.: *sério, sisudo*.] *sm.* 3 Indivíduo inescrupuloso; DEVASSO [Ant.: *decente*.] [F.: De *magana* 'prostituta'.]

magarefe (ma.ga.*re*.fe) [é] *sm.* 1 Aquele que abate e tira a pele das reses nos matadouros; AÇOUGUEIRO; CARNICEIRO 2 *Pej. Pop.* Mau cirurgião 3 *Pej.* Indivíduo desonesto; PATIFE; VELHACO [F.: De or. obsc., posv. do ár.-hisp. *magrif.]

magazine (ma.ga.*zi*.ne) *sm.* 1 *Com.* Casa comercial onde se vendem vários tipos de mercadoria; LOJA: *à venda nos grandes magazines da cidade.* 2 *Bras. Comun. Mid.* Revista publicada periodicamente, ger. ilustrada, que trata de assuntos leves e variados 3 *Cin. Fot.* Estojo adaptável à câmera, em que se acondiciona o filme virgem, protegendo-o da luz [F.: Do fr.ant. *magasin* ou *magazin*.]

magdalenense (mag.da.le.*nen*.se) *a2g.* 1 *Arqueol.* Diz-se de período geológico correspondente à última fase do Paleolítico Superior; MAGDALENIANO *sm.* 2 Esse período; MAGDALENIANO [F.: Do top. *La Madeleine* (França), sob a f. lat. *Magdelena*, + *-ense*.]

magdaleniano (mag.da.le.ni.*a*.no) *sm.* 1 *Geol.* Período geológico que corresponde à última parte do paleolítico superior, e que teve a duração aproximada de oito milênios; MAGDALENENSE *a.* 2 *Geol.* Diz-se desse período; MAGDALENENSE 3 Referente ao tipo antropológico desse período 4 Relativo ao sítio arqueológico La Madeleine, onde foram descobertos, pela primeira vez, materiais arqueológicos do período plistoceno [F.: Do fr. *magdalénien* (do top. *La Madeleine*, França).]

magenta (ma.*gen*.ta) *sm.* 1 Cor vermelha muito viva; CARMIM; RUBRO 2 *Quím.* Corante vermelho ($C_{20}H_{20}ClN_3$) us. na indústria têxtil, em couro e como fungicida *a2g2n.* 3 Que é dessa cor (guarda-chuvas magenta) 4 Diz-se dessa cor: *blusa de cor magenta* [F.: Do top. *Magenta* (Itália).]

magérrimo (ma.*gér*.ri.mo) *a. Bras.* Muito magro; MACÉRRIMO; MAGRÍSSIMO [F.: *mag(ro)* + *-érrimo*.]

magia (ma.*gi*.a) *sf.* 1 Arte, ciência ou prática que supostamente pode produzir fenômenos extraordinários e não naturais, por intermédio de fórmulas e manipulações, seres fantásticos, rituais bizarros etc.; BRUXARIA; FEITIÇARIA: *Recorreu à magia para ter sucesso; Acredita em magia.* **2** *Fig.* Qualquer efeito difícil de explicar ou que não pareça natural: *Perdiam de 4x0 e viraram o jogo? Que magia foi essa?* **3** *Fig.* Sensação de prazer, enlevo, fascínio, ou a capacidade de provocar tal sensação; ENCANTO; SEDUÇÃO: *A magia do primeiro beijo.* **4** *Ant. Fil. Rel.* Religião ou doutrina dos magos; MAGISMO **5** *Antr.* Conjunto de saberes, crenças e práticas, institucionalizados dentro de um grupo social, ref. e inerentes a forças impessoais ou indecifráveis na natureza, na sociedade ou nos indivíduos [F.: Do gr. *mageía, as.* Sin. ger.: *mágica.*] ■ **~ branca 1** Magia praticada com propósitos de elevação espiritual ou de realização do bem, e que supostamente recorre a entidades sagradas ou benéficas **2** Designação por vezes dada à prática da umbanda **~ imitativa** Ação mágica cuja suposta eficácia está ligada à produção de fatos que se assemelham, por imitação, aos efeitos que se quer obter ou às causas naturais desses efeitos **~ negra** Prática de magia com intenção de prejudicar outrem, ou que supostamente recorre a forças ou entidades maléficas; necromancia, nigromancia **~ simpática** Ação mágica supostamente eficaz à distância, realizada por meio da manipulação de objetos diretamente relacionados ao objeto ou pessoa sobre os quais se quer atuar

magiar (ma.gi.*ar*) *a2g. s2g.* O mesmo que *húngaro* [F.: Do húngaro *magyar.*]

mágica (*má*.gi.ca) *sf.* **1** Ver *magia* **2** Truque ou artifício que cria a ilusão de algo extraordinário, não natural ou irracional; ILUSIONISMO; PRESTIDIGITAÇÃO [+*com, de*: *Faz mágicas com o baralho; A mágica de tirar o coelho da cartola.*] **3** Mulher que faz mágicas (1 e 2); FEITICEIRA; MAGA [F.: Fem. substv. de *mágico.*]

magicar (ma.gi.*car*) *v.* **1** Ficar pensando sem parar em; RUMINAR; CISMAR [*td.*: *Magicava uma solução acima de suas forças.*] [*tr.* +*em*: *Magicava no que poderia fazer.*] **2** Deixar fluir o pensamento; maginar; DEVANEAR [*int.*] [► 11 magi**car**] [F.: Alt. de *maginar*. Hom./Par.: *magica* (*3* p.s.), *magicas* (*2* p.s.)/ *mágica* (s.f.) e pl; *magico* (1ªp.s.)/ *mágico* (adj.s.m.).]

mágico (*má*.gi.co) *a.* **1** Ref. a magia ou a mágica **2** Diz-se de algo que parece não ter explicação racional; MILAGROSO; SOBRENATURAL: *Foi uma cura mágica: os médicos não acreditaram.* **3** Que causa ou expressa fascínio, encanto; SEDUTOR: *O seu sorriso é mágico*; "...a noite tinha um brilho mágico..." (Paulo Coelho, *Brida*) *sm.* **4** Homem que faz mágicas (2); ILUSIONISTA; PRESTIDIGITADOR **5** Ver *mago* (1) [F.: Do gr. *magikós, é, ón.*]

magisterial (ma.gis.te.ri.*al*) *a2g.* **1** Referente ao magistério **2** Diz-se de decreto instituído pelo magistério, no catolicismo [Pl.: *-ais.*] [F.: *magistério* + *-al.*]

magistério (ma.gis.*té*.ri:o) *sm.* **1** *Ped.* Cargo ou atividade de professor; DOCÊNCIA: *habilitar-se ao magistério.* **2** O exercício desse trabalho; ENSINO; PROFESSORADO: *Exerceu o magistério até se aposentar.* **3** O conjunto ou a classe dos professores; corpo docente: *O governo anunciou aumento para o magistério.* **4** *Farm.* Denominação dada pelos alquimistas a certos minerais compostos, esp. os de virtudes milagrosas (magistério de bismuto, magistério de enxofre) [F.: Do lat. *magisterium, ii.*]

magistrado (ma.gis.*tra*.do) *sm.* **1** *Jur. Leg.* Autoridade investida de poderes, em determinada jurisdição, para governar ou distribuir justiça; ADMINISTRADOR; GOVERNADOR; PRESIDENTE **2** *Jur.* Autoridade do Poder Judiciário [F.: Do lat. *magistratus, us.*] ■ **Primeiro ~** Aquele que exerce o mais alto cargo e detém a mais alta autoridade política e administrativa; presidente da República

magistral (ma.gis.*tral*) *a2g.* **1** Ref., inerente ou próprio de mestre (ofício magistral) **2** Que denota perfeição ou maestria (texto magistral, discurso magistral); EXEMPLAR; PERFEITO [Ant.: *deficiente, imperfeito.*] **3** Que é muito afetado (postura, tom magistral); PEDANTE; PRESUMIDO *sm.* **4** *Pedag.* Cônego que exerce o magistério, esp. de teologia [Pl.: *-trais.*] [F.: Do lat. tard. *magistralis, e.*]

magistrando (ma.gis.*tran*.do) **1** Estudante que cursa o mestrado ou está em via de concluí-lo *sm.* **2** Candidato que está para receber a dignidade de mestre [F.: Do. lat. *magistrare.*]

magistratura (ma.gis.tra.*tu*.ra) *sf.* **1** Cargo, função ou dignidade de magistrado: *Muito jovem, foi alçada à magistratura.* **2** O exercício desse cargo ou função: *Destacou-se na magistratura.* **3** Duração desse exercício: *Sua magistratura foi de 15 anos.* **4** O conjunto dos magistrados [F.: *magistrado* (sob a f. rad. lat. *magistrat-*) + *-ura.* Sin.ger.: *judicatura.*] ■ **~ em pé** O Ministério Público

magma (*mag*.ma) *sm.* **1** *Geol.* Massa mineral fluida, com altíssima temperatura, encontrada a grandes profundidades da superfície da Terra, e que às vezes é expelida em erupções vulcânicas; LAVA **2** *Pext.* Matéria residual, espessa, que resta depois de se espremer uma substância e retirar o seu líquido **3** *Emec. Tec.* Num cristalizador, a solução saturada em que aparecem os cristalitos **4** *Fig.* Conjunto confuso e inextricável de elementos (magma de pensamentos) [F.: Do gr. *mágma, atos.*]

magmático (mag.*má*.ti.co) *a.* Ref. ou inerente a magma (extrato magmático, erupção magmática); ÍGNEO [F.: *magma* + *-ático.*]

magna-carta (mag.na *car*.ta) *Jur. Leg. sf.* A Constituição de um país, a Lei fundamental e suprema de um Estado [Inicial maiúsc.]

magnanimidade (mag.na.ni.mi.*da*.de) *sf.* **1** Característica ou qualidade de magnânimo; GENEROSIDADE; PRODIGALIDADE [Ant.: *cupidez, mesquinhez.*] **2** Condescendência, tolerância, transigência: *Suas férias dependiam da magnanimidade do chefe.* [Ant.: *inflexibilidade, intolerância.*] [F.: Do lat. *magnanimitas, atis.*]

magnânimo (mag.*nâ*.ni.mo) *a.* **1** Que revela generosidade, indulgência (homem magnânimo, palavras magnânimas); BENEVOLENTE; BOM [Ant.: *mesquinho, mau.*] **2** Diz-se de que ou quem é nobre, grandioso [Ant.: *infame, vil.*] [F.: Do lat. *magnanimus, a, um.*]

magnata (mag.*na*.ta) *s2g.* **1** Pessoa muito importante, poderosa, influente; FIGURÃO; MANDACHUVA **2** *Econ.* Grande capitalista (magnata do petróleo, magnata do aço); MILIONÁRIO [F.: Do lat. tard. *magnates, um* 'potentados'. F. paral.: *magnate.*]

magnésia (mag.*né*.si:a) *Quím. sf.* Óxido de magnésio (MgO), branco, cristalino, us. em isqueiros, refletores de instrumentos óticos etc., e tb. como medicamento laxante [F.: Do fr. *magnésie* 'peróxido de manganês'.]

magnesiano (mag.ne.si.*a*.no) *a.* **1** Referente à magnésia ou magnésio **2** Que contém magnésio ou magnésia [F.: *magnésio* + *-ano.*]

magnésio (mag.*né*.si:o) *Quím. sm.* Elemento químico alcalinoterroso, metálico, branco-prateado, leve, reativo, de número atômico 12, us. em ligas leves para fabricação de automóveis, aviões, naves espaciais, em lâmpadas descartáveis, fogos de artifício, na revelação de fotografias etc. [Símb.: *Mg.*] [Ger. não se empr. no pl.] [F.: Do lat. cient. *magnesium.*]

magnesita (mag.ne.*si*.ta) *sf. Min.* Mineral trigonal, carbonato de magnésio, us. na fabricação de sais de magnésio e na manufatura de refratários; ESPATO DE MAGNÉSIO [F.: *magnésio* + *-ita.*]

magnético (mag.*né*.ti.co) *a.* **1** *Fís-quím.* Ref. a magneto ou a magnetismo (campo magnético) **2** *Fís.* Que tem a capacidade de atrair o ferro; IMANTADO **3** *Fig.* Que exerce atração ou fascínio (olhar magnético, personalidade magnética); ATRAENTE; CATIVANTE; SEDUTOR [Ant.: *repulsivo.*] [F.: Do gr. *magnetikós, é, ón.*]

magnetismo (mag.ne.*tis*.mo) *sm.* **1** *Elet. Fís.* Conjunto dos fenômenos e propriedades ref. às forças que se criam entre magnetos, ou entre circuitos percorridos por corrente elétrica **2** *Fís.* O estudo dos fenômenos resultantes das propriedades magnéticas do ímã **3** *Fig.* Influência, voluntária ou involuntária, exercida por alguém sobre a vontade de outras pessoas; FASCÍNIO **4** *Fig.* Atração que alguém exerce sobre outrem; propriedade de seduzir, de encantar; SEDUÇÃO [F.: Do fr. *magnétisme.*] ■ **~ animal** Segundo o médico alemão Mesmer, força vital dos seres vivos, na forma de uma espécie de fluido magnético, transmissível (no caso dele, por hipnotismo) e com propriedades curativas **~ terrestre** *Geof.* Parte da geofísica que estuda o campo magnético da Terra; geomagnetismo

magnetização (mag.ne.ti.za.*ção*) *sf.* **1** Ação ou resultado de magnetizar; IMANIZAÇÃO; IMANTAÇÃO **2** *Fís.* Processo pelo qual se magnetiza um corpo ou uma substância **3** *Fís.* Momento magnético de um corpo por unidade de volume **4** *Fig.* Ascendência e forte atração exercida, voluntariamente ou não, por alguém sobre outra pessoa; DOMÍNIO; ENCANTAMENTO; FASCINAÇÃO [Ant.: *repulsão.*] [Pl.: *-ções.*] [F.: *magnetizar* + *-ção.*]

magnetizado (mag.ne.ti.*za*.do) *a.* **1** *Fís.* Que se magnetizou, que sofreu magnetização; IMANTADO **2** *Fig.* Atraído, fascinado, encantado [Ant.: *repelido.*] [F.: Part. de *magnetizar.*]

magnetizante (mag.ne.ti.*zan*.te) *a2g.* **1** *Fís.* Diz-se de algo que magnetiza; MAGNETIZADOR **2** *Fig.* Diz-se de quem atrai, seduz, fascina; ENCANTADOR; SEDUTOR [F.: *magnetizar* + *-nte.*]

magnetizar (mag.ne.ti.*zar*) *v. td.* **1** Dar propriedades magnéticas a (esp. metal); IMANTAR **2** *Fig.* Exercer forte atração sobre; ATRAIR; FASCINAR: *A atriz magnetizava o público.* **3** *Fig.* Exercer forte influência sobre; DOMINAR: *A autoridade dos pais era tão grande que magnetizava a vontade de Carlos.* [► 1 magneti**zar**] [F.: Do fr. *magnétiser.* Hom./Par.: *magnetizáveis* (fl.), *magnetizáveis* (pl. de *magnetizável*).]

magnetizável (mag.ne.ti.*zá*.vel) *a2g.* Que pode ser magnetizado [Ant.: *desmagnetizável.*] [Pl.: *-veis.*] [F.: *magnetizar* + *-vel.* Hom./Par.: *magnetizáveis* (pl.), *magnetizáveis* (fl. de *magnetizar*).]

◎ **magnet(o)-** *el. comp.* = 'ímã'; 'magneto'; 'magnético'; 'magnetismo': *magnético, magnetismo, magnetizar, magnetografia, magnetologia, magnetômetro, magnetoscópio, magnetosfera* [F.: Do gr. *mágnes, etos*, 'ímã'.]

magneto (mag.*ne*.to) [ê] *sm.* **1** *Fís.* Corpo que atrai ferro e outros metais; ÍMÃ **2** *Eel.* Gerador de corrente elétrica que contém ímã **3** *Eel.* Pequeno gerador (de um dínamo) que gera a faísca necessária à ignição de motor de explosão [F.: Do gr. *mágnes, etos*, 'ímã'.]

magnetografia (mag.ne.to.gra.*fi*.a) *sf.* **1** *Art.gr.* Técnica de impressão em que as imagens são fixadas num cilindro de metal magnetizado e depois impressas, a partir desse cilindro, por meio de um *toner* igualmente magnetizado **2** *Rel.* No espiritismo, fotografia capaz de mostrar as radiações magnéticas de qualquer corpo [F.: *magnet(o)-* + *-grafia.*]

magnetográfico (mag.ne.to.*grá*.fi.co) *a.* Ref. a magnetografia [F.: *magnetografia* + *-ico*[2].]

magnetógrafo (mag.ne.*tó*.gra.fo) *sm. Astr.* Instrumento que faz estudos e registros de campos magnéticos [F.: *magnet(o)-* + *-grafo.*]

magnetologia (mag.ne.to.lo.*gi*.a) *sf.* **1** Estudo dos efeitos magnéticos provocados pela ação de ímãs e correntes elétricas, e das propriedades magnéticas da matéria **2** Ciência que estuda o magnetismo animal [F.: *magnet(o)-* + *-logia.*]

magnetológico (mag.ne.to.*ló*.gi.co) *a.* Ref. a magnetologia [F.: *magnetologia* + *-ico*[2].]

magnetômetro (mag.ne.*tô*.me.tro) *Geof. sm.* Instrumento us. para medir a intensidade de um campo magnético [F.: *magnet(o)-* + *-metro.*]

magnéton (mag.*né*.ton) *sm. Fís.nu.* Unidade natural que é us. na medida do momento magnético de uma partícula em sistemas nucleares [Pl.: *magnétones, magnétons.*] [F.: *magnet(o)-* + *-on.* Hom./Par.: *magnéton* (sm.), *magnétron* (sm.).]

magnetoscópico (mag.ne.tos.*có*.pi.co) *a.* Referente a magnetoscopia ou magnetoscópio [F.: *magnetoscópio* + *-ico*[2].]

magnetoscópio (mag.ne.tos.*có*.pi:o) *sm.* **1** *Ópt.* Instrumento us. para medir a força magnética **2** Tipo de câmera esp. us. em satélites, cujo armazenamento de imagens se faz numa fita de material plástico não danificável pelo efeito de qualquer tipo de radiação **3** O mesmo que *videocassete* (1) [F.: *magnet(o)-* + *-scópio.*]

magnetosfera (mag.ne.tos.*fe*.ra) *sf. Geof.* Parte da atmosfera terrestre em que o campo magnético exerce influência dominante no controle dos processos físicos que ali ocorrem, e que começa a uma altura de cerca de 100 mil metros, estendendo-se em direção ao espaço interplanetário [F.: *magnet(o)-* + *-sfera.*]

magnetosférico (mag.ne.tos.*fé*.ri.co) *a.* *Met.* Que diz respeito a magnetosfera [F.: *magnestosfera* + *-ico*[2].]

magnétron (mag.*né*.tron) *sf. Elet.* Válvula termiônica em que o fluxo de elétrons sofre controle de campos magnéticos e gera energia em micro-ondas [Pl.: *magnétrones, magnétrons.*] [F.: *magne(to)* + *-tron.* Hom./Par.: *magnétron* (sm.), *magnéton* (sm.).]

magnificação (mag.ni.fi.ca.*ção*) *sf.* **1** Ação ou resultado de magnificar(-se); ENGRANDECIMENTO; EXALTAÇÃO **2** Crescimento em tamanho; DILATAÇÃO [Pl.: *-ções.*] [F.: Do lat. *magnificatio, onis.*]

magnificado (mag.ni.fi.*ca*.do) *a.* **1** Que se magnificou; ENGRANDECIDO; EXALTADO; LOUVADO **2** Diz-se de objeto aumentado em dimensões; AMPLIADO [F.: Part. de *magnificar.*]

magnificante (mag.ni.fi.*can*.te) *a2g.* Diz-se de quem ou do que engrandece, glorifica (poema magnificante, canção magnificante); MAGNIFICADOR; MAGNIFICATÓRIO [F.: Do lat. *magnificans, ntis.*]

magnificar (mag.ni.fi.*car*) *v.* **1** Tornar(-se) grande; enaltecer(-se) com louvores; ENGRANDECER(-SE); EXALTAR(-SE); GLORIFICAR(-SE) [*td.*: *magnificar um feito/ uma pessoa.*] [*int.*: *Magnificou-se ante os amigos com a atitude corajosa.*] **2** Tornar maior; AMPLIAR; AUMENTAR [*td.*: *magnificar uma imagem/os lucros.*] [► 11 magnifi**car**] [F.: Do lat. *magnificare.* Hom./Par.: *magnifica(s)* (fl.), *magnífica(s)* (sm. [pl.], fem. de *magnífico*); *magnifico* (fl.), *magnífico* (a.).]

magnificatório (mag.ni.fi.ca.*tó*.ri:o) *a.* Que magnifica, engrandece, exalta (discurso magnificatório, loas magnificatórias); MAGNIFICANTE [F.: Do rad. lat. *magnificat-* (sup. do v.lat. *magnificare*) + *-ório.*]

magnificável (mag.ni.fi.*cá*.vel) *a2g.* Que é digno de ser magnificado, enaltecido, louvado [F.: *magnifica* + *-vel.*]

magnificência (mag.ni.fi.*cên*.ci:a) *sf.* **1** Característica ou qualidade de magnificente (magnificência aristocrática, magnificência dos Alpes); ESPLENDOR; GRANDIOSIDADE; IMPONÊNCIA [Ant.: *modéstia.*] **2** Pompa, luxo, ostentação (magnificência do palácio) [Ant.: *despojamento, simplicidade.*] **3** Generosidade, liberalidade (conceder magnificências) [Ant.: *mesquinhez.*] [F.: Do lat. *magnificentia, ae.*] ■ **Vossa ~** Forma de tratamento cabível a reitor de universidade

magnificente (mag.ni.fi.*cen*.te) *a2g.* **1** Que revela grandiosidade, imponência; ESPLENDOROSO; MAGNÍFICO: "... os responsórios cantados na magnificente capela..." (Camilo Castelo Branco, *Judeu*) [Ant.: *modesto.*] **2** Que demonstra generosidade, benevolência (monarca magnificente); BONDOSO; MAGNÂNIMO [Ant.: *desumano, mesquinho.*] **3** Que é luxuoso, ostentoso (residência magnificente); POMPOSO [Ant.: *despojado, simples.*] [F.: Posv. do lat. *magnificens, ntis.*]

magnífico (mag.*ní*.fi.co) *a.* **1** Ver *magnificente* **2** Que é muito bom e/ou muito bonito; BELÍSSIMO; EXCELENTE; ÓTIMO: *Assistimos um magnífico filme.* **3** Diz-se de reitor de universidade, esp. como fórmula de tratamento [Superl.: *magnificentíssimo.*] [Ant.: *horrendo, péssimo.* F.: Do lat. *magnificus, a, um.*]

magniloquência (mag.ni.lo.*quên*.ci.a) *sf.* **1** Linguagem pomposa, eloquente, elevada **2** Qualidade, caráter de magníloquo ou magniloquente [F.: Do lat. *magniloquentia, ae.*]

magniloquente (mag.ni.lo.*quen*.te) *a2g.* Grandioso, eloquente. Tb. *magníloquo* [F.: *magniloqu(ência)* + *-ente.*]

magnitude (mag.ni.*tu*.de) *sf.* **1** Característica, qualidade ou condição do que é magno, grande, relevante; AMPLITUDE; GRANDEZA; IMPORTÂNCIA: *a magnitude das pirâmides do Egito; a magnitude da sua bondade.* **2** *Astron.* Intensidade luminosa de um astro, caracterizada por um número positivo ou negativo (é maior quanto menor é o brilho do astro): *estrela de primeira magnitude.* **3** *Geof.* Medida da intensidade de um terremoto, expressa na escala Richter [Ant.: *insignificância, pequenez.* NOTA: Antes denom. *grandeza.* F.: Do lat. *magnitudo, inis.*]

magno (*mag*.no) ***a.*** 1 Que é grande ou importante (Magna Carta); RELEVANTE; SÉRIO [Ant.: *banal, insignificante, vulgar.*] 2 Que serve de epíteto a personagem célebre (Carlos Magno, Alexandre Magno) [F.: Do lat. *magnus, a, um.*]

magnólia (mag.*nó*.li:a) *Bot.* ***sf.*** 1 Nome comum às espécies de árvores e arbustos do gênero *Magnolia*, da fam. das magnoliáceas, cultivadas pela madeira ou como ornamental, como p. ex., *Magnolia grandiflora*, árvore originária dos EUA, de flores grandes, alvas e perfumadas 2 A flor dessas espécies [F.: Do lat. cient. gên. *Magnolia.*]

mágnum (*mág*.num) ***sm.*** Garrafa que tem o dobro do conteúdo de uma garrafa comum [F.: Do fr. *magnum.*]

mago (*ma*.go) ***sm.*** 1 Aquele que pratica magia; BRUXO; FEITICEIRO; MÁGICO 2 Sacerdote estudioso dos astros, entre os antigos persas 3 *Rel.* Cada um dos três reis que foram a Belém reverenciar o Menino Jesus ***a.*** 4 Mágico, encantador, sedutor: *o mago canto do soprano.* [F.: Do lat. *magus, i.*]

mágoa (*má*.go:a) ***sf.*** 1 Sentimento de dor moral e decepção de quem é alvo de atitude indelicada ou desrespeitosa; AGASTAMENTO; RESSENTIMENTO [Ant.: *desagastamento.*] 2 Amargura, tristeza, desgosto, pesar [+*de, por*: *sentir mágoa de alguém; mágoa pelo esquecimento dos amigos.* Ant.: *alegria, contentamento.*] 3 *Med. Ort.* Mancha ou nódoa proveniente de contusão (mágoa no joelho); SINAL [F.: Do lat. *macula, ae.* Hom./Par.: *magoa* (fl. de *magoar*).]

magoado (ma.go:*a*.do) ***a.*** 1 Que sofre de ou revela mágoa, pesar (mulher magoada, choro magoado); PESAROSO; TRISTE [Ant.: *alegre, contente.*] 2 Melindrado, ofendido, ressentido [+*com, por*: *magoado com a recusa; magoado por ter sido preterido.*] 3 Ferido, contundido (braço magoado, cabeça magoada) [F.: Part. de *magoar.*]

magoar (ma.go.*ar*) ***v.*** 1 Provocar ou sentir dor ou sofrimento físico [***td.***: *O sapato fechado está magoando meus dedos.*] [***int.***: *Magoou-se ao cair da escada.*] 2 *Fig.* Causar mágoa, sofrimento moral, melindre, ofensa (a alguém ou si mesmo); MELINDRAR(-SE); OFENDER(-SE) [***td.***: *Sua atitude magoaria o amigo.*] [***int.***: *Críticas injustas magoam sempre.*] 3 *Fig.* Fazer sentir ou sentir compaixão; COMOVER(-SE); CONDOER(-SE) [***td.***: *Ver um filho desempregado magoa qualquer mãe.*] [***int.***: *Magoou-se ao saber do drama dos cortadores de cana.*] [▶ **16 magoar**] [F.: Do lat. *maculare.* Hom./Par.: *magoa(s)* (fl.), *mágoa(s)* (sf. [pl.]).]

magoativo (ma.go.a.*ti*.vo) ***a.*** Que magoa, que suscita mágoa; tb. *magoante* [F.: *magoar* + *-tivo.*]

magoável (ma.go.*á*.vel) ***a2g.*** Suscetível de ser magoado; MELINDRÁVEL [Pl.: *-eis.*] [F.: *magoar* + *-vel.*]

magote (ma.go.te) [ó] ***sm.*** Reunião de pessoas ou coisas; AMONTOADO; PORÇÃO; QUANTIDADE [Ant.: *nada, ninharia.*] [F.: De or. incerta, posv. do espn. *mogote* 'monte'.]

magra (*ma*.gra) ***sf.*** 1 Mulher de corpo delgado, sem gordura 2 *Bras. Pop.* Tuberculose 3 *Bras. Pop.* Fim da vida; MORTE 4 Em cartas de baralho, aquela que tem naipe de ouros ou de paus [F.: Fem. de *magro.*]

magrebino (ma.gre.*bi*.no) ***sm.*** 1 Pessoa nascida ou que vive no Magreb (região do Norte da África) ***a.*** 2 Do Magreb; típico dessa região ou de seu povo [F.: Do top. *Magreb* + *-ino.*]

magrela (ma.*gre*.la) ***a. sm.*** *Bras.* O mesmo que *magricela* [F.: *magro* + *-ela.*]

magrelo (ma.*gre*.lo) ***a. sm.*** O mesmo que *magricela*

magrém (ma.*grém*) ***sf.*** 1 Mesmo que *magreza*: "Oscilantes as cabeças, pendentes a magrém dos perigalhos [pele do pescoço]." (Rui Barbosa, *Coletânea literária*) 2 *BA* Para os sertanejos, estação da seca [F.: *magro* + *-ém.*]

magreza (ma.*gre*.za) [ê] ***sf.*** 1 Característica, qualidade ou condição do que é magro; MAGREZ [Ant.: *gordura.*] 2 *Fig.* Insuficiência, escassez, pobreza (magreza de recursos) [Ant.: *opulência, riqueza.*] [F.: *magro-* + *-eza.*]

magricela (ma.gri.*ce*.la) [é] ***a2g.*** 1 Diz-se de pessoa muito magra; ESGUIO: "E o serzinho pequeno, magricela e fedorento..." (Alberto da Costa e Silva, *A manilha e o libambo*) ***s2g.*** 2 Essa pessoa: "...ou essa concretíssima magricela despenteada de jeans, que gesticulava..." (Ana Maria Machado, *A audácia dessa mulher*) [F.: *magriço* + *-ela.* Ant. ger.: *gordo, obeso.*]

magriço (ma.*gri*.ço) ***a.*** O mesmo que *magricela* (tb. subst.) [F.: *magro* + *-iço.*]

magro (*ma*.gro) ***a.*** 1 Diz-se de quem ou do que tem pouco peso em relação à altura (homem magro, cachorro magro) [Ant.: *corpulento, robusto.*] 2 Que tem pouca ou nenhuma gordura (carne magra) 3 Que é fino e comprido (rosto magro); AFILADO; DELGADO; ESGUIO [Ant.: *largo.*] 4 *Bras. Fig.* Que é pouco rendoso (comissão magra); INSIGNIFICANTE [Ant.: *lucrativo, rendoso.*] 5 *Fig.* Insignificante, parco (refeição magra); ESCASSO [Ant.: *farto.*] [Superl.: *macérrimo, magérrimo, magríssimo.*] ***sm.*** 6 Aquele ou aquilo que tem pouco peso em relação a seu tamanho, altura etc. [F.: Do lat. *macer, macra, macrum.* Ant. ger.: *gordo.* Ideia de 'magro', usar pref. *iscn(o)-* e *magr-.*]

magruço (ma.*gru*.ço) *Bras.* ***a.*** 1 O mesmo que *magricela* (adj.) 2 *Bras.* Um tanto magro; tb. *magrete* [F.: *magro* + *-uço.*]

maia[1] (*mai*.a) ***a2g.*** 1 Dos ou próprio dos maias, povo indígena da América Central e parte do México, notável pelo grau de civilização 2 Ref. a língua falada por esse povo ***s2g.*** 3 Indivíduo desse povo ***sm.*** 4 *Gloss.* Língua falada pelos maias; IUCATEQUE [F.: Do etnônimo cast. *Maya.*]

maia[2] (*mai*.a) ***s2g.*** 1 Pessoa pertencente aos maias, povo indígena pré-colombiano e ainda existente, da América Central, destacado pelo grau de civilização ***sm.*** 2 *Gloss.* A língua falada por esse povo ***a2g.*** 3 Ref. aos maias ou a sua língua [F.: Do etnônimo espn. *Maya.*]

◎ **maieuso-** ***el. comp.*** = 'parto': *maieusofobia, maieusófoba* [F.: Do gr. *maíeusis, eos.*]

maieusofobia (mai.eu.so.fo.*bi*.a) ***sf.*** *Psiq.* Medo patológico do parto [F.: *maieuso-* + *-fobia.*]

maieusofóbico (mai.eu.so.*fó*.bi.co) *Psiq.* ***a.*** 1 Ref. a maieusofobia 2 Diz-se de quem tem maieusofobia [F.: *maieusofobia* + *-ico*[2].]

maieusófobo (mai.eu.*só*.fo.ba) ***sf.*** *Psiq.* Aquela que sofre de maieusofobia [F.: *maieuso-* + fem. de *-fobo.*]

maiêutica (mai.*êu*.ti.ca) *Fil.* ***sf.*** Nome dado por Sócrates à sua dialética, como a arte de partejar os espíritos, i. é, de fazer o interlocutor descobrir as verdades que traz em si pelo processo de multiplicar as perguntas a fim de obter, por indução dos casos particulares e concretos, um conceito geral do objeto [F.: Do gr. *maieutiké*, fem. de *maieutikós* 'relativo ao parto'.]

maiêutico (mai.*êu*.ti.co) ***a.*** 1 Referente a *maiêutica* 2 O mesmo que *socrático* [F.: Do gr. *maieutikós, é, ón.*]

⊕ ***mailing list*** (*ing./meiling list*) ***sf.*** Relação de nomes e endereços para envio de mala-direta, publicações, convites etc.; CADASTRO; LISTA

mailo (*mai*.lo) *Lus. Ant. Pop.* E mais o, junto com o, em companhia do [F.: Contr. de *mais* e *lo.*] ▪ **a maila** F. fem. da loc. *a mailo*: *João mailo seu irmão foram jogar bola.* **a ~ 1** O mesmo que *mailo*; junto com o: *Foram ao cinema, Maria a mailos filhos.* 2 Contra o, com o: *Lutou a mailos contratempos e dificuldades.*

mainá (mai.*ná*) ***sm.*** *Ornit.* Ave passeriforme dos gên. *Acridotheres* e *Gracula*, de coloração escura, bico cor de laranja, com capacidade de imitar a fala humana, encontrada na Malásia, ilhas de Sonda e Filipinas [F.: prov. de *mainato*, nome indo-português para pássaros canoros.]

⊕ ***mainframe*** (*ing./meinfreime/*) ***sm.*** *Inf.* Computador de grande porte, ger. ligado a diversos usuários por meio de terminais

maio (*mai*.o) ***sm.*** 1 *Cron.* O quinto mês do ano (Com 31 dias.) 2 *Fig.* A primavera, como tempo de flores, prazeres e beleza ***a.*** 3 Que surge ou floresce em maio (cerejas maias) [F.: Do lat. *maius* ou *majus, i.*]

maiô (mai.*ô*) ***sm.*** Traje feminino ger. us. para banho de mar ou piscina, composto por uma única peça que cobre do alto das coxas ao busto [F.: Do fr. *maillot.* Cf.: *biquíni.*]

maiólica (mai.*ó*.li.ca) ***sf.*** Faiança (cerâmica esmaltada), esp. a que foi criada na Itália do séc. XVI, com temas ornamentais que se relacionavam à pintura do Renascimento e do Maneirismo [F.: Do it. *maiolica.*]

maionese (mai.o.*ne*.se) ***sf.*** 1 *Cul.* Molho frio feito de gema de ovo batida com óleo vegetal ou azeite 2 Salada de batata e legumes misturada com esse molho [F.: Do fr. *mayonnaise.*]

maior (mai.*or*) ***a2g.*** 1 Que supera outro em tamanho, dimensão, duração, intensidade etc.: *São Paulo é uma cidade grande, mas Tóquio é maior.* 2 Pleno, absoluto, total: *Conversavam no maior sigilo.* 3 Que tem mais idade: *indivíduo maior de 18 anos.* 4 Diz-se de pessoa que atingiu a maioridade ***s2g.*** 5 Essa pessoa: *Só pode dirigir quem é maior.* [F.: Do lat. *major, oris.* Ant. ger.: *menor.*] ▪ **A ~** A mais: *A segunda contagem dos votos apontou uma diferença a maior para o candidato da oposição.* **De ~ 1** *Bras. Pop.* Maior de idade: *Ele é de maior, devia ser mais responsável.* 2 Da suma importância ou relevância: *Esta é uma questão de maior, não pode ser ignorada.* **~ de idade** Que ou quem é, pela lei vigente, atingiu a maioridade [Tb. apenas *maior.*] **Ser o ~** *Bras. Fam.* Ser melhor, mais importante, mais admirado que todos os outros [Tb us. muitas vezes, como expressão enfática de admiração pessoal.]

maioral (mai.o.*ral*) ***s2g.*** 1 Indivíduo que se destaca dos demais por sua superioridade: *O maioral em sua profissão.* 2 Aquele que comanda outras pessoas; CHEFE; LÍDER 3 *Pop.* Figurão, mandachuva 4 *RS* Capataz de estância 5 O maior animal de um rebanho 6 *Bras. Rel. Umb.* Na umbanda e na quimbanda popular epíteto de Exu [Nesta acp., inicial maiúsc.] [Pl.: *-rais.*] [F.: *maior* + *-al.*]

maioria (mai.o.*ri*.a) ***sf.*** 1 Num conjunto ou grupo de elementos pelo menos a metade do total mais um [Diz-se *maioria absoluta.*] 2 Num conjunto dividido em segmentos, aquele que reúne a maior quantidade de elementos [Diz-se *maioria relativa.*] 3 O maior número, pluralidade: *Piso salarial aprovado por maioria.* 4 Partido ou grupo de partidos que detêm o maior número de votos no parlamento [F.: *maior* + *-ia.* Ant. ger.: *minoria.*] ▪ **~absoluta** Numa votação, maioria constituída de pelo menos metade dos votos mais um ou mais meio (se o número de votos for ímpar) **~ relativa** Numa votação, maioria constituída pelo maior número de votos em relação a qualquer outro candidato ou opção, mas sem constituir maioria absoluta **~ silenciosa** Aquela que se presume existir na opinião de um grupo, uma sociedade etc., mas que não se expressa em voto, ou em manifestação explícita, por medo, conformismo, apatia, ou outro motivo similar

maioridade (mai.o.ri.*da*.de) ***sf.*** 1 Idade em que o indivíduo é considerado legalmente capaz de exercer seus direitos civis [No Brasil, 21 anos.] 2 *P.ext.* Desenvolvimento completo de uma sociedade: *a maioridade de um país.* [F.: maior + *-(i)dade.* Ant. ger.: *minoridade.*] ▪ **~ civil** Condição de maioridade em relação a direitos e obrigações civis [Na lei brasileira, aos 21 anos.] **~ penal** Condição de maioridade em relação a responsabilidade criminal por atos cometidos [Na lei brasileira, aos 18 anos.] **~ política** Condição de maioridade em relação ao direito de votar, mediante alistamento e obtenção de título eleitoral [Na lei brasileira, aos 16 anos.]

maiorquino (ma:i.or.*qui*.no) ***sm.*** 1 Indivíduo nascido ou que vive em Maiorca (Espanha) ***a.*** 2 De Maiorca; típico dessa ilha ou de seu povo [F.: Do top. *Maiorca* + *-ino*[1].]

maipuré (mai.pu.*ré*) ***sm.*** 1 *AM Ornit.* Ave psitacídea (*Pionites leucogaster*, Kuhl.); tb. *marianinha* 2 Periquito da Amazônia (*Pionites melanocephala*); tb. *marianinha-da-cabeça-preta* [F.: Do tupi.]

mais ***adv.*** 1 Com maior intensidade; em maior quantidade: *Passou a trabalhar mais no novo emprego.* 2 Introduz o grau superlativo: *Sua nota mais alta foi em ciências.* 3 Introduz o grau comparativo: *Você teve mais sorte do que eu.* 4 Outra vez; de novo 5 Finaliza um enunciado com negação de ação, estado etc.: *Não sinto mais nada.* 6 Além disso: *O que mais podemos fazer?* 7 Acima de: *Os assaltantes eram mais de três.* ***sm.*** 8 A maior parte, a maior quantidade: *Quase não estudou, pois fica o mais do dia a brincar.* 9 O resto: *Quanto ao mais, não deu explicação.* ***conj.adit.*** 10 *Pop.* E também: *Daniel mais Maria são meus padrinhos.* 11 Us. em adição: *três mais dois são cinco.* ***prep.*** 12 Com, junto com: *Saiu mais o filho e não volta tão cedo.* ***pr.indef.*** 13 Em maior número, quantidade: *Ganhou mais presentes neste Natal.* 14 Demais, outros: *Prestem atenção em mim, não se preocupem com os mais aqui presentes.* [*Disse que tinha de pensar mais no assunto,* Ant.: *menos.* Ant.: *acps. 1, 2, 3, 6, 9: menos.* NOTA: Us. no pl. F.: Do adv. lat. *magis.* Ideia de 'mais', usar pref. *plio -.*] ▪ **A ~ 1** Us. para indicar excesso, quantidade ou medida maior; além de, mais que (o esperado, o necessário, o recomendável, o anteriormente observado, etc.): *A temperatura hoje foi de 30 graus: dois a mais do que ontem.* 2 Us. para acrescentar informação; além disso; ademais **A ~ e ~** Ver *Mais e mais* **Até ~** Us. como cumprimento de despedida, quando se espera reencontrar a pessoa com quem se fala, ou voltar a se comunicar com ela; até logo **Até ~ ver** Us. como cumprimento de despedida, equivalente a *até logo* **De ~ 1** Capaz de causar estranheza; anormal: *Não vejo nada de mais em sua resposta.* [Cf. *demais.*] 2 Ver *a mais*: "Ou a Fé toda completa, cabal, absoluta, sem um átomo de menos, sem um átomo de mais... ou nenhuma fé." (Antônio Feliciano de Castilho, *O Presbitério da Montanha*) **De ~ a ~** Além de tudo, ainda por cima **E ~ 1** E também: *Comeu a carne, e mais o que restara sobre a mesa.* 2 E além disso, e veja-se que: *Não vá, o filme é ruim; e mais, o cinema não tem ar-condicionado.* **~ cedo ou ~ tarde** 1 A qualquer momento, quando menos se esperar 2 Inevitavelmente **~ dia menos dia** Ver *Mais cedo ou mais tarde* **~ e ~** Indica aumento continuado, crescimento progressivo (em número, medida, intensidade etc.): *A cada dia que passava, mais e mais ele se envolvia no caso.* **~ hoje, ~ amanhã** *Fam.* Em algum momento futuro, indefinido porém não muito distante; em breve, dentro em pouco **~ ou menos** 1 Aproximadamente: *Vamos nos encontrar mais ou menos ao meio-dia.* 2 De maneira mediana, não totalmente: *Ficou mais ou menos desconfiado, mas nada disse.* 3 Nem bem nem mal: — *Como se sente?* — *Mais ou menos.* **~ para lá do que para cá** 1 Em estado grave, perto de morrer 2 *Joc. Pej.* Com jeito de afeminado 3 Tendente ao lado contrário (de opinião, adesão, competição etc.) **~ (do) que nunca** Mais (do) que em qualquer outra ocasião: *Eu sempre quis viajar, agora mais do que nunca.* **Nem ~ nem menos** 1 Exatamente, sem sobrar nem faltar: *Ponha dez litros de gasolina, nem mais nem menos.* 2 Us. para ressaltar a importância de algo ou alguém: *Ela, é nem mais nem menos, a diretora desta escola.* **Sem ~ aquela** Ver *Sem mas nem menos.* **Sem ~ nem ~** Ver *Sem mais nem menos* **Sem ~ nem menos** 1 Sem motivo aparente, inexplicavelmente 2 Subitamente, inesperadamente

maís (ma.*ís*) ***sm.*** *Agr.* Variedade de milho graúdo [F.: Do espn. *maíz.*]

maisena (mai.*se*.na) ***sf.*** 1 Farinha de amido de milho us. para fazer mingaus, biscoitos, cremes etc. ***sf.*** 2 *Bras. Cul.* Biscoito doce feito com essa farinha [F.: *maís* + *-ena* (grafado com 'z' como marca registrada ou nome comercial: Maizena®).]

mais-que-perfeito (mais-que-per.*fei*.to) ***sm.*** *Gram.* Tempo verbal que indica uma ação anterior a outra já passada (p.ex.: *sentia agora mais segurança do que tinha sentido ou sentira na primeira prova.*) [Us. tb. em registros mais formais, com o valor do imperfeito do indicativo, imperfeito do subjuntivo e do futuro do pretérito (*quisera = queria, quisesse e quereria*).] [Pl.: *mais-que-perfeitos.*]

mais-valia (mais-va.*li*.a) ***sf.*** 1 *Econ.* Na teoria marxista, lucro retido pelo capitalista resultante da diferença entre o que é pago ao trabalhador e o valor cobrado pela mercadoria produzida por essa mão de obra: "Não são meios para o trabalhador gerar produtos... Ao contrário, o trabalhador é para eles meio tanto de lhes conservar o valor, quanto de criar mais-valia, isto é, serve-lhes para o acrescer, para sugar trabalho excedente." (Karl Marx, *Manuscritos econômicos de Marx de 1861 a 1863*) 2 *Bras.* Aumento do valor de um bem em virtude de melhorias nele introduzidas [Pl.: *mais-valias.*]

maitaca (mai.*ta*.ca) ***sf.*** 1 *Bras. Zool.* Denominação comum a diversas spp. de aves da fam. dos psitacídeos distribuída por grande parte do Brasil, América Central e do Sul, de coloração verde, cauda curta e corpo atarracado, semelhante ao papagaio; MARITACA 2 *PE SP Fig.* Sujeito falador, tagarela; papagaio [F.: Do tupi *mbai'ta* 'espécie de papagaio'.]

⊕ **maître** (*Fr. /métr/*) **sm.** Ver *maître-d'hôtel*

⊕ **maître-d'hotel** (*maî.tred' hô.*tel) (*/Fr. métr d'hotel/*) **sm.** Chefe dos garçons [Tb. apenas *maître*.]

maiúscula (mai.*us*.cu.la) *Tip. sf.* Letra maior e, às vezes, com formato diferenciado us. no início de nomes próprios e de períodos gramaticais, ou de palavra que se quer destacar; CAIXA-ALTA; CAPITAL; VERSAL [Ant.: *minúscula*.] [F.: Fem. substv. de *maiúsculo*.]

maiúsculo (mai.*us*.cu.lo) *a.* **1** *Tip.* Diz-se do caractere de maior tamanho com que se representa uma letra do alfabeto; CAPITAL; CAPITULAR; VERSAL **2** *Bras. Fig.* De grande qualidade ou importância (escritor maiúsculo); EXTRAORDINÁRIO; FORMIDÁVEL [Ant.: *menor, pequeno*.] [F.: Do lat. *majusculus, a, um*. Ant. ger.: *minúsculo*.]

majestade (ma.jes.*ta*.de) *sf.* **1** Título dado a rei, rainha, imperador ou imperatriz: *Sua Majestade lhes dá as boas-vindas.* **2** Característica daquilo que confere respeito, veneração ou imponência; GRANDIOSIDADE; IMPONÊNCIA: *A majestade das catedrais góticas; a majestade de Deus.* **3** Aspecto nobre: *Tem majestade nos gestos, nas atitudes.* **sm.** **4** Soberano, rei [NOTA: Inicial ger. maiúsc. F.: Do lat. *majestas, atis*.] ∎∎ **Sua ~ Católica** *Antq.* Título dos reis da Espanha **Sua ~ Fidelíssima** *Antq.* Título dos reis de Portugal **Sua ~ Imperial** Título conferido a imperadores

majestático (ma.jes.*tá*.ti.co) *a.* **1** Ref. a majestade, ao poder soberano **2** Digno de um rei; ESPLÊNDIDO; LUXUOSO; POMPOSO: "A luz das auroras despedaça-se de encontro aos vidros de suas mil janelas... os seus torreões empinam-se... o seu todo é grande, imponente, majestático." (Raul Pompeia, *As joias da Coroa*) [Ant.: *despojado, humilde*.] **3** Ver *majestoso* (1) [F.: rad. de *majestade* (sob a f. *majestat-*) + *-ico*.]

majestosidade (ma.jes.to.si.*da*.de) *sf.* Qualidade, caráter de majestoso; GRANDIOSIDADE [F.: *majestoso* + *-idade*.]

majestoso (ma.jes.*to*.so) [ô] *a.* **1** Que inspira respeito, veneração (figura majestosa); AUGUSTO; MAJESTÁTICO; NOBRE [Pl. e Fem.: [ó].] **2** Que revela grandiosidade, imponência (construção majestosa); IMPONENTE; SUNTUOSO **3** De aspecto nobre, altivo (olhar majestoso); AUSTERO; GRAVE [Pl.: [ó]. Fem.: [ó].] [F.: *majestade* + *-oso*.]

major (ma.*jor*) **sm.** **1** *Mil.* Patente militar [Ver quadro *Hierarquia Militar Brasileira* no verbete *hierarquia*] **2** Militar que tem essa patente *sf.* **3** *Bras. Zool.* Andorinha-do-campo, taperá [F.: Do lat. *maior, us* 'maior'.]

majoração (ma.jo.*ra*.ção) *sf.* Ação ou efeito de majorar; AUMENTO; ELEVAÇÃO: "Dúvidas sobre majoração de preços, serviço não fornecido e cobranças indevidas encabeçam a lista de queixas." (*Revista Amanhã*) [Ant.: *diminuição, minoração, redução*.] [Pl.: *-ções*.] [F.: *majorar* + *-ção*.]

majorado (ma.jo.*ra*.do) *a.* Que sofreu majoração (impostos majorados); AUMENTADO; ELEVADO [Ant.: *diminuído, minorado, reduzido*.] [F.: Part. de *majorar*.]

majorar (ma.jo.*rar*) *v. td. Bras.* Aumentar, elevar: *majorar impostos/preços.* [▶ **1** majorar] [F.: Do fr. *majorer*.]

major-aviador (major-a.vi:a.*dor*) [ô] **sm.** **1** *Aer.* Patente militar [Ver quadro *Hierarquia Militar Brasileira* no verbete *hierarquia*] **2** Militar que tem essa patente [Pl.: *majores-aviadores*.]

major-brigadeiro (ma.jor-bri.ga.*dei*.ro) **sm.** **1** *Aer.* Patente militar [Ver quadro *Hierarquia Militar Brasileira* no verbete *hierarquia*.] **2** Militar que tem essa patente [Tb. se diz, apenas brigadeiro.] [Pl.: *majores-brigadeiros*.]

majoritário (ma.jo.ri.*tá*.ri:o) *a.* **1** Ref. ou pertencente à maioria **2** Que possui a maioria dos votos (bancada majoritária) **3** Diz-se de pessoa que pertence à maioria de um grupo **sm.** **4** Essa pessoa: *Concordou com a opinião dos majoritários.* [F.: Do fr. *majoritaire*. Ant. ger.: *minoritário*.]

⊕ **make-up** (*ing./meicap/*) **sm.** Ver *maquiagem*

mal *adv.* **1** Não bem, de modo imperfeito ou irregular; INCORRETAMENTE: *O prédio está mal conservado; ele dirige mal.* **2** Sem conforto ou bem-estar físico (dormir mal, sentir-se mal) **3** Em má situação: *A equipe está mal colocada na competição.* **4** Contra o direito e a justiça (julgar mal) **5** Menos bem do que se merece (pensar mal de alguém) **6** De modo desfavorável: *Não devemos falar mal dos amigos.* **7** Com dificuldade, a custo: *Ele mal conseguia abrir os olhos.* **8** De modo indelicado; GROSSEIRAMENTE; RUDEMENTE: *Respondeu mal à professora e foi castigado.* **9** De maneira cruel; BARBARAMENTE; DESUMANAMENTE: *Trata mal o pobre cachorro.* **10** De modo ligeiro, de leve; POUCO; RAPIDAMENTE: *Cansado, mal conversou com ela antes de dormir.* **11** Em péssimo estado de saúde: *O paciente está mal, praticamente nas últimas.* **12** De modo algum; NÃO: *Mal sabia o que o futuro lhe reservava.* **13** Em oposição à ética, à moral (proceder mal) **sm.** **14** O contrário do bem, tudo que se opõe à virtude, à honra, à moral: *Fez mal à moça.* **15** Tudo o que ocorre para o dano ou ruína de outra coisa **16** Atitude perniciosa, má: *Pagou o bem com o mal.* **17** O que é nocivo, prejudicial: *Todos sabem o mal que o cigarro faz.* **18** O que faz sofrer, infortúnio: *A demissão causou-lhe grande mal.* **19** Estrago, dano, prejuízo: *O temporal causou grande mal à população.* **20** Calamidade, infortúnio, desgraça: "E verão mais os olhos que escaparam de tanto mal, de tanta desventura." (Camões, *Os lusíadas*) **21** Doença, enfermidade: *O mal que o atacou é de difícil cura; Há cinco anos sofre do mal de Parkinson.* **22** Castigo, punição: *Por mal dos meus pecados.* **23** Pesar, aflição (mal de amor) **24** Palavras contra alguém ou contra alguma coisa: *O mal que dizem dele, prejudica-o muito.* **25** *Teol.* O maligno personificado; DIABO; SATANÁS *conj.* **26** Assim que: *Mal deitou, adormeceu.* [Ant.: *longamente, muito*. Ant.: *sempre*. NOTA: *Com adv., ant. ger., exceto acp. 5 e 8: bem.* NOTA: *Pl. (como sm.): males.* F.: Do adv. lat. *male*. Hom./Par.: *mau* (adj.). Ideia de 'mal', usar pref. *mal(e)-*.] ∎∎ **A ~** Contra a vontade; à força **Cortar o ~ pela raiz** Sanar (algo, situação etc.) definitivamente, eliminando a causa do mal **Deitar para ~** Ver *Levar a mal* **De ~** Brigado(s), com as relações (sociais, de amizade etc.) cortadas **De ~ a pior** Cada vez pior **Fazer ~** **1** Agir de maneira errada, incorreta: *Você fez mal em não ter se acusado.* **2** Ser prejudicial à saúde: *Comer demais faz mal.* **Fazer ~ a** **1** Causar dano ou prejuízo a; prejudicar **2** Ter más consequências sobre: *Sua intransigência fez-lhe muito mal.* **3** Contundir, machucar, ferir **4** *Bras.* Seduzir sexualmente (mulher virgem); deflorar **Ficar de ~** Romper relações **Levar a ~** Atribuir má intenção a (dito, ação etc.): *Não me leve a mal, minhas críticas são construtivas.* **~ comicial** *Neur. Pat.* Epilepsia **~ de Hansen** *Pat.* Lepra **~ de Parkinson** *Neur. Pat.* Ver *Doença de Parkinson* no verbete *doença*. **~ de Pott** *Ort. Pat.* Inflamação em vértebra (espondilodiscite) de origem tuberculosa, que pode atingir o disco intervertebral **~ e porcamente** **1** *Pop.* Sem nenhum cuidado ou capricho; sem habilidade ou competência **2** De modo muito precário, imperfeito ou errado (us. como forma enfática do adv. *mal*) **~ ~** Mal e mal **Não fazer ~ a uma mosca** Ser incapaz de fazer maldade, de prejudicar alguém **Querer ~ a** Desejar que aconteçam males a; ter ódio a **~ que** Mal, assim que: *Mal que chegou, já foi saindo.* **Por ~** Com má intenção: *Não o critiquei por mal, só queria ajudar.*

mala (*ma*.la) *sf.* **1** Espécie de caixa feita dos mais diversos materiais, us. para transportar em viagem roupas ou outros pertences **2** Saco de pano ou couro, ger. fechado com cadeado (mala postal) **3** *Bras. Vulg.* O conjunto dos órgãos genitais masculinos **4** *Bras. Vulg.* O conjunto das nádegas [Aum.: *malotão*. Dim.: *maleta, malote*.] *s2g.* **5** *Bras. Gír.* Pessoa inconveniente, chata, maçante [F.: Do fr. *malle*.] ∎∎ **Arrastar a ~** *N.E. Fam.* Ser enganado, logrado; dar-se mal em algo [Cf.: *Arrastar mala*.] **Arrastar ~** *MG SP MT Pop.* Bravatear, posar de valente; ameaçar [Cf.: *Arrastar a mala*.] **De ~ e cuia** *Bras.* Com todos os pertences: *Transferiu-se de mala e cuia para a casa do amigo.* **De ~ feita** *Bras.* Financeiramente realizado, rico, endinheirado **Fazer a ~** **1** *Pop.* Ganhar ou conseguir dinheiro **2** Ver *Fazer as malas* **Fazer as ~s** **1** Arrumar a(s) mala(s), preparando-se para viajar **2** *Fig.* Preparar-se para deixar um lugar, um emprego, uma situação etc.: *Ele já pode ir fazendo as malas, vai ser demitido no fim do mês.* **~ de garupa** *RS* Pequeno saco us. em montaria, à maneira de alforjes **~ de mão** **1** *Bras.* Mala pequena, maleta **2** *Lus.* Bolsa ou carteira de mulher [Tb. apenas *mala*.] **~ direta** **1** *Publ.* Comunicação de empresa, instituição, clube etc. com seus clientes, associados, segmento seletivo de clientes potenciais etc., por envio de correspondência a cada um deles (carta, folheto etc.) **2** Lista com nomes e endereços desses clientes, associados etc. **~ M** Tipo de serviço postal internacional, us. para o envio de grande quantidade de impressos de um só remetente a um só destinatário **~ postal** **1** Saco de material resistente (ger. lona) us. por serviço postal para transporte de correspondência, encomendas postais etc. **2** *P.ext.* As cartas, encomendas etc., transportadas nesse saco

malabar[1] (ma.la.*bar*) *a2g.* **1** O mesmo que *malabarense* **2** Diz-se de espetáculo de circo em que artistas e acrobatas exercem suas habilidades peculiares (lançamento de objetos para o alto, artes manuais, prestidigitações etc.) **3** Diz-se de língua falada na costa do Malabar (Índia) e ao Norte do Sri Lanka **4** *Bras.* Diz-se de gado bovino que resulta do cruzamento de touro zebu com vaca crioula *s2g.* **5** *Bras.* Esse tipo de gado **6** A língua malabárica **7** O mesmo que *malabarense* [F.: Do top. *Malabar* (Índia).]

malabar[2] (ma.la.*bar*) *a2g.* **1** O mesmo que *malabarense* *a2g.* **2** Diz-se de espetáculo em que malabaristas equilibram e jogam para o alto objetos diversos, que acrobaticamente voltam a pegar com as mãos **3** *Bras.* Diz-se de gado bovino que resulta do cruzamento de touro zebu com vaca crioula **4** *Ling.* Diz-se de língua falada em algumas regiões do Malabar (Índia) e do Sri Lanka *s2g.* **5** O mesmo que *malabarense* **sm.** **6** Espetáculo em que malabaristas equilibram e jogam para o alto objetos diversos, que acrobaticamente voltam a pegar com as mãos **7** *Bras.* Gado bovino que resulta do cruzamento de touro zebu com vaca crioula **8** *Ling.* Língua falada em algumas regiões do Malabar (Índia) e do Sri Lanka [F.: Do top. *Malabar*.]

malabarense (ma.la.ba.*ren*.se) *s2g.* **1** Aquele ou aquela que nasceu ou que vive em Malabar (Ásia) *a2g.* **2** De Malabar; típico dessa região ou de seu povo [F.: Do top. *Malabar* + *-ense*.]

malabarismo (ma.la.ba.*ris*.mo) **sm.** **1** A arte ou técnica do malabarista **2** *Fig.* Demonstração de habilidade para lidar com situações adversas e contorná-las [F.: *malabar* + *-ismo*.]

malabarista (ma.la.ba.*ris*.ta) *s2g.* **1** Artista circense que exibe grande habilidade atirando e apanhando objetos jogados ao ar, manipulando-os e equilibrando-os ao mesmo tempo; EQUILIBRISTA **2** *Fig.* Pessoa que demonstra habilidade para contornar circunstâncias difíceis ou adversas [F.: *malabar* + *-ista*.]

malabarístico (ma.la.ba.*rís*.tico) *a.* Referente a malabarismo ou malabarista (subst.) [F.: *malabarista* + *-ico*.]

malaca (ma.*la*.ca) *sf.* Doença, esp. a que ocorre na pele e apresenta feridas ou lesões [F.: or. obsc.]

mal-acabado (mal-a.ca.*ba*.do) *a.* **1** Cujo acabamento é ruim, sem capricho; MALFEITO; TOSCO **2** *Bras. Pej.* Diz-se de alguém cujo corpo é desproporcional; DESENGONÇADO; FEIO [Pl.: *mal-acabados*.] [Ant. ger.: *bem-acabado*.]

malacacheta (ma.la.ca.*che*.ta) [ê] *sf. Min.* Mineral (aluminossilicato básico de potássio) do grupo das micas, muito us. como isolante [F.: De or. obsc.]

malacara (ma.la.*ca*.ra) *a2g.* **1** Diz-se de cavalo que tem uma mancha branca na parte anterior da cabeça e que se prolonga até o peito **2** *RS* Diz-se de cavalo que tem a testa de uma cor mais clara que a do corpo, e que se prolonga numa listra até o focinho [Cf.: *picaço*.] **3** *SP* Diz-se do animal que tem manchas brancas na cara [Cf.: *picaço*.] *s2g.* **4** Cavalo ou outro animal malacara **5** *Lus.* Indivíduo mal-encarado [F.: Do cast. *malacara*.] ∎∎ **~ bragado** *RS* Bovídeo com características de um malacara (4)

◎ **-malacia** *el. comp.* = 'moleza'; 'flacidez', 'fraqueza'; 'amolecimento anormal ou patológico': *flebomalacia, histeromalacia, mielomalacia, osteomalacia* [F.: Do gr. *malakía, as*, 'moleza'; 'fraqueza'.]

malacia (ma.la.*ci*.a) *sf.* **1** Sossego, calma, tranquilidade **2** *Fig.* Condição de quem se encontra enfraquecido, debilitado, desanimado **3** *Pat.* Amolecimento anormal de órgãos e tecidos **4** *Pat.* Desejo anormal de ingerir comidas de sabor ácido ou excitante [F.: Do gr. *malakía, as*.]

◎ **malac(o)-** *el. comp.* = 'mole', 'macio'; 'suave', 'brando'; 'molusco': *malacodermo, malacogastro* (< lat.cient.), *malacologia, malacopterígio* [F.: Do gr. *malakós, é, ón*, 'mole'; 'macio'; 'suave'; 'brando'.]

malacodermo (ma.la.co.*der*.mo) *a. Anat. Zool.* Que tem pele mole [F.: *malac(o)-* + *-dermo*.]

malacologia (ma.la.co.lo.*gi*.a) *sf. Zool.* Parte da zoologia que estuda os moluscos [F.: *malac(o)-* + *-logia*.]

mal-acostumado (mal-a.cos.tu.*ma*.do) *a.* Que se acostumou com coisas boas, esp. por ter sido mimado ou ter recebido muitas facilidades; MAL-HABITUADO [Pl.: *mal-acostumados*.]

mala-direta (ma.la.-di.*re*.ta) *sf.* **1** Sistema de divulgação de produtos e serviços feito por meio de envio de remessa postal de impressos, catálogos etc. para clientes **2** A lista com o nome e o endereço desses clientes [Pl.: *malas-diretas*.]

mal-afamado (mal-a.fa.*ma*.do) *a.* Que tem má fama, desmoralizado [Pl.: *mal-afamados*. Fem.: *mal-afamada*.]

mal-agradecido (mal-a.gra.de.*ci*.do) *a.* **1** *Bras.* Diz-se de pessoa que não se mostra reconhecido à ajuda ou aos favores que lhe são prestados; DESAGRADECIDO; INGRATO [Ant.: *agradecido, grato*.] **sm.** **2** Essa pessoa [Pl.: *mal-agradecidos*.]

malaguenha (ma.la.*gue*.nha) *sf.* **1** *Mús.* Canção espanhola originária da região de Málaga: "Ouvi num café... o doce canto das malaguenhas... canções populares da Andaluzia, gorjeadas com a acentuação de carinhosa voz feminina" (Silveira da Motta, *Viagens*) **2** *Dnç.* Dança similar ao fandango que acompanha esse tipo de canção [F.: Do espn. *malagueña*.]

malaguenho (ma.la.*gue*.nho) **sm.** **1** Indivíduo nascido ou que vive em Málaga (Espanha) *a.* **2** De Málaga; típico dessa cidade ou de seu povo [F.: Do espn. *malagueño*.]

malagueta (ma.la.*gue*.ta) [ê] *sf.* **1** *Bot.* Erva aromática da fam. das zingiberáceas (*Aframomum melegueta*) de frutos vermelhos, cujas sementes são us. como condimento picante; PIMENTA-MALAGUETA **2** *Bot.* A semente dessa planta **3** *Teat.* Cada uma das varetas de madeira ou metal dispostas em fileiras, nas quais se prendem as cordas que movimentam os cenários **4** *Náut.* Pino de metal que se prende verticalmente em um mastro, antepara, turco etc., e em que se enrolam cabos de laborar **5** *AM* Fruto novo do cacaueiro **6** *Bras. PE* Pedaço de pau onde se enrola o fio dos papagaios de papel [F.: De or. obsc.]

malaio (ma.*lai*.o) **sm.** **1** Pessoa nascida ou que vive na Malásia; MALÁSIO **2** Língua malaio-polinésia falada na Malásia, Tailândia, Cingapura, Brunei, Indonésia e áreas próximas *a.* **3** Da Malásia, típico desse país ou de seu povo; MALÁSIO **4** Do ou ref. ao malaio (2) [F.: De or. contrv.]

malaio-polinésio (ma.lai.o-po.li.*né*.si:o) **sm.** **1** *Gloss.* Família de línguas (mais de setecentas) faladas no Pacífico, de Madagascar, no oeste, à ilha da Páscoa, no leste, de Taiwan e do Havaí, no norte, à Nova Zelândia, no sul [Pl.: *malaio-polinésios, malaios-polinésios*.] *a.* **2** Do ou ref. ao malaio-polinésio (1) **3** De ou ref. à Malásia e à Polinésia, seus povos, suas culturas etc. [Pl.: *malaio-polinésios, malaios-polinésios*.]

mal-ajambrado (mal-a.jam.*bra*.do) *a.* **1** Que tem aparência desagradável (embrulho mal-ajambrado); DESAJEITADO; MAL-AMANHADO [Ant.: *caprichado*] **2** Que se veste mal, sem capricho; DESELEGANTE; MAL-AMANHADO [Ant.: *arrumado, elegante*.] [Pl.: *mal-ajambrados*.] [Ant. ger.: *bem-ajambrado, bem-apresentado*.]

mal-amado (mal.a.*ma*.do) *a.* **1** Diz-se de indivíduo que não é correspondido no amor, que não é querido [Pl.: *mal-amados*.] **sm.** **2** Esse indivíduo [F.: *mal* + *amado*.]

mal-amanhado (mal-a.ma.*nha*.do) *a.* O mesmo que *mal-ajambrado* (1 e 2) [Ant.: *bem-ajambrado, bem-apresentado*.] [Pl.: *mal-amanhados*.]

malamute (ma.la.*mu*.te) **sm.** *Cinol.* Nas regiões árticas da América do Norte, cachorro esp. treinado para puxar trenós [F.: Do etn. *Malamute*.]

mal-andante (mal-an.*dan*.te) *a2g.* **1** *P.us.* Infeliz, desventurado **sm.** **2** *Ant.* Ladrão de estrada [F.: *mal* + *andante*.]

malandragem (ma.lan.*dra*.gem) *sf.* **1** Conjunto de características próprias de malandro **2** Ação ou comportamento de quem é malandro, esperto; ASTÚCIA; ESPERTEZA; MANHA: *Usou de muita malandragem para ser promovido.* **3** Reunião de malandros; BANDO; CORJA **4** Vadiagem, ociosidade: *Não trabalha, vive na malandragem.* [Ant.: *atividade, trabalho.*] [Pl.: *-gens.*] [F.: *malandro* + *-agem.*]

malandrar (ma.lan.*drar*) *v. int.* Ter ou levar vida de malandro; MANDRIAR [▶ **1 malandrar**] [F.: *malandro* + *-ar*². Hom./Par.: *malandra(s)* (fl.), *malandra(s)* (sf. fem. de *malandro*); *malandro* (fl.), *malandro* (sm.).]

malandrim (ma.lan.*drim*) *sm.* O mesmo que *malandro* [F.: Do espn. *malandrín.*]

malandro (ma.*lan*.dro) *a.* **1** Diz-se de pessoa que abusa da confiança dos outros e usa de esperteza para sobreviver, em vez de trabalhar; VADIO **2** *Bras.* Diz-se de quem é esperto, astuto, sagaz **3** *Bras.* Diz-se de pessoa indolente, preguiçosa *sm.* **4** Quem vive uma vida de prazeres e diversões **5** *Bras.* Aquele que simboliza um tipo de personagem carioca das classes sociais menos favorecidas visto como boêmio, com modo peculiar de se vestir, falar, andar etc.: "...malandro é malandro e mané é mané..." (Bezerra da Silva, *Malandro é malandro e mané é mané*) [F.: Posv. deduzido do it. *malandro*, regr. de *malandrino* 'salteador'.]

mal-apanhado (mal-a.pa.*nha*.do) *a.* De aparência ruim, desagradável, por não ser bonito ou por estar mal-arrumado: *Se ele não fosse mal-apanhado, talvez o tratassem de outra forma.* [Pl.: *mal-apanhados.*]

mal-apessoado (mal-a.pes.so.*a*.do) *a.* Diz-se de indivíduo que não tem bom aspecto, que é feio ou se veste muito mal [Pl.: *mal-apessoados.*]

mal-apresentado (mal-a.pre.sen.*ta*.do) *a.* **1** Que não tem boa aparência por não ter sido bem arrumado, que tem má apresentação: *O texto não estava mau, mas era um trabalho mal-apresentado.* **2** Malvestido, desleixado na aparência pessoal [Pl.: *mal-apresentados.*] [Sin. ger.: *mal-amanhado.*]

mala-preta (ma.la-*pre*.ta) *sf.* **1** Suposta mala que conteria dinheiro destinado a suborno de alguma espécie: *O homem da mala-preta chegou e fez a alegria dos jogadores.* *s2g.* **2** Pessoa que suborna: *O mala-preta chegou ao estádio antes de todos.* [Pl.: *malas-pretas.*]

malaquês (ma.la.*quês*) *sm.* **1** *Num.* Moeda de prata cunhada em Malaca por ordem de Afonso Albuquerque em 1511 **2** Pessoa nascida ou que vive em Malaca (Ásia) *a.* **3** De Malaca; típico desse território ou de seu povo [F.: Do top. *Malaca* + *-ês.*]

malaquita (ma.la.*qui*.ta) *sf. Min.* Mineral monoclínico de cor verde, us. para a produção de cobre e em objetos de ornamento [F.: prov. do fr. *malachite*, deriv. do lat. *malochites* ou *malochites, ae* 'pedra preciosa'.]

malar (ma.*lar*) *a2g.* **1** Ref. à maçã do rosto *sm.* **2** *Anat.* Ver *zigoma* [F.: Do lat. *mala, ae* 'maxilar superior'.]

malária (ma.*lá*.ri:a) *sf. Med.* Infecção causada por protozoários do gênero *Plasmodium* transmitida pela picada de mosquitos do gênero *Anopheles*, e que se caracteriza por calafrios e febre [F.: Do it. *malaria* 'ar insalubre'.]

malárico (ma.*lá*.ri.co) *a.* Referente a malária [F.: *malária* + *-ico.*]

mal-arrumado (mal-ar.ru.*ma*.do) *sm.* **1** *SP* Terreno coberto com fragmentos de rocha, difícil de ser percorrido ou transitado [Pl.: *mal-arrumados.*] *a.* **2** O mesmo que *mal-amanhado* [Pl.: *mal-arrumados.*] [F.: *mal* + *arrumado.*]

mala sem alça (ma.la sem *al*.ça) *s2g. Bras. Joc.* Pessoa muito desagradável, entediante, chata [Tb. se diz apenas *mala.*] [Pl.: *malas sem alça.*]

malasiano (ma.la.si.*a*.no) *sm.* Mesmo que *malaio* (tb. subst.)

malásio (ma.*lá*.si:o) *a. sm.* Ver *malaio* (1 e 3) [F.: Do top. *Malásia.*]

mal-assombrado (mal-as.som.*bra*.do) *a.* **1** Que tem má sombra, má aparência ou mau aspecto **2** Que está enfeitiçado, embruxado (indivíduo mal-assombrado) **3** *Bras.* Que é frequentado por assombrações, fantasmas, almas do outro mundo (castelo mal-assombrado) *sm.* **4** Encantamento, assombramento, feitiço; aparição. Tb. *mal-assombro* [Pl.: *mal-assombrados.*] [F.: *mal-* + *assombrado.*]

malauiano (ma.lau.i.*a*.no) [au-i] *sm.* **1** Pessoa nascida ou que vive na República do Maláui (Leste da África) *a.* **2** De Maláui; típico dessa república ou de seu povo [F.: Do top. *Malaui* + *-ano.*]

mal-aventurado (mal-a.ven.tu.*ra*.do) *a.* **1** Diz-se de pessoa que não é feliz *sm.* **2** Essa pessoa [Pl.: *mal-aventurados.*] [Sin.ger.: *desditoso, infeliz, infortunado.* Ant.ger.: *afortunado, bem-aventurado, feliz.*]

mal-avisado (mal-a.vi.*sa*.do) *a.* **1** Que não se mostra ponderado; INCONSEQUENTE; IMPRUDENTE **2** Que age irrefletidamente *sm.* **3** Aquele que age de maneira irrefletida [Pl.: *mal-avisados.*] [F.: *mal-* + *avisado.*]

malaxar (ma.la.*xar*) [cs] *v. td.* **1** *Farm.* Amassar, bater ou mexer bastante uma substância, para torná-la mais mole ou mais compacta **2** Aplicar massagem em **3** *Fig.* Causar cansaço em; CANSAR; FATIGAR [▶ **1 malaxar**] [F.: Do lat. *malaxare.*]

malbaratado (mal.ba.ra.*ta*.do) *a.* Que se malbaratou [F.: Part. de *malbaratar.*]

malbaratamento (mal.ba.ra.ta.*men*.to) *sm.* Ação ou resultado de malbaratar [F.: *malbaratar* + *mento.*]

malbaratar (mal.ba.ra.*tar*) *v.* Empregar ou gastar de modo descontrolado, excessivo ou indevido; DESPERDIÇAR [*td.*: *Malbarata toda a mesada com futilidades.* Ant.: *aproveitar.*] [*tdr.*: *Malbarata o tempo livre em jogos eletrônicos.*] [▶ **1 malbaratar**] [F.: *mal*² + *baratar.*]

malbarato (mal.ba.*ra*.to) *sm.* **1** Venda por baixo preço e com prejuízo: *O malbarato das vendas levou-o à falência.* **2** Despesa além do previsto; consumo excessivo; DESPERDÍCIO; DISSIPAÇÃO; ESBANJAMENTO **3** *Fig.* Desprezo, pouco-caso; DEPRECIAÇÃO; MENOSPREZO: *Tratava os empregados com malbarato.* [F.: Dev. de *malbaratar.* Ideia de: *barat-.*] ∎ **Fazer ~ de si** Menosprezar, subestimar, depreciar a si mesmo

malcasado (mal.ca.*sa*.do) *a.* **1** Que fez mau casamento; que vive mal com o cônjuge **2** Que se casou com pessoa de nível inferior *sm.* **3** Indivíduo malcasado [F.: *mal* + *casado.*]

malcheiroso (mal.chei.*ro*.so) [ô] *a.* Que cheira mal; FEDORENTO; FÉTIDO [Ant.: *cheiroso, perfumado.*] [Pl.: [ó]. Fem.: [ó].] [F.: *mal* + *cheiroso.*]

malcomportado (mal.com.por.*ta*.do) *a.* Que se comporta mau (aluno malcomportado) [F.: *mal* + *comportado.*]

malconduzido (mal.con.du.*zi*.do) *a.* Que não foi encaminhado ou conduzido adequadamente (tratamento malconduzido) [F.: *mal* + *conduzido.*]

malconservado (mal.con.ser.*va*.do) *a.* **1** Diz-se de pessoa envelhecida prematuramente **2** Que revela desgaste em decorrência da má conservação [F.: *mal* + *conservado.*]

malcosido (mal.co.*si*.do) *a.* Que não foi bem costurado (roupa malcosida) [F.: *mal* + *cosido.* Cf.: *malcozido.*]

malcriação (mal.cri.a.*ção*) *sf.* O mesmo que *má-criação* [Pl.: *-ções.*]

malcriado (mal.cri:*a*.do) *a.* **1** Diz-se de pessoa que não tem educação; GROSSEIRO; RUDE [Ant.: *cortês, educado, fino.*] *a.* **2** Que indica grosseria, desaforo (resposta malcriada); DESRESPEITOSO; IMPERTINENTE; OFENSIVO [Ant.: *amável, cortês, gentil.*] *sm.* **3** Pessoa descortês, deseducada [F.: *mal* + *criado.* Sin.ger.: *mal-educado.* Ant.ger.: *bem-educado.*]

malcuidado (mal.cui.*da*.do) *a.* Que não recebeu o devido cuidado, atenção (jardim malcuidado; doença malcuidada) [F.: *mal* + *cuidado.*]

malcurado (mal.cu.*ra*.do) *a.* Que não foi completamente curado; que não sarou totalmente (gripe malcurada) [F.: *mal* + *curado.*]

maldade (mal.*da*.de) *sf.* **1** Qualidade ou condição de quem é mau; CRUELDADE; MALIGNIDADE; PERVERSIDADE [Ant.: *benignidade, bondade.*] **2** Atitude que prejudica ou ofende; ATROCIDADE; DESUMANIDADE [Ant.: *clemência, humanidade.*] **3** Malícia, mordacidade, sarcasmo: *O réu respondeu com maldade ao juiz e foi repreendido.* **4** *Pop.* Travessura, traquinada, reinação: *As crianças fazem maldade com os animais.* **5** *RS* Pus proveniente de ferida [F.: Do lat. *malitas, atis.*]

maldar (mal.*dar*) *v. Bras.* Interpretar com malícia, com desconfiança; MALICIAR [*td.*: *Não maldei o que ele disse.*] [*tr. +de*: *Gregório malda de tudo.*] [*int.*: *Há pessoas que nunca maldam.*] [▶ **1 maldar**] [F.: *mald-* + *-ar*².]

mal da terra (mal da *ter*.ra) *S. SP Med. sm.* O mesmo que *ancilostomíase* [Pl.: *males da terra.*]

mal de engasgo (mal de en.*gas*.go) *sm. Bras. Pop.* Afecção no esôfago que provoca dificuldade de deglutição; ENGASGUE; ENGASGO; ENTALO; ENTALAÇÃO [Pl.: *males de engasgo.*]

maldição (mal.di.*ção*) *sf.* **1** Ação ou resultado de amaldiçoar, usar palavras que expressam o desejo de que algo ruim aconteça a alguém ou a algo; IMPRECAÇÃO; PRAGA [*+a, contra, sobre*: *Na hora da raiva, lançou uma maldição a /contra /sobre o rival.*] **2** Algo que denota consequências desagradáveis; DESGRAÇA; INFORTÚNIO; MAL: *O alcoolismo foi uma maldição em sua vida profissional.* [Ant.: *bem, bênção.*] [Pl.: *ções.*] *interj.* **3** Expressão que indica raiva, indignação por algo que aconteceu: *Maldição, esqueci a chave de casa!* [F.: Do lat. *maledictio, onis.*]

maldisfarçado (mal.dis.far.*ça*.do) *a.* Que não se pode disfarçar (ciúme maldisfarçado) [F.: *mal* + *disfarçado.*]

maldisposto (mal.dis.*pos*.to) [ô] *a.* Indisposto no aspecto físico ou emocional; ADOENTADO; CONTRARIADO [Ant.: *bem-disposto.*] [F.: *mal* + *disposto.*]

maldito (mal.*di*.to) *a.* **1** Que foi amaldiçoado **2** Que não tem seu valor artístico reconhecido (diz-se esp. de poeta) **3** Que é perverso, mau (guerra maldita); CRUEL; FUNESTO **4** Detestável, infeliz, incômodo: *Maldita espera para ser atendido!* [Ant., nas acps. 1, 3 e 4: *bendito.* Junto ao verbo *ser*, no imperativo e pres. do subj., exprime imprecação contra alguém: *Maldito seja!*] *sm.* **5** Pessoa que foi objeto de maldição **6** Poeta rejeitado [Inicial por vezes maiús.] **7** *Bras.* O diabo [Inicial por vezes maiús.] [F.: Do lat. *maledictus, a, um.*]

maldivo (mal.*di*.vo) *sm.* **1** Pessoa nascida nas ilhas Maldivas, no oceano Índico *a.* **2** Das Maldivas; típico dessas ilhas ou de seu povo [F.: De *Maldivas.* Sin. ger.: *maldiviano.*]

maldizente (mal.di.*zen*.te) *a2g.* **1** Diz-se de pessoa que fala mal dos outros *s2g.* **2** Essa pessoa [F.: Do lat. *maledicens, ntis.* Sin.ger.: *difamador, maledicente.* Ant. ger.: *bendizente.*]

maldizer (mal.di.*zer*) *v.* **1** Dizer pragas e maldições (contra alguém ou algo); AMALDIÇOAR [*td.*: "...maldizia a hora em que saíra de sua terra..." (Aluísio de Azevedo, *O cortiço*)] [*int.*: *Pare de maldizer e venha me ajudar.* Ant.: *abençoar.*] **2** Falar mal de alguém; DIFAMAR [*td.*: *Maldiz o colega por pura inveja.* Ant.: *bendizer.*] **3** Lastimar-se, lamentar-se [*tr. +de*: *João agora maldiz de sua nota baixa.*] [▶ **20 maldizer**] *sm.* **4** Maledicência, difamação: *Onde há inveja, há intrigas e maldizeres.* [F.: Do lat. *maledicere.*]

mal do monte (mal do *mon*.te) *sm. N.E. Pop.* Mesmo que *erisipela* [Pl.: *males do monte.*]

maldormido (mal.dor.*mi*.do) *a.* **1** Que não dormiu bem; que dormiu pouco ou de modo intranquilo: "...O frio chão. Ela o deixou, bem como / Hóspede mal-aceito e maldormido, / Que prossegue a jornada,..." (Machado de Assis, "A Gonçalves Dias" *in Americanas*) **2** Em que não se dormiu bem (noite maldormida) [F.: *mal* + *dormido.* Ant. ger.: *bem-dormido.*]

maldoso (mal.*do*.so) [ô] *a.* **1** Que tem ou demonstra maldade ou má intenção (insinuação maldosa); CRUEL; MAU [Ant.: *bondoso.*] **2** Que distorce o sentido do que foi dito ou feito por outra pessoa; CÁUSTICO; FERINO; MORDAZ: *Alguns jornais costumam publicar notícias maldosas.* [Ant.: *construtivo, enaltecedor.*] **3** Que exprime malícia (pergunta maldosa, olhar maldoso); BREJEIRO; MAROTO [Ant.: *ingênuo, inocente.*] [Pl.: [ó]. Fem.: [ó].] [F.: *maldade* + *-oso.*]

maldotado (mal.do.*ta*.do) *a.* Diz-se de indivíduo física ou intelectualmente mal dotado pela natureza [Ant.: *bem-dotado.*] [F.: *mal* + *dotado.*]

malê (ma.*lê*) *BA s2g.* **1** Nome dado aos negros islamizados trazidos como escravos do noroeste da África *a2g.* **2** Ref. a esse grupo de negros ou à sua cultura [F.: Do ior. *imale* 'muçulmano'.]

maleabilidade (ma.le:a.bi.li.*da*.de) *sf.* **1** Qualidade ou condição de maleável **2** *Fig.* Capacidade de adaptação, de flexibilidade; ADAPTABILIDADE: *Ter maleabilidade nas relações de trabalho é fundamental para o crescimento profissional.* [Ant.: *indocilidade, inflexibilidade.*] **3** Propriedade dos metais de se reduzirem a lâminas finas; DUCTIBILIDADE [F.: *maleável* (com suf. *-vel* sob a f. lat. *-bil(i)-*) + *-dade.* Ant.ger.: *imaleabilidade.*]

maleabilizar (ma.le.a.bi.li.*zar*) *v. td.* **1** Tornar flexível, maleável; DOBRAR: *Maleabilizar uma chapa metálica.* **2** *Fig.* Tornar mais brando, moderado; MALEAR; SUAVIZAR: *Conseguiu maleabilizar os brigões.* [▶**1 meleabilizar**] [F.: *maleável* na f. lat. *-bil(i)-* + *-izar.*]

maleável (ma.le:*á*.vel) *a2g.* **1** Que se pode malear, abrandar, amaciar **2** Que é flexível, dobrável, elástico (fio maleável) [Ant.: *duro, inelástico, inflexível.*] **3** *Fig.* Que se adapta a diferentes situações ou circunstâncias; ADAPTÁVEL; DÓCIL; FLEXÍVEL: "Esta é uma confissão de amor: amo a língua portuguesa. Ela não é fácil. Não é maleável." (Clarice Lispector, *A descoberta do mundo*) [Ant.: *inadaptável, inflexível.*] [Pl.: *-veis.* Superl.: *maleabilíssimo.*] [F.: Do fr. *malléable.*]

maledicência (ma.le.di.*cên*.ci:a) *sf.* **1** Qualidade de quem é maledicente, maldizente **2** Ação de falar mal de outrem; DETRAÇÃO; DIFAMAÇÃO [Ant.: *elogio.*] **3** Comentário maldoso; DISSE ME DISSE; FUXICO; MEXERICO: "D. Cora recebeu-me um pouco acanhada. Creio que era por causa das duas filhas que tinha, moças de 16 e 18 anos, e pela margem que isto podia dar à maledicência." (Machado de Assis, *Cantiga velha*) [*+entre, contra*: *maledicência entre colegas/ contra colegas.*] [F.: Do lat. *maledicentia, ae.*]

maledicente (ma.le.di.*cen*.te) *a2g.s2g.* Ver *maldizente* [Superl.: *maledicentíssimo.*] [F.: Do lat. *maledicens, entis.*]

mal-educado (mal-e.du.*ca*.do) *a.* Ver *malcriado* [Ant.: *bem-educado.*] [Pl.: *mal-educados.*]

malefício (ma.le.*fí*.ci:o) *sm.* **1** Aquilo que é maléfico, que tem efeito prejudicial; DANO; MAL [Ant.: *bem, benefício.*] **2** Feitiço, bruxaria [F.: Do lat. *maleficiu, ii.* Hom./Par.: *maleficio* (fl. de *maleficiar*).]

maléfico (ma.*lé*.fi.co) *a.* **1** Que causa males ou danos; LESIVO; NOCIVO: *O convívio maléfico com marginais.* [Ant.: *benfazejo, inofensivo.*] **2** Que faz o mal ou tem inclinação para o mal; MALÉVOLO; MALIGNO; MALVADO [Ant.: *benigno, bom.*] **3** Que provoca má influência; DESFAVORÁVEL: *A confluência maléfica dos astros.* [Ant.: *favorável.*] [Superl.: *maleficentíssimo.*] [F.: Do lat. *maleficus, a, um.* Ant.ger.: *benéfico.* Ideia de 'maléfico', usar suf. *-nóxio.*]

maleiro (ma.*lei*.ro) *sm.* **1** Quem fabrica e/ou vende malas **2** Local para guardar malas **3** *Bras.* Carregador de malas **4** *Bras. MT* Na zona diamantífera, pessoa nascida ou que vive na Bahia [F.: *mala* + *-eiro.*]

maleita (ma.*lei*.ta) *sf. Bras. Pop. Med.* Ver *malária* [Tb. us. no pl.]

maleitoso (ma.lei.*to*.so) [ô] *a.* **1** Que tem maleita ou malária **2** Que produz maleita (pântano maleitoso) *sm.* **3** Indivíduo que sofre de maleita [F.: *maleita* + *-oso.*]

malemolência (ma.le.mo.*lên*.ci:a) *sf. Bras. Pop.* **1** Falta de empenho; PREGUIÇA **2** Forma de comportamento que denota malícia, manha, destreza ou elegância de alguém **3** *Mús.* Ritmo gingado próprio de certos cantores ou dançarinos de samba, ou postura física dos antigos malandros: "... Ginga morena, cai não cai / Samba com malemolência..." (Ary Barroso, *Morena boca de ouro*) [F.: De or. incerta; prov. voc. expressivo.]

malemolente (ma.le.mo.*len*.te) *Bras. Pop. a2g.* **1** Que revela malemolência **2** Em que há malemolência (ritmo malemolente) [F.: De *malemolência* (*-ência* > *-ente*).]

mal-empregado (mal-em.pre.*ga*.do) *a.* Diz-se do que foi mal usado, aplicado ou resolvido (dinheiro mal-empregado): *Não teve como negar que os recursos haviam sido mal-empregados.* [Pl.: *mal-empregados.*]

mal-encarado (mal-en.ca.*ra*.do) *a.* **1** Que tem aparência desagradável ou cuja expressão revela má índole (diz-se de pessoa): *Abordada por um homem mal-encarado na rua, apressou o passo.* [Ant.: *bem-encarado.*] **2** Que tem a fisionomia carrancuda; SISUDO; TACITURNO [Nas acps. 1 e 2: Ant.: *bem-encarado.*] **3** *Bras. Pop.* O diabo [Pl.: *mal-encarados.*]

mal-ensinado (mal-en.si.*na*.do) ***a.*** O mesmo que *malcriado* [Pl.: *mal-ensinados.*]

mal-entendido (mal-en.ten.*di*.do) ***a.*** **1** Que entende (algo) mal ou erradamente **2** Mal compreendido ou interpretado (mensagem mal-entendida) ***sm.*** **3** Situação em que algo foi interpretado incorretamente; ENGANO; EQUÍVOCO [Ant.: *acerto.*] **4** Desentendimento, desavença [Ant.: *acordo, entendimento.*] [Pl.: *mal-entendidos.*]

maleolar (ma.le:o.*lar*) ***a2g.*** *Anat.* Relativo a ou pertencente ao(s) maléolo(s) [F.: *maléolo* + *-ar*[1].]

maléolo (ma.*lé*:o.lo) ***sm.*** *Anat.* Cada uma das saliências ósseas, interna e externa, do tornozelo [F.: Do lat. *malleolus, i* 'martelinho'.]

mal-estar (mal-es.*tar*) ***sm.*** **1** Sensação física ou emocional desagradável: *Sentia um leve mal-estar, quando em jejum; A difícil tarefa provocava-lhe mal-estar por antecipação.* **2** Situação embaraçosa; CONSTRANGIMENTO; EMBARAÇO: *Suas palavras intempestivas causaram mal-estar entre os presentes.* **3** Inquietação mal definida; ANSIEDADE; INSATISFAÇÃO [Pl.: *mal-estares.*] [Ant.: *bem-estar, disposição.* Ant.: *bem-estar, satisfação.*]

maleta (ma.*le*.ta) [ê] ***sf.*** **1** Pequena mala; MALOTE ***sm.*** **2** *Pej.* Toureiro sem méritos [F.: Do fr. *mallete.*]

maleva (ma.*le*.va) *RS Pop.* ***a2g.*** **1** Que tem má índole; MALÉVOLO; MALVADO; PERVERSO **2** Que é rancoroso, irascível **3** Diz-se de cavalo irritadiço, que corcoveia facilmente ***s2g.*** **4** Indivíduo que pratica atividades criminosas; BANDIDO; MALFEITOR [F.: Var. de *malevo.*]

malevolência (ma.le.vo.*lên*.ci:a) ***sf.*** **1** Qualidade daquele que é malevolente; MALDADE; MALEFICÊNCIA; MALIGNIDADE [Ant.: *bondade.*] **2** Má vontade, hostilidade, antipatia: *a malevolência entre parentes.* [Ant.: *afeto, amizade, simpatia.*] [F.: Do lat. *malevolentia, ae.* Ant. ger.: *benevolência.*]

malevolente (ma.le.vo.*len*.te) ***a2g.*** Ver *malévolo* (1) [Ant.: *benevolente*] [F.: Do lat. *malevolens* ou *malivolens, entis.*]

malévolo (ma.*lé*.vo.lo) ***a.*** **1** Que tem má índole; MALEVOLENTE; MALVADO; MAU **2** Que faz mal às outras pessoas (palavras malévolas); MALÉFICO (1) [Ant.: *benéfico, bom.*] [Superl.: *malevolentíssimo.*] [F.: Do lat. *malevolus* ou *malivolus, a, um.* Ant.ger.: *benévolo.*]

malfadado (mal.fa.*da*.do) ***a.*** **1** Diz-se de pessoa que tem má sorte; DESDITOSO; INFELIZ [Ant.: *afortunado, bem-fadado, feliz.*] ***sm.*** **2** Essa pessoa [F.: *mal* + *fadado.*]

malfadar (mal.fa.*dar*) ***v. td.*** **1** Prever má sorte ou mau destino para (alguém ou algo) **2** Trazer má sorte para (alguém ou algo) [Ant.: *felicitar.*] [▶ **1 malfadar**] [F.: *mal* + *fadar.* Ant. ger.: *bem-fadar.*]

malfalado (mal.fa.*la*.do) ***a.*** Que tem má fama; de que ou de quem se fala mal (lugar malfalado); MAL-AFAMADO [F.: *mal* + *afamado.*]

malfazejo (mal.fa.*ze*.jo) [ê] ***a.*** **1** Que se compraz a fazer o mal; MALIGNO **2** Que causa prejuízo, que é nocivo ***sm.*** **3** Indivíduo que tem prazer em fazer o mal [F.: *malfaz* + *-ejo.* Ant. ger.: *benfazejo.*]

malfazer (mal.fa.*zer*) ***v.*** Causar mal ou prejuízo a [***ti.*** *+a: Esse homem malfez à própria família.*] [***int.***: "...o rei não pode malfazer..." (Rui Barbosa, *Obras completas de Rui Barbosa*)] [▶ **22 malfazer**] [F.: Do *lat. malefacere.*]

malfeito (mal.*fei*.to) ***a.*** **1** Executado sem cuidado ou capricho (serviço malfeito); DEFEITUOSO; IMPERFEITO [Ant.: *bem-acabado, bem-feito, caprichado.*] **2** Que não tem apresentação ou aparência agradável (corpo malfeito); DEFORMADO; DISFORME [Ant.: *bem-feito, proporcionado.*] **3** *Fig.* Injusto, iníquo, descabido: *O julgamento malfeito do professor causou a expulsão do aluno.* [Ant.: *justificado, merecido.*] ***sm.*** **4** Ação má; DANO; MALEFÍCIO: *Pior do que fazer um malfeito é não corrigi-lo.* ***sm.*** **5** *Bras. S* Bruxaria, feitiço [F.: Do lat. *malefactus, a, um.*]

malfeitor (mal.fei.*tor*) [ô] ***a.*** **1** Diz-se de pessoa que pratica o mal, comete crimes; MALFAZEJO; MALVADO; PERVERSO [Ant.: *benfazejo, bom, bondoso.*] ***sm.*** **2** Essa pessoa [Ant.: *benfeitor*] [F.: Do lat. *malefactor, oris.* Sin.ger.: *bandido, criminoso, facínora.*]

malfeitoria (mal.fei.to.*ri*.a) ***sf.*** **1** O que causa dano ou prejuízo; MALEFÍCIO **2** Ato condenado e punível pela sociedade; CRIME; DELITO: "Quando são apanhados com a mão na caixa, protegem-se alegando a generalidade da malfeitoria." (Elio Gaspari, *O Globo*, 31.07.2005) [F.: *malfeitor* + *-ia.* Ant. ger.: *benfeitoria.*]

malferido (mal.fe.*ri*.do) ***a.*** **1** Ferido com muita gravidade ou mortalmente: "..., os inimigos já partiam numa nuvem de poeira, abandonando na pressa um dos seus paredros, malferido, com sangue escorrendo do nariz e o belo terno roto." (Rachel de Queiroz, "O amistoso" *in O melhor da crônica brasileira*) **2** Em que há muitos ferimentos ou derramamento de sangue (batalha malferida); RENHIDO; CRUENTO [F.: Part. de *malferir.*]

malferir (mal.fe.*rir*) ***v. td.*** **1** Ferir de forma grave, mortal **2** Tornar (combate, luta) brutal, sangrenta [▶ **50 malferir**] [F.: *mal* + *ferir.*]

malformação (mal.for.ma.*ção*) ***sf.*** *Trt.* Ver *má-formação* [Pl.: *-ções.*]

malformado (mal.for.*ma*.do) ***a.*** **1** Que apresenta deformidade, anomalia; DEFEITUOSO; DEFORMADO **2** Que tem maus sentimentos ou más inclinações [F.: *mal* + *formado.*]

mal-gálico (mal-*gá*.li.co) ***sm.*** *Med.* Ver *sífilis* [Pl.: *males-gálicos.*] [Termo difundido na Europa do séc. XV com essa acepção, por se acreditar que os franceses eram os responsáveis pela disseminação da sífilis.]

malgastar (mal.gas.*tar*) ***v. td.*** Gastar mal, insensatamente; DISSIPAR; ESBANJAR; DESPERDIÇAR: *Malgastou a indenização recebida.* [▶ **1 malgastar**] [F.: *mal* + *gastar.*]

malgaxe (mal.*ga*.xe) ***a2g.s2g.*** Ver *madagascarense* [F.: De or. obsc.]

malgrado (mal.*gra*.do) ***sm.*** **1** Desprazer, desagrado, desgosto: *A peça, para malgrado do autor, não teve boa receptividade da crítica.* [Ant.: *agrado, gosto, prazer.*] ***prep.*** **2** Não obstante; apesar de: "...ou dizem a verdade à criança, ou ela, malgrado o segredo, adivinha-a." (Cecília Meirelles, *Crônicas de educação 1*) [F.: *mal* + *grado.*]

malha[1] (*ma*.lha) ***sf.*** **1** Cada uma das voltas formadas por um fio têxtil, quando tecido (malha de crochê); ALÇA; LAÇADA; PONTO **2** Cada um dos espaços vazios que essas malhas (1) deixam entre si: *Peixes miúdos escapam por entre as malhas.* **3** Tecido em que essas malhas (1) são ligadas e sobrepostas (malha de seda) **4** Roupa colante desse tecido, us. ger. para prática de ginástica ou balé **5** *Fig.* Entrançado de fios metálicos, us. na Idade Média para fabricar armaduras: "Qual cinge com malha o peito duro, e marchando na frente das coortes..." (Tomás Antonio Gonzaga, *Marília*) **6** *Fig.* Enredo, trama: *Envolveu-se nas malhas da intriga.* **7** *Fig.* Conjunto de fios, cabos, objetos, pessoas etc. ligados entre si em um sistema (malha ferroviária); REDE **8** *Bras. SP* Suéter ou casaquinho de malha (2) [F.: Do fr. *maille.* Hom./Par.: *malha* (fl. de *malhar*).] ■■ **~ fina** *Bras. Fig.* Controle intenso de um universo, com base em parâmetros detalhados: *a malha fina da Receita Federal.* **~ urbana** *Urb.* O conjunto dos elementos (ruas, terrenos, construções) que compõem, integradamente, o espaço da cidade [Tb. *tecido urbano.*]

malha[2] ***sf.*** **1** Mancha natural no pelo ou nas penas de animais: *cavalo preto com malhas brancas no dorso.* **2** Coloração diferente em faixa de terreno [F.: Do lat. *macula, ae.* Hom./Par.: Ver *malha*[1].]

malha[3] (*ma*.lha) ***sf.*** **1** Ação de malhar; MALHAÇÃO **2** Sova, surra **3** *Bras. Esp.* Jogo que consiste em lançar chapas ou outros objetos de metal (ger. ferraduras) em direção a pequenas estacas cravadas no chão a certa distância, com o objetivo de atingi-las **4** Cada uma dessas chapas, cada um desses objetos que se lançam no jogo da malha

malha[4] (*ma*.çha) ***sf.*** Morada rústica, ger. cabana ou choça, típico abrigo de pastores [Do lat. *magalia* 'cabana'.]

malhação (ma.lha.*ção*) ***sf.*** **1** Ação ou resultado de bater com malho ou similar (malhação do Judas); PANCADA; SURRA **2** *Fig.* Crítica ferina contra alguém ou algo; MALEDICÊNCIA; MORDACIDADE; PICHAÇÃO **3** Prática de exercícios muito puxados de ginástica ou musculação [Pl.: *-ções.*] [F.: *malhar*[1] + *-ção.*]

malhada[1] (ma.*lha*.da) ***sf.*** **1** Ação ou resultado de malhar **2** Pancada dada com malho **3** O lugar onde se malha [F.: Fem. substv. de *malhado.*]

malhada[2] (ma.*lha*.da) ***sf.*** **1** Cabana em lugar ermo onde os pastores descansam; MALHA **2** Curral onde o gado passa a noite **3** Rebanho de ovelhas **4** Toca ou ninho de animais selvagens **5** Área de semeadura em que as ovelhas pastam para estercá-la **6** *Bras.* Lugar sombreado onde o gado costuma abrigar-se do sol intenso; MALHADOR **7** *N.E.* Local onde habitualmente se reúne o gado para ser trabalhado **8** *PI* Baixa úmida onde crescem esp. palmeiras **9** *BA* Pequena plantação de fumo **10** *BA* Plantação de capim de corte **11** *BA* Gramado diante da casa, nas fazendas de criação **12** *Lus.* Mata de carvalhos já crescidos, mas ainda não adultos [F.: *malha*[3] + *-ada*[1].]

malhado[1] (ma.*lha*.do) ***a.*** **1** Em que se bateu com malho ou similar (milho malhado); BATIDO; SOCADO **2** *Bras. Pop.* Diz-se de corpo com musculatura bem definida, resultante de intensa musculação; SARADO; TRABALHADO **3** *Bras. Fam.* Diz-se de droga adulterada com misturas; MISTURADO [Ant.: *puro.*] **4** *Pop.* Que foi alvo de chacota, de zombaria; CAÇOADO; CRITICADO: *A peça foi malhada pela crítica.* [Ant.: *elogiado, respeitado.*] [F.: Part. de *malhar*[1].]

malhado[2] (ma.*lha*.do) ***a.*** **1** Que tem malhas[2], manchas pelo corpo; MOSQUEADO; PEDRÊS; TIGRADO **2** *Bras. Bot.* Arbusto silvestre da fam. das pitosporáceas (*Pittosporum sp.*) [F.: *malha*[2] + *-ado.* Ideia de 'malhado' usar suf. *-pinima.*]

malhador[1] (ma.lha.*dor*) [ô] ***a.*** **1** Que malha os grãos ou o ferro **2** Que bate ou espanca qualquer pessoa ***sm.*** **3** Aquele que malha [F.: *malhar*[1] + *-dor.*]

malhador[2] (ma.lha.*dor*) [ô] ***sm.*** *GO RS* Lugar sombreado onde o gado se protege do calor [F.: *malhar*[2] + *-dor.*]

malhador[3] (ma.lha.*dor*) [ô] ***sm.*** **1** Pessoa nascida em Malhador (SE) ***a.*** **2** De Malhador; típico dessa cidade ou de seu povo [F.: Do top. *Malhador.*]

malhadouro (ma.lha.*dou*.ro) ***sm.*** Lugar próprio para malhar os cereais [F.: *malhar*[1] + *-douro*[2].]

malha-fina (ma.lha-*fi*.na) ***sf.*** *Bras. Cont. Econ.* Revisão eletrônica das declarações de imposto de renda onde são verificados os dados declarados pelo contribuinte, bem como são realizados cruzamentos dessas informações com outros elementos disponíveis nos sistemas da Secretaria da Receita Federal [Pl.: *malhas-finas.*]

malhão[1] (ma.*lhão*) ***sm.*** **1** Lançamento de bola para o alto **2** A bola us. nesse lançamento [Pl.: *-lhões.*] [F.: *malho* + *-ão*[2].] ■■ **De ~** De maneira direta e súbita, sem rodeios

malhão[2] (ma.*lhão*) ***sm.*** *Lus. Dnç. Mús.* Canção popular alegre e simples, dançada e cantada em roda [Pl.: *-lhões.*] [F.: De or. obsc.]

malhar[1] (ma.*lhar*) ***v.*** **1** Bater com malho, martelo ou instrumento similar [***td.***: *Malhar o trigo no lagar;* "Martelavam-lhe na cabeça como dois ferreiros malham o ferro em cima da bigorna" (Aquilino Ribeiro, *Volfrâmio*)] **2** Espancar, dar pancada em [***td.***: *Malhou o menino cruelmente.*] [***ti.*** *+em: Malhava repetidamente no garoto.*] **3** *Fig.* Falar mal de; criticar severamente [***td.***: *A imprensa malhou o espetáculo.*] **4** *P.ext.* Zombar, escarnecer de [***td.***: *Malhou a roupa do colega.*] **5** *Bras. Pop.* Fazer exercícios físicos para fortalecer a musculatura [***td.***: *No ginásio, malhava todo o corpo.*] [***int.***: *O halterofilista costumava malhar de manhã.*] **6** *Bras. Gír.* Entre os traficantes, aumentar a quantidade de (drogas tóxicas) acrescentando outras substâncias [***td.***: *Malhou a cocaína antes de revendê-la.*] **7** *Bras. Pop.* Soltar a voz (sapo); COAXAR [***int.***] **8** *Fig.* Cair, despenhar-se [***int.***: "Cheguei a casa tão sombrio, tão mudo, que a titia perguntou-me, com um risinho, se eu malhara abaixo da égua" (Eça de Queirós, *Relíquia*)] **9** Debulhar (cereais) utilizando o mangual [***td.***] [▶ **1 malhar**] [F.: *malho* + *-ar*[2]. Hom./Par.: *malha* (fl.), *malha* (sf.); *malhas* (fl.), *malhas* (pl. do sf.); *malharia* (fl.), *malharia* (sf.); *malharias* (fl.), *malharias* (pl. do sf.); *malho* (fl.), *malho* (sm.).]

malhar[2] (ma.*lhar*) *Bras.* ***v.*** **1** *Bras.* Achar-se (o gado) na malhada, protegido do sol [***int.***] **2** Juntar-se (o gado) em local cercado, para pastar [***td.***] **3** Hospedar, pernoitar [***int.***] [▶ **1 malhar**] [F.: *malha*[4] + *-ar*[2].]

malharia (ma.lha.*ri*.a) ***sf.*** **1** Arte ou técnica de fabricar tecidos de malha[1] ***sf.*** **2** Fábrica que faz artigos de malha[1] ou de jérsei **3** Loja que vende esses artigos **4** Tecido ou confecção de malha[1] [F.: *malha*[1] + *-aria.* Hom./Par.: *malharia* (fl. de *malhar*).]

malhetar (ma.lhe.*tar*) ***v. td.*** **1** Encaixar (peça de madeira ou metal) em outra, por meio de malhete; emalhetar; ENSAMBLAR **2** Fazer malhete em, ensamblar com malhete [▶ **1 malhetar**] [F.: *malhete* + *-ar.* Hom./Par.: *malhete(s)* (fl.), *malhete* /ê/ (sm.) e pl.]

malhete (ma.*lhe*.te) [ê] ***sm.*** **1** Cavidade ou encaixe feito na extremidade de uma peça de madeira ou de metal para receber a parte saliente de outra peça e formar com ela um conjunto perfeitamente adaptado **2** Pequeno malho de madeira us. pelos altos dignitários das lojas maçônicas para chamar a atenção dos presentes **3** Peça de ferro das espingardas localizada no ponto em que se dá a detonação **4** *Ant. Mar.* Cada um dos vergalhões de ferro presos ao longo das enxárcias para manter os ovéns afastados uns dos outros [F.: *malho* + *-ete* [ê]. Hom./Par.: *malhete* (fl. de *malhetar*).]

malho (*ma*.lho) ***sm.*** **1** Grande martelo us. para bater ferro **2** Maço us. por calceteiro **3** *Fig.* Crítica negativa; MALHAÇÃO; PICHAÇÃO: *Metia o malho no governo* [F.: Do lat. *malleus, i.* Hom./Par.: *malho* (fl. de *malhar*).] ■■ **Baixar/descer o ~ em** *Bras. Pop.* Falar mal de, criticar

mal-humorado (mal-hu.mo.*ra*.do) ***a.*** Que tende a ter mau humor ou que está de mau humor; IRRITADO; RANZINZA [Ant.: *bem-humorado.*] [Pl.: *mal-humorados.*]

◎ **mal(i)-** ***el. comp.*** = 'maçã': *málico, maliforme, maleato* [F.: Do lat. *malum, i.*]

malícia (ma.*lí*.ci:a) ***sf.*** **1** Tendência para o mal; MALIGNIDADE ***sf.*** **2** Astúcia, esperteza, artimanha: *É preciso uma certa malícia para não cair em golpes.* **3** Qualidade do que é brejeiro, picante, maroto etc.; BREJEIRICE; MAROTICE: *Seu riso tem muita malícia.* **4** Interpretação maldosa; MALDADE: *Percebia-se a malícia em suas palavras.* [Ant.: *bondade.*] **5** Dito ferino, mordaz; SARCASMO; ZOMBARIA [F.: Do lat. *malitia, ae.* Hom./Par.: *malicia* (fl. de *maliciar*).]

maliciar (ma.li.ci.*ar*) ***v.*** **1** Interpretar com malícia, desconfiança ou em mau sentido; MALDAR [***td.***: *Parem de maliciar o que digo, por favor.*] [***tr.*** *+de: Maliciava das perguntas mais inocentes.*] **2** Desconfiar de, suspeitar de [***td.***: *Sempre é preciso maliciar as propostas de Geraldo.*] [▶ **1 maliciar**] [F.: De *malícia* + *-ar*[2]. Hom./Par.: *malicia(s)* (fl.), *malícia(s)* (sf. [pl.]).]

malicioso (ma.li.ci:*o*.so) ***a.*** **1** Que tem ou age com malícia; ARDILOSO; ASTUCIOSO **2** Em que há malícia (riso malicioso, comentário malicioso); TRAVESSO [Pl.: [ó]. Fem.: [ó].] [F.: Do lat. *malitiosus, a, um.* Ant.ger.: *bobo, ingênuo.*]

maliforme (ma.li.*for*.me) ***a2g.*** Que tem formato de maçã [F.: *mal(i)-* + *-forme.*]

malignidade (ma.lig.ni.*da*.de) ***sf.*** **1** Qualidade ou característica do que é maligno; MALÍCIA; MALVADEZ **2** Caráter grave e traiçoeiro de certas enfermidades [F.: Do lat. *malignitas, atis.* Sin. ger.: *benignidade.*]

maligno (ma.*lig*.no) ***a.*** **1** Que causa mal; MALÉFICO; MALÉVOLO; NEFASTO [Ant.: *benévolo.*] **2** Diz-se de doença que pode causar a morte (tumor maligno); FATAL; LETAL; MORTAL **3** Que atrai ou prenuncia o mal ou a desgraça; FUNESTO; SINISTRO [Ant.: *benigno.*] ***sm.*** **4** O diabo [F.: Do lat. *malignus, a, um.* Ant.ger.: *benigno.*]

malinação (ma.li.na.*ção*) *MG N. N.E.* ***sf.*** **1** Estrepolia de criança levada **2** Pensamento ou intenção perversos **3** Devaneio ou travessura sexual [Pl.: *-ções.*] [F.: *malinar* + *-ção.*]

malinar (ma.li.*nar*) ***v.*** **1** Tornar maligno, tornar mau. Tb. *malignar.* [***td.***] [***int.***] **2** *Bras.* Fazer travessura, traquinagem (a criança) [***int.***] **3** Chatear, apoquentar [***td. int.***] [▶ **1 malinar**] [F.: *malino* + *-ar.* Hom./Par.: *malina(s)* (fl.), *malina* (s.f.) e pl; *malino* (fl.), *malino* (a.sm.).]

malinês (ma.li.*nês*) ***sm.*** **1** Pessoa nascida na República do Mali (Noroeste da África) ***a.*** **2** Do Mali; típico desse país ou de seu povo [F.: *Mali* + *-n* - + *-ês.*]

má-língua (má-*lín*.gua) ***sf.*** **1** Hábito daquele que tem o costume de falar mal de todo mundo e de qualquer coisa ***s2g.***

2 Que é maledicente; que fala mal de tudo e de todos ***a2g.*** 3 Indivíduo maledicente [Pl.: *más-línguas.*]

mal-intencionado (mal-in.ten.ci:o.*na*.do) ***a.*** Que tem más intenções; MALDOSO: *Os propósitos mal-intencionados logo se revelam.* [Ant.: *bem-intencionado, bondoso.*] [Pl.: *mal-intencionados.*]

mallarmaico (ma.lar.*mai*.co) ***a.*** 1 Ref. a, ou próprio da obra de Stéphane Mallarmé (1842-1898) poeta parnasiano francês: "Em meu peito catolaico / Tudo é descrença e fé / Ah! Caicó arcaico / Meu cashcouer mallarmaico /" (Chico Cesar, *A prosa impura do Caicó*) 2 Que é adepto ou estudioso da obra de Mallarmé (poeta mallarmaico) ***sm.*** 3 Indivíduo adepto ou estudioso da obra de Mallarmé [F.: *Mallarmé + -aico.* Sin. ger.: *mallarmeano.*]

mallarmeano (mal.lar.me:*a*.no) ***a.*** O mesmo que mallarmaico (tb. us. como sm.)

malmequer (mal.me.*quer*) *Bot.* ***sm.*** 1 Nome comum a diversas espécies de ervas da fam. das compostas, de flores pequenas em tons de amarelo e alaranjado, muito cultivadas como ornamentais, esp. em bordaduras 2 A flor dessas plantas 3 Ver *margarida* [F.: *mal* + pron. *me* + *quer* 3ª p.s. do pres.ind. do v. *querer.* Sin.ger.: *bem-me-quer.*]

maloca (ma.*lo*.ca) ***sf.*** 1 Habitação indígena coberta por folhas secas, que serve de morada para diversas famílias 2 *P.ext.* Conjunto dessas habitações; ALDEIA 3 *Fig.* Casa muito pobre; CHOUPANA 4 *P.ext.* Casa, lar 5 *S.E. S* Esconderijo de criminosos ou de mercadorias roubadas ou contrabandeadas; VALHACOUTO 6 *N.E.* Gado que os vaqueiros ajuntam e conduzem para os currais, por ocasião das vaquejadas 7 *N.E.* Grupo de gente que não inspira confiança; MALTA; SÚCIA 8 *S.* Grupo de malfeitores, salteadores; BANDO; CORJA; QUADRILHA 9 *PA* Cardume de peixes 10 *AL* Abrigo na praia [F.: Posv. do cast. *maloca.* Hom./Par.: *maloca* (fl. de *malocar*).]

malocado (ma.lo.*ca*.do) *Bras.* ***a.*** 1 Diz-se de indígena que vive em maloca; ALDEADO 2 *Pop.* Escondido, oculto (bandido malocado; mercadoria malocada) [F.: Part. de *malocar.*]

maloclusão (ma.lo.clu.*são*) ***sf.*** *Od.* Qualquer desvio da oclusão dentária normal [Pl.: *-sões.*] [F.: *mal + oclusão.*]

malogrado (ma.lo.*gra*.do) ***a.*** 1 Que se malogrou; que não teve êxito; FRUSTRADO; GORADO: "Neste perdido suspiro / que te segue alucinado / no meu sorriso suspenso / como um beijo malogrado" (Cecília Meireles, "Canção" *in Poesia completa*) 2 Que teve mau êxito; que leval mau fim 3 Que morreu prematuramente: *Eram promissores os escritos desse jovem escritor malogrado.* [F.: Part. de *malograr.*]

malograr (ma.lo.*grar*) ***v.*** 1 Não chegar a desenvolver-se ou a realizar-se; FRACASSAR [***int.***: *O negócio malogrou.*] 2 Impedir que se desenvolva ou que se realize; FRUSTRAR *Pop.*; GORAR [***td.***: *O temporal malogrou o passeio.*] 3 Causar estragos, danos em [***td.***: *A praga malogrou a colheita.*] [▶ **1 malograr**] [F.: *mal + lograr.* Hom./Par.: *malogro* (fl.), *malogro* (sm.).]

malogro (ma.*lo*.gro) [ô] ***sm.*** 1 Ação ou efeito de malograr(-se); FRACASSO; INSUCESSO: "Nunca Sofia compreendera o malogro daquela aventura." (Machado de Assis, *Quincas Borba*) 2 Dano, prejuízo 3 *Fig.* Fim, término: *o malogro de um sonho.* [F.: Dev. de *malograr.* Hom./Par.: *malogro* (fl. de *malograr*).]

malônico (ma.*lô*.ni.co) *Quím.* ***a.*** 1 Diz-se de ácido ($C_3H_4O_4$) cristalino, incolor, us. na fabricação de barbituratos ***sm.*** 2 Esse ácido ($C_3H_4O_4$) [F.: Do fr. *malonique.*]

maloqueiro (ma.lo.*quei*.ro) ***sm.*** 1 *AL* Menor abandonado que anda em grupos, pedindo dinheiro e praticando pequenos furtos, esp. os que pernoitam em malocas; PIVETE 2 *AL P.ext.* Indivíduo esfarrapado ou sem educação 3 *S.* Marginal que faz parte de maloca(5); BANDIDO [F.: *maloca (c -> qu -) + -eiro.*]

malote (ma.*lo*.te) [ó] ***sm.*** 1 *Bras.* Serviço oficial ou particular para transporte e entrega rápida de correspondência ou encomendas 2 Maleta, ger. de lona, em que são transportadas essas coisas 3 O conteúdo dessa maleta 4 Mala pequena; MALETA 5 Peça de oleado em que os soldados envolvem o capote [F.: *mala + -ote.*]

malparado (mal.pa.*ra*.do) ***a.*** 1 Em condição ou situação ruim, desfavorável, de risco etc. (transação malparada); ARRISCADO 2 A ponto de perder-se ou comprometer-se (projeto malparado) [F.: Part. de *malparar.* Ant. ger.: *bem-parado.*]

malpassado (mal.pas.*sa*.do) ***a.*** *Bras.* Diz-se de alimento, esp. carne e ovo, não muito cozido ou frito [Ant.: *bem-passado.*] [F.: *mal + passado.*]

malquerença (mal.que.*ren*.ça) ***sf.*** Falta de carinho, de estima; INIMIZADE; HOSTILIDADE; MALEVOLÊNCIA [+*entre*: "O que não se modificou foi o clima de desconfiança e malquerença entre as cidades hauçás..." (Alberto da Costa e Silva, *A manilha e o libambo*) Ant.: *afeição, afeto, benquerença.*] [F.: *malquerer + -ença.*]

malquerente (mal.que.*ren*.te) ***a2g.*** Que malquer, que deseja mal a alguém; INIMIGO; MALÉVOLO: "..., mas o tempo provaria que eu devia ter prestado atenção ao seu olhar malquerente." (João Ubaldo Ribeiro, "Do diário de um homem de letras" *in O conselheiro come*) [Ant.: *benquerente.*] [F.: *malquerer + -nte.*]

malquerer (mal.que.*rer*) ***v. td.*** 1 Querer mal a; não gostar de (alguém) [▶ **27 malquerer** Part.: *malquerido, malquisto.*] ***sm.*** 2 Condição ou sentimento de inimizade, hostilidade 3 Pessoa que é detestada ou a quem não se quer bem [F.: *mal + querer.* Ant. ger.: benquerer.]

malquistar (mal.quis.*tar*) ***v. td.*** Tornar(-se) malquisto; provocar ou adquirir inimizade; INDISPOR(-SE); INIMIZAR(-SE): *Um simples boato não pode malquistar grandes amigos; Competindo profissionalmente, acabaram malquistando-se.* [▶ **1 malquistar**] [F.: *malquisto + -ar;* Hom./Par.: malquisto (1ªp.s.); malquisto (adj.).]

malquisto (mal.*quis*.to) ***a.*** 1 Que é objeto de hostilidade, de malquerença; ABOMINADO; ANTIPATIZADO; DETESTADO [Ant.: *amado, apreciado, querido.*] 2 Que não tem boa fama; DESACREDITADO; DESMORALIZADO; MAL-AFAMADO; MALVISTO [+*em, por*: *malquisto no trabalho; malquisto pelo povo.* Ant.: *abalizado, conceituado, respeitado.*] [F.: *mal + quisto*[2]. Sin.ger.: *malquerido.* Ant. ger.: *benquisto.* Hom./Par.: *malquisto* (fl. de *malquistar*).]

malsão (mal.*são*) ***a.*** 1 Prejudicial à saúde (ambiente malsão, trabalho malsão); INSALUBRE; MOLESTO [Ant.: *bom, salubre, salutar.*] 2 Em mau estado de saúde ou que não está completamente curado (paciente malsão) [Ant.: *curado, sadio.*] 3 Nocivo ao intelecto, à mente, à moral etc. (literatura malsã); MALÉFICO [Ant.: *benéfico.*] 4 Que denota perversidade intelectual ou moral (curiosidade malsã); DANINHO; MÓRBIDO [Ant.: *saudável.*] [Pl.: *-sãos.* Fem.: *-sã.*] [F.: *mal + são*[2]. Ant.ger.: *são.*]

malsim (mal.*sim*) ***a2g.*** 1 Que malsina; que descobre o que se queria encobrir [Pl.: *-sins.*] ***sm.*** 2 Fiscal alfandegário que espiona e denuncia contrabandos e outras ações ilegais 3 Agente de polícia; BELEGUIM: "... a busca, as gavetas arrombadas pela coronha das escopetas, as mãos sujas do malsim rebuscando os colchões do seu leito." (Eça de Queirós, *Os Maias*) 4 Indivíduo que observa algo ou alguém secretamente; ESPIÃO; DELATOR [F.: Do hebr. *malxín* 'delator', pelo espn. *malsín.*]

malsinado (mal.si.*na*.do) ***a.*** 1 Que se malsinou; interpretado negativamente; DESVIRTUADO 2 De quem se diz mal; CALUNIADO: "Jerusalém há de ser perpetuamente a triste cidade malsinada na profecia." (Coelho Neto, *Água de juventa*) [F.: Part. de *malsinar.*]

malsinar[1] (mal.si.*nar*) ***v. td.*** 1 Interpretar de forma negativa; distorcer o sentido de; DESVIRTUAR 2 Censurar, reprovar 3 Revelar, expor (o que se mantinha em segredo); DENUNCIAR 4 Delatar na qualidade de malsim [▶ **1 malsinar**] [F.: De *malsim* + *-ar*[2].]

malsinar[2] (mal.si.*nar*) ***v. td.*** 1 Causar má sina ou má impressão 2 Desejar mal a; prever má sina; AGOURAR [▶ **1 malsinar**] [F.: *mal* + lat. *signare* 'marcar', 'assinalar'.]

malsoante (mal.so:*an*.te) ***a2g.*** 1 Que soa mal, que não é agradável aos ouvidos; DESAFINADO; DISSONANTE [Ant.: *afinado, eufônico.*] 2 *Fig.* Que indigna, que escandaliza (comentário malsoante); INCONVENIENTE; IRREVERENTE [Ant.: *apropriado, respeitoso.*] [F.: *mal + sonante.* Ant. ger.: *bem-soante.*]

malsucedido (mal.su.ce.*di*.do) ***a.*** Que não obteve sucesso (negócio malsucedido); FRACASSADO; MALOGRADO [Ant.: *bem-sucedido, florescente, próspero.*] [F.: De *mal + sucedido.*]

malta (*mal*.ta) ***sf.*** 1 *Pej.* Grupo de desordeiros ou vagabundos; CORJA; SÚCIA 2 Conjunto ou reunião de gente de condição inferior; PLEBE; RALÉ 3 Grupo de trabalhadores que se transportam juntos de um lugar para outro à procura de trabalho, esp. agrícola 4 Vida vadia; MALANDRAGEM; VADIAGEM [Ant.: *diligência, trabalho.*] [F.: Posv. do top. *Malta*, ilha do Mediterrâneo de onde saíam bandos aventureiros para trabalhar nas colheitas europeias.]

maltado (mal.*ta*.do) ***a.*** 1 Que contém ou a que se acrescentou malte (leite maltado) 2 Diz-se de cereal que germinou para dar o malte [F.: Part. de *maltar.*]

maltase (mal.*ta*.se) ***sf.*** *Bioq.* Enzima que hidrolisa a maltose em duas moléculas de glicose [F.: *malte + -ase.*]

malte (*mal*.te) ***sm.*** Produto obtido da germinação da cevada e us. no fabrico de cerveja, farináceos e outros alimentos [F.: Do ing. *malt.*]

maltês[1] (mal.*tês*) ***sm.*** 1 Pessoa nascida na República de Malta (arquipélago no mar Mediterrâneo) 2 *Gloss.* Língua semítica, dialeto do árabe com influência do italiano da Sicília, falada em Malta e escrita com caracteres latinos 3 Cavaleiro da Ordem de Malta ***a.*** 4 De Malta; típico desse país ou de seu povo 5 Do ou ref. ao maltês (z) 6 Diz-se de gato doméstico de pelo cinzento-azulado 7 Ref. a cavaleiro da Ordem de Malta [Pl.: *-teses* [ê]. Fem.: *-tesas* [ê].] [F.: *Malta + -ês.*]

maltês[2] (mal.*tês*) ***sm.*** 1 Trabalhador que compõe a malta, que se caracteriza por não ter trabalho fixo, deslocando-se de um lugar a outro para encontrá-lo 2 Indivíduo que engana os outros; EMBUSTEIRO; FINÓRIO; TRAPACEIRO 3 Indivíduo sem ocupação; VAGABUNDO [F.: Do top. *Malta + -ês.*]

malthusianismo (mal.thu.si:a.*nis*.mo) *Econ.* ***sm.*** 1 Doutrina do economista inglês Thomas Malthus (1766-1834), segundo a qual é necessário controlar a natalidade para evitar a miséria decorrente da desproporção entre o aumento da população e a produção de alimentos 2 Restrição proposital da produção para manter os preços em alta [F.: *malthusiano + -ismo.*]

malthusiano (mal.thu.si:*a*.no) ***a.*** 1 Pertencente, ref. a ou próprio de Thomas Malthus ou do malthusianismo 2 Que adota o malthusianismo ***sm.*** 3 Seguidor do malthusianismo [F.: Do antr. (T. R.) *Malthus + -iano.*]

maltose (mal.*to*.se) ***sf.*** *Bioq.* Sacarídeo cristalino, incolor ($C_{12}H_{22}O_{11}$), constituído por duas moléculas de glicose ligadas, resultante da formação da enzima amilase no amido [F.: *malte + -ose*[2].]

maltrapilho (mal.tra.*pi*.lho) ***a.*** 1 Diz-se de pessoa que se veste com andrajos ***sm.*** 2 Essa pessoa; PELINTRA [F.: *mal + trapilho.* Sin.ger.: *andrajoso, mal-entrajado, pelintra.* Ant. ger.: *alinhado, bem-apresentado, elegante.*]

maltratado (mal.tra.*ta*.do) ***a.*** Que se maltratou; vitimado por maus-tratos (criança maltratada; carro/bairro maltratado) [F.: Part. de *maltratar.*]

maltratar (mal.tra.*tar*) ***v. td.*** 1 Infligir maus-tratos a; agredir fisicamente; BATER; ESPANCAR: *maltratar os cães.* 2 Insultar, ofender, afrontar: *Fazia perguntas que maltratavam o casal.* 3 Provocar lesão em, machucar: *A queda do cavalo não maltratou o peão.* 4 Estragar, arruinar: *Maltratava as roupas nos trabalhos rurais.* 5 Desfigurar, estropiar: *Fizeram uma adaptação que maltrata o texto de Machado de Assis.* 6 Ofender moralmente: *Maltratava os empregados na frente dos fregueses.* [▶ **1 maltratar**] [F.: *mal*[2] + *tratar.*]

maluco (ma.*lu*.co) ***a. sm.*** 1 Ver *louco* ***a.*** 2 Que não está de acordo com o padrão aceito como normal (roupa maluca); ESQUISITO; EXCÊNTRICO [Ant.: *comum, normal.*] 3 Que é ilógico, insensato, desarrazoado (pergunta maluca) [Ant.: *coerente, lógico.*] 4 Que é leviano, inconsequente (comportamento maluco); IMPRUDENTE; INCOERENTE [Ant.: *prudente, racional.*] ***sm.*** 5 Indivíduo doidivanas, alienado [F.: De or. contrv. Hom./Par.: *maloco* (fl. de *malocar*).]

maludo[1] (ma.*lu*.do) *Bras. Pop.* ***a.*** 1 Que mostra valentia, coragem, decisão: "Erecto — mínimo vulto, mais mente e menos matéria — maludo e esmarte agora, ao ápice e às ordens, no tinir do metal..." (Guimarães Rosa, *Discurso de posse na Academia Brasileira de Letras*) ***sm.*** 2 Indivíduo maludo [F.: *mal + -udo.* Sin. ger.: *valentão.*]

maludo[2] (ma.*lu*.do) ***a.*** 1 *S Tabu.* Diz-se de homem com os órgãos genitais muito grandes 2 *RS* Diz-se de cavalo não castrado e com testículos grandes; GARANHÃO ***sm.*** 3 *S Tabu.* Homem maludo. 4 *RS* Cavalo maludo (2) [F.: *mal*[-1] + *-udo.*]

malungo (ma.*lun*.go) ***sm.*** 1 Pessoa ligada a outra por amizade; COMPANHEIRO; CAMARADA: "Dos camaradas o Venâncio lhe fora o malungo de sempre." (Afonso Arinos, *Pelo sertão*) 2 Nome com que se designavam reciprocamente os escravos que partiam da África no mesmo navio 3 *Bras.* Irmão colaço ou de criação [F.: Posv. do quimb. *ma'luno* 'companheiro', 'camarada'.]

maluqueira (ma.lu.*quei*.ra) ***sf.*** Ver *maluquice* [F.: *maluco (-c- > -qu-) + -eira.*]

maluquete (ma.lu.*que*.te) *Pop.* ***a2g.*** 1 Que é meio maluco; que tem pouco juízo ***s2g.*** 2 Indivíduo maluquete [F.: *maluco (c > qu-) + -ete.* Sin. ger.: *amalucado.*]

maluquice (ma.lu.*qui*.ce) ***sf.*** 1 Qualidade ou condição de maluco (1); LOUCURA 2 Ação ou dito típicos de maluco 3 Comportamento inusitado; EXCENTRICIDADE; ESQUISITICE 4 Falta de discernimento, de reflexão; IMPRUDÊNCIA; INSENSATEZ; IRREFLEXÃO: *É uma maluquice expor crianças ao sol forte.* [Ant.: *prudência, sensatez.*] 5 Tolice, bobagem, idiotice [F.: *maluco (-c- > -qu-) + -ice.*]

malva (*mal*.va) ***sf.*** 1 *Bot.* Nome comum às plantas do gênero *Malva*, da fam. das malváceas, bastante cultivadas como ornamentais e tb. como medicinais 2 *Bot.* Planta herbácea (*Malva sylvestris*), nativa da Europa, de flores rosa-escuro com as nervuras arroxeadas e cujas folhas mucilaginosas têm uso terapêutico contra tosse e como emoliente; MALVA-SILVESTRE ***sm.*** 3 A cor rosa-arroxeada ou violeta da flor da malva ***a2g2n.*** 4 Dessa cor 5 Diz-se dessa cor [F.: Do lat. cient. gên. *Malva*, de *malva, ae.* Ideia de 'malva', usar pref. *malv(a)-.*]

malváceas (mal.*vá*.ce:as) ***sfpl.*** Fam. de plantas dicotiledôneas da ordem das malvales, que se compõe de plantas herbáceas, de arbustos e de algumas árvores. Há cerca de 1800 espécies que crescem esp. em regiões tropicais, e são cultivadas por sua ornamentabilidade, como os hibiscos, por suas fibras, como o algodão, ou para a alimentação, como o quiabo [F.: Do lat. cient. *Malvaceae.*]

malvadez (mal.*va*.dez) [ê] ***sf.*** Qualidade ou atitude de malvado; CRUELDADE; MALDADE; PERVERSIDADE [Ant.: *bondade, caridade, clemência.*] [F.: *malvado + -ez.* Tb. *malvadeza.*]

malvadeza (mal.val.*de*.za) ***sf.*** Ver *malvadez*

malvado (mal.*va*.do) ***a.*** 1 Diz-se de pessoa que pratica ou é capaz de praticar atos maus, cruéis, desumanos ***sm.*** 2 Essa pessoa [Sin. nas acps. 1 e 2.: *cruel, desapiedado, maligno.* Ant. nas acps. 1 e 2.: *bom, caridoso, humano.*] 3 O diabo [inicial por vezes maiúsc.] [F.: Do lat.vulg. *malifatius.*]

malvaísco (mal.va.*ís*.co) *Bot.* ***sm.*** 1 O mesmo que *malvavisco* 2 Designação comum a diversos arbustos das malváceas, como o saca-rolhas (*Helicteres brevispina*), a malva-branca (*Althaea officinalis*), a vassourinha-miúda (*Sida micrantha*) [F.: Ver em *malvavisco.*]

malva-rosa *Angios.* ***sf.*** 1 Planta da fam. das malváceas (*Althaea rosea*), nativa da Ásia, de folhas alternas e flores singelas ou dobradas de cores variadas. Do caule são extraídas fibras têxteis e as flores são emolientes; ROSA-MARINHA 2 Arbusto aromático (*Geranium erodiflorum*) das malváceas, nativo do Brasil; tb. *malva-flor* 3 Planta das geraniáceas (*Pelargonium graveolens*); tb. *malva-de-cheiro* [Pl.: *malvas-rosas* e *malvas-rosa.*]

malvavisco (mal.va.vis.co) *Angios.* ***sm.*** Planta da fam. das malváceas (*Althaea officinalis*), de caule ereto e flores de cor rosa ou púrpura; suas raízes têm uso medicinal e são consumidas em saladas. Nativa da Europa, tb. é cultivada em outras regiões; a partir dela era fabricado o *marshmallow* original; as fibras eram us. na fabricação do papel; ALTEIA [F.: Do lat. *malva hibiscus.*]

malversação (mal.ver.sa.*ção*) *sf.* **1** Desvio fraudulento de recursos de instituição pública ou privada; DILAPIDAÇÃO; DISSIPAÇÃO: *malversação do dinheiro público.* [Ant.: *defesa, preservação.*] **2** Falta grave ou incompetência em administração ou gerência, esp. financeira [Pl.: *-ções.*] [F.: *malversar* + *-ção.*]
malversado (mal.ver.*sa*.do) *a.* Que se malversou; mal administrado (dinheiro público malversadas); DILAPIDADO; MALBARATADO [F.: Part. de *malversar.*]
malversador (mal.ver.sa.*dor*) [ô] *a.* **1** Que malversa; que dilapida *sm.* **2** Indivíduo que malversa, que dilapida [F.: *malversar* + *-dor*. Sin. ger.: *dilapidador*; *malbaratador.*]
malversar (mal.ver.*sar*) *v. td.* **1** Administrar mal (bens, patrimônio); DILAPIDAR; MALBARATAR **2** Apropriar-se indevidamente de (recursos, quantias), esp. no desempenho de um cargo [▶ **1** malversar] [F.: *mal*[2] + *versar*[1].]
malvestido (mal.ves.*ti*.do) *a.* **1** Diz-se de pessoa vestida de forma inconveniente ou deselegante *sm.* **2** Essa pessoa [F.: *mal-* + *vestido*. Sin.ger.: *desalinhado, deselegante, mal-ajambrado.* Ant.ger.: *alinhado, bem-apresentado, elegante.*]
malvinense (mal.vi.*nen*.se) *s2g.* **1** Aquele ou aquela que nasceu ou que vive nas ilhas Malvinas ou Falklands (América do Sul) *a2g.* **2** Das Malvinas; típico dessas ilhas ou de seu povo [F.: *Malvin(as)* + *-ense.*]
malvisto (mal.*vis*.to) *a.* **1** Que tem má fama; MAL-AFAMADO; MALCONCEITUADO [Ant.: *bem-afamado, bem-conceituado, ilustre.*] **2** Que é alvo de antipatia (chefe mal-visto); DETESTADO; MALQUISTO [Ant.: *benquisto, querido.*] [F.: *mal-* + *visto.* Ant. ger.: *bem-visto.*]
⊠ **MAM** Sigla de *Museu de Arte Moderna* (Rio de Janeiro)
mama (*ma*.ma) *sf.* **1** *Anat.* Órgão glandular característico dos mamíferos que nas fêmeas produz leite **2** Cada uma das mamas (1) da mulher; PEITO; SEIO **3** Leite que as crianças sugam do seio da mãe ou da ama **4** Período da amamentação [F.: Do lat. *mamma, ae.* Hom./Par.: *mama* (fl. de *mamar*). Ideia de 'mama', usar pref. *mam-, mast(o)-* e *uber -.*]
mamada (ma.*ma*.da) *Bras. sf.* **1** Ação ou resultado de mamar **2** Cada uma das ocasiões em que a cria mama o leite ou é amamentada **3** Quantidade de leite ingerida de mamadeira ou mama, numa mamada (2) [F.: Fem. substv. de *mamado.*]
mamadeira (ma.ma.*dei*.ra) *sf.* **1** Garrafa pequena de plástico ou vidro, com bico de borracha, usada para amamentar **2** Cápsula com o bico perfurado que se aplica sobre o mamilo, quando está ferido ou gretado, para a criança poder mamar, ou para retirar o leite quando a mama está excessivamente cheia **3** *Bras. Pop.* Aguardente de cana; CACHAÇA **4** *RS Zool.* Ver *muçurana* [F.: *mamado* + *-eira.*]
mamado (ma.*ma*.do) *Pop. a.* **1** *Bras.* Que está meio embriagado; BÊBADO **2** Que foi vítima de logro; ENGANADO: *Foi mamado neste negócio.* **3** Desapontado, decepcionado, desiludido [F.: Part. de *mamar.*]
mamador (ma.ma.*dor*) [ô] *a.* **1** Que mama **2** *Bras.* Que se embriaga frequentemente; BEBERRÃO *sm.* **3** Indivíduo que mama **4** *Bras.* Indivíduo que se embriaga frequentemente; BEBERRÃO [F.: *mamar* + *-dor.*]
mamãe (ma.*mãe*) *sf. Bras. Pop.* Forma carinhosa e familiar de chamar a mãe [Pl.: *-mães.*] [F.: De or. contrv; onom. da linguagem infantil.]
mamãe e papai (ma.mãe e pa.*pai*) *sm2n. Bras. Tabu.* Ver papai e mamãe
mamalhudo (ma.ma.*lhu*.do) *a. Pop.* Que tem mamas grandes [F.: *mama* + *-alh(o)-* + *-udo.*]
mamangaba (ma.man.*ga*.ba) *sf.* **1** *Bras. Zool.* Design. comum às abelhas do gên. *Bombus*, da fam. dos apídeos, que fazem ninho no solo, entre touceiras de capim ou barrancos; o mel que produzem é pouco e de má qualidade e a picada é muito dolorosa, porém passageira **2** Design. comum às abelhas solitárias xilocopídeas, cujos ninhos são feitos ger. em paus podres ou madeira mole [F.: Do tupi *manga'nga.* Tb. *mamangava.*]
mamangava (ma.man.*ga*.va) *sf.* Ver *mamangaba*
mamão (ma.*mão*) *sm.* **1** *Bot.* Fruto do mamoeiro, com polpa comestível doce, de cor alaranjada e com numerosas sementes pequeninas e pretas; PAPAIA **2** *Bot.* Mamoeiro **3** Rebento que rouba o suco à haste da planta **4** Bezerro ou burro de um ano *a.* **5** Que mama muito e com frequência **6** Que ainda mama [Pl.: *-mões.*] [F.: *mama* + *-ão.*]
mamar (ma.*mar*) *v.* **1** Sugar ou chupar (leite de mama ou teta, ou produto líquido ou pastoso de mamadeira) [*td.*: *Mamou todo o mingau.*] [*int.*: *Ronaldo mamou até os cinco anos; Nunca mamou em mamadeira.*] **2** Sugar (algo, como se fosse leite) [*td.*: *mamar uma laranja/um charuto.*] **3** *Bras. Fig. Pop.* Apropriar-se indevidamente de (dinheiro, bens); obter (ganhos abusivos ou ilegais) (esp. de órgão público) [*td.*: *Dizem que mamava todo o salário da esposa.*] [*ta.*: *mamar nos cofres públicos.*] **4** Aprender na infância; adquirir por hereditariedade [*td.*: *Mamou com o leite o brio e a honra de seus pais.*] **5** *Bras. Pop.* Embriagar-se [*int.*] [▶ **1** mamar] [F.: Do lat. *mammare.* Hom./Par.: *mama(s)* (fl.), *mama(s)* (sf. [pl.]).] ■ **De mamando a caducando** *MG GO* Da infância à velhice
mamária (ma.*má*.ri:a) *sf. Anat.* Artéria que se origina na subclávia e se distribui pelo tórax e estruturas torácicas, us. em determinados implantes cardíacos [F.: Fem. substv. de *mamário.* Hom./Par.: *mamária* (sf.), *mamaria* (fl. de *mamar*).]
mamário (ma.*má*.ri:o) *a.* Ref. a mama (glândulas mamárias) [F.: *mama* + *-ário.* Hom./ par.: *mamária* (fem.), *mamaria* (fl. de *mamar*).]
mamata (ma.*ma*.ta) *sf.* **1** *Bras. Pop.* Instituição pública ou privada, na qual é fácil obter ganho ilícito por meio de fraude, suborno, desvio etc. **2** O negócio ou o procedimento desonesto em que esses ganhos são obtidos; LADROEIRA; NEGOCIATA; ROUBALHEIRA [F.: *mam(ar)* + *-ata.*]
mambembe (mam.*bem*.be) *sm.* **1** *Bras. Teat.* Ator ou companhia teatral itinerante e de cunho amador **2** Grupo teatral ambulante **3** Lugar afastado, ermo *a2g.* **4** De baixa qualidade; INFERIOR; MEDÍOCRE; RELES: *Os jornais dizem que esse espetáculo é mambembe.* [F.: De or. contrv. Hom./Par.: *mambembe* (fl. de *mambembar*).]
mambembeiro (mam.bem.*bei*.ro) *Bras. a.* **1** Ref. a mambembe *sm.* **2** *Teat.* Indivíduo que integra um mambembe: "O maior mambembeiro de que há notícia nos fatos da arte nacional..." (Arthur Azevedo, *O mambembe*) [F.: *mambembe* + *-eiro.*]
mambo (*mam*.bo) *sm. Dnç. Mús.* Música de danças originárias de Cuba, fortemente apoiadas nos instrumentos de percussão, que se tornaram mundialmente conhecidas a partir da década de 1940 [F.: Voc. hispano-americano de or. contrv.]
mameluco (ma.me.*lu*.co) *sm.* **1** *Bras.* Pessoa mestiça de índio com branco; MARABÁ: "Aurísio é um mameluco brancarano, cambota, anoso, asmático como um fole velho..." (Guimarães Rosa, *Sagarana*) **2** Membro de antiga milícia turco-egípcia, originalmente formada por escravos caucasianos convertidos ao islamismo, e que conquistou grande poder político no Egito, mas foi derrotada por Napoleão em 1798, e exterminada em 1811 por Mehemet-Ali [F.: Do ár. *mamluk* 'escravo'. Tb. *mamaluco.*]
◎ **mam(i)-** *el. comp.* = 'ama de leite', 'nutriz', 'mamãe'; 'mama', 'teta', 'peito': *mamífero, mamográfico.*
mamica (ma.*mi*.ca) *sf.* Pequena mama; MAMINHA (1) [F.: De *mamico*, dim. de mama.]
mamica-de-cadela (ma.mi.ca-de-ca.*de*.la) *sf. Angios.* Arbusto (*Eugenia formosa*) da fam. das mirtáceas, nativa do Brasil, possui folhas lustrosas com propriedades adstringentes e frutos comestíveis; a raiz tem propriedades medicinais [Pl.: *mamicas-de-cadela.*]
mamica-de-porca (ma.mi.ca-de-*por*.ca) *sf. Angios.* Árvore (*Zanthoxylum rhoifolium*) de cerca de 8 m de altura, da fam. das rutáceas, encontrada em todo o Brasil. Possui caule reto, casca grossa e coberta de grandes espinhos; a madeira é dura, leve e de boa qualidade; a raiz tem propriedades medicinais [Pl.: *mamicas-de-porca.*]
mamífero (ma.*mí*.fe.ro) *a.* **1** *Zool.* Diz-se de animal que tem mamas ou tetas **2** Ref. aos mamíferos *sm.* **3** Espécime dos mamíferos, classe de vertebrados superiores, de sangue quente, revestidos de pelos ou pilosidades, com dois pares de membros adaptados à vida terrestre (homem, macaco, elefante etc.), aquática (baleia, foca etc.) ou aérea (morcego); com exceção dos monotremados (equidnas e ornitorrincos) que são ovíparos, são vivíparos e amamentam as crias [F.: Do lat.cient. *mammifera* (pl.).]
mamilo (ma.*mi*.lo) *sm.* **1** *Anat.* Parte da mama que é pigmentada e termina em bico (4); MAMINHA; TETA **2** Aquilo que tem a forma de mamilo **3** Pequena protuberância na pele de alguns animais **4** *Ant.* Outeiro que termina em ponta: "Infindas campinas... ponteadas longe a longe pelos rasteiros mamilos de capim..." (Rui Barbosa, *Coletânea literária*) [F.: Do lat. *mamilla, ae.* Ideia de 'mamilo', usar pref. *mamil(i)-* e *tel(o)-.*]
maminha (ma.*mi*.nha) *sf.* **1** Mama pequena; MAMICA **2** O bico da mama; MAMILO **3** Mama rudimentar do homem **4** A parte mais macia da alcatra bovina (churrasco de maminha) [F.: *mama* + *-inha.*]
mamite (ma.*mi*.te) *sf. Pat.* Inflamação da mama; MASTITE [F.: *mama* + *-ite.*]
◎ **mamo-** *el. comp.* Ver *mam(i)-*
mamoeiro (ma.mo:*ei*.ro) *sm.* **1** *Bot.* Árvore da fam. das caricáceas (*Carica papaya*), nativa das regiões tropicais das Américas, de caule oco, leitoso e não ramificado, folhas recortadas, e cujo fruto, o mamão, é muito apreciado; MAMÃO; PAPAIA; PINOGUAÇU **2** *PE Pop.* Indivíduo beberrão; ÉBRIO; CACHACEIRO [F.: *mamão* sob a f. desnasalizada *mamo-* + *-eiro.*]
mamografia (ma.mo.gra.*fi*.a) *sf. Rlog.* Exame das mamas realizado sem contraste, por meio de aparelhagem especial; MASTOGRAFIA; SENOGRAFIA [F.: *mama* + *-o-* + *-grafia.*]
mamográfico (ma.mo.*grá*.fi.co) *a.* Ref. a mamografia [F.: *mamografia* + *-ico.*]
mamógrafo (ma.*mó*.gra.fo) *sm. Med.* Equipamento especial para realizar radiografia de mama [F.: *mamo-* + *-grafo.*]
mamona (ma.*mo*.na) *Bot. sf.* **1** Arbusto da fam. das euforbiáceas (*Ricinus communis*), nativo da África ao Oriente Médio e cultivado desde a Antiguidade pelas propriedades terapêuticas de suas folhas e sementes; ABELMELUCO; CARRAPATEIRA; CARRAPATO; CATURRA; MAMONEIRA **2** O fruto dessa planta, uma cápsula com espinhos moles e três sementes **3** A semente desse fruto, de superfície brilhante, acinzentada e rajada de preto, da qual se extrai o óleo de rícino, us. como purgante; ABELMELUCO; CARRAPATO [F.: Do quimb. *mu'mono*, com infl. de *mamão.*]
mamoneira (ma.mo.*nei*.ra) *Bot. sf.* Ver *mamona* [F.: *mamona* + *-eira.*]
mamono (ma.*mo*.no) *sm. Angios. ST e P* Ver *mamoneira* (*Ricinus communis*)
mamoplastia (ma.mo.plas.*ti*:a) *sf. Cir.* Cirurgia plástica nas mamas, com fins estéticos ou terapêuticos; MASTOPLASTIA [F.: *mamo-* + *-plastia.*]
mamote (ma.*mo*.te) *sm.* **1** Criança que ainda mama *sm.* **2** *Bras.* Animal crescido que ainda mama; MAMÃO *a.* **3** *Ant.* Pessoa aparvalhada, tola ou ridícula [F.: De *mama* + *-ote*[1].]
mamparra (mam.*par*.ra) *a.* **1** *Moç.* Bruto, grosseiro, boçal **2** *Pej.* Encontro de pândegos; SÚCIA; MALTA **3** *Bras.* Simulação de trabalho; CERA; EMBROMAÇÃO **4** *Bras.* Pouca disposição para trabalhar; PREGUIÇA: "Assim, é com piedade infinita que te encara hoje o ignorantão que outrora só via em ti mamparra e ruindade." (Monteiro Lobato, "Uma explicação desnecessária" *in Urupês*) **5** *Bras.* Ato que envolve fraude; TRAPAÇA; VELHACARIA **6** *Bras.* Subterfúgio, evasiva [Mais us. no pl.] **7** *N.* Pequeno roubo [F.: Afr. do ronga.]
mamparrear (mam.par.re.*ar*) *Bras. v. int.* **1** Usar pretextos para dilatar o prazo de fazer alguma coisa, saldar um compromisso etc. **2** Passar (alguém) o tempo só fazendo que trabalha, arrastando a atividade; REMANCHAR **3** *P.ext.* Viver como vagabundo, sem fazer nada **4** *P.ext.* Lançar mão de evasivas, de subterfúgios [▶ **13** mamparrear] [F.: *mamparra* + *-ear.*]
mamposta (mam.*pos*.ta) *sf.* **1** *Mil.* Tropa de reserva, à espera de ordem para entrar em combate **2** Encarceramento ou condução de alguém ao cárcere ■ **De ~** Propositalmente, intencionalmente
mamulengo (ma.mu.*len*.go) *Bras. N.E. Teat. sm.* **1** Boneco que se movimenta por meio de cordéis, nas encenações de teatro popular do Nordeste; FANTOCHE; MARIONETE **2** Nome genérico para designar o teatro de fantoches [Nesta acp. é mais us. no pl.] [F.: or. obsc.]
mamulengueiro (ma.mu.len.*guei*.ro) *sm. N.E. Teat.* Indivíduo que move o mamulengo [F.: *mamulengo* + *-eiro.*]
mamute (ma.*mu*.te) *sm. Pal.* Denominação comum a enormes elefantes fósseis, do gên. *Mammuthus*, da Ásia, Europa, África e América do Norte que viveu no Pleistoceno, com o corpo revestido por pelos longos e com grandes presas curvadas para cima e para trás [F.: Do fr. *mammouth*, deriv. do rus. *mamot*, var. de *mámont*; o voc. rus. dimana da família turco-tártara.]
mana[1] (*ma*.na) *sf. Bras. Fam.* Irmã [F.: De *mano* com alt. da vogal temática para *-a*, tomada como desin. de fem.]
◎ **man(a)-** *el. comp.* = 'correr em gotas', 'gotejar', 'porejar', 'destilar': *manancial, manante.*
mana[2] (*ma*.na) *sm. Oct.* Para os melanésios, força, princípio sobrenatural dos espíritos, que transmitem a sua potência mágica aos homens [F.: Voc. polinésio.]
maná (ma.*ná*) *sm.* **1** Alimento milagroso que, de acordo com a Bíblia, Deus mandou em forma de chuva ao povo hebreu no deserto [Poderia ser um líquen (*Lecanora esculenta*) ainda hoje comum na mesma região, e que, transportado pelo vento, cai à maneira de chuva e é us. como alimento.] **2** *Bot.* Suco resinoso e açucarado segregado por algumas árvores **3** *P.ext.* Qualquer alimento saboroso; AMBROSIA **4** *Fig.* Coisa vantajosa ou proveitosa, esp. obtida sem esforço **5** *Fig.* Tudo aquilo que serve de sustento ao espírito, à alma **6** *Bot.* Árvore da fam. das oleáceas (*Fraxinus ornus*), originária da Europa e da Ásia, cujo tronco segrega substância doce conhecida como maná (2); FREIXO-DO-MANÁ [F.: Do lat. tardio *manna*, deriv. do gr. (Livros dos Setenta) *mánna* e, este, do aramaico *mannā.* Hom./Par.: *mana* (sf.).]
manacá (ma.na.*cá*) *sm. Bras. Bot.* Nome comum a várias espécies do gên. *Brunfelsia*, da fam. das solanáceas, como, p.ex., *Brunfelsia uniflora*, arbusto nativo do Brasil e da Venezuela, com flores perfumadas, roxas, lilases e brancas, muito cultivado como ornamental; CANGAMBÁ; JERATACACA; MANACÁ-CHEIROSO [F.: Do tupi *mana'ka.*]
manacá-da-serra (ma.na.cá-da-*ser*.ra) *sm. Angios.* Árvore ou arbusto ornamental (*Brunfelsia ramosissima*) da fam. das solanáceas, que apresenta folhas alternas e flores em cimeiras, nativo do Brasil [Pl.: *manacás-da-serra.*]
manada (ma.*na*.da) *sf.* **1** Rebanho de gado de grande porte, como muares e bovinos **2** *Bras. RS* Magote de éguas ou mulas (quarenta ou cinquenta), que acompanham um garanhão **3** *Fig.* Grupo de pessoas passivas, desprovidas de vontade, que se deixa conduzir sem manifestar opinião ou comentário [F.: Do lat. *manuata*, substv. do fem. do adj. *manuatus*, de manus 'mão'.]
manadio (ma.na.*di*:o) *a.* **1** Relativo a manada **2** Que anda em manada (gado manadio) [F.: *manada* + *-io.*]
⊕ **manager** (*Ing.* /ménadjer/) *s2g.* **1** Pessoa que se ocupa da vida profissional e dos interesses pessoais de artistas e esportistas e/ou organiza espetáculos, concertos e competições esportivas; AGENTE; EMPRESÁRIO **2** Dirigente empresarial
managuense (ma.na.*guen*.se) *s2g.* **1** Aquele ou aquela que nasceu ou que vive em Manágua (capital da Nicarágua) *a2g.* **2** De Manágua; típico dessa cidade ou de seu povo [F.: Do top. *Manágua* + *-ense.*]
manampança (ma.nam.*pan*.ça) *sf. Bras. Cul.* Variedade de beiju mais espesso, cuja massa, de farinha de mandioca temperada com açúcar e erva-doce, é envolvida em folha de bananeira antes de ser posta para assar [F.: De or. incerta.]
manancial (ma.nan.ci:*al*) *sm.* **1** Lugar onde nasce água; FONTE; NASCENTE **2** Fonte permanente de qualquer coisa: "O comércio, entretanto, é o manancial da escravidão, e o seu banqueiro." (Joaquim Nabuco, *O abolicionismo*) *a2g.* **3** Que corre ininterruptamente [Pl.: *-ais.*] [F.: Do cast. *manantial.*]
manar (ma.*nar*) *v.* **1** Fazer brotar ou brotar; verter (líquido ou gás) sem parar e em abundância; JORRAR [*td.*: *A fonte mana água potável.*] [*ta.*: *As lágrimas manavam copiosamente dos olhos de Sofia.*] **2** *Fig.* Dar origem a; PRODUZIR;

CRIAR [*td.*: *Esse século tem manado luz sobre diversas questões obscuras.*] **3** Ter origem em; PROCEDER; PROVIR [*tr. +de*: *Bens que manam do trabalho.*] [▶ 1 manar] [F.: Do lat. *manare*, pelo mod. erudito. Hom./Par.: *mana* (fl.), *mana* (fem. de *mano*); *mano* (fl.), *mano* (sm.).]

manata (ma.*na*.ta) *sm.* **1** *Pop.* Indivíduo sem caráter, trapaceiro, fraudulento; PATIFE; VELHACO **2** *Pop.* Indivíduo que rouba, furta; LARÁPIO; GATUNO; LADRÃO **3** Aquele que se veste com cuidado excessivo, de modo afetado; JANOTA; PERALVILHO; ALMOFADINHA **4** Indivíduo muito rico, influente, poderoso; MAGNATA; MANDACHUVA [Hom./Par.: *mamata* (sf.).]

manauê (ma.nau.*ê*) *sm. Bras. Cul.* Bolo de fubá de milho e mel, que pode ter tb. outros ingredientes; tb. *manuê*

mancada (man.*ca*.da) *Bras. Pop. sf.* **1** Engano, erro, falha: *Foi uma mancada contratá-lo sem examinar seu currículo.* **2** Ação ou fala inoportuna e indiscreta; GAFE [F.: Fem. substv. de *mancado*, part. de *mancar*².]

mancal (man.*cal*) *sm.* **1** Dispositivo, em geral de ferro ou de bronze, sobre o qual se apoia um eixo girante, deslizante ou oscilante, us. em certas máquinas para diminuir o atrito em seu movimento; DOBRADIÇA **2** *Ant.* Disco de metal ou de pedra, escavado no centro que, assentado na soleira das portas, destinava-se a receber o quício [Pl.: *-cais.*] [F.: De or. obsc. Hom./Par.: *mancais* (pl.), *mancais* (fl.de *mancar*).]

mancar (man.*car*) *v.* **1** Tornar manco; andar puxando de uma perna; COXEAR; MANQUEJAR; MANQUITOLAR [*td.*: *A queda mancou o velho animal.*] [*tr. +de*: *mancar da perna esquerda.*] [*int.*: *Ele caiu, levantou-se e saiu mancando.*] **2** Pender (algo) para um lado, por ter um dos lados mais distantes do apoio [*int.*: *A mesa está mancando.*] **3** *Bras. Fig. Pop.* Perceber que está sendo inconveniente ou que cometeu um erro [*int.*: *Falei bobagem, mas me manquei logo.*] [▶ 11 mancar] [F.: *manco* + *-ar*². Hom./Par.: *manco* (fl.), *manco* (a.sm.); *manca* (fl.), *manca* (fem. de *manco*); *mancais* (fl.), *mancais* (pl. de *mancal*).]

mancebia (man.ce.*bi*.a) *sf.* **1** Estado do casal que vive como marido e mulher, sem ser casado legalmente; CONCUBINATO: "É de dever falar em casamentos, mas bem podiam ser esquecidos, porque a nossa gente pobre faz uso reduzido de tal sacramento e a simples mancebia, por toda a parte, substitui a solene instituição católica." (Lima Barreto, *Triste fim de Policarpo Quaresma*) **2** *Ant.* Mocidade, juventude **3** *Fig.* Comportamento dissoluto, vida desregrada [F.: *mancebo* + *-ia*.]

mancebo (man.*ce*.bo) [ê] *sm.* **1** Indivíduo do sexo masculino que está na juventude; JOVEM; MOÇO; RAPAZ **2** Homem que vive em mancebia, em concubinato; AMÁSIO **3** *Bras.* Cabide para roupa, formado de uma haste com diversos braços **4** *Bras. S.* Pedaço de pau ao qual se penduram candeias *a.* **5** Diz-se de indivíduo jovem, moço **6** Próprio da mocidade; JUVENIL **7** Em que há vigor, energia; ENÉRGICO; FORTE [F.: Do lat. *mancipus*, de *mancipium* 'ação de adquirir ou tomar na mão' 'ext. escravo', de *manceps* (*de manus* + *capio*).]

mancha (*man*.cha) *sf.* **1** Sinal ou marca que alguma substância ou a sujeira deixa em uma superfície; NÓDOA **2** *Fig.* Defeito moral (profissional sem mancha); DESONRA; DESCRÉDITO **3** *Edit.* Parte impressa de uma página de livro, jornal etc. **4** *Pint.* Cada toque de tinta aplicado a um quadro; PINCELADA **5** *Bras.* Certa doença que ataca o fumo **6** *Bras.* Carbúnculo do gado vacum **7** *Bras. PR* Concentração abundante de ervas em um terreno [F.: Do lat. *macŭla, ae* 'mancha, malha'; mancha. Hom./Par.: *mancha* (fl. de *manchar*); Ideia de 'mancha', usar antepos. *espil(o)-*.] ■ **~ amarela** *Anat. Oft.* Área de máxima acuidade visual, no centro da retina; mácula (7) **~ catódica** *Elet.* Área luminosa no cátodo de uma válvula de descarga com aparência de um arco **~ iônica** *Eletr.* Na tela de um tubo de raios catódicos (como a uma televisão), mancha de baixa luminescência devido a destruição da camada luminescente **~ solar** *Astron.* Área mais escura ou grupo de áreas mais escuras na superfície solar devido a temperatura mais baixa em relação à circundante **~ vermelha** *Astron.* Área avermelhada visível na superfície de Júpiter que, por não acompanhar a face do planeta em sua rotação, presume-se ser oriunda de perturbação em sua atmosfera

manchado (man.*cha*.do) *a.* **1** Que se manchou; ENODOADO; SUJO **2** Que tem manchas ou malhas; MALHADO **3** Marcado por várias cores ou tonalidades: *Seu cabelo ficou todo manchado com o uso das tinturas.* **4** *Fig.* Moralmente imperfeito, maculado, desacreditado (reputação manchada); DESACREDITADO; MACULADO [F.: Part. de manchar.]

manchão¹ (man.*chão*) *sm.* **1** Grande mancha: "À direita a serra longínqua (...) punha recortes no horizonte, coberta de manchões." (Viriato Correia, *Contos do sertão*) **2** *Bras.* Mancha no terreno onde se encontra o diamante de aluvião **3** *Bras. Pop.* Remendo feito de forma improvisada em pneumáticos furados ou estragados [Pl.: *-chões.*] [F.: *mancha* + *-ão*¹.]

manchão² (man.*chão*) *sm. Lud.* Taco de bilhar provido de uma cruzeta metálica na ponta e que ajuda o jogador a firmar o taco principal; FANCHO [Pl.: *-chões.*] [F.: Do fr. *manchon*.]

manchar (man.*char*) *v.* **1** Sujar(-se) com manchas, com nódoas [*td.*: *Manchei a toalha (com molho).*] [*tr. +de*: *Minha blusa manchou(-se) de vermelho.*] [*int.*: *Esse produto evita que as roupas manchem.*] **2** Imprimir ou adquirir cor diferente (o que tem uma cor uniforme) [*td.*: *Decidiu manchar a janela de amarelo, para que parecesse envelhecida.*] **3** *Fig.* Fazer ficar ou ficar desonrado; DESONRAR(-SE); INFAMAR(-SE) [*td.*: *O resultado do teste antidoping manchou a vida do atleta.* Ant.: *desmacular, honrar.*] **4** *Pint.* Meter massas de claro e escuro em (quadro) antes de as unir e empastar [*td.*] [▶ 1 manchar] [F.: *mancha* + *-ar*². Hom./Par.: *mancha(s)* (fl.), *mancha(s)* (sf. [pl.]); *manche(s)* (fl.), *manche(s)* (sm.[pl.]).]

⊕ **manche** (*Fr. /mânche/*) *sm. Aer.* Alavanca deslizante que, ao ser deslocada para frente ou para trás, controla os movimentos de subida e de descida de uma aeronave [Diz-se tb. *alavanca de comando*. Hom./Par.: fl. de *manchar*.]

manchego (man.*che*.go) [ê] *sm.* **1** Pessoa nascida na Mancha (Espanha central) *a.* **2** Da Mancha; típico dessa região ou de seu povo **3** Diz-se de D. Quixote, herói de Cervantes, fidalgo da Mancha [F.: Do espn. *manchego*.]

mancheia (man.*che i*.a) *sf.* Porção de uma ou mais coisas que cabe numa mão; MÃO-CHEIA; PUNHADO [F.: *man-* + *cheia*.] ■ **A ~s 1** Em grande quantidade, abundantemente: *Choviam pedidos a mancheias.* **2** Generosamente: *Distribuía favores a mancheias.*

manchesteriano (man.ches.te.ri:*a*.no) *sm.* **1** Pessoa nascida em Manchester (Grã-Bretanha) *a.* **2** De Manchester; típico dessa cidade ou de seu povo [F.: *Manchester* + *-iano*.]

manchetar (man.che.*tar*) *v. Bras. Jorn.* Fazer manchetes para jornal, revista [*td.*: *Manchetou a notícia com alarde.*] [*int.*: *Era especialista em manchetar.*] [▶ 1 manchetar] [F.: *manchet(e)* + *-ar*.]

manchete (man.*che*.te) [é] *sf.* **1** *Bras. Jorn.* Título, em letras grandes, que se dá a uma matéria, ger. a principal, na primeira página de um jornal ou na capa de uma revista **2** *Esp.* No voleibol, lance em que o jogador defende cortada ou saque, ou passa a bola, com os braços estendidos e as mãos unidas [F.: Do fr. *manchette* (séc. XIII), dim. do fr. *manche* e, este, do lat. *manica* 'manga (de roupa)'.]

manchil (man.*chil*) *sm.* **1** Faca ou cutelo com que os açougueiros cortam a carne **2** Antiga arma branca us. em guerras [Pl.: *-chis.*] [F.: Do ár. *manjil* 'foice para segar'.]

manchu (man.*chu*) *s2g.* **1** Pessoa nascida ou que vive na Manchúria (Mandchúria), antiga região da China, que atualmente ocupa a maior parte do nordeste do país; MANDCHURIANO **2** *Gloss.* Língua altaica falada e us. artificialmente na escrita pelos manchus por cerca de 200 anos, embora morta desde o séc. XVIII *a2g.* **3** Da Manchúria, típico dessa região ou de seu povo; MANCHURIANO **4** *Gloss.* Do ou ref. ao manchu [F.: Posv. do fr. *mandchou*. Sin.ger.: *mandchu*.]

◎ **-mancia** *el. comp.* = 'adivinhação (por meio daquilo a que se refere o rad. antepositivo)'; 'predição'; 'arte adivinhatória': *acrimancia, aeromancia, axinomancia, bibliomancia, cartomancia* (< fr.), *cleromancia* (< lat.), *dafnomancia, geomancia* (< lat. < gr.), *hidromancia* (< lat. < gr.), *litomancia, oniromancia, piromancia, quiromancia* (< gr.), *rabdomancia* (< gr.), *sicomancia, teomancia* (< gr.), *xilomancia* [F.: Do gr. *-manteía, as*, do gr. *manteía, as*. F. conexa: *-mante*.]

manco (*man*.co) *a.* **1** Que tem uma das pernas mais curtas que a outra e/ou algum defeito nos pés que impede a locomoção plena; COXO **2** *Poét.* A que falta simetria, harmonia (verso manco); DEFEITUOSO; IMPERFEITO **3** *Fig.* Lento, moroso **4** *Fig.* Falto de inteligência, de vivacidade; BRONCO; ESTÚPIDO; RUDE *sm.* **5** Pessoa ou objeto a que falta alguma das qualidades ou coisas que lhe são próprias [F.: Do lat. *mancus*, deriv. de *manus* 'mão'.]

mancômetro (man.*cô*.me.tro) *sm. Bras. Irôn. Pop.* Desconfiômetro (1) [F.: *mancar* + *-o-* + *-metro*.]

mancomunado (man.co.mu.*na*.do) *a.* Que se mancomunou; ajustado de comum acordo; COMBINADO: *O deputado estava mancomunado com o prefeito.* [F.: Part. de *mancomunar*.]

mancomunar (man.co.mu.*nar*) *v.* **1** Combinar, ajustar [*td.*: *Os grupos aliados mancomunaram um ataque surpresa.*] [*tdr. +com*: *Mancomunou com os primos dar um susto na vizinha.*] **2** Entrar em acordo (para fazer algo, ger. desleal ou inescrupuloso); CONLUIAR-SE [*int.*: *As empresas mancomunaram-se para aumentar os preços.*] [▶ 1 mancomunar] [F.: *man-* + *comum* + *-ar*².]

mancornado (man.cor.*na*.do) *a. Taur.* Derrubado pelos cornos (diz-se de touro) [F.: Part. de *mancornar*.]

mandaçaia (man.da.*ça*i.a) *sf. Bras. Ent.* Abelha (*Melipona anthioides*) da fam. dos meliponídeos, cujo mel é muito apreciado [F.: Do tupi.]

mandacaru (man.da.ca.*ru*) *sm. Bras. Bot.* Cacto (*Cereus jamacaru*) nativo do Brasil, de porte arbóreo, ramificado, com flores grandes que se abrem à noite, típico da caatinga, onde serve de alimento ao gado, e tb. cultivado como ornamental e por propriedades terapêuticas [F.: Do tupi *iamanaka'ru* (*namanaka'ru*).]

mandachuva (man.da-*chu*.va) *s2g.* **1** *Bras.* Pessoa importante e poderosa, ou quem comanda; CHEFE; LÍDER **2** Chefe político no interior; CORONEL [Pl.: *mandachuvas*.]

mandada (man.*da*.da) *sf.* **1** Ato de dar cartas de baralho aos parceiros de jogo **2** *Mec.* Roda que, nas prensas de engrenagens, faz girar o parafuso e está endentada à primeira roda em que o motor opera [F.: *mandar* + *-ada*¹.]

mandado (man.*da*.do) *a.* **1** Que se mandou, que foi enviado; ENVIADO **2** Que recebeu ordem(ns), incumbência; ORDENADO *sm.* **3** *Jur.* Ordem ou despacho escrito de autoridade judicial ou administrativa: *Mandado de prisão.* **4** Incumbência, encargo, missão **5** Ação ou resultado de mandar; MANDAMENTO **6** *Bras. RS Pop.* Mandado de deus **7** *Ant.* Legado [F.: Do lat. *mandatum, i.*] ■ **Bem ~** Obediente, dócil, solícito; submisso; tb.: *bem-mandado* **Mal ~** Desobediente, rebelde; insubmisso; tb.: *malmandado* **~ de segurança 1** *Jur.* Ação movida para garantir direito ameaçado por ato ilegal, ou inconstitucional de autoridade **2** Ordem judicial para suspensão ou revogação de um ato

mandador (man.da.*dor*) [ô] *a.* **1** Que manda ou gosta de mandar *sm.* **2** Aquele que manda ou gosta de mandar [F.: *mandar* + *-dor*. Sin. ger.: *mandão*.]

mandala (man.*da*.la) *sf. Fil. Rel.* Símbolo místico do universo, em forma de círculos e quadrados concêntricos, us. no hinduísmo, no budismo, no tantrismo e na ioga como instrumento para meditação [F.: Do sânsc.]

mandálico (man.*dá*.li.co) *a.* Ref. a mandala; MANDALÍSTICO [F.: *mandala* + *-ico*².]

mandamento (man.da.*men*.to) *sm.* **1** Ação ou resultado de mandar; MANDO **2** Norma, regra a ser seguida: *O mandamento do diretor-geral foi seguido à risca.* **3** *Jur.* Ordem escrita em que se determina a realização de um ato, diligência etc.; MANDATO **4** *Rel.* No judaísmo e cristianismo, cada um dos dez preceitos que, por meio de Moisés, foram revelados por Deus ao povo hebreu e aos quais estão os crentes obrigados a obedecer [Mais us. no pl.] **5** *Rel.* Cada uma das obrigações para com a Igreja católica, em número de cinco, relacionadas com o decálogo de Moisés [Mais us. no pl.] [F.: *mandar* + *-mento*.]

mandância (man.*dân*.ci:a) *sf. Pej.* Ação de mandar abusivamente [F.: *mandar* + *-ância*.]

mandante (man.*dan*.te) *a.* **1** Que manda, que determina algo *s2g.* **2** *Jur.* Pessoa que autoriza outra a agir em seu nome: *Mandante de ação judicial.* [Ant.: *mandatário*.] **3** Aquele que manda, que ordena, que determina algo: *O mandante do crime pegou pena máxima.* **4** Pessoa que incita a certos atos; INSTIGADOR [F.: *mandar* + *-nte*.]

mandão (man.*dão*) *a.* **1** Que gosta de dar ordens com arrogância, de mandar; DESPÓTICO; PREPOTENTE *sm.* **2** Pessoa autoritária; DÉSPOTA [Pl.: *-dões*. Fem.: *-dona*.] [F.: *mand-* + *-ão*.]

mandar (man.*dar*) *v.* **1** Dar ordem (de); exigir que se faça; ORDENAR [*td.*: *O juiz mandou todos sentarem/sentar; Mandou que todos sentassem; Mandou-os sentar.* O *o(s), a(s)* pode ser substituído por *lhe(s)* se o infinitivo tiver objeto direto que não seja pronome oblíquo: *'Mandei-o (ou Mandei-lhe) consultar um advogado'.*] [*int.*: *Você não ajuda, só sabe mandar.*] [*ti. +a*: *É prestativo, faz o que lhe mandam.*] **2** Dizer ou ordenar que (alguém) vá (a algum lugar ou até alguém) [*tda.*: *Mandou o filho para a casa dos avós.*] **3** Enviar, remeter, expedir [*tdi. +a, para*: *Mandaram-lhe flores.*] [*td.*: *Já mandou as cartas?*] **4** Lançar de si; dirigir [*tda.*: *Naquela manhã de inverno, o Sol mandava tênues raios à Terra.*] **5** *Pop.* Atirar, arremessar, disparar [*tdi. +a, para*: *Mandou-lhe uma bala.*] **6** Aconselhar, recomendar (ger. norma de comportamento); preceituar, prescrever [*td.*: *A educação manda bater à porta antes de entrar.*] [*ti./int. +a*: *Faço o que (me) manda a intuição.*] **7** Exercer ou ter o poder de dar ordens; DOMINAR; GOVERNAR [*tr. +em*: *Quem manda nessas terras?*] [*int.*: *Quem manda aqui sou eu.* Ant.: *desmandar.*] **8** *Bras. Gír.* Ir-se embora; PARTIR [*int.*: *Ele se mandou antes que o vissem aqui.*] [*ta.*: *Espero que os desordeiros se mandem da cidade/ para longe daqui.*] **9** *Pop.* Aplicar, desferir (tapa, golpe, pontapé) [*tda.*: *O brigão mandava socos para todos os lados.*] **10** *Pop.* Oferecer (quantia) regateando [*tdr. +por*: *Mandei cem reais pelo abajur e o antiquário topou.*] **11** Fazer presente de; enviar como dádiva [*tdi. +a, para*: *Meu amigo mandou-me uma dúzia de garrafas do Porto.*] **12** Dar por incumbência, por encargo, por encomenda [*tdi. +a, para*: *Que mandas ao teu amigo?*] **13** Exportar [*tdi.*: *O Brasil manda produtos agrícolas para outros países.*] **14** Escolher, nomear para um cargo [*tdp.*: *Mandaram-no por juiz da comarca.*] [▶ 1 mandar] [F.: Do lat. *mandare*. Hom./Par.: *manda(s)* (fl.), *manda(s)* (sf.sm. [pl.]); *mando* (fl.), *mando* (sm.).] ■ **~ bugiar** Descartar-se de (alguém), mandar embora, ger. de forma grosseira e indelicada **~ e desmandar** *Bras.* Exercer comando absoluto, ter autoridade total **~ embora** Expulsar; dispensar (os serviços de), despedir **~-se dizer** *RS* Ao se pronunciar sobre um assunto, demonstrar conhecê-lo bem **~ ver 1** *Bras. Pop.* Atuar dinamismo, entusiasmo etc., na realização de algo **2** Criticar veementemente, arrasar **3** Agredir, agir com violência, surrar **4** Atirar com arma de fogo **5** Ter relações sexuais, transar

mandarim (man.da.*rim*) *sm.* **1** Título dado na China antiga aos altos funcionários **2** *Fig.* Mandachuva **3** O principal dos dialetos da língua chinesa, falado em todo o Norte da China e nas províncias do Centro, do Oeste e do Sudoeste, tornado como língua oficial (em chinês Puonghua) [Fem.: *-rina*.] *a.* **4** *Gloss.* De ou ref. à língua padrão oficial da China [Pl.: *-rins*.] [F.: Do malaio *mantari*, corruptela do sânscr. *mantri* 'conselheiro, ministro'.]

mandarina¹ (man.da.*ri*.na) *sf.* Mulher de mandarim (1) [F.: Fem. de *mandarim*.]

mandarina² (man.da.*ri*.na) *sf. RS Bot.* O mesmo que *tangerina* [F.: Do espn. platino *mandarina*.]

mandarinado (man.da.ri.*na*.do) *sf.* Ver *mandarinato*

mandarinato (man.da.ri.*na*.to) *sm.* **1** Funções de mandarim **2** *Fig.* Classe, grupo dos que mandam [F.: *mandarim* + *-ato*¹. Tb. *mandarinado*.]

mandarová (man.da.ro.*vá*) *sm. Bras. Ent.* Ver *marandová*

mandatário (man.da.*tá*.ri:o) *sm.* **1** Pessoa que exerce mandato **2** *Jur.* Pessoa que representa outra, através de algum meio legal como procuração etc.; PROCURADOR **3** Executor de ordens ou de mandados: *Os mandatários do povo ou* *da nação.* [Ant.: *mandante.*] [F.: Do lat. *mandatarius, a, um* 'que é encarregado de uma comissão'.]

mandatício (man.da.*tí*.ci:o) *a.* Ref. a mandato ou procuração [F.: *mandato* + *-ício.*]

mandato (man.*da*.to) *sm.* **1** Missão, incumbência *sm.* **2** Autorização dada por uma pessoa a outra para agir em seu nome; PROCURAÇÃO; DELEGAÇÃO **3** Conjunto de poderes que um político recebe pelo voto para representar o povo em câmaras legislativas ou governar município, estado, país etc., por um determinado período **4** O período de exercício desse mandato: *Morou em Brasília durante seu mandato.* [Cf.: *mandado.*] [F.: Do lat. *mandatum, i* 'encargo, cargo, comissão'.] ■ **~ em causa própria** *Jur.* Aquele por cujo efeito o mandatário torna-se dono de negócio ou ganha poderes para administrá-lo como se dono fosse **~ facultativo** *Jur.* Aquele que deixa em aberto, para decisão do mandatário, os meios de cumpri-lo [P.op. a *Mandato imperativo.*] **~ imperativo** *Jur.* Aquele no qual o mandante determina ao mandatário a forma e os meios com que deve ser cumprido [P.op. a *Mandato facultativo.*] **~ internacional** *Jur.* Estado ou situação em que um país ou território fica sob controle e proteção de um Estado (ger. por decisão de organismo internacional) até apresentar condições de se governar por si mesmo

mandatório (man.da.*tó*.ri:o) *a.* **1** Da natureza de, ou que contém mandato **2** Ordenado ou requerido por uma autoridade; OBRIGATÓRIO: *É mandatório o preenchimento de todos os campos assinalados do formulário.* [F.: *mandato* + *-ório.*]

mandato-tampão (man.da.to-tam.*pão*) *sm. Pol.* Prolongamento do prazo legalmente previsto de um mandato, esp. para evitar instabilidade política [Pl.: *mandatos-tampões* e *mandatos-tampão.*]

mandauaca (man.dau.*a*.ca) *s2g.* **1** *Bras. Etnol.* Pessoa pertencente a um povo indígena que habita a bacia do rio Negro, no norte do AM *a2g.* **2** Dos ou ref. aos mandauacas

mandchu (mand.*chu*) *a2g.s2g.* Ver *manchu*

mandê (man.*dê*) *s2g.* **1** Indivíduo pertencente a um povo que habita a parte norte da África ocidental; MANDINGA *sm.* **2** *Gloss.* Grupo composto por várias línguas faladas nessa região; MANDINGA *a2g.* **3** Do ou ref. ao mandê (1 e 2); MANDINGA

mandi (man.*di*) *sm.* **1** *Bras. Ict.* Designação comum a vários peixes siluriformes dos gên. *Pimelodus, Pimelodella* e *Rhamdia*, encontrados em diversos rios **2** Caipira, roceiro [F.: Do tupi *mandi'i.*]

mandíbula (man.*dí*.bu.la) *sf.* **1** *Anat.* Único osso móvel da face, em forma de U, onde se implanta a arcada dentária inferior; sua articulação permite os movimentos de abrir e fechar da boca [*Mandíbula* substitui *maxilar inferior* na nova terminologia anatômica.] **2** *Anat. Zool.* Cada uma das duas partes superior e inferior, das quais se compõe o bico das aves **3** Cada uma das duas peças móveis e duras que se situam nas laterais da boca de alguns artrópodes e das quais eles se servem para cortar alimentos, segurar coisas etc. [F.: Do lat. *mandibula*, de *mandere* 'mastigar, mascar'.]

mandibular (man.di.bu.*lar*) *a2g.* Da ou ref. à mandíbula [F.: *mandíbul(a)* + *-ar*[1].]

mandijuba (man.di.*ju*.ba) *sm. Bras. Ict.* Peixe siluriforme de rio (*Pimelodus maculatus*), tb. denominado *mandi-amarelo* [F.: *mandi* + *-juba* (do tupi *'yuwa*, 'amarelo').]

mandinga (man.*din*.ga) *sf.* **1** Feitiço, bruxaria: "Até parece que ela faz mandinga com Pai Jubiabá." (Jorge Amado, *Jubiabá*) **2** *Fig.* Embaraço, dificuldade que, por ser inexplicável, parece obra de feitiçaria *s2g.* **3** *Etnol.* Indivíduo dos mandingas, povo de religião predominantemente maometana, que vive na parte Norte da África ocidental; MANDÊ; MANDEU *sm.* **4** *Gloss.* Língua falada pelos mandingas *a2g.* **5** Ref. a mandinga (3 e 4) ou aos mandingas [F.: Do top. *Mandinga*, na Guiné (África).]

mandingar (man.din.*gar*) *v. td.* Fazer mandingas, feitiços a; ENFEITIÇAR [▶ **14 mandingar**] [F.: *mandinga* + *-ar*[2]. Hom./Par.: *mandinga(s)* (fl.), *mandinga(s)* (sf. [pl.]).]

mandigueiro (man.di.*guei*.ro) *sm.* **1** Feiticeiro africano, primitivamente só de origem mandinga **2** *Bras. Amaz. Zool.* Pássaro vireonídeo de cores discretas e pequeno porte, muito canoro; tb. *uirapuru-verdadeiro* *a.* **3** Que faz mandinga, bruxaria [F.: *mandinga* + *-eiro.*]

mandioca (man.di:*o*.ca) *sf.* **1** *Bras.* Planta lactescente, da fam. das euforbiáceas (*Manihot esculenta*), nativa da América do Sul, cujos grossos tubérculos, ricos em amido, são us. para fazer farinha de mesa e como ração animal (os tubérculos quando crus são venenosos por conterem ácido cianídrico, o qual é destruído no processo de lavagem, cozimento e torrefação); MACAXEIRA; MANDIOCA-BRAVA **2** *Bot.* Tubérculo dessa planta; MACAXEIRA; MANDIOCA-BRAVA **3** Arbusto da fam. das euforbiáceas (*Manihot palmata*), nativo do Brasil, tb. cultivado pelos tubérculos, semelhantes aos da sp. *M. esculenta*, porém não venenosos; AIPIM; MACAXEIRA; MANDIOCA-DOCE; MANDIOCA-MANSA **4** Tubérculo dessa planta; AIPIM; MACAXEIRA; MANDIOCA-DOCE; MANDIOCA-MANSA *sm.* **5** *Bras. BA Pol. Hist.* Partido político conservador, existente no período da monarquia [F.: Do tupi *mandi'oka.*] ■ **Render que só ~ de várzea** *AL Fam.* Nunca acabar, não ter fim, prolongar-se interminavelmente: *Aquele jogo rendia que só mandioca de várzea.*

mandiocal (man.di:o.*cal*) *sm. Bras.* Plantação de mandiocas [Pl.: *-cais.*] [F.: *mandioc(a)* + *-al.*]

mandioqueiro (man.di:o.*quei*.ro) *sm.* **1** *PE* Pequeno lavrador que cultiva sobretudo a mandioca, ger. em terras arrendadas **2** *MG* Habitante da roça; CAIPIRA [F.: *mandioca* + *-eiro.*]

mandioquinha (man.di:o.*qui*.nha) *sf. Bot.* Ver *batata-baroa.* [F.: *mandioca* + *-inha.*]

mando (*man*.do) *sm.* **1** Ação ou resultado de mandar *sm.* **2** Comando, direção, governo de pessoas ou coisas; AUTORIDADE; DOMÍNIO **3** Poder ou condição de mandar: "Como norma, um escravo ascendia a posições de mando no palácio, porque era propriedade do soberano." (Alberto Costa e Silva, *A manilha e o libambo*) **4** Ordem, recomendação imperativa [F.: Dev. de *mandar*; mando. Hom./Par.: *mando* (fl. *mandar*).]

mandola (man.*do*.la) *sf. Mús.* Antigo instrumento análogo ao alaúde, com braço curto e quatro pares de cordas afinadas no mesmo tom [F.: Do it. *mandola.*]

mandolina (man.do.*lim*) *Mús. sm.* **1** Mandola pequena; MANDOLIM **2** O mesmo que *bandolim* [Pl.: *-lins.*] [F.: Do it. *mandolino.*]

mandolinata (man.do.li.*na*.ta) *sf. Mús.* Música tocada em uma ou mais mandolinas [F.: Do it. *mandolinata.*]

mandonismo (man.do.*nis*.mo) *sm. Bras.* Hábito e abuso do mando; PREPOTÊNCIA: "...que a mudança facilitasse ainda mais ao mandonismo reinante, a manifestação do eleitorado." (Rui Barbosa, *Excertos eleitorais*) [F.: *mandão* + *-ismo*, seg. o mod. erudito.]

mandonista (man.do.*nis*.mo) *Bras. a2g.* **1** Que tem o hábito do mandonismo (político mandonista); PREPOTENTE *s2g.* **2** Indivíduo mandonista [F.: *mandon(ismo)* + *-ista.*]

mandraca (man.*dra*.ca) *Bras. sf.* **1** Feitiçaria, bruxaria **2** Beberagem de feitiçaria [F.: De *mandrágora*, posv.]

mandraco (man.*dra*.co) *sm. RS* Amuleto (ger. moeda antiga) us. por jogadores [F.: De *mandraca.*]

mandrágora (man.*drá*.go.ra) *Bot. sf.* Gênero de plantas da fam. das solanáceas, de sabor e cheiro desagradáveis, cujas raízes tuberosas lembram a forma humana, razão pela qual lhes foram atribuídas virtudes mágicas e afrodisíacas [F.: Do lat. cient. *Mandragora.*]

mândria (*mân*.dri:a) *sf.* Qualidade ou hábitos de mandrião; PREGUIÇA; INDOLÊNCIA; VADIAGEM: "Eram, no geral, gente ínfima e suspeita (...) vezada à mândria e à rapina." (Euclides da Cunha, *Os sertões*) [F.: Do espn. *mandria.* Hom./Par.: *mandria* (sf.), *mandria* (fl. de *mandriar*).]

mandrião (man.dri:*ão*) *a.* **1** Que é preguiçoso, ocioso, indolente *sm.* **2** Pessoa dada à preguiça, à ociosidade **3** *Vest.* Casaco curto e leve us. domesticamente por mulheres e crianças [Pl.: *-ões.* Fem.: *-ona.*] [F.: *mândria* + *-ão.*]

mandriar (man.dri.*ar*) *v. int.* Viver à toa, como mandrião; VADIAR [▶ **1 mandriar**] [F.: *mândria* + *-ar*[2]. Hom./Par.: *mandria(s)* (fl.), *mândria(s)* (sf. [pl.]).]

mandril[1] (man.*dril*) *sm.* **1** *Mec.* Ferramenta us. para arrematar e calibrar furos **2** *Mec.* Peça de máquina (furadeira, torno etc.) em que se encaixa ferramenta ou objeto a ser trabalhado **3** *Cir.* Haste que se introduz em certas cânulas para dar-lhes inflexibilidade transitória e guiá-las **4** *Od.* Instrumento munido de lâminas espirais, us. para a limpeza e alargamento dos canais das raízes [Pl.: *-dris.*] [F.: Posv. do espn. *mandril*, deriv. do fr. *mandrin* e, este, do prov. *mandre* 'manivela', o qual, por sua vez, proviria do lat. *manphur*, com influência do germânico **manduls.*]

mandril[2] (man.*dril*) *sm. Zool.* Macaco florestal da fam. dos cercopitecídeos (*Mandrillus sphinx*) da África Ocidental, de cauda curta, pelagem esverdeada e machos de focinho vivamente colorido de vermelho e azul [F.: Do ing. *mandrill* (1744) 'designação de uma espécie de babuíno africano', comp. de *man* 'homem' e *drill* 'designação genérica de babuínos africanos'.]

mandriladora (man.dri.la.*do*.ra) [ô] *sf. Mec.* Máquina própria para mandrilar [F.: *mandrilar* + *-dora.*]

mandrilagem (man.dri.*la*.gem) *sf.* Ação ou resultado de mandrilar [Pl.: *-gens.*] [F.: *mandrilar* + *-agem*[2].]

mandrilar (man.dri.*lar*) *v. td.* **1** Fazer uso do mandril (1) **2** Realizar ótimo acabamento na parte interna de um orifício **3** Aumentar com mandril o diâmetro de um tubo [▶ **1 mandrilar**] [F.: *mandril* + *-ar.*]

manducação (man.du.ca.*ção*) *sf. Pop.* Ato de manducar ou comer [Pl.: *-ções.*] [F.: Do lat. *manducatio, onis.*]

manducar (man.du.*car*) *v.* Ingerir, comer alimento [*td.*: *Manducou as batatas fritas e foi embora.*] [*int.*: *Ficou um tempão à mesa, com os colegas, só manducando.*] [▶ **11 manducar**] [F.: Do lat. *manducare.*]

mandureba (man.du.*re*.ba) *sf. Bras. N.E. Pop.* Aguardente, cachaça [F.: De or. incerta.]

mané (ma.*né*) *Bras. Gír. Pej. sm.* **1** Pessoa tola; BOBO; PASPALHÃO **2** Indivíduo negligente com relação às coisas e a si mesmo; DESCUIDADO; DESLEIXADO [F.: De or. contrv. ou da alt. pop. e pej. do nome *Manuel.*]

maneabilidade (ma.ne:a.bi.li.*da*.de) *sf.* **1** Qualidade de maneável ou manejável **2** *Mil.* Exercício militar que simula as condições mais comuns de combate [F.: *maneável* + *-(i)dade*, seg. o mod. erudito.]

maneado (ma.ne.*a*.do) *a.* Amarrado com maneia: "...e se foi ao cavalo, que montou de pulo e mesmo sem freio e maneado..." (João Simões Lopes, "Os cabelos da china" *in Contos gauchescos*) [F.: Part. de *manear.*]

maneador (ma.ne:a.*dor*) [ô] *S sm.* **1** Correia de couro que faz parte do freio das cavalgaduras **2** Aquele que maneia as cavalgaduras [F.: *manear* + *-dor.*] ■ **Passar os ~es em** *RS Fig.* Amarrar, manietar, atar (alguém)

manear (ma.ne.*ar*) *v. td.* Ver *manejar* [▶ **13 manear**] [F.: *man-* + *-ear.* Hom./Par.: *maneia(s)* (fl.), *maneia* (sf.) e pl; *maneio* (fl.), *maneio* (sm.).]

maneável (ma.ne:*á*.vel) *a2g.* Fácil de ser maneado ou manuseado; MANEJÁVEL: *O barro é mais maneável do que a cera.* [Pl.: *-veis.*] [F.: *manear* + *-vel.*]

maneca[1] (ma.*ne*.ca) *sf. Bras.* Modelo, manequim [F.: Red. de *manequim.*]

maneca[2] (ma.*ne*.ca) *sf.* Nome de uma pedra preciosa do Sri Lanka [F.: De or. obsc.]

maneia (ma.*nei*.a) *sf. Bras.* Correia de couro que serve para prender o cavalo pelas patas dianteiras [F.: Do espn. platino *manea.* Hom./Par.: *maneia* (sf.), *maneia* (fl. de *manear*).]

maneios (ma.*nei*.os) *smpl.* Gorduras superficiais que aparecem quando a rês começa a engordar [F.: Pl. de *maneio*, por sua vez dev., de *manear.*]

maneira (ma.*nei*.ra) *sf.* **1** Modo ou forma de agir, fazer ou se comportar: *Uma mulher elegante, de maneiras formais:* "João se defendia de outra maneira, que talvez fosse apenas a maneira de fugir dela (...)." (Antônio Callado, *Bar Don Juan*) **2** Cunho pessoal das obras de um escritor ou de um artista; ESTILO: *Era uma bela tela feita à maneira de Leonardo da Vinci.* **3** Feição, aparência exterior; FORMA; FEITIO **4** Situação oportuna; ENSEJO; OPORTUNIDADE; OCASIÃO **5** *Bras.* Abertura posterior das saias a partir do cós, para permitir que elas passem pelos ombros e pelos quadris [NOTA: *Muito us. no pl. para se referir ao comportamento social.* F.: Do lat. medv. lusitânico *manaria* < **manuaria*, fem. subst. de *manuarius, a, um* 'de ou relativo a mão, que se usa ou move com as mãos, que se manuseia'. Hom./Par.: *maneira* (fl. de *maneirar*). Ideia de 'maneira', usar pospos. *-tropia* e *-tropo.*] ■ **À ~** *Lus.* A caráter: *Vestiu-se à maneira para o baile.* **À ~ de** Em imitação a; do jeito de: *Pintou um quadro à maneira de Van Gogh; Vou resolver este assunto à minha maneira.* **À ~ que** À medida que; à proporção que **De ~ a** Com vistas a certo resultado, de modo a, de forma que, de maneira que (2): *Agiu com muito cuidado, de maneira a não despertar suspeitas.* **De ~ que** **1** De sorte que, resultando (disso) que: *Não estudou, de maneira que dificilmente passará.* **2** Ver *De maneira a* **De qualquer ~** **1** Sem muito cuidado, do jeito que dá/der/etc.: *Fez o trabalho sem capricho, de qualquer maneira.* **2** Custe o que custar: *Preciso acabar isso hoje de qualquer maneira.* **De toda ~** Em todo caso, pelo sim pelo não: *Este suporte ficou firme; de toda maneira, vou bater mais dois pregos.*

maneira-negra (ma.nei.ra-*ne*.gra) *Art.Pl. sf.* **1** Técnica de gravura em que o negro uniforme produzido pelo granido da placa é depois atenuado com brunidores e rascadores para obtenção dos brancos e dos meios-tons; gravura a meia-tinta **2** A gravura assim obtida [Pl.: *maneiras-negras.*]

maneirar (ma.nei.*rar*) *v. Bras. Gír.* Tornar(-se) menos intenso, agressivo ou enérgico, mais moderado na ação ou nos efeitos; ABRANDAR; APLACAR [*td.*: *Você precisa maneirar seu linguajar.*] [*tr.* +com, em: *O técnico maneirou nos treinos; Maneire um pouco com suas exigências.*] [*int.*: *O calor hoje maneirou.*] [▶ **1 maneirar**] [F.: *maneira* + *-ar*[2]. Hom./Par.: *maneira(s)* (fl.), *maneira(s)* (sf. [pl.]); *maneiro* (fl.), *maneiro* (a.).]

maneiras (ma.*nei*.ras) *sfpl.* **1** Comportamento social, esp. modo habitual de falar, comer, gesticular e proceder entre outras pessoas: *pessoa de maneiras formais.* **2** Gestos, palavras, modos educados; boas maneiras: *Isso não são maneiras!* [F.: Pl. de *maneira.*] ■ **Boas ~** Gentileza e respeito para com outras pessoas; educação **Ter ~** Ter boas maneiras

maneirismo (ma.nei.*ris*.mo) *sm.* **1** *Art.pl.* Estilo artístico dos sécs. XVI e início do XVII, sobretudo na pintura, em cujas obras se destaca o aspecto ornamental, o abandono da simetria renascentista e a busca de efeitos estranhos que apontam para a arte moderna, como o alongamento das figuras humanas e as perspectivas inusitadas [Com inicial ger. maiúsc.] **2** *Liter.* Tendência literária que precede o estilo barroco e com ele possui algumas afinidades, e que se caracteriza, entre outras coisas, tanto na prosa quanto na poesia, pela presença da melancolia, de uma visão pessimista do mundo e do sentimento de incerteza que abala os fundamentos do ideário humanista [Cf.: *barroco.*] **3** *Psiq.* Repetição estereotipada de expressões, gestos bizarros ou patéticos, e sem justificativa como, caretas, emprego de palavras ou expressões obsoletas etc., cujo grau acentuado denota existência de esquizofrenia [F.: *maneira* + *-ismo.*]

maneirista (ma.nei.*ris*.ta) *s2g.* **1** *Art.Pl. Liter.* Artista que, no séc. XVI ou início do XVII, adotou o maneirismo como estilo **2** Indivíduo que mostra afetação na fala ou nos gestos; PEDANTE; PERNÓSTICO *a2g.* **3** *Art.Pl. Liter.* Relativo a, ou próprio do maneirismo [F.: *maneira* + *-ista.*]

maneiro (ma.*nei*.ro) *a.* **1** *Bras. Pop.* Bacana, legal (pessoa maneira) [Emprega-se tb., de modo popular, com outros sentidos de valor positivo. Ex.: um livro *maneiro* (interessante); uma roupa *maneira* (moderna, bonita); um dentista *maneiro* (competente); um gesto *maneiro* (correto, responsável); um lugar *maneiro* (bonito); uma avó *maneira* (compreensiva, jovem) etc.] **2** Cujo movimento é leve, gracioso (coreografia maneira) **3** Fácil de manejar, de manipular, de usar; CÔMODO: "Decretando um uniforme leve, e maneiro." (Machado de Assis, *Brás Cubas*) **4** Que exige pouco esforço (trabalho maneiro); LEVE **5** Que mostra aptidão e/ou habilidade (artesão maneiro); JEITOSO

6 *Bras.* Diz-se de pessoa ágil, ligeira 7 Acostumado a vir comer na mão (pássaro maneiro) [F.: Do lat. tard. *manuariu*, 'manejável', por via popular. Hom./Par.: *maneiro* (fl. *maneirar*).]
maneiroso (ma.nei.*ro*.so) [ô] *a.* Afável, habilidoso no trato com outrem; DELICADO; AMÁVEL [Pl.: [ó]. Fem.: ó] [F.: *maneira* + *-oso*.]
manejado (ma.ne.*ja*.do) *a.* Que se manejou; MANUSEADO [F.: Part. de *manejar*.]
manejador (ma.ne.ja.*dor*) [ô] *a.* 1 Que maneja *sm.* 2 Aquele que maneja [F.: *manejar* + *-dor*.]
manejar (ma.ne.*jar*) *v.* 1 Mover ou empunhar com as mãos; MANOBRAR; BRANDIR [*td.*: *manejar a espada/o machado.*] 2 Dirigir, governar com o auxílio da mão [*td.*: *manejar o leme.*] 3 Ter conhecimento de; exercer, exercitar (arte, disciplina etc.); DOMINAR [*td.*: *Henrique maneja bem o inglês.*] 4 Administrar, controlar, dirigir (negócio, empresa, atividade) [*td.*: *A diretora maneja essa escola há anos.*] 5 *Fig.* Manipular, controlar, dominar [*td.*: *manejar o eleitorado.*] 6 *Hip.* Trabalhar com as mãos (o cavalo) [*int.*: *Esse cavalo maneja bem.*] [▶ 1 manejar] [F.: Do it. *maneggiare*. Sin. nas acps. 1 a 5: *manear*. Hom./Par.: *manejo* (fl.), *manejo* (sm.); *manejáveis* (fl.), *manejáveis* (pl. de *manejável*).]
manejável (ma.ne.*já*.vel) *a2g.* 1 Que é passível de ser manejado; MANEÁVEL [Ant.: *inflexível*.] 2 *Fig.* Fácil de conduzir, de tratar (comportamento manejável); DÓCIL; TRATÁVEL [Ant.: *intratável*.] [Pl.: *-veis*.] [F.: *manear* + *-vel*.]
manejo (ma.*ne*.jo) [ê] *sm.* 1 Ação ou resultado de manejar, de pôr as mãos em; MANUSEIO: *O manejo das teclas do piano/ dos livros da estante.* 2 Prática, uso para fins de trabalho: *O manejo de uma ferramenta.* 3 Chefia, administração: *O manejo dos negócios.* 4 *Hip.* Exercício de equitação 5 *Hip.* Lugar onde se exercitam cavalos [F.: Dev. de *manejar*. Hom./Par.: *manejo* [ê] (fl. de *manejar*).]
manejos (ma.*ne*.jos) [ê] *smpl.* 1 *Pop.* Atitudes ardilosas com intuito de ludibriar outrem; ARDIL; ARTIMANHA; EMBUSTE 2 *Mil.* Manobras militares [F.: Pl. de *manejo*.]
manema (ma.*ne*.ma) *Bras. sm.* 1 O mesmo que *mané sm.* 3 *Bras.* Farinha grossa de mandioca [F.: Do tupi *ma'nema*, posv.]
manemolência (ma.ne.mo.*lên*.ci:a) *sf. Bras. Pop.* O mesmo que *malemolência* [F.: De or. contrv.]
manemolente (ma.ne.mo.*len*.te) *a2g. Bras. Pop.* O mesmo que *malemolente* [F.: De *manemolência*.]
manente (ma.*nen*.te) *a2g.* Que não muda de estado, condição ou lugar; PERMANENTE [F.: Do lat. *manens, entis*.]
manequim (ma.ne.*quim*) *s2g.* 1 Modelo que desfila nas passarelas ou que posa para fotografia *sm.* 2 Boneco que representa o ser humano, us. para estudos artísticos ou científicos, ou para trabalhos de costureira ou alfaiate, ou, ainda, para exposição de roupas em lojas, vitrinas etc. 3 *Pej.* Pessoa sem personalidade, sem opinião própria 4 Medida da forma física de uma pessoa, padronizada para uso de vestimenta: *Blusas de manequim 38 a 44.* 5 *P.ext.* Mulher cuja forma física é considerada perfeita segundo os padrões de beleza em vigor: *Ela é uma mulher estonteante, um verdadeiro manequim.* [Pl.: *-quins*.] [F.: Do fr. *manequin* 'figurino', do hol. *manneken*, dim. de *man* 'homem'.]
manes (*ma*.nes) *smpl.* As almas dos mortos (consideradas como divindades pelos antigos romanos) [F.: Do lat. *manes, ium*.]
maneta (ma.*ne*.ta) [ê] *a2g.* 1 Que tem uma única mão ou um único braço *s2g.* 2 Pessoa a quem falta um braço, ou uma das mãos; manita *sm.* 3 *Bras.* Cabo da rede do xaréu [F.: *man-* + *-eta*.]
manete (ma.*ne*.te) *Bras. sm.* 1 Acelerador de motor de avião 2 Alavanca ou botão de comando em certos aparelhos e máquinas [F.: Do fr. *manette*.]
manga¹ (*man*.ga) *sf.* 1 *Bot.* Fruto da mangueira, de polpa amarela, fibrosa, doce e suculenta, e com um grande caroço envolvendo a semente 2 O mesmo que *mangueira²* [F.: Do malaiala *manga*, deriv. do tâmul *mánkáy* 'fruto da mangueira'.]
manga² (*man*.ga) *sf.* 1 Parte de paletó, camisa, casaco etc. que envolve total ou parcialmente os braços 2 Objeto tubular que reveste ou protege outra peça 3 *Quím.* Espécie de filtro em forma de funil para líquidos 4 Parte do eixo de um veículo que se encontra dentro da caixa de graxa e recebe todo o peso do carro 5 O mesmo que *mangueira¹* 6 O mesmo que *tromba-d'água* [F.: Do lat. *manica, ae* 'manga, parte da vestimenta que recobre os braços', mais us. no pl. *manicae, arum* 'mangas, braçal, luvas, algemas, ferros, grilhões', der. de *manus, us* 'mão'. Hom./Par.: *manga* (sf.); *manga* (fl. *mangar*).] ▪▪ **Arregaçar as ~s** *Fig.* Preparar-se para enfrentar, com disposição e seriedade, trabalho ou tarefa **Botar/pôr as manguinhas de fora** *Bras. Fam.* Demonstrar qualidades ou atitudes antes ocultas ou desconhecidas **Em ~s de camisa** Sem paletó, casaco, jaqueta etc. **~ japonesa** *Vest.* Manga sem costura na cava **~ perdida** *Vest.* Manga comprida, ampla, sem punho **Pôr as ~s de fora** *Bras. Fam.* Ver *Botar/pôr as manguinhas de fora* **Ser ~ de colete** *Antq. Pus.* Ser muito raro, muito escasso: *É um paspalhão: inteligência, ali, é manga de colete.*
manga³ (*man*.ga) *sf.* 1 Tropa de soldados; HOSTE 2 Grupo, turma, bando 3 *P.ext.* Grande quantidade [F.: Do lat. *manica*.]
manga⁴ (*man*.ga) *sf.* 1 *CE BA GO MG* Pastagem cercada onde se guardam cavalos e bois 2 *RS* Cercas divergentes, em forma de funil, para facilitar a entrada do gado no curral 3 *RS* Linha formada por pessoas a pé ou a cavalo, para obrigar um animal a passar por determinado caminho ou a entrar no curral 4 *MA* Corredor formado de varas que leva a um rio e serve para fazer embarcar o gado 5 *AM* Cerca que vai da beira até as alas dos currais de peixe [F.: Do espn. platino *manga*.]
manga⁵ (*man*.ga) *sf.* Peça tubular, de vidro ou de cristal, que protege a luz nos lampiões e candeeiros ou nos braços de lustres e candelabros [F.: Do lat. *manica*.]
mangá (man.*gá*) *sm.* História em quadrinhos japonesa que ger. apresenta narrativa cinematográfica, traços estilizados e personagens com olhos grandes e expressivos [F.: Do jap. *mangá* 'desenhos irresponsáveis'.]
mangaba (man.*ga*.ba) *sf. Bras. Bot.* Fruto da mangabeira, arredondado, com polpa farta e doce [F.: Do tupi *ma'ngawa* 'planta da fam. das apocináceas'.]
mangabeira (man.ga.*bei*.ra) *sf. Bras. Bot.* Árvore da fam. das apocináceas (*Hancornia speciosa*), nativa do Brasil, Peru e Paraguai, com madeira vermelha, látex de que se faz borracha rosada, flores grandes, brancas, tubulosas e cujo fruto, a mangaba, é comestível [F.: *mangaba* + *-eira*.]
mangação (man.ga.*ção*) *sf.* 1 Ação de mangar 2 Deboche, escárnio, zombaria: "...com um chapéu de palhaço na cabeça para servir de mangação à escola inteira..." (Gilberto Freyre, *Casa grande e senzala*) 3 Engano, mentira, embuste: *mangação de primeiro de abril.* [Pl.: *-ções*.] [F.: *mangar* + *-ção*.]
mangador (man.ga.*dor*) [ô] *a.* 1 Que faz de alguma coisa ou pessoa objeto de mangação, que manga *sm.* 2 Pessoa que gosta de mangar, de fazer mofa [F.: *mangar* + *-dor*.]
mangal¹ (man.*gal*) *sm.* Terreno onde crescem mangueiras; plantação de mangueiras; MANGUEIRAL: "Nuvens de mosquitos, arremessando-se a cada momento pelas brechas do mangal, envolviam a tropa." (Xavier Marques, *Sargento Pedro*) [Pl.: *-gais*.] [F.: *manga¹* + *-al*.]
mangal² (man.*gal*) *sm. Bras. Bot.* O mesmo que *mangue* [Pl.: *-gais*.] [F.: *mang(ue)* + *-al*.]
mangalaça (man.ga.*la*.ça) *sf.* 1 Vida de vadio; VADIAGEM: "Vaqueiros crédulos e possantes, de parceria (...) com os vários tipos da mangalaça sertaneja." (Euclides da Cunha, *Os sertões*) 2 *P.ext.* Mancebia, concubinato [F.: De or. obsc.]
mangalaço (man.ga.*la*.ço) *a.* 1 Que é vadio, vagabundo 2 Que é patife, biltre *sm.* 3 Indivíduo mangalaço [F.: De or. obsc.]
manga-larga (man.ga-*lar*.ga) *Bras. a2g.* 1 Diz-se de raça de cavalos marchadores, de temperamento dócil e fácil adestramento, originada do cruzamento de um puro-sangue com éguas selecionadas 2 Diz-se de cavalo dessa raça [Pl.: *mangas-largas*.] *sm.* 3 Cavalo manga-larga [Pl.: *mangas-largas*.] ▪▪ **~ marchador** Tipo de manga-larga criado em Minas Gerais **~ paulista** Tipo de manga-larga criado em São Paulo
mangalho (man.*ga*.lho) *sm.* 1 *Tabu.* Pênis grande 2 *PE* Produtos da indústria doméstica e da pequena lavoura, vendidos nas feiras do interior [Nesta acp., mais us. no pl.] [F.: De *mang(o)* + *-alho*.]
manganês (man.ga.*nês*) *sm. Quím.* Elemento químico de número atômico 25, metálico, cinzento, mole e denso, us. em diversas ligas. Encontra-se na natureza acompanhando o ferro e no mineral chamado pirolisita [Simb.: *Mn*.] [F.: Do fr. *manganèse*, deriv. do it. *maganese* 'magnésia negra', e este, ao lat. medv. *manganexum*.]
mangangá (man.gan.*gá*) *sm.* 1 *Bras. Ent.* O mesmo que *mamangaba* 2 *Bras. Ict.* Nome comum a diversos peixes da fam. dos escorpenídeos, esp. do *Scorpaena brasiliensis* [F.: Do tupi *manga'nga*.]
mangangaba (man.gan.*ga*.ba) *sf. Bras. Ent.* O mesmo que *mamangaba* [F.: Do tupi *manga'nga*.]
mangangão (man.gan.*gão*) *sm. Bras. N.E. Gír.* Pessoa que tem poder, que manda: "Bonita, saudável, filha de um mangangão de um dos três poderes..." (Diogo Tavares, "Quando a abundância não vem de berço" *in Correio da Bahia*, 28.08.2001.) [Pl.: *-gões*.] [F.: De or. obsc.]
mangar (man.*gar*) *v.* 1 *Pop.* Zombar, caçoar, fingindo seriedade [*tr.* +*com, de*: *Ele gosta de mangar dos novatos.*] 2 *Pop.* Escarnecer, debochar [*tr.* +*com, de*: *mangar com o time desclassificado.*] 3 *Bras.* Demorar-se para fazer algo; REMANCHAR [*int.*] [▶ 14 mangar] [F.: *mango¹* + *-ar²*. Hom./Par.: *manga(s)* (fl.), *manga(s)* (sf. [pl.]); *mango* (fl.), *mango* (sm.); *mangue(s)* (fl.), *mangue(s)* (sm. [pl.]); *mangará(s)* (fl.), *mangará(s)* (sm. [pl.]).]
mangará (man.ga.*rá*) *sm.* 1 *Bras. N.E.* Ponta terminal da inflorescência da bananeira 2 *Bras. Bot.* Planta (*Caladium poecile*) da fam. das aráceas, cujos tubérculos são alimentícios [F.: Do tupi *manga'ra*. Hom./Par.: *mangará(s)* (sm. [pl.]), *mangará(s)* (f. de *mangar*).]
mangarito (man.ga.*ri*.to) *sm. Bras. Bot.* Planta arácea (*Xanthosoma violaceum*), cujos tubérculos são muito saborosos; MANGARÁ-MIRIM [F.: *mangará* + *-ito*.]
mango¹ (*man*.go) *sm.* 1 Cabo ou pau superior do mangual 2 *Bras. Lus. Gír.* Antiga unidade monetária (mil-réis) 3 *Bras. Gír.* Dinheiro, grana 4 *Antq. Tabu.* O pênis [F.: Do lat. vulg. *manicus*. Ver tb. *mangos*.]
mango² (*man*.go) *sm. RS* Relho de cabo curto e tosco, com açoiteira larga [F.: Do espn. *mango*.]
mangonga (man.*gon*.ga) *sm.* 1 *RJ* Resto de comida que se dá aos porcos; LAVAGEM 2 *Bras. Gír.* Homem grande, gigante 3 *Bras. Ict.* Espécie de cação (*Odontaspis americanus*) [F.: De or. contrv.]
mangos (*man*.gos) *smpl. Antq. Gír.* Notas de mil réis: *Deilhe 200 mangos.* [F.: Pl. de *mango*. Ver tb. *mango¹*.]
mangostão (man.gos.*tão*) *sm.* 1 *Bot.* Árvore (*Garcinia mangostana*) da fam. das gutíferas, nativa do sudeste asiático 2 O fruto dessa árvore [Pl.: *-tões*.] [F.: Do malaio *mangustan*.]
mangote (man.*go*.te) *sm.* 1 *Ant.* Peça das antigas armaduras que cobria os braços 2 Espécie de gancho nos lados do cilhão onde se apoiam os varais e por onde passam os tirantes 3 Mangueira¹ curta, ger. de borracha vulcanizada, us. para vários fins 4 *Bras. N.E.* Espécie de rede us. em pesca rudimentar [F.: *manga²* + *-ote*.]
mangra (*man*.gra) *sf.* 1 *Bot.* Doença das plantas gramíneas, esp. do trigo, provocada pelo orvalho ou pela umidade e que impede o desenvolvimento das espigas 2 Orvalho que danifica os frutos [F.: Do cast. *mangla*. Hom./Par.: *mangra* (sf.), *mangra* (fl. de *mangrar*).]
mangrado (man.*gra*.do) *a.* 1 Atacado de mangra 2 Diz-se do fruto que não se desenvolveu 3 *Fig.* Que não vingou, que não saiu como se esperava [F.: Part. de *mangrar*.] ▪▪ **a ~** Sem escolher (us. na loc. *comprar a mangrado*)
mangrar (man.*grar*) *v.* 1 Provocar mangra em (gramínea) [*td.*] 2 *P.ext.* Impedir que medrem ou vinguem (plantas, frutos) [*td.*] [*int*] 3 *Fig.* Ficar mangrado; não dar certo; MALOGRAR [*int.*: *Seu projeto mangrou.*] [▶ 1 mangrar] [F.: *mangra* + *-ar*. Hom./Par.: *mangra(s)* (fl.), *mangra* (sf.) e pl.]
mangrove (man.*gro*.ve) [ô] *sm. Bot.* O mesmo que *mangue* [F.: Do ing. *mangrove*.]
manguá (man.*guá*) *sm. Bras.* Correia para açoitar animais; RELHO [F.: De *mangual*.]
mangual (man.*gual*) *sm.* 1 Instrumento com que se malha cereal, composto de dois paus (o mango e o pírtigo) ligados por uma correia 2 *Bras.* Chicote, relho 3 Arma dos berberes e dos árabes da África, que consiste em um bastão a que estão presos pequenos toros atados pelo meio 4 *Mar.* Dispositivo de metal fixado ao pé do pau de surriola, e por meio do qual este se prende ao cachimbo, fixando ao costado da embarcação [Pl.: *-guais*.] [F.: Do lat. *manualis, e* 'movido à mão', de *manus, us* 'mão', talvez sob infl. do espn. *mangual* (1643) 'instrumento, relho'; ver *man(i/u)-*.]
mangue (*man*.gue) *sm.* 1 Lodaçal com vegetação resistente ao sal, em planícies costeiras sujeitas a inundações da maré; MANGUEZAL; MANGAL; MANGROVE 2 *Bras. Bot.* Nome comum às árvores que crescem nos mangues (1), esp. da fam. das rizoforáceas, e que têm raízes que servem como escora e também para a respiração, como, p.ex., o mangue-vermelho (*Rhizofora mangle*) 3 *Bot.* O conjunto dessa vegetação que vive junto às praias, nas fozes dos rios e nas margens de rios e lagoas 4 *N.E. Gír.* Coisa confusa ou ruidosa 5 *RJ Pop.* Zona de prostituição: "Olha, mulher que estiver com Pedro Mico ninguém chama disto, não... Nem que tenha sido do Mangue no tempo do cincão. Pendurou no meu braço, é moça donzela de novo." (Antônio Callado, *Pedro Mico*) [F.: De or. contrv.; tem sido associado ao esp. *mangle* (1519) 'arbusto rizóforo que cresce em áreas lamacentas', voc. caribe, prov. do taino. Hom./Par.: *mangue* (fl. *mangar*).]
manguear (man.gue.*ar*) *Bras. v. td.* 1 *RS* Guiar (gado) na travessia de um rio 2 *Fig.* Procurar enganar manhosamente [▶ 13 manguear] [F.: Do espn. plat. *manguear*.]
mangueira¹ (man.*guei*.ra) *sf.* 1 Tubo flexível de borracha, lona, plástico etc. próprio para conduzir substâncias líquidas ou gasosas; MANGA; BORRACHA: *Mangueira para regar jardins.* 2 *Náut.* Calhas de pau ou de lona alcatroada que descem dos embornais ao lume de água por onde corre para o mar a água que o navio embarca 3 Espécie de manga (2) larga que têm os encerados com que se tapavam as escotilhas em ocasião de combate e por onde passam os cartuchos, que vêm do paiol para as baterias [F.: *manga¹* + *-eira*.]
mangueira² (man.*guei*.ra) *sf. Bot.* Árvore da fam. das anacardiáceas (*Mangifera indica*), nativa da Índia, de copa grande, flores pequenas, brancas ou amarelas e esverdeadas, em cachos, muito cultivada nas regiões tropicais pelo fruto de polpa carnosa, a manga, do qual há muitas variedades [F.: *manga²* + *-eira*.]
mangueiral (man.guei.*ral*) *sm.* Bosque de mangueiras; MANGAL [Pl.: *-rais*.] [F.: *mangueira²* + *-al*.]
mangueirense¹ (man.guei.*ren*.se) *a2g.* 1 Da ou ref. à Escola de Samba Estação Primeira de Mangueira *s2g.* 2 Membro ou admirador dessa escola de samba: *O mangueirense tem o coração verde e rosa.* [F.: (Escola de Samba Estação Primeira de) *Mangueira* + *-ense*.]
mangueirense² (man.guei.*ren*.se) *RJ s2g.* 1 Aquele ou aquela que nasceu ou vive no morro carioca da Mangueira (RJ) *a2g.* 2 Da Mangueira; típico desse morro ou de seus habitantes [F.: Do top. *Mangueira* + *-ense*.]
mangueiro¹ (man.*guei*.ro) *sf.* Grãos de milho secos e quebrados em pedaços pequeninos, us. tb. como alimento para pequenas aves [F.: *mangu(e)* + *-eiro*.]
mangueiro² (man.*guei*.ro) *SP Pop. a.* 1 Manhoso, astuto 2 Teimoso, obstinado 3 Lento, vagaroso [F.: Posv. de *mangar* + *-eiro*.]
mangue-vermelho (man.gue-ver.*me*.lho) *sm. Bras. Bot.* Árvore (*Rhizophora mangle*) da fam. das rizoforáceas, nativa de manguezais; MANGUEIRO [Pl.: *mangues-vermelhos*.]
manguezal (man.gue.*zal*) *sm. Geof.* O mesmo que mangue (3) [Pl.: *-zais*.] [F.: *mangue* + *-z-* + *-al*.]
manguinha (man.*gui*.nha.) *sf.* Manga pequena [F.: *manga¹* + *-inha*.] ▪▪ **Pôr as ~s de fora** *Bras. Fam.* Ver *Botar/pôr as manguinhas de fora*, no verbete *manga*
manguito¹ (man.*gui*.to) *sm.* 1 *Vest.* Pequena manga para resguardar ou enfeitar os punhos 2 *Ant. Vest.* Agasalho

para as mãos, feito de peles 3 *Med.* A parte inflável do esfigmomanômetro, que envolve o braço [F.: *manga*² + *-ito*.]

manguito² (man.*gui*.to) *sm. Bras.* Gesto ofensivo feito com o braço dobrado e o punho fechado; BANANA [F.: *mango*¹ + *-ito*.]

manguito³ (man.*gui*.to) *sm. Bras.* Manga¹ pequena [F.: *manga*¹ + *-ito*.]

mangusto (man.*gus*.to) *sm. Zool.* Nome comum dado aos mamíferos carnívoros do gên. *Herpestes*, da fam. dos herpestídeos, que se alimentam de ratos e de serpentes, entre outros, e que vivem na África e na Ásia [F.: Do fr. *mangouste*.]

manha (*ma*.nha) *sf.* 1 *Pop.* Choro infantil de teimosia, birra ou pirraça 2 Destreza, habilidade no agir 3 Sagacidade, astúcia: *A manha dos políticos.* 4 Artimanha, ardil: "...a manha de dizer que *sim* com a boca e *não* com o pensamento, e ir fazendo às escondidas todas as coisas..." (Cecília Meireles, *As crianças e a religião*) 5 Procedimento marcado por hábitos negativos, difíceis de se corrigir; mania, vício: *Cavalo com manhas.* 6 Segredo, defeito que torna uma coisa difícil de se explicar ou de controlar: *Esta chave tem manhas, nem todos sabem usá-la.* 7 *Cver.* Fome, apetite [F.: Do lat. vulg. *mania (consignado por Meyer-Lübke como fonte do espn. *maña* e port. *manha*), der. de *manus, us* 'mão'; ver *man(i/u)-*. Hom./Par.: *manhã* (s.f.).]

manhã (ma.*nhã*) *sf.* 1 Período entre o nascer do Sol e o meio-dia 2 A alvorada, o amanhecer 3 Madrugada, aurora: *três horas da manhã.* 4 *Fig.* Princípio, surgimento: *manhã de um novo mundo.* [F.: Do lat. vulg. **maneána*, abrev. de *hóra* (ou *dies*) **maneana* 'em hora matutina, cedo'; cp. a f. ant. *menhã*; ver *manh(ã)-*. Hom./Par.: *manha* (s.f.).] ■ **De ~** Depois do amanhecer e antes do meio-dia **De ~ cedo** 1 De madrugada 2 Pouco depois do amanhecer **Pela ~** Ver *De manhã*

manhas (*ma*.nhas) *sfpl. Antq.* Hábitos, costumes [F.: Pl. de *manha*. Ver tb. *manha*.]

manhãzinha (ma.nhã.*zi*.nha) *sf.* O princípio da manhã [F.: *manhã* + *-zinha*.] ■ **De ~** No início da manhã, bem cedo

manhoso (ma.*nho*.so) [ô] *a.* 1 *Pop.* Que faz manha (1), pirraça ou birra (criança manhosa) 2 Ardiloso, astuto 3 Que tem manhas, maus sestros: *cavalo manhoso* 4 *Fig.* Ordinário, reles [F.: *manha* + *-oso*; ver *man(i/u)-*. Hom./Par.: *manhoso* (fl. *manhosar*).]

◎ **mani-** *el. comp.* = mão: *manidestro*. [F.: Do lat. *manus, us*.]

◎ **man(i/u)-** *el. comp.* Amplamente usado, com registro em épocas diversas: *maneira, manejar, manica, manipulador, manche, manicuro, manobrar, manual, manuscrito, mantener* etc. [F.: Do lat. *manus, us*, 'mão' (parte do corpo e tb. em sentido figurado, como símbolo de força, autoridade e de instrumento de luta).]

◎ **-mania** *el. comp.* = 'loucura'; 'mania'; 'comportamento compulsivo ou impulso mórbido que constitui dado distúrbio psíquico'; 'distúrbio psíquico'; 'tendência ou inclinação para'; 'admiração ou interesse exagerados por algo'; 'paixão (por algo, pessoa ou país)': *ablutomania, abulomania, acribomania, alcoolomania, americanomania, andromania* (< gr.), *anglomania, ergomania, farmacomania, floromania, grecomania, leteomania, megalomania, melomania, narcomania, ninfomania, oneomania, piromania, sifilomania, tanatomania, toxicomania, ufomania, xenomania* [F.: Do gr. *-manía, as*, do gr. *manía, as*, 'loucura'; 'demência'. F. conexa: *-mano*¹.]

mania (ma.*ni*.a) *sf.* 1 *Psiq.* Excitação exacerbada, ger. com períodos de agitação e delírio 2 Uma das duas fases alternativas da psicose maníaco-depressiva 3 Hábito estranho (mania de perseguição); EXCENTRICIDADE; OBSESSÃO: *Cada louco com sua mania:* "...A mania das grandezas tinha seus exemplos notáveis. O mais notável era um pobre-diabo, filho de um algibebe, que narrava às paredes (porque não olhava nunca para nenhuma pessoa) toda a sua genealogia..." (Machado de Assis, *O alienista*) 4 Gosto exagerado, obsessão causada por desejo incontrolado (mania de esportes) 5 O objeto dessa obsessão (o jogo do bicho era sua mania) 6 Costume nocivo, prejudicial; vício (mania de mentir) [F.: Do gr. *manía, as* 'loucura, demência', presente em lat. tar. *mania, ae* 'enfermidade'; ver *-mania*.]

maníaco (ma.*ní*.a.co) *a.* 1 Que diz respeito a mania 2 *Psiq.* Que sofre de mania (1 a 4) 3 Obstinado, obcecado: *Maníaco por limpeza.* *sm.* 4 *Psiq.* Pessoa psicótica 5 Indivíduo que tem hábitos extravagantes ou bizarros, não raro ridículos: "Obedecer a um velho caduco, maníaco? Que Deus o guarde no céu e mim me perdoe..." (João Guimarães Rosa, "Os chapéus transeuntes" *in Estas histórias*) [F.: Do lat. *maniăcus, a, um* 'de ou relativo a mania'; ver *-mania*.]

maníaco-depressivo (ma.ní.a.co-de.pres.*si*.vo) *a.* 1 Que sofre de psicose maníaco-depressiva *sm.* 2 Indivíduo maníaco-depressivo [Pl.: *maníaco-depressivos*.]

maniatar (ma.ni:a.*tar*) *v.* O mesmo que *manietar* [▶ 1 maniatar]

maniçoba (ma.ni.*ço*.ba) *sf.* 1 *Bras. Cul.* Prato feito com as folhas da mandioca trituradas e espremidas às quais se adiciona carne suína, e se tempera com alho, sal, louro e pimenta, deixando-se longo tempo cozinhando 2 *Bot.* Árvore da fam. das euforbiáceas (*Manihot glaziovii*), nativa do Brasil, de cujo látex, de aroma desagradável, se produzia uma borracha de qualidade inferior [F.: Do tupi *mandi'sowa* 'folha da mandioca, maniva', p. ext., 'comida preparada com a folha da mandioca', formado do tupi *mandi'iwa* 'maniva ou mandioca' red. a *ma'ndi* + *'sowa* 'folha'; cp. *mandioca*; var. *maniçova*.]

manicômio (ma.ni.*cô*.mi:o) *sm.* Hospital para doentes mentais; hospício [F.: Do gr. *mania* (loucura, demência) + *komein* (tratar).]

manícula (ma.*ní*.cu.la) *sf.* 1 Instrumento em forma de mão, us. para fins variados 2 Membro anterior dos mamíferos 3 Espécie de luva de couro que protege as mãos dos sapateiros e correeiros, em suas atividades 4 *Bras.* Manivela destinada a transmitir movimento [F.: Do lat. *manicula, ae* 'mãozinha, instrumento usado com as mãos', dim. de *manus, us* 'mão'; ver *man(i/u)-*.]

manicura (ma.ni.*cu*.ra) *sf.* Ver *manicure*

manicurado (ma.ni.cu.*ra*.do) *a.* Tratado por manicure ou manicuro (diz-se de mãos e unhas): "...levantou o dedo mindinho manicurado e disse:..." (Fausto Wolff, "Jesus nasceu na Lapa" *in Jornal do Brasil*, 12.4.2004) [F.: *manicur(e/a)* + *-ado*².]

manicurar (ma.ni.cu.*rar*) *v. td.* Tratar das unhas, para lhes dar aspecto supostamente mais bonito [▶ 1 manicurar] [F.: *manicur(e)* + *-ar*.]

manicure (ma.ni.*cu*.re) *sf. Bras.* Profissional (ger. mulher) especializada no tratamento e embelezamento das unhas das mãos e dos pés [Masc.: manicuro.] [F.: Do fr. *manucure* (1877), do lat. *manus* 'mão' + *-cure* < lat. *curáre* 'cuidar de, tratar de'. Tb. *manicura*.]

manidestro (ma.ni.*des*.tro) [ê] *a.* Diz-se de quem usa preferencialmente a mão direita; DESTRO [Ant.: *canhoto, sinistro*.] [Tb. é frequente a pronúncia da sílaba tônica com o timbre aberto.] [F.: *mani-* + *destro*.]

manietado (ma.ni.e.*ta*.do) *a.* 1 Que teve as mãos atadas, amarradas; MANIATADO: *O suspeito foi manietado ao poste para que não fugisse.* 2 *Fig.* Impedido de agir ou de manifestar-se livremente; SUBJUGADO: "Aí veio o golpe de 64. (...) O presidente da República foi deposto; o Congresso manietado, os sindicatos amordaçados, e as liberdades restringidas." (Franklin Martins, "De frente e perfil", Conexão Política *in Globo.com*) [F.: Part. de *manietar*.]

manietar (ma.ni:e.*tar*) *v.* 1 Atar, prender as mãos de (alguém) [*tda.*: *O policial manietou o agressor ao portão.*] 2 *Fig.* Tolher a liberdade de; impedir de agir ou de expressar-se livremente; COIBIR; CERCEAR; SUBJUGAR [*td.*: *A censura manietou os artistas.*] [*tdr.* +a: *Queria manietar as escolhas do filho a ideias ultrapassadas.*] [▶ 1 manietar] [F.: *mani-*² + *atar*. Tb. *maniatar*.]

manifestação (ma.ni.fes.ta.*ção*) *sf.* 1 Ação ou resultado de manifestar(-se) (manifestação de ideias); EXPRESSÃO 2 Aparecimento, surgimento de alguma coisa contida ou cuja origem não estava aparente: *manifestação de uma alergia.* 3 Expressão pública de uma opinião, de um sentimento (manifestação de pesar): *Sua renúncia provocou manifestações favoráveis e contrárias.* 4 *Bras.* Ato público em que se manifesta uma opinião política: *Foram todos à manifestação.* 5 Revelação de um sentimento por meio de atitudes, do comportamento (manifestação de rancor) 6 *Bras. Rel.* Incorporação de espírito no corpo de um médium [Pl.: *-ções*.] [F.: Do lat. tard. *manifestatio, onis*.]

manifestadamente (ma.ni.fes.ta.da.*men*.te) *adv.* De modo manifesto, evidente, claro [F.: Fem. de *manifestado* + *-mente*.]

manifestado (ma.ni.fes.*ta*.do) *a.* Que se manifestou; que se tornou manifesto ou público [F.: Part. de *manifestar*.]

manifestador (ma.ni.fes.ta.*dor*) [ô] *a.sm.* O mesmo que *manifestante* [F.: Do lat. *manifestator, oris*.]

manifestante (ma.ni.fes.*tan*.te) *a2g.* 1 Que se manifesta *s2g.* 2 Pessoa que se manifesta, que se expressa, esp. política ou reivindicatoriamente; manifestador: "Quando desembocavam no Rossio, onde se encontravam centenas de manifestantes, alguém gritou Abaixo a Guerra Colonial, Independência para as Colônias." (Pepetela, *A casa*) [F.: *manifestar* + *-nte*; ver *manifest-*.]

manifestar (ma.ni.fes.*tar*) *v.* 1 Dar(-se) a conhecer; mostrar(-se) ou expressar(-se) abertamente; REVELAR(-SE) [*td.*: *O governo manifestou sua preocupação com os desabrigados; manifestar opinião/medo.*] [*tdi.* +a: *Os alunos manifestaram ao diretor o carinho pela professora.*] [*int.*: *Seu talento manifestou-se ainda na infância; O pai manifestava-se escandalosamente diante dos noivos.* Ant.: *encobrir, ocultar.*] 2 Dar sua opinião; DECLARAR-SE [*int.*: *João manifestou-se a favor da viagem.* [Ant.: *omitir*.] 3 *Rel.* Fazer-se presente (um espírito) por meio de sinais no ambiente ou em um médium [*int.*] 4 Dar ao manifesto na alfândega [*td.*] [▶ 1 manifestar] [F.: Do lat. *manifestare*. Hom./Par.: *manifesto* (fl.), *manifesto* (sm.).]

manifesto (ma.ni.*fes*.to) *sm.* 1 Que se manifestou, manifestado 2 Declaração formal de intenções ou expressão pública (ger. por escrito) de ideias políticas, estéticas etc.: "...O Diretório Acadêmico redigiu um manifesto endereçado à nação..." (Cecília Meireles, *Crônicas de educação*) 3 Declaração que se faz por escrito e que se transmite de um Estado a outro oficialmente por via diplomática 4 Inventário dos bens para fiscalização fazendária 5 Relação completa das mercadorias levadas por avião ou navio e que deve ser entregue na alfândega antes do descarregamento 6 O documento em que constam quaisquer dessas relações *a.* 7 Que se mostra evidente, patente, claro; NOTÓRIO; INDISCUTÍVEL; INEGÁVEL: *Ignorou o manifesto interesse do empresário.* [Ant.: *obscuro*.] [F.: Do lat. *manifestus* (arc. *manufestus*), *a, um* 'manifesto', 'palpável', 'evidente', 'apanhado em flagrante'; ver *manifest-*. Hom./Par.: *manifesto* (fl. *manifestar*); Ideia de 'manifesto', usar *antepos.* faner(o)- e fan(o)-; *pospos.* -fano.] ■ **Dar ao ~** 1 Declarar (carta trazida por navio, ou mercadorias expostas para venda) 2 *P.ext.* Declarar, confessar

manigância (ma.ni.*gân*.ci:a) *sf.* 1 Arte de prestidigitador; ILUSIONISMO 2 *Fig.* Manobra misteriosa para lograr incautos; ARTIMANHA: "...o segundo ato da manigância consistia em subornar (...) o engenheiro." (Aquilino Ribeiro, *Volfrâmio*) [F.: Do fr. *manigance*. Hom./Par.: *manigância(s)* (sf. [pl.]), *manigancia(s)* (fl. de *maniganciar*).]

manilha¹ (ma.*ni*.lha) *sf.* 1 Tubo de grande diâmetro ger. de concreto us. para condução de água ou esgoto 2 Argola ger. de cobre ou ferro, ouro ou prata, us. para adornar os pulsos e, entre algumas culturas, o tornozelo. Também us. como moeda, antigamente, na África: "Manilha é um bracelete de metal, geralmente de cobre ou latão, cuja circunferência não se fecha inteiramente, como se fosse um "C". Usava-se como adorno nos braços ou nos tornozelos e sobretudo, talvez já antes da chegada dos portugueses ao litoral africano, como moeda." (Alberto da Costa e Silva, *A manilha e o libambo*) 3 Argola com que os prisioneiros ficam presos pelos pulsos 4 *Mar.* Peça de metal, em forma de U, com olhais nas extremidades, por onde passa um cavirão, a qual serve para ligar os quartéis de uma amarra ou para prender outros artefatos [F.: Do espn. *manilla* 'id.', do lat. *manicŭla*, dim. de *manus, us* 'mão'; ver *man(i/u)-*.]

manilha² (ma.*ni*.lha) *Lud. sf.* 1 Nome com que se designam certas cartas de baralho em vários jogos 2 Jogo de vaza de quatro parceiros em que o sete de todos os naipes, ou a *manilha*, tem o maior valor na pontuação final [F.: Do fr. *manille*.]

manilha³ (ma.*ni*.lha) *sf.* Variedade de tabaco filipino [F.: Do top. *Manilha* (Filipinas).]

manilha⁴ (ma.*ni*.lha) *Pap. sf.* 1 Designação genérica de papéis fabricados com fibras de abacá ou cânhamo-de-manilha 2 Papel fabricado com fibra de juta, imitando o original [F.: Do top. *Manilha* (Filipinas).]

maninho (ma.*ni*.nho) *a.* 1 Estéril, infecundo: *uma cadela maninha.* 2 Muito pequeno; diminuto, pequenino 3 Que se apresenta em pouca quantidade; escasso 4 Inculto, que não está aproveitado pela agricultura: "...Terras maninhas. Adão tem fome, nesse areal maninho, onde só alvejam cardos que o vento estorce..." (Eça de Queirós, *Contos*) 5 Que não tem dono; que é de logradouro público *sm.* 6 *Fam.* O irmão menor, o mano mais novo: "...só tendo um gesto bom ao comprar mariola para o maninho, que está aborrecido porque não compreende absolutamente aquelas cenas longuíssimas de beijos e abraços." (Marques Rebelo, "Em maio" *in Contos reunidos*) 7 *Bras. Gír.* Usado como forma de tratamento equivalente a 'cara', 'meu irmão': *Qualé a tua, maninho, vai ficar nessa?*; "...Leva ela rápido para cima. E não mexe não, maninho. Os bancos são grandes instituições..." (Antonio Callado, *Bar don Juan*) [F.: Do lat. *manninus, a, um* 'não fecundo', do ibérico **manna* 'id.' Hom./Par.: fl. de *maninhar*.]

manino (ma.*ni*.no) *a.sm.* Ver *maninho*

manipanso (ma.ni.*pan*.so) *sm.* 1 Ídolo ou fetiche africano 2 *Joc.* Indivíduo muito gordo [F.: De or. africana.]

manipresto (ma.ni.*pres*.to) *a.* Ligeiro, hábil com as mãos; PRESTÍMANO [F.: *mani-* + *presto*.]

manipueira (ma.ni.pu.*ei*.ra) *sf. Bras. N. N.E. MG* Líquido venenoso que se extrai da mandioca ralada e de que se faz uma espécie de aguardente [O molho *tucupi* é feito desse líquido, depois de evaporado o veneno, ao sol ou ao fogo.] [F.: Do tupi *mandi'pwera*.]

manipuera (ma.ni.pu:*e*.ra) [ê] *Bras. sf. N. N.E.* Líquido extraído da mandioca ralada, m. que *água de goma* [F.: Do tupi *mandi'pwera*. Forma paral.: *manipueira*.]

manípula (ma.*ní*.pu.la) *sf.* 1 Peça de ferro, forrada de couro, que permite pegar no ferro de passar, evitando o calor 2 Cabo de certos objetos [F.: De *manípulo*. *Hom./Par.*: *manípula(s)* (sf.[pl.]), *manipula(s)* (fl. de *manipular*).]

manipulação (ma.ni.pu.la.*ção*) *sf.* 1 Ação ou efeito de manipular 2 Ato de tocar, segurar ou transportar com as mãos: *Manipulação de instrumentos cirúrgicos.* 3 Em espetáculos de mágica, movimentos das mãos, com os quais o prestidigitador simula o aparecimento ou desaparecimento de objetos, ou sua substituição por outros 4 *Pej.* Manobra oculta ou suspeita que visa à falsificação da realidade: *Manipulação de fatos históricos.* 5 *Pej.* Ato de influenciar uma pessoa ou uma comunidade, usando-se ger. de pressão ou chantagem, de modo a levá-los a agir contra sua vontade 6 *Farm.* Operação manual de produtos químicos; preparação de fórmulas farmacêuticas [F.: *manipular*¹ + *-ção*, por infl. do fr. *manipulation* 'ação de manipular substâncias químicas', 'ação de influenciar as pessoas', 'exercício do ilusionismo', der. do v. fr. *manipuler* 'manipular', do lat. *manipulus, i* 'manípulo, punhado'; ver *manipul-*.]

manipulado (ma.ni.pu.*la*.do) *a.* 1 Que se manipulou; que se deu forma, feição 2 Que se engendrou, forjou: *Informações manipuladas.* [F.: Part. de *manipular*.]

manipulador (ma.ni.pu.la.*dor*) [ô] *a.* 1 Diz-se daquele que manipula *sm.* 2 *Telc.* Instrumento que nos aparelhos telegráficos serve para transmitir os sinais; transmissor 3 *Fís. nu.* Na física nuclear, aparelho com o qual se manipulam substâncias radiativas sem entrar em contato com elas 4 Aquele que manipula [F.: Part. de *manipular*.]

manipular (ma.ni.pu.*lar*) *v. td.* 1 Alterar de acordo com os próprios interesses; FALSIFICAR; ADULTERAR: *manipular resultados de pesquisas.* 2 Controlar ou influenciar indevidamente, segundo os próprios interesses: *manipular pessoas/informação/a opinião pública.* 3 Fazer funcionar utilizando as mãos: *manipular botões de comandos.*

4 Trabalhar com; MANUSEAR; USAR: *manipular uma ferramenta.* 5 Preparar (medicamentos) misturando substâncias simples 6 Preparar ou tocar com as mãos: *manipular alimentos.* [▶ 1 manipular] [F.: Do lat. *manipulare*. Hom./Par.: *manipular(es)* (fl.), *manipular(es)* (a2g.sm. [pl.]); *manipuláveis* (fl.), *manipuláveis* (pl. de *manipulável*); *manipulo* (fl.), *manípulo* (sm.).]

manipulativo (ma.ni.pu.la.*ti*.vo) ***a.*** Ref. a ou que envolve manipulação; MANIPULATÓRIO [F.: *manipular* + *-tivo*.]

manipulatório (ma.ni.pu.la.*tó*.ri:o) ***a.*** O mesmo que *manipulativo* [F.: *manipular* + *-tório*.]

manipulável (ma.ni.pu.*lá*.vel) ***a2g.*** Passível de ser manipulado [Pl.: *-veis*.] [F.: *manipular*[1] + *-vel*; ver *manipul-*. Hom./Par.: *manipuláveis* (pl.), *manipuláveis* (fl. *manipular*).]

manípulo (ma.*ní*.pu.lo) ***sm.*** 1 O que a mão pode abranger formando um arco com os dedos polegar e indicador (*manípulo* de ervas); MANCHEIA; PUNHADO 2 Cabo de objeto ou de arma branca 3 *Arm.* Haste com que se abre o vão onde está a carga nas espingardas 4 *Ant. Mil.* Haste coroada de sinais simbólicos que servia de bandeira às tropas romanas 5 *Ant. Mil.* O corpo de soldados da tropa a que ela servia de bandeira [Três *manípulos* formavam uma coorte e trinta uma legião.] 6 *Litu.* Espécie de estola que os padres usam às vezes no braço esquerdo quando rezam a missa [F.: Do lat. *manipulus, i*. Hom./Par.: *manípulo* (sm.), *manipulo* (fl. de *manipular*).]

maniqueísmo (ma.ni.que.*ís*.mo) ***sm.*** 1 *Fil.* Doutrina do persa Mani ou Manes (séc. III) segundo a qual o mundo foi criado e é dominado por dois princípios antagônicos, o bem absoluto, que é representado por Deus, e o mal absoluto, representado pelo Diabo 2 Forma de julgamento ou de avaliação que reduz uma questão a dois aspectos opostos e incompatíveis [F.: *maniqueu* + *-ismo*.]

maniqueísta (ma.ni.que.*ís*.ta) ***a2g.*** 1 Relativo ao maniqueísmo ***s2g.*** 2 Partidário do maniqueísmo 3 Aquele que crê no dualismo religioso ou filosófico 4 Pessoa que só concebe o bem e o mal em termos absolutos; MANIQUEU [F.: *maniqueu* + *-ista*.]

maniqueístico (ma.ni.que.*ís*.ti.co) ***a.*** Ref. a maniqueísmo ou a maniqueísta [F.: *maniqueísta* + *-ico*[2].]

maniqueu (ma.ni.*queu*) ***a.*** O mesmo que *maniqueísta* [F.: Do fr. *manichée*, do lat. *manichaeus*.]

manirroto (ma.nir.*ro*.to) [ô] ***a.*** 1 Que gasta muito; MÃO-ABERTA; ESBANJADOR [Ant.: *avarento*.] ***sm.*** 2 Indivíduo perdulário; DISSIPADOR [F.: *man(i/u)-* + *roto*; ver *romp-*.]

manitó (ma.ni.*tó*) ***sm.*** 1 *Rel.* O deus supremo na religião dos índios algonquinos dos EUA 2 *Fig.* Personagem de grande influência [F.: Do fr. *manitou*, do algonquino *manitu*. Tb. *manitu*.]

manitol (ma.ni.*tol*) ***sm.*** *Quím.* Álcool ($C_6H_{14}O_6$) us. nas indústrias química e de alimentos, para produção de resinas, diuréticos, adoçantes e estabilizantes, e em medicina, como antioxidante [Pl.: *-tóis*.] [F.: *manit(a)* + *-ol*[2].]

manitu (ma.ni.*tu*) ***sm.*** Ver *manitó*

maniva (ma.*ni*.va) ***sf.*** *Bras. N. N.E. Bot.* O mesmo que mandioca [F.: Do tupi *mandi'iwa*.]

manivela (ma.ni.*ve*.la) ***sf.*** 1 Peça movimentada com a mão ou por outro meio, com que se aciona mecanismo ou máquina 2 Peça de máquina a que se imprime movimento de rotação com a mão; MANÍCULA [F.: Do fr. *manivelle*. Hom./Par.: *manivela* (fl. *manivelar*).]

manivelar (ma.ni.ve.*lar*) ***v.*** 1 Fazer movimentar a manivela [***int.***] 2 *Fig.* Empenhar-se em obter alguma coisa; AGENCIAR; NEGOCIAR; CAVAR [***td.***] [▶ 1 manivelar] [F.: *manivela* + *-ar*. Hom./Par.: *manivela(s)* (fl.), *manivelas* (sf.) e pl.]

manjado (man.*ja*.do) ***a.*** *Bras. Gír.* Muito conhecido; que não encerra surpresa ou interesse; BANAL: "...Toda vez que tu me encontras é pra pedir dinheiro. Já está *manjado* o teu jogo de caipira..." (Zeca Pagodinho, *Vê se me erra*) [F.: Part. de *manjar*.]

manjador (man.ja.*dor*) [ô] *Bras. Gír.* ***a.*** 1 Que manja, conhece, entende ***sm.*** 2 Aquele que manja [F.: *manjar* + *-dor*.]

manjar[1] (man.*jar*) ***sm.*** 1 Qualquer comida apetitosa 2 *Cul.* Doce feito à base de coco, leite e açúcar, ger. acompanhado de calda caramelizada e ameixas secas

manjar[2] (man.*jar*) *Bras. Gír.* ***v.*** 1 Conhecer, entender ou perceber [***td.***: *Manjou logo o truque do mágico.*] [***tr.*** *+de*: *Osvaldo manja muito de informática.*] 2 Observar como (alguém) se comporta [***td.***: *O detetive manjava os suspeitos a distância há algum tempo.*] [▶ 1 manjar] [F.: Do fr. *manger*. Hom./Par.: *manja(s)* (fl.), *manja(s)* (sf. [pl.]); *manjáveis* (fl.), *manjáveis* (pl. de *manjável*).]

manjar-branco (man.jar-*bran*.co) ***sm.*** *Cul.* Pudim feito com leite, maisena, açúcar e leite de coco, ger. servido com ameixa-preta em calda [Pl.: *manjares-brancos*.] [F.: *manjar* + *branco*.]

manjedoura (man.je.*dou*.ra) ***sf.*** Tabuleiro fixo em que, na estrebaria ou no estábulo, se põe a comida para os animais; COMEDOURO; COCHO [F.: Do it. *mangiatoia*.]

manjericão (man.je.ri.*cão*) ***sm.*** 1 *Bot.* Nome comum a várias espécies do gên. *Ocimum*, da fam. das labiadas, cujas folhas de sabor perfumado e picante são us. como tempero, como, p.ex., *Ocimum basilicum*, erva nativa das regiões tropicais da Europa, África e Ásia; ALFÁDEGA; ALFAVACA; BASILICÃO; MANJERICÃO-CHEIROSO 2 O tempero composto de folhas dessa erva 3 *Bras. PA RN* Mato rasteiro que se avista no horizonte 4 *SP* Modalidade do fandango brasileiro 5 *Açor.* Dança de roda açoriana, acompanhada de cantigas [Pl.: *-ções*.] [F.: De or. obsc.]

manjerona (man.je.*ro*.na) ***sf.*** 1 *Bot.* Arbusto de origem europeia (*Origanum majorana*) da fam. das labiadas, nativa do Mediterrâneo, de caule avermelhado, folhas ovais, flores esverdeadas e sementes avermelhadas, de cujas folhas se faz chá. É tb. espécie aromática e oleífera, us. como tônico e tempero culinário; MANJERONA-INGLESA 2 O conjunto das folhas dessa erva [F.: De or. obsc.]

manjuba (man.*ju*.ba) ***sf.*** 1 *Bras. Ict.* Denominação comum à diversas spp. de peixes teleósteos da fam. dos engraulídeos, esp. os gên. *Anchoviella* e *Anchoa*. Possuem grande valor comercial, formam grandes cardumes, realizam migrações periódicas e certas espécies sobem os rios para desovar. Sua pesca é feita de setembro a abril; ALETRIA; ARENQUE; PIPITINGA; PITITINGA 2 *Bras. MG* Cardume de peixes novos que se dirigem às cabeceiras dos rios 3 *Bras. BA SP* Comida; refeição 4 *Bras. Vulg.* O pênis [F.: De or. contrv.]

◎ **-mano**[1] ***el. comp.*** = '(aquele) que apresenta certa mania; maníaco'; '(aquele) que é dado a certo comportamento ou tendência, ger. de natureza mórbida'; '(aquele) que é apaixonado ou que tem grande interesse ou admiração por algo': *ablutômano, abulômano, acribômano, alcoolômano, americanômano, anglômano, ergômano, erotômano* (< gr.), *farmacômano, florômano, grecômano, leteômano, megalômano, melômano, narcômano, oneômano, pirômano, sifilômano, tanatômano, toxicômano, ufômano, xenômano* [F.: Do gr. *-manés, és, és*. F. conexa: *-mania*.]

◎ **-mano**[2] ***el. comp.*** = 'mão'; 'que tem mão(s)': *bímano, quadrúmano* (< lat.) [F.: Do lat. *-manus, a, um*, do lat. *manus, us*, 'mão'.]

◎ **mano-** ***el. comp.*** Antepositivo, do gr. *manós, ê, ón* 'raro, pouco compacto, pouco denso'; manômetro, manóstato

mano[1] (*ma*.no) ***sm.*** 1 *Bras. Fam.* Irmão: "...Meu irmão, que é um santo homem, me dizia. — Consola-te *mano*; tudo tem compensação..." (Joaquim Manuel de Macedo, *A luneta mágica*) 2 *Fam.* Amigo, camarada, colega: *Saíam sempre juntos, muito manos.* 3 *Fam.* Tratamento de cunhado ou de cunhada para cunhado 4 *SP Gír.* Forma de tratamento na intimidade, corresponde a *cara, camarada, irmão* etc. ***a.*** 5 Muito amigo, íntimo 6 Muito unido, inseparável [F.: Do lat. *germanus*.]

mano[2] (*ma*.no) ***sf.*** *Antg.* Mão [F.: Do lat. *manu*.] ■ **De ~ a ~** 1 Ver *Mano a mano* (1) 2 Sem vantagem, sem *handicap* (em jogo) **Ficar a ~** *RS* Estar ou ficar sem vantagem ou *handicap* (em rodada ou parada de jogo) **~ a ~** 1 Com intimidade, amigavelmente: *Partilharam, mano a mano, suas experiências.* 2 Em condição de equilíbrio, de igual para igual, pau a pau: *Disputaram a liderança, mano a mano, até a linha de chegada.* 3 De um para um, um contra um: *Disputaram a bola mano a mano, o atacante e o zagueiro.*

manobra (ma.*no*.bra) ***sf.*** 1 Ação ou resultado de manobrar 2 Conjunto de movimentos físicos para atingir determinado fim 3 Atitudes ou ações realizadas para se alcançar determinado objetivo 4 *Fig.* Artimanha, astúcia: *Precisou fazer muitas manobras para conseguir enganá-lo*: "...de obter alguma coisa que ela, sem essa *manobra*, considerava impossível?" (João Ubaldo Ribeiro, *Diário do farol*) 5 *P.us.* Atividade motora engenhosa ou habilidosa: *Este artista emprega muitas manobras para executar seus quadros.* 6 *Mil.* Movimento de tropas em campanha 7 Série de movimentos executados pelo motorista para posicionar adequadamente um veículo 8 *Mar.* Operação com uma embarcação para determinado fim 9 *Fer.* Movimento de locomotivas, nas estações ferroviárias, para organizar os trens nas linhas convenientes 10 *Teat.* O conjunto das cordas, roldanas e alavancas destinadas à sustentação e à movimentação dos cenários 11 *Teat.* O ato de movimentar esse conjunto [F.: Do lat. *manus* (mão) + *opera* (obra). Hom./Par.: *manobra* (fl. *manobrar*).]

manobrabilidade (ma.no.bra.bi.li.*da*.de) ***sf.*** 1 Qualidade do que é manobrável 2 *Aer.* Capacidade de uma formação aérea para modificar sua direção, altura ou velocidade, sem prejuízo das funções táticas [F.: *manobrável* + *-(i)dade*, seg. o mod. erudito.]

manobrar (ma.no.*brar*) ***v.*** 1 Comandar os movimentos ou o funcionamento de (mecanismo, aparelho, veículo etc.), para realizar uma tarefa ou situá-los em uma posição [***td.***: *manobrar um carro/um skate/uma máquina.*] 2 Executar movimentos; deslocar-se obedecendo a manobras ou comandos de qualquer tipo [***int.***: *O barco manobrou à direita e afastou-se.*] 3 *Fig.* Ter domínio sobre (pessoa ou grupo) e influenciar suas atitudes; MANIPULAR [***td.***: *manobrar os sindicatos/as massas/uma assembleia.*] 4 Manipular a vontade, o pensamento de (alguém ou um grupo) [***td.***: *Com seu discurso convincente conseguiu manobrar a multidão de manifestantes.*] 5 Usar de artifícios, de astúcia para obter o que se deseja [***int.***: *É um preguiçoso, mas manobra de modo a parecer diligente.*] 6 Governar, dirigir [***td.***: *Por insegurança deixava que manobrassem sua vida.*] 7 *Mil.* Comandar ou executar um movimento de ataque ou defesa [***tda.***: *O general manobrou suas tropas para o norte.*] [***int.***: *A tropa manobrou para disparar os mísseis.*] 8 Executar evoluções militares ou náuticas [***int.***: *A brigada manobrou perfeitamente.*] 9 *Mar.* Dar movimento a (navio) por meio do leme e das velas [***td.***] [▶ 1 manobrar] [F.: Do fr. *manouvrer*. Hom./Par.: *manobra(s)* (fl.), *manobra(s)* (sf. [pl.]); *manobráveis* (fl.), *manobráveis* (pl. de *manobrável*).]

manobrável (ma.no.*brá*.vel) ***a2g.*** Que se pode manobrar [Pl.: *-veis*.] [F.: *manobrar* + *-vel*. Hom./Par.: *manobráveis* (pl.), *manobráveis* (fl. de *manobrar*).]

manobreiro (ma.no.*brei*.ro) ***sm.*** 1 Indivíduo que tem a incumbência de realizar manobras 2 *Bras.* Pessoa que manobra veículos em estacionamento ou garagem; MANOBRISTA 3 *Bras. Fer.* Pessoa incumbida das manobras nas linhas férreas 4 *Ant. Mar.* Livro sobre manobras náuticas ***a.*** 5 *Mar.* Diz-se de barco, ger. veleiro, que se manobra com facilidade [F.: *manobra* + *-eiro*; ver *manobr-*.]

manobrista (ma.no.*bris*.ta) ***s2g.*** 1 Pessoa encarregada de manobrar veículos para acomodá-los em vagas 2 Profissional experiente em manobras de embarcações [F.: *manobra* + *-ista*. Sin. ger.: *manobreiro*.]

manômetro (ma.*nô*.me.tro) ***sm.*** *Fís.* Instrumento para medir a pressão de fluidos [F.: Do fr. *manomètre*.]

manopla (ma.*no*.pla) ***sf.*** 1 Luva de ferro que, us. pelos antigos gladiadores, passou depois a fazer parte da armadura de guerra 2 Açoite comprido us. por cocheiros 3 *Pop.* Mão muito grande, forte e disforme 4 *Fig.* Governo que exerce tirania, opressão [F.: Do espn. *manopla*, posv. do lat. vulg. *manupulus*.]

manossolfa (ma.nos.*sol*.fa) ***sf.*** *Mús.* Sistema de sinais pelos quais se transmite uma melodia representada pela posição dos dedos e das mãos [F.: *mano*, f. arc. de *mão*, + *solfa*[1].]

manotaço (ma.no.*ta*.ço) ***sm.*** 1 *Bras. RS Hip.* Pancada aplicada por cavalo com as patas dianteiras para a frente ou para o lado quando se sente perseguido ou ameaçado; MANOTEIO: "E deixa o velhaco berrando/Dando coice e *manotaço*." (João Luiz Corrêa/João Sampaio/Silvestre Araújo, *Vida baguala*) 2 *Fig.* Golpe desferido com a mão por uma pessoa; BOFETADA 3 *Fig.* Ato de desconsideração, desrespeito, menosprezo: "Todo dia é sempre o serviço é o mesmo/ e a esperança escora./ *Manotaço* da vida/ que de tão gaviona precisa de espora." (Alcides de Souza/Gilmar Rotta, *Vida gaviona*) [F.: Do espn. plat. *manotazo*.]

manqueira (man.*quei*.ra) ***sf.*** 1 Condição de ser manco 2 Ato de manquejar 3 *Fig.* Defeito habitual; VÍCIO 4 *Bras. Vet.* Epizootia de bovinos, cavalos e muares, que os faz mancar 5 *BA MG* Dança de andamento vagaroso na qual o passo é marcado por acentuação do segundo tempo [F.: *manco* + *-eira*.]

manquejante (man.que.*jan*.te) ***a2g.*** Que manqueja, claudica [F.: *manquejar* + *-nte*.]

manquejar (man.que.*jar*) ***v.*** 1 Andar manco; COXEAR; MANCAR [***int.***: *Passado um ano do acidente, Pedro ainda manqueja.*] 2 *Fig.* Cometer ou apresentar erro, falha; ERRAR; FALHAR [***tr.*** *+em*: *manquejar na resposta.*] [***int.***: *A explicação dela manqueja.*] 3 *Fig.* Ficar atrás (embarcação), não acompanhar a velocidade de outras embarcações [***int.***] [▶ 1 manquejar] [F.: *manco* + *-ejar*. Ideia de 'manquejar': *claudic(o)-* (claudicar).]

manquitolante (man.qui.to.*lan*.te) *Bras. Pop.* ***a2g.*** 1 Que manca, coxeia: *um andar manquitolante.* 2 *Fig.* Que não tem firmeza, inseguro; CLAUDICANTE: *Tinha um discurso manquitolante que não transmitia confiança aos eleitores.* [F.: *manquitolar* + *-nte*.]

manquitolar (man.qui.to.*lar*) ***v. int.*** *Bras. Pop.* Andar mancando; COXEAR [▶ 1 manquitolar] [F.: *manquitola* + *-ar*[2]. Hom./Par.: *manquitola(s)* (fl.), *manquitola(s)* (a2g. s2g. [pl.]).]

mansão (man.*são*) ***sf.*** 1 Moradia grande e luxuosa 2 Qualquer moradia; CASA; DOMICÍLIO 3 *Teat.* No teatro medieval e renascentista, cada um dos cenários construídos em palco longitudinal, nos quais se desenrolavam as ações teatrais 4 *Astrol.* Cada uma das casas do Zodíaco [Pl.: *-sões*.] [F.: Do lat. *mansio, onis*.]

mansarda (man.*sar*.da) ***sf.*** 1 *Arq.* Telhado composto de duas inclinações, sendo a superior quase horizontal e a inferior quase vertical 2 O último andar de uma construção com esse tipo de telhado 3 Moradia miserável [F.: Do fr. *mansarde*.]

mansidão (man.si.*dão*) ***sf.*** 1 Qualidade ou condição do que ou de quem é manso 2 Temperamento brando, suave, pacífico: *a mansidão do meu avô.* 3 Ausência de agitação, de inquietação; CALMA; SERENIDADE: *Amava a mansidão das águas da lagoa.* [Pl.: *-dões*.] [F.: *manso* + *-idão*. Sin. ger.: *mansuetude*.]

mansinho (man.*si*.nho) ***a.*** 1 Que é extremamente manso, ou que revela muita mansidão (menino *mansinho*) ***adv.*** 2 O mesmo que *de manso* [F.: *manso* + *-inho*.] ■ **De ~** 1 De maneira mansa, suave, tranquila 2 De forma sorrateira, insidiosa

manso (*man*.so) ***a.*** 1 Que tem brandura, suavidade (mar *manso*; vento *manso*) 2 Que é calmo, tranquilo (sono *manso*) [Ant.: *agitado*.] 3 Que se caracteriza pela meiguice, pela delicadeza (gesto *manso*) [Ant.: *rude*.] 4 Que se revela pacífico, afável, bondoso (pessoa *mansa*) [Ant.: *bravo, feroz*.] 5 Que foi domado, domesticado (cavalo *manso*) 6 Que se movimenta com lentidão, de maneira serena (riacho *manso*) [Superl.: *mansíssimo, mansuetíssimo*.] ***sm.*** 7 *Bras.* Parte do rio em que as águas se movimentam com muita lentidão, dando a impressão de imobilidade 8 *AM PA* Indivíduo acostumado à vida nos seringais ***adv.*** 9 O mesmo que *de manso* [F.: Do lat. vulg. *mansus, a, um*, do lat. *mansuetudo, inis*, 'mansidão'.] ■ **~ de baixo** *Hip.* Dócil ao comando do cabresto, mas que não se deixa montar (diz-se de cavalgadura) **~ de em pelo** *S. Hip.* Dócil ao ser montado sem sela e sem arreios (diz-se de cavalgadura) **~ e ~** Ver *De manso* (1) **De ~** 1 Devagar, aos poucos, suavemente; de mansinho 2 Sorrateiramente, insidiosamente, de mansinho **No ~** *Pop.* Ver *De manso* (1)

mansueto (man.su:*e*.to) [ê] ***a.*** Que demonstra ou revela brandura, mansidão, serenidade; que é manso, brando, sereno: "Sou o monge mais mansueto e mais pacífico de vosso mosteiro; não molesto nem estorvo nunca a ninguém..." (Gianfrancesco Straparola, *Dom Pompório*) [F.: Do lat. *mansuetus, a, um.*]

mansuetude (man.su:e.*tu*.de) *sf. P.us.* O mesmo que *mansidão* [F.: Do lat. *mansuetudo, inis*, por via semierudita.]

manta (*man*.ta) *sf.* **1** Cobertor de cama **2** Espécie de cobertor que serve para agasalhar **3** Xale feminino que cobre o colo e os ombros **4** Faixa masculina que se usa em torno do pescoço **5** Pano de tecido grosso, ger. lã, que se assenta sobre a sela de montaria **6** *Bras.* Acúmulo de detritos vegetais no solo de uma floresta; RAPÃO; SARAPUEIRA **7** *Bras. Pop.* Manobra que engana, ilude; LOGRO **8** *Bras.* Perda, prejuízo: *Levou uma manta de quase um milhão.* **9** *Agr.* Rego cavado na terra para a plantação de bacelos **10** *Bras.* Tira larga de carne ou de peixe que se expõe ao sol **11** *S.* Pedaço de carne de rês, das costelas ou do peito **12** Cardume, bando: *Avistou uma manta de peixes.* [F.: Do lat. medv. *manta, ae* (de *mantum, i*), posv.] ■ **Enrolar a ~ e levantar a cesta** *Lus.* Partir, ir-se embora **~ de toucinho** Camada de toucinho da metade longitudinal do animal **Pintar a ~** Fazer travessuras, sair do sério, deitar e rolar, pintar o sete **Tomar uma ~** *SP Pop.* Ser enganado ao comprar ou trocar, levando algo de qualidade inferior à que foi anunciada

◎**-mante** *el. comp.* = '(aquele ou aquela) que adivinha, que faz predições (por meio específico)'; 'profeta ou profetisa': *actinomante, aeromante, aleuromante* (< gr.), *astromante* (< gr.), *bibliomante, cartomante, clidomante, cristalomante, enomante, hidromante* (< lat. < gr.), *lecanomante* (< gr.), *necromante* (< gr.), *oniromante* (< gr.), *piromante, quiromante* (< gr.), *rabdomante, sicomante, teomante* (< gr.), *tiromante* (< gr.), *xilomante* [F.: Do gr. *-mantis, eos.*]

manteiga (man.*tei*.ga) *sf.* **1** Substância amarelada, gordurosa e alimentícia que se extrai da nata do leite **2** Substância gordurosa de certos vegetais (manteiga de cacau) **3** Qualquer óleo de origem animal **4** Variedade de feijão de grãos de cor mais ou menos marrom **5** *Fig. Pop.* Pessoa muito melindrosa, que se queixa demais ou chora à toa **6** *Pop.* Adulação, bajulação **7** *Bras. Gír.* Vantagem ou lambujem oferecida por um competidor **8** *Agr.* Variedade de manga **9** *Agr.* Variedade de couve [F.: De or. pré-romana, posv. Ideia de 'manteiga': *butir(o)- (butírico).*] ■ **~ de açaí** *Bras.* Massa oleosa, resíduo que se deposita na água quando se escaldam e trituram os cocos do açaí, e da qual se faz refresco **~ de cacau** *Bras.* Substância sólida, pastosa, obtida das sementes espremidas do cacaueiro, de uso em farmácia e em confeitaria **~ derretida** *Fig.* Pessoa sensível, que se emociona, se ofende, se comove facilmente **~ em focinho de cachorro** *N.E. Pop.* Ver *Manteiga em venta de gato* **~ em focinho de gato** *N.E. Pop.* Ver *Manteiga em venta de gato* **~ em venta de gato** *N.E. Pop.* Coisa efêmera, que pouco dura; manteiga em focinho de gato, manteiga em focinho de cachorro **~ vegetal** Manteiga feita de óleo de coco-babaçu **Passar ~ em focinho de cachorro** *N.E. Pop.* Ver *Passar manteiga em venta de gato* **Passar ~ em focinho de gato** *N.E. Pop.* Ver *Passar manteiga em venta de gato* **Passar ~ em venta de gato** **1** *Bras. N.E. Pop.* Dar conselhos ou ajuda a quem não dá valor a isso, ou a pessoa mal-agradecida **2** Perder tempo fazendo algo em vão [Nas duas acps.: passar manteiga em focinho de gato; passar manteiga em focinho de cachorro.]

manteigueira (man.tei.*guei*.ra) *sf.* Recipiente para guardar manteiga em uso [F.: *manteiga* + *-eira.*]

mantel (man.*tel*) *sm.* **1** Toalha de mesa ou do altar **2** *Litu.* No catolicismo, o mesmo que *mantéu* (1) **3** *Ant.* Toalhas, guardanapos, roupas de mesa [Nesta acp., us. no pl.: *mantéis.*] [F.: Do lat. *mantele* ou *mantilis, is.*]

mantelete (man.te.*le*.te) [ê] *sm.* **1** *Ecles.* No catolicismo, vestimenta que os bispos e outros prelados trazem por cima do roquete **2** *Vest.* Capa curta de pano, seda ou veludo, de diversos feitios, que as mulheres usam por cima do vestido para se preservar do frio, ou como complemento do vestuário: "A viúva conchegou para o colo as pontas do seu mantelete de seda preta." (Aluísio Azevedo, *Girândola*) **3** *Ant. Mil.* Escudo de madeira, de grandes proporções, transportado sobre plataforma com rodas, que protegia os soldados quando atacavam uma fortaleza, cercavam uma praça ou eram atacados por exército inimigo **4** Capa curta e larga com que os cavaleiros cobriam os escudos e capacetes [F.: Do fr. *mantelet.*]

mantena¹ (man.*te*.na) *Bras. a2g.* **1** *GO* Muito bom, ótimo **2** *TO* Forte, intenso [F.: De or. obsc.]

mantena² (man.*te*.na) *Bras. SP s2g.* Pessoa que representa o papel do rei dos cristãos e dos mouros, nas cavalhadas da cidade de Franca [F.: Posv. regress. de *mantenedor.*]

mantença (man.*ten*.ça) *sf.* **1** Aquilo que é necessário para subsistência de alguém; ALIMENTO, SUSTENTO: *Recebeu o necessário para sua mantença.* **2** Despesa que se faz com a conservação de algo: *É custosa a mantença de suas propriedades.* **3** *Fig.* Conservação de algo em bom estado: *Deve-se lutar pela mantença do meio ambiente.* [F.: *manter* + *-ença.*]

mantenedor (man.te.ne.*dor*) [ô] *a.* **1** Que mantém ou protege; DEFENSOR: *cidadão mantenedor da ordem.* **2** Diz-se de pessoa ou instituição que sustenta algo ou alguém **3** *Antq.* Diz-se do cavaleiro principal em torneios de justa *sm.* **4** Aquele que protege ou defende **5** Pessoa ou instituição que sustenta algo ou alguém [F.: Do espn. *mantenedor*, posv.]

manter (man.*ter*) *v.* **1** Conservar (algo, alguém ou a si mesmo) em certo estado ou condição; PRESERVAR [*td.*: *O professor manteve a calma; Precisavam manter a ordem; Mantive os melhores funcionários.*] [*tdp.*: *Experiente, soube mantê-la excitada, mas serena.*] **2** Dar ou fornecer a alguém ou a si mesmo alimento e condições necessárias para viver; SUSTENTAR(-SE) [*td.*: *Os pais esforçam-se para manter os filhos; Embora muito jovem, já se mantém.*] **3** Sustentar, reafirmar (o já dito) [*td.*: *Mantenho a minha palavra.*] [Ant.: *descumprir, desrespeitar.*] **4** Conservar(-se) em bom estado; ZELAR; CUIDAR(-SE) [*td.*: *Não manteve o patrimônio familiar; Maria soube como manter-se.*] **5** Resistir com êxito [*int.*: *A praça manteve-se, apesar do cerco que lhe foi imposto.*] **6** Conservar (algo, alguém ou a si mesmo) em certa localização; fazer permanecer [*tda.*: *Os vícios mantiveram-na em Brasília.*] **7** Sobreviver ou fazer sobreviver [*td.*: *Só o amor e o sexo os mantinham; Mantinha-se à custa de aparelhos.*] **8** Servir de apoio, de alicerce; sustentar peso de; SUPORTAR; ALICERÇAR; AGUENTAR [*td.*: *Aquelas sete colunas mantêm a varanda.*] [▶ 7 manter NOTA: Acento agudo no *e* da 2ª e da 3ª pess. do sing. do pres. do ind. e da 2ª pess. do sing. do imper. afirm.] [F.: Do lat. **manutenere.* Hom./Par.: *mantém* (fl.), *mantém* (sm.); *mantemos* (fl.), *mantemos* (fl. de *manter*); *manter* e *mantar* (em algumas fl.).]

mantéu (man.*téu*) *sm.* **1** Capa com colarinho estreito, us. por frades por cima das túnicas **2** *Lus. P.ext.* Capa, manta **3** Colarinho largo, em forma de canudo ou com abas pendentes sobre o peito **4** Saia lisa, sem pregas, us. ger. por camponesas [F.: Var. de *mantel.*]

manteúdo (man.te.*ú*.do) *a.* **1** Que tem suas despesas pagas por alguém que o sustenta; MANTIDO; SUSTENTADO: *amante teúda e manteúda.* **2** *Bras.* Diz-se de animal forte que conserva por muito tempo sua robustez *sm.* **3** *Lus. Agr.* Casta de uva-branca do Algarve [F.: Do lat. vulg. **manutenutu* (part. pass. do lat. *manutenere* > port. *manter*).]

mântica¹ (*mân*.ti.ca) *sf.* Saco pequeno; SACOLA [F.: Do lat. *mantica, ae.*]

mântica² (*mân*.ti.ca) *sf. Oct.* Arte da divinação, da profecia, do vaticínio [F.: Fem. substv. de *mântico.*]

mântico (*mân*.ti.co) *a.* **1** De, ou ref. a adivinhação, a profecia, ou dela próprio **2** Usado em ou próprio para arte divinatória (baralho mântico) [F.: Do gr. *mantikós, é, ón.*]

mantido (man.*ti*.do) *a.* **1** Que se mantém **2** Que se mantém vivo, conservado: *São costumes mantidos pela família.* **3** Que é sustentado por alguém: *É mantido pelo pai.* [F.: Part. de *manter.*]

mantilha (man.*ti*.lha) *sf.* **1** Echarpe larga e comprida que integra o traje nacional das espanholas, cobrindo a cabeça e os ombros de quem a veste **2** Véu feminino, semelhante a essa echarpe, com que as mulheres cobrem a cabeça, na igreja **3** Manta com que as mulheres cobrem a cabeça e parte do corpo [F.: Do espn. *mantilla*, posv. Hom./Par.: *mantilha* (sf.), *matilha* (sf.).]

mantimento (man.ti.*men*.to) *sm.* **1** Ação de manter(-se), conservar(-se): *A alimentação saudável é fundamental para o mantimento físico e mental.* **2** Aquilo que é necessário para a alimentação de alguém; ALIMENTO: *Estocava mantimentos para se precaver de alguma dificuldade financeira.* [Nesta acp., mais us. no pl.] **3** O que se gasta com a conservação de alguma coisa; CUSTEIO; MANUTENÇÃO: *É altíssimo o mantimento da fazenda.* **4** *Fig.* Sustento espiritual: *Tinha elevado mantimento em vê-la feliz.* [F.: Do arc. *manteimento* < *manteemento* < port. arc. *manter* (< lat. vulg. *manutenere*) + *-mento.*]

mantimentos (man.ti.*men*.tos) *smpl.* Gêneros alimentícios; VÍVERES [F.: Pl. de *mantimento.*]

mantissa (man.*tis*.sa) *sf. Mat.* A parte decimal de um logaritmo [F.: Do lat. *mantissa, ae.*]

manto (*man*.to) *sm.* **1** Capa sem manga, sustentada pelos ombros e com grande cauda, us. por soberanos, príncipes etc. em ocasiões solenes **2** Agasalho largo sem mangas que cobre a cabeça e parte do corpo **3** Vestimenta de freiras **4** *Fig.* Qualquer coisa que se estende longamente, lembrando um manto: *As ondas formavam um manto de espuma na beira da praia.* **5** *Fig.* Aquilo que encobre alguma coisa; DISFARCE; VÉU: *Sob um manto de cinismo havia um bom coração.* **6** Ausência de luz; ESCURIDÃO; TREVAS: *Passeava absorto sob o manto da noite.* **7** *Geol.* O mesmo que *manto terrestre* **8** *Zool.* Nos moluscos, membrana que se situa entre o corpo do animal e a concha **9** *Zool.* Pelagem de cor diferente que recobre parte do corpo de certos animais [F.: Do lat. ibérico *mantus* (lat. tard. *mantum, i*). Hom./Par.: *manto* (sm.), *manto* (fl. de *mantar*).] ■ **~ da terra** *Geol.* Camada superior de material decomposto (terra), us. em agricultura **~ de decomposição** *Geol.* Ver *Manto de intemperismo* **~ de intemperismo** *Geol.* Material ainda não consolidado que recobre a rocha fresca, de formação local (residual) ou para lá trazido (transportado), em camada desde alguns centímetros a dezenas de metros de espessura; manto de decomposição **~ inferior** *Geol.* Parte do manto terrestre abaixo de 1.000 km de profundidade **~ superior** *Geol.* Parte do manto terrestre acima dos 1.000 km de profundidade **~ terrestre** *Geol.* Camada do globo terrestre entre a litosfera e o núcleo. Divide-se em manto inferior e manto superior [Tb. apenas *manto.*]

mantô (man.*tô*) *sm.* Vestimenta ampla, presa aos ombros, semelhante ao manto e us. pelas mulheres [F.: Do fr. *manteau.*]

mantra (*man*.tra) *sm.* **1** *Rel.* Fórmula mística e ritual recitada ou cantada repetidamente pelos fiéis de certas correntes budistas e hinduístas **2** *Fil.* No tantrismo, fórmula que supostamente materializa a divindade invocada [F.: Do sânsc. *mantra.*]

mântrico (*mân*.tri.co) *a.* **1** Do, ref. ao mantra, ou dele próprio (canto mântrico, poesia mântrica; circuito mântrico) **2** Com características de, ou que soa como, ou que reproduz o efeito de um mantra (violão mântrico) [F.: *mantra* + *-ico²*.]

mantuano (man.tu:*a*.no) *sm.* **1** Indivíduo nascido ou que vive em Mântua (Itália) *a.* **2** De Mântua; típico dessa cidade ou de seu povo [F.: Do top. *Mântua* + *-ano¹*.]

◎**manu-** *el. comp.* Ver *mani-*

manual¹ (ma.nu:*al*) *a2g.* **1** Ref. a mão: *Tinha uma habilidade manual muito grande.* **2** Que foi feito com as mãos (trabalho manual) **3** Que é manobrado ou manipulado com as mãos (aparelho manual) **4** Que se pode mover com as mãos; PORTÁTIL [Pl.: *-ais.*] *sm.* **5** *Fut.* Arremesso da bola, feito com as mãos, a partir da lateral do campo: *O jogador cobrou o manual.* **6** *Mús.* Teclado de órgão [Pl.: *-ais.*] [F.: Do adj. lat. *manualis, e.*]

manual² (ma.nu.*al*) *sm.* **1** Livro, ger. pequeno e portátil, que contém as noções essenciais de uma matéria: *manual de eletrônica; manual de culinária.* **2** Impresso (livreto, fôlder etc.) que explica a operação e o funcionamento de determinados produtos: *manual de instalação de um aparelho de som* **3** Livro de rezas; BREVIÁRIO [Pl.: *-ais.*] [F.: Do lat. *manuale, is.*]

manúbrio (ma.*nú*.bri:o) *sm.* **1** *Anat.* Parte superior do esterno **2** *Anat. Zool.* Projeção tubular do corpo das medusas em cuja extremidade está situada a boca **3** *Ant.* Cabo de qualquer instrumento [F.: Do lat. *manubrium, ii.*]

manuê (ma.nu.*ê*) *sm. Bras. Cul.* Espécie de bolo de fubá de milho com leite de coco, melado e outros ingredientes: "... que eu andava de bondinho/ vendendo manuê, derresol e pirulito." (Zé Bedeu, *Meus bondinhos*) [F.: Posv. de or. afric., mas de étimo incerto. Tb. *manauê.*]

manuelino (ma.nu:e.*li*.no) *a.* **1** Ref. ou pertencente ao rei de Portugal, d. Manuel I (1469-1521), ou à sua época **2** Diz-se de um estilo arquitetônico, peculiar a Portugal, e que é uma combinação do gótico florido com motivos da Renascença, sob influência dos descobrimentos marítimos: *O Mosteiro dos Jerônimos, em Portugal, foi construído no estilo manuelino.* [Tem muitas semelhanças com o *plateresco*, da Espanha.] *sm.* **3** O estilo manuelino [F.: Do antr. d. *Manuel I* + *-ino¹*.]

manufator (ma.nu.fa.*tor*) [ô] *a.* **1** Que diz respeito a manufatura (indústria manufatora); MANUFATUREIRO *sm.* **2** *Ind.* Aquele que manufatura, que fabrica; MANUFATURADOR **3** Aquele que é dono de indústria manufatureira; FABRICANTE [F.: *manu-* + lat. *factor, oris*, 'o que faz'.]

manufatura (ma.nu.fa.*tu*.ra) *sf.* **1** Ação ou resultado de manufaturar **2** Trabalho manual ou feito em máquina caseira **3** O produto que se obtém a partir desse trabalho: *Comprou uma manufatura caseira.* **4** Estabelecimento industrial; fábrica **5** Fabricação de produtos utilizando os recursos técnicos desse estabelecimento; INDÚSTRIA **6** O produto fabricado por esse estabelecimento; ARTEFATO [F.: Do lat. medv. *manufactura*, do v.lat. *manufacere.*]

manufaturado (ma.nu.fa.tu.*ra*.do) *a.* **1** Que resulta de trabalho manual ou mecânico (produto manufaturado) *sm.* **2** O produto desse trabalho: *Comprou vários manufaturados.* [F.: Part. de *manufaturar.*]

manufaturar (ma.nu.fa.tu.*rar*) *v.* **1** Fazer à mão [*int.*] **2** Produzir industrialmente [*td.*: *manufaturar bens de consumo/aparelhos*] [▶ 1 manufaturar] [F.: *manufatura* + *-ar²*. Hom./Par.: *manufatura(s)* (fl.), *manufatura(s)* (sf. [pl.]); *manufaturáveis* (fl.), *manufaturáveis* (pl. de *manufaturável*).]

manufaturável (ma.nu.fa.tu.*rá*.vel) *a2g.* Que pode ser manufaturado [Pl.: *-veis.*] [F.: *manufaturar* + *-vel*. Hom./Par.: *manufaturáveis* (pl.), *manufaturáveis* (fl. de *manufaturar*).]

manufatureiro (ma.nu.fa.tu.*rei*.ro) *a.* Ref. a manufatura [F.: *manufatura* + *-eiro.*]

⊕ **manu militari** (*Lat. /manu militari/*) *loc.adv.* **1** Por ação militar; com o auxílio das forças armadas ou militares: *A ocupação manu militari estendeu-se a todo o país.* **2** *P.ext.* Com rigor, pela força; COERCITIVAMENTE: *O Estado interveio manu militari para impor sua autoridade.*

manumissão (ma.nu.mis.*são*) *sf.* Liberdade que o senhor dá ao escravo; ALFORRIA: "Todavia o fato da manumissão, sem motivos plausíveis, mormente nesta época, deixara entrever, porventura, alguma coisa de verdadeiro no boato espalhado pelos negros da fazenda." (Apolinário Porto-Alegre, *O vaqueano*) [F.: Do lat. *manumissio, onis.*]

manumitir (ma.nu.mi.*tir*) *v. td.* Conferir manumissão, alforria a; ALFORRIAR; LIBERTAR [▶ 3 manumitir] [F.: Do lat. *manumittere.*]

manuscrever (ma.nus.cre.*ver*) *v. td.* Escrever à mão: *manuscrever uma carta.* [▶ 2 manuscrever] [F.: *manu-* + *escrever.*]

manuscrito (ma.nus.*cri*.to) *a.* **1** Que foi escrito à mão (letra manuscrita) **2** *Tip.* Diz-se de letra de imprensa que imita a escrita manual *sm.* **3** Obra escrita à mão: *Consultou um antigo manuscrito.* **4** *Tip.* Letra de imprensa que imita a letra manuscrita [F.: Da loc. lat. *manu scriptus*, 'escrito à mão'.]

manuscritura (ma.nus.cri.*tu*.ra) *sf.* Arte de escrever manualmente; escrita manual: "A gente pediu para ele escrever um texto para o convite e ele acabou fazendo um trabalho caligráfico, uma apresentação em manuscritura." (Arnaldo Antunes, *Entrevista a Heitor Ferraz, Revista CULT*) [F.: *manu-* + *escritura.*]

manuseado (ma.nu.se.*a*.do) *a.* Que se manuseou ou manejou [F.: Part. de *manusear*. Hom./Par.: *manuseado* (a.), *manoseado* (a.).]

manuseador (ma.nu.se:a.*dor*) [ô] *a.* **1** Que pega, mexe ou movimenta com as mãos (agente manuseador) *sm.* **2** Aquele que manuseia ou agita com as mãos (manuseador de alimentos); MANIPULADOR **3** *Fig.* O que trata, processa alguma coisa, ou nela interfere (manuseador de texto; manuseador de sentimentos) [F.: *manusear* + *-dor*.]

manusear (ma.nu.se.*ar*) *v. td.* **1** Pegar ou mexer em (algo) com as mãos: *Como manusear e armazenar telhas.* **2** Trabalhar com; MANIPULAR; USAR: *manusear um equipamento.* **3** Ler sem atenção as folhas de; FOLHEAR **4** Amarrotar, enxovalhar [▶ 13 manusear] [F.: *manus*, 'mão', + *-ear*[2]. Hom./Par.: *manuseio* (fl.), *manuseio* (sm.); *manuseáveis* (fl.), *manuseáveis* (pl. de *manuseável*); *manusear*, *manosear* (em todas as fl.).]

manuseável (ma.nu.se.*á*.vel) *a2g.* Que se pode manusear [Pl.: *-veis*.] [F.: *manusear* + *-vel*. Hom./Par.: *manuseáveis* (pl.), *manuseáveis* (fl. de *manusear*).]

manuseio (ma.nu.*sei*.o) *sm.* **1** Ação ou resultado de manusear; MANUSEAMENTO **2** Manipulação de algo por meio das mãos **3** Olhada rápida em livro, revista etc., usando as mãos para passar as páginas [F.: Dev. de *manusear*. Hom./Par.: *manuseio* (sm.), *manuseio* (fl. de *manusear*).]

manutenção (ma.nu.ten.*ção*) *sf.* **1** Ação ou resultado de manter(-se) **2** Medida ou conjunto de medidas regulares e de ordem técnica para manter algo em bom estado de funcionamento e de conservação: *Preocupava-se com a manutenção de seu carro.* **3** Aquilo que dá apoio, sustento: *A estacas fincadas faziam a manutenção da árvore.* **4** Despesas de subsistência (de uma pessoa, família etc.): *O avô rico representava a manutenção da família.* **5** Conjunto de cuidados periódicos para manter alguém em bom estado de saúde **6** *Jur.* Ato judicial que determina que permaneça em poder de indivíduo aquilo que lhe pertence ou cabe por direito [Pl.: *-ções*.] [F.: Do lat. medv. *manutentio, onis*.]

manutenir (ma.nu.te.*nir*) *v. td.* **1** *Bras. Jur.* Conferir (a alguém) a posse de algo, mediante mandado de manutenção **2** *P.us.* Conservar, manter: *Manutenir a esperança a qualquer preço; Manutenia-se sem esforço.* [▶ 59 manutenir] [F.: Deriv. de *manutenível*.]

manzanza (man.*zan*.za) *a2g.s2g.* Ver *mazanza*

manzanzar (man.zan.*zar*) *v.* Ver *mazanzar* [▶ 1 manzanzar]

manzorra (man.*zor*.ra) [ô] *sf.* Mão enorme; MÃOZORRA; MANOPLA [F.: De *mão* (rad. *man-*) + *-zorra*, seg. o mod. erudito.]

mão *sf.* **1** *Anat.* Extremidade de cada um dos dois membros superiores do corpo humano, que se articula ao antebraço pelo punho e se estende até as pontas dos dedos, os quais lhe garantem grande capacidade de apreensão **2** *Zool.* Parte similar nos animais, esp. nos primatas **3** *Zool.* Cada um dos membros anteriores dos quadrúpedes **4** *Zool.* Garra de certas aves **5** Quantidade que cabe numa mão; pequeno punhado: *Colocou duas mãos de cebolinha no ensopado.* **6** Qualquer utensílio, instrumento, aparelho etc. utilizado para dar apoio, sustentação ou mover, mexer algo **7** *Fig.* Poder de decisão, de controle **8** *Bras.* Sentido em que os veículos devem transitar numa via: *Depois da esquina, a mão era para a direita.* **9** No caso de rua, estrada, avenida etc. de mão dupla, a metade à direita da pista para o veículo que por ela avança **10** Camada de tinta com que se pinta uma superfície; DEMÃO: *Deu uma mão de tinta na cozinha.* **11** *Fig.* Modo pessoal com que alguém executa um trabalho, uma obra: *Sente-se a mão do diretor nesse filme.* **12** Em jogo de cartas, cada rodada que se joga de cada vez **13** O valor das cartas recebidas em uma rodada de jogo de cartas **14** Peça com que se esmaga alguma coisa no almofariz ou no pilão **15** *Fig.* Extrema habilidade **16** Direção, supervisão: *A tarefa passou para outras mãos.* **17** Carda miúda para pentear panos **18** Ponteiro de relógio **19** *Esp.* O cestinha, no jogo de basquete **20** *Cons.* Em certos telhados, peça central que se coloca verticalmente para sustentar a cumeeira **21** Na indústria de papel, conjunto de 25 folhas de papel **22** *Metrol.* Medida us. na comercialização de milho não debulhado, que varia de região para região ou de estado para estado, indo de cerca de 50 a 65 espigas [Pl.: *mãos*. Aum.: *manzorra, manopla, mãozorra*. Dim.: *manita*. Os aumentativos e diminutivos aqui indicados são para a acp 1.] [F.: Do lat. *manus, us*. Ideia de 'mão': *man(i)-, manu-* (*manipular; manufatura*); *quir(o)-* (*quiromancia*).] ▪▪ **Abrir as ~s** **1** Ser tolerante e liberar em relação a algo ou alguém **2** Aceitar suborno **Abrir ~ (de)** Desistir de, dispensar: *Foi sorteado mas abriu mão do prêmio* **Aguentar a ~** **1** *Bras.* Enfrentar situação difícil resistindo, suportando **2** Esperar com paciência, com resistência **À ~** **1** Ao alcance, bem perto e disponível: *Seus óculos estavam bem à mão.* **2** Com a mão, manualmente: *Desprezou a máquina e fez a costura à mão.* **À ~ armada** Com o uso de arma de fogo (*assalto à mão armada*.) **A quatro ~s** **1** Tocado ou escrito para ser tocado por duas pessoas no mesmo piano (trecho musical, arranjo, música etc.) **2** Diz-se de execução de música por duas pessoas ao mesmo tempo no mesmo piano: *Recital a quatro mãos.* **3** *P.ext.* Realizado (qualquer coisa) por duas pessoas, em parceria ou colaboração estreita **Às ~s ambas** Ver *Com ambas as mãos* **Assentar a ~** **1** Adquirir habilidade em algo, esp. destreza manual: *Hoje ele desenha bem, mas demorou para assentar a mão.* **2** Bater, surrar; baixar o sarrafo **3** Agredir alguém física ou verbalmente, tratar alguém com rudeza **Assentar a ~ em** Surrar, agredir (alguém) **Baixar a ~ (em)** Ver *Assentar a mão; Assentar a mão em.* **Botar a ~ na consciência** Ver *Pôr a mão na consciência* **Com a ~ na consciência** Com veracidade, de acordo com a justiça e com a verdade dos fatos **Com a(s) ~(s) na massa** **1** Em plena execução de um trabalho, de uma tarefa: *Não se preocupe com o prazo, já estamos com a mão na massa.* **2** De surpresa, em pleno ato: *Não sabíamos quem levava flores do jardim até pegarmos o vizinho com a mão na massa.* **Com ambas as ~s** Com toda a disposição, com boa vontade; às mãos ambas: *Atirou-se ao trabalho com ambas as mãos.* **Com as duas ~s** Ver *Com ambas as mãos* **Com as ~s abanando/a abanar** Sem nada levar ou trazer; com as mãos vazias: *Não quis ir à festa de aniversário com as mãos abanando.* **Com as ~s vazias** Ver *Com as mãos abanando/a abanar.* **Com ~ de ferro** Com rigor, autoridade, energia; com pulso firme **Com ~ de gato** Insidiosamente, sorrateiramente **Com ~ diurna e noturna** Continuamente, sem parar, dia e noite **Com ~ noturna e diurna** Ver *Com mão diurna e noturna* **Com uma ~ atrás e outra na frente/adiante** Sem recursos, sem dinheiro, a nenhum **Com uma ~ por baixo e outra por cima** Com muito cuidado, com toda a atenção **Dar a ~ (a)** **1** Estender a mão (a alguém), para apertar as mãos como cumprimento, felicitações etc. **2** *Fig.* Dar sinais de ausência de mágoa ou rancor, de boas intenções ou bons sentimentos (em relação a alguém) **3** Ajudar, amparar, ser solidário (com) **Dar a(s) ~(s) à palmatória** Reconhecer o próprio erro ou falta **Dar a última ~ (a)** Dar acabamento final (em algo), pintar a última camada de tinta (em algo) **Dar de ~ a** Renunciar a, pôr de lado, abandonar **Dar ~ forte a** Dar apoio, suporte, incentivo a; prestigiar **Dar uma ~(zinha) (a)** *Bras. Pop.* Dar uma ajuda (a) **Deitar a ~ a** **1** Apossar-se de, apoderar-se de (algo) **2** Prender (alguém) **Deitar a ~ em** **1** Ver *Deitar a mão a* **2** Ver *Baixar a mão em* **Deixar/largar de ~** Abandonar, desistir de; dar de mão a [Tb. *em mão própria*.] **Deixar na ~** Faltar a compromisso com (alguém), não cumprir o prometido ou combinado com (alguém), deixando(-o) em situação difícil **De ~ beijada** Sem pedir (ou sem ter de dar) nada em troca; sem fazer nenhuma exigência ou sem impor condições; grátis, sem custar dinheiro ou esforço **De ~ cheia** Muito hábil ou talentoso em determinada atividade (esp. de natureza manual ou artesanal) **De ~ em ~** De uma pessoa para outra (diz-se de algo que vai passando, ou sendo entregue) **De ~s abanando** **1** *Fig.* Com as mãos vazias, sem nada, sem recursos [O termo é genérico para o que não seja em primeira mão, mas pode-se especificar, se for o caso, *em terceira mão* etc.] **2** Ver *Com as mãos abanando/a abanar* **De ~s amarradas/atadas** *Fig.* Sem liberdade ou autonomia para agir ou decidir; sem condições de agir eficazmente; manietado **De/com ~s dadas** **1** Segurando-se mutuamente pelas mãos (duas ou mais pessoas): *As crianças seguiam em fila e de mãos dadas.* **2** *Fig.* Juntamente, em conexão, ou em estreita associação: *A sociedade e as instituições devem agir de mãos dadas contra a violência.* **De ~s largas** Com generosidade, com liberalidade: *Aceitou, de mãos largas, as reivindicações dos funcionários.* **De ~ lavada** Ver *De mão beijada* **De ~s limpas** *Fig.* Diz-se de pessoa que não comete ou não cometeu atos violentos ou criminosos, ou que não age ou agiu desonestamente (esp. no exercício de cargo público, de administração etc.) **De segunda ~** **1** Usado, que já teve um dono (diz-se de produto, mercadoria etc.) **2** *Pej.* De qualidade má, ou duvidosa **Em boas ~s** Sob a guarda de, ou entregue em confiança a pessoa de responsabilidade, ou competente: *Pode ficar tranquilo, sua causa está em boas mãos.* **Em ~(s)** **1** Us. para indicar que a carta ou outro documento enviado a alguém é, ou deve ser, entregue ao destinatário por um mensageiro particular, e não através do correio **2** Diretamente ao destinatário, por entrega particular: *Os convites foram enviados em mão a todos os nomes da lista.* **Em ~ própria** Ver *Em mão(s)* **Em primeira ~** **1** Diretamente, sem intermediários, sem que tenha sido adquirido ou usado antes: *Só comprava livros em primeira mão.* **2** Que foi ou está sendo divulgado pela primeira vez: *uma notícia em primeira mão.* **Em segunda ~** **1** Não diretamente, não em primeira aquisição, já anteriormente adquirido e/ou usado: *Comprei meu carro em segunda mão.* **2** Já tendo sido anteriormente divulgado; já divulgado ou publicado (notícia, informação etc.): *Recebia informações em segunda mão; uma notícia em segunda mão.* **Estender a ~ (a)** **1** *Fig.* Pedir, solicitar algo ou uma coisa (a alguém) como favor ou esmola **2** Prestar, ou tentar prestar ajuda (a alguém) **3** Manifestar desejo, ou fazer gesto de conciliação, pacificação etc. **Fazer a(s) ~(s)** *Bras.* Ter tratadas e pintadas, ou tratar e pintar, as unhas das mãos **Fazer com as ~(s) e desmanchar com os pés** Fazer coisas boas, e depois anulá-las ou contrariá-las agindo maldosamente, desonestamente etc. **Fazer ~ baixa em** Roubar **Fazer ~ de gato** *N.E.* Furtar, surrupiar **Ficar na ~** Ficar ou ser deixado em situação difícil, sair perdendo **Fora de ~** Em endereço ou lugar de difícil acesso **Forçar a ~** Exagerar em solicitações, em atos, em atitudes, em relação ao que pede ou admite uma situação; ir além dos limites, forçar a barra [i.e., em que é permitido o trânsito tanto em um sentido como no outro.] **Jogar de ~** **1** Em jogo de cartas, ser o primeiro a fazer um lance, por estar à direita de quem deu as cartas **2** Dar patadas (com as patas dianteiras, a cavalgadura) **Lançar ~ de** Fazer uso de, utilizar-se de: *Lançou mão de uma artimanha para chamar a atenção.* **Largar de ~** Abandonar, desistir, renunciar **Lavar as ~s** *Fig.* Não assumir responsabilidade (quanto a algo ou suas consequências) **Levantar as ~s ao céu** *Fig.* Agradecer ou sentir-se agradecido por algo que se obteve, pela situação de que desfruta etc. **Levantar as ~ (contra/para)** Tentar agredir (alguém): *Não levante as mãos para seu irmão.* **Levar/ganhar na ~grande** *Bras. Gír.* Roubar **Limpo de ~s** Honesto, honrado, íntegro **~ de direção** O sentido, a direção do trânsito numa rua, estrada etc. **~ de fada** Habilidade, delicadeza em trabalhos manuais (ger. como atributo feminino) **~ de ferro** **1** Poder tirânico, dominador, opressor **2** Firmeza, dureza, implacabilidade na chefia ou direção **~ de frade** Mão sem calos, macia, de pessoa pouco afeita a trabalho manual **~ de gengibre** *CE Pop.* Mão enrugada, murcha **~ de linho** Certa quantidade de fio de linho (que cabe numa roca) **~ dupla** *Bras.* Fluxo ou orientação dos veículos nos dois sentidos de uma rua ou estrada: *rua de mão dupla.* **~ em gota** *Neur.* Designação de um distúrbio (paralisia) dos músculos extensores da mão, que se manifesta na mão inerte e pendente; carpoptose **~ esquerda** *Mús.* Em partitura musical de instrumento com teclado, a pauta (a inferior) e o registro nela do trecho a ser tocado pela mão esquerda **~ na bola** *Fut.* O toque intencional (e faltoso) na bola com a mão [Pop. *a bola na mão*.] **~ na roda** *Bras.* Ajuda providencial, oportuna **~ pesada** **1** *Fig.* Aquela cujo contacto incomoda por ser abrutalhada e sem controle da força aplicada; mão desajeitada **2** Diz-se de quem é desajeitado, atrapalhado com as mãos **~ por baixo, ~ por cima** Com muito cuidado e muita cautela **~ por ~** Ver *Mano a mano* no verbete *mano*[2] **~ própria** Em serviço postal, entrega de correspondência somente ao destinatário **~s postas** Mãos erguidas e juntas, palma com palma, dedos com dedos, de quem ora ou suplica [Cf. *mãos-postas*, pl. de *mão-posta*.] **~ única** *Bras.* Fluxo do trânsito (em rua, estrada etc.) em um único sentido **~ zamba** Deformação congênita da mão, na qual esta se apresenta torcida de encontro ao antebraço **~s limpas** **1** *Fig.* Ausência de culpa ou responsabilidade por qualquer violência, crime ou injustiça; não envolvimento em ações reprováveis ou desonestas **2** Retidão moral; incorruptibilidade: *Orgulha-se de deixar o poder tendo as mãos limpas.* **Meter a ~** Cobrar caro demais por algo: **Meter a ~ em** **1** Interferir, intrometer-se em: *Não mete a mão nos meus assuntos, e eu não meto a minha nos seus.* **2** Apoderar-se de, roubar: *O tesoureiro meteu a mão na caixa e fugiu.* **3** Dar pancada em, agredir, surrar: *Furioso, meteu a mão na cara do desafeto.* **Meter a ~ em cumbuca** *Bras.* Cair numa cilada, deixar-se envolver em confusão, em situação perigosa. Meter-se em encrenca; arrumar confusão ou problemas para si **Meter/pôr ~s à obra** **1** Encetar, começar um trabalho, uma tarefa **2** Dedicar-se com energia e disposição a um trabalho, uma tarefa **Molhar a ~ de** *Fig.* Dar propina, gorjeta a (alguém); subornar **Na ~** *Fig.* **1** Sob controle, garantido: *A situação complicou-se, mas não se preocupe, está tudo na mão.* **2** Em situação difícil, sem ter sido atendido: *Todos conseguiram carona, e eu fiquei na mão.* **Não ter ~ de/em si** Não ter autocontrole, não se dominar **Não haver ~s a medir** **1** Ver *Não ter mãos a medir* **2** Haver tantas solicitações que é difícil atender a todas: *Não havia mãos a medir no atendimento de todas as encomendas.* **Não ter ~s a medir** **1** Estar sobrecarregado de trabalho, sem poder dar conta de tudo: *Para melhorar as condições de trabalho, nunca teve mãos a medir.* **2** Esbanjar recursos, gastar demais **3** Esforçar-se ao máximo, não poupar esforços: *Quando lhe pedem ajuda, não tem mãos a medir.* **Na(s) ~(s) de** **1** Sob domínio ou controle de, sujeito a (alguém): *Endividou-se muito, e hoje está na mão dos credores.* **2** Dependente de (ação ou decisão de alguém) *A solução de seu caso está nas mãos do gerente.* **Nem à ~ de Deus Padre** De maneira alguma, de jeito algum, não tem como **Passar a ~ em** **1** *Bras.* Apanhar e levar **2** Furtar, surrupiar: *Passou a mão nas compras e foi para casa; Na fila do estádio passaram a mão em minha carteira.* **Passar a ~ na/pela cabeça de** *Fig.* Proteger (alguém), relevando suas faltas, não o castigando etc. **Pedir a ~ de** Pedir em casamento **Pôr a ~ em** **1** Ver *Meter a mão em* (1) **2** Receber como propriedade, ganhar: *Ganhou na loteria e pôs a mão numa bolada.* **Pôr a ~ na consciência** Avaliar as próprias ações e os próprios critérios, de acordo com padrões de virtude, honestidade, justiça etc. **Pôr a(s) ~(s) no fogo por** **1** *Fig.* Ter convicção (e expressá-lo) da honestidade, integridade, competência de (algo ou alguém) **2** Assumir responsabilidade por (alguém) **Pôr as ~s** Juntar as mãos no gesto de quem ora ou suplica, ficar com as mãos postas **Por baixo da ~** Ocultamente, sem revelar; por baixo do pano **Pôr ~s à obra** Ver *Meter mãos à obra.* **Sair na ~** *Bras.* Brigar fisicamente, sair no tapa; vir às mãos **Sentar a ~ (em)** *Bras.* Bater em, dar pancada em (alguém), surrar **Ser uma ~ na roda** **1** *Bras. Fam.* Ser algo que resolve oportunamente um problema ou que traz grande ajuda, num momento de necessidade: *O novo programa de computador é uma mão na roda para quem lida com textos e imagens.* **2** *P.ext.* Ser muito útil, ou muito prático; facilitar muito uma tarefa difícil, ou uma atividade trabalhosa: *Na hora do aperto, a presença dos colegas foi uma mão na roda.* **Sob ~** *Bras. Mar. G.* Sob controle **Ter a ~ furada** *Bras. Fig.* Não controlar despesas, ser gastador **Ter a ~feliz** Ter bom resultado em (quase) tudo que empreende, no jogo etc. **Ter a ~ pesada** **1** Não ter controle adequado da força na mão, podendo molestar ou causar dano por isso **2** Ser desajeitado com as mãos **Ter as ~s rotas** Ser liberal, generoso, pródigo **Ter boas ~s** Ser habilidoso com as mãos, ter jeito para alguma coisa **Ter entre ~s** Estar ocupado com, trabalhando em, ser responsável por (tarefa, missão etc.) **Ter ~** *Antq.* Interromper o que está fazendo, ou não fazer o que pretendia fazer **Ter ~ de pilão** Não ter habilidade, esp. em trabalhos manuais

mão-aberta (mão-a.*ber*.ta) *Bras.* ***s2g.*** **1** Indivíduo generoso com seu dinheiro ou seus pertences **2** Aquele que é gastador, esbanjador [Ant.: *pão-duro, avarento.*] [Pl.: *mãos-abertas.*] [F.: *mão* + o fem. de *aberto.*]

mão-boba (mão-*bo*.ba) [ô] *sf.* **1** *Bras. Pop.* Movimento de mão dissimulado de quem tenta tocar em algo ou alguém, esp. com fins libidinosos: *A moça se levantou quando sentiu a mão-boba na perna.* **2** Furto de carteira, dinheiro etc. da bolsa ou do bolso de alguém, sem que a vítima se dê conta do fato ***sm.*** **3** *Bras.* Indivíduo que é dado a esses gestos (com fim de roubar ou de bolinar): *Cuidado que esse cara é um mão-boba!* [Pl.: *mãos-bobas.*] [F.: *mão* + fem. de *bobo* (ô).]

mão-cheia (mão-*chei*.a) *sf.* Porção de coisas que a mão pode pegar; MANCHEIA [Pl.: *mãos-cheias.*] [F.: *mão* + fem. de *cheio.*] ■ **Acertar de ~** *Bras. Fig. Pop.* Acertar em cheio, demonstrando total domínio de um assunto, de uma técnica etc.; acertar na mosca **De ~** Excelente, mais que satisfatório: *É um dançarino de mão-cheia.* **A ~s-~s** Ver *A mancheias* no verbete *mancheia* **Às ~s-~s** Ver *A mancheias* no verbete *mancheia*

mão de ferro (mão de*fer*.ro) *sf.* Governo, gerência ou domínio despótico, opressor: *Controla o país (a empresa, a família) com mão de ferro.* [Pl.: *mãos de ferro.*]

mão-de-gato[1] (mão-de-*ga*.to) *sf. Bras. AM Bot.* Pequena árvore da fam. das conaráceas (*Connarus erianthus*), de folhas coriáceas, flores amarelas em espigas e folículos pubescentes no interior [Pl.: *mãos-de-gato.*]

mão de gato[2] (mão de*ga*.to) *sf.* Arrebique, cor artificial com que se pinta o rosto [Pl.: *mãos de gato.*]

mão de obra (mão de*o*.bra) *sf.* **1** Conjunto dos trabalhadores de um empreendimento ou de uma empresa **2** Conjunto de trabalhadores de uma região, país etc.: *Há escassez de mão de obra especializada nessa região.* **3** trabalho manual ou braçal necessário a determinada obra **4** *Bras.* Tarefa árdua, difícil de se realizar: *Foi uma mão de obra colocar o piano na sala.* **5** Orçamento de uma obra ou produto: *A mão de obra dessa costureira é muito cara.* [Pl.: *mãos de obra.*]

mão de vaca (mão de*va*.ca) *Bras. sf.* **1** *N.E.* Mocotó bovino **2** *N.E. Cul.* Quitute preparado com o mocotó bovino ***s2g.*** **3** *Pop.* Pessoa mesquinha, avarenta; PÃO-DURO; SOVINA [Pl.: *mãos de vaca.*]

mão-francesa (mão-fran.*ce*.sa) [ê] *sf.* **1** Espécie de cantoneira que sustenta os beirais de telhados, marquises etc. **2** Peça metálica ou plástica em forma semelhante à de um L, destinada à sustentação de prateleiras [Pl.: *mãos-francesas.*] [F.: *mão* + o fem. de *francês.*]

mão-inglesa (mão-in.*gle*.sa) [ê] *sf.* Regra de trânsito vigente em alguns países, como na Inglaterra, que consiste em avançar pelo lado esquerdo da pista, em vias de mão dupla [Pl.: *mãos-inglesas.*] [F.: *mão* + o fem. de *inglês.*]

maoismo (ma:o.*is*.mo) ***sm.*** **1** *Pol.* Propagação teórica e prática do marxismo-leninismo, desenvolvida por Mao Tsé-tung (1893-1976), estadista chinês, que estimula a luta do povo pelo poder e desencadeia a revolução cultural proletária para a construção do socialismo e a vitória sobre a ideologia burguesa **2** Ideologia política baseada nos ensinamentos práticos e teóricos de Mao Tsé-tung [F.: Do antr. *Mao* (Tsé-tung) + *-ismo.*]

maoista (ma:o.*is*.ta) ***a2g.*** **1** Que diz respeito ao maoísmo (doutrina maoísta) **2** Que é partidário ou simpatizante do maoismo (líder maoísta) ***s2g.*** **3** Aquele que é adepto ou defensor dessa doutrina política [F.: Do antr. chinês *Mao* (Tsé-tung) (1893-1976), líder da revolução chinesa e estadista, + *-ista.*]

maometano (ma:o.me.*ta*.no) ***a.*** **1** Que se refere a Maomé (séc. VII), profeta do islamismo, ou a essa religião **2** Que é adepto fiel do islamismo ***sm.*** **3** Aquele que é seguidor do islamismo [F.: Do it. *maomettano*, de *Maometto*, f. it. do nome do profeta do islamismo. Sin. ger.: *islamita, maometista, muçulmano, muslim, muslímico.*]

maometismo (ma:o.me.*tis*.mo) ***sm.*** *Rel.* O mesmo que *islamismo* [F.: Do rad. *maomet-* (< *maometano*) + *-ismo*, ou do fr. *mahométisme.*]

mão-morta (mão-*mor*.ta) *sf.* **1** *Jur.* Condição legal que impedia servos de transmitirem seus bens a herdeiros por testamento **2** Condição legal de inalienabilidade de bens (como os que pertencem a entidades como hospitais, instituições religiosas etc.) **3** O mesmo que *bens de mão-morta* (ver no verbete *bens*) [Pl.: *mãos-mortas.*]

mão-pelada (mão-pe.*la*.da) ***sm.*** *Bras. Zool.* Mamífero carnívoro sul-americano (*Procyon cancrivorus*), da família dos prociionídeos, de pelagem cinzenta e cauda com anéis pretos, com até 65 cm de comprimento de corpo e 40 cm de cauda; alimenta-se especialmente de pequenos animais e habita próximo a rios, brejos e mangues [Pl.: *mãos-peladas.*] [F.: *mão* + o fem. de *pelado.*]

mão-posta (mão-*pos*.ta) *sf.* **1** Premeditação, prevenção: "Eu estava por ali, fingindo não ser nem saber, de mão-posta." (Guimarães Rosa, *O cavalo que bebia cerveja – Primeiras estórias*) **2** Guarda que se faz de alguma coisa para servir em ocasião oportuna **3** Ajuste, combinação, comum acordo: *Tinha mão-posta com o chefe para encobrir suas escapulidas.* [Pl.: *mãos-postas.*] [F.: *mão* + o fem. de *posto.*]

maori (ma:*o*.ri) ***s2g.*** **1** Indígena da Nova Zelândia (Oceania) ***sm.*** **2** *Gloss.* Língua malaio-polinésia falada na Nova Zelândia e nas ilhas Cook ***a2g.*** **3** *Gloss.* Ref. à língua do povo dos maoris **4** Que é nativo desse grupo ou pertencente a ele

mão-tenente (mão-te.*nen*.te) *sf.* Mão firme, segura [Us. apenas na expressão *à mão-tenente.*] ■ **À mão-tenente** **1** Com mão firme, com força; vigorosamente **2** A pequena distância; à queima-roupa [Var. ger.: *à mão-tente.*] **À mão-tente** Ver *à mão-tenente*

mão-tente (mão-*ten*.te) O mesmo que *mão-tenente* [Us. apenas na loc. *à mão-tente.*]

mãozada (mão.*za*.da) *sf.* **1** *Pop.* Quantidade de coisas que cabe em uma das mãos **2** Golpe, ger. muito forte, desferido com uma das mãos **3** Forte aperto de mão [F.: *mão* + *-zada.*]

mãozinha (mão.*zi*.nha) *sf.* **1** Mão pequena **2** Utensílio para coçar as costas constituído por uma haste longa com uma das extremidades em forma de uma mão pequenina ***s2g.*** **3** *N.E. Pop.* Pessoa que não tem uma das mãos; MANETA [F.: *mão* + *-zinha.*] ■ **Dar uma ~ (a)** *Bras.* Dar uma ajuda (a), auxiliar; dar a mão a (3) (ver no verbete *mão*)

mãozorra (mão.*zor*.ra) [ô] *sf.* O mesmo que *manzorra* [F.: *mão* + *-zorra.*]

mapa (*ma*.pa) ***sm.*** **1** Representação em papel ou outro material da superfície da Terra, ou de uma parte dela, ou dos astros no céu: *mapa da América do Sul.* [Col.: *atlas, mapoteca.*] **2** Quadro sinótico, gráfico (mapa eleitoral) **3** *Bras. Pop.* Área de atuação, de trabalho, de vida boêmia etc.: *Nunca mais vi aquele cara, ele saiu do mapa!* [F.: Do it. *mappa.*] ■ **~ da mina** *Bras. Gír.* O caminho ou expediente adequado para se conseguir algo **~ mudo** *Cart.* Mapa no qual não se registram os topônimos, para que, como exercício, alunos de geografia o façam **Não estar no ~** *Bras. Gír.* Ser fora do comum: *Ela é de um talento que não está no mapa.* **Riscar do ~** *Pop.* Eliminar, suprimir **Sumir do ~** *Bras. Pop.* Desaparecer, temporária ou permanentemente **Tirar um ~** *Bras. Pop.* Observar algo, reparar em algo

📖 Um mapa é a representação em desenho da configuração de uma área geográfica de um astro (ger. da superfície da Terra). A redução das distâncias verdadeiras às medidas do desenho obedecem sempre à mesma proporção, chamada escala. A técnica e arte de fazer mapas chama-se cartografia. Um mapa de uma região terrestre pode ter vários aspectos em sua representação: a configuração física da região, como contornos, acidentes geográficos, montanhas, rios etc. ou cada uma dessas características em separado (mapa físico), o clima, como regime de chuvas, temperaturas etc. (mapa climático), a atividade econômica, como jazidas, centros de determinada atividade etc. (mapa econômico) a distribuição da população (mapa demográfico), a divisão em países, estados, município, cidades etc. (mapa político) e muito mais. Os babilônios e os egípcios foram os primeiros a produzir mapas, em c. 2300 a.C. Modernamente, as fotografias de satélites propiciaram um grande avanço na técnica e na acuidade da cartografia.

mapa-múndi (ma.pa-*mún*.di) ***sm.*** Mapa da superfície do globo terrestre na sua totalidade [Pl.: *mapas-múndi.*] [F.: Do lat. medv. *mappa mundi.*]

mapeado (ma.pe:*a*.do) ***a.*** Que foi configurado, desenhado ou representado em mapa: *Tudo foi devidamente documentado e mapeado para evitar reclamações.* [F.: Part. de *mapear.*]

mapeamento (ma.pe:a.*men*.to) ***sm.*** **1** *Bras.* Ação ou resultado de mapear **2** *Mat.* O mesmo que *função* [F.: *mapear* + *-mento.*]

mapear (ma.pe.*ar*) ***v. td.*** *Bras.* Fazer o mapa de [► 13 **mapear**] [F.: *mapa* + *-ear*[2]. Hom./Par.: *mapear, mapiar* (em todas as fl.).]

mapidiã (ma.pi.di.*ã*) ***s2g.*** **1** *Bras. Etnol.* Indivíduo dos mapidiãs, povo indígena extinto que habitava ao sul da serra Acaraí, no Amapá ***a2g.*** **2** Dos mapidiãs; típico deles ou de sua cultura [F.: Do aruaque.]

mapinguari (ma.pin.*gua*.ri) ***sm.*** *Bras. AM Etnog.* Animal fabuloso do folclore amazônico, com a figura de um homem gigante, coberto de pelos, que devora somente a cabeça dos mortais [Há suspeitas da existência real de um animal similar que teria aparência muito semelhante aos antigos bichos-preguiça gigantes que habitavam o território brasileiro há mais de doze mil anos, porém, hoje, com uma estatura menor, sendo, talvez, o último representante da megafauna sul-americana da Amazônia brasileira.] [F.: De or. indígena, posv.]

mapinguim (ma.pin.*guim*) ***sm.*** Ver *mapinguinho*

mapinguinho (ma.pin.*gui*.nho) ***sm.*** *Bras. N. N.E.* Nome dado ao fumo importado dos estados do Sul e do Sudeste, esp. de Baependi, MG [F.: mapinguim, seg. Nascentes, corruptela do top. *Baependi*, MG. Tb. *mapinguim.*]

mapismo (ma.*pis*.mo) ***sm.*** *Bras. Jur.* Fraude na elaboração de mapas eleitorais que consiste em alterar dados de uma urna no momento da contagem de votos de papel, em apurações manuais: *A urna eletrônica evita o mapismo na apuração dos votos.* [F.: *mapa* + *-ismo.*]

mapoteca (ma.po.*te*.ca) *sf.* **1** Coleção de mapas, de cartas geográficas etc. **2** Lugar onde se guardam e classificam esses mapas e cartas [F.: *mapa* + *-o-* + *-teca.*]

mapuche (ma.*pu*.che) ***a2g.*** **1** Diz-se do povo araucano, ou dele próprio (cultura mapuche; indígenas mapuches) ***sm.*** **2** Indivíduo dos mapuches, designação que os araucanos, povo indígena que habitava a parte central do Chile, dão a si mesmos: "No século XVI, os mapuches, também conhecidos como araucanos, habitavam o sul do atual Chile e o centro-sul da atual Argentina." (Rosana Bond, *Os heroicos mapuches — Civilizações nativas da América Latina — A Nova Democracia*, Ano 4, nº 27, novembro de 2005) [F.: Do espn. *mapuche*, do araucano *maputche*, 'homem da terra'.]

maqueiro (ma.*quei*.ro) ***sm.*** *Bras.* Indivíduo condutor de macas [F.: *maca* + *-eiro.*]

maquetaria (ma.que.ta.*ri*.a) *sf.* **1** Laboratório equipado com bancadas e maquinário próprio para a confecção de maquetas ou maquetes **2** Arte de construir maquetas ou maquetes; MAQUETERIA: *Ele é professor de maquetaria.* [F.: *maqueta* ou *maquete* + *-aria.*]

maquete (ma.*que*.te) [é] *sf.* **1** Miniatura exata ou quase exata de edificações ou outras obras: *Adorou uma maquete do bairro de Botafogo.* **2** Esboço de uma estátua ou de outra obra de escultura **3** *Cin.* Cenário em miniatura destinado à realização de um filme [F.: Do fr. *maquette.* Voc. tido como galicismo pelos puristas, que sugerem, como substitutos, *esboço, plano* e *maqueta.*]

maquetista (ma.que.*tis*.ta) ***a2g.*** **1** Que faz maquetes ***s2g.*** **2** Aquele que confecciona maquetes [F.: *maquete* + *-ista.*]

maqui[1] (ma.*qui*) ***sm.*** **1** Nas regiões mediterrâneas, esp. na Córsega, terreno de espessa vegetação arbustiva, onde se escondem os bandidos **2** Na França, durante a II Guerra Mundial, organização clandestina que lutava contra a ocupação alemã ***s2g.*** **3** Patriota francês que lutava clandestinamente durante a ocupação alemã (1940-44) [F.: Do fr. *maquis.*]

maqui[2] (ma.*qui*) ***sm.*** *Zool.* Lêmure (*Lemur catta*) encontrado na República de Madagascar, de pelagem cinzenta e cauda com anéis brancos e pretos [F.: Do malgaxe *maky.*]

◎ **-maquia** ***el. comp.*** = 'combate'; 'luta'; 'disputa'; '(*fig.*) contestação'; '(*fig.*) contradição': *alectoromaquia, automaquia, gigantomaquia, hagiomaquia, heteromaquia, logomaquia, naumaquia, ofiomaquia, tauromaquia* [F.: Do gr. *-makhía, as*, do gr. *mákhe, es*, 'combate'; 'disputa'.]

maquia (ma.*qui*.a) *sf.* **1** *Ant. Metrol.* Medida de grãos e de farinha equivalente a dois selamins (4,5 litros) **2** Porção que os moleiros e os lagareiros arrecadam, como remuneração estipulada, do grão ou da azeitona que lhes dão para moer **3** *P.ext.* Dose ou porção de alguma coisa **4** Porção de dinheiro: *Foi contemplado no testamento do tio com generosa maquia.* **5** *Pop.* Ganho, lucro: *Teve uma excelente maquia na transação.* **6** *Pop.* Gorjeta, gratificação: *Por servir bem à mesa, recebeu uma boa maquia.* [F.: Do ár. *makila*, 'medida para grãos', 'vaso para medir'. Hom./Par.: *maquia* (sf.), *maquia* (fl. de *maquiar*).]

maquiado (ma.qui.*a*.do) ***a.*** **1** Que recebeu cosméticos no rosto para embelezamento, ou mudança de aparência, de aspecto etc. (mulher maquiada; ator maquiado) **2** *Fig.* Que foi modificado ou alterado para que alguma imperfeição ou incorreção não seja percebida [F.: Part. de *maquiar.* Tb. *maquilado.*]

maquiador (ma.qui.a.*dor*) [ô] ***a.*** **1** Que maquia, que aplica cosméticos no rosto das pessoas (mulher, ator etc.) ***sm.*** **2** Aquele que maquia, como profissional ou amador [F.: *maquiar* + *-dor.* Tb. *maquilador.*]

maquiagem (ma.qui:a.gem) *sf.* **1** Ação ou resultado de maquiar(-se), de embelezar o rosto com produtos cosméticos **2** O conjunto dos produtos de beleza (cosméticos) us. para maquiar **3** *Fig.* Ação de mascarar, esconder ou dissimular algo [Pl.: *-gens.*] [F.: Do fr. *maquillage.* Tb. *maquilagem.*]

maquiar (ma.qui.*ar*) ***v. td.*** **1** Aplicar cosméticos no rosto de (alguém ou si mesmo) para embelezar, disfarçar imperfeições ou caracterizar um personagem [Ant.: *desmaquiar.*] **2** *Fig.* Disfarçar, mascarar: *maquiar uma situação/embalagens.* [► 1 **maquiar**] [F.: Do fr. *maquiller.* Tb. *maquilar.*]

maquiaveliano (ma.qui:a.ve.li:*a*.no) ***a.*** **1** Que diz respeito ao maquiavelismo (pensamento maquiaveliano) **2** Que é simpatizante do maquiavelismo (político maquiaveliano) **3** *Fig.* Que é astuto, doloso, falso, pérfido, velhaco (atitude maquiaveliana) ***sm.*** **4** Indivíduo adepto das teorias de Maquiavel [F.: Do antr. (*Nicolau*) *Maquiavel* (aport. de *Niccolò Machiavelli* — 1469-1527), filósofo, cientista político e escritor florentino, + *-iano.*]

maquiavélico (ma.qui:a.*vé*.li.co) ***a.*** **1** Ref. a ou próprio do maquiavelismo **2** *Fig.* Diz-se de indivíduo ardiloso, pérfido, possuidor de mente treinada em arquitetar friamente atos de má-fé **3** *Fig.* Em que há astúcia, perfídia, dolo (plano maquiavélico) [F.: Do antr. *Maquiavel* (adapt. do it. *Niccolò Machiavelli*) + *-ico*[2].]

maquiavelismo (ma.qui:a.ve.*lis*.mo) ***sm.*** **1** *Hist.* Sistema de governo proposto por Maquiavel (1469-1527), estadista e escritor italiano, cujo pensamento, em linhas gerais, baseava-se na ideia de que a eficácia era mais importante que a moral **2** *Fig.* Comportamento de quem alcança seus objetivos por meio de astúcias e trapaças [F.: Do antr. *Maquiavel* + *-ismo.*]

maquiavelista (ma.qui:a.ve.*lis*.ta) ***a2g.*** **1** Diz-se de ou próprio do maquiavelismo; MAQUIAVÉLICO ***a2g.*** **2** Adepto do maquiavelismo ***s2g.*** **3** Indivíduo maquiavélico [F.: *maquiavelismo* + *-ista*, seg. o mod. grego.]

maquilado (ma.qui.*la*.do) ***a.*** Ver *maquiado*

maquilador (ma.qui.la.*dor*) [ô] *a.* Ver *maquiador*

maquilagem (ma.qui.*la*.gem) *sf.* Ver *maquiagem* [F.: *maquilar* + *-agem*².]

maquilar (ma.qui.*lar*) *v. td.* Ver *maquiar* [▶ 1 maquilar] [F.: Do fr. *maquiller.*]

maquimono (ma.qui.*mo*.no) *sm. Pint.* Pintura japonesa feita sobre papel, esteira ou seda, ger. enrolada em cilindro de madeira, semelhante ao caquemono, porém mais extensa e estreita [F.: Do jap. *maki*, 'rolo', + *mono*, 'coisa'.]

máquina (*má*.qui.na) *sf.* **1** Instrumento ou aparelho que, construído pelo homem, se alimenta de uma fonte de energia, articula movimentos e desempenha diversas tarefas (máquina fotográfica; máquina elétrica, máquina a vapor; máquina de escrever; máquina de costura) **2** O conjunto das peças de um instrumento **3** Equipamento industrial direcionado para a fabricação de produtos diversos **4** Aparelho elétrico que efetua trabalhos domésticos **5** *Bras. Pop.* Veículo movido a motor de explosão, esp. o carro **6** *Fig.* Toda organização ou articulação que visa produzir resultados **7** *Fig.* Veículo propulsor que reboca outros, como a locomotiva de um trem **8** *Fig.* Pessoa que possui enorme capacidade de trabalho **9** *Fig.* Pessoa sem iniciativa, que age ou trabalha sob pressão de outros ou das circunstâncias **10** *Fig.* O conjunto dos poderes públicos: *a máquina do governo.* **11** Estrutura orgânica **12** *Fig. Esp.* Aquilo que tem capacidade de atuar com grande precisão: *Esse time de futebol é uma máquina.* **13** *Fig. Esp.* Esportista que tem desempenho muito acima dos padrões normais: *Esse corredor é uma máquina.* **14** *Bras. Gír.* Arma: revólver ou pistola **15** *Fig. Pop.* Indivíduo ou casal que gera prole numerosa: *Esse casal é uma máquina.* **16** *Tabu.* Pessoa que tem extraordinária capacidade de manter muitas relações sexuais em curto período de tempo [F.: Do lat. *machina, ae*, do gr. *mechané, ês.* Hom./Par.: *máquina* (sf.), *maquina* (fl. de *maquinar*).] ■ **~ a vapor** Aquela que é movida pela força de pressão do vapor de água, obtido ger. numa caldeira **~ caça-níqueis/caça-níquel** Ver *caça-níqueis* **~ de costura** Máquina que aciona, por força mecânica ou elétrica, agulha(s) e linha para costurar roupas, calçados etc. **~ de escrever** Instrumento que imprime numa folha de papel colocada num rolo (o que permite deslocar a folha linha a linha) texto no qual cada letra ou sinal gráfico é impresso individualmente por um tipo em relevo que pressiona uma fita tintada sobre o papel. Esse tipo pode estar na ponta de uma haste ou numa esfera, e é selecionado e acionado (mecânica ou eletricamente) pelo pressionar de teclas, cada uma correspondente a um tipo **~ fotográfica** *Fot.* Instrumento que permite a gravação de imagem (de objeto real, iluminado por luz natural ou artificial) em chapa ou filme fotográfico, ou em forma digital num *chip*. Consiste basicamente em lentes que projetam os raios luminosos com a imagem na área plana que representa a imagem a ser gravada, e nos dispositivos de controle (de visualização, foco, distância focal, abertura e velocidade de exposição etc.) necessários para se obter um bom resultado **~ motriz** *Mec.* Dispositivo que aciona uma máquina, ou outro dispositivo; motor (3) **~ plana** *Art.gr.* Máquina impressora que imprime em folhas planas de papel **~ registradora** Máquina us. em estabelecimentos comerciais, na qual se registra (digitando em teclado ou por leitura óptica) a quantia entrada numa operação de venda (emitindo talões e comprovantes da operação) e que, em certos modelos, serve de cofre para a guarda do dinheiro ou dos cheques recebidos **~ rotativa** *Art. gr.* Máquina impressora que imprime continuamente de cilindros rotativos numa tira de papel proveniente de uma bobina, que ger. é cortada na saída em folhas planas a serem dobradas para formar os cadernos de impressão **~ simples** *Fís.* Designação genérica para as três máquinas básicas: a alavanca, a roldana e o plano inclinado **~ térmica** *Fís.* Sistema que, em ciclos contínuos, transforma energia térmica em trabalho **Bater à ~** *Pop.* Dactilografar

📖 As chamadas 'máquinas simples' são: a) a alavanca, que consiste numa barra rígida e num ponto de apoio chamado fulcro, entre a carga que se quer mover (que está apoiada numa extremidade) e a outra extremidade da barra. A força exercida na extremidade livre age sobre a carga em sentido contrário, e com intensidade aumentada proporcionalmente à distância entre o fulcro e o ponto de aplicação da força; b) a roldana, que consiste num disco com um sulco em seu perímetro, e que gira em torno de um eixo; pelo sulco se faz passar uma corda ou correia, à qual se prende a carga em uma extremidade, e se aplica a força para elevar a carga na outra. A vantagem dessa roldana simples é que é mais fácil puxar a corda para baixo do que puxar a carga para cima. Mas se as roldanas são montadas em um sistema chamado cadernal, cada roldana extra equivale à divisão da força necessária por dois; c) o plano inclinado, que é um plano rígido em ângulo com o horizonte, e a mais antiga das máquinas simples; baseia-se na divisão da carga entre a ação da gravidade (sobre o plano) e a força exercida sobre ela (paralela ao plano) para fazê-la mover-se. São dispositivos dele derivados a cunha e o parafuso. [Ver ilustr. em alavanca, plano inclinado e roldana.]

maquinação (ma.qui.na.*ção*) *sf.* **1** Ação ou resultado de maquinar **2** Trama que se arma para se alcançar um objetivo, ger. de maneira ardilosa; MANOBRA [Pl.: *-ções*.] [F.: Do lat. *machinatio, onis.*]

maquinal (ma.qui.*nal*) *a2g.* **1** Ref. a máquina **2** Diz-se de ato, movimento ou atitude feitos por hábito ou instinto, sem reflexão (gesto maquinal); AUTOMÁTICO; MECÂNICO **3** *Fig.* Que não é espontâneo, não é natural [Pl.: *-nais.*] [F.: Do lat. *machinalis, e.*]

maquinar (ma.qui.*nar*) *v.* **1** Armar conspiração [*tr.* +*contra*: *Estão maquinando contra o governo.*] **2** Planejar (ger. algo prejudicial a alguém) [*td.*: "...conquistou adversários para maquinar sua permanência no poder..." (*Folha de S.Paulo*, 22.10.1999)] [*tdi.* +*a, para*: *Maquinaram-lhe uma cilada.*] [▶ 1 maquinar] [F.: Do lat. **machinare*, por *machinari.* Hom./Par.: *maquina(s)* (fl.), *máquina(s)* (sf. [pl.]); *maquinaria(s)* (fl.), *maquinária(s)* (sf. [pl.]).]

maquinaria (ma.qui.na.*ri*.a) *sf.* **1** Conjunto de máquinas us. para realizar uma atividade; MAQUINISMO; MAQUINÁRIO: *a maquinaria da indústria têxtil.* **2** Local onde essas máquinas ficam **3** Trabalhadores que operam essas máquinas [F.: *máquina* + *-aria.* Hom./Par.: *maquinaria* (sf.), *maquinaria* (fl. de *maquinar*).]

maquiné (ma.qui.*né*) *sm. Bras. Zool.* Ver *bicudo*

maquineta (ma.qui.*ne*.ta) [ê] *sf.* **1** Máquina pequena **2** *Rel.* Pequeno trono em que se expõe o Santíssimo Sacramento sobre o altar **3** *P.ext.* Pequeno oratório envidraçado **4** Redoma convenientemente enfeitada, dentro da qual se expõe qualquer imagem devota [F.: *máquina* + *-eta.*]

maquinismo (ma.qui.*nis*.mo) *sm.* **1** Conjunto das peças articuladas de uma máquina; MECANISMO: *O maquinismo da geladeira.* **2** Conjunto de máquinas; MAQUINARIA: *O maquinismo da fábrica de bicicletas.* **3** *Teat.* Aparato ou conjunto das máquinas de um teatro (refletores, projetores, cenários etc.) **4** *Fil.* Doutrina do filósofo francês Descartes, segundo a qual os animais não possuem sensibilidade e atuam como se fossem simples máquinas **5** *Fig.* Força que impulsiona uma ação, uma ideia etc.: *O maquinismo de sua cabeça é de difícil compreensão.* [F.: *máquina* + *-ismo* ou do fr. *machinisme.*]

maquinista (ma.qui.*nis*.ta) *s2g.* **1** Pessoa que inventa ou constrói máquinas **2** Pessoa que opera máquinas, esp. locomotivas e máquinas de navio a vapor **3** *Teat.* Técnico que trabalha na montagem e desmontagem de cenários **4** *Cin.* Numa equipe de cinema, aquele que cuida da câmera e a desloca para as posições exigidas pelo plano de filmagem **5** *Mús.* No jongo, percussionista que se encarrega de tocar o tambor [F.: Do fr. *machiniste* ou de *máquina* + *-ista.*]

mar *sm.* **1** A parte da superfície do planeta Terra que é formada por água salgada; OCEANO **2** Cada uma das divisões dessa parte do planeta (mar Mediterrâneo; mar Morto; mar de Mármara) **3** Região costeira **4** Banho nas águas do mar: *O corpo gosta muito de banho de mar.* **5** *Fig.* Grande quantidade: *Ele tinha um mar de histórias para contar.* **6** *Fig.* Abismo, sorvedouro **7** *Fig.* Derramamento abundante: *Morreu num mar de sangue.* **8** *Fig.* Grande extensão ou quantidade de qualquer coisa: *Viu-se perdido naquele mar de areia.* **9** *Fig.* Aquilo que fascina, que seduz pela beleza, mistério, encantamento etc.: *Aquele harém era um mar de prazeres.* [F.: Do lat. *mare, is.* Ideia de 'mar': *hal(o)-* (*halogênio*); *talass(o)-* (*talassofobia*).] ■ **De ~a ~** De maneira total, completa **Fazer-se ao ~** Sair de um porto, afastar-se da costa e ir para alto-mar **~ aberto** *Mar.* Grande extensão de mar não interrompida por qualquer acidente geográfico, propício à navegação **~ adjacente** *Antq. Jur.* Ver *Mar territorial* **~ alto** *Mar.* Extensão de mar fora de águas territoriais, aberto à navegação; qualquer ponto dessa extensão; alto-mar **~ continental** *Geog.* Mar não contínuo a oceano, ao qual se liga por passagem mais ou menos estreita, adjacente a uma área continental e com características geográficas próprias, como os mares Báltico, Mediterrâneo, Negro, do Norte, Vermelho etc.; mar interior, mar mediterrâneo **~ costeiro** *Geog.* Mar contínuo a um oceano, com o qual se liga por ampla passagem, próximo a áreas continentais ou insulares, e com ligeiras variações de regime em relação ao oceano (correntes, marés etc.), como o do Caribe, o do Norte, o da China etc. **~ da Lua** *Astron.* Nome dado a ampla planície na face visível da Lua **~ de lama** *Bras. Fig. Pej.* Situação de degradação moral, corrupção, escândalos etc. **~ de leite** Ver *Mar de rosas* (1) **~ de rosas** **1** *Mar.* Mar sereno; mar de leite **2** *Fig.* Situação absolutamente favorável, de felicidade, tranquilidade etc. **~ de rebentação** *Mar.* Aquele que se apresenta com ondas que quebram continuamente na praia, ou em outras ondas **~ de sargaço** *Geog.* Região do Atlântico norte (entre os paralelos de 20° e 35°) na qual flutua grande quantidade de sargaços (tipo de alga) **~ fechado** Aquele sem qualquer comunicação com o oceano, na verdade um grande lago salgado, como o Aral, o Cáspio, o Morto; mar isolado **~ interior** Ver *Mar continental* **~ isolado** Ver *Mar fechado* **~ jurisdicional** *Antq. Jur.* Ver *Mar territorial* **~ largo** *Mar.* Ver *Mar alto* **~ litoral** *Antq. Jur.* Ver *Mar territorial* **~ livre** *Mar.* Ver *Mar alto.* **~ mediterrâneo** *Geog.* Ver *Mar continental* **~ mexido** *Esp.* No surfe, mar de ondas inconstantes e sem padrão definido **~ pequeno** *Lus. Mar.* Mar com poucas ondulações **~ pleno** *Mar.* Ver *Mar alto* **~ territorial** *Jur.* Faixa de mar junto ao litoral de um Estado, sobre a qual este tem soberania definida por lei, limitada pelo direito internacional concernente a este conceito; cobre o fundo do mar e seu subsolo **Nem tanto ao ~ nem tanto à terra** Sem exagerar para mais ou para menos, no meio-termo, moderadamente **Pleno ~** *Mar.* Ver *Mar alto.* **Por ~** Por via marítima: *Até a Europa vamos por mar, depois tomamos um avião.*

marabá (ma.ra.*bá*) *s2g.* **1** *Bras.* Filho de branco (esp. francês) e índia **2** Mestiço de índio com branco; MAMELUCO **3** *AM Pop.* Indivíduo de pai desconhecido [F.: Do tupi *mara'ba*, posv.]

marabu (ma.ra.*bu*) *sm.* **1** Religioso muçulmano, espécie de eremita, que os árabes têm em grande veneração; MARABITO; MARABUTO **2** *Zool.* Cegonha africana (*Leptoptilos crumeniferus*), de cabeça e pescoço pelados, domesticada com muita facilidade **3** *P.ext.* A pena dessa ave [F.: Do fr. *marabout*, ou var. de *marabuto.* O nome das aves explica-se por analogia com a postura oracional do monge.]

marabus (ma.*ra*.bus) *smpl.* Adornos confeccionados com penas de marabu [F.: Pl. de *marabu.*]

marabuto (ma.ra.*bu*.to) *sm.* **1** *Rel.* Guia espiritual muçulmano, venerado em vida e após a morte como um santo; MARABU **2** Simpatizante de ordem religiosa muçulmana **3** Templo de orações com a presença de um marabuto (1) **4** Túmulo de um marabuto (1) **5** O mesmo que *almorávida* **6** *Bras. Pej.* Alcunha dada aos portugueses **7** *Ant.* Homem do mar; MARINHEIRO [F.: Do ár. *murâbit.*]

maraca (ma.ra.ca) *sf.* Ver *maracá*

maracá (ma.ra.*cá*) *sm.* **1** *Bras.* Chocalho indígena us. em cerimônias guerreiras ou religiosas **2** *Mús.* Instrumento musical adaptado desse chocalho, us. esp. em música popular **3** *Bras.* Chocalho de crianças **4** *Bras.* Chocalho us. por crianças pequenas **5** *Bot.* Xiquexique *sf. sm.* **6** *Zool.* O mesmo que *cascavel* (*Crotalus durissus*) [F.: Do tupi *mara'ka.* Tb. *maraca.*] ■ **Enfeitar o maracá** *Pop.* Enfeitar uma história, um relato, com algo inventado, fantasiado

maracajá (ma.ra.ca.*já*) *Bras. N. N.E. Zool. sm.* **1** O mesmo que *gato-do-mato* (denominação comum) **2** O mesmo que *jaguatirica* (*Felis pardalis*): "Os cães ensinados desde pequenos a dilacerar os timbus, as raposas e os maracajás..." (Franklin Távora, *Matuto*) [F.: Do tupi *maraka'ya.*]

maracanã (ma.ra.ca.*nã*) *sf. Bras. Zool.* Nome comum dado a diversas spp. de aves da fam. dos psitacídeos, dos gên. *Primolius Diopsittaca* e *Orthopsittaca* [F.: Do tupi *maraka'na.*]

maracatu (ma.ra.ca.*tu*) *sm.* **1** *PE Folc.* Dança popular ou rancho carnavalesco organizado como cortejo a um rei africano, ao som de instrumentos de percussão **2** *Mús.* Música popular muito ritmada baseada nessa dança [F.: De or. afric., mas de étimo incerto.]

maracujá (ma.ra.cu.*já*) *Bot. sm.* **1** *Bras.* Nome comum a muitas espécies do gên. *Passiflora*, da fam. das passifloráceas, trepadeiras de flores vistosas e frutos comestíveis; MARACUJAZEIRO **2** O fruto dessas plantas [F.: Do tupi *moruku'ya.*]

maracujazeiro (ma.ra.cu.ja.*zei*.ro) *sm. Bras. Bot.* Maracujá (1) [F.: *maracujá* + *-zeiro.*]

maracutaia (ma.ra.cu.*tai*.a) *sf. Pop.* Ação ilegal, ger. resultante de conluio em área política ou administrativa; FALCATRUA; FRAUDE: "escrever uma eventual coisinha amena [...] me esfriava um pouco a cabeça, zonza com tanta maracutaia" (João Ubaldo Ribeiro, *Diário do farol*) [F.: Do tupi, posv.]

marafa¹ (ma.*ra*.fa) *sf.* **1** *Bras. RJ Gír.* Vida libertina, desregrada: *Vivia na marafa do princípio ao fim do dia.* **2** *Pej.* O mesmo que *meretriz.* [F.: F. red. de *marafona.*]

marafa² (ma.*ra*.fa) *sf. Bras.* Aguardente de cana, pura ou aromatizada com ervas; tb. *malafa*; CACHAÇA: "...e a pomba-gira de Filomena escancarou, rodou literalmente a baiana, emborcou generosos copos de marafa, riu escandalosamente..." (Aldírio Simões, *Banho de descarrego*) [F.: Posv. var. de *malafa.*]

marafona (ma.ra.*fo*.na) *sf.* **1** *Pop.* Boneca de pano **2** *Pej.* Prostituta reles; RAMEIRA; MERETRIZ [F.: Do ár. *mara haina*, posv.]

maragato (ma.ra.*ga*.to) *sm.* **1** *Bras. Hist.* Participante da Revolução Federalista de 1893, que defendia a predominância do governo federal sobre o estadual do RS; FEDERALISTAS **2** Revolucionário que, em 1923, se opunha ao governo de Borges de Medeiros, no RS [F.: Do espn. plat. *maragato.*]

marajá¹ (ma.ra.*já*) *sm.* **1** Na Índia, título de príncipe ou autoridade [Fem.: *marani.*] **2** *Bras. Fig.* Homem muito rico, poderoso **3** *Bras. Pop.* Funcionário público cujo salário é exorbitante: "Mas, se perseverou, deve ter acabado passando e hoje há de estar num posto qualquer do Ministério da Administração ou na equipe econômica, ou ainda aposentado como marajá, ou as três coisas..." (João Ubaldo Ribeiro, *Diário do farol*) [Fem.: *marajoa.*] [F.: Do hind. *maharaja*, do sânsc. *maha raja*, 'grande rei'. Cf.: *Rajá.*]

marajá² (ma.ra.*já*) *sm. Bot.* Nome comum a diversas palmeiras do gên. *Bactris*, como, p.ex., *Bactris maraja*, originária da Amazônia, de frutos comestíveis, roxo-escuro, dos quais se extrai óleo, e folhas penadas, cujas fibras são us. para a confecção de tecidos [F.: Do tupi.]

marajaísmo (ma.ra.ja.*ís*.mo) *sm.* **1** Condição de marajá **2** *Pej.* Estilo de vida comparado ao dos marajás, em que há, por excesso de privilégios em cargos públicos, um aviltamento aos valores que regem a vida em sociedade [F.: *marajá* + *-ismo.*]

marajanato (ma.ra.ja.*na*.to) *sm. Bras. Pej.* Estado ou qualidade de marajá, o funcionário público que acumula regalias não permitidas a outras classes trabalhadoras:

"Por outro lado, está na hora de pôr fim a esta novela de teto, que a situação fiscal exige, principalmente nos estados onde o marajanato tem mais viço, e que há tempos vem sendo bloqueada..." (Tereza Cruvinel, *Teto e Pudor — senado.gov.br/noticia/senamidia/historico/1999*) [F.: *marajá* + *-n-* + *-ato*¹.]

marajó (ma.ra.*jó*) *sm. Bras. PA* Vento que sopra do lado da ilha de Marajó, sobre a baía de Guajará [F.: Do top. *Marajó*.]

marajoara (ma.ra.jo:*a*.ra) *s2g.* **1** Pessoa nascida ou que vive em Marajó (PA) *a2g.* **2** De Marajó; típico dessa ilha ou de seu povo: "...adquirida a perder de vista pela Caixa Hipotecária Militar, bem construída, em estilo marajoara segundo o bem-falante vendedor, uma verdadeira teteia, com um quintalzinho subindo o morro." (Marques Rebelo, *O simples coronel Madureira*) *sm.* **3** Vento nordeste que sopra fortemente em Marajó [F.: Do tupi *marayo'ara*, posv.]

marambiré (ma.ram.bi.*ré*) *sm. Bras. N Dnç. Mús.* Música e dança de origem africana em homenagem a são Benedito, que mistura elementos religiosos e profanos [Dança de pares, com ritmo bem marcado, em cuja música são utilizados instrumentos de pau, corda e sopro como: curimbós, maracás, ganzás, banjos, cavaquinhos, violões e flautas. As mulheres usam vestidos estampados e rendados e arranjo de flores na cabeça e os homens vestem calça comprida preta ou branca e camisa com a mesma estampa do vestido da dama. É cantado e dançado, esp. no quilombo do Pacoval, em Alenquer no Pará, entre o Natal e o Dia de Reis, e durante as festividades em louvor a são Benedito, que vão até 20 de janeiro, quando ocorre o encerramento com uma procissão fluvial.] [F.: De or. afric.]

marandová (ma.ran.do.*vá*) *sm.* **1** *Bras. Zool.* nome dado às lagartas de algumas mariposas da fam. dos esfingídeos, de coloração variável, preta, marrom ou verde [Podem se constituir em importante praga para a cultura da mandioca.] **2** *Pop.* Sujeito esquentado, genioso, irritadiço [F.: Do tupi *marando'ba*.]

maranha (ma.*ra*.nha) *sf.* **1** Fios ou fibras enredadas ou embaraçadas (maranha de cabelo) **2** Cadarço, borra de seda **3** Teia de lã já tecida, mas não apisoada **4** *Fig.* Lance, negócio intricado: *Não me meto nessa maranha.* **5** *Fig.* Enredo, intriga: *Fez maranha com a vizinhança.* **6** *Bras. Amaz. Pop.* Madraçaria, malandragem: *Vivia na maranha o tempo todo.* **7** *Pop.* Manha, esperteza, velhacaria: *Sua maranha iria traí-lo um dia.* **8** *Pop.* Acerto, combinação: *Estava de maranha com o chefe.* [F.: Do espn. *maraña*.]

maranhão¹ (ma.ra.*nhão*) *sm.* **1** Mentira ardilosa, peta: "Dir-se-ia, porém, um caso de cólera-morbo nos domínios do senso moral: Tal a correnç a e a coliquação com que se sucedem os despropósitos e os maranhões." (Rui Barbosa, *Esfola da calúnia*) **2** Fuxico, intriga, mexerico [Pl.: *-nhões*.] [F.: *maranha* + *-ão*¹.]

maranhão² (ma.ra.*nhão*) *sm. Ant.* O mesmo que *maranhense* [F.: Do top. *Maranhão*.]

maranhar (ma.ra.*nhar*) *v. td.* Ver *emaranhar* [▶ **1** maranhar] [F.: *maranha* + *-ar*. Hom./Par.: *maranha(s)* (fl.), *maranha(s)* (sf.) e pl; *maranho* (fl.), *maranho* (sm.).]

maranhense (ma.ra.*nhen*.se) *s2g.* **1** Aquele ou aquela que nasceu ou que vive no Maranhão *a2g.* **2** Do Maranhão; típico desse estado ou de seu povo [F.: Do top. *Maranh(ão)* + *-ense*.]

marani (ma.ra.*ni*) *sf.* Título de esposa de marajá [F.: Do sânsc. *mahā hani*, 'grande rainha'.]

marantácea (ma.ran.*tá*.ce:a) *sf. Bot.* Espécime das marantáceas, fam. de ervas da ordem das zingiberales, com 29 e 535 spp., nativas das regiões tropicais, são cultivadas como ornamentais e, também, para a fabricação de cera, fécula, fibras etc. [F.: Adaptç. do lat. cient. *Marantaceae*, do lat. cient. *Maranta*.]

marapuama (ma.ra.pu:*a*.ma) *sf. Bot.* Planta da fam. das acantáceas (*Ptychopetalum olacoides*), originária das florestas centrais da Amazônia, de valor medicinal pelos seus poderes energéticos e afrodisíacos [F.: De or. tupi.]

marasca (ma.*ras*.ca) *sf.* **1** *Bot.* O mesmo que *ginja*, fruta da qual se faz o licor chamado *marasquino* **2** *Bot.* Variedade de ginjeira (*Prunus cerasus*) [F.: Do it. *marasca*.]

marasmar (ma.ras.*mar*) *v.* **1** Provocar marasmo em [*td.*] **2** Cair no marasmo [*int.*] [▶ **1** marasmar] [F.: *marasmo* + *-ar*.]

marasmento (ma.ras.*men*.to) *a.* Repleto de, ou que causa marasmo, abatimento, tédio etc.; ENTEDIANTE: *Foi um fim de semana marasmento, sem futebol, sem praia, sem programa...* [Ant.: *agitado, movimentado*.] [F.: *marasmo* + *-ento*.]

marasmo (ma.*ras*.mo) *sm.* **1** *Med.* Situação de quem é apático, indiferente; DESÂNIMO **2** Ausência de novos acontecimentos ou realizações (marasmo econômico); ESTAGNAÇÃO **3** *Med.* Estado de enfraquecimento geral; ATONIA [F.: Do gr. *marasmós*. Hom./Par.: *marasmo* (sm.), *marasmo* (fl. de *marasmar*).] ■ **~ infantil** *Pat.* Desnutrição patológica progressiva que ocorre em crianças; atrepsia

marasquino (ma.ras.*qui*.no) *sm.* Licor branco que se fabrica com a marasca [F.: Do it. *maraschino*. Tb. *marrasquino*.]

marátia (ma.*rá*.ti:a) *sf.* Ver *maráttia*

maratiácea (ma.ra.ti:*á*.ce:a) *sf.* Ver *marattiácea*

maratiáceo (ma.ra.ti:*á*.ce:o) *a.* Ver *marattiáceo*

maratiale (ma.ra.ti:*a*.le) *sf.* Ver *marattiale*

maratona (ma.ra.*to*.na) *sf.* **1** *Esp.* Prova de corrida a longa distância (42.195 km) **2** *Fig.* Evento de longa duração: *O cineclube apresentará uma maratona de filmes.* **3** *Fig.* Atividade intensa e exaustiva, ger. sob premência de tempo: *Os vestibulandos enfrentarão uma maratona de provas no fim de semana.* [F.: Do top. *Maratona*.]

maratônio (ma.ra.*tô*.ni:o) *sm.* **1** Indivíduo nascido ou que vive em Maratona (Grécia antiga) *a.* **2** De Maratona; típico dessa cidade ou de seu povo [F.: Do top. *Maraton(a)* + *-io*³.]

maratonismo (ma.ra.to.*nis*.mo) *sm.* **1** *Esp.* Esporte de quem participa de maratonas, de corridas a pé de longo percurso: *Provas de maratonismo exigem grande resistência física:* "A prova (...) projeta a cidade no cenário do maratonismo mundial, caracterizado pela prova de resistência de 42.195 m que precisa ser vencida com energia e determinação..." (*Curitiba.org.br*, 16.11.2004) **2** Espécie de competição ou evento cultural de longa duração, em que os participantes ger. precisam demonstrar grande conhecimento sobre um dado tema: *Entre os destaques do jornal "O Berrante" estava o maratonismo euclidiano.* [F.: *maratona* + *-ismo*.]

maratonista (ma.ra.to.*nis*.ta) *s2g.* Atleta que participa de maratona (1) [F.: *maraton(a)* + *ista*.]

maráttia (ma.*rát*.ti:a) *Bot. sf.* Designação comum aos fetos do gên. *Marattia*, da fam. das marattiáceas, que abrange 60 spp., algumas com fronde até 5m [F.: Do lat. cient. *Marattia*, do antr. (*Giovanni Francesco*) *Maratti* (1723-77), botânico italiano. Tb. *marátia*.]

marattiácea (ma.rat.ti:*á*.ce:a) *Bot. sf.* Espécime das marattiáceas, fam. de pteridófitas terrestres, da ordem das marattiales, com quatro gên. e cem spp., nativas das regiões tropicais; de cáudices grossos, curtos e eretos e de frondes grandes [F.: Adaptç. do lat. cient. *Marattiaceae*, do lat.cient. *Marattia* (ver *maráttia*). Tb. *maratiácea*.]

marattiáceo (ma.rat.ti:*á*.ce:o) *a. Bot.* Ref. ou pertencente às marattiáceas [F.: De *marattiácea*, com var. suf.; ver *-áceo*. Tb. *maratiáceo*.]

marattiale (ma.ra.tti:*a*.le) *sf. Bot.* Espécime das marattiales, ordem da classe das filicópsidas, com apenas uma única família, a das marattiáceas [F.: Adaptç. do lat. cient. *Marattiales* (ver *maráttia*). Tb. *maratiale*.]

marau (ma.*rau*) *sm.* **1** Indivíduo cafajeste, canalha, patife **2** Sujeito cheio de expedientes, enganador, espertalhão: *Atendeu o marau à porta sem desconfiar de seus planos.* [F.: Do fr. *maraud*, 'gatuno'; 'pedinte'.]

marauá (ma.rau.*á*) *s2g.* **1** Indivíduo dos marauás, povo indígena extinto, da família linguística aruaque, que habitava as margens dos rios Javari, Juruá e Jutaí (AM) *a2g.* **2** Dos marauás; típico desse povo ou de sua cultura [F.: Do aruaque.]

maravalha (ma.ra.*va*.lha) *sf.* **1** Pequeno galho de árvore ou apara de madeira com que se acende o fogo **2** Fitas estreitas que se formam ao aplainar a madeira **3** *P.ext.* Qualquer tipo de apara, estilhaço, lascas de ferro, gelo, papel etc. **4** Qualquer coisa que se incendeia com facilidade, levantando labareda, e de repente se apaga **5** *Fig.* Coisas sem valor, sem importância, bagatelas **6** *Lus.* Folhas secas, esp. de pinheiro, ou a pele que reveste as castanhas ainda verdes, e que servem para acender lareiras e fogueiras; CARUMA [Mais us. no pl.] [F.: De or. obsc.]

maravilha (ma.ra.*vi*.lha) *sf.* **1** Coisa ou fato surpreendente, assombroso, extraordinário (maravilhas tecnológicas) **2** Coisa ou fato impressionante por sua beleza, intensidade etc.: "...poder admirar tanta gente que fez de Veneza esta maravilha pousada n'água, como Vênus na concha." (Cecília Meireles, *Crônicas de viagem*) **3** Qualidade do que é perfeito; PRIMOR: "Deixa-a pensar que isto aqui é uma maravilha, que nos batemos heroica e generosamente pelo futuro da terra." (Pepetela, *A geração da utopia*) **4** *Bot.* Erva da fam. das nictagináceas (*Mirabilis jalapa*), nativa do México, de folhas comestíveis, flores brancas, roxas ou vermelhas que se abrem à noite, us. para ornamentação, e cujas raízes têm propriedades purgativas; BATATA-DE-PURGA; BONINA; JALAPA **5** *Bras. Cul.* Espécie de empada, com recheios variados **6** Vermelho arroxeado e berrante *a2g2n.* **7** Que é da cor maravilha (6) **8** Diz-se dessa cor [F.: Do lat. *mirabilia*. Hom./Par.: *maravilha* (sf.a2g2n.), *maravilha* (fl. de *maravilhar*).] ■ **Às ~s** Ver *Às mil maravilhas*. **Às mil ~s** Maravilhosamente bem **Dizer ~s (de)** Fazer grandes elogios (a), louvar (algo ou alguém) **Oitava ~** *Fig.* Diz-se de algo ou alguém considerado de tal qualidade ou valor que pode ser comparado às sete maravilhas do mundo [Pelo notório exagero, pode ter conotação irônica.]

maravilhado (ma.ra.vi.*lha*.do) *a.* **1** Que se maravilhou; FASCINADO; ENCANTADO: *Ficou maravilhado com a beleza do lugar.* **2** Repleto de encantamento, de deslumbramento (olhar maravilhado) [F.: *maravilha* + *-ado*¹.]

maravilhamento (ma.ra.vi.lha.*men*.to) *sm.* Ação ou resultado de maravilhar(-se): "Viu-se conversando com ela, escondendo com secura o maravilhamento de enfim falar sobre coisas que realmente importavam..." (Clarice Lispector, *A mensagem — Legião Estrangeira*) [Ant.: *aversão, repulsa, repugnância*.] [F.: *maravilhar* + *-mento*.]

maravilhar (ma.ra.vi.*lhar*) *v.* Encher(-se) de admiração, de deslumbramento; EXTASIAR(-SE) [*td.*: *O balé maravilhou a plateia.*] [*int.*: *A voz de Elis é de maravilhar.*] [*tr.* +com: *Todos maravilharam-se com o pôr do sol na ilha.*] [▶ **1** maravilhar] [F.: *maravilha* + *-ar*². Hom./Par.: *maravilha(s)* (fl.), *maravilha(s)* (sf. [pl.]).]

maravilhoso (ma.ra.vi.*lho*.so) [ô] *a.* **1** Que surpreende, que causa espanto, admiração **2** Que impressiona por suas qualidades positivas **3** Sobrenatural, milagroso *sm.* **4** O que causa assombro ou admiração: *Na dimensão cósmica, só o maravilhoso tem possibilidade de ocorrer.* [Pl.: [ó]. Fem.: [ó].] [F.: *maravilh(a)* + *-oso*.]

marca¹ (*mar*.ca) *sf.* **1** Ação ou resultado de marcar **2** Sinal feito em algo para distingui-lo, para destacar um limite etc.: *Fiz uma marca onde parei a revisão.* **3** Vestígio deixado pela ação do homem, pelos animais ou pela ação da natureza: *Havia marcas da inundação nas paredes.* **4** Cicatriz causada por ferida, doença etc.: *marcas de espinhas no rosto.* **5** *Fig.* Característica própria do trabalho de alguém: *Competência é a nossa marca.* **6** Categoria, selo com que se distingue um objeto de outro: *Só compra roupas pela marca.* **7** Desenho e/ou nome que indicam o fabricante de um produto: *Queria saber a marca daquele brinquedo.* **8** Sinete de ferro com que se imprime a fogo nos animais o distintivo do dono: "E, quando tudo esteve a ponto, abrasaram o ferro com a marca do gado do Major..." (Guimarães Rosa, "A hora e vez de Augusto Matraga" *in Sagarana*) **9** O sinal deixado por esse sinete **10** Número que representa resultado atingido ou em comparação a um ponto de referência: *Vai ser difícil superar a marca desse nadador; O cavalo conseguiu incrível marca na milha.* **11** Padrão de medida (de nível, altura, distância etc.): *O cais apresenta as marcas dos vários níveis da água do rio.* **12** Sinal distintivo que revela a presença de alguém em trabalho ou realização; estilo: *Mais uma vez o cineasta deixou sua marca em um filme inesquecível.* **13** Sinal que revela sentimento, estado emocional ou físico etc.: *A morte do filho deixou profundas marcas em seu rosto.* **14** Assinatura, rubrica: *Pegou a caneta e deixou sua marca no documento.* **15** *Esp.* Número que refere um resultado alcançado por determinado atleta: *Ele deixou sua marca de 1,36 no nado livre.* **16** *Dnç.* Cada um dos movimentos evolutivos de uma dança **17** *PR* Dança que representa uma parte do fandango **18** *Teat.* Marcação de cada uma das posições que os atores devem assumir em cena **19** *Lus. Pop.* Prostituta **20** *Num.* Antiga moeda portuguesa de ouro e prata **21** Qualquer coisa que forneça apoio ao pavio das lamparinas **22** *Esp.* Linha de partida em pista de corrida **23** Fronteira, limite: "Terá o jus disso, o que passa das marcas? É réu? É para se citar?" (Guimarães Rosa, *"Fatalidade" in Primeiras estórias*) **24** Categoria, classe: *São poucos os atletas desta marca.* **25** Grau, categoria, jaez: *Não trato com indivíduos dessa marca.* [F.: Do suevo **marka*. Hom./Par.: *marca* (fl. de *marcar*).] Ideia de *marca*, usar antepos. *caracter-, carater-, sem (a/i)-* e *tip(i/o)-*; pospos. *-semia* e *-tipo*.] ■ **De ~** **1** Que ostenta marca de qualidade, de grife: *Estes óculos são de marca, por isso são tão caros.* **2** *Pej.* Realce à qualidade (ger. negativa) de algo ou alguém: *É um hipócrita de marca.* **De ~ maior** *Pej.* Ver *De marca* (2): *É um hipócrita de marca maior.* **~ barbante** *Bras. Pop.* De má qualidade, ordinário **~ registrada** **1** Nome, símbolo, logotipo etc. que identifica um produto com a empresa ou instituição que o registrou **2** *Fig.* Aquilo que, por sua característica, identifica seu autor, aquilo a que pertence etc.: *O saque potente é a marca registrada daquele tenista.* **Sair de ~ quente** *RS* Ficar desconfiado, cismado, ressabiado

marca² (*mar*.ca) *sf. Econ.* Unidade monetária da Finlândia (Europa) [F.: Do fin. *markka*.]

marcação (mar.ca.*ção*) *sf.* **1** Ação ou resultado de marcar, de fazer um sinal **2** *Cin. Teat. Telv.* Cada uma das delimitações que indicam (em um palco, estúdio etc.) onde os atores devem estar durante uma encenação ou filmagem **3** *Esp.* Esforço que um jogador faz para impedir que um adversário jogue livremente: *Mesmo sob forte marcação, fez o gol.* **4** *Enuc.* Operação pela qual se marcam moléculas, produtos ou materiais com um nuclídeo radioativo a fim de acompanhar seu comportamento **5** *Mil.* Operação para enquadrar o alvo de um bombardeio aéreo por meio de foguetes iluminantes ou granadas de balizamento **6** *Mar.* Direção de um navio, aeronave, acidente geográfico ou astro a partir do ângulo que faz com o Norte **7** *Bot.* Em silvicultura, ação de marcar as árvores a serem derrubadas **8** *Zool.* Em zootecnia, aposição de marcas nas reses para efeitos de seleção e controle **9** *RS* Ferra do gado [Pl.: *-ções*.] [F.: *marcar* + *-ção*.] ■ **Estar de ~ com** *Bras. Pop.* Ter implicância com, ter má vontade para com **~ homem a homem** *Esp.* Em esporte coletivo (basquete, futebol, futsal etc.), forma de marcação em que um jogador marca individualmente determinado jogador do time adversário; marcação individual **~ individual** *Esp.* Ver *Marcação homem a homem* **~ por zona** *Esp.* Em esporte coletivo (basquete, futebol, futsal etc.), forma de marcação em que um jogador marca uma determinada zona do terreno de jogo, independentemente de qual jogador adversário nela estará a cada jogada **Ter ~ com** *Bras.* Ver *Estar de marcação com*

marca-d'água (mar.ca-*d'á*.gua) *sf. Art.gr* Inscrição ou desenho, só visíveis contra a luz, impressos numa folha de papel; FILIGRANA [Pl.: *marcas-d'água*.]

marcado (mar.*ca*.do) *a.* **1** Que recebeu marca (cartas marcadas; gado marcado) **2** Combinado, acertado (encontro marcado) **3** Fixado, determinado (hora marcada; lugares marcados) **4** *Esp.* Diz-se do jogador que está sob marcação (3) [Ant. nestas acps.: *desmarcado*.] **5** Distinto, notável: *É figura das mais marcadas do meio acadêmico.* *sm.* **6** *RS* Aquele que vive de enganar os outros, esp. nos negócios [F.: Part. de *marcar*.]

marcador (mar.ca.*dor*) [ô] *a.* **1** Que marca *sm.* **2** O que marca (marcador de combustível; marcador de livro) **3** *Bras.* Letreiro, quadro ou painel eletrônico onde se registram os pontos feitos pelos competidores; PLACAR **4** *Bras.* Os pontos registrados nesse painel; PLACAR: *O time visitante abriu o marcador no primeiro minuto de jogo.* **5** *Esp.* Jogador que, numa partida, marca o adversário **6** *RS*

Aquele que marca o gado com ferro quente; MARQUEIRO [F.: *marcar* + *-dor*.] ▪▪ **~ de discurso** *Ling.* Palavra ou termo que faz ligação entre períodos, ou trechos inteiros de um discurso, estabelecendo uma relação lógica, uma coerência entre seus enunciados [P.ex., o advérbio *assim*, seguido de vírgula, estabelece uma relação lógica de causa e consequência entre o enunciado que o antecede e o que lhe sucede.] **~ de livro** Objeto de variado formato (tira de couro, plástico, cartão etc., clipe etc.) que se põe numa página de livro para marcá-la **~ de texto** Caneta com ponta grossa e macia, ger. com tinta de cor viva e luminosa, com que se marca, com traços coloridos, trechos de um texto **~ semântico** *Ling.* Na gramática generativa, palavra ou termo que delimita a área semântica de uma palavra [Ex.: concreto/humano; abstrato/de ação; ação/processo etc.]

marçalino (mar.ça.*li*.no) *a.* Do, ref. ao ou próprio do mês de março: *Ano após ano, as chuvas marçalinas inundavam a cidade.* [F.: *marçal* (< *março* + *-al*[1]) + *-ino*[1].]

marcante (mar.*can*.te) *a2g.* **1** Que marca, caracteriza, distingue (atributo marcante) **2** Que sobressai, se destaca (presença marcante) **3** Registrado na memória de alguém (diz-se de momento, evento etc.): *Nossa tarde na praia foi marcante.* [F.: *marcar* + *-nte*.]

marca-passo (mar.ca-*pas*.so) *sm. Med.* Todo dispositivo, ou substância, cuja ação tem o efeito de regular a frequência com que ocorre um fenômeno, uma função orgânica etc. [Pl.: *marca-passos*.] ▪▪ **~ cardíaco artificial** *Fisl. Card.* Aparelho alimentado por bateria, implantado no organismo, que monitora a frequência dos batimentos cardíacos e emite impulsos elétricos aos músculos cardíacos para, estimulando-os, regular essa frequência no nível adequado, sempre que necessário [Tb. apenas *marca-passo*.]

marcar (mar.*car*) *v.* **1** Colocar marca, sinal ou outro meio de identificação; DESTACAR; ASSINALAR [*td.*: *Marcaram com duas letras os prédios a serem desapropriados;* "...lia o romance, marcando-lhe os trechos a lápis." (Marques Rebelo, *Contos reunidos*)] **2** Ter papel de destaque em, salientar; RESSALTAR [*td.*: *A alegria das crianças marcou a visita dos comediantes.*] **3** Fixar, determinar (data, prazo); AGENDAR [*td.*: *O oficial marcou a data da investida.*] [*tr.* +*com*: *Marquei com os visitantes às 13 horas.*] **4** Causar forte impressão psicológica a; IMPRESSIONAR [*td.*: *Aquele filme de Buñuel marcou a vida do rapaz.*] **5** Fazer-se notar; SOBRESSAIR; DESTACAR-SE [*int.*: *Suas atitudes sempre marcam.*] **6** Deixar claro (posição, lugar, opinião); DEFINIR; MANIFESTAR [*td.*: *Você precisa marcar uma posição nesta casa.*] [Ant.: *omitir.*] **7** Prestar atenção; levar em conta; ATENTAR; CONSIDERAR [*td.*: *Marque bem o que eu lhe disse: o pior vencerá.*] **8** Combinar, acertar algo com alguém [*td.*: *marcar encontro/consulta.*] [*tdr.* +*com*: *Ela marcou o encontro comigo.*] **9** Indicar por meio de ponteiros, instrumento mecânico, elétrico ou eletrônico [*td.*: *O taxímetro marcou 25 reais; O cronômetro marcara dez para as duas.*] **10** Vigiar alguém, esp. para descobrir(-lhe) erro ou características, hábitos [*td.*: *Os assaltantes marcaram a vítima durante semanas.*] **11** *Teat.* Assinalar as posições de cena e sua sequência [*int.*] **12** *Esp.* Apontar, registrar uma ocorrência [*td.*: *O juiz marcou o pênalti sem hesitação.*] **13** *Esp.* Fazer (gols, pontos) [*td.*: *A equipe visitante marcou três pontos de vantagem.*] [*int.*: *O excelente atacante marcara logo no início.*] **14** *Esp.* Acompanhar de muito perto (outro jogador), em campo, para lhe impedir as jogadas [*td.*: *Os adversários marcaram implacavelmente a seleção.*] **15** *Pec.* Fazer a conhecida marca com ferro quente no gado [*td.*: *Em poucos dias, marcava todo o rebanho.*] **16** Bordar (tecido, roupa) com ponto e linha para apor-lhes marca (2) [*td.*: *Regina marcou todas as toalhas do enxoval.*] [*int.*: *Aprendeu a marcar durante as férias.*] **17** *Dnç.* Indicar os passos que cada um dos pares deve executar [*td.*: *marcar uma quadrilha junina.*] **18** Sujar, manchar [*td.*: *O delito marcou-a definitivamente.*] [▶ **11 marcar**] [F.: De or. germ., pelo lomb. *markjan, *markan, e pelo it. *marcare*. Ant. nas acp.: 2, 3, 8 e 13: *desmarcar*. Hom./Par.: *marca(s)* (fl.), *marca(s)* (sf. [pl.]); *marco* (fl.), *marco* (sm.). Ideia de 'marcar': caracter- (caracterizar, caráter).]

marcassita (mar.cas.*si*.ta) *sf.* **1** *Min.* Mineral ortorrômbico, sulfeto de ferro, us. para confecção de objetos de adorno e na fabricação do ácido sulfúrico **2** *Gem.* Designação comercial genérica da pirita, da hematita, do aço e mesmo da marcassita [F.: Do fr. *marcassite*.]

marcável (mar.*cá*.vel) *a2g.* **1** Que se pode marcar **2** Que pode marcar ou deixar sinais visíveis de uma ação; notório: *Sua atuação no julgamento foi marcável e digna do seu esforço heroico por justiça.* **3** *Pop. Esp.* Passível de sofrer marcações, de ser marcado: *Sua falta de movimentação o tornava marcável pelos adversários.* [Pl.: *-veis*.] [F.: *marcar* + *-vel*. Hom./Par.: *marcáveis* (pl.), *marcáveis* (fl. de *marcar*).]

marcenaria (mar.ce.na.*ri*.a) *sf.* **1** Técnica ou ofício de construir móveis e outros objetos com madeira **2** Oficina onde se pratica essa técnica **3** Obra de marceneiro [F.: *marcen-*, rad. de *marceneiro*, + *-aria*.]

marceneiro (mar.ce.*nei*.ro) *sm.* Indivíduo que trabalha na fabricação de móveis e objetos de madeira [F.: De or. contrv; posv. do lat. *mercenarius, a, um*, 'contratado a dinheiro', com evolução semântica pouco clara. Hom./Par.: *marceneiro* (sm.), *marceneiro* (fl. de *marceneirar*.). Cf.: *carpinteiro*.]

marcescente (mar.ces.*cen*.te) *a2g.* **1** Que murcha, que seca **2** *Bot.* Diz-se do cálice, da corola ou da folha que murcha e seca sem cair [F.: Do lat. *marcescens, entis*.]

marcescível (mar.ces.*cí*.vel) *a2g.* Que pode murchar [Ant.: *imarcescível*] [Pl.: *-veis*.] [F.: Do lat. *marcescibilis, e*.]

marcha (*mar*.cha) *sf.* **1** Ação ou resultado de marchar, de caminhar: *Começaram uma cansativa marcha.* **2** Trajeto que se percorre a pé; JORNADA: *Foi uma marcha de 15 km.* **3** O modo de andar, quanto à velocidade, sincronia etc. (marcha acelerada/cadenciada); PASSO **4** Manifestação na qual um grupo percorre a pé um trajeto, demonstrando ou reivindicando algo: *marcha pela paz.* **5** Procissão, cortejo (marcha triunfal) **6** *Fig.* Desenvolvimento de um processo; PROGRESSO; ANDAMENTO: *O candidato acompanhou a marcha das apurações.* **7** *Fig.* Sucessão de eventos ao longo do tempo; CURSO: *Acompanhou pela TV a marcha dos acontecimentos.* **8** *Esp.* Prova de atletismo na qual os competidores devem andar, mantendo sempre um dos pés apoiado no solo **9** *Mec.* Cada uma das disposições do sistema de transmissão de um veículo, motorizado ou não, que permitem regular a velocidade e a força: *bicicleta de 18 marchas.* **10** *Mús.* Música, ger. em compasso binário, que acompanha e cadencia a marcha (1) (marcha nupcial/militar) **11** *Bras. Mús.* Gênero de música popular, de compasso binário, a que corresponde uma dança, e que tem algumas variações quanto ao compasso, à expressividade etc. [F.: Dev. de *marchar*. Hom./Par.: *marcha* (sf.), *marcha* (fl. de *marchar*).] ▪▪ **~ anserina** *Neur.* Forma de andar característica de certas afecções musculares, na qual a bacia se inclina para o lado da perna que dá o passo, num andar parecido com o de um pato ou um ganso **~ a ré 1** *Mec.* A relação de marcha (engate da engrenagem do motor com as que movimentam as rodas) que faz um veículo andar para trás: *engatar a marcha a ré.* [Tb. apenas *ré*.] **2** O deslocamento para trás de um veículo nessa marcha: *O carro deu marcha a ré e saiu do beco.* **3** *Fig.* Recuo numa opinião, atitude, ação etc.: *Havia resolvido participar do mutirão, mas deu marcha a ré e nem apareceu.* **~ harmônica** *Mús.* Grupo de acordes que se repete simetricamente, em escala ascendente ou descendente, mantendo a tonalidade ou modulando para outras tonalidades **~ forçada** *Mil.* Marcha em passo acelerado, em ritmo forçado ao máximo

marchador (mar.cha.*dor*) [ô] *a.* **1** Diz-se de cavalo que marcha bem, que tem passo largo e compassado *sm.* **2** Cavalo que marcha bem, que tem passo largo e compassado **3** *Bras. Pop.* Aquele que paga as despesas de outrem **4** Aparelho us. em chapelaria [F.: *marchar* + *-dor*.]

⊕ **marchand** (*Fr.* /marchã/) *s2g. Bras.* Pessoa que comercializa obras de arte

marchante (mar.*chan*.te) *s2g.* **1** Pessoa que compra gado e revende-o, abatido, a açougues **2** *Bras. N.E. Lus.* Açougueiro **3** *Bras. N.E.* O que sustenta uma concubina **4** *Bras. N.E.* O que paga as despesas de outrem; MARCHADOR [F.: Do fr. *marchand*.]

marchar (mar.*char*) *v.* **1** Andar, caminhar, seguir caminho [*int.*: "Qual cinge com a malha o peito duro, e marchando na frente das coortes, faz a torre voar, cair o muro." (Tomás Antônio Gonzaga, *Marília*)] [*ta.*: *Decidiu marchar para casa antes que chovesse.*] **2** Caminhar a passo cadenciado, de marcha ou de procissão [*ta.*: *Os fiéis vão marchar até a estátua do santo protetor.*] **3** Avançar, investir sobre [*ta.*: *marchar sobre uma cidade/contra o inimigo.* Ant.: *recuar.*] **4** Evoluir, prosseguir [*int.*: *Os acontecimentos marcham satisfatoriamente; marchar para uma solução.*] [▶ **1 marchar**] [F.: Do fr. *marcher*. Hom./Par.: *marcha(s)* (fl.), *marcha(s)* (sf. [pl.]).]

marcha-rancho (mar.cha-*ran*.cho) *sf. Bras. Mús.* Marcha carnavalesca com ênfase na melodia mais elaborada [Pl.: *marchas-rancho*.]

marcheado (mar.che:*a*.do) *a.* Que tem ritmo semelhante ao da marcha carnavalesca (samba marcheado) [F.: *marcha* + *-eado*.]

marche-marche (mar.che-*mar*.che) *sm.* **1** Passo militar mais rápido **2** *Fig.* Muita pressa, rapidez, velocidade: "Teodósio, não estando mais para conversa, conchegou o chapéu de palha à cabeça para que o vento não lho arrebatasse, e desapareceu em rápido marche-marche..." (Franklin Távora, *O cabeleira*) [Pl.: *marches-marches* e *marche-marches*.] *interj.* **3** Palavra que comanda o passo militar mais rápido ▪▪ **A ~-~** A passo acelerado; com muita pressa

marchetado (mar.che.*ta*.do) *a.* **1** Que se marchetou; que tem obra de marchetaria; TAUXIADO **2** Que imita o lavor de uma obra de marchetaria: "Seu passo deslizou pela alcatifa de veludo azul marchetado de alcachofras de ouro..." (José de Alencar, *Senhora*) **3** *Fig.* Esmaltado, matizado, enfeitado: *céu marchetado de estrelas.* *sm.* **4** Obra de marchetaria [F.: Part. de *marchetar*.]

marchetar (mar.che.*tar*) *v.* **1** Fazer trabalho de marchetaria em; EMBUTIR; TAUXIAR [*td.*: *marchetar o piso, o armário.*] [*tdr.* +*de*: *Marchetou de marfim o móvel.*] **2** *Fig.* Enfeitar com manchas, placas coloridas; MATIZAR [*tdr.*: "Sua fisionomia... nada tinha de notável, a não ser a malha que lhe marchetava de nódoas brancas a tez acobreada..." (José de Alencar, *Til*)] **3** *Fig.* Dar realce, destaque a; DESTACAR; REALÇAR [*tdr.* +*com*: *Marchetava a vida com muitas aventuras.*] **4** Pôr de permeio; ENTREMEAR; PERMEAR [*tdr.* +*com*: *Marchetara os textos com eventuais licenças poéticas.*] [▶ **1 marchetar**] [F.: Do fr. *marquer*. Hom./Par.: *marcheta(s)* (fl.), *marcheta(s)* (sf.[pl.]); *marchetaria(s)* (fl.), *marchetaria(s)* (sf.[pl.]); *marchete(s)* (fl.), *marchete(s)* [ê] (sm.[pl.]), *marchetado* (fl.), *marchetado* (a.). NOTA: Apresenta o *e* aberto [é] nas f. rizotônicas.]

marchetaria (mar.che.ta.*ri*.a) *sf.* **1** Arte de, colando pedaços de vários materiais (madeira, marfim, metal etc.), produzir efeitos decorativos em obras de marcenaria **2** Obra de marchetaria (1) [F.: *marchetar* + *-ia*[1].]

marchete (mar.*che*.te) [ê] *sm.* Cada uma das peças que se aplicam sobre a madeira para fazer uma obra de marchetaria [F.: Dev. de *marchetar*. Hom./Par.: *marchete* (sm.), *marchete* (fl. de *marchetar*).]

marcheteiro (mar.che.*tei*.ro) *sm.* Indivíduo que trabalha em obras de marchetaria [F.: *marchetar* + *-eiro*.]

marchinha (mar.*chi*.nha) *sf. Bras. Mús.* Marcha (11) alegre ger. executada em eventos carnavalescos [F.: *marcha* + *-inha*.]

marcial (mar.ci:*al*) *a2g.* **1** Ref. a lutas ou guerra (arte marcial; lei marcial) **2** Ref. a quem luta ou guerreia, ou tem tendência a fazê-lo; BELICOSO **3** Ref. a militares (corte marcial) **4** *Farm.* Diz-se dos preparados ferruginosos [Pl.: *-ais*.] [F.: Do lat. *martialis, e*.]

marcialidade (mar.ci:a.li.*da*.de) *sf.* Qualidade ou característica do que é marcial [F.: *marcial* + *-(i)dade*.]

marciano (mar.ci:*a*.no) *a.* **1** De Marte; típico desse planeta (paisagem marciana) *sm.* **2** Suposto habitante de Marte **3** *Fig.* Pessoa distraída ou desligada, que nunca sabe o que se passa a sua volta [F.: Do fr. *martien*.]

marco[1] (*mar*.co) *sm.* **1** Baliza, sinal ou qualquer outra indicação que serve para demarcar um território **2** Aquilo que simboliza um lugar e/ou um acontecimento importante: *Este obelisco é o marco da fundação da cidade.* **3** *Fig.* Acontecimento importante em um período, processo etc.: *Essa vitória foi um marco na conquista do campeonato.* **4** *Cons.* Parte fixa das portas e janelas [F.: Do germânico *marka*, pelo lat. medv. *marcus*. Hom./Par.: *marco* (sm.), *marco* (fl. de *marcar*).] ▪▪ **~ postal** *Lus.* Caixa do coleta postal **~ quilométrico** Sinalização em beira de estrada, na forma de pequeno poste, ou bloco de pedra ou concreto, tabuleta etc., nos quais está marcada a distância em quilômetros daquele ponto a um ponto de referência na estrada (ponto no qual considera-se que ela começa) **~ regulatório** Conjunto de leis sobre determinado assunto ou especialidade: *o marco regulatório do software.*

marco[2] (*mar*.co) *sm.* **1** *Econ.* Nome do dinheiro us. na Alemanha e na Finlândia até a adoção do euro **2** Unidade dos valores em marco, us. em notas e moedas: *uma nota de dez marcos.* [1 marco = 100 *fênigues* (Alemanha) ou 100 *pennia* (Finlândia).] [F.: Do al. *Mark*.] ▪▪ **~ alemão** A unidade monetária e moeda alemã [Tb. apenas *marco*.]

março (*mar*.ço) *sm. Cron.* O terceiro mês do ano. (Com 31 dias.) [F.: Do lat. *martius, ii*.]

mar de almirante (mar de al.mi.*ran*.te) *sm. Bras. Mar.* Mar calmo, sereno, em que se vê claramente o horizonte: *Navegava tranquilamente num mar de almirante.* [Pl.: *mares de almirante*.]

◎ **mar(e/i)-** *el. comp.* = mar; mares; do mar: *maremoto; marisco* [F.: Do lat. *mare, is*.]

maré (ma.*ré*) *sf.* **1** *Oc.* O movimento das águas do mar que faz com que o seu nível aumente e diminua regularmente ao longo dos dias (maré alta/baixa) **2** *Fig.* Período de acontecimentos que supostamente vêm em ondas alternadas, como as marés: *maré favorável aos envolvimentos amorosos.* **3** *Fig.* Disposição de ânimo: *não estar de boa maré.* **4** *Fig.* Grande quantidade (maré de gente; maré de protestos) **5** *PA* Distância itinerária de um ponto a outro nas viagens fluviais que dependem do fluxo ou refluxo da maré [F.: Do fr. *marée*.] ▪▪ **Contra a ~** *Fig.* Contra a opinião ou posição vigente, contra a corrente **Estar de ~** *Fig.* Estar satisfeito, de bom humor, de bem com a vida **Estar/Ir contra a ~** *Fig.* Adotar posição ou ação de contestação à opinião, regime, normas vigentes **~ alta** *Geof.* A maior altura que atingem as águas do mar na subida da maré, e a partir da qual começa a sua vazante; maré-cheia; preamar **~ antilunar** *Geof.* A maré no lado da Terra oposto àquele voltado para a Lua, no qual, ao contrário do que ocorre neste, no fenômeno da maré as águas não estão sob a atração direta do satélite, mas se elevam como consequência de sua elevação no lado oposto **~ antissolar** *Geof.* A maré no lado da Terra oposto àquele voltado para o Sol, no qual, ao contrário do que ocorre neste, no fenômeno da maré as águas não estão sob a atração direta do astro, mas se elevam como consequência de sua elevação no lado oposto **~ atmosférica** *Geof.* Variação para mais e para menos da espessura da camada atmosférica em consequência da força de gravitação do Sol e da Lua, em fenômeno similar ao das marés; maré barométrica **~ baixa** *Geof.* A menor altura que atingem as águas do mar na vazante da maré, e a partir da qual começa a maré alta; baixa-mar **~ barométrica** *Geof.* Ver *Maré atmosférica* **Maré cortical/da crosta** *Geof.* Ver *Maré terrestre* **~ de águas-vivas** *Geof.* Ver *Maré de sizígia* **~ de carvoeiro** *Amaz.* Coisa efêmera, passageira **~ de equinócio** *Geof.* Maré em período próximo a um equinócio, na qual aumenta o nível de elevação e descida das águas devido à posição relativa da Terra, do Sol e da Lua **~ de Lua** Ver *Maré de sizígia* **~ de quadratura** *Geof.* Maré que ocorre pouco depois (entre um e dois dias e meio) de um quarto crescente ou de um quarto minguante, com pouca amplitude; maré de quarto [Ver achega enciclopédica e ilustração.] **~ de quarto** *Geof.* Ver *Maré de quadratura* **~ de sizígia** Maré que ocorre nas proximidades da lua cheia ou da lua nova, com grande amplitude, devido ao alinhamento entre Sol, Terra e Lua; maré de águas-vivas, maré de Lua [Ver achega enciclopédica e ilustração.] **~ direta** *Geof.* Maré que se forma no lado da Terra diretamente voltado para o Sol e para a Lua [P.op. a *Maré oposta*.] **~ gravimétrica** *Geof.* Variação do campo gravitacional da Terra, devido à atração sobre ele por parte do Sol e da Lua **~ oposta** *Geof.* Maré que se forma no lado da Terra oposto àquele diretamente voltado para o Sol e para a Lua [P.op. a *Maré direta*.] **~ sólida** *Geof.* Ver *Maré terrestre* **~ terrestre** *Geof.* Variação periódica da altura da crosta terrestre (com elevação e abaixamento) causada pela força de atração do Sol e da Lua; maré sólida; maré cortical/da crosta **~ vazia** *Geof.* Ver *Maré baixa* **~ vermelha** *Ecol.* Densa e extensa concentração de certas algas marinhas (dinoflageladas) na superfície de águas litorâneas, que com isso adquirem cor avermelhada, e que podem afetar a vida marinha devido às toxinas que produzem **Nadar/navegar/remar contra a ~** Levar algo adiante enfrentando situação desfavorável

📖 As marés (subidas e descidas cíclicas do nível das águas dos mares e de grandes lagos) são causadas pela atração do Sol e, principalmente, da Lua sobre essas águas. A Lua, apesar de 27 milhões de vezes menor que o Sol, tem, para a Terra, devido à sua proximidade, uma atração mais de duas vezes mais forte. À medida que a Terra gira em torno de seu eixo a atração da Lua faz subirem as águas no hemisfério diretamente voltado para ela (e no oposto, ver ilustr.), na chamada maré alta, ou preamar; as águas vão baixando à medida que a rotação da Terra afasta essas áreas desse eixo (maré baixa, ou baixa-mar), voltando a subir quando estão no lado oposto etc., em ciclos de aproximadamente 6h12min. Quando a Lua e o Sol estão alinhados com a Terra, somam-se suas atrações, e as marés são as mais fortes (marés de sizígia, ou de águas-vivas); quando o Sol e Lua estão em ângulo reto com a Terra, suas atrações sobre as águas se equilibram, e as marés têm menos amplitude (marés de quadratura, ou de águas-mortas).

mareado (ma.re.*a*.do) ***a.*** **1** Enjoado (em viagem por mar) **2** Oxidado pela maresia (prata mareada) **3** *Mar.* Governado, dirigido (a embarcação) **4** *RS* Ligeiramente embriagado [F.: Part. de *marear*.]

marear (ma.re.*ar*) ***v.*** **1** Causar ou sentir enjoo a bordo de embarcação [***td.***: *O mar agitado mareou os passageiros.*] [***int.***: *Os marinheiros não mareiam.*] **2** Causar enjoo a [***td.***: *O cheiro de tinta mareava a gestante.*] **3** Fazer perder ou perder o brilho (certos metais); EMBACIAR; OXIDAR [***td.***: *A umidade mareia a prata.* Ant.: *desmarear.*] [***int.***: *Esse cordão nunca mareou.*] **4** *Fig.* Deslustrar, macular [***td.***: *Não serão as suas acusações que vão marear a nossa reputação.*] **5** *Mar.* Governar, dirigir (navio) [***td.***] **6** *Mar.* Dispor convenientemente (velas e mais aparelhos) para o navio poder seguir um rumo determinado [***td.***] **7** Orientar-se no mar [***td.***: *O piloto soube marear-se bem.*] **8** *Fig.* Dirigir (os próprios atos, os acontecimentos, ou a si mesmo); ORIENTAR(-SE); CONDUZIR(-SE) [***td.***: *Marlene não soube marear o relacionamento; Aprendeu a marear-se pelas adversidades.*] **9** *RS Pop.* Embriagar-se, embebedar-se [***int.***] [▶ 13 marear] [F.: *mar* + *-ear*².]

marechal (ma.re.*chal*) ***sm.*** **1** *Mil.* Patente militar, a mais alta do Exército [Ver quadro *Hierarquia Militar Brasileira* no verbete *hierarquia*.] **2** Militar que tem essa patente [Pl.: *-chais.*] [F.: Do fr. *maréchal*.]

marechalado (ma.re.cha.*la*.do) ***sm.*** Ver *marechalato*

marechalato (ma.re.cha.*la*.to) ***sm.*** Cargo de marechal [F.: *marechal* + *-ato*². Tb. *marchalado*.]

marechal de campo (ma.re.chal de *cam*.po) *Bras. Hist. Mil.* ***sm.*** **1** Posto que, até o fim do período imperial brasileiro, era superior ao de brigadeiro e inferior ao de tenente-general **2** Militar que ocupava esse posto [Pl.: *marechais de campo.*]

marechal de exército (ma.re.chal de e.*xér*.ci.to) *Bras. Hist. Mil.* ***sm.*** **1** Posto que, até o fim do período imperial brasileiro, era ocupado pelo comandante supremo do exército **2** Militar que ocupava esse posto [Pl.: *marechais de exército.*]

marechal do ar (ma.re.chal do *ar*) *Aer.* ***sm.*** **1** Patente militar máxima da Aeronáutica [Ver quadro *Hierarquia Militar Brasileira* no verbete *hierarquia*.] **2** Militar que tem essa patente [Pl.: *marechais do ar.*]

maré-cheia (ma.*ré-chei*:a) ***sf.*** *Oc.* A maior altura que a água do mar atinge durante o fenômeno da maré alta, decorrente da atração solar ou lunar; PREAMAR; MARÉ ALTA [Pl.: *marés-cheias.*]

marégrafo (ma.*ré*.gra.fo) ***sm.*** *Oc.* Instrumento us. para medir e registrar os movimentos das marés; MARÉMETRO; MAREÓGRAFO; MAREÔMETRO; ESPIA-MARÉ [F.: *maré* + *-grafo*.]

maregrama (ma.re.*gra*.ma) ***sm.*** *Oc.* Representação gráfica dos movimentos das marés registrados pelo marégrafo [F.: *maré* + *-grama*.]

mar e guerra (mar e*guer*.ra) ***sm.*** *Bras. Mil.* F. red. de *capitão de mar e guerra*. [Pl.: *mar e guerras*.]

marejada (ma.re.*ja*.da) ***sf.*** **1** Agitação das ondas do mar, sem borrasca **2** *SC* Festa típica que procura reviver a tradição cultural dos açorianos, na qual se serve esp. pratos à base de frutos do mar [F.: *marejar* + *-ada*¹.]

marejar (ma.re.*jar*) ***v.*** **1** Verter, fazer sair [***td.***: *marejar sangue/látex.*] **2** Brotar, destilar [***ta.***: *A seiva mareja dos cortes feitos no tronco.*] **3** Cobrir-se, encher-se (de lágrimas) [***int.***: *Os olhos de Luci estavam marejando.*] [***tr.*** *+de*: *Seus olhos marejavam-se de lágrimas.*] [▶ 1 marejar] [F.: *mar* + *-ejar*. Var.: *merejar*.]

marel (ma.*rel*) ***a.*** **1** Diz-se de animal selecionado para a reprodução (touro marel) [Pl.: *-reis.*] ***sm.*** **2** Animal selecionado para a reprodução; PADREADOR; REPRODUTOR [Pl.: *-reis.*] [F.: De or. obsc. Sin. ger.: *padreador*.]

maremoço (ma.re.*mo*.ço) [ô] ***sm.*** *RJ P.us.* Indivíduo que atende os passageiros em aerobarcos [F.: *maré* + *moço*.]

maremoto (ma.re.*mo*.to) ***sm.*** *Geof.* Grande agitação das águas do mar devido a tremores sísmicos ou erupções vulcânicas submarinas [F.: *mare* + *-moto*. Cf.: *tsunami*.]

maresia (ma.re.*si*.a) ***sf.*** **1** Ar carregado de gotículas de água salgada do mar, emanadas durante a vazante **2** Cheiro desse ar: "Ao relento de maresia e salsugem, a estória principiara..." (Guimarães Rosa, *Estas estórias*) **3** A ação oxidante desse ar: *grades de ferro destruídas pela maresia.* **4** *Bras. Fig. Gír.* Cheiro exalado pelo fumo de cigarros de maconha **5** *GO MT* Ondas encapeladas que se formam em certos pontos do rio Araguaia **6** *MA* Ondas que quebram violentamente na praia; BANZEIRO [F.: De *maré*.]

mareta (ma.*re*.ta) [ê] ***sf.*** **1** Onda pequena **2** Onda de rio [F.: Do it. *maretta*.]

marfim (mar.*fim*) ***sm.*** **1** Substância amarelada e dura que forma as presas de animais como o elefante e o hipopótamo, us. para confeccionar vários objetos: *As teclas deste piano são de marfim.* **2** A cor do marfim (1): *Pintaremos a sala de marfim.* **3** Objeto de marfim (1) **4** *Bras. Bot.* Árvore (*Balfourodendron riedelianum*) da fam. das rutáceas; PAU-MARFIM **5** *Bras. Bot.* Árvore (*Zeyheria tuberculosa*) da fam. das bignoniáceas; BUCHO-DE-BOI [Pl.: *-fins.*] ***a2g2n.*** **6** Que é da cor do marfim (1) (calças marfim) **7** Diz-se dessa cor: *vestido de noiva na cor marfim.* [F.: Do ár. *azm al-fil*.] ▪▪ **Deixar correr o ~** Ver *Deixar correr*, no verbete *deixar*

marfinense (mar.fi.*nen*.se) ***s2g.*** **1** Aquele ou aquela que nasceu ou que vive na Costa do Marfim (África) ***a2g.*** **2** Da Costa do Marfim; típico desse país ou de seu povo [F.: Do top. (*Costa do*) *Marfim* + *-ense*. Sin. ger.: *ebúneo, marfiniano*.]

marfiniano (mar.fi.ni.*a*.no) ***sm. a.*** O mesmo que *marfinense* [F.: Do top. (*Costa do*) *Marfim* + *-ano*¹.]

marga (*mar*.ga) ***sf.*** *Geol.* Solo de calcário e argila, us. em olaria e como corretivo de terras agrícolas [F.: Do lat. *marga, ae*.]

margar (mar.*gar*) ***v. td.*** Fertilizar (a terra) com marga [▶ 14 margar] [F.: *marg(a)* + *-ar*.]

margarida (mar.ga.*ri*.da) ***sf.*** **1** *Bot.* Nome comum a várias plantas da fam. das compostas, muito cultivadas em vasos e bordaduras por suas flores vistosas, com receptáculo amarelo rodeado por sépalas brancas; algumas são tb. chamadas de malmequer [Col.: *margaridal*.] **2** *Bot.* A flor dessas plantas **3** *Bras.* Espécie de renda cearense com desenhos dessa flor **4** Em certas máquinas de escrever ou impressoras, o disco móvel dotado de palhetas, nas extremidades das quais estão os caracteres em relevo **5** *Bras. Zool.* Peixe marinho (*Diplectrum radiale*); MICHOLE **6** *Bras.* Aquela que trabalha na limpeza das ruas, praças etc.; FORMIGUINHA [F.: Do lat. *margarita, ae*, 'pérola'.]

margarina (mar.ga.*ri*.na) ***sf.*** Substância extraída de óleos vegetais e preparada com a consistência e o aspecto da manteiga [F.: Do fr. *margarine*.]

margeação (mar.ge:a.*ção*) ***sf.*** *Art.gr.* Operação de margear (4), de posicionar o papel no registro correto da prensa ou máquina para imprimir, pautar ou dobrar *P.us.*; MARGINAÇÃO [Pl.: *-ções*.] [F.: *margear* + *-ção*.]

margeado (mar.ge.*a*.do) ***a.*** **1** Que tem margem **2** Ladeado: *rio margeado de árvores.* [F.: Part. de *margear*. Sin. ger.: *marginado*.]

margeador (mar.ge:a.*dor*) [ô] ***sm.*** **1** Nas máquinas de escrever, dispositivo para regular a margem deixada de um e outro lado do papel ***sm.*** **2** *Art.gr.* Pessoa encarregada de pôr o papel na máquina impressora, quando esse dispositivo não é automático [F.: *margear* + *-dor*. Sin. ger.: *marginador*.]

margeante (mar.ge:*an*.te) ***a2g.*** Que margeia, que vai pela margem [F.: *margear* + *-nte*.]

margear (mar.ge.*ar*) ***v. td.*** **1** Seguir pela margem ou ao longo de (rio, rodovia etc.); MARGINAR **2** Situar-se à margem de; guarnecer a margem de; LADEAR: *margear a estrada de eucaliptos.* **3** Estabelecer a margem (3) em (folha de papel) **4** *Art.gr.* Colocar (papel) em prensa, adequando-o para ser impresso de modo a deixar o branco da margem (3) [▶ 13 margear] [F.: Do lat. *marginare*.]

margem (*mar*.gem) ***sf.*** **1** Faixa de terreno que acompanha a linha divisória entre a terra e as águas de um lago, rio ou mar; BEIRA **2** Faixa que acompanha o perímetro de uma superfície; BORDA; ORLA **3** *Art.gr.* Partes em branco numa folha de papel escrita ou impressa: "... Sete a oito batidas além da margem do papel..." (Othon Garcia, *Comunicação em prosa moderna*) **4** *Fig.* Medida ou proporção da diferença verificada entre dois resultados: *Ganhou a corrida com grande margem sobre o segundo colocado.* **5** Medida ou proporção de diferença aceitável entre um resultado e um padrão (margem de lucro/de erro) **6** *Fig.* Possibilidade ou oportunidade de um acontecimento, situação etc.; ENSEJO: *Não queremos deixar margem a dúvidas.* **7** *Agr.* Leira de terra lavrada entre dois sulcos **8** *Econ.* Diferença entre o valor de um crédito concedido e o valor dos bens penhorados em garantia desse crédito **9** *Art. pl.* Espaço de papel livre que circunda um desenho ou gravura **10** *Bot.* A parte mais externa em volta de um órgão foliáceo [Pl.: *-gens.*] [F.: Do lat. *margo, inis*. Ideia de 'margem': *margin(i)-* (*marginal*).] ▪▪ **À ~** Em lugar ou posição separados; em relativo isolamento; de parte; de lado: *Não vou participar, vou ficar à margem.* **À ~ de** **1** Junto ao lado ou a beira de (externamente): *Deitou para descansar à margem da estrada.* **2** Como comentário a, no que tange a, a respeito de: *À margem dessa decisão, devo dizer que é inoportuna e perigosa.* **3** *Fig.* Sem conexão com coisas ou pessoas, ou participação em grupo, ação, acontecimentos; fora do âmbito de: *Sempre esteve à margem de tudo que se fazia na empresa.* **4** Sem considerar o mérito de: *Não era a hora de tratar do caso, à margem de qualquer outra motivação.* **Dar ~ a** Dar motivo, ensejo a, proporcionar **Deitar/pôr à ~** Descartar, desprezar, abandonar **~ continental** *Geog. Geol.* Zona compreendida entre o litoral e o alto-mar **~ da cabeça** *Art.gr.* A margem superior de uma página **~ de lucro** *Econ.* Diferença entre o valor apurado na venda de produto (ou da totalidade de produtos), menos o custo direto de produção do(s) produto(s) (esta é a margem de lucro bruto), menos as despesas variáveis e as despesas fixas (esta é a margem de lucro líquido) **~ dianteira** *Art.gr.* A margem lateral externa da página de um livro, oposta à que está junto à lombada **~ direita** Num curso d'água, a margem à direita de quem olha da nascente para a jusante **~ do pé** *Art.gr.* A margem inferior de uma página **~ esquerda** Num curso d'água, a margem à esquerda de quem olha da nascente para a jusante

marginado (mar.gi.*na*.do) ***a.*** **1** Que tem margem **2** Situado ao longo da margem de algo, ladeado: *Terreno marginado por uma estrada.* **3** Que foi escrito na margem de um manuscrito ou mancha de uma página impressa [F.: Part. de *marginar*.]

marginador (mar.gi.na.*dor*) [ô] ***sm.*** *P.us. Art.gr.* O mesmo que *margeador* (2) [F.: *marginar* + *-dor*.]

marginal (mar.gi.*nal*) ***a2g.*** **1** Que fica à margem (1) ou segue o seu contorno (terras marginais; rodovia marginal) **2** Escrito ou inserido na margem da folha de um livro, documento etc. (anotações/ilustrações marginais) **3** *Fig.* Que não se integra a um grupo, a uma classe, a uma sociedade etc. (poeta marginal) **4** Que é de importância secundária por seu número ou qualidade, que não é essencial ou prioritário num conjunto ou sistema ***sf.*** **5** Aquilo que fica à margem (1) ou segue o seu contorno: *a marginal do Tietê.* ***s2g.*** **6** *Fig.* Aquele que não se integra a um grupo, a uma classe, a uma sociedade etc.: *os marginais da literatura.* **7** Aquele que não respeita as leis de uma sociedade, que vive à margem da sociedade ou das leis; BANDIDO; FORA DA LEI [Pl.: *-nais.*] [F.: Do lat. *marginalis, e*.]

marginália[1] (mar.gi.*ná*.li:a) ***sf.*** *Bras. Pop.* Conjunto ou grupo de marginais: "... frequentam a marginália dos morros, sambistas, punguistas, o submundo das delegacias." (*Folha de S.Paulo*, 05.05.1996) [F.: *marginal* + *-ia*².]

marginália[2] (mar.gi.*ná*.li:a) ***sf.*** Conjunto de anotações feitas nas margens de um manuscrito, caderno, ou mancha de uma página impressa (jornal, livro etc.) [F.: Do lat.medv. *marginalia*, pl. de *marginalis, e*.]

marginalidade (mar.gi.na.li.*da*.de) ***sf.*** **1** Condição de marginal **2** Conjunto dos marginais (6, 7) [F.: *marginal* + *-(i)dade*.]

marginalismo (mar.gi.na.*lis*.mo) ***sm.*** *Econ.* Teoria econômica segundo a qual o valor de um produto é determinado pela sua utilidade marginal (4) ou rara [F.: *marginal* + *-ismo*.]

marginalista (mar.gi.na.*lis*.ta) *Econ.* ***a2g.*** **1** Ref. ao marginalismo (teoria marginalista) **2** Que é adepto do marginalismo ***sm.*** **3** Aquele que é adepto do marginalismo [F.: *marginal* + *-ista*.]

marginalização (mar.gi.na.li.za.*ção*) ***sf.*** **1** Ação ou resultado de marginalizar (marginalização social) **2** Ato de tornar-se marginal (5, 6) ou bandido [Pl.: *-ções*.] [F.: *marginaliza(r)* + *-ção*.]

marginalizado (mar.gi.na.li.*za*.do) ***a.*** **1** Que está à margem ou que foi excluído de uma sociedade, de um grupo, de uma atividade etc., e ger. é alvo de discriminação: "Voltou-se para o mundo marginalizado dos contadores de histórias e dos violeiros pobres..." (*Folha de S.Paulo*, 27.12.1998) ***sm.*** **2** Indivíduo marginalizado: "Não há lugar para os marginalizados." (Pepetela, *A geração da utopia*) [F.: Part. de *marginalizar*.]

marginalizar (mar.gi.na.li.*zar*) ***v. td.*** **1** Impedir a participação de (alguém) em grupo, na vida pública etc.: *O critério de seleção marginaliza os moradores das periferias.* [Ant.: *favorecer, preferir, proteger*.] **2** Tornar-se marginal ou delinquente [▶ 1 marginalizar] [F.: *marginal* + *-izar*.]

marginar (mar.gi.*nar*) ***v.*** **1** Guarnecer as margens; margear [***td.***: "Grandes árvores marginando a estrada, já às portas da cidade..." (Brito Camacho, *Cerros e vales*)] **2** Movimentar-se ao longo da margem; margear [***td.***] **3** Registrar notas ou observações à margem de livro, publicação, caderno [***td.*** Ant.: *desmarginar*.] **4** *P.us. Art.gr.* O mesmo que margear [***td.***] [***int.***] [▶ 1 marginar] [F.: Do lat. *marginare*. Hom./Par.: *marginaria(s)* (fl.), *marginária* (f. *marginário(a)* [e pl.]).]

◎ **margin(i)-** ***el. comp.*** Expressa noção de 'margem', 'borda': *marginar, marginalizado*. [F.: Do lat. *margo, inis*.]

margueira (mar.*guei*.ra) ***sf.*** Depósito ou concentração de marga [F.: *marga* + *-eira*.]

◎ **mari-** ***el. comp.*** Expressa noção do antr. Maria figurado, ger. de cunho popular: *mariolatria, maricas*. [F.: Do antr. *Maria*.]

mari[1] (*ma*.ri) *sm. Angios.* Nome de duas plantas Icacináceas (*Poraqueiba paraenses*, Ducke, e *P. sericea*, Tul.); tb. *umari* [F.: F. red. de *umari*.]

mari[2] (*ma*.ri) *Gloss. sm.* **1** Língua falada esp. em Mari El (Europa) *a.* **2** Do ou ref. ao mari [F.: Do top. *Mari El*.]

maria-chiquinha (ma.ri.a-chi.*qui*.nha) *sf. Bras. Pop.* Penteado feminino em que o cabelo (de comprimento médio a comprido) é dividido ao meio, do alto até a nuca, e as madeixas são presas, separadamente, por elásticos ou fitas, junto à cabeça [Pl.: *marias-chiquinhas*.]

maria-farinha (ma.ri.a-fa.*ri*.nha) *sf. Bras. Zool.* Caranguejo (*Ocypode quadrata*) da fam. dos ocipodídeos, de carapaça quadrada e coloração esbranquiçada, encontrado dos Estados Unidos ao S. do Brasil; vive em praias arenosas e costuma fazer galerias perto do nível da maré alta e entre a vegetação da praia; ESPIA-MARÉ; AGUARAUÇÁ; GUARUÇÁ; GURIÇÁ; VAZA-MARÉ [Pl.: *marias-farinha*.]

maria-fumaça (ma.ri.a-fu.*ma*.ça) *Bras. s2g.* **1** Tipo de locomotiva movida a vapor **2** *Pop.* Pessoa que fuma exageradamente [Pl.: *marias-fumaças, marias-fumaça*.]

maria-gomes (ma.ria-*go*.mes) *Bras. Bot. sf.* **1** Erva (*Talinum patens*) da fam. das portulacáceas, encontrada na Ásia e na América do Sul; as folhas são carnosas, macias e comestíveis, e o decocto das raízes apresenta propriedades terapêuticas; BELDROEGA-MIÚDA; BUNDA-MOLE; MARIANGOMBE; MANJANGOME; JOÃO-GOMES; LÍNGUA-DE-VACA **2** Erva (*Erechtites valerianaefolia*) da fam. das portulacáceas, nativa do Brasil e que se estabelece preferencialmente em lugares úmidos; as folhas, membranosas e comestíveis, apresentam alto valor nutritivo; CARURU-AMARGO; CAPIÇOBA; CAPIÇOBA-VERMELHA [Pl.: *marias-gomes*.] [F.: Var. de *mariangombe* < quimb. *rimiria ngombe*, 'língua de vaca'.]

marialva (ma.ri.*al*.va) *a2g.* **1** Ref. às regras de cavalgar à gineta instituídas pelo hábil cavaleiro Marquês de Marialva, D. Pedro de Alcântara Meneses (1711-1799) **2** *Lus. Pej.* Diz-se de homem conquistador de mulheres: "... o frade corrompido, o fidalgo marialva..." (Euclides da Cunha, *Contrastes e confrontos*) *sm.* **3** Aquele que sabe montar bem a cavalo **4** *Pej.* Indivíduo de vida ociosa e dissoluta que se ocupa de cavalos e de touros **5** *Pej.* Indivíduo farrista e conquistador [F.: Do antr. Marquês de *Marialva*.]

maria-mijona (ma.ri.a-mi.*jo*.na) *Bras. Pop. sf.* **1** Mulher ou menina que fica desajeitada ao vestir uma saia ou vestido muito comprido e deselegante [Pl.: *marias-mijonas*.] *a2g2n.* **2** Diz-se de saia ou vestido muito comprido e deselegante

maria-mole (ma.ri.a-*mo*.le) *sf. Cul.* Doce feito a base de clara de ovo e recoberto com coco [Pl.: *marias-moles*.]

mariangombe (ma.ri.an.*gom*.be) *sf. Bras. Bot.* O mesmo que *maria-gomes* [F.: Posv. do quimb. *rimiria ngombe* 'língua de vaca'.]

marianismo (ma.ri.a.*nis*.mo) *sm. Rel.* Na Igreja católica, devoção ou culto prestado à Virgem Maria [F.: *mariano* + *-ismo*.]

mariano (ma.ri:*a*.no) *a.* **1** Ref. a Maria, mãe de Jesus, ou ao seu culto (mês mariano); MARISTA *sm.* **2** Integrante de uma congregação dedicada a esse culto; MARISTA [F.: Do antr. *Mari(a)* + *ano*.]

maria-preta (ma.ri.a-*pre*.ta) *Bras. sf.* **1** *Bot.* Árvore (*Vitex polygama*) da fam. das verbenáceas, que pode atingir grande porte no cerradão e nas florestas estacionais semideciduais; produz madeira de boa qualidade e os frutos são roxo-escuros; TARUMÃ; TARUMÃ-DO-CERRADO; VELAME-DO-CAMPO **2** *Bot.* Árvore (*Diantenopterix sorbifolia*) da fam. das sapindáceas, que ocorre de Minas Gerais até o Rio Grande do Sul; pode atingir até 30 m de altura e a casca externa do tronco tem coloração marrom-acinzentada; CORREEIRO; GUEPÉ; FARINHA-SECA *MG*; PAU-CRIOULO **3** *Bot.* Erva (*Solanum nigrum*) da fam. das solanáceas, de distribuição cosmopolita, apresenta bagas globosas cuja cor varia do roxo ao preto; tem vários usos medicinais, esp. como analgésico e sedativo; AGUARAQUIÁ; CARAXIXU; ERVA-MOURA; MARIA-PRETINHA; PIMENTA-DE-GALINHA **4** *Bot.* Erva (*Ageratum conyzoides*) da fam. das compostas, nativa de regiões tropicais, possui aquênios pretos e tem propriedades febrífugas, carminativas e antirreumáticas; CATINGA-DE-BARRÃO; CATINGA-DE-BODE; ERVA-DE-SÃO-JOÃO **5** *Bot.* Subarbusto escandente (*Solanum dulcamara*) da fam. das solanáceas, nativa da Eurásia e N. da África, cujas flores são roxas ou azuis e as bagas são pequenas, ovoides e vermelhas; DOCE-AMARGA; DULCAMARA; UVA-DE-CÃO **6** *Bot.* Árvore (*Melanoxylon brauna*) da fam. das leguminosas, que ocorre no N.E., S.E., Paraná e Santa Catarina; de madeira quase negra, a casca é us. na extração de tintura negra para curtume; BARAÚNA; BRAÚNA; BRAÚNA-PRETA **7** *N.E. Bot.* Erva (*Cordia curassavica*) da fam. das boragináceas, us. na medicina popular para o tratamento de contusões; tb. é empregada como planta-armadilha no controle de pragas em pomares do N.E; BALEEIRA; ERVA-BALEEIRA; MARIA-MILAGROSA **8** *Bot.* Arbusto (*Senna alata*) da fam. das leguminosas, nativo da América tropical, de flores amarelas e frutos coriáceos quase pretos; DARTRIAL; FEDEGOSO; MATA-PASTO **9** *Ornit.* Designação comum às aves passeriformes da fam. dos tiranídeos, gên. *Knipolegus*, que apresentam plumagem negra **10** *S. Ornit.* Ave passeriforme (*Molothus bonariensis*) da fam. dos emberizídeos, de plumagem azul-escura (machos) e negra (fêmeas), muito conhecida por botar seus ovos em ninhos de outros pássaros; CHUPIM; ENGANA-TICO-TICO; GAUDÉRIO; PÁSSARO-PRETO [Pl.: *marias-pretas*.]

maria-sem-vergonha (ma.ri.a-sem-ver.*go*.nha) *sf. Bras. Bot.* Erva da fam. das balsamináceas (*Impatiens walleriana*), nativa de Zanzibar, de flores vermelhas, violáceas, róseas ou alvas, cujo fruto é uma cápsula que se abre explosivamente, espalhando sementes mínimas; propaga-se com facilidade em regiões úmidas e é muito us. em ornamentação [Pl.: *marias-sem-vergonha*.]

mariaté (ma.ri.a.*té*) *s2g.* **1** Pessoa pertencente a um povo indígena extinto, da família linguística aruaque, que habitava a região próxima à margem do rio Içá (AM) *sm.* **2** *Gloss.* Língua que teria sido falada por esse povo *a2g.* **3** Do ou ref. a maiaté (1 e 2) [F.: De or. obsc.]

maria vai com as outras (ma.ri.a vai com as *ou*.tras) *s2g2n. Bras. Pop.* Pessoa de personalidade fraca que é facilmente influenciável pela opinião de outras: "Quem cola em prova porque o aluno do lado está colando é duplamente culpado: não só é desonesto, mas também um maria vai com as outras." (*Folha de S.Paulo*, 31.08.1998)

marica (ma.*ri*.ca) *a2g2n. sm2n. sm.* Ver *maricas*

maricão (ma.ri.*cão*) *sm.* **1** *Pej.* Homem efeminado, que adota aparência ou modos femininos [Ant.: *machão*.] **2** Homem muito medroso e covarde; MARICONA [Ant.: *atrevido, valentão*.] [Pl.: *-cões*.] [F.: *marica(s)* + *-ão*[1].]

maricas (ma.*ri*.cas) *a2g2n.* **1** *Pej. Pop.* Que é afeminado ou medroso (diz-se de homem ou garoto) *sm2n. sm.* **2** *Pej. Pop.* Homem ou garoto afeminado ou medroso **3** *Bras.* Espécie de cachimbo para fumar maconha [F.: Do hipocorístico *Maricas* (*Maria* + o fem. pl. de *-ico*[1]). Tb. *marica*. Nas acps. 1 e 2 denota preconceito.]

maricultura (ma.ri.cul.*tu*.ra) *sf.* Criação de plantas e animais marinhos para consumo humano [F.: *mari-* + *-cultura*.]

maridado (ma.ri.*da*.do) *a.* Que se maridou; CASADO [F.: Do lat. *maritatus,a,um*.]

maridagem (ma.ri.*da*.gem) *sf.* **1** Ação ou resultado de maridar(-se), de casar(-se) **2** Vida de casados; CASAMENTO **3** *Fig.* União ou correspondência entre duas ou mais coisas [Pl.: *-gens*.] [F.: *maridar* + *-agem*[2]. Sin. ger.: *maridança*.]

maridança (ma.ri.*dan*.ça) *sf.* O mesmo que *maridagem* [F.: *maridar* + *-ança*.]

maridar (ma.ri.*dar*) *v.* **1** Unir-se (a mulher) em casamento; amaridar; CASAR-SE [*td.*: *Maridou um artista de circo e foi embora.*] [*tdr.* +*com*: *Queria maridar a filha com o domador.*] [*int.*: *Maridou-se pelo menos quatro vezes.*] **2** Desenvolver-se ou fazer desenvolver-se enlaçado, enroscado; amaridar(-se) [*td.*: *Procurou maridar os maracujás.*] [*tr.* +*com*: *A buganvília maridou-se com o eucaliptão.*] [▶ **1** maridar] [F.: Do lat. *maridare*. Hom./Par.: *marido* (fl.), *marido* (sm.).]

marido (ma.*ri*.do) *sm.* Homem casado (em relação à sua esposa); ESPOSO [Fem.: *mulher*.] [F.: Do lat. *maritus, i*. Hom./Par.: *marido* (sm.), *marido* (fl. de *maridar*).]

marijuana (ma.ri.ju.*a*.na) *sm.* O mesmo que *maconha* [F.: Do espn. *mariguana, marijuana* < antr. *Maria Juana*.]

marimba (ma.*rim*.ba) *Mús. sf.* **1** Instrumento de percussão composto por pequenas lâminas de madeira ou metal formando um teclado e percutidas com duas baquetas **2** *PA* Berimbau **3** *RJ* Piano desafinado ou ruim **4** Espécie de tambor dos cafres [F.: Do quimb. *marimba*. Hom. *marimba* (sf.), *marimba* (fl. de *marimbar*).]

marimbar (ma.rim.*bar*) *v.* **1** Sair vitorioso no jogo de marimbo [*int.*] **2** *Pop.* Iludir alguém com artimanhas, truques, astúcia [*td.*] **3** *RJ Pop.* Andar à toa, sem rumo; VAGABUNDEAR [*int.*: *Vivia marimbando pela beira da praia.*] **4** *Lus. Pop.* Fazer pouco-caso de, não ligar para [*int.*] [*tr.* +*para*: *Marimbava-se para as opiniões alheias.*] [▶ **1** marimbar] [F.: *marimbo* + *-ar*. Hom./Par.: *marimba(s)* (fl.), *marimba* (sf) e pl; *marimbo* (fl.), *marimbo* (sm.); *marimba*(s) (fl.), *marimbá* (sm.) e pl.]

marimbeiro (ma.rim.*bei*.ro) *sm. Mús.* Tocador de marimba [F.: *marimba* + *-eiro*.]

marimbo (ma.*rim*.bo) *sm. Lud.* Jogo de cartas em que a dama de espadas é a carta de maior valor [F.: De or. obsc. Hom./Par.: *marimbo* (fl. de *marimbar*) e *marimbu* (sm.).]

marimbondo (ma.rim.*bon*.do) *Bras. sm.* **1** *Zool.* Denominação comum aos insetos himenópteros da fam. dos vespídeos e pompilídeos, sociais ou solitários e com ferrão **2** Nome dado pelos portugueses aos brasileiros na época da Independência **3** *GO* Dança de roda ao som de percussão, em que os participantes dançam como se estivessem sendo mordidos por marimbondos [F.: Do quimb. *mari'mbondo*.]

marimbu (ma.rim.*bu*) *sm. BA* Pântano, brejo à margem de rios [F.: Do quimb. *marimbu* 'terra de lavoura'. Hom./Par.: *marimbo* (sm.) e *marimbo* (fl. de *marimbar*).]

marina (ma.*ri*.na) *sf.* **1** Lugar para atracamento de embarcações, esp. de lazer e esporte, onde se pode deixá-las guardadas e fazer a sua manutenção **2** Conjunto imobiliário à beira-mar e dotado de ancoradouro [F.: Do it. *marina*. Hom./Par.: *marina* (sf.), *marina* (fl. de *marinar*).]

marinada (ma.ri.*na*.da) *sf. Cul.* Molho preparado à base de vinagre ou vinho, sal, alho, cebola e outros condimentos, no qual carnes, peixes etc. ficam imersos durante um tempo para ficar bem temperados, conservados e/ou macios; VINHA-D'ALHOS [F.: Do fr. *marinade*.]

marinado (ma.ri.*na*.do) *a. Cul.* Diz-se de carne, peixe etc. temperado em marinada [F.: Part. de *marinar*.]

marinar (ma.ri.*nar*) *v. td.* Colocar em marinada, vinha-d'alhos (carne, peixe etc.) [▶ **1** marinar] [F.: Do fr. *mariner*. Hom./Par.: *marina(s)* (fl.), *marina* (sf. [e pl.]); *marino* (fl.), *marino* (a.).]

🌐 **marine** (*Ing.*/*merin*/) *sm. Mil.* Fuzileiro naval dos Estados Unidos da América

marinete (ma.ri.*ne*.te) [é] *sf. AL BA SE* Ônibus [F.: Do antr. *Marinetti*.]

maringá (ma.rin.*gá*) *a2g.* Diz-se de bovino ou caprino cujo pelo claro é salpicado de preto [F.: De or. obsc.]

marinha (ma.*ri*.nha) *sf.* **1** Lugar à beira do mar; PRAIA **2** *Art.pl.* Pintura ou desenho que retrata tema relacionado com o mar **3** Conjunto de navios, equipamentos, pessoal etc., para transporte marítimo (marinha mercante) **4** *Mar.G.* O conjunto dos navios de guerra de um país, suas instalações, departamentos e os militares que atuam neles **5** Salina (1) **6** *PR* Litoral, p.opos. às regiões do interior **7** *Ict.* Peixe marinho (*Syngnathus ocus*) encontrado na África [F.: Fem. substv. de *marinho*.] ■ **~ de guerra** Parte das forças armadas de um país encarregada da guerra no mar **~ mercante** Setor da economia, estatal ou particular, que se ocupa do transporte marítimo de passageiros, cargas comerciais, etc.

marinhagem (ma.ri.*nha*.gem) *Mar. sf.* **1** Grupo de marinheiros que trabalham em uma embarcação; MARUJA **2** Arte de navegar ou esse ofício [Pl.: *-gens*.] [F.: *marinhar* + *-agem*[1].]

marinhar (ma.ri.*nhar*) *v.* **1** *Mar.* Prover (navio) de marinheiros [*td.*] **2** Manobrar uma embarcação [*td.*: *Marinhava uma escuna com extrema dedicação.*] [*int.*: *Muito cedo aprendeu a marinhar.*] **3** Conhecer o ofício de navegar [*int.*] **4** Galgar a mastreação ou o convés pelo costado [*int.*] **5** *Fig.* Subir a lugar alto (como um marinheiro à gávea) [*ta.*: "Aranhas negras... marinhavam nos galhos, subiam..." (Coelho Neto, *Água de juventa*)] **6** *Fig.* Misturar-se desordenadamente, agitar-se [▶ **1** marinhar] [F.: *marinh(a)* + *-ar*[2]. Hom./Par.: *marinha(s)* (fl.), *marinha* (sf. [e pl.]); *marinharia(s)* (fl.), *marinharia* (sf. [e pl.]); *marinho* (fl.), *marinho* (a. [e sm.]).]

marinharesco (ma.ri.nha.*res*.co) *a.* Do ou ref. ao marinheiro; MARINHESCO [F.: Do it. *marinaresco*.]

marinharia (ma.ri.nha.*ri*.a) *Mar. sf.* **1** Conjunto das técnicas de navegação de embarcações **2** Profissão de marinheiro [F.: *marinh(a)* + *aria*. Hom./Par.: *marinharia* (sf.), *marinharia* (fl. de *marinhar*).]

marinheiro (ma.ri.*nhei*.ro) *sm.* **1** *Mar.* Integrante da tripulação de um navio que executa tarefas relacionadas com sua navegação; MARUJO **2** *Mar.* Patente militar [Ver quadro *Hierarquia Militar Brasileira* no verbete *hierarquia*] **3** Militar que tem essa patente **4** *Bras. Bot.* Arbusto (*Trichilia cathartica*) da fam. das meliáceas, nativo do Brasil **5** *Bras.* Grão de cereal (esp. arroz) com casca **6** *PB* Negociante atacadista das capitais **7** *AL* Coco-verde, de polpa já endurecida **8** *N Pop.* Português, galego **9** *CE* Qualquer estrangeiro **10** *Bras. Zool.* Caranguejo (*Aratus pisoni*) encontrado nos mangues *a.* **11** Ref. a marinhagem (2) (roupa marinheira) **12** *Mar.* Diz-se da embarcação convenientemente preparada para navegar **13** *Fig.* Ativo, enérgico: "... porque se eles têm seu divertimento ficam mais marinheiros na hora de fazer força..." (Guimarães Rosa, "O burrinho pedrês" *in Sagarana*) [F.: *marinha* + *-eiro*.] ■ **~ de água-doce** **1** *Fig. Mar.* Marinheiro novato, sem experiência **2** *Pext.* Pessoa sem experiência em determinada atividade ou prática **~ de primeira classe** *Mar.G.* Na hierarquia militar da marinha (Marinha do Brasil), posto logo abaixo de cabo e acima de marinheiro de segunda classe; o militar que tem esse posto **~ de primeira viagem** *Fig.* Pessoa que exerce uma atividade, realiza algo etc. pela primeira vez **~ de segunda classe** *Mar.G.* Na hierarquia militar da marinha (Marinha do Brasil), posto logo abaixo de marinheiro de primeira classe e acima de grumete; o militar que tem esse posto

marinhesco (ma.ri.*nhes*.co) *a.* O mesmo que *marinharesco*. [F.: *marinho* + *-esco*.]

marinho (ma.*ri*.nho) *a.* **1** Ref. ao mar; MARÍTIMO: "... Abrindo as velas/ Ao quente arfar das virações marinhas..." (Castro Alves, "O navio negreiro" *in Os escravos*) **2** Que vive no mar ou dele provém: "... pedras emersas e habitadas pelos pássaros marinhos..." (Jorge de Lima, *Invenção de Orfeu*) [F.: Do lat. *marinus, a, um*. Hom./Par.: *marinho* (a.), *marinho* (fl. de *marinhar*).]

mariola[1] (ma.ri:*o*.la) *sm.* **1** Pessoa de mau caráter; VELHACO; PATIFE [Col.: *mariolada, mariolagem*.] **2** Moço de fretes **3** Homem de recados *a2g.* **4** Que tem mau caráter; VELHACO; PATIFE [F.: De or. obsc. Hom./Par.: *mariola* (a2g. sm.), *mariola* (fl. de *mariolar*).]

mariola[2] (ma.ri:*o*.la) *sf.* **1** *Bras. Pop.* Doce em forma de tablete, feito à base de banana ou de goiaba, ger. envolto em papel-celofane **2** *Bot.* Planta (*Arbor precatorius*) da fam. das leguminosas, que produz vagens de sementes vermelhas e pretas, us. em artesanato: "... rosários de fava-vermelha, santa-rita e mariola..." (Guimarães Rosa, "Uma estória de amor" *in Manuelzão e Miguilim*) [F.: De or. obsc.]

mariologia (ma.ri:o.lo.*gi*.a) *sf. Teol.* Parte da teologia que estuda o culto à Virgem Maria [F.: Do antr. *Maria* (Virgem Maria, mãe de Jesus) + *-o-* + *-logia*.]

marionete (ma.ri:o.*ne*.te) [é] *sf.* **1** Boneco com partes do corpo móveis e articuladas, que são acionadas por meio de fios presos a elas, fazendo-o movimentar-se, gesticular etc.; FANTOCHE; MAMULENGO; TÍTERE **2** *Fig.* Pessoa facilmente manipulável; FANTOCHE [F.: Do fr. *marionette*.]

marionetista (ma.ri:o.ne.*tis*.ta) *a2g.* **1** Diz-se de pessoa que manipula marionetes *s2g.* **2** Essa pessoa: *Um marionetista tem que ter, acima de tudo, habilidade com as mãos.* [F.: *marionete* + *-ista*.]

mariposa (ma.ri.*po*.sa) [ô] *sf.* **1** *Bras. Zool.* Denominação comum aos insetos lepidópteros da divisão dos heteróceros semelhantes à borboleta, mas ger. de hábitos noturnos: "... e as mariposas e os cupins de asa vinham voar ao redor da lamparina..." (Guimarães Rosa, "A hora e vez de Augusto Matraga" *in Sagarana*) 2 *RJ Pej.* Prostituta 3 Joia de feitio de borboleta 4 *RS* Espécie de draga puxada a boi ou a muar us. em escavações para açude [F.: Do espn. *mariposa*. Hom./Par.: *mariposa* (sf.), *mariposa* (fl. de *mariposar*).]

mariposar (ma.ri.po.*sar*) *v. int.* 1 Movimentar-se sem rumo aparente, como as mariposas; mariposear; VAGUEAR; BORBOLETEAR 2 *Fig.* Entrar em estado de devaneio; sair do ar [▶ 1 mariposar] [F.: *maripos(a)* + *-ar*. Hom./Par.: *mariposa(s)* (fl.), *mariposa* /ô / (sf.) e pl.]

mariquinhas (ma.ri.*qui*.nhas) *sm2n. Pej. Pop.* O mesmo que *maricas* [F.: Dim. de *maricas*.]

mariscada (ma.ris.*ca*.da) *sf. Bras. Cul.* Tipo de ensopado feito à base de mariscos [F.: *marisc(o)* + *-ada*².]

mariscar (ma.ris.*car*) *v.* 1 Colher, apanhar (mariscos) [*td./int.*] 2 Catar ou ciscar insetos no solo [*int.*: *Os passarinhos não cansam de mariscar.*] 3 *Fig.* Apanhar, colher, obter [*td.*: "Colocou-se à porta do hotel para ver se mariscava alguma coisa." (Aluísio Azevedo, *Girândola*)] 4 Procurar com atenção; CATAR [*td.*: *mariscar joias perdidas na praia.*] 5 *Bras.* Pescar ou caçar [*int.*] [▶ 11 mariscar] [F.: *marisco*¹ + *-ar*². Hom./Par.: *marisco* (fl.), *marisco* (sm.).]

marisco (ma.*ris*.co) *sm.* 1 *Zool.* Molusco ou crustáceo marinho, como camarões, lulas, mexilhões etc., us. na alimentação humana 2 *Bras.* Espécie de colher us. para despolpar o coco partido ao meio *a.* 3 Diz-se de certa variedade de trutas [F.: *mar* + *-isco*². Hom./Par.: *marisco* (a.sm.), *marisco* (fl, de *mariscar*).]

marisma (ma.*ris*.ma) *sf.* 1 Terreno alagadiço situado às margens do mar ou de um rio 2 *Lus.* Espécie de alga produzida nesse terreno e que serve de alimento para os animais [F.: Do espn. *marisma*.]

marista (ma.*ris*.ta) *a2g.s2g.* O mesmo que *mariano* [F.: Do fr. *mariste*.]

maritaca (ma.ri.*ta*.ca) *sf.* Ver *maitaca*

marital (ma.ri.*tal*) *a2g.* 1 Ref. ao matrimônio (vida marital); CONJUGAL 2 Ref. ao marido (dever marital) [Pl.: *-tais*.] [F.: Do lat. *maritalis, e*.]

mariticida (ma.ri.ti.*ci*.da) *sf.* Esposa que mata o marido [F.: *marido* (f. *marit-* do lat. *maritus,i*) + *-cida*.]

mariticídio (ma.ri.ti.*cí*.di:o) *sm.* Assassinato do marido pela esposa [F.: *marido* (f. *marit-* do lat. *maritus,i*) + *-cídio*.]

marítimo (ma.*rí*.ti.mo) *a.* 1 Ref. ao mar (corrente marítima; terminal marítimo); MARINHO 2 Que ocorre no mar (salvamento marítimo; transporte marítimo) 3 Ref. a navegação por mar e ao equipamento nela usado; NAVAL *sm.* 4 Marinheiro [F.: Do lat. *maritimus, a, um*. Ideia de 'marítimo': *talass(o)-* (*talássico*).]

⊕ ***marketing*** (*Ing. /márquetin/*) *Mkt. sm.* 1 Conjunto de técnicas de comercialização de produtos ou serviços, envolvendo pesquisas de mercado, adequação e promoção junto aos consumidores etc.; MERCADOLOGIA 2 Publicidade feita para favorecer a venda de um produto ou serviço, ou para influenciar o público favoravelmente em relação a uma ideia, pessoa, empresa etc. ⁂ ~ **cultural** Aquele que se ocupa da divulgação, estratégia de venda etc. de realizações culturais, artísticas, esportivas etc. ~ **direto** Aquele que se baseia no contato direto entre cliente e fornecedor, por meio de mala-direta, *telemarketing*, internet, venda de porta em porta etc. ~ **institucional** Aquele cujo objetivo é a fixação e o fortalecimento da imagem de instituição, como empresa, governo, clube, religião ou igreja etc. ~ **político** Aquele que visa a convencer ou influenciar a sociedade, ou certo setor dela, quanto às ideias ou ações de partido, ideologia, governo, esp. em época eleitoral ~ **social** 1 Aquele que se ocupa com serviços e programas sociais ou comunitários, como assistência social, educação, cultura, saúde etc. 2 Aquele que visa a esclarecer ou convencer quanto ao papel de empresa, instituição etc. em programas de médio e longo prazo no interesse da sociedade

⊕ ***mark-up*** (*Ing./marc-âp/*) *sm. Econ.* Margem de lucro

marmanjo (mar.*man*.jo) *sm.* 1 Rapaz robusto e/ou alto 2 *Pop.* Homem adulto: *Tamanho marmanjo ainda tem medo de mariposa!* 3 *Pej. Pop.* Homem abrutalhado; GROSSEIRÃO 4 Tratante, velhaco [F.: De or. contrv.]

marmelada (mar.me.*la*.da) *sf.* 1 *Cul.* Doce feito à base de marmelo 2 *Bras. Pop.* Transação comercial desonesta; MAMATA 3 *Bras. Pop.* Numa competição esportiva, combinação desonesta entre adversários para que a vitória caiba a quem convém; ARMAÇÃO: *O resultado do jogo foi marmelada.* 4 *Pop.* Pechincha, vantagem 5 *Bras. Bot.* Variedade de capim [F.: *marmelo* + *-ada*².]

marmeleiro (mar.me.*lei*.ro) *sm. Bot.* Árvore pequena e melífera da fam. das rosáceas (*Cydonia oblonga*), originária da Ásia, cujos ramos têm a forma de longas varas e os frutos amarelos, carnosos e ácidos são us. no preparo de doces; MARMELO [F.: *marmelo* + *-eiro*.]

marmelo (mar.*me*.lo) *sm. Bot.* 1 O fruto do marmeleiro 2 Marmeleiro [F.: Do lat. *melimelum*.]

marmita (mar.*mi*.ta) *sf.* 1 Conjunto de vasilhas, adaptadas umas nas outras, que servem para o transporte de comida 2 Vasilha ger. metálica em que se transporta a própria refeição para o local de trabalho 3 A refeição transportada nessa vasilha 4 Recipiente de lata em que nos quartéis se distribui o rancho aos soldados 5 *Lus. Gír.* Prostituta que sustenta um cáften [F.: Do fr. *marmite*.]

marmiteiro (mar.mi.*tei*.ro) *Bras. sm.* 1 Pessoa que transporta em uma marmita a própria refeição 2 Empregado de pensão que entrega marmitas com refeições aos clientes 3 *Fig.* Nome dado em 1945 aos partidários de Getúlio Vargas [F.: *marmit(a)* + *-eiro*.]

marmitex (mar.mi.*tex*) [cs] *SP a2g2n.* 1 Diz-se de embalagem térmica descartável, ger. de alumínio, na qual se transportam alimentos para viagem *sm2n.* 2 Essa embalagem 3 A comida transportada nessa embalagem; MARMITA [F.: *marmita* + *-ex* (term. neológica). Sin. nas acps. 2 e 3: *quentinha*.]

marmo (*mar*.mo) *N.E. MG Pop. a.* 1 Diz-se de coisa muito grande, enorme 2 Que é ótimo, excelente [F.: De or. obsc.]

marmoraria (mar.mo.ra.*ri*.a) *sf.* 1 Oficina onde se fazem objetos e peças decorativas em mármore 2 Loja onde se vende mármore [F.: *mármor(e)* + *-aria*. Hom./Par.: *marmoraria* (sf.), *marmorária* (fem. de *marmorário*).]

mármore (*már*.mo.re) *sm.* 1 *Geol.* Rocha calcária resistente e de cores variadas, us. como revestimento em construção, em estátuas, na confecção de objetos, peças decorativas etc. 2 Objeto ou escultura de mármore 3 *Fig.* Frieza, indiferença, insensibilidade (coração de mármore) 4 *Tip.* Mesa sobre a qual se fazem a imposição e o engradamento das formas tipográficas [F.: Do lat. *marmor, oris*.] ⁂ **De ~** 1 *Fig.* Que lembra o mármore pela aparência, cor, frieza etc. (mãos de mármore) 2 Impassível, frio, duro, insensível (coração de mármore)

marmoreação (mar.mo.re:a.*ção*) *sf.* O mesmo que *marmorização* (1 e 2) [Pl.: *-ções*.] [F.: *marmorear* + *-ção*.]

marmoreador (mar.mo.re:a.*dor*) [ô] *a. sm.* O mesmo que *marmorizador* [F.: *marmorear* + *-dor*.]

marmorear (mar.mo.re.*ar*) *v. td.* 1 Colocar mármore em: *Marmoreou o piso da varanda.* 2 Dar a aparência de mármore a [▶ 13 marmorear] [F.: *mármor(e)* + *-ear*.]

marmóreo (mar.*mó*.re:o) *a.* 1 Feito de mármore (lápide marmórea) 2 *Fig.* Que tem a aparência ou a consistência do mármore (rosto marmóreo) 3 *Fig.* Duro e insensível como o mármore: *Aparentava uma indiferença marmórea.* [F.: Do lat. *marmoreus, a, um*.]

marmorista (mar.mo.*ris*.ta) *s2g.* 1 Pessoa que trabalha cortando ou polindo mármore 2 Pessoa que faz objetos e/ou peças decorativas em mármore [F.: *mármor(e)* + *-ista*. Sin. ger.: *marmorário, marmoreiro*.]

marmorite (mar.mo.*ri*.te) *s2g. Cons.* Mistura de cimento e grânulos de mármore empregada na fabricação de pias, tanques etc. e tb. utilizada como piso ou revestimento de construções [F.: *mármore* + *-ite*.]

marmorização (mar.mo.ri.za.*ção*) *sf.* 1 Ação ou resultado de marmorizar; MARMOREAÇÃO 2 *Enc.* Tipo de tratamento que produz no papel um efeito que imita a superfície do mármore, us. ger. em folhas de guarda e nas bordas refiladas de um livro encadernado 3 *Art.gr.* Defeito de impressão, caracterizado por manchas ou diferenças de cor no produto impresso 4 *Geol.* Transformação do calcário em mármore 5 *Pat.* Estado anormal de um órgão cuja superfície, por apresentar manchas disseminadas, lembra a aparência do mármore 6 Gordura intramuscular da carne bovina [Pl.: *-ções*.] [F.: *marmorizar* + *-ção*.]

marmorizador (mar.mo.ri.za.*dor*) [ô] *a.* 1 Que marmoriza *sm.* 2 *Enc.* Indivíduo que faz trabalho de marmorização (2) [F.: *marmorizar* + *-dor*. Sin. ger.: *marmoreador*.]

marmorizar (mar.mo.ri.*zar*) *v. td.* 1 Transformar calcário em mármore, recristalizando-o 2 Colocar mármore em; marmorear 3 *Fig.* Tornar (uma superfície) semelhante ao mármore, com a sua aparência; marmorear [▶ 1 marmorizar] [F.: *mármore* + *-izar*.]

marmota (mar.*mo*.ta) *sf.* 1 *Zool.* Denominação comum aos roedores, da fam. dos ciurídeos, do gên. *Marmota* com aproximadamente 11 spp. que ocorrem no hemisfério norte, com corpo atarracado, pernas e cauda curtas, orelhas pequenas e pelagem espessa, cavam buracos formando galerias subterrâneas e costumam hibernar por até 9 meses 2 *N.E. Pop.* Espantalho 3 *N.E. Pop.* Fantasma, assombração 4 *Bras. Pop.* As nádegas [F.: Do fr. *marmotte*.]

marnota (mar.*no*.ta) *sf.* 1 Tabuleiro de salina onde se acumula água salgada para a produção de sal 2 Terreno baixo, suscetível de se alagar [F.: De or. obsc.]

marnotagem (mar.no.*ta*.gem) *sf.* 1 Profissão de marnoto 2 Indústria que extrai sal em salinas [F.: *marnota* + *-agem*.]

marnoteiro (mar.no.*tei*.ro) *sm.* 1 Indivíduo que trabalha em salinas; MARNOTO 2 Supervisor de marnotos; MARROTEIRO [F.: *marnoto* + *-eiro*.]

marnoto (mar.*no*.to) [ô] *sm.* Indivíduo que trabalha em salinas; MARNOTEIRO [F.: De or. obsc.]

marola (ma.*ro*.la) [ó] *Bras. sf.* 1 Onda pequena na superfície do mar 2 *Fig. Gír.* Agitação em coisa sem importância [F.: *mar* + *-ola*.]

marolo (ma.*ro*.lo) [ô] *sm. Bras. Bot.* Árvore (*Annona crassiflora*), da fam. das anonáceas, que ocorre no Brasil em áreas de cerrados e cerradões, de cuja casca se confeccionam redes e boias e cujos frutos grandes e muito doces são comestíveis; ARATICUM [F.: De or. obsc.]

maromba¹ (ma.*rom*.ba) *sf.* 1 *Gír.* Exercício físico, esp. o que aumenta a massa muscular; MALHAÇÃO 2 Vara us. por equilibristas para ajudar a manter a estabilidade 3 *Fig.* Situação difícil de aguentar ou sustentar 4 *N.E.* Haltere: "... Antônio Balduíno suspendia marombas nos espetáculos pouco frequentados do circo..." (Jorge Amado, *Jubiabá*) 5 *Bras.* Esperteza, malandragem 6 *RS* Cabo suspenso através de um curso de água pelo qual os tripulantes de uma barca vão puxando para a conduzirem à margem oposta [F.: Do espn. *maroma*. Hom./Par.: *maromba* (sf.), *maromba* (fl. de *marombar*).]

maromba² (ma.*rom*.ba) *sf.* 1 *AM* Jirau onde se recolhe o gado por ocasião das enchentes 2 *AM* Jangada para transporte de gado 3 *N.* Manada de bois 4 *S.* Espécie de sardinha graúda 5 *Bras.* Máquina para fabricar tijolos [F.: De or. obsc.]

marombado (ma.rom.*ba*.do) *a.* 1 *CE Pej.* Que conta bravatas ou se diz corajoso sem ser; FANFARRÃO; GABOLA 2 *Bras. Pop.* Diz-se do que é exageradamente desenvolvido por efeito de musculação ou ingestão de suplementos anabolizantes (músculos marombados; corpo marombado; indivíduo marombado); MALHADO [F.: Part. de *marombar*.]

marombar (ma.rom.*bar*) *v. int.* 1 *Bras. Pop.* Fazer maromba¹ (1); MALHAR 2 Equilibrar-se em maromba ou corda bamba 3 Agir com prudência, moderação, controle em situações difíceis 4 *Bras. Pop.* Hesitar ou demorar para agir, a fim de protelar decisão, escolha etc.; REMANCHAR 5 *Fig. Pop.* Vadiar no trabalho; EMBROMAR; REMANCHAR 6 Esquivar-se a compromisso usando de dissimulação; TERGIVERSAR [▶ 1 marombar] [F.: *maromba*¹ + *-ar*². Hom./Par.: *maromba(s)* (fl.), *maromba(s)* (sf. [pl.]). Tb. *marombear*.]

marombear (ma.rom.be.*ar*) *v.* Ver *marombar* [▶ 13 marombear]

marombeiro (ma.rom.*bei*.ro) *a.* 1 *Bras. Gír.* Diz-se de quem gosta de lisonjear ou adular por interesse; BAJULADOR; GALANTEADOR 2 Diz-se de quem mente, engana; ENGANADOR 3 *Bras. Gír. Esp.* Diz-se de pessoa que faz musculação *sm.* 4 *Bras. Gír.* Mentiroso, embromador 5 *Bras. Gír. Esp.* Indivíduo musculoso, que faz musculação ou que ingere certas substâncias anabolizantes [F.: *marombar* + *-eiro*.]

maronês (ma.ro.*nês*) *sm.* 1 Indivíduo nascido ou que vive em Serra do Marão (Portugal) [Pl.: *-neses* [ê]. Fem.: *-nesa* [ê].] *a.* 2 De Marão; típico dessa serra ou de seu povo [Pl.: *-neses* [ê]. Fem.: *-nesa* [ê].] [F.: Do top. *Marão* + *-ês*.]

maronita (ma.ro.*ni*.ta) *s2g.* 1 *Rel.* Seguidor do catolicismo praticado esp. na Síria e no Líbano, com alguns ritos peculiares *a2g.* 2 Ref. a essa linha do catolicismo ou a seus seguidores (comunidade maronita) [F.: Do antr. ár. *Marun* + *-ita*².]

marosca (ma.*ros*.ca) [ó] *sf.* Ação desleal; TRAPAÇA; TRAMOIA [F.: De or. obsc.]

marotagem (ma.ro.*ta*.gem) *sf.* 1 O mesmo que *maroteira* 2 Bando de marotos [Pl.: *-gens*.] [F.: *maroto* + *-agem*¹.]

maroteira (ma.ro.*tei*.ra) *sf.* 1 Ação ou modo de vida de maroto; característica ou qualidade de maroto 2 Velhacaria, patifaria: "... Eu tinha chegado fervendo, projetando matá-la. Podia viver com a autora de semelhante maroteira?" (Graciliano Ramos, *S. Bernardo*) 3 Qualidade de quem é esperto; ESPERTEZA; VIVACIDADE [F.: *maroto* + *-eira*. Sin. ger.: *marotagem, marotice*.]

maroto (ma.*ro*.to) [ô] *a.* 1 Que tem esperteza, que é cheio de manhas; MALANDRO 2 Que busca prejudicar alguém; CANALHA 3 Que é malicioso, brejeiro *sm.* 4 Indivíduo maroto (1, 2 e 3) 5 *Bras. Antq.* Alcunha dada aos portugueses na época da Independência, esp. na Bahia: "... Infame reinado de D. João VI e de todos os tiranos portugueses: fora, marotos!..." (*A sentinela da liberdade na guarita de Pernambuco*) [F.: De or. obsc.]

marquês (mar.*quês*) *sm.* 1 Título de nobreza superior ao de conde e inferior ao de duque 2 Homem que detém esse título [Pl.: *-queses*. Fem.: *-quesa*.] [F.: Do provç. *marques*.]

marquesa (mar.*que*.sa) [ê] *sf.* 1 Título de nobreza superior ao de condessa e inferior ao de duquesa 2 Mulher que detém esse título diretamente ou por ser esposa de um marquês 3 Canapé largo com assento de palhinha: "Sr. Pereira, disse Cirino recostando-se a uma sólida marquesa, não se incomode comigo..." (Alfredo d'Escragnolle Taunay, *Inocência*) 4 *Lus.* Marquise 5 Variedade de pera do Minho [F.: Fem. de *marquês*, por infl. do fr. *marquise* nas acps. 4 e 5.]

marquesado (mar.que.*sa*.do) *sm.* 1 Título ou cargo de marquês ou de marquesa 2 Extensão de terras pertencentes a marquês ou marquesa [F.: *marquês* + *-ado*³.]

marquesal (mar.que.*sal*) [z] *a2g. Nobil.* Ref. ou inerente a ou próprio de marquês ou marquesa (nobreza marquesal; postura marquesal) [Pl.: *-ais*.] [F.: *marquês* + *-al*.]

marquesano (mar.que.*sa*.no) *sm.* 1 Indivíduo nascido ou que vive nas ilhas Marquesas (Polinésia Francesa) 2 *Gloss.* Língua falada nas ilhas Marquesas *a.* 3 Das ilhas Marquesas; típico dessas ilhas ou de seu povo 4 Do ou ref. ao marquesano (2) [F.: Do top. (ilhas) *Marques(as)* + *-ano*¹.]

marquesinha (mar.que.*si*.nha.) [ê; z] *sf.* 1 Sombrinha de senhora cujo cabo se dobra pelo meio 2 *Mil.* Espécie de toldo colocado sobre a tenda dos oficiais em campanha, como proteção contra a chuva 3 *Fer.* Abrigo de zinco ou de madeira em certas estações ferroviárias mais frequentadas, para resguardar do sol ou da chuva os passageiros que se aglomeram na plataforma 4 *Bot.* Planta bulbosa (*Tulipa clusiana*), da fam. das liliáceas, nativa da Europa, de folhas de um verde-claro [F.: *marquesa* + *-inha*.]

marquetear (mar.que.te.*ar*) *v. td. int.* Fazer trabalho de *marketing*, trabalhar pela colocação de produtos em condições ideais para seu sucesso comercial [F.: *marquet-* (adapt. de *marketing*) + *-ear*².]

marqueteiro (mar.que.*tei*.ro) *sm.* 1 *Pop.* Pessoa que faz *marketing*. 2 *Pej. Pop.* Pessoa que usa técnicas de *marketing* para autopromover-se [F.: *marquet-*, rad. adaptado do ing. *marketing* + *-eiro*.]

marquetismo (mar.que.*tis*.mo) *sm.* 1 *Mkt.* Prática e cultuação do *marketing*: *Ele é especialista em marquetismo político.* 2 Propaganda, publicidade [F.: Rad. *marquet-* deduzido do ing. *marketing* + *-ismo*.]

marquise (mar.*qui*.se) *sf. Bras. Arq.* Na parte externa de um edifício, cobertura proeminente que serve de abrigo: "Tenho apanhado muita chuva, dado muita corrida, me plantado debaixo de muita marquise..." (Rubem Braga, "Coisas antigas" *in Ai de ti, Copacabana*) [F.: Do fr. *marquise*.]

marra (*mar*.ra) *sf.* 1 O mesmo que *marrão*[1] 2 Enxada pontuda para cavar a terra, arrancar plantas etc.; SACHO 3 *Bras. Pop.* Coragem, ousadia 4 Clareira em vinhas e olivais 5 Jogo de meninos semelhante ao pique 6 Valeta à beira de uma estrada ou caminho [F.: Do lat. *marra, ae*. Hom./Par.: *marra* (sf.), *marra* (fl. de *marrar*), *marrã* (sf.).] ■ **Na ~** 1 *Bras. Pop.* Por meio de violência: *Esgotados os argumentos, foram resolver o conflito na marra.* 2 Com valentia, ousadia, brio: *Reagiram e ganharam o jogo na marra.* 3 À força, contra a vontade de outrem: *Sei que você não quer estudar, mas vai estudar na marra.*

marrã (mar.*rã*) *sf.* 1 Porca nova, que deixou de mamar 2 *N.E.* Ovelha nova 3 Carne de porco fresca [F.: Fem. de *marrão*.]

marrada (mar.*ra*.da) *sf.* 1 Ação ou resultado de marrar 2 Pancada com a cabeça ou com os cornos, de animal cornígero (marrada de boi; marrada de cabra); CHIFRADA; CORNADA 3 *P.ext.* Qualquer pancada ou arremesso com a cabeça; CABEÇADA 4 *Lus. Agr.* Pedaço de terra sem arar, deixado intencionalmente ou não pelo lavrador [F.: *marra-* + *-ada*[1].]

marrafa (mar.*ra*.fa) *sf.* 1 Madeixa feminina caída sobre a testa e para os lados da cabeça 2 Cada uma das metades em que o cabelo é dividido por um risco longitudinal de separação feito com o pente 3 Região entre os chifres, na altura da nuca, em certas raças bovinas e em forma de ligeira saliência, em outras raças 4 *SP Dnç. Folc.* Modalidade do fandango rural, constituído de duas rodas, uma de homens, outra de mulheres, que se movimentam em sentido contrário [F.: Do antr. *Maraffi* (dançarino italiano do séc. XVIII).]

marraio (mar.*rai*.o) *Bras. Lud. sm.* 1 Na bola de gude e em outros jogos, palavra que dá ao primeiro que a grita o direito de jogar por último 2 O parceiro que obteve esse direito [F.: De or. obsc.]

marralheiro *a.* 1 Diz-se de quem usa de artifícios para convencer ou iludir; ASTUTO; MANHOSO [Ant.: *bobo, ingênuo*.] 2 *Pop.* Diz-se de quem é preguiçoso, se esquiva de tarefas ou compromissos; INDOLENTE; MANDRIÃO [Ant.: *ativo, diligente*.] 3 *Lus.* Mau pagador; CALOTEIRO [Ant.: *correto, cumpridor*.] [F.: De or. contrv., posv. do espn. *marrallero*.]

marralhice (mar.ra.*lhi*.ce) *sf.* 1 Qualidade de marralheiro 2 Astúcia, manha, esperteza [Ant.: *correção, lisura*.] 3 Indolência, preguiça [Ant.: *atividade, diligência*.] [F.: *marralh(eiro)* + *-ice*.]

marrano (mar.*ra*.no) *a.* 1 *Pej.* Diz-se de judeu ou mouro que, na Espanha e em Portugal de outrora, era convertido ao cristianismo, mas suspeito de manter suas crenças 2 *RS* Diz-se de gado ruim *sm.* 3 Judeu ou mouro marrano (1) 4 *Lus.* Porco já crescido [F.: Do espn. *marrano*.]

marrão[1] (mar.*rão*) *sm.* Martelo pesado para quebrar pedras e paredes; MARRA [Pl.: *-rões*.] [F.: *marra* + *-ão*[1].]

marrão[2] (mar.*rão*) *RS a.* 1 Diz-se da rês que não foi domada, selvagem *sm.* 2 Essa rês [Pl.: *-rões*.] [F.: F. aferética de *chimarrão*, posv.]

marrão[3] (mar.*rão*) *sm. Lus.* Porco pequeno que deixou de mamar [Pl.: *-rões*. Fem.: *-rã*. Col.: *marroada*.] [F.: Do ár. *muharram*.]

marrar (mar.*rar*) *v.* 1 Atacar com os chifres (falando-se dos animais que os têm) [*td.*: *O bode marrou o intruso em seu cercado.*] [*int.*: *Os animais marravam num descampado.*] [*tr.* +*com*: *Os carneiros disputam a fêmea marrando um com o outro.*] 2 Bater a cabeça com força; dar cabeçadas em [*td. tr.* +*com*: *Enfurecido, o gigante marrava (com) a porta.*] 3 Bater contra (alguma coisa) [*td.*] 4 Bater com marrão ou marra, martelo [*td.*: *Marrou o tubo até entortá-lo.*] 5 Ficar frente a frente com algo; DEPARAR [*tr.* +*com*: *Os fugitivos marraram com os guardas.*] 6 *Fig.* Teimar insistentemente [*int.*] 7 *Lus.* Estudar demais [*int.*] [▶ 1 marrar] [F.: *marr(a)* + *-ar*. Hom./Par.: *marra(s)* (fl.), *marra* (s.f.) e pl; *marra(s)* (fl.), *marrã* (sf.) e pl.]

marrasquino (mar.ras.*qui*.no) *sm. Gastron.* O mesmo que *marasquino*

marreco (mar.*re*.co) [é] *sm.* 1 *Zool.* Denominação comum aos machos das aves aquáticas da fam. dos anatídeos com diversas spp. selvagens e domésticas de ampla distribuição 2 *Bras. Pop.* Garoto que manobra os carrinhos de compra no supermercado 3 Pessoa corcunda [F.: De or. obsc.]

marrento (mar.*ren*.to) marm *a.* 1 *Bras. Pop.* Cheio de marra (3), de ousadia (artista marrento; jogador marrento); MASCARADO 2 Que tem marra (3), coragem, ousadia (soldado marrento) [F.: *marra* + *-ento*.]

marreta (mar.*re*.ta) [ê] *sf.* 1 Tipo de martelo de ferro, pesado e de cabo longo, us. em demolições 2 *Bras.* Cacete grosso 3 Alcunha dada aos portugueses na época da Independência 4 Adepto do partido governista em Pernambuco à época da candidatura de Dantas Barreto 5 *Bras. Gír.* Trapaça em jogo [F.: *marr(a)* + *-eta* [ê]. Hom./Par.: marreta (sf.), *marreta* (fl. de *marretar*).] ■ **Entrar na ~** *Bras.* Levar uma surra **Fazer ~** *Bras.* Fazer trapaça em jogo, ger. coadjuvado por outros jogadores **Meter a ~ (em)** Criticar (algo ou alguém), meter o pau (em), falar mal (de) **~ pneumática** Ferramenta acionada por ar comprimido, us. para fender e quebrar asfalto, concreto etc., esp. em ruas e calçadas, para reparo de revestimento, canalização, cabos subterrâneos etc. [Ver tb.: *britadeira*.]

marretada (mar.re.*ta*.da) *sf.* 1 Pancada ou golpe com marreta: "... tentaram despedaçar, a marretadas, um escudo em que se viam as armas imperiais..." (Euclides da Cunha, *Os sertões*) 2 *Bras.* Bordoada, cacetada 3 *Bras. Vulg.* Cópula [F.: *marreta* + *-ada*[2].]

marretagem (mar.re.*ta*.gem) *sf.* Ação ou resultado de marretar, de lograr ou enganar com intuito de obter compensação, lucro etc.; PICARETAGEM; TRAPAÇA: *Produtos contrabandeados abastecem a marretagem nas ruas da cidade.* [Pl.: *-gens*.] [F.: *marretar* + *-agem*[1].]

marretar (mar.re.*tar*) *v.* 1 Golpear (algo ou alguém) com marreta [*td.*] 2 Surrar, bater, golpear [*td.*] [*int.*] 3 *Fig. Pop.* Falar mal de (alguém ou algo); CRITICAR [*td.*] [*int.*] 4 *Bras. Pop.* Fazer (trabalho) às pressas, sem o devido cuidado [*td.*: *Marretou a monografia e depois queria reclamar da nota.*] [*int.*: *Ao chamar o encanador, certifique-se de que ele não marreta.*] 5 Tratar sem cuidado; estragar, destruir [*td.*] 6 *Pop.* Explorar no preço de mercadoria; ESFOLAR [*td.*] [*int.*] 7 *PE Gír.* Furtar ninharia [*td.*] [*int.*] [▶ 1 marretar] [F.: *marreta* + *-ar*[2]. Hom./Par.: *marreta(s)* (fl.), *marreta(s)* (sf.s2g. [pl.]).]

marreteiro (mar.re.*tei*.ro) *sm.* 1 *Bras.* Quem trabalha demolindo paredes ou perfurando pedras com marreta 2 *SP Pop.* Vendedor ambulante; CAMELÔ 3 *N.E.* Vigarista, trapaceiro [F.: *marreta* + *-eiro*.]

marrom (mar.*rom*) *sm.* 1 A cor da terra, ou da casca da castanha 2 Por metonímia, roupa dessa cor: *Saiu vestida de marrom. a2g.* 3 Cuja cor é o marrom (1) (sapatos marrons, bolsa marrom) 4 Diz-se dessa cor: *cavalo de cor marrom.* [Pl.: *-rons*.] [F.: Do fr. *marron*. Sin. ger.: *castanho*.]

marrom-glacê (mar.rom-gla.*cê*) *sm. Cul.* Doce feito à base de castanha conservada em calda de xarope de baunilha [Pl.: *marrons-glacês*.]

marroquim (mar.ro.*quim*) *sm.* Pele de cabra ou de bode curtida e preparada para uso artesanal [Pl.: *-quins*.] [F.: Do ár. *marroki*.]

marroquino (mar.ro.*qui*.no) *sm.* 1 Pessoa nascida ou que vive no Marrocos (noroeste da África) 2 *Gloss.* Língua árabe falada no Marrocos *a.* 3 Do Marrocos; típico desse país ou de seu povo 4 Do ou ref. ao marroquino (2) [F.: Do top. *Marrocos* + *-ino*. Hom./Par.: *marroquino* (a.sm.), *marroquino* (fl. de *marroquinar*).]

marroteiro (mar.ro.*tei*.ro) *sm.* Indivíduo que dirige o trabalho dos operários nas salinas, m. que *marnoteiro* [F.: Deriv. de *marnoteiro*.]

marruá (mar.ru:*á*) *a2g.* 1 *Bras.* Diz-se do novilho ou touro não domesticado ou selvagem *sm.* 2 Novilho ou touro nessa condição: "... os bois de todo berro, marruás com marcas de unha de onça..." (Guimarães Rosa, "O recado do morro" *in No Urubuquaquá, no Pinhém*) 3 Pessoa inexperiente, facilmente enganável [F.: De or. obsc.]

marruco (mar.*ru*.co) *sm. Bras.* Touro ou boi destinado à reprodução [F.: De or. obsc., prov. de *marrão*.]

marrueiro (mar.ru.*ei*.ro) *a.* 1 Ref., inerente ou pertencente a marruá 2 *CO* Diz-se de quem lida com marruás *sm.* 3 Aquele que cria ou lida com marruás; domador de reses bravias [F.: *marruá* + *-eiro*.]

marselhense (mar.se.*lhen*.se) *a2g.s2g.* O mesmo que *marselhês (marselhesa)*

marselhês (mar.se.*lhês*) *sm. s2g.* 1 Pessoa que nasceu ou que vive em Marselha (França) *a. a2g.* 2 De Marselha; típico dessa cidade ou de seu povo (culinária marselhesa; linguajar marselhês) [F.: Do top. *Marselh(a)* + *-ês*. Tb. *marselhense*.]

marshalino (mar.sha.*li*.no) *sm.* 1 Indivíduo nascido ou que vive nas ilhas Marshall (oceano Pacífico) *a.* 2 Das ilhas Marshall; típico dessas ilhas ou de seu povo [F.: Do top. (ilhas) *Marshall* + *-ino*[1].]

⊕ **marshmallow** (*Ing./machmélou/*) *sm.* 1 *Cul.* Espécie de doce de consistência cremosa ou porosa, feito com clara de ovo batida misturada com amido, xarope de milho, gelatina e açúcar 2 *P.ext.* Calda feita com esse doce

marsupiais (mar.su.pi.*ais*) *Zool. a.* 1 Ref. aos marsupiais *sm.* 2 Espécime dos marsupiais, ordem de mamíferos que abrange várias famílias e numerosas espécies, como p. ex. os cangurus, coalas e gambás, exclusivas das regiões australianas e americanas, e cuja fêmea pode ter uma bolsa membranosa abdominal (marsúpio) onde são carregados os filhotes nas primeiras fases do desenvolvimento [Us. tb. adjetivamente.] [F.: Do lat. cient. ordem *Marsupialia*.]

marsupial (mar.su.pi:*al*) *a2g.* 1 Ref. a marsúpio 2 Que tem forma de bolsa 3 Animal dotado de órgão em forma de bolsa [Pl.: *-ais*.] *sm.* 4 *Zool.* Diz-se do animal dotado de órgão em forma de bolsa [Pl.: *-ais*.] [F.: Do lat. *marsupi(um)* + *-al*.]

marsúpio (mar.*sú*.pi:o) *sm. Anat. Zool.* Cavidade em forma de bolsa que os marsupiais têm na altura do abdome para abrigar os filhotes recém-nascidos [F.: Do lat. *marsupium, ii*.]

marta (*mar*.ta) *sf.* 1 *Zool.* Mamífero carnívoro de pequeno porte, da fam. dos mustelídeos, que vive em áreas florestais e cuja pele é us. para confecção de casacos de pele 2 A pele desse animal [F.: Do fr. *marte, martre*.]

marte (*Mar*.te) *sm.* 1 *Astron.* Quarto planeta do sistema solar a partir do Sol, com dois satélites 2 *Mit.* Deus romano da guerra, na Antiguidade 3 *Fig.* Homem guerreiro 4 *Fig.* A guerra [F.: Do mitônimo lat. *Marte*, 'deus da guerra'.]

martel (mar.*tel*) *sm. Bras. RS* Copo rústico, us. em bares, equivalente a um quarto de garrafa [Pl.: *-éis*.] [F.: Posv. de *martelo*.]

martelada (mar.te.*la*.da) *sf.* 1 Pancada com martelo 2 Ruído semelhante ao produzido por essa pancada: *Sentia no ouvido umas constantes marteladas.* [F.: *martelo* + *-ada*[2].]

martelado (mar.te.*la*.do) *a.* 1 Diz-se do que se martelou (1) (cobre martelado); MALHADO 2 *Fig.* Que foi tocado com força: *tambores martelados na selva.* 3 *Fig.* Repisado, repetido: *conselhos martelados ao ouvido.* 4 *Cut.* Diz-se de couro espichado a martelo [F.: Part. de *martelar*.]

martelar (mar.te.*lar*) *v.* 1 Golpear com martelo (em) [*td./int.*] 2 Golpear (algo ou alguém) como se fosse com um martelo [*td.*] 3 *Fig.* Insistir, teimar em (algo); fazer-se presente insistentemente, através de pensamento ou fala; REPISAR [*td.*: *Ele martela o mesmo problema todas as noites.*] [*ta.*: *Aquela lembrança martelava em sua mente.*] 4 *Fig.* Doer, latejar [*int.*: *Minha cabeça está martelando, preciso de um remédio.*] 5 Fazer soar ou soar; BATER [*td.*: *martelar um tambor.*] [*int.*: *Os sinos martelaram a noite inteira.*] 6 Soltar a voz (a araponga) [*int.*] [▶ 1 martelar] [F.: *martelo* + *-ar*[2]. Hom./Par.: *martelo* (fl.), *martelo* (sm.).]

martelete (mar.te.*le*.te) [ê] *sm.* 1 Martelo pequeno 2 Espora mourisca 3 Máquina perfuratriz 4 Peça do tear mecânico [F.: *martelo* + *-ete*.] ■ **~ pneumático** Ferramenta acionada por ar comprimido, us. para fender e quebrar asfalto, concreto etc., esp. em ruas e calçadas, para reparo de revestimento, canalização, cabos subterrâneos etc. [Ver tb.: *britadeira*.]

martelo (mar.*te*.lo) *sm.* 1 Ferramenta constituída de um cabo com um arremate em T, ger. de ferro, us. para cravar pregos, golpear objetos etc. 2 Objeto de madeira semelhante a essa ferramenta, us. por juízes, leiloeiros etc. para assinalar comandos: *Bateu o martelo, vendendo o quadro pelo lance mais alto.* 3 *Esp.* Globo metálico, com corrente e alça, arremessado a distância em competições de atletismo 4 *Anat.* Pequeno osso em forma de martelo (1), localizado na orelha média 5 *Bras. Liter.* Verso de dez sílabas e seis a dez linhas, us. nos desafios dos cantadores nordestinos: "O martelo é o descante de toada rápida, preferido para as pelejas violentas." (Leonardo Mota, *Cantadores*) 6 Nos relógios de parede, peça que bate num gongo e faz soar as horas 7 *Mús.* Martelete revestido de camurça que serve para percutir as cordas do piano 8 *Bras. Ict.* O mesmo que *cação-martelo* 9 *Fig.* Pessoa que procura exterminar os vícios ou quaisquer outros males (martelo das heresias) 10 *Fig.* Indivíduo maçante, enjoado 11 *Bras. Pop.* Quantidade de cachaça que cabe num copo pequeno; este copo 12 *Bras. Cap.* No jogo da capoeira, golpe dado com o dorso do pé e que atinge o rosto ou o tronco do adversário [F.: Do lat. *martellus*. Hom./Par.: *martelo* (sm.), *martelo* (fl. de *martelar*).] ■ **Bater o ~** 1 Em leilão, aceitar um lance e encerrar o pregão 2 *Fig.* Decidir finalmente por algo entre várias alternativas **~ alagoano** *Bras. Pop. Liter.* Em desafio entre cantadores sertanejos, martelo de seis pés que termina com o refrão: "Nos dez pés de martelo alagoano" **~ de seis pés** *Bras. Pop. Liter.* Em desafio entre cantadores sertanejos, verso decassílabo de seis pés, declamado ou cantado; martelo-agalopado **~ miudinho** *Bras. Pop. Liter.* Em desafio entre cantadores sertanejos, martelo de seis pés que termina com o refrão: "Nos dez pés de martelo miudinho"

martelo-agalopado (mar.te.lo-a.ga.lo.*pa*.do) *sm. Poét.* Verso decassílabo com seis pés e rimas emparelhadas, cantado ou declamado por repentistas sertanejos; MARTELO DE SEIS PÉS [Pl.: *martelos-agalopados*.]

⊕ **martenot** (*Fr./martenô/*) *sm. Mús.* Instrumento de música eletrônica com teclado [F.: Do antr. (Maurice) *Martenot*, músico francês (1898-1980).]

martensita (mar.ten.*si*.ta) *sf. Metal. Quím.* Carboneto de ferro constituinte dos aços temperados, como resultado de resfriamento lento [F.: Do antr. (Adolf) *Martens* (1850-1914, engenheiro alemão) + *-ita*.]

martim (mar.*tim*) *sm. Ict.* Ver *martim-pescador* [Pl.: *-tins*.]

martim-pererê (mar.tim-pe.re.*rê*) *sm. Bras. Ornit.* O mesmo que *saci* [Pl.: *martins-pererês*.]

martim-pescador (mar.tim-pes.ca.*dor*) [ô] *sm.* 1 *Zool.* Denominação comum às aves aquáticas da fam. dos alcedinídeos, que ocorrem em zonas tropicais e subtropicais de todo o mundo, de bico grande e pescoço curto e se alimentam de peixes e insetos aquáticos 2 *Rel.* Orixá dos candomblés bantos da Bahia [Pl.: *martins-pescadores*.] [F.: Do fr. *martin, martin-pêcheur*.]

martinete[1] (mar.ti.*ne*.te) [ê] *sm.* Grande martelo, movido a água ou vapor, us. para malhar a frio peças de aço ou ferro [F.: Do fr. *martinet*.]

martinete[2] (mar.ti.*ne*.te) [ê] *sm.* 1 *Ict.* Ave da fam. dos apodídeos, de asas longas, cauda curta e dedos minúsculos 2 Certo tipo de gavião 3 O penacho dos grous, ou de qualquer ave 4 *Bot.* Flor da fam. das amarantáceas, roxa, semelhante ao penacho dos grous [F.: Do espn. *martinete*.]

martinete[3] (mar.ti.*ne*.te) [ê] *sm.* 1 Martelo que percute as cordas do piano ou do cravo 2 *Mús.* Canção espanhola no gênero da música flamenga [F.: Do espn. *martinete*, dim. de *martillo*, 'martelo'.]

martíni (mar.*tí*.ni) *sm.* 1 Bebida alcoólica feita da mistura de gim com vermute seco 2 Espécie de vermute [F.: Da marca reg. *Martini*.]

mártir (*már*.tir) ***s2g.*** **1** Quem se sacrificou, ou foi morto, em nome de uma crença ou de um ideal: "Todos sabem que Sócrates foi um mártir da filosofia..." (Eduardo Prado de Mendonça, *O mundo precisa de filosofia*) **2** *Fig.* Quem sofre intensamente por alguma coisa; VÍTIMA [F.: Do lat. *martyr, is*, do gr. *mártyr, os.*]

martírio (mar.*tí*.ri:o) ***sm.*** **1** Tortura ou sacrifício infligidos a alguém por causa de sua fé ou de suas ideias; SUPLÍCIO **2** *Fig.* Sofrimento intenso: "... É que agora os martírios foram tantos / Que mesmo para o riso só tem prantos..." (Castro Alves, "A tarde" *in A cachoeira de Paulo Afonso*) **3** *Bot.* Planta (*Euphorbia millii*) da fam. das euforbiáceas, de flores vermelhas [F.: Do lat. *martyrium*, do gr. *martýrion.*]

martirização (mar.ti.ri.za.*ção*) ***sf.*** Ação ou resultado de martirizar(-se) [Pl.: *-ções.*] [F.: *martirizar* + *-ção.*]

martirizado (mar.ti.ri.*za*.do) ***a.*** Que sofreu martírio, tormento: "Aqui, ainda hoje, está a capital brasileira, sensível, viva, martirizada, crivada de setas como o seu próprio padroeiro." (Augusto Frederico Schmidt, *Prelúdio à revolução*) [F.: Part. de *martirizar.*]

martirizante (mar.ti.ri.*zan*.te) ***a2g.*** Que martiriza; MARTIRIZADOR [F.: *martirizar* + *-nte.*]

martirizar (mar.ti.ri.*zar*) ***v.*** **1** Infligir martírio a: *Nero martirizou muitos cristãos.* **2** Provocar ou padecer tormento; AFLIGIR(-SE) [*td. As traições do marido a martirizam; Martiriza-se por nada.* [▶ **1** martirizar] [F.: Do lat. *martyrizare.*]

martirológico (mar.ti.ro.*ló*.gi.co) ***a.*** Ref. a martirológio [F.: *martirológ(io)* + *-ico*².]

martirológio (mar.ti.ro.*ló*.gi:o) ***sm.*** **1** *Rel.* Lista dos mártires do catolicismo **2** Lista de vítimas [F.: Do lat. ecles. *martyrologium.*]

maruí (ma.ru.*í*) ***sm.*** Ver *maruim*

maruim (ma.ru.*im*) ***sm.*** *Bras. Zool.* Denominação comum a diversas spp. de mosquitos pequenos, da fam. dos ceratopogonídeos, comuns no Brasil nas regiões de manguezal, cuja picada é dolorosa e pode transmitir doenças; BEMBÉ; MOSQUITO-DO-MANGUE [Pl.: *-ins.*] [F.: Do tupi *mberu'wi.* Tb. *maruí.*]

maruja (ma.*ru*.ja) ***sf.*** *Mar.* O mesmo que *marinhagem* (1) [F.: De *marujo.*]

marujada (ma.ru.*ja*.da) ***sf.*** **1** *Mar.* Os marujos, a gente do mar **2** Multidão de marujos **3** *Bras. N.E. Etnog.* Chegança [F.: *maruj(o)* + *-ada*².]

marujo (ma.*ru*.jo) ***sm.*** O mesmo que *marinheiro* (1) [Col.: *marujada.*] [F.: De *mar.*]

marulhante (ma.ru.*lhan*.te) ***a2g.*** Que marulha, que faz marulhos [F.: *marulhar* + *-nte.*]

marulhar (ma.ru.*lhar*) ***v. int.*** **1** Agitar-se (o mar) formando marulho ou ondas **2** Fazer ou reproduzir o ruído das ondas [▶ **1** marulhar] [F.: *marulho* + *-ar*². Hom./Par.: *marulho* (fl.), *marulho* (sm.).]

marulho (ma.*ru*.lho) ***sm.*** **1** O vaivém das águas do mar **2** O barulho causado por esse movimento **3** *Fig.* Agitação, confusão **4** Enjoo do mar [F.: De *mar.*]

marupá (ma.ru.*pá*) *Bras. Angios.* ***sm.*** **1** Árvore da fam. das simarubacéas (*Quassia simarouba*), prov. originária das Antilhas, de madeira branca e leve, us. na fabricação de caixotes, flores amarelas e sementes das quais se extrai um vermífugo **2** Árvore bignoniácea (*Jacaranda copaia*); tb. *caroba-do-mato* **3** O mesmo que *pau-de-viola* (*Citharexylum cinereum*) **4** Planta araliácea (*Schefflera morototoni*); tb. *morototó* **5** Gênero de árvores ou arbustos da família das simarubáceas (*Quassia amara*), que compreende seis espécies, algumas das quais com valor medicinal; tb. *simaruba* (*Quassia amara*) [F.; do tupi *maru'pa.*]

marxismo (mar.*xis*.mo) [cs] ***sm.*** *Econ. Fil. Pol.* Doutrina política, econômica e filosófica desenvolvida pelos alemães Karl Marx (1818-1883) e Friedrich Engels (1820-1895) a partir da crítica ao capitalismo, e que serviu de base para regimes socialistas [F.: Do antr. *Marx* + *-ismo.*]

marxismo-leninismo (mar.xis.mo-le.ni.*nis*.mo) [cs] ***sm.*** *Pol. Soc. Econ. Fil.* Conjunto de teorias de caráter econômico e político, desenvolvidas por Lênin (1870-1924), com base no pensamento do filósofo alemão Karl Marx (1818-1883), e que teve grande importância nos rumos da revolução soviética de 1917 e na formação dos comunistas de todas as partes do mundo [Cf.: *leninismo.*] [Pl.: *marxismos-leninismos.*]

marxista (mar.*xis*.ta) [cs] ***a2g.*** **1** Ref. ao marxismo (teorias marxistas) **2** Que é adepto do marxismo ***s2g.*** **3** Adepto do marxismo [F.: *marxis(mo)* + *-ista.*]

marxista-leninista (mar.xis.ta-le.ni.*nis*.ta) [cs] *Pol. Soc.* ***a2g.*** **1** *Econ. Fil.* Ref. ou inerente ao marxismo-leninismo (teorias marxista-leninistas) **2** Diz-se de quem é partidário do marxismo-leninismo [Pl.: *marxista-leninistas.*] ***s2g.*** **3** *Econ. Fil.* Pessoa partidária e/ou praticante do marxismo-leninismo [Pl.: *marxistas-leninistas.*] [Cf.: *comunista.*]

marzão (mar.*zão*) *Bras. Pop.* ***sm.*** **1** Grande massa de água; o grande mar **2** Mar agitado, revolto **3** Qualquer ponto em pleno oceano do qual não se avista a terra; ALTO-MAR [Pl.: *-zões.*] [F.: *mar* + *-z-* + *-ão.*]

marzipã (mar.zi.*pã*) ***sm.*** *Cul.* Doce feito à base de amêndoas e claras de ovos [F.: Do it. *marzapane.*]

mas ***conj.advers.*** **1** Introduz um argumento que restringe o que foi dito: *Gostaria de jogar basquete, mas sou baixinha.* **2** Introduz um argumento que funciona como ressalva ao que foi dito: *Eram poucos os casos na enfermaria, mas todos graves.* **3** Senão; e sim: *Nada encontrou de valor, mas quinquilharias.* [Nesta acp. é comum o reforço *sim* após o *mas.*] **4** Introduz a explicação da causa de uma ação: *Foi mal na prova, mas não deve ter estudado.* **5** Us. no início de frase interrogativa para expressar surpresa, ironia etc.: *Mas como você pôde fazer isso?* **6** No princípio de uma frase indica que ela tem relação com o que já se disse: *Mas como eu ia lhe dizendo...* ***adv.*** **7** Us. para corroborar o que acabou de ser dito: *Ela é bonita, mas muito bonita.* ***sm.*** **8** Objeção, dificuldade, problema: *Mas que mas é esse, meu caro?* [F.: Do lat. *magis.* Hom./Par.: *mas* (conj.adv.sm.), *más* (pl. de *má*).] ∎ **Deixar de ~** Sair de indecisão, finalmente decidir **Haver/ter sempre um ~** Haver sempre uma dificuldade, um impedimento, uma restrição **~ é** Us. para reforçar uma afirmação que se contrapõe a outra anterior [Ex.: *Você está mas é com muito medo* expressa que anteriormente foi aventada outra explicação, que não o medo, para determinada atitude.] **~ também** Expressão que antecede uma ideia ou condição que complementa uma anterior num sentido contraditório, como reforço dessa contradição [Ex.: *Ele é eficiente, mas também preguiçoso* tem mais força de expressão de contradição que *Ele é eficiente e também preguiçoso*, ou que *Ele é eficiente mas preguiçoso.*] **Nem ~ nem meio ~** Fórmula que expressa recusa total de qualquer objeção (a algo), escusa, restrição etc.

masca (*mas*.ca) ***sf.*** **1** Aquilo que se masca **2** Pedaço de fumo de rolo us. para mascar [F.: Dev. de *mascar.* Hom./Par.: *masca* (fl. de *mascar*).]

mascado (mas.*ca*.do) ***a.*** **1** Que se mascou; MASTIGADO **2** *Fut.* Diz-se de chute fraco, prensado [F.: Part. de *mascar.*]

mascador (mas.ca.*dor*) [ô] ***a2g.*** **1** Diz-se de quem ou do que masca **2** *RS* Diz-se do galo de briga que usa o bico para pegar o galo adversário, sem bater com os tarsos ***s2g.*** **3** Aquele ou aquilo que masca (mascador de fumo) **4** *RS* Galo de briga mascador [F.: *mascar* + *-dor.*]

mascar (mas.*car*) ***v.*** **1** Mastigar sem engolir ou sem ter nada na boca [*td.*: *mascar chiclete.*] [*int.*: *Ela tem o cacoete de mascar; Os bois mascam todo o tempo.*] **2** Mastigar vagarosamente, por muito tempo [*td.*: *Ficava mascando o almoço em frente à TV.*] **3** Mastigar fumo [*int.*] **4** *Fig. Pop.* Planejar, meditar [*td.*: *Mascava aquele negócio há meses.*] **5** Falar entre dentes, ger. para dizer mal ou desaprovar algo; RESMUNGAR [*td.*: *Passou toda a reunião mascando a desaprovação dos projetos, sem coragem de se opor abertamente.*] **6** *CE Pop.* Enganar, lograr [*td.*] [▶ **11** mascar] [F.: Do lat. *masticare.* Hom./Par.: *mascar, mascarar* (em algumas fl.); *mascar, mascavar* (em algumas fl.); *masca(s)* (fl.), *masca(s)* (sf. [pl.]); *mascava* (fl.), *mascava* (fem. de *mascavo*); *mascara(s)* (fl.), *máscara(s)* (sf. [pl.]).]

máscara (*más*.ca.ra) ***sf.*** **1** Objeto de diferentes formatos que cobre o rosto, us. como disfarce, enfeite etc.: *Pegou sua máscara de gorila e foi para o carnaval.* **2** *Etnol.* Imitação disforme de rostos representando as forças da natureza e os espíritos benéficos ou maléficos, us. como instrumento sagrado pelos índios brasileiros **3** *Teat.* Elemento de linguagem cênica que cobre total ou parcialmente o rosto, us. praticamente em toda a história do teatro **4** Objeto us. para proteger o rosto, em certas atividades profissionais ou esportivas: *máscara de soldador, de apicultor, de esgrimista.* **5** Objeto us. para purificar o ar ou fornecer oxigênio, favorecendo a respiração (máscara contra gases, máscara de mergulho) **6** Cobertura que se usa no rosto para embelezar a pele (máscara de lama) **7** *Fig.* Comportamento fingido, falsa aparência: "... Na vida, precisamos sempre usar máscaras, pois ninguém nos reconheceria se nos apresentássemos de rosto nu..." (Ledo Ivo, *Confissões de um poeta*) **8** *Fig.* Contração facial para esconder os verdadeiros sentimentos: "... Bondade muita, mas escondida debaixo de máscara espessa..." (Antônio Carlos Vilaça, *O nariz do morto*) **9** *Med.* Peça que se coloca sobre o nariz e a boca do paciente para facilitar a inalação de oxigênio ou gases anestésicos **10** *Fot.* Recorte de papel preto que se sobrepõe a uma foto ou ilustração para limitá-la à imagem que se quer reproduzir **11** *Inf.* Configuração de caracteres com a finalidade de controlar, reter ou eliminar parte de outra configuração **12** *Art.gr.* Pedaço de papel encorpado que se coloca na prensa ou se sobrepõe ao original ou à chapa de impressão para evitar manchas ou obstruir partes que não se deseja copiar **13** Tela de seda us. na impressão por serigrafia **14** *Bras.* Tapume de couro aplicado às reses bravias **15** *Bras.* Presunção, falsa modéstia: *Diz que não sabe jogar, mas é tudo máscara para enganar os parceiros.* [F.: Do ár. *maskhara.*] ∎ **Cair a ~** *Fig.* Tornar-se evidente o verdadeiro caráter ou objetivo (de alguém), a verdade dos fatos, da situação etc.

mascarada (mas.ca.*ra*.da) ***sf.*** **1** Baile em que as pessoas usam máscaras **2** *Teat.* Gênero teatral semidramático, em voga nas cortes europeias entre os séculos XVI e XVII, com temática mitológica ou alegórica e que incluía poesia, música, dança, desfile de trajes suntuosos e efeitos cenográficos [F.: Do it. *mascheratta.*]

mascarado (mas.ca.*ra*.do) ***a.*** **1** Que usa máscara **2** *Fig.* Fingido, dissimulado **3** *Gír.* Que é convencido, que age com empáfia **4** Diz-se do cavalo ou do boi que tem cara branca **5** *Bras. Mil.* Diz-se da bateria composta de canhões ocultos no mato ***sm.*** **6** Aquele que usa máscara **7** *Fig.* Indivíduo fingido, dissimulado **8** *Gír.* Aquele que é convencido, que age com empáfia [F.: Part. de *mascarar.*]

mascaramento (mas.ca.ra.*men*.to) ***sm.*** **1** Ação ou resultado de mascarar(-se): *mascaramento de um processo químico; mascaramento para o carnaval.* **2** Disfarce, ocultação (mascaramento da verdade) [F.: *mascarar* + *-mento.* Sin. ger.: *mascaração.* Ant. ger.: *desmascaramento.*]

mascarão (mas.ca.*rão*) ***sm.*** *Decor.* Ornato de pedra, cimento ou gesso, em forma de cabeça humana de feições normais ou grotescas, us. em grandes cimalhas, chafarizes etc. [Cf. *carranca.*] [Pl.: *-rões.*] [F.: *máscara* + *-ão.*]

mascarar (mas.ca.*rar*) ***v.*** **1** Pôr máscara em (alguém ou si mesmo) [*td.*] **2** Disfarçar-se de [*tdp.*: *Mascarou-se de policial para assaltar o prédio.*] **3** *Fig.* Camuflar, esconder, dissimular [*td.*: *mascarar a verdade.*] **4** *Bras. Gír.* Ficar mascarado (3) ou pretensioso [*td.*: *Ele mascarou-se com o sucesso.*] [▶ **1** mascarar] [F.: *máscara* + *-ar*². Hom./Par.: *mascarar, mascar* (em algumas fl.); *mascarar, mascarrar* (em todas as fl.); *mascara(s)* (fl.), *máscara(s)* (sf. [pl.]).]

mascarra (mas.*car*.ra) ***sf.*** **1** Mancha na pele, feita com carvão, tinta, fuligem etc.; FARRUSCA **2** Sujidade, mancha, nódoa **3** *Fig.* Labéu, estigma, mácula: *mascarra na reputação.* [F.: Dev. de *mascarrar.* Hom./Par.: *mascarra* (fl. de *mascarrar*); *mascara* (fl. de *mascarar*) e *máscara* (sf.).]

mascarrar (mas.car.*rar*) ***v. td.*** **1** Sujar com mascarra (1) **2** Sujar, emporcalhar **3** Pintar ou escrever mal, de modo imperfeito **4** *Fig.* Desmoralizar, descreditar (alguém ou algo) [▶ **1** mascarrar] [F.: Do espn. *mascarar.* Hom./Par.: *mascarra(s)* (fl.), *mascarra(s)* (sf.); *mascarrar, mascarar* (em todas as fl.).]

mascate (mas.*ca*.te) *Bras.* ***sm.*** **1** Vendedor ambulante, que se desloca de casa em casa, ou de cidade em cidade: "... com pouco, parava na porta o mascate montado num cavalo carregado com as suas malas de mercadoria..." (José Lins do Rego, *Fogo morto*) **2** *Pej. Hist.* Alcunha dada outrora pelos brasileiros de Olinda aos portugueses de Recife e que originou a denominação Guerra dos Mascates à luta iniciada entre os dois lados em 1710 [F.: Do top. *Mascate.*]

mascateagem (mas.ca.te.*a*.gem) *Bras.* ***sf.*** **1** Profissão de mascate; tb. *mascataria* **2** Ato de mascatear; tb. *mascateação* [F.: *mascatear* + *-agem.*]

mascatear (mas.ca.te.*ar*) ***v.*** **1** Comerciar, vender mercadorias de porta em porta [*td.*: *Mascateava roupas femininas.*] **2** Ter a profissão de mascate [*int.*: *Mascateava de segunda a sexta-feira.*] [▶ **13** mascatear] [F.: *mascate* + *-ear.*]

mascavado (mas.ca.*va*.do) ***a.*** **1** Diz-se de açúcar não refinado, não purificado; MASCAVO [Ant.: *purificado, refinado.*] **2** *P.ext.* Adulterado, falsificado; ESTRAGADO; CORROMPIDO [Ant.: *autêntico, legítimo, verdadeiro.*] **3** *Fig.* Incompreensível, imperfeito (linguagem mascavada) [Ant.: *compreensível, perfeito.*] [F.: Part. de *mascavar.*]

mascavar (mas.ca.*var*) ***v. td.*** **1** Separar o açúcar de má qualidade do melhor **2** *Fig.* Falar e escrever mal uma língua: *Tentou ser claro, mas só conseguiu mascavar algumas palavras.* **3** *Fig.* Adulterar, falsificar algo [▶ **1** mascavar] [F.: Ver em *menoscabar.* Hom./Par.: *mascavo* (fl.), *mascavo* (a.sm.); *mascava(s)* (fl.), *mascava* (f. mascavo [adj.s.m.]) e pl., *mascava(s)*, (fl.).]

mascavo (mas.*ca*.vo) ***a.*** Diz-se do açúcar que não foi refinado e por isso apresenta cor escura; MASCAVADO [F.: Dev. de *mascavar.* Hom./Par.: *mascavo* (a.), *mascavo* (fl. de *mascavar*).]

mascote (mas.*co*.te) ***s2g.*** **1** Pessoa, animal ou coisa a que se atribui o dom de trazer sorte: *mascote oficial das olimpíadas.* **2** Animal de estimação **3** *Bot.* Planta (*Guarania malacophyla*) da fam. das cucurbitáceas, de flores avermelhadas [F.: Do fr. *mascotte.* Hom./Par.: *mascote* (sm.), *mascote* (fl. de *mascotar*).]

masculinidade (mas.cu.li.ni.*da*.de) ***sf.*** **1** Qualidade de masculino **2** Qualidade de quem tem comportamento másculo; VIRILIDADE [F.: *masculino* + *-(i)dade.* Ant. ger.: *feminilidade.*]

masculinização (mas.cu.li.ni.za.*ção*) ***sf.*** Ação ou resultado de masculinizar(-se) [Pl.: *-ções.*] [F.: *masculinizar* + *-ção.*]

masculinizado (mas.cu.li.ni.*za*.do) ***a.*** **1** Tornado masculino **2** Que tem aparência masculina [F.: Part. de *masculinizar.*]

masculinizar (mas.cu.li.ni.*zar*) ***v.*** **1** Dar aparência masculina a; adquirir características ou modos próprios do sexo masculino [*td.*: *Aquele uniforme masculinizava as meninas.*] [*int.*: *Ele se masculinizou na adolescência.*] **2** Tornar do gênero masculino [*td.*: *O uso masculiniza algumas palavras originalmente femininas.*] [▶ **1** masculinizar] [F.: *masculino* + *-izar.*]

masculino (mas.cu.*li*.no) ***a.*** **1** Ref. ao homem ou ao macho **2** Que é dotado de órgãos para fecundar (flor masculina) **3** Próprio de macho; MÁSCULO: "Ela não é propriamente bonita (...) corpo de rapaz, esbelta, gestos masculinos..." (Érico Veríssimo, *Vera*) **4** *Gram.* Diz-se do gênero gramatical a que pertencem os substantivos que designam pessoas ou animais do sexo masculino ou os que por sua terminação são considerados como pertencentes a esse gênero: *'Rapaz', 'chinelo' e 'vento' são substantivos masculinos.* ***sm.*** **5** *Gram.* Gênero masculino (4) [F.: Do lat. *masculinus, a, um.* Ant. ger.: *feminino.* Ideia de 'masculino': *andr(o)-* (*androceu*).]

másculo (*más*.cu.lo) ***a.*** **1** Ref. a homem ou a animal macho; MASCULINO ***a.*** **2** Viril, varonil: *Força e coragem são considerадas qualidades másculas.* [Ant.: *afeminado.*] [F.: Do lat. *masculus, a, um.*]

masdeísmo (mas.de.*ís*.mo) ***sm.*** *Rel.* Religião antiga dos iranianos (persas e medos), caracterizada pela divinização das forças naturais e pela admissão de dois princípios em luta, o bem (aúra-masda) e o mal (arimã); ZOROASTRISMO [F.: Do fr. *mazdéisme.*]

masdeísta (mas.de.*ís*.ta) *Rel.* ***a2g.*** **1** Referente ao masdeísmo ***a2g.*** **2** Diz-se de pessoa seguidora do masdeísmo ***s2g.*** **3** Essa pessoa [F.: *masdeísmo* + *-ista*.]

⊕ **maser** (*Ing.: mêiser/*) ***sm.*** *Fís.* Abreviatura de 'microwave amplification by stimulated emission of radiations', 'amplificação de micro-ondas por emissão simulada de radiação', dispositivo utilizado para a amplificação ou produção de ondas eletromagnéticas e micro-ondas com baixo nível de ruído, por meio de emissão estimulada de radiação

masmarro (mas.*mar*.ro) *Pej.* ***sm.*** **1** Indivíduo velhaco; PATIFE **2** Frade leigo; DONATO **3** Ermitão de hábito talar [F.: De or. obsc.]

masmorra (mas.*mor*.ra) [ô] ***sf.*** **1** Prisão subterrânea **2** *Fig.* Aposento sombrio, tristonho, lúgubre [F.: Do ár. *matmura*.]

masoquismo (ma.so.*quis*.mo) ***sm.*** **1** *Psiq.* Perversão que consiste em somente obter prazer sexual com o próprio sofrimento físico ou moral **2** *Fig.* Atitude de quem tem prazer em sofrer ou em ser maltratado [F.: Do fr. *masochisme*. Ant. ger.: *sadismo*. Cf. *sadomasoquismo*.]

masoquista (ma.so.*quis*.ta) ***a2g.*** **1** Ref. ao masoquismo **2** Diz-se de quem só tem prazer sexual com o próprio sofrimento físico ou moral **3** *Fig.* Diz-de de quem gosta de sofrer ou ser maltratado ***s2g.*** **4** *Psiq.* Indivíduo masoquista (2) **5** Aquele que gosta de sofrer ou ser maltratado [F.: Do fr. *masochiste*. Ant. ger.: *sádico, sadista*. Cf. *sadomasoquista*.]

⊠ **Masp** ***sf.*** Sigla do Museu de Arte de São Paulo

massa (*mas*.sa) ***sf.*** **1** Porção de material sólido ou pastoso, ger. para determinado fim (massa de porcelana) **2** Concentração de uma substância, que forma um conjunto unificado: "... a cabeça no regaço do cadáver, que mantinha nas mãos a massa dos seus cabelos de ouro..." (João do Rio, *História de gente alegre*) **3** *Cons.* Material pastoso, quando fresco, feito a partir de cimento, areia e água, us. para dar aderência e revestimento a construções; ARGAMASSA **4** *Fig.* Grupo numeroso de pessoas; MULTIDÃO: *A massa se concentrou na entrada do estádio.* **5** *Cul.* Material pastoso e maleável, quando cru, feito à base de farinha e algum líquido (água, leite etc.), us. na confecção de salgados, bolos etc. (massa folhada) **6** *Cul.* Alimento (p.ex., macarrão, lasanha) feito com massa (rodízio de massas) **7** *Fís.* Quantidade de matéria que constitui um corpo, medida em quilogramas [Símb.: *m*.] **8** *Gír.* Dinheiro: "... Hoje é o fato positivo, o dinheiro, o dinheiro! O bago! A massa! A rica massinha da nossa alma, menino!..." (Eça de Queirós, *Os Maias*) ***interj.*** **9** *MG N.E.* Muito bom [F.: Do gr. *maza* pelo lat. *massa*.] ■ **Desmanchar a ~ do sangue** *SP Pop.* Adoecer de lepra **Em ~** Em grande número, na totalidade ou quase totalidade; formando grupo que se comporta de modo coeso; maciçamente: *Os alunos compareceram em massa ao debate. O público, em massa, reagiu contra o aumento dos preços.* **Estar na ~ do sangue** *Lus. Fig.* Fazer parte do modo de ser de alguém, da natureza da pessoa; ser (tipo de comportamento, tendência, disposição, etc.) característico de alguém; estar (conhecimento, hábito ou outra característica adquirida) inteiramente assimilado, incorporado de modo profundo [No Brasil diz-se *Estar no sangue*.] **~ acústica** *Fís.* Fator de resistência do ar à propagação de perturbação sonora; inertância **~ atômica** *Fís.-quím.* Massa de um átomo medida em função da massa padrão de 1/12 da massa de um átomo do carbono 12 [Tb., imprecisamente, *peso atômico*.] **~ cinzenta** **1** *Bras.* O cérebro **2** Inteligência **~ comum** *Jur.* Conjunto dos bens de mais de uma pessoa, sem distinção de pertinência **~ corrida** *Cons.* Massa que tem como base o gesso, ou similar, aplicada sobre uma superfície para dar-lhe um acabamento plano e liso antes de ser pintada **~ crítica** **1** *Fís. Nucl.* Quantidade mínima de material físsil de certa substância, suficiente para que se mantenha uma reação nuclear em cadeia **2** *Fig.* Quantidade mínima necessária de algo para que se possa obter a partir dele determinados resultados **~ de vidraceiro** Massa à base de alvaiade, us. para fixar vidros em sua moldura de suporte (em janelas, p.ex.) **~ em repouso** *Fís.* Massa de um corpo em repouso medida dentro do sistema de referência no qual está em repouso **~ específica** *Fís.* Para cada corpo ou substância, a massa da unidade de volume desse corpo ou substância **~ falida** *Jur.* A situação jurídica da totalidade de bens, créditos, dívidas etc. de um negócio, empresa, pessoa etc. cuja falência foi declarada **~ folhada** *Cul.* Massa que se abre com o rolo em camadas dobradas, intercaladas com manteiga, que depois de assada se apresenta como camadas de folhas bem finas, us. no preparo de biscoitos, doces etc. **~ gravitacional** *Fís.* A massa de um corpo sob a ação da gravidade, medida pelo quociente do módulo de seu peso pelo módulo da aceleração da gravidade **~ grossa** Argamassa para emboçar parede, teto etc.; cafelo **~ inercial** *Fís.* Massa de um corpo a partir da segunda lei de Newton, pela qual a resultante de todas as forças aplicadas num corpo num certo momento é igual ao produto de sua massa pela sua aceleração **~ molecular** *Fís.-quím.* Soma das massas atômicas de todos os átomos componentes de uma molécula, tendo, portanto, como unidade, 1/12 da massa atômica do carbono 12 [Tb., impropriamente, *peso molecular*.] **~ podre** *Bras. Cul.* Tipo de massa que se quebra e esfarela com facilidade, us. em tortas, empadas etc. **~ puba** *N. N.E. Cul.* A que se faz com a mandioca cevada (ver *cevar* [7]) [Tb. apenas *puba*.] **~ tenra** *Lus. Cul.* Massa aberta e muito afinada com rolo, us. como invólucro de pastéis **~ volumar** *Fís.* Ver *Massa específica* **~ volumétrica** *Fís.* Ver *Massa específica* **Ter (algo) na ~ do sangue** **1** *Lus. Fig* Caracterizar-se alguém por (certo comportamento, tendência, modo de pensar, etc.) **2** Ter grande familiaridade ou forte afinidade com (algo); ser profundo conhecedor de (um assunto, uma atividade, etc.)

massacrado (mas.sa.*cra*.do) ***a.*** **1** Morto com crueldade e em massa (nativos massacrados); CHACINADO **2** Diz-se de quem está em situação embaraçosa ou humilhante; OPRIMIDO; VEXADO **3** Abalado psicologicamente; ARRASADO: *Estreou massacrado pela crítica.* **4** Aborrecido, chateado: *público massacrado pelos discursos políticos.* **5** *Fig. Esp.* Vencido ou superado de modo esmagador [+*com*, *por*: *massacrado com exigências absurdas; massacrados por armas de grosso calibre*.] [F.: Part. de *massacrar*.]

massacrante (mas.sa.*cran*.te) ***a2g.*** *Bras.* Que massacra, atormenta; TORTURANTE [F.: *massacrar* + *-nte*.]

massacrar (mas.sa.*crar*) ***v.*** **1** Matar cruelmente, esp. em massa; CHACINAR [***td.***: *massacrar um povoado*.] **2** *Bras.* Infligir tormento ou humilhação a [***td.***: *O novo regulamento massacra os funcionários*.] **3** *Bras.* Entediar, enfadar ou estafar [***td.***: *Filas bancárias massacram qualquer um*.] [***int.***: *O trabalho estimula, a inação massacra*.] **4** *Fig.* Vencer de forma esmagadora [***td.***: *A seleção brasileira massacrou a Venezuela*.] **5** Realizar (um trabalho, uma obra) mal [***td.***: *Eles massacraram o texto de Ibsen na nova montagem*.] [▶ **1** massacrar] [F.: Do fr. *massacrer*. Hom./Par.: *massacre(s)* (fl.), *massacre(s)* (sm. [pl.]).]

massacre (mas.*sa*.cre) ***sm.*** **1** Ação ou resultado de massacrar, de matar (pessoa ou animal) cruelmente; CHACINA **2** *Bras. Fig.* Ação ou resultado de abalar psicologicamente, aborrecer ou humilhar alguém: *O interrogatório foi um massacre para o acusado.* [F.: Do fr. *massacre*. Hom./Par.: *massacre* (sm.), *massacre* (fl. de *massacrar*).]

massadeira (mas.sa.*dei*.ra) ***sf.*** *Mec. Tec.* Máquina, aparelho ou equipamento para preparar a massa do pão: *equipamento completo de panificação: massadeira, batedeira, cilindro e estufa*. [F.: *massa* + *-deira*.]

massageado (mas.sa.ge.*a*.do) ***a.*** Que recebeu massagem [F.: Part. de *massagear*.]

massageador (mas.sa.ge:a.*dor*) [ô] ***a.*** **1** Que massageia ***sm.*** **2** Aquele que massageia ***sm.*** **3** Aparelho que se usa para fazer massagem [F.: *massagear* + *-dor*.]

massagear (mas.sa.ge.*ar*) ***v.*** **1** Fazer massagem em (algo, alguém ou si próprio) [***td.***: *massagear as pernas*.] [***int.***: *Aprendeu a massagear*.] **2** *Fig.* Causar conforto, bem-estar; LISONJEAR [***td.***: *As palavras do diretor massagearam o ego da secretária*.] [▶ **13** massagear] [F.: *massagem* + *-ar*[2].]

massagem (mas.*sa*.gem) ***sf.*** Ação ou resultado de massagear, de comprimir certas partes do corpo, com as mãos ou equipamento adequado, para melhorar a circulação, proporcionar relaxamento muscular etc. [Vocábulo considerado galicismo pelos puristas.] [Pl.: *-gens*.] [F.: Do fr. *massage*. Hom./Par.: *maçagem* (sf.).]

massagista (mas.sa.*gis*.ta) ***a2g.*** **1** Que faz massagem ***s2g.*** **2** Pessoa que faz massagens profissionalmente ou não [F.: *massagem* + *-ista*.]

massame (mas.*sa*.me) ***sm.*** **1** *Cons.* Leito ou lastro dos poços, reservatórios e cisternas, ou de outras obras de alvenaria, feito de pedras e betume ou argamassa **2** *Cons.* Argamassa us. no assentamento de ladrilhos **3** *Mar. Náut.* O conjunto de todos os cabos us. no aparelho de uma embarcação [F.: *massa* + *-ame*.]

massapé (mas.sa.*pé*) ***sm.*** Ver *massapê*

massapê (mas.sa.*pê*) ***sm.*** *N. N.E.* Terra escura muito fértil, com alta concentração de argila, considerada muito boa para a cultura da cana-de-açúcar [F.: Prov. de *massa* + *pé*. Tb. *massapé*.]

massaroco (mas.sa.*ro*.co) [ô] ***sm.*** **1** Porção de fermento com que se leveda o pão **2** Planta borragínea (*Echium candicans*) [F.: Posv. de *massa*.]

masseira (mas.*sei*.ra) ***sf.*** **1** Grande tabuleiro de madeira de bordos altos, onde se amassa a farinha para o fabrico de pão **2** Depósito de massa de farinha de mandioca **3** Calha por onde corre a água que cai dos alcatruzes **4** *Cons.* Tabuleiro onde se prepara a argamassa [F.: *massa* + *-eira*.]

masseiro (mas.*sei*.ro) ***sm.*** **1** O encarregado de preparar a massa, nas padarias **2** *Cons.* Ajudante de pedreiro, que prepara a argamassa [F.: *massa* + *-eiro*. Hom./Par.: *maceiro* (sm.).]

masseter (mas.se.*ter*) [tér] ***sm.*** *Anat.* Cada um dos dois músculos originados na arcádia zigomática, responsáveis pelo movimento da mandíbula durante a mastigação [F.: Do fr. *masséter*.]

masseterino (mas.se.te.*ri*.no) ***a.*** *Anat.* Ref. ou inerente ao masseter (artéria masseterina; nervo masseterino); MASSETÉRICO [F.: *masseter* + *-ino*.]

massificação (mas.si.fi.ca.*ção*) ***sm.*** **1** Ação ou resultado de massificar(-se), de tornar(-se) comum, vulgar [Ant.: *elitização*.] **2** Processo pelo qual valores e objetos antes restritos a grupos de elite tornam-se populares [Ant.: *elitização*.] **3** *Comun.* Nas sociedades modernas, tendência a padronizar gostos, opiniões, valores etc. por meio de processos simplificadores, esp. os utilizados pela mídia [Pl.: *-ções*.] [F.: *massificar* + *-ção*.]

massificado (mas.si.fi.*ca*.do) ***a.*** Que sofreu processo de massificação (cultura massificada) [Ant.: *elitizado*.] [F.: Part. de *massificar*.]

massificante (mas.si.fi.*can*.te) ***a2g.*** **1** Diz-se de que massifica (repetição massificante) **2** Que leva a um mesmo nível unificado (ensino massificante) **3** *Soc.* Que padroniza valores, produtos, comportamento, ideias etc., pela comunicação de massa, ger. com empobrecimento de qualidade e autenticidade e estereotipização **4** Que faz ou torna um produto, modo de vida etc. consumível pela massa (4) [F.: *massificar* + *-nte*. Ant. ger.: *desmassificante*.]

massificar (mas.si.fi.*car*) ***v.*** **1** Padronizar(-se) (pessoas, valores, costumes etc.) por influência da mídia, ger. diminuindo a qualidade [***td.*** / ***int.***] **2** Tornar(-se) acessível à maioria da população [***td.***: *As gravadoras massificaram a música clássica*.] [***int.***: *A televisão massificou-se como veículo de comunicação*.] [▶ **11** massficar] [F.: *massa* + *-ificar*.]

massorá (mas.so.*rá*) ***sf.*** *Teol.* Trabalho crítico sobre a grafia e a leitura correta da Bíblia hebraica, feito por doutores judeus, para determinar a forma original e correta do texto escrito e evitar alterações em sua transmissão [F.: Do hebr. *massórâh* 'tradição'.]

massoreta (mas.so.*re*.ta) [ê] ***sm.*** *Teol.* Cada um dos doutores judeus encarregados da massorá [F.: Do fr. *massorète*.]

massorético (mas.so.*ré*.ti.co) ***a.*** **1** *Teol.* Ref. ou inerente a massorá ou a massoreta **2** Diz-se de texto ou códice aceito na exegese hebraica [F.: *massoreta* + *-ico*[2].]

massoterapeuta (mas.so.te.ra.*peu*.ta) ***a2g.*** **1** *Med. Ter.* Ref. ou inerente a massoterapia **2** Diz-se de quem é especialista em massoterapia ***s2g.*** **3** *Med. Ter.* Esse especialista [F.: *masso-* + *terapeuta*.]

massoterapia (mas.so.te.ra.*pi*.a) ***sf.*** *Med. Ter.* Terapia por meio de massagens [F.: *masso-* + *-terapia*.]

massoterápico (mas.so.te.*rá*.pi.co) ***a.*** *Med. Ter.* Ref. ou inerente a massoterapia (tratamento massoterápico; iniciação massoterápica) [F.: *massoterapia* + *-ico*[2].]

massudo (mas.*su*.do) ***a.*** **1** Que possui feitio, aspecto etc. de massa **2** Que tem massa muito grossa (pizza massuda; empadão massudo) **3** Que é espesso, grosso, consistente (mingau massudo) **4** *Fig.* Cuja compleição física é grande, corpulenta (sujeito massudo) [F.: *massa* + *-udo*. Hom./Par.: *maçudo* (a.).]

mastaba (mas.*ta*.ba) ***sf.*** *Arq.* Jazigo dos antigos egípcios, de forma piramidal ou quadrangular, com uma entrada ou capela, uma câmara funerária subterrânea e um poço que estabelecia a comunicação entre ambas [F.: Do ár. *mastabah* 'banco de pedra'.]

mastalgia (mas.tal.*gi*:a) ***sf.*** *Ginec.* Dor na mama; MASTODINIA [F.: *mast(o)-* + *-algia*.]

mastaréu (mas.ta.*réu*) ***sm.*** **1** *Cnav. Náut.* Denominação genérica de cada um dos suplementos dos mastros **2** *Mar.* Cada uma das vergônteas superiores dos mastros ou de outros mastaréus [F.: Do fr. ant. *mâstarel*.]

mastatrofia (mas.ta.tro.*fi*.a) ***sf.*** *Ginec.* Atrofia da glândula mamária [F.: *mast(o)-* + *atrofia*.]

mastectomia (mas.tec.to.*mi*.a) ***sf.*** *Cir.* Cirurgia na qual se remove total ou parcialmente a mama e, ocasionalmente, músculos, gordura etc. da região adjacente a ela; MAMECTOMIA [F.: *mast(o)-* + *-ectomia*.] ■ **~ radical** *Cir.* Ablação cirúrgica total de mama(s), juntamente com músculos, fibras, gordura e linfonodos da região peitoral e axilar

mastectomizar (mas.tec.to.mi.*zar*) ***v. td.*** *Ginec.* Realizar mastectomia em [▶ **1** mastectomizar] [F.: *mastectomia* + *-izar*, seg. o mod. gr.]

⊕ **master** (*Ing.* /*máster*/) ***sm.*** **1** *Eletrôn.* Gravação de som, imagens etc. a partir da qual se fazem cópias; MATRIZ **2** *Cin. Fot.* Cópia positiva obtida a partir de um original positivo, e da qual se produzem cópias negativas [O processo visa preservar o negativo original.]; MATRIZ **3** *Eletrôn.* A matriz que resulta do processo de masterização na produção de CD, videolaser, DVD etc. ***a2g2n.*** **4** *Eletrôn.* Diz-se de suporte ou gravação que se usa como matriz [F.: Do ing. *master*.]

masterização (mas.te.ri.za.*ção*) ***sf.*** **1** *Eletrôn. Inf.* Produção de *master* ou matriz **2** *Fon.* Processo de prensagem de discos fonográficos [Pl.: *-ções*.] [F.: *masterizar* + *-ção*.]

masterizar (mas.te.ri.*zar*) ***v. td.*** *Eletrôn. Inf.* Produzir *master* de (filme, videoclipe, disco etc.) [▶ **1** masterizar] [F.: *master* + *-izar*.]

◎ **-mastia** ***el. comp.*** = 'mama'; 'glândula mamária'; 'irregularidade ou disfunção mamária': *amastia, hipermastia, ginecomastia*. [F.: Do gr. *mastós, ou*, 'mama', + *-ia*[1].]

mastigatório (mas.ti.ca.*tó*.ri:o) ***a.*** **1** *Fisl.* Ref. ou inerente à mastigação (processo mastigatório) ***sm.*** **2** *Med.* Aquilo que se mastiga, ger. medicamento, para desenvolver a salivação ou perfumar a boca [F.: *mastigado* (f. rad. lat. *masticat-*) + *-ório*. Tb. *mastigatório*.]

mastigação (mas.ti.ga.*ção*) ***sf.*** Ação ou resultado de mastigar [Pl.: *-ções*.] [F.: Do lat. *masticatio,onis*.]

mastigado (mas.ti.*ga*.do) ***a.*** **1** Que se mastigou; mordido e triturado com os dentes (alimento mastigado); ESMAGADO **2** *Fig.* Preparado, pronto: *Entreguei-lhe o texto mastigado.* **3** *Fig.* Avaliado, examinado, dissecado: *alternativas exaustivamente mastigadas.* **4** *Fig.* Reiterado, repisado (palavras mastigadas) [F.: Part. de *mastigar*.]

mastigador (mas.ti.ga.*dor*) [ô] ***a.*** **1** Que mastiga ou tem por hábito mastigar ***sm.*** **2** Aquele que mastiga [F.: Rad. do part. *mastigado* + *-or*.]

mastigar (mas.ti.*gar*) ***v.*** **1** Triturar (alimento) com os dentes [***td.***] **2** Pressionar seguidamente com os dentes; MASCAR [***td.***: *Tinha o hábito de mastigar o cordão*.] **3** *Fig.* Pronunciar confusamente [***td.***: *Envergonhado, mastigou a confissão*.] [***int.***: *José não fala, mastiga*.] **4** *Fig.* Pensar muito sobre; MEDITAR; RUMINAR [***td.***: *Fiquei mastigando suas palavras e acho que você não tem razão*.] **5** Explicar de maneira detalhada com o objetivo de facilitar a compreensão [*td.*: *O professor é ótimo e costuma mastigar bem a matéria toda.*] [*int.*: *Se ele não entender, você vai precisar mastigar.*] [*int.*] [▶ 14 mastigar] [F.: Do lat. *masticare*. Ideia de 'mastigar': *mastic-* (mascar, mastigação); *mord-* (mordida, mordaça).]

mastigatório (mas.ti.ga.*tó*.ri:o) *a.* Ver *masticatório*

mastigável (mas.ti.*gá*.vel) *a2g.* Diz-se do que pode ser mastigado; que se pode mastigar, que é próprio para mastigar (alimentos mastigáveis; pílula mastigável) [Pl.: *-veis*. Superl.: *mastigabilíssimo*.] [F.: *mastigar* + *-vel*. Hom./Par.: (pl.) *mastigáveis*, *mastigáveis* (fl. de *mastigar*).]

◎ **mastigo-** (mas.*ti*.go-) *Pref.* = chicote, flagelo: *mastigóforo*.

mastigóforo (mas.ti.*gó*.fo.ro) *a.* **1** *Zool.* Ref. aos mastigóforos *sm.* **2** *Zool.* Espécime dos mastigóforos, subfilo de seres protistas, também conhecidos como flagelados [F.: Do lat. cient. classe *Mastigophora*.]

mastim (mas.*tim*) *sm.* **1** Cão us. para vigilância de gado **2** *P.ext.* Qualquer cão de guarda **3** *P.ext.* Cão ruidoso, barulhento, que costuma latir sem motivo **4** *Fig. Joc.* Agente policial; BELEGUIM **5** *Fig. Pej.* Pessoa que costuma falar mal de outrem; indivíduo maledicente [Pl.: *-tins*.] [F.: Do fr. ant. *mastin* (atual *matin*), deriv. do lat. medv. *masetinus*.]

mástique (*más*.ti.que) *sm.* **1** Certa resina aromática extraída do aroeiro, com propriedades medicinais, e us. em indústria de tintas e como condimento; ALMÉCEGA **2** Toda massa que serve para cimentar ou vedar, ou para fixar vidros e espelhos em suas molduras ou caixilhos [F.: Do gr. *mastikhé, es*, pelo lat. *mastiche* ou *mastice, es*.] ■ **~ asfáltico** Argamassa que se obtém da mistura de asfalto com materiais diversos, como brita, areia etc.

mastite (mas.*ti*.te) *sf.* *Ginec.* Inflamação da mama ou das mamas *P.us.*; MAMITE [F.: *mast(o)-* + *-ite*[1].]

◎ **-mast(o)-** *el. comp.* Ver *mast(o)-*

◎ **-masto** *el. comp.* Ver *mast(o)-*

◎ **mast(o)-** *el. comp.* = 'mama'; 'seio'; 'glândula mamária'; (p.ext.) 'mamífero': *mastalgia, mastatrofia, mastectomia, mastectomizar, mastite, mastócito, mastodinia, mastodonte* (< lat. cient.), *mastoide* (< gr.), *mastologia, mastoplastia, mastopse, mastozoologia*; *pamastite*; *ginecomasto* [F.: Do gr. *mastós, oû*, 'mama'; 'seio'. F. conexa: *-mastia*.]

mastócito (mas.*tó*.ci.to) *sm.* *Histl.* Célula grande do tecido conjuntivo, com granulações basófilas, que produz heparina e histamina [F.: Do al. *Mast*, 'ceva', 'comida', + *-o-* + *-cito*.]

mastodinia (mas.to.di.*ni*:a) *sf.* *Ginec.* O mesmo que *mastalgia* [F.: *mast(o)-* + *-odinia*.]

mastodonte (mas.to.*don*.te) *sm.* **1** *Pal.* Denominação comum a diversos mamíferos fósseis da ordem dos proboscídeos, esp. os do gên. *Mastodon*, um tanto parecidos com o elefante atual, mas de estatura inferior e mais robusto, com dois pares de presas [Viveram nos períodos Mioceno e Holoceno.] **2** *Fig. Pej.* Indivíduo extremamente grande e desajeitado; BRUTAMONTES [Nesta acp. é ofensivo.] **3** *P.ext.* Objeto grandioso, de proporções avantajadas **4** *Fig. Pej.* Construção, edificação, ger. feia, de proporções muito avantajadas [F.: Adaptç. do lat. cient. *Mastodon*; ver *mast(o)-* e *-odonte*.]

mastodôntico (mas.to.*dôn*.ti.co) *a.* **1** Ref., inerente a ou próprio de mastodonte **2** *P.ext.* Diz-se de animal muito grande **3** *Fig.* Agigantado, corpulento, gigantesco (perfil mastodôntico) **4** *P.ext.* Muitíssimo grande [F.: *mastodonte* + *-ico*[2].]

mastoide (mas.*toi*.de) *a2g.* **1** Que tem forma de mama; MASTOIDEO; MASTOÍDEO *sf.* **2** *Anat.* Base do osso temporal localizada atrás da orelha [F.: Do gr. *mastoeidés, és, és*.]

mastoideo (mas.*toi*.de:o) *a.* O mesmo que *mastoide* (1) [F.: *mast(o)-* + *-oideo*.]

mastoídeo (mas.to.*í*.de:o) *a.* Ver *mastoide* (1)

mastoidiano (mas.toi.di.*a*.no) *a.* *Anat.* Ref. ou inerente a, ou próprio das saliências ósseas mastoides (traumatismo mastoidiano) [F.: *mastoide* + *-iano*.]

mastoidite (mas.toi.*di*.te) *sf.* *Otor. Pat.* Inflamação aguda ou crônica do processo mastoide, ger. mais comum em crianças e decorrente de otites [F.: *mastoide* + *-ite*[1].]

mastologia (mas.to.lo.*gi*.a) *sf.* *Med.* Estudo da constituição, do funcionamento e das doenças da mama [F.: *mast(o)-* + *-logia*.]

mastoplastia (mas.to.plas.*ti*.a) *sf.* *Cir.* O mesmo que *mamoplastia* [F.: *mast(o)-* + *-plastia*.]

mastoptose (mas.top.*to*.se) [ó] *sf.* *Ginec. Pat.* Queda da mama em razão da distensão dos tecidos fibrosos que a constituem [F.: *mast(o)-* + *-ptose*.]

mastozoário (mas.to.zo.*á*.ri:o) *Zool.* *a.* **1** Diz-se de animal que tem mamas **2** Ref. ou inerente aos mastozoários *sm.* **3** Espécime dos mastozoários *smpl.* **4** O mesmo que *mamíferos* [F.: *mast(o)-* + *-zoário*.]

mastozoologia (mas.to.zo:o.lo.*gi*.a) *sf.* *Zool.* Parte da zoologia que estuda os mamíferos [F.: *mast(o)-* + *zoologia*.]

mastozoológico (mas.to.zo:o.*ló*.gi.co) *a.* *Zool.* Ref. ou inerente à mastozoologia (estudo mastozoológico) [F.: *mastozoologia* + *-ico*[2].]

mastreação (mas.tre:a.*ção*) *sf.* **1** Ação ou resultado de mastrear **2** *Cnav.* O conjunto de mastros de uma embarcação [Pl.: *-ções*.] [F.: *mastrear* + *-ção*.]

mastrear (mas.tre.*ar*) *v. td.* Colocar mastro(s) em (embarcação) [▶ 13 mastrear] [F.: *mastro* + *-ear*[2].]

mastro (*mas*.tro) *sm.* **1** *Cnav.* Coluna alta ger. de madeira, fixada em uma embarcação, na qual se prendem velas e outros objetos **2** Pau comprido em que se içam as bandeiras: "Lá no alto, o alpendre de telha-vã do restaurante a desfraldar a bandeirinha branca do bom tempo no seu comprido mastro de bambu." (Josué Montello, *Uma tarde, outra tarde*) [F.: Do a. fr. *mast* (hoje *mât*), deriv. do frâncico **mast*.] ■ **~ da gata** *Cnav.* O terceiro mastro a contar da proa em navios com três ou quatro mastros, o quarto em navios com cinco mastros **~ da mezena** *Cnav.* O último mastro a contar da proa, mastro de ré, em navio com mais de três mastros **~ de cocanha** Em festas populares de arraial, mastro untado com substância gordurosa e escorregadia, com uma prenda no topo para aquele que primeiro consiga subir até ela; pau de sebo [Tb. apenas *cocanha*.] **~ de combate** *Bras. Mar.G.* Mastro de pouca altura, no qual é içada a bandeira nacional em navio de guerra quando no mar **~ de contramezena** *Cnav.* O quarto mastro a contar da proa em navio com quatro ou cinco mastros **~ do traquete** *Cnav.* O primeiro mastro a contar da proa, em navios com mais de um mastro, se não for o principal em navio com dois mastros **~ grande** *Cnav.* O mais alto mastro de um navio, ou o segundo a contar da proa em navio com dois mastros [Tb. apenas *grande*.] **~ militar** *Mar.* Mastro escorado por duas colunas, com cesto(s) da gávea no ponto mais elevado de um navio de guerra

mastruço (mas.*tru*.ço) *sm.* *Bras. Bot.* Erva da fam. das crucíferas (*Coronopus didymus*), nativa das Américas, que cresce espontaneamente em canteiros e vasos e é tb. cultivada por suas propriedades terapêuticas; MASTRUÇO-DO-BRASIL; MASTRUZ; MASTURÇO; MENTRASTO; MENTRUZ [F.: Do lat. **masturtium*, por *nasturtium*.]

mastruz (mas.*truz*) *sm.* *Bot.* O mesmo que *mastruço* [F.: Posv. do lat.vulg. *masturtiu* ou *nasturtium,i*.]

masturbação (mas.tur.ba.*ção*) *sf.* **1** Ação ou resultado de masturbar(-se) **2** Estímulo sexual provocado pelo contato da mão, ou por meio de instrumentos adequados, nos órgãos genitais, com a finalidade de produzir orgasmo **3** *Fig. Pej.* Em discussão ou trabalho intelectual ou artístico, maneira superficial, repetitiva e inócua de tratar um tema: *Ele é dado a masturbações filosóficas.* [Pl.: *-ções*.] [F.: Do lat. *masturbatio, onis*.] ■ **~ mental** *Fig.* Pensamento especulativo, insistente e recorrente, ger. inútil e vão, sobre os mesmos e repetitivos temas

masturbador (mas.tur.ba.*dor*) [ô] *a.* **1** Diz-se de quem (se) masturba *sm.* **2** Aquele que (se) masturba [F.: Do lat. *masturbator, oris*. Sin.ger.: *onanista*.]

masturbar (mas.tur.*bar*) *v. td.* Manipular os órgãos genitais de (outrem ou si mesmo) para estimulá-los ou provocar orgasmo [▶ 1 masturbar] [F.: Do lat. **masturbare*, por *masturbari*.]

masturbatório (mas.tur.ba.*tó*.ri:o) *a.* **1** Ref. a ou que envolve masturbação **2** Apropriado para o ato de masturbar **3** *Fig. Pej.* Diz-se de esforço mental ou intelectual superficial e inócuo, sem resultado positivo [F.: *masturbat-* + *-ório*.]

mata (*ma*.ta) *sf.* **1** Trecho de terreno em que há vegetação silvestre densa; SELVA **2** Qualquer conjunto de árvores (mata alpina); FLORESTA **3** Concentração de árvores de um mesmo tipo em um trecho de terra (mata de pinheiros) **4** *P.ext. Fig.* Grande quantidade de coisas semelhantes (mata de vestidos); MONTÃO *Fig.*; MAR **5** *Bras.* Zona geográfica do Nordeste, entre o litoral e o agreste, onde o solo é fértil e a vegetação de grande porte **6** *Bras.* Design. da zona sudeste de Minas Gerais, ger. dedicada à cafeicultura [F.: Talvez do lat. tard. *matta* 'esteira de junco'. Hom./Par.: *mata* (fl. de *matar*). Ideia de 'mata': *mat (a)-* (*desmatar, matagal, mataréu*); *selv-* (*selvagem, silvestre*); *-caá* (*boicaá, macaá*).] ■ **~ ciliar** *Geog.* Faixa(s) de vegetação ao longo de um curso de água, em uma ou (ger.) ambas as margens, de largura variável; mata de galeria **~ de galeria** *Geog.* Ver *Mata ciliar* **~ de terra firme** *Geog.* Tipo de mata mais comum na bacia Amazônica, caracterizado por floresta pluvial em planaltos baixos, mas não sujeitos a inundação; caeté **~ de várzea** *Geog.* Tipo de mata da Amazônia, em terrenos que são inundados na estação das chuvas, e cortadas por cursos de água e igarapés **~ primária** *Bot. Geog.* Mata original, primitiva, ainda não explorada ou devassada; mata virgem **~ secundária** *Bot. Geog.* Aquela que cresce e se desenvolve no mesmo lugar de uma mata primária, após a derrubada desta **~ virgem** *Bot. Geog.* Ver *Mata primária*

mata-bicho (ma.ta-*bi*.cho) *Bras. sm.* **1** *Pop.* Dose de aguardente que muitos tomam em jejum **2** *P.ext.* Gole de qualquer bebida alcoólica **3** *Lus. Pop.* Mimo, presente, gorjeta [Pl.: *mata-bichos*.]

mata-borrão (ma.ta-bor.*rão*) *sm.* **1** Papel encorpado e apropriado para absorver tinta de escrever e outros líquidos **2** *Fig. Pej.* Pessoa que ingere bebida alcoólica em demasia; BÊBEDO; BEBERRÃO *Pop.*; BEBUM; ÉBRIO [Pl.: *mata-borrões*.]

mata-burro (ma.ta-*bur*.ro) *Bras. sm.* **1** Tipo de ponte composta de pedaços espaçados de madeira, us. esp. para impedir a passagem de equinos e gado bovino **2** Fosso construído diante de uma habitação para impedir a passagem de animais [Pl.: *mata-burros*.]

mata-cachorro[1] (ma.ta-ca.*chor*.ro) [ô] *sm.* **1** *N Pop. Pej.* Alcunha dada a soldado de polícia **2** *N.E.* Servente de circo, que prepara o picadeiro, põe e tira os tapetes, arma e desarma os trapézios etc.; PELUDO **3** *RJ* Peça metálica que se adapta à motocicleta, abaixo do guidom e junto ao motor, para proteger as pernas do motociclista e a motocicleta, em caso de acidente [Pl.: *mata-cachorros* (ô).]

mata-cachorro[2] (ma.ta-ca.*chor*.ro) [ô] *Bras. Bot. sm.* **1** Designação comum a plantas tóxicas, de diferentes gên. e fam., ger. fatais para os cães, como a *Connarus cymosus*, da fam. das conaráceas, nativa de MG, RJ e SP, a *Rourea fluminensis*, tb. da fam. das conaráceas, que ocorre do PI a SP, a *Simarouba versicolor*, da fam. das simarumbáceas, hab. do N.O. **2** O mesmo que *mata-calado* (*Ryania acuminata*) [Pl.: *mata-cachorros*.]

mata-calado (ma.ta-ca.*la*.do) *sm.* *AM Bot.* Árvore (*Ryania acuminata*), da fam. das flacourtiáceas, nativa da Amazônia, de folhas lanceoladas e acuminadas, flores vistosas sem corola, frutos em cápsulas bacáceas, venenosa para mamíferos; MATA-CACHORRO [Pl.: *mata-calados*.]

matacão (ma.ta.*cão*) *sm.* **1** *Geol.* Pedregulho arredondado, resultante de esfoliação causada por atividade glacial, intemperismo etc. **2** *Geol.* Pedaço de rocha cujo diâmetro mede entre 25 cm e 1 m **3** *Fig.* Pedaço ou fatia grande; NACO **4** Talhe de barba ou costeleta que deixa o queixo descoberto [Pl.: *-cães*.] [F.: *matar* + *cão*.]

mata-cavalo (ma.ta-ca.*va*.lo) *Bras. sm.* **1** *Bot.* Planta (*Solanum aculeatissimum*), da fam. das solanáceas, que tem no caule e nas folhas grande quantidade de espinhos considerados venenosos para os cavalos e o gado em geral, e dá frutos de cor amarela; ARREBENTA-CAVALO **2** *Ent.* Marimbondo-caçador; VESPÃO **3** *Pop.* Indivíduo que monta mal [Pl.: *mata-cavalos*.] ■ **A ~s** Com muita rapidez, a galope, a toda pressa, a toda a brida

matada (ma.*ta*.da) *sf.* *Fut.* Modo de amortecimento da bola, no pé ou no peito, feito com habilidade e destreza: *Deu uma matada que deslocou o zagueiro e chutou a gol.* [F.: *matar-* + *-ada*[1].]

matado (ma.*ta*.do) *Bras.* *a.* **1** *Pop.* Feito de qualquer maneira, às pressas; MALFEITO: *Esse marceneiro fez um armário todo matado.* **2** Que não tem valia, que não serve para nada **3** *N.E.* Diz-se de fruto colhido antes do tempo apropriado e amadurecido de maneira artificial [F.: Part. de *matar*.]

matador (ma.ta.*dor*) [ô] *a.* **1** Diz-se de quem ou do que causa ou causou a morte de alguém ou algo; FATAL; LETAL; MORTÍFERO **2** *Bras. Fig.* Diz-se de quem ou do que é irresistível, sedutor (olhar matador; sorriso matador; expressão matadora); ATRAENTE; ENVOLVENTE [Ant.: *detestável, odioso, repulsivo*.] **3** *Bras. Fig.* Diz-se de quem é enfadonho, impertinente, importuno *sm.* **4** Aquele ou aquilo que mata (matador de aluguel); ASSASSINO: *o estresse pode ser um matador silencioso.* **5** *Bras. Fig.* Indivíduo encantador, sedutor **6** *Bras. Fig.* Indivíduo enfadonho, maçante, cacete **7** Indivíduo que adivinha facilmente charadas ou enigmas **8** Toureiro a quem cabe matar o touro (matador de espada) **9** *Lus.* Indivíduo encarregado de matar porcos [F.: *matar-* + *-dor*.]

matadouro (ma.ta.*dou*.ro) *sm.* **1** Lugar onde se abatem animais para se obter carne e, por vezes, outros elementos como pele, chifres etc. para consumo; ABATEDOURO **2** *Fig.* Situação ou lugar em que ocorrem atos de grande violência, envolvendo carnificina, massacre etc. **3** *Bras. Pop.* Casa, apartamento ou quarto para encontros amorosos furtivos e rápidos, ger. envolvendo prostituição **4** *Fig.* Localidade insalubre [F.: Rad. do part. *matado* + *-ouro*.]

matagal (ma.ta.*gal*) *sm.* **1** Grande concentração de mato; BRENHA **2** Terreno em que há muito mato e/ou vegetação selvagem **3** *Fig.* Conjunto de coisas emaranhadas ou confusas; DESORDEM; CAOS [Pl.: *-gais*.] [F.: *mata* + *-g-* + *-al*.]

matagoso (ma.ta.*go*.so) [ô] *a.* Diz-se de terreno coberto de mato, de plantas silvestres, de ervas bravas [Pl.: [ó]. Fem.: [ó].] [F.: *mata* + *-g-* + *-oso*.]

matalotagem (ma.ta.lo.*ta*.gem) *sf.* **1** *Mar.* Conjunto dos alimentos reservados para o sustento, ger. da tripulação de um navio, durante uma viagem; PROVISÃO **2** *P.ext.* Provisão de víveres, de alimentos **3** *P.ext. Fig.* Conjunto desordenado de coisas diversas **4** *Antq. Mar.* Conjunto de matalotes; MARUJADA [F.: *matalote* + *-agem*.]

matalote (ma.ta.*lo*.te) [ó] *sm.* **1** *Mar.* Marinheiro, marujo **2** *Lus.* Companheiro de viagem no mar **3** *Lus.* Indivíduo com quem se estabelece uma relação de amizade, de convivência próxima; COMPANHEIRO; CAMARADA **4** *Mar.* Numa formatura em linha, o navio mais próximo **5** *Mar.* Navio mercante de má construção **6** *Pop.* Indivíduo muito alto e gordo [F.: Do fr. *matelot*.]

mata-mata (ma.ta-*ma*.ta) *sm.* **1** *Bras. Lud.* Brincadeira com bolas de gude, no qual cada jogador procura atingir com a própria bola a bola de um adversário e assim apoderar-se dela **2** *Bras. Esp.* Denominação dada à forma de disputa de torneios de diversos esportes (futebol, basquetebol, voleibol, tênis, futebol de areia, futsal etc.), em que os perdedores das partidas são eliminados da competição: *A partir das quartas de final, a Copa do Mundo de Futebol é em mata-mata.* **3** *Lus. Pop.* Rapidez, modo apressado: *Andar a mata-mata.* [Pl.: *matas-matas; mata-matas*.]

matambre (ma.*tam*.bre) *sm.* **1** *RS* Carne magra que cobre as costelas do boi, a primeira que se retira depois do couro; CAPA DE FILÉ **2** *Cul.* Assado, ger. recheado, feito com essa carne [F.: Do espn. plat. *matambre*.]

matame (ma.*ta*.me) *sm.* **1** *Artesn.* Recortes em ângulos nas extremidades de panos bordados, toalhas, lenços, folhos, camisolas, lençóis etc.; SIRITO **2** Carne que fica pegada ao couro, depois da esfola [F.: De or. obsc.]

mata-mosquito (ma.ta-mos.*qui*.to) *sm.* *Bras.* Funcionário dos serviços de saúde pública encarregado das desinfecções e destruição, por meio de produtos larvicidas, dos focos de larvas de mosquitos em domicílios e locais públicos [Pl.: *mata-mosquitos*.]

mata-mouros (ma.ta-*mou*.ros) *sm2n.* **1** *Teat.* Na antiga comédia espanhola, personagem cujo propósito era, em qualquer ocasião, se vangloriar de seus feitos guerreiros contra os mouros; VALENTÃO; FANFARRÃO **2** *P.ext.*

Indivíduo que gosta de contar vantagens; BRAVATEADOR; FANFARRÃO [F.: Do espn. *matamoros*.]

matança (ma.*tan*.ça) *sf.* **1** Assassinato de muitas pessoas de uma vez; MASSACRE; MORTICÍNIO **2** Ação ou resultado de matar animais para consumir sua carne, usar seu couro etc. **3** *Pej. Pop.* Trabalho feito às pressas, malfeito, matado: *Esse pintor fez a maior matança aqui na sala!* **4** *CE* Trabalho feito com persistência, com afinco **5** *CE* Lugar para abate de animais; MATADOURO **6** *N* Dinheiro que se obtém de maneira ilícita [F.: *matar* + *-ança*.]

mata-pasto (ma.ta-*pas*.to) *Bras. Bot. sm.* **1** Designação comum a diversas espécies da fam. das compostas e da fam. das leguminosas, da subfam. cesalpinioídea, que invadem os pastos, matando as gramíneas de que se alimenta o gado **2** Arbusto (*Vernonia tweedieana*) da fam. da compostas, nativo da Argentina, Paraguai e Sul do Brasil, cujos ramos são revestidos por pelos cinzentos, as folhas serreadas e as flores pequenas; ASSA-PEIXE [Pl.: *mata-pastos*.]

mata-piolho (ma.ta-pi.o.lho) [ô] *sm. Bras. Pop.* O dedo polegar da mão [Pl.: *mata-piolhos*.]

matar (ma.*tar*) *v.* **1** Tirar a vida (de outro ser vivo ou de si próprio); ASSASSINAR [*td.*: *O caseiro matou as saúvas; Matou o gênio de Os sertões em legítima defesa; Muitos gênios das artes se mataram com um tiro de revólver.*] [*int.*: *"Não matar" é um dos dez mandamentos.*] **2** Acarretar a destruição ou mortandade de [*td.*: *A praga matou a lavoura toda.*] **3** *Fig.* Fazer desaparecer ou fazer perder a qualidade, o valor [*td.*: *O excesso de cores matou sua pintura.*] **4** *Fig.* Saciar, extinguir [*td.*: "... mal podia matar a fome com o que ganhava." (Aluísio Azevedo, *O cortiço*)] **5** *Fig.* Causar sofrimento ou esgotamento físico (a alguém) [*td.*: *Essa ambição está matando-o; Mata o cavalo de tanto galopar.*] [*int.*: *Esse calor está de matar.*] **6** Enfadar, afligir, mortificar [*td.*: *As inquirições da matrona matam os hóspedes.*] **7** Sacrificar-se, fazer tudo por [*tr.* +*por*.: *matar-se pela família/pela medicina.*] **8** *Fig.* Entregar-se completamente a ação ou atividade [*int.*: "Irá para a fábrica, (...) trabalho calmo, sem se matar..." (Marques Rebelo, *Contos reunidos*)] **9** *Fig.* Comprometer, prejudicar (algo) totalmente, por executá-lo sem cuidado [*td.*: *Os atores mataram a peça.*] **10** *Fig.* Passar (o tempo) ociosamente [*td.*: *Matava o tempo com palavras cruzadas.*] **11** *Bras. Pop.* Faltar (colégio, trabalho) [*td.*: *Matou a aula e foi pescar.*] **12** *Fig.* Decifrar, resolver (mistério, charada, problema) [*td.*] **13** *Bras. Gír.* Consumir até o fim (cigarro, bebida, comida) ou a parte restante [*td.*: *Acabou por matar o resto da garrafa.*] **14** *Fut.* Amortecer (a bola) [*td.*: *Matou a bola no peito e chutou para o gol.*] **15** *Lud.* Na sinuca, meter (a bola) na caçapa; ENCAÇAPAR [*td.*: *Logo de primeira, matou três bolas.*] **16** *Esp.* No jogo de tênis, bater na bola com tal força que o adversário não consiga rebatê-la [*td.*] **17** Fazer de qualquer maneira [*td.*: *Matou todo o trabalho: ficou inaproveitável.*] [▶ **1 matar**] [F.: Poss. do lat. **mattare* < lat. *mattus*. Hom./Par.: *mata(s)* (fl.), *mata(s)* (sf. [pl.]); *mataria(s)* (fl.); *mataria(s)* (sf. [pl.]); *mate(s)* (fl.), *mate(s)* (sm. [pl.]); *mato* (fl.), *mato* (sm.). Part.: *matado, morto*.] ∎∎ **A ~** Adequado, condizente, oportuno, na medida exata: *Este seu comentário soou-me a matar; Este vaso, neste lugar, ficou a matar.* **De ~ 1** Péssimo, insuportável: *Essa música é de matar, não dá para ouvir nem um minuto.* **2** Ótimo, esplêndido: *A sobremesa foi de matar, a melhor que já comi.* **~ a jogada** *Bras. Fut.* Interromper a jogada de contra-ataque de uma equipe, ger. mediante falta (9) **~ no peito** *Bras. Fut.* Amortecer a bola na região peitoral

matarana (ma.ta.*ra*.na) *Bras. sf.* **1** *Bot.* Erva zingiberácea (*Renealmia occidentalis*); tb. *cardamomo-da-terra* **2** Maça de madeira rija, grossa numa das extremidades e aguçada na outra [F.: Do tupi.]

mata-rato (ma.ta-*ra*.to) *a2g* **1** *Bras.* Diz-se de veneno ou substância química que serve para matar ratos **2** *Pop.* Diz-se do que é de ínfima qualidade (vinho mata-rato; charuto mata-rato) *sm2n.* **3** Veneno de rato **4** *Pop.* Cigarro ou charuto muito forte, de tabaco de má qualidade **5** Vinho ordinário **6** *Bras. Bot.* Árvore (*Gliricidia sepium*), da fam. das leguminosas, nativa de regiões tropicais das Américas, de flores comestíveis brancas ou rosadas, vagens explosivas que lançam sementes até 40 m, casca e sementes us. como raticidas e madeira de boa qualidade; ARRANCA-PEITO; ARREBENTA-PEITO; QUEBRA-QUEIXO [Tb. *mata-ratos*.]

mataréu (ma.ta.*réu*) *sm. Bras.* Grande extensão de mato; MATARIA; MATAGAL [F.: *mata* ou *mato* + *-aréu*.]

⊕ **match-point** (*Ing./métchpoint/*) *loc.subst. Esp.* No tênis e no vôlei, ponto decisivo que, quando obtido por um dos lados, encerra o jogo

mate[1] (*ma*.te) *sf.* **1** *Bot.* Árvore da fam. das aquifoliáceas (*Ilex paraguariensis*), nativa da América do Sul, de cujas folhas se faz o chimarrão ou, quando torradas, o chá-mate, diurético, tônico e estimulante, que ger. se toma gelado; ERVA; ERVA-MATE **2** As folhas dessa árvore, preparadas (secas e esmagadas) para se fazer chá **3** O chá feito delas que se toma quente ou gelado; CHÁ-MATE [F.: Do cast. *mate*, deriv. do quíchua *máti*, 'cabacinha', por ser us. para tomar a infusão dessa erva. Hom./Par.: *mate* (fl. de *matar*).] ∎∎ **~ chimarrão** *Bras.* Aquele que se bebe amargo, sem açúcar **~ de armada curta** *RS* Aquele que se bebe muitíssimo quente, chegando mesmo a queimar a língua e/ou os lábios

mate[2] (*ma*.te) *a2g2n.* **1** Que não tem brilho, não reflete luz (batom mate) **2** Diz-se de coloração acetinada, sem brilho (branco mate) **3** Diz-se da cor da pele trigueiro-clara: "(...) o forte frescor do campo avivava com um brilho mais quente que o mate ebúrneo do seu rosto (...)." (Eça de Queirós, *Os Maias*) [F.: Do fr. *mat*, deriv. do lat. *mattus*, de *maditus*, part. pass. de *madere*, 'estar úmido'. Hom./Par.: *mate* (fl. de *matar*).]

mate[3] (*ma*.te) *sm.* **1** *Lud.* No jogo de xadrês, xeque-mate **2** Em trabalhos de agulha, como o tricô, ponto em que duas malhas são apanhadas de uma vez para efeito de acabamento ou redução **3** Remate, acabamento perfeito [F.: Do ár. *mata*, da expr. ár. *assah mat*, 'o rei morreu'. Hom./Par.: Ver *mate*[1].]

mate[4] (*ma*.te) *sm. Metal.* Mistura de sulfetos resultante da fusão de minérios sulfetados, como o cobre, o chumbo e o zinco [F.: Do ing. *matte*. Hom./Par.: Ver *mate*[1].]

mate[5] (*ma*.te) *sm.* No tricô, ponto de remate, que reduz duas malhas a uma só, para estreitá-las ou fechá-las [F.: Regr. de *matar*.]

mateador (ma.te:a.*dor*) [ô] *a.* **1** Diz-se de quem gosta muito de beber mate *sm.* **2** Bebedor de mate; apreciador de mate: "Um dos mateadores disse um nome vagamente conhecido dos membros do grupo... E continuaram a discutir o destino de Getúlio Vargas." (Érico Veríssimo, *Incidente em Antares*) [F.: *matear* + *-dor*.]

matear (ma.te.*ar*) *Bras. v. int. RS* Ingerir bebida feita de erva-mate, esp. chimarrão [▶ **13 matear**] [F.: *mate* + *-ear*.]

mateiro (ma.*tei*.ro) *a.* **1** *Bras.* Que se orienta bem em florestas e em matas cerradas, servindo de guia **2** Que tem por hábito retirar lenha das matas; LENHADOR **3** *BA* Diz-se de indivíduo que vive na Zona da Mata **4** Diz-se de animal que vive no mato: "(...) Tanto que lá nem bicho mateiro não ia, tirante macaco (...)." (João Guimarães Rosa, *Grande Sertão: Veredas*) *sm.* **5** Pessoa que serve de guia na mata **6** *BA* Indivíduo que vive na Zona da Mata **7** Animal que vive no mato **8** Aquele que retira lenha das matas; LENHADOR **9** Indivíduo matuto, caipira [F.: *mato* + *-eiro*.]

matejar (ma.te.*jar*) *v. int.* **1** Andar ou embrenhar-se no mato: "Só depois de muito matejar, foi que os três chegaram a um ponto mais elevado da montanha" (Aloísio de Azevedo, *Girândola*) **2** Cortar lenha no meio da mata [▶ **1 matejar**] [F.: *mat(o)* + *-ejar*.]

matelassê (ma.te.las.*sê*) *a2g.* **1** Diz-se de tecido ou congênere, acolchoado, preso ao forro por pesponto, formando desenhos ou relevos **2** Feito ou guarnecido com esse tecido ou outro material desse tipo: *jaqueta matelassê quadriculada*. *sm.* **3** *Artesn.* Obra de costura feita com esse tecido (matelassê de malha) [F.: Do fr. *matelassé*.]

matemática (ma.te.*má*.ti.ca) *sf.* **1** *Mat.* Ciência que estuda conceitos abstratos, como números, figuras geométricas etc., desvendando suas propriedades e as suas relações com outros conceitos, utilizando método dedutivo **2** Tratado de matemática **3** Exemplar desse tratado [F.: Do lat. *mathematica*, deriv. do gr. *mathematike*.] ∎∎ **~ aplicada** *Mat.* Parte da matemática que lida com grandezas da realidade física, e com dados pertinentes a fatos e processos de determinados setores de atividade, como os de interesse social, econômico, geográfico etc. **~ elementar** *Mat.* Aquela que trata das primeiras noções, como se aprende no ensino fundamental e médio **~ moderna** *Mat.* Termo que se aplica a um novo (depois de 1960) conceito pedagógico de ensino da matemática a partir da teoria dos conjuntos **~ pura** *Mat.* Parte da matemática que lida com grandezas abstratas, como na álgebra, na análise matemática, na geometria **~ superior** *Mat.* Parte da matemática que lida com elementos que transcendem os dos fundamentos da aritmética, álgebra, trigonometria e geometria, ger. estudada em nível superior, no âmbito de carreiras científicas [Abrange a análise matemática, cálculo integral e infinitesimal etc.]

matematicidade (ma.te.ma.ti.ci.*da*.de) *sf.* Qualidade do que é exato, do que não se pode questionar; INQUESTIONÁVEL [F.: *matemático* + *-(i)dade*.]

matematicismo (ma.te.ma.ti.*cis*.mo) *sm.* O mesmo que *matematismo* [F.: *matemático* (- c > qu-) + *-ismo*.]

matemático (ma.te.*má*.ti.co) *a.* **1** Ref. a matemática (problema matemático) **2** *Fig.* Que se reveste de rigorosa exatidão (previsão matemática) **3** Lógico, certo: "E com o Comandante à frente a guerrilha triunfa. É matemático." (Antônio Callado, *Bar Don Juan*) *sm.* **4** Pessoa que tem conhecimento seguro de matemática [F.: Do gr. *mathematikos,e,on*.]

matematismo (ma.te.ma.*tis*.mo) *sm. Fil.* Doutrina segundo a qual tudo que acontece no mundo pode ser entendido por meio da matemática e obedece a leis matemáticas; MATEMATICISMO [F.: F. sincopada de *matematicismo*.]

matematização (ma.te.ma.ti.za.*ção*) *sf.* **1** *Mat.* Ação ou resultado de matematizar: *matematização dos resultados de vendas; matematização dos dados da pesquisa*. **2** Submissão às leis e regras da matemática [Pl.: *-ções*.] [F.: *matematizar* + *-ção*.]

matematizado (ma.te.ma.ti.*za*.do) *a.* **1** *Mat.* Que se matematizou: *um mundo matematizado*. **2** Que sofreu matematização (1) (cálculo matematizado; problemas matematizados) [F.: Part. de *matematizar*.]

matematizar (ma.te.ma.ti.*zar*) *v. td.* Submeter às leis da matemática [▶ **1 matematizar**] [F.: *matemáti(ca)* + *-izar*.]

⊕ ***mater*** (*ma*.ter) (*lat.*) *sf.* Figura feminina socialmente incumbida de desempenhar o papel de mãe [F.: Do lat. *mater*. Cf.: *genitora*.]

matéria (ma.*té*.ri.a) *sf.* **1** Substância de que algo (objeto, ser vivo, fluido etc.) é constituído **2** *Fís.* Agregado de partículas que constituem massa **3** Qualquer substância sólida, líquida ou gasosa que ocupa lugar no espaço: *Mesa de matéria muito sólida*. **4** Substância sólida da qual se faz alguma coisa e que assume determinada forma: *Era uma matéria de plástico flexível*. **5** *Fil.* Entre os filósofos pré-socráticos, o elemento ou substância essencial que constitui todo e qualquer ser da natureza **6** *Fil.* Substância informe e indeterminada que ganha forma em consequência da sua natureza receptiva, segundo o platonismo e o aristotelismo **7** *Fig.* Qualquer resíduo expelido do corpo (matéria fecal) **8** *Fig.* Qualquer assunto que seja objeto de uma conversação, de um texto; ASSUNTO; TEMA: *Não queria discutir aquela matéria*. **9** *Fig.* O que constitui objeto de conhecimento ou de trabalho: *Reuniu sua matéria de pesquisa; Ficou reprovado em duas matérias*. **10** Conteúdo de uma disciplina de estudo: *Matemática era a matéria de que menos gostava*. **11** Conhecimento adquirido, consolidado; SABER: *Era um homem de muitas matérias*. **12** *Fig. Jorn.* Texto jornalístico: *Escreveu boa matéria sobre a crise econômica*. **13** *Fig.* Aquilo que gera consequências: *Era matéria para dar o que falar*. **14** *Fig.* O conjunto e o conceito de coisas materiais, terrenas: *Estava sempre voltado para a matéria, nunca para as coisas do espírito*. [P.op. a *espírito*.] [F.: Do lat. *materia, ae*.] ∎∎ **Em ~ de** No que tange a: *Em matéria de música, prefiro a MPB*. **~ bariônica ~** *Astrfs.* Tipo de matéria comumente encontrada no universo, feita de prótons, nêutrons e elétrons, oriunda das explosões estelares que lhe deram origem, e que compõe a atmosfera, os astros e tudo que neles existe, inclusive os seres vivos **~ escura** *Astrfs.* Tipo de matéria não bariônica que existe no universo, de composição ainda desconhecida, cuja presença é constatada apenas pela atração que exerce sobre a matéria luminosa bariônica. Calcula-se que representa 5/6 da matéria existente no cosmo **~ médica 1** *Farm.* O conjunto das substâncias e suas combinações que se empregam no tratamento de doenças **2** O ramo da medicina que estuda a composição e a utilização de medicamentos; farmacologia **~ plástica** *Ind. Quím.* Matéria constituída principalmente de um polímero, que pode ser facilmente moldada, laminada, usinada etc., e por isso de grande utilização em objetos, instrumentos, ferramentas e utensílios de todo tipo; plástico **~ pré-estelar** *Astrfs.* Matéria gasosa existente no cosmo, que pode vir a constituir uma estrela **~ primeira** *Fil.* No aristotelismo e na escolástica, a matéria fundamental que irá constituir todos os corpos do mundo físico **~ publicitária** *Jorn.* Matéria cuja forma de apresentação é a de um texto jornalístico, mas cuja publicação é paga por anunciante, circunstância que deve ser explicitada ao leitor, ao ouvinte ou ao telespectador **~ viva** Tipo de matéria de estrutura e de funcionalidade complexas e heterogêneas que constitui os seres vivos

material (ma.te.ri:*al*) *a2g.* **1** Relativo a matéria **2** Que é constituído de matéria (ente material) **3** Que não é espiritual: *O hedonista só se ligava em coisas materiais*. **4** Relativo ao corpo, à carne; CARNAL **5** Que se exprime pela matéria (progresso material) **6** Que não exige participação do intelecto ou do espírito (trabalho material) **7** Estreitamente ligado a bens tangíveis: *Em suas aspirações só entravam coisas materiais*. *sm.* **8** O que se relaciona à matéria: *O material examinado no laboratório era contagioso*. **9** O que compõe o corpo de alguma coisa: *O material utilizado na confecção do assento da cadeira foi a palha*. **10** Conjunto de máquinas, objetos, ferramentas, instrumentos etc. que entra em um trabalho (material de construção) (tb. *Fig.*): *Tinha bom material para escrever um conto*; "Paulo Lins é o autor do excelente romance *Cidade de Deus*, em que elabora o material biográfico de sua vida (...)." (Ana Maria Machado, "Por uma cultura de resistência" *in Texturas*) **11** Conjunto de objetos necessários a um aprendizado, trabalho etc. (material escolar, material odontológico) **12** A substância que constitui a matéria por oposição à essência que constitui o espírito: *Não queria nada com o espiritual, só com o material*. **13** *Bras. Pop. Pej.* Mulher muito bonita e atraente: *Meu amigo saiu ontem com um material de primeira*. [Pl.: *-ais*.] [F.: Do lat. *materialis, e*. Ant. ger.: *imaterial, espiritual*.] ∎∎ **~ rodante** Conjunto de veículos, automotrizes ou não, que andam sobre trilhos (locomotivas, vagões de passageiros, vagões de carga etc.)

materialidade (ma.te.ri:a.li.*da*.de) *sf.* **1** Qualidade ou característica do que é material **2** A parte concreta de algo: *A materialidade de uma galáxia*; "A poesia (...) é a exploração da materialidade das palavras e das possibilidades de organização de estruturas verbais (...)." (João Cabral de Melo Neto, *Prosa*) **3** Qualidade de quem só se dedica às coisas físicas, ignorando ou desprezando o espírito, a sensibilidade: *Passou a vida mergulhado na pura materialidade, negando os atributos da essência humana*. **4** *Jur.* Conjunto dos elementos que tornam evidente a criminalidade de um ato [F.: *material* + *-i-* + *-dade*. Ant. ger.: *espiritualidade*.]

materialismo[1] (ma.te.ri:a.*lis*.mo) *sm.* **1** *Fil.* Corrente de pensamento que afirma a precedência da matéria sobre o espírito ou a mente, e que constitui a base de várias escolas filosóficas, desde os antigos gregos até a época atual [Os fenômenos da natureza seriam processos puramente mecânicos e quantitativos resultantes da movimentação de matéria.] **2** *Fil. Pol.* No pensamento marxista, aquilo que é necessário à sobrevivência do homem em sociedade (alimentação, moradia, trabalho etc.) e que fundamenta a estrutura econômica da sociedade organizada **3** *P.ext. Pej.*

Modo de viver voltado para o gozo das coisas materiais: *Vivia para o materialismo do dinheiro e dos prazeres do corpo.* [F.: *material* + *-ismo.* Opõe-se a *idealismo* e *espiritualismo.*] ■ **~ dialético** *Fil.* Base doutrinária do marxismo, fundamentada na integração do pensamento dialético de Engels (processo constante de mudanças através do embate entre um fato e a reação a ele, transformação qualitativa a partir do acúmulo quantitativo de fatores etc.) com o materialismo histórico de Marx **~ histórico** *Fil.* Doutrina de Marx sobre os processos históricos, inclusive espirituais, culturais, sociais etc., como consequência do trabalho como meio econômico de satisfação das necessidades materiais e dos choques entre as classes em suas posições em relação a esse processo

materialismo² (ma.te.ri:a.*lis*.mo) *sm.* Modo de viver voltado para o gozo das coisas materiais: *Vivia para o materialismo do dinheiro, dos prazeres do corpo.* [F.: *material* + *-ismo.*]

materialista (ma.te.ri:a.*lis*.ta) *a2g.* 1 Relativo ao materialismo 2 *Fil.* Diz-se de pessoa adepta das ideias filosóficas do materialismo: "Todas as prosápias sabichonas, todas as sentenças formais dos materialistas, e mesmo dos que não são, sobre as certezas das ciências, me fazem sorrir e creio que este meu sorriso não é falso." (Lima Barreto, *O cemitério dos vivos*) [Ant.: *idealista.*] 3 *Fig.* Diz-se de quem só procura satisfação em coisas materiais, desdenhando do espírito, dos valores espirituais ou morais etc. [Ant.: *idealista*] *s2g.* 4 *Fil.* Adepto das ideias filosóficas do materialismo: *Era um materialista convicto.* [Ant.: *idealista.*] 5 Adepto dos prazeres e compensações de caráter unicamente material, como dinheiro, propriedades, sexo etc. 6 *Bras. RJ* Pessoa cujo ofício é negociar com materiais de construção [F.: *material* + *-ista.*]

materialização (ma.te.ri:a.li.za.*ção*) *sf.* 1 Ação ou resultado de materializar(-se) 2 *Fís.* Processo de transformação de energia em matéria através da produção de um par constituído de uma partícula e sua antipartícula (p.ex.: um pósitron e um elétron) 3 *Fil.* A individualização de uma forma pela matéria [Pl.: *-ções.*] [F.: *materializar* + *-ção.* Ant. ger.: *desmaterialização.*]

materializado (ma.te.ri:a.li.*za*.do) *a.* 1 Que se materializou [Ant.: *desmaterializado*] 2 Que passou por processo de materialização [+*por, em*: *O fluido foi materializado pela ação de agentes externos; Os seres foram materializados em tamanho pequeno.*] [Ant.: *desmaterializado*] 3 Concretizado, realizado [+*em, por*: *Uma bela imagem poética materializada em apenas dois versos; A ideia de uma cegueira generalizada foi materializada pelo escritor José Saramago no romance Ensaio sobre a cegueira.*] [F.: Part. de *materializar.*]

materializador (ma.te.ri:a.li.za.*dor*) [ô] *a.* 1 Diz-se de quem ou do que materializa (ação materializadora); MATERIALIZANTE *sm.* 2 Aquele ou aquilo que materializa: *Ele é um verdadeiro materializador de sonhos e ideais.* [F.: *materializar* + *-dor.* Ant. ger.: *desmaterializador.*]

materializar (ma.te.ri:a.li.*zar*) *v. td.* 1 Tornar(-se) material ou concreto, real; CONCRETIZAR(-SE); REALIZAR(-SE) [*td.*: *materializar um sonho; Sua pintura materializava ideias.*] [*int.*: *Seu desejo materializou-se.*] 2 Atribuir materialidade a [*td.*: *Crianças materializam amigos imaginários.*] 3 *Fig. Rel.* Corporificar(-se) (um espírito); tornar(-se) corpóreo [*td.*: *Jurava que havia materializado o espírito.*] [*int.*: *Vira o espírito materializar bem na sua frente.*] 4 Tornar(-se) embrutecido, rude [*td.*: *A má-educação materializou o homem.*] [*int.*: *Distante da civilização, o homem materializou-se.*] [▶ 1 materializar] [F.: *material* + *-izar.* Ant. ger.: *desmaterializar.*]

materializável (ma.te.ri:a.li.*zá*.vel) *a2g.* Diz-se de que pode ser materializado, que se pode materializar (projeto materializável; ideia materializável) [Pl.: *-veis.* Superl.: *materializabilíssimo.*] [F.: *materializar* + *-vel.* Hom./Par.: (pl.) *materializáveis, materializáveis* (fl. de *materializar*).]

materialmente (ma.te.ri:al.*men*.te) *adv.* 1 Ref. ou inerente a matéria; que diz respeito a substância material: *Interpreta tudo materialmente, sem qualquer outra conotação.* 2 De maneira consistente: *texto materialmente bem feito.* 3 Não espiritualmente: *Leva a vida materialmente, sem nenhuma crença.* 4 Por meios técnicos; TECNICAMENTE: *solução materialmente correta.* 5 Por meios concretos; CONCRETAMENTE: *culpa materialmente provada.* 6 Financeiramente: *A demissão abalou-o psicológica e materialmente.* [F.: *material* + *-mente.*]

matéria-prima (ma.té.ri.a-*pri*.ma) *sf.* 1 Substância, elemento, componente etc. essencial para a produção de alguma coisa: *O petróleo é a matéria-prima da gasolina.* 2 *Fig.* Aquilo que serve de base, que é a essência, o fundamento para a realização ou criação de algo: *A história serviu de matéria-prima para o filme.* [Pl.: *matérias-primas.*]

maternal (ma.ter.*nal*) *a2g.* 1 Próprio de mãe (amor maternal); MATERNO 2 Que mostra carinho ou amor de mãe, que remete ao amor materno: "(...) a funcionária (...) era gorda, grisalha também, tão maternal que fez Mansinho pensar em dona Adelaide." (Antônio Callado, *Bar Don Juan*) 3 Diz-se de estabelecimento de ensino que recebe crianças de dois a seis anos (escola maternal; colégio maternal) *sm.* 4 Esse estabelecimento: *Meu filho está no maternal.* [Pl.: *-nais.*] [F.: Do lat. medv. *maternalis, e.*]

maternalista (ma.ter.na.*lis*.ta) *a2g.* 1 Ref. ou inerente ao maternalismo (postura maternalista; discurso maternalista) 2 Diz-se de pessoa que exerce o maternalismo *s2g.* 3 Essa pessoa [Cf.: *paternalista.*] [F.: *maternal* + *-ista.*]

maternidade (ma.ter.ni.*da*.de) *sf.* 1 Condição de mãe [Cf.: paternidade.] 2 *Jur.* Laço de parentesco que liga a mãe a seu(s) filho(s) [Cf.: paternidade.] 3 Hospital ou clínica para atendimento de mulheres grávidas, realização de partos e primeiros cuidados com recém-nascidos 4 Em um hospital, setor de assistência a mulheres grávidas, parturientes, lactantes e recém-nascidos [F.: Do lat. medv. *maternitas, atis.*] ■ **Vossa ~** Forma de tratamento para com religiosas que são madres

materno (ma.*ter*.no) [é] *a.* 1 Próprio de mãe (leite materno) [Cf.: paterno.] 2 Diz-se de parentesco por parte de mãe (avô materno) [Ant.: *paterno.*] 3 *Fig.* Afetuoso, carinhoso; MATERNAL: [F.: Do lat. *maternus,a,um.*]

matesiologia (ma.te.si:o.lo.*gi*.a) *Pedag. sf.* 1 Ciência do ensino em geral 2 Estudo do conhecimento acumulado [F.: Do gr. *máthesis, eós* 'ação de ensinar' + *-o-* + *-logia.*]

matesiológico (ma.te.si:o.*ló*.gi.co) *a.* Ref. a ou próprio da matesiologia [F.: *matesiologia* + *-ico²*.]

matetê (ma.te.*tê*) *sm. PE Cul.* Papa bem temperada, de caldo engrossado com farinha peneirada [F.: Do quimb. *ma'tete.*]

mateus (ma.*teus*) *sm2n. PE Folc.* Personagem do bumba meu boi, auxiliar do capitão, que representa o criado tonto, com uma armação de madeira na cintura parecendo cavalgar uma mula, que espanca e é espancado pelas outras personagens; MULEIRO [F.: Do antr. *Mateus.*]

maticar (ma.ti.*car*) *v. int.* Latir (o cão de caça) para avisar que encontrou a presa [▶ 11 mati**car**] [F.: orig. obsc.]

matilha (ma.*ti*.lha) *sf.* 1 Grupo de cães 2 *Fig.* Bando de vadios; CORJA; MALTA: *Não esperava nada daquela matilha de vagabundos.* 3 *Mar.* Grupo de submarinos quando desfecham um ataque conjunto; ALCATEIA [F.: De or. obsc. Hom./Par.: *mantilha* (sf.).]

matina¹ (ma.*ti*.na) *sf.* 1 Madrugada, alvorada 2 *P.ext.* A parte do dia que vai do nascer do sol até o meio-dia; MANHÃ: *Acordou às oito da matina.* 3 *Litu.* Cada um dos cânticos da primeira parte do ofício divino realizados ger. entre a meia-noite e o nascer do dia [Mais us. no pl.] [F.: Do lat. *matutina.* Hom./Par.: *matina* (fl. de *matinar*).]

matina² (ma.*ti*.na) *sf. Pop.* A parte do dia que vai do nascer do sol até o meio-dia; MANHÃ: *Acordou às oito da matina.* [F.: Do lat. *matutina.*]

matinada (ma.ti.*na*.da) *sf.* 1 Período que vai do final da noite ao nascer do dia; ALVORADA; MADRUGADA 2 *Litu.* Canto das matinas 3 Ruído estrondoso 4 Alvoroço de vozes; ALGAZARRA; VOZERIO 5 *N.E.* Festa matinal *a2g.* 6 *SP Pop.* Diz-se de indivíduo que tem por hábito contar mentiras; MENTIROSO *Pop.*; LOROTEIRO 7 *SP Pop.* Diz-se de indivíduo amalucado, adoidado [F.: Fem. de *matinado*, part. de *matinar.*]

matinador (ma.ti.na.*dor*) [ô] *a.* 1 *SP Pop.* Diz-se de pessoa que é mentirosa, loroteira 2 *SP* Diz-se de pessoa excêntrica, amalucada *sm.* 3 Qualquer dessas pessoas 4 *AL Folc.* Importante figura da cavalhada, que dirige os ensaios e conduz os torneios nas festas dos santos padroeiros locais e no Natal [F.: *matinar* + *-dor.*]

matinal (ma.ti.*nal*) *a2g.* 1 Ref. à manhã (horário matinal) 2 Que ocorre de manhã (passeio matinal): "Recebi, ontem, pela primeira vez, a visita, matinal visita, do embaixador de Portugal." (Antonio Callado, *A véspera*) 3 Diz-se de pessoa que sai da cama de manhã bem cedo *sf.* 4 *Bras. N. N.E. Pop.* Ver *matinê* [Pl.: *-nais.*] [F.: *matina* + *-al.*]

matinar (ma.ti.*nar*) *v.* 1 Acordar ou fazer acordar bem cedo [*td.*: *Matinou as crianças mal o sol nasceu.*] [*int.*: *Dormia cedo por gostar de matinar.*] 2 *Fig.* Ensinar, adestrar [*td.*: *Matinava os jovens com instrução militar.*] 3 Entoar matinas [*int.*] 4 Pensar muito num assunto, problema; MATUTAR [*int.*: *Entrou pela madrugada pensando, matinando.*] [▶ 1 matinar] [F.: *matin(a)* + *-ar.* Hom./Par.: *matina(s)* (fl.), *matina* (sf.) e pl; *matine(s)* (fl.), *matinê* (sf.) e pl.]

matinê (ma.ti.*nê*) *sf.* 1 Exibição de filmes, apresentação de espetáculos, festas etc. realizada no período da tarde; VESPERAL; MATINAL 2 *Bras. Pus.* Espécie de blusa solta, larga, similar à bata, que antigamente as mulheres usavam em casa [F.: Do fr. *matinée.* Hom./ Par.: *matine* (fl. de *matinar*). Cf.: *soirée.*]

matintapereira (ma.tin.ta.pe.*rei*.ra) *sm. AM Folc. Ornit.* O mesmo que *saci* [F.: De or. tupi.]

matiri (ma.ti.*ri*) *sm. Bras. Artesn.* Saco de fibra de tucum, extraída das folhas de palmeiras dos gên. *Astrocaryum* e *Bactris* [F.: Posv. do tupi *mati'ri.*]

matiz (ma.*tiz*) *sm.* 1 Nuança, tonalidade (ger. de cor): *Delicados matizes de verde.* 2 Tom delicado de cor 3 Combinação de cores diversas em tecido, pintura, paisagem 4 *Fig.* Variedade de detalhes ou aspectos mostrados ou narrados de maneira sugestiva: *Proferiu um discurso encantador e pleno de matizes.* 5 *Fig.* Gradação suave, sutil, pouco perceptível: *Havia um matiz de ironia naquele sorriso.* 6 *Fig.* Tendência, linha política ou filosófica: *Seu pensamento tinha um matiz existencialista.* 7 *Eletrôn.* Em televisão, a tonalidade da cor em relação ao espectro de frequências [F.: De or. incerta.]

matizado (ma.ti.*za*.do) *a.* 1 Que se matizou (tecido matizado); ACHAMALOTADO; CAMBIANTE; FURTA-COR 2 *Agr.* Colorido, pintado de cores variadas, diversificadas (quadro matizado); NUANÇADO 3 Adornado, ornado, enfeitado: *palco matizado para a festa.* 4 Iluminado: *cenário matizado de chiaroscuro.* *sm.* 5 *PE Agr.* Doença dos canaviais [F.: Part. de *matizar.*]

matizamento (ma.ti.za.*men*.to) *sm.* Ação, processo ou resultado de matizar; MATIZAÇÃO [F.: *matizar* + *-mento.*]

matizar (ma.ti.*zar*) *v.* 1 Dar diferentes gradações de cor, ou matizes, a [*td.*: *Com hábeis pinceladas de aquarela, matizava o céu em vários azuis.*] 2 Cobrir ou cobrir-se de muitas cores; colorir(-se) [*td.*: *O sol matizava a paisagem (com cores brilhantes).*] [*int.*: *Ao entardecer, o mar matizava-se, passando do azul ao verde, e ao cinza escuro.*] 3 Fazer ficar enfeitado, ornado; ENFEITAR [*td.*: *Canteiros floridos matizam e alegram o parque.*] 4 Dar aspecto variado, diversificado a [*td.*: *Usou de metáforas para matizar seu discurso.*] [*tdr.* +*com*: *Matizou sua resenha com citações literárias.*] [▶ 1 matizar] [F.: *matiz* + *-ar²*, ou, posv., do espn. *matizar.* Hom./Par.: *matizes* (fl.), *matizes* (pl. de *matiz*).]

mato (*ma*.to) *sm.* 1 *Bot.* Planta de pouca altura, agreste, encontrada ger. em terrenos baldios 2 Qualquer planta considerada sem valor: *Só encontrou mato no jardim daquela casa.* 3 Terreno coberto com esse tipo de vegetação 4 Lugar de vegetação densa, cerrada; BOSQUE; FLORESTA 5 Qualquer lugar muito afastado de uma cidade ou vila; ROÇA: *Queria largar tudo para viver no mato.* 6 *Gír.* A maconha 7 *PE Pop.* O subúrbio de Recife [F.: De *mata.*] ■ **Botar/pôr no ~** *N.E.* Desfazer-se de, jogar fora **Cair no ~** *Bras. Pop.* Fugir, esconder-se; capar o mato; ganhar o mato **Capar o ~** *BA GO Pop.* Ver *Cair no mato* **Ganhar o ~** *Bras. Fig. Pop.* Ver *Cair no mato* **Ir ao ~** *N.E. MG GO Fig. Pop.* Ir defecar, ir urinar **~ bom** *PR* Mato que, ao ser extirpado de um terreno, deixa-o fértil, pronto para ser cultivado **~ grosso** *Bras.* Mata fechada, floresta **~ mau** *PR* Mato que, ao ser extirpado, deixa o terreno escasso em matéria orgânica, portanto impróprio para ser cultivado; catanduva **No ~ sem cachorro** *Bras. Pop.* Em situação difícil, em apuros, sem possibilidade de se livrar **Ser ~** *Bras. Lus. Pop.* Existir em grande quantidade, abundantemente: *Se ele é rico? Mais do que rico; dinheiro ali é mato.*

mato-grossense (ma.to-gros.*sen*.se) *s2g.* 1 Aquele ou aquela que nasceu ou que vive no Mato Grosso [Pl.: *mato-grossenses.*] *a2g.* 2 Do Mato Grosso; típico desse estado ou de seu povo [Pl.: *mato-grossenses.*] [F.: Do top. *Mato Grosso* + *-ense.*]

mato-grossense-do-sul (ma.to-gros.sen.se-do-*sul*) *s2g.* 1 Aquele ou aquela que nasceu ou que vive no Mato Grosso do Sul [Pl.: *mato-grossenses-do sul.*] *a2g.* 2 Do Mato Grosso do Sul; típico desse estado ou de seu povo [Pl.: *mato-grossenses-do-sul.*] [F.: Do top. *Mato Grosso* (+ *-ense*) *do Sul.*]

matoide (ma.*toi*.de) *a2g.* 1 Amalucado, doido, desequilibrado: "... se a mãe era uma histérica, se o pai era um matoide..." (Coelho Neto, *Inverno em flor*) [Ant.: *ajuizado, equilibrado.*] 2 Aparvalhado, alienado [Ant.: *esclarecido, esperto.*] [F.: Do it. *mattoide.*]

matoso (ma.*to*.so) [ô] *a.* 1 Coberto de mato 2 Em que há muito mato [Pl.: [ó]. Fem.: [ó].] [F.: *mato* ou *mata* + *-oso.*]

matraca (ma.*tra*.ca) *sf.* 1 Instrumento de percussão ger. de madeira, constituído de uma plaqueta ou argola que se agita em torno de seu eixo para produzir estalos repetidos e monótonos 2 *Bras. Pop.* Pessoa que fala demais e depressa, com voz que lembra uma matraca: *É uma matraca, não para de falar um minuto!* 3 A boca de pessoa que fala em excesso: *Feche a matraca e coma!* 4 *Bras.* Manifestação pública de desagrado; APUPO; VAIA 5 *Bras. Pop.* Arma de fogo, esp. a metralhadora 6 *Zool.* Ave passeriforme (*Batara cinerea*) de cauda longa, com mais de 30cm de comprimento, encontrada na Argentina, Brasil, Paraguai e Bolívia; os machos têm topete negro e dorso listrado de branco e as fêmeas dorso pardo com listras negras [F.: Do ár. *mitragā.* Hom.: *matraca* (sf.), *matraca* (fl. de *matracar*).]

matracar (ma.tra.*car*) *v.* 1 Tocar matraca (1); matraquear [*int.*] 2 Bater fortemente a uma porta, para a abrirem 3 Insistir em assunto de maneira maçante; matraquear 4 *Bras.* Ver *tagarelar* [▶ 11 matra**car**] [F.: *matraca* + *-ar²*. Hom./Par.: *matraca* (fl.), *matraca* (sf.); *matracas* (fl.), *matracas* (pl. de sf.).]

matracolejar (ma.tra.co.le.*jar*) *Bras. v. int.* 1 Produzir ruído de matraca 2 *Pop.* Fazer muito barulho [▶ 1 matracolejar] [F.: *matraca* + *-ol-* (posv. expressivo) + *-ejar.*]

matraqueado (ma.tra.que.*a*.do) *a.* 1 Que tem som de matraca 2 Que faz barulho; RUIDOSO 3 Experiente, vivenciado em alguma coisa; HABITUADO: *Está já matraqueado no ofício.* 4 Intensamente repetido; MARTELADO; REPISADO 5 Apupado, vaiado: *matraqueado em pleno palco.* *sm.* 6 *Acús.* Ruído de matraca, ou semelhante ao da matraca: *o matraqueado dos pássaros em migração.* [F.: Part. de *matraquear.*]

matraqueante (ma.tra.que.*an*.te) *a2g.* Diz-se de quem ou do que fala muito (criança matraqueante; papagaio matraqueante); FALADOR [Ant.: *calado, quieto, silencioso.*] [F.: *matraquear* + *-nte.*]

matraquear (ma.tra.que.*ar*) *v. int.* 1 Tocar matraca (1) 2 Falar sem parar e depressa; TAGARELAR: *A mulher não parava de matraquear.* [▶ 1 matraquear] [F.: *matraca* (c > qu) + *-ear²*.]

matraz (ma.*traz*) *sm. Antq. Farm.* Balão de vidro, de forma redonda ou oval, com gargalo comprido, muito us. na química e na farmácia por ser resistente a pressão e operar reações a temperaturas inferiores a 100 graus [F.: Do fr. *matraz.*]

matreirice (ma.trei.*ri*.ce) *sf.* 1 Característica, qualidade, ato, dito ou modo de matreiro 2 Malícia, marotagem [F.: *matreiro* + *-ice.*]

matreiro (ma.*trei*.ro) *a.* 1 Que demonstra sagacidade no lidar com pessoas e situações; EXPERIENTE 2 Que revela astúcia, esperteza; MANHOSO: "Uma mocinha apareceu, olharzinho matreiro, o penteado semelhando juba." (Marques Rebelo, *O simples Coronel Madureira*) **3** *S* Diz-se de animal arisco, esquivo, que não se deixa agarrar [F.: Posv. do espn. *matrero*.]

◎ **matr(i)-** *el. comp. Pref.* = mãe: *matriarcado, matrilinear.*

matriarca (ma.tri.*ar*.ca) *sf.* **1** Mulher que lidera ou governa família, clã, tribo etc. **2** *P.ext.* Mulher que domina um grupo de pessoas [F.: *matr(i)-* + *-arca*¹.]

matriarcado (ma.tri.ar.*ca*.do) *sm. Soc.* Forma de organização social em que predomina a autoridade materna ou feminina [Não há registro histórico dessa forma de organização social.] [F.: *matriarca* + *-ado*².]

matriarcal (ma.tri.ar.*cal*) *a2g.* Relativo a matriarca ou matriarcado (organização matriarcal, cultura matriarcal) [Ant.: *patriarcal*.] [Pl.: *-cais*.] [F.: *matriarca* + *-al*¹.]

matricial (ma.tri.ci.*al*) *a2g.* **1** Ref. à matriz **2** Que tem a função de gerar (órgão matricial) **3** *Mat.* Relativo às matrizes **4** *Inf.* Diz-se de impressora que imprime, sobre a fita, caracteres pela percussão de um conjunto de pinos [Pl.: *-ais*.] [F.: Do lat. *matrix, icis* (> *matriz*) + *-ial*.]

matricida (ma.tri.*ci*.da) *s2g.* Pessoa que comete matricídio, que mata a própria mãe [Ant.: *patricida*.] [F.: Do lat. *matricida, ae.* Cf.: *parricida*.]

matricídio (ma.tri.*cí*.di:o) *sm.* O ato de matar a própria mãe [Ant.: *patricídio*.] [F.: Do lat. *matricidium, ii.* Cf.: *parricídio*.]

matrícula (ma.*trí*.cu.la) *sf.* **1** Ação ou resultado de matricular(-se) **2** Registro do nome de pessoas inscritas para curso, trabalho etc.: *Fez a matrícula no curso de francês.* **3** A taxa que se paga para fazer essa inscrição: *A matrícula da academia custou cem reais.* **4** Inscrição em registros oficiais ou particulares para legalizar o exercício de uma atividade profissional (matrícula de professor, de médico, de músico etc.) [+*de, em*.] **5** Registro, catalogação de animais, objetos para posterior identificação [F.: Do lat. *matricula,ae.* Hom./Par.: *matricula* (fl. de *matricular*).]

matriculado (ma.tri.cu.*la*.do) *a.* **1** Inscrito em matrícula: *matriculado na escola.* **2** *Fig. Pop.* Experiente, versado em alguma coisa; MATRAQUEADO; MATREIRO; TARIMBADO [Ant.: *inexperiente*.] [F.: Part. de *matricular*.]

matriculando (ma.tri.cu.*lan*.do) *sm.* Aquele que vai se matricular ou acabou de se matricular [F.: *matricular* + *-ando*.]

matricular (ma.tri.cu.*lar*) *v.* Fazer a matrícula de [*td.*: "Matriculamo-nos no mesmo ano." (Lima Barreto, *O triste fim de Policarpo Quaresma*)] [*tda.*: *Tinha esperança de matricular o filho na melhor escola;* "Queria ver se era possível matricular-se... na Escola de Medicina." (Aluísio Azevedo, *Casa de pensão*)] [▶ **1** matricul**ar**] [F.: *matrícula* + *-ar*². Hom./Par.: *matricula(s), matrícula(s)* (sf.[pl.], *matriculado* (fl.), *matriculado* (a.sm.).]

matrilateral (ma.tri.la.te.*ral*) *a2g. Antr.* Ref. a ou próprio de parentesco pelo lado da mãe [Cf. *patrilateral*.] [Pl.: *-rais*.] [F.: *matr(i)-* + *lateral*.]

matrilinear (ma.tri.li.ne:*ar*) *a2g.* **1** *Etnog.* Diz-se de sistema de filiação em que apenas se considera a ascendência materna para a transmissão do nome, da condição de pertencer a um clã etc. [Ant.: *patrilinear*.] **2** Relativo a ou que envolve a linha materna [F.: *matr(i)-* + *linear*.]

matrilinearidade (ma.tri.li.ne:a.ri.*da*.de) *Soc. Etnol. sf.* **1** Característica ou condição de matrilinear **2** Organização de família, clã, sipe ou linhagem na qual só a descendência pela linha materna é levada em conta: "O judaísmo reformista aceita a matrilinearidade (filhos de uma mãe judia são judeus)..." ("Judaísmo reformista" *in Imigrante de Israel (on line)*, 20.05.2006) [F.: *matrilinear* + *-i-* + *-dade*.]

matrimonial (ma.tri.mo.ni.*al*) *a2g.* Que se refere a matrimônio, a casamento [Pl.: *-ais*.] [F.: Do lat. *matrimōniālis,e*.]

matrimoniar (ma.tri.mo.ni.*ar*) *v. td. tdi.* Ver *esposar.* [▶ **1** matrimoni**ar**] [F.: *matrimôni(o)* + *-ar*. Hom./Par.: *matrimonio* (fl.), *matrimônio* (sm.).]

matrimônio (ma.tri.*mô*.ni:o) *sm.* Ato legal que une um homem a uma mulher; CASAMENTO [F.: Do lat. *mātrimōnĭum.* Hom./Par.: *matrimonio* (fl. de *matrimoniar*).]

matrinxã (ma.trin.*xã*) [cs] *sm. Ict.* Nome comum a cinco espécies de peixes fluviais (gen. *Brycon*), da fam. dos caracinídeos, de cor dourada e nadadeiras vermelhas: *Brycon brevicauda, B. hilarii, B. lundii, B. matrinxao* e *B. orbignyanus*; MATRINXÃO [F.: Posv. do tupi.]

mátrio (*má*.tri:o) *a.* Ref. a mãe (mátrio poder) [Ant.: *pátrio*.] [F.: *matr-* + *-io*.]

matriosca (ma.tri.*os*.ca) [ó] *sf.* **1** Conjunto de bonecas típicas russas, de madeira pintada, que se sobrepõem umas às outras, encaixando-se **2** *Fig. Econ.* Encadeamento de empresas, a maior englobando a menor [Cf.: *incorporação*.] [F.: Do russo *matrioshka*.]

⊕ **matrioshka** (*Rus./matrióchca/*) *sf.* Ver *matriosca* (1)

matripotestal (ma.tri.po.tes.*tal*) *a2g.* Caracterizado pela concentração da autoridade familiar na pessoa da mãe (regime matripotestal; união matripotestal) [Cf. *patripotestal*.] [Pl.: *-tais*.] [F.: *matr(i)-* + rad. lat. *potest-* < lat. *potestate* 'força, poder' + *-al*.]

matriz (ma.*triz*) *sf.* **1** Aquilo de que se originam outras coisas **2** Aquilo que é fonte ou base de alguma coisa: *Fez daquela ideia a matriz de toda uma filosofia de vida.* **3** O estabelecimento principal de uma rede de lojas, de negócios etc. [Cf.: *filial*.] **4** *Anat.* Órgão das fêmeas dos mamíferos em que o feto se desenvolve; ÚTERO **5** *Eletrôn. Inf.* Molde ou original utilizado para a reprodução de cópias em forma de filme, disco, CD etc.; MASTER: *Tinha em mãos a matriz original do CD.* **6** *Grav.* Placa de metal ou madeira em que se faz trabalho de gravura e de onde se tiram cópias ger. em papel **7** *Cer.* Modelo de gesso a partir do qual se fazem moldes de cerâmica **8** *Cer.* Qualquer molde us. para fundição de uma peça **9** *Tip.* Base em que se gravam letras e imagens a serem reproduzidas por impressão (como, p.ex., as da linotipo) **10** Ver *estêncil* **11** *Fot.* Chapa ou película fotográfica **12** *Álg.* Arranjo de elementos algébricos em colunas e linhas, formando retângulo **13** *Est.* Conjunto ordenado de elementos estatísticos **14** *Agr.* Planta da qual se retiram mudas para trabalhos de reprodução **15** A igreja principal de uma localidade **16** *Fig.* A casa dos pais: *Casou-se cedo e ficou morando na matriz.* **17** *Bras. Joc.* A casa em que se vive com a esposa **18** *Bras. Joc. Pej.* A esposa, por oposição à amante: *Domingo era dia de sair com a matriz.* **19** *Histl.* Substância que permite troca intercelular de gases e líquidos, e entre o sangue e os tecidos do corpo *a2g.* **20** Diz-se do que representa a fonte ou a origem: *O latim é uma língua matriz.* **21** Que se encontra na base de alguma coisa: *Aquela era a ideia matriz de seu novo livro.* [F.: Do lat. *matrix, icis.* Ideia de 'matriz', usar pospos. *-métrio*.] ■ **~ cartilaginosa** *Histl.* Material orgânico que fica entre células, com fibras colágenas e elásticas, desprovido de vasos sanguíneos ou linfáticos e de fibras nervosas **~ de unha** *Anat.* Tecido do qual se desenvolve e sobre o qual se apoia uma unha; matriz ungueal **~ óssea** *Histl.* Matriz (1) do tecido ósseo, formada de uma parte inorgânica (esp. fosfato e cálcio) e uma orgânica (esp. fibras colágenas) **~ ungueal** *Anat.* Ver *Matriz de unha*

matrizar (ma.tri.*zar*) *v. td. Art.gr.* Estabelecer matriz estereotípica de composição tipográfica [▶ **1** matriz**ar**] [F.: *matriz* + *-ar*.]

matrizeiro (ma.tri.*zei*.ro) *sm.* Especialista na construção de moldes, de matrizes (matrizeiro mecânico; matrizeiro matemático) [F.: *matriz* + *-eiro*.]

matroca (ma.*tro*.ca) *sf.* Desorientação, falta de rumo [Us. na loc. *À matroca*.] [F.: De or. duvidosa.] ■ **À ~ 1** Sem rumo, ao acaso, ao deus-dará: *Este projeto vai à matroca, temos de repô-lo nos trilhos.* **2** *Mar.* À deriva, sem rumo (embarcação) **3** *Lus.* Ao som do mar

matrona (ma.*tro*.na) *sf.* **1** *Hist.* Na Roma antiga, mulher legalmente casada **2** *P.ext.* Mulher de idade madura, cuja conduta é respeitável **3** *Pej.* Mulher de meia-idade, encorpada, forte [Aum.: *matronaça* (*irreg.*).] [F.: Do lat. *matrona,ae*.]

matronal (ma.tro.*nal*) *a2g.* Ref. ou próprio de matrona: *Ela tinha um ar protetor e matronal.* [Pl.: *-nais*.] [F.: Do lat. *matronalis, e*.]

matruco (ma.*tru*.co) *RJ sm.* **1** Cada um dos quartos de reses abatidas **2** *P.ext.* Intestino de qualquer animal **3** *Pej.* Português que vive no Brasil [F.: De or. obsc.]

matula¹ (ma.*tu*.la) *sf.* **1** Grupo de pessoas de má índole; CORJA *sm.* **2** Indivíduo que faz parte desse grupo; VADIO [F.: Regress. de *matulão*. Hom./Par.: *matula* (sf., sm.), *mátula* (sf.).]

matula² (ma.*tu*.la) *sf.* **1** Farnel, merenda **2** Provisão de víveres; MATALOTAGEM [F.: De *matalotagem*, posv.]

matulagem (ma.tu.*la*.gem) *sf.* **1** Ajuntamento de vadios; CORJA; MATULA; SÚCIA **2** Vida de vadio; VADIAGEM; VAGABUNDAGEM [Pl.: *-gens*.] [F.: *matula* + *-agem*².]

matulão (ma.tu.*lão*) *sm.* **1** Rapaz corpulento, desazado e de maneiras abrutalhadas **2** Sujeito estroina, vadio [Pl.: *-lões.* Fem.: *-lona*.] [F.: *matula*² (2) + *-ão*¹.]

matumbo (ma.*tum*.bo) *sm.* **1** *Bras.* Buraco cavado para plantar mandioca ou qualquer outro tubérculo **2** *Bras.* Elevação de terra que se forma entre sulcos **3** *Ang. Pej.* Negro do mato, rude, rústico *a.* [F.: Do quimb. *ma'tumbu*.]

matungo (ma.*tun*.go) *sm.* **1** Cavalo de sela **2** *S.* Cavalo comum, sem especificação de raça **3** *RS* Cavalo velho, que não serve para mais nada **4** *Pop. Turfe* Cavalo medíocre, mau corredor [F.: De or. contrv., posv. do espn. plat. *matungo*, 'cavalo ruim'.]

maturação (ma.tu.ra.*ção*) *sf.* **1** Ação ou resultado de maturar; AMADURECIMENTO **2** Processo que conduz à maturidade (de uma forma, função etc.) **3** Processo de crescimento, desenvolvimento, evolução **4** *Fig.* O tempo em que algo se desenvolve, esp. um trabalho de natureza intelectual: *maturação de um projeto/ de uma ideia.* **5** Processo natural que ocorre com a carne embalada a vácuo e em temperatura de resfriamento ideal, em que as enzimas da própria carne são liberadas, atuando sobre as fibras e tornando-as mais macias a cada dia **6** *Biol.* Fase final do desenvolvimento das células germinativas **7** *Biol.* Última fase de desenvolvimento de um organismo, quando ele começa a se tornar sexualmente apto **8** *Bot.* Sazonamento da fruta; MADURAÇÃO **9** *Med.* Supuração (de um abscesso) [Pl.: *-ções*.] [F.: Do lat. *maturatio, onis*.]

maturado (ma.tu.*ra*.do) *a.* **1** Que se maturou; que está maduro (fruto maturado) [Ant.: *verde*.] **2** *Fig.* Que se mostra amadurecido, experiente, vivido (ideias maturadas) **3** Diz-se de carne que passou por processo de maturação, e foi retirada de animal abatido ainda novo, portanto mais macia, com menor teor de gordura e mais saborosa (picanha maturada) [F.: Do lat. *maturatus, a, um.* Sin. ger.: *maturo*.]

maturar (ma.tu.*rar*) *v.* **1** Amadurecer [*td.*: *O sol maturou as laranjas pela metade.*] [*int.*: *As jacas precisam maturar mais.*] **2** Adiantar-se em anos, melhorar em conhecimentos e experiências [*int.*: "Nossos velhos mestres (...) a cujo ensino maturaram tantas gerações intelectuais." (Rui Barbosa)] **3** Fazer passar por processo de maturação (em se tratando de carne) [*td.*: *No Brasil é comum maturar a carne por no máximo 14 dias.*] [▶ **1** matur**ar**] [F.: Do lat. *maturare.* Hom./Par.: *matura* (fl.), *matura* (fem. de *maturo*); *maturo* (fl.), *maturo* (a.).]

maturativo (ma.tu.ra.*ti*.vo) *a.* **1** Que favorece a maturação **2** *Farm.* Diz-se de medicamento que favorece a maturação ou supuração de um abscesso *sm.* **3** *Farm.* Esse medicamento [F.: Rad. do part.pas. lat. *maturat-* + *-ivo*.]

maturidade (ma.tu.ri.*da*.de) *sf.* **1** Estado de desenvolvimento completo **2** Capacidade intelectual e psíquica própria da pessoa adulta normal: *Afinal, nosso filho chegou à maturidade!* **3** Período entre a juventude e a velhice; idade madura **4** Ação ou ponderação de pessoa madura; PRUDÊNCIA; SISO: *Uma opinião que revela maturidade.* **5** Estado de perfeição, de excelência ou de plenitude: *A arte desse escritor atingiu a maturidade.* **6** Qualidade daquilo que amadurece: *A maturidade plena de um fruto.* **7** O último estágio, num processo de desenvolvimento, de evolução [F.: Do lat. *maturitas, atis.* Ant. ger.: *imatureza, imaturidade*.]

maturo (ma.*tu*.ro) *a. Ant.* O mesmo que *maduro* [Ant.: *imaturo*.] [F.: Do lat. *maturus,a,um.* Hom./Par.: *maturo* (fl.de *maturar*).]

maturrango (ma.tur.*ran*.go) *RS sm.* **1** Pessoa que não monta bem a cavalo; mau cavaleiro **2** Pessoa que pouco ou nada sabe sobre os trabalhos do campo, que não sabe lidar com o gado e os cavalos **3** *P.ext.* Indivíduo inexperiente, que não tem habilidade para desenvolver qualquer atividade [F.: Posv. do espn. plat. *maturrango*.]

maturrengo (ma.tur.*ren*.go) *sm.* Ver *maturrango*

matusalém (ma.tu.sa.*lém*) *sm. Pop.* Indivíduo muito idoso; MACRÓBIO [F.: Do antr. *Matusalém*, patriarca bíblico de grande longevidade (969 anos).]

matusca (ma.*tus*.ca) *a2g. s2g. Bras. Pop.* O mesmo que *matusquela* [F.: De *matusquela*.]

matusquela (ma.tus.*que*.la) *RJ a2g.* **1** Diz-se de indivíduo meio maluco, que não regula da cabeça *s2g.* **2** Esse indivíduo [F.: De or. contrv., posv. do it. *matto*, 'louco'.]

matutada (ma.tu.*ta*.da) *sf.* **1** Conjunto de matutos, de caipiras **2** Ação ou comportamento de matuto [F.: *matuto* + *-ada*¹.]

matutagem¹ (ma.tu.*ta*.gem) *sf. Bras.* O mesmo que *matutice* [Pl.: *-gens*.] [F.: *matuto* + *-agem*.]

matutagem² (ma.tu.*ta*.gem) *sf. N.E. Pop.* Ver *matalotagem* [Pl.: *-gens*.] ■ **Fazer ~** Abater uma rês, ger. para servir a carne numa festa, numa comemoração

matutar (ma.tu.*tar*) *v.* **1** Refletir demoradamente sobre algo; MEDITAR; PENSAR [*tr.* +*sobre*: *Matutava muito sobre a família.*] [*int.*: "... Mas ele respondia às perguntas, sempre depois de matutar..." (Guimarães Rosa, *No Urubuquaquá, no Pinhém*)] **2** Conceber, planejar, arquitetar [*td.*: *Matutava a fuga perfeita.*] [▶ **1** matut**ar**] [F.: *matuto* + *-ar*. Hom./Par.: *matuta* (3ªp.s.), *matutas* (2ªp.s.)/ *matuta* (f.matuto [adj.s.m.] e pl; *matuto* (1ªp.s.)/ *matuto* (adj.s.m.).]

matutice (ma.tu.*ti*.ce) *sf.* Ação, dito, procedimento, aparência ou maneira de ser de matuto; MATUTAGEM [F.: *matuto* + *-ice*.]

matutina (ma.tu.*ti*.na) *sf. Mar.* Toque de apito ou de corneta para despertar os marinheiros e levá-los à faina diária [F.: Fem. subst*v.* de *matutino*.]

matutino (ma.tu.*ti*.no) *a.* **1** Relativo a manhã; MATINAL **2** Diz-se da estrela da manhã (Vênus) *a.* **3** Diz-se de jornal que sai na parte da manhã *sm.* **4** Esse jornal [F.: Do lat. *matutinus, a, um*.]

matuto (ma.*tu*.to) *a.* **1** Diz-se de indivíduo que vive no campo, na roça; JECA **2** Ref. a ou próprio do mato, da roça, do interior (vida matuta) **3** Diz-se de quem é rústico, ignorante, ingênuo **4** *N.E.* Diz-se de quem é acanhado, tímido, desconfiado **5** *Bras. Pop.* Diz-se de quem é astucioso, matreiro *sm.* **6** *Bras.* O mesmo que *caipira* **7** *Bras.* Indivíduo rude, ignorante ou desconfiado [F.: *mato* + *-uto*. Hom./Par.: *matuto* (fl. de *matutar*).]

mau *a.* **1** Que causa ou faz mal **2** Que é malfeito, sem qualidade: *Sem dúvida, era um mau texto.* **3** Velho, estragado: *O problema é que o motor está mau.* **4** Que tem qualidade inferior (mau livro) **5** Que traz desventura, tristeza (mau presságio); FUNESTO **6** Que é contrário à moral (maus costumes) **7** Que é contrário à justiça, à virtude (mau comportamento) **8** Que revela falta de talento ou competência (mau músico) **9** Que não tem aptidão, habilidade, perícia (mau motorista) **10** Que não cumpre seus deveres ou obrigações: *Era mau aluno e mau filho.* **11** Que revela falta de tato ou rudeza, grosseria: *É uma moça de maus modos.* **12** Que é escasso, diminuto, pequeno: *Não esperava que a colheita fosse tão má.* **13** Que é danoso, prejudicial: *Naquele verão, fez maus negócios.* **14** Inconveniente, inoportuno: *Má hora para falarmos neste assunto.* **15** Que é travesso, endiabrado, inquieto (menino mau) [Superl.: *malíssimo, péssimo*.] *sm.* **16** Tudo o que é mau (em oposição a bom): *O mau é remexer no passado.* **17** Pessoa mal-intencionada, de má índole, de maus costumes: *Às vezes os maus também saem ganhando; Os maus hão de ser castigados por suas perversidades.* *interj.* **18** Expressa descontentamento, decepção, reprovação: *Não vou receber adiantado? Mau!* [F.: Do lat. *malus, a, um.* Hom./Par.: *mau* (a.), *mal* (adv., sm. e conj.), *maú* (sm.).]

mau-caráter (mau-ca.*rá*.ter) *a2g.* **1** *Bras. Pop.* Diz-se de pessoa de caráter nocivo, de má índole; que é capaz de prejudicar, de trair ou aviltar as pessoas e de ações desonestas (indivíduo mau-caráter) *s2g.* **2** Essa pessoa [Pl.: *maus-caracteres*.]

mau-caratismo (mau-ca.ra.*tis*.mo) *Bras. Pop. sm.* **1** *Pop.* Comportamento de quem tem mau-caráter: *O mau-caratismo do rapaz era visível.* **2** Ação de pessoa mau-caráter: *Entregar o colega foi o cúmulo do mau-caratismo.* [Pl.: *maus-caratismos.*]

maués (mau.*és*) *smpl.* Grupo indígena que vive em algumas regiões do Amazonas (no baixo rio Negro e no extremo leste do estado)

mau-olhado (mau-o.*lha*.do) *sm.* **1** Olhar maldoso, destrutivo, de inveja, de mal-querença, que se supõe prejudicial àquele a que se destina; a suposta capacidade de fazer mal de um olhar assim **2** O efeito causado por esse olhar [Pl.: *maus-olhados.*]

mauriciano (mau.ri.ci.*a*.no) *sm.* **1** Pessoa nascida ou que vive na República de Maurício, arquipélago do oceano Índico *a.* **2** De Maurício; típico desse país ou de seu povo [F.: Do top. *Maurício* + *-ano.*]

mauricinho (mau.ri.*ci*.nho) *sm. Bras. Pop. Pej.* Adolescente ou jovem do sexo masculino que consome roupas e acessórios de grife e que frequenta lugares da moda [F.: Dim. do antr. *Maurício.*]

mauritaniano (mau.ri.ta.ni.*a*.no) *sm. a.* O mesmo que *mauritano* [F.: De *Mauritânia* (top.) + *-ano*¹.]

mauritano (mau.ri.*ta*.no) *sm.* **1** Indivíduo nascido ou que vive na Mauritânia (África); MAURITANIANO *a.* **2** Da Mauritânia; típico desse país ou de seu povo; MAURITANIANO [F.: Do rad. *maurit-*, por *Mauritânia* (top.), + *-ano*¹.]

máuser (*máu*.ser) *Arm. sf.* **1** Tipo de fuzil us. por militares alemães, antes e durante a Segunda Guerra Mundial, e posteriormente por militares de outros países **2** Certo modelo de pistola automática, de linhas predominantemente retas, achatada, e que recebe a munição pela coronha [Pl.: *máuseres.*] [F.: Do antr. Paul *Mauser* (1870-1945), armeiro alemão.]

mausoléu (mau.so.*léu*) *sm.* **1** Monumento tumular grandioso, imponente **2** Construção, às vezes monumental, que abriga os túmulos dos membros de uma família, uma instituição etc. [F.: Do gr. *Mausoleion*, pelo lat. *Mausoleum*, nome dado ao monumento tumular de Mausolo, rei da Cária, e considerado uma das sete clássicas maravilhas do mundo.]

maus-tratos (maus-*tra*.tos) *smpl. Jur.* Crime de submeter alguém, sob sua guarda, a tratamento desumano, trabalhos forçados e/ou privação de alimentos e cuidados [F.: Do pl. de *mau* + o pl. de *trato.*]

mauzão (mau.*zão*) *a.* **1** *Pop.* Diz-se de indivíduo extremamente mau, perverso *sm.* **2** Esse indivíduo [Pl.: *-zões.* Fem.: *-zona.*] [F.: *mau* + *-zão.*]

maviosidade (ma.vi.o.si.*da*.de) *sf.* Qualidade ou característica de mavioso, de harmonioso; MEIGUICE; SUAVIDADE; TERNURA [Ant.: *aspereza, dureza, sequidão.*] [F.: *mavioso* + *-(i)dade.*]

mavioso (ma.vi.*o*.so) [ô] *a.* **1** Que tem harmonia, suavidade; que é agradável ao ouvido (acordes maviosos) **2** Que é afetuoso, compassivo **3** Diz-se do que tem caráter suave, brando: *Quadro de cores maviosas.* **4** *Fig.* Que emociona, sensibiliza, enternece [Pl.: [ó]. Fem.: [ó].] [F.: De *amavioso*, com aférese.]

mavórtico (ma.*vór*.ti.co) *a.* Relativo a Marte ou à guerra; guerreiro, bélico; tb. *mavórcio* [F.: Do lat. *mavorcius, a, um.*]

◎ **maxi-** *el. comp.* = 'grande'; 'máximo': *maxidesvalorização, maxissaia* [F.: De *máximo*, com apócope.]

◎ **maxil(i/o)-** *Pref.* = maxila, maxilar: *maxilípide, maxilite, maxilodental*

máxi (*má*.xi) [cs] *s2g.* Red. de substantivos que são antecedidos pelo elemento de composição *maxi-* (p.ex.: *maxidesvalorização*) [F.: Do lat. *maximus, a, um.*]

maxidesvalorização (ma.xi.des.va.lo.ri.za.*ção*) [cs] *sf. Econ.* Processo de desvalorização acentuada de uma moeda em relação a outra por decisão das autoridades monetárias [Pl.: *-ções.*] [F.: *maxi-* + *desvalorização.* Cf.: *minidesvalorização.*]

maxila (ma.*xi*.la) [cs] *sf.* **1** *Anat.* Cada um dos dois ossos (esquerdo e direito) da face, nos quais se acham os dentes superiores [*Maxila* substituiu *maxilar superior* na nova terminologia anatômica.] **2** *Zool.* Na maior parte dos artrópodes, cada um dos apêndices pares que ficam atrás das mandíbulas **3** *Anat. Zool.* Parte superior do bico das aves; SOBREBICO [F.: Do lat. *maxilla, ae.*]

maxilar (ma.xi.*lar*) [cs] *a2g.* **1** Ref. a maxila *sm.* **2** *Anat.* Termo que designava cada um dos ossos (superior e inferior) em que se implantam os dentes e que se articulam para abrir e fechar a boca e mastigar **3** *Zool.* Parte superior do bico das aves; SOBREBICO [F.: Do lat. *maxillare.*] ■ **~ inferior** *Anat.* Antiga designação de *mandíbula* **~ superior** *Anat.* Antiga denominação de *maxila*

maxilofacial (ma.xi.lo.fa.ci.*al*) [cs] *a2g.* Ref. a ou que envolve a maxila e a face [Pl.: *-ais.*] [F.: *maxil(i/o)-* + *facial.*]

máxima (*má*.xi.ma) [cs, ss] *sf.* **1** Princípio básico e incontestável de uma arte ou ciência; AXIOMA **2** Sentença ou doutrina moral: *As máximas do Barão de Maricá.* **3** Ditado, provérbio, anexim (como p. ex.: *Deus ajuda a quem cedo madruga*) **4** *Mús.* Figura com o valor de oito semibreves [F.: Do lat. *maxima* (fem. do adj. *maximus, a, um*), na loc. lat. *maxima sententia*, 'a proposição maior'. Hom./Par.: *máxima* (sf.), *máxima* (fem. de *máximo*).]

maximalista (ma.xi.ma.*lis*.ta) [cs] *a2g.* **1** *Pol.* Partidário do maximalismo **2** Diz-se de partidário de uma facção do Partido Socialista Revolucionário que, às vésperas da revolução frustrada de 1905, na Rússia, exigia a aplicação integral do programa socialista **3** Bolchevique (uso impróprio) [Tb. subst.] [F.: Do ing. *maximalist.*]

maximar (ma.xi.*mar*) [cs/ss] *v. tdi. Econ.* Elevar ao máximo; maximizar [▶ 1 maximar] [F.: *maxim(o)* + *-ar*².]

máxime (*má*.xi.me) [cs] *adv.* Principalmente, especialmente: *Os mordomos são circunspectos, máxime os ingleses.* [F.: Do adv. lat. *maxime.*]

maximização (ma.xi.mi.za.*ção*) [cs] *sf.* **1** Ação ou resultado de maximizar **2** *Mat.* Operação pela qual se determina o maior valor de uma grandeza [Pl.: *-ções.*] [F.: *maximizar* + *-ção.*]

maximizado (ma.xi.mi.*za*.do) [cs] *a.* **1** Tornado maior **2** Que foi demasiadamente exaltado; SUPERESTIMADO **3** *Mat.* Diz-se de função matemática que assumiu o valor máximo [F.: Part. de *maximizar*. Ant.ger.: *minimizado.*]

maximizador (ma.xi.mi.za.*dor*) [cs ô] *a.* **1** Que maximiza, aumenta *sm.* **2** O que maximiza [F.: *maximizar* + *-dor.*]

maximizante (ma.xi.mi.*zan*.te) [cs] *a2g.* **1** Que maximiza (comportamento maximizante) *s2g.* **2** *Mat.* Aquilo que maximiza: *O aluno pode encontrar o maximizante analítica ou graficamente.* [F.: *maximizar* + *-nte.*]

maximizar (ma.xi.mi.*zar*) [cs, ss] *v. td.* **1** Elevar ao grau máximo: *maximizar lucros/produção.* **2** Superestimar, exagerar [Ant.: *subestimar.*] [▶ 1 maximizar] [F.: Do ingl. *(to) maximize.*]

máximo (*má*.xi.mo) [ss] *a.* **1** Que atingiu ou representa o mais alto grau em sua espécie: *Esse é meu preço máximo; Esse goleiro está atingindo a perfeição máxima.* **2** Que é extremamente rigoroso, absoluto: *Tomou o máximo cuidado para não perder tudo. sm.* **3** O mais alto grau que pode atingir uma quantidade variável: *O máximo da cotação do petróleo fora atingido.* **4** O ponto mais intenso a que se pode chegar: *O desentendimento do casal chegou ao máximo.* **5** O mais alto grau de uma medida, de um valor etc.: *Não faz muito tempo, o máximo de velocidade permitido nas estradas brasileiras era de 80 km por hora.* **6** *Pop.* Aquele ou aquilo que atingiu um ponto supostamente insuperável (em força, beleza, talento etc.): *Esse filme é o máximo!* [F.: Do lat. *maximus, a, um.* Hom./Par.: *máxima* (fem. do adj.), *máxima* (sf.).] ■ **~ divisor comum** *Mat.* Para um certo conjunto de números inteiros, o maior número inteiro que é divisor de cada número do conjunto [Símb.: *MDC.*] **No ~ 1** No limite máximo de uma faixa de possibilidades: *A viagem vai durar no máximo três horas.* **2** No melhor dos casos: *Com tais atores, o espetáculo será, no máximo, sofrível.* **Ser o ~** *Bras. Pop.* Ser (algo ou alguém) excelente em seu gênero, cheio de qualidades, bem-dotado etc.: *Este filme é o máximo; Meu professor de matemática é o máximo.*

maxissaia (ma.xis.*sai*.a) [cs.] *sf.* Saia muito longa, que vai até o tornozelo [F.: *maxi-* + *saia.*]

maxixe¹ (ma.*xi*.xe) *Bot. sm.* **1** O fruto do maxixeiro, dotado de numerosos apêndices flexíveis, semelhantes a espinhos; GALINHA-ARREPIADA; MAXIXE-BRAVO **2** Maxixeiro [F.: Do quimb. *maxixe.* Hom./Par.: *maxixe* (sm.), *maxixe* (fl. de *maxixar*).]

maxixe² (ma.*xi*.xe) *sm.* **1** *Bras. Dnç.* Dança urbana de movimentos rápidos, originária da cidade do Rio de Janeiro, onde surgiu na segunda metade do séc. XIX **2** *Mús.* A música movimentada e viva dessa dança, considerada uma mistura de *habanera*, polca e tango [F.: Do cognome *Maxixe*, de um dançarino carioca que teria inventado essa dança, posv.]

maxixeiro¹ (ma.xi.*xei*.ro) *sm. Bot.* Planta da fam. das cucurbitáceas (*Cucumis anguria*), nativa da América Central, cultivada pelos frutos comestíveis quando ainda verdes, crus ou cozidos; MAXIXE; MAXIXE-BRAVO [F.: *maxixe*¹ + *-eiro.*]

maxixeiro² (ma.xi.*xei*.ro) *a.* **1** *Bras.* Que dança o maxixe (dançarino maxixeiro) *sm.* **2** Pessoa que dança o maxixe: *Era um autêntico maxixeiro.* [F.: *maxixe*² + *-eiro.*]

maza (*ma*.za) *sf. Bras. Rel.* Nome dado à água potável ou de uso comum em rituais de candomblé e umbanda [F.: Do quicg. *maza.*]

mazanza (ma.*zan*.za) *Bras. a2g.* **1** Que é dado à indolência; preguiçoso, molenga **2** Diz-se de indivíduo simplório, tolo, apatetado **3** Diz-se de indivíduo desastrado, desajeitado *s2g.* **4** O indivíduo com essas características [F.: Do quimb. zonza, 'andar devagar', posv. Hom./Par.: *mazanza* (a2g. s2g.), *mazanza* (fl. de *mazanzar*). Tb. *manzanza.*]

mazanzar (ma.zan.*zar*) *Bras. v. int.* **1** Agir de modo desajeitado como um mazanza **2** Demorar-se para executar um serviço, uma tarefa, um trabalho; REMANCHAR **3** Ficar apalermado [▶ 1 mazanzar] [F.: *mazanza, manzanza* + *-ar*². Tb. *manzanzar.*]

mazela (ma.*ze*.la) [é] *sf.* **1** Aflição, infortúnio: *As mazelas de um solteirão.* **2** Doença, moléstia, enfermidade: *Seu corpo estava cheio de mazelas.* **3** *P.ext.* Aquilo que aflige, aborrece: *As mazelas do amor contrariado.* **4** *Fig.* Falta de recursos materiais; PENÚRIA; POBREZA **5** *Fig.* Mancha moral que prejudica a reputação de alguém [F.: Do lat. vulg. *macella*, dim. de *macula, ae.*]

mazelar (ma.ze.*lar*) *v. td.* **1** Provocar mazela, ferida em; FERIR; MACHUCAR **2** *Fig.* Causar tormento ou aflição a **3** *Fig.* Fazer cair em descrédito; DESACREDITAR; MACULAR [▶ 1 mazelar] [F.: *mazel(a)* + *-ar.* Hom./Par.: *mazela* (3ªp.s.), *mazelas* (2ªp.s.)/ *mazela* (s.f.) e pl.]

mazelento (ma.ze.*len*.to) *a.* Diz-se de quem é cheio de mazelas, de quem está sempre doente; ADOENTADO; ENFERMIÇO [Ant.: *são, saudável.*] [F.: *mazela* + *-ento.*]

mazombice (ma.zom.*bi*.ce) *sf.* Característica de quem é mazombo, sorumbático, mal-humorado [F.: *mazombo* + *-ice.*]

mazombo (ma.*zom*.bo) *sm.* **1** *Pej.* Filho de pais estrangeiros, esp. portugueses, nascido no Brasil **2** *Fig.* Indivíduo taciturno, mal-humorado [Ant.: *brincalhão, gaiato.*] *a.* **3** *Fig.* Diz-se desse indivíduo [Ant.: *alegre, bem-humorado, jovial.*] [F.: De or. duv., posv. africana.]

mazorca (ma.*zor*.ca) *sf.* **1** *Bras.* Tumulto, baderna, motim **2** *Fam.* Barulho, alvoroço [F.: Posv. do espn. plat. *mazorca.*]

mazorqueiro (ma.zor.*quei*.ro) *a.* **1** *Bras.* Diz-se de indivíduo que promove mazorca, baderna, tumulto *sm.* **2** Esse indivíduo [F.: *mazorca* (*-c-* > *-qu-*) + *-eiro.* Sin.ger.: *agitador, revoltoso.* Ant.ger.: *conciliador, ordeiro, pacato.*]

mazorral (ma.zor.*ral*) *a2g.* Que não tem educação; GROSSEIRO; MAL-EDUCADO; MAZORRO; RUDE: "De feito, o amor, quando é sério, põe às canhas o mais despontado espírito e o mais mazorral também." (Camilo Castelo Branco, *A queda dum anjo*) [Ant.: *bem-educado, cortês, polido.*] [Pl.: *-ais.*] [F.: Do espn. *mazorral.*]

mazorro (ma.*zor*.ro) [ô] *a.* **1** O mesmo que *mazorral* **2** Que é indolente, preguiçoso [Ant.: *ativo, diligente.*] **3** Que é sorumbático, taciturno [Ant.: *alegre, animado.*] *sm.* **4** Indivíduo mazorro [F.: Posv. do ár. *manzur* 'escasso'.]

mazurca (ma.*zur*.ca) *sf. Dnç.* Dança popular de origem polonesa, em compasso ternário, que no Brasil do séc. XIX foi muito apreciada nos salões da sociedade [F.: Do fr. *mazurka*, do pol. *mazurka.*]

⊠ **Mb**¹ *Inf.* Símb. de *megabit*

⊠ **MB**² *Inf.* Símb. de *megabyte*

⊕ **mbelele** (mbe.*le*.le) *sm. Moç.* Ritual feminino us. para provocar a chuva [F.: Do tsonga.]

⊠ **MCE** *Econ. Pol.* Sigla de *Mercado Comum Europeu*

⊠ **Md** *Quím.* Símbolo de *mendelévio*

⊠ **mdc** *Mat.* Sigla de *máximo divisor comum*

⊠ **MDIC** Sigla de *Ministério do Desenvolvimento, Indústria e Comércio*

me *pr.pess.* **1** Pronome pessoal da 1ª pessoa do singular do caso oblíquo, átono, que funciona como objeto indireto e, por vezes, direto [Não tem função sintática quando us. com verbos pronominais (arrepender-se, queixar-se etc.).] **2** A mim: *Contou-me as notícias mais recentes.* **3** Ante mim: *Surgiu-me uma ideia repentina.* **4** Em mim: *Ela passou sem me despertar nenhum desejo.* **5** Dirigido a mim, para mim: *Deu-me um belo presente de aniversário.* **6** De mim: *Tomaram-me tudo que possuía.* **7** Indica reflexividade da ação: *Machuquei-me ao pular o muro.* **8** Com certos verbos, apresenta sentido passivo: *Banhei-me rápido e saí para o trabalho.* **9** Tem valor de possessivo, como dativo de posse: *Prestativo, carregou-me as compras.* **10** Funciona às vezes como dativo ético: *Ninguém me sai daqui antes da hora.* **11** Vale às vezes como possessivo: *Atirou-se-me aos braços.* [F.: De *mi*, contr. do lat. *mihi.*]

meã (me.*ã*) *Lus. sf.* **1** *Agr.* Certo tipo de azeitona **2** Tira de couro do mangual; MEÃO [F.: Fem. substv. de *meão.*]

meação (me.a.*ção*) *sf.* **1** Divisão em duas partes iguais **2** *Agr.* Parceria agrícola em que metade da produção é devida pelo produtor ao proprietário da terra **3** Divisão de uma parede ou muro em duas partes, cada uma pertencente a um proprietário **4** *Jur.* No regime de comunhão de bens do casamento, a parte reservada para cada um dos cônjuges **5** *Jur.* No inventário, a metade de bens e deveres que cabe ao cônjuge sobrevivente, se o casamento foi firmado em regime de comunhão de bens [Pl.: *-ções.*] [F.: *mear* + *-ção.*]

mea-culpa (me:a-*cul*-pa) *sm2n.* Ação ou atitude de reconhecer a própria culpa (us. apenas na loc. *Fazer (o) mea-culpa*) ■ **Fazer (o) ~** Admitir (para si mesmo e/ou os outros) o próprio erro ou a própria culpa, arrependendo-se

meada (me:*a*.da) *sf.* **1** Conjunto de fios que formam um novelo **2** *Fig.* Trama, embrulhada, confusão: *Viu-se envolvido em complexa meada.* [F.: Fem. substv. de *meado.* Hom./Par.: *meada* (sf.), *miada* (sf.).]

meado (me.*a*.do) *a.* **1** Chegado ao meio, ou que se aproxima do meio *sm.* **2** A parte média; o meio: *O acidente ocorreu em meados de julho.* [Mais us. no pl.] [F.: Part. de *mear.*]

mealha (me.*a*.lha) *sf.* **1** *Ant. Econ.* Antiga moeda de cobre que valia meio ceitil, nos tempos dos primeiros reis de Portugal **2** *Fig.* Porção ínfima de qualquer coisa; MIGALHA; NINHARIA: *Preocupa-se com mealhas, esquecendo o principal.* [F.: Posv. do lat.vulg. * *medalia*, de *medialia.* Hom./Par.: *mealha* (fl. de *mealhar*).]

mealhar (me.a.*lhar*) *v.* Ver *amealhar* [**td.int.**] [▶ 1 amealhar] [F.: *mealha* + *-ar*².]

mealheiro (me.a.*lhei*.ro) *sm.* **1** Dinheiro economizado; PECÚLIO **2** Pequeno cofre com uma fenda por onde se introduzem moedas *a.* **3** Que consiste em mealhas; que dá pouco dinheiro (negócios mealheiros) [F.: *mealha* + *-eiro.*]

meandrar (me.an.*drar*) *v. int.* Criar meandro, deslocar-se sinuosamente; SERPEAR; SERPENTEAR: *Ali, as águas do rio meandravam ao sabor do vento.* [▶ 1 meandrar] [F.: *meandro* + *-ar.* Hom./Par.: *meandro* (1ªp.s.)/ *meandro* (s.m.).]

meândrico (me.*ân*.dri.co) *Pus. a.* **1** Meandrante: *zona de cinturão meândrico.* **2** *Fig.* De difícil compreensão (texto meândrico); COMPLEXO; INCOMPREENSÍVEL [Ant.: *claro, compreensível, simples.*] [F.: *meandro* + *-ico.* Sin.ger.: *meandroso.*]

meandro (me:*an*.dro) *sm.* **1** Sinuosidade de caminho, rio etc.: *Perdeu-se nos meandros da estrada.* [Mais us. no pl.] **2** *Fig.* Complexidade, enredo, intriga: *Envolveu-se num meandro de intrigas.* [F.: Do lat. *maeandrus, i.*]

meandroso (me.an.*dro*.so) [ô] *a.* O mesmo que *meândrico* [Pl.: [ó]. Fem.: [ó].] [F.: *meandro* + *-oso.*]

meão (me.*ão*) *a.* **1** Que está no meio; que se situa entre duas ou mais coisas ou duas ou mais pessoas **2** De valor, qualidade, tamanho ou altura mediana **3** Comum, medíocre **4** Da classe média [Pl.: *-ãos.* Fem.: *-ã.*] *sm.* **5** Peça de madeira que fica no centro das rodas do carro de boi **6** *MA.* Tambor utilizado em apresentações de maracatu [F.: Do lat. *medianus, a, um,* por via popular.]

mear (me.*ar*) *v.* **1** Partir pelo meio; dividir ao meio [*td.*: *Quando acordamos, o sol já meava o dia.*] **2** Chegar ao meio [*int.*: *A noite meava(-se) e nada de Felipe chegar.*] **3** Ter pronta metade de (trabalho, tarefa) [*td.*] [▶ 13 mear] [F.: Do lat. *mediare.* Hom./Par.: *mear, miar* (em várias fl.); *meia(s)* (fl.), *meia(s)* (sf. [pl.]); *meio* (fl.), *meio* (sm.a.adv.num.).]

meato (me:*a*.to) *sm.* **1** Orifício de um canal **2** Pequeno canal ou abertura **3** Caminho, via **4** *Anat.* Orifício em canal do organismo [F.: Do lat. *meatus, us.*] ▪ **~ auditivo externo** *Anat. Otor.* O que se estende da concha da orelha à membrana do tímpano **~ ureteral** *Anat. Urol.* Meato entre um ureter e a bexiga **~uretral** *Anat. Urol.* Meato na extremidade de saída da uretra (na glande peniana, no homem, na vulva, na mulher)

mebendazol (me.ben.da.*zol*) *sm. Quím.* Substância química cristalina, derivada do benzimidazol, us. como anti-helmíntico (Fórm.: $C_{16}H_{13}N_3O_3$) [Pl.: *-zóis.*]

⊠ **MEC** Sigla de *Ministério da Educação e Cultura*

meca (*me*.ca) *a.* Ponto que atrai as atenções e interesses de pessoas ligadas às atividades que giram em torno dele: *Hollywood ainda é a meca do cinema.* [F.: Do top. *Meca,* cidade santa do islamismo.]

mecanal (me.ca.*nal*) *sm.* **1** *Art.gr.* Tipo de impressão de forma geralmente retangular, hastes uniformes e serifas retangulares com curvatura interna *a2g.* **2** Diz-se desse tipo [Pl.: *-ais.*] [F.: *mecan(o)- + -al.*]

mecânica (me.*câ*.ni.ca) *sf.* **1** *Fís.* Ciência que estuda os movimentos e as forças que o produzem **2** *Fís.* O conjunto das leis do movimento **3** Atividade relativa a máquinas e motores e a seu conserto **4** Tratado ou aula dessa ciência **5** Execução, na prática, dos princípios de uma arte ou ciência **6** Elaboração e construção de máquinas **7** O conjunto das máquinas de uma indústria **8** Oficina mecânica: *Passou na mecânica para pegar o carro.* **9** *Fig.* Conjunto de meios ou métodos empregados na obtenção de um fim: *A mecânica desse romance é complicada.* [F.: Do lat. *mechanica (ars),* 'arte de construir uma máquina'. Hom./Par.: *mecânica* (sf.), *mecânica* (fem. de *mecânico*).] ▪ **~ celeste** *Astrfs.* Parte da astronomia que estuda através da mecânica clássica os movimentos dos astros e a recíproca ação de suas forças gravitacionais **~ clássica** *Fís.* A que se baseia nas três leis de Newton; mecânica newtoniana **~ dos fluidos** *Fís.* Estudo das características dos fluidos em repouso (compressibilidade, expansibilidade, deformações) e em ação (pressão, aceleração, velocidade) **~ dos solos** *Eng.* Estudo do comportamento dos solos em função das leis da mecânica, com vistas a projetos de construção e conservação de edificações neles fundamentadas **~ newtoniana** *Fís.* Ver *Mecânica clássica* **~ ondulatória** *Fís.* Ver *Mecânica quântica* **~ quântica** *Fís.* Parte da física que estuda o movimento de partículas (átomos e moléculas) em escala muito pequena (ger. até 1.000 átomos), e em cujo âmbito não se pode definir, com certeza e acuidade, ao mesmo tempo a posição e a velocidade de uma partícula, ou seja, não se dá uma continuidade de movimento; mecânica ondulatória

mecanicismo (me.ca.ni.*cis*.mo) *sm.* **1** *Fil.* Corrente de pensamento para a qual os fenômenos, e até a própria natureza, estão submetidos a processos mecânicos de determinação; MAQUINISMO: **2** *Biol.* Doutrina pela qual os seres vivos podem ser explicados e compreendidos por meio de uma série de causas e efeitos de origem físico-química [F.: *mecânico + -ismo,* seg. o mod. vern.]

mecânico (me.*câ*.ni.co) *a.* **1** Relativo a mecânica **2** Que é automático, maquinal (gesto mecânico) **3** Feito ou fabricado com a intervenção de uma máquina **4** Acionado ou executado por máquina ou mecanismo **5** Diz-se de aparelho ortopédico destinado a substituir membro natural (perna mecânica; braço mecânico) **6** Que é rigoroso, exato, como se fosse feito por uma máquina *sm.* **7** Indivíduo que monta e/ou conserta máquinas (mecânico de aviões) [F.: Do gr. *mekhanikós, é, ón,* pelo lat. *mechanicus, a, um.*]

mecânico-eletricista (me.câ.ni.co-e.le.tri.*cis*.ta) *sm. Mec.* Profissional que opera com mecânica elétrica: *Irá atuar como mecânico-eletricista de automóveis.* [Pl.: *mecânicos-eletricistas.*]

mecanismo (me.ca.*nis*.mo) *sm.* **1** Conjunto ou disposição das peças que constituem uma máquina; MAQUINISMO **2** Grupo de elementos que promovem o funcionamento de uma estrutura orgânica (mecanismo cardiovascular) **3** Processo pelo qual algum trabalho é desenvolvido; MECÂNICA: *O mecanismo do processo eleitoral foi aperfeiçoado.* **4** *Fig.* Modo de operar que pode ser comparado ao funcionamento de uma máquina: *Os complexos mecanismos da indústria de cinema.* **5** Conjunto de meios que ativam funções psíquicas ou psicológicas: *Os mecanismos da memória.* **6** A estrutura formal que se encontra na base do funcionamento linguístico: *Estudava os mecanismos da linguagem.* [F.: Do fr. *mécanisme.*] ▪ **~ de defesa** *Psi.* Processo psicológico inconsciente pelo qual a psique responde a uma ameaça psíquica (medo, angústia, sofrimento, percepção indesejada de uma realidade etc.) com o despertar de sentimentos, pensamentos, comportamentos, representações etc. que a divirtam daquela ameaça, sem contudo conscientizá-la e sem, portanto, suscitar uma real adaptação ou superação

mecanista (me.ca.*nis*.ta) *a2g.* **1** *Fil.* O mesmo que *mecanicista* [Tb. subst.] **2** Referente a mecanismo [F.: Do fr. *mécaniste.*]

mecanização (me.ca.ni.za.*ção*) *sf.* **1** Ação ou resultado de mecanizar **2** Utilização da máquina como substituta do trabalho humano **3** *Fig.* Automação de gestos, movimentos, sinais etc. [Pl.: *-ções.*] [F.: *mecanizar + -ção.*]

mecanizado (me.ca.ni.*za*.do) *a.* **1** Que se equipou com máquinas (indústria mecanizada) **2** *Fig.* Diz-se de indivíduo que executa suas tarefas de modo automatizado **3** Semelhante a uma máquina ou similar àquilo que lhe é próprio (movimentos mecanizados) [F.: Part. de *mecanizar.*]

mecanizar (me.ca.ni.*zar*) *v.* **1** Prover de máquinas, de meio mecânicos [*td.*: *O agricultor mecanizou a colheita de trigo; O exército mecanizou toda a cavalaria com carros de combate.*] **2** Dar ou adquirir caráter maquinal; automatizar(-se) [*td.*: *O ator mecanizava demais os gestos que tinha de fazer.*] [*int.*: *Mecanizou-se na execução do trabalho.*] [▶ 1 mecanizar] [F.: Do fr. *mécaniser.*]

mecanizável (me.ca.ni.*zá*.vel) *a.* Que pode ser mecanizado: *áreas em que a colheita é mecanizável.* [F.: *mecanizar + -vel.* Hom./Par.: (pl.) *mecanizáveis, mecanizáveis* (fl. de *mecanizar*).]

◎ **mecan(o)-** *el. comp.* = máquina: *mecanismo, mecanografia* [F.: Do lat. *mechanicus, a, um.*]

mecanografar (me.ca.no.gra.*far*) *v.* **1** Ver *datilografar* [*td.*] **2** *Ant.* Analisar ou classificar por meio de mecanografia [*td.*] [*int.*] [F.: *mecan(o)- + grafar.*]

mecanografia (me.ca.no.gra.*fi*:a) *sf.* **1** Utilização em documentos de mecanismos ou máquinas para operações de cálculo, classificação etc. **2** Conjunto de atividades ligadas à fabricação, venda e manutenção de máquinas (de datilografia, estenografia etc.) [F.: *mecan(o)- + -grafia.*]

mecanográfico (me.ca.no.*grá*.fi.co) *a.* Ref. a mecanografia ou mecanógrafo [F.: *mecanografia + -ico.*]

mecanógrafo (me.ca.*nó*.gra.fo) *sm.* **1** Especialista ou técnico em mecanografia **2** Pessoa que trabalha em mecanografia **3** Aquele que fabrica máquinas de escrever e aparelhos similares **4** Quem trabalha com cálculos em máquinas contábeis **5** *Ant.* Indivíduo que tem por ofício a datilografia; DATILÓGRAFO [F.: *mecan(o) + -grafo.*]

mecanorreceptor (me.ca.no.rre.cep.*tor*) [ô] *a.* **1** Diz-se de receptor que é próprio para reagir a estímulos mecânicos, como movimento, alteração de pressão, tensão etc. *sm.* **2** Esse receptor (mecanorreceptor pulmonar) [F.: *mecan(o)- + receptor.*]

mecanoterapia (me.ca.no.te.ra.*pi*.a) *sf. Med.* Tipo de terapia realizada por meio de aparelhos especiais com o fim de dar mais flexibilidade aos movimentos e reduzir atrofias musculares: *O setor de mecanoterapia é composto por aparelhos de musculação adaptados.* [F.: *mecan(o)- + -terapia.*]

mecanotipia (me.ca.no.ti.*pi*.a) *sf. Art.gr.* Utilização de máquinas em qualquer processo de composição [Cf.: *fotocomposição, linotipia.*] [F.: *mecan(o)- + -tipia.*]

meças (*me*.ças) *sfpl.* Ação ou resultado de medir; COTEJO; MEDIÇÃO [F.: Substv. de forma do v. *medir.* Hom./Par.: *meças* (fl. de *medir*).] ▪ **Pedir ~ a 1** Solicitar, exigir medição ou avaliação de (algo, ger. por ter a primeira medição como inexata) **2** Exigir explicações a, tomar satisfação a **3** Não ter medo de ser comparado com, estar seguro de que não fica nada a dever a

mecatrônica (me.ca.*trô*.ni.ca) *sf. Eet.* Ramo da engenharia que liga a eletrônica e a informática a processos mecânicos: *A mecatrônica é o caminho de muitos estudantes de engenharia.*

mecatrônico (me.ca.*trô*.ni.co) *a.* **1** Ref. a mecatrônica **2** Diz-se de profissional especializado em mecatrônica (engenheiro mecatrônico) [F.: *mecatrônica + -o.*]

mecê (me.*cê*) *pr.pess. Bras. Pop.* O mesmo que *você*: *Mecê precisa de um descanso.* [F.: Red. de *vosmecê.*]

mecenas (me.*ce*.nas) *sm2n.* **1** Indivíduo que protege e apoia, ger. com dinheiro, as artes e as ciências, e os profissionais que trabalham nessas áreas; PATROCINADOR: "Os retraídos sefévidas mantinham sua corte aqui, juntamente com artistas, mecenas e apóstolos." (Kurban Said, *Ali e Nino*) **2** Protetor de artistas e de homens de letras [F.: Do antr. lat. *Maecenas, atis,* 'Caio Cilino Mecenas' (60 a.C. -8 d.C.), estadista romano.]

mecenato (me.ce.*na*.to) *sm.* **1** Condição ou título de mecenas **2** Amparo, proteção ou financiamento dado por mecenas a artistas, escritores, cientistas etc.: *Esse pintor venceu graças à ajuda de um mecenato.* **3** Apoio financeiro de pessoa física ou jurídica a realizações artísticas e culturais [F.: *mecena(s) + -ato.*]

mecênico (me.*cê*.ni.co) *a.* Ref. a ou próprio de mecenas [F.: *mecena(s) + -ico.*]

mecha (*me*.cha) *sf.* **1** Feixe de fios torcidos **2** Pavio de vela **3** Qualquer espécie de pavio **4** Feixe de cabelos **5** *P.ext.* Mecha (4) tingida de tom ou cor diferente da cor natural do cabelo **6** Pavio inflamável de isqueiro **7** Fio impregnado de material inflamável us. para conduzir fogo a um artefato explosivo **8** Faixa de pano embebida em enxofre que se acende nos trabalhos de defumação de tonéis de vinho **9** *Med.* Faixa de gaze que se coloca em ferida para que a cicatrização transcorra normalmente **10** Pedaço comprido de toucinho que lardeia a carne **11** *Carp.* Cavilha para unir peças de madeira [F.: Do fr. *mèche.*]

mechado (me.*cha*.do) *a.* **1** Que se mechou **2** Que tem mecha ou mechas coloridas, tingidas (cabelos mechados) [F.: Part. de *mechar.*]

mechar (me.*char*) *v. td.* **1** *Enol.* Desinfetar ou defumar (tonel ou pipa) com mecha **2** Por fogo com mecha em **3** Fazer mechas ou reflexos (nos cabelos) **4** *Carp.* Encaixar (peça de madeira) usando mecha **5** *Med.* Pôr mecha em (ferimentos etc.) **6** *Cul.* Pôr mechas de toucinho em (assados etc.) [▶ 1 mechar] [F.: *mecha + -ar².* Hom./Par.: *mecha* (fl.), *mecha* (sf.); *mechas* (fl.), *mechas* (pl. do sf.); *mechar, mexer* (em várias fl. dos dois v.).]

◎ **mec(o)-** *pref.* = comprimento, extensão, tamanho: *mecômetro*

meco (*me*.co) *Pop. sm.* **1** Qualquer pessoa; CARA; SUJEITO; TIPO **2** Indivíduo depravado, devasso; BANDALHO; LIBERTINO **3** *Gír.* Indivíduo que trai a confiança dos outros; VELHACO **4** A própria pessoa que fala: *Eu sei o que faço, deixa aqui com o meco!* [F.: De or. contrv., posv. do lat. *moechus, i* 'homem adúltero'.]

mecômetro (me.*cô*.me.tro) *sm. Med.* Instrumento que serve para medir o comprimento de fetos e recém-nascidos [F.: *mec(o)- + -metro.*]

mecônio (me.*cô*.ni:o) *sm.* **1** *Fisl.* Substância extraída do intestino do feto e que representa a primeira evacuação do recém-nascido **2** Substância esverdeada extraída da papoula, que constitui uma variedade de ópio [F.: Do gr. *mekónion, ou.*]

◎ **med-¹** *el. comp.* = médico: *medicação, medicamento*

◎ **med-²** *el. comp.* = medo: *medonho, medroso*

medalha (me.*da*.lha) *sf.* **1** Peça de metal com gravação de emblema, figura ou inscrição comemorativa, **2** Essa peça outorgada como condecoração por mérito ou como prêmio por vitória em competição, concurso etc. **3** Peça semelhante que inclui figura de devoção religiosa ou imagem de pessoa querida **4** Placa com sinal distintivo, de uso obrigatório em certas profissões **5** Peça gravada (com um motivo qualquer) que se carrega presa ao pescoço ou ao pulso, como amuleto ou berloque **6** *Esp.* No vôlei e no futebol, bolada muito forte que atinge o peito ou o rosto de um jogador [F.: Do it. *medaglia.* Hom./Par.: *medalha* (sf.), *medalha* (fl. *medalhar*).] ▪ **Ser ~ (de ouro/prata/bronze) 1** Ganhar ou ter ganho medalha (de ouro/prata/bronze) em competição: *Foi medalha de ouro na prova de hipismo das Olimpíadas.* **2** *Fig.* Ser ou ter sido o melhor/segundo melhor/terceiro melhor em certa modalidade ou atividade

medalhado (me.da.*lha*.do) *a.* **1** Que recebeu medalha (equipe medalhada); CONDECORADO **2** Cunhado em medalha (episódio medalhado) [F.: *medalha + -ado.*]

medalhão (me.da.*lhão*) *sm.* **1** Medalha grande **2** Caixinha trabalhada que se pendura em colar, como se fosse uma joia **3** Joia que tem forma semelhante e que pode conter recordações de alguém, como mecha de cabelos etc. **4** *Fig.* Pessoa considerada como de grande importância: *Um medalhão da literatura brasileira.* **5** *Cul.* Pedaço redondo e alto de carne bovina de boa qualidade **6** *Arq.* Ornato oval ou circular, ger. um baixo-relevo, us. em construções suntuosas [Pl.: *-lhões.*] [F.: *medalha + -ão¹.*]

medalhar¹ (me.da.*lhar*) *v. td.* **1** Gravar e comemorar em medalha **2** Condecorar com medalha [F.: *medalha + -ar.* Hom./Par.: *medalha* (3ªp.s.), *medalhas* (2ªp.s.)/ *medalha* (s.f.) e pl.]

medalhar² (me.da.*lhar*) *v. td.* **1** Gravar em medalha **2** Condecorar com medalha **3** Consagrar por meio de medalha [▶ 1 medalhar] [F.: *medalha + -ar.* Hom./Par.: *medalha(s)* (fl.), *medalha(s)* (sf.[pl.]).]

medalheiro (me.da.*lhei*.ro) *sm.* **1** Coleção de medalhas **2** Lugar onde se guardam medalhas, ger. um móvel com tampo de vidro em que são dispostas de maneira ordenada **3** Quem fabrica medalhas [F.: *medalha + -eiro.*]

medalhista (me.da.*lhis*.ta) *a2g.* **1** Que coleciona medalhas ou moedas **2** Que estuda medalhística **3** Que cunha moedas ou medalhas **4** Que recebe medalhas por vitórias em competições *s2g.* **5** Aquele que coleciona, cunha, recebe medalhas ou estuda medalhística [F.: *medalha + -ista.*]

medalhística (me.da.*lhís*.ti.ca) *sf.* Estudo de medalhas, moedas e ordens honoríficas [F.: *medalhista + -ica.*]

mede-palmos (me.de-*pal*.mos) *sm2n. Zool.* Nome comum a lagartas de mariposas, esp. dos geometrídeos, que se move arqueando-se e estendendo a parte dianteira do corpo, como se estivesse medindo o terreno. Tb. *lagarta-mede-palmos*

média (*mé*.di:a) *sf.* **1** Valor intermediário entre valores extremos; valor obtido como o equidistante em relação aos extremos de duas grandezas **2** Nível geral médio: *A média de vida está aumentando no Brasil.* **3** Número de pontos necessários para aluno ou candidato ser aprovado em escola, concurso etc.: *A média para passar de ano não é muito alta.* **4** Quantidade que se calcula por unidade de tempo: *O ônibus manteve a média de 60 km por hora.* **5** *Mat.* Resultado de soma de parcelas dividido pelo número de parcelas **6** *Bras. Pop.* Café com leite servido em xícara grande **7** *Bras. Pop.* Essa xícara grande us. para servir, em bares, restaurantes etc., outra bebida (chocolate, leite etc.), em comparação com a de cafezinho, bem menor [F.: Fem. substv. de *médio.* Hom./Par.: *média* (sf.), *média* (fem. de *médio*), *media* (fl. *medir*).] ▪ **Em ~** Geralmente, normalmente: *Faço ginástica, em média, três vezes por semana.* **Fazer ~ (com)** *Bras.* Tentar agradar (alguém) sendo prestativo, amável, bajulador etc.: *Vive fazendo média (com o patrão).* **~ aritmética** *Mat.* Em relação a um conjunto de números, a soma dos valores desses números dividida pela quantidade dos números [P.ex., a média aritmética de x, y e z = (x + y + z) / 3.] **~ cúbica** *Mat.* Em relação a um conjunto de números, a raiz cúbica da média aritmética dos cubos desses números [P.ex., a média cúbica de *x, y* e *z* = (raiz cúbica de $[x^3 + y^3 + z^3]$) / 3.] **~ geométrica** *Mat.* Em relação a *n* números, a raiz enésima do produto dos *n* números [P.ex., a média geométrica de *a, b, c* e *d* = raiz quarta de (*a.b.c.d*).] **~ harmônica** *Mat.* Em relação a um conjunto de números inteiros, o inverso da média aritmética dos inversos desses números [P. ex., a média harmônica de x, y e z = 1 / ([1/x+ 1/y + 1/z] / 3).] **~ ponderada** *Mat.* Em relação a um conjunto de números (p.ex., *x, y* e *z*), atribuindo-se a cada um determinado peso em forma de um fator numérico (p.ex., *a* para *x,* b *para* y, *c* para *z*), quociente da divisão do somatório dos números multiplicados pelos respectivos pesos pela soma dos valores desses pesos [A média ponderada, neste caso = (*ax* + *by* + *cz*) / (*a* + *b* + *c*).] **~ proporcional** *Mat.* Média geométrica de dois números **~ quadrática** *Mat.* Em relação a um conjunto de números positivos, raiz quadrada da média aritmética dos quadrados desses números [P.ex., média quadrática de x, y e z = raiz quadrada de ($[x^2 + y^2 + z^2]$ / 3).]

mediação (me.di:a.*ção*) *sf.* **1** Ação ou resultado de mediar, de servir de mediador **2** Intervenção, intermediação **3** Relação que se estabelece entre duas pessoas, coisas, ideias etc. por intermédio de uma terceira (pessoa, coisa, ideia etc.) **4** Ação de fazer o papel de intermediário entre um comprador e um vendedor; CORRETAGEM **5** *Dipl.* Processo de conciliação entre países ou nações em conflito, no qual a solução é sugerida pelo país, entidade etc. mediadora **6** *Fil.* Processo lógico que leva de um termo inicial a um termo final **7** *Astron.* Instante de culminação de um astro **8** *Jur.* Procedimento que visa aproximar as partes interessadas na consecução de contrato ou negócio [Pl.: *-ções.*] [F.: Do lat. *mediatio, onis.*]

mediado (me.di.*a*.do) *a.* Que passou por processo de mediação (pacto mediado) [F.: Part. de *mediar.*]

mediador (me.di:a.*dor*) [ô] *a.* **1** Que intervém, que faz a mediação *sm.* **2** Aquele que faz a mediação [Fem.: *mediadora, mediatriz.*] [F.: Do lat. *mediator, oris.* Sin. ger.: *intermediário, moderador, medianeiro.*]

medial (me.di.*al*) *a2g.* **1** Que se encontra no meio de duas coisas (posição medial); MÉDIO **2** *Gram.* Diz-se de letra que se encontra no meio da palavra **3** *Gram.* Diz-se da voz pronominal, por se encontrar entre a voz ativa e a passiva **4** *Anat.* Que fica na linha média do corpo **5** *Anat.* Que é próprio da túnica média de um vaso sanguíneo *sf.* **6** Letra medial [Pl.: *-ais.*] [F.: *medio* + *-al.* Hom./Par.: (pl.) *mediais, mediais* (fl. de *mediar*).]

medialuna (me.di:a.*lu*.na) *sf. Cul.* Pequeno pão em forma de meia-lua [F.: Do espn. *medialuna.*]

mediana (me.di:*a*.na) *sf. Geom.* Segmento de reta que, em um triângulo retângulo, une o vértice ao ponto médio do lado oposto [F.: Fem. substv. de *mediano.*]

medianeiro (me.di:a.*nei*.ro) *a.sm.* O mesmo que *mediador* [F.: *mediano* + *-eiro.*]

mediania (me.di:a.*ni*:a) *sf.* **1** Qualidade ou condição de mediano **2** Termo médio **3** Meio-termo entre riqueza e pobreza **4** A classe média da sociedade **5** *Fig.* Comedimento, moderação **6** *Náut.* Parte média de um navio, considerado o sentido longitudinal [F.: *mediano* + *-ia*[1].]

mediano (me.di:*a*.no) *a.* **1** Que está situado no meio ou entre dois pontos extremos **2** Que é banal, comum (filme mediano) **3** Médio: que não é grande nem pequeno (estatura mediana) **4** Que tem altura comum à maioria das pessoas *a.* **5** Que revela moderação, comedimento [F.: Do lat. *medianus, a, um.* Hom./Par.: *mediana* (fem.), *mediana* (sf.). Ideia de 'mediano': *midi-* (*mididesvalorização*).]

mediante (me.di:*an*.te) *a2g.* **1** Que serve de intermediário *prep.* **2** Por meio de: *Só entrou mediante pagamento.* **3** A troco de: *Aceitou o convite mediante muita insistência.* **4** Com a ajuda de: *Conseguiu diminuir a dor mediante uma massagem. sm.* **5** Tempo que transcorre entre dois acontecimentos *sf.* **6** *Mús.* O terceiro grau da escala diatônica [F.: Do lat. *medians, antis.*]

mediar (me.di.*ar*) *v.* **1** Atuar como mediador de (possível acordo) [*tr.* +*entre*: *mediar entre países beligerantes.*] [*tdr.* +*entre*: "... tentava mediar uma trégua entre as duas tribos rivais." (*Jornal Extra*, 24.11.1999)] **2** Situar-se (entre duas coisas); DISTAR [*ta.*: *Entre o rio e o mar medeia uma planície.*] **3** Decorrer (entre duas épocas ou dois fatos) [*ta.*: *Mediou pouco tempo entre as duas guerras mundiais.*] **4** Repartir (algo) em duas partes iguais [*td.*] [▶ **15** mediar] [F.: Do lat. *mediare*, seg. o mod. erudito. Hom./Par.: *mediais* (fl.), *mediais* (pl. de *medial*).]

mediastinal (me.di.as.ti.*nal*) *a2g.* Ref. ao mediastino [Pl.: *-ais.*] [F.: *mediastino* + *-al.*]

mediastínico (me.di.as.*tí*.ni.co) *a.* Ref. a ou próprio do mediastino; MEDIASTINO [F.: *mediastino* + *-ico.*]

mediastino (me.di.as.*ti*.no) *sm.* **1** *Anat.* Região do tórax que compreende, nas partes laterais, os pulmões; à frente, o esterno; embaixo, o diafragma, e atrás, a coluna vertebral *a.* **2** O mesmo que *mediastínico* [F.: Do lat. cient. *mediastinus,i.*]

mediático (me.di.*á*.ti.co) *a.* O mesmo que *midiático* [F.: Do fr. *médiatique.*]

mediatização (me.di.a.ti.za.*ção*) *sf. Comun.* O mesmo que *midiatização* [F.: *mediatizar* + *-ção.*]

mediato (me.di.*a*.to) *a.* **1** Que não se encontra em relação direta com outra pessoa ou coisa; que depende de um intermediário (resultado mediato) **2** Diz-se de causa que produz resultado por meio de outra **3** *Fil.* Em que a relação entre dois termos depende de um terceiro [F.: Do lat. *mediatus*, part. do v. *mediare.* Ant.gar.: *imediato.*]

mediatriz (me.di.a.*triz*) *sf.* **1** *Geom.* Perpendicular que corta ao meio um segmento de reta **2** Mulher que desempenha o papel de mediadora [F.: Do lat. *mediatrix, icis.*]

medicação (me.di.ca.*ção*) *sf.* **1** Ação ou resultado de administrar um remédio **2** O próprio remédio; MEDICAMENTO: *Tomou a medicação conforme prescrição médica.* [Pl.: *-ções.*] [F.: Do lat. *medicatio, onis.*]

medicado (me.di.*ca*.do) *a.* Que se medicou; que recebeu orientação de medicamento a tomar ou que tomou certa medicação [F.: Part. de *medicar.*]

medical (me.di.*cal*) *P.us. a2g.* **1** Diz-se do que é próprio de médico **2** Ref. a medicina; próprio para curar ou tratar; MEDICINAL [F.: *médico* + *-al.* Hom./Par.: (pl.) *medicais, medicais* (fl. de *medicar*).]

medicamento (me.di.ca.*men*.to) *sm.* Substância que se usa como remédio; MEDICAÇÃO [F.: Do lat. *medicamentum, i.*]

medicamentoso (me.di.ca.men.*to*.so) [ô] *a.* **1** Relativo a remédio **2** Que possui as propriedades de um remédio (ervas medicamentosas) **3** Que foi provocado por um efeito negativo de um remédio: *Teve uma alergia medicamentosa.* [Pl.: [ó]. Fem.: [ó].] [F.: Do lat. *medicamentosus, a, um.*]

medição (me.di.*ção*) *sf.* **1** Ato ou efeito de medir; MEDIDA **2** Contagem do número de sílabas de um verso **3** Conjunto de medidas que são tomadas em trabalhos de construção, agrimensura etc. **4** *BA* Ação de medir terras devolutas que pertencem ao Estado **5** Essas terras demarcadas [Pl.: *-ções.*] [F.: *medir* + *-ção.*]

medicar (me.di.*car*) *v.* **1** Tratar(-se) com medicamento(s) [*td.*: *medicar o paciente com antibióticos; Consulte um médico em vez de medicar-se.*] **2** Exercer a medicina [*int.*: *Terminou a faculdade, mas ainda não medica.*] [▶ **11** medicar] [F.: Do lat. *medicare.* Hom./Par.: *medica* (fl.), *médica* (fem. de *médico*); *medico* (fl.), *médico* (sm.a.); *medicáveis* (fl.), *medicáveis* (pl. de *medicável*).]

medicastro (me.di.*cas*.tro) *Pej. sm.* **1** Aquele que se passa por médico, sem ser formado em medicina; CHARLATÃO; CURANDEIRO **2** Médico ignorante, incompetente e pedante [F.: *médico* + *-astro.*]

medicável (me.di.*cá*.vel) *a2g.* **1** Que pode ser medicado **2** Que pode ser tratado com medicação, medicamento; CURÁVEL [Pl.: *-veis.*] [F.: Do lat. *medicabilis, e.* Ant.: *imedicável.* Hom./Par.: *medicáveis* (pl.), *medicáveis* (fl. *medicar*).]

medicina (me.di.*ci*.na) *sf.* **1** *Med.* Ciência que trata da prevenção e da cura de doenças **2** *P.ext.* Ramo da medicina (medicina homeopática) **3** *P.ext.* Forma com a qual se trata um doente **4** *P.ext.* A profissão de médico **5** *Fig.* Aquilo que remedeia um mal, que traz conforto [F.: Do lat. *medicina, ae.*] ▪ **~ chinesa** *Med.* Acervo de princípios e conhecimentos médicos da antiga China (desde o séc. XVIII a.C.), inclusive práticas terapêuticas (como a fitoterapia e a acupuntura) usadas até hoje no mundo todo **~ forense** *Jur. Med.* Ver *Medicina legal* **~ galênica** *Hist. Med.* Prática médica baseada nos métodos de Galeno, em Roma, nos séculos II e III, e comum na Europa até o séc. XVIII **~ holística** *Med.* Prática médica baseada no conceito de que corpo e mente são indivisos **~ interna** *Med.* Ramo da medicina que trata de um modo geral as doenças que acometem os órgãos do corpo, sem se especializar numa doença ou num órgão, e sem recorrer a cirurgia. Ver *Clínica geral* no verbete *clínica* **~ legal** *Jur. Med.* Ramo da medicina que aplica os conhecimentos da ciência na análise e solução de questões jurídicas; medicina forense **~ nuclear** *Med.* Ramo da medicina que emprega a tecnologia nuclear (elementos radioativos, equipamentos sofisticados de rastreamento, irradiação etc.) na diagnose e no tratamento de doenças **~ ortomolecular** *Impr.* Ramo da medicina que considera doenças físicas e mentais como resultante de perturbação no equilíbrio entre substâncias (vitaminas, minerais) dentro das células, e baseia o tratamento preventivo ou terapêutico no restabelecimento desse equilíbrio **~ preventiva** *Med.* Conceito e prática médica voltados para a prevenção de doenças, como prioritária à terapia **~ tropical** *Med.* Ramo da medicina que estuda e trata doenças parasitárias, que antigamente se pensava ocorrerem apenas nos trópicos

medicinal (me.di.ci.*nal*) *a2g.* **1** Relativo a medicina; MÉDICO **2** Que pode atuar como medicamento (ervas medicinais) **3** *Fig.* Que traz alívio a males espirituais [Pl.: *-nais.*] [F.: Do lat. *medicinalis, e.*]

🌐 ***medicine ball*** (*ing.* /medesin bol/) *loc.subst. Atl.* Bola de couro pesada, us. em ginástica e em exercícios que visam ao condicionamento físico [F.: Do ing. *medicine ball.*]

médico (*mé*.di.co) *a.* **1** Ref. a medicina (cuidados médicos); MEDICINAL *sm.* **2** Profissional formado em medicina [F.: Do lat. *medicus, a, um.*] ▪ **~ espiritual** Aquele que, graduado, sacerdote ou leigo, trata de males espirituais de outrem, ger. como seu confessor **~ feiticeiro** *Etnog.* Em certos grupos ou povos indígenas, pessoa que trata as doenças por meio de suposta magia e apoiado em prática médica e/ou medicamentos rudimentares **~ idiota** *Hist. Med.* Termo que antigamente, em Portugal, designava médico sem formação profissional, ou iletrado

médico-dentário (mé.di.co-den.*tá*.ri.o) *a. Med. Od.* Que se refere ao mesmo tempo à medicina e à odontologia; MÉDICO-ODONTOLÓGICO [Pl.: *médico-dentários.*]

médico-hospitalar (mé.di.co-hos.pi.ta.*lar*) *a2g. Med.* Ref. à medicina que se exerce em hospitais [Pl.: *médico-hospitalares.*]

médico-legal (mé.di.co-le.*gal*) *a2g. Jur. Med.* Ref. à medicina legal [Pl.: *médico-legais.*]

médico-legista (mé.di.co-le.*gis*.ta) *sm.* Médico que se dedica à medicina legal [Pl.: *médicos-legistas.*]

medida (me.*di*.da) *sf.* **1** Ação ou resultado de medir; MEDIÇÃO **2** Grandeza conhecida e determinada que se toma como base para a avaliação de outras grandezas do mesmo gênero (medida de capacidade) **3** Recipiente de grandeza determinada com que se medem grãos, farinhas, líquidos etc. **4** A quantidade contida nesse recipiente: *Você vai usar duas medidas de açúcar e uma de farinha.* **5** A grandeza calculável de qualquer objeto: *Tomar a medida de um colarinho.* **6** Postura contida e refletida em uma situação; COMEDIMENTO; MODERAÇÃO: *Saber agir com medida.* **7** Tudo o que pode servir para avaliar ou apreciar a qualidade ou importância de alguém ou algo; GRAU: *Suas palavras deram-me a exata medida de seu desespero.* **8** Ação que se faz para produzir ou evitar algo; DISPOSIÇÃO; PROVIDÊNCIA: *A prefeitura tomou várias medidas para evitar novas enchentes.* **9** *Fig.* Dimensão ou quantidade que serve como parâmetro de comparação; PADRÃO; REGRA: *Guia-se por suas medidas.* **10** *Fig.* Limite, termo: *Ele já passou da medida, faça-o parar.* **11** Fita ou tira que reproduz a altura de uma imagem santa: *Ganhou uma medida do Senhor do Bonfim.* **12** *Tip.* Fio que indica a altura exata da página **13** *Tip.* Tamanho de página, coluna, ilustração etc., expressa ger. em cícero, paicas ou pontos tipográficos **14** *Jur.* Meio us. judicialmente como prevenção (medida cautelar) [F.: fem.substv. de *medido.* Ideia de 'medida', usar pref.[2] *metr(o)-* e suf. *-metria* e *-metro.*] ▪ **À ~ de** De acordo com, conforme, segundo: *A remuneração será calculada à medida dos resultados obtidos.* **À ~ que** Enquanto, conforme, à proporção que: *À medida que lia, mais espantado ficava.* [Indica que algo vai ocorrendo paralelamente a outra ação ou circunstância, ou como decorrência delas. Não confundir com *Na medida em que*, muitas vezes impr. us. com esta conotação.] **Em certa ~** De certo modo, até certo ponto: *A reação indignada dele foi, em certa medida, justificável.* **Em que ~** Até onde, até que ponto, em que proporção: *Ainda não dá para saber em que medida esse escândalo vai afetar seu prestígio.* **Encher as ~s** **1** Ser suficiente, satisfazer totalmente: *O show encheu as medidas, nada deixou a desejar.* **2** Atingir ou superar o limite do suportável: *Essa arrogância dele já me encheu as medidas.* **~ cautelar** *Jur.* Ato jurídico que garante preventivamente a manutenção de fato de uma situação, de um direito etc., até ato jurídico definitivo quanto à questão; medida preventiva **~ cominatória** *Jur.* Ato jurídico que obriga o cumprimento de ordem judicial, como a imposição de uma multa **~ de segurança** **1** *Jur.* Ação jurídica que substitui ou complementa pena, com caráter mais defensivo do penalizado que punitivo, com base no potencial perigo que o comportamento deste representa para si (como internação, restrição de acesso a patrimônio etc.) **2** Ação ou providência que se toma, por cautela ou prudência, com o objetivo de garantir que não haja contratempos resultantes de imprevistos: *Por medida de segurança, vamos levar um segundo pneu sobressalente.* **~ preventiva** *Jur.* Ver *Medida cautelar* **~ provisória** *Jur. Pol.* Ato com força de lei tomado pelo presidente da República para casos urgentes e relevantes, com vigência imediata e provisória, com prazo para ser submetido ao Congresso Nacional para que o converta em lei ou o rejeite [Abrev.: *MP.*] **Na ~ em que** Na mesma proporção em que, na mesma medida em que: *Na medida em que você estudar, suas notas vão melhorar.* [Muitas vezes impr. us. com a conotação de *À medida que.*] **Não ser de meias ~s** Ser enérgico ao decidir, não hesitar em ir até o fim em algo **Não ter meia ~** Não ter moderação ou comedimento, ser radical **Por ~ de** Por razões de, por motivo de: *Por medida de segurança, coloque o cinto.* [Tb. apenas *por.*] **Sob ~** **1** Cortado, costurado, confeccionado de acordo com medidas tiradas especificamente do cliente a que se destina (diz-se de roupa, calçado, etc.) **2** *P.ext. Fig.* Perfeitamente adequado (a uma situação, como solução de um problema ou uma dificuldade etc.)

medidagem (me.di.*da*.gem) *sf.* **1** *Ant.* Quantidade de alguma coisa medida que é dada como pagamento ao medidor **2** *Ant.* Pagamento dado ao medidor de pão e vinho **3** A ação ou o trabalho de medir **4** O pagamento fornecido por esse trabalho [F.: *medida* + *-agem.*]

medido (me.*di*.do) *a.* **1** Que se mediu, se calculou; CALCULADO **2** Que revela cautela (atitudes medidas); MODERADO; PONDERADO; PRUDENTE [Ant.: *imoderado, imprudente.*] [F.: Part. de *medir.*]

medidor (me.di.*dor*) [ô] *a.* **1** Que serve para medir (ponteiro medidor) *sm.* **2** Instrumento us. para fazer medições: *medidor de batimentos cardíacos.* **3** Pessoa incumbida de realizar medições [F.: Do lat. *metitor,oris.*]

medieval (me.di:e.*val*) *a2g.* **1** Ref. a ou próprio da Idade Média (costumes medievais, história medieval) **2** *Fig.* Que é conservador ou ultrapassado: *Ele tem uma visão medieval das mulheres.* [Pl.: *-vais.*] [F.: *medievo* + *-al.* Sin. ger.: *médio.*]

medievalidade (me.di.e.va.li.*da*.de) *sf.* **1** Qualidade ou característica do que é medieval: *Em suas novelas era possível encontrar uma certa medievalidade.* **2** *Hist.* Época medieval, o período da Idade Média: *Apreciava a arquitetura da medievalidade francesa.* [Convencionalmente, este período inicia-se com a Queda do Império Romano, séc. V d.C. e se estende até a Tomada de Constantinopla pelos turcos-otomanos, em 1453, ou seja, no séc. XV.] [F.: *medieval* + *-i-* + *-dade*.]

medievalismo (me.di.e.va.*lis*.mo) *sm*. **1** Conjunto de tudo aquilo que é pertencente à Idade Média (ideias, doutrinas, costumes etc.): *Os professores daquela instituição empenhavam-se em divulgar o medievalismo entre seus alunos.* **2** Tendência a enaltecer o período conhecido como Idade Média, considerando-se esp. a cultura, as artes, as ideias próprias dessa época [F.: *medieval* + *-ismo*.]

medievalista (me.di.e.va.*lis*.ta) *a2g*. **1** Ref. a medievalismo (1 e 2) **2** Que é estudioso ou grande admirador da Idade Média *s2g*. **3** Pessoa estudiosa ou entusiasta da história e/ou das manifestações intelectuais e artísticas da Idade Média [F.: *medieval* + *-ista*.]

medievo (me.di.*e*.vo) [ê] *a*. **1** Ref. a Idade Média (costumes medievos; cultura medieva); MEDIEVAL *sm*. **2** *Hist.* O período histórico conhecido como Idade Média (séc. V ao séc. XV): *Era um estudioso do medievo ibérico.* [F.: Do lat. cien. *medium aevum*.]

medina (me.*di*.na) *sf. Ant. Arq. Hist.* Parte de uma cidade, ger. habitada por mouros, construída em locais altos, ger. nas proximidades de um castelo; ALMEDINA [F.: Red. de *almedina*, do ár. *al-medina*.]

◎ **medi(o)-** *el. comp.* = meio: *mediolécito* [F.: Do lat. *medius, a, um*.]

médio (*mé*.di:o) *a*. **1** Que está no meio ou entre dois extremos; MEDIANO: *O ponto médio de um segmento de reta.* **2** Que exprime o meio-termo, nem grande nem pequeno, nem alto nem baixo etc.: *A peça teve um sucesso apenas médio; – Um (copo de) refrigerante médio, por favor.* **3** Que se calcula tirando a média (temperatura média) **4** *Mús.* Diz-se de som nem agudo, nem grave **5** Ver *medieval*. **6** Diz-se do ensino que é ministrado da primeira à terceira série, logo acima do fundamental **7** Diz-se do maior dedo da mão, situado entre o anular e o indicador *sm*. **8** Esse dedo **9** *Fut.* Jogador que atua principalmente no meio-campo, entre a defesa e o ataque [F.: Do lat. *medius, a, um*. Ideia de 'médio', usar pref. *medi(o)-*.]

mediocracia (me.di:o.cra.*ci*.a) *sf*. **1** *Pol.* Poder social e político exercido pelas classes médias **2** *Pol.* Governo dirigido pela classe média; MESOCRACIA **3** *Pej.* Predomínio do medíocre, do banal [F.: *medi(o)-* + *-cracia*.]

mediocrático (me.di.o.*crá*.ti.co) *a*. *Pol.* Ref. à mediocracia ou à mediocrata [F.: *mediocrata* + *-ico*.]

medíocre (me.*dí*:o.cre) *a2g*. **1** Que permanece na média, sem ser nem bom nem mau (pintor medíocre) **2** Que é ordinário, trivial (texto medíocre) *s2g*. **3** Pessoa aquém da média do ponto de vista pessoal ou profissional: *Os medíocres têm inveja dos talentosos.* **4** Aquilo que está abaixo da média, esp. quanto à qualidade; ORDINÁRIO: *Abomina o medíocre em qualquer campo.* [F.: Do lat. *mediocris,e*.]

mediocridade (me.di:o.cri.*da*.de) *sf*. **1** Qualidade ou condição de medíocre: *Minha vida continua naquela mediocridade de sempre.* **2** Falta, ausência de talento ou mérito; INSIGNIFICÂNCIA; PEQUENEZ: *A mediocridade do escritor chocou a todos.* [Ant.: *profundidade, relevância*.] [F.: Do lat. *mediocritas,atis*.]

mediocrização (me.di.o.cri.za.*ção*) *sf*. Ação ou resultado de mediocrizar(-se): *A mediocrização da programação televisiva deve ser superada.* [Pl.: *-ções*.] [F.: *mediocrizar* + *-ção*.]

mediocrizar (me.di.o.cri.*zar*) *v*. Tornar(-se) medíocre; VULGARIZAR(-SE); BANALIZAR(-SE) [*td.*: *O cinema e a televisão muitas vezes mediocrizam grandes obras literárias.*] [*int.*: *Tinha talento, mas se mediocrizou escrevendo best-sellers.*] [F.: *medíocre* + *-izar*.]

médio-ligeiro (mé.di.o-li.*gei*.ro) *sm*. *Esp.* Lutador de boxe que pertence à categoria que inclui lutadores de até 71 quilos, para amadores, e 69,853 quilos, para profissionais [Pl.: *médios-ligeiros*.]

médio-oriental (mé.di.o-o.ri.*en*.tal) *a2g*. Ref. ao Oriente Médio [O território conhecido como Oriente Médio abrange a Turquia, o Afeganistão, o Irã, o Iraque e os países do Norte da África e do Sudeste da Ásia.] [Pl.: *médio-orientais*.]

médio-volante (mé.di.o-vo.*lan*.te) *s2g*. *Fut.* Jogador de meio de campo, com funções mais defensivas que ofensivas [Pl.: *médios-volantes*.]

medir (me.*dir*) *v*. **1** Verificar a medida ou grandeza de, com base num instrumento ou padrão estabelecido; MENSURAR [*td.*: *medir um terreno/a temperatura; medir um móvel com trena/em centímetros.*] **2** Ter (determinada medida de extensão, comprimento, altura etc.); MENSURAR [*td.*: *O terreno mede 900 m²*.] **3** Avaliar parcialmente; CALCULAR; ESTIMAR [*td.*: *Mediu a distância com o olhar.*] **4** *Fig.* Servir de medida para; REVELAR [*td.*: *Os muitos votos nulos mediram o descontentamento geral.* Ant.: *esconder, ocultar.*] **5** *Fig.* Ponderar, prever a dimensão ou o resultado de; PESAR [*td.*: *medir as consequências.*] **6** *Fig.* Julgar (algo) mediante comparação [*td.*: *medir índices de desenvolvimento.*] [*tdr.* +*por*: *medir uma ação por seus resultados.*] **7** *Fig.* Desafiar ou avaliar com o olhar, ger. como desafio [*td.*: *Media-o pronto para a briga; Mediram-se de alto a baixo.*] **8** Rivalizar com; enfrentar, lidar [*tr.* +*com*: *Media-se corajosamente com adversários mais fortes; Acostumado a medir-se com o trabalho, fugia da ginástica.* Ant.: *acovardar-se, fugir.*] **9** *Fig.* Moderar, conter, refrear [*td.*: *medir gastos/palavras.* Ant.: *descomedir-se, exceder-se*.] **10** Não desperdiçar, aproveitar (tempo) [*td.*: *Em excursões, medimos nosso tempo hora a hora.*] [Ant.: *desperdiçar.*] **11** Passar por cima de; PERCORRER [*td.*: *Enquanto conversava, media o terreno a passos largos.*] **12** *Poét.* Contar as sílabas de (verso); ESCANDIR [*td.*] [▶ **44 medir**] [F.: Do lat. **metire*, por *metiri*. Hom./Par.: *media(s)* (fl.), *média(s)* (sf.[pl.] e fem. de *médio* [a.sm.]).]

meditabundo (me.di.ta.*bun*.do) *a*. **1** Que medita muito; MEDITATIVO; PENSATIVO: *Passou o dia meditabundo, com muitas preocupações.* **2** Que se encontra melancólico, entristecido; CABISBAIXO; DESANIMADO [Ant.: *alegre, animado*.] [F.: Do lat. *meditabundus,a,um*.]

meditação (me.di.ta.*ção*) *sf*. **1** Ação ou resultado de meditar, de refletir em profundidade sobre um assunto; REFLEXÃO **2** *Rel.* Processo e circunstância de (alguém) se concentrar espiritualmente para desligar-se gradualmente das preocupações do mundo material [Pl.: *-ções*.] [F.: Do lat. *meditatio,onis*.]

meditador (me.di.ta.*dor*) [ô] *a*. **1** Que medita; que pensa, reflete **2** *Rel.* Que pratica a meditação *sm*. **3** Aquele que medita, que pensa **4** *Rel.* Pessoa que pratica a meditação [F.: Do lat. *meditátor, óris*.]

meditar (me.di.*tar*) *v*. **1** Pensar detidamente (sobre ou em); REFLETIR [*td.*: *meditar uma resposta.*] [*tr.* +*em, sobre*: *meditar sobre um assunto.*] [*int.*: *Passava horas meditando.*] **2** Planejar, projetar, arquitetar [*td.*] **3** *Rel.* Concentrar-se espiritualmente para desligar-se gradualmente das preocupações do mundo material [*int.*] [▶ **1 meditar**] [F.: Do lat. *meditare*, por *meditari*.]

meditativo (me.di.ta.*ti*.vo) *a*. **1** Ver *meditabundo* (1) **2** Próprio de quem medita (expressão meditativa) [F.: rad. do part.pas. lat. *meditat-* + *-ivo*.]

meditável (me.di.*tá*.vel) *a2g*. Que é digno de ser tema de meditação [Pl.: *-veis*.] [F.: *meditar* + *-vel*. Hom./Par.: (pl.) *meditáveis* (fl. de *meditar*).]

mediterrâneo (me.di.ter.*râ*.ne:o) *a*. **1** Ref. ao mar Mediterrâneo ou à região em torno desse mar: *É muito bonita a paisagem mediterrânea.* **2** Que se situa entre terras **3** Diz-se de pessoa que nasceu ou vive em país banhado pelo mar Mediterrâneo *sm*. **4** Essa pessoa [F.: Do lat. *mediterraneus, a, um*.]

mediterrânico (me.di.ter.*râ*.ni.co) *a*. **1** *Geog.* Ref. ao mar Mediterrâneo **2** Que se encontra ou se localiza no litoral desse mar [F.: Do top. *Mediterrâneo* + *-ico*.]

médium (*mé*.di:um) *s2g*. **1** *Rel.* Pessoa que, segundo o espiritismo, pode se comunicar com os mortos ou servir de veículo para a comunicação dos vivos com esses **2** Pessoa que supostamente tem o dom de perceber coisas por meios sobrenaturais [Pl.: *-uns*.] [F.: Do ingl. *medium*, deriv. do lat. *medius, a, um*.]

◎ **mediun(i)-** *el. comp.* = meio, intermediário: *mediunidade, mediúnico* etc.

mediúnico (me.di:*ú*.ni.co) *a*. **1** Ref. a médium ou aos seus poderes (grupo mediúnico) **2** Ref. a mediunidade (tratamento mediúnico) [F.: *medium* + *-ico*.]

mediunidade (me.di:u.ni.*da*.de) *sf*. Característica ou dom de médium: *A mediunidade é um dom inato.* [F.: *médium* + *-(i)dade*.]

medível (me.*dí*.vel) *a2g*. Que pode ser medido, mensurado (tempo medível) [Pl.: *-veis*.] [F.: *medi(r)* + *-vel*.]

🌐 **medley** (*ing./medli/*) *sm*. **1** *Mús.* Ver *pot-pourri* **2** *Esp.* Competição de natação em que o nadador ou uma equipe de nadadores em revezamento executa os quatro tipos diferentes de nado (nado livre, de costas, de peito e nado borboleta)

medo (*me*.do) [ê] *sm*. **1** Sentimento inquietante que se tem diante de perigo ou ameaça; FOBIA; PAVOR; TERROR: *Ele tem medo de tempestades.* **2** Ansiedade diante de uma sensação desagradável, da possibilidade de fracasso etc.; RECEIO; TEMOR: *Tinha medo de ser abandonada pelo marido.* [Ant.: *calma, despreocupação*.] **3** Atitude covarde; POLTRONARIA: *Fugiu por medo de apanhar.* [Ant.: *bravura, coragem*.] [F.: Do lat. *metus,us*. Ideia de 'medo', usar pref. *fob(o)-* e *med-*² e suf. *-fobia* e *-fobo*.] ∎∎ **A ~** De maneira tímida, preocupada, hesitante **Não ter ~ de careta(s)** Não se deixar intimidar por ameaça, agressividade, situação difícil etc. **Pelar-se de ~** Ficar apavorado **Ter ~ da própria sombra** **1** Ser muito assustadiço, assustar-se facilmente **2** Ser medroso, covarde **Ter um ~ que se pela** Ver *Pelar-se de medo*

medonho (me.*do*.nho) *a*. **1** Que causa medo, repulsa (bicho medonho); ASSUSTADOR; PAVOROSO **2** Que é muito feio (namorada medonha); HORRENDO; HORROROSO [Ant.: *belo, lindo*.] **3** Que se deve execrar (crime medonho); HORRÍVEL; ODIOSO [Ant.: *admirável, elogiável*.] [F.: *medo* + *-onho*.]

medorreia (me.dor.*rei*.a) *sf*. *Urol.* Corrimento que se dá pela uretra [F.: Do gr. *médos, ou* + *-reia*.]

medos (*me*.dos) [é] *smpl*. Povo que habitou a Média, antigo reino entre o Mar Cáspio, a Pérsia e a Assíria, atualmente parte do Irã [F.: Do lat. *medus, a, um*. Hom./Par.: *medos* (ê) (pl. de *medo*).]

medrado (me.*dra*.do) *a*. **1** Que medrou, cresceu; que se desenvolveu **2** *Fig.* Que melhorou financeiramente: "Tio Quinjoca de fato morreu, conforme o destino produz, em paz, me deixou sócio, já encaminhado, medrado de fortuna." (João Guimarães Rosa, "Rebimba, o bom" *in Tutameia*.) **3** *Fig.* Que tem talento; que demonstra engenho, criatividade [F.: Part. de *medrar*.]

medrança (me.*dran*.ça) *sf*. **1** Ação ou resultado de medrar; MEDRA **2** Estado de crescimento, de desenvolvimento **3** *Fig.* Avanço para melhor situação; MELHORAMENTO; PROGRESSO **4** *Lus. Pop. Vet.* Tumor na pele de bovinos [F.: *medrar* + *-ança*.]

medrar¹ (me.*drar*) *v*. **1** Fazer crescer ou crescer (vegetal) [*int.*: *Certas plantas só medram cercadas de muitos cuidados.* Ant.: *definhar, murchar, morrer.*] [*td.*: *A umidade medrou todo esse musgo.*] **2** *Fig.* Crescer, progredir ou prosperar [*int.*: *A arquitetura medrou no século XIII.*] [*ta.*: *Enfim, Joana medrou na vida.*] **3** *Fig.* Ir em aumento; CRESCER; AVOLUMAR-SE [*int.*: *As suas forças medravam a olhos vistos.*] **4** *Fig.* Manifestar-se grandemente, de súbito [*int.*: *Durante o filme, medrou sua vontade de viajar.*] [▶ **1 medrar**] [F.: Do espn. *medrar*. Hom./Par.: *medra(s)* (fl.), *medra(s)* (sf. [pl.]).]

medrar² (me.*drar*) *v*. *int. Bras. Pop.* Sentir medo: *medrar diante do perigo* [▶ **1 medrar**] [F.: *medr-* + *-ar*². Hom./Par.: *medra(s)* (fl.), *medra(s)* (sf. [pl.]).]

medroso (me.*dro*.so) [ô] *a*. **1** Que sente medo ou é dado a ter medos (menino medroso); ACOVARDADO; COVARDE; TEMEROSO [+*de*: *criança medrosa de escuridão.*] **2** Que denota timidez ou hesitação; RETICENTE: *Após uma tentativa medrosa, criou coragem e confessou.* **3** Que é fraco ou pouco intenso; DELICADO; IMPERCEPTÍVEL: *As batidas medrosas na porta eram quase inaudíveis.* [Ant.: *forte, intenso, perceptível*.] *sm*. **4** Pessoa que sente medo, que se amedronta facilmente; COVARDE; TRAPO: *O filme é assustador, não é para medrosos.* [Pl.: [ó]. Fem.: [ó].] [F.: Do lat. vulg. *metorosus, a, um*.]

medula (me.*du*.la) *sf*. **1** *Anat.* Estrutura orgânica, parte de órgão ou órgão localizado no interior de outra estrutura ou órgão, da qual difere (medula óssea) **2** *Bot.* Parênquima incolor que se encontra na parte central do caule das dicotiledôneas, gimnospermas e de algumas pteridófitas **3** *Bot.* Parte interior do talo dos liquens constituída por filamentos menos entrelaçados do que os da parte exterior **4** *Fig.* A parte mais funda e central; ÂMAGO; CERNE: *Está enfronhado no trabalho até a medula.* **5** *Fig.* O que há de essencial ou de mais importante em algo; ESSÊNCIA: *A medula da teoria é simples e deixa-se resumir em um silogismo.* [F.: Do lat. *medulla, ae*.] ∎∎ **Até a ~** **1** *Fig.* Totalmente, profundamente, até demais (ref. a envolvimento de pessoa): *Mergulhou no projeto até a medula.* **2** Até o ponto mais íntimo do sentimento, da emoção etc.: *Seus lamentos lhe chegavam até a medula.* **Até a ~ dos ossos** Ver *Até a medula (2)* **~ espinhal** *Anat.* Espécie de cordão formado principalmente por células nervosas, parte do sistema nervoso central, que corre no canal formado pelas vértebras, desde a cervical até a segunda lombar [Tb. apenas, impr., *medula*. Ver achega enciclopédica.] **~ óssea** *Histl.* Tipo de tecido líquido que preenche as cavidades ósseas, feito por sua vez de tecido conjuntivo, fibras e vários tipos de células, e que produz três elementos fundamentais do sangue: as hemácias, os leucócitos e as plaquetas; tutano **~ óssea vermelha** *Histl.* A parte da medula óssea cujas células produzem as hemácias **~ suprarrenal** *Anat.* Parte interna da glândula suprarrenal, que segrega, armazena e libera hormônios como a adrenalina e a dopamina (que têm o nome genérico de *catecolamina*)

> 📖 Ao longo da medula partem 31 pares de nervos que se ramificam para atingir muitas partes do corpo, e que transmitem a estas os comandos do cérebro (acionamento voluntário de músculo, regulação involuntária de pressão, temperatura etc.) e delas levam até o cérebro, via medula, sinais sensoriais (dor, calor, frio etc.).

medular *a2g*. **1** *Anat.* Relativo à medula **2** *Fig.* Relativo à parte fundamental, essencial [F.: *medula* + *-ar*.]

◎ **medul(i/o)-** *el. comp.* = medula: *medulina, medulite* etc. [F.: Do lat. *medulla, ae*.]

meduloartrite (me.du.lo.ar.*tri*.te) *sf*. *Reum.* Inflamação entre espaços medulares das extremidades articulares ósseas [F.: *medul(i/o)-* + *artrite*.]

meduloblastoma (me.du.lo.blas.*to*.ma) *sm*. *Neur.* Tumor maligno que ocorre no sistema nervoso central, ger. em crianças [F.: *medul(i/o)-* + *-blast(o)-* + *-oma*.]

meduloso (me.du.*lo*.so) [ô] *a*. **1** *Anat.* Ref. à medula; MEDULAR **2** *Anat.* Que tem canal medular **3** Que tem substância interna mais branda que a da parte externa **4** *Bot.* Que apresenta textura aveludada, macia **5** *Art.pl.* Em pintura e escultura, diz-se da maneira de reproduzir a aparência flexível e macia de um objeto [Pl.: [ó]. Fem.: [ó].] [F.: Do lat. tard. *medullosus, a, um*.]

medusa (me.*du*.sa) *sf*. **1** *Zool.* Forma flutuante em forma de guarda-chuva de alguns cnidários pelágicos com corpo translúcido, gelatinoso e provido de tentáculos **2** *Mit.* Na mitologia grega, ser feminino com serpentes em lugar de cabelos, que transformava em pedra as pessoas que a encaravam [Com maiúsc.] **3** *P.ext.* Mulher muito feia; BRUXA [F.: Do lat. *medusa, ae*.]

medúsico (me.*dú*.si.co) *a*. **1** *Mit.* Ref. ou semelhante à Medusa, figura da mitologia grega **2** Petrificado, magnetizado [F.: Do mit. *Medusa* + *-ico*².]

medusoide (me.du.*soi*.de) *a2g*. **1** *Mit.* Que tem forma ou elementos que lembram a Medusa **2** Que tem a forma ou a consistência de uma medusa **3** *Zool.* relativo ou semelhante a medusa [F.: Do mit. *Medusa* + *-oide*.]

meeiro (me.*ei*.ro) *a*. **1** Que possui ou tem direito a metade dos bens de alguém (sócio meeiro) **2** Diz-se de bem que se pode dividir ao meio **3** Diz-se de quem trabalha a terra alheia para repartir o rendimento *sm*. **4** Pessoa que trabalha a terra de outrem e reparte o resultado com o proprietário **5** Quem possui ou tem direito à metade de certos bens [F.: *meio* + *-eiro*.]

⊕ ***meeting*** (*Ing.* /*mitin*/) ***sm.*** **1** Reunião pública em que se debatem assuntos de caráter político ou social; COMÍCIO **2** *P.ext.* Qualquer tipo de reunião que reúne considerável número de pessoas

mefistofélico (me.fis.to.*fé*.li.co) ***a.*** **1** Ref. a ou próprio de Mefistófeles, personagem demoníaco presente em lendas medievais germânicas e retomado no *Fausto*, de Goethe (pacto mefistofélico); DIABÓLICO; SATÂNICO [Ant.: *angelical, angélico.*] **2** *Fig.* Que é perverso, maldoso como Mefistófeles (comportamento mefistofélico); INSIDIOSO; MAQUIAVÉLICO; PÉRFIDO [Ant.: *bom, bondoso.*] [F.: Do antr. *Mefistófel(es)* + *-ico*.]

mefítico (me.*fí*.ti.co) ***a.*** Diz-se do que cheira mal, do que é pestilento, fétido (gases, vapores etc.) [F.: Do lat. *mephiticus, a, um*.]

mefitismo (me.fi.*tis*.mo) ***sm.*** **1** Qualidade ou característica do que é mefítico; PESTILÊNCIA; FETIDEZ **2** *P.us. Pat.* Enfermidade contraída pela exalação de materiais fétidos [F.: Do fr. *méphitisme*.]

mefloquina (me.flo.*qui*.na) ***sf.*** *Farm.* Droga que se utiliza no tratamento da malária

◎ **-mega-** ***el. comp.*** Ver *meg(a)-*

◎ **meg(a)-** ***el. comp.*** = 'muito grande (ou importante)'; 'imenso'; 'ampliação ou aumento de algo'; 'dilatação ou aumento anormal ou irregular de dado órgão, membro ou estrutura do corpo': *megacolo, megacólon, megaesôfago, megafone, megascópio; megaloblasto, megalocéfalo* (< gr.), *megalópole, megalosplenia, megalossauro* (< lat.cient.); *hidromegatérmico; citomegalovírus* (< ingl.) [F.: Do gr. *mégas, megále, méga*, 'grande', 'largo'; 'forte'. F. conexas: *mega-* (pref. do SI) e *-megalia*.]

mega (me.ga) ***sm.*** *Inf.* Forma reduzida de *megabyte* [F.: Abrev. de *megabyte*.]

◎ **mega-** ***pref.*** Do Sistema Internacional de Unidades, ocorre em cultismos científicos e tecnológicos, com as noções de: **a)** 'um milhão de vezes maior (10^6)': *mega-hertz, megaelétron-volt, megawatt*; **b)** 'em sistemas binários, 2 elevado a 20 (ou seja, 1.048.576) vezes maior': *megabyte* [F.: Do gr. *mégas, megále, méga*, 'grande'; 'largo'; 'forte'; ver *meg(a)-*.]

⊕ ***megabit*** (*Ing.* / *mégabit*/) ***sm.*** *Inf.* Unidade de medida da quantidade de informação que pode ser armazenada em um computador, equivalente a um milhão de *bits* (mais exatamente 1.048.576 *bits*) [Símb.: *Mb*.] [F.: Ver *mega-* e *bit*.]

⊕ ***megabyte*** (*Ing.*/ *mégabait*/) ***sm.*** Unidade de medida da quantidade de informação que pode ser armazenada em um computador, equivalente a um milhão de *bytes* (mais exatamente 1.048.576 *bytes*) [Símb.: *MB*.] [F.: Ver *meg(a)-* e *byte*.]

megacariócito (me.ga.ca.ri.*ó*.ci.to) ***sm.*** *Histl.* Célula de grande tamanho que se encontra na medula óssea e que dá origem à plaqueta de núcleo grande [F.: *meg(a)-* + *-cari(o)-* + *-cito*.]

megacolo (me.ga.*co*.lo) ***sm.*** Ver *megacólon*

megacólon (me.ga.*có*.lon) ***sm.*** *Pat.* Dilatação aguda ou crônica do cólon, provocada por causas diversas [Pl.: (bras.) *megacólons* e (p.us.) *megacólones*.] [F.: *meg(a)-* + *-cólon*. Tb. *megacolo*.]

megaelétron-volt (me.ga:e.*lé*.tron-volt) ***sm.*** *Fís.nu.* Na física atômica ou nuclear, unidade de medida de energia que equivale a um milhão de elétron-volts [Símb.: *MeV*] [Pl.: *megaelétrons-volts* e *megaelétrons-volt*.]

megaesôfago (me.ga.e.*sô*.fa.go) ***sm.*** *Pat.* Dilatação do esôfago que conduz à perda de sua atividade peristáltica normal [F.: *meg(a)-* + *esôfago*.]

megafone (me.ga.*fo*.ne) ***sm.*** Aparelho ou instrumento cônico us. para ampliar o volume da voz; PORTA-VOZ [F.: *meg(a)-* + *-fone*.]

megagametófito (me.ga.ga.me.*tó*.fi.to) ***sm.*** *Bot.* Nas pteridófitas heterosporadas e nas gimnospermas, gametófito feminino que tem origem no megásporo [F.: *meg(a)-* + *gametófito*.]

mega-hertz (me.ga-*hertz*) [é] ***sm2n.*** *Fís.* Unidade de medida de frequência equivalente a um milhão de hertz (10^6 Hz) [Símb.: *MHZ*.]

◎ **-megalia** ***el. comp.*** = 'aumento, crescimento ou desenvolvimento anormal, excessivo ou irregular de membro, parte ou órgão do corpo'; 'hipertrofia': *acromegalia, adenomegalia, cardiomegalia, esplenomegalia, hepatomegalia, linfadenomegalia, tiflomegalia, tireomegalia* [F.: Do gr. *mégas, megále, méga*, 'grande', 'largo'; 'forte', ou de *megálos, e, on*, de igual sentido, + *-ia*[1]. F. conexas: *meg(a)-* e *megal(o)-*.]

megalítico (me.ga.*lí*.ti.co) ***a.*** **1** Diz-se de dólmen, menir e outros monumentos de pedra atribuídos aos druidas **2** Feito de uma grande pedra (estátua megalítica) [F.: *megálito* + *-ico*[2].]

megálito (me.*gá*.li.to) ***sm.*** **1** Pedra grande us. em monumentos neolíticos, como menires e dolmens **2** Bloco de pedra de proporções gigantescas [F.: *meg(a)-* + *-lito*[1].]

◎ **-megal(o)-** ***el. comp.*** Ver *meg(a)-*

◎ **megal(o)-** ***el. comp.*** Ver *meg(a)-*

megalocefalia (me.ga.lo.ce.fa.*li*.a) ***sf.*** *Anat.* Condição ou qualidade de quem é megalocéfalo, de quem tem o crânio desproporcionalmente grande; MACROCEFALIA [F.: *megalocéfalo* + *-ia*[1]; ver *megal(o)-* e *-cefalia*.]

megalocéfalo (me.ga.lo.*cé*.fa.lo) ***a.*** Que tem a cabeça enorme, desproporcional ao corpo; MACROCÉFALO [F.: Do gr. *megaloképhalos, os, on*; ver *megal(o)-* e *-céfalo*.]

megalomania (me.ga.lo.ma.*ni*.a) ***sf.*** **1** *Psiq.* Mania de supervalorizar, engrandecer e embelezar tudo que diz respeito a si mesmo **2** *P.ext.* Gosto exagerado ou obsessão por tudo que é grandioso, valioso, imponente, majestoso, que leva o indivíduo a supervalorizar ou a idealizar as coisas de modo a perder a noção da realidade; mania de grandeza **3** Ambição desmedida [F.: *megal(o)-* + *-mania*.]

megalomaníaco (me.ga.lo.ma.*ní*.a.co) *Psiq.* ***a.*** **1** Ref. à ou próprio da megalomania (comportamento megalomaníaco) **2** Diz-se de indivíduo que apresenta megalomania; MEGALÔMANO **3** *Fig.* Que é dado a fantasiar ou a engrandecer a própria condição ***sm.*** **4** Esse indivíduo; MEGALÔMANO: *Não suporto megalomaníacos.* [F.: *megaloman(ia)* + *-íaco*, seg. o mod. gr.]

megalômano (me.ga.*lô*.ma.no) ***a. sm.*** O mesmo que *megalomaníaco* (2 a 4) [F.: *megal(o)-* + *-mano*[1].]

megalopia (me.ga.lo.*pi*.a) ***sf.*** *Psiq.* O mesmo que *macropsia*. [F.: *megal(o)-* + *-opia*.]

megalópole (me.ga.*ló*.po.le) ***sf.*** **1** Cidade muito grande e importante **2** Conglomerado densamente povoado de várias cidades ou municípios sem zonas rurais entre si [F.: *megal(o)-* + *-pole*.]

megalopsia (me.ga.lop.*si*.a) ***sf.*** *Psiq.* O mesmo que *macropsia*. [F.: *megal(o)-* + *-opsia*.]

megalosplenia (me.ga.los.ple.*ni*.a) ***sf.*** *Pat.* O mesmo que *esplenomegalia*. [F.: *megal(o)-* + *-(e)splenia*.]

megalossaurídeo (me.ga.los.sau.*rí*.de:o) *Pal.* ***sm.*** **1** Espécime dos megalossaurídeos, fam. de carnossauros que viveram do Jurássico inferior ao Cretáceo ***a.*** **2** Ref. ou pertencente aos megalossaurídeos [F.: Adaptç. do lat. cient. *Megalosauridae*.]

megalossauro (me.ga.los.*sau*.ro) ***sm.*** *Pal.* Nome comum aos dinossauros da fam. dos megalossaurídeos, bípedes e carnívoros, de pescoço curto e cauda longa, com dentes pontiagudos e serrilhados [F.: Do lat. cient. *Megalosaurus*; ver *megal(o)-* e *-sauro*.]

meganha (me.*ga*.nha) ***sm.*** *Bras. Gír.* Profissional que trabalha na polícia, participando de operações de policiamento ostensivo ou de busca e captura de criminosos; POLICIAL: *Os meganhas prenderam os traficantes.* [F.: De or. obscura.]

megaohm (me.ga.*ohm*) ***sm.*** Unidade de medida de resistência elétrica, equivale a um milhão de ohms. Tb. *megohm*

megaprotalo (me.ga.pro.*ta*.lo) *Bot.* ***sm.*** **1** Protalo feminino formado a partir dos macrósporos e sobre o qual se desenvolvem os arquegônios, nas pteridófitas heterosporadas **2** Nas gimnospermas, protalo correspondente ao endosperma primário, formado no saco embrionário **3** Antípodas do saco embrionário, nas angiospermas [F.: *meg(a)-* + *protalo*; *megaprótalo*, var. prosódica, é menos pref. Opõe-se a *microprotalo, microprótalo*.]

megaprótalo (me.ga.*pró*.ta.lo) ***sm.*** *Bot.* Ver *megaprotalo*

mégaro (*mé*.ga.ro) ***a.*** Ref. à Mégara, antiga cidade da Sicília (Itália) [F.: Do lat. *megarus, a, um*.]

megascópio (me.gas.*có*.pi.o) ***sm.*** *Ópt.* Instrumento óptico que projeta em tela a imagem aumentada de um objeto, com o fim de visualizar objetos opacos que não podem ser observados pelo microscópio [F.: *meg(a)-* + *-scópio*.]

megassena (me.gas-*se*.na) ***sf.*** *Lud.* Loteria oficial em que se sorteiam seis dezenas de um total de sessenta e na qual o apostador pode indicar de seis a quinze prognósticos [Pl.: *megassenas*.] [F.: *meg(a)-* + *sena*.]

megasporângio (me.gas.po.*rân*.gi:o) ***sm.*** *Bot.* Esporângio que se encontra em esporófitos de pteridófitas e em gimnospermas, de onde se originam os megásporos [F.: *meg(a)-* + *esporângio*.]

megásporo (me.*gás*.po.ro) ***sm.*** *Bot.* Esporo assexuado, formado nas gimnospermas e em certas pteridófitas, que dá origem a megagametófitos; MACROSPÓRIO; MACRÓSPORO [F.: *meg(a)-* + *-sporo*.]

⊕ ***megastore*** (*Ing.*/ *mégastor*/) ***sf.*** **1** Loja de grandes dimensões: *Foi inaugurada uma megastore de artigos eletrônicos.* **2** Loja virtual com um número muito grande de produtos ou títulos à venda

megatério (me.ga.*té*.ri:o) ***sm.*** *Pal.* Nome comum dado às preguiças-gigantes do gên. *Megatherium*, que viveram nas Américas do Sul e do Norte, entre os períodos Mioceno e Plistoceno, e podiam alcançar cerca de 6 m de comprimento; tinham hábitos terrícolas, ao contrário das preguiças viventes, que são arborícolas [F.: Do lat.cient. *Megatherium*; ver *meg(a)-* e *-tério*[2].]

megaton (me.ga.*ton*) ***sm.*** **1** *Fís.* Unidade de massa que equivale a um milhão de toneladas **2** *Fís.nu.* Unidade de energia liberada em explosão nuclear, correspondente à explosão de um milhão de toneladas de dinamite [Pl.: *megatons* e (p.us. no Brasil) *megatones*.] [F.: *mega-* + *ton(elada)*.]

megawatt (me.ga.*watt*) ***sm.*** *Fís.* Unidade de energia mecânica ou elétrica, equivalente a um milhão de watts (Símb.: *MW*) [F.: *mega-* + *watt*.]

megera (me.*ge*.ra) [é] ***sf.*** **1** Mulher malvada e rabugenta **2** Mãe desnaturada [F.: Do fr. *megère*, do gr. *Mégaira*, nome de uma das três fúrias. Sin. ger.: *bruxa*.]

megohm (me.*gohm*) ***sm.*** *Elet.* Unidade de medida de resistência elétrica, igual a um milhão de ohms [F.: *mega-* + *ohm*; megohm, var. sincopada.]

meia[1] (*mei*.a) ***sf.*** **1** *Vest.* Vestimenta que cobre o pé e, conforme o caso, partes da perna e da coxa [Mais us. no pl.] **2** Tecido de malha us. para fazer essa peça e outros artigos do vestuário (camisa de meia) **3** Ponto básico de tricô [F.: red. de *meia-calça*. Hom./Par.: *meia* (fl. de *mear*).] ∎ **~ elástica** Meia feita de tecido elástico e grosso, us. para comprimir varizes da perna, e com isso evitar sua dilatação

meia[2] (*mei*.a) ***num.*** O número 6, empregado no discurso falado, para diferençar do som da palavra três: *Aquela casa é a dois três quatro (234); a dois meia quatro (264) fica mais adiante.* [F.: red. de *meia dúzia*. Hom./Par.: ver *meia*[1].]

meia[3] (*mei*.a) ***sf.*** Ver *meia-entrada*: *Ela é estudante, paga meia.* [Hom./Par.: ver *meia*[1].]

meia[4] (*mei*.a) ***sf.*** *Enc.* Encadernação em que só a lombada é coberta de couro e as capas são forradas de papel; tb. *meia-encadernação* [Hom./Par.: ver *meia*[1].]

meia[5] (*mei*.a) ***sf.*** **1** *Lus. Ant. Metrol.* Antiga medida portuguesa para líquidos equivalente a seis quartilhos **2** *Bras.* Parceria agrícola em que o produtor e o proprietário da terra dividem a produção; MEAÇÃO **3** *Bras.* Cada metade dessa produção **4** *Fut.* Posição do jogador que atua entre a defesa e a linha do ataque, esp. no meio-campo ***s2g.*** **5** *Fut.* Jogador que atua nessa posição [F.: Fem. de *meio* (3). Hom./Par.: ver *meia*[1].]

meia-água (mei.a-*á*.gua) ***sf.*** **1** Telhado que só tem um plano inclinado **2** Casa com esse tipo de telhado [Pl.: *meias-águas*.]

meia-armador (mei.a-ar.ma.*dor*) [ô] ***sm.*** *Bras. Fut.* Jogador que arma as jogadas no meio do campo, fazendo a ligação entre a defesa e o ataque [Pl.: *meias-armadores*.]

meia-calça (mei.a-*cal*.ça) ***sf.*** Meia que cobre os pés, toda a perna e os quadris [Pl.: *meias-calças*.]

meia-cana (mei.a-*ca*.na) ***sf.*** **1** Tipo de lima com uma das superfícies curva **2** Conjunto de ranhuras côncavas, como em certas colunas; CANELURA; ESTRIA **3** *Arq.* Tipo de moldura estreita, com seção transversal semelhante a uma meia circunferência **4** Peça que cobria a parte anterior da perna, nas armaduras antigas [Pl.: *meias-canas*.]

meia-cancha (mei.a-*can*.cha) ***sf.*** *Bras. Fut.* Ver *meio de campo* [Pl.: *meias-canchas*.]

meia-confecção (mei.a-con.fec.*ção*) ***sf.*** *Vest.* Roupa confeccionada apenas em parte para ter seu acabamento final após se conhecer as medidas de seu comprador [Pl.: *meias-confecções*.]

meia-direita[1] *Bras. Fut.* ***s2g.*** **1** Jogador que atua no meio-campo, entre o centro e a ponta-direita [Pl.: *meias-direitas*.] ***sf.*** **2** A posição do meia-direita

meia-direita[2] (mei.a-di.*rei*.ta) *Bras. Fut.* ***sf.*** **1** Posição entre a defesa e a linha de ataque, situada no lado direito do meio de campo [Pl.: *meias-direitas*.] ***s2g.*** **2** Jogador que atua nessa posição, armando jogadas para os atacantes e tb. atuando como um deles

meia-entrada (mei.a-en.*tra*.da) ***sf.*** *Bras.* Entrada ou ingresso que custa a metade do preço normal, ger. para menores, estudantes e idosos [Pl.: *meias-entradas*.]

meia-escuridão (mei.a-es.cu.ri.*dão*) ***sf.*** Escuridão parcial; semiescuridão; MEIA-LUZ; PENUMBRA [Pl.: *meias-escuridões*.]

meia-esquadria (mei.a-es.qua.*dri*.a) ***sf.*** **1** *Cons.* A metade de uma esquadria **2** *Geom.* Ver *bissetriz* **3** *Geom.* Linha que divide ao meio um ângulo reto **4** Instrumento que se destina a traçar ângulos de 30, 45, 60 e 90 graus [Pl.: *meias-esquadrias*.]

meia-esquerda[1] *Bras. Fut.* ***s2g.*** **1** Jogador que atua no meio-campo, entre o centro e a ponta-esquerda [Pl.: *meias-esquerdas*.] ***sf.*** **2** A posição do meia-esquerda

meia-esquerda[2] (mei.a-es.*quer*.da) *Bras. Fut.* ***sf.*** **1** Parte esquerda do meio de campo em que atua o jogador responsável pela ligação entre a defesa e o ataque ***s2g.*** **2** O jogador que atua nessa posição [Pl.: *meias-esquerdas*.]

meia-estação (mei.a-es.ta.*ção*) ***sf.*** Época do ano em que a temperatura é amena, nem fria nem quente demais [Pl.: *meias-estações*.] ∎ **De ~** Adequado para uso em meia-estação (diz-se de roupa)

meia-idade (mei.a-i.*da*.de) ***sf.*** **1** Idade entre a maturidade e a velhice (aproximadamente entre os 40 e os 60 anos) **2** A Idade Média [Na acp. 1, pl.: *meias-idades*.]

meia-irmã (mei.a-ir.*mã*.) ***sf.*** Filha de apenas um dos pais de uma pessoa, em relação a essa pessoa [Pl.: *meias-irmãs*.]

meia-lua (mei.a-*lu*.a) ***sf.*** **1** Aparência da lua quando se mostra em meio círculo (no quarto crescente ou minguante) **2** O formato da meia-lua (1) **3** Qualquer objeto com esse formato **4** *Fut.* Local na cabeça da grande área delimitado por um risco com essa forma, que marca a distância mínima em que os jogadores devem permanecer quando da cobrança do pênalti **5** *Arq.* Construção em semicírculo à maneira de um anfiteatro **6** *Bras. Cap.* Na capoeira, golpe em que o lutador, com uma das mãos fixas no chão, descreve um arco com uma das pernas para atingir o oponente **7** *Bras.* Sinal, em forma de crescente, situado no meio da testa de alguns animais **8** *Fam.* Mancha clara na base da unha; LÚNULA **9** Peça de ouro ou prata que sustenta a hóstia consagrada dentro do ostensório; LÚNULA [Pl.: *meias-luas*.] ∎ **~ de compasso** *Bras. Cap.* No jogo da capoeira, meia-lua (6) aplicada com as duas mãos no chão **~ solta** *RJ Antq. Cap.* Meia-lua (6) aplicada com as mãos no ar

meia-lua de compasso (mei.a-lu:a de com.*pas*.so) ***sf.*** *Bras. Cap.* Ver *rabo de arraia* [Pl.: *meias-luas de compasso*.]

meia-luz (mei.a-*luz*) ***sf.*** Luz pouco intensa, como ao amanhecer ou entardecer, ou em ambientes mal iluminados; PENUMBRA [Pl.: *meias-luzes*.]

meia-máscara (mei.a-*más*.ca.ra) ***sf.*** Máscara pequena que apenas tapa metade do rosto e se usa principalmente com a fantasia de dominó. Tb. *mascarilha* [Pl.: *meias-máscaras*.]

meia-nau (mei.a-*nau*) *Mar.* ***sf.*** **1** A parte localizada entre o grande mastro e o traquete, em antigos veleiros **2** *Bras.* Ver *mediania* [Pl.: *meias-naus*.]

meia-noite (mei.a-*noi*.te) *sf.* Hora que marca o fim de um dia e o começo de outro, correspondendo às 24 horas [Pl.: *meias-noites.*]

meia-pataca (mei.a-pa.*ta*.ca) *sf.* **1** *Num.* Moeda antiga que valia 160 réis **2** *Fig.* Quantia insignificante; NINHARIA **3** *Bras. Zool.* O mesmo que *alma-de-gato* (1). [Pl.: *meias-patacas.*] [F.: Fem. de *meio* + *pataca.*] ▪▪ **De ~** Ver *De meia-tigela* no verbete *meia-tigela*

meia-pensão (mei.a-pen.*são*) *sf.* Em hotel, pensão ou hospedaria, uma refeição diária (almoço ou jantar) incluída no preço do pacote que um viajante contrata a uma empresa turística [Pl.: *meias-pensões.*]

meias (*mei*.as) *sfpl.* *Jur.* Contrato em que ganhos e perdas são divididos igualmente entre as partes contratantes [F.: Fem. do pl. de *meio.*] ▪▪ **A ~** Ver *Meio a meio*, no verbete *meio* **Dançar em ~** *Dnç.* Dançar com apoio na região dos metatarsos

meia-sola (mei.a-*so*.la) *sf.* **1** Conserto em calçado que substitui a metade da sola gasta por uma nova **2** *Fig.* Conserto de qualquer coisa; pequena mudança para melhor [Pl.: *meias-solas.*] *a2g.* **3** *Pop.* Que é feito pela metade ou de modo precário: *O ministro fez uma reforma tributária meia-sola.*

meia-sombra (mei.a-*som*.bra) *sf.* Zona penumbrosa; MEIA-LUZ; PENUMBRA [Pl.: *meias-sombras.*]

meia-tigela (mei.a-ti.*ge*.la) *sf.* Us. na loc. *De meia-tigela* [Pl.: *meias-tigelas.*] ▪▪ **De ~** Sem importância ou valor, reles, medíocre; de meia-pataca

meia-tinta (mei.a-*tin*.ta) *sf.* **1** Tonalidade intermediária entre dois tons **2** Gradação de uma cor; MATIZ **3** *Grav.* Técnica de gravura a entalhe em que se produz na placa de metal um negro profundo e uniforme para depois, utilizando o brunidor e o raspador, criar áreas de branco absoluto e de meios-tons; MANEIRA-NEGRA **4** *Grav.* Gravura produzida com essa técnica **5** *Fig.* Dissimulação, fingimento: *Com ela, sempre usa de meias-tintas.* [Pl.: *meias-tintas.*]

meia-vida (mei.a-*vi*.da) *sf.* *Fís.nu.* Tempo necessário, em reação física ou química, para que o número de átomos radiativos de um reagente se reduza à metade, por desintegração [Pl.: *meias-vidas.*]

meia-volta (mei.a-*vol*.ta) *sf.* **1** Movimento do corpo de modo a voltar as costas ao lado para o qual se estava antes de frente: "...vamos dar a meia-volta, volta e meia vamos dar." (Cantiga de roda, *Ciranda cirandinha*) **2** *Mil.* Movimento executado por uma tropa em que todos fazem ao mesmo tempo um giro de 180 graus **3** *Náut.* Nó simples em torno de um objeto **4** Em uma tourada, situação em que o toureiro, a pé ou a cavalo, fica atrás do touro e provoca-o até que ele se vire, atingindo-o nessa ocasião [Pl.: *meias-voltas.*]

meia-voz[1] (mei.a-*voz*) *sf.* Tom de voz mais baixo, entre o tom normal e o sussurro [Pl.: *meias-vozes.*]

meigo (*mei*.go) *a.* **1** Que é gentil, carinhoso (irmã meiga); AFETUOSO; AMOROSO [Ant.: *frio, rude.*] **2** Caracterizado pela amabilidade (frases meigas); AFÁVEL; DELICADO [Ant.: *grosseiro, malcriado.*] **3** Que produz uma impressão de delicadeza, de brandura (tom meigo); AGRADÁVEL; SUAVE [Ant.: *desagradável, pesado.*] [F.: Do grego *magikós,é,ón*, pelo lat. *magicus,a,um*, por via popular.]

meiguice (mei.*gui*.ce) *sf.* **1** Qualidade do que é meigo; AMOROSIDADE; CARINHO; DOÇURA [Ant.: *desamor, frieza.*] **2** Delicadeza, brandura no trato ou na conversação [Ant.: *indelicadeza, rispidez.*] [F.: *meigo* + *-ice.*]

◎ **mei(o)-** *el. comp.* = 'menor'; 'diminuição': *meiose* (< fr. < gr.), *meiótico* (< gr.) [F.: Do gr. *meíon, on, on*, 'menor'; 'menos'; 'inferior'. Em port., a melhor forma para derivados desse gr. é *mio-* (ver *mi(o)-*[1]), mas o uso, nos exemplos apresentados, consagrou a f. menos canônica, talvez para evitar confusão com *miose* (1873), 'contração da pupila'.]

meio (*mei*.o) *a.* **1** Que fica em um ponto médio, à mesma distância de dois outros pontos: *Estamos a meio caminho da padaria.* **2** Que não está, não se realiza ou não se mostra em sua totalidade ou com toda a intensidade; DÉBIL; FRACO: *Endereçou-lhe um meio sorriso.* [Ant.: *forte, intenso.*] **3** Que tem aproximadamente a metade da quantidade ou duração normal de algo: *Ela trabalha meio expediente.* *sm.* **4** Ponto situado no centro de algo: *Colocou o vaso no meio da mesa.* [Ant.: *beirada, borda.*] **5** Momento situado aproximadamente à mesma distância do começo e do fim: *Estamos no meio do verão.* **6** Ambiente natural de um ser vivo; ÂMBITO; ESPAÇO: *O meio do jacaré é o pântano.* **7** *Fig.* Esfera social em que se vive ou trabalha; CÍRCULO: *Não se adaptou ao meio intelectual do marido.* **8** Aquilo de que alguém serve para atingir um fim; ARTIFÍCIO; RECURSO: *Tentou por todos os meios convencê-lo a estudar.* **9** Modo de procedimento, de ação; FORMA; JEITO: *O meio legal é a melhor forma de resolver esse conflito.* **10** Método, receita, maneira (meio de emagrecer) **11** Objeto, dispositivo ou estrutura que serve para algum propósito (meios de transporte, meios de comunicação) *adv.* **12** Não completamente; um tanto: "Ficou meio constrangida de dizer isso..." (Ana Maria Machado, *A audácia dessa mulher*) [Ant.: *completamente, totalmente.*] *num.* **13** Metade da unidade ou de um todo: *Quero meio quilo de carne.* [F.: Do lat. *medius, a, um.*] ▪▪ **~ ambiente** O conjunto das condições ambientais da natureza em sua interação com os seres vivos em geral e o homem em particular **~ a ~** **1** Em duas partes iguais (ref. a algo que se reparte, se divide): *Vamos dividir as tarefas meio a meio.* **2** Em sociedade, cabendo a cada parte metade: *Alugaram um apartamento meio a meio.* **~ circulante** *Econ.* O total do dinheiro e dos meios de pagamento em circulação **~ da rua** Lugar fictício para o qual, figuradamente, se manda, ou se põe pessoa que se está expulsando, exonerando etc.; olho da rua (ver no verbete *olho*) **~ de cultura** *Biol.* Nutriente us. para suscitar crescimento de micro-organismos. Ver *Caldo de cultura* (1) no verbete *caldo* **~ de/do mundo** *N.E.* *Fig.* Lugar distante e ermo; cafundó **~ de pagamento** **1** *Econ.* Todos os instrumentos que servem e são aceitos como moeda na compra de bens, na quitação de dívidas etc. **2** Esses meios na forma de papel-moeda e moedas metálicas em poder do público, e em depósito em contas bancárias **~ de vida** Ocupação, trabalho, emprego, atividade etc. que provê o sustento de alguém **~ do mundo** *Bras. N.E.* Ver *Meio de/do mundo* **~ exterior** A água, o ar, a terra **~ geográfico** Conjunto de características físicas (relevo, clima, hidrografia etc.) em certo lugar da Terra que influi na vida dos seres que o habitam **~(s) de comunicação** *Comun.* Canal ou sistema de canais que servem de veículo entre um transmissor de informação, notícias, ideias, mensagens etc. e seu(s) receptore(s) **~(s) de comunicação de massa** *Comun.* Meio de comunicação (com sua infraestrutura, equipamentos, pessoal etc.) que pode alcançar grande número de pessoas [Ex.: rádio, televisão etc.] **~s de produção** *Econ.* Segundo o marxismo, elementos materiais (matéria-prima, ferramentas, máquinas etc.) us. direta ou indiretamente no processo de produção **Embolar o ~ de campo** *Bras.* Criar confusão ou enredar-se nela, complicar ou complicar-se **Em ~ a** **1** Durante o desenrolar de, no decorrer de: *Abandonou o recinto em meio ao discurso do candidato.* **2** Cercado por, no meio de: *Em meio a tanto barulho não deu para ouvir a notícia.* **No ~ de** **1** Equidistante do início e do fim, no tempo ou no espaço: *Parou no meio do discurso; Estava no meio do caminho quando teve de voltar.* **2** Em pleno (lugar) e em posição mais ou menos equidistante dos limites exteriores: *Ficou parado no meio da rua; Posicionou a mesa no meio do quarto.* **3** Cercado por; em meio a (2): *Perdeu-se no meio do nevoeiro; Desapareceu no meio da multidão.* **Pelo ~** Antes de estar concluído: *Largou o serviço pelo meio.* **Por ~ de** Por intermédio de

meio-campista (mei.o-cam.*pis*.ta) *a2g.* **1** *Fut.* Referente a meio-campo *s2g.* **2** *Fut.* Jogador que atua no meio-campo, fazendo a ligação entre a defesa e o ataque [F.: *meio-camp(o)* + *-ista.*]

meio-campo (mei.o-*cam*.po) *Fut. sm.* **1** Região central do campo de futebol *s2g.* **2** Jogador que ger. atua nessa região, fazendo a ligação entre o ataque e a defesa [Pl.: *meios-campos.*]

meio de campo (mei.o de *cam*.po) *sm.* *Fut.* A zona que fica mais ou menos próxima da linha que divide o campo em duas partes, onde atuam, de preferência, os meias ou os apoiadores, jogadores que conduzem a bola da defesa para o ataque, impulsionando os atacantes na direção do gol adversário; meio-campo [Pl.: *meios de campo.*]

meio-dia (mei.o-*di*.a) *sm.* Hora que marca a metade de um dia (1); corresponde às 12 horas [Pl.: *meios-dias.*] ▪▪ **~ aparente** *Astron.* Momento em que o centro do Sol está no ponto médio (zênite) do meridiano superior

meio-fio (mei.o-*fi*:o) *sm.* **1** Borda ao longo da calçada, ger. de pedras ou cimento, que lhe serve de arremate; BERMA; GUIA; LANCIL **2** *Carp.* Chanfradura em batente ou caixilho **3** *Náut.* Anteparo que vai da popa à proa, no porão do navio, servindo para manter a carga em equilíbrio [Pl.: *meios-fios.*]

meio-irmão (mei.o-ir.*mão*) *sm.* Filho de apenas um dos pais de uma pessoa, em relação a essa pessoa [Pl.: *meios-irmãos.* Fem.: *meia-irmã*]

meio-médio (mei.o-*mé*.di:o) *Esp. a2g.* **1** Diz-se da categoria de boxe, judô etc. na qual o lutador pesa ger. de 90 a 100 kg **2** Diz-se de lutador que pertence a essa categoria (boxeador meio-médio) [Pl.: *meio-médios.*] *sm.* **3** Esse lutador: *O meio-médio brasileiro ganhou a luta.* [Pl.: *meios-médios.*]

meio-pesado (mei.o-pe.*sa*.do) *Esp. a2g.* **1** Diz-se de categoria do boxe, judô etc. na qual o lutador pesa ger. de 90 a 100 kg **2** Diz-se de lutador que pertence a essa categoria: *A judoca meio-pesado do Japão demonstrou muita técnica.* [Pl.: *meio-pesados.*] *s2g.* **3** Esse lutador [Pl.: *meios-pesados.*]

meio-quilo (mei.o-*qui*.lo) *sm.* *Bras. Pop.* Indivíduo baixinho [Pl.: *meios-quilos.*]

meios (*mei*.os) *smpl.* Condições financeiras; RECURSOS: *Não tenho meios para comprar um carro.* [F.: Pl. de *meio.*]

meio-sangue (mei.o-*san*.gue) *a.* **1** Diz-se de animal que foi gerado por reprodutores, dos quais somente um é puro-sangue *sm.* **2** O animal assim gerado [Pl.: *meios-sangues.*] [F.: *meio* + *sangue.*]

meiose (mei.*o*.se) [ó] *sf.* *Cit. Gen.* Divisão celular em que o número de cromossomos das novas células (haploides) corresponde à metade da quantidade de cromossomos da célula original (diploide) [F.: Do gr. *meíosis, eos*, 'diminuição', posv. pelo fr. *meiose*; ver *mei(o)-*. A melhor f. é *miose*, mas o uso consagrou a f. sem redução do ditongo.]

meio-soprano (mei.o-so.*pra*.no) *Mús. sm.* **1** Tom de voz situado entre o soprano e o contralto *s2g.* **2** *Mús.* Cantor ou cantora que tem esse tom de voz: *A trajetória artística da meio-soprano inclui óperas.* [Pl.: *meios-sopranos.*]

meio-tempo (mei.o-*tem*.po) *sm.* Intervalo de tempo entre dois acontecimentos [Pl.: *meios-tempos.*] ▪▪ **Nesse ~** Enquanto isso, nesse ínterim

meio-termo (mei.o-*ter*.mo) [ê] *sm.* **1** Termo de equilíbrio entre dois excessos; posição intermediária entre duas posições extremas: *Segundo ele, a coragem é o meio-termo entre a covardia e a audácia; Ela é de opinião que ou se confia em alguém ou não, não há meio-termo.* **2** Solução que demonstra equilíbrio entre duas ou mais posições distintas: *Se os litigantes conseguirem o meio-termo, obterão o que é justo.* **3** Comedimento, moderação: *Pecou pela falta de meio-termo nas suas ações.* [Pl.: *meios-termos.*]

meiótico (mei.*ó*.ti.co) *a.* *Cit. Gen.* Que se refere a meiose; ALOTÍPICO [F.: Do gr. *meiotikós, é, ón*, 'que pode diminuir'. A melhor f. é *miótico*, mas o uso consagrou a f. com ditongo.]

meio-tom (mei.o-*tom*) *sm.* **1** *Mús.* O menor intervalo da escala musical, que corresponde à metade de um tom; SEMITOM **2** Tonalidade intermediária de uma cor; MATIZ; NUANCE **3** Som ou voz baixa, suave **4** *Fot.* Cada uma das gradações de tons entre o branco e o preto, ou entre luzes e sombras [Pl.: *meios-tons.*]

meirinho (mei.*ri*.nho) *sm.* **1** *Ant. Jur.* Antigo funcionário do poder judiciário que corresponde hoje ao oficial de justiça: "O contrato de coragem de guerreiros não se faz com vara de meirinho, não é com dares e tomares." (João Guimarães Rosa, *Grande sertão: veredas*) **2** *Ant. Jur.* Antigo magistrado que, nomeado pelo rei, governava um território ou comarca *a.* **3** Diz-se de gado que pasta nas montanhas durante o verão e na planície quando chega o inverno **4** *P.ext.* Diz-se da lã desse gado **5** *Têxt.* Diz-se do tecido feito com esta lã [F.: Do lat. *majorinu.* Hom./Par.: *meirinho* (fl. de *meirinhar*).]

meizinha (mei.*zi*.nha) *sf.* *N.E. Pop.* Ver *mezinha* [Hom./Par.: *mesinha* (dim. de *mesa*).]

mel[1] *sm.* **1** Substância líquida e açucarada, de cor acastanhada, que as abelhas produzem a partir do néctar das flores e que depositam nos alvéolos das colmeias **2** *Bras.* O mesmo que *melado*[2] (1) **3** *Fig.* Grande doçura, extrema suavidade: *Ela tem mel nas palavras e fel no coração.* [Pl.: *méis e meles.*] [F.: Do lat. *mel -llis.* Hom./Par.: *meles* (pl.), *meles* (fl. de *melar*).] ▪▪ **Ficar sem ~ nem cabaça** *Bras.* Ficar sem qualquer das duas coisas que se podia obter [Tb. apenas *cabaú.*] **~ cabaú** *N.E.* Calda grossa que extravasa de formas (ô) de açúcar (como nos antigos engenhos) e da qual se pode destilar aguardente; mel de furo; mel de tanque **~ de dedo** Tipo de mel não muito doce **~ de engenho** *N.E.* O caldo de cana que vai para as formas (ô) de açúcar, depois de cozido e purificado **~ de furo** *N.E.* Ver *Mel de cabaú.* **~ de pau** *Bras.* O mel que certas abelhas depositam em ocos de troncos de árvores **~ de tanque** *Bras.* Ver *Mel-cabaú* **~ de toicinho** *BA* Sobremesa de garimpeiros, feita de mel de rapadura, toucinho e farinha de mandioca **~ de uruçu** *Bras.* Mel de um tipo de abelha chamado uruçu **~ silvestre** Mel produzido em plantas e flores do mato, e não em colmeias **~ virgem** Aquele que escorre dos favos da colmeia, sendo por isso o primeiro a ser recolhido **Perder o ~ e a cabaça** *Bras.* Ver *Ficar sem mel nem cabaça*

mel[2] *sm.* *Fís.* Unidade de medida de altura de som percebido subjetivamente por um observador, que corresponde a um milésimo da altura atribuída a um som simples com 1.000 Hz de frequência, com 40 dB acima do limiar de audibilidade do observador [Pl.: *mels.*]

mela[1] (*me*.la) [é] *sf.* **1** Doença dos vegetais que impede o desenvolvimento de seus frutos **2** Falta de cabelo ou de pelo **3** Prostração física, esp. em razão do envelhecimento **4** Lacuna em um texto, esp. quando resulta de um ditado **5** *S.* Surra, sova **6** *MA* Faixa em campo devastado pela seca na qual existem vegetais plantados **7** *MA* Canal, em meio a vegetação, que encobre campos alagados **8** *Bras. Zool.* O mesmo que *pulgão* [F.: Do lat. *magella*, por *macella, ae*, dim. de *macula, ae*, 'mancha'. Hom./Par.: *mela* (sf.), *mela* (é) (fl. de *melar*).]

mela[2] (*me*.la) [é] *sf.* *Bras. Pop.* Estado de embriaguez; BEBEDEIRA; PORRE [F.: De or. contrv; do lat. *magella* (por *macella*, dim. do lat. *macula*, 'mácula', 'mancha', 'mágoa'), ou de *mel*[1], ou dev. de *melar*[2], posv.]

melaço (me.*la*.ço) *sm.* **1** Calda espessa, isenta de sacarose, de cor escura e sabor amargo que se obtém como resíduo na fabricação do açúcar, us. na preparação de aguardente, como alimento para o gado etc. **2** *Fig.* Qualquer substância muito doce: *O café está mesmo um melaço.* **3** *Fig.* Manifestação de sentimentos carinhosos, meigos; estado de comoção intensa: *Era um melaço com o neto.* [F.: *mel* + *-aço.*]

melado[1] (me.*la*.do) *a.* **1** *Bras.* Lambuzado de substância doce: *O bebê está todo melado de geleia.* **2** *Bras. P.ext.* Que está sujo, emporcalhado **3** Que tem açúcar em excesso (café melado) **4** Que foi adoçado com mel **5** *Bras. Fig.* Que é sentimental demais; MELOSO [F.: Part. de *melar*[1].]

melado[2] (me.*la*.do) *Bras. sm.* **1** *N.E.* Calda grossa de açúcar com que se faz a rapadura; MEL **2** Calda espessa feita com rapadura, e servida como sobremesa **3** *S.* Caldo da cana-de-açúcar depois de cozido e apurado para ir para as formas; MEL DE ENGENHO **4** *Gír.* Sangue *a.* **5** Que é da cor do mel **6** Diz-se de cavalo de cor castanho-amarelada [F.: *mel*[1] + *-ado*[1].]

melado[3] (me.*la*.do) *a.* **1** Que tem mela[1] (trigo melado); CHOCHO; PECO **2** Que tem falhas ou mossas no gume (faca melada) [F.: Part. de *melar*[2].]

melado[4] (me.*la*.do) *a.* **1** *RS* Diz-se de pessoa ou animal albino **2** *MS MT* Diz-se de pessoa loura [F.: Do espn. platino *melado.*]

melado[5] (me.*la*.do) *a.* *Bras. Pop.* Que se embebedou; EMBRIAGADO; BÊBADO [F.: Part. de *melar*[3].]

melagenina (me.la.ge.*ni*.na) *sf. Med.* Substância que, retirada da placenta humana, é us. para o tratamento do vitiligo
melalgia (me.lal.*gi*.a) *sf. Pat.* Dor nos membros, superiores ou inferiores [F.: *mel(o)-* + *-algia*.]
mela-mela (me.la-*me*.la) [é] *sm2n. N.E. Pop.* Brincadeira comum em carnaval de rua, em que os foliões jogam água, talco e goma uns sobre os outros [F.: Fl. da 3a. pes. do sing. do v. *melar*, com duplicação.]
melamina (me.la.*mi*.na) *sf. Quím.* Substância ($C_3H_6N_6$) da qual se fabricam resinas sintéticas para recobrir laminados, revestimentos de tecido, couro etc. [F.: *melame* + *amina*, pelo al. *Melamin*.]
◎ **mela(n)-** *pref.* = sombrio, escuro: *melancolia, melanina, melanoma*
melancia (me.lan.*ci*.a) *sf.* **1** *Bot.* Planta da fam. das cucurbitáceas (*Citrullus lanatus*), de origem africana, trepadeira de caule rasteiro, folhas divididas em três lobos, fruto oval ou arredondado, enorme, com casca lisa, verde ou rajada, e polpa vermelha, aquosa e doce; BALANCIA; MELANCIEIRA **2** *Bot.* O fruto dessa planta; BALANCIA **3** Certa variedade de maçã; MELANCIEIRA **4** *Bras.* Pessoa que se diz ser de direita, mas que tem ideias esquerdistas ou pertence a grupos esquerdistas **5** *RS Hist.* Na revolução de 1923, partidário dos insurretos, embora se dizendo governista [F.: De or. incerta.]
melancial (me.lan.ci.*al*) *sm.* **1** Plantação de melancias **2** Colheita ou atividade de produção de melancias [Pl.: *-ais*. Col. de *melancia*.] [F.: *melancia* + *-al*.]
melancolia (me.lan.co.*li*.a) *sf.* **1** Tristeza sem causa definida, por vezes acompanhada de uma saudade difusa **2** Desgosto, pesar **3** *Psiq.* Distúrbio emocional caracterizado por um estado de abatimento mental, pela sensação de impotência, pelo sentimento de que a vida não possui sentido, podendo, se não tratado, conduzir ao suicídio [F.: Do lat. *melancholia*, deriv. do gr. *melagcholía*, de *melan(ós)* 'triste', 'funesto' + *chole* 'bilis', 'veneno'.]
melancólico (me.lan.*có*.li.co) *a.* **1** Ref. a melancolia *a.* **2** Que manifesta ou expressa melancolia (rosto melancólico; carta melancólica) **3** Que inspira melancolia (música melancólica) **4** *Psiq.* Que sofre de melancolia *sm.* **5** Pessoa melancólica [F.: Do lat. *melancholicus*, deriv. do gr. *melagcholikós*.]
melancolizado (me.lan.co.li.*za*.do) *a.* Que se tornou melancólico: *Ao deixar seu posto, o velho funcionário proferiu um discurso melancolizado.* [F.: Part. de *melancolizar*.]
melancolizante (me.lan.co.li.*zan*.te) *a2g.* Que tende a provocar melancolia (paisagem melancolizante; história melancolizante) [F.: *melancoliza(r)* + *-nte*.]
melanemia (me.la.ne.*mi*.a) *sf. Hem.* Presença de melanina no sangue ou acúmulo desse pigmento em alguns órgãos, como no caso de certas doenças como a malária [F.: *mela(n)-* + *-emia*.]
melanésio (me.la.*né*.si:o) *sm.* **1** Pessoa nascida ou que vive na Melanésia, arquipélago na Oceania **2** *Gloss.* O grupo de línguas e dialetos falados na Melanésia *a.* **3** Da Melanésia; típico desse país ou de seu povo **4** Do ou ref. ao melanésio (1, 2) [F.: Do top. *Melanés(ia)* + *-io*.]
melanina (me.la.*ni*.na) *sf.* **1** *Fisl.* Pigmento escuro cuja presença determina a cor da pele, dos pelos e dos cabelos **2** Matéria negra que segregam os moluscos cefalópodes [F.: *melano* + *-ina*.]
melaninista (me.la.ni.*nis*.ta) *s2g.* **1** Pessoa que defende a teoria de que são mais inteligentes as pessoas que têm maior quantidade de melanima na pele *a2g.* **2** Que defende a teoria da superioridade intelectual das pessoas que têm maior quantidade de melanima na pele [F.: *melanina* + *-ista*.]
melanoblasto (me.la.no.*blas*.to) *sm. Histl.* Célula precursora do melanócito [F.: *mela(n)-* + *-o-* + *-blasto*.]
melanoblastoma (me.la.no.blas.*to*.ma) *sf. Histl.* Blastoma pigmentado [F.: *melanoblast(o)* + *-oma*.]
melanócito (me.la.*nó*.ci.to) *sm. Biol.* Célula da epiderme que possui melanina e sintetiza tirosina [F.: *mela(n)-* + *-o-* + *-cito*.]
melanodermia (me.la.no.der.*mi*.a) *sf. Derm.* Aumento significativo de melanina na pele, acarretando o surgimento de áreas muito pigmentadas e o escurecimento da pele, em determinadas áreas [F.: *mela(n)-* + *-o-* + *-dermia*.]
melanodérmico (me.la.no.*dér*.mi.co) *a. Derm.* Ref. à melanodermia [F.: *mela(n)-* + *-o-* + *-dérmico*.]
melanoma (me.la.*no*.ma) *sm. Pat.* Tumor de pele causado pela transformação maligna das células produtoras de melanina [F.: *melan(o)* + *-oma*.]
melanorreia (me.la.nor.*rei*.a) *sf.* **1** *Angios.* Nome que designa as plantas do gênero *Melanorrhoea*, da fam. das anacardiáceas **2** *Gast.* Presença de sangue nas fezes, que apresentam, por isso, uma coloração negra, o que se deve a hemorragia no estômago ou na parte superior do intestino [F.: *mela(n)-* + *-o-* + *-reia*.]
melanose (me.la.*no*.se) *sf. Pat.* Ver *melanismo* [F.: Do gr. *melánosis, eos*.]
melanuria (me.la.nu.*ri*.a) *sf.* Ver *melanúria*
melanúria (me.la.*nú*.ri.a) *sf. Pat.* Emissão de urina de cor escura, o que se deve ger. a presença de melanina [F.: *mela(n)-* + *-úria*. Tb. *melanuria*.]
melão (me.*lão*) *Bot. sm.* **1** Planta rasteira (*Cucumis melo*), da fam. das cucurbitáceas, de fruto comestível, ger. redondo e de casca amarela, com polpa doce, esverdeada ou alaranjada; MELOEIRO **2** O fruto dessa planta [Pl.: *-lões*. Aum.: *meloa*.] [F.: Do lat. *melo-onis*, deriv. do gr. *melon*.]
melão-de-são-caetano (me.lão-de-são-ca.e.*ta*.no) *sm. Angios.* Trepadeira da fam. das cucurbitáceas (*Mormodica charantia*), nativa das regiões tropicais, cujo fruto, de cor vermelha e gosto adocicado, é uma baga carnosa que se abre em cápsula, sendo considerado de uso medicinal; SÃO-CAETANO [Pl.: *melões-de-são-caetano*.]
melar[1] (me.*lar*) *v.* **1** Cobrir ou adoçar com mel [*td.*] **2** Lambuzar(-se) com mel ou com qualquer outra substância melosa [*td.*: *Nessa fase, sempre melava as mãos; Melou-se todo com o sorvete.*] **3** *Bras. Fig.* Fazer malograr ou malograr [*td.*] [*int.*] **4** Dar ou adquirir coloração de mel [*int.*] **5** *Bras.* Andar pela mata à procura de mel [*int.*] **6** Fazer mel (a colmeia); PRODUZIR [*int.*] **7** *Bras. Fig.* Falhar ou fazer falhar [*td.*] [*int.*] **8** Anular, invalidar, estragar [*td.*: *A chegada dos pais melou a brincadeira.*] [▶ 1 melar] [F.: *mel*[1] + *-ar*[2]. Hom./Par.: *mela* (fl.), *mela* (sf.); *melas* (fl.), *melas* (pl. do sf.); *mele* (fl.), *melé* (sm.), *melê* (sm.); *meles* (fl.), *meles* (pl. de *mel* [sm.]), *melés* (pl. do sm.), *melês* (pl. do sm.); *melo* (fl.), *melo* (sm.).]
melar[2] (me.*lar*) *v.* **1** Causar mela (1) a, ou adquirir ou ter mela (1) [*td. int.*] **2** Fazer mossa(s) em [*td.*: *melar a lâmina de um facão*] **3** *Fig.* Tornar-se peco, chocho [*int.*] [▶ 1 melar] [F.: *mela*[1] + *-ar*[2].]
melar[3] (me.*lar*) *v. Bras. Pop.* Ficar bêbedo, embriagado; EMBEBEDAR(-SE); EMBRIAGAR(-SE) [*td. int.*] [▶ 1 melar]
melasma (me.*las*.ma) *sf.* **1** *Angios.* Nome com que se designam as plantas do gên. *Melasma*, da fam. das escrofulariáceas, do sul da África e das Américas **2** *Derm.* Mancha escura que aparece no rosto, nas têmporas e na testa de algumas mulheres que usam anticoncepcionais por via oral, fenômeno muito comum durante a gravidez e o climatério [F.: Do gr. *mélasma, atos*, 'mancha negra'.]
melastomatáceas (me.las.to.ma.*tá*.ce.as) *sfpl. Angios.* Arbustos e ervas (e tb. algumas árvores e lianas) que constituem ordem da fam. das mirtáceas, com ramos ger. quadrangulares, folhas simples e flores vistosas, originárias de regiões tropicais e subtropicais, algumas conhecidas como quaresmeira ou quaresma, várias utilizadas, pela sua madeira, para a extração de tintura, e outras de frutos comestíveis [F.: Do lat. cien. fam. *Melastomataceae*.]
melatonina (me.la.to.*ni*.na) *sf. Fisl.* Hormônio secretado pela glândula pineal nos vertebrados em geral, e cuja produção está diretamente ligada à ausência de luz, ocorrendo somente quando se fecham os olhos. (Acredita-se que tem como função principal regular o sono.) [F.: Do ing. *melatonin*.]
melatrofia (me.la.tro.*fi*.a) *sf. Med.* Atrofia de um membro [F.: *mel (o)-* + *-atrofia*.]
melê (me.*lê*) *sm. Bras. Pop.* Situação desordenada e confusa; ROLO: *Houve o maior melê na largada da última corrida.* [F.: Do fr. *mêlée*.]
meleca (me.*le*.ca) *Bras. Pop. sf.* **1** Secreção pastosa, ou já seca, produzida no nariz *interj.* **2** Expressão us. para indicar contrariedade; PORCARIA: *Meleca! Perdi minhas chaves!* [F.: *mel* + *-eca*.]
melecar (me.le.*car*) *v.* Sujar de meleca ou de qualquer outra coisa mole e pegajosa [*td.*] [*int.*] [▶ 11 melecar] [F.: *meleca* + *-ar*.]
meleira (me.*lei*.ra) *Bras. sf.* **1** Colmeia de abelhas silvestres **2** *Pop.* Sujeira provocada por mel derramado ou qualquer substância mole; MELANÇA; LAMBUZEIRA **3** *Pop.* Aguardente, cachaça [F.: *mel* + *-eira*.]
meleiro (me.*lei*.ro) *sm.* **1** Indivíduo que comercializa mel **2** *S.* Pessoa que procura mel nas matas **3** *PE* Pessoa que tira mel das colmeias **4** *PE* Vendedor ambulante de mel de engenho [F.: *mel* + *-eiro*.]
melena (me.*le*.na) [ê] *sf.* **1** Cabelos compridos **2** Mecha de cabelo; MADEIXA **3** Cabelo solto, desgrenhado **4** A porção da crina do cavalo que lhe pende do alto da cabeça sobre a fronte [F.: Do espn. *melena*, este de or. contrv.]
melequento (me.le.*quen*.to) *Pop. a.* **1** Que tem o nariz muito sujo de melecas **2** *P.ext.* Que vive ou está lambuzado com alguma substância pegajenta **3** *Fig.* Que é piegas, sentimentaloide (filme melequento) [F.: *melec(a)* + *-ento*.]
melhor (me.*lhor*) *s2g.* **1** Pessoa superior a outra, ou outras, em qualidade: *O melhor vencerá.* *sm.* **2** O que é mais aconselhável, razoável ou adequado: *O melhor é sairmos mais cedo.* *a2g.* **3** Mais bom (comparativo de superioridade de bom): *Esse belga é melhor tenista que o francês.* **4** O mais bom, o excelente (superlativo de bom): *Os melhores preços você vai encontrar aqui.* **5** Us. em fórmulas que manifestam bons sentimentos, augúrios etc.: *Meus melhores votos de felicidade.* *adv.* **6** Com mais perfeição; mais bem (comparativo de bem): *Ele dança melhor do que eu.* **7** Com mais acerto, em condição mais adequada: *Faria melhor se ficasse calado.* **8** Com mais cuidado, respeito, atenção etc.: *Ele precisa tratar melhor seus funcionários.* **9** Com menos sintomas de doença; com menos indisposição física ou perturbação psíquica: *Esta noite papai passou melhor.* *interj.* **10** Expressa satisfação em relação a fato, situação, decisão etc.: *Você não quer bolo? Melhor, sobra mais para mim.* [F.: Do lat. *melioris*. Ant. ger.: *pior*.] ■ **Ir desta para a ~** *Fig. Pop.* Morrer **Levar a ~** Sair vitorioso, suplantar (algo ou alguém) em luta, competição, discussão, argumentação etc. **No ~ da festa** No melhor momento de uma situação, evento etc., ger. inesperadamente: *O debate crescia de interesse e empolgação quando, no melhor da festa, o sistema de som pifou.* **Ou ~** Isto é: *Na véspera, ou melhor, no sábado, faltou luz.* **Tanto ~** É preferível (para mim/nós): *Se for à tarde, tanto melhor, terei mais tempo para estudar.*
melhora (me.*lho*.ra) *sf.* **1** Ação ou resultado de melhorar **2** Mudança para um estado, condição ou situação melhor, mais favorável que o anterior: *A melhora em seu desempenho deve-se a treinamento mais rigoroso.* **3** Alívio ou diminuição de doença: *Depois da operação, teve uma melhora sensível.* **4** Benfeitoria, melhoramento em construções [F.: Dev. de *melhorar*. Sin. ger.: *melhorada, melhoria*. Ant. ger.: *piora*. Hom./Par.: *melhora* (sf.), *melhora* (fl. de *melhorar*).]
melhorada (me.lho.*ra*.da) *Bras. Pop. sf.* Ação ou resultado de melhorar: *O tempo deu uma melhorada à tarde.* [Ant.: *piorada*.] [F.: *melhora* + *-da*.]
melhorado (me.lho.*ra*.do) *a.* Que foi mudado para melhor [Ant.: *piorado*.] [F.: Do *lat. meliorátus, a, um*.]
melhorador (me.lho.ra.*dor*) [ô] *a.* **1** Que muda para melhor *sm.* **2** Aquilo que faz mudar para melhor [F.: *melhorado* + *-or*.]
melhoramento (me.lho.ra.*men*.to) *sm.* **1** Ação, processo ou resultado de tornar algo melhor do que era antes: *Dedicou-se ao melhoramento das relações de trabalho.* **2** Benfeitoria ou reforma feitas em terreno ou construção: *Fez melhoramentos na casa.* [F.: *melhorar* + *-mento*. Sin. ger.: *melhoria*. Ant. ger.: *pioramento*.]
melhorar (me.lho.*rar*) *v.* **1** Tornar(-se) melhor ou superior [*td.*: *Melhore este texto antes de entregar.*] [*int.*: *A produção de calçados melhorou.*] [*tr.* +*em*: *Melhorei em matemática.*] **2** Fazer regredir ou regredir (doença); recuperar(-se) (o doente) [*td.*: *O tratamento homeopático melhorou sua alergia.*] [*int.*: *Sua bronquite melhora a cada dia.*] **3** Amenizar-se, serenar-se (tempo, chuva etc.) [*int.*: *O tempo melhorou e pudemos sair para as compras.*] [▶ 1 melhorar] [F.: Do lat. tard. *meliorare*. Ant. ger.: *piorar*. Hom./Par.: *melhora(s)* (fl.), *melhora* (sf. [pl.]); *melhores* (fl.), *melhores* (pl. de *melhor*); *melhoráveis* (fl.), *melhoráveis* (pl. de *melhorável*).]
melhoras (me.*lho*.ras) *sfpl.* Votos de recuperação na saúde: *Desejo suas melhoras.* [F.: Pl. de *melhora*. Hom./Par.: *melhoras* (sfpl.), *melhoras* (fl. de *melhorar*).]
melhorável (me.lho.*rá*.vel) *a2g.* Que pode ser melhorado [Ant.: *piorável*.] [Pl.: *-veis*.] [F.: *melhora(r)* + *-vel*.]
melhoria (me.lho.*ri*.a) *sf.* **1** Mudança para melhor; MELHORAMENTO: *Espera-se uma melhoria da qualidade do ensino público.* **2** Obra que repara ou melhora uma construção; BENFEITORIA; MELHORAMENTO **3** Diminuição ou recuperação de doença; MELHORA **4** Superioridade, vantagem [F.: *melhor* + *-ia*.]
melhorista (me.lho.*ris*.ta) *a2g. s2g. Fil.* Ref. ao melhorismo, teoria da evolução progressiva de que é suscetível o homem nos sentidos moral, intelectual e econômico. Tb. *meliorista* [F.: *melhor* + *-ista*.]
◎ **mel(i)-** *pref.* = mel: *melívoro*
◎ **-melia** *el. comp.* = 'anomalia ou irregularidade de ou em dado(s) membro(s)': *anisomelia, macromelia, melomelia, nanomelia* [F.: Do gr. *mélos, eos-ous*, 'membro'; 'articulação', 'membro ou parte musical'; 'canto'; 'poesia', + *-ia*[1].]
meliáceas (me.li.*á*.ce.as) *sfpl. Angios.* Fam. de plantas floríferas da ordem das sapindales, com cerca de 800 spp., todas tropicais ou subtropicais, algumas importantes pela madeira nobre, como o mogno, pelos frutos e óleos das sementes ou por usos medicinais [F.: Do lat. cien. fam. *Meliaceae*.]
meliante (me.li:*an*.te) *s2g.* Pessoa que pratica crimes ou se utiliza de meios ilícitos para conseguir algo; DELINQUENTE; MARGINAL: *A polícia capturou o meliante.* [F.: Do cast. *maleante*, de *malear*, deriv. de *malo* 'mau'.]
melífero (me.*lí*.fe.ro) *a.* **1** Que produz mel: *polinização por abelhas melíferas.* **2** Diz-se da planta que possui um néctar a partir do qual as abelhas podem produzir mel [F.: Do lat. *mellíferu*. Sin. ger.: *melífico*.]
melificação (me.li.fi.ca.*ção*) *sf.* **1** Ação ou resultado de melificar **2** Fabricação de mel pelas abelhas [Pl.: *-ções*.] [F.: *melifica(r)* + *-ção*.]
melificar (me.li.fi.*car*) *v.* **1** Fazer mel (as abelhas) [*int.*] **2** Adoçar com mel [*td.*] **3** Transformar em mel [*td.*] **4** *fig.* Fazer com que (algo) fique doce como o mel [*td.*] [▶ 11 melificar] [F.: Do lat. *mellificare*. Hom./Par.: *melifica* (3ªp.s.), *melificas* (2ªp.s.)/ *melífica* (f. *melífico* / adj. e pl; *melífico*/ *melífico* (adj.).]
melifluidade (me.li.flu.i.*da*.de) [u-i] *sf.* Qualidade do que é melífluo [F.: *melífluo* + *-i-* + *-dade*.]
melífluo (me.*lí*.flu:o) *a.* **1** Que tem mel **2** Que é muito doce (fruto melífluo) **3** Que flui como o mel (líquido melífluo) **4** *Fig.* Que é suave, harmonioso (sorriso melífluo) **5** *Pej.* Que finge doçura com o fim de agradar; BAJULADOR: *Adotava um tom melífluo ao falar com o chefe.* [F.: Do lat. tard. *mellifluu*.]
melindano (me.lin.*da*.no) *sm.* **1** Indivíduo nascido ou que vive em Melinde (Índia) *a.* **2** De Melinde; típico dessa cidade ou de seu povo [F.: Do top. *Melinde* + *-ano*[1].]
melindrado (me.lin.*dra*.do) *a.* **1** Que se melindrou **2** Que se ofendeu; que ficou ressentido [F.: *part. de melindrar*.]
melindrar (me.lin.*drar*) *v. td. pr.* Suscetibilizar(-se), ofender(-se) ou magoar(-se): *Não queria melindrar ninguém; Cláudia melindra-se com qualquer coisa.* [▶ 1 melindrar] [F.: *melindre* + *-ar*[2]. Hom./Par.: *melindre(s)* (fl.), *melindre(s)* (sm. [pl.]); *melindráveis* (fl.), *melindráveis* (pl. de *melindrável*).]
melindrável (me.lin.*drá*.vel) *a2g.* Que é suscetível de ficar melindrado; que se magoa com facilidade [Pl.: *-veis*.] [F.: *melindrar* + *-vel*. Hom./Par.: *melindráveis* (pl.), *melindráveis* (fl. de *melindrar*).]

melindre (me.*lin*.dre) *sm.* **1** Dúvida de natureza ética ou de consciência; PUDOR; ESCRÚPULO: *Seus melindres o impediram de trocar de partido.* **2** Facilidade de magoar-se: *Tome cuidado ao criticá-lo, pois ele é cheio de melindres.* **3** Delicadeza no trato **4** *Bot.* O mesmo que *aspargo* **5** *Cul.* Docinho feito de queijo, coco, ovos e açúcar [F.: Do cast. *mellindre.*]

melindro (me.*lin*.dro) *sm. Bot.* Planta da fam. das liliáceas (*Asparagus officinalis*) de rizoma escamoso, brotos carnosos e comestíveis, de folhas amarelo-esverdeadas e pequenos frutos vermelhos com sementes escuras [F.: Do espn. *melindre.* Hom./Par.: *melindro* (fl. de *melindrar*).]

melindrosa (me.lin.*dro*.sa) [ó] *sf.* **1** Fantasia feminina que consiste em vestido de cintura baixa, corte reto e pontas esvoaçantes **2** *Fut.* A bola [F.: Fem. substv. de *melindroso.*]

melindroso (me.lin.*dro*.so) [ô] *a.* **1** Que apresenta dificuldade ou perigo (operação melindrosa) **2** Que envolve algum tipo de constrangimento ou embaraço (situação melindrosa) **3** Que é frágil, débil (saúde melindrosa) **4** Que é suscetível a se ofender facilmente (amigo melindroso) *sm.* **5** Indivíduo melindroso (4) [Pl.: [ó]. Fem.: [ó].] [F.: *melindre* + *-oso.*]

meliponicultor (me.li.po.ni.cul.*tor*) [ô] *a.* **1** *Apic.* Diz-se de criador de abelhas da subfam. dos meliponíneos *sm.* **2** *Apic.* Criador de abelhas da subfam. dos meliponíneos [F.: *melípona* + *-i-* + *-cultor.*]

meliponicultura (me.li.po.ni.cul.*tu*.ra) *sf. Apic.* Criação de abelhas da subfam. dos meliponíneos, conhecidas como abelhas-da-terra ou abelhas-sem-ferrão [Cf.: *apicultura.*] [F.: *melípona* + *-i-* + *-cultura.*]

meliponídeo (me.li.po.*ní*.de:o) *Ent.* Subfamília de insetos himenópteros, família dos apídeos, que inclui as melíponas, abelhas sem ferrão [F.: Do lat. cien. *meliponinae*>.]

melisma (me.*lis*.ma) *sm. Mús.* **1** Trecho de melodia, us. ger. em cantochão, com várias notas para uma mesma sílaba **2** Nota ou conjunto de notas que se inclui numa melodia com o fito de adorná-la; ORNAMENTO [F.: Do gr. *mélisma, atos.*]

melismático (me.lis.*má*.ti.co) *Mús. a.* **1** Ref. à melisma **2** Cantado com melisma **3** Ornamentado ou trabalhado com melisma; a que se adicionou melisma [F.: *melismat-* + *-ico.*]

melissa (me.*lis*.sa) *Bot. sf.* **1** Nome comum às plantas do gên. *Melissa*, da fam. das labiadas, nativas da Europa e Ásia **2** Erva-cidreira [F.: Do lat. cien. gên. *Melissa.*]

◎ **meliss(o)-** *pref.* = abelha: *melissografia*

melissografia (me.lis.so.gra.*fi*.a) *sf.* Estudo, tratado ou dissertação acerca da vida e do comportamento das abelhas [F.: *meliss(o)-* + *-grafia.*]

melito (me.*li*.to) *sm.* **1** *Farm.* Nome genérico que se dá aos xaropes preparados com mel em lugar de açúcar: *melito de rosas* ou *mel-rosado* **2** *Farm.* Nome dado a qualquer medicamento que contenha mel *a2g.* **3** *End.* Que contém açúcar (diz-se de um tipo de diabetes) [F.: Do lat. *mellitus, a, um.* Ideia de: *mel(i)-* e *meli(t)-.*]

melitologista (me.li.to.lo.*gis*.ta) *s2g.* **1** *Ent.* Entomologista que se dedica a estudar o comportamento das abelhas; MELITÓLOGO *a2g.* **2** *Ent.* Que estuda o comportamento das abelhas [F.: *melit(o)-*[1] + *-log(o)-* + *-ista.*]

melívoro (me.*lí*.vo.ro) *a.* Que se alimenta de mel [F.: *meli-* + *-voro.*]

◎ **mel(o)-** *pref.* = melodia, canto: *melomania, melopeia*

melô (me.*lô*) *sm. Bras. Gír.* Melodia de estrutura simples, fácil de ser cantada por qualquer um [F.: Red. de *melodia.*]

meloal (me.lo.*al*) *sm.* Plantação de melões [Pl.: *-ais.* Col. de *melão.*] [F.: *melo-* + *-al.*]

melodia (me.lo.*di*.a) *sf.* **1** *Mús.* Conjunto de sons sucessivos que formam frase ou frases musicais **2** *Mús.* Peça instrumental ou vocal composta sobre o texto de um poema **3** *Fig.* Sucessão de sons agradáveis ao ouvido: *O som da cachoeira é uma doce melodia aos meus ouvidos.* **4** *Fig.* Harmonia ou musicalidade presente em um conjunto de sons: *Há uma melodia em sua prosa quando lida em voz alta.* [F.: Do lat. *melodia*, deriv. do gr. *melodia* 'canto coral'.]

melódia (me.*ló*.di.a) *sf. Bras. Pop.* Acontecimento indesejável, inoportuno: *Exatamente naquela hora, deu-se a melódia que nos pegou desprevenidos.* [Us. na loc.: *Dar-se a melódia.*] [F.: Alt. de *melodia.* Hom./Par.: *melodia* (sf.).] ∎ **Dar-se a ~** *Bras. Gír.* Acontecer o que não se queria, o que não devia

melodiar (me.lo.di.*ar*) *v.* **1** Fazer melodioso [*td.*] **2** Tocar ou cantar de maneira melodiosa [*td.*] [*int.*] **3** *Mús.* Executar, tocar melodias [*int.*] [▶ 15 melodiar] [F.: *melodia* + *-ar.* Hom./Par.: *melodia* (3ªp.s.), *melodias* (2ªp.s.); *melodia* (s.f. e pl.), *melodia* (3ªp.s.), *melodias* (2ªp.s.); *melódia* (s.f. e pl.).]

melódico (me.*ló*.di.co) *a.* **1** *Mús.* Ref. ou pertencente a melodia (linha melódica) **2** Que tem melodia, musicalidade; MELODIOSO: *A peça que ela compôs é extremamente melódica.* **3** Diz-se de intervalo entre sons que são ouvidos sucessivamente [F.: Do gr. *meloidikós.*]

melodioso (me.lo.di:*o*.so) [ô] *a.* **1** Que tem melodia (trecho melodioso); MELÓDICO **2** Que é suave ou agradável de se ouvir: *o canto dos pássaros é melodioso.* [Pl.: [ó]. Fem.: [ó].] [F.: *melodia* + *-oso.*]

melodismo (me.lo.*dis*.mo) *sm. Mús.* Predominância do caráter melódico em uma composição musical [F.: *melodi(a)* + *-ismo.*]

melodista (me.lo.*dis*.ta) *a2g.* **1** *Mús.* Ref. a melodismo **2** Que é adepto do melodismo **3** Que compõe, canta ou toca melodias: "A minha proposta é fazer do contrabaixo um instrumento melodista, atuante e tão hábil quanto qualquer outro." (Arthur Maia, *Correio da Bahia*, 08.12.2002) *s2g.* **4** *Mús.* Indivíduo melodista (2 e 3): *Cartola era tão bom letrista quanto melodista*: "Mas sempre gostei de provocar a torcida de Lennon e McCartney, dizendo que Harrison era o maior compositor dos Beatles. Sem dúvida ele era um melodista primoroso." (Zeca Baleiro, *Folha de S.Paulo*, 01.12.2001) [F.: *melod(ia)* + *-ista.*]

melodrama (me.lo.*dra*.ma) *sm.* **1** *Cin. Liter. Mús. Rád. Teat. Telv.* Obra de enredo sentimental e que exagera em sua dramaticidade, podendo chegar ao grotesco **2** *Mús. Teat.* Gênero teatral, desenvolvido a partir do séc. XVIII, em que as falas são acompanhadas por música **3** *Fig.* Exagero sentimental relativo à descrição de situações ou fatos da vida: *Por favor, não me venha com seus melodramas.* [F.: Do fr. *mélodrame.*]

melodramaticidade (me.lo.dra.ma.ti.ci.*da*.de) *sf.* Qualidade ou caráter do que é melodramático [F.: *melodramático* + *-(i)dade.*]

melodramático (me.lo.dra.*má*.ti.co) *a.* **1** Ref. a melodrama (gênero melodramático, repertório melodramático) **2** Que, por envolver sentimentalização excessiva, apresenta características próprias de um melodrama: *Ela adora criar situações melodramáticas.* [F.: *melodrama* + *-ático.*]

melodramaturgia (me.lo.dra.ma.tur.*gi*.a) *Teat. sf.* **1** Arte e técnica de escrever e representar melodramas: *melodramaturgia dos filmes B.* [Cf.: *melodrama.*] **2** O conjunto dos melodramas de certo autor, época, região etc. [F.: *mel(o)-* + *dramaturgia.*]

meloeiro (me.lo:*ei*.ro) *sm. Bot.* Melão (1) [F.: *melão* + *-eiro*, com desnasalização.]

melofobia (me.lo.fo.*bi*.a) *sf.* Ver *musicofobia* [F.: *mel(o)-* + *-fobia.*]

melofóbico (me.lo.*fó*.bi.co) *a.sm.* Ver *musicofóbico* [F.: *melofobi(a)* + *-ico*[2].]

melófobo (me.*ló*.fo.bo) *a.sm.* Ver *musicófobo* [F.: *mel(o)-* + *-fobo.*]

melolonta (me.lo.*lon*.ta) *Ent. sf.* **1** Qualquer espécie do gên. dos melolontíneos, da fam. dos escarabeídeos, como o escaravelho (*Melolontha vulgaris*) **2** O gênero-tipo dos melolontíneos **3** Espécime desse gênero [F.: Do lat. cient. *Melolontha.*]

melomania (me.lo.ma.*ni*.a) *sf.* Mania de música; amor exagerado por música; MELOFILIA [F.: Do fr. *mélomanie.*]

melomaníaco (me.lo.ma.*ní*.a.co) *a.* **1** Ref. a melomania **2** Que sofre de melomania *sm.* **3** Pessoa melomaníaca [F.: *melo-* + *maníaco.* Sin. ger.: *melófito, melômano.*]

melômano (me.*lô*.ma.no) *a.* **1** Que gosta exageradamente de música *sm.* **2** Indivíduo exageradamente apaixonado por música; indivíduo obcecado por música [F.: *mel(o)-* + *-mano*[1]. Sin. ger.: *melomaníaco.*]

melopeia (me.lo.*pei*.a) *Mús. sf.* **1** Peça de música ou toada musical que serve de acompanhamento a um recitativo **2** Canto monótono e melancólico **3** Na Grécia Antiga, a arte de compor melodias ou o tratado que contém as regras de composição [F.: Do fr. *mélopée*, deriv. do lat. *melopoeia* e, este, do gr. *melopoiia*, de *melos* e *poiéo* 'eu faço'.]

meloplastia (me.lo.plas.*ti*.a) *Cir. sf.* **1** Cirurgia plástica ou reparadora dos membros superiores e/ou inferiores **2** Cirurgia plástica ou reparadora das bochechas; MELONOPLASTIA [F.: *mel(o)*[1]- + *-plastia*; *mel(o)*[2]- + *-plastia*, das acp. 1 e 2, respectivamente.]

melosidade (me.lo.si.*da*.de) *sf.* Qualidade, característica ou estado de meloso: *O doce tem uma melosidade enjoativa:* "Quem pensa que um disco emocional implica melosidade engana-se." (*Folha de S.Paulo*, 01.09.2000): "...a melosidade demonstrada na carta copiada de um livro mostra que a esposa está saudosa..." (*Idem*, 01.12.1997) [F.: *meloso* + *-(i)dade.*]

meloso (me.*lo*.so) [ô] *a.* **1** Que tem consistência ou aparência semelhante à do mel **2** Que é doce como mel **3** *Fig.* Que é terno, doce (voz melosa) **4** *Fig.* Que exagera no afeto, no sentimento; PIEGAS: *Escrevia textos melosos para folhetins e novelas.* [Pl.: [ó]. Fem.: [ó].] [F.: Do lat. tard. *mellosus -um.*]

meloterapia (me.lo.te.ra.*pi*.a) *Ter. sf. Mús. Psic.* Ver *musicoterapia* [F.: *mel(o)*[1]- + *terapia.*]

melro (*mel*.ro) *sm.* **1** *Zool.* Pássaro da família dos turdídeos (*Turdus merula*), que ocorre na Europa, Ásia e Norte da África, com plumagem negra, bico alaranjado, canto forte e melodioso **2** *Zool.* O mesmo que *graúna* **3** *Zool.* Pássaro da fam. dos icterídeos (*Gnorimopsar chopi*) com ampla distribuição, em áreas abertas e remanescentes florestais, do Brasil, Paraguai, Uruguai e Argentina, apresenta plumagem totalmente negra cintilante e canto marcante e forte **4** *Fig.* Pessoa espertalhona [Fem.: *mélroa.*] [F.: Do lat. tard. *merulus*, por *merula*, do lat. láss.]

melroado (mel.ro.*a*.do) *a.* Diz-se de cavalo que tem a cor negra brilhante do melro: "Lá vêm da Cava da Grota, em sete pretos melroados, todos sete encapotados, clinudos, ventrilavados, os sete irmãos Belador." (João Guimarães Rosa, *Manuelzão e Miguilim*) [F.: *melro* + *-ado*[2].]

melúria (me.*lú*.ri:a) *sf.* **1** Queixa astuciosa **2** Lamentação habitual, constante; CHORADEIRA; LAMÚRIA; QUEIXUME **3** Qualidade do que é melífluo, doce, suave; DOÇURA; SUAVIDADE **4** Suavidade, doçura, ger. estudada, premeditada: "(...) ouvi o senhor (...) dizendo melúrias a minha prima; até, por sinal, que estava lhe falando assim: hei de amá-la sempre; nunca mais hei de deixar de amá-la." (Bernardo Guimarães, *Histórias e tradições da província de Minas Gerais*) *s2g.* **5** Pessoa sonsa, dissimulada [F.: De or. obsc.]

membeca (mem.*be*.ca) [é] *a2g.* **1** *Bras.* De consistência mole; BRANDO; TENRO *sf.* **2** *Bras. Bot.* Planta herbácea da fam. das gramíneas (*Paspalum repens*), que ocorre nas regiões tropicais e subtropicais das Américas, de rizoma rastejante e inflorescências espiculadas [F.: Do tupi *me'mbeka.*]

membrana (mem.*bra*.na) *sf.* **1** *Anat.* Tecido muito fino e flexível que envolve ou reveste uma superfície, um órgão ou cavidade do corpo, separa duas áreas ou liga dois órgãos: *A membrana do tímpano separa o ouvido médio do ouvido externo.* **2** *Bot.* Camada de tecido fino e delicado que cobre ou reveste certos órgãos **3** *Mús.* Película natural ou artificial que recobre a boca dos tambores e que vibra e produz sons quando tocada; PELE **4** Camada muito fina; PELÍCULA [F.: Do lat. *membrana.*] ∎ **~ celular** *Cit.* Ver *Membrana plasmática* **~ ceratogênica** *Vet.* Membrana na extremidade das patas dos equídeos, que induz a formação de casco **~ extraembrionária** *Emb.* Qualquer das membranas que envolvem embrião em seu desenvolvimento; membrana fetal, **~ fetal** *Emb.* Ver *Membrana extraembrionária.* **~ hialoide** *Anat. Oft.* Antiga denominação da *Membrana vítrea.* **~ mucosa** *Anat. Histl.* Membrana que reveste internamente as paredes de diversos órgãos, ger. umidificadas pelas próprias secreções, que contêm muco [Tb. apenas *mucosa.*] **~ nictitante** *Zool.* Membrana fina e transparente no ângulo interno do olho de certos animais (esp. répteis e aves), que se pode estender sobre todo o globo ocular para protegê-lo **~ pituitária** *Anat.* Membrana mucosa na parede interna das narinas **~ plasmática** *Cit.* Membrana muito fina, composta principalmente de fosfolipídeos e proteínas, que envolve cada célula de todo ser vivo **~ serosa** *Anat.* Fina membrana que envolve as cavidades fechadas do organismo **~ sinovial** *Anat.* Membrana muito lisa, de tecido conjuntivo, que envolve a cavidade de uma articulação sinovial, e que produz o líquido sinovial **~ timpânica** *Anat. Otor.* Membrana que separa a orelha média da orelha externa; tímpano **~ vítrea** *Anat. Oft.* Condensação de finas fibras de colágeno no córtex do corpo vítreo

membranáceo (mem.bra.*ná*.ce:o) *a. Histl.* Que tem consistência de membrana (tecido membranáceo); MEMBRANOSO [F.: Do lat. *membranaceus, a, um.*]

◎ **membran(i/o)-** *pref.* = membrana: *membranoso*

membranófono (mem.bra.*nó*.fo.no) *Mús. sm.* **1** Qualquer instrumento cujo som é produzido pela percussão ou fricção de uma membrana ou pele esticada sobre uma ou ambas as extremidades de um cilindro oco, como os tambores em geral; MEMBRANOFONE; MEMBRANOFÔNIO *a.* **2** *Mús.* Diz-se de instrumento cujo som se produz pela percussão ou fricção de uma membrana ou pele esticada [F.: *membran(i/o)-* + *-fono.*]

membranoso (mem.bra.*no*.so) [ô] *a.* **1** *Anat. Bot.* Que tem membrana **2** *Anat.* Que tem aparência ou consistência de membrana; MEMBRANÁCEO [Pl.: [ó]. Fem.: [ó].] [F.: *membran(o)* + *-oso.*]

membro (*mem*.bro) *sm.* **1** *Anat.* Cada uma das quatro partes do corpo (duas superiores e duas inferiores) que se ligam ao tronco **2** Indivíduo que faz parte de uma corporação, grupo, clube etc.: *Os membros da confraria abriram o desfile.* **3** Cada parte pertencente a um todo, seja ele uma estrutura, uma organização etc.: *O Brasil pretende ser membro permanente do Conselho de Segurança da ONU.* **4** *Ling.* Cada parte pertencente a uma frase, oração ou período **5** *Pop.* O órgão genital masculino; PÊNIS [F.: Do lat. *membrum.*] ∎ **~ fantasma** *Neur.* Sensação ilusória da presença de um membro que foi amputado **~ genital** *Anat.* Membro viril; pênis [Tb. apenas *membro.*] **~ inferior** *Anat.* O conjunto de coxa, perna e pé, com suas articulações no joelho e no tornozelo **~ métrico** *Poét.* Parte do verso que antecede a cesura (5) ou lhe sucede **~ superior** *Anat.* O conjunto de ombro, braço, antebraço e mão, com suas articulações no cotovelo e no punho **~ viril** *Anat.* Ver *Membro genital.*

membrudo (mem.*bru*.do) *a.* **1** De membros grandes e vigorosos: "(...) E avultas na moldura, alto, esbelto e membrudo,/ Guerreiro que por Deus abandonaste tudo, (...)." (Olavo Bilac, *As viagens*) **2** *P.ext.* Vigoroso, forte, musculoso [Ant.: *franzino, raquítico.*] [F.: *membro* + *-udo.*]

memento (me.*men*.to) *sm.* **1** *Litu.* Cada uma das duas preces do cânone da missa, que principiam com essa palavra **2** *Litu. Mús.* Cântico baseado em texto de liturgia fúnebre **3** Pequeno livro ou texto que resume as partes essenciais de um assunto; RESUMO; SUMÁRIO **4** Caderneta para anotações ou lembretes; MEMORANDO; MEMORIAL **5** *P.ext. Fig.* Cada uma das anotações ou lembretes escritos nessa caderneta **6** Marca ou nota para lembrar alguma coisa que se tem de fazer [F.: Do lat. *memento* 'lembra-te'.]

⊕ **memorabilia** (*Lat.* /memorabília/) *sf.* **1** Fatos ou objetos, dignos de serem rememorados, que se guardam na lembrança ou como lembrança **2** Objetos associados a pessoas famosas ou eventos importantes, considerados dignos de memória e que se tornam itens de colecionadores: *Ela é especialista em memorabilia de Carmen Miranda.* [F.: Do lat. *memorabilia, um.*]

memorando (me.mo.*ran*.do) *sm.* **1** Comunicação oficial escrita, ger. entre órgãos, departamentos ou seções de uma mesma instituição ou empresa: *um memorando enviado pelo setor jurídico.* **2** Nota diplomática de uma nação a outra esclarecendo alguma questão ou justificando uma posição tomada; MEMORIAL **3** Impresso comercial us. para comunicações sucintas **4** Escrito em que se registra o que se pretende preservar na memória; MEMENTO; MEMORIAL 5 Caderno pequeno onde é escrito o que se pretende lembrar; MEMORIAL *a.* 6 Memorável [F.: Do lat. *memorandus* 'que deve ser lembrado'.]

⊕ **memorandum** (*Lat.* /memorândum/) *sm.* Ver *memorando*

memorar (me.mo.*rar*) *v. td.* 1 Trazer à memória; RECORDAR; LEMBRAR [Ant.: *esquecer.*] 2 Comemorar, celebrar, festejar [▶ 1 memorar] [F.: Do lat. *memorare*, seg. mod. erudito. Hom./Par.: *memoráveis* (fl.), *memoráveis* (pl. de *memorável*).]

memorativo (me.mo.ra.*ti*.vo) *a.* 1 Que traz à memória; que comemora 2 Que merece comemoração; que é digno de comemoração [F.: Do lat. tardio *memorativus, a, um.* Sin. ger.: *comemorativo.*]

memorável (me.mo.*rá*.vel) *a2g.* Digno de ser recordado, conservado na memória; CÉLEBRE; INESQUECÍVEL; MEMORANDO; MEMORIAL; NOTÁVEL: *Foi uma noite memorável!; o memorável escritor Jorge Amado.* [Pl.: *-veis.*] [F.: Do lat. *memorabilis.*]

mêmore (*mê*.mo.re) *Poét. a2g.* De que há lembrança; LEMBRADO [F.: Do lat. *memor, oris.*]

memória (me.*mó*.ri:a) *sf.* 1 Faculdade de reter e recordar impressões e conhecimentos adquiridos anteriormente: *Ter boa memória.* 2 Reminiscência, recordação, lembrança: *Tenho ainda bem clara na memória a lembrança daqueles bons dias.* 3 Dissertação sobre assunto científico, literário ou artístico, para publicação ou apresentação ao poder público, a uma universidade ou academia: *Escreveu uma memória sobre o primeiro transplante de órgãos no país.* 4 Monumento erguido para comemorar os feitos de alguma pessoa ilustre ou algum acontecimento notável; MEMORIAL 5 Papel ou bloco de papel onde se anota o que não deve ser esquecido; LEMBRETE; MEMENTO 6 Lista ou fatura que o credor envia ao devedor 7 *Dipl.* Nota que o embaixador ou outro representante de um país envia ao governo junto ao qual é acreditado, com exposição de um fato específico: *O chanceler recebeu uma memória do embaixador argentino sobre o incidente de fronteira.* 8 *Inf.* Dispositivo de computador capaz de registrar, conservar e recuperar informações 9 *Ant.* Anel usado para marcar a lembrança de alguém ou de algum fato especial [F.: Do lat *memoria, ae.*] ■ **De ~** De cor: *Sabia de memória quase toda a Bíblia.* **Em ~ de** Em homenagem a (pessoa(s) falecida(s)) **~ afetiva** *Teat.* No método teatral do diretor e teórico russo Stanislavski, recapitulação e elaboração das lembranças e experiências pessoais de um ator na fixação do caráter de seu personagem, dando-lhe com isso maior autenticidade **~ apenas de leitura** *Inf.* Memória de dados armazenados que podem ser acessados para leitura, mas não modificados por ação do usuário **~ de anjo** Boa memória, aptidão de lembrar com facilidade **~ de elefante** Capacidade ou facilidade para memorizar [P.op. a *Memória de galinha/galo.*] **~ de galinha/galo** Pouca capacidade, dificuldade para memorizar [P.op. a *Memória de elefante.*] **~descritiva** *Arq. Des. ind. Urb.* Texto que acompanha desenhos, plantas etc. de um projeto, explicando as opções adotadas, detalhes etc.; memorial descritivo **~ dinâmica** *Inf.* Tipo de memória (circuito integrado) cujo conteúdo deve ser constantemente recarregado, para preservá-lo [P.op. a *Memória estática.*] **~ estática** *Inf.* Tipo de memória (circuito integrado) cujo conteúdo fica naturalmente preservado sem necessidade de recarregá-lo [P.op. a *Memória dinâmica.*] **~ fotográfica** *Fig.* Capacidade ou aptidão de lembrar com detalhes algo que se viu, se leu, se ouviu etc. **~ imunológica** *Imun.* Capacidade de o sistema imunológico 'aprender' de uma reação antigênica anterior para repeti-la, ger. com mais rapidez e energia, quando solicitado **~ interna** *Inf.* Ver *Memória principal* **~ nacional** Conjunto de documentos, registros, obras etc. que constitui o acervo histórico e cultural de uma nação **~ permanente** *Inf.* Tipo de memória (circuito integrado) estática de computador, de conteúdo preservado mesmo quando não alimentado eletricamente, e apenas de leitura. ger. contendo as instruções básicas de funcionamento **~ primária** *Inf.* Ver *Memória principal* **~ principal** *Inform.* Memória (circuito integrado) de um computador, que armazena dados provisoriamente enquanto alimentada eletricamente (RAM) ou permanentemente, mesmo quando não alimentada eletricamente (ROM) **~ RAM** *Inf.* Ver *Memória volátil* [Tb. apenas *RAM.*] **~ ROM** *Inf.* Memória permanente que contém as instruções básicas para funcionamento do computador [Tb. apenas *ROM.*] **~ secundária** *Inf.* Tipo de memória (dispositivo de armazenamento de dados) não interna do computador, mas ligada a ele, us. para armazenar dados que se quer preservar, sem sobrecarregar os dispositivos internos de memória, como o disco rígido (HD) [Ex.: disco ou fita magnéticos externos, CD-ROM, DVD, *pen drive* etc.] **~ virtual** *Inf.* Recurso de ampliação da área disponível na memória principal de um computador mediante a transferência provisória de dados desta que não estão sendo solicitados para uma memória secundária, recopiando-os na memória principal quando solicitados **~ visual** Capacidade e facilidade de reter na memória e posteriormente lembrar com exatidão coisas percebidas visualmente **~ volátil** *Inf.* Tipo de memória (circuito integrado) de computador que retém dados provisoriamente, enquanto alimentada eletricamente; memória RAM **Refrescar a ~** Evocar detalhes de algo para tentar lembrar o principal **Ter de ~** 1 Ter lembrança (de), lembrar-se (de) 2 Saber de memória **Ter ~ curta** Não ter boa memória, não se lembrar facilmente das coisas

memorial (me.mo.ri:*al*) *sm.* 1 Obra escrita que relata fatos ou feitos memoráveis 2 Monumento comemorativo 3 Memorando (4, 5) [Pl.: *-ais.*] *a.* 4 Ref. a memória 5 Memorável [Pl.: *-ais.*] [F.: Do lat. tard. *memoriale.*] ■ **~ descritivo** Ver *Memória descritiva* no verbete *memória* **~ do Senhor** *Rel.* Principal momento do culto cristão; eucaristia (2)

memorialismo (me.mo.ri:a.*lis*.mo) *sm.* 1 Tendência ou disposição incomum para recordar e entesourar lembranças 2 *Liter.* Conjunto das narrativas literárias de um autor, de uma época etc., que se caracterizam pela tendência memorialista [F.: *memorial* + *-ismo.*]

memorialista (me.mo.ri:a.*lis*.ta) *s2g.* 1 Autor de memórias históricas ou literárias *a2g.* 2 Ref. a memórias (livro memorialista) [F.: *memorial* + *-ista.*]

memorialística (me.mo.ri:a.*lís*.ti.ca) *Liter. sf.* 1 Estilo narrativo de cunho memorialístico, cujo objetivo é valorizar as lembranças pessoais ou coletivas de um ou mais personagens ou do próprio autor da obra 2 Conjunto de obras desse gênero [F.: Fem. subst. de *memorialístico.*]

memorialístico (me.mo.ri.:a.*lís*.ti.co) *a.* 1 Ref. a memorialismo, memorialista (s2g.) e memorialística 2 Que valoriza a memória, a reminiscência [F.: *memorialista* + *-ico*².]

memoriar (me.mo.ri.*ar*) *v. td.* 1 *Ant.* Ver *memorar* 2 Inscrever em memória, em uma relação; RELACIONAR: *Mandou memoriar os nomes dos candidatos.* 3 Escrever memória, relato: *Memoriou os momentos importantes de sua vida.* 4 *P.ext.* Escrever resumo ou estudo sobre (assunto de caráter erudito e/ou acadêmico): *Em sua pesquisa, memoriou os passos dados pela Coluna Prestes.* [▶ 1 memoriar] [F.: *memória* + *-ar.* Hom./Par.: *memoriáveis* (fl.), *memoriáveis* (pl. memoriável[a.]); *memoria(s)* (fl.), *memória* (sf.) e pl.]

memórias (me.*mó*.ri:as) *sfpl.* Livro em que o autor narra sua vida e/ou os acontecimentos que presenciou [F.: Pl. de *memória.*]

memoriável (me.mo.ri.*á*.vel) *a2g.* 1 Que se pode memoriar 2 *Pop.* Digno de guardar na memória; MEMORÁVEL [Pl.: *-veis.*] [F.: *memoria(r)* + *-vel.* Ant. ger.: *imemoriável.*]

memorista (me.mo.*ris*.ta) *s2g.* 1 Autor de memórias *a2g.* 2 Que escreve memórias [F.: *memór(ia)* + *-ista.* Sin. ger.: *memorialista.*]

memorização (me.mo.ri.za.*ção*) *sf.* 1 Ação, processo ou resultado de memorizar, de conservar dados, informações na memória: *a memorização de datas.* 2 Ação de trazer de volta à memória, de relembrar: *a memorização de acontecimentos.* [Pl.: *-ções.*] [F.: *memorizar* + *-ção.*]

memorizado (me.mo.ri.*za*.do) *a.* Que se memorizou [F.: Part. de *memorizar.*]

memorizar (me.mo.ri.*zar*) *v.* 1 Preservar a memória de [*td.*: *Memorizou para sempre os tempos de guerra.*] 2 Aprender de cor; DECORAR [*td.*: *memorizar um texto teatral.*] [*int.*: *Cristina tem facilidade para memorizar.*] 3 *Inf.* Incluir (dados, informações) na memória (8) [*td.*] [▶ 1 memorizar] [F.: Do fr. *mémoriser.* Ideia de *memorizar* (2): *decor-* (*decorar, decoreba*). Ant. nas acps. 1 e 2: *esquecer.*]

memorizável (me.mo.ri.*zá*.vel) *a2g.* Que se pode memorizar; que é suscetível de ser memorizado: *Escolha caracteres facilmente memorizáveis.* [Ant.: *imemorizável.*] [Pl.: *-veis.*] [F.: *memorizar* + *-vel.*]

menacma (me.*nac*.ma) *Fisl. sf.* 1 Período da vida da mulher em que há atividade menstrual, ou seja, há ovulação 2 Fase mais intensa do ciclo menstrual [F.: *men(o)-* + gr. *akmés, ês*, 'ponta', 'ápice'.]

mênade (*mê*.na.de) *sf.* 1 *Mit.* Mulher que participava dos ritos orgiásticos do culto a Baco; BACANTE 2 *P.ext. Fig.* Mulher tresloucada, descomposta [F.: Do gr. *mainás, adós* 'mulher agitada', do lat. *maenas, adis* 'bacante'.]

⊕ **ménage** (*Fr.* /ménage/) *sm.* 1 O conjunto das tarefas domésticas 2 O conjunto dos membros de uma família 3 O casal, na vida em comum 4 A vida doméstica 5 O lar, o domicílio familiar 6 *Bras.* Relação sexual envolvendo três pessoas [Red. da loc. fr. *ménage à trois.*]

menagem (me.*na*.gem) *sf.* 1 *Jur.* Prisão fora do cárcere, concedida sob promessa do preso de não sair do lugar onde se acha ou que lhe foi designado 2 *Ant.* Homenagem, reverência, tributo [F.: Posv. de *homenagem*, com aférese.]

menarca (me.*nar*.ca) *sf.* 1 *Med.* A primeira menstruação da mulher 2 *Fig.* O momento em que esse primeiro fluxo menstrual ocorre [F.: *men(o)-* + *-arca*².]

menarquia (me.nar.*qui*.a) *sf.* *Fisl.* O mesmo que *menstruação.* [F.: *menarca* + *-ia*¹.]

menção (men.*ção*) *sf.* 1 Ação de mencionar, de referir-se a algo; REFERÊNCIA: *Em seu discurso, fez menção aos bons resultados alcançados pela firma; Ouviu, satisfeito, a menção a seus esforços.* 2 Gesto que torna clara uma intenção: *O policial fez menção de atirar, mas se deteve.* [Pl.: *-ções.*] [F.: Do lat. *mentio, onis.*] ■ **Fazer ~ de** Demonstrar (com gesto, atitude etc.) intenção de (fazer ou dizer algo etc.) **~ honrosa** 1 Distinção concedida a pessoa, obra, desempenho etc. não premiados em competição, concurso etc., mas cujo mérito foi considerado digno de registro 2 Distinção concedida a pessoa, obra, desempenho etc. em contexto comparativo no qual não há premiação

menchevique (men.che.*vi*.que) *Hist. Pol. s2g.* 1 Membro ou partidário da ala moderada e minoritária do Partido Operário Social-Democrata russo (antes da revolução de 1917), por oposição aos bolcheviques *a2g.* 2 Ref. a essa ala 3 Que integrava essa ala [F.: Do fr. *menchevik*, deriv. do russo *men'sevik.* Sin. ger.: *menchevista.* Cf.: *bolchevique.*]

mencionado (men.ci:o.*na*.do) *a.* Que se mencionou; CITADO; REFERIDO [F.: Part. de *mencionar.*]

mencionar (men.ci:o.*nar*) *v.* 1 Fazer menção de ou referência a; REFERIR [*td.*: *Mencionou nosso nome durante a reunião.*] 2 Assinalar, consignar, registrar [*td.*: *Mencionou seu descontentamento.*] [*tdi.* +*a*: *Mencionou seu descontentamento ao chefe.*] [▶ 1 mencionar] [F.: *menção* + *-ar.*]

mencionável (men.ci:o.*ná*.vel) *a2g.* 1 Que se pode mencionar 2 Digno de ser mencionado: "Ao final da elaboração legislativa restaram poucos itens mencionáveis." (*Correio Braziliense*, 14.12.2003) [Pl.: *-veis.*] [F.: *mencionar* + *-vel.*]

mendacidade (men.da.ci.*da*.de) *sf.* 1 Qualidade ou característica do que é mendaz; DESLEALDADE; FALSIDADE; HIPOCRISIA [Ant.: *fidelidade, franqueza, sinceridade.*] 2 Disposição ou tendência para mentir, enganar, trapacear; TRAIÇÃO; PERFÍDIA [F.: Do lat. tard. *mendacitas, atis.*]

mendaz (men.*daz*) *a2g.* Que mente, que é falso, desleal [Superl.: *mendacíssimo.*] [F.: Do lat. *mendace*, por via erudita.]

mendicância (men.di.*cân*.ci:a) *sf.* 1 Ação de mendigar, de pedir esmolas: *Surgiu na China a mendicância online.* 2 Condição de mendigo 3 Conjunto de mendigos [F.: *mendicante* + *-ia.* Sin. ger.: *mendicidade.*]

mendicante (men.di.*can*.te) *a2g.* 1 Que mendiga, que pede esmola 2 Ref. a mendicância ou a mendigos (vida mendicante) *s2g.* 3 Pessoa que vive de esmolas; MENDIGO [F.: Do lat. *mendicans -antis*, part. pres. de *mendicare.*]

mendicidade (men.di.ci.*da*.de) *sf.* 1 Condição ou estado de quem é mendigo; vida de mendigo: *São necessários muitos esforços para se tirar as crianças da mendicidade.* 2 O conjunto dos mendigos (asilo de mendicidade) 3 Ação de mendigar: "(...) ele foi encarando a mendicidade não mais como um humilhante imposto voluntário, taxado pelos miseráveis aos ricos e remediados; mas como uma profissão lucrativa, lícita e nada vergonhosa." (Lima Barreto, *O caso do mendigo*) 4 Pobreza, miséria semelhante à de quem mendiga: *A postura contrastava com a mendicidade dos trajes.* [Ant.: *abastança, abundância, opulência.*] [F.: Do lat. *mendicitas, atis.* Sin. ger.: *mendicância, mendigagem.*]

mendigar (men.di.*gar*) *v.* 1 Pedir esmola ou (algo) como esmola [*td.*: *Mendigou um prato de comida.*] [*tdi.* +*a*: *Mendigava dinheiro aos transeuntes.*] [*int.*: *Ela mendiga desde criança.*] 2 *Fig.* Pedir humilde ou servilmente [*td.*: *Vivia mendigando emprego.*] [*tdi.* +*a*: *Mendiga favores ao marido.*] [▶ 14 mendigar] [F.: Do lat. *mendicare.* Hom./Par.: *mendigo* (1ªp.s.)/ *mendigo* (sm.).]

mendigo (men.*di*.go) *sm.* Pessoa que pede esmolas, para sobreviver; MENDICANTE; PEDINTE [F.: Do lat. *mendicus.*]

mendigofobia (men.di.go.fo.*bi*.a) *sf.* Horror a mendigos [F.: *mendigo* + *-fobia.*]

mendocino (men.do.*ci*.no) *sm.* 1 Pessoa nascida em Mendoza (Argentina) *a.* 2 De Mendoza; típico dessa cidade ou de seu povo: "Fica próximo à praça San Martín, que tem no meio um monumento em homenagem ao grande herói mendocino." (*Folha Online, Turismo*) [F.: Do top. *Mendoza* + *-ino*, segundo o modelo vernáculo.]

menear (me.ne:*ar*) *v. td.* 1 Mover(-se) de um lado para outro 2 Rebolar(-se), bambolear(-se): *Meneava os quadris no balanço do samba; Os sambistas meneavam -se na quadra.* 3 Mover (algo) com auxílio das mãos: *Meneava o florete com desenvoltura.* 4 Administrar, gerir: *Menear uma fábrica.* [▶ 13 menear] [F.: Alt. de *manear.*]

meneio (me.*nei*.o) *sm.* 1 Ação ou resultado de menear(-se) *sm.* 2 Movimento que se faz com o corpo ou parte dele: *Dengosa, fez um meneio de lado com a cabeça.* 3 *Fig.* Ardil usado para alcançar determinado fim: *Os meneios da oposição surpreenderam a todos.* [F.: Dev. de *menear.*]

menestrel (me.nes.*trel*) *sm.* 1 Na Idade Média, poeta e músico itinerante 2 Poeta ou cantor que entoa poemas e canções próprios, ou alheios [Pl.: *-tréis.*] [F.: Do fr. *ménestrel*, do baixo lat. *ministerialis*, de *ministerium.*]

◎ **-menia** *el. comp.* = 'menstruação, mênstruo': *amenia, cefalomenia, iscomenia, xenomenia, xeromenia* [F.: Do gr. *mén, menós*, 'mês', + *-ia*¹. F. conexa: *men(o)-.*]

menina (me.*ni*.na) *sf.* 1 Bebê do sexo feminino: *O espermatozoide do pai determina se o bebê será menino ou menina.* 2 Criança ou adolescente do sexo feminino; GAROTA; GURIA: *brincadeiras de menina.* 3 Mulher jovem; MOÇA 4 Forma familiar de tratar uma amiga, irmã, prima etc. (criança, jovem ou adulta): *Menina, tenho a maior para te contar!* [F.: Fem. de *menino.* Col.: *meninada.*] ■ **A ~** *Lus.* Pronome de tratamento para moças: *A menina poderia me acompanhar, por favor?* **~ dos olhos** *Fig.* A coisa ou pessoa preferida, centro de atenção e cuidados

meninada (me.ni.*na*.da) *sf.* Conjunto de crianças (meninos ou meninas): *A meninada fazia uma algazarra no pátio.* [F.: *menino* + *-ada.*]

menina dos olhos (me.ni.na do *so*.lhos) [ó] *sf.* Pessoa ou coisa que goza de particular prestígio ou afeição [Hom./Par.: *menina do olho* (sf.).] [Pl.: *meninas dos olhos.*] [Hom. Par.: *menina do olho* (sf.).]

menina-moça (me.ni.na-*mo*.ça) [ô] *sf.* Menina que entrou na puberdade

menineiro (me.ni.*nei*.ro) *a.* 1 Que tem aspecto infantil; que parece nunca envelhecer; AMENINADO 2 Ref. a ou próprio de menino; MENINIL; PUERIL: "Nunca mais vira Henrique desde que este, aos cinco anos, deixara Alvapenha, e dir-se-ia que esperava ainda encontrar os mesmos cabelos loiros e anelados e o mesmo rosto menineiro..." (Júlio Dinis, *A morgadinha dos canaviais*) 3 Que gosta de crianças ou tem paciência com elas [F.: *menino* + *-eiro.*]

meninge (me.*nin*.ge) *Anat. sf.* Cada uma das três membranas que, superpostas, revestem o encéfalo e a medula espinhal [F.: Do fr. *méninge*, deriv. do lat. medv. *meninga* e, este, do gr. *menigga*.]

meníngeo (me.*nín*.ge:o) *a.* Ref. a meninge, ou dela [F.: *meninge + -eo*.]

meningioma (me.nin.gi.*o*.ma) *Pat. sm.* Tumor nas meninges (meningioma benigno/maligno) [F.: *meninge + -oma*.]

meningismo (me.nin.*gis*.mo) *Pat. sm.* Quadro clínico semelhante ao da meningite, mas sem infecção [F.: *meninge + -ismo*.]

meningite (me.nin.*gi*.te) *Pat. sf.* Inflamação das meninges [F.: Do fr. *méningite*.]

meningítico (me.nin.*gí*.ti.co) *Pat. a.* Ref. a meningite, ou próprio dela [F.: *meningite + -ico*.]

◎ **mening(o)-** *el. comp.* = membrana do cérebro, meninge: *meningite*

meningocele (me.nin.go.*ce*.le) *Pat. sf.* Hérnia das meninges para o exterior do crânio ou da coluna vertebral [F.: *mening(o)- + -cele*.]

meningococemia (me.nin.go.co.ce.*mi*.a) *Pat. sf.* Presença de miningococos no sangue [F.: *meningococo + -emia*.]

meningocócico (me.nin.go.*có*.ci.co) *Micbiol. sm.* Ref. a meningococo ou causado por ele [F. *meningococo + -ico*[2]]

meningococo (me.nin.go.*co*.co) *Micbiol. sm.* Bactéria (*Neisseria meningitidis*) causadora de meningite [F.: *meninge + -coco*.]

meningoencefalite (me.nin.go.en.ce.fa.*li*.te) *Pat. sf.* Inflamação do encéfalo e das meninges [F.: *mening(o)- + encefalite*. Tb. se diz *meningencefalite*.]

meningoencefalocele (me.nin.go.en.ce.fa.lo.*ce*.le) *Pat. sf.* Protrusão de uma porção das meninges e do encéfalo através de abertura no crânio [F.: *mening(o)- + encefalocele*.]

meninice (me.ni.*ni*.ce) *sf.* **1** Período da vida em que se é criança; INFÂNCIA **2** Comportamento típico de criança; CRIANCICE [F.: *menino + -ice*.]

meninil (me.ni.*nil*) *a2g.* Ref. a menino; próprio de menino; INFANTIL; MENINEIRO; MENINESCO; PUERIL [Pl.: *-nis*.] [F.: *menino + -il*.]

menino (me.*ni*.no) *sm.* **1** Bebê do sexo masculino: *O casal teve um menino.* *sm.* **2** Criança ou adolescente do sexo masculino; GAROTO; GURI **3** Homem jovem; MOÇO **4** Forma familiar de tratar um amigo ou parente (criança ou jovem) [F.: Vocábulo de or. expressiva.] ■ **~ de ouro** **1** Rapaz, menino bem comportado, exemplar **2** Rapaz, menino paparicado **~ de peito** Criança que ainda mama; criança de peito

meninota (me.ni.no.ta) *sf. Bras.* Menina crescida; MOCINHA: "grupo de famílias... com avós, netos... meninotas abafadas em sedas" (Gilberto Freyre, *Casa grande & senzala*) [F.: *menina + -ota*[1].]

meninote (me.ni.*no*.te) *sm.* Menino já crescido; RAPAZOLA; RAPAZOTE: "A figuração do saci sofre muitas variantes. (...) Existem, todavia, traços comuns (...): uma perna só, olhos de fogo, carapuça vermelha, ar brejeiro, andar pinoteante, cheiro a enxofre, aspecto de meninote." (Monteiro Lobato, *O saci*) [Fem.: *meninota*] [F.: *menino + -ote*.]

menipeia (me.ni.*pei*.a) *Liter. sf.* Gênero literário satírico sem intenção moralizante, que se caracteriza por situações limites e opostas, de violação da marcha universalmente aceita e comum dos acontecimentos: "O que seria essa sátira menipeia que explicaria *Memórias póstumas de Brás Cubas*? Menipo, que viveu no século I antes da nossa era, veio até nós porque transgrediu todos os processos satirizantes, digamos assim, da tradição romana." (Mário Chamie, *A poesia de Machado de Assis*) [F.: *Menipo* (de Gadara) + *-eia*.]

menipeu (me.ni.*peu*) *a.* **1** Ref. ou pertencente a, ou ao estilo de Menipo de Gadara (séc. III a.C.), poeta satírico e filósofo grego (sátira menipeia) **2** Que é admirador, conhecedor ou imitador de sua obra [Fem.: *-peia*.] *sm.* **3** Admirador, conhecedor ou imitador da sua obra [F.: *Menipo + -eu*.]

menir (me.*nir*) *sm. Arqueol.* Monumento megalítico formado por uma pedra fincada verticalmente no solo [F.: Do fr. *menhir*.]

meniscectomia (me.nis.cec.to.*mi*.a) *Cir. sf.* Excisão de menisco, ger. o da articulação do joelho [F.: *menisc(o)- + -ectomia*.]

◎ **menisc(o)-** *el. comp.* = 'pequena lua'; 'crescente de lua'; 'menisco': *meniscectomia, meniscotomia*. [F.: Do gr. *menískos, ou*.]

menisco (me.*nis*.co) *sm.* **1** *Anat.* Lâmina de cartilagem em forma decrescente, entre duas superfícies articuladas **2** *Anat.* Especificamente, o menisco (1) da articulação do joelho **3** *Ópt.* Lente cuja espessura é menor na borda do que no centro **4** *Geom.* Figura composta de uma parte côncava e outra convexa **5** *Fís.* Curvatura côncava ou convexa formada na extremidade superior de uma coluna de líquido disposta em um cilindro, em consequência de forças capilares **6** *Our.* Joia em forma de crescente **7** *Ant.* Chapa que se colocava sobre a cabeça das estátuas para defendê-las da ação do tempo [F.: Do gr. *menískos*, 'pequena lua', pelo fr. *ménisque*.]

meniscotomia (me.nis.co.to.*mi*.a) *Cir. Ort. sf.* Incisão em menisco [F.: *menisc(o)- + -tomia*.]

◎ **-men(o)-** *el. comp.* Ver *men(o)-*

◎ **men(o)-** *el. comp.* = 'mês'; 'menstruação': *menarca, menopausa, menorragia, menorreia; amenorreia*. [F.: Do gr. *mén, menós*, 'mês'. F. conexa: *-menia*.]

menonista (me.no.*nis*.ta) *a2g.s2g.* O mesmo que *menonita* [F.: antropônimo *Menno (Simons)* + *-ista*.]

menonita (me.no.*ni*.ta) *Rel. sm.* **1** Membro de uma denominação protestante surgida na Holanda, no séc. XVI, derivada dos anabatistas e caracterizada pela simplicidade no vestir, pelo batismo na idade adulta, pelo pacifismo e pela autonomia congregacional **2** Ref. ou pertencente ao menonismo **3** Que é membro do menonismo [F.: Do al. *Menonit*, do antropônimo Menno Simons (1496-1561), teólogo e reformista frísio, fundador do menonismo. Sin. ger.: *menonista*.]

menopausa (me.no.*pau*.sa) *Fisl. sf.* **1** Supressão da menstruação **2** Período da vida da mulher em que ocorre esse fenômeno; CLIMATÉRIO [F.: *men(o)- + pausa*.]

menopausado (me.no.pau.*sa*.do) *a. Med.* Que está na menopausa: *paciente menopausada com sangramento vaginal.* [F.: *menopausa + -ado*[1].]

menor (me.*nor*) *a2g.* **1** Mais pequeno (em tamanho, quantidade, duração etc.) (uma área/um prazo menor): *Sergipe é o menor estado do Brasil.* **2** Muito pequeno; ÍNFIMO; MÍNIMO: "...não tinha a menor obrigação de me atender..." (João Ubaldo Ribeiro, *Diário do farol*) **3** De pouca importância; SECUNDÁRIO: *Estas são questões menores.* [Ant.: *maior*.] **4** *Mús.* Diz-se de intervalo cuja abrangência cobre meio-tom a menos que o de seu correspondente maior **5** *Mús.* Diz-se da escala diatônica (e tom correspondente) cujas terça e sexta (em relação à tônica, ou primeira nota) formam intervalos menores (4) (escala/tom menor) **6** Diz-se de roupas de baixo, roupas íntimas (roupas menores) [Nesta acp., us. no pl.] **7** Que, pela pouca idade, não pode ser legalmente responsável pelos seus atos: *Emancipou seus filhos menores.* [Ant.: *maior*.] *s2g.* **8** Indivíduo menor (7) [Ant.: *maior*. Cf.: *menor de idade*.] [F.: Do lat. *minor-oris*.] ■ **A ~** A menos (em quantidade, qualidade etc.): *Entregaram três itens a menor do pedido.* **De ~** *Bras. Pop.* Ver *Menor de idade* **~ de idade** Que ou quem, pela lei, não atingiu a maioridade

menorá (me.no.*rá*) *sf.* Candelabro de sete braços, objeto religioso e um dos principais símbolos sagrados do judaísmo [F.: Do hebr. *menorah* 'candelabro'.]

menores (me.*no*.res) *smpl.* **1** Pormenores, detalhes, minúcias **2** Os descendentes: "Se alta fama e rumor deles se entende,/ Escuros deixam sempre seus menores..." (Luís de Camões, *Os lusíadas*) **3** Trajes menores (4) *a.* **4** Diz-se dos trajes íntimos, das roupas que se usam por baixo das outras (trajes menores) [F.: pl. de *menor*.] ■ **Por ~** Detalhadamente: *Examinou a questão por menores.* [Cf.: *pormenores*, pl. de *pormenor*.]

menoridade (me.no.ri.*da*.de) *sf.* **1** Estado ou condição de indivíduo menor (7) **2** *Jur.* Período da vida humana até à época em que a lei confere ao indivíduo a capacidade de reger por si mesmo sua pessoa e seus bens: "Tutelado na sua menoridade pela mãe primeiro, pelo tio e sogro depois, o pobre rei sofreu as consequências comuns a quase todos os príncipes" (Oliveira Martins, *História de Portugal*) **3** *P.us.* Porção menor de um todo, minoria: *Ficou com a menoridade dos votos.* [F.: *menor + -(i)dade*. Ant. ger.: *maioridade*. Tb. *minoridade*.]

menorragia (me.nor.ra.*gi*.a) *sf. Ginec.* Aumento do fluxo menstrual na duração normal da menstruação [F.: *men(o)- + -rragia*.]

menorrágico (me.nor.*rá*.gi.co) *a. Ginec.* Ref. a menorragia [F.: *menorragia + -ico*[2].]

menorreia (me.nor.*rei*.a) *sf.* **1** *Fisl.* Fluxo normal das menstruações **2** *P.us. Med.* Menstruação excessiva [F.: *men(o)- + -rreia*.]

menorreico (me.nor.*rei*.co) *a.* **1** *Fisl. Med.* Ref. a menorreia **2** *Ginec.* Que apresenta menorreia [F.: *meno(rreia) + -rreico*, seg. o mod. gr.]

menos (*me*.nos) *adv.* **1** Com menor intensidade ou em menor quantidade: *Caminhando devagar, canso menos.* **2** Introduz o grau superlativo: *Sua nota menos aceitável foi em matemática.* **3** Introduz o grau comparativo: *Teve menos oportunidades do que os outros.* **4** Abaixo de: *Seus pais têm menos de 40 anos.* *pr.indef.* **5** Menor quantidade ou intensidade de: *O espetáculo terá menos apresentações.* *sm.* **6** O mínimo: *O governo quer importar o menos possível.* [Ant.: *mais*.] **7** *Mat.* Sinal negativo (-) *prep.* **8** Exceto: *Como de tudo, menos jiló.* **9** *Mat.* Subtraído de: *Quanto dá dois menos um?* [F.: Do lat. *minus*.] ■ **A ~** Em quantidade menor que a certa ou esperada: *Este corte de fazenda está com 2 m a menos.* **A ~ de** A uma distância (no tempo ou no espaço) menor que: *Minha casa fica a menos de 2 km da sua; Estamos a menos de dois dia da inauguração.* **A ~ que** A não ser que; salvo se: *Não vai dar para passar, a menos que estude muito a partir de hoje.* **Ao ~** No mínimo; pelo menos; quando menos: *Faço uma boa caminhada ao menos duas vezes por semana.* **De ~** Ver *A menos*: *Quero duas laudas de redação, nem uma linha de menos.* **Em ~ de** Num tempo inferior a: *Terminamos a tarefa em menos de uma hora.* **Mais ou ~** Ver *Mais ou menos* no verbete *mais* **~ que nunca** Ainda menos que em qualquer outra ocasião: *Se já não era fácil conseguir uma bolsa, agora menos que nunca.* **O de ~** O que menos importa: *Estamos cansados, mas isso é o de menos; o importante é que terminamos o trabalho a tempo.* **Pelo ~** Ver *Ao menos* **Por ~ que** Embora não: *Por menos que ela queira, os fotógrafos a perseguem.* **Quando ~** Ver *Ao menos* **Sem mais nem ~** Ver *Sem mais nem menos* no verbete *mais*

menoscabar (me.nos.ca.*bar*) *v. td.* **1** Não atribuir valor a (alguém, algo ou si mesmo); DESMERECER(-SE); MENOSPREZAR(-SE): *Menoscabava o esforço alheio; Embora talentoso, costumava menoscabar-se.* **2** Não demonstrar consideração por; depreciar [▶ **1** menoscabar] [F.: Do lat. **minuscapare*, de *minus* + **capare* (< *cap (ut) + are*). Hom./Par.: *menoscabo* (1ªp.s.), *menoscabo* (sm.); *menoscabáveis* (2ªp.pl.), *menoscabáveis* (pl. *menoscabável* [a2g.]).]

menoscabo (me.nos.*ca*.bo) *sm.* **1** Ação ou resultado de menoscabar(-se) **2** Desdém, desprezo, aviltamento [F.: Dev. de *menoscabar*. Hom./Par.: *menoscabo* (fl. de *menoscabar*).]

menosprezado (me.nos.pre.*za*.do) *a.* **1** Que se menosprezou; DESCONSIDERADO; DESPREZADO **2** Que não foi levado em conta: *O total chega a mil reais, desprezados os centavos.* [F.: Part. de *menosprezar*.]

menosprezar (me.nos.pre.*zar*) *v. td.* **1** Ter em menos ou em pouca conta (alguém, algo ou si mesmo); DEPRECIAR(-SE); MENOSCABAR(-SE): *Ele menosprezava o perigo; Depois de ter fracassado, passou a menosprezar-se.* **2** Desconsiderar(-se), desprezar(-se), desdenhar(-se): *Menosprezava os esforços do governo estadual.* [▶ **1** menosprezar] [F.: Do lat. *minuspretiare*. Hom./Par.: *menosprezo* (1ªp.s.), *menosprezo* (sm.).]

menosprezível (me.nos.pre.*zí*.vel) *a.* **1** Em que há menosprezo ou desprezo: "Tomou-lhe particular ojeriza e, nas referências menosprezíveis que lhe fazia, chamava-o, pejorativamente, de 'barbeirinho', quando não o mimoseava com epíteto mais rebarbativo." (Dilermando de Assis, *A tragédia da Piedade*) **2** Que se pode ou deve menosprezar ou desprezar (valor menosprezível): *Tão menosprezível foi seu governo que não tentou se reeleger.* [Pl.: *-veis*.] [F.: *menosprezar + -vel*. Sin. ger.: *desprezível, menoscabável, menosprezável*. Ant. ger.: *apreciável, elogiável, estimável, louvável*.]

menosprezo (me.nos.*pre*.zo) [ê] *sm.* **1** Ação ou resultado de menosprezar(-se), menospreço [+*a, de, por*: *menosprezo às convenções*.] **2** Depreciação da qualidade, desvalorização **3** Desprezo, desdém [F.: Dev. de *menosprezar*. Hom./Par.: *menosprezo* (fl. de *menosprezar*).]

menostasia (me.nos.ta.*si*.a) *sf. Ginec.* Supressão da menstruação [F.: *men(o)- + -stasia*.]

menos-valia (me.nos-va.*li*.a) *sf.* **1** *Econ.* Diferença encontrada quando o valor de venda é menor que o valor contábil líquido de um bem **2** *Fig. Psic.* Baixa valorização, pouco mérito, atribuídos a uma pessoa pelo meio em que convive ou por si própria: "O mais comum é que o obeso desenvolva um sentimento de menos-valia em decorrência das discriminações que sofre no ambiente..." (*Folha de S.Paulo*, 22.02.1999) [Pl.: *menos-valias*.]

mensageiro (men.sa.*gei*.ro) *a.* **1** Que entrega mensagens **2** Que anuncia, prenuncia: *aves mensageiras da primavera.* **3** *Gen.* Diz-se do ácido ribonucleico (ARN) que contém a informação genética *sm.* **4** Aquele que entrega mensagens **5** Aquele que anuncia, prenuncia (mensageiro da paz) **6** *Bras.* Estafeta **7** *Teat.* No teatro grego, personagem que tinha por função narrar eventos ocorridos antes do início da peça ou fora de cena [F.: *mensage(m) + -eiro*.] ■ **~ químico** *Ecol. Quím.* Substância produzida e liberada por organismo, capaz de, ao fazer contato com certo órgão ou outro organismo, provocar determinados efeitos

mensagem (men.*sa*.gem) *sf.* **1** Comunicação oral ou escrita **2** Comunicação oficial de um chefe de Estado ao parlamento **3** Felicitação ou encômio escrito, dirigido a uma autoridade **4** Significado essencial de uma obra artística ou literária: *Poucos entenderam a mensagem do filme.* **5** Legado intelectual de um poeta, filósofo, artista etc., que contribui para o enriquecimento da cultura humana **6** *Rel.* Significado daquilo que é revelado aos homens por um enviado divino: *A mensagem de Cristo nos orienta há dois milênios.* **7** *Comun.* Suporte físico através do qual um conjunto de signos organizados segundo um código é transmitido de um emissor para um receptor [Pl.: *-gens*.] [F.: Do fr. *message*.] ■ **~ eletrônica** **1** *Int.* Mensagem escrita e enviada, ou recebida e lida, por meio de computador e de correio eletrônico [Ver *Correio eletrônico* no verbete *correio*.] **2** Mensagem oral gravada ou ouvida em arquivo eletrônico, em equipamento local de telefonia ou em central telefônica **Levar a ~ a Garcia** **1** *Fig.* Cumprir missão, tarefa, desincumbir-se de encargo etc., enfrentando dificuldades e vencendo-as **2** Expressar-se com sinceridade, dizer o que realmente pensa, dar o seu recado, haja o que houver

mensal (men.*sal*) *a2g.* **1** De um mês (produção mensal, despesas mensais) **2** Que ocorre ou se efetua uma vez por mês, todos os meses (inspeção mensal) **3** Que se paga ou recebe por mês (prestação mensal) **4** Que se edita uma vez por mês (revista mensal) **5** Diz-se da linha da palma da mão que vai do dedo indicador ao mínimo [Pl.: *-sais*.] [F.: Do lat. tard. *mensualis*.]

mensalão (men.sa.*lão*) *Bras. Pop. sm.* **1** Quantia supostamente paga mensalmente (ou com outra periodicidade, ou de uma só vez) a deputados para mudarem de partido ou para votarem a favor de projetos de interesse do poder executivo: *Acusou o deputado de ter recebido o mensalão.* **2** *P.ext.* A prática ou o esquema de pagamento dessa quantia: *políticos envolvidos no mensalão*; "O termo 'mensalão' entrou definitivamente para o vocabulário político e cotidiano do país com a entrevista que o deputado (...) deu à *Folha*, quando contou pela primeira vez sobre um suposto esquema de pagamentos mensais a deputados (...), no valor de R$ 30 mil." (*Folha online*, 05.07.2005) [Pl.: *-lões*.] [F.: *mensal + -ão*[1]. O voc. surgiu na mídia durante escândalo político-administrativo ocorrido no Brasil em (junho) 2005, envolvendo principalmente deputados federais.]

mensaleiro (men.sa.*lei*.ro) *a.* 1 Diz-se de quem supostamente recebe ou recebeu mensalão: *Alguns deputados mensaleiros perderam seus mandatos. sm.* 2 Aquele que supostamente recebe ou recebeu mensalão [Palavra criada em 2005 por ocasião da denúncia e consequentes investigação e processo de que membros do legislativo federal do Brasil recebiam mensalão (ver no verbete *mensalão*).] [F.: *mensal* + *-eiro*.]

mensalidade (men.sa.li.*da*.de) *sf.* 1 Quantia de dinheiro ref. a um mês que se paga ou recebe: *Já pagamos a mensalidade da escola este mês; Vocês têm de devolver a mensalidade da assinatura.* 2 Qualidade, caráter ou condição de mensal: *A mensalidade das viagens é pontual.* 3 Quantia de dinheiro ref. a um mês que se dá ou recebe; MESADA [F.: *mensal* + *-(i)dade*.]

mensalista (men.sa.*lis*.ta) *a2g.* 1 Diz-se de empregado que recebe salário mensal *s2g.* 2 Empregado mensalista [F.: *mensal* + *-ista*.]

mensário (men.*sá*.ri:o) *sm.* Jornal, revista etc. que se publica de mês em mês [F.: Do lat. *mens(is)* + *-ário*.]

menstruação (mens.tru:a.*ção*) *Fisl. sf.* 1 Perda de sangue e mucosa, provenientes do útero, que ocorre todos os meses nas mulheres não grávidas e em idade fértil *Pop.*; CHICO *Pop.*; INCÔMODO; MENORREIA; MÊNSTRUO *Pop.*; REGRAS *Pop.*; SANGUE 2 O período menstrual [F.: *menstruar* + *-ção*.]

menstruada (mens.tru.*a*.da) *a.* Que está no período menstrual (diz-se da mulher) [F.: Do lat. tard. *menstruatus, a, um*.]

menstrual (mens.tru.*al*) *a2g.* 1 Ref. à menstruação (atraso menstrual) 2 *Med.* Diz-se do ciclo de modificações hormonais que ocorre regularmente a intervalos mensais na mulher [Pl.: *-ais*.] [F.: *mênstruo* + *-al*[1].]

menstruar (mens.tru.*ar*) *v. int.* 1 Ter o fluxo menstrual: *A mulher menstruou antes do dia.* 2 *Pop.* Ter o primeiro mênstruo: *A menina já menstruou.* [▶ 1 menstruar] [F.: *mênstruo* + *-ar*. Hom./Par.: *menstruo* (1ªp.s.), *mênstruo* (sm.).]

mênstruo (*mêns*.tru:o) *sm.* 1 *Fisl.* Fluxo periódico de sangue proveniente do útero, menstruação 2 *Quím.* Líquido solvente usado para extrair os princípios ativos de uma substância 3 *Alq.* Dissolvente de corpos sólidos [F.: Do lat. *menstruum, i*. Hom./Par.: *menstruo* (fl. de *menstruar*).]

mensurabilidade (men.su.ra.bi.li.*da*.de) *sf.* Qualidade ou característica de mensurável [F.: *mensurável* + *-(i)dade*, segundo o modelo erudito.]

mensuração (men.su.ra.*ção*) *sf.* 1 Ação ou resultado de mensurar; MEDIÇÃO 2 Determinação do valor de certas grandezas 3 *ant. Mús.* Relação (us. em música medieval) entre os valores de duração de um trecho musical; o mesmo que *mensura* [Pl.: *-ções*.] [F.: Do lat. tard. *mensuratio, onis*.]

mensurado (men.su.*ra*.do) *a.* 1 Que se mensurou; MEDIDO 2 Cadenciado, compassado [F.: Part. de *mensurar*.]

mensurar (men.su.*rar*) *v. td.* 1 Determinar ou auferir as medidas ou o grau de; MEDIR: *Mandou mensurar suas terras.* 2 Dar ritmo lento a; compassar: *Mensurou suas passadas para não se desgastar muito.* [▶ 1 mensurar] [F.: Do lat. *mensurare*. Hom./Par.: *mensura* (3ªp.s.), *mensuras* (2ªp.s.), *mensura* (sf.) e pl.]

mensurável (men.su.*rá*.vel) *a2g.* 1 Que pode ser medido 2 *Fís.* Diz-se de uma grandeza física que pode ser comparada e quantificada em relação a certa unidade [Pl.: *-veis*.] [F.: Do lat. tard. *mensurabilis, e*. Ant. ger.: *imensurável, incomensurável*. Hom./Par.: *mensuráveis* (pl.), *mensuráveis* (fl. de *mensurar*).]

◎ **men(t)-** *pref.* = pensar, pensamento, mente: *mentalidade, mentalizar*

◎ **ment-** = hortelã: *mentol, mentolado* [F.: Do lat. *ment(h)a*.]

◎ **-menta** *suf. nom.* = 'instrumento'; 'coleção': *ferramenta* (< lat.), *vestimenta* (< lat.): *ferramenta, vestimenta* [F.: Do lat. *-menta*, pl. de *-mentum, i*.]

menta (*men*.ta) *Bot. sf.* 1 Nome comum às ervas aromáticas do gên. *Mentha*, da fam. das labiadas, tb. conhecidas por hortelã 2 Ver *hortelã* [F.: Do lat. *ment(h)a, ae*. Par.: *menta*, flex. de *mentar*.]

mental[1] (men.*tal*) *a2g.* 1 Ref. a ou da mente (faculdades mentais, doença mental) 2 Que se produz na mente ou no pensamento (imagens mentais) 3 Que se processa no intelecto (cálculo mental) [Pl.: *-tais*.] [F.: Do lat. tard. *mentalis, e*.]

mental[2] (men.*tal*) *a2g.* Ref. ao ou do mento (queixo) [Pl.: *-tais*.] [F.: *ment(o)* + *-al*.]

mentalidade (men.ta.li.*da*.de) *sf.* 1 Caráter ou qualidade de mental *sf.* 2 Mente, inteligência, pensamento 3 Modo de pensar característico de uma pessoa ou de um grupo 4 *Psi.* Estado psicológico [F.: *mental*[1] + *-(i)dade*, por infl. do fr. *mentalité*.]

mentalismo (men.ta.*lis*.mo) *sm.* 1 *Psi.* Doutrina segundo a qual a mente é a verdadeira realidade, todos os objetos do conhecimento, inclusive a realidade física, só existem como criação da mente 2 *Psi. Psiq.* Qualquer escola de psicologia ou psiquiatria que se baseia em dados subjetivos, adquiridos pela introspecção, para estudar e interpretar o comportamento 3 *Parap.* Prática de atividades parapsicológicas como leitura de mente e telepatia. Tb. denominado ilusionismo 4 *Cib.* Doutrina segundo a qual os processos mentais são autônomos, podem explicar mas não ser explicados pelo comportamento de um organismo [F.: *mental* + *-ismo*. NOTA: nas acp. 2 e 4, opõe-se ao behaviorismo.]

mentalista (men.ta.*lis*.ta) *a2g.* 1 Ref. ao mentalismo; do mentalismo 2 Que é adepto do mentalismo, ou especialista nele *s2g.* 3 Indivíduo mentalista (2) 4 Pessoa que manifesta fenômenos paranormais ou usa truques para simulá-los [F.: *mental* + *-ista*.]

mentalização (men.ta.li.za.*ção*) *sf.* 1 Ação ou resultado de mentalizar 2 Operação mental, pensamento, imaginação [Pl.: *-ções*.] [F.: *mentalizar* + *-ção*.]

mentalizado (men.ta.li.*za*.do) *a.* 1 Que se mentalizou 2 Representado mentalmente [F.: Part. de *mentalizar*.]

mentalizar (men.ta.li.*zar*) *v.* 1 Conceber, elaborar ou imaginar [*td.*: *Mentalizou um modo de vida.*] 2 Fixar a mente em; concentrar-se em; gravar na mente [*td.*: *Mentalizou bem o papel antes de entrar em cena.*] 3 Incutir (modo de pensar) em (alguém ou si mesmo); PERSUADIR [*tr.* +*em*: *Procura mentalizar nos alunos uma nova concepção de estudar.*] [*tr.* +*de*: *Os alunos mentalizaram-se da importância do fato.*] 4 Fixar o pensamento fortemente em (algo) [*td.*: *Mentalizou minuciosamente o plano antes de pô-lo em prática.*] [▶ 1 mentalizar] [F.: *mental* + *-izar*.]

◎ **-mente** *suf.* = de determinada maneira: *apressadamente, completamente, maliciosamente.* [F.: Do lat. *mens, mentis*.]

mente (*men*.te) *sf.* 1 Fonte da atividade psíquica e intelectual; ESPÍRITO; INTELECTO 2 Capacidade de compreender e de criar; IMAGINAÇÃO: "Dom Bibas parecia também uma criação desvairada da mente do escultor" (Alexandre Herculano, *O bobo*) 3 Intenção, intento, plano: *Sua mente era mudar de atividade.* 4 Lembrança, memória: *A derrota não lhe sai da mente.* [F.: Do lat. *mens, mentis*. Hom./Par.: *mente* (sf.), *mente* (fl. de *mentir*).] ■ **De boa ~** Com boa vontade, de bom grado **De má ~** Com relutância, de má vontade, a contragosto

mentecapto (men.te.*cap*.to) *a.* 1 Que perdeu o juízo; LOUCO; MALUCO 2 Que tem pouca capacidade intelectual; TOLO; IDIOTA *sm.* 3 Indivíduo mentecapto (1 e 2): "Lembras-te dos... moços de estribeira, que rodeavam outrora o rei mentecapto?" (Júlio Dantas, *Frei Antônio das Chagas*) [F.: Do lat. *mente* + *captus*.]

mentir (men.*tir*) *v.* 1 Dizer ou afirmar algo não verdadeiro, sabendo que não é [*td.*: *A mulher mente sua idade.*] [*ti.* +*a*: *A mulher mente para o marido.*] [*int.*: *Não acredite, ela está mentindo.*] 2 Dizer ou ser contumaz em dizer mentiras [*int.*: *Ele mente muito.*] 3 *Fig.* Iludir, enganar [*int.*: *Seu olhar diz que você mente; Os fatos não mentem.*] 4 Não cumprir um dever ou um compromisso [*tr.* +*a*: *Mentiu à promessa que fizera.*] 5 Não estar de acordo com a realidade [*tr.* +*em*: *A reportagem mentiu em muitas coisas.*] 6 Induzir em erro; enganar [*ti.* +*para*: *Nossa memória às vezes mente para nós mesmos.*] [*int.*: *A memória às vezes mente.*] 7 Degenerar(-se), adulterar(-se) [*int.*: *Um vinho de qualidade nunca mente.*] 8 Gorar, não vingar, falhar [*int.*: *A primavera foi seca e a floração mentiu.*] [▶ 50 mentir] [F.: Do b. lat. *mentire* (clás. *mentiri*).]

mentira (men.*ti*.ra) *sf.* 1 Ação ou resultado de mentir *sf.* 2 Afirmação que não corresponde à verdade, feita com a intenção de enganar; FALSIDADE; FRAUDE 3 Falsa aparência; ILUSÃO: *Neste mundo tudo é mentira e vaidade.* 4 Hábito de mentir 5 *Bras. Pop.* Mancha esbranquiçada nas unhas 6 Espécie de biscoito caseiro feito de massa de ovos, açúcar e massa fina [F.: Or. obsc.] ■ **De ~** Não verdadeiro ou autêntico, falso, fingido, simulado: *diamante de mentira, choro de mentira.* **~ deslavada** Evidente mentira, afirmação ou negação obviamente mentirosa

mentirada (men.ti.*ra*.da) *sf.* Porção de mentiras; MENTIRAGEM: "Se Amélia não tivesse inventado aquelas mentiradas ele continuaria com o Comendador." (Jorge Amado, *Jubiabá*) [F.: *mentira* + *-ada*[1].]

mentirinha (men.ti.*ri*.nha) *sf.* 1 Mentira sem gravidade 2 *Cul.* Biscoito redondo e achatado, feito com massa de pão de ló e assado no forno; MENTIRA; TARECO [F.: *mentira* + *-inho*[1].]

mentirola (men.ti.*ro*.la) *sf.* Mentira inofensiva; mentirinha, embaçadela [F.: *mentira* + *-ola*[1].]

mentiroso (men.ti.*ro*.so) [ô] *a.* 1 Que diz mentiras 2 Em que há mentira (elogios mentirosos); FALSO; FINGIDO 3 Que não corresponde à verdade e pode levar a erro; ENGANOSO; ILUSÓRIO: *Fez uma descrição mentirosa da realidade do país. sm.* 4 Aquele que diz mentiras [Pl.: [ó]. Fem.: [ó].] [F.: *mentir(a)* + *-oso*.]

◎ **-mento** *suf.* = 'ação ou resultado de ação'; 'processo'; 'coleção': *adiamento, crescimento, discernimento; fardamento, sortimento.* [F.: Do lat. *-mentum*.]

mento (*men*.to) *sm.* 1 *Anat.* Zona do rosto que corresponde à parte frontal da mandíbula 2 Queixo: "O vaqueiro Adino — de sisgola entre a boca e a ponta do mento — feito dois queixos" (Guimarães Rosa, Cara de bronze *in No Urubuquaquá, no Pinhém*) 3 *Anat. Zool.* Nos vertebrados, região inferior e mediana da mandíbula [F.: Do lat. *mentum, i*. Par.: *mento*, flex. de *mentar*.]

◎ **ment(o)-** *el. comp.* = queixo: *mental*[2] [F.: Do lat. *mentum, -i*.]

mentol (men.*tol*) *sm. Quím.* Álcool ($C_{10}H_{20}O$) extraído da essência da hortelã, de propriedades aromáticas, antissépticas e anestésicas, usado em pastilhas, licores e medicamentos para a garganta [Pl.: *-tóis*.] [F.: Do fr. *menthol*.]

mentolado (men.to.*la*.do) *a.* Que contém mentol (cigarros mentolados) [F.: *mentol* + *-ado*[2].]

mentor (men.*tor*) [ô] *sm.* 1 Pessoa experiente que instrui e dá conselhos a outra; GUIA; MESTRE 2 Pessoa que planeja e dirige um projeto, uma obra etc. [F.: Do lat. *mentor, oris*, do antr. gr. *Méntor*, personagem da *Odisseia*.]

⊕ **menu** (*Fr.* /meni/) *sm.* 1 Lista das refeições e bebidas, com os respectivos preços, que podem ser escolhidas num restaurante; CARDÁPIO 2 Conjunto dos diferentes pratos servidos numa refeição; CARDÁPIO 3 *Inf. Tec.* Lista de opções que aparecem na tela do computador, no visor de um telefone celular etc.

mequetrefe (me.que.*tre*.fe) *Pop. sm.* 1 Sujeito intrometido; ENXERIDO: "O patrão dá gás àquele mequetrefe... Um pé de poeira como os outros..." (José Américo de Almeida, *A bagaceira*) 2 Pessoa sem valor, insignificante; JOÃO-NINGUÉM 3 Patife, velhaco [F.: De or. contrv.]

mercadeiro (mer.ca.*dei*.ro) *sm.* Aquele que compra para revender a varejo; MERCADOR [F.: *mercado* + *-eiro*.]

mercadejar (mer.ca.de.*jar*) *v.* 1 Comerciar, negociar, ser mercador, negociante [*tr.* +*em, com*: *Mercadeja com joias.*] [*int.*: *Ele vive de mercadejar.*] 2 Negociar, tirando lucro ilícito; traficar [*td.*: *Mercadejava produtos proibidos.*] [▶ 1 mercadejar] [F.: *mercado* + *-ejar*. Hom./Par.: *mercadejo* (fl.), *mercadejo* (sm.).]

mercadejo (mer.ca.*de*.jo) [ê] *sm.* Ação ou resultado de mercadejar; COMÉRCIO; MERCANCIA; NEGÓCIO; TRÁFICO: "....como se constituem as qualificações e competências envolvidas nos processos de produção e de mercadejo..." (Divonzir Arthur Gusso, *Agentes da inovação: quem os forma, quem os emprega?*) [F.: Dev. de *mercadejar*. Hom./Par.: *mercadejo* (sm), *mercadejo* (fl. de *mercadejar*).]

mercadinho (mer.ca.*di*.nho) *sm.* 1 *RJ* Pequeno mercado de bairro 2 *S.* O mesmo que *quitanda* [F.: *mercado* + *-inho*[1].]

mercadismo (mer.ca.*dis*.mo) *Econ. sm.* Doutrina ultraliberal segundo a qual o Estado deve abster-se de qualquer atividade econômica e a privatização do patrimônio público deve ser total e urgente, mesmo com perdas [Ant.: *estatismo*.] [F.: *mercado* + *-ismo*.]

mercadização (mer.ca.di.za.*ção*) *sf.* Processo e técnica de favorecer a comercialização de produtos, serviços etc. [Pl.: *-ções*.] [F.: *mercado* + *-izar* + *-ção*.]

mercado (mer.*ca*.do) *sm.* 1 Lugar público onde se vendem mercadorias, esp. gêneros alimentícios 2 *Econ.* Atividade que consiste na compra e venda de produtos, bens e serviços (mercado de imóveis/de trabalho); COMÉRCIO 3 Conjunto de potenciais compradores de um produto, de investidores etc. (pesquisa de mercado, mercado de capitais) 4 *Econ.* Lugar, região etc. onde existe um mercado potencial: *O Brasil é um grande mercado de informática.* 5 *Econ.* Sistema das relações econômicas de compra e venda baseado na lei da oferta e da procura [F.: Do lat. *mercatus, us*.] ■ **~ aberto** *Econ.* Mercado (sob controle de banco central) para compra e venda de títulos diretamente entre instituições financeiras e o público; *open market*. **~ a futuro** *Econ.* Ver *Mercado de futuros* **~ a termo** *Econ.* Mercado de compra e venda em bolsas de valores ou de mercadorias, com parte do vencimento à vista nos preços do fechamento, e parte a termo, em prazo prefixado **~ comum** *Econ.* Associação de países que estabelecem regras específicas para o comércio entre eles (política comercial, tarifas alfandegárias no âmbito desse mercado etc.) visando a estimulá-lo e fortalecê-lo em benefício de todos **~ de balcão** *Econ.* Mercado de compra e venda de títulos, ações etc. não registrados em bolsas de valores **~ de capitais** *Econ.* Mercado formado por instituições financeiras e bolsas de valores, para aplicação e investimento de capital privado ou institucional em títulos, ações etc. a longo prazo **~ de futuros** *Econ.* Mercado de operações de compra e venda em bolsa de títulos ou de mercadorias (neste caso, *commodities*) em lotes e a preços prefixados, a serem saldadas em data futura **~ de trabalho** 1 *Econ.* Conjunto de empresas, instituições etc. que oferecem emprego e das pessoas que ocupam ou procuram ocupar esses empregos, em um dado momento, em uma dada sociedade 2 A relação entre a oferta e a procura de emprego por esse conjunto, nesse contexto **~ financeiro** 1 *Econ.* Mercado no qual são aplicados recursos financeiros em títulos públicos, ações, moeda estrangeira etc. 2 *Restr.* Mercado financeiro para aplicações em títulos de crédito [Cf. *mercado de capitais*.] **~ futuro** *Econ.* Ver *Mercado de futuros* **~ livre** 1 *Econ.* Mercado de compra e venda, de ativos (títulos, mercadorias, moeda etc.) sem regulamentação, tabelamento de preços ou cotações prévias 2 *P.ext.* O lugar físico no qual se realizam essas operações **~ negro** *Econ.* Comércio de bens ilegal ou clandestino, ger. de produtos raros ou fora do mercado por falta ou proibição, fora das regras legais e sem registro legal **~ paralelo** *Econ.* Mercado de compra e venda de títulos, moeda etc., cujas operações estão fora da regulamentação ou controle das instituições financeiras oficiais ou credenciadas **~ primário** 1 *Econ.* Aquele no qual devedores tomam diretamente empréstimos para saldar suas dívidas 2 Aquele no qual são negociados em leilão pela primeira vez títulos de dívida pública do governo 3 Aquele no qual se oferecem novas emissões de títulos, contratos futuros etc. **~ secundário** *Econ.* Segmento do mercado no qual instituições financeiras negociam títulos lançados no mercado primário **~ spot** *Econ.* Mercado de *commodities* (ver *commodity*) com pagamento e entrega imediatos das mercadorias negociadas

mercadologia (mer.ca.do.lo.*gi*.a) *sf. Econ.* Estudo de mercados com vistas à comercialização de um produto [F.: *mercado* + *-logia*. Cf.: *marketing*.]

mercadológico (mer.ca.do.*ló*.gi.co) *a.* Ref. a mercadologia ou *marketing* [F.: *mercadologia* + *-ico*[2].]

mercador (mer.ca.*dor*) [ô] *sm.* 1 Aquele que merca, que compra mercadorias para revendê-las; MERCANTE; COMERCIANTE 2 *Antq.* Negociante de panos 3 *Zool.* Peixe perciforme (*Archosargus rhomboidalis*), sargo-de-dente, canhanha 4 *Zool.* Peixe teleósteo (*Anisotremus virginicus*); SALEMA [F.: Do lat. *mercator, oris.*]

mercadoria (mer.ca.do.*ri*.a) *sf.* 1 *Econ.* Produto que se pode comprar ou vender, que é objeto de comércio; MERCANCIA 2 Gênero comprado ou vendido, ou exposto à venda 3 *BA* Entre os garimpeiros, carbonado ou diamante 4 *Ant.* O ofício, a profissão de mercador [F.: *mercador + -ia*[1].]

mercancia (mer.can.*ci*.a) *sf.* 1 Ação ou resultado de mercanciar; COMÉRCIO; NEGÓCIO: "Outros tinham-no em conta de um aventureiro, que enriqueceu na mercancia ignóbil da escravatura" (Camilo Castelo Branco, *Mistérios de Lisboa*) 2 O mesmo que *mercadoria* [F.: Do it. *mercanzia*. Hom./Par.: *mercancia* (sf.), *mercancia* (fl. de *mercanciar*).]

mercanciar (mer.can.ci.*ar*) *v.* O mesmo que *mercadejar* [▶ 1 mercanciar] [F.: *mercancia + -ar*[2]. Hom./Par.: *mercancia* (fl.), *mercancia* (s f.); *mercancias* (fl.), *mercancias* (pl. do sf.).]

mercante (mer.*can*.te) *a2g.* 1 Dedicado ao comércio *a2g.* 2 Que se dedica ao transporte de mercadorias (navio mercante, marinha mercante) *s2g.* 3 O mesmo que *mercador* [F.: Do it. *mercante.*]

mercantil (mer.can.*til*) *a2g.* 1 Do ou próprio do comércio; COMERCIAL 2 *Fig.* Que procura o lucro acima de tudo (espírito mercantil, índole mercantil) [Pl.: *-tis.*] [F.: Do it. *mercantile.*]

mercantilismo (mer.can.ti.*lis*.mo) *sm.* 1 Tendência para buscar o lucro e o interesse financeiro antes de qualquer coisa: "Gesticulando para o bronze, saudava-o como um representante da arte pura, antes da invasão do mercantilismo na estética" (Coelho Neto, *Inverno em flor*) 2 O gosto pela atividade comercial 3 *Econ. Hist.* Doutrina política e econômica, esp. dos sécs. XVI e XVII, que dá importância primordial ao comércio e à acumulação de reservas em metais preciosos [F.: Do fr. *mercantilisme.*]

mercantilista (mer.can.ti.*lis*.ta) *a2g.* 1 Ref. ao mercantilismo ou próprio dele: "No séc. XVIII as práticas mercantilistas foram essencialmente colonialistas..." (Aquino, Denise, Jacques, Oscar, *História das sociedades*) 2 Que pratica ou é partidário do mercantilismo 3 Que visa exclusivamente ao lucro: *A palavra-chave da medicina mercantilista é: lucro. s2g.* 4 Praticante ou adepto do mercantilismo: "Na segunda metade do séc. XVII, os mercantilistas passaram a se preocupar em evitar a 'hemorragia financeira', como afirmava Colbert." (*Idem*) [F.: *mercantil + -ista.*]

mercantilizar (mer.can.ti.li.*zar*) *v.* 1 Conferir um caráter mercantil ou comercial a [*td.*] 2 Tornar objeto de comércio [*td.*: *O artista mercantilizou sua arte.*] 3 Dedicar-se a transações mercantis [*td.*: *Fez fortuna mercantilizando raridades.*] [*tdr.* +*com*: *Mercantilizava têxteis com a América Central.*] [▶ 1 mercantilizar] [F.: *mercantil + -izar*. Hom./Par.: *mercantilizáveis* (fl.), *mercantilizáveis* (pl. de *mercantilizável* [a2g.]).]

mercar (mer.*car*) *v.* 1 Comprar para vender; fazer comércio; COMERCIAR; MERCADEJAR [*td.*] 2 *Fig.* Comprar com pagamento em dinheiro [*td.*: *Os aventureiros mercavam minerais estratégicos.*] 3 *Fig.* Obter (algo) com muito trabalho e sacrifício [*td.*] 4 *BA* Apregoar para vender [*td. int.*] [▶ 11 mercar] [F.: Do lat. *mercare. Hom./Par.: *merca* (fl.), *merca* (sf.); *mercas* (fl.), mercas (pl. do sf.); *mercáveis* (fl.), *mercáveis* (pl. de *mercável* [a2g.]).]

mercê (mer.*cê*) *sf.* 1 Favor ou benefício que se concede; GRAÇA: "Me declare tudo, franco — é alta mercê que me faz." (Guimarães Rosa, *Grande sertão: veredas*) 2 Recompensa por serviço prestado; PAGA; RETRIBUIÇÃO: "Mendo Pais, que, na confiança de parente e amigo, jornadeara sem homens da sua mercê, cingindo apenas por cima do brial... uma espada curta e um punhal." (Eça de Queirós, *A ilustre casa de Ramires*) 3 Benignidade, indulgência; bom acolhimento 4 Perdão, indulto 5 Concessão de título honorífico 6 *Ant.* Nomeação para cargo público 7 Capricho, arbítrio [F.: Do lat. *merces, edis.*] ∎ **~ de** Graças a: *Foi promovido, mercê de seu esforço e de sua dedicação.* **À ~ de** 1 Sujeito a, ao sabor ou capricho de: *O barquinho flutuava à mercê das ondas.* 2 Na dependência total de (algo ou alguém): *Derrotado, ficou à mercê do inimigo.* **Pôr-se à ~ (de)** Colocar-se à disposição, às ordens (de): *Conte comigo, ponho-me à sua mercê.* **Vossa ~** Antiga forma de tratamento, us. respeitosamente: *Vossa mercê é o coronel Saraiva?*

mercearia (mer.ce:a.*ri*.a) *sf.* 1 Loja onde se vendem gêneros alimentícios, bebidas etc. a varejo; ARMAZÉM; VENDA 2 Os artigos vendidos nessa loja [F.: Do it. *merceria.*]

mercedário (mer.ce.*dá*.ri:o) *sm.* 1 Frade da Ordem das Mercês (Ordem da Santíssima Virgem Maria das Mercês), fundada em 1218, na Espanha, para redenção dos cristãos escravizados pelos mouros *a.* 2 Ref. ou pertencente a essa ordem [F.: *mercê* (sob a f. *merced-*) + *-ário*, segundo o modelo erudito. Hom./Par.: *mercedário* (adj., sm), *mercenário* (adj., sm).]

merceeiro (mer.ce.*ei*.ro) *sm.* Proprietário de mercearia, tendeiro [F.: *merce(aria) + -eiro.*]

mercenário (mer.ce.*ná*.ri:o) *a.* 1 Que trabalha por um preço ou salário ajustado (diz-se esp. de soldado) 2 Que trabalha ou faz algo somente por dinheiro; INTERESSEIRO *sm.* 3 Indivíduo mercenário [F.: Do lat. *mercenarius, a, um.*]

mercenarismo (mer.ce.na.*ris*.mo) *sm.* 1 Espírito mercenário, interesseiro 2 Qualidade, atitude ou caráter de mercenário, de quem age apenas por interesse financeiro: "Ao contrário do que apregoavam as faixas de protesto levadas ao Maracanã, o problema do Flamengo não é de mercenarismo de jogadores nem de falta de raça ou de sangue." (*O Globo*, 31.03.2003) [F.: *mercenário + -ismo.*]

mercerizado (mer.ce.ri.*za*.do) *a.* Diz-se de fibra de algodão submetida a um processo industrial que lhe dá brilho e consistência sedosa [F.: Part. de *mercerizar*, este do ing. *to mercerize*, do antrop. (*John*) *Mercer* (1791-1866), químico inglês.]

⊕ **merchandising** (*Ing. /mertchandáisin/*) *sm.* 1 *Publ.* Exibição ou menção de uma marca ou produto em programas de TV, filmes etc., como publicidade mas sem declarada intenção publicitária 2 *Mkt.* Conjunto de técnicas us. para pôr no mercado um produto ou serviço, ou incentivar o aumento de vendas desse produto

⊠ **mercosul** Sigla de Mercado Comum do Sul (aliança comercial entre Brasil, Argentina, Paraguai e Uruguai, tendo a Bolívia e Chile como associados)

mercurial[1] (mer.cu.ri.*al*) *a2g.* 1 Ref. a ou que contém mercúrio 2 Que facilmente se excita ou se enfurece; que é explosivo, arrebatado, impulsivo (pessoa mercurial; temperamento mercurial) *sm.* 3 *Farm.* Medicamento que contém mercúrio [Pl.: *-ais.*] *sf.* 4 Advertência ríspida, severa; repreensão, reprimenda [F.: Do lat. *mercurialis, e.*]

mercurial[2] (mer.cu.ri.*al*) *Bot. sf.* Nome comum às ervas do gên. *Mercurialis*, da fam. das euforbiáceas, tb. conhecidas por azougue, como, p. ex., *Mercurialis annua*, nativa da Europa e do Mediterrâneo, com uso medicinal, tb. chamada de urtiga-morta [F.: Do lat. cient. *Mercurialis.*]

mercuriano (mer.cu.ri.*a*.no) *a.* 1 Ref. a Mercúrio, deus do comércio na mitologia romana 2 *Astrol. Oct.* Sob a influência do planeta Mercúrio 3 *Astrol. Astron.* Ref. ou pertencente a esse planeta: *O ano mercuriano tem apenas 88 dias.* [F.: *Mercúrio + -ano*[1].]

mercúrico (mer.*cú*.ri.co) *Quím. a.* Diz-se de composto que contém mercúrio divalente [F.: *mercúrio + -ico*[2]. Cf.: *mercuroso.*]

mercúrio (mer.*cú*.ri:o) *sm.* 1 *Astron.* Planeta do sistema solar que gravita mais perto do Sol 2 *Quím.* Elemento químico de número atômico 80 [Simb.: *Hg*], metal líquido à temperatura ambiente; us., entre outros, em instrumentos de medidas (tais como termômetros e barômetros), lâmpadas fluorescentes, espelhos, etc., este elemento em contato direto (inalação, ingestão, etc.) pode causar graves danos à saúde, podendo, mesmo, levar à morte, conforme, é claro, o grau de concentração [F.: Do lat. medv. *mercurius, ii*, ('metal'), e do mit. lat. *Mercurius.*]

mercuriocromo (mer.cu.ri:o.*cro*.mo) *sm.* Ver *mercurocromo*

mercurocromo (mer.cu.ro.*cro*.mo) *sm. Farm.* Composto de mercúrio ($C_{20}H_8Br_2HgNa_2O_6$) us. como antisséptico e germicida [F.: Do ing. *Mercurochrome®*, marca comercial. Tb. *mercuriocromo.*]

mercuroso (mer.cu.*ro*.so) [ô] *Quím. a.* Diz-se de composto que contém mercúrio monovalente; MERCURIOSO [F.: *mercúrio + -oso*. Cf.: *mercúrico.*]

merda (*mer*.da) *Tabu. sf.* 1 Fezes, excremento 2 *Fig. Pej.* Coisa desprezível ou repulsiva *s2g.* 3 *Fig. Pej. Tabu.* Pessoa insignificante ou desprezível [É muito ofensivo.] *interj.* 4 *Tabu.* Expressa irritação, repulsa ou desprezo 5 *Gír. Teat.* Palavra usada entre atores para expressar desejo de boa sorte [F.: Do lat. *merda, ae.*] ∎ **Cheio de ~** *Bras. Tabu.* Cheio de luxo, cheio de frescura **De ~** *Bras. Tabu.* Ordinário, abaixo da crítica, péssimo **Estar na ~** *Bras. Tabu.* Estar em situação (esp. financeira) muito difícil e penosa **Fazer ~** *Tabu Fig.* Fazer ou realizar algo de forma totalmente errada, pessimamente, com resultado abaixo da crítica, ou desastroso: *Foi encarregado de polir as peças, mas só fez merda; Olha a merda que ele fez, ao dizer o que não devia a quem não devia sabê-lo...*

merdoso (mer.*do*.so) [ô] *Bras. Pop. Vulg. a.* 1 *Fig.* De má qualidade ou insignificante (tradução merdosa; salário merdoso); BARATO; ORDINÁRIO; VAGABUNDO [Ant.: *bom, caprichado, significativo, valioso.*] 2 *Fig.* Chato, aborrecido ou desagradável (dia merdoso, aula merdosa) [Ant.: *agradável, divertido, interessante.*] 3 *Fig.* Metido a besta; ARROGANTE; CONVENCIDO; PEDANTE: *A irmã merdosa dele só quer aparecer.* [Ant.: *despojado, modesto, simples.*] 4 De merda, de matéria fecal [Pl.: [ó]. Fem.: [ó].] [F.: *merda + -oso.*]

merecedor (me.re.ce.*dor*) [ô] *a.* 1 Que merece alguma coisa: *Sua conduta é merecedora dos maiores elogios. sm.* 2 Aquele que merece alguma coisa [F.: *merecer + -dor.*]

merecer (me.re.*cer*) *v.* 1 Ser digno de; ter merecimento para; fazer jus a [*td.*: *Esses trabalhadores merecem um bom salário; Esse filme não merece ser visto.*] [*tdi.* +*de*: *Sou muito dedicada, não mereço de você esse tratamento torpe.*] [*int.*: *Quem trabalha bem, recebe o que merece!*] 2 Ter direito a [*td.*: *Certas cidades não merecem ter tal nome.*] 3 Ter condições ou qualidades para obter (algo) [*td.*: *Esse rapaz não merece confiança.*] 4 Apresentar as necessárias condições para receber (prêmio, consideração etc.) [*td.*: *Esse filme não merece o prêmio.*] [*int.*: *Ele ganhou porque mereceu.*] 5 Ter qualidades para representar um valor; valer [*td.*: *Esse carro não merece custar tanto.*] [▶ 33 merecer] [F.: Do lat. *merescere, de *merere*. Hom./Par.: *merecem* (fl.), *merecém* (sm.). Ant. ger.: *desmerecer.*]

merecido (me.re.*ci*.do) *a.* 1 Que se mereceu, devido, justo *a.* 2 Que se concede de forma justa (recompensa merecida, castigo merecido) [F.: Part. de *merecer*. Ant. ger.: *imerecido, injusto.*]

merecimento (me.re.ci.*men*.to) *sm.* 1 Qualidade de quem merece prêmio ou castigo: *promoção por merecimento.* 2 O que torna alguém ou algo digno de louvor; MÉRITO; VALOR: *O merecimento desse livro se comprova por sua vendagem:* "Os outros reduzem a zero o meu merecimento nessa transformação" (Rui Barbosa, *Cartas de Inglaterra*) 3 Capacidade, idoneidade, aptidão 4 Habilidade, capacidade 5 *Rel.* Cada um dos sofrimentos pelos quais passou Jesus Cristo para remir a humanidade [F.: *merecer + -imento.*]

merejar (me.re.*jar*) *v. Bras. Pop.* Ver *marejar* [*td.*] [*int.*] [▶ 1 merejar]

merencório (me.ren.*có*.ri:o) *a.* Triste, melancólico: "...à merencória luz da lua..." (Ari Barroso, *Aquarela do Brasil*) [F.: Forma antiga de *melancólico.*]

merenda (me.*ren*.da) *sf.* 1 Refeição que as crianças fazem no intervalo das aulas 2 Refeição leve que se faz entre o almoço e o jantar; LANCHE: "Nada havia mais idílico, mais doce, que as nossas merendas de morangos na cozinha" (Eça de Queirós, *A relíquia*) 3 Farnel para viagem ou piquenique 4 *Ant.* Foro pago a quem tomava conta dos prazos [F.: Do lat. *merenda, ae.*] ∎ **~ escolar** *Bras.* Refeição fornecida a crianças de escolas públicas durante o dia escolar

merendar (me.ren.*dar*) *v.* Comer (algo) como merenda ou na hora da merenda; fazer um pequeno lanche [*td.*: *Merendei um sanduíche.*] [*int.*: *Está na hora de merendar.*] [▶ 1 merendar] [F.: Do lat. tard. *merendare*. Hom./Par.: *merenda* (fl.), *merendas* (sf.); *merendas* (fl.), *merendas* (pl. do sf.).]

merendeira (me.ren.*dei*.ra) *sf.* 1 Maleta em que se leva merenda; LANCHEIRA 2 *RJ* Funcionária que prepara merenda nas escolas 3 Pão pequeno, próprio para merendas [F.: *merenda + -eira.*]

merengue[1] (me.*ren*.gue) *sm.* 1 *Cul.* Doce de claras de ovos batidas com açúcar e coberto com chantili 2 Doce muito leve e açucarado; SUSPIRO [F.: Do fr. *meringue.*]

merengue[2] (me.*ren*.gue) *sm.* 1 *Mús.* Dança em dois tempos, típica do Haiti e de São Domingos 2 Música que acompanha essa dança [F.: Do espn. *merengue.*]

mereologia (me.re:o.lo.*gi*.a) *Lóg. sf.* 1 Ramo da lógica que estuda as relações entre as partes e o todo 2 Álgebra booliana que exclui a classe nula [F.: Do ing. *mereology*. Hom./Par.: *mereologia* (sf.), *merologia* (sf.).]

mereológico (me.re:o.*ló*.gi.co) *a.* Ref. a mereologia [F.: *mereologia + -ico*[2].]

meretrício (me.re.*trí*.ci:o) *sm.* 1 Profissão de meretriz, prostituição (zona de meretrício) 2 Conjunto de meretrizes *a.* 3 Ref. a ou próprio de meretriz: "Desse quadro meretrício é que se foi sacar... o honestíssimo *devirginare*" (Rui Barbosa, *Réplica*) [F.: Do lat. *meretricium, ii*. Hom./Par.: *meretrício* (a.sm.), *meretricio* (fl. de *meretriciar*).]

meretriz (me.re.*triz*) *sf.* Aquela que faz sexo por dinheiro; PROSTITUTA [Dim.: *meretrícula.*] [F.: Do lat. *meretrix, cis.*]

mergulhado (mer.gu.*lha*.do) *a.* 1 Coberto por água ou outra matéria; AFUNDADO; IMERSO; SUBMERSO: *Adora ficar mergulhado no lago*; "Mergulhado na onda, eu tinha que olhar para cima, para respirar" (Raul Pompeia, *O Ateneu*): "Alves olhava-me do outro lado da mesa central de pano verde, com a mão à fronte e os dedos mergulhados nos cabelos." (*Idem*) 2 Tendo ao redor; ENVOLTO; IMERSO; RODEADO: "Do seu canto escuro, via tudo mergulhado numa vaga semiluz." (Lima Barreto, *O filho de Gabriela*) 3 Dedicado, entregue exclusivamente; ABSORTO; CONCENTRADO; ENTREGUE: *Está mergulhado no trabalho desde ontem*; "...nem apareceu durante alguns dias, e parecia mergulhado no mais inconsolável e profundo pesar." (Bernardo Guimarães, *A escrava Isaura*) 4 Comprometido, enredado, ligado: *mergulhado nos problemas dos filhos;* "...a visão do bem chegou a parecer-me pior, mais funesta, do que a visão do mal. (...) Eu vivia mergulhado no bem e não podia gozar, desfrutar o bem." (Joaquim Manoel de Macedo, *A luneta mágica*) [F.: Part. de *mergulhar.*]

mergulhador (mer.gu.lha.*dor*) [ô] *a.* 1 Que mergulha *sm.* 2 Aquele que mergulha, eventualmente ou como prática esportiva ou profissional 3 Profissional que realiza tarefas debaixo d'água 4 Pescador de pérolas ou búzios [F.: *mergulhar + -dor.*]

mergulhão (mer.gu.*lhão*) *sm.* 1 *Zool.* Denominação comum à diversas spp. de aves aquáticas da fam. dos podicipedídeos de ampla distribuição, com pernas localizadas bem atrás do corpo facilitando o impulso e natação em seus mergulhos frequentes 2 Grande mergulho 3 Caule ou ramo fincado na terra, do qual se deixa apenas a ponta de fora, para criar raízes e fazer brotar uma nova planta; mergulho [Pl.: *-lhões.*] [F.: *mergulho + -ão*[1].]

mergulhar (mer.gu.*lhar*) *v.* 1 Fazer imergir ou imergir (em água ou qualquer outro líquido) [*ta.*: *Mergulhou na água.*] [*tda.*: *Mergulhou. uma calça na tintura.*] [*int.*: *O submarino mergulhou.*] 2 Dar ou praticar mergulho [*int.*: *O rapaz mergulhou bem fundo.*] 3 Descer verticalmente, de maneira súbita ou impetuosa [*int.*: *O avião mergulhou numa acrobacia ousada.*] 4 Entregar-se completamente a (ocupação ou atividade) [*tr.* +*em*: *Mergulhar no trabalho/nos livros/nos estudos.*] 5 Jogar-se, atirar-se [*ta.*: *Mergulhou na cama*; *A águia mergulhou sobre a presa.*] 6 Penetrar, embrenhar-se, ficar envolto (tb. *Fig.*) [*ta.*: *Saiu da barraca e mergulhou na escuridão;* "Mergulhamos no matagal e saímos adiante..." (Kurba Said, *Ali e Nino*)] 7 Entranhar, cravar [*tda.*: *Mergulhou o punhal na presa.*]

8 Ocultar-se, desaparecer [*td.*: *O sol mergulhou atrás das nuvens.*] 9 Enfiar, colocar, meter [*tda.*: *Mergulhou as mãos nos bolsos.*] 10 Praticar atividade submarina [*int.*] [▶ 1 mergulhar] [F.: Do lat. vulg. **mergulíare*, de *mergulus*, dim. de *mergus, i*, 'mergulhão'. Hom./Par.: *mergulháveis* (fl.), *mergulháveis* (pl. de *mergulhável* [a2g.]); *mergulho* (fl.), *mergulho* (sm.).]

mergulhia (mer.gu.*lhi*.a) *sf. Agr.* Operação de reprodução vegetal que consiste em enterrar um ramo ou caule rastejante a fim de que enraíze e possa ser separado da planta que o originou; ALPORCA; ALPORCAMENTO; ALPORQUE; ALPORQUIA [F.: *mergulho* + *-ia*[1].]

mergulho (mer.*gu*.lho) *sm.* 1 Ação ou resultado de mergulhar 2 Atividade profissional ou prática esportiva embaixo d'água 3 Voo descendente, de ave, avião, asa-delta etc. 4 *Agr.* A vara utilizada na enxertia do tipo mergulhão 5 *Geol.* Inclinação das camadas, ou do veeiro, em relação à horizontal 6 O mesmo que *mergulhão* (3) [F.: Dev. de *mergulhar*. Hom./Par.: *mergulho* (sm.), *mergulho* (fl. de *mergulhar*).]

◎ **meri-** *el. comp.* = 'parte, porção': *meristema*, *meritalo* [F.: Do gr. *merís, ídos*.]

meridiana (me.ri.di.*a*.na) *sf.* 1 Linha reta que representa a interseção do plano do meridiano com o plano do horizonte ou com qualquer outro plano 2 Relógio de sol 3 *Bras.* O mesmo que *sesta*: "Meridiana e sesta são denominações latinas correspondentes ao ligeiro descanso depois de alimentar-se. *Meridio, meridior*, porque dormiam ao calor do meio-dia." (Luís da Câmara Cascudo, *História da Alimentação no Brasil*) 4 *Náut.* Posição de um astro ao cruzar, durante o dia, o meridiano superior ou inferior de um lugar; PASSAGEM MERIDIANA 5 *Astron.* Instrumento que determina a hora e a longitude pela observação da passagem meridiana de estrelas; LUNETA DE PASSAGEM [F.: Fem. substv. de *meridiano*.]

meridiano (me.ri.di.*a*.no) *sm.* 1 *Geog.* Cada um dos círculos imaginários que passam pelos polos do globo terrestre 2 *Med.* Na medicina chinesa e na acupuntura, linha imaginária que liga pontos do corpo na transmissão de energia 3 *Geom.* Interseção de uma superfície de revolução com um plano que passa pelo eixo dessa superfície 4 *Náut.* Círculo de longitude *a.* 5 Rel. ao meio-dia (calor meridiano, clareza meridiana) [F.: Do lat. *meridianus, a, um*.] ■ **~ celeste** *Astron.* Qualquer dos círculos imaginários máximos da esfera celeste que passam por ambos os polos celestes **~ corporal** *Med.* Na medicina chinesa, cada uma das linhas pelas quais, ao longo do corpo, circula energia vital [Na acupuntura, as agulhas são aplicadas nas linhas que correspondem ao órgão que se quer regular.] **~ de Greenwich** *Astron.* Meridiano terrestre que passa pelo Observatório de Greenwich, na Inglaterra, e que se considera, por convenção, referência para o tempo universal, sendo por isso o meridiano de 0º **~ fundamental** *Astron.* Aquele tomado como referência de 0º, origem de todos os meridianos; meridiano de Greenwich; meridiano-origem; meridiano-zero **~ terrestre** *Astron.* Círculo imaginário na superfície terrestre, paralelo ao equador e passando pelos dois polos; interseção de um plano imaginário que corta a Terra, passando pelos dois polos, com a superfície terrestre **~ zero** Ver *Meridiano de Greenwich* **Primeiro ~** *Astron.* Ver *Meridiano fundamental*

meridiano-origem (me.ri.di:a.no-o.*ri*.gem) *sm. Astron.* Meridiano que marca a longitude zero e é tomado como base para a determinação dos hemisférios oriental e ocidental da Terra [No Congresso Internacional de Cartografia de Londres, em 1985, resolveu-se adotar como meridiano-origem aquele que passa sobre o Observatório de Greenwich.] [Pl.: *meridianos-origens* e *meridianos-origem*.]

merídio (me.*rí*.di:o) *a.* 1 Ref. ao meio-dia; MERIDIANO 2 Ref. ao Sul; situado no Sul; MERIDIONAL [F.: Do lat. **meridius*, de *meridies, ei*.]

meridional (me.ri.di:o.*nal*) *a2g.* 1 Ref. ao, ou do situado no sul (povos meridionais, céu meridional); AUSTRAL *s2g.* 2 Habitante das regiões do sul [Pl.: *-nais*.] [F.: Do lat. tard. *meridionalis, e*. Ant. ger.: *boreal, setentrional*.]

merino (me.*ri*.no) *sm.* 1 Raça de carneiro nativa da Espanha e apreciada pela superioridade de sua lã 2 Carneiro dessa raça 3 *Vest.* Tecido feito com a lã desse carneiro; MERINÓ: "Parece outra, com as suas maneiras de Lisboa, seu chale de merino, a sua meia de seda, o seu sapatinho francês de camurça." (Júlio Dantas, *Espadas e Rosas*) *a.* 4 Ref. à raça de merinos ou a sua lã [F.: Do espn. *merino*.]

merinó (me.ri.*nó*) *sm.* Ver *merino*.

meristema (me.ris.*te*.ma) *Bot. sm.* Tecido cujas células se dividem indefinidamente, dando origem a novas células que possibilitam o crescimento da planta [F.: *meri-* + *-stema*.]

meristemático (me.ris.te.*má*.ti.co) *a.* Ref. a meristema; próprio do meristema [F.: *meristema* + *-ático*.]

merístico (me.*rís*.ti.co) *a.* 1 *Biol.* Que resulta da diferenciação anômala das células embrionárias e causa diferenças de forma, posição ou número de órgãos ou partes deles normalmente simétricos 2 Ref. a segmento 3 Que é um segmento ou se divide em segmentos [F.: *meri-* + *-stico*.]

meritalo (me.ri.*ta*.lo) *P.us. Bot. sm.* Porção do estipe ou colmo situada entre dois nós; ENTRENÓ [F.: *meri-* + *talo*.]

meritíssimo (me.ri.*tís*.si.mo) *a.* 1 Que tem muito mérito [Us. no tratamento que se dá a juízes de direito.] 2 *Jur.* Tratamento dispensado aos juízes *sm.* 3 Juiz de direito [F.: Do lat. *meritissimus, a, um*.]

mérito (*mé*.ri.to) *sm.* 1 O mesmo que *merecimento* [Ant.: *demérito; desmérito*.] 2 *Jur.* Questão ou questões centrais, de fato ou de direito, e que servem de base para a decisão em um litígio [F.: Do lat. *meritum, i*, do v.lat. *merere*.]

meritocracia (me.ri.to.cra.*ci*.a) *sf.* 1 Governo das pessoas mais competentes, dedicadas e trabalhadoras 2 Sistema de seleção ou de promoção baseado nos méritos pessoais [F.: *mérito* + *-cracia*.]

meritocrata (me.ri.to.*cra*.ta) *a2g.* 1 Que é adepto e defensor da meritocracia *s2g.* 2 Adepto da meritocracia [F.: *mérito* + *-crata*.]

meritocrático (me.ri.to.*crá*.ti.co) *a.* Ref. a meritocracia ou próprio dela: "... os vencedores não são os melhores acadêmicos (até porque têm mais o que fazer) nem os administradores portadores de forte consciência meritocrática." (*O Globo*, 26.03.1998) [F.: *meritocrata* + *-ico*[2].]

meritório (me.ri.*tó*.ri:o) *a.* Que tem mérito, que merece apreço, digno de prêmio (obras meritórias) [F.: Do lat. *meritorius, a, um*.]

merla (*mer*.la) *Quím. sf.* Droga ilícita, em forma de pasta, subproduto da cocaína, fumada pura ou misturada a tabaco ou maconha. Causa dependência psíquica e física e provoca danos irreversíveis ao organismo [É um preparado feito a partir de sobras do refino de cocaína, misturadas com querosene e gasolina.] [F.: Do ing. *merla*.]

merlão (mer.*lão*) *sm. Arq.* Parte saliente que separa duas ameias de um parapeito, guarnecido ou não de seteiras, comum nas fortificações e nos castelos europeus [F.: Do it. *merlone*.]

merlim (mer.*lim*) *sm.* 1 Indivíduo astuto, de inteligência apurada 2 *Náut.* Corda fina, alcatroada, formada por três fios torcidos, us. em trabalhos de marinheiro que necessitam acabamento benfeito 3 Machado de um só gume, próprio para partir lenha 4 Tipo de clava para abater reses no matadouro 5 *Têxt.* Tecido de algodão engomado e leve, us. em forros [F.: Do lat. medv. *Merlinus*, 'Merlim ou Merlino'.]

merlúcio (mer.*lú*.ci:o) *sm. Zool.* O mesmo que *merluza* [F.: Do lat. cient. *Merluccius*.]

merluza (mer.*lu*.za) *sf. Zool.* 1 Denominação comum aos peixes da fam. dos merluciídeos, do gên. *Merluccius*, de corpo longo e achatado lateralmente, grande boca com dentes cônicos e nadadeiras dorsal e anal próximas à caudal 2 Peixe (*Merluccius gayi*) de até 60cm de comprimento, de coloração cinzenta, nadadeiras ventrais e cabeça bem desenvolvidas; MERLU; MERLUÇA [F.: Do espn. *merluza*, de or. incerta. Tb.: *merlúcio*.]

◎ **-mero**[1] *el. comp.* Ver *mer(o)-*[1]

◎ **-mero**[2] *el. comp.* Ver *mer(o)-*[2]

mero[1] (*me*.ro) *a.* 1 Simples, comum: *É um mero funcionário burocrata.* 2 Puro, sem mistura, genuíno: *É mera questão de números.* [F.: Do lat. *merus, a, um*.]

mero[2] (*me*.ro) [é] *Zool. sm.* 1 Peixe teleósteo, perciforme, da fam. dos serranídeos (*Epinephelos itaiara*), encontrado em águas tropicais do Atlântico e Pacífico, de até 3 m de comprimento e peso de até 450 kg, coloração castanha, com faixas e manchas negras e cabeça mais clara. Vive em áreas rochosas e sua carne é muito apreciada 2 Peixe teleósteo da fam. dos serranídeos (*Acanthistius brasilianus*), de até 40 cm de comprimento, encontrado no sul do Atlântico, de coloração marrom com cinco faixas prateadas [F.: De or. contrv.]

◎ **mer(o)-**[1] *el. comp.* = 'parte'; 'porção'; 'parte(s) do corpo'; 'segmento'; 'segmentação'; (*Fig.*) 'fundamento': *merologia*, *meropia*, *merostomado* (< lat. cient.), *merotomia* [F.: Do gr. *méros, eos-ous*. Tb. *-mero*: *monômero*.]

◎ **mer(o)-**[2] *el. comp.* = 'coxa'; 'fêmur'; 'femoral': *meralgia*, *merocele* [F.: Do gr. *merós, oû*.]

merologia (me.ro.lo.*gi*.a) *sf.* Estudo dos princípios fundamentais de uma ciência ou arte [F.: *mer(o)-*[1] + *-logia*.]

merológico (me.ro.*ló*.gi.co) *a.* Ref. a merologia [F.: *merologia* + *-ico*[2].]

merostomado (me.ros.to.*ma*.do) *Zool. sm.* 1 Espécime dos merostomados, classe de artrópodes aquáticos da qual só subsistem duas subclasses com quatro espécies, de corpo dividido em cefalotórax e abdome e revestido por carapaça, com cinco ou seis pares de apêndices abdominais adaptados como brânquias, e providos de um espinho na extremidade posterior do corpo *a.* 2 Ref. ou pertencente aos merostomados [F.: Adaptç. do lat. cient. *Merostomata*.]

merotomia (me.ro.to.*mi*.a) *Biol. sf.* Divisão em partes, esp. de uma célula (p.ex.: corte em duas partes de um protozoário para estudar a capacidade de regeneração da parte nucleada e do citoplasma restante) [F.: *mer(o)-*[1] + *-tomia*.]

merovíngio (me.ro.*vín*.gi:o) *a.* 1 Ref. à primeira dinastia francesa, iniciada pelo rei franco Meroveu (séc. V) e que reinou na Gália e Germânia de 448 a 752 2 Ref. ao período de duração dessa dinastia 3 Ref. ao estilo artístico que floresceu entre os merovíngios, em que se destacam as artes plásticas e obras literárias e hagiográficas *sm.* 4 Indivíduo pertencente à família dos reis merovíngios [F.: Do lat. medv. *Merovingi*, do germ. *Merowig*, 'Meroveu'.]

merreca (mer.*re*.ca) *sf.* 1 *Gír.* Quantia, valor insignificante: *Eu recebo uma merreca de salário.* 2 *Bras. Gír. Esp.* Entre os praticantes do surfe, onda pequena [F.: Posv. de *meleca*.]

merrequeiro (mer.re.*quei*.ro) *Bras. Gír. Esp. sm.* Surfista, windsurfista ou *body-boarder* que só pega ondas pequenas [F.: *merreca* (*c* = *qu*) + *-eiro*.]

mertiolate (mer.ti:o.*la*.te) *Farm. sm.* 1 Antisséptico à base de digluconato de clorexidina, inodoro, incolor e que não irrita os tecidos [Substituto do timerosal.] 2 Antigo nome comercial do antisséptico timerosal, sal sódico de etilmercúrio (fórm. $C_9H_9HgNaO_2S$), proibido, para esse fim, no Brasil em 2001 [NOTA: A marca registrada é *Merthiolate*.]

mês (mês) *sm.* 1 Cada uma das 12 partes em que se divide o ano: *O mês de fevereiro é o mais curto.* 2 Série de trinta dias consecutivos: *Passaremos um mês viajando.* 3 Espaço de tempo compreendido entre uma data qualquer de um mês e a mesma data do mês seguinte 4 Salário mensal: *Hoje é dia 15, mas pagarei seu mês por inteiro.* 5 *Pop.* O mesmo que *menstruação*. [Pl.: *meses*.] [F.: Do lat. *mensis, is*.] ■ **~ anomalístico** *Cron.* Tempo que leva um astro (referindo-se esp. à Lua) para fazer uma órbita completa, a partir do periastro **~ calendárico** *Cron.* Ao se dividir um ano em 12 períodos iguais, cada um desses períodos, considerando-se apenas um número inteiro de dias **~ cavo** *Cron.* Mês calendárico com 29 dias **~ corrente** Aquele no qual se está **~ das noivas** O mês de maio **~ de Jesus** *BA* O mês de junho **~ de Maria** *Rel.* O mês de maio **~ do Rosário** *BA* O mês de outubro **~ draconítico** *Cron.* Período que decorre entre duas passagens consecutivas da Lua por um nodo (ponto em que passa do hemisfério norte ao hemisfério sul e vice-versa) de sua órbita; mês nódico **~ legal** *Jur.* Período de 30 dias determinado por lei para fim jurídico **~ lunar** *Cron.* Período que decorre, para um astro em revolução em torno de outro, entre duas aparências iguais consecutivas daquele em relação a este; mês sinódico **~ nódico** *Cron.* Ver *Mês draconítico* **~ pleno** 1 *Cron.* Mês calendárico com 30 dias 2 Mês de 30 dias no calendário israelita, ou judaico **~ sinódico** *Cron.* Ver *Mês lunar.* [Tb. apenas *pleno*.] **~ solar** *Cronol.* Período no qual o Sol, em seu movimento aparente anual, percorre um arco de 30º

mesa (*me*.sa) *sf.* 1 Móvel formado por uma superfície horizontal plana, sustentada por um ou mais pés, sobre a qual se põe o necessário para refeições, trabalho etc. 2 Conjunto de utensílios e alimentos de uma refeição: *A mesa está posta.* 3 Conjunto das pessoas reunidas em torno da mesa para a refeição: *O garçom anotou os pedidos da mesa.* 4 Conjunto de pessoas que dirigem os trabalhos em uma instituição, assembleia, seção eleitoral etc. 5 Denominação comum a diversas repartições na alfândega 6 *Lud.* Em alguns jogos de cartas, o bolo ou quantia que se põe na mesa para ser levantado pelo jogador que ganhar: *levantar a mesa; aumentar a mesa.* 7 Grupo de tábuas ou o caixilho sobre o qual assenta o pano de bilhar 8 Superfície onde se empilha o barro depois de amassado e amontoado o bolo de que se faz a telha 9 A grade ou o altar junto dos quais os fiéis vão comungar 10 Superfície de carros, carroças etc., própria para a carga 11 *Gem.* A parte superior e plana característica de certos tipos de lapidação de gema 12 *Gem.* Denominação de certo tipo de lapidação de gema que a deixa com a parte superior bem plana 13 *Geol.* Forma de relevo de chapada, plano e horizontal, rodeado de escarpas 14 *Bras. Etnog.* Nome dado às sessões de catimbó, feitiçaria 15 *RJ Etnog.* Cerimônia ritual da macumba ■ **À ~** Sentados à mesa numa refeição (diz-se de pessoas, convidados etc.): *Estavam todos à mesa quando o anfitrião propôs um brinde.* **Botar a ~** Ver *Pôr a mesa* **~ de controle** *Rád. Telv.* Mesa, console, painel etc. com instrumentos e equipamentos para controle, seleção, recepção, transmissão, amplificação, corte, edição, mixagem etc. de canais de som e imagem **~ de edição** *Cin. Telv.* Mesa, painel, console etc. com equipamento para mixar, cortar, montar etc. trechos de gravação de som e imagem, em *videotape*, película etc. **~ de luz** *Art.gr.* Mesa cujo tampo é uma caixa com tampa de vidro translúcido iluminado por dentro por lâmpadas no interior da caixa, e sobre a qual se põem filmes, fotolitos, papéis etc. que, assim iluminados, são mais fáceis de cortar, montar, retocar etc. **~ de pé de galo** Mesa com um único pé, que se alarga em cima para melhor sustentar o tampo **~ de som** *Eletrôn.* Mesa de controle de sinais e canais sonoros **~ digitalizadora** *Inf.* Equipamento ligado a computador, com o qual material gráfico analógico (desenhos, plantas, letras desenhadas etc.) aplicado numa prancheta é transformado em sinais digitais transmitidos ao computador, o que permite editá-los, modificá-los etc. mediante programas especiais **~ telefônica** *Telc.* Mesa, painel, console etc. com equipamento que permite múltiplas conexões entre terminais telefônicos, us. em centrais de controle de serviço telefônico **Pôr a ~** Preparar a mesa para uma refeição (estendendo toalha, dispondo pratos, talheres, copos etc.) **Tirar a ~** Retirar da mesa o que se pusera sobre ela para uma refeição (toalha, pratos, travessas, talheres etc.) **Virar a ~** 1 *Bras. RJ Pop.* Comportar-se com grosseria ao interferir em algo; entornar o caldo 2 Desrespeitar convenções, regras, regulamentos etc. para mudar uma situação em outra mais favorável: *Os grandes clubes viraram a mesa e mudaram o regulamento do campeonato.*

mesada (me.*sa*.da) *sf.* 1 Quantia que se dá, paga ou recebe todo mês; MENSALIDADE: "Que custava à tia Patrocínio estabelecer-lhe... uma mesadinha de vinte mil-réis?" (Eça de Queirós, *A Relíquia*) 2 *Bras. Pop.* Quantia que os pais (ou pessoas próximas) dão aos filhos para pequenas despesas pessoais [F.: *mês* + *-ada*[1].]

mesa de cabeceira (me.sa de ca.be.*cei*.ra) *sf.* Pequeno móvel, ger. com gaveta, que se põe junto à cabeceira da cama; MESINHA DE CABECEIRA; CRIADO-MUDO [Pl.: *mesas de cabeceira*.]

mesa-redonda (me.sa-re.*don*.da) *sf.* Reunião de pessoas especializadas num assunto, para debatê-lo em igualdade de condições [Pl.: *mesas-redondas*.]

mesário (me.*sá*.ri:o) ***sm.*** **1** Aquele que faz parte da mesa numa seção eleitoral **2** Membro da mesa de uma associação, confraria etc. [F.: Do lat. *mensarius, ii.*]

mesa-tenista (me.sa-te.*nis*.ta) *Bras. Esp.* ***s2g.*** Jogador de tênis de mesa [Pl.: *mesa-tenistas.*]

mescalina (mes.ca.*li*.na) *Farm.* ***sf.*** Droga alucinógena, alcaloide ($C_{11}H_{17}NO_3$) extraído do mescal ou peiote (*Lophophora williamsii*), cacto nativo do México e do sul dos Estados Unidos [F.: Do espn. *mescal* + *-ina*[2].]

mescla (*mes*.cla) ***sf.*** **1** Mistura de pessoas ou coisas diferentes que formam um todo (mescla de raças); AMÁLGAMA: *A mescla de sons de uma orquestra.* **2** Tecido feito com fios de cores ou fibras diferentes **3** Agrupamento ou conjunto heterogêneo: *Mescla de vícios e virtudes.* ***a2g2n.*** **4** Feito de mescla (2) (calças mescla) [F.: Dev. de *mesclar*. Hom./Par.: *mescla* (sf.), *mescla* (fl. de *mesclar*).]

mesclado (mes.*cla*.do) ***a.*** **1** Que se mesclou; MISTURADO: *Alegrias mescladas a tristezas.* **2** Variegado, misturado **3** *Fig.* Mestiço [F.: Part. de *mesclar*.]

mesclagem (mes.*cla*.gem) ***sf.*** Ação, operação ou resultado de mesclar(-se) (mesclagem de imagens/arquivos/cores) [Pl.: *-gens.*] [F.: *mesclar* + *-agem*[2].]

mesclar (mes.*clar*) ***v.*** **1** Misturar(-se), amalgamar(-se), miscigenar(-se) [***td.***: *Mesclar essências para criar um perfume.*] [***tdr.*** *+com*: *O arquiteto mesclou o estilo clássico com o barroco.*] [***int.***: *No Brasil, mesclaram-se diversas etnias.*] **2** Entremear(-se), incorporar(-se), [***tdr.*** *+a, com, de*: *O filme mesclou tomadas de estúdio com cenas documentárias:* "... a encenação (...) mescla a magia do circo ao teatro e à dança." (*Jornal Extra*, 14.12.2003)] [***tr.*** *+a*: *Muitos arcaísmos mesclavam-se ao estilo do poeta.*] **3** Não se distinguir; confundir-se ao se misturar [***tdr.*** *+a, com*: *Para escapar à polícia, mesclou-se à multidão.*] **4** *Pint.* Misturar (cores diversas) para formar uma outra [***td.***] **5** Colocar de entremeio; INTERCALAR [***tdr.*** *+de*: *Mescla seus textos de expressões vulgares.*] [▶ **1 mesclar**] [F.: Do v.lat. tard. *misculare*, iterativo do v.lat. *miscere*. Hom./Par.: *mescla* (fl.), *mescla* (sf. e a2g2n.); *mesclas* (fl.), *mesclas* (pl. do sf.).]

mesencefálico (me.sen.ce.*fá*.li.co) ***a.*** Ref. ao mesencéfalo; do mesencéfalo ou nele situado [F.: *mesencéfalo* + *-ico*[2].]

mesencefalite (me.sen.ce.fa.*li*.te) *Pat.* ***sf.*** Inflamação do mesencéfalo; MESOCEFALITE [F.: *mesencéfalo* + *-ite*[1].]

mesencéfalo (me.sen.*cé*.fa.lo) ***sm.*** *Anat.* Parte média do encéfalo, em que se acha o centro da visão [F.: *mes(o)-* + *-encéfalo.*]

mesênquima (me.*sên*.qui.ma) ***sf.*** **1** *Emb.* Parte do mesoderma embrionário que se desenvolve como tecido conjuntivo e músculos lisos **2** *Anat.* Tecido conjuntivo ubiquitário e indiferenciado no vertebrado adulto [F.: *mes(o)-* + *-ênquima.*]

mesenquimal (me.sen.qui.*mal*) ***a2g.*** Ref. ou pertencente ao mesênquima, ou originário dele (tecido mesenquimal, neoplasias mesenquimais); MESENQUIMÁTICO; MESENQUIMATOSO [Pl.: *-mais.*] [F.: *mesênquima* + *-al*[1].]

mesenquimatoso (me.sen.qui.ma.*to*.so) [ô] ***a.*** O mesmo que *mesenquimal* [Pl.: [ó]. Fem.: [ó].] [F.: De *mesênquima*, sob a f. *mesenquimat-* + *-oso.*]

mesentérico (me.sen.*té*.ri.co) ***a.*** Diz-se do que é pertencente ou concernente ao mesentério (artéria mesentérica) [F.: *mesentério* + *-ico*[2].]

mesentério (me.sen.*té*.ri:o) *Anat.* ***sm.*** **1** Dobra de peritônio que prende o intestino delgado à parede abdominal posterior **2** Qualquer dobra membranosa que prende um órgão a paredes do corpo **3** Nos antozoários, divisória vertical que se estende da parede do corpo para o celêntero [F.: Do gr. *mesentérion, ou.*]

meseta (me.*se*.ta) [ê] ***sf.*** *Geog.* Planalto de pouca amplitude [F.: Do espn. *meseta.*]

mesinha de cabeceira (me.si.nha de ca.be.*cei*.ra) *Mob.* ***sf.*** O mesmo que *mesa de cabeceira* [Pl.: *mesinhas de cabeceira.*]

mesma (*mes*.ma) ***sf.*** O mesmo estado, as mesmas circunstâncias; estado que não sofreu alteração [F.: Fem. substv. de *mesmo.*] ■ **Dar na ~** Ser igual, ter o mesmo resultado, sem diferença do que era ou seria; dar no mesmo: *De ônibus ou de metrô, vai dar na mesma, você já está atrasado.* **Na ~** No mesmo estado; na mesma situação: *Não melhorou nem piorou, está na mesma.*

mesmerismo (mes.me.*ris*.mo) ***sm.*** *Med.* Método de tratamento pelo hipnotismo criado pelo médico alemão Franz Anton Mesmer (1733-1815) [F.: Do fr. *mésmerisme.*]

mesmerista (mes.me.*ris*.ta) ***a2g.*** **1** Ref. a Mesmer ou ao mesmerismo **2** Que é seguidor ou praticante do mesmerismo; MESMERIZADOR ***s2g.*** **3** Seguidor ou praticante do mesmerismo; MESMERIZADOR [F.: Do antrop. (*Franz Anton*) *Mesmer* (1733-1815) + *-ista.*]

mesmerizado (mes.me.ri.*za*.do) ***a.*** **1** Incapaz de agir ou reagir, ger. devido a profunda atenção ou interesse no que vê ou ouve; EXTASIADO; FASCINADO: "O sorriso de desdém — urrava ele, para seus discípulos mesmerizados." (João Ubaldo Ribeiro, *O Globo*, 26.07.1998) **2** Que age como autômato, sem consciência, nem vontade própria **3** Em quem se praticou o mesmerismo; HIPNOTIZADO; MAGNETIZADO [F.: Part. de *mermerizar.*]

mesmerizante (mes.me.ri.*zan*.te) ***a2g.*** Que mesmeriza; MESMERIZADOR [F.: *mesmerizar* + *-nte.*]

mesmerizar (mes.me.ri.*zar*) ***v. td.*** **1** Hipnotizar por meio do mesmerismo **2** Causar grande fascínio; MAGNETIZAR [▶ **1 mesmerizar**] [F.: *mesmerismo* + *-izar*, seg. o mod. grego.]

mesmice (mes.*mi*.ce) ***sf.*** Falta de mudanças, de variedade ou de progresso; MONOTONIA; MARASMO: "...enfastiava-se da mesmice do campo." (José Américo de Almeida, *A Bagaceira*) [F.: *mesmo* + *-ice.*]

mesmidade (mes.mi.*da*.de) ***sf.*** **1** *Fil. Psi.* Condição ou qualidade do que é o mesmo que outro, idêntico a outro: *Sem o outro nada seríamos; a mesmidade seria insuportável;* "... aprofundamento de preconceitos construídos sobre a ideologia da 'mesmidade', ou seja, da produção de identidades a partir de ícones e padrões universalizados desde uma lógica monoteísta, branca, masculina, letrada..." (Jacqueline Moll, *Extra Classe, set.2001*) [Ant.: *alteridade.*] **2** Monotonia, marasmo, mesmice **3** Condição do que é sempre o mesmo; MESMICE: *A mesmidade da seca no Nordeste.* [Ant.: *alteridade.*] [F.: *mesmo* + *-(i)dade.*]

mesmo (*mes*.mo) ***pr.dem.*** **1** Aquele: *Esse pássaro é o mesmo que estava com a asa machucada.* ***a.*** **2** Exatamente igual, idêntico: *A mãe vestia os gêmeos do mesmo modo.* **3** Semelhante, análogo, parecido: "Em geral, as mulheres parecem ter no cabelo a mesma fé que tinha Sansão..." (Almeida Garret, *Viagens na Minha Terra*) **4** Próprio, característico: *Tem mesmo jeito de avó.* **5** Não diverso, não outro: *Trabalhavam na mesma fábrica; Já morou nos mesmos países que eu.* **6** Us. depois de nome (Maria mesma, o juiz mesmo), de pronome pessoais (nós mesmos, a mim mesma) e demonstrativos (esse mesmo, aquilo mesmo) para reforçar que se trata exatamente do ser ou da coisa em questão ***sm.*** **7** Coisa semelhante ou igual; a mesma coisa: *Gritei, e ele fez o mesmo; Casar oficialmente ou não era o mesmo para ele.* **8** Não alterado, invariável: *Em todos esses anos, ela foi sempre a mesma.* ***adv.*** **9** Até, ainda, inclusive: *Pensou mesmo em mudar de cidade; Mesmo a família negou-lhe ajuda.* **10** Exatamente, precisamente: *Hoje mesmo lhe envio o dinheiro.* **11** Realmente, de fato: *É de ouro mesmo esse anel?!* ***conj.conces.*** **12** Embora: *Mesmo machucado, fez o único gol.* [F.: Do lat. vulg. *metipsimus*. Ideia de 'mesmo': *taut(o)-* (*tautologia*).] ■ **Dar no ~** Ser igual, ter o mesmo resultado, sem diferença do que era ou seria; dar na mesma: *Nesta receita, não dá no mesmo usar manteiga ou margarina; Testou um novo remédio contra rouquidão mas deu no mesmo, continuava sem voz.* **~ assim** Apesar disso, a despeito disso: *Sei que vai chover, mesmo assim vou ao passeio.* **~ com** Apesar de, não obstante: "Mesmo com toda a fama (...) Com toda a lama/ A gente vai levando..." (Chico Buarque e Caetano Veloso, *Vai Levando*) **~ que** Indiferentemente à possibilidade de que: *Mesmo que ele atrase, começaremos na hora.*

◎ **mes(o)-** ***el. comp.*** = 'meio': *mesóclise, mesosfera* [F.: Do gr. *mésos, e, on.*]

mesocarpo (me.so.*car*.po) ***sm.*** **1** *Bot.* Camada do pericarpo que, nos frutos carnosos, corresponde à polpa **2** *Anat.* Série inferior dos ossos do carpo [F.: *mes(o)-* + *-carpo.*]

mesocefalia (me.so.ce.fa.*li*.a) *Anat.* ***sf.*** Estado ou condição do indivíduo que apresenta mesocéfalo, i.e., que tem índice cefálico entre 76 e 80; MESATICEFALIA [F.: *mes(o)-* + *-cefalia.*]

mesocefálico (me.so.ce.*fá*.li.co) ***a.*** **1** Ref. ao mesocéfalo, ou nele situado **2** Que tem mesocefalia; MESATICÉFALO; MESOCÉFALO **3** Que tem comprimento igual ao do crânio, ou com ligeira divergência (diz-se da cabeça do dogue argentino) [F.: *mesocéfalo* + *-ico*[2]. Ver tb. *braquicéfalo* e *dolicocéfalo.*]

mesocéfalo (me.so.*cé*.fa.lo) *Anat.* ***sm.*** **1** Protuberância da parte inferior e média do crânio ***sm.*** **2** Indivíduo que tem mesocefalia; MESATICÉFALO ***a.*** **3** Ref. a mesocefalia [F.: *mes(o)-* + *-céfalo.*]

mesóclise (me.*só*.cli.se) ***sf.*** *Gram.* Fenômeno de intercalação de um pronome pessoal átono (*me, te, se, o, a, lhe* etc.) entre o radical de um verbo e a sua terminação nos tempos do futuro do presente e do futuro do pretérito (p.ex.: *dar-lhe-ei, receber-nos-ão, vê-las-íamos* etc.) [F.: *mes(o)-* + *-clise*[1]. Cf.: *ênclise* e *próclise.*]

mesoclítico (me.so.*clí*.ti.co) *Gram.* ***a.*** **1** Que diz respeito a mesóclise **2** Em que há mesóclise **3** Que está em mesóclise (diz-se do pronome oblíquo átono) [F.: *mesócl(ise)* + *-ítico*. Ver tb. *enclítico* e *proclítico.*]

mesocólon (me.so.*có*.lon) *Anat.* ***sm.*** Mesentério que liga o cólon à parede abdominal posterior [F.: *mes(o)-* + *cólon.*]

mesoderma (me.so.*der*.ma) ***sm.*** **1** *Emb.* Camada germinativa média do embrião, situada entre o endoderma e o ectoderma, e que se desenvolve como músculos, ossos, cartilagens, sistemas urogenital e vascular e tecidos conjuntivos; MESOBLASTEMA; MESOBLASTO [Pode ser extraembrionário, quando envolve âmnio e o saco vitelino, e intraembrionário, como a terceira camada de derme do embrião.] **2** *Bot.* Camada média de tecido em algumas estruturas vegetais **3** *Biol.* Camada média do corpo de alguns invertebrados [F.: *mes(o)-* + *-derma*. Ver tb. *endoderma* e *ectoderma.*]

mesofilia (me.so.fi.*li*.a) *Ecol.* ***sf.*** Condição do que é mesófilo [F.: *mesófilo* + *-ia*[1].]

mesofílico (me.so.*fi*.li.co) ***a.*** *Ecol.* O mesmo que *mesófilo* (fermento mesofílico) [F.: *mesófilo* + *-ico*[2].]

mesofilo (me.so.*fi*.lo) ***sm.*** *Bot.* Região entre as epidermes adaxial e abaxial das folhas dos vegetais, constituída principalmente por parênquima e percorrida pelo sistema vascular foliar [F.: *mes(o)-* + *-filo*[2]. Hom./Par.: *mesofilo* (sm.), *mesófilo* (a.).]

mesófilo (me.*só*.fi.lo) *Ecol.* ***a.*** Diz-se de organismo que só se desenvolve em condições de temperatura e umidade medianas [F.: *mes(o)-* + *-filo*[1]. Hom./Par.: *mesófilo*(a), *mesofilo* (sm).]

mesofítico (me.so.*fi*.ti.co) ***a.*** *Bot.* Ref. ou pertencente a mesófito [F.: *mesófito* + *-ico*[2].]

mesófito (me.*só*.fi.to) *Bot.* ***a.*** **1** Diz-se de vegetal que se desenvolve em condições de temperatura e umidade medianas **2** *Bot. Pal.* Diz-se de vegetal que surgiu na série mesofítica [F.: *mes(o)-* + *-fito.*]

mesogástrio (me.so.*gás*.tri:o) *Anat.* ***sm.*** **1** Região média do abdome localizada entre o epigástrio e o hipogástrio **2** Parte do mesentério que envolve o estômago [F.: *mes(o)-* + *-gastr(o)-* + *-io*[2].]

mesolécito (me.so.*lé*.ci.to) ***a.*** *Emb.* Diz-se de ovo que tem quantidade moderada de vitelo[2] [F.: *mes(o)-* + *-lécito.*]

mesologia (me.so.lo.*gi*.a) ***sf.*** *Biol.* O mesmo que *ecologia* (1) [F.: *mes(o)-* + *-logia.*]

mesológico (me.so.*ló*.gi.co) ***a.*** Ref. a *mesologia*; ECOLÓGICO [F.: *mesologia* + *-ico*[2].]

méson (*mé*.son) ***sm.*** *Fís.* Partícula subatômica composta de um *quark* e de seu contrário (chamado antiquark) [Pl.: *mésons*, (p. us. no Brasil) *mésones.*] [F.: Do gr. *méson*, neutro de *mésos, e, on.*] ■ **~ D** *Fís.nu.* Cada uma das partículas resultantes da colisão entre um elétron e um pósitron **~ eta** *Fís.nu.* Eta [é] (2) **~ K** *Fís. nu.* Káon **~ ômega** *Fís.nu.* Ômega (4) **~ pi** *Fís.nu.* Píon

mesopotâmia (me.so.po.*tâ*.mi:a) ***sf.*** Região localizada entre rios [F.: Do gr. *mesopotamía, as*, pelo lat. *mesopotamia, ae.*]

mesopotâmico (me.so.po.*tâ*.mi.co) ***a.*** Da Mesopotâmia, antiga região da Ásia (e do atual Iraque) entre os rios Tigre e Eufrates [F.: Do top. *Mesopotâmia* + *-ico*[2].]

mesosfera (me.sos.*fe*.ra) ***sf.*** *Geof.* Camada da atmosfera situada acima da estratosfera [F.: *mes(o)-* + *-sfera.*]

mesossomo (me.sos.*so*.mo) ***sf.*** *Bac.* Estrutura resultante da invaginação da membrana celular de certas bactérias e que constitui o local de fixação do cromossoma circular bacteriano; MESOSSOMA [F.: *mes(o)-* + *-somo.*]

mesóstico (me.*sós*.ti.co) ***sm.*** Tipo de acróstico em que as letras da palavra-chave aparecem no meio da composição, no final do primeiro hemistíquio ou no início do segundo [F.: *mes(o)-* + (*acró*)*stico*. Cf.: *acróstico.*]

mesotelial (me.so.te.li:*al*) ***a.*** **1** Ref. ao mesotélio **2** Que tem origem no mesotélio [Pl.: *-liais.*] [F.: *mesotélio* + *-al*[1].]

mesotélio (me.so.*té*.li:o) ***sm.*** *Emb.* Epitélio formado a partir do mesoderma que, nos embriões dos vertebrados, reveste a cavidade primitiva do corpo, originando o epitélio do peritônio, do pericárdio e da pleura, os músculos estriados, o músculo cardíaco, o epitélio dos órgãos urogenitais, salvo a bexiga e a uretra, e outras estruturas menores [F.: *mes(o)-* + (*epi*)*télio.*]

mesoterapia (me.so.te.ra.*pi*.a) ***sf.*** *Med.* Técnica terapêutica que consiste na aplicação de doses mínimas de medicamentos por meio de injeções intradérmicas ou subcutâneas superficiais, com agulhas de 4 a 12 mm de comprimento, o mais próximo possível do local a ser tratado [F.: *mes(o)-* + *-terapia.*]

mesotérmico (me.so.*tér*.mi.co) ***a.*** *Ecol.* Diz-se de vegetais que vivem melhor em temperaturas entre 15º e 18º [F.: *mes(o)-* + *-term(o)-* + *-ico*[2].]

mesotrófico (me.so.*tró*.fi.co) ***a.*** *Ecol.* Que tem (massa de água, como lagos, lagoas etc.) moderado teor de nutrientes e de crescimento de plâncton [Comparado ao de baixo teor (oligotrófico), de alto teor (eutrófico) e de máximo teor (hipereutrófico).] [F.: *mes(o)-* + *-trof(o)-* + *-ico*[2].]

mesozoico (me.so.*zoi*.co) *Geol.* ***a.*** **1** Diz-se da era geológica entre o Paleozoico e o Cenozoico, durante a qual surgiram os grandes répteis, as aves e os primeiros mamíferos ***sm.*** **2** A era mesozoica [Nesta acp., com inicial maiúsc.] [F.: *mes(o)-* + *-zoico.*]

mesquinhar (mes.qui.*nhar*) ***v.*** **1** Recusar por mesquinhez [***tdi.*** *+a*: *Mesquinhou a gratificação ao empregado.*] **2** Insistir em pagar mais barato; REGATEAR; PECHINCHAR [***td.***] **3** Revelar-se mesquinho; amesquinhar-se [***int.***] **4** *RS* Não deixar (o cavalo) colocar freio ou buçal [***int.***] **5** Mostrar-se (alguém) esquivo, evasivo, fugidio [▶ **1 mesquinhar**] [F.: *mesquinho* + *-ar*[2]. Hom./Par.: *mesquinharia* (fl.), *mesquinharia* (sf.); *mesquinharias* (fl.), *mesquinharias* (pl. do sf.); *mesquinho* (fl.), *mesquinho* (a., sm.).]

mesquinharia (mes.qui.nha.*ri*.a) ***sf.*** **1** Qualidade de mesquinho **2** Avareza, sovinice **3** Pequenez, acanhamento, pobreza **4** Atitude ou ação mesquinha [F.: *mesquinho* + *-aria*. Sin. ger.: *mesquinhez*. Ant. ger. nas acps. 1, 2 e 4: *generosidade.*]

mesquinhez (mes.qui.*nhez*) [ê] ***sf.*** Falta de grandeza, de generosidade, o mesmo que *mesquinharia* [F.: *mesquinho* + *-ez*. Tb. *mesquinheza.*]

mesquinho (mes.*qui*.nho) ***a.*** **1** Que não gosta de dar ou gastar; AVARENTO; SOVINA **2** Que indica avareza (contribuição mesquinha, esmola mesquinha) **3** Insignificante, acanhado, pobre: *Viviam numa choupana mesquinha.* **4** Que não tem grandeza, largueza, magnanimidade; RELES: *Seus interesses eram egoístas, estreitos, mesquinhos.* ***sm.*** **5** Pessoa mesquinha [F.: Do ár. *miskin*. Ant. das acps. 1, 2, 4 e 5: *generoso.*]

mesquita (mes.*qui*.ta) ***sf.*** Templo dos muçulmanos [F.: Do ár.]

messalina (mes.*sa*.li.na) ***sf.*** **1** Mulher extremamente lasciva e dissoluta: "O rufiar dos bordeleiros com as messalinas." (Rui Barboza, *Coletânea Literária*) **2** *P.ext.* Meretriz [F.: Do antrop. de Valéria *Messalina* (22-48 d.C.) esposa de Cláudio I, imperador romano, que se entregou à libertinagem e foi executada publicamente por ordem do imperador.]

messe (*mes*.se) [é] ***sf.*** **1** Campo de cereais em boa condição de colheita **2** Colheita, safra: "As loiras messes do trigo..."

(Oliveira Martins, *História de Portugal*) 3 *Fig.* Ganho, conquista: *Larga messe de glórias.* 4 *Fig.* Conversão de almas: *O missionário fez boa messe entre os índios.* [F.: Do lat. *messis, is.*]

messiânico (mes.si.*â*.ni.co) *a.* Ref. ao messias, a um messias ou ao messianismo: "Portugal, com efeito, gerava uma revolução messiânica; pedia em altos brados que o salvassem..." (Oliveira Martins, *História de Portugal*) [F.: Do fr. *messianique.*]

messianismo (mes.si:a.*nis*.mo) *sm.* 1 *Rel.* Crença na vinda redentora de um messias 2 *Fig.* Expectativa de uma profunda mudança social, pela intervenção de um líder carismático [F.: Do fr. *messianisme.*]

messianista (me.si:a.*nis*.ta) *a2g.* 1 Ref. ao messianismo 2 Que é seguidor do messianismo *s2g.* 3 Seguidor do messianismo [F.: Do fr. *messianiste.*]

messias (mes.*si*.as) *sm2n.* 1 *Rel.* Originalmente, para o judaísmo, enviado de Deus que deverá salvar e redimir a humanidade de todos os males; REDENTOR; SALVADOR 2 Para o Cristianismo, Jesus Cristo, que veio ao mundo para pregar o Evangelho e morrer pela salvação dos homens [Neste caso, inicial maiúscula.] 3 Aquele em quem se deposita a esperança de uma profunda mudança social 4 *Fig.* Aquele por quem se espera com ansiedade [F.: Do lat. *messias, ae,* do gr. *messías, ou.*] ■ **Esperar pelo ~** Esperar coisa pouco provável, ou que pode demorar muito a chegar ou ocorrer

messidor (mes.si.*dor*) [ô] *sm.* Décimo mês do calendário republicano francês, iniciado em 19 ou 20 de junho e encerrado em 19 ou 20 de julho, conforme o ano [F.: Do fr. *messidor.*]

mester (mes.*ter*) [tér] *Ant. sm.* 1 Ofício, profissão, arte manual 2 Aquele que realiza ofício manual; ARTÍFICE: "No modo de pensar do honrado mester." (Alexandre Herculano, *Lendas e narrativas*) 3 Corporação profissional [F.: Do lat. *ministerium, ii,* por via pop. Hom./Par.: *mester* (sm.), *mister* (sm.).]

mestiçagem (mes.ti.*ça*.gem) *sf.* 1 Ação ou resultado de mestiçar, mestiçamento 2 Mistura de raças pelo casamento ou coabitação de homem e mulher de etnias diferentes; MISCIGENAÇÃO 3 Cruzamento de animais de espécies ou raças diferentes 4 Conjunto de mestiços [Pl.: *-gens.*] [F.: *mestiço* + *-agem*².]

mestiçamento (mes.ti.ça.*men*.to) *sm.* Cruzamento entre raças diferentes; MESTIÇAGEM; MISCIGENAÇÃO [F.: *mestiçar* + *-mento.*]

mestiçar (mes.ti.*çar*) *v.* Cruzar(-se) uma raça com outra, procriando mestiços; MISCIGENAR(-SE) [*td.*: *Mestiçar aves.*] [*tdr.* +com: *Mestiçar uma raça com outra.*] [*int.*: *As duas espécies mestiçaram-se.*] [▶ 12 mestiçar] [F.: *mestiço* + *-ar*². Hom./Par.: *mestiço* (fl.), *mestiço* (a.sm.).]

mestiço (mes.*ti*.ço) *a.* 1 Que se origina do cruzamento de indivíduos geneticamente diferentes (diz-se de pessoa, animal ou planta) *sm.* 2 Indivíduo mestiço: "O sertanejo... não tem o raquitismo... do mestiço do litoral." (Euclides da Cunha, *Os Sertões*) 3 Animal proveniente de mestiçagem 4 *Bras. Zool.* Espécie de peixe da Amazônia (*Platynematichtis punctulatus*) [F.: Do lat. tardio *mixticius, a, um.* Hom./Par.: *mestiço* (a.sm.), *mestiço* (fl. de *mestiçar*).]

mestra (*mes*.tra) *sf.* 1 Mulher que dá aulas, que ensina; professora 2 *P.ext.* Fato de que se tira ensinamento útil: *Em vez de frustrá-lo, a derrota serviu-lhe de mestra para toda a vida.* 3 *Cons.* Blocos ou cones de terra deixados intactos nos trabalhos de desmonte, para que depois se possa calcular a cubagem da terra removida; DAMA [F.: Fem. de *mestre.*]

mestraço (mes.*tra*.ço) *sm.* Mestre muito hábil; aquele que conhece profundamente seu ofício; MESTRÃO [Tb. us. pejorativamente.] [Aum. irregular de *mestre.*] [F.: *mestre* + *-aço.*]

mestrado (mes.*tra*.do) *sm.* 1 Curso de pós-graduação, abaixo do doutorado 2 Grau obtido por quem fez esse curso 3 *Hist. Mil.* Dignidade de mestre em qualquer ordem militar 4 O cargo dessa dignidade 5 O exercício de tal cargo [F.: *mestre* + *-ado*².]

mestral (mes.*tral*) *a2g.* Ref. a mestrado [F.: *mestre* + *-al*¹.]

mestrando (mes.*tran*.do) *sm.* Aluno que cursa o mestrado ou que está em vias de concluí-lo [F.: *mestre* + *-ando.*]

mestre (*mes*.tre) *sm.* 1 Aquele que dá aulas; PROFESSOR: *Mestre de desenho.* 2 Aquele que é perito, especialista ou versado em qualquer atividade, ciência ou arte 3 *Fig.* Aquele que tem muitos conhecimentos 4 Superior de aprendizes ou operários (mestre marceneiro) 5 Guia espiritual, mentor 6 Aquele que concluiu o mestrado (1) 7 Tudo que serve de ensino ou de que se tira lição: *O tempo é um grande mestre.* 8 O que supera outro em qualquer coisa: *É mestre em fazer extravagâncias.* 9 Chefe ou iniciador de uma escola de pintura: *Os mestres da escola flamenga.* 10 O chefe de um estabelecimento fabril 11 *Bras. Cap.* Título dado a capoeirista de grande habilidade e experiência 12 *Bras. N.E.* Título dado a bons instrumentistas, esp. a bons sanfoneiros (mestre Gonzaga) 13 *Bras. RS* O mourão mais forte posto no ângulo do aramado 14 *Ant. Mar.Merc.* Capitão de uma embarcação pequena 15 *Mar.* Oficial da marinha que, nos navios de guerra, é responsável pelo aparelho e o velame 16 *Ant. Hist. Mil.* Chefe de ordem militar 17 *Maçon.* O que recebeu o terceiro grau na maçonaria [Fem.: *mestra.* Aum.: *mestraço.*] *a.* 18 Diz-se de pessoa ou coisa que ocupa lugar proeminente ou distinto em relação aos demais 19 Que serve de base, de referência; que é principal (viga mestra, estrada mestra, projeto mestre) 20 *Fig.* Exímio, perito (mãos mestres) 21 De grandes proporções, fora do comum, além do esperado; extraordinário, considerável: *Sua participação foi uma ajuda mestra na realização do projeto.* [Fem.: *mestra.*] [F.: Do lat. *magister, tri.*] ■ **De ~** Genial, de grande habilidade ou sapiência: *Um golpe de mestre* **~ de meninos** Mestre-escola **~ de primeiras letras** Mestre-escola **Ser ~ em** Ter tendência a, ser dado a (ger. trapalhadas, ações desastrosas etc.): *É mestre em causar tumulto.*

mestre-cuca (mes.tre-*cu*.ca) *sm. Pop. Cul.* Cozinheiro hábil [Tb. apenas *cuca.*] [Pl.: *mestres-cucas.*]

mestre de açúcar (mes.tre de a.*çú*.car) *sm. N.E.* Técnico que supervisiona toda a atividade de produção do açúcar nos engenhos [Pl.: *mestres de açúcar.*]

mestre de armas (mes.tre de*ar*.mas) *sm.* Professor de esgrima [Pl.: *mestres de armas.*]

mestre de campo (mes.tre de *cam*.po) *Hist. Mil. sm.* 1 Patente militar do Exército brasileiro, nos períodos colonial e imperial, hoje correspondente a coronel 2 Militar que tinha essa patente 3 *Mil.* Oficial graduado a quem era dado o comando dos exércitos [Pl.: *mestres de campo.*]

mestre de cerimônias (mes.tre de ce.ri.*mô*.ni:as) *sm.* 1 Aquele que dirige uma cerimônia oficial, ou uma solenidade, evento etc. 2 Aquele que dirige um baile público; MESTRE-SALA 3 Sacerdote que dirige o cerimonial litúrgico [Pl.: *mestres de cerimônias.*]

mestre de obras (mes.tre de *o*.bras) *sm.* Chefe dos operários de uma construção civil [Pl.: *mestres de obras.*]

mestre-escola (mes.tre-es.*co*.la) *sm.* 1 *Ant.* Professor primário 2 Dignidade de graduação inferior, em cabidos [Pl.: *mestres-escolas.*]

mestre-sala (mes.tre-*sa*.la) *sm.* 1 Mestre de cerimônias 2 *Bras.* Destaque de escola de samba que faz par com a porta-bandeira 3 *Ant.* Oficial encarregado da etiqueta nas recepções do paço 4 *Ant.* Indivíduo encarregado da direção de bailes públicos [Pl.: *mestres-salas.*]

mestria (mes.*tri*.a) *sf.* 1 Qualidade ou condição de mestre; conhecimento amplo e profundo de algo; ERUDIÇÃO; SABER: *Revela maestria no escrever e no falar.* 2 Habilidade na execução de uma tarefa, de uma obra; DESTREZA; PERÍCIA: *Lapidou o diamante com maestria.* [Ant.: *imperícia, incapacidade.*] [F.: *mestre* (tb. sob a f. ant. *maestre*) + *-ia.* Tb. *maestria.*]

mestria (mes.*tri*.a) *sf.* 1 Grande sabedoria, conhecimento profundo de qualquer matéria: *Sua mestria no tema era incomparável.* 2 Habilidade de mestre; PERÍCIA; DESTREZA: *O tenista sacou com mestria.* [F.: *mestre* + *-ia*¹, *maestre* (ant.) + *-ia*¹. Tb. *maestria.*]

mesura (me.*su*.ra) *sf.* 1 Cumprimento respeitoso; REVERÊNCIA 2 *Pej.* Cortesia exagerada; RAPAPÉ 3 *Ant.* Medida [F.: Do lat. *mensura, ae.*]

mesurar (me.su.*rar*) *v.* 1 Fazer mesuras a (alguém); CORTEJAR; CUMPRIMENTAR [*td.*] 2 Demonstrar contenção, comedimento [*int.*: *Mesurava-se nos gastos.*] 3 *Mar.* Arriar (uma vela) quando a verga está a meio mastro; tb. *amesurar* [*td.*] [▶ 1 mesurar] [F.: Do v.lat. *mensurare.* Hom./Par.: *mesura* (fl.), *mesura* (sf.); *mesuras* (fl.), *mesuras* (pl. do sf.).]

mesureiro (me.su.*rei*.ro) *a.* 1 Que faz muitas mesuras; CERIMONIOSO 2 *Pej.* Adulador, servil [F.: *mesura* + *-eiro.*]

◎ **met-** *el. comp.* = introduzir: *metediço, meter* [F.: Do lat. *mittere.*]

◎ **met(a)-** *pref.* = mudança, além: *metafísica, metáfora, metamorfose, metástase* [F.: Do gr. *metá.*]

meta (*me*.ta) *sf.* 1 *Fig.* Objetivo, alvo: *A meta do governo é baixar os juros.* 2 *Esp.* Gol: *Visou a meta, mas errou o chute.* 3 Limite, marco (que sinaliza a chegada em corridas, regatas etc.) 4 Termo, limite: *A morte é a meta da vida.* [F.: Do lat. *meta-ae.* Hom./Par.: *meta* (sf.), *meta* (fl. de *meter*).]

◎ **metabol(e)-** *el. comp.* = 'troca, mudança, transição': *metabolismo, metabolizar* [F.: Do gr. *metabolé, ês.*]

metabólico (me.ta.*bó*.li.co) *a.* 1 Ref. a metabolismo 2 Ref. a metábole 3 Que apresenta metábole [F.: Do gr. *metabolikós, é, ón.*]

metabolismo (me.ta.bo.*lis*.mo) *sm. Fisl.* Conjunto de transformações químicas e biológicas que produzem a energia necessária ao funcionamento de um organismo [F.: *metabol(e)-* + *-ismo.*] ■ **~ basal/básico** *Fisl.* A menor quantidade de energia necessária para manter o nível mínimo necessário das funções vitais do organismo (respiração, circulação, equilíbrio térmico, produção de hormônios etc.) [Medida em repouso total, 14 a 18 horas após a última refeição, em calorias/h/m² da superfície do corpo.] **~ básico** *Fisiol. Med.* Ver *Metabolismo basal/básico*

📖 Metabolismo é o conjunto integrado de reações químicas num organismo, de modo a que ele, como um todo e no nível celular, satisfaça suas necessidades biológicas de sobrevivência e crie a energia necessária para continuar processando o metabolismo e, além disso, se desenvolver, crescer, exercer atividade, enfrentar e vencer doenças etc. Isso se faz por meio de troca de elementos existentes em substâncias absorvidas pelo organismo na respiração, alimentação ou outras formas (como a ação da luz sobre a clorofila, nas plantas). Basicamente, o metabolismo em nível celular faz-se pela oxidação das células (combinação com oxigênio), com a perda de elétrons e liberação da energia que mantinha os elétrons no átomo. Esta oxidação se dá pela presença fundamental de uma substância chamada enzima. O metabolismo num organismo sadio observa um equilíbrio entre dois processos: o catabolismo, no qual as substâncias absorvidas são reduzidas (pela digestão, por exemplo) a elementos mais simples, e o anabolismo, que, ao contrário, aproveitando a energia liberada no catabolismo, compõe estruturas complexas a partir de elementos simples.

metabolização (me.ta.bo.li.za.*ção*) *sf.* Ação, processo ou resultado de metabolizar [Pl.: *-ções.*] [F.: *metabolizar* + *-ção.*]

metabolizador (me.ta.bo.li.za.*dor*) [ô] *a.* 1 Que metaboliza (sistema metabolizador); METABOLIZANTE *sm.* 2 Aquilo que metaboliza (metabolizador de gorduras) [F.: *metabolizar* + *-dor.*]

metabolizar (me.ta.bo.li.*zar*) *v. td.* Submeter a processos metabólicos [▶ 1 metabolizar] [F.: *metabolismo* + *-izar*, seg. o mod. gr. Hom./Par.: *metabolizáveis* (fl.), *metabolizáveis* (pl. de *metabolizável* [a2g.]).]

metabolizável (me.ta.bo.li.*zá*.vel) *a2g.* Que se pode metabolizar: *Alimento facilmente metabolizável.* [Pl.: *-veis.*] [F.: *metabolizar* + *-vel.* Hom./Par.: *metabolizáveis* (pl.), *metabolizáveis* (fl. de *metabolizar* [v.]).]

metacarpiano (me.ta.car.pi.*a*.no) *a.* O mesmo que *metacárpico.* [F.: *metacarpo* + *-iano.*]

metacárpico (me.ta.*cár*.pi.co) *a.* 1 *Anat.* Ref. ao ou do metacarpo (ossos metacárpicos) *sm.* 2 *Zool.* Um dos ossos situados próximos ao carpo, nos membros inferiores dos vertebrados tetrápodes [F.: *metacarpo* + *-ico*². Sin. ger.: *metacarpiano.*]

metacarpo (me.ta.*car*.po) *sm. Anat.* Parte do esqueleto da mão entre o carpo e os dedos, formada por cinco ossos, e que na parte anterior corresponde à palma da mão [F.: *met(a)-* + *-carpo.*]

metacrítica (me.ta.*crí*.ti.ca) *sf.* Crítica de uma crítica [F.: *met(a)-* + *crítica.*]

metade (me.*ta*.de) *sf.* 1 Cada uma das duas partes iguais em que se pode dividir algo: *Comi a metade do bolo; Vinte é a metade de quarenta.* 2 Ponto equidistante de dois extremos; MEIO: *Chegamos à metade do caminho.* 3 Momento equidistante do início e do fim (no tempo); MEIO: *Foi embora na metade da festa.* 4 *Mat.* Quantidade que resulta quando se divide por 2 qualquer número ou quantidade 5 Ver *cara-metade* [F.: Do lat. *medietas, atis.*] ■ **Fazer pela ~** Não concluir (algo), deixar incompleto **~ disponível** *Jur.* No direito civil brasileiro, a parte dos bens da qual cada cônjuge pode dispor livremente em testamento ou doação quando da morte do cônjuge, igual à metade de sua metade nos bens comuns, ou seja, um quarto deles **~ tribal** *Etnol.* Organização dual de muitos povos indígenas do Brasil, ger. baseada em exogamia

metadona (me.ta.*do*.na) *sf. Farm.* Fármaco narcótico opioide, us. no tratamento de dependentes de tóxico, esp. da heroína e outros opioides [F.: Do ing. *methadone.*]

metáfase (me.*tá*.fa.se) *sf. Cit.* Fase da divisão celular em que a membrana nuclear se rompe, o fuso acromático se forma e os cromossomos se alinham na região mediana do fuso [F.: *met(a)-* + *fase.*]

metafísica (me.ta.*fí*.si.ca) *sf.* 1 *Fil.* Estudo das causas primárias e dos princípios elementares do conhecimento e do ser 2 *Fig.* Sutileza com que se discorre sobre algum assunto [F.: Do lat. medv. *metaphysica.*]

metafisicismo (me.ta.fi.si.*cis*.mo) *sm.* 1 Forte influência da metafísica 2 Metafísica no mais elevado grau [F.: *metafísica* + *-ismo*, seg. o mod. vern.]

metafísico (me.ta.*fí*.si.co) *a.* 1 Ref. a, da ou próprio da metafísica 2 Que vai além dos limites da experiência física; TRANSCENDENTE 3 *Liter.* Diz-se do estilo espirituoso e de conteúdo mais profundo 4 *Fig.* Sutil, nebuloso, difícil de compreender *sm.* 5 Aquele que estuda metafísica [F.: *metafís(ica)* + *-ico*². Hom./Par.: *metafísico* (a.), *metafisico* (fl. de *metafisicar*).]

metáfora (me.*tá*.fo.ra) *sf. Gram.* Figura de linguagem que consiste em estabelecer uma analogia de significados entre duas palavras ou expressões, empregando uma pela outra (p.ex.: *Asas da imaginação.*) [F.: Do lat. *metaphora, ae,* do gr. *metaphorá.*]

metafórico (me.ta.*fó*.ri.co) *a.* 1 Ref. a metáfora 2 Que contém metáfora(s) (linguagem metafórica); FIGURADO [F.: Do lat. *metaphoricus, a, um,* do gr. *metaphorikós, é, ón.*]

metaforismo (me.ta.fo.*ris*.mo) *sm.* Emprego de metáforas [F.: *metáfora* + *-ismo.*]

metaforista (me.ta.fo.*ris*.ta) *s2g.* Aquele ou aquela que costuma usar metáforas [F.: *metáfora* + *-ista.*]

metaforizar (me.ta.fo.ri.*zar*) *v.* 1 Exprimir por metáfora(s) [*td.*: *O cineasta metaforizou o conflito com imagens audaciosas.*] 2 Utilizar metáfora(s) para expressar-se [*int.*: *Metaforizava muito, até quando escrevia análises políticas.*] [▶ 1 metaforizar] [F.: *metáfora* + *-izar.*]

metáfrase (me.*tá*.fra.se) *Liter. sf.* 1 Interpretação de uma frase figurada, ou que pela forma da escrita é de difícil compreensão, para um linguajar mais acessível ou menos complicado 2 Versão de um texto com o emprego de outras palavras; PARÁFRASE [F.: Do lat. *metaphrasis,* do gr. *metaphrasis, eos.*]

metafrástico (me.ta.*frás*.ti.co) *a.* 1 Que diz respeito a metáfrase 2 Que simplifica, interpreta ou traduz por intermédio de metáfrase [F.: Do gr. *metaphrastikós, e, on.*]

metagaláxia (me.ta.ga.*lá*.xi.a) [cs] *sf. Cosm.* O mesmo que *hipergaláxia* (2) [F.: *met(a)-* + *galáxia.*]

metais (me.*tais*) *smpl.* 1 *Mús.* Nas orquestras, o conjunto de instrumentos de sopro feitos de metal: *Os metais daquela* *orquestra têm um som inconfundível.* 2 Os utensílios de metal de uma cozinha 3 Qualquer peça de metal us. em fardas ou uniformes 4 *BA Pop.* Nome comum de diamantes e carbonados [F.: Pl. de *metal*.]

metal (me.*tal*) *sm.* 1 *Quím.* Elemento ger. sólido, com brilho característico, e bom condutor de calor e de eletricidade 2 *Fig.* O dinheiro; as riquezas: *O metal era o motivo de sua vida.* 3 Certa qualidade do timbre vocal (metal da voz) 4 *Fig.* Materialidade de algo; CONTEÚDO; SUBSTÂNCIA: *O metal do seu saber.* 5 *Her.* A cor branca ou amarela no campo do escudo [Pl.: *-tais*.] [F.: Do cat. *metall*, deriv. do lat. *metallum, i.*] ▪ ~ **alcalino** *Quím.* Cada um dos elementos do grupo I A da tabela periódica ~ **alcalinoterroso** *Quím.* Cada um dos elementos do grupo II A da tabela periódica ~ **amarelo** *Metal.* Liga de cobre e zinco, muito us. em circuitos elétricos ~ **branco** Liga de cobre, níquel, prata e zinco; alpaca ~ **de transição** *Quím.* Cada elemento de um grupo da tabela periódica caracterizado como de metais típicos (devido ao brilho metálico, alta condutividade de calor e eletricidade etc.) ~ **nobre** Todo metal que não oxida quando exposto a temperatura normal ~ **sonante** *Fig. Pop.* Dinheiro **O louro** ~ *Fig.* O ouro **O vil** ~ *Fig. Pej.* O dinheiro

metaleiro (me.ta.*lei*.ro) *sm. Bras.* Músico ou fã do *rock heavy-metal* [F.: *metal* + *-eiro*.]

metalepse (me.ta.*lep*.se) *sf. Ret.* Espécie de metonímia em que pelos antecedentes se faz conhecer os consequentes ou vice-versa, ou que revela a coisa indicada por um sinal; p. ex.: "As cigarras não cantam mais. Talvez tenha acabado o verão." (Rubem Braga, "O Verão e as Mulheres" *in A Cidade e a Roça*) [F.: Do lat. *metalepsis, e*, do gr. *matálepsis, eos*.]

metaléptico (me.ta.*lép*.ti.co) *a.* Que diz respeito a metalepse [F.: Do gr. *metaleptikós, é, ón*.]

metalescente (me.ta.les.*cen*.te) *a2g.* Que apresenta cor e/ou brilho metálico (pintura metalescente) [F.: **metalescer* (de *metal* + *-escer*) + *-nte*.]

metal(i)- *el. comp.* = 'metal': *melificar, metalografia* [F.: Do lat. *metallum, i*, do gr. *metallèion, ou*, 'metal'.]

metálico (me.*tá*.li.co) *a.* 1 Ref. a ou próprio de metal (propriedades metálicas) 2 Que é feito de metal (mobiliário metálico) 3 Que parece metal; semelhante a metal (cor metálica; sabor metálico) 4 Cujo som lembra o metal (voz metálica; timbre metálico) [F.: Do lat. *metallicus, a, um*, 'de metal'.]

metalificação (me.ta.li.fi.ca.*ção*) *sf.* 1 Ação, processo ou resultado de reduzir um metal ao seu estado de pureza 2 Formação natural dos metais na terra [Pl.: *-ções*.] [F.: *metalizar* + *-ção*.]

metalificar (me.ta.li.fi.*car*) *v. td.* Reduzir (substância) a um estado metálico [▶ 11 metalificar] [F.: *metal(i)-* + *-ficar*.]

metaliforme (me.ta.li.*for*.me) *a2g.* Que é da natureza ou tem a aparência do metal [F.: *metal(i)-* + *-forme*.]

◎ **metal(i)-** *el. comp.* = 'metal': *metalificar, metalografia.* [F.: Do lat. *metallum, i*, do gr. *metalleîon, ou*, 'metal'.]

metalinguagem (me.ta.lin.*gua*.gem) *sf.* 1 *Ling.* Ato ou processo de comunicação em que se usa a linguagem para falar sobre a própria ou outra linguagem (p.ex., quando se pergunta o sentido de uma palavra, quando se analisam símbolos etc.) 2 A linguagem (classificatória ou não) us. nesse ato ou processo [Pl.: *-gens*.] [F.: *met(a)-* + *linguagem*.]

metalinguístico (me.ta.lin.*guís*.ti.co) *a.* Ref. ou próprio da metalinguagem [F.: Do fr. *métalinguistique*.]

metalismo (me.ta.*lis*.mo) *Econ. sm.* 1 *Hist.* Concepção mercantilista que associava a riqueza e o poder de um Estado à quantidade de metais preciosos por ele acumulada 2 Teoria ou prática que adota o metal, esp. o ouro, como base do sistema monetário de um país, de modo que o valor de troca entre o metal e o dinheiro seja fixo [F.: *metal* + *-ismo*.]

metalista (me.ta.*lis*.ta) *a2g.* 1 Ref. a metalismo 2 Que é adepto do metalismo *s2g.* 3 Adepto do metalismo [F.: *metal* + *-ista*.]

metalização (me.ta.li.za.*ção*) *sf.* 1 Ação ou resultado de metalizar 2 *Metal.* Operação metalúrgica que tem por objetivo purificar os metais 3 Ação de guarnecer uma superfície qualquer com uma ligeira capa de metal [Pl.: *-ções*.] [F.: *metalizar* + *-ção*.]

metalizado (me.ta.li.*za*.do) *a.* 1 Que passou por metalização 2 Revestido por capa de metal [F.: Part. de *metalizar*.]

metalizar (me.ta.li.*zar*) *v. td.* 1 Converter em metal 2 Revestir de metal 3 Dar aparência de metal a 4 Dar brilho ou aspecto de metal 5 *Ant.* Reduzir a metal (dinheiro em circulação) [▶ 1 metalizar] [F.: *metal* + *-izar*.]

◎ **metalo-** *el. comp.* Ver *metal(i)-*

metalofone (me.ta.lo.*fo*.ne) *sm. Mús.* Instrumento constituído por uma série de placas metálicas dispostas no mesmo suporte, percutidas com um martelo [F.: *metalo-* + *-fone*.]

metalografia (me.ta.lo.gra.*fi*.a) *sf.* 1 Estudo dos metais e das ligas metálicas 2 Descrição ou tratado dos metais 3 *Art.gr.* Processo litográfico em que se substitui a pedra por uma chapa metálica [F.: *metalo-* + *-grafia*.]

metaloide (me.ta.*loi*.de) *a2g.* 1 *Quím.* Diz-se de elemento que parece metal, mas não tem suas propriedades *sm.* 2 Esse elemento [F.: *metal* + *-oide*.]

metalurgia (me.ta.lur.*gi*.a) *sf.* 1 Ciência que estuda os processos de extração de metais e seu uso industrial 2 Arte de trabalhar metais, transformando-os em objetos [F.: Do fr. *métallurgie*.]

metalúrgica (me.ta.*lúr*.gi.ca) *sf. Bras.* Indústria ou oficina de metalurgia [F.: Fem. substv. de *metalúrgico*.]

metalúrgico (me.ta.*lúr*.gi.co) *a.* 1 Ref. a metalurgia 2 Que trabalha em metalurgia *sm.* 3 Aquele que trabalha em metalurgia (greve dos metalúrgicos) [F.: *metalurgia* + *-ico*^{2}.]

metalurgista (me.ta.lur.*gis*.ta) *a2g.* 1 Que trabalha em metalurgia *s2g.* 2 Indivíduo que trabalha em metalurgia [F.: *metalurgia* + *-ista*. Sin. ger.: *metalúrgico*.]

metâmero (me.*tâ*.me.ro) *sm.* 1 *Anat. Zool.* Cada um dos segmentos que formam o corpo de vermes e artrópodes *a.* 2 Que é composto de partes semelhantes 3 Formado de partes semelhantes; tb. *isômere* [F.: Do ing. *metamere*.]

metamórfico (me.ta.*mór*.fi.co) *a.* 1 Que diz respeito a metamorfose 2 Diz-se de rocha que resulta da transformação de uma rocha preexistente [F.: *met(a)-* + *-morf(o)-* + *-ico*^{2}.]

metamorfismo (me.ta.mor.*fis*.mo) *sm.* 1 Faculdade de transformação 2 Transformação, mudança de aspecto, estado etc.; METAMORFOSE 3 *Geol.* Transformação na constituição de uma rocha que resulta da ação da pressão, da temperatura, gases e vapor d'água e que produz novas texturas na rocha, sem que ela passe por processo de fusão [F.: *met(a)-* + *-morf(o)-* + *-ismo*.]

metamorfose (me.ta.mor.*fo*.se) *sf.* 1 *Zool.* Transformação que sofrem certos animais durante o desenvolvimento, e pela qual adquirem forma e estrutura totalmente distintas das originais 2 *Fig.* Transformação, mudança (metamorfose dos costumes, das instituições) 3 *Fig.* Mudança completa na aparência, no estado, no caráter etc. de uma pessoa [F.: Do lat. *metamorphosis, is*, do gr. *metamórphosis, eos*. Cf.: *alomorfia*.]

metamorfosear (me.ta.mor.fo.se.*ar*) *v.* Causar ou sofrer metamorfose, transformação; TRANSFORMAR(-SE) [*td.*: *A sabedoria metamorfoseia o homem.*] [*tdr.* +em: *É impossível metamorfosear o chumbo em ouro; A lagarta metamorfoseia-se em borboleta.*] [▶ 13 metamorfosear] [F.: *metamorfose* + *-ear*^{2}.]

metano (me.*ta*.no) *sm. Quím.* Gás (CH_4) inflamável, incolor e inodoro, principal componente do gás natural [F.: Do fr. *méthane*.]

metanol (me.ta.*nol*) *sm. Quím.* Álcool incolor us. como solvente e combustível de automóveis; álcool metílico [Pl.: *-nóis*.] [F.: *metano* + *-ol*^{1}.]

metaplasia (me.ta.pla.*si*.a) *Med. sf.* 1 Transformação de um tecido em outro (metaplasia de cartilagem em osso) 2 Substituição anormal de um tipo por células de outro tipo [F.: *met(a)-* + *-plasia*.]

metaplásico (me.ta.*plá*.si.co) *a.* 1 Ref. a metaplasia 2 Em que há metaplasia [F.: *metaplasia* + *-ico*^{2}.]

metaplasmo (me.ta.*plas*.mo) *sm. Ret.* Nome comum de alterações na estrutura vocabular por meio de adição, supressão ou mudança de fonemas; METAGRAMA [Tais alterações se dão sobretudo por questões de ornamentabilidade, em função da qual palavras são modificadas por causa da rima, do ritmo, da métrica etc.] [F.: Do lat. *metaplasmus, i*, do gr. *metaplasmós, ou*.]

metapsicologia (me.ta.psi.co.lo.*gi*.a) *sf.* 1 *Psic.* Teoria especulativa a respeito das ligações entre os processos físicos e mentais, que ultrapassa a psicologia empírica e o método científico 2 *Psic.* Termo us. por Sigmund Freud para designar seu método especulativo que visa elucidar a dinâmica, a topografia (id, ego, superego) e a economia (quantidade de energia psíquica) dos processos psíquicos [F.: *met(a)-* + *psicologia*.]

metapsicológico (me.ta.psi.co.*ló*.gi.co) *a.* Que diz respeito a metapsicologia [F.: *metapsicologia* + *-ico*^{2}.]

metapsíquico (me.ta.*psí*.qui.co) *a.* Relativo aos fenômenos que não podem ser explicados pela psicologia tradicional e impossíveis de ser cientificamente comprovados, tais como a clarividência, a telepatia, a psicocinese etc. [F.: *met(a)-* + *psíquico*.]

metástase (me.*tás*.ta.se) *sf.* 1 *Med.* Aparecimento de um tumor secundário em um organismo, proveniente de um tumor maligno 2 *Med.* Migração, pelo sangue ou pela linfa, de produtos patológicos dentro de um organismo 3 *Ret.* Atribuição, pelo orador, a outra pessoa, de afirmações que ele mesmo fez ou de conclusões a que chegou 4 *Ling.* Última fase da articulação de um fonema; DISTENSÃO [F.: Do gr. *metástasis, eos*, pelo fr. *métastase*.]

metastático (me.tas.*tá*.ti.co) *a.* Ref. a, da natureza de, ou que apresenta metástase [F.: Do gr. *metastatikós, é, ón.* Sin. ger.: *metastásico*.]

metatarsiano (me.ta.tar.si:*a*.no) *a. Anat.* Diz-se de cada um dos cinco ossos que formam cada metatarso; METATARSAL [F.: *metatarso* + *-iano*.]

metatársico (me.ta.*tár*.si.co) *a.* Pertencente ou relativo ao metatarso; METATARSAL [F.: *metatarso* + *-ico*^{2}.]

metatarso (me.ta.*tar*.so) *sm.* 1 *Anat.* Parte do esqueleto do pé entre o tarso e os dedos, formada por cinco ossos 2 *Ent.* Primeiro segmento da pata dos insetos, basitarso 3 *Ent.* Penúltimo segmento das patas das aranhas, protarso [F.: *met(a)-* + *tarso*.]

metátese (me.*tá*.te.se) *sf.* 1 *Ling.* Troca de posição de um fonema dentro de um vocábulo (p.ex., *falcudade* em lugar de *faculdade*) 2 *Lóg.* Transposição de termos ao longo de um raciocínio [F.: Do gr. *metáthesis, eos*.]

metatexto (me.ta.*tex*.to) *sm.* Texto literário que fundamenta uma crítica ou a produção de um novo texto [F.: *met(a)-* + *texto*.]

metaxilema (me.ta.xi.*le*.ma) [cs] *sf. Bot.* Parte do xilema primário que se diferencia depois do protoxilema, caracterizado por vasos condutores de maior calibre [F.: *met(a)-* + *xilema*.]

metaxilemático (me.ta.xi.le.*má*.ti.co) [cs] *a.* Que diz respeito a metaxilema [F.: *metaxilema* + *-ático*.]

metazoário (me.ta.zo.*á*.ri:o) *a.* 1 *Zool.* Ref. aos metazoário *sm.* 2 *Zool.* Denominação comum aos animais pluricelulares. Classificação obsoleta utilizada para distinção dos animais unicelulares (denominados na época como protozoários) [F.: Do lat. cient. *Metazoa*.]

meteco (me.*te*.co) *sm.* 1 Estrangeiro, forasteiro autorizado a residir na antiga Atenas, sem gozar, entretanto, de todos os direitos dos cidadãos atenienses 2 Estrangeiro com residência fixa em um país; IMIGRANTE: "Em Sevilha matriculou-se: / se ele é meteco, ninguém/ habitou mais fundo esse porto/ nem o soube do quê ao quem." (João Cabral de Melo Neto, "A Barcaça" *in Sevilha Andando*) [F.: Do lat. tard. *metoecus, i*, do gr. *métoikos, ou*]

metediço (me.te.*di*.ço) *a.* Que se mete na vida ou no assunto dos outros; INTROMETIDO; ABELHUDO [F.: *meter* + *-diço*. Ant.: *discreto*.]

metempsicose (me.tem.psi.*co*.se) *sf.* 1 *Rel.* Passagem da alma de um corpo para outro, depois da morte; teoria da transmigração da alma: "Havia tal que dizia acreditar na metempsicose, porque sentia dentro do seu ventre os figados de Robespierre" (Camilo Castelo Branco, *Carrasco*) 2 *Fil. Rel.* Doutrina que admite esse fenômeno [F.: Do fr. *métempsycose*, do lat. tard. *metempsychosis*, e este do gr. *metempsýkhosis*.]

metempsicótico (me.tem.psi.*có*.ti.co) *a.* Que diz respeito a, ou que apresenta metempsicose [F.: *metempsic(ose)* + *-ótico*.]

meteórico (me.te.*ó*.ri.co) *a.* 1 Ref. a meteoro 2 Que foi provocado por meteoro 3 *Fig.* Que fulgura, mas dura pouco (sucesso meteórico) 4 *P.ext.* Extremamente rápido, breve: *Fez uma passagem meteórica pela cidade.* [F.: *meteoro* + *-ico*^{2}.]

meteorismo (me.te:o.*ris*.mo) *sm. Med.* Acumulação de gases intestinais, que provoca a dilatação do abdome [F.: Do fr. *météorisme*, do gr. *meteorismós, oû*.]

meteorito (me.te:o.*ri*.to) *sm. Astron.* Fragmento de corpo celeste que atravessa a atmosfera e cai sobre a Terra; AERÓLITO; ASTRÓLITO; METEORÓLITO [F.: Do fr. *météorite*.]

meteorização (me.te:o.ri.za.*ção*) *sf.* 1 *Pet.* Conjunto de fatores climáticos e biológicos que alteram ou decompõem uma rocha primária 2 *P.ext.* Alteração de materiais causada por agentes externos, esp. umidade e temperatura [Pl.: *-ções*.] [F.: *meteorizar* + *-ção*.]

meteorizar (me.te:o.ri.*zar*) *v. td.* 1 Inflar o abdome com o movimento e acúmulo de gases (meteorismo) no aparelho digestivo 2 Fazer passar do estado sólido ao gasoso 3 *Geol. Pet.* Efetuar a meteorização de rochas [▶ 1 meteorizar] [F.: Adaptç. do fr. *météoriser*.]

◎ **meteor(o)-** *el. comp.* = 'meteoro'; 'fenômeno ou corpo celeste': meteorito, meteorologia [F.: Do gr. *metéoros, os, on*.]

meteoro (me.te.*o*.ro) *sm.* 1 Fenômeno natural que ocorre na atmosfera (trovões, chuva, terremoto, nevasca etc.) 2 Rastro luminoso que resulta da entrada na atmosfera terrestre de um corpo sólido vindo do espaço 3 *Fig.* Aquilo que tem brilho intenso e passageiro [F.: Do fr. *météore*, este do gr. *metéoros, os, on*, 'que está nos ares'.] ▪ ~ **esporádico** *Astron.* Meteoro que não faz parte de chuva de meteoros, com trajetória e outras características reguladas pelo acaso

meteorobiologia (me.te:o.ro.bi:o.lo.*gi*.a) *sf.* Ciência que trata dos efeitos das condições meteorológicas sobre os seres vivos [F.: *meteor(o)-* + *biologia*.]

meteoroide (me.te:o.*roi*.de) *sm. Astron.* Pedaço de matéria rochosa ou metálica que percorre o espaço em alta velocidade e que pode penetrar na atmosfera produzindo um rastro brilhante [F.: *meteoro* + *-oide*. Cf.: *meteoro* e *meteorito*.]

meteorologia (me.te:o.ro.lo.*gi*.a) *sf. Met.* Ciência que estuda os fenômenos atmosféricos para ter a capacidade de prevê-los [F.: Do fr. *météorologie*, do gr. *meteorologia, as*.]

meteorológico (me.te:o.ro.*ló*.gi.co) *a.* Que se refere a meteorologia, ou que dela é objeto de estudo (fenômeno meteorológico) [F.: Do gr. *metereológikós, e, on*.]

meteorologista (me.te:o.ro.lo.*gis*.ta) *a2g.* 1 Que é especialista em meteorologia (técnico meteorologista) *s2g.* 2 Esse especialista [F.: *meteorologia* + *-ista*.]

meteorólogo (me.te:o.*ró*.lo.go) *sm.* O mesmo que *meteorologista* [F.: Do gr. *meteorológos, ou*.]

meter (me.*ter*) *v.* 1 Fazer entrar ou penetrar; ENFIAR; INTRODUZIR [*tda.*: *Meteu a mão no bolso.*] 2 Colocar, pôr, guardar [*tda.*: *Meteu os papéis na gaveta.*] 3 Esconder(-se), ocultar(-se) [*tda.*: *Ninguém sabia onde ela se metia.*] 4 Internar(-se), enterrar(-se), recolher(-se) [*tda.*: *A família meteu o velho no hospício; Meteu-se no escritório para escrever.*] 5 Pôr-se de permeio; INTERPOR(-SE) [*tda.*: *Meteu o carro na frente do que o ultrapassara; Metia-se entre os brigões e acabava brigando também.*] 6 Pôr-se num caminho; penetrar num lugar ou acesso; EMBRENHAR-SE [*tda.*: *Metera os companheiros no mar alto; Meter-se num atalho/num matagal.*] 7 *Fig.* Participar ou fazer participar; envolver(-se) [*tdr.* +em: *Meteu o amigo numa enrascada.*] [*tdr.* +com: "... largou o marido para meter-se com um homem do comércio." (Aluísio Azevedo, *O Cortiço*)] 8 *Bras. Tabu.* Fazer sexo [*tr.* +com] [*int.*] 9 Intrometer-se, imiscuir-se [*tdr.* +em: *Meteu-se no que não era da sua conta.*] 10 Provocar ou desafiar [*tr.* +com: *Não admitiu que o corrupto se metesse com ele.*] 11 *Pej.* Lançar-se com equívoco ou risco a determinado oficio ou empresa [*tr. +a*: *Foi-se meter a astrólogo e fracassou; Meteu-se a fazer abortos e se deu mal.*] **12** *Fig.* Aplicar com força (golpe, parte do corpo, instrumento etc.) em alguém ou algo [*tda.*: *Metera o malho na parede.*] **13** Causar, infundir ou incutir sentimento ou ideia na cabeça [*td.*: *De noite, o bairro mete medo.*] [*tdi. +em, a*: *Gostava de meter medo nas crianças.*] [*tda.*: *Meteu na cabeça que quer ser piloto.*] **14** Aplicar, empregar [*tdr. +em*: *Meteu muito dinheiro num negócio duvidoso; Meteu a grana no banco.*] **15** Desferir (golpe) com violência [*tdr. +em*: *Meteu a mão na cara da patroa.*] [▶ 2 meter] [F.: Do lat. *mittere.* Hom./Par.: *meta* (1ª e 3ªp.s.), *metas* (2ªp.s.), *meta* (sf.) e pl.]

meticulosidade (me.ti.cu.lo.si.*da*.de) *sf.* **1** Caráter ou qualidade do que é meticuloso **2** Característica de quem é meticuloso, ou o seu modo de fazer algo [F.: *meticuloso + -(i)dade.*]

meticuloso (me.ti.cu.*lo*.so) [ô] *a.* **1** Que dá atenção a pequenos detalhes, que gosta de ir às minúcias do que estuda, examina ou faz (personalidade meticulosa); CUIDADOSO; MINUCIOSO **2** Que sente receio por pequenas coisas, que se deixa impressionar por pequenas coisas (consciência meticulosa) **3** Que é muito cauteloso, tímido [Pl.: [ó]. Fem.: [ó].] [F.: Do lat. *meticulosus, a, um.*]

metida (me.*ti*.da) *Bras. sf.* **1** Mulher pretensiosa, arrogante **2** Mulher enxerida, fofoqueira, dada a mexericos **3** *Tabu.* Relação sexual; COITO; CÓPULA [F.: Fem. substv. de *metido.*]

metido (me.*ti*.do) *a.* **1** Que se meteu; que se introduziu **2** Diz-se de indivíduo que tenta passar pelo que não é, que se gaba de qualidades que não tem; PRESUNÇOSO; PRETENSIOSO **3** *Bras.* Que se intromete onde não foi chamado; que se mete no que não lhe diz respeito; INDISCRETO; METEDIÇO; INTROMETIDO **4** *Bras.* Que fala da vida alheia, que é dado a intrigas, a fofocas; FOFOQUEIRO; FUTRIQUEIRO; MEXERIQUEIRO [F.: Part. de *meter.*]

◎ **metil-** *pref. Quím.* Indica o grupo CH_3: *metilamina, metileno* [F.: Do fr. *méthyle.*]

metila (me.*ti*.la) *sf.* Radical do grupo alquila $-CH_3$, derivado do metano, formado pela remoção de um átomo de hidrogênio [F.: Do fr. *méthyle*; ver *met(a)-* e *-ila*².]

metilação (me.ti.la.*ção*) *sf. Quím.* Ação ou resultado de metilar; introdução de um grupo metila numa molécula [Ant.: *desmetilação*] [Pl.: *-ções.*] [F.: *metilar + -ção.*]

metilamina (me.ti.la.*mi*.na) *sf. Quím.* Base gasosa inflamável (CH_3 NH_2) us. esp. em síntese orgânica de fármacos, corantes, inseticidas etc. [F.: *metil- + amina.*]

metilar (me.ti.*lar*) *v. td. Quím.* Introduzir grupo metila numa molécula [Ant.: *desmetilar.*] [▶ 1 metilar] [F.: *metila + -ar*².]

metileno (me.ti.*le*.no) *sm. Quím.* Radical orgânico bivalente $-CH_2-$, derivado do metano pela remoção de dois átomos de hidrogênio; CARBENO; METENO [F.: Do fr. *méthylène.*]

metílico (me.*tí*.li.co) *a. Quím.* Diz-se de substância, esp. de álcool, que contém o radical metila [F.: *metil- + -ico*².]

metionina (me.ti:o.*ni*.na) *sf. Bioq.* Aminoácido cristalino presente em diversas proteínas (como a caseína e a albumina), importante fonte de enxofre, us. como suplemento alimentar para humanos e animais domésticos mamíferos e galináceos [F.: Do al. *Methionin.*]

◎ **meto-** *el. comp.* = 'bebedeira', 'embriaguez': *metomania, metômano* [F.: Do gr. *méthe, es*, 'embriaguez'.]

metódico (me.*tó*.di.co) *a.* **1** Que segue um método (estudo metódico) **2** Que se preocupa com todos os detalhes; METICULOSO; MINUCIOSO: *Era metódico em suas arrumações.* **3** Que é adepto dos princípios do metodismo *sm.* **4** Indivíduo que segue o metodismo [F.: Do lat. *methodicus, a, um*, do gr. *methodikós, é, ón.*]

metodismo (me.to.*dis*.mo) *sm.* **1** Sistema do procedimento metódico; metódica *sm.* **2** *Rel.* Corrente do protestantismo que, fundada na Inglaterra por John Wesley (1703-1791), tem princípios rígidos, apoia-se fortemente na palavra da Bíblia e deu origem a outras denominações evangélicas **3** *Med. Hist.* Sistema oriundo de uma antiga doutrina médica que floresceu na Grécia por volta do séc. I d.C. [F.: Do ingl. *methodism.*]

metodista (me.to.*dis*.ta) *a2g.* **1** *Rel.* Ref. ao metodismo (religião) **2** *Rel.* Que é adepto dessa doutrina ou corrente protestante *s2g.* **3** *Rel.* Esse adepto **4** Aquele que segue atentamente algum tipo de método [F.: *metodismo + ista.*]

metodização (me.to.di.za.*ção*) *sf.* Ação ou resultado de metodizar [Pl.: *-ções.*] [F.: *metodizar + -ção.*]

metodizado (me.to.di.*za*.do) *a.* Que passou por processo de metodização; que foi ordenado, sistematizado [Ant.: *desmetodizado.*] [F.: Part. de *metodizar.*]

metodizador (me.to.di.za.*dor*) [ô] *a.* **1** Que metodiza, ordena, sistematiza *sm.* **2** Aquele que metodiza [F.: *metodizar + -dor.*]

metodizar (me.to.di.*zar*) *v. td.* Tornar metódico; SISTEMATIZAR: *Metodizar um trabalho/uma pesquisa.* [▶ 1 metodizar] [F.: *método + -izar.* Ant.ger.: *desmetodizar.*]

método (*mé*.to.do) *sm.* **1** Conjunto de meios ou procedimentos racionais para atingir um objetivo (método científico) **2** Processo ou sistema lógico que torna eficiente e ordenada uma determinada atividade: *Elaborou um método para extrair bom desempenho dos atores.* **3** Qualquer conjunto de procedimentos técnicos ou científicos (método terapêutico) **4** *Fig.* Maneira ordenada e sistemática de agir para atingir determinados fins: *O grupo trabalhava com método;* "Embora se lhe não pudesse ler no fundo do espírito, via-se desde já qual era o seu método de ação." (Machado de Assis, *A mão e a luva*) **5** Conjunto de princípios em que se baseia o ensino de algo: *método para aprender matemática.* **6** Obra escrita que contém os princípios básicos de uma disciplina (método de estudo do violão) **7** *Fig.* Modo de proceder com circunspecção e cuidado [F.: Do gr. *méthodos,ou.*] ■ **~ axiomático** *Lóg.* Método de análise a partir de premissa tida como necessariamente verdadeira, tomada como base da demonstração que se segue; método dedutivo **~ científico** *Fil.* Conjunto estruturado de abordagens e procedimentos racionais us. na observação empírica dos fenômenos da natureza e na elaboração de leis científicas que os expliquem **~ comparativo** *Ling.* Método de estudo da evolução de uma língua por comparação com uma língua aparentada **~ de Agazzi** *Pedag.* Método pedagógico na educação pré-escolar, que emprega material empírico para ensinar a distinguir formas e cores e desenvolver a linguagem **~ Decroly** *Pedag.* Método de ensino no qual as ideias apresentadas aos alunos constituem um todo homogêneo, entrelaçado em torno de uma ideia central e integrado à experiência e às reações afetivas deles; método dos centros de interesse **~ dedutivo** *Fil.* Método de formação e aquisição de conhecimento baseado no desenvolvimento de um axioma dedutivo **~ de Froebel** *Pedag.* Método de educação pré-escolar baseado no fundamento de que o ser humano é ativo e criativo, e que se utiliza de atividades e brinquedos para ensinar **~ de palavras** *Pedag.* Método de ensino da leitura em que cada palavra é vista como um todo, e não como uma montagem de elementos fonéticos e suas representações **~ de Stanislavski** *Teat.* Técnica desenvolvida pelo ator russo Konstantin Stanislavski para formação e treinamento de atores, baseada na verdade interior do ator, e não do personagem, o que, segundo o autor do método, é o que realmente interessa para a boa representação **~ direto** *Pedag.* Método de ensino de língua estrangeira viva, baseado no uso exclusivo dessa língua em todos os processos de comunicação entre professor e aluno e entre alunos **~ dos centros de interesse** *Pedag.* Ver *Método Decroly* **~ experimental** *Fil.* Método de pesquisa científica que consiste em observar fenômenos da natureza em condições experimentais criadas especialmente para isso e controladas pelo pesquisador **~ hipotético-dedutivo** *Fil.* Método us. em toda investigação científica (segundo Karl Popper e outros filósofos), que consiste em formular uma hipótese e, a partir dela, desenvolver uma linha dedutiva que será confirmada (ou não) por observações e experiências empíricas **~ idiográfico** *Fil.* Método definido por Wilhelm Windelband como típico das ciências humanas, e que considera cada fato de acordo com sua particularidade, e não como exemplos ou decorrências de uma explicação ou regra geral **~ indutivo** *Fil.* Segundo Francis Bacon e John Stuart Mill, método us. em investigação científica, que consiste em, a partir de observação de fatos e fenômenos particulares, induzir uma hipótese genérica provável que os explique e suas leis explicativas **~ Paulo Freire** *Pedag.* Método de alfabetização e educação de adultos criado pela educador e pedagogo brasileiro Paulo Freire **~ sintético** *Fil.* Aquele que baseia a construção de uma ideia, afirmação, representação etc. numa sucessão progressiva de teses, suas antíteses e as sínteses resultantes

metodologia (me.to.do.lo.*gi*.a) *sf.* **1** Conjunto de métodos **2** *Fil.* Parte da lógica que trata dos métodos das diferentes ciências **3** Conjunto de regras para realizar uma pesquisa (metodologia da pesquisa antropológica) **4** *Liter.* Análise dos componentes de uma obra com o fim de atingir seus possíveis significados ocultos [F.: Do fr. *méthodologie.*]

metodológico (me.to.do.*ló*.gi.co) *a.* Relativo a metodologia [F.: *metodologia + -ico*².]

metomania (me.to.ma.*ni*.a) *sf. Psiq.* Desejo irresistível de ingerir bebidas alcoólicas; METIOMANIA [F.: *meto- + mania.*]

metômano (me.*tô*.ma.no) *Psiq. a.* **1** Que sofre de metomania *sm.* **2** Indivíduo metômano [F.: *meto- + -mano*¹. Sin. ger.: *metomaníaco.*]

metônico (me.*tô*.ni.co) *a. Cron.* Diz-se de um ciclo que abrange 19 anos em que há 6.940 dias e 235 lunações, criado pelo astrônomo grego Méton por volta de 432 a.C. [F.: Do gr. *Méton + -ico*².]

metonímia (me.to.*ní*.mi:a) *sf. Ling.* Figura de linguagem baseada no uso de um nome no lugar de outro, pelo emprego da parte pelo todo, do efeito pela causa, do autor pela obra, do continente pelo conteúdo etc. (p.ex.: beber um copo no lugar de beber a cerveja do copo) [F.: Do gr. *metonimía, as.*]

metonímico (me.to.*ní*.mi.co) *a.* Ref. a metonímia [F.: *metonímia + -ico*².]

metonomásia (me.to.no.*má*.si:a) *sf.* Tradução literal de um nome próprio para outra língua, p. ex.: *Newfoundland*, donde *Terra Nova.* [F.: Do gr. *metonomasía, as.* Cf.: *paronomásia* e *antonomásia.*]

métopa (*mé*.to.pa) *sf. Arq.* Intervalo entre dois tríglifos no friso da ordem dórica que inicialmente era liso e depois passou a ser ornamentado; DITRÍGLIFO: *O friso exterior do Partenon é ornamentado por 92 métopas representando a luta dos centauros.* [F.: Do lat. tard. *metopa, ae*, do gr. *metópe, es.* Tb. *métope.*]

métope (*mé*.to.pe) *sf.* Ver *métopa*

◎ **-metra** *el. comp.* = 'especialista em dada ciência ou ramo científico de mensuração': *astrômetra, biômetra, geômetra* (< gr.) [F.: Do gr. *-métres, ou*, 'o que mede', do v.gr. *medéo*, 'medir'. F. conexa: *metr(o)-*¹ e *-metria*¹.]

metragem (me.*tra*.gem) *sf.* **1** Medição ou medida em metros **2** Comprimento em metros **3** *Cin.* Tempo de duração de um filme [Pl.: *-gens.*] [F.: *metro + -agem*².]

metralgia (me.tral.*gi*.a) *sf. Ginec.* Dor no útero; METRODINIA; UTERALGIA [F.: *metr(o)-*² *+ -algia.*]

metralha (me.*tra*.lha) *sf.* **1** Conjunto de pequenas balas, pedaços de metal etc. com que se carregam projéteis **2** Descarga de metralhadora; METRALHADA: *Corria sob o fogo da metralha.* **3** *Fig.* Grande quantidade de alguma coisa **4** *Fig.* Conjunto de meios eficazes para se alcançar um fim **5** *Fig.* Conjunto de fragmentos de uma demolição [F.: Do fr. *mitraille.*]

metralhada (me.tra.*lha*.da) *sf.* **1** Disparo de arma carregada com metralha **2** Rajada de metralhadora [F.: *metralha + -ada*¹.]

metralhador (me.tra.lha.*dor*) [ô] *a.* **1** Que metralha *sm.* **2** Aquele ou aquilo que metralha [F.: *metralhar + -dor.*]

metralhadora (me.tra.lha.*do*.ra) [ô] *sf.* Arma de fogo automática que dispara grande número de balas em curto período de tempo [F.: *metralhar + -dora*, para trad. o fr. *mitrailleuse.*]

metralhar (me.tra.*lhar*) *v.* **1** Dar tiros de metralhadora contra (alguém ou algo) [*td.*: *Metralhou os inimigos.*] **2** *Bras. Fig.* Encher (alguém) de perguntas, argumentos etc., sem lhe dar tempo de responder [*tdr. +com, de*: *Os jornalistas metralharam o político com perguntas.*] **3** *Fig.* Atacar de maneira intensa [*td.*: *Na segunda etapa do jogo, o ataque da equipe visitante metralhou o gol do adversário.*] [▶ 1 metralhar] [F.: *metralha + -ar*².]

metranemia (me.tra.ne.*mi*.a) *sf. Ant. Obst.* Isquemia uterina [F.: *metr(o)-*² *+ anemia.*]

metranêmico (me.tra.*nê*.mi.co) *Ant. Obst. a.* **1** Ref. a metranemia **2** Que apresenta metranemia [F.: *metranemia + -ico*².]

metratonia (me.tra.to.*ni*.a) *sf. Obst.* Perda do tônus uterino [F.: *metr(o)-*² *+ atonia.*]

metratônico (me.tra.*tô*.ni.co) *Obst. a.* **1** Ref. a metratonia **2** Que apresenta metratonia [F.: *metratonia + -ico*².]

metrectasia (me.trec.ta.*si*.a) *sf. Ginec. Obst.* Dilatação uterina que não é causada por gravidez [F.: *metr(o)-*² + *-ectasia.*]

metrectásico (me.trec.*tá*.si.co) *a. Ginec. Obst.* Que diz respeito a metrectasia [F.: *metrectasia + -ico*².]

metrectopia (me.trec.to.*pi*.a) *sf. Ginec. Obst.* Deslocamento do útero [F.: *metr(o)-*² *+ -ectopia.* Cf.: *histerectomia.*]

metrectópico (me.trec.*tó*.pi.co) *a. Ginec. Obst.* Que diz respeito a metrectopia [F.: *metrectopia + -ico*².]

◎ **-metria**¹ *el. comp.* = 'medição'; 'mensuração'; 'medida': *assimetria, geometria* (< gr.), *pluviometria, termometria* [F.: Do gr. *-metría, as.* F. conexa: *metr(o)-*¹ e *-metra.*]

◎ **-metria**² *el. comp.* = 'irregularidade uterina': *exometria* [F.: Do gr. *métra, as*, 'matriz', 'útero', + *-ia*¹. F. conexa: *metr(o)-*² e *-métrio.*]

métrica (*mé*.tri.ca) *sf.* **1** *Poét.* Estudo da medida e estrutura dos versos de um poema **2** *Poét.* Maneira própria de versejar: *A métrica de Manuel Bandeira.* **3** *Mús.* Estudo e utilização do metro **4** *Geom.* Forma diferencial que define a distância entre dois pontos infinitesimalmente próximos [F.: Do gr. *metriké* (*tékhne*), do fem. do adj.gr. *metrikós, é, ón*, 'referente à medida de versos'.]

métrico (*mé*.tri.co) *a.* **1** Que tem por base o metro (diz-se de sistema de medida) **2** Que pertence ou é próprio da métrica [F.: Do gr. *metrikós, é, ón.*]

metrificação (me.tri.fi.ca.*ção*) *sf.* **1** Ação ou resultado de metrificar **2** *Poét.* Forma regular dos versos segundo as regras estabelecidas para cada espécie: "traduzidos verso a verso, em todos os gêneros de metrificação e rima" (Sanches de Frias, *Quadros à Pena*) [Pl.: *-ções.*] [F.: *metrificar + -ção.*]

metrificado (me.tri.fi.*ca*.do) *a.* Que se metrificou, que foi feito de acordo com a métrica (versos metrificados) [F.: Part. de *metrificar.*]

metrificar (me.tri.fi.*car*) *Poét. v.* **1** Converter (texto, discurso) em versos com métrica [*td.*: *Metrificou o texto*] **2** Compor versos com métrica [*int.*: *Quando escrevia poesia, gostava muito de metrificar.*] [▶ 11 metrificar] [F.: *metr(o)-*¹ *+ -ficar.*]

◎ **-métrio** *el. comp.* = 'do útero'; 'membrana ou camada (esp. muscular) uterina': *endométrio, miométrio, paramétrio* [F.: Do gr. *métra, as*, 'útero', 'matriz', + *-io*³. F. conexa: *metr(o)-*² e *-metria*².]

metrite (me.*tri*.te) *sf. Med.* Inflamação do útero [F.: *metr(o)-*² *+ -ite*¹.]

◎ **-metro** *el. comp.* Ver *metr(o)-*¹

◎ **-metr(o)-**¹ *el. comp.* Ver *metr(o)-*¹

◎ **-metr(o)-**² *el. comp.* Ver *metr(o)-*²

◎ **metr(o)-**¹ *el. comp.* = 'medida'; 'aquilo (aparelho, instrumento etc.) que mede, que faz medições': *metrografia*¹, *metrologia, metrônomo; eletrométrico; dosímetro, durômetro; gigâmetro* [F.: Do gr. *métron, ou.* F. conexa: *-metria*¹ e *-metra.*]

◎ **metr(o)-**² *el. comp.* = 'útero': *metralgia, metrite, metrografia*², *metrorragia; exometrite* [F.: Do gr. *métra, as*, 'matriz', 'útero'. F. conexa: *-metria*².]

metro (*me*.tro) *sm.* **1** *Fís.* Unidade de medida de comprimento do Sistema Internacional de unidades, que corresponde à distância percorrida pela luz, no vácuo, durante um período de tempo equivalente a 1/299.792.458 de segundo [Símb.: *m*] **2** Instrumento para medir, ger. graduado em centímetros, que representa essa unidade de medida **3** *Liter.* Estrutura de um verso, medida em sílabas métricas 4 *Liter.* Forma rítmica de uma obra poética [F.: Do gr. *metrón, ou.* Hom./Par.: *metro* (sm.), *metrô* (sm.).] ▪ ~ **cúbico** *Metrol.* Unidade de medida de volume adotada pelo Sistema Internacional (SI), que corresponde ao volume de um cubo com aresta de 1m [Símb.: m^3.] ~ **padrão** *Metrol.* Unidade de medida de comprimento (metro) adotada pelo Sistema Internacional (SI), definida por padrão internacional, até 1960, como a distância entre duas marcas numa barra de platina iridiada a zero graus, depositada em Paris. Em 1983 passou a ser definido como a extensão do percurso da luz no vácuo num intervalo de tempo de 1/299.792.458 de segundo [Símb.: m] ~ **por segundo** *Metrol.* Unidade de medida de velocidade adotada pelo Sistema Internacional (SI), que corresponde à velocidade de um corpo que percorre a distância de 1m em um segundo [Símb.: *m/s*.] ~ **quadrado** *Metrol.* Unidade de medida de área adotada pelo Sistema Internacional (SI), que corresponde à área de um quadrado no qual cada lado mede 1m [Símb.: m^2.] ~ **por segundo ao quadrado** *Metrol.* Unidade de medida de aceleração adotada pelo Sistema Internacional (SI), que corresponde a uma aceleração de 1m por segundo a cada segundo [Símb.: m/s^2.]

metrô (me.*trô*) *sm.* 1 *Bras.* Sistema de transporte ferroviário em grandes cidades, composto por trens que trafegam por vias em geral subterrâneas 2 Trem desse sistema: *Pegou o metrô e foi trabalhar.* [F.: Do fr. *métro,* f.red. de *métropolitain*; ver *metropolitano*[2].]

metrocele (me.tro.*ce*.le) *sf. Ginec.* Hérnia do útero; HISTEROCELE [F.: *metr(o)-*[2] + *-cele*[1].]

metrografia[1] (me.tro.gra.*fi*:a) *sf.* Estudo acerca de pesos e medidas [F.: *metr(o)-*[1] + *-grafia.*]

metrografia[2] (me.tro.gra.*fi*.a) *sf. Ant. Med.* O mesmo que *histerografia* [F.: *metr(o)-*[2] + *-grafia.*]

metrologia (me.tro.lo.*gi*.a) *sf.* Estudo e descrição dos sistemas de pesos e medidas [F.: Do fr. *métrologie*; ver *metr(o)-*[1] e *-logia.*]

metrológico (me.tro.*ló*.gi.co) *a.* Ref. a metrologia [F.: *metrologia* + *-ico*[2].]

metrologista (me.tro.lo.*gis*.ta) *a2g.* 1 Diz-se de indivíduo que se especializou em metrologia (técnico metrologista) *s2g.* 2 Esse especialista [F.: *metrologia* + *-ista.*]

metromania[1] (me.tro.ma.*ni*.a) *sf. Pus. Psiq.* O mesmo que *ninfomania* [F.: *metr(o)-*[2] + *-mania.*]

metromania[2] (me.tro.ma.*ni*.a) *sf.* Mania de compor versos [F.: *metr(o)-*[1] + *-mania.*]

metromaníaca (me.tro.ma.*ní*.a.ca) *sf. Psiq.* O mesmo que *ninfômana* [F.: Fem. substv. de *metromaníaco*[1].]

metromaníaco[1] (me.tro.ma.*ní*.a.co) *a. Psiq.* O mesmo que *ninfomaníaco* [F.: *metroman(ia)* + *-íaco.*]

metromaníaco[2] (me.tro.ma.*ní*.a.co) *a.* 1 Ref. a metromania[2] 2 Diz-se de indivíduo que apresenta metromania[2]; METRÔMANO *sm.* 3 Esse indivíduo; METRÔMANO [F.: *metroman(ia)* + *-íaco.*]

metrômano (me.*trô*.ma.no) *a. sm.* O mesmo que *metromaníaco*[2] (2 e 3) [F.: *metr(o)-*[1] + *-mano*[1].]

metrônomo (me.*trô*.no.mo) *sm. Mús.* Instrumento, ger. com um pêndulo, para marcar o compasso, inventado no séc. XIX pelo austríaco Johann Nepomuk Maelzel (1772-1838) [F.: *metr(o)-*[1] + *-nomo.*]

metropatia (me.tro.pa.*ti*.a) *sf. Ginec. Pat.* Designação genérica das doenças do útero [F.: *metr(o)-*[2] + *-patia.*]

metrópole (me.*tró*.po.le) *sf.* 1 Cidade principal de um país, estado ou região [Certas metrópoles, pela importância de sua atividade econômica e financeira, ou cultural, ou política, adquirem caráter de metrópole nacional, e mesmo mundial, como Nova York, Londres, Paris, Tóquio etc.] 2 Cidade grande e importante 3 Centro de convergência de atividades, comerciais, culturais, artísticas etc.: *Paris já foi a metrópole da moda.* 4 *Hist.* Estado central em relação às suas colônias 5 *Rel.* Na hierarquia católica, a igreja arquiepiscopal em relação às sufragâneas 6 *Urb.* Em uma região metropolitana, a cidade que exerce influência econômica e cultural sobre as demais de sua área [F.: Do gr. *metrópolis, eos.*]

metropolita[1] (me.tro.po.*li*.ta) *Ecles. sm.* 1 Prelado metropolitano *a2g.* 2 Da ou ref. à metrópole [F.: Do gr. *metropolites, es,* pelo lat. *metropolita, ae.*]

metropolita[2] (me.tro.po.*li*.ta) *a2g.* 1 *Ecles.* Ref. a Metrópole, ou Metrópolis, antigas cidades gregas (na Frígia e na Jônia); metropolitano *s2g.* 2 O natural ou habitante dessas cidades; metropolitano [F.: Do lat. *metropolita, arum.*]

metropolitano[1] (me.tro.po.li.*ta*.no) *a.* 1 Pertencente ou ref. à metrópole 2 Próprio ou típico de, ou que é semelhante a uma metrópole 3 Diz-se de bispo responsável por uma ou mais dioceses, e que tem outros bispos sob sua autoridade *sm.* 4 Esse bispo [F.: Do lat. *metropolitanus, a, um.*]

metropolitano[2] (me.tro.po.li.*ta*.no) *sm. Pus.* Ver *metrô* [F.: Do fr. *métropolitain,* f.red. de *chemin de fer métropolitain.*]

metropolizar (me.tro.po.li.*zar*) *v.* Dar ou adquirir aspecto ou valor de metrópolis, de grande centro urbano [*td.*] [*Int.*] [▶ 1 metropolizar] [F.: *metrópolis* + *-izar.*]

metrorragia (me.tror.ra.*gi*.a) *sf. Ginec.* Hemorragia do útero fora da menstruação; UTERORRAGIA [F.: *metr(o)-*[2] + *-rragia.*]

metrorrágico (me.tror.*rá*.gi.co) *a. Ginec.* Que diz respeito a metrorragia; UTERORRÁGICO [F.: *metrorragia* + *-ico*[2].]

metrossexual (me.tros.se.xu.*al*) *sm.* Homem metropolitano muito vaidoso com seu aspecto físico, e que tem com o corpo, a pele, os cabelos e o guarda-roupa cuidados típicos das mulheres em geral [Pl.: *-ais.*] [F.: Do ing. *metrosexual,* contr. de *metropolitan* + *heterosexual.*]

metroviário (me.tro.vi.*á*.ri:o) *Bras. a.* 1 Ref. ao metrô 2 Feito por metrô (transporte metroviário) *sm.* 3 Funcionário de empresa que administra o metrô [F.: *metrô* + *-viário.*]

meu *pr.poss.* 1 Que pertence ou que diz respeito à pessoa que fala (eu): *Meu irmão chegou ontem.* 2 Que desfruto como se a mim pertencesse: *Perdi meu dia com essa moça.* 3 Que me cabe: *Quero receber meu salário.* 4 Experimentado por quem fala: *Desperdicei meus últimos dez anos.* 5 O local que se frequenta habitualmente, por obrigação ou lazer (meu trabalho; meu bar favorito) 6 De minha predileção: *Meu músico é Ravel.* 7 Que atende aos interesses de quem fala: *Estou em busca do meu conforto.* 8 Esse, aquele (falando de alguém já mencionado ou de quem ainda se vai falar): *Esse é o meu homem, o tal que deu o desfalque.* 9 Reservado para mim: *Este é meu momento, não posso desperdiçá-lo.* 10 Estimado por mim: *Venha cá, meu amigo, vamos conversar! sm.* 11 Aquilo que pertence a mim: *Não abro mão do que é meu.* [Fem.: *minha.*] [F.: Do lat. *meus, a, um.* Ideia de 'meu': *eg(o)-*.]

meuã (meu.*ã*) *sm. AM* Careta, esgar [F.: Do tupi *me'wã.* Hom./Par.: *meuã* (sm.), *meuá* (sm.).] ▪ **Fazer** ~ *AM* Fazer careta, ger. buscando assustar ou intimidar

⊕ **meunière** (*Fr.: /mêniér/*) *sf.* Moleira, mulher que é dona de moinho ou trabalha em moinho ▪ **À la** ~ *Cul.* Diz-se de iguaria passada na farinha e depois frita

meus *smpl.* Us. na loc. subst. *os meus,* com o sentido de a família, os amigos ou os correligionários de quem fala

⊠ **MeV** *Fís.* Símb. de *megaelétron-volt,* unidade de medida de energia, empregada em física atômica e nuclear, equivalente a um milhão de elétrons-volt [Essa unidade de energia, fundamentada na equação einsteiniana $E=mc^2$ (onde a energia *E* é igual à massa *m* multiplicada pela velocidade da luz *c* ao quadrado), é esp. us. para expressar a relação entre a energia e a massa das partículas subatômicas.]

mexedor (me.xe.*dor*) [ô] *a.* 1 Que mexe ou tem o hábito de mexer 2 *Fig.* Que faz intriga; MEXERIQUEIRO; METEDIÇO *sm.* 3 Aquele que tem o hábito, que gosta de mexer 4 *Fig.* Indivíduo mexeriqueiro, metediço, que faz intriga 5 Instrumento ou coisa us. para mexer (mexedor de bebidas) [F.: *mexer* + *-dor.*]

mexe-mexe (me.xe-*me*.xe) *sm.* 1 *Bras. Fam.* Movimentação de afazeres, de atividades cotidianas; AZÁFAMA; CORRE-CORRE; LUFA-LUFA: "Nada como o mexe-mexe caseiro da mulher de quem se gosta — José de Arimateia imaginava." (Mário Palmério, *Chapadão do Bugre*) 2 *Lud.* Jogo cujo objetivo e formar palavras com pequenas peças, que representam as letras do alfabeto, dispostas sobre um tabuleiro; os pontos são contados de acordo com o número de peças utilizadas e a posição das palavras no tabuleiro [Pl.: *mexes-mexes, mexe-mexes.*]

mexer (me.*xer*) *v.* 1 Revolver (ger. algo líquido, cremoso ou pastoso), para misturar ou preparar; revolver o conteúdo de [*td.*: *Mexer a tinta/a sopa/o mingau.*] 2 Mover(-se), movimentar(-se). deslocar(-se), tirar ou sair do lugar [*td.*: *mexer os dedos/uma pedra, uma cadeira.*] [*int.*: *Ele está vivo, mas não se mexe.*] 3 Rebolar, menear, saracotear [*td.*: *Quando anda, mexe as cadeiras.*] [*int.*: *Na rumba, o dançarino tem que mexer.*] 4 Entrar em ação; deixar de ficar parado; agir [*td.*: *Ao ouvir o sinal, ele começou a mexer-se.*] 5 Remexer, ou tocar [*tr.* +em: *Quem mexeu na minha gaveta?; Não mexa na minha caneta!*] 6 *Fig.* Abordar, ou ocupar-se de [*tr.* +com, em: *Ele mexe com aplicações financeiras; Não queria mexer nesse assunto.*] 7 Importunar, provocar [*tr.* +com: *Vive mexendo com a vizinha.*] 8 Alterar, modificar, ou abalar, transtornar [*tr.* +com: "... a minissérie mostrará uma outra revolução que mexeu com o Brasil..." (*O Globo,* 22.02.2004) 9 Sensibilizar, tocar [*tr.* +com: *A música mexe com ela.*] 10 Importunar ou assediar alguém [*tr.* +com: *O garoto mexia com os mais velhos; Mexia muito com a garota, pois queria namorá-la.*] 11 *Fig.* Dedicar-se a; trabalhar [*tr.* +com: *Ela mexe com música e ele com cinema.*] 12 Causar alteração; modificar [*tr.* +com: *O incidente mexeu com meu projeto.*] [▶ 2 mexer] [F.: Do lat. *miscere.* Hom./Par.: *mexais* (2ªp.pl.), *mexam* (3ªp. pl.), *mexamos* (1ªp.pl.), *mechais, mecham, mechamos* (fl. de *mechar*); *mexe* (3ªp.s.), *mexeis* (2ªp.pl.), *mexem* (3ªp.pl.), *mexemos* (1ªp.pl.), *mexes* (2ªp.s.), *meche, mecheis, mechem, mechemos, meches* (fl. de *mechar*); *mexa* (1ª e 3ªp.s.), *mexam* (3ªp.pl.), *mexas* (2ªp.s.), *mecha, mecham, mechas* (fl. de *mechar*); *mexo* (1ªp.s.), *mecho* (fl. de *mechar*).]

mexerica (me.xe.*ri*.ca) *Bot. sf.* 1 O mesmo que *tangerina* 2 O mesmo que *tangerineira* [F.: Dev. de *mexericar.* Hom./Par.: *mexerica* (sf.), *mexerica* (fl. de *mexericar*).]

mexericar (me.xe.ri.*car*) *v.* 1 Fazer mexerico(s), fofoca(s), intriga(s); fofocar [*int.*: *Essa moça não para de mexericar.*] 2 Contar como fofoca, como intriga [*td.*: *Mexericava os segredos da amiga.*] 3 Intrigar, indispor [*td.*: *Encontrava perversa satisfação em mexericar os que eram-lhe mais próximos.*] [▶ 11 mexericar] [F.: *mexer* + *-icar.* Hom./Par.: *mexerica* (fl.), *mexerica* (sf.); *mexericas* (fl.), *mexericas* (pl. do sf.); *mexerico* (fl.), *mexerico* (sm.); *mexericar, mexericar* (v.).]

mexerico (me.xe.*ri*.co) *sm.* 1 Ação ou resultado de mexericar, de falar da vida alheia 2 Aquilo que se comenta sobre a vida alheia: "E, por mais que procurasse me convencer de que era superior a esses mexericos de arraial, senti um ligeiro mal-estar" (Lúcia Miguel Pereira, *Amanhecer*) 3 *RS* Mistura de coisas diversas, de coisas que deviam estar separadas [F.: Dev. de *mexericar.* Hom./Par.: *mexerico* (sm.), *mexerico* (fl. de *mexericar*). Sin. nas acepções 1 e 2: *alcovitice, disse me disse, diz que diz, fofoca, fofocagem, futrica, fuxico, intriga, intrigalhada, maledicência, mexericada, trancinha, trica.*]

mexeriqueira (me.xe.ri.*quei*.ra) *sf.* 1 *Bras. Bot.* O mesmo que *tangerineira.* 2 Mulher que é dada a fazer mexerico, fofoca [F.: *mexerica* + *-eira.*]

mexeriqueiro (me.xe.ri.*quei*.ro) *a.* 1 Que faz mexericos, fofocas: *Era um sujeitinho mexeriqueiro.* 2 Que gosta de mexericos, bisbilhoteiro: "Saboreava as palavras do criado com um gosto pueril de criança mexeriqueira." (Aluízio Azevedo, *Girândola*) *sm.* 3 Aquele que faz mexericos, fofocas: *Os mexeriqueiros não paravam de sussurrar.* [F.: *mexerico* + *-eiro.*]

mexicanizar (me.xi.ca.ni.*zar*) *v. td.* Dar ou tomar aspecto ou características mexicanas [▶ 1 mexicanizar] [F.: *mexicano* + *-izar.*]

mexicano (me.xi.*ca*.no) *sm.* 1 Aquele que nasceu ou que vive no México (América do Norte) *a.* 2 Do México; típico desse país ou de seu povo [F.: Do top. *México* + *-ano*[1].]

mexida (me.*xi*.da) *sf.* 1 Ação ou resultado de mexer: *Deu uma mexida no texto para melhorá-lo.* 2 Mistura desordenada; CONFUSÃO; MIXÓRDIA 3 Falta de entendimento; DISCÓRDIA 4 Falta de ordem, de organização; CONFUSÃO [F.: Fem. substv. de *mexido.*]

mexido (me.*xi*.do) *a.* 1 Que se mexeu (ovos mexidos); REMEXIDO; REVOLVIDO 2 Que se agita muito; INQUIETO 3 *Fig.* Emocionalmente perturbado: *Ficou muito mexida com aquela intriga.* 4 Diz-se de mar agitado *sm.* 5 Balanço do corpo, esp. em certas danças; SARACOTEIO 6 Prato feito à base de farinha, carne picada, feijão etc., mistura de que resulta uma espécie de farofa úmida [F.: Part. de *mexer.*]

mexilhão (me.xi.*lhão*) *sm. Zool.* Nome comum aos moluscos bivalves da família dos mitilídeos e unilídeos, que se fixam às rochas e ger. são comestíveis [Pl.: *-lhões.*] [F.: Do lat. hispânico **muscellio, onis.*]

mexível (me.*xí*.vel) *a2g.* Que se pode mexer [Ant.: *imexível*] [Pl.: *-veis.*] [F.: *mexer* + *-ível.*]

mezanino (me.za.*ni*.no) *sm.* 1 *Arq.* Andar intermediário, pouco elevado, entre dois pavimentos 2 Andar parcial construído no pé-direito de um andar, a que se tem acesso apenas pelo interior do cômodo 3 Janela nesse andar 4 Sobreloja com varanda 5 Em salas de cinema e de teatro, balcão acima da plateia [F.: Do it. *mezzanino.*]

mezinha (me.*zi*.nha) [é] *sf.* 1 *Pop.* Qualquer remédio 2 Remédio caseiro 3 Clister [F.: Do lat. *medicina, ae,* por via pop. Hom./Par.: *mezinha* (sf.), *mesinha* (dim. de *mesa*) e *mezinha* (fl. de *mezinhar*). Tb. *meizinha.*]

mezinheiro (me.zi.*nhei*.ro) *sm.* 1 Aquele que prepara ou aplica mezinhas; CURANDEIRO 2 Aquele que tem o hábito de usar mezinhas [F.: *mezinha* + *-eiro.*]

mezinho (me.*zi*.nho) *Gui. sm.* 1 Qualquer remédio caseiro 2 O mesmo que *amuleto* [F.: De *mezinha.* Hom./Par.: *mezinho* (sm.), *mezinho* (fl. de *mezinhar*).]

mezuzá (me.zu.*zá*) *sf.* Rolo, originalmente de pergaminho manuscrito, colocado num estojo e fixado no batente direito das portas das casas das famílias judias, que contém uma passagem bíblica que é recitada todas as manhãs e tardes nas sinagogas. [Representa o cumprimento literal do mandamento de escrever as palavras de Deus 'nos batentes de tua casa' (Deut. 6: 9, 11: 20)] [F.: Do heb. *mezuzah,* 'batente de porta'.]

⊠ **Mg**[1] *Quím.* Símb. do *magnésio*

⊠ **mg**[2] Símb. de *miligrama*

⊠ **MHz** *Fís.* Símb. de *mega-hertz*

mi[1] *Mús. sm.* 1 A terceira nota da escala de dó 2 Sinal que representa essa nota na pauta [F.: Do it. *mi.*]

mi[2] *sm.* A 12ª letra do alfabeto grego (corresponde ao *m* latino); MU [F.: Do gr. *mý,* pelo lat. medv. *my.*]

miacídeo (mi:a.*cí*.de:o) *Pal. sm.* 1 Espécime dos miacídeos, fam. de mamíferos carnívoros extintos, considerados os ancestrais dos carnívoros modernos, tinham pernas curtas e corpo longo e viveram no Paleoceno e no Eoceno *a.* 2 Ref. ou pertencente aos miacídeos [F.: Adaptç. do lat. cient. *Miacidae.*]

miacis (mi:a.*cis*) *sm2n. Pal.* Pequeno animal carnívoro, da fam. dos miacídeos, semelhante à doninha, considerado o mais antigo antepassado dos felídeos e dos canídeos, que viveu durante o Eoceno [F.: Do lat. cient. *Miacis.*]

miadela (mi:a.*de*.la) *sf.* O som emitido pelo gato; MIADURA; MIADO; MIO [F.: *miar* + *-dela.*]

miado (mi.*a*.do) *sm.* 1 Ação ou resultado de miar 2 Som produzido pelo gato e por outros felídeos, como a onça; MIO; MIADELA [F.: Part. substv. de *miar.* Hom./Par.: *miado* (sm.), *meado* (a.sm.).]

mialgia (mi:al.*gi*.a) *sf. Med.* Dor muscular; MIOSALGIA; MIODINIA [F.: *mi(o)-*[2] + *-algia.*]

miar (mi.*ar*) *v. int.* 1 Soltar miado(s): *Os gatos miavam debaixo da chuva.* 2 Emitir som semelhante a miado: *Ficou miando no ouvido da garota, implorando por amor.* 3 *Bras. Pop.* Chorar baixinho, choramingar: *Ela ficou miando baixinho, os olhos lacrimejantes.* [▶ 1 miar] [F.: Voc. onom., deriv. de *miau* + *-ar*[2]. Hom./Par.: *miar, mear* (v.).]

miasma (mi:*as*.ma) *sm.* 1 Vapor ou emanação malcheirosa, exalada por matéria orgânica em decomposição: "Envenenadas pelos miasmas dos pauis que o sol de fogo põe numa fermentação permanente" (Oliveira Martins, *História de Portugal*) 2 Sensação de opressão, de asfixiamento, de sufocação [F.: Do gr. *miasmas, atos.*]

miasmático (mi:as.*má*.ti.co) ***a.*** **1** Que contém ou que produz miasmas; INFECTO **2** Que resulta de miasmas (febres miasmáticas) [F.: *miasma* + *-ático*.]

miastenia (mi:as.te.*ni*.a) *Med. sf.* **1** Redução paulatina da força muscular, causada ger. por excesso de esforço físico **2** Designação genérica das afecções constitucionais musculares [F.: *mi(o)-*[2] + *-astenia*.] ■ **~ grave** *Pat.* Distúrbio neuromuscular caracterizado por fadiga e exaustão do sistema muscular, cuja intensidade pode variar, sem apresentar, porém, atrofia ou distúrbio sensorial

miastênico (mi:as.*tê*.ni.co) *Med. a.* **1** Ref. a miastenia **2** Que apresenta miastenia [F.: *miastenia* + *-ico*[2].]

miau (mi:*au*) *sm.* **1** *Fam.* Som vocal produzido pelo gato **2** *Fig.* O próprio gato: *Ganhou um miau branquinho.* [F.: De or. onom.]

mica (*mi*.ca) *sf.* **1** *Min.* Nome comum dado a um grupo de silicatos monoclínicos, encontrado em rochas ígneas e metamórficas, us. como isolantes; MALACACHETA **2** Pequena quantidade de alguma coisa; MIGALHA: *Só ficou uma mica do sanduíche para ele.* [F.: Do lat. *mica, ae*.]

micado (mi.*ca*.do) *sm.* **1** Antigo título da maior autoridade religiosa do Japão **2** Título do imperador do Japão [F.: Do jap. *mi*, 'sublime', + *kado*, 'porta'.]

micagem (mi.*ca*.gem) *sf.* **1** Trejeito de mico **2** Trejeito grotesco, sem sentido; CARETA; MOMICE [Pl.: *-gens*.] [F.: *mico* + *-agem*[2].]

miçanga (mi.*çan*.ga) *sf.* **1** Pequena conta miúda de vidro colorido (colar de miçangas) **2** Adorno (esp. bijuterias [pulseiras, colares]) feito com essas contas: *Chegou toda bonita, cheia de miçangas.* **3** Coisa de valor insignificante; MIUDEZA **4** *Tip.* Letra de corpo muito miúdo [F.: Talvez do quimb. *misanga*.]

micar (mi.*car*) *Gír. v. int.* **1** Fracassar, gorar; dar em nada: *O negócio parecia bom, mas micou.* **2** *Econ.* Ficar com um título que teve seu valor diminuído [▶ **11 micar**] [F.: *mico* + *-ar*[2].]

⊕ **mi-carême** (*Fr. /mi-carême/*) *sf.* **1** *Rel.* Quinta-feira da terceira semana da Quaresma **2** Festa popular realizada nessa ocasião, quando é costume fantasiar as crianças [F.: Cf.: *micareta*.]

micareta (mi.ca.*re*.ta) [ê] *sf. BA* Festa popular carnavalesca que se realiza fora do período de carnaval [F.: Posv. de *micarene* (do fr. *mi-carême*), com infl. de *careta*.]

micaxisto (mi.ca.*xis*.to) *sf. Pet.* Rocha metamórfica de xistosidade acentuada, formada essencialmente por mica e quartzo [F.: *mica* + *xisto*.]

micção (mic.*ção*) *sf. Fisl.* Ação de urinar [Pl.: *-ções*.] [F.: Do lat. *mictio, onis*.]

miccional (mic.ci:o.*nal*) *a2g.* Que diz respeito a micção [Pl.: *-nais*.] [F.: *micção*, sob a f. *miccion-*, + *-al*[1].]

micela (mi.*ce*.la) *sf. Fís.quím.* Partícula de uma solução coloidal constituída de um agregado de moléculas (p.ex.: um sabão ou detergente se dissolve na água formando micelas) [F.: Do lat. cient. *micella*.]

micelar (mi.ce.*lar*) *a2g.* Relativo a ou próprio de micela (concentração micelar) [F.: *micela* + *-ar*[1].]

micélio (mi.*cé*.li:o) *sm. Micol.* Parte vegetativa do talo da maioria dos fungos, constituída por filamentos desprovidos de clorofila denominados hifas [F.: *mic(o)-* + *epitélio*.]

micênico (mi.*cê*.ni.co) *sm.* **1** Aquele que nasceu ou que viveu em Micenas, cidade da Grécia antiga **2** *Gloss.* Língua falada na antiga Micenas e regiões vizinhas ***a.*** **3** De Micenas; típico dessa cidade, de sua cultura ou de seu povo (civilização micênica; Mediterrâneo micênico) **4** *Ling.* Do ou ref. ao micênico (2) [F.: Do top. *Micen(as)* + *-ico*[2].]

micetemia (mi.ce.te.*mi*.a) *sf. Pat.* Presença de fungos no sangue [F.: *micet(o)-* + *-emia*.]

micetismo (mi.ce.*tis*.mo) *sm.* Intoxicação ou envenenamento devidos à ingestão de cogumelos [F.: *micet(o)-* + *-ismo*.]

◎ **micet(o)-** *el. comp.* = 'fungo'; 'cogumelo': *micetemia, micetologia, micetólogo* [F.: Do gr. *mýkes, etos*. Outra f. *mic(o)-*: *micologia*.]

micetologia (mi.ce.to.lo.*gi*.a) *sf. Biol.* Ver *micologia* [F.: *micet(o)-* + *-logia*.]

micetológico (mi.ce.to.*ló*.gi.co) *a. Biol.* Ver *micológico* [F.: *micetologia* + *-ico*[2].]

micetologista (mi.ce.to.lo.*gis*.ta) *s2g. Biol.* Ver *micologista* [F.: *micologia* + *-ista*.]

micetólogo (mi.ce.*tó*.lo.go) *Biol. sm.* Ver *micologista* [F.: *micet(o)-* + *-logo*.]

micha (*mi*.cha) *sf.* **1** Migalha de pão: "Mas nunca aqui achareis nem uma micha que possais comer." (Joaquim Antônio de Macedo, *Obras Inéditas*) **2** Pão feito de diversas farinhas misturadas [F.: Do fr. *miche*. Hom./Par.: *micha* (sf.), *mixa* (a2g.,sf.).]

michê (mi.*chê*) *Bras. Tabu. sm.* **1** Ato ou atividade de prostituir-se (fazer michê) **2** Valor pago a quem se prostitui ***s2g.*** **3** *P.ext.* Pessoa que se prostitui [F.: Do fr. *miché*.]

◎ **-micina** *el. comp.* = 'substância antibiótica (obtida de fungos)': *actinomicina, azitromicina, bleomicina, eritromicina, estreptomicina, garamicina, gentamicina, ribostamicina, terramicina, tetramicina* [F.: Do ingl. *-mycin*, do gr. *mýkes, etos*, 'cogumelo'; 'fungo'.]

◎ **mic(o)-** *el. comp.* Ver *micet(o)-*.

mico[1] (*mi*.co) *sm.* **1** *Bras. Zool.* Designação comum aos pequenos macacos da fam. dos calitriquídeos, de cauda longa, pelagem macia e colorido variável, que se alimentam esp. de insetos e frutas e vivem nas Américas Central e do Sul; SAGUI **2** *Bras. Pej.* Pessoa de pele escura. **3** *Bras. Pej.* Ladrão menor de idade **4** *Lus.* O diabo [F.: Do caribe *meku* ou *miko*, pelo cast. *mico*, posv.] ■ **Destripar o ~** *SP Pop.* Vomitar

mico[2] (*mi*.co) *sm.* **1** *Lud.* O mesmo que *mico-preto*[2] **2** *Bras. Gír.* Situação que envergonha; VEXAME [F.: Red. de *mico-preto*[2], ligada à ideia da situação embaraçosa de quem fica com a carta do mico-preto no jogo.] ■ **Pagar ~** *Gír.* Passar vergonha, dar vexame: *Pagou mico por ter entendido mal o convite: foi o único a fantasia na festa.*

mico-leão (mi.co-le.*ão*) *sm.* **1** *Bras. Zool.* Denominação comum aos saguis do gên. *Leontopithecus*, de pelagem abundante e de cores brilhantes, esp. ao redor da cabeça, formando uma juba **2** *Zool.* Sagui (*Leontopithecus rosalia*) de pelagem dourada, encontrado no litoral sudeste do Brasil; SAGUI-AMARELO; SAGUIPIRANGA; SAUIMPIRANGA [Pl.: *micos-leões*.]

mico-leão-dourado (mi.co-le:ão-dou.*ra*.do) *sm.* Ver *mico-leão*

micologia (mi.co.lo.*gi*.a) *sf. Biol.* O estudo dos fungos; MICETOLOGIA [F.: *mic(o)-* + *-logia*.]

micológico (mi.co.*ló*.gi.co) *Biol. a.* Relativo à micologia; MICETOLÓGICO [F.: *micologia* + *-ico*[2].]

micologista (mi.co.lo.*gis*.ta) *Biol. a2g.* **1** Especialista em micologia; MICETOLOGISTA; MICETÓLOGO; MICÓLOGO ***s2g.*** **2** Esse especialista; MICETOLOGISTA; MICETÓLOGO; MICÓLOGO [F.: *micologia* + *-ista*.]

micólogo (mi.*có*.lo.go) *sm. Biol.* O mesmo que *micologista* [F.: *mic(o)-* + *-logo*.]

micoplasma (mi.co.*plas*.ma) *sm. Bac.* Nome dado às bactérias do gên. *Mycoplasma*, um dos menores organismos de vida livre conhecidos, Gram-negativas, imóveis, sem parede celular verdadeira, podendo viver no interior de células ou fluidos do hospedeiro; são responsáveis pela artrite reumatoide e pneumonia atípica, entre outras doenças [Têm importância econômica por afetar suínos e aves.] [F.: Do lat. cient. *Mycoplasma*.]

mico-preto (mi.co-*pre*.to) *sm.* **1** Jogo de cartas infantil, cuja carta sem par tem a figura de um macaquinho preto; MICO **2** A carta que estampa a figura do mico-preto **3** Ação, ou título de crédito, em crescente desvalorização no mercado e da qual o possuidor quer se desfazer [Pl.: *micos-pretos*.] [Sin. ger.: *marca registrada*. Sin. ger.: *mico*.]

micose (mi.*co*.se) *sf. Med.* Afecção causada por fungos [F.: *mic(o)-* + *-ose*[1].]

micótico (mi.*có*.ti.co) ***a.*** **1** Qeu diz respeito a micose **2** Causado por micose [F.: *mic(ose)* + *-ótico*.]

micotoxina (mi.co.to.*xi*.na) [cs] *sf.* Qualquer substância tóxica originária de um fungo [F.: *mic(o)-* + *toxina*.]

micreiro (mi.*crei*.ro) *Bras. a.* **1** Relativo a microcomputador **2** *Gír.* Diz-se de usuário aficionado de microcomputador ***sm.*** **3** *Gír.* Usuário aficionado de microcomputador [F.: *micro* + *-eiro*.]

◎ **micr(o)-**[1] *el. comp.* Indica 'ordem de grandeza reduzida', 'pequeno', 'curto', e ocorre em vocábulos introduzidos na linguagem científica internacional a partir do séc. XIX: *micróbio, microcirurgia, microeconomia, microfilme, microscópico* etc. [Opõe-se a: *macro-* (*macrocéfalo*), *mega-* (*megaempresário*), *megalo-* (*megalomaníaco*).] [F.: Do gr. *mikro-*, de *mikrós, á, ón*, 'pequeno', 'curto'.]

◎ **micr(o)-**[2] *pref.* Anteposto ao nome de uma unidade de medida, compõe o nome de uma unidade derivada equivalente a um milionésimo da primeira: *micrômetro, micromilímetro, microssegundo* [Símb.: b5] [Opõe-se a *mega-* (*megabaite, megawatt*).] [F.: Do gr. *mikrós, á, ón*; adotado pelo Sistema Internacional de Pesos e Medidas.]

micro (*mi*.cro) *sm. Inf.* F. red. de *microcomputador*

microbial (mi.cro.bi:*al*) *a2g.* Relativo a micróbio [F.: *micróbio* + *-al*[1].]

microbiano (mi.cro.bi.*a*.no) ***a.*** **1** Que se refere a micróbio **2** Em que há micróbios **3** Que é provocado por micróbios [F.: *micróbio* + *-ano*[1]. Sin. ger.: *microbial*.]

micróbio (mi.*cró*.bi:o) *sm.* **1** *Biol.* Organismo unicelular, esp. bactéria, fungo ou protozoário **2** Nome comum de microrganismos causadores de doença infecciosa **3** *Fig. Pej.* Indivíduo desprezível, reles [F.: *micr(o)-*[1] + *-bio*.]

microbiologia (mi.cro.bi:o.lo.*gi*.a) *Biol. Med. sf.* **1** Especialidade biomédica que estuda os microrganismos causadores de doenças infecciosas **2** Estudo ou tratado sobre micróbios [F.: *micr(o)-*[1] + *biologia*. Cf.: *bacteriologia*.]

microbiologista (mi.cro.bi:o.lo.*gis*.ta) *a2g.* **1** Que se especializou em microbiologia ***s2g.*** **2** Especialista em microbiologia; MICROBIÓLOGO [F.: *microbiologia* + *-ista*.]

microcâmera (mi.cro.*câ*.me.ra) *sf.* **1** Câmera fotográfica ou filmadora de dimensões minúsculas que se esconde com facilidade, us. para fins de segurança, investigações policiais etc. **2** Equipamento minúsculo, sem fios, capaz de transmitir imagens do interior do corpo humano [F.: *micr(o)-*[1] + *câmera*.]

microcefalia (mi.cro.ce.fa.*li*.a) *sf. Med.* Redução anormal da cabeça, ger. associada a deficiência mental *p.us.*; NANOCEFALIA [F.: *microcéfalo* + *-ia*[1].]

microcefálico (mi.cro.ce.*fá*.li.co) ***a.*** Ref. a microcefalia ou a microcéfalo *P.us.*; NANOCEFÁLICO [F.: *microcefalia* + *-ico*[2].]

microcéfalo (mi.cro.*cé*.fa.lo) ***a.*** **1** Que tem a cabeça muito pequena *P.us.*; NANOCÉFALO **2** *Fig.* Diz-se de indivíduo pouco inteligente ***sm.*** **3** Indivíduo microcéfalo [F.: *micr(o)-*[1] + *-céfalo*.]

⊠ **microchip** (*Ing./máicrotchip/*) *sm. Inf.* Ver *microprocessador*

microcircuito (mi.cro.cir.*cui*.to) *sm. Eletrôn.* Pequeno dispositivo que contém em seu sistema todos os componentes de um circuito completo [F.: *micr(o)-*[1] + *circuito*.]

microcirurgia (mi.cro.ci.rur.*gi*.a) *sf. Med.* Cirurgia realizada com auxílio de microscópio especial, que permite visualizar estruturas orgânicas diminutas (p. ex., cirurgias reparadoras de nervos, reimplantes de membros etc.) [F.: *micr(o)-*[1] + *cirurgia*.]

microclima (mi.cro.*cli*.ma) *sm. Clim.* Conjunto de condições climáticas de uma área relativamente restrita, caracterizado por sua considerável uniformidade em decorrência de condições físicas locais como altitude, exposição ao frio ou calor, propriedades do solo etc. [F.: *micr(o)-*[1] + *clima*.]

micrococo (mi.cro.*co*.co) [ó] *sm. Bac.* Nome comum das bactérias do gên. *Micrococcus*, de forma esférica, gram-positivas, aeróbicas, de pouca mobilidade e que hoje incluem formas antes classificadas como estafilococos [F.: Do lat. cient. *Micrococcus*.]

microcomputador (mi.cro.com.pu.ta.*dor*) [ô] *sm. Inf.* Computador de pequeno porte que funciona com um único dispositivo ou microprocessador, e que serve ger. ao usuário individual. [Tb. se diz apenas *micro*. Cf.: *computador pessoal*.] [F. red.: *micro*.] [F.: *micr(o)-*[1] + *computador*.]

microcósmico (mi.cro.*cós*.mi.co) ***a.*** Ref. a microcosmo [F.: *microcosmo* + *-ico*[2].]

microcosmo (mi.cro.*cos*.mo) *sm.* **1** O homem, segundo as doutrinas filosóficas que admitem uma correspondência entre as partes do corpo humano e as constitutivas do Universo **2** Mundo pequeno ou abreviado **3** *Fig.* Grupo social reduzido; CÍRCULO [F.: Do lat. tard. *microcosmos* ou *microcosmus, i*. Ver *micr(o)-*[1] e *-cosmo*. Ant. ger.: *macrocosmo*.]

microdesvalorização (mi.cro.des.va.lo.ri.za.*ção*) *sf. Econ.* Desvalorização cambial muito pequena, ger. promovida em série [Pl.: *-ções*.] [F.: *micr(o)-*[1] + *desvalorização*.]

microeconomia (mi.cro:e.co.no.*mi*.a) *sf. Econ.* Ramo da ciência econômica que estuda a interação entre as entidades individuais da economia (consumidores, produtores, empresas comerciais, trabalhadores, grandes proprietários de terras etc.) [F.: *micr(o)-*[1] + *economia*. Cf.: *macroeconomia*.]

microeconômico (mi.cro:e.co.*nô*.mi.co) ***a.*** Ref. a microeconomia (problema microeconômico) [F.: *micr(o)-*[1] + *econômico*.]

microeletrônica (mi.cro:e.le.*trô*.ni.ca) *sf. Eletrôn.* Ramo da eletrônica que trata da criação, desenvolvimento e fabricação de componentes e circuitos eletrônicos miniaturizados [F.: *micr(o)-*[1] + *eletrônica*.]

microeletrônico (mi.cro:e.le.*trô*.ni.co) ***a.*** Ref. a microeletrônica [F.: *microeletrônica*, com var. sufixal; ver *-ico*[2].]

microempresa (mi.cro.em.*pre*.sa) [ê] *sf. Econ.* Empresa ou firma individual cuja receita anual não ultrapassa um determinado valor estipulado pelo governo no início de cada ano fiscal, e que tem isenção de certos impostos [F.: *micr(o)-*[1] + *empresa*.]

microempresário (mi.cro.em.pre.*sá*.ri:o) ***a.*** **1** Que é proprietário de ou responsável por uma microempresa ***sm.*** **2** Proprietário de ou responsável por uma microempresa [F.: *micr(o)-*[1] + *empresário*.]

microestrutura (mi.cro:es.tru.*tu*.ra) *sf.* **1** Estrutura de um material, objeto ou organismo revelada em escala microscópica: *microestrutura de uma liga metálica; microestrutura do tecido ósseo.* **2** *Adm.* Estrutura que, embora integre uma estrutura de maior porte, tem organização própria e adota métodos específicos que lhe garantem relativa autonomia de ação: *microestrutura do mercado financeiro.* [F.: *micr(o)-*[1] + *estrutura*.]

microfauna (mi.cro.*fau*.na) *sf. Zool.* Fauna constituída de animais microscópicos (microfauna marinha/cretácea) [F.: *micr(o)-*[1] + *fauna*.]

microfibra (mi.cro.*fi*.bra) *sf. Têxt.* Fibra têxtil sintética, muito fina e macia, us. na confecção de roupas, peças íntimas, bonés etc. [F.: *micr(o)-*[1] + *fibra*.]

microficha (mi.cro.*fi*.cha) *sf. Doc. Fot.* Porção de um microfilme contendo textos ou figuras em tamanho reduzido, que se consulta por meio de um dispositivo especial de leitura capaz de apresentar as imagens ampliadas numa tela [F.: *micr(o)-*[1] + *ficha*.]

microfilia (mi.cro.fi.*li*.a) *sf. Bot.* Caráter ou condição de microfilo [Ant.: *macrofilia*.] [F.: *microfilo* + *-ia*[1].]

microfilmagem (mi.cro.fil.*ma*.gem) *sf.* **1** Ação ou resultado de microfilmar **2** *Doc.* Reprodução reduzida de textos, livros, revistas, jornais etc. em microfilmes [Pl.: *-gens*.] [F.: *microfilmar* + *-agem*[2].]

microfilmar (mi.cro.fil.*mar*) *v. td. Fot.* Fotografar (documentos, livros etc.) em microfilme: *Microfilmou todos os documentos.* [▶ **1 microfilmar**] [F.: *microfilme* + *-ar*[2].]

microfilme (mi.cro.*fil*.me) *sm.* **1** *Fot. Doc.* Reprodução diminuta de textos, documentos etc. por meio do processo de microfilmagem **2** *Cin.* Filme cinematográfico em que se reproduzem documentos microfilmados [F.: *micr(o)-*[1] + *filme*.]

microfilo (mi.cro.*fi*.lo) ***a.*** *Bot.* Que tem folhas muito pequenas [Ant.: *macrófilo*.] [F.: Do gr. *mikróphyllus, os, ón*.]

microfísica (mi.cro.*fi*.sica) *sf. Fís.* Ramo da física que estuda as moléculas, os átomos e as partículas elementares [F.: *micr(o)-*[1] + *física*.]

microflora (mi.cro.*flo*.ra) *sf. Biol.* Flora composta por organismos microscópicos, como, por exemplo, bactérias e certas algas [F.: Do lat. cient. *microflora*, formado de *micr(o)-* e *flora*.]

microfonar (mi.cro.fo.*nar*) *v. td.* Realizar ou adaptar a microfonação de; prover de microfone(s) [▶ **1 microfonar**] [F.: *microfone* + *-ar*[2].]

microfone (mi.cro.*fo*.ne) *sm. Acús. Fís.* Aparelho que converte ondas sonoras em energia elétrica para ampliação, gravação ou transmissão de sons [F.: *micr(o)-*[1] + *-fone.*]
microfonia (mi.cro.fo.*ni*.a) *sf. Eletrôn. Telc.* Ruído decorrente da realimentação de um som já amplificado, através de um microfone (ocorre muitas vezes quando o microfone está próximo do alto-falante) [F.: *microfone* + *-ia*[1].]
microfônico (mi.cro.*fô*.ni.co) *a.* Que diz respeito a microfonia ou a microfone [F.: *microfonia* + *-ico*[2].]
microfonismo (mi.cro.fo.*nis*.mo) *sm. Eletrôn.* O mesmo que *microfonia* [F.: *microfone* + *-ismo.*]
microfoto (mi.cro.*fo*.to) *sf.* Ver *microfotografia* (2) [F.: *micr(o)-*[1] + *foto.*]
microfotografia (mi.cro.fo.to.gra.*fi*.a) *sf.* **1** *Fot.* Técnica que permite a reprodução fotográfica muito reduzida **2** Fotografia obtida por essa técnica; MICROFOTO [F.: *micr(o)-*[1] + *fotografia*. Ver *fot(o)-* e *-grafia.*]
microfotográfico (mi.cro.fo.to.*grá*.fi.co) *a.* Ref. a microfotografia [F.: *microfotografia* + *-ico*[2].]
microglossia (mi.cro.glos.*si*.a) *sf. Med.* Redução anormal e ger. congênita no tamanho da língua [F.: *micr(o)-*[1] + *-glossia.*]
micrognatia (mi.crog.na.*ti*.a) *sf. Med.* Redução anormal dos maxilares, esp. do maxilar inferior; MICROGNATISMO [F.: *micr(o)-*[1] + *-gnatia.*]
micro-habitat (mi.cro-*ha*.bi.tat) *sm. Ecol.* A parte específica do habitat em que determinado organismo encontra as suas melhores condições de vida. (Ger. existem diferentes micro-habitats dentro de um habitat mais amplo.) [Pl.: *micro-habitats.*]
microincisão (mi.cro:in.ci.*são*) *sf. Cir.* Incisão mínima [Pl.: *-sões.*] [F.: *micr(o)-*[1] + *incisão.*]
micrômero (mi.*crô*.me.ro) *a.* **1** Que possui todos os membros e apêndices delgados *sm.* **2** *Emb.* Blastômero pequeno formado pela clivagem assimétrica de um óvulo fertilizado [F.: *micr(o)-*[1] + *-mero.*]
micrômetro (mi.*crô*.me.tro) *sm.* **1** *Fís.* Instrumento para medir distâncias, espessuras e ângulos muito reduzidos **2** *Metrol.* Unidade de medida de comprimento equivalente à milionésima parte do metro; MÍCRON [Símb.: *μm*] [F.: *micr(o)-*[2] + *-metro.*]
mícron (*mí*.cron) *sm. Fís.* Ver *micrômetro* (2) [Pl.: *mícrons,* (*p.us. no Brasil*) *mícrones.*] [F.: Do gr. *míkron*, neutro de *mikrós, á, ón.* Ver *micr(o)-*[2].]
micronésio (mi.cro.*né*.si:o) *sm.* **1** Aquele que nasceu ou vive na Micronésia (agrupamento de ilhas do Pacífico) **2** *Gloss.* Um dos subgrupos da família linguística malaio-polinésia falado na Micronésia *a.* **3** Da Micronésia; típico dessa região ou de seu povo **4** Do ou ref. ao micronésio (2) [F.: De *Micronésia.*]
micro-onda (mi.cro-*on*.da) *sf. Fís.* Onda eletromagnética de altíssima frequência, ger. superior a 300 mega-hertz [F.: *micr(o)-*[1] + *onda.*]
micro-ondas (mi.cro-*on*.das) *sm2n.* Red. de *forno de micro-ondas* [F.: *micr(o)-*[1] + *ondas.*]
micro-ônibus (mi.cro-*ô*.ni.bus) *sm2n. Bras.* Veículo de transporte coletivo, um tanto menor que o ônibus [F.: *micr(o)-*[1] + *ônibus.*]
micro-organismo (mi.cro-or.ga.*nis*.mo) Ver *microrganismo*
microplasma (mi.cro.*plas*.ma) *sf. Eletrôn.* Processo eletrônico de soldagem com controle totalmente microprocessado [F.: *micr(o)-*[1] + *plasma.*]
microprocessador (mi.cro.pro.ces.sa.*dor*) [ô] *sm. Inf.* Microcircuito condensado numa única pastilha de silício, us. como unidade central de processamento de um microcomputador. [Corresponde ao ing. *microchip.*] [F.: *micr(o)-*[1] + processador, para trad. do ing. *microprocessor.*]
microprotalo (mi.cro.pro.*ta*.lo) *Bot. sm.* **1** Protalo masculino das pteridófitas **2** Conjunto das células protálicas do grão de pólen nas gimnospermas **3** Célula vegetativa nas angiospermas [F.: *micr(o)-*[1] + *protalo.* Tb. *microprótalo.*]
microprótalo (mi.cro.*pró*.ta.lo) *sm.* Ver *microprotalo*
micropsia (mi.crop.*si*.a) *sf. Oft.* Anomalia da percepção visual em que os objetos parecem ter tamanho menor que o normal [F.: *micr(o)-*[1] + *-opsia.*]
microrganismo (mi.cror.ga.*nis*.mo) *sm. Biol.* Organismo microscópico, como as bactérias, fungos, vírus etc. [F.: *micr(o)-*[1] + *organismo.* Tb. *micro-organismo.*]
microrregião (mi.cror.re.gi.*ão*) *sf. Geog.* Subdivisão de uma região geográfica natural [Pl.: *-ões.*] [F.: *micr(o)-*[1] + *região.* Cf.: *macrorregião.*]
microrregional (mi.cror.re.gi.o.*nal*) *a2g.* Que diz respeito a microrregião [Pl.: *-nais.*] [F.: *micr(o)-*[1] + *regional.*]
microscopia (mi.cros.co.*pi*.a) *sf.* **1** Conjunto de técnicas destinado à investigação científica por meio do microscópio **2** Arte de observar com o microscópio **3** Os estudos e observações feitas com o microscópio [F.: *micr(o)-*[1] + *-scopia.*]
microscópico (mi.cros.*có*.pi.co) *a.* **1** Ref. a microscopia ou a microscópio **2** Visível somente ao microscópio **3** Que se faz com o auxílio do microscópio (observações <u>microscópicas</u>, intervenção <u>microscópica</u>) **4** *Fig.* Muito pequeno; MINÚSCULO **5** *Fig.* Arguto, penetrante (olhar <u>microscópico</u>) [F.: *microscópio* + *-ico*[2].]
microscópio (mi.cros.*có*.pi:o) *sm. Ópt.* Instrumento provido de lente que possibilita a visão de objetos que não podem ser vistos a olho nu [F.: *micr(o)-*[1] + *-scópio.*] ∎∎ **~ composto** *Ópt.* Microscópio equipado com mais de uma lente **~ de campo** *Eletrôn.* Instrumento que produz um campo elétrico de grande força, que projeta íons e elétrons de uma fonte emissora numa tela fluorescente, nela obtendo imagem muito ampliada dessa fonte emissora **~ eletrônico** *Eletrôn.* Instrumento que focaliza, por meio de lentes eletrônicas, um feixe de elétrons acelerados num objeto microscópico, obtendo dele uma imagem muito ampliada **~ iônico de campo** *Eletrôn.* Instrumento que usa um campo elétrico para ionizar átomos de um segmento microscópico, projetando os íons sobre uma tela fluorescente, que apresentará uma imagem muito ampliada desse segmento, com cada um desses átomos visível **~ simples** *Ópt.* Microscópio equipado com uma só lente; lupa
microscopista (mi.cros.co.*pis*.ta) *a2g.* **1** Diz-se de profissional especializado em microscopia *s2g.* **2** Aquele que exerce essa profissão [F.: *microscopia* + *-ista.*]
microsfigmia (mi.cros.fig.*mi*:a) *sf. Med.* Condição em que a pulsação arterial é muito débil e, consequentemente, difícil de ser percebida por quem a examina [F.: *micr(o)-*[1] + *-sfigmia.*]
microssaia (mi.cros.*sai*:a) *sf. Bras. Vest.* Minissaia bem curta [F.: *micr(o)-*[1] + *saia.*]
microssomia (mi.cros.so.*mi*:a) *sf. Trt.* Anomalia que se caracteriza pela excessiva pequenez do corpo; MICROSSOMATIA [F.: *micr(o)-*[1] + *-somia.*]
microssômico (mi.cros.*sô*.mi.co) *a.* **1** Que diz respeito a microssomia; MICROSSOMÁTICO **2** Que tem microssomia [F.: *microssomia* + *-ico*[2].]
microtomia (mi.cro.to.*mi*:a) *sf. Histl.* O mesmo que *histotomia* [F.: *micr(o)-*[1] + *-tomia.*]
micrótomo (mi.*cró*.to.mo) *sm. Biol.* Instrumento com que se cortam lâminas finíssimas de tecido para análises microscópicas [F.: *micr(o)-*[1] + *-tomo.*]
microzoário (mi.cro.zo.*á*.ri:o) *sm. Zool.* Animal microscópico [F.: *micr(o)-*[1] + *-zoário.*]
mictório (mic.*tó*.ri:o) *a.* **1** Que estimula a micção; DIURÉTICO *sm.* **2** Lugar próprio para urinar; MIJADEIRO; MIJADOURO; SUMIDOURO *Lus.*; URINOL [F.: Do lat. *mictorius, a, um.*]
micuim (mi.cu.*im*) *Zool. sm.* **1** Nome comum aos ácaros prostigmatos da fam. dos trombiculídeos, de tons amarelados ou avermelhados, que na fase larval parasitam a pele de vertebrados, e que se assemelham a pequenos carrapatos **2** Ver *carrapato-pólvora* [Pl.: *-ins.*] [F.: Do tupi *mikui'y'i*. Var.: *mucuim.*] ∎∎ **Não poder ver ~ com tosse** *Bras. Pop.* Não tolerar gabolice de criança, ou presunção de adulto vaidoso
⊠ **MIDI** *Inf. Mús. sm.* **1** Interface digitalizada que, us. em instrumentos musicais, permite troca de informações de música entre computadores, sintetizadores e instrumentos musicais **2** Nome dado a instrumento musical, dispositivo de *hardware* e aplicativo de *software*, que são necessários nessa interface [F.: Abrev. do ing. *Musical Instrument Digital Interface.*]
mídi (*mí*.di) *a2g2n. Vest.* Diz-se de vestido, saia, casaco etc., que fica na altura da canela [F.: Do ing. *mid.*]
mídia (*mí*.di:a) *sf.* **1** *Bras. Comun.* O conjunto dos meios de comunicação (jornal, televisão, cinema, propaganda, página impressa etc.) **2** *Publ.* Departamento de agência publicitária que seleciona meios de comunicação (rádio, televisão, cinema etc.) para veicular suas mensagens **3** Qualquer dos veículos de mídia **4** *Com.* Conjunto das tecnologias us. no registro de informações, como em impressos, CD, videoteipe etc. **5** *Publ.* Qualquer veículo empregado em campanha publicitária *s2g.* **6** *Publ.* Profissional que exerce a atividade de planejamento e veiculação de campanha publicitária [F.: Do ing. (*mass*) *media*. Nota: em Portugal emprega-se a forma *média.*] ∎∎ **~ alternativa** *Publ.* Mídia de alcance e custo relativamente baixos, que visa a um público local, setorial etc. [Ex.: *busdoor*, internet, anúncios em revistas de público específico, folhetos de tiragem reduzida, listas específicas de mala direta etc.] **~ digital** **1** *Inf. Publ.* Mídia de tecnologia digital, como a internet, televisão digital etc. **2** Mídia que usa meios digitais de armazenamento, como o CD-ROM, fitas DAT, DVD etc. **~ eletrônica** *Publ.* Mídia constituída de veículos eletrônicos, como o rádio e a televisão, recursos audiovisuais etc. **~ impressa** *Publ.* Mídia constituída de veículos impressos, como jornais e revistas, folhetos, catálogos etc.
midiático (mi.di.*á*.ti.co) *a.* **1** *Com.* Que se refere à mídia **2** Que se difunde pela mídia [F.: *mídia* + *-ático.*]
midiatização (mi.di:a.ti.za.*ção*) *sf. Comun.* Ação ou resultado de midiatizar, de divulgar através dos meios de comunicação de massa: *No mundo globalizado, a <u>midiatização</u> é uma condição inevitável.* [F.: *midiatizar* + *-ção.*]
midiatizado (mi.di:a.ti.*za*.do) *a.* Que se midiatizou, que foi divulgado através dos meios de comunicação de massa: *A Copa do Mundo e as Olimpíadas são eventos esportivos intensamente <u>midiatizados</u>.* [F.: Part. de *midiatizar.*]
midiatizar (mi.di:a.ti.*zar*) *v. td. Com.* Transmitir pela mídia, conjunto dos veículos de comunicação de massa [▶ 1 midiatizar] [F.: *midiático* + *-izar*, seg. o mod. gr. Cf.: *mediatizar.*]
mielalgia (mi.e.lal.*gi*:a) *sf. Neur.* Sensação de dor na medula espinhal [F.: *miel(o)-* + *-algia.*]
mielencéfalo (mi.e.len.*cé*.fa.lo) *sm. Anat.* O mesmo que *bulbo raquiano* [F.: *miel(o)-* + *encéfalo.*]
mielina (mi:e.*li*.na) *sf. Bioq.* Substância membranosa que constitui uma espécie de bainha em torno de certos nervos [F.: *miel(o)-* + *-ina*[2].]
mielite (mi:e.*li*.te) *sf. Neur.* Inflamação de medula espinhal [F.: *miel(o)-* + *-ite*[1].]
◎ **-miel(o)-** *el. comp.* Ver *miel(o)-*
◎ **miel(o)-** *el. comp.* = 'medula': *mielalgia, mielencéfalo, mielina, mielite, mieloblasto, mielócito, mieloma, mielopatia; osteomielite* [F.: Do gr. *myelós, oû*, 'medula'. F. conexa: *-mielia.*]
mieloblasto (mi:e.lo.*blas*.to) *sm. Histl.* Célula mononuclear da medula óssea da qual se originam os leucócitos granulócitos [F.: *miel(o)-* + *-blasto.*]
mielócito (mi:e.*ló*.ci.to) *sm. Histl.* Célula da medula óssea, originada do mieloblasto, que compõe uma etapa da formação dos leucócitos granulócitos [F.: *miel(o)-* + *-cito.*]
mieloide (mi:e.*loi*.de) *a2g.* **1** Que se refere à medula óssea **2** Que se refere à medula espinhal **3** *Histl.* Diz-se do que é semelhante ao mielócito, mesmo que não derive da medula óssea [F.: *miel(o)-* + *-oide.*]
mieloma (mi:e.*lo*.ma) *sm. Pat.* Tumoração maligna formada por células em geral localizadas na medula óssea [F.: *miel(o)-* + *-oma*[1].]
mielopatia (mi:e.lo.pa.*ti*:a) *sf. Neur.* Designação geral das moléstias que afetam a medula espinhal ou a óssea [F.: *miel(o)-* + *-patia.*]
miga (*mi*.ga) *sf.* Migalha de pão, biscoito, bolo, farináceo etc. [F.: Do lat. *mica, ae.*]
migalha (mi.*ga*.lha) *sf.* **1** Pequeno pedaço de pão, bolo ou outro farináceo; MIGA; MICHA: "Ouvíamos palmear a revoada dos pássaros, disputando, ao redor de Virgínia, a ração de <u>migalhas</u>." (Raul Pompeia, *O Ateneu*) **2** Quantidade muito pequena de algo: *Só ganhou umas <u>migalhas</u> da carne assada.* **3** Coisa nenhuma; NADA: *Não lhe deram <u>migalha</u>.* [F.: Do lat. hisp. **micalea*. Hom./Par.: *migalha* (sf.), *migalha* (fl. de *migalhar*).]
migalhas (mi.*ga*.lhas) *sfpl.* **1** Sobras, restos **2** Coisas sem importância, insignificantes, supérfluas **3** Coisas que, por mínimas, não satisfazem: *Não se satisfazia com <u>migalhas</u> de amor.* [F.: Pl. de *migalha*. Hom./Par.: *migalhas* (sfpl.), *migalhas*. (fl. de *migalhar*).]
migalomorfa (mi.ga.lo.*mor*.fa) *sf.* **1** *Zool.* Espécime das migalomorfas, artrópodes araneídeos, dotadas de grandes quelíceras (pinças) de movimento vertical *a.* **2** De ou ref. a migalomorfa (1) [F.: Do lat. cien. *Mygalomorphae.*]
migas (*mi*.gas) *Lus. Cul. sfpl.* **1** Pedaços de pão embebidos em sopa, caldo de carne etc. **2** Sopas de pão, esp. as temperadas somente com azeite **3** Espécie de papa feita de pedaços de pão cozido com carne de porco, toucinho, alho etc. [F.: Pl. de *miga.*]
⊕ ***mignon*** (*Fr. /minhôn/*) *a.* Que tem pequeno tamanho, mas é bem constituído, elegante, delicado
migração (mi.gra.*ção*) *sf.* **1** Ação ou resultado de migrar, de passar de um país para outro. [Cf.: *emigração* e *imigração.*] **2** Deslocamento periódico de certas espécies de animais de uma região para outra, muitas vezes como resultado de alterações ambientais [Pl.: *-ções.*] [F.: Do lat. *migratio, onis.*]
migracionismo (mi.gra.ci.o.*nis*.mo) *sm.* Tendência à migração [F.: *migração*, sob a f. *migracion-* + *-ismo.*]
migracionista (mi.gra.ci:o.*nis*.ta) *a2g.* Que diz respeito ao migracionismo [F.: *migracionismo* + *-ista*, seg. o mod. gr.]
migrado (mi.*gra*.do) *a.* Que migrou, que fez migração [F.: Do lat. *migratus, a, um*, part. de *migrare*. Cf.: *emigrado* e *imigrado.*]
migrador (mi.gra.*dor*) [ô] *a.* **1** *Ecol.* Diz-se de animal que migra, que se desloca periodicamente de uma região para outra *sm.* **2** Esse tipo de animal [F.: Do lat. *migrator, oris.*]
migrante (mi.*gran*.te) *a2g.* **1** Que migra *s2g.* **2** Aquele ou aquela que migra [F.: Do lat. *migrans, antis*, part. pres. de *migrare*. Cf.: *emigrante* e *imigrante.*]
migrar (mi.*grar*) *v.* Mudar de país ou de região [*ta. +para*: *Muitos <u>migraram para</u> o Brasil.*] [*int.*: *A família toda <u>migrou</u>.*] [▶ 1 migrar] [F.: Do v.lat. *migrare.*]
migratório (mi.gra.*tó*.ri:o) *a.* **1** Ref. a migração (processo <u>migratório</u>) **2** Que realiza migração (diz-se de animal) (aves <u>migratórias</u>); MIGRADOR [F.: *migrar* + *-tório.*]
miguelista (mi.gue.*lis*.ta) *a2g.* **1** *Lus.* Ref. a dom Miguel de Bragança (1802-1866), rei de Portugal no período de 1828 a 1834 **2** *Lus.* Seguidor ou adepto de d. Miguel de Bragança *s2g.* **3** *Lus.* Esse seguidor ou adepto **4** *Lus. P.ext.* O mesmo que *absolutista s2g.* **5** *Bras.* Adepto do Partido Conservador pernambucano (1848) [F.: Do antr. (Dom) *Miguel* (de Bragança) + *-ista.*]
miguxês (mi.gu.*xês*) *sm. Bras. Gír. Int.* Escrita us. por algumas adolescentes na internet [Diferentemente do internetês, o miguxês não tem a intenção de abreviar palavras para agilizar a escrita, mas, sim, a de ornamentá-las com efeitos como a troca de letras ("o" pelo "u", "e" pelo "i" etc.) e a intercalação de maiúsculas e números entre as minúsculas.] [F.: *miguxa* + *-ês.*]
◎ **-mi(i)-** *el. comp.* Ver *mii(o)-*
◎ **mi(i)-** *el. comp.* Ver *mii(o)-*
miíase (mi.*í*.a.se) *sf. Pat.* Estado patológico em virtude de infestação de larvas de moscas varejeiras ou de outros insetos em tecidos ou cavidades do organismo [F.: *mi(i)-* + *-íase.*]
◎ **mii(o)-** *el. comp.* = 'mosca': *miiocéfalo, miiologia; miíase; antomiídeo* (< lat.cient.) [F.: Do gr. *myía, as*, 'mosca'.]
miiologia (mi.i:o.lo.*gi*.a) *sf. Zool.* Estudo ou tratado sobre as moscas [F.: *mii (o)-* + *-logia*. Hom./Par.: *miiologia* (sf.), *miologia* (sf.).]
miite (mi.*i*.te) *sf. Pat.* Inflamação muscular [F.: *mi (o)-*[2] + *-ite*[1]. Tb.: *miosite.*]
mijada (mi.*ja*.da) *Pop. sf.* **1** Ação ou resultado de mijar **2** Porção de urina vertida em cada micção [F.: Fem. substv. de *mijado.*]

mijadela (mi.ja.*de*.la) *sf.* 1 Pequena mijada 2 Porção de urina expelida em jato 3 Mancha deixada pela urina [F.: *mijar* + *-dela*.]

mijão (mi.*jão*) *a.* 1 Diz-se de criança que urina na cama quando dorme 2 Diz-se de indivíduo que urina muito 3 *Bras. Pop.* Diz-se de indivíduo frouxo, medroso *sm.* 4 Esse indivíduo 5 Criança que tem enurese noturna 6 Aquele que tem incontinência urinária 7 *N.E. Ent.* Denom. comum aos besouros do gên. *Paederus*, da fam. dos estafilinídeos [Pl.: *-jões*. Fem.: *-jona*] [F.: *mijar* + *-ão*[2].]

mijar (mi.*jar*) *Pop. v.* 1 Urinar [*int.*: *Davam gargalhadas enquanto mijavam à beira da estrada.*] [*ta.*: *Estava tão bêbado que mijou na tábua do vaso.*] 2 *Pej.* Demonstrar medo ou mostrar-se medroso [*int.*: *Mijou-se todo ao ver o enorme cachorro.*] [▶ 1 mijar] [F.: Do lat. tard. *meiare* (clás. *meiere*). Hom./Par.: *mijo* (fl.), *mijo* (sm.).] ■ **~ fora de penico** *Pop.* Agir em desacordo com os padrões aceitos, comportar-se mal, sair da linha **~ para trás** *Bras. Pop.* Não cumprir promessa ou compromisso, faltar com a palavra

mijo (*mi*.jo) *sm. Pop.* Urina [F.: Dev. de *mijar*. Hom./Par: *mijo* (sm.), *mijo* (fl. de *mijar*).]

mijona (mi.*jo*.na) *sf.* Fem. de mijão

mil *num.* 1 Quantidade correspondente a 999 unidades mais uma 2 Número que representa essa quantidade (arábico: 1.000; romano: M) 3 Quantidade grande mas indeterminada; INÚMEROS; MUITOS 4 Ver *milésimo* (1) [F.: Do lat. *mille*. Ideia de 'mil': *mil(e/i)-*, *milh-*, *quili(o)-*, *quilo-*.] ■ **~ e um** *Fig.* Muitos, grande número de: *Fez mil e um planos, não conseguiu realizar nenhum.* **A ~** *Bras.* Com muita energia e entusiasmo, com muita animação e excitação: *Estava a mil, depois do sucesso obtido.* **Aos ~** Em grande quantidade: *De repente ouviram-se os grilos, aos mil, rompendo o silêncio.*

⊕ **milady** (*Ing. /miléidi/*) *sf.* Na Inglaterra, tratamento cerimonioso dado a mulheres nobres ou de alto nível social

milagre (mi.*la*.gre) *sm.* 1 Acontecimento ou feito surpreendente, que não se explica pelas leis naturais 2 Acontecimento fora do comum: *Foi um milagre encontrá-lo no meio da multidão.* 3 Algo formidável, que surpreende: "O moço fazia milagres de equilíbrio para não lhe faltar o pé." (Aluísio Azevedo, *Girândola dos amores*) 4 Coisa admirável por sua grandeza ou perfeição; MARAVILHA: *Os milagres da engenharia genética.* 5 *Teat.* Drama religioso da Idade Média, baseado na vida e nos milagres dos santos 6 *Rel.* Indício da interferência divina na vida humana 7 *Bras.* Figura de madeira ou de cera que se oferece aos santos, em cumprimento de um voto 8 *Bras.* Painel com legenda explicativa, oferecido aos santos em cumprimento de um voto [Sin. nas acps. 7 e 8: *ex-voto*.] [F.: Do lat. *miraculum, i.*]

milagreiro (mi.la.*grei*.ro) *a.* 1 Que faz ou se diz capaz de fazer milagres 2 Que acredita em milagres *sm.* 3 Aquele que acredita em milagres 4 Aquele que faz ou se diz capaz de fazer milagres [F.: *milagre* + *-eiro*.]

milagrento (mi.la.*gren*.to) *a. Pej.* Diz-se de quem supostamente faz milagres ou realiza curas milagrosas [F.: *milagre* + *-ento*.]

milagroso (mi.la.*gro*.so) [ô] *a.* 1 Que faz milagres 2 Que é fora do comum, extraordinário; MIRACULOSO; PRODIGIOSO: *Foi uma cura milagrosa.* [Pl.: [ó]. Fem.: [ó].] [F.: *milagre* + *-oso*.]

milanês (mi.la.*nês*) *sm.* 1 Aquele que nasceu ou que vive em Milão (Itália) *a.* 2 De Milão; típico dessa cidade ou de seu povo [Pl.: *-neses*. Fem.: *-nesa*] [F.: Do top. *Milão*, sob a forma *Milan-*, + *-ês*.]

milanesa (mi.la.*ne*.sa) [ê] *sf.* 1 Mulher nascida em Milão (Itália) ou que vive nessa cidade 2 *Cul.* Qualquer prato preparado à milanesa [F.: Fem. substv. de *milanês*.] ■ **À ~** *Cul.* Diz-se de alimento (carne, peixe, legume etc.) panado e frito em óleo (bife à milanesa; couve-flor à milanesa)

milefólio (mi.le.*fó*.li:o) *sm. Bot.* Erva perene (*Achillea millefolium*), da fam. das compostas, nativa da Europa, que encerra óleo essencial [F.: Do lat. *millefolium, i.*]

◎ **mil(e/i)-** *El. comp.* Ocorrem em vocábulos com sentidos relacionados a 'mil', quantidade (medida) e grande quantidade (indeterminada): *milenar, milênio, milípede, milheiro, milhagem, miliardário/milhardário* [F.: mil(e/i)-, do lat. *mille* (neutro) 'um milheiro, mil' (esp. 'um milhar', medida de comprimento, abrev. de *mille passuum* 'mil passos'), milh-, do lat. *millia* (pl.).]

milenar (mi.le.*nar*) *a2g.* Que tem mil anos; MILENÁRIO [F.: *milên(io)* + *-ar*[1].]

milenário (mi.le.*ná*.ri.o) *a.* 1 Relativo a mil ou ao milhar 2 O mesmo que *milenar* *sm.* 3 Período de mil anos; MILÊNIO [F.: Do lat. *millenarius, a, um.*]

milenarismo (mi.le.na.*ris*.mo) *sm.* 1 *Rel.* Crença de que a segunda vinda de Cristo à Terra se daria no ano 1000, quando então teria início o Reino de Deus na Terra, que duraria mil anos e seria um período de paz, felicidade e justiça social; QUILIASMO 2 *Antr.* Qualquer movimento político-religioso que se caracteriza pela crença na salvação iminente e coletiva deste mundo, e que surge ger. em decorrência de uma situação de crise e dominação; QUILIANISMO [F.: *milenar* + *-ismo*.]

milenarista (mi.le.na.*ris*.ta) *Rel. a2g.* 1 Ref. a milenarismo 2 Que é adepto do milenarismo *s2g.* 3 Aquele que é adepto do milenarismo [F.: *milen ar* + *-ista*.]

milênio (mi.*lê*.ni:o) *sm.* 1 Período de mil anos; MILENÁRIO 2 *Rel.* Período de mil anos em que Jesus Cristo reinaria sobre a Terra, conforme o livro do Apocalipse 3 *P.ext.* Período de justiça social, paz e felicidade, conforme certas doutrinas religiosas [F.: Do lat. mod. *millennium*, do lat. *mille*, 'mil', a exemplo de *biennium*.]

milésima (mi.*lé*.si.ma) [zi] *sf.* Cada uma das mil partes em que se pode dividir um todo (p.ex.: cada centésima se subdivide em dez milésimas) [F.: Fem. substv. de *milésimo*.]

milésimo (mi.*lé*.si.mo) *num.* 1 Ordinal que, numa sequência, corresponde ao número 1.000: *O milésimo gol de Pelé.* *a.* 2 Diz-se de parte que é mil vezes menor que a unidade ou um todo *sm.* 3 Essa parte 4 Aquele ou aquilo que ocupa o milésimo lugar 5 Medalha que foi fabricada antes do ano mil 6 Em artilharia, unidade de medida angular definida pelo ângulo sob o qual se avista um objeto qualquer, situado a uma distância mil vezes maior do que o seu diâmetro aparente [F.: Do lat. *millesimus, a, um.*]

milésio (mi.*lé*.si:o) *sm.* 1 Aquele que nasceu ou que vivia em Mileto, antiga cidade jônica da Ásia Menor 2 Cada um dos filósofos gregos da escola de Mileto (Tales, Anaximandro e Anaxímedes, que viveram nos sécs. VI a.C. e V a.C.) *a.* 3 De Mileto; típico dessa cidade ou de seu povo 4 *Fil.* Pertencente ou relativo à escola filosófica de Mileto ou às suas doutrinas [F.: Do lat. *milesius, a, um.*]

mil-folhas (mil-*fo*.lhas) [ô] *sm2n. Cul.* Doce retangular, com várias camadas de massa fina entremeadas de recheio de doce de leite, chocolate etc. [F.: De *mil* + o pl. de *folha*.]

◎ **milh-** *el. comp.* Ver *mil(e/i)-*

milha[1] (*mi*.lha) *Metrol. sf.* 1 Antiga medida itinerária terrestre, que varia conforme o país (no Brasil, equivalia a 2.200 m) 2 Unidade de distância terrestre que, us. nos países de língua inglesa, equivale a 1.609 m [F.: Do lat. *millia, ium*.]

milha[2] (*mi*.lha) *a.* Diz-se da palha e da farinha de milho [F.: Deriv. de *milho*. Hom./Par.: ver *milha*[1].]

milha[3] (*mi*.lha) *Metrol. sf.* 1 Medida de distância terreste equivalente a 1.609 m, us. nos países de língua inglesa 2 Antiga medida brasileira equivalente a 1.000 braças ou 2.200 metros 3 No turfe do Rio de Janeiro, distância de 1.600 m [Em São Paulo, 1.609 m, como a inglesa.] [F.: Do lat. *millia, ium*, pl. de *mille*, 'mil'. Hom./Par.: *milha* (sf.), *milha* (fl. de *milhar*) e *milhã* (sf.).] ■ **~ aérea internacional** *Metrol.* Unidade de medida de distância us. em aviação ou em navegação, correspondente a 1.852 m; milha náutica internacional **~ geográfica** *Metrol.* Comprimento de um arco de 1 minuto do equador terrestre, correspondente a 1.856 m **~ marítima** *Náut.* Unidade de medida de distância us. em navegação pela Comunidade Britânica, igual ao comprimento de um arco de 1 minuto de meridiano terrestre, e correspondente a 6.080 pés, ou cerca de 1.853,18 m **~ náutica internacional** Ver *Milha aérea internacional* **~ radar** *Eletrôn.* Medida de tempo correspondente ao tempo no qual um pulso de radar reflete num alvo situado a uma milha de distância e retorna, que é de 10,75 microssegundos

milhafre (mi.*lha*.fre) *sm.* 1 *Zool.* Nome dado a diversos gaviões europeus, esp. do gên. *Milvus* e *Circus*, da fam. dos acipitrídeos; MILHANO *Poét.*; MÍLVIO 2 *Fig. Pop.* Gatuno, ladrão [F.: De or. contrv. Posv. de *mílvio* (< lat. *milvius, i*, 'milhano', 'milhafre', com sufixo arbitrário.]

milhagem (mi.*lha*.gem) *sf.* 1 *Bras.* Contagem de milhas, us. esp. por companhias aéreas para oferecer bonificações aos seus usuários 2 Distância percorrida ou calculada em milhas [Pl.: *-gens*.] [F.: *milha* + *-agem*[2].]

milhão (mi.*lhão*) *num.* 1 Mil milhares *sm.* 2 Número que representa essa quantidade (arábico: 1.000.000; romano: M) 3 *Fig.* Quantidade muito grande e indefinida: *Fez o mesmo pedido um milhão de vezes.* [Pl.: *-lhões*.] [F.: Do it. *millione*, der. do lat. *millen*, 'mil', + suf. aum. *-one*, posv. pelo fr. *million*.]

milhar[1] (mi.*lhar*) *v. td.* Dar milho a, amilhar [▶ 1 milhar] [F.: *milho* + *-ar*. Hom./Par.: *milha* (3ªp.s.), *milhas* (2ªp.s.), *milha* (sf. [pl.]); *milho* (1ªp.s.), *milho* (sm.); *miliar* (a2g.); *milhara* (3ªp.s.), *milharas* (2ªp.s.), *milhara* (sf. [pl.]).]

milhar[2] (mi.*lhar*) *sm.* Milhal, milharal [F.: Posv. alt. de *milhal*.]

milhar[3] (mi.*lhar*) *v. td. Bras.* Dar milho a [▶ 1 milhar] [F.: *milho* + *-ar*[2]. Hom./Par.: *milha(s)* (fl.), *milha* (sf. [e pl.]); *milho* (fl.), *milho* (sm.); *miliar* (a2g.); *milhara(s)* (fl.), *milhara* (sf. [e pl.]).]

milharal (mi.lha.*ral*) *sm.* Plantação de milheiros ou pés de milho; MILHAL; MILHARADA; MILHEIRAL [Pl.: *-rais*.] [F.: Posv. alter. de *milheiral*, de *milheiro* + *-al*[1].]

milhares (mi.*lha*.res) *smpl.* Quantidade muito grande e indefinida: *Vi aquele filme milhares de vezes.* [F.: Pl. de *milhar*.]

milheiro[1] (mi.*lhei*.ro) *sm.* Conjunto de mil unidades iguais: *Comprou um milheiro de pregos.* [F.: *milliarius, a, um.*]

milheiro[2] (mi.*lhei*.ro) *sm.* O mesmo que *milho* (1) [F.: *milho* + *-eiro*.]

milhete (mi.*lhe*.te) [ê] *sm.* 1 *Agr.* Variedade de milho-miúdo 2 *Bot.* Nome comum a várias plantas da família das gramíneas, ger. com espiguetas, que se assemelham às espigas de milho e são us. como forragem 3 *Bot.* Mesmo que painço (*Panicum miliaceum*) 4 *Bot.* Erva da família das gramíneas (*Milium effusum*), proveniente da Europa, regiões temperadas da Ásia e Leste da América do Norte, cultivada como ornamental [F.: Do fr. *millet*.]

milho (*mi*.lho) *sm.* 1 *Bot.* Erva da fam. das gramíneas (*Zea mays*), originária da América do Sul e cultivada em todo o mundo pelas suas espigas com grãos nutritivos; ABATI; AUATI; MILHEIRO [C ol.: *milhal, milharada, milharal, milheiral*.] 2 *Bot.* A espiga dessa planta; ABATI; AUATI 3 *Bot.* O grão dessa planta; ABATI; AUATI 4 *Bras. Gír.* Dinheiro, grana [F.: Do lat. *millium, ii.* Ant./Par.: *milho* (fl. *milhar*).] ■ **Catar ~** *Bras. Joc.* Datilografar, digitar lentamente, procurando as teclas, ger. com um só dedo de cada mão

milhões (mi.*lhões*) *smpl.* 1 Grande quantia de dinheiro: *Ganhou milhões na loteria.* *adv.* 2 *Bras. Pop.* De maneira intensa, à beça: *Adorei milhões aquele espetáculo.* [F.: Pl. de *milhão*.]

◎ **mili-** *pref.* Anteposto ao nome de uma unidade de medida, compõe o nome de uma unidade derivada mil vezes menor do que a primeira: *milímetro, miligrama* [Símb.: *m*] [F.: Do fr. *milli(ème)*.]

miliampère (mi.li.am.*pè*.re) *sm. Elet.* Unidade de medida de intensidade elétrica que equivale à milésima parte do ampère [F.: *mili-* + *ampère*.]

miliamperímetro (mi.li.am.pe.*rí*.me.tro) *sm. Fís.* Instrumento que mede correntes elétricas pequenas, de alguns miliampères; MILIAMPERÔMETRO [F.: *mili-* + *amperímetro*.]

miliardário (mi.li.ar.*dá*.ri:o) *a.* 1 Diz-se daquele cuja fortuna se iguala ou ultrapassa ao valor de um bilhão; que é muitíssimo rico (príncipe saudita miliardário) *sm.* 2 Aquele que é riquíssimo: *Um miliardário, que prefere não se identificar, é o proprietário da ilha.* [F.: Do fr. *milliardaire*.]

miliare (mi.li.*a*.re) *sm. Metrol.* A milésima parte do are [F.: *mili-* + *are*.]

milibar (mi.li.*bar*) *sm. Metrol.* Unidade de medida de expressão equivalente a um milésimo do bar, o que significa uma pressão de 100 pascals (us. em meteorologia para exprimir a pressão atmosférica) [Símb.: *mb*.] [F.: *mili-* + *bar*.]

milícia (mi.*lí*.ci:a) *sf.* 1 Força militar (milícia estadual) 2 A arte ou exercício de guerra 3 Grupo paramilitar ligado a uma operação política (milícia rural) 4 Tropa auxiliar nas guerras 5 Qualquer organização ou corporação sujeitas à disciplina militar 6 Agrupamento militante de entidade política, religiosa etc. (milícia cristã) [F.: Do lat. *militia, ae.* Hom./Par.: *milícia* (sf.), *melícia* (sf.).] ■ **A ~ celeste** *Rel.* O conjunto dos anjos e dos bem-aventurados que, por seus méritos, supõe-se, foram para o céu

miliciano (mi.li.ci.*a*.no) *a.* 1 Ref. a ou próprio de milícia *a.* 2 *Lus.* Diz-se do oficial, sargento ou cabo que não pertence ao quadro permanente *sm.* 3 Aquele que integra uma milícia 4 *Mil.* Soldado das milícias [F.: *milícia* + *-ano*[1].]

milícias (mi.*lí*.ci:as) *sfpl.* Nas guerras, tropas auxiliares que não fazem parte do exército regular [F.: Pl. de *milícia*.]

milico (mi.*li*.co) *sm. Bras. Pej.* Militar das Forças Armadas [milicada] [F.: *mil(itar)* + *-ico*[1].]

miligrama (mi.li.*gra*.ma) *Fís. sm.* Milésima parte do grama [Símb.: *mg*.] [F.: *mili-* + *grama*[2].]

mililitro (mi.li.*li*.tro) *Fís. sm.* Milésima parte do litro [Símb.: *ml*.] [F.: *mili-* + *litro*.]

milimetrado (mi.li.me.*tra*.do) *a.* 1 Dividido e marcado a cada milímetro (papel milimetrado) 2 Medido em milímetros [F.: Part. de *milimetrar*. Ver *mili-* e *-metro*.]

milimétrico (mi.li.*mé*.tri.co) *a.* 1 Ref. a milímetro 2 Dividido, graduado em milímetros (escala milimétrica) 3 *Fig.* Com extrema precisão ou atenção nos detalhes; CUIDADOSO; EXATO; MINUCIOSO: *A jogadora fez um saque milimétrico.* [F.: *milímetro* + *-ico*[2].]

milímetro (mi.*lí*.me.tro) *Fís. sm.* Milésima parte do metro [Símb.: *mm*.] [F.: *mili-* + *metro*.] ■ **~ de mercúrio** *Antq. Fís.* Antiga unidade de medida de pressão atmosférica [em desuso], igual a 1/760 de uma atmosfera física, e que vale 133,3224 Pa (pascais) [Tb. era chamda *torricelli*. Símb.: *mmHg*]

milionário (mi.li:o.*ná*.ri:o) *a.* 1 Que possui milhões, que é riquíssimo *sm.* 2 Aquele que é riquíssimo [F.: Do fr. *millionaire*.]

milionésima (mi.li:o.*né*.si.ma) *sf.* Cada uma das partes de um todo que é dividido em um milhão de partes [F.: Fem. substv. de *milionésimo*.]

milionésimo (mi.li:o.*né*.si.mo) *num.* 1 Ordinal que, numa sequência, corresponde ao número 1.000.000: *o milionésimo cliente.* *a.* 2 Que é um milhão de vezes menor do que a unidade ou do que um todo (diz-se de parte) *sm.* 3 Milionésima [F.: *milhão* (sob a forma rad. *milion-*) + *-ésimo*.]

milípede (mi.*lí*.pe.de) *Zool. a2g.* 1 Que tem muitos pés; MIRIÁPODE 2 O mesmo que *diplópode* [F.: Do lat. *millepeda, ae*, 'espécie de mil pés'.]

milissegundo (mi.lis.se.*gun*.do) *sm. Fís. Metrol.* A milésima parte de um segundo [F.: *mili-* + *segundo*.]

militança (mi.li.*tan*.ça) *sf.* 1 A profissão de militar 2 Os militares em geral [F.: *militar*[2] + *-ança*. Hom./Par.: *militança* (sf.), *militância* (sf.).]

militância (mi.li.*tân*.ci:a) *sf.* 1 Atividade de militante; ATUAÇÃO; EXERCÍCIO; PRÁTICA 2 *Restr.* Participação ativa em prol de uma causa ou organização política [F.: *militar*[2] + *-ância*. Hom./Par.: *militância* (sf.), *militança* (sf.).]

militante (mi.li.*tan*.te) *a2g.* 1 Que milita ativamente em prol de uma causa ou organização política 2 Que milita, que combate; COMBATENTE 3 Que atua; que está em atividade (professor militante) *s2g.* 4 Indivíduo militante *sm.* 5 *Ant.* Soldado guerreiro 6 *Rel.* Aquele que faz parte de alguma das organizações apostólicas da Igreja Católica [F.: Do lat. *militans, antis*, part. pres. de *militare*.]

militar[1] (mi.li.*tar*) *a2g.* 1 Ref. a guerra, a soldado ou às Forças Armadas (Exército, Marinha e Aeronáutica) (vida militar, vitórias militares) 2 *Restr.* Ref. ao Exército 3 Apoiado ou efetuado pelas forças armadas (golpe militar) *s2g.* 4 Integrante de uma das Forças Armadas [F.: Do lat. *militaris, e.* Hom./Par.: *militares* (pl.), *militares* (fl. de *militar*).]

militar² (mi.li.*tar*) *v.* **1** Guerrear ou lutar [*tr. +com, contra, por*: *Militar contra o invasor; Militar por uma causa.*] [*int.*: *Eles militaram bravamente nas trincheiras.*] **2** Seguir uma carreira, ou atuar (em partido, organização etc.) [*ta.*: *Militara no partido comunista; Milita na advocacia.*] **3** Prevalecer, vigorar [*int.*: *Ali ainda milita a lei do mais forte.*] [▶ 1 militar] [F.: Do v.lat. *militare*. Hom./Par.: *militares* (fl.), *militares* (pl. de militar¹ [a2g.s2g.]); *milite* (fl.), *milite* (milite.); *milites* (fl.), *mílites* (pl. do sm.).]

militarismo (mi.li.ta.*ris*.mo) *sm.* **1** Predomínio dos militares na política e na administração de um país **2** Doutrina que defende esse predomínio **3** Tendência a resolver conflitos por meio da guerra; BELICISMO **4** A profissão militar; MILÍCIA; MILITANÇA [F.: Do fr. *militarisme*; ver *militar¹* e *-ismo*.]

militarista (mi.li.ta.*ris*.ta) *a2g.* **1** Ref. ao militarismo **2** Que é partidário do militarismo *s2g.* **3** Partidário do militarismo [F.: *militarismo + -ista*.]

militarização (mi.li.ta.ri.za.*ção*) *sf.* Ação ou resultado de militarizar(-se) [Pl.: *-ções*.] [F.: *militarizar + -ção*.]

militarizado (mi.li.ta.ri.*za*.do) *a.* Que se militarizou; que assumiu caráter militar [F.: Part. de *militarizar*.]

militarizar (mi.li.ta.ri.*zar*) *v. td.* **1** Dar ou adquirir feição ou caráter militar: *O ditador queria militarizar o país; A Alemanha nazista militarizou-se rapidamente.* **2** Preparar(-se) para atuar como militar: *Queriam militarizar os mais jovens; Militarizaram-se para fazer face à invasão.* [▶ 1 militarizar] [F.: *militar¹ + -izar*. Ant.ger.: *desmilitarizar*.]

militofobia (mi.li.to.fo.*bi*.a) *sf.* Aversão aos militares, à vida ou ao regime militar [F.: Do lat. *miles, militis*, 'soldado', *+ -o- + -fobia*.]

militofóbico (mi.li.to.*fó*.bi.co) *a.* **1** Ref. a militofobia *a.* **2** Que tem militofobia; MILITÓFOBO *sm.* **3** Aquele que tem militofobia; MILITÓFOBO [F.: *militofobia + -ico²*.]

militófobo (mi.li.*tó*.fo.bo) *a.* **1** Militofóbico (2) *sm.* **2** Militofóbico (3) [F.: Do lat. *miles, milites*, 'soldado', *+ -o- + -fobo*.]

milivolt (mi.li.*volt*) *sm. Elet. Fís.* Unidade de medida de tensão elétrica equivalente a um milésimo de volt [F.: *mili- + volt*.]

miliwatt (mi.li.*watt*) [uó] *sm. Elet. Fís.* Unidade de medida de potência equivalente a um milésimo de watt [Símb.: *mW*] [F.: *mili- + watt*.]

⊕ **milk-shake** (*Ing. /mílc-cheic/*) *sm.* Bebida feita com leite, sorvete, frutas etc., batidos no liquidificador

milonga (mi.*lon*.ga) *sf.* **1** *Dnç. Mús.* Canto e dança populares, em fins do século XIX, em Montevidéu e Buenos Aires, inspirados na *habanera* cubana e no tango andaluz e depois absorvidos pelo tango argentino **2** *RS Mús.* Música popular platina, de ritmo dolente, com ou sem letra, com estrutura harmônica baseada no violão **3** *Bras. Rel.* Na macumba e no candomblé, bruxedo, feitiço, sortilégio [Var. nesta acp.: *milongo* e *mironga*.] [F.: Do quimb. mi'lona 'palavra' (na 3ª acp.), nas demais acps., do espn. plat. *milonga*, e, este, posv. tb. do quimb. *mi'lona*.]

milongagem (mi.lon.*ga*.gem) *sf. Bras.* Comportamento manhoso, astucioso [Pl.: *-gens*.] [F.: *milonga + -agem²*.]

milongas (mi.*lon*.gas) *Bras. Pop. sfpl.* **1** Mexericos, intrigas **2** Dengues, manhas **3** Desculpas esfarrapadas, sem fundamento [F.: Pl. de *milonga*.]

milongueiro (mi.lon.*guei*.ro) *a.* **1** *RS* Que canta milongas **2** *Bras.* Que é manhoso, astucioso *sm.* **3** *RS* Cantor de milongas **4** *Bras.* Quem é manhoso, astucioso [F.: Do espn. platino *milonguero*.]

milorde (mi.*lor*.de) *sm.* **1** Tratamento dado aos lordes britânicos **2** *P.ext.* Homem rico, elegante, de maneiras finas [F.: Do ing. *milord*.]

mil-réis (mil.*ré*.is) *sm2n.* **1** Unidade monetária brasileira vigente antes de 01.11.1942, quando foi substituída pelo cruzeiro (um mil reis = um cruzeiro, um conto de réis = 1.000 cruzeiros) **2** Unidade monetária em Portugal antes de 1911, quando foi substituída pelo escudo *a2g2n.* **3** *Bras.* Diz-se de cavalo que tem manchas brancas e vermelhas

mim *pr.pess.* Forma oblíqua tônica de 'eu'; funciona como complemento precedido de preposição: *Escolheram a mim; Em mim você pode confiar.* [a) Se a prep. que o antecede é *com*, assume a forma **-migo*, que resulta em *comigo*: *Ele vai sair comigo.* b) Quando a preposição que o antecede é *para* (*Este café é para mim.*), não confundir com a situação em que o pronome é sujeito da oração e, portanto, deve ser *eu*: *Este café é para eu tomar.*] [F.: Do lat. vulg. *mi* (láss. *mihi*, dativo de *ego*).] ▪▪ **De ~ comigo** Ver *De mim para mim* **De ~ para ~** Comigo mesmo, com meus botões; de mim comigo; entre mim: *Fiquei pensando, de mim para mim, que eu não tinha razão.* **Entre ~** Ver *De mim para mim* **Por ~** No que me toca, de minha parte, a valer minha opinião: *Por mim, deveríamos recomeçar o projeto.*

mimado (mi.*ma*.do) *a.* Tratado com mimo; AMIMADO [F.: Part. de *mimar*.]

mimalho (mi.*ma*.lho) *a.* **1** Diz-se de indivíduo muito mimado *sm.* **2** Esse indivíduo [F.: *mimo¹ + -alho*. Tb. *mimanço*.]

mimanço (mi.*man*.ço) *a.sm.* Ver *mimalho*

mimar (mi.*mar*) *v. td.* Tratar com mimos ou paparicos; mimosear: *Mimar os filhos.* [▶ 1 mimar] [F.: *mimo¹ + -ar²*. Hom./Par.: *mima* (fl.), *mima* (sf.); *mimas* (fl.), *mimas* (pl. do sf.); *mimo* (fl.), *mimo* (s.m.).]

◎ **mime(o)-** *El. comp.* Registram-se, no grego clássico, várias palavras formadas de um mesmo radical com sentido de 'imitação': *mímaulos, ou* 'ator de pantomimas'; *miméomai-oumai* 'imitar' (sentido físico e moral); *mimeós, e, on* 'imitante'; *mímema, atos* 'imitação'; *mimetés, ou* e *mimetikós, é, ón* 'imitador'; *mimikós, é, ón* 'que se refere à arte dos mimos'; *mimos, ou* 'ator, bufão'. No português, a cognação inclui, entre outros, *mimeografia, mimeógrafo, mimeográfico, mimeografagem, mimeografar, mimese, mimetismo, mimético, mimetizar, mimetizado, mímica, mimice, mímico, mimo, mimografia, mimógrafo, mimologia* etc. [F.: Do gr. *mimesis, eos*, 'imitação'.]

mimeografado (mi.me:o.gra.*fa*.do) *a.* Que foi copiado em mimeógrafo [F.: Part. de *mimeografar*.]

mimeografar (mi.me:o.gra.*far*) *v. td.* Usar o mimeógrafo para reproduzir [▶ 1 mimeografar] [F.: *mimeógrafo + -ar²*.]

mimeografia (mi.me:o.gra.*fi*.a) *sf.* **1** Processo de mimeografar **2** Cópia que se obtém por esse processo [F.: *mime(o)- + -grafia*.]

mimeográfico (mi.me:o.*grá*.fi.co) *a.* Ref. a mimeografia [F.: *mimeografia + -ico²*.]

mimeógrafo (mi.me.*ó*.gra.fo) *sm. Art.gr.* Aparelho para imprimir cópias de textos datilografados ou manuscritos e de desenhos feitos sobre um papel especial chamado estêncil [F.: Do ing. *Mimeograph*, nome comercial. Hom./Par.: *mimeógrafo* (sm.), *mimeografo* (fl. de *mimeografar*).]

mimese (mi.*me*.se) *sf.* **1** *Ret.* Figura que consiste no emprego do discurso direto e principalmente em imitar a voz, os gestos e as palavras de outrem **2** *Liter.* Imitação ou recriação da realidade numa obra **3** *Med.* Simulação de doença ou de algum sintoma [F.: Do gr. *mímesis, eos*, 'imitação'.]

mimético (mi.*mé*.ti.co) *a.* **1** Capaz de realizar mimetismo **2** Ref. ao mimetismo [F.: Do gr. *mimetikós, é, ón*, 'que tem aptidão para imitar', posv. por infl. do fr. *mimétique*.]

mimetismo (mi.me.*tis*.mo) *sm.* **1** Fenômeno pelo qual certos animais, para defender-se dos predadores, tomam a cor e a configuração dos objetos ou de outros seres do meio em que vivem. [Cf.: *homocromia*.] **2** *Fig.* Mudança consoante o meio; ADAPTAÇÃO: "...antes se manifestavam contra o mimetismo e a importação acrítica de modelos e modismos estrangeiros..." (*Folha de S.Paulo*, 28.10.2001) [F.: Do fr. *mimétisme*.]

mimetista (mi.me.*tis*.ta) *a2g.* Dotado de mimetismo (diz-se de organismo) [F.: *mimetismo + -ista*.]

mimetizado (mi.me.ti.*za*.do) *a.* Adaptado ou modificado por mimetismo (diz-se organismo) [F.: Part. de *mimetizar*.]

mimetizar (mi.me.ti.*zar*) *v. td.* **1** Aquirir (certa forma) por meio de mimetismo **2** Disfarçar(-se) por esse meio [▶ 1 mimetizar] [F.: *mimetismo + -izar*, seg. o mod. gr.]

mimetomania (mi.me.to.ma.*ni*.a) *sf. Psiq.* Mania de imitar [F.: *mimeto-* (do gr. *mimetés*, 'imitador') *+ -mania*.]

mimetomaníaco (mi.me.to.ma.*ní*.a.co) *Psiq. a.* **1** Ref. a mimetomania *a.* **2** Que tem mimetomania; MIMETÔMANO *sm.* **3** Aquele que tem mimetomania; MIMETÔMANO [F.: *mimetoman(ia) + -íaco*.]

mimetômano (mi.me.*tô*.ma.no) *Psiq. a.* **1** Mimetomaníaco (2) *sm.* **2** Mimetômano (3) [F.: *mimeto-* (do gr. *mimetés*, 'imitador') *+ -mano¹*.]

mímica (*mí*.mi.ca) *sf.* **1** Expressão de palavras, ideias e sentimentos por meio de gestos, expressões faciais e corporais; PANTOMIMA **2** Conjunto de gestos us. para dar maior expressão à fala; GESTICULAÇÃO [F.: Fem. substv. de *mímico*, posv. por infl. do fr. *mimique* (< lat. *mimicus, a, um*, der. do gr. *mimikós, é, ón*, 'ref. aos mimos'. Ver *mime(o)-*.]

mimicar (mi.mi.*car*) *v.* **1** *Bras.* Exprimir por mímica, gestos [*td.*] [*int.*] **2** Fazer gestos, gesticular [*td.*] [*int.*] [▶ 11 mimicar] [F.: *mímica + -ar²*. Hom./Par.: *mimica* (fl.), *mímica* (sf.); *mimicas* (fl.), *mímicas* (pl. do sf.); *mimico* (fl.), *mímico* (a.sm.).]

mímico (*mí*.mi.co) *a.* **1** Ref. à ou próprio da mímica **2** Que se expressa por meio de mímica *sm.* **3** *Teat.* Ator que usa a mímica como forma de expressão; MIMO; PANTOMIMEIRO [F.: Do gr. *mimikós, é, ón*, 'ref. aos mimos', pelo lat. *mimicus, a, um*. Hom./Par.: *mímico* (a. sm.), *mimico* (fl. de *mimicar*).]

mimo (*mi*.mo) *sm.* **1** Carinho, afagos, meiguice, desvelo com que se trata alguém ou algo: *Ele cobre a namorada de mimos.* **2** Agrados excessivos, esp. em relação a criança. [Tb. us. no pl.] **3** Objeto delicado que se dá; PRENDA; PRESENTE **4** Ser ou coisa encantadora, delicada, bela: "...até nos seres irracionais, e entre eles na própria avezinha, mimo da criação..." (Joaquim Manuel de Macedo, *A luneta mágica*) **5** Delicadeza, suavidade, graça [F.: Posv. de or. expressiva.]

mimodrama (mi.mo.*dra*.ma) *sm. Teat.* Ação dramática representada por meio de mímica [F.: *mimo-*, por *mime (o)-, + -drama*.]

mimodramático (mi.mo.dra.*má*.ti.co) *a.* Ref. a mimodrama [F.: *mimodrama* (sob a f. *mimodramat-*) *+ -ico²*.]

mimologia (mi.mo.lo.*gi*.a) *sf.* **1** Imitação do modo de falar de alguém **2** Ação de imitar, na criação de palavras, o som dos objetos que elas designam; ONOMATOPEIA **3** *Teat.* Estudo da mímica; MIMOGRAFIA [F.: *mimo -*, por *mime(o)-, + -logia*.]

mimológico (mi.mo.*ló*.gi.co) *a.* **1** Ref. a mimologia **2** Onomatopaico [F.: *mimologia + -ico²*.]

mimosa (mi.*mo*.sa) *Bot. sf.* **1** Nome comum às plantas do gênero *Mimosa*, da fam. das leguminosas, subfamília mimosoídea, nativas das regiões tropicais e subtropicais e que abrange espécies herbáceas, arbustivas, trepadeiras e arbóreas, muitas delas ornamentais, algumas daninhas ou que fornecem lenha, raras medicinais. Entre as mais conhecidas está a dormideira **2** Nome comum a várias plantas dos gêneros *Acacia* e *Albizia*, da fam. das leguminosas, subfamília mimosoídea, e do gênero *Chamaecrista*, da subfamília cesalpinioídea **3** O fruto da tangerina [F.: Do lat. cient. *Mimosa*.]

mimosear (mi.mo.se.*ar*) *v.* **1** Tratar com mimos ou agrados; MIMAR [*td.*: *Mimoseava a mulher.*] **2** Dar presentes, fazer delicadezas [*tdr. +com*: *Mimoseou a mulher com rosas e perfumes.*] [▶ 13 mimosear] [F.: *mimoso + -ear²*.]

mimoso¹ (mi.*mo*.so) [ô] *a.* **1** Que se habituou a mimos; MIMADO **2** Macio, delicado (pele mimosa) **3** De beleza suave e delicada (flores mimosas; broche mimoso); GRACIOSO **4** Que revela meiguice, suavidade, ternura (jovem mimosa) **5** *Bras.* Diz-se de fubá de milho moído bem fino *sm.* **6** Indivíduo mimoso (1), sensível **7** Aquele é favorecido, feliz, ditoso **8** *PI* Campo de criação de gado com pastagens de capim-mimoso [Pl.: [ó]. Fem.: ó] [F.: *mimo¹ + -oso*.]

mimoso² (mi.*mo*.so) [ô] *sm. Bras. Bot.* F. red. de *capim-mimoso*

⊠ **min¹** Abrev. de *minuto*

min² *sm. Gloss.* Grupo de dialetos falados em certas províncias chinesas e em Taiwan [F.: Do chin.]

mina¹ (*mi*.na) *sf.* **1** *Geol.* Depósito natural, no seio da terra ou em rocha, de onde se extraem minérios, pedras preciosas, petróleo, carvão, água etc.; JAZIDA **2** Escavação no solo para extração desses materiais **3** *Expl.* Cavidade cheia de explosivos que se detonam para destruir tudo que há por cima **4** *Arm.* Artefato de guerra camuflado que consiste numa carga explosiva enterrada, flutuante ou submersa, que detona com mínimo contato **5** *Bras.* Grafite do lápis ou das lapiseiras **6** *Bras. Pop.* Garota, moça **7** *Fig.* Fonte de riquezas; negócio muito lucrativo: *O bar dele é uma mina.* **8** *Fig.* Fonte de informações e conhecimentos **9** *Fig.* Coisa de grande valor; PRECIOSIDADE **10** Nascente (de água) **11** *PR MT* Concentração de erva-mate na mata virgem [F.: De or. céltica, pelo galo-romano **mina*, e este pelo fr. *mine*. Hom./Par.: *mina* (sf.), *mina* (fl. de *minar*).] ▪▪ **~ de cernambi** *PA* Sambaqui **~ de contato** *Mar.G.* Mina (4) submarina que explode ao se chocar com embarcação **~ de influência** *Mar.G.* Mina (4) submarina que explode com a proximidade da embarcação, seja devido à ação magnética sobre o casco, seja pela pressão da água deslocada pela embarcação ao se aproximar **~ de ouro** *Fig.* Atividade, negócio, oportunidade etc. que rende muito dinheiro

mina² (*mi*.na) *sm.* **1** *Etnol.* Indivíduo pertencente a um povo da região do Grande Popô, na fronteira do Togo com Benim (Sudoeste da África) **2** *BA Etnol.* Indivíduo de origem fanti ou axanti; NEGRO-MINA; PRETO-MINA; TCHI **3** *Gloss.* Língua falada no Togo e no Benim **4** Língua geral us. no séc. XVIII entre os escravos, em Minas Gerais *a.* **5** Do ou ref. ao mina (1 e 3) **6** Do ou ref. ao mina (2 e 4) [F.: Do top. Fortaleza da *Mina* (África).]

mina³ (*mi*.na) *sf.* **1** *Num.* Antiga moeda grega de prata ou bronze **2** *Metrol.* Na Grécia antiga, medida de peso equivalente a 324 gramas [F.: Do lat. *mina, ae*, do gr. *minâ, âs*.]

minado (mi.*na*.do) *a.* **1** Que se minou **2** Em que há minas camufladas que explodirão ao menor contato: *Os campos minados de Angola fizeram muitas vítimas civis.* [F.: Part. de *minar*.]

minadouro (mi.na.*dou*.ro) *sm. Bras.* Nascente de um ribeirão ou córrego, ou olho-d'água no interior de uma grota [F.: *minar + -d ouro²*.]

minar (mi.*nar*) *v.* **1** Abrir mina(s) em terreno, montanha, em busca de minério, água etc. [*td.*: *Minou toda a encosta em busca de ouro.*] **2** Abalar a firmeza de (terreno, alicerces etc.), escavando covas ou túneis; SOLAPAR [*td.*: *A enchente minou a estrutura de várias casas.*] **3** *Fig.* Abalar progressivamente (a saúde, as forças etc.); DEBILITAR [*td.*: *A doença minou seu organismo.*] **4** *Fig.* Desgastar pouco a pouco; CORROER [*td.*: *As denúncias minaram seu prestígio.*] **5** *Fig.* Deixar cair ou cair (gotas), destilar, ressudar [*td.*: *A parede está minando água.*] [*int.*: *O suor minava em seu rosto.*] **6** *Mil.* Colocar minas, bombas, em (terreno, campo) [*td.*: *Os soldados minaram uma grande faixa de terreno.*] **7** Lavrar, alastrar-se por [*td.*: *O fogo minou toda a construção.*] **8** Brotar, fluir [*td.*: *O poço não minava mais água.*] [*int.*: *Quando abriram o buraco, a água logo começou a minar.*] **9** Deixar sair; expelir [*td.*: *A ferida minava um sangue pastoso.*] **10** Causar aflição a; atormentar [*td.*: *Aquela insistência minava a paciência do rapaz.*] [▶ 1 minar] [F.: *mina¹ + -ar²*. Hom./Par.: *mina* (fl.), *mina* (sf.); *minas* (fl.), *minas* (pl. de sf.a2g.sm.s).]

minarete (mi.na.*re*.te) [ê] *sm. Arq.* Torre nas mesquitas, com três ou quatro andares e balcões salientes, de onde o muezim anuncia a hora das orações; ALMÁDENA [F.: Do fr. *minaret* (< ár. *manara*, 'farol').]

minaz (mi.*naz*) *a2g. Poét.* Ameaçador [Superl.: *minacíssimo*.] [F.: Do lat. *minax, acis*.]

mindinho (min.*di*.nho) *a.* **1** *Pop. Anat.* Diz-se do dedo mínimo *sm.* **2** Dedo mindinho [F.: De or. contrv; posv. do lat. vulg. **minitinus*.]

mindubim (min.du.*bim*) *sm. Bras. Bot.* O mesmo que *amendoim* [Pl.: *-bins*.] [F.: Do tupi.]

mineira (mi.*nei*.ra) *sf. Geol.* Terreno abundante em minérios [F.: Do fr. *minière*.]

mineirês (mi.nei.*rês*) *sm. Bras.* O linguajar dos mineiros² [F.: *mineiro² + -ês*.]

mineirice (mi.nei.*ri*.ce) *sf. Bras.* Caráter ou maneira de ser peculiar de quem é mineiro² [F.: *mineiro² + -ice*.]

mineiridade (mi.nei.ri.*da*.de) *sf. Bras.* O mesmo que *mineirismo* [F.: *mineiro² + -(i)dade*.]

mineirismo (mi.nei.*ris*.mo) *sm.* **1** Qualidade típica de quem é mineiro ou do que é mineiro² **2** Sentimento de amor e/

ou de orgulho por Minas Gerais [F.: *mineiro*² + *-ismo*. Sin. ger.: *mineiridade*.]

mineiro¹ (mi.*nei*.ro) *a.* 1 Ref. ou pertencente a, ou típico de mina¹ (trabalhos mineiros) 2 Em que há minas ou jazidas (região mineira) 3 *Mar.* Diz-se de navio que lança ou recolhe minas *sm.* 4 Operário que trabalha em mina¹; MINERADOR 5 Proprietário de mina¹ 6 Terreno abundante em minérios; MINEIRA 7 *MT PR* Aquele que procura ervais nativos ou inexplorados 8 *MT PR* Colhedor (2) de erva-mate; TIRADOR [F.: Do fr. *miniere*, 'terreno do qual se extraem metais' (< fr. *mine*, 'jazida, mina'), ou de *mina*¹ + *-eiro*.]

mineiro² (mi.*nei*.ro) *sm.* 1 Aquele que nasceu ou que vive em Minas Gerais *a.* 2 De Minas Gerais; típico desse estado ou de seu povo [F.: Do top. *Min(as Gerais)* + *-eiro*. Sin. ger.: *geralista*.]

mineiro com botas (mi.nei.ro com*bo*.tas) *sm. Bras. C.O. SE Cul.* Sobremesa feita com banana e queijo de minas fritos, canela e açúcar [Pl.: *mineiros com botas*.]

mineração (mi.ne.ra.*ção*) *sf.* 1 Exploração de minas 2 Depuração de minérios [Pl.: *-ções*.] [F.: *minerar* + *-ção*.]

minerador (mi.ne.ra.*dor*) [ô] *a.* 1 Ref. a mineração *sm.* 2 Trabalhador da mineração 3 Proprietário de mina [F.: *minerar* + *-dor*. Sin. ger.: *mineiro*.]

mineradora (mi.ne.ra.*do*.ra) [ô] *sf. Bras.* Empresa de mineração [F.: *minerar* + *-dora*.]

mineral (mi.ne.*ral*) *Min. a2g.* 1 Ref. aos minerais (recursos minerais) 2 Que contém substâncias minerais (água mineral) 3 Que pertence ao reino das coisas não orgânicas *sm.* 4 *Min.* Material inorgânico, sólido, formado espontaneamente na natureza, de composição química definida e estrutura interna regular e que compõe a litosfera [Pl.: *-rais*.] [F.: Do lat. medv. *mineralis, e*, pelo fr. *minéral*.]

mineralização (mi.ne.ra.li.za.*ção*) *sf.* 1 Ação ou resultado de mineralizar(-se) [Ant.: *desmineralização*.] 2 Transformação dos metais em minérios 3 *Min.* Transformação dos corpos orgânicos em minerais produzida no interior da terra 4 Propriedade de certas águas de nascentes ou fontes conterem substâncias minerais em dissolução 5 *Bioq.* Deposição de minerais em tecidos orgânicos [Pl.: *-ções*.] [F.: *mineralizar* + *-ção*.]

mineralizado (mi.ne.ra.li.*za*.do) *a.* 1 Que se mineralizou [Ant.: *desmineralizado*.] 2 Transformado em mineral ou em minério 3 Diz-se da água que contém substâncias minerais em dissolução [F.: Part. de *mineralizar*.]

mineralizar (mi.ne.ra.li.*zar*) *v.* 1 Converter(-se) em mineral ou minério [*td.*] 2 *P.ext.* Dar ou adquirir aspecto de mineral; PETRIFICAR-SE [*td.*] [*int.*] 3 *Quím.* Realizar a mineralização de [*td.*] 4 Encher(-se) de substância mineral [*td.*] [▶ 1 mineralizar] [F.: *mineral* + *-izar*.]

mineralogia (mi.ne.ra.lo.*gi*.a) *sf. Min.* Ciência que estuda os minerais [F.: Do fr. *minéralogie*.]

mineralógico (mi.ne.ra.*ló*.gi.co) *a.* Ref. ou pertencente à mineralogia [F.: De *mineralogia* + *ico*² ou do fr. *minéralogique*.]

mineralogista (mi.ne.ra.lo.*gis*.ta) *a2g.* 1 Diz-se de geólogo que se especializou em mineralogia *s2g.* 2 Geólogo mineralogista [F.: *mineralogia* + *-ista*.]

mineraloide (mi.ne.ra.*loi*.de) *sm.* Mineral preparado para fins gemológicos [F.: *mineral* + *-oide*.]

mineralurgia (mi.ne.ra.lur.*gi*.a) *sf. Min.* Arte da aplicação dos minerais, esp. dos metais, na indústria [F.: *mineral* + *-urgia*.]

mineralúrgico (mi.ne.ra.*lúr*.gi.co) *a.* Ref. ou pertencente à mineralurgia [F.: *mineralurgia* + *-ico*².]

minerar (mi.ne.*rar*) *v.* 1 Extrair (minério de valor ou pedra preciosa) de mina [*td.*: *Minerou boa extensão do rio.*] [*int.*: *Seu trabalho era minerar.*] 2 Garimpar [*int.*] [▶ 1 minerar] [F.: *miner-* (do rad. do fr. *minéral*, este do lat. medv. *mineralis*) + *-ar*². Hom./Par.: *mineraria* (fl.), *minerária* (fem. de minerário [a.]); minerarias (fl.), *minerárias* (pl. do fem. do a.).]

mineratório (mi.ne.ra.*tó*.ri:o) *a.* Ref. a mineração [F.: *minerar* + *-tório*.]

minério (mi.*né*.ri:o) *Min. sm.* Rocha ou mineral de que é possível extrair metais ou outras substâncias economicamente úteis [F.: De *miner-*, rad. de *mineral*, + *-io*².]

mineroduto (mi.ne.ro.*du*.to) *sm. Min.* Conjunto de tubulações pelo qual se transportam minérios de um lugar para outro [F.: *minér(io)* + *-o-* + *-duto*.]

minete (mi.*ne*.te) *sm. Bras. Tabu.* O mesmo que *cunilíngua*. [F.: Do fr. *minet*.]

mingau (min.*gau*) *sm.* 1 *Bras. Cul.* Alimento de consistência cremosa, feito com farinha de qualquer cereal ou de mandioca, leite e açúcar; PAPA 2 *Fig.* Qualquer substância cremosa, rala [Pl.: *-gaus*.] [F.: Do tupi *mina'u*.]

mingau das almas (min.gau das*al*.mas) *sm. Bras.* Saliva que por vezes se acumula na boca quando a pessoa dorme [Pl.: *mingaus das almas*.]

mingote (min.*go*.te) *sm. Bras. Gír.* Cigarro de maconha [F.: De or. obsc.]

míngua (*mín*.gua) *sf.* 1 Falta do necessário; CARÊNCIA; ESCASSEZ [Ant.: *abundância, fartura*.] 2 Extrema pobreza; INDIGÊNCIA; MISÉRIA; PENÚRIA [Ant.: *abundância, riqueza*.] 3 Declínio, diminuição, perda 4 Defeito, falha, imperfeição [F.: Dev. de *minguar*. Hom./Par.: *míngua* (sf.), *mingua* (fl. de *minguar*).] ■ **À ~** Na miséria, na penúria, em situação de grande pobreza e desamparo **À ~ de** Na falta de: *Aceitou o biscate à míngua de outra alternativa.*

minguado (min.*gua*.do) *a.* 1 De que há pouco; ESCASSO; IRRISÓRIO; PARCO [Ant.: *abundante, farto*.] 2 Pouco desenvolvido; FRANZINO; MIRRADO; ENFEZADO [Ant.: *robusto*.] 3 Que minguou; DIMINUÍDO; REDUZIDO [Ant.: *aumentado*.] 4 De pequena duração; CURTO: *Os dias já são muito minguados.* [F.: Part. de *minguar*.]

minguante (min.*guan*.te) *a2g.* 1 Que míngua; DECLINANTE; DECRESCENTE [Ant.: *crescente*.] *a2g.* 2 *Astron.* Diz-se da fase da Lua em que sua imagem visível está minguando [Ant.: *crescente*.] *sm.* 3 Essa fase; QUARTO MINGUANTE [Ant.: *crescente, quarto crescente*.] [F.: *minguar* + *-nte*.] ■ **~ da maré** Vazante da maré, refluxo da maré

minguar (min.*guar*) *v.* 1 Diminuir, reduzir(-se), fazer faltar ou faltar, escassear [*td.*: *A seca minguou a produção agrícola.*] [*int.*: *A água está minguando; As ideias do cineasta minguavam dia a dia.*] 2 Passar de cheia a nova (falando-se da Lua) [*int.*: *A Lua está começando a minguar.*] 3 Fazer pouco de; amesquinhar, menoscabar [*td.*: *Sempre tentam minguar as qualidades dessa moça.*] 4 Passar a ter menos quantidade ou ter quantidade insuficiente [*int.*: *Parou de produzir o filme porque os recursos minguaram.*] [▶ 17 minguar] [F.: Do lat. vulg. *minuare*.]

minha (*mi*.nha) *pr.poss.* 1 Fem. de *meu* (minha casa, minhas coisas) *sf.* 2 *Pop.* Minha posição, opinião; meu lugar [Nesta acp., us. somente nas locuções *estar* (ou *ficar*) *na minha*.] [F.: Do lat. *mea*, pelo lat. vulg. *mia*.] ■ **~ nossa** *Bras.* Locução interjetiva que expressa surpresa, espanto **Na ~** 1 Us. (em expressões como *estar na minha*, *ficar na minha*) com referência às ideias, opiniões ou interesses da pessoa que fala/escreve, por oposição aos de outrem: *Quiseram convencer-me com argumentos, mas fiquei na minha.* 2 Sem procurar participar ou interferir nos assuntos alheios: *Todos discutiam alto, mas eu fiquei na minha.* [A esta expressão na primeira pess. do sing., correspondem expressões similares para as outras pessoas, como *na tua, na sua, na dele/dela*.]

minhoca (mi.*nho*.ca) *sf.* 1 Nome comum aos invertebrados do filo dos anelídeos, classe dos oligoquetas, esp. dos que vivem sob a terra, em solo úmido, us. como isca para a pesca recreativa e que fazem parte da alimentação de aves, peixes, anfíbios etc. Auxiliam na aeração e fertilização do solo *Bras.*; BICHOCA *N.E.*; GOGO [ô] *MG*; ISCA 2 *Vulg.* O pênis 3 *Bras. Lud.* A menor sequência no pôquer, em que o ás entra como a última carta decrescente 4 *Pop.* Ideia sem fundamento, tola ou absurda [Nesta acp. tb. us. no pl.] *s2g.* 5 *Bras. Pop. Joc.* Nativo ou morador de um lugar [Nesta acp., opõe-se a *turista, estrangeiro*.] [F.: De or. contrv.]

minhocal (mi.nho.*cal*) *sm. MT* Terreno duro e argiloso durante a seca, mas que no período das chuvas se transforma em atoleiro perigoso [Pl.: *-cais*.] [F.: *minhoca* + *-al*¹.]

minhocão (mi.nho.*cão*) *sm.* 1 Grande minhoca 2 *Bras. Pop.* Nome dado a certas construções urbanas alongadas e curvilíneas 3 *Bras. N.E. MG Etnog.* Ser fantástico, em forma de serpente, fluvial e subterrânea, que aterroriza pescadores e viajantes, desmorona casas etc.; MINHOCUÇU 4 *Bras. Zool.* O mesmo que cobra-cega [Pl.: *-cões*.] [F.: *minhoca* + *-ão*¹.]

minhocar (mi.nho.*car*) *Bras. Gír. v.* 1 Pensar, refletir [*int.*: *Ficou minhocando o dia inteiro, mas não teve nenhuma ideia.*] 2 Pensar ou refletir sobre algo [*tr.* +*sobre*: *Minhocou horas sobre o problema.*] [▶ 11 minhocar] [F.: *minhoca* + *-ar*².]

minhocas (mi.*nho*.cas) *Pop. sfpl.* 1 Crendices, superstições 2 Ideias bobas; tolices: *ter minhocas na cabeça*. [F.: Pl. de *minhoca*.]

minhococulotor (mi.nho.co.cu.lo.*tor*) [ô] *sm.* Criador de minhocas [F.: *minho(ca)* + *-cultor*.]

minhococultura (mi.nho.co.cul.*tu*.ra) *sf. Bras.* Criação de minhocas para uso na agricultura [F.: *minho(ca)* + *-cultura*.]

minhocuçu (mi.nho.cu.*çu*) *Bras. sm.* 1 *Zool.* Minhoca de grande porte (*Glossoscolex giganteus*), com até 2m de comprimento, também conhecida como minhocão 2 *Etnog.* Minhocão (3) [F.: *minhoca* + *-uçu*.]

minhoto (mi.*nho*.to) [ô] *sm.* 1 Aquele que nasceu ou que vive no Minho (Portugal) 2 *Gloss.* O linguajar dessa região *a.* 3 Do Minho; típico dessa região ou de seu povo 4 *Gloss.* Do ou ref. ao minhoto (2) [F.: Do top. *Minho* + *-oto*.]

◎ **mini-** *El. comp.* Ocorre em vocábulos como *minifúndio, minissaia, minibiblioteca*, e em muitos outros formados a partir da década de 1950, ger. por influência do inglês. [Liga-se sem hífen ao elemento que se lhe segue (*minidicionário*); com hífen, quando o segundo elemento começa com *h*; e exige que se dobre o *r* e o *s* nos casos em que estes ocorrerem.] [F.: Do lat. *minimus, a, um*, 'muito pequeno', 'mínimo'.]

míni (*mí*.ni) *sf.* F. red. de *minissaia* [Indica, em determinados contextos, a redução de alguns substantivos precedidos do el. comp. *mini-*, como, p.ex., *minidicionário*: Os *alunos preferem usar o míni*; e tb. pode ser us. apositivamente: vestidos míni.] [F.: Do lat. *mini/mus*.]

miniatura (mi.ni:a.*tu*.ra) *sf.* 1 Qualquer coisa em tamanho reduzido: *uma miniatura do Cristo Redentor.* 2 *Des. Pint.* Pintura ou desenho muito delicado, feitos em ponto pequeno 3 Letra inicial, muito ornada, dos capítulos de manuscritos antigos, a princípio vermelha, pintada com mínio, e depois de outras cores [Cf.: *rubrica*.] 4 *Art.pl.* Obra de arte de pequenas dimensões [F.: Do it. *miniatura*, de *miniare*, e este do v.lat. *miniare*, 'pintar com mínio'.] ■ **Em ~** Em tamanho reduzido: *Reproduzia estátuas famosas em miniatura.*

miniatural (mi.ni:a.tu.*ral*) *a2g.* 1 Ref. ou semelhante a miniatura 2 Diminuto, mínimo [Pl.: *-rais*.] [F.: *miniatura* + *-al*¹.]

miniaturar (mi.ni:a.tu.*rar*) *v. td.* 1 Reproduzir ou representar em miniatura, artística ou tecnologicamente; miniaturizar: *Miniaturava esculturas em escala mínima; O transistor miniaturou as válvulas eletrônicas.* 2 Descrever de maneira minuciosa; PORMENORIZAR; DETALHAR [▶ 1 miniaturar] [F.: *miniatura* + *-ar*².]

miniaturista (mi.ni:a.tu.*ris*.ta) *s2g.* 1 Pessoa que faz miniaturas 2 Pessoa que faz iluminuras; ILUMINADOR *a2g.* 3 Que faz miniaturas ou iluminuras [F.: *miniatura* + *-ista*.]

miniaturização (mi.ni:a.tu.ri.za.*ção*) *sf.* Ação ou resultado de miniaturizar [Pl.: *-ções*.] [F.: *miniaturizar* + *-ção*.]

miniaturizado (mi.ni:a.tu.ri.*za*.do) *a.* Em pequenas dimensões; em miniatura [F.: Part. de *miniaturizar*.]

miniaturizar (mi.ni.a.tu.ri.*zar*) *v. td.* 1 O mesmo que *miniaturar* 2 *Elet.* Reduzir (circuitos eletrônicos) a unidades mínimas [▶ 1 miniaturizar] [F.: *miniatura* + *-izar*.]

miniconto (mi.ni.*con*.to) *sm. Liter.* Conto¹ breve [F.: *mini-* + *conto*¹.]

minidesvalorização (mi.ni.des.va.lo.ri.za.*ção*) *Econ. sf.* Pequena desvalorização de uma moeda em relação a outra (ger. ao dólar americano) [P.op. a *maxidesvalorização*.] [Pl.: *-ções*.] [F.: *mini-* + *desvalorização*.]

minidicionário (mi.ni.di.ci:o.*ná*.ri:o) *sm. Bibl.* Dicionário, ger. em formato de bolso, com número reduzido de verbetes [F.: *mini-* + *dicionário*.]

minifundiário (mi.ni.fun.di.*á*.ri:o) *sm.* 1 Proprietário de minifúndio *a.* 2 Ref. a minifúndio [P.op. a *latifundiário*.] [F.: *minifúndio* + *-ário*.]

minifúndio (mi.ni.*fún*.di:o) *sm.* Pequena propriedade rural [P.op. a *latifúndio*.] [F.: *mini-* + **-fúndio*, por analogia com *latifúndio*.]

mínima (*mí*.ni.ma) *sf.* 1 *Mús.* Figura de ritmo correspondente à metade da duração da semibreve 2 *Mús.* A representação gráfica dessa figura [Ver na ilustração do verbete *figura* (5).] 3 Nenhuma importância. [Nesta acp., us. somente nas locuções *não dar* (ou *ligar*) *a mínima*.] [F.: Fem. substv. de *mínimo*.] ■ **Não dar/ligar a ~ (para)** *Bras. Fam.* Não dar a menor importância (a//para algo ou alguém): *Era muito criticada, mas não dava a mínima; Estava apaixonado, mas ela nunca ligou a mínima para ele.*

minimalismo (mi.ni.ma.*lis*.mo) *sm.* 1 Técnica ou estilo que se caracteriza pelo uso mínimo de elementos e pela simplificação da forma 2 *Art.pl.* Movimento iniciado na pintura e na escultura, em Nova York, na década de 1950, caracterizado pela extrema simplificação das formas e do uso das cores e pela ausência de conteúdo emocional; e que parte do princípio de que a obra deve conter elementos meramente visuais 3 *Mús.* Movimento iniciado na década de 1960, caracterizado por ritmo pulsante, repetição contínua de tons e acordes muito próximos e mínimas variações harmônicas [F.: Do ing. *minimalism*.]

minimalista (mi.ni.ma.*lis*.ta) *a2g.* 1 Ref. ao minimalismo 2 *Pol.* De abrangência, interferência ou alcance mínimos (reformas minimalistas, Estado minimalista) 3 Caracterizado pela simplicidade e pelo reduzido número de elementos, ger. repetitivos (moda minimalista): "A representação de dez minutos de um homem, um rio e uma caminhoneira foi considerada 'um filme brilhante e minimalista'..." (*O Estado de S. Paulo*, 10.05.2005) 4 Que é adepto do minimalismo *s2g.* 5 Adepto do minimalismo [F.: Do ing. *minimalist*.]

minimidade (mi.ni.mi.*da*.de) *sf.* Caráter do que é mínimo [F.: *mínimo* + *-(i)dade*.]

minimização (mi.ni.mi.za.*ção*) *sf.* Ação ou resultado de minimizar [Pl.: *-ções*.] [F.: *minimizar* + *-ção*.]

minimizado (mi.ni.mi.*za*.do) *a.* 1 Que se tornou mínimo [Ant.: *ampliado, aumentado*.] 2 Considerado de pouco valor ou importância; APOUCADO; MENOSPREZADO; SUBESTIMADO [F.: Part. de *minimizar*.]

mínimo (*mí*.ni.mo) *sm.* 1 O menor valor, nível ou quantidade possível: *Isso foi o mínimo que pude fazer.* [Ant.: *máximo*.] 2 O dedo mínimo *Pop.*; MINDINHO 3 *Mat.* Elemento de um conjunto, que é menor que todos os demais elementos desse conjunto 4 *Rel.* Membro da Ordem de S. Francisco de Paula no séc. XV *a.* 5 Muitíssimo pequeno; DIMINUTO; ÍNFIMO [Ant.: *máximo*.] 6 Que é o mais insignificante, ou de menor importância, ou que é a menor porção: "Aos sismógrafos, armados em toda a parte, não escapa o mínimo tremor, a mais célere crispadura da terra." (Euclides da Cunha, *Confrontos e contrastes*) [Ant.: *máximo*.] 7 Que é o menor fixado por lei (salário mínimo) [F.: Do lat. *minimus, a, um*.] ■ **No ~** 1 Pelo menos, não menos que: *Ele tem no mínimo 50 anos de idade.* 2 No melhor dos casos: *Ele é no mínimo um preguiçoso.* 3 No pior dos casos: *No mínimo isso prova que ele é esforçado.*

minissaia (mi.nis.*sai*:a) *sf.* Saia muito curta, cerca de um palmo acima do joelho [F.: *mini-* + *saia*.]

minissérie (mi.nis.*sé*.ri:e) *Telv. sf.* Programa produzido para televisão, apresentado em capítulos, semelhante à novela porém bem mais curto [F.: *mini-* + *série*.]

minissubmarino (mi.nis.sub.ma.*ri*.no) *sm. Mar.* Submarino de pequeno tamanho, ger. para dois tripulantes [F.: *mini-* + *submarino*.]

ministerial (mi.nis.te.ri.*al*) *a2g.* 1 Ref. a ministério ou a ministro (reforma ministerial) 2 Que provém ou é próprio de ministro (programa ministerial) 3 Que apoia um ministério ou governo; que defende sua política (bancada ministerial) [Pl.: *-ais*.] [F.: Do lat. *ministerialis, e*.]

ministeriável (mi.nis.te.ri.*á*.vel) *Bras. a2g.* 1 Diz-se de quem tem condições ou possibilidade de se tornar ministro [Pl.: *-veis.*] *s2g.* **2** Pessoa ministeriável [Pl.: *-veis.*] [F.: De um v. **ministeriar* + *-vel.*]

ministério (mi.nis.*té*.ri:o) *sm.* **1** *Pol.* Instituição administrativa do governo federal sob responsabilidade de um ministro (Ministério da Educação) [Nesta acp., com inicial maiúsc.] **2** *Pol.* Cargo ou função de ministro de Estado; PASTA **3** Tempo durante o qual se exerce esse cargo ou função; GESTÃO **4** *Pol.* Conjunto de ministros do presidente de uma República; GABINETE **5** *P.ext.* Cargo, função, ofício **6** *Rel.* O ofício de sacerdote **7** Prédio onde trabalha o ministro e seus auxiliares [F.: Do lat. *ministerium, ii.*] ∎ **~ público** *Jur.* Magistratura especial autônoma que tem por fim representar a sociedade e defender seus interesses e os de cidadãos, bem como fiscalizar o cumprimento e a execução da lei **~ sagrado** *Rel.* O trabalho a serviço da Igreja, pelos que nela se ordenaram

ministração (mi.nis.tra.*ção*) *sf.* Ação ou resultado de ministrar [Pl.: *-ções.*] [F.: Do lat. *ministratio, onis.*]

ministrador (mi.nis.tra.*dor*) [ô] *sm.* **1** Aquele que ministra *a.* **2** Que ministra [F.: Do lat. *ministrator, oris.* Sin. ger.: *ministrante.*]

ministrança (mi.nis.*tran*.ça) *sf. Pej.* Funções de ministro [F.: *ministrar* + *-ança.*]

ministrar (mi.nis.*trar*) *v.* **1** Dar, fornecer, proporcionar [*td.*: *Ministrar informações.*] [*tdi.* +*a*: *Ministrar ajuda aos necessitados.*] **2** Administrar, aplicar (tratamento, remédio, injeção) [*tdi.* +*a*: *Ministrar remédios ao enfermo.*] **3** Administrar, conferir (qualquer sacramento religioso) [*td.*: *Ministrar a extrema-unção.*] [*tdi.* +*a*: *Ministrar a extrema-unção ao moribundo.*] **4** Dar (aula, curso etc.) [*td.*: *Ministrava filosofia.*] [*tdi.* +*a*: *Ministrava filosofia aos alunos.*] **5** Servir de inspiração [*tdi.* +*a*: *O acontecimento ministrou um poema ao rapaz.*] [▶ 1 ministrar] [F.: Do v.lat. *ministrare.* Hom./Par.: *ministra* (fl.), *ministra* (sf.); *ministras* (fl.), *ministras* (pl. do sf.); *ministraria* (fl.), *ministraria* (sf.); *ministrarias* (fl.), ministrarias (pl. do sf.); *ministro* (fl.), *ministro* (sm.).]

ministro (mi.*nis*.tro) *sm.* **1** *Restr.* Chefe de um ministério (1) **2** *Ecles.* Pessoa que exerce atividades sagradas em nome de uma Igreja: *Padres e pastores são ministros da fé.* **3** *Bras. Jur.* Membro de certos tribunais federais: *ministro do Supremo Tribunal Federal.* **4** *Dipl.* Na hierarquia diplomática, categoria abaixo da de embaixador **5** Pessoa que executa os desígnios de outrem; MEDIANEIRO; INTERMEDIÁRIO; EXECUTOR [F.: Do lat. *ministrum*, acus. de *minister, tri.* Hom./Par.: *ministro* (sm.), *ministro* (fl. de *ministrar*) Col.: *conselho, ministério.*] ∎ **~ de Estado** *Pol.* Titular de um ministério, nomeado pelo presidente da República **~ de primeira classe** *Dipl.* O mais alto posto na hierarquia do ministério do Exterior brasileiro, exercido por embaixador **~ de segunda classe** *Dipl.* Posto abaixo do de ministro de primeira classe, exercido por ministro-conselheiro **~ plenipotenciário** *Dipl.* Chefe de legação (representação diplomática de um governo junto a outro, inferior a embaixada), com posto inferior ao de embaixador **~ sem pasta** Ministro de Estado, membro do ministério, mas que não é responsável por nenhuma pasta

minoração (mi.no.ra.*ção*) *sf.* **1** Ação ou resultado de minorar; DIMINUIÇÃO; REDUÇÃO [Ant.: *aumento.*] **2** *Fig.* Abrandamento, alívio, mitigação [Ant.: *piora.*] [Pl.: *-ções.*] [F.: Do lat. *minoratio, onis.*]

minorado (mi.no.*ra*.do) *a.* **1** Diminuído, reduzido [Ant.: *aumentado.*] **2** Aliviado, atenuado, mitigado [Ant.: *piorado.*] [F.: Part. de *minorar.*]

minorar (mi.no.*rar*) *v.* **1** Tornar(-se) menor em tamanho ou quantidade; DIMINUIR; REDUZIR(-SE) [*td.*: *O diretor resolveu minorar as turmas.*] [*int.*: *O desemprego minorou com as novas medidas.*] **2** Atenuar(-se), abrandar(-se) [*td.*: *A injeção minorou as dores.*] [*int.*: *Nossa tristeza minorou com o tempo.*] [▶ 1 minorar] [F.: Do v.lat. *minorare.*]

minorativo (mi.no.ra.*ti*.vo) *a.* **1** Que minora, diminui **2** *Med.* Diz-se de medicamento que purga levemente *sm.* **3** *Med.* Laxante de ação branda [F.: *minorar* + *-tivo.*]

minorável (mi.no.*rá*.vel) *a2g.* Que se pode minorar [Pl.: *-veis.*] [F.: *minorar* + *-vel.*]

minoria (mi.no.*ri*.a) *sf.* **1** A menor parte ou o menor número de elementos de um conjunto **2** Inferioridade numérica **3** *Antr. Soc.* Subgrupo racial, religioso, político, étnico, cultural etc. que faz parte de um grupo maior e deste recebe tratamento discriminatório, de modo que não usufrui dos mesmos direitos e oportunidades [F.: Do lat. *minor*, 'menor', + *-ia*^{1}. Ant. ger.: *maioria.*]

minoridade (mi.no.ri.*da*.de) *sf.* Ver *menoridade* [Ant.: *maioridade.*]

minoritário (mi.no.ri.*tá*.ri:o) *Bras. a.* **1** Ref. ou pertencente a minoria **2** Que constitui minoria (bancada minoritária) **3** Que obtém minoria dos votos ou é apoiado pela minoria (partido minoritário) [F.: Do fr. *minoritaire.* Ant. ger.: *majoritário.*]

minorquino (mi.nor.*qui*.no) *sm.* **1** Indivíduo nascido ou que vive em ilha Minorca (Espanha) *a.* **2** De ilha Minorca; típico dessa ilha ou de seu povo [F.: Do top. *Minorca* + *-ino*^{1}.]

minotauro (mi.no.*tau*.ro) *sm. Mit.* Na mitologia grega, monstro que, com corpo de homem e cabeça de touro, vivia num labirinto na ilha de Creta [Com inicial maiúsc.] [F.: Do antr. gr. *Minotaurus.*]

minuano (mi.nu.*a*.no) *sm. RS Met.* Vento forte e frio que sopra do *S.O.*, durante o inverno, no Sul do Brasil [F.: Do espn. plat. *minuano.*] ∎ **~ claro/limpo** *RS Met.* Vento frio e seco, comum no inverno, com duração de dois a três dias [Tb. apenas *minuano.*] **~ sujo** *RS Met.* Minuano com chuva miúda e fina

minúcia (mi.*nú*.ci:a) *sf.* **1** Aspecto ou circunstância menos importante; DETALHE; PORMENOR: "Conto estas minúcias para que melhor se entenda aquela manhã da minha amiga..." (Machado de Assis, *Dom Casmurro*) **2** Coisa insignificante; BAGATELA; NINHARIA [F.: Do lat. *minutia, ae.* Hom./Par.: *minúcia* (sf.), *minucia* (fl. de minuciar). Sin. ger.: *minudência.*]

minuciar (mi.nu.ci.*ar*) *v. td.* Relatar com minúcias ou detalhes; DETALHAR; PORMENORIZAR [*td.*: *Minuciava demais as histórias que contava.*] [▶ 1 minuciar] [F.: *minúcia* + *-ar.* Hom./Par.: *minucia* (3ªp.s.), *minucias* (2ªp.s.), *minúcia* (sf. [pl.]).]

minuciosidade (mi.nu.ci:o.si.*da*.de) *sf.* Qualidade do que é minucioso [F.: *minucios(o)* + *-(i)dade.*]

minucioso (mi.nu.ci.*o*.so) [ô] *a.* **1** Feito com grande cuidado e atenção; CUIDADOSO; METICULOSO [Ant.: *descuidado, displicente.*] **2** Atento às minúcias, aos mínimos detalhes; CUIDADOSO; METICULOSO: "Piedoso, severo nos costumes, minucioso na observância das regras..." (Machado de Assis, *Memórias póstumas de Brás Cubas*) [Ant.: *descuidado, displicente.*] **3** Cheio de minúcias; DETALHADO; PORMENORIZADO [Ant.: *superficial.*] [Pl.: [ó]. Fem.: [ó].] [F.: *minúci(a)* + *-oso.*]

minudência (mi.nu.*dên*.ci:a) *sf.* **1** Ver *minúcia* **2** *Fig.* Atenção escrupulosa, minuciosa; RIGOR: *examinar com minudência* [Ant.: *descaso, descuido.*] [F.: Do cast. *menudencia*, de *menudo*, e este do lat. *minutus.*]

minudente (mi.nu.*den*.te) *a2g.* Ver *minucioso* [F.: *minudê(ncia)* + *-nte.*]

minuendo (mi.nu.*en*.do) *sm. Bras. Mat.* Ver *diminuendo* [F.: Do lat. *minuendus, a, um.*]

minueto (mi.nu.*e*.to) [ê] *Mús. sm.* **1** *Dnç.* Antiga dança francesa grave, elegante e graciosa, surgida em Poitou, no século XVII **2** Música em compasso ternário que acompanhava essa dança **3** Trecho inspirado nessa música e que integra suíte ou sinfonia [F.: Do fr. *menuet*, de *menu*, deriv. do lat. *minutus*, part. pass. de *minuere.*]

minúscula (mi.*nús*.cu.la) *sf.* Letra pequena, não maiúscula [F.: Fem. substv. de *minúsculo.* Cf.: *maiúscula.*] ∎ **~ carolina** *Palg.* Escrita comum na Europa no Renascimento carolíngio, arredondada, de módulo pequeno e poucas ligaturas; letra francesa (ver no verbete *letra*); minúscula redonda **~ redonda** *Palg.* Ver *Minúscula carolina*

minúsculo (mi.*nús*.cu.lo) *a.* **1** Muitíssimo pequeno (inseto minúsculo) **2** De pouco valor ou importância; INSIGNIFICANTE **3** Diz-se do caractere de menor tamanho com que se apresenta uma letra do alfabeto [F.: Do lat. *minusculus, a, um.*]

minuta^{1} (mi.*nu*.ta) *sf.* **1** Primeira redação de um texto; RASCUNHO: *minuta de um contrato.* **2** Desenho traçado à vista do terreno e us. para levantar plantas **3** *Jur.* Petição com a qual se manifesta o agravo [F.: Do lat. *minuta*, fem. de *minutus, a, um.* Hom./Par.: *minuta* (sf.), *minuta* (fl. de *minutar*).]

minuta^{2} (mi.*nu*.ta) *sf.* Nos restaurantes, prato preparado na hora [F.: Do fr. *à la minute* 'no mesmo instante'.] ∎ **À ~** Feito na hora (diz-se de prato, refeição)

minutado (mi.nu.*ta*.do) *a.* Que se minutou; RASCUNHADO [F.: Part. de *minutar.*]

minutador (mi.nu.ta.*dor*) [ô] *a.* **1** Que minuta *sm.* **2** Aquele que minuta [F.: *minutar* + *-dor.*]

minutagem (mi.nu.*ta*.gem) *sf. Cin. Teat. Telv.* Cronometragem, em minutos, de uma cena de cinema, de teatro etc. [Pl.: *-gens.*] [F.: *minutar*^{2} + *-agem*^{1}.]

minutar (mi.nu.*tar*) *v. td.* Escrever ou ditar a minuta ou rascunho de: *Minutou a ata da reunião.* [▶ 1 minutar] [F.: *minuta* + *-ar.* Hom./Par.: *minuta* (3ªp.s.), *minutas* (2ªp.s.), *minuta* (sf. [pl.]); *minuto* (1ªp.s.), *minuto* (sm. e a.).]

minuteria (mi.nu.te.*ri*.a) *sf.* Dispositivo elétrico que se destina a manter um contato elétrico durante certo tempo (us., p.ex., para acender e apagar automaticamente as luzes de um recinto) [F.: Do fr. *minuterie.* Cf.: *temporizador.*]

minuto (mi.*nu*.to) *sm.* **1** Medida de tempo equivalente a sessenta segundos. [Símb.: *min*] **2** Medida de arco ou ângulo equivalente a 1/60 do grau. [Abrev.: *m.*, *min.* Símb.: ′.] **3** *Fig.* Período de tempo muito breve; INSTANTE; MOMENTO [F.: Do lat. *minutus, a, um.* Hom./Par.: *minuto* (sm.), *minuto* (fl. de *minutar*).] ∎ **~ de silêncio** Homenagem a pessoa falecida, feita em evento público, na qual todos permanecem de pé e em silêncio durante um minuto

minuto-luz (mi.nu.to-*luz*) *Fís. sm.* Distância que a luz percorre em um minuto, no vácuo, à razão de cerca de 300.000 quilômetros por segundo [Pl.: *minutos-luz.*]

◎ **mi(o)-**^{1} *el. comp.* = 'menor'; 'menos': *mioceno, miopragia* [F.: Do gr. *meîon, on*, 'menor'; 'menos'; 'inferior', comparativo de *mikrós, á, ón*, 'pequeno'; 'curto', e de *olígos, é, on*, 'pouco'; 'em pequeno número'. Outra f.: *mei(o)-*.]

◎ **mi(o)-**^{2} *el. comp.* = 'músculo'; 'rato': *miocárdio, mioma, miopatia, mioplastia, miosina, miosite, miosuro* (< lat. cient.); *amiotonia, amiotrofia* [F.: Do gr. *mýs, myós*, 'músculo'; 'rato'.]

mio (*mi*:o) *sm.* O mesmo que *miado* [F.: Dev. de *miar.*]

miocárdio (mi:o.*cár*.di:o) *Anat. sm.* Músculo do coração, cujas contrações ordenadas movimentam o sangue dentro da câmara cardíaca, no ciclo cardíaco (veja em *ciclo* essa loc.) [F.: *mi(o)-*^{2} + *-cárdio.*]

miocardiopatia (mi:o.car.di:o.pa.*ti*.a) *sf. Card.* Qualquer doença do miocárdio [F.: *miocárdio* + *-patia.*]

miocardite (mi:o.car.*di*.te) *Card. sf.* Inflamação do miocárdio [F.: *miocárdio* + *-ite*^{1}.]

miocele^{1} (mi:o.*ce*.le) *sf. Pat.* Hérnia muscular que se forma após o rompimento da bainha desse músculo [F.: *mi(o)-*^{2} + *-cele*^{1}; ingl. *myocele.*]

miocele^{2} (mi:o.*ce*.le) *sf. Emb.* Espécie de fenda que aparece em cada somito [F.: *mi(o)-*^{2} + *-cele*^{2}; ingl. *myocoele.*]

miocênico (mi:o.*cê*.ni.co) *a. Geol.* Ref. ou pertencente à época miocena [F.: *mioceno* + *-ico*^{2}.]

mioceno (mi:o.*ce*.no) *Geol. a.* **1** Diz-se de uma das épocas geológicas do período terciário, em que surgiram novos primatas *sm.* **2** Essa época, anterior ao plioceno e posterior ao eoceno [Nesta acp.: inicial maiúsc.] [F.: Do ingl. *miocene*, voc. criado por Sir Charles Lyell (1797-1875), geólogo britânico, a partir do gr. *meíon, on, on*, 'menor'; 'menos', + *kainós, é, ón*, 'recente', 'novo'; ver *mi(o)-*^{1} e *-ceno*^{2}.]

mioclonia (mi:o.clo.*ni*.a) *sf. Neur.* Contração súbita, involuntária e repetida, localizada sempre nos mesmos grupos de músculos, esp. os das mãos e dos pés [F.: *mi(o)-*^{2} + gr. *klónos, ou*, 'agitação', 'movimento tumultuoso', + *-ia*^{1}.]

mioclônico (mi:o.*clô*.ni.co) *a. Neur.* Ref. a mioclonia [F.: *mioclonia* + *-ico*^{2}.]

miografia (mi:o.gra.*fi*.a) *sf.* **1** *Anat.* Tratado ou descrição dos músculos **2** *Fisl.* Estudo das contrações musculares por meio do miógrafo [F.: *mi(o)-*^{2} + *-grafia.*]

miográfico (mi:o.*grá*.fi.co) *a. Anat. Fisl.* Ref. a miografia [F.: *miografia* + *-ico*^{2}.]

mioleira (mi:o.*lei*.ra) *sf.* **1** *Cul.* Prato preparado com miolos de animal; MIOLADA **2** *Fig. Pop.* Inteligência, juízo, miolo [F.: *miol(o)* + *-eira.*]

miolo (mi.*o*.lo) [ô] *sm.* **1** Parte do pão contida entre as côdeas **2** A parte interna, o interior de qualquer coisa: *miolo da noz/do bairro/da zaga.* **3** Medula, tutano **4** *Fig. Pop.* Massa encefálica; CÉREBRO [Nesta acp., mais us. no pl.] **5** *Fig.* Juízo, razão, inteligência **6** *Fig.* A parte essencial, principal, mais importante; ESSÊNCIA **7** *Edit.* O conjunto das páginas, sem a capa (de um livro, revista etc.) **8** *MA Folc.* Brincante que fica dentro da armação do boi e compõe seus movimentos coreográficos **9** *Bras. Fut.* Meio do campo [Pl.: [ó].] [F.: Do lat. vulg. **medullus*, calcado em *medulla.*] ∎ **De ~ mole** *Fam.* Amalucado, gagá **Estourar os ~s (de)** *Pop.* Matar a si mesmo (alguém) a tiro **~ de pote** *AL CE Pop.* Bobabem, coisa fútil, vã; *CE* miolo de quartinha **~ de quartinha** *CE Pop.* Ver *Miolo de pote* **Ter ~s** *Pop.* Ser inteligente, ajuizado

miologia (mi:o.lo.*gi*.a) *Anat. sf.* Parte da anatomia que estuda os músculos [F.: *mi(o)-*^{2} + *-logia.* Hom./Par.: *miologia* (sf.), *miiologia* (sf.).]

miológico (mi:o.*ló*.gi.co) *a. Anat.* Ref. a miologia [F.: *miologia* + *-ico*^{2}.]

miolos (mi:*o*.los) [ó] *smpl. Pop.* Cérebro [F.: Pl. de *miolo.* Ver tb. *miolo.*]

mioma (mi.*o*.ma) *Pat. sm.* **1** Tumor constituído por tecido muscular **2** *Restr. Ginec.* Mioma uterino [F.: *mi(o)-*^{2} + *-oma*^{1}.]

miomatoso (mi.o.ma.*to*.so) [ô] *a. Pat.* Da natureza do mioma [Pl.: [ó]. Fem.: [ó].] [F.: *mioma*, sob a f. *miomat-*, + *-oso*, seg. o mod. erudito.]

miomectomia (mi:o.mec.to.*mi*.a) *sf. Cir.* Extirpação de um mioma, esp. de um mioma uterino [F.: *mioma* + *-ectomia.*]

miométrio (mi:o.*mé*.tri:o) *sm. Anat.* Parte muscular do útero [F.: *mi (o)-*^{2} + *-métrio.*]

mioneural (mi:o.neu.*ral*) *a2g. Anat.* Ref. a músculo e a nervo [Pl.: *-rais.*] [F.: *mi (o)-*^{2} + *neural.*]

miopatia (mi:o.pa.*ti*.a) *Pat. sf.* Qualquer doença muscular [F.: *mi(o)-*^{2} + *-patia.*]

míope (*mí*:o.pe) *a2g.* **1** Que sofre de miopia **2** *Fig.* Pouco perspicaz, pouco observador (eleitor míope) **3** De pouca amplitude (análise míope, patriotismo míope); ESTREITO; LIMITADO; MESQUINHO *s2g.* **4** Pessoa míope [F.: Do gr. *myops, opos*, de *myo* 'fechado, comprimido' + *ops* 'olho', pelo lat. *myops, opis.*]

miopia (mi:o.*pi*:a) *sf.* **1** *Pat.* Defeito de visão que impede de distinguir com nitidez objetos a distância *Pop.*; VISTA CURTA [P.op. *hipermetropia* e *hiperopia.*] **2** *Fig.* Falta de perspicácia, de visão mais abrangente: "Miopia moral: sou sempre escravo das ideias dos outros; porque nunca pude ajustar duas ideias minhas." (J. Manuel de Macedo, *A luneta mágica*) [F.: *míope* + *-ia*^{1}.]

mioplastia (mi:o.plas.*ti*.a) *sf. Cir.* Reconstituição muscular por meio de cirurgia plástica [F.: *mi(o)-*^{2} + *-plastia.*]

mioplegia (mi:o.ple.*gi*.a) *sf. Med.* Paralisia muscular [F.: *mi(o)-*^{2} + *-plegia.*]

mioplégico (mi:o.*plé*.gi.co) *a. Med.* Ref. a mioplegia [F.: *mioplegia* + *-ico*^{2}.]

miose^{1} (mi.*o*.se) *sf. Oft.* Contração da pupila [F.: Do ingl. *miosis* ou *myosis*, do v.gr. *mýo*, 'fechar os olhos', + suf. *-osis* (ver *-ose*^{1}).]

miose^{2} (mi.*o*.se) *sf. P.us. Cit. Gen.* Ver *meiose*

miosina (mi:o.*si*.na) *sf. Bioq.* Proteína encontrada no tecido muscular [F.: Do ingl. *myosin*; ver *mios-* e *-ina*^{2}.]

miosite (mi:o.*si*.te) *sf. Pat.* Inflamação dos músculos [F.: *mios-* + *-ite*^{1}. Tb.: *miite.*]

miosótis (mi:o.*só*.tis) *Bot. sm2n.* **1** Nome comum às plantas do gênero *Myosotis*, da fam. das boragináceas, nativas de regiões temperadas, de flores miúdas e vistosas, dispostas em racemos **2** Planta boraginácea (*Myosotis alpestris*), de pequenas e delicadas flores azuis; MURUGEM; NÃO-TE-ESQUEÇAS; NÃO-TE-ESQUEÇAS-DE-MIM; ORELHA-DE-RATO [F.: Do tax. *Myosotis* < lat. *myosotis*, der. do gr. *myosotís, ídos.*]

miótico (mi.*ó*.ti.co) *a. P.us. Cit. Gen.* Ver *meiótico*

miotomia (mi:o.to.*mi*.a) *sf.* **1** *Cir.* Secionamento de músculos **2** *Anat.* Dissecação de músculos [F.: *mi(o)-*[2] + *-tomia.*]

miotômico (mi:o.*tô*.mi.co) *a. Cir. Anat.* Ref. a miotomia [F.: *miotomia* + *-ico*[2].]

miquear (mi.que.*ar*) *v. td. RJ SP* Tornar pobre; EMPOBRECER [▶ 13 miquear] [F.: orig. obsc.]

miquimba (mi.*quim*.ba) *s2g. SP Pop.* Soldado que fazia parte da antiga Guarda Civil da cidade de São Paulo

mira[1] (*mi*.ra) *sf.* **1** Ação ou resultado de mirar **2** Aptidão para acertar um alvo; PONTARIA: *O atleta tem mira.* **3** Aquilo que se deseja alcançar; OBJETIVO: *A sua mira é passar no vestibular.* **4** *Telv.* Imagem de controle emitida para a verificação da qualidade da transmissão [F.: Dev. de *mirar*. Hom./Par.: *mira* (sf.), *mira* (fl. de *mirar*), *mira*[3] (sm.).] ▪ **À ~ de** À espreita de: *O policial ficou à mira do esconderijo da quadrilha.* **Ter em ~** Ter em vista, ter como objetivo: "....viera tendo em mira o meu dever...." (João Guimarães Rosa, *Estas estórias*)

mira[2] (*mi*.ra) *sf.* **1** Pequena peça metálica na extremidade do cano das armas de fogo própria para dirigir a pontaria **2** Em medições topográficas, estaca vertical graduada, fincada no solo, us. para definir a diferença de nível entre dois pontos **3** *Astron.* Marco cravado no solo, que ger. dispõe de um ponto iluminado, us. como referência fixa em observações astronômicas [F.: Do it. *mira*. Hom./Par.: *mira* (sf.), *mira* (fl. de *mirar*), *mira*[1] (sf.) e *mira*[3] (sm.).]

mira[3] (*mi*.ra) *sf. Bras. Ict.* F. red. de *badejo-mira* [Hom./Par.: *mira* (sm.), *mira* (sf.) e *mira* (fl. de *mirar*).]

mirabolância (mi.ra.bo.*lân*.ci:a) *sf.* **1** Qualidade de mirabolante **2** Coisa extraordinária [F.: *mirabolante* + *-ia*[2], *seg. o mod. analógico.*]

mirabolante (mi.ra.bo.*lan*.te) *a2g.* **1** Grandioso demais para que se concretize ou se cumpra (promessas/planos mirabolantes); DELIRANTE; FANTASIOSO: "Ofereciam mirabolantes salários à incomparável cozinheira; casa posta, luxo das lojas..." (Jorge Amado, *Gabriela, cravo e canela*) [Ant.: *realista.*] **2** Fantástico, espantoso, surpreendente [Ant.: *corriqueiro.*] **3** Ridiculamente vistoso; ESPALHAFATOSO [Ant.: *discreto.*] [F.: Do fr. *mirobolant.*]

miracídio (mi.ra.*cí*.di:o) *sm. Zool.* Embrião ciliado ou primeira forma larvar dos vermes trematódeos [F.: Do gr. *meirakidíon, ou.*]

miraculoso (mi.ra.cu.*lo*.so) [ô] *a.* Ver *milagroso* [Pl.: [ó]. Fem.: [ó].] [F.: Do lat. *miraculosus, a, um.*]

mirada (mi.*ra*.da) *sf.* Ato de mirar; OLHAR; OLHADA: "Com uma mirada conhece-se um homem." (Antero de Figueiredo, *Miradouro*) [F.: *mirar* + *-ada*[1].]

miradouro (mi.ra.*dou*.ro) *sm.* O mesmo que *mirante* [F.: *mirar* + *-douro*[2].]

miragem (mi.*ra*.gem) *sf.* **1** Efeito óptico, comum nos desertos, causado pela reflexão da luz do Sol numa superfície em que se encontram duas camadas de ar com aquecimento e densidade diferentes, sendo a imagem vista de maneira invertida **2** *P.ext.* Obra da imaginação, sem existência real; ILUSÃO; QUIMERA: "...temerosa da esperança, com medo de toldar a miragem que crescia dentro dela." (Antonio Callado, *Bar Don Juan*) [Pl.: *-gens.*] [F.: Do fr. *mirage.*]

miramar (mi.ra.*mar*) *sm.* Mirante sobre o mar [F.: *mirar* + *mar.*]

mirandês (mi.ran.*dês*) *sm.* **1** Indivíduo nascido ou que vive em Miranda do Douro, Portugal [Pl.: *-deses* [ê]. Fem.: *-desa* [ê].] *a.* **2** De Miranda do Douro; típico dessa cidade ou de seu povo [Pl.: *-deses* [ê]. Fem.: *-desa* [ê].] [F. Do top. *Miranda* (do Douro) + *-ês.*]

mirante (mi.*ran*.te) *sm.* **1** Lugar elevado de onde se tem vista panorâmica **2** Construção no alto de edifício ou em lugar elevado feita esp. para se apreciar o horizonte [F.: *mirar* + *-nte*. Sin. ger.: *miradouro.*]

mirar (mi.*rar*) *v.* **1** Olhar(-se) ou contemplar(-se), [*td.*: *Mirar o céu/a paisagem/os transeuntes; Mirar-se no espelho*] **2** Olhar longamente à distância; ESPREITAR; OBSERVAR [*td.*: *De sua varanda, mirava a paisagem.*] **3** Refletir-se [*ta.*: *Os longos ramos miravam-se na superfície do lago.*] **4** Fazer pontaria (em algo) [*td.*: *Ergueu o fuzil e mirou o inimigo.*] [*tr.* +*em*: *Mirou no coelho.*] [*int.*: *Preparou-se para mirar.*] **5** Ter a pretensão de; DESEJAR [*td.*: *Esperto, ele mira uma gratificação.*] [*tr.* +*a*: *Ele mira a uma compensação.*] **6** Estar colocado de frente para [*ta.*: *Os quartos miram para o mar.*] [▶ 1 mirar] [F.: Do lat. *miro, as, avi, atum, are*. Hom./Par.: *mira* (3ªp.s.), *miras* (2ªp.s.), *mira* (sf. [pl.]).]

◎ **miri(a)-**[1] *El. comp.* Registra-se em vocábulos formados no próprio grego, como *miríade*, e em outros introduzidos na linguagem científica internacional, a partir do séc. XIX [F.: Do gr. *myríos, myría* 'inumerável, dez mil'.]

◎ **miri(a)-**[2] *Pref.* Anteposto ao nome de uma unidade de medida, compõe o nome de outra unidade derivada dez mil vezes maior que a primeira: *miriagrama, mirialitro, miriâmetro* etc. [F.: Do gr. *myríos, myría* 'dez mil', adotado pelo Sistema Internacional de Pesos e Medidas.]

miríada (mi.*rí*.a.da) *sf.* Ver *miríade*

miríade (mi.*rí*.a.de) *sf.* **1** Quantidade imensa; INFINIDADE; PLETORA **2** Dez mil [F.: miríade, do gr. *myriás, ados* 'dez mil', pelo lat. medv. *myrias, adis*, pelo fr. *myriade*; tb. *miríada.*]

miriagrama (mi.ri:a.*gra*.ma) *Fís. sm.* Medida de massa equivalente a 10.000 gramas [Símb.: *Mg*] [F.: *miri(a)-*[2] + *-grama.*]

mirialitro (mi.ri:a.*li*.tro) *Fís. sm.* Medida de capacidade equivalente a 10.000 litros [Símb.: *Ml*] [F.: *miri(a)-*[2] + *-litro.*]

miriâmetro (mi.ri.*â*.me.tro) *Fís. Metrol. sm.* Medida de comprimento equivalente a 10.000 metros. [Símb.: *Mm.*] [F.: *miri(a)-*[2] + *-metro.*]

miriápode (mi.ri.*á*.po.de) *a.* **1** Ref. aos miriápodes *sm.* **2** *Zool.* Espécime dos miriápodes, subdivisão dos artrópodes que composta pelos diplópodes, quilópodes, paurópodes e sínfilos, têm um par de antenas, cabeça diferençada do restante do corpo, que é alongado e dividido em segmentos com um ou dois pares de patas cada um; inclui os embuás e as lacraias [F.: Do tax. *Myriapoda* (adapt.).]

miriare (mi.ri.*a*.re) *Metrol. sm.* Superfície equivalente a 10.000 ares, ou um quilômetro quadrado. [Símb.: *maa.*] [F.: *miri(a)-*[2] + *are.*]

mirificar (mi.ri.fi.*car*) *v. td.* **1** Tornar mirífico, encantador **2** Causar admiração, deslumbramento; MARAVILHAR; ASSOMBRAR [▶ 11 mirificar] [F.: Do lat. *mirificare.*]

mirífico (mi.*rí*.fi.co) *a.* **1** Admirável, extraordinário, maravilhoso (miríficas catedrais; mirífica visão) **2** Que dá bons resultados (mirífico remédio); EXCELENTE [F.: Do lat. *mirificus, a, um*. Hom./Par.: *mirífico* (a.), *mirifico* (fl. de *mirificar*).]

mirim (mi.*rim*) *sf.* **1** *Bras. Ent.* Pequena abelha brasileira, do gên. *Plebeia* [Pl.: *-rins.*] *sm.* **2** Mel produzido por essa abelha [Pl.: *-rins.*] [F.: Do tupi *mi'ri.*]

miringe (mi.*rin*.ge) *sf. Anat.* Membrana timpânica [F.: Do lat. medv. *miringa.*]

miringite (mi.rin.*gi*.te) *sf. Otor.* Inflamação da membrana timpânica [F.: *miringe* + *-ite.*]

miriti (mi.ri.*ti*) *sm. Bras. Bot.* O mesmo que *buriti* [F.: Var. de *buriti.*]

◎ **mirmeco-** *el. comp.* = 'formiga': *mirmecofagia, mirmecologia* [F.: Do gr. *mýrmeks, ekos.*]

mirmecofagia (mir.me.co.fa.*gi*.a) *sf.* Hábito de se alimentar de formigas [F.: *mirmeco-* + *-fagia.*]

mirmecologia (mir.me.co.lo.*gi*.a) *sf. Ent.* Parte da entomologia que estuda as formigas [F.: *mirmeco-* + *-logia.*]

mirmecológico (mir.me.co.*ló*.gi.co) *a.* Ref. a mirmecologia [F.: *mirmecologia* + *-ico*[2].]

mirolho (mi.*ro*.lho) [ô] *a.* **1** *Lus. Pop.* Que é vesgo, estrábico *sm.* **2** *Lus. Pop.* Aquele que é vesgo, estrábico **3** *MG Lud.* Aquele que tem boa pontaria no gude [F.: *mirar* + *olho.*]

mironga (mi.*ron*.ga) *Bras. sf.* **1** Altercação, disputa, desinteligência **2** *Rel.* Nos cultos afro-brasileiros, feitiço, sortilégio; MILONGA [F.: Var. de *milonga.*]

mirra (*mir*.ra) *sf.* **1** *Bot.* Nome comum a algumas espécies do gên. *Commiphora*, da fam. das burseráceas, cuja casca, quando ferida, ressuma uma resina aromática, esp. *Commiphora myrrha*, arbusto de tronco grosso, nativo do Nordeste da África à Arábia **2** A resina dessas plantas, us. como incenso e em perfumes e diversos produtos farmacêuticos por suas propriedades adstringentes e antissépticas; BDÉLIO [F.: Do lat. *myrrha*, der. do gr. *mýrrha*, de or. semítica.]

mirrado (mi.*rra*.do) *a.* **1** Magro, franzino, raquítico: "Ousa um passo mais, e as iras de Tupã te esmagarão sob o peso desta mão seca e mirrada!" (José de Alencar, *Iracema*) **2** Ressequido, murcho, seco (planta mirrada, frutos mirrados) **3** *Fig.* Em pequena quantidade (lucros mirrados, mirrado salário); ESCASSO; POUCO **4** Exaurido, esgotado [F.: Part. de *mirrar.*]

mirrar (mir.*rar*) *v.* **1** Tornar(-se) (vegetal) seco ou murcho; MURCHAR; RESSECAR [*int.*: *As flores mirravam ressequidas.*] **2** Fazer com que definhe, ou definhar; EMAGRECER [*td.*: *A prolongada doença o mirrou.*] [*int.*: *O avô mirrou rapidamente.*] **3** Fazer encolher ou encolher; diminuir de tamanho, intensidade ou volume [*td.*: *O fracasso mirrou seu entusiasmo.*] [*int.*: *A colheita mirrou por falta de chuvas.*] **4** Tornar-se abatido, pequeno, humilhado [*int.*: *Deixou-se mirrar por um pequena censura.*] **5** Enfraquecer, minguar [*td.*: *A morte da mãe mirrou sua fé em Deus.*] [*int.*: *Com a dieta exagerada, mirrou.*] **6** Preparar (algo) usando mirra [*td.*] [▶ 1 mirrar] [F.: *mirra* + *-ar*. Hom./Par.: *mirra* (3ªp.s.), *mirras* (2ªp.s.), *mirra* (sf. e s2g. [pl.]).]

mirta (*mir*.ta) *sf. Bot.* O mesmo que *murta* [F.: Do lat. *myrtus, i.*]

mirtilo (mir.*ti*.lo) *Bot. sm.* **1** Planta (*Vaccinium myrtillus*) da fam. das ericáceas, que dá frutos azul-escuros, us. em geleia, licores etc. **2** O fruto dessa planta [F.: Do lat. medv. *myrtillus.*]

misantropia (mi.san.tro.*pi*.a) *sf.* **1** Aversão às pessoas, à humanidade; ANTROPOFOBIA [Ant.: *filantropia, humanitarismo.*] **2** Aversão à convivência social [Ant.: *sociabilidade.*] **3** *P.ext.* Tristeza, melancolia [Ant.: *euforia.*] [F.: Do gr. *misanthropía*, pelo fr. *misanthropie*. Ver *mis(o)-* e *-antropo.*]

misantrópico (mi.san.*tró*.pi.co) *a.* **1** Ref. à misantropia (vida misantrópica) **2** Que tem o caráter de misantropo [F.: *misantrop(ia)* + *-ico*[2].]

misantropo (mi.san.*tro*.po) [ô] *a.* **1** Que odeia a humanidade; ANTROPÓFOBO [Ant.: *filantropo.*] **2** Que se isola por ter aversão à convivência social; INSOCIÁVEL **3** *Pop.* Melancólico, triste *sm.* **4** Indivíduo misantropo [F.: Do gr. *misánthropos*, pelo fr. *misanthrope*. Ver *mis(o)-* e *-antropo.*]

miscelânea (mis.ce.*lâ*.ne:a) *sf.* **1** Mistura confusa de coisas diversas; MIXÓRDIA: *Na loja havia uma miscelânea de objetos à venda.* **2** Coleção de escritos sobre diversos assuntos ou de diversos autores num só volume; COLETÂNEA [F.: Do lat. *miscellanea, orum.*] ▪ **~ de homenagem** *Bibl.* Livro que reúne artigos de vários autores sobre tema comum, ger. pessoa, instituição, fato etc., como homenagem, comemoração etc.

miscibilidade (mis.ci.bi.li.*da*.de) *sf.* Qualidade do que é miscível; MISTURABILIDADE [F.: *miscível* + *-(i)dade*, seg. o modelo erudito. Ant. ger.: *imiscibilidade.*]

miscigenação (mis.ci.ge.na.*ção*) *sf.* **1** Processo ou resultado de miscigenar(-se) **2** Cruzamento de raças diferentes [Pl.: *-ções.*] [F.: Do ing. *miscegenation*, termo composto do rad. do v.lat. *miscere* + *genus* 'raça' + *-ation*; *miscigenar* + *-ção*. Sin. ger.: *caldeamento, mestiçagem.*]

miscigenado (mis.ce.ge.*na*.do) *a.* Que provém de miscigenação; MESTIÇO [F.: Part. de *miscigenar.*]

miscigenar (mis.ci.ge.*nar*) *v.* Mesmo que *mestiçar* [▶ 1 miscigenar] [F.: Do lat. *miscere.*]

miscível (mis.*cí*.vel) *a2g.* Que pode ser misturado; MISTURÁVEL [F.: Do lat. *miscibilis*. Ant. ger.: *imiscível.*]

⊕ **mise-en-plis** (*Fr. /mis-ã-pli/*) *s2g2n.* Operação que consiste em prender em cachos os cabelos molhados para que mantenham o ondulado depois de secos

⊕ **mise-en-scène** (*Fr. /mis-ã-sen/*) *sf.* **1** *Teat.* Encenação, montagem: "...não iria assistir aos ensaios nem me ocuparia da distribuição, de pormenores alguns da mise-en-scène." (Mário de Sá-Carneiro, *A confissão de Lúcio*) **2** *Teat. Cin.* Direção **3** *Fig.* Fingimento, encenação: "...o país não parece mais propenso a engolir a mise-en-scène do primeiro reinado." (*Folha de S.Paulo*, 25.06.1998)

miserabilidade (mi.se.ra.bi.li.*da*.de) *sf.* Estado ou condição de miserável [F.: *miserável* + *-(i)dade*, seg. o modelo erudito.]

miserabilíssimo (mi.se.ra.bi.*lís*.si.mo) *a.* Muitíssimo miserável [Superl. abs. sint. de *miserável.*] [F.: *miserável* + *-íssimo*, seg. o mod. erudito.]

miserabilista (mi.se.ra.bi.*lis*.ta) *a.* Que tende a enfatizar os aspectos mais miseráveis, mais deploráveis do ser humano, ou as condições de miséria social: "As celebrações dos 500 anos de descoberta (...) abandonaram o tom miserabilista..." (*Folha de S.Paulo*, 14.02.1997) [F.: *miserável* + *-ista*, seg. o mod. erudito.]

miserando (mi.se.*ran*.do) *a.* Que é digno de compaixão, de dó; LASTIMÁVEL; DEPLORÁVEL; MISERÁVEL: "Os feridos chegavam em estado miserando." (Euclides da Cunha, *Os sertões*) [F.: Do lat. *miserandus, a, um.*]

miserar (mi.se.*rar*) *v.* **1** Esforçar-se por provocar a infelicidade, a desgraça de alguém [*td.*] [*tr.* +*de*] **2** *Antq.* Ter pena, piedade de alguém; CONDOER-SE; APIEDAR-SE [*td.*] **3** Queixar-se, lamentar-se [*tr.* +*de*: *Miserava-se da má sorte.*] [▶ 1 miserar] [F.: Do lat. *miserare.*]

miserável (mi.se.*rá*.vel) *a2g.* **1** Muito pobre (vida miserável, habitação miserável); MÍSERO **2** Digno de compaixão; DEPLORÁVEL; LASTIMOSO: "E, acabrunhado por estes raciocínios, humilhado pela dúvida de si próprio, miserável e triste, Raimundo percorria a casa, em silêncio." (Aluízio Azevedo, *O mulato*) **3** Desprezível, abjeto, vil [Ant.: *digno, virtuoso.*] **4** Cruel, malvado, perverso: *Este homem é um assassino miserável.* [Ant.: *bondoso, clemente.*] **5** Avarento, sovina [Ant.: *generoso, pródigo.*] **6** Minguado, ínfimo, irrisório (salário miserável) [Superl.: *miserabilíssimo.*] *s2g.* **7** Pessoa ou animal dignos de compaixão **8** Aquele que está na miséria, que é muito pobre; INDIGENTE **9** Pessoa cruel, desprezível; CANALHA **10** Pessoa avarenta, sovina [Pl.: *-veis.*] [F.: Do lat. *miserabilis, e*. Hom./Par.: *miseráveis* (pl.), *miseráveis* (fl. de *miserar*).]

miserê (mi.se.*rê*) *Bras. Pop. sm.* **1** Situação de miséria extrema, de absoluta falta de dinheiro; PENÚRIA **2** Quantia ínfima de dinheiro: "...médicos da cidade decidiram atender policiais e bombeiros cobrando pelas suas consultas um miserê ou coisa nenhuma." (*Folha de S.Paulo*, 06.08.1997) [F.: Alter. pop. de *miséria.*]

miserento (mi.se.*ren*.to) *Bras. Pop. a.* O mesmo que *mísero*: "Claro que há os bons professores, que se esforçam apesar do salário miserento..." (*Folha de S.Paulo*, 08.12.1997) [F.: *mísero* + *-ento.*]

miséria (mi.*sé*.ri:a) *sf.* **1** Extrema pobreza; INDIGÊNCIA; PENÚRIA [Ant.: *abundância, riqueza.*] **2** Porção diminuta de qualquer coisa; BAGATELA; NINHARIA: *Pagam uma miséria aos empregados.* **3** Fraqueza ou imperfeição moral: *O orgulho é uma das nossas misérias.* [Ant.: *virtude.*] **4** Estado vergonhoso, indigno **5** Avareza, mesquinharia, sovinice [Ant.: *generosidade.*] **6** Atitude ou procedimento infame, vil, baixo [Ant.: *nobreza.*] **7** Sofrimento intenso; DESGRAÇA; INFORTÚNIO [F.: Do lat. *miseria, ae*, 'desgraça', 'infortúnio', 'pobreza extrema'.] ▪ **Chorar ~** Lamentar-se, queixar-se da própria suposta pobreza, miséria, ger. como forma de eximir-se de gastos **Fazer ~s 1** *Bras. Gír.* Fazer coisas extraordinárias, do arco-da-velha **2** Provocar confusão e desordem com atos desatinados **Uma ~** Uma droga, muito ruim: *Essa festa foi uma miséria.*

misericórdia (mi.se.ri.*cór*.di:a) *sf.* **1** Sentimento de dor e solidariedade causado pela miséria alheia; COMPAIXÃO; DÓ [+*de*, *(para) com, para, por*: *Que Ele tenha misericórdia de vós; misericórdia (para) com as crianças de rua; um pouco de misericórdia para os insensatos; tende misericórdia pelos que não veem a luz.*] **2** Perdão, clemência, indulgência [+*de*, *(para) com, para, por.*] **3** *Ant.* Instituição destinada ao tratamento de enfermos, à criação de órfãos e enjeitados e a outros tipos de assistência social [Com inicial maiúsc. nesta acp.] **4** *Ant.* Punhal com que os cavaleiros matavam o adversário subjugado, a menos que este pedisse clemência *interj.* **5** Expressa pedido de piedade, clemência [F.: Do lat. *misericordia, ae.*] ▪ **Tiro de ~** Ver no verbete *tiro*

misericordioso (mi.se.ri.cor.di.*o*.so) [ô] *a.* **1** Que tem ou revela misericórdia; CLEMENTE; COMPASSIVO [+*(para)* com, para: *misericordioso (para) com /para os homens.*] *sm.* 2 Aquele que perdoa ofensas ou pecados [Pl.: [ó]. Fem.: [ó].] [F.: *misericórdi(a)* + *-oso.*]

mísero (*mí*.se.ro) *a.* 1 Muito pobre (*mísera* choupana); MISERÁVEL 2 Escasso, ínfimo, insignificante (mísera esmola) 3 Desventurado, infeliz: "O mísero rapaz trazia escrita no rosto a dor de haver escapado à morte trágica..." (Machado de Assis, "A parasita azul" *in Histórias da meia-noite*) [Superl.: *misérrimo.*] *sm.* 4 Pessoa desventurada, infeliz: "— Quem foi o assassino? — Ninguém, rouquejou o mísero, foi... destino..." (Visconde de Taunay, *Inocência*) [F.: Do lat. *miserum.* Hom./Par.: *mísero (a.), misero* (fl. de *miserar*); *misera* (fem.), *misera* (fl. de *miserar*).]

misérrimo (mi.*sér*.ri.mo) *a.* Muitíssimo mísero: "...misérrimo arsenal científico com que ali lidamos..." (Euclides da Cunha, *Os sertões*) [Superl. ab. sint. de *mísero.*] [F.: Do lat. *miserrimus, a, um.*]

◎ **mis(o)-** *El. comp.* Registra-se em alguns vocábulos formados no próprio grego, como *misantropo*, e em outros introduzidos na linguagem científica internacional, a partir do séc. XIX: *misoginia, misologia* etc. [F.: Do gr. *mîsos* 'ódio, aversão'.]

◎ **miso-** *el. comp.* = sujeira, impureza: *misofilia, misofobia.* [F.: Do gr. *mýsos, eos-ous.*]

misofilia (mi.so.fi.*li*.a) *sf. Psiq.* Atração mórbida pela sujeira [F.: *miso-* + *-filia.*]

misofílico (mi.so.*fí*.li.co) *Psiq. a.* 1 Ref. a misofilia 2 Que padece de misofilia; MISÓFILO *sm.* 3 Aquele que padece de misofilia; MISÓFILO [F.: *misofili(a)* + *-ico*².]

misófilo (mi.*só*.fi.lo) *Psiq. a.* 1 Misofílico (2) *sm.* 2 Misofílico (3) [F.: *miso-* + *-filo.*]

misofobia (mi.so.fo.*bi*.a) *sf. Psiq.* Temor mórbido de sujeira ou de contatos, pelo receio de contaminação [F.: *miso-* + *-fobia.*]

misofóbico (mi.so.*fó*.bi.co) *Psiq. a.* 1 Ref. a misofobia 2 Que tem misofobia; MISÓFOBO *sm.* 3 Aquele que tem misofobia; MISÓFOBO [F.: *misofobia* + *-ico*².]

misófobo (mi.*só*.fo.bo) *Psiq. a.* 1 Misofóbico (2) *sm.* 2 Misofóbico (3) [F.: *miso-* + *-fobo.*]

misoginia (mi.so.gi.*ni*.a) *sf.* 1 Desprezo, aversão pelas mulheres [Ant.: *filoginia.*] 2 *Psiq.* Aversão mórbida do homem ao contato sexual com as mulheres [F.: Do fr. *misogynie*, do gr. *misogynía.*]

misógino (mi.*só*.gi.no) *a.* 1 Que tem misoginia *sm.* 2 Aquele que tem misoginia [Ant.: *filógino*] [F.: Do gr. *misogýnes, ou*, pelo fr. *misogyne.* Ant. ger.: *filógino.*]

misologia (mi.so.lo.*gi*.a) *sf.* Aversão à lógica, ao raciocínio [F.: Do gr. *misología, as.*]

misólogo (mi.*só*.lo.go) *a.* 1 Que tem misologia *sm.* 2 Aquele que tem misologia [F.: Do gr. *misológos, os, on.*]

misoneísmo (mi.so.ne.*ís*.mo) *sm.* Aversão a tudo o que é novo ou representa mudança; NEOFOBIA [Ant.: *filoneísmo, neofilia.*] [F.: Do fr. *misonéisme.*]

misoneísta (mi.so.ne.*ís*.ta) *a.* 1 Ref. ao misoneísmo 2 Que tem misoneísmo *sm.* 3 Pessoa misoneísta [F.: Do fr. *misonéiste.*]

misosofia (mi.so.so.*fi*.a) *sf.* Ódio ao saber, ao conhecimento, à ciência [F.: *mis(o)-* + *-sofia.* Tb. *misossofia.*]

misosófico (mi.so.*só*.fi.co) *a.* Ref. a misosofia [F.: *misosofia* + *-ico*². Tb. *misossófico.*]

misósofo (mi.*só*.so.fo) *sm.* Aquele que sente misosofia [F.: Do gr. *misósophos, os, on.* Tb. *misóssofo.*]

misossofia (mi.sos.so.*fi*.a) *sf.* Ver *misosofia*

misossófico (mi.sos.*só*.fi.co) *a.* Ver *misosófico*

misóssofo (mi.*sós*.so.fo) *a.* Ver *misósofo*

mispíquel (mis.*pí*.quel) *sm. Min.* Mineral / minério de arsênio, sulfoarsenieto de ferro, cristaliza no sistema rômbico; ARSENOPIRITA [F.: Do al. *Misspickel.*]

⊕ **miss** (*Ing. /miç/*) *sf.* 1 Tratamento formal us. antes do nome de uma mulher solteira 2 Título dado à mulher eleita em concursos de beleza ou em outros eventos (Miss Brasil); MISSE [Com inicial maiúsc. nesta acp.] 3 *P.ext.* Moça bonita e elegante; MISSE

missa (*mis*.sa) *sf.* 1 *Rel.* Na Igreja Católica, celebração da Eucaristia, ministrada por um sacerdote, no altar 2 *Mús.* Conjunto de peças musicais compostas para acompanhar esse ato litúrgico [F.: Do lat. tard. *missa*, substv. do fem. de *missus*, part. pass. de *mittere* 'enviar', termo extraído da expressão *ite missa est* 'ide, (as preces) foram enviadas'.] ■ **Ajudar à ~** Ajudar o padre a celebrar a missa (ger. como acólito) **~ baixa** *Rel.* Ver *Missa calada* **~ breve** *Mús.* Missa (2) curta, que reúne várias partes (esp. a *Glória* e o *Credo*) em movimentos únicos e corridos **~ calada** *Rel.* Missa ordinária, sem canto; missa chã; missa particular **~ campal** *Rel.* Missa rezada em amplo espaço aberto, para muitos fiéis **~ cantada** *Mús.* Ordinário (8) de missa (2) que entremeia recitativos, árias para solistas, trechos para conjunto de solistas e para coro **~ chã** *Rel.* Ver *Missa calada* **~ concertante** *Mús.* O conjunto das partes do ordinário (8) da missa (2), composto para coro e eventuais solistas, com acompanhamento instrumental ou orquestral **~ conventual** *Rel.* Missa rezada em domingos e dias santificados; missa do dia **~ das almas** *Rel.* A primeira missa que é rezada antes do nascer do Sol **~ de corpo presente** *Rel.* Missa rezada por pessoa falecida, diante de seu corpo **~ de esmola** *Bras.* Ver *Missa pedida* **~ de réquiem** 1 *Rel.* Missa rezada por pessoa falecida, que pode ser solene 2 *Mús.* Missa (2) concertante, composta e executada em homenagem aos mortos [Tb. apenas *Réquiem.*] **~ de sétimo dia** *Rel.* Missa (1) rezada em homenagem a pessoa falecida no sétimo dia após sua morte **~ do dia** *Rel.* Ver *Missa conventual* **~ do galo** *Rel.* Missa solene na noite da véspera do Natal (ger. à meia-noite) **~ em ação de graças** *Rel.* Missa em reconhecimento e celebração de graça recebida **~ paródia** *Mús.* Missa (2) polifônica, da época do Renascimento, que reúne partes já anteriormente compostas **~ particular** *Rel.* Ver *Missa calada* **~ pedida** *Bras. Rel.* Missa encomendada como cumprimento de promessa, ou como penitência, e paga com dinheiro de esmola **~ pontifical** *Rel.* Missa conduzida de maneira similar à das missas solenes dos papas **~ seca** *N.E. Rel.* Missa na qual não se faz consagração (4) [Cf. *missa-seca.*] **~ solene** *Mús.* Missa (2) longa, composta de vários movimentos, ger. para coro, solistas e orquestras **Não ir à ~ com** *Fig. Pop.* Não simpatizar com (alguém)., não ir com a cara de **Não saber da ~ a metade/um terço** *Fig. Pop.* Saber muito pouco sobre algo, estar mal informado

missa do galo (mis.sa do*ga*.lo) *sf. Rel.* Missa celebrada na noite do Natal, ger. à meia-noite [Pl.: *missas do galo.*]

missal (mis.*sal*) *sm.* 1 *Rel.* Livro que contém as orações das missas celebradas ao longo do ano, us. pelos sacerdotes 2 *Rel.* Livro que contém as principais orações da missa e outras, us. pelos fiéis 3 *Art.gr.* Certo tipo de caracteres tipográficos [Pl.: *-sais.*] [F.: *miss(a)* + *-al.* Hom./Par.: *missais* (pl.), *missais* (fl. de *missar*).]

missão (mis.*são*) *sf.* 1 Tarefa que se tem de cumprir; ENCARGO; INCUMBÊNCIA: "A minha missão é apenas esta: perguntar-lhe se você tinha intenção de o ofender..." (Eça de Queirós, *Os Maias*) 2 Compromisso, obrigação, dever imposto ou assumido: *a missão de esposa e mãe/ de professor.* 3 Comissão ou grupo de pessoas enviadas para desempenhar uma função especial (diplomática, religiosa, científica etc.): *oficiais em missão no exterior.* 4 Conjunto de religiosos que se dedicam à evangelização (missão católica/evangélica) 5 Estabelecimento onde se formam missionários para evangelização, ou local onde eles residem 6 Pregação ou sermão doutrinário [Pl.: *-sões.*] [F.: Do lat. *missio, onis.*]

missa-seca (mis.sa-*se*.ca) [ê] *s2g. Bras. N.E. Pop. Rel.* Membro de uma igreja protestante; CRENTE [Pl.: *missas-secas.*]

míssil (*mís*.sil) *sm.* 1 Engenho de guerra com propulsão própria, ger. um foguete provido de bomba, e que se lança para destruir um alvo *a2g.* 2 Próprio para ser arremessado; MISSIVO [Pl.: *-seis.*] [F.: Do lat. *missilis, e.* Hom./Par.: *mísseis* (pl.), *mísseis* (fl. de *missar*).] ■ **~ balístico** *Mil.* Míssil, ger. de longo alcance, que ao terminar a impulsão (com a extinção do foguete) prossegue em sua rota movido apenas pela inércia do impulso, e sujeito à ação da gravidade e outros fatores externos **~ guiado** *Mil.* Míssil cuja trajetória pode ser controlada por um mecanismo interno que por sua vez pode ser acionado e comandado de terra, de aeronave, de um satélite etc. (por rádio, radar etc.)

missionar (mis.si:o.*nar*) *v.* 1 Atuar como missionário; pregar uma fé [*td.*] [*int.*] 2 *P.ext. P.us.* Apregoar, disseminar, propagar (crença, ideologia etc.) [*td.*] [▶ 1 missionar] [F.: *missão* com rad. *mission-* + *-ar.* Hom./Par.: *missionaria(s)* (fl), *missionária* (f.missionário, a., sm. e pl.).]

missionário (mis.si:o.*ná*.ri:o) *a.* 1 Ref. a ou próprio de missão religiosa (obras missionárias, fervor missionário) *sm.* 2 Indivíduo que se dedica à pregação de sua fé, à evangelização 3 Indivíduo que se empenha em propagar uma ideia, defender uma causa; PROPAGANDISTA; PROPUGNADOR: *os missionários da ecologia.* [F.: Adapt. do fr. *missionnaire.*]

missionarismo (mis.si:o.na.*ris*.mo) *sm.* 1 Funções de missionário 2 Apostolização, evangelização [F.: *missionário* + *-ismo.*]

missioneiro (mis.si:o.*nei*.ro) *Bras. sm.* 1 Pessoa que nasceu ou viveu nos lugares onde estavam situadas as antigas missões jesuíticas do Uruguai e do RS *a.* 2 Ref. ou pertencente a essas missões [F.: Do espn. platino *misionero.*]

missiva (mis.*si*.va) *sf.* Carta, epístola, mensagem [F.: Do fr. *missive*, antes *lettre missive.*]

missivista (mis.si.*vis*.ta) *Bras. s2g.* 1 Autor de uma missiva 2 Portador de missivas [F.: *missiva* + *-ista.*]

missô (mis.*sô*) *Cul. sm.* Pasta de soja fermentada durante longo período, a que se adiciona sal marinho, rica em enzimas digestivas, us. em sopas e molhos [F.: Do jap. *miso.*]

mistagogia (mis.ta.go.*gi*.a) *sf. Rel.* Iniciação nos mistérios de uma religião [F.: Do fr. *mystagogie*, do gr. *mystagogía.*]

mistagogo (mis.ta.*go*.go) [ô] *sm.* 1 *Ant. Rel.* Na Grécia antiga, sacerdote que iniciava os neófitos nos cultos misteriosos de Elêusis 2 *P.ext.* Sacerdote que ensinava as cerimônias e os ritos de uma religião 3 *Fig.* Guia, mentor [F.: Do gr. *mystagogós, ou.*]

mister (mis.*ter*) [é] *sm.* 1 Ocupação, serviço, ofício: *O difícil mister de professor.* 2 Incumbência, encargo 3 Necessidade, precisão: "...as violetas, para terem um cheiro superior, hão mister de estrume de porco." (Machado de Assis, *Dom Casmurro*) [F.: F. divergente popular de *ministério.*] ■ **Fazer-se ~** Ver *Ser de mister.* **Haver ~ (de)/haver de ~** Ser preciso, necessário; haver necessidade de; precisar (de): *Hei de mister fazer muitas obras (precisarei fazer...); Haverás de mister muitas obras nesta casa (precisará de...)* **Ser (de) ~** Ser necessário, indispensável: *São mister muitas obras; São de mister muitas obras...*

mistério (mis.*té*.ri:o) *sm.* 1 Tudo que não se pode explicar ou compreender; ENIGMA: *O mistério da origem do Universo.* 2 Coisa ou pessoa desconhecida, da qual nada se sabe e que desperta curiosidade e/ou receio; ENIGMA: *O rapaz da foto e a idade da atriz são mistérios.* 3 *Rel.* Cada um dos dogmas da religião cristã, impenetráveis à razão humana e que se impõem como artigos de fé: *O mistério da Concepção.* 4 Característica intrigante e insondável; ENIGMA: "Aproveitei o mistério do nosso primeiro encontro e esperei que alguns dias te fizessem esquecer essa aventura..." (José de Alencar, *Cinco minutos*) 5 Precaução, cautela, reserva: *Faz as coisas com mistério.* 6 Conjunto de conhecimentos que permitem o domínio de uma arte, técnica ou ciência; SEGREDO: *Os mistérios da sonoplastia/ da arquitetura.* 7 *Litu.* Cada um dos 15 grupos compostos de dez ave-marias e um pai-nosso que formam o rosário 8 *Teat.* Composição teatral da Idade Média ger. sobre tema extraído das Sagradas Escrituras ou das vidas dos santos 9 *Rel.* Cada um dos sacramentos cristãos, esp. a Eucaristia 10 *Ant. Rel.* Culto religioso secreto do qual só iniciados participam 11 *Cin. Liter. Teat. Telv.* Gênero narrativo que consiste numa trama obscura e intrigante, que se desenvolve com rigor lógico enquanto fornece os elementos para desvendá-la [F.: Do gr. *mystérion*, de *mýein* 'fechar, estar fechado', pelo lat. *mysterium.*] ■ **Fazer ~ (de)** Não contar, não revelar (algo) criando suspense: *Fez mistério do que foi decidido quanto ao aumento.*

mistérios (mis.*té*.ri:os) *Rel. sfpl.* 1 Festas particulares que a Igreja católica estabeleceu para celebrar os mistérios da fé 2 Rituais secretos de um culto religioso, somente assistidos pelos iniciados [F.: Pl. de *mistério.* Ver tb. *mistério.*]

misterioso (mis.te.ri:*o*.so) [ô] *a.* 1 Em que há mistério; ENIGMÁTICO; INEXPLICÁVEL 2 Que a razão humana não pode explicar ou entender: *O sentido misterioso de certas coisas.* 3 Que se cerca de segredos; que não se expõe; ESTRANHO; SUSPEITO [+(*para*) *com, sobre, em: Misterioso (para) com a irmã; misterioso sobre o assunto; misterioso nas atitudes.* Ant.: *insuspeito.*] 4 Pouco esclarecedor, obscuro e intrigante [Ant.: *claro, inequívoco.*] 5 Conhecido apenas por pequeno número de iniciados; ESOTÉRICO; HERMÉTICO; SECRETO 6 Desconhecido e intrigante, insondável [Pl.: [ó]. Fem.: [ó].] [F.: *mistério* + *-oso.*]

mística (*mís*.ti.ca) *sf.* 1 Estudo das coisas divinas ou espirituais 2 Devoção religiosa, vida contemplativa; MISTICISMO; RELIGIOSIDADE 3 *Fig.* Parte de uma doutrina em que a lógica é sobrepujada pelos sentimentos: "O projeto socialista e a mística revolucionária já haviam sido arquivados há tempos." (*Folha de S.Paulo*, 05.09.2004) 4 Aura de mistério e fascínio que envolve certas coisas; MISTICISMO: "A mística que cercava a produção e as pessoas que dela eram próximas acabou." (*Idem*, 16.01.2005) [F.: Fem. substv. de *místico.*]

misticeto (mis.ti.*ce*.to) *Zool. a.* 1 Ref. aos misticetos *sm.* 2 Espécime dos misticetos, subordem de mamíferos cetáceos dotados de barbatanas córneas em vez de dentes, razão por que são vulgarmente denominados *baleias-de-barbatanas* [F.: Do lat. cient. *Mysticeti.*]

misticismo (mis.ti.*cis*.mo) *sm.* 1 Conjunto de crenças e práticas religiosas que levam à comunhão com a divindade 2 Devoção religiosa, vida contemplativa; MÍSTICA 3 Crença em fatores ou entidades sobrenaturais capazes de influir nos processos da vida e da natureza 4 Interpretação baseada no lado misterioso e sobrenatural 5 Devoção religiosa exacerbada, em que o fanatismo se sobrepõe à lógica 6 O lado misterioso de toda doutrina 7 Aura de mistério e fascínio; MÍSTICA: "Segundo o embaixador, existe um certo misticismo em relação à China e um burburinho cada vez maior sobre a Índia..." (*Folha Online*, 13.10.2004) [F.: Do fr. *mysticisme.*]

misticizar (mis.ti.ci.*zar*) *v. td.* Tornar (algo ou alguém) místico [▶ 1 misticizar] [F.: *místico* + *-izar.*]

místico (*mís*.ti.co) *a.* 1 *Rel.* Ref. a ou próprio do misticismo (ritual místico) 2 Característico de ambiente religioso (atmosfera mística) 3 Diz-se do caráter misterioso, alegórico ou figurado das coisas religiosas: *O sentido místico dos livros sagrados.* 4 Que leva em conta somente os fatores sobrenaturais na explicação das coisas, desprezando as causas físicas, científicas 5 Diz-se de indivíduo que possui grande fervor religioso, acreditando somente nos preceitos divinos; DEVOTO 6 Ref. à vida espiritual e contemplativa *sm.* 7 Pessoa mística (4 e 5) 8 Pessoa que leva vida religiosa contemplativa [F.: Do gr. *mystikós*, pelo lat. *mysticus.* Hom./Par.: *mitico.*]

mistificação (mis.ti.fi.ca.*ção*) *sf.* 1 Ação ou resultado de mistificar, de enganar outrem; EMBUSTE; ENGODO; LUDÍBRIO [Ant.: *desmistificação.*] 2 *P.ext.* Crença um tanto fanática em alguém ou algo; MISTICISMO: "Mas nesse triste país em busca de heróis, seria grave cair na hagiografia, na mistificação patriótica de um ser isolado e sobre-humano." (Sergio Salvia Coelho, *Folha Online*, 23.12.2003) [Pl.: *-ções.*] [F.: *mistifica(r)* + *-ção.* Hom./Par.: *mistificação.*]

mistificado (mis.ti.fi.*ca*.do) *a.* 1 Que foi vítima de mistificação; ENGANADO; LUDIBRIADO *a.* 2 Que foi objeto de mistificação; ADULTERADO; DESCARACTERIZADO; DETURPADO: "(...) Albert Einstein, cujo gênio foi endeusado, mitificado e mistificado pela própria mídia." (Henrique Klein Pedroso, *Observatório da Imprensa*) [F.: Part. de *mistificar.* Ant. ger.: *desmistificado.* Hom./Par.: *mitificado.*]

mistificador (mis.ti.fi.ca.*dor*) *a.* 1 Que mistifica, que engana 2 Que envolve mistificação (discurso mistificador) *sm.* 3 Pessoa que mistifica, que busca enganar, ludibriar outrem [F.: *mistifica(r)* + *-dor.* Sin. ger.: *enganador, ludibriador.* Ant. ger.: *desmistificador.* Hom./Par.: *mitificador.*]

mistificante (mis.ti.fi.*can*.te) *a2g.* Que mistifica; MISTIFICADOR [Ant.: *desmistificante.*] [F.: *mistificar* + *-nte.*]

mistificar (mis.ti.fi.*car*) *v. td.* Fazer crer em mentira ou ilusão; enganar, iludir: *O falso pastor mistificava seus seguidores.* [▶ 11 mistificar] [F.: Do fr. *mistifier.*]

mistificatório (mis.ti.fi.ca.*tó*.ri.o) *a.* O mesmo que *mistificante* [F.: *mistificar* + *-tório*.]
mistifório (mis.ti.*fó*.ri:o) *sm. Pop.* Mistura de coisas ou de pessoas; CONFUSÃO; MIXÓRDIA [F.: Do lat. *mixti fori*, 'de foro misto'.]
mistilíneo (mis.ti.*lí*.ne:o) *a. Geom.* Diz-se das figuras constituídas em parte por linhas curvas e em parte por linhas retas (polígono mistilíneo) [F.: *misto* + *-i-* + *-líneo*.]
misto (*mis*.to) *a.* **1** Que resulta da mistura de dois ou mais elementos diversos (salada mista, método misto) **2** Que inclui ambos os sexos (recrutamento misto, escola mista) **3** *Fut.* Diz-se de time composto de jogadores de várias categorias **4** *Econ.* Que se compõe de capital estatal e privado (empresa mista) **5** *Moç.* Resultante da combinação de diversas etnias; MESTIÇO *sm.* **6** Reunião de duas ou mais coisas diversas ou opostas; MISTURA: *um misto de riso e choro* **7** *Expl.* Dispositivo composto de estopins e elementos similares, us. para transmitir chama em espoletas de artilharia, bombas de aviação e outras variedades de munição **8** *Antq.* Refeição de pão e vinho que faziam os frades beneditinos e bernardinos antes de ir para o coro **9** *Moç.* Mestiço, mulato [F.: Do lat. *mixtu*, par. pass. de *miscere* 'mexer'.]
misto-quente (mis.to-*quen*.te) *Cul. sm.* Sanduíche de pão de forma com presunto e queijo prato, aquecido na chapa [Tb. se diz apenas *misto*.] [Pl.: *mistos-quentes*.]
mistral (mis.*tral*) *sm. Met.* Vento frio, seco e violento, que sopra do maciço central da França, no fim do inverno, em direção ao golfo de Gênova [Pl.: *-trais*.] [F.: *mestre*, deriv. do lat. *magister*, pelo prov. *mistral*.]
mistura (mis.*tu*.ra) *sf.* **1** Ação ou resultado de misturar(-se) **2** Composto de coisas misturadas; AMÁLGAMA; MESCLA; MISTO **3** Associação de coisas diferentes (mistura de estilos) **4** Associação de coisas díspares, opostas; MISTO: "Em particular, dessa mistura de perplexidade, desalento e esperança." (*Veja*, 02.06.2004) **5** Cruzamento de raças; MISCIGENAÇÃO: *O mameluco resulta da mistura de branco e índio.* **6** Agrupamento heterogêneo de seres: *Era uma mistura de pessoas de todas as classes.* **7** *Quím.* Associação de substâncias que resultam num todo homogêneo mas conservam suas propriedades e podem ser separadas **8** *SP Pop.* Iguaria, ger. à base de carne, peixe, frango etc., que compõe uma refeição [F.: Do lat. *mixtura*, de *miscere* 'mexer'. Hom./Par.: *mistura* (fl. de *misturar*).] ▪▪ **De ~** Simultaneamente, conjuntamente (às vezes de maneira confusa): *Ia recitando, de mistura, versos de Pessoa, Drummond, Vinicius...*
misturação (mis.tu.ra.*ção*) *sf.* Ação de misturar; ADMISTÃO [Pl.: *-ções*.] [F.: *misturar* + *-ção*.]
misturada (mis.tu.*ra*.da) *Pop. sf.* **1** Mistura desordenada de coisas; MISTELA; MIXÓRDIA **2** *N.E.* Mistura de cachaça com qualquer outra bebida **3** *S.* Moça de cor moreno-escura **4** *RS Dnç.* Dança final dos bailes, composta de várias outras [F.: *misturaa* + *-ada*.]
misturadeira (mis.tu.ra.*dei*.ra) *sf.* Aparelho us. para fazer misturas; MISTURADOR; MISTURADORA [F.: *misturar* + *-deira*.]
misturado (mis.tu.*ra*.do) *a.* **1** Que se misturou; resultante de mistura (som misturado); AMALGAMADO; MISTO **2** Acompanhado, associado, aliado: "(...) Nem me falta na vida honesto estudo/ Com longa experiência misturado, (...)." (Luís de Camões, *Os lusíadas*) **3** Reunido de forma desordenada; CONFUSO; EMBARALHADO: *Em seu armário, as roupas estavam todas misturadas.* **4** Ver *miscigenado* **5** Que não é puro (gasolina misturada); ADULTERADO **6** Composto de mistura heterogênea de seres ou coisas; DIVERSIFICADO; HETEROGÊNEO; MISTO: "A azaração é sutil e o público, misturado, com destaque para a faixa acima dos 25 anos." (*Veja Online*, 14.03.2001) [F.: Part. de *misturar*.]
misturador (mis.tu.ra.*dor*) [ô] *sm.* **1** Aparelho ou utensílio para fazer misturas **2** Aquele que faz mistura(s) **3** *Cons.* Ver *betoneira* **4** *Eletrôn.* Dispositivo capaz de combinar dois ou mais sinais, originando outro com características próprias **5** Conjunto de torneira com duas chaves e duas válvulas, us. para misturar a água fria com a quente *a.* **6** Que mistura ou que se utiliza para misturar [F.: *mistura* + *-dor*.]
misturadora (mis.tu.ra.*do*.ra) *sf.* O mesmo que *misturadeira* [F.: *misturar* + *-dora*.]
misturar (mis.tu.*rar*) *v.* **1** Juntar(-se), adicionar(-se), somar(-se), cruzar(-se) coisas, pessoas sem distinção de espécie, categoria, raça, etc.; AMALGAMAR(-SE); MESCLAR(-SE) [*td.*: *Misturar selos de vários países.*] [*tdr.* +*com*: *Misturar vinho com água.*] [*int.*: *Vozes infantis e adultas se misturavam no coro.*] **2** Baralhar(-se), confundir(-se) [*td.*: *Misturar as cartas do baralho.*] [*tdr.* +*com*: *Não misture meus livros com os seus.*] [*tdi.* +*a*: *Eles não se misturam aos outros.*] **3** Compor (um conjunto) com (coisas diferentes) [*td.*: *Misturava tecidos e metais em suas peças de arte.*] **4** Mexer ou remexer mistura (de elementos diversos) para obter integração perfeita dos ingredientes [*td.*: *Misturou bem a papa de leite, farinha e açúcar.*] **5** Intrometer-se, ingerir-se [*tdr.* +*em*: *Não te mistures em assuntos que não te dizem respeito.*] [▶ **1** misturar] [F.: *mistura* + *-ar*. Hom./Par.: *mistura* (3ªp.s.), *misturas* (2ªp.s.)/ *mistura* (s.f.) e pl. Ideia de 'misturar', usar antepos. *misc(i)-*.]
misturável (mis.tu.*rá*.vel) *a2g.* Que se pode misturar; MISCÍVEL [Ant.: *imisturável*.] [F.: *misturar* + *-vel*.]
mistureba (mis.tu.*re*.ba) *sf. Bras. Pej. Pop.* Mistura desordenada; MISTURADA [F.: De *misturar*.]
mísula (*mí*.su.la) *sf. Arq.* Ornato saliente de madeira, pedra etc., estreito na base e largo na parte superior, que serve para sustentar um arco de abóbada, cornija, busto, vaso etc. [F.: Do it. *mensola*.]
mitacismo (mi.ta.*cis*.mo) *sm. Ling.* Repetição exagerada da letra *m* em um texto; MUTACISMO [F.: Do gr. *mutakismós*.]
mitene (mi.*te*.ne) *sf. Vest.* Luva feminina que cobre apenas metade da mão, deixando os dedos livres; MEIA-LUVA; PUNHETE [F.: Do fr. *mitaine*.]
◎ **mit(i/o)-** *el. comp. Pref.* = lenda; mentira: *mitificar, mitologia.* [F.: Do gr. *mýthos*, pelo baixo lat. *mythus*.]
mítico (*mí*.ti.co) *a.* **1** Ref. ou pertencente a mito (narração mítica) **2** Que tem por base um mito **3** Da natureza do mito, ou semelhante a um mito; FABULOSO; LENDÁRIO: "Enquanto isso, a Mitologia negro-tapuia mantinha, aqui, uma visão mítica do mundo, fecundíssima, (...)." (Ariano Suassuna, *Romance da pedra do reino*) [F.: *mito* + *-ico*[2]. Sin. ger.: *histórico, real, verdadeiro*. Hom./Par.: *místico*.]
mitificação (mi.ti.fi.ca.*ção*) *sf.* Ação ou resultado de mitificar [Ant.: *desmitificação*.] [Pl.: *-ções*.] [F.: *mitificar* + *-ção*. Hom./Par.: *mistificação*.]
mitificado (mi.ti.fi.*ca*.do) *a.* Transformado em mito (herói mitificado) [Ant.: *desmitificado*.] [F.: Part. de *mitificar*. Hom./Par.: *mistificado*.]
mitificador (mi.ti.fi.ca.*dor*) [ô] *a.* **1** Que mitifica; MITIFICANTE *sm.* **2** Aquele que mitifica [F.: *mitificar* + *-dor*. Ant. ger.: *desmitificador*.]
mitificar (mi.ti.fi.*car*) *v. td.* **1** Transformar em mito: *Certas culturas mitificam animais.* **2** Conferir exageradamente atributos elevados a (algo ou alguém), às vezes para ocultar a verdadeira realidade: *Mitificaram o péssimo cantor de rock.* [▶ **11** mitificar] [F.: *mito* + *-i-* + *-ficar*. Ant. ger.: *desmitificar*.]
mitigação (mi.ti.ga.*ção*) *sf.* Ação ou resultado de mitigar ou atenuar: *mitigação dos efeitos da seca.* [Pl.: *-ções*.] [F.: Do lat. *mitigatio, onis*.]
mitigado (mi.ti.*ga*.do) *a.* Que se mitigou, que se amenizou; ABRANDADO; AMENIZADO; APLACADO [+*com, de, por*: *sofrimento mitigado com/de/por esperanças.*] [F.: Part. de *mitigar*.]
mitigador (mi.ti.ga.*dor*) [ô] *sm.* **1** Aquele ou aquilo que mitiga, alivia, ameniza *a.* **2** Que mitiga; MITIGANTE; MITIGATIVO; MITIGATÓRIO [F.: *mitigar* + *-dor*.]
mitigante (mi.ti.*gan*.te) *a2g.* **1** Que mitiga, atenua, alivia; MITIGADOR; MITIGATIVO **2** *Farm.* Diz-se do medicamento que relaxa os músculos comprimidos em volta das vias respiratórias durante uma crise de asma *sm.* **3** O que mitiga, atenua, alivia; MITIGADOR; MITIGATIVO **4** *Farm.* Medicamento mitigante (2) [F.: *mitigar* + *-nte*.]
mitigar (mi.ti.*gar*) *v. td.* Fazer ficar ou ficar mais brando, suave, menos intenso (algo ruim ou desagradável); ALIVIAR(-SE); APLACAR(-SE): *Mitigar a dor/uma crítica; Sua raiva mitigou-se com o pedido de desculpas.* [▶ **14** mitigar] [F.: Do lat. *mitigare*.]
mitigativo (mi.ti.ga.*ti*.vo) *a.* Que mitiga ou serve para mitigar; MITIGADOR; MITIGANTE [F.: Do lat. *mitigativus, a, um*.]
◎ **mito-** *el. comp. Pref.* = filamento celular: *mitocôndria, mitose*
mito (*mi*.to) *sm.* **1** Narrativa fantasiosa, simbólica, ger. com elementos sobrenaturais, transmitida pela tradição oral de um povo, e que retrata sua visão de mundo e de aspectos da natureza humana e a forma como explica fenômenos naturais; LENDA; MITOLOGIA: "O mito é o nada que é tudo./ O mesmo sol que abre os céus/ É um mito brilhante e mudo – / O corpo morto de Deus,/ Vivo e desnudo." (Fernando Pessoa, "Ulisses" *in Mensagem*) **2** Crença popular ou tradição que se desenvolve sobre alguém ou algo; MITOLOGIA: *Criou-se um mito em torno dele.* **3** Acontecimento ou fato extraordinário, incomum, com frequência exagerado e distorcido pela imaginação popular ou pelos meios de comunicação **4** Personalidade de destaque nos meios artísticos, esportivos, culturais etc., cuja atuação, trabalho etc. são reconhecidos e reverenciados pelo público: *Pelé é um mito do futebol; Tom Jobim é um mito da música brasileira.* **5** Pessoa ou coisa que não tem existência real ou passível de ser provada (o mito da Atlântida) **6** Representação idealizada de uma época passada ou futura da humanidade **7** Verdade, valor moral, conceito etc. inquestionável para um grupo social (mito da virgindade/da raça pura) **8** *Pej.* Noção falsa ou infundada: *Há um mito de que o povão não aprecia música erudita.* [F.: Do gr. *mýthos*, pelo baixo lat. *mythus*.] ▪▪ **~ da caverna** *Fil.* Narrativa em que o filósofo grego Platão comparou alegoricamente o conhecimento das verdades eternas (alcançado pela alma) à visão das coisas sob a luz do Sol, em contraste com o conhecimento imperfeito (preso às condições mundanas), comparado à visão de sombras dentro de uma caverna
mitocôndria (mi.to.*côn*.dri:a) *Biol. sf.* Organela do citoplasma composta de duas camadas de membrana e que tem a função de gerar energia [F.: *mito-* + *condr(o)-* + *-ia*[2].]
mitocondrial (mi.to.con.dri:*al*) *s2g.* Da ou ref. à mitocôndria [Pl.: *-ais*.] [F.: *mitocôndria* + *-al*.]
mitofobia (mi.to.fo.*bi*.a) *sf.* Aversão às coisas falsas ou inventadas, à mentira [F.: *mit(i/o)-* + *-fobia*.]
mitofóbico (mi.to.*fó*.bi.co) *a.* **1** Ref. a mitofobia **2** Que tem mitofobia; MITÓFOBO *sm.* **3** Quem tem mitofobia; MITÓFOBO [F.: *mitofobia* + *-ico*[2].]
mitófobo (mi.*tó*.fo.bo) *a.* **1** Mitofóbico (2) *sm.* **2** Mitofóbico (3) [F.: *mit(i/o)-* + *-fobo*.]
mitografia (mi.to.gra.*fi*.a) *sf.* Descrição dos mitos [F.: Do gr. *mytographía, as*.]
mitográfico (mi.to.*grá*.fi.co) *a.* Ref. a mitografia [F.: *mitografi(a)* + *-ico*[2].]
mitologia (mi.to.lo.*gi*.a) *sf.* **1** Conjunto dos mitos de um povo: "(...) há a oportunidade de se aventurar pela mitologia nacional com contos recolhidos por Luís da Câmara Cascudo (Global) e livros de Daniel Munduruku (FTD), um dos principais representantes da cultura indígena na literatura do país." (*Folha Online*, 14.04.2004) **2** História fabulosa dos deuses, semideuses, heróis e vilões lendários dos povos da Antiguidade **3** Qualquer história fabulosa perpetuada pela tradição oral, protagonizada por entes mágicos ligados à natureza, que busca explicar alguns aspectos da condição humana **4** Estudo da criação, evolução e significado dessas histórias e de seus personagens **5** Conjunto dos mitos de uma área do conhecimento, uma doutrina, uma atividade, um tema etc. [+*de*: *mitologia dos filmes de samurais/ dos heróis de HQ/ do jornalismo/ do cinema.*] **6** Afirmação inverídica, infundada e, muitas vezes, difamatória [+*sobre*: *Há muita mitologia sobre a psicanálise, sobre o comunismo.*] [F.: *mito* + *-logia*.]
mitológico (mi.to.*ló*.gi.co) *a.* **1** Ref. ou pertencente à mitologia (personagem mitológico; narrativa mitológica) **2** Que não tem existência real; FABULOSO; LENDÁRIO: *um ser mitológico como a sereia.* [F.: *mitologi(a)* + *ico*[2].]
mitólogo (mi.*tó*.lo.go) *sm.* Estudioso de mitologia [F.: *mito* + *-logo*.]
mitomania (mi.to.ma.*ni*.a) *Psic. sf.* Tendência compulsiva e doentia para mentir [F.: *mito* + *-mania*.]
mitômano (mi.*tô*.ma.no) *a.* **1** *Psic.* Que sofre de mitomania **2** *P.ext.* Que mente muito; MENTIROSO *sm.* **3** *Psic.* Pessoa que sofre de mitomania [F.: *mito* + *-mano*[1]. Sin. ger.: *mitomaníaco*.]
mitopoese (mi.to.po:*e*.se) *sf.* **1** Criação de um mito **2** Origem dos mitos [F.: mitopoese, do gr. *mythopoiesis*; Tb. *mitopoética*.]
mitopoética (mi.to.po.*é*ti.ca) *sf.* Ver *mitopoese* [F.: Fem. subst. de *mitopoético*.]
mitopoético (mi.to.po:*é*.ti.co) *a.* Ref. a mitopoese ou mitopoética [F.: *mit(i/o)-* + *poético*.]
mitose (mi.*to*.se) *Biol. sm.* Processo de reprodução celular que consiste na duplicação do material genético para dar origem a duas células idênticas à original [F.: *mit(o)-* + *-ose*[1].]
mitra (*mi*.tra) *sf.* **1** *Ecles.* Barrete alto e cônico, fendido nas laterais superiores, com duas fitas que caem sobre as espáduas, us. pelo papa e por bispos, arcebispos e cardeais em certas solenidades **2** *Fig. Ecles.* O poder espiritual do papa ou dos bispos **3** *Fig. Ecles.* Cargo, dignidade ou jurisdição de bispo, arcebispo ou patriarca **4** *Hist.* Chapéu cônico e alto, us. outrora por egípcios, assírios e persas **5** *Hist.* Carapuça de papel que se colocava na cabeça dos condenados pela Inquisição **6** *S.* Atitude astuciosa com que se engana outrem; ESPERTEZA; MANHA **7** *Pop. Zool.* Ver *uropígio* **8** *N* Indivíduo avarento **9** *S* Animal cheio de manha *a.* **10** *S* Que engana, que age com esperteza; ASTUTO; MITRADO **11** *N* Que se mostra avarento **12** *S.* Diz-se de animal manhoso **13** *Lus. Gír.* Diz-se de coelho velho [F.: Do gr. *mítra*, pelo lat. *mitra*. Ideia de 'mitra': *mitr(i/o)-* (*mitral*).]
mitrado (mi.*tra*.do) *a.* **1** *Ecles.* Que usa ou tem direito de usar mitra (1) **2** Que se assemelha à mitra (1 e 4) **3** *S.* Que age com astúcia para auferir vantagens; ASTUCIOSO; ESPERTALHÃO; LADINO; MITRA [F.: *mitr(a)* + *-ado*[1].]
mitral (mi.*tral*) *a2g.* **1** Ref. a mitra **2** Que tem a forma de mitra (valva mitral); MITRIFORME [Pl.: *-trais*.] [F.: *mitra* + *-al*.]
mitridatismo (mi.tri.da.*tis*.mo) *Med. sm.* Imunidade contra veneno adquirida pela ingestão contínua de doses gradualmente crescentes deste veneno [F.: Do fr. *mithridatisme*.]
mitridatizar (mi.tri.da.ti.*zar*) *v.* Tornar(-se) imune a venenos, como supostamente se fazia com o mitridato [*int*.] [▶ **1** mitridatizar] [F.: *mitridato* + *-izar*.]
miuça (mi.*ú*.ça) *sf.* **1** Pequeno pedaço ou fragmento; MIUÇALHA **2** *Bras. N.E.* Entre os sertanejos, designação dos gados caprino e ovino: "...vendemos as miúças e cabeças de gado..." (Domingos Olímpio, *Luzia Homem*) [F.: Do lat. *minutia, ae*. Ver tb. *miúças*.]
miuçalha (mi.u.*ça*.lha) *sf.* **1** Conjunto de coisas miúdas e de pouco valor **2** Pequenos pedaços ou fragmentos de algo; MIÚÇA **3** *Bras.* Bando de crianças de pouca idade; CRIANÇADA; MIUDAGEM [F.: *miúça* + *-alha*.]
miúças (mi.*ú*.ças) *sfpl.* Dízimos eclesiásticos pagos em gêneros por miúdo, como frangos, ovos etc. [F.: Pl. de *miúça*. Ver tb. *miúça*.]
miudagem (mi:u.*da*.gem) *sf.* **1** Bando de crianças; MIUÇALHA **2** *Bras.* Saldo de mercadorias em liquidação **3** Gado miúdo, esp. gado de cria [Pl.: *-gens*.] [F.: *miúdo* + *-agem*[2].]
miudear (mi.u.de.*ar*) *v. td.* **1** Narrar de maneira minuciosa; PORMENORIZAR; DETALHAR **2** Efetuar busca em todos os cantos; ESMIUÇAR; ESQUADRINHAR [▶ **13** miudear] [F.: *miúdo* + *-ear*.]
miudeza (mi.u.*de*.za) [ê] *sf.* **1** Qualidade de miúdo; PEQUENEZ **2** Objeto pequeno e de pouco valor: *Em sua mania compulsiva de comprar, vivia enchendo a casa de miudezas.* [Mais us. no pl.] **3** Detalhe, pormenor, minúcia: *Era um escritor atento às miudezas da língua.* **4** Coisa sem importância, fútil, tola; BESTEIRA; INSIGNIFICÂNCIA; MESQUINHARIA **5** Atenção, rigor, cuidado ao fazer algo; MINUDÊNCIA [F.: *miúd(o)* + *-eza*.]
miudezas (mi:u.*de*.zas) [ê] *sfpl.* **1** Objetos pequenos e de pouco valor; MIUÇALHAS; BUGIGANGAS; QUINQUILHARIAS: "Ao puxar uma gaveta (...) para recolher as miudezas

que achara dispersas..." (Júlio Ribeiro, *A carne*) **2** Minúcias, particularidades, pormenores: "Quando me narraram miudezas destes fatos..." (Camilo Castelo Branco, *Coração, cabeça e estômago*) **3** Miúdos de aves e outros animais [F.: Pl. de *miudeza*. Ver tb. *miudeza*.]

miudinha (mi:u.*di*.nha) *sf. Bras. Poét.* Décima de redondilhas menores, bastante us. nos desafios; CARRETILHA [F.: *miúdo* + *-inha*.]

miudinho (mi:u.*di*.nho) *a.* **1** Muito pequeno ou miúdo *sm.* **2** *Bras. Dnç.* Dança de salão, de par enlaçado, praticada na época da Regência (1832-1843) **3** *Bras. Dnç.* Passo do samba de roda, em que os dançarinos avançam ou recuam com um movimento quase imperceptível dos pés **4** *SP Dnç.* Uma das marcações da quadrilha dançada em festas juninas **5** *SP Dnç.* Tipo de lundu **6** *PA Dnç.* Tipo de forró em que os pares dançam muito juntos e em ritmo rápido [F.: *miúdo* + *-inho*¹.]

miúdo (mi.*ú*.do) *a.* **1** De pequeno tamanho; DIMINUTO [Ant.: *graúdo*.] **2** Sem importância; FÚTIL; INSIGNIFICANTE; MESQUINHO: "São tantas coisinhas miúdas, roendo, comendo/ Arrasando aos poucos com o nosso ideal (...)." (Luís Gonzaga Jr., *Grito de alerta*) **3** Composto de elementos de pequenas dimensões (estampado miúdo, pedrinhas miúdas) **4** Diz-se de dinheiro em notas de pouco valor ou em moedas; TROCADO **5** Amiudado, frequente (visitas miúdas) **6** Atento aos pequenos detalhes; ESCRUPULOSO; MINUCIOSO; RIGOROSO **7** Diz-se de gado de pequeno porte (p.ex.: ovino, caprino, suíno) **8** Ver *avarento*. [Superl.: *minutíssimo, miudíssimo*.] *sm.* **9** *Lus. RS* Criança pequena [F.: Do lat. *minutus*. Cf.: *miúdos*.] ■ **A ~** Com frequência, muitas vezes; amiúde **De ~** Ver *Por miúdo* **Em ~s** Ver *Por miúdo* **Pelo ~** Ver *Por miúdo* **Por ~** Com detalhes, minuciosamente: *Contou-lhe, por miúdo, tudo que fizera.* **Trocar em ~s** Explicar com clareza ou com detalhes: *Não entendi bem, vamos trocar isso em miúdos, conte tudo que aconteceu.*

miúdos (mi.*ú*.dos) *smpl.* Vísceras de animal de corte (miúdos de boi) [F.: Do lat. *minutus*. Cf.: *miúdo*.]

miunça (mi:*un*.ça) *sf.* Ver *miuça*

miúra (mi:*ú*.ra) *sm. Taur.* Touro agressivo, ágil e de chifres pontiagudos muito us. nas touradas espanholas [F.: Posv. do antr. *Miúra*, criador de gado espanhol.]

miúro¹ (mi:*ú*.ro) *sm. Poét.* Hexâmetro datílico com o último pé formado por um jambo ou um pirríquio (em vez de um espondeu ou um troqueu) [F.: Do lat. *miurus, i*.]

miúro² (mi:*ú*.ro) *a. Med.* Diz-se de pulso que enfraquece gradualmente [F.: *mi(o)-* + *-uro*.]

mixado (mi.*xa*.do) [cs] *a.* Que foi misturado e combinado com várias entradas de som ou de imagem (disco mixado) [F.: Part. de *mixar*.]

mixador (mi.xa.*dor*) [cs ô] *Bras. Mús. Cin. Telv. a.* **1** Diz-se de indivíduo que faz mixagem. **2** Diz-se de dispositivo ou aparelho próprio para mixagem *sm.* **2** Indivíduo que faz mixagem: "Ele toca todos os instrumentos, produz, é o técnico de som, o mixador e o dono da gravadora..." (*Folha de S.Paulo*, 24.02.1995) **3** Dispositivo ou aparelho próprio para mixagem [F.: *mixar* + *-dor*.]

mixagem (mi.*xa*.gem) [cs] *sf.* **1** *Cin.* Processo que combina sinais sonoros de fontes separadas, como ocorre, por exemplo, na gravação da banda sonora de um filme, quando se junta num todo as partes gravadas (diálogos, ruídos, música etc.) em separado **2** *Mús.* Em gravações musicais, processo de juntar os vários canais de som gravados separadamente, ou de ajustar as saídas de vários microfones **3** Em música concreta e música eletrônica, superposição de canais de som diferentes realizada durante espetáculos e festas, ou para gravação **4** *Telv.* Processo que combina dois ou mais sinais de imagem, para a obtenção de efeitos como corte, fusão, superposição etc. [F.: *mixar* + *-agem*, do ing. (*to*) *mix* + *-agem*.]

mixaria (mi.xa.*ri*.a) *Bras. Pop. sf.* **1** Coisa sem valor; BUGIGANGA; QUINQUILHARIA **2** Quantia muito pequena de dinheiro; BAGATELA: *Ganhou uma mixaria na loteria.* [Ant.: *exorbitância*.] [F.: *mix(e)* + *-aria*. Sin. ger.: *insignificância, ninharia*. Hom./Par.: *mixaria* (cs) (fl. de *mixar* (cs)).]

mixe (*mi*.xe) *Bras. Pop. a2g.* **1** Que há pequena quantidade; APOUCADO: "...uma soma mixe de dinheiro..." (*Folha de S.Paulo*, 30.08.1996) **2** Que é de má qualidade; sem-préstimo ou sem valor; MIXO: "...um mixe couro do boi velho" (João Simões Lopes Neto, "Boi velho" *in Contos gauchescos*) **3** Diz-se de festa ou qualquer evento sem animação; MIXA [F.: Posv. do guarani *mi' xi* 'pequeno, pouco'. Hom./Par.: *mixe* (a2g.), *mixe* (fl. de *mixar*), *mixe* [cs] (fl. de *mixar* [cs]).]

mixedema (mi.xe.*de*.ma) [cs] *sm. Pat.* Tipo de edema resultante da hipofunção da tireoide; de aspecto duro e opaco, é formado pelo acúmulo de água, sais e proteínas nos tecidos; HIPOTIREOIDISMO [F.: *mix(o)-* + *edema*.]

mixedematoso (mi.xe.de.ma.*to*.so) [cs ô] *a.* **1** Relativo a mixedema **2** Que padece de mixedema [F.: *mixoedema* + *-oso*, seg. o mod. erudito.]

◎ **-mixia** *el. comp.* = 'cruzamento', 'acasalamento'; 'reprodução'; 'formação': *amixia, pan-mixia; anfimixia; apomixia* [F.: Do gr. *míxis, eos*, 'ação de misturar', 'mistura', *-ia*¹.]

◎ **mix(o)-** [cs] *el. comp.* Expressa noção de 'muco', 'mucosidade': *mixedema, mixoma* [F.: D o gr. *myksa, es*.]

mixo (*mi*.xo) *a.* O mesmo que *mixe* (salário mixo, trocadilho mixo, evento mixo) [F.: Deriv. de *mixe*. Hom./Par.: *mixo* (a.), *mixo* (fl. de *mixar*), *mixo* [cs] (fl. de *mixar* [cs]).]

mixoma (mi.*xo*.ma) [cs] *sm. Pat.* Tumor benigno composto de células primitivas de tecido conjuntivo e estroma, cresce de forma autônoma e progressiva, e ocorre com mais frequência no coração [F.: *mix(o)-* + *-oma*.]

mixomatose (mi.xo.ma.*to*.se) [cs] *sf. Vet.* Doença virótica que ataca coelhos e provoca inflamação da conjuntiva e das pálpebras, edemas, nódulos subcutâneos ou pequenos tumores pelo corpo; em poucos dias os animais infectados morrem, muitas vezes tolhidos de paralisia [F.: *mixoma* + *-ose*², seg. o mod. erudito.]

mixórdia (mi.*xór*.di:a) *sf.* **1** Mistura de coisas variadas; BAGUNÇA; BARAFUNDA; MISTIFÓRIO; MISTURADA **2** Desentendimento, confusão, embrulhada **3** *Pej.* Comida ou bebida malfeita ou de aspecto repugnante **4** *Pej.* Qualquer coisa malfeita, desprezível: *Este trabalho está uma mixórdia!* [F.: De or. contrv.]

mixuruca (mi.xu.*ru*.ca) *Bras. Pop. a2g.* **1** De má qualidade; sem valor; BARATO; POBRE; RELES: *Ganhou um presente bem mixuruca.* **2** Sem atrativos, sem graça; DESENXABIDO; CHINFRIM: *Foi uma festa mixuruca!* [F.: Voc. expressivo, posv. relacionado a *mixe*. Sin. ger.: *mixe*.]

mixuruquice (mi.xu.ru.*qui*.ce) *Bras. Gír. sf.* **1** Qualidade do que é mixuruca ou mixe; MIXARIA: "...uma gigantesca muralha, capaz de transformar qualquer muro em mixuruquice de país sem história" (*Folha de S.Paulo*, 18.12.1995) **2** Coisa ou ação mixuruca [F.: *mixuruca* + *-ice*.]

⊠ **ml**¹ *Fís. Metrol.* Símb. de *mililitro*

⊠ **Ml**² *Fís. Metrol.* Símb. de *mirialitro*

⊠ **mm** *Fís. Metrol.* Símb. de *milímetro*

⊠ **mmc** *Mat.* Símb. de *mínimo múltiplo comum*

⊠ **mmHg** *Fís-quím.* Símb. de *milímetro mercúrio*

⊠ **Mn** **1** *Quím.* Símb. de *manganês* **2** *Fís. Metrol.* Símb. de *miriâmetro*

mnêmico (*mnê*.mi.co) *a.* Ref. a memória; MNEMÔNICO: "... um registro mnêmico marcado pela repetição" (*Folha de S.Paulo*, 06.11.1995) [F.: *mnem(o)-* + *-ico*².]

◎ **mnem(o)-** *el. comp.* Expressa noção de 'memória', 'lembrança': *mnêmico, mnemonização* [F.: Do gr. *mneme, es*.]

mnemônica (mne.*mô*.ni.ca) *sf.* Técnica para facilitar a memorização através de exercícios como, p.ex., a combinação de elementos associáveis [F.: Do gr. *mnemoniká-on*, pelo lat. cient. *mnemonica*.]

mnemônico (mne.*mô*.ni.co) *a.* **1** Ref. à memória; MNÊMICO **2** Que segue os preceitos da mnemônica (exercício mnemônico) **3** Fácil de memorizar (número mnemônico) [F.: Do gr. *mnemonikós*, pelo lat. medv. *mnemonicus*.]

mnemonização (mne.mo.ni.za.*ção*) *sf.* Ação ou resultado de mnemonizar [Pl.: *-ções*.] [F.: *mnemonizar* + *-ção*.]

mnemonizar (mne.mo.ni.*zar*) *v. td.* Deixar (algo) mnemônico, mais fácil de memorizar: *Era fácil mnemonizar os nomes dos autores.* [F.: Rad. *mnemon-* + *-izar*.]

mnemonizável (mne.mo.ni.*zá*.vel) *a2g.* **1** Que se pode mnemonizar **2** Que se pode reter na memória [Pl.: *-veis*.] [F.: *mnemonizar* + *-vel*. Hom./Par.: *mnemonizáveis* (a2g.pl.), *mnemonizáveis* (fl. de *mnemonizar*).]

◎ **-mnese** *suf.* = 'lembrança', 'memória': *anamnese, amnésia*

◎ **-mnesia** Ver *-mnésia*

◎ **-mnésia** *el. comp.* Indica lembrança: *anamnésia, amnésia, catamnésia, dismnésia, hipermnésia, paramnésia* [F.: Do gr. *-mnesia*. Tb. *-mnesia*...]

mnésico (*mné*.si.co) *a.* Da ou ref. a memória: *Os médicos avaliam o desempenho mnésico em adultos idosos.* [F.: *mnes-* (< do v.gr. *mimnesko* 'lembrar-se, recordar-se') + *-ico*².]

mó¹ *sf.* **1** Pedra rija, circular e rotativa, que tritura o grão dos cereais nos moinhos, ou espreme a azeitona nos lagares: "...o pátio onde gemia a mó do moinho doméstico..." (Eça de Queirós, *A relíquia*): "Nanni estava empurrando com a pá as azeitonas para debaixo da mó..." (Giovanni Verga, "A loba" *in Mar de histórias*) **2** Pedra pequena e circular us. para amolar facas e outros instrumentos cortantes ou perfuradores **3** *Lus.* Dente molar [F.: Do lat. *mola, ae*.] ■ **Estar na ~ de baixo/de cima** **1** Estar em má/boa situação ou fase financeira, de recursos etc. **2** Ocupar cargo ou preencher função sem importância/importante

mó² *sf.* **1** Grande quantidade **2** Reunião de muitas pessoas: "... no meio de uma espessa mó de populares..." (Alexandre Herculano, *Arras por foro de Espanha*) **3** *Gír.* Expressão de gíria que intensifica a noção da palavra que lhe sucede (mó barato; mó sucesso; mó fracasso) [F.: Red. de *mole*, do lat. *moles, is* 'volume enorme'.]

mó³ *sm.* Red. de *modo*: "...o Consulado invadindo-se de judeus, sob mó de angústias, famintos de partir..." (João Guimarães Rosa, "A velha" *in Ave, palavra*) [F.: Red. de *modo*.]

moageiro (mo:a.*gei*.ro) *sm.* **1** Dono de estabelecimento de moagem; proprietário de moinho **2** Indivíduo que trabalha em moagem *a.* **3** Ref. à moagem (setor moageiro) [F.: *moagem* + *-eiro*.]

moagem (mo.*a*.gem) *sf.* Ação ou resultado de moer; MOEÇÃO; MOEDURA; MOENDA: "Via o mudar dos dias. Ora, quase findada a moagem da cana (...)." (João Guimarães Rosa, *Noites do sertão*) [Pl.: *-gens*.] [F.: *mó* + *-agem*.]

mobelha (mo.*be*.lha) [ê] *sf. Zool.* Nome comum a aves ciconiformes da família das *Gaviidae*, esp. a mobelha-grande (*Gavia immer*) e a mobelha-pequena (*Gavia stellata*), ambas aquáticas, habitando principalmente em lagos e rios

móbil (*mó*.bil) *P.us. a2g.* **1** Que se move; MÓVEL: "Na claridade debuxava-se uma sombra móbil; um homem se aproximava da janela." (José de Alencar, *O guarani*) [Ant.: *imóvel*.] *sm.* **2** Aquilo que leva alguém a executar uma ação; CAUSA; MOTIVO; RAZÃO: *O móbil do crime pode ser passional.* [Ant.: *consequência, efeito, resultado*.] [Pl.: *-beis* e (*p.us.*) *-biles*.] [F.: Do lat. *mobilis*. Hom./Par.: *móbiles* (pl.) e *móbiles* (pl. de *móbile*).]

⊕ **mobile** (*Ing.: /mobáil/*) *sm.* Designativo de qualquer equipamento ou dispositivo de comunicação portátil, como celulares, *smartphones* etc.

móbile (*mó*.bi.le) *sm.* **1** *Art.pl.* Escultura feita com pequenas peças leves, suspensas individualmente por fios e que se movem ao vento **2** *P.ext.* Pequeno artefato, us. esp. em decoração de quartos infantis, feito de pequenas peças de madeira, papelão, plástico etc. suspensas por fios que se movem ao vento ou por intermédio de um mecanismo que as faz girar enquanto toca uma melodia **3** *Publ.* Peça publicitária feita de papelão, plástico etc. e que se pendura em pontos de venda *a2g.* **4** *P.us.* Que se move; MÓBIL [F.: Do lat. *mobilis*, pelo ing. *mobile*. Hom./Par.: *mobile* (fl. de *mobilar*), *móbiles* (pl.) *móbiles* (a2g. pl).]

mobília (mo.*bí*.li:a) *sf.* O conjunto dos móveis de serviço ou de adorno de um ambiente ou de uma casa; MOBILIÁRIO [F.: Do lat. *mobilia* 'coisas móveis'. Hom./Par.: *mobilia* (fl. de *mobiliar*).]

mobiliado (mo.bo.li.*a*.do) *a.* Provido de mobília; MOBILADO [Ant.: *desmobiliado*.] [F.: Part. de *mobiliar*.]

mobiliar (mo.bi.li.*ar*) *v. td.* Prover (casa, cômodo, escritório etc.) de mobília: *Mobiliaram a sala com móveis requintados.* [▶ **1 mobiliar**] [F.: *mobília* + *-ar*. Hom./Par.: *mobiliaria* (1ª3ªp.s.), *mobiliarias* (2ªp.s.)/ *mobiliária* (f. *mobiliário* [adj.s.m. e pl.]). Ant. ger.: *desmobiliar*.]

mobiliária (mo.bi.li.*á*.ri:a) *sf.* Estabelecimento de comércio de móveis; MOVELARIA [F.: Fem. substv. de *mobiliário*.]

mobiliário (mo.bi.li.*á*.ri:o) *sm.* **1** Ver *mobília* *a.* **2** Ref. à mobília **3** *Jur.* Que tem a natureza de bens móveis (valor mobiliário) **4** *Jur.* Ref. a ou que consiste em bens móveis (dívida mobiliária, herança mobiliária) [F.: *mobília* + *-ário*.] ■ **~ urbano** *Arq.* O conjunto de utensílios, equipamentos, artefatos etc. para uso público, ou para composição paisagística ou urbanística etc., distribuídos pelas áreas públicas de uma cidade [Ex.: telefones públicos, caixas de correio, bancos, placas de sinalização, lixeiras etc.]

mobilidade (mo.bi.li.*da*.de) *sf.* **1** Característica do que é móvel ou é capaz de se mover **2** Capacidade de mover-se ou ser movido **3** Facilidade de deslocar(-se) de um lugar para outro; LOCOMOBILIDADE: *a mobilidade do jogador; O laptop dá a mobilidade exigida pelos novos tempos.* **4** Facilidade com que se passa de um estado de espírito a outro; INCONSTÂNCIA; VOLUBILIDADE **5** Facilidade de ocupar posições diversas, esp. ascendentes, numa escala hierárquica (social, profissional, econômica etc.) (mobilidade social): *A mobilidade da mão de obra depende da qualificação.* **6** Frequência com que se muda ou transita de um lugar para outro; LOCOMOBILIDADE: *mobilidade dos imigrantes; mobilidade dos trabalhadores do campo.* **7** Liberdade de ação ou de movimentação de pessoas ou coisas: *A terceirização facilita a mobilidade do capital; mobilidade dos atores no palco.* [F.: Do lat. *mobilitas-atis*. Ant. ger.: *imobilidade*.] ■ **~ social** **1** *Soc.* A não permanência de indivíduo(s) na situação social (classe, estrato, casta etc.) em que foi socializado; passagem de indivíduo(s) para outra(s) classe(s) ou grupo(s) social(is) **2** Circulação ou difusão de ideias entre diferentes subgrupos de uma sociedade

mobilismo (mo.bi.*lis*.mo) *sm.* **1** *Apic.* Sistema ou prática de apicultura cujas colmeias são compostas de quadros móveis [P.opos. a *fixismo*.] **2** *Fil.* Doutrina segundo a qual a essência das coisas não obedece leis fixas e está em contínua transformação [Cf.: *heraclitismo*.] **3** *Geol.* Teoria de que a Terra é formada por placas rígidas que se movem sobre a astenosfera [F.: *móbil* + *-ismo*.]

mobilização (mo.bi.li.za.*ção*) *sf.* **1** Ação ou resultado de mobilizar(-se) **2** *Mil.* Conjunto de medidas governamentais e militares visando à defesa do país ou à preparação para uma ação militar **3** Associação, aliança da população ou de um segmento da sociedade em prol de uma causa: "A mobilização da categoria segue hoje com uma manifestação em frente à sede da prefeitura, (...)." (*Folha de S.Paulo*, 29.06.2005) **4** Encontro, passeata ou concentração, dessas pessoas: "A mobilização dos professores da rede municipal na tarde de ontem provocou congestionamentos no centro (...)." (*Idem*, 03.06.2005) [Pl.: *-ções*.] [F.: *mobilizar* + *-ção*. Ant. ger.: *desmobilização*.]

mobilizado (mo.bi.li.*za*.do) *a.* Que se mobilizou [Ant.: *desmobilizado*.] [F.: Part. de *mobilizar*.]

mobilizador (mo.bi.li.za.*dor*) [ô] *a.* **1** Que mobiliza; que causa a movimentação de algo ou alguém; MOBILIZANTE: *programa mobilizador de ciência e tecnologia. sm.* **2** Aquele que mobiliza [F.: *mobilizar* + *-dor*. Ant.: *desmobilizador*.]

mobilizante (mo.bi.li.*zan*.te) *a2g.* Que mobiliza (discurso mobilizante); MOBILIZADOR [F.: *mobilizar* + *-nte*. Ant.: *desmobilizante*.]

mobilizar (mo.bi.li.*zar*) *v.* **1** Conclamar, chamar à ação (pessoas, grupos, instituições etc.) [*td.*: *Mobilizou os professores para uma reforma na escola; O povo mobilizou-se a favor da paz.*] **2** Pôr(-se) em ação (tropa) para a guerra ou ante perigo de guerra [*td.*: *O governo mobilizou o exército; A tropa mobilizou-se para a batalha.*] **3** Movimentar(-se), mover(-se), pôr(-se) em ação [*td.*: *Mobilizaram recursos para a reforma da escola; Todos se mobilizaram para dar sua contribuição.*] **4** Arregimentar, sensibilizar ou comover [*td.*: *A campanha pelas reformas queria mobilizar todos os partidos.*] **5** Movimentar-se para deflagrar uma ação [*td.*: *Mobilizou-se para salvar a família do amigo.*] [▶ **1 mobilizar**] [F.: Do fr. *mobiliser*. Ant. ger.: *desmobilizar*.]

mobilizável (mo.bi.li.*zá*.vel) ***a2g.*** Que pode ser mobilizado [Ant.: *desmobilizável.*] [Pl.: *-veis.*] [F.: *mobilizar + -vel.* Hom./Par.: *mobilizáveis* (pl.), *mobilizáveis* (fl. de *mobilizar*).]

⊠ **Mobral** Sigla de *Movimento Brasileiro de Alfabetização* (programa de alfabetização de adultos iletrados que durou de 1967 a 1985)

moca[1] (*mo*.ca) [ó] ***sf.*** **1** *Bras.* Atitude de escárnio para com alguém ou algo; ZOMBARIA *Gír.*; ZOAÇÃO **2** *Bras.* Ver *mentira* **3** *Bras. Gír.* Ato ou dito tolo, estúpido; ASNEIRA; BOBAGEM [F.: De or. obsc.]

moca[2] (*mo*.ca) ***sm.*** **1** Tipo de café de alta qualidade, de origem asiática **2** *P.ext.* Bebida feita com esse tipo de café [F.: Do top. *Moca.*]

moca[3] (*mo*.ca) [ó] ***sf.*** Bastão para bater; CACETE; MAÇA; PORRETE [F.: De or. obsc.] ■ **Partir a ~** Rir muito, rir às bandeiras despregadas

moça (*mo*.ça) [ô] ***sf.*** **1** Mulher jovem **2** Mulher madura, ainda não velha **3** Menina que já menstrua **4** *Bras.* Mulher virgem; DONZELA **5** Tratamento informal que se dispensa a mulheres jovens **6** *Lus.* Empregada doméstica; CRIADA **7** *Bras. Pop. Joc.* Homossexual masculino, esp. o delicado e sensível **8** *Amaz.* Mulher que mantém relação amorosa clandestina; AMANTE; CASO **9** *Pop. Joc.* Ver *meretriz* [Aum.: *mocetona (irreg.).* Dim.: *moçoila (irreg.).* Na acp. 1, col.: *moçame, moceiro.*] [F.: De or. incerta. Hom./Par.: *mossa* (sf.).] ■ **~ do açafate** Dama da corte que servia as mulheres da família real, e carregava num açafate seus lenços, aviamentos etc.; açafata **Ser uma ~** *Bras. Fam. Fig.* Ser educado, delicado, de bons modos **~ velha** *Bras. Pop.* Mulher de meia-idade solteira; solteirona

moça-branca (mo.ça-*bran*.ca) *Bras.* ***sf.*** **1** *Ent.* Abelha meliponínea (*Frieseomelitta varia*), encontrada na BA, em MG e em SP, que nidifica em paredes de pau a pique ou em árvores ocas; ABREU; AMARELA; MANUEL-DE-ABREU **2** *Pop.* Cachaça, aguardente [Pl.: *moças-brancas.*]

moçada (mo.*ça*.da) *Pop.* ***sf.*** **1** Grupo de rapazes e moças: "Os anunciantes descobriram que [a televisão] se trata de um canal eficiente para falar com a moçada entre 15 e 29 anos." (*Veja*, 15.08.2001) **2** Grupo de rapazes; RAPAZIADA **3** *Bras.* Grupo de moças; MOÇAME; MOCEIRO **4** *Bras.* Grupo de amigos, parentes, colegas etc.: *Convidei a moçada para a festa.* **5** Grupo de pessoas, esp. jovens, com alguma afinidade em comum; GALERA; RAPAZIADA; TURMA: *moçada do surfe/ do axé/ do rap.* [F.: *moço + -ada*[2].]

mocambeiro (mo.cam.*bei*.ro) *Bras.* ***a.*** **1** Diz-se de escravo que fugia e se refugiava em mocambo ou quilombo **2** *N.E. P.ext.* Que vive em casa precária ou arruinada **3** *N N.E.* Diz-se de rês que se esconde na mata cerrada ou em moita grande (boi mocambeiro) ***sm.*** **4** Escravo que fugia e se refugiava em mocambo ou quilombo; QUILOMBEIRO **5** *N.E. P.ext.* Aquele que vive em casa precária ou arruinada **6** *N N.E.* Rês que se esconde na mata cerrada ou em moita grande: "...lembra daquele novilho que ele foi pegar lá no fundo do Piauí? Gastou três meses; mas trouxe o mocambeiro amarrado à argola da cilha." (José de Alencar, *O sertanejo*) [F.: *mocambo + -eiro.*]

moçambicano (mo.çam.bi.*ca*.no) ***sm.*** **1** Pessoa nascida ou que vive em Moçambique (África) ***a.*** **2** De Moçambique (África); típico desse país ou de seu povo [F.: Do top. *Moçambique + -ano.*]

moçambique (mo.çam.*bi*.que) ***sm.*** **1** Pessoa nascida ou que vive em Moçambique (África); MOÇAMBICANO **2** *MG SP GO Mús. Dnç. Folc.* Dança dramática, de origem africana e de caráter guerreiro, na qual os integrantes, comandados por um mestre, dançam ao som de instrumentos de percussão e golpeiam bastões de madeira entre si **3** *Bras. Zool.* Molusco bivalve (*Donax hanleyanus*) da fam. dos donacídeos, encontrado na região entremarés de praias arenosas do ES à Argentina; possui concha em forma de cunha e pé bem desenvolvido que proporciona mobilidade e rapidez ao se enterrar; NANINÍ; BEGUABA; SERNAMBI **4** *Bras. Zool.* Molusco bivalve (*Tivela mactroides*) da família dos venerídeos, que vive enterrado na areia das praias ao longo da costa brasileira; SARNAMBI; MAÇAMBIQUE; MAÇUNIM; SAMANGUAIÁ; SERNAMBI [F.: Do top. *Moçambique* (África).]

moçambiqueiro (mo.çam.bi.*quei*.ro) ***sm.*** *Etnog.* Quem dança moçambique, dança guerreira africana [F.: *moçambique + -eiro.*]

mocambo (mo.*cam*.bo) ***sm.*** **1** *N.E.* Habitação precária, miserável; BARRACO; CASEBRE; TAPERA **2** *N.E.* Grande número de habitações dessa natureza agrupadas em um local **3** *Bras.* Cabana que os vigias de lavoura ou de rebanho erguem para abrigarem-se: "(...) ali ficam, anônimos – nascendo, vivendo e morrendo na mesma quadra de terra – perdidos nos arrastadores e mocambos; e cuidando, a vida inteira, fielmente, dos rebanhos que lhes não pertencem." (Euclides da Cunha, *Os sertões*) **4** *Bras.* Choça que escravos fugidos construíam nas matas; QUILOMBO: "Mesmo em franca revolta, o negro humilde feito quilombola temeroso, agrupando-se nos mocambos, parecia evitar o âmago do país." (Euclides da Cunha, *Os sertões*) **5** *N. N.E.* Grande moita onde a rês se esconde [F.: Do quimb. *mu'kamu* 'esconderijo'.]

moção (mo.*ção*) ***sf.*** **1** Proposta apresentada numa assembleia e submetida à votação para ser aprovada **2** Ação ou resultado de mover(-se); MOVIMENTO **3** Abalo, choque moral; COMOÇÃO [Pl.: *-ções.*] [F.: Do lat. *motio-onis*, pelo fr. *motion*, e este do ingl. *motion.*]

moçar (mo.*çar*) ***v.*** **1** Tirar a virgindade a (uma garota), ou perdê-la [*td.*: *Moçou a sobrinha.*] [*int.*: *Mal chegaram à cidade, elas moçaram.*] **2** *P.ext.* Entregar-se à prostituição [*int.*] [▶ **12** *moçar*] [F.: moç(a) + -ar. Hom./Par.: moça (fl.), *moça* /ô/ (f. moço /ô/ [adj.] e sf.) e *mossa* (sf.); moças (fl.), *moças* /ô/ (f. pl. moço /ô/ [adj.] e pl. *moça* /ô/ [sf.]) e *mossas* (pl. mossa).]

moçárabe (mo.*çá*.ra.be) ***s2g.*** **1** Cristão que vivia em terras ocupadas pelos mouros na Península Ibérica **2** Descendente desses cristãos ***sm.*** **3** *Gloss.* Grupo de dialetos românicos falados pelos moçárabes (1) do sul da Península Ibérica ***a2g.*** **4** Diz-se dos moçárabes (1 e 2) **5** Dos ou ref. aos moçárabes (1 e 2) **6** Do ou ref. ao moçárabe (1) (dialeto moçárabe; cultura moçárabe) **7** Que descende dos moçárabes (1) [F.: Do ár. *musta'rib* 'de outra etnia, que se tornou árabe', pelo cast. *mozarabe.*]

mocassim (mo.cas.*sim*) ***sm.*** **1** *Vest.* Sapato informal de couro macio e flexível, sem salto, inspirado no mocassim (2) **2** *Hist. Vest.* Sapato ou bota de couro macio e sem salto, cuja sola se estende para cima e é costurada a uma pala em formato de U no peito do pé, us. pelos índios norte-americanos [Pl.: *-sins.*] [F.: Do algonquino *móckassin*, pelo ing. *moccasin.*]

mocetão (mo.ce.*tão*) ***sm.*** Rapaz forte e bonito; RAPAGÃO: "(...) era um mocetão com as mais belas disposições físicas; porém, desgraçadamente gago, (...)." (Machado de Assis, *Contos fluminenses*) [Pl.: *-tões.* Fem.: *mocetona.*] [F.: *moç(o) + ete + -ão.* Nota: Aum. irreg. de *moço.*]

mocha (*mo*.cha) [ô] ***sf.*** **1** Fem. do mocho **2** *SP Pop.* Arma de fogo sem cão [F.: Fem. substv. de *mocho.* Hom./Par.: *mocha(s)* (sf. [pl.]), *mocha(s)* (fl. de *mochar*), *mocha(s)* (sf. [pl.]), *moxa(s)* [cs]).]

mochila (mo.*chi*.la) ***sf.*** **1** Sacola de tecido sintético ou lona, com alças para ser carregada às costas, us. por soldados, excursionistas, estudantes etc. **2** *P.ext.* Bolsa feminina feita para ser carregada às costas **3** *Bras.* Sacola de lona ou couro, ger. us. a tiracolo, para levar provisões, ferramentas etc.; BORNAL; EMBORNAL **4** Qualquer saco de viagem **5** Manta que se põe sob a sela da cavalgadura; GUALDRAPA; XAIREL **6** *Bras.* Saco que se pendura ao focinho da cavalgadura para dar-lhes ração; BORNAL; CEVADEIRA; EMBORNAL **7** *Fig.* Corcunda, corcova, giba **8** *NO* Saco que se enfia no focinho do cabrito para que não mame [Dim.: *mochileta (irreg.).*] [F.: Do cast. *mochila.*]

mochileiro (mo.chi.*lei*.ro) ***sm.*** *Bras. Pop.* Indivíduo que viaja com pouca bagagem e, para otimizar os recursos financeiros, procura meios de transporte, hospedagem e alimentação que não exigem gastos elevados [F.: *mochila + -eiro.*]

mocho[1] (*mo*.cho) [ô] ***sm.*** **1** *Ornit.* Designação comum a várias aves de rapina, da fam. dos estrigídeos, de hábitos noturnos, visão binocular e audição desenvolvida: "Nem pia o mocho, às trevas costumado." (Bocage, *Já sobre o coche de ébano estrelado*) **2** *Fig. Pej.* Indivíduo taciturno, triste ou mal-humorado, que prefere a solidão [Fem.: *mocha.*] [F.: De or. obsc. Hom./Par.: *mocho* (a.sm.), *mocho* (fl. de *mochar*).]

mocho[2] (*mo*.cho) [ô] ***a.*** **1** Que foi mutilado ou que falta algum membro **2** Diz-se de animal que não tem chifres (touro mocho) **3** *RS P.ext.* Diz-se de cavalo que tem as duas orelhas caídas **4** Diz-se de árvore cujos ramos foram cortados **5** *Lus.* Que não tem sementes ou grãos (vagem mocha) **6** *SP Pop.* Diz-se da arma de fogo sem cão [Cf.: *mocha.*] **7** *Antq. Mar.* Diz-se de navio que perdeu a mastreação **8** *Antq. Mar.* Diz-se de mastro inteiriço, sem mastaréu **9** *Antq. Mar.* Diz-se de mastaréu, sem calcês nem galope ***sm.*** **10** *Mob.* Banco de assento quadrado ou redondo, sem encosto e braços, destinado a uma só pessoa; TAMBORETE: "Amélia quis logo saber a história; e sentando-se no mocho do piano..." (Eça de Queirós, *O crime do padre Amaro*) [F.: Do espn. *mocho* 'sem cornos', 'que tem falta de algum membro', posv. de or. expressiva. Hom./Par.: *mocho* (a.sm.), *mocho* (fl. de *mochar*), *mocha(s)* (f. [pl.]), *mocha(s)* (fl. de *mochar*), *moxa* (s.f. [pl.]).]

mocidade (mo.ci.*da*.de) ***sf.*** **1** O período da vida do homem entre a infância e a idade adulta **2** O frescor, o viço próprio das pessoas moças: "Mas aquele que sempre a mocidade/ Tem no rosto perpétua (...)." (Luís de Camões, *Os lusíadas*) **3** O conjunto das pessoas moças **4** *Fig.* Imprudência ou inconsequência próprias de gente jovem [F.: *moço + -(i) dade.* Sin. ger.: *juventude.* Ant. ger.: *senilidade, velhice.*]

mocinha (mo.*ci*.nha) ***sf.*** *Bras.* **1** Moça muito nova; MOÇOILA **2** Heroína de filmes, novelas, histórias etc.: *Há atrizes que só fazem papel de mocinha.* **3** *Ict.* Peixe teleósteo (*Characidium fasciatum* e *Characidium grajahuensis*) da fam. dos caracídeos, nativo do Brasil; com cerca de 9cm de comprimento, tem coloração amarelo-clara e faixas transversais quase negras no corpo; é considerado um peixe ornamental **4** *Bras. CE Ict.* Peixe teleósteo (*Peprilus paru*) da fam. dos estromateídeos, que ocorre no Atlântico; de corpo discoide, dorso azulado e abdome prateado, pode atingir até 28 cm de comprimento e possui carne muito apreciada; GORDINHO; REDONDO; PAMPO **5** *Bras. Ict.* Peixe teleósteo (*Curimata elegans*) da fam. dos curimatídeos, encontrado em rios brasileiros; de dorso castanho-claro, abdome mais claro e uma listra lateral prateada; SAGUIRU; BEIRU; BIRU; SABARU; SABURU [F.: *moça + -inha.*]

mocinho (mo.*ci*; nho) ***sm.*** **1** *Bras. Cin. Liter. Teat. Telv.* O herói de filme, novela, peça de teatro ou romance de aventura **2** Moço muito novo; MOÇOILO [F.: *moço + -inho*[1]. Nota.: Dim. de *moço.*]

⊕ **mock-up** (*Ing.: /moc-âp/*) ***sm.*** *Publ.* Simulação tridimensional de um produto, uma embalagem ou um objeto, us. como modelo preliminar para testes, estudos, produção fotográfica etc.

mocó[1] (mo.*có*) *Bras.* ***sm.*** **1** *Zool.* Roedor (*Kerodon rupestris*) da fam. dos caviídeos, semelhante à preá, que vive em buracos ou fendas entre as pedras dos afloramentos rochosos da caatinga; extremamente adaptado às condições de calor e de escassez de água e alimento, pode atingir 50 cm de comprimento e pesar um quilo; a carne é muito apreciada pelos sertanejos: "... o súbito voo rasteiro de uma araquã ou a corrida de um mocó esquivo." (Euclides da Cunha, *Os sertões*) **2** *SP Fig. Gír.* Vão ou buraco de viadutos, pontes etc. que serve de moradia para sem-teto, ou de esconderijo para pessoas viciadas: "'Mocó' é a denominação utilizada pelos moradores de rua para sua 'moradias' ou 'esconderijos'." (*Folha de S.Paulo*, 10.09.1996) **3** *N.E. Agr.* Variedade de algodão, de fibras compridas e sedosas **4** *N.E. N* Alforje de couro us. para carregar comida, papéis etc. **5** *Bot.* O mesmo que *tipuana* (*Tipuana speciosa*) [F.: Do tupi *mo'ko* 'roedor'. Hom./Par.: *mocó* (sm.), *mocô* (sm.).]

mocó[2] (mo.*có*) ***sm.*** **1** *Bras. Pej.* O mesmo que *bocó*: "Olha, mocó, se entendes a ciência de Gall e Spurzheim, dize-me pela protuberância dessa fronte, e pelas bossas dessa cabeça quem podia ser esse homem?" (Álvares de Azevedo, *Noite na Taverna*) **2** *Bras. PE* Homem que habita o meio rural; MATUTO; CAIPIRA **3** *P.ext.* Pessoa acanhada ou tímida [F.: Alter. de *bocó.* Hom./Par.: *mocó* (sm.), *mocô* (sm.).]

mocó (mo.*có*) *AL* ***sm.*** **1** Feitiço, bruxaria **2** Amuleto, talismã [F.: De or. obsc.]

mocô (mo.*cô*) ***sm.*** Ver *mocó*

moço (*mo*.ço) [ô] ***a.*** **1** Que está na primeira fase da idade adulta; JOVEM; NOVO: *Estava saindo com um rapaz muito moço.* [Ant.: *maduro, velho.*] **2** Que ainda não é velho; JOVEM; NOVO [Ant.: *maduro, velho.*] **3** Com aparência jovem, independentemente da idade; CONSERVADO: *Você fica mais moça com esse vestido.* [Ant.: *acabado, envelhecido.*] **4** *Fig.* Inexperiente ou imprudente, como se acredita ser próprio dos jovens: "Vancê é moço, passa a sua vida rindo (...); Deus o conserve! (...) sem saber nunca como é pesada a tristeza dos campos quando o coração pena!" (J. Simões Neto, *Contos gauchescos*) [Ant.: *amadurecido, experiente.*] **5** Que é novo, recente: *Estes são os mais moços contratados da empresa.* ***sm.*** **6** Ver *rapaz* [Ant.: *velho.* Nesta acp., col.: *rapaziada, moçada, mancebia.*] **7** Tratamento informal que se dispensa a um homem: *Moço, onde fica a rua da Alfândega?* **8** Criado, serviçal **9** *Carp.* Instrumento us. para apertar peças largas [F.: De or. incerta. Hom./Par.: *moço* (fl. de *moçar*).] ■ **~ de bordo** *Mar.* Marinheiro novato, que faz serviços de faxina a bordo, serve de criado etc. **~ de convés** *Mar.Merc.* Aprendiz de marinheiro que faz serviços de convés **~ de fretes** *Lus.* Moço que faz transporte de carga

moçoila (mo.*çoi*.la) ***sf.*** Moça muito nova; MOCINHA [F.: Deriv. de *moço.*]

mocorongo (mo.co.*ron*.go) ***sm.*** **1** *ES RJ SP Pej.* Ver *caipira* (6) ***sm.*** **2** *PA* Ver *santareno* **3** *RJ* Indivíduo desajeitado, mal-arrumado, mal-ajambrado **4** Indivíduo sem ânimo, alquebrado física ou moralmente **5** *RJ* Mulato de pele escura ***a.*** **6** Diz-se de pessoa ou coisa que é mocoronga (rapaz mocorongo; roupa mocoronga); CAFONA [F.: Voc. expressivo. Em qualquer acp. é ofensivo.]

mocoso (mo.*co*.so) [ô] ***a.*** O mesmo que *moncoso* [Fem.: [ó]. Pl.: [ó].]

mocotó (mo.co.*tó*) *Bras.* ***sm.*** **1** Pata de boi, sem o casco, us. como alimento; CHAMBARIL; MÃO DE VACA **2** *Cul.* O prato que se faz com a pata do boi **3** *Pop.* Calcanhar, tornozelo [F.: Do tupi.]

mocozal (mo.co.*zal*) ***sm.*** *Bras. N.E.* Monte pedregoso cheio de buracos, nos quais habitam mocós (1) [Pl.: *-zais.*] [F.: *mocó* (1) *+ -z- + -al.*]

mocreia (mo.*crei*.a) ***sf.*** *Bras. Gír. Pej.* Mulher muito feia, deselegante e mal-ajeitada; BARANGA; BRUACA [F.: De or. obsc.]

moda (*mo*.da) ***sf.*** **1** Maneira, estilo de viver, vestir, comportar-se, escrever etc. predominante numa determinada época ou lugar (gíria fora de moda); VOGA **2** *Restr.* Arte e técnica do vestuário (moda feminina) **3** A indústria e/ou o comércio dessa arte: *Gostaria de trabalhar com moda.* **4** Modo, maneira: *Preparou a massa à moda italiana.* **5** Gosto, maneira ou modo distinto e peculiar, ger. habitual, de cada um: *Trabalha à sua moda.* **6** Uso ou prática corrente, generalizada; FIXAÇÃO; MANIA: *Usar telefone celular virou moda.* **7** O centro das atenções numa determinada época ou lugar: *A moda agora é a prática do mensalão; Aquele escritor está na moda.* **8** *Mús.* Canção, cantiga; MODINHA **9** *Lus. Mús.* Música de salão ou folclórica em Portugal **10** *Est.* Valor com maior número de ocorrências num conjunto de observações e levantamento de frequências [F.: Do fr. *mode* 'costume, hábito, maneiras, uso'.] ■ **~ de patacoada** *SP Mús.* Moda (8) caipira com texto sem sentido, ou tolo **~ de viola** *MG RJ SP MT GO Mús.* Canção rural ger. a duas vozes, com acompanhamento de viola **~ dobrada** *Mús.* Moda (8) brasileira com versos de cinco sílabas, e com mais de oito versos por estrofe **~ simples** *Mús.* Moda(8) brasileira com versos de sete sílabas, e com três ou quatro versos por estrofe **À ~ (de)** **1** *Cul.* Preparado de certa maneira, segundo receita (de uma região, de um certo chef ou cozinheiro etc.): *dobrada à moda* (*do Porto*). **2** De acordo com os hábitos, a vontade, o estilo de: *Vive à moda de um monge; Fizeram tudo à moda dele.*

modal (mo.*dal*) ***a2g.*** **1** Ref. a modo ou modalidade **2** Ref. ao modo particular de ser ou fazer alguma coisa **3** *Gram.* Ref.

ao modo do verbo 4 *Gram.* Diz-se do v. auxiliar que serve para determinar com mais precisão o modo como ocorre ou deixa de ocorrer a ação verbal (p.ex., na frase 'Você *deveria* pensar no futuro', o auxiliar *deveria* acrescenta ao verbo a noção de necessidade) 5 *Lóg.* Que examina aspectos lógicos relacionados a conceitos como necessidade, contingência, impossibilidade e possibilidade 6 *Est.* Ref. a moda (10) 7 *Mús.* Ref. a modo 8 *Mús.* Que são a base da formação dos modos maior e menor: *A terça e a sexta são notas modais.* 9 *Mús.* Diz-se de música que usa outras escalas, além dos modos maior e menor [Pl.: *-dais.*] [F.: Do lat. medv. *modalis*, pelo fr. *modal.*]

modalidade (mo.da.li.*da*.de) *sf.* 1 Aspecto, forma, feição diversa que uma coisa pode ter ou assumir; TIPO: *modalidade de esporte/de investimento/de estilo literário.* 2 *Ling.* Expressão da intenção da pessoa que fala ou escreve em relação à forma como ocorrem as ações verbais em seu discurso, como opinião, dúvida, desejo, necessidade, possibilidade, aprovação etc. (p.ex., 'João *acabou de* sair', 'João *já* saiu', '*Acho* que João saiu'.) 3 *Fil.* Segundo a lógica aristotélica, característica de uma proposição que pode ser apresentada como *apodíctica* (afirma que algo deve ser), *assertórica* (afirma que algo é) ou *problemática* (afirma que algo pode ser) 4 *Fil.* No kantismo, característica de uma proposição que pode ser descrita como necessária, contingente, impossível ou possível (ou não necessária) 5 *Mús.* Estado de um modo que não é maior nem menor 6 *Mús.* Característica de uma peça musical escrita em escala modal diferente da maior e da menor clássicas [F.: *modal* + *-(i)dade.*]

modalismo (mo.da.*lis*.mo) *sm.* 1 *Rel.* Doutrina cristã do séc. IV que negava a existência de três pessoas na Santíssima Trindade (Pai, Filho, e Espírito Santo), e considerava que elas eram uma única pessoa (Deus) que se manifestou em três modos e em três tempos distintos 2 *Mús.* Sistema musical que us. modos (10) [F.: *modal* + *-ismo.*]

modalização (mo.da.li.za.*ção*) *sf. Ling.* Manifestação das atitudes do falante no enunciado cujas marcas revelam o maior ou menor grau de envolvimento do sujeito em relação à mensagem que transmite [Pl.: *-ções.*] [F.: *modalizar* + *-ção.*]

modalizador (mo.da.li.za.*dor*) [ô] *Ling. sm.* 1 Elemento do discurso que revela as atitudes do falante em relação ao seu próprio enunciado *a.* 2 Diz-se desse elemento (advérbio modalizador; verbo modalizador etc.) [F.: *modalizar* + *-dor.*]

modas (*mo*.das) *sfpl.* Artigos de vestuário (desfile de modas) [F.: Pl. de *moda.*]

modelação (mo.de.la.*ção*) *sf.* Ação de modelar; MODELAGEM; MODELAMENTO [Pl.: *-ções.*] [F.: *modelar* + *-ção.*]

modelado (mo.de.*la*.do) *a.* 1 Que se modelou; MOLDADO [+*a, em, por, sobre*: *máscara modelada pelo /sobre o rosto; estátua modelada em barro;* "O campo do combate, agora amplíssimo, estava adrede modelado às ardilezas do adversário: vencido qualquer um dos cômoros, viam-se centenares de outros a subir." (Euclides da Cunha, *Os sertões*) Us. tb. no sentido *Fig.*] *sm.* 2 *Geof. Geol.* Aspecto que assume a configuração do relevo e que resulta da ação dos agentes morfogenéticos (p.ex.: ventos, água, geleiras etc.): *o modelado litorâneo; o modelado feito pelos ribeirões.* 3 *Esc. Pint.* Características do relevo de uma forma: *o modelado da escultura.* 4 Aquilo que se modelou [F.: Part. de *modelar*[1].]

modelador (mo.de.la.*dor*) [ô] *a.* 1 Aquele ou aquilo que modela *sm.* 2 Instrumento us. para modelar os cabelos por ação do calor 3 Espécie de cinta feminina us. para adelgaçar e realçar as formas e que tem tb. uma variante masculina para diminuir a barriga 4 *Enc.* Instrumento us. por encadernadores para modelar capas de couro e dar-lhes relevo 5 Operário cuja função é preparar moldes [F.: *modela(r)*[1] + *-dor.*]

modelagem (mo.de.la.*gem*) *sf.* 1 Ação ou resultado de modelar; MODELAÇÃO 2 *Pedag.* Técnica para desenvolver coordenação motora, ger. us. com crianças, que consiste em moldar figuras com massa 3 *Esc.* Operação pela qual o escultor molda com argila ou cera sua obra que depois será executada em bronze, mármore, madeira etc.; MOLDAGEM 4 *Art.pl.* Operação pela qual se aplica gesso ou outra substância maleável sobre uma forma tridimensional para retirar-lhe o molde 5 *Vest.* Execução do molde, com base em desenho, fotografia, descrição etc., a partir do qual uma peça de costura será reproduzida 6 *Esc. Ind.* Conjunto de operações pelas quais se produzem os modelos, caixas de machos e ferramentas us. para execução de peças de fundição [Pl.: *-gens.*] [F.: *modelar*[1] + *-agem.*]

modelar[1] (mo.de.*lar*) *a2g.* Que pode servir de modelo; que é exemplar, perfeito (conduta modelar) [F.: *modelo* + *-ar*[1].]

modelar[2] (mo.de.*lar*) *v.* 1 Fazer o modelo ou o molde de [*td.*: *modelar uma estátua em gesso/um vestido.*] 2 Reproduzir com exatidão o relevo ou contornos de [*td.*: *Modelou novo alpendre para a casa.*] 3 Fazer sobressair os contornos de [*td.*: *Sua roupa justa modelava o corpo.*] 4 *Fig.* Tomar como modelo, fazer (algo) tomar o modelo de; regular (o modo de pensar ou proceder) pelo de outrem [*tdr.* +*por*: *Modelou seu comportamento pelo dos pais.*] [*tr.* +*por*: *Seu pensamento modela-se pelo de seu mestre.*] 5 *Fig.* Dar nova forma ou feição a [*td.*: *A convivência com os nativos modelou o novo estilo do pintor.*] 6 *Fig.* Delinear, esboçar, traçar [*td.*: *Modelou um romance que poderia ser uma obra-prima.*] 7 Trabalhar como modelo fotográfico ou de passarela [*int.*: *Contratou uma agente quando começou a modelar; Modela desde a adolescência.*] [▶ 1 modelar] [F.: *modelo* + *-ar*[2]. Hom./Par.: *modelo* (fl.), *modelo* [ê] (sm.s2g.).]

modelável (mo.de.*lá*.vel) *a2g.* Que se pode moldar (barro modelável); MOLDÁVEL [Pl.: *-veis.*] [F.: *modelar* + *-vel.*]

modelismo (mo.de.*lis*.mo) *sm.* Criação de modelos a serem reproduzidos em massa por certos profissionais (sapateiros, costureiros etc.), ou pela indústria [F.: *modelo* + *-ismo.*]

modelista (mo.de.*lis*.ta) *s2g.* Pessoa que trabalha na criação de modelos a serem reproduzidos em massa por certos profissionais (sapateiros, costureiros etc.), ou pela indústria [F.: *modelo* + *-ista.*]

modelito (mo.de.*li*.to) *sm. Pop. Vest.* Roupa, traje: "Longos na cor preta dominaram a festa, mas um ou outro modelito exibiu plumas cor-de-rosa..." (*Folha de S.Paulo*, 14.09.1999) [F.: *modelo* + *-ito.*]

modelo (mo.*de*.lo) [ê] *sm.* 1 *Art.Pl.* Qualquer pessoa ou objeto de atributos ger. especiais, que se reproduz por imitação ou que serve de referência para criação 2 *Art. Pl.* Pessoa que posa para artista em ateliê de pintura e/ou escultura; MODELO-VIVO 3 *Art.Pl.* Figura que, produzida em matéria pastosa ou macia (argila, cera, gesso etc.), é reproduzida em material de grande solidez, como mármore, ferro, bronze etc. 4 *Arq.* Representação em escala reduzida daquilo que se pretende criar em tamanho maior; MAQUETE 5 *P.ext.* Qualquer reprodução física em três dimensões, us. como recurso didático (como partes do corpo de um animal, cadeia montanhosa etc.) 6 Estrutura oca em que se derrama metal derretido para se formar um objeto quando esse metal se solidificar 7 Pessoa ou coisa que se utiliza como referência: "Está na cara que isso não leva a lugar nenhum, só perpetua um modelo de ganho que não é baseado na produção." (Ana Maria Machado, *A audácia dessa mulher*) 8 Pessoa ou coisa que, por suas qualidades, é digna de servir de exemplo: *Seu pai era um modelo de bondade.* 9 Tipo particular de um produto fabricado em série (automóvel, eletrodoméstico etc.): *Era um modelo de carro de 1940.* 10 Desenho, esboço de peça de indumentária criada por costureiro ou casa de modas: *Apressou-se para levar o modelo do vestido à costureira.* 11 Feitio de roupa, chapéu, sapato etc.: *Ficou fascinada pelo modelo daquela saia; Este modelo lhe cai bem.* 12 Aquilo que serve de exemplo ou norma (modelo poético; modelo literário) 13 Construção teórica, sistema (modelo econômico; modelo industrial; modelo gravitacional) 14 Impresso para ser preenchido (com pedidos, declarações etc.), encontrado em empresas, escritórios, repartições públicas, bancos etc.; FORMULÁRIO 15 *Fís.* Conjunto de hipóteses, de ideias, sobre a estrutura de um sistema físico, pelo qual podem ser explicadas as propriedades desse sistema 16 *Inf.* Representação simplificada de um fenômeno, que serve de referência para análise e estudo *s2g.* 17 Pessoa que desfila peças de vestuário de coleção nas passarelas da moda, ou que é fotografada para campanhas publicitárias: *Trabalhava como modelo de uma famosa marca de cosméticos; Após o desfile, as modelos foram bastante aplaudidas.* [F.: Do it. *modello.* Hom./Par.: *modelo* [ê] (sm.), *modelo* [é] (fl. de *modelar*).] ■ **~ econômico** *Econ.* Estruturação teórica e matemática das variáveis econômicas em vigência numa economia, que permite simular o comportamento de todo o sistema em função de alterações em uma ou mais variáveis, e com isso planejar ações e reações para induzir situações desejadas **~ fotográfico** Profissional que posa para fotografia para uso publicitário, matérias sobre moda etc. [Tb. apenas *modelo.*]

⊕ ***modem*** (Ing.: */môudem/*) *Inf. sm.* 1 Dispositivo de entrada e saída, modulador e desmodulador (convertendo dados digitais em sinal analógico e vice-versa), para transmitir dados entre computadores por telefone 2 Dispositivo para transmitir dados entre computadores por cabo [Tb. *cable modem.*]

moderação (mo.de.ra.*ção*) *sf.* 1 Ação ou resultado de moderar(-se); ATENUAÇÃO; SUAVIZAÇÃO [Ant.: *agravamento.*] 2 Atitude, ou qualidade de evitar excessos; COMEDIMENTO; PRUDÊNCIA [+*com, de, em*: *Pediu-lhe moderação ao falar com ela; moderação com os gestos exagerados; moderação no apetite.* Ant.: *imprudência*] [Pl.: *-ções.*] [F.: Do lat. *moderationis.* Ant. ger.: *imoderação.* Ideia de: *mod-*.]

moderado (mo.de.*ra*.do) *a.* 1 Que age com moderação; COMEDIDO; PRUDENTE [Ant.: *imprudente.*] 2 Não excessivo (esforço moderado, clima moderado); AMENO; BRANDO; RAZOÁVEL; SUAVE [Ant.: *desmedido, excessivo, forte, intenso.*] 3 *Pol.* Diz-se de partido, facção, político, militante etc. que é contrário ao radicalismo (ala moderada) [Ant.: *extremista, radical.*] 4 *Mús.* Tipo e ritmo de andamentos (*andante, andantino, moderato* e *alegreto*) entre os andamentos lentos e os rápidos *sm.* 5 Aquele ou aquilo que é moderado 6 *Pol.* Membro ou adepto de ala, facção, bancada ou partido moderado (3) [F.: Do lat. *moderatus, a, um.* Ant. ger.: *imoderado.* Ideia de: *mod-*.]

moderador (mo.de.ra.*dor*) [ô] *a.* 1 Que modera; que atenua, reduz ou restringe; ATENUADOR; MODERANTE; MODERATIVO *sm.* 2 Aquele ou aquilo que modera; REGULADOR: *Receitou-lhe um moderador de apetite.* 3 Pessoa que conduz um debate, mesa-redonda etc.; MEDIADOR 4 *Fís.nu.* Substância, como grafita, berílio, que absorve parte da energia e diminui a velocidade de nêutrons rápidos num reator nuclear, tornando-os nêutrons térmicos e aumentando a possibilidade de produzir fissão 5 *P.us. Expl.* Certo aditivo us. em propelentes, para diminuir a chama da boca; tb. *moderante* [F.: Do lat. *moderator, oris.* Ideia de: *mod-*.]

moderantismo (mo.de.ran.*tis*.mo) *sm.* 1 Ação ou qualidade de quem é moderado nas opiniões ou na forma de agir 2 *Pol.* Doutrina dos moderados (6) [F.: *moderante* + *-ismo.*]

moderar (mo.de.*rar*) *v.* 1 Adequar às conveniências, ao que é razoável, ao bom-tom [*td.*: *Moderar a linguagem/os gestos.*] 2 Manter(-se) dentro de certos limites [*td.*: *Moderava seus instintos agressivos; Moderou -se nas palavras para evitar briga.*] 3 Conter ou manter sob controle, evitar excessos [*td.*: *Precisava moderar seus gastos com coisas supérfluas; Agora, moderava-se na bebida.*] [▶ 1 moderar] [F.: Do lat. *modero, as, avi, atum, are.*]

moderável (mo.de.*rá*.vel) *a2g.* Que se pode moderar; MODERATIVO [Pl.: *-veis.*] [F.: Do lat. *moderabilis, e.* Hom./Par.: *moderáveis* (a2g.pl.), *moderáveis* (fl. de *moderar*).]

modernete (mo.der.*ne*.te) [é] *a2g. Pop.* Quem segue ou está sempre sintonizado aos costumes modernos, às últimas novidades, lançamentos etc.: *A plateia estava cheia de celebridades e modernetes.*

modernice (mo.der.*ni*.ce) *sf.* 1 Gosto exagerado por coisas novas, modernas; preferência exagerada pelo moderno 2 O uso de coisas mais pela novidade do que por seu valor real [F.: *moderno-* + *-ice.* Ideia de: *mod-*.]

modernidade (mo.der.ni.*da*.de) *sf.* Característica, qualidade ou estado do que é moderno; MODERNISMO [F.: Do lat. medv. *modernitatis.* Ideia de: *mod-*.]

modernismo (mo.der.*nis*.mo) *sm.* 1 Característica, qualidade, caráter do que é moderno, novo (modernismo de linguagem, modernismo de estilo) 2 Preferência pelo que é moderno; tendência para aceitar o novo; MODERNICE 3 Adoção incondicional de ideias e práticas modernas ainda não consagradas pelo uso 4 *Arq. Art.pl. Liter. Mús.* Conjunto de movimentos na literatura, nas artes plásticas, na música e na arquitetura que, a partir do fim do séc. XIX até a década de 1930, rompe com as tradições acadêmicas; arte moderna 5 *Bras. Art.pl. Liter.* Movimento literário e artístico, deflagrado pela Semana de Arte Moderna (1922), de ruptura, inovação e renovação estéticas, formais e conceituais 6 *Teol.* Movimento reformista cristão, condenado por Pio X, em 1907, de reinterpretação do credo e da doutrina tradicionais da Igreja Católica à luz da moderna exegese bíblica que levava em conta a crítica histórica, científica e filosófica [F.: *moderno-* + *-ismo*; fr. *modernisme.* Ant. ger.: *arcaísmo.* Ideia de: *mod-*.]

modernista (mo.der.*nis*.ta) *a2g.* 1 Ref., inerente ou próprio do modernismo (pensamento modernista, postura modernista) 2 Que valoriza as coisas modernas, que é apegado às coisas modernas ou que as adota 3 *Arq. Art.pl. Liter. Mús.* Diz-se de obra, escritor ou artista pertencente ou adepto do modernismo (romance modernista, arquitetura modernista) *s2g.* 4 Pessoa admiradora e apegada às coisas modernas 5 *Arq. Art.pl. Liter. Mús.* Escritor ou artista pertencente ao modernismo (4) 6 *Bras. Art.pl. Liter.* Escritor ou artista pertencente ao movimento modernista brasileiro, que tem seu marco inicial na Semana de Arte Moderna (1922) [F.: *moderno-* + *-ista*; fr. *moderniste.* Ideia de: *mod-*.]

modernização (mo.der.ni.za.*ção*) *sf.* Ação ou resultado de modernizar(-se) (modernização agrícola); ATUALIZAÇÃO [Ant.: *atraso, desatualização.*] [Pl.: *-ções*] [F.: *modernizar-* + *-ção.* Ideia de: *mod-*.]

modernizado (mo.der.ni.*za*.do) *a.* Que se modernizou; que passou por processo de modernização (clássico modernizado); AMODERNIZADO; ATUALIZADO [Ant.: *atrasado, desatualizado.*] [F.: Part. de *modernizar.* Ideia de: *mod-*.]

modernizador (mo.der.ni.za.*dor*) [ô] *a.* 1 Que moderniza (projeto modernizador) *sm.* 2 Aquele que moderniza: "Pedro, o Grande, o modernizador da Rússia..." (*Folha de S.Paulo*, 23.02.1997) [F.: *modernizar* + *-dor.*]

modernizante (mo.der.ni.*zan*.te) *a.* Que moderniza (reforma modernizante) [F.: *modernizar* + *-nte.*]

modernizar (mo.der.ni.*zar*) *v.* 1 Tornar(-se) moderno, ou adaptar(-se) ao mundo moderno [*td.*: *Modernizar uma empresa; Modernizou-se por influência dos filhos.*] 2 Substituir sistemas ou métodos antigos por modernos [*td.*: *Modernizar o sistema de transporte.*] [*int.*: *A cidade modernizou-se com os avanços da tecnologia.*] [▶ 1 modernizar] [F.: *moderno* + *-izar.*]

moderno (mo.*der*.no) *a.* 1 Ref., inerente ou pertencente a época atual, contemporânea (a vida moderna; o romance moderno) 2 Novo, recente (técnica/estilo moderno) 3 Que está na moda (traje moderno) 4 *Arq. Art.pl. Liter. Mús.* Modernista (literatura moderna; pintor/prédio moderno) 5 *Hist.* Que é de época posterior à Antiguidade 6 Que é do período entre o fim da Idade Média e a Revolução Francesa (civilização/história moderna) 7 *Açor.* Brando moderado 8 *N.E.* Calado, sossegado, ponderado 9 *N.E. Pop.* De tom claro, de pouca intensidade (falando de cor) *sm.* 10 Aquilo que é moderno ou ao estilo moderno: *A crítica recebe bem o moderno na literatura.* [F.: Do lat. *modernus, a, um.* Ant. ger.: *antigo, antiquado.*]

modernoso (mo.der.*no*.so) [ô] *Bras. Pej. a.* 1 Que pretende ser ou é supostamente moderno *sm.* 2 Aquilo ou aquele que pretende ser ou é supostamente moderno [F.: *moderno* + *-oso.*]

modéstia (mo.*dés*.ti:a) *sf.* 1 Falta de vaidade em relação às próprias qualidades; DESPRETENSÃO; HUMILDADE; SIMPLICIDADE [Ant.: *pretensão.*] 2 Falta de apreço pelo que é luxuoso ou ostentatório [Ant.: *fausto, magnificência, opulência, pompa.*] 3 Comedimento, moderação; SOBRIEDADE [+*a, de, em*: *Reagiu com modéstia à premiação; modéstia de pretensões; Havia uma boa dose de modéstia na sua decla-*

ração.] 4 Adequação a padrões morais e éticos impostos pela sociedade; DECÊNCIA; PUDOR [F.: Do lat. *modestia, ae*. Ant. ger.: *imodéstia*. Ideia de: *mod-*.]

modesto (mo.*des*.to) ***a***. 1 Que não é vaidoso, presunçoso; dotado de modéstia [Ant.: *presunçoso, pretensioso, vaidoso*.] 2 De pouco relevo ou importância; HUMILDE; SIMPLES: *cargo modesto; um modesto escriturário*. 3 Que indica poucas posses ou recursos; que não é luxuoso: *casa modesta* [Ant.: *faustoso, lauto, luxuoso*.] 4 Que não é excessivo; MODERADO; SÓBRIO: *ambições modestas; gastos modestos; refeição modesta*. [Ant.: *lauto, opulento, opíparo*.] 5 Pudico, grave, composto: *Tem um olhar modesto*. 6 Quieto, tranquilo [F.: Do lat. *modestus*. Ant. ger.: *imodesto*.]

modicar (mo.di.*car*) ***v. td.*** Tornar módico, moderado (modicar preços/despesas) [▶ 11 **modicar**] [F.: *módico* + *-ar*. Hom./Par.: *modico* (fl.), *módico* (a.).]

modicidade (mo.di.ci.*da*.de) ***sf.*** Qualidade do que é módico: "...preferia a loja do Matos pela modicidade do preço..." (José de Alencar, *A pata da gazela*) [F.: Do lat. *modicitas, atis*.]

módico (*mó*.di.co) ***a***. 1 Pequeno, reduzido, modesto ou que tem pouco valor (preços módicos); EXÍGUO [Ant.: *alto, grande*.] 2 Que é insignificante (módicos pertences); ESCASSO; PARCO [Ant.: *farto*.] 3 Que não excessivo ou exagerado (módica pretensão); COMEDIDO; MODERADO; MODESTO 4 Econômico, parcimonioso; MODERADO: *módico nos gastos*. [Ant.: *esbanjador*.] [Superl.: *modicíssimo*.] [F.: Do lat. *modicus, a, um*. Ant. ger.: *imódico*. Hom./Par. *modico* (fl.*modicar*). Ideia de: *mod -*.]

modificação (mo.di.fi.ca.*ção*) ***sf.*** 1 Ação ou resultado de modificar(-se) [Sin.: *alteração, comutação, conversão, metamorfose, muda, mudação, mudada, mudança, mutação, permuta, permutação, reforma, reformação, remanejamento, remodelação, remodelamento, resmuda, reviramento, reviravolta, revolução, substituição, transfiguração, transformação, transmutação, troca, variação, viravolta*.] 2 Mudança do modo de ser, de se expressar, de atuar etc. 3 Alteração de algo; MUDANÇA; TRANSFORMAÇÃO [+*de*, em: *modificação de métodos; modificações no texto; modificação do relatório*.] 4 *Ling*. Relação de dependência sintática que é estabelecida entre dois elementos de um constituinte, que, semanticamente, tornam-se um todo integrado [Cf. *modificador*.] 5 *Biol. Gen.* Ver *flutuação* [Pl.: *-ções*.] [F.: Do lat. *modificatio, onis*. Ant. das acps. 1 a 3: *conservação, manutenção*. Ideia de: *mod-, -ficar e faz-*.] ▪▪ **~ somática** *Gen.* Ver *flutuação* (13).

modificado (mo.di.fi.*ca*.do) ***a***. 1 Que se modificou; que foi alterado, transformado: *O resultado foi modificado pelos organizadores*. [Ant.: *conservado, inalterado*.] 2 *Fig.* Moderado, comedido: *modificado com a idade*. [F.: Do lat. *modificatus, a, um*. Ideia de: *mod-, -ficar, faz-*.]

modificador (mo.di.fi.ca.*dor*) [ô] ***a***. 1 Que modifica, transforma ou altera; MODIFICANTE; MODIFICATIVO ***sm***. 2 Agente ou indivíduo que modifica; TRANSFORMADOR 3 *Gen.* Gene que afeta outro gene; gene de modificação 4 *Ling*. Num constituinte, termo que acrescenta uma noção específica ao núcleo de um sintagma ao qual está relacionado sintaticamente [No sintagma *camisas vermelhas*, p.ex., o modificador é *vermelhas*; em comer avidamente, é *avidamente*; numa relação de coordenação (5), a oração coordenada atua como modificador da oração principal.] [F.: Do lat. *modificator, oris*. Ideia de: *mod-, -ficar, faz-*.]

modificar (mo.di.fi.*car*) ***v***. 1 Fazer alteração ou mudança em, ou sofrê-la [***td***.: *Modificar um texto*.] [***int***.: *O sistema de transportes modificou-se com o metrô*.] 2 Efetuar ou sofrer mudança no modo de ser, pensar, comportar-se [***td***.: *O ingresso na faculdade modificou muito a moça*.] [***int***.: *Modificou-se ao sair de casa*.] [▶ 11 **modificar**] [F.: Do lat. *modificare*. Hom./Par.: *modificáveis* (2ªp.pl.)/ *modificáveis* (pl. *modificável* [adj.2g.]). Ideia de *'modificar'*, usar antepos. *mut-*.]

modificativo (mo.di.fi.ca.*ti*.vo) ***a2g***. 1 Que modifica ou altera 2 Que pode ser modificado (proposta modificativa) [F.: *modificar* + *-tivo*.]

modificável (mo.di.fi.*cá*.vel) ***a2g***. Que pode ser modificado, suscetível de modificação (roteiro modificável, mistura modificável) [Ant.: *imodificável, inalterável*.] [Pl.: *-veis*. Superl.: *modificabilíssimo*.] [F.: *modificar* + *-vel*. Hom./Par.: *modificáveis* (pl.), *modificáveis* (fl. de *modificar*). Ideia de: *mod-, -ficar e faz-*.]

modilho (mo.*di*.lho) ***sm***. 1 *Mús.* Cantiga popular; MODA; MODINHA ***a***. 2 Que segue as modas exageradamente [F.: *moda* + *-ilho*.]

modinha (mo.*di*.nha) *Bras. Mús.* ***sf.*** 1 Cantiga popular urbana, sentimental, acompanhada por violão; MODA [Até meados do séc. XIX, tipo de dança aristocrática de salão, que na forma se inspirava na ária de óperas italianas.] 2 Ver *modilho* (1) [F.: *moda-* + *-inha*. Ideia de: *mod-*.]

modinheiro (mo.di.*nhei*.ro) ***sm***. *Bras. Mús.* Indivíduo que compõe ou canta modinhas: "O último dos asseclas do modinheiro era um tal Arnaldo..." (Lima Barreto, *Clara dos Anjos*) [F.: *modinha* + *-eiro*.]

modismo (mo.*dis*.mo) ***sm***. 1 Aquilo que está na moda (1) e, portanto, é passageiro, efêmero 2 *Ling*. Modo de falar típico de um grupo, lugar etc.; locução ou palavra pertencente à linguagem formal ou informal que em dado momento passa a ter grande uso; idiotismo de linguagem [F.: *moda* + *-ismo*. Ideia de: *mod-*.]

modista¹ (mo.*dis*.ta) *Vest.* ***s2g***. Pessoa que profissionalmente faz roupas femininas ou dirige um ateliê de costura; COSTUREIRO [Tb. é registrada na língua a forma modisto (p.us.), como *sm*.] [F.: Do fr. *modiste*. Ideia de: *mod-*.]

modista² (mo.*dis*.ta) *Bras. Mús.* ***s2g***. Cantador de modinhas [F.: *moda* + *-ista*. Ideia de: *mod-*.]

modo (*mo*.do) ***sm***. 1 Jeito, forma (modo de vestir/de falar) 2 Estado, situação das coisas 3 Disposição de espírito das pessoas 4 Jeito, destreza, habilidade: *Faltou-lhe modo para solucionar o problema*. 5 Maneira de fazer (modo de jogar/de produzir); MÉTODO; ESTILO; GÊNERO; TÉCNICA; SISTEMA 6 Meio, possibilidade, condição: *Não havia modo de escapar*. 7 Moda, costume: *O modo inglês de se vestir*. 8 *Gram.* Categoria verbal que indica a atitude, de certeza, dúvida, desejo etc., de quem fala [Ver *imperativo, indicativo, subjuntivo*.] 9 *Lóg.* Asserção complementar à afirmação ou negação de uma proposição indicando ser necessária, casual, falsificável, duvidosa, equivalente, proibida etc. 10 *Mús.* No sistema tonal clássico, sequência dos tons e semitons dentro da oitava da escala diatônica; padrão rítmico constante numa composição 11 *Geol.* Composição mineral real de uma rocha, ger. expressa em porcentagem de peso ou volume 12 *Jur.* Forma de cumprir um ato jurídico ou um contrato; MODUS 13 Moderação, comedimento ***smpl***. 14 Boas maneiras, educação, compostura: *Tenha modos, menino!* [F.: Do lat. *modus*. Sin. ger.: *maneira*.] ▪▪ **A(o) ~ de** Ao jeito de **A ~ que** *Fam.* Pelo visto: *Não conseguiu acordar, a modo que deve ter ido dormir tarde*. **De ~ a** Com a finalidade ou com o cuidado de: *Agiu de modo a não prejudicar o amigo*. [Seguido de verbo no infinitivo.] **De ~ que** 1 De modo a: *Agiu de modo que não prejudicasse o amigo*. [Seguido de verbo no subjuntivo.] 2 Em consequência do que: *Chegaremos tarde, de modo que não conte conosco para o almoço*. **De todo ~** De qualquer forma, seja como for, em todo caso **~ autêntico** *Mús.* No canto gregoriano, cada um dos quatro modos(10) principais [São eles: Ré a Ré, Mi a Mi, Fá a Fá, Sol a Sol.] **~ condicional** *Antq. Gram.* Termo que designava o modo verbal hoje chamado *futuro do pretérito* (ver no verbete *futuro*) **~ conjuntivo** *Antq. Gram.* Ver *Modo subjuntivo* **~ de produção** *Econ.* No marxismo, a maneira pela qual uma sociedade se organiza social e economicamente (as forças produtivas, as classes que as conduzem, as relações entre elas) num certo estágio de seu desenvolvimento **~ derivado** *Mús.* Ver *Modo plagal* **~ dórico** *Mús.* Modo (10) clássico expresso nos tons de uma escala que começa no segundo grau de uma escala maior e usa os mesmos tons desta [P.ex., o modo dórico a partir de dó maior é expresso nos tons da escala formada por *ré-mi-fá-sol-lá-si-dó-ré*; a partir da escala de ré maior, pelos tons da escala *mi-fá#-sol-lá-si-dó#-ré-mi* etc.] **~ eólio** *Mús.* Modo (10) expresso nos tons de uma escala que começa no sexto tom de uma escala maior, usando os tons desta [P.ex., em relação do tom de dó maior, o modo eólio é expresso pela escala *lá-si-dó-ré-mi-fá-sol-lá*; para a escala de fá maior, *ré-mi-fa-sol-lá-si bemol-dó-ré*.] **~ frígio** *Mús.* Modo (10) expresso nos tons de uma escala que começa no terceiro tom de uma escala maior, usando os tons desta [P.ex., em relação do tom de dó maior, o modo frígio é expresso pela escala *mi-fá-sol-lá-si-dó-ré-mi*; para a escala de ré maior, *fá#-sol-lá-si-dó#-ré-mi-fá*.] **~ imperativo** *Gram.* Modo (8) que expressa comando, pedido ou exortação [Tb. apenas *imperativo*.] **~ indicativo** *Gram.* Modo (8) que empresta à ação expressa pelo verbo um caráter efetivo, afirmativo, declarativo em relação a fato ou circunstância real [Tb. apenas *indicativo*. Cf.: *Modo subjuntivo*.] **~ jônio** *Mús.* Modo (10) expresso nos tons de uma escala que começa no primeiro tom de uma escala maior, usando os tons desta [Ou seja, o modo jônio é expresso na própria escala.] **~ lídio** *Mús.* Modo (10) expresso nos tons de uma escala que começa no quarto tom de uma escala maior, usando os tons desta [P.ex., em relação do tom de dó maior, o modo lídio é expresso pela escala *fá-sol-lá-si-dó-ré-mi-fá*; para a escala de sol maior, *dó-ré-mi-fá#-sol-lá-si-dó*.] **~ lócrio** *Mús.* Modo (10) expresso nos tons de uma escala que começa no sétimo tom de uma escala maior, usando os tons desta [P.ex., em relação do tom de dó maior, o modo lócrio é expresso pela escala *si-dó-ré-mi-fá-sol-lá-si*; para a escala de ré maior, *dó#-ré-mi-fá#-sol-lá-si-dó#*.] **~ maior** *Mús.* Modo (10) expresso numa escala diatônica qualquer na qual os semitons ocorrem entre o terceiro e quarto graus e entre o sétimo e oitavo graus **~ menor** *Mús.* Modo (10) expresso numa escala diatônica qualquer na qual os semitons ocorrem entre o segundo e terceiro graus e entre o sétimo e oitavo graus **~ mixolídio** *Mús.* Modo (10) expresso nos tons de uma escala que começa no quinto tom de uma escala maior, usando os tons desta [P.ex., em relação do tom de dó maior, o modo mixolídio é expresso pela escala *sol-lá-si-dó-ré-mi-fá-sol*; para a escala de lá maior, *mi-fá#-sol#, lá, si dó#-ré-mi*.] **~ plagal** *Mús.* No canto gregoriano, cada um dos quatro modos(10) secundários [São eles: Lá a Lá, Si a Si, Dó a Dó, Ré a Ré), derivados dos modos autênticos.] **~ subjuntivo** *Gram.* Modo (8) que empresta à ação expressa pelo verbo um caráter não declarativo de fato ou condição real, mas de possibilidade, potencial, desejo, condição etc. [Tb. apenas *subjuntivo*. Cf.: *Modo indicativo*.]

modorra (mo.*dor*.ra) [ô] ***sf.*** 1 Estado de prostração ou sonolência em que caem alguns doentes 2 *Pext.* Moleza, preguiça, apatia ou indolência que se manifesta geralmente depois de refeições pesadas: "Muita vez na modorra pesada da sesta, as costas aquecidas na posição, eu adormecia." (Raul Pompeia, *O Ateneu*) 3 *Vet.* Doença que ataca o gado ovino [F.: or. contrv. Sin. ger.: *madorra, madorna, madornice*.]

modorrar (mo.dor.*rar*) ***v. td. int.*** Ver *amodorrar* [▶ 1 **modorrar**] [F.: *modorr(a)* + *-ar*. Hom./Par.: *modorra(s)* (fl.), *modorra* /ô/ (sf. e pl.); *modorro* (fl.), *modorro* /ô/ (a.).]

modorrento (mo.dor.*ren*.to) ***a2g***. 1 Que tem modorra; SONOLENTO 2 Que é estúpido ou parvo [Ant.: *perspicaz, esperto*.] [F.: *modorra* + *-ento*. Sin. ger.: *amodorrado, modorro*.]

modulação (mo.du.la.*ção*) ***sf.*** 1 Ação ou resultado de modular 2 Variação na intensidade ou na altura da voz, ou de qualquer som emitido 3 Variação da tonalidade de uma cor, ou de uma cor 4 *Mús.* Mudança de tom em uma linha melódica 5 *Eletrôn.* Variação nas características de uma onda (na amplitude, na frequência, na fase etc.) pela interferência de outra onda (o sinal modulador) 6 *Fís.* Mudança num parâmetro de uma onda por influência da intensidade de outra onda [Pl.: *-ções*.] [F.: Do lat. *modulatio, onis*.]

📖 Na transmissão de sinais eletrônicos, uma onda pode ser portadora de informações, estas também em forma de uma onda que 'modula,' com suas características a onda portadora. Essa modulação é interpretada na recepção da onda portadora, para reproduzir o formato da onda moduladora, e, com isso, a informação original. Há três formas de modulação da onda portadora: a) modulação de amplitude, na qual a amplitude da onda portadora varia no tempo, reproduzindo nos picos da variação a variação de amplitude da onda moduladora (sinal original), ou seja, os picos de amplitude do sinal de alta frequência da onda portadora reproduzem o desenho do sinal original; b) modulação de fase, na qual o ângulo de fase da onda portadora varia proporcionalmente à variação de amplitude da onda moduladora (sinal original); c) modulação de frequência, na qual a frequência da onda portadora varia de acordo com o valor, a cada momento, da tensão do sinal original.

modulado (mo.du.*la*.do) ***a***. 1 Que se modulou 2 Que é formado por módulos (estante modulada) 3 Que assumiu outro tom ou modo (som modulado); ENTOADO 4 Fala, dito, proferimento, canto ou recitação em forma compassada, ritmada, cadenciada (canto modulado); HARMONIOSO; MELODIOSO 5 Que tem harmonia, é proporcionado, regular 6 *Eel. Eletrôn. Eletrost.* Diz-se da frequência variável da onda eletromagnética, ao transmitir um sinal, que aumenta ou diminui proporcionalmente à amplitude do sinal ***sm***. 7 Objeto formado por módulos: *loja de móveis e modulados*. [F.: Do lat. *modulatus, a, um*. Ideia de: *mod -*.]

modulador (mo.du.la.*dor*) [ô] ***a***. 1 Que modula, ou é capaz de modular (sistema modulador, escala moduladora); MODULANTE 2 *Radt.* Diz-se de dispositivo, us. em radiotransmissão, sobrepondo um sinal de baixa frequência (o som) sobre um sinal de alta frequência (a onda portadora) ***sm***. 3 Aquele ou aquilo que modula (modulador de voz) 4 *Radt.* Dispositivo de radiotransmissão que sobrepõe o som à onda portadora 5 *Eletrôn.* Circuito em que se modula um sinal [F.: Do lat. *modulato* + *-or*. Ant. ger.: *desmodulador*. Ideia de: *mod-*.]

modulagem (mo.du.*la*.gem) ***sf. P.us.*** Ação ou resultado de modular; MODULAÇÃO [Pl.: *-gens*.] [F.: *modular²* + *-agem¹*.]

modulante (mo.du.*lan*.te) ***a***. 1 Que modula; MODULADOR 2 *Mús.* Em que há modulação [F.: *modular²* + *-nte*.]

modular¹ (mo.du.*lar*) ***a2g***. 1 Ref., inerente ou próprio de módulo (construção modular, mecanismo modular) 2 *Arq.* Diz-se da arquitetura grega e romana que resulta da aplicação das ordens jônica, dórica e coríntia [F.: *módulo* + *-ar*. Ideia de: *mod-*.]

modular² (mo.du.*lar*) ***v***. 1 Variar a altura ou a intensidade de (som, voz) [***td***.: *Modulou a voz para que o vizinho não ouvisse suas palavras*.] 2 *Mús.* Fazer modulação (em) [***td***.: *Modular uma frase musical*.] [***int***.: *O cantor modulava (de um tom para outro) com desenvoltura*.] [***tdr. tr.*** +*de, para*: *Modular (a voz, um instrumento) de um tom para outro*.] 3 *Elet.* Aplicar o processo de modulação [***td***.] 4 *Elet.* Converter sequência de dados em sinal analógico [***td***.] 5 *Arq.* Construir, edificar usando módulos [***td***.] [▶ 1 **modular**] [F.: Do lat. *modulare*. Hom.Par.: *modulo* (1ªp.s.)/ *módulo* (adj.s.m.).]

modularização (mo.du.la.ri.za.*ção*) ***sf.*** Ação ou resultado de modularizar [Pl.: *-ções*.] [F.: *modularizar* + *-ção*.]

modularizar (mo.du.la.ri.*zar*) ***v. td.*** Estruturar (algo) em módulos, dar (a algo) estrutura modular: *Resolveram modularizar a empresa, estruturando-a em departamentos independentes*. [▶ 1 **modularizar**] [F.: *modular* + *-izar*.]

modulatório (mo.du.la.*tó*.ri:o) ***a***. De ou ref. a modulação [F.: *modular* + *-tório*.]

modulável (mo.du.*lá*.vel) ***a2g***. Que pode ser modulado [Pl.: *-veis*.] [F.: Do lat. *modulabilis, e*.]

módulo¹ (*mó*.du.lo) ***sm***. 1 Unidade de um todo (mobiliário, curso, material de construção etc.) composto de outras unidades semelhantes: *um sofá de módulos; os módulos de um curso*. 2 Unidade destacável de uma nave espacial (módulo lunar) 3 *Arq.* Medida arbitrária que serve de base para regular as proporções entre as diversas partes de um edifício ou de qualquer peça de arquitetura: "Aquela fachada estupenda, sem módulos, sem proporções, sem regras." (Euclides da Cunha, *Os sertões*) 4 Toda quantidade admitida como unidade de qualquer medida: *O litro é o módulo das medidas de capacidade*. 5 Variação de altura ou intensidade na emissão dos sons; MODULAÇÃO 6 *Álg.* Conjunto que, dotado de uma operação aditiva, constitui um grupo cujos elementos podem multiplicar-se pelos elementos de um anel 7 *Cálc.vet.* Raiz quadrada positiva do produto escalar de um vetor por ele mesmo 8 *Mat.* Valor absoluto 9 *Num.* Diâmetro de uma medalha ou moeda 10

Art.gr. Tamanho normal de cada tipo de letra **11** *Rád.* Bloco com músicas, dicas, notícias etc., em alguns horários de programação contínua, sem divisão exata entre os programas [F.: Do lat. *modulus, i.*]

módulo[2] (*mó*.du.lo) *a.* Que dá inflexões melodiosas à voz ou ao canto (versos módulos; ave módula); MELODIOSO; HARMONIOSO [F.: Posv. de *modulado*, por infl. de *módulo*[1]. Hom./Par.: *módulo* (fl. de *modular.*).]

⊕ ***modus faciendi*** (*Lat.*: /*módus faquiendi*/) **loc.subst.** Modo de agir

⊕ ***modus vivendi*** (*Lat.*: /*módus vêvendi*/) **loc.subst.** **1** Modo de viver **2** *Jur.* Acordo temporário que estabelece uma situação a ser seguida pelas partes em litígio: "Os próprios situacionistas me procuravam, propunham acordos, 'modus vivendi'." (Lima Barreto, *Numa e Ninfa*)

moeda (mo:*e*.da) *sf.* **1** *Econ.Num.* Peça de metal, ger. circular, cunhada por um governo para servir como dinheiro em transações comerciais **2** Qualquer meio de pagamento, com as funções de intermediário nas transações; DINHEIRO; NUMERÁRIO **3** *Econ.* Unidade de valor monetário, reserva de valor; o conjunto de meios de pagamento de uma economia: *A moeda brasileira é o real.* **4** *Fig.* Aquilo a que se dá valor moral ou intelectual: *A ética, a honestidade e a lisura são moedas inestimáveis para o ser humano.* [Col.: *dinheirada, dinheirama, dinheirame, monetário.*] [F.: Do lat. *moneta, ae.* Ideia de: *esfen(o)-, moed-* e *numism(at)-.*] ▪ **~ corrente** **1** *Econ.* O conjunto e qualquer dos meios de pagamento de um país; moeda sonante **2** Dinheiro (em papel e em moedas) em circulação num país, us. como meio de pagamento **~ divisionária** *Econ.* Dinheiro (papel-moeda ou moeda) de valor inferior ao da unidade monetária **~ fiduciária** *Econ.* Aquela cujo valor de face não é totalmente lastreado com valor real depositado, aceita em confiança (*fiducia*) por todo o sistema, e apoiada em sua solidez [Praticamente toda moeda us. atualmente é fiduciária.] **~ forte** *Econ.* Moeda de padrão monetário considerado sólido, por isso facilmente aceita como meio de pagamento internacional e em conversões de câmbio **~ podre** *Bras. Gír. Econ.* Designação de título público negociado por valor menor que seu valor nominal (devido à inadimplência ou não confiabilidade emissor) mas aceito pelo governo por seu valor nominal quando us. para pagamento de dívida para com ele **~ sonante** *Econ.* Ver *Moeda corrente* (1) **Pagar na mesma ~** Retribuir algo, ação (bons ou maus) com algo ou ação semelhantes, e na mesma medida

moedagem (mo:e.*da*.gem) *sf.* **1** A arte de cunhar, de fabricar moedas **2** Processo de cunhagem, da produção de moedas **3** Direito que se paga pela fabricação de moedas [Pl.: *-gens.*] [F.: *moeda* + *-agem*[1]. Sin. ger.: *braceagem.*]

moedeira (mo:e.*dei*.ra) *sf.* **1** *Our.* Instrumento com que os ourives moem o esmalte **2** Canseira, fadiga do corpo e do espírito **3** Trabalho cansativo **4** *Fig. Pop.* Dor solitária e prolongada [F.: *moer* + *-deira.*]

moedeiro (mo:e.*dei*.ro) *sm.* **1** *Num.* Fabricante de moedas **2** Pequena bolsa, ou compartimento em carteira, para guardar moedas; PORTA-MOEDAS; PORTA-NÍQUEIS [F.: *moeda* + *-eiro.* Ideia de: *moed-.*] ▪ **~ falso** Indivíduo que fabrica moeda falsa

moedor (mo:e.*dor*) [ô] *a.* **1** Que mói, tritura ou pisa: *moinho moedor de trigo.* **2** *Fig.* Diz-se de pessoa importuna, maçante; que é difícil de aturar, desagradável; CACETE; CHATO; IMPORTUNO; MAÇADOR: *Evito ao máximo pessoas moedoras; Era uma criança de comportamento moedor.* [Ant.: *agradável.*] *sm.* **3** *Mec. Tec.* Aparelho ou equipamento de moer ou triturar (moedor de café); MOENDA **4** *Fig.* Indivíduo moedor (1) [F.: *moer* + *-dor.* Ideia de: *mo(l)-.*]

moedura (mo:e.*du*.ra) *sf.* **1** Ação ou resultado de moer; MOAGEM **2** *Agr.* Porção de grão ou elemento que se mói de cada vez; MOENDA: *a moedura do milho; a moedura da cana-de-açúcar.* [F.: *moer* + *-dura.* Sin. ger.: *moeção, moenda.* Ideia de: *mo(l)-.*]

moela (mo:*e*.la) [é] *sf.* **1** *Anat. Zool.* Parte posterior do estômago das aves, de insetos e alguns moluscos, que tritura e mói os alimentos ingeridos; VENTRÍCULO **2** *Cul.* Iguaria preparada com essa parte de aves, esp. de galinha, cozida e temperada, ger. servida como petisco [F.: De or. incerta, posv. do lat. *molella*, dim. de *mola.* Ideia de: *mo(l)-.*]

moenda (mo:*en*.da) *sf.* **1** Ação ou resultado de moer; MOAGEM; MOEÇÃO; MOEDURA **2** *Mec. Tec.* Aparelho ou equipamento us. para moer; MOINHO: *moenda de trigo; moenda da cana-de-açúcar.* **3** Lugar onde estão instalados os aparelhos ou equipamentos de moer **4** Porção de grão ou outro elemento que se mói de uma só vez; MOEÇÃO; MOEDURA **5** Porção de grãos ou de farinha com que algumas vezes se paga o trabalho do moleiro [F.: Do lat. *molenda.* Ideia de: *mo(l).*]

moendeiro (mo:en.*dei*.ro) *sm.* **1** Dono de moenda; MOLEIRO **2** *N.E.* Nos engenhos de banguê, trabalhador que põe as canas na moenda [F.: *moenda* + *-eiro.* Hom./Par.: *moenderio* (sm.), *moedeiro* (sm.).]

moente (mo:*en*.te) *a2g.* **1** Que mói *sm.* **2** Cavilha que gira dentro de um orifício circular **3** Parte de veio, cavilha ou mourão que gira dentro de um bronze de uma chumaceira, ou bucha [F.: *moer* + *-nte.*]

moer (mo.*er*) *v.* **1** Reduzir a pó ou a pequenos pedaços, por trituração [*td.*: *Moer café/nozes/carne etc.*] **2** Extrair por meio de prensa o suco de [*td.*: *Moer cana.*] **3** Dar uma surra, pancada em; ESPANCAR; SURRAR [*td.*: *Os feitores moíam os escravos a chicotadas.*] **4** *Fig.* Fatigar(-se), extenuar(-se) [*td.*: *A escalada moeu seu corpo todo; Moeu-se de tanto trabalhar.*] **5** Afligir(-se), atormentar(-se) [*td.*: *A saudade moía o coração da moça.*] **6** Importunar, cacetear [*td.*: *Moía a cabeça do rapaz com aquele discurso interminável.*] **7** Repetir inúmeras vezes [*td.*: *Moeu e remoeu aquelas palavras até a exaustão.*] **8** Trabalhar (o moinho) [*int.*: *Aquele moinho moía dia e noite.*] **9** Ficar triturado; esmagar-se [*int.*: *Com a pancada, o empadão moeu completamente.*] [▶ **36 moer**] [F.: Do lat. *molere.* Hom./Par.: *moí* (1ªp.s.)/ *mui* (adv.) e *muí* (s.m.).]

mofa (*mo*.fa) [ó] *sf.* **1** Ação ou resultado de mofar; GOZAÇÃO; TROÇA; ZOMBARIA: *Sua resposta teve o tom de mofa.* **2** Aquele ou aquilo que é objeto de mofa: *Serviu de mofa à plateia.* [F.: Dev. de *mofar.* Hom./Par.: *mofa* (sf.), *mofa* (fl. de *mofar*). Ideia de: *mof-.*]

mofado (mo.*fa*.do) *a.* **1** Que mofou, que embolorou; que está coberto de mofo (tapete mofado, roupa mofada) **2** Que é objeto de mofa; CAÇOADO; ZOMBADO **3** *Fig.* Fora de moda, antiquado (conceitos mofados) [F.: Part. de *mofar.* Ideia de: *mof-.*]

mofar[1] (mo.*far*) *v.* **1** Encher(-se) de mofo [*td.*: *A umidade mofou o casaco de couro.*] [*int.*: *O casaco de couro mofou.*] **2** *Fig.* Ficar indefinidamente à espera ou na expectativa de algo, ou abandonado, esquecido [*int.*: *Mofou um tempão esperando a amiga.*] **3** Permanecer durante muito tempo em determinado lugar ou posição, esp. por ser obrigado a isso [*ta.*: *Mofou anos na prisão.*] [▶ **1 mofar**] [F.: *mofo* + *-ar.*]

mofar[2] (mo.*far*) *v.* Escarnecer, zombar [*tr.* +*de*: *Mofar dos adversários.*] [▶ **1 mofar**] [. F.: De or. *obsc.* Hom./Par.: *mofo* (1ªp.s.)/ *mofo* /ô/ (s.m.).]

mofento (mo.*fen*.to) *a.* **1** Que tem mofo; BOLORENTO **2** Que cheira a mofo; BAFIENTO **3** *Fig.* Que causa ou traz infelicidade (pecado mofento); FUNESTO *sm.* **4** *SE SP Pop.* O mesmo que *diabo* (2) [F.: *mofo* + *-ento.*]

mofina (mo.*fi*.na) *sf.* **1** Infelicidade, infortúnio, caiporismo **2** Mulher infeliz **3** Mulher aparvalhada, que não tem jeito para coisa alguma **4** Mulher de mau gênio, turbulenta **5** *Fig.* Característica de quem é excessivamente apegado a bens materiais; MESQUINHEZ; AVAREZA **6** *Bras.* Artigo anônimo e difamatório publicado em jornal: "...havia de coçar-se com a mofina que sem falta os empregados teriam o cuidado de atiçar-lhe nos jornais." (José de Alencar, *Sonhos d'oro*) **7** *Lus.* O mesmo que *hemorroida* **8** *Bras. Pop.* O mesmo que *ancilostomíase* [F.: Fem. substv. de *mofino.*]

mofineza (mo.fi.*ne*.za) [ê] *sf. Bras.* Qualidade, caráter ou estado de mofino; AVAREZA; MESQUINHEZ: "...só sabes dar a teu filho lições de mofineza? Eu não quero meu filho para chorão." (Franklin Távora, *O cabeleira*) [F.: *mofino* + *-eza.*]

mofino (mo.*fi*.no) *Bras. a.* **1** Que é infeliz; DESAFORTUNADO; DESDITOSO; DESGRAÇADO; DESVENTURADO [Ant.: *afortunado.*] **2** Em que há má sorte, infortúnio **3** Diz-se de que é escasso (espaço mofino); ESTREITO; EXÍGUO [Ant.: *farto.*] **4** *Gír. Pop.* Chato, importuno: *Um menino irritantemente mofino perturbava a viagem.* [Ant.: *agradável.*] **5** Que é avarento, sovina **6** Diz-se de quem não tem coragem; COVARDE **7** Que está sempre doente; ACHACADIÇO; DOENTIO; ENFERMIÇO *sm.* **8** Pessoa mofina **9** *Bras. Pop.* Ver *diabo* [F.: De or. incerta, posv. do espn. *mohino.* Ideia de: *mofin-.*]

mofo (*mo*.fo) [ô] *sm.* **1** *Micol.* Qualquer espécie de fungo que dá em lugares úmidos e deteriora alimentos, roupas etc.; ABOLORECIMENTO; BOLOR; SITO **2** Cheiro de umidade e ar viciado; BAFIO **3** Odor de algo velho e estragado; RANÇO **4** Ver *molagem* [F.: De or. contrv. Hom./Par.: *mofo* (sm.), *mofo* (fl. de *mofar*). Ideia de 'mofo': *mof-.*] ▪ **Criar ~** *Fig.* Ficar velho; ficar muito tempo sem uso, ou abandonado

mofumbo (mo.*fum*.bo) *sm. Bras. Angios.* Arbusto (*Combretum leprosum*) da fam. das combretáceas, natural da caatinga; muito ramificado, possui folhas membranosas e ásperas, flores amarelas, e sâmara aveludada; CIPOABA; MOFUMO; MUFUMBA: "...a silvar nos galhos secos e contorcidos das moitas mortas de jurema e mofumbo..." (Domingos Olímpio, *Luzia Homem*) [mofumbal] [F.: Do quicongo *mfumbu* 'planta trepadeira'.]

mogadourense (mo.ga.dou.*ren*.se) *s2g.* **1** Indivíduo nascido ou que vive em Mogadouro (Portugal) *a2g.* **2** De Mogadouro; típico dessa cidade ou de seu povo [F.: Do top. *Mogadouro* + *-ense.*]

moganga[1] (mo.*gan*.ga) *Bras. sf.* **1** Trejeitos, caretas, momices; MOGUENGUICE **2** Manifestação física de afeição ou de amor **3** Astúcia, lábia [Tb. us. no pl.] [F.: De or. contrv.; do quicongo *moganga*; ou alter. de *mogiganga.* Sin. ger.: *moganguice, mogiganga, mocanquice.* Hom./Par.: *moganga* (sf.). *moganga* (fl. de *mongagar*).]

moganga[2] (mo.*gan*.ga) *sf. Bot.* O mesmo que *abóbora-moganga* (*Cucurbita pepo*); tb. *abóbora-moranga* [F.: De or. obsc.; posv. de or. afr. Hom./Par.: *moganga* (sf.). *moganga* (fl. de *mongagar*).]

mogangar (mo.gan.*gar*) *v. int. Bras.* Fazer moganga, trejeito; CARETEAR [▶ **14 mogangar**] [F.: *moganga* + *-ar.* Hom./Par.: *moganga(s)* (fl.), *moganga* (sf. e pl.).]

◎ **mogi-** *el. comp.* Expressa noção de 'com dificuldade': *mogiatria, mogifasia.* [F.: Do gr. *mógis*, adv.]

mogiartria (mo.gi.ar.*tri*.a) *sf. Neur.* Descoordenação na musculatura responsável pela articulação das palavras [F.: *mogi-* + *-artro-* + *-ia*[1].]

mogifasia (mo.gi.fa.*si*.a) *sf. Neur.* Dificuldade na articulação ou na compreensão da linguagem escrita ou falada [F.: *mogi-* + *-fasia.*]

mogifonia (mo.gi.fo.*ni*.a) *sf. Neur.* Dificuldade em emitir a voz, espécie de disfonia [F.: *mogi-* + *-fonia.*]

mogigrafia (mo.gi.gra.*fi*.a) *sf. Neur.* Dificuldade ou impossibilidade de escrever, provocada pela contração espasmódica involuntária dos músculos das mãos e dos dedos [F.: *mogi-* + *-grafia.*]

mogno (*mog*.no) *Bot. sm.* **1** Nome comum às árvores do gên. *Swietenia*, da fam. das meliáceas, nativas das regiões tropicais das Américas e ameaçadas de extinção pela exploração de suas madeiras, como, por exemplo, *Swietenia mahagoni*, nativa das Antilhas e da América do Sul, tb. conhecida como mogno-verdadeiro, e *Swietenia macrophylla*, nativa da Amazônia, tb. chamada de mogno-brasileiro ou aguano; ACAIACATINGA; ACAJU; MAGANO; MOGNO-VERDADEIRO **2** A madeira nobre e avermelhada dessas árvores, us. em navios e esp. no mobiliário [F.: Do ing. *mahogany.* Sin. ger.: *acaju, mógono.*]

⊕ **mohair** (Ing.: /*mourrér*/) *Têxt. sm.* **1** Fio de lã de pelo de cabra angorá **2** Tecido muito macio produzido com esse fio

moicano (mo:i.*ca*.no) *sm.* **1** Pessoa pertencente a um povo indígena que habitava o vale do rio Hudson (Estados Unidos da América) **2** *Gloss.* Língua algonquiana falada por esse povo *a.* **3** Do ou ref. ao moicano (1 e 2) [F.: Do ing. *mohican.*]

moído (mo.*í*.do) *a.* **1** *Agr. Ind.* Que se moeu (trigo moído, café moído); ESMAGADO; TRITURADO **2** *Fig.* Muito cansado (corpo moído); EXAUSTO; FATIGADO [Ant.: *descansado.*] **3** Aborrecido, amolado, importunado, maçado, molestado, triste **4** Diz-se de carne ou peixe que está começando a apodrecer [F.: Part. de *moer.* Ideia de: *mo(l)-.*]

moina (*moi*.na) *Lus. sf.* **1** Subscrição com pequenas quantias **2** Vida airada, na pândega, na folia *sm.* **3** Indivíduo que vive de esmolas **4** Procurador sem escrúpulos, que explora os incautos **5** Indivíduo que frequenta os tribunais e explora os ingênuos que têm causas pendentes [F.: De or. obsc.] ▪ **Andar à ~** *Lus.* Pedir esmola

moinha (mo:*i*.nha) *sf.* **1** Fragmentos de palha moída que fica na eira quando se debulham os cereais **2** Resíduo de cereais joeirados; ALIMPADURA **3** Pó resultante de qualquer coisa seca ou triturada: "... negro de moinha de carvão de pedra..." (Lima Barreto, *Triste fim de Policarpo Quaresma*) **4** *Lus.* Agulha ou folha de pinheiro. Tb. *caruma* **5** *Açor.* Partículas resultantes das diferentes folhas de chá (*Camellia sinensis*) mais oxidadas, e que produz uma infusão com sabor muito forte **6** *Lus. Fig. Pop.* Dor fraca, mas persistente e impertinente **7** *Fig. P.us.* Chuva miúda; MOLINHA; MOLHE-MOLHE **8** *Fig. P.us.* Repetição enfadonha de palavras ou de atos [F.: *moer* + *(far)inha*, posv.]

moinho (mo:*i*.nho) *sm.* **1** Engenho, com duas mós giratórias, movidas pelo vento, água, animais ou motor, para moer, esp. grãos de cereais **2** Lugar onde está instalado esse engenho **3** Máquina us. para triturar; MOENDA **4** Lugar onde se mói azeitonas **5** Quantidade de azeitonas que são moídas de uma vez **6** *Pop.* Pessoa que come demais **7** *Dnç. Mús.* Certa dança, na qual os dançarinos, rapazes e moças, vão trançando e destrançando num mastro as fitas que levam consigo [F.: Do lat. *molinum.* Ideia de: *mo(l)-.*] ▪ **Águas passadas não movem ~** Provérbio, alude a que fatos, ações, atitudes etc. passados não mais têm efeito no presente **~ d'água** Moinho movido por água corrente, que aciona uma roda ao empurrar paletas nela dispostas **~ de vento** *Bras.* Moinho movido pela força do vento, que faz girar grandes pás rotativas

moira (*moi*.ra) *sf.* Personificação do destino, da fatalidade, da sorte, do que cabe a cada um [F.: Do gr. *moira, as.*]

moirão[1] (moi.*rão*) *sm. Mús.* Ver *mourão(1)* [Pl.: *-rões.*] [F.: Alter. de *mourão* (*1*).]

moirão[2] (moi.*rão*) *sm.* Ver *mourão* (*2*) [Pl.: *-rões.*] [F.: Alter. de *mourão* (*2*).]

moirão[3] (moi.*rão*) *sm. Hip.* Ver *mourão* (3) [Pl.: *-rões.*] [F.: Alter. de *mourão* (*3*).]

moisés (moi.*sés*) *sm2n. Bras.* Cesto em tecido comum, plastificado ou emborrachado us. para transportar crianças recém-nascidas [F.: Do antr. *Moisés.*]

moita (*moi*.ta) [ô] *sf.* **1** Tufo espesso de arbustos; TOUÇA; TOUCEIRA **2** *Lus.* Conjunto de castanheiros bastos ***interj.*** **3** *Bras. Pop.* Expressão us. para se pedir a alguém que se cale ou fique quieto **4** *Pop.* Expressão que designa falta de réplica de alguém em uma situação em que se esperava ou se pedia uma resposta [Col.: *moital, moitedo, moiteira.*] [F.: De or. obsc. Sin. ger.: *mouta.* Hom./Par.: *moita* (sf. e interj.), *moita* (fl. de moitar).] ▪ **Na ~** **1** *Bras. Pop.* Em silêncio sem revelar planos ou segredos **2** Na expectativa, na espera **3** Às ocultas

moitão[1] (moi.*tão*) *sm.* Lugar onde há moitas; MOITEDO; MOITAL [Pl.: *-tões.*] [F.: *moita* + *-ão*[1].]

moitão[2] (moi.*tão*) *sm.* **1** Peça de madeira ou metálica, de forma oval, atravessada ao centro por um eixo no qual gira o perno, às vezes cercada de uma roldana e de uma alça, e que serve para elevar pesos, mover cenários etc.: "Se acontecia desprender-se um moitão, um cabo qualquer..." (Adolfo Caminha, *Bom crioulo*) **2** *Cnav.* Caixa de madeira ou metálica, de forma oval, dentro da qual trabalha uma roldana; us. nos teques, talhas e para retorno de um cabo [Pl.: *-tões.*] [F.: De or. obsc. Tb. *moutão.*]

moitar (moi.*tar*) *v. int.* Não contar o que sabe ou pensa; ficar na moita, guardar segredo [▶ **1 moitar**] [F.: *moit(a)* + *-ar.* Hom./Par.: *moita(s)* (fl.), *moita* (sf. e pl.).]

mojica (mo.*ji*.ca) *sf.* **1** *AM Cul.* Mingau ou caldo engrossado por meio de cozimento prolongado a fogo lento; MUJICA

2 Esse processo de cozimento 3 Peixe cozido ou assado em moquém, aos pedaços, que é misturado com tapioca ou farinha-d'água para engrossar o caldo [F.: Do tupi *mu'yika*.]

mojicar (mo.ji.*car*) *v. td.* Deixar mais grosso (caldo, mingau) por meio de mojica, cocção de espessamento [▶ 11 mojicar] [F.: *mojica* + *-ar*. Hom./Par.: *mojique(s)* (fl.), *mujique* (sm. e pl.).]

mojo (*mo*.jo) [ô] *sm.* 1 Feitiço, encantamento, encanto mágico 2 *Oc.* Espécie de amuleto que consiste num saquinho de pano contendo pequenos itens supostamente mágicos, us. por praticantes de vuduísmo 3 *Fig. P.ext.* Magnetismo pessoal, qualidade (de alguém ou algo) de atrair, encantar [F.: Prov. de *moco'o* 'feiticeiro', de or. africana, pelos dialetos negros da América do Norte.]

mol [ó] *sm. Fís.quím.* Massa molecular de uma substância expressa em gramas; quantidade de uma substância em que o número de moléculas é igual à constante de Avogadro; MOLÉCULA-GRAMA [Pl.: *mols ou moles*.] [F.: Do al. *Mol*, f. red. de *Molekulargewicht*. Ideia de: *mol-*.]

mola[1] (*mo*.la) *sf.* 1 *Mec. Tec.* Peça elástica, ger. de metal e em forma de espiral, que dá flexibilidade e serve para amortecer ou produzir impulso (molas do chassis, molas do colchão) 2 Mecanismo que impulsiona ou dá resistência a peças de uma engrenagem, por meio de pressão (mola da porta, mola do relógio) 3 Fino arame em forma de arco, com uma abertura estreita, us. para apertar peças 4 Feixe de lâminas de metal sobrepostas, que suportam peso da carroceria de um veículo e amortecem trepidações eventuais 5 *Fig.* Aquilo que impulsiona algo; o que é causa ou motivo principal; ESTÍMULO; IMPULSO; INCENTIVO; MÓVEL: *O conhecimento é a mola do progresso.* [Ant.: *desestímulo*.] 6 *Lus.* Pregador de roupa 7 *Pop.* Intelecto, mente, entendimento; INTELIGÊNCIA [F.: Do it. *molla*. Ideia de: *mol-*.]

mola[2] (*mo*.la) *sf.* 1 Tipo de farinha de trigo, ou bolo feito de trigo, us. pelos antigos romanos em cerimônias sacrificiais 2 *Obst. Pat.* Tumor, ou massa carnosa, que se forma no útero por degeneração de um ovo ou da placenta [F.: Do lat. *mola*, red. de *mola salsa* 'massa salgada'.]

molagem (mo.*la*.gem) *sf. Lus. Ant.* Us. apenas na loc. *De molagem* [F.: De or. contrv.] ■ **De ~** *Lus.* Sem sacrifício ou dispêndio próprio; à custa alheia: *Ele gosta de beber, mas sempre de molagem.*

molambento (mo.lam.*ben*.to) *Bras. a.* 1 Que está em farrapos (camisa molambenta); ESFARRAPADO; ROTO; SUJO 2 Que se veste pobremente; MALTRAPILHO *sm.* 3 Indivíduo esfarrapado, andrajoso [F.: *molambo* + *-ento*. Sin. ger.: *molambudo*, *mulambento*.]

molambo (mo.*lam*.bo) *Bras. sm.* 1 Pedaço de pano velho, sujo e rasgado; roupa velha ou esfarrapada; ANDRAJO; FARRAPO; FRANGALHO; TRAPO 2 *Fig.* Pessoa sem firmeza, sem iniciativa, covarde: "Achavam de tomar regalia de desforra na gente, até qualquer molambo de sujeito, paisano morador." (João Guimarães Rosa, *Grande sertão: veredas*) [F.: Do quimb. *mu'lambu*. Sin. ger.: *mulambo*.]

molancas (mo.*lan*.cas) *a2g2n. s2g2n. Pop. Pus.* Indivíduo muito frouxo ou indolente; falto de energia e vigor; tb. *molangueirão*. [F.: *mole[2]* (4, 5, 6) + *ancas*, posv.]

molangueirão (mo.lan.guei.*rão*) *Pop. a.* 1 Que é mole, sem vigor: *A falta de água deixou a planta com um aspecto molangueirão.* [Pl.: *-rões*.] *sm.* 2 Indivíduo muito frouxo e indolente [Pl.: *-rões*.] [F.: *molangueiro* + *-ão[1]*.]

molangueiro (mo.lan.*guei*.ro) *a. sm. Pop.* O mesmo que *molancas* [F.: alter. de *molanqueiro*.]

molanqueirão (mo.lan.quei.*rão*) *sm.* Ver *molancas*

molanqueiro (mo.lan.*quei*.ro) *sm.* O mesmo que *molancas* [F.:; *molancas* + *-eiro*, seg. o mod. analógico.]

molar[1] (mo.*lar*) *a2g.* 1 *Od.* Diz-se de cada um dos dentes situados nas extremidades das arcadas dentárias e que servem para triturar os alimentos [Ver *dente*.] 2 Que é próprio para moer; que mói (engenho molar, pedra molar) *sm.* 3 *Od.* Dente molar [F.: Do lat. *molaris, e*. Ideia de: *mo(l)-* e *mil(a/o)-*.]

molar[2] (mo.*lar*) *a2g.* 1 Que tem casca mole, fácil de partir (amêndoa molar) 2 Macio, brando, mole 3 *Fig.* Que se deixa facilmente iludir, enganar (homem molar); CRÉDULO; INGÊNUO 4 Diz-se de certa casta de uva-tinta 5 Diz-se de certa variedade de cereja 6 Diz-se de milho branco e macio, que produz muita farinha 7 Diz-se do mato ralo que cresce em terrenos arenosos [F.: De *mole[1]* + *-ar[1]*. Ideia de: *mol-*.]

molar[3] (mo.*lar*) *Trt. a2g.* Ref. a *mola[2]* (2) (gravidez molar) [F.: De *mola[2]* + *-ar[1]*. Ideia de: *mo(l)-*.]

molar[4] (mo.*lar*) *a2g.* 1 *Quím.* Ref. a *mol* 2 *Fís.-quím.* Expresso em mols de soluto por litro de solvente (concentração molar) [F.: De *mol* + *-ar[1]*. Hom./Par.: Ideia de: *mol -*.]

molaridade (mo.la.ri.*da*.de) *sf. Fís.-quím.* Número de moles de soluto por litro de solução [F.: *molar* + *-idade*.]

moldabilidade (mol.da.bi.li.*da*.de) *sf.* Qualidade do que é moldável: "... como se os novos impostos tivessem moldabilidade e aderência à realidade..." (*Folha de S.Paulo*, 28.05.1995) [F.: *moldar* + *-(i)dade*, seg. o mod. erudito.]

moldado (mol.*da*.do) *a.* 1 Que se moldou; MODELADO: "O arroz, maciço, moldado em forma de pirâmide do Egito..." (Eça de Queirós, *A cidade e as serras*) [Ant.: *desmoldado*.] 2 Talhado ou feito por molde (vestido moldado) 3 Trabalho de moldura que se faz em algumas peças [F.: Part. de *moldar*.]

moldador (mol.da.*dor*) [ô] *a.* 1 Que molda *sm.* 2 Pessoa que molda ou faz moldes 3 Instrumento de acabamento de molduras em madeira rija, us. pelo entalhador 4 *Tip.* Gráfico que confecciona moldes de galvanotipia [Cf. *matrizador*.] [F.: *moldar* + *-dor*. Ideia de: *mod-*.]

moldagem (mol.*da*.gem) *sf.* 1 Ação ou resultado de moldar; MODELAÇÃO; MODELAGEM; MOLDAÇÃO [Ant.: *desmoldagem*.] 2 Técnica ou processo de feitura de moldes 3 *Esc.* Certo gênero de escultura 4 *Art.pl.* Modelagem 5 *Anat.* Alteração da forma do crânio de um feto ocorrida geralmente durante o nascimento 6 *Arqueol. Antr. Geol.* Impressão fóssil marcada na terra [Pl.: *-gens*.] [F.: *moldar* + *-agem*. Ideia de: *mod-*.]

moldar (mol.*dar*) *v.* 1 Fazer o molde de [*td.*: *Moldou a estatueta para fazer cópias.*] 2 Acomodar ao ou vazar no molde [*td.*: *Moldou o gesso para fazer a cópia da estatueta.*] 3 Trabalhar (barro, cera etc.) para criar peça de escultura; modelar [*td.*: *Moldava a massa para criar sua nova escultura.*] 4 Ressaltar os contornos de; modelar [*td.*: *Aquela saia moldava suas nádegas.*] 5 Dar ou adquirir determinada maneira de ser, agir, trabalhar, pensar etc. [*td.*: *O artista moldava suas técnicas com grande apuro.*] [*tdr.* +*em,por*: *Moldou seu estilo pessoal nos maneirismos de Al Pacino; Moldava seu pensamento pelas ideias dos iluministas.*] 6 Acomodar(-se), adaptar(-se), amoldar(-se) [*tdr.* +*a*: *O tempo moldou a mulher ao estilo de vida do marido; Moldava -se a tudo por interesse.*] 7 Pôr-se de acordo, ficar em harmonia com [*tdr.* +*com*: *Moldou-se com as novas tendências da moda europeia.*] [▶ 1 moldar] [F.: *molde* + *-ar*. Hom./Par.: *molde* (1ª3ªp.s.), *moldes* (2ªp.s.)/ *molde* (s.m. e pl.).]

moldável (mol.*dá*.vel) *a2g.* Que se pode moldar, que pode ser moldado (objeto moldável, escultura moldável, caráter moldável); MODELÁVEL; ADAPTÁVEL [+*a*, *por*: *Seu temperamento é moldável às circunstâncias; moldável pela educação paterna.*] [Pl.: *-veis*. Superl.: *moldabilíssimo*.] [F.: *moldar* + *-vel*. Ideia de: *mod-*.]

moldávio (mol.*dá*.vi:o) *sm.* 1 *Etnog.* Pessoa nascida ou que vive na República da Moldávia (Europa) 2 *Gloss.* A língua românica falada na Moldávia *a.* 3 Ref. ou pertencente aos moldávios ou ao moldávio (2) (cultura moldávia, parlamento moldávio) [F.: Do top. *Moldavia*. Sin. ger.: *moldávico*. Tb. *moldavo*.]

moldavo (mol.*da*.vo) *a.sm.* Ver *moldávio*

molde (*mol*.de) *sm.* 1 Modelo oco no qual se introduz um líquido ou uma pasta que, ao endurecer, toma a forma interna desse modelo: *o molde de uma estátua de bronze.* 2 Peça assim resultante, com a forma do modelo 3 Peça de papel, tecido, madeira etc. pela qual se recorta algo: *molde de um terno.* 4 Modelo de qualquer coisa us. para reprodução de algo: *O molde da medalha é de gesso.* 5 *Fig.* Modelo (8) de objeto, ou de comportamento: *As ações do pai servem-lhe de molde.* 6 Modo próprio de se conceber algo: *Tinha em mente o molde de como seria a festa.* 7 *Geol.* Impressão fóssil deixada por um organismo na rocha; MOLDAGEM 8 *Art. gr.* Em estereotipia, caixa metálica em que são fundidas as matrizes 9 *Art.gr.* Nas máquinas de composição, lugar em que se colocam as matrizes para fundição dos tipos ou blocos de letras 10 *Art.gr.* Matriz do galvanótipo [F.: Do cast. *molde*, provavelmente do antigo cat. *motle*, e este do lat. *modulus*, dim. de *modus*. Hom./Par.: *molde* (fl. de *moldar*).] ■ **De ~** Em ocasião propícia, oportunamente: *Essa decisão foi tomada de molde.* **~ boa forma** *Art.pl.* Molde (1) do qual se podem tirar várias peças **~ perdido** *Art.pl.* Molde (1) do qual só se pode tirar uma peça

moldeira (mol.*dei*.ra) *sf. Od.* Suporte para material de moldagem odontológica, o qual é introduzido na boca para se obter um perfeito molde dos dentes (moldeira de plástico/ de transferência) [F.: *molde* + *-eira*.]

moldura (mol.*du*.ra) *sf.* 1 *Decor.* Peça lisa ou lavrada, de diversos materiais, formatos e tamanhos, us. para cercar e guarnecer quadros, pinturas, fotografias, espelhos, estampas etc.; CAIXILHO; MOLDURAGEM: *Quebrou o quadro e ficou apenas a moldura.* 2 *Arq.* Ornato de pedra, mármore, estuque, cimento, gesso ou metal, que serve de arremate para portas, janelas etc. Tb. *guarnição* [F.: Do cast. *moldura*. Ideia de: *mod-*.]

moldurado (mol.du.*ra*.do) *a.* Que se moldurou (quadro moldurado); EMOLDURADO [F.: Part. de *moldurar*.]

moldurar (mol.du.*rar*) *v.* O mesmo que *emoldurar* [▶ 1 moldurar]

moldureiro (mol.du.*rei*.ro) *sm.* 1 Aquele que faz ou produz molduras; fabricante de molduras 2 Aquele que guarnece quadros, pinturas, desenhos, painéis, elementos arquitetônicos etc. com moldura [F.: *moldura* + *-eiro*. Ideia de: *mod-*.]

mole[1] (*mo*.le) *sf.* 1 Massa ou volume muito grande: *a mole de um rochedo.* 2 Grande quantidade de qualquer coisa (mole de gente) 3 Construção de grandes dimensões: *Aquela igreja é uma fantástica mole de granito.* [F.: Do lat. *moles, is*.]

mole[2] (*mo*.le) *a2g.* 1 Que cede à pressão sem se desfazer (pêssego mole); TENRO; MACIO 2 Dotado de elasticidade (colchão mole); FOFO 3 Que apresenta consistência pastosa: *Essa massa está muito mole.* 4 *Fig.* Sem energia, sem vigor; DÉBIL; FRACO: *Sentiu-se mole após tanto esforço.* 5 Lerdo, indolente, preguiçoso 6 *Fig.* Desprovido de firmeza; FROUXO; COMPLACENTE: *Sempre foi mole com os alunos.* 7 *Fig.* Que se emociona facilmente (coração mole); SENSÍVEL 8 *Bras. Pop.* Que não apresenta dificuldades, que não requer esforço; FÁCIL: *É mole fazer isso.* 9 *Fig.* Sem vivacidade ou brilho 10 *N.E.* Que não tem sorte; AZARADO 11 *Quím.* Que se caracteriza por átomos ou grupos de átomos muito polarizáveis (diz-se de ácido ou base) [Aum.: *moleirão, molengão*.] *adv.* 12 *Bras. Pop.* Com facilidade: *O corredor venceu a prova mole.* [F.: Do lat. *mollis, e*.] ■ **Dar ~** 1 *Pop.* Agir tolamente, sem ter cuidado ou atenção (e, por consequência, ser ou arriscar-se a ser enganado ou a sofrer revés): *O goleiro deu mole e levou um gol bobo.* 2 Perder a oportunidade de fazer algo, de conseguir o que se quer: *Deu mole e perdeu a promoção.* 3 Não ter firmeza, autoridade; não fazer o que é necessário para ter controle da situação: *Chega de dar mole, agora vamos apertar na disciplina.* 4 Dar sinais de interesse ou atração por alguém, ou encorajar aproximação de outra pessoa (com intenção amorosa ou sexual); paquerar, flertar **~ ~** 1 Pouco a pouco; aos poucos; devagar: *Mole mole foi escalando a montanha.* 2 Sem muito esforço ou empenho, facilmente, na moleza: *Venceu o torneio mole mole.* **No ~** *Bras.* Ver *Mole mole*

molear (mo.le.*ar*) *v.* Tornar(-se) mole, frouxo [*td. int.*] [▶ 13 molear] [F.: *mol(e)* + *-ear*.]

moleca (mo.*le*.ca) *sf.* 1 Menina de pouca idade 2 *Bras.* Garota travessa, inquieta, brincalhona 3 *Bras.* Menina criada livremente 4 *Moç.* Jovem empregada doméstica [F.: Fem. de *moleque*. Hom./Par.: *moleca* (sf.), *moleca* (fl. de *molecar*).]

molecada (mo.le.*ca*.da) *Bras. sf.* 1 Grupo de moleques; MENINADA; MOLECAGEM *N.E. GO*; MOLECOREBA; MOLECÓRIO 2 Ato, atitude de moleque; MOLECAGEM [F.: *moleque* + *-ada*.]

molecagem (mo.le.*ca*.gem) *Bras. sf.* 1 Ação própria de moleque (5); MOLECADA; MOLEQUEIRA; SAFADEZA; TRAVESSURA: "Diariamente fazia queixa a dona Maria das 'molecagens deste negro sujo'..." (Jorge Amado, *Jubiabá*) 2 Ver *molecada* [Pl.: *-gens*.] [F.: *moleque* + *-agem*.]

molecão (mo.le.*cão*) *Bras. sm.* 1 Moleque encorpado e taludo 2 Homem adulto que é imaturo e irresponsável [Pl.: *-cões*.] [F.: *moleque* + *-ão[1]*.]

molecar (mo.le.*car*) *v. int.* Comportar-se como moleque, como canalha, safado; molequear [▶ 11 molecar] [F.: *moleq(ue)* + *-ar*. Hom; /Par.: *moleca(s)* (fl.), *moleca* (sf. e pl.); *moleque(s)* (fl.), moleque (sm. e pl.).]

molecoreba (mo.le.co.*re*.ba) *sf. N.E. GO* O mesmo que *molecada* (1) [F.: *molecório* + *-eba* (term. deprec.), posv.]

molecório (mo.le.*có*.ri:o) *sf. Bras.* O mesmo que *molecada* (1) [F.: *moleque* + *-ório*.]

molecote (mo.le.*co*.te) *Bras. sm.* 1 Garoto novo, pequeno moleque 2 Moleque já crescido; MOLECÃO; RAPAZOLA [Fem.: *molecota*.] [F.: *moleque* + *-ote*.]

molécula (mo.*lé*.cu.la) *sf. Biol. Fís.quím.* A menor partícula, de dois ou mais átomos, em que se pode dividir uma substância, conservando sua estrutura e propriedades químicas [F.: Do fr. *molécule*, do lat. científico *molecula*, dim. de *moles*. Ideia de: *mol-*.] ■ **~ apolar** *Fís.-quím.* Molécula cujo momento de dipolo é igual a zero [Ver *Momento de dipolo*. Cf.: *Molécula polar*.] **~ marcada** *Fís.nu* Molécula na qual os isótopos radioativos de um ou mais átomos os substituem **~ polar** Molécula cujo momento de dipolo é diferente de zero [Ver *Momento de dipolo*. Cf.: *Molécula apolar*.]

> 📖 A molécula é a menor partícula da matéria de uma substância que tem em si todas as características desta. A molécula é constituída de átomos, de um ou mais elementos, e é ela que determina, com as características que adquire dessa composição de átomos, as características da substância como um todo. P. ex., uma molécula formada por dois átomos de hidrogênio e um de oxigênio (H_2O) tem as características da substância que ela forma (a água), e diferentes das da molécula formada por dois átomos de hidrogênio e dois de oxigênio (H_2O_2), que tem as características da água oxigenada.

molécula-grama (mo.*lé*.cu.la-gra.ma) *sf. Fís.-quím.* O mesmo que *mol*. [Pl.: *moléculas-gramas* e *moléculas-grama*.]

molecular (mo.le.cu.*lar*) *a2g.* Relativo ou pertencente às moléculas [F.: *molécula* + *-ar*.]

moleira[1] (mo.*lei*.ra) *sf.* 1 Mulher de moleiro 2 Dona de moinho 3 Mulher que trabalha em um moinho [F.: Fem. de *moleiro*.]

moleira[2] (mo.*lei*.ra) *Anat. sf.* 1 *Fam.* Parte ainda não ossificada do crânio dos bebês; FONTANELA 2 *P.ext.* Abóbada do crânio [F.: *mole* + *-eira*. Ideia de: *mol-*.]

moleirão (mo.lei.*rão*) *Bras. a.* Que é muito mole (5, 6); MOLENGA; MOLENGÃO; PREGUIÇOSO *sm.* 2 Indivíduo moleirão (1); MOLENGA; PREGUIÇOSO [Pl.: *-ões*. Fem.: *moleirona*.] [F.: *mole[1]* + *-eirão*. Ideia de: *mol-*.]

moleiro (mo.*lei*.ro) *sm.* 1 Dono de moinho; MOAGEIRO; MOENDEIRO 2 Aquele que trabalha em moinho; que tem como ofício moer cereais 3 *Bras. Ornit.* Ave (*Amazona farinosa*) psitaciforme, psitacídea, de coloração verde e amarela e asa encarnada; JERU; JURU; JURUAÇU; PAPAGAIO-MOLEIRO 4 *Lus. Agr.* Tipo de feijão [F.: Do lat. *molinarius, a, um*. Ideia de: *mo(l)-*.]

moleja (mo.*le*.ja) *sf.* 1 *Anat. Zool.* Glândula carnosa situada na parte inferior do pescoço dos animais novos; TIMO 2 *Anat. Zool.* O pâncreas das reses 3 Excremento de aves [F.: Do espn. *molleja*.]

molejo (mo.*le*.jo) [ê] *Bras. sm.* 1 *Tec.* Conjunto de molas de um veículo, móvel etc., e a ação ou resultado dessas molas 2 *Pop.* Gingado, balanço; SARACOTEIO: *o molejo do samba.* 3 *Pop.* Ver *malemolência* [F.: *mola-* + *-ejo*. Ideia de: *mol-*.]

molenga (mo.*len*.ga) *a2g.* 1 Indolente, mole, preguiçoso 2 Que não é determinado, resoluto, firme; COVARDE; FRACO;

FROUXO; MEDROSO [Ant.: *determinado, valente.*] *s2g.* 3 Aquele que é preguiçoso, vagabundo 4 Aquele que não tem determinação; MEDROSO; MARICAS [F.: De *mole* + *-enga.* *Sin. ger.*: *molengo, molengue, moloide.* Hom./Par.: *molenga* (a2g. e s2g.), *molenga* (fl. de molengar). Cf. *molongó.* Ideia de: *mol* - e *-engo.*]

molengão (mo.len.*gão*) *a.* 1 Diz-se de indivíduo muito molenga [Pl.: *-gões.* Fem.: *molengona.*] *sm.* 2 Indivíduo muito molenga [Pl.: *-gões.* Fem.: *molengona.*] [F.: *molenga* + *-ão*¹. Sin. ger.: *moleirão.*]

molengar (mo.len.*gar*) *v. int.* Proceder ou andar como molenga [▶ 14 **molengar**] [F.: *moleng(a)* + *-ar.* Hom./Par. *molenga(s)* (fl.), *molenga* (a2g.s2g. e pl.); *molengue(s)* (fl.), *molengue* (a2g.s2g. e pl.); molengo (fl.), *molengo* (a.sm.).]

molengo (mo.*len*.go) *a. sm. Bras.* O mesmo que molenga [F.: *mole*² (5, 6) + *-engo.* Hom./ Par.: *molengo* (a.sm.), *molego* (fl. de *molengar*).]

molengote (mo.len.*go*.te) *a2g.* Que está mole, enfraquecido, cambaleante: *O pânico a deixou molengote, não saiu do lugar.* [F.: *molenga* + *-ote.*]

molenguice (mo.len.*gui*.ce) *sf. Bras. Pop.* Estado de lentidão ou moleza, causado por preguiça ou desânimo; INDOLÊNCIA; MOLEZA [F.: *molenga* + *-ice*, seg. o mod. erudito.]

moleque (mo.*le*.que) *Bras. sm.* 1 Menino, garoto 2 *Pej.* Pessoa sem integridade, sem caráter; SAFADO; PATIFE 3 *Gír.* Sujeito, cara 4 Menino que vive solto nas ruas 5 *Bras.* Garoto travesso 6 Indivíduo brincalhão, gozador 7 *CE Pop.* O mesmo que *diabo* 8 *Bras. Carp.* O mesmo que *mancebo* 9 *CE* Aparelho us. para tirar botas de montaria 10 *MG Zool.* Filhote do peixe surubim 11 *MG* Barra de imã us. para separar ouro em pó do ferro 12 *Bras. Ent.* Besouro (*Rhynchophorus palmarum*), praga de coqueiros e palmeiras; tb. *broca-do-coqueiro* 13 *Bras. Ent.* Besouro (*Cosmopolites sordidus*), praga de bananeiras; tb. *broca-da-bananeira* *a.* 14 *Bras.* Brincalhão, gozador 15 Que é mau-caráter e irresponsável 16 Que é moleque, travesso [F.: Do quimb. *muleke.* Hom./Par.: *moleque* (fl. molecar). Colet.: *molecada, molecagem, molecoreba.*]

molequear (mo.le.que.*ar*) *v. int. Bras.* Ver *molecar* [▶ 13 **molequear**] [F.: *moleq(ue)* + *-ar.*]

molequeira (mo.le.que.*i*.ra) *sf. Bras.* Ação de moleque; MOLECADA; MOLECAGEM: "...saíam da cabeça dele todas as ideias de brincadeiras esquisitas, de molequeiras inconfessáveis." (Jorge Amado, *Jubiabá*) [F.: *moleque* + *-eira.*]

molequice (mo.le.*qui*.ce) *sf.* 1 Atitude de moleque; MOLECAGEM 2 Bando de moleques; MOLECADA

molesta (mo.*les*.ta) [é] *N.E. Pop. sf.* Us. nas locs. *Deu a molesta* e *Estar com a molesta* [F.: Dev. de *molestar.*] ■ **Deu a** ~ *N.E. Pop.* Us. como interj., expressa espanto, admiração **Estar com a** ~ Estar furioso, muito irritado ou zangado

molestado (mo.les.*ta*.do) *a.* 1 Que se molestou; que foi atacado por moléstia; DOENTE; MOLESTO 2 Ofendido, magoado, maltratado; ABORRECIDO; INCOMODADO; MELINDRADO [+*com, em, por*: *Sentiu-se molestado com as críticas; Foi molestado em seus brios; molestado por um rapaz forte.*] 3 Que foi ferido, machucado, lesado fisicamente 4 Que se encontra desassossegado; INQUIETO [F.: Part. de *molestar.* Ideia de: *mol-.*]

molestador (mo.les.ta.*dor*) [ô] *a.* 1 Que molesta, que causa danos à saúde, que incomoda e atormenta (vento molestador, vizinhança molestadora) *sm.* 2 Aquele ou aquilo que molesta (molestador de animais, molestador de plantas) 3 Aquele que se aproveita sexualmente de outrem (molestador de menores) [F.: *molestar* + *-dor.* Ideia de: *mol-.*]

molestamento *sm.* Ação ou resultado de molestar(-se) (molestamento sexual); MOLESTAÇÃO [F.: *molestar* + *-mento.*]

molestar (mo.les.*tar*) *v.* 1 Causar mágoa, ofensa, sofrimento, aflição a; MAGOAR(-SE); OFENDER(-SE) [*td.*: *Seu desprezo a molestou.*] 2 Aborrecer(-se), importunar(-se) [*td.*: "... não pareceu molestá-lo a curiosidade do hóspede..." (Machado de Assis, *Helena*)] [*tr.* +*com*: *Molestava-se com a bagunça do colega de quarto.*] 3 Abordar sexualmente de maneira imprópria ou ilegal [*td.*: *Esses tarados tentam molestar crianças em qualquer lugar.*] 4 *P.us.* Causar incômodo ou machucar [*td.*: *A nova cinta molestava sua coluna.*] 5 Causar inquietação a [*td.*: *A vida airada da moça molestava sua família.*] [▶ 1 **molestar**] [F.: Do lat. *molestare.*]

moléstia (mo.*lés*.ti:a) *sf.* 1 *Med. Pat. Bot. Zool.* Doença, enfermidade (em humanos, animais e plantas); DOENÇA; ENFERMIDADE; MAL 2 Aflição, sofrimento, abatimento moral; ABORRECIMENTO; INQUIETAÇÃO; MAL [Ant.: *prazer.*] 3 *Bras. Pop.* Raiva (4) [F.: Do lat. *molestia.* Ideia de: *mol-.*] ■ **Com a** ~ (**do cachorro doido**) Em estado de grande agitação; com exacerbação, fúria, grande energia etc. **Da** ~ *N.E. Pop.* Danado, dos diabos: *Esse garoto é da moléstia, enganou todo mundo!*

molesto (mo.*les*.to) [é] *a.* 1 Que molesta, incomoda ou aborrece (pessoa molesta); INCÔMODO; MOLESTOSO 2 Que causa moléstia ou doença; nocivo à saúde (frio molesto); MOLESTADO [Ant.: *saudável.*] 3 Árduo, penoso (trabalho molesto) [Ant.: *fácil.*] 4 Que revela maldade, perversão, malignidade: *Tinha medo de histórias de espíritos molestos.* [F.: Do lat. *molestus, a, um.* Ideia de: *mol-.*]

moletom (mo.le.*tom*) *sm.* 1 *Têxt.* Tecido grosso de malha de algodão, que é quente e macio 2 *Vest.* Blusão, calça ou conjunto de moletom (1) [Pl.: *-tons.*] [F.: Do fr. *moletton.* Sin. ger.: *moletão.* Ideia de: *mol-.*]

moleza (mo.*le*.za) [ê] *sf.* 1 Qualidade de mole²; MOLIDÃO [Ant.: *rigidez, rijeza.*] 2 Falta de vigor; FRAQUEZA [Ant.: *energia.*] 3 Indolência, preguiça; MOLÍCIA; MOROSIDADE [Ant.: *atividade.*] 4 Lerdeza, lentidão; APATIA [Ant.: *ânimo.*] 5 *Bras. Pop.* Coisa fácil: *Esse trabalho é moleza.* [Ant.: *dureza.*] 6 Tendência a ser indulgente; COMPLACÊNCIA 7 *Bras. N.E.* Falta de sorte; AZAR; INFELICIDADE; INFORTÚNIO 8 *Pint.* Falta de expressividade na combinação de cores de uma pintura 9 *Quím.* Propriedade do que é mole, esp. ácidos e bases [F.: *mole* + *-eza.* Ideia de: *mol-.*] ■ **Na** ~ *Bras. Fam.* Sem esforço, facilmente (ver *Mole mole* [2])

molhadela (mo.lha.*de*.la) *sf.* 1 Ação ou resultado de molhar(-se) um pouco, ou rapidamente; MOLHA; MOLHADA; MOLHADURA [Ant.: *secagem.*] 2 Ação de se molhar por imersão; MOLHA 3 Chuva que é recebida nas roupas e no corpo; MOLHA 4 *Bras. Pej. Pop.* Gorgeta, propina, gratificação; MOLHADURA: *Deu uma molhadela na mão dele.* [F.: *molhar* + *-dela.* Ideia de: *mol-.*]

molhado (mo.*lha*.do) *a.* 1 Que está umedecido ou encharcado de água ou outro líquido [Ant.: *enxuto, seco.*] 2 *Bras. N.E. Fig. Pop.* Que está bêbado; EMBRIAGADO *sm.* 3 Lugar com água, umedecido: *Evite pisar no molhado.* [F.: Part. de *molhar.* Ant. ger.: *seco.* Ideia de: *mol-.*] ■ **Chover no** ~ 1 Revelar, informar ou explicar coisa já sabida 2 Tentar tratar ou resolver assunto já tratado ou resolvido

molhados (mo.*lha*.dos) *Bras. Lus. Com. smpl.* Produtos alimentícios líquidos (vinho, azeite etc.) vendidos nas mercearias [F.: Pl. substv. de *molhado.* Cf.: *secos.* Ideia de: *mol-.*]

molhadura (mo.lha.*du*.ra) *sf.* 1 Ação ou resultado de molhar(-se) rapidamente ou por uma só vez; MOLHA; MOLHADA; MOLHADELA 2 *Bras. Fig.* Propina, gorjeta, gratificação: "...dê-lhe cinco mil-réis como molhadura pelo ato de coragem." (Domingos Olímpio, *Luzia Homem*) 3 *Bras. Pop.* Cachaça, aguardente [F.: *molhar* + *-dura.*]

molhamento (mo.lha.*men*.to) *sm.* Ação ou resultado de molhar(-se); MOLHA: "Houve molhamento durante algumas horas da madrugada..." (*Folha de S.Paulo*, 01.05.1996) [F.: *molhar* + *-mento.*]

molhar (mo.*lhar*) *v.* 1 Mergulhar ou banhar em, ser atingido por (líquido), ou umedecer(-se) [*td.*: *Molhar o rosto/os lábios/as plantas.*] 2 *Fam.* Urinar em, ou urinar(-se) [*td.*: *O bebê molhou a cama.*] 3 Regar [*td.*: *Molhar as plantas.*] 4 Umedecer, umidificar as faces [*td.*: *Molhou o rosto de lágrimas.*] 5 Jogar pingos, borrifar [*td.*: *Molhar a roupa antes de engomar.*] 6 Apanhar chuva [*int.*: *Não levou guarda-chuva, molhou-se todo.*] 7 Receber líquido ou respingos sobre si [*td.*: *Molhou -se todo ao fazer uma macarronada.*] [▶ 1 **molhar**] [F.: Do lat.vulg. **molliare.* Hom./Par.: *molha* (3ªp.s.), *molhas* (2ªp.s.)/ *molha* /ô/ (s.f.) e pl; *molhe* (1ª3ªp.s.), *molhes* (2ªp.s.)/ *molhe* (s.m.) e pl; *molho* (1ª p.s.)/ *molho* /ô/ (s.m.). Ant. ger.: *secar.*]

molhe (*mo*.lhe) *sm.* Paredão construído num porto marítimo como quebra-mar, cais, cais acostável, guia-corrente etc. [F.: Do cat. *moll*, talvez do lat. *moles.* Hom./Par.: *molhe* (sm.), *molhe* (fl. de molhar). Ideia de: *mol-.*]

molheira (mo.*lhei*.ra) *sf.* Recipiente para servir molhos; MOLHEIRO; SALSEIRA [F.: *molho* [ô] + *-eira.* Ideia de: *mol-.*]

molho¹ (*mo*.lho) [ô] *sm.* 1 *Cul.* Caldo ou creme us. para refogar, temperar ou acompanhar um prato (molho de tomate): "...quis experimentar quanto molho e condimento picante havia em casa..." (José de Alencar, *Senhora*) 2 Qualquer líquido onde se deixa algo mergulhado [F.: Dev. de *molhar.* Hom./Par.: *molho* [ô] (sm.), *molho* (sm.), *molho* (fl. de *molhar*).] ■ **De** ~ 1 Mergulhado por algum tempo em água, com ou sem ingredientes adicionados: *Pôr a roupa de molho.* 2 *Fig.* Recolhido, marginalizado por cansaço, doença, isolamento compulsório etc.: *Contundido, o jogador ficará de molho por duas semanas.* ~ **bechamel** *Cul.* Molho salgado, feito com leite quente, manteiga derretida e farinha de trigo; molho branco ~ **branco** 1 *Cul.* Molho salgado, feito com leite, que se engrossa com farinha de trigo ou maisena, e manteiga 2 Ver *Molho bechamel* ~ **ferrugem** *Cul.* Molho escuro para carnes, feito com vários ingrediente fritos na manteiga (*bacon*, cebola, cenoura, farinha, tomate, salsinha etc.), misturado a caldo de carne e temperado ~ **inglês** *Cul.* Molho picante para carnes, caldos etc., preparado com vinagre, louro, noz-moscada, pimentas, sal, salsa etc. ~ **nagô** *Bras. Cul.* Molho picante cozido em panela de barro, feito com camarões secos moídos, pimenta-malagueta bem salgada, jiló, quiabo e sumo de limão ~ **pardo** *Cul.* Molho para ave, feito com o sangue da própria ave, ao qual se adiciona vinagre ~ **tártaro** *Cul.* Molho à base de maionese (gema de ovo, azeite, vinagre) a que se acrescentam ingredientes como mostarda, cebolinha, alcaparras, ervas etc.

molho² (*mo*.lho) [ó] *sm.* 1 Feixe pequeno, ger. reunido pelo comprimento e atado ao meio (molho de feno/ de palha); LIO: "No caixão do defunto mandou guardar um molho dos seus cabelos..." (Machado de Assis, *Memorial de Aires*) 2 Porção pequena de flores ou folhagens: "Era Jacinto, com o charuto em brasa, um molho de cravos na lapela..." (Eça de Queirós, *A cidade e as serras*) 3 Conjunto de objetos unidos (molho de chaves) 4 Punhado, mancheia: "... achei um molho de ossos, envolto em molambos..." (Machado de Assis, *Memórias póstumas de Brás Cubas*) [F.: lat. **manuculus* ou *manuclus*, alter. de *manupulus*, por *manipulus* ou *maniplus.* Hom./Par.: *molho* (sm.), *molho* [ô] (sm.), *molho* (fl. de *molhar*).]

moliana (mo.li:*a*.na) *sf. Angios.* Árvore da família das vosquisiáceas (*Salvertia convallariaeodora*), nativa do Brasil, de folhas enormes e cuja madeira é usada em carpintaria, marcenaria e caixotaria; FOLHA-LARGA; GONÇALO-ALVES; COLHER DE VAQUEIRO; BANANEIRA-DO-CAMPO [F.: De or. obsc.] ■ **Cantar a** ~ **a** Repreender, censurar

molibdênio (mo.lib.*dê*.ni:o) *sm. Quím.* Elemento químico de número atômico 42, metálico, branco prateado, duro e de grande resistência à corrosão; empregado principalmente em ligas de aço e tb. como micronutriente de plantas. [Símb.: *Mo.*] [Esta palavra, via de regra, não se usa no pl.] [F.: Do do lat. *molybddaena, ae* < gr. *molýbdaina.*]

molição (mo.li.*ção*) *sf.* Grande esforço empregado na aquisição de algo ou na execução de um trabalho [Pl.: *-ções.*] [F.: Do lat. *molitio,onis.*]

molificação (mo.li.fi.ca.*ção*) *sf.* 1 Ação ou resultado de molificar 2 Qualidade de molificar, de abrandar [Pl.: *-ções.*] [F.: *molificar* + *-ção.*]

molificar (mo.li.fi.*car*) *v. td.* 1 Tornar mole, brando; AMOLECER 2 *Fig.* Provocar desânimo em; DESANIMAR 3 Fazer reduzir-se, minorar; APLACAR; SUAVIZAR [▶ 11 **molificar**] [F.: Do lat. tard. *mollificare.*]

molificável (mo.li.fi.*cá*.vel) *a2g.* Que se pode molificar; fácil de molificar [Pl.: *-veis.*] [F.: *molificar* + *-vel.* Hom./Par.: *molificáveis* (pl.), *molificáveis* (fl. de *molificar*).]

molinete (mo.li.*ne*.te) [ê] *sm.* 1 Carretel com manivela, fixado no cabo de uma vara de pescar 2 Peça de madeira ou metal, em forma de cruz horizontal, cujo centro gira sobre um poste perpendicular fixado no chão; BORBOLETA [Coloca-se às portas de casas ou de recintos muito frequentados (estádios, lojas, estações etc.) para evitar tropel ou para contar, mecânica ou eletronicamente, as pessoas que entram.] 3 *Cnav.* Máquina de suspender, dotada de eixo horizontal; BOLINETE 4 Movimento giratório e rápido, à volta do corpo, feito com espada, capa, pau etc. 5 Peça que, nos anemômetros, registra a velocidade dos ventos 6 Aparelho para medir a velocidade de um curso de água 7 *Bras. Esp.* Golpe de capoeira; parafuso 8 *Art.gr.* O mesmo que *cruzeta* [F.: Do fr. *moulinet.*] ■ **Fazer um** ~ Imprimir rápido movimento giratório à ponta de uma espada, uma bengala etc. que se segura pelo punho

molinismo (mo.li.*nis*.mo) *sm. Teol.* Doutrina do jesuíta espanhol Luis Molina (1535-1600) que propõe a conciliação entre a graça de Deus e o livre-arbítrio [F.: D antr. Luís de *Molina* + *-ismo.* Cf.: *molinosismo.*]

molito (mo.*li*.to) *S. sm.* 1 Um tanto mole, preguiçoso, molenga 2 Inclinado aos prazeres sexuais, lânguido, libidinoso [F.: *mole*² (4, 5, 6) + *-ito.*]

moloide (mo.*loi*.de) *a2g.* O mesmo que *molenga* [F.: *mole*¹ + *-oide.*]

molongó¹ (mo.lon.*gó*) *Amaz. a.* 1 Adoentado, mofino, fraco 2 Que é muito molenga 3 Tolo, ingênuo *sm.* 4 Indivíduo muito molenga [F.: De or. obsc.]

molongó² (mo.lon.*gó*) *sm. Bras. Angios.* Designação comum a algumas plantas da fam. das apocináceas (Ambelania grandiflora, Lacmellea arborescens, Macoubea guianensis, Malouetia tamaquarina) nativas da Amazônia [F.: De or. obsc.]

molosso (mo.*los*.so) [ô] *sm.* 1 *Cinol.* Grande cão de guarda, espécie de cão de fila robusto 2 *Fig.* Indivíduo violento, brigão, turbulento *a.* 3 *Poét.* Diz-se do pé métrico de seis tempos, compostos de três longas [F.: Do lat. *molossus*, do gr. *molossós.*]

molucano (mo.lu.*ca*.no) *sm.* 1 Pessoa nascida ou que vive nas ilhas Molucas (Indonésia) *a.* 2 Das ilhas Molucas; típico dessa região ou de seu povo [F.: Do top. *Molucas* + *-ano.*]

molúria (mo.*lú*.ri:a) *sf.* 1 Falta de ânimo; MOLEZA 2 Orvalho que cai durante a noite; RELENTO; SERENO *sm.* 3 *Pop.* Homem acanhado, que mal se houve falar, de pouca aptidão [F.: *mole*² (4, 5, 6) + *-úria.*]

molusco (mo.*lus*.co) *sm.* 1 Espécime dos moluscos, filo de animais invertebrados, de corpo mole e mucoso, ger. dotado de concha calcária e que vive no mar, em água-doce ou em terra; são os polvos, ostras, caramujos etc. [Col.: *colônia.*] *a.* 2 Ref. aos moluscos [F.: Do lat. cient. filo *Mollusca*, criado por Lineu em 1758.]

momentaneidade (mo.men.ta.nei.*da*.de) *sf.* 1 Qualidade do que é transitório, passageiro: *Ajoelhado, olhar perdido no crucificado, suplicava: que essa estupidez ingente em que vivemos seja, de fato, uma momentaneidade.* 2 Qualidade do que é atual, circunstancial (momentaneidade dos fatos)

momentâneo (mo.men.*tâ*.ne:o) *a.* 1 Que dura só um momento (mal-estar momentâneo); INSTANTÂNEO; RÁPIDO; FUGAZ 2 Que não é permanente, que passa; PASSAGEIRO; EFÊMERO: *perda momentânea de memória.* [F.: Do lat. *momentaneus, a, um.* Ant. ger.: *duradouro.*]

momento¹ (mo.*men*.to) *sm.* 1 Curto espaço de tempo: "Frei Dinis contemplou-a alguns momentos nesse estado e pareceu comover-se..." (Almeida Garrett, *Viagens na minha terra*) 2 Período de tempo durante o qual ocorre algo: "Era o bobo que nesse momento imperava despótico..." (Alexandre Herculano, *O bobo*) 3 O instante exato em que algo sucede; MINUTO: "O alienista caminhou para a varanda da frente e chegou ali no momento em que a rebelião também chegava e parava, defronte, com as suas trezentas cabeças..." (Machado de Assis, "O Alienista" *in Papéis avulsos*) 4 Ocasião oportuna; ENSEJO; OPORTUNIDADE: "O cunhado aproveitou o momento para desterrar-lhe da casa todos os livros de certo porte..." (Machado de Assis, "Verba testamentária" *in Papéis avulsos*) 5 Situação, circunstância: "...o momento era grave, e dificilmente podia o espírito esquivar-se à reflexão intermitente..." (Machado de Assis, *Iaiá Garcia*) 6 *Est.* Valor médio calculado a partir de uma distribuição de frequências (ou de probabilidades), us. para fornecer descrições resumidas da distribuição estudada 7 *Fís.* Produto da massa de um corpo por sua velocidade [Símb.: P] **8** *Fís.* Produto vetorial de uma força aplicada num ponto e o vetor posição desse ponto (sua distância ao fulcro ou eixo de rotação) [F.: Do lat. *momentum, i.* Ideia de 'momento': *-fase.*] **■ A todo ~** Frequentemente, seguidamente, sem cessar: *A todo momento olhava para a porta, na esperança de vê-la chegar.* **De ~ a ~** Seguidamente e a intervalos: *Consultava o relógio de momento a momento.* **Do ~** Que, neste momento, está na moda, tem sucesso ou prestígio, destaque etc.: *Ela é, sem dúvida, a diva do momento.* **~ angular** *Fís.* Grandeza física de uma partícula representada pelo produto de seu vetor de posição por seu vetor de momento linear, que por sua vez é o produto da massa da partícula pelo vetor de sua velocidade; momento cinético **~ cinético** *Fís.* Ver *Momento angular* **~ de dipolo** *Fís.-quím.* Produto do valor absoluto das cargas num dipolo (grupo de duas cargas de mesmo valor mas com sinais contrários) pela distância que as separa **~ de força** *Fís.* Momento (8) **~ de inércia** *Fís.* Grandeza física que mede a resistência de um corpo que gira em torno de um eixo à mudança de velocidade dessa rotação. É o somatório dos produtos da massa de cada partícula pelo quadrado de sua distância ao eixo [Símb.: *I*] **~ linear** *Fís.* Momento (7) **Num ~** Já já, de imediato, sem demora **Por ~s** Durante curto espaço de tempo, por alguns instantes: *A estação esteve por momentos fora do ar.*

momento² (mo.*men*.to) *a. P.us.* Que faz momices [F.: *momo + -ento.*]

momentoso (mo.men.*to*.so) [ô] *a.* Importante, relevante, grave (questão momentosa) [Ant.: *frívolo.*] [Pl.: [ó]. Fem.: [ó].] [F.: Do lat. *momentosus.*]

⊕ **momentum** (Lat.: /momentum/) *sm. Fís.* Produto da massa inercial de um corpo por sua velocidade; quantidade de movimento; MOMENTO LINEAR

momesco (mo.*mes*.co) [ê] *a.* Que diz respeito a Momo ou ao carnaval; CARNAVALESCO [F.: *momo + -esco.*]

momices (mo.*mi*.ces) *sfpl.* Caretas, trejeitos; gesticulação grotesca ou ridícula [Tb. us. (raramente) no sing.] [F.: Pl. de *momice; momo + -ice.*]

momo (*mo*.mo) *sm.* **1** *Bras.* Homem muito gordo que, vestido de rei, personifica o carnaval, inspirado em momo (2) **2** *Ant. Teat.* Ator mascarado que representava farsas populares; BUFO **3** *Fig.* Zombaria, mofa [F.: Do lat. *Momus*, do gr. *Mómus.*]

mona¹ (*mo*.na) *sf.* **1** Fêmea do mono¹ (1) **2** *Fig. Pop.* Estado de quem ingeriu bebida alcoólica em excesso; BEBEDEIRA: "...a diferença é que uma será mona de vinho..." (Joaquim Manuel de Macedo, *A moreninha*) **3** *Fig. Pop.* Cabeça **4** *Fig. Pop.* Acesso de aborrecimento; AMUO **5** *Fig. Pop.* Boneca de trapos **6** *RJ Fig. Pej.* A mulher [F.: Fem. de *mono.*]

mona² (*mo*.na) *s2g.* **1** *Ang.* Criança, menino ou menina **2** *N.E. S.E. Gír.* Homossexual masculino [F.: Do quimb. *mona* 'criança'.]

mona³ (*mo*.na) *sf.* Na tauromaquia, armadura de ferro que os picadores usam na perna direita, por causa de sua maior exposição, para protegê-la das chifradas do touro [F.: Do espn. *mona.*]

monaca (mo.na.*cal*) *a2g.* Ref. ou inerente a monge ou a vida em convento; MONÁSTICO [Pl.: *-cais.*] [F.: Do lat. *monachalis* (< gr. *monachós*).]

mônada (*mô*.na.da) *sf.* **1** *Biol.* Unidade orgânica diminuta e muito simples **2** *Fil.* Na teoria de Leibniz, partícula indivisível que entra na composição de todos os seres [F.: Do lat. *monas, adis* (< gr. *monás, ádos*). Tb. *mônade.*]

mônade (*mô*.na.de) *sf.* Ver *mônada*

monádico (mo.*ná*.di.co) *a.* Relativo ou inerente a mônada (filosofia monádica; organismo/número monádico)

monandro (mo.*nan*.dro) *a. Bot.* Que tem um só estame; MONÂNDRICO [F.: *mon(o)- + -andro.*]

monarca (mo.*nar*.ca) *sm.* **1** Chefe supremo de um Estado monárquico; REI; SOBERANO **2** *Fig.* Pessoa ou coisa que domina em certa área, em certo gênero: *um monarca das letras.* **3** *RS* Gaúcho que monta bem, que cavalga com elegância [Col.: *monarcada.*] **4** *RS P.ext.* Animal garboso: *o monarca do rebanho.* *s2g.* **5** *BA* Indivíduo conservador *a2g.* **6** *Pop.* Fora de moda (diz-se de hábitos ou costumes); ANTIQUADO **7** *CE Pop.* Muito grande [F.: Do lat. tardio *monarcha*, do gr. *monárches.* Hom./Par.: *monarca* (sm.s2g. a2g.), *nomarca* (sm.).]

monarquia (mo.nar.*qui*.a) *sf.* **1** *Pol.* Estado ou forma de governo em que o chefe supremo é o rei ou a rainha **2** *RS* Vida, habilidade de gaúcho monarca [F.: Do lat. *monarchia*, ae, do gr. *monarkhía, as.* Hom./Par.: *monarquia* (sf.), *monarquia* (fl. de *monarquiar*), *nomarquia* (sf.).]

monárquico (mo.*nár*.qui.co) *a.* **1** Ref. ou pertencente a monarquia ou a monarca **2** *Lus.* Que é partidário da monarquia; MONARQUISTA *sm.* **3** *Lus.* Partidário da monarquia; MONARQUISTA [F.: Do gr. *monarchikós, é, on.*]

monarquismo (mo.nar.*quis*.mo) *sm. Pol.* Sistema político dos partidários da monarquia [F.: *monarqu(ia) + -ismo.*]

monarquista (mo.nar.*quis*.ta) *a2g.* **1** Ref. a monarquia; MONÁRQUICO **2** Que é a favor da monarquia *s2g.* **3** Partidário da monarquia [F.: *monarquia + -ista.*]

monarquização (mo.nar.qui.za.*ção*) *sf.* Ação ou resultado de monarquizar [Pl.: *-ções.*] [F.: *monarquizar + -ção.*]

monarquizar (mo.nar.qui.*zar*) *v.* Colocar sob o controle de um monarca ou adotar sistema monárquico [*td.*: *Monarquizaram o país com um plebiscito.*] [*int.*: *A nação se monarquizou.*] [F.: *monarca* (*c* > *qu*) + *-izar.*]

monastério (mo.nas.*té*.ri:o) *sm.* Convento de monges; MOSTEIRO [F.: Do gr. *monastérion, ou.*]

monasticismo (mo.nas.ti.*cis*.mo) *sm.* **1** Qualidade, estado, caráter de monástico **2** O estilo de vida monástico [F.: *monástico + -ismo.*]

monástico (mo.*nás*.ti.co) *a.* Ref. ou pertencente a monge ou monja; tb. *monacal* [F.: Do lat. tardio *monasticus, a, um*, do gr. *monastikós, é, ón.*]

monazita (mo.na.*zi*.ta) *sf. Min.* Mineral que se cristaliza no sistema monoclínico composto de fosfato de cério, lantânio e outros metais; de coloração castanho-amarelada a avermelhada, é fonte de tório e lantanídeos, em especial o Cério [F.: Do fr. *monazite*, do al. *Monazit*, forjado a partir do gr. *monazein*, 'ser só', 'ser raro'.]

monazítico (mo.na.*zí*.ti.co) *a.* **1** Que diz respeito a monazita **2** Diz-se do que contém monazita (areias monazíticas) [F.: *monazita + -ico².*]

monca (*mon*.ca) *sf. Pop.* Secreção da mucosa do nariz; MONCO; RANHO; MELECA [F.: De *monco.*]

monçanense (mon.ça.*nen*.se) *s2g.* **1** Aquele ou aquela que nasceu ou que vive em Monção (Portugal) *a2g.* **2** De Monção; típico dessa cidade ou de seu povo [F.: Do top. *Monção + -ense.*]

monção (mon.*ção*) *sf.* **1** Vento ou época do ano favorável às navegações **2** Vento periódico, de ciclo anual, típico do sul e do sudeste da Ásia **3** *Fig.* Oportunidade, ensejo **4** *Bras. Hist.* Denominação das expedições que desciam e subiam rios das capitanias de São Paulo e Mato Grosso, nos séculos XVIII e XIX, estabelecendo comunicação entre elas [Pl.: *-ções.*] [F.: Do ár.]

moncar (mon.*car*) *v. int.* Tirar o monco do nariz; assoar-se [▶ 11 mon**car**] [F.: *monco + -ar².* Hom./Par.: *monco* (fl.), *monco* (sm.).]

monchiquense (mon.chi.*quen*.se) *s2g.* **1** Aquele ou aquela que nasceu ou que vive em Monchique (Portugal) *a2g.* **2** De Monchique; típico dessa cidade ou de seu povo [F.: Do top. *Monchique + -ense.*]

monco (*mon*.co) *sm.* Humor mucoso e espesso do nariz; MONCA; RANHO: "... para agarrar a pitada que devia destilar-lhe no nariz o monco..." (José de Alencar, *Senhora*) [F.: Do lat. **muccu*, por *mucu.* Hom./Par.: *monco* (sm.), *monco* (fl. de *moncar*).] **■ ~ de peru** Excrescência carnosa que pende do bico do peru, ou que o cobre

moncorvense (mon.cor.*ven*.se) *s2g.* **1** Aquele ou aquela que nasceu ou que vive em Torre de Moncorvo (Portugal) *a2g.* **2** De Torre de Moncorvo; típico dessa cidade ou de seu povo [F.: Do top. (Torre de) *Moncorvo + -ense.*]

moncoso (mon.*co*.so) [ô] *a.* **1** Cheio de monco; RANHOSO **2** Que é sujo, sórdido, desprezível [F.: *monco + -oso.*]

mondar (mon.*dar*) *v. td.* **1** *Lus.* Tirar (ervas daninhas que crescem no meio de plantas cultivadas) **2** Cortar (ramos secos ou desnecessários de árvore ou arbusto) **3** Corrigir ou aprimorar (texto) [▶ 1 mon**dar**] [F.: Do v.lat. *mundare.* Hom./Par.: *monda* (fl.), *monda* (sf.); *mondas* (fl.), *mondas* (pl. do sf.).]

mondinense (mon.di.*nen*.se) *s2g.* **1** Aquele ou aquela que nasceu ou que vive em Mondim (Portugal) *a2g.* **2** De Mondim; típico dessa cidade ou de seu povo [F.: Do top. *Mondim + -ense.*]

mondongo (mon.*don*.go) *sm.* **1** Vísceras de certos animais (carneiro, porco etc.) **2** *RS P.ext.* Cozido preparado com as vísceras de rês bovina; DOBRADINHA **3** *Pej.* Indivíduo desmazelado e sujo: "...devo dizer, que nesse tempo, fui mondongo meio duro de pelar..." (João Simões Lopes Neto, "Os cabelos da China" *in Contos gauchescos*) **4** *Amaz.* Terreno baixo, pantanoso, ger. coberto de plantas palustres, com fisionomia arbustiva e densa **5** *N.E. Pop.* Inchação, edema, tumor; MONDRONGO [F.: De or. obsc.]

mondrongo (mon.*dron*.go) *Bras. sm.* **1** *Pej.* Indivíduo disforme; MOSTRENGO **2** *Pej.* Aquele que é mole, preguiçoso **3** *Pej.* Indivíduo inábil, desajeitado **4** *Pej.* Alcunha de indivíduo nascido em Portugal **5** *N.E. Pop.* Inchação, edema, tumor; MONDONGO [F.: De or. incerta; conexo posv. com *mondongo.*]

monegasco (mo.ne.*gas*.co) *sm.* **1** Aquele que nasceu ou que vive em Mônaco (Europa) *a.* **2** De Mônaco; típico desse país ou de seu povo [F.: Do fr. *monégasque.*]

monema (mo.*ne*.ma) *sm. Ling.* De acordo com o linguista francês André Martinet (1908 - 1999), unidade mínima constituída de significante e significado; pode vir a ser um radical (um lexema, que muitas vezes coincide com uma palavra), um afixo ou uma desinência (morfemas) [F.: *mon(o)- + -ema.*]

monera (mo.*ne*.ra) [é] *sf. Biol.* Organismo unicelular; BACTÉRIA [F.: Do fr. *monère.*]

monetário (mo.ne.*tá*.ri:o) *a.* **1** Ref. a dinheiro ou finanças (padrão monetário; política monetária) *sm.* **2** *Num.* Coleção de moedas; livro com gravuras de moedas [F.: Do lat. *monetarius, a, um.*]

monetarismo (mo.ne.ta.*ris*.mo) *Econ. sm.* **1** Teoria macroeconômica que identifica a oferta de moeda como determinante da demanda de curto prazo, e que sustenta a manutenção da estabilidade econômica com medidas monetárias que controlam os meios de pagamento e o volume de moeda no mercado financeiro [P.opos. a *keynesianismo.*] **2** Corrente de pensamento econômico latino-americano que interpreta o descontrole monetário como a principal causa do excesso de demanda e aumento da inflação nos países em desenvolvimento [P.opos. a *estruturalismo.*] [F.: Do lat. *moneta, ae*, 'moeda', + *-ismo.*]

monetarista (mo.ne.ta.*ris*.ta) *a2g.* **1** Do ou ref. ao monetarismo **2** Que é partidário do monetarismo *s2g.* **3** Aquele ou aquela que defende o monetarismo [F.: *monetarismo + -ista.*]

monetarização (mo.ne.ta.ri.za.*ção*) *sf.* **1** *Econ.* Implementação de, ou apoio a estruturas, políticas financeiras etc. que favorecem o monetarismo **2** Desenvolvimento das estruturas monetárias [Pl.: *-ções.*] [F.: *monetarizar + -ção.*]

monetarizar (mo.ne.ta.ri.*zar*) *v. td.* Realizar a monetarização de [▶ 1 monetari**zar**] [F.: *monetário + -izar.* Hom./Par.: *monetarizáveis* (fl.), *monetarizáveis* (pl. de *monetarizável* [a2g.]).]

monetiforme (mo.ne.ti.*for*.me) *a2g.* Que tem forma de moeda, ou é análogo a moeda [F.: Do lat. *moneta, ae, 'moeda', + -i- + -forme.*]

monetização (mo.ne.ti.za.*ção*) *sf.* **1** Ação ou resultado de monetizar **2** *Econ.* Papel-moeda em poder do público [Pl.: *-ções.*] [F.: *monetizar + -ção.* Ant.: *desmotização.*]

monetizado (mo.ne.ti.*za*.do) *a.* Que se monetizou [F.: Part. de *monetizar.* Ant.: *desmonetizado.*]

monetizar (mo.ne.ti.*zar*) *v. td.* **1** Converter em dinheiro metais preciosos, títulos, imóveis **2** Converter metal em moedas; AMOEDAR; CUNHAR [▶ 1 moneti**zar**] [F.: Do fr. *monétiser.* Ant. ger.: *desmonetizar.* Hom./Par.: *monetizáveis* (fl.), *monetizáveis* (pl. de *monetizável* [a2g.]).]

monetizável (mo.ne.ti.*zá*.vel) *a2g.* Que se pode monetizar [Pl.: *-veis.*] [F.: *monetizar + -vel.* Ant.: *desmonetizável.* Hom./Par.: *monetizáveis* (pl.), *monetizáveis* (fl. de *monetizar*).]

monge (*mon*.ge) *sm.* **1** *Rel.* Religioso que vive em mosteiro **2** *Fig.* Aquele que leva vida austera e recolhida; ANACORETA **3** *Bras. Ornit.* Ave passeriforme (*Manacus manacus*) da fam. dos piprídeos [Fem.: *monja.*] [F.: Do provç. ant. *monge.*]

mongo (*mon*.go) *sm. Zool.* O mesmo que *rendeira* (2) (*Manacus manacus*) [F.: Cruz. de *mono¹* e *monge*, posv.]

mongol (mon.*gol*) *s2g.* **1** Aquele ou aquela que nasceu ou que vive na Mongólia (Ásia) [Pl.: *-góis.*] *sm.* **2** *Gloss.* Língua falada na Mongólia *a2g.* **3** Da Mongólia; típico desse país ou de seu povo; MONGÓLICO **4** Do ou ref. ao mongol (2); MONGÓLICO [Pl.: *-góis.*] [F.: Do persa *mugal*, do mongol *mongol.*]

mongólico (mon.*gó*.li.co) *a.* O mesmo que *mongol* [F.: Do top. *Mongólia + -ico².*]

mongolismo (mon.go.*lis*.mo) *sm.* **1** *Desus. Med.* O mesmo que *síndrome de Down* **2** A religião dos mongóis [F.: *mongol + -ismo.*]

mongoloide (mon.go.*loi*.de) *a2g.* **1** *Desus. Med.* Que sofre de mongolismo **2** Próprio dos mongóis, que apresenta características físicas semelhantes às dos mongóis *s2g.* **3** *Desus. Med.* Pessoa que sofre de mongolismo [F.: *mongol + -oide.*]

monho (*mo*.nho) *sm.* **1** Topete postiço com que as mulheres encobrem a falta de cabelo **2** Laço de fita us. para prender ou enfeitar o cabelo [F.: Do espn. *moño.*]

monília (mo.*ní*.li:a) *sf.* **1** *Micol.* O mesmo que *cândida* **2** *Med.* O mesmo que *moníliase* [F.: Do lat. cient. *Monilia.* Ver *cândida* e *candidíase.*]

moníliase (mo.ni.*lí*.a.se) *sf. Med.* Infecção causada pela proliferação da monília (*Candida albicans*); CANDIDÍASE; MONÍLIA [F.: *moníl(ia) + -íase.* Ver *candidíase.*]

monismo (mo.*nis*.mo) *Fil. sm.* **1** Sistema segundo o qual a realidade se reduz a um princípio único [P.opos. a *dualismo* e *pluralismo.*] **2** *Jur.* Corrente do direito que compreende as ordens jurídicas nacionais e a ordem jurídica internacional como uma só [F.: Do lat. mod. *monismus*; ver *mon(o)-* e *-ismo.*]

monista (mo.*nis*.ta) *a2g.* **1** Ref. a monismo **2** Que é adepto do monismo *s2g.* **3** Pessoa adepta do monismo [F.: *monismo + -ista.*]

monístico (mo.*nís*.ti.co) *a. Fil.* Que diz respeito a monismo ou monista [F.: *monista + -ico².*]

monitor (mo.ni.*tor*) [ô] *sm.* **1** Aquele que atua no ensino de disciplinas e na orientação de esportes (monitor de francês/de educação física) **2** Aluno que tem como encargo ajudar o professor em sala de aula e fora dela **3** *Inf.* Equipamento do computador para exibição dos dados nele processados, que contém a tela de vídeo na parte frontal **4** *Telv.* Aparelho receptor de imagens em circuito fechado **5** *Telv.* Receptor us. para monitorar o som e a imagem numa transmissão ou gravação **6** *Med.* Aparelho us. para monitorar funções vitais **7** *Fís.nu.* Dispositivo portátil us. para detectar e medir radioatividade **8** *Herp.* Grande lagarto da fam. dos varanídeos; LAGARTO-MONITOR [F.: Do lat. *monitor, oris.*]

monitoração (mo.ni.to.ra.*ção*) *sf.* Ação ou resultado de monitorar; MONITORAMENTO; MONITORIZAÇÃO [Pl.: *-ções.*] [F.: *monitorar + -ção.*]

monitorado (mo.ni.to.*ra*.do) *a.* Que se monitorou (ginástica/cirurgia monitorada); MONITORIZADO [F.: Part. de *monitorar.*]

monitoramento (mo.ni.to.ra.*men*.to) *sm.* O mesmo que *monitoração* [F.: *monitorar + -mento.*] **■ ~ ambiental** *Ec.* Acompanhamento do desenvolvimento e das mudanças de componentes e parâmetros do meio ambiente, ger. como base de planejamento e medidas de preservação

monitorar (mo.ni.to.*rar*) *v.* **1** Acompanhar, vigiar e simultaneamente avaliar (alguém, atividade, desempenho, funcionamento etc.) com ou sem aparelhos; MONITORIZAR [*td.*: *Monitorar um doente/um coração/qualidade de imagem/a evolução dos preços.*] **2** Exercer as funções de um monitor em [*td.*: *Monitorar uma turma.*] [▶ 1 monito**rar**] [F.: *monitor + -ar².*]

monitoria (mo.ni.to.*ri*.a) *sf.* Cargo ou função de monitor (2) [F.: *monitor + -ia¹.* Hom./Par.: *monitoria* (sf.), *monitória* (sf.).]

monitória (mo.ni.*tó*.ri:a) *sf.* **1** Aviso, advertência, conselho **2** Repreensão, reprimenda **3** *Dir.can.* Citação jurídica eclesiástica, feita sob pena de excomunhão (monitória papal) [F.: Fem. substv. de *monitório.* Hom./Par.: *monitória* (sf.), *monitoria* (sf.).]

monitório (mo.ni.*tó*.ri:o) *a.* Ref. a monitória; MONITORIAL [F.: Do lat. *monitorius, a, um.*]

monitorização (mo.ni.to.ri.za.*ção*) *sf.* **1** Ação ou resultado de monitorar **2** Observação, medição e avaliação contínua e periódica das variáveis de um processo ou fenômeno (monitoração de aves migratórias) **3** Controle feito mediante observação contínua de dados técnicos (monitoração de sites/de sinais vitais) [Pl.: *-ções.*] [F.: *monitorizar* + *-ção.* Sin. ger.: *monitoração; monitoragem; monitoramento.*]

monitorizado (mo.ni.to.ri.*za*.do) *a.* Que se monitorizou; MONITORADO [F.: Part. de *monitorizar.*]

monitorizar (mo.ni.to.ri.*zar*) *v.* O mesmo que *monitorar* [▶ 1 monitorizar] [F.: *monitor* + *-izar.*]

monjolo (mon.*jo*.lo) [ô] *sm.* **1** *Bras.* Engenho primitivo movido a água e us. para pilar milho ou descascar café **2** *N Zool.* Bezerro novo, sem chifres; NOVILHO **3** Nome dado outrora aos negros escravos de certa nação africana **4** *Bras. Bot.* Árvore da fam. das leguminosas, subfam. mimosoídea (*Enterolobium monjolo*), nativa do Brasil, de casca espinhosa e madeira dura e parda; JACARÉ; MONJOLEIRO; MONJOLEIRO-PRETO; MONJOLO-FERRO; MONJOLO-PRETO [F.: Posv. do quimb.]

monjopina (mon.jo.*pi*.na) *sf. Bras. Pop.* Cachaça, aguardente [F.: De *Monjope*, nome de um engenho de cana-de-açúcar em PE, + *-ina*[1].]

◎ **mon(o)-** *el. comp.* único, isolado: *monarquia, monismo, monobloco* [F.: Do gr. *mónos, ê, on.*]

mono[1] (*mo*.no) *sm.* **1** *Zool.* Denominação dada aos macacos em geral, esp. aos grandes primatas sem cauda e com longos braços (p.ex. o chimpanzé, o orangotango e o gorila) [Col.: *monada.*] **2** *Zool.* O mesmo que *muriqui.* **3** *Fig.* Pessoa feia, deselegante **4** *Fig.* Indivíduo tristonho, macambúzio [F.: De or. incerta.]

mono[2] (*mo*.no) *a2g.* F. red. de *monofônico*

monobloco (mo.no.*blo*.co) *a2g.* **1** Que é fabricado em um só bloco (carroceria monobloco) *sm.* **2** Aquilo que é fabricado como um só bloco [F.: *mon(o)-* + *bloco.*]

monocameral (mo.no.ca.me.*ral*) *a2g.* **1** Que diz respeito ao monocamerismo [Cf.: *bicameral.*] **2** *Med.* Diz-se de modalidade de marca-passo que estimula apenas uma câmara (átrio ou ventrículo) [Pl.: *-rais.*] [F.: *mon(o)-* + lat. *camera, ae* ('câmara') + *-al*[1].]

monocamerismo (mo.no.ca.me.*ris*.mo) *sm. Pol.* Organização política em que a representação se faz por uma só câmara [F.: *mon(o)-* + lat. *camera, ae* ('câmara') + *ismo.* Cf.: *bicameralismo.*]

monocarpo (mo.no.*car*.po) *Bot. a.* **1** Diz-se de vegetal que dá frutos uma única vez (como p.ex. a bananeira); HAPAXÂNTICO *sm.* **2** Fruto originado por um só carpelo [F.: *mon(o)-* + *-carpo.* Cf.: *policarpo.*]

mono-carvoeiro (mo.no-car.vo:*ei*.ro) *sm. Zool.* O mesmo que *muriqui* (*Brachyteles arachnoides*); MURIQUI [Pl.: *monos-carvoeiros.*]

monocelular (mo.no.ce.lu.*lar*) *a2g. Cit.* Diz-se de organismo que tem uma só célula; UNICELULAR [F.: *mon(o)-* + *celular.*]

monócero (mo.*nó*.ce.ro) *a.* **1** *Anat. Zool.* Que tem um só corno; UNICORNE; UNICÓRNEO [Cf.: *unicórnio.*] **2** *Bot.* Que tem um só prolongamento em forma de corno [F.: Do gr. *monókeros, on.*]

monocíclico (mo.no.*cí*.cli.co) *a.* **1** Ref. a um só ciclo (de atividade, reprodução, infecção etc.) **2** *Bot.* Que tem um só verticilo **3** *Quím.* Que tem um só anel na estrutura molecular **4** *Med.* Diz-se de curso de uma doença no estágio inicial, ou sem recidiva após o tratamento *sm.* **5** *P.us. Ecol.* Tipo de manejo florestal sustentável, caracterizado por um só corte e o retorno após o período de rotação da floresta [P.opos. a *policíclico.*] [F.: *mon(o)-* + *-cicl(o)-* + *-ico*[2].]

monociclista (mo.no.ci.*clis*.ta) *s2g.* Aquele ou aquela que anda em monociclo [F.: *monociclo* + *-ista.*]

monociclo (mo.no.*ci*.clo) *sm.* Velocípede de uma só roda, us. por acrobatas [F.: *mon(o)-* + *-ciclo.*]

monocilíndrico (mo.no.ci.*lín*.dri.co) *a.* Que tem um só cilindro (motor monocilíndrico) [F.: *mon(o)-* + *cilíndrico.*]

monocítico (mo.no.*cí*.ti.co) *a.* Que diz respeito a monócito [F.: *monócito* + *-ico*[2].]

monócito (mo.*nó*.ci.to) *sm. Histl.* Leucócito granulócito, de forma esférica, núcleo oval ou reniforme, que se forma na medula óssea e dá origem a células fagocitárias presentes no sangue e a macrófagos que aparecem no tecido conjuntivo ou em alguns órgãos [F.: *mon(o)-* + *-cito.*]

monoclinal (mo.no.cli.*nal*) *Geol. sf.* **1** Flexão, sem fraturas, que afeta camadas paralelas que eram a princípio horizontais ou levemente inclinadas [Pl.: *-nais.*] *a2g.* **2** Diz-se dessa flexão **3** *Bot.* Que diz respeito a monoclinia [Pl.: *-nais.*] [F.: *mon(o)-* + *-clin(o)-* + *-al*[1].]

monoclínico (mo.no.*clí*.ni.co) *a.* **1** *Crist.* Diz-se de um dos sete sistemas cristalinos com três constantes cristalográficas de diferentes dimensões, caracterizado pela simetria principal com um eixo binário e um plano contendo os outros dois eixos perpendiculares entre si **2** *Bot.* O mesmo que *monoclino* [F.: *mon(o)-* + *-clin(o)-* + *-ico*[2].]

monoclino (mo.no.*cli*.no) *a.* Diz-se de planta ou espécie que reúne os órgãos reprodutores de ambos os sexos na mesma flor; MONOCLÍNICO [F.: *mon(o)-* + *-clino.*]

monoclonal (mo.no.clo.*nal*) *Bioq. a2g.* **1** Que é próprio de, ou se desenvolve a partir de uma única célula ou do mesmo clone celular **2** Diz-se de um tipo de proteína do mieloma [Pl.: *-nais.*] [F.: *mon(o)-* + *clonal.*]

monocomando (mo.no.co.*man*.do) *sm.* **1** Mecanismo hidráulico de um só comando que permite a seleção de temperatura da água (quente, morna ou fria) *a2g2n.* **2** Diz-se de peças (chuveiro, torneira, bidê etc.) que possuem esse comando [F.: *mon(o)-* + *comando.*]

monocoque (mo.no.*co*.que) *sm.* **1** *Avi.* Fuselagem de avião ou foguete formada basicamente por uma fina parede tubular que suporta toda a carga estrutural **2** *Autom.* Estrutura reforçada que integra a carroceria e o chassi numa peça única, oferecendo proteção contra eventuais capotagens e outros impactos; é muito us. em carros de corrida [F.: *mon(o)-* + *coque.*]

monocórdico (mo.no.*cór*.di.co) *a.* **1** Que tem uma só corda; que se tange numa corda só **2** *Fig.* Pouco variado; MONÓTONO [F.: *monocórdio* + *-ico*[2]. Sin. ger.: *monocórdio.*]

monocórdio (mo.no.*cór*.di:o) *a.* **1** Que tem uma só corda (diz-se de instrumento) **2** *Fig.* De um só tom; pouco variado (discurso monocórdio); MONÓTONO; ENFADONHO *sm.* **3** *Mús.* Instrumento de uma só corda [F.: Do lat. *monochordon*, do gr. *monokhórdon.*]

monocotilédone (mo.no.co.ti.*lé*.do.ne) *a. a2g.* Ver *monocotiledôneo*

monocotiledônea (mo.no.co.ti.le.*dô*.ne:a) *sf. Angios.* Espécime das monocotiledôneas [F.: Adaptação do lat. cient. *Monocotyledoneae*; ver *mon(o)-* e *cotilédone.*]

monocotiledôneas (mo.no.co.ti.le.*dô*.ne:as) *sfpl. Angios.* Classe da subdivisão das angiospermas, caracterizada por embrião com um só cotilédone, raiz freq. fasciculada, caule sem crescimento secundário, folhas ger. com nervuras laterais retas, flores trímeras ou em múltiplo de três [F.: Pl. de *monocotiledônea.*]

monocotiledôneo (mo.no.co.ti.le.*dô*.ne:o) *Bot. a. a2g.* **1** Diz-se da planta cujo embrião tem um só cotilédone **2** Ref. às monocotiledôneas [F.: *mon(o)-* + *-cotilédone-* + *-eo.*]

monocracia (mo.no.cra.*ci*.a) *Pol. sf.* **1** Monarquia que compreende diversas nações **2** Regime em que o governante ou soberano possui poderes ilimitados e absolutos; AUTOCRACIA **3** *P.ext.* País, estado etc. em que prevalece esse tipo de regime; AUTOCRACIA [F.: *mon(o)-* + *-cracia.*]

monocrata (mo.no.*cra*.ta) *a2g.* **1** Que é partidário da monocracia *s2g.* **2** Indivíduo que é partidário da monocracia [F.: *mon(o)-* + *-crata.* Tb. *monócrata.*]

monócrata (mo.*nó*.cra.ta) *a2g. s2g.* Ver *monocrata*

monocrático (mo.no.*crá*.ti.co) *a.* Que diz respeito a monocracia [F.: *monocrata* + *-ico*[2].]

monocromático (mo.no.cro.*má*.ti.co) *a.* **1** Que tem uma só cor (pintura monocromática); MONOCRÔMICO **2** *Fís.* Diz-se da radiação que é formada por vibrações da mesma frequência [F.: *mon(o)-* + *-cromat(o)-* + *-ico*[2].]

monocromia (mo.no.cro.*mi*.a) *sf.* **1** Qualidade ou característica do que tem uma só cor **2** Objeto pintado com uma só cor; MONOCROMO **3** *Art.gr.* Processo de impressão que utiliza uma só cor [Cf.: *bicromia, tricromia, quadricromia* e *policromia.*] [F.: *mon(o)-* + *-cromia.*]

monocrômico (mo.no.*crô*.mi.co) *a.* Que é pintando com somente uma cor; MONOCROMÁTICO: "A tarde, dúbia, apressara-lhe a queda e não nos dera senão um monocrômico crepúsculo de chumbo..." (Lima Barreto, *Vida e morte de M. J. Gonzaga de Sá*) [F.: *monocromia* + *-ico*[2].]

monocromo (mo.no.*cro*.mo) *a.* **1** Que possui uma só cor; UNICOLOR *sm.* **2** Objeto pintado com uma só cor; MONOCROMIA [F.: *mon(o)-* + *-cromo.* Ant. ger.: *policromo.*]

monocular (mo.no.cu.*lar*) *a2g.* Que diz respeito a um só olho, que se faz por um só dos olhos (visão monocular) [F.: *mon(o)-* + *ocular.*]

monóculo (mo.*nó*.cu.lo) *sm.* **1** Lente corretora de visão, us. em um olho só *a.* **2** Que tem um só olho [F.: *mon(o)-* + *óculo.*]

monocultor (mo.no.cul.*tor*) [ô] *sm.* **1** Aquele que pratica a monocultura *a.* **2** Ref. a monocultura [F.: *mon(o)-* + *-cultor.*]

monocultura (mo.no.cul.*tu*.ra) *sf.* Cultura de um só produto agrícola [P.opos. a *policultura.*] [F.: *mon(o)-* + *-cultura.*]

monocultural (mo.no.cul.tu.*ral*) *a2g.* Proveniente ou composto de uma só cultura [P.opos. a *multicultural.*] [Pl.: *-rais.*] [F.: *mon(o)-* + *cultural.*]

monodia (mo.no.*di*.a) *sf.* **1** *Mús.* Canto, ger. triste e plangente, executado por uma só voz **2** *Mús.* No séc. XVII, canto a uma única voz, acompanhada por baixo contínuo **3** *Teat.* Monólogo dramático nas antigas tragédias gregas [F.: Do gr. *monodía, as*, pelo lat. *monodia, ae.* Hom./Par.: *monodia* (sf.), *monodia* (fl. de *monodiar*).]

monódico (mo.*nó*.di.co) *a. Mús.* Que diz respeito a monodia [F.: Do gr. *monodikós.*]

monodrama (mo.no.*dra*.ma) *sm. Teat.* Drama em que um só ator representa; MONÓLOGO [F.: *mon(o)-* + *drama.*]

monófago (mo.*nó*.fa.go) *Ecol. a.* **1** Diz-se de organismo ou espécie que se alimenta de um só tipo de alimento **2** Diz-se de parasita que subsiste às custas de um único hospedeiro *sm.* **3** Organismo ou espécie que se alimenta exclusivamente de um tipo de alimento **4** Parasita de um único de hospedeiro [F.: *mon(o)-* + *-fago.* Cf.: *onívoro.*]

monofásico (mo.no.*fá*.si.co) *a.* **1** *Elet.* Diz-se de tensão ou corrente alternada com uma só fase **2** Diz-se de aparelho que gera ou utiliza esse tipo de corrente [F.: *mon(o)-* + *fase* + *-ico*[2]. Cf.: *bifásico ou difásico* e *trifásico.*]

monofisismo (mo.no.fi.*sis*.mo) *sm. Teol.* Doutrina que reconhece uma só natureza em Jesus Cristo, a divina [O monofisismo refuta a definição da Igreja de que Jesus Cristo tem duas naturezas: a humana e a divina.] [F.: *mon(o)-* + *-fisi(o)-* + *-ismo.*]

monofisista (mo.no.fi.*sis*.ta) *a2g.* **1** Que diz respeito ao monofisismo **2** Que é sectário do monofisismo *s2g.* **3** Aquele que é sectário do monofisismo [Os *monofisistas* constituem as igrejas armênia, copta e síria.] [F.: *monofisismo* + *-ista.*]

monofocal (mo.no.fo.*cal*) *a2g.* **1** Que tem um só foco **2** *Ópt.* Diz-se de lente ou de óculos com uma só distância focal [Pl.: *-cais.*] [F.: *mon(o)-* + *focal.* Cf.: *bifocal, multifocal.*]

monofone (mo.no.*fo*.ne) *sm.* Dispositivo telefônico em que o receptor e o transmissor estão juntos numa única peça, com o afastamento apropriado para mantê-los, simultaneamente e respectivamente, junto ao ouvido e à altura da boca do usuário (monofone sem fio/com viva voz) [F.: *mon(o)-* + *fone.*]

monofonia (mo.no.fo.*ni*.a) *sf.* **1** Produção de um som único **2** *Mús.* Composição musical constituída por somente uma voz ou pelo solo de um instrumento, sem acompanhamento [Cf.: *a capella.*] **3** *Acús.* Utilização de um só canal para gravar, transmitir ou reproduzir sons [Cf.: *estereofonia, quadrifonia.*] **4** *Mús.* Melodia que sobressai quando há superposição de sons, possibilitando que o ouvido a distinga [F.: *mon(o)-* + *-fonia.*]

monofônico (mo.no.*fô*.ni.co) *a. Acús. Mús.* Que diz respeito a monofonia [F.: *monofonia* + *-ico*[2]. Tb. apenas *mono.*]

monofosfato (mo.no.fos.*fa*.to) *sm. Quím.* Fosfato, com substituição de um átomo de hidrogênio [F.: *mon(o)-* + *fosfato.*]

▪ **~ de adenosina** *Quím.* Molécula de importante função nos processos orgânicos de transformação de energia, constituída de ácido fosfórico, adenina e ribose

monogamia (mo.no.ga.*mi*.a) *sf.* **1** Sistema social em que não é permitido ao homem ou à mulher ter mais de um cônjuge ao mesmo tempo **2** Estado ou condição de monógamo [F.: Do lat. ecles. *monogamia, ae*, do gr. *monogamía, as.* Cf.: *bigamia* e *poligamia.*]

monogâmico (mo.no.*gâ*.mi.co) *a.* Ref. a monogamia [F.: *monogamia* + *-ico*[2]. Cf.: *poligâmico.*]

monógamo (mo.*nó*.ga.mo) *a.* **1** Que tem um só cônjuge **2** Diz-se de animal que se acasala com uma só fêmea *sm.* **3** Aquele que tem um só cônjuge **4** Animal que se acasala com uma só fêmea [F.: Do lat. *monogamus, i*, do gr. *monógamos.* Cf.: *bígamo* e *polígamo.*]

monogástrico (mo.no.*gás*.tri.co) *a. Anat. Zool.* Que tem uma única cavidade gástrica [F.: *mon(o)-* + *-gastr(o)-* + *-ico*[2].]

monogênese (mo.no.*gê*.ne.se) *sf.* **1** *Biol.* Teoria segundo a qual todos os seres teriam surgido de uma única célula **2** *Biol.* Reprodução assexuada **3** *Antr.* Hipótese de que o *Homo sapiens* teria surgido unicamente na África, depois se dispersou para várias regiões e substituiu as outras espécies de hominídeos [P.opos. a *multirregional.*] **4** *Ling.* Teoria segundo a qual todas as línguas teriam uma origem única [F.: *mon(o)-* + *-gênese.*]

monogenia (mo.no.ge.*ni*.a) *sf.* **1** *Gen.* Condição em que um único gene é responsável pela determinação de certas características **2** *Biol.* Tipo de reprodução em que são gerados indivíduos somente do século masculino, ou somente do feminino **3** *Biol.* Modo de geração que consiste em separar de um corpo organizado uma parte, a qual se transforma num novo indivíduo semelhante ao que lhe deu origem [F.: *mon(o)-* + *-genia.*]

monogenismo (mo.no.ge.*nis*.mo) *sm. Antr.* Teoria segundo a qual todas as raças humanas descendem de um mesmo tipo primitivo [F.: *mon(o)-* + *-gen(o)-* + *-ismo.*]

monogenista (mo.no.ge.*nis*.ta) *a2g.* **1** Ref. a monogenismo **2** Que é seguidor do monogenismo *s2g.* **3** Aquele ou aquela que segue ou defende o monogenismo [F.: *monogenismo* + *-ista.*]

monoglota (mo.no.*glo*.ta) *a2g.* **1** Que fala uma só língua *s2g.* **2** Pessoa que fala uma só língua [F.: *mon(o)-* + *-glota.* Sin. ger.: *monolíngue.*]

monografar (mo.no.gra.*far*) *v. td.* Elaborar monografia sobre um dado assunto [▶ 1 monografar] [F.: *monograf(ia)* + *-ar*[2]. Hom./Par.: *monografo* (fl.), *monógrafo* (a.sm.).]

monografia (mo.no.gra.*fi*.a) *sf.* Trabalho escrito que trata de um assunto específico [F.: *mon(o)-* + *-grafia.* Hom./Par.: *monografia* (sf.), *nomografia* (sf.).]

monográfico (mo.no.*grá*.fi.co) *a.* Ref. a monografia [F.: *monografia* + *-ico*[2]. Hom./Par.: *monográfico* (a.), *nomográfico* (a.).]

monograma (mo.no.*gra*.ma) *sm.* **1** Desenho das letras iniciais do nome de alguém, juntas ou entrelaçadas **2** Abreviatura ou sinal com que um artista assina sua obra [F.: *mon(o)-* + *-grama.* Hom./Par.: *monograma* (sm.), *nomograma* (sm.).]

monoico (mo.*noi*.co) *a.* **1** *Bot.* Diz-se de espécie que possui, no mesmo pé, flores masculinas e femininas [Cf.: *monoclino* e *trioico.*] **2** *Biol.* Diz-se de indivíduo que produz gametas masculinos e femininos; HERMAFRODITA [F.: *mon(o)-* + *-oico.*]

monolatria (mo.no.la.*tri*.a) *sf. Rel.* Adoração de um só deus [F.: *mon(o)-* + *-latria.*]

monolátrico (mo.no.*lá*.tri.co) *a.* Ref. a monolatria [F.: *monolatria* + *-ico*[2].]

monolíngue (mo.no.*lín*.gue) [(ü)] *a2g.* **1** *Ling.* Que fala fluentemente apenas uma língua; MONOGLOTA **2** Escrito em uma só língua; que trata só de uma língua (dicionário monolíngue) [F.: *mon(o)-* + *-língue.* Sin. ger.: *unilíngue.*]

monolinguismo (mo.no.lin.*guis*.mo) [ü] ***sm. Ling.*** Uso fluente de apenas uma língua, por um indivíduo, comunidade etc. [F.: *monolíngue* + *-ismo.*]

monolítico (mo.no.*lí*.ti.co) ***a.*** **1** Ref. ou inerente a monólito; semelhante a um monólito **2** *Fig.* Diz-se de algo coeso, sólido, inabalável (partido monolítico; opiniões monolíticas) [F.: *monólito* + *-ico*[2].]

monólito (mo.*nó*.li.to) ***sm.*** **1** Pedra de grande tamanho **2** Monumento feito de um só bloco de pedra **3** *Fig.* Coisa de grande proporção que está profundamente enraizada em uma sociedade, grupo, cultura etc.: "O fato é que ela surgiu do nada no Nordeste e, se abalou o monólito ancestral das marchinhas..." (*Folha de S.Paulo*, 23.02.1998) **4** *Fig.* Grupo grande e fechado: "A aliança foi fundada em 1949 para fazer frente ao monólito soviético ao Leste..." (*Folha de S.Paulo*, 22.09.1996); "O maior grupo tribal sul-africano não é um monólito político." (*Folha de S.Paulo*, 13.02.1994) [F.: Do gr. *monólithos*. Tbm. *monolito.*]

monologar (mo.no.lo.*gar*) ***v.*** **1** Falar consigo mesmo; falar sozinho; SOLILOQUIAR [***int.***: *Sozinho no quarto, monologava sem parar.*] **2** *Teat.* Recitar monólogo [***int.***: *Logo que entrou no palco, o ator começou a monologar.*] **3** Lamentar-se, dizer só para si [***td.***: *Monologava reclamações.*] [▶ 14 monologar] [F.: *monólogo* + *-ar*[2]. Hom./Par.: *monologo* (fl.), *monólogo* (sm.).]

monológico (mo.no.*ló*.gi.co) ***a.*** Que diz respeito a monólogo: *Os Sertões, de Euclides da Cunha, é caracterizado por um discurso monológico.* [F.: *monólogo* + *-ico*[2].]

monólogo (mo.*nó*.lo.go) ***sm.*** **1** *Teat.* Cena ou peça em que um só ator representa, falando para o público ou consigo mesmo **2** Longo discurso de quem não deixa outros falarem **3** Solilóquio [F.: *mon(o)-* + *-logo*. Hom./Par.: *monólogo* (sm.), *monologo* (fl. de *monologar*).]

monomania (mo.no.ma.*ni*.a) ***sf.*** **1** *Psiq.* Tipo de insanidade mental em que uma ideia fixa predomina na consciência e determina o pensamento e a ação do indivíduo, sem necessariamente perturbar outras áreas: "Não falo dos casos de monomania religiosa; apenas citarei um sujeito que, chamando-se João de Deus, dizia agora ser o deus João..." (Machado de Assis, "O Alienista" *in Papéis avulsos*) **2** *P.ext.* Insistência em uma determinada ideia ou assunto; IDEIA FIXA; OBCECAÇÃO: "...a monomania da glória e o anelo de combates que sacrificaram a Espanha..." (Euclides da Cunha, *Contrastes e Confrontos*) [F.: *mon(o)-* + *-mania.*]

monomaníaco (mo.no.ma.*ní*.a.co) ***a.*** **1** Que diz respeito a monomania **2** Que padece de monomania: "Estava, porém, amalucado, monomaníaco. Fugia de todas as conversas e teimava em expor o seu sistema de carro motor, sem rodas..." (Lima Barreto, *Clara dos Anjos*) ***sm.*** **3** Aquele que padece de monomania [F.: *monoman(ia)* + *-iaco.*]

monômero (mo.*nô*.me.ro) ***sm.*** **1** *Quím.* Molécula que pode ligar-se a outras moléculas do mesmo tipo para formar um dímero, trímero ou polímero ***a.*** **2** *Quím.* Que diz respeito a monômero **3** *Ent.* Diz-se de insetos cujos tarsos têm um só artículo **4** *Bot.* Diz-se de flor que tem um só membro em cada verticilo [F.: *mon(o)-* + *-mero.*]

monometálico (mo.no.me.*tá*.li.co) ***a.*** Que diz respeito a monometalismo [F.: *mon(o)-* + *metal* + *-ico*[2].]

monometalismo (mo.no.me.ta.*lis*.mo) ***sm.*** *Econ.* Sistema financeiro que preconiza a adoção de metal de uma só espécie (ger. o ouro) como padrão monetário, utilizando-se de outros metais para a cunhagem de moedas [F.: *mon(o)-* + *metal* + *-ismo*. Cf.: *bimetalismo.*]

monométrico (mo.no.*mé*.tri.co) ***a.*** **1** *Liter.* Pertencente ou concernente ao monômetro **2** *Crist.* O mesmo que *cúbico* [F.: *monômetro* + *-ico*[2].]

monômio (mo.*nô*.mi:o) ***sm.*** *Mat.* Cada um dos termos de um polinômio [F.: Do lat. cient. *monomius.*]

monomorfêmico (mo.no.mor.*fê*.mi.co) ***a.*** *Ling.* Que é constituído por um só morfema [F.: *mon(o)-* + *morfêmico.*]

monomorfo (mo.no.*mor*.fo) ***a.*** **1** Que diz respeito a monomorfismo; que tem uma só forma; MONOMÓRFICO **2** *Min.* Diz de mineral existente em uma única forma cristalina [F.: *mon(o)-* + *-morfo.*]

monomotor (mo.no.mo.*tor*) [ô] ***a.*** **1** Que tem um só motor ***sm.*** **2** *Aer.* Avião monomotor (1) [F.: *mon(o)-* + *motor.*]

mononuclear (mo.no.nu.cle:*ar*) ***sm.*** **1** *Histl.* Célula que possui apenas um núcleo ***a2g.*** **2** *Histl.* Ref. a, ou diz-se de célula que possui apenas um núcleo **3** *Quím.* Diz-se de cadeia carbônica fechada ou cíclica que só tem um anel na estrutura molecular; MONOCÍCLICO **4** *Antr.* Diz-se de família formada por pai, mãe e filhos [F.: *mon(o)-* + *nuclear.*]

mononucleose (mo.no.nu.cle.*o*.se) ***sf.*** **1** *Pat.* Elevação anormal no número de leucócitos mononucleares no sangue **2** *Med. Pat.* Doença infecciosa, bastante contagiosa, cujos sintomas são, entre outros, a presença de linfócitos atípicos no sangue, febre, aumento de tamanho dos gânglios do pescoço e amigdalite [F.: *mononucle(ar)* + *-ose*[1].] ■ **~ infecciosa** *Med.* Mononucleose (2)

monoparesia (mo.no.pa.re.*si*.a) ***sf.*** *Neur.* Paralisia parcial das funções de um nervo ou músculo em um membro (que permanece, portanto, com alguma sensibilidade) [F.: *mon(o)-* + *paresia*. Cf.: *monoplegia.*]

monopé (mo.no.*pé*) ***sm.*** Suporte portátil composto de um único pé, us. como apoio para máquina fotográfica, filmadora etc. [F.: *mon(o)-* + *pé*. Cf.: *bipé, tripé.*]

monoplano (mo.no.*pla*.no) *Aer.* ***a.*** **1** Diz-se de avião ou planador com apenas uma asa de cada lado ***sm.*** **2** Esse avião ou planador [F.: *mon(o)-* + *plano*. Cf.: *biplano.*]

monoplástico (mo.no.*plás*.ti.co) ***a.*** Que é feito de uma só peça [F.: *mon(o)-* + *-plast(o)-* + *-ico*[2].]

monoplegia (mo.no.ple.*gi*.a) ***sf.*** *Neur.* Paralisia de um só membro, músculo ou grupo muscular [F.: *mon(o)-* + *-plegia*. Cf.: *monoparesia.*]

monoploide (mo.no.*ploi*.de) ***a2g.*** **1** Que possui um só conjunto completo de cromossomos, típico dos gametas normais ***sm.*** **2** O que possui um único conjunto completo de cromossomos [F.: *mon(o)-* + *-ploide*. Cf.: *diploide, hexaploide, poliploide*. Sin. ger.: *haploide.*]

monópode (mo.*nó*.po.de) ***a2g.*** Que tem só um pé [F.: *mon(o)-* + *-pode.*]

monopódio (mo.no.*pó*.di:o) ***sm.*** Mesa com um só pé [F.: lat. *monopodius, a, um*, 'de um só pé'.]

monopólio (mo.no.*pó*.li:o) ***sm.*** **1** *Econ.* Situação em que uma só empresa ou pessoa controla a oferta de um produto ou serviço, sem enfrentar concorrência [Cf.: *oligopólio.*] **2** *Econ.* Domínio, controle exclusivo de um determinado mercado por uma empresa ou organização: *A multinacional foi acusada de praticar monopólio no setor de informática.* **3** *Fig.* Posse, domínio ou controle exclusivo de alguma coisa: *Insiste ele em ter o monopólio de ideias e iniciativas.* [F.: Do lat. *monopolium, ii*, do gr. *monopólion, ou.*] ■ **~ estatal** *Econ.* Monopólio de um setor de atividade econômica pelo Estado, principalmente por razões estratégicas **~ natural** *Econ.* Controle de um setor produtivo por uma única empresa (ger. sob regulamentação governamental), justificado pela inconveniência objetiva (por ineficiência, custo etc.) de uma concorrência nesse setor

monopolismo (mo.no.po.*lis*.mo) ***sm.*** *Econ.* Sistema em que a prática de monopólio é predominante [F.: *monopól(io)* + *-ismo.*]

monopolista (mo.no.po.*lis*.ta) ***a2g.*** **1** Que diz respeito a monopolismo **2** Diz-se de empresa ou pessoa que exerce monopólio ***s2g.*** **3** Empresa ou pessoa que exerce monopólio [F.: *monopólio* + *-ista.*]

monopolístico (mo.no.po.*lís*.ti.co) ***a.*** Ref. a monopólio, monopolismo e monopolista: "...limitar o poder de empresas exercerem o controle monopolístico de setores da economia..." (*Folha de S.Paulo*, 10.12.1995) [F.: *monopolista* + *-ico*[2].]

monopolização (mo.no.po.li.za.*ção*) ***sf.*** Ação ou resultado de monopolizar [Ant.: *desmonopolização.*] [Pl.: *-ções.*] [F.: *monopolizar* + *-ção.*]

monopolizado (mo.no.po.li.*za*.do) ***a.*** Em que há monopólio [Ant.: *desmonopolizado.*] [F.: Part. de *monopolizar.*]

monopolizador (mo.no.po.li.za.*dor*) [ô] ***a.*** **1** Que monopoliza; MONOPOLIZANTE ***sm.*** **2** Aquele que monopoliza [F.: *monopolizar* + *-dor.*]

monopolizar (mo.no.po.li.*zar*) ***v.*** **1** Ter ou obter monopólio de [***td.***: *Monopolizar o comércio no mar Báltico.*] **2** Explorar ou negociar sem concorrente [***td.***: *Um canal de TV monopolizou a transmissão dos jogos de futebol.*] **3** *Fig.* Tomar ou atrair só para si [***td.***: *Sempre busca monopolizar as atenções.*] [▶ 1 monopolizar] [F.: *monopólio* + *-izar.*]

monoposto (mo.no.*pos*.to) [ô] ***a.*** **1** Diz-se de veículo ou banco que só tem espaço para o motorista ou piloto **2** *Lus. Inf.* Diz-se de computador de uso pessoal **3** *Lus. Inf.* Que utiliza a conexão ponto a ponto, i.e., conexão direta entre um terminal e outro para a troca de dados entre si ***sm.*** **4** Veículo que só tem espaço para o motorista ou piloto: "...quando as rodas dos carros se enroscaram e o monoposto do norte-americano foi catapultado a uma altura de quatro metros" (*Folha de S.Paulo*, 01.11.1999) [F.: *mon(o)-* + *posto*[1].]

monopse (mo.*nop*.se) ***a2g.*** Que tem um só olho [F.: Do gr. *mónops.*]

monopsônico (mo.nop.*sô*.ni.co) ***a.*** *Econ.* Ref. a monopsônio [F.: *monopsônio* + *-ico*[2].]

monopsônio (mo.nop.*sô*.ni:o) ***sm.*** *Econ.* Tipo de mercado caracterizado pela existência de um só comprador de um determinado bem ou serviço de vários fornecedores [F.: *mon(o)-* + gr. *opsónes* ('que faz provisões') + *-io*[3]. Cf.: *oligopsônio.*]

monóptero (mo.*nóp*.te.ro) *Arq.* ***sm.*** **1** Templo ou edifício circular, sem paredes, cuja cúpula é sustentada por uma só ordem de colunas ***a.*** **2** Diz-se de templo ou qualquer construção com essas características, baseadas no modelo do *tholos* grego do séc. IV a.C [F.: Do gr. *monópteros, os, on*, pelo lat. *monopteros, ou*. Cf.: *díptero.*]

monoquilha (mo.no.*qui*.lha) ***a2g.*** **1** *Esp.* Diz-se de prancha de surfe com uma quilha (pequeno leme fixo colocado na parte inferior traseira da prancha) ***sf.*** **2** *Esp.* Essa prancha [F.: *mon(o)-* + *quilha.*]

monórquido (mo.*nór*.qui.do) ***a.*** **1** Diz-se de homem ou animal que tem apenas um testículo ***sm.*** **2** Esse homem ou animal [F.: Do lat. cient. *monorchis, monorchidis.*]

monorrino[1] (mo.nor.*ri*.no) ***a.*** *Zool.* Que tem uma só narina [F.: *mon(o)-* + *-rino.*]

monorrino[2] (mo.nor.*ri*.no) ***a.sm.*** *Antq. Zool.* O mesmo que *ciclostomado* [F.: Adaptação do lat. cient. *Monorhina.*]

monospermia (mo.nos.per.*mi*.a) ***sf.*** **1** *Bot.* Qualidade ou estado de fruto monospérmico **2** *Biol.* Penetração de um só espermatozoide no óvulo [F.: *mon(o)-* + *-spermia.*]

monospérmico (mo.nos.*pér*.mi.co) ***a.*** *Bot.* Que tem uma só semente; MONOSPERMO [P.opos. a *polispérmico.*] [F.: *monospermia* + *-ico*[2].]

monossacarídeo (mo.nos.sa.ca.*rí*.de:o) ***sm.*** **1** *Quím.* Carboidrato com um só grupo cetônico (cetose) ou aldeídico (aldose) por molécula; ger. de sabor doce, é cristalino, incolor, solúvel em água e insolúvel em solventes apolares [Fórm.: $C_6H_{12}O_6$] ***a.*** **2** *Quím.* Ref. a monossacarídeo (1) [F.: *mon(o)-* + *sacarídeo*. Tb. *monossacarídio.*]

monossemia (mo.nos.se.*mi*.a) ***sf.*** *Ling.* Condição ou situação semântica em que palavras ou expressões remetem a um único sentido [F.: *mon(o)-* + *-semia.*]

monossêmico (mo.nos.*sê*.mi.co) ***a.*** Que diz respeito a monossemia: "A comunicação a partir de imagens cartográficas é um processo monossêmico de comunicação." (Rosely S. Archela, "Imagem e representação gráfica"); "O signo monossêmico é fechado, impede uma leitura plural." [F.: *monossemia* + *-ico*[2].]

monossilabar (mo.nos.si.la.*bar*) ***v. int.*** Falar por monossílabos, us. meias palavras [▶ 1 monossilabar] [F.: *monossílabo* + *-ar*[2]. Hom./Par.: *monossilaba* (fl.), *monossílaba* (fem. de *monossílabo*); *monossilabo* (fl.), *monossílabo* (sm.).]

monossilábico (mo.nos.si.*lá*.bi.co) ***a.*** **1** Formado de uma única sílaba; MONOSSÍLABO: *Toda vogal é monossilábica.* **2** *Poét.* Diz-se de verso composto por monossílabos **3** *Fig.* Lacônico [F.: *monossílabo* + *-ico*[2].]

monossílabo (mo.nos.*sí*.la.bo) ***a.*** **1** Monossilábico (1) ***sm.*** **2** *Gram.* Vocábulo formado de uma só sílaba (p.ex.: *luz, mãe, foz*) [F.: Do gr. *monosýllabos, os, on.*]

monossinapse (mo.nos.si.*nap*.se) ***sf.*** *Neur.* Conexão por uma só sinapse entre o neurônio motor e o neurônio sensorial [F.: *mon(o)-* + *sinapse.*]

monossináptico (mo.nos.si.*náp*.ti.co) ***a.*** Que diz respeito a monossinapse [F.: *mon(o)-* + *sináptico.*]

monossódico (mo.nos.*só*.di.co) ***a.*** *Quím.* Que contém uma só molécula de sal sódico (glutamato/fosfato monossódico) [F.: *mon(o)-* + *sódico.*]

monossomia (mo.nos.so.*mi*.a) ***sf.*** **1** *Cit. Gen.* Estado em que célula ou organismo apresenta um cromossomo a menos em relação ao diploide normal **2** Estado ou condição de monossomo, monstruosidade em que duas cabeças estão unidas ao mesmo corpo [F.: *mon(o)-* + *-somia.*]

monossômico (mo.nos.*sô*.mi.co) ***a.*** Que diz respeito a monossomia [F.: *monossomia* + *-ico*[2].]

monóstico (mo.*nós*.ti.co) ***a.*** **1** *Poét.* Que tem um só verso ***sm.*** **2** *Liter.* Descrição ou epigrama de um só verso [F.: Do lat. *monostichium* ou *monostichum, i*, do gr. *monóstikhon.*]

monóstrofe (mo.*nós*.tro.fe) ***sf.*** *Liter. Poét.* Composição poética de uma só estrofe [F.: *mon(o)-* + *estrofe.*]

monoteísmo (mo.no.te.*ís*.mo) *Rel.* ***sm.*** **1** Doutrina ou religião que não admite mais que um Deus **2** Crença em um só Deus [F.: *mon(o)-* + *teísmo*. Cf.: *politeísmo.*]

monoteísta (mo.no.te.*ís*.ta) ***a2g.*** **1** Ref. a monoteísmo **2** Que é adepto do monoteísmo ***s2g.*** **3** Adepto do monoteísmo [F.: *mon(o)-* + *teísta.*]

monoteístico (mo.no.te.*ís*.ti.co) ***a.*** Que diz respeito a monoteísmo ou a monoteísta [F.: *monoteísta* + *-ico*[2].]

monotemático (mo.no.te.*má*.ti.co) ***a.*** **1** Que apresenta apenas um tema (curso monotemático) **2** *Mús.* Que possui apenas um tema ou motivo musical [F.: *mon(o)-* + *temático.*]

monotipia (mo.no.ti.*pi*.a) ***sf.*** **1** *Tip.* Arte e técnica de composição em monotipo **2** Composição tipográfica feita com monotip **3** Seção ou oficina onde se faz esse tipo de composição **4** *Art.gr.* Processo de impressão pelo qual se transfere, por compressão, a imagem pintada numa placa, ger. de vidro, para o papel [F.: *monotipo* + *-ia*[1].]

monotipo (mo.no.*ti*.po) ***sf.*** **1** *Tip.* Máquina de compor que funde os tipos um a um ***sm.*** **2** *Art.gr.* Estampa obtida pelo processo de monotipia (4) [F.: *mon(o)-* + *tipo*. Hom./Par.: *monotipo* (sm.), *monótipo* (sm.).]

monótipo (mo.*nó*.ti.po) ***a.*** **1** *Biol. Bot. Zool.* Diz-se do gênero ou de uma família que apresenta apenas uma espécie; MONOTÍPICO **2** *Mar.* Modelo padronizado de veleiros que competem em regatas [Os monótipos possuem pelo menos mil clases diferentes, tais como *laser, dingue, star* etc.] [F.: *mon(o)-* + *-tipo*. Hom./Par.: *monótipo* (sm.), *monotipo* (sm.).]

monotonia (mo.no.to.*ni*.a) ***sf.*** **1** Qualidade ou característica do que é monótono; uniformidade de tom **2** Falta de variação, de diversidade (monotonia da decoração/da paisagem) **3** Sensaboria, insipidez, ramerrão [F.: Do gr. *monotonía, as.*]

monótono (mo.*nó*.to.no) ***a.*** **1** Que é sempre no mesmo tom (voz/canção monótona) **2** Maçante, enfadonho por não variar (filme monótono; férias monótonas) **3** Repetitivo, invariável [F.: Do lat. *monotonus, a, um*, do gr. *monótonos, on.*]

monotrilho (mo.no.*tri*.lho) ***a.*** **1** Provido de um só trilho ***sm.*** **2** Tipo de ferrovia que utiliza apenas uma via ou trilho de rolamento **3** *P.ext.* Transporte ferroviário que trafega nesse tipo de ferrovia [F.: *mon(o)-* + *trilho*. Sin. ger.: *monocarril.*]

monousuário (mo.no.u.su.*á*.ri:o) ***a.*** *Inf.* Diz-se de *software* que só permite a instalação em um computador e cujo acesso é limitado a um usuário de cada vez [F.: *mon(o)-* + *usuário.*]

monovalente (mo.no.va.*len*.te) ***a2g.*** *Quím.* Que tem valência igual a 1; UNIVALENTE [F.: *mon(o)-* + *valente.*]

monovolume (mo.no.vo.*lu*.me) *Autom.* ***sm.*** Tipo de automóvel que busca oferecer maior espaço e versatilidade; possui quatro portas e carroceria coberta, enquadrando-se numa categoria entre o sedã e a caminhonete [F.: *mon(o)-* + *volume.*]

monóxido (mo.*nó*.xi.do) [cs] ***sm.*** *Quím.* Óxido que tem um só átomo de oxigênio por molécula [F.: *mon(o)-* + *óxido.*] ■ **~ de carbono** *Quím.* Gás inodoro, incolor e muito tóxico, que se forma na oxidação incompleta do carbono (como, p.ex., na combustão em motores a explosão, quando é encaminhado para o escapamento) [Fórm.: *CO.*]

monozigótico (mo.no.zi.*gó*.ti.co) *a. Biol.* Diz-se de gêmeo proveniente de um único óvulo fertilizado; UNIVITELINO [F.: *mon(o)- + zigótico.*]

monozoico (mo.no.*zoi*.co) *a. Zool.* Diz-se de animal cuja forma de vida é individual e isolada [F.: *mon(o)- + -zoico.*]

monsenhor (mon.se.*nhor*) [ô] *sm.* **1** *Ecles.* Título de honra concedido pelo papa a alguns sacerdotes ou funcionários eclesiásticos **2** *Bot.* Crisântemo [F.: Do it. *monsignore.*]

⊕ ***monsieur*** (*Fr. /messiê/*) *sm.* Tratamento correspondente a *senhor* [Abrev.: *M.*] [Pl.: *messieurs.*]

monstrengo *sm.* Ver *monstro* (3)

monstro (*mons*.tro) *sm.* **1** Ser de conformação anormal, cujo estudo pertence à teratologia: *monstro de duas cabeças.* **2** Ser fantástico e de aparência assustadora, ger. colossal (monstro mitológico) **3** *Fig. Pej.* Pessoa muito feia, horrorosa; MONSTRENGO [Nesta acp. é ofensivo.] **4** *Fig.* Pessoa muito cruel, desumana **5** *Fig.* Pessoa que causa assombro; PRODÍGIO: *Ela é um monstro no piano.* ***a2g2n.*** **6** Enorme, colossal, gigantesco: *Pegamos um engarrafamento monstro.* [F.: Do lat. *monstrum, i.* Ideia de 'monstro': *terat(o)- (teratológico).*] ■■ **~ sagrado 1** Pessoa de grande talento em sua atividade, por isso admirado e renomado **2** *P. ext. Irôn.* Pessoa que, por ter fama e prestígio, tornou-se um mito inatacável, sempre louvado e nunca criticado

monstruosidade (mons.tru:o.si.*da*.de) *sf.* **1** Qualidade ou característica do que é monstruoso **2** Pessoa ou coisa extraordinária, espantosa; ASSOMBRO **3** Ato monstruoso, hediondo **4** *Trt.* Grande deformação congênita [F.: *monstruoso + -(i)dade.*]

monstruoso (mons.tru.*o*.so) [ô] *a.* **1** Que tem conformação de monstro (1); DISFORME **2** Extraordinariamente feio; HORRÍVEL; HORROROSO **3** Extremamente mau, perverso (ato monstruoso); TERRÍVEL; HEDIONDO **4** Enorme, descomunal, colossal (força monstruosa) [Pl.: [ó]. Fem.: [ó].] [F.: Do lat. *monstruosus, a, um.*]

monta (*mon*.ta) *sf.* **1** Importância, significado, valor: *um fato de pouca monta.* **2** Soma total de uma conta; MONTANTE **3** O preço ou valor das coisas **4** Lanço, oferta em leilão [F.: Dev. de *montar*. Hom./Par.: *monta* (sf.), *monta* (fl. de *montar*).]

monta-cargas (mon.ta-*car*.gas) *sm2n.* **1** *Bras.* Elevador próprio para transportar cargas e mercadorias de um andar para outro, em indústrias, empresas e restaurantes **2** Aparelho empregado para carregar peças de artilharia

montada (mon.*ta*.da) *sf.* **1** Ação ou resultado de montar (cavalgadura) **2** Cavalgadura em que uma pessoa está montada **3** Elevação que se dá às cambas do freio para o cavalo poder passar com facilidade a língua por baixo dele [F.: *montar + -ada*¹.]

montado (mon.*ta*.do) *a.* **1** Posto sobre animal (ger. cavalgadura): *Passou montado a cavalo.* **2** Diz-se de polícia que faz a guarda ou patrulha a cavalo **3** Posto sobre alguma coisa, à maneira de cavaleiro: *montado na sua moto; montado sobre um galho.* **4** Instalado, equipado (apartamento montado) **5** Preparado para apresentação pública (diz-se de espetáculo): *um show muito bem montado.* [F.: Part. de *montar.*]

montador (mon.ta.*dor*) [ô] *sm.* **1** Aquele que é especialista em montar ou armar máquinas, mecanismos, dispositivos etc. **2** *Cin.* Profissional que executa a montagem dos filmes **3** *Inf.* Programa de conversão das instruções codificadas em linguagem *assembly* para a linguagem de máquina [F.: *montar + -dor.*]

montadora (mon.ta.*do*.ra) [ô] *Bras. sf.* **1** Indústria que fabrica e monta veículos **2** Indústria em que o processamento dos produtos se faz em linhas de montagem [F.: *montar + -dora.*]

montagem (mon.*ta*.gem) *sf.* **1** Ação ou resultado de montar **2** Operação de reunir as diversas partes ou peças de um conjunto, dispositivo, mecanismo etc., para que funcionem [Ant.: *desmontagem.*] **3** *Cin.* Processo de seleção e ordenação dos planos e sequências de um filme, e sincronização da trilha sonora a essas imagens, executados pelo montador de acordo com o roteiro **4** *Fot.* Ação de montar uma fotografia em cartolina ou em outro suporte **5** *Fot.* Processo de combinação de duas ou mais imagens, criando, assim, uma nova imagem, seja por meios fotográficos convencionais ou através de recursos da fotografia digital e computação gráfica; FOTOMONTAGEM **6** *Fot.* Imagem que se obtém através desse processo; FOTOMONTAGEM **7** *Teat.* Encenação de um espetáculo ou peça; MISE-EN-SCÈNE **8** *Telv.* O mesmo que *edição* (7) **9** *Rád.* Processo de reunir todas as sequências gravadas, para a emissão de determinado programa **10** *Art.gr.* Arrumação e ordenamento das folhas, páginas do miolo e capas de uma publicação (livro, revista, almanaque etc.) para a formação de cadernos e preparação do alceamento final **11** *Inf.* Conversão de programa escrito em linguagem *assembly* para código de máquina, diretamente executável pelo computador [Pl.: *-gens.*] [F.: *montar + -agem.*]

montanha (mon.*ta*.nha) *sf.* **1** *Geog.* Monte muito alto, elevado acima de mil metros em relação ao terreno que o cerca **2** Cadeia extensa de montes; SERRA; CORDILHEIRA: *Eles têm uma casa na montanha.* **3** *Fig.* Grande amontoado de coisas: *uma montanha de documentos.* [F.: Do lat. vulg. *montanea*, deriv. de *montaneus.*]

📖 As mais altas montanhas do mundo ficam na Ásia, na cordilheira do Himalaia. As duas mais altas têm disputado, em seguidas medições, a condição de montanha mais alto do mundo: Everest (Nepal) com (pela última medição) 8.850 m; K2 (Godwin Austen, China), com 8.612 m; Kanchenjunga (Nepal), com 8.586 m; Lhotse (Nepal), com 8.501 m; Makalu (Nepal), com 8.462 m; Cho Oyu (Nepal), com 8.201 m, e várias outras montanhas com mais de 8 mil metros, no Nepal, no Paquistão e no Tibete. Na América do Sul o ponto culminante é o Aconcágua (Andes argentinos), com 6.962 m; na América do Norte, o McKinley (E.U.A.), com 6.194 m; na Europa, o Elbrus (Rússia/Geórgia), com 5.642 m; na África, o Kilimanjaro (Tanzânia), com 5.963 m. No Brasil, o pico da Neblina tem 3.014 m, O Trinta e Um de Março 2.992 m, o Roraima 2.772 m, todos no sistema Parima, na fronteira com a Venezuela. O pico da Bandeira, na serra de Caparaó, entre ES e MG, tem 2.890 m, e o das Agulhas Negras, no maciço de Itatiaia, 2.787 m.

montanha-russa (mon.ta.nha-*rus*.sa) *sf.* **1** Equipamento de lazer, em parque de diversões, que consiste num trilho com subidas e descidas bruscas, por onde circula uma espécie de trem em alta velocidade **2** *RS Cul.* Doce composto de várias camadas de creme, de cores diversas, terminado por uma porção de merengue em formato cônico, e, por vezes, uma ameixa no topo [Pl.: *montanhas-russas.*] [F.: Do fr. *montagne russe.*]

montanhês (mon.ta.*nhês*) *a.* **1** Que habita em montanha; MONTÊS; MONTESINO *sm.* **2** Aquele ou aquilo que vive em montanha (cabrito montanhês, ermitão montanhês, flor montanhesa) [Pl.: *-nheses.* Fem.: *-nhesa.*] [F.: *montanha + -ês.*]

montanhesco (mon.ta.*nhes*.co) [ê] *a.* Que diz respeito a monte ou montanha (ambiente montanhesco); SILVESTRE; ALPESTRE [F.: *montanha + -esco.*]

montanhismo (mon.ta.*nhis*.mo) *sm. Esp.* Esporte que consiste em escalar montanhas, ou fazer excursões por elas; ALPINISMO [F.: *montanha + -ismo.*]

montanhista (mon.ta.*nhis*.ta) *a2g.* **1** *Esp.* Ref. a montanhismo ou que o pratica (grupo montanhista, atividade montanhista); ALPINISTA *Os dois são eméritos montanhistas.* ***s2g.*** **2** *Esp.* Pessoa que pratica montanhismo: [F.: *montanha + -ista.*]

montanhoso (mon.ta.*nho*.so) [ô] *a.* **1** *Geog.* Em que há muitas montanhas (região montanhosa) **2** Que tem superfície acidentada, escarpada (terreno montanhoso) [Ant.: *plano.*] [Pl.: [ó]. Fem.: [ó].] [F.: *montanha + -oso.*]

montante (mon.*tan*.te) *sm.* **1** Soma, quantia: *Verifique o montante da dívida.* **2** *Econ.* Soma do capital e juros após um período de aplicação **3** Direção de onde nasce um rio [Ant.: *jusante.*] **4** A enchente da maré **5** *Ant.* Grande espada que se brandia ambas as mãos para golpear pelo alto: "Empunhando um pesado montante como se fora uma espada, correu à janela e saltou..." (José de Alencar, *O Guarani*) ***a2g.*** **6** Que sobe, que se eleva (maré montante) [F.: *montar + -nte.*] ■■ **A ~** Em direção à nascente (de um rio)

montão (mon.*tão*) *sm. Fam.* **1** Grande número de pessoas ou coisas; BATELADA; MONTE; MONTOEIRA: *Fiz um montão de amigos lá.* **2** Conjunto de coisas ou objetos empilhados desordenadamente: *Do prédio restou apenas um montão de escombros.* [Pl.: *-tões.*] [F.: *monte + -ão.*] ■■ **De/em ~** Ver *Aos montes* no verbete *monte*

montar (mon.*tar*) *v.* **1** Pôr(-se) sobre animal, ger. cavalgadura [***td.***: "Fabiano tomou a frente do grupo, satisfeito com a lição, pensando na égua que ia montar..." (Graciliano Ramos, *Vidas Secas*)] [***int.***: *Saiu, montou e foi para a cidade.*] [***tr.*** *+em*: *O garoto não sossegou enquanto não montou no bode.*] **2** Cavalgar, praticar equitação [***td.***: *Quando competia, montava um cavalo inglês.*] [***int.***: *Passou as férias sem montar.*] **3** Pôr(-se) sobre algo ou alguém [***ta.***: *montar na bicicleta/no muro/nas costas do pai.*] [***tda.***: *O pai montou o menino na garupa.*] **4** Colocar alguma coisa sobre outra, sobrepor [***ta.***: *Montou o joelho direito sobre o esquerdo.*] **5** *Fig.* Apoiar-se, estribar-se (em alguém); ENCOSTAR-SE [***tr.*** *+em*: *O vagabundo gostava de montar nas costas dos outros.*] **6** Elevar-se a, atingir (determinado valor ou quantidade) [***tr.*** *+a*: *A dívida da família monta a alguns milhares de reais.*] **7** Armar, montar peças de (jogo, máquina, dispositivo), para deixá-los inteiros ou para que possam funcionar [***td.***: *Montar um computador/um armário/um quebra-cabeças.*] **8** Instalar, estabelecer, equipar [***td.***: *Montar uma casa/um cenário/negócio/bar.*] **9** Organizar, preparar, conceber [***td.***: *Montar um projeto/um roteiro/um plano.*] **10** *Teat.* Encenar ou dirigir a encenação de peça ou, em sentido figurado, seu autor [***td.***: *Montar um texto de Lorca; Montar Nélson Rodrigues.*] **11** Preparar, para exibição (programa de rádio ou tevê, *show*, mostra, peça de teatro) [***td.***: *Montara a exposição mais bonita da temporada.*] **12** *Fot.* Fazer cortes, recortes, justaposição de fotos [***td.***] **13** *Cin. Telv.* Proceder às operações de corte, recorte, justaposição etc. de tomadas, cenas de filme ou programa de televisão [***td.***: *Montou todas as sequências da fita.*] **14** Atingir nível mais alto (águas) [***int.***: *A maré montou durante a madrugada.*] **15** Ascender, subir [***tr.*** *+a*: *A sonda espacial montou a dez mil metros.*] [***ta.***: *O urubu montou acima das nuvens.*] **16** *Tabu.* Praticar ato sexual na posição em que um parceiro se senta escarranchado sobre o outro [***td.***] **17** *Mar.* Enfiar no lugar certo [***td.***] **18** Passar, navegando, além de determinado acidente geográfico [***td.***: *A escuna já havia montado o Bojador.*] [▶ **1 montar**] [F.: Do fr. *monter.* Hom./Par.: *monta* (3ªp.s.), *montas* (2ªp.s.)/ *monta* (s.f.) e pl; *montarás* (2ªp.s.)/ *montaraz* (adj.2g.s.m.); *montaria* (1ª3ªp.s.), *montarias* (2ªp.s.)/ *montaria* (s.f.) e pl; *montáveis* (2ªp.s.)/ *montáveis* (pl. *montável* [adj. 2g.]); *monte* (1ª3ªp.s.), *montes* (2ªp.s.)/ *monte* (s.m.) e pl. Ant. ger.: *desmontar.*]

montaria (mon.ta.*ri*.a) *sf.* **1** *Bras.* Cavalo que se pode montar; CAVALGADURA **2** *Hip.* O mesmo que *jóquei* (1) **3** Reforço de cavalos para uma cavalaria **4** *Bras.* Sela própria para mulheres **5** *Bras. Ant.* Saia comprida que as mulheres costumavam usar para montar **6** *AM* Pequena canoa, feita de tronco escavado [F.: *montar + -ia.*]

monte (*mon*.te) *sm.* **1** *Geog.* Grande elevação natural do solo **2** Amontoado, pilha: *um monte de livros.* **3** Grande quantidade; MONTÃO: *Ganhou um monte de dinheiro.* **4** A parte saliente da palma da mão que fica perto dos dedos **5** Ajuntamento, reunião (monte de gente) **6** *Lus.* Casa de fazenda **7** *Jur.* Os bens de uma herança **8** *Jur.* A parte de um herdeiro, depois da partilha **9** Lance de um leilão **10** *Lud.* Conjunto das apostas de um jogo **11** *Lud.* Jogo de azar em que o banqueiro coloca na mesa quatro cartas tiradas do baralho, para que o apostador tente acertar a vencedora revelada ao final do jogo **12** *Lus.* A casa de fazenda e suas instalações [Dim.: *montículo.*] [F.: Do lat. *montis.* Hom./Par.: *monte* (sm.), *monte* (fl. de *montar*).] ■■ **~ de Vênus** *Anat.* Proeminência natural no púbis da mulher **A ~ 1** Ao léu, a esmo, à toa **2** *Lus.* Foragido, abandonado **3** *Lus.* Não cultivado, baldio (terreno) **Aos ~s** Em grande número; de montão: *Os torcedores afluíam aos montes ao estádio.* **Montinho artilheiro** *Fut.* Saliência no gramado que provoca desvio na trajetória da bola, enganando o goleiro e resultando em gol

montear¹ (mon.te.*ar*) *v.* **1** Fazer caçadas nos montes [***td. int.***: *Amanhã sairemos para montear (pacas).*] **2** Caçar (animais) em qualquer lugar [***td.***: *Os caçadores monteavam tatus nas fazendas da região.*] **3** Fazer um monte de; AMONTOAR [***td.***: *Monteou suas roupas velhas para queimá-las.*] [▶ **13 montear**] [F.: *monte + -ear.* Hom./Par.: *monteia(s)* (fl.), *monteia* (sf.[e pl.]).]

montear² (mon.te.*ar*) *v. td. Antq.* Fazer monteia (esboço ou planta dimensionados de edificação, com elevações) de [▶ **13 montear**] [F.: *monteia + -ar*².]

monteia (mon.*tei*.a) *sf. Antq. Arq.* Esboço ou planta de uma edificação com a indicação das respectivas elevações e dimensões [F.: Do fr. *montée.* Hom./Par.: *monteia* (sf.), *monteia* (fl. de *montear*).]

monteiro (mon.*tei*.ro) *a.* **1** Que pertence ou diz respeito a monteiro (caçador) **2** Próprio para montear (armas monteiras) *sm.* **3** Indivíduo que caça nos montes **4** *Ant.* Guarda de matas e coutadas [F.: *monte + -eiro.*]

monteiropolense (mon.tei.ro.po.*len*.se) *s2g.* **1** Aquele ou aquela que nasceu ou que vive em Monteirópolis (AL) ***a2g.*** **2** De Monteirópolis; típico dessa cidade ou de seu povo [F.: Do top. *Monteirópol(is) + -ense.* Tb. *guaribense.*]

montemorense (mon.te.mo.*ren*.se) *s2g.* **1** Aquele ou aquela que nasceu ou que vive em Monte Mor (SP) ***a2g.*** **2** De Monte Mor; típico dessa cidade ou de seu povo [F.: Do top. *Monte Mor + -ense.*]

montenegrino (mon.te.ne.*gri*.no) *sm.* **1** Pessoa nascida ou que vive em Montenegro, país independente da Europa que de 2003 a 2006 formou com a Sérvia a República da Sérvia e Montenegro (ex-República Federal da Iugoslávia) *a.* **2** De Montenegro; típico dessa república ou de seu povo [F.: Do top. *Montenegro + -ino.*]

montepio (mon.te.*pi*.o) *sm.* **1** Fundo de previdência que, mediante contribuição mensal, e por toda a vida, por parte de servidores públicos e militares, provê a estes pensão em caso de invalidez ou aposentadoria, ou à sua família, em caso de morte **2** A pensão paga [F.: *monte + -pio.*]

montês (mon.*tês*) ***a2g.*** **1** Que habita ou cresce nos montes (cabra montês, vegetação montesa) **2** Situado em monte: *as ruelas montesas de Ouro Preto.* **3** Próprio de quem habita os montes; MONTANHÊS [Pl.: *-teses.* Fem.: *-tesa.*] [F.: *monte + -ês.* Sin. ger.: *montesinho, montesino.*]

montesinho (mon.te.*si*.nho) *a.* Ver *montesino*

montesino (mon.te.*si*.no) *a.* O mesmo que *montês* [F.: *montês + -ino.* Hom./Par.: *montesinho* (a.), *montezinho* (dim. de *monte*).]

montessoriano (mon.tes.so.ri:*a*.no) *Pedag. a.* **1** Diz-se de método concebido no início do séc. XX por Maria Montessori (1870-1952, médica e pedagoga italiana) cuja principal característica é o uso de atividades motoras e sensoriais, visando esp. a educação pré-escolar **2** Ref. a ou próprio desse método [F.: *Montessori + -ano.*]

montevideano (mon.te.vi.de:*a*.no) *sm.* **1** Pessoa nascida em Montevidéu, capital do Uruguai *a.* **2** De Montevidéu; típico dessa cidade ou de seu povo [F.: *Montevidéu + -ano.*]

montículo (mon.*tí*.cu.lo) *sm.* **1** *Geof.* Pequeno monte; COLINA; OUTEIRO **2** Pequena elevação de terreno **3** *Fig.* Pequena quantidade de alguma coisa amontoada: *um montículo de lixo/de pedras.* [F.: Do lat. *monticulus.*]

montívago (mon.*tí*.va.go) *a.* Que anda vagueando pelos montes; que é andarilho dos montes [F.: Do lat. *montivagus, a, um.*]

montoeira (mon.to:*ei*.ra) *Bras. sf.* **1** Grande quantidade de coisas ou de pessoas; MONTÃO; AMONTOADO; ACÚMULO: *uma montoeira de roupa para lavar.* **2** *BA* Aglomeração de pedras soltas que indica que foram garimpadas, na busca por diamantes [F.: *montão + -eira.* Sin. ger.: *montureira.*]

montra (*mon*.tra) *sf.* **1** Vitrine de casa comercial **2** Conjunto dos artigos em exposição numa vitrine; arranjo desses artigos **3** *Mús.* A parte do frontispício de um órgão, onde ficam os tubos maiores e mais vistosos desse instrumento [F.: Do fr. *montre.*]

monturo (mon.*tu*.ro) *sm.* **1** Grande porção de lixo **2** Lugar onde se deposita lixo; LIXEIRA **3** *Fig.* Montão de coisas repugnantes, asquerosas (monturo de imoralidades) [F.: *monte* + *-uro.*]

monumental (mo.nu.men.*tal*) *a2g.* **1** Ref. a ou próprio de monumento **2** Que se caracteriza pela grandiosidade, pela imponência (construção monumental); GRANDIOSO; COLOSSAL **3** *P.ext.* De tamanho muito grande (árvore monumental); ENORME; IMENSO **4** *Fig.* Que é singular, magnífico; GRANDIOSO; COLOSSAL: *A monumental obra de Camões, Os Lusíadas, continua fascinando gerações.* [Ant.: *insignificante.*] [Pl.: *-tais.*] [F.: Do lat. *monumentalis, e.*]

monumentalidade (mo.nu.men.ta.li.*da*.de) *sf.* Qualidade, caráter do que é monumental: *Todos admiram a monumentalidade da obra arquitetônica de Oscar Niemeyer.* [F.: *monumental* + *-(i)dade.*]

monumentalismo (mo.nu.men.ta.*lis*.mo) *sm.* Condição ou atributo do que é monumental; MONUMENTALIDADE: *O prédio se destaca na paisagem pelo seu monumentalismo.* [F.: *monumental* + *-ismo.*]

monumentalizar (mo.nu.men.ta.li.*zar*) *v. td.* **1** Dar feição monumental a: *Sem dúvida, os admiradores daquele político monumentalizavam seus feitos.* **2** Dotar um local de monumentos: *A direção do museu monumentalizou magnificamente a sala principal.* [► 1 **monumentalizar**] [F.: *monumental* + *-izar.*]

monumento (mo.nu.*men*.to) *sm.* **1** Obra erigida em honra de alguém ou para comemorar algum acontecimento notável: *monumento aos mortos da II Grande Guerra.* **2** Edifício grandioso, digno de admiração pela sua estrutura ou pela sua antiguidade **3** O mesmo que *mausoléu* **4** Qualquer obra intelectual ou material que pelo seu alto valor passa à posteridade **5** *Lus. Pus.* Lembrança, reminiscência [F.: Do lat. *monumentum.*] ■ **~ natural** Grande obra da natureza, que por sua imponência, beleza, excepcionalidade etc. é tida como um monumento, a ser admirado e preservado

moponga (mo.*pon*.ga) *sf. AM* Processo de pesca que consiste em bater na água com uma vara ou com a mão, a fim de fazer o peixe se deslocar para a direção desejada; BATIÇÃO [F.: Do tupi *mu'ponga.*]

moqueado (mo.que:*a*.do) *Bras. a.* **1** Diz-se de peixe ou carne assada no moquém **2** Secado sobre o moquém para ser conservado [F.: Part. de *moquear.*]

moquear (mo.que.*ar*) *v. td.* **1** *Bras.* Assar ou pôr para secar (carne, peixe) no moquém **2** *Bras.* Tostar (carne) **3** *SP Pop.* Matar, assassinar [► 13 **moquear**] [F.: *moquém* + *-ar.*]

moqueca (mo.*que*.ca) [é] *Bras. Cul. sf.* **1** Ensopado de peixe ou mariscos, temperado com salsa, coentro, limão, cebola, leite de coco, azeite de dendê, pimenta e outros temperos **2** *AM* Peixe moqueado envolto em folha de bananeira [F.: Do quimb. *mu'keka.*]

moquém (mo.*quém*) *sm. Bras.* Grelha feita de varas onde se assa ou seca a carne ou o peixe *SP*; MOQUETEIRO [Pl.: *-quéns.*] [F.: Do tupi *moka'i.*]

mor¹ *a2g.* F. red. de maior: *Tua responsabilidade mor é estudar.* [tb. us. com hífen após substantivos, com o sentido de 'principal': *altar-mor.*] [F.: Contr. de *maior* > *moor* > *mor.* Ideia de 'grande', 'máximo': *maxi-* (*maximizar*).]

mor² [ó] *sm. Pop.* Amor [Forma reduzida de *amor*, us. esp. como vocativo.] [F.: Aférese de *amor.*]

mora (*mo*.ra) *sf.* **1** Demora, delonga; prorrogação do prazo estabelecido para algo [Ant.: *antecipação, urgência.*] **2** Atraso na efetuação do pagamento de uma dívida, por culpa do devedor ou do credor **3** Multa ou acréscimo por esse atraso; juro de mora [F.: Do lat. *mora.* Hom./Par.: *mora* (sf.), *mora* (fl. de *morar*).] ■ **Purgar a ~** *Jur.* Pagar (devedor inadimplente) prestação vencida mais os juros e encargos resultantes da inadimplência, mantendo com isso direitos garantidos por contrato e evitando a aplicação de penas, multas etc.

morada (mo.*ra*.da) *sf.* **1** O mesmo que *moradia (1)* **2** *Lus.* Endereço de residência **3** Estada, parada, permanência [F.: *morar* + *-ada.*] ■ **~ celeste** O céu **Última ~ 1** Sepultura, túmulo **2** Cemitério

moradia (mo.ra.*di*.a) *sf.* **1** Casa, apartamento etc. em que se mora; MORADA; HABITAÇÃO; DOMICÍLIO: *As enchentes deixaram milhares de pessoas sem moradia.* **2** *Hist.* Pensão que era dada aos fidalgos [F.: *morada* + *-ia.*]

morador (mo.ra.*dor*) [ô] *a.* **1** Que diz respeito ao que mora, reside, habita (rua, cidade, região etc.) *sm.* **2** Pessoa que mora habitualmente em determinado lugar (rua, cidade, região); HABITANTE; RESIDENTE: *Os moradores de nossa rua criaram uma associação.* **3** *N.E.* Agregado, caseiro [F.: *morar* + *-dor.*]

moral (mo.*ral*) *sf.* **1** *Fil.* Conjunto de regras de conduta, inerente ao espírito humano, aplicáveis de modo absoluto para qualquer tempo ou lugar, ou a grupo ou pessoa determinada, proveniente dos estudos filosóficos sobre a moral **2** Conjunto de regras e princípios de decência que orientam a conduta dos indivíduos de um grupo social ou sociedade (moral burguesa, moral cristã); MORALIDADE [Ant.: *imoralidade.*] **3** Conjunto de qualidades, capacidades, princípios, maneiras de agir etc., que proporcionam a algo ou alguém certa vantagem ou ascendência para se impor, influir, decidir, em determinadas situações **4** Lição que se tira de uma história, de um fato etc.; MORALIDADE: *Não há fábula sem moral. sm.* **5** O conjunto dos valores morais de cada um: *Era dono de um moral inabalável.* **6** Estado de espírito; ânimo: *Essa notícia levantou o meu moral. a2g.* **7** Ref. às regras de conduta e aos costumes aceitos em determinada sociedade (dever moral, valores morais); ÉTICO **8** Que é conforme às regras dos bons costumes, da ética [Ant.: *imoral, indecente.*] *a2g.* **9** Que demonstra decência, integridade: *O respeito aos mais velhos é uma obrigação moral.* **10** Ref. ao espírito, em oposição ao físico, ao material (sofrimento moral) **11** *Fil.* Ref. ao estudo filosófico da moral [F.: Do lat. *moralis.* Ver tb. *imoral* e *amoral.*] ■ **~ da ~ 1** Frase curta que resume uma lição moral aprendida ou depreendida de um relato, uma fábula, uma obra literária etc. **2** Conclusão, ideia, julgamento etc. que se extrai de um fato, uma experiência etc.

moralidade (mo.ra.li.*da*.de) *sf.* **1** Característica ou qualidade do que é moral, do que é conforme os princípios ou valores morais, éticos [Ant.: *imoralidade.*] **2** Conjunto de princípios ou regras morais [Ant.: *imoralidade.*] **3** Atitude ou conduta de um indivíduo ou sociedade, do ponto de vista moral **4** *Fil.* Doutrina ou reflexão moral **5** Lição ou ensinamento que se pode tirar de uma fábula, história ou acontecimento; MORAL **6** *Teat.* Peça curta do teatro cômico medieval, normalmente com objetivo moralizante [F.: Do lat. *moralitatis.*]

moralismo (mo.ra.*lis*.mo) *sm.* **1** *Fil. Rel.* Doutrina que considera a moral como valor universal, imprescindível para a compreensão de toda a realidade, em detrimento de outros valores existentes **2** Manifestação por meio de palavras ou atos que demonstra exagerada preocupação com questões de moral e tendência para a intolerância e preconceito em relação aos outros [F.: *moral* + *-ismo.*]

moralista (mo.ra.*lis*.ta) *a2g.* **1** *Fil.* Que é adepto do moralismo como doutrina filosófica **2** Que escreve ou prega sobre os princípios morais; MORALIZADOR *a2g.* **3** Que segue ou prega uma moral (1) rígida **4** Ref. aos seguidores rígidos do moralismo: *opiniões demasiadamente moralistas.* **5** Que visa moralizar (fins moralistas) *s2g.* **6** Indivíduo moralista [F.: *moral* + *-ista.*]

moralização (mo.ra.li.za.*ção*) *sf.* Ação ou resultado de moralizar; EDUCAÇÃO [Ant.: *desmoralização.*] [Pl.: *-ções.*] [F.: *moralizar* + *-ção.*]

moralizado (mo.ra.li.*za*.do) *a.* Que se moralizou; que se adequou aos princípios da moral [Ant.: *desmoralizado.*] [F.: Part. de *moralizar.*]

moralizador (mo.ra.li.za.*dor*) [ô] *a.* **1** Que moraliza ou é próprio para moralizar; MORALIZANTE [Ant.: *desmoralizador.*] **2** Que propaga ou visa propagar princípios morais e bons costumes (medidas moralizadoras) **3** Que contém ou preconiza doutrinas morais (livro moralizador) **4** Que edifica moralmente **5** Que admoesta ou revela intenção de corrigir (tom moralizador) *sm.* **6** Aquele que moraliza, que aconselha e sustenta os bons costumes [F.: *moralizar* + *-dor.*]

moralizante (mo.ra.li.*zan*.te) *a2g.* **1** Que moraliza; MORALIZADOR **2** Que edifica com bons exemplos **3** *Fil. Rel.* Que contém ou propaga doutrinas morais [F.: *moralizar* + *-nte.*]

moralizar (mo.ra.li.*zar*) *v.* **1** Adequar(-se) aos preceitos da moral [*td.*: *Queria moralizar os costumes.*] **2** Prover de moral, ou ganhar moral [*td.*: *A imparcialidade do juiz moralizou o concurso.*] **3** Pregar moral [*int.*: *Esse pastor gosta muito de moralizar.*] **4** Fazer reflexões sobre questão morais [*int.*: *Ele sabe moralizar muito bem, só não sabe é agir.*] **5** Dar caráter moral, edificante a [*td.*: *Com aquelas mudanças, ele moralizou o filme.*] [► 1 **moralizar**] [F.: Do fr. *moraliser*. Ant. ger.: *desmoralizar.*]

moranga (mo.*ran*.ga) *Bras. Bot. sf.* **1** Erva da fam. das cucurbitáceas (*Cucurbita pepo*), nativa da América Central, muito cultivada, assim como suas variedades, pelos frutos, ger. grandes, comestíveis; JERIMUNZEIRO; MOGANGUEIRO **2** Fruto dessa planta, muito us. na alimentação humana após cozimento; JERIMUM; MOGANGA; MUGANGA [F.: Fem. de *morango.*]

morangal (mo.ran.*gal*) *sm.* Plantação de morangos [Pl.: *-gais.*] [F.: *morang(o)* + *-al.*]

morango (mo.*ran*.go) *Bot. sm.* **1** Fruto do morangueiro, comestível, de cor avermelhada e formato de coração *RS*; FRUTILHA **2** Morangueiro [F.: Do lat. vulg. *moranicum* < lat. *morum.*]

morangueiro (mo.ran.*guei*.ro) *sm.* **1** *Bot.* Nome comum às ervas do gên. *Fragaria*, da fam. das rosáceas, nativas das regiões temperadas do hemisfério norte, esp. às variedades e híbridos cultivados pelos frutos comestíveis, carnosos e ger. vermelhos quando maduros; MORANGO **2** Vendedor de morangos [F.: *morango* + *-eiro.* Col.: *morangal.*]

morar (mo.*rar*) *v.* **1** Ter residência, moradia; HABITAR; VIVER [*ta.*: *Morar em São Paulo/mal/longe.*] [*tr.* +com: *Mora com o primo.*] **2** *Fig.* Ter lugar, estar presente [*ta.*: *A alegria mora naquela casa.*] **3** *Bras. Gír.* Perceber, compreender; MANJAR; SACAR [*tr.* +em: *Morou no que ele falou?*; "*Mora na filosofia/ prá quê rimar amor e dor?...*" (Monsueto e Arnaldo Passos, *Mora na filosofia*)] **4** *Bras. Fig.* Visitar lugar com frequência [*ta.*: *Ele mora no bar da esquina.*] [► 1 **morar**] [F.: Do lat. *morare*, por *morari.* Hom./Par.: *mourar* e *murar* (vários tempos do v.).]

moratória (mo.ra.*tó*.ri:a) *sf.* **1** Adiamento do prazo de vencimento de uma dívida, a pessoas, empresas, entidades ou países, que um tribunal ou autoridade competente concede: *O G7 aceitou a moratória do pagamento da dívida dos países afetados pelo maremoto.* **2** Prazo concedido pelo credor ao devedor para adiamento de pagamento de dívida **3** Suspensão do pagamento de uma dívida, esp. uma dívida externa, decidida unilateralmente pelo devedor, ou acordada entre credor e devedor [F.: Fem. substv. de *moratório.*]

moratório (mo.ra.*tó*.ri:o) *a.* **1** Que concede adiamento para pagamento de uma dívida (legislação moratória) *a.* **2** Que envolve demora ou dilação; em que há demora, adiamento (pagamento moratório); DILATÓRIO [F.: Do lat. *moratorius.*]

morávio (mo.*rá*.vio) *sm.* **1** Indivíduo nascido ou que vive em Morávia (República Tcheca) *a.* **2** De Morávia; típico dessa região ou de seu povo [F.: Do top. *Moráv(ia)* + *-io³.*]

◎ **morbi-** *el. comp.* = doença: *morbidade, morbidez, mórbido* etc.

morbidade (mor.bi.*da*.de) *sf.* **1** Qualidade ou condição do que é mórbido; MORBIDEZ **2** *Med.* Capacidade de produzir doença(s): *a morbidade de um agente patogênico.* **3** *Dem. Med.* Número relativo ou absoluto de indivíduos doentes, num determinado grupo em dado período **4** *Med.* Incidência relativa de uma determinada doença [F.: *morbi-* + *(i)dade.*]

morbidez (mor.bi.*dez*) [ê] *sf.* **1** Característica, qualidade ou estado de mórbido **2** Enfraquecimento doentio; esgotamento de forças; LANGUIDEZ **3** Tendência a gostar de coisas mórbidas, pavorosas [F.: *mórbido* + *-ez.* Sin. ger.: *morbideza.*]

mórbido (*mór*.bi.do) *a.* **1** Ref. a doença; PATOLÓGICO **2** Prejudicial à saúde; que causa doenças **3** Que tem caráter de doença (pessimismo mórbido); DOENTIO **4** Que é atraído pela morbidez, por coisas terríveis ou pela morte (mulher mórbida) **5** Lânguido, mole **6** Que é triste, sombrio (filme mórbido) [F.: Do lat. *morbidus.*]

morbígeno (mor.*bí*.ge.no) *a.* Que causa doença (agente morbígeno) [F.: *morbi-* + *-geno.* Tb. *morbígero.*]

morbígero (mor.*bí*.ge.ro) *a.* Ver *morbígeno*

morbiliforme (mor.bi.li.*for*.me) *a2g. Med.* Que tem forma semelhante à do sarampo [F.: Do lat. *morbillus* 'sarampo' + *-i-* + *-forme.*]

morbo (*mor*.bo) [ô] *sm. Pat.* Estado patológico; DOENÇA [F.: Do lat. *morbus.*]

morbosidade (mor.bo.si.*da*.de) *sf.* Qualidade ou estado do que é morboso, do que é mórbido; MORBIDADE; MORBIDEZ [F.: Do lat. *morbositas, atis.*]

morboso (mor.*bo*.so) [ô] *a.* **1** Que indica doença (processo morboso); DOENTIO; MÓRBIDO **2** Que provoca doença (bacilo morboso); MORBÍGENO [Pl.: [ó]. Fem.: [ó].] [F.: Do lat. *morbosus, a, um.*]

morcegada (mor.ce.*ga*.da) *sf.* **1** *Pop.* Bando de morcegos **2** *Joc. Gír.* Grupo de pessoas jovens que têm o hábito de sair à noite [F.: *morceg(o)* + *-ada².*]

morcegar (mor.ce.*gar*) *v.* **1** Tirar vantagem de (alguém ou certa situação) [*td. int.*] **2** *Gír.* Trabalhar vagarosamente, para se poupar [*int.*: *O funcionário estava morcegando.*] **3** *N.E. Pop.* Embarcar em ou saltar de veículo em movimento (bonde, trem) [*int.*] **4** *MG Tabu.* Praticar (um casal) o morcegão (sessenta e nove), cunilíngua e felação ao mesmo tempo [*int.*] [► 14 **morcegar**] [F.: *morcego* + *-ar.* Hom./Par.: *morsegar* (todos os tempos do v.); *morcego* (fl.), *morcego* /ê/ (sm.).]

morcego (mor.*ce*.go) [ê] *sm.* **1** *Zool.* Nome comum dado aos mamíferos quirópteros, noturnos, com asas formadas por uma membrana, o patágio, e pelos longos dedos das mãos, e que se alimentam esp. de insetos, frutos e pequenos vertebrados; algumas spp. são hematófagas; ORELHUDO **2** *Bras. Pop.* Indivíduo que só sai de casa à noite **3** *Bras.* Espécie de papagaio (4) **4** *N.E. Pop.* Alcunha de soldado de polícia; MATA-CACHORRO **5** Garoto que viaja nos trens e bondes pendurado a balaústres ou a portinholas, para não pagar passagem; PINGENTE [F.: Do arcaísmo port. *mur*, deriv. do lat. *muris* + *cego.* Hom./Par. *morcego* (sm.), *morcego* (fl. de *morcegar*).]

morcela (mor.*ce*.la) *Cul. sf.* **1** *RS.* Chouriço, ger. servido assado, que tem o sangue e miúdos de porco como principais elementos **2** Doce feito com miolo de pão ou pão ralado, canela, amêndoas e outros ingredientes, enrolados em uma tripa de porco para ficar com o feitio da morcela [F.: De or. incerta, talvez do espn. *morcilla.* Tb. *morcilha.*]

morcilha (mor.*ci*.lha) *sf.* Ver *morcela*

mordaça (mor.*da*.ça) *sf.* **1** Pedaço de pano ou outro material que se amarra à boca de uma pessoa para impedi-la de falar **2** Peça de pano ou outro material que se prende à boca de animal para impedi-lo de morder; AÇAIMO **3** *Fig.* Impedimento da livre expressão, de falar ou de escrever [F.: Do lat. vulg. *mordacia.*]

mordaçagem (mor.da.*ça*.gem) *sf.* **1** Ação ou resultado de mordaçar **2** *Art.gr. Grav.* Aplicação de ácidos corrosivos sobre metais, pedras etc. para prepará-los como matriz de diversos sistemas de impressão; MORDEDURA [Pl.: *-gens.*] [F.: *mordaçar* + *-agem¹.*]

mordaçar (mor.da.*çar*) *v. td.* Submeter (substância) à ação de mordente [► 12 **mordaçar**] [F.: *mordaça* + *-ar.*]

mordacidade (mor.da.ci.*da*.de) *sf.* **1** Característica ou qualidade do que é mordaz **2** Qualidade de áspero, sarcástico: *a mordacidade de um crítico.* **3** Crítica muito severa e/ou injusta: *Escreveu um artigo cheio de mordacidade.* **4** Qualidade corrosiva que possuem certas substâncias; CAUSTICIDADE **5** Característica do que possui sabor picante, amargo [F.: Do lat. *mordacitatis.*]

mordaz (mor.*daz*) *a2g.* **1** Que critica, censura ferinamente (crítico mordaz); CÁUSTICO **2** Que magoa, fere, pelo sarcasmo, aspereza e maledicência (palavras mordazes) **3** Que corrói, destrói; CAÚSTICO; CORROSIVO **4** Picante, acre, amargo [Superl.: *mordacíssimo.*] [F.: Do lat. *mordacis.* Sin. ger.: *mordente.*]

mordedor (mor.de.*dor*) [ô] *a.* **1** Que morde **2** *Bras. Gír.* Que tem a mania de pedir dinheiro emprestado a amigos e conhecidos *sm.* **3** Objeto feito de material plástico atóxico, em formatos diversos, destinado a aliviar o incômodo no processo de primeira dentição do bebê, que, mordendo-o, massageia a gengiva **4** *Bras. Gír.* Indivíduo que está sempre pedindo dinheiro emprestado [F.: *morder* + *-dor.*]

mordedura (mor.de.*du*.ra) *sf.* O mesmo que *mordida* [F.: *morder* + *-dura.*]

morde e assopra (mor.de e as.*so*.pra) [ó] *s2g2n. Bras. Pop.* Pessoa hipócrita que ger. faz críticas agressivas a alguém ou a algo e, em seguida, desculpa-se ou procura amenizá-las

mordente (mor.*den*.te) *a2g.* **1** Que morde **2** Que fere ou arranha **3** Que excita ou provoca (olhar mordente) *sm.* **4** Substância us. para fixar bem as cores em pintura e tinturaria **5** *Tip.* Régua móvel us. pelos tipógrafos para prender o texto original e marcar a linha que está sendo composta **6** *Mec.* Peça interna do mandril com dentes ajustáveis ao diâmetro da broca, verruma etc. com que se vai trabalhar **7** *Cer.* Peça de chumbo adaptada à boca de um torno de bancada, para não danificar o objeto que nele se aperta **8** *Mús.* Ornamento melódico composto de três sons [F.: *morder* + *-nte.*]

morder (mor.*der*) *v.* **1** Ferir ou cortar com os dentes [**td.**: *Mordeu a orelha do adversário; Mordeu-se ao mastigar.*] [**tr.** +em: *Mordeu na fruta já madura.*] **2** Dar dentadas ou ter a índole de dar dentadas [**td.**: *O gambá mordeu a mão do poeta.*] [**int.**: *Ela desama, despreza, mata, mas não morde.*] **3** Ferir com ferrão ou outro órgão (diz-se de inseto); PICAR [**td.**: *Um mosquito a mordeu no rosto.*] **4** Encravar-se, corroendo ou triturando [**td.**: *O mecanismo mordeu a fita e acabou destroçando-a.*] **5** Afligir(-se), mortificar(-se) [**td.**: *A inveja o mordia o tempo todo.*] [**int.**: *morder-se de ciúme/de raiva/de inveja.*] **6** *Bras. Fig.* Pedir dinheiro a alguém [**tdr.** +em: *O homem mordeu o amigo em mil reais.*] **7** Excitar, incitar [**td.**: *A curiosidade o mordia sem parar.*] **8** *Mar.* Entalar, engasgar (um cabo, amarra) [**td.**] **9** Experimentar, tomar o gosto de [**int.**] [▶ **2 morder**] [F.: Do lat. *mordere*. Ideia de *'morder'*, usar antepos. *dacno-, mastic-, mord-, trogo-* e *trogon-*.] ■ **~ aqui** *Bras. Pop.* Expressão que expressa a incredulidade, ou desconfiança, de quem a profere em relação ao que lhe é dito ou contado

mordicar (mor.di.*car*) *v. td.* **1** Morder de leve e repetidamente **2** Aguilhoar, espicaçar (alguém) moral ou emocionalmente; PUNGIR [▶ **11 mordicar**] [F.: Do lat. tardio *mordicare.*]

mordida (mor.*di*.da) *Bras. sf.* **1** Ação ou resultado de morder; DENTADA **2** Marca ou vestígio de uma dentada **3** *Fig.* Injúria, ofensa [F.: *morder* + *-ida.* Sin. ger.: *mordedura.*]

mordido (mor.*di*.do) *a.* **1** Que sofreu mordida **2** *Bras.* Zangado, raivoso, furioso: *Ficou mordido com o meu descaso.* [F.: Part. de *morder.*]

mordiscar (mor.dis.*car*) *v. td.* Morder leve e repetidamente (algo ou alguém); tb. *mordicar*: *Mordiscava um biscoito.* [▶ **11 mordiscar**] [F.: *morder* + *-iscar.*]

mordível (mor.*dí*.vel) *a2g.* Que se pode morder [Pl.: *-veis.*] [F.: *morde(r)*, (com alter. da vogal temática e< i) + *-vel.*]

mordomado (mor.do.*ma*.do) *sm.* **1** Cargo ou ofício de mordomo; MORDOMIA **2** O tempo que dura a mordomia **3** Imposto que antigamente pagavam os que tinham mordomo [F.: *mordomo* + *-ado*^{3}.]

mordomar (mor.do.*mar*) *v.* **1** Administrar, dirigir como mordomo [**td.**: *Seu trabalho consistia em mordomar uma mansão.*] **2** Exercer o cargo, ofício de mordomo [**int.**: *Ele sempre mordomou para aquela família.*] [▶ **1 mordomar**] [F.: *mordomo* + *-ar*^{2}. Hom./Par.: *mordomo* (sm.) *mordomo* (fl. de mordomar).]

mordomear (mor.do.me.*ar*) *v.* Ver *mordomar* [▶ **13 mordomear**]

mordomia (mor.do.*mi*.a) *sf.* **1** *Bras.* Regalia ou conjunto de regalias que tornam muito confortável a situação de vida de alguém: *Sendo ricos, tinham muitas mordomias, inclusive carro com motorista.* **2** *Bras.* Vantagens e privilégios concedidos a certos funcionários pela instituição empregadora, e que lhes aumenta indiretamente os honorários **3** Cargo ou função de mordomo [F.: *mordomo* + *-ia*^{1}.]

mordomo (mor.*do*.mo) *sm.* **1** Chefe dos empregados domésticos de família abastada, encarregado da administração da casa *sm.* **2** O encarregado de superintender um estabelecimento, irmandade ou confraria: *Foi mordomo de um clube de primeira.* **3** Aquele que toma parte na direção de uma festa de igreja concorrendo com a sua parte para as despesas dela **4** *Ant.* Antigo oficial de justiça, encarregado de fazer citações e execuções judiciais [F.: Do lat. vulg. *majordomus.*]

moreia (mo.*rei*.a) *sf. Zool.* Nome comum dado a diversos peixes marinhos, da fam. dos murenídeos, de corpo alongado, serpentiforme, desprovido de escamas e que vivem ger. solitárias, escondidas em tocas no fundo dos oceanos [F.: Do lat. *muraena*, deriv. do gr. *myraina.*]

morena^1 (mo.*re*.na) *sf.* **1** Mulher que tem o tom de pele amarronzado ou azeitonado **2** Mulher de cabelos escuros **3** *Bras.* Mulher mulata ou negra **4** *Bras.* Mulher jovem; MOÇA **5** Moça do campo; CAMPONESA **6** *Bras. Dnç.* Certa dança acompanhada de canto **7** *SP* Paca, entre os caçadores do mato **8** *SP* Perdiz, entre os caçadores do campo [F.: Fem. de *moreno.*]

morena^2 (mo.*re*.na) *sf. Geol.* Acumulação de fragmentos de rochas transportadas pelas geleiras [F.: Do fr. *moraine.*]

morenaço (mo.re.*na*.ço) *sm. Bras.* Homem ou mulher de cor morena, belo e sedutor: "Depois que boa/que morenaço/Que a esposa fica!/Resultado: filho." (Vinícius de Moraes, "Poema Enjoadinho" *in Antologia Poética*) [Aum. de *moreno.*] [F.: *moren(o)* + *-aço.*]

morenice (mo.re.*ni*.ce) *sf.* **1** Qualidade ou condição de moreno: *A morenice das brasileiras tem a fama mundial.* **2** Aparência que denota ascendência mestiça de branco com indivíduos de pele mais escura **3** Característica de quem tem pele morena [F.: *moreno* + *-ice.*]

morênico (mo.*rê*.ni.co) *a. Geol.* Que diz respeito a morena (2) [F.: *morena* + *-ico*^{2}.]

moreno (mo.*re*.no) *a.* **1** Diz-se de pele, ou parte do corpo, cuja cor é acastanhada, por efeito do sol ou por natureza (rosto moreno) **2** Diz-se de pessoa cuja pele é dessa cor (moça morena) **3** Diz-se dessa cor *sm.* **4** Pessoa morena *RS*; MOROCHO **5** A cor morena: *Voltou das férias com um moreno lindo.* **6** Pessoa, indivíduo [F.: Do cast. *moreno* < lat. *maurinus.*]

moreota (mo.re.*o*.ta) *s2g.* **1** Indivíduo nascido ou que vive em Moreia (Grécia antiga) *a2g.* **2** De Moreia; típico dessa cidade ou de seu povo [F.: Do gr. mod. *moreótes.*]

morfeia (mor.*féi*.a) *Bras. Med. sf.* O mesmo que *lepra* [F.: Do lat. medv. *morphaea*, prov. calcado no gr. *amorphia.*]

morfema (mor.*fe*.ma) *sm. Ling.* A menor unidade linguística com significado (p.ex., um radical, um sufixo) [F.: Do fr. *morphème*; ver *morf(o)-* e *-ema.*] ■ **~ derivacional** *Ling.* Afixo que, combinado com um radical, forma uma palavra dele derivada, podendo ser de outra classe gramatical [Ex.: *-eiro*, na formação de inúmeras palavras, como *brasileiro, costumeiro* etc.] **~ flexional** *Ling.* Afixo que combinado com um substantivo, um adjetivo ou um verbo configura uma flexão, sem alterar a classe gramatical [P.ex., os formadores de plural ou de feminino.] **~ gramatical** *Ling.* Afixo que se combina com radicais de nomes e de verbos para dar noção de pessoa, tempo, número etc., ou morfema que exercem função gramatical na frase, relacionando palavras [P. ex., o afixo *-arás* para indicar segunda pessoa do singular do futuro do indicativo de verbos em *-ar*; a preposição *de.*] **~ lexical** *Ling.* Cada uma das unidades que formam o léxico, não decomponível em outras em sua expressão semântica, que pode ser independente ou de complementação à de outro morfema lexical (como, p.ex., neste caso, o pronome átono *-lhe*)

morfético (mor.*fé*.ti.co) *a.* **1** *Med.* Ref. a morfeia **2** *Fig.* Asqueroso, desprezível *sm.* **3** *Med.* O mesmo que *leproso* [F.: *morfeia* + *-ético.*]

◎ **-morfia** *el. comp.* = 'forma'; 'ocorrência de ou forma com dada característica'; 'simetria': *actinomorfia, alomorfia, amorfia* (< gr.), *anisomorfia, mesomorfia, zigomorfia, zoomorfia* [F.: Do gr. *-morphía, as*, do gr. *morphé, ês*, 'forma'. F. conexa: *morf(o)-.*]

mórfico (*mór*.fi.co) *a. Ling.* Ref. a morfema; MORFÊMICO [F.: *morf(o)-* + *-ico*^{2}.]

morfina (mor.*fi*.na) *sf. Quím.* Substância extraída do ópio, us. em medicina como analgésico, sedativo e soporífero [Fórm.: $C_{17}H_{19}O_3N$] [F.: Do fr. *morphine* < lat. *Morpheus* < gr. *Morpheús*, 'Morfeu, o deus do sono'.] ■ **~ endógena** *Bioq.* Cada uma das endorfinas e encefalinas que são proteínas produzidas pelo cérebro com características sedativas semelhantes às da morfina

morfinismo (mor.fi.*nis*.mo) *Med. sm.* **1** Dependência, vício da morfina; MORFINOMANIA **2** *P.ext.* Conjunto de alterações físicas e psíquicas devidas ao consumo excessivo de morfina [F.: *morfin(o)-* + *-ismo.*]

◎ **morfin(o)-** *el. comp.* = 'morfina': *morfinismo, morfinomania, morfinômano* [F.: Do fr. *morphine*, do gr. *Morpheús*, 'deus do sono e dos sonhos'.]

morfinomania (mor.fi.no.ma.*ni*.a) *Psiq. sf.* **1** Consumo compulsivo da morfina; MORFINISMO **2** Psicose decorrente do abuso da morfina [F.: *morfin(o)-* + *-mania.*]

morfinomaníaco (mor.fi.no.ma.*ní*.a.co) *Psiq. a.* **1** Ref. a morfinomania **2** Diz-se de indivíduo que tem morfinomania (2); MORFINÔMANO *sm.* **3** Esse indivíduo; MORFINÔMANO [F.: *morfinoman(ia)* + *-íaco.*]

morfinômano (mor.fi.*nô*.ma.no) *Psiq. a. sm.* O mesmo que *morfinomaníaco* (2 e 3) [F.: *morfin(o)-* + *-mano*^{1}.]

◎ **-morf(o)-** *el. comp.* Ver *morf(o)-*

◎ **-morfo** *el. comp.* Ver *morf(o)-*

◎ **morf(o)-** *el. comp.* = 'forma'; 'estrutura': *morfema* (< fr.), *morfoclimático, morfofuncional, morfogênese, morfogenia, morfógeno, morfologia, morfopatologia, morfose* (< gr.), *morfossintaxe; dimorfodonte* (< lat. cient.); *amorfo* (< gr.), *anisomorfo, antropomorfo* (< gr.), *botriomorfo* [F.: Do gr. *morphé, ês.* F. conexa: *-morfia.*]

morfoclimático (mor.fo.cli.*má*.ti.co) *a. Geog.* Ref. às características morfológicas e climáticas de uma região: *Conhecia amiúde as características morfoclimáticas do cerrado.* [F.: *morf(o)-* + *climático.*]

morfogênese (mor.fo.*gê*.ne.se) *sf. Biol.* Desenvolvimento da forma e da estrutura de um organismo pelo crescimento do embrião; MORFOGENIA [F.: *morf(o)-* + *-gênese.*]

morfogenético (mor.fo.ge.*né*.ti.co) *a. Biol.* Ref. a morfogênese; MORFOGÊNICO [F.: *morfogên(ese)* + *-ético*, segundo o mod. gr.]

morfogenia (mor.fo.ge.*ni*.a) *sf. Biol.* O mesmo que *morfogênese* [F.: *morf(o)-* + *-genia.*]

morfogênico (mor.fo.*gê*.ni.co) *a. Biol.* O mesmo que *morfogenético* [F.: *morfogenia* + *-ico*^{2}.]

morfologia (mor.fo.lo.*gi*.a) *sf.* **1** Estudo da forma, estrutura, aparência etc. da matéria *sf.* **2** *Biol.* Estudo das formas e estruturas dos seres vivos **3** *Gram.* Parte da gramática que descreve os processos de formação e de flexão das palavras [F.: *morf(o)-* + *-logia.* Ver tb. *sintaxe.*] ■ **~ derivacional** *Ling.* Parte da morfologia (3) que trata da formação de palavras por derivação **~ flexional** *Ling.* Parte da morfologia (3) que trata dos paradigmas de formação de flexões das palavras **~ social** *Soc.* Estudo comparativo das estruturas e funcionamento de diferentes sistemas sociais **~ vegetal** *Bot.* O estudo das formas e estruturas dos organismos vegetais

morfológico (mor.fo.*ló*.gi.co) *a. Biol. Gram.* Ref. a morfologia: *Estudo morfológico da mama; Dicionário morfológico da língua portuguesa.* [F.: *morfologia* + *-ico*^{2}.]

morfólogo (mor.*fó*.lo.go) *sm. Ling.* Indivíduo especializado em morfologia [F.: *morf(o)-* + *-logo.*]

morfometria (mor.fo.me.*tri*.a) *sf.* **1** Mensuração das formas exteriores dos seres e das coisas **2** *Geol.* Medição e estudo matemático das formações da superfície terrestre [F.: *morf(o)-* + *-metria*^{1}.]

morfométrico (mor.fo.*mé*.tri.co) *a.* Ref. a morfometria [F.: *morfometria* + *-ico*^{2}.]

morfopatologia (mor.fo.pa.to.lo.*gi*.a) *sf. Med.* Descrição morfológica de estruturas que apresentam patologia [F.: *morf(o)-* + *patologia.*]

morfopatológico (mor.fo.pa.to.*ló*.gi.co) *a. Med.* Que diz respeito à morfopatologia [F.: *morfopatologia* + *-ico*^{2}.]

morfose (mor.*fo*.se) [ó] *sf.* **1** Processo pelo qual algo toma uma forma; FORMAÇÃO **2** Ação de formar ou de atribuir forma a algo; FORMAÇÃO **3** *Bot.* Definição ou alteração da forma resultante da ação de um fator morfogenético [F.: Do gr. *mórphosis, eos.*]

morfossintático (mor.fos.sin.*tá*.ti.co) *a. Gram. Ling.* Ref. a morfossintaxe; que se relaciona simultaneamente à morfologia e à sintaxe [F.: *morf(o)-* + *sintático.*]

morfossintaxe (mor.fos.sin.*ta*.xe) [ss] *Gram. Ling. sf.* **1** Parte da gramática que estuda as categorias gramaticais segundo critérios oriundos da morfologia e da sintaxe **2** Estrutura linguística que engloba a morfologia (estudo das formas) e a sintaxe (estudo das relações combinatórias entre as palavras num sintagma e/ou numa frase) [F.: *morf(o)-* + *sintaxe.*]

morfozoário (mor.fo.zo.*á*.ri:o) *sm. Zool.* Qualquer animal que apresenta forma claramente determinada e invariável [F.: *morf(o)-* + *-zo(o)-* + *-ário.*]

morgada (mor.*ga*.da) *sf.* **1** Esposa ou viúva do morgado **2** Detentora dos bens que constituíam um morgado [F.: Fem. de *morgado.*]

morgadio (mor.ga.*di*:o) *a.* **1** Ref. a morgado *sm.* **2** Qualidade, condição de morgado **3** *Jur.* Conjunto dos bens de um morgado [F.: *morgado* + *-io.*]

morgado (mor.*ga*.do) *sm.* **1** *Jur.* Conjunto de bens vinculados que não se podiam alienar ou dividir, herdados pelo filho primogênito **2** O filho primogênito **3** Aquele que deixou os bens que foram herdados *a.* **4** *Pop.* Cansado, exausto, adormecido [F.: Do lat. vulg. *maioricatus.*]

morgar (mor.*gar*) *v. int.* **1** *Bras.* Curvar-se sobre si mesmo; DOBRAR-SE; VERGAR-SE: *A vareta morgou e acabou quebrando.* **2** *Pop.* Adormecer, dormir: *Morgou no volante e acordou nas nuvens.* [▶ **14 morgar**] [F.: *morg(ue)* + *-ar.*]

morgue (mor.gue) [ó] *sf.* O mesmo que *necrotério* [F.: Do fr. *morgue.*]

moribundo (mo.ri.*bun*.do) *a.* **1** Que está agonizando, morrendo (indivíduo moribundo, animal moribundo) **2** Que é próprio de quem está morrendo (aspecto moribundo) **3** Enfraquecido, sem energia (voz moribunda) **4** Que perdeu o viço, que está murchando (planta moribunda) **5** Que está prestes a extinguir-se (luz moribunda, paixão moribunda) *sm.* **6** Pessoa que está agonizante ou para morrer [F.: Do lat. *moribundus.*]

morigeração (mo.ri.ge.ra.*ção*) *sf.* **1** Ação ou resultado de morigerar(-se) **2** Moderação no modo de viver; boa educação; bons costumes [Pl.: *-ções.*] [F.: Do lat. *morigerationis.*]

morigerado (mo.ri.ge.*ra*.do) *a.* **1** Que se morigerou; que tem bons costumes, boa educação; MORÍGERO: *Todos o conheciam como um sujeito morigerado e trabalhador.* **2** Que demonstra disciplina, bons hábitos, moderação; REGRADO; MORÍGERO: *um estilo de vida morigerado.* [F.: Do lat. *morigeratus, a, um.*]

morigerante (mo.ri.ge.*ran*.te) *a2g.* Que morigera, que leva à morigeração [F.: *morigerar* + *-nte.*]

morigerar (mo.ri.ge.*rar*) *v. td.* **1** Ministrar ou ensinar bons costumes a; moderar os costumes de: *É preciso bons exemplos para morigerar a nova geração; Bebia muito, mas agora morigerou-se.* **2** Adquirir bons costumes ou moderar seus costumes: *Era um marginal, mas morigerou-se nas boas companhias.* *v. int.* **3** Incentivar a morigeração [▶ **1 morigerar**] [F.: Do lat. *morigerare.* Hom./Par.: *morigero* (1ªp.s.)/ *morígero* (adj.).]

morígero (mo.*rí*.ge.ro) *a.* Ver *morigerado* [F.: Do lat. *morigerus.*]

morim (mo.*rim*) *sm. Têxt.* Tecido branco e fino de algodão *N.E.*; MADAPOLÃO; MADRASTO [Pl.: *-rins.*] [F.: Do malaio *muri.*]

moringa (mo.*rin*.ga) *sf.* **1** *Bras.* Vasilha de barro, pequena ou grande, bojuda e de gargalo estreito, para guardar e refrescar água *N.E. RS*; QUARTA; QUARTILHA; QUARTINHA *MA MG*; BILHA **2** *RJ* Copo de barro, com tampa; QUARTINHA [F.: Do cafre *muringa*. Sin. ger.: *moringue.*]

moringue (mo.*rin*.gue) *sm.* Ver *moringa*

morioplastia (mo.ri:o.plas.*ti*.a) *sf. Cir.* Restauração cirúrgica de qualquer parte destruída de um órgão do corpo humano [F.: Do gr. *mórion* 'parte' + *plastia.*]

morituro (mo.ri.*tu*.ro) *sm. Pus.* O que vai perecer; o que está morrendo: "Só uma ou duas pessoas, de cada vez, revezavam-se junto do morituro. Era como uma rendição de moderada guarda." (João Guimarães Rosa, "Os Chapéus Transeuntes" *in Estas estórias*) [Tb. se emprega apositivamente.] [F.: Do lat. *moriturus, a, um.*]

mormaceira (mor.ma.*cei*.ra) *sf.* Mormaço (1) intenso [F.: *mormaço* + *-eira.*]

mormaço (mor.*ma*.ço) *sm.* **1** Tempo quente, abafado e úmido **2** *Bras. Pop.* Indivíduo chato, irascível, genioso **3** *PE Pop.* Ação de namorar; NAMORO [F.: De or. obsc., talvez de *mormo* < do lat. *morbus.*]

mormente (mor.*men*.te) *adv.* Principalmente, sobretudo: *o avanço nas últimas décadas, mormente na área tecnológica.* [F.: *mor* + *-mente.*]

mormo (*mor*.mo) [ô] *Med. Vet. sm.* Doença contagiosa dos equídeos, causada por certa bactéria e transmissível também ao homem, e a qual apresenta como sintomas ulceração da pele e das mucosas, esp. da mucosa nasal, e presença de nódulos [F.: Do lat. *morbus.*]

mórmon (*mór*.mon) *Rel. s2g.* **1** Adepto ou membro do mormonismo *a2g.* **2** Ref. ao mormonismo ou aos seus membros e adeptos: *a doutrina mórmon; os apologistas mórmons.* [Pl.: *-mons* e (p.us.) *-mones.*] [F.: Do ing. *mormon* < antr. *Mormon.*]

mormonismo (mor.mo.*nis*.mo) *Rel. sm.* Igreja cristã (Igreja de Jesus Cristo dos Santos dos Últimos Dias) organizada nos EUA em 1830 por Joseph Smith Junior, com base na crença de que Jesus Cristo é o Salvador da humanidade, escolhido por Deus antes mesmo de a humanidade vir à Terra. As "Regras da Fé" resumem os 13 principais pontos de sua doutrina [F.: Do ing. *mormonism.*]

mornança (mor.*nan*.ça) *sf.* **1** *N.E.* Ação ou resultado de mornar; DEMORA; LENTIDÃO **2** *Açor.* Clima quente e úmido, próprio do arquipélago dos Açores [F.: *mornar* + *-ança.*]

mornar (mor.*nar*) *v.* **1** Ver *amornar.* [*td. int.*] **2** Não ocorrer no tempo esperado; DEMORAR; TARDAR [▶ **1** mornar] [F.: *morn(o)* + *-ar.* Hom./Par.: *morno* (fl.), *morno* /ô/ (a.).]

mornidão (mor.ni.*dão*) *sf.* **1** Qualidade ou estado do que é pouco quente, morno, tépido; TEPIDEZ **2** *Fig.* Falta de energia; TIBIEZA; FROUXIDÃO [Pl.: *-dões.*] [F.: *morno* + *-i-* + *-dão.*]

morno (*mor*.no) [ô] *a.* **1** Diz-se de temperatura moderadamente quente (dia morno, chá morno); TÉPIDO **2** *Fig.* Pouco vibrante, pouco animado: *O ambiente na festa estava meio morno.* **3** Monótono, tedioso, maçante: *Leva uma vida morna.* [Pl.: [ó].] Fem.: [ó].] [F.: De or. contrv., talvez do espn. *modorro* > *modorno* > *morno.* Hom./Par.: *morno* (a.), *morno* (fl. de *mornar*).]

morocho (mo.*ro*.cho) [ô] *RS sm.* **1** Indivíduo moreno **2** Mestiço de índio com branco; CABOCLO *a.* **3** *RS* Que tem a pele morena **4** *RS* Diz-se de mestiço, descendente de índio com branco; CABOCLO [F.: Do espn. platino *morocho.*]

mororó (mo.ro.*ró*) *Bras. sm.* **1** *Ict.* Moreia da fam. dos murenídeos (*Gymnotorax moringa*), comum nas praias do Norte e Nordeste do Brasil, de cerca de 1 m de comprimento e corpo coberto de manchas escuras; temido pelos pescadores por sua agressividade; MOREIA-PINTADA; CARAMURU **2** *Bot.* Árvore da fam. das leguminosas (*Baubinia forficata*), encontrada nas florestas úmidas, cujas folhas têm propriedades medicinais; PATA-DE-VACA **3** *Amaz. Bot.* Ver *fruta-de-cachorro* (*Baubinia forficata*) [F.: Posv. do tupi *muroy'ró.*] ■ **Estar de ~** *MG PE Fam.* Estar doente, de cama

morosidade (mo.ro.si.*da*.de) *sf.* **1** Característica de quem ou do que é moroso; falta de rapidez; DEMORA; LENTIDÃO: *a morosidade do Judiciário no Brasil.* [Ant.: *rapidez.*] **2** Falta de energia; FROUXIDÃO [F.: Do lat. *morositatis.*]

moroso (mo.*ro*.so) [ô] *a.* **1** Que age, atua com morosidade, lentidão (funcionário moroso); LENTO; VAGAROSO [Ant.: *diligente, rápido.*] **2** Que demora a ser executado (processo moroso); DEMORADO [Ant.: *ligeiro, rápido.*] [Pl.: [ó]. Fem.: [ó].] [F.: Do lat. *morosus.*]

morrão (mor.*rão*) *sm.* **1** *Arm.* Tipo de mecha que se acendia para atear a pólvora e disparar o canhão **2** Ponta carbonizada de pavio **3** *Bot.* O mesmo que *cravagem* **4** *Agr. Bot.* Grão que apodrece na espiga do milho, do trigo, da aveia etc. por causa da cravagem [Pl.: *-rões.*] [F.: De or. obsc.]

morraria (mor.ra.*ri*.a) *sf.* Série de morros em uma determinada área: "Léguas a fio se sucedem de morraria áspera, onde reinam soberanos a saúva e seus aliados, (...)." (Monteiro Lobato, *Cidades Mortas*) [F.: *morro* + *-aria.*]

morredeira (mor.re.*dei*.ra) *a.* **1** *RS* Que morre facilmente: "Nunca perdeu uma guerra/Gente lá da minha terra/Não é raça morredeira (...)." (Teixeirinha, *Briga Bonita.*) *sf.* **2** *Bras. Gír.* Grande cansaço; fadiga intensa [F.: *morrer* + *-deira.*]

morredor (mor.re.*dor*) [ô] *a.* **1** Que está sujeito a morrer; MORTAL **2** *CE Pop.* Que não tem coragem; COVARDE; PUSILÂNIME **3** *Bras.* Diz-se de local onde ocorrem mortes reais ou simbólicas **4** Diz-se de local de onde a caça não consegue fugir **5** Diz-se da parte de um curral de peixe onde os peixes ficam presos **6** *PR Hip.* Diz-se do local de chegada, nas corridas de cavalos *sm.* **7** Aquele que morre, que está sujeito à morte **8** *CE Pop.* Indivíduo falto de coragem; COVARDE **9** *Bras.* Local onde acontecem mortes reais ou simbólicas **10** Lugar de onde a caça dificilmente pode fugir **11** *SP* Divisão do curral de peixes onde os peixes ficam presos **12** *PR Hip.* Nas corridas de cavalos, a meta, o lugar da chegada [F.: *morrer* + *-dor.* Sin. ger.: *morredouro.*]

morredouro (mor.re.*dou*.ro) *a.* **1** Que está para morrer; MORIBUNDO [Ant.: *nascedouro.*] **2** Que tem pouca duração; PASSAGEIRO; TRANSITÓRIO **3** Que não apresenta vigor, que é débil, frágil *sm.* **4** Lugar insalubre, em que ocorrem muitas mortes *a.sm.* **5** *Bras.* Ver *morredor* [F.: *morrer* + *-douro*².]

morremorrer (mor.re.mor.*rer*) *v. int.* Morrer aos poucos, devagar: *Esteve morremorrendo por vários dias.* [▶ **2** morremorrer] [F.: *morre* + *morrer.*]

morre não morre (mo.re não *mor*.re) *a2g2n.* Que está agonizando ou acabando: "Rui estava morre não morre e já um vizinho nosso antecipava: "o maior dos brasileiros mortos"." (Nelson Rodrigues, "Sem Medo do Conselheiro Acácio" *in O Óbvio Ululante*)

morrente (mor.*ren*.te) *a2g.* Que morre; que está morrendo; MORIBUNDO: "(...) os campos (...) serenos, verdes, clareados pela luz macia do sol morrente, (...)." (José Simões Lopes Neto, "Trezentas Onças" *in Contos Gauchescos.*) [Ant.: *nascente.*] [F.: *morrer* + *-nte.*]

morrer (mor.*rer*) *v.* **1** Perder a vida; EXPIRAR; FALECER [*int.*: *Os cravos morreram; O banqueiro morreu jovem/em meio a muitas dores.*] **2** *Fig.* Desaparecer aos poucos, acabar(-se) [*int.*: *O dia já ia morrendo, e as luzes se acenderam.*] **3** *Fig.* Parar de funcionar (veículo, motor, mecanismo) [*int.*: *O motor morreu de repente; O carro morreu.*] **4** *Fig.* Findar, extinguir-se [*int.*: *O amor deles foi intenso, mas já morreu.*] **5** *Fig.* Não chegar a realizar-se; abortar-se [*int.*: *Nosso acordo morreu.*] **6** *Fig.* Cair no esquecimento [*int.*: *A memória de seus feitos nunca morrerá.*] **7** *Fig.* Ter, experimentar intensamente (sentimento, sensação, necessidade) [*tr.* +*de*: *Morrer de fome/de amor.*] **8** *Bras. Gír.* Despender (dinheiro) [*tr.* +*em*: *Fomos lanchar e morremos em vinte reais.*] **9** Sentir dor física ou atormentar-se [*tr.* +*de*: *Morrer de arrependimento/de frio.*] **10** Não chegar a ocorrer [*int.*: *Ia xingar a mulher, mas a ofensa morreulhe na garganta.*] **11** Tomar atitude de renúncia; renegar [*tr.* +*para*: *Disse que não votava mais, que tinha morrido para a política.*] **12** Perder a luminosidade [*int.*: *A luz da lâmpada foi apagando, apagando e morreu.*] **13** Ser alvo de; sofrer [*td.*: *Não queria morrer de um equívoco qualquer.*] **14** Desejar com grande ardor [*tr.* +*para, por*: *Morria para/por conhecer aquele segredo.*] [▶ **2** morrer] [F.: Do lat. vulg. *morere* (clássico *mori*). Hom./Par.: *morro* (1ªp.s.)/ *morro* /ô/ (s.m.). Ant. ger.: *nascer.*] ■ **de ~** *Bras. Gír.* Muito bonito, lindíssimo **~ de rir** Rir muito, rir às bandeiras despregadas **~ na praia** *Pop.* Fracassar ou não conseguir algo depois de ter, com muito esforço, quase conseguido

morrete (mor.*re*.te) [ê] *sm.* Morro de pouca altura: "(...) ampla e elegante casa, erigida à beira de um morrete (...)." (*Revista Imprensa*, 03.2003) [Dim. irreg. de *morro.*] [F.: *morro* + *-ete.*]

morrião (mor.ri:*ão*) *sm. Mil. Vest.* Antigo capacete militar, sem viseira, ger. enfeitado com plumas ou outro tipo de adorno [Pl.: *-ões.*] [F.: Do espn. *morrión.*]

morrinha (mor.*ri*.nha) *sf.* **1** *Vet.* Espécie de sarna que ataca epidemicamente o gado **2** *P.ext. Vet.* Qualquer doença epidêmica que ataca o gado **3** *Bras.* Cheiro forte e desagradável exalado por animal ou pessoa; INHACA: *Depois de três dias sem se banhar, ele exalava uma morrinha terrível.* **4** Sentimento de melancolia, de tristeza **5** Falta de disposição, de vontade para fazer alguma coisa; PREGUIÇA *a2g.* **6** *Bras. Pop.* Que é lerdo, lento (motorista morrinha) **7** *Bras. Pop.* Que é entediante, maçante, aborrecido (conversa/sujeito morrinha) [F.: Or. contrv., ger. relacionado a *morrer.*]

morrinhar (mor.ri.*nhar*) *v.* **1** Sofrer morrinha, prostração; amorrinhar-se [*td. int.*] **2** *Bras. Pop.* Entediar(-se), chatear(-se) [*td.*] [*int.*] **3** *Bras. Pop.* Demorar mais tempo do que deveria; prolongar-se, retardar-se [*int.*: *Ficava morrinhando horas e horas.*] [*tr.* +*com*: *O advogado morrinhou demais com o processo.*] [▶ **1** morrinhar] [F.: *morrinha* + *-ar.*]

morrinhento (mor.ri.*nhen*.to) *a.* **1** Atacado de morrinha (1) **2** *Bras. pop.* Fedorento, que tem morrinha (3) **3** Que está muito enfraquecido; ACHACADIÇO; MORREDIÇO **4** Prostrado, alquebrado **5** Que se encontra triste, melancólico; MACAMBÚZIO **6** Enevoado, chuvoso (dia morrinhento) **7** Tardo, vagaroso **8** Diz-se de coisa que se prolonga de modo maçante (jogo morrinhento) [F.: *morrinha* + *-ento.*]

morro (*mor*.ro) [ô] *sm.* **1** *Geol.* Monte de pequena elevação; outeiro **2** *Geol.* Terra rija a modo de piçarra (1, 4); pedreira **3** *RJ* Favela localizada em morro: *Ela mora no morro.* **4** O conjunto das pessoas que moram em uma favela desse tipo: *O grande medo da classe média é que um dia o morro desça.* [F.: De or. contrv., talvez pré-matura.] ■ **Descer o ~** *RJ Pop.* Falar ou comportar-se com grosseria **~ de chapéu** *BA MG* Topo ou cume de algo com uma saliência na forma de aba de chapéu. **~ de muchém** *Moç.* Morrinho de terra e outros materiais construído por cupins para ser seu ninho; cupinzeiro **~ pelado** *AM* Pequeno morro com alto teor de hidróxido de ferro (canga) e vegetação arbórea rala

morrudo (mor.*ru*.do) *S a.* **1** Muito alto, comprido **2** Grande, volumoso, corpulento **3** *Pop.* Que tem músculos fortes e desenvolvidos; MUSCULOSO **4** *Mil.* Diz-se da tropa composta de muitas cabeças **5** Gordo, bem-criado [F.: Do espn. platino *morrudo.*]

morruga *s2g. Pop.* Indivíduo fixado em ganhar e acumular dinheiro; AVARENTO; SOVINA

morsa (*mor*.sa) [ó] *sf.* **1** *Zool.* Grande mamífero marinho (*Odobenus rosmarus*), da fam. dos odobenídeos, habitante dos mares árticos, dotados de grandes presas e de membros modificados em nadadeiras, como as focas e leõesmarinhos, e que chegam a pesar duas toneladas **2** *Mec.* Instrumento de ferro que se fixa a uma mesa de trabalho, e que consiste de duas partes que se podem aproximar ou afastar uma da outra, para fixar peça na qual se trabalha com lima, serra etc. [F.: Do fr. *morse.*]

morsegar (mor.se.*gar*) *v. td.* **1** Partir ou tirar com os dentes **2** Fazer marca de dentada **3** Morder de leve e demorado; MORDICAR, MORDISCAR **4** *Fig.* Causar ofensa moral, ferir (a sensibilidade) [▶ **14** morsegar] [F.: Do lat. *morsicare.* Hom./Par.: *morsegar* (todos os tempos do v.); *morsego* (fl.), *morcego* /ê/ (sm.).]

mortadela (mor.ta.*de*.la) *sf. Cul.* Espécie de salame grande e largo, feito com carne bovina ou suína e condimentos [F.: Do it. *mortadella.*]

mortal (mor.*tal*) *a2g.* **1** Que está sujeito à morte: *Somos todos criaturas mortais.* **2** Que causa a morte; MORTÍFERO: *O lutador deu um golpe mortal.* **3** Que não tem forças nem vigor; lânguido (1) **4** Que está com aparência de morte; MORIBUNDO; MORREDIÇO **5** Que é encarniçado, figadal, capital (inimigo/ódio mortal) **6** Proveniente de corpo morto (restos mortais) **7** Enfadonho, fastidioso; insuportável: *Esperei por ela duas mortais horas.* **8** *Fig.* Que é tão intenso a ponto de supostamente poder levar à morte (tristeza mortal) **9** *Rel.* Diz-se de pecado capaz de ocasionar a perdição de um ser humano *sm.* **10** O ser humano, a espécie humana: *Os deuses do Olimpo relacionavam-se com os mortais.* [F.: Do lat. *mortalis, e.*]

mortalha (mor.*ta*.lha) *Vest. sf.* **1** Veste que envolve o morto a ser sepultado **2** Vestimenta branca que o penitente usa nas procissões **3** *Lus.* Tira de papel com a qual se embrulha o fumo para fazer cigarro [F.: Do lat. *mortualia.*]

mortalidade (mor.ta.li.*da*.de) *sf.* **1** A qualidade ou a condição do que ou de quem é mortal [Ant.: *imortalidade.*] **2** A qualidade ou condição de tudo que pode produzir a morte: *a mortalidade do veneno da viúva-negra.* **3** O número ou a quantidade de seres que morrem em certa época ou de uma determinada doença; MORTANDADE; OBITUÁRIO [F.: Do lat. *mortalitas.*]

mortandade (mor.tan.*da*.de) *sf.* **1** A quantidade de seres que morrem em um determinado espaço de tempo por efeito de uma epidemia ou de qualquer outra causa; mortalidade (3): *A mortandade de peixes na lagoa surpreendeu a todos.* **2** Matança, massacre, carnificina [F.: Do lat. *mortalitas, atis.*]

morte (*mor*.te) *sf.* **1** Cessação definitiva da vida ou da existência: *A morte do pai o deixou sozinho no mundo.* **2** O desaparecimento ou o fim de qualquer coisa (morte de uma civilização/das ilusões) **3** *Fig.* Dor acerba, grande pesar ou sofrimento: *A partida da mulher foi a morte para ele.* **4** *Fig.* Destruição, perdição, termo; RUÍNA: *Os maus sacerdotes são muitas vezes a causa da morte da religião.* **5** Divindade mitológica representada por um esqueleto humano armado de uma foice [F.: Do lat. *mors, mortis.*] ■ **Chorar a ~ da bezerra** *Bras. Pop.* Lamentar o que poderia ter mas já não tem remédio **De ~** Letalmente, mortalmente: *No duelo, foi ferido de morte, e não resistiu.* **~ agônica** Aquela precedida de agonia, estertores etc. **~ cardíaca** *Med.leg.* Cessação irreversível das contrações ventriculares e cardíacas, com fracasso de tentativas mecânicas (massagem, choque etc.), respiratórias e medicamentosas para normalizá-las **~ cerebral** *Med.leg.* Cessação irreversível (e não causada por hipotermia ou medicamentos depressores) de toda atividade cerebral, com parada da respiração ou qualquer ação muscular espontânea, da reação a estímulos, e com registro nulo de atividade cerebral no eletroencefalograma [Em muitos sistemas legais, configura a morte sob o ponto de vista legal.] **~ civil** *Dir. Hist.* Pena que confiscava a um indivíduo seus bens e todos os direitos civis **~ clínica** *Med.leg.* Estado orgânico em que se somam parada respiratória, parada cardíaca e perda de consciência, não necessariamente definitivas **~ cósmica** *Astron.* Segundo algumas teorias cosmogônicas, situação na qual o Universo estará em equilíbrio térmico; morte térmica **~ matada** *Bras. Pop.* Morte por assassinato **~ morrida** *Fam.* Ver *Morte natural* **~ natural** **1** Morte causada por doença ou por falência orgânica devido a idade avançada **2** *Jur.* Morte determinada por sentença **~ presumida** *Jur.* Aquela, não constatada, que a lei determina ter ocorrido a indivíduo, ao presumi-la de sua ausência prolongada **~ súbita** *Esp.* Em partidas esportivas terminadas em empate, sistema de decisão que consiste em, em tempo suplementar, dar a vitória ao time que fizer o primeiro gol ou marcar o primeiro ponto **~ térmica** *Astron.* Ver *Morte cósmica* [Cf.: *Ser de morte.*] **Pensar na ~ da bezerra** Estar distraído, absorto **Ser de ~** **1** *Bras. Fam.* Ser (pessoa) de difícil trato, difícil de aturar **2** Ser levado, traquinas, imprevisível (pode ter conotação carinhosa) **3** Ser muito bom, competente: *Esse meu time é de morte, foi campeão invicto.*

morteiro (mor.*tei*.ro) *sm.* **1** *Mil.* Pequeno canhão portátil, curto, grosso e de boca larga, com grande ângulo de elevação, com que se lançam bombas **2** Peça de ferro de pequenas dimensões que se enche de pólvora para dar tiros, imitando as salvas de artilharia **3** *Bras. P.ext.* Pequena peça cilíndrica de papelão carregada de pólvora, us. para lançar fogos de artifício [F.: Do fr. *motier* 'canhão curto de boca larga'.]

morticínio (mor.ti.*cí*:ni.o) *sm.* Ver matança [F.: Posv. rad. do lat. *morticinus, a, um.*]

mortiço (mor.*ti*.ço) *a.* **1** Morrediço, à beira da morte *a.* **2** Que está quase se apagando, se extinguindo: *a luz mortiça de uma pequena chama.* **3** Que é desprovido de brilho, de vivacidade (olhar mortiço); DESANIMADO [F.: *morte* + *-iço.*]

mortífero (mor.*tí*.fe.ro) *a.* Que causa morte (armas mortíferas); MORTAL [F.: Do lat. *mortifer* ou *mortiferus*.]
mortificação (mor.ti.fi.ca.*ção*) *sf.* **1** Ação ou resultado de mortificar(-se) **2** Sentimento de desgosto, aflição, tormento **3** Flagelação do próprio corpo ou privação de alimentos, água etc. com o objetivo de vencer as tentações corporais e alcançar um estado de suposta espiritualização **4** *Med.* Falta de vida em tecido ou parte do corpo; GANGRENA; NECROSE **5** *Neur.* Paralisia parcial da musculatura [Pl.: *-ções*.] [F.: Do lat. *mortificatio, onis*.]
mortificado (mor.ti.fi.*ca*.do) *a.* **1** Que impôs flagelos a si mesmo **2** Que se encontra aflito, atormentado, apoquentado: *Ficou mortificado com a notícia.* **3** *Fig.* Que é desprovido de intensidade, de vida (olhar mortificado) **4** *Med.* Que se encontra morto (diz-se de tecido ou parte do corpo); GANGRENADO; NECROSADO [F.: Part. de *mortificar*.]
mortificante (mor.ti.fi.*can*.te) *a2g.* Que mortifica; que castiga ou faz sofrer (dúvida mortificante) [F.: Do lat. *mortificans, ntis*.]
mortificar (mor.ti.fi.*car*) *v. td.* **1** Atormentar (o corpo ou parte do corpo) com penitência(s) ou castigo(s); CASTIGAR(-SE): *Mortificou os pés caminhando sobre pedras.* **2** *Fig.* Afligir(-se), torturar(-se): *A atitude do filho mortificou seu coração;* "Ah! senhor, não se mortifique assim por amor de uma infeliz..." (Bernardo Guimarães, *A Escrava Isaura*) **3** *Fig.* Amortecer o corpo ou parte dele; entorpecer: *O frio mortificou seu corpo e seu ânimo.* **4** Extenuar(-se), esfalfar(-se): *O excesso de trabalho mortificou-o.* **5** Extinguir(-se), dissipar(-se) [*td.*: *Felizmente, o tempo mortificou aquela dor.*] [▶ 11 mortificar] [F.: Do lat. *mortificare*. Ant. ger.: *desmortificar*.]
morto (*mor*.to) [ô] *a.* **1** Que morreu **2** Em que não há vida (matéria morta) **3** *Fig.* Em que há pouca atividade, pouco movimento e diversão (festa morta, cidade morta) **4** Que é desprovido de brilho, de expressão (olhar morto) **5** Que não tem cor: *Fez na casa uma decoração morta.* **6** Que secou (diz-se de vegetal) (folhas mortas) **7** Que se extinguiu, que se apagou (fogo morto) **8** Que deixou de funcionar ou de agir: *Esse motor está morto.* **9** Que se encontra muito cansado, exausto: *Chegou morto ao final da corrida.* **10** Possuído em excesso de algum sentimento, de alguma sensação agradável ou penosa [*+de*: *morto de alegria, morto de fome, morto de ciúmes.*] **11** *Fam. Lud.* Em certos jogos de baralho, mão que é recolhida pelo primeiro jogador a colocar todas as suas cartas **12** Insensível, indiferente a qualquer sentimento *sm.* **13** Aquele que morreu; DEFUNTO: *O morto estava no caixão.* [F.: Do lat. *mortuus, a, um*.] ■ **~ de** Us. para dar ideia de grande intensidade (de um estado, uma sensação, um sentimento etc.): *Chegou em casa morta de sono (i.e., com muito sono); Estamos mortos de fome (i.e., muitíssimo famintos).* **~ e enterrado** *Fig.* Completamente esquecido: *Não se fala mais nisso, este assunto está morto e enterrado.* **~ e vivo** *N.E.* Fantasma, aparição, espectro (1) **Nem ~** *Bras.* Em nenhuma hipótese, de maneira alguma (ref. a ação, atitude etc. de um indivíduo): *Não vou voltar a fumar, nem morto.* **Ser ~ e vivo em** *N.E. Lus. Fam.* Frequentar (um lugar) assiduamente
mortório (mor.*tó*.ri.o) *sm.* **1** Ação de sepultar; ENTERRO; SEPULTAMENTO **2** Falecimento, morte **3** *Hort.* Parte das sementeiras na qual a germinação não ocorreu **4** *PE* Falta de atividade ou trabalho; ÓCIO [F.: or. contrv.] ■ **Estar/ficar em ~ 1** Não ser lembrado; estar esquecido **2** Estar abandonado, descuidado, sem cultivo (terreno, solo) **3** *Fig.* Estar (algo) sem uso, sem serventia
morto-vivo (mor.to-*vi*.vo) *Pop. sm.* **1** Indivíduo morto que fantasticamente aparece e age como se estivesse vivo **2** Indivíduo que está à beira da morte; MORIBUNDO [Pl.: *mortos-vivos*.]
mortuárias (mor.tu:*á*.ri:as) *sfpl.* **1** *Ant. Ecles.* Imposto proporcional aos bens de um morto que antigamente se pagava à Igreja **2** Covas destinadas ao sepultamento dos mortos [F.: Fem. pl. substv. de *mortuário*.]
mortuário (mor.tu:*á*.ri:o) *a.* Ref. a morte ou aos mortos (câmara mortuária); FÚNEBRE [F.: Do lat. *mortuarius,a,um*.]
morubixaba (mo.ru.bi.*xa*.ba) *Bras. sm.* **1** Líder, chefe de tribos indígenas no Brasil. Também se diz *murumuxaua, muruxaua, tubixaba* e *tuxaua*; CACIQUE; CURACA **2** *Pop.* Aquele que chefia, comanda uma organização ou instituição social de qualquer natureza; MANDACHUVA; PATRÃO [F.: Do tupi-guar. *morumbi'xawa* 'chefe indígena'.]
mórula (*mó*.ru.la) *sf.* Pequena demora ou espera na realização de qualquer negócio [F.: Do lat. *morula, ae*.]
mosaicista (mo.sa:i.*cis*.ta) *Art.pl. a2g.* **1** Que trabalha em obras de mosaico *s2g.* **2** *Art.pl.* Artista que produz obras de arte utilizando mosaico [F.: *mosaico* + *-ista*. Sin. ger.: *mosaísta*.]
mosaico¹ (mo.*sai*.co) *sm.* **1** *Art.pl.* Conjunto de pedras coloridas incrustadas, dispostas de maneira a formar desenhos ou padrões **2** *Art.pl.* A arte de dispor essas pedras de modo que se formem esses desenhos ou padrões **3** *P.ext.* Qualquer objeto formado a partir da combinação de muitas partes ou peças **4** *Fig.* Qualquer objeto de natureza abstrata ou intelectual — como uma teoria, um poema etc. — formado a partir da combinação de vários elementos distintos e que preexistem ao todo **5** Capa de livro, caderno etc. em que se sobrepõem peças de couro de diversos formatos e cores **6** Nome comum a determinadas doenças que atacam plantas, dando a suas folhas uma coloração variegada com manchas semelhantes ao mosaico (1) (mosaico da cana-de-açúcar/do tabaco) *a.* **7** Feito com mosaico, ou em disposição de mosaico (um teto mosaico) [F.: Do it. *mosaico*, do lat. medv. *musaicum*.] ■ **~ fluido** *Cit.* Em hipótese, modelo segundo o qual os lipídios da membrana plasmática de uma célula formam um fluido no qual as proteínas se distribuem na forma de um mosaico
mosaico² (mo.*sai*.co) *a.* **1** *Rel.* Ref. ao líder e profeta bíblico Moisés (lei mosaica) **2** *P.ext.* Hebraico, judaico
mosaísmo (mo.sa:*ís*.mo) *sm.* *Rel.* Conjunto doutrinário e litúrgico hebraico, que segue as leis de Moisés, fundador da religião judaica [F.: Do fr. *mosaïsme*.]
mosaísta (mo.sa:*ís*.ta) *a2g.s2g.* *Art.pl.* Ver *mosaicista* [F.: Alt. de *moisaicismo*, com síncope.]
mosca (*mos*.ca) [ô] *sf.* **1** *Zool.* Nome comum dado a diversas spp. de insetos dípteros, da fam. dos muscídeos e de diversas outras fam., que vivem muitas vezes associadas ao homem ou a animais domésticos **2** O pequeno círculo central, ger. negro, do conjunto de círculos concêntricos que constitui alvo us. em exercícios ou competições de pontaria [F.: Do lat. *musca, ae*. Ideia de: *mosc-*.] ■ **Acertar na ~** *Fig* Acertar em cheio **Às ~s 1** *Pop.* Sem ou quase sem público, clientes, frequentadores; vazio, abandonado: *A peça é um fracasso, o teatro vive às moscas.* **2** No ócio, ou ocupado com bobagens: *Anda às moscas, procurando o que fazer.* **Comer ~ 1** *Bras. Gír.* Não perceber algo, perdendo com isso uma oportunidade: *Foi sorteado, mas comeu mosca e acabou não recebendo o prêmio.* **2** Ser enganado, logrado **Dar ~** No jogo da roleta, sair um número repetido **~ azul** *Fig.* A ambição de ter poder ou a aspiração a ser glorificado [Us. ger. com referência a quem busca situação ou cargo de mando ou de prestígio, em expressões como *estar com a mosca azul, ser picado pela mosca azul* etc.] **~s volantes** *Oft.* Manchas brilhantes que em certas situações (p.ex., em enxaquecas) parecem movimentar-se no campo visual; escotoma cintilante **Na ~** Bem no alvo; com acerto ou precisão **Papar ~** *Bras. Gír.* Ver *Comer mosca*
moscadeira (mos.ca.*dei*.ra) *sf.* *Bot.* Noz-moscada [F.: *moscado* + *-eira*.]
moscadeiro (mos.ca.*dei*.ro) *sm.* Espécie de abano ou vassoura para enxotar moscas [F.: *mosca* + *-deiro*.]
moscado (mos.*ca*.do) *a.* Que possui um forte odor; ALMISCARADO; AROMÁTICO [Do lat. medv. *muscatus*.]
mosca-morta (mos.ca-*mor*.ta) *Pop. s2g.* **1** Indivíduo apático, indolente, que não faz mal a ninguém **2** Pessoa sonsa que, com aparência inocente e inofensiva, é capaz de prejudicar os outros **3** Pessoa que não se arrisca a fazer aposta(s) no turfe [Pl.: *moscas-mortas*.]
moscar (mos.*car*) *v. int.* **1** *Bras. Pop. joc.* Não perceber (algo), deixar-se engabelar; comer mosca; BOBEAR **2** Fugir perseguido pelas moscas **3** Desaparecer da presença de alguém; SUMIR-SE: *Armou a confusão e moscou-se.* [▶ 11 moscar Para as acps. 2 e 3, praticamente em desuso na língua contemporânea, dicionários e gramáticas normativas preconizam a alteração de 'o' em 'u' nas formas rizotônicas: *musco, muscas, muscam*.] [F.: *mosca*¹ + *-ar*². Hom./Par.: *mosca(s)* (fl.), *mosca(s)* (sf. [pl.]); *mosco* (fl.), *mosco* (a.sm.).]
moscardo (mos.*car*.do) *sm.* **1** *Zool.* Ver *mutuca* **2** *PE Gír.* Polícia secreta [F.: Do espn. *moscardo*, aum. de *mosca*.]
moscatel (mos.ca.*tel*) *a2g.* **1** *Enol.* Diz-se de um tipo de uva de bago redondo e muito agradável ao paladar [Há duas variedades: branca e roxa.] **2** *Enol.* Diz-se do vinho feito a partir da fermentação dessa uva (vinho moscatel) *sm.* **3** *Enol.* Esse vinho: *Bebeu uma taça de moscatel.* *a2g.* **4** *Agr.* Variedade de figo muito saboroso **5** *Agr.* Variedade de pera de cheiro almiscarado **6** *Agr.* Variedade de maçã [F.: Do cat. *moscatell*.]
mosca-varejeira (mos.ca-va.re.*jei*.ra) *sf.* *Ent.* Nome comum a várias spp. de moscas que se caracterizam por depositar seus ovos na carne de animais vivos ou mortos; VAREJEIRA [Pl.: *moscas-varejeiras*.]
moscovita (mos.co.*vi*.ta) *s2g.* **1** Pessoa nascida em Moscou, capital da Federação Russa *a2g.* **2** De Moscou; típico dessa cidade ou de seu povo *sf.* **3** *Min.* Mineral monoclínico do grupo das micas, branco ou amarelado, que tem grande aplicação como isolante [F.: *Moscóvia* (Moscou) + *-ita* 2.]
mosqueado (mos.que.*a*.do) *a.* Que tem pintas ou pequenas manchas escuras, semelhantes a moscas (pele mosqueada); PINTALGADO; SARAPINTADO [F.: Part. de *mosquear*.]
mosqueamento (mos.que:a.*men*.to) *sm.* Ação ou resultado de mosquear; SALPICAMENTO [F.: *mosquear* + *-mento*.]
mosquear (mos.que.*ar*) *v.* **1** Cobrir(-se) de pintas, manchas etc.; SARAPINTAR(-SE) [*td.*: *O luar mosqueava a campina.*] **2** *RS* Abanar, afugentar (insetos, moscas etc.) com a cauda [*int.*: *O boi mosqueava, sonolento.*] **3** *Bras. Gír.* Andar sem rumo, vagabundear, bestar [*int.*: *Vivia pelas ruas, mosqueando.*] [▶ 13 mosquear] [F.: *mosca* + *-ear*.]
mosquedo (mos.*que*.do) [ê] *Pop. sm.* **1** Lugar onde há muitas moscas **2** Grande quantidade de moscas [F.: *mos(ca)* > *qu* + *-edo*. Sin. ger.: *mosqueiro*.]
mosqueiro (mos.*quei*.ro) *sm.* **1** Lugar onde há muitas moscas; MOSQUEDO **2** Grande quantidade de moscas; MOSQUEDO: "(...) cabeceando fleumaticamente, para enxotar o mosqueiro." (José Américo de Almeida, *Bagaceira*) **3** Qualquer utensílio próprio para apanhar ou afugentar moscas; MOSCADEIRO **4** *Bras. Joc. Pop.* Hospedaria reles; ESPELUNCA [F.: *mos(ca)* > *qu* + *-eiro*.]
mosqueta (mos.*que*.ta) [ê] *Bras. Bot. sf.* **1** Ver *bogari* **2** Arbusto rosáceo (*Rosa-canina*, L.); tb. *rosa-canina* [F.: Do espn. *mosqueta*.]
mosquetaço (mos.que.*ta*.ço) *sm.* Tiro dado com mosquete; MOSQUETADA [F.: *mosquete* + *-aço*.]
mosquetão¹ (mos.que.*tão*) *sm.* *Bras. Exérc.* Arma de fogo semelhante ao fuzil, porém mais leve e curta, usada pela cavalaria e pela artilharia [Pl.: *-ões*.] [F.: *mosquete* + *-ão*.]
mosquetão² (mos.que.*tão*) *sm.* **1** Peça metálica que prende o relógio de algibeira à corrente que o segura **2** *Esp.* No montanhismo, elo metálico provido de mola, para ligar cordas, outros mosquetões ou equipamentos [Pl.: *-ões*.] [F.: Do fr. *mosqueton*.]
mosquetaria (mos.que.ta.*ri*.a) *sf.* **1** Grande quantidade de mosquetes ou de tiros de mosquetes **2** *P.ext.* Tiros disparados por qualquer arma de fogo **3** Grande quantidade de mosqueteiros **4** *Lus.* Mesmo que *bofetada, tabefe* [F.: *mosquete* + *-aria*.]
mosquete (mos.*que*.te) [ê] *sm.* **1** Antiga arma de fogo semelhante à espingarda, porém mais pesada, que para ser disparada, precisava ser apoiada sobre uma forquilha **2** *Lus. Fam.* Tabefe, bofetada dada com as costas da mão [F.: Do it. *moschetto*.]
mosquetear (mos.que.te.*ar*) *v. td. int.* Dar tiros de mosquete [▶ 13 mosquetear] [F.: *mosquet(e)* + *-ear*.]
mosqueteiro (mos.que.*tei*.ro) *sm.* **1** *Mil.* Em tempos antigos, soldado da infantaria que lutava com um mosquete **2** *Hist.* Na França do século XVII, nobre que fazia parte de um dos dois corpos de guarda que protegiam, respectivamente, o rei e o cardeal Richelieu [F.: *mosquete* + *-eiro*.]
mosquitada (mos.qui.*ta*.da) *sf.* *Bras.* Grande quantidade de mosquitos; MOSQUITARIA [F.: *mosquito* + *-ada*¹.]
mosquiteiro (mos.qui.*tei*.ro) *sm.* Cortinado para proteção contra mosquitos, colocado ger. sobre cama ou berço [F.: *mosquito* + *-eiro*.]
mosquito (mos.*qui*.to) *sm.* *Ent.* Nome comum dado a várias spp. de insetos dípteros, esp. da fam. dos culicídeos, com larvas aquáticas, pernas longas e finas e cujas fêmeas, hematófagas, podem servir como importantes vetores na transmissão de diversas doenças ao homem; MURIÇOCA; PERNILONGO
mosquito-palha (mos.qui.to-*pa*.lha) *Bras. Ent. sm.* **1** Ver *maruim* **2** Ver *flebótomo* [Pl.: *mosquitos-palhas* e *mosquitos-palha*.]
mossa (*mos*.sa) [ó] *sf.* **1** Marca deixada no corpo por pancada ou pressão **2** Entalho, rebaixo ou cavidade na madeira, em ferro etc. **3** *Fig.* Abalo moral em consequência de experiência ou situação negativa: *O escândalo não produziu mossas nele.* **4** *RS* Sinal, corte feito na orelha do gado [F.: Do lat. *morsa,ae*. Hom./Par. *moça*.]
mostarda (mos.*tar*.da) *sf.* **1** *Cul.* Semente da mostardeira, que serve como condimento de sabor picante **2** *Cul.* Pasta, amarela ou amarronzada, feita do pó ou farinha dessa semente com mosto, vinagre, sal e condimentos, us. em diversos pratos e sanduíches **3** *Bot.* Mostardeira [F.: Do fr. ant. *mostarde*.] ■ **Subir a ~ ao nariz (de)** *Pop.* Ficar ou fazer (alguém) ficar irritado; perder ou fazer (alguém) perder a paciência
mostardeira (mos.tar.*dei*.ra) *sf.* **1** *Bot.* Nome comum a algumas espécies de plantas da fam. das crucíferas que possuem folhas comestíveis e cujas sementes fornecem a mostarda; MOSTARDA **2** O vaso em que se serve na mesa o molho preparado com a semente da mostardeira [F.: *mostarda* + *-eira*.]
mostardeiro (mos.tar.*dei*.ro) *sm.* **1** Aquele que cultiva ou negocia com mostarda **2** Recipiente próprio para servir mostarda à mesa **3** *Bot.* Ver *mostarda* [F.: *mostarda* + *-eiro*.]
mosteiro (mos.*tei*.ro) *sm.* **1** *Arq.* Habitação onde vivem em comunidade monges ou monjas; CONVENTO **2** *ant.* A cela em que, separadamente, vivia cada religioso ou religiosa [F.: Do gr. *monastérion, ou*.]
mosto (*mos*.to) [ô] *sm.* **1** Sumo de uvas recém-expremido, antes de passar pelo processo de fermentação **2** *P.ext.* Sumo de quaisquer outras frutas que contenham açúcar no ato da fermentação **3** *Enol.* Vinho fresco, retirado da fermentação [F.: Do lat. *mustum, i*.]
mostra (*mos*.tra) *sf.* **1** Ação ou resultado de mostrar(-se); EXIBIÇÃO **2** Exposição de obras artísticas, científicas etc. **3** Sinal ou indício de algo; MANIFESTAÇÃO: *Aquilo era uma mostra do caráter do rapaz.* **4** Aspecto exibido por algo ou alguém; APARÊNCIA: *Pela mostra, desaprovou o projeto.* **5** *Mil.* Inspeção de pessoal, de armamento e equipamento com o propósito de verificar as condições de um corpo de tropa; revista (1) **6** *Mil.* Documento relativo a essa inspeção [F.: Regress. de *mostrar*.] ■ **À ~** Em exposição, em evidência: *O vestido deixava-lhe as costas à mostra; Sua expressão punha à mostra todo o seu rancor.* **Dar ~s de** Dar sinais de, deixar perceber, demonstrar
mostrador (mos.tra.*dor*) [ô] *a.* **1** Que mostra, que revela, que manifesta *sm.* **2** Visor que fornece informações sobre o funcionamento de certos aparelhos, esp. os eletrônicos, ou máquinas **3** Parte do relógio que exibe as marcas das horas e dos minutos: "Que horas são? Não posso ver o mostrador assim às escuras." (Graciliano Ramos, *São Bernardo*) **4** Vidraça em que nas lojas estão expostas ao público os objetos para vender; VITRINA [F.: Do lat. *mostrator, oris*.]
mostrar (mos.*trar*) *v.* **1** Apresentar(-se) à visão de outrem [*td.*: *A foto mostra Sérgio na varanda.*] [*tdi. +a*: *Mostrou à amiga o livro que ganhara.*] **2** Refletir ou reproduzir imagem [*td.*: *O lago mostrava a lua.*] [*tdi. +a*: *O espelho mostrou ao incansável líder o quanto envelhecera.*] **3** Demonstrar, expor, apontar [*td.*: *Estes fatos mostram a justeza de sua previsão.*] [*tdi. +a*: *Mostrou ao amigo as falhas do seu comportamento.*] **4** Indicar, denotar, revelar(-se) [*td.*: *A mobilização das tropas mostra que haverá guerra;* "...o tom

de voz mostrava uma certa preocupação..." (Ana Maria Machado, *A Audácia dessa Mulher*)] 5 Tornar claro, evidente; provar [*td.*: *O advogado mostrou a inocência do réu.*] 6 Apresentar, exibir [*tdi.* +*a.*: *Mostrou o novo apartamento à mulher.*] 7 Fazer ver ou notar (algo) a (alguém) [*tdi.* +*a*: *Mostrou ao motorista que não estava para brincadeiras.*] 8 Deixar transparecer; expor; EXIBIR; OSTENTAR [*td.*: *Sempre mostrava um ar de cinismo.*] [▶ 1 mostrar] [F.: Do lat. *monstrare.* Ant. ger.: *ocultar.*]

mostras (mos.*tras*) ***sfpl.*** 1 Atos exteriores, gestos, ares ***sfpl.*** 2 Manifestação visível de algo: *Ele dava mostras de cansaço.* [F.: Pl. de *mostra.*]

mostrável (mos.*trá*.vel) ***a2g.*** Que se pode mostrar (fotografia mostrável) [Pl.: *-veis.*] [F.: *mostrar* + *-vel.*]

mostrengo[1] (mos.*tren*.go) ***sm.*** 1 *Pej.* Indivíduo com deformidade física, corpo mal proporcionado, ou muito feio [É ofensivo.] 2 Qualquer coisa grande e feia demais, ou malfeita, ou absurda etc.; aquilo que contraria o padrão de normalidade: *Um mostrengo de escultura; Essa legislação é um mostrengo.* 3 Qualquer coisa não aproveitável para nada, porque não funciona, ou não tem função ou serventia, ou é de mau gosto etc. 4 Criatura fantástica, grande demais, feia, monstruosa; MONSTRO: "De quem são as velas onde me roço/De quem as quilhas que vejo e ouço? / Disse o mostrengo e rodou três vezes" (Fernando Pessoa, "O Mostrengo" *in Mensagem*) [F.: Var. de *monstrengo.*]

mostrengo[2] (mos.*tren*.go) ***sm.*** Indivíduo que vive andando sem rumo, sem direção; aquele que vaga, erra, perambula, sem destino ou ocupação [F.: Do espn. *mostrenco.*]

mostruário (mos.tru:*á*.ri:o) ***sm.*** 1 Móvel ou qualquer outra lugar em que se expõem mercadorias ao público ***sm.*** 2 Conjunto de amostras de mercadoria 3 Local, ger. de vidro, onde essas mercadorias ficam expostas; VITRINA 4 *Publ.* M.q. *display* [F.: Posv. do cat. *mostruari.*]

◎ **mot-** = 'movimento', 'agitação', 'motivo': *motilidade, movimentar, imotivado*

mote (*mo*.te) [ó] ***sm.*** 1 *Poét.* Estrofe cujo sentido serve de tema ao poema 2 *Liter.* Frase, dito que serve de tema a obra literária 3 Frase que expressa um objetivo que se quer alcançar ou um princípio de comportamento [Do provç. e fr. *mot.*]

motejado (mo.te.*ja*.do) ***a.*** Que foi alvo de motejo, de gracejo: "(...) ele guardava para quando queria motejar de alguém ou de alguma coisa. Naquela ocasião o motejado era eu." (Machado de Assis, *Um Esqueleto*) [F.: Part. de *motejar.*]

motejador (mo.te.ja.*dor*) [ô] ***a.*** 1 Que gosta de zombar, de troçar ***sm.*** 2 Pessoa que zomba, troça, moteja; TROCISTA; ZOMBETEIRO [F.: Part. de *motejar.*]

motejar (mo.te.*jar*) ***v.*** 1 Fazer motejo de; fazer caçoada; CAÇOAR; ESCARNECER [*td.*: *Foi repreendido por motejar os colegas.*] [*tr.* +com, *de*: *Não se deve motejar com coisa séria.*] [*int.*: *Impertinente, ele vive motejando.*] 2 Fazer crítica a; censurar [*td.*: *Motejou o colega pelo seu comportamento indecente.*] 3 Acusar, tachar zombeteiramente [*tdp.*: *Motejou-a de diva.*] 4 Fazer motes para glosas [*int.*] [▶ 1 motejar] [F.: *mote* + *-ejar.* Hom./Par.: *motejo* /ê / (1ªp.s.)/ *motejo* /ê / (s.m.).]

motejo (mo.*te*.jo) [ê] ***sm.*** Gracejo; frase ou dito picante; CAÇOADA; ZOMBARIA [F.: Regress. de *motejar.*]

motel (mo.*tel*) *Bras.* ***sm.*** 1 Hotel para encontros amorosos 2 Hotel em beira de estrada com estacionamento para veículos [F.: Do ing. *motel.*]

motete (mo.*te*.te) [ê] ***sm.*** 1 Mote curto 2 Dito bem-humorado ou satírico; GRACEJO 3 *Mús.* Ver *moteto* 4 *Lus.* Expressão ou careta de zombaria, desprezo; ESGAR [F.: *mote* + *-ete.*]

moteto (mo.*te*.to) [ê] *Mús.* ***sm.*** 1 Composição musical medieval em várias vozes (polifônica), cantada com letra ger. de motivo sacro 2 Trecho de música religiosa cantada, com letra 3 Qualquer composição musical em várias vozes, cantada e com letra; CANTIGA 4 Qualquer poema concebido para ser cantado com música [F.: Do fr. *mot* 'palavra', pelo it. *mottetto.*]

motilidade (mo.ti.li.*da*.de) ***sf.*** 1 Capacidade de mover; força motriz 2 *Biol.* Faculdade de mover-se, de obedecer ao impulso de uma força motriz; MOBILIDADE 3 *Fisl.* Capacidade de um ser vivo, ou de um de seus órgãos, mover-se espontaneamente (motilidade dos intestinos) [F.: Do fr. motilité.]

motim (mo.*tim*) ***sm.*** 1 Qualquer ato de insurreição contra autoridade civil ou militar, caracterizado por desobediência e revolta, e ger. acompanhado de desordem, levante de armas e tumultos de variáveis proporções ***sm.*** 2 *Mil.* Rebelião de militares contra seus superiores 3 *Mil.* Crime contra a disciplina 4 Grande sublevação popular; REVOLTA; TUMULTO 5 *Fig.* Estrépito, estrondo [F.: Do fr. *mutin.*]

motivação (mo.ti.va.*ção*) ***sf.*** 1 Ação ou resultado de motivar, de estimular, a si mesmo ou a outros: *A crítica favorável deu-lhe motivação para continuar a pintar.* 2 Exposição, apresentação de motivos 3 *Jur.* Fundamentação, justificação (ger. escrita) para uma decisão judicial 4 *Psi.* Conjunto de motivos que levam uma pessoa a agir de determinado modo: *A principal motivação de sua carreira foi o idealismo.* [Pl.: *-ções.*] [F.: *motivar* + *-ção.*]

motivacional (mo.ti.va.ci:o.*nal*) ***a2g.*** 1 Ref. à motivação 2 Que motiva, que tem como objetivo motivar (palestra motivacional) [Ant.: *desmotivacional.*] 3 *Soc.* Diz-se de pesquisa realizada com pequenos grupos e destinada a desvendar motivações inconscientes do consumidor [F.: *motivaç(ão)* + *-al* 1, segundo o mod. erudito.]

motivado (mo.ti.*va*.do) ***a.*** 1 Fundado em motivos; FUNDAMENTADO 2 Causado, determinado: *decisão motivada pelo ódio.* 3 Que demonstra entusiasmo, interesse (time motivado) 4 Que tem motivo, razão para ocorrer (demissão motivada) [F.: Part. de *motivar.*]

motivador (mo.ti.va.*dor*) [ô] ***a.*** 1 Que motiva, que anima (gerente motivador) 2 Que ocasiona alguma coisa: *incidente motivador do escândalo.* ***sm.*** 3 Pessoa ou coisa que ocasiona algo [F.: Rad. do part. *motivado* + *-or.*]

motivar (mo.ti.*var*) ***v.*** 1 Ser o motivo ou a causa de; CAUSAR; PROVOCAR; OCASIONAR [*td.*: *A chuva motivou o desabamento.*] 2 Dar motivação ou estímulo a; ESTIMULAR [*td. tdr.* +*a*, *para*: *A natureza motiva a imaginação do pintor* (*a ousar novas formas/para novas experimentações*).] 3 Provocar interesse em [*td.*: *Esse filme motivou todo mundo.*] [*tdr.* +*para*: *A presença de um piano em casa acabou motivando-o para a música.*] 4 Explicar a razão de; dar fundamento a [*td.*: *O professor motivou sua escolha.*] [*tdr.* +*em*: *O advogado motivou sua defesa em provas concretas.*] [▶ 1 motivar] [F.: *motivo* + *-ar.* Hom./Par.: *motivo* (1ªp.s.)/ *motivo* (s.m.).]

motivo (mo.*ti*.vo) ***sm.*** 1 A causa ou razão de algo: *Qual foi o motivo da briga?* 2 O fim ou o propósito que faz com que algo exista ou seja realizado: *A divulgação da empresa é o principal motivo da criação da homepage.* 3 *Psi.* Incentivo para que se tenha disposição para agir ou mobilizar-se; MOTIVAÇÃO 4 *Mús.* A frase que predomina numa composição musical ou que se reproduz com modificações em determinados trechos; tema melódico em que se baseia uma composição [Cf.: *leitmotiv.*] 5 *Jur.* Fundamentação na qual as razões são expostas em uma decisão judicial ***a.*** 6 Que pode mover ou que move, imprime movimento a algo; MOTOR: *O motor, a transmissão e as rodas formam o sistema motivo do automóvel.* 7 Que pode ser ou é causa, origem de (processo, ação etc.): *os agentes motivos de uma infecção* [F.: Do lat. tardio *motivus, a, um.*] ▪ **~ condutor** Tema musical recorrente numa obra musical, literária, teatral, num filme etc., que representa uma ideia, um personagem etc.; *leitmotiv* **~ de força maior** Causa ou razão muito forte (de um adiamento, cancelamento etc.), que se sobrepõe ao que fora programado ou combinado

◎ **-moto** ***el. comp.*** = 'movimento': *maremoto, terremoto*

◎ **mot(o)-** ***el. comp.*** = motor: *motocicleta, motosserra*

◎ **moto-** ***el. comp.*** = motor, movimento: *motocicleta, motosserra*

moto[1] (*mo*.to) ***sf.*** Ver *motocicleta*

moto[2] (*mo*.to) ***sm.*** 1 Ação ou resultado de mover; MOVIMENTO 2 *P.ext.* Giro, circulação, movimentação 3 *Mús.* Indicação de dinâmica ágil e viva na execução musical [F.: Do lat. *motus.*] ▪ **De ~ próprio** Por sua própria vontade ou iniciativa **~ contínuo/perpétuo** 1 Movimento constante e incessante 2 Conceitualmente (na prática, inatingível), movimento permanente e ininterrupto por produzir trabalho que passa a atuar como fonte energética do próprio movimento

moto[3] (*mo*.to) ***sm.*** 1 *Antq. Her.* Divisa que os cavaleiros medievais adotavam em suas empreitadas e que apareciam em seus brasões, bandeiras etc. 2 *P.ext.* Qualquer divisa ou lema 3 *Art.pl.* Palavra ou marca que os artistas colocam em suas obras para autenticá-las [F.: Do provç. e fr. *mot.*]

motobói (mo.to.*bói*) ***sm.*** *Bras.* Funcionário que faz entregas de produtos ou documentos em motocicleta [F.: *moto* + *bói.*]

motoboy (mo.to.*boy*) ***sm.*** Funcionário encarregado de fazer entregas rápidas de motocicleta, para bancos, empresas comerciais, farmácias, restaurantes etc. [Pl.: *motoboys.* Fem.: *motogirl.*] [F.: *moto* + *boy* (do ing. *office boy* 'contínuo'[1]).]

motoca (mo.*to*.ca) ***sf.*** *Pop.* Ver *motocicleta* [F.: Red. pop. e afetiva de *motocicleta.*]

motocasa (mo.to.*ca*.sa) ***sf.*** Veículo automotor grande, provido de camas, mesas etc., ger. dobráveis, us. para *camping*, viagens turísticas ou campanhas de atendimento ao público ligadas à saúde, educação etc. [F.: *moto* + *casa*, tradução do ing. *motor -home.*]

motocicleta (mo.to.ci.*cle*.ta) ***sf.*** Veículo de duas rodas construído de forma análoga à bicicleta, porém mais forte, movido por motor de explosão; MOTO; MOTOCA; MOTOCICLO [F.: *moto* + *-cicleta.*] ▪ **~ aquática** *P.us. Esp. Jet ski.*

motociclismo (mo.to.ci.*clis*.mo) ***sm.*** 1 *Esp.* Esporte de corridas de motocicletas 2 Forma de transporte que usa motocicleta ou motociclo [F.: *motociclo* + *-ismo.*]

motociclista (mo.to.ci.*clis*.ta) ***s2g.*** 1 Pessoa que dirige motocicleta ou motociclo 2 *Esp.* Desportista que pratica motociclismo [F.: *motociclo* + *-ista.*]

motociclístico (mo.to.ci.*clís*.ti.co) ***a.*** *Esp.* Relativo a motociclismo ou a motociclista (corrida motociclística; passeio motociclístico) [F.: *motociclist(a)* + *-ico.*]

motociclo (mo.to.*ci*.clo) ***sm.*** Veículo análogo à bicicleta, porém menor e menos potente que a motocicleta, provido de motor a explosão [F.: *moto* + *-ciclo.*]

moto-contínuo (mo.to-con.*tí*.nu.o) ***sm.*** *Fís.* Mecanismo hipotético (cuja ideia contraria princípios de termodinâmica), cujo movimento, uma vez iniciado, funcionaria sem parar, usando a energia criada por seu próprio movimento para manter o mecanismo em funcionamento; MOTO-PERPÉTUO [Pl.: *motos-contínuos.*]

⊕ ***motocross*** (*Ing./ môutocros/*) ***sm.*** *Esp.* Corrida de motocicleta em pista acidentada (com barrancos, lombadas, lama etc.) [F.: Do ing. *motocross.*]

motogodile (mo.to.go.*di*.le) ***sm.*** *Mec.* Pequeno motor que pode ser fixado na parte traseira de um barco [F.: Do fr. *motogodille.*]

motomecanizar (mo.to.me.ca.ni.*zar*) ***v. td.*** Equipar com material automóvel e autopropulsável; MOTORIZAR; MECANIZAR: *O exército motomecanizou suas quatro armas.* [▶ 1 motomecanizar] [F.: *moto* + *-mecanizar.*]

motonauta (mo.to.*nau*.ta) ***a2g.*** 1 *Esp.* Ref. a motonáutica 2 Que pratica a motonáutica ***s2g.*** 3 *Esp.* Esportista que pratica a motonáutica [F.: *moto* + *-nauta.*]

motonáutica (mo.to.*náu*.ti.ca) ***sf.*** *Esp.* O esporte da corrida de barcos a motor [F.: *moto* + *-náutica.*]

motoneta (mo.to.*ne*.ta) [ê] ***sf.*** Veículo de transporte pessoal de forma análoga à da bicicleta, mas provido de um assento no lugar do selim, motorizado e com rodas menores do que as da motocicleta [F.: *moto* + *-n-* de ligação + *-eta.*]

motoneurônio (mo.to.neu.*rô*.ni:o) ***sm.*** *Histl.* Neurônio que conduz o impulso nervoso do sistema nervoso central para um músculo ou uma glândula; NEURÔNIO MOTOR [F.: *moto* + *neurônio.*]

motoneve (mo.to.*ne*.ve) [é] ***sm.*** Qualquer um dos vários veículos próprios para deslocamentos sobre a neve, ger. dotados de rodas dianteiras e traseiras de tipos diferentes [F.: *moto* + *neve.*]

motoniveladora (mo.to.ni.ve.la.*do*.ra) [ô] ***sf.*** *Cons.* Equipamento para terraplanagem, us. em trabalhos de escavação, drenagem, nivelamento de aterros etc. [F.: *moto* + *niveladora.*]

moto-perpétuo (mo.to-per.*pé*.tu:o) ***sm.*** *Fís.* Movimento de qualquer tipo de mecanismo que, após iniciado, seria capaz de funcionar indefinidamente; MOTO-CONTÍNUO [Pl.: *motos-perpétuos.*]

motoqueiro (mo.to.*quei*.ro) ***sm.*** *Bras. Pop.* Ver *motociclista* [F.: *motoca* (-*c*- > *qu*) + *-eiro.*]

motor (mo.*tor*) [ô] ***a.*** 1 Que move ou produz movimento (energia motora) 2 Que determina, promove ou estimula ***sm.*** 3 Engenho mecânico cujo movimento, gerado por alguma fonte de energia, se transmite a uma máquina ou um mecanismo 4 *Fig.* Pessoa ou coisa que dá impulso ou faz com que algo se desenvolva: *Qual é o motor de tanta guerra?* ▪ **~ a diesel** Motor de combustão interna no qual a ignição não é provocada por faísca elétrica, e sim pela alta temperatura da mistura combustível quando submetida a pressão elevada **~ de arranque** Pequeno motor movido a eletricidade (ger. de uma bateria) que dá partida ao motor principal de um engenho ou de uma máquina, a partir de então movido por outra fonte de energia (nos motores de combustão interna, p.ex., a energia da explosão da mistura combustível) [Ver achega enciclopédica.] **~ de combustão interna** Aquele que é acionado pela energia gerada da queima do combustível ou da mistura do combustível com o ar [Ver achega enciclopédica.] **~ de explosão** Motor de combustão interna movido pela energia da explosão de mistura combustível detonante, pela ação de um faísca elétrica **~ de partida** Ver *Motor de arranque* **~ de popa** Motor a hélice que aciona uma embarcação, montado em sua popa [Tb. apenas *diesel.*] **~ elétrico** Aquele que transforma energia elétrica em energia cinética, em movimento rotatório **~ foguete** *Aer.* Motor que cria impulsão como reação contrária a violenta ejeção para trás de gases resultantes da queima do combustível **~ imóvel** *Hist. Fil.* No aristotelismo, a divindade imaterial, a causa primeira de tudo que acontece no Universo, mas que se mantém imóvel, indiferente ao que a cerca **~ nuclear** Aquele que transforma energia nuclear em calor, e a energia térmica assim gerada em energia mecânica **~ síncrono** *Elet.* Motor movido a corrente alternada, cuja velocidade depende apenas da tensão que o alimenta, sem relação com seu rendimento mecânico **~ térmico** Todo aquele que transforma calor em movimento, como as máquinas de vapor, os motores de combustão interna etc. **~ turboélice** *Aer.* Motor de turbina a gás, cuja energia gerada é us. na maior parte para acionar hélices propulsoras **~ turbojato** *Aer.* Ver *Motor turborreator* **~ turborreator** *Aer.* Motor no qual o ar é comprimido num compressor e injetado na câmara de combustão, onde a mistura com combustível é queimada e os gases são expelidos para trás, criando, por reação, o empuxo para a frente. Nesse movimento, os gases movem uma turbina que aciona o compressor, realimentando o ciclo; motor turbojato **Primeiro ~** *Hist. Fil.* Ver *Motor imóvel*

> 📖 Os motores a diesel e a explosão são tipos de motor que, para sua movimentação, utilizam como fonte de energia aquela libertada na queima súbita, em cilindros fechados, de uma mistura de combustível com ar, gerando impulso que movimenta êmbolos (ou uma peça giratória, no motor Wenckel) dentro desses cilindros. Nos motores a diesel, cada cilindro recebe ar durante o movimento ascendente do êmbolo, e esse ar, depois de fortemente comprimido, recebe uma injeção de combustível líquido, que se vai inflamando à medida que entra em contato com o ar comprimido aquecido. Nos motores a explosão cada cilindro recebe do carburador uma mistura explosiva detonante, constituída de gasolina, álcool, gás etc. misturados com ar, a qual, depois de comprimida no cilindro, é inflamada por meio de uma faísca elétrica, distribuída (pelo distribuidor), alternadamente, aos vários cilindros.

⊕ ***motor-home*** (*Ing. /mótorrôm/*) ***loc.subst.*** Ver *motocasa*

motorial (mo.to.ri.*al*) ***a2g.*** *Mec.* Ref. a motor [Pl.: *-ais.*] [F.: *motor* + *-ial.*]

motorista (mo.to.*ris*.ta) *s2g.* **1** Pessoa que dirige veículo a motor: *Os motoristas enfrentarão congestionamento na ponte.* **2** *Bras.* Pessoa que tem como profissão fazer o transporte público ou particular em veículo automóvel; CHOFER *a.* **3** Ref. a motor, máquinas ou dispositivos geradores de movimento [F.: *motor* + *-ista.*] ■ **~ de fim de semana** Pessoa que dirige automóvel apenas ocasionalmente, ger. para passeio ou lazer, e que por isso ger. não tem a prática, experiência ou habilidade dos motoristas profissionais

motorização (mo.to.ri.za.*ção*) *sf.* **1** Ação ou resultado de motorizar(-se) **2** Aplicação do motor a (motorização dos transportes/da artilharia) [Pl.: *-ções.*] [F.: *motorizar* + *-ção.*]

motorizado (mo.to.ri.*za*.do) *a.* **1** Que é movido por um motor; em que houve motorização (brinquedo/veículo motorizado) **2** *Bras. Pop.* Diz-se de pessoa que possui um automóvel: *Ela agora está com um namorado motorizado.* [F.: Part. de *motorizar.*]

motorizar (mo.to.ri.*zar*) *v. td.* Munir(-se) de motor, ou de veículo motorizado: *Sem poder comprar a moto, motorizou a bicicleta; Queria adquirir um veículo, motorizar-se.* [▶ 1 motorizar] [F.: *motor* + *-izar.*]

motorneiro (mo.tor.*nei*.ro) *sm. Bras.* Profissional que dirige bonde: *Tudo nessa vida é passageiro, menos o cobrador e o motorneiro.* [F.: *motor* + *-n-* de ligação + *-eiro.*]

motor-ocular (mo.to.ro.cu.*lar*) *a2g. Anat.* Ver oculomotor

motosserra (mo.tos.*ser*.ra) *sf.* Serra com motor us. para cortar madeira, desflorestar etc. [F.: *moto* + *serra.*]

mototáxi (mo.to.*tá*.xi) [cs] *sm.* **1** Serviço de táxi feito por motocicleta *sf.* **2** Motocicleta que faz esse serviço [F.: *moto* + *táxi.*]

mototaxista (mo.to.ta.*xis*.ta) [cs] *s2g.* **1** Aquele que realiza serviço de mototáxi (1) **2** Aquele que conduz uma mototáxi (2) [F.: *mototáxi* + *-ista.*]

motricidade (mo.tri.ci.*da*.de) *sf.* **1** Qualidade ou característica de motriz **2** Capacidade dos seres vivos de se movimentarem **3** *Fisl.* Propriedade que têm certas células nervosas de determinar a contração muscular [F.: o fr. *motrice* + *-i-* + *-dade.*]

motriz (mo.*triz*) *sf.* **1** Força que faz mover, que imprime movimento *a.* **2** Fem. de motor [Do fr. *motrice* 'o que move'.]

⊕ ***mot savant*** (*Fr. /mô savã/*) *loc.subst. Ling.* Termo erudito

⊕ ***motu proprio*** (*Lat. / mótu próprio/*) *loc.adv.* Ver *De moto próprio* no verbete *moto*[2]

mouco (*mou*.co) *a.* **1** Que não ouve muito bem ou não ouve: *Para tais coisas faço ouvidos moucos. sm.* **2** Pessoa que não ouve muito bem ou não ouve; SURDO [F.: De or. obsc., talvez ligado a *mocho.*]

⊕ ***mountain-bike*** (*Ing. /mautn báic/*) *sf.* **1** Tipo de bicicleta leve, mas resistente, provida de marchas e rodas mais largas para facilitar o percurso em terrenos íngremes e acidentados **2** *Esp.* Competição para esse tipo de bicicleta, que envolve velocidade e destreza e é realizada em terrenos com elevações e descidas abruptas

mourama (mou.*ra*.ma) *sf.* **1** Terra de mouros **2** Grande quantidade de mouros **3** O povo de origem moura **4** *Rel.* A religião seguida pelos mouros [F.: *mour(o)* + *-ama.*]

mourão[1] (mou.*rão*) *sm.* **1** Estaca cravada na terra onde se prendem as varas ou os fios de uma cerca **2** *Bras.* Escora à qual se amarram animais para corte ou tratamento **3** Vara fincada à margem dos rios, à qual se amarram canoas **4** Qualquer tipo de esteio, estaca, para diversos fins **5** O mesmo que *mouchão*[1] [Pl.: *-rões.*] [F.: De or. incerta.]

mourão[2] (mou.*rão*) *Bras. Folc. sm.* Cantoria tradicional do Nordeste, de cinco ou sete pés, com versos dialogados, em que dois cantadores se revezam em improvisação que exige grande agilidade mental, um obedecendo sempre à rima que o outro escolheu; TROCADO [Pl.: *-rões.*] [F.: De or. obsc.] ■ **~ de sete-linhas** *Bras. Pop. Liter.* Tipo de estrofe criada por dois cantadores em diálogo, com sete versos de sete sílabas cada um; um cantador improvisa dois versos, o outro mais dois, e o primeiro fecha a estrofe com mais três **~ trocado** *Bras. Pop. Liter.* O mesmo que *Mourão de sete-linhas* **~ voltado** *Bras. Pop. Liter.* Tipo de mourão em estrofe de dez versos, que termina obrigatoriamente (dois últimos versos) no refrão: Isso é que é mourão voltado/ isso é que é voltar mourão"

mourão[3] (mou.*rão*) *a. Hip.* Diz-se de cavalo de pelo escuro ou negro, com pintas brancas; MOURO [Pl.: *-rões.*] [F.: Aum. de *mouro.*]

mouraria (mou.ra.*ri*.a) *sf. Lus.* Bairro onde, em tempos antigos, os mouros eram obrigados a morar [F.: *mouro*[1] + *-aria.*]

moura-torta (mou.ra-*tor*.ta) *sf. Lus. Folc.* No folclore português, entidade fantástica e malfazeja que se encontra em oposição à moura-encantada [Pl.: *mouras-tortas.*]

mourejar (mou.re.*jar*) *v.* Trabalhar muito (como um mouro); LABUTAR [*ta.*: *Mourejava na lavoura.*] [*int.*: *Mourejou muito, mas não conseguiu nada.*] [▶ 1 mourejar] [F.: *mouro* + *-ejar.* Hom./Par.: *mourejo* /ê/ (1ªp.s.)/ *mourejo* /ê/ (s.m.).]

mourejo (mou.*re*.jo) [ê] *sm.* Ação ou resultado de mourejar; trabalho árduo e ininterrupto [F.: Dev. de *mourejar.* Hom./ Par.: *mourejo* (fl. de *mourejar*).]

mourisco (mou.*ris*.co) *a.* Que se refere a ou é próprio dos mouros; MOURO [F.: *mouro*[1] + *-isco.*]

mouro (*mou*.ro) *sm.* **1** Indivíduo dos mouros, povo que vivia na Mauritânia (África) **2** Indivíduo do povo árabe que ocupou a península Ibérica **3** Aquele que professa o islamismo; MUÇULMANO; ISLAMITA; SARRACENO **4** *Antq.* Aquele que não foi batizado, e por isso era considerado gentio pelos cristãos; INFIEL **5** *Fig.* Pessoa que trabalha muito **6** *Bras. S* Um dos partidos nas cavalhadas **7** *Gui.* Curandeiro que faz mezinhas e rezas utilizando versículos do alcorão [F.: Do lat. *mauri, orum,* 'os mouros, os mauritanos', tomado no sing.] ■ **Trabalhar como um ~** Trabalhar muito e pesado (como os mouros escravizados na península Ibérica durante a reconquista católica)

⊕ ***mouse*** (*Ing./máuss/*) *sm. Inf.* Acessório dotado de um ou mais botões, us. para controlar o cursor na tela de monitor, indicando e selecionando opções, abrindo arquivos, programas etc.

moutão (mou.*tão*) *sm.* Ver *moitão*[2]

◎ ***mov- el. comp.*** Ver *mot-*

movediço (mo.ve.*di*.ço) *a.* **1** Que se move muito **2** Que se move com facilidade, com naturalidade (galhos movediços) **3** Que muda de posição (dunas movediças) **4** Pouco firme, ou sem fundo de apoio (areia movediça) **5** *Fig.* Que muda de opinião com facilidade; VOLÚVEL; INCONSTANTE **6** *Fig.* Que representa ou oferece algum risco, perigo (assunto movediço) [F.: *mover* + *-diço.*]

movedor (mo.ve.*dor*) [ô] *a.* **1** Que move, que causa movimento **2** Que faz mover máquinas *sm.* **3** Aquele ou aquilo que move **4** O que faz mover máquinas [F.: *mover* + *-dor.* Cf.: *motor.*]

móveis (*mó*.veis) *smpl. Jur.* Ver *bens móveis*

◎ ***-móvel el. comp.*** = 'que se move'; 'móvel': *automóvel*

móvel (*mó*.vel) *a2g.* **1** Que pode mover-se ou ser movido (ponte móvel) **2** Que não é fixo **3** Que tende a mudar, a sofrer alterações (taxas móveis); INSTÁVEL; VARIÁVEL *sm.* **4** Objeto destinado ao uso e à decoração de uma habitação: *Ela comprou móveis novos para a sala.* **5** Motivo, causa para ocorrência de uma ação, de um fenômeno ou de um estado: *O ciúme foi o móvel da agressão.* **6** Corpo em movimento [Pl.: *-veis.*] [F.: Do lat. *mobilis, e.* Hom./Par.: *móveis* (pl.), *moveis* (fl. de *mover*).] ■ **Primeiro ~** *Fil.* No aristotelismo, entre as nove esferas que circundam a Terra, a mais externa e mais próxima de Deus, e na qual ficam os astros

movelaria (mo.ve.la.*ri*.a) *sf.* Lugar onde se fabricam ou se vendem móveis; MOBILIÁRIA [F.: *móvel* + *-aria.*]

moveleiro (mo.ve.*lei*.ro) *a.* **1** Ref. a ou próprio do comércio ou da indústria de móveis (setor moveleiro) **2** Que fabrica e/ou comercializa móveis *sm.* **3** *Bras.* Fabricante e/ou vendedor de móveis [F.: *móvel* + *-eiro.*]

movente (mo.*ven*.te) *a2g.* Que move; que imprime movimento (força movente) [F.: *mover* + *-nte.*]

mover (mo.*ver*) *v.* **1** Imprimir movimento a; estar ou pôr(-se) em movimento; MEXER(-SE); MOVIMENTAR(-SE) [*td.*: *O vento move a folhagem; Mover as mãos.*] [*int.*: *A poeira movia-se no redemoinho.*] **2** Sair ou fazer sair do lugar; DESLOCAR(-SE) [*td.*: *Moveu as mesas, abrindo espaço na sala.*] [*ta.*: *A seu comando, moveram-se do lugar.*] **3** Impelir, estimular, induzir [*td.*: *É o amor que deve mover os homens.*] [*tdr.* +a: *Consegui movê-lo a estudar.*] **4** *Jur.* Promover (ação judicial) contra; PROCESSAR [*tdr.* +*contra*: *Moveu uma ação contra a empresa.*] **5** Sair da inércia, decidir-se ou começar a fazer algo; MEXER-SE [*td.*: *Só decidiu mover -se quando viu que a mulher o amava.*] **6** Causar comoção a; sensibilizar [*td.*: *Sua expressão de angústia não moveu o interesse de ninguém.*] **7** Produzir como consequência; acarretar, ocasionar [*td.*: *Sua antipatia movia todos os ódios.*] **8** Mexer de um lado para outro [*td.*: *Ao andar, movia as ancas com petulância.*] **9** Convencer, persuadir [*td.*: *As razões apresentadas não moveram o júri.*] **10** Deslocar-se de um lugar para outro [*int.*: *O ônibus movia -se lentamente.*] **11** Provocar reação [*td.*: *São claros os motivos que movem esses rapazes.*] [▶ 2 mover] [F.: Do lat. *movere.* Hom./Par.: *moveis* (2ªp.pl.)/ *móveis* (pl. *móvel* [adj.2g.s.m.]).]

movido (mo.*vi*.do) *a.* **1** Que se moveu ou que foi posto em movimento **2** *Fig.* Impelido, estimulado, induzido: *É um homem movido pela vingança.* **3** *Jur.* Diz-se de ação judicial promovida contra alguém ou algo: *Foi extinta a ação movida pelos sindicatos.* **4** *Bras.* Diz-se de criança pouco desenvolvida; RAQUÍTICO; FRANZINO [F.: Part. de *mover.*]

movimentação (mo.vi.men.ta.*ção*) *sf.* **1** Ação ou resultado de movimentar(-se) **2** *Pop.* Grande atividade, agitação, alvoroço **3** *Adm.* Transferência ou remoção de pessoas de um posto ou função **4** *Mil.* Operação de deslocamento de tropas para determinado fim [Pl.: *-ções.*] [F.: *movimentar* + *-ção.*]

movimentado (mo.vi.men.*ta*.do) *a.* **1** Em que há muito movimento **2** Que apresenta agitação, ruído ou alvoroço, por grande afluxo de pessoas ou muitos acontecimentos (rua movimentada; festa movimentada) **3** Em que ocorrem muitas coisas (novela movimentada) [F.: Part. de *movimentar.*]

movimentador (mo.vi.men.ta.*dor*) [ô] *a.* **1** Que movimenta; que provoca movimento (centro movimentador) *sm.* **2** Aquilo que movimenta (movimentador de cargas) [F.: *movimenta(r)* + *-dor.*]

movimentar (mo.vi.men.*tar*) *v.* [*td:* **1** Mover, imprimir movimento a [*td.*: *Movimenta as pernas com grande rapidez; Movimentou-se rápido para sair.*] **2** Animar(-se), estimular(-se), agitar(-se): *Sua chegada movimentou a festa.*] **3** Agitar, dirigir em diferentes sentidos. [*td:* *A internet movimenta todo o mundo.*] **4** Fazer girar, correr; lidar com: *Como tesoureiro, movimenta muito dinheiro.* **5** Dar ou receber ânimo, vivacidade. [*td:* *As nuvens corriam mais depressa, movimentando o céu.*] **6** Fazer funcionar; tornar mais eficiente, mais efetivo [*td:* *Os novos semáforos movimentaram a circulação de veículos.*] [▶ 1 movimentar] [F.: *movimento* + *-ar.*]

movimentismo (mo.vi.men.*tis*.mo) *sm. Pol.* Doutrina política que prega a mudança do mundo sem a tomada do poder e que, para isso, valoriza as ações políticas locais que ignoram a existência do Estado [F.: *moviment(o)* + *-ismo.*]

movimento (mo.vi.*men*.to) *sm.* **1** Ação ou resultado de mover(-se) ou ser movido; DESLOCAMENTO **2** Troca de posição de um corpo de um lugar para outro: *O movimento das peças de xadrez.* **3** Modo próprio de se mover: *Tinha movimentos graciosos.* **4** Grande afluência ou deslocamento de pessoas; AGITAÇÃO; ALVOROÇO: *O movimento do restaurante só diminuiu de madrugada.* **5** Grande movimento de veículos: *O movimento da rua aumenta nos dias de show.* **6** *Liter.* Andamento ágil de uma narrativa **7** *Mús.* Parte de uma composição musical dotada de unidade interna **8** Conjunto de manifestações políticas, culturais, sociais etc.: *A Semana de Arte Moderna de 1922 marcou o início do movimento modernista.* **9** Conjunto de atividades com o mesmo objetivo: *movimento contra a violência.* **10** *Astron.* A trajetória dos astros **11** *Ecol.* Deslocamento de animais de uma região para outra, por razões diversas **12** *Mil.* Movimentação (4) [F.: *mover* + *-imento.*] ■ **~ acelerado** *Fís.* Movimento cuja velocidade varia com o tempo, para mais (aceleração positiva) ou para menos (aceleração negativa) **~ ameboide** *Biol.* Movimento de certos microrganismos (amebas, fagócitos etc.) realizado mediante a extensão e retração de prolongamentos chamados *pseudópodes* **~ anarmônico** *Fís.* Movimento periódico não harmônico (ou seja, não simétrico em relação a um ponto) [P.op. a *Movimento harmônico.*] **~ browniano** *Biol.* Movimento errático de partículas num meio fluido, devido à vibração causada pela temperatura **~ cíclico** *Fís.* Movimento periódico no qual a trajetória do corpo móvel é fechada **~ de terra** Conjunto de todas as operações de desmonte, aplainamento, escavação etc. de terreno visando a subsequente construção de estradas, edifícios, represas etc.; terraplenagem **~ direto** *Astron.* O movimento dos planetas, de oeste para leste **~ diurno** *Astron.* O aparente movimento dos astros no céu ao longo de um dia sideral, de leste para oeste [Essa impressão é causada pelo deslocamento do observador, com a rotação da Terra, de oeste para leste. Cf.: Movimento retrógrado.] **~ eustático** *Oc.* Variação do nível do mar em função da formação de gelo (quando o nível baixa) e do degelo e do depósito de sedimentos no fundo (quando o nível sobe) [Chama-se *eustático negativo* no primeiro caso, *eustático positivo* no segundo.] **~ finito** *Fís.* Aquele causado por forças em escala astronômica, no qual o corpo em movimento não pode ser impulsionado ao infinito [P.op. a Movimento infinito.] **~ harmônico** **1** *Fís.* Movimento periódico de um corpo que oscila ou circula simetricamente em relação a um ponto [P.ex., a rotação uniforme em torno de um ponto central, a oscilação regular de um pêndulo.] **2** *Mús.* Desenvolvimento ascendente ou descendente de uma voz (linha melódica) em relação a outra que se desenvolve simultaneamente [Chama-se *direto*, quando ambas desenvolvem-se no mesmo sentido; *contrário*, quando desenvolvem-se em sentidos opostos; *oblíquo*, apenas uma delas se desenvolve em um ou outro sentido, enquanto a outra sustenta o mesmo tom.] **~ harmônico simples** *Fís.* Movimento periódico em torno de um ponto fixo, no qual a aceleração cresce à medida que aumenta a distância do ponto móvel ao ponto fixo [Essa variação é definida numa função seno ou numa função cosseno.] **~ infinito** *Fís.* Aquele causado por forças em escala astronômica, no qual o corpo em movimento pode ser impulsionado ao infinito [P.op. a Movimento finito.] **~ laminar** *Fís.* Movimento de um fluido no qual suas diferentes camadas (lâminas) não se misturam ou pouco se misturam, não causando, portanto, turbilhões **~ pendular** **1** *Fís.* O movimento periódico, oscilatório, de vaivém de um pêndulo **2** *P. ext.* Qualquer variação cíclica de variáveis (de processos, situações, fenômenos etc.) que se desenvolve numa direção até certo ponto, depois na direção oposta, até atingir ponto simétrico e oposto, e assim sucessivamente **~ periódico** *Fís.* Movimento uniforme, repetitivo e sucessivo de um corpo que, a intervalos de tempos iguais, volta ao estado inicial (posição, velocidade, aceleração) para recomeçar o movimento [Tem como parâmetros de grandeza o *período* (intervalo mínimo de tempo que leva para voltar à mesma posição) e a *frequência* (número de vezes que realiza esse ciclo numa unidade de tempo.] **~ peristáltico** *Fisl.* Conjunto de contrações e relaxamentos dos músculos de órgãos ocos (como os intestinos) que fazem avançar seu conteúdo; peristalse, peristaltismo **~ retardado** *Fís.* Movimento que tem aceleração negativa, isto é, em que a velocidade diminui com o tempo **~ retrógrado** *Astron.* Movimento aparente, para oeste, de um planeta no céu, observado em relação às estrelas [Devido ao movimento de oeste para leste da rotação da Terra e, portanto, do observador sobre ela. Cf.: *Movimento diurno.*] **~ uniforme** *Fís.* Movimento cuja velocidade tem valor modular constante **~ uniformemente acelerado** *Fís.* Movimento cuja aceleração tem valor modular constante

moviola (mo.vi:o.la) *sf. Cin.* Máquina us. para projeção e edição de filmes [F.: Do ing. *moviola.*]

movível (mo.*ví*.vel) *a2g.* Que pode ser movido [Pl.: *-veis.*] [F.: *mover* + *-ível.*]

moxa (*mo*.xa) [ô] *sf. Med.* Bastonete ou pequeno cone de artemísia us. na medicina oriental no tratamento de certas enfermidades, dores e na cicatrização de certas lesões [Us. na moxibustão, a moxa é acesa e depois apagada com o dedo, e a fumaça que sua combustão libera é aplicada, direta ou indiretamente, nos pontos de condensação de energia vital.] [F.: Do jap. *mokusa*, 'bastão de erva de combustão'.]

moxaterapia (mo.xa.te.ra.*pi*.a) *sf. Ter.* Técnica oriental que se utiliza da queima da erva *Artemisia vulgaris* (moxa) sobre os pontos da acupuntura ou pontos doloridos, a fim de restabelecer a harmonia corporal [F.: *moxa* + *terapia*.]

moxibustão (mo.xi.bus.*tão*) *sf. Ter.* Aplicação de calor nos pontos da acupuntura por meio de um cone de moxa aceso, retirado antes que o calor queime a pele do paciente; MOXICOMBUSTÃO [Us. na medicina popular oriental, esp. na medicina japonesa.] [Pl.: *-tões*.] [F.: *moxa* (*a* > *i*) + (*com*) *bustão*.]

moxicombustão (mo.xi.com.bus.*tão*) *sf. Ter.* Ver *moxibustão* [Pl.: *-tões*.] [F.: *moxa* (a > i) + *combustão*.]

mozarela (mo.za.*re*.la) *sf.* Queijo de leite de búfala ou vaca us. na culinária italiana [F.: Do it. *mozzarèlla*. Tb. *muçarela*.]

mozartiano (mo.zar.ti:*a*.no) *Mús. a.* **1** Relativo a ou próprio de Wolfgang Amadeus Mozart (1756-1791), compositor austríaco **2** Que admira, conhece ou estuda profundamente a obra musical de Mozart *sm.* **3** *Mús.* Aquele que admira, conhece ou estuda profundamente a obra de Mozart [F.: Do antrop. Wolfgang Amadeus *Mozart* + *-iano*.]

⊠ **MP** *Jur. Pol.* Sigla de *medida provisória*

⊠ **MP-três** *sm. Inf. Mús.* Formato de arquivo que permite armazenar músicas e arquivos de áudio no computador em espaço relativamente pequeno, mantendo a qualidade do som [Red. de MPEG-1/2 Audio Layer 3. Grafa-se MP3.]

⊠ **Mr** Abrev. do ing. *mister*

⊠ **Mrs** Forma de tratamento abreviada que, em inglês, precede o nome de uma mulher casada

⊠ **MS** Sigla do Estado de Mato Grosso do Sul

⊕ ***M.Sc.*** Abrev. do título universitário Mestre em Ciências [F.: Da abr. do lat. *Magister Scientiarum*.]

⊠ **MST** Sigla do *Movimento dos Trabalhadores Rurais Sem Terra*

⊠ **MT** Sigla do *Estado de Mato Grosso*

mu¹ *sm.* F. red. de *mulo* (1)

mu² *sm.* Ver *mi²*

muafo (mu:*a*.fo) *sm. N. N.E.* Pano velho, roupa ordinária, us. quase em farrapos; ANDRAJO [Mais us. no pl.] [F.: Or. contrv.] ∎ **Arranjar os ~s** *N.E.* Fazer a trouxa (esp. para viajar); preparar-se para viajar

muamba (mu:*am*.ba) *sf.* **1** *Bras.* Produto ou mercadoria contrabandeada **2** *Bras. Fig.* Qualquer produto de uso ilícito, obtido ilegalmente ou cuja posse deve, por algum motivo, permanecer secreta: *Você já escondeu a muamba?* **3** Furto de mercadorias de navios ancorados e de armazéns aduaneiros **4** Espécie de canastra us. para transporte de mercadorias [F.: Do quimb. *mu'ama*, posv. Tb. *moamba*.]

muambeiro (mu:am.*bei*.ro) *sm.* Pessoa que transporta ou negocia mercadoria contrabandeada [F.: *muamba* + *-eiro*.]

muar (mu.*ar*) *a2g.* **1** Relativo a muar, a burro **2** *Zool.* Diz-se de animal da raça do mulo *sm.* **3** Esse animal [F.: Do lat. *mularis,e*.]

mucama (mu.*ca*.ma) *sf. Bras.* Escrava ou criada jovem que auxiliava nos serviços caseiros e servia de acompanhante da patroa [F.: Do quimb. *mukama*, 'escrava concubina'.]

muçarela (mu.ça.*re*.la) *sf.* Ver *mozarela*

muchachada (mu.cha.*cha*.da) *RS Pop. sf.* **1** Bando de jovens; RAPAZIADA **2** Agitação, energia, vigor da mocidade **3** Atitude, comportamento próprio de muchacho **4** Ato ou gesto infantil; CRIANCICE; TRAVESSURA [F.: Do hispano-americano *muchachada*.]

muchacho (mu.*cha*.cho) *RS sm.* **1** Homem jovem ou adolescente com muita energia, vigor; RAPAZ **2** Criança travessa e esperta **3** Suporte para o cabeçalho da carreta [F.: Do espn. *muchacho*.]

◎ **muc(i/o)-** *el. comp.* = muco: *muciforme, mucífero* [F.: Do lat. *mucus,i*.]

mucilagem (mu.ci.*la*.gem) *sf.* Substância gelatinosa produzida por diversas plantas cuja função é reter água [Pl.: *-gens*.] [F.: Do lat. *mucilago, inis*.]

mucilaginoso (mu.ci.la.gi.*no*.so) [ô] *a.* **1** Que contém mucilagem (planta mucilaginosa) **2** Que tem a natureza da mucilagem (revestimento mucilaginoso) [Pl.: [ó]. Fem.: [ó].] [F.: *mucilagem* (m > n) + *-oso*, seg. o mod. gr.]

mucina (mu.*ci*.na) *sf. Bioq.* Qualquer glicoproteína secretada por várias células e glândulas que dá ao muco a sua consistência viscosa [F.: *muc* (*o*) + *-ina²*.]

mucívoro (mu.*cí*.vo.ro) *a.* Que se alimenta de mucosidades [F.: *muco* + *-i-* + *-voro*.]

muco (*mu*.co) *sm. Bioq.* Secreção viscosa produzida pelas membranas mucosas; MUCOSIDADE [F.: Do lat. *mucus,i*.]

mucomembranoso (mu.co.mem.bra.*no*.so) [ô] *a. Anat.* Rel. a ou próprio da membrana mucosa (enterocolite mucomembranosa) [F.: *muco* + *membranoso*.]

mucopolissacarídeo (mu.co.po.lis.sa.ca.*rí*.de:o) *sm. Bioq.* Polissacarídeo presente no tecido conjuntivo e no plasma, que tem funções anticoagulantes e estruturais; GLICOSAMINOGLICANO [F.: *muco* + *polissacarídeo*.]

mucoproteína (mu.co.pro.te.*í*.na) *sf. Bioq.* Macromolécula formada por mucopolissacarídeos aos quais se ligam polipeptídeos de baixo peso molecular, e que constitui um dos principais elementos funcionais e estruturais da cartilagem; PROTEOGLICANA [F.: *muco* + *proteína*.]

mucopurulento (mu.co.pu.ru.*len*.to) *a. Pat.* Que apresenta muco e pus (ferimento mucopurulento) [F.: *muco* + *purulento*.]

mucosa (mu.*co*.sa) *sf. Anat.* Membrana interna de vários órgãos, que se mantém úmida graças ao muco que existe dentro dela [F.: Fem. substv. de *mucoso*.]

mucosidade (mu.co.si.*da*.de) *sf.* O mesmo que *muco* [F.: *mucoso* + *-(i)dade*.]

mucoso (mu.*co*.so) [ô] *a.* **1** Que produz ou contém muco **2** Que tem característica de muco [Pl.: [ó]. Fem.: [ó].] [F.: Do lat. *mucosus, a, um*.]

mucoviscidose (mu.co.vis.ci.*do*.se) *sf. Pat.* Enfermidade hereditária crônica, que afeta as glândulas de secreção externa, causando grandes problemas no organismo como lesões pulmonares obstrutivas, eletrólitos em alto teor no suor e dificuldades na nutrição e digestão; FIBROSE CÍSTICA [F.: *muco* + *víscid(o)* + *-ose²*.]

mucro (*mu*.cro) *sm.* **1** *Anat.* Qualquer extremidade pontiaguda de um órgão **2** *Anat.* Extremidade xifoide do esterno **3** *Bot.* Extremidade pontuda e dura de um órgão foliar [F.: Do lat. *mucro, onis* 'ponta', 'extremidade pontuda'.]

mucronado (mu.cro.*na*.do) *a.* **1** Que contém mucro **2** *Bot.* Diz-se esp. de folha que apresenta mucro (ápice mucronado) [F.: Do lat. *mucronatus, a, um*.]

muçuã (mu.çu:*ã*) *s2g. Bras. Zool.* Pequena tartaruga da fam. dos cinosternídeos (*Kinosternon scorpioides*), encontrada em rios e lagos das Américas do Sul e Central [F.: Do tupi *musu'ã*.]

mucuíba (mu.cu.*í*.ba) *sf. Bot.* Árvore de grande porte, de cujo fruto é extraído, pelos indígenas, óleo com propriedades curativas [F.: Posv. do tupi.]

mucuim (mu.cu.*im*) [u-i] *sm. Zool.* Ver *micuim* ∎ **Não poder ver ~ com tosse** *Bras. Pop.* Ver *Não poder ver micuim com tosse* no verbete *micuim*

mucujê (mu.cu.*jê*) *Bot. sm.* **1** Árvore de pequeno porte (*Couma rigida*), da fam. das apocináceas, da qual se extrai um látex adocicado e potável, consumido como leite e us. tb. na fabricação de goma de mascar **2** O fruto comestível dessa árvore [F.: Do quicongo *mu-kúdi*, posv.]

muçulmano (mu.çul.*ma*.no) *a.* **1** Que é seguidor do islamismo (jovem muçulmano) **2** Ref. ao islamismo (costumes muçulmanos) *sm.* **3** Seguidor do islamismo [F.: Do persa *musliman* (pl), este, do ár. *muslin*. Sin. ger.: *islamita*.]

muçum (mu.*çum*) *sm. Bras. Zool.* Peixe da fam. dos sinbranquídeos (*Synbranchus marmoratus*), de corpo serpentiforme, semelhante ao das moreias, sem nadadeiras e sem escamas, encontrado em rios e lagos da América do Sul [Pl.: *-çuns*.] [F.: Do tupi *mu'su*.]

mucuna (mu.*cu*.na) *sf.* Ver *mucunã*

mucunã (mu.cu.*nã*) *Bot. sf.* **1** Designação comum às plantas herbáceas e ervas trepadeiras do gênero *Mucuna*, da fam. das leguminosas, de folhas trifoliadas e flores exuberantes **2** Qualquer espécie desse gênero (como a *Mucuna altissima*, a *Mucuna pruriens* ou a *Mucuna rostrata*), algumas das quais possuem veneno ou vagens pilosas que, ao contato com a pele, causam coceira e ardência semelhante à de uma queimadura [F.: Do lat. cient. *Mucuna*. Tb. *mucuna*.]

muçurana (mu.çu.*ra*.na) *sf. Bras. Zool.* Cobra não venenosa (*Clelia clelia*), da fam. dos colubrídeos, das Américas Central e do Sul, que se alimenta de lagartos e de outras cobras; BOIRU; LIMPA-CAMPO [F.: Do tupi *musu'rana*.]

muçurumim (mu.çu.ru.*mim*) *BA Ant. Rel. a2g.* **1** Diz-se de negro muçulmano; MALÊ **2** Diz-se do candomblé de rito islamizado [Cf.: *malê*.] **3** Diz-se de rito de culto afro-brasileiro influenciado pelos malês [Formas paral.: *muçurubi, muçurmuni, muçulmi, muçulmui, muxurumim*.]

muda (*mu*.da) *sf.* **1** Ação ou resultado de mudar; MUDANÇA **2** Galho ou planta tirados do canteiro antes da plantação definitiva **3** Troca periódica da pele, do pelo ou das penas de alguns animais: *Passarinho na muda não canta.* **4** Peças sobressalentes de vestuário: *A mãe levava sempre uma muda de roupa para o bebê.* **5** Mudança de voz durante a adolescência **6** Troca de montarias cansadas por outras, descansadas, em viagens longas [F.: Dev. de *mudar*. Hom./Par.: *muda* (sf.), *muda* (fl. de *mudar*).] ∎ **~ em bloco** *Ornit.* Em certas aves aquáticas, muda de todas as penas das asas ao mesmo tempo; desasagem

mudado (mu.*da*.do) *a.* **1** Que mudou *a.* **2** Que se encontra diferente, transformado sob algum aspecto: *Hoje ele é um cara mudado.* [F.: Part. de *mudar*.]

mudança (mu.*dan*.ça) *sf.* **1** Ação ou resultado de mudar(-se); MUDA **2** Os móveis e objetos das pessoas que mudam de casa ou de empresas: *A mudança seguiu de caminhão.* **3** Transformação ou alteração no estado habitual de algo (mudança de voz; mudança de política) **4** Substituição de algo ou alguém por outro; TROCA **5** *Bras. Aut.* Alavanca com que se mudam as marchas do automóvel; ALAVANCA DE CÂMBIO; CÂMBIO [F.: *mudar* + *-ança*.]

mudancismo (mu.dan.*cis*.mo) *Pol. sm.* **1** Movimento que, durante o governo de Juscelino Kubitschek (1956-1960), pregava a mudança da capital do país, então no Rio de Janeiro, para Brasília, no estado de Goiás **2** Tendência para mudanças constantes, ger. nas áreas social ou política [F.: *mudança* + *-ismo*.]

mudancista (mu.dan.*cis*.ta) *Pol. a2g.* **1** Que era favorável à mudança da capital do país, então no Rio de Janeiro, para Brasília **2** Que favorece ou realiza mudanças constantes, esp. nas áreas social e política (febre mudancista) *s2g.* **3** *Pol.* Indivíduo que se mostrava favorável à transferência da capital do país para Brasília **4** Indivíduo que realiza ou favorece mudanças políticas e/ou sociais com frequência [F.: *mudança* + *-ista*.]

mudar (mu.*dar*) *v.* **1** Fazer ou ser objeto de mudança, transformação; ALTERAR; MODIFICAR; TRANSFORMAR [*td.*: *Mudara todo o seu plano; Mudou a organização do livro.*] **2** Pôr(-se) em, ou ir para, outro lugar; DESLOCAR-SE; MOVER-SE; TRANSFERIR-SE [*tda.*: *Mudou as fronteiras para além das montanhas.*] [*int.*: *Depois da segunda enchente, a família mudou(-se).*] [*ta.*: *Depois da guerra, mudaram-se para a cidade.*] **3** Ficar diferente, sofrer mudança ou transformação; TRANSFORMAR-SE [*int.*: *Ela mudou muito.*] **4** Arrumar ou dispor de outro modo [*td.*: *Aproveitou as férias para mudar a arrumação do escritório.*] **5** Trocar, substituir, ou variar [*td.*: *Mudaram as cortinas do teatro; Mudou sua concepção de vida; A jararaca estava mudando a pele.*] [*tr.* +*de*: *Mudar de assunto/de roupa/de carro/de pele/de namorado.*] **6** Deturpar, desfigurar [*td.*: *Ela muda sempre o que a gente diz.*] **7** Fazer passar ou passar por processo de conversão [*tr.* +*para*: *Era católica, mas mudou para o paganismo.*] [▶ **1 mudar**] [F.: Do lat. *mutare*. Hom./Par.: *muda* (3ªp.s.), *mudas* (2ªp.s.)/ *muda* (s.f.) e pl; *mudáveis* (2ªp. pl.)/ *mudáveis* (pl. *mudável* [adj.2g.]); *mudo* (1ªp.s.)/ *mudo* (adj.s.m.). Ideia de *'mudar'*, usar antepos. *mut-*.]

mudável (mu.*dá*.vel) *a2g.* Que pode ser mudado; MUTÁVEL [Pl.: *-veis*.] [F.: Do lat. *mutabilis, e*. Hom./Par.: *mudáveis* (pl.), *mudáveis* (fl. de *mudar*).]

mudez (mu.*dez*) [ê] *sf.* **1** Estado, qualidade ou condição de mudo; MUTISMO **2** *Med.* Incapacidade de articulação de sons em função de lesão nos centros nervosos responsáveis pela fala ou por ausência de audição **3** *Fig.* Ausência de ruído, silêncio: *a serena mudez do deserto.* **4** Estado de quem não está falando: *Ouviu as queixas do pai em absoluta mudez.* [F.: *mudo* + *-ez*. Tb. *mudeza*.]

mudeza (mu.*de*.za) [ê] *sf.* Ver *mudez*

mudo (*mu*.do) *a.* **1** Incapaz de falar devido a problema orgânico **2** Incapaz de falar devido a medo, emoção etc.: *Ele ficou mudo de tanto pavor.* **3** Que não quer falar ou responder; CALADO: *O réu ficou mudo durante todo o julgamento.* **4** Diz-se de aparelho ou outra coisa que, em função de algum defeito ou problema, não produz som: *O telefone está mudo desde ontem.* **5** *Teat.* Diz-se de cena em que não há diálogos **6** Diz-se de filme, de cinema de trilha sem som gravado *sm.* **7** Pessoa incapaz de falar: *educação especial para mudos e surdos.* [F.: Do lat. *mutus, a, um*.] ∎ **~ e quedo** *Pop.* Muito calado, quieto

muezim (mu:e.*zim*) *sm.* Muçulmano que anuncia do alto dos minaretes, em voz alta, a hora das orações [Pl.: *-zins*.] [F.: Dofr. *muezzin*, do turco *muezzin* e, este, do ár. *mu'adin*.]

mufa (*mu*.fa) *Pop. sf.* **1** *Elet.* Em instalações elétricas, quadro central dos interruptores; MUFLA **2** *P.ext.* A cabeça, o intelecto: *A matemática sempre o deixava de mufa quente.* [F.: Alt. de *mufla*.] ∎ **Queimar a ~** *Bras. Pop.* Fazer grande esforço mental (para fazer uma tarefa, resolver um problema etc.)

⊕ ***muffin*** (*Ing.: /mâfin/*) *sm.* **1** Tipo de rolinho de pão, chato, ger. torrado, servido com manteiga, geleia etc. **2** Bolinho doce de massa assada em forminhas, arredondado, muitas vezes contendo pedaços de frutas

mufti *sm. Jur. Rel.* No islamismo, espécie de jurista supremo a quem compete interpretar o alcorão e resolver sobre a aplicação da lei nos casos controversos civis ou religiosos [Em certos países, é designado oficialmente pelo governo] [F.: Do ár. *muft*.]

mugido (mu.*gi*.do) *sm.* A voz do boi, da vaca e dos bovídeos em geral [F.: Do lat. *mugitus, us*. Hom./Par.: *mugido* (sm.), *mugido* (fl. de *mugir*).]

mugidor (mu.gi.*dor*) [ô] *a.* Que muge; que emite mugidos (boiada mugidora) [F.: *mugi(r)* + *-dor*.]

mugir (mu.*gir*) *v.* **1** Dar mugidos (o boi, a vaca etc.) [*int.*] **2** *P.ext.* Emitir som semelhante a mugido; berrar [*int.*: *Nunca fala baixo, só vive mugindo.*] **3** *Fig.* Produzir ruído intenso [*int.*: *O mar agitado parecia mugir.*] **4** *Fig.* Dizer (algo) com som que lembra um mugido [*td.*: *Mugiu algumas queixas e foi dormir.*] [▶ **46 mugir**] [F.: Do lat. *mugire*. Hom./Par.: *mungir* (vários tempos do v.).]

mui *adv.* Forma apocopada de muito, us. antes de adjetivos, ou de advérbios terminados em *-mente* (mui feliz; mui facilmente)

muiraquitã (mui.ra.qui.*tã*) *sm. Bras.* Amuleto indígena de madeira ou pedra, em forma de pessoas ou animais [Pl.: *-tãs*.] [F.: Do tupi *miraki'tã*.]

muito (*mui*.to) *adv.* **1** Em grande quantidade ou intensidade (fala muito, muito enfezado, muito bonita) *sm.* **2** Grande quantidade de alguma coisa: *Agradeceu-lhes o muito que fizeram.* *pr.indef.* **3** Uma grande quantidade ou parcela: *Doou muito da antiga coleção.* [F.: Do lat. *multus, a, um*. Ant. ger.: *pouco*.] ∎ **~ e ~** Muitíssimo **De há ~** Desde muito tempo, já há (havia) muito tempo: *De há muito temos conhecimento desse fato.* **De ~** Ver *De há muito.* **Há ~** Já há muito tempo (que): *Esse time há muito não ganha um campeonato.* **Quando ~** Na melhor hipótese, no máximo, se tanto: *Temos combustível para rodar, quando muito, 10 km.*

muitos (*mui*.tos) *pr.indef.* Muitas pessoas: *Muitos protestaram.* [F.: Pl. de *muito*. Ant.: *poucos*.]

muiuna (mu.i.*u*.na) [ui-ú] *sm. Amaz.* Na época das cheias, redemoinho que se forma às margens do rio Amazonas e de seus afluentes, tornando-os intransponíveis [F.: Do tupi.]

mujique (mu.*ji*.que) ***sm.*** **1** *Hist.* Camponês russo, num tempo anterior à revolução de 1917 **2** *P.ext.* Homem simples do povo [F.: Do russo *mujik*. Hom./Par.: *mojique* (fl. de *mojicar*).]

mula (*mu*.la) ***sf.*** **1** *Zool.* A fêmea do burro **2** *Zool.* Abelha-operária **3** *Pop.* Adenite inguinal causada por infecção venérea [F.: Do lat. *mula, ae.*] ▪ **Lerdo como ~ guaxa** *S. Joc.* Diz-se de pessoa lenta, lerda, mole **Picar a ~ 1** *Bras. Gír.* Ir embora **2** Fugir, dar o fora

mulá (mu.*lá*) ***sm.*** Título de líderes religiosos islâmicos, ou de mestres da lei islâmica [F.: Do ár. *mawlá*.]

mula sem cabeça (mu.la sem ca.*be*.ça) [ê] *Bras.* ***sf.*** **1** *Folc.* Segundo crendice popular, concubina de padre que, como punição, depois de morta se transforma em mula e galopa fazendo muito barulho e assombrando as pessoas **2** *Pop.* Concubina de padre [Pl.: *mulas sem cabeça*.]

mulata (mu.*la*.ta) ***sf.*** **1** Filha de mãe negra e pai branco ou vice-versa **2** Jovem mestiça; CABROCHA **3** *Pop.* Aguardente de cana-de-açúcar; CACHAÇA **4** *Bot.* Árvore leguminosa (*Apuleia leiocarpa*); tb. *muirajuba* **5** *RJ Zool.* Peixe teleósteo, perciforme (*Rhomboplites aurorubens*); tb. *cioba* **6** *Zool.* Peixe teleósteo, perciforme (*Ocyurus chrysurus*); tb. *guaiuba* [F.: Fem. de *mulato*.]

mulatada (mu.la.*ta*.da) ***sf.*** A totalidade das pessoas mulatas; grupo ou conjunto de mulatos: "A minha vó era russinha/ E tenho cinco mulatinhos, salve, salve/ Salve a mulatada brasileira" (Martinho da Vila, *Salve a mulatada brasileira*) [F.: *mulato* + *-ada*[1].]

mulataria (mu.la.ta.*ri*.a) ***sf.*** *Pop.* Aglomeração, multidão de mulatos reunidos [F.: *mulat(o)* + *-aria*.]

mulatice (mu.la.*ti*.ce) *Bras.* ***sf.*** **1** Qualidade, característica ou condição de mulato **2** Conjunto de traços fisionômicos que denotam ascendência miscigenada de negro com branco e/ou índio **3** Característica de quem apresenta cor da pele parda, morena, mulata [F.: *mulat(o)* + *-ice*. Sin. ger.: *mulatismo*.]

mulatinho (mu.la.*ti*.nho) ***sm.*** **1** Mulato jovem **2** *Agr.* Tipo de feijão marrom e pequeno **3** *Bot.* Arbusto da fam. das rubiáceas (*Rudgea dahlgrenii*), com folhas opostas, nervuras proeminentes e flores e frutos pequenos dispostos em cimeiras [Dim. de *mulato*.] [F.: *mulato* + *-inho*.]

mulatismo (mu.la.*tis*.mo) *Bras.* ***sm.*** **1** Atitude, comportamento, hábito próprio de mulato **2** Domínio, conhecimento, formação de mulato **3** Ver *mulatice* [F.: *mulato* + *-ismo*.]

mulato (mu.*la*.to) ***a.*** **1** Que apresenta traços físicos (cor da pele, tipo de cabelo, formato do nariz etc.) característicos da miscigenação entre negros e brancos; PARDO: *Eu tenho primos mulatos, negros e brancos.* **2** Diz-se de indivíduo trigueiro, de cor acastanhada ***sm.*** **3** Indivíduo mulato: *Não havia mulatos nessa escola de samba.* **4** *Min.* Minério pardacento, de prata ou cobre [F.: Do espn. *mulato*.]

muleiro (mu.*lei*.ro) ***sm.*** **1** *N.E.* Condutor de mulas **2** *N.E. Etnog.* Um dos personagens do bumba meu boi, representando um empregado animado e brincalhão da fazenda; MATEUS [F.: *mul(a)* + *-eiro*.]

muleta (mu.*le*.ta) [ê] ***sf.*** **1** Cada um de um par de bastões com apoio para as axilas, us. como arrimo para caminhar, por pessoas que não podem se apoiar em uma das pernas **2** *Fig.* Qualquer coisa que serve de apoio ou amparo, inclusive moral: *A terapia tornou-se uma muleta.* **3** Manivela com que se faz girar o cilindro dos realejos e outros instrumentos de mesmo gênero **4** *Lus.* Embarcação de pesca us. pelos pescadores do Tejo **5** *Taur.* Pano vermelho esticado sobre o estoque (espada do matador) com o qual o matador faz passes com o touro antes de feri-lo, na terceira e última fase da tourada [F.: Do espn. *muleto*.] ▪ **~ canadense** Tipo de muleta (1) cujo apoio não é sob as axilas, mas no antebraço

muletada (mu.le.*ta*.da) ***sf.*** Manada de mulas; MULADA [F.: Do espn. *muletada*.]

mulher (mu.*lher*) ***sf.*** **1** Mamífero do sexo feminino da esp. *Homo sapiens*, de postura vertical, dotado de inteligência e linguagem articulada: *Há mais mulheres do que homens no mundo.* **2** O ser humano feminino como parcela da humanidade; a totalidade das mulheres: *É cada vez maior a participação da mulher na economia.* **3** Pessoa do sexo feminino, em oposição a *homem* **4** Mulher (1, 3) que não é virgem: *Ele disse que queria me fazer mulher.* **5** Condição da menina que entra na puberdade **6** Adulto do sexo feminino, em oposição a criança; mulher-feita: *Sua filha já está uma mulher.* **7** Aquela que tem comportamento, juízo e qualidades próprios de mulher (6) madura: *É uma menina, mas tem modos de mulher.* **8** Aquela que tem tenacidade, firmeza, coragem, fibra etc.: *Ela é bastante mulher para enfrentar tudo isso.* **9** A esposa ou companheira de um homem **10** Qualquer pessoa do sexo feminino: *Quem é aquela mulher?* **11** Designa uma mulher (10) em relação a sua atividade ou especialidade: *mulher de letras; mulher de negócios.* **12** *Pop.* Homossexual passivo [F.: Do lat. *mulier, eris.*] ▪ **De ~ para ~** Sem meias palavras ou evasivas; sem hesitação em dizer diretamente a verdade (us. com função de adj. ou de adv.): *conversa de mulher para mulher (= 'sincera, direta'); falar de mulher para mulher (= 'francamente').* [Equivalente fem. de *De homem para homem*.] **~ a dias** *Lus.* Diarista (3) **~ de ação** Mulher enérgica, ativa **~ de bem** Mulher de boa índole, de comportamento correto e honrado **~ de cor** Mulher negra ou mulata **~ de espírito** Mulher inteligente, espirituosa, culta **~ de letras** Escritora, intelectual, literata **~ de negócios** Aquela que faz grandes negócios, para si mesma ou para terceiros **~ de palavra 1** Aquela que cumpre ou procura cumprir o que promete **2** Aquela que só fala a verdade **~ de sociedade** Mulher da alta sociedade, ou que a frequenta **~ fatal** Termo que designa mulher atraente, cujos encantos podem induzir pessoas a se envolverem em situações difíceis e arriscadas; *vamp* **~ pública** Mulher que se ocupa em atividades de interesse público (e não só particulares), ou que tem cargo ou função de importância na política [O termo foi muito us. com conotação pejorativa, como designação de prostituta.] **Ser como a ~ de César** Ter (mulher) reputação de leal, honesta, íntegra etc.

mulheraça (mu.lhe.*ra*.ça) *Pop.* ***sf.*** **1** *Pej.* Mulher muito grande ou gorda **2** Mulher de formas muito atraentes, sensuais; MULHERÃO **3** Mulher excepcional, maravilhosa; grande mulher [Aum. irreg. de *mulher*.] [F.: *mulher* + *-aça*.]

mulheraço (mu.lhe.*ra*.ço) ***sm.*** **1** Mulher bonita, de corpo bem torneado **2** Mulher de muita personalidade, de fibra [F.: *mulher* + *-aço*.]

mulherada (mu.lhe.*ra*.da) *Bras. Pop.* ***sf.*** Aglomeração, ajuntamento de mulheres; MULHERIO; MULHERAME; MULHERAMA [F.: *mulher* + *-ada*.]

mulherame (mu.lhe.*ra*.me) *Bras. Pop.* ***sf.*** Aglomeração de mulheres; MULHERADA; MULHERIL; MULHERAL [F.: *mulher* + *-ame*.]

mulherão (mu.lhe.*rão*) *Pop.* ***sm.*** **1** Mulher grande, alta, corpulenta **2** *Pop.* Mulher atraente, sensual, voluptuosa [Aum. irreg. de *mulher*.] [F.: *mulher* + *-ão*. Sin. ger.: *mulheraça*.]

mulher-dama (mu.lher-*da*.ma) ***sf.*** *Bras. Pop.* Mulher que faz sexo em troca de dinheiro; PROSTITUTA; MERETRIZ [Pl.: *mulheres-damas*.]

mulherengo (mu.lhe.*ren*.go) ***a.*** **1** Que gosta de namorar ou namora várias mulheres; NAMORADOR: *Meu irmão é muito mulherengo.* **2** Diz-se de homem com modos femininos; EFEMINADO; MARICAS [Pode denotar preconceito.] ***sm.*** **3** Homem mulherengo (1) [F.: *mulher* + *-engo*.]

mulher-homem (mu.lher-*ho*.mem) *Pop. Pej.* ***sf.*** **1** Mulher masculinizada, com características físicas ou comportamentais tidas como masculinas ou viris **2** Mulher muito corajosa, valentona **3** Mulher homossexual; LÉSBICA [Pl.: *mulheres-homens, mulheres-homem*. Pode denotar preconceito.]

mulheril (mu.lhe.*ril*) ***a2g.*** Ref. ao sexo feminino ou próprio dele [Pl.: *-ris*.] [F.: *mulher* + *-il*[1]. Cf.: *mulherio*.]

mulherio (mu.lhe.*ri*:o) *Bras.* ***sm.*** **1** Grande número de mulheres: *O mulherio esperava pelo cantor na porta do hotel.* **2** *Joc.* As mulheres em geral: *Avisou ao mulherio que estava solteiro de novo.* [F.: *mulher* + *-io*[1]. Cf.: *mulheril*.]

mulher-macho (mu.lher-*ma*.cho) ***sf.*** **1** *Pej. Pop.* Mulher com características e/ou atitudes masculinas **2** *Pej. Pop.* Mulher que mantém relações sexuais e/ou amorosas com outras mulheres; LÉSBICA **3** *Fig.* Mulher batalhadora, que luta corajosamente para atingir seus objetivos ou para proteger a si ou aos seus [Pl.: *mulheres-machos*. Pode denotar preconceito ou machismo.]

mulher-objeto (mu.lher-ob.*je*.to) ***sf.*** Mulher considerada unicamente como fonte de prazer, como objeto sexual [Pl.: *mulheres-objetos, mulheres-objeto*.]

mulita (mu.*li*.ta) *RS* ***sf.*** **1** *Zool.* Tatu campestre (*Dasypus hybridus*); tb. *tatu-mulita* **2** *Pop.* Engano, logro [F.: Do plat. *mulita*.] ▪ **Passar ~ em** *Bras. RS* Enganar, lograr, burlar

mulo (*mu*.lo) ***sm.*** **1** *Zool.* Ver *burro* **2** *Pop.* Homem viril, de muitas mulheres, mas sem filhos [F.: Do lat. *mulus, i*.]

multa (*mul*.ta) ***sf.*** **1** Ação ou resultado de multar **2** Penalidade em dinheiro **3** Documento que confirma essa penalidade **4** Punição de natureza pecuniária imposta por lei; PENALIDADE [F.: Do lat. *mulcta* ou *multa, ae*. Hom./Par.: *multa* (sf.), *multa* (fl. de *multar*).] ▪ **~ penitencial** *Jur.* Multa prevista em contrato, a ser paga pela parte exercer direito de arrependimento e rescisão do mesmo

multado (mul.*ta*.do) ***a.*** Que recebeu uma multa (carro multado) [F.: Part. de *multar*.]

multar (mul.*tar*) ***v.*** Aplicar multa a [**td.**: *O governo decidiu multar as indústrias que poluem.*] [▶ **1** multar] [F.: *multa* + *-ar*. Hom./Par.: *multa* (3ªp.s.), *multas* (2ªp.s.)/ *multa* (s.f.) e pl.]

◎ **mult(i)-** ***el. comp.*** = 'muito'; 'de muitos, de vários (elementos)'; 'numeroso': *multicolor, multilateral, multimídia* [F.: Do lat. *multi-*, do adj.lat. *multus, a, um*.]

multicaule (mul.ti.*cau*.le) ***a2g.*** *Bot.* Diz-se de planta cuja raiz emite vários caules; CESPITOSO [F.: *mult(i)-* + *caule*.]

multicelular (mul.ti.ce.lu.*lar*) ***a2g.*** *Biol.* Formado por mais de uma célula; PLURICELULAR [F.: *mult(i)-* + *celular*.]

multicentrado (mul.ti.cen.*tra*.do) ***a.*** Com vários centros (mundo multicentrado) [F.: *mult(i)-* + *centrado*.]

multicolor (mul.ti.co.*lor*) [ô] ***a2g.*** Ver *multicor*

multicolorido (mul.ti.co.lo.*ri*.do) ***a.*** O mesmo que *multicolor* [F.: *mult(i)-* + *colorido*.]

multicor (mul.ti.*cor*) [ô] ***a2g.*** De várias cores; MULTICOLORIDO [F.: Do lat. *multicolor, oris*.]

multicultural (mul.ti.cul.tu.*ral*) ***a2g.*** Que provém ou se constitui de várias culturas: "Somos uma nação multicultural, muito orgulhosa de nossa política não discriminatória de imigração." (*O Globo*, 12.01.2006) [Pl.: *-rais*.] [F.: *mult(i)-* + *cultural*.]

multiculturalidade (mul.ti.cul.tu.ra.li.*da*.de) ***sf.*** Pluralidade cultural; MULTICULTURALISMO: "(...) o grupo completou com sucesso sua 'viagem de metrô' pela multiculturalidade nova-iorquina (...)." (*O Globo*, 23.09.1997) [F.: *multicultural* + *-i-* + *-dade*.]

multiculturalismo (mul.ti.cul.tu.ra.*lis*.mo) ***sm.*** Existência simultânea de várias culturas dentro de um mesmo território, país etc.; pluralismo cultural; MULTICULTURALIDADE [F.: *multicultural* + *-ismo*.]

multiculturalista (mul.ti.cul.tu.ra.*lis*.ta) ***a2g.*** **1** Ref. a multiculturalismo **2** Que abrange ou inclui aspectos de múltiplas culturas: "Sua obra é chamada pelos críticos de 'multiculturalista', conjugando violência urbana, misticismo indiano e tradições da pintura italiana." (*O Globo*, 01.01.2000) ***s2g.*** **3** Aquele que é adepto do multiculturalismo [F.: *multicultural* + *-ista*.]

multidão (mul.ti.*dão*) ***sf.*** **1** Grande quantidade de pessoas, animais ou coisas: *uma multidão de contas para pagar.* **2** O conjunto dos habitantes de uma mesma região ou de um mesmo país, por oposição ao conjunto formado pelos indivíduos pertencentes às classes dirigentes; POVO; POPULACHO [Pl.: *-dões*.] [F.: Do lat. *multitudo, inis*.]

multidimensional (mul.ti.di.men.si.o.*nal*) ***a2g.*** **1** Diz-se do que possui mais de três dimensões: "(...) seja ele um personagem humano, alienígena, duende, humanoide ou um ser multidimensional." (*O Globo*, 25.10.2007) **2** *P.ext. Fig.* Diz-se daquilo que abrange os múltiplos aspectos de algo (abordagem multidimensional) [Pl.: *-nais*.] [F.: *mult(i)-* + *dimensional*. Sin. ger.: *pluridimensional*.]

multidimensionalidade (mul.ti.di.men.si.o.na.li.*da*.de) ***sf.*** Estado ou condição do que é multidimensional: "Para dar conta dessa multidimensionalidade, surge o método (...) no qual se estabelece um conjunto de indicadores ligados à renda familiar, assistência escolar, acesso a serviços sociais (...)." (*O Globo*, 10.09.2003) [F.: *multidimensional* + *-i-* + *-dade*.]

multidirecionado (mul.ti.di.re.ci.o.*na*.do) ***a.*** Voltado para múltiplas direções, alvos, objetivos etc.: "É um trabalho multidirecionado: trabalham-se a psicomotricidade, a sociabilidade, a criatividade, a musicalidade." (*O Globo*, 19.10.2003) [F.: *mult(i)-* + *direcionado*.]

multidirecional (mul.ti.di.re.ci.o.*nal*) ***a2g.*** Capaz de atingir ou abranger múltiplas direções; PLURIDIRECIONAL: *A contemporaneidade vive o fluxo multidirecional da comunicação informatizada.* [Pl.: *-nais*.] [F.: *mult(i)-* + *direcional*.]

multidisciplinar (mul.ti.dis.ci.pli.*nar*) ***a2g.*** Que envolve disciplinas e pesquisas diversas; PLURIDISCIPLINAR: *centro de estudos multidisciplinares.* [Pl.: *-res*.] [F.: *mult(i)-* + *disciplinar*.]

multidisciplinaridade (mul.ti.dis.ci.pli.na.ri.*da*.de) ***sf.*** *Pedag.* Qualidade ou condição do que envolve ou abrange múltiplas disciplinas; pluridisciplinaridade [F.: *multidisciplinar* + *-i-* + *-dade*.]

multifacetado (mul.ti.fa.ce.*ta*.do) ***a.*** **1** Que possui múltiplas faces ou lados (escultura multifacetada); MULTIFACE **2** *Fig.* Relativo a ou que possui várias facetas, aspectos, particularidades: "Seu trabalho é multifacetado: ela é artista, professora e participa de uma banda *underground*." (*O Globo*, 15.03.2006) [F.: *mult(i)-* + *facetado*. Sin. ger.: *plurifacetado*.]

multifamiliar (mul.ti.fa.mi.li.*ar*) ***a2g.*** Que se refere a mais de uma família (festa multifamiliar) [Pl.: *-res*.] [F.: *mult(i)-* + *familiar*.]

multifário (mul.ti.*fá*.ri:o) ***a.*** Que se apresenta sob diversos aspectos (pensamento multifário); MULTIFACETADO [F.: Do lat. *multifarius, a, um*.]

multifoliado (mul.ti.fo.li:*a*.do) ***a.*** **1** *Bot.* Dotado de muitas folhas (rosa multifoliada) **2** Que possui muitas camadas: *saco de papel multifoliado.* [F.: *mult(i)-* + *foliado*.]

multifocal (mul.ti.fo.*cal*) ***a2g.*** **1** Com vários focos ou enfoques: "Na pós-modernidade é interessante ser rápido e desenvolver a capacidade de observação multifocal." (*O Globo*, 22.08.2004) **2** *Ópt.* Diz-se de lente ou óculos com mais de duas distâncias focais diferentes e específicas [Pl.: *-cais*.] [F.: *mult(i)-* + *focal*.]

multifonia (mul.ti.fo.*ni*.a) ***sf.*** *Mús.* Técnica na execução de instrumentos de sopro ou metal, ou na arte do canto, que permite a emissão de dois ou três sons simultaneamente [F.: *mult(i)-* + *-fonia*.]

multiforme (mul.ti.*for*.me) ***a2g.*** Que possui muitas formas [F.: Do lat. *multiformis, e*.]

multiformidade (mul.ti.for.mi.*da*.de) ***sf.*** Qualidade ou condição do que é multiforme [F.: *multiforme* + *-i-* + *-dade*.]

multifunção (mul.ti.fun.*ção*) ***sf.*** **1** Função que concentra múltiplas funções em si mesma: "O fim da multifunção, com petroleiros executando várias atividades simultâneas, é outra reivindicação(...)." (*O Globo*, 22.03.2001) [Pl.: *-ções*.] ***a2g. sm.*** **2** Que ou aquilo que acumula várias funções (aparelho multifunção): *O equipamento é um multifunção que amplia os recursos já existentes.* [Pl.: *-ções*.] [F.: *mult(i)-* + *função*.]

multifuncional (mul.ti.fun.ci.o.*nal*) ***a2g.*** Que tem ou realiza múltiplas funções; POLIVALENTE [F.: *mult(i)* + *funcional*.]

multígeno (mul.*tí*.ge.no) ***a.*** Que abrange vários gêneros ou espécies [F.: Do lat. *multigenus, a, um*.]

multi-instrumentista (mul.ti-ins.tru.men.*tis*.ta) ***s2g.*** *Mús.* Instrumentista que toca vários instrumentos [F.: *mult(i)-* + *instrumentista*.]

multilateral (mul.ti.la.te.*ral*) ***a2g.*** **1** *Geom.* Diz-se de figura plana com mais de quatro lados; MULTILÁTERO **2** Relativo ou concernente aos interesses de várias partes, de vários indivíduos, instituições, países etc. (convênio multilateral) [F.: *mult(i)-* + *lateral*.]

multilateralismo (mul.ti.la.te.ra.*lis*.mo) ***sm.*** *Econ. Pol.* Prática de relações internacionais, esp. comerciais, em que três ou mais países, instituições etc. negociam uns com os outros em igualdade de condições; MULTILATERA-

LIZAÇÃO: "A boa governança e os princípios democráticos que valorizamos no plano interno devem igualmente inspirar métodos de decisão coletiva no multilateralismo." (*O Globo*, 15.09.2005) [Cf.: *unilateralismo, bilateralismo.* F.: *mult(i) + lateralismo.*]

multilateralista (mul.ti.la.te.ra.*lis*.ta) *a2g.* **1** *Econ. Pol.* Relativo a multilateralismo (concepção multilateralista) *s2g.* **2** Adepto do multilateralismo: "Na Casa Branca, Clinton, um multilateralista militante (...)" (*O Globo*, 23.09.2004) [Cf.: *unilateralista, bilateralista.* F.: *mult(i) + lateralista.*]

multilateralização (mul.ti.la.te.ra.li.za.*ção*) *sf.* Ação ou resultado de multilateralizar, m.q. *multilateralismo*: "(...) esmiuçando as garantias oferecidas pela China para a multilateralização de suas práticas de comércio nas duas mãos." (*O Globo*, 02.04.2000) [Cf.: *unilateralização, bilateralização.* F.: *mult(i) + lateralização.*]

multilíngue (mul.ti.*lín*.gue) [u-e] *a2g. Ling.* Que se refere a mais de um sistema linguístico, o mesmo que *multilinguista*; PLURILÍNGUE [F.: *mult(i)- + língue.*]

multilinguismo (mul.ti.lin.*guis*.mo) *sm.* **1** *Soc. Ling.* Coexistência de línguas ou dialetos diferentes em uma mesma comunidade **2** *Ling.* Conhecimento por uma mesma pessoa de duas ou mais línguas; PLURILINGUISMO; POLIGLOTISMO [F.: *multilíngue + -ismo.*]

multilinguístico (mul.ti.lin.*guís*.ti.co) *a.* Ref. a multilinguismo e a multilinguista; PLURILINGUÍSTICO [F.: *multilinguista + -ico²*.]

multíloquo (mul.*tí*.lo.quo) *a.* Que fala muito; FALADOR; LOQUAZ [F.: Do lat. *multiloquus, a, um.*]

multimeios (mul.ti.*mei*.os) *smpl.* **1** Termo que designa o uso (em comunicação, programas, aplicativos de computador etc.) de vários meios, ou novas mídias, no processo de comunicação, aprendizagem, publicidade etc. *a.* **2** Diz-se de programa, aplicativo, processo de comunicação ou ensino etc. que usa diferentes mídias: *A firma desenvolveu uma enciclopédia digital multimeios.* [F.: *mult(i)- + meios* (pl. *de meio*).]

multímetro (mul.*tí*.me.tro) *sm. Eletrôn. Fís.* Instrumento us. para medição de corrente, tensão e resistência elétricas [F.: *mult(i)- + -metro.*]

multimídia (mul.ti.*mí*.di:a) *sf.* **1** *Inf.* Técnica que combina diversas formas de apresentar informações, como textos, sons e imagens, em uma só **2** *Comun.* Apresentação de informações em que se faz uso dessa multiplicidade de meios de comunicação **3** *Art.pl. Cin. Jorn. Teat. Telv.* Apresentação artística, acadêmica ou de outra natureza que mistura projeção de vídeos ou de slides, música e *performance* ao vivo **4** *Publ.* Campanha publicitária que utiliza veículos de diversas categorias *a2g.* **5** Que se refere a ou utiliza multimídia (espetáculo multimídia) [F.: *mult(i)- + mídia.*]

multimilenar (mul.ti.mi.le.*nar*) *a2g.* Que se refere a um conjunto de milhares de anos, a milênios (costumes multimilenares); MULTIMILENÁRIO [Pl.: *-res.*] [F.: *mult(i)- + milenar.*]

multimilionário (mul.ti.mi.li:o.*ná*.ri:o) *a.* **1** Que possui muitos milhões, que é muitíssimo rico (corredor multimilionário) **2** Que é composto por, envolve ou vale muitos milhões (dívida multimilionária; acordo multimilionário) *sm.* **3** Pessoa extremamente rica [F.: *mult(i)- + milionário.*]

multimodal (mul.ti.mo.*dal*) *a2g.* **1** Que se faz ou se apresenta de muitos modos; MULTÍMODO **2** Diz-se do transporte integrado em que se utilizam múltiplos meios ou modais [Cf.: *intermodal.*] **3** *Est.* Diz-se da distribuição de frequência que tem mais de uma moda [Pl.: *-dais.*] [F.: *multímodo + -al.*]

multimodalidade (mul.ti.mo.da.li.*da*.de) *sf.* Qualidade do que é multimodal; MULTIMODALISMO: "A multimodalidade dos transportes (...) terá um papel fundamental na ocupação agrícola dos cerrados..." (*O Globo*, 12.04.1997) [F.: *multimodal + -(i)dade.*]

multinacional (mul.ti.na.ci:o.*nal*) *a2g.* **1** Ref. a muitos países e nações (conflito multinacional) **2** De que participam muitos países: *reunião multinacional para acordo de paz* **3** Que se realiza entre vários países (comércio multinacional) **4** Diz-se de empresa com atividades, negócios em vários países; TRANSNACIONAL *sf.* **5** Empresa desse tipo: *As multinacionais investiram bilhões no país.* [Pl.: *-nais.*] [F.: *mult(i)- + nacional.*]

multinacionalidade (mul.ti.na.ci:o.na.li.*da*.de) *sf.* O mesmo que *multinacionalismo* [F.: *mult(i)- + nacionalidade.*]

multinacionalismo (mul.ti.na.ci:o.na.*lis*.mo) *sm.* Qualidade do que é multinacional [F.: *multinacional + -ismo.*]

multinucleado (mul.ti.nu.cle:*a*.do) *a.* Que tem muitos núcleos (célula multinucleada) [F.: *mult(i)- + nucleado.*]

multipartidário (mul.ti.par.di.*dá*.ri:o) *a.* **1** Ref. ao multipartidarismo **2** Ref. a vários partidos políticos (movimento multipartidário) [F.: *mult(i)- + partidário.* Sin. ger.: *pluripartidário.*]

multipartidarismo (mul.ti.par.ti.da.*ris*.mo) *sm. Pol.* Coexistência de três ou mais partidos num sistema político; PLURIPARTIDARISMO [F.: *multipartidário + -ismo.*]

multiplex (mul.ti.*plex*) [cs] *a.* Ver *multíplex*

multíplex (mul.*ti*.plex) [cs] *a2g.* **1** *Telc.* Diz-se de sistema de transmissão e recepção de sons estereofônicos em frequência modulada **2** Diz-se de sistema que permite comunicação concomitante entre pessoas em diferentes lugares por diferentes meios, como rádio, telefone, televisão etc. **3** Diz-se de sistema de transmissão simultânea de várias mensagens por uma mesma via, linha ou canal [Pl.: *multíplices.*] *sm2n.* **4** Qualquer desses sistemas **5** *Telv.* Dispositivo óptico usado para combinar imagens de diferentes proveniências num só canal gerador de sinais **6** *Cin.* Conjunto de várias salas de exibição de filmes, ger. instaladas em *shopping centers* e quase sempre com bilheteria única [F.: Do lat. *multiplex, icis.* Tb. *multiplex.*]

multiplexador (mul.ti.ple.xa.*dor*) [ô] *sm. Inf. Telc.* Dispositivo ou sistema que permite a transmissão simultânea de duas ou mais mensagens por um mesmo canal de transmissão [F.: De **multiplexar* (< *multiplex* + *-ar²*) + *-dor.*]

multiplicação (mul.ti.pli.ca.*ção*) *sf.* **1** Ação ou resultado de multiplicar(-se) **2** *Arit.* Operação elementar em que um mesmo número é somado um determinado número de vezes **3** *Biol.* Reprodução assexuada [Pl.: *-ções.*] [F.: Do lat. *multiplicatio, onis.*] ■ ~ **lógica** *Lóg.* Grupo de proposições ligadas num sistema lógico pelo operador *e*, e que só tem valor de verdade se cada uma das proposições for verdadeira

multiplicado (mul.ti.pli.*ca*.do) *a.* Que se multiplicou [F.: Part. de *multiplicar.*]

multiplicador (mul.ti.pli.ca.*dor*) [ô] *a.* **1** Que multiplica **2** *Arit.* Número que indica quantas parcelas há na multiplicação de um outro número [F.: Adapt. do fr. *multiplicateur*, deriv. do b. lat. *multiplicator, -oris.*]

multiplicando (mul.ti.pli.*can*.do) *sm. Arit.* Na multiplicação, número que será somado repetidamente [F.: *multiplicar + -ndo.*]

multiplicar (mul.ti.pli.*car*) *v.* **1** Aumentar em quantidade, valor, intensidade [*td.*: *Multiplicar a produção/os lucros/os esforços.*] [*int.*: *Em tempo de guerra os problemas se multiplicam.*] **2** Espalhar(-se), propagar(-se) [*td.*: *A pequena árvore multiplicava suas folhas.*] [*int.*: *As manchas se multiplicaram em seu corpo.*] **3** Fazer (algo) com mais frequência ou empenho [*td.*: *Multiplicou as sessões de ginástica para ganhar corpo mais depressa.*] **4** *Arit.* Fazer operação de multiplicação [*tdr.* +*por*: *Multiplicou 3 por 18.*] **5** Dar o máximo de seus esforços [*tdr.* +*por*: *Multiplicou-se por cinco para dar conta de seu trabalho.*] [▶ **11 multiplicar**] [F.: Do lat. *multiplicare.*]

multiplicativo (mul.ti.pli.ca.*ti*.vo) *a.* **1** Que aumenta, repete, intensifica muitas vezes: *A sala parece maior com o efeito multiplicativo dos espelhos.* **2** *Mat.* Que indica operação de multiplicação (sinal multiplicativo) **3** *Gram.* Diz-se do numeral que expressa por quanto um número é multiplicado (p. ex.: *triplo*) [F.: *multuplicar + -tivo.*]

multiplicável (mul.ti.pli.*cá*.vel) *a2g.* Que se pode multiplicar [Pl.: *-veis.*] [F.: Do lat. *multiplicabilis, e.* Hom./Par.: *multiplicáveis* (pl.), *multiplicáveis* (fl. de *multiplicar*).]

multíplice (mul.*tí*.pli.ce) *a2g.* **1** Que se apresenta de várias maneiras ou se processa em diversas etapas; VARIADO **2** Ref. a quantidades maiores do que três; MÚLTIPLO [F.: Do lat. *multiplex, icis.*]

multiplicidade (mul.ti.pli.ci.*da*.de) *sf.* **1** Qualidade ou condição do que é múltiplo **2** Grande número ou abundância de algo: *A multiplicidade de cinemas torna difícil a escolha.* [F.: Do lat. *multiplicitas, atis.*]

múltiplo (*múl*.ti.plo) *a.* **1** De número ou em número (muito) maior que três *a.* **2** Que possui ou se constitui de muitos elementos ou que é composto por elementos variados: *palavras de múltiplos significados.* **3** De várias etapas **4** Que prolifera, ou sofre ou apresenta proliferação (mieloma múltiplo) **5** De ou com várias funções, características etc. (espaço múltiplo) **6** Que se sucede progressiva ou continuamente; que se multiplica (orgasmo múltiplo) *sm.* **7** *Arit.* Número que pode ser dividido exatamente por outro sem deixar resto [F.: Do lat. *multiplus, a, um.*] ■ ~ **comum** *Mat.* Em relação a um conjunto de números, número que é múltiplo de cada um deles ~ **inteiro** *Mat.* Produto de um número por número inteiro **Mínimo ~ comum** *Mat.* Em relação a um conjunto de números inteiros, o menor número que é múltiplo de cada um deles [Símb.: *mmc.*]

multipolaridade (mul.ti.po.la.ri.*da*.de) *sf. Elet.* Característica ou condição de multipolar [F.: *multipolar + -i- + -dade.*]

multipolarizar (mul.ti.po.la.ri.*zar*) *v. td.* Criar, atribuir múltiplos polos a, tornar multipolar [▶ **1 multipolarizar**] [F.: *mult(i)- + polarizar.*]

multiprocessador (mul.ti.pro.ces.sa.*dor*) [ô] *sm.* **1** *Inf.* Sistema de computação no qual duas ou mais unidades de processamento funcionam simultaneamente, compartilhando a mesma memória, os mesmos dispositivos de entrada e saída e outros recursos: *multiprocessador de memória partilhada.* **2** *Cul.* Equipamento eletroeletrônico capaz de executar várias tarefas referentes à preparação de alimentos [Pl.: *-ores.*] [F.: *mult(i)- + processador.*]

multiprocessamento (mul.ti.pro.ces.sa.*men*.to) *sm. Inf.* Processamento simultâneo de mais de um dos recursos oferecidos por um multiprocessador [F.: *mult(i)- + processamento.*]

multirracial (mul.tir.ra.ci:*al*) *a2g.* **1** Ref. a ou constituído de mais de uma raça: *A verdadeira democracia será sempre multirracial.* **2** Diz-se de sociedade humana em que coexistem vários grupos raciais [Pl.: *-ais.*] [F.: *mult(i)- + racial.*]

multissecular (mul.tis.se.cu.*lar*) *a2g.* Que tem ou se estende por vários séculos (tradição multissecular) [F.: *mult(i)- + secular.*]

multissensorial (mul.ti.sen.so.ri:*al*) *a2g. Fisl.* Que envolve ou implica dois ou mais estímulos sensoriais simultaneamente: *método multissensorial de aprendizado de leitura.* [Pl.: *-ais.*] [F.: *mult(i)- + sensorial.*]

multisserial (mul.tis.se.ri:*al*) *a.* **1** *Inf.* Que tem partes dispostas em várias séries (placa multisserial) *sf.* **2** Placa que se adiciona à configuração de um computador pessoal para expandir o número de suas portas [Pl.: *-ais.*] [F.: *mult(i)- + serial.*]

multissocietário (mul.tis.so.ci:e.*tá*.ri:o) *a.* Que tem ou admite vários sócios [F.: *mult(i)- + societário.*]

multíssono (mul.*tís*.so.no) *a.* Capaz de produzir múltiplos e variados sons: *o canto multíssono da passarada ao amanhecer.* [F.: *mult(i)- + -sono.*]

multitalento (mul.ti.ta.*len*.to) *sm.* Conjunto de múltiplas aptidões de ordem intelectual, manual, artística etc. [F.: *mult(i)- + talento.*]

multitarefa (mul.ti.ta.*re*.fa) *sf. Inf.* Capacidade que tem um sistema operacional de computador de executar mais de um programa simultaneamente [Tb. us. como adj.: *sistema operacional multitarefa*] [F.: *mult(i)- + tarefa.*]

multitudinário (mul.ti.tu.di.*ná*.ri:o) *a.* Ref. ou próprio de multidão: *manifestação multitudinária.* [F.: Do lat. *multitudine* 'multidão' + *-ário.*]

multiusuário (mul.ti:u.su:*á*.ri:o) *a. Inf.* Diz-se de computador ou sistema de computadores que pode ser acessado por mais de um usuário simultaneamente [F.: *mult(i)- + usuário.*]

multivacinação (mul.ti.va.ci.na.*ção*) *sf. Imun.* Administração de vacinas em larga escala: *A epidemia levou o governo a traçar um plano de multivacinação.* [Pl.: *-ções.*] [F.: *mult(i)- + vacinação.*]

multívago (mul.*tí*.va.go) *a.* Que anda sem parar; ERRADIO; ERRANTE [F.: Do lat. *multivagus.*]

multivalve (mul.ti.*val*.ve) *a2g. Bot.* Diz-se de vegetal que tem muitas valvas; PLURIVALVE [F.: *mult(i)- + -valve.*]

multiválvula (mul.ti.*vál*.vu.la) *a. Mec.* Motor a explosão no qual cada cilindro dispõe de mais de duas válvulas [Tb. us. apositivamente: *motores multiválvulas.*] [F.: *mult(i)- + válvula.*]

multivetorial (mul.ti.ve.to.ri:*al*) *a2g.* Que tem ou admite múltiplos vetores [Pl.: *-ais.*] [F.: *mult(i)- + vetorial.*]

multiviscoso (mul.ti.vis.*co*.so) *a. Petr.* Diz-se de óleo lubrificante com alto índice de viscosidade e que mantém suas características mesmo com variações de temperatura [Pl.: [ó]. Fem.: [ó].] [F.: *mult(i)- + viscoso.*]

multivitamínico (mul.ti.vi.ta.*mí*.ni.co) *a. Bioq.* Ref. a suplemento alimentar que combina vitaminas C e E com as do complexo B e aminoácidos, betacaroteno, selênio, zinco e outros elementos antioxidantes [F.: *mult(i)- + vitamínico.*]

mulundu (mu.lun.*du*) *sm. Bras. Folc. Dnç.* Ver *lundu*

mulungu¹ (mu.lun.*gu*) *sm.* **1** *Angios.* Nome comum a diversas árvores do gên. *Erythrina*, de flores vermelhas ou cor de laranja, muito cultivadas como ornamentais **2** Árvore (*Erythrina falcata*), de madeira branca e flores vermelhas, natural do Brasil; bico de papagaio, canivete, ceibo, ceipó **3** Árvore (*Erythrina speciosa*) natural do Brasil, que possui propriedades tussígenas e soníferas, e da qual se extrai celulose **4** Árvore (*Erythrina suberifera*) natural da África **5** *SP* Árvore leguminosa, pode atingir 30 m de altura (*Erythrina fusca*); tb. *sananduva* **6** *SP* O mesmo que *corticeira* (*Erythrina crista-galli*) **7** O mesmo que *flor-de-coral* (*Erythrina corallodendron*) [F.: De orig. contrv. Sin. ger.: *murungu.*]

mulungu² (mu.lun.*gu*) *sm. PE Mús. Rel.* Espécie de tambor de grande tamanho, percutido com as mãos e us. nos xangôs, ritos afro-brasileiros [F.: De or. contrv.]

mumbica (mum.*bi*.ca) *sm.* **1** *N.E.* Bezerro magro, pequeno ou raquítico *a.* **2** *Bras.* Pouco desenvolvido, raquítico **3** Sem graça; ruim; sem-préstimo **4** Mal trajado, pobremente vestido, desarrumado **5** Diz-se de cavalo mal encilhado ou de ruim andadura [F.: Do quimb. *mu'bika*, 'escravo', 'homem de baixa condição'.]

múmia (*mú*.mi:a) *sf.* **1** Corpo embalsamado no antigo Egito: "... uma múmia histórica, o corpo verídico e venerável de Pentaour, escriba ritual do templo de Âmnon, em Tebas..." (Eça de Queirós, *A correspondência de Fradique Mendes*) **2** Corpo embalsamado com métodos semelhantes aos dos egípcios **3** Cadáver que, por ausência de umidade ou de insetos, se desseca naturalmente, conservando parte das feições da pessoa **4** *Bras. Fig. Joc.* Pessoa derrotista, sem ânimo, ou apegada a pontos de vista anacrônicos **5** *Agr.* Fruto atacado por fungos e que permanece ressecado na árvore [F.: Do ár. *mumiya.*]

mumificação (mu.mi.fi.ca.*ção*) *sf.* Ação, processo ou resultado de mumificar(-se) [Pl.: *-ções.*] [F.: *mumificar + -ção.*]

mumificado (mu.mi.fi.*ca*.do) *a.* Que se mumificou, se transformou em múmia ou sofreu processo de mumificação [F.: Part. de *mumificar.*]

mumificador (mu.mi.fi.ca.*dor*) *a.* **1** Que facilita ou provoca mumificação (unguento mumificador); MUMIFICANTE *sm.* **2** Aquele ou aquilo que mumifica [F.: *mumificar + -dor.*]

mumificar (mu.mi.fi.*car*) *v.* **1** Transformar (corpo morto) em múmia [*td.*] **2** *Fig.* Tornar(-se) semelhante a múmia (por ficar envelhecido, mirrado, ou muito magro, esquelético) [*td.*] [*int.*] **3** *Fig.* Tornar(-se) apático, indiferente às coisas, à vida [*td.*] **4** *Fig. Pej.* Tornar(-se) antiquado, ultrapassado [*td.*: *O conservadorismo mumificou seu pensamento.*] [*int.*: *Seu gosto mumificou-se, só aprecia velharias.*] **5** Perder inteiramente a capacidade intelectual [*int.*] [▶ **11 mumificar**] [F.: *múmia + -ficar.*]

mumunha (mu.mu.*nha*) *sf. Gír.* Manobra ilegal em benefício próprio ou de seu grupo; MUTRETA; ARTIMANHA [F.: Posv. do quimb. *mumonya.*]

mundana (mun.*da*.na) *sf.* 1 Mulher que dá excepcional valor à riqueza e à vida material 2 *Bras.* Pessoa francamente adepta dos aspectos mais frívolos da vida: "Aquela frieza enregelada do cadáver significa esquecimento absoluto das penas da vida efêmera e mundana." (Joaquim Manoel de Macedo, *Luneta mágica*) 3 Prostituta, meretriz [F.: Fem. do lat. *mundanus, a, um.*]

mundanidade (mun.da.ni.*da*.de) *sf.* 1 Qualidade do que é mundano 2 Tudo o que diz respeito ao mundo, que não tem relação com o espiritual: "À riqueza, à mundanidade e arrogância das congregações monásticas, responde a pobreza, o misticismo, a humildade das ordens mendicantes." (Latino Coelho, *Literatura e história*) 3 Sistema de vida que valoriza apenas os bens materiais 4 Desregramento, libertinagem [F.: *mundan(o)* + *-(i)dade*. Sin. ger.: *mundaneidade; mundanismo.*]

mundanismo (mun.da.*nis*.mo) *sm.* Atitude de quem só se volta para a diversão, os prazeres e os gozos da vida; MUNDANIDADE [F.: *mundano* + *-ismo.*]

mundanização (mun.da.ni.za.*ção*) *sf.* 1 Ação ou resultado de mundanizar: "Daí veio a obliteração das severas práticas devotas; daí a preocupação ambiciosa de ganhar os altos graus, que agora davam já o poder temporal com autoridade espiritual. Acabou assim a disciplina severa e veio a mundanização." (Oliveira Martins, *Histórias portuguesas*) *sf.* 2 Ato ou efeito de seguir os costumes mundanos [F.: *mundanizar* + *-ção.*]

mundanizar (mun.da.ni.*zar*) *v. td.* Tornar mundano; atribuir mundanidade a [▶ 1 mundanizar] [F.: *mundano* + *-izar.*]

mundano (mun.*da*.no) *a.* 1 Ref. ao mundo, material e socialmente considerado; TERRENO 2 Voltado para os prazeres sensoriais 3 Ref. às convenções e futilidades da vida social: *Era um casal mundano, siderado pela noite e pela superficialidade. sm.* 4 Aquele que se consagra aos prazeres imediatos e à vida social 5 Aquele que só valoriza os bens materiais, a ostentação, a moda, a vida em sociedade [F.: Do lat. *mundanus, a, um.*]

mundão (mun.*dão*) *sm.* 1 *Bras.* Espaço muito grande; MUNDARÉU 2 *Bras.* Grande quantidade: *um mundão de gente.* 3 *N.E.* Lugar muito distante: *Fica lá naquele mundão.* [Pl.: *-dões.*] [F.: *mund(o)* + *-ão.*]

mundaréu (mun.da.*réu*) *sm. Bras.* O mesmo que *mundão*

mundé (mun.*dé*) *sm.* O mesmo que *mundéu*[1] (1) [F.: Do tupi.]

mundéu[1] (mun.*déu*) *sm.* 1 *Bras.* Armadilha de caça: "Ele só cuidava de armar arapucas por entre os beirões do roçado ou de armar quixós e mundéus na capoeira com o fim de apanhar preás para a menina." (Franklin Távora, *O cabeleira*) 2 Cerco de redes usado na pesca fluvial 3 *Fig.* Coisa ou casa que ameaça desabar 4 *GO* Porco-do-mato, queixada [F.: Do tupi *mundé.*]

mundéu[2] (mun.*déu*) *sm.* Grande quantidade (de qualquer coisa): *um mundéu de gente.* [F.: De *mundo.*]

mundial (mun.di:*al*) *a2g.* 1 Ref. ao mundo inteiro, ao planeta: *esforço mundial contra o analfabetismo sm.* 2 Acontecimento ou campeonato mundial: *O mundial de vôlei será em dezembro.* [Pl.: *-ais.*] [F.: Do lat. *mundialis,e.*]

mundialismo (mun.di:a.*lis*.mo) *sm. Fil. Pol.* Tendência ou opção ideológica que encara as principais questões e problemas que afetam o mundo, assim como as medidas necessárias deles decorrentes, como de teor e interesse prioritariamente mundiais, a serem conduzidas portanto por instituições supranacionais, acima de raças, grupos étnicos ou culturais, políticas locais etc.; GLOBALISMO [F.: *mundial* + *-ismo*, ou do fr. *mondialisme.*]

mundialito (mun.di:a.*li*.to) *sm. Bras. Esp.* Termo que designa competição internacional em algum esporte, entre clubes ou entre seleções nacionais, com número reduzido de participantes, menor que o usual em campeonatos mundiais desse esporte [F.: *mundial* + *-ito*[1].]

mundializar (mun.di:a.li.*zar*) *v. td.* Pôr em âmbito mundial; tornar mundial, ou de interesse mundial [▶ 1 mundializar] [F.: *mundial* + *-izar.*]

mundícia (mun.*dí*.ci:a) *sf. Bras. Pop.* Qualidade ou estado de limpo, limpeza, asseio; mundície [Ant.: *imundícia.*] [F.: Do lat. *munditia,ae.*]

mundície (mun.*dí*.ci:e) *sm.* O mesmo que *mundícia*

mundinho (mun.*di*.nho) *sm.* 1 *Fig.* Mundo pequeno, acanhado 2 *Pop.* O universo pessoal e afetivo de cada um; o mundo particular em oposição ao mundo universal: *Aborrecida, ela recolheu-se a seu mundinho.* [Dim. de *mundo.*] [F.: *mund(o)* + *-inho.*] ■ **Estar no ~** *SP Gír.* Estar distraído, ou absorto **Sair do ~** *SP Gír.* Perceber, dar-se conta do que está acontecendo **Ser do ~** *SP Gír.* Pertencer a um círculo de pessoas que têm interesse(s) em comum; ser da patota

mundo (*mun*.do) *sm.* 1 O conjunto da Terra e todos os astros, o universo: *O mundo não acaba de uma vez.* 2 O planeta Terra em sua totalidade: *O mundo é um grão de poeira no universo.* 3 Qualquer parte da Terra, ou os seres e coisas que nela existem: *O mundo, mais uma vez, está em guerra.* 4 A população mundial, a espécie humana: *O mundo deve se unir contra a poluição ambiental.* 5 Tudo o que faz parte de uma área específica de conhecimento ou atividade (mundo da ciência/da religião) 6 *Fig.* Instituição, empresa ou conjunto quantitativa ou espacialmente muito considerável: *Essa universidade é um mundo.* 7 *Fig.* A elite real ou suposta de uma sociedade: *É um homem do mundo.* 8 *Rel.* Para os cristãos, a sociedade e os costumes que se opõem à vida religiosa: *Afastou-se do mundo e se dedicou à Igreja.* 9 *Fig.* Classe social: *Não são pessoas do mesmo mundo. a.* 10 Limpo, asseado [Ant.: *imundo.*] [F.: Do lat. *mundus, i.* Ideia de 'mundo': *cosm(o)-* (*cosmogônico*).] ■ **Abarcar o ~ com as pernas** 1 Fazer, realizar ou tentar fazer, realizar muitas coisas ao mesmo tempo 2 Interessar-se por, desejar, visar a muitas coisas **Abrir no ~** *N.E. Pop.* Fugir apressadamente, em debandada **Afundar no ~** *Bras.* Ir embora, partir sem destino certo; danar-se no mundo; ganhar o mundo **Cair no ~** *Bras. Pop.* Fugir, escapar, desaparecer **Correr ~** 1 Viajar por muitos lugares: *A notícia correu mundo rapidamente.* 2 *Fig.* Difundir-se, divulgar-se **Danar-se no ~** *N.E. Pop.* Ver *Afundar no mundo* **Desabar o ~** Ver *Vir o mundo abaixo* **Desde que o ~ é ~** Sempre, desde sempre **Despachar para o outro ~** *Bras. Pop.* Matar **Do outro ~** 1 *Bras. Pop.* Ótimo, maravilhoso 2 Raro, incomum, excepcional **Embarcar deste ~ para um melhor** *Bras.* Morrer **Ganhar o ~** 1 *Bras.* Ver *Afundar no mundo* 2 Fugir **Ir no melhor dos ~s** Estar (algo) se desenvolvendo bem, em boa situação **Ir para o outro ~** Morrer **Mandar para o outro ~** Matar **Meio ~** Muita gente, muitas pessoas **~ aberto sem porteira** 1 *SP Pop.* Terreno amplo e aberto, grande extensão de terreno 2 O mundo (2) visto como um todo, não dividido **~ exterior** *Fil.* O conjunto das coisas e seres que cercam o sujeito, percebidas pelos sentidos, por oposição aos fatos ou entidades da vida mental ou espiritual, ou ao que é transcendente **~s e fundos** Grande quantidade de dinheiro, recursos etc. **~ sensível** *Fil.* Segundo Platão, a realidade que pode ser apreendida pelos sentidos **Não ser deste ~** *Bras.* Ser muito bom, em qualquer sentido, despertando admiração, gratidão etc.; não existir: *Você não é deste mundo, não sei como agradecer; Que talento, ela não é deste mundo!* **No ~ da Lua** Totalmente distraído, alheio ao que acontece **Novo ~** As Américas **O melhor dos ~s** Lugar muito bom, situação ou condição muito boa **O ~ inteiro** *Fig.* Todas as pessoas do mundo, todos os países do mundo etc. **Outro ~** O suposto mundo do após a morte, o além **Pisar no ~** 1 *S. Pop.* Ver *Afundar no mundo* 2 Fugir **Primeiro ~** *Pol.* O conjunto dos países desenvolvidos **Prometer ~s e fundos** Prometer coisas grandiosas, extraordinárias **Terceiro ~** *Pol.* O conjunto dos países subdesenvolvidos ou em desenvolvimento **Todo ~** Todas as pessoas (em determinado contexto): *Lá em casa todo mundo gosta de futebol.* **Todo o ~** Ver *O mundo inteiro* **Velho ~** A Europa, a Ásia e a África **Ver o ~ com** *N.E. Pop.* Padecer, sofrer muito com: *Estou vendo o mundo com esse comportamento do meu filho.* **Vir o ~ abaixo** 1 Acontecer uma catástrofe 2 Acontecer um grande tumulto, escândalo etc.

mundurucu (mun.du.ru.*cu*) *Bras. s2g.* 1 *Etnol.* Membro da tribo indígena dos mundurucus, que habita a região amazônica *sm.* 2 *Ling.* Família linguística pertencente ao grupo tupi 3 A língua pertencente a esse grupo e falada pelos munducurus *a2g.* 4 Ref. ou pertencente ao mundurucu ou aos mundurucus

mungidor (mun.gi.*dor*) *a.* 1 Que munge, que ordenha *sm.* 2 Aquele que tira leite de vacas, cabras etc. [Pl.: *-ores.*] [F.: *mungir* + *-dor.*]

mungir (mun.*gir*) *v. td.* Extrair o leite das tetas de (certos animais); ORDENHAR: *Acordava cedo para mungir as vacas.* [▶ 46 mungir] [F.: Do lat. * *mulgire.* Hom./Par.: *mugir* (vários tempos do v.).]

munguzá (mun.gun.*zá*) *sm.* Ver *mungunzá*

munguzá (mun.gu.*zá*) *sm. N.E. Cul.* Prato entre líquido e granuloso, feito de milho branco, leite, leite de coco, açúcar e canela; CANJICA (S. E C.O.) [F.: Do quimb. *mu'kunza.* Tb. *mungunzá.*]

munhata (mu.*nha*.ta) *sf. Bras. RS Agr.* Tipo de batata-doce própria para ser assada [F.: De or. contrv., posv. do espn. platino *muñato.*]

munheca (mu.*nhe*.ca) [é] *sf.* 1 Parte do corpo entre o antebraço e a mão; PULSO 2 *S* A mão 3 *Bras.* Sovina, avarento 4 *SP* Peça do monjolo que serve para pilar: "... Depois rasgou as furas da haste e afeiçoou a *munheca*..." (Monteiro Lobato, "A vingança da peroba" in *Urupês*) [F.: Do espn. *muñeca.*] ■ **~ a ~** 1 *Bras. Pop. Esp.* Em alguns esportes, como voleibol e tênis, flexionar bem a mão sobre o pulso ao atacar desferindo golpe na bola 2 Embriagar-se 3 Fazer (homem) gestos ou trejeitos afetados, ger. tomados como indicação de homossexualismo; desmunhecar

munhecaço (mu.nhe.*ca*.ço) *sf.* 1 Grande munheca 2 Pancada dada com a munheca ou com mão fechada; MURRO; SOCO [F.: *munheca* + *-aço.*]

munhequeira (mu.nhe.*quei*.ra) *sf.* Faixa elástica ou de couro que se usa no pulso para apertar seus ligamentos e dar maior firmeza ao carregar pesos ou em casos de distensões, ou ainda para prática de alguns esportes [F.: *munheca* + *-eira.*]

munição (mu.ni.*ção*) *sf.* 1 *Mil.* Material fabricado para alimentar as armas de fogo, como cartuchos, carga explosiva, espoletas, balas, projetis 2 *P.ext.* Qualquer material bélico us. para prover as tropas 3 *Fig.* Obra de fortificação e defesa 4 *Fig.* Material necessário à realização de qualquer trabalho [Pl.: *-ções.*] [F.: Do lat. *munitio,onis.*] ■ **~ de boca** *Mil.* Provisão de alimentos para tropa

municiado (mu.ni.ci.*a*.do) *a.* 1 Abastecido de munição 2 Provido do que é necessário [F.: Part. de *municiar.* Sin. ger.: *munido.* Ant. ger.: *desmuniciado.*]

municiador (mu.ni.ci.a.*dor*) [ô] *a.* 1 Que municia, que exerce a função de municiar, colocar a munição *sm.* 2 Soldado que municia uma peça de artilharia [F.: *municiar* + *-dor.*]

municiamento (mu.ni.ci:a.*men*.to) *sm.* Provisão, abastecimento de tudo que é necessário (para certa ação, atividade etc.); tb. *municionamento*

municiar (mu.ni.ci.*ar*) *v.* 1 Prover, abastecer (tropa, navio de guerra etc.) de munição; MUNIR [*td.*: *Municiou todos os soldados da tropa.*] 2 Prover do necessário; ABASTECER; GUARNECER [*td.*: *Trouxeram mais provimentos para municiar o cargueiro.*] [*tdr.* +de: *Municiou-se de fortes argumentos para defender seu cliente.*] [▶ 1 municiar] [F.: *munição* + *-ar.*]

municipal (mu.ni.ci.*pal*) *a2g.* 1 Ref. a município (prefeitura municipal; impostos municipais) *sm.* 2 Nome que se dá a teatro mantido pela municipalidade: *O Municipal teve mais uma noite de gala.* [Us. com maiúscula nesta acep.] 3 *Lus.* Soldado da antiga guarda municipal portuguesa [Pl.: *-pais.*] [F.: Do lat. *municipalis,e.*]

municipalidade (mu.ni.ci.pa.li.*da*.de) *sf.* 1 Conjunto dos que compõem a Prefeitura e a Câmara Municipal; administração de um município 2 A área urbana constituída pelo município 3 Local onde se situa a sede da administração municipal; PREFEITURA 4 *P.ext.* O conjunto dos funcionários municipais [F.: *municipal* + *-idade.*]

municipalismo (mu.ni.ci.pa.*lis*.mo) *sm.* 1 Sistema político-administrativo que prioriza os municípios 2 Descentralização da administração pública em benefício dos municípios [F.: *municipal* + *-ismo.*]

municipalista (mu.ni.ci.pa.*lis*.ta) *a2g.* 1 Ref. ao municipalismo *s2g.* 2 Aquele que é partidário do municipalismo [F.: *municipal* + *-ista.*]

municipalização (mu.ni.ci.pa.li.za.*ção*) *sf.* Ação ou resultado de municipalizar [Pl.: *-ões.*] [F.: *municipalizar* + *-ção.*]

municipalizar (mu.ni.ci.pa.li.*zar*) *v. td.* 1 Fazer com que se transforme em município 2 Passar ao controle do poder municipal: *Municipalizar um hospital estadual.* [F.: *municipal* + *-izar.*]

munícipe (mu.*ní*.ci.pe) *a2g.* 1 Ref. ao município, que reside neste *s2g.* 2 Aquele ou aquela que é cidadão ou cidadã do município: "... Lá vai ele, o bom munícipe, para casa, para o chinelo, para as pílulas..." (Gustavo Corção, *A descoberta do outro*) [F.: Do lat. *municeps, ipis.*]

município (mu.ni.*cí*.pi:o) *sm.* 1 No Brasil, divisão administrativa autônoma dentro de cada um dos estados (províncias) da federação 2 Extensão territorial em que a municipalidade exerce sua administração 3 *P.ext.* Todo o serviço da administração municipal: *Ambos estão trabalhando no município.* [F.: Do lat. *municipium, i.*]

munido (mu.*ni*.do) *a.* Que se muniu, se proveu de munição; DOTADO; ABASTECIDO [F.: Part. de *munir.*]

munificência (mu.ni.fi.*cên*.ci:a) *sf.* Qualidade do que ou de quem é munificente; GENEROSIDADE; MAGNANIMIDADE [F.: Do lat. *munificentia, ae.*]

munificente (mu.ni.fi.*cen*.te) *a2g.* Que revela generosidade; MAGNÂNIMO; DADIVOSO [Superl.: *munificentíssimo.*] [F.: Do lat. *munificens, entis.*]

muniquense (mu.ni.*quen*.se) *s2g.* 1 Aquele ou aquela que nasceu ou que vive em Munique (Alemanha) *a2g.* 2 De Munique; típico dessa cidade ou de seu povo [F.: Do top. *Munique* + *-ense.*]

munir (mu.*nir*) *v.* 1 Prover de munição ou de meios de defesa; MUNICIAR [*td.*: *Munir uma tropa/um navio*] 2 Prover(-se) do necessário [*tdr.* +de: *Muniu o promotor de provas contra o acusado; Muniram -se da coragem que a missão requeria.*] 3 Prover-se de (algo) em defesa contra alguma coisa, prevenir(-se) [*tdr.* +de: *Muniu -se de um guarda-chuva para enfrentar o temporal.*] [▶ 3 munir] [F.: Do lat. *munire.* Hom./Par.: *monir* (vários tempos do v.). Ant. ger.: *desmunir.*]

múnus (*mú*.nus) *sm.* Emprego, cargo, tarefa, ofício exercido por um indivíduo: "...espelhos de sacrifícios e virtudes cristãs se podem dizer os seus missionários. Alguns aliaram ao múnus o exercício das letras." (Aquilino Ribeiro, *Constantino de Bragança*) [F.: Do lat. *munus,eris.*] ■ **~ público** *Jur.* Encargo, emprego ou função públicos

munzuá (mun.zu:*á*) *sf. Bras.* Armadilha em forma de cesto afunilado, feita com taquara, para capturar peixes, lagostas etc.; COVO [F.: Do quimb. *muzua.*]

múon (*mú*.on) *sm. Fís.* Partícula elementar das denominadas léptons, instável, abundante nos raios cósmicos que atingem a Terra e semelhante ao elétron, mas 207 vezes maior [Pl.: *múons* e (*p. us. no Brasil*) *múones.*] [F.: Do ing. *muon.*]

muque (mu.que) *sm.* 1 *Bras. Pop.* Músculo forte no braço, esp. o bíceps e o tríceps, quando muito desenvolvidos 2 Força muscular 3 *Fig.* Esforço máximo, coação: *Só o trouxeram no muque.* [F.: Red. de *músculo.*] ■ **A ~** À força, por coação, mediante violência

muqueta (mu.*que*.ta) [ê] *Bras. Pop. sf.* 1 *Esp.* Soco, murro, entre os praticantes do boxe 2 *P.ext.* Qualquer golpe desferido com as mãos; BOFETADA; PESCOÇÃO: *Tomou-lhe uma muqueta que ficou zonzo.*

muquifo (mu.*qui*.fo) *sm. Pej. Pop.* Quarto acanhado; moradia modesta e mal localizada [F.: De or. obsc. Tb. *muquinfo.*]

muquinfo (mu.*quin*.fo) *sm.* Ver *muquifo*

muquirana (mu.qui.*ra*.na) *sf.* 1 *Ent.* Ver *piolho*: "Ih, essa gente tem insetos e muquiranas..." (Guimarães Rosa, *Grande sertão: veredas*) *s2g.* 2 Aquele que é avaro; PÃO-DURO; SOVINA 3 *Bras. S.E.* Aquele que é maçante; ABORRECIDO; CHATO *a2g.* 4 *Bras. Pop.* Que é avaro; PÃO-DURO; SOVINA 5 *Bras. S.E.* Que é maçante; ABORRECIDO; CHATO [F.: Do tupi *moki'rana.*]

murada (mu.*ra*.da) *sf.* **1** *Mar.* O mesmo que *amurada* **2** Fiada de malhas em toda a largura da rede de pesca [F.: *muro* + *-ada*.]

murado (mu.*ra*.do) *a.* Que se murou, que foi cercado com muro (terreno murado) [F.: Part. de *murar*.]

mural (mu.*ral*) *a2g.* **1** Ref. a muro ou parede (quadro mural) *sm.* **2** Local onde são afixados avisos, informações: *As notas dos alunos estão no mural da secretaria.* **3** Pintura mural: "... Portinari realizou um grande afresco... e os murais em azulejos azuis e brancos nas fachadas..." (Lauro Cavalcanti, *Guia de arquitetura 1928-1960*) [Pl.: *-rais*.] [F.: Do lat. *muralis,e*. Hom./Par.: *moral* (sm.).]

muralha (mu.*ra*.lha) *sf.* **1** *Ant.* Muro espesso e alto que servia para guarnecer as praças de armas ou proteger as cidades contra ataques dos inimigos: "... Verás cair as muralhas de Jericó ao som das trompas sagradas..." (Machado de Assis, "Teoria do medalhão" *in Papéis Avulsos*) **2** *P.ext.* Muro alto e extenso: *Ergueu uma verdadeira muralha em torno da casa.* **3** *Fig.* Tudo o que serve de defesa ou empecilho [F.: Do it. *muraglia*.]

muralismo (mu.ra.*lis*.mo) *Art.pl.* *sm.* **1** Arte e técnica da pintura em murais **2** Manifestação artística da pintura do séc. XX caracterizada pela execução de grandes murais de temática popular ou nacionalista: *Diego Rivera foi um dos expoentes do muralismo mexicano.* [F.: *mural* + *-ismo*. Hom./Par.: *muralismo* (sm.), *moralismo* (sm.).]

muralista (mu.ra.*lis*.ta) *a2g.* **1** Ref. a pintura ou composição de murais *s2g.* **2** Artista que pinta murais **3** Artista do séc. XX que representa a tendência ao muralismo, como os mexicanos Orozco e Siqueiros [F.: *mural* + *-ista*.]

muramento (mu.ra.*men*.to) *sm.* **1** Ação ou resultado de murar, de erguer muros: *Decidiu-se pelo muramento do terreno.* **2** O mesmo que *muralha*: *O castelo era protegido por um grande muramento.* [F.: *murar* + *-mento*.]

murar[1] (mu.*rar*) *v.* **1** Cercar, defender ou vedar com muro, muralha ou tapume [*td.*: *Murar um terreno / uma casa / um pátio.*] **2** Servir de muro a [*td.*: *Um alto alambrado murava o campo de futebol.*] **3** Cercar-se de algo para tornar-se mais forte [*tdr.* +*de*: *Murou-se de todos os soldados para impedir a fuga dos presos.*] [▶ 1 murar] [F.: *muro* + *-ar*. Hom./Par.: *murais* (2ªp.pl.)/ *murais* (pl.*mural* [adj.2g.]); *muro* (1ªp.s.)/ *muro* (s.m.) *morar* e *mourar* (vários tempos do v.). Ant. ger.: *desmurar*.]

murar[2] (mu.*rar*) *v.* **1** Caçar (ratos) [*td.*: *Aquele gato já murou três ratos hoje.*] **2** Espreitar, tocaiar ratos, para os caçar (ger. fala-se de gatos) [*int.*: *O gato parece meio adormecido, mas está murando.*] [▶ 1 murar] [F.: Do lat. *mus, muris*, pelo port. ant. *mur* + *-ar*[2].]

murça (*mur*.ça) *sf.* **1** *Vest.* Espécie de gola que os cônegos usam por cima da sobrepeliz e parecida com o cabeção **2** *Vest.* Manto curto e de pequeno capuz us. por alguns dignitários eclesiásticos para cobrir apenas o tórax **3** Lima de picagem bem fina, para acabamento **4** *Lus. Cul.* Molho feito de alho [F.: De or. obsc.] ■ **Em ~** *Lus.* Sem chapéu ou cobertura de cabeça **~ fina** Lima de estrias muito finas, própria para dar acabamento liso

murcha (*mur*.cha) *sf.* **1** Ato de murchar; MURCHAMENTO; MURCHIDÃO **2** *Bot.* Doença caracterizada pela perda de turgescência dos tecidos foliados e das partes suculentas dos ramos das plantas [F.: Fem. de *murcho*.]

murchadeira (mur.cha.*dei*.ra) *sf.* *Bot.* Doença que ataca várias hortaliças, principalmente tomate e alface. É causada pelo fungo Thielaviopis basicola, que provoca a podridão das raízes, reduz drasticamente o tamanho das plantas e sua produtividade (epidemia de murchadeira)

murchamento (mur.cha.*men*.to) *sm.* Ação ou resultado de murchar: *A falta de água causa o murchamento das plantas.* [F.: *murchar* + *-mento*.]

murchar (mur.*char*) *v.* **1** Tornar(-se) murcho; perder o viço (vegetal), o frescor [*td.*: *O tempo seco murchou as rosas.*] [*int.*: *As margaridas murcharam.*] **2** *Fig.* Fazer perder ou perder a energia, o vigor, o ânimo; ENFRAQUECER; DESANIMAR; ABATER [*td.*: *As dificuldades não murcharam sua determinação.*] [*int.*: "...o sorriso faceiro (...) murchou de repente" (José de Alencar, *Lucíola*)] **3** Fazer perder ou perder o brilho, as cores, esmaecer; DESBOTAR; CLAREAR [*td.*/*int.*] **4** *Bras.* Perder a sustentação, a firmeza; CAIR; DESPENCAR [*td.*: *O cachorro murchou as orelhas e voltou para o canil.*] [▶ 1 murchar] [F.: *murcho* + *-ar*[2]. Hom./Par.: *murcho* (fl.), *murcho* (a.); *murcha* (fl.), *murcha* (fem. de *murcho*).]

murchecível (mur.che.*cí*.vel) *a2g.* Suscetível de murchecer, de se tornar murcho; MURCHÁVEL [Pl.: *-eis*.] [F.: *murchecer* + *-ível*.]

murcho (*mur*.cho) *a.* **1** Que murchou, que está esvaziado (bola murcha) **2** Que perdeu o viço, o vigor (flores murchas) **3** *Fig.* Sem força, sem ânimo ou alegria; TRISTE; DESOLADO: "...Vi-os nas oficinas, metidos nos macacões, murchos e tristes..." (Gustavo Corção, *A descoberta do outro*) [F.: De or. obsc.]

murciano (mur.ci.*a*.no) *sm.* **1** Indivíduo nascido ou que vive em Múrcia (Espanha) *a.* **2** De Múrcia; típico dessa cidade ou de seu povo [F.: Do top. *Múrcia* + *-ano*[1].]

◎ **muren(i)-** *el. comp.* Antepositivo de alguns nomes da escala zoológica, como moreia e semelhantes [F.: Do lat. *muraena, ae*.]

murenídeos (mu.re.*ní*.de:os) *sm.* *Ict.* Família de peixes marinhos teleósteos e em forma de serpente conhecidos como moreias, que atingem 3m de comprimento e têm c. 200 espécies, de dentes perigosos e saliva peçonhenta [F.: Do lat. cient. *Muraenidae*.]

mureta (mu.*re*.ta) [ê] *sf.* Muro baixo, para dividir pistas de estrada ou servir de parapeito [F.: *muro* + *-eta*.]

◎ **mur(i)-** *pref.* = rato: *murídeo, murino, muricida*

muriático (mu.ri:*á*.ti.co) *a.* *Quím.* Antiga denominação do ácido clorídrico [F.: *muriat(o)* + *-ico*.]

muricado (mu.ri.*ca*.do) *a.* *Biol. Bot.* Envolvido por pequenas pontas rígidas: *O tronco da paineira é todo muricado.* [F.: Do lat. *muricatus, a, um*.]

murici (mu.ri.*ci*) *sm.* **1** *Bot.* Nome comum a várias plantas da fam. das malpighiáceas, esp. a algumas árvores e arbustos do gên. *Byrsonima*, abundantes nos cerrados, de frutos comestíveis; MURICIZEIRO **2** O fruto dessas plantas [F.: Do tupi *muri'si*.]

muricizeiro (mu.ri.ci.*zei*.ro) *sm.* *Angios.* Designação comum a vários arbustos e árvores do gênero *Byrsonima*, produtoras do fruto comestível murici; BAGA-DE-POMBO; FRUTEIRA-DE-PERDIZ; MURUCI [F.: Do tupi *mori'si*.]

muriçoca (mu.ri.*ço*.ca) [ó] *sf.* *Zool.* O mesmo que *mosquito*

murídeo (mu.*rí*.de:o) *sm.* **1** *Zool.* Espécime dos murídeos, grande fam. de roedores, que abrange ratos, camundongos, *hamsters* e lemingues *a.* **2** *Zool.* Ref. ou pertencente aos murídeos [F.: Adaptç. do lat.cient. *Muridae*.]

murino (mu.*ri*.no) *a.* Ref. a rato; murídeo [F.: Do lat. *murinus,a,um*.]

muriqui (mu.ri.*qui*) *sm.* *Zool.* Primata da fam. dos cebídeos (*Brachyteles arachnoides*) com 60 centímetros de comprimento, endêmico das florestas do leste do Brasil (BA a SP). É o maior macaco das Américas; BURIQUI; MONO; MONO-CARVOEIRO [F.: Do tupi *m'birik*.]

murista (mu.*ris*.ta) *Bras.* *a2g.* **1** Ref. ou inerente a, ou típico de "ficar em cima do muro" *a2g.* **2** Caráter de, ou propensão a não decidir-se, não expressar opinião direta, não posicionar-se claramente em relação aos fatos, questões etc. (atitude/política/jornalismo murista) *s2g.* **3** O que é murista (1 e 2) **4** Designação irônica dada a pessoas que não se decidem senão à última hora, quando a posição a ser tomada já lhes é francamente favorável; até então "ficam em cima do muro", sem anunciar para que lado penderão [F.: *muro* + *-ista*.]

murixaba (mu.ri.*xa*.ba) [chá] *sf.* **1** *N.E. Pop.* Mulher com quem um homem casado mantém relacionamento mais ou menos estável; AMANTE **2** Meretriz [F.: Do tupi *muru'xawa*.]

múrmur (*múr*.mur) *Ant.* *sm.* **1** Ruído de fio de água corrente ou de pequenas ondas do mar **2** O mesmo que *murmuração* [Pl.: *-es*.] [F.: Do lat. *murmur,uris*. Sin. ger.: *murmúrio*.]

murmuração (mur.mu.ra.*ção*) *sf.* **1** Ação ou resultado de murmurar **2** Falatório, rumor sem fundamento; MALEDICÊNCIA: "...Repetiam as murmurações do Professor Crisóstomo, frioleiras de maldade..." (Raul Pompeia, *O Ateneu*) [Pl.: *-ções*.] [F.: Do lat. *murmuratio,onis*.]

murmurador (mur.mu.ra.*dor*) [ô] *a.* **1** Que produz som semelhante ao da água corrente **2** Que murmura, sussurra, fala entre dentes **3** Que causa murmúrios, comentários *sm.* **4** Aquele que é maledicente, detrator ou difamador: "E, depois, há sempre murmuradores e alvissareiros que falam de coisas esquecidas." (Júlio Dantas, *Fr. Antônio das Chagas*) [Pl.: *-ores*.] [F.: *murmurar* + *-dor*.]

murmurante (mur.mu.*ran*.te) *a2g.* **1** Que murmura; MURMUREJANTE **2** Que produz murmúrio: "Essas fontes murmurantes..." (Ari Barroso, *Aquarela do Brasil*) [F.: *murmurar* + *-nte*.]

murmurejante (mur.mu.re.*jan*.te) *a2g.* O mesmo que *murmurante*

murmurejar (mur.mu.re.*jar*) *v.* **1** Produzir murmúrios [*int.*: *A criança murmurejava.*] **2** Sussurrar, murmurar [*td.*: *Murmurejar segredos.*] **3** *Fig.* Produzir ruídos semelhantes a um murmúrio [*int.*: *As águas do rio murmurejavam.*] [▶ 1 murmurejar] [F.: *murmúrio* + *-ejar*.]

murmurejo (mur.mu.*re*.jo) [ê] *sm.* **1** Ação ou resultado de murmurejar; MURMÚRIO: "Consagrado nos solitários murmurejos da selva." (Camilo Castelo Branco, *Boêmia de espírito*) **2** Som confuso, baixo e indefinido; SUSSURRO **3** Rumor produzido por águas correntes ou por folhas embaladas pelo vento [F.: *murmúrio* + *-ejo*.]

murmurento (mur.mu.*ren*.to) *a.* Que produz murmúrio, murmurinho (córrego murmurento); MURMURANTE [F.: *murmúri(o)* + *-ento*.]

murmurinhar (mur.mu.ri.*nhar*) *v.* **1** Produzir murmurinho [*int.*: *As águas do riacho murmurinhavam.*] **2** Falar baixinho, sussurrando [*td.*: *Murmurinhava fofocas ao ouvido da irmã.*] [▶ 1 murmurinhar] [F.: *murmurinho* + *-ar*[2]. Sin. ger.: *murmurejar*.]

murmurinho (mur.mu.*ri*.nho) *sm.* **1** Murmúrio tênue, de vozes indistintas e distantes **2** Qualquer outro ruído brando (de folhas, águas), frequente e indiferençado [F.: *murmúr(io)* + *-inho*.]

murmúrio (mur.*mú*.ri:o) *sm.* **1** Ação ou resultado de murmurar **2** Ruído de vozes simultâneas: *Ouvimos um murmúrio estranho, humano, dentro da gruta.* **3** Ruído de vento, de folhas, águas **4** *P.ext.* Qualquer ruído de baixo volume, constante e indiferençado **5** *P.ext.* Queixa, reclamo ou comentário em voz baixa: "...Porque programamos o próprio destino a cada vez, num tímido murmúrio ou num grande grito..." (Lya Luft, *Pensar é transgredir*) [F.: Do lat. *murmur, uris*.]

muro (*mu*.ro) *sm.* **1** Parede ora mais, ora menos alta, resistente, em geral de alvenaria ou de pedra, construída para cercar ou dividir uma área: "Cerca de grandes muros quem te sonhas." (Fernando Pessoa, "Conselho" *in Cancioneiro*) **2** *Fig.* Qualquer coisa que sirva para isolar, proteger ou defender: *Seu mau humor era um muro para os amigos.* [Aum.: *muralha*. Dim.: *mureta*.] [F.: Do lat. *murus,i*. Ideia de 'muro': *mur-* (*mural*).] ■ **Ficar em cima do ~** *Bras. Fig.* Não tomar posição em relação a questão ou problemas, ger. para não se comprometer ou não se expor **~ das lamentações** **1** Muro remanescente do segundo templo dos judeus, em Jerusalém, considerado até hoje o lugar mais sagrado do judaísmo, e onde os judeus lamentavam a destruição do templo (pelos romanos) e sua dispersão; muro ocidental **2** *Fig.* Lugar, órgão, ocasião, evento etc. em que se desfiam lamentações, reclamações etc.: *As sessões da câmara têm sido um muro das lamentações dos governistas e da oposição.* **~ de arrimo** *Cons.* Muro construído para sustentar possível deslocamento de terra em taludes, encostas etc. **~ de testa** *Cons.* Pequena barreira construída em saída de bueiro ou de comporta para deter possível desmoronamento ou correnteza **~ ocidental** Ver *Muro das lamentações*

murraça (mur.*ra*.ça) *sf.* Murro ou soco muito forte [F.: *murr(o)* + *-aça*. Hom./Par.: *morraça* (s.f.).]

murro (*mur*.ro) *sm.* Golpe desferido com a mão fechada; SOCO: "...O murro fabuloso do Malheiro era a sanção..." (Raul Pompeia, *O Ateneu*) [F.: De or. obsc.] ■ **Dar ~ em faca de ponta** *Bras.* Ver *Dar murro em ponta de faca*. **Dar ~ em ponta de faca** *Bras.* Empreender tarefa, projeto etc. quase impossível e de grande risco **Dar o/um ~** *Pop.* Trabalhar muito e duramente; dar um duro

murta (*mur*.ta) *Bot.* *sf.* **1** Nome comum a várias árvores e arbustos da fam. das mirtáceas, muito cultivados como ornamentais e frutíferos e para extração de madeira, celulose, tanino, óleos medicinais e condimentos, como, por exemplo, *Myrtus communis*, arbusto ou árvore pequena de prov. origem mediterrânea **2** O fruto dessas plantas [F.: Do lat. vulg. *murta,ae*. Sin. ger.: *mirto*.]

muruci (mu.ru.*ci*) *sm.* *Angios.* Fruto do muricizeiro, nome de vários arbustos e árvores do gênero *Byrsonima*; MURICI; BAGA-DE-POMBO; FRUTEIRA-DE-PERDIZ [F.: Do tupi *mori'si*.]

murundu (mu.run.*du*) *sm.* **1** Monte, grande porção, quantidade de qualquer coisa **2** *Ent.* Cupinzeiro **3** Pequena elevação de terra, geralmente arredondada, construída por diferentes insetos, como cupins e formigas; MURUNDUM [F.: Do quimb. *mulundu*.]

murupi (mu.ru.*pi*) *sm.* *Bras. Agr.* Variedade de pimenta pequena, amarela e dividida em gomos [F.: De or. obsc.]

mururé (mu.ru.*ré*) *sm.* **1** *Angios.* Nome de diversas plantas aquáticas, de vários gêneros e famílias; AGUAPÉ; GIGOGA; ORELHA-DE-VEADO **2** *Amaz.* Árvore da família das moráceas (*Brosimopsis acutifolia*); BURUÉ; MERCÚRIO-VEGETAL; MUIRAPIRANGA [F.: Do tupi *muru'ri*.]

musa[1] (*mu*.sa) *sf.* **1** *Mit.* Cada uma das nove deusas que, entre os gregos, presidiam as artes liberais **2** *P.ext.* Qualquer divindade que inspire as artes, particularmente a poesia **3** *Fig.* A mulher, ou a amada, que é fonte de inspiração poética, esp. entre os românticos **4** *Fig.* O talento, o estro, a criatividade poética [F.: Do lat. *musa,ae*.]

musa[2] (*mu*.sa) *sf.* *Bot.* Nome comum às ervas do gênero *Musa*, da fam. das musáceas, originárias das regiões tropicais da Ásia e mais conhecidas como bananeira [F.: Do tax. *Musa*.]

musácea (mu.*sá*.ce:a) *sf.* *Bot.* Espécime das musáceas, fam. de plantas da ordem das zingiberales, nativas de regiões tropicais, muito cultivadas como ornamentais e por seus frutos e fibras, como, por exemplo, a estrelítzia, a helicônia e a bananeira [F.: Adaptç. do lat.cient. *Musaceae*.]

musáceo (mu.*sá*.ce:o) *Bot.* *a.* Ref. ou pertencente às musáceas [F.: De *musácea*, com var. suf; ver *-áceo*.]

musal (mu.*sal*) *a2g.* Relativo ou próprio das musas[1] (1, 2, 3) [F.: *musa* + *-al*.]

muscarina (mus.ca.*ri*.na) *sf.* *Farm.* Alcaloide extremamente venenoso extraído do cogumelo *Amanta muscaria* [Fórm.: $(C_9H_{20}NO_2)$] [F.: Do lat. cient. *muscaria* (< tax. *Amanita muscaria*) + *-ina*.]

muscarínico (mus.ca.*rí*.ni.co) *a.* Ref. ou pertencente à muscarina ou substâncias semelhantes [F.: *muscarina* + *-ico*.]

◎ **musc(i)-** *el. comp.* = 'musgo': *muscícola, musciforme*[1]; *muscologia* [F.: Do lat. *muscus, i*.]

◎ **musci-** *el. comp.* = 'mosca': *musciforme*[2], *muscívoro* [F.: Do lat. *musca, ae*.]

muscícola (mus.*cí*.co.la) *a2g.* *Biol.* Organismo que vive ou vegeta em locais cobertos de musgos [F.: *musc(i)-* + *-cola*[1].]

musciforme[1] (mus.ci.*for*.me) *a2g.* Que se parece com musgo ou tem a forma deste; MUSCOIDE [F.: *musc(i)-* + *-forme*.]

musciforme[2] (mus.ci.*for*.me) *a2g.* Que tem forma, aspecto ou se assemelha a mosca [F.: *musc(i)-* + *-forme*.]

muscívoro (mus.*cí*.vo.ro) *a.* **1** *Zool.* Que se alimenta de moscas *sm.* **2** *Zool.* O que come moscas [F.: *musci-* + *-voro*.]

◎ **musco-** *el. comp.* Ver *musc(i)-*

muscologia (mus.co.lo.*gi*.a) *sf.* *Ant. Bot.* Antigo nome da parte da botânica que estuda os musgos (atualmente denominados *briópsidas*); BRIOLOGIA [F.: *musco-* + *-logia*.]

musculação (mus.cu.la.*ção*) *sf.* **1** *Med.* Conjunto das atividades musculares **2** Exercício físico cujo objetivo é aumentar a massa muscular [Pl.: *-ções*.] [F.: *músculo* + *-ção*.]

musculado (mus.cu.*la*.do) *a.* **1** Bem provido de músculos; MUSCULOSO **2** *Art.pl.* Em que se confere destaque aos músculos: *Era uma escultura bem musculada e convencional.* [F.: *músculo* + *-ado*.]

muscular (mus.cu.*lar*) *a2g. Anat.* Ref. a músculo (distensão muscular) [F.: *músculo* + *-ar*.]
musculatura (mus.cu.la.*tu*.ra) *sf.* **1** O conjunto dos músculos **2** Vigor muscular: "... Apalpava os braços do Epifânio, mulato enorme, de musculatura embatumada..." (Guimarães Rosa, "A hora e vez de Augusto Matraga" *in Sagarana*) **3** *Art.pl.* Modo de representar os músculos em desenho ou escultura [F.: De *musculado* na f. rad. *musculat-* + *-ura*.]
músculo (*mús*.cu.lo) *sm.* **1** *Anat.* Órgão composto de fibras, capaz de se contrair ou se alongar e agir voluntária ou involuntariamente, conforme sua função **2** *P.ext.* O mesmo que *musculatura* [F.: Do lat. *musculus, i.*] ▪ **~ agonista** *Anat.* Todo músculo que se contrai para fazer a ação desejada **~ antagonista** *Anat.* Todo músculo cuja ação é associada à dos músculos agonistas, em movimento contrário (distendendo-se quando este se contrai e vice-versa) **~ bipenado** *Anat.* Todo músculo penado (2), cujas fibras convergem num tendão central **~ digástrico** **1** *Anat.* Todo músculo que apresenta duas partes carnosas ligadas por tendão **2** Cada um dos dois músculos que baixam a mandíbula **~ estriado** *Anat.* Todo músculo que, inserido em osso, dá-lhe movimento ao se contrair e distender voluntariamente (com exceção do músculo cardíaco, de ação involuntária), sob comando do cérebro; músculo vermelho **~ extensor** *Anat.* Todo músculo que atua no movimento de extensão de uma parte do corpo [Tb. apenas *extensor*.] **~ flexor** *Anat.* Todo músculo que atua no movimento de flexão de uma parte do corpo [Tb. apenas *flexor*.] **~ liso** *Anat.* Todo músculo (ger. em paredes de órgãos como os intestinos, os brônquios etc.) de ação involuntária, controlada pelo sistema nervoso vegetativo **~ supinador** *Anat.* Todo músculo que produz supinação de uma parte do corpo (como a rotação para cima da palma da mão) **~ unipenado** *Anat.* Todo músculo cujas fibras partem de um único ponto para se inserirem num tendão **~ vermelho** *Anat.* Ver *Músculo estriado*

📖 Os músculos, formados por fibras, são os tecidos do organismo de animais superiores que acionam os movimentos. Essa função motora origina-se na capacidade de contração das fibras musculares. Há três tipos de músculos: a) os estriados, de contração rápida e vigorosa, representam c. 40% da massa do corpo humano e são os responsáveis pelos movimentos voluntários; b) os lisos se contraem mais suave e lentamente, e acionam os movimentos involuntários, como os do estômago, do intestino e os que revestem os vasos sanguíneos; e c) o músculo cardíaco, que, apesar de estriado, tem função involuntária.

musculomembranoso (mus.cu.lo.mem.bra.*no*.so) [ô] *a. Anat.* Que diz respeito a músculos e a membranas, quando se trata de estruturas anatômicas [F.: *músculo* + *membranoso*.]
musculosidade (mus.cu.lo.si.*da*.de) *sf.* Qualidade ou condição do que é musculoso; MUSCULATURA [F.: *musculoso* + *-idade*.]
musculoso (mus.cu.*lo*.so) [ô] *a.* **1** Que apresenta músculos desenvolvidos (atleta musculoso) **2** Que é da natureza dos músculos **3** Robusto, forte, vigoroso [Pl.: [ó]. Fem.: [ó].] [F.: Do lat. *musculosus, a, um*.]
museologia (mu.se:o.lo.*gi*.a) *sf.* Ciência dos princípios de seleção e aquisição das peças a serem preservadas nos museus, e das técnicas de conservação, classificação, catalogação e apresentação desse acervo [F.: *museu* + *-o-* + *-logia*.]
museológico (mu.se:o.*ló*.gi.co) *a.* Ref. à museologia ou aos museus [F.: *museologia* + *-ico*.]
museologista (mu.se:o.lo.*gis*.ta) *a2g.* **1** O mesmo que *museólogo* *s2g.* **2** O mesmo que *museólogo*
museólogo (mu.se:*ó*.lo.go) *sm.* Aquele que é formado em museologia e se dedica a essa disciplina: *É um museólogo notável.* [F.: *museu* + *-o-* + *-logo*.]
museu (mu.*seu*) *sm.* **1** Instituição onde se reúnem e conservam obras de arte, objetos de valor histórico ou científico, para fins de pesquisa e exposição pública **2** Coleção ou exposição de objetos variados, em conformidade com um tema, uma faixa de tempo ou critérios subjetivos **3** *Fig.* Casa onde se guardam muitas coisas antigas e sem uso, de maior ou menor valor [F.: Do lat. *museum, i.*] gr. *mouseîon, ou*, templo ou morada das musas.]
musgo (*mus*.go) *Bot. sm.* **1** Nome comum à maioria das plantas briófitas: "...além da chuva que reveste o tempo e que alimenta o musgo das paredes..." (Carlos Pena Filho, "A palavra" *in O livro de Carlos*) **2** Espécime dos musgos, categoria de briófitas que reúne plantas diminutas com folhas delicadas, ger. dispostas em espiral, muito comuns em ambientes úmidos, mas presentes em diversos ambientes e climas em todo o mundo [F.: Do lat. *muscus, i.*]
musgoso (mus.*go*.so) [ô] *a.* Coberto de musgo ou com seu aspecto [Pl.: [ó]. Fem.: [ó].] [F.: *musgo* + *-oso*.]
música (*mú*.si.ca) *sf.* **1** Arte de usar os sons com intenção estética e expressiva, combinando-os num mesmo todo criativo de ritmo e harmonia: "Vila-Lobos criou a música nacionalista no Brasil..." (Vasco Mariz, *Heitor Vila-Lobos, compositor brasileiro*) **2** Composição musical, de qualquer gênero ou tendência: *Tocou uma música triste, da escola veneziana.* **3** Notação em partitura: *Aprendeu a ler música com a mãe.* **4** Execução de uma peça musical: "Dançou e gargalhou como se ouvisse *música*..." (Chico Buarque, *Construção*) **5** Conjunto ou associação de instrumentistas **6** *Fig.* Qualquer manifestação sonora que agrade e enterneça: *A cachoeira era pura música para eles.* [F.: Do lat. *musica, ae.* O lat. *musica,ae* veio do gr. *mousikós, é, on*, ref. às musas e, assim, à poesia, às artes.] ▪ **Dançar conforme a ~** *Fig.* Comportar-se ou agir de acordo com o que exigem as circunstâncias, adaptando-se às necessidades do momento **~ aleatória** *Mús.* Tipo de música na qual o tratamento da partitura original pode ser aleatoriamente alterado na execução, em improviso do intérprete **~ atonal** *Mús.* Aquela que não se desenvolve sobre uma base tonal definida, com uso total e livre da escala cromática e de dissonâncias **~ clássica** **1** *Mús.* Diz-se do tipo de música composta segundo sofisticados padrões e regras, para ser ouvida num silêncio concentrado apenas em sua apreciação, p.opos. a música popular, folclórica, dançante etc.; música erudita [São as sonatas, os concertos, as sinfonias, as óperas etc.] **2** *Restr.* Diz-se da música clássica de acordo com os padrões do classicismo na música (séc. XVIII) **~ concreta** Tipo de música experimental que se utiliza de instrumentos musicais ou mecânicos, sons produzidos pelo homem ou na natureza, gravações de sons e ruídos etc., para montá-los e tratá-los como expressão musical **~ country** *Mús.* Gênero de música popular rural norte-americana; *country music* [Tb. apenas *country*.] **~ das esferas** *Hist. Fil.* A música que, segundo os filósofos pitagóricos, emanava dos corpos celestes em seu curso pelo universo **~de barbeiros** *Bras. Hist. Mús.* No Brasil colonial, conjunto musical formado por escravos ou negros livres, ger. barbeiros **~de câmara** Gênero de música clássica originalmente destinada a público reduzido, interpretada por solistas ou pequenos conjuntos musicais (instrumentais e/ou vocais) [São as árias, os duetos vocais, os trios, quartetos, quintetos etc.] **~ de cena** *Mús.* Ver *Música incidental* **~ eletrônica** *Mús.* Aquela composta de sons eletromagnéticos reunidos, ordenados e tratados pelo compositor **~ erudita** *Mús.* Ver *Música clássica.* **fazer ~** *Mús.* Compor ou executar música **~ folclórica** *Mús.* A que está ligada às práticas, costumes e saberes tradicionais do povo (trabalho, festas, religião etc.), e é transmitida e modificada por via oral, ger. sem ter autor conhecido **~ gospel** *Mús.* Música de louvor a Deus, cantada nas igrejas evangélicas, e que surgiu originalmente no sul dos EUA, no início do século XX, derivada do *spiritual* **~ incidental** *Mús.* Música composta para dar ênfase emocional a cenas de peça teatral ou de filme de cinema; música de cena **~ instrumental** A que é executada exclusivamente com instrumentos, sem a voz humana ou sons de outra origem **~ klezmer** *Mús.* Música tipicamente judaica (em ídiche, quando cantada) executada por solistas e/ou conjuntos folclóricos **~ modal** Aquela que usa diferentes escalas (sem o sétimo tom, ou sensível) das escalas clássicas maior e menor **~ pop** *Mús.* Música popular, ger. baseada no *rock*, com elementos de várias outras formas, como o *jazz*, a música clássica, a música folclórica etc. **~popular** *Mús.* Música urbana de penetração popular, com letras cantadas, e cujos autores são ger. conhecidos **~ serial** A que se baseia na série dodecafônica de tons (os doze tons da escala cromática) **~ sertaneja** *Bras. Mús.* Música rural brasileira, que pode ser genuína e de inspiração folclórica, ou música popular que a imita
musicado (mu.si.*ca*.do) *a.* Que se musicou, que se apresenta ao som de música (poema musicado) [F.: Part. de *musicar*.]
musical (mu.si.*cal*) *a2g.* **1** Que se refere à música, e a seu desenvolvimento: "João Sebastião Bach é a síntese de seis séculos musicais." (Mário de Andrade, *Pequena história da música*) **2** Que conhece ou tem pendor para a música: *É um aluno muito musical.* **3** Que agrada ao ouvido (voz musical); MELODIOSO *sm.* **4** Espetáculo ou filme em que a música e a dança predominam: *Viu, no cinema, um musical chatíssimo.* [Pl.: *-cais*.] [F.: *música* + *-al*[1].]
musicalidade (mu.si.ca.li.*da*.de) *sf.* **1** Caráter do que é musical **2** Dom, capacidade, especial sensibilidade para compor ou tocar música: *A musicalidade do brasileiro é notável.* **3** Cadência harmoniosa, ritmo **4** Caráter acentuadamente musical de alguém ou de alguma coisa: "Os seus sons delidos... ordenados numa orquestra que supera a musicalidade da aragem nas frondes de um bosque." (Aquilino Ribeiro, *Aldeia*) [F.: *musical* + *-idade*.]
musicalização (mu.si.ca.li.za.*ção*) *sf.* Ação ou resultado de dar caráter musical ou converter em música: *A musicalização de um poema* [Pl.: *-ões*.] [F.: *musicalizar* + *-ção*.]
musicalizar (mu.si.ca.li.*zar*) *v. td.* **1** *Mús.* Dar feição musical a: *Musicalizou alguns de seus textos.* **2** Iniciar musicalmente: *Naquele ano, musicalizaram mais de 40 crianças.* [▶ 1 musicalizar] [F.: *musical* + *-izar*.]
🌐 **music-hall** (*Ing./míusic-ról*) *sm.* **1** Gênero de espetáculos variados envolvendo músicas leves, danças e pequenas cenas **2** Teatro ou sala especializados na apresentação de tais espetáculos [Pl.: *music halls* (*ing.*).]
musicista (mu.si.*cis*.ta) *a2g.* **1** Que compõe ou executa peças musicais *s2g.* **2** Aquele ou aquela que compõe ou executa peças musicais; estudioso(a) da música [F.: Do it. *musicista*.]
◎ **music(o)-** *el. comp.* = 'música': *musicofilia, musicofobia, musicografia, musicologia, musicoterapia* [F.: De *músico*, do gr. *mousikós, é, ón*, 'ref. às musas, às artes e esp. à música'.]
músico (*mú*.si.co) *sm.* **1** Aquele que trabalha com música, compondo, tocando ou cantando; MUSICISTA **2** Membro de uma orquestra, banda ou filarmônica; INSTRUMENTISTA **3** *Bras. Ornit.* O mesmo que *mandiqueiro* (2) *a.* **4** Ref. à música; MUSICAL [F.: Do gr. *mousikós, é, ón*, pelo lat. *musicus, i.* Hom./Par.: *músico* (a.sm.), *musico* (fl. de *musicar*).]
musicofilia (mu.si.co.fi.*li*.a) *sf.* Predileção ou propensão para a música; MELOFILIA [F.: *music(o)-* + *-filia*[1]. Cf.: *musicomania*.]
musicofobia (mu.si.co.fo.*bi*.a) *sf.* Aversão, horror mórbido à musica; MELOFOBIA [F.: *music(o)-* + *-fobia*.]
musicografia (mu.si.co.gra.*fi*.a) *sf.* **1** Estudo ou tratado sobre música **2** Arte de escrever música, de pôr em caracteres próprios os sons musicais **3** A reunião da obra musical de um artista: *Será editada a musicografia de Noel Rosa.* [F.: *music(o)-* + *-grafia*.]
musicologia (mu.si.co.lo.*gi*.a) *sf.* Ciência que estuda a música em geral, compreendendo sua história, a biografia e bibliografia, a acústica, a estética, a harmonia, a notação e os instrumentos musicais [F.: *music(o)-* + *-logia*.]
musicológico (mu.si.co.*ló*.gi.co) *a.* Ref. a musicologia [F.: *musicologia* + *-ico*[2].]
musicólogo (mu.si.*có*.lo.go) *sm.* Especialista em musicologia, estudioso da música [F.: *music(o)-* + *-logo*.]
musicomania (mu.si.co.ma.*ni*.a) *sf.* **1** Paixão, amor pela música **2** *Psiq.* Paixão excessiva pela música [F.: *music(o)-* + *-mania*.]
musicomaníaco (mu.si.co.ma.*ní*.a.co) *a.* **1** Ref. a musicomania *a.* **2** Diz-se do indivíduo que tem musicomania; MUSICÔMANO; MELÔMANO *sm.* **3** *Psic.* Aquele que se concentra exageradamente na música, com excessivo entusiasmo e dominante afeição; MUSICÔMANO; MELÔMANO [F.: *musicoman(ia)* + *-íaco*.]
musicômano (mu.si.*cô*.ma.no) *a. sm.* O mesmo que *musicomaníaco* (2 e 3) [F.: *music(o)-* + *-mano*[1].]
musicoterapeuta (mu.si.co.te.ra.*peu*.ta) *s2g.* Especialista em musicoterapia [F.: *music(o)-* + *terapeuta*.]
musicoterapia (mu.si.co.te.ra.*pi*.a) *sf. Mús. Psi.* Utilização da música para tratamento de doenças mentais, psicossomáticas e emocionais [F.: *music(o)-* + *-terapia*.]
musicoterápico (mu.si.co.te.*rá*.pi.co) *a.* Ref. a musicoterapia [F.: *musicoterapia* + *-ico*[2].]
mussarela (mus.sa.*re*.la) *sf.* Ver *mozarela, muçarela*
musse (*mus*.se) *sf.* **1** Iguaria doce ou salgada, preparada com gelatina e/ou clara de ovos e um ingrediente básico que lhe dá o sabor (musse de chocolate, musse de camarão) **2** *Cosm.* Substância espumosa us. para fixar o penteado [F.: Do fr. *mousse*.]
musselina (mus.se.*li*.na) *sf.* Tecido leve e transparente, feito de fibra de algodão [F.: Do fr. *mousseline*.]
mussitação (mus.si.ta.*ção*) *sf. Med.* Movimento automático dos lábios que certos doentes executam produzindo um som confuso e inarticulado, como se falassem entre dentes [Pl.: *-ções*.] [F.: Do lat. *mussitatio, onis*, 'grunhido de cães'.]
mussitar (mus.si.*tar*) *v.* **1** Mexer os lábios sem dizer nada [*int.*] **2** Falar bem baixinho, cochichar [*td.*: *Mussitou o nome da amada ao ouvido amigo.*] [▶ 1 mussitar] [F.: Do v.lat. *mussitare*.]
◎ **mustel(i)-** *El. comp.* Registra-se, a partir do séc. XIX, em vocábulos da área de zoologia, como *mustelídeo* [F.: Do tax. *Mustela*, 'marta' < lat. *mustella*, 'doninha'.]
mustelídeo (mus.te.*li*.de:o) *Zool. sm.* **1** Espécime dos mustelídeos, fam. de mamíferos carnívoros, de corpo alongado, patas curtas e cauda bem desenvolvida, como a ariranha, a lontra e o furão *a.* **2** *Zool.* Ref. ou pertencente aos mustelídeos. [F.: Adaptç. do lat.cient. *Mustelidae*.]
mutabilidade (mu.ta.bi.li.*da*.de) *sf.* Qualidade do que está sujeito a mudar; INSTABILIDADE; VOLUBILIDADE: "... representa o interesse em estimular intensamente a percepção impondo às formas percebidas um estado de contínua vibração e mutabilidade..." (Roberto Pontual) [F.: Do lat. *mutabilitas, atis*.]
mutação (mu.ta.*ção*) *sf.* **1** Ação ou resultado de mudar(-se), transformar(-se); ALTERAÇÃO; MODIFICAÇÃO; TRANSFORMAÇÃO **2** *Gen.* Modificação genética que resulta em indivíduo(s) ou célula(s) com alterações fenotípicas **3** *Ling.* Mudança fonética que se processa de uma vez, sem etapas intermediárias **4** *Teat.* Mudança de cenário **5** *Mús.* Súbita transformação na melodia [Pl.: *-ções*.] [F.: Do lat. *mutatio, onis*.]
mutacional (mu.ta.ci:o.*nal*) *a2g. Gen.* Ref. ou inerente a mutação [F.: *mutação* + *-al*, seg. o modo erudito.]
mutagênese (mu.ta.*gê*.ne.se) *sf.* **1** *Gen.* Processo pelo qual se originam mutações; MUTAGENIA **2** *Cit.* Ocorrência de mutações numa população de células
mutagênico (mu.ta.*gê*.ni.co) *a.* **1** *Eng.gen.* Relativo a mutagênese **2** Diz-se do agente químico, físico ou biológico capaz de causar mutações; MUTAGENÉTICO; MUTÁGENO
mutágeno (mu.*tá*.ge.no) *a. Eng.gen.* O mesmo que *mutagênico*
mutamba (mu.*tam*.ba) *sf. Bot.* Árvore da família das tiliáceas, de cujas flores e folhas é extraído um efeito em perfumaria e cosmetologia; CAMACÃ; LOURO-PARDO [F.: Do quimb. *mutamba*.]
mutante (mu.*tan*.te) *a2g.* **1** *Gen.* Diz-se de indivíduo que apresenta características nitidamente diferentes das de seus ascendentes *s2g.* **2** Indivíduo mutante [F.: Do lat. *mutans, antis*.]
mutatório (mu.ta.*tó*.ri:o) *a.* **1** Que muda **2** Que serve para fazer mudança [F.: Do lat. *mutatorius, a, um*.]
mutável (mu.*tá*.vel) *a2g.* **1** Que se pode mudar ou que tem a capacidade de transformar-se **2** Volúvel, inconstante [Pl.: *-veis*.] [F.: Do lat. *mutabilis, e.* Sin. ger.: *mudável*.]

mutilação (mu.ti.la.ção) *sf.* **1** Ação ou resultado de mutilar: "a caridade empurra os noivos a se provarem pela boca e os esposos a se colarem pelas feridas de uma mutilação..." (Gustavo Corção, *A descoberta do outro*) **2** Amputação de alguma parte do corpo **3** *Fig.* Supressão de frase ou trecho que torna o texto incompreensível ou compromete sua fluência [Pl.: -ções.] [F.: Do lat. *mutilatio, onis*.]

mutilado (mu.ti.*la*.do) *a.* **1** Que sofreu mutilação *sm.* **2** Pessoa a quem falta um membro ou uma parte do corpo [F.: Part. de *mutilar*.]

mutilador (mu.ti.la.*dor*) [ô] *a.* **1** Que mutila; MUTILANTE *sm.* **2** Aquele ou aquilo que mutila [F.: Do lat. *mutilator, oris*.]

mutilamento (mu.ti.la.*men*.to) *sm.* Ação ou resultado de mutilar(-se), mutilação [F.: *mutilar* + *-mento*.]

mutilante (mu.ti.*lan*.te) *a2g.* Que mutila; MUTILADOR [F.: Do lat. *mutilans, antis*.]

mutilar (mu.ti.*lar*) *v.* **1** Privar de membro ou parte do corpo a (outrem ou si mesmo) [*td.*: *Um golpe de espada mutilou o pirata*; *Mutilou-se todo num acesso de loucura*.] **2** Cortar, decepar (membro ou parte do corpo) [*td.*: *Um triste acidente mutilou seu braço*.] **3** *Fig.* Suprimir palavra, frase, trecho de algum texto, truncando-o [*td.*: *Mutilou o belo poema numa tradução apressada*.] **4** Causar dano, estrago a [*td.*: *Os moleques mutilaram a estátua da praça*.] [▶ **1** mutilar] [F.: *mutilare*.]

mutirão (mu.ti.*rão*) *sm.* **1** Trabalho coletivo, sobretudo no meio rural, em prol de melhorias para a comunidade **2** Qualquer mobilização de pessoas, coletiva e gratuita, para executar um trabalho: "... porque a vida é mutirão de todos, por todos remexida e temperada..." (Guimarães Rosa, *Grande sertão: veredas*) [Tb. *Fig.*] **3** *Bras. Ornit.* Ave da família dos ardeídeos (*Nyctanassa violacea*), encontrada em manguezais [Pl.: -rões.] [F.: Do tupi *moti'rõ*. Sin. ger. e var.: ademão, adjunto, adjutório, ajuri, bandeira, batalhão, boi-de-cova, junta, mutirum, muxirã, muxirom, pixurum, ponxirão, putirão, putirom, putirum, puxirão, puxirum.]

mutismo (mu.*tis*.mo) *sm.* **1** Qualidade ou estado de quem não fala ou não quer falar; MUDEZ: "... Mas seu tranquilo mutismo, naquela noite, irritara Afonso..." (Gustavo Corção, *A descoberta do outro*) **2** *Fig.* Sossego, quietude [F.: Do fr. *mutisme*, este do lat. *mutus, a, um*.]

mutreita (mu.*trei*.ta) *sf. RS* Gordura excessiva do gado bovino [F.: De or. obsc.] ■ **Estar de ~** *RS* Ter gordura em excesso (carne ou animal)

mutreta (mu.*tre*.ta) [ê] *sf. Bras. Pop.* Ação ardilosa com o intuito de enganar; ARDIL; TRAPAÇA: "Muita mutreta pra levar a situação/ Que a gente vai levando de teimoso e de pirraça" (Chico Buarque e Francis Hime, *Meu caro amigo*) [F.: Do quimb. *muteta* 'carga', posv.]

mutretagem (mu.tre.*ta*.gem) *Gír. sf.* Ato ou procedimento de quem faz mutretas, trapaças, engodos, velhacarias, deslealdades: *Não me venha com mutretagem, conheço bem essa história*.

mutreteiro (mu.tre.*tei*.ro) *Gír. a.* **1** Que faz mutretas, que participa de trapaças *sm.* **2** Aquele que faz mutretas; TRAPACEIRO; VELHACO [F.: *mutreta* + *-eiro*.]

mútua (*mú*.tu.a) *sf.* **1** Troca recíproca de algo similar **2** *Bras. Jur.* Sociedade de socorros mútuos, que auxilia com empréstimos ou outras formas de apoio aqueles que para ela contribuíram durante determinado tempo: *Terei de recorrer à mútua*. [F.: Fem. de *mútuo*.]

mutuado (mu.tu.*a*.do) *a.* Que se mutuou, que foi dado ou tomado de empréstimo [F.: Do lat. *mutuatus,a,um*.]

mutualidade (mu.tu.a.li.*da*.de) *sf.* Qualidade ou condição do que é mútuo; RECIPROCIDADE; TROCA [F.: *mutual* + *-(i)dade*; fr. *mutualité*.]

mutualismo (mu.tu.a.*lis*.mo) *sm.* **1** *Ecol.* Associação entre dois seres vivos na qual ambos são beneficiados, do que resulta uma dependência mútua [Cf.: *simbiose*.] **2** *Jur.* Sistema característico da mútua (2), tipo de associação em que todos contribuem para que cada um seja beneficiado individualmente [F.: *mutual* + *-ismo*.]

mutualista (mu.tu.a.*lis*.ta) *a2g.* **1** Que diz respeito ao associado a uma empresa de socorros mútuos ou companhia de seguros *s2g.* **2** Indivíduo participante de mutualismo (2) [F.: *mutual* + *-ista*.]

mutualístico (mu.tu.a.*lís*.ti.co) *a. Ecol. Jur.* Referente a uma relação de mutualismo, ou próprio de mutualismo [F.: *mutualista* + *-ico*.]

mutuário (mu.tu.*á*.ri:o) *sm.* Aquele que tomou dinheiro emprestado em sistema mútuo de poupança e empréstimo [F.: Do lat. *mutuarius, a, um*.]

mutuca (mu.*tu*.ca) *sf.* **1** *Bras. Zool.* Denominação comum aos insetos dípteros da fam. dos tabanídeos, encontrados ger. próximo a corpos d'água, cujas fêmeas, hematófagas, podem picar o homem e animais domésticos; BUTUCA; MOSCARDO: "...É de tardinha, quando as mutucas convidam as muriçocas de volta para casa..." (Guimarães Rosa, "Sarapalha" in *Sagarana*) **2** *Fig.* Pessoa importuna **3** *Bras.* Remador de baleeira **4** *BA* Trabalhador não qualificado, que ajuda na confecção de redes de pesca **5** *Gír.* Trouxinha de maconha **6** *BA* Olho; BUTUCA **7** *SP Pop.* Espora; BUTUCA *a.* **8** *RS* Diz-se de galo de briga covarde, que foge da rinha **9** *Bras. Pext.* Diz-se de pessoa covarde [F.: Do tupi *mu'tuka*. Col.: *mutucal, mutuqueiro*.] ■ **Estar de ~** Estar atento, de sobreaviso

mutum (mu.*tum*) *sm. Bras. Zool.* Nome comum de várias aves galiformes da fam. dos cracídeos, terrícolas e de grande porte, de plumagem ger. negra, principalmente nos machos e base do bico com cores chamativas: "... Mutuns cantaram, certos, às horas em que cantam os galos..." (Guimarães Rosa, "Duelo" in *Sagarana*) [Pl.: *-tuns*.] [F.: Do tupi *mi'tu*.]

mútuo (*mú*.tu.o) *a.* **1** Em que há troca ou correspondência (de atitude, sentimento etc.) (respeito mútuo); RECÍPROCO *sm.* **2** *Jur.* Contrato em que uma das partes empresta algo fungível à outra **3** Permutação, troca **4** Cessão temporária; EMPRÉSTIMO [F.: Do lat. *mutuus, a, um*. Hom./Par.: *mútuo* (a. sm.), *mutuo* (fl. de *mutuar*).]

muvuca (mu.*vu*.ca) *sf.* **1** *Gír.* Concentração ruidosa de pessoas **2** Grande bagunça; CONFUSÃO [F.: Do quicongo, posv.]

muxarabi (mu.xa.ra.*bi*) *sm.* Ver *muxarabiê*

muxarabiê (mu.xa.ra.bi.*ê*) *sm.* Espécie de balcão mourisco, protegido por treliça de madeira em toda a altura da janela, o que o torna inatravessável: "... Balcão em muxarabiê apoiado sobre cachorros de pedra..." (Maria Elisa Carrazoni (Coord.), *Guia dos bens tombados*) [F.: Do fr. *moucharaby*, der. do ár. *masrabiya*. Tb. *muxarabi*.]

muxiba (mu.*xi*.ba) *sf.* **1** *Bras. Pop.* Carne magra e cheia de nervos que pode servir de alimento aos cães **2** *Fig. Pej. Pop.* Mulher velha e/ou feia **3** Pele magra e flácida; PELANCA **4** *Fig. Pej.* Seios flácidos [F.: Do quimb. *mu'xiba*. Nas acps. 2, 3 e 4 é ofensivo.]

muxicongo (mu.xi.*con*.go) *sm.* **1** Natural ou habitante da região de Muxicongo, em Angola *sf.* **2** *Ling.* Língua banto do grupo quicongo falada em algumas regiões de Angola *a.* **3** Ref. ou pertencente a Muxicongo (1 e 2)

muxinga (mu.*xin*.ga) *sf.* **1** *Bras.* Chicote, azorrague, vergalho **2** *Fig.* Pancada, bordoada, surra [F.: Do quimb. *muxinga*.]

muxirão (mu.xi.*rão*) *sm.* Ver *mutirão* [Pl.: *-rões*.]

muxoxar (mu.xo.*xar*) *v. int.* **1** *Bras. Pop.* Acariciar, beijar **2** *Bras. Ang.* Soltar muxoxos, estalar a língua; muxoxear [▶ **1** muxoxar] [F.: *muxoxo(o)* + *-ar*. Hom./Par.: *muxoxo* (fl.), *muxoxo / ô /* (sm.).]

muxoxo (mu.xo.xo) [ô] *sm.* **1** *Bras.* Carícia com os lábios; BEIJO **2** *Bras. Ang.* Estalo que se dá com a língua ou trejeito que se faz com os lábios para demonstrar desagrado ou desprezo *Bras. N.E.*; TUNCO **3** *Bras. Bot.* Árvore eurforbiácea (*Sapium mannianum*), de casca áspera e escura, folhas membranáceas e sementes globosas [Pl.: ô.] [F.: Do quimb. *mushoshu*. Hom./Par.: *muxoxo* (sm.), *muxoxo* (fl. de *muxoxar*).]

⊠ **Mv** *Quím.* Símb. de *mendelévio*

n[1] (ēne) *sm.* **1** A décima quarta letra do alfabeto da língua portuguesa **2** A décima primeira consoante desse alfabeto **3** A figura dessa letra, sua representação ou sua emissão sonora *num.* **4** O 14º numa série alfabética (poltrona N)
N[2] (ēne) **1** *Quím.* Símb. de *nitrogênio* **2** *Fís.* Símb. de *newton* **3** *Mat.* Símb. do conjunto dos números naturais
n[3] (ēne) **1** *Mat.* Representação de um número inteiro indeterminado **2** Representação de uma quantidade indefinida: *Foi n vezes ao escritório* **3** *Fís.* Símb. de *nêutron* **4** *Mat.* Abrev. de *número*
⊠ **Na**[1] *Quím.* Símb. de *sódio*
nababesco (na.ba.*bes*.co) [ê] *a.* **1** Que envolve luxo e ostentação (vida nababesca) **2** Ref. a nababo ou próprio dele [F.: *nababo* + *-esco.*]
nababo[1] (na.*ba*.bo) *sm.* **1** *Fig.* Aquele que possui grande fortuna e vive no luxo; MILIONÁRIO **2** Príncipe ou governador de província na Índia muçulmana entre os sécs. XVI e XIX **3** *P. ext.* Europeu que enriquecia na Índia [F.: Do ár. *nuwwab.*]
nabal (na.bal) *sm.* Plantação de nabos [Pl.: *-bais.*] [F.: *nabo* + *-al*[1].]
nabantino (na.ban.*ti*.no) *sm.* **1** Aquele que nasceu ou que vive na antiga Nabância, hoje Tomar (Portugal) *a.* **2** De Nabância; típico dessa cidade ou de seu povo [F.: Do top. *Nabância*, sob a f. *nabant-* + *-ino.*]
nabateu (na.ba.*teu*) *sm.* **1** Indivíduo da Nabateia (parte da antiga Arábia pétrea) **2** *Ling.* Dialeto do aramaico falado pelos nabateus [Fem. da acp. 1: *nabateia.*] *a.* **3** Da Nabateia; típico dessa região ou de seu povo [Fem.: *-teia*] [F.: Do lat. *nabathaeus, a, um.*]
nabilona (na.bi.*lo*.na) *sf. Quím.* Substância química com efeito psicotrópico e antiemético, que é um derivado sintético do tetraidrocanabinol (THC), princípio ativo da maconha [Us. na prevenção e no combate à náusea e ao vômito decorrentes de tratamento quimioterápico.] [F.: Do ing. *nabilone.*]
nabla (na.bla) *sm. Mat.* Em cálculo vetorial, operador diferencial cuja multiplicação por função escalar resulta no gradiente da função, e multiplicado por um campo vetorial resulta no rotacional [F.: Do gr. *nábla, as.*]
nabo (*na*.bo) *sm.* **1** *Bot.* Erva da fam. das crucíferas (*Brassica rapa*), nativa da Europa, cuja raiz branca ou roxa é us. na alimentação [Col.: *nabal.*] **2** *Bot.* A raiz dessa planta **3** *Joc.* Pessoa ignorante e estúpida **4** *Tabu.* O pênis **5** *Bras. S.* A parte do mourão, poste ou esteio que fica enterrada no solo [F.: Do lat. *napus, i.*] ■ **Comprar ~s em saco** *Fig.* Comprar algo, aceitar algo (mercadoria, tarefa etc.) sem prévio exame ou análise
nação (na.*ção*) *sf.* **1** Comunidade política autônoma e de território definido que partilha instituições comuns (constituição, governo, sistema judiciário) **2** Território habitado por essa comunidade; PAÍS **3** Povo desse território: *O ministro se dirigiu à nação.* **4** O governo de um país; ESTADO **5** A pátria, o país natal **6** Comunidade de indivíduos que, embora sob vários regimes políticos, são ligados por identidade de origem, língua, costumes, religião: *As nações árabes.* **7** Povo ou tribo indígena **8** *Bras.* Nome que se dá aos diferentes grupos de negros africanos vindos para o Brasil (nação sudanesa) **9** Espécie, raça, casta [Pl.: *-ções.*] [F.: Do lat. *natio, onis.*]
nácar (*ná*.car) *sm.* **1** Substância calcária, rosada e brilhante, que se encontra no interior de muitas conchas marinhas; MADREPÉROLA **2** Cor de carmim; cor-de-rosa: *O nácar de sua pele.* [F.: Do cast. *nácar*, do ár. vulg. *náqar.*]
nacarado (na.ca.*ra*.do) *a.* **1** Que tem a cor ou o brilho do nácar (lábios nacarados); NACARINO **2** Que contém nácar [F.: *nácar* + *-ado*[2].]
nacarar (na.ca.*rar*) *v. td.* **1** Dar a, ou adquirir o aspecto, a aparência, a cor rosada do nácar **2** Cobrir de nácar [▶ 1 nacarar] [F.: *nácar* + *-ar*[2]. Hom./Par.: *nacara(s)* (fl.), *nacara(s)* (sm. [pl.]); *nácare(s)* (fl.), *nácare(s)* (sm. [pl.]).]
nacela (na.*ce*.la) *sf.* **1** *Arq.* Moldura côncava na base de uma coluna **2** Estrutura que se assemelha a uma barca ou cesta, suspensa de um balão ou situada na parte de baixo de um dirigível, destinada a tripulantes e passageiros **3** Cabina de pequenos aviões destinada esp. ao piloto, mas na qual podem caber outros tripulantes **4** Espaço em avião no qual se aloja o motor, ou qualquer outro conjunto [F.: Do lat. tard. *navicella* ou *naucella.*]
nacho (*na*.cho) *sm. Cul.* Iguaria mexicana feita com feijão, queijo e molho de tomates [F.: Do espn. americano *nacho.*]
nacional (na.ci:o.*nal*) *a2g.* **1** Pertencente a uma nação ou próprio dela (população nacional; literatura nacional) **2** Que representa ou simboliza uma nação (bandeira nacional) **3** Que abrange ou alcança toda a nação: *O presidente discursou em cadeia nacional de rádio e televisão.* [Pl.: *-nais.*] *sm.* **4** Indivíduo natural de um país [Pl.: *-nais.*] [F.: Do fr. *national.* Ant. ger.: *estrangeiro.*]
nacionalidade (na.ci:o.na.li.*da*.de) *sf.* **1** País de nascimento [Cf.: *naturalidade.*] **2** Qualidade de nacional **3** Condição jurídica do cidadão de um país, por nascimento ou naturalização: *Manteve a nacionalidade italiana.* **4** Conjunto de características que distinguem a identidade de uma nação: *A nacionalidade brasileira ainda se constrói.* **5** Autonomia, independência política **6** Grupo étnico dentro de uma nação (nacionalidade basca) [F.: Do fr. *nationalité*; ver *nacional* e *-(i)dade.*]
nacionalismo (na.ci:o.na.*lis*.mo) *sm.* **1** Exaltação da nacionalidade; postura de valorização da própria nação e de tudo que lhe é próprio; PATRIOTISMO **2** Ideologia que prega a priorização dos interesses nacionais, subordinando as políticas interna e externa ao desenvolvimento e à supremacia da nação **3** Doutrina que preconiza o direito que teria todo povo de formar uma nação, um Estado soberano **4** Política governamental visando à nacionalização do maior número possível das atividades econômicas de um país **5** *Liter. Mús.* Atitude estética baseada na valorização das características nacionais, esp. as da tradição oral de cada povo e seu território, como substância principal da criação artística [F.: Do fr. *nationalisme*; ver *nacional* e *-ismo*. Cf.: *chauvinismo, xenofobia.*]

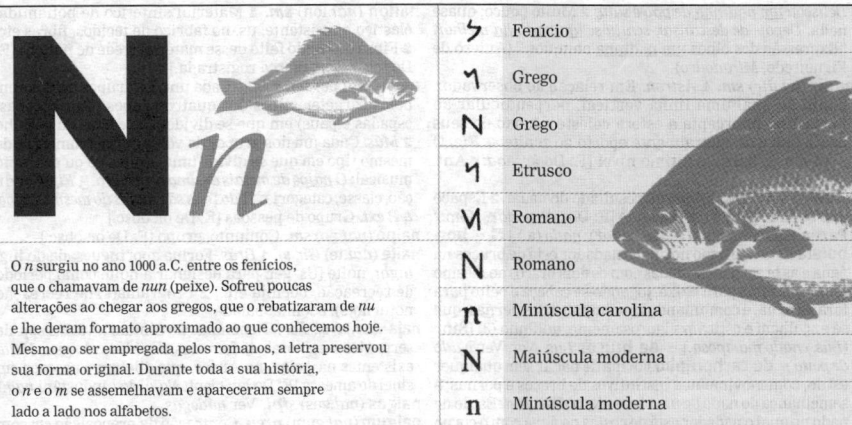

O *n* surgiu no ano 1000 a.C. entre os fenícios, que o chamavam de *nun* (peixe). Sofreu poucas alterações ao chegar aos gregos, que o rebatizaram de *nu* e lhe deram formato aproximado ao que conhecemos hoje. Mesmo ao ser empregada pelos romanos, a letra preservou sua forma original. Durante toda a sua história, o *n* e o *m* se assemelhavam e apareceram sempre lado a lado nos alfabetos.

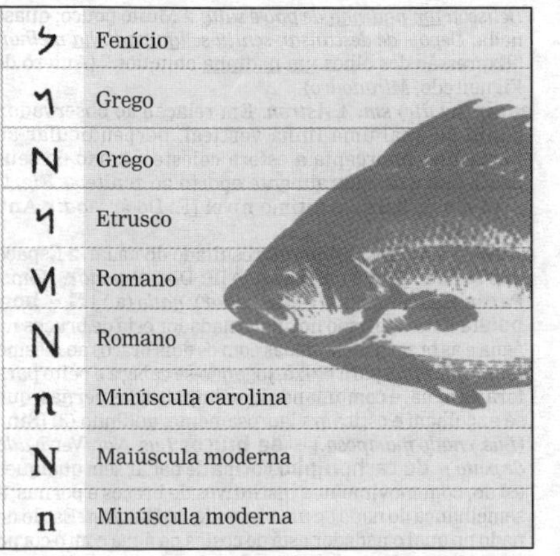
Fenício
Grego
Grego
Etrusco
Romano
Romano
Minúscula carolina
Maiúscula moderna
Minúscula moderna

nacionalista (na.ci:o.na.*lis*.ta) *a2g.* **1** Ref. a nacionalismo (espírito nacionalista) **2** Que é adepto do nacionalismo *s2g.* **3** Adepto do nacionalismo [F.: *nacional* + *-ista.*]
nacionalístico (na.ci.o.na.*lís*.ti.co) *a.* Referente a, ou próprio do nacionalismo ou do indivíduo nacionalista [F.: *nacionalista* + *-ico*[2].]
nacionalização (na.ci:o.na.li.za.*ção*) *sf.* **1** Ação ou resultado de nacionalizar(-se) **2** *Pol. Econ.* Transferência de propriedade particular, empresa ou serviço ou atividade sob gestão privada para o controle ou propriedade do Estado; ESTATIZAÇÃO: *Em 1975, deu-se em Portugal a nacionalização de todos os bancos e companhias de seguros do país: A nacionalização do gás e do petróleo prejudicou cerca de 20 empresas estrangeiras que possuíam investimentos na Bolívia.* [Pl.: *-ções.*] [F.: *nacionalizar* + *-ção.* Ant. ger.: *desnacionalização.*]
nacionalizado (na.ci.o.na.li.*za*.do) *a.* Que passou por processo de nacionalização [Ant.: *desnacionalizado.*] [F.: Part. de *nacionalizar.*]
nacionalizar (na.ci:o.na.li.*zar*) *v. td.* **1** Tornar(-se) nacional **2** Encampar (empresa estrangeira) **3** Dar ou adquirir o direito de cidadania; NATURALIZAR(-SE) **4** O mesmo que *estatizar*: *Nacionalizar o transporte aéreo.* [▶ 1 nacionalizar] [F.: *nacional* + *-izar.* Ant. ger.: *desnacionalizar.* Hom./Par.: *nacionalizáveis* (fl.), *nacionalizáveis* (pl. de *nacionalizáveis* [a2g].).]
nacionalizável (na.ci.o.na.li.*zá*.vel) *a2g.* Que pode ser nacionalizado [Ant.: *desnacionalizável*] [Pl.: *-veis.*] [F.: *nacionalizar* + *-vel.* Hom./Par.: *nacionalizáveis* (pl.), *nacionalizáveis* (fl. de *nacionalizar* [v.]).]
nacional-socialismo (na.ci.o.nal-so.ci.a.*lis*.mo) *sm. Pol.* O mesmo que *nazismo* [Pl.: *nacional-socialismos.*] [F.: Adapt. do al. *Nationalsozialismus.*]
nacional-socialista (na.ci.o.nal-so.ci.a.*lis*.ta) *a2g.* **1** Referente a nacional-socialismo *a.* **2** Que é adepto do nacional-socialismo; NAZISTA *s2g.* **3** O seguidor das ideias do nacional-socialismo [Pl.: *nacional-socialistas.*] [F.: Adapt. do al. *Nationalsozialist.*]
naco (*na*.co) *sm.* Pedaço ou fatia de alguma coisa, esp. de alimento (naco de carne) [F.: De or. obsc.]
nações (na.*ções*) *sfpl.* Na linguagem bíblica, designação dos pagãos e gentios [F.: Pl. de *nação.*]
nada (*na*.da) *pr. indef.* **1** Coisa nenhuma, coisa alguma: "Seu amor não tinha sido afetado em nada, ao contrário..." (Antonio Callado, *Bar Don Juan*) *adv.* **2** De modo nenhum, de jeito nenhum: *Não estava nada contente com a situação.* *sm.* **3** O não existente, a não existência, o vazio: "Minha matéria é o nada. Jamais ousei cantar algo de vida..." (Carlos Drummond de Andrade, "Nudez" *in A vida passada a limpo*) **4** Ser ou coisa insignificante; BAGATELA; NONADA: *Um nada de gente; discutir por nada:* "Os deslumbrantes nadas com que a fortuna enfeita as personagens de sua tragicomédia." (Latino Coelho) **5** *Fil.* O não ser, o oposto ao ser, em vários graus e significados, conforme as bases da reflexão, confundindo-se ora com a transcendência e a libertação, ora com a morte e sua angústia [F.: Do lat. (*res*) *nata*, 'coisa nenhuma'. Hom./Par.: *nada* (pr. indef. adv. sm.), *nada* (fl. de *nadar*).] ■ **Dar em ~** Não trazer nenhum dos resultados esperados; não ser eficaz (um plano, um projeto, uma ação) **De ~ 1** Sem importância, insignificante: *Não dói, é um cortezinho de nada.* **2** Ver *Por nada* **~ de** Indica que o que se segue não é permitido, ou aceitável, ou recomendável: *Confiemos na vitória, mas nada de menosprezar o adversário.* **~ de ~** Absolutamente nada: *Desse relatório não se aproveita nada de nada.* **~ dos ~s** Ver *Nada de nada*: "...nada dos nadas veio ter comigo." (Machado de Assis, *Dom Casmurro*) **~ de novo** Tudo na mesma, sem novidades **~ disso** De maneira alguma, de jeito algum **~ feito** Expressão com a qual se recusa proposta, não se aceitam termos de acordo etc. **Por ~** Us., interjectivamente, como expressão de cortesia ou fórmula de resposta a agradecimentos do tipo "obrigado" ou "obrigada" [Significa que a pessoa que agradece não tem obrigação ou dívida de favor com aquela. Equivale a *De nada.*] **Quando ~** Pelo menos, no mínimo, na pior hipótese: *Hoje caminhamos, quando nada, 10 km.*
nada-consta (na.da-*cons*.ta) *sm2n.* Documento em que se declara nada constar de negativo contra aquele a que se refere [F.: *nada* + *constar* (na 3ª pess. sing. pres. ind.).]
nadada (na.*da*.da) *sf. Bras. Pop.* Ação ou resultado de nadar; nadadura: *Foi dar uma nadada para se exercitar* [F.: *nadar* + *-ada*[1].]
nadadeira (na.da.*dei*.ra) *sf.* **1** *Anat. Zool.* Órgão membranoso exterior que serve aos peixes para se moverem na água; BARBATANA [Pode ser, de acordo com suas características ou posição, *adiposa, anal, caudal, dorsal, peitoral, pélvica* e *ventral.*] **2** *Anat. Zool.* Órgão semelhante que serve para a natação dos mamíferos aquáticos **3** *Esp.* Acessório de borracha, em forma de pé de pato, us. por mergulhadores e nadadores para incremento da velocidade; PÉ DE PATO [F.: *nadar* + *-deira.*]

🕮 Alguns tipo de nadadeira podem, ou não, se apresentar no corpo do peixe, e se chamam, de acordo com suas características ou posição, *adiposa* (entre a dorsal e a caudal), *anal* (sob o corpo do peixe, junto ao ânus), *caudal* (de vários formatos), *dorsal* (sobre o dorso superior do peixe, podendo ser dividida em duas ou três partes), *peitoral* (par, em ambos os lados do peixe, após as guelras), *pélvica* ou *ventral* (par, na região do ventre).

nadador (na.da.*dor*) [ô] *a.* **1** Que nada ou sabe nadar (aves nadadoras) **2** Que serve para nadar *sm.* **3** Aquele que nada por esporte ou por profissão [F.: Do lat. *natator, oris.*]
nadante (na.*dan*.te) *a2g.* **1** Diz-se de quem é nadador, daquele que nada **2** Que flutua na água; flutuante **3** *Her.* Diz-se de peixe que é representado na horizontal ou de animal representado na superfície da água [F.: Do lat. *natans, antis.*]
nadar (na.*dar*) *v.* **1** Deslocar-se na água usando recursos próprios do corpo, como os braços e as pernas, ou instrumentos como boias, pranchas etc. [*int.*: *Ela não sabia nadar.*] [*td.*: *Ele já nadou 200 metros.*] **2** Praticar natação com técnica [*int.*: *Esse rapaz nada com grande estilo.*] **3** Atravessar a nado (praia, rio, lagoa etc.) [*td.*: *Nadou metade da lagoa.*] **4** *Fig.* Estar imerso em [*ta.*: *O bacalhau nadava no azeite.*] **5** *Fig.* Ficar molhado [*tr.* + *em*: *Nadava em suor após a corrida.*] **6** *Fig.* Não compreender o que foi dito ou visto [*int.*: *Expliquei, expliquei, mas ele continuou nadando.*] **7** *Fig.* Ficar uma roupa com muitas folgas, larga demais [*ta.*: *O paletó ficou nadando em seu corpo.*] **8** *Fig.* Ter em muita quantidade, esp. dinheiro [*tr.* + *em*: *Vestia-se muito mal, mas nadava em dinheiro.*] **9** *Fig.* Estar envolvido ou imerso em algo que causa imenso prazer [*tr.* + *em*: *A notícia a deixou nadando em felicidade.*] [▶ 1 nadar] [F.: Do v.lat. *natare.* Hom./Par.: *nado* (fl.), *nado* (a. sm.); *nada* (fl.), *nada* (pron. e adv.); *nada* (fl.), *nada* (sm.); *nadas* (fl.), *nadas* (pl. do sm.).]
nádega (*ná*.de.ga) *sf.* **1** *Anat.* Cada uma das duas partes posteriores do corpo, carnudas e arredondadas, acima da coxa **2** Parte carnuda situada entre a coxa e a garupa das cavalgaduras [F.: Do lat. vulg. *natica.*]
nádegas (*ná*.de.gas) *sfpl.* **1** O conjunto formado pelas duas nádegas **2** Nos solípedes, região situada entre a coxa e a garupa [F.: Pl. de *nádega.*]
nadegudo (na.de.*gu*.do) *a.* Que tem grandes nádegas; bundudo [F.: *nádega* + *-udo.*]
nadica (na.*di*.ca) *Bras. Pop. pr. indef.* **1** *Joc.* Coisa nenhuma: *Não bebeu nadica à noite todinha.* **2** Quase nada: *Ele andou nadica e ficou cansado.* *adv.* **3** De modo nenhum; nada: *Ele não foi nadica bobo ao aceitar a sociedade.* [F.: *nada* + *-ica.*] ■ **~ de nada** Ver *Nada de nada*
nadinha (na.*di*.nha) *pr. indef.* **1** Absolutamente nada: *Não ajudou nadinha.* *sm.* **2** Pequena quantidade de qualquer coisa: *O nadinha de açúcar que pôs bastou para adoçar o leite.* [F.: *nada* + *-inha.*] ■ **Um ~ 1** Pequena porção de algo:

Beliscou um nadinha de pão e saiu. **2** Muito pouco; quase nada: *Depois de descansar, sentiu-se um nadinha melhor:* "Expressão dos olhos um nadinha oblíquos." (Antero de Figueiredo, *Miradouro*)

nadir (na.*dir*) ***sm.*** **1** *Astron.* Em relação ao observador, ponto no qual uma linha vertical, perpendicular ao horizonte, intercepta a esfera celeste, abaixo de seus pés, e que é diametralmente oposto ao zênite. **2** *Fig.* O ponto mais baixo; o último nível [F.: Do ár. *nadir.* Ant. ger.: *zênite.*]

nado[1] (*na*.do) ***sm.*** **1** Ação ou resultado de nadar **2** Espaço que se pode percorrer nadando [F.: Dev. de *nadar*. Hom./Par.: *nado* (sm.), *nado* (fl. de *nadar*), *nado* (a.).] ■ **~ borboleta** Estilo de nado no qual o nadador está de bruços na água e as braçadas são dadas com os dois braços ao mesmo tempo, de cima para baixo, jogando-se cabeça e peito para fora da água, e combinando com impulso das pernas, que se encolhem e esticam vigorosamente; golfinho (3) [Sin.: (*Lus.*) *nado mariposa.*] **~ de bruços** *Lus. Nat.* Ver *Nado de peito* **~ de cachorrinho** Forma de nadar sem qualquer estilo, com movimentos instintivos de braços e pernas, a semelhança do nado de um cão **~ de costas** *Nat.* Estilo de nado no qual o nadador está de costas na água com o corpo esticado, e as braçadas são dadas alternadamente com os braços esticados em rotação, no sentido dos ponteiros do relógio em relação à direção do nado, em combinação com a batida das pernas **~ de peito** *Nat.* Estilo de nado no qual o nadador está de bruços na água, e as braçadas são dadas esticando os dois braços juntos à frente e abrindo-os para os lados, empurrando a água para trás, enquanto a cabeça mergulha e sai da água para a respiração e as pernas se encolhem e se esticam coordenadamente com os movimentos dos braços [É o mais lento dos nados.] **~ livre** *Nat.* Estilo de nado no qual o nadador está de bruços na água e as braçadas são dadas alternada e rapidamente, a cabeça a maior parte do tempo mergulhada na água, aflorando de 3 em 3 ou de 4 em 4 braçadas para uma rápida aspiração de ar (que é expirado dentro da água), enquanto as pernas se movimentam em vigorosas batidas [É o mais rápido dos nados. Sin. (ing.): *crawl.*] **~ mariposa** *Lus.* Ver *Nado borboleta* **~ sincronizado** *Esp.* Esporte aquático que consiste em um conjunto de exercícios e figuras coreografados e coordenados, ger. ao som de música, executados dentro da água de uma piscina por um ou mais nadadores

nado[2] (*na*.do) ***a.*** Nascido, nato [F.: Do lat. *natu.*] ■ **Sol ~** O nascer do sol, a hora do nascer do sol: *Encontrar-nos-emos amanhã antes do sol nado.* **Ser já sol ~** Ter já nascido o sol; ter já despontado o sol no oriente

náfego (*ná*.fe.go) ***a.*** **1** Que tem um dos quadris menor que o outro (diz-se de cavalgadura) **2** *P. ext.* Diz-se de animal que coxeia ***sm.*** **3** *Vet.* Fratura que, no osso ilíaco dos equídeos, provoca uma desigualdade nos quadris desses animais [F.: De or. incerta.]

nafta[1] (*naf*.ta) ***sf.*** *Quím.* Líquido incolor, combustível e volátil, obtido no refinamento do petróleo e de uso importante na petroquímica [F.: Do lat. *naphta, ae*, do gr. *náphta.*]

⊠ **Nafta**[2] Sigla de North American Free Trade Agreement, acordo de livre comércio da América do Norte, firmado pelos EUA, Canadá e México

naftaleno (naf.ta.*le*.no) ***sm.*** *Quím.* Hidrocarboneto ($C_{10}H_8$) obtido na destilação do alcatrão de hulha e us. para repelir traças, baratas etc. [F.: *nafta*[1] + *-l-* + *-eno.*]

naftalina (naf.ta.*li*.na) ***sf.*** *Quím.* Nome comercial do naftaleno [F.: Do fr. *naphtaline.*]

nafteno (naf.*te*.no) ***sm.*** *Quím.* Designação de hidrocarbonetos cíclicos saturados, que são encontrados em petróleos extraídos na Rússia ou na Califórnia [F.: *naft(o)-* + *-eno.*]

naftol (naf.*tol*) ***sm.*** *Quím.* Qualquer fenol que deriva do naftaleno, us. na fabricação de corantes e em perfumaria (fórm.: $C_{10}H_8O$) [F.: *naft(aleno)* + *-ol*[2].]

naftoquinona (naf.to.qui.*no*.na) ***sf.*** *Quím.* Quinona derivada do naftaleno ($C_{10}H_6O_2$), us., entre outras aplicações, como regularizador na polimerização da borracha [F.: *naft(o)-* + *quinona.*]

nagã (na.*gã*) ***sm.*** *Bras. Arm.* Revólver de cano longo us. antigamente pela cavalaria [F.: De *Nagan*, nome comercial.]

nagauta (na.*gau*.ta) ***sf.*** Canção tradicional do Japão, de espírito épico e tom melancólico [F.: Do jap.]

nagi (*na*.gi) *Bras.* ***sm.*** *BA* Fazendeiro de cacau no sul da Bahia [F.: Posv. do antr. *Nagib*, de or. árabe.]

nagô (na.*gô*) ***s2g.*** **1** Pessoa pertencente a um povo proveniente da região do Golfo da Guiné ***sm.*** **2** *Gloss.* Língua falada por esse povo ***a2g.*** **3** Pertencente ou ref. aos nagôs (1), ou ao nagô (2) [F.: Do ior. *na'go*. Sin. ger.: *iorubá.*]

náiade (*nái*.a.de) ***sf.*** **1** *Mit.* Na mitologia grega, divindade ou ninfa dos rios e das fontes **2** *Bot.* Planta delicada da fam. das najadáceas (*Najas guadalupensis*), de origem americana e indiana, cultivada em aquários e tanques de criadouros; NAJA **3** *Bot.* Uma das regiões em que o botânico alemão Von Martius dividiu a flora brasileira; a floresta amazônica **4** *Astron.* Nome de um dos satélites de Netuno [F.: Do lat. *naias, adis*, do gr. *naiás, ádos.*]

⊕ **naïf** (*Fr. /na'if/*) ***a2g.*** **1** *Art. Pl.* Diz-se ger. de pintura espontânea, de espírito ingênuo, primitivo, sem vínculo com padrões artísticos convencionais, que usa cores vivas e simbologias de fácil compreensão, apresentando, de modo geral, caráter popular ou popularesco **2** Diz-se do artista que pratica esse tipo de arte (pintor naïf) **3** Que se caracteriza pela ingenuidade (indivíduo naïf) ***sm.*** **4** *Art. Pl.* A pintura *naif* ***s2g.*** **5** Pintor que tem esse estilo

náilon (*nái*.lon) ***sm.*** **1** Material sintético de poliamida, elástico e resistente, us. no fabrico de tecidos, fibras etc. **2** Fibra ou tecido feito desse material (rede de náilon) [F.: Do ing. *nylon*, marca registrada.]

naipe (*nai*.pe) ***sm.*** **1** *Lud.* Cada um dos grupos ou dos símbolos característicos dos quatro grupos (ouros, copas, espadas e paus) em que se dividem as cartas do baralho **2** *Mús.* Cada um dos grupos de vozes ou instrumentos de mesmo tipo em que se divide uma orquestra ou conjunto musical: *O naipe de metais de uma orquestra.* **3** *Fig.* Condição, classe, categoria: *Todos eles são atores do mesmo naipe.* **4** *P. ext.* Grupo de pessoas [F.: De or. obsc.]

naipo (*nai*.po) ***sm.*** Conjunto, grupo [F.: De or. obsc.]

naite (*nai*.te) *Gír.* ***sf.*** **1** *Bras.* Forma aportuguesada do ing. *night*, noite [Us. ger. para designar a noite como período de recreação, boemia etc.] **2** Programa(s) de recreação noturno(s); boemia; balada

naja[1] (*na*.ja) ***sf.*** *Zool.* Denominação comum a várias spp. de serpentes venenosas da fam. dos elapídeos, do gên. *Naja*, existentes na Ásia e na África, que dilatam o pescoço em sinal de ameaça [F.: Do lat. cient. *Naja*, do hindustâni *nag.*]

nalgas (*nal*.gas) ***sfpl.*** Ver *nádegas.*

nalgum (nal.*gum*) ***prep.*** Contração da preposição *em* com o pronome indefinido *algum*: *Queria chegar nalgum lugar.* [Pl.: *nalguns*. Fem.: *nalguma*]

nalorfina (na.lor.*fi*.na) ***sf.*** *Quím.* Substância derivada da morfina, de efeito analgésico, que tem a propriedade de antagonizar algumas das ações deste alcaloide e, também, de outros narcóticos [Us. para estimular a condição respiratória, esp. para tratar depressão respiratória causada pelo uso de morfina.] [F.: Do ing. *nalorphine*, de *N-allylnomorphine.*]

naloxona (na.lo.*xo*.na) [cs] ***sf.*** *Quím.* Substância us. em medicina para combater ou neutralizar a ação da morfina e outros narcóticos [F.: Do ing. *naloxone*, de **Nal**yl e **oxymorphone**.]

naltrexona (nal.tre.*xo*.na) [cs] ***sf.*** *Quím.* Substância antagonista de opiáceos, como a morfina e a heroína, us. no tratamento de toxicômanos (inclusive de dependentes de álcool) [F.: Do ing. *naltrexone.*]

namastê (na.mas.tê) sm. Cumprimento de respeito no sul da Ásia.

nambi (*nam*.bi) ***sm.*** **1** *Bras.* Orelha de animal ou de ser humano ***a2g.*** **2** Que não tem orelhas ou tem somente uma **3** Diz-se de cavalo de orelha(s) caída(s) **4** Que não tem ou não usa brinco **5** Que não tem rabo, não tem cauda [F.: Do tupi *na'mbi.*]

nambiju (nam.bi.*ju*) ***a2g.*** Que tem pelo baio e orelhas amarelas ou fulvas (diz-se de gado bovino) [F.: Do tupi *nambi'yu.*]

nambiquara (nam.bi.*qua*.ra) ***s2g.*** **1** *Etnol.* Indivíduo dos nambiquaras, povo indígena formado por três agrupamentos étnicos de Mato Grosso e Rondônia: *nambiquara do campo, nambiquara do norte e nambiquara do sul* ***sm.*** **2** *Ling. Gloss.* Família linguística que reúne as línguas desses três agrupamentos étnicos ***a2g.*** **3** Relativo aos nambiquaras ou ao nambiquara (2) [F.: Do nambiquara (2). Tb. *nhambiquara.*]

nambu (nam.*bu*) ***sm.*** **1** *Zool.* Ver *nhambu* **2** *Bot.* Trepadeira da fam. das dioscoreáceas (*Dioscorea trifida*), nativa do Brasil, de tubérculos comestíveis; CARÁ-MIMOSO [F.: Do tupi *ina' mbu.*]

namibiano (na.mi.bi.*a*.no) ***sm.*** **1** Aquele que nasceu ou que vive na Namíbia (África) ***a.*** **2** Da Namíbia; típico desse país ou de seu povo [F.: Do top. *Namíbia* + *-ano*[1].]

namíbio (na.*mí*.bi.o) ***sm. a.*** O mesmo que *namibiano* [F.: Do top. *Namíbia*, com mud. do suf.]

namorada (na.mo.*ra*.da) ***sf.*** Moça ou mulher que alguém namora [F.: Fem. de *namorado.*]

namoradeira (na.mo.ra.*dei*.ra) ***sf.*** Mulher que gosta de namorar ou que tem muitos namorados [F.: *namorar* + *-deira.*]

namoradinho (na.mo.ra.*di*.nho) ***sm.*** **1** Namorado jovem **2** *Bras. Pop.* Aquele com quem se namora sem grandes compromissos ou sem nenhum sentimento mais expressivo **3** *Zool.* Peixe teleósteo, perciforme, serranídeo (*Diplectum formosum*), tb. *michole-quati* (*Pinguipes brasilianus*) **4** *Zool.* Peixe teleósteo perciforme (*Caulolatilus chrysops*), ocorre no litoral do Brasil; tb. *batata-de-pedra* [F.: *namorado* + *-inho*[1].]

namorado (na.mo.*ra*.do) ***sm.*** **1** Homem ou rapaz que alguém namora **2** *Zool.* Peixe (*Pseudopersis numida*) da costa brasileira, de carne muito apreciada ***a.*** **3** Terno, meigo, amoroso: "Fulgem as velhas almas namoradas..." (Camilo Pessanha, *Clépsidra*) **4** Próprio de amantes; propício a amores (colóquios namorados) [F.: Part. de *namorar.*]

namorador (na.mo.ra.*dor*) [ô] ***a.*** **1** Que é dado a namorar [Fem.: *-deira.*] ***sm.*** **2** Quem é dado a namorar [Fem.: *-deira.*] [F.: *namorar* + *-dor*. Sin. ger.: *namoradeiro.*]

namorar (na.mo.*rar*) ***v.*** **1** Ter relações amorosas (com) [***td.:*** *O homem namora a vizinha casada.*] [***tr.*** + *com*: *O homem namora com todas as mulheres do clube.*] [***int.:*** *Namoram há muito tempo.*] **2** Cortejar, galantear [***td.:*** *Vive namorando todas as moças da empresa.*] **3** Desejar (algo); olhar para (algo) com desejo, cobiça [***td.:*** *Vivo namorando esse carro há muito tempo.*] **4** *Fig.* Demonstrar interesse por algo (material, espiritual, moral etc.) que não costuma estar em seu campo de atuação [***td.:*** *Agora está namorando a carreira de medicina.*] **5** *P. us.* Encantar-se, enamorar-se [***tr.*** + *de*: *Namorou-se da paisagem.*] **6** *P. us.* Atrair, chamar [***td.:*** *A garrafa de uísque namorava-o a distância.*] [▶ 1 namorar] [F.: Var. aferética de *enamorar*. Ant. ger.: *desnamorar.* Hom./Par.: *namoro* (fl.), *namoro* (sm.); *namoráveis* (fl.), *namoráveis* (pl. de *namorável* [a2g.]).]

namorável (na.mo.*rá*.vel) ***a2g.*** Que se pode namorar [Pl.: *-veis.*] [F.: *namorar* + *-vel*. Hom./Par.: *namoráveis* (pl.), *namoráveis* (fl. de *namorar* [v.]).]

namoricar (na.mo.ri.*car*) ***v.*** Namorar por passatempo, sem compromisso [***td.:*** *Sempre namoricava suas auxiliares.*] [***int.:*** *Namoricar era seu passatempo predileto*] [▶ **11** namoricar] [F.: *namorico* + *-ar*[2].]

namorico (na.mo.*ri*.co) ***sm.*** Namoro passageiro, ligeiro, sem compromisso; namorisco [F.: *namoro* + *-ico*[1].]

namorisco (na.mo.*ris*.co) ***sm.*** O mesmo que *namorico* [F.: *namoro* + *-isco.*]

namorismo (na.mo.*ris*.mo) ***sm.*** *Pop.* Hábito de namorar [F.: *namoro* + *-ismo.*]

namoro (na.*mo*.ro) [ô] ***sm.*** **1** Ação ou resultado de namorar: "Depois do jantar as famílias tomavam a calçada com cadeiras, mexericos, namoros, risadas" (Manuel Bandeira, "Evocação do Recife" *in Libertinagem*) **2** Relação amorosa, ger. estável e sem coabitação **3** O namorado ou a namorada: *Ela teve muitos namoros no colégio.* [F.: Dev. de *namorar*. Hom./Par.: *namoro* (sm.), *namoro* (fl. de *namorar*).]

nana (*na*.na) ***sf.*** Ação ou resultado de ninar [F.: Do it. *nanna*. Hom./Par.: *nana* (sf.), *nana* (fl. de *nanar* [v.]), *nanã* (sf.).] ■ **Fazer ~ 1** *SP. Pop.* Ninar, acalentar (ger. crianças) **2** *Infan.* Dormir, adormecer

nanã[1] (*na.nã*) ***sf.*** Estado de quem dorme; DORMIDA; SONO [F.: Var. nasalada de *nana*. Hom./Par.: nanã (sf.), *nana* (fl. de *nanar*).] ■ **Fazer ~** *SP Infan.* Ver *Fazer nana (2).*

nanã[2] (na.*nã*) ***sf.*** *Rel.* Orixá feminino que tem como epifania, no candomblé, as águas profundas e lodosas, e na umbanda, a chuva e a lama [F.: De uma língua africana do ramo cuá.]

nanã[3] (na.*nã*) ***sf.*** *Bras. Ant.* O mesmo que *iaiá* [F.: Alter. de *nhanhã.*]

nanar (na.*nar*) ***v. int.*** *Infan.* Dormir: *Fez a criança nanar antes de sair.* [▶ 1 nanar] [F.: *nana* + *-ar*[2].]

nanico (na.*ni*.co) ***a.*** **1** Que tem figura de anão; que é muito baixo (menino nanico) **2** Acanhado, encurtado, apoucado (banana-nanica) **3** *Pej.* Que é desprovido de importância; de pouca ou nenhuma expressão (indústria nanica) ***sm.*** **4** Indivíduo de pouca estatura, indivíduo anão [F.: *nan(o)-* + *-ico*[1].]

nanismo (na.*nis*.mo) ***sm.*** **1** *Med.* Anomalia caracterizada por pouco desenvolvimento ou interrupção prematura do crescimento de um indivíduo, ger. devido a problemas hormonais **2** *Bot.* Crescimento deficiente de planta ou órgão vegetal [F.: *nan(o)-* + *-ismo.*]

nanja (*nan*.ja) ***adv.*** *Ant.* De forma alguma; nunca [F.: *não* + *já.*]

◎ **nan(o)-** ***el. comp.*** = 'anão'; 'que é extremamente pequeno': *nanico, nanismo.* [F.: Do gr. *nánnos, ou.*]

◎ **nano-** ***pref.*** = '10^{-9} vezes': *nanograma, nanokelvin, nanômetro* [Símb.: n.] [F.: Do gr. *nánnos, e, on.*]

nanocefalia (na.no.ce.fa.*li*.a) ***sf.*** *Med.* O mesmo que *microcefalia* [F.: *nan(o)-* + *-cefalia.*]

nanocormia (na.no.cor.*mi*.a) ***sf.*** *Med.* Anomalia caracterizada pela pequenez anormal do tronco humano [F.: *nanocormo* + *-ia*[1].]

nanograma (na.no.*gra*.ma) ***sm.*** *Fís.* Medida equivalente a 109 de um grama [F.: *nano-* + *grama.*]

nanokelvin (na.no.*kel*.vin) ***sm.*** *Fís.* Unidade de medida de temperatura que equivale a um bilionésimo de grau Kelvin [F.: *nano-* + *kelvin.*]

nanômetro (na.*nô*.me.tro) ***sm.*** *Fís. Metrol.* Unidade de comprimento que corresponde à bilionésima parte do metro; MILIMÍCRON [Símb.: nm.] [F.: *nano-* + *-metro.*]

nanossegundo (na.nos.se.*gun*.do) ***sm.*** *Fís.* Unidade de tempo que equivale a um bilionésimo de segundo [F.: *nano-* + *segundo*[1].]

nanossomia (na.nos.so.*mi*.a) ***sf.*** O mesmo que *nanismo* [F.: *nan(o)-* + *-somia.*]

nanotecnologia (na.no.tec.no.lo.*gi*.a) ***sf.*** Técnica que permite a divisão ou a criação de corpos em minúsculas partículas [F.: *nano-* + *tecnologia.*]

nanquim (nan.*quim*) ***sm.*** **1** Tinta preta, indelével, us. para desenhar: *Fez uma bela aquarela a nanquim.* **2** Tecido de algodão amarelo-ocre que vinha da China; GANGA **3** A cor amarelo-ocre desse tipo de tecido ***a2g.*** **4** Diz-se da cor amarelada semelhante à desse tecido (papel nanquim) [Pl.: *-quins.*] [F.: Do top. *Nanquim.*]

não ***adv.*** **1** Exprime negação ou recusa: *– Aceita uma taça de vinho? – Não, prefiro champanhe.* [Ant.: *sim.*] **2** Negação da ação verbal: *Não vou sair na chuva.* **3** Us. para modificar o sentido de substantivos e adjetivos (ger. seguido de hífen) (pacto de não agressão; organização não governamental) **4** Us. no início de uma interrogação direta, quando se espera resposta positiva: *Não está leve esse embrulho?* [Us. igualmente no final, alternando com a expressão *não é?*] **5** Repetido, reforça a negação: *Não vou não.* ***sm.*** **6** Negativa, recusa: *Recebeu um frio não como resposta.* [Nesta acp. pl. *nãos.*] [F.: Do lat. *non.*] ■ **A ~ ser** Exceto, com exclusão de, menos que: *Todos eles, a não ser João, me decepcionaram,* **A ~ ser que** A menos que: *Não vamos adiar o passeio, a não ser que caia um temporal* **Pois ~ 1** Us. como expressão de negação enfática, de discordância ou incredulidade [Equivale a uma redução de frase do tipo "pois não sabias?", "pois não acreditas?", etc.] **2** Us. (na forma de interrogação) para dar ênfase a algo que é novidade ou pode despertar incredulidade ou discordância: "*...Dá-se com todos e presta seus serviços. Sabe que esteve para ser nosso parente? Pois não? Quis casar com Maria Benedita.*" (Machado de Assis, *Quincas Borba*) [Significa que não há como negar a quem pede o favor requisitado.] **3** Us. como resposta educada a um pedido que se vai ou se quer atender [Não confundir com o uso dessas palavras em seu sentido literal: *Nas férias só acordo tarde quando nós vou à praia.*] **Quando ~** Se não, em caso contrário: *Seja pontual, quando não, perderá o trem.* [A expressão é, de fato, redução de oração que repete o verbo de oração anterior, equivalendo a: 'se não acontecer aquilo que foi mencionado antes', 'se não for do modo antes referido'.] **Se ~** Do contrário, em caso contrário: *É bom que venha, se não, perderá o emprego.* [*i. e., 'se não vier'*]

não alinhado (não a.li.*nha*.do) *a. Pol.* Que não segue automaticamente as posições assumidas por determinado país ou bloco de países: *Os países não alinhados votaram contra as sanções propostas.* [Us. tb. como subst.] [Pl.: *não alinhados.*]

não beligerância (não be.li.ge.*rân*.ci:a) *sf.* Atitude de não participação em situações de beligerância, de guerra [Pl.: *não beligerâncias.*]

não beligerante (não be.li.ge.*ran*.te) *a2g.* **1** Que não participa em situações de beligerância, de guerra [Pl.: *não beligerantes.*] *s2g.* **2** Aquele que (indivíduo, instituição, país, bloco de países etc.) é não beligerante (1) [Pl.: *não beligerantes.*]

não conformismo (não con.for.*mis*.mo) *sm.* **1** *Rel.* Atitude de rejeição ou de insubmissão aos valores e normas estabelecidos: *O não conformismo dos jovens é perfeitamente compreensível* **2** *Rel.* Movimento de dissidência da igreja anglicana [Pl.: *não conformismos.*]

não conformista (não con.for.*mis*.ta) *a2g.* **1** Que demonstra não conformismo (movimento artístico não conformista) [Pl.: *não conformistas.*] *s2g.* **2** *Rel.* Pessoa não conformista **3** Pessoa dissidente da igreja anglicana [Pl.: *não conformistas.*]

não engajado (não en.ga.*ja*.do) *a.* **1** Que recusa o engajamento político (movimento literário não engajado) [Pl.: *não engajados.*] *sm.* **2** Indivíduo que repele o engajamento político; não alinhado: *O grupo dos não engajados não se manifestou* [Pl.: *não engajados.*]

não engajamento (não en.ga.ja.*men*.to) *sm.* Atitude daquele que não se engaja em algum movimento, esp. político; não alinhamento [Pl.: *não engajamentos.*]

não euclidiano (não eu.cli.di.*a*.no) *a.* **1** *Mat.* Que não se baseia nos postulados do geômetra grego Euclides (300 a.C.), sendo esp. distinto desses postulados **2** Diz-se de geometria que tem ponto de partida na negação do postulado das paralelas, do geômetra Euclides [Pl.: *não euclidianos.*] *sm.* **3** Aquele que não é partidário da geometria euclidiana [Pl.: *não euclidianos.*] [F.: *não* + *euclidiano*[1].]

não fumante (não fu.*man*.te) *a2g.* **1** Que não fuma [Pl.: *não fumantes.*] *s2g.* **2** Aquele que não fuma: *Queria almoçar na área reservada para não fumantes.* [Pl.: *não fumantes.*] [Ant. ger.: *fumante.*]

não governamental (não go.ver.na.men.*tal*) *a2g.* Que não é ligado a nenhum governo (organização não governamental) [Ant.: *governamental.*] [Pl.: *não governamentais.*]

não intervenção (não in.ter.ven.*ção*) *sf.* **1** Ausência de intervenção **2** *Jur.* Princípio do direito internacional segundo o qual um Estado não deve intervir nos negócios e resoluções de outro, esp. por meios belicosos [Pl.: *não intervenções.*]

não-me-esqueça (não-me-es.*que*.ça) *sm2n. Bot.* O mesmo que *miosótis* [F.: não + *me* + *esquecer* (na 3ª pess. sing. imperat. afirm.).]

não-me-toques (não-me-*to*.ques) *sm2n.* **1** *Bras. Pop.* Melindres (moça cheia de não me toques) [Nesta acp., sem hifens.] **2** *Bot.* Planta da fam. das solanáceas (*Solanum nolitangere*) **3** *Lus. Bot.* Planta balsaminácea (*Impatiens lutea*, Lamark) de valor medicinal; tb. *erva-de-santa-catarina* **4** *Bot.* Planta balsaminácea, ornamental (*Impatiens balsamina*, L.); tb. *beijo-de-frade* **5** *Bot.* O mesmo que *maria-sem-vergonha* (*Impatiens walleriana*) **6** *Lus. Bot.* Arbusto composto tubolifloro (*Chuquiragua spinescens*, Baker); tb. *espinho-de-santo-antônio* [F.: *não* + *me* + *tocar* (na 3ª pess. sing. imperat.).]

não operacional (não o.pe.ra.ci:o.*nal*) *a2g.* Que não é operacional [Pl.: *não operacionais.*]

não sei o quê (não sei o *quê*) *sm2n.* Qualidade do que é indefinível; não sei quê: *Havia um não sei o quê de suspeito em seu olhar* [F.: *não* + *saber* (na 1ª pess. pres. ind.) + *o* + *quê.*]

não sei que diga (não sei que *di*.ga) *sm2n.* **1** *N. E. Pop.* O diabo **2** *N. E. MG* Criança levada, travessa [F.: *não* + *saber* (na 1ª pess. pres. ind.) + *que* + *dizer* (na 1ª pess. pres. subj., posv. pela 1ª do pres. do ind.).]

não ser (não *ser*) *Fil. sm.* **1** O não existir; o nada **2** Negação da existência de um determinado ser ou dos seres em geral, considerados como entes particulares ou em sentido absoluto [Pl.: *não seres.*]

não verbal (não ver.*bal*) *a2g.* Que não faz uso da ou não se dá por meio da linguagem falada ou escrita (comunicado não verbal) [Pl.: *não verbais.*]

não violência (não vi.o.*lên*.ci:a) *sf.* Rejeição ou renúncia ao emprego de violência para se atingir qualquer fim [Ant.: *violência.*] [Pl.: *não violências.*]

napa (na.pa) *sf.* **1** Pelica fina e macia, feita de pele de carneiro, us. na fabricação de bolsas, luvas, capas etc. **2** Material sintético que imita a textura e aparência da napa natural [F.: Do ing. *napa leather*, do top. *Napa* (Califórnia, EUA).]

napalm (na.*palm*) *sm.* **1** *Quím.* Substância gelatinosa us. na fabricação de bombas incendiárias **2** *P. ext.* Bomba fabricada com essa substância [Pl.: *-palms.*] [F.: Do ing. *napalm.*]

napoleônico (na.po.le:ô.ni.co) *a. Hist.* Ref. a Napoleão Bonaparte (1769-1821), imperador da França de 1804 a 1815, ou a seu sistema político ou seu gênio militar (conquistas napoleônicas) [F.: Do antr. fr. *Napoléon* + *-ico*[2].]

napolitano (na.po.li.*ta*.no) *sm.* **1** Indivíduo nascido ou que vive em Nápoles, cidade da Itália **2** *Ling.* Dialeto falado em Nápoles *a.* **3** De Nápoles; típico dessa cidade, de seu povo ou do napolitano (2) [F.: Do it. *napoletano.*]

naquele (na.*que*.le) [ê] Contr. da prep. *em* com o pr. dem. *aquele*: *Tudo aconteceu naquele dia.* [Expressa contiguidade, interioridade, inclusão etc., em relação a algo que está afastado temporal ou espacialmente daquele que fala ou daquele com quem se fala: *Naquele tempo, os salários eram mais justos; Naquela cidade, todos participavam das festas religiosas.* Cf.: *em, aquele.* Fem.: *naquela.*]

naqueloutro (na.que.*lou*.tro) *P. us.* Contração de *naquele* com o pronome *outro* [usa-se, de preferência, *naquele outro*]

naquilo (na.*qui*.lo) Contr. da prep. *em* com o pr. dem. *aquilo* [Expressa contiguidade, inclusão, interioridade etc. em relação a algo visível, mas espacialmente distante daquele que fala ou com quem se fala ou anteriormente referido por um deles no tempo ou no discurso: *Eu posso limpar toda esta área, mas naquilo eu não ponho as mãos; Eu pensei naquilo que ele me disse outro dia; Ela só pensa naquilo que lhe convém.* Cf.: *em, aquilo.*]

narbonense (nar.bo.*nen*.se) *s2g.* **1** Aquele ou aquela que nasceu ou que vive em Narbona (França) *a2g.* **2** De Narbona; típico dessa cidade ou de seu povo [F.: Do top. *Narbona* + *-ense.*]

narceja (nar.*ce*.ja) [ê] *sf. Bras. Zool.* Denominação comum às aves da fam. dos escolopacídeos, esp. aquelas do gên. *Gallinago*, de bico reto e comprido, que vive em brejos e banhados, encontrada em toda a América do Sul [F.: De or. obsc.]

narcejão (nar.ce.*jão*) *sm. Bras. Ornit.* Ave da fam. dos escolopacídeos (*Gallinago undulata*), de cabeça amarela, dorso escuro com manchas e faixas amareladas, de comprimento em torno de 47 cm, encontrado no Paraguai, Uruguai e algumas regiões do Norte da América do Sul; GALINHOLA; ROLA-PAU [Pl.: *-jões.*] [F.: *narceja* + *-ão*[1].]

narcisar-se (nar.ci.*sar*-se) *v. td.* **1** Ver-se como Narciso, personagem da mitologia grega; ficar encantado consigo mesmo; ENVAIDECER-SE: *Narcisa-se desde criança.* **2** Enfeitar-se de maneira vaidosa: *Antes de sair, narcisa-se detalhadamente.* [▶ **1** narcisar-se] [F.: Do antr. gr. *Narciso* + *-izar.*]

narcísico (nar.*cí*.si.co) *a.* Referente a narcisista; que tem caráter narcisista; NARCÍSEO; NARCISÍSTICO [F.: *narciso* + *-ico*[2].]

narcisismo (nar.ci.*sis*.mo) *sm. Psic.* Excesso de admiração e amor pela própria imagem e por si mesmo [F.: *narcis(o)*+ *-ismo.*]

narcisista (nar.ci.*sis*.ta) *a2g.* **1** Diz-se de pessoa demasiado concentrada em si mesma, esp. na própria imagem (indivíduo narcisista) *s2g.* **2** Pessoa narcisista [F.: *narciso* + *-ista.*]

narcisístico (nar.ci.*sís*.ti.co) *a.* Referente a narcisismo ou narcisista [F.: *narcisista* + *-ico*[2].]

narciso[1] (nar.*ci*.so) *sm.* **1** *Mit.* Personagem mitológico caracterizado pela admiração da própria beleza [Nesta acp. com inicial maiúsc.] **2** *Fig.* Homem extremamente vaidoso [F.: Do antr. gr. *Narkissos.*]

narciso[2] (nar.ci.so) *Bot. sm.* **1** Nome comum às plantas do gênero *Narcissus*, da fam. das amarilidáceas, nativas da Europa e do Mediterrâneo, como, por exemplo, *Narcissus poeticus*, com flores perfumadas, brancas ou amarelas **2** A flor dessas plantas [F.: Do gr. *nárkissos*, pelo lat. *narcissus, i.*]

narcisoide (nar.ci.*soi*.de) *a2g.* Que se assemelha ao narciso [F.: *narciso* + *-oide.*]

◎ **narc(o)- *el. comp.*** = 'entorpecimento'; 'torpor'; 'narcose'; 'narcótico'; '(*p. ext.*) narcotráfico': *narcoanálise, narcocriminoso, narcodólar, narcoguerrilheiro, narcolepsia, narcomania, narcômano, narcoplanta, narcose* (< gr.), *narcoterapia, narcótico* (< gr.), *narcotraficante*: *narcolepsia, narcomania, narcótico etc.* [F.: Do gr. *nárkes, es*, 'entorpecimento'.]

narcoanálise (nar.co.a.*ná*.li.se) *sf. Psic.* Método de investigação psíquica que submete o paciente a um estado de torpor por meio de hipnótico injetável [F.: *narc(o)-* + *análise*[2].]

narcocracia (nar.co.cra.*ci*.a) *sf. Pol.* Poder político sustentado ou promovido pelo narcotráfico [F.: *narc(o)-* + *-cracia.*]

narcodólar (nar.co.*dó*.lar) *sm.* Lucro em dólares obtido a partir do narcotráfico [F.: *narc(o)-* + *dólar.*]

narcolepsia (nar.co.lep.*si*.a) *sf. Med.* Doença que se caracteriza por ataques de sono repentinos e incontroláveis várias vezes ao dia [F.: *narc(o)-* + *-lepsia.*]

narcoléptico (nar.co.*lép*.ti.co) *a. Med.* Referente a ou que apresenta narcolepsia [F.: *narco(lepsia)* + *-léptico*, seg. o mod. gr.]

narcomáfia (nar.co.*má*.fi:a) *sf.* Grupo de delinquentes ou mafiosos que têm domínio sobre parte do tráfico de narcóticos [F.: *narc(o)-* + *máfia.*]

narcomania (nar.co.ma.*ni*.a) *Psiq. sf.* **1** Tendência patológica ou dependência química que leva o indivíduo a abusar ou fazer uso patológico de narcóticos *sf.* **2** O uso patológico de narcóticos, resultante dessa tendência ou dependência [F.: *narc(o)-* + *-mania.*]

narcomaníaco (nar.co.ma.*ní*.a.co) *Psiq. a.* **1** Ref. a narcomania **2** Diz-se de indivíduo que tem narcomania; NARCÔMANO *sm.* **3** Esse indivíduo; NARCÔMANO [F.: *narcoman(ia)* + *-íaco*, seg. o mod. gr.]

narcômano (nar.*cô*.ma.no) *Psiq. a. sm.* O mesmo que *narcomaníaco* (2 e 3); NARCOMANÍACO [F.: *narc(o)-* + *-mano*[1].]

narcose (nar.*co*.se) *Med. sf.* **1** Estado de inconsciência ou letargia produzido pela ação de narcótico, barbitúrico ou anestésico **2** Diminuição reversível da excitabilidade dos neurônios, em razão da ação de vários agentes químicos e físicos, provocando estado de estupor [F.: Do gr. *nárkosis, eos*, 'entorpecimento'.] ■ **~ de descompressão** Ver *Doença de descompressão* no verbete *doença*

narcoterapia (nar.co.te.ra.*pi*.a) *sf. Psiq.* O mesmo que *sonoterapia* [F.: *narc(o)-* + *-terapia.*]

narcoterrorismo (nar.co.ter.ro.*ris*.mo) *sm.* Terrorismo financiado pelo tráfico de entorpecentes [F.: *narc(o)-* + *terrorismo.*]

narcoterrorista (nar.co.ter.ro.*ris*.ta) *s2g.* **1** Terrorista que age a serviço do narcotráfico *a2g.* **2** Ref. ao narcoterrorismo [F.: *narc(o)-* + *terrorista.*]

narcótico (nar.*có*.ti.co) *a.* **1** *Quím.* Ref. a ou da natureza da narcose **2** *Quím.* Capaz de produzir narcose (diz-se de substância) **3** Que entorpece ou causa sono *sm.* **4** *Quím.* Qualquer substância que produz narcose ou amortecimento dos sentidos e cujo uso prolongado causa dependência; DROGA; ENTORPECENTE **5** *Fig.* Aquilo que entorpece ou causa sono: *A aula daquele professor é um verdadeiro narcótico.* [F.: Do gr. *narkotikós, é, ón*, 'que entorpece'.]

narcotina (nar.co.*ti*.na) *sf. Ant. Farm.* Substância alcaloide ($C_{22}H_{23}NO_7$) encontrada no ópio, mas que não tem efeito narcótico e é us. para combater tosse, febre etc.; ANARCOTINA [F.: *narcót(ico)* + *-ina*[2].]

narcotismo (nar.co.*tis*.mo) *Psic. sm.* **1** Entorpecimento e alteração da consciência produzidos pelo consumo de narcóticos **2** Dependência psicológica ou física de narcóticos [F.: *narcótico* + *-ismo*, seg. o mod. gr.]

narcotizante (nar.co.ti.*zan*.te) *a2g.* Que narcotiza; que tem poder de narcotizar [F.: *narcotizar* + *-nte.*]

narcotizar (nar.co.ti.*zar*) *v. td.* **1** Anestesiar ou entorpecer pelo uso de narcótico: *O médico narcotizou o paciente; O sequestrador narcotizou sua vítima.* **2** Provocar narcose em **3** *P. ext.* Entorpecer ou fazer dormir a: *Os seis drinques narcotizaram o homem.* **4** *Fig.* Provocar insensibilidade em: *A cena terrível narcotizou suas emoções.* **5** *Fig.* Ficar entediado com: *O filme era tão chato que narcotizou o público.* [▶ **1** narcotizar] [F.: *narcótico* + *-izar*, seg. o mod. gr.]

narcotraficante (nar.co.tra.fi.*can*.te) *a2g.* **1** Do ou ref. ao narcotráfico **2** Diz-se de indivíduo que trabalha no tráfico de drogas *s2g.* **3** Esse indivíduo (cerco a narcotraficantes) [F.: *narc(o)-* + *traficante.*]

narcotráfico (nar.co.*trá*.fi.co) *sm.* Comércio ilegal e clandestino de narcóticos, de drogas como a maconha, a cocaína, a heroína etc. [F.: *narc(o)-* + *tráfico* ou do ing. *narcotraffic.*]

narcotúnel (nar.co.*tú*.nel) *sm.* Túnel utilizado no tráfico de entorpecentes [Pl.: *-neis.*] [F.: *narc(o)-* + *túnel.*]

nardo (*nar*.do) *sm.* **1** *Bot.* Planta da fam. das valerianáceas (*Nardostachys grandiflora*), originária do Himalaia, de raiz aromática **2** O perfume extraído dessa raiz **3** *Bot.* Planta da fam. das gramíneas (*Nardus stricta*), nativa da Europa, O. da Ásia, N. da África, Groenlândia e L. da América do Norte, que cresce em tufos bem enraizados e pode ser invasiva [F.: Do lat. *nardus, i.*]

narguilé (nar.gui.*lé*) *sm.* Espécie de cachimbo de tubo longo, dotado de recipiente que contém água perfumada, pelo qual passa a fumaça antes de chegar à boca do fumante [Muito us. por hindus, persas e turcos.] [F.: Do fr. *narguilé* ou *narghilé*, do persa *nargile.*]

narguilhé (nar.gui.*lhé*) *sm.* Ver *narguilé*

◎ **narig- *el. comp.*** = 'nariz'; 'cheirar': *narigada, narigão, narigar, narigolê, narigueiro* [F.: Do rad. vern. *narig-*, depreendido de *narigudo*, do lat. vulg. **naricutum*, do lat. vulg. **naricae*, 'ventas'.]

narigada (na.ri.*ga*.da) *sf.* **1** Pancada com o nariz **2** Porção de pó que se cheira (p. ex.: rapé); pitada [F.: *narig-* + *-ada*[1].]

nariganga (na.ri.*gan*.ga) *Lus. a2g.* **1** Diz-se de pessoa que tem nariz grande; NARIGUDO *s2g.* **2** Essa pessoa; NARIGUDO [F.: De *narig-* (q. v.), rad. de *narigudo*, com suf. de or. express., posv.]

narigão (na.ri.*gão*) *a.* **1** Que é narigudo *Lus.*; NARIGANGA [Pl.: *-gões.* Fem.: *-gona*] *sm.* **2** Nariz muito grande; NARILÃO *Gír.*; NARIGOLÊ [Pl.: *-gões.*] [F.: *narig-* + *-ão*[1].]

narigar (na.ri.*gar*) *v. int. Gír.* Cheirar cocaína [▶ **14** narigar] [F.: *narig-* + *-ar*[2].]

narigudo (na.ri.*gu*.do) *a.* **1** Que tem nariz grande; NARIGÃO *sm.* **2** Aquele que tem nariz grande; NARIGÃO [F.: Do lat. vulg. **naricutus, i.*]

narigueira (na.ri.*guei*.ra) *sf. Etnol.* Enfeite us. por alguns índios brasileiros, ger. de pena ou bambu, que atravessa o nariz [F.: *narig-* + *-eira.*]

narina (na.*ri*.na) *sf. Anat.* Cada uma das duas cavidades do nariz, do homem e de certos animais; VENTA [Mais us. no pl.] [F.: Do fr. *narine.*]

narinari (na.ri.*na*.ri) *sf.* **1** *Bras. Etnog.* Leque fabricado com folhas de tucum, us. por indígenas **2** *Zool.* O mesmo que *raia-pintada* (*Aetobatus narinari*) **3** *PE Zool.* O mesmo que *treme-treme* (*Narcine brasiliensis*) [F.: Do tupi *nari'nari.*]

nariz (na.*riz*) *sm.* **1** *Anat.* Órgão situado entre a boca e os olhos, onde se encontram os terminais nervosos sensíveis aos odores e por onde se respira **2** *Fig.* O sentido do olfato: *Todo perfumista tem um bom nariz.* **3** *Fig.* Narina: *As crianças gostam de meter o dedo no nariz.* **4** *Aer.* Parte dianteira da fuselagem de um avião **5** *Tip.* Peça da monotipo por onde sai o chumbo no momento de fundir a letra [Pl.: *-zes.* Aum.: *narigão.*] [Do lat. vulg. *naricae.* Ideia de 'nariz': *nar(i)-* (*narigada*); *nas(i)-* (*nasal*); *rin(i/o)-* (*rinite*).] ■ **Dar/bater com o ~ na porta** Encontrar fechado lugar que se pretendia visitar, ou nele entrar para algum fim: *Foram ao restaurante e deram com o nariz na porta.* **~ de cavalete** Nariz curvo, aquilino **~ comprido** **1** *Fig.* Estado de frustração ou decepção; condição de quem não alcança aquilo que pretendia: *Foi, certo de ganhar o prêmio, voltou de nariz comprido.* **2** Us. para fazer alusão a mentira: *história de nariz comprido (i. e., história falsa, mentirosa).* [Ref. ao personagem Pinocchio [ou Pinóquio] da obra homônima (1883) de Carlo Lorenzini [Collodi], boneco de madeira capaz de falar, e cujo nariz crescia cada vez que dizia uma mentira.] **~ torcido** *Fig.* Expressão facial, ou aparência, comportamento, etc. de quem está de mau humor, contrariado, zangado ou insatisfeito **Meter o ~ em** Intrometer-se em, interferir em **Saber onde tem o ~** Ser competente, perito (no que está fazendo), saber o que fazer **Torcer o ~ (a/para)** **1** Demonstrar insatisfação, descontentamento ou desagrado não muito intensos (com algo ou alguém); criticar: *Todos, no grupo, torceram o nariz para a minha sugestão.* **2** *P. ext.* Não gostar de (algo) (ger. sem reprovação absoluta); encontrar defeitos etc. em algo: *O filme foi sucesso de público, mas a crítica torceu o nariz.*

nariz de bico (na.riz de *bi*.co) *sm.* Tipo de nariz adunco e muito fino, que se assemelha a um bico [Pl.: *narizes de bico.*]

nariz de cera (na.riz de *ce*.ra) *sm. Ant. Jorn.* Texto introdutório a artigo ou reportagem, ger. longo, pouco objetivo e impresso em corpo reduzido [Atualmente chamado *lide.*] [Pl.: *narizes de cera.*]

nariz de ferro (na.riz de *fe*r.ro) *sm. Bras.* Vasilha com produto próprio para evitar o mau cheiro, us. em geladeiras [Pl.: *narizes de ferro.*]

narração (nar.ra.*ção*) *sf.* **1** Ação, processo ou resultado de narrar, oralmente ou por escrito, uma história real ou fictícia; NARRATIVA **2** *Cin. Rád. Teat. Telv.* Fala que explica ou comenta imagens ou acontecimentos presentes em obra de natureza documentária ou ficcional **3** O texto dessa fala [Pl.: *-ções.*] [F.: Do lat. *narratio, onis.*]

narrador (nar.ra.*dor*) [ô] *sm.* **1** Aquele que narra, que relata um acontecimento real ou imaginário **2** *Cin. Rád. Telv.* Locutor que se incumbe da narração (2) **3** *Liter.* Aquele que, em prosa de ficção, narra os acontecimentos, seja em primeira ou em terceira pessoa **4** *Teat.* Personagem que narra ou esclarece para o público certos detalhes da ação que se desenrola em uma peça *a.* **5** Que narra, que relata [F.: Do lat. *narrator, oris.*]

narrar (nar.*rar*) *v.* Contar um fato real ou imaginário com detalhes; RELATAR [*td.: Narrou o acontecimento do princípio ao fim.*] [*tdi.* + *a*: *Narrou a história ao promotor.*] [▶ 1 narrar] [F.: Do v.lat. *narrare.*]

narrativa (nar.ra.*ti*.va) *sf.* **1** Ver *narração* (1) **2** Conto, história, caso real ou fictício que se narra oralmente ou por escrito: "(...) aquela narrativa me interessava como se não fossem os meus pais os protagonistas." (José Lins do Rego, *Menino de Engenho*) **3** *Liter.* Prosa ficcional (conto, novela, romance) na qual se encontram um ou mais personagens envolvidos em situações fictícias **4** A maneira ou forma de narrar **5** *Liter.* Conjunto de obras ficcionais de um autor, uma época, um país etc.: *Estudava a narrativa de Clarice Lispector; Era um leitor ávido da narrativa do século XX.* [F.: Fem. substv. de *narrativo.*]

narrativo (nar.ra.*ti*.vo) *a.* **1** Ref. a narração **2** Que tem forma de narração (texto narrativo; comentário narrativo) [F.: *narrar* + *-tivo.*]

narratologia (nar.ra.to.lo.*gi*.a) *sf.* Estudo da estrutura das narrativas segundo a teoria semiótica [F.: Do ing. *narratology.*]

narratológico (nar.ra.to.*ló*.gi.co) *a.* Que se refere a narratologia [F.: *narratologia* + *-ico*².]

narrável (nar.*rá*.vel) *a2g.* Que pode ser narrado [Ant.: *inarrável*] [Pl.: *-veis.*] [F.: *narrar* + *-vel.* Hom./Par.: *narráveis* (pl.), *narráveis* (fl. de *narrar*).]

nártex (*nár*.tex) *sm2n.* Pórtico em templos cristãos primitivos, ger. situado em átrio ou pátio externo, destinado aos catecúmenos, para que assistissem aos rituais sem deles participar, por ainda não serem batizados [F.: Do gr. *nárthex, ekos.*]

⊠ **NASA** Sigla de *National Aeronautic and Space Administration*, que designa a agência governamental norte-americana responsável pelo programa espacial dos EUA

nasal (na.*sal*) *a2g.* **1** Ref. a nariz (secreção nasal) **2** *Fon. Ling.* Diz-se do som articulado quando a cavidade nasal mantém-se aberta, permitindo que por ela tb. passe a corrente de ar (p. ex.: os fonemas /m/n/nh) [Pl.: *-sais.*] [F.: Do lat. *nasale, is.*]

nasalação (na.sa.la.*ção*) *sf.* O mesmo que *nasalização* [F.: *nasalar* + *-ção.*]

nasalado (na.sa.*la*.do) *a.* **1** Parcialmente emitido pelo nariz (tom nasalado) [Ant.: *desnasalado.*] **2** *Fig.* Que se assemelha a um som nasal: *O registro do oboé soou muito nasalado.* [F.: Part. de *nasalar.*]

nasalar (na.sa.*lar*) *v. td.* **1** Emitir (som, palavra etc.) pelo nariz: *Ao telefone, nasalou a voz para que não o reconhecessem.* **2** Emitir com som nasal; NASALIZAR: *Nasalava certas vogais de maneira engraçada.* [▶ 1 nasalar] [F.: *nasal* + *-ar*². Ant. ger.: *desnasalar.*]

◎ **nasc-** *el. comp.* = 'nascer', 'nascido': *nascimento*

nascedouro (nas.ce.*dou*.ro) *sm.* **1** Lugar onde nasce alguém ou algo **2** *Fig.* Origem, princípio: *Os arqueólogos encontraram na região vestígios do nascedouro de uma avançada civilização.* **3** Orifício do útero *a.* **4** Que deve nascer (projetos nascedouros) [F.: *nascer* + *-douro*².]

nascença (nas.*cen*.ça) *sf.* Ver *nascimento* (1) [F.: Do lat. *nascentia.*]

nascente (nas.*cen*.te) *a2g.* **1** Que está nascendo ou que começa a surgir (amor nascente) [Ant.: *decadente, declinante.*] **2** Diz-se do sol, quando surge no horizonte [Ant.: *poente.*] *sm.* **3** O ponto do horizonte em que o sol nasce [Ant.: *poente.*] **4** Ver *leste* [Nesta acp., com inicial ger. maiúsc.] *sf.* **5** Lugar onde brota água da terra, às vezes formando pequeno lago ou riacho: *A nascente do rio fica no alto da serra.* [Ant.: *foz.*] [F.: *nasce(r)* + *-nte.*]

nascer (nas.*cer*) *v.* **1** Vir ao mundo, sair do ventre materno, do ovo, da pupa etc. [*int.: A criança nasceu à noite; Os pintos nasceram ao longo do dia.*] [Ant.: *morrer.*] **2** Descender de [*tr.* + *de*: *Nasceu de pais argentinos.*] **3** Germinar, brotar (no reino vegetal) [*int.: O melão que plantamos está nascendo.*] **4** Ter origem (em) [*tr.* + *de*: *A amizade nasceu da convivência.*] [*ta.: O São Francisco nasce em Minas.*] **5** Começar a existir, a se desenvolver; SURGIR; INICIAR-SE [*tr.* + *de*: *A obra nasceu de um esforço conjunto.*] [*int.: O ano nasceu com poucas esperanças.*] **6** Despontar no horizonte [*int.: O sol nasceu às seis horas.*] **7** Ter início; formar-se [*tr.* + *de*: *O embrião nasce da fecundação do óvulo.*] **8** Redundar, ter como resultado [*tr.* + *de*: *Daquelas conversas inocentes nasceu o crime.*] **9** Manifestar-se, mostrar-se [*ta.: Em seu rosto sisudo nasceu um sorriso aliviado.*] **10** Despontar na vida já completo, feito [*int.: O artista não se faz: nasce.*] **11** Abrir-se para [*tr.* + *para*: *Afinal, nascia para o amor total.*] **12** Ter aptidão ou talento para [*tr.* + *para*: *Nascera para a música.*] **13** Ocorrer, surgir [*ta.: Nasceram manchas esquisitas em sua pele.*] [▶ 33 nascer] [F.: Do lat. vulg. *nascere por *nasci*. Hom./Par.: *nasça(s)* (fl.), *nassa(s)* (sf. [pl.]). Ideia de 'nascer': *gen-.*] ▪ **Não ter nascido ontem** *Fig.* Não ser ingênuo ou tolo, ser experiente, escolado, sabido: *Não entendo como José se deixou enganar assim, ele não nasceu ontem.* **~ agora** *Fig.* Ver *Nascer de novo* **~ de novo** *Fig.* Escapar com vida de um grande perigo, de morte certa; nascer agora; nascer hoje **~ empelicado** *Bras. Fig.* Ter sorte, nascer com muita sorte **~ feito** Nascer dotado de certos dons, talentos, qualidades etc.: *Quem é bom já nasce feito.* (*Provérbio*) **~ hoje** *Fig.* Ver *Nascer de novo* **~ ontem** *Fig.* Ser ingênuo ou tolo, ser inexperiente: *Você acreditou nessa história? Você nasceu ontem?*

nascida (nas.*ci*.da) *sf. Pop.* Acúmulo de pus numa parte do corpo; ABSCESSO; FURÚNCULO [F.: Fem. substv. de *nascido.*]

nascido (nas.*ci*.do) *a.* **1** Que nasceu ou acabou de nascer *sm.* **2** Furúnculo, tumor; nascida [F.: Part. de *nascer.*]

nascimento (nas.ci.*men*.to) *sm.* **1** Ação ou resultado de nascer; NASCENÇA [Ant.: *morte, óbito.*] **2** *Med.* Expulsão natural ou retirada por meio de cirurgia de um nascituro do corpo de sua mãe, com sinais vitais como batimento cardíaco, respiração ritmada etc. [Ant.: *óbito, morte.*] **3** *Zool.* Expulsão natural ou retirada por meio de cirurgia de um ou mais filhotes do corpo da fêmea de um animal [Ant.: *óbito, morte.*] **4** *Fig.* Começo ou princípio de algo; ORIGEM: *Participaram, na revolta, do próprio nascimento de sua causa.* [F.: *nasce(r)*+ *-i-* + *-mento.*] ▪ **Ter ~** Provir de família nobre ou importante

nascituro (nas.ci.*tu*.ro) *a.* **1** Que está prestes a nascer **2** *Jur.* Diz-se do ser humano já concebido, com nascimento dado como certo *sm.* **3** Aquele que está prestes a nascer **4** *Jur.* Indivíduo já concebido, cujo nascimento é dado como certo [F.: Do lat. *nasciturus.*]

⊠ **Nasdaq** *Econ.* Sigla de *National Association of Securities Dealers Automated Quotation*, índice formado a partir do valor, no mercado de Nova Iorque, das ações das mais importantes empresas de alta tecnologia, esp. do setor de informática

◎ **nas(i)-** *el. comp.* = 'nariz': *nasicórneo; nasobucal, nasogástrico, nasolabial, nasolacrimal, nasolfativo* [F.: Do lat. *nasus, i* (sm.) ou *nasum, i* (s. neutro).]

◎ **naso-** *el. comp.* Ver *nas(i)-*

nasobucal (na.so.bu.*cal*) *a2g. Anat.* Referente ao nariz e à boca [Pl.: *-cais.*] [F.: *naso-* + *bucal.*]

nasogástrico (na.so.*gás*.tri.co) *a. Med.* Que chega ao estômago passando pela narina [F.: *naso-* + *-gástrico.*]

nasolabial (na.so.la.bi.*al*) *a2g. Anat.* Que está situado na região que vai do nariz ao lábio superior [Pl.: *-ais.*] [F.: *naso-* + *labial.*]

nasolacrimal (na.so.la.cri.*mal*) *a2g. Med.* Que conduz as lágrimas pelo canal do nariz [Pl.: *-mais.*] [F.: *naso-* + *lacrimal.*]

nasolfativo (na.sol.fa.*ti*.vo) *a.* Que pode ser percebido pelo olfato [F.: *nas(i)-* + *olfativo.*]

nassa (*nas*.sa) *sf.* Cesto de pescar, de forma afunilada, ger. de vime [F.: Do lat. *nassa, ae.* Hom./Par.: *nasça* (fl. *nascer*).]

nasserismo (nas.se.*ris*.mo) *sm. Pol.* Doutrina política e ideológica do general Gamal Abdul Nasser (1918-1970), líder político egípcio [F.: Do antr. (*Gamal Abdel*) *Nasser* + *-ismo.*]

nastro (*nas*.tro) *sm.* **1** Fita estreita de linho, algodão e outros materiais, us. para atar; CADARÇO **2** Faixa, tira estreita de seda, prata etc. us. para trançar ou prender os cabelos [F.: Do it. *nastro.*]

nata (*na*.ta) *sf.* **1** Parte gordurosa do leite, que sobe à superfície e é us. no fabrico da manteiga **2** *Fig.* A melhor parte, o melhor **3** *P. ext.* Camada de mais prestígio numa classe social ou no país; ELITE: *Frequentava a nata da sociedade.* **4** *Bras.* Polpa macia do coco-verde **5** *Cons.* Película na superfície do concreto ainda mole [F.: Do lat. *natta.*]

natação (na.ta.*ção*) *sf.* **1** Ação ou resultado de nadar, como recreação ou esporte **2** Meio de locomoção dos animais aquáticos **3** *P. ext.* Equipe de nadadores esportivos: *A natação do Brasil brilhou nas Olimpíadas.* [Pl.: *-ções.*] [F.: Do lat. *natatio.*]

> 📖 A natação já era praticada pelos gregos e romanos, mas caiu em desuso na Idade Média, voltando na época do Renascimento. É no início do século XIX que ela se difunde como esporte competitivo, passando a ser esporte olímpico em 1896 (para homens) e 1912 (para mulheres), hoje disputado em piscina de 50 m. Há quatro modalidades de nado: nado livre, ou *crawl*, de costas, de peito e golfinho (borboleta), todos disputados nas olimpíadas nas distâncias de 100 e 200 metros, para homens e mulheres. Além disso, há provas de 50m livre (a partir de 1988), 400 m livre, 200 m e 400 m quatro estilos, ou *medley*, revezamentos 4x100 livre, 4x200 livre e 4x100 quatro estilos (todas para homens e mulheres), e 800 m livre (só mulheres), 1. 500 m livre (só homens). A natação foi introduzida no Brasil em 1898, e alguns nadadores brasileiros alcançaram recordes mundiais: Maria Lenk (200 m e 400 m nado de peito, em 1939), Manuel dos Santos (100m livre, em 1961), José Sílvio Fiolo (100 m nado de peito, em 1968), Ricardo Prado (400 m *medley*, em 1984), Fernando Scherer (50 e 100m livres, 1999), Leonardo Costa (200 m costas, 1999), Felipe França (50 m nado de peito, 2009) e César Cielo (50 m livre, em 2008 e 100 m livre, em 2009) e em piscina curta (25 m) Gustavo Borges (100 m livre, 1993), a equipe formada por Gustavo Borges, Fernando Scherer, José Carlos Jr. e Teófilo Ferreira (4x100, em 1993 e em 1998), Kaio Márcio (50 m borboleta, 2005), Thiago Pereira (200 m *medley*, 2007), Felipe Silva (50 m peito, 2010) e a equipe formada por Nicholas Santos, César Cielo, Marcelo Chierighini e Nicolas Oliveira (4x100, 2010).

natal (na.*tal*) *a2g.* **1** Ref. a nascimento; NATALÍCIO **2** Diz-se do lugar onde ocorreu o nascimento (cidade natal; terra natal) [Pl.: *-tais.*] *sm.* **3** Dia do nascimento; NATALÍCIO **4** *Litu.* Festa de comemoração do nascimento de Jesus Cristo, estipulada como sendo no dia 25 de dezembro (pelo calendário gregoriano), desde o século IV pelos cristãos do Ocidente, e desde o século V pela Igreja católica oriental. A Igreja Ortodoxa (russa e grega) comemora a 7 de janeiro, pois adota o calendário juliano [Nesta acp., com inicial maiúsc.] **5** *Mús.* Cântico natalino originário na Idade Média [F.: Do lat. *natalis.*]

natalício (na.ta.*lí*.ci:o) *a.* **1** Ref. a nascimento (aniversário natalício); NATAL **2** Ref. ao Natal (mensagens natalícias) *sm.* **3** O dia em que se faz aniversário: *A mãe comemorou o natalício com os filhos.* [F.: Do lat. *natalicius, a, um.*]

natalidade (na.ta.li.*da*.de) *sf.* **1** *Dem.* Taxa percentual que indica o número de nascimentos em relação ao número de habitantes de certa região, dentro de determinado período, ger. um ano: *A natalidade, no Brasil, vem apresentando números decrescentes.* **2** Nascimento de crianças: *Os países europeus incentivam a natalidade.* [F.: *natal* + *-(i)dade.*]

natalino (na.ta.*li*.no) *a. Bras.* Ref. ao Natal ou próprio dele (espírito natalino; festas natalinas) [F.: *Natal* + *-ino.*]

natante (na.*tan*.te) *a2g.* Que sobrenada; que pode boiar à superfície da água. Tb. *natátil* [F.: Do lat. *natans, antis.*]

natatório (na.ta.*tó*.ri:o) *a.* **1** Ref. a nado ou a natação (movimentos natatórios) **2** Que serve para o nado (membrana natatória) *sm.* **3** *P. us.* Lugar apropriado para o nado **4** *P. us.* Aquário ou tanque de peixes [F.: Do lat. *natatorius, a, um.*]

◎ **nat(i)-** *el. comp.* O mesmo que *nasc-*: *natimorto, natural*

natimortalidade (na.ti.mor.ta.li.*da*.de) *sf.* Relação que se estabelece entre o número de nascidos e mortos e o conjunto de nascimentos ocorridos em um grupo social, uma população, em determinado período de tempo [F.: *nat(i)-* + *mortalidade.*]

natimorto (na.ti.*mor*.to) [ô] *a.* **1** Que nasce morto; diz-se de feto que sai morto do ventre materno *sm.* **2** Aquele que sai morto do ventre materno [Pl.: [ó]. Fem.: [ó].] [F.: *nat(i)-* + *morto.*]

natividade (na.ti.vi.*da*.de) *sf.* **1** Dia do nascimento de Jesus, de Maria e de alguns santos **2** A festa do Natal [Ger. com inicial maiúsc.] **3** *Teat.* Na Idade Média, drama baseado no nascimento de Jesus [F.: Do lat. *nativitas, atis.*]

nativismo (na.ti.*vis*.mo) *sm.* **1** Ideologia política ou atitude em que se tende a favorecer ao máximo os naturais de um país (em detrimento dos outros habitantes) [Cf.: *xenofobia.*] **2** *Art. pl. Liter. Mús.* Tendência a conferir primazia, na criação estética, aos motivos e valores da terra natal [Cf.: *nacionalismo.*] **3** *Antr.* Movimento de valorização da cultura nativa, em sentido contrário à aculturação colonizadora [F.: *nativo* + *-ismo.*]

nativista (na.ti.*vis*.ta) *a2g.* **1** Ref. a nativismo *s2g.* **2** Aquele que é adepto do nativismo, favorecendo os habitantes nativos de um país **3** Indivíduo avesso a estrangeiros; indivíduo xenófobo **4** *Soc.* Pessoa que propaga e conserva a cultura de povos ditos primitivos, posicionando-se contrariamente à aculturação **5** *Hist. Psic.* Aquele ou aquela que defende a ideia de que a percepção do mundo exterior é natural, em sentido contrário ao que ocorre por meio dos sentidos [F.: *nativo* + *-ista.*]

nativo (na.*ti*.vo) *a.* **1** Que é próprio ou natural de certo lugar (planta nativa; costumes nativos) **2** Ref. a ou próprio de indígena (guia nativo) **3** Ref. a povo ágrafo **4** *Min.* Encontrado na natureza, não elaborado artificialmente (diz-se de substância mineral) [Cf.: *industrial.*] **5** *Metal. Min.* Diz-se de metal encontrado na natureza em estado puro **6** *Jur.* Adquirido de forma inata (direitos humanos nativos) **7** *Ling.* Que se adquiriu antes de qualquer outra (língua nativa) *sm.* **8** Pessoa pertencente a grupo étnico originário da região onde nasceu; INDÍGENA: *Só os nativos se apresentaram como guias.* **9** Ser ou coisa natural de certa região ou país: *Os nativos desta região adoram comidas exóticas.* [Ant.: *estrangeiro, forasteiro.*] 10 *Astrol.* Pessoa nascida sob determinado signo zodiacal (nativos de Aquário) [F.: Do lat. *nativus, a, um.*]

◎ **-nato** *el. comp.* = nascido: *inato, neonato.* [F.: Do lat. *natus, a, um.*]

nato (na.to) *a.* 1 Nascido, nado: "(...) lá o luto não é de vestir, /é de nascer com, luto nato." (João Cabral de Melo Neto, "O luto no sertão" *in Agrestes*) 2 De determinada nacionalidade desde o nascimento (brasileiro nato) 3 De talento natural para certa atividade (escritor nato) [F.: Do lat. *natus.* Ant. ger.: *inato.*]

natremia (na.tre.*mi*.a) *sf. Bioq.* Presença de sódio no sangue [F.: Do lat. cient. *natrium* + *-emia.* Tb. *natriemia.*]

natriemia (na.tri.e.*mi*.a) *sf.* Ver *natremia*

nátrio (*ná*.tri:o) *sm. Ant. Quím.* O mesmo que *sódio* [F.: Do lat. cient. *natrium.*]

natura (na.*tu*.ra) *sf.* 1 *P. us.* Ver *natureza* 2 *Antq. Rel.* Em igreja, mosteiro ou outra instituição religiosa, o direito de herança 3 *Antq. Rel.* Alimento ou dinheiro que se recebia de herança nesses estabelecimentos [F.: Do lat. *natura, ae.*]

natural (na.tu.*ral*) *a2g.* 1 Ref. à natureza ou próprio dela (recursos naturais, gás; morte natural) 2 Em que não há intervenção humana (paisagem natural) 3 Nascido, originário de um determinado local: *Os dois irmãos eram naturais do Paraná.* 4 Diz-se de alimento em que não se adicionou ingrediente artificial, nem agrotóxico; ORGÂNICO 5 De acordo com o esperado, com o inerente às condições; que ocorre naturalmente: "O dinheiro fugira do bolso do gibão, na venda de seu Inácio. Natural." (Graciliano Ramos, *Vidas secas*) 6 Espontâneo, sem artifício: *Sua resposta foi natural, e sincera.* [Ant.: *artificial.*] 7 Inato, congênito (vocação natural) 8 Peculiar, próprio de alguém ou algo: *Brincar, em sua idade, é natural.* 9 *Mús.* Diz-se de escala, acorde, tonalidade etc. que não é alterada por acidentes [Pl.: *-rais.*] *sm.* 10 Indivíduo nascido ou originário de determinado local (natural de Parati) 11 Tudo o que se apresenta em conformidade com a natureza [Pl.: *-rais.*] [F.: Do lat. *naturalis, e.*] ■ **Ao ~** Sem preparo, sem tempero, sem cozer, assar, fritar etc., tal como foi colhido (diz-se de alimento)

naturalidade (na.tu.ra.li.*da*.de) *sf.* 1 Qualidade do que é natural [Ant.: *artificialidade, afetação.*] 2 Local (município, estado, região) de nascimento [Cf., nesta acp., *nacionalidade.*] [F.: Do lat. *naturalitas.*]

naturalismo (na.tu.ra.*lis*.mo) *sm.* 1 Estado do que é natural, do que a própria natureza produz 2 *Fil.* Doutrina filosófica que considera o mundo exterior passível de ser explicado por leis e fenômenos naturais, negando a existência de esferas metafísicas ou transcendentais 3 *Fil.* Design. geral de diversas doutrinas que colocam os fenômenos naturais acima de qualquer outra instância da explicação ou do comportamento, apontando para a satisfação fisiológica como o fim único da vida individual ou social 4 *Liter.* Movimento literário do fim do séc. XIX, que, influenciado pelos estudos da biologia, retrata objetivamente a natureza do ser humano, na interação de sua personalidade com o meio social: "Toda a diferença entre o idealismo e o naturalismo está nisto. O primeiro falsifica, o segundo verifica" (Eça de Queirós, *Cartas Inéditas de Fradique Mendes*) [Nesta acp., com inicial ger. maiúsc.] 5 *Art. pl.* Representação mais realista possível da natureza 6 Tendência que preconiza a volta à natureza e à simplicidade primitiva; NATURISMO 7 *Teol.* Doutrina religiosa que preconiza que todas as verdades da religião advêm do estudo dos processos naturais e não de revelação divina [F.: *natural* + *-ismo.*]

naturalista (na.tu.ra.*lis*.ta) *a2g.* 1 Ref. a naturalismo 2 Ref. ao que é natural (culinária naturalista) *s2g.* 3 Adepto do naturalismo 4 Cientista devotado às ciências naturais (biologia, zoologia, botânica etc.) [F.: *natural* + *-ista.*]

naturalístico (na.tu.ra.*lís*.ti.co) *a.* Do ou ref. ao naturalismo ou ao naturalista [F.: *naturalista* + *-ico*².]

naturalização (na.tu.ra.li.za.*ção*) *sf.* 1 *Pol.* Ação ou resultado de naturalizar-se; processo pelo qual um cidadão adota legalmente a nacionalidade de um país em que não nasceu, perdendo sua nacionalidade originária 2 *Biol.* Adaptação completa de espécie animal ou vegetal, sem interferência humana, a novo ambiente ou região [Pl.: *-ções.*] [F.: *naturalizar* + *-ção.* Ant. ger.: *desnaturalização.*]

naturalizado (na.tu.ra.li.*za*.do) *a.* 1 Que se naturalizou; diz-se de estrangeiro que passou à condição de nacional [Ant.: *desnaturalizado.*] 2 *Biol.* O mesmo que *subespontâneo* [F.: Part. de *naturalizar.*]

naturalizar (na.tu.ra.li.*zar*) *v. td.* 1 Dar ou adquirir a cidadania de um país estrangeiro: *Os EUA poderão naturalizar os mexicanos ilegais; Esse boliviano naturalizou-se brasileiro.* 2 Adotar como se fosse nacional; NACIONALIZAR 3 Adotar, incorporar: *Vivendo muito tempo na França, naturalizou modos de ser tipicamente franceses.* [▶ 1 naturalizar] [F.: *natural* + *-izar.* Ant. ger.: *desnaturalizar.* Hom./Par.: *naturalizáveis* (fl.), *naturalizáveis* (pl. de *naturalizável* [a2g.]).]

naturalizável (na.tu.ra.li.*zá*.vel) *a2g.* Que pode ser naturalizado [Pl.: *-veis.*] [F.: *naturalizar* + *-vel.* Hom./Par.: *naturalizáveis* (pl.), *naturalizáveis* (fl. de *naturalizar*).]

naturalmente (na.tu.ral.*men*.te) *adv.* 1 De maneira natural (agir naturalmente) *interj.* 2 Com toda certeza; CERTAMENTE: "Naturalmente vai para casa das Lousadas (...)." (Eça de Queirós, *A Ilustre Casa de Ramires*) [F.: *natural* + *-mente.*]

natureba (na.tu.*re*.ba) [é] *Bras. Pop. Pej. a2g.* 1 Que é adepto da alimentação natural *s2g.* 2 Aquele que pratica alimentação natural, tendendo ao vegetarianismo, à abstemia etc. [F.: *natur(ista)* + *-eba.*]

natureza (na.tu.*re*.za) [ê] *sf.* 1 Todo o mundo material ao redor do homem e no qual ele está inserido, mas independente dele: "Derrame-me a Natureza sobre a cabeça ardente/ O seu sol, a sua chuva..." (Fernando Pessoa, "Tabacaria" *in Poesias de Álvaro de Campos*) 2 Conjunto composto pelos seres vivos e seus cenários originais (mares, florestas, montanhas, rios etc.): *Procurava estar junto da natureza.* 3 A força criadora universal 4 Caráter, temperamento, soma de traços principais (natureza humana; natureza felina; natureza das palmeiras) 5 Tipo, qualidade, espécie: *Fez-me perguntas de toda natureza.* 6 Condição do homem antes da civilização 7 Estilo de vida rústico, desprovido de civilização: *Trocou a cidade grande pela vida na natureza.* 8 *Fil.* Mundo visível ao homem, oposto às ideias, emoções 9 *Fil.* A essência do ser 10 Sexo do homem ou da mulher: *Na representação de Eva, a folha de parreira não deixava ver a sua natureza.* [F.: *natura* + *-eza.*] ■ **~ humana** O conjunto de atributos e características (físicas, psicológicas, comportamentais, espirituais etc.) comuns aos seres humanos e que o definem **Cortar a ~ de** *SP Pop.* Fazer (alguém) perder o estímulo sexual, provocar frigidez em

natureza-morta (na.tu.*re*.za-*mor*.ta) *Art. pl. sf.* 1 Gênero de pintura cujos motivos são sempre seres e coisas inanimadas 2 *P. ext.* Quadro desse gênero: *Comprou uma magnífica natureza-morta no leilão.* [Pl.: *naturezas-mortas.*] [F.: Posv. do fr. *nature morte.*]

naturismo (na.tu.*ris*.mo) *sm.* 1 Concepção daquele que supervaloriza os agentes da natureza, esp. como meios terapêuticos 2 Conjunto de ideias que pregam um retorno à natureza para que se alcance maior bem-estar e felicidade; NATURALISMO [F.: Do fr. *naturisme*, posv.]

naturista (na.tu.*ris*.ta) *a2g.* 1 Diz-se de pessoa que é adepta do naturismo *s2g.* 2 Essa pessoa [F.: Do fr. *naturiste*, posv.]

naturístico (na.tu.*rís*.ti.co) *a.* Do ou ref. ao naturismo ou ao naturista [F.: *naturista* + *-ico*².]

naturopata (na.tu.ro.*pa*.ta) *a2g.* 1 Diz-se de especialista em naturopatia *s2g.* 2 Esse especialista [F.: *natur(al)* + *-o-* + *-pata.*]

nau *Náut. sf.* 1 Denominação de vários tipos de navio até o séc. XV, ger. grandes, acastelados, com um ou mais mastros e velas redondas 2 Qualquer navio de guerra, até o séc. XVII, de grande porte, composto de três mastros e velas redondas 3 *P. us.* Qualquer embarcação: "Não haver qualquer coisa como leitos para as naus!..." (Fernando Pessoa, "Hora absurda" *in Cancioneiro*) [F.: Do cat. *nau.*]

náuatle (*náu*.a.tle) *s2g.* 1 *Etnol.* Indivíduo dos náuatles, grupos étnicos da família linguística uto-asteca da América Central e do México central e meridional *sm.* 2 *Ling.* Língua falada pelos astecas, hoje extinta *a2g.* 3 Dos náuatles; típico desses grupos étnicos ou de sua cultura 4 *Ling.* Do ou ref. ao náuatle (2) [F.: Do náuatle *nahuatl.*]

naufragado (nau.fra.*ga*.do) *a.* 1 Que naufragou, que sofreu naufrágio; NÁUFRAGO *sm.* 2 Indivíduo que sofreu naufrágio; NÁUFRAGO [F.: Part. de *naufragar.*]

naufragar (nau.fra.*gar*) *v.* 1 Fazer afundar ou afundar (embarcação) [*td.*: *O ciclone naufragou o navio.*] [*int.*: *O barco naufragou.*] 2 *Fig.* Fracassar, malograr [*td.*: *A violência caseira naufragou o casamento.*] [*int.*: *Por falta de amor o casamento naufragou.*] [▶ 14 naufragar] [F.: Do v.lat. *naufragare.* Ant. ger.: *submergir.* Hom./Par.: *naufragáveis* (fl.), *naufragáveis* (pl. de *naufragável* [a2g.]), *naufrago* (fl.), *náufrago* (sm.).]

naufrágio (nau*frá*.gi:o) *sm.* 1 *Mar. Náut.* Ação ou resultado de naufragar, afundar uma embarcação, após acidente ou contenda bélica 2 *Fig.* Insucesso, fracasso, malogro: *O empreendimento terminou em naufrágio.* 3 *Fig.* Decadência física e/ou moral [F.: Do lat. *naufragium, ii.*]

náufrago (*náu*.fra.go) *a.* 1 Que naufragou; que foi vítima de naufrágio (1) *sm.* 2 Aquele que foi vítima de naufrágio (1) [F.: Do lat. *naufragus, a, um.* Hom./Par.: *náufrago* (sm.), *naufrago* (fl. de *naufragar*).]

nauruano (nau.ru.*a*.no) *sm.* 1 Aquele que nasceu ou que vive na República de Nauru, a Norte da Oceania, no Pacífico *a.* 2 De Nauru; típico desse país ou de seu povo [F.: Do top. *Nauru* + *-ano*¹. Sin. ger.: *nauruense, nauruês.*]

nauruense (nau.ru.*en*.se) *a2g. s2g.* O mesmo que *nauruano* [F.: Do top. *Nauru* + *-ense.*]

nauruês (nau.ru.*ês*) *a. sm.* O mesmo que *nauruano* [Pl.: *-eses.* Fem.: *-esa*] [F.: Do top. *Nauru* + *-ês.*]

náusea (*náu*.se:a) *sf.* 1 *Med.* Sensação desagradável no abdome, seguida de enjoo e ânsia de vômito: "Algumas dobras daquelas coisas brancas e moles desciam, aproximavam-se da minha boca, davam-me náuseas." (Graciliano Ramos, *Angústia*) 2 Originalmente, enjoo no mar, com o balanço do navio 3 *P. ext.* Nojo, repugnância, repulsa: *Aquele sujeito lhe dava náusea.* [F.: Do lat. *nausea.*]

nauseabundo (nau.se:a.*bun*.do) *a.* 1 Que dá náuseas, enjoo (odor nauseabundo) 2 *Fig.* Que causa nojo, asco (sujeito nauseabundo; caráter nauseabundo); NOJENTO; REPULSIVO; REPUGNANTE [F.: Do lat. *nauseabundus.* Sin. ger.: *nauseante.*]

nauseado (nau.se.*a*.do) *a.* 1 Que se nauseou; que ficou com enjoo, tendendo ao vômito 2 *Fig.* Enojado, repugnado: *Estava nauseado de tanta adulação.* [F.: Part. de *nausear.*]

nauseante (nau.se.*an*.te) *a2g.* Ver *nauseabundo* [F.: Do lat. *nauseans, antis.*]

nausear (nau.se.*ar*) *v.* 1 Causar ou sentir náusea; ENJOAR(-SE); REPUGNAR(-SE) [*td.*: *O giro na roda-gigante nauseou a moça.*] [*int.*: *Nauseava com extrema facilidade; Nauseava-se com qualquer coisa adocicada.*] 2 Ter repugnância, asco por [*td.*: *A convivência com os políticos a nauseava.*] 3 *Fig.* Fazer ficar entediado, aborrecido [*td.*: *Nauseou a plateia com aquele discurso interminável.*] [▶ 13 nausear] [F.: Do v.lat. *nauseare.*]

◎ **-nauta** *el. comp.* = 'que ou aquele que navega (no mar ou no espaço [físico ou virtual])'; 'tripulante de navio ou veículo espacial': *aeronauta, argonauta* (< lat. < gr.), *astronauta, cosmonauta, espaçonauta, internauta, protonauta, robonauta, ufonauta* [F.: Do lat. *nauta, ae*, do gr. *náutes, ou*, 'marinheiro'.]

nauta (*nau*.ta) *sm.* Marinheiro, marujo, navegador, navegante [F.: Do lat. *nauta.*]

◎ **-náutica** *el. comp.* = '(ciência e/ou arte da) navegação (marítima, aérea ou espacial)'; 'arte de navegar': *aeronáutica, astronáutica, cosmonáutica, espaçonáutica, motonáutica* [F.: Do gr. *nautiké*, do fem. do gr. *nautikós, é, on*, 'relativo à navegação ou aos que navegam'. F. conexa: *-nauta.*]

náutica (*náu*.ti.ca) *sf. Náut.* Ciência e técnica de bem conduzir as embarcações nos mares; NAVEGAÇÃO [F.: Do lat. *nauticus.*]

náutico (*náu*.ti.co) *Náut. a.* 1 Ref. a nauta 2 Que é próprio da navegação (atividade náutica; esporte náutico; instruções náuticas) *sm.* 3 *Náut.* Indivíduo que tem como ofício conduzir embarcações através dos mares [F.: Do lat. *nauticus.*]

nautilídeo (nau.ti.*lí*.de.o) *Zool. sm.* 1 Espécime dos nautilídeos, fam. de moluscos cefalópodes, constituída por um único gênero, o náutilo *a.* 2 Ref. ou pertencente aos nautilídeos [F.: Adapt. do lat. cient. *Nautilidae* (< lat. cient. *Nautilus*).]

náutilo (*náu*.ti.lo) *sm. Zool.* Nome comum aos moluscos cefalópodes do gên. *Nautilus*, encontrados a grandes profundidades dos oceanos Índico e Pacífico [F.: Do lat. cient. *Nautilus*, do lat. *nautilus, i*, 'certo molusco'.]

nautiloide (nau.ti.*loi*.de) *Zool. sm.* 1 Espécime dos nautiloides, subclasse de moluscos cefalópodes, de concha externa, de forma variada *a2g.* 2 Ref. ou pertencente aos nautiloides [F.: Adapt. do lat. cient. *Nautiloidea.*]

navajo (na.*va*.jo) *s2g.* 1 *Etnol.* Indivíduo dos navajos, povo indígena do norte do Novo México e do estado do Arizona (EUA) *sm.* 2 *Ling.* Língua desse povo *a2g.* 3 Dos navajos; típico desse povo ou de sua cultura 4 *Ling.* Do navajo (2) [F.: Do espn. apache *Navajó*, área habitada por esse povo.]

naval (na.*val*) *a2g.* 1 Ref. a navio (aviação naval; construção naval) 2 *Mar. Mil.* Ref. à Marinha de Guerra [Pl.: *-vais.*] *sm.* 3 *Bras. Pop. Mil.* Fuzileiro naval [F.: Do lat. *nabalis.*]

navalha (na.*va*.lha) *sf.* 1 Instrumento cortante que se dobra para guardar na própria bainha 2 *Bot.* Erva ciperácea (*Hypolytrum pungens*) de folhas eretas e cortantes; NAVALHEIRA; CAPIM-NAVALHA 3 *Fig.* Língua afiada, maledicente 4 *Fig.* Frio cortante 5 *Tip.* Cada uma das lâminas da guilhotina e da linotipo 6 *Zool.* Denominação comum a diversos moluscos bivalves (*Solen marginatus*), da fam. dos solenídeos, comum no litoral europeu, de concha estreita e longa, similar ao formato de uma navalha *s2g.* 7 *Pop.* Profissional imperito ou incompetente na realização de seu trabalho, esp. motorista; BARBEIRO [F.: Do lat. *novacula, ae.* Hom./Par.: *navalha* (fl. de *navalhar*).]

navalhada (na.va.*lha*.da) *sf.* 1 Golpe desferido com navalha (1) 2 Ferimento, corte feito com navalha (1) [F.: *navalha* + *-ada*¹.]

navalhado (na.va.*lha*.do) *a.* Que tem superfície marcada por pequenos sulcos; ESTRIADO [F.: Part. de *navalhar.*]

navalhar (na.va.*lhar*) *v. td.* 1 Ferir, golpear com navalha: *O malandro navalhou o comerciante.* 2 *Fig.* Ferir, desgostar, causar grande mágoa: *Navalhou seu coração com aquela dura verdade.* [▶ 1 navalhar] [F.: *navalha* + *-ar*². Sin. ger.: *anavalhar.* Hom./Par.: *navalha* (fl.), *navalha* (sf.); *navalhas* (fl.), *navalhas* (pl. do sf.).]

navalheira (na.va.*lhei*.ra) *Bot. sf.* 1 O mesmo que *capim-navalha* (*Hypolytrum pungens*) 2 Planta ciperácea (*Hypolytrum schraderianum*, Nees.). Tb. *navalha-de-macaco* [F.: *navalha* + *-eira.*]

navalhista (na.va.*lhis*.ta) *s2g. Pop.* Aquele ou aquela que usa navalha como arma [F.: *navalha* + *-ista.*]

navarro (na.*var*.ro) *sm.* 1 Indivíduo nascido ou que vive em Navarra (Espanha) *a.* 2 De Navarra; típico dessa cidade ou de seu povo [F.: Do espn. *navarro.*]

◎ **-nave** *el. comp.* = 'navio'; 'veículo espacial': *belonave, aeronave, astronave, cosmonave, espaçonave* [F.: Do lat. *navis, is*, 'navio', 'nau', 'embarcação'.]

nave (*na*.ve) *sf.* 1 *Antq. Náut.* Embarcação, navio: "Numa das naves que afundaram/ é que tu certamente vinhas." (Cecília Meireles, "Canção" *in Viagem*) 2 *Arq.* Espaço central e longitudinal de uma igreja, que vai do pórtico até o altar 3 *Arq.* Secção longitudinal de uma igreja, demarcada por colunas 4 *P. ext. Fig.* Templo, igreja [Dim.: *naveta.*] [F.: Do lat. *navis, is.*] ■ **~ espacial** *Astnáut.* Aeronave especialmente projetada para viagens espaciais, pelo cosmo; astronave; espaçonave **~ orbital** *Astnáut.* Veículo lançado da Terra a grande altitude, capaz de circular em órbita e em velocidade orbital em torno da Terra, e depois aterrissar **~ mãe** *Astnáut.* Grande nave espacial que conduz consigo naves menores, que dela podem ser lançadas

navegabilidade (na.ve.ga.bi.li.*da*.de) *sf.* Condição, característica ou qualidade do que é ou se encontra navegável [F.: *navegável*, sob a f. *navegabil-*, + *-(i)dade.*]

navegação (na.ve.ga.*ção*) *sf.* **1** Ação ou resultado de navegar **2** *Náut.* Ver *náutica* **3** Viagem por mar, rio ou lago: "Cessem do sábio Grego e do Troiano/ As navegações grandes que fizeram..." (Luís de Camões, *Os Lusíadas*) **4** Comércio marítimo ou aéreo **5** *Bras. AM* Gaiola, navio **6** *Biol.* Processo de orientação que permite aos animais migratórios fazerem longos percursos para alcançar um local específico **7** *Inf.* Ato de percorrer um hipertexto em busca de informações, por meio de comandos que estabelecem ligações entre tópicos relacionados [Pl.: *-ções.*] [F.: Do lat. *navigatio, onis.*] ■ **~ aérea** Técnica e atividade de viajar em aeronaves **~ costeira** *Mar.* Navegação marítima ao longo e à vista do litoral, orientada por pontos neste localizados e marcados nas cartas náuticas **~ de cabotagem** *Mar. Merc.* Navegação mercante em águas costeiras de um país, ou entre portos de um mesmo país [Tb. apenas *cabotagem.* Cf.: *Navegação de longo curso.*] **~ de longo curso** *Mar. Merc.* Navegação mercante em alto-mar entre portos de países diferentes [Cf.: *Navegação de cabotagem.*] **~ fluvial** *Mar.* Navegação em rios **~ interior** Navegação em rios, lagos e canais no interior de continente **~ marítima** *Mar.* Navegação no mar **~ mercante** Navegação comercial; comércio marítimo

navegador (na.ve.ga.*dor*) *a.* **1** Diz-se daquele que navega, que conduz embarcação; NAVEGANTE **2** Que é próprio para navegar *sm.* **3** Aquele que navega; NAVEGANTE: "Sou neto de navegadores (...)." (Antônio Nobre, *Só*) **4** *Aer. Mar.* Técnico incumbido dos cálculos da navegação, em aeronave, navio ou submarino **5** *Inf.* Programa que permite, na Internet, ter acesso às páginas de hipertexto e a todos os recursos da rede de computação; BROWSER [F.: Do lat. *navigator, oris.*]

navegante (na.ve.*gan*.te) *a2g.* **1** Que navega, conduzindo embarcações através dos mares, rios etc. **2** Que é próprio para navegar (rio navegante) *s2g.* **3** Aquele ou aquela que navega, que conduz embarcações através dos mares, rios etc.: *Os navegantes portugueses ousaram desbravar os mares desconhecidos.* [F.: Do lat. *navigans, antis.*]

navegar (na.ve.*gar*) *v.* **1** Fazer viagem no mar ou no ar (em barco, navio, aeronave, astronave etc.) [*td.*: *Navegou mares e rios.*] [*int.*: *Navegou pelo rio Amazonas.*] **2** *Inf.* Consultar documentos na internet, utilizando-se dos *links* contidos nesses documentos [*int.*: *Sentou-se ao computador e navegou a tarde inteira.*] [▶ 14 navegar] [F.: Do v.lat. *navigare.* Hom./Par.: *navego* (fl.), *navego* (sm.); *navegáveis* (fl.), *navegáveis* (pl. de *navegável* [a2g.]).]

navegável (na.ve.*gá*.vel) *a2g.* Que se pode navegar; que é passível de se percorrer por meio de embarcação (rios navegáveis) [Pl.: *-veis.*] [F.: *navegar* + *-vel.* Hom./Par.: *navegáveis* (pl.), *navegáveis* (fl. de *navegar*).]

nave-mãe (na.ve-*mãe*) *sf.* A principal espaçonave em um grupo delas [Pl.: *naves-mães* e *naves-mãe.*]

naveta (na.*ve*.ta) [ê] *sf.* **1** *Artesn.* Lançadeira de máquina de coser ou de tear, em forma de barco **2** *Artesn.* Lançadeira própria para a confecção de renda artesanal **3** *Antq. Náut.* Pequena nave (1) **4** *Rel.* Recipiente em forma de nau para guardar o incenso a ser queimado nos turíbulos; ACERRA [F.: Do fr. *navette*, 'instrumento para tecer'.]

◎ **nav(i)-** *el. comp.* = 'navio': *naviata, navícula* (< lat.), *naviforme* [F.: Do lat. *navis, is.* F. conexa: *-nave.*]

◎ **navi-** *el. comp.* = 'navio, nave': *naviata, navícula, naviforme.* [F.: Do lat. *navis, is.*]

navícula (na.*ví*.cu.la) *sf.* Peça ou órgão em forma de navio [F.: Do lat. *navicula, ae,* 'pequeno navio'.]

navicular (na.vi.cu.*lar*) *a2g.* **1** Relativo a navícula **2** Que tem forma de barco; NAVIFORME **3** *Anat.* Diz-se do osso da mão que atualmente é denominado *osso escafoide sm.* **4** *Anat.* Osso escafoide [F.: *navícula* + *-ar*¹.]

naviforme (na.vi.*for*.me) *a2g.* Que tem forma de navio; NAVICULAR [F.: *navi-* + *-forme.*]

navio (na.*vi*:o) *sm.* *Náut.* Embarcação de grande porte, de guerra ou mercante [F.: Do lat. *navigium, ii.* Ideia de 'navio', usar pref. *nau-* e *navi-*.] ■ **A ver ~s** Frustrado em seus planos ou intenções **Ficar a ver ~s** Não obter aquilo que se queria; frustrar-se em seus intentos; ser enganado, logrado **~ cargueiro** Ver *Navio de carga* **~ de carga** *Mar. Merc.* Navio mercante us. exclusivamente para transporte de cargas (p. opos. a *Navio de passageiros*) **~ de combate** *Mar. G.* Navio de guerra dotado de armamentos para realizar ações de ataque ou defesa em batalhas **~ de guerra** Navio preparado para ações militares, seja de combate ou de apoio aos navios de combate **~ de passageiros** *Mar.* Navio mercante destinado principalmente a transporte de pessoas [P. opos. a *Navio de carga.*] **~ de vela** *Mar.* Veleiro (1) **~ mercante** *Mar.* Navio para transporte de cargas e/ou de passageiros **~ negreiro** *Hist. Mar.* Navio que, no tempo da escravidão, transportava escravos negros **~ quebra-gelos** Navio especialmente construído (motor potente, proa reforçada) para navegar abrindo caminho por camadas de gelo, que vai rompendo enquanto avança [Tb. apenas *quebra-gelos.*]

navio-aeródromo (na.*vi*:o) *sm.* Navio com pista própria para aterrissagem e decolagem de aviões; porta-aviões [Pl.: *navios-aeródromos e navios-aeródromo.*]

navio-escola (na.vi:o-es.*co*.la) *sf.* *Mar.* Navio que se destina ao adestramento e aprendizado de aspirantes, guardas-marinhas ou alunos da marinha mercante [Pl.: *navios-escolas e navios-escola.*]

navio-petroleiro (na.vi:o-pe.tro.*lei*.ro) *sm.* Navio provido de tanques para o transporte de petróleo; NAVIO-TANQUE [Pl.: *navios-petroleiros.*]

navio-quebra-gelos (na.vi:o-que.bra-*ge*.los) *sm.* *Mar.* Navio apropriado à abertura de caminho entre camadas de gelo, como o famoso Lenin, russo, movido a energia nuclear [Tb. se diz *quebra-gelos.*] [Pl.: *navios-quebra-gelos.*]

navio-tanque (na.vi:o-*tan*.que) *sm.* *Mar.* Navio destinado ao transporte de carga líquida (petróleo, gasolina etc.) [Pl.: *navios-tanques, navios-tanque.*]

nazarena (na.za.*re*.na) *sf.* *Bras. S* Certo tipo de espora, de grande tamanho [F.: Fem. de *nazareno.*]

nazareno (na.za.*re*.no) *a.* **1** De Nazaré (Israel); típico dessa cidade ou de seu povo *sm.* **2** Aquele que nasceu em Nazaré (Israel) **3** *Rel.* Epíteto dado a Jesus Cristo pelos judeus e adotado pelos cristãos [Inicial maiúsc.] [F.: Do lat. *nazarenus, a, um.*]

názi (*na*.zi) *a2g. s2g.* O mesmo que *nazista* [F.: Do al. *Nazi*, abrev. do al. *Nationalsozialist.*]

nazi-fascismo (na.zi-fas.*cis*.mo) *sm.* *Pol.* Ideologia ou regime político que combina as características básicas do nazismo e do fascismo [Pl.: *nazi-fascismos.*]

nazi-fascista (na.zi-fas.*cis*.ta) *a2g.* **1** Do ou ref. ao nazi-fascismo **2** Diz-se de pessoa adepta do nazi-fascismo (cineasta nazi-fascista) *s2g.* **3** Essa pessoa: *Os nazi-fascistas ainda estão presentes.* [Pl.: *nazi-fascistas.*]

nazireu (na.zi.*reu*) *sm.* **1** No Antigo Testamento, judeu que se consagrava ao serviço de Deus e levava uma vida de pureza, abstinência e ascetismo, física e espiritualmente: "Fala aos filhos de Israel, e dize-lhes: Quando um homem ou mulher se tiver separado, fazendo voto de nazireu, para se separar ao Senhor..." (Bíblia, *Números 6: 2*) [Tb. *nazarita* e *nazareu.*] *a.* **2** Ref. a nazireu (1) ou a sua forma de vida [F.: Do heb. *nazir* + *-eu.*]

nazismo (na.*zis*.mo) *sm.* *Hist. Pol.* Ideologia política de extrema-direita, fascista, racista e totalitária, base do movimento nacional-socialista alemão fundado e chefiado por Adolf Hitler (1889-1945); HITLERISMO; NACIONAL-SOCIALISMO [F.: *nazi* (al. *Nazi*, f. abreviada de *National-sozialist* + *-ismo.*]

nazista (na.*zis*.ta) *a2g.* **1** *Hist. Pol.* Ref. a nazismo **2** Diz-se de pessoa que é partidária ou admiradora do nazismo *s2g.* **3** *Hist. Pol.* Essa pessoa [F.: nazi (al. *Nazi*, f. abreviada de *Nationalsozialist*) + *-ista.* Sin. ger.: *hitlerista, nacionalsocialista.*]

nazistoide (na.zis.*toi*.de) *a2g.* *Pej.* Que apresenta tendências nazistas (filme nazistoide) [F.: *nazista* + *-oide.*]

⊠ **N.B.** Abrev. de *nota bene*

⊠ **Nb** *Quím.* Simb. de *nióbio*

⊠ **NBR** Sigla de *norma brasileira*

⊠ **Nd** *Quím.* Símb. de *neodímio*

◎ **-ndade** *suf. nom.* Registra-se em subst. abstratos em *-dade* (ver *-(i)dade*) originalmente lat. nos quais, à passagem para o port., ocorreu a síncope da vogal posterior à consoante nasal, na sílaba anterior ao suf., ou em voc. formado no vernáculo (*leviandade*), a exemplo das formas sincopadas, ou em outra língua neolatina (*mesquindade, mortandade* e *ruindade*). Em geral com as noções (muitas vezes acumulativas) de: **a)** 'qualidade ou atributo': *bondade, divindade, ruindade*; **b)** 'condição ou estado': *orfandade, virgindade*; **c)** 'grupo, conjunto ou a totalidade de': *cristandade, irmandade, trindade*

◎ **-ndo** *suf. nom.* Formador do gerúndio: *falando, tecendo, rindo.* [F.: Do lat. *-ndus.*]

⊠ **N.E.** Abrev. de *nordeste*

⊠ **Ne** *Quím.* Simb. de *neônio*

né Contr. de *não é?*: *Você não quer nada, né?* [Us. para pedir confirmação do que foi dito, ou para verificar ou pedir concordância ou anuência sobre algo exposto.]

neandertal (ne.an.*der*.tal) *a2g.* **1** *Antr.* Diz-se do hominídeo paleolítico denominado *Homo sapiens neanderthalensis*, cujos fósseis foram encontrados em Neandertal, Alemanha [Considera-se que, hoje, o neandertal é uma variante extinta da espécie humana.] [Pl.: *-tais.*] *s2g.* **2** Esse hominídeo [Pl.: *-tais.*] [F.: Do top. al. *Neanderthal.*]

neandertalense (ne.an.der.ta.*len*.se) *s2g.* **1** Aquele ou aquela que nasceu ou que vive em Neandertal (Alemanha) *a2g.* **2** De Neandertal; típico dessa cidade ou de seu povo [F.: Do top. *Neandertal* (Alemanha: *Neanderthal*) + *-ense.*]

neandertálico (ne.an.der.*tá*.li.co) *a.* O mesmo que *neandertalesco* [F.: *neandertal* + *-ico*².]

neandertaloide (ne.an.der.ta.*loi*.de) *a2g.* **1** Que tem características físicas, esp. cranianas, do *homem de Neandertal s2g.* **2** Aquele que apresenta essas características [F.: *neandertal* + *-oide.*]

neártica (ne.*ár*.ti.ca) *sf.* Região zoogeográfica representada pela América do Norte e a Groenlândia [Inicial ger. maiúsc.] [F.: *ne(o)-* + fem. de *ártico.*]

neártico (ne.*ár*.ti.co) *a.* Ref. à ou próprio da Neártica [F.: Do ing. *nearctic.*]

neblina (ne.*bli*.na) *sf.* **1** Névoa densa e baixa; BRUMA; CERRAÇÃO; NEVOEIRO: "O buritizal provinha das neblinas do fundo (...)." (João Guimarães Rosa, "Uma estória de amor" *in Corpo de Baile*) **2** *Fig.* Sombra, escuridão **3** *Bras. N. E.* O mesmo que *chuvisco* **4** *PI* Chuva forte e rápida [F.: Do espn. *neblina.* Hom./Par.: *neblina* (sfl.), *neblina* (fl. de *neblinar*).]

neblinar (ne.bli.*nar*) *v. int.* **1** *Bras.* Cair neblina, chuviscar: *Neblinou na parte da manhã.* **2** *Açor.* Cair cerração **3** Escurecer a vista: *De repente, seus olhos neblinaram.* [▶ 1 neblinar] [F.: *neblina* + *-ar*². Hom./Par.: *neblina* (fl.), *neblina* (sf.); *neblinas* (fl.), *neblinas* (pl. do sf.).]

neblinoso (ne.bli.*no*.so) [ô] *a.* **1** Referente a neblina; NEBLÍNEO; NEBRINOSO **2** Cheio ou recoberto de neblina (região neblinosa) [Pl.: [ó]. Fem.: [ó].] [F.: *neblina* + *-oso.*]

nébula (*né*.bu.la) *sf.* **1** Vapor atmosférico pouco denso, mesmo que *névoa* **2** *Ant. Oft.* Opacidade da córnea [F.: Do lat. *nebula, ae.*]

◎ **nebul(i)-** *el. comp.* = 'névoa', 'nuvem': *nebulizar, nebuloso* [F.: Do lat. *nebula, ae.*]

nebulização (ne.bu.li.za.*ção*) *sf.* **1** Ação ou resultado de nebulizar **2** *Med.* Aplicação de medicamento líquido vaporizado pelo nariz ou pela boca [Pl.: *-ções.*] [F.: *nebulizar* + *-ção.*]

nebulizador (ne.bu.li.za.*dor*) [ô] *a.* **1** Que nebuliza, que serve para nebulizar *sm.* **2** Aparelho us. para pulverizar líquido em gotas minúsculas [F.: *nebulizar* + *-dor.*]

nebulizar (ne.bu.li.*zar*) *v. td.* **1** Administrar remédio por meio de pulverização pelo nariz ou pela boca: *Nebulizou a criança que sentia asfixia* **2** Transformar líquido em vapor: *Nebulizar uma substância.* [▶ 1 nebulizar] [F.: *nebula* + *-izar.*]

nebulosa (ne.bu.*lo*.sa) [ó] *sf.* **1** *Astron.* Espécie de nuvem formada por matéria interestelar, gás e poeira em suspensão **2** *Fig.* Tudo aquilo que é difícil de entender ou definir: *Sua posição política era muito nebulosa.* [F.: Fem substv. de *nebuloso.*] ■ **~ cometária** *Astron.* Nebulosa cuja forma lembra um cometa, ou que envolve um cometa **~ de emissão** *Astron.* Nebulosa que apresenta em seu espectro raias de emissão, e formada por estrelas muito quentes **~ de reflexão** *Astron.* Aquela formada por gases e poeira cósmica que refletem a luz de estrelas vizinhas **~ difusa** *Astron.* Nebulosa de aspecto galáctico não bem definida opticamente **~ planetária** *Astron.* Aquela que se apresenta como brilhante formação de gás e plasma em volta de uma estrela muito quente, com aspecto de um planeta gasoso **~ protossolar** *Cosm.* Nebulosa formada por nuvens de gás e de poeira em rotação lenta, da qual se originou o sistema solar

nebulosidade (ne.bu.lo.si.*da*.de) *sf.* **1** Condição, característica, estado ou qualidade do que é nebuloso **2** *Met.* Estado da atmosfera encoberta por névoa e com maior ou menor quantidade de nuvens **3** *P. ext. Fig.* Obscuridade, escurecimento **4** *Fig.* Falta de clareza em discurso oral ou escrito, texto, fragmento de texto etc. [F.: Do lat. *nebulositas, atis.*]

nebuloso (ne.bu.*lo*.so) [ô] *a.* **1** Coberto de nuvens ou névoa densa (dia nebuloso); NUBLADO; NEVOENTO [Ant.: *desanuviado, desnevoado.*] **2** Sombrio, ameaçador (tempo nebuloso) [Ant.: *aberto, claro.*] **3** *Fig.* Turvo, sombrio, indistinto: "Copiava pensamentos das revistas: 'O amor é um sonho nebuloso' (...)." (Dalton Trevisan, "O coração de Dorinha" *in Cemitério de elefantes*) [Ant.: *distinguível, distinto.*] **4** *Fig.* Que se desconhece (vida nebulosa); AMBÍGUO; MISTERIOSO; OBSCURO [Ant.: *notório, revelado.*] **5** *Fig.* Pouco ou nada inteligível (discurso nebuloso); INCOMPREENSÍVEL; ININTELIGÍVEL [Ant.: *claro, compreensível, inteligível.*] **6** *Fig.* De feição sombria, triste (rosto nebuloso) [Ant.: *alegre.*] [Pl.: [ó]. Fem.: [ó].] [F.: Do lat. *nebulosus, a, um.*]

neca (*ne*.ca) [é] *adv.* **1** *Bras. Pop.* Exprime negação; NÃO: *Você conseguiu o telefone dela? Neca! pr. indef.* **2** *Bras. Pop.* Coisa nenhuma; NADA: *Não encontrei neca do que queria.* [F.: Posv. do lat. *nec*, 'nem', 'não'.] ■ **~de pitibiriba** *Bras. Pop.* Neca, nada (com ênfase)

necátor (ne.*cá*.tor) *a.* **1** Que mata; MATADOR; ASSASSINO *sm.* **2** Aquele que mata [F.: Do lat. *necator, oris.*]

necatoríase (nec.to.*rí*.a.se) *sf.* O mesmo que *ancilostomíase* [F.: Do lat. cient. *Necator (americanus)* + *-íase.*]

necedade (ne.ce.*da*.de) *sf.* **1** Ato ou afirmação que denota grande ignorância **2** Coisa disparatada; CONTRASSENSO; TOLICE [F.: Do espn. *necedad.* Sin. ger.: *nescidade.*]

⊕ **nécessaire** (*fr.* /necesér/) *sf.* Espécie de bolsa ou sacola para guardar objetos de uso pessoal ou que se relacionam às atividades profissionais de quem a carrega

necessário (ne.ces.*sá*.ri:o) *a.* **1** Que é indispensável, essencial; IMPRESCINDÍVEL; PRIMORDIAL: "Da paciente tenacidade necessária a quem quer encontrar o fio invisível de Ariana, sabia pouco." (Miguel Torga, *Senhor Ventura.*) [Ant.: *dispensável, prescindível.*] **2** Que não se pode evitar; FORÇOSO; INEVITÁVEL: *Tornou-se necessário louvar sua atitude* [Ant.: *evitável, facultativo.*] **3** Que deve ser feito ou realizado; IMPOSTO; OBRIGATÓRIO: "E ninguém percebe/ como é necessário / que terra tão fértil, / tão bela e tão rica/ por si se governe!" (Cecília Meireles, *Romanceiro da Inconfidência.*) [Ant.: *opcional.*] **4** *Fil.* Entre os estoicos, diz-se da proposição que, sendo verdadeira, não pode ser falsa **5** *Ling.* Diz-se da natureza do signo linguístico que liga arbitrariamente a coisa ao nome, o significante ao significado, impondo-se aos falantes e não permitindo alterações, conforme afirma E. Benveniste (1902-) [Superl.: *necessariíssimo.*] [F.: Do lat. *necessarius, a, um.* Ant. ger.: *desnecessário.*]

necessidade (ne.ces.si.*da*.de) *sf.* **1** Qualidade ou condição do que é necessário: "(...) lembrando-se da dupla necessidade de fazer esporadicamente algum esporte e de almoçar (...)." (Clarice Lispector, "Uma galinha" *in Laços de Família*) **2** Aquilo que não se pode evitar: *Teve que correr para atender a uma necessidade fisiológica.* **3** O que é indispensável à vida: *Todos querem suprir suas necessidades.* [Nesta acp., mais us. no pl.] **4** *Antq.* Pobreza extrema; PENÚRIA; MISÉRIA: *A família passava por um período de grande necessidade.* [Ant.: *opulência, riqueza.*] **5** Precisão, urgência (necessidade de socorro) **6** Conveniência, utilidade [F.: Do lat. *necessitas, atis.*] ■ **De primeira ~** Diz-se de alimento ou gênero de alimento considerado indispensável para uma boa nutrição **~s especiais** *Psi. Pedag.* Termo que designa a condição ou as carências de pessoa que apresenta deficiência física, ou mental, ou comportamental, ou múltipla, ou, ao contrário, capacidades acima do normal, o que exige métodos especiais de educação e ensino **Fazer ~** *N.E. Pop.* Urinar ou defecar; fazer precisão

necessitado (ne.ces.si.*ta*.do) ***a.*** 1 Que necessita, que precisa de alguma coisa; FALTO; PRECISADO: "(...) um rapaz sem religião, mas necessitado de agradar a um tio religioso e abastado." (Machado de Assis, *Memorial de Aires.*) [Ant.: *descarecido, suprido.*] 2 Que não tem o mínimo necessário para viver; INDIGENTE; POBRE [Ant.: *abastado, rico.*] ***sm.*** 3 Aquele que se acha em estado de necessidade, de pobreza; INDIGENTE; MENDIGO: *Amparar os necessitados é um dever cristão.* [Ant.: *abastado, rico.*] [F.: Part. de *necessitar*. Ant. ger.: *desnecessitado.*]

necessitar (ne.ces.si.*tar*) *v.* 1 Ter necessidade de; PRECISAR [***td.***: *Necessitava alguma coisa para comer*] [***tr.*** + *de*: *A casa necessita de uma reforma*] 2 Passar necessidade, privações [***int.***: *A cesta básica é apenas para quem necessita.*] 3 Exigir, pedir [***td.***: *Esse projeto necessita esforço continuado.*] 4 Pedir, reclamar, em função de uma necessidade legítima [***td.***: *Uma boa educação necessita bons educadores.*] 5 Ter a obrigação ou o dever de [***td.***: *Necessitava estar sempre à cabeceira do doente.*] [▶ 1 necessitar] [F.: Do v.lat. medv. *necessitare.*]

necessitoso (ne.ces.si.*to*.so) [ô] ***a.*** Que tem necessidade; necessitado, indigente [Pl.: [ó]. Fem.: [ó].] [F.: *necessit(ar)* + *-oso.*]

⊕ ***nec plus ultra*** (*nek plus ultra*) Locução latina que expressa a ideia de um limite que não pode ser ultrapassado: *Aquele vinho era um nec plus ultra.*

◎ **necr(o)-** ***el. comp.*** = 'morto'; 'cadáver'; '(p. ext.) morte': *necrobiose, necrodulia, necrofagia, necrófago* (< gr.), *necrofilia, necrofilo, necrofobia, necrolatria, necrólise, necrologia* [F.: Do gr. *nekrós, oû.*]

necrobiose (ne.cro.bi.*o*.se) ***sf.*** Morte celular que se processa lentamente em um organismo vivo [F.: *necr(o)-* + *-biose.*]

necrobiótico (ne.cro.bi.*ó*.ti.co) ***a.*** Ref. a necrobiose [F.: *necrobi(ose)* + *-ótico*, seg. o mod. erudito.]

necrodulia (ne.cro.du.*li*.a) ***sf.*** 1 Culto consagrado aos mortos 2 Culto que os chineses rendem aos seus antepassados [F.: *necr(o)-* + *-dulia.*]

necrofagia (ne.cro.fa.*gi*.a) ***sf.*** Condição ou característica de necrófago, daquele que se alimenta de animais mortos [F.: *necrófago* + *-ia*[1].]

necrófago (ne.*cró*.fa.go) ***a.*** 1 Diz-se daquele que se alimenta de cadáveres ***sm.*** 2 Aquele que se alimenta de cadáveres [F.: Do gr. *nekrophágos, os, on.*]

necrofilia (ne.cro.fi.*li*.a) ***sf.*** 1 *Psiq.* Perversão em que se verifica qualquer tipo de atração sexual por cadáver 2 Violação de cadáver [F.: *necr(o)-* + *-filia*[1].]

necrofílico (ne.cro.*fi*.li.co) ***a.*** Referente a necrofilia [F.: *necrofilia* + *-ico*[2].]

necrófilo (ne.*cró*.fi.lo) ***a.*** 1 *Psi.* Diz-se de indivíduo que tem a perversão da necrofilia ***sm.*** 2 *Psi.* Esse indivíduo [F.: *necr(o)-* + *-filo*[1].]

necrofobia (ne.cro.fo.*bi*.a) ***sf.*** *Psiq.* Pavor à morte ou aos mortos [F.: *necr(o)-* + *-fobia.*]

necrofóbico (ne.cro.*fó*.bi.co) *Psiq.* ***a.*** 1 Ref. a necrofobia 2 Diz-se de indivíduo que sofre de necrofobia; NECRÓFOBO ***sm.*** 3 *Psiq.* Esse indivíduo; NECRÓFOBO [F.: *necrofobia* + *-ico*[2].]

necrófobo (ne.*cró*.fo.bo) ***a.*** ***sm.*** *Psiq.* O mesmo que *necrofóbico* (2 e 3) [F.: *necr(o)-* + *-fobo.*]

necrólatra (ne.*cró*.la.tra) ***a2g.*** Aquele ou aquela que se dedica à necrolatria [F.: *necr(o)-* + *-latra.*]

necrolatria (ne.cro.la.*tri*.a) ***sf.*** Culto dos mortos [F.: *necr(o)-* + *-latria.*]

necrólise (ne.*cró*.li.se) ***sf.*** Desintegração do tecido animal [F.: *necr(o)-* + *-lise.*]

necrologia (ne.cro.lo.*gi*.a) ***sf.*** 1 Documento, livro ou parte de livro em que se listam os mortos; NECROLÓGIO 2 Seção de jornal que publica anúncio ou conjunto de anúncios sobre óbitos [F.: *necr(o)-* + *-logia.*]

necrológico (ne.cro.*ló*.gi.co) ***a.*** Ref. a necrológio ou a necrologia [F.: *necrologia* + *-ico*[2].]

necrológio (ne.cro.*ló*.gi:o) ***sm.*** 1 Notícia impressa sobre o falecimento de alguém 2 Elogio, oral ou escrito, a pessoa falecida 3 Relação de óbitos [F.: *necr(o)-* + *-lógio.*]

necromancia (ne.cro.man.*ci*.a) ***sf.*** 1 Arte de evocar os mortos ou predição do futuro mediante esse contato 2 Feitiçaria, magia negra [F.: Do gr. *nekromanteía, as.* Tb. *nigromancia* (var. pop.).]

necromante (ne.cro.*man*.te) ***s2g.*** Aquele ou aquela que pratica a necromancia [F.: Do gr. *nekrómantis, eos.* Tb. *nigromante* (var. pop.).]

necromântico (ne.cro.*mân*.ti.co) ***a.*** Ref. a necromancia ou a necromante [F.: *necromante* + *-ico*[2]. Tb. *nigromântico* (var. pop.).]

necrópole (ne.*cró*.po.le) ***sf.*** 1 Em cidades antigas, local em que se sepultavam os mortos 2 Qualquer local destinado ao sepultamento dos mortos; CEMITÉRIO [F.: Do gr. *nekrópolis, eos.*]

necropsia (ne.crop.*si*.a) ***sf.*** *Med. leg.* Exame meticuloso de um cadáver com o fim de se determinar a hora e a causa da morte; AUTÓPSIA [F.: *necr(o)-* + *-opsia.* Tb. *necrópsia.*]

necrópsia (ne.*cróp*.si:a) ***sf.*** Ver *necropsia*

necropsiar (ne.crop.si.*ar*) ***v.*** ***td.*** Fazer necrópsia em; AUTOPSIAR [▶ 1 necropsiar] [F.: *necropsia* ou *necrópsia* + *-ar*[2]. Hom./Par.: *necropsia* (fl.), *necropsia* (sf.); *necropsias* (fl.), *necropsias* (pl. do sf.).]

necrosado (ne.cro.*sa*.do) ***a.*** Que sofreu necrose, que gangrenou [F.: Part. de *necrosar.*]

necrosante (ne.cro.*san*.te) ***a2g.*** Que necrosa; que causa necrose; NECROTIZANTE [F.: *necrosar* + *-nte.*]

necrosar (ne.cro.*sar*) ***v.*** *Med.* Causar ou sofrer necrose; GANGRENAR; NECROTIZAR [***td.***: *O curativo mal colocado necrosou a ferida.*] [***int.***: *O ferimento necrosou.*] [▶ 1 necrosar] [F.: *necrose* + *-ar*[2]. Hom./Par.: *necrose* (fl.), *necrose* (sf.); *necroses* (fl.), *necroses* (pl. do sf.).]

necroscopia (ne.cros.co.*pi*.a) ***sf.*** *Med. leg.* O mesmo que *autópsia* (1) [F.: *necr(o)-* + *-scopia.*]

necroscópico (ne.cros.*có*.pi.co) ***a.*** Ref. a necroscopia [F.: *necroscopia* + *-ico*[2].]

necrose (ne.*cro*.se) ***sf.*** *Pat.* Alteração ou conjunto de alterações morfológicas que indica a morte celular de um tecido orgânico [F.: Do gr. *nékrosis, eos.* Hom./Par.: *necrose* (sf.), *necrose* (fl. de *necrosar*).]

necrotério (ne.cro.*té*.ri:o) ***sm.*** Local, edifício ou instituição onde se guardam cadáveres para identificação ou autópsia; MORGUE [F.: *necr(o)-* + *-tério*[1].]

necrótico (ne.*cró*.ti.co) ***a.*** Ref. a necrose [F.: Do gr. *nekrotikós, é, ón*, 'que leva à morte'.]

necrotizante (ne.cro.ti.*zan*.te) ***a2g.*** Que produz necrose, que necrotiza; NECROSANTE [F.: *necrotizar* + *-nte.*]

necrotizar (ne.cro.ti.*zar*) ***v.*** O mesmo que *necrosar* [***td.***] [***int.***] [F.: De *necrótico* + *-izar*, seg. o mod. gr.]

nectandra (nec.*tan*.dra) ***sf.*** Gênero de árvores tropicais da fam. das lauráceas, de folhas nevadas e flores paniculadas, algumas de madeira muito resistente, outras us. com fins medicinais [F.: Do lat. cient. *Nectandra.*]

néctar (*néc*.tar) ***sm.*** 1 *Mit.* Bebida dos deuses do Olimpo e que, de acordo com o mito, imortalizava-os 2 *P. ext.* Qualquer bebida particularmente saborosa 3 *Bot.* Líquido adocicado produzido pelos nectários das plantas e colhido esp. por diversos insetos, inclusive as abelhas, que o utilizam para fazer o mel [F.: Do lat. *nectar, is.*]

◎ **nectar(i)-** ***el. comp.*** = 'néctar': *nectarífero, nectarina, nectarívoro.* [F.: Do gr. *néktar, aros*, 'a bebida dos deuses'; 'o vinho', pelo lat. *nectar, is.*]

nectarina (nec.ta.*ri*.na) *Bot.* ***sf.*** 1 Variedade de pessegueiro (*Prunus persica* var. *nucipersica*). 2 O fruto dessa árvore, de casca lisa e sem penugem, caroço não aderente e polpa muito macia [F.: *nectar(i)-* + *-ina*[1].]

nectário (nec.*tá*.ri:o) ***sm.*** *Bot.* Órgão vegetal glandular, ger. localizado na flor, e que segrega o néctar [F.: *nectar(i)-* + *-io*[3].]

nectarívoro (nec.ta.*rí*.vo.ro) ***a.*** Diz-se de ser, esp. inseto, que se alimenta de néctar [F.: *nectar(i)-* + *-voro.*]

nécton (*néc*.ton) ***sm.*** *Biol.* Nome genérico dos seres marítimos que vivem na água e possuem capacidade de locomoção [Pl.: *nécton, néctones.*] [F.: Do gr. *nektos, e, on.*]

nectônico (nec.*tô*.ni.co) ***a.*** Ref. a nécton [F.: *nécton* + *-ico*[2].]

nectópode (nec.*tó*.po.de) ***a2g.*** 1 *Zool.* Que tem pés ou apêndices achatados e membranosos, próprios para nadar ***sm.*** 2 Animal que apresenta essa característica [F.: *nect(o)-* + *-pode.*]

nédio (*né*.di:o) ***a.*** 1 Que tem lustre, que reluz; LUZIDIO 2 Diz-se de quem tem pele gordurosa e, por isso, meio brilhante [F.: Do lat. *nitidus, a, um.*]

neerlandês (ne.er.lan.*dês*) ***a.*** 1 Ref. aos Países Baixos ou ao seu povo; HOLANDÊS ***a.*** 2 Dos Países Baixos, típico desse país ou de seu povo: "... ombreando também com o louro olhiazul, pássaro de outras ninhagens, tributo neerlandês, pago ao Nordeste..." (Guimarães Rosa, "Pé-duro, chapéu de couro" *in Ave, Palavra*) ***sm.*** 3 *Ling.* Língua falada nos Países Baixos, o mesmo que *holandês* [Cf. *flamengo.*] [F.: Do fr. *néerlandais.* Sin. ger: *holandês.*]

nefalismo (ne.fa.*lis*.mo) ***sm.*** Abstinência total de bebidas alcoólicas; ABSTEMIA [F.: Do gr. médio *nephalismós.*]

nefalista (ne.fa.*lis*.ta) ***a2g.*** 1 Ref. a nefalismo 2 Que pratica o nefalismo ***s2g.*** 3 Aquele ou aquela que pratica o nefalismo; ABSTÊMIO [F.: *nefalismo* + *-ista.*]

nefanálise (ne.fa.*ná*.li.se) ***sf.*** 1 *Met.* Processo de obtenção de informações meteorológicas a partir de imagens de nuvens colhidas por satélites, com as quais faz-se a previsão do tempo 2 *Met.* O mapa que se obtém a partir dessas imagens [F.: *nef-*, f. red. do rad. gr. *nephéle*, 'nuvem', + *análise.*]

nefando (ne.*fan*.do) ***a.*** 1 Que nem se deve mencionar, por ser abominável (crime nefando); EXECRÁVEL 2 Que é impiedoso e despreza a religião; ÍMPIO; SACRÍLEGO 3 De natureza violenta; MALVADO; PERVERSO 4 Pervertido, moralmente degradado; CORRUPTO [F.: Do lat. *nefandus, a, um.*]

nefasto (ne.*fas*.to) ***a.*** 1 Que causa malefícios ou prejuízos; DANOSO; DANINHO 2 Diz-se do que evoca a morte; FUNESTO; SINISTRO 3 De mau agouro, que traz má sorte; AGOURENTO; INFAUSTO [F.: Do lat. *nefastus, a, um.*]

◎ **nefeli-** ***el. comp.*** = 'nuvem': *nefelibata* ou *nefelíbata, nefelometria, nefelômetro.* [F.: Do gr. *nephéle, es.*]

nefelibata (ne.fe.li.*ba*.ta) ***a2g.*** 1 *Fig.* Diz-se de quem vive nas nuvens, fora da realidade 2 *P. ext.* Diz-se de quem é fantasioso ou extremamente idealista 3 *Pej.* Diz-se de escritor alambicado, precioso ***s2g.*** 4 *Fig.* Aquele que vive nas nuvens, fora da realidade 5 *Fig.* Aquele que é fantasioso ou extremamente idealista 6 *Pej.* Escritor alambicado, precioso [F.: *nefeli-* + *-bata*[1]. Tb. *nefelíbata.*]

nefelibático (ne.fe.li.*bá*.ti.co) ***a.*** Ref. a, ou próprio de nefelibata [F.: *nefelibata* ou *nefelíbata* + *-ico*[2].]

nefelibatismo (ne.fe.li.ba.*tis*.mo) ***sm.*** 1 Condição de nefelibata 2 *Liter.* Tendência de um escritor a não seguir as normas literárias 3 *Fig.* Tendência a fugir da realidade [F.: *nefelibata* ou *nefelíbata* + *-ismo.*]

◎ **nefel(o)-** ***el. comp.*** Ver *nefel(i)-*

nefelometria (ne.fe.lo.me.*tri*.a) ***sf.*** *Quím.* Método para avaliar a quantidade de precipitação em uma solução por meio da comparação desta com outra solução cuja precipitação é conhecida [F.: *nefel(o)-* + *-metria*[1].]

nefelométrico (me.lo.*mé*.tri.co) ***a.*** *Quím.* Ref. a nefelometria [F.: *nefelometria* + *-ico*[2].]

nefelômetro (ne.fe.*lô*.me.tro) ***sm.*** *Quím.* Aparelho empregado no doseamento das substâncias para análise nefelométrica [F.: *nefel(o)-* + *-metro.*]

◎ **nefo-** ***el. comp.*** = 'nuvem': *nefoscopia, nefoscópio, nefologia.* [F.: Do gr. *néphos, eos-ous.*]

nefoscopia (ne.fos.co.*pi*.a) ***sf.*** *Met.* Estudo da distribuição e movimento das nuvens por meio do nefoscópio [F.: *nefo-* + *-scopia.*]

nefoscópico (ne.fos.*có*.pi.co) ***a.*** *Met.* Ref. a nefoscopia ou a nefoscópio [F.: *nefoscopia* + *-ico*[2].]

nefoscópio (ne.fos.*có*.pi:o) ***sm.*** *Met.* Instrumento que determina a direção e a velocidade das nuvens em movimento [F.: *nefo-* + *-scópio.*]

nefralgia (ne.fral.*gi*.a) ***sf.*** *Med.* Dor na região dos rins, num deles ou nos dois [F.: *nefr(o)-* + *-algia.*]

nefrectasia (ne.frec.ta.*si*.a) ***sf.*** *Urol.* Dilatação do rim [F.: *nefr(o)-* + *-ectasia.*]

nefrectásico (ne.frec.*tá*.si.co) ***a.*** *Urol.* Ref. a nefrectasia [F.: *nefrectasia* + *-ico*[2].]

nefrectomia (ne.frec.to.*mi*.a) ***sf.*** *Cir.* Remoção cirúrgica de um rim [F.: *nefr(o)-* + *-ectomia.*]

nefresclerose (ne.fres.cle.*ro*.se) ***Sf.*** Ver *nefroesclerose*

nefrético (ne.*fré*.ti.co) ***a.*** *Urol.* Ref. ou pertencente aos rins ou próprio deles [F.: *nefr(o)-* + *-ético.*]

nefrídio (ne.*frí*.di.o) ***sm.*** 1 *Zool.* Órgão excretor de alguns invertebrados, formado por longo tubo, que faz a ligação do celoma com o exterior do corpo, e que corresponde ao rim nos vertebrados 2 *Emb.* Tubo embriônico que dá origem ao rim 3 Gordura localizada em volta dos rins [F.: Do gr. *nephrídios, a, on.*]

nefrite (ne.*fri*.te) *Urol.* ***sf.*** 1 Inflamação renal 2 *P. ext.* Qualquer afecção renal; NEFROPATIA [F.: *nefr(o)-* + *-ite*[1].]

nefrítico (ne.*frí*.ti.co) *Urol.* ***a.*** 1 Ref. a nefrite 2 Que sofre de nefrite ***sm.*** 3 *Urol.* Aquele que tem essa enfermidade [F.: *nefrite* + *-ico*[2].]

◎ **-nefr(o)-** ***el. comp.*** Ver *nefr(o)-*

◎ **nefr(o)-** ***el. comp.*** = 'rim': *nefralgia, nefrectasia, nefrectomia, nefrídio* (< gr.), *nefrite, nefrologia, nefropatia; epinefrina; mesônefro, prônefro* [F.: Do gr. *nephrós, oû.*]

nefro (*ne*.fro) ***sm.*** *P. us. Fisl.* Ver *néfron.*

nefroesclerose (ne.fro.es.cle.*ro*.se) ***sf.*** *Urol.* Esclerose do rim causada por hipertensão e contração do tecido conjuntivo [F.: *nefr(o)-* + *esclerose.* Tb. *nefresclerose.*]

nefrólise (ne.*fró*.li.se) ***sf.*** 1 *Urol.* Perda de substância renal por dissolução causada por agente tóxico 2 *Cir. Urol.* Cirurgia para liberar o rim de aderências resultantes de processos inflamatórios [F.: *nefr(o)-* + *-lise.*]

nefrolitotomia (ne.fro.li.to.to.*mi*.a) ***sf.*** *Cir. Urol.* Incisão cirúrgica no rim para extração de cálculos renais [F.: *nefr(o)-* + *-lit(o)-* + *-tomia.*]

nefrologia (ne.fro.lo.*gi*.a) ***sf.*** Ramo da medicina, esp. da urologia, que se dedica ao estudo da fisiologia dos rins e de suas patologias [F.: *nefr(o)-* + *-logia.*]

nefrológico (ne.fro.*ló*.gi.co) ***a.*** *Urol.* Ref. a nefrologia [F.: *nefr(o) logia* + *-ico*[2].]

nefrologista (ne.fro.lo.*gis*.ta) ***s2g.*** *Urol.* Médico, ou médica, que se especializou em nefrologia; NEFRÓLOGO [F.: *nefrologia* + *-ista.*]

nefrólogo (ne.*fró*.lo.go) ***sm.*** *Urol.* O especialista em nefrologia; NEFROLOGISTA [F.: *nefr(o)-* + *-logo.*]

nefroma (ne.*fro*.ma) ***sm.*** *Urol.* Tumor que se forma no rim [F.: *nefr(o)-* + *-oma*[1].]

néfron (*né*.fron) ***sm.*** *Fisl.* Unidade funcional mais elementar do rim [Pl.: *néfrons* e *néfrones.*] [F.: Do ing. *nephron*, do gr. *nephrós, oû.* Tb. *nefro* (p. us.).]

nefropata (ne.fro.*pa*.ta) ***a2g.*** 1 *Urol.* Que sofre de doença nos rins (paciente nefropata) ***s2g.*** 2 *Urol.* Aquele ou aquela que sofre de doença nos rins [F.: *nefr(o)-* + *-pata.*]

nefropatia (ne.fro.pa.*ti*.a) ***sf.*** *Pat. Urol.* Qualquer doença renal; NEFRITE [F.: *nefr(o)-* + *-patia.*]

nefropático (ne.fro.*pá*.ti.co) *Urol.* ***a.*** 1 Ref. a nefropatia 2 Diz-se de agente causador de nefropatia [F.: *nefropatia* + *-ico*[2].]

nefroplegia (ne.fro.ple.*gi*.a) ***sf.*** *P. us. Urol.* Paralisia dos rins [F.: *nefr(o)-* + *-plegia.*]

nefroplégico (ne.fro.*plé*.gi.co) *P. us. Urol.* ***a.*** 1 Ref. a nefroplegia 2 Que sofre de nefroplegia ***sm.*** 3 *Urol.* Aquele que apresenta nefroplegia [F.: *nefroplegia* + *-ico*[2].]

nefrorragia (ne.for.ra.*gi*.a) ***sf.*** *Urol.* Hemorragia renal, que se mostra na urina [F.: *nefr(o)-* + *-rragia.*]

nefrorrágico (ne.fror.*rá*.gi.co) *Urol.* ***a.*** 1 Ref. a nefrorragia 2 Que apresenta nefrorragia ***sm.*** 3 *Urol.* Aquele que está com nefrorragia [F.: *nefrorragia* + *-ico*[2].]

nefrosclerose (ne.fros.cle.*ro*.se) ***sf.*** *Urol.* Ver *nefroesclerose*

nefrose (ne.*fro*.se) ***sf.*** *Urol.* Doença degenerativa de um rim, ou de ambos [F.: *nefr(o)-* + *-ose*[1].]

nefrótico (ne.*fró*.ti.co) *Urol.* ***a.*** 1 Ref. a nefrose 2 Que sofre de nefrose ***sm.*** 3 *Urol.* Aquele que sofre de nefrose [F.: *nefr(ose)* + *-ótico*, seg. o mod. gr.]

nefrotomia (ne.fro.to.*mi*.a) ***sf.*** *Cir.* Incisão cirúrgica no rim [F.: *nefr(o)-* + *-tomia.*]

nefrotômico (ne.fro.*tô*.mi.co) ***a.*** *Urol.* Ref. a nefrotomia [F.: *nefrotomia* + *-ico*[2].]

nefrotóxico (ne.fro.*tó*.xi.co) [cs.] ***a.*** 1 *Urol.* Diz-se de substância que tem efeito tóxico sobre o rim ou que destrói as células renais ***sm.*** 2 *Urol.* Essa substância [F.: *nefr(o)-* + *-tóxico.*]

nefrotoxidade (ne.fro.to.xi.*da*.de) *sf. Urol.* Ver *nefrotoxicidade*

nega (*ne*.ga) *sf.* **1** *P. us.* Ação ou resultado de negar; NEGATIVA **2** *P. us.* Ação ou resultado de recusar; ESCUSA **3** *P. us. Est.* Ausência de aptidão ou adequação: *Tem nega para o desenho.* **4** Malogro em qualquer experiência ou realização **5** *Carp.* Ponto que representa o limite de penetração de uma cunha percutida por instrumento de carpintaria **6** *Lud.* Em jogo de sinuca, fato de a bola branca entrar em caçapa, ou de qualquer bola cair fora da mesa, punível com ponto a favor do adversário, o mesmo que suicídio (3) **7** Justificativa ou desculpa falsa; EVASIVA **8** Falha no acendimento de mecha de explosivo [F.: Regr. de *negar*. Hom./Par.: *nega* (fl. *negar*); *nega* (ê) (*sf.*).] ■ **Dar ~** *Cons.* Atingir (estaca) a nega (5), o ponto máximo de penetração

negaça (ne.*ga*.ça) *sf.* **1** Ação ou resultado de negacear, seduzir com falsas negativas; PROVOCAÇÃO; SEDUÇÃO **2** Artifício com que se engana, se logra alguém; ESTRATAGEMA; ARDIL **3** Aquilo com que se procura despertar um interesse arriscado; ISCA; CHAMARIZ **4** Recusa dissimulada, por afetação ou excesso de cerimônia **5** Técnica de caça dissimulada, que procura evitar qualquer atenção da presa **6** Objeto semelhante a uma ave e us. no adestramento de falcões [F.: Dev. de *negacear.*]

negação (ne.ga.*ção*) *sf.* **1** Ação ou resultado de negar, de recusar **2** Qualquer maneira de negar, de não aceitar algo; NEGATIVA; RECUSA: *Não esperava a negação da moça.* **3** Falta de aptidão, de capacidade para fazer algo: *Negação para a dança/para o futebol.* **4** *Gram.* Todo tipo de construção que serve para negar ou recusar; NEGATIVA [Ant.: *afirmativa.*] **5** *Lóg.* Enunciado pelo qual se nega uma proposição anterior, em que se afirma **6** *Psic.* Conceito freudiano que designa o fato de uma pessoa formular desejos ou emoções até então recalcados sem deixar de se defender deles ao negar que sejam seus [Pl.: *-ções.*] [F.: Do lat. *negatio, onis.* Ideia de 'negação': a(n)- (analfabeto), de- (decodificação), des- (desmontar), dis- (dissimetria), in- (intransigente), trans- (trânsfuga).] ■ **~ do antecedente** *Lóg.* Falácia em uma relação lógica decorrente de indevida projeção no consequente da negação do antecedente [P. ex.: *Se eu estudar, tirarei boa nota* não resulta necessariamente em *Se eu não estudar, não tirarei boa nota.*] **~ do consequente** *Lóg.* Falácia em uma relação lógica decorrente de indevida projeção no antecedente da negação do consequente [P. ex.: *Se eu estudar, tirarei boa nota* não resulta necessariamente em *Como não tirei boa nota, não estudei.*] **Ser a ~ de** **1** Não ter nenhuma das características de aptidão, temperamento etc. próprias a (quem exerce determinado tipo de atividade): *Orgulha-se de ser a negação da dona de casa.* **2** Não ter, por completo, determinada qualidade, sentimento etc.: *Seu comportamento é a negação da solidariedade.* **Ser uma ~ (em)** Não ter aptidão (para) [Ger. + *em* com indicação daquilo para o que não se tem aptidão: *Ele é uma negação no tênis.*]

negaceado (ne.ga.ce.*a*.do) *a.* **1** Que se negaceou; em que há negaça **2** Diz-se de quem foi alvo de sedução ou engodo; seduzido, enganado [F.: Part. de *negacear.*]

negacear (ne.ga.ce.*ar*) *v.* **1** Usar recursos para atrair; PROVOCAR [*td.*: *Negaceia os rapazes e depois foge.*] **2** Enganar, iludir [*tr.* + *com*: *Negaceava com os outros jogadores.*] **3** Mover-se com habilidade, confundindo o olhar do outro [*int.*: *O atacante negaceou diante do goleiro e depois chutou.*] **4** Não dar, não conceder; RECUSAR [*tdi.* + *a*: *Ele sempre negaceia socorro às pessoas carentes.*] **5** Fazer negaças [*int.*: *O cavalo negaceou.*] [▶ **13 negacear**] [F.: *negaça* + *-ear²*.]

negacionista (ne.ga.ci.o.*nis*.ta) *a2g.* **1** Que demonstra sentimento ou tendência ao negativismo, *negativista* *s2g.* **2** Pessoa que apresenta esse sentimento [F.: negação, sob a f. *negacion-* + *-ista.*]

negado (ne.*ga*.do) *a.* **1** Que se negou, se recusou **2** Diz-se do que foi desautorizado; RECUSADO [Ant.: *aceito*] [F.: Part. de *negar.*]

negador (ne.ga.*dor*) [ô] *a.* **1** Que nega *sm.* **2** Aquele que nega [F.: *negar* + *-dor.*]

negalho (ne.*ga*.lho) *sm.* **1** Pequeno novelo de linha us. em trabalhos de costura; MADEIXA **2** Barbante, fita ou cordão para atar ou ligar alguma coisa; ATILHO; NAGALHO: "As nóminas pô-las Brízida ao peito, presas por um negalho..." (Aquilino Ribeiro, *O Malhadinhas*) **3** *Fig.* Pequena porção de alguma coisa; MIGALHA **4** *Fig.* Indivíduo pequeno, baixinho [F.: Do port. medv. *legalho.*]

negamento (ne.ga.*men*.to) *sm. P. us.* Ação ou resultado de negar, mesmo que *negação* [F.: *negar* + *-mento.*]

negar (ne.*gar*) *v.* **1** Dizer não, deixar de oferecer ou permitir; RECUSAR [*td.*: *Sempre nega os pedidos que lhe fazem.*] [*tdi.* + *a*: *Não nega ajuda a ninguém.*] **2** Dizer que algo não é verdadeiro; DESMENTIR [*td.*: *O rapaz negou tudo/que tivesse estado no local.* Ant.: *afirmar, confirmar.*] **3** Não reconhecer, contestar [*td.*: *Sempre negou a autoridade paterna.* Ant.: *aceitar.*] **4** Abjurar, repudiar [*td.*: *Supliciado, negou até suas convicções.*] **5** Não dar permissão; PROIBIR [*tdi.* + *a*: *Negou a prioridade à mulher grávida.*] **6** Manter em segredo, esconder [*td.*: *Negava a ascendência ianque.*] [*tdi.* + *a*: *Negava aos amigos sua opção pela medicina.*] **7** Evitar, esquivar-se a [*tdi.* + *a*: *Negava-se a colaborar com a colonização.*] **8** *Lud.* Em diversos jogos de baralho, não jogar a carta requerida [*td.*] [▶ **14 negar**] [F.: Do v.lat. *negare*. Hom./Par.: *nega* (fl.), *nega* (sf.); *negas* (fl.), *negas* (pl. do sf.); *nego* (fl.), *nego* (a. sm.); *negáveis* (fl.), *negáveis* (pl. de *negável* [a2g.]).]

negativa (ne.ga.*ti*.va) *sf.* **1** Ação ou resultado de negar; NEGAÇÃO; RECUSA **2** Resposta em sentido contrário; NEGAÇÃO **3** *Gram.* Palavra que expressa reação negativa **4** *Bras. Cap.* Movimento que o capoeirista utiliza para fugir de um golpe, abaixando o corpo e apoiando-se numa das mãos, com uma perna estendida e a outra flexionada [F.: Fem. substv. de *negativo.*] ■ **~ invertida** *Bras. Cap.* Nas capoeiras, o golpe da negativa (4) invertido, esquivando-se pelo lado oposto

negativação (ne.ga.ti.va.*ção*) *sf.* Ação ou resultado de negativar, de tornar negativo (p. ex., uma corrente elétrica) [Pl.: *-ções.*] [F.: *negativar* + *-ção.*]

negativar (ne.ga.ti.*var*) *v. td.* Tornar negativo (p. ex.: uma corrente elétrica) [▶ **1 negativar**] [F.: *negativo* + *-ar²*. Hom./Par. *negativa* (fl.), *negativa* (sf.); *negativas* (fl.), *negativas* (pl. do s. f.); *negativo* (fl.), *negativo* (adj. s. m.).]

negatividade (ne.ga.ti.vi.*da*.de) *sf.* **1** Qualidade do que é negativo, do que exprime ausência ou recusa **2** *Elet.* Propriedade de um corpo carregado de eletricidade negativa **3** *Fil.* A natureza da antítese, segundo a filosofia do alemão Hegel (1770-1831) **4** *Mat.* Qualidade que é própria das grandezas negativas [F.: *negativo* + *-(i)dade.*]

negativismo (ne.ga.ti.*vis*.mo) *sm.* **1** Atitude sistematicamente negativa **2** *Psi.* Comportamento doentio, de recusa a qualquer solicitação [F.: *negativo* + *-ismo.*]

negativista (ne.ga.ti.*vis*.ta) *a2g.* **1** Que é, tende ou é dado ao negativismo **2** Próprio do negativismo *s2g.* **3** Aquele que tende ou é dado ao negativismo [F.: *negativo* + *-ista.*]

negativizar (ne.ga.ti.vi.*zar*) *v. td.* O mesmo que *negativar* [▶ **1 negativizar**] [F.: *negativo* + *-izar.*]

negativo (ne.ga.*ti*.vo) *a.* **1** Que exprime ou envolve negação (proposição negativa) [Ant.: *afirmativo.*] **2** Que implica recusa ou abstenção (pensamento negativo); PESSIMISTA [Ant.: *positivo.*] **3** Que tem efeitos ruins ou prejudiciais; MALÉFICO: *A medida teve efeitos negativos.* [Ant.: *positivo.*] **4** Que se mostra limitado, contraproducente; RESTRITIVO; COIBITIVO: "Um partido, enfim, de índole estreita, acanhadamente político-eleitoral, mais negativo que afirmativo." (Guerra Junqueiro, *Pátria*) **5** *Gram.* Diz-se de partícula, palavra, construção que dá a vocábulo ou sentença o sentido da negação (prefixo negativo) **6** *Mat.* Inexistente, menor que zero (saldo negativo) [Ant.: *positivo.*] **7** *Met.* Diz-se de temperatura inferior a zero **8** Cujo resultado não confirma a hipótese de trabalho: *O teste acabou sendo negativo.* **9** *Jur.* Diz-se de documento que atesta a ausência de ônus do interessado (certidão negativa) *sm.* **10** *Fot.* Filme revelado ainda em celuloide, em que os tons claros aparecem escuros e vice-versa [Cf.: *diapositivo.*] *adv.* **11** Resposta equivalente ao não: *Alguma pista do criminoso? – Negativo. Nem um fio de cabelo.* [F.: Do lat. *negativus, a, um.*] ■ **Em ~** Com a relação de cores figura/fundo invertida, como num negativo (10) fotográfico

negatório (ne.ga.*tó*.ri.o) *sf.* **1** *Jur.* Que serve para negar (ação judicial negatória) **2** *Jur.* Diz-se da ação intentada contra terceiros para declaração de domínio pleno de um imóvel [F.: Do lat. *negatorius, a, um.*]

negável (ne.*gá*.vel) *a2g.* Que pode ou deve ser negado [Pl.: *-veis.*] [F.: *negar* + *-vel.* Hom./Par.: *negáveis* (pl.) *negáveis* (fl. de *negar*).]

negligê (ne.gli.*gê*) *sm. Vest.* Robe ger. de seda ou tecido fino, às vezes rendado, us. na intimidade por mulheres [F.: Do fr. *negligé.*]

negligência (ne.gli.*gên*.ci:a) *sf.* **1** Descuido no cumprimento de tarefas ou obrigações **2** Maneira desatenta e negligente de fazer as coisas; DESLEIXO; DESMAZELO **3** Falta de motivação, de interesse; INDOLÊNCIA; DESINTERESSE [F.: Do lat. *negligentia, ae.*]

negligenciado (ne.gli.gen.ci.*a*.do) *a.* Que se negligenciou; que foi tratado com desleixo ou deixado de lado [F.: *negligenciar* + *-ado.*]

negligenciar (ne.gli.gen.ci:*ar*) *v. td.* Cuidar mal de ou não cuidar: *O menino negligenciou os estudos.* [▶ **1 negligenciar**] [F.: *negligência* + *-iar.* Hom./Par.: *negligencia(s)* (fl.), *negligência(s)* (sf. [pl.]).]

negligenciável (ne.gli.gen.ci.*á*.vel) *a.* Que pode ser negligenciado, que não há necessidade de considerar: *Esses dados são negligenciáveis para a análise do caso.* [F.: *negligenciar* + *-vel*; *Hom./Par.*: *negligenciáveis* (pl.) (flex. de *negligenciar*).]

negligente (ne.gli.*gen*.te) *a2g.* **1** Que mostra negligência, desleixo; DESLEIXADO; DESCUIDADO [Ant.: *aplicado.*] **2** *Fig.* Que faz as coisas com lentidão; LERDO; PREGUIÇOSO [Ant.: *ágil, diligente.*] *s2g.* **3** Aquele que mostra negligência, desleixo; DESLEIXADO; DESCUIDADO **4** *Fig.* Aquele que faz as coisas com lentidão; LERDO; PREGUIÇOSO [F.: Do lat. *negligens, entis.*]

negligível (ne.gli.*gí*.vel) *a2g.* **1** *Fís. Mat.* Diz-se daquilo que pode ser desconsiderado (refere-se esp. a valores ou quantidades tão ínfimos que podem ser desprezados) **2** *P. ext.* Insignificante, desprezível [Pl.: *-veis.*] [F.: Do ing. *negligible.*]

nego (*ne*.go) [ê] *Bras. Pop. sm.* **1** Pessoa qualquer, indeterminada; CARA; CAMARADA: *Tem nego que só quer sombra e água fresca.* [Como 'neguinho', 'nego' é us. no Brasil, popularmente, como pron. indef., equivalente ao 'on' do fr., ao 'one' do ing. e ao 'man' do al.: *Cheguei e nego veio logo me dizendo para sair dali.*] **2** Forma de tratamento carinhosa: *Já vai, meu nego?* **3** Pessoa de pele negra: "Nega do cabelo duro/ qual é o pente que te penteia..." (Rubens Soares e Davi Násser, *Nega do Cabelo Duro*) [F.: F. sinc. de *negro*. Hom./Par.: *nego* (ê) (fl. de *negar*).]

negociabilidade (ne.go.ci.a.bi.li.*da*.de) *sf.* Qualidade ou característica do que é negociável [F.: *negociável* + *-(i)dade*, seg. o mod. erudito. Ant.: *inegociabilidade.*]

negociação (ne.go.ci:a.*ção*) *sf.* **1** Ação ou resultado de negociar **2** Transação comercial; NEGÓCIO **3** Busca de conciliação em torno de tema controverso **4** Entendimento jurídico, político (entre partidos, tendências) ou diplomático (entre países, governantes), com o objetivo de fazer acordos reciprocamente satisfatórios [Pl.: *-ções.*] [F.: Do lat. *negotiatio, onis.*]

negociado (ne.go.ci.*a*.do) *a.* **1** Que se negociou; diz-se de algo em torno do qual foi feito um negócio: *O terreno foi negociado por um preço bem aquém de seu valor real.* **2** Que foi ajustado, acertado: *Um acordo foi negociado com o grupo dos insatisfeitos.* **3** *P. us.* Diz-se de quem é prático em negócios; que tem experiência de fazer negócios [F.: Part. de *negociar.*]

negociador (ne.go.ci:a.*dor*) [ô] *a.* **1** Que se incumbe de negociar **2** *Jur.* Que é legalmente responsável pelos negócios de uma pessoa física ou jurídica, ou por negociações em benefício desta **3** *Pol.* Que é responsável pela negociação entre países ou governos *sm.* **4** Aquele que se incumbe de negociar **5** *Jur.* Aquele que é legalmente responsável pelos negócios de uma pessoa física ou jurídica, ou por negociações em benefício desta **6** *Pol.* Aquele que é responsável pela negociação entre países ou governos [F.: Do lat. *negotiator, oris.*]

negociante (ne.go.ci:*an*.te) *s2g.* Aquele que vive dos negócios, de qualquer tipo de comércio; COMERCIANTE; EMPRESÁRIO; MERCADOR [F.: Do lat. *negotians, antis.*]

negociar (ne.go.ci.*ar*) *v.* **1** Realizar transação comercial; comprar ou vender [*td.*: *negociar comestíveis.*] [*tr.* + *com*: *Vende mais barato porque negocia direto com o produtor.*] **2** Manter relações comerciais, financeiras etc. [*tr.* + *com*: *negociar com a América Latina.*] **3** *Fig.* Fazer acordo acerca de; COMBINAR [*td.*: *Vamos negociar as condições.*] [*tdr.* + *com*: *Vamos negociar as condições com o vendedor.*] **4** Conduzir negociações, acordos, pactos etc. [*tr.* + *com*: *O Brasil negocia com nações asiáticas.*] **5** Agenciar, tomar providência a respeito de [*td.*: *Conseguiu negociar o preço das passagens.*] **6** Agenciar um contrato promocional [*td.*: *Negociou um anúncio na TV em horário nobre.*] **7** Degradar-se em troca de bens e interesses puramente materiais [*tdr.* + *por*: *Negociou a própria honra por uns míseros centavos.*] **8** Ajustar, celebrar [*tdr.* + *com*: *Negociou com a noiva a data do casamento.*] [▶ **1 negociar**] [F.: Do lat. **negotiare*. Ant. ger.: *desnegociar*. Hom./Par.: *negociáveis* (fl.), *negociáveis* (pl. de *negociável* [a2g.]); *negocio* (fl.), *negócio* (sm.).]

negociata (ne.go.ci:*a*.ta) *sf.* Negócio suspeito, em que há trapaça e muito ganho ilícito [F.: *negóci(o)* + *-ata.*]

negociável (ne.go.ci:*á*.vel) *a2g.* Que se pode negociar [Pl.: *-veis.*] [F.: *negocia(r)* + *-vel.*]

negócio (ne.*gó*.ci:o) *sm.* **1** Transação comercial (negócio de vinhos/de companhias aéreas) **2** Empresa, firma de comércio: *Abriu um negócio de secos e molhados.* **3** Questão a ser resolvida; PENDÊNCIA: *A família tinha negócios a discutir.* **4** Troca que seja mais ou menos vantajosa (bom/mau negócio) **5** *Bras. Pop.* Qualquer coisa ou objeto cujo nome não se sabe ou não se quer mencionar; TROÇO **6** *Bras. Fam.* Qualquer estabelecimento comercial: *Foi tomar uma pinga no negócio do Juca.* [F.: Do lat. *negotium, i.*] ■ **~ da China** Negócio muito rendoso e lucrativo; negócio da Costa da Mina **~ da Costa da Mina** *Bras.* Ver *Negócio da China* **~ de comadres** *Bras. Pop.* Mexerico, fofoca, intriga **~ de compadres** Aquele cuja intenção é favorecer alguém **~ de ocasião** Negócio vantajoso, oportuno **~ de pai para filho** *Pop.* Aquele que resulta em pouco ou nenhum lucro, talvez prejuízo **~ jurídico** Ato pelo qual uma ou mais pessoas voluntariamente se obrigam a uma prestação jurídica devidamente regulamentada (de acordo com a lei e as normas em vigor) visando a certo objetivo **Um ~** *Bras. Pop.* Us. para dizer que algo ou alguém se destaca entre os demais (por suas qualidades positivas ou negativas): *Já ouvi desafinarem, mas aquele cantor era um negócio!; A mansão era um negócio de tanto luxo.* [Pode ser complementada para dar ideia mais clara da qualidade a que se faz menção.]

negocista (ne.go.*cis*.ta) *a2g.* **1** Que costuma envolver-se em negócios escusos *s2g.* **2** Aquele ou aquela que costuma envolver-se em negócios escusos [F.: *negóc(io)* + *-ista.*]

negra (*ne*.gra) [ê] *sf.* **1** Mulher de pele negra **2** *P. ext.* Mulher escrava **3** Em jogos de vários empates, a última partida, em que se define o vencedor **4** *Lus.* Garrafa muito escura de vinho **5** *Lus.* Cardume de sardinhas [F.: Fem. subst. de *negro.*]

negra-mina (ne.gra-*mi*.na) *sf.* **1** *Angios.* Arbusto (*Trigonia crotonoides*) da fam. das trigoniáceas, de ramos cilíndricos, folhas em elipse e flores amarelas, originário da América Central; NEGRO-MINA **2** *Angios.* Arbusto (*Siparuna apiosyce*) da fam. das monimiáceas, mesmo que *erva-cidreira-do-mato* **3** *Bras. Ict.* Peixe (*Haemulon plumieri*), mesmo que *corcoroca* [Pl.: *negras-minas; negras-mina.*]

negregado (ne.gre.*ga*.do) *a.* **1** Que revela infelicidade, desgraça **2** Que é digno de misericórdia **3** Que se consegue a custa de muito esforço ou trabalho; ÁRDUO; CUSTOSO: "Caminho que vai través charnecas... e que quanto mais se percorre, mais infindável parece, o negregado!" (Fialho de Almeida, *País das uvas*) [F.: Do lat. *nigricatus, a, um.*]

negregando (ne.gre.*gan*.do) *a.* Que é negro, escuro: "... e descarregando suas iras sobre o negregando pecado social dos outros..." (Agnelo Rossi, *Teologia da libertação*) [F.: *negregar* + *-ndo.*]

negreiro (ne.*grei*.ro) *a.* **1** Ref. a negro **2** Que servia ao tráfico de escravos negros (navio negreiro) **3** *Bras. Pop.* Que tem preferência sexual por mulheres negras *sm.* **4** Aquele que era traficante de escravos negros **5** *Bras. Pop.*

Aquele que tem preferência sexual por mulheres negras [F.: *negro* + *-eiro*.]
negrejante (ne.gre.*jan*.te) *a2g*. Que negreja: que torna escuro, enegrecido [F.: *negrejar* + *-nte*.]
negrejar (ne.gre.*jar*) *v*. **1** Ser ou parecer negro [*int.*] **2** Tornar-se escuro, negro [*ti.*: *As mãos já negrejavam com o óleo.*] [*int.*: *O horizonte negrejou em pouco tempo.*] **3** Lançar escuridão ou sombra sobre [*td.*: *Faltou luz e o bairro negrejou entre gritos de excitação.*] **4** Surgir de maneira soturna, sombria [*ta.*: *A vingança negrejava-lhe no espírito.*] **5** Transmitir pavor [*int.*] **6** *N. E.* Ficar cheio, abarrotado [*tr.* + *de*: *O estádio negrejava de torcedores.*] [▶ 1 negrejar] [F.: *negro* + *-ejar*.]
negrice (ne.*gri*.ce) *sf. Pej.* Qualidade, estado ou condição de pessoa negra, *negritude*, *pretidão* [F.: *negro* + *-ice*.]
negridão (ne.gri.*dão*) *sf.* **1** Qualidade ou característica do que é negro; NEGRURA **2** Escuridão total; NEGRUME [Pl.: *-dões*.] [F.: *negro* + *-(i)dão*.]
negrinho (ne.*gri*.nho) *sm*. **1** Negro muito jovem; criança negra **2** *SP* Café simples; PRETINHO **3** *Cul.* Tipo de chouriço feito de sangue e sobras de gordura e carne de porco; CHOURIÇO MOURO **4** *Bot.* Casta de uva-tinta bastante produtiva [F.: *negro* + *-inho*.] ▪ **~ do pastoreio/ pastorejo** *Bras. RS* Ser fantástico do folclore gaúcho que ajuda as pessoas a procurarem objetos perdidos
negrismo (ne.*gris*.mo) *sm. Liter.* Movimento de vanguarda, fundamentalmente literário, de valorização do negro [Encicl.: O romancista Raul Bopp (*Cobra Norato*, 1931) e o poeta Jorge de Lima (*Poemas*, 1927, e *Novos poemas*, 1929) são representantes desse movimento no Brasil.] [F.: *negro* + *-ismo*.]
negrito (ne.*gri*.to) *a*. **1** *Art. Gr.* Diz-se de tipo de letra com traços bem mais realçados, porque mais grossos do que o comum *sm*. **2** A letra com esse realce [F.: *negro* + *-ito*[1].]
negritude (ne.gri.*tu*.de) *sf.* **1** Qualidade ou condição do que ou quem é negro **2** *Soc.* Ideologia anticolonialista de consciência negra e valorização de suas peculiaridades físicas, psicológicas, culturais [F.: Do lat. *negritudo, inis*.]
negro (*ne*.gro) [ê] *sm*. **1** A cor do carvão, do piche, do ébano; PRETO **2** Indivíduo de pele escura; PRETO **3** Escuridão, trevas: *o negro da noite*. [Dim.: *negrilho, negrote*.] *a*. **4** Que é da cor do carvão, do piche, do ébano (olhos negros) **5** Diz-se dessa cor: *pedra de cor negra*. **6** Que tem a pele escura **7** Diz-se do que é escuro, tirante a preto, cinzento; que causa sombra, que traz escuridão; tempestuoso (negras nuvens): "Pois que chuva e negros ventos me fecham a porta e o dia." (Nicolau Tolentino) **8** *Pej.* Que anuncia infortúnios; infausto; adverso, funesto (negra sina, negro fado): *Um negro destino o aguardava.* **9** Que se acha sujo, encardido: *As crianças voltaram da rua com as mãos negras.* **10** *Pej.* Horrendo, execrável, maldito, pavoroso (negra traição, negra morte) **11** *Ópt.* Que absorve toda a radiação luminosa incidente e visível [Superl.: *negríssimo, nigérrimo*] [F.: Do lat. *niger, gra, grum*.] ▪ **~ velho** *Bras.* Tratamento carinhoso [Ver *Meu negro*.] **Meu ~** Tratamento familiar, ger. carinhoso, às vezes irônico, semelhante a 'meu bem', 'meu caro' etc. [Tb. se diz 'meu nego'.]
negro-aço (ne.gro-*a*.ço) *sm*. Pessoa albina de etnia negra [Pl.: *negros-aços*. Forma paral. *negro-aça*.]
negrofilia (ne.gro.fi.*li*.a) *sf.* **1** Qualidade de negrófilo **2** Afinidade, simpatia pelas pessoas negras [F.: *negro* + *-filia*; hom. /par.: *necrofilia*.]
negrófilo (ne.*gró*.fi.lo) *a*. **1** Que tem simpatia, afinidade por pessoas negras **2** Que era integrante ou simpatizante do movimento abolicionista *sm*. **3** Indivíduo negrófilo (1, 2): "Desde o Padre Antônio Vieira, já, a seu modo, o negrófilo." (Gilberto Freyre, "Negritude, mística sem lugar no Brasil" *in Boletim do Conselho Federal de Cultura*) [F.: *negro* + *-filo*.]
negroide (ne.*groi*.de) *a2g*. **1** Semelhante ao negro *s2g*. **2** *Antr.* Pessoa ou população cujos traços se assemelham aos da etnia negra [F.: *negro* + *-oide*.]
negror (ne.*gror*) [ô] *sm*. **1** Qualidade, condição do que é negro, tem a cor muito escura; NEGRURA [Ant.: *brancura*.] **2** Escuridão profunda; NEGRUME: "Escuridão eu direi de breu, que não é breu de sobejo escuro para referir um negror daqueles." (Monteiro Lobato, *Urupês*) [Ant.: *claridade*.] [F.: Do lat. *nigror, oris*.]
negrume (ne.*gru*.me) *sm*. **1** Escuridão, trevas, negrura **2** Cerração densa e escura **3** *Fig.* Abatimento, tristeza, melancolia **4** *Fig.* Melancolia, tristeza [F.: *negro* + *-ume*.]
negrura (ne.*gru*.ra) *sf.* **1** Qualidade ou característica do que é negro; NEGRIDÃO **2** Escuridão, falta de luz; NEGRUME; TREVAS **3** Sentimento de crueldade, de perversidade: *negrura da alma*. **4** *Fig.* Melancolia, desencanto **5** *Fig.* Mácula, defeito [F.: *negro* + *-ura*.]
neguentropia (ne.guen.tro.*pi*.a) *sf. Fís. Biol.* Num sistema, a função representativa do grau de ordem e de previsibilidade [F.: Aport. do ing. *negentropy*, de *negative entropy*.]
neguentrópico (ne.guen.*tró*.pi.co) *a. Fís. Biol.* Ref. ou pertencente a neguentropia [F.: *neguentropia* + *-ico*[2].]
neguinho (ne.*gui*.nho) *Bras. Pop. sm*. **1** Menino ou jovem negro: "Upa, neguinho na estrada / Upa, pra lá e pra cá / Virge que coisa mais linda! / Upa, neguinho começando a andá /" (Edu Lobo e Gianfrancesco Guarnieri, Upa, neguinho) **2** Indivíduo indefinido; GENTE; NEGO; PESSOA: *Tem neguinho aí que entrou na festa sem convite*. [F.: *nego* [ê] + *-inho*[1].]
nele (*ne*.le) [ê] Contr. da prep. *em* com o pr. pess. *ele*.
nelore (ne.*lo*.re) *a2g*. **1** Diz-se de uma raça de gado zebu da província de Nelore (Índia) *sm*. **2** Essa raça de bois *s2g*. **3** Qualquer espécime dessa raça [F.: Do top. *Nelore* (Índia).]
nelsonrodriguiano (nel.son.ro.dri.gui.*a*.no) *a*. **1** Relativo, pertencente a ou próprio do escritor brasileiro Nelson Rodrigues (1912-1980) **2** Diz-se daquele que é grande admirador e/ou conhecedor da obra desse escritor *sm*. **3** Esse indivíduo [F.: Do antr. *Nelson Rodrigues* + *-iano*.]
nem *adv*. **1** Não: *Nem pense em procurá-lo.* **2** Pelo menos; SEQUER: *Não olhou para trás nem uma vez.* **3** Us. repetidamente, ganha sentido de exclusão: *Nem um nem outro fala inglês.* [Us. freq. sem verbo: *Gosto da sopa assim, nem fria, nem quente.*] *conj. adit.* **4** E não; e também não: *Não bebeu, nem comeu nada.* **5** *Pop.* Variação carinhosa de *neném* [F.: Do lat. *nec*.] ▪ **~ mais ~menos** **1** Exatamente: *Faça 12 cópias deste documento, nem mais nem menos.* **2** Us. para ressaltar uma qualificação, identidade etc., que poderia parecer surpreendente: *Ele é, nem mais nem menos, o prêmio Nobel de literatura.* **~ que** Mesmo que, ainda que: *Vou ao jogo, nem que caia um temporal.* **Que ~** Igual a, parecido com: *Eu sou que nem ela: não deixo nada para amanhã.* **~ tá chorando** *GO Dnç. Mús.* Certa dança de roda, em cujo centro o violeiro finge chorar como um neném
◎ **-nema** *el. comp.* Ver *nemat(o)-*.
nematicida (ne.ma.ti.*ci*.da) *a2g*. **1** Diz-se de substância ou medicamento que extermina nematoides *sm*. **2** Essa substância ou medicamento [F.: *nemat(o)-* + *-i-* + *-cida*. Sin. ger.: *anti-helmíntico, vermicida, vermífugo*.]
◎ **nemat(o)-** *el. comp.* = 'fio'; 'tentáculo'; '(p. ext.) nematoide': *nematicida, nematocisto, nematologia: nematódeo, nematoide*. [F.: Do gr. *nêma, atos*. Tb. *nemo-*: *nemoblasto*.]
nematócero (ne.ma.*tó*.ce.ro) *sm*. **1** *Zool.* Espécime dos nematóceros, subordem de insetos dípteros, que apresentam antenas muito longas e finas, com no mínimo seis elementos *a*. **2** *Zool.* Ref. ou pertencente aos nematóceros [F.: Adapt. do lat. cient. *Nematocera*.]
nematocisto (ne.ma.to.*cis*.to) *sm. Zool.* Órgão dos cnidários em forma de pequena cápsula arredondada, localizada na epiderme, que contém um filamento espiralado e é cheia de um líquido urticante [Há quatro tipos diferentes, us. esp. para capturar presas e para locomoção.] [F.: *nemat(o)-* + *-cisto*.]
nematódeo (ne.ma.*tó*.de:o) *sm*. **1** Espécime dos nematódeos, filo dos vermes asquelmintos de corpo cilíndrico, vida livre, ocorrem em ambientes aquáticos ou no solo, parasitas da vida vegetal e animal, com aparelho digestivo que consiste num tubo que vai da boca ao ânus *a*. **2** *Zool.* Ref. ou pertencente aos nematódeos [F.: Adapt. do lat. cient. *Nematoda* (+ *-eo*).]
nematoide (ne.ma.*toi*.de) *a2g*. **1** Que tem a forma fina e alongada de um fio *sm*. **2** *Zool.* O mesmo que *nematódeo* [F.: *nemat(o)-* + *-oide*.]
nematologia (ne.ma.to.lo.*gi*.a) *sf.* Ramo da zoologia que trata dos nematódeos [F.: *nemat(o)-* + *-logia*.]
nematologista (ne.ma.to.lo.*gis*.ta) *s2g*. **1** *Zool.* Profissional especializado no estudo de vermes nematódeos *a2g*. **2** *Zool.* Diz-se desse profissional [F.: *nematologia* + *-ista*.]
nembutal (nem.bu.*tal*) *sm. Quím.* O mesmo que *pentobarbital* [Pl.: *-tais*.] [F.: Marca registrada.]
nêmese (*nê*.me.se) *sf.* Ver *nêmesis*.
nêmesis (*nê*.me.sis) *sf.* **1** *Mit.* Deusa da justa medida e da vingança, esp. para os orgulhosos e insolentes [Com inicial maiúscula.] **2** *P. ext.* Pessoa que impõe ou aplica represália **3** *P. ext.* Pessoa inimiga ou rival que se teme, e ger. é a que sai vencedora [F.: Do gr. *nemesis, eos*.]
nemeu (ne.*meu*) *sm*. **1** Aquele que nasceu ou que vivia na Nemeia, antiga cidade e região da Argólida, na Grécia [Fem.: *-meia*.] *a*. **2** Da Nemeia, típico dessa cidade e dessa região, e de seu povo **3** Diz-se de torneio público que se realizava na Nemeia [Ger. no pl.: *jogos nemeus*.] [Fem.: *-meia*.] [F.: Do gr. *nemeaios*, pelo lat. *nem(e)aeus*.]
◎ **nemo-**[1] *el. comp.* Ver *nemat(o)-*.
◎ **nemo-**[2] *el. comp.* = 'bosque'; 'floresta'; 'vegetação': *nemofila* (< lat. cient.), *nemólito* [F.: Do gr. *némos, eos-ous*, 'prado'; 'bosque'.]
nemoblasto (ne.mo.*blas*.to) *sm. Bot.* Embrião linear, fino e alongado [F.: *nemo-*[1] + *-blasto*.]
nemólito (ne.*mó*.li.to) *sm*. Rocha em que medra vegetação [F.: *nemo-*[2] + *-lito*.]
nenê (ne.*nê*) *s2g. Bras. Fam.* Ver *neném* ▪ **~ tá chorando** *GO Dnç. Mús.* Certa dança de roda, em cujo centro o violeiro finge chorar como um neném
neném (ne.*ném*) *s2g. Bras. Fam.* Criança recém-nascida ou de poucos meses; nenê; BEBÊ [Pl.: *-néns*.] [F.: De or. express.]
nenhum (ne.*nhum*) *pr. indef.* **1** Designa a inexistência de alguém ou alguma coisa; nem um (nenhum colega, nenhum sinal) **2** Equivale a 'qualquer': *Antes de nenhum competidor, atracou na enseada.* **3** Só um; um único: *Neste feriado não houve nenhum dia de sol.* [Pl.: *-nhuns*;. Fem.: *-nhuma*. Us. tb. como reforço de uma negação: *Não era nenhuma tola para acreditar nisso.*] [F.: Do lat. *nec unu*. Ant. ger.: *algum*.] ▪ **A/sem ~** *Bras. Pop.* Sem dinheiro: *No momento estou a/sem nenhum.*
nenhumamente (ne.nhu.ma.*men*.te) *adv*. De maneira nenhuma; de modo algum: *data que não pode nenhumamente passar em branco.* [F.: Fem. de *nenhum* + *-mente*.]
nenhures (ne.*nhu*.res) *adv. P. us.* Em parte nenhuma; em nenhum lugar [Ant.: *algures*.] [F.: De *nenhum*, com infl. de *alhures* e *algures*.]
nênia (*nê*.ni:a) *sf.* **1** *Mús.* Lamento fúnebre **2** *Fig.* Canto plangente; ELEGIA [F.: Do lat. *naenia, ae*.]
nenúfar (ne.*nú*.far) *Bot. sm*. **1** Nome comum a várias plantas aquáticas do gên. *Nymphaea*, da fam. das ninfeáceas, de largo emprego como ornamental; NINFEIA **2** O mesmo que *lótus* [Pl.: *-fares*.] [F.: Do fr. *nénuphar*.]
◎ **ne(o)-** *el. comp.* = 'novo': *neartrose, neófito, neonatal, neoplasia* [Seg. o AOLP, antes de *h* e *o* usa-se com hífen: *neo-humorista, neo-ortodoxo*. Antes de *r* e *s*, usa-se com duplicação da consoante: *neorrepublicano, neossimbolismo*.] [F.: Do gr. *néos, a, on*.]
neocaledônio (ne:o.ca.le.*dô*.ni:o) *sm*. **1** Aquele que nasceu ou que vive em Nova Caledônia (Oceania) *a*. **2** De Nova Caledônia; típico dessa ilha ou de seu povo [F.: Do top. *Nova Caledônia*, com var. de suf. (ver *-io*[3]).]
neocapitalismo (ne:o.ca.pi.ta.*lis*.mo) *sm. Econ. Pol.* Capitalismo próprio dos países altamente industrializados, baseado no controle exercido por grandes empresas multinacionais nos diversos setores produtivos, e que se caracteriza por adotar medidas que mirem o bem-estar social [F.: *ne(o)-* + *capitalismo*.]
neocapitalista (ne:o.ca.pi.ta.*lis*.ta) *a2g*. **1** Ref. ao neocapitalismo **2** Que é conforme ao neocapitalismo (as teorias neocapitalistas do mercado) *s2g*. **3** Pessoa adepta do neocapitalismo: *Os neocapitalistas veem com bons olhos a globalização.* [F.: *ne(o)-* + *capitalista*.]
neoclassicismo (ne:o.clas.si.*cis*.mo) *sm*. **1** Movimento artístico e literário de reação à tradição barroca e rococó, preconizando a volta aos padrões estéticos do classicismo greco-romano, com grande repercussão na Europa do séc. XVIII e começo do séc. XIX **2** *Mús.* Tendência importante (na fase entre as duas grandes guerras), de vários compositores modernos do século XX, esp. Stravinski, Prokofiev e Hindemith [F.: *ne(o)-* + *classicismo*.]
neoclassicista (ne:o.clas.si.*cis*.ta) *a2g*. **1** Ref. às manifestações do neoclassicismo e a seus padrões estéticos **2** Que é adepto do neoclassicismo *s2g*. **3** Essa pessoa **4** Aquele ou aquela que, em determinado contexto, se mostra fiel aos ideais do neoclassicismo [F.: *neoclassicismo* + *-ista*.]
neoclássico (ne:o.*clás*.si.co) *Arq. Art. pl. Liter. Mús. a*. **1** Ref. a neoclassicismo **2** Diz-se de quem é adepto ou seguidor dos padrões estéticos do neoclassicismo *sm*. **3** Esse adepto ou seguidor do neoclassicismo **4** *Arq. Art. pl. Liter. Mús.* O mesmo que *neoclassicismo* [F.: *ne(o)-* + *clássico*.]
neocolonialismo (ne:o.co.lo.ni:a.*lis*.mo) *sm. Econ. Pol.* Domínio que um país desenvolvido exerce sobre outro, menos desenvolvido, baseado na influência econômica e/ou cultural: *Na Amazônia, o neocolonialismo trouxe um apogeu da borracha.* [Cf.: *colonialismo*.] [F.: *ne(o)-* + *colonialismo*.]
neoconcretismo (ne:o.con.cre.*tis*.mo) *sm. Bras. Art. pl. Liter.* Movimento iniciado em 1957, divergente da rigidez do concretismo paulista e liderado por artistas, poetas e teóricos residentes no Rio de Janeiro, que rompe com o espaço bidimensional da tela nas artes plásticas e defende a necessidade do subjetivismo na poesia concreta: *o neoconcretismo de Ferreira Gullar e Reynaldo Jardim.* [F.: *ne(o)-* + *concretismo*.]
neoconcretista (ne:o.con.cre.*tis*.ta) *a2g*. **1** Ref. ao neoconcretismo **2** Diz-se de pessoa integrante desse movimento *s2g*. **3** Essa pessoa [F.: *ne(o)-* + *concretista*.]
neofascismo (ne:o.fas.*cis*.mo) *sm. Hist.* Movimento político nascido na Europa depois da Segunda Guerra Mundial, que buscava incorporar as ideias fascistas aos sistemas políticos em vigor: "Na Europa, muitas pessoas estão chocadas com o avanço do neofascismo." (Antonio Inácio Andrioli, "O retorno da xenofobia" *in Revista Espaço Acadêmico*, ano II n. 13, junho de 2002) [F.: *ne(o)-* + *fascismo*.]
neofascista (ne:o.fas.*cis*.ta) *a2g*. **1** Ref. ao neofascismo **2** Diz-se de indivíduo que é partidário ou admirador do neofascismo *s2g*. **3** Esse indivíduo [F.: *ne(o)-* + *fascista*.]
neofilia (ne:o.fi.*li*.a) *sf.* **1** Apreço pela novidade, esp. por novas concepções artísticas e culturais **2** Qualidade ou disposição de neófilo [Cf. *neofobia*.] [F.: *ne(o)-* + *-filia*[1].]
neofílico (ne:o.*fí*.li.co) *a*. Ref. a neofilia ou a neófilo [Cf. *neofóbico*.] [F.: *neofilia* + *-ico*[2].]
neófilo (ne.*ó*.fi.lo) *a*. **1** Diz-se de indivíduo que apresenta neofilia, que tem apreço pelo que é novo *sm*. **2** Esse indivíduo [F.: *ne(o)-* + *-filo*[1].]
neófito (ne.*ó*.fi.to) *sm*. **1** *Rel.* Aquele que está para receber o batismo ou acabou de ser batizado: *Frequenta desde os tempos de neófito a igreja dos barnabitas.* **2** *Rel.* Aquele que se acha num convento se preparando para professar, ou que foi recentemente admitido no sacerdócio católico; NOVIÇO **3** *Rel.* O recém-convertido ao cristianismo; CRISTÃO-NOVO **4** *P. ext.* Aquele que acabou de ser admitido numa empresa **5** *P. ext.* Iniciante em qualquer ofício ou disciplina; NOVATO [F.: Do lat. *neophytus, i*.]
neofobia (ne:o.fo.*bi*.a) *sf.* Horror às novidades, às coisas e invenções modernas [Cf. *neofilia*.] [F.: *ne(o)-* + *-fobia*.]
neofóbico (ne:o.*fó*.bi.co) *a*. **1** Ref. a neofobia **2** Diz-se de indivíduo que apresenta neofobia *sm*. **3** Esse indivíduo [Cf. *neofílico*.] [F.: *neofobia* + *-ico*[2].]
neófobo (ne.*ó*.fo.bo) *a*. **1** Que tem ou manifesta neofobia *sm*. **2** Indivíduo neófobo (1); aquele que tem ou manifesta neofobia [F.: *ne(o)-* + *-fobo*.]
neoformação (ne:o.for.ma.*ção*) *Med. sf.* **1** *Biol.* Formação de tecido novo, em substituição ao que foi destruído **2** *Pat.* Processo de formação dos tumores benignos ou malignos; NEOPLASIA [Pl.: *-ções*.] [F.: *ne(o)-* + *formação*.]

neogeia (ne:o.*gei*:a) *sf. Geog.* Região zoogeográfica de características tropicais compreendida pelas Américas do Sul e Central [F.: Do lat. cient. *Neogea.*]
neogeno (ne:o.*ge*.no) *Cron. Geol. sm.* **1** Último sistema ou período da era cenozoica, constituída pelas seguintes épocas ou séries: mioceno, plioceno, plistoceno e holoceno *a.* **2** Diz-se desse sistema ou período [F.: *ne(o)-* + *-geno.*]
neolatino (ne:o.la.*ti*.no) *a.* **1** *Gloss.* Diz-se de cada uma das línguas modernas originárias do latim (português, espanhol, francês, italiano, catalão, romeno, dálmata e dialetos), ou de sua família linguística **2** *P. ext.* Que tem origem na civilização latina [F.: *ne(o)-* + *latino.* Sin. ger.: *novilatino.*]
neoliberal (ne:o.li.be.*ral*) *a2g.* **1** Ref. ao neoliberalismo (política neoliberal) **2** Que é adepto do ideário neoliberalista [Pl.: *-rais.*] *s2g.* **3** Cidadão ou político partidário do neoliberalismo (2): *A política econômica neoliberal se arrastou durante anos.* [Pl.: *-rais.*] [F.: *ne(o)-* + *liberal.*]
neoliberalismo (ne:o.li.be.ra.*lis*.mo) *Econ. Pol. sm.* **1** Doutrina desenvolvida por economistas europeus e americanos no séc. XX, a favor de se adaptar a doutrina do liberalismo clássico às exigências de um Estado que controle apenas parcialmente o funcionamento do mercado **2** Doutrina que, a partir da década de 1970, defende uma total liberdade de mercado e condena quase toda intervenção do Estado na economia [F.: *ne(o)-* + *liberalismo.*]
neolítico (ne:o.*lí*.ti.co) *Geol. a.* **1** Diz-se de período geológico do fim da Idade da Pedra, em que o homem já conhece a pedra polida, a agricultura e a domesticação dos animais *sm.* **2** Período pré-histórico de c. 7000 a 2. 500 a.C., em que ocorrem essas decisivas mudanças econômicas e culturais [F.: *ne(o)-* + *-litico*[1].]
neologia (ne:o.lo.*gi*.a) *sf. Ling.* Criação ou uso de palavras novas, ou com novos significados [F.: *ne(o)-* + *-logia.*]
neologismo (ne:o.lo.*gis*.mo) *Ling. sm.* **1** Uso de palavra ou expressão nova, ger. com base em léxico, semântica e sintaxe preexistentes, na mesma língua ou em outra **2** *P. ext.* Qualquer palavra ou expressão resultante desse processo [F.: *neolog(ia)* + *-ismo.*]
néon (*né*.on) *sm.* **1** *Quím.* O mesmo que *neônio* [Tb. se escreve *neon.*] **2** Letreiro luminoso e colorido, cujas palavras ou imagens são feitas com tubos transparentes e flexíveis dentro dos quais corre, e se acende, o gás neônio [Nesta acp., us. somente no sing.] **3** *Zool.* Nome dado aos peixes ornamentais caraciformes da família dos caracídeos, gên. *Hyphessobrycon* e *Hemigrammus*, da Amazônia, de cores brilhantes como as do neônio [Pl.: *-ones* e *-ons.*] [F.: Do gr. *néos, a, on.*]
neonatal (ne:o.na.*tal*) *Med. a2g.* **1** Ref. a recém-nascido; NEONATO **2** Ref. às quatro primeiras semanas do recém-nascido (cuidados neonatais) [Pl.: *-tais.*] [F.: *ne(o)-* + *natal.*]
neonato (ne:o.*na*.to) *a.* **1** *Pedt.* Diz-se de recém-nascido no primeiro mês *sm.* **2** O recém-nascido no primeiro mês [F.: *ne(o)-* + *nato.*]
neonatologia (ne:o.na.to.lo.*gi*.a) *sf. Pedt.* Campo da pediatria voltado para o estudo dos fetos e dos recém-nascidos, bem como para o tratamento das suas doenças [F.: *neonato* + *-logia.*]
neonatologista (ne:o.na.to.lo.*gis*.ta) *s2g.* **1** Médico que se especializou em neonatologia *a2g.* **2** Diz-se desse profissional (médico neonatologista) [F.: *neonatologia* + *-ista.*]
neonazismo (ne:o.na.*zis*.mo) *sm. Pol.* Movimento político que resgata as ideias nazistas: *o neonazismo on-line no Brasil.* [F.: *ne(o)-* + *nazismo.*]
neonazista (ne:o.na.*zis*.ta) *a2g.* **1** Ref. ao neonazismo (propaganda neonazista; movimento neonazista) **2** Diz-se de pessoa que admira ou é partidária do neonazismo **3** Essa pessoa: *Polícia prende mais um neonazista por suspeita de homicídio.* [F.: *ne(o)-* + *nazista.*]
neônio (ne.*ô*.ni:o) *sm. Quím.* Elemento químico de número atômico 10, da família dos gases nobres, muito us. em iluminação, tubos de TV, letreiros luminosos etc.; néon; neon [Símb.: *Ne.*] [F.: *néon* + *-io*[3].]
neoplasia (ne:o.pla.*si*.a) *sf. Pat.* Processo patológico de proliferação celular, que resulta em tumor benigno ou maligno; neoplastia; NEOFORMAÇÃO [F.: *ne(o)-* + *-plasia.*]
neoplásico (ne:o.*plá*.si.co) *Pat. a.* **1** Ref. a ou próprio de neoplasia (diagnóstico neoplásico) **2** Diz-se de processo ou tecido que revela neoplasia [F.: *neoplasia* + *-ico*[2].]
neoplasma (ne:o.*plas*.ma) *sm. Pat.* Crescimento desordenado de um tecido; tumor benigno ou maligno; NEOPLASIA [F.: *ne(o)-* + *-plasma.*]
neoplastia (ne:o.plas.*ti*.a) *sf. Pat.* Processo de multiplicação desordenada e anormal de células que pode dar origem a um neoplasma (neoplastia de pulmão), neoplasia [F.: *ne(o)-* + *-plastia.*]
neoplástico (ne:o.*plás*.ti.co) *a.* Ref. a neoplastia: *comportamento neoplástico de células.* [F.: *neoplastia* + *-ico*[2].]
neoplatônico (ne:o.pla.*tô*.ni.co) *a.* **1** Ref. a neoplatonismo **2** Diz-se de indivíduo que segue essa doutrina: *Agostinho de Hipona foi neoplatônico antes de sua conversão ao catolicismo. sm.* **3** Esse indivíduo [F.: *ne(o)-* + *platônico.*]
neoplatonismo (ne:o.pla.to.*nis*.mo) *sm. Fil.* Corrente filosófica originária de Alexandria, fundada por Amônio Sacas (séc. II) e divulgada por Plotino (Roma 205-270) e seus discípulos Porfírio (Grécia 234-305), Jâmblico (Grécia c. 250-330) e Proclo (Grécia 410-485); reinterpretava o platonismo com maior ênfase nos aspectos místico e espiritual, presumindo a completa transcendência divina que, por emanação, cria a realidade mundana e a possibilidade de o ser humano, pela interiorização, restabelecer sua união com o mundo divino [F.: *ne(o)-* + *platonismo.*]
neopositivismo (ne:o.po.si.ti.*vis*.mo) *sm. Fil.* Ver *positivismo lógico* [F.: *ne(o)-* + *positivismo.*]
neopositivista (ne:o.po.si.ti.*vis*.ta) *Fil. a2g.* **1** Ref. a neopositivismo **2** Diz-se de pessoa que segue o neopositivismo *s2g.* **3** Essa pessoa [F.: *ne(o)-* + *positivista.*]
neoprene (ne:o.*pre*.ne) *sm. Quím.* Borracha sintética $(C_4H_5Cl)n$ obtida por polimerização, extremamente versátil, us. em produtos que exijam muita resistência como roupas esportivas, material ortopédico, revestimento elétrico etc. [F.: *ne(o)-* + *(cloro)preno.*]
neorama (ne:o.*ra*.ma) *sm.* Espécie de panorama que representa o interior de um edifício e no qual o espectador parece colocado [F.: *ne(o)-* + *-orama.*]
neorrealismo (ne:or.re:a.*lis*.mo) *sm.* **1** Designação comum a movimentos filosóficos, literários e artísticos inspirados no realismo **2** *Liter.* Movimento literário português, surgido na década de 1930, e que, inspirado nas preocupações sociais reveladas pela literatura norte-americana e no romance regionalista brasileiro, procurou estabelecer um tipo de literatura voltada para temas relacionados com as condições de vida dos camponeses **3** *Cin. Liter.* Movimento surgido na Itália em 1945, e que pretendia participar da realidade e era marcado por preocupações sociais e pela simpatia pela classe trabalhadora: *Vittorio De Sica foi um dos principais representantes do neorrealismo italiano.* [F.: *ne(o)-* + *realismo*[1].]
neorrealista (ne:or.re:a.*lis*.ta) *a2g.* **1** Ref. ou pertencente ao neorrealismo **2** Diz-se de pessoa que é adepta do neorrealismo *s2g.* **3** Essa pessoa [F.: *ne(o)-* + *realista*[1].]
neótipo (ne.*ó*.ti.po) *sm. Biol.* Espécime novo, designado como tipo, a partir do qual uma espécie é reescrita, quando há perda do material original [F.: *ne(o)-* + *tipo.*]
neozelandês (ne:o.ze.lan.*dês*) *sm.* **1** Aquele que nasceu ou que vive na Nova Zelândia (Oceania) *a.* **2** Da Nova Zelândia; típico desse país ou de seu povo [Pl.: *-deses*;. Fem.: *-desa.*] [F.: De *ne(o)-* + top. *(Nova) Zelândia* + *-ês.*]
nepalês (ne.pa.*lês*) *sm.* **1** Aquele que nasceu ou que vive no Nepal (Ásia central) **2** *Gloss.* Língua falada no Nepal; NEPALI *a.* **3** Do Nepal; típico desse país ou de seu povo [Pl.: *-leses*;. Fem.: *-lesa.*] [F.: Do top. *Nepal* + *-ês.*]
néper (*né*.per) *sm. Fís.* Unidade logarítmica de decremento us. para expressar a relação entre duas correntes, duas tensões ou grandezas análogas de outros domínios [Símb.: *Np.*] [Pl.: *népers.*] [F.: Do ing. *neper*, do antr. *(John) Neper* (1550-1617), matemático escocês, inventor do logaritmo.]
neperiano (ne.pe.ri.*a*.no) *a.* Ref. ao matemático escocês John Neper (1550-1617), que criou o logaritmo, ou a qualquer de suas descobertas matemáticas [F.: *néper* + *-iano.*]
nepote (ne.*po*.te) [ó] *sm.* **1** Sobrinho ou conselheiro do Papa **2** *P. ext.* Aquele que é protegido, que tem privilégios por ser da família ou amigo da autoridade; FAVORITO [F.: Do lat. *nepos, otis.*]
nepotismo (ne.po.*tis*.mo) *sm.* **1** Favorecimento de amigos e parentes por parte de quem ocupa cargos públicos **2** Favorecimento, proteção: *Essa empresa funciona na base do nepotismo.* **3** *Hist. rel.* Favores excessivos dentro da estrutura administrativa da Igreja, concedidos pelos papas aos seus sobrinhos [F.: *nepote* + *-ismo.*]
nequícia (ne.*quí*.ci:a) *sf.* Tendência para o mal; ATROCIDADE; MALDADE,; MALÍCIA; PERVERSIDADE [Ant.: *beneficência, bondade, humanidade.*] [F.: Do lat. *nequitia, ae.*]
nerd *a2g.* **1** *Gír.* Que é pouco sociável; que só quer saber de estudar ou trabalhar *s2g.* **2** Indivíduo que não gosta de viver em sociedade [F.: Do ing. *nerd.*]
nereida (ne.*rei*.da) *sf.* **1** *Zool.* Designação comum a vermes anelídeos da fam. dos nereídeos (*Nereidae*) **2** *Mit.* Cada uma das ninfas do mar, filhas de Nereu **3** Um dos dois satélites telescópicos de Netuno, descoberto em 1949 pelo astrônomo G. P. Kuipert (1905-1973) [F.: Do gr. *Nereis, nere ídos.*]
neres (*ne*.res) *pr. indef. Bras. Pop.* Coisa nenhuma (tb. se usa. *neres de pitibiriba*); NECAS: *Entrei no quarto e não vi neres.* [F.: Palavra expressiva.] ▪ **~ de ~** *Bras. Pop.* Nada, nada de nada; neres de pitibiriba **~ de pitibiriba** *Bras. Pop.* Ver *Neres de neres*
nerol (ne.*rol*) *sm. Quím.* Álcool (C10H180) encontrado muitos óleos essenciais, us. na indústria de perfumaria em componentes sintéticos florais de rosa e laranja [Pl.: *neróis.*] [F.: Do ing. *nerol.*]
nervação (ner.va.*ção*) *sf.* **1** *Bot.* Conjunto formado pelas nervuras e veias de uma folha **2** *Bot.* Forma de distribuição dessas nervuras e veias **3** *Anat. Zool.* Distribuição das nervuras ou veias nas asas dos insetos [Pl.: *-ções.*] [F.: *nervar* (< *nervo* + *-ar*[2]) + *-ção.*]
nerval *a2g. Anat.* Rel. a nervo, o mesmo que *neural* [Pl.: *-vais.*] [F.: *nerv(i)-* + *-al*[1].]
◎ **-nerve** *el. comp.* Ver *nerv(i)-*
◎ **-nerv(i)-** *el. comp.* Ver *nerv(i)-*
◎ **nerv(i)-** *el. comp.* Nervo: *nerval, nervino, nervosismo.* [F.: Do lat. *nervus, i.*]
nerviduto (ner.vi.*du*.to) *sm. Anat.* Região de osso ou de cartilagem por onde passam nervo ou nervos [F.: *nerv(i)-* + *-duto.*]
nervimuscular (ner.vi.mus.cu.*lar*) *a2g. Anat.* Ref. a nervo e a músculo, ou a inervação do músculo [F.: *nerv(i)-* + *muscular.*]
nervo (*ner*.vo) [ê] *sm.* **1** *Anat.* Cada uma das fibras ou feixe de fibras que ligam o sistema nervoso a todas as partes do corpo **2** *Fig.* Capacidade de suportar bem as tensões e situações adversas: *É preciso nervos para enfrentar isso.* [Mais us. no pl.] **3** Firmeza, energia, vigor: *Tinha nervos de aço.* [Mais us. no pl.] **4** Ataque, crise de nervos **5** A parte central ou essencial de alguma coisa: *O dinheiro é o nervo da guerra.* **6** *Tabu.* O pênis **7** *Enc.* Cordão que atravessa a lombada de um livro, costurado sob o revestimento da encadernação **8** *Arq.* Moldura nas arestas de abóbadas, o mesmo que *nervura* [F.: Do lat. *nervus, i.*] ▪ **Guerra de ~s** *Fig.* Situação de tensão entre duas ou mais facções, em que cada uma espera que a(s) outra(s) ceda(m) primeiro **~ abducente** *Anat. Oft.* Nervo craniano motor que controla o músculo que move o globo ocular para o canto exterior do olho [Na antiga nomenclatura anatômica, *nervo motor-ocular externo.*] **~ acessório (ou espinhal)** *Anat.* Cada um de dois nervos que formam o 11º par de nervos cranianos, de função motora nos músculos da faringe, palato mole, laringe, escápula e braço **~ acústico** *Anat.* Ver *Nervo vestibulococlear* **~ axilar** *Anat.* Nervo que atua sobre o músculo deltoide, no úmero **~ cervical** *Anat.* Designação genérica de cada nervo de oito pares de nervos raquianos que suprem o pescoço e os membros superiores **~ ciático** *Anat.* Importante nervo em cada membro inferior, que inerva suas articulações (quadril, joelho e tornozelo), os músculos da perna e do pé, o músculo posterior da coxa e grande parte da pele de todo o membro **~ craniano** *Anat.* Cada um dos nervos dos dozes pares que saem do encéfalo [Denominam-se, cada par e cada nervo dele: 1) olfativo; 2) óptico; 3) motor-ocular comum; 4) patético; 5) trigêmeo; 6) abducente (antigo motor-ocular externo); 7) facial; 8) vestibulococlear; 9) glossofaríngeo; 10) pneumogástrico; 11) acessório; 12) grande-hipoglosso.] **~ cubital** *Anat.* Designação, na nomenclatura anatômica antiga, de *Nervo ulnal* **~ espinhal** *Anat.* Ver *Nervo acessório.* **~ facial** *Anat.* Cada um dos dois nervos do 7º par de nervos cranianos, que atua nos músculos que movimentam a face e na secreção de lágrimas e saliva, além de sua função sensitiva na pele da face e no paladar **~ femoral** *Anat.* Nervo do quadríceps femoral, que comanda a extensão da perna [Na antiga nomenclatura anatômica, *nervo crural.*] **~ frênico** *Anat.* Cada um de vários pares de nervos raquianos que controlam o diafragma e atuam na respiração **~ glossofaríngeo** *Anat.* Cada um dos dois nervos do 9º par de nervos cranianos, de ação sensitiva na língua e na faringe, e de ação motora na faringe e nas parótidas, na secreção da saliva **~ hipoglosso** *Anat.* Cada um dos dois nervos do 12º par de nervos cranianos, de ação motora na língua e no pescoço **~ intercostal** *Anat.* Designação genérica de cada nervo dos 12 pares de nervos raquianos que inervam os músculos intercostais e a parede do abdome, e atuam na respiração **~ lombar** *Anat.* Designação genérica de cada nervo de cinco pares de nervos raquianos que inervam os membros inferiores **~ misto** *Anat.* Todo nervo que transmite tanto impulsos sensitivos quanto impulsos motores **~ motor** *Anat.* Todo nervo que transmite impulsos motores **~ motor-ocular comum** *Anat.* Antiga denominação do *Nervo oculomotor.* **~ motor-ocular externo** *Anat.* Na antiga nomenclatura anatômica, designação do *Nervo abducente* **~ oculomotor** *Anat.* Cada um de dois nervos do 3º par de nervos cranianos, de função motora sobre a pálpebra na contração da pupila [Na antiga nomenclatura anatômica, *nervo motor-ocular comum.*] **~ óptico** *Anat.* Cada um de dois nervos do 2º par de nervos cranianos, sensitivo, que leva ao cérebro a imagem formada na retina **~ patético** *Anat.* Na antiga nomenclatura anatômica, designação do *Nervo troclear.* **~ pneumogástrico** *Anat.* Na antiga nomenclatura anatômica, designação do *Nervo vago.* **~ raquiano/raquidiano** *Anat.* Designação genérica de cada nervo dos 31 pares de nervos mistos que saem da medula espinhal, e que tem duas raízes, uma para a função motora, outra para a sensitiva [Podem ser (de cima para baixo) cervicais, dorsais, lombares, sacros e coccígeos.] **~ sacro** *Anat.* Designação genérica de cada nervo dos cinco pares de nervos raquianos que inervam os membros inferiores **~ safeno** *Anat.* Ramo do nervo femoral na pele da perna e do pé **~s de aço** *Fig.* Falta de sensibilidade, de emoção; frieza; condição ou qualidade de quem não se amedronta, não se comove ou não demonstra seus sentimentos, de quem é imperturbável, impassível. "...Há pessoas com nervos de aço / Sem sangue nas veias e sem coração..." (Lupicínio Rodrigues, *Nervos de aço*) **~ sensitivo** *Anat.* Todo nervo que transmite impulsos sensitivos **~ sensitivo-motor** *Anat.* Ver *Nervo misto* **~ sensorial** *Anat.* Todo nervo que transmite sensações captadas pelos órgãos dos sentidos para o cérebro ou para a medula espinhal **~ somático** *Anat.* Designação genérica para os nervos motores e sensoriais **~ trigêmeo** *Anat.* Cada um de dois nervos do 5º par de nervos cranianos, motor para a mastigação e produção de lágrimas e de saliva, sensitivo para a pele da face, do couro cabeludo, da parte anterior da língua, da pálpebra superior, da boda e dos dentes **~ troclear** *Anat.* Cada um de dois nervos do 4º par de nervos cranianos, de ação motora na movimentação do globo ocular para baixo e para o canto interno **~ vago** *Anat.* Cada um de dois nervos do 10º par de nervos cranianos, sensitivos e motores para a laringe, os brônquios, os pulmões, o sistema cardiovascular, o tubo digestivo [Na antiga nomenclatura anatômica, *Nervo pneumogástrico.*] **~ vestibulococlear** *Anat.* Cada um de dois nervos do 8º par de nervos cranianos, no qual a porção vestibular tem ação no equilíbrio e a porção coclear na audição **Ter ~s (à flor da pele)** Ser muito sensível a emoções, ser facilmente irritável
nervosia (ner.vo.*si*.a) *sf.* Ver *nervosismo* [F.: *nervos(o)* + *-ia.*]
nervosidade (ner.vo.si.*da*.de) *sf.* **1** Estado ou condição do que é ou está nervoso **2** Manifestação de força, vigor, energia nervosa: "...com o sangue mais quente nas veias do mármore, e a nervosidade intensa de Baudelaire, vibrando com mais

norma e cadência." (Fradique Mendes, *Memórias e notas*) **3** O mesmo que *nervosismo* [F.: *nervoso* + *-i-* + *-dade.*]

nervosismo (ner.vo.*sis*.mo) *sm.* **1** Emotividade descontrolada; descontrole temporário ou permanente dos nervos: *Sentia um nervosismo que quase o levava à loucura.* **2** Estado de excitação nervosa, de ansiedade, que se nota nos indivíduos ansiosos [F.: *nervoso* + *-ismo*. Sin. ger.: *nervosia.*]

nervoso (ner.*vo*.so) [ô] *a.* **1** *Neur.* Ref. aos nervos; NEURAL: *doença nervosa.* **2** Que possui nervos **3** Que é vítima de nervosismo **4** *Hist.* Diz-se da célula fundamental do sistema nervoso **5** *Fig.* Que tem muita energia, que é rápido: *O filme era rápido, nervoso.* **6** *Bot.* Diz-se de órgão, folha etc. que apresenta nervuras [Fem.: [ó]. Pl.: [ó].] *sm.* **7** Ansiedade, nervosismo: *Sentiu um nervoso muito grande ao entrar no quarto.* **8** Aquele que se encontra com o sistema nervoso abalado, descontrolado **9** Pessoa que se irrita ou se emociona facilmente [F.: Do lat. *nervosus, a, um.* Ideia de 'nervoso': *neur(o)-*, *nevr(o)-*, *-neuria* e *neuro.*]

📖 O sistema nervoso coordena, nos animais, o funcionamento de todo o organismo e sua comunicação com o meio exterior. É formado por células de função específica, chamadas *neurônios*. Nos animais vertebrados, o sistema tem duas grandes unidades: o sistema nervoso central (encéfalo e medula espinhal) e o periférico (nervos que ligam encéfalo e medula com as demais partes o corpo e os nervos dessas partes). O encéfalo contém os hemisférios cerebrais, tálamo, hipotálamo, cerebelo, bulbo etc. O encéfalo é o centro de recepção de informações, de seu processamento e do comando de ações e reações, além de controlador das funções espontâneas, ou vegetativas. Da medula espinhal saem os pares de nervos que inervam os músculos, as glândulas e os órgãos do corpo. A célula básica desse sistema, o neurônio, recebe e transmite informação (sensação, dor, comando etc.) por impulsos elétricos através de prolongamentos que se intercomunicam com os de outro neurônio, chamados *sinapses*.

nervura (ner.*vu*.ra) *sf.* **1** *Arq.* Saliência fina, alongada, nas arestas de uma abóboda **2** Filete saliente em superfície plana **3** Prega muito fina costurada em tecido **4** *Bot.* Saliência freq. visível na superfície de uma planta, esp. nas folhas, formada pelos vasos condutores de seiva **5** *Cons.* Viga saliente para a sustentação de uma laje **6** *Enc.* Cada um dos nervos, ou um conjunto de nervos, nas lombadas dos livros **7** *Zool.* Filete que sustenta a membrana das asas dos insetos **8** Reforço de uma peça mecânica para dar-lhe maior resistência **9** *Aer.* Elemento que define o perfil aerodinâmico de uma asa de avião [F.: *nervo* + *-ura.* Ideia de 'nervura': *-nervo.*] ■ **~ central** *Bot.* Nervura sempre presente, longitudinal e no meio da folha, da qual podem sair outras nervuras

nervurado (ner.vu.*ra*.do) *a.* Que apresenta nervura(s): *barra de aço nervurado.* [F.: *nervura* + *-ado*[1].]

nescidade (nes.ce.*da*.de) *sf.* Qualidade de quem é néscio, *necedade* [F.: *néscio* + *-dade.*]

néscio (*nés*.ci:o) *a.* **1** Que não sabe nada; IGNORANTE **2** Que se revela incapaz: "Ativo, atilado em ações, néscio nos atos" (Guimarães Rosa, "Se eu seria personagem" *in Tutameia*) **3** Que não tem coerência, sentido *sm.* **4** Indivíduo estúpido, ignorante **5** Indivíduo incompetente, incapaz **6** Indivíduo incoerente [F.: Do lat. *nescius, a, um.* Ant. ger.: *atilado, inteligente.*]

nesga (*nes*.ga) [ê] *sf.* **1** Pedaço de pano ou retalho triangular que se costura entre dois outros, para formar peça maior **2** Terreno pequeno entre outros de grande tamanho **3** Coisa muito pequena; PEDAÇO: *Conseguiu uma nesga de carne.* **4** Abertura estreita, esp. longa; FENDA [F.: Do ár. *nasig*, tecido.]

nesônimo (ne.*sô*.ni.mo) *sm.* Nome que designa uma ilha [F.: *neso-* + *-ônimo.*]

nêspera (*nês*.pe.ra) *sf. Bot.* Fruto da nespereira, amarelo, de polpa muito doce; AMEIXA-AMARELA [F.: Do lat. vulg. *nespira, ae* fem. de *nespilum.*]

nespereira (nes.pe.*rei*.ra) *sf. Bot.* Árvore da fam. das rosáceas (*Eriobotrya japonica*), originária da China e do Japão, cultivada por suas flores perfumadas e pelo fruto comestível, a nêspera; AMEIXA-AMARELA; AMEIXEIRA; NÊSPERA [F.: *nêspera* + *-eira.*]

nesse (*nes*.se) [ê] Contr. da prep. *em* com o pr. dem. *esse*; indica interioridade, contiguidade em algo ou alguém que está perto no espaço, no tempo ou no discurso: *Sente-se nesse sofá!; Nesse ano morávamos em Fortaleza; Não toque nesse problema!* [NOTA: *Flex.: nessa, nessas, nesses.*]

nessoutro (nes.*sou*.tro) Contração de em + essoutro, que indica vizinhança, inclusão em algo próximo ou que foi mencionado recentemente e que se quer opor a algo ou alguém substituído pelo pron. esse: *Arrume os romances nessa estante e os dicionários nessoutra.* [Fem.: *nessoutra*. Pl.: *nessoutros*. Us. tb. *nesse (a) outro (a).*]

neste (*nes*.te) [ê] Contr. da prep. *em* com o pr. dem. *este*: *A viagem será neste domingo.* [Flex.: nesta, nestas, nestes.]

nestorianismo (nes.to.ri:a.*nis*.mo) *sm. Rel.* Doutrina preconizada por Nestório (380 - 451), monge de Antióquia, que sustentava a separação entre as naturezas divina e humana de Jesus Cristo e não aceitava que a Virgem Maria fosse a mãe de Deus: *O nestorianismo foi condenado no Concílio Ecumênico de Éfeso, no ano de 431.* [F.: *nestoriano* + *-ismo.*]

nestoriano (nes.to.ri:*a*.no) *a.* **1** Ref. a nestorianismo (pensamento nestoriano) **2** Diz-se de indivíduo que era adepto ou seguidor do nestorianismo (monge nestoriano) *sm.* **3** Esse indivíduo [F.: Do lat. tardio *nestoriani, orum.*]

nestoutro (nes.*tou*.tro) Contração de *em* + *estoutro* que indica vizinhança, inclusão naquilo que está próximo no tempo e no espaço, e que complementa ou se alterna com uma única ou várias coisas mencionadas anteriormente: *...nestoutro exemplo de folclore nortista...* [Fem.: *nestoutra*. Pl.: *nestoutros, nestoutras*. Us. tb. *neste(s) outro(s), nesta(s) outra(s).*]

🌐 ***net***[1] (*Ing. /néti/*) *sf. Rád. Telv.* F. red. do ing. *network*

🌐 ***net***[2] (*Ing. /néti/*) *sf. Inf. Telc.* O mesmo que *internet*

🌐 ***netbook*** (*Ing. /netbuk/*) *sm. Inf.* Computador ultraportátil, de pequenas dimensões e pouco peso, muitas vezes. para uso específico (como navegação na internet, p. ex.)

neto (*ne*.to) *sm.* Filho de um filho ou filha em relação ao pai ou à mãe deste [Fem.: *neta.*] [F.: Masc. de *neta*, do lat. vulg *nepta*, de *neptis.*]

netuniano (ne.tu.ni:*a*.no) *a.* **1** Ref. a oceano **2** Ref. a Netuno (o planeta ou o deus); NETUNINO; NETÚNIO **3** Diz-se de rocha sedimentar formada na fundos dos mares [F.: Do mitônimo *Netuno* + *-iano.*]

netunismo (ne.tu.*nis*.mo) *sm. Geol.* Antiga teoria que atribuía a formação da crosta terrestre. à ação das águas [F.: *Netuno* + *-ismo.*]

Netuno (Ne.*tu*.no) *sm.* **1** *Astron.* O oitavo planeta do sistema solar **2** *Mit.* Entre os romanos, divindade que presidia o mar **3** O mar, o oceano [Com inic. maiúscula.] [F.: Do lat. *Neptunus, i.*]

🌐 ***network*** (*Ing. /nétuork/*) *sf. Rád. Telv.* Grupo de emissoras associadas ou afiliadas que transmite a mesma programação; REDE [Tb. se diz apenas *net.*]

neuma (*neu*.ma) *Mús. sm.* **1** Sinal us. primeiramente na notação musical do séc. VII, para dar ao cantor uma indicação geral da melodia, e que se desenvolveu através dos séculos até chegar à moderna pauta de cinco linhas e ao conceito de clave **2** Na Idade Média, notação com que se escrevia o cantochão gregoriano [F.: Do lat. *neuma, atis*, 'modulação'.]

neura (*neu*.ra) *sf. Pop.* Mau humor, irritabilidade, neurastenia [F.: F. red. de *neurastenia.*]

neural (neu.*ral*) *a2g.* **1** *Anat.* Ref. a nervo ou próprio de nervo [*Neural* substituiu *nerval* na nova terminologia anatômica.] **2** *Anat.* Diz-se da cavidade que contém o sistema nervoso **3** *Anat.* Diz-se da placa formada pelo espessamento da parte dorsal do ectoderma embrionário **4** *Anat.* Diz-se do tubo formado pela invaginação do ectoderma na placa neural [Pl.: *-rais.*] [F.: *neur(o)-* + *-al*[1].]

neuralgia (neu.ral.*gi*.a) *sf. Med.* Dor localizada no trajeto de um nervo, *nevralgia* [F.: *neur(o)-* + *-algia.*]

neurastenia (neu.ras.te.*ni*.a) *sf.* **1** *Psiq.* Perturbação mental que se caracteriza por fraqueza orgânica ou psíquica, desânimo, irritabilidade, dor de cabeça e alteração do sono **2** *Pop.* Mau humor acompanhado de fácil irritabilidade [F.: *neur(o)-* + *-astenia.*]

neurastênico (neu.ras.*tê*.ni.co) *a.* **1** Ref. à neurastenia **2** Que sofre de neurastenia **3** Que se irrita com facilidade *sm.* **4** Indivíduo que sofre de neurastenia **5** *Pop.* Indivíduo cheio de azedume, que se irrita com facilidade [F.: *neurastenia* + *-ico*[2].]

neurilema (neu.ri.*le*.ma) *sm. Histl.* Envoltório dos axônios do sistema nervoso periférico; NEVRILEMA [F.: *neur(o)-* + *-ilema*, do gr. *eiléma, atos*, 'envoltório'.]

neurinoma (neu.ri.*no*.ma) *sm. Neur.* Tumor benigno que se desenvolve em um nervo [F.: Do ing. *neurinoma.*]

neurite (neu.*ri*.te) *sf. Med.* Inflamação de nervo; NEVRITE [F.: *neur(o)-* + *-ite.*]

neurito (neu.*ri*.to) *sm. Histl.* Corpo celular do neurônio e seus prolongamentos [F.: *neur(o)* + *-ito.*]

◎ **neur(o)-** *el. comp.* Nervo: *neurologia, neurônio, neurose.* [F.: Do gr. *neûron, ou.*]

neurobiologia (neu.ro.bi:o.lo.*gi*.a) *sf. Biol.* Campo da biologia que trata do sistema nervoso nos seus aspectos morfológicos, funcionais e patológicos: *novidades no campo da neurobiologia da obesidade.* [F.: *neur(o)-* + *biologia.*]

neurobiológico (neu.ro.bi:o.*ló*.gi.co) *a.* Ref. a neurobiologia [F.: *neurobiologia* + *-ico*[2].]

neurobiologista (neu.ro.bi:o.lo.*gis*.ta) *s2g.* **1** Médico ou biólogo especializado em neurobiologia; NEUROBIÓLOGO *a2g.* **2** Diz-se de qualquer desses profissionais [F.: *neurobiologia* + *-ista.*]

neurobiólogo (neu.ro.bi:*ó*.lo.go) *sm.* O mesmo que *neurobiologista* (subst.) [F.: *neur(o)-* + *biólogo.*]

neuroblasto (neu.ro.*blas*.to) *sm. Biol.* Forma embrionária da célula que dá origem ao neurônio [F.: *neur(o)-* + *-blasto.*]

neuroblastoma (neu.ro.blas.*to*.ma) *sm. Pat.* Tumor maligno constituído esp. de neuroblastos e que ocorre ger. em crianças: *O neuroblastoma é o tumor fora do cérebro mais frequente, 70% deles ocorrendo no abdome.* [F.: *neuroblasto* + *-oma.*]

neurocerebral (neu.ro.ce.re.*bral*) *a2g.* Ref. simultaneamente ao cérebro e aos nervos (sistema neurocerebral; patologia neurocerebral) [Pl.: *-brais.*] [F.: *neur(o)-* + *cerebral.*]

neurocibernética (neu.ro.ci.ber.*né*.ti.ca) *Inf. Neur. sf.* Interação da tecnologia da informação com as neurociências [F.: *neur(o)-* + *cibernética.*]

neurociência (neu.ro.ci:*ên*.ci:a) *sf.* Qualquer disciplina ou conjunto de disciplinas que estuda o sistema nervoso, esp. a anatomia e a fisiologia do cérebro humano, e suas interações com outras áreas do conhecimento [Tb. us. no pl.] [F.: *neur(o)-* + *ciência.*]

neurocientista (neu.ro.ci:en.*tis*.ta) *s2g.* Cientista especializado em neurociência(s) [F.: *neur(o)-* + *cientsta.*]

neurocirurgia (neu.ro.ci.rur.*gi*.a) *sf. Med.* Cirurgia do sistema nervoso [F.: *neur(o)-* + *-cirurgia.*]

neurocirurgião (neu.ro.ci.rur.gi:*ão*) *sm.* Médico especializado em neurocirurgia [Pl.: *-ões*. Fem.: *-ã.*] [F.: *neur(o)-* + *cirurgião.*]

neurocisticercose (neu.ro.cis.ti.cer.*co*.se) *sf. Pat.* Doença parasitária do sistema nervoso central, em decorrência de infecção pelo helminto do gên. *Taenia*, que pode causar fraqueza, encefalite, hidrocefalia etc. [F.: *neur(o)-* + *cisticercose.*]

neurodegenerativo (neu.ro.de.ge.ne.ra.*ti*.vo) *a.* Que degenera os neurônios (doenças neurodegenerativas) [F.: *neur(o)-* + *degenerativo.*]

neuroendócrino (neu.ro.en.*dó*.cri.no) *a.* **1** Ref. a ou próprio da interação dos sistemas nervoso e endócrino (controle neuroendócrino; carcinoma neuroendócrino) **2** Que age sobre os neurônios (substância neuroendócrina) [F.: *neur(o)-* + *endócrino.*]

neuroendocrinologia (neu.ro.en.do.cri.no.lo.*gi*.a) *sf. Med.* Ramo da medicina que se dedica ao estudo das interações da neurologia com a endocrinologia [F.: *neur(o)-* + *endocrinologia.*]

neurofibrila (neu.ro.fi.*bri*.la) *sf. Histl.* Estrutura formada por um conjunto de neurofilamentos que percorre as células nervosas [F.: *neur(o)-* + *fibrila.*]

neurofibrilar (neu.ro.fi.bri.*lar*) *a2g.* Ref. à neurofibrila [Pl.: *-lares.*] [F.: *neuro-* + *fibril(a)* + *-ar*[1].]

neurofibromatose (neu.ro.fi.bro.ma.*to*.se) *sf. Pat.* Doença de origem genética que pode causar alterações cutâneas, tumores chamados neurofibromas e manifestações neurológicas [F.: *neur(o)-* + *fibromatose.*]

neurofisiologia (neu.ro.fi.si:o.lo.*gi*.a) *sf. Fisl.* Campo da fisiologia que se dedica ao estudo do sistema nervoso (neurofisiologia da dor) [F.: *neur(o)-* + *fisiologia.*]

neurofisiológico (neu.ro.fi.si:o.*ló*.gi.co) *a.* Ref. a neurofisiologia [F.: *neurofisiologia* + *-ico*[2].]

neurofisiologista (neu.ro.fi.si:o.lo.*gis*.ta) *s2g.* **1** Cientista especializado em neurofisiologia *a2g.* **2** Diz-se desse profissional [F.: *neur(o)-* + *fisiologista.*]

neurogênese (neu.ro.*gê*.ne.se) *sf. Emb.* Processo de formação dos neurônios, células do sistema nervoso: *O estresse é antagonista da neurogênese.* [F.: *neur(o)-* + *-gênese.*]

neurogênico (neu.ro.*gê*.ni.co) *a.* **1** Ref. a neurogênese **2** Cuja causa é nervosa (choque neurogênico) [F.: *neur(o)-* + *-genia-* + *-ico*[2].]

neuróglia (neu.*ró*.gli.a) *sf. Anat.* Conjunto de células e fibras que servem de estrutura ao sistema nervoso; GLIA [F.: *neur(o)-* + *-glia*. Tb. *neuroglia.*]

neuroglial (neu.ro.gli.*al*) *a2g.* Ref. a ou próprio da neuróglia [Pl.: *-gliais.*] [F.: *neuroglia* + *-al*[1].]

neuroglioma (neu.ro.gli:*o*.ma) *sm. Pat.* Tumor desenvolvido no tecido neuroglial; GLIOMA [F.: *neurógli(a)* + *-oma.*]

neurografia (neu.ro.gra.*fi*.a) *sf.* Registro descritivo dos nervos por meio de diferentes técnicas [F.: *neur(o)-* + *-grafia.*]

neurográfico (neu.ro.*grá*.fi.co) *a.* Ref. a neurografia [F.: *neurografia* + *-ico*[2].]

neuroléptico (neu.ro.*lép*.ti.co) *Med. a.* **1** Diz-se de medicamento us. como tranquilizante, e que tem ação sedativa e antipsicótica, sem efeito hipnótico *sm.* **2** Esse medicamento: *neurolépticos de ação prolongada.* [F.: *neur(o)-* + *-léptico.*]

neurolinfa (neu.ro.*lin*.fa) *sf. Fisl.* Líquido cefalorraquidiano [F.: *neur(o)-* + *linfa.*]

neurolinguista (neu.ro.lin.*guis*.ta) *s2g.* **1** Profissional que se especializou em neurolinguística *a2g.* **2** Diz-se desse profissional (programador neurolinguista) [F.: *neur(o)-* + *linguista.*]

neurolinguística (neu.ro.lin.*guís*.ti.ca) *sf. Ling. Med.* Campo de investigação da linguística que se interessa de maneira geral pela cognição humana nos seus aspectos socioculturais, neuropsicológicos, afetivos, biológicos etc. e, de modo específico, pela linguagem e os processos afeitos a ela [F.: *neur(o)-* + *linguística.*]

neurolinguístico (neu.ro.lin.*guís*.ti.co) *a.* Ref. a neurolinguística ou a neurolinguista (programação neurolinguística) [F.: *neurolinguista* + *-ico*[2].]

neurologia (neu.ro.lo.*gi*.a) *sf.* **1** *Med.* Estudo do sistema nervoso em seu conjunto, nevrologia **2** *Med.* Especialidade médica que se ocupa das enfermidades do sistema nervoso [F.: *neur(o)-* + *-logia.*]

neurológico (neu.ro.*ló*.gi.co) *a.* Ref. a neurologia (problemas neurológicos) ou ao sistema nervoso; nevrológico [F.: *neurologia* + *-ico*[2].]

neurologista (neu.ro.lo.*gis*.ta) *a2g.* **1** Que se especializou em neurologia *s2g.* **2** Especialista em neurologia [F.: *neurologia* + *-ista.*]

neuroma (neu.*ro*.ma) *sm. Pat.* Tumor constituído por células e fibras nervosas (neuroma acústico; neuroma traumático) [F.: *neur(o)-* + *-oma.*]

neuronal (neu.ro.*nal*) *a2g. Biol.* Ref. a ou próprio de neurônio (plasticidade neuronal); NEURONIAL; NEURÔNICO [Pl.: *-nais.*] [F.: *neurôn(io)* + *-al*[1].]

neuroncologia (neu.ron.co.lo.*gi*.a) *sf. Med.* Campo da oncologia que trata dos tumores no cérebro [F.: *neur(o)-* + *oncologia.*]

neuronial (neu.ro.ni:*al*) *a2g. Biol.* O mesmo que *neuronal* [F.: *neurôni(o)* + *-al*[1].]

neurônico (neu.*rô*.ni.co) *a. Biol.* O mesmo que *neuronal* [F.: *neurônio* + *-ico*[2].]

neurônio (neu.*rô*.ni:o) *sm. Anat.* Célula essencial do tecido nervoso, constitui a unidade funcional do sistema nervoso [F.: *neuron-* (do gr. *nêuron*) + *-io.*] ■ **~ motor** *Neur.* Célula nervosa que estabelece conexão entre o sistema nervoso central e um músculo, ou uma glândula

neuropata (neu.ro.*pa*.ta) ***a2g.*** **1** Diz-se de indivíduo que apresenta neuropatia **2** Esse indivíduo [F.: *neur(o)-* + *-pata.*]
neuropatia (neu.ro.pa.*ti*.a) ***sf.*** **1** *Med.* Nome comum às doenças do sistema nervoso **2** *Psiq.* Qualquer forma de patologia da personalidade que não apresenta os sintomas específicos da neurose ou da psicose [F.: *neur(o)-* + *-patia.*]
neuropático (neu.ro.*pá*.ti.co) ***a.*** Ref. a neuropatia (comprometimento neuropático) [F.: *neuropatia* + *-ico*[2].]
neuropatologia (neu.ro.pa.to.lo.*gi*.a) ***sf.*** *Med.* Ramo da medicina que trata das doenças do sistema nervoso; *nevropatologia* [F.: *neur(o)-* + *patologia.*]
neuropatológico (neu.ro.pa.to.*ló*.gi.co) ***a.*** Ref. a neuropatologia; *nevropatológico* [F.: *neuropatologia* + *-ico*[2].]
neuropatologista (neu.ro.pa.to.lo.*gis*.ta) ***s2g.*** Especialista em neuropatologia [F.: *neur(o)-* + *patologista.*]
neuropediatra (neu.ro.pe.di:*a*.tra) ***s2g.*** **1** Neurologista especializado no tratamento de crianças ***a2g.*** **2** Diz-se desse profissional (médico neuropediatra) [F.: *neur(o)-* + *pediatra.*]
neuropeptídeo (neu.ro.pep.*tí*.de:o) ***sm.*** *Quím.* Substância liberada por células, esp. do cérebro, com efeito relacionado com a química da emoção [F.: *neuro-* + *peptídeo.*]
neuroplasma (neu.ro.*plas*.ma) ***sm.*** *Histl.* Citoplasma das células nervosas [F.: *neur(o)-* + *-plasma.*]
neuropsicologia (neu.ro.psi.co.lo.*gi*.a) ***sf.*** *Neur. Psi.* Especialidade que reúne a neurologia e a psicologia: *A neuropsicologia estuda a interface entre o cérebro e o comportamento humano.* [F.: *neur(o)-* + *psicologia.*]
neuropsicológico (neu.ro.psi.co.*ló*.gi.co) ***a.*** Ref. a neuropsicologia [F.: *neuropsicologia* + *-ico*[2].]
neuropsicólogo (neu.ro.psi.*có*.lo.go) ***sm.*** *Neur. Psi.* Médico ou psicólogo que se especializou em neuropsicologia [F.: *neur(o)-* + *psicólogo.*]
neuropsicomotor (neu.ro.psi.co.mo.*tor*) [ô] ***a.*** Que reúne os aspectos neurológicos, psíquicos e motores (desenvolvimento neuropsicomotor) [F.: *neur(o)-* + *-psicomotor.*]
neuropsicopatologia (neu.ro.psi.co.pa.to.lo.*gi*.a) ***sf.*** *Med.* Estudo e tratamento das doenças neuropsicológicas (neuropsicopatologia da esquizofrenia) [F.: *neur(o)-* + *psicopatologia.*]
neuropsicopatológico (neu.ro.psi.co.pa.to.*ló*.gi.co) ***a.*** Ref. a neuropsicopatologia [F.: *neuropsicopatologia* + *-ico*[2].]
neuropsiquiatra (neu.ro.psi.qui:*a*.tra) ***s2g.*** Médico que se especializou em neuropsiquiatria [F.: *neur(o)-* + *psiquiatra.*]
neuropsiquiatria (neu.ro.psi.qui:a.*tri*.a) ***sf.*** *Med.* Especialidade médica que une a neurologia e a psiquiatria [F.: *neur(o)-* + *psiquiatria.*]
neuropsiquiátrico (neu.ro.psi.qui.*á*.tri.co) ***a.*** Ref. a neuropsiquiatria; NEUROPSÍQUICO [F.: *neuropsiquiatria* + *-ico*[2].]
neuropsíquico (neu.ro.*psí*.qui.co) ***a.*** **1** *Psiq.* Ref. a cada uma das estruturas do sistema nervoso que participam do processo mental (desenvolvimento neuropsíquico) **2** *Neur. Psiq.* Que tem origem neurológica e psíquica (distúrbio neuropsíquico) **3** O mesmo que *neuropsiquiátrico* [F.: *neur(o)-* + *psíquico.*]
neuropsiquismo (neu.ro.psi.*quis*.mo) ***sm.*** *Psiq.* Conjunto das características neuropsíquicas de um indivíduo [F.: *neur(o)-* + *psiquismo.*]
neuroquímica (neu.ro.*quí*.mi.ca) *Biol. Bioq.* ***sf.*** **1** Estudo da composição química do sistema nervoso bem como de sua funções e das reações químicas que nele ocorrem **2** Atividade do sistema nervoso [F.: *neur(o)-* + *química.*]
neuroquímico (neu.ro.*quí*.mi.co) ***a.*** **1** Ref. a neuroquímica (desequilíbrio neuroquímico; avaliação neuroquímica) **2** Diz-se de profissional especializado em neuroquímica ***sm.*** **3** Esse profissional [F.: *neuroquímic(a)* + *-o.*]
neurorradiologista (neu.ror.ra.di:o.lo.*gis*.ta) ***s2g.*** **1** Radiologista ou técnico que se especializou em neurorradiologia ***a2g.*** **2** Diz-se desse profissional (médica neurorradiologista) [F.: *neurorradiologia* + *-ista.*]
neurose (neu.*ro*.se) ***sf.*** **1** *Psi.* Perturbação psíquica, caracterizada por conflitos que inibem as condutas sociais, sem entretanto comprometer a estrutura da personalidade, e dos quais o paciente tem uma consciência pesarosa; NEVROSE; NEURA **2** *Psic.* Afecção psicogênica cujos sintomas expressam simbolicamente um conflito psíquico enraizado na história infantil do sujeito [F.: *neur(o)-* + *-ose.*] ■ **~ de guerra** *Psiq.* Conjunto de distúrbios psiquiátricos proveniente de traumas sofridos por pessoa em situação de guerra, ger. ao atuar como militar **~ histérica** *Psiq.* Neurose que se manifesta como distúrbio funcional de origem psíquica, e não física, provocado por trauma emocional [Pode ser: 1) *de conversão*, na qual há distúrbios dos sentidos (surdez, cegueira, perturbações sensoriais etc.); sin.: *histeria de conversão*; 2) *de dissociação*, perturbação na percepção de identidade e na consciência (amnésia, dupla ou múltipla personalidade etc.) sin.: *histeria de dissociação*.]
neurossensorial (neu.ros.sen.so.ri:*al*) ***a2g.*** Ref. ao nervo sensorial, que leva impulsos de um órgão dos sentidos para o cérebro ou medula espinhal [Pl.: *-riais.*] [F.: *neur(o)-* + *sensorial.*]
neurótico (neu.*ró*.ti.co) ***a.*** **1** Ref. a neurose (comportamento neurótico) **2** *Psi.* Diz-se de pessoa que sofre de neurose: *Os neuróticos de guerra não suportam ouvir tiros.* ***sm.*** **3** Indivíduo que sofre de neurose [F.: *neurose* + *-ico*[2].]
neurotização (neu.ro.ti.za.*ção*) ***sf.*** Ação ou resultado de neurotizar(-se): *a crescente neurotização da sociedade.* [Pl.: *-ções.*] [F.: *neurotizar* + *-ção.*]
neurotizado (neu.ro.ti.*za*.do) ***a.*** Que se neurotizou; que apresenta neurose: *cidadãos neurotizados pela violência criminosa.* [F.: Part. de *neurotizar.*]
neurotizante (neu.ro.ti.*zan*.te) ***a2g.*** Que é capaz de provocar neurose (barulho neurotizante) [F.: *neurotizar* + *-nte.*]
neurotizar (neu.ro.ti.*zar*) ***v.*** Tornar(-se) neurótico [***td.:*** *Os conflitos familiares neurotizaram a criança.*] [***int.:*** *Neurotizou-se depois do divórcio.*] [▶ **1 neurotizar**] [F.: *neurótico* + *-izar.*]
neurotomia (neu.ro.to.*mi*.a) ***sf.*** *Cir.* Secção, corte de um nervo [F.: *neur(o)-* + *-tomia.*]
neurotômico (neu.ro.*tô*.mi.co) ***a.*** Ref. a neurotomia [F.: *neurotomia* + *ico*[2].]
neurotoxicidade (neu.ro.to.xi.*da*.de) [cs] ***sf.*** Característica ou condição do que é neurotóxico: *neurotoxicidade relacionada ao consumo de drogas.* [F.: *neurotóxico* + *-i-* + *-dade.*]
neurotóxico (neu.ro.*tó*.xi.co) ***a.*** Que atua sobre o sistema nervoso e afeta o controle muscular (droga neurotóxica) [F.: *neur(o)-* + *tóxico.*]
neurotoxina (neu.ro.to.*xi*.na) [cs] ***sf.*** *Bioq.* Cada uma das muitas toxinas encontradas na natureza e que atacam exclusivamente o sistema nervoso: *neurotoxina do veneno do escorpião.* [F.: *neur(o)-* + *toxina.*]
neurotoxoplasmose (neu.ro.to.xo.plas.*mo*.se) [cs] ***sf.*** *Pat.* Infecção causada pelo protozoário *Toxoplasma gondii* e que ataca o sistema nervoso [F.: *neur(o)-* + *toxoplasmose.*]
neurotransmissor (neu.ro.trans.mis.*sor*) [ô] ***a.*** **1** *Bioq.* Diz-se de substância que, liberada por célula nervosa, transmite impulso nervoso a outra célula ***sm.*** **2** Essa substância [F.: *neur(o)-* + *transmissor.*]
neurotrófico (neu.ro.*tró*.fi.co) ***a.*** *Biol.* Que promove o crescimento ou a regeneração do sistema nervoso (fator neurotrófico) [F.: *neur(o)* + *trófico.*]
neurotrofina (ne.ro.tro.*fi*.na) ***sf.*** *Bioq.* Fator de crescimento que promove a sobrevivência dos neurônios e possivelmente regula a plasticidade sináptica: *Após a atividade física, aumentam os níveis de neurotrofina.* [F.: *neur(o)-* + *-trof(o)-* + *-ina.*]
neurovascular (neu.ro.vas.cu.*lar*) ***a2g.*** Ref. aos sistemas nervoso e vascular (lesão neurovascular) [F.: *neuro-* + *vascular.*]
neurovegetativo (neu.ro.ve.ge.ta.*ti*.vo) ***a.*** Ref. a ou próprio da parte do sistema nervoso, constituída de neurônios sensitivos e motores, que regula as funções involuntárias como a digestão, circulação do sangue, respiração, sexualidade e emoções (transtorno neurovegetativo) [F.: *neur(o)-* + *vegetativo.*]
neutral (neu.*tral*) ***a2g.*** **1** Que não toma posição **2** Que revela imparcialidade ao julgar ou avaliar **3** Que não assume posição de envolvimento com algo ou alguém ***s2g.*** **4** Indivíduo neutral: *Os neutrais não votam nas questões polêmicas.* [Pl.: *-trais.*] [F.: *neutro* + *al*[1].]
neutralidade (neu.tra.li.*da*.de) ***sf.*** **1** Qualidade ou condição de quem se mantém neutro **2** Qualidade do que ou de quem revela imparcialidade **3** Condição de um país que não toma partido em um conflito bélico; NÃO ALINHAMENTO **4** *Fís. Quím.* Estado ou qualidade de um corpo ou de um meio eletricamente neutro **5** *Quím.* Propriedade de uma solução ou meio que não é ácido nem base **6** *Psic.* Atitude neutra do analista em rel. aos conflitos do paciente [F.: *neutral* + *-(i)dade.*]
neutralismo (neu.tra.*lis*.mo) ***sm.*** **1** *Pol.* Posição política ou ideológica que, num conflito, faz a opção da neutralidade **2** *Pol.* Posição de um país que não se alia a uma potência ou a um grupo delas **3** *Ecol.* Associação entre duas espécies ou populações em que nenhuma delas produz efeito sobre a outra [F.: *neutral* + *-ismo.*]
neutralista (neu.tra.*lis*.ta) ***a2g.*** **1** Ref. ao neutralismo: *teoria neutralista da evolução.* **2** Diz-se de indivíduo adepto do neutralismo ***s2g.*** **3** Esse indivíduo [F.: *neutral* + *-ista.*]
neutralização (neu.tra.li.za.*ção*) ***sf.*** **1** Ação ou efeito de neutralizar(-se) **2** Ação ou resultado de colocar(-se) em posição de neutralidade, de imparcialidade **3** *Eletrôn.* Ação de cancelar efeitos indesejáveis que ocorrem em circuitos eletrônicos **4** *Ling.* Estado de dois fonemas cuja oposição pode desaparecer, em certas posições **5** *Quím.* Tratamento de um ácido por uma base, ou vice-versa [Pl.: *-ções.*] [F.: *neutralizar* + *-ção.*]
neutralizado (neu.tra.li.*za*.do) ***a.*** Que se neutralizou; que se tornou neutro: *O vinagre é ácido acético, levemente corrosivo, mas neutralizado quando misturado ao bicarbonato de sódio.* [F.: Part. de *neutralizar.*]
neutralizador (ne.tra.li.za.*dor*) [ô] ***a.*** **1** Que neutraliza; NEUTRALIZANTE ***sm.*** **2** Aquele ou aquilo que neutraliza (neutralizador de odores) **3** *Astron.* Parte de um motor a propulsão iônica geradora de elétrons, cujas cargas negativas tornam o fluxo propulsivo eletricamente neutro depois da ejeção, o que evita o retorno do fluxo sobre o propulsor carregado negativamente **4** *Tip.* Em certas máquinas impressoras, dispositivo destinado a eliminar a eletricidade estática do papel [F.: *neutralizar* + *-dor.*]
neutralizante (neu.tra.li.*zan*.te) ***a2g.*** **1** Que neutraliza (solução neutralizante); NEUTRALIZADOR ***s2g.*** **2** Produto que neutraliza (neutralizante capilar) [F.: *neutralizar* + *-nte.*]
neutralizar (neu.tra.li.*zar*) ***v.*** **1** Tornar(-se) neutro ou imparcial [***td.:*** *Esta essência neutralizará o cheiro de fumaça.*] [***int.:*** *Nessa briga é melhor neutralizar-se.*] **2** Tornar ineficiente ou inútil, anular [***td.:*** *Essa decisão do governo neutralizou nossos esforços; O esquema defensivo neutralizou as jogadas de ataque.*] **3** *Ling.* Tornar indiferentes as propriedades linguísticas em determinados contextos [***td.:*** *A posição final na palavra neutraliza a distinção entre consoantes surdas e sonoras em português.* Cf.: *arquifonema.*] **4** *Quím.* Tornar inertes as propriedades da acidez ou a intensidade do teor básico de uma substância química [***td.***] [▶ **1 neutralizar**] [F.: *neutral* + *-izar.*]
neutrão (neu.*trão*) ***sm.*** *Fís. nu.* Ver *nêutron* [Pl.: *-trões.*]
neutrino (neu.*tri*.no) ***sm.*** *Fís. nu.* Partícula elementar da grupo dos léptons, que se apresenta de três formas ligadas respectivamente aos elétrons, múons e taus, tendo como característica a ausência de carga e o *spin* 1/2, e cada forma tendo sua própria antipartícula [O neutrino foi definitivamente identificado em 1956; dados experimentais indicam que sua massa de repouso é nula e que se desloca à velocidade da luz, embora não exista prova conclusiva a esse respeito.] [F.: Do it. *neutrino*, dim. de *neutro* [Termo criado pelo físico it. Enrico Fermi (1901-1954).]
neutro (*neu*.tro) ***a.*** **1** Que não toma posição nem a favor nem contra **2** Que não toma partido: *Permaneceu neutro na disputa dos grupos.* **3** Que age de maneira imparcial: *Ele sempre julga de maneira neutra.* **4** Diz-se de país que se mantém fora de disputas bélicas, de guerra, e cujo território os outros países se comprometem a respeitar **5** Que se apresenta de maneira imprecisa, sem clareza (cores neutras) **6** *Fig.* Que se recusa a comprometimento ou envolvimento com algo ou alguém **7** *Gram.* Diz-se de gênero gramatical que, em certos idiomas, se opõe ao masculino e ao feminino **8** *Elet.* Condutor de potencial zero, sempre ligado à terra, em circuito de corrente alternada **9** *Agr.* Diz-se do solo com acidez fraca ou inexistente **10** *Quím.* Diz-se do meio cujo pH é igual a 7 **11** *Zool.* Diz-se do indivíduo adulto assexuado, encontrado sobretudo entre espécies sociais, como abelhas e formigas **12** *Elet.* Diz-se do estado de um sistema em que são iguais as quantidades de energia positiva e negativa [F.: Do lat. *neuter, neutra, neutrum.* Hom./Par.: *neutro* (a.), *nêutron* (sm.).]
neutrófilo (neu.*tró*.fi.lo) ***sm.*** **1** *Histl.* Granulócito mais numeroso no sangue normal, que apresenta grande atividade fagocitária e libera agentes de proteção celular como a lisozima e oxidantes ***a.*** **2** Diz-se de organismo que fixa corantes neutros [F.: *neutro* + *-filo.*]
nêutron (*nêu*.tron) ***sm.*** *Fís. nu.* Partícula com carga elétrica nula, constituinte do núcleo atômico [É correta a forma *neutrão.*] [Pl.: *nêutrones* e *nêutrons.*] [F.: Do ing. *neutral* + *-on.* Hom./Par.: *nêutron* (sm.), *neutro* (a.).] ■ **~ epitérmico** *Fís. nu.* Nêutron que apresenta ordem de energia similar à das ligações químicas **~ frio** *Fís. nu.* Nêutron com energia cinética menor que 0, 025eVer **~ intermediário** *Fís. nu.* Nêutron com energia cinética intermediária entre a de nêutrons rápidos e nêutrons lentos **~ lento** *Fís. nu.* Nêutron com energia cinética menor que a de um parâmetro estipulado (ger. 1keV) **~ rápido** *Fís. nu.* Nêutron com energia cinética maior que a de um parâmetro estipulado (ger. 1MeV) **~ térmico** *Fís. nu.* Nêutron em equilíbrio térmico com o meio a que pertence **~ virgem** *Fís. nu.* Qualquer nêutron, antes de sua interação com alguma outra partícula
neutrônica (neu.*trô*.ni.ca) *Fís. nu.* ***sf.*** Parte da física que se dedica ao estudo da atividade radioativa dos nêutrons e a suas possíveis aplicações (neutrônica de reatores) [F.: *nêutron* + *-ica.*]
neutropenia (neu.tro.pe.*ni*.a) ***sf.*** *Pat.* Quantidade reduzida de neutrófilos no sangue: *A neutropenia é ger. uma condição passageira, causada por tratamentos de quimioterapia e/ ou radioterapia.* [F.: *neutro* + *-penia.*]
neutropênico (neu.tro.*pê*.ni.co) ***a.*** Ref. a neutropenia: *O paciente neutropênico fica vulnerável a infecções.* [F.: *netropenia* + *-ico*[2].]
neutrosfera (neu.tros.*fe*.ra) ***sf.*** *Geof.* Região da atmosfera localizada entre a superfície terrestre e a ionosfera, onde a ionização é praticamente inexistente [F.: *neutro* + *-sfera.*]
nevada (ne.*va*.da) ***sf.*** **1** A quantidade de neve que cai de uma vez: *Não se pode andar com essa nevada.* **2** Fenômeno de formação ou queda de neve: *Vai cair uma nevada amanhã.* [F.: Fem. substv. de *nevado.*]
nevado (ne.*va*.do) ***a.*** **1** Que se encontra coberto de neve (montanhas nevadas) **2** *Fig.* Branco como a neve (cabelos nevados): "Os aparadores, discretamente lavrados em florões e rocalhas, resplandeciam com a mesma laca nevada" (Eça de Queirós, *A cidade e as serras*) **3** Esfriado por meio da neve ou gelo (vinho nevado; água nevada) **4** Que tem a frialdade da neve, frígido **5** Diz-se de bovinos e equinos que possuem manchas esbranquiçadas ***sm.*** **6** Neve endurecida, acumulada durante um período glacial **7** Espécie de pó branco, formado por grânulos arredondados pela ação do calor solar sobre a neve [F.: Part. de *nevar.*]
nevar (ne.*var*) ***v.*** **1** Cair neve [***int.:*** *Nevou na Serra Gaúcha*] **2** *Fig.* Tornar(-se) branco, claro; embranquecer(-se) [***td.:*** *O luar nevava a estrada*] **3** Tornar(-se) frio como a neve, ou gelo [***td.***] [***int.***] [▶ **1 nevar** Verbo impessoal.] [F.: *neve* + *ar.* Hom./Par.: *neve(s)* (fl.), *neve(s)* (sf. [pl.]).]
nevasca (ne.*vas*.ca) ***sf.*** *Met.* Queda de neve que ocorre juntamente com uma tempestade; tempestade de neve [F.: *neve* + *-asca.*]
neve (*ne*.ve) ***sf.*** **1** *Met.* Precipitação de cristais de gelo em forma de flocos **2** Camada desses flocos que se acumulam sobre uma superfície: *deslizar de trenó na neve.* **3** *Fig.* Extrema brancura: "Os anjos, seus irmãos de asas de neve, olhavam do alto" (Edgar Allan Poe, trad. de Gondin da Fonseca, "Annabel Lee" *in Poemas da angústia alheia*) **4** *Fig.* As cãs, os cabelos brancos: "As neves que na fronte se acumulam" (Eça de Queirós, *O primo Basílio*) **5** *Fig.* Frio intenso **6** *Eletrôn.* Imagem semelhante à queda de flocos de neve, que pode formar-se na tela de uma televisão ou radar **7** Doce feito de açúcar e leite ou suco de certas frutas; SORVETE [F.: Do lat. vulg. *nevem* (cláss. *nix, nivis*). Hom./Par.: *neve* (sf.), *neve*

(fl. de *nevar*). Ideia de 'neve': *niv(i/o)-* e *quion(o)*.] ■ **Em ~** *Bras. Cul.* De modo a tomar consistência espumosa e leve, e coloração branca (diz-se de um modo de bater a clara do ovo, para o preparo de receitas); *Lus.* em castelo: *Bater as claras em neve; acrescentar claras em neve à mistura.*

📖 A neve resulta da solidificação de água na atmosfera, por congelamento em baixas temperaturas, na forma de cristais hexagonais que se combinam em diversas estruturas, tamanhos e formatos. Essa variedade depende, em primeiro lugar, da quantidade de moléculas de água na atmosfera. Se é grande (alto teor de umidade), os cristais congelados se formam e se agrupam rapidamente, formando flocos densos e pesados. Se é pequena, os flocos são menores e mais leves, com cristais em forma de estrela. Ao caírem os flocos por seu próprio peso, novas moléculas de água podem ir congelando e aderindo a eles, dando-lhes formato irregular. As neves perpétuas (em temperaturas que nunca sobem a ponto de derretê-las) ficam nas montanhas acima de 2.700 m em regiões mais frias, e acima de 4.800 m nos trópicos.

nevo (*ne*.vo) ***sm.*** **1** *Derm.* Anomalia congênita circunscrita da pele, causada por pigmentação ou vascularização excessivas **2** *Pop.* Mancha, pinta na pele; SINAL [F.: Do lat. *naevus, i.*]

névoa (*né*.vo:a) ***sf.*** **1** *Met.* Vapor de água suspenso nas camadas da atmosfera; BRUMA; NEBLINA **2** *Fig.* O que dificulta a visibilidade: *Uma névoa no olhar não lhe permitia distinguir as pessoas.* **3** *Fig.* Aquilo que dificulta a visão, a compreensão etc.: *O sofrimento deixou-lhe uma névoa que impedia a compreensão dos fatos.* **4** Ausência de nitidez: *Uma névoa deixava os objetos imprecisos a seu olhar.* **5** *Oft.* Mancha esbranquiçada na córnea; ALBUGEM; BELIDA [F.: Do lat. *nebula, ae.* Hom./Par.: *névoa* (sf.), *nevoa* (fl. de *nevoar*). Ideia de 'névoa': *nefel(i/o)*.] ■ **~ seca** *Met.* Difusão de partículas sólidas (poeira, fumaça) que turvam a atmosfera, sem saturação de vapor de água **~ úmida** *Met.* Névoa provocada pela presença de partículas líquidas em suspensão na atmosfera, sem saturá-la **Ter ~ nos olhos** **1** Ter a visão embaçada **2** *Fig.* Não ter percepção, não conseguir entender

nevoeiro (ne.vo.*ei*.ro) ***sm.*** **1** *Met.* Névoa muito densa; CERRAÇÃO **2** *Fig.* Acúmulo de fumaça: "Diz do fumo entre os densos nevoeiros..." (Castro Alves, "O navio negreiro" *in Os escravos*) **3** *Fig.* Falta de clareza; OBSCURIDADE [F.: *névoa* + *eiro.* Ant. ger.: *claridade.*]

nevoento (ne.vo:*en*.to) ***a.*** **1** Que se encontra encoberto por névoa; NEBULOSO **2** *Fig.* Difícil de compreender; OBSCURO [F.: *névoa* + *-ento.* Ant. ger.: *claro.*]

nevoso (ne.*vo*.so) [ô] ***a.*** **1** Que tem neve; coberto de neve (inverno nevoso; paisagem nevosa); NEVADO; NEVOENTO **2** Em que neva frequentemente (país nevoso) [Pl.: [ó]. Fem.: [ó].] [F.: *neve* + *-oso.*]

nevralgia (ne.vral.*gi*.a) ***sf.*** *Med.* Dor que se difunde ao longo de um nervo, numa de suas ramificações ou áreas de controle; NEURALGIA [F.: *nevr(o)-* + *-algia.*]

nevrálgico (ne.*vrál*.gi.co) ***a.*** Ref. a nevralgia; NEURÁLGICO [F.: *nevralgia* + *-ico*².]

nevrilema (ne.vri.*le*.ma) ***sf.*** *Histl.* O mesmo que *neurilema* [F.: *nevr(o)-* + *-ilema*, do gr. *eiléma, atos*, 'envoltório'.]

nevrite (ne.*vri*.te) ***sf.*** *Med.* Lesão inflamatória ou degenerativa de um nervo, o mesmo que *neurite* [F.: *nevr(o)-* + *-ite.*]

◎ **nevr(o)-** ***el. comp.*** Nervo: *nevralgia, nevrose.* [F.: Do gr. *neûron, ou.*]

nevrologia (ne.vro.lo.*gi*.a) ***sf.*** *P. us. Med.* Estudo do sistema nervoso, o mesmo que *neurologia* [F.: *nevr(o)-* + *-logia.*]

nevrose (ne.*vro*.se) ***sf.*** *P. us. Psiq.* Ver *neurose* [F.: *nevr(o)-* + *-ose.*]

nevrótico (ne.*vró*.ti.co) ***a.*** **1** O mesmo que *neurótico* ***sm.*** **2** *Psiq.* Indivíduo que padece de neurose [F.: *nevrose* + *-ico*².]

⊕ **new age** (*Ing. /niu eige/*) ***loc. subst.*** **1** Termo originado nos meios esotéricos dos EUA e posto em uso a partir da década de 1980, para designar a Era de Aquário **2** *P. ext.* Denominação do conjunto de movimentos filosóficos e artísticos relacionados a essa era [Tb. us. como adjetivo.]

⊕ **newsletter** (*Ing. /niusléter/*) ***sm.*** *Jorn. Mkt.* Publicação de periodicidade específica, editada por empresa, entidade, instituição etc., com informações relativas a ela ou a sua área de atuação e destinada a público restrito

newton (*new*.ton) [níu] ***sm.*** *Fís.* Unidade de medida de força do Sistema Internacional, equivalente à força que transmite uma aceleração de um metro por segundo ao quadrado (1 m/s²) a um corpo com massa de um quilograma (1 kg) [Símb.: *N.*] [F.: Do ing. *newton*, de Isaac Newton (1642-1727), matemático, físico e astrônomo inglês.] ■ **~ segundo** *Metrol.* Unidade de medida de momento linear no SI, equivalente ao momento linear resultante da aplicação de uma força de um newton durante um segundo [*Símb.: N. s.*]

newtoniano (new.to.ni.*a*.no) ***a.*** **1** *Fís.* Ref. ou inerente a, ou próprio do cientista, matemático, físico, astrônomo e filósofo inglês Isaac Newton (1642-1727) e ao newtonianismo **2** Diz-se de que ou quem segue a doutrina de Newton e o newtonianismo ***sm.*** **3** Adepto da doutrina de Newton e do newtonianismo [F.: Do antr. (Isaac) *Newton-* + *-iano.*]

⊕ **new wave** (*Ing. /niu ueiv/*) *Mús.* ***loc. subst.*** **1** Tipo e forma de gênero musical popular, de caráter renovador, surgido na década de 1980 **2** Adepto ou admirador desse gênero ***loc. a.*** **3** *Mús.* Diz-se de quem ou do que tem características desse gênero (músico new wave; canção new wave; estilo new wave)

nexo (*ne*.xo) [cs] ***sm.*** **1** Ligação entre duas ou mais coisas; VÍNCULO **2** Conexão lógica entre fatos, ideias etc.; COERÊNCIA: *Seu discurso não tinha nexo.* **3** *Cit.* Junção comunicante **4** *Ling.* Conexão entre sujeito e predicado [F.: Do lat. *nexus, us.*] ■ **~ causal** *Jur.* Relação entre causa e efeito

nhá¹ (*nha*) ***sf.*** **1** *Bras. Cver. Gui. Fam.* Forma reduzida de tratamentos dados por escravos às senhoras, como *sinhá, iaiá, nhanhã*: *nhá Maria; nhá Leonor; nhá Maria; nhá Leonor.* **2** *Gram.* Fem. de nhô [F.: f. aferética de *sinhá.*]

nhá² (*nhá*) ***sf.*** *Bot.* Árvore que atinge até 50m (*Bertholettia excelsa*) e apresenta sementes comestíveis, conhecidas como castanha-do-pará, m q. *castanheira-do-pará, castanheiro-do-pará* ou *júvia* [F.: or. desconhecida.]

nhaca (*nha*.ca) ***sf.*** *Bras. Gír.* Mau cheiro proveniente de pessoa ou animal, mesmo que *inhaca*¹ (1) [F.: Do tupi *(y)'akwa.*]

nhambiquara (nham.bi.*qua*.ra) ***a2g. s2g. sm.*** Ver *nambiquara*

nhambu (nham.*bu*) ***sm.*** **1** *Bras. Zool.* Denominação comum a diversas spp. de aves, fam. dos tinamídeos, dos gên. *Tinamus* e *Crypturellus*, de cauda e pernas curtas; INHAMBU; NAMBU: "E se eu der uns tiros? Inútil. Quem ouvir, pensará que estou atirando aos nhambus" (Guimarães Rosa, "São Marcos" *in Sagarana*) **2** *Bot.* Erva da fam. das compostas (*Acmella oleracea*), nativa da região amazônica ao RJ, cujas folhas são comestíveis e, assim como as flores, têm propriedades analgésicas e antissépticas; AGRIÃO-DO-PARÁ; JAMBU [F.: Do tupi *ina bu.*]

nhandi (*nhan*.di) ***sm.*** *Bras. Bot.* Arbusto (*Piper caudatum*), da fam. das piperáceas, típico de matas úmidas, de folhas delicadas e dotadas de estípulas, flores inconspícuas em espigas alongadas, frutos de sabor acre; PIMENTA-DOS-ÍNDIOS [F.: Do tupi *ña'ndí.*]

nhandu (nhan.*du*) ***sm.*** **1** *Bras. Zool.* Ver *ema* (*Rhea americana*) **2** *Bot.* Arbusto da fam. das piperáceas (*Piper marginatum*), nativo do Brasil e das Guianas, de frutos aromáticos us. como condimento; CAPEBA-CHEIROSA; PIMENTA-DO-MATO [F.: Do tupi *ya'ndu.*]

nhanduti (nhan.*du*.ti) ***sm.*** *Artesn.* Trabalho de renda, típico do Paraguai: "Compra-se o nhanduti - fios de amido e amor, rijo aranho constelado, espuma em estrias." (Guimarães Rosa, "Sanga Puytã" *in Ave, palavra*) [F.: De orig. obsc., prov. do tupi-guarani.]

nhanhá (nha.*nhá*) ***sm.*** *Bras. Fam.* Forma de tratamento dado às meninas e às moças; IAIÁ; NHANHÃ [F.: F. redobrada de *nhá.*]

nhanhã (nha.*nhã*) ***sf.*** *Bras. Fam.* Iaiá; NHANHÁ [F.: F. redobrada de *nhá* com nasalação.]

nhato (*nha*.to) ***a.*** **1** *Antr.* Que apresenta o maxilar inferior proeminente, *prógnato* ***a.*** **2** *GO MG SP Hip.* Diz-se de espécie equina que possui corpo grande e pés desproporcionalmente pequenos, ou que tem proeminente a maxila inferior; (cavalo nhato); *prógnato*: "Uma besta ruana... tinha apenas um defeito: era nhata; e as maxilas erradas impediam-na de tosar os talos, já rentes à terra, da última relva da seca..." (Guimarães Rosa, "Corpo fechado" *in Sagarana*) [F.: Do espn. plat. *ñato.*]

nhazinha (nha.*zi*.nha) ***sf.*** **1** *Ant.* Senhorinha, senhorita **2** *Bras. Fam.* Forma reduzida de sinhazinha; IAIÁ: "Os cabelos enormes... quase tapavam o rosto dela mesma, aquela nhazinha -moura..." (Guimarães Rosa, *Grande sertão: veredas*) [F.: *nhá-* + *-zinha* (diminutivo de *nhanhã*).]

nheco-nheco (nhe.co-*nhe*.co) [é, é] ***sm.*** **1** *Bras.* Graça, gracejo: *Fazia nheco-nhecos para as crianças.* **2** Vacilo [Cf.: nhe-nhe-nhém]; VAI NÃO VAI: *Era sempre um nheco-nheco com o namoro.* [Pl.: *nheco-nhecos.*] [F.: f. onomat.]

nheengatu (nhe.en.*ga*.tu) ***sm.*** **1** *Bras. Gloss.* Língua geral do tronco tupi, us. no litoral brasileiro por vários povos indígenas até o séc. XVII, depois difundida e hoje falada na região amazônica por indígenas e não indígenas: "E a Iara é preguiçosa, / tão preguiçosa, / que não canta mais as trovas lentas/ em nheengatu..." (Guimarães Rosa, "A Iara" *in Magma*) **2** O Sol, no idioma tupi; COARACI [F.: Do tupi *nheenga'tu.*]

nhe-nhe-nhem (nhe-nhe-*nhem*) ***sm.*** *Bras. Pop.* Conversa interminável, tediosa, esp. a que faz rodeios para evitar o ponto central do assunto: "A fala dele era que não auxiliava o se entender - às vezes um engrol fanho, ou baixando em abafado nhe-nhe-nhém" (Guimarães Rosa, "O recado do morro" *in No Urubuquaquá, no Pinhém*) [Pl.: *-nhéns.*] [F.: Talvez do tupi *nheeng -nheeng -nheeng.* O Vocabulário Ortográfico da ABL não acentua esta palavra composta oxítona terminada em *em*, a ser grafada, por isso, *nhe-nhe-nhém.*]

nhô ***sm.*** *Bras.* Tratamento de senhor dado pelos escravos aos jovens da casa grande, o mesmo que *nhonhô, sinhô* ou *ioiô* [Fem.: *nhá.*] [F.: Red. de *senhor.*]

nhonhô (nho.*nhô*) ***sm.*** *Bras.* O mesmo que *nhô* [Fem.: *nhanhá.*] [F.: Redobro de *nhô.*]

nhoque (*nho*.que) *Cul.* ***sm.*** **1** Massa à base de batata e farinha de trigo, cortada em pedaços pequenos **2** Prato feito com essa massa cozida, ger. com molho de tomate ou de carne moída, mais queijo parmesão ralado [F.: Do it. *gnocchi*, pl. de *gnoccho.*]

nhor ***sm.*** *Bras.* Redução de *senhor*, us. principalmente nas locuções *nhor sim* e *nhor não* ■ **~ não** *Bras.* Não, senhor **~ sim** *Bras.* Sim, senhor

ni¹ ***sm.*** A 13ª letra do alfabeto grego, que corresponde ao *n* latino; NU [F.: Do gr. *nû.*]

⊠ **Ni**² *Quím.* Símb. de *níquel*

nica (*ni*.ca) ***sf.*** **1** Atitude rabugenta, ranzinza; IMPERTINÊNCIA **2** Atitude imatura, infantil **3** Coisa insignificante; BAGATELA; NINHARIA **4** *Gír.* Trapaça **5** *Bras.* Manha: "E não havia cavalo chucro de que ele não quisesse tirar a nica" (Afonso Arinos, *Pelo sertão*) **6** *BA* Trejeito, careta [F.: De or. obsc. Hom./Par.: *nica* (sf.), *nica* (fl. de *nicar*).]

nicar (ni.*car*) ***v.*** **1** Dar (as aves) bicadas em [*td.*] **2** *Pop.* Rachar (um pião) com o bico de outro pião [*td.*] **3** *Bras. Lud.* Atingir uma bola de gude com outra, no jogo de bolas de gude [*int.*] **4** *Tabu.* Praticar o coito [*int.*] [▶ **11 nicar**] [F.: De or. obsc. Hom./Par.: *nica* (fl.), *nica* (sf.); *nicas* (fl.), *nicas* (pl. do sf.); *niqueis* (fl.), *niqueis* (pl. de *níquel* [sm.]).]

nicaraguano (ni.ca.ra.*gua*.no) ***sm.*** **1** Indivíduo nascido ou que vive em Nicarágua (América Central) ***a.*** **2** De Nicarágua; típico dessa cidade ou de seu povo [F.: Do top. *Nicarágu(a)* + *-ano*¹.]

nicaraguense (ni.ca.ra.*guen*.se) ***s2g.*** **1** Aquele ou aquela que nasceu ou que vive na Nicarágua (América Central) ***a2g.*** **2** Da Nicarágua; típico desse país ou de seu povo [F.: Do top. *Nicarágua* + *-ense.*]

niceno (ni.*ce*.no) ***sm.*** **1** Indivíduo nascido ou que vive em Niceia (Ásia Menor) ***a.*** **2** De Niceia; típico dessa cidade ou de seu povo [F.: Do lat. *nicaenus* ou *nicenus, a, um.*]

nicho (*ni*.cho) ***sm.*** **1** Vão em parede para colocar ornamentos, imagens, estátuas e outros objetos **2** Espaço delimitado, ou compartimento, onde se pode colocar algo: *Colocou a foto num nicho da estante.* **3** Cargo bem pago ou que dá pouco trabalho; SINECURA: *Arranjou um nicho na Câmara.* **4** *Fig.* Recanto em estantes onde se colocam livros **5** *Fig.* Moradia simples, pequena e retirada **6** *Fig.* Lugar afastado ou retiro **7** *Mkt.* Segmento restrito do mercado, que ger. oferece novas oportunidades de negócio **8** *Ecol.* Segmento restrito de um habitat que oferece condições para a existência de um organismo ou espécie **9** *N.* Pequeno oratório de madeira onse se colocam imagens [F.: Do fr. *niche.*] ■ **~ ecológico** *Ecol.* Âmbito específico de um hábitat no qual um grupo de organismos busca interação alimentar

nicles (*ni*.cles) ***pr. indef.*** **1** *Bras.* Coisa nenhuma; NADA: *Não tenho nicles a ver com isso.* ***adv.*** **2** De forma nenhuma; CHONGAS; LHUFAS; NECAS: *A respeito de espórtulas, nicles.* [F.: Do lat. vulg. *nichil*, por *nihil*, 'nada'.]

nicobarês (ni.co.ba.*rês*) ***sm.*** **1** Indivíduo nascido ou que vive nas ilhas Nicobar, Índia **2** *Gloss.* Subgrupo do grupo austro-asiático de línguas, falado nessas ilhas [Pl.: *-reses* [ê]. Fem.: *-resa* [ê].] ***a.*** **3** Das ilhas Nicobar, típico delas ou de seu povo **4** *Gloss.* Do ou ref. ao nicobarês (2) [Pl.: *-reses* [ê]. Fem.: *-resa* [ê].] [F.: Do top. *Nicobar* + *-ês.*]

nicol (ni.*col*) ***sm.*** **1** *Fís.* Prisma de calcita, constituído por um romboedro de espato de islândia, que só deixa passar o raio extraordinário; PRISMA DE NICOL **2** *Ópt.* Dispositivo us. para polarizar luz, constituído pelo prisma de Nicol [F.: Do antr. (William) *Nicol* (físico inglês, c. 1768-1851).]

nicótico (ni.*có*.ti.co) ***a.*** Ref. ao fumo ou ao tabaco; NICOTÍNICO [F.: *nicot-* + *-ico*².]

nicotina (ni.co.*ti*.na) ***sf.*** *Farm. Quím.* Alcaloide básico líquido, incolor, fracamente volátil, de odor semelhante ao da piridina, existente nas folhas de tabaco, muito venenoso, us. como inseticida sob várias formas [fórm.: $C_{10}H_{14}N_2$] [F.: Do fr. *nicotine*; tax. *Nicot*(iana)- + *-ina.*]

nicotinamida (ni.co.ti.na.*mi*.da) ***sf.*** *Quím. Farm.* Amida básica do ácido nicotínico, cristalina, amarga, integrante do complexo da vitamina B, encontrada no corpo animal, us. no combate à pelagra [fórm.: $C_6H_6N_2O$]; NIACINAMIDA [F.: Do ing. *nicotinamide*; *nicotin(a)-* + *-amida.*]

nicotínico (ni.co.*tí*.ni.co) ***a.*** **1** *Farm. Quím.* Ref. ou inerente a nicotina, ou que contém nicotina (substância nicotínica); NICÓTICO **2** *Quím.* Diz-se do ácido componente do complexo B us. no combate à pelagra; NIACINA; NICOTINAMIDA [F.: *nicotina-* + *-ico*².]

nicromo (ni.*cro*.mo) ***sm.*** *Quím.* Liga de níquel, cromo e ferro, de grande resistência, us. em resistores elétricos [F.: *ni* (quel)- + *-cromo.*]

nictação (nic.ta.*ção*) ***sf.*** Ação de pestanejar; movimento frequente das pálpebras para baixo e para cima; PESTANEJO [Pl.: *-ções.*] [F.: Do lat. *nictatio, onis*, 'o pestanejar ou piscar dos olhos'.]

nictaginácea (nic.ta.gi.*ná*.cea) ***sf.*** **1** *Bot.* Espécime das *nictagináceas* ***sfpl.*** **2** *Bot.* Fam. de plantas dicotiledôneas da ordem das cariofilales, com muitos gêneros e espécies de árvores, arbustos e ervas, nativas de regiões tropicais e subtropicais, esp. das Américas, de folhas simples, ger. opostas, flores freq. hermafroditas, em cimeiras, frutos aquênicos ou nuciformes, de uso alimentar, medicinal e ornamental (esp. as do gên. *Mirabilis* e *Bougainvillea*) [F.: Do lat. cient. *Nyctagin-* (< tax. *Nyctago*) + *-ácea*; tax. *Nyctaginaceae.*]

nictalgia (nic.tal.*gi*:a) ***sf.*** *Pat.* Dor que só se manifesta à noite [F.: *nict(o)-* + *-alg(o)-* + *-ia.*]

nictálgico (nic.*tál*.gi.co) ***a.*** **1** Ref. ou inerente a nictalgia **2** Que sofre de nictalgia [F.: *nictalgia-* + *-ico*².]

nictalope (nic.ta.*lo*.pe) [ó] ***a2g.*** **1** *Oft.* Diz-se de que ou quem sofre de nictalopia, que não vê durante o dia e que só distingue os objetos quando escurece ou anoitece [Ant.: *hemeralope*] ***s2g.*** **2** *Oft.* Pessoa que tem nictalopia, que só enxerga bem à noite [Ant.: *hemeralope.*] [F.: Do gr. *nyktálóps, ópos*, 'que não vê bem durante a noite'.]

nictalopia (nic.ta.lo.*pi*:a) ***sf.*** *Oft.* Estado patológico da pessoa que só vê ao escurecer, estado de *nictalope*; CEGUEIRA DIURNA [Ant.: *hemeralopia*] [F.: Do gr. *nuktalópia, as*, 'doença dos olhos, que faz com que se veja somente durante a noite'.]

nictante (nic.*tan*.te) ***a2g.*** **1** Que tem ou manifesta nictação; que pisca frequentemente; NICTITANTE; PESTANEJANTE;

PISCA-PISCA *sf.* **2** *Bot.* Designação comum às plantas do gên. *Nyctanthes*, da fam. das oleáceas, nativas da Índia até Java [F.: (1) Do lat. *nictare*, 'pestanejar' + *-nte*; do lat. cien. *Nyctanthes*.]

nictanto (nic.*tan*.to) *a. Bot.* Diz-se da planta cujas flores só desabrocham à noite, permanecendo fechadas durante o dia [F.: *nict(o)-* + *-anto*.]

nictemeral (nic.te.me.*ral*) *a2g. Cron.* Ref. ou inerente a ou próprio de nictêmero, espaço de tempo que compreende 24 horas, ou seja, um dia e uma noite (sono nictemeral; tarefa nictemeral) [Pl.: *-rais*.] [F.: *nictêmero-* + *-al*².]

◎ **nict(i/o)-** *el. comp.* Noite: *nictofobia, nictofóbico, nictografia*. [F.: Do gr. *núks, nuktós*.]

nictinastia (nic.ti.nas.*ti*:a) *sf. Bot.* Movimento nástico, p. ex. curvatura do eixo de uma planta, abertura e fechamento das flores, etc., de acordo com influências externas; NICTINASTISMO [F.: *nict(i/o)-* + *-nastia*.]

nictitante (nic.ti.*tan*.te) *a2g.* **1** Diz-se de quem pestaneja frequentemente, *nictante* (1) *s2g.* **2** Pessoa que apresenta essa característica [F.: Do lat. *nictitans, antis*, 'que pestaneja a todo instante'.]

nictóbata (nic.*tó*.ba.ta) *s2g.* Pessoa noctâmbula, que anda durante o sono; SONÂMBULO [F.: *nicto-* + *-bata*. Tb. *nictobata*.]

nictofobia (nic.to.fo.*bi*.a) *sf. Psiq.* Medo mórbido da escuridão ou da noite [F.: *nicto-* + *-fobia*.]

nictofóbico (nic.to.*fó*.bi.co) *a.* **1** Ref. a nictofobia **2** Diz-se de pessoa que sofre de nictofobia: *Apesar da aparência normal, era um nictofóbico.* *sm.* **3** Essa pessoa: *Os nictofóbicos dormem de luz acesa*. [F.: *nictofobia* + *-ico*².]

nictófobo (nic.*tó*.fo.bo) *a.* **1** Diz-se de indivíduo nictofóbico *sm.* **2** Esse indivíduo: *Os nictófobos gostam de tudo iluminado à noite*. [F.: *nicto-* + *-fobo*.]

nictúria (nic.*tú*.ri.a) *sf. Med.* Volume noturno de urina maior que o diurno [F.: *nict(i/o)-* + *-úria*. Tb. *nicturia*.]

nidação (ni.da.*ção*) *sf.* **1** *Biol. Emb.* Processo de fixação e implantação do blastocisto no endométrio; IMPLANTAÇÃO **2** Renovação da mucosa uterina entre os períodos menstruais [Pl.: *-ções*.] [F.: Do ing. *nidation* < lat. *nidus* 'ninho' + ing. *-ation*.]

◎ **nid(i)-** *el. comp.* Ninho: *nidificar, nidiforme*. [F.: Do lat. *nidus, i*.]

nidificação (ni.di.fi.ca.*ção*) *sf.* **1** Ação ou resultado de nidificar **2** Processo de construção e formação do ninho; ANINHAMENTO [Pl.: *-ções*.] [F.: *nidifica(r)-* + *-ção*.]

nidificar (ni.di.fi.*car*) *v. int.* Construir ninho: *As aves nidificaram no quintal.*: "As cegonhas, um par, que nidificam sobre o colmo..." (Afrânio Peixoto, *Viagens na minha terra*) [▶ 1 nidificar] [F.: Do lat. *nidifico, as, avi, atum, are*.]

nidiforme (ni.di.*for*.me) *a2g.* **1** Em forma de ninho (objeto nidiforme) **2** Construído materialmente como ninho [F.: *nid(i)-* + *-forme*.]

nidor (ni.*dor*) [ô] *sm.* Mau hálito gerado por perturbações digestivas ou indigestão [F.: Do lat. *nidor, oris*, 'cheiro de coisa cozida, assada; cheiro forte'.]

nietzschiano (ni.et.zschi:*a*.no) [nitxi] *a.* **1** *Fil.* Ref. ou inerente a, ou próprio de Friedrich Wilhelm Nietzsche (1844-1900), filólogo e filósofo alemão, ou a sua doutrina, ou a sua obra (ideias nietzschianas; estilo nietzschiano): "As palavras de Lentz soam como ecos nietzschianos ao glorificarem a luta pelo poder e a moral do mais forte..." (Alfredo Bosi, *História concisa da literatura brasileira*) [Sin. (pouso us.) *nietzschista*.] **2** Diz-se de que ou quem é adepto, admirador ou profundo conhecedor das ideias ou da obra de Nietzsche *sm.* **3** *Fil.* Admirador, estudioso ou seguidor do pensamento de Nietzsche **4** Aquele que é grande conhecedor da obra de Nietzsche; NIETZSCHISTA [F.: Do antr. (Frederico) *Nietzsche-* + *-iano*.]

nife (*ni*.fe) *sm. Geof.* Antiga designação para o núcleo do globo terrestre, que seria composto de níquel e ferro; BARISFERA; CENTROSFERA [F.: *ni(quel)* + *fe(rro)*.]

nigeriano (ni.ge.ri:*a*.no) *sm.* **1** Pessoa nascida ou que vive na Nigéria (África) *a.* **2** Da Nigéria; típico desse país ou de seu povo [[F.: Do top. *Nigéria* + ano.].] **3** Ref. ao rio Níger ou à região por ele banhada [F.: De *Níger* + *i* + *ano*.]

nigerino (ni.ge.*ri*.no) *sm.* **1** Pessoa nascida ou que vive na República do Níger (África) *a.* **2** Ref. ao rio Níger, ou à região da África por ele banhada **3** Da República do Níger; típico desse país ou de seu povo [F.: Do top. *Niger* + *-ino*.]

◎ **niger(o)-** *el. comp.* = 'ref. a, ou pertencente, ou próprio da República de Níger (África)': *nigeriano*¹, *nigerino; nigero-cameruniano*. [F.: Do top. *Níger*.]

◎ **nigero-** *el. comp.* = 'ref. à, ou pertencente, ou próprio da República da Nigéria (África)': *nigero-camarônico, nigero-congolês, nigero-tchadiano* [F.: Do top. *Nigéria* + *-o-*.]

nigérrimo (ni.*gér*.ri.mo) *a.* **1** *Gram.* Superlativo absoluto sintético de negro; NEGRÍSSIMO **2** Muito negro [F.: Do lat. *nigerrimus, a, um*.]

⊕ **nightclub** *sm.* Casa noturna; BOATE; CABARÉ

nigrícia (ni.*grí*.cia) *sf.* **1** *Med.* Coloração negra, parcial ou geral, da pele ou das mucosas **2** Terra de negros **3** *Fig.* Negrume, escuridão: "... luzes, numa remotidão de estrelas; e sempre a noite, antiquíssima – nigrícia." (Guimarães Rosa, "O grande samba disperso" *in Ave, palavra*) [F.: Do lat. *nigritia, ae*.]

nigromancia (ni.gro.man.*ci*.a) *sf.* Invocação dos mortos com propósitos de adivinhação, o mesmo que *necromancia* [F.: *nigr-* + *-i-* + *-mancia*.]

nigromante (ni.gro.*man*.te) *a2g.* **1** Diz-se de quem pratica a necromancia; o mesmo que *necromante s2g.* **2** Praticante de necromancia [F.: corr de *necromante*, por influência do lat *nigr-* + *-o-* + *-mante*.]

nígua (*ní*.gua) *sf. Bras. Ent.* Denominação comum do bicho-de-pé (*Tunga penetrans*) [F.: Do cast. *nigua*.]

⊕ ***nihil obstat*** (*Lat. /niil óbstat/*) *loc. subst.* Literalmente 'nada obsta', fórmula us. pelos censores eclesiásticos da Igreja Católica ao autorizar a publicação de um livro a eles submetido e contra o qual não existe objeção doutrinal

niilismo (ni.i.*lis*.mo) *sm.* **1** Redução ao nada; NÃO EXISTÊNCIA **2** Atitude intelectual que considera as verdades e valores tradicionais como sendo desprovidos de sentido e utilidade **3** *Fig.* Absoluta falta de crença **4** *Fil.* Doutrina segundo a qual não existe nada de absoluto **5** *Pol.* Doutrina segundo a qual a sociedade só poderá ser reformada após sua completa destruição **6** Negação radical das leis e instituições formais **7** *Hist. Pol.* Filosofia de um grupo revolucionário da *intelligentsia* russa, na segunda metade do séc. XIX, caracterizada pela total rejeição aos valores da geração precedente **8** Ação anarquista ou terrorista [F.: Do fr. *nihilisme*, do lat. *nihil* ('nada') + *-isme*.]

niilista (ni.i.*lis*.ta) *a2g.* **1** Ref. a niilismo **2** Que é adepto do niilismo *s2g.* **3** O adepto do niilismo [F.: Do fr. *nihiliste*.]

nílico (*ní*.li.co) *a.* Ref. ou inerente a ou próprio do rio Nilo (África) (região nílica; estuário nílico); NILÓTICO; NILÍACO; NÍLIO [F.: Do top. *Nilo-* + *-ico*².]

nilo (*ni*.lo) *a. RS* Diz-se do gado bovino que tem cabeça total ou parcialmente branca e corpo de outra cor [F.: De orig. obsc.]

nilótico (ni.*ló*.ti.co) *a.* **1** Ref. ao rio Nilo ou à região por ele banhada ou aos povos que vivem em suas margens; NILÍACO; NÍLICO; NÍLIO **2** Típico do Nilo ou do povo que vive em suas margens (comunidade nilótica): "O crocodilo nilótico, também subaquático." (Guimarães Rosa, "Zoo" *in Ave, palavra*) **3** *Gloss.* Diz-se do grupo de línguas integrantes da família nilo-saariana, como p. ex., o nuer e o nandi *sm.* **4** *Etnog.* Indivíduo natural da região do Nilo ou que lá vive **5** *Gloss.* Línguas integrantes da família nilo-saariana [F.: Do lat. *niloticus, a, um*.]

nimbado (nim.*ba*.do) *a.* **1** Cercado de nimbo ou auréola **2** *Fig.* Enaltecido, glorificado **3** *Her.* Designativo das águias e figuras divinas cujas cabeças estão cercadas por uma auréola ou nimbo [F.: Part. de *nimbar*.]

nimbar (nim.*bar*) *v. td.* **1** Cercar de nimbo, de auréola; AUREOLAR: "Não via a névoa de graça que nimbava esses filigranados cofres" (Antero de Figueiredo, *D. Sebastião*) **2** *Fig.* Enaltecer, glorificar: *Nimbava as glórias do guerreiro* [▶ 1 nimbar] [F.: *nimbo* + *-ar*. Hom./Par.: *nimbo* (fl), *nimbo* (sm.).]

nimbo (*nim*.bo) *sm.* **1** *Met.* Nuvem baixa, densa e cinzenta, anunciadora de chuva **2** Chuva passageira **3** Disco ou círculo luminosos em volta da cabeça de Cristo e dos santos; AURÉOLA; HALO [F.: Do lat. *nimbus, i*.]

nimbo-cúmulo (nim.bo-*cú*.mu.lo) *sm. Met.* Nuvem ger. escura e carregada, prenunciadora do trovão e da tempestade, e que ger. ocupa uma larga área; CÚMULO-NIMBO [Pl.: *nimbos-cúmulos* e *nimbos-cúmulo*.]

nimbo-estrato (nim.bo-es.*tra*.to) *sm. Met.* Nuvem escura de chuva, espessa e de forma indefinida, situada a altitudes inferiores a 2.500 m; ESTRATO-NIMBO [Pl.: *nimbos-estratos* e *nimbos-estrato*.]

nimboso (nim.*bo*.so) [ô] *a.* Coberto de nimbos (céu nimboso); ANUVIADO; CHUVOSO [Fem. e pl.: [ó].] [F.: Do lat. *nimbosus, a, um*.]

nímio (*ní*.mi:o) *a.* Que existe em abundância, em excesso: *Gostava dos nímios carinhos da companheira*: "Apesar da nímia tolerância com que o executava, o conde pretextou qualquer motivo para encerrar a conversação." (Camilo Castelo Branco, *Carrasco*) [F.: Do lat. *nimius, a, um*.]

ninar (ni.*nar*) *v.* **1** Fazer dormir, embalar ao som de cantigas, acalentar [*td.: Cantava acalantos para ninar a filha.*] **2** Cair no sono (ger. criança), adormecer, dormir [*int.: O bebê ninava indiferente à barulheira.*] [▶ 1 ninar] [F.: *nina* + *-ar*. Hom./Par.: *nina(s)* (fl.), *nina(s)* (sf. [pl.]).]

ninfa (*nin*.fa) *sf.* **1** Mulher jovem e bela **2** *Mit.* Divindade feminina da mitologia greco-latina, que presidia aos rios, fontes, bosques e montanhas **3** *Anat.* Cada um dos pequenos-lábios da vulva **4** *Zool.* Estágio intermediário dos insetos, entre a larva e o inseto adulto; PUPA [F.: Do gr. *númphe*.]

ninfal (nin.*fal*) *Zool. a2g.* Ref. ou pertencente a ninfa [Pl.: *-fais*.] [F.: Do lat. tardio *nymphalis*.]

ninfalídeo (nin.fa.*lí*.deo) *a.* **1** *Ent.* Ref. ou inerente a, ou pertencente aos ninfalídeos *sm.* **2** *Ent.* Espécime dos ninfalídeos; borboleta da fam. dos ninfalídeos **3** *Ent.* Inseto da fam. dos lepidópteros, que abrange mais de 5.000 espécies, de distribuição universal, e engloba todas as borboletas diurnas ou crepusculares [F.: Do tax. *nymphalis-* + *-ídeo*.]

ninfeácea (nin.fe:*á*.cea) *sf.* **1** *Bot.* Espécime das ninfeáceas *sfpl.* **2** *Bot.* Fam. de grandes ervas aquáticas da ordem das ranales, de folhas ger. orbiculares, flutuantes, em espiral e amplas flores freq. aéreas, solitárias, hermafroditas, com mais de 100 espécies, a maioria cultivada como ornamentais, como o lótus, as ninfeias e a vitória-régia [F.: Do tax. *Nymphaea-* + *-ácea*.]

ninfeia (nin.*féi*:a) *a.* **1** *Gram.* Feminino de ninfeu, ref. às ninfas **2** *Bot.* Espécie da fam. das ninfeáceas, que inclui várias plantas aquáticas perenes, de folhas peltadas ou cordiformes e flores perfumadas [F.: Do lat. cien. *Nymphaea*, deriv. do gr. *nymphaîa*.]

ninfeta (nin.*fe*.ta) [ê] *sf.* Menina de sensualidade precocemente desenvolvida, e que desperta forte atração sexual [F.: *ninfa* + *-eta*.]

◎ **ninf(o)-** *el. comp.* ninfa: *ninfeta, ninfomania*. [F.: Do gr. *nýmphe, es*.]

ninfolepsia (nin.fo.lep.*si*:a) *sf.* **1** Na crença de povos antigos, delírio que se apossava de quem tivesse visto uma ninfa **2** *Med.* Misantropia que leva a buscar a solidão dos bosques [F.: Do gr. *nympholepsía*.]

ninfômana (nin.*fô*.ma.na) *Psiq. a.* **1** Ver *ninfomaníaco sf.* **2** *Psiq.* Ver *ninfomaníaca* [F.: *ninf(o)-* + *-mano*¹ (fem.).]

ninfomania (nin.fo.ma.*ni*.a) *sf. Psiq.* Desejo sexual feminino obsessivo e recorrente; furor uterino; HISTEROMANIA; METROMANIA; UTEROMANIA [F.: *ninf(o)-* + *-mania*.]

ninfomaníaca (nin.fo.ma.*ní*.a.ca) *sf. Psiq.* Mulher que sofre de ninfomania, que sente, obsessivamente e de forma recorrente, desejo sexual; NINFÔMANA [F.: Fem. substv. de *ninfomaníaco*.]

ninfomaníaco (nin.fo.ma.*ní*.a.co) *Psiq. a.* **1** Ref. a ninfomania **2** Que sofre de ninfomania; NINFÔMANA [F.: *ninfomani(a)* + *-aco*.]

ninfose (nin.*fo*.se) [ó] *sf.* **1** *Biol.* Conjunto de transformações por que passa a larva até chegar ao estado de ninfa, ou crisálida **2** *Ent.* Estado de um inseto que se encontra no casulo, no estágio de ninfa [F.: *ninf(o)-* + *-ose*.]

ninguém (nin.*guém*) *pr. indef.* **1** Nem uma pessoa: "Ninguém sabia e ninguém viu/ Que eu estava ao teu lado então..." (Renato Russo, *1º de julho*) *sm.* **2** Pessoa desqualificada, sem importância social: *Ela o trata como se ele fosse um ninguém.* [Ant.: *alguém*.] [Pl. do subst.: *-guéns*.] [F.: Do lat. *nec*, 'nem, não' + *quem*.]

ninhada (ni.*nha*.da) *sf.* **1** Conjunto de filhotes em um ninho **2** Conjunto de filhotes de animal nascidos de uma única gestação **3** *Pop.* Grupo de filhos; FILHARADA: "Com eles as respectivas mulheres, e a récua dos marmanjos e sirigaitas, que formavam a ninhada dessa parentela." (José de Alencar, *Senhora*) **4** Grupo de pessoas de mau caráter **5** Ninho, abrigo [F.: *ninho* + *-ada*.]

ninhal (ni.*nhal*) *sm.* **1** Concentração de ninhos próximos uns dos outros, feitos por muitas aves; ninhário **2** *P. us.* Revoada de pássaros [Pl.: *-nhais*.] [F.: *ninho-* + *-al*¹.]

ninharia (ni.nha.*ri*.a) *sf.* **1** Coisa sem valor ou importância; INSIGNIFICÂNCIA: "Mas (...) estou a erguer genuínos castelos no ar, e a preocupar-me com ninharias." (Sanches de Frias, *Ercília*) **2** Quantia baixíssima, irrisória: *O filme custou uma ninharia para os padrões de Hollywood.* [F.: Do espn. *niñería*.]

ninho (*ni*.nho) *sm.* **1** Espécie de berço que as aves constroem com palha, penas etc. para nele pôr seus ovos e criar os filhotes **2** Habitação construída por outros animais: *ninho de vespas*. **3** *Fig.* Abrigo, refúgio, esconderijo **4** *Fig.* O lar; lugar de aconchego **5** Terra natal; PÁTRIA **6** Lugar onde se reúnem indivíduos de má índole; COVIL **7** *Geol.* Pequena cavidade nas rochas, recoberta de cristais [F.: Do lat. *nidu(m)*.] ▪ **~ de cobras** *Pej.* Lugar ou ambiente em que há pessoas mentirosas, enganadoras, más **~ de geada** *S.* Lugar onde a geada é comum, ger. ocorrendo todo o ano **~ de metralhadora** *Mil.* Trincheira fortificada e camuflada onde se instala metralhadora, ger. para cobrir área de possível ataque do inimigo **~ de rato** *Bras. Fam.* Qualquer lugar ou coisa em grande desordem: *Meu cabelo está um verdadeiro ninho de rato*. **~ de xexéu** *Bras. Fig. Pop.* Cabelo crespo e emaranhado, revolto

ninivita (ni.ni.*vi*.ta) *a2g.* **1** *Hist.* Ref. a ou próprio de Nínive, capital do antigo império assírio (Ásia) **2** Típico de Nínive ou de seu povo (cultura ninivita; linguajar ninivita) *s2g.* **3** *Etnog.* Pessoa que nasceu ou que viveu em Nínive: "... Nosso Senhor apresentará como exemplo a conversão dos ninivitas..." (R. de Vaux, trad. de José Raimundo Vidigal, "Introdução aos profetas" *in A Bíblia de Jerusalém*) **4** Escrita cuneiforme usada em Nínive [F.: Do lat. *niniutae, a rum*.]

ninja (*Jap./ nin*.ja) *s2g.* Lutador de certo tipo de arte marcial oriental, o ninjútsu, em que se usam disfarces e movimentos furtivos

ninjútsu (nin.*jú*.tsu) *sm. Art. marc.* Arte marcial japonesa em são usados movimentos repentinos e inesperados [F.: Do jap. *ninjutsu*.]

niobato (ni:o.*ba*.to) *sm. Quím.* Sal ou éster do ácido nióbico [F.: *niób(io)-* + *-ato*.]

nióbico (ni.*ó*.bi.co) *a.* **1** *Quím.* Ref. a ou que contém nióbio (diz-se especialmente dos compostos em que este elemento é pentavalente) *sm.* **2** *Quím.* Ácido nióbico, ou composto que contenha nióbio [F.: *nióbio-* + *-ico*².]

nióbio (ni.*ó*.bio) *sm. Quím.* Elemento metálico (símb. Nb, número atômico 41, massa atômica 92, 91), cor de platina cinza, brilhante, dúctil, pentavalente, que ocorre combinado com columbita e vários outros minerais raros, e que por seu alto ponto de fusão (1.700°C) é us. em aços e ligas metálicas de grande rigidez, dureza e estabilidade térmica, em cápsulas espaciais, mísseis, foguetes, reatores nucleares e semicondutores; COLÔMBIO; PELÓPIO [F.: Do lat. cient. *niobium*.]

niple (*ni*.ple) *sm.* **1** *Mec. Tec.* Peça cilíndrica, com roscas externas nas duas extremidades ou apenas em uma, us. para ligação de canos ou de tubos, ou entre estes e outras peças **2** *P. ext.* Peça semelhante para regular a descarga de um líquido em uma torneira ou registro **3** Bocal roscado de mangueira etc. [F.: Do ing. *nipple*.]

◎ **nipo-** (ni.po-) *pref.* = 'japonês', 'nipônico': *nipo-brasileiro, nipofobia.* [F.: Do top. japonês *Nippon.*]

nipo-brasileiro *a.* **1** Ref. ou inerente ao Japão e ao Brasil (relações nipo-brasileiras; comércio nipo-brasileiro) [Pl.: *nipo-brasileiros.*] *sm.* **2** Indivíduo filho de brasileiro e japonesa ou de japonês e brasileira: *Os nipo-brasileiros estão em São Paulo e no Paraná, em sua maioria.* [F.: *nipo-* + *-brasileiro.*]

nipofobia (ni.po.fo.*bi*:a) *sf.* Aversão e rejeição a japoneses: *Depois do acontecimento em Pearl Harbour, os americanos passaram bom tempo com nipofobia.* [Ant.: *nipofilia*] [F.: *nipo-* + *-fobia.*]

nipônico (ni.*pô*.ni.co) *sm.* **1** Pessoa nascida ou que vive no Japão (Ásia) *a.* **2** Do Japão; típico desse país ou de seu povo [F.: Do top. jap. *Nippon* + *-ico*². Sin. ger.: *japonês.*]

niponizar (ni.po.ni.*zar*) *v. td.* Ver *japonizar* [▶ 1 niponizar] [F.: Rad. *nipon-* + *-izar.*]

níquel (*ní*.quel) *sm.* **1** *Quím.* Metal branco-prateado, us. em moedas, catalisadores, baterias etc. [Símb.: *Ni.*] **2** Moeda feita com esse metal **3** *Pop.* Qualquer moeda, ou pequena quantia de dinheiro: *Fiquei sem um níquel.* [Pl.: *-queis.*] [F.: Red. do al. *Kupfernickel.*]

niquelação (ni.que.la.*ção*) *sf.* Ação ou resultado de niquelar, de revestir a superfície de peça metálica com uma camada de níquel [Pl.: *-ções.*] [F.: *niquelar* + *-ção.*]

niquelado (ni.que.*la*.do) *a.* **1** Revestido com níquel (diz-se de metal) **2** Que tem aparência de níquel [F.: Part. de *niquelar.*]

niquelagem (ni.que.*la*.gem) *sf.* *Metal.* Ação, processo ou resultado de niquelar, de cobrir uma peça metálica com uma camada de níquel [Pl.: *-gens.*] [F.: *niquelar-* + *-agem.*]

niquelar (ni.que.*lar*) *v. td.* **1** Revestir de níquel **2** Dar aspecto, aparência de níquel [▶ 1 niquelar] [F.: *níquel* + *-ar*².]

niquento (ni.*quen*.to) *a.* **1** *Bras. Pop.* Que que se ocupa de coisas supérfluas, sem importância; que se preocupa com nicas ou bagatelas **2** Impertinente, rabugento: "O cavalinho é niquento..." (Guimarães Rosa, "Minha gente" *in Sagarana*) **3** Exigente, minucioso; difícil de contentar [F.: *nica-* + *-ento.*]

niquice (ni.*qui*.ce) *sf.* **1** Característica ou qualidade de niquento **2** Bagatela, coisa insignificante, ninharia; NICA; TUTAMEIA [F.: *nica-* + *-ice.*]

nirá (ni.*rá*) *sm. Bot.* Espécie de broto de alho, parecido com cebolinha verde (*Allium tuberosum* Rottler. ex. Sprengel) muito us. na culinária japonesa

nirvana (nir.*va*.na) *sm.* **1** *Fil. Rel.* No budismo, evolução e aprimoramento total do espírito, alcançado esp. através da meditação, que permite ao homem encerrar a corrente de reencarnações e o sofrimento consequente disso, levando-o a um estado de paz e plenitude supremas **2** *Fig.* Forte sentimento de paz e plenitude [F.: Do sânsc. *nirvana*, 'explosão'.]

nirvânico (nir.*vâ*.ni.co) *a.* **1** Ref., inerente ou semelhante a nirvana (sensação nirvânica; êxtase nirvânico); NIRVANESCO **2** Apático, inerte [F.: *nirvana-* + *-ico*².]

nissei (nis.*sei*) *s2g.* **1** Filho de pais japoneses, nascido no Brasil *a2g.* **2** Pessoa nissei [F.: Do jap. *ni-sei.* Ver tb. *issei* e *sansei.*]

nisso (*nis*.so) Contr. da prep. *em* com o pr. dem. *isso*: *Não mexa nisso!*

nistagmo (nis.*tag*.mo) *sm.* **1** *Oft.* Movimento de oscilação ou de rotação do globo ocular em torno de seu eixo **2** Tremulação espasmódica das pálpebras, como quando se está sonolento [F.: Do gr. *nystagmós.*]

nistagmografia *sf. Med. Oft.* Registro gráfico do nistagmo [F.: *nistagm(o)-* + *-grafia.*]

nistagmográfico (nis.tag.mo.*grá*.fi.co) *a. Med. Oft.* Ref. a nistagmografia (teste nistagmográfico) [F.: *nistagm(o)-* + *-grafia* + *-ico*².]

nistagmógrafo (nis.tag.*mó*.gra.fo) *sm. Tec. Oft.* Aparelho que registra os movimentos do olho durante a ocorrência do nistagmo [F.: *nistagm(o)-* + *-grafo.*]

nistatina (nis.ta.*ti*.na) *sf. Quím. Farm.* Antibiótico poliênico macrocíclico, natural, us. como antifúngico e antimicótico [fórm.: $C_{47}H_{75}NO_{17}$] [F.: Do ing. *nystatin.*]

nisto (*nis*.to) Contr. da prep. *em* com o pr. dem. *isto*: *Dê uma olhada nisto aqui.*

nit (*nit*) *sm. Fotm. Metrol. Ópt.* Unidade de luminância no Sistema Internacional (SI), igual à luminância, numa direção determinada, de uma fonte com área emissiva de um metro quadrado, e cuja intensidade luminosa é de uma candela [F.: Do ing. *nit* < lat. *nitor, oris*, 'brilho, luz'.]

nitente (ni.*ten*.te) *a2g.* **1** Diz-se daquilo que resplandece, que brilha; luzidio (metal nitente; luz nitente) **2** Que se esforça, que se empenha; resistente (atleta nitente) [F.: Do lat. *nitens, entis.*]

nitidez (ni.ti.*dez*) [ê] *sf.* **1** Qualidade ou estado do que é ou está nítido, do que se vê ou ouve bem; CLAREZA; LIMPIDEZ **2** Ausência de ambiguidade, dúvida ou confusão; CLAREZA **3** Brilho, fulgor [F.: *nítido* + *-ez.*]

nítido (*ní*.ti.do) *a.* **1** Que se vê bem; que está bem definido (imagem nítida); CLARO; LÍMPIDO [Ant.: *indefinido, indistinto*] **2** Que se ouve distintamente (som nítido); CLARO [Ant.: *indistinto*] **3** Que é facilmente perceptível; sobre o que não se tem dúvida; CLARO; EVIDENTE: *Seu descontentamento era nítido.* [Ant.: *confuso, obscuro, vago*] **4** Que brilha, fulge; BRILHANTE; FULGENTE; LUZIDIO [F.: Do lat. *nitidu(m).*]

nitrar (ni.*trar*) *v. td.* **1** *Quím.* Transformar, converter em nitrato ou nitrocomposto **2** *Quím.* Introduzir, por via de substituição, o grupo NO^2 da molécula de um composto **3** *Quím.* Tratar com ácido nítrico [▶ 1 nitrar] [F.: *nitr(i/o)-* + *ar*². Ant.: *desnitrar.*]

nitrato (ni.*tra*.to) *sm. Quím.* Sal derivado do ácido nítrico, muito us. em medicina, na fabricação adubos, explosivos e em pirotecnia [F.: *nitr(i/o)-* + *ato.*] ■ **~ de potássio** *Quím.* Substância muito us. em fogos de artifício e explosivos, fertilizantes etc.; salitre [Fórm.: KNO_3.] **~ de prata** *Quím.* Substância us. em filmes fotográficos, espelhos, reagentes químicos, antissépticos etc. [Fórm.: $AgNO_3$.]

nitreto (ni.*tre*.to) *Quím. sm.* Composto binário de nitrogênio e um metal [F.: *nitro* + *-eto.*]

nítrico (*ní*.tri.co) *a. Quím.* Ref. ao nitro (ácido nítrico) [F.: *nitr(i/o)-* + *-ico*².]

nitrido (ni.*tri*.do) *sm.* Ação ou resultado de nitrir; RELINCHO; RINCHO: "Do corcel belicoso o nitrido." (Gonçalves Dias, *Primeiros cantos*) [F.: Part. de *nitrir.*]

nitridor (ni.tri.*dor*) [ô] *a.* **1** Que nitre, que rincha ou relincha *sm.* **2** Equino que nitre [F.: *nitrido* + *-or.* Sin. ger.: *relinchador, rinchador, rinchão.*]

nitrificação (ni.tri.fi.ca.*ção*) *Quím. sf.* **1** Ação ou resultado de nitrificar *sf.* **2** Conversão de amônia ou seus compostos em nitratos ou nitros [Pl.: *-ções.*] [F.: *nitrificar* + *-ção.*]

nitrificante (ni.tri.fi.*can*.te) *a2g.* **1** Que nitrifica *s2g.* **2** Processo, substância etc. que nitrifica [F.: *nitrificar* + *-nte.* Sin. ger.: *nitrificador.*]

nitrila (ni.*tri*.la) *sf. Quím.* Radical monovalente constituído por um átomo de nitrogênio e dois de oxigênio; NITRILO [F.: *nitr(i/o)* + *-ila.*]

◎ **nitr(i/o)-** *Quím. el. comp.* **1** Presença do grupo nitro: *nitrobenzeno.* **2** Nitração: *nitroso* [F.: Do lat. *nitrum, i*, deriv. do gr. *nítron.*]

nitrir (ni.*trir*) *v. int.* Soltar nitridos, relinchos; RELINCHAR; RINCHAR [▶ 3 nitrir] [F.: Do it. *nitrire.*]

nitrito (ni.*tri*.to) *sm. Quím.* Sal derivado do ácido nitroso [F.: *nitr(i/o)-* + *-ito.*]

nitro (*ni*.tro) *Quím. sm.* **1** *Ant.* Antigo nome do nitrato de potássio; SALITRE **2** Radical monovalente NO^{2-}, que tende a tornar mais ácida a molécula da qual faz parte [F.: Do lat. *nitru(m).*]

nitrobactéria (ni.tro.bac.*té*.ri:a) *sf. Biol.* Bactéria autotrófica e quimiossintetizante que, para obter a energia necessária à síntese de alimento orgânico, oxida nitritos transformando-os em nitratos [F.: *nitr(e/o)-* + *bactéria.*]

nitrobenzeno (ni.tro.ben.*ze*.no) *Quím. sm.* Composto orgânico tóxico ($C_6H_5NO_2$), em forma de cristais amarelos brilhantes ou líquido de consistência oleosa, com odor de amêndoas, us. esp. como solvente e na fabricação de corantes; NITROBENZOL [F.: *nitro* + *benzeno.*]

nitrobenzina (ni.tro.ben.*zi*.na) *Quím. sf.* Combinação de ácido nítrico e benzina [F.: *nitro* + *benzina.*]

nitrobenzol (ni.tro.ben.*zol*) *Quím. sm.* Composto orgânico, mesmo que *nitrobenzeno* [Pl.: *-zóis.*] [F.: *nitro* + *benzol.*]

nitrocálcio (ni.tro.*cál*.ci:o) *Quím. sm.* Mistura de nitrato de amônio com pó calcário muito fino, us. como fertilizante [F.: *nitro* + *cálcio.*]

nitrocelulose (ni.tro.ce.lu.*lo*.se) *Quím. sf.* Polímero penugento resultante do tratamento da celulose com ácidos sulfúrico e nítrico e us. na fabricação de explosivos, plásticos, revestimentos etc.; ALGODÃO-PÓLVORA; CELOIDINA [F.: *nitro* + *celulose.*]

nitrocomposto (ni.tro.com.*pos*.to) *Quím. sm.* Qualquer composto orgânico que contém o grupo funcional nitro ($-NO_2$) ligado a um grupo hidrocarbônico; NITRODERIVADO [Pl.: [ó]. Fem.: [ó].] [F.: *nitro* + *composto.*]

nitrogenado (ni.tro.ge.*na*.do) *a. Quím.* Que contém nitrogênio [F.: *nitrogên(io)* + *-ado.*]

nitrogênio (ni.tro.*gê*.ni:o) *sm. Quím.* Elemento de número atômico 7, que existe na atmosfera e participa de vários compostos [Símb.: *N.*] [F.: *nitr(i/o)-* + *-gênio.*]

📖 Presente em todos os seres vivos, o nitrogênio (era chamado *azoto*) é o elemento mais abundante na atmosfera da Terra (cerca de 78% do volume), e também presente no Sol, nas estrelas e nas nebulosas. Apresenta-se em combinações e formas várias, como nas proteínas, no salitre (de grande uso na fertilização do solo), e na água do mar. O nitrogênio é substância essencial à vida orgânica, e como não pode ser assimilado de substâncias inorgânicas, os animais o obtêm de outros animais ou de vegetais. Estes, por sua vez, retiram o nitrogênio de substâncias inorgânicas extraídas do solo. Para a obtenção dos fertilizantes, devido ao esgotamento das reservas de salitre, desenvolveram-se técnicas de obtenção do nitrogênio da atmosfera, onde é inesgotável.

nitroglicerina (ni.tro.gli.ce.*ri*.na) *sf. Quím.* Líquido incolor e oleoso que se obtém misturando ácido nítrico, ácido sulfúrico e glicerina, e que é us. mormente na fabricação de explosivos [F.: *nitr(i/o)-* + *glicerina.*]

nitroso (ni.*tro*.so) [ô] *Quím. a.* **1** Que contém o grupo nitro; NITRADO **2** Derivado dos óxidos menos oxigenados do nitrogênio [Pl.: [ó]. Fem.: [ó].] [F.: Do lat. *nitrosu(m).*]

nível (*ní*.vel) *sm.* **1** Instrumento us. para verificar a horizontalidade de uma superfície plana **2** Altura de uma linha ou de um plano, em relação a um plano horizontal que serve como referência: *O nível das águas do rio baixou esta tarde.* **3** Grau ou estado que uma pessoa ou coisa atingem em relação a um ponto de referência ou escala (nível de poluição/de pobreza/cultural) **4** Cada uma das diferentes etapas do ensino no Brasil (aluno do nível médio/superior) **5** Padrão, qualidade (espetáculo de alto nível) **6** Valor intelectual (debate entre pessoas de alto nível) **7** Posição ocupada na hierarquia social [Pl.: *-veis.*] [F.: Do fr. antigo *nivel.*] ■ **Ao ~ de** À altura de: *Este trabalho está ao nível dos melhores que já julgamos.* **Baixo ~** *Fig.* Pouco valor, pouca qualidade intelectual, artística, cultural **~ de base** *Geog.* O mais baixo nível possível em que as águas de um rio escoam normalmente **~ de bolha** *Cons.* Instrumento que checa a horizontalidade de uma superfície pela posição centrada de uma bolha de ar num tubo contendo líquido e preso a uma base, ao se apoiar essa base uniformemente na superfície a ser testada; nível de pedreiro **~ de energia** *Fís.* Qualquer dos valores não contínuos de energia que um sistema quântico pode apresentar em função de seu estado num determinado momento **~ de pedreiro** *Cons.* Ver *Nível de bolha* **~ de uso** *Ling. Lex.* Cada um dos diferentes âmbitos de uso de uma palavra ou acepção [Ex.: familiar, gíria, coloquial etc.] **~ de vida** Numa avaliação quantitativa e qualitativa, situação de um indivíduo ou uma sociedade em função de suas condições econômicas, do grau de atendimento das necessidades de alimentação, moradia, educação, saúde, lazer etc., do estado das relações sociais etc. **~ fundamental** *Fís.* O nível de energia que corresponde ao estado básico de um sistema quântico **~ geral de preços** *Econ.* Valor, num certo momento, assumido por índice que mostra a variação média dos preços em uma economia **~ trófico** *Ecol.* Posição de um organismo na cadeia alimentar (como receptor de energia de níveis inferiores e doador para níveis superiores)

nivelação (ni.ve.la.*ção*) *sf.* Ação ou resultado de nivelar; NIVELAMENTO; LIVELAÇÃO: "Por exigir uma têmpera de caráter que a nivelação social cada vez mais tende a abolir..." (Fialho de Almeida, *A esquina*) [F.: *nivelar* + *-ção.*]

nivelado (ni.ve.*la*.do) *a.* **1** Que se nivelou, que está todo no mesmo nível, horizontalmente (piso nivelado) **2** Que foi aplainado, alisado; que está sem desníveis (parede nivelada) **3** Equiparado em valor, capacidade etc.: *candidatos nivelados por baixo.* [F.: Part. de *nivelar.*]

nivelador (ni.ve.la.*dor*) [ô] *a.* **1** Que nivela *a.* **2** Que torna igual, que não faz distinção: *A escola pública é um ambiente nivelador.* **3** Que mede com um nível (1) *sm.* **4** O que nivela: *Um nivelador preenche o vão entre o veículo e a doca.* **5** Pessoa que nivela, que mede com um nível (1) [F.: *nivelado* + *-or.*]

niveladora (ni.ve.la.*do*.ra) [ô] *sf.* Máquina de terraplenagem provida de lâmina angular adaptável e que serve para nivelar terrenos e estradas, abrir valas e fazer pequenas escavações; *ANGLEDOZER*; APLANADORA; PATROL; PATROLA; MOTONIVELADORA [F.: *nivelar* + *-dora.*]

nivelamento (ni.ve.la.*men*.to) *sm.* **1** Ato ou efeito de nivelar **2** Medição da diferença de altura entre dois ou mais pontos, usando um nível (1) **3** Ação ou resultado de aplainar, de tornar plana uma superfície: *o nivelamento de um terreno.* **4** Ação ou resultado de tornar igual: *o nivelamento dos salários.* [F.: *nivelar* + *-mento.* Sin. ger.: *nivelação.*]

nivelar (ni.ve.*lar*) *v.* **1** Colocar no mesmo nível, tirar as irregularidades; APLAINAR [*td.*: *nivelar a grama.*] **2** Pôr duas superfícies, ou estar em duas superfícies, no mesmo plano ou altura [*tr.* + *com*: *O chão da sala nivela com a varanda.*] **3** *Fig.* Equiparar-se, tornar-se igual em capacidade, valor etc. [*td.*: *nivelar o grau da turma.*] [*tr.* + *a*: *Nivelava o aluno aos melhores.*] [*tr.* + *com*: *Os chamados times pequenos já se nivelaram com os grandes.*] **4** Colocar no mesmo nível; IGUALAR [*tdr.* + *por*: *Nivelava seus conhecimentos pelos do marido.*] **5** Igualar, equiparar [*tdr.* + *com*: *É impossível nivelar o futebol com o golfe.*] **6** Medir utilizando instrumento (nível) [*td.*] [▶ 1 nivelar] [F.: *nível* + *-ar*². Ant. ger.: *desnivelar.*] ■ **~ por baixo** *Fig.* Tomar como parâmetro básico (em comparação, planejamento, crítica etc.) o padrão mais baixo, em quantidade, intensidade ou qualidade

níveo (*ní*.ve:o) *a.* **1** Ref. a neve ou próprio dela **2** De cor tão alva como a neve [F.: Do lat. *niveu(m).*]

nivoso[1] (ni.*vo*.so) [ô] *a.* Coberto de neve; NEVOSO: *Os picos nivosos dos Andes.* [Pl.: [ó]. Fem.: [ó].] [F.: Do lat. *nivosus, a, um.*]

nivoso[2] (ni.*vo*.so) [ô] *sm. Cron.* Quarto mês do calendário republicano francês, iniciado em 21, 22 ou 23 de dezembro e encerrado em 19, 20 ou 21 de janeiro, conforme o ano [F.: Do fr. *nivose*, do lat. *nivosus, a, um*, 'coberto de neve'.]

⊠ **N.N.** *Teat.* Abreviatura com que se nomeia os coadjuvantes mais secundários e os figurantes na relação do elenco de uma peça teatral, para não identificá-los

⊠ **N.N.E.** Abrev. de *nor-nordeste*

⊠ **N.N.O.** Abrev. de *nor-noroeste*

⊠ **N.O.**[1] Abrev. de *noroeste*

no[1] Contr. da prep. *em* com o art. def. *o*: *Eles vêm morar no Brasil.*

no[2] *pr. pess.* Forma do pron. pessoal *o* na função de complemento, quando se segue a forma verbal terminada em nasal: *O maior quarto, deram-no às crianças.*

nó *sm.* **1** Entrelaçamento apertado de dois ou mais fios, cordas etc. **2** Adorno em forma de nó (1) **3** A parte articulada da falange dos dedos **4** O enlaçamento da serpente **5** Parte da madeira mais dura e resistente, de forma arredondada **6** *Pop.* Vértebra caudal dos animais **7** *Bot.* Ponto diferenciado, ger. mais espesso, no caule ou ramo de uma planta, de onde partem novos ramos, folhas etc. **8** Sensação de opressão, espécie de aperto na garganta ou no estômago, ger. devido a tensão ou a forte emoção **9** *Náut.* Unidade de velocidade equivalente a uma milha marítima por hora **10** *Fís.* Região de uma onda estacionária que se mantém em repouso enquanto separa duas partes que vibram em sentido contrário **11** *Fig.* Ponto essencial ou crítico de algo: *o nó da questão.* **12** *Fig.* União, laço, vínculo (nó familiar) **13** *Fig.*

Estorvo, embaraço: *Como sair desse nó?* 14 *Fig.* A intriga, o enredo de um drama, de um romance [Dim.: *nódulo.*] [F.: Do lat. *nodu(m).* Hom./Par.: *nós* (pl.), *nós* (pr. pess.), *noz* (sf.), *no* (prep. + art. def; prep. + pr. dem.), *nô* (sm.).] ■ **Cheio de ~s pelas costas** *Bras. Fam.* Cheio de implicância, exigências absurdas, frescuras etc.; cheio de nove-horas **Cortar o ~ górdio** *Fig.* Em ação rápida e decidida resolver um impasse, vencer um obstáculo, remover um empecilho **Dar um ~ (na cabeça)** *Bras. Fam.* Deixar alguém confuso, enrolado, emperrado etc. **~ cego** Nó apertado, difícil de desatar **~ corredio/de correr** Nó que prende laçada numa corda (ou cabo, fio etc.), e que desliza ao longo dela, o que permite aumentar ou diminuir o tamanho da laçada **~ direito** Tipo de nó duplo que serve para prender as extremidades de cabos, cordas etc. de igual diâmetro **~ embrionário** *Emb.* Pequeno aglomerado de células do qual se originarão todas as células que formarão o embrião **~ górdio 1** *Hist.* Nó que, segundo relato tradicional, prendia a carreta oferecida por Górdio, rei da Frígia, ao templo de Zeus, e que, segundo um oráculo, seria desatado por aquele destinado a ser o governante de toda a Ásia [Conta-se que Alexandre, rei da Macedônia (s. IV a.C.), cortou o nó com sua espada, antes de invadir a Ásia.] **2** *P. ext.* Nó impossível de desatar **3** *Fig.* Problema cuja solução é muito difícil, quase impossível; questão muito complicada, que exige habilidade, persistência **~ na garganta** *Bras.* Sensação de aperto na garganta motivada por angústia **Ser um ~** Ser (problema, situação etc.) difícil de resolver

noa (*no.*a) [ô] *Rel. sf.* Para os católicos, hora canônica do ofício divino, entre a sexta e as vésperas, correspondente às três horas da tarde; NONA [F.: Do lat. *nona,* 'nona hora do dia (cerca das 14h)'.]

nobel (no.*bel*) [é] *sm.* **1** F. red. de prêmio Nobel: *Knut Hamsun ganhou o Nobel de Literatura em 1920.* **2** *P. ext.* Ganhador do prêmio Nobel: *Saramago é o único Nobel de literatura da língua portuguesa.* [Pl.: *-béis.* Com inicial maiúsc. Antecedido do termo 'prêmio' não varia: *Marie Curie ganhou dois prêmios Nobel.*] [F.: Do antrop. (Alfred Bernhard) *Nobel* (1833-1896), industrial sueco criador do prêmio.]

◎ **nobil-** *el. comp.* Ilustre; nobre: *nobiliário, nobiliarquia.*

nobiliário (no.bi.li.*á*.ri:o) *a.* **1** Ref. à nobreza ou à nobiliarquia: "Soberbos escudos nobiliários, que registram a história ou a lenda." (Silveira da Mota, *Viagens*) *sm.* **2** Ver *nobiliarquia* [F.: *nobil-* + *-i-* + *-ário.*]

nobiliarquia (no.bi.li.ar.*qui*.a) *sf.* **1** Livro que contém os nomes, origens e tradições das famílias nobres de uma província, nação etc., e que trata de seus brasões, de seus feitos, serviços etc.; NOBILIÁRIO *sf.* **2** Estudo da origem e história dessas famílias [F.: *nobil-* + *-i-* + *-arquia.*]

nobiliárquico (no.bi.li.*ár*.qui.co) *a.* **1** Ref. a nobiliarquia (título nobiliárquico) **2** Que tem caráter de nobreza [F.: *nobiliarquia* + *-ico*².]

nobilíssimo (no.bi.*lís*.si.mo) *a.* Superl. abs. sint. de *nobre* [F.: do lat. *nobilissimus, a, um.*]

nobilitação (no.bi.li.ta.*ção*) *sf.* **1** Ação ou resultado de nobilitar(-se); ENOBRECIMENTO **2** Concessão ou recebimento de título ou privilégios de nobreza: "Há uma ampliação tão grande nos quadros da nobreza, graças à nobilitação dos grandes comerciantes..." (Aníbal de Almeida Fernandes, "A dinastia bragança e as raízes da nobreza brasileira" *in Jornal Brasileiro de Cultura*) **3** *Fig.* Engrandecimento, enobrecimento [Pl.: *-ções.*] [F.: *nobilitar* + *-ção.*]

nobilitado (no.bi.li.*ta*.do) *a.* **1** A quem foi conferido, ou que recebeu, título ou privilégios de nobreza **2** Exaltado, celebrado: *cientista nobilitado por seus feitos.* [F.: Part. de *nobilitar.*]

nobilitador (no.bi.li.ta.*dor*) [ô] *a.* **1** Que nobilita, mesmo que *nobilitante*: "...aviventadas no íntimo aconchego dessa proteção nobilitadora, as almas palpitam vigorosas dentro dos peitos exaustos e animados." (Euclides da Cunha, *Diário de uma expedição*) *sm.* **2** Aquele que nobilita: "... podar o homem das independências redentoras que fazem dele o nobilitador da vida máscula." (Fialho de Almeida, *Barbear, pentear*) [F.: *nobilitar* + *-dor.*]

nobilitante (no.bi.li.*tan*.te) *a.* **1** Que nobilita; NOBILITADOR **2** Que dá foros de nobreza [F.: *nobilitar* + *-nte.* Sin. ger.: *dignificante, enobrecedor, nobilitador.* Ant. ger.: *desnobrecedor, vulgarizador.*]

nobilitar (no.bi.li.*tar*) *v. td.* **1** *Fig.* Tornar-se nobre, valoroso, engrandecer-se; ENOBRECER-SE: *A responsabilidade nobilita o homem; O fiscal nobilitou-se diante da população.* **2** Dar especial atenção, consideração (por alguém ou por algo), distinguir: *Sua família nobilita este lugar.* **3** Ilustrar, celebrar, engrandecer: *Esse diretor nobilita o cinema do país.* [▶ 1 nobilitar] [F.: Do lat. *nobilitare.*]

nobilizar (no.bi.li.*zar*) *v. td.* Ver *nobilitar* [▶ 1 nobilizar] [F.: *nobil-* + *-izar.*]

nobre (*no*.bre) *a2g.* **1** Ref. a nobreza (título nobre, insígnia nobre); ARISTOCRÁTICO **2** Que tem título de nobreza; que pertence à classe da nobreza **3** Composto de pessoas nobres (2): *a nobre comitiva.* **4** Próprio de fidalgo **5** Respeitado por suas qualidades e virtudes; DIGNO; ILUSTRE: *Concedo a palavra ao nobre colega.* **6** Que revela dignidade de caráter (ideais nobres) **7** Que denota magnanimidade (gesto nobre); GENEROSO **8** De rara qualidade (madeira nobre) **9** Suntuoso, magnífico **10** Bravo, valente: *os nobres combatentes.* [Superl.: *nobilíssimo, nobríssimo.*] *s2g.* **11** Membro da nobreza [F.: Do lat. *nobile(m).* Ver tb. *balcão, horário.*]

⊕ **nobreak** (*Ing.* /nôubreic/) *sm. Elet.* Dispositivo dotado de bateria, que pode suprir temporariamente o fornecimento de energia quando ocorre sua interrupção ou oscilação

nobreza (no.*bre*.za) [ê] *sf.* **1** Condição de nobre **2** A classe dos nobres *sf.* **3** O conjunto de famílias que possuem títulos nobiliárquicos **4** Qualidade do que é distinto, excelente **5** Superioridade moral; grandeza de caráter; magnanimidade: *um homem sem nenhuma nobreza nas atitudes.* **6** *Ant.* Um tipo de tecido de seda [F.: *nobre* + *-eza.*]

nobríssimo (no.*brís*.si.mo) *Pop. a.* Muito nobre; NOBILÍSSIMO [F.: *nobre* + *-íssimo.*]

noção (no.*ção*) *sf.* **1** Conhecimento intuitivo; IDEIA: *As crianças não têm muita noção de perigo.* **2** Conhecimento superficial ou informação que se tem sobre algo: *Você tem alguma noção do custo desse aparelho?* **3** Conceito, concepção: *Nossa noção do que é felicidade difere.* [Pl.: *-ções.*] [F.: Do lat. *notio.*] ■ **Não ter (a mínima) ~ (de)** Não ter ideia (de), não ter qualquer conhecimento (sobre), desconhecer completamente

nocaute (no.*cau*.te) *sm.* **1** *Pug.* No boxe, derrota por golpe que provocou inconsciência ou atordoamento severo durante dez segundos ou mais: *Ele venceu por nocaute no primeiro round.* [Abrev.: KO.] **2** *Fig.* Estado de alguém que perde os sentidos por ação de pancada ou outro agente: *Deu-lhe um soco que o pôs a nocaute.* *a2g.* **3** Desacordado ou extremamente debilitado: *A batida a deixou nocaute.* [F.: Do ing. *knockout.*] ■ **~ técnico** *Pug.* No boxe, situação na qual um dos lutadores, embora não nocauteado, não tem, a critério do juiz, condições físicas para continuar a luta, que, por isso, é suspensa, sendo vencedor o adversário **Pôr (a) ~ 1** *Pug.* Nocautear; no boxe, derrubar o adversário ficando este sem condições de lutar até o juiz contar até dez **2** *P. ext.* Golpear alguém, com isso fazendo-o perder os sentidos **3** *Fig.* Impor (a algo, alguém) fragorosa derrota

nocauteado (no.cau.te.*a*.do) *a.* **1** Que foi posto nocaute; DESACORDADO; DESFALECIDO; INCONSCIENTE: *Tiraram do ringue o boxeador nocauteado.* **2** *Fig.* Cansado, exaurido, extenuado: *Saiu da reunião nocauteado.* *sm.* **3** Aquele que foi posto a nocaute [F.: Part. de *nocautear.*]

nocauteador (no.cau.te.a.*dor*) [ô] *sm.* **1** Aquele que nocauteia; DEMOLIDOR; SOCADOR: *Mike Tyson foi um grande nocauteador.* *a.* **2** Que nocauteia (soco nocauteador) [F.: *nocautear* + *-dor.*]

nocautear (no.cau.te.*ar*) *v. td.* **1** *Pug.* Pôr a nocaute: *Nocauteou o adversário no primeiro round* **2** *P. ext.* Levar o opositor à derrota: *O candidato do partido de oposição nocauteou o do governo em debate na TV.* [▶ 13 nocautear] [F.: *nocaute* + *-ear*².]

nocebo (no.*ce*.bo) *Med. sm.* Substância inócua que induz sintomas de doenças por efeito puramente psicológico. Us. na expressão *efeito nocebo* [Cf. *placebo*; F.: Do lat. *nocebo,* 'causarei dano, farei mal', 1ª pess. sing. do fut. pres. indic. do verbo *nocere.*]

nociceptivo (no.ci.cep.*ti*.vo) *Med. a.* **1** Que causa dor (agentes nociceptivos; estímulo nociceptivo) **2** *Med.* Causado por ou resultante de um estímulo doloroso (dor nociceptiva; reflexo nociceptivo) **3** *Med.* Ref. ou pertencente a nociceptor (sistema nociceptivo) [F.: Do ing. *nociceptive.*]

nociceptor (no.ci.cep.*tor*) [ô] *Neur. a.* **1** Diz-se de sistema ou fibra nervosa envolvida na percepção e transmissão de estímulos dolorosos *sm.* **2** Receptor nervoso que responde a estímulos dolorosos [F.: Do lat. *nocere,* 'ferir', + (*re*)*ceptor.*]

nocional (no.ci:o.*nal*) *a2g.* **1** Ref. a noção; que expressa um conhecimento elementar, vago **2** Ref. a conceitos; CONCEPTUAL **3** Que é puramente teórico, não se baseia em fatos **4** *Ling.* Que expressa uma noção, uma determinada ideia (verbo nocional) [Pl.: *-nais.*] [F.: Do lat. medv. *notionalis.*]

nocividade (no.ci.vi.*da*.de) *sf.* Qualidade do que é nocivo; MALIGNIDADE; PERNICIOSIDADE: *A nocividade desses filmes violentos à mente dos jovens é evidente.* [Ant.: *benignidade, inocuidade.*] [F.: *nocivo* + *-(i)dade.*]

nocivo (no.*ci*.vo) *a.* Que causa malefício, dano; PREJUDICIAL: *Milho transgênico tem efeito nocivo em ratos; O cigarro é nocivo à saúde.* [Ant.: *inócuo*] [F.: Do lat. *nocivu(m).*]

noções (no.*ções*) *sfpl.* Conhecimentos básicos, elementares: *É muito útil ter noções de primeiros socorros.* [Pl. de *noção.*]

noctambulismo (noc.tam.bu.*lis*.mo) *sm.* Qualidade ou estado de noctâmbulo; SONAMBULISMO [F.: *noctâmbulo* + *-ismo.*]

noctifloro (noc.ti.*flo*.ro) [ó] *a. Bot.* Diz-se de planta cujas flores se abrem ao anoitecer e se fecham de manhã [F.: *noct(i/o)-* + *-flora.*]

noctígeno (noc.*tí*.ge.no) *a.* Que produz trevas, sombras; NOCTÍFERO; NOCTÍGERO [F.: *noct(i/o)-* + *-geno.*]

◎ **noct(i/o)-** *el. comp.* Noite: *noctívago.* [F.: Do lat. *nox, noctis.*]

noctívago (noc.*tí*.va.go) *a.* **1** Diz-se de pessoa ou animal de hábitos noturnos **2** Que vagueia pela noite ou frequenta lugares noturnos (diz-se de indivíduo) *sm.* **3** Essa pessoa ou animal: "Salvo as passadas de um raro noctívago, os lamentos histéricos da gatarrada, nada perturbava a paz daquela Travessa do Jasmim." (Aquilino Ribeiro, *Lápides partidas*) [F.: Do lat. *noctivagus, a, um.* Sin. ger.: *noctâmbulo.* Tb. *notívago.*]

nó da garganta (nó da gar.*gan*.ta) *Pop. Anat. sm.* Saliência anterior da cartilagem tireoidea, mais acentuada nos homens; POMO DE ADÃO; GOGÓ [Pl.: *nós da garganta.*] [Cf. *nó na garganta.*]

nodal¹ (no.*dal*) *a2g.* **1** Ref. a nó *a2g.* **2** *Astron.* Ref. a nodo **3** *Fís.* Ref. a nodo ou nó de uma superfície vibrante (linha nodal) [Pl.: *-dais.*] *sf.* **4** *Fís.* Linha formada numa superfície coberta de areia e posta a vibrar [Pl.: *-dais.*] [F.: *nó* sob a f. rad. *nod-* + *-al*¹.]

nó da tripa (nó da *tri*.pa) *Pop. Cir. sm.* Prisão de ventre, mesmo que *nó nas tripas* [Pl.: *nós da tripa.*]

nó-de-porco (nó-de-*por*.co) *Bot. sm.* **1** Arbusto da fam. das malpighiáceas (*Heteropteris aphrodisiaca*), nativo do Centro-Oeste e Minas Gerais, de até 1,5 m de altura, flores amarelas, folhas ovadas e frutos samaroides, cuja raiz tem propriedades revigorantes e é us. popularmente como afrodisíaco **2** *BA* Árvore da fam. das burseráceas (*Bursera simaruba*), encontrada desde as Guianas até o Sul da Flórida, de folhas imparipenadas, inflorescências paniculiformes com flores pequeninas, frutos drupáceos vermelhos; ALMECEGUEIRA; PAU-DE-PORCO **3** Tipo de nó que se aperta à medida que é puxado, us. por pescadores, montanhistas etc. para atar uma corda sujeita a tensão constante; NÓ DE BARQUEIRO; VOLTA DE FIEL [Nesta acp., sem hifens: *nó de porco.*] [Pl.: *nós-de-porco, nós de porco.*]

nodífero (no.*dí*.fe.ro) *a.* Que tem nós; NODOSO [F.: *nó* sob a f. rad. *nod-* + *-fero.*]

nodifloro (no.di.*flo*.ro) *a. Bot.* Diz-se de arbusto ou planta cujas flores nascem dos nós [F.: *nó* sob a f. rad. *nod-* + *-i-* + *-floro.*]

nodo (*no*.do) [ó] *sm.* **1** *Anat.* Parte proeminente de certos ossos **2** *Med.* Tumor duro que se forma nas articulações dos ossos **3** *Astron.* Ponto de interseção da eclíptica com a órbita de um planeta [V. achega enciclopédica.] **4** *Fís.* Cada um dos pontos que se mantêm fixos num corpo vibrante; NÓ [F.: Do lat. *nodum.*] ■ **~ atrioventricular** *Histl.* Ver *Nodo auriculoventricular* **~ auriculoventricular** *Histl.* Grupo de células musculares do coração que transmitem impulsos para a contração dos ventrículos; nodo atrioventricular **~ linfático** *Anat.* Cada um de vários aglomerados de tecido linfoide que se localizam ao longo dos vasos linfáticos; eles filtram a linfa, que os perpassa, e produzem anticorpos ao detetar nela eventuais infecções ou agentes patogênicos, o que os faz inchar, um sinal de alerta para a doença [Sin.: *gânglio linfático* e *linfonodo.*] **~ sinoatrial** *Histl.* Ver *Nodo sinoauricular* **~ sinoauricular** *Histl.* Grupo de células musculares do coração que transmitem impulsos para a contração dos átrios, ou aurículas; nodo sinoatrial

📖 O nodo (3) diz-se *ascendente* quando o astro que intercepta a eclíptica parece passar do hemisfério sul para o hemisfério norte, e *descendente* quando parece passar do hemisfério norte para o hemisfério sul.

nódoa (*nó*.do:a) *sf.* **1** Mancha deixada por algo sujo: "Os globos de vidro não apresentavam sequer a nódoa de uma mosca." (Aluísio Azevedo, *Casa de pensão*) **2** *Fig.* Desonra, mácula [F.: Do lat. *notula,* 'pequena marca'. Hom./Par.: *nódoa* (sf.), *nodoa* (fl. de *nodoar*).]

nodosidade (no.do.si.*da*.de) *sf.* **1** Estado ou qualidade do que é nodoso *sf.* **2** *Med. Pat.* Protuberância patológica circunscrita, arredondada e mais ou menos rígida (p. ex.: nas articulações ósseas) **3** Distribuição, tipo e quantidade de nós na madeira **4** *Bot.* Nódulo, normal ou patológico, em raízes de plantas (p. ex.: nas leguminosas, causado por bactérias simbióticas, ou na videira, pela praga filoxera) [F.: Do lat. *nodositas, atis.*]

nodoso (no.*do*.so) [ô] *a.* **1** Ref. a nó **2** Cheio de nós: "Passeava o longo e nodoso dedo pela carta, resmoneando." (Coelho Neto, *Inverno em flor*) [Pl.: [ó]. Fem.: [ó].] [F.: Do lat. *nodosum.*]

nodulação (no.du.la.*ção*) *sf.* **1** Processo de formação de nódulos **2** *Restr. Bot.* Produção de nodosidades nas raízes das leguminosas pela ação de bactérias simbióticas fixadoras de nitrogênio **3** *P. us. Med.* O mesmo que nódulo: *Descobriu uma pequena nodulação na mama.* [Pl.: *-ções.*] [F.: *nodular* + *ção.*]

nodular (no.du.*lar*) *a2g.* **1** Referente a nódulo **2** Que apresenta nódulo **3** *Bot.* Que ocorre sob a forma de nódulo [F.: *nódulo* + *-ar.*]

nódulo (*nó*.du.lo) *sm.* **1** Pequeno nó **2** *Bot.* Espessamento pequeno e freq. globoso em qualquer tecido ou órgão vegetal **3** *Anat.* Cada uma das estruturas arredondadas de tamanhos variados que fazem parte dos sistemas linfático e nervoso; GÂNGLIO [F.: Do lat. *nodulum.*]

noduloso (no.du.*lo*.so) [ô] *a.* **1** Que apresenta nódulos ou nós **2** Que tem muitos nódulos [Pl.: [ó]. Fem.: [ó].] [F.: *nódulo* + *-oso.*]

noese (no.*e*.se) [é] *Fil. sf.* Na fenomenologia husserliana, aspecto subjetivo do processo cognitivo [F.: Do gr. *noésis, eos.* Ver tb. *noema.*]

nogal (no.*gal*) *sm.* Plantação de nogueiras; NOGUEIRAL [Pl.: *-gais.*] [F.: Do lat. *nucalis, is.*]

nogueira (no.*guei*.ra) *Bot. sf.* **1** Árvore da fam. das juglandáceas (*Juglans regia*), originária da Europa e da Ásia, de folhas aromáticas, madeira de qualidade, cultivada pelo fruto, a noz, cuja semente é comestível **2** A madeira dessa árvore, us. na fabricação de móveis [F.: Do lat. medv. *nocaria.]

noitada (noi.*ta*.da) *sf.* **1** A duração de uma noite: *A noitada em claro enchia-o de sono.* **2** Divertimento que dura grande parte da noite ou a noite toda: *Eram companheiros de noitadas.* **3** Trabalho noturno **4** Insônia [F.: *noite* + *-ada.*] ■ **Fazer ~** Passar a noite em claro com trabalho ou com diversão

noitão (noi.*tão*) *sm.* **1** *Bras.* Noite muito agradável, prazerosa; grande noite: *Passamos um noitão na casa deles.* **2** Altas horas da noite; noite alta: *O churrasco durou até de noitão.* [Pl.: *-tões.*] [F.: *noite* + *-ão.*] ■ **De ~** *Bras. Pop* Em hora tardia da noite

noite (*noi*.te) *sf.* 1 Período entre o pôr do sol e o amanhecer: *Gostava de escrever pela noite afora.* 2 Período que vai aproximadamente do pôr do sol à meia-noite: *Às dez da noite já está dormindo.* 3 Período noturno em que se celebram festividades ou santos: *noite de Natal, de São João.* 4 Ausência de luz solar; escuridão: *quando cai a noite.* 5 *Fig.* Vida social noturna: *frequentar a noite.* [F.: Do lat. *nocte(m).*] ▪▪ **Alta ~** Quando a noite já está avançada; tarde da noite; noite velha; noite morta **A ~ é uma criança** A noite está só começando (ou seja, tem-se toda a noite pela frente para comemorar, curtir etc.) **Da ~ para o dia** De modo rápido, abrupto e imprevisto; de repente, subitamente; de um dia para outro **De ~** Durante noite, enquanto é noite **Fazer-se ~** Anoitecer **~ alta** Hora tardia da noite [Por vezes us. tb. como adv.: em hora adiantada da noite. Equiv. a *alta noite.*] **~ americana** *Cin.* Efeito de noite em tomada de cena diurna, obtido com o uso de filtros, e/ou com subexposição do filme, e/ou com técnicas de revelação **~ cerrada** Noite escura, sem luar; noite fechada **~ das garrafadas** *Bras. Hist.* A noite de 13 de março de 1831, quando, no Rio de Janeiro, entraram em choque brasileiros que se opunham a Pedro I e portugueses naturalizados que pretendiam saudá-lo em sua volta de Minas Gerais **~ de Reis** A noite de 6 de janeiro **~ fechada** Ver *Noite cerrada* **~ dos tempos** Tempo remoto, longínquo no passado, sem registros ou lembranças, a não ser míticas e lendárias **~ e dia** Continuamente e o tempo todo, dia após dia, sem cessar **~ morta** 1 As horas da noite em que a escuridão é total (ou quase), em que há silêncio, pouca atividade; noite alta: "Na noite morta o céu resplandece, estrelado. / Em baixo, a confusão negra da casaria. / E eu, contemplando o céu de um veludo azulado, / nem sinto a noite, a noite morta, a noite fria!" (Ribeiro Couto, *A frase que se esquece*) 2 Em hora avançada da noite; no período em que a noite é escura e quieta; tarde da noite; alta noite: *Chegou, noite morta, sem ser visto por ninguém.* **~ velha** Ver *Alta noite* **Passar a ~** Fazer (ação, expressa por verbo) durante toda a noite: *Passou a noite estudando.* **Passar a ~ em** Ficar durante toda a noite em (um lugar): *Passou a noite no aeroporto.* **Passar a ~ em branco/claro** Ficar acordado durante toda a noite **Ter senão a ~ e o dia** Ser extremamente pobre; só ter de seu o dia e a noite **Tarde da ~** Em hora avançada da noite **Trocar a ~ pelo dia** Passar a noite em claro, sem dormir; ficar acordado durante a noite e dormir ou descansar durante o dia **Virar a ~** Não dormir durante toda a noite; passar a noite em claro

noiteiro (noi.*tei*.ro) *sm.* 1 *N. E. Pop.* Cada uma das pessoas encarregadas de concorrer financeiramente, ou por outros meios, para o brilhantismo de uma das noites de novena das festas públicas de igreja *a.* 2 *Pop. P. us.* O mesmo que *noturno* (aves noiteiras; estrelas noiteiras) [F.: *noite* + *-eiro.*]

noitinha (noi.*ti*.nha) *sf.* O início da noite [F.: *noite* + *-inha.*]

noiva (*noi*.va) *sf.* 1 Mulher prometida em casamento 2 A nubente, no dia do casamento, com o vestido da cerimônia, véu etc. [F.: Do lat. *nupta*, com infl. do adj. lat. *nova.*]

noivado (noi.*va*.do) *sm.* 1 Promessa de casamento entre pessoas que desejam casar-se 2 Dia ou festa em que se faz essa promessa 3 Espaço de tempo entre a promessa de casamento e as núpcias [F.: Part. substv. de *noivar.*]

noivar (noi.*var*) *v.* 1 Estar noivo ou relacionar-se (um casal) como noivo e noiva [*int.*: *O casal noivava sob o olhar do pai.*] 2 Casar ou celebrar as bodas [*int.*] 3 Ficar noivo ou noiva; assumir um compromisso [*tr.* + *com*: *O rapaz noivou com a vizinha.*] [▶ 1 noivar] [F.: *noiva* + *-ar*[2]. Hom./Par.: *noiva(s)* (fl.), *noiva(s)* (sf. [pl.]); *noivo* (fl.), *noivo* (sm.).]

noivo (*noi*.vo) *sm.* 1 Homem que firma compromisso de casamento com uma mulher 2 Numa cerimônia de casamento, homem que está casando 3 Homem recém-casado [F.: De *noiva*, com troca da vogal temática.]

noivos (*noi*.vos) *smpl.* 1 Casal que assumiu o compromisso de casar-se 2 Casal que acabou de se casar: *Após o casamento, os noivos receberão os convidados.* [F.: Pl. de *noivo.*]

nojeira (no.*jei*.ra) *sf.* 1 Coisa nojenta, que causa nojo, repugnância; NOJICE; NOJENTEZA; PORCARIA 2 Ação, dito ou comportamento que causa repulsa, desprezo ou indignação; INDECÊNCIA; IMORALIDADE; DEPRAVAÇÃO [F.: *nojo* + *-eira.*]

nojento (no.*jen*.to) *a.* 1 Que causa nojo, repugnância (esgoto nojento); REPULSIVO 2 Que se enoja facilmente (diz-se de indivíduo) 3 *Bras. Pop.* Que se julga superior aos outros, que é muito convencido [F.: *nojo* + *-ento.*]

nojo (*no*.jo) [ô] *sm.* 1 Sentimento de asco, de repulsa por coisa de aspecto que desagrada ou cena chocante: *Tenho nojo de carne crua.* 2 Coisa imunda, que causa asco: *A cozinha do restaurante era um nojo.* 3 Pessoa, atitude ou comportamento que provoca animosidade, aversão: *Apaixonou-se por um sujeito que é um nojo.* 4 *Antq.* Pesar, luto 5 *Antq.* Desgosto, tristeza 6 *Antq.* Tédio, aborrecimento [F.: Para Nascentes, de *enojar.*] ▪▪ **Causar/fazer ~** Suscitar asco, provocar repugnância **Estar de ~** Estar de luto

nojoso (no.*jo*.so) [ô] *a.* 1 Que causa nojo, náusea ou repugnância; ASQUEROSO; NAUSEABUNDO; NOJENTO; REPUGNANTE: "Que nojosos! Esgrouvinham as virilhas, o pregueado, escarafuncham os sórdidos corações, as alminhas magras, e daí enchem-se de arrotos quando terminam os textos." (Hilda Hilst, *Cartas de um sedutor*) [Ant.: *agradável, atraente, delicioso, simpático.*] 2 *Antq.* Que está de luto; ANOJADO; ENLUTADO 3 Triste, desgostoso, pesaroso [Ant.: *alegre, bem-humorado, contente, radiante.*] [Pl.: [ó]. Fem.: [ó].] [F.: *nojo* + *-oso.*]

no-lo Comb. do pron. pess. oblíquo *no* com o pron. pess. oblíquo *lo*: *Mesmo se pedíssemos perdão, não no-lo concederiam.*

nômade (*nô*.ma.de) *a2g.* 1 Diz-se de tribo, povo etc. que, sem habitação fixa, vive se deslocando de um lugar para outro 2 Que pertence a essa tribo, esse povo etc. (diz-se de indivíduo) 3 Que vagueia sem destino *s2g.* 4 Essa tribo, povo ou indivíduo [F.: Do lat. *nomadem.*]

nomadismo (no.ma.*dis*.mo) *sm.* 1 Modo de vida nômade: "Andariam para o resto da vida nesse nomadismo humilhante de fugitivos, dispersos." (Xavier Marques, *Sargento Pedro*) 2 Modo de vida de quem leva vida errante [F.: *nômade* + *-ismo.*]

nomancia (no.man.*ci*.a) *Oct. sf.* Adivinhação por meio das letras de um nome próprio [F.: *nome* + *-mancia*, com haplologia.]

nomante (no.*man*.te) *Oct. s2g.* Praticante da nomancia [F.: *nome* + *-mante*, com haplologia.]

nomântico (no.*mân*.ti.co) *a.* Ref. a nomancia ou a nomante [F.: *nomante* + *-ico*[2].]

nome (*no*.me) *sm.* 1 Prenome: *Meu nome é Francisco.* 2 Sobrenome: *Ao casar, tomou o nome do marido.* 3 Alcunha, cognome 4 Reputação, renome: *Conseguiu limpar o nome na praça, pagando suas dívidas.* 5 Bom conceito, boa reputação: *A modelo brasileira fez nome nas passarelas europeias.* 6 Título: *Não consigo lembrar o nome do livro.* 7 Palavrão: *Xingou-o de tudo quanto é nome.* 8 *Gram.* Palavra ou conjunto de palavras que designam pessoa, coisa ou conceito abstrato (p. ex.: *professor, cavalo-marinho, saudade*); SUBSTANTIVO [F.: Do lat. *nomen.* Ideia de 'nome': *nomin-, onoma-, onomat(o)-, -nômio, -onímia* e *-onimo.*] ▪▪ **~ científico** Nome (ger. em latim, com dois ou mais termos) criado por um cientista, que identifica, no âmbito científico da biologia, da botânica ou da zoologia, uma espécie, ou família, ou gênero etc. **~ civil** O nome de uma pessoa como registrado no registro civil **~ comercial** *Com.* Palavra ou termo que identifica um produto no mercado **~ comum** *Gram.* Aquele que identifica genericamente um exemplar ou indivíduo, concreto ou abstrato, de um classe de seres, ou toda a classe [P. op. a *Nome próprio.* Usualmente escreve-se com inicial minúscula em português. Ex.: *pessoa, livro, futuro.*] **~ de batismo** Para os cristãos, nome dado a uma criança no batismo **~ de família** Nome que ger. se segue ao nome próprio de uma pessoa, e que identifica a família a que pertence (ger. a do pai, podendo ser antecedido do da mãe); patronímico; sobrenome **~ de fantasia** *Com. Publ.* Nome criado para produto, empresa, serviço etc., visando atribuir-lhes uma imagem marcante, de fácil memorização, portanto atraente para o consumidor **~ de guerra** Pseudônimo, apelido de alguém, ger. num determinado âmbito (seu grupo, sua atividade etc.) **~ feio** Palavrão, palavra obscena **~ gentílico** Nome que designa a origem geográfica (naturalidade, nacionalidade) de algo ou alguém, ou o lugar onde fica e atua [Ex.: *porto-alegrense, baiano, italiano, europeu.* Tb. apenas *gentílico.*] **~ pátrio** Nome gentílico referente ao país de nascimento ou à nacionalidade de alguém [Ex.: *brasileiro, vietnamita* etc.] **~ popular** *Biol. Bot. Zool.* O nome vulgar dado a organismo, planta ou animal pelo povo; nome vulgar [Ex.: *joaninha, beija-flor, maria-sem-vergonha.*] **~ próprio** 1 Nome que designa especificamente um indivíduo, uma instituição, um lugar geográfico etc. [P. op. a *Nome comum.* Usualmente escreve-se com inicial maiúscula em português. Ex.: *Mário, Universidade Federal do Rio de Janeiro, Patagônia, Amazonas* etc.] 2 Especificamente, o nome próprio de pessoa que antecede o(s) nome(s) de família **~ vulgar** *Biol. Bot. Zool.* Ver *Nome popular* **Conhecer de ~** Ter conhecimento da existência de alguém, instituição etc. por ter ouvido falar, e não por conhecer pessoalmente: *Nunca a vi, só a conheço de nome.* **Dar ~ a** 1 Atribuir um nome a, nominar: *Deu ao filho o nome do avô.* 2 Fazer com que adquira fama, prestígio: *A carreira deu-lhe nome e riqueza.* 3 Ter seu nome como inspiração para o nome de algo ou alguém: *O rio deu nome ao estado.* **Dar ~ aos bois** 1 *Bras. Pop.* Identificar pessoas, situações etc. antes só genericamente mencionadas 2 *P. ext.* Mencionar explicitamente, de modo pormenorizado, aquilo ou aqueles que se vinha ocultando ou a que se fazia referência vaga **Dar(-se) pelo ~ de** *Lus.* Ter o nome de, chamar-se **De ~** Renomado, famoso (escritor de nome) **Em ~ de** 1 O lugar de (uma pessoa, uma instituição), como representante dela, com sua autorização, ou para atender a um pedido ou ordem dela: *Recebeu as visitas em nome do pai; Assinou o documento em nome da empresa; Pare, em nome da lei!* (i. e., 'na qualidade de representante ou agente de instituição encarregada de fazer que se cumpra a lei, ordeno-lhe que pare'). 2 Us. para dar ideia do motivo (real ou alegado) para determinada ação que alguém faz ou pede que se faça: *Que não se pratique violência em nome da segurança; Em nome da nossa amizade farei o que me pede.* [Ger. usa-se com relação a pessoas que se quer favorecer, a um sentimento ou uma relação que se preza, um objetivo ou propósito, um valor moral ou religioso etc.: *reformas políticas em nome da modernização; uma campanha em nome dos pobres; perdoar em nome de Deus.* (i. e., não por causa da pessoa que pede perdão, mas pelo amor ou devoção que se tem a Deus).] **Pôr ~ em** Ver *Dar nome a.* **Sem ~** Imenso, enorme: *Ele é de uma ousadia sem nome.*

nomeação (no.me:a.*ção*) *sf.* 1 Ação ou resultado de nomear 2 Atribuição de um cargo público ou privado por autoridade competente 3 Escolha de alguém para cargo, função ou dignidade 4 O direito de escolher ou nomear para o exercício de emprego ou função: *Pertence ao governo a nomeação dos juízes.* 5 Indicação de alguém para receber um prêmio: *A direção do filme valeu-lhe nomeação para o Oscar.* [Pl.: *-ções.*] [F.: Do lat. *nominatio.*] ▪▪ **~ à autoria** *Jur.* Ato jurídico no qual pessoa citada em ação de demanda de um bem, não sendo o verdadeiro possuidor, nomeia este ou um possuidor indireto como o devido receptor da citação **~ de bens à penhora** *Jur.* Ato jurídico no qual um devedor executado pela justiça nomeia os bens de sua propriedade a serem penhorados como garantia do pagamento da dívida

nomeada (no.me.*a*.da) *P. us. sf.* Reputação, fama: *Adquiriu a nomeada de grande cientista.* [F.: Fem. substv. do part. de *nomear.*]

nomeado (no.me.*a*.do) *a.* 1 Designado pelo nome de *a.* 2 Designado para um cargo ou função 3 Citado, falado 4 Que tem fama; AFAMADO; CÉLEBRE; FAMOSO 5 Que foi indicado para receber um prêmio [F.: Do lat. *nominatum.*]

nomeador (no.me.a.*dor*) [ô] *a.* 1 Que nomeia ou tem direito de nomear; NOMEANTE *sm.* 2 Aquele que exerce essa prerrogativa [F.: Do lat. *nominator, oris.*]

nomear (no.me.*ar*) *v.* 1 Dar nome a; citar o nome de [*td.*: *Só nomeou a peça depois de escrita.*] 2 Indicar (para tarefa, cargo, posto) mediante ato de nomeação [*tdr.* + *para*: *Nomearam um novo larápio para a biblioteca; Nomeou um proctologista para a secretaria da câmara.*] [*tdp.*: *Nomeara o palhaço subdiretor do circo.*] 3 Escolher por eleição; eleger [*td.*: *O povo vem nomeando seus representantes.*] 4 Dizer o nome de [*td.*: *A imprensa nomeou todos os corruptos.*] 5 Designar, instituir [*td.*: *O presidiário nomeou uma comissão de inquérito.*] 6 Atribuir a (alguém) certa condição ou posição [*tdp.*: *Nomeou-o seu sucessor.*] [▶ 13 nomear] [F.: Do lat. *nominare.*]

nome do padre (no.me do *pa*.dre) *Rel. sm.* Persignação, gesto pelo qual o católico se benze levando a mão direita à testa, ao peito e aos ombros: "Dito – Faz um 'nome do padre'... (Faz) Terezinha – Como é? Dito – (Pegando a mão dela) 'Em nome do Padre, do Filho, do Espírito Santo, amém!'" (Lauro César Muniz, *O santo milagroso*) [Pl.: *nomes do padre.*]

nomeio (no.*mei*.o) *sm.* Ação ou resultado de nomear, de designar pelo nome; NOMEAÇÃO [F.: Dev. de *nomear.*]

nomenclador (no.men.cla.*dor*) [ô] *sm.* 1 Pessoa que se dedica à nomenclatura ou classificação de uma ciência ou arte 2 Aquele que classifica, designando pelo nome ou o atribuindo de modo adequado 3 *Antq. Hist.* Na antiga Roma, escravo encarregado de lembrar ou informar o nome de pessoas a seu senhor 4 *Lex.* Relação, ger. em ordem alfabética, de vocábulos ou sintagmas *a.* 5 Que classifica pelos nomes [F.: Do lat. *nomenclator, oris.*]

nomenclatura (no.men.cla.*tu*.ra) *sf.* 1 Coleção das palavras definidas, ou a serem definidas, em um dicionário ou glossário 2 Conjunto de termos específicos de uma área de conhecimento; TERMINOLOGIA: *a nomenclatura química.* 3 Método de classificação desses termos [Ver *nomenclatura binária* abaixo.] 4 Lista de nomes de elementos que pertencem a um conjunto; CATÁLOGO; RELAÇÃO [F.: Do lat. *nomenclatura* 'lista de nomes'.] ▪▪ **~ binária** *Biol. Bot.* Uso, na nomenclatura científica de dois nomes latinos (um substantivo genérico, seguido de um adjetivo específico) para identificar uma espécie e classificá-la taxonomicamente

◎ **-nomia** *el. comp.* 1 *Suf.* = o que é de lei: *isonomia.* 2 *Suf.* = o que cabe por partição, divisão: *taxonomia.* 3 *Suf.* = arte ou estudo de: *agronomia, astronomia, gastronomia.* [F.: Do gr. *nómos, ou.*]

nômico (*nô*.mi.co) *a.* 1 Que resulta de lei ou que dela se origina 2 *Est.* Diz-se da distribuição heteroclítica em que a assimetria das distribuições condicionais varia com regularidade em relação às suas posições 3 *Hist.* Ref. a nomo (divisão territorial) *sm.* 4 *Rel.* Na igreja grega, o encarregado de fazer observar as normas, ritos e rubricas da liturgia 5 *Poét.* Que se refere ao estilo musical dedicado pelos gregos a Apolo [F.: Do ing. *nomic.*]

nominação (no.mi.na.*ção*) *Ret. sf.* Figura que consiste em dar nome a uma coisa que não o tem [Pl.: *-ções.*] [F.: Do lat. *nominatio, onis.*]

nominal (no.mi.*nal*) *a2g.* 1 Que se refere a ou que contém nomes (lista nominal); NOMINATIVO 2 Que é emitido em nome de alguém (cheque nominal, título de crédito nominal); NOMINATIVO [Ant.: *ao portador.*] 3 Em que se profere ou indica o nome (voto nominal) 4 Que tem nome, mas que não existe na realidade: *Sua função na firma é apenas nominal.* 5 *Econ.* Que corresponde a uma definição dada *a priori*, mas nem sempre à realidade: *a taxa nominal de juros relativa a uma operação financeira.* 6 *Gram.* Que tem função de nome (predicado nominal) 7 *Gram.* Que modifica substantivos e adjetivos (diz-se, p. ex., da flexão em gênero e número) [Pl.: *-nais.*] [F.: Do lat. *nominalis.*]

nominalismo (no.mi.na.*lis*.mo) *Fil. sm.* Doutrina segundo a qual não existem ideias gerais, mas somente signos gerais, e que os universais (as espécies, os gêneros e as entidades) são puras abstrações sem realidade [F.: *nominal* + *-ismo.*]

nominalista (no.mi.na.*lis*.ta) *Fil. a2g.* 1 Ref. a nominalismo *s2g.* 2 Pessoa que segue a doutrina do nominalismo [F.: *nominal* + *-ista.*]

nominalização (no.mi.na.li.za.*ção*) *Gram. Ling. sf.* 1 Ação ou resultado de nominalizar 2 *Gram.* Emprego de verbo, adjetivo, advérbio etc. como substantivo (p. ex.: *Cantar* alegra a alma; O *belo* eleva o espírito; Eu já esperava um *não*) 3 *Gram.* Transformação de uma oração independente em sintagma nominal, como no ex.: *Ele disse que vai pensar; Vou pensar não é resposta.* [Pl.: -ções.] [F.: *nominalizar* + *-ção.*]

nominalizador (no.mi.na.li.za.*dor*) [ô] *a.* **1** Que transforma em sintagma nominal; NOMINALIZANTE *sm.* **2** O que transforma em sintagma nominal [F.: *nominalizar* + *-dor*. Sin. ger.: *substantivador.*]

nominalizar (no.mi.na.li.*zar*) *v. td.* **1** *Ling.* Converter oração em sintagma nominal integrado a outra que a antecede, como em "que ela não saísse" em "quis que ela não saísse" (quis sua permanência) **2** Usar como substantivo palavra de outra classe gramatical, como em"tinha um quê de encantador": *O autor nominalizou a conjunção.* [▶ 1 nominalizar] [F.: *nominal* + *-izar.*]

nominar (no.mi.*nar*) *v.* Dar nome a (algo ou alguém); denominar; nomear; DESIGNAR [*td.*: *Ainda não nominaram o navio; Sabia nominar todos os ossos da mão.*] [*tdp.*: *Nominaram o gato Bonifácio.*] [▶ 1 nominar] [F.: Do lat. *nominare.*]

nominata (no.mi.*na*.ta) *sf.* Lista de nomes ou palavras [F.: Do lat. *nominata*, 'coisas nomeadas'.]

nominativo (no.mi.na.*ti*.vo) *a.* **1** Ver *nominal* (1) **2** *Ling.* Que exprime a função de sujeito (diz-se de caso) *sm.* **3** *Ling.* Nas línguas que têm casos, como o latim e o grego, o primeiro caso dos nomes declináveis e que só pode ser empregado como sujeito [F.: Do lat. *nominativum.*]

◎ **-nômio** *el. comp.* = 'nome'; 'expressão matemática': *binômio, multinômio, polinômio, quadrinômio.* [F.: Do lat. *-nomius, a, um*, este do lat. *nomen, inis.*]

◎ **-nomo** *el. comp.* *Suf.* = agente: *agrônomo, astrônomo.* [F.: Do gr. *nomo-* < gr. *nómos, ou.*]

nomo (*no*.mo) *sm.* **1** *Hist.* Divisão territorial do antigo Egito **2** *Fil. Jur.* Costume ou lei criada pelos homens **3** *Liter. Mús.* Poema que cantavam os antigos gregos em honra de Apolo, deus da poesia **4** *Liter. Mús.* Na antiga Grécia, canção a que se atribuía influência mágica, moral ou apenas ritual **5** *Mús.* Canto ou ária que obedece uma cadência [F.: Do gr. *nómos, oû.*]

nomografia (no.mo.gra.*fi*.a) *sf.* **1** *Jur.* Ciência que estuda as leis **2** Tratado sobre leis e suas interpretações **3** *Mat.* Parte da matemática que se dedica ao estudo e resolução de equações por meio de nomogramas [F.: *nomo* + *-grafia*. Hom./Par.: *monografia* (sf), *nomografia* (sf).]

nomográfico (no.mo.*grá*.fi.co) *a.* Ref. a nomografia (cálculo nomográfico) [F.: *nomografia* + *-ico.*]

nomologia (no.mo.lo.*gi*.a) *sf.* **1** Estudo das leis que regem os fenômenos naturais **2** Estudo das leis que regem um país, uma sociedade [F.: *nomo* + *-logia.*]

nomológico (no.mo.*ló*.gi.co) *a.* Ref. a nomologia [F.: *nomologia* + *-ico²*.]

nomologista (no.mo.lo.*gis*.ta) *s2g.* **1** Indivíduo especializado em nomologia; NOMÓLOGO *a2g.* **2** Que é especializado em nomologia [F.: *nomologia* + *-ista.*]

nomorreia (no.mor.*rei*.a) *Pej. Jur. sf.* Mania de criar leis; excesso de leis, esp. sobre matérias irrelevantes, furor legiferante [F.: *nomo* + *-reia*. NOTA: voc. cunhado pelo advogado criminalista italiano Francesco Carrara (1805-1888)]

nomotético (no.mo.*té*.ti.co) *a.* **1** Ref. ao estudo ou descoberta de leis ou princípios científicos gerais **2** Baseado em um sistema de leis estabelecido previamente **3** Ref. à elaboração de leis; LEGISLATIVO [F.: Do gr. *nomothetikós.*]

nona¹ (*no*.na) *sf.* **1** *Ant. Poét.* Estrofe de nove versos **2** *Mús.* Intervalo de nove graus, composto de uma oitava e mais um tom ou um semitom **3** *Hist.* Uma das quatro partes em que era dividido o dia entre os antigos romanos, e que tinha início às três da tarde [F.: Do lat. *nona, ae*. Ver tb. *nonas.*]

nona² (*no*.na) *sf.* *Bot.* Fruto da anoneira (Annona squamosa); ATA; FRUTA-DE-CONDE; PINHA; ANONA [F.: Do espn. *anona.*]

nona³ (*no*.na) *sf.* Freira; religiosa professa

nonada (no.*na*.da) *sf.* Insignificância, bagatela, coisa sem valor [F.: *não* + *nada*, seg. o mod. erudito.] ∎∎ **De ~** De pouco valor, insignificante

nonaedro (no.na.*e*.dro) *Geom. sm.* Poliedro de nove faces [F.: *nona-* (nove) + *-edro.*]

nonagenário (no.na.ge.*ná*.ri:o) *a.* **1** Diz-se de indivíduo que tem 90 anos ou está na casa dos 90 *sm.* **2** Esse indivíduo [F.: Do lat. *nonagenarius, a um.*]

nonagésimo (no.na.*gé*.si.mo) *num.* **1** Ordinal que, em uma sequência, corresponde ao número 90: *Era o nonagésimo na fila.* *a.* **2** Que é 90 vezes menor que a unidade ou um todo (diz-se de parte): *a nonagésima parte da arrecadação.* [Us. tb. como subst.: Um dia corresponde a um nonagésimo de um trimestre.] [F.: Do lat. *nonagesimus.*]

nonas (*no*.nas) *Hist. sfpl.* No calendário romano, o nono dia antes dos idos, i. e., o dia 5 de cada mês, exceto de março, maio, julho e outubro, em que era o dia 7 [F.: Do lat. *nonae, arum* [*dies*] 'nonos dias' (antes dos idos). Cf. *idos.*]

nó nas tripas (nó nas *tri*.pas) *Pop. Cir. sm. Med.* Torção do intestino que interrompe seu funcionamento e provoca dores; ÍLEO; NÓ DA TRIPA; VÓLVULO [Pl.: *nós nas tripas.*]

nonato (no.*na*.to) *a.* **1** Que ainda não nasceu, que está na barriga da mãe (filho nonato) **2** Diz-se de animal encontrado no ventre da mãe depois da morte desta **3** Que nasceu por meio de cesariana [F.: Do lat. *non natus, a, um.*]

⊕ ***non bis in idem*** (*Lat.* /*non bis in idem*/) Diz-se de princípio jurídico segundo o qual não se pode ser condenado duas vezes pelo mesmo delito; nem um tributo pode incidir duas vezes sobre o mesmo fato gerador; nem se deve recair no erro uma vez cometido

⊕ ***non dominus*** (*Lat.* /*non dóminus*/) *Jur. a.* Que não é proprietário da coisa de que se trata: *A evicção de direito garante que o alienante non dominus do bem reembolsará o comprador.*

noneto (no.*ne*.to) *sm.* **1** *Mús.* Composição vocal ou instrumental para nove partes **2** Conjunto formado por nove instrumentistas ou nove cantores (noneto de cordas) [F.: *nono* + *-eto.*]

◎ **non(i/o)-** *el. comp.* = 'nove'; 'nono': *nonagésimo, noneto, nonilhão, nônuplo* [F.: Do gr. *nonus, a, um.*]

nonilhão (no.ni.*lhão*) *num.* Número equivalente a mil octilhões, ou octilhões [Pl.: *-lhões*. Us. tb. substantivamente.] [Forma paral.: *nonilião*; F.: *nono* + *-ilhão.*]

noningentésimo (no.nin.gen.*té*.si.mo) *num.* **1** Ordinal que, numa sequência, corresponde ao número 900: *Foi o noningentésimo visitante da exposição.* *a.* **2** Que é novecentas vezes menor que a unidade ou um todo (diz-se de parte): *a noningentésima parte do terreno.* [Us. tb. como subst.: Um noningentésimo da população da cidade emigrou.] [F.: Do lat. ecles. *noningentesimus.* Tb. *nongentésimo.*]

nônio (*nô*.ni:o) *sm. Fís.* Escala auxiliar própria para ler frações [F.: Do antr. lat. *Nonius*, f. alatinada de *Pedro Nunes* (1492-1577), matemático português que inventou esse instrumento.]

nono (*no*.no) *num.* **1** Ordinal que, em uma sequência, corresponde ao número nove: *Mora no nono andar.* *a.* **2** Que é nove vezes menor que a unidade ou um todo (diz-se de parte): *a nona parte do bolo.* [Us. tb. como subst.: Já completou um nono da prova.] [F.: Do lat. *nonus, a, um.*]

⊕ **nonsense** (*Ing.* /*nônsens*/) *sm2n.* **1** Ação ou palavra sem sentido, sem nexo, às vezes feita ou dita com intenção humorística **2** Narrativa ou filme que apresenta várias situações ilógicas, surreais, absurdas [F.: Do ing. *non*, 'não', + ing. *sense*, 'sentido, significação'.]

⊕ ***non sequitur*** (*Lat.* /*non sequítur*/) *a.* **1** Cuja conclusão não tem conexão lógica com as premissas (argumento non sequitur) *sm.* **2** Argumento ou conclusão sem conexão lógica com o que se disse antes **3** *Ret.* Tipo de silogismo que contém um sofisma, uma vez que a conclusão não pode seguir-se das premissas nele apresentadas

nônuplo (*nô*.nu.plo) *num.* **1** Que é nove vezes a quantidade ou o tamanho de uma unidade *sm.* **2** Quantidade ou tamanho nove vezes maior [F.: *nono* + *-plo*, seg. o mod. erudito.]

◎ **noo-** *el. comp.* = 'pensamento', 'mente', 'espírito', 'inteligência': *noologia, noosfera* [F.: Do gr. *nóos, noûs, nóou-noû.*]

noologia (noo.lo.*gi*.a) *Fil. sf.* **1** Segundo o físico e matemático francês André Ampère (1775-1836), o conjunto das ciências que se ocupam do espírito humano (literatura, pedagogia, linguística, história, política), por oposição às ciências cosmológicas **2** Para Kant, orientação filosófica que se opõe ao empirismo [F.: *noo-* + *-logia.*]

noológico (noo.*ló*.gi.co) *a. Fil.* Ref. à noologia [F.: *noologia* + *-ico²*.]

noosfera (no.os.*fe*.ra) *sf. Fil.* Termo proposto pelo filósofo francês Teilhard de Chardin (1881-1955) para designar o mundo virtual, imaterial, constituído por informações, representações, conceitos, ideias e mitos, os quais dispõem de relativa autonomia, embora dependam do espírito e da cultura humanos [F.: *noo-* + *-sfera.*]

noosférico (no.os.*fé*.ri.co) *a. Fil.* Ref. à noosfera [F.: *noosfera* + *-ico²*.]

nora (*no*.ra) *sf.* A mulher do filho em relação aos pais dele [F.: Do lat. vulg. **nura, ae.*]

nordeste (nor.*des*.te) *sm.* **1** *Geog.* Direção geográfica a meio entre o norte e o leste [Abrev.: *N.E.*] **2** Região ou conjunto de regiões a nordeste (1) **3** *Bras. Geog.* Uma das cinco regiões em que é dividido o Brasil: *A caatinga é a vegetação característica do Nordeste.* [Com inicial maiúscula. Abrev.: *N.E.*] *a2g2n.* **4** Ref. ao nordeste (1) **5** Que se situa a nordeste (1): *A Alsácia fica na região nordeste da França.* **6** *Met.* Que sopra do nordeste (1) (vento nordeste) [F.: Do fr. *nord-est.*] ∎∎ **~ Ocidental** *Bras. Ant. Geog.* Na antiga classificação de regiões brasileiras, aquela que abrangia partes do Maranhão, Piauí e Ceará **~ Oriental** *Ant. Geog.* Na antiga classificação de regiões brasileiras, aquela que abrangia partes do Maranhão, Piauí e Ceará e os estados de Rio Grande do Norte, Paraíba, Pernambuco, Alagoas e Sergipe

nordestino (nor.des.*ti*.no) *sm.* **1** Pessoa nascida ou que vive no Nordeste do Brasil *a.* **2** Do Nordeste do Brasil; típico dessa região ou de seu povo [F.: *nordeste* + *-ino¹*.]

nórdico (*nór*.di.co) *a.* **1** Situado no norte da Europa (países nórdicos) **2** Dos países nórdicos (Dinamarca, Finlândia, Islândia, Noruega, Suécia); típico desses países ou de seu povo (mitologia nórdica) *sm.* **3** Pessoa nascida ou que vive em qualquer desses países: "A pretendida capacidade de adaptação dos nórdicos aos climas tropicais." (Gilberto Freyre, *Casa grande*) [F.: Do fr. *nordique.*]

norefedrina (no.re.fe.*dri*.na) *sf. Farm.* Produto derivado do arbusto do gên *éfedra*, inicialmente utilizado na composição de descongestionantes nasais e bebidas energéticas e depois como potencializador do desempenho físico dos atletas, teve sua produção proibida por causar danos irreversíveis ao sistema nervoso e ao aparelho circulatório [F.: *nor-* + *efedrina.*]

norepinefrina (no.re.pi.ne.*fri*.na) *sf. Fisl.* Catecolamina neurotransmissora da maioria dos neurônios pré-ganglionares simpáticos e de certos tratos no sistema nervoso central, produz vasoconstrição, aumento da frequência cardíaca e elevação da pressão arterial, e é usada como arterial, e é usada como coadjuvante no tratamento de parada cardíaca; NORADRENALINA [F.: *nor-* + *epinefrina.*]

norfolquês (nor.fol.*quês*) *a. sm.* **1** Para o que se refere a Norfolk, ver *norfolquino* *sm.* **2** *Gloss.* Crioulo (13) com influência do inglês, falado na ilha Norfolk, no oceano Pacífico [F.: Do top. *Norfolk* + *-ês.*]

norfolquino (nor.fol.*qui*.no) *sm.* **1** Indivíduo nascido ou que vive na ilha Norfolk, sul do Pacífico *a.* **2** De Norfolk; típico dessa ilha ou de seu povo [F.: Do top. *Norfolk* + *-ino*. Tb. *norfolquês.*]

nórico (*nó*.ri.co) *sm.* **1** Indivíduo nascido ou que vive em Nórica, província romana antiga *a.* **2** De Nórica; típico dessa província ou de seu povo [F.: Do lat. *nóricu.*]

norma (*nor*.ma) *sf.* **1** Aquilo que está determinado como regra, regulamento ou lei: *as normas da escola.* **2** Forma normal ou usual de se fazer alguma coisa: *Minha família tem como norma jantar cedo.* **3** *Ling.* Conjunto de regras que determinam o uso de uma língua [F.: Do lat. *norma, ae.*] ∎∎ **~ técnica** Critérios e padrões adotados como reguladores de qualidade de produtos, do transporte, da segurança individual e coletiva, das formas de comunicação e expressão etc.

normal (nor.*mal*) *a2g.* **1** Que é natural ou habitual (reação normal) **2** Que é segundo a norma ou padrão **3** Que é usual, comum, habitual, corriqueiro: "Mas não faz mal, é tão normal ter desamor" (Antônio Carlos Jocafi, *Você abusou*) **4** Mental e fisicamente saudável (diz-se de pessoa) **5** *Pop.* Que não foge, em termos de comportamento, à regra da maioria das pessoas **6** *Fig.* Que é social ou moralmente aceitável: "Não posso aceitar sossegado qualquer sacanagem ser coisa normal" (Milton Nascimento, Fernando Brant, *Bola de meia, bola de gude*) **7** Diz-se de pele, cabelo etc. que não é seco nem oleoso **8** Diz-se de curso do ensino de nível médio para formação de professores primários *sm.* **9** Esse curso **10** Pessoa normal (4): "Eu juro que é melhor/ Não ser um normal" (Rita Lee, Arnaldo Baptista, *Balada do louco*) *sf.* **11** *Geom.* Reta perpendicular à curva ou superfície [Pl.: *-mais.*] [F.: Do lat. *normalis, e.*]

normalidade (nor.ma.li.*da*.de) *sf.* Condição, qualidade ou estado de normal [F.: *normal* + *-(i)dade.*]

normalista (nor.ma.*lis*.ta) *s2g.* Pessoa que faz o curso normal (8): "Mas, a normalista linda não pode casar ainda, só depois que se formar..." (Benedito Lacerda e David Nasser, *Normalista*) [F.: *normal* + *-ista.*]

normalização (nor.ma.li.za.*ção*) *sf.* **1** Ação ou resultado de normalizar(-se) **2** Volta à normalidade; REGULARIZAÇÃO [Pl.: *-ções.*] [F.: *normalizar* + *-ção.*]

normalizado (nor.ma.li.*za*.do) *a.* Que retornou ao estado normal; REGULARIZADO [F.: Part. de *normalizar.*]

normalizar (nor.ma.li.*zar*) *v.* **1** Adquirir ou recuperar a normalidade (de); REGULARIZAR(-SE) [*td.*: *Normalizou o sistema de transporte público.*] [*int.*: *O sistema de transportes já se normalizou.*] **2** Padronizar as operações [*td.*] **3** *Geom.* Mesmo que *ortonormalizar* **4** Submeter a norma ou normas [*td.*: *A comissão editorial normalizou a apresentação dos trabalhos para publicação.*] [▶ 1 normalizar] [F.: *normal* + *-izar*. Cf.: *normatizar.*]

normando (nor.*man*.do) *sm.* **1** Pessoa nascida ou que vive na Normandia (França) **2** *Gloss.* Dialeto francês falado nessa região *a.* **3** Da Normandia; típico dessa região ou de seu povo **4** Ref. a ou próprio do normando (2) [F.: Do fr. *normand.*]

normatividade (nor.ma.ti.vi.*da*.de) *sf.* Qualidade ou condição de normativo [F.: *normativo* + *-(i)dade.*]

normativismo (nor.ma.ti.*vis*.mo) *sm. Ling.* No ensino da língua, atitude orientadora segundo a qual devem ser formulados claros padrões de correção tanto ortográficos quanto gramáticos e prosódicos aos falantes [F.: *normativo* + *-ismo.*]

normativista (nor.ma.ti.*vis*.ta) *a2g.* **1** *Ling.* Seguidor do normativismo *s2g.* **2** A pessoa adepta do normativismo [F.: *normativo* + *-ismo.*]

normativo (nor.ma.*ti*.vo) *a.* **1** Que estabelece normas ou regras; PRESCRITIVO **2** *Gram.* Diz-se da gramática que ensina como se deve falar e escrever a língua de acordo com suas regras [Cf.: *descritivo.*] [F.: Do fr. *normatif.*]

normatização (nor.ma.ti.za.*ção*) *sf.* Ação ou resultado de normatizar, de criar e estabelecer normas; NORMALIZAÇÃO [F.: *normatizar* + *-ação.*]

normatizado (nor.ma.ti.*za*.do) *a.* Que foi objeto de norma, assunto ou atividade para a qual existem normas a serem seguidas [F.: *normatizar* + *-ado.*]

normatizar (nor.ma.ti.*zar*) *v. td.* Criar normas para: *Normatizou os horários das crianças* [▶ 1 normatizar] [F.: *normat-* + *-izar*. Cf.: *normalizar.*]

◎ **normo-** *el. comp.* = 'norma'; 'regra'; 'ordem'; 'normal'; 'normalidade': *normócito, normógrafo, normológio, normotensão.* [F.: Do lat. *norma, ae*, 'esquadro'; 'regra'; 'modelo'; 'padrão'.]

normógrafo (nor.mó.*gra*.fo.) *sm.* Conjunto de réguas de material transparente, ger. plástico, providas de um alfabeto vazado, que servem de molde para a elaboração de letreiros ou legendas [F.: Do lat. cient. *normographos.*]

nor-nordeste (nor-nor.*des*.te) *sm.* **1** *Met.* Direção, na esfera celeste, a meio entre as direções norte e nordeste (símbolo: NNE) **2** O vento nor-nordeste (1) *a2g.* **3** Relativo ao nor-nordeste (1) ou a essa direção **4** *Met.* Diz-se do vento que sopra nessa direção [F.: *nor(te)* + *nordeste.*]

noroeste (no.ro.*es*.te) *sm.* **1** *Geog.* Direção a meio entre o norte e o oeste [Abrev.: *N.O.* e *NW.*] **2** Região ou conjunto de regiões a noroeste (1) *a2g2n.* **3** Ref. ao ou que vem do noroeste (1) **4** Que se situa a noroeste (1) [Cf. *sudoeste.*] [F.: *nor(te)* + *oeste*. Cf.: *sudoeste.*]

nortada (nor.*ta*.da) *sf.* Vento do norte, muito frio [F.: *norte* + *-ada¹*.]

norte (*nor*.te) *sm.* **1** Direção, no globo terrestre, da extremidade do eixo de rotação da Terra, no sentido do equador para o hemisfério em que se localizam a Europa e a Ásia

[Abrev.: *N.*] **2** *Fig.* Direção, orientação: *Desorientou-se e perdeu o norte.* **3** Região ou ponto situado ao norte (1) em relação ao equador ou a ponto, área etc. tomados como referência: *o norte da Europa.* **4** O ponto cardeal que indica a direção norte (1) [Abrev.: *N.*] **5** *Bras. Geog.* Uma das cinco regiões em que é dividido o Brasil [Abrev.: *N.*] ***a2g2n.*** **6** Ref. ao norte (latitude norte) **7** Que se situa ao norte (1): *o litoral norte de São Paulo.* **8** *Met.* Que sopra do norte (1) (vento norte) [F.: Do fr. ant. *nort.*] ■ **~ magnético** *Geog.* Ponto de convergência das linhas magnéticas da Terra, em cuja direção aponta uma agulha imantada livre. Sua distância angular do norte verdadeiro num certo momento varia de acordo com o local e ao longo do tempo

norteado (nor.te.*a*.do) ***a.*** **1** Que se norteou, que se dirigiu para o norte **2** Que escolheu um caminho, uma posição, uma atitude: *Sua vida foi sempre norteada pela virtude.* [Ant.: *desnorteado*] [F.: Part. de *nortear*.]

norteador (nor.te.a.*dor*) ***a.*** **1** Que norteia, que aponta um caminho a seguir ***sm.*** **2** Aquele que norteia, que orienta [F.: *nortear* + *-dor*.]

norte-africano (nor.te-a.fri.*ca*.no) ***sm.*** **1** Indivíduo nascido ou que vive no norte da África [Pl.: *norte-africanos.*] ***a.*** **2** Do norte da África; típico desse lugar ou de seu povo [Pl.: *norte-africanos.*]

norteamento (nor.te.a.*men*.to) ***sm.*** Ação ou resultado de nortear(-se); NORTEAÇÃO; NORTEIO; ORIENTAÇÃO [F.: *nortea(r)* + *-mento.*]

norte-americano (nor.te.-a.me.ri.*ca*.no) ***sm.*** **1** Pessoa nascida ou que vive nos Estados Unidos (América do Norte) **2** Pessoa nascida ou que vive na América do Norte ***a.*** **3** Dos Estados Unidos; típico desse país ou de seu povo **4** Da América do Norte; típico dessa região ou dos seus povos [Pl.: *norte-americanos.*]

nortear (nor.te.*ar*) ***v.*** **1** Fazer seguir em direção ao norte [***td.***: *nortear um navio*] **2** *Fig.* Orientar(-se), dirigir(-se), regular(-se) [***td.***: *A paixão pela música norteou sua vida.*] [***tdr.*** + *por*: *Norteava-se pelo ensinamento dos grandes filósofos*] [▶ 13 **nortear**] [F.: *norte* + *-ear*[2]. Hom./par.: *norteio* (fl.), *norteio* (sm.). Ant. ger.: *desnortear.*]

norte-asiático (nor.te-a.si.*á*.ti.co) ***sm.*** **1** Indivíduo nascido ou que vive no norte da Ásia [Pl.: *norte-asiáticos.*] ***a.*** **2** Do norte da Ásia; típico dessa região ou de seu povo [Pl.: *norte-asiáticos.*]

norte-coreano (nor.te-co.re:*a*.no) ***sm.*** **1** Pessoa nascida ou que vive na Coreia do Norte (Ásia) ***a.*** **2** Da Coreia do Norte; típico desse país ou de seu povo [Pl.: *norte-coreanos.*]

norte-europeu (nor.te-eu.ro.*peu*) ***sm.*** **1** Indivíduo nascido ou que vive no norte da Europa [Pl.: *norte-europeus.*] ***a.*** **2** Do norte da Europa; típico dessa região ou de seu povo [Pl.: *norte-europeus.*]

norte-irlandês (nor.te-ir.lan.*dês*) ***sm.*** **1** Indivíduo nascido ou que vive na Irlanda do Norte [Pl.: *norte-irlandeses.* Fem.: *norte-irlandesa.*] ***a.*** **2** Da Irlanda do Norte; típico desse país europeu, pertencente ao Reino Unido da Grã-Bretanha e da Irlanda do Norte, ou de seu povo [Pl.: *norte-irlandeses.* Fem.: *norte-irlandesa.*] [F.: Do top. *Irlanda do Norte* + *-ês.*]

nortenho (nor.*te*.nho) ***sm.*** **1** Indivíduo nascido ou que vive no norte de Portugal ***a.*** **2** Do norte de Portugal; típico dessa região ou de seu povo [F.: Do top. *norte* (de Portugal) + *-enho.*]

norte-rio-grandense (nor.te-ri:o-gran.*den*.se) ***s2g.*** **1** Aquele ou aquela que nasceu ou que vive no Estado do Rio Grande do Norte [Pl.: *norte-rio-grandenses.*] ***a2g.*** **2** Do Rio Grande do Norte; típico desse estado ou de seu povo [Pl.: *norte-rio-grandenses.*] [F.: Do top. *Rio Grande* (do Norte) + *-ense.* Sin. ger.: *rio-grandense-do-norte, potiguar.*]

norte-vietnamita (nor.te-viet.na.*mi*.ta) ***a2g.*** **1** Rel. ou pertencente à República Democrática do Vietnã do Norte, país do sudeste asiático que em 1975, após um guerra de 21 anos unificou-se com o Vietnã do Sul com o nome de República Socialista do Vietnã ***s2g.*** **2** O natural ou habitante do Vietnã do Norte [F.: *norte-vietnã* + *-m-* + *-ita.*]

nortista (nor.*tis*.ta) ***a2g.*** **1** Do Norte brasileiro; típico dessa região ou de seu povo: "Surpreende-se nos casarões do Sul um ar mais fechado e mais retraído do que nas casas nortistas." (Gilberto Freyre, *Casa grande*) **2** Ref. a ou que nasceu ou ocorre no norte de país, região etc. ***s2g.*** **3** Pessoa nascida ou que vive na Região Norte do Brasil **4** Pessoa nascida ou que vive no norte de país, região etc. [F.: *norte* + *-ista.*]

noruega (no.ru:e.ga) ***sm.*** **1** *Bras.* Vento frio e forte **2** Terra úmida e sombria de encosta, pouco batida de sol: "Tem uma noruega lá atrás, cheia de samambaia e parasita roxa." (Guimarães Rosa, *"Sarapalha" in Sagarana*) **3** *Fig.* Tristeza recôndita, lembrança melancólica: "Laura é como um raio de sol matutino que folga e ri na face noruega da minha vida." (Monteiro Lobato, *Urupês*) [F.: Do top. *Noruega.*]

noruegal (no.ru:e.*gal*) ***sm.*** *Bras. S.* Grande extensão de noruega (terra úmida, pouco batida de sol): "Sabia também obscuramente que, para diante, iria descer num noruegal, tão sombrio no esconso..." (Guimarães Rosa, "Bicho mau" *in Estas estórias*) [F.: *noruega* + *-al*[1].]

noruego (no.ru:*e*.go) ***sm.*** O mesmo que *norueguês*, idioma [F.: Do top. *Norueg(a)* + *-o.*]

norueguense (no.ru:e.*guen*.se) ***s2g.*** **1** Aquele ou aquela que nasceu ou que vive no Reino da Noruega, país do Norte da Europa; NORUEGUÊS ***a2g.*** **2** Da Noruega; típico desse país ou de seu povo; NORUEGUÊS [F.: Do top. *Noruega* + *-ense.*]

norueguês (no.ru:e.*guês*) ***sm.*** **1** Pessoa nascida ou que vive na Noruega (Europa) **2** *Gloss.* A língua falada na Noruega ***a.*** **3** Da Noruega; típico desse país ou de seu povo **4** Da, ref. à língua falada na Noruega [Pl.: *-gueses.* Fem.: *-guesa.*] [F.: Do top. *Noruega* + *-ês.*]

nos ***pr. pess.*** **1** Equivale a 'nós', na função de complemento: *Joana visitou-nos no Natal.* **2** Equivale a 'a nós' ou 'para nós', na função de complemento: *Os hóspedes deram-nos um belo presente.* **3** Us. como possessivo: *O patrão pagou-nos as férias* (= *pagou nossas férias*). [F.: Do lat. *nos.*]

nós ***pr. pess.*** **1** Indica a pessoa que fala, associada a outra ou outras pessoas, e funciona como sujeito: *Nós vamos ao cinema.* **2** Us. em complementos preposicionados: *Reze por nós.* [Se a preposição que o antecede é *com*, assume a forma *-nosco*, ocorrendo contração (*conosco*): Saiu conosco.] **3** Us. em registros formais no lugar de *eu*, como expressão de modéstia: *O diretor declarou: "Nós ficamos orgulhosos com este resultado".* **4** Us. em linguagem de mercado para representar uma empresa, uma indústria etc.: *Nós criamos o melhor carro do ano!* [O sujeito *nós* pode ficar oculto por já ser indicado pela desinência verbal *-mos*: *Já podemos entrar.*] [F.: Do lat. *nos*, nom. de *nos, nostri* ou *nostrum.*]

◎ **-nose** ***el. comp.*** *Suf.* = afecção, moléstia: *artrose, avitaminose.* [F.: Do gr. *nósos, ou.*]

◎ **-nos(o)-** ***el. comp.*** Ver *nos(o)-*.

◎ **nos(o)-** ***el. comp.*** = 'doença'; 'moléstia': *nosocômio, nosofilia, nosofobia, nosófobo, nosogenia, nosografia, nosologia, nosomania; zoonosologia* [F.: Do gr. *nósos, ou.* F. conexa: *-nose.*]

nosocômio (no.so.*cô*.mi:o) ***sm.*** Hospital [F.: Do lat. *nosocomium, ii*; ver *nos(o)-* e *-cômio.*]

nosofilia (no.so.fi.*li*.a) ***sf.*** *Psiq.* Desejo patológico de estar doente; HIPOCONDRIA [F.: *nos(o)-* + *-filia*[1].]

nosofílico (no.so.*fí*.li.co) ***a.*** **1** *Psiq.* Ref. a nosofilia **2** Diz-se de indivíduo que apresenta nosofilia; NOSÓFILO ***sm.*** **3** *Psiq.* Esse indivíduo; NOSÓFILO [F.: *nosofilia* + *-ico*[2].]

nosófilo (no.*só*.fi.lo) ***a. sm.*** O mesmo que *nosofílico* (2 e 3) [F.: *nos(o)-* + *-filo*[1].]

nosofobia (no.so.fo.*bi*.a) ***sf.*** *Psiq.* Medo patológico de adoecer [F.: *nos(o)-* + *-fobia.*]

nosofóbico (no.so.*fó*.bi.co) *Psiq.* ***a.*** **1** Ref. a nosofobia **2** Diz-se de indivíduo que sofre de nosofobia; NOSÓFOBO ***sm.*** **3** *Psiq.* Esse indivíduo; NOSÓFOBO [F.: *nosofobia* + *-ico*[2].]

nosófobo (no.*só*.fo.bo) ***a. sm.*** *Psiq.* O mesmo que *nosofóbico* (2 e 3) [F.: *nos(o)-* + *-fobo.*]

nosogenia (no.so.ge.*ni*.a) ***sf.*** **1** *Pat.* Origem ou evolução de qualquer processo patológico; PATOGENIA; PATOGÊNESE; PATOGENESIA **2** Estudo dos mecanismos de desenvolvimento das doenças [F.: *nos(o)-* + *-genia.*]

nosogênico (no.so.*gê*.ni.co) ***a.*** *Pat.* Relativo a nosogenia; PATOGÊNICO [F.: *nosogenia* + *-ico*[2].]

nosografia (no.so.gra.*fi*.a) ***sf.*** *Med.* Descrição e classificação metódica das doenças [F.: *nos(o)-* + *-grafia.*]

nosográfico (nos.so.*grá*.fi.co) ***a.*** *Med.* Relativo a nosografia [F.: *nosografia* + *-ico*[2].]

nosologia (no.so.lo.*gi*.a) ***sf.*** *Med.* Estudo e classificação das doenças [F.: *nos(o)-* + *-logia.*]

nosológico (no.so.*ló*.gi.co) ***a.*** Ref. a nosologia [F.: *nosologia* + *-ico*[2].]

nosologista (no.so.lo.*gis*.ta) ***s2g.*** Especialista em nosologia [F.: *nosologia* + *-ista.*]

nosomania (no.so.ma.*ni*.a) ***sf.*** *Psiq.* Hipocondria [F.: *nos(o)-* + *-mania.*]

nosomaníaco (no.so.ma.*ní*.a.co) *Psiq.* ***a.*** **1** Relativo a nosomania **2** Diz-se de indivíduo que sofre de nosomania; NOSÔMANO; HIPOCONDRÍACO ***sm.*** **3** *Psiq.* Esse indivíduo; NOSÔMANO; HIPOCONDRÍACO [F.: *nosomania* + *-íaco*, seg. o mod. gr.]

nosômano (no.*só*.ma.no) ***a. sm.*** O mesmo que *nosomaníaco* (2 e 3) [F.: *nos(o)-* + *-mano*[1].]

nossa (*nos*.sa) ***interj.*** Expressão de espanto, surpresa: *Nossa! Como você está bonita!* [F.: F. red. de *Nossa Senhora.*]

nosso (*nos*.so) ***pr. poss.*** **1** Que nos pertence ou que nos diz respeito: *Era nosso último dia lá.* **2** Característico do local em que vivemos: *Nosso solo é fértil.* **3** Que advém de nós ou que por nós foi feito: *Nosso filme venceu o concurso; Nossas teorias fizeram grande sucesso.* **4** Sentido, vivenciado, experimentado por nós: *Nossos sentimentos eram puros.* **5** Que nós utilizamos; que temos o hábito de usar: *Hoje nosso trem atrasou vinte minutos.* **6** Querido, digno de estima e reconhecimento para a pessoa ou pessoas que falam: *Esse é o nosso Carlos, fiel e responsável camarada.* ***sm.*** **7** O que nos pertence ou cabe a nós: *Este é o seu, aquele é o nosso.* [F.: Do lat. vulg. **nossus*, por *noster.*]

nossos (*nos*.sos) ***smpl.*** Us. na loc. subst. *os nossos* ■ **Os ~** Os nossos parentes, os nossos correligionários, os nossos patrícios etc.

nostalgia (nos.tal.*gi*.a) ***sf.*** **1** Tristeza e melancolia por sentir saudades da pátria **2** Saudades de algo relacionado ao passado **3** Estado de tristeza sem motivo certo [F.: Do fr. *nostalgie.*]

nostálgico (nos.*tál*.gi.co) ***a.*** **1** Melancólico, triste (melodia nostálgica) **2** Que revela saudade (olhar nostálgico) **3** Diz-se de alguém que sofre de nostalgia ***sm.*** **4** Essa pessoa: *É um nostálgico, ligado demais ao passado.* [F.: *nostalgia* + *-ico*[2].]

◎ **nost(o)-** ***el. comp.*** = 'regresso', 'retorno': *nostalgia* (< fr. < lat. mod.), *nostalgismo, nostomania* [F.: Do gr. *nóstos, ou.*]

nostomania (nos.to.ma.*ni*.a) ***sf.*** *Psiq.* Nostalgia aguda, patológica [F.: *nost(o)-* + *-mania.*]

nota (*no*.ta) ***sf.*** **1** Anotação, marca feita para lembrar, registrar ou comunicar algo **2** Comentário escrito relativo a um texto: *nota de pé de página.* **3** Avaliação sobre o trabalho de alguém: *Os alunos tiraram boas notas.* **4** Dinheiro de papel; CÉDULA: *uma nota de dez reais.* **5** *Bras. Pop.* Valor ou preço muito alto: *A prancha custou uma nota.* **6** Conta de despesa (em bar, restaurante etc.): *Garçom! A nota, por favor.* **7** *Jorn.* Notícia sucinta **8** *Mús.* Sinal que representa a altura e duração de um som **9** *Com.* Relação de mercadorias vendidas ou serviços prestados e seus respectivos valores [F.: Do lat. *nota, ae. Hom./Par.: nota* (sf.), *nota* (fl. de *notar*). NOTA: Nesta acp., tb. se diz *nota fiscal.*] ■ **~ bibliográfica** *Edit.* Nota (2) em ensaio, tese, livro etc. que indica textos, publicações ou obras us. pelo autor como fonte de consulta **~ de culpa** *Jur.* Documento que uma autoridade é obrigada a emitir para pessoa detida em flagrante por suposto delito comunicando oficialmente sua detenção e alegando o motivo presumido desta **~ de fim de texto** *Edit.* Nota (2) aposta no fim de ensaio, tese, livro etc. **~ de passagem** *Mús.* Nota não pertencente à linha melódica e que preenche a lacuna entre a última nota dessa linha e a primeira de uma nova linha **~ de pé de página/rodapé** *Edit.* Nota (2) colocada no pé de uma página, referida ao texto (dessa mesma página) que comenta por um número ou outro sinal **~ diplomática** *Dipl.* Comunicação oficial entre representantes diplomáticos ou governos de dois países sobre tema de interesse comum **~ fiscal** *Com.* Impresso no qual contam nome, endereço, número de registro etc. de firma que vende produto ou serviço, e no qual se especificam mercadoria ou serviço vendidos, seu comprador, o preço etc., cujo original se entrega ao comprador, e cujas cópias são para controle do fisco e da contabilidade da firma vendedora **~ fundamental** **1** *Mús.* Nota (8) que dá início a uma série harmônica **2** Nota (8) que serve de base (é a mais grave) para um acorde, e lhe dá o nome [P. ex., a nota fundamental de um acorde de ré maior (*ré -fá-lá*) é a nota *ré.*] **~ marginal** Nota (2) colocada na margem da página de um documento, livro (neste caso, ger. na margem externa) etc., ao lado do texto que comenta **~ modal** *Mús.* A nota do terceiro e a do sexto graus de uma escala diatônica, cujos intervalos em relação à seguinte determinam a tonalidade da escala [P. ex., as notas modais de uma escala de dó são o mi e o si; o mi e o si naturais configuram a escala de dó maior. O mi bemol e o si bemol, a escala de dó menor.] **~ oficial** Comunicado emitido por órgão oficial **~ pedal** *Mús.* Nota longamente sustentada, sobre a qual se constrói uma linha melódica em harmonia com ela [Conf.: *Nota sustentada.*] **Uma ~ firme** *Pop.* Ver *Uma nota preta.* **Uma ~ preta** *Pop.* Muito dinheiro: *Esta câmera digital custou uma nota preta.* **~ promissória** *Econ. Jur.* Título emitido por devedor, no qual se compromete a pagar ao credor determinada quantia, em determinado prazo, em determinadas condições [Tb. apenas *promissória.*] **~s tironianas** Sinais gráficos do primeiro dos sistemas taquigráficos, inventado na Roma antiga por Marco Túlio Tiro, secretário de Cícero **~ sustentada** *Mús.* Nota de longa duração [Cf.: *Nota pedal.*] **~ verbal** *Dipl.* Comunicação verbal feita por ministro de Estado a chefe de representação estrangeira **Dar ~ a/para** Atribuir a (exame, prova, trabalho etc., ou seu autor) uma nota classificatória de qualidade: *Dei nota dez a este ensaio/aluno.*

⊕ ***nota bene*** (*Lat.* /nota bene/) ***sm.*** Expressão usada para chamar atenção do leitor ou ouvinte para um ponto importante de um texto ou uma fala [F.: Em lat., 'observa bem'. Abrev.: NB.]

notabilidade (no.ta.bi.li.*da*.de) ***sf.*** Qualidade ou característica do que é notável [F.: *notável* + *-(i)dade*, seg. o mod. erudito.]

notabilíssimo (no.ta.bi.*lís*.si.mo) ***a.*** Forma superlativa absoluta de notável [F.: Do lat. *notabilissimus, a, um.*]

notabilizar (no.ta.bi.li.*zar*) ***v.*** Tornar(-se) notável, importante; CELEBRIZAR(-SE) [***td.***: *O artesanato com o barro notabilizou Mestre Vitalino.*] [***int.***: *O cineasta notabilizou-se com o lançamento de seu último filme.*] [▶ 1 **notabilizar**] [F.: *notabil-* + *-izar.*]

notacantídeo (no.ta.can.*tí*.de.o) ***a.*** **1** *Ict.* Relativo aos peixes notacantídeos ***sm.*** **2** Espécie dos notacantídeos, peixes actinopterígios de corpo alongado, semelhante ao das enguias [F.: Do lat. *notacanthus* + *-ideo.*]

notacanto (no.ta.*can*.to) ***sm.*** *Ict.* Peixe da espécie dos notacantídeos [F.: *not(o)-* + *-acanto.*]

notação (no.ta.*ção*) ***sf.*** **1** Ação ou resultado de representar algo por sinais ou caracteres **2** Conjunto de sinais us. para representar elementos de algum campo de conhecimento (notação musical) [Pl.: *-ções.*] [F.: Do lat. *notatio, onis.*]

notado (no.*ta*.do) ***a.*** **1** Que se notou, de que se tomou nota; ANOTADO **2** Que se reparou; PERCEBIDO; OBSERVADO [Ant.: *despercebido.*] [F.: Part. de *notar.*]

notalgia (no.tal.*gi*.a) ***sf.*** *Med.* Dor na região dorsal; DORSALGIA [F.: *not(o)-* + *algia.*]

notar (no.*tar*) ***v.*** **1** Reparar em; PERCEBER [***td.***: *Notei seu vestido novo.*] **2** Fazer anotações, marca em [***td.***: *Notou os horários de aula.*] **3** Anotar uma escritura (tabelião) no livro de notas [***td.***] **4** Grafar por meio de anotações, símbolos, caracteres [***td.***] **5** Observar (algo ou alguém), reparar [***td.***: *Notou o olhar enviesado do moço.*] **6** Estranhar, comentar, criticar (algo ou alguém) [***td.***: *A patroa se surpreendeu quando a empregada notou seu desleixo.*] [***tdi.*** + *a*: *Notei-lhe o comportamento inadequado em uma ocasião tão solene.*] **7** Apontar por meio de crítica cruel [***td.***: *O professor notou a tese do rapaz com críticas arrasadoras.*] [▶ 1 **notar**] [F.: Do lat. *notare.* Hom./Par.: *nota(s)* (fl.), *nota(s)* (sf. [pl.]); *notáveis* (fl.), *notáveis* (pl. de *notável* [a2g.]); *notária(s)* (fl.), *notária(s)* (fem. de *notário* [sm.]); *notar, nutar* (várias fl.).]

notariado (no.ta.ri.*a*.do) ***sm.*** Ofício ou cargo de notário; TABELIONATO [F.: *notário* + *-ado*[2].]

notarial (no.ta.ri.*al*) *a2g.* Relativo a ou próprio de notário (documento notarial) [F.: *notário* + *-al*[1].]
notário (no.*tá*.ri:o) *sm.* O mesmo que *tabelião* [F.: Do lat. tard. *notarius, ii.*]
notável (no.*tá*.vel) *a2g.* **1** Digno de ser notado (reportagem notável) **2** Importante, relevante: *Há uma notável diferença entre os dois.* **3** Digno de consideração, de estima: *notável atitude de solidariedade.* **4** Muito grande, considerável (esforço notável) **5** Eminente, insigne [+ *em, por*: *professor notável em ciências humanas; mulher notável por sua bondade.*] [Pl.: *-veis.* Superl.: *notabilíssimo.*] [F.: Do lat. *notabilis, e.* Hom./Par.: *notáveis* (pl.), *notáveis* (fl. de *notar*).]
⊕ ***notebook*** (*Ing.* /nôutbuc/) *sm. Inf.* Microcomputador portátil [Substitui ger. o antigo termo *laptop.*] [F.: Do ing. *note*, 'nota', e *book*, 'livro'.]
notícia (no.*tí*.ci:a) *sf.* **1** *Jorn.* Relato jornalístico de fatos atuais, de interesse público: *Saiu no jornal uma notícia sobre a enchente.* **2** Quem ou o que desperta vivo interesse do público: *As celebridades são sempre notícia.* **3** Informação nova; NOVIDADE: *O médico trazia boas notícias.* **4** Conhecimento, informação: *Não tenho notícias de como ele está.* **5** Lembrança, conhecimento: *Que eu tenha notícia, foi o melhor carnaval.* [F.: Do lat. *notitia, ae.*] ▪▪ **Ser ~ 1** Ser objeto de notícia, de matéria jornalística **2** *Fig.* Estar em projeção, ser foco de interesse
noticiado (no.ti.ci.*a*.do) *a.* Que se noticiou, informou: *O assalto foi noticiado em todos os canais de TV.* [F.: Part. de *noticiar.*]
noticiador (no.ti.ci:a.*dor*) [ô] *a.* **1** Que noticia, informa *sm.* **2** Pessoa ou órgão que transmite notícia: "Em 1869, Manoel de Souza, conservador, através do jornal de Ouro Preto "O Noticiador de Minas"..." (Antonio de Paiva Moura, *O movimento republicano em Minas Gerais*) [F.: *noticiar* + *-dor.*]
noticiar (no.ti.ci.*ar*) *v.* **1** *Jorn.* Dar notícia de; DIVULGAR; INFORMAR; NOTIFICAR [*td.*: *A imprensa noticiou com destaque o casamento do príncipe.*] [*tdi.* + *a*: *O presidente noticiou ao povo a mudança de ministro.*] **2** Inteirar-se de algum assunto; informar-se [*tr.* + *de*: *O juiz procurou noticiar-se da vida do réu.*] [▶ **1** noticiar] [F.: *notícia* + *-ar*[2]. Hom./Par.: *notícia(s)* (fl.), *notícia(s)* (sf. [pl.]).]
noticiário (no.ti.ci.*á*.ri:o) *sm.* **1** *Jorn.* Seção noticiosa de jornal ou revista **2** Série de notícias sobre certo assunto **3** *Rád. Telv.* Programa jornalístico de notícias; NOTICIOSO [F.: *notícia* + *-ário.*]
noticiarista (no.ti.ci:a.*ris*.ta) *s2g.* **1** *Jorn.* Jornalista que redige matérias informativas **2** *Rád. Telv.* Locutor que lê os textos de noticiário (3) *a2g.* **3** Que transmite noticiários [F.: *noticiário* + *-ista.*]
noticioso (no.ti.ci.*o*.so) [ô] *a.* **1** Que publica notícias (agência noticiosa) **2** Que fornece grande número de notícias *sm.* **3** Jornal de rádio ou televisão; NOTICIÁRIO [Pl.: [ó]. Fem.: [ó].] [F.: *notícia* + *-oso.*]
notificação (no.ti.fi.ca.*ção*) *sf.* **1** Ação ou resultado de notificar **2** Comunicação formal por escrito: *Recebeu do oficial de justiça a notificação do tribunal.* **3** Documento contendo aviso, advertência etc.: *Mostrou aos pais a notificação da escola.* **4** Comentário feito com intuito de informar [Pl.: *-ções.*] [F.: *notificar* + *-ção.*]
notificado (no.ti.fi.*ca*.do) *a.* **1** Que foi dado a conhecer: "Notificado 20° caso do mal da vaca louca no Japão." (*Globo Rural*, 07.06.2005) **2** Diz-se de pessoa que recebeu notificação *sm.* **3** Essa pessoa: *O notificado negou a informação aos notificantes.* [F.: Part. de *notificar.*]
notificar (no.ti.fi.*car*) *v.* **1** Comunicar formalmente por escrito [*tdi.* + *a*: *A direção notificou as novas regras aos empregados.*] [*td.*: *O juiz mandou notificar os advogados.*] [*tdr.* + *de*: *O banco notificou os correntistas das novas taxas.*] **2** Dar notícia a, tornar público [*td.*: *Logo que soube do veredito notificou todos da imprensa.*] [▶ **11** notificar] [F.: Do lat. *notificare.*]
notinha (no.*ti*.nha) *sf.* **1** Nota pequena **2** Nota de despesa: *A notinha, por favor.* **3** Notícia sucinta: *Li uma notinha no jornal sobre a festa.* [F.: *nota* + *-inha.*]
notívago (no.*tí*.va.go) *a. sm.* Ver *noctívago*
noto[1] (*no*.to) *a.* **1** Que se tornou conhecido; SABIDO; CIENTE **2** *Ant.* Que não tem legitimidade; FALSO; ILEGÍTIMO *sm.* **3** O vento sul que sopra na Europa *sm.* **4** *Ent.* Parte dorsal do tórax dos artrópodes, especialmente dos insetos [F.: Do lat. *notus, a, um.*]
noto[2] (*no*.to) *sm. Ant.* Para os antigos, vento que soprava do Sul [F.: Do gr. *nótos, ou,* pelo lat. *notus, i.* Hom./Par.: ver *noto*[1].]
noto[3] (*no*.to) *a. Ant.* Que não tem legitimidade; falso, bastardo [F.: Do lat. *nothus, a, um.* Hom./Par.: ver *noto*[1].]
noto[4] (*no*.to) *sm. Zool.* Superfície dorsal dos artrópodes, o mesmo que *tergo* [F.: Do gr. *nôtos, ou.* Hom./Par.: ver *noto*[1].]
notocórdio (no.to.*cór*.di.o) *sm. Anat. Zool.* Bastão dorsal flexível existente nas fases embrionárias dos vertebrados, a seguir substituído total ou parcialmente pela coluna vertebral. Persiste unicamente nos anfioxos e lampreias, nos quais constitui o eixo de sustentação do corpo; NOTOCORDA; CORDA-DORSAL [F.: *noto-* + *-cordio.*]
notomatídeo (no.to.ma.*tí*.de.o) *sm. Zool.* Espécime dos notomatídeos, família do filo dos rotíferos, vermes aquáticos de corpo cilíndrico [F.: Do lat. cient. *Notommatidae.*]
notoriedade (no.to.ri:e.*da*.de) *sf.* **1** Qualidade ou característica de quem ou do que é notório; FAMA: "Ele ouvia já o rumor público; sentia-se maior - antegostava as delícias da notoriedade." (Machado de Assis, *Helena*) **2** Pessoa de capacidade, saber, valor etc. notórios [F.: Do lat. medv. *notorietas, atis.*]
notório (no.*tó*.ri:o) *a.* **1** Que é do conhecimento público **2** Que é evidente; MANIFESTO: "Venha aplacar estes selvagens que, segundo é notório, lhe obedecem como ao Deus do Trovão." (Aquilino Ribeiro, *Volfrâmio*) [F.: Do lat. *notorius, a, um.*]
noturnidade (no.tur.ni.*da*.de) *sf.* Qualidade ou caráter de noturno (1 e 2) [F.: *noturno* + *-(i)dade.*]
noturno (no.*tur*.no) *a.* **1** Ref. a ou próprio da noite **2** Que se realiza à noite (caminhada noturna) **3** *Bot. Zool.* Que realiza a maior parte de suas funções à noite (diz-se de certas plantas e animais) **4** Que vive ou vagueia à noite [Ant.: *diurno.*] *sm.* **5** *Bras.* Trem que trafega à noite **6** *Mús.* Tipo de composição para piano, lenta, sonhadora e melancólica [F.: Do lat. *nocturnus, a, um.*]
⊕ ***noûs*** *Fil.* Termo usado pelo filósofo grego Anaxágoras (499-428 a.C.) para designar o princípio cósmico orientador e controlador do mundo
noutrem (*nou*.trem) Contração da preposição em com o pronome indefinido outrem. Usada para designar ou se referir a alguém indeterminado em contraposição a alguém conhecido: *Não pensa noutrem, apenas no seu amor.*
noutro (*nou*.tro) Contração da preposição em com o pronome indefinido outro (noutro livro, noutro dia): "Extensos lanços desmoronados de velhos muros de taipa dos sítios florescentes noutro tempo." (Euclides da Cunha, *Contrastes e confrontos*)
⊕ ***nouvelle cuisine*** (*Fr.* /nouvél cuisin(e)/) *loc. subst.* Estilo de culinária francesa adotado em muitos países na década de 1990 e mais tarde abrandado, caracterizado pelo uso de ingredientes leves e frescos, corte drástico de molhos e gorduras, apresentação elaborada e porções diminutas [F.: Do fr. *nouvelle*, 'nova' e *cuisine*, 'cozinha'.]
nova (*no*.va) *sf.* **1** Informação recente (boas novas); NOVIDADE **2** *Astron.* Estrela cujo brilho aumenta muito durante algum tempo, para retornar depois ao brilho inicial [Tb. se diz *estrela nova.*] [F.: Fem. substv. de *novo.*] ▪▪ **~ recorrente** *Astron.* Estrela nova na qual ocorrem várias explosões **Nem ~s nem mandados** *Pop.* Nenhuma notícia ou informação (sobre alguém)
novação (no.va.*ção*) *Jur. sf.* **1** Conversão de uma dívida em outra **2** Renovação de contrato [Pl.: *-ções.*] [F.: Do lat. *novatio, onis.*]
novador (no.va.*dor*) [ô] *a.* **1** Aquilo que inova, que cria novidades *sm.* **2** Aquele que inova, que cria novidades [F.: Do lat. *novator, oris.* Sin. ger.: *inovador.*]
nova-iorquino[1] (no.va-ior.*qui*.no) *sm.* **1** Pessoa nascida ou que vive em Nova Iorque (cidade ou estado dos EUA) *a.* **2** De Nova Iorque (EUA); típico dessa cidade, ou desse estado, ou de seu povo [Pl.: *nova-iorquinos.*] [F.: Do top. *Nova Iorque* + *-ino*[1].]
nova-iorquino[2] (no.va-i:or.*qui*.no) *sm.* **1** Indivíduo nascido ou que vive em Nova Iorque (MA) [Pl.: *nova-iorquinos.*] *a.* **2** De Nova Iorque; típico dessa cidade ou de seu povo [Pl.: *nova-iorquinos.*] [F.: Do top. *Nova Iorque* + *-ino*[1].]
novamente (no.va.*men*.te) *adv.* De novo, outra vez; mais uma vez [F.: Fem. de *novo* + *-mente.*]
nova-orleanês (no.va-or.le:a.*nês*) *sm.* **1** Indivíduo nascido ou que vive em Nova Orleães (EUA) [Pl.: *nova-orleanêses.* Fem.: *nova-orleanêsa.*] *a.* **2** De Nova Orleães; típico dessa cidade ou de seu povo [Pl.: *nova-orleanêses.* Fem.: *nova-orleanêsa.*] [F.: Do top. *Nova Orleães* + *-ês.*]
novar (no.*var*) *v. td. Bras. Jur.* Fazer a novação de (uma dívida) [▶ **1** novar] [F.: Do lat. *novare.* Hom./Par.: *nova* (fl.), *nova* (sf. e fem. de *novo* [a.]); *nove(s)* (fl.), *nove(s)* (num. e sm. [pl.]); *novo* (fl.), *novo* [ô] (a. sm.); *noveis* (fl.), *novéis* (pl. de *novel* [a2g. s2g.]).]
novato (no.*va*.to) *a.* **1** Que não tem experiência; INEXPERIENTE; NOVEL: "Fingi que não percebia os seus desígnios, o que lhe não desagradou por me supor ainda novato em amor." (Bocage, *Gil Brás*) [+ *em*: *indivíduo novato em viagens aéreas.* Ant.: *experiente.*] **2** Novo no lugar *sm.* **3** Pessoa que demonstra inexperiência, ingenuidade **4** Aprendiz em um ofício: *Aceita novatos no escritório.* [Ant.: *perito.*] **5** Calouro em uma escola, universidade etc. [F.: Do espn. *novato.*]
nove (*no*.ve) *num.* **1** Quantidade correspondente a oito unidades mais uma: *Tem nove irmãos.* **2** Número que representa essa quantidade (arábico: 9; romano: IX) [F.: Do lat. *novem.*]
novecentista (no.ve.cen.*tis*.ta) *a2g.* **1** Pertencente ou relativo ao novecentismo (séc. XX) **2** Diz-se de seguidor do pensamento predominantemente em voga ou dos estilos artísticos e literários nos anos 1900 *sm.* **3** O seguidor das escolas, das correntes artísticas ou literárias predominantes nos anos 1900 [F.: *novecento* + *-ista.*]
novecentos (no.ve.*cen*.tos) *num.* **1** Quantidade correspondente a 899 unidades mais uma **2** Número que representa essa quantidade (arábico: 900; romano: CM) [F.: *nove* + pl. de *cento.*]
nove-horas (no.ve-*ho*.ras) *sfpl.* Us. na loc. *cheio de nove-horas* [F.: *nove* + pl. de *hora.*] ▪▪ **Cheio de ~ 1** *Bras. Gír.* Exigente quanto a detalhes a ponto de ser maçante, afetado, sensível demais a coisas sem importância, implicante etc.; cheio de frescura; cheio de luxo **2** Diz-se do que é complicado, enfeitado, rebuscado; cheio de frescura; cheio de novidades: *Escreveu um texto cheio de nove-horas.*
novel (no.*vel*) *a2g.* **1** Que tem pouco tempo de existência (novel teatro); NOVO **2** Que assumiu há pouco uma atividade **3** Que denota inabilidade, imperícia; INEXPERIENTE [Ant.: *experiente.*] [Pl.: *-véis.*] [F.: Do cat. *novell*, posv.]
novela (no.*ve*.la) *sf.* **1** *Liter.* Gênero literário que consiste numa narrativa breve, de extensão entre o conto e o romance, sobre um acontecimento em torno do qual gira o enredo **2** *Rád. Telv.* Narrativa seriada, com fins de entretenimento, difundida pela televisão ou pelo rádio **3** História longa e aventuresca **4** *Pej.* Coisa complicada e demorada [F.: Do it. *novella.*]
noveleiro (no.ve.*lei*.ro) *a.* **1** *Pej.* Diz-se de quem escreve novela (1) **2** *Bras. Pop.* Diz-se de quem acompanha sempre as novelas (2) *sm.* **3** Pessoa que escreve novelas (1) **4** *Bras. Pop.* Pessoa que tem o hábito, o costume de acompanhar novelas (1) [F.: *novela* + *-eiro.*]
novelesco (no.ve.*les*.co) [ê] *a.* Ref. a ou próprio de novela: "Eis aí começado o romance amoroso do Camões, romance necessário à lenda novelesca do poeta." (Latino Coelho, *Camões*) [F.: *novela* + *-esco.*]
noveleta (no.ve.*le*.ta) *sf.* **1** *Liter.* Novela curta **2** *Mús.* Composição instrumental breve, de caráter romântico, sem forma determinada [F.: *novela* + *-eta.*]
novelista (no.ve.*lis*.ta) *s2g.* **1** Autor de novela(s) para rádio e televisão **2** Romancista [F.: *novela* + *-ista.*]
novelística (no.ve.*lís*.ti.ca) *sf.* **1** A criação literária ou televisiva em forma de novela (1) **2** Estudo e análise da novela: *A novelística de Janete Clair.* [F.: *novelista* + *-ica.*]
novelístico (no.ve.*lís*.ti.co) *a.* **1** Relativo ou pertencente à novela ou à novelística **2** Gênero de criação literária ou televisiva; NOVELESCO [F.: *novelista* + *ico*[2].]
novelo (no.*ve*.lo) [ê] *sm.* **1** Bola formada por fios têxteis enrolados **2** *Fig.* Coisa enredada, embaralhada [F.: Do lat. hispânico *lobellus.*]
novembrada (no.vem.*bra*.da) *sf. Bras. Hist.* Insurreição nativista ocorrida em Pernambuco em novembro de 1831, na série de grandes tensões políticas que se seguiram à abdicação de D. Pedro I [F.: *novembro* + *-ada*[1].]
novembro (no.*vem*.bro) *sm. Cron.* O décimo primeiro mês do ano com 30 dias [F.: Do lat. *november, bris.*]
novena (no.*ve*.na) *sf.* **1** Conjunto de nove dias seguidos **2** *Rel.* Conjunto de orações ou outras práticas religiosas feitas por nove dias consecutivos **3** O espaço de tempo de nove dias **4** Série ou grupo de nove coisas **5** *Bras. Hist.* Castigo aplicado aos escravos durante nove dias seguidos [F.: Do lat. *novenus, ae.*]
novênio (no.*vê*.ni:o) *sm.* Período de nove anos [F.: *nove* + *-ênio.*]
noventa (no.*ven*.ta) *num.* **1** Quantidade correspondente a 89 unidades mais uma **2** Número que representa essa quantidade (arábico: 90; romano XC) [F.: Do lat. *nonaginta*, com infl. de *nove.*]
nove por seis (no.ve por seis) *sm. Bras. Poét.* Estrofe de nove versos, muito usada em desafios (6) por cantadores populares. O 2º, o 5º e o 8º versos têm três sílabas e os demais, sete. Um dos cantadores declama os três primeiros, o segundo os três seguintes e o primeiro volta a declamar os três últimos [Pl.: *noves por seis.*]
◎ **nov(i)-** *el. comp.* = 'novo': *novilunar, novilúnio; novobiocina* (< lat.), *novocaína.* [F.: Do lat. *novus, a, um.*]
noviça (no.*vi*.ça) *sf.* **1** Jovem que, num convento, passa por uma fase probatória antes de fazer os primeiros votos **2** Aquela que se prepara para professar a religião **3** Moça inexperiente ou imatura; APRENDIZ; PRINCIPIANTE: "Começava a ser iniciada nessa religião, e tinha a fé noviça e firme." (Machado de Assis, *Esaú e Jacó*) [F.: Fem. do adj. lat. *novicius, a, um.*]
noviciado (no.vi.ci:*a*.do) *sm.* **1** *Rel.* Estágio inicial pelo qual passam aqueles que entram para determinada ordem religiosa **2** *Rel.* Período de aprendizagem e de provação a que estão sujeitas as pessoas que pretendem professar em alguma religião: "Fui seu mestre quando noviço. Sou seu confessor desde que professou. O seu noviciado encheu a todos de compunção e de assombro." (Júlio Dantas, *Fr. Ant°. da Chagas*) **3** *Rel.* Estado ou condição de noviço **4** *P. ext. Fig.* O convento ou a parte dele reservada aos noviços; NOVICIARIA **5** *P. ext.* O período de aprendizagem ou ensino de provação para a consecução de um propósito **6** *P. ext. Fig.* Os primeiros exercícios de uma profissão ou mister [F.: *novici-* + *-ado.*]
noviciar (no.vi.ci.*ar*) *v. int.* **1** Praticar o noviciado **2** Executar os primeiros exercícios, funções, ofícios [▶ **1** noviciar] [F.: Do rad. lat. *novici-* + *-ado.* Hom./Par.: *noviciaria* (fl.), *noviciária* (fem. de *noviciário* [a.]).]
noviço (no.*vi*.ço) *sm.* **1** *Rel.* Aquele que se prepara para professar a vida religiosa **2** *P. ext. Fig.* Aquele que está apenas começando um ofício ou uma atividade; INICIANTE; NOVATO *a.* **3** Diz-se daquele que é inexperiente; IMATURO; INGÊNUO; PRINCIPIANTE [F.: Do lat. *novicius.*]
novidade (no.vi.*da*.de) *sf.* **1** Qualidade do que é novo, feito ou visto pela primeira vez **2** Aquilo que é produto da inventividade, da criatividade: *as novidades em telefonia celular.* **3** Coisa surgida recentemente: *lançamento das últimas novidades do mercado editorial.* **4** Um fato novo (bom ou ruim); NOTÍCIA; NOVA: "Não a conheciam, e logo buscaram todos com avidez informações acerca da grande novidade do dia." (José de Alencar, *Senhora*) **5** *Bras. Pop.* Situação de contratempo; DIFICULDADE; EMBARAÇO; IMPREVISTO **6** *Pej.* Falatório maldoso sobre alguém ou algo; FOFOCA; MEXERICO: *Estava ávida por saber das novidades sobre a nova vizinha.* [F.: Do lat. *nouidade.*] ▪▪ **Cheio de ~s 1** *Bras. Fam.* Ver *Cheio de luxo* **2** Ver *Cheio de nove-horas* (2)
novidadeiro (no.vi.da.*dei*.ro) *a.* **1** Diz-se daquele que gosta de contar ou de saber de novidades e em geral as reconta

a outrem *sm.* 2 Quem gosta de novidades [F.: *novidade* + *-eiro.* Sin. ger.: *fofoqueiro.*]

novilha (no.*vi*.lha) *sf.* Vaca nova, até aproximadamente um ano de idade; BEZERRA [F.: Do espn. *novilla.*]

novilhada (no.vi.*lha*.da) *sf.* 1 Rebanho de novilhos 2 Corrida de novilhos em local público, como espetáculo [F.: *novilho* + *-ada.*]

novilho (no.*vi*.lho) *sm.* Boi ou touro novo; AMALHO; BEZERRO [Col.: *novilhada.*] [F.: Do espn. *novillo.*] ■ **~ corpo de boi** *S.* Novilho já bem desenvolvido

novilhote (no.vi.lho.te) (*óte*) *sm. Bras. S.* Novilho de cerca de um ano e meio, idade anterior à de garrote [Fem.: *novilhota.*] [F.: *novilho* + *-ote.*]

novo (*no*.vo) [ô] *a.* 1 Com pouco tempo de existência (folhagem nova) [Ant.: *velho*] 2 Com pouca idade (pessoa nova, bezerro novo); JOVEM 3 *P. ext.* Falto de experiência, de maturidade (moça nova); NOVATO 4 Que passa a existir a partir de agora (novos tempos); RENOVADO 5 Que marca o início de um processo, ciclo etc. (novo trabalho; nova vida) 6 Que renova algo, substituindo-o: *novo método de pesquisa.* 7 De pouco tempo (novo amor); RECENTE [Ant.: *antigo*] 8 Que é original, que ainda não existia: *novas marcas de refrigerante.* 9 Que tem pouco ou nenhum uso (roupa nova, carro novo) [Ant.: *velho*] 10 Que até então ainda não tinha sido cogitado (novas teorias) 11 Que acabou de chegar (novos vizinhos) [Ant.: *antigos*] *sm.* 12 Aquilo que é novidade: *O novo sempre causa alguma estranheza.* [F.: Do lat. *novus.*] ■ **De ~** Mais uma vez, novamente **Pagar o ~ e o velho** Receber castigo por erros ou delitos antigos e recentes

◎ **novo-** *el. comp.* Ver *nov(i)-.*

novocaína (no.vo.ca.*í*.na) *sf. Farm.* Nome comercial do anestésico procaína ($C_{13}H_{20}N_2O_2$), de aplicação local [F.: Do ing. *novocain*, marca registrada.]

novo-rico (no.vo-*ri*.co) *sm.* Pessoa de origem humilde que enriquece rapidamente e gosta de ostentar sua nova condição social de maneira vulgar segundo os padrões da elite [Pl.: *novos-ricos.*] [F.: Aport. de *noveau riche* (fr.).]

novos (*no*.vos) [ó] *smpl.* 1 Pessoas jovens [Ant.: *velhos.*] 2 Principiantes em alguma atividade 3 Todos que representam o que há de novo no campo das ideias, da cultura, das artes etc. [F.: Do lat. *novus.*]

noz *Bot. sf.* 1 O fruto da nogueira, de casca dura e lenhosa, cujo interior é provido de cavidades nas quais se encontra a semente comestível 2 Designação comum a qualquer fruto seco com uma única semente [Dim.: *nucela, núcula*] [F.: Do lat. *noce.* Hom./Par.: *noz* (sf.), *nós* (pl. de *nó*), *nós* (pron.). Ideia de 'noz': *cario-* (*cariofilácea*), *jugland(i)-* (*juglandáceo*), *nuc(i)-* (*nucelar, nuciforme*).]

noz-de-areca (noz-de-a.*re*.ca) [é] *sf. Bot.* Semente da areca (2), us. na preparação do bétele (2) e da qual se extraem alcaloides de uso medicinal [Pl.: *nozes-de-areca.*]

noz-de-cola (noz-de-*co*.la) *Bot. sf.* 1 Semente da coleira (*Cola acuminata*) e outras plantas do gênero, rica em alcaloides (cafeína, teobromina etc.), us. como tônico e aromatizante em refrigerantes e como mastigatório; COLA; OBI; OROBÓ; OROBÔ 2 Coleira [Pl.: *nozes-de-cola.*]

noz de galha (noz-de.*ga*.lha) *sf. Bot.* Desenvolvimento excessivo no tecido do carvalho, causado por insetos, em forma de pequena esfera ou tubérculo, com alta concentração de tanino e do qual se obtém o ácido gálico; BUGALHO; GALHA [Pl.: *nozes-de-galha.*]

noz-moscada (noz-mos.*ca*.da) *Bot. sf.* 1 Árvore da fam. das miristicáceas (*Myristica fragrans*), nativa da Indonésia, cultivada pela semente us. como condimento e que estimula a atividade gástrica; MOSCADA; MOSCADEIRA 2 Semente dessa árvore, pequena e oval, revestida de substância carnosa avermelhada, ambas aromáticas e us. para tempero [Pl.: *nozes-moscadas.*] [F.: *noz* + *moscada* (fem. de *moscado*, do baixo latim *muscata*, 'almiscarada').]

noz-vômica (noz-vô.mi.ca) *Bot. sm.* 1 Árvore da fam. das estricnáceas (*Strychnos nux-vomica*), nativa do Sul da Ásia, de cujas sementes são extraídos alcaloides tóxicos, como a estricnina 2 A semente dessa árvore [Pl.: *nozes-vômicas.*] [F.: *noz* + fem. de *vômico.*]

⊠ **Np** 1 *Quím.* Símbolo do netúnio, elemento transuraniano de número atômico 93 2 *Fís.* Símbolo do néper, unidade que exprime quocientes de duas correntes ou potências

⊠ **NPK** *sm. Agroqui.* Sigla de um fertilizante formado pela associação de nitrogênio (N), fósforo (P) e potássio (K) [F.: Do ing. *nitrogen, phosphorous* e *potassium.*]

⊠ **NREM** Sigla da expressão em inglês Non Rapid Eye Movement (movimento ocular não rápido), característico de uma fase do sono em que as ondas cerebrais tornam-se mais lentas, o que conduz a uma diminuição da frequência da pressão arterial e dos batimentos cardíacos

⊠ **Ns** *sm. Quím.* Símbolo do nielsbohrio [F.: Do antr. *Niels Bohr*, físico dinamarquês (1885-1962).]

◎ **-nte** *Suf.* = formação de adjetivos com ideia de agente ou de estado: *adolescente, detergente, fervente, purificante, toante, transeunte.*

⊠ **NTSC** *sm. Telv.* Sigla em inglês de National Television System Committee, sistema padrão de televisão em cores adotado principalmente nos EUA, no Canadá, Japão e na América Latina. Difere do sistema PAL, mais aperfeiçoado, e usado nos países europeus

nu *a.* 1 Sem qualquer vestimenta; PELADO [Ant.: *vestido*] 2 Quase sem roupa: *Aquele vestido a deixava nua.* 3 Sem proteção ou revestimento (pés nus, árvore nua) 4 Sem ornamentação, enfeite (sala nua; rosto nu) 5 Sem adornos linguísticos ou retóricos; ÁRIDO; CRU: *Foi um discurso nu de imagens poéticas.* 6 *Fig.* Sem dissimulação ou disfarce: *verdade nua e crua.* *sm.* 7 A nudez (nu artístico) 8 *Esc. Pint.* Estátua ou retrato de figura humana representada sem roupa: *Os nus de Michelangelo.* [F.: Do lat. *nudus.*] ■ **~ artístico** 1 *Art. Pl.* Arte de representar em obra de arte o corpo humano nu 2 O gênero artístico dessa representação 3 Obra de arde desse gênero [Tb. apenas *nu.*] **~ e cru** Exatamente como é, sem retoques: *Quero a verdade nua e crua.* **Pôr a ~** Desnudar, mostrar a verdadeira feição de: *Pôs a nu suas verdadeiras intenções.*

nuança (nu.*an*.ça) *sf.* 1 Contraste sutil entre coisas do mesmo gênero; SUTILEZA 2 Gradação de uma cor; MATIZ; TOM 3 *Mús.* Gradação de sons musicais resultante da intensidade da emissão [F.: Do fr. *nuance.*]

nuançado (nu:an.*ça*.do) *a.* Que apresenta variação de cor; MATIZADO; CAMBIANTE: *O sol da tarde deixou o céu nuançado.* [F.: Part. de *nuançar.*]

nuançar (nu.an.*çar*) *v. td.* Dar nuança, matiz, cor a [▶ 12 nuançar] [F.: *nuance* + *-ar*[2].]

⊕ **nuance** (*Fr.* /nuãs/) *sf.* Ver *nuança*

⊕ **nu-aruaque** *a.* 1 Pertencente ou relativo aos nu-aruaques, indígenas distribuídos por vários pontos de estados do sudoeste brasileiro *s2g.* 2 O indivíduo dessa etnia

nuba (*nu*.ba) *s2g.* 1 Povoação que habita as montanhas Nuba, na região central da República Democrática do Sudão (África): *Até hoje pairam dúvidas sobre a origem dos nubas.* *a2g.* 2 Dos nubas; típico desse povo: *Por ser montanhoso, o território nuba constitui-se num refúgio natural contra os invasores.* [F.: Do gr. *noubai*, pelo lat. *nubae, arum.*]

nubente (nu.*ben*.te) *a2g.* 1 Que está para se casar *s2g.* 2 Aquele que está para se casar; NOIVO [F.: *nub-* + *-ente.*]

◎ **nubi-** *el. comp.* = 'nuvem': *nubicogo, nubífero* (< lat.), *nubífugo, nubígeno* (< lat.) [F.: Do lat. *nubes* ou *nubis, is.*]

nubiano *a.* Diz-se de uma raça de caprinos: *O advogado investiu em caprinocultura e seu plantel atual é de 180 cabritos da raça nubiana.* [F.: Do top *Núbia* + *-ano.*]

nubífero (nu.*bí*.fe.ro) *a.* Que traz ou produz nuvens; TEMPESTUOSO [F.: Do lat. *nubifer, a, um.*]

nubígeno (nu.*bí*.ge.no) *a.* Feito de nuvens: "Jamais esquecerei a visão do Pico a perseguir-nos, ora dormitando em seu manto nubígeno, ora totalmente descoberto e encimado por prateados de neve pura." (Ferreira Moreno, *Repiques da saudade*, 23.11.2005) [F.: Do lat. *nubigena, ae.*]

núbil (*nú*.bil) *a2g.* 1 Que já tem idade para se casar 2 Que pode contrair matrimônio [Pl.: *-beis.*] [F.: *nub-* + *-il.*]

núbio (*nú*.bi:o) *sm.* 1 Pessoa nascida ou que vive em Núbia (atual Sudão, África) *a.* 2 Da Núbia; típico desse país ou de seu povo [F.: *nub-* + *-io*[1].]

nublado (nu.*bla*.do) *a.* 1 Coberto de nuvens (céu nublado); NEBULOSO [Ant.: *desnublado, limpo.*] 2 *Fig.* Em que há tristeza ou preocupação (fisionomia nublada) 3 Sem clareza ou nitidez (visão nublada); OBSCURECIDO; TURVADO [F.: Do lat. *nubilare.*]

nublar (nu.*blar*) *v.* 1 Encher(-se) de nuvens [*int.*: *O céu nublou e a temperatura caiu.*] [*td.*: *Logo pela manhã soprou uma aragem que nublou o tempo.*] 2 *P. ext.* Embaciar-se, tornar-se escuro, turvar-se 3 *Fig.* Entristecer-se, ficar taciturno [*td.*: *A notícia da morte do amigo nublou sua fisionomia.*] [*int.*: *Seu rosto nublava-se à medida que a carta lhe revelava os verdadeiros motivos de sua demissão.*] [▶ 1 nublar] [F.: Do lat. *nubilare.* Ant. ger.: *clarear.*]

nuca (*nu*.ca) *sf. Anat.* Região posterior do pescoço *Pop.*; CACHAÇO *Pop.*; CANGOTE [F.: Do lat. *nucha.*]

nucal (nu.*cal*) *a2g.* Da ou referente à nuca (rigidez nucal) [Pl.: *-cais.*] [F.: *nuca* + *-al*[1].]

nucela (nu.*ce*.la) [é] *sf.* 1 Pequena noz; NÚCULA 2 *Bot.* Parte do óvulo das plantas com flores que contém o saco embrionário e é envolvida por um ou mais tegumentos

nucelo (nu.ce.lo) [é] *sm. Bot.* Massa celular central do corpo do óvulo que contém o saco embrionário: *O óvulo das gimnospermas constitui-se de um nucelo e de um tegumento.* [F.: Do lat. científico *nucellus*, do rad. lat. de *nux, cis*, 'nós' + suf. dim. *-ellus.*]

◎ **nuc(i)-** *el. comp.* = 'noz': *nuciforme, nucívoro.* [F.: Do lat. *nux, nucis.*]

nuciforme (nu.ci.*for*.me) *a2g. Bot.* Com a forma da noz [F.: *nuc(i)-* + *-forme.*]

nucívoro (nu.*cí*.vo.ro) *a.* Que se alimenta de nozes [F.: *nuc(i)-* + *-voro.*]

nucleação (nu.cle:a.*ção*) *sf.* Processo de formação de um núcleo [Pl.: *-ções.*] [F.: *nuclear* + *-ção.*]

nucleado (nu.cle.*a*.do) *a.* Provido de núcleo(s) [F.: Part. de *nuclear.*]

nuclear (nu.cle.*ar*) *a2g.* 1 Que se refere a um núcleo 2 Que se dá no interior do núcleo de um átomo (reação nuclear) 3 Que utiliza a energia liberada pelo núcleo de um átomo (arma nuclear) 4 *Fig.* Que concentra o fundamental: *O avô desempenhava um papel nuclear na relação familiar.* [F.: *núcleo* + *-ar*[1].]

nuclearização (nu.cle:a.ri.za.*ção*) *sf.* 1 Ação ou resultado de nuclearizar 2 Aplicação tecnológica da energia nuclear: *Vários países vêm adotando a política de nuclearização elétrica.* 3 Construção e implantação de usinas nucleares [Pl.: *-ções.*] [F.: *nuclearizar* + *-ção.* Ant. ger.: *desnuclearização.*]

nuclearizado (nu.cle:a.ri.*za*.do) *a.* 1 Que se nuclearizou, cuja fonte tradicional de energia foi substituída pela nuclear 2 Que tem armas nucleares 3 Que tem usina nuclear [F.: Part. de *nuclearizar*. Ant. ger.: *desnuclearizado.*]

nuclearizar (nu.cle.a.ri.*zar*) *v.* 1 Dotar de energia nuclear [*td.*: *Nuclearizar a produção de energia elétrica.*] [*int.*: *A marinha deve nuclearizar-se em pouco tempo.*] 2 Prover de armas nucleares [*td.*: *O gângster-mor não quer que nenhum outro país se nuclearize.*] [▶ 1 nuclearizar] [F.: *nuclear* + *-izar.* Ant. ger.: *desnuclearizar.*]

nuclease (nu.cle:*a*.se) *sf. Bioq.* Qualquer enzima que quebra em pedacinhos os ácidos nucleicos como o DNA ou o RNA [F.: *núcleo* + *-ase.*]

◎ **nucle(i)-** *el. comp. Pref.* = núcleo: *nuclear, nucleico.* [F.: Do lat. *nucleus, i.*]

nucleico (nu.*clei*.co) *a. Bioq.* Constituído de hidrogênio, carbono, nitrogênio, oxigênio e fósforo (ácido nucleico) [F.: Do ing. *nucleic* (*acid*); ver *núcleo* e *-ico*[2]. Seg. a tradição da língua, a pronúncia recomendável é *nucleico* (éi), embora menos us.]

núcleo (*nú*.cle:o) *sm.* 1 Parte central de qualquer organismo, estrutura etc., seja concreta ou abstrata: *núcleo terrestre; núcleo de uma empresa; núcleo de uma oração verbal.* 2 *Fís. nu.* O elemento central do átomo, formado pelos prótons e nêutrons, em torno do qual orbitam os elétrons 3 *Cit.* O elemento central da célula, responsável pela sua multiplicação 4 *P. ext. Fig.* O embrião de alguma coisa; aquilo que dá origem à outra, que a fundamenta 5 *P. ext. Fig.* O centro de um organismo, o ponto de onde as coisas fluem ou para onde as coisas convergem 6 Parte essencial de algo: *O núcleo do problema ainda não foi resolvido.* 7 A melhor parte de alguma coisa, o que se destaca entre as demais coisas: *o núcleo de uma sociedade.* 8 Agrupamento de pessoas em torno de algo: *Formam um núcleo de pesquisadores.* 9 *Astron.* A parte densa e luminosa de um cometa 10 *Astron.* Numa galáxia, sua parte central 11 *Mat.* A imagem recíproca do elemento nulo em uma aplicação linear de um espaço vetorial em outro [Dim.: *nucléolo.*] [F.: Do lat. *nucleus.*] ■ **~ atômico** *Fís. nu.* Parte do átomo na qual se concentra sua maior massa, constituída de prótons e de nêutrons, portanto de carga positiva, em torno da qual orbitam os elétrons **~ caudado** *Anat. Neur.* Parte da substância cinzenta do cérebro, de forma curva, composta de cabeça, corpo e cauda **~ central** *Geof.* A região central do interior da Terra, a mais de 5.000 km de profundidade, composta principalmente de níquel e ferro (daí ser denominada *nife*), com temperatura da ordem dos 3.500° C; barisfera **~ duro** Diz-se, numa organização, instituição, partido etc., de grupo de pessoas com princípios sólidos, irredutíveis, que resiste a pressões externas, ou que tem objetivos e estratégias definidos e se dispõe a realizá-los sem concessões etc. **~ externo** *Geof.* Camada do interior da Terra, entre c. 3.000 e 4.710 quilômetros de profundidade **~ histórico** *Urb.* Região de uma localidade, cidade etc. que corresponde a seu polo inicial, de onde se desenvolveu, e que mantém edificações e características urbanas originais; centro histórico **~ lenticular** *Anat. Neur.* Parte central de um hemisfério cerebral, na forma de uma massa mais ou menos cônica de substância cinzenta

nucléolo (nu.*clé*:o.lo) *sm.* 1 Núcleo pequeno *sm.* 2 *Gen.* Pequeno corpo arredondado visível no interior do núcleo de uma célula; CARIOSFERA [F.: Do lat. tard. *nucleolus, i.*]

núcleon (*nú*.cle:on) *sm. Fís. nu.* Denominação genérica de um próton ou de um nêutron: "O núcleo atômico é composto de partículas chamadas núcleons. Existem duas espécies de núcleons: os prótons, com carga elétrica positiva, e os nêutrons, sem carga elétrica." (*Energia Nuclear* (*UFSM*), 24.11.2005) [Pl.: *-ons ou -ones.*] [F.: Do ing. *nucleon.*]

nucleoplasma (nu.cle:o.*plas*.ma) *sm. Cit.* Plasma que se encontra no núcleo da célula; CARIOPLASMA [F.: *núcleo-* + *-plasma.*]

nucleoproteína (nu.cle:o.pro.te.*í*.na) *sf. Bioq.* Qualquer uma das proteínas conjugadas que ocorre em células e que consiste de uma proteína combinada com um ácido nucleico, essencial para divisão celular e para a reprodução [F.: *núcleo* + *-proteína*, do ing. *nucleoprotein.*]

nucleose (nu.cle:o.se) [ó] *sf. Cit.* Excessiva divisão do núcleo [F.: *núcleo* + *-ose.*]

nucleossíntese (nu.cle:os.*sín*.te.se) *sf. Astron.* Formação natural dos diversos núcleos que constituem a matéria por processos físicos que ocorrem no centro das estrelas, em pontos extremamente quentes do cosmo, ou nos instantes muito particulares de evolução do universo [F.: *núcleo* + *síntese.*]

nucleossomo (nu.cle:os.*so*.mo) *sm. Gen.* Qualquer uma das subunidades de cromatina que ocorre nos intervalos ao longo de um cordão de ADN e que consiste num ADN enrolado em torno de uma histona [F.: *núcleo* + *-somo.*]

nucleotídeo (nu.cle:o.*tí*.de:o) *sm. Bioq.* Ácido nucleico simples, elemento fundamental da molécula dos ácidos nucleicos que são formados por uma pentose, uma base nitrogenada e pelo menos um grupamento fosfato [F.: *nucle(i/o)-* + *-t-* + *-ídeo.*]

nuclídeo (nu.*clí*.de:o) *sm. Fís.* Núcleo atômico especificado por seu número atômico, massa atômica e o estado de energia [F.: *nucleo* + *-ídio.*] ■ **~ estável** *Fís. nu.* Aquele que não decai em sua radioatividade **~ radioativo** *Fís. nu.* Aquele, natural ou artificial, que decai em sua radioatividade **~s especulares** *Fís. nu.* Par de nuclídeos nos quais o número atômico de um corresponde ao número de nêutrons do outro **~s isóbaros** *Fís. nu.* Os que têm a mesma massa e números atômicos diferentes **~s isodiáferos** *Fís. nu.* Aqueles nos quais a diferença entre o número de nêutrons e o de prótons é a mesma **~s isômeros** *Fís. nu.* Aqueles que têm números de massa e atômico iguais, mas diferentes níveis de energia **~s isótonos** *Fís. nu.* Aqueles que têm números atômicos diferentes, e o mesmo número de nêutrons **~ isótopos** *Fís. nu.* Aqueles cujos números atômicos são iguais, mas com diferentes números de massa

nucular (nu.cu.*lar*.) *a2g.* Que pertence à noz ou a esta se refere [F.: *nucula* + *-ar*[1].]

nudez (nu.*dez*) [ê] ***sf.*** **1** Estado de quem ou do que se encontra nu **2** Ausência total de roupa **3** O corpo nu (cenas de nudez) **4** Ausência de ornamentos **5** Carência, privação de algo: "(...) a indefesa nudez da paisagem sem portas, sem endereços, sem resposta nenhuma." (Cecília Meireles, *Écloga*) [F.: *nud(i)-* + *-ez*.]

nudeza (nu.*de*.za) [ê] ***sf.*** Nudez: "E a terra, a mãe comum, no fim da vida, / Para a nudeza me cobrir dos ossos, / Rasgue alguns palmos do seu verde manto..." (Raimundo Correa, *Último porto*) [F.: *nud(i/o)-* + *-eza*.]

◎ **nud(i/o)-** ***el. comp.*** *Pref.* = nu: *nudismo.* [F.: Do lat. *nudus, a, um.*]

nudípede (nu.*dí*.pe.de) ***a2g.*** Que não está calçado, cujos pés estão nus; DESCALÇO [F.: Do lat. *nudipes, edis*.]

nudismo (nu.*dis*.mo) ***sm.*** **1** Prática de vida ao ar livre em contato com a natureza e em completa nudez: *adepto do nudismo; praia de nudismo.* **2** Doutrina que prega essa prática [F.: *nud(i/o)-* + *-ismo.* NOTA: *Cf.: naturismo.*]

nudista (nu.*dis*.ta) ***a2g.*** **1** Próprio do nudismo **2** Que pratica nudismo ***s2g.*** **3** Adepto do nudismo [F.: *nud(i/o)-* + *-ista*.]

nudomaníaco (nu.do.ma.*ní*.a.co) ***a.*** Que gosta ou tem mania de ficar nu [F.: *nud(i/o)-* + *-maníaco.* Tb. *nudômano*.]

nuelo (nu:*e*.lo) [é] ***a.*** **1** Que nasceu pouco tempo antes, recém-nascido **2** *MG Fam.* Inteiramente nu (menino nuelo) **3** *Ornit.* Que ainda não tem penas ou plumagem (pássaro nuelo) [F.: *nu* + *-elo*.]

nuga (*nu*.ga) ***sf.*** Algo sem importância; BAGATELA; NINHARIA [Mais us. no pl.] [F.: Do lat. *nugas.* Hom./Par.: *nugá* (sm.).]

nugá (nu.*gá*) *Cul.* ***sm.*** Massa de consistência firme feita de amêndoas ou avelãs, adoçada com açúcar ou mel [F.: Do fr. *nougat.* Hom./Par.: *nuga* (sf.).]

◎ **nul(i)-** ***el. comp.*** = 'nulo'; 'não': *nulificar* (< lat.), *nulípara* [F.: Do lat. *nullus, a, um*, 'nulo'.]

nulidade (nu.li.*da*.de) ***sf.*** **1** Qualidade do que é nulo; ÍRRITO **2** Total ausência de talento; carência absoluta de criatividade **3** Pessoa sem nenhuma valia ou mérito; pessoa incapaz prática e/ou intelectualmente **4** Coisa inútil, vã; FRIVOLIDADE; FUTILIDADE **5** *Jur.* Falta de alguma condição essencial que o torna sem validade (documento, contrato etc.): "Estas senhoras (...) quando perdem, agarram-se a qualquer desculpa, e acabam sempre por provar a nulidade do contrato." (Joaquim Manuel de Macedo, *Vicentina*) [F.: *nulo* + *-(i)dade*.]

nulificação (nu.li.fi.ca.*ção*) ***sf.*** **1** Ação ou resultado de nulificar **2** *Jur.* Ver *anulação* [Pl.: *-ções*.] [F.: *nulificar* + *-ção*.]

nulificado (nu.li.fi.*ca*.do) ***a.*** Que foi nulificado [F.: Part. de *nulificar*.]

nulificante (nu.li.fi.*can*.te) ***a2g.*** Que tem força para nulificar [F.: *nulificar* + *-ante*.]

nulificar (nu.li.fi.*car*) ***v. td.*** **1** Tornar(-se) nulo; ANULAR(-SE) **2** *Jur.* O mesmo que *anular* [▶ **11 nulificar**] [F.: Do lat. *nullificare*. Hom./Par.: *nulificáveis* (fl.), *nulificáveis* (pl. de *nulificável* [a2g.]).]

nulípara (nu.*lí*.pa.ra) ***a.*** **1** *Med.* Que nunca pariu (mulher nulípara, ovelha nulípara) ***sf.*** **2** Mulher ou animal que nunca pariram: "Meus pais me queriam professora, dona de casa e parideira. Sou matemática, executiva e nulípara." (*Ser pessoa ou ser mulher?*, 25.11.2005) [F.: *nuli-* + *-para*.]

nuliparidade (nu.li.pa.ri.*da*.de) ***sf.*** *Med.* Condição de nulípara; ATOCIA: "De fato a nuliparidade ou primiparidade tardia são fatores de risco para a doença e estão associadas ao aumento da incidência observado nas últimas décadas." (UNIFESP Virtual, "Epidemiologia do câncer genital e mamário", 25.11.2005) [F.: *nulípara* + *-(i)dade*.]

nulo (*nu*.lo) ***a.*** **1** Sem efeito ou valor (conselhos nulos); INÚTIL; VÃO **2** Sem existência (comparecimento nulo); INEXISTENTE; NENHUM **3** Absolutamente inepto; INCAPAZ: *Mostrou-se nula em gerenciar.* **4** *Jur.* Que não é válido, que não tem valor legal (casamento nulo) [F.: Do lat. *nullus*.]

num[1] **1** Contr. da prep. *em* com o art. indef. *um*: *Vive num sítio no interior.* **2** Contr. da prep. em com o num. um: *Num dos dedos havia a marca do anel.*

num[2] ***adv.*** *Pop.* Não: *Não, num sinto saudade.* [F.: Alter. de *não*.]

numantino (nu.man.*ti*.no) ***sm.*** **1** Indivíduo nascido ou que vive em Numância (hoje Sória, Espanha) ***a.*** **2** De Numância; típico dessa cidade ou de seu povo [F.: Do lat. *numantinu*.]

nume (*nu*.me) ***sm.*** **1** Poder celeste; DIVINDADE **2** Cada um dos deuses pagãos: *invocar os grandes numes.* **3** Ser divino; DIVINDADE **4** *P. ext.* Qualquer espírito ou gênio protetor que favoreça uma atividade: *os numes dos poetas.* **5** *Fig.* A inspiração poética proveniente da proteção divina: "Pesa-me esta brilhante auréola de nume.../(...)/ Por que não nasci eu um simples vaga-lume?" (Machado de Assis, "Círculo vicioso" *in Novas Seletas*) **6** *Fig.* Sentimento afetuoso para com alguém [F.: Do lat. *numen*.] ■ **~ tutelar** Nume (4)

numenal (nu.me.*nal*) ***a2g.*** *Fil.* Relativo a númeno; NUMÊNICO: *Malin se apoia em Plotino, filósofo neoplatônico, para declarar que o Universo é composto de múltiplos níveis de existência, que incluem ambos o fenomenal (sensível) e o numenal (real).* [Pl.: *-ais*.] [F.: *númeno* + *-al*[1].]

númeno (*nú*.me.no) ***sm.*** *Fil.* Na concepção do filósofo alemão Immanuel Kant (1724 -1804), a realidade existente na sua forma pura, independentemente da incompletude inerente à maneira pela qual todo e qualquer conhecimento é adquirido pelo ser humano; o *númeno*, portanto, mesmo podendo ser pensado, é necessariamente inalcançável pela cognição humana; COISA EM SI; NÔMENO; NOÚMENO [No kantismo, opõe-se a *fenômeno*.] [F.: Do gr. *nooúmenon*, 'uma coisa que é percebida', substantivação do neutro do particípio presente passivo de *noéoo* 'eu percebo'.]

numeração (nu.me.ra.*ção*) ***sf.*** **1** Ação ou resultado de numerar **2** Sequência de números: *numeração da rua* **3** *Arit.* Sistema de representação escrita dos números: *sistema de numeração arábico.* [Pl.: *-ções*.] [F.: Do lat. *numerationes*.] ■ **~ binária** *Arit.* Aquela que usa apenas dois símbolos, ou algarismos (0 e 1), de modo que o valor de uma ordem, quando não é nulo (ou seja, representado por 1 e não por 0) é o dobro do valor da ordem precedente [Ex.: o número 111 representa 4 + 2 + 1 = 7; o numero 101 representa 4 + 0 + 1 = 5.] **~ decimal** *Arit.* Aquela que usa 10 símbolos, ou algarismos (de 0 a 9) de modo que o valor de cada um numa ordem é igual a 10 vezes seu valor na ordem precedente [Ex.: o número 222 representa (2 x 10 x 10) + (2 x 10) + 2 = 200 + 20 + 2.]

numerada (nu.me.*ra*.da) ***sf.*** Em estádios ou ginásios esportivos, cadeira particularmente bem situada e numerada: *Eu não vou de numerada/Vou ficar na arquibancada/Pra sentir mais emoção/Com meu time campeão.* [F.: Red. do sintagma nominal *cadeira numerada*.]

numerado (nu.me.*ra*.do) ***a.*** **1** Marcado com um número (poltronas numeradas) **2** Disposto por números ou por ordem numérica [F.: Part. de *numerar*.]

numerador (nu.me.ra.*dor*) [ô] ***a.*** **1** Que numera ***sm.*** **2** Numa fração ordinária, o número ou termo que se coloca por sobre o traço de fração que indica quantas partes foram tomadas do todo **3** Qualquer artefato, dispositivo, aparelho que se utiliza para numerar um conjunto de coisas [F.: Do lat. *numerator*.]

numeral (nu.me.*ral*) ***a2g.*** **1** Ref. a número: *o sistema numeral romano* ***sm.*** **2** Algarismo que representa um número (p. ex.: 9) **3** *Gram.* Classe de palavra que representa a quantidade exata das unidades, ou a ordenação de elementos, ou a fração de um todo, ou a multiplicação de uma unidade [Ver tb. *cardinal*, *ordinal*, *fracionário* e *multiplicativo*.] [Pl.: *-rais*.] [F.: Do lat. *numeralis.* Hom./Par.: *numerais* (pl.), *numerais* (fl. de *numerar*).] ■ **~ cardinal** *Gram.* Aquele que expressa uma quantidade absoluta [Ex.: *dois, dezoito, setenta e dois*.] **~ fracionário** *Gram.* Aquele que expressa uma quantidade fracionária [Ex.: *meio, quinto, milésimo*.] **~ multiplicativo** *Gram.* Aquele que expressa uma quantidade multiplicativa [Ex.: *duplo, quádruplo, cêntuplo*.] **~ordinal** *Gram.* Aquele que expressa a posição numa ordem, ou série [Ex.: *primeiro, segundo, duodécimo, trigésimo quarto*.]

numerar (nu.me.*rar*) ***v.*** **1** Colocar número em [***td.***: *Numerou as páginas do diário.*] **2** Arrumar em ordem numérica [***td.***: *Numerou as salas em ordem crescente.*] **3** Enumerar em quantidade [***td.***] **4** Enumerar, expor com método [***td.***] **5** Enumerar, incluir entre [***tdp.***: *Costumam numerá-lo o melhor aluno entre os melhores.*] [▶ **1 numerar**] [F.: Do lat. *numerare.* Hom./Par.: *numerais* (fl.), *numerais* (pl. de *numeral* [sm.]); *numeraria(s)* (fl.), *numerária(s)* (fem. de *numerário* [a.] e pl.); *numero* (fl.), *número* (sm.).]

numerário (nu.me.*rá*.ri:o) ***sm.*** **1** Dinheiro em moeda ou cédula em espécie ***a.*** **2** Que se refere a dinheiro [F.: Do fr. *numéraire.* Hom./Par.: *numerária* (af.), *numeraria* (fl. de *numerar*).]

numerável (nu.me.*rá*.vel) ***a2g.*** Que se pode numerar ou contar: *O produto finito de conjuntos numeráveis é numerável.* [Pl.: *-veis*.] [F.: Do lat. *numerabilis, e*.]

numérico (nu.*mé*.ri.co) ***a.*** **1** Pertencente ou relativo a número **2** Indicado ou expresso por números (avaliação numérica, código numérico) **3** Que se opera por meio de números **4** Que se refere a quantidade: *Em termos numéricos eles superam os adversários.* [F.: *número* + *-ico*[2].]

número (*nú*.me.ro) ***sm.*** **1** *Mat.* Palavra ou símbolo us. para representar a quantidade ou a ordem das coisas numa série **2** Conjunto de algarismos arábicos que identificam o telefone, a senha etc. de uma pessoa: *Anote o número do meu celular.* **3** Quantidade determinada: *Precisaremos de auxílio para atender esse número de pessoas.* **4** Quantidade mínima de pessoas reunidas com o propósito de decidir ou votar alguma coisa; QUORUM: *Já temos número para iniciarmos os trabalhos.* **5** *Teat.* Cada uma das cenas ou quadros de espetáculos de variedades **6** *Edit.* Cada edição de uma publicação periódica: *Já saiu o último número da revista?* **7** *Gram.* Categoria gramatical que indica se os indivíduos designados pelos substantivos correspondem a um (sing.) ou a mais de um (pl.) [F.: Do lat. *numerus.* Hom./Par.: *numero* (fl. de *numerar*). NOTA: Em português, devido à concordância, o número se aplica tb. a adjetivos e verbos. Ver tb. *singular* e *plural*.] ■ **Fazer ~** Integrar um grupo apenas para completar quórum, equipe, número mínimo de participantes etc.: *Contundido, ficou em campo apenas para fazer número.* **~ abundante** *Mat.* Número inteiro maior que a soma dos seus divisores próprios [P. op. a *Número deficiente*.] **~ adimensional** *Tec.* Número que não expressa uma grandeza ou dimensão física, mas uma razão, um fator, um índice, um coeficiente etc. **~ algébrico** **1** *Mat.* Número ao qual é atribuído o sinal de *mais* + (número positivo) ou de *menos* - (número negativo) **2** Toda raiz de equação algébrica com coeficientes inteiros, não todos nulos **~ aritmético** *Mat.* O número considerado apenas por seu valor numérico, independentemente do sinal [Cf.: *número algébrico*.] **~ atômico** *Fís. nu.* Número de prótons no núcleo atômico de um elemento, referência de sua ordenação na tabela periódica [Símb.: *Z*.] **~ áureo** Número que determina a divisão de um segmento em média e extrema razão (divisão áurea), igual a $(\sqrt{5}-1)/2$ (raiz quadrada de cinco menos um) dividido por dois, ou 0, 61803; número de ouro **~ binário** *Mat.* Número escrito no sistema binário de numeração (ver em *Numeração binária*) **~ cardeal** *Mat.* Ver *Número cardinal* **~ cardinal** *Mat.* Número que expressa a quantidade de elementos de um conjunto [Se um conjunto tem oito elementos, o cardinal é |8|, e se escreve 8.] **~ complexo** **1** *Mat.* Número formado por medidas de unidades diferentes, como 2h3min45s (duas horas, três minutos e quarenta e cinco segundos) **2** Aquele que é constituído de uma parte real e uma unidade imaginária, no formato a + bi, no qual a e b pertencem ao conjunto dos números reais, e i é uma unidade imaginária; número imaginário [Tb. apenas *complexo*.] **~ composto** *Mat.* Todo número inteiro que não é primo **~ de Abbe** *Ópt.* Constringência **~ de Avogadro** *Fís. quím.* Denominação imprópria da *Constante de Avogadro*, número de moléculas num mol de qualquer substância, igual a 6,02252 x 10^{23} **~ de chamada** *Biblt.* Notação que representa a posição de livro, publicação, documento etc. em certa estante, em certo recinto de uma biblioteca ou arquivo **~ decimal** *Mat.* Número escrito no sistema decimal [Tb. apenas *decimal*.] **~ de Fermat** *Mat.* Número expresso na forma 2^{2n+1}, sendo n um número inteiro e positivo **~ deficiente** *Mat.* Número inteiro menor que a soma dos seus divisores próprios [P. op. a *Número abundante*.] **~ de Loschmidt** *Fís. quím.* Número de moléculas em $1cm^3$ de um gás ideal em condições normais de temperatura e pressão **~ de Mach** *Fís.* Razão entre a velocidade de corpo em movimento num fluido e a do som no mesmo fluido; número Mach [Tb. apenas *Mach*. Símb.: *M*.] **~ de massa** *Fís. nu.* Soma dos números de prótons e nêutrons no núcleo de um elemento [É o número inteiro mais próximo do que expressa a massa atômica do elemento. Símb.: *A*.] **~ de onda** *Fís.* Inverso do comprimento de onda em movimento ondulatório [Indica o número de ciclos ondulatórios completos por unidade de distância percorrida.] **~ de ouro** Ver *Número áureo* **~ de oxidação** *Quím.* Numero que expressa a quantidade de elétrons que os átomos de um certo elemento podem perder (número positivo = oxidação) ou ganhar (número negativo) **~ diploide** *Biol.* Número de cromossomos dispostos em pares numa célula, expresso ger. por *2n*, sendo n o número de pares [Cf.: *Número haploide*.] **~ dual** *Mat.* Número expresso na forma $x + jy$, sendo x e y números reais e j um divisor de zero [Tb. apenas *dual*.] **~ duodecimal** *Mat.* Número escrito no sistema duodecimal **~ e** *Mat.* Número real irracional transcendente, igual ao limite, quando n tende para infinito, de $(1 + 1/n)^n$. Em notação decimal com doze casas, equivale a 2,718281828459 [Símb.: *e*. Us. como base do sistema natural de logaritmos. Tb. apenas *e*.] **~ f** *Ópt. Fot.* Número (quociente da distância focal pelo diâmetro de abertura) que indica a abertura de uma lente objetiva à passagem dos raios luminosos, e que representa o denominador de uma fração cujo numerador é 1 (ou seja, o número f 5.6 significa 1/1,6) [Ou seja, quanto maior o número f menor a abertura.] **~ fracionário** *Arit.* Fração (3) **~ haploide** *Biol.* Número de cromossomos dos gametas, não organizados em pares, expresso como n [Cf.: *Número diploide*.] **~ hexadecimal** *Mat.* Número escrito no sistema hexadecimal **~ imaginário** *Mat.* Ver *Número complexo* (2) **~ ímpar** *Mat.* Número inteiro não divisível por dois [Tb. apenas *ímpar*.] **~ inteiro** *Mat.* Qualquer número do conjunto de números em série...-7, -6, -5, -4, -3, -2, -1, 0, 1, 2, 3, 4, 5, 6, 7. [Símb. do conjunto dos números inteiros: *Z*.] **~ irracional** *Mat.* Número real que não pode ser expresso como razão entre dois números inteiros [Tb. apenas *irracional*.] **~ Mach** *Fís.* Ver *Número de Mach* **~ misto** *Mat.* Número representado pela soma de um número inteiro com uma fração ordinária [Ex.: 3¾.] **~ natural** *Mat.* Qualquer número inteiro positivo, portanto pertencente à série 1, 2, 3, 4, 5, 6, 7. [Tb. apenas *natural*. Símb. do conjunto dos números naturais: *N*.] **~ negativo** *Mat.* Todo número menor que zero [Tb. apenas *negativo*.] **~ octal** *Mat.* Número escrito no sistema octal **~ ordinal** *Mat.* O que indica a posição de um elemento numa ordem, ou sequência [Ex.: 2º, 14º.] **~ par** *Mat.* Número inteiro divisível por dois [Tb. apenas *par*.] **~ perfeito** *Mat.* Número que é igual à soma dos seus divisores próprios [P. ex., 6 = 1 + 2 + 3; 28 = 1 + 2 + 4 + 7 + 14.] **~ pi** *Mat.* Número irracional transcendente, resultado da divisão do perímetro de qualquer circunferência por seu diâmetro [Seu valor aproximado é 3,14159265358979323846... Símb.: p. Tb. apenas *pi*.] **~ pitagórico** *Mat.* Qualquer dos números inteiros, a, b e c, que satisfaça à equação pitagórica $a^2 + b^2 = c^2$ [Ex.: 3, 4 e 5, o que resulta em $3^2 + 4^2 = 5^2$.] **~ positivo** *Mat.* Todo número maior que zero **~ primo** *Mat.* Todo número inteiro não nulo divisível apenas por ele mesmo e pela unidade **~ quântico** *Fís.* Número que expressa o nível de energia de uma certa camada de elétrons num átomo **~ racional** *Mat.* Todo número que pode ser expresso como o quociente da divisão de dois números inteiros, na qual o divisor não é zero [Tb. apenas *racional*. Símb. do conjunto dos números racionais: *Q*.] **~ real** *Mat.* Qualquer número pertencente ao conjunto de números inteiros, mais os números racionais e os irracionais. Pode-se entender como o conjunto de todos os números formados por inteiros e fracionários numa série decimal infinita (como o número pi), ou qualquer um numa série contínua, em correspondência biunívoca com os pontos de uma linha [Tb. se diz apenas *real*. Símb. do conjunto dos números reais: *R*.] **~ relativo** *Mat.* Ver *Número algébrico* (1) **~s amigos** *Mat.* Par de números no qual cada um deles é igual à soma dos divisores próprios do outro [Ex.: pares 220 e 284; 1184 e 1210.] **~s associados** *Arit.* Dois números cujo produto dá resto um quando dividido por um terceiro número [Ex.: 3 e 5, que têm como produto 15, cuja divisão por 2 dá resto um.] **~ sexagesimal** *Mat.* Número escrito num sistema sexagesimal **~s primos entre si** *Mat.* Números inteiros que têm único divisor comum a unidade [Ex.: 7 e 11.] **~ transcendente** *Mat.* Número real ou complexo que não é raiz de qualquer equação polinomial cujos coeficientes são inteiros, portanto não algébrico [Tb. apenas *transcendente.*] **~ transfinito** *Mat.* Cardinal de um conjunto infinito **~ triangular** *Mat.* Número inteiro expresso no formato *n* (*n* + 1)/2, sendo *n* um número natural **~ um** O primeiro em hierarquia; o principal, o mais importante: *Em nosso grupo, ele é o número um.* **~ zero** *Jorn.* Número de teste, ger. o primeiro, de novo jornal, publicação etc. **Sem ~** Quantidade indeterminada (de algo): *Apresentou um sem número de razões.* **Ser um ~** 1 *Bras.* Ser muito divertido, engraçado 2 Ser diferenciado em suas características, exótico, excêntrico

🕮 Número é a representação de uma quantidade medida, ou seja, baseia-se no conceito da unidade, já que toda quantidade é formada de unidades. O número expressa a relação entre a quantidade medida e a unidade, ou seja, quantas vezes esta é contida naquela. A representação gráfica dos números começa com os egípcios (3400 a.C., com sinais que correspondiam aos dedos das mãos e dos pés - portanto, agrupáveis em 5, 10 e 20 unidades), os sumérios (3000 a.C.), os hindus e os chineses. Os povos mesopotâmicos usavam agrupamentos de 60 unidades como base (que influenciou os sistema de medidas de ângulo e de tempo). Os egípcios passaram à base decimal, e os romanos inventaram a numeração romana, com letras do alfabeto. Os algarismos atualmente usados na representação de números na base decimal foram uma contribuição de hindus e árabes. Aos hindus se deve, na representação de um número, a multiplicação do valor do algarismo pelo valor da casa decimal em que está escrito na notação numérica.

numerologia (nu.me.ro.lo.*gi*.a) *sf.* *Oct.* Estudo do significado oculto dos números e da sua influência no caráter e nos destinos das pessoas [F.: *numer-* + *-o-* + *-logia.*]

numerológico (nu.me.ro.*ló*.gi.co) *a.* Ref. à numerologia [F.: *numerolog-* + *-ico.*]

numerologista (nu.me.ro.lo.*gis*.ta) *Oct.* *s2g.* 1 Pessoa que se dedica à numerologia; NUMERÓLOGO *a2g.* 2 Que se dedica, que estuda a numerologia [F.: *numerolog-* + *-ista.*]

numerólogo (nu.me.*ró*.lo.go) *sm.* Pessoa especialista em numerologia; NUMEROLOGISTA: *A numeróloga conta que um industrial procurou pelos seus serviços pensando em mudar o nome-fantasia de sua firma, para sair do vermelho.* [F.: *número* + *-logo.*]

numerosidade (nu.me.ro.si.*da*.de) *sf.* Em grande número, em grande quantidade: *As execuções fiscais, por serem de difícil acompanhamento em virtude de sua numerosidade, costumam ser preteridas no andamento.* [F.: Do lat. tard. *numerositas, atis.*]

numeroso (nu.me.*ro*.so) [ô] *a.* Que contém grande número de elementos; ABUNDANTE; COPIOSO: "Numa pachorrenta tipoia de praça, acompanhei o seu enterro numeroso, rico, com ministros" (Eça de Queirós, *Contos*) [Pl.: [ó]. Fem.: [ó].] [F.: Do lat. *numerosus.*]

númida (*nú*.mi.da) *s2g.* 1 Indivíduo nascido ou que vive em Numídia (antigo reino no norte da África) *a2g.* 2 De Numídia; típico desse reino ou de seu povo [F.: Do lat. *numida.*]

numinoso (nu.mi.*no*.so) [ô] *sm.* 1 *Fil.* Vivência que o ser humano tem dos fatores sobrenaturais de toda ordem que, agindo sobre seu estado psíquico geral, fazem surgir nele uma atitude religiosa: "Baseando-se em Otto, o autor afirma que o numinoso independe da vontade do homem, que, sendo possuído por ele, é mais vítima do que criador do mesmo." (Confissões religiosas e experiências imediatas: uma reflexão sobre o fenômeno da confissão religiosa segundo C. G. Jung, *Lorena Kim Richter*, 27.11.2005) *a.* 2 De ou pertencente a essa vivência humana; SAGRADO; MISTERIOSO; SOBRENATURAL: "Na figura da Deusa Baubo, o seu ventre representa o símbolo numinoso da fertilidade." (Rosane Volpato, *Baubo, a deusa do ventre*, 27.11.2005) [Pl.: [ó]. Fem.: [ó].] [F.: *nume* sob a f. radical *numin-* (lat. *numen, inis*) + *-oso.*]

numisma (nu.*mis*.ma) *sm.* Moeda antiga: "Numisma em ouro do reinado de D. Luís I em ouro. 917, peso: 17. 735 gramas. Apresenta um pequeno toque no bordo (junto ao R de PORTUG) e ligeiros riscos junto à coroa. O catálogo do Alberto Gomes de 2003 aponta valores em MBC de 600 euros para este numisma e de 900 euros em estado BELA. Este leilão não tem valor de reserva!!! É sempre difícil avaliar estados de conservação, por isso VEJA A FOTO ANEXA deste numisma." (leilões.sapo.pt, 27.11.2005) [F.: Do gr. *nómisma, atos*, pelo lat. *numisma* ou *nomisma, atis.*]

numismata (nu.mis.*ma*.ta) *s2g.* Pessoa especialista em numismática [F.: Do fr. *numismate.*]

numismática (nu.mis.*má*.ti.ca) *sf.* Ciência que tem por objeto de estudo as medalhas e as moedas; NUMÁRIA; NUMULÁRIA [F.: Do fr. *numismatique.*]

numismático (nu.mis.*má*.ti.co) *a.* 1 Relativo a numismática: *Esta mudança eminente na atitude no mercado numismático exige atenção redobrada daqueles que compram moedas sem muito conhecimento ou experiência necessária.* *sm.* 2 *Num.* O mesmo que *numismata* [F.: Do fr. *numismatique* pelo lat. *numisma* ou *nomisma, atis.*]

nunca (*nun*.ca) *adv.* 1 Em tempo algum; JAMAIS: *Nunca vi um mico-leão* [Ant.: *sempre.*] 2 Não: *Quem nunca sofreu por amor?* 3 De maneira nenhuma: *Nunca faltaria àquela festa.* [F.: Do lat. *numquam.*] ⁂ **Mais do que ~** Muito, mais do que em qualquer momento do passado: *Sentiam-se mais do que nunca unidos.* **~ jamais** Fórmula de reforço e ênfase para *nunca* ou *jamais*: *Nunca jamais repita isso!* **~ mais** 1 Ref. a algo que ocorrera uma ou mais vezes, e deixou de ocorrer a partir de um certo momento até o presente: *Depois que mudamos, nunca mais o vi.* 2 Em nenhum momento, tempo, ocasião futura: *Esta árvore morreu, nunca mais dará frutos.*

nunciatura (nun.ci:a.*tu*.ra) *sf.* 1 *Ecles.* Cargo ou dignidade de núncio apostólico 2 *Fig. Ecles.* Tribunal eclesiástico sujeito ao núncio 3 *Fig.* Edifício onde funciona este tribunal 4 *P. ext.* Residência do núncio [F.: *nunciat-* + *-ura.*]

núncio (*nún*.ci:o) *sm.* *Ecles.* Embaixador do Vaticano junto a um governo estrangeiro [Ger. um bispo ou arcebispo. Tb. *Núncio apostólico.*] [F.: Do lat. *nuntius.*]

nuncupação (nun.cu.pa.*ção*) *sf.* *Jur.* Designação ou instituição de herdeiros feita de viva voz na presença de testemunhas [Pl.: *-ções.*] [F.: Do lat. *nuncupationis.*]

nunquinha (nun.*qui*.nha) *adv.* *Fam.* Nunca: *Não vamos te esquecer nunquinha!* [F. Dim. de *nunca.*]

nupcial (nup.ci:*al*) *a2g.* De núpcias, pertencente ou relativo a elas (véu nupcial; pacotes nupciais) [Pl.: *-ais.*] [F.: Do lat. *nuptialis, e.* Hom./Par.: *nupciais* (pl.), *nupciais* (fl. de *nupciar*).]

nupcialidade (nup.ci:a.li.*da*.de) *sf.* 1 Condição da vida matrimonial: "[...] a nupcialidade também pode indicar uma maneira de expressar a relação do homem com toda a realidade, inclusive com a natureza." (Pe. João Carlos Petrini, 27.11.2005) 2 *Est.* Número de casamentos efetuados em determinada época [F.: *nupcial* + *-(i)dade.*]

núpcias (*núp*.ci:as) *sfpl.* 1 Vínculo conjugal (contrair núpcias); CASAMENTO; MATRIMÔNIO 2 Cerimônia em que se realiza o casamento; BODAS [F.: Do lat. *nuptiae.* Hom./Par.: *núpcias* (sfpl.), *nupciais* (pl. de *nupcial*).] ⁂ **Justas ~** *Jur.* As que observam as normas e formalidades legais **Segundas ~** 1 Segundo matrimônio de alguém 2 A cerimônia desse segundo casamento

nuquear (nu.que.*ar*) *v.* Abater (gado) com o processo de punção bulbar [▶ 13 nuquear] [F.: *nuca* + *-ear²*.]

nutação (nu.ta.*ção*) *sf.* 1 *Astron.* Oscilação do eixo da Terra, que faz os polos descreverem pequena elipse, uma a cada 18, 6 anos 2 *Bot.* Faculdade que têm certas flores de seguirem o movimento aparente do Sol 3 *Med.* Tontura de cabeça 4 O balançar da cabeça; NUTO [Pl.: *-ções.*] [F.: Do lat. *nutationis.*]

nutante (nu.*tan*.te) *a2g.* 1 Que faz movimento de nutação; OSCILATÓRIO: "O referido autor também descreve o funcionamento do medidor tipo nutante." (Humberto O. Tamaki, A medição setorizada como instrumento de gestão da demanda da água em sistemas prediais) 2 Que se move: "Nutante grimpa, furtacor, travessa, / Não mais meus passos guiarás na vida: / Não mais verás minha alma vacilante / De teu volver pendida." (Junqueira Freire, "À amizade", 27.11.2005) 3 *Bot.* Curvado (caule nutante) [F.: Do lat. *nutans, antis*, part. pres. de *nutare.*]

nutar (nu.*tar*) *v. int.* 1 Efetuar movimento de nutação 2 Demonstrar hesitação entre posições; VACILAR: *Ficou nutando, sem saber o que decidir.* [▶ 1 nutar] [F.: Do lat. *nutare.* Hom./Par.: *nuto* (fl.), *nuto* (sm.); notar (vários tempos do v.).]

nuto (*nu*.to) *sm.* 1 Movimento de cabeça que indica consentimento ou aprovação *sm.* 2 *Fig.* Desejo, vontade, arbítrio [F.: Do lat. *nutus, us.* Hom./Par.: *nuto* (sm.), *nuto* (fl. de *nutar*).]

nútria (*nú*.tri:a) *sf.* 1 *Zool.* Ver lontra (*Lutra longicaudis*): *O cão otterhound possui as qualidades necessárias para caçar nútrias no seu habitat natural.* 2 *Bras. RS Zool.* Ver Ratão-do-banhado (*Myocastor coypus*) [F.: Do espn. *nutria.*]

nutrição (nu.tri.*ção*) *sf.* 1 Ação ou resultado de nutrir(-se); NUTRIMENTO [Ant.: *desnutrição*] 2 Função natural pela qual os alimentos são assimilados pelo animal ou vegetal 3 Aquilo que nutre; ALIMENTO; NUTRIMENTO 4 *Farm.* Mistura de alimentos para reforçar a energia dos medicamentos 5 Formação acadêmica na área de alimentação e nutrição (2); NUTRICIONISMO [Pl.: *-ções.*] [F.: Do lat. *nutritio.*]

nutricional (nu.tri.ci:o.*nal*) *a2g.* Que diz respeito à nutrição, sob o ponto de vista dietético ou terapêutico; NUTRITIVO [Pl.: *-nais.*] [F.: *nutricion-* + *-al.*]

nutricionismo (nu.tri.ci:o.*nis*.mo) *sm.* 1 Estudo das questões ref. à nutrição, relacionadas às necessidades alimentares dos seres vivos e aos seus problemas 2 Formação acadêmica nesta área; NUTRIÇÃO [F.: *nutricion-* + *-ismo.*]

nutricionista (nu.tri.ci:o.*nis*.ta) *s2g.* 1 Pessoa especializada em nutrição *a2g.* 2 Ref. a nutricionismo ou que se especializou em nutricionismo ou nutrição [F.: *nutricion-* + *-ista.*]

nutrido (nu.*tri*.do) *a.* 1 Que está alimentado, sustentado (tb. fig.) [+ *de, por*: *Um homem nutrido por novas ideias.*: "(...) um século nutrido de tanta ciência e talvez, por isso, desorientado nos fundamentos da sabedoria." (Cecília Meireles, "Crônica de viagem 2" *in Obra em prosa*) Ant.: *desnutrido.*] 2 *P. ext.* Que é robusto, desenvolvido [Ant.: *desnutrido, fraco.*] 3 *Fig.* Que foi avigorado, aumentado: "Sua cólera contra Dâmaso ressurgiu, mas nutrida pelas incoerências do sonho" (Eça de Queirós, *Os Maias*) [F.: Part. de *nutrir.*]

nutridor (nu.tri.*dor*) *sm.* 1 Aquele que nutre: *Anquet, personificação do Nilo, é considerado o nutridor dos campos.* *a.* 2 Que nutre (vaso nutridor); NUTRITIVO [F.: Do lat. *nutritor, oris.*]

nutriente (nu.tri.*en*.te) *sm.* 1 Substância química orgânica ou inorgânica essencial para a nutrição *a2g.* 2 Que nutre; ALIMENTÍCIO; NUTRITIVO [Ant.: *desnutriente.*] [F.: Do lat. *nutrientis.*]

nutrimento (nu.tri.*men*.to) *sm.* 1 Ação ou resultado de nutrir(-se); NUTRIÇÃO 2 O que nutre, alimenta, dá sustentação 3 Cada componente nutriente de um alimento [F.: Do lat. *nutrimentum.*]

nutrir (nu.*trir*) *v.* 1 Alimentar(-se), sustentar(-se) [**td.**: *Essa quantidade de farelo é insuficiente para nutrir os porcos.*] [**tdr.** + *de, com*: *O trabalhador nutre os filhos com sobras da feira; Certos animais nutrem-se de tudo que possam ingerir.*] 2 *Fig.* Manter vivo em si [**td.**: *A mulher nutria sonhos irrealizáveis.*] 3 Ter (sentimento) em relação a [**tdr.** + *por*: "...ignora a paixão que por ela nutro..." (Joaquim Manuel de Macedo, *O moço loiro*)] 4 *Fig.* Manter-se, sustentar-se [**tr.** + *de*: *A fofoca nutre-se da nossa curiosidade.*] 5 Tornar mais desenvolvido, mais sólido [**td.**: *Estudava muito para nutrir seus conhecimentos.*] 6 Fazer aumentar, crescer [**td.**: *Os maustratos nutriram a revolta dos presos.*] 7 Ter maior poder de nutrição [**int.**: *Os cereais nutrem mais do que a carne.*] 8 Ministrar instrução, educação [**td.**: *Eram professores que sabiam nutrir seus alunos.*] 9 Dar vigor a [**td.**: *A arte nutre o espírito.*] 10 Estar dominado por (emoção, sentimento) [**tdr.** + *por*: *Nutre grande amor pelos netos.*] [▶ 3 nutrir] [F.: Do lat. *nutrire.* Hom./Par.: *nutris* (fl.), *nutriz* (a. sf.).]

nutritivo (nu.tri.*ti*.vo) *a.* 1 Que nutre, alimenta (refeição nutritiva); ALIMENTÍCIO; NUTRIENTE: "Ideou as batatas (...) classificou-as pelo sabor, pelo aspecto, pelo poder nutritivo, fartou-se antemão do banquete da vida" (Machado de Assis, *Quincas Borba*) 2 Ref. à nutrição (receita nutritiva) [F.: Do lat. *nutritivus.*]

nutriz (nu.*triz*) *P. us.* *sf.* 1 A que nutre, que fornece o alimento: "Debruçou-se entre os vimes da margem, beijou a terra, nutriz de todos os homens" (Rui Barbosa, *Discursos e conferências*) 2 Ama de leite [F.: Do lat. *nutrix.* Hom./Par.: *nutris* (fl. de *nutrir*).]

nutrologia (nu.tro.lo.*gi*.a) *sf.* *Med.* Especialidade médica voltada ao diagnóstico, prevenção e tratamento de doenças nutricionais [F.: *nutro-* + *-logia.*]

nutrologista (nu.tro.lo.*gis*.ta) *a2g.* 1 Relativo a nutrologia 2 Que é especialista em nutrologia *s2g.* 3 Especialista em nutrologia; NUTRÓLOGO [F.: *nutrólogo* + *-ista.*]

nutrólogo (nu.*tró*.lo.go) *sm.* Médico especialista em nutrologia [F.: *nutro-* + *-logo.*]

nuvear (nu.ve.*ar*) *v.* Encher(-se) de nuvens ou de algo que lembre nuvens [**td.**: *A fumaça da fogueira nuveou a varanda.*] [**int.**: *O céu nuveou-se enquanto fugíamos da cidade.*] [▶ 13 nuvear] [F.: *nuv(em)* + *-ear²*.]

nuvem (*nu*.vem) *sf.* 1 Massa visível de vapor d'água condensado ou congelado no ar, que pode dar origem à chuva 2 *P. ext.* Qualquer aglomerado de partículas de pó, fumaça, gases etc. em suspensão na atmosfera 3 Massa ou aglomerado de qualquer coisa que remeta a uma nuvem: "(...) um vendedor de algodão-doce artesanal que levava dez minutos para fazer uma nuvem de açúcar (...)." (Ana Maria Machado, *A audácia dessa mulher*) 4 *Fig.* Aquilo que causa ou denota tristeza, preocupação ou incompreensão 5 *Fig.* Turvação passageira da visão; PERTURBAÇÃO; EMBACIAMENTO 6 *Fig.* Turvação que impede a clareza, o raciocínio lógico, a compreensão de algo 7 Grande quantidade de algo, ger. em movimento (nuvem de insetos) 8 *Inf.* Conceito de informática (computação em nuvem, em ing. *cloud computing*) que se refere ao armazenamento e utilização de memória e processamento de dados, aplicativos etc. em computadores e servidores interligados, com acesso disponível pela internet. Essa 'nuvem' de recursos, sempre acessíveis no espaço virtual, faz com que se prescinda de ter os dados ou os aplicativos instalados ou armazenados nos computadores individuais [Pl.: *-vens.* Aum.: *nuvarrão.*] [F.: Do lat. *nubes.*] ⁂ **Cair das nuvens** 1 Espantar-se, surpreender-se (com algo que é muito diferente do que se pensava ou se desejava); perceber o próprio equívoco ou engano 2 *Restr.* Decepcionar-se intensamente; desiludir-se 3 Chegar de modo imprevisto; aparecer repentinamente; cair do céu **Em brancas ~s** 1 Sem (ter de enfrentar) situações difíceis; sem (experimentar) tristeza ou desconforto: *Conseguiu atravessar a guerra em brancas nuvens.* 2 Sem ser lembrado, notado ou mencionado; sem receber atenção de ninguém: *Por causa do jogo do Brasil, a votação no Senado ficou em brancas nuvens.* 3 *Restr.* Sem comemoração ou festejo: *Seu aniversário passou em brancas nuvens.* **Grande ~ de Magalhães** *Astron.* Ver *Nuvem de Magalhães* **Ir às ~s** Alegrar-se intensamente, ficar exultante com algo que se fica sabendo **~ ardente** *Geol.* Nuvem de gases, cinzas e outras matérias piroclásticas em alta temperatura, às vezes incandescente, lançada de um vulcão **~ atômica** Nuvem que se forma na detonação de arma atômica, no formato de um cogumelo feita de gases, poeira e outras partículas, vapor de água etc. **~ de estrelas** *Astron.* Impressão de nuvem causada pela aparente proximidade de estrelas no céu **~ de Magalhães** *Astron.* Cada uma das duas nuvens de estrelas próximas ao polo sul, descobertas em 1519 por Fernão de Magalhães, navegador português **~ de plasma** *Astron.* Nuvem que o Sol emite em seu período de maior atividade **~ derramadeira** *AL Pop.* Nuvem da qual cai chuva abundante **~s negras** 1 *Fig.* Maus momentos, problemas, infelicidades 2 Ameaça ou presságio de situações difíceis ou perigosas **Nas ~s** 1 Sem notar o que se passa em volta; em estado de distração, alheamento 2 Em estado de intensa alegria ou contentamento **Pôr nas ~s** Elogiar muito, com entusiasmo, ou usando palavras muito enfáticas **Tomar a ~ por Juno 1** *Fig.* Tomar as aparências como realidade **2** *P. ext.* Partir de hipóteses equivocadas

📖 As nuvens se formam com a aglomeração de moléculas de vapor de água, resultantes da evaporação de água por ação do calor, e de partículas de gelo, formadas pelo congelamento dessa água nas baixas temperaturas da atmosfera. De acordo com a disposição desses componentes, da altitude em que se encontram e de seu formato, as nuvens podem se classificar (desde 1896), das de maior para as de menor altitude, em: *cirros* (altas e esgarçadas), *cúmulos* (densas, com grande extensão vertical, como flocos de algodão), *nimbos* (densas e pesadas, as 'nuvens de chuva') e *estratos* (cinzentas, de base uniforme, produzem granizo ou neve). Essas formas podem se combinar, formando as *cirro-cúmulos, cirro-estratos, nimbo-estratos, estrato-cúmulos, cúmulo-nimbos* (estas ger. associadas a chuvas fortes e tempestades).

nuvistor (nu.vis.*tor*) [ô] *sm.* Válvula de baixa tensão e de pequena dimensão feita de cerâmica sem partes de vidro ou mica: *Em 1960, a RCA chegou a introduzir uma pequena válvula de baixa tensão chamada nuvistor, que tinha um invólucro de cerâmica e era pouco maior que os transistores da época.* [Pl.: -ores.] [F.: Marca registrada do ing. *nuvistor.*]

N.W. Abrev. de *noroeste*

nylon (*Ing.* /náilon/) *sm.* Ver *náilon* [Marca registrada.]

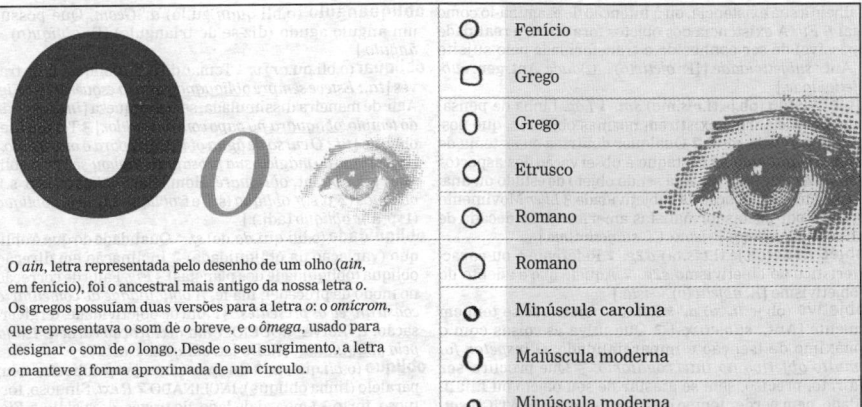

◎ **-o-** *inf.* Vogal de ligação originária do grego, us. não só para unir elementos (e sufixos) helênicos, mas também, e atualmente com grande força, formas híbridas, latinizantes ou vernáculas. Muitíssimo aplicada em vocábulos científicos e, por vezes, também em formações populares, encontra-se neste dicionário, muitas vezes, integrada a elementos e sufixos, como, por exemplo, em: *abul*(*o*)-, *adren*(*o*)-, *aglutin*(*o*)-, *alcool*(*o*)-, *ald*(*o*)-, *alerg*(*o*)-, *alucin*(*o*)-, *anestesio-*, *atax*(*o*)-, *bibliotec*(*o*)-, *densit*(*o*)-, *ergasio-*, *prote*(*o*)-[2], *vacin*(*o*)-, *-oada, -oado, -oalha, -oame, -oaria, -oeiro, -oeira* etc. [F.: Do gr. *-o-* (omícron).]
◎ **o-** ***el. comp.*** Ver *ob-*
⊠ **O** **1** *Quím.* Símb. de oxigênio **2** *Fil.* Símb. de uma *proposição particular negativa*, na lógica aristotélica
⊠ **O.** Abrev. de *Oeste* [Cf.: *W.*]
o[1] [ó] ***sm.*** **1** A décima quinta letra do alfabeto português **2** A quarta vogal desse alfabeto ***num.*** **3** O 15º numa série (item O)
o[2] [ô] ***art. def.*** **1** Acompanha nomes masculinos que designam seres, objetos, conceitos (o livro, o desenvolvimento) **2** Limita a referência do substantivo a um ser ou coisa identificáveis na situação ou no texto: *O presidente fará um pronunciamento.* **3** Torna substantivo qualquer palavra ou expressão (o amanhã.) ***pr. dem.*** **4** Us. como equivalente a *isto*, *isso* ou *aquilo*, ou referindo-se a um substantivo implícito: *Disse o que queria e saiu; Tem carro mas só usa o do irmão.* ***pr. pess.*** **5** Equivale a 'ele', na função de complemento: *Pegou o dinheiro e o escondeu; Brindou-o com um presente superior.*
ó ***interj.*** **1** Exprime emoção, surpresa **2** Us. para chamar alguém ou para invocação: "Ó paços reais encantados/ Dos meus sentidos doirados (...)." (Sá-Carneiro, *Indícios de ouro*) [Nesta acp. tb. se usa *ô*.] [Hom./Par.: *o* (sm., 15ª letra do alfabeto), *oh* (interj.), *ó* (interj.).]
⊠ **OAB** Sigla de *Ordem dos Advogados do Brasil*
◎ **-oada** ***suf.*** *nom.* Ver *-ada*[1]: *canzoada* [F.: *-o-* + *-ada*[1].]
◎ **-oado** ***suf.*** *nom.* Ver *-ado*[1]: *amelroado, bagoado* [F.: *-o-* + *-ado*[1].]
◎ **-oalha** ***suf.*** *nom.* Ver *-alha*: *cordoalha* [F.: *-o-* + *-alha*.]
◎ **-oame** ***suf.*** *nom.* Ver *-ame*: *cordoame* [F.: *-o-* + *-ame*.]
◎ **-oar** Term. de verbos da 1ª conjugação: *assoar, povoar, voar, troar*
◎ **-oara** ***el. comp.*** = 'natural ou próprio de': *juremoara, inajoara* [F.: Do tupi.]
◎ **-oaria** ***suf.*** *nom.* Ver *-aria*: *cordoaria* [F.: *-o-* + *-aria*.]
oaristo (o.a.*ris*.to) ***sm.*** **1** Conversa íntima entre esposos **2** *P. ext.* Conversa afetuosa e familiar [F.: Do gr. *oaristús, úos* ou *oaristys, yos.* Hom./Par.: *aoristo* (s. m.).]
oasiano (o.a.si.*a*.no) ***a.*** **1** Referente a oásis; OÁSICO **2** Que vive em oásis ***sm.*** **3** Aquele que vive em oásis [F.: *oas-* (de oásis) + *-iano*.]
oásis (o:*á*.sis) ***sm2n.*** **1** Lugar com água e vegetação no meio de um deserto **2** Espaço fértil numa vasta extensão de terreno árido **3** *Fig.* Lugar que não está sujeito aos inconvenientes das localidades próximas ou circunvizinhas **4** *Fig.* Objeto excepcionalmente agradável num meio que não o é; lugar aprazível e cheio de encantos **5** *Fig.* Prazer entre muitos desgostos; ALÍVIO; CONSOLAÇÃO [F.: Do fr. *oasis*.]
◎ **ob-** ***pref.*** diante de; posição, fronteira, movimento para frente; oposição, hostilidade; envolvimento, cobertura; fechamento, oclusão: obstruir, ocorrer; obstar, opor; obnublar, obumbrar; obturar [Tb. *o-*.]
oba (*o*.ba) [ô] ***interj.*** **1** *Bras.* Exprime admiração, alegria: *Oba! Olha quem chegou!* **2** *Pop.* Forma de cumprimento; SAUDAÇÃO: *Oba! Não sabia que você estava aí!* [F.: voc. expressivo. Hom./Par.: *oba* (s. f.).]
obá (o.*bá*) ***sf.*** *Bras. Rel.* Nagô feminino, a terceira e mais velha mulher de Xangô, que aparece personificada no rio Obá (Nigéria) [F.: Do ior. *Oba*, rio da África.]
oba-oba (o.ba-*o*.ba) [ô, ô] ***sm.*** *Pop.* Festa, excitação, agitação; AGITO: *O time venceu, mas ainda não é hora de oba-oba.* [F.: Interj. *oba*, dobrada.]
obatalá (o.ba.ta.*lá*) ***sm.*** *Bras. Rel.* Mesmo que *Oxalá* [F.: Do iorub. *bata'la*.]
obcecação (ob.ce.ca.*ção*) ***sf.*** **1** Ação ou resultado de obcecar(-se), cegar **2** Ofuscamento da consciência, da razão **3** Fixação numa mesma ideia; pertinácia no erro; TEIMOSIA [Cf.: *obsessão* (1).] [Pl.: *-ções*.] [F.: Do lat. *obcaecatio*.]
obcecado (ob.ce.*ca*.do) ***a.*** **1** Que se obcecou, cegou **2** Que está com a consciência obscurecida; paralisado do intelecto; cego de entendimento **3** Que está com ideia fixa; obstinado ***sm.*** **4** Aquele que se obcecou, cegou **5** Aquele que está com a consciência obscurecida **6** Aquele que está com ideia fixa [F.: Part. de *obcecar*.]
obcecar (ob.ce.*car*) ***v. td.*** **1** Causar ou ter obsessão, ideia fixa: *O desejo de treinar obcecava o atleta; Obcecou-se pela ideia de vencer.* **2** Perder o discernimento, deslumbrar: *As luzes obcecaram o ator.* **3** Perder a razão, ficar alucinado: *Aquela paixão obcecava-o.* **4** Entrar em trevas (o espírito) **5** O mesmo que *obsedar.* **6** Fazer do erro uma constante [▶ **11** obce**car**] [F.: Do lat. *obcaecare*.]
obcônico (ob.*cô*.ni.co) ***a.*** Que tem o formato de um cone invertido [F.: *ob-* + *cônico*.]
obducto (ob.*duc*.to) ***a.*** *Restr.* Que está recoberto, tapado, oculto [F.: Do *lat. obductus, a, um.*]
obduração (ob.du.ra.*ção*) ***sf.*** **1** Ação ou resultado de obdurar-se; ENDURECIMENTO; ENRIJECIMENTO **2** Qualidade de obstinado, de obcecado; OBSTINAÇÃO; OBCECAÇÃO [F.: Do lat. *obduratio, onis*.]

O *ain*, letra representada pelo desenho de um olho (*ain*, em fenício), foi o ancestral mais antigo da nossa letra *o*. Os gregos possuíam duas versões para a letra *o*: o *omícrom*, que representava o som de *o* breve, e o *ômega*, usado para designar o som de *o* longo. Desde o seu surgimento, a letra *o* manteve a forma aproximada de um círculo.

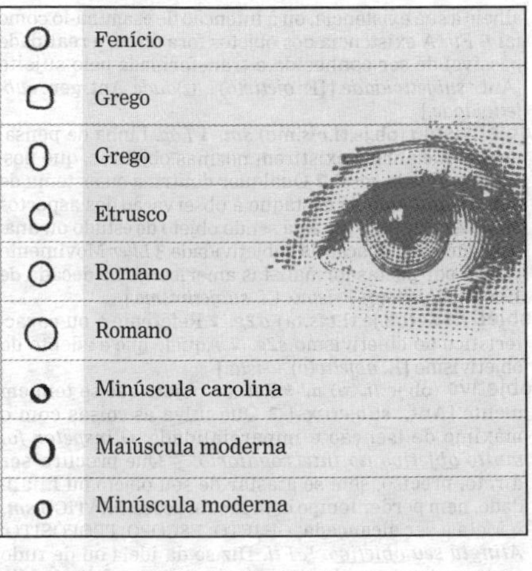

Fenício
Grego
Grego
Etrusco
Romano
Romano
Minúscula carolina
Maiúscula moderna
Minúscula moderna

obdurar (ob.du.*rar*) ***v.*** **1** Mostrar-se endurecido, empedernido [***int.***] **2** Tornar(-se) insensível a apelos, persuasões [***td. int.***] [▶ **1** obdu**rar**] [F.: Do lat. *obdurare*.]
obedecer (o.be.de.*cer*) ***v.*** **1** Aceitar, respeitar ordens, normas, regras etc. [***ti.*** + *a*: *O rapaz obedece aos pais.*] [***td.:*** *Muitos filhos não obedecem os pais.*] **2** Estar sob as ordens de, seguir com [***td.:*** *A adaptação da obra obedeceu o original.*] [***ti.*** + *a*: *A adaptação da obra do escritor obedeceu ao critério linguístico.*] **3** Não resistir, ceder [***ti.*** + *a*: *Não obedeceu às normas e seguiu a natureza.*] **4** Ficar sujeito a uma influência [***ti.*** + *a*: *Obedeceu ao estilo barroco em sua obra.*] **5** Submeter-se a uma necessidade natural [***ti.*** + *a*: *Os animais obedecem aos instintos.*] **6** Submeter-se ao mais poderoso; render-se [***ti.*** + *a*: *Um general vencido obedece ao vencedor.*] **7** Funcionar como previsto [***int.:*** *Fui verificar se os freios do carro obedecem.*] [▶ **33** obede**cer**] [F.: Do lat. *oboediscere. Ant. ger.: *desobedecer*.]
obediência (o.be.di:*ên*.ci:a) ***sf.*** **1** Ação ou resultado de obedecer **2** Submissão à vontade de quem manda **3** Condição ou característica de obediente: "Acatai com respeito e obediência essas mal traçadas linhas..." (Mário de Andrade, *Macunaíma*) [Ant.: *desobediência, inobediência*.] **4** Preito, homenagem: *Jurou obediência ao rei.* **5** *Rel.* Um dos três votos dos monges, que consiste em obedecer cegamente às ordens do superior **6** *Rel.* Licença por escrito para mudar de convento **7** *Rel.* Mosteiro ou pequeno priorado sujeito ao superior da ordem (na ordem de São Bento)
obediente (o.be.di:*en*.te) ***a2g.*** **1** Que obedece, que se submete, que presta obediência a outrem **2** Que é demasiadamente submisso, dócil [Ant.: *relutante, recalcitrante*.] [F.: Do lat. *obediens*. Ant. ger.: *desobediente, inobediente*.]
obélia (o.*bé*.li.a) ***sf.*** *Zool.* Denominação comum aos hidroides do gên. *Obélia*, que têm vida colonial e são encontrados em mares temperados [F.: Do lat. cient. gên. *Obelia*.]
obélio (o.*bé*.li.o) ***sm.*** *Anat.* Ponto craniano da sutura sagital situado ao nível dos orifícios dos ossos parietais; OBÉLION [F.: Do gr. *obelós* + *-io*.]
obelisco (o.be.*lis*.co) ***sm.*** **1** Monumento quadrangular em forma de agulha, feito originariamente de uma só pedra e elevado sobre um pedestal, que se reduz na largura até uma ponta em forma de pirâmide [Modernamente os obeliscos são construídos de alvenaria comum ou concreto armado. Em torno dele são colocadas placas de pedra ou mármore, via de regra marcando algum fato histórico relacionado à região onde o obelisco se encontra.] **2** Objeto que representa uma forma alta e alongada [F.: Do gr. *obeliskos*.]
óbelo (*ó*.be.lo) ***sm.*** **1** *Pal.* Sinal em forma de travessão ou seta, us. pelo copista medieval para marcar trechos duvidosos em antigos manuscritos, para que depois fossem examinados ou corrigidos **2** *Tip.* Sinal tipográfico que tem formato de punhal, us. para fazer chamada ao pé da página [F.: Do gr. *obelós, ou* pelo lat. *obelus, i.*]
obesidade (o.be.si.*da*.de) ***sf.*** **1** *Med.* Estado de obeso, muito gordo **2** *Pat.* Anomalia do excesso de peso caracterizada por hipertrofia do tecido adiposo (mais de 20% de tecido adiposo na massa corpórea), quer seja somente subcutânea, quer do omento, quer do mesentério; excesso de gordura que se reconhece pela proeminência do ventre, pelo enfartamento ou excessivo volume das partes moles do corpo [F.: Do lat. *obesitas*.]
obeso (o.*be*.so) [é] ***a.*** **1** Que apresenta obesidade, que tem gordura em excesso; GORDO ***sm.*** **2** Aquele tem gordura em excesso; GORDO [F.: Do lat. *obesus*. Embora a pronúncia considerada correta seja com *é* aberto, é mais comum no Brasil a pronúncia com ê fechado, talvez por analogia com palavras como *aceso, coeso, indefeso, preso* etc.]
óbice (*ó*.bi.ce) ***sm.*** **1** Aquilo que obsta; EMPECILHO; IMPEDIMENTO; OBSTÁCULO: "O tráfico tornara-se um óbice à ampliação dos investimentos domésticos..." (Alberto da Costa e Silva, *A manilha e o libambo*) **2** Dificuldade, embaraço **3** Impedimento, interposição de ação, argumento, medida etc. que impeçam aquilo a que se faz oposição: *Se entre os parlamentares não houver mais óbices, passaremos ao próximo ponto do acordo a ser discutido.* [F.: Do lat. *obex, icis*.]
óbito (*ó*.bi.to) ***sm.*** **1** Design. oficial da morte (certidão de óbito); FALECIMENTO; PASSAMENTO [Ant.: *nascimento*] **2** Rito do enterro ou local onde se realiza [Us. em Angola.] [F.: Do lat. *obitus*.]
obituário (o.bi.tu:*á*.ri:o) ***a.*** **1** Ref. a óbito ***sm.*** **2** Registro ou lista de óbitos **3** *Jorn.* Nota em que se faz saber o falecimento de alguém, às vezes acrescida de seu perfil biográfico **4** M. q. *mortalidade* (4) [F.: *obito,* na f. *obitu-* + *-ário*.]
objeção (ob.je.*ção*) ***sf.*** **1** Ação ou resultado de objetar, opor-se a alguma coisa; CONTESTAÇÃO: *Os pais não fizeram objeção ao casamento* **2** M. q. *oposição* (1) **3** M. q. *óbice* (3) [Pl.: *-ções*.] [F.: Do lat. *objectio*.]
objetal (ob.*je*.tal) ***a2g.*** Referente a objeto [F.: *objet*(*o*) + *-al*.]
objetar (ob.je.*tar*) ***v.*** **1** Argumentar contra ou opor-se a [***td.:*** *Pode-se objetar esta teoria.*] [***tr.*** + *a, contra*: *O júri objetou contra o depoente.*] [***tdi.*** + *a*: *O freguês objetou ao gerente do supermercado que o preço constante na prateleira era outro.*] **2** Pôr impedimento, dificuldade a [***td.:*** *A mesa diretora objetou que seria difícil aprovar a emenda.*] **3** Ficar contrário a, opor-se [***tdi.:*** *A mulher objetou-lhe que seria perigoso sair durante a tempestade.*] **4** Opor-se, não aceitar de forma alguma [***tr.*** + *a*: *Não objetou à ideia de viajar.*] [▶ **1** obje**tar**] [F.: Do lat. *objectare.* Hom./Par.: *objetáveis* (fl.), *objetáveis* (pl. de *objetável* [a2g.]); *objeto* (fl.), *objecto* (sm.).]
objetiva (ob.je.*ti*.va) ***sf.*** **1** *Fot.* Peça na parte da frente da máquina fotográfica, com um conjunto de lentes disposto em armação dotada de diafragma **2** Vidro ou lente voltada para o objeto a ser examinado **3** *Ópt.* Lente ou conjunto de lentes que formam a imagem real de um objeto e a projetam num anteparo ou em outro plano focal, para melhor observação [F.: Fem. substv. de *objetivo*.] ■ ~ **acromática** *Ópt.* Objetiva formada por um sistema de lentes de modo a corrigir aberração cromática de dois ou três comprimentos de onda ~ **apocromática** *Ópt.* Objetiva que corrige aberração cromática de três comprimentos de onda, ou seja, de três cores, e a aberração esférica de dois ~ **grande-angular** *Fot.* Objetiva fotográfica que tem pequena distância focal e abrange amplo campo visual [Tb. apenas *grande-angular*.] ~ **normal** *Fot.* Objetiva fotográfica que abrange o campo normal da visão [Tb. apenas *normal*.] ~ **olho de peixe** *Fot.* Objetiva grande-angular que abrange um campo muito amplo (até 200º), por isso apresenta-o numa projeção circular e com grande distorção [Tb. apenas *olho de peixe*.] ~ **ortocromática** *Fot.* Objetiva com correção de aberração cromática para todas as cores, menos o vermelho
objetivação (ob.je.ti.va.*ção*) ***sf.*** **1** Ação ou resultado de objetivar **2** *Fil.* Nos sistemas de pensamento dialético, processo em que a subjetividade ou o espírito projeta-se em objetos externos à consciência, construindo a realidade externa [No marxismo, em particular, processo em que o trabalho do homem é materializado em objeto, o que pode revestir forma consciente, no comunismo, ou alienada, em outros sistemas econômicos.] [F.: *objetivar* + *-ção*. Sin. ger.: *objetificação*. Ant. ger.: *desobjetivação.* Cf. *alienação*.]
objetivado (ob.je.ti.*va*.do) ***a.*** Que se tornou objetivo: *Sua ideia foi objetivada rapidamente.* [F.: Part. de *objetivar.* Ant.: *desobjetivado*.]
objetivar (ob.je.ti.*var*) ***v. td.*** **1** Ter como meta, objetivo [***td.:*** *Os investimentos objetivam aumentar a produção.*] **2** Concretizar(-se), realizar(-se) [***td.:*** *Tentava objetivar suas impressões.*] [***tr.*** + *em, por*: *Essa ideia objetiva-se no poema /por meio de metáforas.*] [▶ **1** objeti**var**] [F.: *objetivo* + *-ar*. Hom./Par.: *objetiva*(*s*) (fl.), *objetiva* (sf. [e pl.]; *objetivo* (fl.), *objetivo* (a. sm.).]
objetividade (ob.je.ti.vi.*da*.de) ***sf.*** **1** Condição ou qualidade de objetivo **2** Tendência a representar ou definir fielmente um objeto ou fenômeno qualquer (objetividade científica) **3** Perfeição do estilo, do desenho, da execução que faz com que uma obra pareça ter uma existência individual e um caráter inteiramente independente das ideias particulares ou do gênio do seu autor **4** *Fil.* O real exterior ao sujeito e

alheio a sua existência, ou à intenção de examiná-lo como tal 5 *Fil.* A existência dos objetos fora do eu, a realidade passível de ser conhecida e transformada pelo sujeito [Ant.: *subjetividade.*] [F.: *ojetiv(o)+ -(i)dade.* Ant. ger.: *subjetividade.*]

objetivismo (ob.je.ti.*vis*.mo) **sm.** 1 *Lóg.* Linha de pensamento que afirma existirem normas objetivas, que possuem validade geral 2 Qualquer doutrina ou sistema de pensamento que dá destaque à observação dos aspectos objetivos daquilo que está sendo objeto de estudo ou análise, sem participação da subjetividade 3 *Liter.* Movimento criado por poetas formalistas americanos na década de 1930 [F.: *objetiv(o) + -ismo.* Cf. *subjetivismo.*]

objetivista (ob.je.ti.*vis*.ta) **a2g.** 1 Referente a ou característico do objetivismo **s2g.** 2 Aquele que é adepto do objetivismo [F.: *objetiv(o) + -ista.*]

objetivo (ob.je.*ti*.vo) **a.** 1 Ref. ao objeto que se tem em mente [Ant.: *subjetivo.*] 2 Que julga as coisas com o máximo de isenção e imparcialidade: *O inspetor foi muito objetivo no interrogatório.* 3 Que procura ser direto, preciso, sem se afastar de seu objeto ou finalidade, nem perder tempo com lucubrações; PRÁTICO **sm.** 4 Meta a ser alcançada; OBJETO; ESCOPO; PROPÓSITO: *Atingiu seu objetivo.* 5 *Fil.* Diz-se da ideia ou de tudo que se refere aos objetos exteriores ao espírito 6 *Mil.* Alvo principal das operações ou manobras militares: "A expedição endireitava para o objetivo da luta como se voltasse de uma campanha" (Euclides da Cunha, *Os sertões*) [F.: Do lat. *objectivus.*]

objeto (ob.*je*.to) **sm.** 1 Qualquer coisa material 2 Coisa para a qual converge uma ação, emoção ou pensamento (objeto de busca/de desejo/de divergência) 3 Mercadoria, bem de consumo: *Compraram objetos para a casa.* 4 Ver *objetivo* (4) 5 *Fil.* Toda realidade situada fora do agente cognitivo 6 *Gram.* O ser, a coisa ou ideia que completa o sentido do verbo transitivo [F.: Do lat. *objectus.*] ■ **~ direto** *Gram. Ling.* Complemento do significado de um verbo regido sem uso de preposição, que pode ser um nome ou sintagma nominal, um pronome ou uma oração [O verbo, neste caso, é transitivo direto.] **~ direto preposicionado/preposicional** *Gram. Ling.* Objeto direto regido, em certos casos, por preposição [Ex.: *amar a Deus.*] **~ indireto** *Gram. Ling.* Complemento do significado de um verbo regido com uso de preposição [Os pronomes pessoais oblíquos átonos *lhe, lhes* e suas contrações *lho, lha, lhos, lhas* dispensam a preposição: *Eu contei a ele o caso = Eu lhe contei o caso.*] **~ parcial** *Psic.* Segunda a psicanalista Melanie Klein, parte ou produto do corpo, real ou fantasiado, e suas representações simbólicas, presentes em pulsões parciais (ver no verbete *pulsão*) **~ real** *Ópt.* Imagem de objeto formada por raios luminosos que provêm desse objeto **~ transicional** *Psic.* Segundo o psicanalista D. W. Winnicott, objeto (travesseiro, colcha, bichinho de pelúcia etc.) que uma criança pequena escolhe para ser o substituto de sua relação oral com a mãe na transição para sua relação com o mundo **~ virtual** *Ópt.* Imagem de objeto formada por raios luminosos que não provêm dele, embora assim pareçam

objurgação (ob.jur.ga.*ção*) **sf.** 1 Ação ou resultado de objurgar; OBJURGATÓRIA 2 Censura ou repreensão áspera, severa: *Diante de tal objurgação, decidiu demitir-se.* [F.: Do lat. *objurgatio, onis.*]

objurgar (ob.jur.*gar*) **v.** 1 Censurar ou repreender (alguém) de modo severo; ARGUIR; CENSURAR [**td.**] 2 Lançar (acusação, admoestação) em face de (alguém) [**td.:** *Objurgou-lhe o comportamento e o expulsou do salão.*] [**tdi.** + *a*: *Objurgou ao ancião que sua conduta era escandalosa.*] [▶ 14 objurgar] [F.: Do lat. *objurgare.*]

objurgatória (ob.jur.ga.*tó*.ri.a) **sf.** Mesmo que *objurgação* [F.: fem. substv. de *objurgatório.*]

objurgatório (ob.jur.ga.*tó*.ri.o) **a.** 1 Referente a objurgação 2 Que contém censura áspera, severa [F.: Do rad. lat. de *objurgatus* + *-ório.*]

oblação (o.bla.*ção*) **sf.** 1 *Rel.* No catolicismo, oferenda feita a Deus ou aos santos; OBLATA 2 *Litu.* Ato em que o sacerdote oferece a Deus o pão e o vinho antes de o consagrar 3 *P. ext.* Qualquer ação de oferecer; OFERTA; OFERECIMENTO [Pl.: *-ções.*] [F.: Do lat. *oblatio.*]

oblanceolado (o.blan.ce.o.*la*.do) **a.** *Bot.* Diz-se esp. de folha que é lanceolada, mas invertida [F.: *ob-* + *lanceolado.*]

oblata (o.*bla*.ta) **sf.** 1 *Litu.* A hóstia e o vinho no cálice antes da consagração 2 *Rel.* Nas igrejas, aquilo que se oferece a Deus ou aos santos; OBLAÇÃO; OBRADA 3 Qualquer oferta piedosa 4 *Lus. Rel.* Contribuição dos fregueses para o sustento dos párocos; OBRADA [F.: Do lat. *oblata.*]

oblativo (o.bla.*ti*.vo) **a.** 1 Que envolve oblata; que equivale a uma oblata 2 *Restr.* Que se oferece de maneira voluntária; VOLUNTÁRIO [F.: Do lat. *oblativus, a, um.*]

oblato¹ (o.*bla*.to) **sm.** 1 *Rel.* No catolicismo, pessoa leiga que se oferece para prestar serviços a uma ordem religiosa 2 *Ant.* Nome com que era designada a pessoa dada pelos pais a um mosteiro

oblato² (o.*bla*.to) **a.** 1 Diz-se de qualquer coisa quase esférica, achatada nos polos 2 *Bot.* Que se assemelha a uma esfira [F.: Do lat. cient. *oblatus.*]

oblíqua (o.*blí*.qu.a) **sf.** *Geom.* Reta que corta outra reta ou um plano de maneira não perpendicular, formando ângulos adjacentes desiguais, e consequentemente ângulos agudos e obtusos [F.: fem. substv. de *oblíquo.* Hom./Par.: *obliqua* (fl. de *obliquar*).]

obliquângulo (o.bli.*quân*.gu.lo) **a.** *Geom.* Que possui um ângulo agudo (diz-se de triângulo) [F.: *obliqu(o)* + *ângulo.*]

obliquar (o.bli.qu.*ar*) **v.** 1 Tomar direção oblíqua, ir de través [**ta.:** *Esteve sempre obliquando para a esquerda.*] 2 *Fig.* Agir de maneira dissimulada, sem franqueza [**int.:** *Ao sair do templo, obliquara no papo com o seguidor.*] 3 Tornar(-se) oblíquo [**ta.:** *O curso de água obliquava para o outro lado.*] [**int.:** *Junto do mágico, sua prosápia obliquou-se.*] [▶ 9 obliquar] [F.: Do lat. *obliquare.* Hom./Par.: *obliqua* (3ª p. s.), *obliquas* (2ª p. s.)/ *oblíqua* (s. f. e f. *oblíquo* adj.) e pl.; *obliquo* (1ª p. s.)/ *oblíquo* (adj.).]

obliquidade (o.bli.qui.*da*.de) **sf.** 1 Qualidade do que é oblíquo (variação da obliquidade) 2 Inclinação em direção oblíqua (obliquidade dos planetas) 3 *Fig.* Falta de correção no modo de proceder, má-fé: *A obliquidade do comentário constrangeu os presentes.* 4 Falta de objetividade, tergiversação; EVASIVA; RODEIO: *Uma declaração caracterizada pela obliquidade.* [F.: Do lat. *obliquitas -atis.*]

oblíquo (o.*blí*.quo) **a.** 1 Que não é nem perpendicular nem paralelo (linha oblíqua); INCLINADO 2 *P. ext.* Sinuoso, tortuoso, torto 3 Que vai de lado, de través, de soslaio 4 *Fig.* De caráter dissimulado, em que se nota falta de franqueza ou de retidão; ARDILOSO; MALICIOSO 5 *Gram.* Diz-se dos pronomes pessoais que exercem função de complemento ou adjunto; podem ser átonos (p. ex., me, o, lhe) ou tônicos (p. ex.: mim, ti, consigo) 6 *Bot.* Diz-se de parte da planta que se afasta quer do plano do horizonte, quer do eixo da planta 7 *Geom.* Diz-se do sólido cujo eixo não é perpendicular à base (cone oblíquo) [F.: Do lat. *obliquus, a, um.*]

obliteração (o.bli.te.ra.*ção*) **sf.** 1 Ação ou resultado de obliterar(-se) 2 Destruição, eliminação 3 O ato de não conseguir lembrar; ESQUECIMENTO 4 Extinção, desaparecimento [Pl.: *-ões.*] [F.: Do lat. *oblitteratio, onis.*]

obliterado (o.bli.te.*ra*.do) **a.** 1 Que se obliterou 2 Que foi eliminado, extinto, destruído 3 Caído no esquecimento; OLVIDADO [F.: Part. de *obliterar.*]

obliterador (o.bli.te.ra.*dor*) [ô] **a.** 1 Que oblitera **sm.** 2 Aquele que oblitera [F.: Do lat. *oblitterator, oris.*]

obliterar¹ (o.bli.te.*rar*) **v. td.** 1 Esconder, destruir, eliminar: *Conseguiu obliterar os vestígios do crime.* 2 *Med.* Obstruir, fechar a cavidade de: *O coágulo obliterou uma artéria.* 3 Fazer esquecer ou esquecer-se; apagar-se da memória: *Nada pode obliterar aquelas lembranças; Sua imagem obliterou-se com o tempo.* 4 Desaparecer aos poucos, apagar: *O passar dos anos obliterava sua beleza.* 5 Botar carimbo em bilhetes, selos etc., para que não sejam utilizados novamente [▶ 1 obliterar] [F.: Do lat. *obliterare.*]

obliterar² (o.bli.te.*rar*) **v. td.** 1 Fazer desaparecer ou sumir aos poucos, gradativamente: *O tempo oblitera as más recordações; O rancor obliterava-se em seu coração.* 2 Esconder, destruir, eliminar: *Obliterou todos os vestígios do crime.* 3 *Med.* Obstruir, fechar: *O coágulo obliterou a artéria.* 4 Destruir, suprimir: *A exposição ao sol obliterou o texto do manuscrito.* 5 Fazer cair no esquecimento ou ficar esquecido: *Sua mente não conseguia obliterar os erros que cometera no passado; Certos costumes obliteram-se com o passar do tempo.* [F.: Do lat. *obliterare.*]

oblívio (o.*blí*.vi.o) **sm.** Esquecimento, olvido [F.: Do lat. *oblivium.*]

oblongifólio (o.blon.gi.*fó*.li.o) **a.** *Bot.* Que se caracteriza pela presença de folhas oblongas [F.: *oblong(o)* + *-i-* + *-fólio.*]

oblongo (o.*blon*.go) **a.** 1 Diz-se do que tem forma arredondada ou esferoide e é mais comprido do que largo (semente oblonga); PROLATO 2 Oval, elíptico [F.: Do lat. *oblongus, a, um.*]

oblóquio (o.*bló*.qui:o) **sm.** Qualquer termo ou palavra us. como protesto, insulto, contestação etc. [F.: Do lat. *obloquium, ii* 'contradição'.]

obnóxio (ob.*nó*.xi.o) [cs] **a.** 1 Que se sujeita de maneira servil a qualquer forma de punição 2 Que se submete à vontade alheia; DEPENDENTE 3 Vil, vulgar, corriqueiro 4 Que é nefasto, nocivo 5 Que se caracteriza pela estranheza, pela esquisitice [Ant.: *altivo.*] [F.: Do lat. *obnoxius, a, um.*]

obnubilação (ob.nu.bi.la.*ção*) **sf.** 1 Ação ou resultado de obnubilar(-se), sofrer ofuscação e obscurecimento da consciência 2 *Med.* Estado vertiginoso em que os objetos são vistos como através de uma nuvem [Pl.: *-ções.*] [F.: Do lat. *obnubilatio.*]

obnubilado (ob.nu.bi.*la*.do) **a.** 1 Que (se) obnubilou, (se) tornou ofuscado e obscurecido 2 Que padece de *obnubilação* (2) [F.: Part. de *obnubilar.*]

obnubilar (ob.nu.bi.*lar*) **v. int. td.** 1 Tornar(-se) escuro ou obscuro; ESCURECER(-SE); OBSCURECER(-SE) 2 *Med.* Causar obnubilação, perturbação da consciência em [▶ 1 obnubilar] [F.: Do lat. *obnubilare.*]

oboé (o.bo.*é*) **sm.** 1 *Mús.* Instrumento de sopro de madeira, de palheta dupla, tubo cônico e timbre levemente nasalado, indispensável a toda orquestra moderna 2 *P. ext.* O mesmo que *oboísta* [F.: Do it. *oboe.*] ■ **~ d'amore** *Mús.* Tipo de oboé cuja afinação é feita uma terça menor abaixo da do oboé comum.

oboísta (o.bo:*ís*.ta) **a.** 1 *Mús.* Que toca oboé **s2g.** 2 Aquele que toca oboé; OBOÉ [F.: Do fr. *hautboïste.*]

óbolo (*ó*.bo.lo) **sm.** 1 Donativo para os pobres, esmola 2 Moeda grega quase sem valor 3 Unidade grega de peso que valia cerca de 75 g [F.: Do lat. *obolus.*]

obovado-acuminado (o.bo.va.do-a.cu.mi.*na*.do) **a.** Que tem a parte superior larga e a base aguda [Pl.: *obovados-acuminados.*]

obóveo (o.*bó*.ve.o) **a.** Que tem forma semelhante à de um ovo, ou seja, ovalada, com ápice maior que a base. O mesmo que *ovoide* e *obovoide.* [F.: *ob-* + *óveo.*]

obra (*o*.bra) **sf.** 1 O que resulta do trabalho ou da ação: *É obra de bom arquiteto, e bons pedreiros.* 2 Lugar ou meta a atingir: "Nossa casa, no tempo, ainda era mais próxima do rio, obra de nem quarto de légua..." (Guimarães Rosa, "A terceira margem do rio" in *Primeiras estórias*) 3 Prédio em construção: *Lia e estudava com o barulho da obra.* 4 Cada trabalho de um artista: *A catedral de Brasília é uma de suas obras mais arrojadas.* 5 Produção do espírito, composição, trabalho artístico, literário ou científico: *A obra de Villa-Lobos não tem competidor no continente.* 6 Reparo ou modificação na estrutura física de um lugar: *Um trecho da rua estava em obras; Fez uma obra no banheiro para colocar uma banheira.* 7 Ação ou resultado de obrar (6), defecar [F.: Do lat. *opera.*] ■ **Coroar a ~** 1 Finalizar um trabalho com um arremate, um detalhe que o aprimora: *Penteou-se cuidadosamente e coroou a obra com uma tiara.* 2 *Irôn.* Completar ação fazendo o que está faltando: *Já que você arrumou o quarto, coroe a obra limpando os cinzeiros.* **Em ~s** Em construção, em conserto, em reforma **Fazer ~** Defecar **~ aberta** Obra literária ou artística que, por suas características, dá margem a diversas interpretações a seu respeito **~ capital** A obra mais importante, ou mais característica, que se destaca entre as demais (de um artista, de uma época, de um estilo etc.); obra-prima **~ de** Cerca de, aproximadamente, mais ou menos: *Vai viajar por obra de duas semanas.* **~ de arte** 1 Obra feita com apuro técnico nos materiais e na execução, segundo conceitos e critérios artísticos, para expressar, no conteúdo e na forma estética, uma visão pessoal do artista sobre o tema nela representado 2 *Fig.* Qualquer objeto ou produto feitos com apuro, capricho, senso estético: *Este vestido é uma obra de arte.* [Cf.: *obra de arte.*] **~ de carregação** Trabalho malfeito, ou feito às pressas, sem capricho; obra de fancaria; obra grossa **~ de consulta** *Bibl.* Ver *Obra de referência* **~ de empreitada** 1 Trabalho encomendado a ser feito com prazo e preço previamente acordados 2 Trabalho rudimentar, malfeito **~ de fancaria** Ver *Obra de carregação* **~ de fôlego** Aquela, de grande vulto ou importância, feita com mobilização de muitos recursos, muito trabalho, muita dedicação **~ de misericórdia** Ato, gesto ou empreendimento de caridade; auxílio (ger., em dinheiro) a quem necessita; esmola **~ de Penélope** Ver *Teia de Penélope* no verbete *teia* **~ de referência** Toda obra que visa a dar informações como respostas a consultas sobre certos assuntos ou palavras, como dicionários, enciclopédias, guias, atlas, etc.; obra de consulta **~ de Santa Engrácia** Trabalho que se prolonga por muito tempo, e que parece não ter fim **~ de talha** 1 Trabalho em relevo entalhado em madeira, pedra, mármore etc. 2 Obra, escultura feita com esse trabalho [Tb. apenas *talha.*] **~ de tosco** *Carp.* Obra em madeira sem acabamento, aparelhamento etc., ger. provisória **~ do Capeta** 1 Coisa ou fenômeno de difícil explicação, misteriosos que provocam espanto; obra do diabo 2 Bagunça, desordem, indisciplina, arruaça **~ do Diabo** Ver *Obra do Capeta* **~ grossa** Ver *Obra de carregação* **~ intelectual** Toda obra (literária, artística, científica etc.) cujos direitos autorais são protegidos por lei **~ póstuma** Aquela que é publicada pela primeira vez depois da morte do autor **~ príncipe** *Biol.* Primeira obra científica que identifica, registra e descreve uma espécie **~s mortas** *Mar.* Em navio com carga plena, a parte do casco que fica acima da linha de flutuação [P. op. a *Obras vivas.*] **~s públicas** Aquelas feitas no interesse da sociedade, ger. de responsabilidade de governo de Estado, de estado ou de município **~s vivas** *Mar.* Em navio com carga plena, a parte do casco que fica abaixo da linha de flutuação [P. op. a *Obras mortas.*] **Pôr em ~** Empreender, realizar, executar, pôr em prática **Por ~ e graça de** Graças à providência de, à ação de, à ajuda de **Pôr por ~** Fazer realizar, cuidar que se realize, efetivar

obra de arte (o.bra de *ar*.te) **sf.** *Bras. Urb.* Nome que se dá tradicionalmente a pontes, viadutos, túneis, muros de arrimo, bueiros etc., que representam estruturas necessárias à construção de estradas [Pl.: *obras de arte.*] [Cf.: *obra de arte.*] ■ **~ corrente** *Cons.* Estrutura tal como bueiro ou pontilhão, que se repete com características semelhantes ao longo de uma estrada, em geral obedecendo a um projeto padronizado **~ especial** *Cons.* Estrutura, tal como ponte, viaduto ou túnel, que, pelas suas proporções e características peculiares, requer um projeto específico

obrador (o.bra.*dor*) [ô] **a.** 1 Que trabalha em obras, construções etc. **sm.** 2 Esse profissional [F.: Do lat. *operator, oris.* Sin. ger.: *obreiro.*]

obra-mestra (o.bra-*mes*.tra) **sf.** O mesmo que *obra-prima* [Pl.: *obras-mestras.*]

obra-prima (o.bra-*pri*.ma) **sf.** 1 A obra (4) mais importante de um autor ou de seu tempo; OBRA-MESTRA 2 Obra primorosa, das primeiras no seu gênero [Pl.: *obras-primas.*]

obrar (o.*brar*) **v.** 1 Trabalhar, realizar a obra, ter uma profissão [**int.:** *Queria agir, obrar, concretizar suas ideias.*] 2 Proceder no sentido de; atuar [**tr.** + *por, contra*: *Obrou por suas reivindicações.*] [**int.:** *Queria interagir na disputa, mas não sabia como obrar.*] 3 Realizar por meio de uma ação [**td.**] 4 Fabricar, construir [**td.:** *Depois de muito esforço obrou sua casa como planejava.*] 5 Armar uma trama, um crime [**td.:** *O ladrão obrou um assalto.*] 6 *Pop.* Evacuar, defecar [**int.**] 7 Fazer efeito, curar (um medicamento) [**int.**] 8 Ter influência, exercer autoridade [*tr.* + *sobre*: *Obrava sobre sua família.*] 9 *Pop.* Ficar sujo de material fecal [*td.*] [▶ 1 obrar] [F.: Do lat. *operare*. Hom./Par.: *obra(s)* (fl.), *obra(s)* (sf. [pl.]).]

obreia (o.*brei*.a) *sf.* 1 Massa para fabricação da hóstia 2 Camada fina de massa de farinha de trigo, para fechar cartas [F.: Do fr. ant. *obleie*.]

obreiro (o.*brei*.ro) *sm.* 1 O que se ocupa, lida ou trabalha em qualquer obra de arte ou em qualquer arte ou ofício *sm.* 2 M. q. *operário*

ob-repção (ob-rep.*ção*) *sf.* Ação astuciosa de ocultar ou dissimular alguma coisa com o intuito de obter algum ganho [F.: Do lat. *obreptio, onis*.]

ob-reptício (ob-rep.*tí*.ci:o) *a.* 1 Que foi obtido por ob-repção 2 Em que se usou astúcia, ardil, com o fim de obter algo [F.: Do lat. *obrepticius, a, um*.]

obrigação (o.bri.ga.*ção*) *sf.* 1 Ação ou resultado de obrigar; imposição; ENCARGO; DEVER: *Tinha a obrigação de cuidar da criança.* 2 Favor, benefício (mais usado no pl.): "E confessava as grandes obrigações que lhe devia" (Latino Coelho) 3 Serviço, tarefa: *Terminou logo sua obrigação.* 4 *Jur.* Escritura que obriga alguém a pagar dívida ou cumprir contrato 5 *Econ.* Título de dívida pública 6 *Jur.* M. q. *debênture* 7 *Bras.* A família 8 *Rel.* Nos cultos afro-brasileiros cada um dos preceitos religiosos a serem cumpridos [Pl.: *-ções*.] [F.: Do lat. *obligatio*.] ■ **~ ao portador** *Jur.* Debênture ~ **do Tesouro Nacional** *Bras. Econ.* Entre 1986 e 1989, quando foi extinta, nova denominação de Obrigação Reajustável do Tesouro Nacional [Sigla: *O.T.N.*] ~ **moral** *Ét.* Imposição interior que orienta o comportamento ou determinada atitude, baseada em princípios éticos de respeito, dever, solidariedade etc. ~ **Reajustável do Tesouro Nacional** *Bras. Econ.* Título da dívida pública brasileira entre 1964 e 1986 (quando passou a chamar-se Obrigação do Tesouro Nacional, por sua vez extinta em 1989) [Constantemente reajustado em função da desvalorização da moeda, serviu de índice para dívidas, contratos etc. Sigla: *O.R.T.N.*]

obrigacional (o.bri.ga.ci.o.*nal*) *a2g.* Ref. a obrigação; que encerra obrigação (tarefa obrigacional) [Pl.: *-nais*.] [F.: obrigação sob a f. rad. *obrigacion-* + *-al*.]

obrigado (o.bri.*ga*.do) *a.* 1 Que é determinado por lei, imposto, costume, uso etc.; OBRIGATÓRIO 2 Que se sente na obrigação de retribuir um favor, uma gentileza etc.: *Foi obrigado a retribuir a gentileza.* 3 Sujeito a uma dívida: *Seria obrigado a pagar o empréstimo.* 4 Imposto pelas circunstâncias: *Foi obrigado a correr debaixo de chuva, pois estava sem proteção.* 5 Que é imprescindível, necessário, indispensável: *Foi obrigado a pagar para entrar no clube.* 6 *Mús.* Diz-se de parte instrumental indispensável em uma obra musical *a.* 7 *Jur.* Diz-se do que é passível de obrigação *sm.* 8 *Jur.* Aquele que a lei obriga a cumprir uma obrigação [Ant.: *desobrigado*.] [F.: Part. de *obrigar*.]

obrigar (o.bri.*gar*) *v.* 1 Ser colocado na obrigação de cumprir lei ou dever moral [*td.*: *O contrato o obrigava a viajar; Obrigou-se a cumprir sua promessa.*] [*tdi.* + *a*.: *A lei o obrigava a pagar pelo prejuízo.*] 2 Forçar ou ser forçado a fazer algo por necessidade ou exigência moral [*tdi.* + *a*: *Obrigaram-na a se retratar.*] [*td.*: *Obrigava-se a estudar oito horas por dia.*] 3 Submeter(-se) a uma condição ou situação [*tdi.* + *a*: *Obrigava o filho a acordar às cinco da manhã.*] [*td.*: *Obrigava-se às exigências do marido.*] 4 Empenhar, penhorar [*td.*: *Fez a promessa, e obrigou sua palavra por pressão do pai.*] 5 Endividar-se dando algo como penhor [*td.*: *Obrigou-se mais do que podia para pagar as prestações.*] 6 Fazer com que (alguém) fique na obrigação de fazer algo [*td.*: *Tantos presentes obrigaram o aniversariante.*] 7 Colocar em risco ou criar obrigação [*td.*: *Suas bebedeiras quase obrigaram os bens da esposa.*] 8 Colocar (alguém ou algo) em posição de submissão; sujeitar [*td.*: *A promessa obriga aquele que promete.*] [▶ 1 obrigar] [F.: Do lat. *obligare*. Ant. ger.: *desobrigar*. Hom./Par.: *obriga(s)* (fl.), *obriga(s)* (sf. [pl.]).]

obrigatoriedade (o.bri.ga.to.ri:e.*da*.de) *sf.* Caráter ou qualidade de obrigatório [F.: *obrigatóri(o)*+ *-e-* + *-dade*.]

obrigatório (o.bri.ga.*tó*.ri:o) *a.* 1 Que constitui obrigação, dever 2 Imposto por uma lei, regulamento ou convenção social: *serviço militar obrigatório; usar terno e gravata é obrigatório para certos profissionais.* 3 Indispensável [F.: Do lat. *obligatorius*.]

ob-rogação (ob-ro.ga.*ção*) *sf.* Ação ou resultado de ob-rogar [Pl.: *-ções*.] [F.: Do lat. *obrogatio, onis*.]

ob-rogar (ob-ro.*gar*) *v. int.* Substituir uma lei por outra, anulando a primeira [▶ 14 ob-rogar] [F.: Do lat. *obrogare*.]

ob-rogatório (ob-ro.ga.*tó*.ri:o) *a.* Que tem poder ou força para ob-rogar [Pl.: *ob-rogatórios*.] [F.: *ob-rogar* + *-tório*.]

obscenidade (obs.ce.ni.*da*.de) *sf.* 1 Qualidade de obsceno, do que é considerado grosseiro e vulgar, esp. em matéria de sexo; INDECÊNCIA 2 Ação, gesto, imagem, objeto, palavra ou pensamento obsceno: "Atrás deles uma mulata... de mãos nas cadeiras, ria-se, tratando-os com obscenidades familiares." (Xavier Marques, *O feiticeiro*) 3 Caráter do que causa indignação pela falta de decência ou decoro; caráter do que é chocante: *Essa roubalheira do dinheiro público é uma obscenidade.* [F.: Do lat. *obscenitas*.]

obsceno (obs.*ce*.no) *a.* 1 Que fere o pudor e é tido como grosseiro, vulgar (esp. em matéria de sexo) num dado contexto histórico-social; IMORAL; INDECENTE; PORNOGRÁFICO [Ant.: *cândido, pudico*.] 2 Diz-se da pessoa que age de maneira obscena ou escreve obscenidades 3 Que tem o caráter de, em que há obscenidade (gesto obsceno) 4 Que causa indignação pela falta de decência, vulgaridade ou brutalidade (gastos obscenos, crime obsceno) [F.: Do lat. *obscenus*.]

obscurante (obs.cu.*ran*.te) *a2g.* 1 Que obscurece 2 Que impede (algo ou alguém) de ter luz *a2g.* 3 Que desfavorece a clarividência, a capacidade de ver com clareza 4 Diz-se do adepto do obscurantismo *s2g.* 5 O adepto do obscurantismo [F.: Do lat. *obscurans, antis*.]

obscurantismo (obs.cu.ran.*tis*.mo) *sm.* 1 Estado de quem se acha na escuridão 2 Falta ou recusa de instrução; IGNORÂNCIA 3 Tendência política a dificultar o progresso intelectual ou o acesso do povo tanto à ciência como às artes, com o fim de explorar suas crendices e superstições [F.: *obscurant(e)*+ *-ismo*.]

obscurantista (obs.cu.ran.*tis*.ta) *a2g.* 1 Ref. a obscurantismo 2 Que se opõe a todo movimento intelectual, que é avesso ao progresso *s2g.* 3 Aquele que é favorável ao obscurantismo (3) [F.: Do lat. *obscurant(e)*+ *-ismo*.]

obscurecedor (obs.cu.re.ce.*dor*) [ô] *a.* 1 Que obscurece; que torna obscuro: *A folhagem é elemento obscurecedor da varanda.* *sm.* 2 Aquele ou aquilo que obscurece [F.: *obscur(o)* + *-ec(er)* + *-dor*.]

obscurecer (obs.cu.re.*cer*) *v.* 1 Dificultar a visão, o entendimento etc.; OCULTAR [*td.*: *As nuvens obscureciam a visão da montanha.*] 2 Confundir, perturbar [*td.*: *obscurecer a razão.*] 3 Lograr proveito, esconder, disfarçar [*td.*: *Os criminosos não conseguem obscurecer por muito tempo suas tramoias.*] 4 Difamar, desonrar [*td.*] 5 Obcecar, privar da razão [*td.*] 6 Ficar sombrio, tornar(-se) triste [*td.*: *As lágrimas obscureciam seu olhar.*] 7 Exceder, suplantar [*td.*: *Sua eloquência obscurecia a dos outros palestrantes.*] [▶ 33 obscure**cer**] [F.: *obscuro* + *-ecer*.]

obscurecido (obs.cu.re.*ci*.do) *a.* 1 Em que não há luz: *O atalho conduzia a uma clareira obscurecida.* 2 Que é sombrio, tenebroso: *Sua mente obscurecida amedrontava os irmãos.* 3 *Fig.* Que foi esquecido; que passou a ser ignorado: *A fama do velho compositor fora obscurecida pelo tempo.* 4 *Fig.* Que perdeu a capacidade de discernir, de entender [F.: Part. de *obscurecer*. Ant. ger.: *desobscurecido*.]

obscurecimento (obs.cu.re.ci.*men*.to) *sm.* 1 Ação ou resultado de obscurecer(-se) 2 Falta ou escassez de luz; ESCURIDÃO 3 *Fig.* Ato de tornar(-se) obscuro, incompreensível (no ato de expressar-se por escrito ou oralmente) [F.: *obscurec(er)* + *-i-* + *-mento*.]

obscuridade (obs.cu.ri.*da*.de) *sf.* 1 Característica do que é obscuro; falta, privação de luz; trevas, obscurecimento (a obscuridade da noite); ESCURIDÃO 2 *Fig.* Caráter do que não é claro ou é pouco inteligível 3 *Fig.* Falta de clareza ao expressar-se; dificuldade de ser entendido (obscuridade de um poema/discurso) 4 Estado do que é duvidoso ou imperfeitamente conhecido; incerteza (a obscuridade da pré-história) 5 Baixa estirpe; condição humilde 6 Condição de autor ou artista que se mantém desconhecido: *Bach permaneceu 200 anos na obscuridade.* [F.: Do lat. *obscuritas*.]

obscuro (obs.*cu*.ro) *a.* 1 Sem luz, escuro, sombrio (sala/dia obscuro) 2 De difícil compreensão, confuso (linguagem obscura); ININTELIGÍVEL 3 Diz-se do indivíduo que não se exprime com clareza, que mal se faz perceber (orador obscuro) 4 De condição social modesta; humilde (nascimento obscuro, posição obscura) 5 Desconhecido, ignorado, que não alcançou celebridade (artista obscuro) [Ant., somente nesta acp., *célebre, famoso*.] 6 Oculto, secreto 7 Retirado, pouco frequentado (lugar obscuro) [F.: Do lat. *obscurus*.]

obsecração (ob.se.cra.*ção*) *sf.* 1 Ação de obsecrar 2 Oração, súplica fervorosa que pede o auxílio de Deus 3 Palavra ou expressão com que se obsecra [Pl.: *-ções*.] [F.: Do lat. *obsecratio, onis*.]

obsecrar (ob.se.*crar*) *v.* Suplicar com humildade; ROGAR; IMPLORAR [*td.*] [*tdi* + *a*] [▶ 1 obsecrar] [F.: Do lat. *obsecrare*.]

obsedado (ob.se.*da*.do) *a.* O mesmo que *obcecado* [F.: *obseda(r)* + *-ado*.]

obsedante (ob.se.*dan*.te) *a2g.* *Bras.* Que obseda; que resulta de obsessão (procura obsedante) [F.: *obseda(r)* + *-nte*. Tb. *obsediante*.]

obsedar (ob.se.*dar*) *v. td.* 1 *Bras.* Transformar em fixação, apoderar-se do espírito de, atormentar; OBSIDIAR: *O mistério obsedava sua imaginação.* 2 Insistir incessantemente, atormentar alguém para obter algo; MOLESTAR [▶ 1 obsedar] [F.: Do fr. *obséder*.]

obsediante (ob.se.di:*an*.te) *a2g.* Ver *obsedante* [F.: *obsediar* + *-nte*.]

obsediar (ob.se.di.*ar*) *v.* Ver *obsedar* [▶ 1 obsediar]

obsequiado (ob.se.qui:*a*.do) [ze] *a.* Que se obsequiou, que recebeu obséquio, favor, gentileza [F.: Part. de *obsequiar*.]

obsequiador (ob.se.qui.a.*dor*) [ze...ô] *a.* 1 Que obsequia, presta obséquios, favores *sm.* 2 Aquele que obsequia, que presta obséquios, favores [F.: *obsequia(r)*+ *-dor*.]

obsequiar (ob.se.qui.*ar*) [ze] *v.* 1 Conceder obséquios, favores, gentilezas etc., favorecer [*td.*: *Obsequiou as visitas com um gostoso lanche.*] 2 Fazer mimos, presentear [*td.*: *Gosta de obsequiar a esposa.*] 3 Tornar-se cativo, ficar grato [*td.*] [*tdi.*] [▶ 1 obsequiar] [F.: *obséquio* + *-ar*. Hom./Par.: *obsequias* (fl.), *obséquias* (sfpl.); *obsequio* (fl.), *obséquio* (sm.).]

obséquias (ob.*sé*.qui.as) [zé] *sfpl.* *Ant.* Funerais, exéquias [F.: Do lat. *obsequiae*. Hom./Par.: *obséquias* (sfpl.), *obsequias* (fl. de *obsequiar*).]

obséquio (ob.*sé*.qui:o) [zé] *sm.* 1 Ação de obsequiar, favorecer; FAVOR: *Fez-me o obséquio de trazer o documento assinado.* 2 Serviço desinteressado que se presta a alguém 3 Ação ou palavras com que se pretende agradar; GENTILEZA [F.: Do lat. *obsequium*.] ■ **Em ~ a/de** Em benefício de, em favor de

obsequiosidade (ob.se.qui.o.si.*da*.de) [ze] *sf.* Qualidade ou caráter de obsequioso; tratamento afável [F.: *obsequios(o)* + *-(i)dade*.]

obsequioso (ob.se.qui:*o*.so) [ze...ô] *a.* 1 Dado a prestar obséquios, favores; que obsequia, obsequiador; PRESTATIVO: *Era homem pacífico e obsequioso.* 2 Que tem a natureza ou o cunho do obséquio 3 *Fig.* Condescendente, agradável, benevolente: *Mostrou-se obsequioso com os idosos presentes.* [Pl.: [ó]. Fem.: [ó].] [F.: *obséqui(o)*+ *-oso*.]

observação (ob.ser.va.*ção*) *sf.* 1 Ação ou resultado de observar(-se): "...e parecia calar a sua observação, apenas pelo respeito que lhe inspirava o dono da fazenda" (Cornélio Pena, *A menina morta*) 2 Exame, análise: *Pioneiro, dependia exclusivamente de sua capacidade de observação para avançar nas pesquisas.* 3 Atenção que se dá a certas coisas; CUMPRIMENTO 4 Advertência, comentário: *O professor escreveu várias observações em sua prova.* 5 Nota, reflexão, objeção para esclarecer ou elucidar certo ponto: "Já preveni as observações com o texto acima" (Almeida Garrett) 6 Repreensão, censura leve 7 Ver tb. observância [Pl.: *-ções*.] [F.: Do lat. *observatio*.] ■ **~ participante** *Antrop. Etnol.* Forma de investigação em que se observa diretamente, e como que 'do interior', o desenrolar da vida social de um grupo, durante período relativamente longo, residindo-se junto a seus membros, em condições semelhantes às deles e tomando parte, em larga medida, nas suas atividades

observado (ob.ser.*va*.do) *a.* 1 Que se observou, se examinou com atenção; ANALISADO; PONDERADO 2 Que se cumpriu, se levou em conta [F.: Do lat. *observatus*.]

observador (ob.ser.va.*dor*) [ô] *a.* 1 Que observa *a.* 2 Que observa ou cumpre uma regra, lei, preceito ou promessa 3 Que tem o hábito de observar analiticamente; ARGUTO: *era um jovem de espírito observador e requintado.* 4 Que faz reparos ou reflexões a alguma coisa; CRÍTICO; CENSOR 5 Diz-se de profissional que observa em diversos campos de atividade *sm.* 6 Aquele que se aplica a observar, a estudar certos fenômenos ou qualquer fato 7 Profissional que atua observando em diversos campos de atividade (observador meteorológico) [F.: Do lat. *observator*.]

observância (ob.ser.*vân*.ci:a) *sf.* 1 Cumprimento ou execução de norma, lei ou instrução recebida 2 Ação ou resultado de se pôr em conformidade com um costume ou padrão cultural 3 *Rel.* Exercício rigoroso da vida claustral [F.: Do lat. *observantia*.]

observante (ob.ser.*van*.te) *a2g.* 1 Diz-se de quem observa 2 Que é cumpridor da lei; OBEDIENTE 3 Que mantém a fidelidade a princípios religiosos; PRATICANTE *s2g.* 4 Aquele que observa; OBSERVADOR; ESPECTADOR 5 Aquele que pertence a uma ordem religiosa, observando estritamente suas regras [F.: Do lat. *observans, antis*. Ant. ger.: *inobservante*.]

observar (ob.ser.*var*) *v.* 1 Reparar, fixar os olhos com atenção, perceber [*td.*: *Observei que você tem faltado às aulas.*] 2 Acompanhar com os olhos, examinar atentamente [*td.*: "...e pela fresta procurou observar a irmã." (Machado de Assis, *Helena*)] [*tda.*: *Observou-se no espelho para retocar a maquiagem.*] 3 Comentar, chamar a atenção para [*td.*: *Em seus comentários, observou que a atriz foi mal escolhida para o papel.*] 4 Cumprir regras, conselhos etc.; fazer conforme prescrito [*td.*: *Os fiéis observam o jejum nos dias sagrados.*] 5 Concentrar a atenção em, atentar para [*td.*: *A turma observou a divergência de opinião entre os professores.*] 6 Ponderar a respeito de algo, replicar expressando um julgamento, uma opinião [*td.*] [▶ 1 observar] [F.: Do lat. *observare*. Hom./Par.: *observáveis* (fl.), *observáveis* (pl. de *observável* [a2g.]).]

observatório (ob.ser.va.*tó*.ri:o) *sm.* 1 Instituição científica dedicada às observações astronômicas ou meteorológicas, compreendendo o edifício e o equipamento tecnologicamente adequados a essas finalidades 2 Ponto elevado de onde se observa alguma coisa; MIRANTE [F.: Do rad. lat. *observat(us)*+ *-ório*.]

observável (ob.ser.*vá*.vel) *a2g.* 1 Que se pode observar 2 Que está ao alcance da vista ou da examinação 3 Que merece ser observado 4 *Fís.* Diz-se de grandeza passível de medição direta *sm.* 5 *Fís.* Qualquer grandeza observável [Pl.: *-veis*.] [F.: Do lat. *observabilis, e*.]

obsessão (ob.ses.*são*) *sf.* 1 Ideia fixa; preocupação excessiva com alguma coisa e que dificulta pensar em outra: *a obsessão pela beleza.* [Cf.: *obcecação*.] 2 *Psic.* Distúrbio emocional em que o pensamento se fixa e se repete na mesma direção, associado a gestos e atos compulsivos; NEUROSE OBSESSIVA; COMPULSÃO [Cf.: *obcecação*.] 3 *Teol.* Atormentação por contínuas sugestões causadas pelo diabo (confundo com estar *possessão*) 4 *Teol.* Perseguição ou vexação atribuída à influência do diabo [Pl.: *-sões*.] [F.: Do lat. *obsessio*.]

obsessividade (ob.ses.si.vi.*da*.de) *sf.* Característica de quem é obsessivo, obstinado [F.: *obsessiv(o)* + *-(i)dade*.]

obsessivo (ob.ses.*si*.vo) *a.* 1 Ref. a obsessão, ou em que se observa obsessão ou tendência a manifestá-la (comportamento obsessivo); OBCECANTE; OBSEDANTE 2 Obsessor, que causa obsessão, que persegue 3 Que sofre de obsessão (1, 2) *sm.* 4 Aquele que sofre de obsessão (1, 2); NEURÓTICO OBSESSIVO [F.: *obsess(ão)*+ *-ivo*.]

obsessivo-compulsivo (ob.ses.si.vo-com.pul.*si*.vo) *a. Psiq.* Que apresenta ou sofre de obsessão compulsiva (comportamento obsessivo-compulsivo) [Pl.: *obsessivo-compulsivos.*]

obsesso (ob.*ses*.so) *a.* **1** Diz-se de indivíduo que é atormentado, perseguido *a.* **2** Diz-se de indivíduo que acredita ser atormentado por demônios *sm.* **3** Esse indivíduo [F.: Do lat. *obsessus, a, um.*]

obsessor (ob.ses.*sor*) [ô] *a.* **1** Que provoca obsessão *sm.* **2** Aquele que provoca obsessão [F.: Do lat. *obsessor, oris.*]

obsidente (ob.si.*den*.te) *a2g.* **1** Que causa obsessão **2** Que assedia, que faz assédio *s2g.* **3** Aquele que assedia, obsedia [F.: Do lat. *obsīdens, entis.*]

obsidiador (ob.si.di.a.*dor*) [ô] *sm.* Aquele que assedia, importuna, molesta [F.: *obsidia(r)* + *-dor.*]

obsidiana (ob.si.di.*a*.na) *sf. Pet.* Vidro de cor escura, com fratura concoidal e pobre de água; ÁGATA DA ISLÂNDIA; HIALOPSITA [F.: Do lat. *obsidiana, orum.*]

obsidiar (ob.si.di.*ar*) *v. td.* **1** Cercar para impor a sujeição a; ASSEDIAR; SITIAR **2** Observar ou espionar atentamente a vida íntima de **3** Causar importunação insistente a; MOLESTAR; PERTURBAR **4** Ver *obsedar* [▶ 1 obsidiar] [F.: Do fr. *obséder.*]

obsidional (ob.si.di.o.*nal*) *a2g.* **1** Ref. a sítio, a cerco **2** Ref. à arte de cercar ou proteger uma praça [Pl.: *-nais.*] [F.: Do lat. *obsidionalis, e.*]

obsolescência (ob.so.les.*cên*.ci:a) *sf.* **1** Fato ou processo de (se) tornar obsoleto **2** Qualidade ou estado de obsolescente **3** *Biol.* Fim de um processo fisiológico; gradativa redução e desaparecimento final **4** *Econ.* Redução da vida útil de um equipamento por se lhe seguirem modelos tecnologicamente superiores [F.: *obsolesc(ente)*+ *-ência.*] ■ **~ planejada** *Econ.* Conceito referente a tática us. por produtor de bem de consumo, de planejar o lançamento escalonado de modelos que modernizam, aperfeiçoam ou apenas modificam o anterior (tornando este, assim, planejadamente 'obsoleto') para promover com isso sua substituição pelo novo, e as vendas daí decorrentes

obsolescente (ob.so.les.*cen*.te) *a2g.* Que entrou em obsolescência; que está se tornando obsoleto (tecnologia obsolescente) [F.: Do lat. *obsolescens, entis.*]

obsoletismo (ob.so.le.*tis*.mo) *sm.* Caráter do que é obsoleto [F.: *obsolet(o)* + *-ismo.*]

obsoleto (ob.so.*le*.to) [ê, é] *a.* **1** Tecnologicamente ultrapassado **2** Arcaico, antigo: "Consulto o Phtah-Hotep. Leio o obsoleto / Rig-Veda" (Augusto dos Anjos, *Eu e outras poesias*) **3** Antiquado, fora de moda **4** *Biol.* Rudimentar, mal desenvolvido [F.: Do lat. *obsoletus.*]

obstacular (obs.ta.cu.*lar*) *v. td.* O mesmo que *obstaculizar* [▶ 1 obstacular] [F.: *obstácul(o)* + *-ar.*]

obstaculização (obs.ta.cu.li.za.*ção*) *sf.* Ação ou resultado de obstaculizar, criar obstáculos, de fazer oposição a [Ant.: *desobstaculização.*] [Pl.: *-ções.*] [F.: *obstaculiza(r)*+ *-ção.*]

obstaculizador (obs.ta.cu.li.za.*dor*) [ô] *a.* **1** Que cria ou põe obstáculos; OBSTACULIZANTE *sm.* **2** Aquilo ou aquele que obstaculiza [F.: *obstaculiza(r)* + *-dor.*]

obstaculizar (obs.ta.cu.li.*zar*) *v. td. Bras.* Criar dificuldade, impedimento, obstáculo: *O funcionário não pode obstaculizar o recebimento da reclamação.* [▶ 1 obstaculizar] [F.: *obstáculo* + *-izar.* Ant. ger.: *desobstaculizar.*]

obstáculo (obs.*tá*.cu.lo) *sm.* **1** O que impede ou dificulta ato, prática, progresso de algo ou alguém; EMPECILHO; ÓBICE **2** Estorvo, oposição, resistência, dificuldade, impedimento **3** Objeto material que estorva a circulação, o movimento; BARREIRA **4** *Esp.* Em atletismo e hipismo, dificuldade material a ser transposta com saltos, desvios etc. (corrida de obstáculos) [F.: Do lat. *obstaculum.*]

obstância (obs.*tân*.ci.a) *sf. Bras.* O que obsta, que obstaculiza; OBSTÁCULO; EMPECILHO [F.: Do lat. *obstantia, ae.*]

obstante (obs.*tan*.te) *a2g.* Que obsta, que impede ou dificulta [F.: Do lat. *obstans, antis.*] ■ **Nada ~** Ver *Não obstante* **Não ~** **1** Apesar de: *Foi trabalhar, não obstante o temporal.* **2** Contudo, apesar disso (do que foi antes mencionado): *Chovia torrencialmente, não obstante, foi trabalhar.*

obstar (obs.*tar*) *v.* **1** *Jur.* Opor-se a; impedir [*td.: O inquilino tentou obstar a ação de despejo.*] [*tr.* + *a*: *Nada obsta a que a decisão seja mantida.*] **2** Servir de obstáculo, criar embaraço [*td.: A enfermidade do pai obstou suas férias.*] [▶ 1 obstar] [F.: Do lat. *obstare.* Hom./Par.: *obstáveis* (fl.), *obstáveis* (pl. de *obstável* [a2g.]).]

obstetra (obs.*te*.tra) *a2g.* **1** *Med.* Especializado em obstetrícia *s2g.* **2** Médico especializado em obstetrícia

obstetrícia (obs.te.*trí*.ci:a) *sf. Med.* Ramo da medicina que trata da gravidez, do parto e do período imediatamente após o parto [F.: Do lat. *obstetritia, orum.*]

obstetrício (obs.te.*trí*.ci:o) *a.* Ref. à obstetrícia, aos cuidados com o parto [F.: Do lat. *obstetricius, a, um.* Tb. *obstétrico.*]

obstétrico (obs.*té*.tri.co) *a.* Ver *obstetrício*

obstetriz (obs.te.*triz*) *sf.* Mulher que faz partos; PARTEIRA [F.: Do lat. *obstetrix, icis.*]

obstinação (obs.ti.na.*ção*) *sf.* **1** Ação ou resultado de obstinar-se, qualidade de obstinado; forte apego a seu próprio ponto de vista; PERSISTÊNCIA; TENACIDADE: *Sua obstinação levou-o à cura.* **2** Insistência, teimosia [Pl.: *-ções.*] [F.: Do lat. *obstinatio, onis.*]

obstinado (obs.ti.*na*.do) *a.* Que se obstina, que persiste, intransigentemente, em uma intenção, atitude ou ideia; PERSISTENTE; PERTINAZ: *Sua resistência obstinada venceu os invasores.* [F.: Do lat. *obstinatus, a, um.*]

obstinar (obs.ti.*nar*) *v.* Tornar(-se) obstinado ou persistente numa decisão ou opinião; TEIMAR [*tr.* + *em*: *O paciente obstinava-se em não tomar a medicação prescrita; Eles obstinam-se em defender a superioridade de suas propostas sobre as outras.*] [*td.: A vaidade acaba obstinando os líderes.*] [▶ 1 obstinar] [F.: Do lat. *obstinare.*]

obstipação (obs.ti.pa.*ção*) *sf. Med.* Prisão de ventre ou constipação insistente [Pl.: *-ções.*] [F.: Do lat. *obstipatio, onis.*]

obstringir (obs.trin.*gir*) *v.* **1** Prender com força, apertar; CINGIR [*td.*] **2** Produzir compressão em [*td.*] **3** Levar a agir sob coação; OBRIGAR [*tdr.* + *a*] [▶ 46 obstringir] [F.: Do lat. *obstringere.*]

obstrução (obs.tru.*ção*) *sf.* **1** Ação ou resultado de obstruir(-se); fechamento, obturação: *A inundação foi devida à obstrução dos bueiros.* **2** *Med.* Entupimento de conduto orgânico dificultando a circulação de matéria sólida ou líquida (obstrução nasal, obstrução intestinal, obstrução urinária, obstrução fecal, obstrução arterial, obstrução aórtica) **3** Atitude que entrava o desenrolar de uma ação: *A obstrução ao trabalho da polícia é crime.* **4** *Esp.* Falta que consiste em impedir com o corpo ou com os braços o acesso do adversário à bola **5** Ver obstrucionismo [Pl.: *-ções.*] [F.: Do lat. *obstructio, onis.*] ■ **~ intestinal** *Pat.* Bloqueio da passagem do bolo fecal pelo intestino, intencional ou não, causado por oclusão mecânica (fezes endurecidas, diminuição do calibre intestinal etc.); oclusão intestinal

obstrucionismo (obs.tru.ci:o.*nis*.mo) *sm. Pol.* Prática que consiste em criar empecilhos sistemáticos à apreciação de projetos nas atividades parlamentares ou em decisões políticas, usando expedientes como o levantamento de questões de ordem, recursos administrativos e/ou judiciais, esvaziamento do *quorum* etc.: *O líder do governo no Congresso Nacional deplorou o obstrucionismo cego da oposição.* [F.: *obstrução* na f. *obstrucion-* + *-ismo.*]

obstrucionista (obs.tru.ci:o.*nis*.ta) *a2g.* **1** Ref. a obstrucionismo **2** Que é a favor do obstrucionismo ou o pratica *s2g.* **3** Político favorável ao obstrucionismo ou que o pratica [F.: *obstrução* na f. *obstrucion-* + *-ista.*]

obstruído (obs.tru.*í*.do) *a.* Que se obstruiu, se fechou; ENTUPIDO [F.: Part. de *obstruir.*]

obstruidor (obs.tru.i.*dor*) [u-i...ô] *a.* **1** Que obstrui; OBSTRUTIVO *sm.* **2** Aquele que obstrui [F.: *obstruído* + *-or.* Ant. ger.: *desobstruidor.*]

obstruinte (obs.tru.*in*.te) [u-ín] *a2g.* **1** Que obstrui *a2g.* **2** *Med.* Diz-se de substância que obstrui, que fecha as passagens naturais do corpo *sm.* **3** *Med.* Essa substância *sf.* **4** *Fon.* Consoante que causa obstrução (as oclusivas, africadas e fricativas) [F.: *obstrui(r)* + *-nte.* Sin. ger.: *obstruente.*]

obstruir (obs.tru.*i r*) *v.* **1** Servir de obstáculo para a passagem ou circulação de [*td.: O deslizamento obstruiu a rua.*] **2** Fazer entupir ou entupir-se [*td.: O lixo obstruiu o esgoto.*] **3** Impedir uma ação [*td.*] **4** *Cir.* Sofrer ou causar uma obstrução [*td.: A gordura obstruía suas artérias.*] [*int.: Pelo menos uma artéria do coração se obstruiu.*] **5** Fechar a passagem; interpor um obstáculo a [*td.: A procissão dos fiéis obstruiu a avenida.*] [▶ 56 obstruir] [F.: Do lat. *obstruere.* Ant. ger.: *desobstruir.*]

obstrutivo (obs.tru.*ti*.vo) *a.* Que obstrui; que cria obstáculos a; OBSTRUINTE [Ant.: *desobstrutivo.*] [F.: Rad. do lat. *obstructum* + *-ivo.*]

obstrutor (obs.tru.*tor*) [ô] *a.* **1** Que obstrui, capaz de obstruir; OBSTRUIDOR; OBSTRUTIVO *sm.* **2** Aquilo ou aquele que obstrui; OBSTRUIDOR [F.: Rad. do lat. *obstructum* + *-or.*]

obtemperação (ob.tem.pe.ra.*ção*) *sf.* Ação ou resultado de obtemperar; PONDERAÇÃO [Pl.: *-ções.*] [F.: Do lat. *obtemperatio, onis.*]

obtemperar (ob.tem.pe.*rar*) *v.* **1** Comentar, argumentar, ponderar com humildade ou moderação [*td.: Obtemperou que ainda não estava preparado.*] [*tdi.* + *a*: *Obtemperou ao futuro sogro que não podia casar-se já.*] **2** Sujeitar-se, submeter-se, obedecer, assentir [*ti.* + *a*: *O jovem obtempera aos superiores.*] [*int.: Obediente, obtempera sempre.*] [▶ 1 obtemperar] [F.: Do lat. *obtemperare.*]

obtenção (ob.ten.*ção*) *sf.* Ação ou resultado de obter ou de conseguir algo; ALCANCE; CONSECUÇÃO; AQUISIÇÃO; CONSEGUIMENTO [Pl.: *-ções.*] [F.: *obte(r)* + *-n-* + *-ção.*]

obtenível (ob.te.*ní*.vel) *a2g. Bras.* Que se pode obter, conseguir (resultados obteníveis); OBTÍVEL [Pl.: *-veis.*] [F.: *obten(t)-* + *-ível.*]

obtentor (ob.ten.*tor*) [ô] *a.* **1** Que obtém; que consegue algo *sm.* **2** Aquele que obtém [F.: *obten(t)-* + *-or.*]

obter (ob.*ter*) *v.* **1** Alcançar ou conseguir o que se quer (um objetivo, um resultado, uma resposta) [*td.: Precisa trabalhar para obter o sustento.*] **2** Lograr, conseguir êxito [*td.: Obteve mais verbas para as obras do casarão.*] **3** Ganhar a confiança, granjear [*td.: Obtém sempre a consideração do filho.*] **4** Receber elogio por bom desempenho em algo [*td.: O rapaz obteve o primeiro lugar na avaliação do mestrado.*] **5** Atingir uma meta, conquistar [*td.: Obteve a realização dos seus sonhos.*] [▶ 7 obter] [F.: Do lat. *obtemperare.*]

obtestação (ob.tes.ta.*ção*) *sf.* Ação ou resultado de obtestar [Pl.: *-ções.*] [F.: Do lat. *obtestatio, onis.*]

obtestar (ob.tes.*tar*) *v.* **1** Tomar (alguém) por testemunha [*td.*] **2** Pedir com humildade e fervor; SUPLICAR; ROGAR [*td.: Sempre procurava obtestar auxílio.*] [*tdi.* + *a*: *Era necessário obtestar socorro a Deus.*] **3** Incitar, instigar, provocar [*td.*] [▶ 1 obtestar] [F.: Do lat. **obtestare.*]

obtido (ob.*ti*.do) *a.* Que se obteve; que se alcançou ou conquistou: *Todos comemoravam a vitória obtida contra o adversário.* [F.: Part. de *obter.*]

obtundente (ob.tun.*den*.te) *a2g. P. us.* Que obtunde [F.: Do lat. *obtundens, entis.*]

obtundir (ob.tun.*dir*) *v. td.* **1** Bater com violência; SURRAR; CONTUNDIR **2** Fazer ficar obtuso ou menos agudo **3** *P. us. Med.* Tornar mais branda a ação do humor [▶ 3 obtundir] [F.: Do lat. *obtundere.*]

obturação (ob.tu.ra.*ção*) *sf.* **1** Ação ou efeito de obturar (esp. dente) **2** *Cir.* Fechamento com objetivo terapêutico de orifício, conduto ou cavidade **3** *Med.* O mesmo que *obstrução*, especialmente a intestinal (obturação intestinal) [Pl.: *-ções.*] [F.: Do lat. *obturatio, onis.*]

obturado (ob.tu.*ra*.do) *a.* Que se obturou, que levou obturação (diz-se esp. de dente) [F.: Do lat. *obturatus, a, um.*]

obturador (ob.tu.ra.*dor*) [ô] *a.* **1** Que obtura, fecha, tapa **2** Diz-se de dispositivo de arma de fogo que veda a fuga dos gases *sm.* **3** Esse dispositivo **4** *Fot.* Dispositivo da câmera fotográfica que tem a função de regular a duração da exposição da chapa ou filme sensível [F.: *obturad(o)* + *-or.*]

obturar (ob.tu.*rar*) *v. td.* **1** *Od.* Fechar (uma abertura, uma cavidade) em dente, canal dentário etc. depois do seu tratamento **2** Obstruir a passagem de luz, gás etc. [▶ 1 obturar] [F.: Do lat. *obturare.*]

obtusângulo (ob.tu.*sân*.gu.lo) *a. Geom.* Que contém um ângulo obtuso: *triângulo obtusângulo.* [F.: *obtus-* + *ângulo.*]

obtusão (ob.tu.*são*) *sf.* **1** Qualidade do que é obtuso; OBTUSIDADE **2** Perda ou diminuição da sensibilidade, da delicadeza para com outrem; OBTUSIDADE **3** *Psiq.* Entorpecimento mental, intelectual ou da sensibilidade, o que diminui a capacidade de compreensão e de rapidez do pensamento [Pl.: *-sões.*] [F.: Do lat. *obtusio, onis.*]

◎ **obtus(i)-** *el. comp.* = embotado, espancado, obtuso: obtusângulo, obtusidade, obtusifloro

obtusidade (ob.tu.si.*da*.de) *sf.* **1** Qualidade, caráter do que é obtuso **2** Falta de sensibilidade, de cortesia, de educação; ESTUPIDEZ [F.: *obtuso* + *-i-* + *-dade.* Sin. ger.: *obtusão.*]

obtuso (ob.*tu*.so) *a.* **1** *Geom.* Diz-se de ângulo que tem mais de 90º e menos de 180º **2** De ponta ou extremidade arredondada **3** *P. ext.* Pouco nítido; CONFUSO; INDISTINTO **4** *Fig.* Falto de inteligência ou perspicácia; ESTÚPIDO; BRONCO; IMBECIL; PARVO; PASCÁCIO [F.: Do lat. *obtusus, a, um.*]

obumbrado (o.bum.*bra*.do) *a.* Que se obumbrou; nublado, coberto de sombras; ANUVIADO; OBSCURECIDO; OBNUBILADO [F.: Do lat. *obumbratus, a, um.*]

obumbramento (o.bum.bra.*men*.to) *sm.* **1** Ação ou resultado de obumbrar(-se); ANUVIAMENTO; ESCURECIMENTO **2** *Fig.* Turvação, perturbação mental; OBSEDAÇÃO; OBNUBILAÇÃO [F.: *obumbra(r)* + *-mento.*]

obumbrar (o.bum.*brar*) *v.* **1** *P. us.* Tornar ou ficar fosco, obscurecer, sombrear [*td.: Nuvens cinzentas obumbravam o horizonte.*] [*int.: O céu obumbrou-se em poucos minutos.*] **2** *Fig.* Tornar(-se) velado, disfarçar, ocultar [*td.: Nada poderia obumbrar sua beleza.*] **3** *Fig.* Anuviar os sentidos, a mente [*td.*] **4** Perder a intensidade, o brilho, o fulgor [*int.*] [▶ 1 obumbrar] [F.: Do lat. *obumbrare.*]

obus (o.*bus*) *sm.* **1** *Mil.* Peça de artilharia utilizada para atirar projéteis em trajetória de forma parabólica; OBUSEIRO [Cf. *canhão.*] **2** Granada lançada por obus (1); PROJÉTIL [F.: Do al. *Haubitze*, do tcheco *haufnice* (catapulta), através do fr. *obus.* Na acp. 1: Cf.: *canhão.*]

obuseiro (o.bu.*sei*.ro) *Mar. Mil. a.* **1** Diz-se de navio provido de obuses **2** Diz-se do canhão que lança obuses *sm.* **3** *Mil.* Esse canhão [F.: *obus* + *-eiro.*]

obviar (ob.vi.*ar*) *v.* **1** Prevenir, remediar, evitar [*td.: obviar um problema; obviar um mal.*] [*tr.* + *a*: *não se pode obviar à morte.*] **2** Mostrar oposição, resistir [*tr.* + *a*: *obviar à violência.*] [▶ 1 obviar] [F.: Do lat. *obviare.* Hom./Par.: *obviáveis* (fl.), *obviáveis* (pl. de *obviável* [a2g.]); *obvia* (fl.), *óbvia* (fem. de *óbvio* [a. sm.]); *obvio* (fl.), *óbvio* (a. sm.).]

obviativo (ob.vi.a.*ti*.vo) *sm. Ling.* A quarta pessoa do discurso [Em algumas línguas, quando há referências a seres animados, fazem distinção da forma pronominal que se introduz primeiramente no discurso, de uma outra forma de terceira pessoa, que se introduz em seguida (o obviativo).] [F.: Do lat. *obviatus.*]

obviedade (ob.vi.e.*da*.de) *sf.* **1** A qualidade, o atributo daquilo que é óbvio **2** Fato ou opinião que seja óbvia: *Essa afirmação sua não passa de uma obviedade.* [F.: *óbvi(o)* + *-edade.*]

óbvio (*ób*.vi:o) *a.* **1** Que salta à vista, manifesto, patente; EVIDENTE: *É óbvio que eles voltarão a roubar.* **2** Que é indubitável, axiomático *sm.* **3** Aquilo que é evidente [F.: Do lat. *obvius, a, um.*]

obvir (ob.*vir*) *v. tdi.* **1** Caber (ao Estado) por doação, herança, sucessão etc. **2** Passar a ser posse de (alguém) por herança, sucessão etc. [▶ 42 obvir] [F.: Do lat. *obvenire.*]

◎ **-oca** *el. comp.* = diminuição (com valor afetivo ou pejorativo): carroça, engenhoca, palhoça [Tb. *-oça.*]

oca[1] (*o*.ca) *sf. Bras.* Casa construída com madeira e fibras vegetais us. pelos indígenas brasileiros como habitação de uma ou mais famílias [F.: Do tupi *oka*, 'casa'. Hom./Par.: *oca* (sf.), *oca* [ô] (fem. de *oco* [ô], a.).]

oca[2] (*o*.ca) *sf. Lud.* Certo jogo de dados; GLÓRIA [F.: Do espn. *oca.*]

◎ **-oça** *el. comp.* Ver *-oca*

ocaia (o.*cai*.a) *sf.* Amante, amásia

ocapi (o.ca.*pi*) *sm. Zool.* Mamífero da fam. dos girafídeos (*Okapia johnstoni*), tipo intermediário entre as girafas e os antílopes, de pescoço e pernas menores que os da girafa, colorido uniforme e patas com anéis creme e pretos, encontrado nas florestas do Zaire [F.: Do afr. *okapi* 'antílope'.]

ocar (o.*car*) *v. td.* Tornar (algo) oco; CAVAR; ESVAZIAR [▶ **11 ocar**] [F.: Do lat. *occare*. Hom./Par.: *oca* (fl.), *oca* (fem. de *oco* [a.]); *ocara(s)* (fl.), *ocara(s)* (sf. [pl.]); *oco* (fl.), *oco* (a.); *oquei* (fl.), *hóquei* (sm.).]

ocara (o.ca.ra) *sf. Bras.* A praça que se acha no centro de uma aldeia indígena [Aum.: *ocaruçu*] [F.: Do tupi *o' kara*.]

ocarina (o.ca.*ri*.na) *sf. Mús.* Pequeno instrumento de sopro de forma oval, ger. feito de barro, e com orifícios na parte superior [F.: Do it. *ocarina*.]

ocasião (o.ca.si:*ão*) *sf.* **1** Circunstância ou momento qualquer: *Roupas para qualquer ocasião; Naquela ocasião, tinha viajado ao Nordeste.* **2** Circunstância que se apresenta em um bom momento; oportunidade, instante especial para alguma coisa: *A ocasião faz o ladrão;* "Coso um desgraçado na primeira ocasião" (José Lins do Rego, *Fogo morto*) **3** Motivo, causa, razão: *Não descobriram a ocasião da desavença.* [Pl.: *-ões*.] [F.: Do lat. *occasio, onis*.] ▪ **Agarrar a ~ pela calva** Não perder oportunidade que se apresenta **De ~** Oportuno, vantajoso: *Comprei, pois era uma oferta de ocasião.* **Por ~ de** No ensejo de, na oportunidade de, quando de: *Por ocasião do Natal reuniram toda a família.* **~ biológica** *Oc.* Estudo das formas de vida no oceano e nas bacias oceânicas **~ física** *Oc.* Estudo das propriedades e dos fenômenos físicos do meio oceânico e das bacias oceânicas **~ geológica** *Geol. Oc.* Estudo das rochas e dos aspectos geológicos do meio oceânico e das bacias oceânicas **~ química** *Oc. Quím.* Estudo das propriedades e dos fenômenos químicos do meio oceânico e das bacias oceânicas

ocasionado (o.ca.si.o.*na*.do) *a.* **1** Que foi causado, provocado por **2** Que pode acontecer ou não; EVENTUAL; OCASIONAL **3** *SP Pop.* Que se atrapalhou ou confundiu **4** *SP Pop.* Que se encontra furioso, raivoso, desatinado [F.: Part. de *ocasionar*.]

ocasional (o.ca.si:o.*nal*) *a2g.* **1** Que se dá por acaso, eventual (encontro ocasional); CASUAL; EVENTUAL **2** Que ocasiona, que serve de ocasião para alguma coisa; OCASIONADOR [Pl.: *-nais*.] [F.: De *ocasião*, na f. *ocasion-* + *-al*. Ant. ger.: *propositado*.]

ocasionalidade (o.ca.si.o.na.li.*da*.de) *sf.* Qualidade ou condição do que é ocasional [F.: *ocasional* + *-idade*.]

ocasionar (o.ca.si:o.*nar*) *v.* **1** Causar, provocar ou vir como consequência [*td.*: *O que ocasionou o acidente?; Ninguém soube o que ocasionara o acidente.*] [*tdi.* + *a*, *para*: *A perda dos documentos ocasionou problemas a ele.*] [*tr.* + *de*: *O mal-entendido ocasionou-se da troca das correspondências.*] **2** Dar a (alguém) uma oportunidade de obter, conseguir, desfrutar (algo); proporcionar [*tdi.* + *a*: *Ocasionou aos netos uma bela tarde de diversões.*] **3** Acontecer, ocorrer [*int.*: *A briga ocasionou-se à entrada do museu.*] **4** Advir como consequência; DECORRER [*tr.* + *de*: *A briga ocasionou-se de um mal-entendido.*] [▶ **1 ocasionar**] [F.: *ocasião* + *-ar*.]

ocaso (o.*ca*.so) *sm.* **1** O momento em que o sol desaparece no horizonte ou se põe e que antecede a noite **2** Lado onde o sol se põe, o oeste; OCIDENTE; POENTE [Ant.: *leste, oriente*] **3** *Fig.* Fim, final: *O ocaso do império azul está próximo.* **4** *Fig.* Decadência, ruína [F.: Do lat. *occasus, us*. Ideia de 'ocaso': *crepuscul(i)-* (*crepuscular*).]

occamista (oc.ca.*mis*.ta) *a2g. s2g.* Ver *ockhamista* [F.: Do antr. Guilherme de *Occam* ou *Ockham*, teólogo inglês que viveu no séc. XIV e foi um dos precursores do empirismo.]

occipício (oc.ci.*pí*.ci:o) *sm. Anat.* Parte posterior e inferior da cabeça, formada pelo osso occipital; OCCIPÚCIO; OCCIPITAL [F.: Do lat. *occipitium, i*.]

occipital (oc.ci.pi.*tal*) *a2g.* **1** *Anat.* Ref. ao occipício ou próprio deste (músculo occipital, osso occipital, buraco occipital) *sm.* **2** Ver *occipício* **3** *Anat.* O osso occipital (ver no verbete *osso*) [Pl.: *-tais*.] [F.: Do lat. medv. *occipitalis, e*.]

⊕ **occiput** (*Lat. /ocsipút/*) *sm. Anat.* O lado posteroinferior da cabeça

occitânico (oc.ci.*tâ*.ni.co) *Hist. a.* **1** Relativo a Occitânia, região que, durante a Idade Média, compreendia o sul da França (Languedoc), onde se falava uma série de dialetos occitânicos **2** *Ling.* Diz-se de cada um dos dialetos românicos, falados nesta região, esp. a língua d'oc ou *langue d'oc*, o provençal e o gascão [Cf.: *provençal*.] **3** Que é natural ou habitante desta região *sm.* **4** *Hist. Ling.* Cada um dos dialetos românicos, falados na Occitânia, no sul da França [F.: *occitano* + *-ico*, pelo fr. *occitanien, enne*. Sin. ger.: *occitano*.]

ocê (o.*cê*) *sm. Bras. Rel.* No candomblé, oferenda de alimentos ao orixá feita pelas filhas de santo, no dia dedicado a esse orixá [F.: Do ior.]

ocê (o.*cê*) *pr. pess. Bras. Pop.* Ver *você*: "Nossa mãe, a gente achou que ela ia esbravejar, mas persistiu somente alva de pálida, mascou o beiço e bramou: – 'Cê vai, ôce fique, você nunca volte!'" (João Guimarães Rosa, "A terceira margem do rio" *in Primeiras estórias*)

oceanário (o.ce.a.*ná*.ri:o) *sm.* Reservatório ou tanque que contém água salgada para a criação de peixes marinhos [F.: *ocean(o)* + *-ório*.]

oceânico¹ (o.ce:*â*.ni.co) *a.* **1** Ref. ao ou próprio do oceano: "Os ares oceânicos, / Maresias atlânticas" (Manuel Bandeira, *Libertinagem*) **2** Que vive no oceano **3** *Fig.* Que tem as qualidades do oceano: "... que demora na oceânica cidade do Rio de Janeiro – a mais bela do mundo..." (Mário de Andrade, *Macunaíma*) [F.: *ocean(o)*+ *-ico*.]

oceânico² (o.ce:*â*.ni.co) *a.* **1** Da Oceania, típico desse continente ou de seus povos *sm.* **2** Pessoa nascida ou que vive na Oceania

oceânides (o.ce.*â*.ni.des) *sfpl. Mit.* Na mitologia grega, as ninfas ou divindades do mar, filhas de Oceano e Tétis [F.: Do lat. *oceanides, ae* (do gr. *okeanís, ídos*).]

oceano (o.ce:*a*.no) *sm.* **1** Extensão de água salgada que cobre três quartos da superfície da Terra **2** Cada uma das porções dessa extensão, em diferentes regiões da Terra (oceano Pacífico, oceano Atlântico, oceano Índico, oceano Glacial Ártico, oceano Glacial Antártico) **3** O mar em geral, em qualquer parte: "Malditas ideias fixas! A dessa ocasião era dar um mergulho no oceano, repetindo o nome de Marcela" (Machado de Assis, *Memórias póstumas de Brás Cubas*) **4** *Fig.* Grande quantidade de qualquer coisa [F.: Do lat. *oceanus, i*.]

> 📖 Os oceanos cobrem quase ¾ da superfície terrestre, mais de 360 milhões de km², e, considerando sua profundidade e a enorme massa de água que os constitui, pode-se entender o potencial que representam como fonte de alimentação e de energia. Embora a massa de água seja contínua, ela se divide em 3 oceanos principais, diferenciados por suas características (temperatura, relevo, salinidade etc.): o Atlântico, que se estende de norte a sul entre o litoral oriental das Américas, a Europa e o litoral ocidental da África; o Pacífico, também de norte a sul, entre a costa ocidental das Américas, o extremo oriental da Ásia e o norte da Austrália; e o Índico, no hemisfério sul, entre a costa oriental da África, o sul da Ásia e o sudoeste da Austrália. Há quem chame de oceanos também as águas glaciais do Ártico e da Antártica. A fauna dos oceanos é riquíssima, e constitui-se em importante reserva alimentícia para a humanidade

oceanografia (o.ce:a.no.gra.*fi*:a) *sf.* Ciência que se dedica ao estudo dos mares e oceanos, de suas características físicas, climáticas, biológicas; TALASSOGRAFIA [F.: *oceano* + *-grafia*.] ▪ **~ biológica** *Oc.* Estudo das formas de vida no oceano e nas bacias oceânicas **~ física** *Oc.* Estudo das propriedades e dos fenômenos físicos do meio oceânico e das bacias oceânicas **~ geológica** *Geol. Oc.* Estudo das rochas e dos aspectos geológicos do meio oceânico e das bacias oceânicas **~ química** *Oc. Quím.* Estudo das propriedades e dos fenômenos químicos do meio oceânico e das bacias oceânicas

oceanográfico (o.ce:a.no.*grá*.fi.co) *a.* Ref. a oceanografia [F.: *oceanograf(ia)*+ *-ico*.]

oceanógrafo (o.ce:a.*nó*.gra.fo) *sm.* Aquele que se dedica à oceanografia [F.: *oceano* + *-grafo*.]

oceanologia (o.ce.a.no.lo.*gi*.a) *sf. Oc.* Grupo de disciplinas científicas que estuda os fenômenos biológicos e geológicos de mares e oceanos [F.: *oceano* + *-logia*.]

oceanológico (o.ce.a.no.*ló*.gi.co) *a. Oc.* Ref. a oceanologia [F.: *oceanologi(a)* + *-ico*.]

oceanólogo (o.ce.a.*nó*.lo.go) *sm. Oc.* Especialista em oceanologia [F.: *oceano* + *-logo*.]

ocelado (o.ce.*la*.do) *a.* Que possui ocelos; dotado de pequenos olhos, ou de manchas em forma de olhos; OCELÍFERO; OCÉLEO [F.: *ocel(i)-* + *-ado¹*.]

océleo (o.*cé*.le:o) *a.* O mesmo que *ocelado* [F.: *ocelo* + *-eo*.]

◎ **ocel(i)-** *el. comp.* = 'pequeno olho'; 'ocelo': *ocelado, océleo, ocelífero* [F.: Do lat. *ocellus, i*.]

ocelífero (o.ce.*lí*.fe.ro) *a.* O mesmo que *ocelado* [F.: *ocel(i)-* + *-ífero*.]

ocelo (o.*ce*.lo) *sm.* **1** Pequeno olho **2** *Zool.* Mancha arredondada na forma de um pequeno olho ou desenho de círculos superpostos e de cores distintas, como a dos pelos da onça ou das penas do pavão **3** *Anat. Zool.* Olho simples dos artrópodes e de outros invertebrados; ESTEMA [F.: Do lat. *ocellus, i*.]

ochozuma (o.cho.*zu*.ma) *sm. Etnol. Hist.* Indivíduo dos ochozumas, povo de língua aruaque que vivia nos Andes bolivianos

ocidental (o.ci.den.*tal*) *a2g.* **1** Situado no Ocidente (Europa ocidental) **2** Ref. ao Ocidente; típico dos países do Ocidente ou de seus povos (civilização ocidental) **3** Originário do Ocidente: *Vestiam trajes ocidentais.* *s2g.* **4** Pessoa nascida ou que vive no Ocidente ou que se identifica mais com seus valores e seu modo de vida [Pl.: *-tais*.] *sm.* **5** *Ling.* Língua artificial criada em 1922 pelo estoniano Edgar von Wahl (1867-1948), oficial da marinha russa e matemático, e rebatizada de *Interlingue* em 1947 [F.: Do lat. *occidentalis, e*. Ant. ger.: *oriental*.]

ocidentalidade (o.ci.den.ta.li.*da*.de) *sf.* O conjunto das características sociais, culturais etc. que são próprias do mundo ocidental [Cf.: *orientalidade*.] [F.: *ocidental* + *-idade*.]

ocidentalismo (o.ci.den.ta.*lis*.mo) *sm.* **1** *Antq.* Conjunto dos conhecimentos relativos ao ocidente da Europa **2** Conjunto de traços, costumes, disposições supostamente comuns às culturas ocidentais e a seus povos **3** *Pol.* Tendência a preferir e privilegiar os valores culturais, políticos e econômicos do Ocidente em prejuízo dos do Oriente [F.: *ocidental* + *-ismo*.]

ocidentalista (o.ci.den.ta.*lis*.ta) *s2g.* **1** *Antq.* Aquele que se dedica de modo especial ao estudo das línguas, das literaturas e das civilizações da Europa Ocidental *a2g.* **2** Ref. ao ocidentalismo **3** Que preconiza o ocidentalismo (3) *s2g.* **4** Aquele que preconiza o ocidentalismo [F.: *ocidental* + *-ista*.]

ocidentalização (o.ci.den.ta.li.za.*ção*) *sf.* Ação ou resultado de ocidentalizar(-se), adaptar-se à cultura ou aos costumes dominantes no Ocidente: *A ocidentalização japonesa preserva as peculiaridades da cultura de sua terra.* [Pl.: *-ções*.] [F.: *ocidentaliza(r)* + *-ção*.]

ocidentalizado (o.ci.den.ta.li.*za*.do) *a.* Que se ocidentalizou; que adquiriu modos, costumes ou formas de comportamento típicas do mundo ocidental [Cf.: *orientalizado*.] [F.: Part. de *ocidentalizar*.]

ocidentalizante (o.ci.den.ta.li.*zan*.te) *a2g.* Que concorre ou contribui para um processo de ocidentalização [Cf.: *orientalizante*.] [F.: *ocidentaliza(r)* + *-nte*.]

ocidentalizar (o.ci.den.ta.li.*zar*) *v. td.* Adequar-se ou acomodar-se de acordo com a cultura, com os hábitos e costumes dos países do Ocidente: *ocidentalizar os costumes; A moda japonesa ocidentalizou-se.* [▶ **1 ocidentalizar**] [F.: *ocidental* + *-izar*.]

ocidente¹ (o.ci.*den*.te) *sm.* Lado do horizonte onde o sol se põe; POENTE; OESTE; OCASO [F.: Do lat. *occidens, entis*.]

ocidente² (o.ci.*den*.te) *sm.* **1** Conjunto de todas as regiões e países localizados na parte do globo terrestre que se acha do lado onde o sol se põe: "Outra folha minha atira ao Ocidente..." (Fernando Pessoa, *Poesias de Álvaro de Campos*) **2** Us. para se referir à Europa ocidental, setentrional e meridional, aos Estados Unidos e ao Canadá: *as relações entre o Irã e o Ocidente.* [F.: Do lat. *occidens, entis*. Com inicial maiúsc. nas duas acps. Ant. ger.: *Oriente*.]

ocíduo (o.*cí*.du.o) *a.* **1** Ref. a ou que habita ou se situa no ocidente; OCIDENTAL [Ant.: *oriental*.] **2** *Fig.* Que se dirige para o ocaso, para o fim [F.: Do lat. *occidus, a, um*.]

ócio (*ó*.ci:o) *sm.* **1** Repouso, folga, suspensão do trabalho; LAZER; VAGAR **2** Lapso de tempo em que se descansa **3** Ociosidade, falta de ocupação **4** *P. ext.* Moleza, preguiça; MANDRIICE; VAGABUNDAGEM; INDOLÊNCIA **5** *Fig.* Trabalho mental ou ocupação do espírito que não exige grandes lucubrações [F.: Do lat. *otium, i*. Ant. ger.: *atividade, trabalho*.]

ociosidade (o.ci:o.si.*da*.de) *sf.* **1** Característica ou condição de quem se entrega ao ócio; INATIVIDADE: "...era um dom, essa preferência pelo luxo e pela ociosidade" (Lúcio Cardoso, *Crônica da casa assassinada*) **2** Preguiça, falta de disposição; INDOLÊNCIA; PREGUIÇA [F.: Do lat. *otiositas, atis*.]

ocioso (o.ci:*o*.so) [ô] *a.* **1** Que se acha sem trabalho ou ocupação (funcionários ociosos); INATIVO **2** Que tem preguiça e não trabalha; INDOLENTE; VAGABUNDO; MANDRIÃO **3** Diz-se de tempo em que não se tem o que fazer (tardes ociosas) **4** Inútil, estéril, que não leva a nada (conversa ociosa, conselho ocioso) **5** Que se acha parado, sem aproveitamento, e é potencialmente mobilizável; que está sendo pouco utilizado (máquina ociosa, mão de obra ociosa) *sm.* **6** Pessoa desocupada ou vadia [Pl.: [*ó*]. Fem.: [*ó*].] [F.: Do lat. *otiosus, a, um*.]

ocipital (o.ci.pi.*tal*) *a2g. sm. Anat.* Ver *occipital* [Pl.: *-tais*.] [F.: Do lat. medv. *occipitalis*.]

ocisão (o.ci.*são*) *sf. P. us.* Ação de matar, de assassinar; ASSASSINATO; ASSASSÍNIO; HOMICÍDIO; TRUCIDAÇÃO [Pl.: *-sões*.] [F.: Do lat. *occisione*.]

ocisivo (o.ci.*si*.vo) *P. us. a.* **1** Que mata, que assassina **2** Que é seguido de morte [F.: Do lat. *occsisu*.]

◎ **oclo-** *el. comp.* = 'multidão', 'turba': *oclofilia, oclófilo, oclofobia, oclófobo* [F.: Do gr. *ókhlos, ou*.]

oclofilia (o.clo.fi.*li*.a) *sf. Psiq.* Gosto por multidão; forte atração por grande número de gente reunida [Cf.: *oclofobia*.] [F.: *oclo-* + *-filia¹*.]

oclofílico (o.clo.*fí*.li.co) *Psiq. a.* **1** Ref. a oclofilia **2** Diz-se de indivíduo que tem oclofilia; OCLÓFILO *sm.* **3** Esse indivíduo; OCLÓFILO [F.: *oclofilia* + *-ico²*.]

oclófilo (o.*cló*.fi.lo) *a. sm. Psiq.* O mesmo que *oclofílico* (2 e 3) [F.: *oclo-* + *-filo¹*.]

oclofobia (o.clo.fo.*bi*.a) *sf. Psiq.* Aversão a multidão [Cf.: *oclofilia*.] [F.: *oclo-* + *-fobia*.]

oclofóbico (o.clo.*fó*.bi.co) *Psiq. a.* **1** Ref. a oclofobia **2** Diz-se de indivíduo que sofre de oclofobia; OCLÓFOBO *sm.* **3** Esse indivíduo; OCLÓFOBO [F.: *oclofobia* + *-ico²*.]

oclófobo (o.*cló*.fo.bo) *a. sm. Psiq.* O mesmo que *oclofóbico* (2 e 3) [F.: *oclo-* + *-fobo*.]

ocluir (o.clu.*ir*) *v. td.* **1** Provocar a oclusão de **2** Fixar (gás) no meio de massa metálica [▶ **56 ocluir**] [F.: Do lat. *occludere*.]

oclusal (o.clu.*sal*) *a2g. Od.* Diz-se da superfície dentária que toca a do outro maxilar, quando os maxilares se fecham [Pl.: *-sais*.] [F.: *oclus(o)* + *-al*.]

oclusão (o.clu.*são*) *sf.* **1** Ação ou resultado de obstruir, fechar; FECHAMENTO; OBSTRUÇÃO **2** Obliteração, escurecimento, estreiteza, limitação: "A sua oclusão mental não fora capaz de me julgar..." (Lima Barreto, *Recordações do escrivão Isaías Caminha*) **3** *Astron.* Ocultação momentânea de um astro **4** *Med.* Obliteração de orifício, canal ou interior de um órgão **5** *Med.* Interrupção passageira da corrente de ar provinda dos pulmões **6** *Od.* Contato dos dentes do maxilar superior e do inferior quando a boca está fechada ou durante a mastigação; modo como os dentes superiores e inferiores entram em contato **7** *Ling.* Fechamento do trato vocal para a produção de determinados sons: *As consoantes oclusivas são produzidas mediante um processo de oclusão.* [Pl.: *-sões*.] [F.: Do lat. tard. *occlusio, onis*. Ideia de 'oclusão': *ob-* (*obstar, obturar*).] ▪ **~ intestinal** *Pat.* Ver *Obstrução intestinal*

oclusiva (o.clu.*si*.va) *sf. Fon.* Red. de consoante oclusiva [F.: Fem. substv. de *oclusivo.*]

oclusivo (o.clu.*si*.vo) *a.* **1** Que está fechado: *Um curativo pode ser aberto ou oclusivo.* *a.* **2** Que provoca oclusão, fechamento (movimento oclusivo, consoante oclusiva) [F.: Do lat. *occlusus, a, um* + *-ivo.*]

ocluso (o.*clu*.so) *a.* Em que há oclusão; que se encontra fechado; OBSTRUÍDO; OCLUÍDO [F.: Do lat. *occlusus, a, um.*]

oclusor (o.clu.*sor*) [ô] *a.* **1** Que provoca oclusão; que fecha ou tampa uma abertura *sm.* **2** Aquilo que fecha ou tampa uma abertura [F.: *oclus(o)* + *-or.*]

oco (*o*.co) [ô] *a.* **1** Vazio por dentro, sem nada internamente (árvore oca) [Ant.: *cheio*] **2** Destituído de significado, vazio: "Eis os pais de nosso barroco, / de ventre solene mas oco..." (João Cabral de Melo Neto, *Quaderna*) **3** Fútil, que não tem nada de valor em seu interior (cabeça oca, vida oca); VAZIO *sm.* **4** *Bras.* Lugar vazio, sem nada dentro; parte interior desprovida de seu enchimento (o oco da árvore) *sm.* **5** *Bras.* Lugar desabitado [F.: Dev. de *ocar.*] ■ **~ do mundo** *Bras.* Lugar muito afastado, longínquo; fim do mundo **Cair no ~ do mundo** *Bras. Pop.* Fugir **Entupir no ~ do mundo** *AL Pop.* Fugir

ocorrência (o.cor.*rên*.ci:a) *sf.* **1** Ação ou resultado do que ocorre ou acontece; ACONTECIMENTO: *O inspetor disse que tinha de registrar a ocorrência.* **2** Ocasião, circunstância **3** Presença, existência: *Era notória a ocorrência de antas no local.* [F.: *ocorr(er)*+ *-ência.*]

ocorrente (o.cor.*ren*.te) *a2g.* Que ocorre, que acontece, sucede; SUPERVENIENTE; SOBREVENIENTE [F.: Do lat. *occurens, entis.*]

ocorrer (o.cor.*rer*) *v.* **1** Suceder um fato, evento, uma notícia etc. [*int.*: *Com a chegada do verão ocorre uma mudança de hábitos na população.*] [*ta.*: *A viagem ocorrerá no mês de dezembro.*] [*ti.* + *a*: *O professor responsabiliza-se pelo que ocorreu ao aluno.*] **2** Vir ao pensamento, à memória [*ti.* + *a*: *Ocorreu-lhe a ideia de se libertar.*] [*int.*: *não ocorria alternativa.*] **3** *Litu.* Acontecer no mesmo dia várias festas religiosas [*int.*] **4** Aparecer, afluir a algum lugar [*ta.*: *Os americanos ocorreram à praia para ver o banho à fantasia.*] **5** Acudir, auxiliar um doente [*ti.* + *a*: *Ocorreu com dedicação ao paciente.*] **6** Acontecer, suceder subitamente [*int.*: *Quando tudo parecia resolvido ocorreu outra briga.*] [▶ 2 ocorrer] [F.: Do lat. *occurrere.*]

ocorrido (o.cor.*ri*.do) *a.* **1** Que ocorreu, que sucedeu: *Descreveu-me todo o caso ocorrido com ela.* *sm.* **2** Aquilo que ocorreu, que sucedeu; ACONTECIMENTO [F.: Part. de *ocorrer.*]

⊠ **OCR** **1** *Inf.* Abrev. de **O**ptical **C**haracter **R**ecognition (reconhecimento óptico de caracteres), tecnologia utilizada para identificar caracteres conservados no formato de imagem digitalizada e convertê-los em caracteres eletrônicos que podem ser armazenados no formato de texto. Essa tecnologia permite que um texto originalmente impresso em papel e previamente digitalizado por meio de um *scanner* ou de uma máquina fotográfica digital seja rapidamente convertido em formato eletrônico, podendo assim ser gravado em um arquivo de texto e retrabalhado sem que o usuário precise digitar manualmente (o que seria mais demorado) o texto original *sm.* **2** *Inf.* Programa de computador que utiliza essa tecnologia e que permite converter caracteres presentes em imagens em um arquivo de texto

ocra (*o*.cra) *sf.* Ver *ocre*

ocre (*o*.cre) *sm.* **1** Argila tonalizada por óxido de ferro amarelo, vermelho ou marrom, e us. como corante **2** A cor dessa argila *a2g2n.* **3** Que é dessa cor (pisos ocre, parede ocre) [F.: Do grego ōchra através do lat. Tb. *ocra.*]

◎ **ocr(o)-** *el. comp.* = 'amarelo pálido', 'pardacento': *ocrodermia* [F.: Do gr. *okhrós, á, ón.*]

ocrodermia (o.cro.der.*mi*.a) *sf. Med.* Tonalidade pálida ou amarelada da pele [F.: *ocr(o)-* + *-dermia.*]

◎ **octa-** *el. comp.* Ver *oct(o)-*

octã (oc.*tã*) *sf. Pat.* Red. de *febre octã* [Tb. se usa apositivamente.] [F.: Do lat. *octana.*]

octacampeão (oc.ta.cam.pe.*ão*) *a.* **1** Que foi campeão pela oitava vez (atleta, clube etc.) [Pl.: *-ões.* Fem.: *octacampeã.*] *sm.* **2** Esportista, clube, escola de samba etc. que foi campeão pela oitava vez, consecutiva ou não [Pl.: *-ões.* Fem.: *octacampeã.*] [F.: *octa-* + *campeão.* Tb. *octocampeão.*]

octacampeonato (oc.ta.cam.pe:o.*na*.to) *sm.* Campeonato conquistado pela oitava vez, em vezes consecutivas ou não [F.: *octa-* + *campeonato.* Tb. *octocampeonato.*]

octaédrico (oc.ta.*é*.dri.co) *Geom. a.* **1** Ref. a octaedro **2** Que tem a forma de um octaedro [F.: *octaedro* + *-ico*[2].]

octaedro (oc.ta.*e*.dro) [é] *sm. Geom.* Poliedro de oito faces [F.: Do gr. *oktáedros, on.*]

octagenário (oc.ta.ge.*ná*.ri:o) *a. sm.* Ver *octogenário*

octágono (oc.*tá*.go.no) *sm. Geom.* Ver *octógono*

octana (oc.*ta*.na) *sf. Quím.* Líquido incolor (hidrocarboneto saturado com oito átomos de carbono) existente no petróleo e us. como solvente [F.: Do ingl. *octane.* Tb. *octano.*]

octanagem (oc.ta.*na*.gem) *sf. Quím.* Quantidade de octanos; capacidade que têm os vários tipos de gasolina de resistir à compressão sem chegar à autoignição [Pl.: *-gens.*] [F.: *octana* ou *octano* + *-agem*[2].]

octangular (oc.tan.gu.*lar*) *a2g. Geom.* Que tem oito ângulos e por oito lados; OCTOGONAL; OCTÓGONO [F.: *oct(o)-* + *angular.*]

octano (oc.*ta*.no) *sm. Quím.* Ver *octana.*

octeto (oc.*te*.to) [ê] *sm.* **1** *Mús.* Música composta para oito instrumentos **2** *Mús.* Conjunto que reúne oito participantes **3** *Inf.* *Byte* que compreende oito *bits* [F.: *oct(o)-* + *-eto*[3].]

octil (oc.*til*) *sm. Quím.* Ver *alquila* [Pl.: *-tis.*] [F.: Do ingl. *octyl.*]

octilhão (oc.ti.*lhão*) *num. Mat.* Mil setilhões; 10 elevado a 27ª potência; OCTILIÃO [Pl.: *-lhões.*] [F.: *oct(o)-* + *-ilhão.*]

octilião (oc.ti.li *ão*) *num. Mat.* O mesmo que *octilhão* [F.: *oct(o)-* + *-ilião.*]

octingentésimo (oc.tin.gen.*té*.si.mo) *num.* **1** Ordinal que, em uma sequência, corresponde ao número oitocentos: *Ficou em octingentésimo lugar.* *a.* **2** Diz-se de parte ou parcela que é oitocentas vezes menor que a unidade ou um todo: *a octingentésima parte da produção.* *sm.* **3** Cada uma das oitocentas partes ou parcelas iguais em que uma unidade ou todo se divide: *Um octingentésimo da população do país emigrou.* [F.: Do lat. *octingentesimus, a, um.*]

◎ **oct(o)-** *el. comp.* = 'oito': *octaedro* (< gr.), *octacampeã, octocampeã, octacampeão, octocampeão, octagenário, octogenário, octágono, octógono, octopétalo, octoploide, octossílabo* (< lat.) [F.: Do gr. *okto-* (como no gr. *oktodáktylos, os, on*, 'com oito dedos de espessura') ou *okta-* (como no gr. *oktadáktylos, os, on*, 'que tem oito dedos'), ambos do gr. *oktṓ*, 'oito', indeclinável, donde o lat. *octo*, tb. indeclinável. Observe que, embora as formas em *octa-* sejam muito ou (por vezes) mais usuais, há certa tendência a julgar preferíveis, no port., as formas em *octo-*; o padrão grego, entretanto, parece valer-se tanto de formas em *octo-* como em *octa-* (esta também transportada a palavras latinas, como, p. ex., em *oktastylos, on*, 'que tem oito colunas na fachada'), o que se pode ver nos dois primeiros exemplos citados. No caso de *octógono*, p. ex., embora a f. grega existente seja *oktágonos, os, on* (e o 2º elemento seja helênico), e existam vários registros de *octágono*, a única forma até então atestada pelo Volp é *octógono.*]

octocampeã (oc.to.cam.pe.*ã*) *a. sf.* Ver *octacampeã*

octocampeão (oc.to.cam.pe.*ão*) *a. sm.* Ver *octacampeão*

octocampeonato (oc.to.cam.pe:o.*na*.to) *sm.* Ver *octacampeonato*

octodáctilo (oc.to.*dác*.ti.lo) *a.* Ver *octodátilo*

octodátilo (oc.to.*dá*.ti.lo) *a. Anat. Zool.* Que tem oito dedos [F.: Do gr. *oktodáktylos, os, on*, ou de *oct(o)-* + *-dátilo.* Tb. *octodáctilo.*]

octogenário (oc.to.ge.*ná*.ri:o) *a.* **1** Diz-se de indivíduo ou coisa que tem entre 80 e 89 anos *sm.* **2** Aquele que tem entre 80 e 89 anos; OITENTÃO [F.: Do lat. *octogenarius, a, um.* Tb. *octagenário.*]

octogésimo (oc.to.*gé*.si.mo) *num.* **1** Ordinal que, numa sequência, corresponde ao número oitenta: *Classificou-se na octogésima colocação.* *a.* **2** Diz-se de parte ou parcela que é oitenta vezes menor que a unidade ou um todo: *a octogésima parte da população.* *sm.* **3** Cada uma das oitenta partes ou parcelas iguais em que uma unidade ou um todo se divide: *Já cumpriu um octogésimo da pena.* [F.: Do lat. *octogesimus, a, um.*]

octogonal (oc.to.go.*nal*) *Geom. a2g.* **1** Que tem oito ângulos e oito lados; OCTÓGONO; OCTANGULAR **2** Que tem a forma de um polígono de oito lados; OITAVADO **3** Que tem a base em forma de octógono (1); OCTÓGONO [Pl.: *-nais.*] [F.: *octógono* + *-al*[1].]

octógono (oc.*tó*.go.no) *sm.* **1** *Geom.* Polígono de oito lados *a.* **2** *Geom.* O mesmo que *octogonal* (1 e 3) [F.: *oct(o)-* + *-gono.* Tb. *octágono* (ver).]

octonado (oc.to.*na*.do) *a.* Que se acha dividido em grupos de oito (turmas octonadas) [F.: De *octon-*, do lat. *octoni, ae, a*, 'oito de cada vez', + *-ado*[1].]

octopétalo (oc.to.*pé*.ta.lo) *a. Bot.* Diz-se de corola ou flor que tem oito pétalas [F.: *oct(o)-* + *-pétalo.*]

octoploide (oc.to.*ploi*.de) *a2g. Gen.* Que tem células com um número oito vezes maior de cromossomos do que uma célula haploide [F.: *oct(o)-* + *-ploide.*]

octópode[1] (oc.*tó*.po.de) *a2g. Zool.* Que tem oito pés ou tentáculos [F.: *oct(o)-* + *-pode.*]

octópode[2] (oc.*tó*.po.de) *Zool. sm.* **1** Espécime dos octópodes, ordem de moluscos cefalópodes, a que pertencem os polvos *a2g.* **2** *Zool.* Ref. ou pertencente aos octópodes [F.: Adaptç. do lat. cient. *Octopoda.*]

⊕ **octopus** (*Lat.* /*óctopus*/) *sm. Zool.* Polvo

octossilábico (oc.tos.si.*lá*.bi.co) *a.* O mesmo que *octossílabo* (1) [F.: *octossílabo* + *-ico*[2].]

octossílabo (oc.tos.*sí*.la.bo) *a.* **1** Que tem oito sílabas; OCTOSSILÁBICO *sm.* **2** Palavra ou verso de oito sílabas [F.: Do lat. *octosyllabus, a, um.*]

octuplicado (oc.tu.pli.*ca*.do) *a.* Que foi multiplicado por oito (patrimônio octuplicado) [F.: Part. de *octuplicar.*]

octuplicar (oc.tu.pli.*car*) *v.* Multiplicar(-se) por oito; tornar(-se) oito vezes maior [*td.*: *Com o acerto dos investimentos, octuplicou sua fortuna.*] [*int.*: *Os investimentos octuplicaram(-se).*] [▶ 11 octuplicar] [F.: Do v.lat. *octuplicare.*]

óctuplo (*óc*.tu.plo) *num.* **1** Que é oito vezes a quantidade ou tamanho de um *sm.* **2** Quantidade ou tamanho oito vezes maior [F.: Do lat. *octuplus, a, um.*]

ocular[1] (o.cu.*lar*) *sf. Ópt.* Em um instrumento óptico, lente que fica perto do olho do observador e através da qual se pode observar a imagem formada pela lente objetiva [F.: Fem. substv. de *ocular.*] ■ **~ negativa** *Ópt.* Aquela formada por duas lentes, uma próxima e outra afastada do olho do observador. A imagem forma-se entre as lentes, e por isso essa ocular não se aplica à observação de objetos reais **~ ortoscópica** *Ópt.* Ocular positiva acromática, que proporciona grande aumento da imagem e do campo visual **~ positiva** *Ópt.* Aquela formada por duas lentes, uma próxima e outra mais afastada do olho do observador, formando-se a imagem atrás dela; adequada para observar objetos reais

ocular[2] (o.cu.*lar*) *a2g.* Ref. a olho ou a visão (globo ocular, testemunha ocular) [F.: Do lat. *ocularis, e.*]

◎ **ocul(i)-** *el. comp.* = 'olho': *ocular* (< lat.), *oculiforme, oculista*; *oculomotor, oculovisual* [F.: Do lat. *oculus, i*, 'olho'; 'qualquer objeto em forma de olho', etc.]

oculiforme (o.cu.li.*for*.me) *a2g.* Que tem forma semelhante a de um olho [F.: *ocul(i)-* + *-forme.*]

oculista (o.cu.*lis*.ta) *s2g.* **1** Ver *oftalmologista* **2** Pessoa que monta, fabrica ou vende óculos [F.: Do lat. *ocul(o)*+ *-ista.*]

◎ **oculo-** *el. comp.* Ver *ocul(i)-*

óculo (*ó*.cu.lo) *sm.* **1** Qualquer instrumento óptico provido de lente de aumento, para ampliar a visão **2** Ver *luneta* (2) **3** *Arq.* Abertura circular ou oval em uma parede, para passagem da luz ou do ar; OLHO [F.: Do lat. *oculus, i.*] ■ **~ de inspeção** *Lus.* Olho mágico

oculomotor (o.cu.lo.mo.*tor*) [ô] *Anat. a.* **1** Diz-se de nervo que faz movimentar o globo ocular *sm.* **2** Nervo que faz movimentar o globo ocular [Anteriormente denominado *motor-ocular.*] [F.: *oculo-* + *-motor.*]

óculos (*ó*.cu.los) *smpl.* Objeto us. para corrigir e proteger a visão, ger. feito de duas lentes sustentadas por uma armação que se apoia sobre o nariz e as orelhas; LUNETAS [F.: Pl. de *óculo.* Nota: A palavra é *pluralia tantum*; deve-se dizer 'os óculos', 'meus óculos' etc.]

oculoso (o.cu.*lo*.so) [ô] *a.* Ver *ocelado* [Pl.: [ó]. Fem.: [ó].] [F.: Do lat. *oculosus, a, um.*]

ocultação (o.cul.ta.*ção*) *sf.* **1** Ação ou resultado de ocultar, esconder (ocultação da verdade, ocultação de cadáver); ENCOBRIMENTO **2** Disfarce, dissimulação **3** *Astron.* Desaparecimento momentâneo de um astro por interposição da Lua ou de um planeta entre ele e o observador [Pl.: *-ções.*] [F.: Do lat. *occultatio, onis.*]

ocultado (o.cul.*ta*.do) *a.* **1** Que se ocultou **2** Que se escondeu ou foi escondido **3** Que não se revelou, que não se informou (bens ocultados); SONEGADO **4** Disfarçado, dissimulado: "Natureza das pessoas é caminho ocultado no estudo de se desentender." (João Guimarães Rosa, "Bicho mau" *in Estas estórias*) [F.: Part. de *ocultar.* Ant. ger.: *mostrado, revelado.*]

ocultamento (o.cul.ta.*men*.to) *sm.* Ação ou resultado de ocultar (alguém ou algo); OCULTAÇÃO: "O silêncio começava a ser uma forma de ocultamento. Quase de mentira." (Ana Maria Machado, *A audácia dessa mulher*) [F.: *oculta(r)* + *-mento.*]

ocultar (o.cul.*tar*) *v.* **1** Encobrir-se, não se deixar ver, não revelar [*tda.*: *Ocultou as joias no cofre.*] [*tdi.* + *de*: *Ocultou do marido sua decisão.*] [*tdr.* + *de*: *O ladrão ocultou-se da polícia.*] **2** Não demonstrar seus sentimentos, disfarçar [*tdi.* + *a, para*: *Ocultava seus verdadeiros sentimentos ao namorado.*] **3** Sonegar ou deixar de declarar bens ou propriedades [*td.*: *ocultar os bens.*] [▶ 1 ocultar] [F.: Do lat. *occultare.* Hom./Par.: *oculto* (fl.), *oculto* (a.).]

ocultas (o.*cul*.tas) *sfpl.* Us. na loc. adv. às ocultas [F.: Pl. do fem. substv. do adj. *oculto.* Hom./Par.: *ocultas* (sfpl.), *ocultas* (fl. de *ocultar*).] ■ **Às ~** De maneira oculta; às escondidas; ocultamente

ocultável (o.cul.*tá*.vel) *a2g.* Que pode ser ocultado (segredos ocultáveis) [Pl.: *-veis.*] [F.: *oculta(r)* + *-vel.*]

ocultismo (o.cul.*tis*.mo) *sm.* Estudo das artes divinatórias e dos fenômenos ditos sobrenaturais, como a comunicação com os mortos, a telecinesia, a telepatia, a levitação, a magia, a astrologia; CIÊNCIAS OCULTAS; HERMETISMO; ESOTERISMO [F.: *ocult(o)*+ *-ismo.*]

ocultista (o.cul.*tis*.ta) *a2g.* **1** Ref. a ocultismo **2** Que se ocupa de ocultismo *s2g.* **3** Pessoa que se ocupa de ocultismo [F.: *ocult(o)*+ *-ista.*]

oculto (o.*cul*.to) *a.* **1** Que se acha escondido; ENCOBERTO: "A princípio oculta / no bolso da calça, /quem o saberia?" (Carlos Drummond de Andrade, "A mão suja" *in José*) [Ant.: *manifesto, ostensivo.*] **2** Desconhecido, inexplorado (terras ocultas) **3** *Gram.* Diz-se do sujeito da frase que não é expresso, mas é indicado pela terminação do verbo (p. ex., em "Fomos ao mercado", o sujeito "nós" é um sujeito oculto.) **4** Que é misterioso, sobrenatural (fenômeno oculto): "Não procures nem creias: tudo é oculto" (Fernando Pessoa, "Natal" *in Cancioneiro*) **5** Recôndito, irrevelado; SECRETO [F.: Do lat. *occultus, a, um.*]

ocupação (o.cu.pa.*ção*) *sf.* **1** Ação ou resultado de ocupar(-se) **2** Tomada de posse ou invasão de um lugar: *a ocupação das terras improdutivas/ a ocupação da capital pelas tropas estrangeiras.* **3** Atividade, trabalho; SERVIÇO: *Nunca deixou de ter ocupação.* **4** Preenchimento de função ou cargo [Pl.: *-ções.*] [F.: Do lat. *occupatio, onis.*]

ocupacional (o.cu.pa.ci:o.*nal*) *a2g.* Ref. a ocupação, a trabalho (terapia ocupacional) [Pl.: *-nais.*] [F.: *ocupação* + *-al.*]

ocupado (o.cu.*pa*.do) *a.* **1** Que se ocupa, que tem o que fazer **2** *P. ext.* Que se ocupa ou trabalha demais: *Está sempre ocupado.* **3** Diz-se de período de muito trabalho: *Tiveram a tarde toda ocupada.* **4** Preenchido, tomado, ou sendo utilizado (telefone ocupado, cargo ocupado, cadeira ocupada, banheiro ocupado) **5** Invadido, dominado: "Sou um homem marcado.../Em país ocupado / Pelo estrangeiro..." (Joaquim Cardozo, *Signo estrelado*) **6** *Pop. Antq.* Diz-se da mulher grávida [F.: Do lat. *occupatus, a, um.*]

ocupador (o.cu.pa.*dor*) [ô] *P. us.* ***a.*** **1** Que ocupa **2** Que toma posse de terras públicas **3** Que se assenhoreia de objeto abandonado e não reclamado ***sm.*** **4** *P. us.* Aquele que ocupa **5** *P. us.* Ocupante de terras públicas **6** *P. us.* Indivíduo que se assenhoreia de coisa abandonada e não reclamada [F.: *ocupa(r)* + *-dor.* Sin. ger.: *ocupante.*]

ocupante (o.cu.*pan*.te) ***a2g.*** **1** Que ocupa **2** Que está em posse de terras públicas **3** Que toma posse de local abandonado ou não apropriado ***s2g.*** **4** Pessoa que ocupa **5** Pessoa que está em posse de terras públicas **6** Pessoa que toma posse de local abandonado ou não apropriado [F.: Do lat. *occupans, antis*, part. pres. de *occupare.* Sin. ger.: *ocupador.*]

ocupar (o.cu.*par*) ***v.*** **1** Preencher, tomar (espaço, lugar) [***td.***: *A enciclopédia ocupa toda a prateleira superior.*] **2** Desempenhar (cargo, função, posição) [***td.***: *Foi a primeira mulher a ocupar a presidência do Chile.*] **3** Habitar, usar (espaço, lugar) [***td.***: *Ocupou o apartamento durante anos; Só ocupavam a casa nos feriados e domingos.*] **4** Utilizar (espaço, aparelho) de forma exclusiva, impedindo-lhe o uso pelos outros [***td.***: *Ocupou o telefone durante horas.*] **5** Tomar, capturar militarmente [***td.***: *Os invasores ocuparam Bagdá.*] **6** Despertar a atenção de [***td.***: *A briga do casal ocupou a atenção da vizinhança.*] **7** Gastar, levar certo período de tempo [***td.***: *As aulas ocupavam todo o seu dia.*] **8** Dedicar-se a, cuidar de [***tr.*** + *de*: *Ocupava-se das compras e o irmão cozinhava.*] [***tdr.*** + *com*: *Ocupavam as horas livres com a paquera.*] **9** Empregar, utilizar [***td.***: *A preparação das fantasias ocupava dez costureiras.*] **10** Dedicar-se com afeto; demonstrar cuidados com [***tdi.*** + *de*: *Ocupava-se do doente dia e noite.*] **11** Ter por objetivo [***tr.*** + *em*: *Ocupara-se em transmitir as notícias.*] [▶ **1 ocupar**] [F.: Do lat. *occupare.*]

⊕ **od** (*Al.* /Ód/) ***sm.*** Suposta força que se difundiria pela natureza e por todos os indivíduos, produzindo fenômenos como o magnetismo, o hipnotismo etc. [F.: Do al. *Od*, palavra criada pelo barão Carl-Ludwig von Reinchenberg (1799-1869), filósofo naturalista alemão.]

odalisca (o.da.*lis*.ca) ***sf.*** **1** Mulher que faz parte de um harém: "... com um orgulho de califa impotente, porém atento, a remeter a filho distante a mais famosa odalisca enrolada numa alfombra." (Antonio Callado, *Bar Don Juan*) **2** Na Turquia, mulher encarregada de servir as mulheres de um sultão **3** *P. ext.* Mulher morena e atraente [F.: Do fr. *odalisque*, deriv. do turco *ôdaliq.*]

ode (o.de) [ó] ***sf.*** **1** *Poét.* Poema lírico com estrofes simétricas, de caráter entusiástico **2** Entre os antigos gregos, composição lírica própria para ser cantada [F.: Do lat. tard. *oda, ode*, deriv. do gr. *odé.*]

odeão (o.de.*ão*) ***sm.*** **1** Na Grécia e Roma da Antiguidade, pequeno anfiteatro coberto us. para apresentações e competições, esp. de música e poesia **2** *P. us.* Salão para a exibição de espetáculos diversos, como os de teatro, música, cinema etc. [Pl.: *-ões.*] [F.: Do gr. *oideon, ou*, pelo lat. *odeum, ei.* Sin. ger.: *odeom, odéon.*]

odeom (o.de.*om*) ***sm.*** *P. us.* Ver *odeão* [Pl.: *odeons.*]

odéon (o.*dé*.on) ***sm.*** Ver *odeão* [Pl.: *odéones, odéons.*]

◎ **-odia** ***el. comp.*** Ver *-ódia*

◎ **-ódia** = canto: *melodia, prosódia, rapsódia* [Tb. *-odia.*]

odiado (o.di.*a*.do) ***a.*** **1** Que é alvo ou objeto de ódio **2** Detestado, abominado **3** Que causa desprazer [F.: Part. de *odiar.* Ant. ger.: *amado.*]

odiar (o.di.*ar*) ***v. td.*** Sentir ódio, aversão, horror por (algo ou alguém); DETESTAR: *Ele odeia esse tipo de música; Aquelas duas se odeiam.* [Ant.: *amar.*] [▶ **15 odiar**] [F.: ódio + -ar. Ideia de 'odiar': usar antepos. *abomin-* e *mis(o)-*.]

odiável (o.di.*á*.vel) ***a2g.*** Que desperta ódio (sujeito odiável; filme odiável) [F.: *odia(r)* + *-vel.* Ant. ger.: *amável.*]

odiento (o.di:*en*.to) ***a.*** **1** Que traz ódio dentro de si (caráter odiento); RANCOROSO **2** Que revela ódio (palavra odienta); ODIOSO **3** Que provoca aversão, ódio (espetáculo odiento) [F.: *ódi(o)* + *-ento.*]

◎ **-odinia** ***el. comp.*** = 'dor em (órgão ou parte do corpo)'; 'dor produzida por (aquilo que o rad. ou base quer dizer)': *acrodinia, adenodinia, artrodinia, cardiodinia, cervicodinia, didimodinia, enterodinia, faringodinia, mastodinia, metrodinia, miodinia, omodinia, otodinia; crimodinia* [F.: Do gr. *odýne, es*, + *-ia*[1]. F. conexa: *odin(o)-*.]

◎ **odin(o)-** ***el. comp.*** = 'dor (física)'; 'em que há dor': *odinofagia, odinofobia; acesódino, anódino* (< lat. < gr.) [F.: Do gr. *odýne, es.* F. conexa: *-odinia.*]

◎ **-ódino** ***el. comp.*** Ver *odin(o)-*

odinofagia (o.di.no.fa.*gi*.a) ***sf.*** *Med.* Deglutição que provoca dores [F.: *odin(o)-* + *-fagia.*]

odinofágico (o.di.no.*fá*.gi.co) ***a.*** *Med.* Ref. a odinofagia [F.: *odinofagi(a)* + *-ico.*]

odinofobia (o.di.no.fo.*bi*.a) ***sf.*** *Psiq.* Medo anormal de sentir dor [F.: *odin (o)-* + *-fobia.*]

odinofóbico (o.di.no.*fó*.bi.co) *Psiq.* ***a.*** **1** Ref. à odinofobia **2** Diz-se de indivíduo que sofre de odinofobia; ODINÓFOBO ***sm.*** **3** *Psiq.* Indivíduo que tem medo anormal de sentir dor; ODINÓFOBO [F.: *odinofobi(a)* + *-ico.*]

odinófobo (o.di.*nó*.fo.bo) ***a.*** **1** *Psiq.* Diz-se de pessoa que sofre de odinofobia, que tem medo de sentir dor; ODINOFÓBICO ***sm.*** **2** *Psiq.* Aquele que sofre de odinofobia; ODINOFÓBICO [F.: *odin (o)-* + *-fobo.*]

ódio (*ó*.di:o) ***sm.*** **1** Sentimento de profundo rancor e inimizade, ger. produzido por medo, ofensa sofrida, inveja etc. **2** Forte aversão a algo ou alguém **3** Objeto de repulsa, desgosto: *Acordar cedo era seu único ódio.* [F.: Do lat. *idium, ii.* Ant. ger.: *amor.*]

odiosidade (o.di.o.si.*da*.de) ***sf.*** **1** Qualidade de odioso **2** Aversão, ódio intenso que se sente por alguém ou por algo [F.: *odios(o)* + *-(i)dade.* Ant. ger.: *amorosidade.*]

odioso (o.di:*o*.so) [ô] ***a.*** **1** Que desperta ódio (mulher odiosa): "Ora sentia-se odioso, ora ridículo. Quem se sente odioso pode ter no orgulho um refúgio..." (Machado de Assis, *Dom Casmurro*) **2** Que é repelente, insuportável, desagradável (filme odioso); DESPREZÍVEL; REPULSIVO **3** Que demonstra ódio (discurso odioso); ODIENTO **4** Que é digno de condenação; REPROVÁVEL [Pl.: [ó]. Fem.: [ó].] ***sm.*** **5** O que desperta ódio [F.: Do lat. *odiosus, a, um.* Ant. ger.: *amoroso.*]

odisseia (o.dis.*sei*.a) ***sf.*** **1** Longa viagem cheia de aventuras, peripécias e eventos inesperados: *Nossa odisseia ao Marrocos quase nos matou.* **2** Narração dessa viagem **3** *Fig.* Qualquer coisa que envolve obstáculos e complicações inesperadas: *Tirar a carteira de motorista foi uma odisseia.* [F.: Do lat. *odyssêa*, ae, deriv. do gr. *odusseía, as.*]

◎ **-odo** ***el. comp.*** Ver *hodo-* [Esse elemento, de voc. originalmente gregos ou formados modernamente, como pospositivo ganhou representatividade na terminologia científica, quando, em 1834, o físico ingl. M. Faraday (1791-1867) cunhou os termos *anode* e *cathode*, a partir das prep. gr. *aná*, 'de baixo para cima; para fora', e *katá*, 'de cima para baixo; no fundo', e do gr. *hodós, oû*, 'caminho'; 'via'; 'passagem'.] [Os vocábulos formados com esse elemento são proparoxítonos, segundo a origem grega; na terminologia física, porém, o uso consagrou formas paroxítonas, o que gera na língua pares como: *ânodo/anodo, cátodo/catodo, elétrodo/eletrodo* etc.]

odômetro (o.*dô*.me.tro) ***sm.*** Ver *hodômetro*, forma preferencial

odonato (o.do.*na*.to) ***sm.*** *Zool.* Ver *libélula* [F.: Do lat. cient. ordem *Odonata.*]

odontagra (o.don.*ta*.gra) ***sf.*** *Od.* O mesmo que *odontalgia* [F.: *odont(o)-* + *-agra.*]

odontalgia (o.don.tal.*gi*.a) ***sf.*** *Od.* Dor de dente, esp. a causada por cárie; ODONTAGRA [F.: Do gr. *odontalgía, as.*]

odontálgico (o.don.*tál*.gi.co) ***a.*** *Od.* Relativo à odontalgia [F.: *odontalgia* + *-ico*[2].]

◎ **-odonte** ***el. comp.*** Ver *odont(o)-*

◎ **-odontia** ***el. comp.*** = '(irregularidade ou dada característica da) dentição'; 'ramo da odontologia'; 'técnica de tratamento dentário': *anodontia, heterodontia; endodontia, exodontia, ortodontia, periodontia; implantodontia* [F.: Do gr. *odoús, odóntos*, 'dente', + *-ia*[1]. F. conexa: *odont(o)-*.]

odontíase (o.don.*tí*.a.se) ***sf.*** *Od.* Processo de formação e desenvolvimento dos dentes; DENTIÇÃO [F.: *odont(o)-* + *-íase.*]

odontite (o.don.*ti*.te) ***sf.*** *Od.* Processo inflamatório nos dentes [F.: *odont(o)-* + *-ite*[1].]

◎ **-odont(o)-** ***el. comp.*** Ver *odont(o)-*

◎ **odont(o)-** ***el. comp.*** = 'dente'; 'denteado'; '(de) dente(s) com certa característica': *odontalgia* (< gr.), *odontíase, odontite, odontogenia, odontografia, odontograma, odontologia, odontoma, odontômetro, odontopediatra, odontorragia, odontoscopia, odontose, odontoveterinária; parodontite; anodonte, centrodonte, ctenodonte, elasmodonte, glifodonte* [F.: Do gr. *odoús, odóntos.* F. conexa: *-odontia.*]

odontogenia (o.don.to.ge.*ni*.a) ***sf.*** *Od.* Processo de formação dos dentes; ODONTOSE [F.: *odont(o)-* + *-genia.*]

odontogênico (o.don.to.*gê*.ni.co) ***a.*** *Od.* Ref. à odontogenia [F.: *odontogenia* + *-ico*[2].]

odontografia (o.don.to.gra.*fi*.a) ***sf.*** *Od.* Estudo descritivo dos dentes [F.: *odont(o)-* + *-grafia.*]

odontográfico (o.don.to.*grá*.fi.co) ***a.*** *Od.* Ref. à odontografia [F.: *odontografia* + *-ico*[2].]

odontograma (o.don.to.*gra*.ma) ***sm.*** *Od.* Ficha que contém a representação gráfica dos dentes, na qual o dentista anota as características dentárias de cada paciente [F.: *odont(o)-* + *-grama.*]

odontologia (o.don.to.lo.*gi*.a) ***sf.*** *Od.* Ramo da medicina que se dedica ao estudo, prevenção e tratamento dos dentes e das doenças dentárias; DENTISTARIA [F.: *odont(o)-* + *-logia.* Tb.: *odonto.*]

odontológico (o.don.to.*ló*.gi.co) ***a.*** *Od.* Ref. à, ou próprio da odontologia (tratamento odontológico) [F.: *odontologia* + *-ico*[2].]

odontologista (o.don.to.lo.*gis*.ta) *Od.* ***s2g.*** **1** Profissional especializado em odontologia; ODONTÓLOGO; DENTISTA ***a2g.*** **2** Diz-se desse especialista; DENTISTA [F.: *odontologia* + *-ista*, seg. o mod. gr.]

odontólogo (o.don.*tó*.lo.go) ***sm.*** *Od.* O mesmo que *odontologista* (1) [F.: *odont (o)-* + *-logo.*]

odontoma (o.don.*to*.ma) ***sm.*** *Od.* Qualquer tumor que tem origem nos dentes [F.: *odont(o)-* + *-oma*[1].]

odontômetro (o.don.*tô*.me.tro) ***sm.*** Pequena régua com graduações em que o filatelista mede as partes denteadas dos selos [F.: *odont(o)-* + *-metro.*]

odontopediatra (o.don.to.pe.di.*a*.tra) ***s2g.*** *Od.* Odontólogo especializado no tratamento de crianças [F.: *odont(o)-* + *pediatra.*]

odontopediatria (o.don.to.pe.di.a.*tri*.a) ***sf.*** *Od.* Parte da odontologia que estuda os dentes das crianças, a fim de melhor tratá-los [F.: *odont(o)-* + *pediatria.*]

odontorragia (o.don.tor.ra.*gi*.a) ***sf.*** *Od.* Hemorragia que tem origem nos dentes [F.: *odont(o)-* + *-ragia.*]

odontorrágico (o.don.tor.*rá*.gi.co) ***a.*** *Od.* Ref. à odontorragia [F.: *odontorragia* + *-ico*[2].]

odontoscopia (o.don.tos.co.*pi*.a) *Od.* ***sf.*** **1** Exame que se realiza por meio do odontoscópio **2** Registro das bordas cortantes dos dentes como meio de identificação do paciente [F.: *odont(o)-* + *-scopia.*]

odontoscópico (o.don.tos.*có*.pi.co) ***a.*** *Od.* Ref. à odontoscopia [F.: *odontoscopia* + *-ico*[2].]

odontoscópio (o.don.tos.*có*.pi:o) ***sm.*** *Od.* Pequeno instrumento dotado de espelho para o exame dos dentes [F.: *odont(o)-* + *-scópio.*]

odontose (o.don.*to*.se) *Od.* ***sf.*** **1** O mesmo que *odontogenia* **2** Processo de afrouxamento da implantação dentária por meio da periodontoclasia [F.: *odont(o)-* + *-ose*[1].]

odontoveterinária (o.don.to.ve.te.ri.*ná*.ri:a) ***sf.*** *Vet.* Estudo e tratamento dos dentes de animais [F.: *odont(o)-* + *veterinária.*]

odor (o.*dor*) [ô] ***sm.*** **1** Que é exalado por alguma coisa, alguém ou alguma substância, e percebido pelo olfato; CHEIRO **2** Cheiro agradável, suave; FRAGRÂNCIA; OLOR [Pl.: *-es.*] [F.: Do lat. *odor, ôris.* Hom./Par.: *odores* (fl. de *odorar*). Ideia de 'odor': *odor(i)* (*odorífero*); *olfact(o)* (*olfactivo*); *olor(i)* (*oloroso, olorífero*); *osm(i/o)* (*osmologia*); *-osmia* (*anosmia, cacosmia*); *-ósmico* (*anósmico, hiperósmico*).]

■ **~ de santidade** Ver *Cheiro de santidade* no verbete *cheiro*

odorante (o.do.*ran*.te) ***a2g.*** Que tem ou exala bom cheiro (cabelos odorantes); PERFUMADO; ODORÍFERO; ODORÍFICO; ODOROSO [F.: Do lat. *odorans, antis*, part. pres. de *odorare.*]

odorar (o.do.*rar*) ***v.*** **1** *P. us.* Cheirar, exalar perfumes [***int.***] **2** Espalhar ou comunicar certo odor a; ODORIZAR [***td.***: *As rosas e os jasmins odoram a sala.*] [▶ **1 odorar**] [F.: Do lat. *odorare.* Hom./Par.: *odores* (fl.), *odores* (pl. de *odor* [sm.]).]

◎ **odor(i)-** ***el. comp.*** = 'cheiro', 'perfume', 'odor': *odorífero* (< lat.), *odorífico; inodoro* (< lat.) [F.: Do lat. *odor, oris.*]

odorífero (o.do.*rí*.fe.ro) ***a.*** O mesmo que *odorante* [F.: Do lat. *odorifer, fera, ferum.*]

odorífico (o.do.*rí*.fi.co) ***a.*** O mesmo que *odorante* [F.: *odor(i)-* + *-fico.*]

odorizante (o.do.ri.*zan*.te) ***a2g.*** **1** Diz-se de substância que odoriza ou aromatiza, esp. a que se usa em ambientes fechados para torná-los mais cheirosos ***sm.*** **2** Uma dessas substâncias ou produto com propriedades odoríficas [F.: *odorizar* + *-nte.*]

odorizar (o.do.ri.*zar*) ***v. td.*** **1** O mesmo que *odorar* (2) **2** Amenizar ou substituir com odor agradável o mau cheiro de (um ambiente etc.) [▶ **1 odorizar**] [F.: *odor(i)-* + *-izar.*]

◎ **-odoro** ***el. comp.*** Ver *odor(i)-*

odoro (o.*do*.ro) ***a.*** O mesmo que *odorante* [F.: Do lat. *odorus, a, um.*]

odoroso (o.do.*ro*.so) [ô] ***a.*** O mesmo que *odorante* [Pl.: [ó]. Fem.: [ó].] [F.: *odor* + *-oso.*]

odre (o.dre) [ô] ***sm.*** **1** Saco de pele ou couro de animal, us. para guardar ou transportar líquidos: *As mulas carregavam odres de azeite.* **2** *Fig.* Pessoa muito gorda, obesa **3** Pessoa que se embriaga com frequência; ÉBRIO [F.: Do lat. *uterus, i.* Ideia de 'odre': *utri-* (*utriculado, utriculite*).]

odu (o.*du*) ***sm.*** *Bras. Etnog.* Resposta à consulta de adivinhação feita por meio de interpretação baseada na disposição dos elementos do opelê-ifá, das sementes ou dos búzios jogados no momento da consulta [F.: Do ior. *odu.*]

⊠ **Oe** *Ant. Fís. Metrol.* Símb. de *oersted*

⊠ **OEA** Sigla de *Organização dos Estados Americanos*

◎ **-oecer** = -ecer: *adoecer*

◎ **-oeira** ***suf. nom.*** Ver *-eira*: *caçoeira* [F.: *-o-* + *-eira.*]

oeirana (o.ei.*ra*.na) *Bot.* ***sf.*** **1** Árvore da fam. das euforbiáceas (*Alchornea castanaefolia*), de folhas coriáceas, flores em espigas e cápsulas pilosas, encontrada em algumas regiões do Brasil; UIRANA **2** *AM* Ver *salgueiro* (*Salix chilensis*) [F.: De or. indígena.]

oersted [és] ***sm.*** *Ant. Fís. Metrol.* Unidade de medida de intensidade no campo magnético do sistema c. g. s. eletromagnético, igual ao quociente de 1.000 por 4 p ampères-espirais por metro [F.: Do antr. Hans Christian *Oersted* (1777-1851), físico dinamarquês.]

oés-noroeste (o.és-no.ro.*es*.te) ***sm.*** **1** *Astron.* Ponto no horizonte a meia distância entre as direções oeste e noroeste [Símb.: *WNW.*] **2** Vento que vem dessa direção ***a2g.*** **3** Ref. ao nós-noroeste **4** Diz-se do vento que vem dessa direção [Pl.: *oés-noroestes.*]

oés-sudoeste (o.és-su.do.*es*.te) ***sm.*** **1** *Astron.* Ponto do horizonte situado a meia distância angular entre as direções oeste e sudoeste [Símb.: *WSW.*] **2** Vento que vem dessa direção ***a2g.*** **3** Ref. ao oés-sudoeste **4** Diz-se do vento que vem dessa direção [Pl.: *oés-sudoestes.*]

oeste (o:*es*.te) [é] ***sm.*** **1** Direção do globo terrestre onde o sol se põe, à esquerda de quem está voltado para o norte; POENTE; OCIDENTE [Abrev.: *O., W.*] **2** *Geog.* Região ou conjunto de regiões a oeste **3** *Geog.* O ponto cardeal que indica a direção oeste [Abrev.: *O., W.*] **4** *Met.* O vento que sopra do oeste ***a2g.*** **5** Situado a oeste (região oeste) **6** Relativo ao oeste (direção oeste) **7** Diz-se do vento que sopra do oeste [F.: Do fr. *ouest*, deriv. do ing. *west.*]

ofaié (o.fa*i.é*) ***smpl.*** *Bras. Etnol. Hist.* Povo indígena que viveu no sudeste do Mato Grosso e hoje se encontra extinto

ofegação (o.fe.ga.*ção*) ***sf.*** Ação ou resultado de ofegar, de arquejar [Pl.: *-ções.*] [F.: *ofega(r)* + *-ção.*]

ofegância (o.fe.*gân*.ci.a) ***sf.*** Respiração entrecortada, difícil e ruidosa [F.: *ofega(r)* + *-ância.*]

ofegante (o.fe.*gan*.te) ***a2g.*** **1** Que respira com dificuldade; ARFANTE; ARQUEJANTE: "Uma noite a menina me tirou da roda de coelho-sai, me levou, imperiosa e ofegante, para um desvão da casa de Dona Aninha..." (Manuel Bandeira, *Infância*) **2** Que demonstra muito cansaço; EXAUSTO: *Chegou ofegante ao topo da escada.* **3** *Fig.* Qualidade de pessoa ansiosa (aluno ofegante); ANELANTE [F.: *ofega(r)* + *-nte.* Sin. ger.: *ofegoso, ofeguento.*]

ofegar (o.fe.*gar*) *v. int.* **1** Respirar com perturbações e com ruídos, por falta de ar: *Ofegava sempre que subia as escadas* **2** Emitir som parecido com o ofego **3** Ficar ansioso, arquejar, lufar [▶ **14** ofe**gar**] [F.: Do lat. *offocare.* Hom./Par.: *ofego* (fl.), *ofego* (sm.).]

ofego (o.*fe*.go) [ê] *sm.* Respiração rápida, difícil; ARFAGEM; ARQUEJO [F.: Regress. de *ofegar.*]

ofegoso (o.fe.*go*.so) [ô] *a.* Ver *ofegante* [Pl.: [ó]. Fem.: [ó].] [F.: *ofeg(o)* + *-oso.*]

ofender (o.fen.*der*) *v. td.* **1** Insultar, agredir verbalmente ou sentir-se insultado, agredido: *Ofendeu o comerciante com palavras duras; Ela ofendeu-se com a insinuação.* **2** Agir contra (lei, costumes, crenças etc.): *Quem ofender a lei será punido.* **3** Causar dano físico a: *A punhalada ofendeu seu rim.* **4** Produzir sensação dolorosa ou desagradável: *A barulheira do vizinho ofendia seu ouvido.* **5** Causar estrago a: *A queda ofendeu sua blusa.* **6** Interromper, quebrar: *A súbita explosão ofendeu a quietude da madrugada.* **7** Causar melindre a; melindrar: *Sua observação intempestiva ofendeu a família.* **8** Sentir-se ofendido ou indignado: *Ofendeu- se com aquela manifestação grosseira.* **9** *Bras.* O mesmo que *estuprar* **10** Provocar desgosto, mal-estar: *O mau gosto do espetáculo ofendeu o público.* [▶ **2** ofen**der**] [F.: Do lat. *offendere.*]

ofendido (o.fen.*di*.do) *a.* **1** Que sofreu ofensa: *Ficou ofendido com a resposta.* *sm.* **2** Pessoa que sofre ofensa: *Ali estavam os humilhados e ofendidos.* [F.: Part. de *ofender.*]

ofensa (o.*fen*.sa) *sf.* **1** Ação ou palavra que faz com que alguém seja vítima de injustiça, menosprezo ou desacato; AGRAVO; AFRONTA; ULTRAJE **2** Ação que causa dano físico: *O soco não causou ofensa grave.* **3** Ação de atacar; OFENSIVA **4** Ação que revela desconsideração; DESACATO **5** Violação ou transgressão de uma regra: *Ofensa aos princípios da Constituição.* **6** Sensação de aborrecimento diante de algo que fere a sensibilidade: *O filme era uma ofensa ao espectador.* [F.: Do lat. *offensa, ae,* com prov. interferência do fr. *offense.*]

ofensiva (o.fen.*si*.va) *sf.* **1** Ação ou atitude de investir contra algo ou alguém; ASSALTO; ACOMETIDA; INVESTIDA: *O general preparou uma grande ofensiva.* **2** Ação de tomar a iniciativa do ataque: *A tropa tomou a ofensiva.* [F.: Do fr. *offensive.* Ant. ger.: *defensiva.*]

ofensividade (o.fen.si.vi.*da*.de) *sf.* **1** Qualidade de ofensivo, de agressivo: *A ofensividade com que tratava os empregados da empresa era notória.* **2** Característica do que se dispõe à investida, ao ataque: *A ofensividade foi a grande qualidade do time vencedor.* [Ant.: *defensividade.*] [F.: *ofensiv(o)* + *-idade.* Sin. ger.: *ofensivismo.*]

ofensivo (o.fen.*si*.vo) *a.* **1** Que ofende ou é próprio para ofender (gestos ofensivos, palavras ofensivas) **2** Que ataca ou é próprio para atacar (time ofensivo) **3** Que fere os sentimentos; que magoa; DANOSO; LESIVO: *Achou ofensiva a carta do amigo.* [F.: Do fr. *offensif.* Ant. ger.: *defensivo, inofensivo.*]

ofenso (o.*fen*.so) *a.* Que foi alvo de ofensa; OFENDIDO [F.: Do lat. *offensus, a, um.*]

ofensor (o.fen.*sor*) [ô] *a.* **1** Que ofende (gesto ofensor) *sm.* **2** Aquele ou aquilo que ofende: *Sabia se defender dos ofensores.* [F.: Do lat. *offensor, oris,* rad. de *offensum.*]

oferecedor (o.fe.re.ce.*dor*) [ô] *a.* **1** Que oferece; OFERENTE *sm.* **2** Aquele que oferece; OFERENTE [F.: *oferece(r)* + *-dor.*]

oferecer *v.* **1** Dar, ofertar como presente [*td.*: *Ofereceu à amiga uma xilogravura de Grassmann.*] **2** Colocar(-se) à disposição [*tdi.* + *a*: *Ofereceu carona à garota.*] [*tdr.* + *para*: *Ofereceu-se para ajudar o inimigo.*] **3** Proporcionar, prover [*td.*: *Ofereceram-lhe uma oportunidade única na Alemanha.*] [*tdi.* + *a, para*: *Lá, os trens oferecem excelente serviço aos passageiros.*] **4** Dar algo para alcançar determinado fim [*tdr.* + *para*: *Ofereceu dois anéis para salvar o marido.*] **5** Ostentar, mostrar [*td.*: *Sua formosura oferecеu um contraste com a frieza do lugar.*] **6** Trazer, proporcionar [*td.*: *O novo avião oferece-lhe enorme comodidade.*] **7** Apresentar, opor [*td.*: *O país invadido oferece séria resistência.*] **8** Exibir, expor [*tdi.* + *a*: *A dançarina oferecia-lhe aos olhos um par de pernas maravilhosas.*] **9** Entregar-se como parceiro(a) sexual [*tdi.* + *a*: *Oferecia-se ao professor de tudo quanto é maneira.*] **10** Propor(-se) profissionalmente [*td.*: *Ofereceu-se como domador.*] **11** Expor(-se) de maneira clara, insofismável [*tdi.* + *a*: *A corrupção impune oferece ao cidadão um espetáculo deprimente.*] **12** Vir ao pensamento [*ti.* + *a*: *Nenhuma ideia se lhe ofereceu ao bestunto.*] **13** Dar em sacrifício [*tdi.* + *a*: *Ofereceu um bode ao deus da seca e da morte.*] [▶ **33** ofere**cer**] [F.: Do lat. **offerescere.*]

oferecido (o.fe.re.*ci*.do) *a.* **1** Que se ofereceu; que foi dado: *Fora-lhe oferecido um chá.* **2** Que se expõe em demasia (menino oferecido); EXIBIDO **3** Que se entrega facilmente como parceiro sexual [Ant.: *pudico, recatado.*] [F.: Part. de *oferecer.*]

oferecimento (o.fe.re.ci.*men*.to) *sm.* **1** Ação ou resultado de oferecer(-se) **2** Manifestação que expressa a vontade de servir ou de ser útil: *Ficou encantada com o oferecimento do rapaz.* **3** Dedicatória: *Escreveu um oferecimento no catálogo da exposição.* [F.: *oferecer* + *-mento.*]

oferenda (o.fe.*ren*.da) *sf.* **1** Coisa que se oferece; DÁDIVA; OFERTA **2** Oferta feita a Deus ou aos santos com intenção piedosa; OBLAÇÃO; OBLATA [F.: Do lat. medv. *offerenda, orum.* Hom./Par.: *oferenda* (fl. de *oferendar*).]

oferendar (o.fe.ren.*dar*) *v. td.* Dar (algo) como oferenda; OFERTAR [▶ **1** oferen**dar**] [F.: *oferend(a)* + *-ar.* Hom./Par.: *oferenda, oferendas* (fl. de *oferendar*), *oferenda* (sf.), *oferendas* (sfpl.).]

oferta (o.*fer*.ta) *sf.* **1** Ação ou efeito de ofertar; OFERECIMENTO **2** Aquilo que se oferece; DÁDIVA; OFERENDA **3** *Bras.* Redução em preço de produto: *Comprou uma televisão que estava em oferta.* **4** Proposta feita por alguém que compra ou troca: *Recebeu uma boa oferta pelo carro usado.* **5** Doação feita por religiosos em alguns atos litúrgicos **6** *Econ.* A soma dos produtos, ou dos serviços, oferecidos no mercado: *Continua pequena a oferta de empregos.* **7** *Poét.* Ver *envio* [F.: Do lat. medv. *offerta, ae.* Hom./Par.: *oferta* (fl. de *ofertar*).] ▪ **~ agregada** *Econ.* Ver *Oferta global* **~ global** *Econ.* O conjunto dos bens e dos serviços em oferta num país (produção interna mais importações) durante certo tempo (ger. um ano); oferta agregada **~ monetária** *Econ.* Total de dinheiro disponível num país (em notas, moedas e depósitos bancários) em certo momento ou certo período

ofertado (o.fer.*ta*.do) *a.* Que se ofertou; que foi oferecido como oferta [F.: Part. de *ofertar.*]

ofertante (o.fer.*tan*.te) *a2g.* **1** Que oferta; que oferece *s2g.* **2** Aquele que oferta ou oferece: *Recebeu as flores, mas não sabia quem era ofertante.* [F.: *oferta* + *-nte.*]

ofertar (o.fer.*tar*) *v.* **1** Doar, proporcionar, oferecer [*tdi.* + *a, para*: *Empresas interessadas em ofertar vagas de estágio a estudantes.*] **2** Dar em oferta para compra [*td.*: *O comerciante ofertou seu estoque a baixo preço.*] **3** Dar-se, oferecer-se ao sexo [*int.*] [▶ **1** ofer**tar**] [F.: *oferta* + *-ar.*]

ofertório (o.fer.*tó*.ri.o) *sm.* **1** *Rel.* Momento da missa em que se oferece a Deus o pão e o vinho **2** *Rel.* Oração que acompanha esse momento da missa **3** *Rel.* Música instrumental composta para o texto desse momento da missa **4** Ato de recolher doações para os festejos da igreja **5** *P. ext.* Aquilo que foi ofertado; DOAÇÃO; OFERENDA; OFERTA **6** *Poét.* Ver *envio* [F.: Do lat. medv. *offertorium, ii.*]

⊕ **off** (*Ing.* /*ofe*/) *adv.* Palavra inglesa que indica separação ou distanciamento ▪ **Em ~** **1** *Cin. Teat. Telv.* Sem aparecer, fora das vistas: *Leu o texto em off enquanto era mostrado o filme.* **2** Sem que outros tomem conhecimento, confidencialmente, sigilosamente: *Antecipou ao amigo, em off, a proposta que iria apresentar na reunião.*

⊕ **office boy** (*Ing.* /*ófis-bói*/) *sm.* Funcionário encarregado dos pequenos serviços (pagamento de contas, distribuição de correspondência, compra de lanches etc.) em escritório ou empresa; CONTÍNUO [Tb. se diz apenas *boy.*]

⊕ **off-line** (*Ing.* /*óf-láin*/) *adv.* **1** *Inf. Int.* Sem conexão à internet ou a qualquer rede de computadores (diz-se de computador, pessoa etc.): *As etapas de redação do dicionário foram realizadas off-line.* *a2g2n.* **2** *Inf.* Que não diz respeito à internet **3** *Inf.* Que não está conectado ao computador (arquivo off-line) **4** *Telc.* Que não impõe programação às estações afiliadas, permitindo que cada uma delas defina sua programação, ger. de acordo com um formato próprio (diz-se de rede) [Ant. ger.: *on-line.*]

⊕ **off-road** (*Ing.*: /*ófrôud*/) *a.* **1** Diz-se de veículo apropriado para trafegar em terrenos difíceis, ger. dotado de tração nas quatro rodas; FORA DE ESTRADA *sm.* **2** Esse veículo

⊕ **offset** (*Ing.* /*ófset*/) *sm. Art. gr.* Ver *ofsete*

⊕ **offshore** (*Ing.* /*ofchór*/) *sm.* **1** Ao largo da costa **2** *P. ext.* Distante do país de origem (empresa offshore; investimento offshore) **3** Construído(a) para operar ao largo da costa (tubulações offshore; navegação offshore) [F.: Do ing. *off-shore.*]

⊕ **offside** (*Ing.* /*of-sáide*/) *sm. Antq. Fut.* No futebol, posição de impedimento de um jogador; IMPEDIMENTO: *O atacante estava em offside.* [Us. tb. de modo apositivo: jogador offside.]

⊕ **off-the record** (*Ing.* /*óf-de-récord*/) *Jorn.* *a2g2n.* Diz-se de informação cuja fonte exige anonimato, não deixando, inclusive, registro informativo (gravação, nota taquigráfica etc.) de espécie alguma

ofíase (o.*fí*.a.se) *sf. Derm.* Caso de alopecia em que os cabelos e pelos do corpo caem por parte, deixando claros no couro cabeludo ou na pele em geral [F.: Do gr. *ophíasis, eos.*]

oficial (o.fi.ci.*al*) *a2g.* **1** Que vem do governo, de uma autoridade competente ou é por ela reconhecido (documento oficial) **2** Relativo aos membros do governo ou da administração pública (comitiva oficial) **3** Que emana de autoridade pública (nota oficial) **4** Que faz parte do governo ou tem permissão legal para representá-lo **5** Que se torna público segundo regras convencionadas **6** Que é reconhecido pela tradição e dotado de autoridade, mesmo não sendo original **7** Que é reconhecido como o principal entre outros de papel parecido ou igual **8** *Pej.* Que é apresentado como verdadeiro por autoridade do governo ou por quem tem reconhecida credibilidade: *O ministro e o engenheiro apresentaram a versão oficial dos fatos.* *sm.* **9** Aquele que tem um ofício ou emprego **10** Trabalhador que tem conhecimento profundo de seu ofício **11** Em certos ofícios, trabalhador que pertence a uma categoria abaixo do mestre (oficial de marcenaria) **12** Funcionário administrativo ou judicial que exerce determinadas funções, como fazer citações, intimações etc. (oficial de justiça) **13** Militar das Forças Armadas, ou da polícia, que tem patente superior à de aspirante ou, na Marinha de Guerra, de guarda-marinha **14** Dignitário de certas ordens honoríficas **15** *Ant.* Pessoa que, a bordo de um navio, desempenhava tarefas de importância [Pl.: *-ais.* Fem.: *oficiala.* Col.: *quadro, oficialidade.*] [F.: Do lat. *officialis, e.* Hom./Par.: *oficiais* (fl. de *oficiar*).] ▪ **~ combatente** **1** *Mar. G.* Oficial do Corpo da Armada ou do Corpo de Fuzileiros Navais **2** *Mil.* Oficial da Infantaria, ou da Cavalaria, ou da Artilharia, ou oficial engenheiro em um unidade de Engenharia de Combate **~ da reserva** **1** *Bras.* Aspirante a oficial formado em curso preparatório especial para estudantes acima do nível médio, para ele convocados como forma de prestar seu serviço militar; oficial miliciano **2** Oficial de tropa que se transferiu para a reserva **~ de dia** *Mil.* Aquele designado para comandar uma unidade e ser por ela responsável durante 24 horas; oficial de inspeção **~ de diligências** *Jur.* Ver *Oficial de justiça* **~ de inspeção** *Mil.* Ver *Oficial de dia* **~ de justiça** *Jur.* Funcionário da justiça encarregado de apresentar aos destinatários arrestos, citações, intimações, notificações, penhoras etc. emitidos por autoridade judiciária; oficial de diligências **~ de registro** *Bras. Jur.* Serventuário privativo e vitalício, responsável por um ofício de registro público (de pessoas físicas e jurídicas, títulos e documentos etc.) **~ de ronda** Aquele encarregado durante certo período da fiscalização de postos de guarda de guarnições militares, estacionamentos etc. **~ intermediário** *Bras.* O que tem posto de capitão no Exército, na Aeronáutica e na Polícia Militar, e de capitão-tenente na Marinha de Guerra **~ miliciano** Ver *Oficial da reserva* (1) **~ subalterno** O que tem posto de primeiro ou segundo-tenente **~ superior** O que tem posto de major, ou tenente-coronel ou coronel no Exército, na Aeronáutica e na Polícia Militar, ou de capitão de corveta, ou capitão de fragata ou capitão de mar e guerra na Marinha de Guerra

oficialato (o.fi.ci:a.*la*.to) *sm. Mil.* Cargo ou função de oficial militar [F.: *oficial* + *-ato.*]

oficialidade (o.fi.ci.a.li.*da*.de) *sf.* Conjunto dos oficiais de uma das Forças Armadas ou de uma de suas unidades [F.: *oficial* + *-i-* + *-dade.*]

oficialismo (o.fi.ci.a.*lis*.mo) *Pej.* *sm.* **1** O conjunto dos funcionários públicos **2** *Bras.* Os meios ou as rodas governamentais [F.: *oficial* + *-ismo.*]

oficialista (o.fi.ci.a.*lis*.ta) *a2g.* **1** *Bras. Pej.* Ref. a oficialismo **2** Diz-se de funcionário público *s2g.* **3** *Pej.* Funcionário público [F.: *oficial* + *-ista.*]

oficialização (o.fi.ci:a.li.za.*ção*) *sf.* Ação ou resultado de oficializar [Pl.: *-ções.*] [F.: *oficializa(r)* + *-ção.* Ant. ger.: *desoficialização.*]

oficializado (o.fi.ci:a.li.*za*.do) *a.* Tornado oficial por uso ou decisão superior [F.: Part. de *oficializar.* Ant. ger.: *desoficializado.*]

oficializador (o.fi.ci.a.li.za.*dor*) [ô] *a.* **1** Que oficializa; que torna alguma coisa oficial *sm.* **2** Aquele ou aquilo que oficializa algo [F.: *oficializad(o)* + *-or.* Ant. ger.: *desoficializador.*]

oficializar (o.fi.ci:a.li.*zar*) *v. td.* Dar caráter oficial, regularizar uma situação que está pendente [Ant.: *desoficializar*] [▶ **1** oficiali**zar**] [F.: *oficial* + *-izar.*]

oficiante (o.fi.ci.*an*.te) *a2g.* **1** *Ecles.* Diz-se de sacerdote que oficia ou preside ao ofício divino nas igrejas; CELEBRANTE *s2g.* **2** *Ecles.* Sacerdote cuja função é oficiar ou presidir ao ofício divino; oficiante da missa [F.: *oficia(r)* + *-nte.* Sin. ger.: *celebrante, oficiador.*]

oficiar (o.fi.ci.*ar*) *v.* **1** Celebrar uma cerimônia religiosa, ofício, missa etc. [*td.*: *O capelão oficiou a cerimônia religiosa.*] **2** *Jur.* Comunicar, enviar um memorando, um ofício a [*ti.* + *a*: *O Secretário de Justiça oficiou ao deputado solicitando provas das denúncias.*] **3** Ajudar em uma cerimônia religiosa [*td.*: *O coroinha ajudou o padre a oficiar o casamento.*] [▶ **1** ofici**ar**] [F.: *ofício* + *-ar.* Hom./Par.: *oficiais* (fl.), *oficiais* (pl. de *oficial* [a2g. sm.]); *oficio* (fl.), *ofício* (sm.).]

oficina (o.fi.*ci*.na) *sf.* **1** Lugar próprio para o fabrico e/ou conserto de automóveis, máquinas etc. **2** Lugar em que se realizam trabalhos artesanais **3** Curso prático onde se aprende e exercita atividade artística ou intelectual (oficina de teatro); LABORATÓRIO; WORKSHOP **4** *Art. gr. Jorn.* Numa gráfica, local onde se encontram os equipamentos usados na impressão e no acabamento de livros, jornais, catálogos, panfletos etc. [F.: Do lat. *officina, ae.* Ideia de 'oficina': *-aria* (*camisaria, cervejaria*).] ▪ **~ pedagógica** *Educ. Esp.* Conjunto de meios e ambiente pedagógicos voltados para o desenvolvimento de conhecimentos e aptidões de portadores de necessidades especiais; inclui o local, os equipamentos, os professores e os métodos adotados nas áreas específicas das diversas áreas de interesse

oficinal (o.fi.ci.*nal*) *a2g.* **1** Ref. a oficina **2** *Med.* Que encontra aplicação na medicina **3** *Farm.* Que se aplica em preparações farmacêuticas (substância oficinal) **4** *Farm.* Diz-se de medicamento preparado na ocasião do pedido [Pl.: *-nais.*] [F.: Do lat. vulg. *officinale.*]

ofício (o.*fí*.ci.o) *sm.* **1** Atividade provisória ou definitiva que exige alguma especialização (ofício de mecânico, ofício de compositor) **2** Trabalho remunerado do qual uma pessoa tira os meios de subsistência; EMPREGO; PROFISSÃO **3** Cargo oficial que se exerce em repartição pública **4** Tarefa ou missão de que alguém se encarrega; MISTER **5** Comunicação formal entre autoridades, inclusive de inferiores a superiores hierárquicos: *A secretária redigia os ofícios do diretor.* **6** *Rel.* Cerimônia religiosa católica, esp. a missa: *O padre rezou o ofício.* **7** *Rel.* No catolicismo, o conjunto das rezas ou preces realizadas durante um dia **8** Cartório, tabelionato [F.: Do lat. *officium, ii.* Hom./Par.: *ofício* (fl. de *oficiar*).] **■ ~ da estrela** *Ant. Teat.* Drama medieval sobre o nascimento de Cristo representado na época de Natal **~ de notas** Função de tabelião; o local onde a exerce, cartório **~ Divino** *Rel.* No catolicismo, a missa **De ~** *Jur.* Diz-se de ato jurídico realizado por imperativo legal ou ordenado por autoridade judicial competente **Santo ~** Inquisição (2) **Sem ~ nem benefício** *Bras. Fam.* Diz-se de alguém que está ocioso, desocupado, a vadiar

oficiosidade (o.fi.ci.o.si.*da*.de) *sf.* Caráter ou atributo do que é oficioso [F.: *ofícios(o)* + *-idade.*]

oficioso (o.fi.ci.*o*.so) [ô] *a.* **1** Diz-se de publicação favorável ao governo, mas que não é de cunho oficial **2** Que é proveniente de fontes oficiais, mas não possui caráter oficial (informações oficiosas) **3** Que é prestativo, atencioso (funcionário oficioso) **4** Diz-se de advogado que, mesmo sem procuração do réu, é incumbido pelo presidente do tribunal a atuar na defesa desse réu; OBSEQUIOSO **5** Diz-se de advogado que, mesmo sem procuração do réu, é incumbido pelo presidente do tribunal a atuar na defesa desse réu [Pl.: [ó]. Fem.: [ó].] [F.: Do lat. *officiosus, a, um.* Ant. ger.: *inoficioso.*]

◎ **ofid-** *el. comp.* = 'cobra', 'serpente': *ofídio, ofídico, ofidismo* [F.: Do gr. *ophídion, ou,* 'pequena cobra'; 'serpente pequena', dim. de *óphis, eos.* F. conexa: *ofi(o)-.*]

ofidiano (o.fi.di.*a*.no) *Zool. a.* **1** Ref. a ofídio **2** Semelhante a ou próprio de ofídio [F.: *ofídio* + *-ano*[1].]

ofidiário (o.fi.di.*á*.ri:o) *sm.* **1** *Zool.* Local em que se criam serpentes, ger. com finalidades experimentais ou para a preparação de soros antiofídicos *a.* **2** *Zool.* Relativo aos ofídios [F.: *ofídio* + *-ário.*]

ofídico (o.*fí*.di.co) *a.* Relativo a cobras ou serpentes ou que delas provém (veneno ofídico) [F.: *ofíd-* + *-ico*[2].]

ofídio (o.*fí*.di:o) *sm.* O mesmo que *serpente* [F.: Do gr. *ophídion, ou.*]

ofidismo (o.fi.*dis*.mo) *sm.* **1** Envenenamento por picada de cobra **2** Estudo dos venenos de cobra **3** O efeito desses venenos [F.: *ofíd-* + *-ismo.*]

◎ **ofi(o)-** *el. comp.* = 'cobra'; 'serpente': *ofíase* (< gr.), *ofiofagia, ofiófago, ofiografia, ofiolatria, ofiologia, ofiomancia* [F.: Do gr. *óphis, eos.* F. conexa: *ofíd-.*]

ofiofagia (o.fi.o.fa.*gi*.a) *sf.* O hábito ou a prática de comer carne de serpente [F.: *ofi (o)-* + *-fagia.*]

ofiofágico (o.fi.o.*fá*.gi.co) *a.* Que se refere a ou próprio da ofiofagia [F.: *ofiofagia* + *-ico*[2].]

ofiófago (o.fi.*ó*.fa.go) *a.* **1** Que pratica a ofiofagia; que tem costume de comer carne de serpente *sm.* **2** Aquele que pratica a ofiofagia [F.: Do gr. *ophiophágos, os, on,* pelo lat. *ophiophagus, i.*]

ofiografia (o.fi.o.gra.*fi*.a) *sf. Zool.* Estudo e descrição das serpentes [Cf.: *ofiologia.*] [F.: *ofi(o)-* + *-grafia.*]

ofiográfico (o.fi.o.*grá*.fi.co) *a. Zool.* Ref. à ofiografia (descrição ofiográfica; estudo ofiográfico) [F.: *ofiografia* + *-ico*[2].]

ofiólatra (o.fi.*ó*.la.tra) *a2g.* **1** Diz-se de pessoa que pratica a ofiolatria *s2g.* **2** Aquele ou aquela que tem adoração por serpentes, que pratica a ofiolatria [F.: *ofi(o)-* + *-latra.*]

ofiolatria (o.fi:o.la.*tri*.a) *sf.* Culto ou adoração das serpentes [F.: *ofi(o)-* + *-latria.*]

ofiolátrico (o.fi:o.*lá*.tri.co) *a.* Ref. à ou próprio da ofiolatria [F.: *ofiolatria* + *-ico*[2].]

ofiologia (o.fi:o.lo.*gi*.a) *Zool. sf.* Parte da zoologia que estuda as serpentes [Cf.: *ofiografia.*] [F.: *ofi(o)-* + *-logia.*]

ofiológico (o.fi:o.*ló*.gi.co) *a. Zool.* Ref. à ofiologia (estudo ofiológico) [F.: *ofiologia* + *-ico*[2].]

ofiologista (o.fi:o.lo.*gis*.ta) *s2g.* **1** *Zool.* Especialista em ofiologia *a2g.* **2** *Zool.* Que se especializou em ofiologia [F.: *ofiologia* + *-ista.*]

ofiomancia (o.fi:o.man.*ci*.a) *Oct. sf.* Adivinhação por meio da observação do comportamento das serpentes [F.: *ofi(o)-* + *-mancia.*]

ofiomântico (o.fi:o.*mân*.ti.co) *a. Oct.* Ref. à ofiomancia ou a ofiomante [F.: *ofiomante* + *-ico*[2].]

ofiúro (o.fi.*ú*.ro) *Zool. sm.* **1** Denom. comum aos equinodermos do gên. *Ophiura*, da subclasse dos ofiuroides **2** Denom. comum aos ofiuroides, pequenos equinodermos esteleroides, distintos das estrelas-do-mar [F.: Adaptç. do lat. cient. *Ophiura.*]

ofiuroide (o.fi:u.*roi*.de) *Zool. sm.* **1** Espécime dos ofiuroides, subclasse de equinodermos esteleroides de corpo estrelado, dotado de cinco finos, longos, ágeis, simples ou ramificados braços articulados, nitidamente separados do disco central; por causa da aparência tb. são conhecidos como serpente-do-mar *a2g.* **2** *Zool.* Ref. ou pertencente aos ofiuroides [F.: Adaptç. do lat. cient. *Ophiuroidea.*]

ofsete (of.*se*.te) *a.* **1** *Art. gr.* Diz-se de técnica de impressão em que imagens e textos a serem impressos passam de uma chapa metálica para uma bobina de borracha e daí para o papel (impressão ofsete) *sm.* **2** Essa técnica: *Dominava as técnicas de ofsete.* [F.: Do ing. *offset.*]

oftalgia (of.tal.*gi*.a) *sf. Oft.* Ver *oftalmalgia*

oftalmalgia (of.tal.mal.*gi*.a) *Oft. sf.* Dor no globo ocular [F.: *oftalm(o)-* + *-algia.* Tb.: *oftalgia* (var. sincopada e menos us. e menos pref.).]

◎ **-oftalmia** *el. comp.* = 'irregularidade ou anomalia do olho ou da pálpebra'; 'doença ou estado patológico dos olhos ou das pálpebras': *adenoftalmia, aloftalmia, blenoftalmia, enoftalmia, exoftalmia, paroftalmia, pioftalmia, psoroftalmia* [F.: Do gr. *ophtalmía, as,* do gr. *ophtalmós, oû,* 'olho'. F. conexa: *oftalm(o)-.*]

oftalmia (of.tal.*mi*.a) *sf. Oftal.* Inflamação do globo ocular [F.: Do gr. *ophthalmía, as,* pelo lat. *ophtalmia, ae.*]

oftálmico (of.*tál*.mi.co) *Med. a.* **1** Relativo aos olhos ou à oftalmologia (exame oftálmico) **2** Que sofre de oftalmia **3** Que atua contra oftalmia (diz-se de medicamento) *sm.* **4** Indivíduo que sofre de oftalmia [F.: Do gr. *ophtalmikós, é, ón,* 'concernente aos olhos'.]

◎ **-oftalmo** *el. comp.* Ver *oftalm(o)-*

◎ **oftalm(o)-** *el. comp.* = 'olho': *oftalmia* (< lat. < gr.), *oftalmografia, oftalmologia, oftalmoplastia, oftalmoplegia, oftalmoscopia; melanoftalmo* (< gr.), *mirioftalmo, oxioftalmo* (< lat. cient.), *tetroftalmo* [F.: Do gr. *ophtalmós, oû,* 'olho'; 'qualquer objeto ou coisa em forma de olho'; 'a lua' etc. F. conexa: *-oftalmia.*]

oftalmografia (of.tal.mo.gra.*fi*.a) *Oft. sf.* **1** Descrição anatômica dos olhos **2** Tratado sobre os olhos [F.: *oftalm(o)-* + *-grafia.*]

oftalmográfico (of.tal.mo.*grá*.fi.co) *a. Oft.* Ref. à ou próprio da oftalmografia [F.: *oftalmografia* + *-ico*[2].]

oftalmologia (of.tal.mo.lo.*gi*.a) *sf. Med.* Ramo da medicina especializado no estudo e tratamento das doenças dos olhos [F.: *oftalm (o)-* + *-logia.*]

oftalmológico (of.tal.mo.*ló*.gi.co) *a. Med.* Que se refere à oftalmologia (exame oftalmológico) [F.: *oftalmologia* + *-ico*[2].]

oftalmologista (of.tal.mo.lo.*gis*.ta) *a2g.* **1** *Med.* Especialista em oftalmologia (médico oftalmologista); OCULISTA *s2g.* **2** *Med.* Esse especialista; OCULISTA; OFTALMÓLOGO: *Havia um oftalmologista na clínica.* [F.: *oftalmologia* + *-ista.*]

oftalmólogo (of.tal.*mó*.lo.go) *sm. Med.* O mesmo que *oftalmologista* (2) [F.: *oftalm(o)-* + *-logo.*]

oftalmômetro (of.tal.*mô*.me.tro) *Oft. sm.* Instrumento que mede o tamanho da imagem refletida sobre a superfície convexa da córnea e da lente do olho para determinar sua curvatura [F.: *oftalm(o)-* + *-metro.*]

oftalmoplastia (of.tal.mo.plas.*ti*.a) *sf. Cir. Oft.* Cirurgia no olho ou em seus anexos, com objetivos estéticos ou reparadores [F.: *oftalm(o)-* + *-plastia.*]

oftalmoplástico (of.tal.mo.*plás*.ti.co) *a. Cir.* Ref. à ou próprio da oftalmoplastia [F.: *oftalmoplastia* + *-ico*[2].]

oftalmoplegia (of.tal.mo.ple.*gi*.a) *Oft. Pat. sf.* Paralisia de músculo ocular [F.: *oftalm(o)-* + *-plegia.*]

oftalmoplégico (of.tal.mo.*plé*.gi.co) *a. Oft. Pat.* Ref. à ou próprio da oftalmoplegia [F.: *oftalmoplegia* + *-ico*[2].]

oftalmoscopia (of.tal.mos.co.*pi*.a) *Oft. sf.* Exame do olho por meio do oftalmoscópio [F.: *oftalm(o)-* + *-scopia.*]

oftalmoscópico (of.tal.mos.*có*.pi.co) *a. Oft.* Ref. à ou próprio da oftalmoscopia [F.: *oftalmoscopia* + *-ico*[2].]

oftalmoscópio (of.tal.mos.*có*.pi:o) *Oft. sm.* Instrumento utilizado para examinar a parte interior do olho [F.: *oftalm(o)-* + *-scópio.*]

oftalmóstato (of.tal.*mós*.ta.to) *sm. Cir. Oft.* Instrumento utilizado para manter fixo o globo ocular durante um procedimento cirúrgico [F.: *oftalm(o)-* + *-stato.*]

oftalmotomia (of.tal.mo.to.*mi*.a) *Cir. Oft. sf.* Incisão cirúrgica no globo ocular [F.: *oftalm(o)-* + *-tomia.*]

oftalmotômico (of.tal.mo.*tô*.mi.co) *a. Cir. Oft.* Ref. à ou próprio da oftalmotomia [F.: *oftalmotomia* + *-ico*[2].]

ofurô (o.fu.*rô*) *sm.* Banheira japonesa circular e grande, feita de ripas de cedro encaixadas e presas por arcos de metal, us. por uma ou mais pessoas para banhos quentes e relaxantes [F.: Do jap. *ofuro.*]

ofuscação (o.fus.ca.*ção*) *sf.* Ver *ofuscamento* [Pl.: *-ções.*] [F.: Do lat. *offuscatio, onis.*]

ofuscado (o.fus.*ca*.do) *a.* **1** Que se ofuscou, que se tornou fosco **2** Turvo, embaciado, enevoado [Ant.: *claro, desanuviado.*] **3** Sobrepujado, suplantado, rebaixado: "Não me achasse eu tão ofuscado pelas bulhas da vida, de engano a engano, entre passado e futuro – trevas e névoas – e o mundo, maquinal." (João Guimarães Rosa, "Páramo" *in Estas estórias*) **4** Deslumbrado, fascinado **5** Encoberto, oculto, velado (dor ofuscada) [Ant.: *aparente, exposto, visível.*] [F.: Part. de *ofuscar*. Ant. ger.: *desofuscado.*]

ofuscador (o.fus.ca.*dor*) [ô] *a.* **1** Que ofusca; que tira o brilho a; OFUSCANTE *sm.* **2** Aquele ou aquilo que ofusca [F.: *ofusca(r)* + *-dor.*]

ofuscamento (o.fus.ca.*men*.to) *sm.* Ação ou resultado de ofuscar(-se); OFUSCAÇÃO [F.: *ofuscar* + *-mento.*]

ofuscante (o.fus.*can*.te) *a2g.* Que ofusca; que causa ofuscação (brilho ofuscante): "Não é mais o dia azul-cobalto e o céu ofuscante, não é mais o negror da noite picado de estrelas palpitantes; é a treva absoluta, é toda ausência de luz..." (Lima Barreto, *O cemitério dos vivos*) [F.: Do lat. *offuscans, antis.*]

ofuscar (o.fus.*car*) *v.* **1** Embaçar a vista de [*td.*: *O sol do meio-dia ofuscava nossa vista.*] **2** Impossibilitar, obstruir a visão de (algo) [*td.*: *A grande sombra projetada pela nuvem ofuscou a visão da paisagem.*] **3** Tornar(-se) turvo, embotar [*td.*: *O ódio ofuscava sua capacidade de pensar.*] **4** Tornar menos perceptível [*td.*: *Sua inteligência superior ofuscava a dos outros membros da equipe.*] **5** Perder fama, prestígio [*int.*: *Foi grande cantor no passado, mas depois ofuscou-se.*] [▶ **11** ofuscar] [F.: Do lat. tardio *offuscare.*]

ogã (o.*gã*) *Bras. Rel. sm.* **1** Nas religiões afro-brasileiras, pessoa de prestígio que ajuda e protege a casa de culto mas não participa ativamente do ritual **2** Pessoa que desempenha funções específicas nos trabalhos e festividades, como tocar atabaques, guardar os elementos espirituais, cozinhar para o santo etc. **3** O título ou cargo dessa pessoa [F.: Do ior. *o'gã.*]

ogiva (o.*gi*.va) *sf.* **1** *Arq.* Arco, típico do gótico, em que duas curvas se cruzam em ângulo agudo **2** Parte anterior de foguete, míssil ou projétil, ger. em forma de cone (ogiva nuclear) **3** *Est.* Gráfico que mostra a frequência acumulada [F.: Do fr. *ogive.*]

ogivado (o.gi.*va*.do) *a.* **1** Em forma de ogiva; OGIVAL **2** *Arq.* Provido de ogivas (abóbada ogivada) [F.: *ogiv(a)* + *-ado*[2].]

ogival (o.gi.*val*) *a2g.* **1** Que se refere a ogiva **2** Que tem forma de ogiva [Pl.: *-vais.*] [F.: *ogiv(a)* + *-al.*]

ogre (o.gre) *sm.* Ver *ogro*

ogro (o.gro) [ô, ó] *sm.* Personagem fantástico e monstruoso de histórias infantis, do qual se fala para assustar as crianças [Fem.: *ogra.*] [F.: Do fr. *ogre.*]

ogum (o.*gum*) *sm. Bras. Rel.* Divindade afro-brasileira que exerce poder sobre o ferro e a guerra na tradição nagô, cultuado no Brasil mais por sua belicosidade [F.: Do ior. *ogun.*]

ogunhê (o.gu.*nhê*) *Bras. Rel. interj.* Saudação a Ogum, nas religiões afro-brasileiras [F.: Deriv. do ior. *ogun.*]

oh [ó] *interj.* Expressa dor, surpresa, admiração, desejo etc.: *Oh, que maravilha! Oh, que horror! Oh, mas quanta delicadeza!* [F.: Do lat. *ô* ou *oh*. Sin. ger.: *ô*. Hom./Par.: *o* (sm. e 15ª letra do alfabeto), *ó* (interj.); *o* (art. def., pr. pess. e pr. dem.) e *ô* (interj.).]

⊠ **ohm** *sm. Elet. Fís. Met.* Unidade de medida de resistência elétrica no Sistema Internacional. [Símb.:Ω] [Pl.: *ohms.*] [F.: Do ing. *ohm.*] **■ ~ acústico** *Fís.* Unidade de impedância acústica no sistema c. g. s., correspondente à impedância de um sistema no qual 1 microbar de pressão produz uma velocidade volumétrica de 1 cm^3/s

ôhmico (*ôh*.mi.co) *a.* Relativo a ohm [F.: *ohm* + *-ico.*]

ohmímetro (oh.*mí*.me.tro) *Elet. sm.* Instrumento utilizado para medir a resistência elétrica de um componente de circuito [F.: *ohm* + *-i-* + *-metro.*]

oi *Interj. Bras.* Expressão us. para saudar alguém, chamar ou responder a um chamado: *Oi, garoto, me chuta essa bola!; Passou por mim, sorriu e disse oi.* [F.: Voc. expressivo.]

oiça (*oi*.ça) *sf.* Artefato de madeira que prende o tamoeiro à canga, nos carros de boi; CHAVELHA; OUÇA [F.: Do fr. *heusse.*]

◎ **-oico** *suf.* = pertinência, relação: *dicroico, heroico, paranoico*

◎ **-oide** *el. comp.* Ocorre em adjetivos (vários substantivados) formados no grego, no vernáculo ou em outra língua de cultura moderna (esp. no fr. e no ingl.), em geral com as ideias de 'em forma de', 'semelhante a', 'da natureza de'ou 'que apresenta características comuns a (aquilo que é expresso pelo rad. antecedente)'– ou com significado específico (resultante de tais noções): *abutiloide, acantoide, acaroide, acromegaloide, actinoide, adenoide* (< fr.), *aftoide, agaricoide, agatoide*[1], *agatoide*[2] (< gr.), *albuminoide, alisioide, anciloide, anciroide* (< gr.), *androide* (< fr.), *anfiboloide, antoide, antracoide, aracnoide* (< gr.), *argiloide, asteroide* (< gr.), *balanoide* (< gr.), *bissoide, bolboide, bracteoide, cactoide, caliptroide, cardioide* (< gr.), *cassinoide, catenoide, cauloide, cefaloide, centroide, ceroide* (< gr.), *cicloide* (< fr.), *dartoide, dermatoide, discoide* (< gr.), *eczematoide, elitroide, epileptoide, epitelioide, escafoide, esfenoide, esferoide, estipuloide, facoide* (< lat. < gr.), *factoide* (< ingl.), *feloide, feldspatoide, flavonoide, galactoide* (< gr.), *ganoide, gelatinoide, geoide* (< gr.), *glenoide* (< gr.), *helmintoide, hioide* (< gr.), *hiperboloide, lambdoide* (< gr.), *lombricoide, mastoide* (< gr.), *meteoroide* (< ingl.), *mirtoide, negroide, nucleoide, ovaloide, ovoide, pirenoide* (< gr.), *pitecantropoide, planetoide, plasmoide, polaroide* (< ingl., nome comercial), *poloide, prismatoide, quelonioide, rabditoide, retinoide, rizoide, romboide* (< gr.), *secantoide, senoide, sifiloide, sinusoide, tabloide* (< ingl.), *tactoide* (< ingl.), *tilacoide, toroide, toxoide, varioloide, viroide, xifoide, zebroide* [Us. na terminologia científica internacional (esp. na botânica, geometria, medicina, anatomia, estatística, biologia, bioquímica, química e antropologia), esse elemento (que modernamente vem funcionando como sufixo) registra-se, no port., tb. em taxônimos de zoologia, como adaptação do lat. cient. (de termos em *-oidea* ou *-oida*), com a noção ger. de 'espécime de uma superfamília, subclasse, classe, ordem ou filo de animais': *amonoide, calanoide, cassiduloide, cestoide, espantagoide, esteleroide, eucestoide, galateoide, hidroide, hiracoide, holoturoide, lemuroide, megaterioide, mitiloide, moluscoide, nautiloide, ofiuroide, rinocerotoide, salamandroide, sipunculoide, sirenoide, teutoide.* Na linguagem popular, por outro lado, *-oide* ganha por vezes valor pejorativo: *burroide, debiloide, fascistoide, politicoide.*] [F.: Do gr. *-oeidés, és, es,* 'que tem a mesma forma ou aspecto de', do gr. *eidos, eos-ous,* 'aspecto externo'; 'forma de um corpo'; 'aparência ou fisionomia de uma pessoa'; 'aspecto de uma coisa'; 'forma (por opos. à matéria)'etc. F. conexas: *-oideo, -óideo* e *-zoide*. Ver tb. *-ídeo* e *-ploide.*]

◎ **-oideo** *el. comp.* Apresenta dupla prosódia e ocorre em cultismos da terminologia científica, quer em adj., ger. de anatomia ou de medicina, com a ideia de 'de forma, aspecto ou natureza similar à expressa pelo rad. nom. (por vezes, ref. a)', quer em taxônimos de zoologia (adaptações do lat. cient. *-oidea*, pl.), com a noção de 'espécime de uma subordem ou superfamília (ou, por vezes, ordem ou classe) de animais (ger. insetos e mamíferos e por vezes peixes, equinodermos ou vermes)', tais como: *coracoideo, coronoideo, cotiloideo, deltoideo, dendroideo, esferoideo, etmoideo, feculoideo, glenoideo, lepidoideo; antropoideo,* *canoideo, ceboideo, cercopitecoideo, ciprinoideo, cocoideo, efemeroideo, esqualoideo, feloideo, gordioideo, griloideo* [A melhor prosódia, segundo o lat. (suf. *-eus*), é *-oídeo*, mas o uso vem consagrando as formas em *-oideo*, daí muitas vezes a flutuação de formas: *deltoideo, deltoídeo, xifoideo, xifoídeo; blastoideo, blastoídeo, cocoideo, cocoídeo.*] [F.: Integração da vogal helênica *-o-*, do grego *eîdos, eoús*, 'aspecto externo'; 'forma de um corpo'; 'aparência ou fisionomia de uma pessoa'; 'aspecto de uma coisa'; 'forma (por opos. à matéria) etc.', e do suf. lat. *-eus, -ea, -eum*, 'da natureza de (aquele ou aquilo que é expresso pelo rad. antecedente)'. F. conexas: *-oide, -ploide* e *-zoide*. Ver *-o-* e *-eo*.]

◎ **-oídeo** *el. comp.* Ver *-oideo*

oídio (o.*í*.di:o) **sm.** **1** Denominação geral dos fungos imperfeitos do gên. *Oidium*, da fam. das moniliáceas, muitos dos quais são considerados estágios conidiais de vários mofos pulverulentos **2** Qualquer doença de plantas, esp. das videiras, causadas por fungos desse gên. e caracterizada pelo aspecto de mofo pulverulento **3** Cada um dos conídios produzidos em cadeia por vários fungos, como os do gên. *Oidium* **4** Esporo de parede delgada derivado da fragmentação da hifa em suas células componentes [F.: Do lat. cient. gên. *oidium*, deriv. do gr. *oíon, oû* 'ovo'+ gr. *-idium* '-ídio'.]

oigalê (oi.ga.*lê*) **interj.** *S* Exprime admiração, espanto, alegria; OIGATÊ; OIGATÉ: "Foi como o trovão e logo o raio (...), pois como um raio o gaúcho carregou e atirou a montaria contra o touro! Oigalê! Pechada macota!" (João Simões Lopes Neto, *Contos gauchescos*) [F.: Do espn. plat. *oiga* 'ouça'+ *le* '-o'. Tb. *oigalê*.]

oiro (oi.ro) **sm.** Ver *ouro* [Hom./Par.: *oiro* (fl. de *oirar*).]

⊠ **OIT** Sigla de *Organização Internacional do Trabalho*

oitante (oi.*tan*.te) **sf.** **1** *Astron.* Fase da Lua entre duas principais [São quatro as oitantes: a primeira, entre a lua nova e o quarto crescente; a segunda, entre o quarto crescente e a lua cheia; a terceira, entre a lua cheia e o quarto minguante; e a quarta, entre o quarto minguante e a lua nova.] **2** *Astron.* Distância de 45 graus entre o Sol e um astro, a partir do ponto de vista do observador **3** *Geom.* Arco ou setor de círculo que mede 1/8 deste, ou 45 graus; OCTANTE **4** *Ant. Mar.* Instrumento náutico para medir ângulos com setor graduado de 1/8 do círculo, ou 45 graus; OCTANTE [F.: Do lat. *octans, antis* 'a oitava parte'.]

oitão (oi.*tão*) *Constr.* **sm.** **1** Cada uma das paredes laterais de casas, prédios etc. **2** Cada um dos espaços laterais de um prédio **3** Ver *empena*. [Pl.: *-tões*.] [F.: Do lat. *altanus, i*. Tb. *outão*.]

oitava (oi.*ta*.va) **sf.** **1** *Mús.* Na escala musical diatônica, intervalo que compreende ger. oito notas musicais, indicando o trecho que deve ser executado **2** Parte que é oito vezes menor que a unidade **3** *Litur.* Período de oito dias em que se realiza uma comemoração religiosa **4** *Litur.* O último dia desse período **5** *Vers.* Estrofe de oito versos **6** *Bras. Antq.* Unidade monetária e moeda equivalentes a 1.200 réis [F.: Do lat. *octava*, fem. de *octavus, a, um* 'oitavo'. Hom./Par.: *oitava* (fl. de *oitavar*).]

oitava de final (oi.ta.va de fi.*nal*) **sf.** *Esp.* Nos torneios por eliminação, rodada de oito jogos em que 16 equipes disputam a ida para as quartas de final [Mais us. no pl.] [Pl.: *oitavas de final*.]

oitavado (oi.ta.*va*.do) **a.** **1** *Geom.* Que tem oito ângulos e oito lados; OCTOGONAL: "...fui ao seu encontro, juntamente com a Corina, enquanto o relógio oitavado, na parede fronteira, continuava em tom baixo a contagem dos segundos." (Josué Montello, *Sempre serás lembrada*) **2** Que se divide em oito partes [F.: Part. de *oitavar*.]

oitavar (oi.ta.*var*) **v. td.** **1** Dar forma de octógono a **2** Dividir (algo) em oito partes **3** *Mús.* Tocar na oitava (inferior ou superior) [▶ **1 oitavar**] [F.: *oitavo* + *-ar*. Hom./Par.: *oitava(s)* (fl.), *oitava* (sf.) e pl.; *oitavo* (fl.), *oitavo* (num. a. sm.).]

oitava-rima (oi.ta.va-*ri*.ma) *Poét.* **sf.** Estrofe de oito versos decassílabos, com rima alternada nos seis primeiros versos e paralela nos dois últimos: *Os Lusíadas, de Camões, são um exemplo de poema épico composto em oitava-rima.*

oitavo (oi.*ta*.vo) **num.** **1** Ordinal que, em uma sequência, corresponde ao número oito (oitavo pavimento) **2** Que é oito vezes menor que a unidade ou um todo (diz-se de parte): *A oitava parte do dinheiro foi doada.* [Us. tb. como subst.: *Já fez um oitavo do calçamento*.] [F.: Do lat. clás. *octavus, a, um*. Hom./Par.: *oitavo* (fl. de *oitavar*). Ideia de 'oitavo', usar pref. *ogd(o)-*.]

oitenta (oi.*ten*.ta) **num.** **1** Quantidade correspondente a 79 unidades mais uma **2** Número que representa essa quantidade (arábico: 80; romano: LXXX) **3** Que está marcado com o número oitenta: *Encontrou o que queria no item oitenta do catálogo*. **sm.** **4** Aquilo que, numa série, está em octogésimo lugar: *Na lista de classificação ocupa o oitenta*. [F.: Do lat. *octaginta* por *octoginta*.]

oitentão (oi.ten.*tão*) *Pop.* **sm.** Diz-se do indivíduo que tem oitenta anos ou que representa essa idade; OCTOGENÁRIO [Pl.: *-tões*. Fem.: *-tona*.] [F.: *oitenta* + *-ão*.]

oiti (oi.*ti*) *Bot.* **sm.** **1** Nome comum a certas árvores da fam. das crisobalanáceas, nativas do Brasil, cujos frutos de polpa comestível são apreciados pela fauna, como, p. ex., *Licania tomentosa*, tb. conhecida como oiti-da-praia e oiti-cagão, us. na arborização urbana, de flores brancas, amêndoas ricas em óleo e madeira resistente, us. na construção civil e de embarcações, obras externas etc. **2** O fruto dessas árvores [F.: Do tupi, de or. contrv., posv. *gwi'ti*.]

oiticica (oi.ti.*ci*.ca) *Bot.* **sf.** **1** Árvore da fam. das crisobalanáceas (*Licania rigida*), nativa do Brasil, de flores amarelas e frutos drupáceos, e de cuja semente se extrai um óleo secativo us. na fabricação de tintas e vernizes **2** Árvore da fam. das moráceas (*Clarisia racemosa*), nativa do Brasil, de raízes vermelhas, casca acinzentada cuja madeira é us. em construção civil e naval; GUARIÚBA [F.: *oiti* + *-cica*, do tupi *i'sika*.]

oitiva (oi.*ti*.va) **sf.** **1** Ação ou resultado de se ouvir o que alguém tem a dizer acerca de algo; AUDIÇÃO **2** Informação que se transmite por ouvir dizer, sem saber se está ou não baseada em fatos: *Soube dessa notícia de oitiva*. [F.: Alt. de *auditiva*.]

oitizeiro (oi.ti.*zei*.ro) *Bras. Angios.* **sm.** O mesmo que *oiti* (1) [F.: *oiti* + *-zeiro*.]

oito (*oi*.to) **num.** **1** Quantidade correspondente a sete unidades mais uma **2** Número que representa essa quantidade (arábico: 8; romano: VIII) **a.** **3** Que está marcado com o número oito (poltrona oito) **sm.** **4** Aquele ou aquilo que, numa série, encontra-se no oitavo lugar **5** Carta de baralho ou peça de jogo que tem marcado o número oito: *Recebeu dois quatros e um oito*. [F.: Do lat. *octo*. Ideia de 'oito', usar pref. *oct(a/o)-*.] ■ **Nem ~ nem oitenta** Us. para dar ideia de, ou recomendar, moderação, equilíbrio, atenção às gradações, aos meios-termos, ausência de exageros ou de radicalismo; nem tanto ao mar nem tanto à terra **Ou ~ ou oitenta** Us. para dar ideia de que não há intermediário entre a carência e o excesso, de que não se tem ou não se escolhe um meio-termo entre o exagero para menos e o exagero para mais; ou tudo ou nada **Tomar um ~** *Bras. Pop.* Ingerir um tanto de bebida alcoólica

oitocentésimo (oi.to.cen.*té*.si.mo) **num.** Ver *octingentésimo*

oitocentista (oi.to.cen.*tis*.ta) **a2g.** **1** Ref. ou pertencente ao séc. XIX **2** Diz-se de qualquer personagem desse século **3** Diz-se de admirador ou conhecedor de qualquer aspecto da cultura do séc. XIX **s2g.** **4** Indivíduo oitocentista (2, 3) [F.: *oitocentos* + *-ista*.]

oitocentos (oi.to.*cen*.tos) **num.** **1** Quantidade correspondente a 799 unidades mais uma **2** Número que representa essa quantidade (arábico: 800; romano: DCCC) **3** Que está marcado com o número oitocentos (artigo oitocentos) **sm.** **4** Numa série, aquele ou aquilo que ocupa lugar de número oitocentos **5** O século XIX em relação à literatura, artes plásticas etc.: *Foi um grande pintor do oitocentos*. [Inicial maiúsc.] [F.: *oito* + *-cento(s)*.]

ojeriza (o.je.*ri*.za) **sf.** Sentimento de aversão ou repulsa por pessoa ou coisa; ANTIPATIA; AVERSÃO; REPUGNÂNCIA [+ *a, contra, por*: *ojeriza ao marido; ojeriza contra gatos; ojeriza por quiabos*.] [F.: Do espn. *ojeriza*.]

ojerizar (o.je.ri.*zar*) *Bras.* **v.** **1** Sentir ojeriza a; ter antipatia por; antipatizar [*td.*] [*tr.* + *com*] **2** Ter antipatia, repugnar [*tr.* + *com*] [▶ **1 ojerizar**] [F.: *ojeriza* + *-ar*. Hom./Par.: *ojeriza(s)* (fl.), *ojeriza* (sf. e pl.).]

⊕ **o. k.** (*ing.*) **adv.** **1** Por certo; SIM; CERTAMENTE: *O. k., concordo com você!* **a.** **2** Que está bem; que está bom, correto: *Ficou doente, mas agora está o. k.!; O relatório está o. k.!* [F.: Do ing. *o. k.*, abrev. de *oll korrect*, alter. de *all correct*.]

◎ **-ol¹** **suf.** = formação de adj. e subst: *anzol, caracol, espanhol, urinol*

◎ **-ol²** **suf.** *Quím.* = indica um álcool: *metanol, etanol*

◎ **-ola** **suf.** = diminuição: *casinhola, portinhola*

ola (o.la) [ó] **sf.** Movimento coletivo coordenado, em forma de onda, feito por torcedores que sentam e levantam de maneira regular e harmoniosa em estádio ou ginásio esportivo [F.: Do espn. *ola* 'onda'.]

olá (o.*lá*) **interj.** Expressão us. para saudar ou chamar alguém: *Olá, meu amigo!; Olá, você aí!* [F.: Posv. pal. expressiva. Hom./Par.: *ola* (sf.).]

olacácea (o.la.*cá*.ce:a) *Bot.* **sf.** Qualquer espécie da fam. das olacáceas, da ordem das santales, nativas de regiões tropicais e do sul da África, e que engloba árvores, arbustos e lianas. Todas as espécies são floríferas e muitas delas parasitas de raízes de outras árvores [F.: Do lat. cient. fam. *Olacaceae*.]

olacáceo (o.la.*cá*.ce:o) **a.** Que diz respeito às olacáceas [F.: Do lat. cient. fam. *Olacaceae*.]

olada (o.*la*.da) *RS* **sf.** **1** Ocasião propícia; oportunidade **2** Sucessão de ocorrências favoráveis, esp. no jogo; maré de sorte [F.: Do espn. plat. *olada*.] ■ **Estar de ~** *Bras. RS* Estar com sorte (esp. no jogo)

olaria (o.la.*ri*.a) **sf.** **1** Local onde se fabricam tijolos, telhas, potes e outros objetos de barro **2** O conjunto desses objetos **3** A arte do oleiro [F.: *ola* 'pote de barro'+ *-aria*.]

oldemburguês (ol.dem.bur.*guês*) **sm.** **1** Indivíduo nascido ou que vive em Oldemburgo (Alemanha) [Pl.: *-gueses* [ê]. Fem.: *-guesa* [ê].] **a.** **2** De Oldemburgo; típico dessa cidade ou de seu povo [Pl.: *-gueses* [ê]. Fem.: *-guesa* [ê].] [F.: Do top. *Oldemburgo* + *-ês*.]

olé (o.*lé*) **interj.** Grito de incentivo dos torcedores, em arenas de touradas e estádios de futebol [F.: Do espn. *olé*, interj.]

ólea (*ó*.le:a) *Bot.* **sf.** Denominação geral das plantas do gên. *Olea*, da fam. das oleáceas, nativas de regiões tropicais e subtropicais do Velho Mundo e que reúne 30 espécies de árvores e arbustos de folhas perenes e frutos drupáceos oleosos. São as oliveiras [F.: Do lat. cient. gên. *Olea*.]

oleado (o.le.*a*.do) **a.** **1** Que contém óleo ou foi untado com óleo; GORDUROSO; OLEOSO **sm.** **2** Lona impermeabilizada com cera ou verniz, us. em forros, capas para chuva etc. [F.: Part. de *olear*.]

oleaginoso (o.le:a.gi.*no*.so) [ô] **a.** Que contém óleo (semente oleaginosa) [Pl.: [ó]. Fem.: [ó].] [F.: rad. do lat. *oleagina, ae* 'oliveira'+ *-oso*.]

oleandrina (o.le.an.*dri*.na) *Farm.* **sf.** Um dos diversos alcaloides extraídos das folhas do oleandro (*Nerium oleander*), us. como tônico cardíaco e diurético [Fórm.: $C_{32}H_{48}O_9$] [F.: *oleandro* + *-ina*.]

oleandro (o.le.*an*.dro) *Bot.* **sm.** Arbusto ornamental da fam. das apocináceas (*Nerium oleander*), que ocorre em Cabo Verde e na região mediterrânea até o Japão, de folhas lanceoladas, flores róseas e frutos foliculosos com sementes aveludadas. Dele se extraem glicosídeos com propriedades cardiotônicas, como a oleandrina; ESPIRRADEIRA [F.: Do gr. *rhodódendron*; do lat. *lorandrum*, do lat. medv. *oliandru* ou *oleandru*.]

oleanólico (o.le.a.*nó*.li.co) **a.** *Quím.* Diz-se de ácido carboxílico triterpênico encontrado em vários vegetais [F.: $C_{30}H_{48}O_3$]

olear (o.le.*ar*) **v. td.** **1** Untar com óleo, passar uma substância oleosa **2** Embeber em óleo [▶ **13 olear**] [F.: *óleo* + *-ar*. Hom./Par.: *oleária(s)* (fl.), *oleária(s)* (sf. [pl.]), *oleária(s)* (sf. [pl.]).]

olecraniano (o.le.cra.ni.*a*.no) **a.** Que diz respeito o olecrânio [F.: *olecrânio* + *-ano*.]

olecrânio (o.le.*crâ*.ni:o) *Anat.* **sm.** Saliência óssea e arredondada na extremidade superior da ulna [F. menos us. *olecrano, olécrano*.] [F.: Do gr. *olékranon, ou*.]

◎ **ole(i)-** *el. comp.* = 'azeite de oliva'; 'oliva, oliveira'; 'óleo'; 'ácido oleico': *oleícola, oleicultura, oleígeno, oleífero, oleificar, oleifoliado, oleína; oleoduto, oleografia, oleogravura, oleômetro; eleóleo, gliceróleo, linóleo* (< ingl.), *petróleo* (< lat. medv.), *sacaróleo* [F.: Do lat. *oleum, i*, 'azeite de oliveira'.]

oleico (o.*lei*.co) *Quím.* **a.** **1** Diz-se de ácido graxo, insaturado, encontrado em combinação com gliceril, na forma de ésteres, em certos óleos e gorduras animais e vegetais, como o azeite de oliva e o óleo de espermacete [Fórm.: $C_{18}H_{34}O_2$] **2** Esse ácido [F.: *ole(i)-* + *-ico²*.]

oleícola (o.le.*í*.co.la) **a2g.** **1** Relativo à cultura das oliveiras **2** Relativo ao comércio de azeite [F.: *ole(i)-* + *-cola*.]

oleicultor (o.le:i.cul.*tor*) [ô] **a.** **1** Diz-se de pessoa que se dedica à oleicultura; OLIVICULTOR **sm.** **2** Essa pessoa [F.: *ole(i)-* + *-cultor*.]

oleicultura (o.le:i.cul.*tu*.ra) **sf.** **1** Atividade industrial de produção, tratamento e conservação do azeite **2** Atividade agrícola do cultivo de oliveiras; OLIVICULTURA [F.: *ole(i)-* + *-cultura*.]

oleífero (o.le.*í*.fe.ro) **a.** Que produz ou contém óleo; OLEIFICANTE [F.: *ole(i)-* + *-fero*. Cf.: *oleaginoso, oleoso*.]

oleígeno (o.le.*í*.ge.no) **a.** Que produz líquido de aparência oleaginosa [F.: *ole(i)-* + *-geno*.]

oleiro (o.*lei*.ro) **sm.** **1** Aquele que produz e/ou vende peças de cerâmica; CERAMISTA **2** Trabalhador de olaria **3** *Zool.* Ver *joão-de-barro* [F.: *ola* 'pote de barro'+ *-eiro*.]

olência (o.*lên*.ci.a) **sf.** Qualidade de olente [F.: Do lat. *olentia, ae* 'cheiro'.]

olente (o.*len*.te) **a2g.** Que exala aroma, fragrância; CHEIROSO; ODORANTE; OLOROSO: *Flores meigas e olentes*. [Ant.: *fedorento, malcheiroso*.] [F.: Do lat. *olens, entis*.]

◎ **oleo-** *el. comp.* Ver *ole(i)-*

◎ **-óleo** *el. comp.* Ver *ole(i)-*

óleo (*ó*.le:o) **sm.** **1** Substância líquida gordurosa extraída de vegetais, animais e minerais (óleo de mamona, óleo de baleia) **2** Tinta que contém substância gordurosa **3** Pintura com essa tinta: *Comprou um óleo de Van Gogh*. **4** Perfume que tem a consistência do óleo; ESSÊNCIA **5** *Bras.* Petróleo **6** *Bras. Gír.* Dinheiro **7** *Bras. Gír.* Cachaça **8** *Bot.* Nome comum a algumas árvores do gên. *Copaifera*, da fam. das leguminosas, em cujo córtex encontra-se óleo medicinal [F.: Do lat. *oleum, i* 'azeite de oliva'.] ■ **Arriar o ~** *PE Tabu.* Ter relação sexual, copular **~ canforado** *Quím.* Solução de cânfora em azeite de oliva **~ combustível** Aquele que é us. como combustível **~ de palma** *Afric.* Dendê (3) **~ de rícino** *Quím.* Óleo obtido de sementes de mamona, us. como medicamento e na indústria; óleo de mamona **~ diesel** Produto obtido do petróleo, us. como combustível em motores *diesel* **~ dos enfermos** *Rel.* Extrema-unção **~ essencial** Óleo extraído de planta, para uso medicinal ou em perfumaria; a partir de 1960, us. em aromaterapia; óleo volátil **~ lubrificante** Tipo de óleo us. para lubrificar peças de máquinas **~ mineral** **1** O petróleo **2** Óleo ou mistura de óleos derivados do petróleo, e dos quais são removidas impurezas e todos os resíduos orgânicos [Tb. denominado *óleo mineral branco*, tem aplicações farmacêuticas e cosméticas, técnicas (lubrificação), industriais etc.] **~ pesado** *Quím.* Fração dos subprodutos resultantes da destilação do petróleo quando esta se faz acima de 22 °C **~ secativo** Substância oleosa, vegetal ou animal, que se oxida quando em contato com o oxigênio do ar, us. na fabricação de vernizes e de tintas **~ volátil** Ver *Óleo essencial* **Pôr ~** *Bras. Pop.* Embriagar, embebedar **Santos ~s** *Rel.* Óleo us. na Igreja para certas cerimônias religiosas, como crisma, extrema-unção e outras **Trocar o ~** *Bras. Tabu.* Ver *Arriar o óleo*

oleoduto (o.le:o.*du*.to) **sm.** Sistema formado por canos longos e largos para levar petróleo ou seus derivados a regiões distantes [F.: *oleo-* + *-duto*.]

oleografia (o.le:o.gra.*fi*.a) *Art. pl.* **sf.** **1** Cópia de um quadro a óleo para outra tela **2** Quadro que se faz por esse processo [F.: *oleo-* + *-grafia*.]

oleográfico (o.le:o.*grá*.fi.co) *a. Art. pl.* Que diz respeito a oleografia [F.: *oleografia* + *-ico*[2].]
oleogravura (o.le:o.gra.*vu*.ra) *Art. pl. sf.* Reprodução de um quadro a óleo por meio de gravura; LITOCROMIA [F.: *oleo-* + *gravura*.]
oleômetro (o.le.*ô*.me.tro) *Fís. sm.* Instrumento para medir a densidade dos óleos [F.: *oleo-* + *-metro*.]
oleosidade (o.le:o.si.*da*.de) *sf.* Característica ou propriedade do que é oleoso [F.: *oleoso* + *-(i)dade*.]
oleoso (o.le.*o*.so) [ô] *a.* **1** Ref. a óleo **2** Que contém muito óleo (macarronada oleosa); GORDUROSO **3** Que tem alto o teor de óleo (cabelos oleosos) [Pl.: [ó]. Fem.: [ó].] [F.: Do lat. *oleosus, a, um*.]
◎ **oleri-** *el. comp.* = 'hortaliça, legume': *olericultor, olericultura* [F.: Do lat. *olus, eris*, 'planta'; 'hortaliça'; 'legume'.]
olericultor (o.le.ri.cul.*tor*) [ô] *sm.* **1** Aquele que se dedica à olericultura; OLERÍCOLA *a.* **2** Que se dedica à olericultura; OLERÍCOLA [F.: *oleri-* + *-cultor*.]
olericultura (o.le.ri.cul.*tu*.ra) *sf.* Cultivo de hortaliças [F.: *oleri-* + *-cultura*.]
olfação (ol.fa.*ção*) *sf.* **1** Exercício ativo do sentido do olfato; ação de cheirar; OSFRESIA **2** Olfato [Pl.: *-ções*.] [F.: Do lat. **olfactione*, posv. derv. de *olfactus, us*.]
olfativo (ol.fa.*ti*.vo) *a.* Ref. a olfato ou que é próprio dele (sensibilidade olfativa) [F.: *olfato* + *-ivo*.]
olfato (ol.*fa*.to) *sm.* Sentido por meio do qual os cheiros são percebidos, identificados e diferenciados uns dos outros; FARO [F.: Do lat. *olfactus, us*. Ideia de 'olfato', usar pref. *osfresi(o)-* e suf. *-osmia, -ósmico* e *osm(i/o)-*.]

> 🕮 Entende-se por olfato a percepção de partículas voláteis suspensas no ar, que contêm informações (o 'cheiro' de cada uma) cujos significados são decodificados pelo sistema nervoso. O tipo e localização dos receptores dessas partículas diferem nas várias espécies. Nos insetos, por exemplo, eles ficam nas antenas. Nos mamíferos ger. ficam nas fossas nasais. As aves quase não têm olfato, enquanto o cão é um dos animais de olfato mais desenvolvido. Para muitos animais, o olfato é o guia na busca do alimento ou o alerta contra os perigos. No homem, apesar de muito menos desenvolvido, é fator importante na fisiologia do prazer ou desprazer sensorial.

olfatometria (ol.fa.to.me.*tri*.a) *Biofs. sf.* Testagem e medição da sensibilidade do olfato; OSFRESIOMETRIA [F.: *olfato* + *-metria*[1].]
olfatório (ol.fa.*tó*.ri:o) *a.* Do olfato ou referente a ele (bulbo/epitélio/nervo olfatório) [F.: *olfato* + *-ório*[1].]
olga (*ol*.ga) *sf.* **1** Pequeno terreno cultivado; BELGA; COURELA; LEIRA **2** *Lus.* Depressão em terreno fértil **3** *Lus.* Planície entre outeiros [F.: De or. obsc.]
olha[1] (o.lha) [ô] *Cul. sf.* **1** Comida feita de carnes variadas, grão-de-bico, ervilhas, hortaliças e outros ingredientes **2** *Ant.* Panela esp. us. para fazer ou servir essa comida [F.: Do lat. *olla, ae* 'panela'; do esp. *olla*. Ant. /Par.: *olha* [ô] (sf.), *olha* (fl. de *olhar*).]
olha[2] (o.lha) [ô] *Cul. sf.* Caldo gorduroso ou a gordura do caldo [F.: Fem. de *olho* [ô], posv. pela semelhança com as bolhas formadas no cozimento. Hom./Par.: ver *olha*[1].]
olhada (o.*lha*.da) *sf.* **1** Ação ou resultado de olhar *sf.* **2** *Restr.* Ação de olhar rapidamente para alguém ou algo; ESPIADA; OLHADELA: *Deu uma olhada no preço e desistiu de comprar;* "É o imortal? – perguntou ele, dando uma olhada de esguelha para meus pés." (João Ubaldo, *Diário do farol*) [F.: *olhar* + *-ada*[1].]
olhadela (o.lha.*de*.la) [é] *sf.* Ação de olhar rapidamente; olhada breve; relance de olhos; OLHADURA: "Entretanto, de olhadela em olhadela, de sorriso em sorriso, tinha-se estabelecido aos poucos um namoro em regra entre o flautista e a filha do comendador Freitas." (Artur Azevedo, *João Silva*) [F.: *olhar* + *-dela*.]
olhado (o.*lha*.do) *a.* **1** Que foi visto, avistado, observado *sm.* **2** O mesmo que *mau-olhado* [F.: Part. de *olhar*.]
olhadura (o.lha.*du*.ra) *sf.* **1** Ação ou maneira de olhar: "O corpo de estatura um tanto esbelta/ Feições compridas e olhadura feia/ Tem grossas sobrancelhas, testa curta (...)" (Tomás Antonio Gonzaga, *Cartas chilenas*): "Não morreram meus vizinhos/ de tão suave olhadura, / que era uma peste agradável/ de lisonjeiras angústias (...)" (Gregório de Matos, *Obra poética*) **2** Conjunto dos olhos ou furos do queijo **3** Parte terminal do colmo da cana-de-açúcar, us. como semente; BANDEIRA [F.: *olhar* + *-dura*.]
olhal (o.*lhal*) *sm.* **1** Vão sob arco entre os pilares de pontes ou arcadas **2** Nas armas de fogo, orifício onde se adapta a espoleta **3** *Náut.* Qualquer argola metálica, fixada em embarcação ou no cais, para nela se engatar um aparelho ou amarrar um cabo **4** Qualquer argola ou anel metálico ou não (parafuso com olhal; olhal do laço) [Pl.: *-lhais*.] [F.: olho + *-al*. Hom./Par.: *olhais* (pl.), *olhais* (fl. de *olhar*).]
olhalvo (o.*lhal*.vo) *a.* **1** Diz-se de equídeo que tem manchas brancas em torno dos olhos; OLHIBRANCO **2** Diz-se de cavalo que põe os olhos em alvo, levantando a cabeça; OLHIBRANCO **3** *Lus. Ict.* Certo peixe típico da costa portuguesa [F.: *olho* + *alvo*.]
olhanense (o.lha.*nen*.se) *s2g.* **1** Aquele ou aquela que nasceu ou que vive em Olhão (Portugal) *a2g.* **2** De Olhão; típico dessa cidade ou de seu povo [F.: Do top. *Olhão* + *-ense*.]
olhar (o.*lhar*) *v.* **1** Fitar os olhos, a vista em; MIRAR; CONTEMPLAR [*td. Olhou a paisagem, extasiado. Olhava-se no espelho e não se reconhecia.*] [*ti.* + *para*: *Olhou para o amigo, esperando uma resposta.*] [*int. Olhe em volta, e vai se surpreender.*] **2** Estar em frente de, voltado para [*td. Minha janela olha o prédio fronteiro.* [*ti.* + *para*: *Meu quarto olha para o pátio traseiro.*] **3** Cuidar de, atender a, tomar conta de [*tr.* + *por*: *A filha olhava pela casa quando a mãe saía.*] [*td. Olha o leite no fogo enquanto arrumo o quarto.*] **4** Considerar, ponderar, levar em conta [*td. Quando se trata da saúde dos filhos, ele não olha despesas.*] [*ti.* + *para*: *Olhava para o que era realmente importante e desconsiderava o resto.*] **5** Velar, proteger [*td.* "Tupã vos olhe e sobre vós de Ibaque os sonhos desçam" (Gonçalves Dias, *Os Timbiras*) [*tr.* + *por*: *A irmã olhava pelo bebê quando a mãe saía.*] **6** Sondar, pesquisar [*td.* "Eis o mestre, que olhando os ares anda." (Camões, *Os Lusíadas, VI 70-2*] **7** Julgar, interpretar [*tr.* + *como Olhou a atitude do chefe como prepotente.*] **8** Estar acima de, sobranceiro a [*tr.* + *sobre*: *A mansão na colina olha sobre todo o vale.*] **9** Deitar (planta) olhos (10), brotos, rebentos; REBENTAR; BROTAR [*int.*] [▶ **1** olhar] *sm.* **10** Ação de ver, contemplar, olhar: *Quando a encarei, fugiu do meu olhar.* **11** Aspecto dos olhos ou forma de olhar que tende a refletir o estado de espírito daquele que olha: *O olhar ingênuo da criança desarmou a todos.* **12** *Fig.* Modo de encarar, de interpretar ou de avaliar algo (olhar otimista); PERSPECTIVA; POSTURA; VISÃO [F.: Do lat. **adoculare*. Hom./Par.: *olha(s)* (fl.), *olhas* [sf. (pl.)]; *olho* (fl.), *olho* (sm.)] ⁜ **E olhe lá** **1** *Bras.* Us. para dar ideia de que aquilo que foi antes mencionado é o limite máximo, que não se pretende ultrapassar: *Só posso dar-lhe agora uma semana de férias, e olhe lá!* **2** Us. para dar ideia de que aquilo que foi antes dito é o mínimo que se pode esperar ou afirmar: *Foi condenado a três anos de prisão, e olhe lá.*
olheira (o.*lhei*.ra) *sf.* Zona escura que se localiza abaixo dos olhos ou ao seu redor, causada ger. por cansaço ou doença [Mais us. no pl.] [F.: *olho* + *-eira*.]
olheiro (o.*lhei*.ro) *sm.* **1** Pessoa contratada para observar ou vigiar alguém ou algo; ESPIÃO; VIGIA **2** *Bras.* Pessoa encarregada de informar sobre a aproximação da polícia a camelôs, bicheiros, traficantes etc. **3** *Bras. Esp.* Na área dos esportes, pessoa que tem a incumbência de observar treinos e jogos dos adversários ou de descobrir novos talentos **4** *Bras.* Nascente de água **5** *SP* Acesso à toca da paca **6** *BA MG* Pequenos cone em que se abrem orifícios de um formigueiro subterrâneo [F.: *olho* + *-eiro*.]
olhete (o.*lhe*.te) [ê] *sm.* **1** Pequeno olho ou cavidade **2** *Ict.* Peixe de até 1m de comprimento, teleósteo, perciforme, da fam. dos carangídeos (*Seriola cariolinensis*), encontrado desde as Antilhas até o Rio de Janeiro, de dorso oliváceo e ventre branco **3** *Ict.* Peixe de até 70 cm, teleósteo, perciforme, da fam. dos carangídeos (*Seriola fasciata*), que ocorre no Atlântico, de dorso escuro com manchas rosa e abdome esbranquiçado; ARABAIANA **4** *Ict.* O mesmo que *olho-de-boi* (5) [F.: *olho* + *-ete*.]
olho (o.lho) [ô] *sm.* **1** *Anat.* Órgão exterior da visão, em forma de globo e dotado de células sensíveis a luz, cores, formas e movimentos **2** Percepção efetuada pela visão; OLHAR; VISTA: *Dirigiu os olhos para a paisagem.* **3** *Fig.* Atenção ou vigilância em relação a alguém ou algo: *Fique de olho no homem que está armado.* **4** *Fig.* Percepção de quem é muito sagaz, experiente; AGUDEZA; LUCIDEZ: *Vê e compreende tudo porque tem um olho danado.* **5** *Fig.* Indício do sentimento, da predisposição ou do caráter de alguém: *Cuidado, ele tem olhos frios!* **6** Orifício, buraco, furo: *os olhos do queijo.* **7** *Fig.* Saliência diminuta de forma arredondada: *Na frigideira, os olhos da gordura inchavam e estalavam.* **8** Em certas hortaliças, como alface e repolho, a parte que fica no meio; MIOLO **9** *Arq.* Abertura ou janela pequena, ger. circular, para dar passagem à luz exterior e iluminar um ambiente; ÓCULO **10** *Bot.* Ver *gema* **11** Ver *olho-d'água* **12** *Jorn.* Intertítulo ou pequeno trecho de texto em destaque **13** Abertura na parte superior da mó do moinho, por onde entra o grão a ser transformado em farinha **14** Pequeno orifício de uma ferramenta, no qual entra o cabo: *O olho da enxada.* **15** *Náut.* Cada um dos furos do poleame surdo pelo qual passa o cabo **16** *Tip.* Desenho da letra em relevo, na parte de cima do tipo, fio ou clichê que se entinta e imprime no papel [Pl.: [ó].] *interj.* **17** Us. para chamar a atenção sobre uma ameaça iminente ou para recomendar prudência; OLHO-VIVO [F.: Do lat. *oculus, i*. Hom./Par.: olho (fl. de olhar). Ideia de 'olho', usar pref. *glen(o)-, oftalm(o)-, olh-* e *oma(t)-* e suf. *-oftalmia* e *-oftalmo*.] ⁜ **Abrir o ~** *Fig.* Ficar atento para não ser enganado; desconfiar **Abrir os ~s** Perceber, cair em si **Abrir os ~s de** Prevenir (alguém) de algo, mostrar a realidade a (alguém que estava iludido, ou alheio, ou indiferente etc.) **Alongar os ~s** Olhar para longe, mirar algo longínquo **Andar de ~ em** Ver *Estar de olho em* **A ~** Só de olhar, sem contar, medir ou pesar (diz-se de avaliação, estimativa etc.) **A ~ armado** Munido de instrumento auxiliar da visão (como lupa, binóculo etc.) **A ~ desarmado** Ver *A olho nu* **A ~ nu** Sem o auxílio de lentes ou aparelhos ópticos. **A ~ vistos** Claramente, visivelmente: *Emagreceu a olhos vistos.* **Aos ~s de** Na opinião de: *Aos meus olhos, isso não vai dar certo.* **Botar/pôr ~ grande em** *Fam.* Invejar, cobiçar (o que é de outrem) **Comer com os ~** **1** Olhar gulosamente para (comida que não pretende comer por não ter fome) **2** Fitar com atenção, ou interesse, ou desejo (pessoa amada, ou objeto desejado) **Com ~s de ver** Com atenção, prestando atenção em todos os aspectos de algo **Correr os ~s por** Ver *Passar os olhos por* **Crescer o ~ em** *Fam.* Ver *Botar/pôr olho-grande em* **Custar os ~s da cara** Ser caríssimo **Dar com os ~s em** Deparar com, avistar **De encher o(s) ~(s)** Admirável por sua beleza, grandiosidade etc. **Deitar ~ comprido a** Cobiçar, ambicionar **De ~ em** **1** Com atenção fixada em (algo ou alguém que se vigia): *Comporte-se, hein, estou de olho em você.* **2** Com intenção de ter, conquistar, adquirir etc. (algo ou alguém): *Ficou de olho na garota um tempão, mas o namoro não saiu; Estou de olho naquela câmera, mas é muito cara.* **De ~ fechados** **1** Com total confiança: *Seguia os conselhos do amigo de olhos fechados.* **2** Com grande facilidade; com um pé nas costas **Encher o(s) ~(s)** Causar profunda admiração ou satisfação por sua beleza, grandiosidade etc. **Entrar pelos ~** Ser claríssimo, evidente, facílimo de entender **Fechar os ~s** Morrer **Fechar os ~ a** **1** Fingir não ver ou perceber, ignorar (falta, transgressão etc.), fazer vista grossa a **2** Presenciar a morte de; fechar os olhos de **Fechar os ~s de** Ver *Fechar os olhos a (2)* **Não pregar ~** Não dormir; ficar insone **Não ser ~ de santo** Não ser coisa que exige cuidado ou precaução excessiva **~ clínico** **1** Tendência, capacidade ou experiência que leva médico a acertar diagnóstico com certa facilidade **2** *Fig.* Capacidade de perceber uma situação, as causas de um problema etc. **~ composto** *Zool.* Olho composto de olhos simples **O ~ da rua** **1** *Bras.* Us. com sentido de 'outro lugar; fora daqui', para expulsar alguém, mandá-lo embora (ou para mencionar o fato da expulsão): *Se aparecerem aqui, ponho-os no olho da rua.* **2** *P. ext. Fig.* Situação de quem foi expulso ou rejeitado, de quem está desempregado; condição de rejeição, abandono, falta de acolhida ou apoio das outras pessoas: *A crise era grande, um em cada dez trabalhadores estava no olho da rua.* **~ de cabra morta** *N.* Ver *Olho de peixe morto* (2) **~ de gata morta** Ver *Olho de peixe morto* (2) **~ de gato** **1** Olho esverdeado, agateado **2** *Gem.* Tipo de crisoberilo no qual parece flutuar uma faixa luminosa denominada 'olhar de gato' (em fr. *chatoyance*) **~ de lince** Acuidade na visão, vista aguda **~ de mormaço** *Bras. Pop.* Olhar sedutor, por entre as pálpebras semicerradas **~ de peixe morto** **1** Ver *Olho de mormaço* **2** *Bras.* Olhar triste, apagado, desanimado **~ de vaca laçada** *CE Pop.* Olhar de quem anda cabisbaixo, olhando para baixo **~ do furacão** **1** A zona central de um furacão, em torno da qual rodopiam os ventos **2** *Fig* A situação ou posição mais difícil, delicada, ameaçada etc. numa crise, numa grande dificuldade **~ gordo** *Bras.* Ver *Olho-grande* **~ grande** *Bras.* Inveja, cobiça do que é alheio [Cf.: *olho-grande*.] **~ mágico** **1** Pequeno cilindro dotado de lente que se embute em porta para se ver do lado de dentro, sem ser notado, quem está do lado de fora **2** *Eletrôn.* Tipo de válvula eletrônica em aparelho receptor, na qual o ângulo de fechamento de um feixe de elétrons visível em seu topo indica o grau de sintonia (pela intensidade dos sinais captados) atingido **~ mecânico** *Turfe* Dispositivo eletrônico que fotografa o cruzamento da linha de chegada pelos cavalos, determinando assim o cavalo vencedor quando dois ou mais cavalos chegam quase juntos **~ pineal** *Anat.* Minúscula glândula em forma de pinha, com estrutura similar à de um olho **~ por ~, dente por dente** Referência a vingança ou represália que visa ao mesmo dano, com a mesma intensidade, da ofensa recebida **~s de sapiranga** *Bras.* Olhos vermelhos ou avermelhados **~ simples** *Zool.* Olho de estrutura simples dos artrópodes, esp. insetos **~s rasos d'água** Olhos lacrimejantes, cheios de lágrimas: "Quem parte tem os olhos rasos d'água..." (Orlando Silva, Silvino Neto, *Adeus – cinco letras que choram*) **~ vivo** **1** Perspicácia, capacidade de discernir, sagacidade [Tb. apenas *olho*.] **2** Cuidado, atenção cautelosa: *Olho-vivo no meio da multidão!* **Passar os ~s por** Examinar por alto; ler rapidamente; correr os olhos por **Pelos seus belos ~s** *Irôn.* Sem qualquer pagamento ou retribuição: *Claro que ele vai querer ser pago, ou você acha que fez o serviço pelos seus belos olhos?* **Pôr o ~ em** **1** *Fam.* Ver *botar/pôr olho-grande em* **2** Avistar-se ou encontrar-se com; botar o olho em: *Há dois anos não ponho o olho neles; Nunca mais lhe pus o olho.* **Pregar ~** Dormir **Saltar aos ~s** Ser evidente, claríssimo **Ter debaixo do ~** Ter sob contínua vigilância; não desviar os olhos de **Ter ~** Ser perspicaz, bom observador, sagaz **Ter o ~ maior que a barriga** *Fam.* Ser guloso, querer comer mesmo sem ter fome **Trazer de ~** Ter sob vigilância **Ver com bons ~s** Ver com simpatia, aprovar

> 🕮 O olho é órgão fundamental da visão, pois é nele que os raios luminosos, refletidos nos objetos e coisas que existem, vão formar a imagem dessas coisas para que sejam transmitidas ao cérebro, que as reconhecerá. Cada olho é um globo dentro da cavidade orbital, que pode ser movido em todas as direções pelos músculos retos e oblíquos. Na camada externa do globo ocular, uma fibra protetora o envolve, a *esclerótica*, que na parte anterior é transparente (a *córnea*). Na camada intermediária, no centro da parte anterior, uma lente (cristalino) foca os objetos de acordo com a distância e concentra os raios luminosos na *íris*, um diafragma que abre e fecha de acordo com a intensidade da luz, regulando a sua entrada na abertura central (*pupila*). É o pigmento da íris que dá a cor dos olhos. Os raios luminosos projetam sua informação na *retina*, na camada interna e posterior do globo ocular, onde as imagens projetadas são transformadas em impulsos transmitidos ao cérebro pelo nervo óptico.

olho-d'água (o.lho-*d'á*.gua) *sm.* Nascente que brota do solo; fonte natural; BORBOTÃO; MINADOURO; OLHO

olho de boi (o.lho de *boi*) *sm.* **1** Abertura no teto, circular ou elíptica, para entrada de claridade; CLARABOIA **2** *Bras.* Primeiro selo postal emitido no Brasil, em 1843, de grande valor para colecionadores **3** *Bot.* Trepadeira da fam. das leguminosas, subfam. papilionoídea (*Dioclea violacea*), originária da Guiana e do Brasil, de flores purpúreas e vagens com grandes sementes [Nesta acp., com hifens: *olho-de-boi.*] **4** *Bot.* A semente dessa planta, us. contra a inveja e o mau-olhado [Nesta acp., com hifens: *olho-de-boi.*] **5** *Zool.* Peixe teleósteo (*Seriola lalandi*) da fam. dos carangídeos, de dorso violáceo ou azul, abdome branco, com até 2m de comprimento e carne de excelente sabor, muito encontrado em certos pontos do litoral atlântico brasileiro [Nesta acp., com hifens: *olho-de-boi.*] **6** *SE* Variedade de mármore caracterizado pela presença de grandes manchas **7** *BA* O arco-íris quando incompleto **8** *Náut.* Abertura feita em convés, tapada com vidro grosso, para permitir entrada de luz no compartimento inferior **9** *Náut.* O vidro aplicado em qualquer vigia [Pl.: *olhos de boi, olhos-de-boi.*]

olho-de-cão (o.lho-de-*cão*) *Ict. sm.* Peixe de cerca de 40 cm de comprimento, teleósteo, perciforme, da fam. dos priacantídeos (*Priacanthus arenatus*), que ocorre em águas tropicais e subtropicais do Atlântico, de olhos muito grandes, coloração vermelha e nadadeiras pélvicas escuras (de grande valor comercial pela excelente qualidade de sua carne) [Pl.: *olhos-de-cão.*]

olho de falcão (o.lho de fal.*cão*) *Gem. sm.* Variedade de quartzo pseudomorfo sobre a crocidolita, de aspecto fibroso e cor azul [Pl.: *olhos de falcão.*]

olho de gato (o.lho de *ga*.to) *sm.* **1** *Bras. Pop.* Dispositivo colocado nas estradas ou na traseira dos automóveis para refletir a luz durante a noite **2** *Bot.* Trepadeira (*Caesalpinia bonducella*) da fam. das leguminosas, de folhas bipenadas, flores amarelas, com vagens que contêm três sementes duras e brilhantes, encontrada da Amazônia até São Paulo [Nesta acp., com hifens: *olho-de-gato.*] **3** A semente dessa trepadeira, us. como conta [Nesta acp., com hifens: *olho-de-gato.*] **4** *Min.* Variedade de crisoberilo [Pl.: *olhos de gato, olhos-de-gato.*]

olho de peixe[1] (o.lho de *pei*.xe) *sm.* **1** *Gem.* Calcedônia clara, quase transparente **2** *MT Ent.* O mesmo que *libélula* [Nesta acp., com hifens: *olho-de-peixe.*] [Pl.: *olhos de peixe, olhos-de-peixe.*]

olho de peixe[2] (o.lho de *pei*.xe) *sf2n. Fot.* Ver *objetiva olho de peixe*, no verbete *objetiva* [Pl.: *olhos de peixe.*]

olho-de-santa-luzia (o.lho-de-san.ta-lu.*zi*.a) *Bot. sm.* **1** Árvore de até 15m da fam. das euforbiáceas (*Ophthalmoblapton macrophyllum*), que ocorre nos estados do RJ e de SP, folhas lanceoladas e coriáceas, flores brancas em espiga e cápsulas amarelas, e cujo látex era us. como remédio para os olhos **2** Arbusto ou arvoreta da fam. das euforbiáceas (*Ophthalmoblapton pedunculare*), nativa dos estados de MG, RJ e SP, de folhas brilhantes e flores amarronzadas em espiga, látex cáustico e tóxico e endocarpo pétreo **3** Árvore de até 18 m da fam. das euforbiáceas (*Pachystroma longifolium*), de látex cáustico, folhas lanceoladas ou elípticas, flores apétalas em espiga **4** Nome de duas árvores da fam. das euforbiáceas (*Pouteria nerifolia* e *Pouteria sellowii*), nativas do RS e do Uruguai [Pl.: *olhos-de-santa-luzia.*] [Sin. ger.: *mata-olho.*]

olho de secapimenta (o.lho de se.ca.pi.*men*.ta) *Bras. Pop. s2g.* Indivíduo de mau-olhado [Pl.: *olhos de secapimenta.*]

olho de sogra (o.lho de *so*.gra) *sm. Cul.* Docinho feito com uma ameixa aberta, recheada com doce de coco e/ou ovos e coberta de calda caramelada [Pl.: *olhos de sogra.*]

olho de tigre (o.lho de *ti*.gre) *Gem. sm.* Variedade de quartzo pseudomorfo sobre a crocidolita, de aspecto fibroso e cor amarelo-dourada ou avermelhada; PSEUDOCROCIDOLITA [Pl.: *olhos de tigre.*]

olho-grande (o.lho-*gran*.de) *Bras. s2g.* Pessoa cobiçosa ou invejosa, que tem olho-grande [Pl.: *olhos-grandes.*]

olhômetro (o.*lhô*.me.tro) *Bras. Joc. sm.* O olho, considerado como instrumento de medida ou de avaliação: "É uma das armadilhas da cobertura jornalística, (...) Como não chutar, no puro olhômetro, o cálculo da multidão que comparece a um evento?" (*O Globo*, 02.05.2005) [F.: *olho* + *-metro.*]

olhudo (o.*lhu*.do) *a.* **1** Que tem olhos grandes **2** *Bras. Pop.* Que tem *olho-grande*; COBIÇOSO; CÚPIDO; GANANCIOSO; INVEJOSO [Ant.: *desprendido, generoso.*] **3** *Bras. Pop.* Xereta, indiscreto, curioso [Ant.: *discreto.*] **4** *CE Ict.* Peixe de cerca de 40 cm de comprimento, teleósteo, perciforme, da fam. dos carangídeos (*Selar crumenophthalmus*), de águas tropicais e subtropicais, de olhos muito grandes, dorso esverdeado com faixa longitudinal amarela e abdome prateado. Encontrado em cardumes compactos de centenas a milhares; CHICHARRO; GARAJUBA; GARAPAU [F.: *olho* + *-udo.*]

olíbano (o.*lí*.ba.no) *sm.* Goma-resina extraída de árvores africanas e asiáticas do gên. Boswellia e us. como incenso e em perfumaria [F.: Do gr. *líbanos* 'árvore do incenso', do lat. medv. *olibanus.*]

olifante (o.li.*fan*.te) *sm.* Corneta feita de uma presa de elefante, de uso corrente na Idade Média [F.: Do lat. *elephantus, i*; do fr. pop. *olifant.*]

oligarca (o.li.*gar*.ca) *s2g.* **1** Aquele que faz parte de uma oligarquia **2** Partidário da oligarquia [F.: Do gr. *olígárkhes, ou*; ver *olig(o)-* e *-arca*[1].]

oligarquia (o.li.gar.*qui*.a) *sf.* **1** Governo exercido por indivíduos que pertencem a um pequeno grupo, a um só partido, classe social ou família **2** *P. ext.* Predominância de um pequeno grupo na cúpula de um governo ou no trato dos negócios públicos, ger. para defender interesses próprios [F.: Do gr. *oligarkhía, as.*]

oligárquico (o.li.*gár*.qui.co) *a.* Relativo a, ou que tem caráter de oligarquia (associação oligárquica) [F.: *oligarquia* + *-ico*[2].]

oligarquizar (o.li.gar.qui.*zar*) *v. td.* Dar caráter de oligarquia a: *O presidente do grêmio estudantil queria oligarquizar o colégio.* [▶ 1 oligarquizar] [F.: *oligarquia* + *-izar*, seg. o mod. gr.]

◎ **olig(o)-** *el. comp.* = 'pouco', 'insuficiente'; 'em baixo número'; 'de poucos'; 'falta'; 'escassez'; 'diminuição': *oligarca* (< gr.), *oligarquia* (< gr.), *oligoelemento, oligofótico, oligoemia, oligofrenia, oligolécito, oligopólio, oligoposia, oligopsônio, oligospermia, oligossialia, oligotriquia, oligotrofia, oligúria, oliguria* [F.: Do gr. *olígos, é, on*, 'pouco'; 'escasso'; 'insuficiente'.]

oligoceno (o.li.go.*ce*.no) *Geol. a.* **1** Que se refere à época terciária, que ocorreu entre 35 e 23 milhões de anos, situada acima do Eoceno e abaixo do Mioceno *sm.* **2** Essa época [Nesta acp., com inicial maiúsc.] [F.: *olig(o)-* + *-ceno*[2].]

oligoclásio (o.li.go.*clá*.si:o) *Min. sm.* Mineral triclínico do grupo dos feldspatos, com inclusões de hematita que lhe dão cintilação e brilho dourados [F.: *olig(o)-* + *-clásio.*]

oligocracia (o.li.go.cra.*ci*.a) *Pej. sf.* Aristocracia pouco numerosa [F.: *olig(o)-* + *-cracia.*]

oligoelemento (o.li.go:e.le.*men*.to) *Biol. sm.* Qualquer um dos elementos químicos que existem em baixas concentrações nos organismos vivos e são indispensáveis para a manutenção da saúde (p. ex. certos minerais como o ferro e o potássio) [F.: *olig(o)-* + *elemento.*]

oligoemia (o.li.go.e.*mi*.a) *Pat. sf.* Redução anormal do volume de sangue no organismo; HIPOVOLEMIA [F.: *olig(o)-* + *-emia.*]

oligoêmico (o.li.go.*ê*.mi.co) *Med. a.* **1** Ref. a oligoemia; HIPOVOLÊMICO **2** Diz-se de indivíduo que apresenta oligoemia; HIPOVOLÊMICO *sm.* **3** Esse indivíduo; HIPOVOLÊMICO [F.: *oligoemia* + *-ico*[2].]

oligofagia (o.li.go.fa.*gi*.a) *Ecol. sf.* Condição ou caráter de oligófago [F.: *olig(o)-* + *-fagia.*]

oligófago (o.li.*gó*.fa.go) *Ecol. a.* Cuja nutrição depende de uma variedade restrita de alimentos [F.: *olig(o)-* + *-fago.* Cf.: *monófago* e *polífago.*]

oligofótico (o.li.go.*fó*.ti.co) *a.* Ref. ou pertencente à camada da água do mar na qual penetra apenas um número limitado de radiações solares [F.: *olig(o)-* + *-fot(o)-* + *-ico*[2].]

oligofrenia (o.li.go.fre.*ni*.a) *sf. Psiq.* Deficiência do desenvolvimento mental, congênita ou adquirida (esp. em idade precoce), que pode comprometer a capacidade intelectual; OLIGOPSIQUIA [F.: *olig(o)-* + *-frenia.*]

oligofrênico (o.li.go.*frê*.ni.co) *Psiq. a.* **1** Relativo a oligofrenia **2** Diz-se de indivíduo que sofre de oligofrenia *sm.* **3** *Psiq.* Esse indivíduo [F.: *oligofrenia* + *-ico*[2].]

oligolécito (o.li.go.*lé*.ci.to) *Emb. a.* Que tem pouco vitelo (diz-se de ovo, como o dos equinodermos e marsupiais) [F.: *olig(o)-* + *-lécito.* Cf.: *macrolécito, mesolécito.*]

oligopólico (o.li.go.*pó*.li.co) *a.* Ref. a oligopólio; OLIGOPOLISTA: "...ele elogia a 'competição oligopólica, que seria melhor que a outra 'mais aberta'." (*O Globo*, 05.09.1999) [F.: *oligopólio* + *-ico*[2].]

oligopólio (o.li.go.*pó*.li:o) *sm. Econ.* Situação econômica em que um pequeno número de empresas controla a oferta de produtos para ter domínio sobre o mercado [F.: *olig(o)-* + *-pólio.* Cf.: *duopólio* e *monopólio.*]

oligopolista (o.li.go.po.*lis*.ta) *a2g.* **1** Que diz respeito a oligopólio; OLIGOPÓLICO *s2g.* **2** Aquele que é adepto do ou pratica o oligopólio [F.: *oligopólio* + *-ista.*]

oligoposia (o.li.go.po.*si*.a) *Med. sf.* Diminuição da sede ou da ingestão de líquidos [F.: *olig(o)-* + *-posia.*]

oligopsônico (o.li.gop.*sô*.ni.co) *a. Econ.* Que diz respeito a oligopsônio [F.: *oligopsônio* + *-ico*[2].]

oligopsônio (o.li.gop.*sô*.ni:o) *Econ. sm.* Situação do mercado em que o número de compradores se encontra reduzido [F.: *olig(o)-* + *-opsônio.*]

oligoqueta (o.li.go.*que*.ta) [ê] *Zool. sm.* Espécime dos oligoquetas, classe de anelídeos hermafroditas, ger. com poucas cerdas em cada anel, cabeça indiferenciada, desprovidos de parápodes e brânquias. Vivem em solo úmido e em água-doce e são, entre outros, as minhocas [F.: Do lat. cient. *Oligochaeta*; ver *olig(o)-* e *-queta.*]

oligospermia (o.li.gos.per.*mi*.a) *sf.* **1** *Bot.* Qualidade ou condição de oligospermo **2** *Urol.* Insuficiência de espermatozoides no sêmen [F.: *olig(o)-* + *-spermia.*]

oligospermo (o.li.gos.*per*.mo) *Bot. a.* Que tem poucas sementes [F.: *olig(o)-* + *-spermo.*]

oligossacarídeo (o.li.gos.sa.ca.*ri*.de:o) *Bioq. sm.* Molécula de sacarídeo composta de um número relativamente pequeno de monossacarídeos [F.: *olig(o)-* + *sacarídeo.*]

oligossialia (o.li.gos.si:a.*li*.a) *Med. sf.* Secreção salivar insuficiente [F.: *olig(o)-* + *-sialia.*]

oligotriquia (o.li.go.tri.*qui*.a) *Med. sf.* Escassez de pelos [F.: *olig(o)-* + *-triquia.* Cf.: *hipertricose, hirsutismo.*]

oligotrofia (o.li.go.tro.*fi*.a) *sf.* **1** *Med.* Insuficiência nutricional; carência alimentar **2** *Ecol.* Escassez de nutrientes em um ambiente, esp. os aquáticos, que resulta em baixa produção orgânica **3** *P. ext. Ecol. Geol.* Condição de solo oligotrófico (2) [F.: *olig(o)-* + *-trofia.*]

oligotrófico (o.li.go.*tró*.fi.co) *a.* **1** *Ecol.* Diz-se de ambiente aquático que é pobre em nutrientes vegetais e tem grande quantidade de oxigênio dissolvido **2** Pobre em nutrientes (solo oligotrófico) **3** *Med. Ecol.* Relativo a oligotrofia [F.: *oligotrofia* + *-ico*[2].]

oliguria (o.li.gu.*ri*.a) *sf. Med.* Secreção reduzida de urina [F.: *olig(o)-* + *-uria.* Tb. *oligúria.*]

oligúria (o.li.*gú*.ri:a) *sf.* Ver *oliguria*

oligúrico (o.li.*gú*.ri.co) *Med. a.* **1** Que diz respeito a oligúria ou oliguria **2** Diz-se de indivíduo que tem oligúria *sm.* **3** Esse indivíduo [F.: *oligúria* ou *oliguria* + *-ico*[2].]

olimpíada (o.lim.*pí*.a.da) *sf.* **1** *Esp.* Conjunto dos jogos competitivos que se realizavam na Grécia antiga, originariamente na cidade de Olímpia, em honra a Zeus; JOGOS OLÍMPICOS **2** Espaço de quatro anos que permeava duas celebrações consecutivas dos jogos olímpicos **3** Grande evento esportivo, calcado na Olimpíada da Grécia antiga, no qual se realizam competições entre países em muitos esportes (ver achega enciclopédica) [F.: Do gr. *olympiás, adis.* Usa-se tb. no plural.]

📖 Os Jogos Olímpicos, ou Olimpíadas, tiveram origem na Grécia, país que cultuava os esportes e a cultura física. A organização oficial data do século IX a.C., embora muitos séculos antes já se registrassem competições esportivas pan-helênicas. Foram extintos no século II a.C. e recriados em Atenas em 1896, por iniciativa de Pierre de Coubertin, como a "primeira Olimpíada da era moderna". Desde então, segundo o modelo grego antigo, são disputadas de quatro em quatro anos (foram interrompidas durante as duas guerras mundiais), e têm como sede, em cada nova edição, uma cidade escolhida entre várias candidatas pelo Comitê Olímpico Internacional. O chamado ideal olímpico, de congraçamento através do esporte, é representado na bandeira olímpica por cinco argolas entrelaçadas, de cores diferentes, representando os cinco continentes. Durante toda a competição a bandeira fica hasteada e arde a chama olímpica, acesa em Atenas e transportada por atletas em revezamento até o estádio central.

olimpiano (o.lim.pi.*a*.no) *a.* **1** Ref. ou pertencente ao Olimpo ou a seus deuses *sm.* **2** *Mit.* Deuses e divindades habitantes do Olimpo [F.: Do lat. *olympianus, a, um.* Sin. ger.: *olímpico* (1).]

olímpico (o.*lím*.pi.co) *a.* **1** Ref. à cidade de Olímpia, na Grécia, ou ao monte Olimpo, entre a Tessália e a Macedônia, suposta morada dos deuses mitológicos **2** *Esp.* Ref. a olimpíada ou às olimpíadas **3** Ref. a atleta que participa das olimpíadas (atleta olímpico) **4** *Fig.* Que é majestoso, grandioso (vitória olímpica) [Ant.: *apagado, humilde.*] [F.: Do lat. *olympicus, a, um.*]

olímpio (o.*lím*.pio) *sm.* **1** Indivíduo nascido ou que vive em Olímpia (Grécia antiga) *a.* **2** De Olímpia; típico dessa cidade ou de seu povo [F.: Do top. *Olímp(ia)* + *-io*[3].]

olimpismo (o.lim.*pis*.mo) *Esp. sm.* **1** Movimento em prol da propagação da prática de esportes, como forma de desenvolvimento individual e da humanidade, tendo em vista sua função educacional, de integração social, de intercâmbio cultural e de desenvolvimento do espírito esportivo **2** Espírito que preside os jogos olímpicos e os treinos preparatórios para os mesmos **3** A influência dos jogos olímpicos sobre a sociedade [F.: *olimp(iada)* + *-ismo.*]

olimpo (o.*lim*.po) *sm.* **1** *Mit.* Morada dos deuses grecolatinos [Inicial maiúsc.] **2** *Mit.* O conjunto desses deuses [Nas acps. 1 e 2, com inicial maiúsc.] **3** *Fig.* Lugar de plena felicidade; CÉU; PARAÍSO [F.: Do lat. *Olympus, i.*]

olisiponense (o.li.si.po.*nen*.se) *s2g. a2g.* O mesmo que *lisboeta* [F.: Do lat. *olisiponensis, e.* Tb. *ulissiponense.*]

oliva (o.*li*.va) *sf.* **1** *Bot.* Ver *oliveira* **2** *Bot.* Fruto da oliveira; AZEITONA **3** Pequena saliência na extremidade de um tubo para melhor fixar sua tampa *sm.* **4** A cor esverdeada do fruto da oliveira; AZEITONA; VERDE-OLIVA: *O oliva é mais alegre que o marrom.* *a2g2n.* **5** Que tem essa cor (casaco oliva, luvas oliva) **6** Diz-se dessa cor [F.: Do lat. *oliva, ae.*] ■ **~ bulbar** *Anat. Neur.* Cada uma de um par de formações ovaladas, existentes cada uma em um lado do bulbo raquiano; oliva do bulbo raquiano **~ cerebelar** *Anat. Neur.* Cada um de dois núcleos de substância cinzenta, um em cada hemisfério do cerebelo **~ do bulbo raquiano** *Anat.* Ver *Oliva bulbar*

oliváceo (o.li.*vá*.ce:o) *a.* **1** Da cor da oliva ou semelhante a ela; AZEITONADO; VERDE-ESCURO **2** Diz-se dessa cor: *Trajava uma blusa de cor olivácea.* *sm.* **3** A cor olivácea: *O uniforme era de um oliváceo pálido.* [F.: *oliva* + *-áceo.*]

olival (o.li.*val*) *sm. Bot.* Plantação de oliveiras; OLIVEDO; OLIVEIRAL [Pl.: *-vais.*] [F.: *oliva* + *-al.*]

olivar (o.li.*var*) *a2g.* Que tem forma de oliva; que se assemelha à oliva [F.: *oliv(i)* + *-ar*[1].]

olivedo (o.li.*ve*.do) [ê] *sm.* O mesmo que *olival* [F.: Do lat. *olivetum, i.*]

oliveira (o.li.*vei*.ra) *sf. Bot..* Árvore da fam. das oleáceas (*Olea europaea*), natural da Macaronésia ao Himalaia e ao Sul da África, de cujo fruto, a azeitona, muito apreciado na alimentação, se extrai o óleo de oliva ou azeite; OLIVA [F.: Do lat. *olivarius, a, um.*]

oliveiral (o.li.vei.*ral*) *sm.* O mesmo que *olival* [Pl.: *-rais.*] [F.: *oliveira* + *-al.*]

olivençano (o.li.ven.*ça*.no) *sm.* **1** Indivíduo nascido ou que vive em Olivença (Espanha) *a.* **2** De Olivença; típico dessa cidade ou de seu povo [F.: Do top. *Olivenç(a)* + *-ano*[1].]

olíveo (o.*lí*.ve:o) *Poét. a.* Que diz respeito a oliveira [F.: *oliv(i)-* + *-eo.*]

◎ **oliv(i)-** *el. comp.* = 'oliva': *oliváceo, olivicultor, olivicultura, oliviforme* [F.: Do lat. *oliva, ae,* 'oliveira'; 'azeitona'.]

olivicultor (o.li.vi.cul.*tor*) [ô] *a. sm.* O mesmo que *oleicultor* [F.: *oliv(i)-* + *-cultor.*]

olivicultura (o.li.vi.cul.*tu*.ra) *sf.* Cultivo de oliveiras; OLEICULTURA [F.: *oliv(i)-* + *-cultura.*]

oliviforme (o.li.vi.*for*.me) *a2g.* Que tem a forma da oliva ou azeitona [F.: *oliv(i)-* + *-forme.*]

olivina (o.li.*vi*.na) *Min. sf.* **1** Cristal resultante da mistura isomorfa dos silicatos de magnésio e de ferro ortorrômbico **2** Grupo desses cristais, cuja mistura pode ocorrer em proporções que abrangem desde a forsterita até a faialita [F.: *oliv(i)-* + *-ina*[1].]

olmeca (ol.*me*.ca) [é] *Etnol. sm.* **1** Pessoa pertencente a um povo pré-colombiano que habitava o litoral do golfo do México e ao qual se atribui a invenção do calendário meso-americano e de uma escrita hieroglífica aperfeiçoada pelos maias *a.* **2** Que diz respeito aos olmecas, sua língua, cultura e tradições

olmo (*ol*.mo) *sm. Bot.* Nome comum às árvores do gên. *Ulmus*, da fam. das ulmáceas, muito comuns na Europa e América do Norte, cultivadas pela madeira de qualidade e para arborização urbana; OLMEIRO; ULMEIRO [F.: Do lat. *ulmus, i.* Ideia de 'olmo', usar pref. *ulm-*.]

olor (o.*lor*) *sm. Poét.* Cheiro suave e agradável; FRAGRÂNCIA; ODOR; PERFUME [F.: Do lat. *olor, oris.*]

olorizar (o.lo.ri.*zar*) *v. td.* Tornar oloroso, perfumado, aromatizado [► 1 olorizar] [F.: *olor* + *-izar.*]

oloroso (o.lo.*ro*.so) *a.* Que exala aroma; AROMÁTICO; CHEIROSO; PERFUMADO [Ant.: *catinguento, malcheiroso.*] [Pl.: [ó]. Fem.: [ó].] [F.: *olor* + *-oso.*]

olvidado (ol.vi.*da*.do) *a.* Que se olvidou, se esqueceu: "Bem cedo ainda senti murchar a bonina delicada do coração, e afoguei a minha ignorância nos gozos rapidamente fruídos e brevemente olvidados." (José de Alencar, *Lucíola*) [Ant.: *lembrado.*] [F.: Part. de *olvidar.*]

olvidar (ol.vi.*dar*) *v. td.* Esquecer-se de algo, não vir à lembrança: *Olvidou o fim do seu casamento; Olvidou-se das tristezas.* [► 1 olvidar] [F.: Do lat. vulg. **oblitare.* Hom./Par.: *olvido* (fl.), *olvido* (sm.), *ouvido* (sm.); *olvidáveis* (fl.), *olvidáveis* (pl. de *olvidável* [a2g.]). Ant.: *lembrar-se.*]

olvidável (ol.vi.*dá*.vel) *a2g.* Que se pode ou deve olvidar; ESQUECÍVEL [Ant.: *inesquecível, inolvidável.*] [Pl.: *-veis.*] [F.: *olvidar* + *-vel.*]

olvido (ol.*vi*.do) *sm.* **1** Ação ou resultado de olvidar(-se), esquecer(-se); DESLEMBRANÇA; ESQUECIMENTO: *Todos aqueles acontecimentos caíram no olvido.* **2** *Fig.* Estado de repouso, de descanso; ADORMECIMENTO; LETARGIA [F.: Dev. de *olvidar*. Hom./Par.: *olvido* (fl. de *olvidar*), *ouvido* (sm.).]

◎ **-oma**[1] *suf. nom.* = 'tumor': *adenoma, angioma, melanoma, mioma* [F.: Do suf. gr. *-oma, atos*, como no gr. *karkínoma, atos*, 'tumor canceroso'; 'câncer'.]

◎ **-oma**[2] *suf. nom.* = '(as unidades de um) conjunto', 'sistema': *bioma, cauloma, genoma, nucleoma* [F.: Posv. da term. *-oma*, de *(condrioss)oma*, em que o elemento final é *-soma* (= gr. *sôma, atos*, 'corpo').]

omacefalia (o.ma.ce.fa.*li*.a) *Trt. sf.* Característica ou estado de omacéfalo; OMOCEFALIA [F.: *om(o)-* + *acefalia.*]

omacefálico (o.ma.ce.*fá*.li.co) *Trt. a.* **1** Que diz respeito a omacefalia **2** Diz-se de feto que tem omacefalia *sm.* **3** Esse feto [F.: *omacefalia* + *-ico*[2].]

omacéfalo (o.ma.*cé*.fa.lo) *Trt. sm.* **1** Feto que não tem braços e apresenta má conformação da cabeça *a.* **2** Diz-se desse feto [F.: *om(o)-* + *-acéfalo.*]

omagra (o.*ma*.gra) *Reum. sf.* Gota (4) que acomete os ombros [F.: *om(o)-* + *-agra.*]

omágua (o.*má*.gua) *Etnol. s2g.* **1** Indivíduo dos omáguas, povo indígena que habita a região do trecho médio do rio Solimões, no Amazonas **2** *Gloss.* Língua da fam. tupi-guarani falada por esse povo *a2g.* **3** De ou ref. a omágua (1, 2) [F.: Etn. *Omágua*. Sin. ger.: *cambeba.*]

omalgia (o.mal.*gi*.a) *Med. sf.* Dor no(s) ombro(s); OMODINIA [F.: *om(o)-* + *-algia.*]

omálgico (o.*mál*.gi.co) *a. Med.* Que diz respeito a omalgia [F.: *omalgia* + *-ico*[2].]

omani (o.*ma*.ni) *s2g.* **1** Pessoa nascida ou que vive em Omã *a2g.* **2** De Omã (sudeste da Arábia Saudita); típico desse país ou de seu povo [F.: Do ár. *umaniy.*]

omaso (o.*ma*.so) *Anat. Zool. sm.* Terceira divisão do estômago dos ruminantes; CENTAFOLHO; FOLHO; FOLHOSO; SALTÉRIO [F.: Do lat. *omasum, i.*]

◎ **omat(o)-** *el. comp.* = 'olho': *omatídio, omatóforo* [F.: Do gr. *ómma, atos.*]

omatóforo (o.ma.*tó*.fo.ro) *sm. Zool.* Pedúnculo que sustenta os olhos de alguns invertebrados (p. ex., caramujos) [F.: *omat(o)-* + *-foro.*]

ombreado (om.bre.*a*.do) *a.* **1** Posto ao ombro **2** Equiparado, igualado [F.: Part. de *ombrear.*]

ombrear (om.bre.*ar*) *v.* **1** Levar no ombro, colocar [*td.*: *Ombreia uma arma de fogo.*] **2** Ficar em condição de igualdade, comparar-se [*tr.* + *com*: *O homem ombreia com os escritores de grande estilo.*] [*ti.* + *a*: *Ombreia-se aos melhores escritores.*] **3** Praticar, competir com outro ou entre si, rivalizar-se [*int.*: *Os amigos ombreiam-se no futebol.*] [*tr.* + *com*: *Não gosta de ombrear com os amigos.*] [► 13 ombrear] [F.: *ombro* + *-ear.*]

ombreira (om.*brei*.ra) *sf.* **1** Qualquer peça do vestuário relacionada a ou que se põe no ombro **2** Peça de uniforme que se coloca sobre os ombros e na qual se aplicam insígnias de militares, estudantes etc. **3** *Cons.* Cada uma das peças verticais que compõem o vão das portas e janelas e sustentam as padieiras; UMBRAL **4** Móvel com pequenos braços, onde se penduram roupas, chapéus etc.; CABIDE **5** *Fig.* Entrada, limiar [F.: *ombro* + *-eira.*]

ombro (*om*.bro) *sm.* **1** *Anat.* A região mais alta de cada membro superior, onde se unem escápula, clavícula e úmero; ESPÁDUA **2** Qualquer saliência lateral alta **3** *Fig.* Característica de pessoa forte, robusta; VIGOR [Ant.: *debilidade, fraqueza.*] **4** *Fig.* Aplicação e esforço na realização de uma tarefa; DILIGÊNCIA [Ant.: *desleixo, negligência.*] [F.: Do lat. *umerus, i.*] ■ **~ a ~ 1** *Fig.* Lado a lado, realizando algo juntos **2** *Fig.* Com apoio mútuo, solidariamente **~ com ~** Ver *Ombro a ombro* **Carregar aos ~s** *Fig.* Tratar [alguém] com especial carinho ou atenção **Chorar no ~ de** *Fig.* Confidenciar tristezas e mágoas a, lamentar-se com **Dar de ~s** Manifestar indiferença, aceitação, resignação; encolher os ombros; levantar os ombros **Encolher os ~s** Ver *Dar de ombros* **Levantar os ~s** Ver *Dar de ombros* **Olhar/tratar por cima do ~** *Fig.* Olhar/tratar com desdém, com desprezo

◎ **ombro-** *el. comp.* = 'chuva(s)'; 'tempestade(s)': *ombrofilia, ombrófilo, ombrofobia, ombrófobo* [F.: Do gr. *ómbros, ou.*]

ombrofilia (om.bro.fi.*li*.a) *Bot. sf.* Característica ou estado do que é ombrófilo [F.: *ombro-* + *-filia*[1].]

ombrófilo (om.*bró*.fi.lo) *a.* **1** Adaptado a longos períodos de chuva (floresta ombrófila) **2** Em que há muita chuva (clima ombrófilo) [F.: *ombro-* + *-filo*[1].]

ombrofobia (om.bro.fo.*bi*.a) *sf.* **1** *Psiq.* Medo mórbido de chuvas e tempestades **2** Característica ou condição de ombrófobo (1) [F.: *ombro-* + *-fobia.*]

ombrofóbico (om.bro.*fó*.bi.co) *a.* **1** Ref. a ombrofobia **2** Diz-se de indivíduo que tem ombrofobia; OMBRÓFOBO *sm.* **3** Esse indivíduo; OMBRÓFOBO [F.: *ombrofobia* + *-ico*[2].]

ombrófobo (om.*bró*.fo.bo) *a.* **1** *Bot.* Diz-se de planta que só se desenvolve ou sobrevive em climas secos, com escassez de chuvas; XERÓFILO **2** *Psiq.* Diz-se de indivíduo que tem medo patológico de chuvas e tempestades; OMBROFÓBICO *sm.* **3** *Psiq.* Esse indivíduo; OMBROFÓBICO [F.: *ombro-* + *-fobo.*]

ombrotérmico (om.bro.*tér*.mi.co) *a.* Ref. ao volume de chuvas e à temperatura: *O diagrama ombrotérmico situa em ordenadas as temperaturas e precipitações médias mensais.* [F.: *ombro-* + *térmico.*]

ombrudo (om.*bru*.do) *a.* Que tem ombros largos e/ou robustos; ESPADAÚDO [F.: *ombro* + *-udo.*]

⊕ **ombudsman** (*Sueco/ombúdsmen/*) *s2g.* **1** *Pol.* Funcionário do governo encarregado de defender os direitos dos cidadãos e ouvir suas queixas em relação aos órgãos públicos **2** *P. ext.* Funcionário que faz observações críticas sobre o trabalho desenvolvido pela empresa em que trabalha, estabelecendo um elo de ligação entre esta e os consumidores de seus produtos **3** *Jorn.* Jornalista encarregado de fazer críticas ao próprio jornal em que trabalha, apontando equívocos, erros, dubiedades etc. dos textos publicados

ombudsmanato (om.buds.ma.*na*.to) *Bras. sm.* Cargo, função ou período de exercício de *ombudsman*: "O problema é que o serviço prestado (...) vem turvado por certa intolerância (uma tentação sempre presente para quem chega ao ombudsmanato)." (*Folha de S.Paulo*, 18.09.2005) [F.: Do sueco *ombudsman* + *-ato.*]

⊠ **OMC** Sigla de *Organização Mundial do Comércio*

ômega (*ô*.me.ga) *sm.* **1** A 24ª e última letra do alfabeto grego, correspondente a um 'o' longo. (Grafa-se: Ω) **2** *Fig.* Momento em que se interrompe um acontecimento, fenômeno ou ação; FIM; TÉRMINO; TERMO **3** *Quím.* Designa o último átomo de uma cadeia, ou substituinte ligado a esse átomo, tomando-se como referência a outra extremidade da cadeia **4** *Fís. nu.* Méson formado por pares de *quark* /*antiquark* com *spin* 1, *spin* isotópico e carga elétrica nulos, massa aproximada de 782 MeV/c^2 [F.: Do gr. *ômega* 'o grande, i. é., longo'.]

ômega-c (ô.me.ga-c) *Fís. sm.* Bárion de carga elétrica nula, massa 2710 MeV/c^2, *spin* 1/2, *isospin* zero e composta de dois *quarks* s e um *quark* c. Tem duração média de $6, 4 \times 10^{-14}$ segundos [Símb.: (Ω_c).]

omeleta (o.me.*le*.ta) *sf.* Ver *omelete*

omelete (o.me.*le*.te) *s2g. Cul.* Fritada de ovos batidos a que se acrescentam outros ingredientes, como temperos, carnes, legumes etc.: "Rougette pegou da pena e encomendou um festim de núpcias: camarões, uma omelete com açúcar, filhoses, mexilhões, ovos nevados..." (Aurélio Buarque de Holanda e Paulo Rónai, *Mar de histórias*) [F.: Do fr. *omelette*. Tb. *omeleta.*]

omento (o.*men*.to) *Anat. sm.* Dobra peritoneal entre duas vísceras; REDENHO; ZIRBO [Na antiga nomenclatura anatômica, *epíploo* ou *epíploon.*] [F.: Do lat. *omentum, i.*]

omícron *sm.* Ver *ômicron*

ômicron (*ô*.mi.cron) *sm.* A 15ª letra do alfabeto grego, correspondente ao o latino (Grafa-se: O, o) [Pl.: *ômicrons.*] [F.: Do gr. *õmikrón* 'o pequeno, i. é., breve'.]

ominar (o.mi.*nar*) *v. td.* **1** Prognosticar por meio de presságios, de vaticínios; PRENUNCIAR **2** Trazer azar a; AGOURAR [► 1 ominar] [F.: Do lat. *ominare.*]

ominoso (o.mi.*no*.so) [ô] *a.* **1** Que traz ou revela má sorte ou infelicidade; AGOURENTO; FUNESTO; NEFASTO [Ant.: *favorável, venturoso.*] **2** Que desperta sentimento de aversão; ABOMINÁVEL; DETESTÁVEL; EXECRÁVEL [Ant.: *atraente, cativante.*] [Pl.: [ó]. Fem.: [ó].] [F.: Do lat. *ominosus, a, um.*]

omissão (o.mis.*são*) *sf.* **1** Ação ou resultado de omitir(-se), de deixar de dizer ou fazer algo; FALHA: *O diretor não participou da falcatrua, mas pecou por omissão.* **2** Ação ou resultado de desprezar ou esquecer; ESQUECIMENTO; PRETERIÇÃO **3** Aquilo que foi omitido; FALTA; LACUNA: *Não perdoou a omissão do chefe.* **4** Falta de ação; IMOBILISMO; INÉRCIA; LETARGIA [Ant.: *movimentação.*] **5** Falta de cuidado, de atenção; DESCUIDO; NEGLIGÊNCIA [Ant.: *atenção, cuidado, empenho.*] **6** *Jur.* Ação de não fazer aquilo que moral ou legalmente devia ser feito e de que pode resultar prejuízo para terceiros [Pl.: *-sões.*] [F.: Do lat. tard. *omissio, onis.*]

omissivo (o.mis.*si*.vo) *a.* Que envolve ou tem origem em omissão (crime omissivo): *Deixar de prestar um serviço é uma forma omissiva de abuso do poder da autoridade administrativa.* [F.: *omisso* + *-ivo*. Cf.: *comissivo.*]

omisso (o.*mis*.so) *a.* **1** Que não se manifesta ou não faz algo em prol de: *O governo não pode ficar omisso à onda de violência no país.* **2** Que não cumpre seus deveres (funcionário omisso); DESCUIDADO; NEGLIGENTE **3** Que não se refere a determinadas questões; que não prevê determinadas circunstâncias (legislação omissa) [F.: Do lat. *omissus, a, um.*]

omitido (o.mi.*ti*.do) *a.* Que se omitiu, não se mencionou: *Qual é o valor do imposto omitido?* [F.: Part. de *omitir.*]

omitir (o.mi.*tir*) *v.* **1** Deixar de fazer algo quando se torna necessário, propositadamente ou não [*td.*: *Ele costuma omitir sua idade.*] **2** Deixar de dizer, mencionar ou manifestar um sentimento, uma vontade, uma opinião etc. [*td.*: *No documento, omitiu alguns detalhes importantes.*] **3** *Jur.* Deixar de dizer ou fazer algo quando no cumprimento de um dever jurídico ou moral [*tda.*: *Omitiu seus verdadeiros rendimentos na declaração de renda.*] **4** Deixar cair no esquecimento, protelar [*td.*: *Omitiu a dívida que contraiu.*] **5** Deixar de se pronunciar, não se manifestar [*int.*: *Omitiu-se na hora da verdade.*] [► 3 omitir] [F.: Do lat. *omittere.*]

◎ **omni-** *pref.* = 'tudo', 'todo': *omnilíngue, onipotente, onipresente* [F.: Do lat. *omnis.*]

omnilíngue (om.ni.*lín*.gue) *a.* Que domina todas ou muitas línguas. Tb. *onilíngue* [F.: *omni-* + *-língue.*]

◎ **om(o)-** *el. comp.* = 'ombro'; 'espádua': *omacefalia, omacéfalo, omagra, omalgia, omocótila, omodinia, omoplata* (< gr.) [F.: Do gr. *ômos, ou.*]

◎ **omo-** *el. comp.* = 'cru'; 'prematuro': *omofagia* (< gr.), *omófago* (< gr.), *omotocia* [F.: Do gr. *ômos, ou.*]

omocótila (o.mo.*có*.ti.la) *Anat. sf. Desus.* Cavidade da escápula em que se articula a cabeça do úmero [F.: *om(o)-* + *-cótila.*]

omodinia (o.mo.di.*ni*.a) *Med. sf.* Dor no ombro; OMALGIA [F.: *om(o)-* + *-odinia.*]

omodínico (o.mo.*dí*.ni.co) *a. Med.* Ref. a omodinia [F.: *omodinia* + *-ico*[2].]

omofagia (o.mo.fa.*gi*.a) *sf.* Qualidade ou característica de omófago [F.: Do gr. *omophagía, as*; ver *omo-* e *-fagia.*]

omófago (o.*mó*.fa.go) *sm.* **1** Aquele que come carne crua **2** *P. ext.* Aquele que tem por hábito comer alimentos crus *a.* **3** Diz-se de animal ou indivíduo omófago [F.: Do gr. *omophágos, os, on*; ver *omo-* e *-fago.*]

omolu (o.mo.*lu*) *Rel. sm.* Nas religiões afro-brasileiras, orixá da varíola e das doenças contagiosas, forma idosa do orixá Xapanã, denominação tabu. No candomblé, identifica-se com são Lázaro e são Roque [Com inic. maiúsc.] [F.: De or. africana. Cf.: *Abaluaiê.*]

omoplata (o.mo.*pla*.ta) *sf. Anat.* O mesmo que *escápula* (3) [F.: Do gr. *omopláte, es.*]

⊠ **OMS** Sigla de *Organização Mundial da Saúde*

◎ **-on** *el. comp.* Designa unidade: *magnéton, vírion*

◎ **-ona**[1] *suf.* = aumentativo fem.: *pobretona, quarentona*

◎ **-ona**[2] *suf. Quím.* = indica função cetona: *acetona*

◎ **-ona**[3] *suf.* = hormônio: *progesterona, testosterona*

onagro (o.*na*.gro) *sm.* **1** Jumento selvagem (*Equus onager*), nativo dos desertos da Ásia **2** *Mil.* Antiga máquina de guerra, us. por gregos e romanos, para lançar projéteis de pedra **3** Burro, jumento [F.: Do gr. *ônagros, ou*; do lat. *onagrus, gri.*]

onanismo (o.na.*nis*.mo) *sm.* Automasturbação masculina [F.: Do antr. *Onan* + *-ismo.*]

onanista (o.na.*nis*.ta) *a2g.* **1** Que pratica o onanismo *s2g.* **2** Indivíduo onanista [F.: Do antr. *Onan* + *-ista.*]

onanístico (o.na.*nís*.ti.co) *a.* Ref. a onanista ou a onanismo: *O autor bíblico vê na morte de Onã o castigo de Javé por seu ato onanístico.* [F.: *onanista* + *-ico.*]

onça[1] (*on*.ça) *sf.* **1** *Metrol.* Unidade de peso inglesa, equivalente a 28,349 g [Abrev.: oz.] **2** *Metrol.* Antiga unidade de medida de peso, equivalente a 28,691 g **3** *Metrol.* Antigo peso equivalente a 8 dracmas **4** *S Num.* Antiga moeda de ouro, equivalente a aproximadamente a Cr$ 0,03 **5** *Num.* Moeda espanhola cujo valor era de 14.672 réis **6** *Num.* Moeda de ouro havanesa, de valor igual a 17 piastras **7** *Num.* Entre os romanos, duodécima parte da libra [F.: Do lat. *uncia, ae.*]

onça[2] (*on*.ça) *sf. Zool.* Nome dado a várias espécies de felinos de grande porte [F.: Do lat. vulg. **lyncea*. *É epiceno.*] ■ **À ~** *Lus.* Ver *Na onça* **Ficar/virar uma ~** *Bras.* Irritar-se, encolerizar-se **Na ~** *Bras. Gír.* Sem dinheiro algum, na maior miséria **Safar a ~** *Bras.* Desincumbir-se de algo difícil, livrar-se de algo desagradável **Virar ~** *Bras.* Ver *Ficar/virar uma onça*

onça-pintada (on.ça-pin.*ta*.da) *sf. Zool.* Felino de grande porte (*Panthera onca*) encontrado em toda a América Latina [Pl.: *onças-pintadas*.]

onça-vermelha (on.ça-ver.*me*.lha) *Bras. Zool. sf.* O mesmo que *suçuarana* (*Felis concolor*) [Pl.: *onças-vermelhas*.]

onceiro (on.*cei*.ro) *Bras. sm.* Cão treinado para caçar onças: "O dono, cicatriz na testa, sentado num toro, espiando seus onceiros: cachorro de latido fino, cachorra com eventração." (Guimarães Rosa, *Tutameia*) [F.: *onça* + *-eiro*.]

◎ **onco-**[1] *el. comp.* = 'massa', 'tumor': *oncogênese, oncogenia, oncólise, oncologia, oncometria, oncose* (< gr.), *oncovírus* [F.: Do gr. *ónkos, ou*, 'grossura de um corpo'; 'volume', 'massa'; 'molécula'.]

◎ **onco-**[2] *el. comp.* = 'curvatura'; '(*p. ext.*) gancho': *oncocercose, oncosfera* [F.: Do gr. *ónkos, ou*, 'curvatura'; 'ângulo'.]

oncocercose (on.co.cer.*co*.se) *sf. Med. Vet.* Infestação parasitária causada pelo verme nematódeo do gên. *Onchocerca*, que no homem afeta a pele e os olhos por meio do *O. volvulus*, cujos vetores são os mosquitos simuliídeos [F.: Do lat. cient. *Onchocerca* (ver *onc(o)-*[2] e *-cerco*) + *-ose*[1].]

oncocintilografia (on.co.cin.ti.lo.gra.*fi*.a) *sf. Med.* Cintilografia us. no tratamento de câncer [F.: *onc(o)-*[1] + *cintilografia*.]

oncogene (on.co.*ge*.ne) *sm. Gen.* Gene que propicia a transformação de uma célula normal em cancerosa [F.: *onc(o)-*[1] + *gene*.]

oncogênese (on.co.*gê*.ne.se) *sf. Med.* Origem e evolução de um câncer, em virtude de alterações celulares, cromossômicas e/ou genéticas; ONCOGENIA [F.: *onc(o)-*[1] + *-gênese*.]

oncogenético (on.co.ge.*né*.ti.co) *Med. a.* **1** Que diz respeito à oncogênese ou à oncogenia; ONCOGÊNICO **2** Que dá origem ao câncer ou contribui para o seu desenvolvimento; ONCOGÊNICO [F.: *oncogên(ese)* + *-ético*, seg. o mod. gr.]

oncogenia (on.co.ge.*ni*.a) *sf. Med.* O mesmo que *oncogênese* [F.: *onc(o)-*[1] + *-genia*.]

oncogênico (on.co.*gê*.ni.co) *Med. a.* **1** Ref. a oncogenia ou oncogênese; ONCOGENÉTICO *a.* **2** Que ocasiona ou contribui para o surgimento de tumor canceroso; ONCOGENÉTICO [F.: *onc(o)-*[1] + *-gênico*.]

oncólise (on.*có*.li.se) *sf. Med.* Destruição de um tumor ou de células cancerígenas; destruição de um neoplasma [F.: Do ingl. *oncolysis*; ver *onc(o)-*[1] e *-lise*.]

oncologia (on.co.lo.*gi*.a) *sf. Med.* Ramo da medicina que estuda e trata dos tumores cancerosos [F.: *onc(o)-*[1] + *-logia*.]

oncológico (on.co.*ló*.gi.co) *a. Med.* Ref. à oncologia [F.: *oncologia* + *-ico*[2].]

oncologista (on.co.lo.*gis*.ta) *s2g.* Médico que se especializou em oncologia [F.: *oncologia* + *-ista*.]

oncometria (on.co.me.*tri*:a) *sf. Ant. Med.* Medida do volume de órgãos e de suas variações, realizada com o oncômetro (oncometria intestinal/do baço) [F.: *onc(o)-*[1] + *-metria*[1].]

oncométrico (on.co.*mé*.tri.co) *a. Ant. Med.* Ref. ou inerente à oncometria (avaliação oncométrica) [F.: *oncometria* + *-ico*[2].]

oncômetro (on.*cô*.me.tro) *sm. Ant. Med.* Aparelho us. para realizar a oncometria [F.: *onc(o)-*[1] + *-metro*.]

oncose (on.*co*.se) *sf. Med.* Tumefação, intumescimento ou estado mórbido caracterizados pela formação de tumores [F.: Do gr. *ónkosis, eos*, 'inchação'.]

oncótico (on.*có*.ti.co) *Med. a.* **1** Ref. ou inerente à oncose **2** *Cir.* Próprio para ou referente a extração ou dissolução de oncose ou tumor [F.: *onc(ose)* + *-ótico*, seg. o mod. gr.]

oncovirino (on.co.vi.*ri*.no) *Biol. sm.* **1** Espécime dos oncovirinos, subfamília de retrovirídeos oncogênicos *a.* **2** Ref. ou pertencente aos oncovirinos [F.: Adaptç. do lat. cient. *Oncovirinae*.]

oncovírus (on.co.*ví*.rus) *sm2n. Biol.* Gên. de vírus RNA, da subfam. dos oncovirinos, oncogênicos, ainda não nomeados, catalogados morfologicamente em quatro grupos (A, B, C e D), tb. classificados segundo o tipo de hospedeiro (felino, aviário, humano etc.) [F.: Do lat. cient. *Oncovirus*; ver *onc(o)-*[1] e *vírus*.]

onda (*on*.da) *sf.* **1** Movimento e elevação das águas em mares, rios e lagos em virtude dos ventos e das marés [Dim.: *ondinha, óndula*.] **2** Ondulação, sinuosidade: *Seu cabelo forma ondas largas.* **3** *Fig.* Tudo aquilo que parece se dar ou acontecer ou manifestar de modo avassalador, totalizante, ou com intervalos ou espaços, ou de modo a atingir um ponto alto e depois desfazer-se, assim como as ondas se formam e se dissipam: *Uma onda de denúncias havia tomado conta do país; De repente vinha-lhe uma onda de sentimentos extremos.* **4** *Fig. Restr.* Grande quantidade ou afluência de pessoas, coisas etc.: *Na confusão, uma onda de gente veio em nossa direção.* **5** *Fig. Restr.* Força, corrente impetuosa (onda conservadora) **6** *Gír.* Qualquer experiência prazerosa, incrível; CURTIÇÃO: *Foi uma onda ir de moto para a escola.* **7** *Gír.* Aquilo que é tido como bacana, legal, moderno etc.: *A onda hoje para muitos é ir a bailes funk.* **8** *Bras. Gír.* Ação de dizer ou fazer algo com a intenção de zombar de alguém ou de enganá-lo, iludi-lo, ludibriá-lo ou impressioná-lo etc., ou o que se diz ou faz com esta intenção: *Ele fala muito, mas é tudo onda.* **9** *Fís.* Distúrbio que se propaga no espaço ou na matéria (onda eletromagnética) [F.: Do lat. *unda, ae*.] ▪ **~ caminhante** *Fís.* Onda que avança numa direção propagando seu perfil através de um meio; onda progressiva **~ capilar** *Fís.* Onda que se forma na superfície entre dois fluidos, e cuja velocidade depende da tensão nessa superfície **~ cavada** *Esp.* No surfe, onda cuja crista se projeta para a frente, formando sob ela um tubo **~ cerebral** *Fisl.* Variação no potencial elétrico do cérebro; algumas manifestações dessa variação podem ser registradas e interpretadas por intermédio de eletroencefalograma **~ cheia** *Esp.* No surfe, onda maciça, cuja massa de água não se espalha **~ curta** *Fís.* Onda eletromagnética de comprimento entre 10 m e 100 m; onda decamétrica, onda tropical; onda decamétrica **~ de arrebentação** Onda cuja crista se projeta e arrebenta à sua frente **~ decamétrica** Ver *Onda curta* **~ de choque** *Fís.* Alteração rápida e intensa na pressão e densidade de um fluido que se propaga em onda, e causada pelo choque de um corpo com ele, por explosão etc. **~ decimétrica** *Fís.* Onda de comprimento entre 0,1 m e 1 m **~ de gravitação** *Fís.* Onda causada pela variação de um campo gravitacional, que se propaga à velocidade da luz; onda gravitacional **~ de maré** *Oc.* Onda formada pelo deslocamento da maré alta nos oceanos, de leste para oeste **~ de pressão** *Fís.* Aquela formada num fluido pelas variações de sua pressão e densidade **~ de rádio** *Fís.* Onda eletromagnética us. na transmissão de ondas sonoras, e cuja faixa de frequências vai de 3 kHz a 300 GHz; onda radioelétrica, onda hertziana **~ direcional** *Fís.* Aquela cuja propagação acompanha um só setor esférico **~ do tipo elétrico** *Fís.* Ver *Onda magnética transversal* **~ do tipo magnético** *Fís.* Ver *Onda elétrica transversal* **~ E** *Fís.* Ver *Onda magnética transversal* **~ elétrica transversal** *Fís.* Aquela na qual o campo magnético acompanha a direção de propagação e o campo elétrico é transversal a ela; onda H; onda do tipo magnético **~ eletromagnética** *Fís.* Aquela gerada pela variação de um campo eletromagnético, que se propaga no espaço à velocidade da luz **~ eletromagnética transversal** *Fís.* Aquela na qual o campo magnético e o campo elétrico são transversais em relação à direção da propagação **~ esférica** *Fís.* Aquela na qual as frentes de propagação têm forma esférica **~ estacionária** *Fís.* Onda formada pela interferência entre duas ondas caminhantes, e cujo perfil fica estacionário, sem transportar energia **~ gravitacional** *Fís.* Ver *Onda de gravitação* **~ H** *Fís.* Ver *Onda elétrica transversal* **~ harmônica** *Fís.* Aquela em que a periodicidade da perturbação pode se representar por uma função harmônica simples **~ hectométrica** *Fís.* Ver *Onda média* **~ hertziana** *Fís.* Ver *Onda de rádio* **~ longa** *Fís.* Onda eletromagnética de comprimento entre 1 km e 10 km; onda quilométrica **~ longitudinal** *Fís.* Aquela na qual a direção de propagação é paralela à da perturbação do meio causada por ela, portanto perpendicular à frente da onda **~ magnética transversal** *Fís.* Aquela na qual o campo magnético é transversal à direção de propagação, e o campo elétrico a acompanha, isto é, é longitudinal a ela; onda E; onda do tipo elétrico **~ material** *Fís.* Onda associada a uma partícula, e de comprimento inversamente proporcional ao momento da partícula **~ média** *Fís.* Onda eletromagnética de comprimento entre 100 m e 1.000 m; onda hectométrica **~ métrica** *Fís.* Ver *Onda muito curta* **~ modulada** *Telc.* Onda portadora, depois de nela aplicada onda com a informação a ser transportada (onda moduladora), com isso reproduzindo, em sua variação, o perfil dessa onda **~ moduladora** *Telc.* Onda que representa o sinal de áudio ou vídeo a ser transportado, cujo perfil modula a onda portadora de alta frequência (onda modulada), que transportará este sinal ao receptor **~ monocromática** *Fís.* Onda eletromagnética com um único comprimento de onda **~ muito curta** *Fís.* Onda eletromagnética de comprimento entre 1 m e 10 m; onda métrica **~ muito longa** *Fís.* Onda eletromagnética de comprimento entre 10 km e 100 km **~ plana** *Fís.* Aquela cujas frentes de onda são planas **~ portadora** *Telc.* Onda eletromagnética de frequência, fase e amplitude constantes, sobre a qual se aplica a onda moduladora com a informação a ser transportada (diz-se então que ela é *modulada*) de modo que essa modulação, no formato da onda com a informação, é por ela transportada, transmitindo a informação **~ progressiva** *Fís.* Ver *Onda caminhante* **~ quadrada** *Elet.* Sinal elétrico que varia ciclicamente, a intervalos iguais, entre dois valores constantes de tensão ou de corrente **~ quilométrica** *Fís.* Ver *Onda longa* **~ radioelétrica** *Fís.* Ver *Onda de rádio* **~s luminosas** *Fís.* Ondas eletromagnéticas cujas frequências estão na região visível do espectro, e que resultam na propagação da luz **~ sísmica** Propagação de abalos, tremores e ondulações do solo, nos terremotos **~ sônica** *Fís.* Ver *Onda sonora* **~ sonora** *Fís.* Onda de pressão que se propaga num meio elástico, cujas frequências variam entre 20 e 20.000 Hz, perceptíveis ao ouvido humano, e que resulta nos fenômenos acústicos; onda sônica **~ subsônica** *Fís.* Onda de pressão similar à onda sonora, de frequência inferior a 20 Hz, não perceptível pela orelha humana **~ transversal** *Fís.* Aquela cuja direção de propagação é perpendicular à direção da perturbação que provoca no meio **~ tropical** *Fís.* Ver *Onda curta* **~ ultracurta** *Fís.* Onda eletromagnética de comprimento entre 10 cm e 1 m; onda decimétrica **~ ultrassônica** *Fís.* Onda de pressão similar à onda sonora, mas de frequência superior a 20.000 Hz, não perceptível pela orelha humana; ultrassom **Estar na ~** *Bras. Gír.* Estar na moda, fazer sucesso **Fazer ~** *Bras.* Agitar, tumultuar **Ir na ~** **1** *Bras.* Deixar-se influenciar, deixar-se levar **2** Adaptar-se às circunstâncias **3** Ser enganado; cair na esparrela **Pegar ~** *Gír.* Surfar **Tirar ~** *Bras. Gír.* Assumir pose de importante, culto, inteligente etc. **Tirar ~ com alguém** *Bras. Gír.* Zombar ou debochar dessa pessoa **Tirar ~ de** *Bras. Gír* Fazer-se de, fingir-se de: *Agora ele tira onda de craque*.

onde (*on*.de) *pr. rel.* **1** Em que: *Da fileira onde estou não vejo bem o palco.* **2** Que ponto ou lugar: *Por esta marca você vê até onde o rio enche.* *adv.* **3** Em que lugar: *Onde está meu guarda-chuva?* [F.: Do lat. *unde*. Cf. *aonde*.] ▪ **De ~ a ~** Ver *De onde em onde* **De ~ em ~** **1** De quando em quando, de vez em quando: *De onde em onde se ouvia o pio da coruja.* **2** Aqui e ali: *De onde em onde podiam-se avistar rebanhos pastando.* **Fazer por ~** Ver no verbete *fazer* **~ quer que** Em qualquer lugar onde: *Onde quer que eu esteja, manterei contacto.* **Por ~** **1** Pelo qual lugar; pelo lugar em que: *Irei por onde você foi.* **2** Us. com ideia de caminho (fig.), meio, método, jeito, maneira: *Tentou-se corrigir a situação, mas não havia por onde.*

ondeado (on.de.*a*.do) *a.* **1** Que tem ondas (2); que forma ondas ou curvas; ONDULADO *sm.* **2** Formato de onda; forma ondulada; ONDULAÇÃO; ONDULADO: *A baía com seu ondeado suave.* [F.: Part. de *ondear*.]

ondeamento (on.de.a.*men*.to) *sm.* Ação ou resultado de ondear(-se) (ondeamento marinho/topográfico); ONDEIO; ONDULAÇÃO; SERPEIO [F.: *ondear* + *-mento*.]

ondeante (on.de.*an*.te) *a2g.* Ver *ondulante* [F.: *ondear* + *-nte*.]

ondear (on.de.*ar*) *v.* **1** Formar ondas, dar formato de ondas a [*td.*: *Ondear os cabelos.*] **2** Mover-se em ondas (água do mar, dos lagos etc.) [*td.*: *O vento ondeava a superfície do mar.*] [*int.*: *O campo de trigo ondeava ao vento.*] **3** Propagar-se, difundir-se, espalhar-se [*int.*: *A fumaça dos cigarros ondeava pela sala.*] **4** Movimentar-se de maneira sinuosa [*int.*: *A cobra ondeava pela jaula.*] **5** Tremular ou fazer tremular [*td.*: *O vento ondeava a bandeira.*] [*int.*: *O manto da rainha ondeava.*] [▶ 13 ondear] [F.: *onda* + *-ar*. Hom./Par.: *ondeio* (fl.), *ondeio* (sm.).]

ondeio (on.*dei*:o) *sm.* O mesmo que *ondeamento* [F.: Dev. de *ondear*. Hom./Par.: *ondeio* (sm.), *ondeio* (fl. de *ondear*).]

ondeiro (on.*dei*.ro) *a. Bras. Pop.* Diz-se de quem conta fatos não verdadeiros, que inventa histórias; LOROTEIRO [F.: *onda* + *-eiro*.]

ondejar (on.de.*jar*) *v. td. int.* Ver *ondear* [▶ 1 ondejar] [F.: *ond(a)* + *-ejar*.]

ondina (on.*di*.na) *sf. Mit.* Gênio ou ninfa das águas, segundo as mitologias germânica e escandinava [F.: Do lat. cient. *undina*, pelo fr. *ondine*.]

ondômetro (on.*dô*.me.tro) *sm. Fís. Metrol.* Transformador térmico, us. em radiotécnica, acoplado nas antenas, para medir, diretamente em metros, o comprimento de uma onda eletromagnética [F.: *onda-* + *-o-* + *-metro*.]

ondulação (on.du.la.*ção*) *sf.* **1** Movimento ou formação das ondas (1) **2** Movimento similar ao das ondas: *A ondulação da bandeira no mastro.* **3** Forma, linha e/ou contorno sinuosos: *A ondulação dos seus cabelos.* **4** Sequência de saliências e depressões: *As ondulações de um terreno.* **5** Processo de frisar os cabelos **6** *Nat.* Em prova de natação, série de movimentos sinuosos com o corpo que o nadador faz, submerso, para ganhar impulso, na saída da prova e nas viradas; GOLFINHADA [Pl.: *-ções*.] [F.: *ondular* + *-ção*.]

ondulado (on.du.*la*.do) *a.* **1** Que forma ondas; que não é liso (cabelo ondulado); ONDEADO **2** Que não é plano: *A superfície ondulada da grelha separa a gordura da comida.* **3** Cuja superfície ou margem parece uma sucessão de ondas (folha ondulada) **4** Diz-se de papelão enrugado, próprio para embalar artigos frágeis como garrafas, potes etc. [F.: Part. de *ondular*.]

ondulador (on.du.la.*dor*) [ô] *a.* **1** Diz-se de que ou quem ondula, que ondeia (maré onduladora; mecanismo ondulador) *sm.* **2** *Comun.* Nos sistemas morse, gravador de fita de alta velocidade no qual um estilete imprime com tinta, num papel continuamente em movimento, as informações recebidas de acordo com o sinal de entrada **3** Aquele ou aquilo que ondula (ondulador de som/de cabelos) [F.: *ondula(r)-* + *-dor*.]

ondulante (on.du.*lan*.te) *a2g.* **1** Que ondeia, que tem um movimento similar ao das ondas (1); ONDEANTE; ONDULOSO **2** Que tem ou forma ondas, ou curvas (montanha ondulante); ONDEADO; ONDEANTE; ONDULADO; ONDULOSO **3** Que ora aumenta, ora abaixa (diz-se de febre) [F.: *ondular* + *-nte*.]

ondular (on.du.*lar*) *v. td. int.* O mesmo que *ondear* [▶ 1 ondular] [F.: Do lat. **undulare* < lat. *undulatu*.]

ondulatório (on.du.la.*tó*.ri:o) *a.* **1** Que ondula, que é feito de modo sinuoso (movimentos ondulatórios); ONDEANTE; ONDULANTE **2** *Fís.* Que se propaga em ondas **3** *Fís.* Ref. a ondas ou a ondulação: *O som é um fenômeno físico ondulatório periódico.* [F.: *ondulado* + *-ório*. Ver tb. *mecânica*.]

onduloso (on.du.*lo*.so) [ô] *a.* Ver *ondulante* [Pl.: [ó]. Fem.: [ó].] [F.: *onda* + *-oso*.]

ondurmanês (on.dur.ma.*nês*) *sm.* **1** Indivíduo nascido ou que vive em Ondurmã (Sudão) [Pl.: *-neses* [ê]. Fem.: *-nesa* [ê].] *a.* **2** De Ondurmã; típico dessa cidade ou de seu povo [Pl.: *-neses* [ê]. Fem.: *-nesa* [ê].] [F.: Do top. *Ondurmã* + *-ês*.]

◎ **one(o)-** *el. comp.* = 'compra'; 'comprar': *oneomania, oneômano* [F.: Do gr. *oné, ês*.]

oneomania (o.ne:o.ma.*ni*:a) *sf. Psiq.* Desejo incontrolável e impulsivo de fazer compras, na maioria desnecessárias [F.: *one(o)-* + *-mania*.]

oneomaníaco (o.ne:o.ma.*ní*.a.co) *Psiq. a.* **1** Ref. a, ou próprio de oneomania (compulsão oneomaníaca) **2** Diz-se de indivíduo que sofre de oneomania; ONEÔMANO *sm.*

3 *Psiq.* Esse indivíduo; ONEÔMANO [F.: *oneoman(ia)* + *-iaco*, seg. o mod. gr.]
oneômano (o.ne.*ô*.ma.no) ***a. sm.*** *Psiq.* O mesmo que *oneomaníaco* (2 e 3) [F.: *one(o)-* + *-mano*[1].]
oneração (o.ne.ra.*ção*) ***sf.*** **1** Ação ou processo de onerar, de impor ônus ou obrigação a alguém ou algo (oneração de impostos/de responsabilidades) **2** Opressão; sobrecarregamento (oneração da culpa/do arrependimento) [Pl.: *-ções.*] [F.: *onera(r)-* + *-ção.*]
onerado (o.ne.*ra*.do) ***a.*** **1** Que se onerou **2** Que está sujeito a ônus ***a.*** **3** Sobrecarregado com ônus, tributo ou imposto **4** Que se tornou mais caro: *artigos onerados pela subida do dólar.* [F.: Part. de *onerar.*]
onerar (o.ne.*rar*) ***v.*** **1** Aumentar ônus, impostos, obrigações financeiras sobre; SOBRECARREGAR [***td.:*** *O custo de transporte onera a exportação.*] **2** Fazer, criar dívidas ou endividar-se [***td.:*** *As guerras sempre oneram os cofres de seus participantes; Vários países oneraram-se com a guerra.*] **3** Causar dano ou opressão a [***td.:*** *As novas medidas econômicas oneraram os mais pobres.*] [***tdr.*** + *com: Oneraram a população com mais impostos.*] **4** Sobrecarregar com taxas, tributos etc. [***td.:*** *O governo quer onerar a importação de supérfluos.*] [***tdr.*** + *com: O governo onerou a importação de vinho com novas taxas.*] **5** Tornar (algum produto) mais caro, mais oneroso [***td.:*** *Os intermediários sempre oneram o preço final dos produtos.*] **6** Tornar pesado ou difícil de suportar [***td.:*** *Os erros do passado oneravam agora o seu espírito.*] [▶ 1 onerar] [F.: Do lat. *onerare.*]
onerosidade (o.ne.ro.si.*da*.de) ***sf.*** **1** Característica ou qualidade de oneroso **2** Ônus, encargo muito pesado [F.: Do lat. *onerositas, atis.*]
oneroso (o.ne.*ro*.so) [ô] ***a.*** **1** Que acarreta ou impõe ônus **2** Que ocasiona muitos gastos, despesas (viagem onerosa); DISPENDIOSO **3** *Fig.* Que é incômodo, oprimente [Pl.: [ó]. Fem.: [ó].] [F.: Do lat. *onerosus, -a, -um.*]
onfalite (on.fa.*li*.te) ***sf.*** *Pat.* Inflamação no umbigo [F.: *onfal(o)-* + *-ite*[1].]
◎ **onfal(o)-** (on.fa.*lo*) ***el. comp.*** = 'umbigo': *onfalite, onfalocele, onfalomancia; neo-onfaloplastia, sarconfalocele; anônfalo, empiônfalo, hematônfalo, hidrônfalo* [F.: Do gr. *omphalós, oû.*]
◎ **-onfal(o)-** ***el. comp.*** Ver *onfal(o)-*
◎ **-ônfalo** ***el. comp.*** Ver *onfal(o)-*
onfalocele (on.fa.lo.*ce*.le) [é] ***sf.*** *Pat.* Hérnia umbilical, gerada no nascimento, formando uma saliência apenas recoberta por âmnio e peritônio; AMNIOCELE [F.: *onfal(o)-* + *-cele*[1].]
onfalomancia (on.fa.lo.man.*ci*.a) ***sf.*** *Oct.* Predição do número de filhos que uma mulher terá, por exame do número de nós existentes no cordão umbilical do primeiro filho [F.: *onfalo-* + *-mancia.*]
onfalomante (on.fa.lo.*man*.te) ***a2g.*** *Oct.* Indivíduo que pratica a onfalomancia [F.: *onfal(o)-* + *-mante.*]
onfalomântico (on.fa.lo.*mân*.ti.co) ***a.*** *Oct.* Ref. ou inerente à onfalomancia e a onfalomante (habilidade onfalomântica) [F.: *onfalomante* + *-ico*[2].]
onfalóptico (on.fa.*lóp*.ti.co) ***a.*** *Fís. Ópt.* Diz-se do cristal óptico convexo em ambas as faces [F.: *onfal(o)-* + *óptico.*]
onfalorragia (on.fa.lor.ra.*gi*:a) ***sf.*** *Med.* Hemorragia pelo umbigo, esp. nos recém-nascidos [F.: *onfal(o)-* + *-ragia.*]
onfalorrágico (on.fa.lor.*rá*.gi.co) ***a.*** *Med.* Ref. ou inerente à onfalorragia (hemorragia onfalorrágica) [F.: *onfalorragia* + *-ico*[2].]
onfalosito (on.fa.lo.*si*.to) ***sm.*** *Ter.* Ser disforme que tem apenas alguns órgãos e que depende do suprimento sanguíneo da placenta do autosito, morrendo assim que se rompe o cordão umbilical [F.: *onfal(o)-* + *-sito.*]
onfalotomia (on.fa.lo.to.*mi*:a) ***sf.*** *Ginec. Obst.* Corte do cordão umbilical no parto [F.: *onfal(o)-* + *-tomia.*]
onfalotômico (on.fa.lo.*tô*.mi.co) ***a.*** *Ginec. Obst.* Ref. ou inerente à onfalotomia (ferimento onfalotômico) [F.: *onfalotomia* + *-ico*[2].]
⊠ **ONG** Sigla de *Organização Não Governamental*
⊕ ***onglete*** (*Fr.* /ônglête/) ***sm.*** *Grav.* Espécie de pequeno buril us. por gravadores em madeira, metal, pedra, e de serralheiros para obterem traços finos e profundos; BURIL LENTIFORME
◎ **-onho** ***Suf.*** = que causa ou que se apresenta com: *medonho, risonho, tristonho*
◎ **oni-** ***Pref.*** = tudo: *onipotente, onisciente* [Tb. *omni-.*]
ônibus (*ô*.ni.bus) ***sm2n.*** Veículo grande us. para o transporte de passageiros, com rota preestabelecida; AUTOCARRO; MARINETE; SOPA [F. Do lat. *omnibus*. Col.: *frota.*]
■■ **~ elétrico** Veículo de transporte coletivo movido por motor elétrico, que se alimenta de um cabo eletrificado suspenso ao longo da via, e do qual capta a energia por uma haste em seu teto, que em contato com o cabo desliza ao longo dele **~ espacial** *Astron.* Nave espacial tripulada, reutilizável, ger. lançada de um foguete no ar, mas que aterrissa como um avião
◎ **onic(o)-** ***el. comp.*** = 'unha'; 'garra': *onicofagia, onicófago, onicóforo* (< lat. cient.), *onicoma, onicopatia; oniquite* [F.: Do gr. *ónyks, ónykhos.*]
◎ **-ônico** ***suf.*** *Quím.* = 'que contém o grupo carboxila (oriundo de processo de oxidação do grupo aldeído de uma aldose)': *aldônico* [F.: *(glic)ônico.*]
onicofagia (o.ni.co.fa.*gi*:a) ***sf.*** Hábito ou vício de roer as unhas [F.: *onic(o)-* + *-fagia.*]
onicófago (o.ni.*có*.fa.go) ***a.*** **1** Diz-se do indivíduo que tem onicofagia ***sm.*** **2** Esse indivíduo [F.: *onic(o)-* + *-fago.*]
onicóforo (o.ni.*có*.fo.ro) *Zool.* ***sm.*** **1** Espécime dos onicóforos, filo de animais celomados terrestres primitivos, com cerca de 70 espécies, noturnas, de corpo metamerizado, alongado e cilíndrico, com duas antenas na cabeça não diferenciada ***a.*** **2** Ref. ou pertencente aos onicóforos [F.: Adaptç. do lat. cient. *Onychophora*; ver *onic(o)-* e *-foro.*]
onicólise (o.ni.*có*.li.se) ***sf.*** *Derm.* Queda das unhas, esp. a proveniente de infecção [F.: *onic(o)-* + *-lise.*]
onicolor (o.ni.co.*lor*) [ô] ***a2g.*** **1** Diz-se do que tem todas as cores em sua composição (arranjo floral onicolor) **2** Matizado de todas as cores (pintura onicolor) [F.: Do lat. *omnicolor, oris* 'que é de todas as cores'. Hom./Par.: *onicolor* [ô] (a2g.), *unicolor* [ô] (a2g).]
onicoma (o.ni.*co*.ma) ***sm.*** *Derm.* Tumor na raiz da unha ou no leito ungueal [F.: *onic(o)-* + *-oma*[1].]
onicopatia (o.ni.co.pa.*ti*:a) ***sf.*** *Derm.* Moléstia ou deformidade das unhas [F.: *onic(o)-* + *-patia.*]
onicopático (o.ni.co.*pá*.ti.co) *Derm.* ***a.*** **1** Ref. ou inerente à onicopatia **2** Que apresenta deformações nas unhas [F.: *onicopatia* + *-ico*[2].]
onidirecional (o.ni.di.re.ci:o.*nal*) ***a2g.*** **1** Diz-se do que se movimenta ou funciona em todas as direções **2** *Tec.* Que é apto a emitir ou a captar de qualquer direção ou em qualquer direção (antena/radar onidirecional) [Pl.: *-nais.*] [F.: *o(m)ni-* + *-direcional*. Par.: *unidirecional* (a2g.).]
◎ **-onímia** ***Suf.*** = ref. a nome: *antonímia, homonímia, sinonímia* [F.: Do gr. *ónoma, -atos.*]
◎ **-ônimo** ***Suf.*** = nome: *acrônimo, anônimo, antropônimo, sinônimo* [F.: Do gr. *ónoma, -atos.*]
onímodo (o.*ní*.mo.do) ***a.*** **1** Diz-se de que abrange todos os modos de ser; que abrange tudo (significado onímodo; expressão onímoda) **2** Diz-se de que não tem limites ou restrições; ILIMITADO **3** *Mús.* Capaz de se adaptar a qualquer escala [F.: Do lat. *omnimodus, a, um.* Hom./Par.: *onímodo* (a.), *unímodo* (a).]
◎ **-ônio** ***suf.*** *Quím.* = 'cátion': *diazônio* [F.: Do lat. cient. *(amn)onium.*]
onipotência (o.ni.po.*tên*.ci:a) ***sf.*** **1** Qualidade de onipotente (1, 2) ***sf.*** **2** Poder absoluto: *A Bíblia ensina a onipotência de Deus.* **3** Autoridade extrema **4** Faculdade de decidir soberanamente em certas matérias [F.: Do lat. *omnipotentia, -ae.*]
onipotente (o.ni.po.*ten*.te) ***a2g.*** **1** Que tem poder absoluto; TODO-PODEROSO **2** Que tem controle sobre tudo, ou que tudo pode controlar: *Jugava-se onipotente, e sem necessidade de nenhum tipo de ajuda.* ***sm.*** **3** *Rel.* Deus [Inicial maiúsc.] [F.: Do lat. *omnipotens, -entis.*]
onipresença (o.ni.pre.*sen*.ça) ***sf.*** Propriedade ou condição do que é onipresente; presença em toda parte; UBIQUIDADE [F.: *oni-* + *presença.*]
onipresente (o.ni.pre.*sen*.te) ***a2g.*** Que está presente ou existe em toda parte; UBÍQUO [F.: *oni-* + *presente.*]
◎ **oniqu(i)-** ***el. comp.*** Ver *onic(o)-*
onírico (o.*ní*.ri.co) ***a.*** **1** Ref. aos sonhos: *Durante o sono, entramos no universo onírico.* **2** Que é próprio do sonho ou da natureza do sonho [F.: *onir(o)-* + *-ico*[2].]
onirismo (o.ni.*ris*.mo) ***sm.*** **1** *Med.* Estado anormal de consciência, com sensação de irrealidade, como num sonho cheio de fantasias ou ideias quiméricas **2** *Psiq.* Forma de delírio, constituído de visões, alucinações e cenas animadas, ger. causado por alcoolismo crônico, ou substâncias tóxicas, drogas anestésicas etc. [F.: *onir(o)-* + *-ismo.*]
◎ **onir(o)-** ***el. comp.*** = 'sonho': *onírico, onirismo, onirologia, onirólogo, oniromancia, oniromante* (< gr.) [F.: Do gr. *óneiros, ou.*]
onirologia (o.ni.ro.lo.*gi*:a) ***sf.*** *Psiq.* Estudo dos sonhos; conjunto de conhecimentos relacionados ao sonho [F.: *onir(o)-* + *-logia.*]
onirológico (o.ni.ro.*ló*.gi.co) ***a.*** **1** *Psiq.* Ref. ou inerente à onirologia (tese onirológica) **2** *P. ext.* Que é objeto de estudo da onirologia (surto onirológico) [F.: *onirologia* + *-ico*[2].]
onirólogo (o.ni.*ró*.lo.go) ***sm.*** *Psiq.* Aquele que é especialista em onirologia [F.: *onir(o)-* + *-logo.*]
oniromancia (o.ni.ro.man.*ci*.a) ***sf.*** *Oct.* Arte de adivinhar e predizer o futuro por meio da interpretação de sonhos; BRIZOMANCIA [F.: *onir(o)-* + *-mancia.*]
oniromante (o.ni.ro.*man*.te) ***a2g.*** **1** *Oct.* Diz-se de quem pratica a oniromancia ***s2g.*** **2** *Oct.* Pessoa que pratica a oniromancia; BRIZOMANTE [F.: Do gr. *oneirómantis, eos*; ver *onir(o)-* e *-mante.*]
oniromântico (o.ni.ro.*mân*.ti.co) ***a.*** *Oct.* Ref. ou inerente à oniromancia ou a oniromante; BRIZOMÂNTICO [F.: *oniromancia* + *-ico*[2].]
onisciência (o.nis.ci:*ên*.ci:a) ***sf.*** **1** Qualidade de onisciente **2** Conhecimento sobre todas as coisas **3** *Teol.* O saber divino: *A onisciência de Deus.* [F.: *onisciente* sob a f. rad. *onisciene-* + *-ia.* Sin. ger.: *onissapiência.*]
onisciente (o.nis.ci:*en*.te) ***a2g.*** Que tudo sabe, tudo conhece; ONISSAPIENTE [F.: *oni-* + lat. *sciente.*]
onividente (o.ni.vi.*den*.te) ***a2g.*** Que tem a capacidade de ver tudo [F.: *oni-* + *vidente.*]
onivoridade (o.ni.vo.ri.*da*.de) ***sf.*** Característica ou qualidade de onívoro, de comer tudo ou de tudo; POLIFAGIA [F.: *onívoro-* + *-(i)dade.*]
onívoro (o.*ní*.vo.ro) ***a.*** **1** Que come de tudo, tanto alimentos de origem vegetal como animal; POLÍFAGO **2** Característico dos indivíduos onívoros (1): *Peixe com hábito alimentar onívoro.* **3** *Fig.* Que tudo devora ***sm.*** **4** Indivíduo onívoro (1) [F.: Do lat. *omnivorus, a, um.*]
ônix (*ô*.nix) ***sm2n.*** **1** *Min.* Pedra preciosa considerada uma variedade de ágata, com faixas paralelas de cores distintas **2** Mármore ligeiramente translúcido, com camadas policromáticas [F.: Do lat. *onyx, -ychis.*]
⊕ ***on-line*** [Ing. /on-láin/] ***a2g2n.*** **1** *Inf. Int.* Que está conectado à internet ou a qualquer outra rede de computadores (diz-se de computador, pessoa, escola, grupo etc.) **2** *Inf. Int.* Que está disponível na internet ou em qualquer outra rede virtual: *Atualmente só leio a versão on-line dessa revista.* **3** *Int.* Que se faz através da internet: *As compras on-line cresceram muito.* **4** *Inf.* Que está diretamente conectado a um computador (impressora on-line) [Ant. ger.: *off-line.*] ***adv.*** **5** *Inf. Int.* Em rede; pela internet: *O pagamento da matrícula pode ser feito on-line.*
⊠ **O.N.O.** Abreviatura de *oés-noroeste*
onomástica (o.no.*más*.ti.ca) ***sf.*** **1** Ramo da lexicologia que estuda os nomes próprios (de pessoas e lugares) ***sf.*** **2** Lista de nomes próprios; ONOMÁSTICO **3** Relação dos nomes próprios de uma língua; ONOMÁSTICO **4** Explicação dos nomes próprios, ou estudo ou obra sobre os nomes próprios; ONOMÁSTICO [F.: Fem. substv. de *onomástico.*]
onomástico (o.no.*más*.ti.co) *Ling.* ***a.*** **1** Ref. aos nomes próprios **2** Em que estão listados nomes de pessoas (índice onomástico) ***sm.*** **3** *Ling.* O mesmo que *onomástica* (2 a 4) [F.: Do gr. *onomastikós, é, ón.*]
◎ **onomat(o)-** ***el. comp.*** = 'nome'; 'designativo de pessoa ou de coisa'; 'palavra'; 'vocábulo': *onomatomancia, onomatomania, onomatomante, onomatopeia, onomatopoese* [F.: Do gr. *ónoma, atos.*]
onomatomancia (o.no.ma.to.man.*ci*.a) ***sf.*** *Oct.* Arte de adivinhação baseada em supostas correspondências vaticinadoras entre o nome de alguém e as letras que o compõem [F.: *onomat(o)-* + *-mancia.*]
onomatomania (o.no.ma.to.ma.*ni*.a) *Psiq.* ***sf.*** **1** Obsessão em procurar doentiamente um vocábulo ou nome esquecido **2** Impulso irresistível a repetir determinadas palavras **3** Obsessão em evitar uma expressão cuja pronúncia possa causar desagrado [F.: *onomat(o)-* + *-mania.*]
onomatomaníaco (o.no.ma.to.ma.*ní*.a.co) *Psiq.* ***a.*** **1** Ref. ou inerente à onomatomania **2** Diz-se de quem tem onomatomania; ONOMATÔMANO ***sm.*** **3** Indivíduo que tem onomatomania; ONOMATÔMANO [F.: *onomatoman(ia)* + *-iaco*, seg. o mod. gr.]
onomatômano (o.no.ma.*tô*.ma.no) ***sm.*** *Psiq.* O mesmo que *onomatomaníaco* (2 e 3) [F.: *onomat(o)-* + *-mano*[1].]
onomatomante (o.no.ma.to.*man*.te) ***s2g.*** *Oct.* Aquele que se dedica à onomatomancia [F.: *onomat(o)-* + *-mante.*]
onomatopaico (o.no.ma.to.*pai*.co) ***a.*** **1** Ref. a ou em que ocorre onomatopeia **2** Que tem características de onomatopeia [F.: onomatopaico, alter. de onomatopeico, de *onomatopeia* + *-ico*[2].]
onomatopeia (o.no.ma.to.*pei*.a) [é] ***sf.*** *Ling.* **1** Modo de formação de palavras que consiste na imitação fonética de som emitido: "Esse talento de imitação, que ele possui em alto grau, conduz à onomatopeia, uma das origens da palavra." (Gastão Cruls, *Amazônia misteriosa*) **2** Palavra assim formada (p. ex.: *tique-taque.*) [F.: Do gr. *onomatopoiia*, pelo lat. *onomatopoeia, ae.*]
onomatopoico (o.no.ma.to.*pei*.co) ***a.*** Ver *onomatopaico*
onomatopoese (o.no.ma.to.po.*e*.se) ***sf.*** **1** *Lex.* Criação de palavras novas ou neologismos **2** *Ling.* Nominação de algo por meio da interpretação do som a ele associado; ONOMATOPEIA **3** *Psiq.* Tendência a criar palavras onomatopaicas, como manifestação de esquizofrenia [F.: *onomat(o)-* + *-poese.*]
◎ **-onte** ***el. comp.*** = 'célula'; 'organismo': *diplonte, esquizonte, gamonte, haplonte, planctonte* [F.: Do gr. *óntos, óuses, óntos*, genitivo de *ón, oûsa, ón*, part. pres. do v. gr. *eimí*, 'ser'; 'criatura'. F. conexa: *ont(o)-.*]
ontem (*on*.tem) ***adv.*** **1** Na véspera do dia em que se encontra o falante: *Ontem foi dia 21.* **2** Em tempo passado: *Tende a não se arrepender do que fez ontem; vive para o presente.* ***sm.*** **3** O dia anterior a hoje, a véspera: *Joguei fora o jornal de ontem.* **4** O passado: *Os valores de hoje são bem diferentes dos de ontem.* [F.: Do lat. *ad noctem.*] ■■ **Antes de ~** Anteontem **De ~ para hoje** **1** *Fig.* Recentemente e com grande rapidez: *Fizemos todas essas mudanças de ontem para hoje.* **2** Apressada, e por isso descuidadamente: *Pela má qualidade desse trabalho parece que ele o fez de ontem para hoje.* **3** De repente: *Parecia tudo certo, mas de ontem para hoje eles cancelaram a viagem.* **Para ~** Com grande urgência, urgentíssimo: *Quero esse relatório para ontem.*
on-the-records (*Ing.* /*on-de-récords*/) ***a.*** Diz-se de informação cuja fonte reconhece a autenticidade e/ou autoriza a publicação: *Comentário on-the-records do governador.*
ôntico (*ôn*.ti.co) *Fil.* ***a.*** **1** Ref. ou inerente ao ser, ao ente, e às suas características (estudo ôntico) **2** Segundo o filósofo alemão Martin Heidegger (1889-1976), o que está diretamente relacionado ao ente, à sua existência concreta e múltipla, em oposição ao ontológico, que diz respeito à natureza geral, à essência comum a cada ser existente [F.: *ont(o)-* + *-ico*[2] >.]
◎ **ont(o)-** ***el. comp.*** = 'ser'; 'criatura'; 'indivíduo'; 'organismo': *ontogênese, ontogenia, ontogonia, ontologia, ontologismo* [F.: Do gr. *ón, óntos* ou *ón, óntos*, 'ser'; 'criatura'. F. conexa: *-onte.*]
ontogênese (on.to.*gê*.ne.se) ***sf.*** *Biol.* Evolução e processo de transformações biológicas de um indivíduo desde sua geração até o completo desenvolvimento; ONTOGENIA [F.: *ont(o)-* + *-gênese.*]

ontogenético (on.to.ge.*né*.ti.co) ***a.*** *Biol.* Ref. ou inerente à ontogênese ou ontogenia (crescimento ontogenético); ONTOGÊNICO [F.: *ontogên(ese)-* + *-ético.*]
ontogenia (on.to.ge.*ni*.a) ***sf.*** *Biol.* O mesmo que *ontogênese* [F.: *ont(o)-* + *-genia.*]
ontogonia (on.to.go.*ni*.a) ***sf.*** História da formação e geração dos seres organizados sobre a Terra [F.: *ont(o)-* + *-gonia.*]
ontogônico (on.to.*gô*.ni.co) ***a.*** Ref. ou inerente à ontogonia (evolução ontogônica) [F.: *ontogonia* + *-ico*^{2}.]
ontologia (on.to.lo.*gi*.a) ***sf.*** **1** *Fil.* Parte da filosofia que estuda a natureza dos seres, o ser enquanto ser **2** *Fil.* Doutrina sobre o ser **3** *Hist. Med.* Doutrina segundo a qual os fenômenos patológicos têm existência própria, não tendo relação com fenômenos fisiológicos **4** *Inf.* Campo da informática que trata de conceitualizar de forma explícita e formal (portanto processável por máquina e compartilhável) conceitos e restrições relacionados a certo domínio de interesses [F.: *ont(o)-* + *-logia.*]
ontológico (on.to.*ló*.gi.co) ***a.*** *Fil. Med.* Ref. à ontologia [F.: *ontologia* + *-ico*^{2}.]
ontologismo (on.to.lo.*gis*.mo) ***sm.*** **1** *Fil.* Doutrina oitocentista dos adeptos da ontologia, de crítica à subjetividade da filosofia moderna a partir do *cartesianismo*, embasando-se na crença de que o supremo conhecimento é gerado pela divindade **2** Emprego dos processos ontológicos de raciocínio filosófico, privilegiando a existência do ser em seu sentido mais geral e abrangente [F.: *ont(o)-* + *-log(o)-* + *-ismo.*]
⊠ **ONU** Sigla de *Organização das Nações Unidas*

📖 A Organização das Nações Unidas foi criada no fim da Segunda Guerra Mundial (1945), em San Francisco, EUA, com 51 nações, com o objetivo de zelar pela paz e pela segurança internacionais, por relações cordiais entre as nações do mundo com base na igualdade de direitos, e promover a cooperação internacional nas áreas vitais ao bem-estar, como a economia, a educação, a cultura, as questões sociais etc. Desde então muitas nações mais ingressaram na ONU, chegando em 2002 a 191 estados-membros. Seu órgão máximo é a Assembleia-Geral, que se reúne uma vez por ano na sede da ONU, em Nova York; o Secretariado coordena todo o sistema e funcionamento da ONU; o Conselho de Segurança tem 15 membros, cinco permanentes (EUA, Reino Unido, França, Rússia e China) e dez transitórios; o Conselho de Tutela; a Corte Internacional de Justiça e o Conselho Econômico e Social. O Brasil está na ONU desde a sua fundação, e, por tradição, cabe ao representante brasileiro abrir os pronunciamentos em toda sessão inaugural da Assembleia-Geral.

ônus (*ô*.nus) ***sm2n.*** **1** Obrigação difícil de ser cumprida, pelo trabalho ou custo que acarreta **2** Imposto a ser pago **3** Sobrecarga, peso [F.: Do lat. *onus, -eris.*] ■■ **~ da prova** *Jur.* Ref. ao conceito jurídico de que, presumida a inocência do réu, cabe ao acusador provar a culpa **~ reais** *Jur.* Encargos sobre bens móveis ou imóveis, devido à incidência de direitos reais sobre coisas alheias [Ex.: hipoteca, usufruto, penhor etc.]
onusto (o.*nus*.to) ***a.*** **1** Carregado, sobrecarregado, muito onerado: "De vermelho o Mulato mais robusto, / Três meninos Fradinhos inocentes, / Dez ou doze Brichotes mui agentes, / Vinte ou trinta canelas de ombro onusto." (Gregório de Matos, "Pernambuco" *in Obra poética*) **2** Cheio, repleto, pletórico (tesouro onusto) [F.: Do lat. *onustus, a, um* 'carregado; cheio, coberto'.]
onze (*on*.ze) ***num.*** **1** Quantidade correspondente a dez unidades mais uma **2** Número que representa essa quantidade (arábico: 11; romano: XI) [F.: Do lat. *undece.*]
onze-horas (on.ze-*ho*.ras) ***sm2n.*** *Bras. Bot.* Erva da fam. das portulacáceas (*Portulaca grandiflora*), natural do Brasil, cultivada como ornamental pela beleza e pelo colorido de suas flores
onzena (on.*ze*.na) ***sf.*** **1** *Econ.* Juro de onze por cento **2** Juro exorbitante, usura; AGIOTAGEM: "Pecados e mais pecados; onzenas, mortes, roubos, murmurações." (Alexandre Herculano, *Lendas e narrativas*) **3** *P. us.* Porção de onze objetos de igual natureza; ONZENO [F.: *onze* + *-ena.* Hom./Par.: *onzena* (sf.), *onzena* (fl. de *onzenar*).]
onzenário (on.ze.*ná*.rio) ***a.*** **1** *Econ.* Ref. ou inerente a onzena (1, 2); que é caracterizado por onzena (valor onzenário; extorsão onzenária) ***a.*** **2** Que é extorsivo, abusivo; ONZENEIRO; USURÁRIO ***sm.*** **3** Indivíduo que pratica onzena; AGIOTA; ONZENEIRO; USURÁRIO [F.: *onzena-* + *-ário.* Hom./Par.: *onzenária* (sf.), *onzenaria* (fl. de *onzenar*).]
onzeneiro (on.ze.*nei*.ro) ***a.*** **1** *Econ.* Onzenário (1); AVARENTO [Ant.: *perdulário.*] **2** *Bras. Fig.* Diz-se de quem gosta de fazer intrigas ou fuxicos; ENZONEIRO; MEXERIQUEIRO ***sm.*** **3** Indivíduo onzenário (2) **4** *Bras. Fig.* Indivíduo mexeriqueiro; ENZONEIRO [F.: *onzena-* + *-eiro.* Hom. Par.: *onzeneiro* (a.), *onzeneiro* (fl. de *onzenear*).]
◎ **oo-** ***el. comp.*** = 'ovo': oócito, oófago [F.: Do gr. *oión, -oû* (com iota subscrito) 'ovo'.]
oócito (o.*ó*.ci.to) ***sm.*** *Biol.* Cada uma das células que dão origem ao óvulo [F.: *oo-* + *-cito.*]
oófago (o.*ó*.fa.go) ***a.*** **1** Que come ovos (diz-se esp. de répteis ou insetos) **2** *Ornit.* Diz-se de certas espécies de aves que comem os próprios ovos ***sm.*** **3** O que come ovos [F.: *oo-* + *-fago.*]
ooforectomia (o:o.fo.rec.to.*mi*.a) ***sf.*** *Cir. Obst.* Extirpação de um ou de ambos os ovários; OVARIECTOMIA [F.: *oofor(o)-* + *-ectomia.*]
ooforectômico (o:o.fo.rec.*tô*.mi.co) ***a.*** *Cir. Obst.* Ref. ou inerente à ooforectomia (incisão ooforectômica); OVARIECTÔMICO [F.: *ooforectomia* + *-ico*^{2}.]
ooforisterectomia (o:o.fo.ris.te.rec.to.*mi*:a) ***sf.*** *Cir. Obst.* Ablação cirúrgica do útero e de um ou dos dois ovários [F.: *oofor(o)-* + *-(h)ister(o)-* + *-ectomia.*]
ooforite (o:o.fo.*ri*.te) ***sf.*** *Ginec.* Inflamação dos ovários; OVARITE [F.: *oofor(o)-* + *-ite*^{1}.]
◎ **oofor(o)-** ***el. comp.*** = 'ovário': *ooforectomia, ooforisterectomia, ooforite, ooforopatia, ooforossalpingectomia, ooforotomia* [F.: Do lat. cient. *oophoron*, 'ovário', do gr. *oiophóros, os, on*, 'que contém ou produz ovos'.]
ooforopatia (o:o.fo.ro.pa.*ti*.a) ***sf.*** *Ginec. Pat.* Qualquer tipo de doença ovariana; OVARIOPATIA [F.: *oofor(o)-* + *-patia.*]
ooforopático (o:o.fo.ro.*pá*.ti.co) ***a.*** *Ginec. Pat.* Ref. ou inerente à ooforopatia (inflamação ooforopática); OVARIOPÁTICO [F.: *ooforopatia* + *-ico*^{2}.]
ooforossalpingectomia (o:o.fo.ros.sal.pin.gec.to.*mi*.a) ***sf.*** *Cir. Obst.* Ablação ou remoção de uma ou das duas trompas de Falópio e eventualmente de um ou de ambos os ovários [F.: *oofor(o)-* + *-salping(o)-* + *-ectomia.*]
ooforotomia (o:o.fo.ro.to.*mi*.a) ***sf.*** *Cir. Obst.* Incisão em ovário; OVARIOTOMIA [F.: *oofor(o)-* + *-tomia.*]
oogamia (o:o.ga.*mi*.a) ***sf.*** *Biol.* Reprodução sexual na qual o gameta feminino é grande e imóvel e o masculino é menor e móvel, como é frequente, p. ex., nas briófitas [F.: *oo-* + *-gamia.*]
oógamo (o.*ó*.ga.mo) ***a.*** Relativo a, ou cuja reprodução se dá por oogamia [F.: *oo-* + *-gamo.*]
oogônio (o:o.*gô*.ni:o) ***sm.*** *Biol.* Estrutura reprodutora na qual se forma a oosfera de algas, liquens, briófitas, pteridófitas e fungos [F.: *oo-* + *-gônio.*]
oologia (o.o.lo.*gi*.a) ***sf.*** *Zool.* Parte da zoologia que estuda os ovos, mormente o das aves [F.: *oo-* + *-logia.*]
oológico (o.o.*ló*.gi.co) ***a.*** Ref. ou inerente à oologia [F.: *oologia* + *-ico*^{2}.]
oomante (o.o.*man*.te) ***s2g.*** Aquele ou aquela que pratica a oomancia [F.: *oo-* + *-mante.*]
oomântico (o.o.*mân*.ti.co) ***a.*** Ref. ou inerente à oomancia ou a oomante [F.: *oomante* + *-ico*^{2}.]
oomiceto (o.o.mi.*ce*.to) ***sm.*** **1** *Micol.* Espécime dos oomicetos, classe dos fungos em que os zoósporos têm dois flagelos; podem ser terrestres ou aquáticos; estes vivem em água-doce, marinha ou salobra, e contribuem para a decomposição de material orgânico; algumas espécies terrestres causam doenças em plantas cultivadas ***a.*** **2** *Micol.* Ref. ou pertencente aos oomicetos [F.: Adaptç. do lat. cient. *Omycetes*; ver *oo-* e *-miceto.*]
ooscópio (o.os.*có*.pi:o) ***sm.*** Aparelho para examinar o interior do ovo [F.: *oo-* + *-scópio.*]
oosfera (o.os.*fe*.ra) ***sf.*** *Biol.* Célula sexual feminina imóvel, originada no oogônio de fungos e de algumas algas [F.: *oo-* + *-sfera.*]
oósporo (o.*ós*.po.ro) ***sm.*** *Biol.* Zigoto resultante da oogamia em certas algas e plantas, que contém reservas alimentícias, desenvolve uma camada externa protetora e passa por um período de repouso antes da germinação [F.: *oo-* + *-sporo.*]
⊠ **op.** Abrev. de *opus*
opa^1 (*o*.pa) [ô] ***sf.*** **1** Espécie de capa us. por religiosos **2** *Bras. Gír.* Festa ou comemoração ruidosa; PÂNDEGA [F.: De or. obsc. Hom./Par.: *opa* (sf.), *opa* (interj.), *opa* (fl. de *opar*).]
opa^2 (*o*.pa) [ô] ***interj.*** **1** Exprime surpresa ou admiração **2** Forma de saudação equivalente a 'oi' [F.: Vocábulo expressivo.]
◎ **opac(i)-** ***el. comp.*** = 'opaco'; '(*p. ext.*) 'opacidade': *opacificar, opacímetro.* [F.: Do lat. *opacus, a, um*, 'que está na sombra'; 'em que não penetra luz'.]
opacidade (o.pa.ci.*da*.de) ***sf.*** **1** Qualidade ou estado de opaco **2** Propriedade de um corpo que não permite a passagem da luz, que impede que se veja através dele [Ant.: *transparência.*] **3** *Fig.* Sombra espessa: "O céu radiava de estrelas; em frente, a opacidade dos montes." (César Porto, *Inverno*) [F.: Do lat. *opacitas, atis.*]
opacificação (o.pa.ci.fi.ca.*ção*) ***sf.*** **1** Ação ou resultado de opacificar(-se) **2** *Rlog.* Processo ou seu resultado, pelo qual um órgão, estrutura etc. se torna opaco à radiação, por meio da introdução de contraste **3** *Fig.* Ato ou resultado de tornar um raciocínio, ideia, explicação etc. imprecisa, confusa ou obscurecida; OBSCURECIMENTO [Pl.: *-ções.*] [F.: *opacificar* + *-ção.*]
opacificar (o.pa.ci.fi.*car*) ***v. td.*** **1** Fazer(-se) ficar opaco **2** *Rlog.* Levar (órgão, estrutura) a se mostrar opaco, mediante contraste [▶ **11** opacificar] [F.: *opac(i)-* + *-ficar.*]
opacímetro (o.pa.*cí*.me.tro) ***sm.*** *Fotm.* Aparelho para determinar a opacidade dos corpos (p. ex. o *nefelômetro*) [F.: *opac(i)-* + *-metro.*]
opaco (o.*pa*.co) ***a.*** **1** Que não reflete ou não permite a passagem de luz ou claridade (vidro opaco) [Ant.: *transparente.*] **2** Que não tem luz, que é sombrio ou que não apresenta nenhuma luminosidade (noite opaca) **3** Denso, espesso, cerrado (névoa opaca) **4** *Fig.* Difícil de compreender; HERMÉTICO; INCOMPREENSÍVEL; OBSCURO [Ant.: *claro, transparente.*] [F. Do lat. *opacus, a, um.*]
opado (o.*pa*.do) ***a.*** Que teve o volume aumentado; INCHADO; INTUMESCIDO; BALOFO; EMPAPUÇADO: "Colhem e pisam (...) os cachos rúbidos e opados, no lagar." (Fialho de Almeida, *No país das uvas*); "...juntava as mãos; as lágrimas corriam-lhe a quatro pelas bochechas opadas." (César Porto, *Inverno*) [F.: Part. de *opar.*]
opala (o.*pa*.la) ***sf.*** **1** *Min.* Pedra preciosa de cor leitosa e azulada **2** Tecido fino de algodão [F.: Do lat. *opalus, -i.*]
opalescência (o.pa.les.*cên*.cia) ***sf.*** **1** Qualidade do que é opalescente, do que tem a coloração leitosa, esbranquiçada ou azulada da opala **2** Reflexo irisado, característico da opala [F.: Do fr. *opalescence.*]
opalescente (o.pa.les.*cen*.te) ***a2g.*** Ver *opalino* [F.: Do fr. *opalescent.*]
opalgia (o.pal.*gi*.a) ***sf.*** *Med.* Dor na(s) face(s) [F.: *op(o)-* + *-algia.*]
opalina (o.pa.*li*.na) ***sf.*** **1** Vidro fosco, mas que deixa passar a luz **2** Objeto feito com esse tipo de vidro **3** Vidro espesso, de cor leitosa, us. para revestir paredes, tetos etc. [F.: Do fr. *opaline.*]
opalinidade (o.pa.li.ni.*da*.de) ***sf.*** Qualidade do que é opalino, do que tem cor e reflexo opalinos [F.: *opalino* + *-(i)dade.*]
opalino (o.pa.*li*.no) ***a.*** **1** Ref. a ou próprio da opala (1) ***a.*** **2** De cor similar à da opala (1); OPALESCENTE [F.: *opala* + *-ino.*]
opar (o.*par*) ***v. td. int.*** Tornar(-se) inchado, túmido, dilatado; ENGROSSAR(-SE) [▶ **1** opar] [F.: prov. do gal. *opar.* Hom./Par.: *opa* (fl.), *opa* (sf.), *opa* /ô / (interj.); opas (fl.), opas (pl. *opa* [sf.]); *upar* (vários tempos do v.).]
opção (op.*ção*) ***sf.*** **1** Ação ou resultado de optar, escolher **2** Cada uma das possibilidades pelas quais se pode optar; ALTERNATIVA [Pl.: *-ções.*] [F.: Do lat. *option, -onis.*]
opcional (op.ci:o.*nal*) ***a2g.*** Pelo qual se pode optar; OPTATIVO: *Ar-condicionado e vidro elétrico opcionais.* [Ant.: *obrigatório.*] [Pl.: *-nais.*] [F.: *opção* (f. rad. *opcion-*) + *-al.*]
⊠ **op. cit.** ***loc. adv.*** Abrev. de *opere citato*
◎ **-ope** ***Suf.*** = ref. a visão: *hipermétrope, míope*
⊕ **open** (*Ing.* /*oupen*/) ***sm.*** **1** *Econ.* Ver *open market* **2** *Esp.* Torneio aberto; aberto
⊕ ***open house*** (*Ing.* /*ôupen ráus*/) ***loc. subst.*** **1** Recepção informal, esp. sem lista restrita de convidados, em que se abre a residência aos amigos **2** *Bras.* Dia em que uma empresa recebe os parentes dos funcionários para uma visita a seu local de trabalho: *Um público numeroso compareceu à open house da Faculdade de Química.* **3** Evento (p. ex.: festa, exposição, feira) aberto ao público em geral
⊕ ***open market*** (*Ing.* /*ôupen márket*/) *Econ.* ***sm.*** **1** Conjunto de operações realizadas com títulos de renda fixa, ger. de curto prazo e esp. de emissão do governo, e que constitui instrumento de política monetária us. pelo Banco Central para controlar os meios de pagamento do sistema econômico **2** Mercado financeiro associado a essas operações [Tb. se diz apenas *open.* Sin.: *mercado aberto.*]
⊠ **Opep** Sigla de *Organização dos Países Exportadores de Petróleo*
ópera (*ó*.pe.ra) ***sf.*** **1** *Mús. Teat.* Obra dramática, com acompanhamento de orquestra, em que as falas dos personagens são cantadas: "Ele pediu-lhe um beijo, ela negou-lho e saiu cantarolando um trecho de ópera." (Aluísio Azevedo, *Coruja*) **2** Espetáculo em que é apresentada uma ópera (1) **3** Teatro onde são apresentadas óperas (2) **4** *Mús. Teat.* Gênero dramático e musical composto por essas obras [F.: Do it. *opera.*]
ópera-balé (ó.pe.ra-ba.*lé*) ***sf.*** *Dnç. Mús. Teat.* Espetáculo constituído por danças e cantos, em que cada ato é baseado em episódios diferentes e completos, unificados por um tema geral [Pl.: *óperas-balés.*]
ópera-bufa (ó.pe.ra-*bu*.fa) ***sf.*** *Mús. Teat.* Ópera (1) ligeira e satírica, de or. italiana [Pl.: *óperas-bufas.*]
operação (o.pe.ra.*ção*) ***sf.*** **1** Ação ou resultado de operar ***sf.*** **2** Ação altamente organizada, envolvendo muitas pessoas incumbidas de diferentes tarefas: *operação de resgate das vítimas.* **3** Ação ou conjunto de ações visando alcançar determinado resultado: *operação de trânsito.* **4** Ação ou resultado de fazer funcionar; FUNCIONAMENTO: *Entrou em operação novo provedor de internet grátis.* **5** *Econ.* Compra ou venda de valores ou mercadorias; transação comercial (operações cambiais) **6** *Mat.* Cálculo matemático: *operação de adição.* **7** *Med.* Cirurgia (operação cardíaca) **8** *Mil.* Ação ou manobra militar **9** *Quím.* Série de preparações que têm por fim a dissociação, a combinação ou a simples mistura dos diversos elementos [Pl.: *-ções.*] [F.: Do lat. *operatio, -onis.*] ■■ **~ aditiva** *Mat.* A que realiza uma soma, distributiva, representada pelo sinal + (mais) **~ algébrica** *Mat.* Qualquer das seguintes operações: adição, subtração, multiplicação, divisão, potenciação (elevação a uma potência) e radiciação (extração de uma raiz) **~ associativa** *Mat.* Aquela na qual quaisquer elementos podem ser substituídos pelo resultado da operação sobre eles [P. ex., a operação de adição 4 + 3 + 5 pode ser escrita 7 + 5, ou 4 + 8.] **~ binária** *Mat.* Aquela realizada com dois elementos de um conjunto **~ cesariana** *Obst.* Cirurgia que consiste em abrir o útero da mãe para retirar o feto [Tb. apenas *cesariana.*] **~ comutativa** *Mat.* Aquela na qual o resultado não se altera quando se muda a ordem dos elementos **~ dúplex** *Telc.* Sistema de operação em telecomunicação tal que transmissão e recepção de sinais de um ponto a outro podem ser feitas em paralelo, simultaneamente, em qualquer direção **~ elementar** *Mat.* Qualquer das seguintes operações: adição, subtração, multiplicação e divisão **~ homogênea** *Mat.* Aquela na qual se pode pôr em evidência um fator dos coeficientes das variáveis independentes da expressão que constituem os elementos da operação [P. ex.: $6x + 4y + 2z$ pode ser escrita $2(3x + 2y + z)$, ou 12 + 8 + 2 = 2(6 + 4 + 1).] **~ idempotente** *Álg.* Operação binária na qual, para cada elemento x do conjunto, a condição x^2

= *x* é satisfeita ~ **inversa** *Mat.* Aquela que, tendo como elementos o resultado e um dos elementos de outra operação, reproduz o outro elemento dessa outra operação [Ex.: operações inversas de 5 + 3 = 8 são 8 - 5 = 3 e 8 - 3 = 5.] ~ **linear** *Mat.* Operação que é ao mesmo tempo aditiva e homogênea ~ **símplex** *Telc.* Sistema de operação em telecomunicação tal que transmissão ou recepção de sinais de um ponto a outro só pode ser feita uma de cada vez, numa só direção ~ **tartaruga** *Bras.* Forma de greve na qual o trabalho não é totalmente interrompido, mas feito de maneira propositalmente lenta e ineficiente ~ **ternária** *Álg.* Aquela que se realiza com três elementos de um conjunto ~ **transcendente** *Mat.* Operação não algébrica ~ **unívoca** *Mat.* Aquela que tem um único resultado

operacional (o.pe.ra.ci:o.*nal*) *a2g.* **1** Ref. a operação (supervisor operacional) **2** Pronto para ser utilizado ou realizado: *O plano está em fase operacional.* **3** Que possibilita o funcionamento de algo (sistema operacional) **4** *Mil.* Que se encontra em condições de executar operações militares [Pl.: *-nais.*] [F.: *operação* (f. rad. *operacion-*) + *-al.*]

operacionalidade (o.pe.ra.ci:o.na.li.*da*.de) *sf.* Caráter ou condição do que é operacional: *É preciso melhorar a operacionalidade dos portos para aumentar as exportações.* [Ant.: *inoperacionalidade.*] [F.: *operacional* + *-(i)dade.*]

operacionalista (o.pe.ra.ci:o.na.*lis*.ta) *a2g.* **1** Que tem como finalidade alcançar um determinado resultado (modelo operacionalista) *s2g.* **2** Indivíduo operacionalista: "..., no caso do Brasil, é virem concorrendo (...) menos revoluções violentas, que constantes expressões de um processo operacionalmente – como diria um operacionalista ortodoxo..." (Gilberto Freyre, *Independência brasileira: um processo de criatividade sociocultural*) [F.: *operacional* + *-ista.*]

operacionalização (o.pe.ra.ci:o.na.li.za.*ção*) *sf.* Ação ou resultado de operacionalizar (operacionalização de programas) [Pl.: *-ções.*] [F.: *operacionalizar* + *-ção.*]

operacionalizado (o.pe.ra.ci:o.na.li.*za*.do) *a.* Que se tornou operacional: *Alfabetização operacionalizada pelo incentivo à leitura.* [Ant.: *inoperacionalizado.*] [F.: Part. de *operacionalizar.*]

operacionalizar (o.pe.ra.ci:o.na.li.*zar*) *v.* ***td.*** **1** Tornar propício para operar: *Já decidiu como operacionalizar a proposta?* **2** Realizar estratégias, ações, treinar para realizar uma tarefa [▶ 1 operacionalizar] [F.: *operacional* + *-izar.*]

operacionalizável (o.pe.ra.ci:o.na.li.*zá*.vel) *a2g.* Que se pode operacionalizar (projeto social operacionalizável) [Ant.: *inoperacionalizável.*] [Pl.: *-veis.*] [F.: *operacionalizar* + *-vel.*]

ópera-cômica (ó.pe.ra-*cô*.mi.ca) *sf. Mús. Teat.* Ópera de caráter cômico, em que se alternam as partes cantadas e faladas [Pl.: *óperas-cômicas.*]

operado (o.pe.*ra*.do) *a.* **1** Que se operou **2** Que sofreu operação cirúrgica **3** Que se executou; EFETUADO; REALIZADO *sm.* **4** Indivíduo operado (2) [F.: Part. de *operar.*]

operador (o.pe.ra.*dor*) [ô] *a.* **1** Que opera, que executa, que faz (máquina operadora, alavanca operadora) **2** *Gen.* Diz-se do gene que se encarrega dos genes a ele associados *sm.* **3** *Med.* Pessoa encarregada de operar uma máquina, um sistema etc. (operador de câmera, operador de *telemarketing*) **4** *Aer. Mar.* Em navio ou avião, profissional encarregado de fazer comunicações pelo rádio **5** *Cin.* Técnico que trabalha com a câmera cinematográfica; CINEGRAFISTA **6** *Cin.* Nas salas de cinema, pessoa encarregada de fazer funcionar o projetor do filme; PROJECIONISTA **7** *Eletrôn.* Técnico encarregado de operar o radiotransmissor ou qualquer outro aparelho de radiotransmissão **8** *Lóg.* Símbolo ou indicador de uma função lógica **9** *Inf.* Símbolo que indica uma operação sobre elemento(s) de um computador ou de suas aplicações [F.: Do lat. *operator, is.*] ▪▪ ~ **booliano** *Mat. Inf.* Operador (8, 9) us. na álgebra booliana (ver no verbete *álgebra*) ~ **de telemarketing** Profissional que realiza, ger. ao telefone, as operações de *telemarketing* ~ **lógico** *Lóg.* Elemento (sinal, palavra) que estabelece uma relação lógica entre proposições ou afirmações de modo a satisfazer ou não sua condição de 'verdadeiras' ou 'falsas' [Os principais operadores lógicos são E (AND), OU (OR) e NÃO (NOT), sendo o resultado verdadeiro para E somente quando os termos ligados são todos verdadeiros, para OU quando pelo menos um dos termos é verdadeiro, e para NOT quando o(s) termos(s) por ele operados são falsos.]

operadora (o.pe.ra.*do*.ra) [ô] *sf.* Empresa credenciada para explorar certos serviços: *operadora de cartão de crédito, operadora de telefonia.* [F.: Fem. substv. de *operador.*]

operante (o.pe.*ran*.te) *a2g.* **1** Que opera; que realiza algo; OPERATIVO; OPEROSO: "Meu príncipe, ainda mais imaginativo que operante" (Eça de Queirós, *A cidade e as serras*) **2** Que produz algum efeito [F.: Do lat. *operans, operantis.*]

operar (o.pe.*rar*) *v.* **1** Realizar, efetuar [***td.:*** *O computador opera cálculos*] **2** Estar em atividade; funcionar [***int.:*** *A Bolsa de Valores voltou a operar ontem.*] **3** Manejar, manobrar [***td.:*** *operar uma máquina.*] **4** Realizar cirurgia ou submeter-se a uma cirurgia [***td.:*** *O paciente operou o joelho.*] [***int.:*** *O médico foi proibido de operar; Ela vai operar-se amanhã.*] **5** Funcionar, trabalhar (falando-se de negócios) [***tr.*** + *com: Nossa empresa não opera com plásticos.*] **6** Realizar operações (matemáticas, militares etc.) [***td.:*** *Operava subtrações com grande rapidez.*] [***ta.:*** *As tropas operavam no interior da selva.*] **7** Causar, gerar [***tdr.*** + *em: Sua firmeza moral operou grandes transformações nos meninos.*] **8** Realizar-se, concretizar-se [***ta.:*** *Operaram-se grandes mudanças em seu comportamento.*] [▶ 1 operar] [F.: Do lat. tard. *operare.* Hom./Par.: *operáveis* (fl.), *operáveis* (pl. de *operável* [a2g.]); *opera(s)* (fl.), *ópera(s)* (sf. [pl.]); *operaria* (fl.), *operária* (fem. de *operário* [a. sm.]).]

operariado (o.pe.ra.ri.*a*.do) *sm.* A classe ou o conjunto dos operários; PROLETARIADO: "Conhecia o ambiente das fábricas, a miséria do operariado" (Frã Martins, *Ponta da rua*) [F.: *operário* + *-ado.*]

operário (o.pe.*rá*.ri:o) *sm.* **1** Qualquer pessoa que exerce uma ocupação manual mediante o pagamento de salário *sm.* **2** Pessoa encarregada do trabalho mecânico ou manual em indústrias e fábricas; TRABALHADOR **3** *P. ext.* Qualquer trabalhador, artífice ou artesão **4** *P. ext.* Quem tem projetos, realiza-os, promove campanhas etc.; OBREIRO: *Os operários das santas missões.* *a.* **5** Ref. aos operários (classe operária) [F.: Do lat. *operarius, ii.*]

operatividade (o.pe.ra.ti.vi.*da*.de) *sf.* Caráter ou condição de operativo (operatividade da política econômica) [Ant.: *inoperatividade*] [F.: *operativo* + *-(i)dade.*]

operativo (o.pe.ra.*ti*.vo) *a.* Que opera, realiza, efetua (sistema operativo); PRODUTIVO; OPERANTE [Ant.: *inoperativo.*] [F.: *operar* sob rad. *operat-* + *-ivo.*]

operatório (o.pe.ra.*tó*.ri:o) *a.* **1** Ref. a operação, esp. a cirurgia (campo operatório) **2** Que opera, que realiza **3** *Psi. Pedag.* Na teoria piagetiana, estrutura lógica que se faz presente na criança a partir de um certo momento de seu desenvolvimento intelectual [F.: Do lat. *operatorius, a, um.*]

operatriz (o.pe.ra.*triz*) *a.* **1** Fem. de operador (máquina operatriz) *sf.* **2** Máquina operatriz (mecânico de operatriz) [F.: Do lat. *operatrix, icis.*]

operável (o.pe.*rá*.vel) *a2g.* **1** Que pode ser cirurgicamente operado (câncer operável) **2** *Inf.* Que pode funcionar ou fazer funcionar (programa operável) [Pl.: *-veis.*] [F.: *operar* + *-vel.* Ant. ger.: *inoperável.*]

opercular (o.per.cu.*lar*) *a2g.* **1** Ref. ou próprio de opérculo (diâmetro opercular) **2** Que funciona como opérculo (valva opercular) [F.: *opercul(i)-* + *-ar*[1].]

◎ **opercul(i)-** ***el. comp.*** = 'tampa'; 'opérculo': *operculífero, operculiforme, operculite* [F.: Do lat. *operculum, i,* 'tampa'; 'cobertura'.]

operculífero (o.per.cu.*lí*.fe.ro) *a.* Que tem opérculo(s) [F.: *opercul(i)-* + *-fero.*]

operculiforme (o.per.cu.li.*for*.me) *a2g.* Em forma de opérculo [F.: *opercul(i)-* + *-forme.*]

operculite (o.per.cu.*li*.te) *sf. Od.* Inflamação ao redor da coroa de um molar durante a sua erupção [F.: *opercul(i)-* + *-ite*[1].]

opérculo (o.*pér*.cu.lo) *sm.* **1** *Biol.* Estrutura que cobre ou tampa um orifício ou uma cavidade **2** *Anat. Zool.* Peça calcária ou córnea existente nos pés dos moluscos que serve para fechar total ou parcialmente a abertura da concha quando o animal se retrai **3** *Anat. Zool.* Cada uma das duas estruturas ósseas que cobrem e protegem as aberturas branquiais da maioria dos peixes **4** Camada de cera que cobre o mel das abelhas depositado no favo **5** *Bot.* Estrutura que cobre a cápsula nos esporângios de diversas briófitas e que ger. se solta durante a maturação **6** *Anat.* Qualquer estrutura semelhante a uma pálpebra **7** Tampa que cobre ou fecha o turíbulo [F.: Do lat. *operculum, i.*]

⊕ ***opere citato*** (*Lat.* /opére citáto/) ***loc. adv.*** Na obra citada. [Abrev.: *op. cit.*]

opereta (o.pe.*re*.ta) [ê] *sf.* **1** *Mús. Teat.* Gênero de ópera curta, leve e ger. cômica, com partes cantadas e faladas **2** Peça desse gênero [F.: Do it. *operetta.*]

operista (o.pe.*ris*.ta) *Bras.* *s2g.* **1** Compositor de óperas: *Carlos Gomes é considerado o maior operista brasileiro.* *a2g.* **2** Que compõe óperas (compositor operista) [F.: *ópera* + *-ista.*]

operístico (o.pe.*rís*.ti.co) *a.* Relativo ou inerente a ópera (produção/interpretação operística) [F.: *operista* + *-ico*[2].]

óperon (*ó*.pe.ron) *sm. Gen.* Unidade genética de expressão coordenada de um conjunto de genes, que compreende genes estruturais e reguladores [Teoria para controle de expressão genética em bactérias, sugerida pelos bioquímicos franceses Jacques Monod (1910-1976) e François Jacob (1920) em 1961, e ganhadores do Prêmio Nobel de Medicina ou Fisiologia em 1965.] [Pl.: *opérones, óperons* (*Bras.*).] [F.: Do lat. *opera* 'atividade'.]

operosidade (o.pe.ro.si.*da*.de) *sf.* Caráter ou condição do que é operoso [Ant.: *inoperosidade*] [F.: Do lat. *operositas, atis.*]

operoso (o.pe.*ro*.so) [ô] *a.* **1** Que é trabalhador, esforçado (aprendiz operoso) **2** Que dá resultados (terapia operosa); EFICAZ **3** Que dá muito trabalho; ÁRDUO; DIFÍCIL [Pl.: [ó]. Fem.: [ó].] [F.: Do lat. *operosus, a, um.*]

◎ **-opia** ***el. comp.*** = visão: *hipermetropia, miopia, presbiopia*

opiáceo (o.pi.*á*.ce:o) *a.* **1** Relativo a, ou próprio do ópio **2** Que contém ópio (medicamento opiáceo) *sm.* **3** Produto farmacêutico que contém ópio (poderoso opiáceo) [F.: *opi(o)-* + *-áceo.*]

opilação (o.pi.la.*ção*) *sf.* **1** Ação ou resultado de opilar(-se) **2** Obstrução, bloqueio de um ducto ou abertura natural: *Opilação do fígado e do baço.* **3** *Bras. Med.* O mesmo que *ancilostomíase* [Pl.: *-ções.*] [F.: Do lat. *oppilatio, onis.* Ant. ger.: *desopilação.*]

opilado (o.pi.*la*.do) *a.* **1** Que se opilou; BLOQUEADO; OBSTRUÍDO [Ant.: *desopilado.*] **2** *Bras. Pop.* Que padece de opilação, de ancilostomíase *sm.* **3** *Bras. Pop.* Indivíduo que padece de opilação, de ancilostomíase: "Perdoe-me, pois, pobre opilado, e crê no que te digo ao ouvido: és tudo isso sem tirar uma vírgula, mas ainda és a melhor coisa dessa terra." (Monteiro Lobato, *Urupês*) [F.: Do lat. *oppilatus, a, um.*]

opimo (o.*pi*.mo) *a.* **1** Copioso, abundante, rico: "rebuscar alguma coisa que talvez mais não fosse do que a opima bagagem dos jesuítas em fuga" (Gastão Cruls, *A Amazônia que eu vi*) **2** Fértil, fecundo (terreno opimo) **3** Excelente, extremamente distinto no seu gênero [F.: Do lat. *opimus, a, um.*]

opinante (o.pi.*nan*.te) *a2g.* **1** Que opina *s2g.* **2** Aquele que opina [F.: *opinar* + *-nte.* Ant. ger.: *inopinante.*]

opinar (o.pi.*nar*) *v.* **1** Exprimir opinião sobre algo ou alguém [***td.:*** *Opinou que não existe motivo para nos preocuparmos.*] [***tr.*** + *em, sobre: opinar sobre um assunto.*] [***int.:*** *Algumas pessoas preferem não opinar.*] **2** Considerar, refletir, entender [***tr.*** + *sobre, acerca de: Opinou acerca do financiamento.*] **3** Reputar de acordo com a minoria discriminada [***tr.*** + *com*] [▶ 1 opinar] [F.: Do lat. *opinare.* Hom./Par.: *opináveis* (fl.), *opináveis* (pl. de *opinável* [a2g.]).]

opiniático *a. P. us.* Que defende obstinadamente suas opiniões; OPINIÁTICO [F.: *opinião* + *-ático.*]

opinativo (o.pi.na.*ti*.vo) *a.* **1** Que se baseia em ou expressa opinião particular (jornalismo opinativo) **2** Diz-se da questão em que se pode seguir suas próprias convicções, na ausência de regra ou conceito superior **3** Sujeito a opinião, discutível, duvidoso, polêmico [F.: Do lat. tard. *opinativu(m).*]

opinável (o.pi.*ná*.vel) *a2g.* **1** Em que, ou a respeito do que se pode opinar: "O império, esteando-se no argumento (aliás opinável e frágil, porque há outros mais sérios, como já o vimos) da guerra de 1801." (Euclides da Cunha, *Peru versus Bolívia*) **2** Que se fundamenta apenas em conjecturas; que resulta da opinião ou da imaginação [Pl.: *-veis.*] [F.: *opinar* + *-vel.* Ant. ger.: *inopinável.* Hom./Par.: *opináveis* (pl.), *opináveis* (fl.).]

opinião (o.pi.ni:*ão*) *sf.* **1** O que se pensa a respeito de algo ou alguém: *Qual a sua opinião sobre o livro?* **2** Parecer, avaliação: *Fui a outro médico para ter uma segunda opinião.* **3** Juízo ou convicção de uma classe de pessoas sobre qualquer assunto; CONSENSO: *a opinião dos católicos*; "Resume, em estudo condensado, os fatos, os documentos e o estado geral da opinião acerca de um dos tipos mais notórios" (Rui Barbosa, *Cartas de Inglaterra*) **4** Juízo favorável ou não que se forma a respeito de alguém ou algo; CONCEITO: *Tenho ótima opinião sobre aquele professor.* **5** Ponto de vista sobre um determinado assunto (opiniões políticas): "É tolice querer uma pessoa ter opinião sobre assunto que desconhece" (Graciliano Ramos, *São Bernardo*) **6** Afirmação, hipótese ou ideia não confirmada ou sem fundamento; PRESUNÇÃO: *O que você diz é apenas uma opinião sem comprovação.* **7** *Pop.* Insistência exagerada; TEIMOSIA; CAPRICHO: *Ele é conhecido por sua opinião que não admite contestação.* **8** *Pop.* Valorização exagerada das próprias qualidades; VAIDADE; PRETENSÃO **9** *Fil.* Convicção assumida pelo entendimento comum, sem qualquer ponderação sobre a sua legitimidade, propósito ou maneira como foi obtida [Pl.: *-ões.*] [F.: Do lat. *opinio, onis.* Ideia de 'opinião': *-doxo* (*ortodoxo, paradoxo*).] ▪▪ ~ **pública** **1** *Soc.* O conjunto de todas as ideias, opiniões, critérios de valor etc. de uma sociedade, com relação a qualquer campo de interesse **2** A opinião prevalecente da maioria dos membros de uma sociedade sobre determinado assunto, e que expressa sua vontade, seu critério, sua tendência etc. **Carregar uma** ~ *Bras.* Ter opinião arraigada, por convicção ou capricho

opiniático (o.pi.ni:*á*.ti.co) *a.* Que não abandona sua opinião própria; OPINIOSO: "Aires não tinha aquele triste pecado dos opiniáticos; não lhe importava ser ou não aceito" (Machado de Assis, *Esaú e Jacó*) [F.: *opini(ão)* + *-ático.*]

opinioso (o.pi.ni:*o*.so) [ô] *a.* **1** Que é inflexível em suas opiniões; OPINIÁTICO **2** Presunçoso, vaidoso [Pl.: [ó]. Fem.: [ó].] [F.: Do lat. *opiniosus, a, um.*]

◎ **opi(o)-** ***el. comp.*** = 'ópio': *opiáceo, opioide, opiomania, opiômano* [F.: Do lat. *opium* ou *opion, ii,* do gr. *ópion, ou,* 'suco de papoula'; 'ópio'.]

ópio (*ó*.pi:o) *sm.* **1** Substância extraída das cápsulas de diversas espécies de papoula, us. como narcótico, e da qual se obtém a morfina **2** *Fig.* O que aliena as pessoas dos problemas que as cercam: *A televisão é o ópio do povo.* [F.: Do gr. *ópion.* Hom./Par.: *opio* (fl. de *opiar*).]

opioide (o.pi.*oi*.de) *Farm.* *sm.* **1** Substância sintética ou natural que não é derivada do ópio, mas que atua de modo semelhante *a2g.* **2** Diz-se dessa substância (analgésico opioide) [F.: *opi(o)-* + *-oide.* Cf.: *opiáceo.*]

opiomania (o.pi:o.ma.*ni*.a) *sf.* **1** *Psiq.* Dependência psíquica, e eventualmente física, de ópio **2** Vício de consumir ópio [F.: *opi(o)-* + *-mania.*]

opiomaníaco (o.pi:o.ma.*ní*.a.co) *Psiq.* *a.* **1** Ref. a opiomania **2** Diz-se de indivíduo que tem opiomania; OPIÔMANO *sm.* **3** Esse indivíduo; OPIÔMANO [F.: *opioman(ia)* + *-íaco.*]

opiômano (o.pi.*ô*.ma.no) *a. sm. Psiq.* O mesmo que *opiomaníaco* (2 e 3) [F.: *opi(o)-* + *-mano*[1].]

opíparo (o.*pí*.pa.ro) *a.* Que revela opulência, esplendor (banquete opíparo); MAGNÍFICO: "Opíparo como rajá, levara a meticulosidade do bom gosto a repovoar os tanques com peixes raros, a soltar pavões na mata e cisnes no lago" (Aquilino Ribeiro, *Mônica*) [F.: Do lat. *opiparus, a, um.*]

opístio (o.*pís*.ti:o) *sm. Anat.* Ponto craniométrico posterior e mais afastado do contorno do buraco do osso occipital [F.: Do gr. *opísthios, os, on*, 'posterior', 'detrás'.]

◎ **opist(o)-** *el. comp.* = 'atrás', 'detrás': *opistocifose* (< gr.), *opistobrânquio* (< lat. cient.), *opistognato, opistoglosso* [F.: Do gr. *ópisthe* ou *ópisthen*, 'atrás', 'detrás'.]

opistocelo (o.pis.to.*ce*.lo) *a. Anat.* Diz-se de vértebra que apresenta a face posterior côncava [F.: *opist(o)-* + *-celo*[1].]

opistocifose (o.pis.to.ci.*fo*.se) *sf. Ant. Med.* Desvio da coluna vertebral que apresenta convexidade posterior [F.: Do gr. *opisthokýphosis, eos*, 'curvatura da coluna dorsal'.]

opistódomo (o.pis.*tó*.do.mo) *sm. Arq.* Parte posterior dos antigos templos gregos onde se guardavam os ex-votos e servia de tesouro e museu [F.: Do gr. *opisthodomos, ou* 'parte posterior de uma casa ou templo'.]

opistognato (o.pis.tog.*na*.to) *a.* Diz-se esp. de peixes que apresentam a mandíbula recuada [F.: *opist(o)-* + *-gnato.*]

opistógrafo (o.pis.*tó*.gra.fo) *a.* **1** Que está escrito ou impresso dos dois lados de uma página [Cf.: *anopistógrafo.*] *sm.* **2** Documento, carta, manuscrito etc. escrito na frente e no verso da página [F.: Do gr. *opisthographos, os, on* 'escrito atrás'pelo lat. *ophisthographus, a, um.*]

opistotônico (o.pis.to.*tô*.ni.co) *a.* Relativo a, ou próprio de opistótono [F.: *opistótono* + *-ico*[2].]

opistótono (o.pis.*tó*.to.no) *sm. Med.* Espasmo muscular ao longo da coluna vertebral que provoca o arqueamento do corpo, ficando ente apoiado na cabeça e nos calcanhares [F.: Do gr. *episthotonos, os, on* 'esticado para trás', pelo lat. *ophistotonos, i.*]

◎ **op(o)-** *el. comp.* = 'face'; 'rosto': *opalgia, opocéfalo* [F.: Do gr. *óps* (ac. *ópa*).]

◎ **opo-** *el. comp.* = 'suco'; 'sumo': *opoterapia* [F.: Do gr. *opós, oû.*]

opocéfalo (o.po.*cé*.fa.lo) *sm. Trt.* Monstro desprovido de boca e de nariz e com apenas uma órbita (3) [F.: *op(o)-* + *-céfalo.*]

oponente (o.po.*nen*.te) *a2g.* **1** Que se opõe a alguém ou algo; ADVERSÁRIO; OPOSITOR; OPOENTE *s2g.* **2** Essa pessoa **3** *Jur.* Terceira pessoa que intervém em uma questão com pretensão contrária tanto à do autor quanto à do réu [F.: Do lat. *opponente(m).* Ant. ger.: *aliado.*]

oponível (o.po.*ní*.vel) *a2g.* Que pode se opor; suscetível de ser oposto [Pl.: *-veis.*] [F.: *opon-* (como em *oponente*) + *-i-* + *-vel.*]

opor (o.*por*) [ô] *v.* **1** Apresentar(-se) ação, atitude, ideia como entrave, obstáculo, rejeição [*td.: Submeteram-se à ordem sem opor resistência.*] [*tdi.* + *a*: *Quando dava um passo adiante, os adversários lhe opunham restrições.*] **2** Ser ou manifestar-se contra [*tr.* + *a*: "Meu pai opôs-se ao casamento..." (Machado de Assis, *Helena*)] **3** Pôr(-se) ou lançar(-se) algo ou alguém na frente, ou frente a frente, como obstáculo, oposição, enfrentamento [*td.: A partida final opôs os vencedores dos dois turnos.*] [*tdi.* + *a*: *Opuseram grande resistência ao avanço das tropas.*] [*ti.* + *a*: *O fogo e a metralha se oporão aos invasores.*] **4** Pôr ou estar (algo) em contraste (com outra coisa) [*tdr.* + *a*: *Na lógica, na estética e ética, o falso opõe-se ao verdadeiro.*] [*tr.* + *a*: *O azul do céu, no quadro, opunha-se ao amarelo do trigal.*] **5** Apresentar-se em contraposição [*tr.* + *a*: *Muitos obstáculos se opunham a seus desejos.*] **6** Não apresentar correspondência com [*tr.* + *a*: *A ordem opunha-se a seus princípios.*] **7** Ser contrário a [*tr.* + *a*: *Opôs-se expressamente à nova legislação.*] **8** *Jur.* Apresentar (embargo, recurso etc.) em juízo [*tdr.* + *a*: *Opôs um recurso à sentença.*] [▶ **60 opor**] [F.: Do lat. *oppore.*]

oportunamente (o.por.tu.na.*men*.te) *adv.* **1** De modo oportuno: "A perda de tantos príncipes socorria tão oportunamente os desígnios secretos" (Rebelo da Silva, *Fastos*) *adv.* **2** Na ocasião ou momento oportuno: *Contrataremos o advogado oportunamente.* [F.: Do fem. de *oportuno* + *-mente.*]

oportunidade (o.por.tu.ni.*da*.de) *sf.* **1** Qualidade do que é oportuno **2** Ocasião ou situação oportuna, apropriada ou favorável [F.: Do lat. *opportunitate(m).*] ■ **Na ~ de** Ver *Por ocasião de* no verbete *ocasião*

oportunismo (o.por.tu.*nis*.mo) *sm.* **1** Capacidade de perceber o momento certo para a obtenção de vantagens **2** Conduta que privilegia interesses particulares em detrimento da ética, da moral **3** *Pol.* Prática política que consiste em se acomodar às circunstâncias para delas tirar proveito [F.: *oportuno* + *-ismo.*]

oportunista (o.por.tu.*nis*.ta) *a2g.* **1** Que aproveita as oportunidades **2** Que usa de oportunismo **3** *Med.* Diz-se do germe que aproveita a situação de um organismo com deficiência imunológica para introduzir-se *s2g.* **4** Este germe **5** Pessoa que se aproveita inescrupulosamente das situações para tirar vantagens para si ou para outrem [F.: *oportuno* + *-ista.*]

oportunístico (o.por.tu.*nís*.ti.co) *a.* **1** Que diz respeito a oportunismo ou a oportunista (discurso oportunístico) **2** *Imun.* O mesmo que *oportunista* [F.: *oportunista* + *-ico*[2].]

oportuno (o.por.*tu*.no) *a.* **1** Que convém; APROPRIADO; CONVENIENTE: *Não acho oportuno discutir isso em público.* **2** Que acontece em momento conveniente; PROPÍCIO: *Sua visita não foi nada oportuna.* [Ant. ger.: *inoportuno.*] [F.: Do lat. *opportunus, a, um.* Ant. ger.: *inoportuno.*]

oposição (o.po.si.*ção*) *sf.* **1** Postura contra alguém ou algo; OBJEÇÃO **2** Contraste entre coisas comparáveis; DIFERENÇA; DISPARIDADE: *É imoral a oposição entre países desenvolvidos e subdesenvolvidos.* **3** *Pol.* Partido ou conjunto de partidos contrários ao governo; a atuação desses partidos em sua oposição (1) ao governo [Ant.: *situação.*] **4** Estado de luta: *Eram um casal, porém duas mentes em constante oposição.* [Pl.: *-ções.*] [F.: Do lat. *oppositione(m).*] ■ **Em ~ a 1** Contra: *manifesto em oposição às medidas anunciadas.* **2** Em contraste com: *o rock dos anos 90, em oposição ao dos anos 80...* **~ geocêntrica** *Astron.* Tendo a Terra como centro de referência para as longitudes, posição de dois astros cujas longitudes têm uma diferença de 180º **~ heliocêntrica** *Astron.* Tendo o Sol como centro de referência para as longitudes, posição de dois astros cujas longitudes têm uma diferença de 180º **~ eletrônica** *Ópt.* Estudo do comportamento de elétrons cujas trajetórias sofrem influência de campos magnéticos e elétricos **~ física** *Ópt.* Estudo dos fenômenos ópticos em função das propriedades e da natureza da luz **~ geométrica** *Ópt.* Parte da óptica que estuda a propagação retilínea dos raios luminosos e seus fenômenos, como reflexão e refração

oposicionismo (o.po.si.ci:o.*nis*.mo) *sm.* **1** Prática de opor-se a tudo, sistematicamente e por princípio **2** *Pol.* Permanência na oposição (3) [Ant.: *situacionismo.*] [F.: *oposição* (f. rad. *oposicion-*) + *-ismo.*]

oposicionista (o.po.si.ci:o.*nis*.ta) *a2g.* **1** Que faz oposição **2** Que se opõe ao governo (líder oposicionista) *s2g.* **3** Aquele que faz oposição **4** Aquele que se opõe ao governo [F.: *oposição* + *-ista.*]

opositissépalo (o.po.si.tis.*sé*.pa.lo) *a. Bot.* Que apresenta sépalas opostas [F.: *oposit(i)-* + *-sépalo.*]

opositivo (o.po.si.*ti*.vo) *a.* **1** Ref. a, ou próprio de oposição (comportamento opositivo) **2** *Bot.* Diz-se de órgão de planta que fica em frente a outro [F.: *oposit(i)* + *-ivo.*]

opositor (o.po.si.*tor*) [ô] *a.* **1** Que se opõe, oponente *sm.* **2** Que almeja o mesmo cargo ou meta, concorrente [F.: Rad. do lat. *oppositus* + *-or.*]

oposto (o.*pos*.to) [ô] *a.* **1** Que se opõe (caminhos opostos, opiniões opostas); CONTRÁRIO **2** *Geom.* Diz-se dos ângulos planos ou sólidos formados em partes contrárias por linhas ou superfícies que se cortam num ponto **3** *Bot.* Diz-se dos órgãos que se apresentam em número de dois, um fronteiro ao outro **4** Que se situa no lado oposto: "Rolam as águas num sentido oposto à costa" (Euclides da Cunha, *Os sertões*) **5** Que se situa em frente: *O ponto de ônibus fica do lado oposto à escola. sm.* **6** Inverso, contrário: *Sou o oposto de você nisso.* [Pl.: [ó]. Fem.: [ó].] [F.: Do lat. *oppositus, a, um.*]

opoterapia (o.po.te.ra.*pi*.a) *sf. Ter.* Tratamento de doenças por meio de sucos ou extratos de glândulas ou de órgãos de animais; ORGANOTERAPIA [F.: *opo-* + *-terapia.*]

opoterápico (o.po.te.*rá*.pi.co) *a. Ter.* Ref. a ou próprio de opoterapia; ORGANOTERÁPICO [F.: *opoterapia* + *-ico*[2].]

opressão (o.pres.*são*) *sf.* **1** Ação ou resultado de oprimir **2** Condição de quem se sente oprimido **3** Submissão conseguida pela força; JUGO; TIRANIA: "...as fagueiras esperanças daqueles momentos de euforia de primeiro período da opressão militar." (Antônio Callado, *Entre o Deus e a vasilha*) **4** Falta de ar; SUFOCAMENTO: "Esta noite senti umas tonteiras, um enjoo, uma opressão no diafragma..." (Marques Rebelo, *Contos reunidos*) **5** Estado de abatimento provocado por doença ou excesso de trabalho **6** Aviltamento, rebaixamento de uma pessoa por outra [Pl.: *-sões.*] [F.: Do lat. *oppressio, onis.*]

opressivo (o.pres.*si*.vo) *a.* Que oprime ou é us. para oprimir (política opressiva); OPRESSOR; OPRIMENTE: "O que eu queria era vencer o invencível, porque era opressiva a mesma angústia" (Camilo Castelo Branco, *Fanny*) [F.: *opresso* (part. *oprimir*) + *-ivo.*]

opresso (o.*pres*.so) *a. P. us.* Que se oprimiu; OPRIMIDO [F.: Do lat. *opressus, a, um.*]

opressor (o.pres.*sor*) [ô] *a.* **1** O que oprime, *opressivo sm.* **2** Pessoa que oprime, tirano: "...o Messias que livraria o mundo dos opressores e do pecado." (Alberto da Costa e Silva, *A manilha e o libambo*) [F.: Do lat. *oppressor, oris.*]

oprimente (o.pri.*men*.te) *a2g.* Que oprime, o mesmo que *opressivo* [F.: Do lat. *opprimente(m).*]

oprimido (o.pri.*mi*.do) *a.* **1** Que sofreu ou sofre opressão: "Mais oprimidos, nem os bois do arado." (Aquilino Ribeiro, *Volfrâmio*) *sm.* **2** Vítima de opressão: "Se se trata do remédio aos oprimidos na sua liberdade, já eles o tentaram" (Rui Barbosa, *Colunas de fogo*) [F.: Part. de *oprimir.*]

oprimir (o.pri.*mir*) *v.* **1** Dominar pela força; impor-se violentamente [*td.: Na Idade Média, os senhores oprimiam os vassalos.*] **2** Apertar, comprimir; fazer pressão em [*td.: A faixa apertada oprimia seu peito.*] **3** Pesar, sobrecarregar [*td.: A alta de preços oprimiu os consumidores.*] **4** *Fig.* Causar sofrimento, tristeza, aflição a [*td.*: "...a aproximação do marido a oprimia." (José de Alencar, *Senhora*)] **5** Submeter pelo autoritarismo, pela brutalidade [*td.: Oprimia a mulher de maneira brutal.*] [*int.: Era um governo que oprimia.*] **6** Destruir totalmente, aniquilar [*td.*] [▶ **3 oprimir**] [F.: Do lat. *opprimere.*]

opróbrio (o.*pró*.bri:o) *sm.* **1** Aquilo que desonra; degradação pública: *Sua conduta vai expô-lo ao opróbrio de todos.* **2** Característica do que humilha, degrada; ABJEÇÃO: "Depois do opróbrio da matéria, surge o castigo do avatar!" (Cecília Meireles, "Canção desilusória" *in Nunca mais*) **3** Abjeção, estado infamante: *No Egito, o povo hebreu foi submetido aos mais terríveis opróbrios.* [F.: Do lat. *opprobrium, ii.*]

ops *interj. Bras. Gír.* Expressão equivalente a *epa, opa*

◎ **-opse** *el. comp.* = 'visão'; 'exame'; (*p. ext.*) 'visível'; 'aspecto'; 'aparência': *autopse, biopse; cariopse; dolicopse; sinopse* (< lat. < gr.) [Ocorre muitas vezes em nomes de gêneros de plantas e bichos (lat. cient. *-opsis*), que são adaptados ao português ora em *-opse*, ora em *-ópsis*, daí a flutuação por vezes das duas formas: *briopse, briópsis, catopse, catópsis, coreopse, coreópsis, elateriopse, elateriópsis, falenopse, licopse, meconopse, panopse.*] [F.: Do gr. *ópsis, eos*, 'ação de ver'; 'vista'; 'visão'. Tb.: *-ópsis*. F. conexas: *-opsia, -ópsia* e *-opia*, e tb. *opsi(o)-, -ops(i) -.*]

◎ **opsi-** *el. comp.* = 'tardio'; 'tardiamente': *opsigamia, opsígamo* [F.: Do gr. *opsi-*, do gr. *opsé*, 'muito depois de', 'bem depois de'; 'tardiamente'.]

◎ **-ops(i)-** *el. comp.* Ver *opsi(o)-*

◎ **-opsia** *el. comp.* = 'vista'; 'visão': *autópsia ou autopsia, biópsia ou biopsia*

◎ **-ópsia** *el. comp.* Ver *-opsia*

opsigamia (o.psi.ga.*mi*.a) *sf.* Casamento em idade avançada [F.: *opsi-* + *-gamia.*]

opsígamo (o.*psí*.ga.mo) *a.* **1** Que se casa em idade avançada *sm.* **2** Indivíduo opsígamo [F.: *opsi-* + *-gamo.*]

◎ **opsi(o)-** *el. comp.* = 'visão'; 'vista': *opsiometria, opsiômetro; rodopsina* [F.: Do gr. *ópsis, eos*, 'ação de ver'; 'visão'; 'aparência (externa de algo), aspecto'. Tb.: *-opse* (qv.).]

◎ **-opsônio** *el. comp.* = 'ação de comprar'; 'demanda'; 'procura de mercado': *monopsônio, oligopsônio* [F.: Do gr. *opsonía, as*, 'compra de mantimentos'.]

optante (op.*tan*.te) *a2g.* **1** Que opta; que faz opção *s2g.* **2** Aquele que opta, que faz opção [F.: Do lat. *optans, antis.*]

optar (op.*tar*) *v.* **1** Escolher, decidir-se por (algo entre várias possibilidades) [*tr.* + *por*: *Optou pelo pagamento à vista.*] **2** Exercer o direito de opção, de escolha [*tr.* + *por*: *Optou por ir à praia.*] [*int.: Aqui as pessoas podem optar.*] [▶ **1 optar**] [F.: Do lat. *optare.*]

optativo (op.ta.*ti*.vo) *a.* **1** Que permite opção; OPCIONAL: *A prova tem questões optativas.* **2** Diz-se da disciplina que não faz parte do elenco das disciplinas indispensáveis à graduação **3** *Ling.* Diz-se do modo existente em certas línguas, como o grego, que exprime desejo [F.: Do lat. *optativu(m).*]

óptica (*óp*.ti.ca) *sf.* **1** *Fís.* Parte da física que estuda as radiações de luz e os fenômenos visuais **2** Local em que são fabricados e/ou vendidos óculos e outros instrumentos ópticos **3** Tratado sobre a luz e as leis da visão **4** *Fig.* Modo de ver, sentir ou julgar: *Na óptica dos torcedores, o jogo foi um fracasso.* **5** *Fig.* Perspectiva dos objetos vistos a uma certa distância: *Visto por esse ângulo, produz um belo efeito de óptica.* [F.: Do gr. *optiké.* Tb. *ótica.*] ■ **~ eletrônica** *Ópt.* Estudo do comportamento de elétrons cujas trajetórias sofrem influência de campos magnéticos e elétricos **~ física** *Ópt.* Estudo dos fenômenos ópticos em função das propriedades e da natureza da luz **~ geométrica** *Ópt.* Parte da óptica que estuda a propagação retilínea dos raios luminosos e seus fenômenos, como reflexão e refração

opticidade (op.ti.ci.*da*.de) *sf.* **1** Qualidade do que é óptico **2** Característica do que favorece a vista ou do que facilita a visão: *Opticidade dos sinais de trânsito.* [F.: *óptico* + *(i)dade.*]

óptico (*óp*.ti.co) *a.* **1** Ref. à visão ou aos olhos (nervo óptico) **2** *Geom.* Diz-se do ângulo que tem o vértice no olho do observador; DIÂMETRO APARENTE **3** *Anat.* Diz-se do canal que estabelece a comunicação entre o crânio e a órbita ocular **4** *Oft.* Diz-se do eixo sobre o qual estão as retas e os polos de um sistema óptico **5** *Fís.* Ref. à óptica (estudos ópticos) *sm.* **6** *Fís.* Especialista em óptica; OFTALMOLOGISTA **7** O que fabrica instrumentos de óptica (1) [F.: Do gr. *optikós.* Tb. *ótico*[2].]

◎ **opt(o)-** *el. comp.* = 'visão'; 'capacidade visual': *optoeletrônica, optomagnético, optometria; idoptometria* [F.: Do gr. *optós, é, ón*, 'visível'.]

◎ **-opt(o)-** *el. comp.* Ver *opt(o)-*

optoeletrônica (op.to:e.le.*trô*.ni.ca) *Eletrôn. Ópt. sf.* **1** Parte da eletrônica dedicada ao estudo e à criação de dispositivos eletrônicos que interagem com a luz **2** Tecnologia que possibilita a união de blocos eletrônicos funcionais com feixes de luz [F.: *opt(o)-* + *eletrônica.*]

optoeletrônico (op.to:e.le.*trô*.ni.co) *a.* Rel. a optoeletrônica [F.: De *optoeletrônica*, com var. do suf; ver *-ico*[2].]

optomagnético (op.to.mag.*né*.ti.co) *a. Eletrôn.* Diz-se de sistema de gravação ou de dispositivo de gravação de imagem, som ou dados, como o CD e os discos USB e MP3 [F.: *opt(o)-* + *magnético.*]

optometria (op.to.me.*tri*.a) *Oft. sf.* **1** Parte da oftalmologia responsável pela identificação de problemas relacionados com a acuidade visual e com a prescrição de lentes ou exercícios para corrigi-los **2** Técnica que consiste na medição da capacidade visual por meio de optômetro [F.: *opt(o)-* + *-metria*[1].]

optométrico (op.to.*mé*.tri.co) *a. Oft.* Ref. a optometria [F.: *optometria* + *-ico*[2].]

optometrista (op.to.me.*tris*.ta) *s2g. Oft.* Especialista em optometria [F.: *optometria* + *-ista.*]

optômetro (op.*tô*.me.tro) *sm. Oft.* Instrumento us. para medir a refração ocular [F.: *opt(o)-* + *-metro.*]

opugnação (o.pug.na.*ção*) *sf.* **1** Ação ou resultado de opugnar **2** Ataque violento; ASSALTO: *opugnação a uma fortaleza.* **3** *P. ext.* Oposição, luta [+ *a, contra*: *opugnação à ditadura; opugnação contra a opressão.*] [F.: Do lat. *oppugnatio, onis.*]

opugnar (o.pug.*nar*) *v. td.* **1** *P. us.* Atacar, investir contra (praça ou fortaleza) **2** Dar combate a (ideia, partido político etc.) **3** Não aceitar; refutar [▶ **1 opugnar**] [F.: Do lat. *oppugnare.*]

opulência (o.pu.*lên*.ci:a) *sf.* **1** Acúmulo de riquezas [Ant.: *pobreza.*] **2** Luxo excessivo; MAGNIFICÊNCIA; POMPA: *a opulência das igrejas góticas.* [Ant.: *despojamento.*] **3** Aquilo que existe ou aparece em grande número; ABUNDÂNCIA:: *a opulência da flora brasileira.* **4** *Fig.* Fartura de formas literárias rebuscadas: "Prosa tão florida de imagens, que se murmurava na cidade, ao lê-la: "Que opulência! Que opulência, Jesus!" (Eça de Queirós, *O crime do padre Amaro*) **5** *Fig.* Grande desenvolvimento de formas físicas, corpulência [F.: Do lat. *opulentia, ae.*]

opulentar (o.pu.len.*tar*) *v.* **1** Fazer(-se) opulento, rico; ENRIQUECER [*td.*: "...cujos capitais nos geraram, nos criaram, nos educaram, nos opulentaram, até sermos o que somos hoje." (Rui Barbosa, *Conferência de Buenos Aires*)] **2** Tornar(-se) abundante [*int.*: *O comércio da soja opulentou-se nas últimas décadas.*] **3** *P. ext.* Tornar(-se) grandioso, nobre [*td. int.*] [▶ 1 opulentar] [F.: Do lat. *opulentare.* Hom./Par.: *opulento* (fl.), *opulento* (a.).]

opulento (o.pu.*len*.to) *a.* **1** Que possui muitos bens; RICO [Ant.: *pobre.*] **2** Que é luxuoso; FAUSTOSO; SUNTUOSO [Ant.: *despojado.*] **3** Que existe em grande número; ABUNDANTE: "A biblioteca é opulenta em livros raros" (Silveira da Mota, *Viagens*) [Ant.: *escasso.*] **4** *Fig.* Que tem formas copiosas, corpulento [F.: Do lat. *opulentus, a, um.*]

⊕ **opus** (*Lat. /ópus/*) *sm.* **1** Composição musical *sm.* **2** *Mús.* Termo que, seguido de um número, classifica e situa uma obra musical no conjunto das produções de um compositor [Pl.: *opera.*] [Ger. abreviado *op.*] ■ **~ incertum** *Cons.* Tipo de construção que utiliza blocos de pedra irregulares **~ póstumo** Obra póstuma, publicada pela primeira vez após a morte do autor

opuscular (o.pus.cu.*lar*) *a2g.* Ref. a opúsculo, com caráter de opúsculo [F.: *opúscul(o)* + *ar*[1].]

opúsculo (o.*pús*.cu.lo) *sm.* **1** Obra impressa de poucas páginas **2** Folheto [F.: Do lat. *opusculum, i.*]

◎ **-or** *el. comp.* **1** *Suf.* = agente, instrumento: *agrimensor, assessor, propulsor* [Ver tb. *-dor* e *-tor.*] **2** *Suf.* = qualidade ou condição: *esplendor, fulgor, incolor* **3** *Suf.* = sentimento, atitude: *amor, fervor, temor*

ora (o.ra) [ó] *adv.* **1** Nesta ocasião; AGORA: *A lei, ora apresentada, proíbe a venda de armas.* *conj.* **2** Ou... ou: *Ora ria, ora chorava.* **3** Entretanto, mas: *Eu ofereci ajuda; ora, orgulhosa como é, nem aceitou.* *interj.* **4** Manifesta surpresa, ironia, irritação etc.: *Ora! Quem é vivo sempre aparece!* [F.: De *hora, ae.* NOTA.: a) Como conj. advers., é us. tb. para contrapor ideias entre frases, períodos, parágrafos. b) Como interj., é us. para realce expressivo: 1) pela repetição: *Ora, ora!* 2) com outra interj.: *Ora, bolas!.*] ■ **~...~** Uma(s) vez(es)... outra(s) vez(es): *Seu humor anda instável, ora ele se anima, ora se abate.* **~ pois** Sendo assim, já que é assim **~ sus** Expressão de estímulo, de ânimo: *Ora sus, vamos, falta pouco para chegarmos!* **~ tibi** *Bras. Pop.* Não me amole! **Outro ~** *CE* Outras vezes **Por ~** Por enquanto

oração (o.ra.*ção*) *sf.* **1** Prece dirigida a Deus ou a um santo, reza: "irão derramar na oração o amor indefinido que lhes enche o seio" (Camilo Castelo Branco, *Duas horas de leitura*) **2** Sermão, prédica **3** *Ret.* Discurso, obra de eloquência **4** *Gram.* Unidade sintática que contém sujeito e predicado ou somente predicado: *'Adoro filmes de terror'; 'chove' são orações.* [Na frase 'O filme a que assisti é ótimo' há duas orações: *o filme é ótimo e a que.*] [Pl.: *-ções.*] [F.: Do lat. *oratio, onis.*] ■ **~ absoluta** *Gram.* Aquela que, sozinha, forma um período [Ex.: *A temporada de concertos ainda não começou; Já anoiteceu.*] **~ adjetiva** *Gram.* Aquela que atribui qualidade, equivalente a um adjetivo [Podem ser explicativas (como em *João, que é um rapaz inteligente, logo percebeu do que se tratava*) ou restritivas: *Os candidatos que chegarem atrasados serão desclassificados.*] **~ assindética** *Gram.* Aquela que se segue a outra a que está ligada sem conectivo; pode ter função de advérbio (*Chegou há muito tempo.*) objeto direto (*Pegou giz e escreveu: A prova será amanhã.*), aposto (*Não mediu esforços – pesquisou dados, escreveu o texto, fez a revisão – mas não completou o trabalho.*); oração justaposta **~ coordenada** *Gram.* Oração que se segue a outra, continuando a ideia expressa nesta (com sentido de acréscimo ou de contradição), com ou sem uso de conectivo [Ex.: *João se apressou e chegou em tempo; João se apressou mas não chegou em tempo; Veio, viu e venceu.* Tb. apenas *coordenada.*] **~ de sapiência** Discurso de reitor, professor ou diretor, que inaugura curso universitário ou escolar; aula magna **~ justaposta** *Gram.* Ver *Oração assindética* **~ principal** *Gram.* Aquela que expressa o núcleo da ideia da sentença, e da qual dependem subordinadas [Cf.: *Oração subordinada.*] **~ reduzida** *Gram.* Oração subordinada na qual o verbo está no infinitivo, no particípio passado ou no gerúndio [Tb. apenas *reduzida.*] **~ relativa** *Gram.* Oração adjetiva introduzida por pronome relativo [Tb. apenas *relativa.*] **~ sindética** *Gram.* Aquela que se segue a outra a que está ligada por conectivo **~ subordinada** *Gram.* Oração que complementa ou altera o significado da oração principal, à qual está subordinada [Pode ser, de acordo com sua função sintática em relação à oração principal, substantiva (*Previ que ele ia voltar, por Previ sua volta*), adjetiva (*É um homem que não tem sensibilidade por É um homem insensível*) ou adverbial (*Quando a chuva passar poderemos sair.* Tb. apenas *subordinada.* Cf.: *Oração principal.*]

oracional (o.ra.ci.o.*nal*) *a2g.* *Ling.* Que pertence ou se refere a oração (4) [Pl.: *-nais.*] [F.: Do lat. *orationale(m).*]

oracular (o.ra.cu.*lar*) *a2g.* Ref. a oráculo: "Mas, feito um achado oracular, ele contracunhando-o, agora, pois." (Guimarães Rosa, *Tutameia*) [F.: *oráculo* + *-ar.*]

oráculo (o.*rá*.cu.lo) *sm.* **1** Na Antiguidade, resposta dada pela divindade a quem a consultava: "Aponta o berço auspicioso de um filho do céu, profetizando nos oráculos da sibila" (Rebelo da Silva, *Fastos*) **2** A divindade que dava a resposta: "Desta felicidade, cremos, foi o glorioso santo intercessor e oráculo" (Jacinto Freire de Andrade, *D. João de Castro*) **3** *Fig.* Pessoa cujas palavras ou conselhos têm grande peso e autoridade: "O padre-mestre de crer é que fosse sempre oráculo nestas frases de melhor e menos aldeã compostura" (Camilo Castelo Branco, *As três irmãs*) **4** *Fig.* Palavra inspirada e infalível: *As frases de Aristóteles eram oráculos para os escolásticos medievais.* [F.: Do lat. *oraculum, i.*]

orador (o.ra.*dor*) [ô] *sm.* **1** Pessoa que conhece e pratica as regras da eloquência **2** Pessoa que discursa em público **3** Pessoa com capacidade de falar e exprimir-se bem **4** Em uma reunião, a pessoa com quem está a palavra: *É melhor prestarmos atenção às palavras do orador.* [F.: Do lat. *orator, oris.*] ■ **~ sacro/sagrado** Sacerdote que profere sermões, ou pregações

orago (o.*ra*.go) *sm.* **1** Santo que dá nome a uma capela ou templo; PADROEIRO: "E todos os anos, por ocasião da festividade do orago, hospedava o compadre, que pregava gratuitamente o sermão." (Camilo Castelo Branco, *Vulcões de lama*) **2** O templo ou capela dedicado a esse santo **3** Presságio, o mesmo que *oráculo* [F.: Do lat. *oraculum, i.*]

oral (o.*ral*) *a2g.* **1** Ref. a boca (higiene oral); BUCAL **2** Que é articulado pela boca (sons, palavras ou frases) **3** *Fon.* Diz-se do fonema articulado por uma elevação do véu palatino que fecha a entrada das fossas nasais e deixa que o ar seja expirado pela cavidade bucal [A vogal *a* é oral, enquanto a vogal *ã* é nasal.] **4** Feito de viva voz (exame oral) [Neste sentido, opõe-se a *escrito.*] **5** Que é transmitido de boca em boca (tradição oral); VERBAL **6** *Psic.* Diz-se da primeira fase da evolução libidinal, em que a criança encontra prazer na atividade da boca e dos lábios [Pl.: *-rais.*] [F.: Rad. do lat. *os, oris* (boca) + *-al.*]

oralidade (o.ra.li.*da*.de) *sf.* **1** Característica ou qualidade do que é oral: *a oralidade de uma vogal.* **2** *Psic.* Conjunto das características da fase oral **3** *Ling.* Procedimento exclusivamente verbal [F.: *oral* + *-i-* + *-dade.*]

oralismo (o.ra.*lis*.mo) *sm.* **1** Uso da linguagem oral **2** *Pedag.* Emprego de métodos que visam desenvolver a capacidade de verbalização em crianças com deficiência auditiva [F.: *oral* + *-ismo.*]

oralista (o.ra.*lis*.ta) *Pedag. a2g.* **1** Relativo à técnica pedagógica para educação de deficientes auditivos que concede maior ênfase. ao ensino da fala do que à linguagem gestual (educação oralista) *s2g.* **2** Pedagogo oralista [F.: *oral* + *-ista.*]

oralização (o.ra.li.za.*ção*) *sf.* **1** Ação ou resultado de tornar (língua, tradição etc.) oral **2** *Pedag.* Técnica pedagógica de ensino da linguagem oral para deficientes auditivos [Pl.: *-ções.*] [F.: *oralizar* + *-ção.*]

oralizado (o.ra.li.*za*.do) *a.* **1** Que se tornou oral; que tem as características do que é falado: *o espírito oralizado de uma narrativa.* **2** Diz-se de deficiente auditivo que aprendeu a falar [F.: part. de *oralizar.*]

oralizar (o.ra.li.*zar*) *v. td.* **1** Tornar oral (costume, língua, tradição etc.) **2** *Pedag.* Ensinar linguagem oral a [▶ 1 oralizar] [F.: *oral* + *-izar.*]

◎ **-orama** *el. comp.* Suf. = o que se vê: *panorama* [F.: Do gr. *hórama, atos.*]

orangotango (o.ran.go.*tan*.go) *sm.* *Zool.* Grande macaco arborícola, da fam. dos pongídeos (*Pongo pygmaeus*), encontrado no Sudeste asiático, de pelos avermelhados, braços muito longos e cauda ausente [F.: Do mal. *orang* 'homem' + *útan* ou *hútan* 'bosque'.]

orante (o.*ran*.te) *Rel. s2g.* **1** Aquele que ora, que reza **2** *Art. pl.* Figura pintada ou esculpida em atitude de oração, ger. em pé, de cabeça erguida, braços em cruz e mãos voltadas para o céu, encontrada em pinturas de catacumbas e basílicas antigas *a2g.* **3** Que ora, que recita orações **4** *Rel.* Diz-se de leitura bíblica realizada com meditação, oração e contemplação [F.: *orar* + *-nte.*]

ora-pro-nóbis (ora-pro-*nó*.bis) *sm2n.* *Bras. Bot.* Planta trepadeira (Pereskia aculeata), da fam. das cactáceas, coberta de espinhos recurvados, nativa do Brasil, pode ser encontrada em áreas de restinga ou cultivada pela sua beleza e por suas folhas suculentas e frutos que são pequenas bagas comestíveis; ROSA-MADEIRA [F.: Do lat. *ora pro nobis* 'roga por nós', frase de uma ladainha.]

orar (o.*rar*) *v.* **1** Fazer (oração) [*td.*: *Orou uma longa prece.*] **2** Pedir, em oração; REZAR; SUPLICAR [*ti.* + *a*: "...sejam [os escravos]... obrigados... a orar a novos deuses." (Alberto da Costa e Silva, *A manilha e o libambo*)] [*tr.* + *por*: "Eu vou orar por ambas, é o que me compete fazer." (João Ubaldo Ribeiro, *Diário do farol*)] [*int.*: "...os fiéis se reuniam às sextas-feiras, para orar juntos." (Alberto da Costa e Silva, *Um rio chamado Atlântico*)] **3** Proferir discursos; valer-se da oratória; DISCURSAR [*int.*: *Os candidatos oraram diante dos eleitores:* "...orava um ministro para quem coroa e opinião no Brasil eram a chapa e o cunho da mesma moeda..." (José de Alencar, *Senhora*)] [▶ 1 orar] [F.: Do lat. *orare.* Hom./Par.: *ora* (fl.), *ora* (adv., conj., interj.); *ora(s)* (fl.), *hora(s)* (sf. [pl.]); *orais* (fl.), *orais* (pl. de *oral* [a2g.]).]

orate (o.*ra*.te) *sm.* Indivíduo sem juízo; LOUCO; DOIDO: "Ao cabo de sete dias expiraram as festas públicas; Itaguaí tinha finalmente uma casa de orates." (Machado de Assis, "O alienista" *in Papéis avulsos*) [F.: Do cat. *orate*, deriv. do cast. *orat*, e este ligado ao lat. *aura* 'ar em movimento, viração'.]

oratória (o.ra.*tó*.ri:a) *sf.* **1** Arte de falar em público, eloquência **2** Arte de falar bem, de convencer pelas palavras: "Sou tão duro de mover que nada me obrigais com vossa boa oratória" (Jorge Ferreira de Vasconcelos, *Memorial das proezas da segunda Távola-Redonda*) **3** *Teat.* Produção dramática em que se representa a vida de um santo [F.: Do lat. *oratoria, ae.*]

oratoriano (o.ra.to.ri:*a*.no) *a.* **1** Que pertence à congregação do Oratório, organização católica fundada por São Filipe Néri, em 1564 *sm.* **2** Membro dessa congregação: "Diletamente a estimava o pai, e a tinha em conta de pura, e pura de impérvia virgindade, como diz o oratoriano Bernardes." (Camilo Castelo Branco, *Memórias do cárcere*) [F.: Congregação do *Oratório* + *-ano.*]

oratório (o.ra.*tó*.ri:o) *sm.* **1** Móvel ou cavidade na parede para colocação de imagens religiosas **2** Pequena capela **3** *Mús. Teat.* Poema dramático musicado, de tema religioso, com cânticos, coros e orquestra **4** *Teat.* Drama sobre tema religioso **5** *Ant. Hist.* Casa reservada onde os condenados podiam fazer suas orações finais antes de serem levados ao patíbulo **6** *Ant. Rel.* Casa onde habitavam os padres da congregação do Oratório *a.* **7** Ref. a oração, ao discurso **8** Ref. a oratória [F.: Do lat. *oratorium, ii.*] ■ **Estar no ~** *PE Pop.* Estar jurado de morte, ou ameaçado de agressão

ora veja (o.ra-*ve*.ja) *sm2n.* Us. na loc. pop. *ficar no ora veja.* ■ **Ficar no ~** *Bras. Pop.* Ser esquecido: *Seu presente de Natal ficou no ora veja.*

orbe (*or*.be) [ó] *sm.* **1** Globo, esfera (orbe terrestre) **2** Corpo celeste **3** Superfície circunscrita pela órbita de um corpo celeste **4** Mundo, terra **5** País, nação: "Centenares de contos de réis que vinham de todo o orbe português" (Almeida Garrett, *Discursos parlamentares*) **6** *Fig.* O conjunto de pessoas que professam uma mesma fé ou crença: *O orbe católico.* [F.: Do lat. *orbis, is.*] ■ **~ terráqueo/terrestre** A Terra

◎ **orbi-** *el. comp.* = 'figura esférica ou circular'; 'o mundo, o orbe': *orbícola, orbícula, orbicular* (< lat.), *órbita* (< lat.) [F.: Do lat. *orbis, is.*]

orbicular (or.bi.cu.*lar*) *a2g.* **1** Que tem forma de orbe (1); ESFÉRICO; GLOBULAR **2** Em forma de círculo; CIRCULAR **3** *Pet.* Diz-se da textura de rocha magmática, com formas ovoides em estrutura radial **4** *Bot.* Diz-se de folha que é arredondada, que tem o ápice, a base e os lados semelhantes **5** *Anat.* Diz-se de músculo que contorna uma cavidade, como a boca, fazendo-a abrir e fechar *sm.* **6** *Anat.* Esse músculo (o orbicular das pálpebras) [F.: Do lat. *orbicularis, e.*]

órbita (*ór*.bi.ta) *sf.* **1** *Astron.* Trajetória de um astro em torno de outro **2** *Astron.* Região do espaço em que um astro exerce ação/influência gravitacional importante sobre os corpos que aí se encontram: *A nave entrou na órbita da Terra; O cometa passou pela órbita de Júpiter.* **3** *Anat.* Cada uma das cavidades em que se aloja o globo ocular **4** *Zool.* Região que contorna o olho das aves **5** *Fig.* Campo de ação; LIMITE: *Esse assunto está fora de sua órbita de atuação.* **6** *Fís.* Trajetória fechada [F.: Do lat. *orbita, ae.*] ■ **~ terrestre** *Astron* Trajetória da Terra em sua translação em torno do Sol [A distinguir das expressões *órbita da Terra* ou *órbita em torno da Terra*, us. com referência à trajetória de corpos em torno da Terra.] **Em ~** *Bras. Pop.* Distraído, desatento, desligado **Entrar em ~** *Bras. Pop.* Perder a noção da realidade, ficar alheado ou alienado **Fora de ~** *Bras. Pop.* Fora da realidade, alheado, amalucado

orbital (or.bi.*tal*) *a2g.* Ref. a órbita, esp. a de um astro; ORBITÁRIO [Pl.: *-tais.*] [F.: *órbita* + *-al*[1].] ■ **~ atômico** *Fís-quím.* Função de onda de um elétron em relação ao núcleo de um átomo [Estabelece a região em torno do núcleo do átomo onde mais provavelmente se encontrará um elétron.] **~ molecular** *Fís.* Função de onda de um elétron em relação a um sistema de núcleos, de diferentes átomos, numa molécula

orbitar (or.bi.*tar*) *v.* **1** Descrever movimento circular ou órbita em torno de [*td.*: *A sonda espacial orbitou a Terra.*] [*ta.*: *O bumerangue orbitou em torno do poste*] **2** Estar ou girar em torno de (alguém, uma ideia etc.); estar sob a influência de [*ta.*: *Sua vida orbitava em torno do partido socialista.*] [▶ 1 orbitar] [F.: *órbita* + *-ar*[2]. Ant. ger.: *desorbitar.* Hom./Par.: *orbitais* (fl.), *orbitais* (pl. de *orbital* [a2g. s2g.]); *orbita(s)* (fl.), *órbita(s)* (sf. [pl.]); *orbitaria* (fl.), *orbitária* (fem. de *orbitário* [a.]).]

orbitário (or.bi.*tá*.ri:o) *a.* Ref. a órbita, esp. à órbita ocular; ORBITAL [F.: *órbita* + *-ário.*]

orca (*or*.ca) *sf.* *Zool.* Mamífero cetáceo da família dos delfinídeos (*Orcinus orca*), carnívoro e agressivo [F.: Do lat. *orca, ae.*]

orça (*or*.ça) *sf.* **1** *Mar.* Ação ou resultado de orçar, de aproximar a proa da embarcação da linha do vento **2** Ação ou resultado de orçar, de calcular ou estimar o preço, valor etc.; ORÇAMENTO [F.: Dev. de *orçar.* Hom./Par.: *orça* (fl. de *orçar*), *Orsa* top., *Horsa* antr.] ■ **À ~** Sem precisão; a olho: *Não temos as medidas exatas, calcule-as à orça.*

orçamental (or.ça.men.*tal*) *a2g.* O mesmo que *orçamentário*; ORÇAMENTÁRIO [Pl.: *-tais.*] [F.: *orçamento* + *-al*[1].]

orçamentar (or.ça.men.*tar*) *v. td.* Fazer o orçamento de; ORÇAR: *orçamentar uma obra, um projeto.* [▶ 1 orçamentar] [F.: *orçamento* + *-ar*². Trata-se de neologismo substituível por *orçar*, de que *orçamento* deriva.]

orçamentário (or.ça.men.*tá*.ri:o) *a.* Ref. ou inerente ao orçamento (sistema orçamentário; proposta orçamentária); ORÇAMENTAL [F.: *orçamento* + *-ário*.]

orçamentista (or.ça.men.*tis*.ta) *s2g.* Profissional especializado na preparação de orçamentos; ORÇADOR: *orçamentista da construção civil.* [F.: *orçamento* + *-ista*.]

orçamento (or.ça.*men*.to) *sm.* **1** Estimativa do custo de qualquer serviço: *Pedimos orçamento a dois pedreiros.* **2** Cálculo e previsão de receitas e despesas **3** Estimativa de custos de uma obra, elaborada a partir da descrição pormenorizada de materiais e serviços necessários **4** Cálculo de receita e despesa de um governo para determinado exercício financeiro [F.: *orçar* + *-mento*.]

orçar (or.*çar*) *v.* **1** Fazer orçamento ou estimar custo, preço de [*td.*: *Pediu ao marceneiro que orçasse a estante.*] [*tr.* + *em*: *Orçou o conserto em quinhentos reais.*] **2** Chegar ou atingir aproximadamente a (certo valor) [*tr.* + *a, em, por*: *Suas despesas orçavam a mais de um milhão; Sua velocidade orçava em/por oitenta km por hora.*] **3** Ter aproximadamente (x anos) [*tr.* + *por*: *A moça orçava pelos 22 anos.*] **4** *Mar.* Meter à orça; aproximar (a proa da embarcação) o mais perto possível do vento [*td.*] **5** Correr parelhas; andar quase paralelamente; aproximar-se [*tr.* + *a, em, por*: *A eficiência do navegador orçara pela do piloto.*] [▶ **12** orçar] [F.: Do it. *orzare.* Hom./Par.: *orça* (fl.), *orça* (sf.); *orças* (fl.), *orças* (pl. do sf.).]

orco (*or*.co) *Poét. sm.* **1** A região dos mortos **2** O inferno: "... um fogo ardente queimava-as por dentro, e uma fome insaciável realizava nele o suplício... do orco pagão." (Rebelo da Silva, *Fastos*) [F.: Do lat. *orcus, i.*]

ordálio (or.*dá*.li:o) *sm.* **1** *Jur. Hist.* Tipo de julgamento praticado na Antiguidade e até a Idade Média, quando havia deficiência de provas, submetendo-se o acusado a uma situação cujo desfecho – por exemplo, fazer uma acusada de adultério beber água, que em caso de culpa se tornaria amarga – era visto como juízo divino **2** *P. ext.* Provação difícil [F.: Do lat. tardio *ordalium.*]

ordeiro (or.*dei*.ro) *a.* **1** Que prega ou pratica a ordem, a harmonia etc.; ORGANIZADO **2** Que demonstra organização: *Os eleitores votaram de modo ordeiro.* *sm.* **3** Pessoa ordeira: *O pai era um ordeiro por natureza.* [F.: *ord* (*em*) + *-eiro*.]

ordem (*or*.dem) *sf.* **1** Organização que estabelece relação entre vários elementos de acordo com um critério preestabelecido, ou em função de um resultado desejado; ESTRUTURA **2** Disposição, colocação, arranjo metódico de coisas baseado em certas relações entre elas ou em certos critérios de qualidade, conveniência, utilidade etc. [Ant.: *desordem*.] **3** Critério para essa disposição: *Distribuiu os lugares aos convidados por ordem de chegada.* **4** Boa disposição ou arrumação dessas coisas; boa administração: *Antes de sair deixou todos os seus papéis em ordem; O governo deixou as finanças em ordem.* **5** Qualidade de quem é ordeiro, de quem usa de método e critérios na organização do que é seu ou do que lhe cabe: *Ele se destaca por sua ordem e seu senso de organização.* **6** Determinação (oral, por escrito, em documento etc.) que parte de instância superior, destinada portanto a ser cumprida: *Em sua posição, só recebe ordens do diretor.* **7** Norma, regra ou lei estabelecida, ou sistema de normas, regras e leis de um sistema administrativo, político, social etc.: *Essa decisão dos alunos é um desafio à ordem vigente na escola; O terrorismo é uma ameaça à ordem social e política.* **8** Subordinação a, cumprimento dessas regras e normas; DISCIPLINA: *Para evitar maior tumulto os inspetores devem manter a ordem a qualquer custo.* **9** Estado de tranquilidade, serenidade e paz resultante do respeito às leis, regras e normas: *As eleições foram tranquilas, tudo correu em ordem e em paz.* **10** Categoria, classe: *É um pintor de primeiríssima ordem; Fez uma despesa da ordem de dez mil reais; Uma medida dessa ordem só poderia dar errado.* **11** Série ou sequência de coisas ou pessoas: *Na rua havia duas ordens de casas térreas.* **12** Sucessão, série, sequência: *Uma ordem de eventos inesperados reverteu a situação.* **13** Grupo organizado de indivíduos que exercem a mesma profissão ou atividade: *a ordem dos advogados.* **14** Associação de pessoas que se submetem aos mesmos regulamentos, às mesmas regras de comportamento, morais, religiosas, disciplinares etc.: *ordem de cavalaria* **15** Congregação religiosa que segue certo regulamento comportamental e disciplinar, ao qual seus membros se obrigam em seus votos solenes: *ordem dos franciscanos.* **16** Classe honorífica com que um governo, um soberano etc. agracia alguém como recompensa ou reconhecimento de mérito; a insígnia que representa essa classe: *ordem da jarreteira.* **17** *Ecles.* Sacramento que autoriza o exercício de funções eclesiásticas **18** Documento que autoriza a execução de uma ação ou tarefa (ordem de serviço) **19** *Arq.* Forma e disposição de elementos arquitetônicos em colunas, capitéis, entablamentos etc., de acordo com estilos diversos (ordem jônica, ordem dórica) **20** *Biol.* Categoria de classificação taxonômica, abaixo da de classe e que se subdivide em famílias **21** *Her.* Cada uma das classes de peças de escudo ou brasão heráldicos **22** *Mat.* Num conjunto ordenado, o ordinal de determinado elemento **23** *Álg.* Num determinante, o número de linhas ou de colunas **24** *Álg.* Num conjunto finito, o número de elementos **25** *Mat.* Número de vezes que se repete a derivada; numa equação diferencial, a maior dessas ordens [Pl.: *-dens.*] [F.: Do lat. *ordo, ordinis.*] ▪ **De primeira ~** Da melhor qualidade **Em ~ 1** Sem confusão; com calma: *A turma ficou em ordem, aguardando a professora.* **2** Sem falhas, irregularidades; em boas condições; em boa situação: *Inspecionou a máquina para verificar se estava em ordem; – Olá, tudo bem? – Tudo em ordem.* **Na ~ do dia** Em destaque, em evidência; muito falado ou comentado pelo público, ou na imprensa etc. **~ civil** *Jur.* Sistema de leis, normas e princípios que, numa sociedade, se aplicam aos interesses privados **~ compósita** *Arq.* Ordem arquitetônica (sistema de medidas de arquitetura) que junta nas colunas elementos da ordem jônica (volutas) e da coríntia (folhas de acanto) **~ coríntia** *Arq.* Ordem arquitetônica (sistema de medidas de arquitetura) cujas colunas têm base, caneluras e folhas de acanto no capitel **~ cronológica 1** Ordem de chegada ou entrada (de pessoas, coisas, documentos etc.) em certo lugar **2** Ordenação de material (textos, listas, documentos) de acordo com sua sequência temporal **~ de cavalaria** *Hist.* Instituição medieval, militar e religiosa, que reunia os nobres em confraria para combater hereges [Tb. apenas *cavalaria*.] **~ de Cristo** Certa ordem (honraria, condecoração) militar portuguesa **~ de grandeza** *Mat.* Área de estimativa aproximada de uma grandeza, em torno de seu valor real **~ de pagamento** *Econ.* Autorização para pagamento de uma quantia a um destinatário, em data marcada **~ direta** *Gram.* Numa certa língua, a ordenação dos elementos sintáticos numa frase que expressa diretamente, sem figuras de estilo, o pensamento [Em português, a ordem direta é 1) sujeito, 2) verbo, 3) objeto direto, 4) objeto indireto.] **~ do dia 1** Relação de temas, ou de tarefas, a serem abordados numa reunião, numa votação, num dia de trabalho etc. **2** *Mil.* Conjunto de instruções, determinações e comentários que um comandante de corpo passa à tropa sob seu comando diariamente **~ dórica** *Arq.* Ordem arquitetônica (sistema de medidas de arquitetura), a mais antiga, cuja coluna, sem base, tem caneluras no fuste, um capitel muito simples e friso adornado com tríglifos e métopas **~ jônica** *Arq.* Ordem arquitetônica (sistema de medidas de arquitetura), cuja coluna tem capitel ornado com quatro a oito volutas **~ jurídica** *Jur.* O complexo dos princípios e das normas de direito que estabelecem direitos e deveres do cidadão e da sociedade, estabelece equilíbrio entre a obrigatoriedade da lei e a liberdade e igualdade dos indivíduos **~ política** *Pol.* O complexo dos princípios e das normas que equilibram os sistemas de representação e as relações entre os interesses dos vários grupos na sociedade e no Estado **~ pública** *Jur.* O complexo das instituições, dispositivos e regras que visam manter o bom funcionamento do serviço público, a segurança e a moralidade na relações entre indivíduos e instituições, em princípio não substituíveis por acordos ou convenções **~ reformada** *Ecles.* Termo que designa ordem religiosa originada de movimento de reforma da Igreja católica, como a dos franciscanos, a dos beneditinos etc. **~ religiosa** *Ecles.* Congregação de religiosos que, por votos solenes, se comprometem a viver sob certas regras **~ seráfica** *Ecles.* A ordem religiosa dos frades franciscanos **~ social** O complexo de preceitos e princípio fundamentais estabelecidos na Constituição, que estruturam e regem as relações econômicas e sociais da sociedade, com poder policial e penal de zelar por sua implementação e seu cumprimento **~ Terceira** *Ecles.* Ordem religiosa de leigos que segue as regras de ordem religiosa à qual é agregada **~ toscana** Ordem arquitetônica (sistema de medidas de arquitetura) dos antigos romanos, ainda mais simples que a ordem dórica **Por ~** Ordenadamente, organizadamente, de acordo com a ordem estipulada **Receber ~ s** *Ecles.* Receber ordens religiosas

ordem-unida (or.dem-u.*ni*.da) *sf.* **1** *Mil.* Formação usual de marcha, de parada ou de reunião dos integrantes de uma tropa que obedece a distâncias e intervalos regulares **2** A prática dessa formação [Pl.: *ordens-unidas*.]

ordenação (or.de.na.*ção*) *sf.* **1** Ação ou resultado de ordenar, de pôr em certa ordem; ORGANIZAÇÃO; DISPOSIÇÃO; ORDENAMENTO [Ant.: *desordenação*.] **2** Arranjo (de ordem espacial, temporal, material, psicológica, intelectual etc.) organizado e metódico; disposição que segue uma lógica, um padrão (ordenação de livros); ARRUMAÇÃO; ORDEM **3** Encadeamento, concatenação (ordenação de ideias) **4** *Litu.* Na Igreja Católica, cerimônia em que um indivíduo é consagrado padre **5** *Jur.* Codificação de leis e preceitos legais; estatuto legal (ordenações trabalhistas; ordenações filipinas; ordenações afonsinas) **6** *Mat.* Disposição dos elementos de um conjunto sob uma ordem determinada **7** *Lus.* Mandado, ordem, vontade superior (ordenação dos céus) [Pl.: *-ções.*] [F.: Do lat. *ordinatio, onis.*]

ordenada (or.de.*na*.da) *sf.* *Geom. an.* Num sistema cartesiano, a segunda coordenada de um sistema de coordenadas, correspondente ao eixo *y* [F.: Fem. substv. de *ordenado*.]

ordenado (or.de.*na*.do) *a.* **1** Posto em ordem; em que há ordem de acordo com um critério (de numeração, de classes, de séries, de grupos etc.); ARRUMADO; ORGANIZADO; CLASSIFICADO **2** Em que há ou que se faz com método, com sistema (trabalho ordenado; raciocínio ordenado); METÓDICO; SISTEMÁTICO **3** *Litu.* Que recebeu ordenação em cerimônia religiosa *sm.* **4** Pagamento mensal feito a empregado; SALÁRIO [F.: Part. de *ordenar*.]

ordenador (or.de.na.*dor*) [ô] *a.* **1** Que ordena; que põe em ordem *sm.* **2** Aquele que ordena, que dispõe **3** *Lus. Inf.* mesmo que *computador* [F.: *ordenado* + *-or*.]

ordenamento (or.de.na.*men*.to) *sm.* Ação ou resultado de ordenar(-se); ORDENAÇÃO [F.: *ordenar* + *-mento*.]

ordenança (or.de.*nan*.ça) *sf.* **1** *Mil.* Regulamento militar; REGIMENTO **2** *P. us.* Ordem ou decisão que provém de uma autoridade *s2g.* **3** *Mil.* Soldado sob as ordens de superior hierárquico: "Desde as nove horas da manhã notou-se na cidade um movimento anormal de ordenanças a cavalo." (Aloísio Azevedo, *Coruja*) [F.: *ordenar* + *-ança*.]

ordenar (or.de.*nar*) *v.* **1** Determinar, estipular por meio de ordem, instrução, comando etc. [*td.*: "O médico ordenou absoluto repouso" (Machado de Assis, "Ideias do canário" in *Novas seletas*)] [*tdi.* + *a*: *O diretor ordenou a todos que saíssem*] **2** Colocar em ordem; ORGANIZAR [*td.*: *Ordene os arquivos por data.* Ant.: *desordenar*.] **3** *Litu.* Outorgar a ou receber sacramento de ordem religiosa [*td.*: *O superior ordenou os noviços.*] [*int.*: *Ordenou-se freira na Ordem das Carmelitas.*] **4** Exigir que se cumpra [*td.*: *O pai ordenou que o menino ficasse em casa.*] [*tdi.* + *a*: *Ordenou ao rapaz que saísse de casa.*] [*int.*: *Não sabe dissuadir, só sabe ordenar.*] **5** Determinar, pedir, recomendar [*td.*: *O bom-senso ordena que tenhamos cautela.*] [*int.*: *Faça o que sua consciência ordena.*] **6** Dispor, preparar [*td.*: *Ordenou uma lauta refeição.*] [▶ **1** ordenar] [F.: Do lat. *ordinare.* Ant. ger.: *desordenar.* Hom./Par.: *ordenáveis* (fl.), *ordenáveis* (pl. de *ordenável* [a2g.]).]

ordenha (or.*de*.nha) *sf.* Ação ou resultado de ordenhar, de espremer a teta do animal para extrair leite; ORDENHAÇÃO; ORDENHAMENTO [F.: Dev. de *ordenhar*.]

ordenhação (or.de.nha.*ção*) *sf.* Ação ou resultado de ordenhar, mesmo que *ordenha* [Pl.: *-ões.*] [F.: *ordenhar* + *ção*.]

ordenhadeira (or.de.nha.*dei*.ra) *sf.* Equipamento mecânico ou elétrico próprio para fazer a ordenha [F.: *ordenhar* + *-deira*.]

ordenhado (or.de.*nha*.do) *a.* Que se ordenhou; de que se extraiu o leite [F.: Part. de *ordenhar*.]

ordenhar (or.de.*nhar*) *v.* **1** Tirar leite de (vaca, cabra etc.) espremendo as tetas, manual ou mecanicamente [*td.*: *Ordenhou as vacas.*] [*int.*: *Logo cedo, ordenha.*] **2** *P. ext.* Tirar, explorar ou roubar algo ou alguém [*td.*: *O imposto ordenha o povo, impiedosamente.*] [▶ **1** ordenhar] [F.: Do lat. vulg. **ordiniare.* Hom./Par.: *ordenha* (3ª p. s.), *ordenhas* (2ª p. s.)/ *ordenha* (s. f.) e pl.]

ordinal (or.di.*nal*) *a2g.* **1** *Gram.* Diz-se de numeral que indica a ordem ou a posição de pessoas ou coisas numa série (p. ex.: primeiro, segundo, quinto etc.) **2** *Mat.* Ref. à ordem ou série numérica; que indica a posição de números numa série [Ver *numeral*.] *sm.* **3** *Mat.* Número ordinal [Pl.: *-nais.*] [F.: Do lat. *ordinalis, e.*]

ordinando (or.di.*nan*.do) *Rel. a.* **1** Que está prestes a receber as ordens sacras: "... na vigilante companhia de sua mãe e de sua irmã mais nova, a quem os ordinandos seminaristas chamavam, por antonomásia, a megera." (Camilo Castelo Branco, *Anátema*) *sm.* **2** Aquele que se encontra nessa situação [F.: Do lat. *ordinandus*.]

ordinariamente (or.di.na.ri:a.*men*.te) *adv.* Normalmente, comumente: *Ordinariamente era calmo, mas tinha fases de rebeldia.* [F.: Do fem. de *ordinário* + *-mente*.]

ordinarice (or.di.na.*ri*.ce) *sf.* **1** Qualidade ou condição do que é ordinário: *A revista é de uma evidente ordinarice do princípio ao fim.* **2** Falta de caráter; CANALHICE: *A ordinarice de que o político fez uso contra o seu concorrente.* [F.: *ordinário* + *-ice.* Sin. ger.: *ordinarismo*.]

ordinário (or.di.*ná*.ri:o) *a.* **1** Diz-se de que é de má qualidade (bebida ordinária); RUIM [Ant.: *bom*.] **2** Que não tem (bom) caráter (pessoa ordinária); VIL **3** *Fig.* De baixo valor moral ou intelectual **4** Habitual, comum, usual (fatos ordinários) [Ant.: *incomum*.] **5** Que se dá em intervalos regulares; PERIÓDICO *sm.* **6** Aquilo que é habitual, rotineiro: *Seu ordinário é trabalhar, comer e dormir.* **7** *Pop. Pej.* Indivíduo sem caráter, patife, canalha **8** *Litu.* Estrutura invariável de uma missa (cantada ou não) [As partes do ordinário são: Kyrie, Gloria in excelsis e Credo (às vezes não recitados ou cantados), Sanctus e Benedictus, Agnus Dei.] [F.: Do lat. *ordinarius, a, um.*] ▪ **De ~** Usualmente, geralmente, habitualmente

ordoviciano (or.do.vi.ci:*a*.no) *Geol. a.* **1** Diz-se do período geológico situado entre o Cambriano e o Siluriano que se caracteriza pelo desenvolvimento gradativo da fauna, sem ultrapassar os crustáceos *sm.* **2** Esse período geológico [Com inicial maiúsc.] [F.: Do lat. *ordovices* 'antigo povo da Gália', pelo ing. *ordovician*.]

orear (o.re.*ar*) *v.* **1** *RS* Secar (alguma coisa) ao vento ou ao sol [*td.*] **2** Arejar(-se), refrescar(-se) [*int.*] [*td.*] [▶ **13** orear] [F.: Do espn. *orear*.]

orégano (o.*ré*.ga.no) *Bot. sm.* Erva da fam. das labiadas (*Origanum virens*), originária da Europa à Ásia, cujos ramos e folhas contêm óleo essencial, de forte aroma, e são us. como tempero, esp. em *pizzas* e massas [F.: *Orégano*, do lat. *origanus, i*, por via erudita; Tb. *orégão*, do mesmo lat. por via popular.]

orégão (o.*ré*.gão) *sm.* Ver *orégano* [Pl.: *-gãos*.]

orelha (o.*re*.lha) [ê] *sf.* **1** *Anat.* A parte exterior do ouvido, em forma de concha **2** *Anat.* Órgão da audição responsável tanbém pela manutenção do equilíbrio [*Orelha* substituiu *ouvido* na nova terminologia anatômica.] **3** *Bibl.* Cada uma das duas extremidades das capas de um livro, dobradas para dentro **4** O conteúdo (ger. texto, sobre o autor e/ou a obra) das orelhas (3) de um livro **5** Pala ou extremidade de certos objetos, que é semelhante a uma orelha (1) (orelha da bolsa; orelha do chapéu); ABA **6** A parte fendida do martelo, oposta à cabeça, que se usa para arrancar ou endireitar pregos [F.: Do lat. *auricula, ae.*] ■ **Até as ~s** Totalmente: *Está atarefado até as orelhas.* **Bater ~(s)** 1 *RS* Andar emparelhado com outro 2 *Fig.* Igualar-se (em algo) a outro, equiparar-se a outro **De ~** De ouvir dizer, de oitiva, de orelhada **De ~ em pé** *Bras. Fam.* Atento, alerta, com desconfiança **De ~s baixas/murchas** Abatido, humilhado **~ da sota** *Bras.* Carteado, jogo de cartas; jogatina **~ de abano** Orelha ger. grande, com a borda externa despegada da cabeça **~ externa** *Anat. Otor.* A parte da orelha que abrange o pavilhão de orelha e o meato auditivo externo [Na antiga nomenclatura anatômica, *ouvido externo.*] **~ interna** *Anat. Otor.* A parte da orelha que abrange o labirinto ósseo (e inclui o labirinto membranoso), o vestíbulo e a cóclea (órgão vestibulococlear) [Na antiga nomenclatura anatômica, *ouvido interno.*] **~ média** *Anat. Otor.* A parte da orelha que abrange a cavidade timpânica, a membrana do tímpano e três ossinhos (estribo, martelo e bigorna) e se comunica com a trompa de Eustáquio [Na antiga nomenclatura anatômica, *ouvido médio.*] **~ seca** *MG Joc. Pej.* Pessoa pouco inteligente **Pisar na ~** *S* Ao cair a cavalgadura, desmontar o cavaleiro passando sobre a frente dela **Puxar pela ~ da sota** *Bras.* Ser viciado no carteado **Sacar ~s** *S. Turfe* Vencer (o cavalo) corrida por pequena diferença **Torcer a ~ e não sair/pingar sangue** Arrepender-se inutilmente de algo irreversível **Torcer as ~s** *Bras.* Arrepender-se de não ter feito o que podia fazer

📖 A orelha (tb. chamada *ouvido*) é o órgão da audição. A orelha humana divide-se em externa, média e interna. A externa é constituída do pavilhão auditivo, tb. chamado orelha, que acolhe as ondas sonoras, e o canal auditivo, onde estas são dirigidas à orelha média. Nesta, as ondas fazem vibrar uma membrana chamada tímpano, e este transmite as vibrações aos ossinhos da orelha (martelo, bigorna e estribo). Uma pressão do ar uniforme dos dois lados do tímpano é mantida pela trompa de Eustáquio, ligada à garganta. As vibrações prosseguem, agora em meio líquido, até a cóclea, ou caracol, na orelha interna, onde se transformam em impulsos nervosos que são conduzidos ao cérebro pelo nervo acústico.

orelhada (o.re.*lha*.da) *sf.* 1 *Bras. Pop.* Puxão de orelhas; ORELHÃO 2 Pancada nas orelhas 3 *Lus.* O mesmo que *bofetada* [F.: *orelha + -ada*[1].] ■ **De ~** Só de ouvir dizer, sem conhecimento próprio; de orelha, de oitiva

orelha-de-onça (o.re.lha-de-*on*.ça) *sf.* 1 *Bras. Bot.* Arbusto da fam. das menispermáceas (*Cissampelos ovafolia*) nativo do Brasil e encontrado nos cerrados, apresenta folhas arredondadas e peludas, flores discretas, drupas vermelhas e raízes com propriedades tônicas, diuréticas e sudoríferas; ORELHA-DE-BURRO: "...a orelha-de-onça, poo de ervilha, nata, colado véu de musgo claro..." (Guimarães Rosa, "Ao pantanal" *in Ave, Palavra*) 2 *Bras. Bot.* Árvore (*Zollernia illicifolia*) nativa do Brasil, mesmo que *mocitaíba* 3 *SP* Muda de café ainda nova [Pl.: *orelhas-de-onça.*]

orelha-de-pau (o.re.lha-de-*pau*) *sf.* 1 *Bot.* Dilatação do aparelho esporífero de certos fungos, mesmo que *píleo* 2 *Bras. Bot.* Cogumelo (*Polyporus sanguineus*), mesmo que *urupê* [Pl.: *orelhas-de-pau.*]

orelhame (o.re.*lha*.me) *sm. Pop.* O par de orelhas [F.: *orelha + -ame.*]

orelhano (o.re.*lha*.no) *S a.* 1 Diz-se de gado bovino que não tem sinal ou marca na orelha 2 *P. ext.* Diz-se de animal que não foi marcado [F.: Do espn. platino *orejano.*]

orelhão (o.re.*lhão*) *sm.* 1 Orelha grande 2 *Pop. Med.* Inflamação em torno das parótidas; CAXUMBA; PAROTIDITE 3 *Bras. Pop.* Tipo de cabine de telefone público instalada nas ruas, que lembra uma grande orelha 4 *Bras. Fig. Pop.* O aparelho de telefone, nele instalado 5 *Pop.* Aquele que tem orelhas grandes 6 *Bras. Pop.* Puxão de orelhas; ORELHADA 7 *Têxt.* Parte do tear, nas fábricas de seda [Pl.: *-lhões.*] [F.: *orelha + -ão*[1].]

orelhar (o.re.*lhar*) *Bras. v. td.* 1 *RS* Segurar (animal de montaria) pelas orelhas, para montá-lo 2 *Lud.* No carteado, levantar devagarinho a ponta de uma carta para ver-lhe o valor; chorar (uma carta) 3 *Fig.* Torcer pela concretização ou realização de (algo desejado) 4 *Bras.* Fazer orelha de (livro, revista) [▶ 1 **orelhar**] [F.: *orelh(a) + -ar.* Hom./Par.: *orelha(s)* (fl.), *orelha /ê/* (sf. e pl.).]

orelheira (o.re.*lhei*.ra) *sf.* 1 As orelhas de qualquer animal, esp. as do porco 2 *Lus. Cul.* Iguaria preparada com orelhas de porco cozidas com legumes e feijão-branco: "Era um prazer supremo trinchar a dentes de fera... o cabrito aromático ou a orelheira suculenta do bom cerdo." (Aquilino Ribeiro, *Aldeia*) 3 Cada uma das peças do gorro, boné etc. que pode ser abaixada para proteger as orelhas [F.: *orelha + -eira.*]

orelhista (o.re.*lhis*.ta) *s2g.* 1 *Bras.* Escritor, jornalista etc. que escreve orelhas de livros: "Tudo começou quando, por falta de orelhista, o editor (...) pediu a Drummond que as escrevesse." (*O Estado de S. Paulo*, 31.10.2002) 2 *Bras. Pej.* Indivíduo que lê apenas a orelha dos livros, que tem apenas uma vaga noção da obra [F.: *orelha + -ista.*]

orelhudo (o.re.*lhu*.do) *a.* 1 Que tem orelhas grandes (indivíduo orelhudo; cão orelhudo) 2 *Bras. Fig. Pej.* Teimoso, cabeçudo; estúpido, burro 3 Diz-se de pessoa muito curiosa *sm.* 4 Aquele que tem orelhas grandes 5 *Fig. Pop.* Indivíduo muito curioso 6 *Bras. Pop. Zool.* O morcego [F.: *orelha + -udo.*]

◎ **ore(o)-** *el. comp.* Ver *or(o)-*: *oreografia, oreógrafo*

oreografia (o.re:o.gra.*fi*.a) *sf. Geof.* Ver *orografia* [F.: *ore(o)- + -grafia.*]

oreográfico (o.re:o.*grá*.fi.co) *a. Geof.* Ver *orográfico* [F.: *oreografia + -ico*[2].]

oreógrafo (o.re.*ó*.gra.fo) *sm. Geof.* Ver *orógrafo* [F.: *ore(o)- + -grafo.*]

◎ **orex(i)-** [cs] *el. comp.* = 'apetite': *oreximania, orexímano* [F.: Do gr. *óreksis, eos,* 'desejo'; 'apetite'. F. conexa: *-orexia.*]

orexia (o.re.*xi*.a) [cs] *sf.* Apetite, desejo intenso ou necessidade de comer [Ant.: *anorexia.*] [F.: *orex (i)- + -ia.*]

◎ **-orexia** [cs] *el. comp.* = 'desordem ou irregularidade do apetite': *anorexia, cinorexia, disorexia, heterorexia, hiperorexia, licorexia, xenorexia* [F.: Do gr. *óreksis, eos,* 'desejo de'; 'apetite', + *-ia*[1]. F. conexa: *orex(i)-.*]

oreximania (o.re.xi.ma.*ni*.a) [cs] *sf. Psiq.* Apetite exagerado e mórbido [F.: *orex (i)- + -mania.*]

orexímano (o.re.*xí*.ma.no) [cs] *a.* 1 Que sofre de oreximania *sm.* 2 Aquele que sofre de oreximania [F.: *orex (i)- + -mano.*]

órfã *a.* Diz-se de colmeia que perdeu a abelha-rainha [F.: Fem. de *órfão.*]

orfanar (or.fa.*nar*) *v.* 1 Lançar (alguém) na orfandade; tornar órfão [*td.*: *A guerra orfanou muitas crianças.*] [*int.*: "Dos meninos do arraial eram eles sem dúvida os mais pobres, pois haviam orfanado de pai..." (Virgílio Várzea, *Histórias rústicas*)] 2 *Fig.* Privar (alguém) de alguma coisa; destituir [*tdi.* + *de*: *O fechamento da cinemateca orfanou os cinéfilos de seu melhor aprendizado.*] [▶ 1 **orfanar**] [F.: *órfão + -ar*[2], seg. o modo erudito.]

orfanato (or.fa.*na*.to) *sm.* 1 Local destinado a dar abrigo e educação a órfãos e/ou crianças abandonadas; ASILO 2 Situação ou estado de órfão; ORFANDADE 3 *Fig.* Desamparo, solidão, abandono [F.: *órfão + -ato*[1], seg. o mod. erudito.]

orfandade (or.fan.*da*.de) *sf.* Condição de quem é órfão; ORFANATO [F.: Do lat. tard. *orphanitas, atis.*]

orfanologia (or.fa.no.lo.*gi*.a) *sf.* 1 *Jur.* Legislação que trata da assistência e da proteção dos órfãos 2 Repartição pública ou instituição que cuida dos órfãos [F.: Do gr. *orphanós* 'órfão'+ *-logia.*]

orfanológico (or.fa.no.*ló*.gi.co) *a.* Ref. a ou próprio de órfão ou de orfanologia [F.: *orfanologia + -ico.*]

órfão (*ór*.fão) *a.* 1 Que perdeu o pai e/ou a mãe (filho órfão) 2 *Fig.* Que foi abandonado ou privado de algo; desprotegido, desprovido; DESAMPARADO: *Sentiu-se órfão quando os amigos viajaram.* [Ant.: *amparado, apoiado.*] *sm.* 3 Aquele que perdeu o pai e/ou a mãe: "e não fazeis o milagre de aquecer, os frios do órfão no regaço carinhoso de outra mulher." (Camilo Castelo Branco, *Mulher fatal*) 4 *Fig.* Aquele ou aquilo que ficou órfão de algo [Pl.: *-fãos.* Fem.: *-fã*] [F.: Do lat. tard. *orphanus, i.*]

orfeão (or.fe.*ão*) *Mús. sm.* 1 Grupo de cantores que cantam ger. a várias vozes; CORO 2 Sociedade cujos membros se consagram ao canto coral 3 Pequeno instrumento de cordas e teclas [Pl.: *-ões.*] [F.: Do fr. *orphéon.*]

orfeico (or.*fei*.co) *a.* Ref. a música; MUSICAL [F.: Do lat. *orpheicus, a, um.*]

orfeônico (or.fe.*ô*.ni.co) *a.* Ref. ou inerente a orfeão, ou à música dos orfeões; próprio para orfeão (canto orfeônico; sonata orfeônica) 2 *Fig.* [F.: *orfeão + - ico*[2], seg. o mod. erudito.]

órfico (*ór*.fi.co) *a.* 1 *Mit.* Ref. a Orfeu (Baco), deus grego da música (mito órfico) 2 *Mit.* Diz-se dos preceitos, enigmas, princípios filosóficos e poemas atribuídos a Orfeu (hino órfico) 3 *Mit.* Feito em honra desse deus: "É necessário... que a teogonia órfica dê as fantasiosas concepções..." (Latino Coelho, *Oração da Coroa*) [F.: Do lat. *orphicus, a, um,* pelo gr. *orphikós.*]

orfismo (or.*fis*.mo) *sm.* 1 *Rel.* Seita que existiu na Grécia entre os sécs. VII e VI a.C., baseada no culto ao deus Orfeu, em que se proclamava a imortalidade da alma e a possibilidade de sucessivas reencarnações 2 *Pint.* Movimento que se desenvolveu a partir do cubismo, inspirado pelo pintor francês Robert Delaunay (1885-1941), e assim denominado porque o lirismo que os integrantes do movimento queriam dar às formas cubistas lembrava a figura mitológica de Orfeu 3 *Liter.* Movimento literário português gerado em torno da revista *Orpheu* (1915-1916), cujo prócer foi o poeta Fernando Pessoa [F.: *Orfeu + -ismo.*]

organdi (or.gan.*di*) *Têxt. sm.* Tecido leve e transparente, armado, de matéria especial que lhe dá consistência (vestido de organdi; saia de organdi) [F.: Do fr. *organdi.*]

organela (or.ga.*ne*.la) *sf. Cit.* Estrutura das células eucarióticas limitada por membrana (núcleo, mitocôndria, lissomo etc.) que apresenta uma função particular; ORGANOIDE [F.: Do lat. cient. *organella*; ver *organ(o)-* e *-ela.*]

organicidade (or.ga.ni.ci.*da*.de) *sf.* Essência ou qualidade de orgânico: "..., pois o arranjo institucional hoje vigente no país carece de organicidade e articulação entre distintas instâncias e áreas político-administrativas, ..." (*O Globo*, 17.11.2005) [F.: *orgânico + (i)dade.*]

organicismo (or.ga.ni.*cis*.mo) *sm.* 1 *Fil.* Doutrina que considera o universo um grande organismo vivo, e segundo a qual a vida não provém de uma força que anima os órgãos, mas dos próprios órgãos 2 *Soc.* Doutrina que faz uma analogia entre a sociedade e o organismo social e os organismos vivos e aplica as leis e teorias biológicas aos fatos sociais 3 *Med.* Teoria que atribui todas as doenças a uma lesão material de algum órgão [F.: *orgânico + -ismo*, seg. o mod. vern.]

organicista (or.ga.ni.*cis*.ta) *a2g.* 1 *Fil. Med. Soc.* Ref, ou inerente ao organicismo (teoria organicista; estudo organicista) 2 Que é partidário do organicismo *s2g.* 3 *Fil. Med. Soc.* Partidário do organicismo [F.: *organicismo + -ista.*]

orgânico (or.*gâ*.ni.co) *a.* 1 Ref., inerente ou pertencente a um ou mais órgãos de um animal, planta ou fungo, ou a um organismo vivo (estrutura orgânica) [Ant.: *inorgânico*] 2 Que constitui um órgão ou um organismo (1) (tecidos orgânicos) 3 Ref. a ou próprio dos órgãos do corpo humano, entendidos como um conjunto de partes integradas, como um sistema: *Alimentação saudável e exercícios regulares são essenciais para o bom funcionamento orgânico;* "Todas elas amavam [...] por uma fatalidade orgânica [...] mais do que se obedecessem a qualquer uma das funções fisiológicas do seu corpo." (Aluísio Azevedo, *Coruja*) 4 Que deriva de organismos vivos (adubo orgânico) [Ant.: *inorgânico.*] 5 *Agr.* Que se cultivou sem a utilização de fertilizantes químicos, pesticidas ou produtos químicos sintetizados e mediante o manejo e a proteção dos recursos naturais (laranja orgânica; algodão orgânico; café orgânico) 6 *Agr.* Diz-se da agricultura, do cultivo, ou método de cultivo nos quais não se utilizam produtos químicos (fertilizantes, pesticidas etc.) e nos quais se recorre a práticas tradicionais (adubação com rochas moídas, e com adubos naturais, pulverização de produtos naturais e extratos vegetais para o controle de pragas e doenças etc.) 7 Resultante de dejetos de origem animal ou vegetal (poluição orgânica) 8 *Fig.* Característico do que se desenvolve, se forma ou se manifesta naturalmente; que é inato (vício orgânico; vocação orgânica; um escritor orgânico) 9 Ref. ou pertencente à estrutura ou à constituição de um conjunto, de um todo 10 Ref. à organização, à estruturação ou disposição de algo 11 De um órgão, instituição, entidade ou de qualquer associação de pessoas que se organizam em função de um objetivo comum: *regulamento de funcionamento orgânico* 12 *Jur.* Diz-se de lei que rege a organização e os princípios de uma instituição de direito público ou de direito privado: *Regulamento de funcionamento orgânico do Geota.* 13 *Jur.* Diz-se de lei que cria ou regula órgãos da administração pública ou instituições governamentais 14 *Arq.* Diz-se de arquitetura, prédio etc. cuja estrutura e planta baixa foram feitas de acordo com as necessidades funcionais da edificação 15 *Fil.* De organização com grau de complexidade similar à dos seres vivos 16 *Quím.* Ref. à classe de compostos com cadeias ou anéis de carbono ligados a hidrogênio, oxigênio e nitrogênio 17 *Pat.* Diz-se de lesão na qual a alteração do tecido é evidente 18 Diz-se do solo muito rico em matéria orgânica, resultante esp. de decomposição vegetal 19 *Petr.* Diz-se de rocha sedimentar formada esp. de restos de vegetais e de animais [F.: Do lat. *organicus, a, um,* do gr. *organikós, é, ón.*]

organísmico (or.ga.*nís*.mi.co) *a.* Rel. a organismo (desequilíbrio organísmico) [F.: *organismo + -ico.*]

organismo (or.ga.*nis*.mo) *sm.* 1 *Biol. Bot. Zool.* Forma de vida pluri ou unicelular (animal, planta, fungo, bactéria ou protista) (organismo vivo): *Os organismos do reino Protista são constituídos por uma única célula ou por um pequeno grupo de células.* 2 *Biol. Bot. Zool.* Corpo formado por órgãos, ou organelas ou estruturas que realizam os diversos processos inerentes à vida (organismo de um camundongo/dos peixes) 3 Corpo humano: *A absorção de ferro heme pelo organismo fica em torno de 20 a 30%; Seu organismo ficou muito debilitado com a doença.* 4 Qualquer conjunto organizado, estruturado 5 Instituição de caráter social, político ou administrativo (organismos internacionais); ENTIDADE; ÓRGÃO; ORGANIZAÇÃO [F.: Do fr. *organisme.*] ■ **~ internacional** *Pol.* Instituição sob a égide de vários Estados ou de organização internacional (como a ONU), reconhecida por acordo ou tratado

organista (or.ga.*nis*.ta) *Mús. s2g.* Músico que toca órgão [F.: Do lat. medv. *organista.*]

organização (or.ga.ni.za.*ção*) *sf.* 1 Ação ou resultado de organizar(-se) 2 Maneira pela qual um ser vivo ou um sistema se constitui e/ou se organiza (organização cerebral; organização do governo); ARRUMAÇÃO; ORDEM 3 Reunião de pessoas com objetivos ou interesses comuns; organismo (organização de trabalhadores; organizações internacionais); ASSOCIAÇÃO 4 Conjunto de regras e funções com o objetivo de arrumar, planejar ou administrar algo (organização de evento) 5 Qualidade do que é bem organizado, bem planejado: *O festival primou pela organização.* [Pl.: *-ções.*] [F.: *organizar + -ção.* Ant. nas acps. 1, 2 e 5: *desorganização.*] ■ **~ não governamental** Qualquer organização que não integra o Estado nem está diretamente ligada ao Governo, e cujas atividades, de natureza não empresarial, estão voltadas para a esfera pública, esp. a prestação de serviços considerados relevantes para o desenvolvimento social (ecologia, políticas de saúde, direitos humanos etc.) e o exercício da cidadania em todos os setores da sociedade [sigla: *ONG.*]

organizacional (or.ga.ni.za.ci:o.*nal*) *a2g.* Ref. ou inerente a ou próprio de organização (estrutura organizacional; hábitos organizacionais) [Pl.: *-nais.*] [F.: *organização + -al*[1], seg. o mod. erudito.]

organizado (or.ga.ni.*za*.do) *a.* 1 Que se organizou; a que se deu uma organização, uma ordem; ORDENADO; ARRUMADO [Ant.: *desorganizado.*] 2 Que segue uma ordem, uma lógica (ideias organizadas); ARRUMADO; ORDENADO 3 *Fig.* Que faz tudo com organização, com ordem, método, coerência (pessoa organizada) 4 *P. ext. Fig.* Que mantém as suas coisas sempre em ordem **5** *Biol. Bot. Zool.* Que tem órgãos **6** *Quím.* Diz-se de corpos constituídos pela mistura de um grande número de compostos, de estrutura fibrosa ou celular [F.: Part. de *organizar.*]

organizador (or.ga.ni.za.*dor*) [ô] ***a.*** **1** Que organiza ***a.*** **2** Que planeja e executa algo: *comitê organizador das comemorações do centenário da empresa.* ***sm.*** **3** Aquele ou aquilo que organiza **4** Aquele ou aquilo que forma, cria: *Quem foi o organizador desta antologia?* [F.: *organizar* + *-dor.*] ■ **~ nucleolar** *Cit.* A região do cromossomo onde se forma o nucléolo

organizar (or.ga.ni.*zar*) ***v. td.*** **1** Dar ou assumir (pessoas, coisas, elementos) ordem, disposição ou estrutura adequada para que preencham certas funções, configurações, finalidades: *Resolveu organizar sua biblioteca; As células organizam-se formando tecidos.* **2** Planejar, preparar, providenciando o que for necessário: *Organizaram um evento para angariar fundos.* **3** Criar, formar (grupo, instituição etc.): *Organizar um sindicato/um catálogo; Os moradores organizaram-se para reclamar da falta de policiamento.* **4** Dar um método às próprias atividades: *Não progride porque não sabe se organizar.* [▶ **1** organizar] [F.: Do fr. *organiser.* Hom./Par.: *organizáveis* (fl.), *organizáveis* (pl. organizável[adj. 2g.]). Ant. ger.: *desorganizar.*]

organizativo (or.ga.ni.za.*ti*.vo) ***a.*** **1** Relativo a, ou próprio de, ou em que há organização (modelo organizativo) **2** Que organiza (comitê organizativo); ORGANIZADOR; ORGANIZATÓRIO [F.: *organizar* + *-tivo.*]

organizatório (or.ga.ni.za.*tó*.ri:o) ***a.*** Que organiza; que é capaz de organizar (sistema organizatório); ORGANIZATIVO [F.: *organizar* + *-tório.*]

organizável (or.ga.ni.*zá*.vel) ***a2g.*** Que se pode organizar [Pl.: *-veis.*] [F.: *organizar* + *-vel.* Hom./Par.: *organizáveis* (pl.), *organizáveis* (fl. de *organizar*).]

◎ **organ(o)-** ***el. comp.*** = 'instrumento musical'; 'órgão do corpo'; 'organismo'; 'organização'; 'composto orgânico': *organela, orgânico* (< gr.), *organoclorado, organofosforado, organogenia, organografia, organograma, organoide, organoléptico, organologia, organoma, organoneurose, organopatia, organoplastia, organoscopia, organoterapia, orgânulo* [F.: Do gr. *órganon, ou,* 'instrumento musical'; 'órgão do corpo', pelo lat. *organum, i.*]

órgano (*ór*.ga.no) ***sm.*** *Mús.* O tipo mais antigo de polifonia medieval que exige a inclusão de uma ou mais vozes compostas livremente para uma passagem de cantochão, encontrada freq. nas igrejas entre os sécs. IX e XIII [F.: Do gr. *organon, ou.*]

organoclorado (or.ga.no.clo.*ra*.do) *Quím.* ***a.*** **1** Diz-se de composto orgânico que contém cloro [Encicl.: Alguns deles, us. como inseticidas, revelaram efeitos tóxicos sobre o organismo humano e animal, sendo o seu uso e fabricação proibidos em vários países, inclusive no Brasil.] ***sm.*** **2** *Quím.* Esse composto [F.: *organ(o)-* + *clorado.*]

organofosforado (or.ga.no.fos.fo.*ra*.do) *Quím.* ***a.*** **1** Diz-se de composto orgânico que contém fósforo, us. na agricultura e no meio urbano para combater mosquitos [Encicl.: Alguns desses compostos são altamente tóxicos e seu uso acarreta risco para o homem.] ***sm.*** **2** *Quím.* Esse composto [F.: *organ(o)-* + *fosforado.*]

organogênese (or.ga.no.*gê*.ne.se) *Emb.* ***sf.*** **1** Formação dos órgãos durante o desenvolvimento embrionário; ORGANOGENESIA **2** A descrição desse processo; ORGANOGENESIA [F.: *organ(o)-* + *-gênese.*]

organogenesia (or.ga.no.ge.ne.*si*.a) ***sf.*** *Emb.* O mesmo que *organogênese* [F.: *organ(o)-* + *-gênese.*]

organogenia (or.ga.no.ge.*ni*.a) ***sf.*** *Emb.* O mesmo que *organogênese* [F.: *organ(o)-* + *-genia.*]

organogênico (or.ga.no.*gê*.ni.co) ***a.*** *Emb.* Ref. a organogênese ou a organogenia [F.: *organogenia* + *-ico*[2].]

organografia (or.ga.no.gra.*fi*.a) ***sf.*** **1** *Biol.* Descrição ou estudo dos órgãos de um ser organizado **2** *Bot.* Descrição ou estudo da forma e da disposição das partes que compõem uma planta [F.: *organ(o)-* + *-grafia.*]

organográfico (or.ga.no.*grá*.fi.co) ***a.*** *Biol. Bot.* Ref. à organografia [F.: *organografia* + *-ico*[2].]

organograma (or.ga.no.*gra*.ma) ***sm.*** **1** *Adm.* Representação gráfica da estrutura de uma organização, empresa etc., mostrando a hierarquia e as relações entre as suas unidades **2** *Inf.* Gráfico das operações de um programa [F.: *organ(o)-* + *-grama.*]

organoide (or.ga.*noi*.de) ***a2g.*** **1** *Biol.* Que tem aparência de um órgão ou de um corpo organizado ***sm.*** **2** *Cit.* Partícula limitada por membrana, mesmo que *organela* [F.: *organ(o)-* + *-oide.*]

organola (or.ga.*no*.la) ***sf.*** *Mús.* Instrumento acionado por fole, da família do acordeão [F.: *organ(o)-* + *-ola.*]

organoléptico (or.ga.no.*lép*.ti.co) ***a.*** *Fisl.* Diz-se de cada uma das propriedades físicas ou químicas pelas quais as substâncias são capazes de atuar sobre os sentidos ou sobre os órgãos [F.: *organ(o)-* + *-léptico.*]

organológico (or.ga.no.*ló*.gi.co) ***a.*** *Fisl. Mús.* Ref. à organologia [F.: *organologia* + *-ico*[2].]

organoma (or.ga.*no*.ma) ***sm.*** *Pat.* Neoplasia em que se podem identificar tecidos de órgãos bem definidos [F.: *organ(o)-* + *-oma*[1].]

órganon (*ór*.ga.non) ***sm.*** **1** *Fil.* Nome dado pelos comentadores gregos de Aristóteles ao conjunto de seus escritos sobre a lógica **2** *P. ext. Lóg.* Arcabouço lógico indispensável para uma demonstração filosófica ou científica **3** *Mús.* Exercício de polifonia da música sacra medieval [Pl.: *orgânones* e (*Bras.*) *órganons.*] [F.: Do gr. *órganon, ou,* 'instrumento'.]

organoneurose (or.ga.no.neu.*ro*.se) ***sf.*** *Psiq.* Neurose em que os sintomas se manifestam a partir da alteração da função de um órgão ou sistema [F.: *organ (o)-* + *neurose.*]

organopatia (or.ga.no.pa.*ti*.a) *Med.* ***sf.*** Doença de um órgão [F.: *organ(o)-* + *-patia.*]

organoplastia (or.ga.no.plas.*ti*.a) ***sf.*** *Cir.* Cirurgia plástica para restaurar um órgão [F.: *organ(o)-* + *-plastia.*]

organoplástico (or.ga.no.*plás*.ti.co) ***a.*** *Cir.* Ref. à organoplastia [F.: *organoplastia* + *-ico*[2].]

organoscopia (or.ga.nos.co.*pi*.a) ***sf.*** *Med.* Procedimento cirúrgico para a visualização da cavidade abdominal e pélvica aumentada, que possibilita a investigação e a pesquisa dos órgãos aí localizados, bem como a sua remoção, quando recomendada; LAPAROSCOPIA [F.: *organ(o)-* + *-scopia.*]

organoscópico (or.ga.nos.*có*.pi.co) ***a.*** *Med.* Ref. à organoscopia [F.: *organoscopia* + *-ico*[2].]

organoterapia (or.ga.no.te.ra.*pi*.a) ***sf.*** *Med.* Método terapêutico que utiliza extratos de tecidos, de órgãos e esp. de glândulas hormonais; OPOTERAPIA [F.: *organ(o)-* + *-terapia.*]

organoterápico (or.ga.no.te.*rá*.pi.co) ***a.*** *Med.* Ref. à organoterapia (tratamento organoterápico) [F.: *organoterapia* + *-ico*[2].]

orgânulo (or.*gâ*.nu.lo) ***sm.*** *Cit.* Órgão diminuto com componentes celulares bem definidos [F.: *organ(o)-* + *-ulo.*]

organza (or.*gan*.za) *Têxt.* ***sf.*** Tecido fino e transparente feito de fibras naturais, como a seda, ou sintéticas, como o náilon [F.: F. alter. de *Lorganza,* marca registrada, posv.]

órgão (*ór*.gão) ***sm.*** **1** *Anat. Biol. Bot. Fisl. Zool.* Estrutura de tecidos, com funções específicas, que constitui um organismo humano, animal ou vegetal (órgãos digestivos; órgãos de reprodução; órgãos felinos) **2** *Mec. Tec.* Parte integrante de um sistema organizado de elementos, ou de um mecanismo, com função própria; INSTRUMENTO **3** *Comun.* Meio de comunicação, divulgação (p. ex. jornal, TV, rádio) (órgão de imprensa) **4** *Mús.* Instrumento constituído de tubos alimentados por um sistema de foles que, quando acionados por teclado e pedaleira, fazem o ar passar por eles, produzindo um som característico **5** Entidade ou instituição com funções sociais, políticas, culturais etc. **6** *Fig.* Intermediário ou meio para conseguir alguma coisa [Pl.: *-gãos.*] [F.: Do lat. *organum, i,* do gr. *órganon, ou.* Ideia de 'órgão': *organ(o)-* (organograma).] ■ **~ de Weber** *Zool.* Em certas ordens de peixes, estrutura de pequenos ossos que comunica a orelha interna com a bexiga natatória, favorecendo a audição; ossículo de Weber **~ hidráulico** *Mús.* Órgão antigo (por volta do séc. III a.C., em Alexandria) no qual o peso da água comprimia o ar **~ respiratório acessório** *Biol.* Todo órgão que tem alguma função respiratória, além de sua função principal **~ vestibulococlear** *Anat. Otor.* Ver *Orelha interna* no verbete *orelha* **~ vestigial** *Biol.* Designação de qualquer órgão atrofiado de uma espécie, vestígio de órgão ativo em gerações remotas daquela espécie

orgásmico (or.*gás*.mi.co) ***a.*** Ver *orgástico*

orgasmo (or.*gas*.mo) ***sm.*** **1** O momento de máxima excitação e prazer no ato sexual, para o homem ou o macho, e para a mulher ou a fêmea; CLÍMAX; GOZO **2** *Fig.* Grande excitação do espírito [F.: Do fr. *orgasme,* do gr. *orgasmós.*]

orgástico (or.*gás*.ti.co) ***a.*** Rel. a ou próprio de orgasmo (prazer orgástico; êxtase orgástico); ORGASMÁTICO [F.: *orgasmo* + *-ico*[2], seg. o mod. grego, a exemplo de *sarcasmo*/*sarcástico.* Tb. *orgásmico.*]

orgia (or.*gi*.a) ***sf.*** **1** Ritual realizado na Antiguidade entre os gregos e romanos, em honra de Dioniso ou Baco; BACANAL **2** Festa ou reunião que se caracteriza pelo excesso de bebidas e licenciosidade sexual **3** *Fig.* Qualquer excesso cometido; ESBANJAMENTO: *Nossa viagem foi uma orgia de gastos.* **4** *Fig.* Profusão, exagero, abundância: *uma orgia de cores e luzes.* [Ant.: *escassez.*] **5** *Fig.* Bagunça, confusão, tumulto [F.: Do lat. *orgia, iorum* (do gr. *órgia, ion*), posv. pelo fr. *orgie.* Hom./Par.: *orgia* (sf.), *urgia* (fl. de *urgir*).]

orgíaco (or.*gí*.a.co) ***a.*** Ref. ou inerente à orgia; que tem característica ou natureza de orgia (festim orgíaco); DEVASSO: "Debruçada dentro das ânforas orgíacas [...] como a flor da libertinagem." (Eça de Queirós, *Notas contemporâneas*) [F.: Do gr. *orgiakós, é, on.*]

orgiástico (or.gi:*ás*.ti.co) ***a.*** *P. us.* Orgíaco [F.: Do gr. *orgiastikós, é, ón.*]

orgulhar (or.gu.*lhar*) ***v.*** **1** Fazer sentir ou sentir orgulho (de algo) [***td.:*** *Os méritos dos filhos orgulham os pais.*] [***int.:*** *Não teve sucesso financeiro, mas, respeitado por sua honestidade, sempre se orgulhou.*] **2** Ostentar méritos, conquistas, soberba (quanto a algo) [***tr.*** + ***de:*** *Orgulhava-se da própria beleza.*] [▶ **1** orgulhar] [F.: *orgulho* + *-ar*[2]. Hom./Par.: *orgulho* (fl.), *orgulho* (sm.).]

orgulho (or.*gu*.lho) ***sm.*** **1** Sentimento de satisfação com suas próprias características ou ações, ou com as de outrem **2** *Pej.* Admiração excessiva de si próprio; SOBERBA [Ant.: *humildade.*] **3** Sentimento de dignidade pessoal e de sua preservação; ALTIVEZ; BRIO: *Seu orgulho o impedia de pedir favores.* **4** Aquilo ou aquele de que(m) se tem orgulho (1): *João Ubaldo Ribeiro é um dos orgulhos da literatura brasileira.* [F.: Do espn. *orgullo,* do cat. *orgull.*]

orgulhoso (or.gu.*lho*.so) [ô] ***a.*** **1** Diz-se de quem tem orgulho; BRIOSO **2** *Pej.* Excessivamente vaidoso, soberbo; PRESUNÇOSO [Ant.: *humilde.*] **3** Que demonstra ou revela orgulho, soberba ***sm.*** **4** Indivíduo dotado de orgulho: *O orgulhoso concentra a maioria das atenções.* [Pl.: [ó]. Fem.: [ó].] [F.: *orgulho* + *-oso.*]

◎ **or(i)-** ***el. comp.*** = 'boca'; 'abertura': *oral, orifício* (< lat.), *oriforme; orofacial, orofaringe* [F.: Do lat. *os, oris,* 'boca'; 'linguagem'; 'língua', 'idioma'; 'rosto', 'fisionomia'; 'abertura'.]

orientação (o.ri:en.ta.*ção*) ***sf.*** **1** Ação ou resultado de orientar(-se), tomar uma direção; RUMO **2** Determinação ou capacidade de determinar a posição em relação aos pontos cardeais ou a outra referência: *Vive se perdendo, seu senso de orientação é péssimo.* **3** *Fig.* Tendência para uma direção, objetivo; INCLINAÇÃO; INTERESSE: *Sua orientação para a música é inata.* **4** Instrução ou conselho quanto a métodos ou maneiras de realizar ou conduzir algo: *Os jovens precisam de uma orientação sexual adequada.* [Pl.: *-ções.*] [F.: *orientar* + *-ção.* Ant. nas acps. 1 e 2: *desorientação.*] ■ **~ a objetos** *Inf.* Método de programação e análise computacional que se baseia na estruturação básica do *software* em *objetos* – pacotes de elementos com funções, atributos, métodos próprios e interligados – e *classes* – agrupamentos de objetos com esses atributos comuns, ou inter-relacionados. Essa classificação permite a especialização das ações programadas em função das características dos objetos e das classes **~ celeste** Orientação (identificação da posição geográfica) baseada na posição de corpos celestes **~ educacional** *Pedag.* Processo – instituído e com técnicas próprias – de acompanhamento e orientação do desenvolvimento intelectual, do aprendizado e da formação da personalidade e do caráter de estudantes em estabelecimentos de ensino; orientação escolar **~ escolar** *Pedag.* Ver *Orientação educacional* **~ profissional/vocacional** *Pedag. Psi.* Processo – instituído e com técnicas próprias – de avaliar as aptidões e potencialidades específicas de um jovem e, de acordo com isso, orientá-lo na escolha de uma profissão

orientado (o.ri:en.*ta*.do) ***a.*** **1** Que recebeu a indicação de rumo, caminho etc.: *O trânsito foi orientado para uma estrada secundária.* **2** Que recebeu orientação sobre procedimento, atitude etc.: *O público foi orientado a permanecer no recinto.* **3** Disposto, voltado para certa direção (em relação aos pontos cardeais ou a outros objetos): *A varanda da casa está orientada para o leste.* **4** Diz-se de indivíduo que se orienta bem, que sempre sabe a direção que deve seguir [F.: Part. de *orientar.*]

orientador (o.ri:en.ta.*dor*) [ô] ***a.*** **1** Que orienta, direciona, guia; MENTOR; CONDUTOR: *método orientador de pesquisas; funcionário orientador de visitantes.* **2** *Pedag.* Que orienta os estudos ou as pesquisas do aluno **3** *Astron.* Diz-se de aparelho us. para reconhecimento do meio-dia verdadeiro e do oriente verdadeiro de qualquer lugar ***sm.*** **4** Aquele ou aquilo que orienta, que direciona **5** *Pedag.* Indivíduo orientador (2) **6** *Astron.* Aparelho para reconhecimento do meio-dia e do oriente [F.: *orientar* + *-dor.*] ■ **~ educacional** *Pedag.* Profissional especializado e habilitado para exercer a orientação educacional (ver no verbete *orientação*) **~ escolar** *Pedag.* Ver *Orientador educacional* **~ profissional/vocacional** *Pedag. Psi.* Profissional especializado e habilitado para exercer a orientação profissional/vocacional (ver no verbete *orientação*)

oriental (o.ri:en.*tal*) ***a2g.*** **1** *Cosm. Geog.* Situado no Oriente (África oriental) **2** *Etnog. Geog.* Ref. ao Oriente, que é típico dos países do Oriente ou de seus povos (medicina oriental; costumes orientais) **3** Que nasceu ou que vive no Oriente **4** Originário do Oriente (tapetes orientais) **5** Diz-se dos planetas que se levantam ou nascem antes do sol ***s2g.*** **6** Pessoa nascida ou que vive no Oriente: *Os orientais praticam intensamente a meditação.* [Pl.: *-tais.*] [F.: Do lat. *orientalis, e.* Ant. ger.: *ocidental.*]

orientalidade (o.ri:en.ta.li.*da*.de) ***sf.*** Qualidade, característica ou condição do que é oriental, do que se encontra no Oriente ou para ele se destina [F.: *oriental* + *-(i)dade.*]

orientalismo (o.ri:en.ta.*lis*.mo) ***sm.*** **1** Conjunto dos conhecimentos, costumes, filosofia e das características do Oriente e de seus povos e culturas **2** Atitude, tendência de admirar e/ou privilegiar os valores culturais do Oriente; predileção pelas coisas orientais **3** Ciência dos orientalistas [F.: *oriental* + *-ismo.*]

orientalista (o.ri:en.ta.*lis*.ta) ***a2g.*** **1** Diz-se de pessoa conhecedora e estudiosa dos povos, idiomas e cultura orientais ***s2g.*** **2** Especialista no conhecimento e estudo dos povos, idiomas e cultura orientais [F.: *oriental* + *-ista.*]

orientalização (o.ri:en.ta.li.za.*ção*) ***sf.*** Ação ou resultado de orientalizar(-se) [Pl.: *-ções.*] [F.: *orientalizar* + *-ção.*]

orientalizante (o.ri:en.ta.li.*zan*.te) ***a2g.*** Que orientaliza ou causa orientalização [F.: *orientalizar* + *-nte.*]

orientalizar (o.ri.en.ta.li.*zar*) ***v.*** Tornar(-se) oriental no aspecto, modo de ser, estilo etc. [***td.:*** *A partir de então, orientalizou sua arte.*] [***int.:*** *Orientalizou-se ao se casar com o chinês.*] [▶ **1** orientalizar] [F.: *oriental* + *-izar.*]

orientando (o.ri:en.*tan*.do) ***sm.*** *Pedag.* Aluno cujos estudos e pesquisas são orientados por um professor especializado naquela(s) área(s) do conhecimento [F.: *orientar* + *-ando.*]

orientar (o.ri.en.*tar*) ***v.*** **1** Dispor(-se), voltar(-se) para um dos pontos cardeais, o oriente sobretudo [***td.:*** *O arquiteto orientou a fachada para o leste; Orientou-se na direção do sol e começou a caminhar.*] **2** Reconhecer ou tentar reconhecer (alguém) sua posição em relação a um ponto cardeal ou outra referência [***td.:*** *Na encruzilhada, consultou o mapa para orientar-se.*] **3** Indicar a direção em geral, rumo ou caminho a [***td.:*** *O guarda orientou o motorista.*]

4 *Fig.* Indicar (procedimento, atitude mais adequados) a, aconselhando, ensinando a assumi-los [*td.*: *A campanha orienta o povo sobre a vacinação; O professor orientou o aluno.*] [*tr.* + *por, com*: *Sempre se orientou por princípios cristãos/ com orixás da umbanda.*] 5 Administrar, conduzir (aconselhando) [*td.*: *Orientava os novos projetos; Só um médico poderia orientar o tratamento.*] 6 *Fig.* Instruir a respeito de uma decisão; ENCAMINHAR; GUIAR [*td.*: *Em seu discurso, procurou orientar os eleitores.*] 7 Dar conselho ou incentivo; ESTIMULAR [*td.*: *O pintor tinha prazer em orientar os novos talentos.*] [▶ 1 orientar] [F.: *orient(e)* + *-ar*[2]. Ant. ger.: *desorientar.*]

orientável (o.ri:en.*tá*.vel) ***a2g.*** Que pode ser orientado (foco orientável) [Pl.: *-veis.*] [F.: *orientar* + *-vel*. Hom./Par.: *orientáveis* (pl.), *orientáveis* (fl. de *orientar*).]

oriente (o.ri.*en*.te) ***sm.*** 1 *Cosm. Geof.* Ponto cardeal situado no semicírculo do horizonte onde o sol e outros astros nascem; LESTE; NASCENTE 2 *Geog.* O conjunto dos países do sul e do leste da Ásia, incluindo a Índia, a China e o Japão (Extremo Oriente; Oriente Médio; Oriente Próximo) [Nas acps. 1 e 2, com inicial maiúsc.] 3 O lado direito (visto pelo observador) de um mapa ou a carta geográfica 4 *Fig.* Começo, princípio; idade primitiva 5 *Maçon.* Loja principal a que estão subordinadas outras 6 *Maçon.* A parte oposta à porta de entrada dos templos maçônicos, onde só têm assento os graus superiores [F.: Do lat. *oriens, entis*. Ant. nas acps. 1 e 3: *ocidente, oeste, poente*. Hom./Par.: *oriente* (sm.), *oriente* (fl. de *orientar*).] ▪▪ **~ Médio** Região que compreende o norte da África (em termos políticos e culturais), o nordeste asiático do Egito (península do Sinai), países do sudoeste da Ásia (os estados da península Arábica, Chipre, Israel [e os territórios de Gaza e da Cisjordânia], Jordânia, Líbano, Síria), Irã, Iraque, Turquia e (em certo contexto) o Afeganistão; Oriente Próximo **~ Próximo** Ver *Oriente Médio* **~ Oriente** Designação de vasta área geográfica que abrange o leste e o sudeste da Ásia e ilhas do sul do oceano Pacífico, e que pode incluir, de acordo com diferentes critérios, China, as duas Coreias, Filipinas, Indonésia, Japão, Manchúria, Mongólia e a Sibéria oriental **Grande ~** A loja maçônica principal, à qual as demais estão subordinadas

orifício (o.ri.*fí*.ci:o) ***sm.*** 1 Qualquer buraco, passagem ou abertura de pequenas dimensões 2 *Anat. Med.* Canal, conduto, abertura pela qual uma cavidade se comunica com o exterior ou com outra cavidade; DUCTO [F.: Do lat. tard. *orificium, ii.*]

oriforme (o.ri.*for*.me) ***a2g.*** *Anat. Zool.* Que tem a forma de boca [F.: *or(i)-* + *-forme.*]

origâmi (o.ri.*gâ*.mi) *Artesn.* ***sm.*** Arte tradicional japonesa que consiste em dobrar pedaços de papel para que assumam diversas formas, representativas de animais, objetos, flores etc. [F.: Do jap. *origami.*]

origem (o.*ri*.gem) ***sf.*** 1 Ponto no espaço ou no tempo que marca o início de algo, o momento ou o lugar em que algo passa a existir ou a acontecer; COMEÇO: *A concepção é a origem da vida.* [Ant.: *fim.*] 2 O local ou região de nascimento 3 Procedência de um lugar dentro do país; NATURALIDADE: *É de origem sulista.* 4 Procedência de um país ou nação; NACIONALIDADE: *É de origem alemã.* 5 A ascendência familiar ou a proveniência de um grupo (origem africana); PROCEDÊNCIA 6 Lugar de onde provém algo (us. tb. fig.); PROCEDÊNCIA; FONTE: "devo revelar-lhe a origem deste dinheiro" (José de Alencar, *Senhora*) 7 *Ling.* Língua da qual advém uma outra língua, um vocábulo, expressão ou afixo [Ver tb. *etimologia.*] 8 Nascente, fonte: *A origem do rio Araguaia fica na serra das Araras.* 9 *Fig.* Aquilo que provoca algo (um acontecimento, uma atitude, uma ocorrência, uma existência etc.); a razão para algo acontecer ou existir; CAUSA; MOTIVO: *A bebida é a origem principal dos acidentes de trânsito.* 10 *Geom.* O ponto a partir do qual se contam as coordenadas 11 *Astron.* Ponto a partir do qual se contam as latitudes, longitudes, paralelas e coordenadas [Pl.: *-gens.*] [F.: Do lat. *origo, inis.*]

originado (o.ri.gi.*na*.do) ***a.*** 1 Que é gerado ou causado por algo ou alguém: *cansaço originado da tensão.* 2 Que é consequente de; PROCEDENTE; RESULTANTE [F.: Part. de *originar.*]

original (o.ri.gi.*nal*) ***a2g.*** 1 Ref. a origem, ou próprio do momento de origem (em que algo passa a existir, a ocorrer ou acontecer, ou a ter vida, ou em que algo foi idealizado, dito ou feito); PRIMITIVO; PRIMEIRO; ORIGINÁRIO: *A versão original de um pronunciamento; A forma original da escultura.* 2 Diz-se do primeiro exemplar ou do primeiro modelo de uma série: *A Antarctica (cerveja) original teve seu lançamento em 1888.* 3 Que ocorre ou aparece pela primeira vez, ou que ainda não foi experimentado, usado; INÉDITO: *Foi submetido a um tratamento de saúde original.* 4 Que não existia antes: *Publicou um romance original.* 5 Que não segue nenhum padrão, modelo ou ideia anterior 6 Que tem características próprias, sem igual; EXTRAORDINÁRIO; ADMIRÁVEL; ÚNICO: *Que ideia original!* [Ant.: *comum, banal.*] 7 Que não é falsificado, que não é cópia 8 *P. ext.* Diz-se de obra de arte que é autêntica; VERDADEIRO: *É um Picasso original.* [Ant.: *falso.*] ***sm.*** 9 Modelo original, do qual se poderão tirar cópias ou reproduções ***smpl.*** 10 *Edit.* Aquilo (texto, arte, foto etc.) que é original (1) e de que se podem tirar cópias e/ou entregar a processamento gráfico ou editorial [F.: Do lat. *originalis, e.* NOTA: Cf.: *manuscrito.*]

originalidade (o.ri.gi.na.li.*da*.de) ***sf.*** 1 Qualidade ou caráter do que é original, inusitado, criativo: "A lanterna fazia parar toda a gente, tal era a lindeza da cor e a originalidade dos emblemas." (Machado de Assis, *Quincas Borba*) 2 Qualidade do que se caracteriza por determinada origem ou procedência: *Jorge Amado tinha orgulho de sua originalidade baiana.* [F.: *original* + *-(i)dade.*]

originalismo (o.ri.gi.na.*lis*.mo) ***sm.*** 1 Qualidade ou atributo de original; ORIGINALIDADE: *o originalismo de uma trilha sonora.* 2 *Jur.* Teoria de interpretação constitucional que afirma serem os preceitos constitucionais capazes de estender-se e alcançar uma nova situação sem mudar o seu significado original [F.: *original* + *-ismo.*]

originar (o.ri.gi.*nar*) ***v.*** 1 Dar origem a ou ter origem [*td.*: *Uma falta desnecessária originou o gol da partida.*] [*ta.*: *O futebol originou-se na Inglaterra.*] 2 Fazer ou surgir (alguma coisa) a partir de um modelo, de algo feito anteriormente [*td.*: *O neorrealismo originou o cinema novo brasileiro.*] [*tr.* + *de*: *Esse estilo literário originou-se do romance policial.*] 3 *Fig.* Proceder, resultar [*tr.* + *de*: *Sua depressão origina-se da perda do filho.*] [▶ 1 originar] [F.: *origem* + *-ar*[2]. Hom./Par.: *originais* (fl.), *originais* (pl. original [a2g. s. m. ou s2g.]); *originaria(s)* (fl.), *originária* (f. originário [adj.] [e pl.]).]

originário (o.ri.gi.*ná*.ri:o) ***a.*** 1 Que provém de algo ou de algum lugar; ORIUNDO; PROVENIENTE; PROCEDENTE; DESCENDENTE: *Sua mãe é originária da China; originário de família rica.* 2 Que se mantém desde a origem: *Suas manias são originárias da infância.* 3 Primitivo, original [F.: Do lat. tard. *originarius, a, um.* Hom./Par.: *originária* (fem.), *originaria* (fl. de *originar*).]

◎ **-ório** ***suf. nom.*** Formador de adj. e substv. – presente, também, nos suf. *-tório* (por via erudita) e *-douro*[1] (por via popular) –, registra-se em cultismos e formações populares, em geral com as seguintes ideias: **a)** 'relativo a, ou em que há (aquilo que expressa o rad. original)': *confessório* (< lat.), *creditório, concessório, cuntatório, demeritório*; **b)** 'que é próprio para ou que tem a faculdade ou o poder de realizar certa ação': *assertório, compressório, compulsório, consecratório, decisório, ilusório* (< lat.), *secretório*; **c)** 'que (ou o que) se usa para (dada ação)': *apreensório, aspersório*; **d)** 'ação (em alguns casos, consecutiva ou exagerada, ou com noção de algum elemento presente em quantidade em sua execução, e, por vezes, com valor depreciativo)': *casório, foguetório, latinório, palavrório, parlapatório, vivório*; **e)** 'conjunto ou série de (algo)': *escadório, papelório*; **f)** 'local': *cartório, cafundório* (pej.), *dejetório* (pop.). [Nas formações populares com esse suf., ocorrem ainda as noções de 'algo pequeno' (*igrejório, vilório*) ou de 'algo ou alguém grande' (*livrório*), acrescidas da ideia de 'baixa qualidade ou de pouco ou nenhum valor ou importância', presente, também, em *cafedório*. Em *cacório* (< *caco*, 'cabeça', 'juízo'), *finório, meninório* (neste há ainda a noção de aumentativo) e *simplório* parece haver implicação hiperbolizante e depreciativa.] [F.: Do suf. lat. *-orius, a, um.* Os cultismos com esse suf. são formados no lat. ou no vernáculo, neste caso, mormente, a partir de rad. lat. de part. pass. (em *-t-* ou em *-s-*) ou de voc. port. advindo de um part. lat. Ver *-or.*]

órion (*ó*.ri:on) ***sm.*** *Astron.* Constelação equatorial, uma das mais brilhantes do firmamento, que pode ser identificada pela localização das Três Marias, que formam o cinturão de Órion, ou o Caçador [Com inicial maiúsc.] [F.: Do gr. *Oríon*, pelo lat. *Orion.*]

oriundo (o.ri:*un*.do) ***a.*** Proveniente, procedente, natural [Ver *originário* (1).] [F.: Do lat. *oriundus, a, um.*]

órix (*ó*.rix) [cs] *Zool.* ***sm.*** 1 Designação comum a três grandes antílopes do gên. *Oryx* encontrados nas planícies áridas e desertos da África e da Ásia; muito fortes e pesados, de pelo curto cinzento ou amarronzado, chifres longos e quase retos, presentes nos dois sexos 2 Certa cabra das montanhas [F.: Do lat. cient. *Oryx.*]

orixá (o.ri.*xá*) *Bras. Rel. Umb.* ***s2g.*** Entre os iorubás e nos ritos religiosos afro-brasileiros, personificação divina das forças da natureza [F.: Do ior. *orixa.*]

◎ **oriz(i)-** ***el. comp.*** = 'arroz': *orizicultor, orizicultura, orizívoro* [F.: Do lat. *oryza, ae*, do gr. *óryza, es.* Ver *riz(i)-.*]

orizicultor (o.ri.zi.cul.*tor*) [ô] *Agr.* ***sm.*** Aquele que se dedica à orizicultura; RIZICULTOR [F.: *oriz(i)-* + *-cultor.*]

orizicultura (o.ri.zi.cul.*tu*.ra) *Agr.* ***sf.*** Cultura de arroz; RIZICULTURA [F.: *oriz(i)-* + *-cultura.*]

orizívoro (o.ri.*zí*.vo.ro) ***a.*** 1 Diz-se de animal que se alimenta esp. de arroz ***sm.*** 2 Esse animal [F.: *oriz(i)-* + *-voro.*]

orla (*or*.la) [ó] ***sf.*** 1 Borda, rebordo; BEIRA; FÍMBRIA: *orla de um tecido; orla do chapéu.* 2 Faixa de terra, ger. estreita, que se situa paralelamente a um rio, lagoa etc. (orla marinha); BEIRA; MARGEM 3 *RJ* Região (esp. ruas e ruas adjacentes) ao longo do litoral e das praias da zona sul da cidade do Rio de Janeiro 4 *Arq.* Filete em um ornato oval de capitel [F.: Do lat. vulg. **orula*, dim. de *ora, ae*, 'beira'.] ▪▪ **~ marítima** Faixa litorânea (esp. a urbana) [Tb. apenas orla.]

orlado (or.*la*.do) ***a.*** Que se orlou; adornado com orla [+ *com, de, por*: "Duas nuvens no horizonte brancas, orladas com listões de fogo." (Gonçalves Dias, *Primeiros cantos*): "...o gibão de mil cores, o saio orlado de guizos." (Alexandre Herculano, *O bobo*): "Todos os estados orlados pelo mar necessitam de ser fortes no mar." (Rui Barbosa, *Cartas de Inglaterra*)] [F.: Part. de *orlar.*]

orlar (or.*lar*) ***v. td.*** 1 Enfeitar, ornar: *Orlou a calça jeans com miçangas.* 2 Estar em torno de, ao redor de; circundar: *Uma fieira de luzes orlava a praça.* 3 Acompanhar a margem de: *Orlou o caminho com palmeiras.* [▶ 1 orlar] [F.: Do lat. vulg. **orulare*, de *orulus*, dim. de *ora, ae.* Hom./Par.: *orla(s)* (fl.), *orla(s)* (sf. [pl.]).]

orleanês (or.le:a.*nês*) ***sm.*** 1 Indivíduo nascido ou que vive em Orleães (França) [Pl.: *-neses* [ê]. Fem.: *-nesa* [ê].] ***a.*** 2 De Orleães; típico dessa cidade ou de seu povo [Pl.: *-neses* [ê]. Fem.: *-nesa* [ê].] [F.: Do top. *Orleães* + *-ês.*]

orleanista (or.le:a.*nis*.ta) *Pol.* ***a2g.*** 1 Que é partidário da política da casa de Orléans (França): "...havia trazido da pátria, quando aqui aportou, as simpatias da classe média para com a monarquia orleanista." (Machado de Assis, *Páginas recolhidas*) ***s2g.*** 2 Indivíduo orleanista [F.: *Orléans* + *-ista.*]

orlom (or.*lom*) ***sm.*** *Têxt.* Nome comercial de uma fibra têxtil sintética, de aspecto sedoso, us. esp. em roupas de malha por ter alto poder de isolamento térmico [F.: Do ing. *Orlon* (marca registr.).]

ornado (or.*na*.do) ***a.*** Que recebeu ornamento(s); ORNAMENTADO; ENFEITADO; ADORNADO [+ *com, de*: "As paredes de toda a casa em roda estavam ornadas com sete palmas." (Antônio Vieira, *Os sermões*): "...chegaram festivamente num caminhão ornado de arcos e guirlandas." (Raquel de Queirós, "O amistoso" *in O melhor da crônica brasileira*)] [F.: Part. de *ornar.*]

ornamentação (or.na.men.ta.*ção*) ***sf.*** 1 Ação ou resultado de ornamentar(-se) 2 *Arq. Decor.* Arte ou modo de dispor e arranjar ornamentos, formas ou cores (ornamentação da sala; ornamentação clássica); ORNAMENTO; ORNATO [Pl.: *-ções.*] [F.: *ornamentar* + *-ção.*]

ornamentado (or.na.men.*ta*.do) ***a.*** Que se ornamentou; ADORNADO; ENFEITADO; ORNADO [F.: Part. de *ornamentar.*]

ornamental (or.na.men.*tal*) ***a2g.*** 1 Ref. ou inerente a ornamento (acabamento ornamental) 2 *Arq. Decor.* Que serve para ornamentar, enfeitar (plantas ornamentais) 3 *Fig. Pej.* Supérfluo, decorativo, descartável: *Tornou-se figura ornamental na administração.* [Pl.: *-tais.*] [F.: *ornamento* + *-al*[1].]

ornamentar (or.na.men.*tar*) ***v.*** 1 Colocar ornamento, enfeite em; enfeitar, ornar [*td.*: *Lindos vitrais ornamentavam a igreja; O índio ornamenta-se de penas.*] [*tda.* + *com*: *Os homens pré-históricos ornamentavam as grutas com figuras de animais.*] 2 *Fig.* Tornar algo interessante, atraente [*td.*] 3 *Mús.* Florear, introduzir ornamento nas notas musicais [*td. int.*] [▶ 1 ornamentar] [F.: *ornamento* + *-ar*[2]. Ant. ger.: *desornamentar*. Hom./Par.: *ornamento* (fl.), *ornamento* (sm.).]

ornamentista (or.na.men.*tis*.ta) ***a2g.*** 1 Que ornamenta ou idealiza a ornamentação (desenhista ornamentista) 2 Profissional que ornamenta ou idealiza ornamentação (ornamentista de interiores) [F.: *ornamentar* + *-ista.*]

ornamento (or.na.*men*.to) ***sm.*** 1 Aquilo que ornamenta; ADORNO; ENFEITE 2 *Fig.* O que serve para florear, caracterizar um estilo; ATAVIO: *os ornamentos de um texto.* 3 *Mús.* Grupo de notas em sequência rápida que, sem modificar a linha melódica, servem para ornamentá-la (p. ex., um trinado) 4 *Litu.* Veste litúrgica dos sacerdotes 5 *Fig. Pej.* Figura meramente decorativa: *Hoje ele é apenas um ornamento no quadro funcional da empresa.* [F.: Do lat. *ornamentum, i.* Sin. ger.: *ornato.*]

ornar (or.*nar*) ***v. td.*** O mesmo que *ornamentar* (adornar, abrilhantar) [▶ 1 ornar] [F.: Do lat. *ornare.*]

ornato (or.*na*.to) ***sm.*** O mesmo que *ornamento, adereço* [F.: Do lat. *ornatus, us.*]

ornear (or.ne.*ar*) ***v. int.*** *P. us.* Emitir zurros (o burro, o jumento); ZURRAR [▶ 13 ornear] [F.: De or. onom. Tb. *ornejar.*]

orneio (or.*ne* i.o) [ê] ***sm.*** A voz do burro; ZURRO [F.: Dev. de *ornear.* Tb. *ornejo.*]

ornejar (or.ne.*jar*) ***v.*** O mesmo que *ornear* [▶ 1 ornejar]

ornejo (or.*ne*.jo) [ê] ***sm.*** Ver *orneio*

◎ **-órnis** ***el. comp.*** Ocorre, em geral, em taxônimos de zoologia, esp. em gêneros de aves extintas (paleontologia) ou não (ornitologia), e tb. em um ou outro termo de entomologia ('ave' = 'asas'), todos forjados na linguagem científica (lat. cient.): *agriórnis, arctórnis, argilórnis, arqueórnis, dinórnis, dromórnis, epiórnis, fetórnis, ictiórnis, lamprotórnis, lofórnis, notórnis, tresquiórnis* [F.: Do lat. cient. *-ornis*, do nom. do gr. *órnis, órnithos*, 'ave'; 'pássaro'. As formas em *-ornite* (em menor número) são adaptações, segundo o caso lexicogênico do português: *arqueornite, neornite*. Tb.: *-ornito, -órnito*: *agriornito, camelornito, pediornito; dromórnito, elafórnito* (em que a melhor f. é a paroxítona).]

◎ **-ornite** ***el. comp.*** Ver *-órnis*

◎ **ornit(o)-** ***el. comp.*** = 'ave', 'pássaro': *ornitofilia, ornitoide, ornitologia, ornitomania, ornitômano, ornitomorfo; tresquiornitídeo* (< lat. cient.) [F.: Do gr. *órnis, órnithos* (com *i* longo). Tb.: *-órnis* e *-ornite* e *-ornito, -órnito.*]

◎ **-ornit(o)-** ***el. comp.*** Ver *ornit(o)-*

ornitofilia (or.ni.to.fi.*li*.a) ***sf.*** 1 Dedicação à ornitologia, envolvendo observação, contemplação, estudo e conservação de espécies de pássaros 2 *Ecol.* Polinização realizada pelas aves (beija-flor etc.) [F.: *ornit(o)-* + *-filia*[1].]

ornitoide (or.ni.*toi*.de) ***a2g.*** Cuja forma se assemelha à de uma ave [F.: *ornit(o)-* + *-oide.*]

ornitologia (or.ni.to.lo.*gi*.a) *Zool.* ***sf.*** Ramo da zoologia que trata das aves [F.: *ornit(o)-* + *-logia.*]

ornitológico (or.ni.to.*ló*.gi.co) ***a.*** *Zool.* Ref. ou inerente à ornitologia (estudo ornitológico) [F.: *ornitologia* + *-ico*[2].]

ornitologista (or.ni.to.lo.*gis*.ta) ***s2g.*** *Zool.* Especialista em ornitologia; ORNITÓLOGO [F.: *ornitologia* + *-ista.*]

ornitólogo (or.ni.*tó*.lo.go) ***sm.*** *Zool.* O mesmo que *ornitologista* [F.: *ornit(o)-* + *-logo*.]

ornitomania (or.ni.to.ma.*ni*.a) ***sf.*** *Psiq.* Afeição exagerada ou obsessiva pelas aves [F.: *ornit(o)-* + *-mania*.]

ornitomaníaco (or.ni.to.ma.*ní*.a.co) *Psiq.* ***a.*** **1** Ref. à ornitomania **2** Diz-se de indivíduo que tem ornitomania; ORNITÔMANO ***sm.*** **3** Esse indivíduo; ORNITÔMANO [F.: ornitomania + *-íaco*, seg. o mod. gr.]

ornitômano (or.ni.*tô*.ma.no) *Psiq.* ***a. sm.*** O mesmo que *ornitomaníaco* (2 e 3) [F.: *onit(o)-* + *-mano*[1].]

ornitomorfo (or.ni.to.*mor*.fo) ***a.*** Que tem a forma de ave (desenho ornitomorfo) [F.: *ornit(o)-* + *-morfo*.]

◎ **-ornito, -órnito** ***el. comp.*** Ver *-órnis*.

ornitorrinco (or.ni.tor.*rin*.co) *Zool.* ***sm.*** Mamífero monotremado (*Ornithorhynchus anatinus*), aquático, da Austrália e da Tasmânia, ovíparo, com bico semelhante ao do pato, dedos das patas anteriores unidos por membranas e cauda achatada, semelhante à do castor: "Infelizmente a região amazônica não lhe fornecia os equidnas e ornitorrincos de que carecia." (Gastão Cruls, *Amazônia misteriosa*) [F.: Do lat. cient. *Ornithorhynchus*; ver *ornit(o)-* e *-rinco*.]

ornitotrofia (or.ni.to.tro.*fi*.a) ***sf.*** Ciência e arte da criação de aves; AVICULTURA; ORNITOTECNIA [F.: *ornit(o)-* + *-trofia*.]

◎ **or(o)-** ***el. comp.*** = 'montanha'; 'monte'; 'colina': *orofilia, orófilo, orófita, orofobia, orófobo, orogenia, orografia, orologia, orosfera*. [F.: Do gr. *óros, óreos-ous*. Outra f.: *ore(o)-*.]

◎ **oro-** ***el. comp.*** Ver *or(i)-*

oró (o.*ró*) ***sm.*** *Bot.* Trepadeira lenhosa (*Phaseolus panduratus*) da fam. das leguminosas, forrageira para o gado de certas áreas do N.E.; as vagens produzem sementes comestíveis, as folhas são trifolioladas e as flores violáceo-pálidas [F.: De or. incerta.]

orobó (o.ro.*bó*) *Bot.* ***sm.*** **1** Árvore da fam. das esterculiáceas (*Cola acuminata*), mesmo que *coleira* **2** Semente das plantas do gên. *Cola*, usada como tônico em refrigerantes, mesmo que *noz-de-cola* **3** *MG GO* Trazeiro de ave, ânus, uropígio: "Uma hora revirou a correr atrás, agachado, feito pegador de galinha... só por ter percebido de relance... fugido no balango de entre as moitas, o orobó de um nhambu." (Guimarães Rosa, "O recado do morro" *in No Urubuquaquá, no Pinhém*) [F.: Do ior. *orogbo*.]

orofacial (o.ro.fa.ci.*al*) ***a2g.*** **1** Ref. à face e à boca simultaneamente (dor orofacial) **2** Gerado pelo movimento simultâneo da face e da boca (motricidade orofacial) [Pl.: *-ciais*.] [F.: *oro-* + *facial*.]

orofaringe (o.ro.fa.*rin*.ge) ***sf.*** *Anat.* Região média da faringe, situada entre a boca e a borda superior da epiglote; BUCOFARINGE [F.: *oro-* + *faringe*.]

orofilia (o.ro.fi.*li*.a) ***sf.*** Amor, predileção pelas montanhas e/ou pelo alpinismo [F.: *or(o)-* + *-filia*[1].]

orofílico (o.ro.*fí*.li.co) ***a.*** **1** Ref. à orofilia **2** Que habita as montanhas; ORÓFILO ***sm.*** **3** Indivíduo que apresenta predileção por passear ou viver nas montanhas; ORÓFILO [F.: *orofilia* + *-ico*[2].]

orófilo (o.*ró*.fi.lo) ***a.*** **1** Que gosta das montanhas e/ou do alpinismo **2** *Ecol.* Que habita as montanhas ***sm.*** **3** Aquele que gosta das montanhas e/ou do alpinismo [F.: *or(o)-* + *-filo*[1].]

orófita (o.*ró*.fi.ta) ***sf.*** *Bot. Ecol.* Planta própria das áreas montanhosas mais elevadas; ORÓFITO [F.: *or(o)-* + *-fita*.]

orófito (o.*ró*.fi.to) ***sm.*** *Bot. Ecol.* O mesmo que *orófita* [F.: *or(o)-* + *-fito*.]

orofobia (o.ro.fo.*bi*.a) ***sf.*** *Psiq.* Fobia a montanhas [F.: *or(o)-* + *-fobia*.]

orofóbico (o.ro.*fó*.bi.co) *Psiq.* ***a.*** **1** Ref. à orofobia **2** Diz-se de quem tem orofobia; ORÓFOBO ***sm.*** **3** *Psiq.* Aquele que tem orofobia; ORÓFOBO [F.: *orofobia* + *-ico*[2].]

orófobo (o.*ró*.fo.bo) *Psiq.* ***a. sm.*** O mesmo que *orofóbico* (2 e 3) [F.: *or(o)-* + *-fobo*.]

orogênese (o.ro.*gê*.ne.se) ***sf.*** *Geol.* O mesmo que *orogenia* [F.: *or(o)-* + *-gênese*.]

orogenia (o.ro.ge.*ni*.a) *Geol.* ***sf.*** Processo de formação de montanhas, que se dá a partir de vários fenômenos (fenômenos vulcânicos, processos erosivos etc.); OROGÊNESE [F.: *or(o)-* + *-genia*.]

orogênico (o.ro.*gê*.ni.co) *Geol.* ***a.*** **1** Ref. ou inerente a orogenia **2** Diz-se de cada um dos movimentos que geram os relevos da crosta terrestre [F.: *orogenia* + *-ico*[2].]

orografia (o.ro.gra.*fi*.a) *Geof.* ***sf.*** Descrição do relevo terrestre, esp. montanhas, por meio de técnica adequada [F.: *or(o)-* + *-grafia*. Tb. *oreografia*.]

orográfico (o.ro.*grá*.fi.co) *Geof.* ***a.*** Ref. a orografia (estudo orográfico; carta orográfica); OREOGRÁFICO [F.: *orografia* + *-ico*[2].]

orógrafo (o.*ró*.gra.fo) *Geof.* ***sm.*** **1** Especialista em orografia **2** Instrumento para levantamento orográfico; OREÓGRAFO [F.: *or(o)-* + *-grafo*. Hom./Par.: *orógrafo* (sm.), *horógrafo* (sm.).]

orologia (o.ro.lo.*gi*.a) ***sf.*** *Geol.* Estudo do processo de formação de montanhas [F.: *or(o)-* + *-logia*.]

orológico (o.ro.*ló*.gi.co) ***a.*** *Geol.* Ref. à orologia [F.: *orologia* + *-ico*[2].]

orônimo (o.*rô*.ni.mo) ***sm.*** Nome de montanha, colinas, cordilheiras e afins [F.: *or(o)-* + *-ônimo*.]

orosfera (o.ros.*fe*.ra) *Geof.* ***sf.*** O mesmo que *litosfera* [F.: *or(o)-* + *-sfera*.]

orquestra (or.*ques*.tra) *Mús.* ***sf.*** **1** *Mús.* Grande conjunto de músicos que, sob a direção de um regente, executa música sinfônica, operística ou de câmera, às vezes acompanhando um ou mais solistas, instrumentais ou vocais **2** *Mús.* Conjunto dos instrumentos que compõem uma orquestra dessa natureza **3** *Mús.* Reunião de todas as partes instrumentais de uma partitura **4** *Teat.* Originalmente, espaço semicircular dos antigos teatros gregos destinado aos músicos, à dança e à evolução dos coros **5** *Mús.* Pequeno conjunto incumbido da execução de música popular: *Duas orquestras se alternaram no baile*. [F.: Do lat. *orchestra, -ae*.] ▪ **~ de câmara** Orquestra pequena, ger. composta de instrumentos de corda e que executa músicas compostas para esse tipo de orquestra **~ de pau e corda** *PE* Orquestra ger. formada por instrumentos de sopro (flauta e flautim, clarinete, saxofone), de corda (violão, bandolim, banjo e cavaquinho) e de percussão **~ sinfônica** Grande orquestra, constituída de vários naipes e instrumentos, basicamente os de corda (violinos, violas, violoncelos, contrabaixos, harpas etc.), de sopro (madeiras [clarinete, oboé, fagote, flauta etc.] e metais [trompete, trombone, trompa, saxofone etc.]) e de percussão (tímpanos, címbalos, pratos, triângulos, xilofone etc.), para execução de obras como sinfonias, concertos (com solistas), poemas sinfônicos, oratórios (com coro e solistas) etc. [Tb. apenas *sinfônica*.]

orquestração (or.ques.tra.*ção*) ***sf.*** **1** *Mús.* Ação ou resultado de orquestrar, compor para a orquestra toda ou transpor para ela uma peça originalmente composta para piano, violino ou qualquer outro instrumento [Cf.: *arranjo*.] **2** *Fig.* Qualquer articulação meticulosa e longamente preparada: *orquestração dos interesses divergentes*. [Ant.: *desarticulação, desunião*.] [Pl.: *-ções*.] [F.: *orquestra(r)* + *-ção*.]

orquestrado (or.ques.*tra*.do) ***a.*** **1** *Mús.* Que se orquestrou, que foi composta ou esp. transposta para orquestra (diz-se de peça musical): *São célebres os 'Quadros de uma exposição', de Mussorgski, orquestrados por Ravel*. [Cf.: *arranjado*.] **2** *Fig.* Diz-se de negócio, acordo, ou dificuldade, ardil (para um adversário) longamente tramado ou preparado [Ant.: *desarticulado*] [F.: Part. de *orquestrar*.]

orquestrador (or.ques.tra.*dor*) [ô] ***a.*** **1** *Mús.* Que orquestra, que faz orquestração: *É um músico orquestrador por excelência*. **2** *Fig.* Que articula e combina as coisas (agente orquestrador); ARTICULADOR [Ant.: *desarticulador*.] ***sm.*** **3** *Mús.* Aquele que orquestra, que faz orquestração: *Ravel é um dos maiores orquestradores de todos os tempos*. **4** *Fig.* Aquele que articula e combina as coisas: *Foi sempre o verdadeiro* orquestrador *do congresso*. [F.: *orquestra* + *-dor*.]

orquestral (or.ques.*tral*) ***a2g.*** Ref. a orquestra (estrutura/composição orquestral) [Pl.: *-trais*.] [F.: *orquestr(a)* + *-al*.]

orquestrar (or.ques.*trar*) ***v. td.*** **1** *Mús.* Adaptar (melodia, composição) para orquestra, compondo ou atribuindo partes musicais para seus instrumentos: *Ele orquestrou algumas canções folclóricas para o novo disco*. **2** *Fig.* Articular, organizar: *Os líderes orquestraram um acordo entre os partidos*. [► 1 orquestrar] [F.: *orquestra* + *-ar*[2]. Hom./Par.: *orquestra(s)* (fl.), *orquestra(s)* (sf. [pl.]); *orquestrais* (fl.), *orquestrais* (pl. de *orquestral* [a2g.]).]

◎ **orqu(i)-** ***el. comp.*** Ver *orqui(o)-*

orquialgia (or.qui:al.*gi*.a) ***sf.*** *Med.* Dor no testículo [F.: *orqui(o)-* + *-algia*.]

orquiálgico (or.qui.*ál*.gi.co) ***a.*** *Med.* Ref. à orquialgia [F.: *orquialgia* + *-ico*[2].]

◎ **orquid-** ***el. comp.*** = 'orquídea': *orquidácea, orquidário, orquidofilia, orquidófilo* [F.: Do lat. cient. *Orchid -*, em *Orchideae* ou *Orchideaceae*, do lat. cient. *Orchis*, criado pelo francês Tournefort (1656-1708) a partir do gr. *órkhis, ios*, 'testículo'.]

orquidácea (or.qui.*dá*.ce:a) *Bot.* ***sf.*** Espécime das orquidáceas, fam. de plantas notórias e muito cultivadas pela grande beleza e variedade de suas flores, presentes em todos os continentes, esp. em regiões tropicais, freq. epífitas, com raízes adventícias, flores solitárias ou em cachos e frutos capsulares com incontáveis sementes microscópicas [F.: Adaptç. do lat. cient. *Orchidaceae*; ver *orquid-* e *-ácea*.]

orquidário (or.qui.*dá*.ri:o) *Bras.* ***sm.*** Viveiro ou local apropriado ao cultivo de orquídeas [F.: *orquid-* + *-ário*.]

orquídea (or.*quí*.de:a) *Bot.* ***sf.*** Nome comum às plantas e às flores da fam. das orquidáceas [F.: Adaptç. do lat. cient. *Orchideae*, ou do lat. cient. *Orchid-* (ver *orquid-*) + *-ea*.]

◎ **orquid(o)-** ***el. comp.*** = 'pequeno testículo'; 'testículo': *orquidômetro, orquidopexia* [F.: Do gr. *orkhídion, ou*, dim. do gr. *órkhis, ios*, 'testículo'. F. conexa: *orqui(o)-*. Ver *orquid-*.]

◎ **orquido-** ***el. comp.*** Ver *orquid-*

orquidófilo (or.qui.*dó*.fi.lo) ***sm.*** **1** Indivíduo devotado ao cultivo de orquídeas **2** Indivíduo que admira, conhece e/ou coleciona orquídeas [F.: *orquido-* + *-filo*[1].]

orquidologia (or.qui.do.lo.*gi*.a) *Bot.* ***sf.*** **1** Estudo das orquídeas **2** Tratado a respeito de orquídeas [F.: *orquido-* + *-logia*.]

orquidológico (or.qui.do.*ló*.gi.co) ***a.*** *Bot.* Ref. à orquidologia [F.: *orquidologia* + *-ico*[2].]

orquidólogo (or.qui.*dó*.lo.go) ***sm.*** Indivíduo que se especializou em orquidologia [F.: *orquido-* + *-logo*.]

orquiectomia (or.qui:ec.to.*mi*.a) ***sf.*** *Cir.* Remoção de um ou dos dois testículos; TESTECTOMIA [F.: *orqui(o)-* + *-ectomia*.]

orquiepididimite (or.qui:e.pi.di.di.*mi*.te) ***sf.*** *Urol.* Inflamação simultânea do testículo e do epidídimo [F.: *orqui(o)-* + *epidídimo* + *-ite*[1].]

◎ **orqui(o)-** ***el. comp.*** = 'testículo': *orquialgia, orquiectomia, orquiepididimite, orquiocele, orquiotomia; orquite* [F.: Do gr. *órkhis, ios*, 'testículo'. F. conexa: *orquid(o)-*. Cf. *orquid-*.]

orquiocele (or.qui:o.*ce*.le) *Pat.* ***sf.*** **1** Hérnia testicular **2** Tumor no testículo **3** Tumor escrotal [F.: *orqui(o)-* + *-cele*[1].]

orquiotomia (or.qui:o.to.*mi*.a) ***sf.*** *Cir.* Incisão no testículo [F.: *orqui(o)-* + *-tomia*.]

orquite (or.*qui*.te) ***sf.*** *Urol.* Qualquer inflamação nos testículos [F.: *orqu(i)-* + *-ite*[1].]

orra (*or*.ra) [ô] ***Interj.*** *SP Gír.* Indicativo de surpresa, espanto, alegria (*orra* meu!) [F.: Red. de *porra*.]

◎ **-orra** ***Suf.*** =-arra 'aumento': *cabeçorra, cachamorra, cachaporra, gangorra*

órtese (*ór*.te.se) ***sf.*** Aparelho ou equipamento (talas para punho ou braço p. ex.) destinado a corrigir uma função deficiente de algum órgão ou membro [F.: Do gr. *orthós, é, ón*, 'correto'; 'direito'.]

ortézia ***sf.*** Praga causada pela cochonilha *Orthezia praelonga*, típica de pomares onde ocorre desequilíbrio ecológico devido a pulverizações muito frequentes; PIOLHO-BRANCO [F.: Do lat. cient. *Orthezia*.]

ortivo (or.*ti*.vo) ***a.*** **1** Que está nascendo; NASCENTE **2** *Astron.* Relativo ao nascer de um astro **3** *P. us.* Relativo a, ou localizado no Oriente; ORIENTAL [F.: Do lat. *ortivus, a, um*.]

⊠ **ORTN** *Bras. Econ.* Sigla de Obrigação Reajustável do Tesouro Nacional, criada em 1964 e extinta em 1986

orto[1] (*or*.to) ***sm.*** **1** *Astron.* O nascimento de um astro no horizonte **2** *Poét.* Nascimento, origem, princípio [F.: Do gr. *orthós, é, ón*. Hom./Par.: *horto* (fl. de *hortar*), *horto* [ô] (sm.).]

◎ **ort(o)-** ***el. comp.*** = 'direito'; 'reto'; 'correto'; 'normal'; '(*p. ext.*) correção': *ortobiose, ortocitose, ortoclásio, ortocromático, ortodontia, ortodoxo* (< gr.), *ortodromia, ortoépia, ortoepia* (< gr.), *ortofonia, ortofórmio, ortofosfórico, ortofrenia, ortogonal, ortografia, ortografo, ortolexia, ortometria, ortomolecular, ortônimo, ortopedia, ortopoxvírus, ortopraxia, ortóptero* (< lat. cient.), *ortóptica, ortorrômbico, ortotanásia; ortósio*; *anortoscópio, pleurortopneia* [F.: Do gr. *órthos, é, ón*, 'reto'; 'direito'; 'correto'; 'normal'; 'teso'.]

orto[2] (*or*.to) *Quím.* ***a2g2n.*** **1** Diz-se da posição adjacente dos grupos funcionais ligados ao anel do benzeno ***s2g2n.*** **2** Indicação dessa posição [F.: Do ing. *ortho*.]

◎ **-ort(o)-** ***el. comp.*** Ver *ort(o)-*

ortobiose (or.to.bi.*o*.se) ***sf.*** *Biol.* Forma de vida segundo as leis da natureza [F.: *ort(o)-* + *-biose*.]

ortobiótico (or.to.bi.*ó*.ti.co) ***a.*** *Biol.* Ref. à ortobiose [F.: *ortobi(ose)* + *-ótico*, seg. o mod. gr.]

ortocitose (or.to.ci.*to*.se) ***sf.*** *Med.* Condição ou estado dos elementos celulares sanguíneos normais [F.: *ort(o)-* + *-cit(o)-* + *-ose*[1].]

ortoclásio (or.to.*clá*.si:o) ***sm.*** *Min.* Silicato de alumínio e potássio, principal feldspato monoclínico, apresenta-se em forma de cristais inclusos ou implantados em granitos, rochas ígneas e xistos; ORTÓSIO [F.: *ort(o)-* + *-clásio*.]

ortocromático (or.to.cro.*má*.ti.co) ***a.*** *Fot.* Diz-se de emulsão, chapa ou película fotográfica não sensível à extremidade vermelha do espectro [F.: *ort(o)-* + *cromático*.]

ortodentista (or.to.den.*tis*.ta) ***a2g. s2g.*** *Od.* O mesmo que *ortodontista* [F.: *ort(o)-* + *dentista*.]

ortodontia (or.to.don.*ti*.a) *Od.* ***sf.*** Especialidade da odontologia que previne e corrige os defeitos de disposição e alinhamento dos dentes [F.: *ort(o)-* + *-odontia*.]

ortodôntico (or.to.*dôn*.ti.co) *Od.* ***a.*** Ref. a ortodontia (tratamento ortodôntico) [F.: *ortodontia* + *-ico*[2].]

ortodontista (or.to.don.*tis*.ta) *Od.* ***a2g.*** **1** Que é especialista em ortodontia; ORTODENTISTA ***s2g.*** **2** *Od.* Especialista em ortodontia; ORTODENTISTA [F.: *ortodontia* + *-ista*, seg. o mod. gr.]

ortodoxia (or.to.do.*xi*.a) [cs] ***sf.*** **1** Característica ou qualidade de ortodoxo (ortodoxia econômica/filosófica) [Ant.: *heterodoxia*.] **2** Fidelidade, conformidade absoluta com um princípio, ideologia ou doutrina religiosa (ortodoxia judaica); DOGMATISMO [Ant.: *heterodoxia*.] **3** *Pej.* Recusa ao novo ou ao diferente, em ideia ou comportamento [Ant.: *flexibilidade*.] [F.: *ort(o)-* + *-doxia*.]

ortodoxismo (or.to.do.*xis*.mo) [cs] ***sm.*** **1** *Rel.* O conjunto dos dogmas, instituições e preceitos da Igreja Católica Ortodoxa: *O ortodoxismo foi estabelecido a partir do I Concílio de Niceia, em 325 d.C.* **2** Caráter ou condição de ortodoxo (ortodoxismo econômico); ORTODOXIA [F.: *ortodoxo* + *-ismo*.]

ortodoxo (or.to.*do*.xo) [cs] ***a.*** **1** De estrita conformidade a uma doutrina ideológica, filosófica, teológica, política (islamita ortodoxo; socialistas ortodoxos) **2** *Rel.* Próprio das Igrejas Católicas Ortodoxas ou do Oriente, de rito bizantino ***sm.*** **3** Aquele ou aquilo que obedece estritamente à lei ou à religião estabelecida, a uma filosofia, doutrina teológica ou ideologia política [F.: Do lat. *orthodoxus, a, um*. Ant. ger.: *heterodoxo*.]

ortodromia (or.to.dro.*mi*.a) ***sf.*** *Mar.* Arco de círculo máximo entre dois pontos da superfície terrestre [F.: *ort(o)-* + *-dromia*. Cf.: *loxodromia*.]

ortoepia (or.to.e.*pi*.a) ***sf.*** Ver *ortoépia*

ortoépia (or.to.*é*.pi:a) *Ling. Gram.* ***sf.*** **1** Parte da gramática que estuda as características fônicas da língua em sua norma culta e especifica, assim, a pronúncia mais regular das palavras **2** A (boa) pronúncia de uma palavra; PROSÓDIA **3** Acentuação das palavras; PROSÓDIA [F.: Do gr. *orthoépeia, as*. Tb. *ortoepia*.]

ortofonia (or.to.fo.*ni*.a) ***sf.*** **1** *Fon.* Parte da linguística voltada para a correção dos componentes fonológicos da linguagem, dos problemas da fala, pronúncia e dicção (acentuação, articulação dos fonemas etc.) **2** *Med.* Tratamento das anomalias e dificuldades da emissão vocal [Cf. *foniatria.*] **3** Avaliação técnica das condições de propagação do som em dado ambiente [F.: *ort(o)-* + *-fonia.*]

ortofônico (or.to.*fô*.ni.co) ***a.*** Ref. à ortofonia [F.: *ortofonia* + *-ico*[2].]

ortofosfórico (or.to.fos.*fó*.ri.co) *Quím.* ***a.*** **1** Diz-se de ácido (H_3PO_4) us. para produzir acidulantes, catalisadores, detergentes, fertilizantes etc.; FOSFÓRICO ***sm.*** **2** *Quím.* Esse ácido; FOSFÓRICO [F.: *ort(o)-* + *fosfórico.*]

ortofrenia (or.to.fre.*ni*.a) *Antq. Psiq.* ***sf.*** **1** Estado intelectual normal **2** Correção dos desvios ou desajustes intelectuais ou mentais **3** *Psiq. Med.* Especialidade médico-psiquiátrica que se ocupa dos transtornos mentais [F.: *ort(o)-* + *-frenia.*]

ortofrênico (or.to.*frê*.ni.co) ***a.*** *Antq. Psiq.* Ref. à ortofrenia [F.: *ortofrenia* + *-ico*[2].]

ortognático (or.tog.*ná*.ti.co) ***a.*** *Antr.* Relativo a ortognatismo [F.: *ortognatismo* + *-ico*[2], seg. o mod. gr.]

ortognatismo (or.tog.na.*tis*.mo) ***sm.*** *Antr.* Característica do crânio que consiste em apresentar o queixo aprumado com a parte superior do rosto e pequena proeminência da face, em relação a um plano vertical tangente à parte mais anterior da fronte [F.: *ortógnato* + *-ismo.*]

ortógnato[1] (or.*tóg*.na.to) ***a.*** **1** *Antr.* Diz-se de indivíduo ou tipo étnico que apresenta o ângulo facial quase ou totalmente reto ***sm.*** **2** *Antr.* Esse indivíduo ou tipo étnico [F.: *ort(o)-* + *-gnato.*]

ortógnato[2] (or.*tóg*.na.to) *Zool.* ***sm.*** **1** Espécime dos ortógnatos, subordem de aracnídeos araneídeos (aranhas caranguejeiras) que apresentam quelíceras paralelas ao eixo longitudinal do corpo e a articulação do aguilhão de peçonha em sentido vertical. ***a.*** **2** *Zool.* Ref. ou pertencente aos ortógnatos [F.: Adaptç. do lat. cient. *Orthognatha.*]

ortogonal (or.to.go.*nal*) *Geom.* ***a2g.*** Que forma ângulo reto (vetores ortogonais) [Pl.: *-nais.*] [F.: Do rad. lat. *orthogon(ius), a, um* + *-al*[1].]

ortogonalidade (or.to.go.na.li.*da*.de) ***sf.*** **1** Qualidade ou aparência do que é ortogonal **2** *Geom.* Propriedade de ser perpendicular **3** *Álg.* Propriedade de vetores cujo produto escalar é nulo [F.: *ortogonal* + *-(i)dade.*]

ortografia (or.to.gra.*fi*.a) ***sf.*** **1** *Gram.* Conjunto de regras, na gramática de uma língua, destinadas a orientar a maneira correta de escrever as palavras e de usar os sinais de acentuação e pontuação [Ant.: *cacografia.*] **2** O estudo dessas regras **3** Representação das palavras por meio da escrita; GRAFIA **4** *Geom.* Representação de uma figura ou sólido por meio de projeções ortogonais [F.: Do lat. *orthographia, ae*; ver *ort(o)-* e *-grafia.*] ■ **~ etimológica** Aquela que mantém na escrita das palavras as letras com que é escrita na língua original **~ fonética** Aquela que utiliza na grafia das palavras letras que correspondam ao som de sua pronúncia; ortografia sônica **~ mista** Aquela que mescla os critérios das ortografias etimológica e fonética **~ sônica** Ver *Ortografia fonética*

ortográfico (or.to.*grá*.fi.co) ***a.*** Da ou ref. à ortografia, ou dela próprio (revisão ortográfica; acordo ortográfico) [F.: *ortografia* + *-ico*[2].]

ortógrafo (or.*tó*.gra.fo) ***sm.*** **1** Indivíduo dedicado à ortografia, ao estudo e à fixação das suas normas **2** Aquele que conhece a ortografia de uma língua e atém-se a suas regras [F.: *ort(o)-* + *-grafo.* Hom./Par.: *ortógrafo* (sm.), *ortografo* (fl. de *ortografar*).]

ortolexia (or.to.le.*xi*.a) [cs] ***sf.*** Forma correta de pronunciar as palavras; boa dicção [F.: *ort(o)-* + *-lexia.*]

ortometria (or.to.me.*tri*.a) ***sf.*** Medida exata [F.: *ort(o)-* + *-metria*[1].]

ortomolecular (or.to.mo.le.cu.*lar*) *Med.* ***a2g.*** Que tem por base a teoria de que a saúde física e mental depende da manutenção, no organismo, dos níveis ideais de vitaminas e sais minerais (medicina ortomolecular) [F.: *ort(o)-* + *molecular.*]

ortônimo (or.*tô*.ni.mo) ***sm.*** Nome civil correto; nome verdadeiro, real: "...e de uma outra máscara colada à face, mas não menos teatral que as demais – a de Fernando Pessoa ele mesmo, o ortônimo." (*O Globo*, 28.11.1998) [F.: *ort(o)-* + *-ônimo.* Cf. *heterônimo* e *pseudônimo.*]

ortopedia (or.to.pe.*di*.a) *Med.* ***sf.*** **1** Especialidade da medicina que trata do sistema locomotor e da coluna vertebral, compreendendo tanto ossos, articulações, ligamentos, músculos e tendões, quanto sua constituição e seus problemas **2** Técnica de prevenção ou de correção de deformidades do corpo com o auxílio de exercícios físicos ou de meios mecânicos [F.: *ort(o)-* + *-pedia.*]

ortopédico (or.to.*pé*.di.co) *Med.* ***a.*** **1** De ou ref. à ortopedia (clínica ortopédica) **2** Próprio para tratar lesões ou corrigir deformidades do sistema locomotor e da coluna vertebral (compreendendo ossos, articulações, ligamentos, músculos e tendões) (aparelho ortopédico) [F.: *ortopedia* + *-ico*[2].]

ortopedista (or.to.pe.*dis*.ta) *Med.* ***a2g.*** **1** Que se especializou em ortopedia ***s2g.*** **2** Médico ou médica especialista em ortopedia [F.: *ortopedia* + *-ista.*]

ortopoxvírus (or.to.pox.*ví*.rus) [cs] ***sm2n.*** *Vir.* Grupo de vírus causadores de doenças infecciosas, esp. a varíola, em animais e no homem [F.: Do lat. cient. *Orthopoxvirus.*]

ortopraxia (or.to.pra.*xi*.a) [cs] ***sf.*** *Antq. Med.* Correção mecânica das deformidades do corpo [Termo substituído por *ortopedia.*] [F.: *ort (o)-* + *-praxia.*]

ortóptero (or.*tóp*.te.ro) *Zool.* ***sm.*** **1** Espécime dos ortópteros, ordem de insetos pterigotos de corpo alongado, tamanho médio a grande, cosmopolitas, na maioria alados, e conhecidos em suas várias famílias como grilos, gafanhotos, esperanças, bichos-paus, louva-a-deus, baratas ***a.*** **2** *Zool.* Ref. ou pertencente aos ortópteros [F.: Adaptç. do lat. cient. *Orthoptera*; ver *ort(o)-* e *-ptero.*]

ortopteroide (or.to.pte.*roi*.de) ***sm.*** *Ent.* Inseto ortóptero da ordem dos pterigotos terrestres, com mais de 20 mil espécies catalogadas. Alados ou não, têm geralmente as patas posteriores mais desenvolvidas que as anteriores e são conhecidos vulgarmente por gafanhotos, grilos, baratas, louva-a-deus [F.: Do lat. cient. *orthoptera.*]

ortóptica (or.*tóp*.ti.ca) ***sf.*** *Oft.* Ramo da oftalmologia que prescreve exercícios oculares para corrigir defeitos da visão binocular, como estrabismo, heterofasia, insuficiência de convergência e outros [F.: *ort(o)-* + *óptica.*]

ortóptico (or.*tóp*.ti.co) ***a.*** **1** *Oft.* Ref. a ortóptica ***sm.*** **2** *Oft.* Aquilo que corrige determinadas perturbações da visão, especialmente a obliquidade de um ou de ambos os eixos visuais **3** *Geom.* Ponto de encontro de duas tangentes perpendiculares [F.: *ort(o)-* + *óptico.*]

ortorexia (or.to.re.*xi*.a) [cs] ***sf.*** Distúrbio de comportamento alimentar que consiste numa fixação obsessiva em só consumir alimentos saudáveis e naturais, sem adições químicas, agrotóxicos etc. [F.: *ort(o)-* + *-orexia.*]

ortoréxico (or.to.*ré*.xi.co) [cs] ***a.*** **1** Ref. à ou que tem ortorexia ***sm.*** **2** Aquele que tem ortorexia [F.: *ortorexia* + *-ico*[2].]

ortorrômbico (or.tor.*rôm*.bi.co) *Min.* ***a.*** **1** Diz-se de sistema cristalino que se distingue pelos três eixos cristalográficos de comprimentos diferentes e perpendiculares entre si **2** *Min.* Diz-se de mineral que cristalizou no sistema ortorrômbico **3** *Geom.* Que tem base rômbica (diz-se de prisma reto) [F.: *ort(o)-* + *rômbico.*]

◎ **ortos-** ***el. comp.*** Ver *ort(o)-*

ortósio (or.*tó*.si:o) ***sm.*** *Min.* Mineral do grupo dos feldspatos encontrado em granitos, gnaises, xistos e rochas ígneas ácidas; ORTOCLÁSIO [F.: *ortos-* + *-io*[3].]

ortotanásia (or.to.ta.*ná*.si:a) ***sf.*** **1** Morte natural **2** *Fig.* Morte sem sofrimento, tranquila [F.: *ort(o)-* + *-tanásia.*]

orvalhada (or.va.*lha*.da) ***sf.*** **1** Ação ou resultado de orvalhar **2** Formação de orvalho **3** Orvalho formado durante a noite; ORVALHEIRA [F.: *orvalhar* + *-ada*[1].]

orvalhado (or.va.lha.do) ***a.*** **1** Coberto ou borrifado de gotas de orvalho: "Os lábios vermelhos e úmidos pareciam uma flor de gardênia orvalhada pelo sereno da noite." (José de Alencar, *O guarani*) **2** *Fig.* Borrifado de qualquer espécie de líquido **3** *Fig.* Enfeitado, ornamentado: "Uma aurora no seio da noite, tal era aquele sorriso orvalhado de meiguices e graças encantadoras." (José de Alencar, *A pata da gazela*) [F.: Part. de *orvalhar.*]

orvalhar (or.va.*lhar*) ***v.*** **1** Molhar levemente (com ou como orvalho), borrifar [***td.:*** *Baixou uma neblina que orvalhou todo o campo; O padre orvalhou a cabeça dos fiéis com água-benta.*] [***int.:*** *Seu olhar orvalhou-se de emoção.*] **2** Cair orvalho [***int.:*** *Esta noite, orvalhou.*] **3** *Fig.* Tornar molhado [***td.:*** *A chuva orvalhou o piso da varanda.*] [▶ **1** orvalhar] [F.: *orvalho* + *-ar*[2]. Hom./Par.: *orvalho* (fl.), *orvalho* (sm.).]

orvalho (or.*va*.lho) ***sm.*** **1** *Met.* Vapor da água atmosférica que se condensa e deposita em gotículas, de manhã cedo e à noite, sobre qualquer superfície plana **2** *P. ext.* Chuva miúda; CHUVISCO; GAROA **3** *P. ext.* Qualquer líquido espalhado em gotículas **4** *Fig.* Desabafo, alívio; BÁLSAMO; LENITIVO: *O carinho foi um orvalho para sua tensão, e sossegou.* [F.: De or. obsc.]

orvalhômetro (or.va.*lhô*.me.tro) ***sm.*** *Met.* Dispositivo próprio para medição da intensidade do orvalho [F.: *orvalho* + *-metro.*]

orwelliano (or.wel.li.*a*.no) ***a.*** **1** *Liter.* Rel. ou pertencente ao escritor britânico Eric Arthur Blair, dito George Orwell, autor de obras de ficção política e social como *"1984"*, *"A revolta dos bichos"*, *"Lutando na Espanha"* etc. **2** Texto premonitório e de crítica social e política ao estilo de George Orwell, exposto principalmente em *"1984"* [F.: Do antr. *Orwell* + *-iano.*]

Os[1] *Quím.* Símbolo do *ósmio*

OS[2] *Inf.* Abreviatura de Sistema Operacional (em ing., *operational system*)

◎ **-osa** [ô] ***suf.*** = nome de família (us. na nomenclatura botânica ou zoológica): *ceratosa* [F.: Do lat. cient. *-osa.*]

óscar (*ós*car) ***sm.*** **1** *Cin.* Prêmio concedido anualmente pela Academy of Motion Picture Arts and Sciences (Hollywood, EUA) a artistas, diretores e técnicos cinematográficos, americanos ou não, pelos filmes de cada ano julgados como melhores em diferentes categorias **2** Estatueta representativa do prêmio **3** *Fig.* Prêmio atribuído a alguém por um trabalho ou obra considerado excepcional [Pl.: *-cares.*] [F.: Do antr. *Oscar Pierce*, posv.]

oscilabundo (os.ci.la.bun.do) ***a.*** Que oscila, que não tem firmeza, que se mantém em movimento pendular: "Caranguejo oscilabundo, suas cravas se exageram." (Guimarães Rosa, "Aquário" *in Ave, Palavra*) [F.: *oscila(r)* + *-bundo.*]

oscilação (os.ci.la.*ção*) ***sf.*** **1** Ação ou resultado de oscilar, balançar de um lado para o outro; BALANÇO; EMBALO **2** Alteração, variação, mudança (oscilação elétrica/de temperatura/de preços) **3** *Fig.* Vacilação, hesitação, incerteza (oscilação de opinião) [Ant.: *decisão.*] [Pl.: *-ções.*] [F.: Do lat. *oscillatio, -onis.*] ■ **~ de relaxação** *Fís.* Aquela na qual, durante o ciclo de oscilação, há um momento de repouso **~ forçada** *Fís.* Aquela que acontece num sistema por influência de fator externo ao sistema **~ livre** *Fís.* Aquela que acontece num sistema sem intervenção de fator externo ao sistema; oscilação própria **~ própria** *Fís.* Ver *Oscilação livre*

oscilador (os.ci.la.*dor*) [(ô)] ***a.*** **1** Que oscila, que balança, que não se mantém com firmeza; OSCILANTE; OSCILATÓRIO ***sm.*** **2** *Fís.* Dispositivo capaz de produzir descargas oscilantes, na telegrafia sem fio e nos emissores e receptores de rádio e televisão [F.: *oscila(r)* + *dor.*]

oscilante (os.ci.*lan*.te) ***a2g.*** **1** Que oscila; oscilatório (cotações oscilantes; clima/energia oscilante); PENDULAR **2** *Fig.* Hesitante, vacilante; inseguro (opinião oscilante) [F.: Do lat. *oscillans, -antis.*]

oscilar (os.ci.*lar*) ***v.*** **1** Balançar, desequilibrar-se [***int.:*** *Os prédios oscilaram com o tremor de terra.*] **2** Variar, alternar-se [***ta.:*** *A temperatura oscila entre 10 e 15 graus.*] [***int.:*** *O valor das ações oscilou muito.*] **3** Mover-se de um lado a outro [***int.:*** "A chama da fogueira (...) oscilava ao sopro do vento..." (José de Alencar, *A chama da fogueira*)] **4** Hesitar, vacilar [***tr.*** + *entre*: *Oscilava entre um caminho ou outro.*] [***int.:*** *Na hora da decisão, oscilou*] **5** Agitar-se constantemente, tremer [***int.:*** *O vento oscila na campina.*] [▶ **1** oscilar] [F.: Do lat. tard. *oscillare.*]

oscilatório (os.ci.la.*tó*.ri:o) ***a.*** Ver *oscilante*

◎ **oscilo-** ***el. comp.*** = 'oscilação': *oscilograma, oscilômetro, osciloscópio* [F.: *oscil(ação)* + *-o-.*]

oscilograma (os.c i.lo.*gra*.ma) ***sm.*** *Metrol.* Registro gráfico, em curva, feito pelo osciloscópio das variações de uma tensão [F.: *oscilo-* + *-grama.*]

oscilômetro (os.ci.*lô*.me.tro) ***sm.*** *Med.* Aparelho que permite o registro das oscilações da corrente sanguínea [F.: *oscilo-* + *-metro.*]

osciloscópio (os.ci.los.*có*.pi:o) ***sm.*** *Metrol.* Aparelho que mede variações de tensão elétrica [F.: *oscilo-* + *-scópio.*]

oscitação (os.ci.ta.*ção*) ***sf.*** Ação ou resultado de oscitar; BOCEJO [F.: Do lat. *oscitatio, onis.*]

oscitar (os.ci.*tar*) ***v. int.*** **1** Soltar bocejos; BOCEJAR **2** *Fig.* Abrir a boca em sinal de aborrecimento ou de enfado [▶ **1** oscitar] [F.: Do v.lat. *oscitare.*]

osco (*os*.cos) ***sm.*** **1** *Hist.* Referente aos oscos, antigo povo dos montes Apeninos, Itália, que se estabeleceram entre a Campânia e o território dos volscos e fundaram a cidade de Pompeia **2** *Ling.* Língua indo-europeia do ramo itálico, falada pelos oscos [Hom./Par.: *hosco* (*a.*); do lat. *hoscus, us.*]

osculação (os.cu.la.*ção*) ***sf.*** **1** Ação ou resultado de oscular **2** Beijo **3** *Geom.* Contato entre linhas ou superfícies osculadoras [Pl.: *-ções.*] [F.: Do lat. *osculatio, onis.*]

osculado (os.cu.*la*.do) ***a.*** Que recebeu ósculo; BEIJADO [F.: Part. de *oscular.*]

oscular (os.cu.*lar*) ***v. td.*** Dar ósculo(s) em algo, alguém, em alguma parte etc.; BEIJAR: *Osculou os pés da imagem da santa.* [▶ **1** oscular] [F.: Do v.lat. *osculare.*]

ósculo (*ós*.cu.lo) ***sm.*** **1** *Rel.* Beijo dos cristãos antigos ou entre os oficiantes da missa e os fiéis, como símbolo de fraternidade **2** O mesmo que *beijo* **3** *P. ext.* Beijo que indica amizade ou conciliação **4** *Zool.* Orifício exalante das esponjas, que liga o átrio ao meio exterior [F.: Do lat. *osculum, i.*]

◎ **-ose**[1] ***suf.*** *nom.* = 'ação'; 'processo'; 'funcionamento'; 'alteração', 'passagem', 'transformação'; 'processo patológico, mórbido', 'doença', 'moléstia': *apoteose* (< lat. < gr.), *metamorfose* (< gr.), *osmose, simbiose* (< gr.); *abiose, acantose, acidose, bacilose, dermatose, furunculose* [F.: Do suf. gr. *-osis, eos*, formador de nomes de ação ou de processo de verbos gregos em *-oo*, como, por ex., no gr. *metamórphosis, eos*, do v. gr. *metamorphóo*, 'transformar', 'metamorfosear'.]

◎ **-ose**[2] ***suf.*** *nom.* = 'açúcar (da classe dos glicídios)'; 'carboidrato': *aldose, frutose, maltose, pentose, sacarose* [F.: Da term. cient. *-ose*, do fr. *glycose* (> port. *glicose*). Tb. como infixo: *-os(e)-*: *citosina.*]

◎ **-os(e)-** Ver *-ose*[2]

osfresia (os.fre.*si*.a) ***sf.*** Sensibilidade olfativa, capacidade de sentir cheiros com facilidade; OLFAÇÃO [F.: Do gr. *osphresis* + *-ia.*]

osga (*os*.ga) [ó] ***sf.*** **1** *N. N.E. Zool.* Ver *lagartixa* **2** *Bras. Pop.* Aversão, repulsa [F.: De or. contrv.]

◎ **-osmia** ***el. comp.*** = 'percepção (ger. incomum) de dado cheiro'; 'perturbação da faculdade olfativa': *alotriosmia, anosmia, autosmia, cacosmia, hiperosmia, hiposmia, isosmia* [F.: Do gr. *osmé, ês* ou *osmós, oû*, 'cheiro'; 'odor'; 'perfume'. F. conexa: *osm(o)-*[1].]

ósmio (*ós*.mi:o) ***sm.*** *Quím.* Elemento natural de número 76, metálico, muito denso, usado principalmente em ligas, encontrável nos minerais de platina. Símbolo: Os [F.: Do lat. cien. *osmium.*]

◎ **osm(o)-**[1] ***el. comp.*** = 'cheiro', 'aroma', 'odor': *osmologia* [F.: Do gr. *osmé, ês* ou *osmós, ou.* F. conexa: *-osmia.*]

◎ **osm(o)-**[2] ***el. comp.*** = 'pressão (osmótica)'; 'atividade metabólica': *osmômetro, osmorregulação, osmorregulador* [F.: Do gr. *othismós, oû*, 'ação de pressionar'.]

osmologia (os.mo.lo.*gi*.a) ***sf.*** Estudo ou tratado acerca do modo de produção de aromas ou odores, e seus efeitos [F.: *osm(o)-*[1] + *-logia.*]

osmológico (os.mo.*ló*.gi.co) ***a.*** Ref. à osmologia [F.: *osmologia* + *-ico*[2].]

osmômetro (os.*mô*.me.tro) ***sm.*** *Fís.* Instrumento us. para registrar ou medir a pressão osmótica [F.: *osm(o)-*[2] + *-metro.*]

osmorregulação (os.mor.re.gu.la.*ção*) ***sf.*** *Biol.* Controle da concentração de sais nos tecidos ou células, de maneira a manter as condições adequadas à atividade metabólica [Pl.: *-ções.*] [F.: *osm(o)-*[2] + *regulação.*]

osmorregulador (os.mor.re.gu.la.*dor*) [ô] *a.* **1** Ref. à osmorregulação **2** Diz-se de organismo ou processo capaz de realizar a osmorregulação **3** Diz-se de substância que influencia o grau e a velocidade da osmorregulação *sm.* **4** *Biol.* Organismo ou processo osmorregulador (2) **5** *Fisl.* Substância osmorreguladora (3) [F.: *osm(o)-*[2] + *regulador.*]

osmose (os.*mo*.se) *Bioq. sf.* Passagem do solvente de uma solução para o soluto, através de membrana quase impermeável [F.: *osm(o)-*[2] + *-ose*[1].] ■ **~ inversa** *Fís-quím.* Osmose provocada, ou forçada, visando ao tratamento do fluido, como na dessalinização de água; osmose reversa **~ reversa** *Fís-quím.* Ver *Osmose inversa* **Por ~** *Bras. Gír.* Por meio ou processo figuradamente similar ao da osmose: *Carregava os livros mas não estudava, talvez quisesse aprender por osmose.* [Ger., refere-se, pilhérica ou criticamente, ao fato de um conhecimento, qualidade etc. ser supostamente absorvido (por alguém) sem que haja processo explícito de transmissão, como que pelo fenômeno químico de osmose.]

osmótico (os.*mó*.ti.co) *Bioq. Fís. Quím. a.* Ref. à osmose (reação osmótica) [F.: *osm(ose)* + *-ótico*, seg. o mod. gr.]

◎ **-oso** *suf.* = formação de adjetivos com a ideia de presença, abundância; qualidade, estado ou semelhança; relação: *caloso, gasoso, noduloso; afetuoso, cauteloso, carídoso, choroso, idoso, laborioso* [Em Quím., valência mais baixa do que compostos em *-ico*: *férrico* e *ferroso, sulfúrico* e *sulfuroso.*] [F.: Do lat. *-osus, -a, -um.*]

⊠ **O.S.O.** Abreviatura de *oés-sudoeste*

osqueíte (os.que.*í*.te) *sf. Pat.* Inflamação aguda ou crônica do escroto [F.: *osque(o)-* + *-ite*[1].]

◎ **osque(o)-** *el. comp.* = 'escroto', 'bolsa testicular': *osqueíte, osqueocele, osqueoma* [F.: Do gr. *óskheon* ou *óskheos, ou.*]

osqueocele (os.que:o.*ce*.le) *sf. Pat.* Hérnia inguinal que abrange a região do escroto [F.: *osque(o)-* + *-cele*[1].]

osqueoma (os.que.*o*.ma) *sm. Pat.* Tumor no escroto [F.: *osque(o)-* + *-oma*[1].]

ossada (os.*sa*.da) *sf.* **1** Grande quantidade ou porção de ossos; ossos descarnados e secos de homem ou de animal; OSSARIA; OSSAMA **2** Conjunto de ossos de um corpo de vertebrado morto, encontrado em uma cova, caverna etc.; ESQUELETO: *Uma equipe de arqueólogos encontrou, nas escavações, ossadas de cinco mil anos; Após a exumação, os peritos identificaram a ossada.* **3** *Fig.* Restos, destroços: *a ossada do navio incendiado.* **4** Alicerces ou ruínas de um edifício: *a ossada de antigos templos.* **5** As partes sólidas de uma construção **6** *Bras.* O sílex como satélite do diamante **7** *Gír.* O corpo humano debilitado, enfraquecido [F.: *oss(o)* + *-ada.*] ■ **Dar a ~** *Bras. Pop.* Morrer

ossama (os.*sa*.ma) *sf. Bras.* O mesmo que *ossada* (1) [F.: *osso* + *-ama.*]

ossaria (os.sa.*ri*:a) *sf.* **1** Porção de ossos, mesmo que *ossada* **2** Urna para depósito de ossos, mesmo que *ossário* [F.: *osso* + *-aria.*]

ossário (os.*sá*.ri:o) *sm.* **1** Depósito de ossos guardados em cemitério; OSSARIA; URNA **2** Sepultura comum de pessoas desconhecidas, ger. junto ao cruzeiro, onde se reza pelas almas: "Mas, isso não era um templo, era um ossário, era um túmulo." (João Grave, *Jornada romântica*) [F.: Do lat. *ossuarium, -ii.* Tb. *ossuário.*]

ossatura (os.sa.*tu*.ra) *sf.* **1** *Anat.* Conjunto dos ossos dos animais vertebrados; ESQUELETO: "foi pouco a pouco perdendo a força da ossatura, tinha o crânio quebrado, os braços moles como trapos" (Eça de Queirós, *Últimas páginas*) **2** Arcabouço, armação (ossatura do edifício) **3** *Fig.* Estrutura, organização: *ossatura de uma história/do discurso.* [F.: Do fr. *ossature.*]

ossé (os.*sé*) *sm. Bras. Rel.* No candomblé, oferenda de alimentos que as filhas de santo fazem aos orixás nos dias que lhe são consagrados [Forma irreg. de *océ.*] [F.: Do ioruba.]

osseína (os.se.*í*.na) *sf. Bioq.* Porção orgânica de tecido ósseo constituída principalmente de colágeno e glicoproteínas; OSTEÍNA [F.: *ósseo* + *-ína.*]

ósseo (*ós*.se:o) *a.* **1** *Anat.* Ref. a osso, que tem ossos (estrutura óssea) **2** *Fig.* Ref. à dureza do osso, difícil: *Manteve uma resistência óssea, empedernida.* [F.: Do lat. *osseus, -a, -um.*]

◎ **oss(i)-** *Pref.* = osso: *ossada, ossatura, ossificar, ossuário*

ossiânico (os.si.*â*.ni.co) *a.* **1** *Liter.* Imitação de poemas atribuídos a Ossian, lendário poeta e guerreiro escocês do século III **2** Estilo poético hiperbólico, pomposo e nebuloso **3** Referente ao poeta escocês James MacPherson (1736-1796) que em 1760 publicou poemas traduzidos do gaélico (língua falada na Irlanda e Escócia antes da conquista romana), atribuindo-os a Ossian [F.: Do antr. *Ossian* + *-ico.* Hom./Par.: *ossiânico* (a.), *oceânico* (a.).]

ossicular (os.si.cu.*lar*) *a. Anat.* Dotado de ossículos (1) (peças ossiculares) [Pl.: *-res.*] [F.: *ossícul(o)-* + *-ar*[1].]

ossículo (os.*sí*.cu.lo) *sm.* **1** Osso pequeno; OSSINHO **2** *Anat.* Um dos pequenos ossos da cavidade timpânica ou da orelha média **3** *Zool.* Cada uma das peças calcárias que compõem o esqueleto dos equinodermos, filo de invertebrados marinhos **4** *Bot.* Caroço de certos frutos, quando muito pequeno e indivisível [F.: Do lat. *ossiculum, i.*] ■ **~ de Weber** *Zool.* Ver *Órgão de Weber* no verbete órgão

ossificação (os.si.fi.ca.*ção*) *sf.* **1** Ação ou resultado de ossificar(-se) **2** *Anat.* Processo de formação dos ossos, ou do sistema ósseo; OSTEOSE [Pl.: *-ções.*] [F.: *ossifica(r)* + *-ção.*]

ossificado (os.si.fi.*ca*.do) *a.* **1** *Anat.* Que se ossificou, sofreu ossificação **2** Endurecido como osso, transformado em osso [F.: Part. de *ossificar.*]

ossificar (os.si.fi.*car*) *v.* **1** Transformar(-se) em osso [*td.*: *O tempo pode ossificar tecidos moles.*] [*int.*: *Tecidos moles podem ossificar(-se) com o tempo.*] **2** Formar osso [*td.*] **3** *Fig.* Tornar(-se) duro [*td.*: *As baixas temperaturas ossificaram tecidos orgânicos no chão da caverna.*] [*int.*: *Tecidos orgânicos ossificaram(-se) no chão da caverna.*] **4** *P. ext.* Ficar muito magro, perder peso, ficar ossudo [*int.*: *A mulher fez dieta rigorosa e ossificou-se.*] [▶ 11 ossificar] [F.: *osso* + *-i-* + *-ficar.*]

osso (*os*.so) [ô] *sm.* **1** *Anat.* Matéria dura que forma o esqueleto do homem e dos demais vertebrados, constituída de tecido conjuntivo com osseína e fibras de colágeno repletas de sais de cálcio; proporciona apoio estrutural à atividade muscular, protege órgãos como o cérebro e a medula espinhal, funcionando também como reservatório de cálcio e fosfato **2** *Fig.* Coisa difícil; problema, estorvo **3** *Bras. Gír.* Namorada, amante: *Não largava por nada aquele osso.* [Pl.: [ó]. Dim.: *ossículo; ossinho.*] [F.: Do lat. *ossum, -i.* Ideia de 'osso': oss(i)- (ossificar), ost(e/o)- (osteoporose), -ósteo (teleósteo). Hom./Par.: *osso* (sm.), *ouço* (fl. de *ouvir*).] ■ **~ calcâneo** *Anat.* O osso que forma o calcanhar [Tb. apenas *calcâneo.*] **~ compacto** *Anat.* Qualquer osso, ou parte de osso, de estrutura aparentemente sólida (por serem os espaços em sua textura microscópicos) **~ curto** *Anat.* Genericamente, osso cuboide como os do carpo e do tarso **~ dérmico 1** *Anat.* O que forma por ossificação da pele **2** Designação de cada uma das duas placas que formam o estojo que envolve e protege os quelônios **~ do quadril** *Anat.* Cada um de dois ossos (direito e esquerdo) que compõem a bacia, ou cintura pélvica, formado pela união rígida do ílio, do ísquio e do púbis, e onde se articula a cabeça do fêmur [Na antiga nomenclatura anatômica, *ilíaco.*] **~ duro de roer 1** *Fam.* Tarefa de difícil execução **2** Coisa, situação ou pessoa muito difícil de ser tratada, ou suportada **3** Pessoa valente, resistente **~ esponjoso** *Anat.* Designação de osso, ou parte de osso, cujos espaços internos são preenchidos por tecido conjuntivo embrionário, ou medula óssea **~ frontal** *Anat.* Osso que forma a parte da frente, central, da caixa craniana [Tb. apenas *frontal.*] **~ longo** *Anat.* Genericamente, todo osso de forma tubular com extremidades convexas ou côncavas [Ex.: o fêmur, o úmero etc.] **~ malar** *Anat.* Cada um de dois ossos da face, designado, na nova nomenclatura anatômica, *Osso zigomático* [Tb. apenas *malar.*] **~ occipital** *Anat.* Osso da parte inferoposterior da caixa craniana [Tb. apenas *occipital.*] **~ palatino** *Anat.* Cada um dos dois ossos da parte posterior do palato [Tb. apenas *palatino.*] **~ parietal** *Anat.* Cada um de dois ossos (direito e esquerdo) que formam a parte central da caixa craniana, cobrindo da sua parte lateral central ao alto, onde se juntam [Tb. apenas *parietal.*] **~ plano** *Anat.* Genericamente, todo osso em que a superfície é a parte dominante, ger. com função de proteção, como os ossos que formam a caixa craniana **~ sacro** *Anat.* Osso da bacia, formado pela fusão de cinco vértebras (as vértebras sacrais), articulado com a última vértebra lombar e com o cóccix e os ossos do quadril; osso sagrado (*Lus.*) [Tb. apenas *sacro.*] **~ sagrado** *Lus. Anat.* Ver *Osso sacro* **~ de borboleta** *Fam.* Coisa sem importância **~ de vidro** *Fig. Pop.* Ossos frágeis, quebradiços **~s do ofício** Dificuldades ou desvantagens específicas de determinada profissão ou atividade **~ sesamoide** *Anat.* Tipo de osso pequeno que se desenvolve dentro de tendão, ger. junto a uma articulação [Ex.: a *patela.*] **~ zigomático** *Anat.* Cada um de dois ossos (direito e esquerdo) salientes que formam as 'maçãs' e as bordas inferiores das órbitas oculares; zigoma [Na antiga nomenclatura anatômica, *malar.*] **Andar/montar~ em ~** *Bras.* Montar em cavalgadura sem arreios, em pelo **Dar com os ~s em** *Pop.* Chegar em, ir ter em (algum lugar): *Andou muito, até dar com os ossos no povoado.* **Em ~ 1** *Cons.* Sem revestimento, reboco etc., no esqueleto (diz-se de construção, estrutura etc.) **2** *Marc.* Não lustrada, encerada, envernizada etc. (diz-se de madeira) **Moer os ~s (de) 1** *Pop.* Espancar, sovar, surrar (alguém) **2** Trabalhar até a exaustão **Montar em ~** *Bras.* Ver *Andar/montar em osso* **No ~ 1** *Bras. Cons. Marc.* Ver *Em osso* **2** Com pneu(s) furado(s) (diz-se de veículo) **Roer os ~s** *Bras.* Ficar com, ou usufruir da pior parte de algo (benefício, tarefa etc.), ger. com pouco ou nenhuma vantagem **(Só) Pele e ~** *Fig. Pop.* Muito magro

⊕ **ossobuco** (*It.* /ossobuco/) *sm. Cul.* Guisado de pedaços de jarrete de vitela com o osso e a medula, esta conhecida vulgarmente como tutano

osso de cavalo (os.so de ca.*va*.lo) *sm. Gar.* Nome dado por garimpeiros ao sílex que ocorre junto aos diamantes nos depósitos aluvionários [Pl.: *ossos de cavalo.*]

ossuário (os.su.*á*.ri:o) *sm.* Ver *ossário*

ossudo (os.*su*.do) *a. Anat.* Que tem muitos ossos, ou os tem grandes, salientes (indivíduo/animal ossudo) [F.: *oss(o)* + *-udo.*]

ostealgia (os.te.al.*gi*.a) *sf. Pat.* Dor nos ossos; OSTEODINIA [F.: *oste(o)-* + *-algia.*]

osteálgico (os.te.*ál*.gi.co) *a. Pat.* Ref. à ostealgia; OSTEODÍNICO [F.: *ostealgia* + *-ico*[2].]

osteícte (os.te.*íc*.te) *Zool. sm.* **1** Espécime dos osteíctes, classe de peixes ósseos, ger. ovíparos, com a pele lisa revestida de escamas dérmicas, brânquias em cavidade única protegida por opérculos e nadadeiras em pares laterais; compreende ordens, famílias e espécies tão diversas como as dos salmões, das percas, carpas, poraquês, bagres, sardinhas *a2g.* **2** Ref. ou pertencente aos osteíctes [F.: Adaptç. do lat. cient. *Osteichthyes.* Hom./Par.: *osteícte* (sm. a2g.), *osteíte* (sf.).]

osteína (os.te.*í*.na) *sf. Bioq.* Substância orgânica branca feita de colágeno e proteínas, principal componente da estrutura óssea; OSSEÍNA [F.: *oste(o)-* + *-ina*[2].]

osteíte (os.te.*í*.te) *sf. Med.* Inflamação do tecido ósseo [F.: *oste(o)-* + *-ite*[1]. Hom./Par.: *osteíte* (sf.), *osteícte* (sm. a2g.).]

ostensão (os.ten.*são*) *sf.* **1** Ato ou efeito de ostentar (algo) ou de exibir-se; EXIBICIONISMO; OSTENTAÇÃO [Ant.: *despojamento, discrição.*] **2** Pompa, luxo, magnificência [Ant.: *modéstia, singeleza.*] **3** Vanglória, jactância, basófia [Ant.: *austeridade, sobriedade.*] [Pl.: *-sões.*] [F.: Do lat. *ostensio, onis.*]

ostensividade (os.ten.si.vi.*da*.de) *sf.* **1** Qualidade ou caráter de ostensivo **2** Atitude de quem se comporta de maneira ostensiva, exibida, alardeando poder, prepotência, luxo, riqueza [F.: *ostensivo* + *-(i)dade.*]

ostensivo (os.ten.*si*.vo) *a.* **1** Que se ostenta, se mostra muito e esp. com exagero; ostensível; ostensório (luxo ostensivo) **2** Intencional, eivado de provocação (presunção ostensiva); ARROGANTE **3** De intervenção direta, imediata (policiamento ostensivo); AGUERRIDO [F.: Do lat. *ostensivus, a, um.*]

ostensório (os.ten.*só*.ri:o) *a.* **1** Ver *ostensivo. sm.* **2** *Rel. Litu.* Na igreja católica, peça ger. de ouro ou prata, onde se guarda e expõe a hóstia consagrada; CUSTÓDIA [F.: *ostensor-* + *-ório.*]

ostentação (os.ten.ta.*ção*) *sf.* **1** Ação ou resultado de ostentar(-se); ostensão **2** Exibicionismo; demonstração excessiva de riqueza, luxo, suntuosidade vazia [Ant.: *discrição; modéstia.*] **3** Vaidade, presunção; VANGLÓRIA [Ant.: *simplicidade.*] [Pl.: *-ções.*] [F.: Do lat. *ostentatio, onis.*]

ostentado (os.ten.*ta*.do) *a.* **1** Que foi objeto de ostentação, de franca exibição: *relíquia ostentada.* **2** Mostrado com alarde: "Segura as grades, empunha-as, com os bracinhos para trás e o peito ostentado, num desabuso de prisioneiro veterano." (Guimarães Rosa, *Ave, Palavra*) [F.: Part. de *ostentar.*]

ostentador (os.ten.ta.*dor*) [ô] *a.* **1** Que ostenta, exibe **2** Que demonstra prepotência *sm.* **3** Aquele que age ou fala com ostentação [F.: Do lat. *ostentator, oris.* Sin. ger.: *exibido.* Ant. ger.: *comedido, despojado, discreto.*]

ostentar (os.ten.*tar*) *v.* **1** Mostrar(-se), exibir(-se) com alarde [*td.*: *A vegetação ostentava todo o seu vigor; Ostentava-se, toda faceira, com seu novo vestido.*] [*int.*: *Era um homem vazio que vivia apenas de ostentar.*] **2** Deixar transparecer; REVELAR [*td.*: *Por trás daquele silêncio, ele ostentava uma cabeça muito inteligente.*] [▶ 1 ostentar] [F.: Do v.lat. *ostentare.*]

ostentatório (os.ten.ta.*tó*.ri:o) *a.* Ref. a ostentação, em que há ou que revela ostentação (mania ostentatória) [F.: *ostentar* + *-tório.*]

ostentoso (os.ten.*to*.so) [ô] *a.* **1** Que mostra ostentação, feito com ostentação **2** Que denota vaidade descabida; PRESUNÇOSO [Pl.: [ó]. Fem.: [ó].] [F.: *ostentação*, sob a f. lat. *ostentat-* + *-oso.*]

◎ **-oste(o)-** *el. comp.* Ver *oste(o)-*

◎ **oste(o)-** *el. comp.* = 'osso'; 'tecido ósseo': *ostealgia, osteíte, osteoarticular, osteoartrite, osteoblasto, osteocele, osteodinia, osteografia, osteoma, osteoporose; anosteozoário, enosteose, endósteo* [F.: Do gr. *ostéon-oûn, éon-oû*, 'osso'.]

◎ **-ósteo** *el. comp.* Ver *oste(o)-*

osteoarticular (os.te:o.ar.ti.cu.*lar*) *a2g.* Que diz respeito tanto aos ossos quanto às articulações [F.: *oste(o)-* + *articular*[1].]

osteoartrite (os.te:o.ar.*tri*.te) *sf. Med.* Inflamação das articulações ósseas, algumas vezes agravada por lesões nas superfícies articulares [F.: *oste(o)-* + *artrite.*]

osteoartrose (os.te:o.ar.*tro*.se) *sf. Med.* Afecção degenerativa de uma articulação, de caráter não inflamatório [F.: *oste(o)-* + *artrose.*]

osteoblástico (os.te:o.*blás*.ti.co) *a. Histl.* Ref. a osteoblasto [F.: *osteoblasto* + *-ico*[2].]

osteoblasto (os.te:o.*blas*.to) *sm. Histl.* Célula jovem, não diferenciada, do tecido ósseo que elabora a matriz fibrosa (osteína), na qual fica aprisionada [F.: *oste(o)-* + *-blasto.*]

osteocartilaginoso (os.te:o.car.ti.la.gi.*no*.so) [ô] *a.* Constituído de osso e cartilagem [F.: *oste(o)-* + *cartilaginoso.*]

osteocele (os.te:o.*ce*.le) *sf. Pat.* Hérnia com conteúdo ósseo [F.: *oste(o)-* + *-cele*[1].]

osteócito (os.te.*ó*.ci.to) *sm. Histl.* Célula óssea diferençada, que procede à síntese da matriz fibrosa e depõe o material mineralizado [F.: *oste(o)-* + *-cito.*]

osteocondrite (os.te:o.con.*dri*.te) *sf. Ort.* Inflamação da base de um osso longo e de sua cartilagem articular [Ocorre muitas vezes em organismos jovens, no momento em que o osso se encontra em estado cartilaginoso.] [F.: *oste(o)-* + *condrite.*]

osteodensitometria (os.te:o.den.si.to.me.*tri*.a) *sf. Rlog.* O mesmo que *densitometria óssea* [F.: *oste(o)-* + *-densito-* + *-metria*[1].]

osteodensitômetro (os.te:o.den.si.*tô*.me.tro) *sm. Rlog.* Aparelho us. na realização de osteodensitometria [F.: *oste(o)- + -densito- + -metro.*]

osteodinia (os.te:o.di.*ni*.a) *sf. Pat.* O mesmo que *ostealgia* [F.: *oste(o)- + -odinia.*]

osteodínico (os.te:o.*dí*.ni.co) *a. Pat.* Ref. a osteodinia; OSTEÁLGICO [F.: *osteodinia + -ico*[2].]

osteodistrofia (os.te:o.dis.tro.*fi*.a) *sf.* **1** *Pat.* Distrofia óssea de caráter congênito **2** *Histl.* Falha no desenvolvimento normal de um osso já maduro, muitas vezes decorrente de metabolismo anormal [F.: *oste(o)- + distrofia.*]

osteogênese (os.te:o.*gê*.ne.se) *sf. Biol.* Processo de formação e desenvolvimento dos ossos; OSTEOGENIA [F.: *oste(o)- + -gênese.*]

osteogenia (os.te:o.ge.*ni*.a) *sf. Biol.* O mesmo que *osteogênese* [F.: *oste(o)- + -genia.*]

osteogênico (os.te:o.*gê*.ni.co) *a. Biol.* Que diz respeito a osteogenia [F.: *o steogenia + -ico*[2].]

osteografia (os.te:o.gra.*fi*.a) *sf.* Descrição ou tratado descritivo dos ossos [F.: *oste(o)- + -grafia.*]

osteográfico (os.te:o.*grá*.fi.co) *a.* Ref. a osteografia [F.: *osteografia + -ico*[2].]

osteoide (os.te.*oi*.de) *a2g.* **1** Diz-se de formação semelhante a um osso **2** *Ort.* Diz-se de tecido pré-ósseo ou de osso jovem, ainda não calcificado **3** *Pat.* Diz-se de formação óssea que envolve as articulações de alguns indivíduos idosos [F.: *oste(o)- + -oide.*]

osteointegrado (os.te:o.in.te.*gra*.do) *a. Cir.* Diz-se de processo que consiste em inserir uma ou mais próteses no tecido ósseo, a fim de se obter o mesmo grau primitivo de funcionalidade: *Fez um implante osteointegrado.* [F.: *oste(o)- + integrado.*]

osteologia (os.te:o.lo.*gi*.a) *sf.* Ciência que estuda os ossos, ou estudo sobre eles [F.: Do gr. *osteología, as.*]

osteológico (os.te:o.*ló*.gi.co) *a.* Ref. a osteologia (tratado osteológico) [F.: *osteologia + -ico*[2].]

osteologista (os.te:o.lo.*gis*.ta) *Biol. s2g.* **1** O especialista em osteologia ***a2g.*** **2** Diz-se desse especialista [F.: *osteologia + -ista.*]

osteoma (os.te.*o*.ma) *Pat. sm.* Tumor benigno de tecido ósseo [F.: *oste(o)- + -oma*[1].]

osteomalacia (os.te:o.ma.la.*ci*.a) *sf. Pat.* Amolecimento dos ossos causado por calcificação deficiente, que pode conduzir a deformidades e fraturas [F.: *oste(o)- + -malacia.*]

osteômero (os.te.*ô*.me.ro) *sm. Anat.* Cada um dos ossos assemelhados que constituem uma mesma estrutura, como as vértebras [F.: *oste(o)- + -mero*[1].]

osteometria (os.te:o.me.*tri*.a) *sf. Antr.* Medição dos ossos para estudos antropológicos [F.: *oste(o)- + -metria*[1].]

osteométrico (os.te:o.*mé*.tri.co) *a. Antr.* Que diz respeito à osteometria: *um estudo osteométrico.* [F.: *osteometria + -ico*[2].]

osteomielite (os.te:o.mi:e.*li*.te) *Pat. sf.* Moléstia infecciosa produzida pelo estafilococo áureo, que acomete ossos longos como o fêmur e a tíbia, sendo mais comum entre crianças e adolescentes [F.: *oste(o)- + mielite.*]

osteomielítico (os.te:o.mi:e.*lí*.ti.co) *Pat. a.* **1** Ref. à osteomielite **2** Diz-se de indivíduo que apresenta osteomielite ***sm.*** **3** Esse indivíduo [F.: *osteomielite + -ico*[2].]

osteonecrose (os.te:o.ne.*cro*.se) *sf. Pat.* Morte ou necrose do tecido ósseo [F.: *oste(o)- + necrose.*]

osteopata (os.te:o.*pa*.ta) *s2g.* **1** *Ort.* Indivíduo atacado de osteopatia **2** *Med.* Profissional que trata dos estados patológicos dos ossos por meio de manipulações raquidianas e articulares [F.: *oste(o)- + -pata.*]

osteopatia (os.te:o.pa.*ti*.a) *Pat. sf.* Qualquer doença nos ossos [F.: *oste(o)- + -patia.*]

osteopenia (os.te:o.pe.*ni*.a) *sf. Ort.* Diminuição progressiva da massa proteica de um osso [F.: *oste(o)- + -penia.*]

osteoperióstico (os.te:o.pe.ri.*ós*.ti.co) *a. Med.* Ref. a um osso e à membrana conjuntiva que o envolve externamente [F.: *oste(o)- + perióstico.*]

osteoporose (os.te:o.po.*ro*.se) *Pat. sf.* Acelerada redução da trama proteica de tecido ósseo, causando-lhe rarefação e enfraquecimento [F.: *oste(o)- + -por(o)- + -ose*[1].]

osteossarcoma (os.te:o.sar.*co*.ma) *sm. Pat.* O mais maligno dos tumores ósseos, que afeta principalmente as extremidades dos ossos longos [F.: *oste(o)- + sarcoma.*]

osteossíntese (os.te:os.*sín*.te.se) *sf. Cir. Ort.* Intervenção cirúrgica para reunir fragmentos ósseos de uma fratura, mediante sutura, placa, anel ou outros meios mecânicos, e assim obter a formação do calo ósseo que favorecerá sua consolidação [F.: *oste(o)- + síntese.*]

osteotomia (os.te:o.to.*mi*.a) *sf. Cir. Ort.* Dissecção cirúrgica de um osso para corrigir deformidade ou para interferir em lesão localizada em área protegida por um osso [F.: *oste(o)- + -tomia.*]

osteotômico (os.te:o.*tô*.mi.co) *a. Cir. Ort.* Ref. a osteotomia [F.: *osteotomia + -ico*[2].]

osteótomo (os.te.*ó*.to.mo) *sm. Cir.* Instrumento us. para cortar ossos, para praticar a osteotomia [F.: *oste(o)- + -tomo.*]

ostiário (os.ti.*á*.ri:o) *sm.* **1** *Hist. Ecles.* Na Antiguidade, aquele que abria e fechava a porta dos templos e cuidava dos objetos de culto: "A porta do templo, aberta com violento impulso, rangera nos gonzos e um velho ostiário viera a cair de bruços sobre as lájeas do pavimento." (Alexandre Herculano, *Eurico, o presbítero*) **2** Clérigo que recebeu a última das quatro ordens menores, na hierarquia eclesiástica **3** *Hist.* Na monarquia francesa, o guarda da porta [F.: Do lat. *ostiarius, ii.* Hom./Par.: *hostiário.*]

óstio (*ós*.ti:o) *sm. Anat.* Denominação genérica de qualquer orifício de entrada em um ducto condutor ou órgão cilíndrico (óstio coronariano; óstio uterino) [F.: Do lat. cient. *ostium*, de *ostium, ii*, 'entrada', 'porta'.]

ostíolo (os.*tí*:o.lo) *sm.* **1** *Biol.* Pequena abertura ou orifício **2** *Bot.* Orifício microscópico de um órgão ou parte vegetal, por onde são feitas as trocas gasosas [F.: Do lat. *ostiolum, i*, 'pequena porta'.]

ostomizar (os.to.mi.*zar*) *v. td. Cir.* Ver *estomizar* [► 1 ostomizar]

⊕ ***ostpolitik*** (*Al. /ôstpolitik/*) *Hist. Pol. sf.* **1** Política do leste, nome que designou o expansionismo hitlerista na década de 1930 com referência à União Soviética e ao leste da Europa **2** Programa de governo anunciado em 1969 pelo então chanceler da Alemanha Ocidental, Willy Brandt, com o propósito de melhorar as relações de seu país com a República Democrática Alemã (Alemanha Oriental) e seus aliados [Com inicial maiúsc.]

ostra[1] (*os*.tra) [ô] *Zool. sf.* Nome de vários moluscos bivalves, marinhos, da fam. dos ostreídeos, ger. comestíveis, de concha irregular, formada por valvas de tamanhos diferentes e que vivem fixos, presos a diversos tipos de substrato [F.: Do lat. *ostrea, -ae.*]

ostra[2] (os.tra) [ô] *sf. Bras. Fig. Pop.* Pessoa importuna e que não larga outra; GRUDENTO [F.: Do lat. *ostrea, -ae.*]

ostracismo (os.tra.*cis*.mo) *sm.* **1** Afastamento do convívio social ou da participação em determinada atividade; PROSCRIÇÃO **2** *Hist.* Originalmente, o banimento político na Grécia antiga, a que se condenava por dez anos o cidadão que, por excesso de influência, pudesse ameaçar a liberdade pública **3** *Fig.* Repúdio, repulsa [F.: Do gr. *ostrakismós, ou.*]

◎ **ostrac(o)-** ***el. comp.*** = 'concha': *ostracode* (< lat. cient.), *ostracologia, ostracólogo* [F.: Do gr. *óstrakon, ou*, 'casca de ovo'; 'concha'; 'carapaça ou casco de tartaruga'; 'caco de cerâmica, usado para votar naqueles que se queria banir' (ver *ostracismo*).]

óstraco (*ós*.tra.co) *sm.* **1** Na Grécia antiga, fragmento de cerâmica no qual se esrevia o nome da pessoa que se queria banir **2** Fragmento de louça, cerâmica e outros materiais no qual se encontram inscrições como desenhos, nomes, contas numéricas etc. **3** No antigo Egito, fragmento de louça que se usava como substituto do papiro para escrever bilhetes, recados, recibos etc. [F.: Do gr. *óstrakon, ou.*]

ostracode (os.tra.*co*.de) *Zool. sm.* **1** Espécime dos ostracodes, classe de pequenos crustáceos de carapaça bivalve, ger. com sete pares de apêndice ***a2g.*** **2** Ref. ou pertencente aos ostracodes [F.: Adaptç. do lat. cient. *Ostracoda.*]

ostracologia (os.tra.co.lo.*gi*.a) *sf. Zool.* Ramo da zoologia que se ocupa das conchas [F.: *ostrac(o)- + -logia.*]

ostracológico (os.tra.co.*ló*.gi.co) *a. Zool.* Ref. a ostracologia [F.: *ostracologia + -ico*[2].]

ostracólogo (os.tra.*có*.lo.go) *sm. Zool.* Especialista em ostracologia [F.: *ostrac(o)- + -logo.*]

ostreicultor (os.tre:i.cul.*tor*) [ô] *sm. Zool.* Aquele que pratica a ostreicultura, que cria ostras [F.: *ostrei- + -cultor.* Tb. *ostricultor.*]

ostreicultura (os.tre:i.cul.*tu*.ra) *sf. Zool.* Criação de ostras [F.: *ostrei- + -cultura.* Tb. *ostricultura.*]

ostreira (os.*trei*.ra) *sf.* **1** Local onde se criam, natural ou artificialmente, ostras para comercialização **2** Vendedora de ostras **3** *SC SP* Ver *sambaqui* [F.: *ostr(a) + -eira.*]

ostreófago (os.tre.*ó*.fa.go) *a.* Que se alimenta de ostras [F.: *ostre(o)- + -fago.*]

ostricultor (os.tri.cul.*tor*) [ô] *sm.* Ver *ostreicultor*

ostricultura (os.tri.cul.*tu*.ra) *sf.* Ver *ostreicultura*

ostrífero (os.*trí*.fe.ro) *a.* Que produz ou em que há ostras, ger. em abundância (águas ostríferas) [F.: Do lat. *ostrifer, era, erum.*]

ostrogodo (os.tro.*go*.do) *a.* **1** Ref. aos ostrogodos, povo germânico da Antiguidade que migrou em grandes ondas para o Leste da Europa, chegando à margem norte do mar Negro ***sm.*** **2** Indivíduo dos ostrogodos [F.: Do lat. tard. *austrogoti*, pelo lat. *ostrogothi, orum.*]

oswaldiano (os.wal.di.*a*.no) *a.* **1** De ou ref. a, ou próprio de Oswald de Andrade (1890-1954), poeta, romancista, dramaturgo, um dos pioneiros do modernismo brasileiro **2** De estilo semelhante ao de Oswald (poeta oswaldiano) **3** Diz-se de indivíduo que admira ou conhece muito a vida e a obra desse escritor, ou que é seguidor de sua maneira de pensar ***sm.*** **4** Esse indivíduo [F.: Do antr. *(José) Oswald (de Sousa Andrade) + -iano.*]

◎ **-ota**[1] ***suf.*** formador de diminutivos, feminino de-oto/-ote: *canhota, baixota, fracota, ilhota, velhota etc.*

◎ **-ota**[2] ***suf.*** Formador de nomes indicativos de naturalidade ou que envolvem um sentido étnico (raça, cultura etc.): *cipriota, patriota*

ota (*o*.ta) [ô] ***interj.*** *Bras.* Exprime alegria, admiração, espanto [F.: De or. obsc.]

otalgia (o.tal.*gi*.a) *sf. Med.* Dor na orelha; dor de ouvido; OTODINIA [F.: Do gr. *otalgía, as.*]

otálgico (o.*tál*.gi.co) *a.* **1** Ref. a otalgia; OTODÍNICO **2** Próprio para curar otalgia (diz-se de medicamento) [F.: *otalgia + -ico*[2].]

⊠ **OTAN** Sigla de *Organização do Tratado do Atlântico Norte*

otário (o.*tá*.ri:o) *a.* **1** *Gír.* Diz-se de pessoa que se deixa enganar facilmente; INGÊNUO; TOLO [Ant.: *esperto.*] ***sm.*** **2** *Gír.* Indivíduo fácil de ser enganado: "Eu fui um otário /Não soube te amar (...)." (Cássia Eller, *Otário*) [F.: De or. contrv. Para alguns, do lunfardo "*otario*", homem tolo, ingênuo, deriv. de "*otaria*", mamífero muito pesado e estúpido encontrado nos mares do sul; para outros, do espn. (argentino) "*otario*", estúpido, tonto.]

◎ **-ote** ***suf.*** *nom.* Formador de diminutivos, em voc. que apresentam a ideia característica dos dim. de 'algo pequeno'(*ancorote, balote, barrilote, caboclote, caixote, clavinote, escadote, malote, morrote, selote*) e, também, entre outras, as seguintes noções (procedentes da noção primeira): **a)** 'que ou aquele que é um tanto (a qualidade expressa pelo rad. ou palavra original)': *acabadote, atrevidote, azedote, baixote, bonitote, fracote, gordote, grandote, lindote, velhote*; **b)** 'tipo de (aquilo a que se refere o voc. original)': *calabrote, camisote, facote, saiote, serrote*; **c)** 'filhote de (certo animal)': *baleote, boiote*; **d)** (por antífrase) 'que é bem grande': *laçarote* [Outras f.: *-zote* (*gurizote*) e *-gote* (*selagote*).]

ótica (*ó*.ti.ca) *sf.* Ver *óptica*

◎ **-ótico** ***el. comp.*** *Suf.* = formador de nomes, ger. adjetivos, derivados de outros terminados em *-ose* e que indicam uma ação ou um processo: *hipnótico, micótico, psicótico, simbiótico, trombótico etc.*

ótico[1] (*ó*.ti.co) *a.* **1** *Otor.* Ref. a orelha **2** Diz-se de medicamento que combate as doenças da orelha [F.: Do gr. *otikós, é, ón.*]

ótico[2] (*ó*.ti.co) *a. Bras.* Ver *óptico*

otimismo (o.ti.*mis*.mo) *sm.* **1** Inclinação para ver as coisas pelo lado mais favorável: *Seu otimismo o levava sempre à vitória.* **2** Atitude esperançosa, confiante em relação ao futuro [F.: *ótim(o) + -ismo.* Ant. ger.: *pessimismo.*]

otimista (o.ti.*mis*.ta) *a2g.* **1** Ref. ao otimismo **2** Que vê o bem em tudo, que não desanima frente às adversidades **3** Que se mostra esperançoso, confiante em relação ao futuro ***s2g.*** **4** Pessoa que vê o lado bom de tudo, não se abatendo frente às adversidades da vida **5** Indivíduo que demonstra confiança no futuro [F.: *ótim(o) + -ista.* Ant. ger.: *pessimista.*]

otimístico (o.ti.*mís*.ti.co) *a.* Ref. a otimismo ou a otimista [F.: *otimista + -ico*[2].]

otimização (o.ti.mi.za.*ção*) *sf.* **1** Ato ou efeito de otimizar, de criar condições adequadas para a realização de algo **2** *Inf.* Reorganização ou aprimoramento de um processo, de um sistema, com o objetivo de se obter o maior rendimento possível, em menor espaço de tempo **3** *Est.* Procedimento us. para determinar o valor ótimo de uma grandeza [Pl.: *-ções.*] [F.: *otimizar + -ção.*]

otimizado (o.ti.mi.*za*.do) *a.* Que se otimizou (sistema otimizado) [F.: Part. de *otimizar.*]

otimizador (o.ti.mi.za.*dor*) [ô] *a.* **1** Diz-se do que otimiza, do que torna (algo) ótimo, mais perfeito ***sm.*** **2** Aquele ou aquilo que otimiza (otimizador de *performance*; otimizador de rotas) [F.: *otimizar + -dor.*]

otimizar (o.ti.mi.*zar*) *v. td.* **1** Melhorar ao máximo as condições de; aproveitar ao máximo (meios, desempenho, processo etc.), de modo a obter os melhores resultados possíveis: *A empresa conseguiu otimizar sua produção.* **2** *Inf.* Melhorar (programa) de modo a ser o mais simples e o mais rápido possível **3** *Est.* Estabelecer o valor ótimo de uma grandeza [► 1 otimizar] [F.: *ótimo + -izar.*]

ótimo (*ó*.ti.mo) *a.* **1** Grau superl. abs. sint. de bom; muito bom; EXCELENTE; MAGNÍFICO: *Fiz uma ótima prova; Ele é um companheiro ótimo.* [Ant.: *péssimo.*] ***sm.*** **2** Aquilo que existe de melhor: *O ótimo deve ser sempre o objetivo máximo na busca do sucesso profissional.* ***interj.*** **3** Expressa significativamente um sentimento de agrado, aprovação, satisfação: *Ótimo! Não esperava que chegasse tão cedo.* [F.: Do lat. *optimus.*]

otite (o.*ti*.te) *sf. Med.* Inflamação na orelha, de acordo com a nova terminologia anatômica [Antigamente us. para indicar inflamação de ouvido.] [F.: *ot(o)- + -ite*[1].]

⊠ **OTN** Sigla de *Obrigação do Tesouro Nacional*

◎ **-ot(o)-** ***el. comp.*** Ver *ot(o)-*

◎ **-oto** ***el. comp.*** Ver *ot(o)-*

◎ **ot(o)-** ***el. comp.*** = 'orelha'; 'ouvido': *otalgia* (< gr.), *otite, otoauditivo, otoespongiose, ostospongiose, otólito, otologia, otoneurologia, otopatia, otoplastia, otorreia, otorrinolaringologia, otoscopia, ototomia; parótico; tenioto* [F.: Do gr. *oûs, otós.*]

otoauditivo (o.to.au.di.*ti*.vo) *a. Med.* Ref. ao ouvido e à audição [F.: *ot(o)- + auditivo.*]

otoespongiose (o.to:es.pon.gi:o.*se*) *sf. Otor.* Doença hereditária da orelha média que gradativamente conduz à surdez, e que resulta da formação anormal de osso esponjoso no labirinto ósseo [Cf. *otosclerose.*] [F.: *ot(o)- + -(e)spongi(o)- + -ose*[1]. Tb. *otospongiose.*]

otolítico (o.to.*lí*.ti.co) *a.* Ref. a otólito [F.: *otólito + -ico*[2].]

otólito (o.*tó*.li.to) *sm. Anat. Zool.* Concreção calcária situada na vesícula conhecida como otocisto e responsável pelo equilíbrio de numerosos vertebrados em sua relação com a gravidade [F.: *ot(o)- + -lito*[1].]

otologia (o.to.lo.*gi*.a) *sf.* Parte da medicina que trata da anatomia, fisiologia e males da orelha [F.: *ot(o)- + -logia.*]

otológico (o.to.*ló*.gi.co) *a.* Ref. a otologia [F.: *otologia + -ico*[2].]

otologista (oto.lo.*gis*.ta) *s2g.* **1** Médico especialista em doenças da orelha ***a2g.*** **2** Diz-se desse especialista [F.: *otologia + -ista.*]

otomana (o.to.*ma*.na) *sf.* **1** *Mob.* Sofá largo e sem encosto **2** *Vest.* Tecido fino, us. em roupas de senhoras [F.: Do fr. *ottomane.*]

otomano (o.to.*ma*.no) ***a.*** 1 Diz-se do descendente de Osman (1259-1326), *Uthman* em ár., terceiro califa e fundador da dinastia turca 2 Ref. à Turquia 3 Diz-se de habitante do império turco ***sm.*** 4 O habitante desse império [F.: Do lat. medv. *ottomanus*, apoiado no antr. ár. *Uthman*, imperador turco.]

otoneurologia (o.to.neu.ro.lo.*gi*.a) ***sf.*** *Med.* Parte da neurologia que trata do labirinto e suas conexões com o cérebro [F.: *ot(o)-* + *neurologia*.]

otopatia (o.to.pa.*ti*.a) ***sf.*** *Med.* Qualquer doença da orelha [F.: *ot(o)-* + *-patia*.]

otopático (o.to.*pá*.ti.co) ***a.*** *Med.* Ref. a otopatia [F.: *otopatia* + *-ico^{2}*.]

otoplastia (o.to.plas.*ti*.a) ***sf.*** *Cir.* Cirurgia da orelha, corretora de defeitos estéticos e malformações diversas [F.: *ot(o)-* + *-plastia*.]

otoplástico (o.to.*plás*.ti.co) ***a.*** *Cir.* Ref. a otoplastia [F.: *otoplastia* + *-ico^{2}*.]

otorreia (o.tor.*rei*.a) ***sf.*** *Otor.* Corrimento de secreção, por vezes purulenta, pela orelha [F.: *ot(o)-* + *-reia*.]

otorreico (o.tor.*rei*.co) ***a.*** *Otor.* Ref. a otorreia [F.: *otorre(ia)* + *-ico^{2}*.]

otorrino (o.tor.*ri*.no) ***s2g.*** *Med.* F. red. de *otorrinolaringologista*

otorrinolaringologia (o.tor.ri.no.la.rin.go.lo.*gi*.a) ***sf.*** *Med.* Especialidade médica que trata das doenças da orelha (ant. ouvido), do nariz e da garganta [F.: *ot(o)-* + *-rin(o)-* + *-laring(o)-* + *-logia*.]

otorrinolaringológico (o.tor.ri.no.la.rin.go.*ló*.gi.co) ***a.*** *Med.* Ref. a otorrinolaringologia [F.: *otorrinolaringologia* + *-ico^{2}*.]

otorrinolaringologista (o.tor.ri.no.la.rin.go.lo.*gis*.ta) *Med.* ***s2g.*** 1 Médico especialista em otorrinolaringologia [Tb. se diz apenas *otorrino*.] ***a2g.*** 2 Diz-se desse especialista 3 Ref. a otorrinolaringologia [F.: *otorrinolaringologia* + *-ista*.]

otosclerose (o.tos.cle.*ro*.se) ***sf.*** *Pat.* Formação anormal de osso esponjoso próximo do estribo da janela da orelha, o que pode provocar ancilose e causa perda gradativa do sentido de audição [Cf. *otoespongiose*.] [F.: *ot(o)-* + *esclerose*.] ■ **~ coclear** *Otor.* A que resulta de surdez neurossensorial

otoscopia (o.tos.co.*pi*.a) ***sf.*** *Otor.* Exame realizado na orelha com otoscópio [F.: *ot(o)-* + *-scopia*.]

otoscópico (o.tos.*có*.pi.co) ***a.*** *Med.* Ref. a otoscopia ou otoscópio [F.: *otoscopia* + *-ico^{2}*.]

otoscópio (o.tos.*có*.pi.o) ***sm.*** *Otor.* Instrumento próprio para o exame da membrana do tímpano ou para auscultar a orelha [F.: *ot(o)-* + *-scópio*.]

otose (o.*to*.se) *Otor.* ***sf.*** 1 Afecção crônica e não infecciosa da orelha 2 Impressão falsa de ter ouvido um som [F.: *ot(o)-* + *-ose^{1}*.]

otospongiose (o.tos.pon.gi:o.se) ***sf.*** Ver *otoespongiose*

ototomia (o.to.to.*mi*.a) ***sf.*** *Cir.* Dissecção da orelha [F.: *ot(o)-* + *-tomia*.]

ototoxicidade (o.to.to.xi.ci.*da*.de) [cs] ***sf.*** Condição de ototóxico; toxicidade causada na orelha por substância ou medicamento [F.: *ototóxico* + *-(i)dade*.]

ototóxico (o.to.*tó*.xi.co) [cs] ***a.*** *Med.* Diz-se de substância ou medicamento que provoca efeito tóxico sobre os nervos responsáveis pela audição e pelo equilíbrio [F.: *ot(o)-* + *tóxico*.]

ou ***conj. alter.*** 1 Liga palavras (verão ou inverno) ou orações (Não sei se fico ou se vou), expressando exclusão, oposição ou dúvida ***conj. expl.*** 2 Em outras palavras; isto é: *Paulo, ou dr. Paulo, recomendou exercícios físicos.* [F.: Do lat. *aut*.]

⊠ **OUA** Sigla de *Organização da Unidade Africana*

oubaína (ou.a.ba.*í*.na) ***sf.*** *Bioq.* Heterosídeo extraído da *Acocanthera ouabaio* [Fórm.: $C_{29}H_{44}O_{12}H_2O$]

ouça (*ou*.ça) ***sf.*** O ouvido; a capacidade de ouvir; OIÇA [F.: Dev. de *ouvir*. Hom./Par.: *ouça* (fl. de *ouvir*).] ■ **Ter boas ~s** Ter boa audição, ouvir bem

ougar (ou.*gar*) *Lus.* ***v.*** 1 O mesmo que *aguar* [*td.*] 2 *Pop.* Olhar (alguém) cobiçosamente para a comida de outrem, nitidamente querendo comer também, chegando a incomodar quem come pela insistência do olhar [*int.* Tb. se diz *ficar ougado*.] [▶ **14 ougar**] [F.: De or. obsc.]

oura (*ou*.ra) ***sf.*** Tontura provocada por estado de fraqueza; OURAMENTO [F.: Do lat. *aura, ae*.]

ourado (ou.*ra*.do) ***a.*** 1 Que sofre de oura; TONTO 2 Que se encontra fora de si; DESVAIRADO [F.: Part. de *ourar*.]

ourama (ou.*ra*.ma) ***sf.*** 1 Grande quantidade de ouro: "Meu deus! Que mandinga foi esta? E a ourama que alumia diante de nossos olhos?!" (Afonso Arinos, "Assombramento") 2 *P. ext.* Muito dinheiro, muita riqueza; DINHEIRAMA [F.: *ouro* + *-ama*. Sin. ger.: *ourame*.]

ourar^{1} (ou.*rar*) ***v. td.*** Prover de ouro ou enfeitar com ouro; OIRAR [▶ **1 ourar**] [F.: *ouro* + *-ar^{2}*.]

ourar^{2} (ou.*rar*) ***v.*** 1 Provocar ou sentir oura, tontura [*td.*: *O balanço do barco ourou a menina.*] [*int.*: *Sensível às variações de pressão, ourava(-se) sempre que subia a serra.*] 2 *P. ext.* Perder a razão, cometer loucuras ou desatinos; alucinar, desvairar(-se) [*int.*: *Ourava(-se) à menor provocação, às vezes chegando à violência.*] [F.: *oura* + *-ar^{2}*.]

ourela (ou.*re*.la) [é] ***sf.*** 1 *Têxt.* Borda mais grossa de um tecido, servindo-lhe de acabamento 2 A margem de alguma coisa; BEIRA; BORDA [F.: Do lat. vulg. *orella* por *orula*, dim. de *ora*, 'beira', 'margem'.]

ouriçado (ou.ri.*ça*.do) ***a.*** 1 Que tem a forma de ouriço, que tem espinhos ou hastes dispostos como os do ouriço 2 Arrepiado, eriçado, encrespado (cabeleira ouriçada) 3 Abespinhado, irritado 4 *Bras. Gír.* Muito animado; AGITADO; EXCITADO [F.: Part. de *ouriçar*.]

ouriçar (ou.ri.*çar*) ***v. td.*** 1 Tornar(-se) semelhante ao ouriço: *O ruído estranho ouriçou o cachorro; O gato ouriçou-se todo ao ser empurrado.* 2 Tornar(-se) perplexo ou inconformado: *A má notícia ouriçou todos os jogadores; Ouriçou-se todo ao ser censurado.* 3 Tornar(-se) agitado, animado, exaltado: *As novas garotas ouriçaram os rapazes; Ouriçou-se dos pés à cabeça ao ver a nova companheira de turma.* [▶ **12 ouriçar**] [F.: *ouriço* + *-ar^{2}*. Hom./Par.: *ouriço* (fl.), *ouriço* (sm.).]

ouriço (ou.*ri*.ço) ***sm.*** 1 *Zool.* Denominação comum a diversos pequenos mamíferos da ordem dos insetívoros, cujo dorso é coberto por espinhos 2 A casca dura ou espinhosa de alguns frutos como p. ex. a castanha e a noz 3 *Bras.* Armadura de ferro com pontas aguçadas lembrando a forma de um ouriço, utilizada para a colocação de arranjos florais 4 *Bras. Gír.* Grande animação; AGITO: *O ouriço das crianças com as férias.* [F.: Do lat. *ericius*.]

ouriço-cacheiro (ou.ri.ço-ca.*chei*.ro) ***sm.*** *Zool.* Nome comum dado aos roedores da fam. dos eretizontídeos, arborícolas e florestais, encontrados nas três Américas, caracterizados pelo corpo coberto por espinhos longos e pontiagudos; CUANDU; PORCO-ESPINHO [Pl.: *ouriços-cacheiros*.] [F.: *ouriço* + *cacheiro*.]

ouriço-do-mar (ou.ri.ço-do-*mar*) ***sm.*** *Zool.* Denominação comum a diversos invertebrados marinhos, do filo dos equinodermos e da classe dos equinoides, cuja carapaça redonda e dura é coberta por espinhos móveis; PINDÁ [Pl.: *ouriços-do-mar*.]

ouricuri (ou.ri.cu.*ri*) ***sm.*** *Bras. Bot.* Árvore (*Cocos coronata*) da fam. das palmáceas, de frutos globosos comestíveis; ARICURI: "Finda a umidade, o sertão ia surgindo, (...) povoado de ouricuris e cajueiros..." (Graciliano Ramos, *Infância*) [F.: Do tupi *uriku'ri*.]

ouricurizeiro (ou.ri.cu.ri.*zei*.ro) ***sm.*** *Bras. Bot.* O mesmo que *ouricuri* [F.: *ouricuri* + *-zeiro*.]

ourives (ou.*ri*.ves) ***s2g2n.*** 1 Artesão que fabrica objetos, esp. de adorno, utilizando metais preciosos como o ouro e/ou a prata 2 Comerciante que conserta ou vende objetos de ouro e prata [F.: Do lat. *aurifex*.]

ourivesaria (ou.ri.ve.sa.*ri*.a) ***sf.*** 1 Arte, trabalho ou comércio de ourives: *O Brasil é conhecido pela qualidade da sua ourivesaria.* 2 Local onde se comercializam joias 3 Conjunto das obras feitas por um ourives: *Na sala do museu estava exposta a ourivesaria que pertenceu à família real.* [F.: *ourives* + *-aria*.]

ouro (*ou*.ro) ***sm.*** 1 *Quím.* Elemento químico de número atômico 79, metálico, de cor amarelo-brilhante, do qual se fazem moedas e joias e que tem um alto valor comercial [Símb.: *Au*] 2 *Pop.* Dinheiro: *Preciso de muito ouro para ter minha casa própria.* 3 Qualquer objeto de grande valor; FORTUNA; RIQUEZA 4 *Fig.* Pessoa ou coisa à qual se atribui grande valor, consideração etc.: *O ouro da sua vida era a família.* 5 *Fig.* Cor amarela de forte intensidade: *A luz do sol refletia no ouro dos seus cabelos.* [F.: Do lat. *aurum*.] ■ **A ~ e fio** Em igual proporção **De ~** *Fig.* Muito bom, de muito valor, muito bem-comportado etc.: *É um menino de ouro, não dá trabalho algum.* **Entregar o ~ (ao bandido)** 1 Revelar a adversário, concorrente etc., ger. inadvertidamente, informação, conhecimento, plano, técnica etc., prejudicando a si mesmo ou outrem 2 Em jogo, competição etc., cometer falha que facilita a vitória ou a vantagem do adversário **Nadar em ~** *Bras. Fig. Pop.* Ser muito rico, viver como um nababo **Nem tudo que reluz é ~** Nem tudo é o que parece; as aparências enganam **~ besouro** Liga de metais (ger. cobre e zinco) que imita o ouro; ouro falso **~ branco** 1 Liga de ouro (cerca de 75%), níquel, cobre e zinco us. em joalheria 2 Liga de ouro, níquel e paládio 3 *Bras. Fig.* O algodão, como riqueza agrícola 4 *Antiq.* A platina **~ de lei** 1 Aquele que tem os quilates exigidos por lei 2 *Fig.* Pessoa de grande valor, de qualidade superior **~ de tabuleiro** *Bras.* Ouro de garimpo nas margens de riachos e ribeiros **~ dezoito quilates** Liga de ouro na qual este representa 75% **~ dos tolos/trouxas** 1 *Bras. Pop.* A pirita 2 *Fig.* Aquilo que traz ilusão de riqueza; aquilo que aparenta ser valioso, mas tem pouco valor: "No país das irrelevâncias, das planilhas, dos brilharecos, da retórica superficial, do ouro dos tolos..." (Luís Nassif, *Jornal da Ciência*, da SBPC, 02.01.2006) **~ falso** Ver *Ouro besouro*. **~ fino** Ouro de 24 quilates **~ monetário** Ouro us. como lastro financeiro ou como reserva nacional ou internacional **~ negro** 1 *Fig.* Designação dada ao petróleo, como riqueza econômica 2 *Bras.* A borracha da seringueira, considerada como recurso natural de grande valor **~ sobre azul** 1 Coisa muito linda ou muito boa, maravilhosa, magnífica 2 Circunstância especialmente favorável, boa oportunidade **~ verde** 1 Liga feita principalmente de ouro e prata 2 *Bras. Fig.* O café, como riqueza agrícola **Ser ~ de lei** Ter grande valor, talento, qualidade etc.; valer ouro **Ser ~ em pó** 1 Ver *Ser ouro de lei.* 2 Ser (pessoa) de bom caráter ou de boa índole, honesto, leal etc. **Valer ~** 1 Ver *Ser ouro de lei* 2 Ver *Ser ouro em pó (2)*

ouro-fio (ou.ro-*fi*:o) ***adv.*** De maneira igual, igualmente, exatamente, em igual proporção: *Partilhou seus bens ouro-fio com seus irmãos.* [Tb. *ouro e fio*.] ■ **A ~** Ouro-fio: *Partilhou seus bens a ouro-fio com seus irmãos.*

ouropel (ou.ro.*pel*) ***sm.*** 1 Lâmina de metal amarelo que imita o ouro 2 *P. ext. Fig.* Disfarce brilhante que encobre coisa falsa; aparência enganosa de luxo 3 *Pej. Ret.* Ornato pomposo no estilo e que encobre deficiência ou falsidade de ideias [Pl.: *-péis*.] [F.: Do b. lat. *auripellis*.]

ouros (*ou*.ros) ***smpl.*** Um dos quatro naipes das cartas de baralho que tem como figura um losango vermelho (ás de ouros) [F.: Pl. de *ouro*.]

ousadia (ou.sa.*di*.a) ***sf.*** 1 Característica de ousado; ARROJO; CORAGEM: *Tinha ousadia em suas decisões.* 2 Imprudência, temeridade: *Por sua ousadia no trânsito, cometia muitas infrações.* 3 *P. ext.* Atitude atrevida, desrespeitosa para com alguém ou algo; PETULÂNCIA: "Respondo que não dou a ousadia de contestar este argumento infundado (...)." (João Ubaldo Ribeiro, *Diário do farol*) 4 Ausência de cerimônia para com alguém; INTROMISSÃO [F.: *ousad(o)* + *-ia*.]

ousado (ou.*sa*.do) ***a.*** 1 Que demonstra coragem em ações e palavras; ARROJADO; CORAJOSO [Ant.: *medroso, covarde*.] 2 Audacioso, imprudente: *Na curva, arriscou-se com uma manobra muito ousada.* 3 Que se mostra desrespeitoso; ATREVIDO; PETULANTE ***sm.*** 4 Indivíduo destemido, corajoso, valente [F.: Part. de *ousar*.]

ousar (ou.*sar*) ***v.*** 1 Ter a coragem, a audácia de; atrever-se [***td.***: *Ousou enfrentar o inimigo armado.*] [***int.***: *Os mais bem-sucedidos empresários no ramo da moda são os que ousam; Chegou ao campo de batalha, ousou e obteve a vitória.*] 2 Tomar a decisão de [***td.***: *Chegou até a porta, mas não ousou entrar.*] 3 Tentar fazer (algo novo, diferente etc.) [***td.***: *Não ousava fazer aquele texto de outra maneira.*] [▶ **1 ousar**] [F.: Do lat. vulg. *ausare*, de *ausus*.]

⊕ **out** (*Ing. /áut/*) ***adv.*** 1 Fora de moda, dos padrões habitualmente aceitos: *Essa calça está out!* 2 Por fora, sem conhecimento de (fato, notícia etc.): *Nunca sabe de nada, está sempre out!* [P. opos. a *in*.]

outão (ou.*tão*) ***sm.*** Ver *oitão* [Pl.: *-tões*.]

outar (ou.*tar*) ***v. td.*** O mesmo que *joeirar* [▶ **1 outar**] [F.: Do lat. *optare*.]

⊕ **outdoor** (*Ing. /áudor/*) ***sm.*** *Bras. Publ.* Cartaz de propaganda de grandes dimensões exposto ao ar livre, esp. ao longo de vias públicas [Pl.: *outdoors*.]

outeiro (ou.*tei*.ro) ***sm.*** 1 Pequena elevação em um terreno; COLINA; MORRO 2 *Hist.* Concurso de poetas que glosavam os motes dados pelas freiras em dia de festa no pátio dos conventos [F.: Do lat. *altarium* (altar).]

outonal (ou.to.*nal*) ***a2g.*** Próprio do outono ou relativo a ele (vento outonal) [Pl.: *-nais*.] [F.: Do lat. *autumnalis*.]

outonar (ou.to.*nar*) ***v.*** 1 Transcorrer o outono [*int.*] 2 Brotar (um vegetal) no outono [*int.*] 3 Molhar (as terras) com as águas do outono [*td.*] [▶ **1 outonar**] [F.: Do lat. *autumnare*. Hom./Par.: *outonais* (2ªp. pl.)/ *outonais* (pl. outonal [a2g.]); *outono* (1ªp. s.)/ outono (sm.).]

outoniço (ou.to.*ni*.ço) ***a.*** 1 O mesmo que *outonal* 2 Que está no outono da vida, na meia-idade: "Boniteza outoniça, adeus!" (Monteiro Lobato, *Urupês*) [F.: *outon(o)* + *-iço*.]

outono (ou.*to*.no) ***sm.*** 1 Estação do ano entre o verão e o inverno que, no hemisfério sul, onde está situado o Brasil, se inicia em 21 de março e termina em 20 de junho: *No outono as árvores deixam cair as suas folhas.* 2 *Fig.* Período da vida marcado pelo início da velhice; OCASO 3 O período da colheita [F.: Do lat. *autumnus*.]

outorga (ou.*tor*.ga) ***sf.*** 1 Ação ou efeito de outorgar; APROVAÇÃO; BENEPLÁCITO; CONSENTIMENTO 2 *Jur.* Concessão de ordenamento ou lei; DÁDIVA; DOAÇÃO: *a outorga da Carta Constitucional.* 3 *Jur.* Declaração de escritura pública [F.: Dev. de *outorgar*. Hom./Par.: *outorga* (fl. de *outorgar*).]

outorgado (ou.tor.*ga*.do) ***a.*** 1 Que se outorgou (escrituras outorgadas) ***sm.*** 2 *Jur.* O beneficiário da outorga [F.: Part. de *outorgar*.]

outorgador (ou.tor.ga.*dor*) [ô] ***a.*** 1 Que outorga 2 Aquele que outorga [F.: *outorgar* + *-dor*. Sin. ger.: *outorgante*.]

outorgante (ou.tor.*gan*.te) ***a2g.*** 1 Que outorga, que consente, que concede ***s2g.*** 2 *Jur.* Aquele que outorga; OUTORGADOR: *E pelo primeiro outorgante foi declarado.* [F.: *outorga(r)* + *-nte*.]

outorgar (ou.tor.*gar*) ***v.*** 1 Conferir, conceder (direito, mandato, título etc.) [***tdi.*** + *a*: *A universidade outorgou ao poeta o título de doutor; Ele outorgava-se o direito de agredir a todos.*] 2 Conceder, dar [***td.***: *outorgar dispensa.*] [***tdi.*** + *a*: "Graças ao tratamento preferencial que lhe outorgaram..." (Alberto da Costa e Silva, *A manilha e o libambo*)] 3 Facultar, tornar possível, aprovando; possibilitar [***tdi.*** + *a*: *O diretor outorgara-lhe a aplicação de medidas excepcionais.*] 4 Conceder, facultar [***tdi.*** + *a*.: *A medida outorgou inegáveis vantagens aos digitadores.*] 5 *Jur.* Declarar por escritura pública [***td.***: *outorgar uma transação imobiliária.*] [▶ **14 outorgar**] [F.: Do lat. **auctoricare*. Hom./Par.: *outorga(s)* (fl.), *outorga(s)* (sf. [pl.]); *outorgáveis* (fl.), *outorgáveis* (pl. de *outorgável* [a2g.]).]

⊕ **output** (*Ing. /áutput/*) ***sm.*** 1 Ato de produzir; PRODUÇÃO 2 *Econ.* O produto final da combinação dos fatores de produção 3 *Elet. Eletrôn.* Corrente produzida por circuito elétrico ou eletrônico 4 *Inf.* Processo de transferência de dados armazenados do meio interno de um computador para um meio externo 5 *Inf.* Informação formatada que é objeto de transferência de um computador para um meio externo qualquer 6 *Mec.* A força que uma máquina produz 7 *Mec.* Rendimento do trabalho realizado [Pl.: *outputs*.] [Cf.: *input*.]

outrem (ou.trem) ***pr. indef.*** Outra pessoa ou outras pessoas: *Ouviu de outrem elogios ao seu trabalho.* [a] Utiliza-se o pr.

indef. *outrem* para indicar, de modo impreciso ou indefinido, uma ou mais pessoas ausentes do ato de comunicação; b) Este pr. indef. é us. em substituição a um nome.] [F.: Do lat. *alteri.*]

outro (*ou*.tro) ***pr. indef.*** **1** Qualquer coisa ou alguém diferente do que ou de quem se encontra próximo do falante: *Não gostei deste estampado, preferia outro mais simples.* **2** Qualquer coisa ou alguém que se encontra distante de quem fala: *Não quero este, prefiro o outro.* **3** O segundo ou o seguinte: *Eram dois, o outro foi atendido antes dele.* **4** Oposto, contrário: *Parou do outro lado da pista.* **5** Mais um, um novo: *Você quer outro pedaço de bolo?* **6** Superior, maior, melhor: *Esse perfume é outra coisa!* **7** O restante, o que fica: *Os outros só sairão quando terminarem o trabalho.* **8** Igual, semelhante: *Quero ver achar outro.* [F.: Do lat. *alteru.*] ■ **~ eu 1** Outro ser, muito semelhante, com a mesma natureza, portanto um substituto perfeito do eu; *alter ego* **2** *Fig.* Amigo muito próximo, muito afim **Não dar outra** *Bras. Gír.* Acontecer como era previsto: *Eu disse que ia dar certo, e não deu outra: o programa foi um sucesso.* **O ~** Alguém outro, outrem [Us. ger. em citações em que não se menciona a fonte ou autoria.] **Por outra** Por outro lado, sob outro ângulo

outrora (ou.*tro*.ra) ***adv.*** Em tempos passados, antigamente, noutro tempo, remotamente: "Há um perfume no ambiente – um perfume de outrora / Muito vago, a lembrar todo um passado morto..." (Cecília Meireles, "Evocação" *in Espectros*) [F.: *outr(a)* + *(h)ora.*]

outros (*ou*.tros) ***pr. indef.*** Outras pessoas: *Os primeiros foram a cavalo, os outros a pé.* [F.: Pl. de *outro.*]

outrossim (ou.tros.*sim*) ***adv.*** Também, igualmente, do mesmo modo: *Todos têm, outrossim, direito à educação.* [F.: *outro* + *sim.*]

⊕ ***outsider*** (*Ing. /autsáider/*) ***s2g.*** **1** Pessoa que não pertence a um determinado grupo **2** *Tur.* Azarão, zebra

outubrismo (ou.tu.*bris*.mo) ***sm.*** *Hist. Pol.* Ação e ideologia do movimento revolucionário de 1930, no Brasil [F.: *outubr(o)* + *-ismo.*]

outubro (ou.*tu*.bro) ***sm.*** *Cron.* O décimo mês do ano. (Com 31 dias.) [F.: Do lat. *october, bris.*]

⊕ ***ouverture*** (*Fr. /uvertír/*) ***sf.*** *Mús.* O mesmo que *abertura*

ouvida (ou.*vi*.da) ***sf.*** Ação ou resultado de ouvir; OITIVA [F.: Fem. substv. de *ouvido.*] ■ **De ~** Por ouvir dizer; de oitiva, de orelha, (bras.) de orelhada: *Conheço o caso só de ouvida.* [Cf. *De ouvido.*]

ouvido (ou.*vi*.do) ***a.*** **1** Que se escutou ou se percebeu por meio de sons: *Explosão ouvida a distância.* ***sm.*** **2** Sentido da audição: *Os cegos costumam ter um ouvido apuradíssimo.* **3** *Anat.* Ver *orelha* (1, 2) **4** Capacidade de captar e discernir sons musicais: *Paula tem bom ouvido.* **5** Facilidade em memorizar o que se ouve, revelando boa memória auditiva **6** *Expl.* Orifício pelo qual se comunica o fogo à pólvora nas armas de fogo (*ouvido* da espingarda/do canhão) **7** *Mús.* Abertura no tampo dos instrumentos de música, por onde se transmitem os sons à caixa de ressonância **8** *Mús.* Orifício coberto com chave, nos instrumentos de palheta [F.: Part. de *ouvir.*] ■ **~ absoluto** *Mús.* Capacidade de, ao ouvi-las, identificar as notas de modo absoluto, isto é, pela frequência do seu som. (Também se aplica à capacidade de identificar o tom de um trecho musical, de distinguir auditivamente as diferentes notas que formam os acordes e de perceber e classificar os intervalos entre as notas.) **~ de tuberculoso** *Bras. Fig. Pop.* Capacidade auditiva muito apurada **~ externo** *Anat. Otor.* Na antiga nomenclatura anatômica, *Orelha externa* (ver no verbete *orelha*) **~ interno** *Anat. Otor.* Na antiga nomenclatura anatômica, *Orelha interna* (ver no verbete *orelha*) **~ médio** *Anat. Otor.* Na antiga nomenclatura anatômica, *Orelha média* (ver no verbete *orelha*) **Ao ~** Em voz baixa, sussurrando, em segredo **Buzinar nos ~ (de)** Perturbar (alguém) com reclamações, pedidos, queixas etc. **Chegar aos ~s de** Passar (alguém) a ter conhecimento de (sem identificação da fonte da informação) **Dar ~s a** Acreditar em, dar crédito a: *Não dê ouvidos a essas fofocas.* **De ~** *Mús.* Sem ler partitura: *Não sabia ler música, mas tocava de ouvido como um virtuose.* [Cf. *De ouvida.*] **Duro de ~** Que não tem boa audição, que não ouve bem **Emprenhar(-se) pelos ~s** *Fig.* Envolver ou deixar-se envolver em intrigas, influenciar ou deixar-se influenciar por intrigas **Entrar por um ~ e sair pelo outro** *Fig. Pop.* Ser ouvido (dito, explicação, conselho, advertência etc.), mas não ser assimilado, compreendido, memorizado por quem não está prestando atenção **Fazer ~s de mercador** Fingir que não está ouvindo quando alguém lhe fala; fazer ouvidos moucos **Fazer ~s moucos** Ver *Fazer ouvidos de mercador* **Fechar/tapar os ~s** *Fig.* Não querer escutar, recusar-se a escutar **Prestar ~ a** Prestar atenção a, dar crédito a **Ser todo ~s** Prestar muita atenção **Tapar os ~s** *Fig.* Ver *Fechar/tapar os ouvidos* **Ter bom/mau ~** *Pop.* Ter/não ter boa capacidade de perceber e discernir sons (esp. os musicais) **Ter os ~s cheios** *Fig. Pop.* Estar cansado, farto de ouvir queixas, reclamações, advertências etc.

ouvidor (ou.vi.*dor*) [ô] ***a.*** **1** Que ouve (funcionário *ouvidor*); OUVINTE **2** Diz-se de aparelho que possibilita aos surdos a audição ***sm.*** **3** Aquele que, por posto ou função, é encarregado de defender o cidadão diante dos poderes públicos (*ouvidor* geral) **4** *Bras. Hist.* No período colonial, juiz nomeado pelo soberano de Portugal **5** *Bras. Antq. Hist.* Magistrado com as funções de quem hoje é juiz de direito **6** Instrumento us. para se ouvir melhor [F.: *ouvi(r)* + *-dor.*]

ouvidoria (ou.vi.do.*ri*.a) ***sf.*** **1** O cargo ou as funções do ouvidor **2** Local onde o ouvidor desempenha suas funções [F.: *ouvidor* + *-ia.*]

ouvinte (ou.*vin*.te) ***a2g.*** **1** Diz-se de quem ouve um discurso, uma preleção, uma aula etc. **2** Diz-se de aluno que assiste a aulas sem compromisso ou sem estar regularmente matriculado ***s2g.*** **3** Aquele que ouve; OUVIDOR **4** Aluno que assiste a aulas sem estar matriculado **5** *Ling.* O receptor de uma mensagem oral [F.: *ouvi(r)* + *-nte.*]

ouvir (ou.*vir*) ***v.*** **1** Perceber sons com o ouvido; escutar [***td.***: *Ouviu o vizinho chamar.*] [***int.***: *Quando o chamam, ele finge não ouvir.*] **2** Tornar-se ou permanecer atento por meio do sentido da audição [***td.***: *Ouvir o rádio/um discurso/uma conversa; Ouça o que seu pai tem a lhe falar.*] **3** Ter o sentido da audição [***int.***: *Ele não ouve bem.*] **4** Pedir conselho, opinião etc. de [***tdr.*** + *sobre*: *Quis ouvir o pai sobre a oportunidade da viagem.*] [***td.***: *Nessas horas ele só ouve o avô.*] **5** Receber repreensão, crítica [***int.***: *Quando chegar em casa, ela vai ouvir!*] **6** Tomar depoimento de [***td.***: "O delegado ouviu mais de cem pessoas desde a abertura do inquérito." (*Folha de S.Paulo*, 20.04.1999)] **7** Levar em consideração [***td.***: *Ouça todas as opiniões antes de decidir.*] [▶ **40 ouvir**] [F.: Do lat. *audire.* Hom./Par.: *ouve* (fl.), *houve* (fl. de *haver*); *ouço* (fl.), *osso* (sm.). Ideia de 'ouvir': *ouv-*.] ■ **Por ~ dizer 1** Por informação oral, ger. de fonte indeterminada; de oitiva **2** *P. ext.* Sem testemunho ou comprovação diretos

ova (*o*.va) ***sf.*** *Ict.* O ovário de um peixe com seus ovos [Mais us. no pl.] [F.: Do lat. *ova*, pl. de *ovum* (ovo). Hom./Par.: *ova* (fl. de *ovar*).] ■ **Uma ~** *Pop.* Us. para negar enfaticamente: *Cansado, uma ova! Você está é com preguiça.* [Equivale a *de jeito nenhum.*]

ovação¹ (o.va.*ção*) ***sf.*** Aclamação pública, honra solene e entusiástica que se faz a alguma pessoa; APLAUSO: "Quando no círculo mesquinho das suas glórias ouvia o próprio nome aclamado e coberto de ovações (...)." (Aluísio Azevedo, *Coruja*) [Pl.: *-ções.*] [F.: Do lat. *ovatio, onis.*]

ovação² (o.va.*ção*) ***sf.*** **1** Ação ou efeito de ovar **2** *Ict.* Conjunto dos ovos dos peixes; OVA [Pl.: *-ções.*] [F.: *ova(r)* + *-ção.*]

ovacionar (o.va.ci:o.*nar*) ***v. td.*** Aplaudir entusiasticamente: *A multidão ovacionou o maestro.* [▶ **1 ovacionar**] [F.: *ovacion-* + *-ar.*]

ovado¹ (o.*va*.do) ***a.*** **1** Que tem forma oval ***sm.*** **2** Aquilo que tem a forma semelhante à do ovo [F.: Do lat. *ovatu.*]

ovado² (o.*va*.do) ***a.*** **1** Que criou ovas ou ovos ou os apresenta **2** *N* Diz-se do peixe que tem ovas **3** *S* Diz-se do cavalo que tem doença nos machinhos **4** *N. E. Pop.* Diz-se de quem é bastante gordo, corpulento *Pop.*; BANHUDO [F.: Part. de *ovar.*]

ovado-oblongo (o.va.do-ob.*lon*.go) ***a.*** *Bot.* Diz-se da folha oval, com ápice e base igualmente arredondados e comprimento pelo menos três vezes maior que a largura [Pl.: *ovados-oblongos e ovado-oblongos.*]

ovalação (o.va.la.*ção*) ***sf.*** Ação ou resultado de ovalar [Pl.: *-ções.*] [F.: *ovalar* + *-ção.*]

ovalado (o.va.*la*.do) ***a.*** Que se ovalou, que tem forma oval; OVALIZADO: *Um espelho ovalado.* [F.: Part. de *ovalar.*]

ovalar (o.va.*lar*) ***a2g.*** **1** Mesmo que *oval* ***v. td.*** **2** Dar forma oval a [▶ **1 ovalar**] [F.: *oval* + *-ar.*]

óvalo (*ó*.va.lo) ***sm.*** *Arq.* Ornato em forma oval, us. em capitéis, cornijas e outras molduras; OVADO [F.: Do espn. *óvalo.* Hom./Par.: *óvalo* (sm.), *ovalo* (fl. de *ovalar*).]

ovaloide (o.va.*loi*.de) ***sm.*** *Geom.* Superfície convexa e fechada que tem as curvaturas principais contínuas e não nulas [F.: *oval* + *-oide.*]

ovante¹ (o.*van*.te) ***a2g.*** Orgulhoso ou soberbo pela vitória alcançada; TRIUNFANTE: "A canalha ovante rugia um alarido de imprecações." (Camilo Castelo Branco, *Felicidade*) [F.: Do lat. *ovans, antis.*]

ovante² (o.*van*.te) ***a2g.*** Diz-se de quem ou do que recebe ovação; TRIUNFANTE [F.: Do lat. *ovans, antis.*]

◎ **ovar(i)-** ***el. comp.*** Ver *ovari(o)-*

ovariano (o.va.ri:*a*.no) ***a.*** *Anat.* Ref. ou pertencente ao ovário (artéria *ovariana*); OVÁRICO [F.: *ovari(o)-* + *-ano¹.*]

ovárico (o.*vá*.ri.co) ***a.*** *Anat.* O mesmo que *ovariano* [F.: *ovar(i)-* + *-ico².*]

ovariectomia (o.va.ri:ec.to.*mi*.a) ***sf.*** *Cir.* O mesmo que *ooforectomia* [F.: *ovari(o)-* + *-ectomia.*]

ovariectômico (o.va.ri.ec.*tô*.mi.co) ***a.*** *Cir.* Ref. a ovariectomia; OOFORECTÔMICO [F.: *ovariectomia* + *-ico².*]

◎ **-ovari(o)-** ***el. comp.*** Ver *ovari(o)-*

◎ **ovari(o)-** ***el. comp.*** = 'ovário': *ovariectomia, ovariotomia; ovarite; uterovariano* [F.: Do lat. cient. *ovarium*, do lat. *ovarius, ii*, 'aquele que recolhe os ovos'.]

ovário (o.*vá*.ri:o) ***sm.*** **1** *Anat.* Cada uma das glândulas do aparelho reprodutor feminino que contêm os óvulos destinados à fecundação **2** *Bot.* Órgão onde estão as células reprodutivas femininas da flor **3** *Anat. Zool.* Órgão em que se formam ovos ou óvulos de aves e outros animais ovíparos [F.: Do lat. cient. *ovarium*, do lat. *ovarius, ii*, 'aquele que recolhe os ovos'. Hom./Par.: *ovário* (sm.), *uvário* (a.).]

ovariopatia (o.va.ri:o.pa.*ti*.a) ***sf.*** *Ginec. Pat.* O mesmo que *ooforopatia* [F.: *ovari(o)-* + *-patia.*]

ovariopático (o.va.ri:o.*pá*.ti.co) ***a.*** *Ginec. Pat.* Ref. à ovariopatia; OOFOROPÁTICO [F.: *ovariopatia* + *-ico².*]

ovariotomia (o.va.ri:o.to.*mi*.a) ***sf.*** *Cir. Obst.* O mesmo que *ooforotomia* [F.: *ovari(o)-* + *-tomia.*]

ovarite (o.va.*ri*.te) ***sf.*** *Ginec.* O mesmo que *ooforite* [F.: *ovar(i)-* + *-ite¹.*]

oveiro¹ (o.*vei*.ro) ***sm.*** **1** *Pop.* O ovário das aves **2** Ovário de um animal qualquer **3** *N. E. Pop.* Parte inferior do corpo da mulher compreendendo ovários, ventre e quadris **4** *Zool.* O orifício anal do falcão [F.: Do lat. *ovarius.*]

oveiro² (o.*vei*.ro) ***sm.*** *Lus.* Espécie de bandeja em que se colocam os ovos depois de fritos, cozidos ou escaldados para levá-los à mesa [F.: *ov(o)* + *-eiro.*]

oveiro³ (o.*vei*.ro) ***a.*** *S* Diz-se do boi ou do cavalo que tem malhas vermelhas ou pretas sobre o corpo branco ou vice-versa [F.: Do espn. *overo.*]

ovelha (o.*ve*.lha) [ê] ***sf.*** **1** *Zool.* A fêmea do carneiro; CARNEIRA [Col.: *malhada, ovelhada.*] **2** *Fig. Rel.* O paroquiano, ou diocesano ou cristão, em relação ao seu pastor espiritual: *O padre, em seus sermões, orientava suas ovelhas.* [F.: Do lat. *ovicula.*] ■ **~ negra** Aquele ou aquilo que se destaca dos demais em sentido negativo

ovelheiro (o.ve.*lhei*.ro) ***sm.*** Pastor de ovelhas [F.: *ovelh(a)* + *-eiro.*]

ovelhum (o.ve.*lhum*) ***a2g.*** Ref. ou pertencente a ovelhas, carneiros e cordeiros (rebanho *ovelhum*); OVELHUNO; OVINO [Pl.: *-lhuns.*] [F.: *ovelh(a)* + *-um.*]

óveo (*ó*.ve.o) ***a.*** **1** O mesmo que *oval* **2** Que tem ovos [F.: *ov(o)* + *-eo.*]

⊕ ***over*** (*Ing. /ôver/*) ***sm2n.*** *Pop. Econ.* Ver *overnight*

overdosagem (o.ver.do.*sa*.gem) ***sf.*** *P. us.* Ação ou resultado de overdosar [F.: *overdosar* + *-agem.*]

overdosar (o.ver.do.*sar*) ***v. td.*** Aplicar dose muito forte (esp. de droga, tóxico) em [▶ **1 overdosar**] [F.: Do ing. *over* + *dosar.*]

⊕ ***overdose*** (*Ing. /ôverdouz/*) ***sf.*** **1** Dose excessiva, ger. de substância tóxica **2** *Fig.* Grande quantidade ou excesso de algo: *A torcida não perdoou o juiz pelos erros e soltou uma overdose de palavrões.*

⊕ ***overhead*** (*Ing. /ôverréd/*) ***sm.*** *Cont.* Conjunto das despesas operacionais de um negócio, não referentes à mão de obra nem à matéria-prima

overloque (o.ver.*lo*.que) ***sm.*** *Bras. Vest.* Mecanismo de máquina de costura ou equipamento próprio para chulear [F.: Do ing. *overlock.*]

overloqueira (o.ver.lo.*quei*.ra) ***sf.*** **1** *Bras. Vest.* Overloque **2** A profissional que trabalha com overloque [F.: *overloqu(e)* + *-eira.*]

⊕ ***overnight*** (*Ing. /ôvernait/*) *Econ.* ***sm2n.*** **1** Aplicação no mercado financeiro para resgate a partir do dia seguinte [Diz-se tb. apenas *over.*] ***sm.*** **2** *Econ.* Esse próprio mercado: *Os juros do overnight estão altos.*

ovetense (o.ve.*ten*.se) ***s2g.*** **1** Aquele ou aquela que nasceu ou que vive em Oviedo (Espanha) ***a2g.*** **2** De Oviedo; típico dessa cidade ou de seu povo [F.: Do lat. *Ovetum*, 'Oviedo', + *-ense.*]

◎ **ov(i)-** ***el. comp.*** = carneiro, ovelha: *oviário, ovino, ovinocultor, ovinocultura.* [F.: Do lat. *ovis, is.*]

oviário (o.vi:*á*.ri:o) ***sm.*** **1** Curral de ovelhas; OVIL **2** Rebanho de ovelhas; OVELHADA; MALHADA [F.: Do lat. *oviarium.*]

ovicida (o.vi.*ci*.da) ***a2g.*** **1** Diz-se de substância capaz de matar ovos ou óvulos ***sm.*** **2** Essa substância [F.: *ov (i/o)-* + *-cida.*]

ovidiano (o.vi.di:*a*.no) ***a.*** De ou próprio do poeta latino Ovídio (43 a.C. -18 d.C.) [F.: Do lat. *ovidianus, a.*]

oviduto (o.vi.*du*.to) ***sm.*** **1** *Anat.* Tuba uterina **2** *Anat. Zool.* Canal que nas aves se estende desde o ovário até a cloaca e serve para dar passagem aos ovos [F.: *ov (i /o)-* + *-duto.*]

oviforme (o.vi.*for*.me) ***a.*** Que tem a forma de ovo; OVAL; OVOIDE [F.: *ov(i/o)-* + *-forme.* Hom./Par.: *oviforme* (a2g.), *uviforme* (a2g.).]

ovil (o.*vil*) *P. us.* ***sm.*** Curral de ovelhas; APRISCO; OVIÁRIO; REDIL [Pl.: *ovis.*] [F.: Do lat. *ovile, is.*]

ovino (o.*vi*.no) ***a.*** **1** Ref. a ovelhas, carneiros e cordeiros; OVELHUM ***sm.*** **2** *Zool.* Espécime dos carneiros, cordeiros e ovelhas [F.: Do lat. *ovinus, a.*]

ovinocultor (o.vi.no.cul.*tor*) [ô] ***sm.*** Aquele que se dedica à ovinocultura; criador de ovelhas [F.: *ovino* + *-cultor.*]

ovinocultura (o.vi.no.cul.*tu*.ra) ***sf.*** Criação de ovinos, ger. com fins de comércio [F.: *ovino* + *-cultura.*]

◎ **ov(i/o)-** ***el. comp.*** *Pref.* = ovo: *oval, ovário, ovífero, oviforme, ovíparo, ovívoro, ovoide, ovologia, ovoplastia* [F.: Do lat. *ovum, i.*]

oviparidade (o.vi.pa.ri.*da*.de) ***sf.*** *Zool.* Qualidade de ovíparo; OVIPARISMO [F.: *ovípar(o)* + *-(i)dade.*]

ovíparo (o.*ví*.pa.ro) ***a.*** **1** *Zool.* Diz-se de animal que põe ovos e se reproduz por meio deles ***sm.*** **2** *Zool.* Esse animal [F.: Do lat. *oviparus, a.*]

ovirraptor (o.vir.rap.*tor*) ***sm.*** *Pal.* Gênero de dinossauros carnívoros que viveram no período cretáceo e cujo aspecto era semelhante ao das aves [F.: Do lat. cient. *Oviraptor.*]

ovívoro (o.*ví*.vo.ro) ***a.*** Que se nutre de ovos [F.: *ov (i/o)-* + *-voro.*]

óvni (*óv*.ni) ***sm.*** Qualquer objeto voador não identificado, supostamente oriundo de outro planeta, ou corpo celeste [F.: A palavra é acrônimo de *objeto voador não identificado*, tradução do ing. *ufo* (*unidentified flying object*).]

ovniólogo (ov.ni:*ó*.lo.go) ***sm.*** Pessoa especializada em ovniologia; OVNIOLOGISTA; UFÓLOGO [F.: *óvni* + *-i-* + *-logo.*]

ovniomania (ov.ni:o.ma.*ni*.a) ***sf.*** Obsessão por óvnis; UFOMANIA [F.: *óvni* + *-o-* + *-mania.*]

ovo (*o*.vo) [ô] ***sm.*** **1** *Biol.* Óvulo fecundado de animais, como aves, répteis e peixes, expelido do corpo da mãe **2** *Biol.* A primeira célula de um ser vivo formada pela fecundação do óvulo da fêmea por meio da ação da célula reprodutora masculina **3** O ovo das aves em geral, esp. o das galinhas [NOTA: Nesta acp., col.: *ovação, ovada.*] **4** A causa inicial, o início de um processo; ORIGEM; PRINCÍPIO [F.: Do lat. *ovum, i*. Hom./Par.: *ovo* (sm.), *ovo* (fl. de *ovar*). Ideia de 'ovo': *oo-* e *ov(i/o)-*.] **∎ Ao frigir dos ~s** *Fig.* Ver *No frigir dos ovos.* **Babar ~** Elogiar interessadamente, adular, bajular, lisonjear **Balançar o ~ de** *AL Tabu.* Bajular **Cheio como/que nem (um) ~ 1** Cheio de dinheiro, muito rico **2** Muito cheio, abarrotado: *Não pude entrar no salão, estava cheio que nem ovo.* **Chocar os ~s** *Gír.* Em gíria de delinquentes, planejar um roubo ou outra ação criminosa **Chupar o ~ de** *AL Tabu.* Bajular **Contar com o ~ na bunda/no cu da galinha** *Bras. Tabu.* Planejar algo em função de uma condição ou possibilidade incerta, duvidosa **Deitar ~s** Depositar ovos num certo lugar para que a galinha os choque **De ~ virado** *Bras. Pop.* De mau humor, irritadiço **De pocar o ~ 1** *N. E. Tabu.* Admirável, fora do comum, magnífico: *Ele é um rapagão de pocar o ovo.* **2** Infernal, de todos os diabos: *A situação estava preta, de pocar o ovo.* **Fazer ~** Esconder algo, fazer mistério **No frigir dos ~s** *Pop.* Em conclusão, afinal, no final das contas **No ~** *Bras. Fig.* Ainda em embrião ou em projeto, antes de se realizar, ou muito no início: *Com a crise, nosso projeto ficou no ovo.* **~ cósmico** *Astron.* A matéria em estado de alta concentração, da qual o universo ter-se-ia originado, segundo certas teorias **~ de Colombo** *Fig.* Procedimento, tarefa, problema etc. que parece difícil, mas que se revela fácil depois de realizado ou resolvido **~ de Páscoa 1** Confeito de chocolate (ou de marzipã, ou outro doce) oco, em forma de ovo, que ger. contêm outros confeitos, com que se presenteia na época da Páscoa **2** Casca de ovo esvaziada e pintada com temas, desenhos etc., ou peça de arte, que pode ser de materiais diversos, feita com esse formato **~ guacho** *S.* Ovo de avestruz, posto intencionalmente fora do ninho para apodrecer, criando vermes que irão alimentar a ninhada **~ moles** *Cul.* Nome de um doce feito à base de gema de ovo e calda de açúcar **~ órfico** *Oct.* Símbolo, ou emblema, que representa o universo, no qual o Sol é representado por um ovo amarelo cercado pela abóbada celeste **~s nevados** *Cul.* Doce feito de claras de ovo batidas em neve e uma calda de leite, gema de ovo e açúcar **Pisar em ~s** Agir com muito cuidado, cautela, diplomacia etc. **Ser um ~** Ser muito pequeno, estreito, acanhado: *Este apartamento é um ovo.*

ovócito (o.*vó*.ci.to) *sm. Biol.* O mesmo que *oócito* [F.: *ov(i/o)-* + *-cito.*]

ovogênese (o.vo.*gê*.ne.se) *sf. Emb.* O mesmo que *oogênese* [F.: *ov(i/o)-* + *gênese.*]

ovoide (o.*voi*.de) *a2g.* **1** Que tem o formato do ovo (semente ovoide); OVAL **2** *Bot.* Diz-se de órgãos ou partes maciças que têm forma de ovo [F.: *ov(i/o)-* + *-oide.*]

ovoviparidade (o.vo.vi.pa.ri.*da*.de) *sf. Zool.* Característica ou condição dos animais ovovivíparos [F.: *ovovivíparo-* + *-dade.*]

ovovivíparo (o.vo.vi.*ví*.pa.ro) *a.* **1** *Zool.* Diz-se de animal, em geral invertebrado, peixe ou réptil, cujos ovos são incubados e eclodem dentro do corpo da mãe *sm.* **2** *Zool.* Esse animal [F.: *ov(i/o)-* + *vivíparo.*]

ovulação (o.vu.la.*ção*) *Biol. sf.* **1** Ação ou resultado de ovular **2** Liberação de óvulos maduros pelo ovário [Pl.: *-ções.*] [F.: *ovular* + *-ção.*]

ovulado (o.vu.*la*.do) *a.* Que tem um ou vários óvulos [F.: Do lat. *ovulatus.*]

ovular[1] (o.vu.*lar*) *a2g.* **1** *Biol.* Ref. a óvulo (ciclo ovular) **2** Que tem forma de ovo; OVAL [F.: *óvulo* + *-ar.* Hom./Par.: *ovular* (a2g.), *ovular* (v.), *uvular* (a2g.).]

ovular[2] (o.vu.*lar*) *v. int. Biol.* Produzir óvulos: *A pílula impede que a mulher ovule* [▶ 1 ovular] [F.: *óvulo* + *-ar.* Hom./Par.: *ovulo* (fl.), *óvulo* (sm.).]

ovulatório (o.vu.la.*tó*.ri:o) *a.* Ref. à ovulação [F.: *ovular* + *-tório.*]

◎ **ovul(i/o)-** *el. comp.* Pref. = óvulo: *ovulação, ovuliforme* [F.: Do lat. científico *ovulum.*]

ovuliforme (o.vu.li.*for*.me) *a2g.* Que tem a forma de um óvulo [F.: *ovul (i/o)-* + *-forme.* Hom./Par.: *ovuliforme* (a2g.), *uvuliforme* (a2g.).]

óvulo (*ó*.vu.lo) *sm.* **1** Ovo pequeno **2** *Biol.* Célula reprodutora feminina formada no ovário **3** *Farm.* Tipo de medicamento oviforme que se introduz na vagina [F.: Do lat. *ovulum, i.* Hom./Par.: *óvulo* (sm.), *ovulo* (fl. de *ovular*). Ideia de 'óvulo': *ovul(i/o)-*.]

◎ **ox(a)-** *el. comp. Quím.* Na molécula de uma substância, indica a presença de um átomo de oxigênio, em substituição ao carbono

oxalá (o.xa.*lá*) *interj.* Exprime desejo de que algo esp. bom ocorra; tomara; Deus queira: *Oxalá você acerte na loteria.* [F.: Do ár. *inxallah* ('se Deus quiser').]

oxalato (o.xa.*la*.to) [cs] *sm. Quím.* Sal do ácido oxálico [F.: *oxál(ico)* + *-ato*[2].]

oxálico (o.*xá*.li.co) [cs] *a. Quím.* Diz-se de um ácido bibásico($C_2H_2O_4$), cristalino, tóxico, que tem emprego laboratorial e industrial [F.: Do gr. *oxalís*, 'azedo', + *-ico*[2].]

oxente (o.*xen*.te) *N. E. interj.* **1** *Pop.* Exprime surpresa ou estranheza: *Oxente, essa mulher está falando até agora!* [F. red. *oxe.*] *sm.* **2** *Pop.* Forró [F.: Aglut. de *ó gente.*]

oxfordiano (ox.for.di.*a*.no) [cs] *sm.* **1** Pessoa nascida ou que vive na cidade de Oxford (Inglaterra) **2** Aluno da Universidade de Oxford *a.* **3** De Oxford: típico dessa cidade ou da universidade [F.: Do antr. *Oxford* + *-iano.*]

◎ **ox(i/o)-** *el. comp. Pref.* = agudo, penetrante: *oxigênio, oxiurose* [F.: Do gr. *oxýs, eîa, ý.*]

◎ **-óxi** Ver *ox(i/o)-*

oxi (*o*.xi) [cs] *sm.* Droga oriunda de resíduo de refino de cocaína, destrutiva e viciante [F.: Red. de *oxidado.*]

oxicefalia (o.xi.ce.fa.*li*.a) [cs] *sf. Antr.* Qualidade de oxicéfalo; ACROCEFALIA [F.: *ox (i/o)-* + *cefal(o)-* + *-ia*[1].]

oxicéfalo (o.xi.*cé*.fa.lo) [cs] *a.* **1** Que tem o crânio pontiagudo *sm.* **2** Indivíduo oxicéfalo [F.: *ox(i/o)-* + *-céfalo.* Sin. ger.: *acrocéfalo.*]

oxicloreto (o.xi.clo.*re*.to) [cs...ê] *sm. Quím.* Qualquer composto com oxigênio e cloro [F.: *ox (i/o)-* + *cloreto.*]

oxidação (oxi.da.*ção*) [cs] *Quím. sf.* **1** Ação ou resultado de oxidar; OXIGENAÇÃO **2** Fixação de oxigênio em um corpo **3** Processo reativo que, ao envolver um elemento químico, acarreta perda de elétrons e, como consequência, aumento de sua carga [Pl.: *-ções.*] [F.: *oxidar* + *-ção.* Ant. ger.: *desoxidação.*]

oxidado (o.xi.*da*.do) [cs] *a.* Que sofreu processo de oxidação [Ant.: *desoxidado.*] [F.: Part. de *oxidar.*]

oxidante (o.xi.*dan*.te) [cs] *a2g.* **1** Que oxida; que acarreta oxidação *sm.* **2** *Quím.* Aquilo que oxida [F.: *oxidar* + *-nte.* Ant. ger.: *desoxidante.*]

oxidar (o.xi.*dar*) [cs] *v. td. int.* **1** Corroer(-se), enferrujar(-se): *A umidade oxida o ferro; O motor oxidou(-se) por falta de óleo.* **2** *Quím.* Combinar-se com oxigênio, converter-se em óxido: *Os radicais livres oxidam as proteínas das células; O vinho aberto tende a oxidar(-se).* [▶ 1 oxidar] [F.: *óxido* + *-ar*[2]. Ant. ger.: *desoxidar.* Hom./Par.: *oxidáveis* (fl.), *oxidáveis* (pl. de *oxidável* [a2g.]); *oxido* (fl.), *óxido* (sm.).]

oxidável (o.xi.*dá*.vel) [cs] *a2g.* Que pode se oxidar [Ant.: *inoxidável.*] [Pl.: *-veis.*] [F.: *oxidar* + *-vel.* Hom./Par.: *oxidáveis* (pl.), *oxidáveis* (fl. de *oxidar*).]

óxido (*ó*.xi.do) [cs] *sm. Quím.* Composto de oxigênio com outro elemento [F.: Do fr. *oxyde.* Hom./Par.: *óxido* (sm.), *oxido* (fl. de *oxidar*).] **∎ ~ ácido** *Quím.* Aquele que forma ácido ao reagir com água e forma sal ao reagir com uma base **~ anfótero** *Quím.* Aquele que pode assumir características de base ou de ácido **~ básico** *Quím.* Aquele que forma base ao reagir com água e forma sal ao reagir com ácido **~ de hidrogênio** *Quím.* A água **~ indiferente** *Quím.* Aquele que não reage com água, base ou sal; óxido neutro **~ neutro** *Quím.* Ver *Óxido indiferente* **~ nitroso** *Quím.* Substância us. como anestésico, em aerossol etc.; provoca sensação de embriaguez; gás hilariante [Fórm.: N_2O] **~ salino** *Quím.* Aquele que, aquecido, se divide em dois óxidos diferentes do mesmo elemento **~ singular** *Quím.* Óxido que se comporta como ácido quando recebe oxigênio, e como base se perde oxigênio

oxidrila (oxi.*dri*.la) [cs] *sf. Quím.* O mesmo que *hidroxila* [F.: *ox (igênio)* + *(h) idr (ogênio)* + *-ila*[2].]

oxifilo (o.xi.*fi*.lo) [cs] *sm. Bot.* Cujas folhas são agudas [F.: *ox (i /o)-* + *-filo*[2].]

oxigenação (o.xi.ge.na.*ção*) [cs] *sf.* **1** *Quím.* Ação ou resultado de oxigenar(-se) [Ant.: *desoxigenação.*] **2** *Fig.* Inspiração ou lufada de ar puro: *oxigenação dos pulmões.* [Pl.: *-ções.*] [F.: *oxigenar* + *-ção.*]

oxigenado (o.xi.ge.*na*.do) [cs] *a.* **1** Que contém oxigênio ou que se oxigenou (água oxigenada) [Ant.: *desoxigenado.*] **2** Banhado com água oxigenada (cabelos oxigenados) [Ant.: *desoxigenado.*] **3** *Fig.* Que recebeu ar puro, que passou por processo de renovação do ar (pulmões oxigenados) **4** *Fig.* Que se encontra fortalecido: *um grupo de jogadores muito oxigenados.* [F.: Part. de *oxigenar.*]

oxigenador (o.xi.ge.na.*dor*) [cs....ô] *a.* **1** Que oxigena *sm.* **2** Substância que oxigena **3** Aparelho destinado a oxigenar (sangue, órgão etc.) [F.: *oxigenar* + *-dor.*]

oxigenar (o.xi.ge.*nar*) [cs] *v. td.* **1** Levar oxigênio a: *Os pulmões oxigenam o sangue.* **2** Suprir ou ser suprido de ar rico em oxigênio: *Oxigenava os pulmões em seus passeios matinais; Ia às montanhas para oxigenar-se.* **3** Fazer aumentar a oxigenação de: *Fazia exercícios para oxigenar o corpo.* **4** Tornar mais forte; dar mais vigor: *Aqueles exercícios eram para oxigenar melhor o time.* **5** Tirar a cor pela aplicação de água oxigenada: *De vez em quando, oxigenava os cabelos.* [▶ 1 oxigenar] [F.: *oxigênio* + *-ar.*]

oxigênio (o.xi.*gê*.ni:o) [cs] *sm.* **1** *Quím.* Elemento químico fundamental à vida, de número atômico 8, gasoso na temperatura ambiente, inodoro e incolor [Símb.: *O.*] **2** *Quím.* Gás sem cor nem cheiro, cuja molécula contém dois átomos de oxigênio [Esta palavra não é us. no pl.] [F.: *ox(i/o)-* + *-gênio.*]

> 🕮 Apesar de ser apenas o quinto elemento mais presente no universo (depois de hidrogênio, hélio, carbono e nitrogênio), o oxigênio é o mais abundante na Terra (86% do peso da água do mar, 21% do volume da atmosfera). Desde o século XVIII o oxigênio, como gás, é reconhecido como uma mistura, naturalmente estável, mas, quando aquecida ou na presença de catalisadores, é altamente reativa com outros elementos para formar compostos. Fundamental na respiração (para oxigenação das células dos sistemas orgânicos) e na formação da água (em combinação com o hidrogênio), o oxigênio é um dos esteios da vida. Sua reação com outros elementos chama-se *oxidação*; uma das formas é a combustão, produzindo calor e luz; outras são a ferrugem dos metais e a putrefação da madeira.

oxigenioterápico (o.xi.ge.ni:o.te.*rá*.pi.co) [cs] *a.* Ref. à oxigenioterapia [F.: *oxigenioterapi(a)* + *-ico*[2].]

oxigenoterapia (o.xi.ge.no.te.ra.*pi*.a) [cs] *sf. Med.* Terapêutica que faz uso do oxigênio [F.: *oxigênio* + *terapia.*]

oxígono (o.*xí*.go.no) [cs] *a. Geom.* Que tem todos os ângulos agudos; ACUTÂNGULO [F.: Do gr. *oxygonos.*]

oximetria (o.xi.me.*tri*.a) [cs] *sf. Med.* Verificação do grau de saturação de oxigênio no sangue [F.: *ox (i /o)-* + *-metria.*]

oxímetro (o.*xí*.me.tro) [cs] *sm. Med.* Instrumento us. na oximetria [F.: *ox (i /o)-* + *-metro.*]

oximoro (o.xi.*mo*.ro) [cs] *sm. Ret.* Figura em que se combinam palavras contraditórias, mas que no contexto reforçam uma ideia (p. ex.: "O mito é o nada e é o tudo", Fernando Pessoa, "Ulisses" *in Mensagem*); PAROXISMO: "(...) conspiração conservadora é um oximoro, minha outra palavra difícil do mês." (Luis Fernando Verissimo, "*Schadenfreude* explica" *in O Globo*, 04.08.2005) [F.: Do gr. *oksymóron.* Tb. *oxímoro.*]

oxiopia (o.xi:o.*pi*.a) [cs] *sf. Oft.* Agudeza de vista; faculdade de distinguir perfeitamente os objetos a grande distância [F.: Do gr. *oxyopía.* Tb. *oxiopsia.*]

oxiopsia (o.xi:op.*si*.a) *sf.* Ver *oxiopia*

oxirredução (o.xir.re.du.*ção*) [cs] *sf. Quím.* Processo que envolve ao mesmo tempo reações de oxidação e de redução [Pl.: *-ções.*] [F.: *ox (i/o)-* + *redução.*]

oxitócico (o.xi.*tó*.ci.co) [cs] *a. Farm.* Que tem as propriedades da oxitocina (diz-se de substância) [F.: *ox (i /o)-* + *toc(o)-* (do gr. *tókos*, 'parto'), + *-ico*[2].]

oxitocina (o.xi.to.*ci*.na) [cs.] *sf. Bioq.* Hormônio ($C_{43}H_{66}N_{12}O_{12}S_2$) segregado pela hipófise que acelera as contrações do útero durante o parto [F.: Do ing. *oxytocin.*]

oxítono (o.*xí*.to.no) [cs] *a. Gram.* Diz-se de palavra cuja última sílaba é tônica (p. ex.: café, cajá, sapê, tatu etc.) [Us. tb. como subst. Cf.: *paroxítono* e *proparoxítono.*] [F.: Do lat. *oksútonus, os, on.*]

oxiuríase (o.xi:u.*rí*.a.se) [cs] *sf. Med.* Infestação por oxiúros; OXIUROSE [F.: *oxiúro* + *-íase.*]

oxiúrico (o.xi.*ú*.ri.co) [cs] *a.* Ref. a oxiúro [F.: *oxiúro* + *-ico*[2].]

oxiúro (o.xi.*ú*.ro) [cs] *sm. Zool.* Nome que se dá aos vermes nematódeos da fam. dos oxiurídeos, parasitas do intestino de mamíferos, inclusive do homem [F.: Do lat. cient. *Oxyuris.*]

oxiurose (o.xi.u.*ro*.se) [cs] *sf. Med.* Infestação vermífuga, que afeta ger. crianças, causada por oxiúros [F.: *oxiúro* + *-ose*[1].]

Oxóssi (O.*xós*.si) *sm. Bras. Rel.* Divindade afro-brasileira que governa a caça, cultuada pelos adeptos do candomblé [F.: Do ior. *Oxoosi.*]

Oxum (O.*xum*) *sf. Bras. Rel.* Divindade fem. afro-brasileira, cultuada no candomblé, que se manifesta através das águas doces [F.: Do ior. *Oxum náiade.*] **∎ ~ Abalô** *Bras. Rel.* Qualidade de Oxum mais velha entre todas **~ Abotô** *Bras. Rel.* Qualidade de Oxum, feminina, vaidosa **~ Apará** *Bras. Rel.* Qualidade de Oxum mais jovem, usa espada e abebé como atributos **~ Jumu** *Bras. Rel.* Qualidade de Oxum, mãe das demais **~ Pandá** *Bras. Rel.* Qualidade de Oxum, guerreira

ozona (o.*zo*.na) *sf. Quím.* Ver *ozônio*

ozônio (o.*zô*.ni:o) *sm. Quím.* Variedade de oxigênio (1), de cor azulada, que se forma na alta atmosfera e que filtra as radiações ultravioletas do Sol [F.: Do al. *Ozon*; em ozônio (bras.) há o suf. *-io*[3]; ozono (lus.). Tb. *ozona* (sf.).]

> 🕮 O ozônio é um gás presente em alta concentração nas partes mais elevadas da atmosfera, onde funciona como um filtro da radiação ultravioleta do Sol, que é muito prejudicial aos organismos vivos. Essa função protetora tem sido ameaçada pela destruição progressiva da camada de ozônio, principalmente na região dos polos da Terra, devido ao uso crescente de produtos que desprendem na atmosfera clorofluorcarbonetos (CFC, o gás propulsor de substâncias em aerossol) e outras substâncias que destroem o ozônio. Intensa campanha ecológica em nível mundial busca a proibição do uso desses produtos, para impedir a continuação desse processo e para que, dentro de certo tempo, a camada de ozônio seja restaurada.

ozonização (o.zo.ni.za.*ção*) *sf. Quím.* Ação ou resultado de ozonizar [Pl.: *-ções.*] [F.: *ozonizar* + *-ção.*]

ozonizado (o.zo.ni.*za*.do) *a. Quím.* Que se ozonizou; que foi tratado com ozônio (água ozonizada) [F.: Part. de *ozonizar.*]

ozonizador (o.zo.ni.za.*dor*) [ô] *a.* **1** Que ozoniza **2** Diz-se de aparelho que produz ozônio por meio de uma descarga elétrica no oxigênio *sm.* **3** Esse aparelho [F.: *ozonizar* + *-dor.*]

ozonizar (o.zo.ni.*zar*) *v. td.* **1** *Quím.* Tratar com ozônio: *O aparelho ozoniza a água, purificando-a.* **2** Produzir ozônio em [▶ 1 ozonizar] [F.: *ozônio* + *-izar.*]

ozonômetro (o.zo.*nô*.me.tro) *sm.* Aparelho por meio do qual se mede a quantidade de ozônio contida num gás [F.: *ozono* + *-metro.*]

ozostomia (o.zos.to.*mi*.a) *sf. Med.* Mau hálito; HALITOSE [F.: Do gr. *óze, es*, 'mau hálito', + *-stomia.*]

p[1] [pê] ***sm.*** **1** A décima sexta letra do alfabeto **2** A décima segunda consoante do alfabeto **3** O formato ou o som dessa letra **4** *Fon.* Letra representativa de consoante oclusiva bilabial surda, como em pó **5** *Tip.* Tipo que imprime a letra p ***num.*** **6** O 16º em uma série (fila P)

⊠ **p**[2] **1** *Fís.* Símb. de *próton* **2** *Fís.* Símb. de *momento* ou *momento de dipolo* **3** *Quím.* Forma reduzida de *para-*: *para-hidroxibenzoico ou p-hidroxibenzoico.* **4** Abrev. de *página* **5** Abrev. de *para* e de *por* [Ger. seguido de barra.] **6** *Mús.* Abrev. de *piano*

⊠ **P**[3] **1** *Quím.* Símb. de *fósforo* **2** *Fís. Met.* Símb. de *poise* **3** *Lóg.* Símb. de *predicado* **4** Símb. de *peta-* **5** *Biol.* Em genealogia, abr. de geração paterna de um indivíduo [Ger. acompanhado de um índice numérico que corresponde à contagem de gerações ascendentes a partir do(s) indivíduo(s) tomado(s) como referência.] **6** *Vest.* Abrev. de *pequeno* **7** Abrev. de *peso*

pá[1] ***sf.*** **1** Instrumento manual, formado por uma peça larga e achatada e um cabo mais ou menos longo, us. para cavar ou remover terra e outros materiais sólidos **2** Quantidade ou porção que cabe numa pá: *Tirou três pás de areia.* **3** Nome dado a várias peças ou partes largas e achatadas de instrumentos e máquinas: *pá de moinho/de remo/de ventilador.* **4** Peça de carne bovina de segunda categoria, tirada da parte mais larga e carnuda da perna das reses; APÁ **5** *Bras. Pop.* Grande quantidade de coisas ou pessoas: *Tinha uma pá de gente na festa.* **6** Conjunto de pessoas oriundo das classes inferiores da sociedade; MALTA **7** *Cnav.* Cada lobo achatado, mais ou menos alongado e retorcido, preso ao cubo da hélice [F.: Do lat. *pala, ae. paletta.* Hom./Par.: *pás* (pl.), *paz* (sf.) e *Paz* (mitônimo e antr.).] ■ **~ direita** Tipo de pá adequado para cavar a terra **~ mecânica** *Mec.* Máquina dotada de caçamba para cavar e remover terra, us. em terraplenagem **Da ~ -virada** *Bras. Pop.* Diz-se de algo ou alguém que foge dos padrões habituais por ser brincalhão e provocador, ou imprevisível e impetuoso, ou amalucado etc. **Pôr uma ~ de cal sobre** Não voltar a falar ou discutir sobre (determinado assunto sobre o qual há ou havia discordância, desavença, etc.); considerar como coisa do passado; dar por encerrado

pá[2] ***interj.*** Us. para representar o ruído de um choque de corpos ou batida forte [F.: De or. onom.]

pabulagem (pa.bu.*la*.gem) *Bras.* ***sf.*** **1** Presunção, empáfia, fatuidade: "E depois aquela pabulagem que era homem de bem, que era isto, aquilo" (Viriato Correia, *Contos do sertão*) **2** Fanfarrice, bravata **3** Embuste, mentira [Pl.: *-gens.*] [F.: *pabular* + *-agem*[1]. Sin. ger.: *pavulagem.*]

pabular (pa.bu.*lar*) *v.* **1** *Bras.* Contar vantagem, vangloriar-se [***td.***: *Pabulava façanhas do passado.*] [***int.***: *Gostava muito de pabular.*] **2** Desprezar, desdenhar [***tr.*** *+de*: *Pabulava de seus empregados.*] [▶ **1** pabular] [F.: *fábulo* + *-ar.* Hom./Par.: *pabulo* (1ªp. s.)/ *pábulo* (sm., adj.).]

pábulo (*pá*.bu.lo) ***sm.*** **1** *Bras.* Indivíduo fanfarrão **2** *Fig.* Assunto para maledicência ou escárnio **3** *Ant.* Pasto, alimento, sustento ***a.*** **4** *Bras.* Que é fanfarrão [F.: Do lat. *pabulum, i.* Hom./Par.: *pábulo* (a. sm), *pabulo* (fl. de *pabular*).]

paca[1] (pa.ca) ***sf.*** **1** *Bras. Zool.* Roedor noturno (*Agouti paca*), da fam. dos dasiproctídeos, encontrado do México ao sul do Brasil, ger. perto de rios, de pelagem castanha com listras claras e cauda muito curta [Masc.: *pacuçu.*] **2** *Cul.* Prato preparado com a carne desse animal **3** *Zool.* Nome comum a certos insetos ortópteros, Tb. *grilo-toupeira, paquinha* ***a.*** **4** Que é tolo, ingênuo **5** Que não tem experiência; BISONHO ***sm.*** **6** Aquele que é tolo, ingênuo **7** *Bras. Pej.* Homossexual passivo [F.: Do tupi *'paka.*]

paca[2] ***adv.*** *Gír.* Em grande quantidade, medida, força ou intensidade (falar paca; bonita paca); À BECA; PACAS; PRACA [F.: De *pa(ra) ca(cete)* ou *ca(ralho).*]

pacaia (pa.*cai*.a) ***a.*** *Bras. N. N. E. Pop.* **1** Diz-se de cigarro ou charuto de má qualidade ***sm.*** **2** Esse cigarro ou charuto [F.: De orig. obsc.]

pacalho (pa.*ca*.lho) ***sm.*** *Bras. Pop.* Us. na loc. *Virar pacalho* [F.: De orig. obsc.] ■ **Virar ~** *Bras. Gír.* Dar em nada, acabar em nada; perder-se

pacamã (pa.ca.*mã*) *Bras. Ict.* ***sm.*** Peixe de rio (Lophiosilurus alexandri) que chega a atingir meio metro de comprimento [F.: Do *tupi.*]

pacamão (pa.ca.*mão*) ***sm.*** *Zool.* Ver *pacu* (*Myleus micans*) [Pl.: *-mões.*]

pacari (pa.ca.*ri*) ***sm.*** *Bras. Bot.* Árvore (*Lafoensia densiflora*) da fam. das litráceas [F.: Do *tupi.*]

pacas[1] (pa.*cas*) ***adv.*** *Gír.* Em grande quantidade, medida, força ou intensidade (falar pacas; bonita pacas) [F.: De *pra caralho.*]

pacas[2] (pa.cas) ***adv.*** *Bras. Pop.* Ver *paca*[2]

pacatez (pa.ca.*tez*) ***sf.*** Qualidade ou estado do que é pacato [F.: *pacat(o)* + *-ez.*]

pacato (pa.*ca*.to) ***a.*** **1** Sem muita agitação ou atividade (cidade pacata); SOSSEGADO; TRANQUILO **2** Pacífico, ou próprio de quem é pacífico (cidadão pacato; existência pacata); SERENO; SOSSEGADO; TRANQUILO **3** Que é um pouco passivo ou inerte; APÁTICO ***sm.*** **4** Pessoa pacata [F.: Do lat. *pacatus, a, um.* Ideia de: *pac(i)-*.]

pacenho (pa.*ce*.nho) ***sm.*** **1** Indivíduo nascido ou que vive em La Paz, capital da Bolívia (América do Sul) ***a.*** **2** De La Paz; típico dessa cidade ou de seu povo [F.: Do espn. *paceño.*]

pachola (pa.*cho*.la) ***a2g.*** **1** *Bras.* Vaidoso, presunçoso; GABOLA; ORGULHOSO **2** Que é ridículo por tentar parecer elegante ou importante ***sm.*** **3** Indivíduo pretensioso, cheio

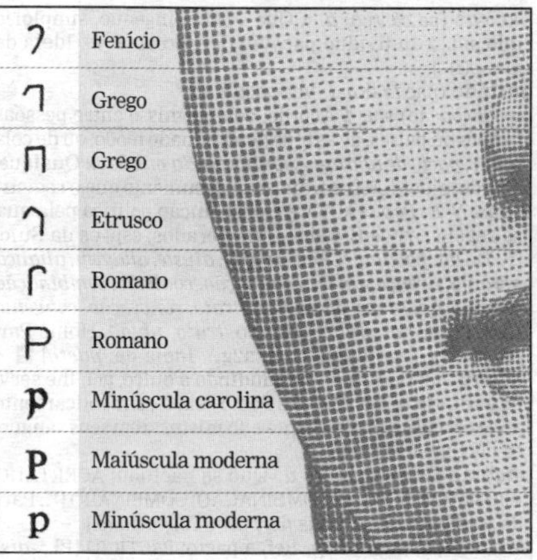

Fenício
Grego
Grego
Etrusco
Romano
Romano
Minúscula carolina
Maiúscula moderna
Minúscula moderna

O *pe* fenício foi provavelmente uma das únicas letras do alfabeto cujo nome, que significava *boca*, não guardava relação direta com essa forma. Por esse motivo, seu desenho foi o que mais se modificou, desde a versão fenícia até a latina. Entre os gregos, a letra que se assemelhava ao nosso *p* — o *rô* — representava o som de *r*, e o *p* era representado pelo *pi*, tão conhecido pelos estudantes. Os romanos herdaram dos etruscos um desenho mais antigo da letra grega *pi*, e deram-lhe a forma que usamos hoje.

de si **4** Pessoa de elegância duvidosa **5** Pessoa zombeteira, brincalhona; FARSOLA; GOZADOR; PATUSCO **6** Mandrião, preguiçoso **7** Mulherengo **8** Pessoa ingênua, simples; BONACHÃO [F.: Voc. expressivo. Hom./Par.: *pachola* (a2g. sm.), *pachola* (fl. de *pacholar*).]

pacholice (pa.cho.*li*.ce) ***sf.*** *Bras.* Ação, dito ou comportamento de pachola; PACHOLISMO [F.: *pachol(a)* + *-ice.*]

pachorra (pa.*chor*.ra) [ô] ***sf.*** **1** Lentidão ou falta de pressa ao agir; FLEUMA **2** Caráter de quem é apático, pouco ativo [F.: Do cast. *pachorra.*]

pachorrento (pa.chor.*ren*.to) ***a.*** **1** Dotado de pachorra; FLEUMÁTICO **2** Que denota pachorra (modos pachorrentos) [F.: *pachorr(a)* + *-ento.* Ant. ger.: *desembaraçado, expedito.*]

pachto (*pach*.to) ***sm.*** *Gloss.* Uma das línguas nacionais do Afeganistão, também falada em províncias do Paquistão [F.: Do afegão *pas'to.*]

paciência (pa.ci.*ên*.ci:a) ***sf.*** **1** Qualidade do que ou de quem é paciente **2** Virtude que consiste em suportar os males e incômodos sem reclamar, sem se revoltar ou irritar; RESIGNAÇÃO: *uma paciência de santo.* **3** Virtude de saber esperar com calma: *As horas passavam, e ele não perdia a paciência.* **4** Qualidade ou comportamento de quem não desiste nem desanima; PERSEVERANÇA: *Esses cálculos exigem paciência.* **5** *Lud.* Nome de vários jogos de cartas, que podem ser jogados por uma só pessoa como passatempo **6** *Lud.* Jogo que consiste em juntar as peças de um mosaico para formar uma figura **7** *Bot.* Erva da fam. das poligonáceas (*Rumex patientia*), nativa da América do Norte, cujas folhas são azedas e us. em salada ***interj.*** **8** Us. para expressar resignação, conformação: *Perdi de novo, paciência!* [F.: Do lat. *patientia, ae.* Ant. ger. das acps 1 a 4: *impaciência.*] ■ **~ de Jó** Paciência que resiste a atribulações e sofrimentos [Em alusão ao personagem bíblico Jó que, mesmo tendo perdido tudo o que tinha, aceitou com resignação os desígnios de Deus] **Torrar a ~ (de)** *Bras. Pop.* Aborrecer, incomodar, enfadar (alguém) até o limite de sua paciência

paciencioso (pa.ci:en.ci.*o*.so) [ô] ***a.*** *MG RS* Paciente, perseverante [Pl.: [ó]. Fem.: [ó].] [F.: *paciênci(a)* + *-oso.*]

pacientar (pa.ci.en.*tar*) *v.* ***int.*** Ter paciência; esperar ou agir com paciência [▶ **1** pacientar] [F.: Do fr. *patienter.* Hom./Par.: *paciente(s)* (fl.), *paciente(s)* (a. s2g. [pl.]).]

paciente (pa.ci:*en*.te) ***a2g.*** **1** Que se conforma; RESIGNADO **2** Que espera tranquilamente (cliente paciente); CALMO **3** Que não desanima (cientista paciente) *MG RS*; PACIENCIOSO; PERSEVERANTE **4** Feito ou realizado com paciência, sem pressa (e por isso, ger., com cuidado e atenção) (trabalho paciente, conquista paciente) ***s2g.*** **5** Pessoa calma e/ou perseverante **6** Pessoa doente, ou que está sendo cuidada por médico, enfermeiro etc. **7** Réu que vai sofrer a pena de morte; PADECENTE **8** *Jur.* Sujeito passivo de um crime; VÍTIMA **9** *Jur.* Pessoa que é vítima de abuso de poder **10** *Fil.* Aquilo que sofre uma ação ou é objeto dela [P. opos. a *agente.*] ***sm.*** **11** *Gram.* Aquele que recebe ou sofre a ação de um agente [P. opos. a *agente.*] [F.: Do lat. *patiens, entis.* Ant. das acps. 1 a 5: *impaciente.* Hom./Par.: *paciente* (a2g. s2g. sm.), *paciente* (fl. de *pacientar*). Ideia de: *pass-*.]

pacificação (pa.ci.fi.ca.*ção*) ***sf.*** Ação ou resultado de pacificar(-se); restabelecimento da paz [Pl.: *-ções.*] [F.: Do lat. *pacificatio, onis.* Ideia de: *pac(i)-* e *faz-*.]

pacificado (pa.ci.fi.*ca*.do) ***a.*** Que teve a paz restituída; APAZIGUADO [F.: Part. de *pacificar.* Ideia de: *pac(i)-* e *faz-*.]

pacificador (pa.ci.fi.ca.*dor*) [ô] ***a.*** **1** Que pacifica; PACIFICANTE ***sm.*** **2** Aquele que pacifica [F.: Do lat. *pacificator, oris.* Sin. ger.: *apaciguador, apaziguador.* Ideia de: *pac(i)-* e *faz-*.]

pacificante (pa.ci.fi.*can*.te) ***a2g.*** Que pacifica; PACIFICADOR [F.: Do lat. *pacificans, antis.*]

pacificar (pa.ci.fi.*car*) *v.* ***td.*** **1** Dar ou devolver paz, calma ou serenidade; APAZIGUAR: *pacificar uma região/os espíritos.* **2** Acabar com conflitos, agitação, agressividade; ACALMAR-SE; TRANQUILIZAR-SE: *A turma pacificou-se com a chegada do professor.* [▶ **11** pacificar] [F.: Do lat. *pacificare.* Hom./Par.: *pacifico* (fl.), *pacífico* (a.).]

pacífico (pa.*cí*.fi.co) ***a.*** **1** Que quer a paz ou gosta dela; que não gosta de conflitos ou violência, ou os evita; MANSO; PACATO; SOSSEGADO; TRANQUILO [Ant.: *belicoso, brigão.*] **2** Em que há paz, ou que traz a paz; caracterizado por ausência de conflitos (convivência pacífica) [Ant.: *belicoso, tempestuoso.*] **3** Que é aceito sem contestação (ponto pacífico) **4** *Geog.* Ref. ao oceano Pacífico ***sm.*** **5** Pessoa pacífica [F.: Do lat. *pacificus, a, um.* Hom./Par.: *pacífico* (a. sm.), *pacifico* (fl. de *pacificar*). Ideia de: *pac(i)-* e *faz-*.]

pacifismo (pa.ci.*fis*.mo) ***sm.*** Doutrina ou tendência dos que se opõem a guerras, conflitos armados ou outras formas de violência [Ant.: *belicismo.*] [F.: Do fr. *pacifisme.* Ideia de: *pac(i)-* e *faz-*.]

pacifista (pa.ci.*fis*.ta) ***a2g.*** **1** Ref. ao ou que é adepto do pacifismo ***s2g.*** **2** Adepto do pacifismo [F.: Do fr. *pacifiste.* Ant. ger.: *belicista.* Ideia de: *pac(i)-* e *faz-*.]

pacnofobia (pac.no.fo.*bi*.a) ***sf.*** *Psiq.* Medo mórbido de neve [F.: *pacno-* (do gr. *páchne, es,* 'gelo') + *-fobia.*]

pacnófobo (pac.*nó*.fo.bo) *Psiq.* ***a.*** **1** Que tem pacnofobia; PACNOFÓBICO ***sm.*** **2** Aquele que tem pacnofobia; PACNOFÓBICO [F.: *pacno-* (do gr. *páchne, es,* 'gelo') + *-fobo.*]

paco (pa.co) ***sm.*** *Bras. Gír.* Pacote de papéis recortados que simulam cédulas de dinheiro, us. por vigaristas (p. ex., no conto do vigário) [F.: De or. controv; posv. do lunfardo *paco.*]

paço (*pa*.ço) ***sm.*** **1** Palácio de rei, imperador ou bispo **2** A corte de um rei ou imperador **3** Nome dado a certos palácios us. como residência oficial ou como sede oficial **4** *Ant. Fig.* Palavra ou dito zombeteiro, que denota intenção de contornar problemas maiores; MOTEJO; ZOMBARIA [F.: Do lat. *palatium, ii.* Hom./Par.: *paço(s)* (sm.), *passo* (sm.), *passo* (fl. de *passar*), *Passos* (antr.). Ideia de: *palaci-*.]

paçoca (pa.*ço*.ca) [ó] ***sf.*** **1** *Bras. Cul.* Doce feito de amendoim amassado com rapadura ou açúcar etc. **2** *Bras. N. E. Cul.* Carne-seca cozida, picada e refogada, amassada com farinha de mandioca ou de milho [Cf. *massoca.*] **3** *Bras. Fig.* Confusão de coisas; MISTURADA **4** *Bras. Fig.* Coisa amassada, amarrotada **5** *AM Cul.* Amêndoa de castanha-do-pará assada, triturada e misturada com farinha-d'água, sal e açúcar **6** *Bras. S Cul.* Amendoim torrado e amassado que é misturado com farinha e açúcar **7** *Bras. Fig.* Complicação, embrulhada; TRAPALHADA **8** *Bras. Cul.* Farinha que se obtém com a mistura de diversos ingredientes socados juntos em um pilão [Cf. *curau.*] [F.: Do tupi *pa' soka.*]

pacotaço (pa.co.*ta*.ço) ***sm.*** *Bras. Pop.* Grande pacote (de medidas governamentais) [F.: *pacot(e)* + *-aço.*]

pacote (pa.*co*.te) ***sm.*** **1** Qualquer embrulho não muito grande, ou conjunto não muito grande de objetos reunidos ou atados e formando um só volume **2** Conjunto de elementos contidos em um pacote **3** *Bras. Fig.* Conjunto de medidas, leis etc. que, por terem algum tipo de ligação, são considerados como uma só unidade (pacote econômico/fiscal) **4** *Bras. Fig.* Conjunto de mercadorias, produtos, serviços etc. negociados em bloco, ger. com desconto (pacote turístico) **5** *Bras.* Grande quantidade de mercadoria que é negociada em conjunto por uma quantia extremamente alta **6** *Inf.* Conjunto de informações ou *bits* transmitido numa rede de computadores; DATAGRAMA [Cf. *comutação de pacotes.*] **7** *Fig.* Logro, engano [Dim.: *pacotilho, pacotinho.*] [F.: *pac(a)* + *-ote.* Ideia de: *pac(ot)-*.] ■ **~ de ondas** *Fís.* Grupos de ondas cujas diferentes frequências se interferem e se anulam, numa região na qual resulta uma onda de amplitude finita; grupo de ondas, trem de ondas **Ir no ~** *Bras. Gír.* Ser enganado, deixar-se lograr

pacova (pa.*co*.va) ***sf.*** **1** *Bras. N. N. E. Bot.* Ver *banana* (1); PACOBA **2** *Bot.* Ver *bananeira* **3** *Bot.* Nome comum também a outras plantas da fam. das musáceas, como, por exemplo, algumas espécies de *Heliconia*; PACOBA [Col.: *pacoval.*] ***a2g.*** **4** *Bras. Fig.* Diz-se de quem não age com firmeza; BANANA; MOLEIRÃO; PALERMA ***s2g.*** **5** *Bras. Fig.* Indivíduo pacova (5); BANANA; MOLEIRÃO; PALERMA [F.: Do tupi *pa' kowa.* Hom./Par.: *pacova* (sf. a2g. s2g.), *pacová* (sf.).]

pacóvio (pa.*có*.vi:o) *a.* 1 Que é bobo, ingênuo, simplório, tolo *sm.* 2 Indivíduo pacóvio [F.: *pacova* + *-io*. Ideia de: *pacov(i)-*.]

pactado (pac.*ta*.do) *a.* Ver *pactuado*

pacto (*pac*.to) *sm.* 1 Acordo, compromisso entre pessoas, grupos ou países, de agir de determinado modo, ou de colaborar: *pacto de não agressão/de ajuda mútua.* 2 Qualquer acordo, ajuste ou contrato, ou o documento que o registra *Bras. N. E. Pop.;* PAUTA 3 Constituição política pela qual se regem certos Estados confederados, esp. os da Suíça [F.: Do lat. *pactum, i.* Sin.: *acordo, ajuste, aliagem, aliança, arranjo, avença, cartel, coalização, coalizão, combinação, conciliação, concordância, contrato, convenção, convênio, liga, preitesia, preito, tratado, trato, união.* Hom./Par.: *pacto* (sm.), *pato* (sm. s2g. a2g.). Ideia de: *pact-*.] ■ ~ **adjeto** *Jur.* Contrato que, aludindo a outro, ger. lhe serve de garantia ~ **de sangue** Pacto selado, simbolicamente, ao se cortarem ligeiramente e ao misturarem seus sangues os pactuários

pactuado (pac.tu:*a*.do) *a.* Que se pactuou; ACERTADO; AJUSTADO; AJUSTE; COMBINAÇÃO; COMBINADO [F.: Part. de *pactuar, pactar.* Ideia de: *pact-*. Tb. *pactado*.]

pactual (pac.tu:*al*) *a2g.* Ref. a pacto; PACTÍCIO [Pl.: *-ais.*] [F.: *pacto* + *-u-* + *-al.* Ideia de: *pact-*.]

pactuante (pac.tu:*an*.te) *a2g.* 1 Que pactua *s2g.* 2 Aquele que pactua [F.: *pactuar* + *-nte.* Sin. ger.: *pactuário*.]

pactuar (pac.tu.*ar*) *v.* 1 Fazer pacto; entrar em acordo [*tr.* +*com*: *pactuar com os vizinhos.*] 2 Aceitar, não se opor; COMPACTUAR [*tr.* +*com*: *pactuar com a inflação.*] 3 Decidir, combinando ou ajustando com outro(s); AJUSTAR [*td.*: *As empresas pactuaram baixar os preços.*] [▶ 1 pactuar] [F.: *pacto* sob a f. rad. *pactu* + *-ar*². Hom./Par.: *pactuaria(s)* (fl.), *pactuária(s)* (fem. de *pactuário* [pl.]).]

pacu (pa.*cu*) *Bras. sm.* 1 *Zool.* Denominação comum a diversas spp. de peixes caraciformes da fam. dos caracídeos de água-doce, dos gên. *Metynnis, Myleus* e *Mylossoma*, que ocorrem em rios da América do Sul, com corpo ovalado e achatado e us. como alimento ou capturados para criação em aquários 2 *Zool.* Peixe (*Metynnis maculatus*) encontrado nos rios Amazonas, São Francisco e Paraguai, que mede até 18 cm, tem manchas castanhas pelo corpo e uma alaranjada acima do opérculo, flancos cinzentos e é considerado uma espécie ornamental 3 *Zool.* Peixe (*Myleus micans*) encontrado no rio São Francisco e no rio das Velhas; PACAMÃO; PACU-AZUL 4 *Bot.* Planta medicinal do alto Amazonas [F.: Do tupi *pa' ku*.]

pacuã (pa.cu.*á*) *sm. Bras. Bot.* Planta medicinal do alto Amazonas [F.: Do tupi.]

pacuera (pa.cu:*e*.ra) [é] *sf.* 1 *Bras.* As vísceras tiradas de boi, porco ou carneiro abatido 2 Víscera humana, esp. o coração [F.: Do tupi *piaku' er.*] ■ **Bater a** ~ 1 *Bras. Pop.* Partir, ir embora 2 Morrer

pacupeva (pa.cu.*pe*.va) *sm. Bras. Ict.* Peixe (*Myleus setiger*) de água-doce, da fam. dos caracídeos [F.: Do tupi *pacu'pewa.*]

pada (*pa*.da) *sf.* 1 Pãozinho, esp. de farinha ordinária 2 *Fig.* Pequeno objeto, pequena porção ou quantidade de algo [F.: Do lat. *panata.* Ideia de: *pan(i)-*.]

padaria (pa.da.*ri*.a) *sf.* 1 Lugar em que se fazem pães (e tb. biscoitos, bolos etc.) para vender *P. us.;* PADEJO; PANIFICAÇÃO; PANIFICADORA 2 *Bras. Pop.* O par de nádegas; BUNDA [F.: *pad(a)* + *-aria.* Ideia de: *pan(i)-*.]

⊕ ***paddock*** (*Ing.* /*pádoc*/) *sm. Turfe* Local onde ficam, num hipódromo, os cavalos que vão correr

padê (pa.*dê*) *sm. Bras. Rel.* No candomblé e na umbanda, oferenda feita a Exu; DESPACHO [F.: Do ior. *padé*.]

padecente (pa.de.*cen*.te) *a2g.* 1 Que padece; PADECEDOR *s2g.* 2 Aquele que padece; PADECEDOR 3 Pessoa que foi condenada à morte e vai ser executada; PACIENTE 4 *Joc.* Aquele que corteja em vão uma mulher [F.: *padecer* + *-ente*.]

padecer (pa.de.*cer*) *v.* 1 Ter, sofrer (dores, doença, maustratos, dificuldades, infelicidade) [*td.*: *padecer agressões, fome.*] [*tr.* +*de*: *padecer de enfermidade.*] [*int.*: *Muito padeceu antes de ser feliz.*] 2 Consentir, permitir; ADMITIR [*td.*: *Suas palavras não padecem dúvida.*] [▶ 33 padecer] [F.: Do lat. vulg. **patiscere*.]

padecimento (pa.de.ci.*men*.to) *sm.* 1 Ação ou resultado de padecer 2 Mal físico ou moral pelo qual se passa; SOFRIMENTO 3 Modificação das condições biológicas normais; DOENÇA; ENFERMIDADE [F.: *padecer* + *-mento.* Ideia de: *pass-*.]

padeiro (pa.*dei*.ro) *sm.* 1 Pessoa que faz ou vende pães 2 Pessoa que entrega pão em domicílio *Bras. N. E.;* PÃOZEIRO [F.: Do lat. vulg. *panatarium.* Ideia de: *pan(i)-*.]

padiola (pa.di:*o*.la) [ó] *sf.* 1 Cama leve e portátil, para transportar pessoas feridas, doentes etc.; MACA 2 Caixa ou tabuleiro com varas nos lados, que serve para transporte de terra, areia etc. e é carregado por duas ou quatro pessoas [F.: De or. obsc.]

padioleiro (pa.di:o.*lei*.ro) *sm.* 1 Cada uma das pessoas que carregam a padiola 2 Soldado encarregado de transportar feridos em padiola [F.: *padiol(a)* + *-eiro.* Sin. (lus.): *maqueiro*.]

padralhada (pa.dra.*lh* a.da) *Pej. sf.* 1 Grande número de padres 2 A classe eclesiástica [F.: *padre* + *-alhada.* Sin. ger.: *padraria*.]

padrão (pa.*drão*) *sm.* 1 Modelo a ser reproduzido, ou exemplo a ser seguido; objeto ou característica escolhidos como critério de avaliação: *Ele é um padrão de virtude.* 2 Norma de fabricação, conjunto de regras de execução: *produto fora do padrão* (= *que não tem as qualificações estabelecidas*). 3 Aquilo que é mais comum ou frequente, normal, mais us. ou mais aceito (num grupo, lugar etc.): *inteligência acima do padrão.* 4 Grau, nível ou outra medida de referência; GABARITO: *padrão cinco estrelas.* 5 Modo mais ou menos regular ou lógico de agir, de se desenvolver etc. (*padrão* de comportamento/de consumo): *um time com padrão de jogo.* 6 Conjunto ou arranjo de figuras e/ou cores, impresso em tecidos ou outras superfícies; PADRONAGEM *Bras.;* PINTA 7 Modelo oficial das medidas e pesos legalmente autorizados (*padrão* métrico) 8 Documento que autentica um direito; TÍTULO 9 *Tip.* Folha que recobre a almofada das máquinas de impressão; FOLHA DE PADRÃO 10 *Ling.* Código linguístico que uma comunidade adota como norma institucionalizada; LÍNGUA PADRÃO 11 *Ling.* Modelo de determinada estrutura de uma língua, tais como frases, palavras etc.; ESQUEMA 12 *Fon.* Configuração coerente, nítida e simétrica constituída pela rede opositiva de fonemas de determinada língua 13 *Econ.* Em sistemas monetários de base metálica, peso legalmente estabelecido do metal us. nas moedas 14 *Bot.* Planta característica do grau de fertilidade do solo 15 *MG* Aparelho que mede a quantidade de água consumida por uma residência; HIDRÔMETRO [Pl.: *-drões.*] [F.: Do lat. *patronus, i.* Ideia de: *pater-*. Nota: Tb. us. como adj. (sem flexão), ger. nas acps. 1 e 3, após o substantivo, precedido de hífen: funcionários-*padrão*, vocabulário-*padrão*.] ■ ~ **monetário** *Econ.* Valor real (antigamente, lastreado em ouro, ou outro metal) da unidade monetária de um país ~ **ouro** *Econ.* Antigo sistema de lastreamento no qual o valor nominal do dinheiro era lastreado na quantidade de ouro cujo valor representava, podendo ser trocado por ela

padrasto (pa.*dras*.to) *sm.* Marido da mãe de uma pessoa, em relação a essa pessoa, mas que não é seu pai [Fem.: *madrasta.*] [F.: Do lat. *patraster.* Ideia de: *pater-*.]

padre (*pa*.dre) *sm.* 1 *Ecles.* Sacerdote cristão; esp. nas Igrejas católica, ortodoxa e anglicana, aquele que tem a incumbência e o poder religioso de dirigir o culto a Deus e realizar cerimônias sagradas *Pop.;* BATINA; PRESBÍTERO; REVERENDO 2 *Ant.* Pai 3 *Bras. Folc.* No bumba meu boi, personagem que celebra o casamento de Mateus e Catirina, e faz a confissão do Morto carregando o vivo 4 *RS Ornit.* Ave da fam. dos ciconiídeos (*MycteriaFem americana*); tb. *cabeça-seca* [Fem.: *madre.* Dim.: *Pej. padreca, padreco.* Col. da acp. 1: *clerezia, clero, padralhada, padraria.*] [F.: Do lat. *pater, patris.* Ideia de: *pater-*.] ■ **Casar no** ~ *Bras. Pop.* Casar-se em cerimônia religiosa, na Igreja [Em contraposição ao casamento civil, pela autoridade do Estado. Cf.: *Casar no juiz.*] **O** ~ **Santo** Ver *O Santo Padre* **O Santo** ~ O papa; o Padre Santo

padreação (pa.dre:a.*ção*) *sf.* 1 Ação ou resultado de padrear; APADREAMENTO *Bras.;* SALTO 2 *Fig.* Relação de intimidade; CONÚBIO; LIGAÇÃO; UNIÃO [Pl.: *-ções.*] [F.: *padrear* + *-ção.* Ideia de: *pater-*.]

padreador (pa.dre.a.*dor*) [ô] *a.* 1 Diz-se de animal que padreia *sm.* 2 Animal que padreia [F.: *padrear* + *-dor.* Sin. ger.: *reprodutor*.]

padrear (pa.dre.*ar*) *v. int.* Acasalar, procriar (cavalo, burro) [▶ 13 padrear] [De *padre* (*pai*) + *ar*.]

padreco (pa.*dre*.co) *sm. Pej.* Padre de pouco mérito ou de pequena estatura; PADRECA [F.: *padr(e)* + *-eco*.]

padre-cura (pa.dre-*cu*.ra) *sm.* 1 Padre responsável por uma paróquia; PÁROCO 2 *Lud.* Certo jogo popular de perguntas e respostas [Pl.: *padres-curas*.]

padre-mestre (pa.dre-*mes*.tre) *sm.* 1 Tratamento dado ao sacerdote que ao mesmo tempo é professor 2 *Fig.* Sabichão 3 *Bras. Pop.* O mesmo que *capelão* [Pl.: *padres-mestres*.]

padre-nosso (pa.dre-*nos*.so) *sm.* 1 *Rel.* Oração que inicia com estas palavras; PAI-NOSSO 2 *P. ext. Rel.* Nos rosários, cada conta grande indicativa do número de vezes que se deve rezar esta oração 3 *Bras. Pop.* Espécie de verso em que cada quadra termina com palavras da oração do padre-nosso [Pl.: *padres-nossos* e *padre-nossos*.] ■ **Ensinar o** ~ **ao vigário** Pretender ensinar a alguém algo que ele já sabe

padre-vigário (pa.dre-vi.*gá*.ri.o) *sm.* Pároco [Pl.: *padres-vigários*.]

padrinho (pa.*dri*.nho) *sm.* 1 No catolicismo, homem que acompanha alguém (ger. criança) em seu batizado ou em sua crisma, e assume a responsabilidade de cuidar de sua educação cristã; DINDINHO; DINDO 2 Homem que acompanha alguém, como testemunha, numa cerimônia ou ritual (p. ex.: casamento, duelo) 3 *Ant.* Pessoa que acompanha alguém no momento em que este recebe o diploma em sua formatura; PARANINFO; PATRONO 4 Protetor ou patrono de alguém [Fem.: *madrinha.*] [F.: Do lat. *patrinus.* Ideia de: *pater-*.]

padroado (pa.dro:*a*.do) *sm.* 1 Direito de servir de protetor, adquirido por quem fundou uma igreja 2 *Ecles.* Direito de conceder benefícios eclesiásticos 3 *P. ext.* Território onde se exerce esse direito [F.: Do lat. *patronatus, us.*]

padroeiro (pa.dro:*ei*.ro) *a.* 1 Diz-se de santo escolhido como protetor 2 Diz-se de quem defende, protege 3 Diz-se daquele que tem o direito de padroado 4 Diz-se de quem fez doação a mosteiro ou é um de seus fundadores *sm.* 5 Santo padroeiro; PATRONO: *Santo Antônio é o padroeiro de Lisboa.* 6 Defensor, protetor 7 Aquele que tem o direito de padroado 8 Pessoa que fez doações a mosteiro ou que participou da sua fundação [F.: *Ant. padro(m)'* + *-eiro.* Ideia de: *pater-*.]

padronagem (pa.dro.*na*.gem) *sf.* Desenhos e/ou cores (ou modo de dispô-los) impressos em tecidos, cerâmicas etc.; PADRÃO [Pl.: *-gens.*] [F.: *padr(ã)o* + *-n-* + *-agem*². Ideia de: *pater-*.]

padronização (pa.dro.ni.za.*ção*) *sf.* 1 Ação ou resultado de padronizar 2 Adoção de um padrão para uniformizar uma atividade, um serviço etc.: *padronização do ensino/do atendimento médico.* 3 Processo (forçado ou espontâneo) de uniformização do comportamento ou de outras formas culturais (*padronização* de costumes/da música) 4 Uniformização dos produtos ou dos processos industriais segundo padrões preestabelecidos 5 *Ling.* Desenvolvimento, ger. por parte de autoridades governamentais, de normas ortográficas, dicionários e gramáticas a fim de reduzir ou eliminar a diversidade linguística 6 *Ling.* Emergência de uma variedade de maior prestígio numa comunidade linguística 7 *Quím.* Ação ou resultado de padronizar [Pl.: *-ções.*] [F.: *padronizar* + *-ção.* Sin. das acps. 1 a 4: *estandardização.* Ideia de: *pater-*.]

padronizado (pa.dro.ni.*za*.do) *a.* Que se padronizou (ortografia *padronizada*; tratamento *padronizado*); ESTANDARDIZADO [F.: Part. de *padronizar.* Ideia de: *pater-*.]

padronizador (pa.dro.ni.za.*dor*) [ô] *a.* 1 Que padroniza (métrica *padronizadora*) *sm.* 2 Aquele ou aquilo que padroniza (*padronizador* de grãos) [F.: *padronizar* + *-dor.* Ideia de: *pater-*.]

padronizar (pa.dro.ni.*zar*) *v. td.* 1 Criar, estabelecer ou adotar um padrão para (algo que se faz); fazer segundo um padrão ou modelo; UNIFORMIZAR; ESTANDARDIZAR 2 *Quím.* Determinar a concentração de (substâncias), em solução 3 *Min.* Eliminar, do minério ou carvão, o material muito fino ou os blocos grandes [▶ 1 padronizar] [F.: *padrão* + *-izar*.]

paduano¹ (pa.du:*a*.no) *sm.* 1 Indivíduo nascido ou que vive em Pádua (Itália) *a.* 2 De Pádua; típico dessa cidade ou de seu povo [F.: Do top. *Pádu(a)* + *-ano*¹. Tb. *patavino*.]

paelha (pa:*e*.lha) [ê] *sf. Cul.* Prato típico espanhol, feito de arroz cozido com legumes, carne, peixes e diversos crustáceos [F.: Do espn. *paella*.]

paetê (pa:e.*tê*) *sm.* Ver *lentejoula* [F.: Do fr. *pailleté*.]

paga (*pa*.ga) *sf.* 1 Pagamento, ou quantia dada como pagamento 2 Retribuição, recompensa, remuneração: *Pouco recebeu em paga de tantos sacrifícios.* 3 *Fig.* Agradecimento, gratidão, reconhecimento: *Nunca tive paga pelos favores que lhe fiz.* 4 *Lud.* Dinheiro ou tento pago no jogo [F.: Dev. de *pagar*. Hom./Par.: *paga* (sf.), *paga* (fl. de *pagar*). Ideia de: *pag-*.]

pagador (pa.ga.*dor*) [ô] *a.* 1 Que paga; que faz pagamentos *sm.* 2 Pessoa que paga; aquele que é encarregado de fazer pagamentos [F.: *pagar* + *-dor.* Ideia de: *pag-*.]

pagadoria (pa.ga.do.*ri*.a) *sf.* Lugar, escritório ou seção em que se fazem pagamentos [F.: *pagador* + *-ia*¹. Ideia de: *pag-*.]

pagamento (pa.ga.*men*.to) *sm.* 1 Ação ou resultado de pagar; PAGA 2 Algo que se dá em troca de um serviço; ESTIPÊNDIO; REMUNERAÇÃO 3 Devolução de importância que se está devendo; REEMBOLSO 4 Modo de pagar (*pagamento* à vista) 5 Prestação, parcela 6 *Jur.* Execução espontânea de uma obrigação [F.: *pagar* + *-mento.* Ideia de: *pag-*.]

paganismo (pa.ga.*nis*.mo) *sm.* 1 Religião pagã, ou o conjunto de ideias e costumes dos povos pagãos 2 Conjunto de pessoas que não foram batizadas [F.: Do lat. *pagamismus, i.* Sin. ger.: *etnicismo, gentilidade, gentilismo.* Cf. *gentilidade.* Ideia de: *pagan-*.]

paganização (pa.ga.ni.za.*ção*) *sf.* Ação ou resultado de paganizar (*paganização* da cultura) [Pl.: *-ções.*] [F.: *paganizar* + *-ção*.]

paganizado (pa.ga.ni.*za*.do) *a.* Que se tornou pagão, que procede como pagão ou é influenciado pelo paganismo (sociedade *paganizada*) [F.: Part. de *paganizar*.]

paganizar (pa.ga.ni.*zar*) *v.* 1 Tornar(-se) pagão [*td.*] 2 Adquirir atitudes ou características de pagão [*int.*] [F.: *pagão* (sob a f. *pagan-*) + *-izar*, seg. o mod. erudito. Ant.: *despaganizar*.]

pagante (pa.*gan*.te) *a2g.* 1 Que paga (público *pagante*) *s2g.* 2 Aquele que paga [F.: *pagar* + *-nte*.]

pagão (pa.*gão*) *a.* 1 Diz-se de quem não foi batizado 2 *Rel.* Diz-se de adepto de qualquer religião que não adota o batismo ou que adota o politeísmo 3 *Rel.* Ref. a ou próprio de pagão (mito *pagão*; sacrifício *pagão*) *sm.* 4 Pessoa que não foi batizada 5 *Rel.* Adepto de qualquer religião que não adota o sacramento do batismo ou que adota o politeísmo [Pl.: *-gãos.* Fem.: *-gã.*] [F.: Do lat. *paganus, i.* Ideia de: *pagan-*.]

pagar (pa.*gar*) *v.* 1 Dar quantia em dinheiro, ou alguma coisa de valor, em troca de (mercadoria, serviço etc.); REMUNERAR [*td.*: *Por favor, pague minha passagem.*] [*td. tdi.* +*a*, *por*: *Pagou* (*o serviço*) *ao carpinteiro.*] 2 Dar ou devolver aquilo que é devido, ou dinheiro correspondente a uma obrigação; satisfazer (dívida ou encargo) [*td.*: *pagar contas /empréstimo.*] [*tdi.* +*a*: *Quando lhe pagará o empréstimo?*] 3 Pagar aquilo que se deve; cumprir (promessa, juramento etc.) [*td.*] 4 Fazer ação boa ou má em resposta a ação de outra pessoa; retribuir (bem ou mal) [*int.*: *pagar na mesma moeda.*] [*ti.* +*a*, *para*: "Você *pagou* com traição *a* quem sempre lhe deu a mão..." (Jorge Aragão, Neuci Dias e Dida, *Vou festejar*)] [*td.*: *pagar uma visita.*] 5 Receber ou sofrer punição, castigo, vingança etc. por algo que se fez [*td.*: *pagar os pecados.*] [*tr.* +*por*: *pagar pelos erros cometidos.* NOTA: Neste caso, a concordância se faz com o motivo do pagamento.] [*ti.* +*a*: *Você me paga (por essa humilhação)!* NOTA: Neste caso, a concordância se faz com o destinatário do pagamento (e, opcionalmente, seguido do motivo do pagamento).] 6 Fazer pagamento [*ti.* +*a*: *Já paguei ao vendedor.*] [*int.*: *Vou pagar em cheque.*] 7 Compensar [*td.*: *As vendas não estão pagando o custo.*] [▶ 14 pagar NOTA.: Part.: pago e (p. us.) pagado.] [F.: Do lat. *pacare*. Hom./Par.: *paga(s)* (fl.), *paga* (sf. [pl.]); *pago* (fl.), *pago* (a. sm.); *pagará(s)* (fl.), *pagará(s)* (sm. [pl.]); *pagáveis* (fl.), *pagáveis* (pl. de *pagável*).] ■ **~ caro (por)** Sofrer alguém consequências penosas (de algo que fez) **~ e não bufar** *Bras. Pop.* Pagar sem reclamar, sem protestar **~ para ver** 1 Em certos jogos de cartas (como no pôquer), igualar as apostas de adversário(s), encerrando-as, para que se mostrem as cartas e se constate quem é o ganhador 2 *Fig.* Estar disposto a arriscar-se, enfrentando um desafiante ou um desafio que se crê não serem tão fortes ou difíceis quanto aparentam: *Você diz que ganha de mim na corrida? Estou pagando para ver.* 3 *Fig.* Us. para manifestar dúvida ou descrédito a respeito da realização de promessa, anúncio ou ameaça feitos por alguém: *Ameaçaram expulsar-me, mas eu pago para ver!*

pagável (pa.*gá*.vel) *a2g.* Que deve ou pode ser pago: *dívida pagável a prazo.* [Pl.: -*veis*.] [F.: *pagar* + -*vel*. Hom./Par.: *pagáveis* (pl.), *pagáveis* (fl. de *pagar*). Ideia de: *pag-*.]

⊕ **pager** (*Ing./pêidjer/*) *sm. Telc.* Aparelho portátil, capaz de receber por ondas de rádio e exibir num visor as mensagens transmitidas de uma central de recados [Cf.: *bipe* e *paging*.]

◎ **-pagia** *el. comp.* = 'fixação'; 'união mórbida de gêmeos': *heteropagia, isquiopagia, teratopagia* [F.: Do gr. *págos, ou*, 'o que está fixo'; 'ponta do rochedo', + -*ia*¹.]

página (*pá*.gi.na) *sf.* 1 Cada um dos lados de uma folha de livro, caderno, jornal etc. [Col.: *caderno*.] 2 Texto ou figura que se encontra numa página: *Já li dez páginas do relatório.* 3 *P. ext.* Fragmento de um texto; PASSAGEM; TRECHO: *Este romance tem belas páginas.* 4 *Art. gr.* Forma us. na impressão desse texto 5 *Fig.* Período ou acontecimento importante na vida de uma pessoa, na história de um povo etc.: *Aquele concerto foi uma página gloriosa de sua carreira.* 6 *Inf.* Documento que se pode acessar na *web* da internet [Cf. *homepage* e *site*.] 7 *Bot.* Qualquer dos dois lados de uma folha; FACE 8 *Pop.* Narração incômoda e aborrecida; ESTOPADA; MAÇADA [F.: Do lat. *pagina, ae.* Hom./Par.: *página* (sf.), *pagina* (fl. de *paginar*). Ideia de: *pagin-*.] ■ **A ~s tantas** Em certo ponto de um escrito, de um livro, de uma coleção de documentos: *Começou a ler o romance, mas a páginas tantas, adormeceu.* **~ aberta** *Jorn.* Página de jornal revista etc. ainda não totalmente preenchida com matéria **~ branca** Página na qual nada está escrito ou impresso **~ capitular** *Edit.* Página na qual se inicia um capítulo **~ cheia** *Art. gr. Edit.* Página totalmente preenchida por texto corrido (sem títulos, ilustrações, quadros, claros etc.) **~ coxa** *Art. gr.* Aquela que, por necessidade de paginação ou diagramação, tem mancha gráfica maior ou menor que a das demais páginas (de livro, revista etc.) **~ curta** *Art. gr.* Aquela que não completa o número total de linhas, como muitas páginas de final de capítulo **~ de começo** 1 *Art. gr.* A página inicial de um livro 2 *P. ext.* Ver *Página capitular* **~ deitada** *Art. gr.* Aquela na qual a matéria é disposta no sentido da altura e não da largura. [Ger. quadros, ilustrações etc. cuja largura é maior que a da página] **~ de rosto** *Art. gr.* Lado da *folha de rosto* que contém o título. [Tb. apenas *rosto*] **~ em branco** 1 Página vazia (ou seu correspondente, p. ex., na tela de um computador), na qual não há nada escrito, desenhado ou impresso; página branca 2 *Fig.* Aquilo que ainda está indefinido, que ainda está por ser realizado, narrado, concretizado 3 *Fig.* Período, atividade etc. caracterizados por) ausência de realizações ou de acontecimentos dignos de serem narrados **~ ímpar** *Bibl. Edit.* Aquela que fica do lado direito da publicação (livro, revista, jornal etc.) aberta; página nobre. [As páginas à direita recebem números ímpares] **~ nobre** *Edit.* Ver *Página ímpar* **~ par** *Edit.* Aquela que fica do lado esquerdo da publicação (livro, revista, jornal etc.) aberta. [As páginas à esquerda recebem números pares] **~s amarelas** [Marca registrada.] Guia de telefones e endereços comerciais, estruturado e ordenado (alfabeticamente) por tipos de produto ou serviço oferecidos **~ virada** 1 Fato ou circunstância desagradável, litígio, desavença etc. que se considera superada 2 Em determinado momento (não informado de modo preciso); passado algum tempo **Virar (um)a ~** *Fig.* Encerrar um assunto e passar para outro; iniciar novo período, ciclo etc.

paginação (pa.gi.na.*ção*) *Art. gr. sf.* 1 Ação ou resultado de paginar; COMPAGINAÇÃO 2 Ordem numérica das páginas de livros, revistas, jornais, catálogos etc. 3 Seção de uma gráfica onde se pagina [Pl.: -*ções*.] [F.: *paginar* + -*ção*.] ■ **~ contínua** *Art. gr.* Aquela que atribui numeração contínua às páginas dos volumes sequenciais de uma coleção. [P. op. a *paginação independente*] **~ independente** *Art. gr.* Aquela na qual a numeração das páginas de cada volume de uma coleção recomeça do zero. [P. op. a *paginação contínua*]

paginado (pa.gi.*na*.do) *a.* 1 Que recebeu paginação 2 *Inf.* Diz-se de processador com espaço de endereços dividido em páginas [F.: Part. de *paginar*.]

paginador (pa.gi.na.*dor*) [ô] *a.* 1 Ref. a paginação 2 *Art. gr. Tip.* Diz-se do gráfico encarregado da paginação de publicações *sm.* 3 *Art. gr.* Gráfico paginador [F.: *paginar* + -*dor*.]

paginadora (pa.gi.na.*do*.ra) [ô] *sf. Art. Gr.* Máquina us. em paginação [F.: Fem. substv. de *paginador*.]

paginar (pa.gi.*nar*) *v.* 1 Dar números às páginas de (livro, caderno etc.) [*td.*] 2 *Art. gr.* Determinar o aspecto gráfico das páginas de (livro etc.), a disposição do texto e de outros elementos [*int.*] 3 *Edit.* Combinar elementos gráficos de uma obra para formar página [*td.*] 4 *Telv.* Ajustar no tempo e no ritmo as matérias de um telejornal [*td.*] [▶ 1 paginar] [F.: *página* + -*ar*². Hom./Par.: *pagina* (fl.), *página* (sf.); *paginas* (fl.), *páginas* (pl. do sf.).] ■ **~ a livro aberto** *Art. gr.* Atribuir o mesmo número às páginas par e ímpar adjacentes (num livro aberto) **~ a livro fechado** *Art. gr.* Atribuir numeração sequencial às páginas par e ímpar adjacentes (num livro aberto)

⊕ **paging** (*Ing. / pêidjin/*) *sm. Telc.* Sistema de radiocomunicação em que se utilizam *pagers* na recepção de mensagens [Ver tb. *pager*.]

◎ **-pago** *el. comp.* Registra-se em vocábulos como *xifópago, onfalópago, cefalópago* etc. [F.: Do gr. *pagos, ou*, 'consolidado', 'unido'.]

pago¹ (*pa*.go) *a.* 1 Que se pagou, ou pelo que se pagou a devida quantia (coisa comprada, serviço, imposto, multa etc.) 2 Que é dado ou entregue em pagamento (quantia paga) 3 Que não se dá ou se recebe de graça; pelo qual se deve pagar: *Este é um serviço pago.* 4 Que recebe ou recebeu pagamento (salário etc.) pelo trabalho; RECOMPENSADO; REMUNERADO 5 *Fig.* Que teve ofensa ou injúria reparada; DESFORRADO; VINGADO: *Sentiu-se pago com a prisão do ladrão que o roubara.* [F.: Part. de *pagar*. Ideia de: *pag-*.]

pago² (*pa*.go) *sm.* 1 *RS* Localidade em que alguém nasceu; QUERÊNCIA; RINCÃO [Mais us. no pl.] 2 *P. us.* Pequeno povoado; ALDEIA [F.: Do lat. *pagus, i.* Ideia de: *pagan-* e *pais-*.]

pago³ (*pa*.go) *sm.* 1 Pagamento (1) 2 Paga, retribuição, recompensa [F.: Dev. de *pagar*. Ideia de: *pag-*.]

pagode (pa.*go*.de) *sm.* 1 *Bras.* Reunião informal na qual se toca, canta e dança pagode e esp. samba 2 *Bras. Mús.* Certo tipo de samba 3 *Bras. Mús.* Gênero musical derivado do pagode (2), ger. com elementos de canções românticas 4 Divertimento alegre e festivo; BAMBOCHATA; PÂNDEGA; PAGODEIRA; PAGODICE 5 *Bras.* Caçoada, zombaria: *fazer pagode com alguém.* 6 *AL Dnç. Mús.* Ver *coco*⁴ 7 *Arq.* Templo religioso budista, ger. com vários andares, cada um destes com seu telhado 8 O ídolo que se adora nesse templo 9 *Num.* Moeda de ouro que circulava outrora no Sul da Índia [F.: Do sânsc. *bhagavati*, pelo dravídico *pagôdi*. Ideia de: *pagod-*.] ■ **De ~** *Bras. Pop.* Muito, em grande quantidade ou intensidade

pagodear (pa.go.de.*ar*) *v.* 1 Cair na pândega; FARREAR; PANDEGAR [*int.*: *Vivem pagodeando a noite toda.*] 2 Tratar com escárnio; fazer zombaria de [*tr.* +*de*: *Sempre pagodeava dos companheiros.*] [▶ 13 pagodear] [F.: *pagode* + -*ear*.]

pagodeira (pa.go.*dei*.ra) *sf. Pop.* Ver *pagode* (4) [F.: *pagod(e)* + -*eira*. Ideia de: *pagod-*.]

pagodeiro (pa.go.*dei*.ro) *Bras. sm.* 1 Pessoa que compõe, toca ou canta sambas de pagode 2 Aquele que vai a reuniões de pagode 3 *Pop.* Pessoa alegre, engraçada [F.: *pagod(e)* + -*eiro*. Ideia de: *pagod-*.]

pagoderia (pa.go.de.*ri*.a) *sf. Bras.* Casa noturna onde se toca e dança pagode [F.: *pagod(e)* + -*eria*.]

pagodista (pa.go.*dis*.ta) *a2g.* 1 Ref. a sambas ou a reuniões de pagode *s2g.* 2 Pagodeiro [F.: *pagod(e)* + -*ista*.]

paguro (pa.*gu*.ro) *Zool. sm.* 1 Nome que se dá a várias espécies de crustáceos do gên. *Pagurus*, cujos indivíduos são conhecidos vulgarmente como bernardo-eremita ou ermitão 2 Ver *eremita*. [F.: Do gr. *págouros, ou*. Ideia de: *pagur-*.]

pai *sm.* 1 Homem que teve filho(s), que cria ou criou filho(s); GENITOR; PROGENITOR 2 *P. ext.* Homem que de fato cria ou educa criança ou jovem [NOTA: Nas acps. 1 e 2, é tb. us. como forma de tratamento pelos filhos.] 3 Qualquer animal macho que gerou (com uma fêmea) outros animais 4 *Fig.* Autor ou criador de algo, ou fundador de uma doutrina, instituição etc.: *Santos Dumont é o pai da aviação.* 5 *Fig.* Aquele que faz o bem a outrem, que protege, ajuda ou favorece algo ou alguém (pai dos necessitados); BENFEITOR; PROTETOR 6 *Fig.* Causador, gerador: *O trabalho é pai do progresso.* 7 Forma carinhosa de se referir aos escravos mais velhos: "Pai Francisco entrou na roda." (cantiga de roda) 8 *Rel.* Designação bíblica da divindade, responsável pela criação de tudo e de todos os seres, esp. o homem; DEUS 9 *Rel.* A primeira pessoa da Santíssima Trindade, para os católicos [NOTA: Us. com inicial maiúsc.] 10 Forma de tratamento dada aos padres por alguns fiéis 11 *Bras.* Cacique, morubixaba [Fem.: *mãe*.] [F.: Do lat. *pater, patris*. Hom./Par.: *pai(s)* (pl.), *país* (sm.). Ideia de: *pater-* e *patr(i/o)-*.] ■ **De ~ e mãe** Expressão que realça qualidade ou defeito, como se fossem totais, inescapáveis: *Ele é burro/inteligente de pai e mãe.* **O ~ da criança** *Bras. Fam.* O responsável por algo; o causador de um fato: *Quer saber detalhes dessa proposta? Pergunte ao João, que é o pai da criança.* **O Santo ~** Ver *O Santo Padre* **~ adotivo** Homem que adota alguém para criá-lo como filho; pai de criação **~ da aviação** Antonomásia do brasileiro Alberto Santos Dumont, que realizou o primeiro voo registrado com aparelho mais pesado que o ar a decolar pelo impulso de seus próprios motores **~ da Mentira** Demônio **~ da pátria** 1 *Hist.* Em Portugal e outras monarquias, pai do reino; senhor feudal ligado diretamente ao rei, por vassalagem 2 Aquele que defende um país, sua independência ou soberania, valores e ideais 3 *Irôn. Deprec.* Líder ou chefe político, especialmente o de tipo autoritário, que se apresenta ou é considerado como protetor do povo 4 *Joc.* Parlamentar (deputado ou senador) **~ de criação** Ver *Pai adotivo* **~ de família** Homem casado, considerado juridicamente como sujeito de responsabilidades perante a mulher e os filhos **~ do Mal** O diabo, o chefe dos demônios **~ espiritual** Aquele que exerce grande influência sobre os valores e atitudes de alguém, que dá orientação para a vida moral ou religiosa; guia espiritual **Ser o ~ cortado** *MG* Ser (alguém) muito semelhante, fisicamente, ao pai **Ter o ~ alcaide** Ser protegido de alguém importante **Ter ~ vivo e mãe bulindo** *Bras. Pop.* Não carecer de proteção, ajuda ou castigo, por ter os dois pais

paica (*pai*.ca) *Tip. sf.* 1 No sistema anglo-americano, unidade de medida us. em tipografia, correspondente a um sexto de uma polegada (4,218 mm) [Cf. *cícero*.] 2 *Ant.* Tipo de corpo 12, em países de língua inglesa 3 Em máquina de escrever, caráter com tamanho equivalente a dez letras por polegada [Cf. *elite*.] [F.: Do ing. *pica*.]

pai de chiqueiro (pai de chi.*quei*.ro) *sm. CE Pop.* Carneiro ou bode não castrado [Pl.: *pais de chiqueiro*.]

pai-d'égua (pai-*d'é*.gua) *Bras. sm.* 1 Garanhão 2 *Fig.* Homem mulherengo; GARANHÃO *a2g.* 3 *Bras.* Muito grande; APAIDEGUADO [Pl.: *pais-d'égua*.]

pai de lote (pai de *lo*.te) *sm. Bras.* Cavalo não castrado, chefe de um lote de tropa de carga [Pl.: *pais de lote*.]

pai de santo (pai de *san*.to) *sm. Bras. Pop. Rel.* Guia espiritual e chefe de local de culto do candomblé e da umbanda; BABALORIXÁ; PAI DE TERREIRO [Pl.: *pais de santo*. Fem.: *mãe de santo*.]

pai de todos (pai de *to*.dos) *sm. Pop.* O dedo médio, o mais longo dos dedos da mão [Pl.: *pais de todos*.]

pai dos burros (pai dos *bur*.ros) *sm. Bras. Pop.* Dicionário [Pl.: *pais dos burros*.]

paina (*pai*.na) [âi] *sf.* 1 *Bras.* Material fibroso, semelhante ao algodão, que se forma em torno das sementes de várias plantas (esp. das fam. das bombacáceas, asclepiadáceas e tifáceas) e que pode ser aproveitado industrialmente; PANHA 2 *Bot.* Ver *paineira* 3 *Bot.* Ver *macela* [F.: Do malaiala *paññi*.]

painço (pa.*in*.ço) *Bot. sm.* 1 Nome comum a algumas plantas da fam. das gramíneas, cultivadas como forrageiras e por seus grãos comestíveis, esp. *Panicum miliaceum* e *Setaria italica* 2 Grão dessa planta, pequeno, arredondado, ger. amarelo e nutritivo, freq. us. em rações para animais, esp. pássaros [Col.: *painçada*.] [F.: Do lat. tard. *panicium, ii*.]

paineira (pai.*nei*.ra) *Bot. sf.* 1 Nome comum a certas árvores da fam. das bombacáceas, cujas sementes são envolvidas por material fibroso macio, a paina; PANHEIRA *sf.* 2 Árvore dessa família (*Chorisia speciosa*), nativa do Brasil, de tronco grosso e grandes flores róseas ou avermelhadas, muito us. em paisagismo; ÁRVORE-DA-LÃ; BARRIGUDA; PAINA; PAINEIRA-BRANCA; PAINEIRA-ROSA 3 Árvore da mesma fam. (*Ceiba boliviana*), nativa da Bolívia, do Paraguai e do Brasil, de tronco engrossado e com espinhos, flores rosa rajadas de magenta e violeta e frutos com paina muito branca; BARRIGUDA; BARRIGUDA-DE-ESPINHO; PAINA; PAINEIRA-ROSA [F.: *pain(a)* + -*eira*.]

painel¹ (pai.*nel*) *sm.* 1 Peça ou parte cercada por moldura, ger. retangular e em relevo, em porta, janela, parede, teto 2 Pintura feita sobre madeira, tela etc.; QUADRO 3 Qualquer trabalho artístico ou decorativo recobrindo uma parede (painel de fotografias) 4 Parte ou peça onde são instalados instrumentos e comandos de um veículo, máquina, instalação etc. (painel de controle) *Lus.* 5 *Fig.* Visão geral, panorama: *um painel da classe média.* 6 *Publ.* Ver *outdoor* [Cf. *back-light*.] 7 Divisória móvel ou fixa que se usa em museus ou salas de exposição 8 Baixo-relevo em forma de moldura, sobre uma superfície qualquer 9 Almofada de janela, móvel, porta etc. 10 Chapa exterior das fechaduras 11 Quadro us. para pendurar chaves, ferramentas etc. 12 *Mar.* Conjunto de tecidos que compõem cada vela dos navios [Pl.: -*néis*.] [F.: Do cast. *painel*.] ■ **~ luminoso** Aquele com iluminação (externa ou interna) que o torna visível no escuro

painel² (pai.*nel*) *sm.* 1 Grupo que apresenta ao público e debate diversas ideias ou pontos de vista sobre um assunto; MESA-REDONDA: *O professor integrou o painel sobre política.* 2 Série de apresentações de ideias e debates sobre determinado assunto 3 *Publ.* Tipo de pesquisa de mercado baseada em informações, observações, comentários e reações de pessoas previamente selecionadas para avaliar hábitos de consumo, aceitação de uma ideia ou de um produto etc. [Pl.: -*néis*.] [F.: Do ing. *panel*.]

painelista (pai.ne.*lis*.ta) *s2g.* 1 Pintor de painéis 2 Aquele que participa de painéis, mesas-redondas etc. [F.: *painel* + -*ista*.]

pai-nosso (pai-*nos*.so) *Rel. sm.* 1 Oração cristã, que remonta aos evangelhos, e que começa com as palavras "*Pai nosso que estais no céu*" 2 Cada uma das contas maiores de um rosário [Pl.: *pais-nossos*.] [Sin. ger.: *padre-nosso*.]

paio (*pai*:o) *sm.* 1 Linguiça de porco, feita com tripa do intestino grosso; LINGUIÇA DE PAPADA 2 *Bras. S.* Indivíduo demasiadamente crédulo, ingênuo, bobalhão *a.* 3 *Bras. S.* Diz-se desse indivíduo [F.: Posv. do antr. galego *Payo*.]

paiol (pai.*ol*) *sm.* 1 Lugar em que se guardam pólvora, munição e instrumentos de guerra 2 *Bras.* Lugar ou compartimento que serve de depósito (p. ex.: para produtos agrícolas, materiais etc.) 3 *MG SP* Ver *celeiro* (1, 2) 4 *Náut.*

Qualquer compartimento do navio onde se guardam munições, bagagens, mantimentos etc. 5 *BA* Monte de cascalho 6 *Pop.* Barriga, estômago [Pl.: *-óis.*] [F.: Do cat. *pallol.*]

paioleiro (pai.o.*lei*.ro) *sm.* 1 Vigia de paiol 2 *Bras.* Tripulante de baleeira encarregado das rações; tb. *cafuleteiro* [F.: *paiol* + *-eiro.*]

pairar (pai.*rar*) *v.* 1 Voar (pássaro) lentamente, ou planando [*int.*] 2 Estar no alto, ou mover-se lentamente no ar (nuvem etc.) 3 Estar no ar, no ambiente, de modo difuso porém perceptível [*int.*: *Pairam vapores perfumados.*] 4 *Fig.* Estar em posição superior ou predominante [*int.*: *Sua presença pairava em todo o departamento.*] 5 *Fig.* Estar presente, a ponto de se realizar (perigo, ameaça etc.): *Sobre os obesos pairam sempre ameaças de doenças.* [*int.*] 6 Ficar indeciso; HESITAR; TITUBEAR [*tr.* +*entre*: *Cláudio paira entre fugir e conversar; Sobre essa questão não pairam dúvidas.*] 7 Cruzar (uma embarcação) com outra em certo trecho do mar ou rio [▶ 1 pairar] [F.: Do lat. *pariare*, 'ser igual', pelo provenç. *pairar*, 'aguentar', 'suportar'. Hom./Par.: *pairo* (fl.), *pairo* (sm.).]

país (pa.*ís*) *sm.* 1 Território em que vive um povo ou nação, esp. quando tem fronteiras definidas e, nele, há uma sociedade organizada politicamente, ou formando um Estado independente; NAÇÃO 2 O povo ou nação que vive num território: *Cada país tem os seus costumes.* 3 Região, esp. a que tem unidade e coesão histórica, geográfica ou cultural (países nórdicos) 4 Terra natal; PÁTRIA 5 *Fig.* Região sem limites definidos (país das maravilhas); TERRA; LUGAR 6 Painel ou quadro em que se representam países; paisagem [F.: Do fr. *pays*, deriv. do lat. tard. *pagensis*. Hom./Par.: *país* (sm.), *pais* (smpl.).] ■ **~ de opereta** *Pej.* País de pouca expressão ou influência na política internacional

paisagem (pai.*sa*.gem) *sf.* 1 Espaço que pode ser alcançado pelo olhar; VISTA; PANORAMA *sf.* 2 Conjunto de elementos naturais ou artificiais de um espaço exterior, observados de determinado lugar 3 Tipo, característica de um espaço geográfico (paisagem montanhosa/litorânea) 4 Pintura, desenho, fotografia etc. que mostra paisagem 5 *Pint.* Gênero de pintura que tem por objeto a representação do campo ou de lugares campestres [Pl.: *-gens.*] [F.: Do fr. *paysage.*]

paisagismo (pai.sa.*gis*.mo) *sm.* 1 *Arq. Urb.* Arte ou atividade de conceber e criar paisagens, combinando construções, jardins, ambiente natural etc. 2 *Arq. Urb.* Projeto paisagístico que busca harmonizar a construção com os elementos naturais, integrando-a às características ambientais, de modo que se aproveitem recursos como vegetação, luminosidade, circulação de ar etc. 3 Representação de paisagem em desenho ou pintura [F.: *paisag(em)* + *-ismo.*]

paisagista (pai.sa.*gis*.ta) *s2g.* 1 Pessoa que se dedica ao paisagismo 2 Artista que pinta paisagens 3 *Bras.* Pessoa que projeta jardins e/ou parques 4 *Bras.* Artista que compõe paisagens com plantas e outros elementos para fins decorativos *a.* 5 Que pinta paisagens ou descreve paisagens [Cf.: *jardinista.*] [F.: Do fr. *paysagiste.*]

paisagística (pai.sa.*gís*.ti.ca) *sf.* Arte do paisagista [F.: Fem. substv. de *paisagista.*]

paisagístico (pai.sa.*gís*.ti.co) *a.* 1 Ref. a paisagismo 2 Ref. a paisagem [F.: *paisagist(a)* + *-ico*².]

paisana (pai.*sa*.na) *sf.* 1 Não militar; civil *sf.* 2 Ver tb. *à paisana*

paisano (pai.*sa*.no) *sm.* 1 Pessoa que não é militar; CIVIL 2 Conterrâneo, compatriota; PATRÍCIO *a.* 3 Que não é militar 4 Que é conterrâneo, compatriota [F.: Do fr. *paysan.*]

paixão (pai.*xão*) *sf.* 1 Emoção ou sentimento muito forte (amor, ódio, desejo etc.), capaz de alterar o comportamento, o raciocínio, a lucidez: *Deixar-se levar pelas paixões.* 2 Amor ou atração (inclusive sexual) muito intensos: *Tem paixão pela namorada.* 3 Grande entusiasmo; calor, emoção: *Defendia suas ideias com paixão.* 4 Gosto muito pronunciado ou predileção por algo (paixão por música) 5 Apego ou interesse obsessivos por algo: *a paixão pelo consumo.* 6 Pessoa ou coisa que desperta paixão: *Os netos são a paixão da velha senhora.* 7 Opinião contra ou a favor de alguma coisa, sem base racional; CEGUEIRA; FANATISMO 8 *Rel.* O martírio de Jesus Cristo [Nesta acp. com inic. maiúsc.] 9 *P. ext.* Grande mágoa ou sofrimento 10 A parte do Evangelho que narra o martírio de Jesus [Nesta acp. com inic. maiúsc.] 11 *Teat.* Drama baseado na Paixão [Pl.: *-xões.*] [F.: Do lat. *passio-onis.*]

paixonite (pai.xo.*ni*.te) *sf.* *Bras. Pop.* Paixão, ger. amorosa, intensa porém passageira ou inconsequente [Tb. se diz *paixonite aguda.*] [F.: *paix(ã)o* + *-n-* + *-ite.*]

pajé (pa.*jé*) *sm.* 1 *Bras. Etnog.* Xamã indígena, aquele que realiza rituais mágicos de cura, adivinhação etc. 2 *Fig.* Chefe, líder 3 *Amaz.* Benzedeiro, curandeiro 4 *Amaz. Rel.* Chefe de pajelança 5 *PA Bot.* M. q. *flor-d'água* [F.: Do tupi *pa' ie.*]

pajeado (pa.je:*a*.do) *a.* 1 Diz-se de criança de quem se toma conta 2 *Irôn.* Diz-se de adulto de quem se toma conta [F.: Part. de *pajear.*]

pajear (pa.je.*ar*) *v. td.* 1 *Bras.* Vigiar e cuidar de (alguém, esp. criança): "– É boa! E quem pajeia o menino durante a minha ausência?" (Monteiro Lobato, *O macaco que se fez homem*) 2 Atender ou servir com atenção excessiva; APAJEAR; ADULAR 3 Servir de pajem; APAJEAR [▶ 1 pajear] [F.: *pajem* + *-ar*².]

pajelança (pa.je.*lan*.ça) *sf.* 1 *Bras.* Ritual mágico realizado por um pajé indígena em determinadas ocasiões com o objetivo de curar, prever o futuro etc. 2 *AM* Benzedura; reza para afastar mal-olhado ou outras influências malignas 3 *AM* A prática dos curandeiros ou pajés da amazônia [F.: *pajé* + *-l-* + *-ança.*]

pajem (*pa*.jem) *sm.* 1 Jovem que, na Idade Média, acompanhava o rei ou pessoa nobre, para lhes prestar serviços e se iniciar na carreira das armas 2 *Bras.* Criado que acompanha um cavaleiro em viagem 3 *Bras.* Menino que acompanha os noivos, em cerimônia de casamento 4 *Mar. G.* Marinheiro encarregado da limpeza em navios de guerra *sf.* 5 *MG SP* Ama-seca, babá [Pl.: *-jens.*] [F.: Do fr. ant. *page.*]

pajeú (pa.je.*ú*) *sm.* 1 *Bras. Bot.* Árvore (*Triplaris surinamensis*) da fam. das poligonáceas *sf.* 2 *PE* Qualquer instrumento de cutelaria fabricado na região do rio Pajeú 3 *Bras. N. E.* Faca pontuda com cabo de chifre [F.: Do tupi *pa'yeu*, posv. Sin. nas acps. 1 e 2: *pajeuzeira.*]

⊠ **pal** *Telv.* Sigla do ing. *Phase Alternate Line* (sistema europeu de transmissão de imagens em cores)

pala¹ (*pa*.la) *sf.* 1 Viseira de boné, quepe ou chapéu 2 Anteparo móvel instalado na parte superior interna do para-brisa de automóveis que, abaixado, protege a vista contra a luz solar direta 3 *Vest.* Porção de tecido com que se reforça e enfeita a parte da frente de uma blusa, abaixo do decote ou da gola 4 *Vest.* Certo vestuário dos atores trágicos 5 *Litu.* Cartão quadrado guarnecido de pano branco com que se cobre o cálice, no ritual católico 6 Engaste de pedra preciosa ou de anel 7 *Her.* Barra ou faixa que divide o escudo de alto a baixo 8 *Her.* Figura que, no campo do escudo, ocupa o terço do campo e tem posição vertical 9 *Arm.* Parte móvel de uma cartucheira que cobre os cartuchos 10 Parte do sapato onde se assenta a fivela, ou da polaina, que cobre o pé 11 *Pop.* Mentira, patranha 12 *Bras. Pop.* M. q. *dica.*: "...você que olha e não vê, eu vou lher dar uma pala, você vai ter que aprender" (Vinícius de Moraes, Toquinho, *A tonga da mironga do kabuletê*) [É mais frequente seu uso no diminutivo: *palinha.*] [F.: Do lat. *pala-ae.*]

pala² (*pa*.la) *sm.* *RS Vest.* Poncho leve com as pontas arredondadas e franjadas [F.: De or. obsc.] ■ **Abrir o ~** *S. Pop.* Retirar-se discreta ou furtivamente; escapar; fugir

palacete (pa.la.*ce*.te) [ê] *sm.* 1 Pequeno palácio 2 Casa grande e luxuosa, mansão [F.: *palác(io)* + *-ete.*]

palacial (pa.la.ci:*al*) *a2g.* *P. us.* Palaciano [Pl.: *-ciais.*] [F.: *paláci(o)* + *-al.*]

palaciano (pa.la.ci:*a*.no) *a.* 1 Relativo a palácio; aristocrático (modos palacianos) 2 Próprio daqueles que vivem na corte ou são íntimos dos governantes (intrigas palacianas); CORTESÃO *sm.* 3 Aquele que vive em palácio, ou frequenta a corte real; CORTESÃO; ÁULICO [F.: *paláci(o)* + *-ano.*]

palaciego (pa.la.ci:*e*.go) [ê] *a.* *P. us.* Palaciano [F.: Do espn. *palaciego.*]

palácio (pa.*lá*.ci:o) *sm.* 1 Residência (ger. grande, imponente ou luxuosa) de rei, governante ou pessoa de alta hierarquia 2 Sede, local principal de reunião e decisão (de governo, de tribunal, de administração) (Palácio Alvorada; Palácio da Justiça) 3 Edifício imponente [Dim.: *palacete.*] [F.: Do lat. *palatium -ii.*]

paladar (pa.la.*dar*) *sm.* 1 Capacidade de perceber os diferentes sabores; sentido do gosto 2 Sabor: *comida de bom paladar* 3 *Fig.* Gosto, modo de julgar ou apreciar a beleza ou qualidade das coisas 4 *Anat.* Palato, céu da boca [F.: Do lat. vulg. *palatare.*] ■ **Ter bom ~** Ter apurada sensibilidade gustativa, discernir e apreciar a qualidade gastronômica

> 🕮 O sentido do gosto, ou paladar, é, no homem, associado ao prazer gastronômico, e se deve a uma reação química provocada por uma substância em partículas existentes na língua, chamadas *papilas gustativas*. Estas, em alguns formatos e disposições, reconhecem e diferenciam quatro tipos de paladar: ácido, amargo, doce e salgado, e transmitem essa percepção, através dos nervos gustativos, para o cérebro, que 'identifica' o sabor, com prazer ou desprazer. De acordo com sua localização, as papilas podem ser mais ou menos sensíveis a determinados sabores: amargo, p. ex., é melhor percebido pelas papilas na parte posterior da língua, e o doce pelas papilas na ponta da língua.

paladino (pa.la.*di*.no) *sm.* 1 *Fig.* Aquele que defende algo ou alguém com esforço e coragem (paladino da justiça) 2 *Hist.* Cavaleiro andante 3 *Hist.* Cavaleiro que acompanhava o imperador Carlos Magno nas guerras [F.: Do fr. *paladin.*]

paládio (pa.*lá*.di:o) *sm.* 1 *Fig.* Aquilo que protege e defende, que dá segurança ou garantia 2 *Hist.* Estátua de Palas Atena venerada em Troia como penhor de conservação da cidade 3 *Quím.* Elemento de número atômico 46, metálico [Símb.: *Pd.*] [F.: Do lat. *palladium -ii*, deriv. do gr. *Palládion-ou.*]

palafita (pa.la.*fi*.ta) *sf.* 1 Casa construída acima da água (de lago ou de terreno alagado), sobre estacas fixas no fundo 2 O conjunto das estacas que sustentam esse tipo de casa [F.: Do it. *palafitta*. Cf.: *palafitas.*]

palafítico (pa.la.*fí*.ti.co) *a.* Ref. a palafita [F.: *palafit(a)* + *-ico*².]

palafrém (pa.la.*frém*) *sm.* 1 *Ant.* Na Idade Média, cavalo em que desfilavam os reis e os nobres 2 *Ant.* Cavalo elegante e bem adestrado, esp. o que era destinado a uma senhora 3 *P. ext.* Qualquer cavalo [F.: Do espn. *palafrén.*]

palamenta (pa.la.*men*.ta) *sf.* 1 *Mar.* A totalidade dos objetos indispensáveis ao uso de uma embarcação (p. ex., leme, remos, velas etc.) 2 Toda a aparelhagem necessária ao serviço de uma peça de artilharia [F.: Do it. *palamento.*]

pálamo (*pá*.la.mo) *sm.* *Zool.* Membrana existente entre os dedos de algumas aves, répteis e mamíferos [F.: Do lat. cient. *palama.*]

palanfrório (pa.lan.*fró*.ri:o) *sm.* Ver *palavreado* (1) [F.: Alt. de *palavrório.*]

palanque (pa.*lan*.que) *sm.* 1 Plataforma ou estrado bastante alto, ger. ao ar livre, em que se sobe para de lá discursar para o público (em comícios), ou para assistir a festas ou cerimônias 2 *RS SP* Tronco grosso em que se prende o cavalo para domar ou tratar 3 Fortificação formada por fileira de estacas cobertas de terra; tb. *palanca* [F.: De or. incerta.] ■ **De ~** *Fig.* Em posição de presenciar algo (debate, empreendimento, luta etc.) sem participar diretamente

palanqueiro (pa.lan.*quei*.ro) *a.* 1 *Bras. S* Diz-se do animal rebelde, que precisa estar preso ao palanque *sm.* 2 Construtor de palanques [F.: *palanqu(e)* + *-eiro.*]

palanquim (pa.lan.*quim*) *sm.* 1 Liteira us. em alguns países orientais, na qual as pessoas mais ricas se fazem transportar aos ombros de seus servos 2 Cada um dos homens que carregam o palanquim [Pl.: *-quins.*] [F.: Do neo-árico *palanki.*]

palatal (pa.la.*tal*) *a2g.* 1 Relativo ao palato ou céu da boca *a2g.* 2 M. q. *palatino* [Pl.: *-tais.*] [F.: Do lat. *palatalis.*]

palatável (pa.la.*tá*.vel) *a2g.* 1 Que tem gosto bom; agradável ao paladar [Ant.: *impalatável.*] 2 *Fig.* Que não desagrada, que pode ser apreciado, ou aceito: *O filme não é uma obra-prima, mas é palatável.* [Pl.: *-veis.*] [F.: Do ing. *palatable.*]

palatinado (pa.la.ti.*na*.do) *sm.* 1 Dignidade de palatino² 2 Região dominada por um palatino² 3 Cada uma das antigas províncias da Polônia [F.: *palatin(o)*² + *-ado*³.]

palatino¹ (pa.la.*ti*.no) *Anat. a.* 1 Ref. ao palato (abóbada palatina); PALATAL 2 Ver *osso palatino* [F.: *palat(o)* + *-ino.*]

palatino² (pa.la.*ti*.no) *a.* 1 Ref. a palácio; PALACIANO 2 Que tinha cargo ou emprego no palácio de um príncipe *sm.* 3 Título dos que tinham cargo ou emprego no palácio de um príncipe 4 Príncipe que tinha palácio e administrava justiça 5 Administrador de um palatinado [F.: Do lat. *palatinus, a, um.*]

palatizar (pa.la.ti.*zar*) *v. Fon.* Emitir, pronunciar (som) com a ponta ou o meio da língua bem próximos do palato (céu da boca) ou tocando-o. Tb. *palatalizar* [F.: *palato* + *-izar.*]

palato (pa.*la*.to) *sm.* *Anat.* O céu da boca; a parte que fica no alto e no interior da boca, e que a separa da cavidade nasal; PALADAR [F.: Do lat. *palatum -i.*] ■ **~ duro** *Anat.* A parte anterior, dura (óssea), fixa do céu da boca **~ mole** *Anat.* A parte mais recuada, mole, móvel, do céu da boca (acima da base da língua)

palatoalveolar (pa.la.to.al.ve.o.*lar*) *a2g.* *Fon.* Diz-se de consoante cuja articulação ocorre entre os alvéolos e o palato duro, como as chiantes iniciais de *giz, jazer, xícara* etc. [F.: *palato* + *alveolar.*]

palatofaríngeo (pa.la.to.fa.*rín*.ge.o) *a.* *Anat.* Ref. ao palato e à faringe (músculo palatofaríngeo) [F.: *palato* + *faring(e)* + *-eo.*]

palatolabial (pa.la.to.la.bi:*al*) *a2g.* *Anat.* Ref. ao palato e aos lábios [Pl.: *-ais.*] [F.: *palato* + *lábi(o)* + *-al.*]

palatoplastia (pa.la.to.plas.*ti*.a) *sf.* *Cir.* Cirurgia que reconstitui o palato [F.: *palato* + *-plast(o)* + *-ia*¹.]

palatoplegia (pa.la.to.ple.*gi*.a) *sf.* *Neur.* Paralisia do véu palatino [F.: *palato* + *-pleg-* + *-ia*¹.]

pálavi (*pá*.la.vi) *Ling. sm.* 1 *Gloss.* Língua que na Idade Média se falava na Pérsia (atual Irã) *a2g.* 2 Do ou ref. ao pálavi [F.: Do persa *pahlavi*. Tb. *palavi.*]

palavra (pa.*la*.vra) *sf.* 1 *Gram.* Unidade da língua que, na fala ou na escrita, tem significação própria e existência isolada [Na escrita, é a sequência de letras entre espaços ou pontuação.] 2 *Gram.* Vocábulo, termo 3 Faculdade que a espécie humana tem de exprimir suas ideias por meio da voz; FALA: *A palavra foi dada ao homem para exprimir seus pensamentos.* 4 *Fig.* Expressão de pensamentos e emoções em linguagem verbal: *Ela tem o dom da palavra.* [NOTA: *Tb. us. no pl.*: *Palavras não podem expressar o que sinto.*] 5 Frase ou grupo de palavras 6 Afirmação, declaração: *Era a minha palavra contra a dele.* 7 Conversa sobre determinado assunto: *Posso ter uma palavra com você?* 8 Permissão para falar (num debate etc.): *Pediu a palavra para contestar o orador.* 9 Ensinamento ou doutrina (de um mestre, líder etc.): *Segue a palavra do Dalai-lama.* 10 Promessa verbal: *Cumpriu a sua palavra.* 11 Discurso breve, alocução: *uma palavra de agradecimento aos colegas.* 12 *Fig.* Promessas vagas, discursos vãos (em oposição a ação, obras) [NOTA: Us. no plural: *palavras.*] *interj.* 13 Usa-se ao afirmar algo com convicção, ou para assegurar que é verdade: *Não estou mentindo. Palavra!* [F.: Do lat. *parábola-ae*, deriv. do gr. *parabolé*. Cf.: *palavrão*. Ideia de 'palavra': *lex(e/i)-* (*lexicografia*); *verb(i/o)-* (*verbosidade*); *-fasia* (*afasia*); *-lexia* (*dislexia*).] ■ **Cortar a ~** (a) Impedir que (alguém) dê continuidade a discurso, pronunciamento, declaração etc. **Dar a ~** (a) 1 Conceder (quem dirige uma sessão, uma reunião, uma assembleia etc.) o direito de falar (a alguém), permitir que fale 2 Garantir cumprimento de promessa, ou a veracidade de uma afirmação **Dar a ~ de honra** Prometer ou comprometer-se, colocando em jogo a própria honra

De ~ Que merece crédito, que cumpre o que promete (mulher de palavra) **Em duas ~s 1** Us. para apresentar ou resumir determinada ideia com apenas duas palavras (ou com frase cujo núcleo de significado tem duas palavras) **2** *Fig.* De modo breve, sucinto, resumido **Empenhar a ~** Assumir compromisso; dar a palavra (2) **Em uma ~ 1** Us. ao apresentar uma palavra que resume a ideia que se quer expressar **2** *Fig.* De modo extremamente breve, resumido **Jogar com as ~s 1** Interpretar palavras capciosamente, de modo a que atribuir-lhes significados de acordo com os próprios interesses **2** Fazer uso, para fins humorísticos, literários, irônicos etc., da semelhança de formas entre palavras (homônimas, homógrafas ou homófonas), ou dos múltiplos significados (polissemia) de uma palavra **Medir as ~s** Ser cuidadoso no que afirma ou declara **Molhar a ~** Tomar vinho, ou outra bebida alcoólica **Não dar uma (só) ~** Nada dizer; não falar; calar **Não ter ~s (para)** Maneira (ger. meramente retórica) de dizer que qualquer expressão verbal (para agradecer, exprimir emoção etc.) seria insuficiente ou inadequada **~ de conteúdo** *Ling.* Ver *Palavra lexical* **~ de honra** Declaração verbal e solene de compromisso com algo, cujo cumprimento supõe-se ser uma questão de honra para o declarante **~ de máquina** *Inf.* A menor unidade capaz de armazenar um número a ser us. por computador como objeto de uma operação **~ de ordem** Palavra, locução, mote etc. que expressa incitamento, atitude, posição em relação a um tema, etc., ger. us. em exortação oral ou escrita, apelos, protestos etc. **~ de papel** *Fig. Lex.* Palavra com registro em léxico ou dicionário, mas sem uso real no idioma correspondente [Pode-se originar de erro tipográfico, má leitura ou pronúncia etc.] **~ de rei** Afirmação ou promessa que não suscita dúvida, dada a autoridade de quem a profere **~ entrecruzada** *Ling.* Palavra formada da combinação de partes de outras palavras [Formação vocabular que resulta da combinação de palavras, ou da parte inicial de uma palavra com a parte final de outra; amálgama. P. ex.: *carnatal* (de *carnaval* e *Natal*, cap. do RN); *carreata* (de *carro* e *passeata*); *showmício* (de *show* e *comício*).].] **~ erudita** *Ling.* Palavra que foi tomada diretamente da língua clássica de origem, sem transformação fonética [Ex.: *curriculum; ethós.*] **~ estrutural** *Ling.* Ver *Palavra funcional* **~ funcional** *E. Ling.* Palavra cujo significado não se refere ao mundo real, biossocial, mas expressa relações gramaticais; palavra estrutural; palavra gramatical; palavra vazia [São as preposições e as conjunções. P. op. a *Palavra lexical.*] **~ gramatical 1** *E. Ling.* Uma certa palavra considerada em seu paradigma gramatical; palavra morfossintática [No português do Brasil, *cobre* representa as seguintes palavras gramaticais: o substantivo, a terceira pessoa do singular do presente do indicativo do verbo *cobrir*, a segunda pessoa do singular do imperativo afirmativo do verbo *cobrir*, a primeira pessoa do singular do presente do subjuntivo do verbo *cobrar*, a terceira pessoa do singular do presente do subjuntivo do verbo *cobrar*, a terceira pessoa do singular do imperativo afirmativo do verbo *cobrar.*] **2** Ver *Palavra funcional* **~ lexical** *Ling.* Palavra de significado referente ao mundo físico, biossocial, concreto ou abstrato; palavra de conteúdo; palavra plena [P. op. a *Palavra funcional.*] **~ morfossintática** *Ling.* Ver *Palavra gramatical* **~ plena** *Ling.* Ver *Palavra lexical* **~ reservada** *Inf.* Palavra que, numa linguagem de programação, tem uso restrito à instrução que representa, não podendo ser usada em outro contexto em programas nessa linguagem **~s cruzadas** Diagrama de casas numeradas, em linhas cruzadas vertical e horizontalmente, que devem ser preenchidas com letras que formam palavras de acordo com definições numeradas para as palavras horizontais e as verticais (cada definição tem o número da casa que deve receber a primeira letra da palavra) **~ semierudita** *Ling.* Palavra que foi tomada diretamente da língua clássica de origem, e que sofreu transformação fonética **~ vazia** *Ling.* Ver *Palavra funcional* **Pedir a ~ 1** Pedir autorização formal para falar perante o público ou os demais presentes numa assembleia, reunião etc. **2** Solicitar a atenção dos demais para a opinião ou pensamento que se quer apresentar **Pegar na ~** Cobrar de quem empenhou a palavra o cumprimento do compromisso assumido **Pesar as ~s** Ver *Medir as palavras* **Pôr as ~s na boca de alguém** Atribuir a alguém palavras que não disse **Santas ~s 1** Us. para expressar intensa satisfação com aquilo que outra pessoa diz, para saudar palavras que se ouve e que se desejava ou esperava há muito ouvir **2** *Joc.* Us. para expressar contentamento quando se é chamado para comer ou beber **Sem ~** Que não merece crédito; que não cumpre o que promete (pessoa sem palavra) **Sem ~s 1** Sem conseguir falar, por estar tão impressionado ou emocionado: *Ficou sem palavras, de tão comovida.* **2** Na situação de *Não ter palavras (para)* **Ser a última ~ (em)** Ser o que há de mais adiantado, ou moderno (em certa área): *É a última palavra no tratamento da obesidade.* **Ter a ~** Estar autorizado a se pronunciar, numa assembleia, sessão, reunião etc. **Ter a ~ fácil** Ter facilidade de se expressar verbalmente, de se pronunciar, de discursar etc. **Ter ~** Ser alguém que cumpre suas promessas, que honra seus compromissos **Tirar a(s) ~(s) da boca de (alguém)** Dizer exatamente aquilo que (outra pessoa) tinha intenção de dizer **Tomar a ~** Numa discussão, debate etc., intervir com suas ideias ou opiniões **Última ~** Decisão ou opinião final, definitiva, da qual não se volta atrás

palavração (pa.la.vra.*ção*) *sf. Pedag.* Método de aprender a ler palavra por palavra, isto é, partindo da palavra para a sílaba e desta para o fonema [Pl.: *-ções.*] [F.: *palavra + -ar² + -ção.*]

palavra-chave (pa.la.vra-*cha*.ve) *sf.* **1** Palavra ou expressão que resume o significado geral de um contexto: *Em economia, atualmente a palavra-chave é globalização.* **2** Num conjunto ordenado de informações (listas, arquivos, *sites* da internet etc.), palavra us. para identificar elementos afins ou que dizem respeito a um mesmo assunto [Pl.: *palavras-chave.*]

palavrada (pa.la.*vra*.da) *sf.* **1** Termo empolado, dito presunçoso freq. envolvendo fanfarronice ou bravata *sf.* **2** M. q. palavrão [F.: *palavra + -ada².*]

palavra-guia (pa.la.vra-*gui*.a) *sf. Bibl.* Em obras de referência, cada uma das palavras colocadas no alto da página para indicar a primeira e a última entrada dessa página [Pl.: *palavras-guias* e *palavras-guia.*]

palavrão (pa.la.*vrão*) *sm.* **1** Palavra que é considerada ofensiva, de mau gosto, cujo uso é considerado falta de educação; PALAVRADA **2** Palavra muito grande e difícil de pronunciar **3** *P. ext.* Termo empolado, bombástico [Pl.: *-vrões.*] [F.: *palavra + -ão.*]

Certas palavras podem, ou não, serem consideradas ofensivas ou de mau gosto, segundo o lugar, a época, o contexto, e também o sentido e até mesmo a entonação em que são usdas. Neste dicionário, as palavras que são consideradas palavrões vêm indicadas por *Tabu.*

palavra-ônibus (pa.la.vra-*ô*.ni.bus) *sf. Ling.* Palavra que é us. com muitos sentidos, ou para expressar diversas ideias vagas mais ou menos afins, em diferentes situações (p. ex.: *coisar, legal, troço*) [Pl.: *palavras-ônibus.*]

palavreado (pa.la.vre:*a*.do) *sm.* **1** Aquilo que se fala ou se escreve usando muitas palavras, mas que não tem conteúdo importante ou não faz muito sentido; PALANFRÓRIO; PALAVRÓRIO: *Entrou num palavreado interminável.* **2** Capacidade de usar as palavras para convencer ou enganar com astúcia; loquacidade; LÁBIA; LOQUACIDADE [F.: Part. substv. de *palavrear.*]

palavrear (pa.la.vre.*ar*) *v.* **1** Falar de maneira descontrolada, sem moderação; PAROLAR; TAGARELAR [*int.*: *Palavreava demais, aborrecendo os ouvintes.*] **2** Dirigir a palavra; falar com [*tr.* +*com*: *Palavreava animadamente com a vizinha.*] [▶ 13 palavrear] [F.: *palavra + -ear.*]

palavrinha (pa.la.*vri*.nha) *sf.* Conversa breve: *Queria dar uma palavrinha com o chefe.* [F.: *palavr(a) + -inha.*]

palavrório (pa.la.*vró*.ri:o) *sm.* **1** Palavras inúteis e superabundantes *sm.* **2** M. q. *palavreado* [F.: *palavr(a) + -ório².*]

palavroso (pa.la.*vro*.so) [ô] *a.* **1** Que contém muitas palavras e poucas ideias (discurso palavroso) *a.* **2** Cheio de palavras ou caracterizado pelo uso de palavras em excesso; VERBOSO [Pl.: [ó]. Fem.: *ó*] [F.: *palavr(a) + -oso.*]

palco (*pal*.co) *sm.* **1** *Teat.* Lugar delimitado, ger. um tablado de madeira, ocupado pelos atores que representam uma peça de teatro, ou por artistas (como músicos e cantores) que se apresentam perante o público **2** *Fig.* Lugar em que se dá um acontecimento de interesse público, ou um fato importante: *O Maracanã é palco de grandes jogos de futebol.* **3** *Fig. Teat.* A arte do teatro, ou a atividade de ator ou atriz de teatro: *Sua vida é o palco* **4** *Teat.* Conjunto que compreende o espaço cênico, os bastidores e os camarins de um teatro [Tb. *caixa de cena.*] **5** *ant.* Espécie de leito portátil [F.: Do it. *palco.*] ▪ **~ elisabetano** *Teat.* Tipo de palco adotado no período elisabetano, que apresentava uma projeção em direção à plateia (proscênio, *palco exterior*) e um espaço ao fundo (*palco interior*) **~ giratório** *Teat.* Palco, ou uma área circular no meio de um palco, cujo assoalho é ligado a uma estrutura giratória, o que permite trazer o fundo para a frente, e vice-versa, mudando rapidamente a cena e o cenário **~ italiano** *Teat.* Palco retangular, aberto na frente à plateia, onde é emoldurado pela boca de cena (ver *Boca de cena* no verbete *boca*). [É o tipo mais comum de palco us. em teatros]

paleantropologia (pa.le:an.tro.po.lo.*gi*.a) *sf.* Ver *paleoantropologia*

paleantropológico (pa.le:an.tro.po.*ló*.gi.co) *a.* Ver *paleoantropológico*

paleantropologista (pa.le:an.tro.po.lo.*gis*.ta) *s2g.* Ver *paleoantropologista*

paleantropólogo (pa.le:an.tro.*pó*.lo.go) *sm.* Ver *paleoantropólogo*

palear¹ (pa.le.*ar*) *v. td. Lus. Ant.* Manifestar, revelar [▶ 13 palear] [F.: Do adv. lat. *palam.* Hom./Par.: *paleio* (1ªp. s.); *paleio* (s. m.), *paliar* (vários tempos do v.).]

palear² (pa.le.*ar*) *v. int.* Revolver com pá terra, areia etc.; PADEJAR: *Pegou a pá, foi para o jardim e paleou o dia inteiro.* [▶ 13 palear] [F.: Do espn. plat. *palear.*]

palearqueologia (pa.le:ar.que:o.lo.*gi*.a) *sf.* Ver *paleoarqueologia*

palearqueológico (pa.le:ar.que:o.*ló*.gi.co) *a.* Ver *paleoarqueológico*

paleio¹ (pa.*lei*.o) *sm.* **1** *Bras. N. E. Lus.* Conversa amigável ou astuciosa; PALAVREADO; LÁBIA **2** *Bras. N. E.* Pilhéria inconveniente; ZOMBARIA; TROÇA **3** *PB Pop.* Namoro [F.: Posv. dev. de *palear¹.*]

paleio² (pa.*lei*.o) *sm. RS* Ação ou resultado de palear² [F.: Dev. de *palear².*]

◎ **pale(o)-** *el. comp.* = 'antigo'; 'pré-histórico'; 'primitivo': *paleantropologia, paleoantropologia, palearqueologia, paleoarqueologia, paleografia, paleoastronomia, paleobotânica, paleolítico* [F.: Do gr. *palaiós, á, ón,* 'velho'; 'antigo'.]

paleoantropologia (pa.le:o.an.tro.po.lo.*gi*.a) *sf.* **1** *Antr.* História natural do homem primitivo **2** *Pal. Antr.* Estudo dos fósseis dos hominídeos; paleontologia humana [F.: *pale(o)- + antropologia.* Tb. *paleantropologia.*]

paleoantropológico (pa.le:o.an.tro.po.*ló*.gi.co) *a. Antr. Pal.* Que diz respeito à paleoantropologia [F.: *paleoantropologia + -ico².* Tb. *paleantropológico.*]

paleoantropologista (pa.le:o.an.tro.po.lo.*gis*.ta) *Antr. Pal. s2g.* **1** Especialista em paleoantropologia; PALEANTROPÓLOGO; PALEOANTROPÓLOGO *a2g.* **2** Diz-se desse especialista [F.: *paleoantropologia + -ista.*]

paleoantropólogo (pa.le:o.an.tro.*po*.lo.go) *sm. Antr. Pal.* O mesmo que *paleoantropologista* [F.: *pale(o)- + antropólogo.* Tb. *paleantropólogo.*]

paleoarqueologia (pa.le:o.ar.que:o.lo.*gi*.a) *sf. Arqueol.* Ramo da arqueologia que estuda os objetos pertencentes ao homem pré-histórico [F.: *pale(o)- + arqueologia.* Tb. *palearqueologia.*]

paleoarqueológico (pa.le:o.ar.que:o.*ló*.gi.co) *a.* Ref. à paleoarqueologia [F.: *paleoarqueologia + -ico².* Tb. *palearqueológico.*]

paleoastronomia (pa.le:o.as.tro.no.*mi*.a) *sf. Astron.* Parte da astronomia que estuda restos fósseis para estabelecer parâmetros, como, p. ex., dias, lunações etc. [F.: *pale(o)- + astronomia.*]

paleobotânica (pa.le:o.bo.*tâ*.ni.ca) *sf. Bot.* Estudo das plantas fósseis; PALEOFITOLOGIA [F.: *pale(o)- + botânica.*]

paleobotânico (pa.le:o.bo.*tâ*.ni.co) *a.* **1** Ref. a paleobotânica; PALEOFITOLÓGICO *sm.* **2** Especialista em paleobotânica; PALEOFITOLOGISTA; PALEOFITÓLOGO [F.: De *paleobotânica*, com var. de suf; ver *-ico².*]

paleocatolicismo (pa.le:o.ca.to.li.*cis*.mo) *sm.* **1** O catolicismo em seus primórdios **2** *P. ext.* Concepção mais rígida e, portanto, mais antiquada do catolicismo [F.: *pale(o)- + catolicismo.*]

paleoceno (pa.le:o.*ce*.no) *Geol. a.* **1** Diz-se da época mais antiga do período terciário, caracterizada pelo aparecimento dos mamíferos primitivos *sm.* **2** Essa época [Nesta acp., com inicial maiúsc.] [F.: *pale(o)- + -ceno².*]

paleoclimático (pa.le:o.cli.*má*.ti.co) *a.* Ref. a paleoclimatologia; PALEOCLIMATOLÓGICO [F.: *pale(o)- + climático.*]

paleoclimatologia (pa.le:o.cli.ma.to.lo.*gi*.a) *sf.* Ciência que estuda os climas de eras passadas, a partir, esp., da análise de sedimentos fósseis [F.: *pale(o)- + -climat(o)- + -logia.*]

paleoclimatológico (pa.le:o.cli.ma.to.*ló*.gi.co) *a.* Ref. a paleoclimatologia [F.: *paleoclimatologia + -ico².*]

paleocontinente (pa.le:o.con.ti.*nen*.te) *sm. Geol.* Continente primitivo [F.: *pale(o)- + continente.*]

paleocristão (pa.le:o.cris.*tão*) *a.* Dos ou ref. aos primeiros cristãos (arte paleocristã) [Fem.: *-tã.*] [F.: *pale(o)- + cristão.*]

paleoecologia (pa.le:o.e.co.lo.*gi*.a) *sf. Ecol.* Estudo dos ecossistemas de períodos geológicos primitivos e dos seres organizados extintos [F.: *pale(o)- + ecologia.*]

paleoecológico (pa.le:o.e.co.*ló*.gi.co) *a.* Ref. a paleoecologia [F.: *paleoecologia + -ico².*]

paleoetnologia (pa.le:o.et.no.lo.*gi*.a) *sf. Antr.* O mesmo que *paleantropologia* [F.: *pale(o)- + etnologia.*]

paleoetnológico (pa.le:o.et.no.*ló*.gi.co) *a. Antr.* O mesmo que *paleantropológico* [F.: *paleoetnologia + -ico².*]

paleofitologia (pa.le:o.fi.to.lo.*gi*.a) *sf. Bot.* O mesmo que *paleobotânica* [F.: *pale(o)- + fitologia.*]

paleofitológico (pa.le:o.fi.to.*ló*.gi.co) *a.* O mesmo que *paleobotânico* [F.: *paleofitologia + -ico².*]

paleogêneo (pa.le:o.*gê*.ne:o) *Geol. a.* **1** Diz-se do subsistema do sistema terciário formado pelas épocas paleocena, oleocena e oligocena *sm.* **2** Esse subsistema [Nesta acp., com inicial maiúsc.] [F.: *pale (o)- + gen(o)-² + -eo.* Sin. ger.: *paleogênico.*]

paleogênico (pa.le:o.*gê*.ni.co) *a. sm. Geol.* O mesmo que *paleogêneo* [F.: *pale(o)- + gen(o)-² + -ico².*]

paleogeografia (pa.le:o.ge.o.gra.*fi*.a) *sf. Geog.* Geografia do globo terrestre nos períodos geológicos remotos [F.: *pale(o)- + geografia.*]

paleogeográfico (pa.le:o.ge.o.*grá*.fi.co) *a. Geog.* Ref. à paleogeografia [F.: *paleogeografia + -ico².*]

paleógnata (pa.le:o.*óg*.na.ta) *sf. Zool.* Espécime das paleógnatas, a capacidade de voar em virtude de músculos peitorais atrofiados e a ausência de carena; são as avestruzes, emas, casuares e emus [F.: Adaptação do lat. cient. *Paleognathae.*]

paleógnato (pa.le.*óg*.na.to) *a. Zool.* Ref. às paleógnatas [F.: De *paleógnata.*]

paleografar (pa.le:o.gra.*far*) *v. int.* Dedicar-se `a paleografia [▶ 1 paleografar] [F.: *paleografia + -ar².* Hom./Par.: *paleografo* (fl.), *paleógrafo* (sm.).]

paleografia (pa.le:o.gra.*fi*.a) *sf.* **1** Estudo das escritas antigas e dos documentos em que eram usadas, visando a sua decifração, datação etc. **2** Qualquer tipo de escrita antiga, seja em inscrições ou em documentos [F.: *pale(o)- + -grafia.*]

paleográfico (pa.le:o.*grá*.fi.co) *a.* Ref. a paleografia [F.: *paleografia + -ico².*]

paleógrafo (pa.le.*ó*.gra.fo) *sm.* **1** Aquele que se especializou em paleografia **2** *Ant.* Livro escolar impresso em caracteres manuscritos: "...além de ensinar os meninos a ler, a ler sobretudo pelo paleógrafo." (Aquilino Ribeiro,

Aldeia) [F.: *pale(o)-* + *-grafo*. Hom./Par.: *paleógrafo* (sm.), *paleografo* (fl. de *paleografar*).]
paleoíndio (pa.le:o.*ín*.di.o) *sm.* **1** Indivíduo pertencente a um dos povos de origem asiática que provavelmente se estabeleceram na América no plistoceno *a.* **2** Dos ou ref. aos paleoíndios [F.: *pale(o)-* + *índio*.]
paleolítico (pa.le:o.*lí*.ti.co) *a.* **1** *Geol.* Diz-se do período mais antigo da Idade da Pedra, em que os instrumentos eram feitos de ossos e de pedras lascadas; a idade ou período da pedra lascada *sm.* **2** O período paleolítico [Nesta acp. com inic. maiúsc.] [F.: *pale(o)-* + *-lítico*.]
paleologia (pa.le:o.lo.*gi*.a) *sf.* Estudo das antiguidades, esp. de objetos e coisas pré-históricas, de valor arqueológico [F.: *pale(o)-* + *-logia*.]
paleológico (pa.le:o.*ló*.gi.co) *a.* Ref. a paleologia [F.: *paleologia* + *-ico²*.]
paleólogo (pa.le:*ó*.lo.go) *sm.* Especialista em paleologia [F.: *pale(o)-* + *-logo*.]
paleomagnético (pa.le:o.mag.*né*.ti.co) *a.* Ref. ao paleomagnetismo [F.: *pale(o)-* + *magnético*.]
paleomagnetismo (pa.le:o.mag.ne.*tis*.mo) *Geol. sm.* **1** Estudo do magnetismo terrestre em períodos geológicos remotos a partir do magnetismo residual das rochas mais antigas **2** Magnetismo residual das rochas de períodos geológicos passados [F.: *pale(o)-* + *magnetismo*.]
paleontologia (pa.le:on.to.lo.*gi*.a) *sf.* **1** Ciência que estuda os organismos vivos dos períodos geológicos do passado a partir dos fósseis desses seres **2** Obra ou estudo sobre essa ciência [F.: Do fr. *paléontologie*.] ▪ **~ humana** Ver *paleantropologia*
paleontológico (pa.le:on.to.*ló*.gi.co) *a.* Ref. a paleontologia [F.: Do fr. *paléontologique*.]
paleontologista (pa.le:on.to.lo.*gis*.ta) *s2g.* **1** Especialista em paleontologia; PALEONTÓLOGO *a2g.* **2** Diz-se desse especialista [F.: *paleontologia* + *-ista*.]
paleontólogo (pa.le:on.*tó*.lo.go) *sm.* Especialista em paleontologia [F.: De *paleonto-*, como em *paleontologia*, + *-logo*.]
paleozoico (pa.le:o.*zoi*.co) *a.* **1** *Geol.* Diz-se do período geológico que se segue à era proterozoica, no qual surgiram as primeiras formas de vida; era primária *sm.* **2** Esse período [Nesta acp., com inicial maiúsc.] [F.: *pale (o)-* + *-zoico*.]
paleozoologia (pa.le:o.zo.o.lo.*gi*.a) *sf. Pal.* Ramo da paleontologia dedicado ao estudo dos animais fósseis [F.: *pale(o)-* + *zoologia*.]
paleozoológico (pa.le:o.zo.o.*ló*.gi.co) *a. Pal.* Ref. a paleozoologia [F.: *paleozoologia* + *-ico²*.]
paleozoologista (pa.le:o.zo:o.lo.*gis*.ta) *s2g.* **1** Especialista em paleozoologia; PALEOZOÓLOGO *a2g.* **2** Diz-se desse especialista [F.: *paleozoologia* + *-ista*.]
paleozoólogo (pa.le:o.zo.*ó*.lo.go) *sm.* O mesmo que *paleozoologista* (1) [F.: *pale(o)-* + *zoólogo*.]
palerma (pa.*ler*.ma) *a2g.* **1** Diz-se de quem é tolo, parvo, imbecil *s2g.* **2** Indivíduo palerma [F.: De or. obsc. Ant. ger.: *vivo, esperto*. Hom./Par.: *palerma* (a2g. s2g.), *palerma* (fl. de *palermar*).]
palestinense (pa.les.ti.*nen*.se) *s2g.* **1** Aquele ou aquela que nasceu ou que vive na antiga Palestina (hoje Israel e territórios palestinos) *a2g.* **2** Da Palestina; típico dessa região ou de seu povo [F.: Do top. *Palestina* + *-ense*.]
palestino (pa.les.*ti*.no) *sm.* **1** Pessoa nascida ou que vivia na antiga Palestina (Ásia) **2** Indivíduo da população árabe que vivia na antiga Palestina e que, depois da criação do estado de Israel em parte dela, considera-se um povo específico e reivindica um estado nacional na mesma região *a.* **3** Da antiga Palestina, região da Ásia Menor, entre o deserto da Síria, o Líbano e o Mediterrâneo, tb. chamada de Terra Santa ou, na Antiguidade, Terra de Canaã **4** De ou ref. a palestino (1 e 2), sua identidade, sua cultura etc. [F.: Do lat. *palaestinus, -a, -um*. Tb. *palestinense⁵*.]
palestra (pa.*les*.tra) *sf.* **1** Conferência sobre determinado assunto cultural ou científico **2** Conversa, troca de ideias entre pessoas **3** *Ant.* Lugar público onde se faziam exercícios físicos, na Grécia e na Roma antigas **4** *Ant.* Os exercícios praticados nesse local [F.: Do lat. *palaestra-ae*, do gr. *palaístra*. Hom./Par.: *palestra* (sf.), *palestra* (fl. de *palestrar*).]
palestrador (pa.les.tra.*dor*) [ô] *a.* **1** Que palestra *sm.* **2** Quem palestra [F.: *palestrar* + *-dor*. Sin. ger.: *palestrante*.]
palestrante (pa.les.*tran*.te) *s2g.* **1** Aquele que faz uma palestra, uma conferência; CONFERENCISTA **2** M. q. *palestrador a2g.* **3** Que palestra [F.: *palestrar* + *-nte*.]
palestrar (pa.les.*trar*) *v.* Manter palestra; FALAR; CONVERSAR; PALESTREAR [*tr.* +*com*: *O anfitrião palestrava com os convidados*.] [*int.*: *O professor não parava de palestrar*.] [▶ 1 palestrar] [F.: Do lat. *palaestrare*. Hom./Par.: *palestra(s)* (fl.), *palestra* (sf. [pl.]).]
palestrista (pa.les.*tris*.ta) *a2g. s2g. P. us.* O mesmo que *palestrante* [F.: *palestr(a)* + *-ista*.]
paleta (pa.*le*.ta) [ê] *sf.* **1** Placa, ger. oval e de madeira, com um orifício para enfiar o polegar, sobre a qual os pintores dispõem as tintas e as combinam **2** Conjunto das cores preferidas de determinado artista ou próprias de um grupo ou escola artística: *a paleta de Portinari*. [Sin. nestas acps.: *palheta*.] **3** Uma das peças de dois instrumentos, ger. de ébano ou marfim, de que se servem os escultores para modelar em barro ou em cera; pau de modelar **4** *Mar.* Espécie de estrado de madeira sobre o qual se dispõem volumes para auxiliar na carga e descarga dos navios **5** *S.* Omoplata, espádua (de animais ou pessoas) **6** *RS* Jogo de malha *sm.* **7** *BA Pej.* Sujeito intruso, desmancha-prazeres [F.: Do it. *paletta*.] ▪ **Na ~** *BA* A pé
palete (pa.*le*.te) *sm.* Estrado sobre o qual se empilham fardos para serem transportados em bloco [F.: Do ing. *pallet*. Hom./Par.: *palete* (sm.), *palete* (fl. de *paletar*).]
paletó (pa.le.*tó*) *sm.* **1** *Vest.* Casaco de corte reto, com bolsos externos e internos, que vai até a altura dos quadris, ger. usado sobre outra peça de roupa **2** Qualquer casaco semelhante ao paletó (paletó do pijama) [F.: Do fr. *paletot*.] ▪ **Abotoar o ~** *Bras. Gír.* Morrer **Abotoar o ~ de** *Bras. Gír.* Matar **Fechar o ~** *Bras. Gír.* Morrer **Fechar o ~ de** *Bras. Gír.* Matar **~ de madeira** *Bras. Gír.* Caixão de defunto **~ de pinho** *Bras. Gír.* Ver *Paletó de madeira* **Vestir o ~ de madeira** *Bras. Gír.* Morrer
palha (*pa*.lha) *sf.* **1** Haste seca das gramíneas (ger. cereais) us. na indústria e para alimentar o gado **2** Qualquer outra parte vegetal de composição ou consistência semelhante à palha (1) **3** Porção dessas hastes (colchão de palha) **4** Qualquer coisa semelhante à palha **5** Tira seca de junco, vime etc. us. para fabricar objetos (cesto de palha) **6** Ver *palhinha* (1) **7** *Fig.* Coisa de pouco valor; NINHARIA **8** *Bras.* Canudo para sorver refrescos **9** *Bras. Pop.* Maconha de má qualidade **10** *MG* Ver *tiguera* **11** *Náut.* Diâmetro de um mastro, verga etc. *a2g.* **12** *Bras. Pop.* Diz-se de pessoa ou coisa sem graça, desinteressante ou aborrecida (sujeito/filme palha); CHATO [F.: Do lat. *palea-ae*.] ▪ **~ de aço** Emaranhado de finas fitas de aço, ou lã de aço, us. como esfregão para raspar, arear etc. **~ de Itália** Palha de certa espécie de trigo da Itália, us. na fabricação de chapéus, bolsas etc. **~s alhas** **1** Folhas secas de alho **2** *Lus. Pop.* Miudezas **Dar ~ a** Enganar (alguém) com uma boa conversa **Dormir nas ~** **1** *S.* Não tomar cuidado, não ter cautela, ser imprudente **2** Deixar de tomar uma providência, ou adiá-la **Não levantar/mexer uma ~** **1** *Bras. Pop.* Ser indolente, preguiçoso, não se mexer para nada **2** Não fazer coisa alguma (esp. para ajudar alguém) **Por dá cá aquela ~** Por qualquer motivo, mesmo insignificante: *Irritava-se por dá cá aquela palha*. **Puxar (uma) ~** *Bras. Pop.* Ver *dormir* **Puxar uma ~** *Bras. Pop.* Adormecer, dormir **Ser ~** *Pop.* Não ter valor; não ter boa qualidade
palhabote (pa.lha.*bo*.te) *sm. Mar.* Antiga embarcação semelhante ao iate, com dois mastros muito juntos e armação latina [F.: Do ing. *pilot-boat*.]
palhaçada (pa.lha.*ça*.da) *sf.* **1** Conjunto de ditos e gestos do palhaço **2** Situação ou atitude engraçada ou ridícula **3** Grupo de palhaços [F.: *palhaç(o)* + *-ada²*.]
palhaço (pa.*lha*.ço) *sm.* **1** Artista de circo que faz rir por causa de suas roupas, piadas e caretas **2** *P. ext.* Pessoa que fala e faz coisas engraçadas: *Era o palhaço da turma*. **3** *Pop.* Pessoa fácil de ser enganada, bobo: *Fez papel de palhaço*. **4** *Pop.* Pessoa que age de forma ridícula ou que não merece respeito: *O palhaço queria furar a fila*. *a.* **5** *Ant.* Feito de palha; vestido de palha [F.: Do it. *pagliaccio*.]
palhada (pa.*lha*.da) *sf.* **1** Mistura de palha com farelo para alimento de animais **2** *Fig.* Palavreado, palavrório: "Não existiriam esses ares científicos, toda essa palhada filosófica..." (Eça de Queirós, *Os Maias*) **3** *SP* Capoeira fina; mato ralo **4** *MG* O mesmo que tiguera [F.: *palh(a)* + *-ada²*.] ▪ **Bater ~** *Bras.* Operação agrícola que consiste em colher as espigas de milho, quebrando os colmos, ou em arrancar estes, após a colheita, para preparo de novo plantio
palheiro (pa.*lhei*.ro) *sm.* **1** Lugar onde se guarda palha **2** M. q. *palhoça* **3** *Mar.* Armazém de madeira em que alguns salineiros recolhem o produto das salinas **4** *Bras.* Cigarro de palha **5** *N. E.* Os intestinos [F.: *palh(a)* + *-eiro*.]
palheta¹ (pa.*lhe*.ta) [ê] *sf.* **1** Qualquer peça chata e delgada us. com fins específicos **2** *Mús.* Peça do bocal de instrumento de sopro us. para controlar a passagem de ar **3** *Mús.* Pequena peça us. para tanger as cordas de violão, bandolim etc.; PLECTRO **4** *Esc.* Lâmina de madeira com que os entalhadores e escultores modelam obras de gesso ou de outra substância maleável **5** Cada uma das lâminas que compõem a veneziana **6** Pá de ventilador, turbina etc. **7** M. q. *paleta* (1, 2) **8** *Mec.* Lâmina ou placa que nas rodas hidráulicas serve de propulsor **9** *Esp.* Instrumento de jogar a pela **10** No maquinismo de relógio, cada peça em que tocam os dentes da roda catarina **11** *Mús.* Espécie de cunha coberta de feltro usada pelos afinadores para isolar certas cordas do piano enquanto o afinam [F.: Alt. de *paleta*. Hom./Par.: *palheta* (sf.), *palheta* (fl. de *palhetar*); *palhetas* (pl.), *palhetas* (fl. de *palhetar*).]
palheta² (pa.*lhe*.ta) [ê] *sf.* **1** *S Vest.* Chapéu de palha **2** M. q. *palhinha* (1) [F.: *palh(a)* + *-eta*.]
palhetada (pa.lhe.*ta*.da) *sf.* **1** Som produzido pela palheta (de instrumento musical) **2** Movimento ou ação da palheta ('placa, lâmina') [F.: *palheta* + *-ada¹*.] ▪ **Em duas ~s** Com grande facilidade e prontidão; de pronto; sem demora
palhetar (pa.lhe.*tar*) *v.* **1** *Ant.* Zombar, escarnecer [*int.*] **2** *Mús.* Tocar instrumento musical (p. ex., um bandolim) com palheta [*td.*] [▶ 1 palhetar] [F.: *palheta* + *-ar*. Hom./Par.: *palheta* (3ªp. s.), *palhetas* (2ª p. s.); *palheta* /ê/ (sf. e sm.) e pl; *palhete* (1ª3ªp. s.), *palhetes* (2ªp. s.); *palhete* /ê/ (a2g. sm. e pl.)]
palhinha (pa.*lhi*.nha) *sf.* **1** Trançado de palha us. em assentos e encostos de cadeiras e sofás (móveis de palhinha) **2** Fragmento de palha *sm.* **3** *Bras.* Cigarro de palha **4** *N. E.* Chapéu de palha masculino; palheta [F.: *palh(a)* + *-inha*.]
palhoça (pa.*lho*.ça) *sf.* **1** Casa rústica coberta de palha ou sapê **2** Qualquer casa rústica; PALHOTA **3** *Lus.* Capa de palha us. no campo para se proteger da chuva [F.: *palh(a)* + *-oça*.]
palhota (pa.*lho*.ta) *sf.* Ver *palhoça* [F.: *palh(a)* + *-ota¹*.]
paliação (pa.li:a.*ção*) *sf.* **1** Ação ou resultado de paliar **2** Disfarce, dissimulação [Pl.: *-ções*.] [F.: *paliar* + *-ção*. Hom./Par.: *paliação* (sf.), *paleação* (sf.).]
paliador (pa.li:a.*dor*) [ô] *a.* **1** Que palia *sm.* **2** Aquele que palia [F.: *paliar* + *-dor*.]
paliar (pa.li.*ar*) *v. td.* **1** Aliviar momentaneamente, tornar menos intenso; MITIGAR; ATENUAR: "...conseguia paliar as revoltas da amante." (Aluísio de Azevedo, *Casa de pensão*) **2** Revestir de falsas aparências; ENCOBRIR; DISFARÇAR; MAQUIAR: *Isabel paliava sua timidez contando anedotas*. **3** Tratar com paliativo; remediar provisoriamente: *Não queria paliar sua insônia tomando soníferos*. **4** Deixar a realização (de algo) para depois; ADIAR; PROLONGAR: *Não adianta paliar a conversa, ela terá de ser hoje*. [▶ 1 paliar] [F.: Do lat. *palliare*. Hom./Par.: *paliáveis* (fl.), *paliáveis* (pl. de *paliável*); *palio* (fl.), *pálio* (sm.).]
paliativo (pa.li:a.*ti*.vo) *a.* **1** Que tem a qualidade de abrandar, de aliviar temporariamente um mal (tratamento paliativo) **2** Que atenua um problema ou adia uma crise, sem resolvê-la (medidas paliativas) *sm.* **3** Tratamento ou medicamento que tem eficácia apenas temporária; ANÓDINO **4** Meio ou recurso empregado para atenuar um problema ou adiar uma crise, sem resolvê-la [+*a*, *para*: *O abrigo foi um paliativo aos flagelados*.] [F.: *paliar* + *-t-* + *-ivo*.]
paliçada (pa.li.*ça*.da) *sf.* **1** Cerca feita de estacas fincadas na terra **2** Barreira feita com estacas apontadas, para defesa militar **3** Arena para combates e torneios [F.: Do cast. *palizada*.]
palidez (pa.li.*dez*) *sf.* Qualidade ou estado de pálido, sem cor; PALOR [F.: *pálid(o)* + *-ez*.]
pálido (*pá*.li.do) *a.* **1** Descorado, sem cor (diz-se da pele, esp. do rosto): *A mulher ficou pálida e depois desmaiou*. **2** Diz-se de cores não muito vivas, desmaiadas (amarelo pálido) **3** Fraco, tênue, de pouca intensidade: *A pálida luz da lua*. **4** *Fig.* Falta de animação ou entusiasmo; inexpressivo: *pálida manifestação de apoio*. [F.: Do lat. *pallidus-a -um*.]
palidotomia (pa.li.do.to.*mi*.a) *sf. Cir.* Intervenção cirúrgica estereotática, feita através de um pequeno orifício no crânio, e que consiste na destruição ou lesionamento do globo ou núcleo pálido (estrutura que faz parte dos núcleos basais do cérebro) [Us. no tratamento do mal de Parkinson.] [F.: (*globo* ou *núcleo*) *pálido* + *-tomia*.]
◎ **palim-** *el. comp.* Ver *palin-*
palimpsesto (pa.limp.*ses*.to) [ê] *sm.* Pergaminho ou papiro cujo manuscrito foi raspado para ser substituído por um novo texto [Debaixo deste tem-se às vezes conseguido fazer reaparecer os caracteres anteriores mediante técnicas especiais.] [F.: Do gr. *palímpsestos, os, on*, pelo lat. *palimpsestus, i*. Cf.: *pentimento*.]
◎ **palin-** *el. comp.* = '(de modo) repetido'; '(de modo) inverso': *palíndromo, palinfrasia, palingênese, palingenesia, palinódia* (gr.), *palimpsesto*. [F.: Do adv. gr. *pálin*, 'de novo'; 'com repetição'; 'em sentido inverso'.]
palindromia (pa.lin.dro.*mi*.a) *sf. Med.* Agravamento ou recaída de uma doença [F.: Do gr. *palindromía, as*.]
palindrômico (pa.lin.*drô*.mi.co) *a.* **1** *Med.* Ref. a palindromia **2** *Ling.* Ref. a palíndromo [F.: *palíndromo* + *-ico²*.]
palíndromo (pa.*lín*.dro.mo) *Ling. a.* **1** Diz-se de palavra, frase ou verso que podem ser lidos da esquerda para a direita ou vice-versa, sem modificação de significado ou sentido *sm.* **2** *Ling.* Frase ou verso palíndromo [F.: Do gr. *palíndromos, os, on*.]
palinfrasia (pa.lin.fra.*si*.a) *sf.* **1** *Med.* Repetição mórbida das palavras ou das frases **2** *Liter.* Repetição de palavras como recurso estilístico [F.: *palin-* + *-frasia*.]
palingênese (pa.lin.*gê*.ne.se) *sf. Petr.* O mesmo que *anatexia*. [F.: *palin-* + *-gênese*.]
palingenesia (pa.lin.ge.ne.*si*.a) *sf.* **1** Renascimento, regeneração **2** *Fil. Rel.* O mesmo que *metempsicose* **3** *Fil.* Entre os estoicos, retorno periódico e incessante dos mesmos fenômenos; eterno retorno [F.: Do lat. tard. *palingenesia, ae*, do gr. *palingenesía, as*.]
◎ **palin(o)-** *el. comp.* = 'dispersão'; 'pó'; 'pólen': *palinologia, palinólogo, palinologista* [F.: Do v. gr. *palýno*, 'cobrir de pó ou farinha'; 'polvilhar'; 'espargir', do gr. *pále, es*, 'farinha muito fina'; 'pó'; 'poeira'.]
palinódia (pa.li.*nó*.di:a) *sf.* **1** *Fig.* Retratação daquilo que se disse ou fez **2** *Ant.* Poema em que o autor se retratava do que dissera em outro [F.: Do gr. *palinodía, as*.]
palinologia (pa.li.no.lo.*gi*.a) *sf. Bot.* Estudo dos grãos de pólen e esporos, de sua estrutura, classificação e dispersão [F.: *palin(o)-* + *-logia*.]
palinologista (pa.li.no.lo.*gis*.ta) *s2g.* Aquele ou aquela que é especialista em palinologia; PALINÓLOGO [F.: *palinologia* + *-ista*.]
palinólogo (pa.li.*nó*.lo.go) *sm.* O especialista em palinologia; PALINOLOGISTA [F.: *palin(o)-* + *-logo*.]
palinurídeo (pa.li.nu.*rí*.de:o) *Zool. a.* **1** Ref. aos palinurídeos *sm.* **2** Espécime dos palinurídeos [F.: Do lat. cient. *Palinuridae*.]
palinuro (pa.li.*nu*.ro) *sm. Poét.* Piloto, guia [F.: Do lat. *Palinurus, i*, 'piloto de Eneias'.]
pálio¹ (*pá*.li:o) *sm.* **1** Manto largo, capa **2** *Litu.* Faixa de lã branca ornada com cruzes negras, us. como símbolo do vínculo de comunhão de arcebispos com a Igreja Católica **3** Cobertura portátil, com varas, que se conduz em cortejos, para proteger a pessoa que se pretende honrar ou, em procissões, a imagem venerada ou o padre que leva a cus-

tódia 4 *Fig.* Pompa, luxo, suntuosidade [F.: Do lat. *pallium, ii.* Hom./Par.: *pálio* (sm.), *palio* (fl. de *paliar*).]

pálio[2] (*pá*.li.o) *sm.* 1 *Anat.* O córtex cerebral, ainda em fase de desenvolvimento 2 *Zool.* Cavidade em que se prende o manto dos moluscos e braquiópodes [F.: Do lat. cient. *pallium.*]

palitar (pa.li.*tar*) *v. td.* Limpar (os dentes) com palitos [*td.*] [*int.*: "Não parece muito grave palitar à mesa..." (Luís Edmundo, *Rio de Janeiro*)] [▶ 1 palitar] [F.: *palito* + *-ar*. Hom./Par.: *palito* (fl.), *palito* (sm.).]

paliteiro (pa.li.*tei*.ro) *sm.* 1 Recipiente onde se guardam palitos (refere-se a palitos usados para limpar os dentes) 2 Pessoa que faz e/ou vende palitos [F.: *palit(o)* + *-eiro*.]

palito (pa.*li*.to) *sm.* 1 Pequena haste ger. de madeira, fina e pontiaguda, us. para limpar os dentes, retirando-se os fragmentos de comida que ficam presos entre eles; palito de dente 2 *Pop.* Haste de pequenas dimensões (palito de picolé/de fósforo) 3 *Fig.* Pessoa muito magra, ou com braço e perna muito finos 4 *Fig.* Pessoa que é objeto de divertimento dos outros [F.: Do lat. *palus -i.* Hom./Par.: *palito* (sm.), *palito* (fl. de *palitar*).]

palito-francês (pa.li.to-fran.*cês*) *sm. Cul.* Biscoito comprido feito com farinha, gemas de ovos e açúcar, ger. coberto de açúcar cristal, us. no preparo de pavês, tortas etc. [Pl.: *palitos-franceses.*]

palma[1] (*pal*.ma) *sf.* 1 Parte anterior e côncava da mão, entre o punho e os dedos: *Ciganas leem a palma da mão.* 2 Manifestação de apreço a um espetáculo, discurso etc., que se consiste em bater repetidamente as mãos palmas das mãos umas nas outras (bater palma); APLAUSO [Mais us. no plural: *As palmas continuaram até que os músicos retornassem ao palco.*] 3 *P. ext. Mús.* Acompanhamento percussivo que se faz a uma música, batendo palma 4 *Fig.* Vitória, triunfo 5 Parte posterior do casco do cavalo onde se prende a ferradura [F.: Do lat. *palma-ae.* Cf.: *palmas.*] ∎ **Conhecer como a ~ da mão** Conhecer (algo ou alguém) muito bem, conhecer tudo a respeito de **Dar a ~ a** Reconhecer a supremacia de, a vitória de **Levar a ~** 1 Obter vitória, sair vencedor 2 Distinguir-se, demonstrar supremacia, sobressair **Levar a ~ a** Obter vitória sobre: *Levou a palma a todos os adversários.* **Ter na ~ da mão** Dominar (alguém, situação etc.) totalmente, ser dono da situação **Tratar/trazer nas ~s das mãos** Tratar com carinho, com desvelo

palma[2] (*pal*.ma) *Bot. sf.* 1 Espécime das palmas, fam. de plantas que reúne, em sua maioria, árvores de tronco não ramificado, encimado por folhas grandes, freq. penadas e dispostas em espiral, mais conhecidas como palmeira ou coqueiro e nativas de regiões tropicais e subtropicais 2 Folha da palmeira [F.: Do lat. *palma-ae.*]

palmácea (pal.*má*.ce:a) *sf. Bot.* Qualquer planta da fam. das palmas; PALMA [F.: *palm(a)-* + *-ácea*.]

palmáceo (pal.*má*.ce:o) *sm.* 1 Semelhante a palmeira 2 *Bot.* Ref. às palmáceas [F.: *palm(a)* + *-áceo*.]

palmada (pal.*ma*.da) *sf. Bras.* Golpe dado com a palma da mão, ger. nas nádegas [F.: *palm(a)* + *-ada[2]*.]

palma-de-santa-rita (pal.ma-de-san.ta-*ri*.ta) *sf. Bot.* Gladíolo [Pl.: *palmas-de-santa-rita.*]

palma-de-são-josé (pal.ma-de-são-jo.*sé*) *sf. Bot.* Planta liliácea ornamental (*Lilium longiflorum*); AÇUCENA; COPO-DE-LEITE [Pl.: *palmas-de-são-josé.*]

palmado (pal.*ma*.do) *a.* 1 *Anat. Zool.* Diz-se das patas cujos dedos são unidos por membranas: *Os patos têm as patas palmadas.* 2 *Bot.* De formato parecido ao da mão aberta (folha palmada) [F.: *palm(a)* + *-ado[2]*.]

palmar[1] (pal.*mar*) *a.* 1 *Bot.* Que se refere a palma[2] 2 Referente a palma da mão 3 Cujo comprimento equivale a um palmo 4 *Fig.* Que não admite discussão ou contestação por ser evidente (raciocínio palmar) *sm.* 5 O mesmo que *palmeiral* 6 Conjunto de moradias no interior de um palmeiral [F.: *palma* + *-ar*.]

palmar[2] (pal.*mar*) *v.* 1 O mesmo que *empalmar* [*td.*] 2 Aplicar (tapa, bofetada, palmada etc.) [*tdr.* +*em*: *Palmou um bofete no rosto do rapaz.*] [▶ 1 palmar] [F.: *palmo* + *-ar*. Hom./Par.: *palma*(s) (fl.), *palma* (sf. e pl.); *palmo* (fl.), *palmo* (sm.).]

palmarense[1] (pal.ma.*ren*.se) *s2g.* 1 Aquele ou aquela que nasceu ou que vive em Palmares (PE) *a2g.* 2 De Palmares; típico dessa cidade ou de seu povo [F.: Do top. *Palmar(es)* + *-ense*.]

palmas (*pal*.mas) *sfpl.* Ação ou resultado de bater com as palmas da mão para aplaudir, chamar alguém à porta etc. [F.: Pl. de *palma[1]*.]

◎ **palmati-** *el. comp.* = palma: *palmatiforme*. [F.: Do lat. *palmatus, a, um.*]

palmatifoliado (pal.ma.ti.fo.li:*a*.do) *a. Bot.* Que tem folhas em forma de palma[1] [F.: *palmat(i)-* + *foliado*.]

palmatiforme (pal.ma.ti.*for*.me) *a2g. Bot.* Que tem forma de palma[1] [F.: *palmat(i)-* + *-forme*.]

palmatoada (pal.ma.to:*a*.da) *sf.* Pancada com a palmatória na palma da mão [F.: *palmatoar* + *-ada[1]*.]

palmatória (pal.ma.*tó*.ri:a) *sf.* 1 *Ant.* Instrumento, ger. de madeira, us. para castigar alguém com golpes na palma da mão; FÉRULA 2 Pequeno castiçal com prato e cabo ou asa 3 *Bot.* Planta (*Opuntia monacantha*) da fam. das cactáceas, cultivada por suas propriedades sedativas; ARUBEBA; RAQUETA [F.: Do lat. *palmatoria*. Hom./Par.: *palmatória* (sf.), *palmatoria* (fl. de *palmatoriar*).] ∎ **~ do mundo** *Bras.* Quem age como moralista ou posa de moralista, criticando, censurando, dando lição de moral etc.

palmear (pal.me.*ar*) *v.* 1 Bater palmas para; APLAUDIR [*td.*: *palmear um concerto*] [*int.*: *Ao final da peça, todos palmearam.*] 2 *Bras.* Percorrer palmo a palmo; PALMILHAR [*td. int.*] 3 Impulsionar (embarcação) com a mão [*td.*] 4 Bater com a palma da mão em, com mais ou menos força; dar palmadas [*td.*] 5 Pegar com a mão; EMPUNHAR; EMPALMAR: *Palmeou o biscoito e escapuliu pela varanda...* [*td.*] 6 Desmanchar (fumo) na palma da mão [*td.*] 7 *Bras. Pop.* Furtar, empalmar, empolgar [*td.*] [▶ 13 palmear] [F.: *palma[1]* + *-ear[2]*. Ant. ger.: *desempalmar.*]

palmeira (pal.*mei*.ra) *sf. Bot.* Nome comum às plantas da fam. das palmas [Col.: *palmar, palmeiral.*] [F.: *palma[2]* + *-eira*.]

palmeiral (pal.mei.*ral*) *sm.* 1 Plantação de palmeiras; PALMAR [Pl.: *-rais.*] *a2g.* 2 Ref. a ou próprio de palmeira [Pl.: *-rais.*] [F.: *palmeir(a)* + *-al*.]

palmeirense (pal.mei.*ren*.se) *a2g.* 1 Ref. à S. E. Palmeiras, clube de São Paulo 2 Que é jogador ou torcedor desse clube *s2g.* 3 Indivíduo palmeirense (2) [F.: *Palmeiras* + *-ense*.]

pálmer (*pál*.mer) *sm. Fís.* Instrumento us. para medir pequeníssimas espessuras [F.: Do antr. Jean-Louis *Palmer*, inventor desse instrumento.]

◎ **palm(i)-** *el. comp. palma: palmada, palmatória, palmeira, palmito* [F.: Do lat. *palma-ae.*]

palmiforme (pal.mi.*for*.me) *a2g.* Semelhante à palma ou à folha de palmeira [F.: *palm (i)-* + *-forme*.]

palmilha (pal.*mi*.lha) *sf.* 1 Revestimento interno da sola dos calçados fechados, fixo ou móvel, que fica em contato com o pé 2 Parte da meia que fica em contato com a sola do pé 3 *Têxt.* Tecido antigo [F.: Do espn. *palmilla*. Hom./Par.: *palmilha* (sf.), *palmilha* (fl. de *palmilhar*).]

palmilhar (pal.mi.*lhar*) *v.* 1 Colocar palmilha em [*td.*: *Palmilhou todos os sapatos que machucavam os seus pés.*] 2 Percorrer palmo a palmo; PALMEAR [*td.*: "E como eu palmilhasse vagamente / uma estrada de Minas..." (Carlos Drummond de Andrade, *Claro enigma*)] 3 Fazer trajeto a pé; CAMINHAR [*int.*: *Em vez de palmilhar, não gostaria de ir de ônibus?*] 4 Comprimir (o chão) ao andar [*td.*] 5 Calcar andando: "Conhecera a trisavó deste senhor de Agilde palmilhando chinelas em Lanhoso..." (Camilo Castelo Branco, *Novelas*) [▶ 1 palmilhar] [F.: *palmilha* + *-ar[2]*. Hom./Par.: *palmilha(s)* (fl.), *palmilha(s)* (sf. [pl.]).]

palminha (pal.*mi*.nha) *sf.* 1 Palma[1] pequena 2 *GO Dnç.* Dança com elementos semelhantes aos da quadrilha rural em que um lenço é passado por todos os dançadores 3 *PA Mús.* Instrumento formado por dois pedaços retangulares de madeira, us. na marcação do ritmo das toadas do boi-bumbá [F.: *palm(a)[1]* + *-inha*.] ∎ **Tratar nas ~s** Tratar muito bem; tratar com mimos e cuidados; trazer nas palminhas **Trazer nas ~s** Tratar nas palminhas

palmípede (pal.*mí*.pe.de) *Anat. Zool. a2g.* 1 Que tem os dedos dos pés unidos por uma membrana (diz-se de animal, esp. ave) *sm.* 2 Animal (esp. ave) palmípede (1) [F.: Do lat. *palmipes, edis.*]

palmiste (pal.*mis*.te) *sm.* Óleo extraído da semente do dendezeiro [F.: De *palma[2]*.]

palmital (pal.mi.*tal*) *sm.* 1 Plantação de palmitos 2 Qualquer palmeira da qual se pode aproveitar o palmito como comestível [Pl.: *-tais.*] [F.: *palmito* + *-al*.]

palmiteiro (pal.mi.*tei*.ro) *sm. Bot.* Nome comum às palmeiras cujo palmito é comestível, como, por exemplo, o açaí e a juçara [F.: *palmito* + *-eiro*.]

palmito (pal.*mi*.to) *sm.* 1 *Bot.* Broto longo, macio e esbranquiçado, ger. comestível, extraído da parte terminal do caule de palmeiras, como o açaí e a juçara 2 *Ict.* Peixe (*Auchenipterus nigripinnis*) de água-doce encontrado no Mato Grosso e Paraguai [F.: *palm(i)-* + *-ito*.]

palmo (*pal*.mo) *sm.* 1 Extensão que equivale ao comprimento de uma mão aberta, entre as extremidades dos dedos polegar e mínimo 2 Antiga unidade de medida de comprimento, que equivale a 22cm [F.: Do lat. *palmus, i.* Hom./Par.: *palmo* (sm.), *palmo* (fl. de *palmar*).] ∎ **~ a ~** Pouco a pouco, progressiva e gradualmente: *Palmo a palmo, foi ganhando sua confiança.* **~ brasileiro** *Metrol.* Antiga unidade de comprimento adotada no Brasil de 1833 a 1862, equivalente a 0, 2m **~ de terra** Terreno de pequenas dimensões; pequena extensão de terra **Não enxergar um ~ adiante do nariz** 1 Não enxergar coisa alguma 2 *Fig.* Ser muito ignorante e/ou muito curto de inteligência 3 *P. ext.* Não ser capaz de perceber uma situação em seus aspectos mais abrangentes, seus desenvolvimentos futuros **Sete ~s de terra** A medida de uma sepultura **Um ~/palminho de cara** Rosto bonito **Um ~/palminho de rosto** Ver *um palminho de cara*

palmômetro (pal.*mô*.me.tro) *sm. Bras. Joc. Pop.* Suposto aparelho para medir a intensidade das palmas, dos aplausos para algo ou alguém [F.: *palm(a)[1]* + *-o-* + *-metro*.]

palmoura (pal.*mou*.ra) *sf. Bras.* Pé das aves palmípedes [F.: De *palma[1]*.]

⊕ ***palmtop*** (*Ing. /pálmtop/*) *sm. Inf.* Microcomputador portátil de pequeno tamanho, que pode ser manuseado na palma da mão

paloma (pa.*lo*.ma) *sf.* 1 *Bras. Gír.* Meretriz 2 *Poét.* Pomba 3 *Mar.* Cabo que rodeia uma verga pelo meio e no qual se prende a adriça dessa verga [F.: Do espn. *paloma*.]

palombeta (pa.lom.*be*.ta) [ê] *Bras. Ict. sf.* 1 Peixe (*Chloroscombrus chrysurus*) da fam. dos carangídeos, encontrado em baías do Sudeste do Brasil; CARAPAU 2 Peixe carangídeo (*Trachinotus carolinus*) do Atlântico ocidental [F.: Var. de *palometa*.]

⊠ **palop** Sigla de *País Africano de Língua Oficial Portuguesa.*

palor (pa.*lor*) [ô] *sm. Poét.* Palidez: "...percebe-se apenas um vago palor, medrosa claridade que mal prenuncia o dia." (Gastão Cruls, *Amazônia que eu vivi*) [F.: Do lat. *pallor, oris.*]

palpabilidade (pal.pa.bi.li.*da*.de) *sf.* Qualidade do que é palpável [Ant.: *impalpabilidade.*] [F.: *palpável* + *-(i)dade*, seg. o mod. erudito.]

palpação (pal.pa.*ção*) *sf.* 1 Ação ou resultado de palpar 2 *Med.* Exame de qualquer parte do corpo por meio de toque com os dedos ou com as mãos [Pl.: *-ções.*] [F.: Do lat. *palpatio, onis.*]

palpadela (pal.pa.*de*.la) *sf.* O mesmo que *apalpadela* [F.: *palpar* + *-dela*.]

palpar (pal.*par*) *v. td.* Tocar (alguém ou si mesmo) com as mãos; APALPAR: *palpar a barriga do paciente.* [▶ 1 palpar] [F.: Do lat. *palpare*. Hom./Par.: *palpo* (fl.), *palpo* (sm.); *palpáveis* (fl.), *palpáveis* (pl. de *palpável*).]

palpável (pal.*pá*.vel) *a2g.* 1 Que se pode tocar, ver ou perceber (nódulo palpável) 2 *Fig.* Que é claro, evidente, incontestável: *Poder-se-ia dizer que sua intenção era palpável.* [Pl.: *-veis.*] [F.: Do lat. *palpabilis, e.* Ant. ger.: *impalpável.*]

pálpebra (*pál*.pe.bra) *sf. Anat.* Estrutura protetora que cobre e descobre os olhos, dotada de cílios nas extremidades e constituída de pele muito fina, músculos, tecido fibroso e membrana mucosa [F.: Do lat. *palpebra, ae.* Ideia de 'pálpebra': *blefar(o)-* (*blefarite*).]

palpebral (pal.pe.*bral*) *a2g.* Da ou ref. à pálpebra [Pl.: *-brais.*] [F.: Do lat. *palpebralis, e.*]

palpitação (pal.pi.ta.*ção*) *sf.* 1 Ação ou resultado de palpitar 2 *Med.* Sensação de batimento muito rápido ou irregular do coração 3 Movimento desordenado, agitado [Pl.: *-ções.*] [F.: Do lat. *palpitatio, onis.*]

palpitante (pal.pi.*tan*.te) *a2g.* 1 Que palpita (coração palpitante) 2 *Fig.* Que desperta muito interesse (assunto palpitante) 3 *Fig.* Que é atual, recente (pesquisa palpitante) [F.: *palpitar* + *-nte*.]

palpitar (pal.pi.*tar*) *v.* 1 Sentir ou ter palpitações [*int.*: *Seu coração palpitava sem parar.*] 2 Sentir emoção; IMPRESSIONAR-SE; COMOVER-SE [*int.*: *Palpitava quando ouvia a voz de Carlos.*] 3 Emitir palpite [*tr.* +*em*: *palpitar na vida alheia.*] [*int.*: *Quando o assunto era política, preferia não palpitar.*] 4 Renovar, renascer [*int.*: *Ao ouvir notícias do filho, a esperança de reencontrá-lo palpitou.*] 5 Ter palpite, suspeita (sobre algo) [*ti.* +*a*: *Palpita ao agricultor que o verão será seco.*] 6 Querer muito; esperar muito por; PULSAR; ANSIAR [*tr.* +*por*: *Se visse a casa, palpitaria por possuí-la.*] 7 Procurar saber a opinião de; SONDAR; APALPAR [*td.*: *Antes de alterar o edital, palpite os técnicos.*] 8 Agitar-se levemente (bandeira, vela, cortina etc.); ONDULAR; TREMULAR [*int.*] [▶ 1 palpitar] [F.: Do lat. *palpitare*. Hom./Par.: *palpite(s)* (fl.), *palpite(s)* (sm. [pl.]).]

palpite (pal.*pi*.te) *sm.* 1 Opinião emitida com base em intuição ou pressentimento: *Tenho o palpite de que ele deve vir amanhã.* 2 *Bras. Pop.* Opinião de quem se intromete num assunto, mesmo sem conhecê-lo: *Pare de dar palpites, você não sabe nada!* 3 Em jogos, pressentimento de ganho, de vitória: *Tinha um palpite para o primeiro páreo.* 4 Palpitação (1) [F.: Dev. de *palpitar*. Hom./Par.: *palpite* (sm.), *palpite* (fl. de *palpitar*).]

palpiteiro (pal.pi.*tei*.ro) *Bras. Pop. a.* 1 Ref. a palpite; que diz respeito a qualquer opinião emitida com base apenas em intuição ou pressentimento: "(...) as esporádicas opiniões negativas ou manifestações de desagrado diante de determinado produto ou fato cultural assumem um tom palpiteiro." (*Folha de S.Paulo*, 20.08.1995) 2 Que costuma dar palpite; que gosta de dar palpite *sm.* 3 Indivíduo que gosta de e/ou costuma dar palpite em um ou mais assuntos [F.: *palpite* + *-eiro*.]

palpo (*pal*.po) *sm. Anat. Zool.* Apêndice articulado e móvel da boca ou do maxilar de insetos [F.: Do lat. cient. *palpus*. Hom./Par.: *palpo* (sm.), *palpo* (fl. de *palpar*).] ∎ **Em ~s de aranha** Em situação difícil ou perigosa, ou ainda muito confusa, tumultuada: *Viu-se em palpos de aranha quando descobriram que era um espião; Andava em palpos de aranha para cuidar sozinha dos gêmeos recém-nascidos.* [Emprega-se com frequência a loc. *em palpos de aranha*, forma mais próxima da terminologia zoológica; outros empregam a forma mais popular *em papos de aranha*. Em sua forma escrita, tb. há flutuação no emprego da loc. hifenizada ou sem hífen, não havendo rigidez na escolha por uma ou outra forma.]

palpos de aranha (pal.pos de a.*ra*.nha) *sm2n.* Us. na loc. *Em palpos de aranha* [A forma palpos-de-aranha, a partir do Acordo Ortográfico de 1990 passou a ser escrita sem hifens, confundindo-se com a locução que na verdade já era, e que tem seu registro, como todas as locuções neste dicionário, no verbete encabeçado pelo substantivo temático. Ver, portanto, a locução *Em palpos de aranha* no verbete *palpo*.]

palra (*pal*.ra) *sf.* 1 Palavra, fala, conversação 2 Loquacidade, tagarelice: *O vinho dá palra aos mais calados.* [F.: Dev. de *palrar*. Hom./Par.: *palra* (sf.), *palra* (fl. de *palrar*).]

palrador (pal.ra.*dor*) [ô] *a.* 1 Que palra (sujeito palrador); FALADOR; PALREIRO *sm.* 2 Aquele que palra; FALADOR; PALREIRO [F.: *palrar* + *-dor*.]

palrar (pal.*rar*) *v.* 1 Emitir sons desprovidos de sentido, incompreensíveis ou sem importância [*int.*: *Se não dormisse, a menininha palraria o dia todo.*] 2 *Fig.* Falar muito, esp. dizendo coisas sem importância; PALAVREAR; TAGARELAR [*int.*: *Antes das férias, os alunos palravam com entusiasmo; Nos primeiros dias, os alunos palraram todo o tempo.*] **3** Conversar, palestrar [*int.*: "Parece-me que o senhor está palrando demais. As pessoas grandes é que palram à mesa." (Eça de Queirós, *Os Maias*)] **4** Expor oralmente; DIZER; FALAR **5** Manifestar, revelar, mostrar [*td.*: *O corpo arqueado palra o desânimo da pobre mulher.* Ant.: *ocultar.*] [▶ 1 palrar] [F.: De *parlar*, com metátese. Sin. ger.: *palrear*. Hom./Par.: *palra(s)* (fl.), *palra(s)* (sf. [pl.]).]

palrear (pal.re.*ar*) *v.* Conversar, tagarelar, o mesmo que *palrar* [▶ 13 palrear] [F.: *palrar* + *-ear*[2].]

palreiro (pal.*rei*.ro) *a. sm.* O mesmo que *palrador* [F.: *palrar* + *-eiro.*]

palrice (pal.*ri*.ce) *sf.* Loquacidade, tagarelice [F.: *palr(a)* + *-ice.*]

palude (pa.*lu*.de) *sm.* Região inundada por águas paradas; PÂNTANO; PAUL [F.: Do lat. *palus, udis.*]

◎ **palud(i)-** *el. comp.* = pântano: paludícola, paludoso [F.: Do lat. *palus, udis.*]

paludial (pa.lu.di.*al*) *a2g.* Ref. a paul; PALUDOSO; PANTANOSO [Pl.: *-ais.*] [F.: *palud(i)-* + *-al.*]

palúdico (pa.*lú*.di.co) *a.* **1** Ref. a palude, a pântano; PANTANOSO **2** *Med. Pat.* Ref. a paludismo *sm.* **3** *Med. Pat.* Indivíduo que padece de paludismo [F.: *palude* + *-ico*[2].]

paludícola (pa.lu.*dí*.co.la) *a2g.* Diz-se de organismo que vive em charcos ou pântanos (ave paludícola) [F.: *palud(e)* + *-i-* + *-cola.*]

paludismo (pa.lu.*dis*.mo) *sm. Med. Pat.* Ver *malária* [F.: *palud(e)* + *-ismo.*]

paludoso (pa.lu.*do*.so) [ô] *a.* **1** Que tem paludes ou lagoas (região paludosa); PANTANOSO **2** Que tem origem em paludes (infecção paludosa) [Pl.: [ó]. Fem.: [ó].] [F.: Do lat. *paludosus, a, um.*]

⊕ ***palus*** (*Lat.* /palus/) *sm. Astron.* Região plana e de pouca profundidade, na superfície de um planeta ou de um satélite

palustre (pa.*lus*.tre) *a2g.* Ref. a ou próprio de pauis e brejos (vegetação palustre) [F.: Do lat. *paluster, tris, tre.*]

pamonã (pa.mo.*nã*) *sm. Bras. Cul.* Iguaria preparada com farinha de mandioca ou de milho, carne, peixe e feijão; REVIRADO [F.: Do tupi *pamu'ñã.*]

pamonha (pa.*mo*.nha) *sf.* **1** *Cul.* Espécie de bolo feito de milho-verde com condimentos, cozido em folha de bananeira *s2g.* **2** *Bras. Fig. Pop.* Pessoa sem iniciativa, sem firmeza; MOLEIRÃO; BOBO: "Agora, ela havia de se lembrar, achando que era um pamonha, um homem sem decisão..." (João Guimarães Rosa, "Ave, Palavra" *in Sagarana*) *a2g.* **3** *Bras. Fig. Pop.* Diz-se de pamonha (2) [F.: Posv. do tupi *pamu'ñã.*]

pampa (*pam*.pa) *Bras. sm.* **1** *Geog.* Planície extensa coberta de vegetação rasteira característica de regiões meridionais da América do Sul, esp. Rio Grande do Sul, Argentina e Uruguai: "Estes campos eram meio sem dono, era um pampa aberto, sem estrada nem divisa." (João Simões Lopes Neto, "No manantial" *in Contos Gauchescos*) *a2g.* **2** *Bras.* Diz-se do cavalo todo malhado **3** *Bras.* Diz-se do animal de cara branca [F.: Do quíchua *pampa.*]

pâmpano[1] (*pâm*.pa.no) *sm. Bot.* Ramo novo da videira, coberto de folhas; PARRA: *Representam Baco corado de pâmpanos.* [F.: Do cast. *pámpano*, do lat. *pampinus, i.*]

pâmpano[2] (*pâm*.pa.no) *sm. Lus. Cver. Ang. Ict.* Peixe (*Stromateus fiatola*), da fam. dos estromateídeos, encontrado no Atlântico oriental; de até 50 cm de comprimento, com coloração azulada, dorso com manchas negras e ventre prateado; GORDINHO; PAMPO; PAMPO-GORDINHO; PEIXE-POMBO; POMBO [F.: De or. obsc.]

pamparra (pam.*par*.ra) *PE Pop. a2g.* **1** Que é muito bom; que tem boa qualidade; EXCELENTE **2** Saboroso, suculento, gostoso [F.: *pampa* + *-arra*, posv.] ■ **Às ~s** *Bras. Pop.* Ver *Às pampas*

pampas (*pam*.pas) *sfpl.* Ver *às pampas* ■ **Às ~s** *Bras. Pop.* Em grande quantidade, em grande intensidade; à beça

pampeiro (pam.*pei*.ro) *sm.* **1** Vento forte e frio dos pampas da Argentina, que pode chegar até o RS, onde é denominado minuano **2** *Bras. S. Pop.* Briga ou conflito que envolve várias pessoas **3** *Bras. S. Pop.* Confusão, alvoroço, espalhafato: *O homem fez um pampeiro infernal.* **4** Pampiano (2) *a.* **5** Pampiano (1) [F.: *pamp(a)* + *-eiro.*]

pampiano (pam.pi.*a*.no) *a.* **1** Dos pampas (RS); típico dessa região ou de seu povo (costume pampiano) *sm.* **2** Pessoa nascida ou que vive na região dos pampas (RS) [F.: *pampa* + *-i-* + *-ano.*]

pampiniforme (pam.pi.ni.*for*.me) *a2g.* Que tem forma de pâmpano, de ramo novo de videira [F.: *pâmpano* + *-forme.*]

pamplegia (pam.ple.*gi*.a) *sf. Neur.* Paralisia completa do corpo [F.: *pam-* + *-plegia.*]

pamplégico (pam.*plé*.gi.co) *a.* **1** *Neur.* Ref. a ou próprio da pamplegia **2** Diz-se de pessoa que tem pamplegia *sm.* **3** *Neur.* Indivíduo que tem pamplegia [F.: *pamplegi(a)* + *-ico*[2].]

pampo[1] (*pam*.po) *sm.* Ver *pâmpano*[1] [F.: F. sincopada de *pâmpano*[1].]

pampo[2] (*pam*.po) *Ict. sm.* **1** *Bras.* Peixe (*Trachinotus carolinus*), da fam. dos carangídeos, encontrado no Atlântico ocidental; de até 80 cm de comprimento, de corpo alto e comprimido com coloração prateada, dorso cinza-azulado e esverdeado, ventre amarelo-dourado e nadadeira caudal cinza e amarelada; PALOMBETA; PALOMETA; PAMPLO; PAMPO-DA-CABEÇA-MOLE; PIRAROBA; SEMENDUARA **2** *Bras.* Peixe (*Trachinotus falcatus*), da fam. dos carangídeos, do Atlântico ocidental, com corpo curto e alto, dorso azul-acinzentado, ventre prateado, e perfil de cabeça arredondado; ARABEBÉU; GARABEBÉU; PAMPO-ARABEBÉU; PAMPO-GIGANTE; SERNAMBIQUARA; TAMBÓ **3** *Bras.* Peixe (*Peprilus paru*), da fam. dos estromateídeos, que ocorre no Atlântico; de corpo discoide, dorso azulado e ventre prateado, pode atingir até 28cm de comprimento e possui carne muito apreciada **4** *Lus. Cver. Ang.* Ver *pâmpano*[2] (*Stromateus fiatola*) [F.: F. sincopada de *pâmpano*[2].]

pampo[3] (*pam*.po) *Zool. a.* **1** Diz-se de animal cuja cara é branca **2** Diz-se de cavalo com qualquer parte do corpo de cor diferente da cor de pelo predominante [F.: Alter. de *pampa* 'planície'. Sin. ger.: *pampa.*]

◎ **pan-** *el. comp.* = 'tudo'; 'todos'; 'a totalidade': *panafricanismo, pan-americano, pan-árabe, pancontinental, pandemia, pangeia, pan-helênico, panorama, pansofia, pantofagia, pantófago, pantômetro, pantóptero* [*Pan-*: antes de vogal (nas formações modernas), *h, m* e *n* usa-se com hífen.] [F.: Do gr. *pâs, pâsa, pân*, genitivo *pantós*. Tb. *pant(o)-*.]

pana (*pa*.na) *sf. Bras. Mús.* Instrumento musical de sopro, us. pelos índios bororos [F.: De or. obsc.]

panaca (pa.*na*.ca) *Bras. Pop. a2g.* **1** Diz-se de quem é ingênuo, simplório *s2g.* **2** Indivíduo ingênuo, simplório [F.: Posv. de or. expressiva.]

panaceia (pa.na.*cei*.a) *sf.* **1** Remédio que teria o poder de curar todos os males **2** *Fig.* Recurso ou medida supostamente capaz de resolver dificuldades **3** *Bot.* Arbusto (*Solanum cernuum*) da fam. das solanáceas com propriedade medicinais; BRAÇO-DE-PREGUIÇA **4** *Bot.* Arbusto (*Solanum martii*) da fam. das solanáceas, us. para fins medicinais; BRAÇO-DE-MONO [F.: Do gr. *panákeia, as*, 'remédio contra todos os males'.]

panache (pa.*na*.che) *sm.* **1** Maneira particular de ser ou de se fazer algo; ESTILO **2** Modo de ser ou atitude arrogante e exibicionista **3** Elegância refinada e característica [F.: Do fr. *panache* (fr. medv. < it. *pennachio*), posv. pelo ing. *panache.*]

panachê (pa.na.*chê*) *sm. Cul.* Mistura de legumes picados e refogados, ou de frutas picadas [F.: Do fr. *panaché.*]

panacionalismo (pa.na.ci.o.na.*lis*.mo) *sm. Pol.* Doutrina ou movimento que visa à união e integração de um povo, ou de povos com alguma identificação em comum, independentemente das fronteiras políticas que os separam (panacionalismo árabe, panacionalismo europeu) [F.: *pan-* + *nacionalismo.*]

panado (pa.*na*.do) *a.* **1** Que se panou **2** Passado em ovo e farinha de rosca ou de trigo, para fritar; EMPANADO **3** Coberto de pão ralado [F.: Part. de *panar.*]

pan-africanismo (pan-a.fri.ca.*nis*.mo) *sm. Pol.* Política que visa ao desenvolvimento e à melhoria das relações entre os países da África [Pl.: *pan-africanismos.*] [F.: *pan-* + *africanismo.*]

pan-africanista (pan-a.fri.ca.*nis*.ta) *Pol. a2g.* **1** Ref. ao pan-africanismo **2** Que é partidário do pan-africanismo e/ou especialista nesse assunto [Pl.: *pan-africanistas.*] *s2g.* **3** *Pol.* Indivíduo que é partidário do pan-africanismo e/ ou especialista nesse assunto [Pl.: *pan-africanistas.*] [F.: *pan-* + *africanista.*]

pan-africano (pan-a.fri.*ca*.no) *a. Pol.* Que se refere a ou que envolve todos os países do continente africano (política pan-africana) [Pl.: *pan-africanos.*] [F.: *pan-* + *africano.*]

panamá (pa.na.*má*) *a2g.* **1** Diz-se de chapéu de palha masculino bastante flexível, feito de fibras trançadas de plantas da América Central *sm.* **2** *Vest.* Esse chapéu **3** *Text.* Tecido encorpado, macio e lustroso us. para ternos de verão **4** *Fig.* Escândalo financeiro **5** *Bot.* Árvore da fam. das esterculiáceas (*Sterculia apetala*), nativa do Brasil, frondosa, com flores avermelhadas e sementes comestíveis; XIXÁ [F.: Do top. *Panamá.*]

panamenho[1] (pa.na.*me*.nho) *sm.* **1** Indivíduo nascido ou que vive no Panamá (América Central) *a.* **2** Do Panamá; típico desse país ou de seu povo [F.: Do espn. *panameño.*]

panamenho[2] (pa.na.*me*.nho) *sm.* **1** Indivíduo nascido ou que vive em Panamá (GO) *a.* **2** De Panamá; típico dessa cidade ou de seu povo [F.: Do top. *Panamá* + *-enho.*]

panamense (pa.na.*men*.se) *s2g.* **1** Aquele ou aquela que nasceu ou que vive no Panamá (América Central) *a2g.* **2** Do Panamá; típico desse país ou de seu povo [F.: Do top. *Panamá* + *-ense.*]

pan-americanismo (pan-a.me.ri.ca.*nis*.mo) *Pol. sm.* **1** Política que visa ao desenvolvimento e à melhoria das relações entre os países das Américas **2** Cooperação entre esses países [Pl.: *pan-americanismos.*] [F.: *pan-* + *americanismo.*]

pan-americanista (pan-a.me.ri.ca.*nis*.ta) *a2g.* **1** Ref. ao pan-americanismo **2** Que é partidário do pan-americanismo e/ou especialista nesse assunto [Pl.: *pan-americanistas.*] *s2g.* **3** Partidário do pan-americanismo e/ou especialista nesse assunto [Pl.: *pan-americanistas.*] [F.: *pan-* + *americanista.*]

pan-americano (pan-a.me.ri.*ca*.no) *a.* Ref. a todos os países das Américas, à totalidade (ou quase totalidade) desses países (conferência pan-americana) [Pl.: *pan-americanos.*] [F.: *pan-* + *americano.*]

panar (pa.*nar*) *v. td.* **1** Cobrir (esp. carne) de pão ralado ou farinha de rosca, para fritar **2** Colocar (pão ralado) em água e coar em seguida, esp. para alimentar doentes [▶ 1 panar] [F.: *pan*, forma arcaica de 'pão', + *-ar*[2]. Hom./Par.: *pano* (fl.), *pano* (sm. s2g.); *panais* (fl.), *panais* (pl. de *panal*); *panaria(s)* (fl.), *panaria(s)* (sf. [pl.]).]

pan-árabe (pan-*á*.ra.be) *a2g. Pol.* Ref. ao pan-arabismo; PAN-ARABISTA [Pl.: *pan-árabes.*] [F.: *pan-* + *árabe.*]

pan-arabismo (pan-a.ra.*bis*.mo) *sm. Pol.* Política que visa à união entre os países de língua e civilização árabe [Cf. *panislamismo.*] [Pl.: *pan-arabismos.*] [F.: *pan-* + *arabismo.*]

pan-arabista (pan-a.ra.*bis*.ta) *Pol. a2g.* **1** Ref. ao pan-arabismo **2** Que é partidário do pan-arabismo e/ou especialista nesse assunto [Pl.: *pan-arabismos.*] *s2g.* **3** *Pol.* Aquele que é partidário do pan-arabismo e/ou especialista nesse assunto [Pl.: *pan-arabismos.*] [F.: *pan-* + *arabismo.*]

panaria (pa.na.*ri*.a) *sf. Antq.* Casa onde se reúnem e armazenam cereais; CELEIRO; TULHA [F.: Do arcaísmo *pan* ('pão') + -aria. Hom./Par.: *panaria* (sf.), *panaria* (fl. de *panar*).]

panarício (pa.na.*rí*.ci.o) *sm. Derm.* Inflamação da pele, ger. purulenta, das partes moles que cercam a unha; PARONÍQUIA [F.: Do lat. *panaricium, ii.* Tb. *panariz.*]

panariz (pa.na.*riz*) *sm.* Ver *panarício*

panasco (pa.*nas*.co) *sm.* **1** *Bot.* Erva (*Aristida adscensionis*), da fam. das poáceas, nativa do N. E., que serve de alimento para o gado: "Se a quadra é propícia, e vão bem as plantações da vazante, e viça o 'panasco' e o 'mimoso' nas soltas dilatadas (...)." (Euclides da Cunha, *Os sertões*) **2** *Bot.* Erva (*Dactylis glomerata*), da fam. das gramíneas, comum em grande parte da América do Norte e Europa, muito us. como forrageira **3** *Lus. P. ext.* Terreno, em ger. alagadiço, onde cresce erva **4** *PI* Zona de vegetação, semelhante à do lacre, entre o agreste e a caatinga [F.: De or. obsc.]

pânax (*pâ*.nax) [cs] *Bot. sf.* **1** Designação comum às ervas do gên. *Panax*, da fam. das araliáceas, que reúne seis espécies nativas da Ásia oriental e da América do Norte **2** Qualquer espécime oriunda desse gên; GINSENG [Pl.: *panaxes.*] [F.: Do lat. cient. *Panax.*]

panázio (pa.*ná*.zi:o) *Pop. sm.* **1** Golpe, agressão dada com o pé; PONTAPÉ **2** Tapa no rosto desferido com a mão aberta; BOFETADA **3** Pancada aplicada com lâmina de sabre, espada ou facão; PANAÇO **4** *Bras.* Estrondo com arma de fogo **5** Quantidade considerável de alguma coisa [F.: De or. controv; posv. de *pano* + *-azio.*]

panca (*pan*.ca) *sf.* **1** Pau grosso que serve de alavanca **2** *Bras. Pop.* Postura artificial; POSE: *Sempre exibia uma panca de valente.* [F.: De or. obsc., posv. do lat. vulg. *palanca.*] ■ **Andar/ver-se em ~s** Estar em dificuldades **Dar ~s** **1** *Bras. Pop.* Destacar-se em algo **2** Ser motivo de admiração (ger. devido a beleza, elegância etc.) **3** Ser trabalhoso, dar canseira **Estar de ~s** *S.* Estar propenso a provocar tumulto, fazer desordem **Tomar ~s** Resolver provocar tumulto, desordem **Ver-se em ~s** Ver *Andar/ver-se em pancas.*

pança (*pan*.ça) *sf.* **1** Barriga grande; PANTURRA **2** *Zool.* Rume *sm.* **3** *Bras. S.* Sujeito ridículo [F.: Do cast. *panza*, do lat. *pantex, icis.*]

pancada (pan.*ca*.da) *sf.* **1** Golpe ou batida (pancada na cabeça; pancadas na porta) **2** Ação ou resultado de espancar **3** Som de relógio ou de sino, indicador das horas: "E ouvindo o relógio bater duas pancadas..." (Josué Montello, *Sempre serás lembrada*) **4** *Bras.* Chuva forte, ger. repentina: *O céu escureceu e caiu uma pancada.* **5** Pulsação, palpitação **6** *Pop.* Grande quantidade: *Recebeu uma pancada de cartas.* **7** *Bras. N.* Cachoeira a pique **8** *Fig.* Pressentimento *s2g.* **9** *Bras. Pop.* Indivíduo amalucado **10** *Bras. Pop.* Sujeito grosseiro, estourado *a2g.* **11** *Bras. Pop.* Que é meio maluco [F.: *panc(a)* + *-ada*[2].] ■ **~ de água/chuva** *Bras.* Aguaceiro, chuva forte e repentina **~ do mar** **1** *Lus.* Lugar da costa marítima, foz de rio, porto etc., onde o mar forma ondas agitadas **2** *Bras. CE* Área litorânea, praia **~s de Molière** *Teat.* Ver *Batidas de Molière* no verbete *batida* **Às três ~s** De maneira exótica, extravagante **De ~** **1** Subitamente, repentinamente: *Já ia a meio caminho quando, de pancada, resolveu voltar.* **2** De uma vez só: *O raio abateu de pancada três grandes árvores.* **Esperar pela ~** *Pop.* Estar na expectativa das consequências de uma ação indevida, ou de um fato ruim, ou de uma ameaça **Sofrer da ~** *Lus.* Ter mania(s), fixação

pancadão (pan.ca.*dão*) *sm.* **1** Pancada desferida com muita força **2** *Bras. Gír. Mús.* Música *funk* de ritmo seco, incrementado com o som de bateria eletrônica e/ou *samplers* de diversos tipos de músicas, ger. acompanhado de letra de conteúdo erótico; BATIDÃO **3** *Bras. Pop. Ant.* Mulher corpulenta e atraente *Gír.;* PEIXÃO: "Tem um pancadão de filha, meu Deus!" (Lima Barreto, *Clara dos Anjos*) [Pl.: *-dões.* Aum. de *pancada.*] [F.: *pancada* + *-ão*[1].]

pancadaria (pan.ca.da.*ri*.a) *sf.* **1** Briga ou tumulto em que as pessoas se agridem fisicamente: *Saiu a maior pancadaria no baile.* **2** Grande quantidade pancadas; SOVA; SURRA: *O boxeador não suportou a pancadaria.* **3** *Mús.* O conjunto dos instrumentos de percussão numa orquestra ou banda [F.: *pancad(a)* + *-aria.*]

pancontinental (pan.con.ti.nen.*tal*) *a2g.* Ref. a ou que abrange todos os continentes (turismo pancontinental) [Pl.: *-tais.*] [F.: *pan-* + *continental.*]

pancrácio[1] (pan.*crá*.ci:o) *sm. Hist.* Exercício de luta e pugilato entre os antigos gregos e romanos [F.: Do lat. *pancratium, ii*, do gr. *pankrátion.*]

pancrácio[2] (pan.*crá*.ci:o) *Pej. a.* **1** Que se mostra simplório, tolo; IDIOTA; PATETA *sm.* **2** *Pej.* Indivíduo simplório, tolo, pateta, idiota: "Charles era o pancrácio ideal, o noivo retardatário (...)." (*Folha de S.Paulo*, 03.07.1997) [F.: Posv. do antr. *Pancrácio.*]

pancrealgia (pan.cre:al.*gi*.a) *sf. Med. Pat.* Dor no pâncreas; tb. *pancreatalgia*

pancreálgico (pan.cre:*ál*.gi.co) *a.* Ver *pancreatálgico*

pâncreas (*pân*.cre:as) *sm2n. Anat.* Glândula de secreção interna (insulina e glucagon) e externa (suco pancreático), situada atrás do estômago [F.: Do gr. *pánkreas, atos.* Ideia de 'pâncreas': *pancreat(o)-* (*pancreatalgia*).]

📖 O pâncreas é uma glândula situada no abdome, atrás do estômago, e suas principais funções são a digestiva e a endócrina (secreção de hormônios). A função digestiva é realizada com a liberação pelo pâncreas do *suco pancreático*, que é levado ao duodeno, no intestino assim que o alimento chega ao estômago. Através de suas enzimas, o suco pancreático atua na digestão de carboidratos, gorduras e proteínas. As secreções hormonais são a insulina e o glucagon, responsáveis pelo controle dos açúcares (glicose), e cuja deficiência causa uma doença chamada *diabetes*. As afeções do pâncreas podem ser graves, e suscitam cuidados imediatos.

pancreatalgia (pan.cre:a.tal.*gi*.a) *sf. Med. Pat.* Dor no pâncreas [F.: *pancreat(o)-* + *-algia*. Tb. *pancrealgia*.]

pancreatálgico (pan.cre:a.*tál*.gi.co) *a. Med. Pat.* Ref. a ou próprio da pancreatalgia [F.: *pancreatalgi(a)* + *-ico*². Tb. *pacreálgico*.]

pancreatectomia (pan.cre:a.tec.to.*mi*.a) *sf. Cir.* Ablação do pâncreas [F.: *pancreat(o)-* + *-ectomia*.]

pancreático (pan.cre:*á*.ti.co) *a.* **1** Ref. a ou do pâncreas **2** Diz-se de líquido segregado pelo pâncreas (suco pancreático) [F.: *pancreat(o)-* + *-ico*².]

pancreatite (pan.cre:a.*ti*.te) *sf. Pat.* Inflamação do pâncreas [F.: Do lat. cient. *pancreatitis*; ver *pancreat(o)-* + *-ite*.]

◎ **pancreat(o)-** *el. comp.* = pâncreas: *pancreatite* [F.: Do gr. *pánkreas, atos*.]

pancreatografia (pan.cre:a.to.gra.*fi*.a) *sf. Rlog.* Radiografia do pâncreas [F.: *pancreat(o)-* + *-grafia*.]

pancreozimina (pan.cre:o.zi.*mi*.na) *sf. Bioq.* Hormônio digestivo secretado pela presença de ácidos graxos e aminoácidos no duodeno, e que estimula a produção do suco pancreático [F.: *pancre(o)-* + *zim(o)-* + *-ina*.]

pancretectômico (pan.cre.a.tec.*tô*.mi.co) *a. Cir.* Ref. à pancreatectomia [F.: *pancreatectomi(a)* + *-ico*².]

pançudo (pan.*çu*.do) *a.* **1** Que tem grande pança **2** *Bras. Pop.* Que vive às custas de outrem *sm.* **3** Aquele que tem grande pança; BARRIGUDO **4** *Bras. Pop.* Aquele que vive às custas de outrem [F.: *panç(a)* + *-udo*.]

pancultural (pan.cul.tu.*ral*) *a2g.* Que expressa ou envolve diversas formas de manifestação cultural [Pl.: *-rais*.] [F.: *pan-* + *cultural*.]

panda (*pan*.da) *sm.* **1** *Zool.* Denominação comum a duas spp. de mamíferos, da ordem dos carnívoros que ocorrem em montanhas florestadas e se alimentam de bambus **2** *Zool.* Mamífero da fam. dos ursídeos (*Ailuropoda melanoleuca*) com cerca de 1,5 m de comprimento, originário da China, de pelagem espessa, preta e branca **3** *Zool.* Mamífero da fam. dos procionídeos (*Ailurus fulgens*), originário da Ásia, com 64 cm de comprimento, com pelagem densa e de coloração acastanhada, cauda com anéis escuros *sf.* **4** *Bot.* Nome comum às árvores do gên. *Panda*, da fam. das pandáceas, com única espécie (*Panda oleosa*), natural das regiões tropicais do Oeste da África, de frutos de caroço grande e muito duro que contém sementes oleaginosas, apreciadas pela fauna, esp. chimpanzés [F.: Do nepalês *panda*.]

pandanácea (pan.da.*ná*.ce:a) *sf. Bot.* Espécime das pandanáceas, fam. de plantas monocotiledôneas, da ordem das pandanales, que compreende 3 gên. e cerca de 800 espécies nativas de regiões tropicais da África e da Ásia [F.: Adaptação do lat. cient. *Pandanaceae*.]

pandanáceo (pan.da.*ná*.ce:o) *a.* **1** *Bot.* Das ou ref. às pandanáceas **2** *Bot.* Ref. a ou próprio das pandanáceas [F.: *pandaná(cea)* + *-áceo*.]

pandano (pan.*da*.no) *sm. Bot.* Designação comum às árvores do gên. *Pandanus*, da fam. das pandanáceas, que reúne numerosas espécies nativas de África, Ásia e Oceania, das quais algumas são cultivadas como ornamentais ou utilizadas para extração de fibras, frutos etc. [F.: Adaptação do lat. cient. *Pandanus*.]

pandarecos (pan.da.*re*.cos) *smpl.* Cacos, pedaços, frangalhos [F.: De or. obsc.] ▪ **Em ~ 1** Em pedaços, destruído, acabado: *Este pneu está em pandarecos, melhor trocá-lo logo.* **2** *Fig.* Cansadíssimo, exausto: *Depois dessa corrida fiquei em pandarecos.* **3** *Fig.* Moralmente abatido, arrasado: *A separação deixou-o em pandarecos.*

pandear (pan.de.*ar*) *v. td.* **1** Tornar pando, inflado: *A doença pandeou a barriga do bebê.*] **2** Tornar curvo [▶ **13** pandear] [F.: *pando* + *-ear*.]

pândega (*pân*.de.ga) *sf.* **1** Festança, com muita comida e bebida; PATUSCADA **2** Estroinice, esbórnia: "...desprezou as velhas amizades da pândega e deixou-se das extravagâncias..." (Aloísio Azevedo, *Girândola*) **3** *Fig.* Brincadeira vulgar, grosseira [F.: De or. obsc. Hom./Par.: *pândega* (sf.), *pandega* (fl. de *pandegar*).]

pandegar (pan.de.*gar*) *v. int.* Meter-se em pândegas; FARREAR [▶ **14** pandegar] [F.: *pândega* + *-ar*.]

pândego (*pân*.de.go) *a.* **1** Que é dado a pândegas **2** Que é alegre, jovial, engraçado *sm.* **3** Indivíduo pândego (1 e 2) [F.: Dev. de *pandegar*. Hom./Par.: *pândego* (a. sm.), *pandego* (fl. de *pandegar*).]

pandeirista (pan.dei.*ris*.ta) *s2g.* Aquele que toca pandeiro [F.: *pandeir(o)* + *-ista*.]

pandeiro (pan.*dei*.ro) *sm.* **1** *Mús.* Instrumento de percussão constituído de um aro com guizos ou chapinhas, ger. com um dos lados recoberto por uma membrana: "E o povo, a bater tambores e pandeiros, a moer sanfonas e a agitar adufes." (Antero de Figueiredo, *D. Sebastião*) [Dim. (nesta acp.): *pandeireta*.] **2** *Pop.* As nádegas **3** *Mar.* Conjunto de voltas circulares e superpostas de um cabo **4** *Agr.* Processo de empar, sustentar a videira, curvando-se a vara; ENVIDILHA [F.: Do espn. *pandero*.]

pandemia (pan.de.*mi*.a) *sf. Med.* Epidemia que atinge toda uma região [F.: Do gr. *pandemías, as*.]

pandêmico (pan.*dê*.mi.co) *a.* Ref. a pandemia ou que tem suas características [F.: *pandemia* + *-ico*².]

pandemônio (pan.de.*mô*.ni:o) *sm.* **1** *Fig.* Confusão, balbúrdia **2** Reunião de pessoas com o objetivo de criar tumulto ou prejudicar alguém [F.: Do ing. *pandemonium*, voc. criado pelo poeta inglês Milton, no *Paraíso Perdido*, para designar o palácio de Satã...]

pandilha (pan.*di*.lha) *sf.* **1** Combinação entre várias pessoas para enganar alguém **2** *S.* Quadrilha de malfeitores **3** *S.* Grupo de animais *s2g.* **4** Indivíduo ou grupo de pessoas que age conjuntamente, combinando entre si maneiras de enganar outrem **5** Biltre, canalha, infame: "Que me importa a mim que ele fosse boa pessoa ou que fosse um pandilha sem beira nem leira?" (Camilo Castelo Branco, *Os brilhantes do brasileiro*) *a2g.* **6** Diz-se de indivíduo ou grupo de pessoas que busca enganar outrem **7** Diz-se de indivíduo infame, canalha [F.: Do espn. *pandilla*. Hom./Par.: *pandilha* (sf. a. s2g.), *pandilha* (fl. de *pandilhar*).]

pandilhar (pan.di.*lhar*) *v. Int.* Comportar-se como um pandilha, um pulha; ACANALHAR-SE [F.: *pandilh(a)* + *-ar*. Hom./Par.: *pandilha* (3ªp. s.), *pandilhas* (2ªp. s.); *pandilha* (sm. e pl.).]

pando (*pan*.do) *a.* **1** Que se inchou ou inflou (estômago pando; bandeiras pandas) **2** Aberto e encurvado (asas pandas) **3** Arredondado, bojudo [F.: Do lat. *pandus, a, um*.]

pandorga (pan.*dor*.ga) *sf.* **1** *Bras. Lud.* Papagaio de papel; PIPA **2** Música desafinada e barulhenta **3** Mulher gorda, barriguda *s2g.* **4** Indivíduo bobo, tolo *a2g.* **5** Diz-se de pandorga (4) [F.: Do espn. *pandorga*.]

pandulho (pan.*du*.lho) *sm.* **1** Saco de pedras ou areia que se coloca na ponta da rede de pesca para estendê-la **2** *Bras. Pop.* Barriga: *O comilão só pensava em encher o pandulho.* **3** *Mar.* Pedregulho que serve de âncora a barcos pequenos; POITA [F.: De or. incerta. Hom./Par.: *pandulho* (sm.), *pandulho* (fl. de *pandulhar*).]

pane (*pa*.ne) *sf.* **1** Parada anormal do funcionamento de um mecanismo: *Deu pane no computador.* **2** *Pop.* Esquecimento repentino; BRANCO [F.: Do fr. *panne*.] ▪ **~ seca** Pane (em motor a explosão) causada por falta de combustível

panegirical (pa.ne.gi.ri.*cal*) *a2g.* Ref. a ou próprio de panegírico [Pl.: *-cais*.] [F.: *panegírico* + *-al*¹.]

panegírico (pane.ne.*gí*.ri.co) *sm.* **1** Discurso de elogio e louvor a alguém *a.* **2** Que elogia ou louva, exalta; LAUDATÓRIO [F.: Do lat. *panegyricus, i*, do gr. *panegyrikós, e, ón*.]

panegirizar (pa.ne.gi.ri.*zar*) *P. us. v. td.* Louvar com panegírico; fazer o panegírico de: *Na solenidade, panegirizou o prefeito.* [Ant.: *desmerecer, detratar, difamar, injuriar*.] [▶ **1** panegirizar] [F.: Do v. gr. *panegyrízo*, 'celebrar uma festa nacional'; 'fazer discurso elogioso'.]

paneiro¹ (pa.*nei*.ro) *sm.* **1** Espécie de cesto de vime com alças **2** *Bras.* Cesto de palha de forma cilíndrica, no qual se espreme a mandioca; TIPITI **3** *Amaz.* Cesto sem alças, feito em trançado largo de talas de palmeira, ger. forrado de folhas, muito utilizado para transportar e/ou acondicionar certos alimentos (farinha-d'água, farinha de mandioca, açaí etc.) [É empregado tb. como unidade de medida.] **4** *Bras. P. ext.* Lata us. pelos pedreiros para colocar a argamassa que irão utilizar **5** *Cnav.* Nas pequenas embarcações, a parte ré guarnecida de bancos para os passageiros, ou o soalho móvel dessa parte que é retirado para esgotar a água que se junta por baixo **6** Espécie de carruagem de verga ou de vime [F.: Do espn. *panero*, 'cesto para pão'.]

paneiro² (pa.*nei*.ro) *sm.* **1** *Lus.* Vendedor ambulante de panos: "(...) e também às vezes há paneiros, um ou outro que andava por ali nas imediações, e aproveita a ocasião para uma venda mais larga." (Manuel de Brito Camacho, *Gente rústica*) **2** *Lus.* Indivíduo que estende os panos debaixo das oliveiras, durante a colheita de azeitona **3** *Bras. Teat.* Aquele que abre e fecha a cortina ou pano de boca, no início e no fim do espetáculo; CORTINEIRO [F.: *pano* + *-eiro*.]

panejamento (pa.ne.ja.*men*.to) *sm.* **1** Ação ou resultado de panejar **2** *Esc. Pint.* As vestes das figuras pintadas ou esculpidas **3** *Esc. Pint.* Maneira de representar essas vestes [F.: *panejar* + *-mento*.]

panejar (pa.ne.*jar*) *v.* **1** Representar roupas, ou seu efeito, em [*td.*: *Panejou as figuras do quadro; Panejara as estátuas com perfeição.*] **2** Fazer agitar ou agitar-se; TREMULAR [*td.*: *Panejavam os lenços na despedida.*] [*int.*: *Impelidas pelo vento, as bandeiras panejavam incessantemente.*] [▶ **1** panejar] [F.: *pano*¹ + *-ejar*.]

panela (pa.*ne*.la) *sf.* **1** Recipiente com cabo ou alças us. para cozinhar alimentos [Col.: *bateria, panelada*.] **2** O conteúdo desse recipiente: *Comeu uma panela de arroz.* **3** *Fig.* O mesmo que *panelinha* **4** *Bras.* Dente com cárie grande; essa cárie **5** *Bras.* Cada um dos compartimentos subterrâneos do formigueiro **6** *Bras.* Redemoinho, sorvedouro em rios ou arroios **7** *Bras.* Buraco que certos animais escavam; TOCA **8** *Bras.* Feitiço, mandinga **9** *Bras. S.* Espécie de dormente de ferro **10** *Lus. Tabu.* O ânus [F.: Do lat. vulg. *pannella*.] ▪ **Quebrar a ~** *Bras. Pop.* Usar algo pela primeira vez

panelaço (pa.ne.*la*.ço) *sm.* Manifestação de protesto em que se batem panelas e outros utensílios de metal [F.: *panel(a)* + *-aço*.]

panelada (pa.ne.*la*.da) *sf.* **1** Panela cheia: *Fez uma panelada de carnes.* **2** Grande quantidade de panelas: *Quem vai lavar a panelada?* **3** *Bras. N. E. Cul.* Espécie de cozido em que entram mocotó, miúdos de boi, toucinho e verduras **4** *Bras. Pop.* Pancada desferida com uma panela: *Levou uma panelada na cabeça.* **5** *Pop.* Ruído produzido pela passagem do ar através das mucosidades acumuladas na laringe e nos brônquios [F.: *panel(a)* + *-ada*².]

panelão (pa.ne.*lão*) *sm.* **1** Panela grande **2** *Fot. Teat. Telv.* Refletor portátil, cuja forma lembra uma panela, us. para iluminação difusa de áreas que não exijam delimitações precisas [Pl.: *-lões*. Aum. de *panela*.] [F.: *panela* + *-ão*¹.]

paneleiro (pa.ne.*lei*.ro) *sm.* **1** Fabricante ou vendedor de panelas de barro **2** Móvel onde se guardam panelas **3** *Lus. Tabu.* Homossexual masculino [F.: *panel(a)* + *-eiro*.]

panelinha (pa.ne.*li*.nha) *sf.* **1** *Fig.* Grupo fechado de pessoas que agem em interesse próprio, às vezes em detrimento de outros; PANELA **2** *Fig.* Qualquer grupo muito fechado; IGREJINHA **3** Panela pequena [F.: *panel(a)* + *-inha*.]

panema (pa.*ne*.ma) *N. a2g.* **1** Diz-se de indivíduo azarado que, ao ir à caça ou à pesca, não consegue apanhar nenhum animal **2** Que é infeliz, que é vítima de má sorte; AZARADO **3** Que é vítima de feitiço, de bruxaria **4** Muito ruim, inútil *s2g.* **5** Caçador ou pescador que não consegue apanhar nenhum animal **6** Indivíduo infeliz, desprovido de sorte, azarado **7** Pessoa que é vítima de feitiço ou bruxaria [F.: Do tupi *pa'nema*, 'tolo, imbecil', 'indivíduo infeliz'.]

panenteísmo (pa.nen.te.*ís*.mo) *Fil. sm.* **1** Doutrina fundada pelo filósofo alemão Karl Christian Friedrich Krause (1781-1832), segundo a qual o universo está contido em Deus, e essa divindade transcende a totalidade do universo sem perder a unidade [Cf. *panteísmo* e *pantiteísmo*.] **2** Qualquer doutrina filosófica que se caracterize pela síntese entre teísmo e panteísmo [F.: Do al. *Panentheismus*.]

panenteísta (pa.nen.te.*ís*.ta) *Fil. a2g.* **1** Ref. a panenteísmo **2** Que segue a doutrina do panenteísmo *s2g.* **3** *Fil.* Indivíduo que é adepto da doutrina do panenteísmo [F.: *panenteísm(o)* + *-ista*.]

pan-eslavismo (pan-es.la.*vis*.mo) *sm. Pol.* Política que defende a união e integração de todos os povos eslavos [Pl.: *pan-eslavismos*.] [F.: *pan-* + *eslavismo*.]

pan-eslavista (pan-es.la.*vis*.ta) *Pol. a2g.* **1** Que se refere ao pan-eslavismo **2** Que é partidário do pan-eslavismo [Pl.: *pan-eslavistas*.] *s2g.* **3** *Pol.* Indivíduo que é partidário do pan-eslavismo [Pl.: *pan-eslavistas*.] [F.: *pan-* + *eslavista*. Sin. ger.: *pan-eslavo*.]

pan-eslavo (pan-es.*la*.vo) *a. sm. Pol.* O mesmo que *pan-eslavista*. [Pl.: *pan-eslavos*.] [F.: *pan-* + *eslavo*.]

pan-estelar (pan-es.*te*.lar) *a2g.* Ref. a muitas estrelas ou à totalidade delas [Pl.: *pan-estelares*.] [F.: *pan-* + *estelar*.]

panetone (pa.ne.*to*.ne) *sm. Cul.* Bolo de massa fermentada, acrescido de frutas cristalizadas e passas, originário da tradição italiana, e que se tornou, no Brasil, muito comum na época de Natal [F.: Do it. *panettone*.]

pan-europeu (pan-eu.ro.*peu*) *a.* Ref. a todos os países e povos da Europa [Pl.: *pan-europeus*. Fem.: *pan-europeia*.] [F.: *pan-* + *europeu*.]

panfletagem (pan.fle.*ta*.gem) *sf. Bras.* Ação ou resultado de panfletar [Pl.: *-gens*.] [F.: *panfletar* + *-agem*¹.]

panfletar (pan.fle.*tar*) *v. int. Bras.* Fazer ou distribuir panfletos: *Não pôde panfletar no dia da eleição* [▶ **1** panfletar] [F.: *panfleto* + *-ar*². Tb. *panfletear*.]

panfletário (pan.fle.*tá*.ri.o) *a.* **1** Que escreve panfletos; PANFLETISTA **2** Ref. a ou próprio de panfleto **3** *Fig.* Que se vale da ironia e da sátira para criticar ou atacar algo ou alguém; de discurso crítico, irônico, satírico e mordaz **4** *Fig.* Que defende uma ideia, posição, doutrina ou movimento etc. de modo contundente e com extremada ênfase **5** Próprio de panfletário (7) *sm.* **6** Autor de panfletos; PANFLETISTA **7** Indivíduo panfletário (3 e 4) [F.: *panfleto* + *-ário*.]

panfletear (pan.fle.te.*ar*) *v.* Ver *panfletar* [▶ **13** panfletear]

panfleteiro (pan.fle.*tei*.ro) *Pop. a.* **1** Ref. a panfletarismo (política panfleteira) **2** Que distribui panfletos **3** Que costuma fazer propaganda ger. exagerada sobre alguém ou algo *sm.* **4** *Pop.* Indivíduo que distribui panfletos **5** *Pop.* Indivíduo que faz propaganda ger. exagerada sobre alguém ou algo [F.: *panflet(o)* + *-eiro*.]

panfletista (pan.fle.*tis*.ta) *a2g.* **1** O mesmo que *panfletário* (1) *s2g.* **2** O mesmo que *panfletário* (6) [F.: *panfleto* + *-ista*.]

panfleto (pan.*fle*.to) [ê] *sm.* **1** Pequeno texto polêmico, às vezes satírico, de caráter sensacionalista e combativo, ger. sobre temas políticos **2** Folheto ou folha avulsa **3** Folha avulsa de propaganda para distribuição ao público [F.: Do fr. *pamphlet*, do ing. *pamphlet*. Hom./Par.: panfleto (sm.), *panfleto* (fl. de *panfletar*).]

panga-panga (pan.ga-*pan*.ga) *sf. Bot.* Árvore (*Millettia stuhlmannii*), da fam. das fabáceas, nativa da África, de madeira castanho-escura e preto-arroxeada, com finos veios acastanhados, muito us. em marcenaria e na decoração de interiores; JAMBIRE [Pl.: *panga-pangas*.]

pangaré (pan.ga.*ré*) *sm.* **1** *Bras.* Cavalo manhoso, ordinário, de pouco valor *s2g.* **2** Equídeo magro e/ou de pequeno porte *a2g.* 3 *Bras. RS* Diz-se de ou equídeo cujo pelo é de tom amarelado em algumas partes do corpo [F.: De or. incerta.]

pangeia (pan.*gei*.a) *sf. Geol.* Grande massa continental que unia todas as regiões terrestres do planeta e que, segundo alguns teóricos, foi se subdividindo com o passar das eras geológicas até a formação dos continentes atuais [F.: *pan-* + *-geia.*]

pangermânico (pan.ger.*mâ*.ni.co) *a. Pol.* Ref. ao ou próprio do pangermanismo [F.: *pan-* + *germânico.*]

pangermanismo (pan.ger.ma.*nis*.mo) *sm. Pol.* Sistema político que visa à congregação dos povos germânicos em um Estado único [F.: *pan-* + *germanismo.*]

pangermanista (pan.ger.ma.*nis*.ta) *Pol. a2g.* 1 Ref. ao ou próprio do pangermanismo 2 Que é partidário ou simpatizante do pangermanismo *s2g.* 3 *Pol.* Indivíduo partidário ou simpatizante do pangermanismo [F.: *pan-* + *germanista.*]

panglossiano (pan.glos.si.*a*.no) *a.* 1 Ref. ao doutor Pangloss, personagem do romance *Cândido*, de Voltaire (1694-1778), caracterizado por sua grande disposição para ver as coisas pelo lado mais favorável, mesmo nas mais severas adversidades 2 *P. ext.* Que é otimista, que possui atitude esperançosa, confiante *sm.* 3 *P. ext.* Indivíduo esperançoso, otimista: "(...) nem o mais panglossiano dos governistas acha que o Brasil vá crescer mais do que 4% no ano que vem." (*Folha de S.Paulo*, 06.11.1999) [F.: Do ficcíon. *Pangloss* + *-iano.*]

pango (*pan*.go) *sm.* 1 *Bot.* Ver *cânhamo* (*Cannabis sativa*) 2 *P. ext.* A mistura das folhas e inflorescências dessecadas e trituradas, consumidas como droga alucinógena; MACONHA [F.: Do quimb. *pango* 'cânhamo'.]

panhame (pa.*nha*.me) *s2g.* 1 Indivíduo pertencente a um povo indígena extinto, que habitava o N. E. do estado de Minas Gerais *sm.* 2 *Gloss.* Língua da família linguística maxacali, que teria sido falada por esse povo *a2g.* 3 Do ou ref. ao panhame (1 e 2) [F.: De or. obsc.]

pan-helênico (pan-he.*lê*.ni.co) *a. Pol.* Ref. ao pan-helenismo; PAN-HELENISTA [Pl.: *pan-helênicos.*] [F.: *pan-* + *helênico.*]

pan-helenismo (pan-he.le.*nis*.mo) *sm. Pol.* Política que defende a união de todos os gregos num só Estado [Pl.: *pan-helenismos.*] [F.: *pan-* + *helenismo.*]

pan-helenista (pan-he.le.*nis*.ta) *Pol. a2g.* 1 Ref. a ou próprio do pan-helenismo 2 Que é partidário do pan-helenismo [Pl.: *pan-helenistas.*] *s2g.* 3 *Pol.* Indivíduo que é partidário do pan-helenismo [Pl.: *pan-helenistas.*]

◎ **pan(i)-.** *el. comp.* = pão: *panificadora* [F.: Do lat. *panis, is.*]

pânico (*pâ*.ni.co) *a.* 1 Que provoca medo, terror, e foge ao controle da racionalidade (medo pânico) *sm.* 2 Pavor intenso e repentino, às vezes sem motivo aparente, que provoca reações de desequilíbrio emocional [F.: Do gr. *Panikós, é, ón*, 'ref. ao deus Pã'.]

panícula (pa.*ní*.cu.la) *sf. Bot.* Tipo de inflorescência em que os pedúnculos das flores, partindo de um eixo comum, são ramificados, e vão diminuindo de comprimento, à medida que se aproximam do vértice e assumem uma forma cônica ou piramidal [F.: Do lat. *panicula, ae.*]

panicular (pa.ni.cu.*lar*) *a. Bot.* Que tem forma de panícula [F.: *panícula* + *-ar.*]

panículo (pa.*ní*.cu.lo) *sm. Anat.* Camada delgada de um tecido [F.: Do lat. *panniculus, i.*] ■ **~ adiposo** *Anat.* Camada subcutânea de tecido adiposo

panífero (pa.*ní*.fe.ro) *a.* Que é produtor de cereais [F.: *pan(i)-* + *-fero.*]

panificação (pa.ni.fi.ca.*ção*) *sf.* 1 *Bras* Estabelecimento comercial onde se fabricam e/ou vendem pães, bolos, biscoitos, tortas etc. 2 Fabrico de pães [Pl.: *-ções.*] [F.: *panificar* + *-ção.*]

panificador (pa.ni.fi.ca.*dor*) [ô] *a.* 1 Que produz pão (estabelecimento panificador; comerciante panificador) *sm.* 2 Fabricante de pão [F.: *panifica(r)* + *dor.*]

panificadora (pa.ni.fi.ca.*do*.ra) [ô] *sf.* 1 Lugar onde se fabricam pães; PADARIA 2 Fábrica de pães [F.: Fem. substv. de *panificador.*]

panificar (pa.ni.fi.*car*) *v. td.* Transformar (farinha) em pão [▶ 11 panificar] [F.: *pani-* + *-ficar.* Hom. Par.: *panificáveis* (a2g); *panificáveis* (fl.).]

panificável (pa.ni.fi.*cá*.vel) *a2g.* Diz-se de ingrediente utilizado no fabrico de pão (farinha de trigo panificável) [Pl.: *-veis.*] [F.: *panifica(r)* + *-vel.* Hom./Par.: *panificáveis* (a2g. pl.), *panificáveis* (fl. de *panificar*).]

panifício (pa.ni.*fí*.ci:o) *sm.* Ofício ou indústria de panificação [F.: Do lat. *panificium, i.*]

pan-islâmico (pan-is.*lâ*.mi.co) *a.* Ref. ao pan-islamismo; PAN-ISLAMISTA [Pl.: *pan-islâmicos.*]

pan-islamismo (pan-is.la.*mis*.mo) *sm. Pol.* Ideologia e política de união entre todos os países islâmicos [Pl.: *pan-islamismos.*]

pan-islamista (pan-is.la.*mis*.ta) *Pol. Rel. a2g.* 1 Ref. ao pan-islamismo 2 Que é partidário do pan-islamismo [Pl.: *pan-islamistas.*] *s2g.* 3 *Pol. Rel.* Indivíduo que é partidário do pan-islamismo [Pl.: *pan-islamistas.*]

pankararu (pan.ka.ra.*ru*) *s2g.* 1 *Etnol.* Indivíduo pertencente ao grupo indígena dos pankararus, que habita áreas próximas do médio São Francisco, entre os municípios de Tacaratu e Petrolândia (PE) e Bom Jesus da Lapa (BA) *sm.* 2 *Gloss.* Língua indígena outrora falada pelos pankararus *a2g.* 3 *Etnol.* Ref. a ou próprio dos pankararus (cultura pankararu; artesanato pankararu) [F.: De or. obsc.]

pan-mixia (pan-mi.*xi*.a) [cs] *sf. Biol.* Acasalamento aleatório entre os indivíduos de uma população, resultando na ocorrência de uma certa uniformidade genotípica [Pl.: *pan-mixias.*] [F.: *pan-* + *-mixia.*]

pano (*pa*.no) *sm.* 1 Qualquer tipo de tecido: *Comprou pano para fazer uma toalha de mesa.* 2 Cada uma das partes do tecido que, juntas, compõem uma peça completa (p. ex.: de vestuário): *Colcha feita de retalhos de pano.* 3 Tecido de flanela ou algodão us. para limpeza doméstica (pano de chão, pano de prato) 4 Cada uma das peças de tecido, ou outro material, que, colocadas lado a lado no sentido longitudinal, formam uma peça completa: *Cortinado de dois panos.* 5 A parte lateral; o lado de: *O pano da amurada.* 6 *Náut.* Vela de embarcação: *O vento enfunava o pano.* 7 *Pop. Med.* Mancha(s) no rosto ou no corpo: *Coitada, está com o corpo cheio de panos!* 8 *Med.* Vascularização irregular da córnea que a deixa parcial ou totalmente encoberta por uma espécie de finíssimo véu 9 *Teat.* Pano de boca; CORTINA: *Depois dessa cena, cai o pano.* 10 *Lus.* Guardanapo [F.: Do lat. *pannus, i.*] ■ **Abrir os ~s** *S. Pop.* Fugir, dar o fora **A todo o ~** 1 *Marinh.* Com as velas todas abertas ao vento 2 *Fig.* A toda velocidade 3 *Fig.* Com muita disposição, força e vigor **Dar ~s para mangas** Propiciar comentários, dar o que falar: *A demissão do gerente foi estranha, ainda vai dar panos para manga.* **~ cru** Tecido de algodão que não recebeu tintura **~ de amostra** Aquilo que é representativo de algo, de um desempenho, de uma qualidade etc.: *Esta redação é um pano de amostra do talento dele para escrever.* **~ de boca** *Teat.* Tela ou cortina que separa a plateia do interior do palco, escondendo-o dela antes do início do espetáculo [Tb. apenas *pano.*] **~ de chaminé** Parte interior da chaminé **~ de chão** Pano us. para enxugar ou limpar o chão **~ de ferro** *Teat.* Proteção de amianto no pano de boca para isolar o palco da plateia em caso de incêndio **~ de fundo** 1 *Teat.* Cortina no fundo do palco, que o delimita e isola dos espaços atrás dele; ROTUNDA> 2 *Teat.* Tela ou cortina que compõe, no fundo do palco, o ambiente criado pela cenografia 3 *P. ext.* Qualquer paisagem, ou ambiente, ou sua representação, que serve de fundo a uma cena, uma fotografia, uma tomada cinematográfica etc. 4 *Fig.* Conjunto de acontecimentos, situações etc. que formam o contexto de uma ação, um processo físico ou mental, um acontecimento etc. **~ de prato** Pano us. para enxugar louça, copos etc. **~ lento** *Teat.* Cortina lenta, ou seja, que se abre ou fecha lentamente respectivamente no início ou no fim de uma cena, de um ato etc. **~ rápido** 1 *Teat.* Cortina rápida, ou seja, que se abre ou fecha rapidamente respectivamente no início ou no fim de uma cena, de um ato etc. 2 Termo que designa o encerramento abrupto de uma narrativa, uma cena descrita, sem comentários ou palavras de conclusão **~ sagrado** *Litu* No catolicismo, o pano de linho que durante a missa se estende no altar e sobre o qual se põem o cálice e a hóstia **~s mornos** *Bras.* Ver *Panos quentes* **~s quentes** *Bras.* Medidas ou explicações que tentam atenuar um problema ou situação complicada sem na realidade resolvê-los **~ verde** Mesa de jogo **Por baixo do ~** Secretamente, dissimuladamente (ger. por ser ilegal, ou aético) **Ter ~ para mangas** Dispor de todos os elementos necessários para fazer algo

panô (pa.*nô*) *sm. Decor.* Espécie de painel decorativo, com ou sem moldura, feito ger. com um retângulo de tecido liso, ornamentado com pinturas e aplicações [F.: Do fr. *panneau.*]

pan-oftalmite (pan-of.tal.*mi*.te) *sf. Oft.* Inflamação de todos os tecidos do globo ocular [Pl.: *pan-oftalmites.*] [F.: *pan-* + *oftalmite.*]

panóplia (pa.*nó*.pli:a) *sf.* 1 *Hist. Mil. Vest.* Armadura completa acrescida do escudo de hoplita, na Grécia antiga 2 *Hist. Mil. Vest.* Na Idade Média, armadura completa de cavaleiro 3 *P. ext.* Tratado sobre armas antigas 4 Espécie de painel, us. para dispor diferentes armas, e que serve de ornato na parede: "Tudo, como panóplia sempre cheia / Das espadas dos aços rutilantes (...)" (Cruz e Sousa, "Crianças negras" in *O livro derradeiro*) 5 *P. ext.* Conjunto de armas 6 *P. ext. Fig.* Casa onde se armazenam armas 7 *Decor.* Coleção de objetos, troféus, medalhas, insígnias militares etc., expostos de modo decorativo 8 *P. ext. Fig.* Conjunto de coisas da mesma espécie: "(...) uma panóplia completa e variada de roupa de couro (...)." (*Folha de S.Paulo*, 26.02.1995) 9 Conjunto de elementos reais ou abstratos, us. para a mesma finalidade: "Vasco, na sua panóplia amorosa, tinha coroas de baronesas e condessas." (Camilo Castelo Branco, *O filho natural*) [F.: Do gr. *panoplía, as*, 'armadura completa'.]

pan-óptico (pan-*óp*.ti.co) *sm.* 1 Modelo de um sistema de prisão, criado pelo filósofo utilitarista inglês Jeremy Bentham (1748-1832), com disposição circular de celas individuais em volta de uma torre de vigilância central, cujo topo era ocupado por guardas que tinham uma visão geral de todas as partes do edifício, além de ficarem totalmente ocultos para os prisioneiros [Pl.: *pan-ópticos.*] *a.* 2 Ref. a ou próprio desse sistema de prisão 3 Que possibilita uma visão ampla, capaz de abarcar todos os elementos [Pl.: *pan-ópticos.*] [F.: *pan-* + *óptico.*]

panorama (pa.no.*ra*.ma) *sm.* 1 Paisagem circular vista de um ponto central ou mais alto: *Do Pão de Açúcar, temos um lindo panorama da cidade;* "Escusado dizer que não era o rico panorama do arrabalde o que atraía o moço àquelas horas." (Aluísio Azevedo, *Girândola de amores*) 2 Grande quadro circular disposto de tal modo que permite a um espectador, colocado em seu centro, ver objetos representados como se estivesse situado em um ponto elevado 3 Estudo amplo e aprofundado de certa matéria 4 *Fig.* Visão de um assunto em toda a sua amplitude 5 O mesmo que *panorâmica* (1): *Um panorama da obra de Portinari.* [F.: Do ingl. *panorama*; ver *pan-* e *-orama.*]

panorâmica (pa.no.*râ*.mi.ca) *sf.* 1 Grande ou ampla exposição; PANORAMA 2 *Cin. Telv.* Movimento lateral ou circular feito pela câmara 3 *Cin. Telv.* O plano filmado nesse movimento 4 Estudo completo ou abrangente de determinado assunto: *O documentário faz uma panorâmica da Guerra Fria.* 5 *Teat.* Grande tela semelhante ao ciclorama, com cenografia pintada ou em relevo [F.: Fem. substv. de *panorâmico.*]

panorâmico (pa.no.*râ*.mi.co) *a.* 1 Ref. a ou típico de panorama: *Visão panorâmica da praia.* 2 Que proporciona uma visão ampla (varanda panorâmica) [F.: *panorama* + *-ico*[2].]

pan-osteíte (pan-os.te.*í*.te) *sf.* 1 *Anat. Pat.* Inflamação generalizada do tecido ósseo 2 *Vet.* Doença que ocorre durante o rápido crescimento de cães de grande porte, caracterizada pela degenerescência do tecido que reveste a cavidade medular do osso, seguida de uma nova decomposição óssea, congestão venosa e, nos casos mais graves, podendo até destruir o tecido ósseo formado anteriormente [Pl.: *pan-osteítes.*] [F.: *pan-* + *osteíte.*]

panqueca (pan.*que*.ca) *sf.* 1 *Cul.* Massa leve de farinha de trigo, leite e ovos, assada em chapa ou frigideira, servida com recheio doce ou salgado, e enrolada (panqueca de espinafre) 2 *PE Fig.* Período de tempo em que não se faz nada; LAZER; ÓCIO [F.: Do ing. *pancake.*]

pansemiótica (pan.se.mi.*ó*.ti.ca) *sf. Ling.* Corrente segundo a qual a semiótica engloba todas as disciplinas, considerando que tudo é, de alguma forma, um signo [F.: *pan-* + *semiótica.*]

pansemiótico (pan.se.mi.*ó*.ti.co) *a. Ling.* Ref. à pansemiótica [F.: *pan-* + *semiótico.*]

pansexual (pan.se.xu.*al*) [cs] *a2g.* 1 Ref. a todas as formas de se fazer sexo [Pl.: *-ais.*] *s2g.* 2 Pessoa que sente grande atração por alguém ou mantém relações sexuais com indivíduos de todos os sexos [Pl.: *-ais.*] [F.: *pan-* + *sexual.*]

pansexualismo (pan.se.xu:a.*lis*.mo) [cs] *sm. Psic.* Doutrina segundo a qual toda a atividade psíquica emana do instinto sexual [F.: *pan-* + *sexualismo.*]

pansofia (pan.so.*fi*.a) *sf.* Ciência do saber humano; sabedoria universal [F.: *pan-* + *-sofia.*]

pansófico (pan.*só*.fi.co) *a.* Relativo a pansofia [F.: *pansofia* + *-ico*[2].]

pantagruélico (pan.ta.gru.*é*.li.co) *a.* 1 Que come em excesso, como Pantagruel, famoso personagem do escritor francês Rabelais; COMILÃO; GLUTÃO 2 Digno ou típico desse personagem, ou que o lembra (apetite pantagruélico) 3 Em que há muita comida, em que há fartura (banquete pantagruélico) [F.: Do fr. *pantagruèlique.*]

pantagruelismo (pan.ta.gru:e.*lis*.mo) *sm.* 1 Modo de pensar materialista que coloca o prazer, esp. o de comer, acima de tudo 2 Comportamento daquele que se preocupa primordialmente com o comer e o beber [F.: Do fr. *pantagruelisme*, do ficcíon. *Pantagruel.*]

pantagruelista (pan.ta.gru:e.*lis*.ta) *Fil. a2g.* 1 Ref. a pantagruelismo 2 Que se mostra adepto ou simpatizante do pantagruelismo *s2g.* 3 *Fil.* Indivíduo que é adepto ou simpatizante do pantagruelismo [F.: Do antr. *Pantagruel* (personagem comilão de *Horríveis e espantosos feitos e proezas do mui célebre Pantagruel*, romance do escritor francês François Rabelais (1494-1553)+ *-ista.*]

pantalha (pan.*ta*.lha) *sf.* 1 Peça que fica em volta do abajur, velas, candeeiros etc. para proteger os olhos do foco luminoso 2 *Lus.* Tela de projeção e de televisão [F.: Do espn. *pantalla.*]

pantalonas (pan.ta.*lo*.nas) *sfpl.* Calças compridas e largas, com bocas que vão se alargando até os pés [F.: Do it. *pantalone*, do ficcíon. it. *Pantalon*, da *commedia dell'arte.*]

pantana[1] (pan.*ta*.na) *sf. Lus. Pop.* Atascadeiro, lamaçal, lodaçal, pântano [Empr. tb. no pl.] [F.: Posv. alter. de *pântano.*] ■ **Dar (com algo) em ~(s)** *Lus. Fig.* Perder, dissipar (algo): *Achavam que logo daria com a herança em pantana.* **Dar em ~(s)** *Lus. Fig.* Falhar, fracassar; arruinar-se **Em pantana(s)** Em dificuldade

pantana[2] (pan.*ta*.na) *sf. Bras. Cap.* Golpe de capoeira que consiste em pôr as mãos no chão e dar uma cambalhota com os pés no peito do adversário para derrubá-lo [F.: De or. obsc.]

pantanal (pan.ta.*nal*) *sm.* 1 Pântano muito extenso 2 *Geog.* Zona geofísica de parte do MS, MT e Paraguai, um dos mais importantes ecossistemas do Brasil, com planície inundável considerada a maior do mundo, com área que atinge cerca de 120 mil km^2 [Com inic. maiúsc.] [Pl.: *-nais.*] [F.: *pântano* + *-al.*]

pantaneiro (pan.ta.*nei*.ro) *sm.* 1 Indivíduo que nasceu ou vive no Pantanal 2 *MS MT* Aquele que cria gado; FAZENDEIRO *a.* 3 Do pantanal mato-grossense; típico dessa região ou de seu povo 4 Relativo a pântano (animal pantaneiro) [F.: *pântano* + *-eiro.*]

pântano (*pân*.ta.no) *sm.* 1 Região baixa inundada por um rio ou pelo mar: *Jacarés vivem em pântanos.* 2 Terra alagada [F.: Do it. *pantano.* Sin. ger.: *paul, palude.*]

pantanoso (pan.ta.*no*.so) [ô] *a.* 1 Que é coberto de pântanos 2 Que pode ser alagado facilmente; ALAGADIÇO; BREJENTO; PALUDOSO; PALUSTRE [Pl.: [ó]. Fem.: [ó].] [F.: *pântano* + *-oso.*]

panteão (pan.te.*ão*) *sm.* 1 Na Grécia e na Roma antigas, templo consagrado a todos os deuses 2 *Rel.* Templo que reúne o conjunto dos deuses de uma religião (panteão árabe) 3 *Arq.* Monumento que guarda os restos mortais de heróis ou pessoas ilustres de um país: *O Panteão dos soldados mortos na Segunda Guerra Mundial.* [Nesta acp. ger. com inic. maiúsc.] 4 *Fig.* Conjunto de figuras notáveis, célebres, que permanecem na lembrança de um povo: *O panteão dos poetas românticos.* [Pl.: *-ões.*] [F.: Do gr. *pántheion, ou.* Tb. *panteon.*]

panteísmo (pan.te.*ís*.mo) *sm. Fil.* Doutrina filosófica que identifica Deus com tudo o que existe, formando uma realidade integrada [F.: Do fr. *panthéisme.*]

panteísta (pan.te.*ís*.ta) *a2g.* 1 Relativo a panteísmo *a2g.* 2 Que é adepto do panteísmo (pensador panteísta) *s2g.* 3 Indivíduo seguidor do panteísmo [F.: Do fr. *panthéiste.*]

panteon (pan.te.*on*) *sm.* Ver *panteão*

pantera (pan.*te*.ra) *sf.* 1 *Zool.* Denominação comum aos felídeos do gên. *Panthera*, como a onça-pintada, o tigre, o leopardo e o leão, e que diferem dos gatos pequenos, do gên. *Felis*, por serem muito grandes e por rugirem 2 *Bras. Pop.* Mulher muito bonita e atraente, esp. as muito sensuais; TIGRESA 3 *Fig.* Pessoa muito agressiva e/ou muito cruel [F.: Do lat. *panthera, ae.*]

pantim[1] (pan.*tim*) *sm. Bras.* Notícia assustadora, alarmante; boato [Pl.: *-tins.*] [F.: De or. obsc.] ∎ **Fazer ~** *Bras.* Espalhar notícias alarmantes; repassar boato

pantim[2] (pan.*tim*) *sm. Índia* Lamparina de bronze ou de barro [Pl.: *-tins.*] [F.: Do concani *Pan' ti.*]

pantiteísmo (pan.ti.te.*ís*.mo) *sm. Fil. Rel.* Doutrina que reconhece a presença de Deus em todos os lugares e em tudo [Cf. *panenteísmo* e *panteísmo.*] [F.: *pant(o)-* + *te(o)-* + *ismo*, seg. o mod. analógico.]

pantiteísta (pan.ti.te.*ís*.ta) *Fil. Rel. a2g.* 1 Ref. a ou próprio de pantiteísmo 2 Que segue o pantiteísmo *s2g.* 3 *Fil. Rel.* Indivíduo que segue os princípios do pantiteísmo [F.: *pantiteís(mo)* + *-ista.*]

◎ **pant(o)-** *el. comp.* Ver *pan-.* [F.: Do gr. *pantós*, genitivo de *pâs, pâsa, pân.*]

pantodontídeo (pan.to.don.*tí*.de:o) *sm.* 1 *Zool.* Espécime dos pantodontídeos, fam. de peixes da ordem dos osteoglossiformes, com uma espécie, encontrada em rios do do Oeste da África tropical; PEIXE-BORBOLETA *a.* 2 *Zool.* Ref. ou pertencente aos pantodontídeos [F.: Adaptação do lat. cient. *Pantodontidae.*]

pantofagia (pan.to.fa.*gi*.a) *sf.* Qualidade ou característica de pantófago; hábito de comer de tudo sem discriminação [F.: Do gr. *pantophagía, as*; ver *pant(o)-* e *-fagia.*]

pantofágico (pan.to.*fá*.gi.co) *a.* Que diz respeito à pantofagia [F.: *pantofagia* + *-ico*[2].]

pantófago (pan.*tó*.fa.go) *a.* 1 Diz-se de indivíduo que come de tudo, sem discriminação *sm.* 2 Aquele que come de tudo [F.: gr. *pantophágos, os, on*; ver *pant(o)-* e *-fago.*]

pantofobia (pan.to.fo.*bi*.a) *sf. Psiq.* Medo infundado de tudo, de qualquer coisa; PANOFOBIA; PANFOBIA [F.: *pant(o)-* + *-fobia.*]

pantofóbico (pan.to.*fó*.bi.co) *Psiq. a.* 1 Ref. a pantofobia (medo pantofóbico) 2 Que sofre de pantofobia (indivíduo pantofóbico); PANTÓFOBO *sm.* 3 Indivíduo que sofre desse mal; PANTÓFOBO [F.: *pantofobia* + *-ico*[2].]

pantófobo (pan.*tó*.fo.bo) *Psiq. a. sm.* O mesmo que pantofóbico (2 e 3) [F.: Do gr. *pantophóbos, os, on.*]

pantografia (pan.to.gra.*fi*.a) *sf.* Tipo de trabalho gráfico, desenho etc., feito com pantógrafo; a arte de fazê-lo [F.: *panto-* + *-grafia.*]

pantográfico (pan.to.*grá*.fi.co) *a.* 1 Ref. a pantografia 2 Que é executado pelo pantógrafo (esboço pantográfico) 3 Diz-se daquilo em que há grades, placas ou varetas metálicas que se abrem e se fecham como um pantógrafo (porta pantográfica) [F.: *pantógrafo* + *-ico*[2].]

pantógrafo (pan.*tó*.gra.fo) *sm.* Instrumento constituído por um paralelogramo articulado e que se destina a copiar desenhos ou figuras em maior ou menor escala [F.: *pant(o)-* + *-grafo.*]

pantômetro (pan.*tô*.me.tro) *sm.* Instrumento que se emprega para medir ângulos e traçar perpendiculares [F.: *pant(o)-* + *-metro.*]

pantomima (pan.to.*mi*.ma) *sf.* 1 *Teat.* Espetáculo teatral sem palavas, apenas com mímica 2 Ação ou resultado de se exprimir por gestos; MÍMICA 3 *Fig. Pop.* Embuste, logro, mentira [F.: Do lat. *pantomimus, i*, 'ator de pantomimas'. Tb. (*Pop.*) *pantomina.*]

pantomimar (pan.to.mi.*mar*) *v.* 1 Fazer pantomimas [*int.*] 2 *Fig.* Lograr, enganar (alguém) [*td.*] [F.: *pantomima* + *-ar*[2]. Hom./Par.: *pantomima(s)* (fl.), *pantomima(s)* (sf. [pl.]).]

pantomimeiro (pan.to.mi.*mei*.ro) *sm.* Indivíduo que faz pantomima(s); MÍMICO [F.: *pantomima* + *-eiro.*]

pantomímica (pan.to.*mí*.mi.ca) *a.* 1 Ref., inerente a ou próprio de pantomima (talento pantomímico) 2 Diz-se do que apresenta pantomima (espetáculo pantomímico) [F.: *pantomima* + *-ico.*]

pantomímico (pan.to.*mí*.mi.co) *a.* Ref. a ou próprio da pantomima [F.: *pantomim(a)* + *-ico*[2].]

pantomimo (pan.to.*mi*.mo) *sm. P. us. Teat.* Ator que representa pantomima; MÍMICO [F.: Do lat. *pantomima, ae.* Hom./Par.: *pantomimo* (sm.), *pantomimo* (fl. de *pantomimar*).]

pantomina (pan.to.*mi*.na) *sf.* Ver *pantomima*

pantóptero (pan.*tóp*.te.ro) *a. Zool.* Diz-se do peixe que possui todas as barbatanas, com exceção das ventrais [F.: *pant(o)-* + *-ptero.*]

pantotênico (pan.to.*tê*.ni.co) *a.* 1 *Bioq.* Diz-se de ácido ($C_9H_{17}O_5N$), que pertence ao grupo das vitaminas do complexo B *sm.* 2 *Bioq.* Ácido ($C_9H_{17}O_5N$) pertencente ao grupo das vitaminas do complexo B [F.: Do gr. *pántothen*, 'de todas as partes', + *-ico*[2].]

pantufa (pan.*tu*.fa) *sf.* 1 Tipo de chinelo ou sapato acolchoado e macio, us. ger. em casa para aquecer os pés 2 *Fig.* Mulher mal trajada ou com roupa muito larga 3 *Fig.* Mulher muito gorda; PANDORGA [F.: Do fr. *pantoufle.*]

panturrilha (pan.tur.*ri*.lha) *sf.* 1 *Anat.* Massa muscular situada na parte posterior da perna, formada esp. pelos músculos gastrocnêmio e sóleo; BARRIGA DA PERNA 2 *P. ext.* Enchimento us. sob as meias, para dar melhor aspecto às pernas [F.: Do espn. *pantorilla.*]

pão *sm.* 1 *Cul.* Alimento constituído por farinha (de trigo, milho, soja etc.), mais água e fermento, e que, cozido no fogo, é fabricado em tamanhos e formatos variados, podendo ser doce ou salgado (pão doce; pão árabe; pão de milho) 2 *P. ext.* A massa crua desse pão 3 *P. ext.* Massa ou alimento que lembre o pão (pão de queijo; pão de carne) 4 *Fig.* Alimento (físico, moral ou espiritual); aquilo de que se precisa para recobrar as forças, ganhar ânimo 5 *Fig.* Meio de sustento, de sobrevivência: *Esse trabalho é o pão de minha família.* 6 O alimento que é essencial para alguém ou um grupo de pessoas: *O feijão é o pão dessa família.* 7 *Litu.* A hóstia 8 *Gír.* Homem ou mulher de grande beleza [NOTA: Mais us. no masc.] [Pl.: *pães.*] [F.: Do lat. *panis, is.*] ∎ **~ amanhecido** Ver *Pão dormido* **~ árabe** Pão sem fermento, feito de duas finas lâminas redondas e superpostas de massa, presas pelas bordas; pão sírio **~ ázimo** 1 Pão feito sem fermento 2 Pão achatado e sem fermento, crocante, em forma de bolacha, que os judeus comem durante a Páscoa judaica **~ branco** Denominação do pão de trigo (para diferençar do de milho, de centeio etc.) **~ da alma** *Litu.* Momento da eucaristia na missa católica, com a celebração da hóstia **~ de açúcar** *N. E.* Açúcar branco na forma de um tronco de cone, depositado em forma [ô] cônica nos engenhos **~ de ajunta** Pão de milho e trigo misturados **~ de forma** [ô] Pão de massa leve, ligeiramente salgado ou adocicado, no formato de um paralelepípedo, que se come em fatias, ger. em sanduíche **~ de mel** Doce feito de farinha de trigo, mel e especiarias **~ de munição** Pão de farinha não refinada, us. como ração de soldados **~ de queijo** *Bras. Cul.* Espécie de bolinho salgado, feito uma massa de polvilho de mandioca, queijo, ovos, leite e manteiga, enrolado na forma de pequenas bolas e assado no forno **~ de saluga/saruga** Aquele que não tem mistura. [Foi criado em Minas Gerais.] **~ de véspera** Ver *Pão dormido* **~ do espírito** *Fig.* Educação, instrução **~ dormido** Pão feito no dia anterior, próprio como ingrediente de certos produtos culinários; pão amanhecido; pão de véspera **~ dos anjos** *Litu.* Ver *Pão da alma* **~ francês** *Bras.* Pão feito de farinha de trigo, fermento e sal, oblongo, de tamanho variado, no qual se talha a parte superior antes de ir ao forno **~ integral** Pão cuja massa leva farinha integral e semolina **~, ~, queijo, queijo** *Fam.* Com toda a franqueza, sem subterfúgios ou rodeios: *Diga lá sua opinião, pão, pão, queijo, queijo.* **~ preto** *Bras.* Pão feito com farinha de centeio, de coloração escura **~ saloio** *Lus.* Pão feito de farinha de uma espécie de trigo branco e muito duro, da região saloia (Portugal) **~ sírio** Ver *Pão árabe* **~ vara** *BA* Certo pão comprido e fino **A ~ e água** Mal alimentado(s), em regime alimentar precário **A ~ e laranja** Em más condições de vida, quase na miséria: *Viveram a pão e laranja até ele conseguir um emprego.* **Bom como ~** Muito bom, em sua simplicidade **Comer o ~ que o Diabo amassou** Passar por dificuldades, privações **Comer ~ com banha** *Bras. Tabu.* Ter relações sexuais com mulher que acabou de tê-las com outro homem **Fazer ~ grande** *Bras. Pop.* Viver sem trabalhar, na ociosidade **O ~ nosso de cada dia** *Fig.* O que constitui hábito ou costume cotidiano: *Essa caminhada de 5 km é o pão nosso de cada dia.* **Rente como ~ quente** *Bras. Fam.* Com pontualidade, precisão e assiduidade **Tirar o ~ da boca de** 1 Fazer passar privações 2 *Fig.* Impedir que (alguém) realize o que estava prestes a realizar

pão-bengala (pão-ben.*ga*.la) *sm.* Tipo de bisnaga comprida e fina [Pl.: *pães-bengalas* e *pães-bengala.*]

pão-careca (pão-ca.*re*.ca) *sm. Bras.* Pão francês pequeno e leve, de casca fina e lisa [Pl.: *pães-carecas* e *pães-careca.*]

pão de ló (pão de *ló*) *sm. Cul.* Bolo de massa bem leve, feito de farinha, ovos, açúcar e água [Pl.: *pães de ló.*]

pão-durismo (pão-du.*ris*.mo) *sm. Bras. Pop.* Qualidade de quem é pão-duro, sovina, miserável; AVAREZA; MESQUINHEZ [Pl.: *pão-durismos.*]

pão-duro (pão-*du*.ro) *a2g.* 1 *Bras. Pop.* Que é excessivamente comedido nos gastos; AVARENTO: *Era um marido egoísta e pão-duro.* *s2g.* 2 Esse tipo de pessoa: *O pão-duro nem metia a mão no bolso.* *sm.* 3 Espátula de borracha para raspar alimentos, esp. massas líquidas ou pastosas, do fundo de um recipiente [Pl.: *pães-duros.*]

pão-petrópolis (pão-pe.*tró*.po.lis) *sm. Bras.* Pão de forma ligeiramente adocicado, muito us. para torradas, fabricado originariamente em Petrópolis (RJ) [Pl.: *pães-petrópolis.*]

papa[1] (*pa*.pa) *sm.* 1 *Rel.* Chefe da Igreja Católica; SUMO PONTÍFICE 2 *P. ext.* O líder supremo de qualquer igreja ou movimento religioso 3 *Fig.* Profissional que se notabiliza por ser excelente naquilo que faz: *Era um dos papas da bossa-nova.* [F.: Do lat. *papa (papas)* ou *pappa (pappas), ae*, do gr *páppas, ou.*] ∎ **O ~ Negro** Us. para designar a ordem do chefe da ordem dos jesuítas

papa[2] (*pa*.pa) *sf.* 1 Alimento pastoso (papa de milho) 2 *Pop.* Qualquer alimento 3 Substância que amolece durante cozimento: *O arroz cozinhou demais e virou uma papa.* 4 *Fig.* Aquilo que se transforma em massa pastosa: *Havia uma papa de areia no calção do menino.* 5 *Fig.* Conversa que visa persuadir alguém de alguma coisa; LÁBIA 6 *Lus.* Lã felpuda, ger. us. para fazer cobertores [F.: Do lat. *papa* ou *papa, ae.*] ∎ **~ de hemácias** *Med.* Concentrado de hemácias preparado para uso terapêutico, que consiste em aumentar seu número sem aumentar o volume de sangue **~ de milho** *Bras. MG RJ C. O.* Papa cremosa feita à base de milho-verde **Não ter ~s na língua** Dizer o que pensa, sem escolher palavras

papá (pa.*pá*) *sm. Infan.* Comida, alimento, esp. us. em relação a crianças pequenas: *O neném vai comer seu papá.* [F.: De *papar.*]

papa-capim (pa.pa-ca.*pim*) *Bras. Ornit. sm.* 1 Ave passeriforme da fam. dos emberizídeos (*Sporophila nigricollis*); tb. *coleiro-baiano* 2 Ave passeriforme da fam. dos emberizídeos (*Sporophila caerulescens*); tb. *coleirinho* 3 Ave passeriforme da fam. dos emberizídeos (*Sporophila falcirostris*); tb. *patativa* [Pl.: *papa-capins.*]

papa-ceia (pa.pa-*cei*.a) *sm. Bras. Pop.* O planeta Vênus [Pl.: *papa-ceias.*]

papada (pa.*pa*.da) *sf.* Excesso de gordura que se acumula na parte inferior do rosto e no pescoço [F.: *papo* + *-ada*[1].]

papa-defunto (pa.pa-de.*fun*.to) *sm.* 1 *Bras.* Pessoa que trabalha em casa funerária; AGENTE FUNERÁRIO 2 *Zool.* O mesmo que *tatupeba* (*Euphractus sexcintus*) [Pl.: *papa-defuntos.*] [F.: *papar* (na 3ª pess. sing. pres. ind.) + *defunto.*]

papado (pa.*pa*.do) *sm.* 1 Dignidade ou cargo de papa 2 Tempo durante o qual o papa exerce suas funções [F.: *papa* + *-ado*[2].]

papa-figo (pa.pa-*fi*.go) *sm.* 1 Monstro inventado para assustar crianças; BICHO-PAPÃO 2 *Ornit.* Ave (*Oriolus oriolus*) da família dos oriolídeos, de plumagem amarela e preta, cerca de 23cm de comprimento, encontrada na Europa, Ásia e Africa 3 *Ornit.* Ave (*Oriolus crassirostris*) da família dos oriolídeos, de plumagem azul-escura, nativa de S. Tomé e Príncipe 4 *Náut.* Grande vela redonda do mastro de ré [Pl.: *papa-figos.*] [F.: *papar* (na 3ª pess. sing. pres. ind.) + *figo.*]

papa-fila (pa.pa-*fi*.la) *Bras. sm.* 1 Sistema de ônibus que agiliza as operações de transporte, fazendo com que diminua o tamanho das filas de passageiros 2 Ônibus de grande tamanho, com capacidade de transportar muitos passageiros *s2g.* 3 Pessoa que executa esse sistema de operação de transporte [Pl.: *papa-filas.*] [F.: *papar* (na 3ª pess. sing. pres. ind.) + *fila.*]

papa-fina (pa.pa-*fi*.na) *Pop. a2g.* 1 Que tem ótima qualidade; EXCELENTE 2 Que tem excelente sabor 3 Diz-se de pessoa presunçosa, afetada e ridícula [Pl.: *papa-finas.*] *s2g.* 4 *Pop.* Pessoa afetada, presunçosa [Pl.: *papa-finas.*]

papa-formigas (pa.pa-for.*mi*.gas) *Bras. sm2n.* 1 *Ornit.* Nome comum a diversas aves da fam. dos tamnofilídeos, que se alimentam de insetos, não de formigas, como seu nome parece indicar 2 *Ornit.* Nome comum a diversas espécies de aves passeriformes, formicariídeas, com numerosos gên. e espécies no Brasil, que apresentam a extremidade do bico em forma de gancho; CHOCA 3 *Ornit.* Ave passeriforme (*Sclerurus scansor*) encontrada no Brasil; tb. *vira-folhas* (*Sclerurus scansor*) 4 *Zool.* Mamífero desdentado que se alimenta basicamente de cupins e não de formigas como se propala

papagaiada (pa.pa.gai.*a*.da) *sf.* 1 Grupo de papagaios 2 *Bras. Pop.* Atitude ou comportamento ostentatório, exibicionista ou incoerente, e quase sempre ridículo: *Aquele discurso foi uma papagaiada; Toda essa conversa não passa de uma papagaiada.* [F.: *papagaio* + *-ada*[1].]

papagaial (pa.pa.gai.*al*) *a2g.* 1 Ref. a papagaio 2 *Fig.* Diz-se da fala que se apresenta sem consistência, atrapalhada ou incoerente, como a do papagaio [Pl.: *-ais.*] [F.: *papagai(o)* + *-al.*]

papagaiar (pa.pa.gai.*ar*) *v.* Falar demais e sem pensar no que diz [*int.*] [*td.*] [▶ 1 papagaiar] [F.: *papagaio* + *-ar*[2]. Hom./Par.: *papagaio* (fl.), *papagaio* (sm.).]

papagaíce (pa.pa.ga.*í*.ce) *sf. Pop.* Ver *papagaiada* [F.: *papagai(o)* + *-ice.*]

papagaio (pa.pa.*gai*.o) *sm.* 1 *Zool.* Nome comum às diversas ssp. de aves da fam. dos psitacídeos, esp. as do gên. *Amazona*, de plumagem ger. verde, cores variadas na cabeça, bico grosso, algumas das quais capazes de reproduzir algumas palavras 2 *Fig.* Indivíduo que costuma repetir o que ouviu ou leu, sem saber ao certo do que está falando 3 *Fig.* Indivíduo que fala demais 4 *Lud.* Brinquedo constituído de uma armação de finas varetas, sobre a qual se prende, com cola, uma folha de papel fino, e que, por meio de uma linha, e com auxílio do vento, se faz flutuar no ar preso a uma linha que o maneja; PIPA 5 *Bras. Pop.* Nota promissória 6 *Pop.* Licença provisória para dirigir automóveis 7 A parte da espora que fica presa à roseta 8 Prateleira ou pequeno cabide, à cabeceira da cama, onde se colocam ou se penduram objetos diversos 9 Divisória entre sacadas 10 Cueiro com forma triangular 11 Bilhete ou aviso manuscrito 12 *Lus.* Empregado que, numa praça de touros, se encarrega de vigiar portas por onde os touros passam 13 *Lus. Pop.* Indivíduo lerdo, mole 14 *Lus. Pop.* Indivíduo que não se pode levar a sério 15 *Lus. Pop.* Indivíduo que procura ser esperto; ESPERTINHO 16 *Náut.* Instrumento metálico que mantém na posição horizontal a cana do leme de uma embarcação 17 *Bras.* Portaria que contém instruções passadas de um chefe de serviço a seus auxiliares **18** *Bot.* O mesmo que *dracena* (*Cordilyne fruticosa*) **19** *Bras. Ict.* O mesmo que *raia-pintada* (*Aetobatus narinan*) ***a.*** **20** *SP* Diz-se de cavalo que pisa com os pés voltados para dentro; PAPAGAIADO ***interj.*** **21** *Bras. Pop.* Exprime sentimento de espanto, de assombro: *Papagaio! Mas que mulher atrevida!* [F.: De or. contrv.] **■ ~ de pirata** *Bras. Joc.* Pessoa que, para aparecer em fotografias, está sempre junto de pessoas importantes ou famosas (como fica, sempre em seu ombro, o papagaio de Long John Silver, o pirata criado por Robert Louis Stevenson em sua obra *A ilha do tesouro*)

papagaio-do-mar (pa.pa.gai.o-do-*mar*) ***sm.*** *Zool.* Nome comum de aves ciconiiformes, família dos larídeos, subgrupo dos alcídeos, gên. *Fratercula*

papagaio-verdadeiro (pa.pa.gai.o-ver.da.*dei*.ro) ***sm.*** *Bras. Ornit.* Papagaio (*Amazona aestiva*) de cabeça amarela, fronte azul, base da cauda vermelha, com cerca de 85 cm de comprimento, encontrado em várias regiões do Brasil, Bolívia, Paraguai e Argentina, muito apreciado pela fama de pronunciar palavras e outros sons com facilidade [Pl.: *papagaios-verdadeiros.*]

papa-goiaba (pa.pa-goi.*a*.ba) *Bras. Pop. Joc.* ***a2g.*** **1** Ref. a cidade de Campos (RJ) **2** Que é natural ou habitante de Campos (RJ) **3** Que é natural ou habitante de qualquer localidade do Estado do Rio de Janeiro [Pl.: *papa-goiabas.*] ***s2g.*** **4** *Bras. Pop. Joc.* Pessoa nascida ou que vive em Campos (RJ) **5** Pessoa nascida ou que vive em qualquer parte desse estado, esp. em localidades do interior [Pl.: *papa-goiabas.*] [Cf. *campista* e *fluminense.*]

papagueador (pa.pa.gue.a.*dor*) [ô] ***a.*** **1** *Bras.* Diz-se de pessoa tagarela, que fala muito **2** Que memoriza o que ouve ou lê e depois repete, sem ter muita noção do que está dizendo ***sm.*** **3** Indivíduo falastrão ou que repete o que ouve ou lê [F.: *papaguear* + *-dor.*]

papagueamento (pa.pa.gue.a.*men*.to) ***sm.*** Ação ou resultado de papaguear; PAPAGUEAÇÃO; PAPAGUEIO [F.: *papaguear* + *-mento.*]

papaguear (pa.pa.gue.*ar*) ***v.*** **1** Falar demais e sem pensar no que diz [***int.***: *Papagueava e contava o que não devia.*] **2** Repetir (palavras, textos) sem entender o seu significado [***td.***: *papaguear textos em italiano.*] [▶ **13** papag**uear**] [F.: *papag(aio)* + *-ear*[2]. Sin. ger.: *papagaiar*. Hom./Par.: *papagueio* (fl.), *papagueio* (sm.).]

papagueio (pa.pa.*guei*.o) ***sm.*** O mesmo que *papagueação.* [F.: Dev. de *papaguear*. Hom./Par.: *papagueio* (sm.), *papagueio* (fl. de *papaguear*).]

papa-hóstia (pa.pa-*hós*.ti:a) ***s2g.*** Pessoa que vai com exagerada frequência à igreja, esp. a católica, ou que vive dando demonstrações insistentes de sua fé; BEATO [Empr. tb. no pl.] [Pl.: *papa-hóstias.*]

papai (pa.*pai*) ***sm.*** **1** Maneira afetuosa pela qual os filhos se dirigem ao pai; PAI; PAPÁ **2** *Bras. N.* Figura carnavalesca de um velho barbudo que, em festas de carnaval, em clubes, se apresenta empunhando um bastão **3** *Ict.* Bagre marinho da família dos ariídeos (*Tachysurus upsulonophorus*), ocorre na costa do Brasil; tb. *bagre-boca-lisa* [F.: F. reduplicada de *pai*, por influência da linguagem infantil. Hom./Par.: *papai* (sm.), *papai* (fl. de *papar*); *papais* (pl.), *papais* (fl. de *papar*), *papais* (pl. de *papal*).] **■ ~ grande** *Bras. Joc.* O presidente da República **~ Noel** **1** Personagem lendário, provavelmente inspirado em São Nicolau, na figura de um velho gordinho, de barbas brancas e roupas vermelhas que, montado num trenó puxado por renas voadoras distribui presentes na noite de Natal. [Com iniciais maiúsculas] **2** Qualquer pessoa vestida de Papai-Noel **Brincar de ~ e mamãe** *Bras. Tabu.* Ter relações sexuais **O ~ (aqui)** *Pop.* Us. como pronome de tratamento para a 1ª pess. do singular; equivale a *eu*: *Pode deixar com o papai aqui.*

papaia (pa.*pai*.a) *Bot.* ***sf.*** **1** Ver *mamão* **2** Ver *mamoeiro* [F.: Do espn. *papaya.*]

papai e mamãe (pa.pai e ma.*mãe*) ***sm2n.*** *Bras. Tabu.* Na relação sexual, posição convencional em que mulher fica por baixo e o homem por cima; MAMÃE E PAPAI

papaína (pa.pa.*i*.na) ***sf.*** *Bioq.* Enzima proteolítica encontrada no mamão, ger. us. para deixar a carne mais tenra, e no tratamento da cárie dentária [F.: *papaia* + *-ina*[2].]

papa-jantares (pa.pa-jan.*ta*.res) ***s2g2n.*** Pessoa que tem o costume de comer ou viver à custa de outros, ger. parentes e amigos; CHUPISTA [F.: *papar* (na 3ª pess. sing. pres. ind.) + pl. de *jantar.*]

papa-jerimum (pa.pa-je.ri.*mum*) *RN Pej.* ***a2g. s2g.*** O mesmo que *natalense* [Pl.: *papa-jerimuns.*] [F.: *papar* (na 3ª pess. sing. pres. ind.) + *jerimum.*]

papal (pa.*pal*) ***a2g.*** Do ou relativo ao papa (visita papal); PAPALINO [Pl.: *-ais.*] [F.: *papa*[1] + *-al*. Hom./Par.: *papais* (pl.), *papais* (fl. de *papar*), papais (pl. de *papai*).]

papalino (pa.pa.*li*.no) ***a.*** **1** O mesmo que *papal* ***sm.*** **2** Soldado da guarda do papa [F.: *papal* + *-ino*[1].]

papalvice (pa.pal.*vi*.ce) ***sf.*** **1** Qualidade de papalvo **2** Grupo de papalvos [F.: *papalvo* + *-ice.*]

papalvo (pa.*pal*.vo) ***a.*** **1** Diz-se de pessoa boba, tola, pateta ***sm.*** **2** Esse tipo de pessoa [F.: *papo* + *alvo*[2].]

papa-mel (pa.pa-*mel*) ***sm.*** Ver *irara* [Pl.: *papa-méis* e *papa-meles.*]

papa-moscas (pa.pa-*mos*.cas) ***s2g2n.*** **1** *Zool.* Nome comum às aranhas da fam. dos salticídeos, de pequeno tamanho, com cerca de 3.000 espécies, que se alimentam de pequenos insetos que caçam através de saltos **2** *Fig. Pop.* Pessoa que demonstra admiração simplória diante de coisas por vezes triviais, chegando ao ponto de ficar de boca aberta ***sf2n.*** **3** *Zool.* Nome comum à diversas spp. de aves da fam. dos tiranídeos, que se alimentam de insetos capturados em voo **4** *Zool.* Nome comum às diversas aves da fam. dos muscicapídeos, encontradas na Europa **5** *Bot.* O mesmo que *apanha-moscas* [F.: *papar* (na 3ª pess. sing. pres. ind.) + o pl. de *mosca.*]

papamóvel (pa.pa.*mó*.vel) ***sm.*** Veículo blindado us. pelo papa em aparições públicas [Pl.: *-veis.*] [F.: *papa* + *(auto)* + *-móvel.*]

papanicolau (pa.pa.ni.co.*lau*) ***a.*** *Med.* Diz-se do teste ou exame que se faz para a prevenção de câncer no colo do útero (exame papanicolau) [Empr. tb. como subst.]

papão (pa.*pão*) ***sm.*** **1** Monstro imaginário com que se assustam as crianças; BICHO-PAPÃO; OGRO **2** Objeto com que se procura meter medo **3** Indivíduo que come muito; COMILÃO **4** *Fig. Pop.* Indivíduo ou equipe que costuma vencer muito: *Esse time é o papão do campeonato.* [Pl.: *-pões.*] [F.: *papar* + *-ão*[1].]

papa-ovo (pa.pa-*o*.vo) *Bras.* ***sf.*** **1** *Zool.* Cobra da fam. dos colubrídeos (*Drymarchon corais*) de dorso acinzentado, abdome amarelado, com comprimento que chega a 2 m, encontrado do México ao norte da Argentina e Paraguai; CHUPA-OVO; PAPA-OVA **2** *Zool.* Ver *caninana* (*Spilotes pullatus*) [Pl.: *papa-ovos.*] [F.: *papar* (na 3ª pess. sing. pres. ind.) + *ovo.*]

papa-pinto (pa.pa-*pin*.to) *Bras.* ***sm.*** **1** *Herp.* Ver *papa-ovo* (*Drymarchon corais*) **2** *Herp.* Ver *caninana* (*Spilotes pullatus*) **3** *Ornit.* Ave passeriforme (*Mackenziaena leachi*), que ocorre no Brasil; tb. *borralhara* [Pl.: *papa-pintos.*]

papar (pa.*par*) ***v.*** **1** *Infan.* Comer [***td. / int.***: *O neném já papou (tudo).*] **2** Comer: "Esse formoso mancebo que me acompanha, duque do Ramalhete e príncipe de Santa Olávia, dá hoje de papar ao seu amigo e filósofo..." (Eça de Queirós, *Os Maias*) **3** *Pop.* Conquistar, ganhar [***td.***: *papar o prêmio.*] **4** *Pop.* Conseguir (algo) (de alguém) por meios escusos; EXTORQUIR [***td. / tdi. +a***: *Paparam (-lhe) a herança.*] [▶ **1** pap**ar**] [F.: Do lat. *pappare*. Hom./Par.: *papa(s)* (fl.), *papa(s)* (sm. sf. [pl.]); *papai(s)* (fl.), *papai(s)* (sm. [pl.]); *papais* (fl.), *papais* (pl. de *papal*); *papo* (fl.), *papo* (sm.); *papa(s)* (fl.), *papá(s)* (sf. [pl.]); *papeis* (fl.), *papéis* (pl. de *papel*).] **■ Estar papando alto** *Bras. Pop.* Estar envolvido em altas negociatas, ou em grandes aventuras ou em casos amorosos

🌐 **paparazzo** (*It.* /paparátzo/) ***sm.*** Fotógrafo que persegue celebridades para tirar fotos de preferência indiscretas ou comprometedoras [Mais us. no pl.] [Pl.: *paparazzi.*]

paparicação (pa.pa.ri.ca.*ção*) ***sf.*** Ação ou resultado de paparicar [Pl.: *-ções.*] [F.: *paparicar* + *-ção.*]

paparicado (pa.pa.ri.*ca*.do) ***a.*** **1** Que foi alvo de paparicação **2** Que é tratado com cuidados especiais, com muitos agrados, exagerado mimo **3** Que recebe excesso de elogios [F.: Part. de *pararicar.*]

paparicar (pa.pa.ri.*car*) ***v.*** **1** Tratar carinhosamente; MIMAR [***td.***: *paparicar os netos.*] **2** Comer pouco e repetidamente; BELISCAR; LAMBISCAR [***td.***: *paparicar doces e salgados*] [***int.***: *Fazia uma única refeição e não paparicava.*] [▶ **11** papari**car**] [F.: *paparico* + *-ar*[2]. Hom./Par.: *paparico* (fl.), *paparico* (sm.).]

paparico (pa.pa.*ri*.co) ***sm.*** **1** Excesso de mimos, cuidados, carinhos: *Ela adora os paparicos do namorado.* [Ger. us. no pl.] **2** Iguaria apetitosa, guloseima; PAPARICHO [F.: *papar* + *-ico*[1]. Hom./Par.: *paparico* (sm.), *paparico* (fl. de *paparicar*).]

papa-terra (pa.pa-*ter*.ra) *Bras.* ***sm.*** **1** *Zool.* Ver *acará-cascudo* (*Cichlasoma facetum*) **2** *Zool.* Peixe teleósteo perciforme (*Umbrina coroides*); tb. *castanha* **3** *Zool.* Ver *xaréu* (*Caranx hippos*) ***sf.*** **4** *Bot.* Planta (*Chomelia anisomeris*) da família das rubiáceas, encontrada na BA e MG **5** *Bot.* Erva (*Lindernia microcalyx*) da família das escrofulariáceas, nativa do Brasil **6** *Bot.* O mesmo que *açucena-do-mato* (*Pasoqueria latifolia*) ***s2g.*** **7** *Bras.* Pessoa que come terra, que é dada à geofagia [Pl.: *papa-terras.*] [F.: *papar* (na 3ª pess. sing. pres. ind.) + *terra.*]

papável[1] (pa.*pá*.vel) ***a2g.*** **1** Que pode ser papado, comido **2** *Tabu.* Diz-se de mulher que desperta desejo sexual [Pl.: *-veis.*] [F.: *papar* + *-vel.*]

papável[2] (pa.*pá*.vel) ***a2g.*** **1** Diz-se de cardeal com possibilidade de se tornar papa **2** *P. ext.* Diz-se de pessoa que tem possibilidade de ser indicado para um determinado cargo, função etc. [Pl.: *-veis.*] [F.: **papar,* 'tornar-se papa' (< *papa*[1] + *-ar*[2]), + *-vel*. Hom./Par.: *papáveis* (pl.), *papáveis* (fl. de *papar*).]

papa-vento (pa.pa-*ven*.to) *Bras.* ***sm.*** **1** *Herp.* Ver *camaleão* (*Iguana iguana*) **2** *Ent.* Ver libélula [Pl.: *papa-ventos.*]

papaverácea (pa.pa.ve.*rá*.ce.a) ***sf.*** *Bot.* Espécime das papaveráceas, fam. da ordem das ranunculales, que reúne 23 gên. e inúmeras espécies de ervas, subarbustos e árvores pequenas, de folhas simples, ger. em espiral, flores quase sempre grandes e frutos capsulares com endosperma oleoso; comuns nas regiões temperadas do hemisfério norte, são cultivadas como ornamentais ou medicinais [F.: Do lat. cien. fam. *Papaveraceae.*]

papaveráceo (pa.pa.ve.*rá*.ce:o) *Bot.* ***a.*** **1** Ref. às papaveráceas **2** Diz-se de corola que possui quatro pétalas sem unha [F.: *papáver* + *-áceo.*]

papaverina (pa.pa.ve.*ri*.na) ***sf.*** *Bioq. Farm.* Substância química (C20H21NO4), encontrada no ópio, que tem us. terapêutico como relaxante muscular, vasodilatador cerebral etc. [F.: *papáver* + *-ina.*]

papeação (pa.pe.*a*.ção) ***sf.*** Conversa informal, ger. sobre amenidades; bate-papo [Pl.: *-ções.*] [F.: *papear* + *-ção.*]

papeamento (pa.pe.a.*men*.to) ***sm.*** *Ling.* Ver *papiamento*

papear (pa.pe.*ar*) ***v.*** **1** Bater papo; CONVERSAR [***tr. +com***: *Papeou com a amiga durante a festa.*] [***int.***: *Gostava de papear.*] **2** Falar muito e despreocupadamente; TAGARELAR [***int.***] **3** Gorjear, trinar [***int.***: *Na fazenda, era possível ouvir os pássaros papeando.*] [▶ **13** pap**ear**] [F.: *papo* + *-ear*[2].]

papeata (pa.pe.*a*.ta) ***sf.*** *MG* Manifestação superficial e hipócrita de sentimentos, esp. os de tristeza: *Durante o velório, alguns familiares do finado demonstravam desconcertantes papeatas.* [F.: *papea(r)* + *-ata.*]

papeira (pa.*pei*.ra) ***sf.*** **1** *Bras. Pop. Pat.* Aumento do volume da glândula tireoide **2** *N. N. E. Pat.* Doença infectocontagiosa causada por um vírus que provoca inflamação das glândulas salivares; CAXUMBA **3** *Bras. Pop. End. Pat.* O mesmo que *tireomegalia* **4** *Bot.* Arbusto (*Tournefortia lucidaphylla*) da família das boragináceas, de flores pequenas e frutos diminutos [F.: *papo* + *-eira.*]

papéis (pa.*péis*) ***s2g.*** *Etnol.* Grupo étnico que habita algumas ilhas da Guiné-Bissau; PAPELES

papel (pa.*pel*) ***sm.*** **1** Material em forma de folha ger. fina e flexível, fabricado esp. de pasta de fibras vegetais, us. para escrever, imprimir, embalar etc.: "Serei de você confidente fiel, se seu pranto molhar meu papel." (Toquinho e Mutinho, *O caderno*) **2** Folha de papel escrita: *Deixe-me ler esse papel.* **3** Parte que um ator ou atriz interpreta em uma peça de teatro, filme etc. **4** O personagem representado por ator ou atriz **5** Obrigação legal, moral ou profissional que alguém precisa desempenhar: *O papel do professor é ensinar.* **6** Procedimento reprovável, condenável ou vergonhoso; FIASCO; PAPELÃO: *Todos ficaram perplexos com o papel que você fez!* **7** Dinheiro impresso em papel, em notas **8** *Econ.* Documento negociável que representa um valor, como ação, título de crédito, nota promissória etc. [Pl.: *-péis.* Dim.: *papelete, papeleto, papelucho.*] [F.: Do cat. *paper*, do lat. *papyrus, i.* Hom./Par.: *papéis* (pl.), *papeis* (fl. de *papar*).] **■ De ~ passado** **1** Em conformidade com as disposições ou exigências da lei e com os documentos oficiais válidos **2** De pleno direito: *Com a renúncia do presidente, o cargo é do vice-presidente, de papel passado.* **Ficar no ~** Ficar apenas no projeto, não se realizar **No ~ principal** *Cin. Teat. Telv.* Como protagonista **~ acetinado** *Pap.* Tipo de papel que apresenta ligeiro brilho, por ter passado por processo de acetinação, us. para escrita ou impressão **~ aéreo** *Pap.* Papel fino, próprio (por ser leve) para cartas a serem enviadas por via aérea **~ almaço** **1** *Pap.* Papel resistente, próprio para documentos e registros públicos. [Tb. apenas *almaço*] **2** Este papel, dobrado num caderno de 4 páginas no formato fechado de 32,5 cm x 22 cm, muito us. antigamente para provas e trabalhos escolares **~ apergaminhado** *Pap.* Tipo de papel de textura áspera, us. para escrita ou para impressão **~ avergoado** *Pap.* Tipo de papel no qual se notam linhas transparentes, horizontais ou verticais (chamadas *linhas-d'água*), produzidas, na fabricação, por fios metálicos existentes no rolo ou na forma; papel vergê **~ bonde** *Pap.* Tipo de papel apergaminhado resistente, us. para imprimir ações, certificados, diplomas etc. **~ bufã** *Pap.* Tipo de papel não acetinado, poroso e leve **~ calandrado** *Pap.* Papel acetinado em calandra **~ celofane** *Pap.* Película fina, transparente e impermeável feita de celulose tratada com soda cáustica, bissulfeto de carbono e água, que serve principalmente para embalagem. [Tb. apenas *celofane*] **~ comercial** **1** *Com.* Qualquer título de crédito negociável **2** Nota promissória comercial **~ contínuo** *Pap.* Papel fabricado no formato de longa tira, de comprimento variado, enrolada em bobina **~ crepe/crepom** *Pap.* Papel de seda enrugado, em várias cores, us. em decoração, na confecção de enfeites etc. **~ cuchê** *Pap.* Tipo de papel no qual, na fabricação, uma ou ambas as faces são revestidas de fina camada (de caulim, sulfato de cálcio e outras substâncias minerais, e aglutinante) que lhe dá um acabamento liso e brilhante, ou mate, apropriado para impressão a cores de boa qualidade; papel estucado. [Tb. *papel-cuchê* e apenas *cuchê*] **~ da China** *Pap.* Tipo de papel fino e sedoso, resistente, de cor amarelada ou marfim, originalmente feito na China com o miolo do bambu, us ger. na impressão de gravuras ou de livros de arte. [Tb. apenas *china*] **~ da Holanda** *Pap.* Tipo de papel vincado, originalmente feito à mão na Holanda, us. na impressão de livros de luxo **~ da Índia** *Pap.* Papel muito fino, opaco e resistente, originalmente feito de fibras de algodão e de linho, hoje à base de pastas de sulfito e de sulfato, us. na impressão de livros com grande número de páginas, como bíblias (por isso tb. chamado papel-bíblia) **~ de alumínio** *Pap.* Lâmina muito fina de alumínio, us. na embalagem de determinados produtos (remédios, cigarros, alimentos etc.); papel-alumínio, papel laminado **~ de arroz** *Pap.* Papel fino, feito de palha de arroz, us. para envolver o fumo nos cigarros **~ de avião** Ver *Papel aéreo* **~ de chupar** Mata-borrão **~ de embalagem** *Pap.* Qualquer papel de embrulho resistente us. em embalagem e na fabricação de embalagens **~ de embrulho** *Pap.* Qualquer papel resistente us. para embrulhar e proteger produtos, mercadorias etc. **~ de estanho** **1** *Pap.* Tipo de papel revestido de fina camada de estanho, us. para envolver e proteger certos produtos **2** *P. ext.* Qualquer papel de aparência metálica, us. como envoltório de produtos; papel prateado, papel de prata, papel estanhado **~ de fantasia** *Pap.* Qualquer papel estampado com desenhos ou padrões, ger. em cores **~ de ferroprussiato** *Pap.* Tipo de papel us. em provas heliográficas, cópias de plantas e mapas etc. **~ de forma** [ô] *Pap.* Papel produzido à mão, na forma que recolhe a pasta da tina; papel de tina. [Cf.: *papel de máquina*] **~ de imprensa** **1** *Pap.* Ver *Papel* *de jornal* **2** Ver *Papel de impressão* ~ **de impressão** *Pap.* Qualquer dos tipos de papel adequados à impressão de livros, revistas, impressos etc.; papel de imprensa. [Cf.: *Papel de obra*] ~ **de jornal** *Pap.* Tipo de papel de impressão com elevado teor de pasta mecânica, apropriado ao custo e à velocidade necessários à impressão de jornais; papel de imprensa ~ **de linho** *Pap.* Tipo de papel gofrado com aparência de linho ~ **de lustro** *Pap.* Ver *Papel glacê* ~ **de máquina** *Pap.* Todo papel fabricado em máquinas, em grande quantidade. [Cf.: *Papel de forma.*] ~ **de obra** *Pap.* Papel de impressão de alta qualidade, ger. acetinado, us. em obras de acabamento esmerado ~ **de palha** *Pap.* Papel produzido da palha de cereais, grosseiro e pouco resistente ~ **de parede** *Pap.* Papel fabricado ger. em rolos, estampado ou gofrado, às vezes tratado para ser lavável, us. para forrar paredes; papel pintado ~ **de prata** *Pap.* Ver *Papel de estanho* (2) ~ **de seda** *Pap.* Papel muito fino, flexível, us. ger. para envolver e proteger objetos frágeis ~ **do Japão** *Pap.* Tipo de papel branco ou marfim, sedoso e resistente, originalmente feito no Japão da casca de certos arbustos, us. na impressão de gravuras e de obras de luxo ~ **dúplex** *Pap.* O que apresenta cores e/ou texturas diferentes em suas duas faces ~ **estanhado** *Pap.* Ver *Papel de estanho* (2) ~ **estucado** *Pap.* Ver *Papel cuchê.* ~ **fotográfico** *Pap.* Tipo de papel no qual uma das faces é revestida de emulsão fotossensível, próprio para cópias fotográficas; papel sensível ~ **glacê** *Pap.* Tipo de papel de superfície muito lisa e brilhante; papel lustroso, papel lustro, papel-porcelana ~ **gofrado** *Pap.* Papel cuja superfície apresenta uma textura obtida por gofragem ~ **H D** *Pap.* Tipo resistente de papel de embrulho ou de embalagem, fornecido em bobinas que se encaixam em suportes especiais nos balcões de lojas. [H. D. refere-se a *heavy duty* (ing.), ou seja, 'para uso pesado')] ~ **heliográfico** *Pap.* Papel sensibilizado us. em cópias de desenhos, plantas, provas de impressão etc. ~ **higiênico** *Pap.* Papel fino de uso sanitário, após evacuação e micção; papel sanitário ~ **ilustração** *Pap.* Tipo de papel de superfície lisa e ligeiramente brilhante, us. em impressão com vários matizes de cor ~ **imune** *Bras.* Papel isento de impostos por determinação constitucional, destinado a livros, jornais e revistas ~ **kraft** *Pap.* Papel de embrulho ou de embalagem, muito resistente, de cor parda us. tb. na fabricação de sacos e envelopes ~ **laminado** *Pap.* Ver *Papel de alumínio* ~ **linha d'água** *Bras. Pap.* Qualquer dos papéis avergoados que, no Brasil, são us. na impressão de publicações que gozam de isenção fiscal, servindo os traços transparentes (*linhas-d'água*) como identificação ~ **litográfico** *Pap.* Ver *Papel ofsete* ~ **lustroso** Ver *Papel glacê* ~ **machê** Massa maleável feita de polpa de papel e aglutinante (cola, farinha etc.), us. para modelar objetos decorativos, bonecos etc. ~ **manilha** *Bras. Pap.* Designação de vários tipos de papel de embrulho, esp. aquele feito de cânhamo-de-manilha e suas imitações ~ **manilhinha** *Pap.* Tipo de papel de embrulho e de cor acinzentada, us. esp. para acondicionar produtos alimentícios ~ **marmorizado** *Pap.* Tipo de papel impresso com padrão que lembra o mármore, us. esp. por encadernadores para revestir a capa de livros ~ **mata-borrão** Mata-borrão ~ **monolúcido** *Pap.* Tipo de papel com lustro em uma só das faces ~ **ofício** *Pap.* Papel de formato ofício (cerca de 22 cm x 33 cm) ~ **ofsete** *Pap.* Papel com muita cola, de superfície uniforme, adequado para impressão ofsete e litográfica; papel litográfico ~ **Oxford** *Pap.* Ver *Papel da Índia.* ~ **pardo** *Pap.* Papel de embrulho ou de embalagem de baixa qualidade, de cor parda ~ **pautado** Aquele impresso com linhas horizontais, que servem de guia para a escrita. [Us. em cadernos escolares] ~ **pintado** Ver *Papel de parede* ~ **prateado** Ver *Papel de estanho* (2) ~ **queimado** *Fig. Pop.* Homem casado ~ **químico** *Lus.* Papel-carbono ~ **sanitário** *Pap.* Ver *Papel higiênico.* ~ **sensível** Ver *Papel fotográfico* ~ **social** *Soc.* Conjunto ou sistema de ações, atitudes, comportamentos, funções etc. adotados por indivíduos ou grupos numa sociedade, ou deles esperados, de acordo com as expectativas e costumes nela já definidos ~ **sulfite** Papel feito com pasta de madeira tratada com sulfito ~ **telado** *Pap.* Papel reforçado com tecido semelhante a gaze colado em uma de suas faces ~ **timbrado** Papel com timbre impresso (ger. ao alto), que identifica o emitente e remetente da carta, documento etc. nele escritos ~ **vegetal** **1** *Pap.* Papel com boa transparência e resistência, us. em decalques e cópias **2** Papel transparente us. no desenho de plantas de arquitetura, desenhos técnicos etc., para deles se tirarem cópias ~ **velino** **1** *Pap.* Papel feito de pasta de trapos, com superfície muito lisa e macia, própria para a escrita **2** *P. ext.* Todo papel liso e macio, sem texturas ~ **vergê** Ver *Papel avergoado* **Pôr no** ~ Escrever, documentar, registrar (algo que se pensou ou que foi dito, combinado oralmente)

📖 A descoberta do papel remonta à China, no início do século II a. D. Somente no século XIV chegou à Europa, trazido pelos árabes, e, com a invenção da imprensa, no século XVI, tornou-se importante insumo da atividade editorial. Inicialmente produzido de tecidos, a partir do século XIX a principal matéria-prima passou a ser a madeira (a partir da célula das fibras vegetais), e, já no século XX, também o próprio papel e papelão reciclados, outras fibras vegetais e material sintético. Os seis países maiores produtores de papel são, nessa ordem, China, EUA, Japão, Alemanha, Canadá e Finlândia.

papelada (pa.pe.*la*.da) *sf.* **1** Conjunto ou amontoado de papéis ou documentos: *Não conseguia trabalhar no meio daquela papelada.* **2** Grande variedade de documentos: *Reuniu a papelada necessária para fazer a inscrição no concurso.* [F.: *papel* + *-ada*[1]. Sin. ger.: *papelagem.*]

papel-alumínio (pa.pel-a.lu.*mí*.ni.o) *sm.* Folha laminada de alumínio, us. ger. para embalar ou revestir medicamentos, alimentos etc. [Pl.: *papéis-alumínios, papéis-alumínio.*]

papelão (pa.pe.*lão*) *sm.* **1** Papel grosso e resistente us. no fabrico de caixas, embalagens, pastas, capas de livro, cartões etc. **2** *Bras. Fig.* Comportamento inadequado, reprovável ou ridículo: *Bebeu demais e fez um papelão.* **3** *Fig.* Pessoa fátua, orgulhosa, impostora; PASPALHÃO [Pl.: *-lões.*] [F.: *papel* + *-ão*[1].] ■ ~ **ondulado** *Pap.* Papelão fabricado com a colagem de folhas grossas de papel ondulado, com diversos usos como material de embalagem; cartão ondulado

papelaria (pa.pe.la.*ri*.a) *sf.* Loja onde se vendem artigos de papel e materiais ger. us. em escolas, empresas e escritórios, como cadernos, lápis, canetas, borrachas, pastas para arquivos etc. [F.: *papel* + *-aria.*]

papel-bíblia (pa.pel-*bí*.bli.a) *sm. Ind.* Tipo de papel opaco, muito fino mas resistente, que anteriormente era produzido a partir de fibras naturais, sendo depois composto com pastas de sulfito e de sulfato, us. na produção de bíblias e de obras extensas com o fito de diminuir a espessura do volume; PAPEL DA ÍNDIA; PAPEL-OXFORD [Pl.: *papéis-bíblias e papéis-bíblia.*]

papel-carbono (pa.pel- car.*bo*.no) *sm.* Papel impregnado de tinta numa das faces, us. para fazer cópias por meio de decalque [Pl.: *papéis-carbonos e papéis-carbono.*]

papeleira (pa.pe.*lei*.ra) *sf.* **1** Cesto coletor de lixo de papel **2** Escrivaninha com tampa e escaninhos, us. para guardar papéis e material de escrever [F.: *papel* + *-eira.*]

papeleiro (pa.pe.*lei*.ro) *a.* **1** Ref. a papel (mercado papeleiro) *sm.* **2** Fabricante de papel **3** Dono de papelaria [F.: *papel* + *-eiro.*]

papeleta (pa.pe.*le*.ta) [ê] *sf.* **1** Pedaço avulso de papel para anotações, informações: *Recebeu uma papeleta de requisição de exames.* **2** Papel us. em clínicas, hospitais e ambulatórios, no qual os médicos fazem um histórico do paciente: *A papeleta indicava uma cirurgia de próstata.* **3** Memorando interno us. nas repartições públicas, ou escritórios **4** *P. us.* Documento que comprova a identidade de serviçais; CADERNETA **5** Aviso ou cartaz que se coloca em lugar público: *A papeleta dizia que era proibido fumar.* *sm.* **6** *Bras.* Súdito português que, depois da Independência, manteve a sua nacionalidade e por isso trazia consigo um certificado [F.: *papel* + *-eta.*]

papel-manteiga (pa.pel-man.*tei*.ga) *sm.* Tipo de papel fino e translúcido, hoje mais us. para desenhar projetos de arquitetura, desenho industrial etc., mas tb. em culinária para forrar tabuleiros, assar biscoitos, bolos etc. [Pl.: *papéis-manteigas e papéis-manteiga.*]

papel-moeda (pa.pel-mo:*e*.da) *sm. Econ.* Dinheiro em forma de papel impresso; CÉDULA; NOTA [Pl.: *papéis-moedas e papéis-moeda.*]

papelório (pa.pe.*ló*.ri:o) *sm.* **1** Grande quantidade de papéis, ger. sem utilidade **2** *Bras.* Papel inadequado, condenável ou ridículo desempenhado por alguém; FIASCO; PAPELÃO: *Mas que papelório você fez ontem, hein?* [F.: *papel* + *-ório.*]

papelote (pa.pe.*lo*.te) [ó] *sm.* **1** *Bras. Gír.* Embrulho pequeno, ger. feito de papel, us. para acondicionar cocaína ou outra droga em pó **2** O conteúdo desse pequeno embrulho: *Achou dois papelotes na gaveta do armário.* [F.: *papel* + *-ote.*]

papelotes (pa.pe.*lo*.tes) *smpl.* Pedaços de papel us. para enrolar, frisar ou cachear os cabelos [F.: Pl. de *papelote.*]

papel-pergaminho (pa.pel-per.ga.*mi*.nho) *sm. Pap.* Papel que tem o aspecto e a resistência do pergaminho, e que tem larga aplicação industrial; pergaminho-vegetal [Pl.: *papéis-pergaminhos e papéis-pergaminho.*] [Cf.: *papel apergaminhado.*]

papelucho (pa.pe.*lu*.cho) *sm.* **1** Qualquer pequeno pedaço de papel **2** Pedaço de papel sem valor: "Ele já conhecia o papelucho, já privara mesmo com o proprietário e redator..." (Eça de Queirós, *Os Maias*) **3** Papel para fazer embrulhos [F.: *papel* + *-ucho.* Dim. irreg. de *papel.*]

⊕ **paper** (*ing.* /*pêiper*) *sm.* Artigo sobre determinado assunto, publicado em periódicos especializados, nos anais de congresso ou em certos eventos

papesa (pa.*pe*.sa) [ê] *sf.* Ver *papisa*

papiamento (pa.pi.a.*men*.to) *sm. Ling.* Língua crioula com base no espanhol e influências do antigo português e do moderno holandês, falada nas Antilhas Holandesas (Curaçau, Aruba e Bonaire); PAPEAMENTO [F.: Do espn. *papiamento.*]

papila (pa.*pi*.la) *sf.* **1** *Anat.* Pequena saliência, em forma de mamilo, encontrada em diferentes órgãos do corpo **2** *Bot.* Excrescência diminuta da membrana da célula epidérmica, em forma de pelos, encontrada na pétala de várias flores, como, p. ex., a rosa **3** Qualquer forma semelhante a uma elevação cônica [F.: Do lat. *papilla, ae,* 'pequeno botão'; 'mamilo'; 'pústula'.] ■ ~ **gustativa** *Anat.* Cada uma das pequenas saliências da língua nas quais se localizam as células sensíveis ao paladar ~ **mamária** *Anat.* Bico de seio ~ **óptica** *Anat. Oft.* Ponto de entrada do nervo óptico no globo ocular, insensível à luz e, portanto, cego ~ **tátil** *Anat.* Cada uma das pequenas saliências nas pontas dos dedos que transmitem a sensação do tato a terminais nervosos

papilar (pa.pi.*lar*) *a2g.* **1** Ref. ou semelhante a papila **2** Que possui papila [F.: *papila* + *-ar*[1].]

papiledema (pa.pi.le.*de*.ma) *sm. Med.* Edema da papila ótica ocasionado por hipertensão intracraniana [F.: *papil(i)-* + *edema.*]

◎ **papil(i)-** *el. comp.* = 'papila'; 'pequeno relevo ou pequena elevação'; 'excrescência': *papilectomia, papiledema, papiliforme, papiloma, papilotomia* [F.: Do lat. *papilla, ae,* 'botãozinho'; 'bico do peito'; 'pústula'.]

papilionácea (pa.pi.li.o.*ná*.ce.a) *sf. Angios.* Família considerada subfamília das leguminosas, atualmente denominada *fabácea* [F.: Do lat. cien. *Papilionaceae* lat. *papilio, onis.*]

papilionáceo (pa.pi.li.o.*ná*.ce.o) *a.* **1** *Angios.* Ref. às papilionáceas **2** *Ent.* Ref. à borboleta [F.: *papilionáce(a)* + *-áceo.*]

papilionídeos (pa.pi.li.o.*ní*.de.os) *a.* **1** *Ent.* Ref. aos papilionídeos *sm.* **2** *Ent.* Espécime dos papilionídeos, fam. de insetos lepidópteros, com aproximadamente 500 espécies descritas, muitas delas existentes nos trópicos [F.: Do lat. cien. fam. *Papilionidae.*]

◎ **papilo-** *el. comp.* Ver *papil(i)-*

papiloma (pa.pi.*lo*.ma) *sm.* **1** *Pat.* Tumor na pele ou nas mucosas, em forma de papila **2** *Derm.* Denom. comum a verrugas, calosidades, pólipos etc. [F.: *papil(i)-* + *-oma*[1].]

papilomavírus (pa.pi.lo.ma.*ví*.rus) *sm2n. Biol. Med.* Vírus de ADN responsável por lesões cutâneas (como, p. ex., as verrugas) ou mucosas (como, p. ex., os condilomas) [Sigla HPV.] [F.: *papiloma* + *vírus.*]

papiloscopia (pa.pi.los.co.*pi*.a) *sf.* **1** Ciência que trata da identificação humana a partir do estudo e levantamento das papilas dérmicas do corpo, esp. das dos dedos das mãos e dos pés **2** O conjunto de conhecimentos técnicos e métodos desta ciência, ou o estudo das papilas para fins investigativos ou identificatórios **3** A identificação resultante desse estudo [F.: *papilo-* + *-scopia.*]

papiloscópico (pa.pi.los.*có*.pi.co) *a.* Ref. à, ou próprio da papiloscopia (exame papiloscópico; perícia papiloscópica) [F.: *papiloscopia* + *-ico*[2].]

papiloscopista (pa.pi.los.co.*pis*.ta) *a2g.* **1** Diz-se daquele que se especializou em papiloscopia *s2g.* **2** Esse especialista **3** *Restr.* O especialista, esp. o policial, que se especializou em colher impressões das papilas dérmicas para registro civil ou investigação criminal [F.: *papiloscopia* + *-ista.*]

papilotomia (pa.pi.lo.to.*mi*.a) *sf. Cir.* Incisão cirúrgica na papila [F.: *papilo-* + *-tomia.*]

papinha (pa.*pi*.nha) *sf. Pop.* Alimento em forma de papa, preparado com ingredientes ou alimentos diversos (legumes, verduras, cereais amassados etc.), ger. destinado a crianças pequenas [Dim. de *papa.*] [F.: *pap(a)* + *-inha.*]

papiráceo (pa.pi.*rá*.ce.o) *a.* **1** Que é semelhante a papel ou a papiro **2** *Bot.* Diz-se de órgão vegetal que apresenta certa semelhança com o papel, como, p. ex., em grande parte das folhas [F.: *papir(o)* + *-áceo.*]

papiro (pa.*pi*.ro) *sm.* **1** *Bot.* Planta aquática da fam. das ciperáceas (*Cyperus papyrus*), muito encontrada às margens do rio Nilo, na África, cultivada como ornamental e pelas fibras dos caules longos, finos e flexíveis, us. na confecção, esp. na Antiguidade, de obras trançadas, como choupanas, esteiras etc., e das quais se faziam folhas (papiros) para escrever e desenhar **2** Manuscrito antigo gravado sobre as folhas dessa planta **3** *RJ Pop.* Entre os estudantes, cola ou cópia muito grande [F.: Do lat. *papyrus, i.*]

papirólogo (pa.pi.*ró*.lo.go) *sm.* Especialista na ciência que estuda e interpreta os papiros (chamada *papirologia*); tb. *papirologista* [F.: *papir(o)* + *-logo.*]

papisa (pa.*pi*.sa) *sf.* **1** *Rel.* Mulher que, conforme as lendas, teria sido investida dos poderes de um papa **2** Mulher de grande influência em certos meios, esp. entre os católicos [F.: *Papa*[1] + *-isa.* Tb. *papesa.*]

papismo (pa.*pis*.mo) *sm.* **1** A influência ou domínio dos papas na religião católica **2** A própria Igreja Católica, do ponto de vista dos protestantes [F.: *Papa*[1] + *-ismo.*]

papista (pa.*pis*.ta) *a2g.* **1** Que é defensor da supremacia do Papa (católico papista) **2** Diz-se de católico, conforme os protestantes *s2g.* **3** O adepto da supremacia papal: *Avistou um grupo de papistas.* **4** O católico, segundo os protestantes [F.: *Papa*[1] + *-ista.*]

papo (*pa*.po) *sm.* **1** *Anat. Zool.* Bolsa formada pelo esôfago das aves, e de alguns insetos, onde fica o alimento ingerido antes de passar à moela; a parte externa do pescoço da ave, à altura do papo **2** *Pop.* Estômago, barriga: *Encheu o papo de tanto comer.* **3** *Pop.* Excesso de tecido gorduroso sob o queixo; PAPADA **4** *Pop.* Conversa descontraída, informal: *Bateu um papo com o pai.* **5** *Vest.* Peça pregueada us. como uma espécie de peitilho de camisa **6** Parte larga que sobra em uma roupa mal cortada: *A calça fazia um papo entre as pernas.* **7** *Pop.* Conversa fiada, bazófia: *Isso é papo, você está mentindo!* **8** Pessoa que gosta de conversar, que sabe conversar: *Esse rapaz é um bom papo.* [F.: De *papar*, posv.] ■ **Bater (um)** ~ *Bras. Fam.* Conversar despretensiosamente, papear: *Sentaram no bar para bater um papo e contar as novidades.* **De** ~ **para o ar** *Fam.* Sem fazer nada, ocioso **Em** ~**s de aranha** Ver *Em palpos de aranha* no verbete *palpo* [Grafa-se tb. *Em papos de aranha* e *Em palpos de aranha.*] **Estar no** ~ **1** *Bras. Fam.* Estar antecipadamente garantido (êxito, vitória etc.) **2** Ser (um objetivo, uma aspiração etc.) factível, realizável ou já realizados: *O campeonato está no papo* **3** Acabar, depois de usufruído: *O tempo* *voou, e as férias já estão no papo.* **Falar de ~ cheio** *Bras. Fam.* Reclamar de algo sem motivo; chorar/falar de barriga cheia **Levar um ~** *Bras. Gír.* Ver *Bater papo* **~ furado** 1 *Bras. Gír.* Conversa fiada, conversa mole, palavreado de engodo, embromação 2 Promessa, projeto, proposta etc. que na verdade não se tem a intenção de cumprir ou de levar adiante **~ on-line** *Inf. Chat* **~ virtual** *Inf. Chat* **Ser um bom ~** *Bras. Fam.* Ser bom de conversa, ter uma conversa agradável e inteligente

papo-amarelo (pa.po-a.ma.*re*.lo) *sm. N. E. Arm.* Rifle que tem o papo amarelo, feito de latão [Rifle da marca Winchester.] [Pl.: *papos-amarelos.*]

papocar (pa.po.*car*) *v. N. E.* Mesmo que *pipocar* [▶ 11 papocar] [F.: alt. de *pipocar*. Hom./Par.: *papoco* (1ªp. s.)/ *papoco* /ô / (sm.).]

papoco (pa.*po*.co) [ô] *sm. Bras. N. N. E. MG* O mesmo que *pipoco* ('ruído, estampido') [F.: Regress. de *papocar*. Hom./ Par.: *papoco* (sm.), *papoco* (fl. de *papocar*).] ▪▪ **De ~** Que é de primeira ordem, magnífico, espetacular: *uma festa de papoco.*

papo de anjo (pa.po de *an*.jo) *sm.* 1 *Cul.* Doce feito com gemas de ovos batidas com açúcar, que são colocadas em pequenas formas, para assar, e posteriormente mergulhadas em calda quente 2 *Bot.* Árvore flacurtiácea (*Carpotroche brasiliensis*), produz um óleo us. no tratamento de afecções cutâneas [Nesta acp., com hifens: *papo-de-anjo.*] [Pl.: *papos de anjo.*]

papo-de-peru (pa.po-de-*pe*.ru) *Angios. sm.* 1 Arbusto da fam. das combretáceas (*Combretum jacquini*), nativo do Brasil, de flores enormes, fortemente coloridas, cultivado como ornamental; BUGIO 2 Arbusto da mesma fam. (*Combretum loeflingii*), de flores amarelas ou alaranjadas, em racemos, cultivado como ornamental; ESCOVINHA 3 Nome comum às ervas volúveis da fam. das aristoloquiáceas, de flores com formas extravagantes, muito grandes e de intenso colorido, us. na América do Norte contra mordeduras de cobras; SERPENTÁRIA [Pl.: *papos-de-peru.*]

papo-firme (pa.po-*fir*.me) *a2g.* 1 *Bras. Gír.* Que leva a sério o que diz; que cumpre o que prometeu: *Esse rapaz é papo-firme. s2g.* 2 Esse tipo de pessoa: *Ele é um papo-firme.* [Pl.: *papos-firmes.*] [Ant. ger.: *papo -furado.*]

papo-furado (pa.po-fu.*ra*.do) *a2g.* 1 *Bras. Gír.* Que não leva a sério o que diz; que não cumpre suas promessas *s2g.* 2 Esse tipo de pessoa [Pl.: *papos-furados.*] [Ant. ger.: *papo -firme.*]

papoila (pa.*poi*.la) *sf.* Ver *papoula*

papos de aranha (pa.pos de a.*ra*.nha) *sm2n.* Us. na loc. *Em papos de aranha* [Emprega-se com frequência a loc. *em palpos de aranha*, forma mais próxima da terminologia zoológica; outros empregam a forma mais popular *em papos de aranha*. Em sua forma escrita, tb. há flutuação no emprego da loc. hifenizada ou sem hífen, não havendo rigidez na escolha por uma ou outra forma.] ▪▪ **Em ~** Ver *Em palpos de aranha* no verbete *palpo*

papoula (pa.*pou*.la) *sf.* 1 *Bot.* Nome comum às plantas do gên. *Papaver*, da fam. das papaveráceas, muito cultivadas por suas flores brancas, róseas, arroxeadas, vermelhas, laranja ou amarelas e pelas sementes que contêm diversos alcaloides e das quais se extraem óleos e tinturas, esp. *Papaver somniferum*, espécie da qual se extrai o ópio 2 A flor dessas plantas [F.: Posv. do moçárabe *habapaura*, do lat. *papaver, eris.* Tb. *papoila.*]

⊕ **pappus** (*lat.*) *Bot. sm.* 1 Cálice do fruto das compostas, dotado de pelos simples ou plumosos 2 *P. ext.* Conjunto de pelos que formam pequenas mechas nas sementes de diversas plantas [Pl.: *pappi* [*lat.*].]

páprica (*pá*.pri.ca) *sf. Cul.* Tempero em pó, doce ou picante, feito de pimentão vermelho [F.: Do húng. *paprika*, posv. pelo fr. *paprika.*]

papua (pa.*pu*.a) *s2g.* 1 Indivíduo dos papuas, povo que habita a Oceania (Nova Guiné, ilhas Salomão etc.) 2 *Gloss.* Qualquer das línguas faladas nessa área, com exceção do malaio-polinésio *a2g.* 3 Do ou ref. aos papuas ou à língua papua [F.: Do malaio.]

papuásio (pa.pu.*á*.si:o) *sm.* 1 Pessoa nascida ou que vive em Papua Nova Guiné *a.* 2 De Papua Nova Guiné (Oceania); típico desse país ou de seu povo [F.: Do top. *Papuásia* ('Papua Nova Guiné') + *-io²*, seg. o mod. de *Malásia / malásio.*]

papudo (pa.*pu*.do) *a.* 1 Que tem papo grande 2 Diz-se do que tem dobras, pregas (rosto papudo); EMPAPUÇADO 3 *Bras. Pop.* Que conversa bem, que tem bom papo 4 *Bras. Pop.* Que é dado a fanfarronices *sm.* 5 Indivíduo com papo grande: "Desde Pindamonhangaba, notavam-se papudos." (Capistrano de Abreu, *Capítulos de história colonial*) 6 *Bras. Pop.* Indivíduo que tem boa conversa 7 *Bras. Pop.* Indivíduo fanfarrão [F.: *papo* + *-udo.*]

pápula (*pá*.pu.la) *sm.* 1 *Derm.* Pequena elevação dura, ger. de pequena dimensão, que ocorre na pele 2 *Bot.* Saliência epidérmica que ocorre em certas plantas [F.: Do lat. *papula, ae.*]

papuloso (pa.pu.*lo*.so) [ô] *Bot. Derm. a.* 1 Ref. à pápula 2 Que tem pápula(s) [Pl.: [ó]. Fem.: [ó].] [F.: *pápul(a)* + *-oso.*]

pápus (*pá*.pus) *sf. Bot.* Cálice frutífero das compostas; PAPO [F.: Do lat. *pappus.*]

paqueiro (pa.*quei*.ro) *a.* 1 *Cinol.* Diz-se de cão adestrado para a caça de pacas 2 Diz-se de quem arranja trabalho para os outros *sm.* 3 *Cinol.* O cão que caça pacas 4 O agenciador de trabalhos para outrem [F.: *paca¹* + *-eiro.*]

paquera (pa.*que*.ra) *Bras. Pop. sf.* 1 Ação ou resultado de paquerar; qualquer ação ou ato (olhar, palavras, envio de bilhetes, sinais etc.) que se faz na intenção de conquistar alguém para namoro: *Gostava muito de uma paquera.* 2 *Fig.* Ação de esperar, aguardar ou acompanhar um acontecimento ou fato à distância ou sem participação efetiva: *Na paquera dos acontecimentos. a2g.* 3 Que paquera, que tenta seduzir alguém para namoro; PAQUERADOR *s2g.* 4 Indivíduo dado a paquerar; PAQUERADOR: *O rapaz era um paquera de primeira.* 5 *Fig.* Pessoa que é objeto de paquera de alguém: *Namorador, tinha uma paquera em cada lugar em que ia.* [F.: Dev. de *paquerar*. Hom./Par.: *paquera* (sf. a2g. s2g.), *paquera* (fl. de *paquerar*).]

paqueração (pa.que.ra.*ção*) *sf. Bras. Pop.* Ação ou resultado de paquerar; PAQUERA [Pl.: *-ções.*] [F.: *paquerar* + *-ção.*]

paquerador (pa.que.ra.*dor*) [ô] *a.* 1 Que paquera *sm.* 2 Indivíduo que paquera, esp. com muita frequência [F.: *paquerar* + *-dor.*]

paquerar (pa.que.*rar*) *Bras. Pop. v.* 1 Buscar aproximação com intenção amorosa; AZARAR [*td.*: *paquerar a vizinha da frente.*] [*int.*: *Paquerava muito, mesmo estando casado.*] 2 Olhar com interesse [*td.*: *Há semanas paquerava o tênis da vitrine.*] [▶ 1 paquerar] [F.: Por *paqueirar* < *paqueiro* + *-ar²*. Hom./Par.: *paquera(s)* (fl.), *paquera(s)* (sf. [pl.]).]

paquete (pa.*que*.te) [ê] *sm.* 1 *Ant.* Navio veloz e luxuoso, ger. a vapor 2 *Ant.* Embarcação ligeira, ger. destinada a transportar correspondências e ordens: "Guiomar lia, para a madrinha ouvir, um romance francês, recentemente publicado em Paris e trazido pelo último paquete." (Machado de Assis, *A mão e a luva*) 3 *Bras.* Canoa à vela do alto São Francisco, us. no transporte da carga deixada pelos navios em portos ribeirinhos 4 *Bras. N. E.* Jangada veloz, feita com paus finos 5 *Bras. Ant. Pop.* Menstruação 6 *Lus.* Funcionário de repartições públicas e empresas particulares encarregado de pequenos serviços como levar papéis, entregar correspondência etc.; CONTÍNUO [F.: Do ing. *packet* (*boat*).]

◎ **paqui-.** *el. comp.* = espesso, grosso: *paquicéfalo, paquiderme* [Do gr. *pachýs, eia, ý.*]

paquicefalia (pa.qui.ce.fa.*li*.a) *sf. Med. Pat.* Espessamento anormal de um osso do crânio [F.: *paqui-* + *-cefalia.*]

paquicefálico (pa.qui.ce.*fá*.li.co) *a. Med. Pat.* Relativo à paquicefalia [F.: *paquicefali(a)* + *-ico.*]

paquicéfalo (pa.qui.*cé*.fa.lo) *a. Med. Pat.* Que tem paquicefalia [F.: *paqui-* + *-céfalo.*]

paquiderme (pa.qui.*der*.me) *a2g.* 1 Que possui pele espessa 2 *Zool.* Ref. aos paquidermes *sm.* 3 *Zool.* Espécime dos paquidermes, agrupamento obsoleto que reunia diversos animais de pele espessa, como elefantes, rinocerontes, hipopótamos etc. 4 *Bras. Pej.* Pessoa grosseira, ignorante, rude [F.: Do gr. *pachýdermos, os, on*, pelo fr. *pachyderme.*]

paquidermia (pa.qui.der.*mi*.a) *sf. Med. Pat.* Ver *elefantíase* [F.: Do gr. *pakhudermia* ou *pakhudermin.*]

paquidérmico (pa.qui.*dér*.mi.co) *a.* 1 Dos, ou ref. aos paquidermes 2 Que tem pele semelhante à dos paquidermes [F.: *paquiderme* + *-ico²*.]

paquidermismo (pa.qui.der.*mis*.mo) *sm. Fig.* Qualidade ou característica do que é lento, moroso ou pesado: *O paquidermismo da máquina burocrática é de enlouquecer.* [F.: *paquiderm(e)* + *-ismo.*]

paquimeningite (pa.qui.me.nin.*gi*.te) *sf. Neur.* Processo inflamatório na dura-máter [F.: *paquimeninge* + *-ite.*]

paquimeningítico (pa.qui.me.nin.*gí*.ti.co) *a. Neur.* Relativo à paquimeningite [F.: *paquimeningit(e)* + *-ico.*]

paquímetro (pa.*quí*.me.tro) *sm.* Instrumento próprio para medir pequenas distâncias, diâmetros, espessuras etc. [F.: *paqui-* + *-metro.*]

paquistanense (pa.quis.ta.*nen*.se) *s2g.* 1 Indivíduo nascido ou que vive no Paquistão (Ásia) *a2g.* 2 Do Paquistão; típico desse país ou de seu povo [F.: Do top. *Paquistão* + *-ense.* O mesmo que *paquistanês.*]

paquistanês (pa.quis.ta.*nês*) *sm.* 1 Pessoa nascida ou que vive no Paquistão (Ásia) *a.* 2 Do Paquistão (Ásia); típico desse país ou de seu povo 3 Relativo ao Paquistão (rota paquistanesa) [F.: Do top. *Paquistão* + *-ês.* Sin. ger.: *paquistanense.*]

par *a2g.* 1 *Mat.* Diz-se de todo número divisível por dois [Cf.: *ímpar.*] 2 Que forma um conjunto com outro: *Essa poltrona é par daquela.* 3 Que, numa série, ocupa posição de número par: *Ele mora na primeira casa par.* 4 Que é igual, semelhante: *Esse castiçal é par daquele outro sm.* 5 Cada um dos dançarinos que, juntos, enquanto dançam, formam uma dupla: *Pegou seu par pela mão e foi dançar outra vez.* 6 Conjunto de duas pessoas que se ligam por afinidade, amizade etc.: *Os dois formam um par de filósofos.* 7 Conjunto de duas coisas semelhantes; PARELHA: *Um par de luvas.* 8 *Fig.* Aquele ou aquela que com outra pessoa forma um casal de namorados, de amantes etc.: *Dizia que vivia para o seu par.* 9 Número ou quantidade imprecisa: *Deu-lhe um par de bofetões e foi embora.* 10 Pessoa do mesmo ofício ou ramo: *O senador foi criticado por um de seus pares; Onze é ímpar e doze é par.* 11 Número par [F.: Do lat. *par, paris.*] ▪▪ **~ a ~** 1 Lado a lado, um ao lado do outro; a par (1) 2 Ao mesmo tempo (de outra ação ou acontecimento), simultaneamente; a par (2) **~ craniano** *Anat.* Cada um de 12 pares de nervos cranianos [Ver *Nervo craniano* no verbete *nervo.*] **~ do reino** 1 *Ant. Hist.* Cada membro da Câmara alta na antiga monarquia de Portugal 2 Membro da Câmara dos Lordes, na Inglaterra **~ e ~** Ver *Par a par* **~ em ~** Ver *De par em par*: *Abram as janelas, par em par.* **~ figurado** Em jogo de cartas, como o pôquer, par de cartas acima de dez, cujas imagens são figuras, como o valete, a dama e o rei. **Ao ~** *Econ* Cujo valor de mercado (de título de crédito, ação, moeda etc.) é ou está praticamente igual ao valor nominal **Ao ~ de** Ver *A par de* **A ~** 1 Lado a lado, junto um do outro; par a par (1): *Iam os dois a par pela rua, em silêncio.* 2 Ao mesmo tempo; par a par (2): *Ouvia o discurso e, a par, anotava suas divergências.* 3 *Econ.* Ver *Ao par* 4 Bem informado; ao corrente: *Não precisa me relatar o caso, estou a par.* **A ~ de** 1 Ao lado de: *Caminhava a par do amigo enquanto conversavam.* 2 Comparado com: *A par do previsto, o resultado não foi bom.* 3 Bem informado ou atualizado sobre; ao corrente de: *Ficou a par de todos os problemas antes da reunião.* [F. menos pref.: *ao par de.*] **A ~ e ~** 1 Ver *A par* (1) 2 Ver *A par* (2) **De ~** Lado a lado; a par (1): *Em sua carreira de sucesso, talento e dedicação vão de par.* **De ~ com** Junto com, ao lado de: *Em sua carreira de sucesso, o talento vai de par com a dedicação.* **De ~ em ~** Escancaradamente (ao abrir totalmente portas ou janelas de folhas duplas que se abrem aos pares); par em par: *Abriu a janela de par em par, iluminando o quarto com a luz da manhã.* **Estar a ~** Estar bem informado, ter as informações necessárias **Sem ~** Fora do comum; inigualável

◎ **-para** *el. comp.* = 'aquela que pariu ou vai parir (pela 'x' vez, de certa forma etc.): *deípara* (lat.), *duípara, primípara* (lat.), *secundípara* [F.: Do lat. *-para, ae*, formador de substv. fem., do lat. *-parus, a, um*, formador de adj. com noção de agente, do v.lat. *parire*, 'dar à luz, parir'; 'criar'; 'gerar'; 'produzir'. F. conexa: *-paro.*]

◎ **par(a)-** *el. comp.* = proximidade; oposição; além; defeito; semelhança: *parente; paradoxo; parapsicologia; paraplegia, paradidático*

para (*pa*.ra) *prep.* 1 Na direção de: *Foram para o lado de fora.* 2 Para quando for: *Vamos deixar para depois.* 3 Que se destina a (filme para crianças) 4 Contra (remédio para gripe) 5 Com o objetivo de: *Trabalha para sustentar cinco crianças.* 6 Prestes a: *O espetáculo está para começar.* 7 A, em: *Para o lado direito da sala há um quadro.* 8 Na opinião de: *Para os críticos, o filme é bom.* 9 Com a intenção de: *Saiu para brigar.* 10 Adequada a: *É música para dançar?* 11 Considerando ou levando em conta: *Para a vida que leva, até que está muito bem.* 12 Preparado, capacitado: *Ele é o homem para essa função.* [F.: Do lat. *per ad*, através da var. ant. *pera*. Hom./Par.: *para* (fl. de *parar*).] ▪▪ **Estar ~** 1 Estar com tendência a, ou disposto a: *Hoje estou mais para fazer compras.* 2 Estar na iminência de: *Ele está para ser eleito representante da turma.* **~ com** Com relação a: *A decisão foi muito injusta para com ele.* **~ já** De imediato, para agora mesmo: *Essa providência é para já; Dois refrescos? É para já.* **~ que** 1 A fim de que: *Vamos nos esforçar para que tudo dê certo.* 2 Numa pergunta, refere-se à finalidade: *Para que serve esse aparelho?*

◎ **para-** *el. comp.* = 'que faz parar'; 'que detém'; 'que diminui, neutraliza ou detém a ação de'; 'que protege ou resguarda de': *para-brisa, para-choque, para-lama, paraquedas, para-raios, para-sol, para-vento* [F.: Do v. *parar.*]

parabelo (pa.ra.*be*.lo) *sm.* Ver *parabélum*

parabélum (pa.ra.*bé*.lum) *sm. Arm.* Pistola automática de grosso calibre, proveniente da Alemanha [Pl.: *-luns.*] [F.: Do al. *Parabellum.* Tb. *parabelo.*]

parabenizar (pa.ra.be.ni.*zar*) *v.* Dar os parabéns (a alguém) (por algo); FELICITAR; CONGRATULAR [*td.* / *tdr.* + *por*: *Todos queriam parabenizar o orador (pelas belíssimas palavras).*] [▶ 1 parabenizar] [F.: *parabém* + *-izar*, seg. o mod. erudito.]

parabéns (pa.ra.*béns*) *smpl.* Gestos ou palavras de congratulações, de felicitações, dirigidos a alguém (ger. em ocasião festiva ou em virtude de alguma conquista pessoal, profissional, social, esportiva etc.) [+ *a, por*: *Parabéns à equipe de tênis; Parabéns por seu aniversário.*] [F.: Pl. de *parabém.*]

parábola (pa.*rá*.bo.la) *sf.* 1 Narrativa alegórica que evoca, por comparação, valores de ordem superior, encerra lições de vida e pode conter preceitos morais ou religiosos 2 Esse tipo de narrativa encontrada esp. em textos dos Evangelhos [+ *de, sobre*: *parábola do/sobre o filho pródigo.*] 3 *Geom.* Curva plana com os pontos equidistantes de um ponto fixo dito foco e de uma reta fixa chamada diretriz [F.: Do gr. *parabolé, ês* 'comparação'.] ▪▪ **~ cúbica** *Geom. an.* Curva cuja equação em relação a suas coordenadas cartesianas atendem à forma $y = ax^3$

parabólica (pa.ra.*bó*.li.ca) *Telc. sf.* Antena cuja superfície curva reflete os sinais recebidos, concentrando-os num só ponto: *Instalou uma parabólica em sua empresa.* [F.: Fem. substv. de *parabólico.*]

parabólico (pa.ra.*bó*.li.co) *a.* 1 Ref. a parábola 2 Que tem a forma semelhante à de uma parábola (3) 3 Diz-se de antena us. em comunicação por satélite cujo elemento refletor é uma superfície em forma de parábola (3) [Cf. *parabólica.*] [F.: *parábola* + *-ico.*]

paraboloide (pa.ra.bo.*loi*.de) *a2g.* 1 *Geom.* Que tem a forma geométrica da parábola *sm.* 2 *Geom.* Superfície que se estabelece a partir da rotação de uma parábola em torno de seu eixo [F.: *parábola* + *-oide.*] ▪▪ **~ de revolução** *Geom.* Superfície gerada por uma parábola que gira em torno do seu eixo de simetria

para-brisa (pa.ra-*bri*.sa) *sm.* Placa de vidro colocada na parte da frente do automóvel para proteger o motorista contra vento, poeira etc., sem causar prejuízo à visão do que está adiante [Pl.: *para-brisas.*]

paracanã (pa.ra.ca.*nã*) *Bras. Etnol. a2g.* 1 Relativo aos paracanãs, povo indígena da fam. linguística tupi-guarani, que vive entre os rios Tocantins e Xingu (PA) *s2g.* **2** *Bras. Etnol.* Indígena que pertence a esse povo [F.: Do tupi.]

paração (pa.ra.*ção*) *sf. RS* Ação de parar rodeio ('reunir gado em certo lugar') [F.: *parar* + *-ção*.] ■ **~ de rodeio** Ajuntamento de gado em determinado lugar do campo, para marcação, contagem, tratamento etc. [Tb. se diz apenas *paração*.]

paracentese (pa.ra.cen.*te*.se) *sf. Cir.* Retirada de líquido de uma cavidade orgânica por meio de punção [F.: Do gr. *parakéntesis*.]

paracetamol (pa.ra.ce.ta.*mol*) *sm. Farm. Quím.* Substância (C8H9NO2) que tem utilização no fabrico de corantes, em fotografia e como analgésico e antipirético [Pl.: *-móis*.] [F.: *par (a)-* + *acetam (ida)* + *(fen)ol*.]

para-choque (pa.ra-*cho*.que) *sm.* **1** Dispositivo próprio para amortecer choque **2** Barra metálica ou plástica fixada horizontalmente nas partes anterior e posterior dos veículos automóveis com a finalidade de amortecer impactos, protegendo a carroceria **3** Em ferrovias, obstáculo fixado ao solo, na extremidade das linhas, em que locomotivas e vagões batem durante as manobras [Pl.: *para-choques*.]

paraciesia (pa.ra.ci.e.*si*.a) *sf. Obst.* Gravidez que se processa fora do útero [F.: *par (a)-* + *cies (o)-* + *-ia*.]

paracinesia (pa.ra.ci.ne.*si*.a) *sf. Neur.* Distúrbio neurológico que produz disfunção motora caracterizada por movimentos desordenados e inesperados [F.: *par (a)-* + *-cinesia*.]

paracinético (pa.ra.ci.*né*.ti.co) *a. Neur.* Relativo a paracinesia [F.: Do gr. *parakinetikós, é, ón*.]

paracleto (pa.ra.*cle*.to) [é] *sm.* **1** *Teol.* O Espírito Santo (inicial maiúsc.) [Forma paral.: Paráclito.] **2** Aquele que protege, que defende alguém; ADVOGADO; INTERCESSOR; MENTOR [F.: Do gr. *Parákletos*, pelo lat. tard. *Paracletus, i*.]

paracusia (pa.ra.cu.*si*.a) *sf. Otor.* Qualquer distúrbio de audição [F.: *par (a)-* + *-acusia*.]

parada (pa.*ra*.da) *sf.* **1** Ação ou resultado de parar: *Na parada súbita do ônibus, ele pulou fora.* **2** Ação de interromper algo; INTERRUPÇÃO; PAUSA: *Fez uma parada no trabalho para descansar.* **3** Ponto em que coletivos (ônibus, trens etc.) param para subida e descida de passageiros **4** Lance de jogo **5** Quantia que se aposta em cada lance: *A parada agora é de cem reais!* **6** *Mil.* Desfile de tropas em datas comemorativas (parada militar) **7** Lista dos discos, músicas, livros etc. mais vendidos a cada semana, mês, ano etc. **8** *Bras. Gír.* Diz-se de indivíduo, animal ou coisa difícil de lidar, de enfrentar: *O novo time do Fluminense é uma parada.* **9** *Bras. Gír.* Pessoa atraente, ger. mulher: *Essa garota é uma parada!* **10** *Esg.* Na esgrima, ato de se defender de um golpe **11** *Bras. Cap.* Certo golpe de capoeira [F.: Do lat. vulg. *parata*.] ■ **Aguentar a ~** *Bras. Pop.* Suportar situação difícil, penosa ou trabalhosa **~ cardíaca** *Card.* Interrupção das contrações cardíacas e, portanto, da circulação do sangue, o que pode, se durar mais de 3 minutos, causar lesões cerebrais irreversíveis **~ de sucessos** *Rád. Telv.* Relação (eventualmente execução) das músicas, gravações ou discos de maior sucesso num determinado período **~ federal** *Bras. Gír.* Situação, caso, problema etc. difícil de resolver; parada indigesta **~ indigesta** *Bras. Gír.* Ver *Parada federal* **Topar a ~** *Bras. Gír.* Aceitar um desafio, aceitar enfrentar situação difícil ou trabalhosa

paradão (pa.ra.*dão*) *a.* **1** *Bras. Pop.* Diz-se de indivíduo que se movimenta pouco, que é lento, lerdo **2** Que não tem desembaraço *sm.* **3** Indivíduo que leva vida sedentária [Ant.: *ligadão*] [F.: *parado* + *-ão*; ant. /par.: *paredão*.]

paradeiro (pa.ra.*dei*.ro) *sm.* **1** Lugar em que algo ou alguém está ou vai estar; PARADOURO: *Desconhecia o paradeiro do irmão.* **2** *N. E. MG* Movimento fraco no comércio: *Está o maior paradeiro, ninguém vende nem compra.* [F.: *parado* + *-eiro*.]

paradidático (pa.ra.di.*dá*.ti.co) *a.* Que auxilia no processo de ensino juntamente com os materiais didáticos: *Esses contos e poemas formarão o material paradidático.* [F.: *para (a)-* + *didático*.]

paradigma (pa.ra.*dig*.ma) *sm.* **1** Padrão que serve como modelo a ser imitado ou seguido; MODELO: *Esse será o paradigma do novo projeto.* **2** *Gram.* Conjunto de formas flexionadas de uma palavra us. como modelo a ser seguido: *O verbo comer ger. serve de paradigma à segunda conjugação.* **3** *Ling.* Conjunto de termos que podem ser substituídos entre si na mesma posição da estrutura a que pertencem [F.: Do gr. *parádeigma, atos*.]

paradigmático (pa.ra.dig.*má*.ti.co) *a.* **1** Rel. a *paradigma* **2** *Ling.* Ref. a uma sequência de unidades que possuem traços em comum e que podem substituir umas às outras em determinado ponto da cadeia da fala [F.: Do gr. *paradeigmatikós, é, ón*.]

paradiseídeo (pa.ra.di.se.*í*.de:o) *sm. Zool.* Espécime dos paradiseídeos, família de aves passeriformes de bela plumagem, da Austrália e da Nova Guiné; são as aves-do-paraíso [F.: Do lat. cient. *Paradisaeidae*.]

paradisíaco (pa.ra.di.*sí*.a.co) *a.* **1** Ref. a ou próprio do paraíso **2** Que é extremamente agradável, aprazível (praia paradisíaca) [F.: Do lat. *paradisiacus, a, um*.]

parado (pa.*ra*.do) *a.* **1** Que parou; que deixou de ter movimento (relógio parado); ESTÁTICO; IMÓVEL **2** Que foi estacionado: *carro parado no estacionamento.* **3** Que não demonstra nenhuma iniciativa, nenhum gesto de ação: *No trabalho só fica parado, sem procurar o que fazer.* **4** Que se estagnou (águas paradas) **5** *Bras.* Que ficou desempregado: *Ele está parado há seis meses, coitado! sm.* **6** *Bras. Esp.* No futebol de salão, o jogador que atua fixo na retaguarda, sem avançar, com a única missão de marcar os atacantes adversários [F.: Part. de *parar*.] ■ **~ em** *Bras. Pop.* Encantado com/por, vidrado em: *Ela está parada nele, apaixonou-se; Sou parado em carnaval.* **Mal ~** *Bras. Pop.* Em situação difícil, na iminência de um mau resultado: *Este projeto está mal parado, temos de mudar os métodos.*

parador (pa.ra.*dor*) [ô] *a.* **1** Que para, ger. repetidas vezes **2** *RJ* Diz-se do trem ou ônibus que não é expresso, que para em todas as estações ou pontos **3** *RS* Diz-se do cavaleiro que não cai do cavalo **4** *RS* Diz-se do peão que tem a função de parar o rodeio nas estâncias *sm.* **5** Veículo parador **6** Esse cavaleiro ou peão [F.: *parar* + *-dor*.]

paradouro (pa.ra.*dou*.ro) *sm.* **1** Ver *paradeiro* (1) **2** *RS* Lugar em que o gado manso pernoita, ger. perto da casa da estância [F.: *parar* + *-douro*².]

paradoxal (pa.ra.do.*xal*) [cs] *a2g.* **1** Que contém ou está baseado em paradoxo(s): *Era um argumento paradoxal.* **2** Que tem predileção por paradoxos [Pl.: *-xais*.] [F.: *paradoxo* + *-al*.]

paradoxalidade (pa.ra.do.xa.li.*da*.de) [cs.] *sf.* Qualidade do que é paradoxal: *E por aí vemos a paradoxalidade das ideias defendidas pelos deputados.* [F.: *paradoxal* + *-i-* + *-dade*.]

paradoxismo (pa.ra.do.*xis*.mo) [cs.] *sm. Ret.* Figura que apresenta palavras de sentido oposto e aparentemente contraditórias, mas cuja contiguidade reforça o sentido pretendido, como neste verso de Camões: "Amor... é um *contentamento descontente*...", mesmo que oxímoro [F.: *paradoxo* + *-ismo*.]

paradoxo (pa.ra.*do*.xo) [cs] *sm.* **1** Ideia, conceito, proposição, afirmação aparentemente contraditória a outra ou ao senso comum: "...o leitor se dará conta do paradoxo que está na base da construção do romance. Travamos contato imediato com uma correspondência sigilosa, a que não poderíamos ter acesso." (Antônio Callado, *Reflexos do baile*) **2** Comportamento que contradiz os princípios que o deveriam reger; CONTRADIÇÃO: *Aquela adúltera ser contra o adultério é um paradoxo.* **3** *Fil.* Pensamento ou proposição que contraria os princípios do pensamento humano ou colide com as crenças e convicções da maioria das pessoas **4** *Lóg.* Raciocínio aparentemente lógico, mas que contém contradições em sua estrutura [F.: Do gr. *parádoksos, os, on* 'bizarro' Hom./Par.: *paradoxo* (fl. de *paradoxar*).]

paraense (pa.ra.*en*.se) *s2g.* **1** Pessoa nascida ou que vive no estado do Pará *Amaz;* PAROARA *a2g.* **2** Do Pará; típico desse estado ou de seu povo [F.: Do top. *Pará* + *ense*.]

paraestatal (pa.ra.es.ta.*tal*) *a2g.* Diz-se de instituição cuja atividade é de interesse público e que se rege por administração própria, mas que é criada pelo Estado (empresa paraestatal) [Pl.: *-tais*.] [F.: *par (a)-* + *estatal*.]

parafernália (pa.ra.fer.*ná*.li:a) *sf.* **1** Conjunto de objetos de uso pessoal: *A tia chegou com sua parafernália e instalou-se no quarto de hóspedes.* **2** Conjunto de instrumentos e pertences próprios de alguma atividade: *Impressionava-se com a parafernália cinematográfica.* **3** Conjunto de instrumentos e pertences próprios de alguma atividade **4** Conjunto de coisas usadas ou velhas [F.: Do lat. medv. *paraphernalia* (pl. neutro de *paraphernalis*).]

parafimose (pa.ra.fi.*mo*.se) *sf.* **1** *Urol.* Inflamação ou desviamento do prepúcio ou estreitamento da base da glande devido ao estreitamento do prepúcio **2** *Oft.* Retração da pálpebra [F.: *par (a)-* + *fimose*.]

parafina (pa.ra.*fi*.na) *Quím. sf.* **1** Nome comum que se dá aos hidrocarbonetos saturados **2** Material sólido, branco, translúcido, subproduto do petróleo, mistura de hidrocarbonetos saturados sólidos us. na fabricação de fósforos, têxteis, velas etc. [F.: Do fr. *parafine*. Hom./Par.: *parafina* (fl. de *parafinar*).]

parafinado (pa.ra.fi.*na*.do) *Quím. a.* **1** Misturado a ou recoberto com parafina **2** Tratado com parafina [F.: Part. de *parafinar*. Ant. ger.: *desparafinado*.]

parafinagem (pa.ra.fi.*na*.gem) *sf. Quím.* Ação ou resultado de parafinar; *parafinação* [F.: *parafinar* + *-agem*.]

parafinar (pa.ra.fi.*nar*) *Quím. v. td.* **1** Untar ou misturar (algo) com parafina **2** Transformar (algo) em parafina [▶ 1 parafinar] [F.: *parafina* + *ar*². Hom./Par.: *parafina(s)* (fl.), *parafina(s)* (sf. [pl.]).]

parafínico (pa.ra.*fí*.ni.co) *a.* Ref. a parafina ou que tem sua natureza; PARAFINADO [F.: *parafina* + *-ico*.]

parafiscal (pa.ra.*fis*.cal) *a2g. Jur.* Imposição tributária similar a um tributo, e que se constitui ger. de contribuições compulsórias destinadas a entidades beneficiárias, e não à administração pública, como ocorre, p. ex., com os fundos de garantia ao trabalhador [F.: *par (a)-* + *fiscal*.]

parafonia (pa.ra.fo.*ni*.a) *sf.* **1** *Med.* Alteração do tom da voz, esp. quando causada por motivos emocionais ou devido à idade **2** *Mús.* Na música da Grécia antiga, os acordes de quarta e quinta [F.: Do gr. *paraphoné, ês*.]

paráfrase (pa.*rá*.fra.se) *sf.* **1** *Ling.* Versão de um texto, ger. mais extensa e explicativa, cujo objetivo é torná-lo mais fácil ao entendimento **2** *Pej.* Trabalho desse tipo que tem texto supérfluo e diluidor do conteúdo do texto abordado **3** *Pedag.* Uso da paráfrase (1) no ensinamento ou estudo de uma composição literária **4** *Liter.* Versão em versos de um original em prosa, esp. de trecho da Bíblia **5** *P. ext. Pej.* Discurso ou narração prolixa e supérflua **6** *Ling.* Maneira diferente de repetir algo já dito, sem mudar o sentido **7** *Mús.* Técnica de contraponto em uma ou mais vozes que, nos sécs. XV e XVI, fazia citações de melodia de cantochão [F.: Do gr. *paraphrasis, is*.]

parafrasear (pa.ra.fra.se.*ar*) *v. td.* **1** Traduzir ou explicar por meio de paráfrase: *parafrasear o pai-nosso.* **2** *Fig.* Ampliar, desenvolver, falando ou escrevendo [▶ 13 parafrasear] [F.: *paráfrase* + *-ear*².]

parafrástico (pa.ra.*frás*.ti.co) *a.* Relativo a ou que tem caráter de paráfrase [F.: Do gr. *parafrasticós, é, ón*.]

parafrenia (pa.ra.fre.*ni*.a) *sf. Ant. Psiq.* Designativo de uma série de problemas mentais que incluem, entre outros males, a demência precoce e a paranoia [F. paral. *parafronia*.] [F.: *par (a)-* + *-frenia*.]

parafrênico (pa.ra.*frê*.ni.co) *a.* Relativo à *parafrenia* [F.: *parafrenia* + *-ico*.]

parafusação (pa.ra.fu.sa.*ção*) *sf.* **1** Ação ou resultado de parafusar: *Encheu as mãos de calos na parafusação das estantes.* **2** *Fig.* Ideia fixa, elucubração pertinente a uma área específica: "É quem há de responder agora às parafusações respeitáveis dos biólogos." (Camilo Castelo Branco, *Serões de S. Miguel*) [Pl.: *-ções*.] [F.: *parafusar* + *-ção*.]

parafusador (pa.ra.fu.sa.*dor*) [ô] *a.* **1** Que parafusa *sm.* **2** Aquele que parafusa **3** O mesmo que *chave de fenda*, ou *chave de parafuso* **4** Aparelho elétrico destinado a parafusar, *parafusadeira* **5** *Fig.* Pessoa curiosa, que indaga muito [F.: *parafusado* + *-or*.]

parafusar (pa.ra.fu.*sar*) *v.* **1** Fixar ou apertar por meio de parafuso ou rosca; ATARRAXAR [*td.*] **2** *Fig.* Ter ideia fixa em algo; MEDITAR; RUMINAR [*int.* / *tr.* *+em, sobre*: *Mesmo sem esperanças, parafusávamos (sobre) o retorno de Emília*).] [▶ 1 parafusar] [F.: *parafuso* + *-ar*². Sin. ger.: *aparafusar*. Hom./Par.: *parafuso* (fl.), *parafuso* (sm.).]

parafuso (pa.ra.*fu*.so) *sm.* **1** Peça metálica cilíndrica filetada em hélice, que se embute em outra peça (porca) igualmente filetada e atarraxada em sentido contrário, ou num meio resistente. Para fixação em madeira, os parafusos têm forma cônica **2** A parte de qualquer objeto terminado em rosca, como o parafuso **3** *Avi.* Acrobacia aérea na qual o avião descreve uma espiral em torno de seu eixo [F.: De or. incerta.] ■ **Entrar em ~** *Bras. Gír.* Perder o domínio das faculdades mentais; ficar desorientado, desatinado **~ Allen** Aquele que tem na cabeça uma reentrância hexagonal, na qual se encaixa uma chave Allen **~ de Arquimedes** *Mec.* Dispositivo com uma superfície helicoidal que gira em torno do próprio eixo para elevar líquidos **~ de fenda** Aquele que tem na cabeça uma fenda, na qual se introduz a ponta de uma chave de fenda para fazê-lo girar, e com isso fazê-lo penetrar sob pressão (ger. tem a ponta aguçada), ou sair de onde está aparafusado **~ de porca** Aquele que atravessa completamente a(s) parte(s) que deve aparafusar, saindo a extremidade do outro lado (ger. não se afunila na extremidade), e cuja rosca se adapta à rosca interna de uma porca que se aperta de encontro à parte aparafusada para fixá-la e imobilizá-la **~ micrométrico** *Fís.* Aquele cuja rosca tem um passo muito pequeno, o que faz com que seu avanço seja pequeno em relação à rotação nela imprimida, permitindo ajustes de precisão milimétrica na regulagem de aparelhos etc. **~ Philips** Aquele que tem na cabeça uma reentrância com a forma de uma cruzeta **~ sem fim** **1** Parafuso na forma de um cilindro, na reentrância de cuja hélice se encaixa pelo menos um dente de uma roda dentada, de modo que ao girar o parafuso ele transmite à roda dentada movimento de rotação [Por outro lado, se o parafuso está imóvel, a roda dentada não tem como transmitir-lhe movimento.] **2** Dispositivo mecânico que usa a propriedade do parafuso sem fim para movimentar um sistema mecânico **Ter um ~ a/de menos** *Fam.* Ser amalucado, mentalmente desequilibrado. **Ter um ~ a/de mais** *Fam.* Ver *Ter um parafuso a/de menos* **Ter um ~ frouxo** *Fam.* Ver *Ter um parafuso a/de menos*

paragem (pa.*ra*.gem) *sf.* **1** Ação ou resultado de parar; PARADA **2** Lugar onde algo se encontra ou pode ser encontrado: "E, para mundial espanto, / Remonto à paragem calma, / Onde, em práticas sem fim, / Deabulam as Musas: / Na alma..." (Manuel Bandeira, *Luís Jardim*) **3** Lugar em que se para **4** *Lus.* Ponto de parada de ônibus, táxi etc.; PONTO [Pl.: *-gens*.] [F.: *parar* + *-agem*.]

parageusia (pa.ra.geu.*si*.a) *sf. Neur.* Perversão no sentido do paladar [F. paral.: *parageustia*.] [F.: *par(a)-* + gr. *geusis* + *-ia*.]

paragêusico (pa.ra.*gêu*.si.co) *a.* Rel. a *parageusia* [F.: *parageusia* + *-ico*.]

⊕ ***paraglider*** (*ing.*) *sm.* Espécie de planador equipado com motor e hélice, m. q. *parapente* [F.: Do ing. *paraglider*.]

paragoge (pa.ra.*go*.ge) *sf. Ling.* Figura linguística em que ocorre o acréscimo de letra ou sílaba no final de uma palavra (p. ex.: *cânon, cânone*); EPÍTESE; PARALEPSE [F.: Do gr. *paragoge, es*.]

paragógico (pa.ra.*gó*.gi.co) *a.* **1** Rel. a paragoge *a.* **2** Que tem paragoge ou dela resulta [F.: *paragoge* + *-ico*.]

paragonar (pa.ra.go.*nar*) *v. td.* **1** Comparar (coisas ou pessoas) a procura de semelhanças ou diferenças entre elas; COTEJAR **2** *Art. gr.* Alinhar o texto a ser impresso de um ou de ambos os lados **3** *Art. gr.* Combinar diversos tipos de letras em uma mesma área impressa [Forma paral. *parangonar*.] [▶ 1 paragonar] [F.: Do it. *paragonare*.]

paragovernamental (pa.ra.go.ver.na.men.*tal*) *a. Pol.* Diz-se de organização não oficial que tem poderes semelhantes aos do governo [F.: *par (a)-* + *governo* + *-mental*.]

paragrafação (pa.ra.gra.fa.*ção*) *sf.* Ação ou resultado de paragrafar [Pl.: *-ções*.] [F.: *paragrafar* + *-ção*.]

paragrafar (pa.ra.gra.*far*) *v. td.* Dispor (texto) em parágrafos [▶ 1 paragrafar] [F.: *parágrafo* + *-ar*². Hom./Par.: *paragrafo* (fl.), *parágrafo* (sm.).]

paragráfico (pa.ra.*grá*.fi.co) *a.* Ref. a parágrafo [F.: *parágrafo* + *-ico*.]

parágrafo (pa.*rá*.gra.fo.) *sm.* **1** Parte de um texto escrito que desenvolve uma ideia básica e que se inicia com mudança de linha **2** Ver *alínea* (2) **3** Sinal gráfico (§) us. para separar e indicar essas divisões **4** Seção de artigo de lei [F.: Do gr. *parágraphos, ou.* Hom./Par.: *paragrafo* (fl. de *paragrafar*).] ▪ **~ espanhol** *Art. gr.* Tipo de composição de texto no qual um parágrafo tem todas as linhas justificadas (alinhadas pela direita e pela esquerda) menos a última, que é centralizada **~ francês** *Art. gr.* Tipo de composição de texto no qual a primeira linha ocupa toda a largura da mancha e as demais têm um deslocamento (um recuo, o mesmo para todas as linhas) à esquerda

paraguaio (pa.ra.*guai*.o) *sm.* **1** Pessoa nascida ou que vive no Paraguai (América do Sul) *a.* **2** Do Paraguai; típico desse país ou de seu povo [F.: Do top. *Paraguai* + *-o*.]

paraíba (pa.ra.*í*.ba) *Bras. Angios. sm.* **1** Árvore da fam. das simarubáceas (*Quassia amara*), de madeira branca e frutos drupáceos, m. que *simaruba* **2** Árvore da fam. das simarubáceas (*Quassia versicolor*), de casca amarga e medicinal e drupas comestíveis, m. que *pitombeira-de-marajó* **3** Trecho do rio que não pode ser navegado: "Por esses espaços ninguém metia lanço, devido a que o rio em seio de sua largura se atalhava de corredeiras – paraíba – repuxando sobre pedregulho..." (Guimarães Rosa, "Ripuária" *in Tutameia*) **4** *Pop.* Mulher de comportamento masculinizado **5** *Pop. Depr.* Lésbica; MACHONA **6** *Pop.* Operário da construção civil; PARU; PARAÍBA DE OBRA **7** *P. ext.* Qualquer nordestino, sobretudo o que procura a região sudeste em busca de trabalho; PAU DE ARARA [F.: Do tupi *pa 'rab* + *'iwa*.]

paraibano (pa.ra:*i*.ba.no) *sm.* **1** Pessoa nascida ou que vive na Paraíba *a.* **2** Da Paraíba; típico desse estado ou de seu povo [F.: Do top. *Paraíba* + *-ano*.]

paraíso (pa.ra.*í*.so) *sm.* **1** *Rel.* Na narrativa bíblica, jardim de delícias no qual Deus colocou Adão e Eva; ÉDEN **2** *Fig.* Lugar em que predomina a felicidade; CÉU **3** *Fig.* Qualquer lugar que seja prazeroso, agradável: "... a beleza superior do Minho, 'esse paraíso idílico'." (Eça de Queirós, *Os Maias*) [F.: Do lat. *paradisus, i* 'jardim'.] ▪ **~ fiscal** *Pop. Econ.* País (ger. pequeno, de pouca importância política) no qual os impostos e taxas sobre capital e operações financeiras é pequeno ou nulo, assim como o controle sobre ele, e que por isso nele se instalam filiais de empresas multinacionais, ou em cujos bancos pessoas físicas depositam dinheiro

paraláctico (pa.ra.*lác*.ti.co) *a.* Referente a paralaxe; PARALÁTICO [F.: Do gr. *parallaktikón, é, ón*.]

paralalia (pa.ra.la.*li*.a) *sf. Neur.* Qualquer distúrbio da fala, incluindo seu desaparecimento temporário ou permanente [F.: *par (a)-* + *-lalia*.]

para-lama (pa.ra-*la*.ma) *sm.* Parte da carroceria de um veículo colocada sobre as rodas como proteção contra respingos de água e detritos [Pl.: *para-lamas*.]

paralaxe (pa.ra.*la*.xe) [cs] *sf.* **1** Diferença aparente entre duas localizações do mesmo objeto, obtidas a partir de pontos de observação diversos **2** *Astron.* Deslocamento angular aparente de um corpo celeste por estar sendo observado a partir da superfície da Terra e não de seu centro [F.: Do gr. *parallaxis, eos* 'ação de alternar'.]

paraldeído (pa.ral.de.*í*.do) *sm. Quím.* Polímero do aldeído acético (C6H12O3) us. como sedativo ou na manufaturação de compostos [F.: *par (a)-* + *aldeído*.]

paralela (pa.ra.*le*.la) [é] *sf.* **1** *Geo.* Cada uma de duas ou mais retas situadas no mesmo plano, que, mesmo prolongadas ao infinito, não têm ponto comum, sendo equidistantes em toda a extensão **2** *Esp.* No tênis e no vôlei, bola lançada paralelamente à linha lateral da quadra [F.: Fem. de *paralelo*.]

paralelas (pa.ra.*le*.las) *sfpl.* **1** *Esp.* F. red. de *barras paralelas*, aparelho de ginástica us. em treinamentos e competições **2** *Art. gr.* Sinal constituído por dois traços verticais, para indicar separação; barra dupla [F.: Ver *paralela*]

paralelepípedo (pa.ra.le.le.*pí*.pe.do) *sm.* **1** *Geom.* Sólido com seis lados retangulares cujas faces opostas, aos pares, são iguais e paralelas **2** Pedra com essa forma us. em calçamento de rua [F.: Do gr. *parallelepípedos, os, on*.] ▪ **~ oblíquo** *Geom.* Aquele no qual os ângulos formados pelas faces com as bases (e consequentemente os formados pelas arestas laterais com as bases) são diferentes de 90º **~ retângulo** *Geom.* Paralelepípedo reto no qual as bases são retângulos **~ reto** *Geom.* Aquele no qual os ângulos formados pelas faces com as bases (e consequentemente os formados pelas arestas laterais com as bases) são iguais a 90º

paralelismo (pa.ra.le.*lis*.mo) *sm.* **1** Qualidade ou condição do que é paralelo **2** Relação existente entre linhas ou superfícies paralelas entre si **3** *Fig.* Correspondência entre duas coisas ou ideias no processo do pensamento: *Esse projeto tem certo paralelismo com o outro; Há paralelismo entre o cool jazz e a bossa-nova.* [+*com, entre*: *Esse projeto tem certo paralelismo com o outro; Há paralelismo entre o cool jazz e a bossa-nova.*] **4** *Gram.* Série de frases que apresentam estruturas gramaticais idênticas **5** *Liter.* Sequência repetida de versos e estrofes [F.: *paralelo* + *-ismo*.] ▪ **~ psicofísico** *Psi.* Conceito em que se apoiam doutrinas metodológicas da psicologia, segundo o qual não há relação de causalidade entre os fenômenos do corpo (fisiológicos) e os da mente no organismo humano

paralelo (pa.ra.*le*.lo) *a.* **1** *Geom.* Diz-se de linha ou superfície equidistante em toda a extensão de outra linha ou superfície (retas paralelas, planos paralelos) **2** Diz-se do que se desenvolve ou segue na mesma direção, no mesmo rumo de algo da mesma espécie (vidas paralelas) **3** Diz-se de evento simultâneo a outro: *Anunciaram transmissões paralelas do jogo do Brasil.* **4** Que atua ou funciona de forma alternativa a entidade correlata, oficial ou legal, de mesma atividade (câmbio paralelo, mercado paralelo) **5** *Etnol.* Diz-se de regra de filiação que atribui aos homens as relações patrilineares e às mulheres as matrilineares *sm.* **6** *Geog.* Círculo imaginário na superfície da Terra, formado pela interseção de um plano paralelo ao plano do Equador **7** Comparação, confronto, cotejo: *É difícil fazer um paralelo entre Pelé e Zico.* **8** *Geog.* Cada um dos círculos menores da esfera terrestre que são perpendiculares ao meridiano **9** Mercado paralelo: *Troca moedas no paralelo.* [F.: Do gr. *parállelos, os, on*.] ▪ **Em ~** *Elet.* Ligados (elementos de um circuito elétrico, dispositivos por ele alimentados) de maneira a unir polos positivos com polos positivos, polos negativos com polos negativos, de modo que a corrente se divide proporcionalmente entre eles **~ celeste** *Astron.* Ver *Paralelo de declinação* **~ de declinação** *Astron.* Lugar geométrico dos pontos de mesma declinação da esfera celeste; paralelo celeste **~ de latitude** **1** *Astron.* Na esfera celeste, qualquer círculo máximo imaginário que passa pelos polos da eclíptica e que é, portanto, perpendicular ao plano desta **2** *Geog.* Na esfera terrestre, máximo círculo imaginário que passa pelos seus polos, portanto perpendicular ao equador, e sobre o qual se mede a latitude; meridiano terrestre **~ de longitude** **1** *Astron.* Na esfera celeste, qualquer círculo imaginário menor, paralelo à eclíptica; círculo de longitude (1) **2** *Geog.* Na esfera terrestre, qualquer círculo menor imaginário paralelo ao Equador, e sobre o qual se mede a longitude; paralelo **~ geodésico** *Geom. an.* Curva que corta as geodésicas de uma superfície perpendicularmente

paralelogramo (pa.ra.le.lo.*gra*.mo) *sm. Geom.* Quadrilátero que tem os lados opostos paralelos entre si; QUADRILONGO; RETÂNGULO; ROMBOIDE [F.: Do gr. *parallelográmmos, os, on*.]

paralinguístico (pa.ra.lin.*guís*.ti.co) *a. Ling.* Ref. ou concernente a paralinguagem ou a paralinguística [F.: *par (a)-* + *linguístico*.]

paralipômenos (pa.ra.li.*pô*.me.nos) *smpl.* **1** Nome dado pela Vulgata e pelos autores gregos e hebraicos a dois dos livros históricos da Bíblia (*Crônicas I e II*), que apresentam um relato complementar da história do povo hebreu até o exílio babilônico **2** *P. ext.* Qualquer suplemento a uma obra literária [F.: Do gr. *paraleipómena*, (o que foi omitido).]

paralisação (pa.ra.li.sa.*ção*) *sf.* **1** Ação ou resultado de paralisar(-se) **2** Parada, suspensão ou interrupção de algo: *Vai haver paralisação no fornecimento de gás.* [Pl.: *-ções*.] [F.: *paralisar* + *-ção*. Ant. ger.: *movimento*.]

paralisado (pa.ra.li.*sa*.do) *a.* **1** Que se paralisou, que foi interrompido, suspenso (trânsito paralisado) **2** Que sofreu paralisia: *O rapaz ficou com o braço paralisado.* **3** *Fig.* Moralmente traumatizado; CHOCADO: *Ficou paralisado pela visão do acidente.* [F.: Part. de *paralisar*.]

paralisante (pa.ra.li.*san*.te) *a2g.* Que paralisa; que trava a ação, o movimento (golpe paralisante) [F.: *paralisar* + *-nte*.]

paralisar (pa.ra.li.*sar*) *v.* **1** Fazer perder ou perder a função motora em certa(s) parte(s) do corpo; IMOBILIZAR [*td.: O tombo paralisou-o da cintura para baixo.*] **2** Ficar ou deixar sem ação [*td.: Os gritos paralisaram o condomínio.*] [*int.:* "... pela emoção que emudece e paralisa." (José de Alencar, *O guarani*)] **3** Fazer parar de funcionar [*td.: A chuva paralisou o centro da cidade.*] **4** Fazer parar ou parar de progredir; ESTACIONAR; ESTAGNAR [*td.: O fechamento da fábrica paralisou a cidadezinha.*] [*int.: A reforma do estádio foi paralisada.* Ant.: *desenvolver.*] **5** Ser atacado de paralisia ou de marasmo [*int.: Com o susto, o jovem paralisou-se imediatamente; Com a falta de verbas, paralisaram-se as obras do estádio.* Tornar-se paralítico, paraliticar-se.] [▶ 1 paralisar] [F.: Do gr. *parálysis*, 'relaxamento', 'paralisia', + *-ar*².]

paralisia (pa.ra.li.*si*.a) *sf.* **1** *Neur.* Incapacidade de locomover voluntariamente parte(s) do corpo, devida a doença neurológica **2** *P. ext. Neur.* Perda parcial ou total da função sensorial **3** *Fig.* Falta de ação, de atividade; MARASMO; TORPOR [F.: Do fr. *paralisie*.] ▪ **~ agitante** *Neur.* Ver *Doença de Parkinson* no verbete *doença*. **~ bilateral** *Neur.* Diplegia **~ geral** *Neur. Psiq.* Denominação da meningoencefalite crônica, inflamação do encéfalo e das meninges causada por sífilis e que pode levar à demência e a paralisia generalizada **~ infantil** *Neur.* Doença infecciosa aguda de origem virótica, que ataca ger. (mas não só) crianças, atacando o sistema nervoso central, ger. levando a paralisia e atrofia de certos músculos; poliomielite anterior aguda, doença de Heine-Medin. [As vacinas Salk e, depois, Sabin (oral), permitiram a imunização contra essa doença]

paralítico (pa.ra.*lí*.ti.co) *a.* **1** Diz-se de pessoa que tem paralisia *sm.* **2** Essa pessoa [F.: Do gr. *paralutikos, e, on.* Hom./Par.: *paralitico* (fl. de *paraliticar*).]

paralogismo (pa.ra.lo.*gis*.mo) *sm. Lóg.* Raciocínio imperfeito ou ilógico, estabelecido de maneira involuntária [F.: Do gr. *paralogismós.* Cf.: *sofisma*.]

paramécio (pa.ra.*mé*.ci:o) *sm. Zool.* Espécie de protozoário do gên. *Paramecium*, dotado de cílios, com corpo achatado e oval, inofensivo ao homem e muito us. em experiências de laboratório [F.: Do lat. cient. gên. *Paramecium*.]

paramedicina (pa.ra.me.*di*.ci.na) *sf.* Conjunto das atividades auxiliares da medicina [F.: *par (a)-* + *medicina*.]

paramédico (pa.ra.*mé*.di.co) *a.* **1** Diz-se de pessoa que exerce atividades auxiliares na área da medicina mas não é médico *sm.* **2** Essa pessoa [F.: *par (a)-* + *médico*.]

paramentado (pa.ra.men.*ta*.do) *a.* **1** Diz-se do que ou de quem se paramentou; que está coberto de ornamentos [+ *com, de*: "O padre Lamparinas apareceu, todo paramentado com sua sobrepeliz nova." (Aluísio Azevedo, *O mulato*): "Aquela mocetona, acessível a custa de tantos sacrifícios e paramentada de várias joias e do seu grande brilhante, inquietava todas as almas." (Alberto Rangel, *Fura-mundo*)] **2** *Rel.* Que está ornado de paramentos para uma celebração religiosa [F.: part. de *paramentar*.]

paramentar (pa.ra.men.*tar*) *v. td.* **1** Vestir(-se) com paramentos: *O padre paramentou-se para a missa.* **2** Adornar, enfeitar: *paramentar o salão de cerimônias.* [▶ 1 paramentar] [F.: *paramento* + *-ar*². Hom./Par.: *paramento* (fl.), *paramento* (sm.).]

paramento (pa.ra.*men*.to) *sm.* **1** Ornato, adorno, enfeite **2** Face polida de uma peça de pedra ou madeira us. em construção e que fica à vista [Cf.: *tardoz*.] **3** *Cons.* Face anterior ou posterior de uma parede: "Na cornija, por cima da galeria, sobressaem seis pirâmides, assentes em pedestais, e no paramento à esquerda do pórtico abre-se o janelão setecentista que ilumina o transepto." (lazer. público. clix. pt., *Convento de S. Gonçalo do Amarante*) [F.: Do lat. *paramentum, i.* Hom./Par.: *paramento* (sm.), *paramento* (fl. de *paramentar*). Ver tb. *paramentos*.]

paramentos (pa.ra.*men*.tos) *smpl.* **1** *Litu.* Vestes com que os sacerdotes celebram alguma cerimônia religiosa **2** Móveis, adornos etc. das igrejas [F.: Pl. de *paramento*.]

paramétrico (pa.*mé*.tri.co) *a.* Ref. a parâmetro [F.: *parâmetr(o)* + *-ico*².]

paramétrio (pa.ra.*mé*.tri.o) *sm. Anat.* Cada uma das luas lâminas do tecido conjuntivo situada de cada lado do colo do útero e da parte superior da vagina [F.: *par(a)-* + *-métrio*.]

parametrização (pa.ra.me.tri.za.*ção*) *sf.* Ação ou resultado de parametrizar, de expressar em forma de parâmetros [F.: *parametrizar* + *-ção*.]

parametrizar (pa.ra.me.tri.*zar*) *v. td.* Descrever ou representar em termos de parâmetro [▶ 1 parametrizar] [F.: *parâmetro* + *-izar*.]

parâmetro (pa.*râ*.me.tro) *sm.* **1** Em uma expressão ou em uma equação, a outra letra que não a variável cujo valor numérico se pode fixar livremente **2** Grandeza mensurável que permite apresentar de modo mais simples as características principais de um conjunto estatístico **3** *P. ext.* Cada um dos elementos (adotados) ou valores (atribuídos) que servem de padrão, modelo ou de medida numa relação de comparação entre coisas, pessoas, fatos, acontecimentos, condições ou circunstâncias afins **4** Limite ou margem fixada; CONSTANTE **5** *Fig.* Norma, padrão **6** Elemento característico: *A falta de ideologia é um parâmetro da pós-modernidade.* [F.: *par(a)-* + *-metro*.]

paramilitar (pa.ra.mi.li.*tar*) *a2g.* **1** Diz-se de organizações civis que, armadas e adestradas, exercem funções militares sem no entanto fazer parte das forças militares de um país *s2g.* **2** Membro dessa organização [F.: *par(a)-* + *militar*.]

paramnésia (pa.ram.*né*.si.a) *sf.* **1** *Psiq.* Perturbação mental em que palavras são lembradas mas não o seu significado **2** *Psiq.* Ilusão da memória pela qual o indivíduo julga lembrar-se de fatos que na verdade nunca aconteceram, m. que *déjà-vu* [F.: *par (a)-* + *amnésia*. Tb. *paramnesia*.]

paramnésico (pa.ra.m*né*.si.co) *a.* Rel. a paramnésia [F.: *paramnésia* + *-ico*.]

páramo (*pa*.ra.mo) *sm.* **1** Região deserta: "E corre, corre o nauta / Avante pelo páramo das ondas/" (Bernardo Guimarães, *Esperança*) **2** Planalto andino situado logo abaixo das geleiras eternas **3** *Fig.* O firmamento, a abóboda celeste **4** *Fig.* O cume, o ponto mais alto [F.: Do espn. *páramo*. Hom./Par.: *páramos* (pl.), *paramos* (fl. de *parar*).]

paramórfico (pa.ra.*mór*.fi.co) *a. Min.* Que apresenta paramorfismo, m. que *paramorfo* [F.: *paramorfo* + *-ico*.]

paramorfismo (pa.ra.mor.*fis*.mo) *sm. Min.* Forma cristalina que um mineral apresenta acidentalmente mas que não lhe é própria, m. que *pseudomorfismo* [F.: *paramorfo* + *-ismo*.]

paramotor (pa.ra.mo.*tor*) *sm.* Parapente dotado de motor [Cf. *parapente* e *pagaglider*.] [F.: *par (a)-* + *motor*.]

paraná (pa.ra.*ná*) *Bras. Amaz. sm.* **1** Canal que separa uma ilha fluvial da margem do rio **2** Canal entre dois rios [F.: Do tupi *para'nã*, 'semelhante ao mar'.]

paranaense (pa.ra.na.*en*.se) *s2g.* **1** Pessoa nascida ou que vive no estado do Paraná *a2g.* **2** Do Paraná; típico desse estado ou de seu povo [F.: Do top. *Paraná* + *-ense*. Sin. ger.: *paranista, tingui*.]

paranazista (pa.ra.na.*zis*.ta) *a2g.* **1** Que possui traços ou tendências nazistas (filme paranazista) *s2g.* **2** Pessoa ou entidade que apresenta tendências pró-nazistas [F.: *par(a)-* + *nazista*.]

parança (pa.*ran*.ça) *sf.* **1** Ação ou resultado de parar **2** Descanso, folga: "A parança que foi... numa vereda sem nome nem fama." (Guimarães Rosa, *Grande sertão: veredas*) **3** Período de tempo mais extenso do que o esperado; DEMORA [F.: *parar* + *-ança*.]

parango (pa.*ran*.go) *sm. Bras. Gír.* Embrulho ou pacote de maconha [F.: orig. obsc.]

parangolé (pa.ran.go.*lé*) *sm.* **1** *RJ Pop.* Conversa absurda, sem sentido **2** Conversa mole; LÁBIA **3** Comportamento astucioso; ESPERTEZA; MALANDRAGEM [F.: De or. obsc.]

parangonar (pa.ran.go.*nar*) *v. Art. gr.* Mesmo que *parangonar* [F.: Do espn. *parangonar.* Hom./Par.: *parangona* (3ªp. s.), *parangonas* (2ªp. s.); *parangona* (sf. e pl.).]

paraninfar (pa.ra.nin.*far*) *v. td.* Servir de paraninfo: *Paraninfou a festa de debutantes.* [▶ 1 paraninfar] [F.: *paraninfo* + *-ar*[2]. Hom./Par.: *paraninfo* (fl.), *paraninfo* (sm.); *paraninfa* (fl.), *paraninfa* (fem. de *paraninfo*).]

paraninfo (pa.ra.*nin*.fo) *sm.* **1** Pessoa homenageada por uma turma de formandos como seu padrinho ou patrono e que na cerimônia de colação de grau os saúda **2** *Fig.* Patrono, protetor [F.: Do gr. *paránymphos*, pelo lat. *paranymphus.* Hom./Par.: *paraninfo* (sm.), *paraninfo* (fl. de *paraninfar*).]

paranoia (pa.ra.*noi*.a) *sf. Psiq.* Perturbação psíquica caracterizada pelo desenvolvimento de delírio com temática predominantemente persecutória cuja construção, embora lógica, se baseia em premissas falsas, e em que estão ausentes as alucinações e a evolução para um estado de demência [F. mais correta e p. us.: *paraneia.*] [F.: Do lat. cient. *paranoea.*]

paranoico (pa.ra.*noi*.co) *a.* **1** Ref. a paranoia (delírios paranoicos) *a.* **2** Que sofre de paranoia: *O paciente paranoico vê no seu próximo um conspirador contra si.* *sm.* **3** Aquele que sofre de paranoia [F.: *paranó (ia)* + *-ico*[2]. Sin. ger. (p. us.): *paraneico.*]

paranoide (pa.ra.*noi*.de) *a2g.* **1** *Psiq.* Que diz respeito às psicopatias graves, como transtornos de personalidade acompanhados de delírios, forte depressão, sensação de perda, mania de perseguição etc. (esquizofrenia paranoide) *s2g.* **2** *Psiq.* Indivíduo que sofre de tais problemas psíquicos: *O paranoide sofre muito quando é criticado.* [F.: *paran(oia)* + *-oide.*]

paranomásia (pa.ra.no.*má*.si.a) *sf. Ling.* Semelhança entre palavras e línguas diferentes [F. par. *paronomásia.*]

paranormal (pa.ra.nor.*mal*) *a2g.* **1** Que está fora da normalidade, que não está incluído entre os fenômenos explicados pela lógica ou pela ciência (fenômeno paranormal); SOBRENATURAL [Pl.: *-mais.*] *s2g.* **2** Pessoa que tem faculdades paranormais [Pl.: *-mais.*] [F.: *par(a)-* + *normal.*]

paranormalidade (pa.ra.nor.ma.li.*da*.de) *sf.* Condição ou estado do que ou de quem é paranormal [F.: *paranormal* + *-(i)dade.*]

paraolímpico (pa.ra.o.*lím*.pi.co) *a.* Referente às paraolimpíadas [F.: *par(a)-* + *olímpico.*]

paraparesia (pa.ra.pa.re.*si*.a) *sf. Med.* Melopatia associada ao HTLV-1 e que tem como sintoma fraqueza nas pernas; PARAPLEGIA [F.: *para* + *paresia* (perda parcial da motricidade).]

parapeito (pa.ra.*pei*.to) *sm.* **1** Mureta à altura do peito para servir de proteção contra queda **2** Peça rígida que reveste a borda inferior da janela e serve de apoio a quem se debruça sobre ela; PEITORIL **3** *Mil.* Borda superior de trincheira que protege os defensores e por cima da qual se faz fogo [F.: Do it. *parapetto.* Hom./Par.: *parapeito* (sm.), *parapeito* (f. de *parapeitar*).]

parapente (pa.ra.*pen*.te) *sm. Esp.* Espécie de aparelho planador, híbrido de paraquedas e asa-delta, com o qual se salta (já aberto) de um ponto elevado [F.: Do fr. *parapente.*]

parapentista (pa.ra.pen.*tis*.ta) *s2g.* Usuário de parapente [F.: *parapent(e)* + *-ista.*]

paraplegia (pa.ra.ple.*gi*.a) *sf. Neur.* Paralisia das pernas e da parte inferior do tronco [F.: Do lat. cient. *paraplegia*, do gr. *paraplegía.*]

paraplégico (pa.ra.*plé*.gi.co) *a.* **1** Ref. a ou que sofre de paraplegia *sm.* **2** Aquele que sofre de paraplegia [F.: *parapleg(ia)* + *-ico*[2].]

parápode (pa.*rá*.po.de) *sm. Anat. Zool.* Cada um dos apêndices laterais carnosos que atuam na locomoção de anelídeos; tb. *parapódio* [F.: *par(a)-* + *-pode.*]

parapsicologia (pa.ra.psi.co.lo.*gi*.a) *sf.* Ramo da psicologia que investiga fenômenos paranormais como, p. ex., a clarividência, a percepção extrassensorial, a telepatia etc. [F.: *par(a)-* + *psicologia.*]

parapsicológico (pa.ra.psi.co.*ló*.gi.co) *a.* Ref. a parapsicologia [F.: *parapsicolog(ia)* + *-ico*[2].]

parapsicólogo (pa.ra.psi.*có*.lo.go) *sm.* Pessoa especializada em parapsicologia [F.: *par(a)-* + *psicólogo.*]

paraquedas (pa.ra.*que*.das) *sm2n.* Artefato dobrável e provido de cordas, em forma de guarda-chuva que, quando aberto, mantém pessoa ou carga no espaço em queda lenta e segura [É ger. us. por aviadores, esportistas e em manobras de guerra.]

paraquedismo (pa.ra.que.*dis*.mo) *sm.* Conjunto de técnicas para salto em paraquedas, com fins esportivos, de salvamento ou militares [Pl.: *paraquedismos.*]

paraquedista (pa.ra.que.*dis*.ta) *a2g.* **1** Diz-se de pessoa que pratica o paraquedismo **2** Diz-se de militar que pertence ao corpo de paraquedismo **3** *Bras. Pop.* Diz-se de indivíduo que ingressa numa atividade sem estar realmente preparado para exercê-la, mas que, por esperteza, acaba por obter bons resultados a seu favor, esp. os financeiros *s2g.* **4** Praticante do paraquedismo **5** Militar que pertence ao corpo de paraquedismo **6** *Bras. Pop.* Indivíduo paraquedista (3) [Pl.: *paraquedistas.*]

parar (pa.*rar*) *v.* **1** Não deixar continuar ou não continuar (movimento, ação, atividade etc.); DETER(-SE); INTERROMPER(-SE) [*td.*: *parar o trânsito / uma máquina.*] [*tr.* +com: *Finalmente pararam com a cantoria.*] [*int.*: *Assustado, o cavalo parou.*] **2** Permanecer, ficar [*ta.*: *Nunca parou em nenhum emprego; Esse menino não para quieto.* Ant.: *nas acps. 1 e 2: continuar, seguir.*] **3** Ir dar em ou ter por paradeiro [*ta.*: *A bagagem foi parar em outra cidade; Não sei onde essa desavença vai parar.*] **4** Não ir além de [*int.*: *As reclamações não param aqui.*] [*tr.* +em: *É melhor pararmos nesse ponto.*] **5** Chegar ao fim; ACABAR [*int.*: *Quando é que essa briga vai parar?*] **6** Ficar suspenso, imóvel; PAIRAR [*ta.*: *Nuvens de chuva pararam sobre a cidade.*] **7** *Fig.* Deter (os olhos) em; FITAR; FIXAR [*tda.*: *Parou a vista no retrato e começou a chorar.*] **8** Passar a morar em; RESIDIR; HABITAR [*ta.*: *Depois de formado, parou na capital.*] **9** *RS* Hospedar-se, alojar-se [*ta.*: *Quando vou a Florianópolis, paro no alojamento da empresa.*] [▶ 1 parar Us. tb. como v. auxiliar, seguido da prep. *de* + v. principal no infinit., com o sentido de 'interromper a ação': *Pararam de cantar; Já parou de chover.*] [F.: Do lat. *parare.* Hom./Par.: *para* (fl.), *para* (prep.); *paramos* (fl.), *páramos* (pl. de *páramo*); *paráveis* (fl.), *paráveis* (pl. de *parável*). Ideia de 'parar': -stase (metástase); -stato (termóstato, termostato).]
■ Sem ~ De modo contínuo, ininterrupto; sem pausas; sem ter descanso ou sem dar descanso

para-raios (pa.ra-*rai*.os) *sm2n.* Haste metálica ligada à terra e colocada no alto de edificações para atrair as descargas elétricas atmosféricas, encaminhando-as para o solo

pararreligioso (pa.rar.re.li.gi.*o*.so) *a.* Que possui traços ou características religiosas sem pertencer, no entanto, a qualquer religião [Pl.: *pararreligiosos* (ó). Fem.: [ó].]

parartrema (pa.rar.*tre*.ma) *sm. Ort.* Luxação incompleta [F.: Do gr. *pararthrema, atos.*]

◎ **-parasita** *el. comp.* Ver *parasit(o)-*

parasita (pa.ra.*si*.ta) *s2g.* **1** *Biol.* Organismo que vive de ou em outro organismo **2** Indivíduo que vive à custa de outrem *a2g.* **3** *Biol.* Diz-se de parasita (1) **4** Que vive à custa de outrem [F.: Do lat. *parasitus, i* (gr. *parásitos, os, on*), pelo fr. *parasite*, 'aquele que come à custa de pessoa rica'. Tb. (menos us.): *parasito.* Hom./Par.: *parasita* (a2g. sm.), *parasita* (fl. de *parasitar*).]

parasitar (pa.ra.si.*tar*) *v.* **1** Viver ou nutrir-se como parasita de (outro animal ou vegetal) [*td.*: *Muitas orquídeas parasitam as árvores do parque.*] **2** *Fig.* Viver à custa de (outrem); viver ou agir como parasita (2) [*td.*: *Esse preguiçoso parasita o irmão.*] [*int.*: *Carlos parasitou o ano inteiro.*] [▶ 1 parasitar] [F.: *parasita* ou *parasito* + *-ar*[2]. Hom./Par.: *parasita* (fl.), *parasita* (s2g. a2g.); *parasitas* (fl.), *parasitas* (pl. do a2g. s2g.); *parasito* (fl.), *parasito* (sm. a.); *parasitaria* (fl.), *parasitária* (fem. de *parasitário*).]

parasitário (pa.ra.si.*tá*.ri:o) *a.* **1** Ref. a parasita (1) (doenças parasitárias) **2** Que tem as características de parasita (1 e 2) (verme parasitário; elites parasitárias) [F.: *parasit(o)-* + *-ário.* Hom./Par.: *parasitária* (fem.), *parasitaria* (fl. de *parasitar*).]

◎ **parasiti-** *el. comp.* Ver *parasit(o)-*

parasiticida (pa.ra.si.ti.*ci*.da) *a2g.* **1** Que combate, elimina ou destrói parasitas *sm.* **2** Aquilo que combate, elimina ou destrói parasitas [F.: *parasiti-* + *-cida.*]

parasítico (pa.ra.*sí*.ti.co) *a.* Ref. a ou causado por parasita [F.: *parasit(o)-* + *-ico*[2].]

parasitismo (pa.ra.si.*tis*.mo) *sm.* **1** Condição de parasita (1) **2** Hábitos, comportamento de parasita (2) [F.: *parasit(o)-* + *-ismo.*] **■ ~ fitofítico** *Bot.* Aquele no qual um vegetal parasita outro vegetal **~ zoofítico** Aquele no qual um animal parasita um vegetal **~ zoótico** Aquele no qual um animal parasita outro animal

◎ **-parasit(o)-** *el. comp.* Ver *parasit(o)-*

◎ **-parasito** *el. comp.* Ver *parasit(o)-*

◎ **parasit(o)-** *el. comp.* = 'organismo que vive ligado à superfície ou no interior de outro, do qual obtém o alimento que irá nutri-lo': *parasitologia, parasiticida, parasitífero; antiparasitário; holoparasito hemiparasito; hemiparasita* [A flutuação em *-sito* e *-sita* deve-se ao infl. do fr. *parasite* (lat. gr.).] [F.: Do gr. *parásitos, os, on*, 'que come ao lado de outrem'; 'comensal'; 'cidadão que se alimenta no Pritaneu à custa do Estado'; 'parasita'. Ver *par(a)-* e *sit(o)-*.]

parasito (pa.ra.*si*.to) *sm. a.* O mesmo que *parasita.* [F.: Do lat. *parasitus, i*, do gr. *parásitos, os, on.* Hom./Par.: *parasito* (a. sm.), *parasito* (fl. de *parasitar*).]

parasitoide (pa.ra.si.*toi*.de) *Zool. a2g.* **1** Ref. a animal que é alternadamente parasita e não parasita **2** Diz-se de inseto que é parasita de outro artrópode durante a fase larvar *sm.* **3** Animal parasitoide (1) **4** Inseto parasitoide (2) [F.: *parasit(o)-* + *-oide.*]

parasitologia (pa.ra.si.to.lo.*gi*.a) *sf. Biol. Med.* Ramo da biologia que estuda os parasitas [F.: *parasit(o)-* + *-logia.*] **■ ~ agrícola** *Agr.* Ramo da agronomia que trata das pragas e pesquisa seus possíveis agentes

parasitológico (pa.ra.si.to.*ló*.gi.co) *a. Biol. Med.* Ref. a parasitologia [F.: *parasitologia* + *-ico*[2].]

parasitologista (pa.ra.si.to.lo.*gis*.ta) *s2g. Biol. Med.* Aquele que se especializou em parasitologia [F.: *parasitologia* + *-ista.*]

parasitose (pa.ra.si.*to*.se) *sf. Biol. Med.* Doença transmitida pelo parasita ao hospedeiro, homem ou animal [F.: *parasita* + *-ose*[1].]

para-sol (pa.ra-*sol*) *sm.* **1** Dispositivo que protege alguém ou algo da incidência de raios solares **2** *Bras.* Ver *guarda-chuva* **3** Barraca que se arma na areia para proteger os banhistas dos raios solares **4** Pala móvel no interior dos veículos, acima do para-brisa, que serve para proteger do sol os olhos do motorista e do carona [Pl.: *para-sóis.*]

parassífilis (pa.ras.*sí*.fi.lis) *sf2n. Med.* Doença que, embora não tenha natureza sifilítica, se estabelece em terreno propiciado pela sífilis [F.: *par (a)-* + *sífilis.*]

parassifilítico (pa.ras.si.fi.*lí*.ti.co) *a.* **1** *Med.* Que se refere a parassífilis *sm.* **2** Pessoa acometida por parassífilis [F.: *par (a)-* + *sifilítico.*]

parassimpático (pa.ras.sim.*pá*.ti.co) *a.* **1** Do ou ref. ao ramo do sistema nervoso vegetativo que regula o organismo quando em repouso *sm.* **2** O sistema parassimpático [F.: *par(a)-* + *simpático.*]

parassíntese (pa.ras.*sín*.te.se) *sf. Gram.* Processo de formação de palavra por prefixação e sufixação ao mesmo tempo (p. ex.: envelhecer = *en-* + velho + *-cer*); PARASSINTETISMO [F.: Do gr. *parasúnthesis, eos.*]

parassintético (pa.ras.sin.*té*.ti.co) *a.* Ref. a ou em que ocorre parassíntese [F.: *parassíntese* + *-ico.*]

parataxe (pa.ra.*ta*.xe) [cs.] *sf.* **1** *Gram.* Numa oração, sequência de frases justapostas sem conjunção coordenativa **2** *Psic.* Conjunto de ideias e experiências ocorridas durante a formação da personalidade, m. que *parataxia* **3** *Ant. Mil.* Entre os gregos antigos, formação do exército em ordem de batalha [F.: *par (a)-* + *-taxe.*]

parati[1] (pa.ra.*ti*) *sm. Bras.* Cachaça fabricada em Parati (RJ), e por extensão qualquer cachaça [F.: Do top. *Parati.*]

parati[2] (pa.ra.*ti*) *sm. Bras. Ict.* Peixe (*Mugil curema*) das costas africanas e brasileiras [F.: Do tupi *para'ti.*]

paratifo (para.*ti*.fo) *sm. Med.* Doença infecciosa semelhante em alguns aspectos ao tifo, porém mais branda [F.: *par(a)-* + *-tifo.*]

paratireoide (pa.ra.ti.re:*oi*.de) *Anat. a2g.* **1** Da ou ref. à glândula endócrina situada atrás da tireoide, na região do pescoço, que regula o metabolismo do cálcio e do fósforo no organismo *sf.* **2** Essa glândula [F.: *par(a)-* + *tireoide.*]

paratudo (pa.ra.*tu*.do) *sm.* **1** *Angios.* Nome comum a diversas plantas de diferentes gên. e fam., esp. as do gên. *Gomphrena*, da fam. das amarantáceas, us. para fins medicinais **2** Planta (*Cardiospermum giganteum*), da fam. das sapindáceas, de flores alvas e sementes lisas, nativa do Brasil **3** Pequena árvore (*Cinnamodendron corticosum*), da fam. das caneláceas, nativa da América do Sul **4** Árvore (*Hortia arborea*), da fam. das rutáceas, de folhas brilhantes e flores vermelhas, encontrada no Rio de Janeiro (Brasil); pau-paratudo **5** Árvore (*Tabebuia aurea*), da fam. das bignoniáceas, de flores amarelas e folhas que possuem propriedades purgativas, nativa do Brasil **6** *Bot.* Árvore pequena (*Tabebuia caraiba*) da fam. das bignoniáceas, mesmo que *caraíba*: "...a gente parava debaixo dum paratudo – pau como diz o goiano, que é a caraíba mesmo – árvore que respondia à saudade..." (Guimarães Rosa, *Grande sertão: veredas*) [F.: orig. contr.]

parauara (pa.rau.*a*.ra) *s2g. Bras.* Ver *paroara*

parável (pa.*rá*; vel) *a2g.* **1** Que se pode parar **2** Que se consegue com facilidade [Pl.: *-eis.*] [F.: Do lat. *parabilis, e.*]

para-vento (pa.ra-*ven*.to) *sm.* **1** *Arq.* Anteparo de madeira us. no interior das igrejas, à frente da entrada principal, com o objetivo de abrigá-las dos ventos e impedir que as velas se apaguem, e para que não fiquem devassadas; GUARDA-VENTO **2** Tipo de biombo construído com ramos de árvores, us. para proteger do vento [Pl.: *para-ventos.*]

paraventral (pa.ra.ven.*tral*) *a2g. Anat.* Que está situado ao lado do ventre [Pl.: *-ais.*] [F.: *par (a)-* + *ventral.*]

parazoário (pa.ra.zo.*á*.ri:o) *Zool. a.* **1** Referente aos parazoários, sub-reino animal que inclui as esponjas ou animais sem cavidade digestiva *sm.* **2** Espécime dos parazoários [F.: Do lat. cient. *Parazoa* + *-ário.*]

parca[1] (*par*.ca) *Vest. sf.* **1** Espécie de casaco com capuz, que vai até as coxas, feito de pele **2** Casaco esportivo, militar etc. do mesmo estilo, ger. de tecido impermeável [F.: Do ing. *parka.*]

parca[2] (*par*.ca) *sf.* **1** *Mit.* Segundo a mitologia grega, cada uma das três deusas (Cloto, Láquesis e Átropos) que fiavam, dobravam e cortavam o fio da vida humana **2** *Fig.* A morte [F.: Do lat. *parca, ae.*]

parceiro (par.*cei*.ro) *a.* **1** Que faz par com; que é muito semelhante a outro; PARELHO *sm.* **2** Pessoa que faz parceria (para dançar, jogar, participar de empreendimento etc.) **3** Companheiro, camarada **4** Pessoa com quem se tem relação sexual **5** *Pop.* Finório espertalhão [F.: Do lat. *partiarius, a, um.*]

parcel (par.*cel*) *sm.* Banco de areia, recife, baixio, escolho [Pl.: *-céis.*] [F.: Do cast. ant. *placel* (hoje *placer*).]

parcela (par.*ce*.la) *sf.* **1** Parte de algo; FRAÇÃO; PEDAÇO; QUOTA: *Concentrou naquele projeto boa parcela de sua atenção.* **2** *Mat.* Cada uma das quantidades que perfazem uma soma, ou um valor total: *Pagou a televisão em três parcelas iguais.* **3** *Bras. Poét.* Estrofe de oito ou de dez versos, us. nos desafios pelos cantadores nordestinos: "Vamos Francolino, / Endireite a goela / Você na parcela / Pra mim é menino!" (*Vaqueiros e cantadores*) [F.: Do fr. *parcelle*, do lat. *particella.* Hom./Par.: *parcela* (sf.), *parcela* (fl. de *parcelar*).]

parcelado (par.ce.*la*.do) *a.* Que se parcelou; dividido em parcelas (pagamento parcelado) [F.: Part. de *parcelar.*]

parcelamento (par.ce.la.*men*.to) *sm.* Ação ou resultado de parcelar [F.: *parcelar* + *-mento.*] **■ ~ da terra** *Urb.* Divisão de uma área de terreno em lotes [ver *lote*[1] (4)], sob a forma de desmembramento ou loteamento ~ **em condomínio** *Urb.* Divisão de uma área de terreno em frações ideais, demarcadas ou não em áreas de uso privativo, e cujos acessos e vias de circulação internas são de propriedade e responsabilidade de condôminos

parcelar (par.ce.*lar*) *v. td.* 1 Dividir em parcelas; APARCELAR: *parcelar uma dívida.* [▶ 1 parcelar] *a.* 2 Dividido em parcelas: *Os pagamentos das dívidas serão parcelares.* [F.: *parcela* + *-ar*². Hom./Par.: *parcela(s)* (fl.), *parcela(s)* (sf. [pl.]).]

parcelável (par.ce.*lá*.vel) *a2g.* Que pode ser parcelado, dividido em parcelas [F.: *parcelar* + *-v-* + *-el*.]

parceria (par.ce.*ri*.a) *sf.* 1 União de duas ou mais pessoas, organizações, governos etc. para um certo fim de interesse comum; SOCIEDADE: *parceria do Estado com o setor privado.* 2 União de duas ou mais pessoas na realização de atividade artística, esportiva etc. [F.: *parce(i)r(o)* + *-ia*¹.] ■ ~ **agrícola** 1 Sistema de exploração agrícola em que o resultado da produção é repartido entre o proprietário da terra o responsável pela produção 2 *Jur.* Contrato que formaliza esse sistema e as condições que o regem ~ **marítima** *Jur.* Empresa constituída pelos condôminos de um navio para administrar sua exploração e as receitas dela advindas ~ **pecuária** *Jur.* Sistema de criação pecuária em que o resultado da produção é repartido entre o proprietário dos animais e aqueles que cuidam deles e da produção ~ **público-privada** *Econ.* Modalidade de contrato entre o poder público e a iniciativa privada, na qual o primeiro contrata à segunda a criação e administração de empresa, serviço, instituição etc., pelos quais esta é responsável, mas com partilha dos riscos com o poder público ~ **rural** *Jur.* Termo genérico para parceria agrícola e/ou pecuária

parche (*par*.che) *sm.* 1 Pequeno pedaço de tecido que se embebe em algum líquido para ser aplicado sobre uma parte do corpo onde se localiza uma dor, inflamação etc.; EMPLASTRO; PACHO: "Seriam admiráveis se não estivessem cobertos de remendos e parches." (Alexandre Herculano, *Opúsculo*) 2 *RS* Remendo de borracha que se cola sobre o furo de uma câmara de ar [F.: Do fr. ant. *parche* ou *parge*.]

parcial (par.ci:*al*) *a2g.* 1 Que é (apenas) parte de um todo 2 Que só existe ou só se realiza em parte (eclipse parcial; resultados parciais) 3 Que toma partido, sem isenção; INJUSTO: *O juiz mostrou-se muito parcial naquela sentença.* [Ant.: *imparcial*.] [Pl.: *-ais*.] [F.: Do lat. tardio *partialis*.]

parcialidade (par.ci:a.li.*da*.de) *sf.* 1 Qualidade do que é parcial [Ant.: *imparcialidade*.] 2 Partido, facção [F.: *parcial* + *-(i)dade*.]

parcialista (par.ci.a.*lis*.ta) *a2g.* Que julga sem isenção; que julga com parcialidade; PARCIAL [F.: *parcial* + *-ista*.]

parcimônia (par.ci.*mô*.ni:a) *sf.* 1 Ação de poupar, de economizar, de despender moderadamente; ECONOMIA: "Marcos (...) consumira, com parcimônia cautelosa, as provisões acumuladas..." (Aluísio de Azevedo, *Girândola de amores*) 2 Qualidade de parco [F.: Do lat. *parcimonia, ae.* Ant. ger.: *prodigalidade*.]

parcimonioso (par.ci.mo.ni:*o*.so) [ô] *a.* Que usa de parcimônia; PARCO; ECONÔMICO [Ant.: *pródigo*.] [Pl.: [ó]. Fem.: ó] [F.: *parcimôni (a)* + *-oso*.]

parco (*par*.co) *a.* 1 Que é pouco, escasso, minguado: *Dispunham de parcos recursos para investir.* 2 Que é modesto, comedido, frugal: "É o meu almoço, continuou ele, voltando-se para Estácio; almoço parco e higiênico." (Álvares de Azevedo, *Noite na taverna*) [Ant. nas acps. 1 e 2: *abundante*.] 3 Poupado, econômico, parcimonioso [Superl.: *parcíssimo, parquíssimo*.] [F.: Do lat. *parcus, a, um*.]

pardacento (par.da.*cen*.to) *a.* Um tanto pardo, de cor parecida com o pardo (nuvens pardacentas) [F.: *pard (o)* + *-aç(o)-* + *-ento*.]

pardal (par.*dal*) *sm.* 1 *Zool.* Pequena ave passeriforme (*Passer domesticus*), de coloração parda, originária da região paleártica e da Ásia e introduzida nas Américas, muito comum no Brasil, esp. nas áreas urbanas [Col.: *pardalada*.] 2 *Pop.* Equipamento instalado em vias públicas para fotografar infrações de trânsito [Pl.: *-dais*. Fem.: *pardeja, pardoca, pardaloca*.] [F.: De or. obsc.]

pardavasco (par.da.*vas*.co) *a.* 1 Diz-se de quem é amulatado 2 Diz-se de mestiço de negro e índio ou de negro e mulato *sm.* 3 Esse tipo de mestiço [F.: De *pardo*. Sin. ger: *pardavaz*.]

pardejar (par.de.jar) *v. Int.* Ter cor parda ou pardacenta [▶ 1 pardejar] [F.: *pard (o)* + *-ejar*.]

pardieiro (par.di:*ei*.ro) *sm.* Casa, ou qualquer edificação, velha e/ou em ruínas: "Parece que se chegou, nas pedras irregulares do mau calçamento, olhando os pardieiros seculares, ao fim da cidade." (João do Rio, *A alma encantadora das ruas*) [F.: Do lat. vulg. *paretinarius*.]

pardo (*par*.do) *sm.* 1 A cor fosca entre o branco e o preto, ou entre o amarelo e o marrom *sm.* 2 Pessoa mulata *a.* 3 Que é de cor parda (1) (brim/papel pardo): "O Chico-Juca era um pardo, alto, corpulento, de olhos avermelhados..." (Manuel Antônio de Almeida, *Memórias de um Sargento de Milícias*) 4 Diz-se dessa cor 5 Diz-se de pessoa mulata [F.: Do lat. *pardus*.]

pareado (pa.re.a.do) *a. Lus.* Que foi medido (pipa ou tonel) com párea [F.: part. de *parear*.]

parear (pa.re.*ar*) *v. td.* 1 Medir (tonéis, pipas) com párea 2 *Ant.* Pôr lado a lado; EMPARELHAR 3 *Taur.* Mesmo que *bandarilhar* [▶ 13 parear] [F.: *párea* + *-ar*.]

parecença (pa.re.*cen*.ça) *sf.* Qualidade de ser parecido com alguém ou algo; SEMELHANÇA; SIMILITUDE: "Era tal a parecença dos dois irmãos..." (Lima Barreto, *Triste fim de Policarpo Quaresma*) [F.: *parece* r + *-ença*.]

parecer (pa.re.*cer*) *v.* 1 Assemelhar-se a; ter a aparência de; aparentar (estado, condição etc.) [*int.*: *São primos que se parecem muito; Ele se parece com o irmão.*] [*tp.*: *O céu parecia uma abóboda dourada*: "... não parecia irritado quando tornou a falar." (Paulo Coelho, *Brida*)] 2 Representar-se na imaginação (de alguém); AFIGURAR-SE [*ti.* +*a*: *Parece ao guia que devemos prosseguir.*] [*tip.* +*a, para*: *A explicação pareceu -lhe razoável.*] 3 Ser provável [*int.*: *Parece que o ministro vai cair.*] [▶ 33 parecer Nas acps. 1 e 2, pode ser us. tb. como v. auxiliar modal, indicando 'aparência ou dúvida': *Ele parece estar cansado; Ele parece desconfiar da irmã.*] *sm.* 4 Opinião, ger. de perito, sobre determinado assunto: *Pediu ao seu advogado um parecer sobre o contrato.* 5 Modo de pensar, de julgar; OPINIÃO; JUÍZO: *Pelo nosso parecer, a festa deve ser cancelada.* 6 Aparência, aspecto físico de (alguém): *Namorava uma senhora de belo parecer.* [F.: Do lat. **parescere*, incoativo de *parere*, 'aparecer'.] ■ **Ao que parece** Aparentemente, ao que tudo indica

parecerista (pa.re.ce.*ris*.ta) *s2g.* Pessoa que emite parecer sobre matéria em que é especialista [F.: *parecer* + *-ista*.]

pareci (pa.re.*ci*) *Ent. smpl.* 1 Indivíduo do grupo indígena da fam. aruaque, que habita o oeste de Mato Grosso: "A frechadas logo o depunham, entre os parecis e nhambiquaras..." (Guimarães Rosa, *"Darandina" in Primeiras estórias*) 2 *Ling.* A língua da fam. aruaque falada por esse grupo *a2g.* 3 Rel. aos pareci ou aos parecis

> 🕮 Os parecis habitam as áreas indígenas Capitão Marcos, Estação Parecis, Estivadinho, Figueiras, Juininha, Rio Formoso, Umutina, Utiariti e Reserva Indígena Pareci.

parecido (pa.re.*ci*.do) *a.* Que se parece; SEMELHANTE [+*a, com, em* um dia parecido ao de ontem; filhas parecidas com a mãe; gêmeos parecidos em tudo.] [F.: Part. de *parecer*.]

paréctase (pa.*réc*.ta.se) *sf. Fon.* Intercalação de sons entre os fonemas de um vocábulo para torná-lo mais eufônico [F.: Do gr. *paréktasis, eos*.]

paredão (pa.re.*dão*) *sm.* 1 Muro ou parede alta e grossa; MURALHA 2 *Bras.* Ribanceira de um rio, talhada a pique e elevada 3 *Bras.* Encosta íngreme de um monte 4 *PB* Cadeia de recifes submersos 5 *Bras. Esp.* No voleibol, jogador que marca muitos pontos em bloqueio (4) [Pl.: *-dões*.] [F.: *pared(e)* + *-ão*¹.]

parede (pa.*re*.de) [ê] *sf.* 1 Construção vertical de alvenaria ou outro material que limita e fecha externamente o espaço de uma construção (casa, edifício, cabana etc.) ou divide internamente o espaço nessa construção 2 Tabique, tapume 3 Tudo que fecha ou delimita um espaço: *as paredes do armário.* 4 *Anat.* Qualquer formação anatômica que delimita um órgão ou cavidade (parede torácica) 5 Greve [F.: Do lat. vulg. *paretem*.] ■ ~ **celular** *Biol.* Revestimento, externo à membrana plasmática, de células de plantas, bactérias e fungos ~ **de duas vezes** *Cons.* Parede cuja espessura equivale ao comprimento de dois tijolos ~ **de meia vez** *Cons.* Parede cuja espessura equivale à largura (cerca de metade do comprimento) de um tijolo ~ **de meio-tijolo** *Cons.* Ver *Parede de meia vez* ~ **de uma vez** *Cons.* Parede cuja espessura equivale ao comprimento (ou duas vezes a largura) de um tijolo ~ **de um tijolo** *Cons.* Ver *Parede de uma vez* ~ **de vez e meia** *Cons.* Parede cuja espessura equivale a uma vez e meia o comprimento de um tijolo (comprimento mais largura) ~ **dobrada** *Cons.* Ver *Parede de uma vez* ~ **do infinito** *Teat.* Grande tela no formato de semicírculo, ao fundo do palco, que serve como fundo (infinito, céu, paisagem etc.) e na qual se podem projetar imagens e filmes ao longo da cena ~ **dupla** *Cons.* Estrutura formada por dois painéis estreitos e paralelos, próximos um do outro, que pode funcionar como parede isolante (devido ao ar entre os painéis), como alojamento de portas ou janelas corrediças etc. ~ **frontal** *Cons.* Ver *Parede de meia vez* ~ **mestra** *Cons.* Aquela que suporta a maior parte do peso de uma edificação **Encostar (alguém) na** ~ *Bras.* Pressionar (alguém), pôr em si-tuação difícil para forçar ação ou atitude **Fazer** ~ 1 Juntar forças (com alguém) para um objetivo comum 2 *N. E. Pop.* Emparelhar com rês, montando a cavalo, para que outro cavaleiro, no lado oposto, a derrube; fazer esteira (no verbete *esteira*) **Imprensar contra a** ~ *Bras.* Ver *Encostar (alguém) na parede* **Levar à** ~ Superar, vencer (alguém) em discussão, controvérsia, debate etc. **Pôr contra a** ~ *Bras.* Ver *Encostar (alguém) na parede* **Subir pelas** ~**s** 1 *Bras. Fig.* Estar num estado extremo (de sentimento, sensação, atitude etc.): *Ele subia pelas paredes de tanta ansiedade.* [É us. como forma de exagero, ênfase, hipérbole.] 2 Estar muito irritado, indignado etc.

parede-meia (pa.re.de-*mei*.a) *sf.* Parede comum a duas edificações contíguas [Pl.: *paredes-meias*.]

paredinha (pa.re.di.nha) *sf. Bras.* Espécie de jogo em que se atira uma moedinha contra um muro ou parede, ganhando quem a puser mais perto desta, m. que *pé de parede* [F.: *parede* + *-inha*.]

paredismo (pare.*dis*.mo) *sm.* Prática da greve ou parede como meio de reivindicação ou de ação política e social [F.: *pared (e)* + *-ismo*.]

paredista (pa.re.*dis*.ta) *a2g. s2g.* O mesmo que *grevista* [F.: *pared (e)* + *-ista*.]

paredro (pa.re.dro) [é] *sm.* 1 *Bras.* Dirigente de clube de futebol 2 *Pej.* Manda-chuva 3 Conselheiro, mentor [F.: Do lat. *paredros, i*, do gr. *páredros*.]

paregórico (pa.re.*gó*.ri.co) *a.* Que acalma, serena (elixir paregórico); CALMANTE [F.: Do lat. tardio *paregoricus*, do gr. *paregorikós*.]

parelha (pa.*re*.lha) [ê] *sf.* 1 Par de animais us. para tração (parelha de bois /de cavalos) 2 Grupo de duas coisas ou pessoas semelhantes ou análogas sob algum aspecto; DUPLA; PAR 3 *Esp.* No turfe, dupla de cavalos inscritos com o mesmo número no mesmo páreo 4 *Poét.* Estrofe de dois versos; DÍSTICO 5 *Lud.* No jogo de dados, igual número de pontos em cada um dos dois dados 6 *Carp.* Cepo com dois ferros us. para abrir o filete em que uma tábua vai emparelhar com outra [F.: Do lat. vulg. *pariculus, a*.] ■ **Correr** ~**s** (**com**) Estar ou pôr-se em pé de igualdade, de equivalência: *Esse dois correm parelhas em sua devoção à causa; No desempenho, os novatos estão correndo parelhas com os veteranos.*

parelheiro (pa.re.*lhei*.ro) *sm.* 1 *RS* Cavalo de corrida 2 *Bras. Hip.* Cavalo ensinado a correr emparelhado com outro [F.: *parelh (a)* + *-eiro*.]

parelho (pa.*re*.lho) [ê] *a.* 1 Equilibrado em força ou qualidade; de igual para igual: *O jogo Colômbia x Peru promete um duelo parelho.* 2 Semelhante, igual; que forma (com outro) parelha (2): *Tinham ideias parelhas.* 3 Uniforme, igual: "Escolhe-se um chão parelho, nem duro, que faz saltar, nem mole, que acama, nem areento, que enterra o osso." (Simões Lopes Neto, *Contos gauchescos*) *sm.* 4 *RS* Campo plano e sem ondulações 5 *SP* Traje masculino (calça e paletó) [F.: Do lat. vulg. *pariculus*.]

parêmia (pa.*rê*.mi:a) *sf.* 1 Alegoria breve 2 Expressão proverbial [F.: Do gr. *paroimía, as*.]

paremiologia (pa.re.mi.o.lo.*gi*.a) *sf.* 1 Estudo sobre parêmias ou provérbios 2 Coletânea de parêmias [F.: *parêmia* + *-o-* + *-logia*.]

parênquima (pa.*rên*.qui.ma) *sm.* 1 *Anat.* Tecido (de órgão, glândula etc.) composto de células que cumprem uma ou mais funções específicas 2 *Bot.* Tecido fundamental das plantas, formado por células com paredes finas e ger. com espaços intercelulares, que corresponde à maior parte da matéria vegetal [F.: Do lat. cient. *parenchyma*, do gr. *parégchyma, atos*.]

parenquimático (pa.ren.qui.*má*.ti.co) *a. Med.* Referente a parênquima; PARENQUIMATOSO [F.: *parênquima* + *-t-* + *-ico*.]

parentada (pa.ren.*ta*.da) *sf.* O conjunto dos parentes; PARENTELA; PARENTALHA; PARENTAGEM [F.: *parente* + *-ada*.]

parental (pa.ren.*tal*) *a2g.* 1 Rel. a pai e mãe 2 Rel. a parente (relações parentais) [Pl.: *-ais*.] [F.: Do lat. *parentalis, e*.]

parentalha (pa.ren.*ta*.lha) *sf.* O conjunto dos parentes; PARENTELA; PARENTADA [F.: *parente* + *-alha*.]

parente (pa.*ren*.te) *s2g.* 1 Pessoa que em relação a outra(s) pertence à mesma família, por nascimento, por casamento ou por adoção [Col.: *parentada, parentalha, parentela*.] *sm.* 2 *AM PA* Forma de tratamento que equivale a companheiro, camarada *a.* 3 Que tem parentesco 4 *Fig.* Parecido, semelhante, análogo: *Seriam línguas parentes o português e o russo?* [F.: Do lat. *parens, entis*.] ■ ~ **afim/por afinidade** 1 Parente que está relacionado a alguém em função de um casamento entre membros das suas famílias; parente que não é consanguíneo 2 *Antr.* Pessoa em relação a outra com quem mantém parentesco afim ~ **uterino** *Antr. Etnol.* Pessoa em relação a outra a qual tem parentesco uterino (ver no verbete *parentesco*)

parentela (pa.ren.*te*.la) [é] *sf.* O conjunto dos parentes; PARENTADA; PARENTALHA [F.: Do lat. *parentela*.]

parenteral (pa.ren.te.*ral*) *a2g.* Diz-se da ministração de água, glicose etc. feita a um paciente por via não digestiva [Pl.: *-rais*.] [F.: *par (a)-* + *enter (o)-* + *-al*¹. Tb. *parentérico*.]

parentérico (pa.ren.*té*.ri.co) *a.* Ver *parenteral*

parentesco (pa.ren.*tes*.co) [ê] *sm.* 1 Qualidade ou condição de parente (1) 2 Relação entre pessoas ou coisas com ascendente ou origem comum: *parentesco por consaguinidade; o parentesco entre a língua espanhola e a portuguesa.* 3 Relação entre coisas ou pessoas semelhantes sob algum aspecto (parentesco espiritual) [F.: *parent (e)* + *-esco*.] ■ ~ **afim/por afinidade** 1 Relação ou vínculo parentes afins (ver *Parente afim/por afinidade*) 2 *Antr.* Relação de parentesco por filiação ou entre irmãos germanos, que, em certas culturas, leva a uma relação por casamento ~ **linguístico** *Ling.* Relação entre línguas de mesma origem (família) linguística ~ **uterino** *Antr. Etnol.* Aquele (entre indivíduos de qualquer sexo) que se estabelece por linhagem exclusivamente feminina

parêntese (pa.*rên*.te.se) *sm. sm2n.* 1 *Gram.* Elemento acessório (palavra, frase etc.) intercalado num texto e que forma um sentido à parte 2 *Gram.* Cada um dos sinais de pontuação () us. para indicar essa intercalação 3 *Fig.* Desvio do assunto tratado; DIGRESSÃO: *Abro aqui um parêntese para explicar o melhor o que disse anteriormente.* 4 *Mat.* Símbolo us. para agregar os elementos integrantes de uma operação [F.: Do lat. tardio *parenthesis*, do gr. *parénthesis*. Tb. *parêntesis*.] ■ ~**s retos** Colchetes (5) **Abrir** ~(**s**) 1 Escrever o sinal (para marcar o início de um trecho que serve como explicação ou comentário suplementar no interior do texto que se escreve 2 Inserir ou iniciar a inserção, na fala ou na escrita, de informações ou esclarecimentos suplementares, interrompendo a continuidade daquilo que se diz; iniciar uma digressão **Entre** ~**s** 1 Diz-se do trecho escrito, isolado pelo sinal (e terminado pelo sinal), que serve como acréscimo ou suplemento ao texto em que está inserido, mas que não é essencial para a leitura ou compreensão deste **2** *Fig.* Diz-se daquilo que é informado ou narrado como suplemento, explicação ou digressão **Fechar ~(s)** **1** Escrever o sinal) para marcar o fim de um trecho iniciado com o sinal (**2** *Fig.* Terminar uma digressão ou explicação suplementar e prosseguir aquilo que se vinha narrando ou apresentando

parêntesis (pa.*rên*.te.sis) *sm.* Ver *parêntese*

pareô (pa.re:*ô*) *sm. Vest.* Traje inspirado em vestimenta do Taiti de mesmo nome, us. pelas mulheres como saída de praia ou roupa carnavalesca [F.: Do taitiano *pare'u*. Hom./Par.: *pareô* (sm.), *páreo* (sm.).]

páreo (*pá*.re:o) *sm.* **1** *Esp.* No turfe, cada uma das seções de corrida que se disputam no hipódromo **2** *Fig.* Disputa, competição: "Quem está no páreo para a prefeitura de São Paulo?" (*Folha de S.Paulo*, 28.11.1999) **3** *Pop.* Competidor capaz de enfrentar e vencer um páreo (2): *Ele não é páreo para seus adversários.* [F.: *par* + *-eo*. Hom./Par.: *páreo* (sm.), *pareô* (sm.).]

parequema (pa.re.*que*.ma) *sm.* Repetição de som ou sílaba do final de uma palavra e começo de outra [Encicl.: O parequema tanto pode levar a efeitos expressivos, como na frase "arremessou-se à terra a arrepelar-se e a esfarrapar a túnica" (Eça de Queirós, *A relíquia*) quanto à criação de cacófatos (p. ex.: boca calada, saco colorido).] [F.: Do gr. *parekhemas, atos.*]

paresia (pa.re.*si*.a) *sf. Neur. Pat.* Perda incompleta de motricidade nervosa ou muscular [F.: Do gr. *parésis, eos.*]

parésico (pa.*ré*.si.co) *a.* **1** *Med.* Ref. a paresia; PARÉTICO **2** *Neur. Pat.* Que apresenta paresia [F.: *paresia* + *-ico.*]

parestatal (pa.res.ta.*tal*) *a2g.* Ver *paraestatal* [Pl.: *-tais.*] [F.: *par(a)-* + *estatal.*]

parestesia (pa.res.te.*si*.a) *sf. Neur. Pat.* Distúrbio em que o paciente apresenta na pele sensações desagradáveis de coceira, queimação, dormência etc., provocadas por estímulos não exteriores ao corpo: "De ocasião mesmo a parestesia tornava-se geral, alastrava pelos membros superiores." (Abel Botelho, *Barão de Lavos*) [F.: *par (a)-* + *estesia.*]

parestésico (pa.res.*té*.si.co) *a.* **1** *Neur. Pat.* Rel. a parestesia **2** Pessoa que sofre de parestesia [F.: *parestesia* + *-ico.*]

pargo (*par*.go) *sm. Zool.* Peixe perciforme da fam. dos esparídeos (*Pagrus pagrus*) de água tropicais ou temperadas, comum no Sudeste brasileiro (esp. Espírito Santo), com dorso avermelhado com manchas azuladas e ventre mais claro e muito apreciado por sua carne [F.: Do lat. *pagur, uris*, do gr. *phágros.*]

pária (*pá*.ri:a) *s2g.* **1** Casta social mais baixa da Índia **2** Indivíduo que pertence a essa casta **3** *P. ext.* Pessoa excluída socialmente [F.: Do tâmil *paraiyar.*]

paricá (pa.ri.*cá*) *sm.* **1** *Angios.* Designação comum a várias plantas da fam. das leguminosas *sm.* **2** *Angios.* Planta da fam. das leguminosas (*Piptadenia peregrina*), que cresce em lugares abertos, de casca grossa, madeira avermelhada, empregada em construções, flores pequenas e frutos que são grandes legumes **3** Árvore (*Matayba guianensis*) da fam. das sapindáceas, m. que *camboatã-branco* [F.: Do tupi *pari'ka.*]

parição (pa.ri.*ção*) *sf.* **1** Parto, esp. de animais: "A única pessoa autorizada a assinar o Pedido de Registro é o proprietário da égua, à época da parição..." (Associação Brasileira de Criadores de Cavalo Quarto de Milha) **2** *Bras. N. N. E.* Reprodução anual do gado; época em que ela ocorre [Pl.: *-ções.*] [F.: *parir* + *-ção.*]

paricazinho (pa.ri.ca.*zi*.nho) *sm.* **1** Paricá pequeno **2** *PA Angios.* Arbusto (*Aeschynomene sensitiva*) da fam. das leguminosas, m. que *corticeira-do-campo* **3** *PA Angios.* Árvore (*Plathymenia reticulata*) da fam. das leguminosas, m. que *vinhático-do-campo* [F.: *paricá* + *-z-* + *-inho.*]

parida (pa.*ri*.da) *sf.* **1** Fêmea que pariu, que deu à luz recentemente **2** *Cul.* Doce feito de fatias de pão embebidas e leite; FATIA DE PARIDA; RABANADA [F.: subst. fem. de *parido.*]

paridade (pa.ri.*da*.de) *sf.* **1** Qualidade do que é par; IGUALDADE: *A despeito das muitas conquistas, a luta pela paridade dos direitos entre homens e mulheres continua.* [Ant.: *disparidade.*] **2** Qualidade do que é semelhante, parecido **3** *Econ.* Equivalência entre os sistemas monetários de dois países: *A Argentina manteve durante muito tempo a paridade entre o dólar americano e o peso.* **4** Igualdade de remuneração entre níveis profissionais semelhantes: *paridade entre servidores ativos e inativos.* **5** *Arit.* Propriedade que tem um número de ser par ou ímpar; PARILIDADE [F.: Do lat. *paritas, atis.*] ■ **~ ímpar** *Fís. quânt.* Aquela (de uma função de onda) que troca de sinal quando se trocam os sinais das coordenadas espaciais **~ par** *Fís. quânt.* Aquela (de uma função de onda) que não troca de sinal quado se trocam os sinais das coordenadas espaciais

parideira (pa.ri.*dei*.ra) *sf.* **1** Mulher ou fêmea de animal que está em idade de parir **2** Local onde as fêmeas de animais dão cria *a.* **3** Diz-se de parideira (1) **4** *Bras. N. N. E.* Diz-se da fêmea que pare anualmente [F.: *parir* + *-deira.*]

parido (pa.*ri*.do) *a.* **1** Que foi dado à luz, que nasceu **2** Que deu à luz recentemente (diz-se de mulher ou fêmea de animal) [F.: Part. de *parir.*] ■ **Ser ~ por** *N. E. Pop.* Ser cuidadoso com, devotado a (alguém): *Nunca vi pais tão paridos pelos filhos.*

paridoxamina (pi.ri.do.xa.*mi*.na) [cs] *sf. Quím.* Forma química da vitamina B_6, solúvel em água, essencial para o metabolismo das células vermelhas e para o bom funcionamento dos sistemas nervoso e imunológico. [Fórm.: $C_8H_{12}N_2O_2$] [F.: *piridox(ina)* + *amina.*]

parietal (pa.ri:e.*tal*) *a.* **1** Ref. a parede: *inscrições parietais numa caverna.* **2** *Anat.* Que forma a parede da caixa craniana (osso parietal) **3** Próprio para ser pendurado em parede (mapas parietais) [Pl.: *-tais.*] *sm.* **4** *Anat.* Osso parietal [Pl.: *-tais.*] [F.: Do lat. tardio *parietalis.*]

⊕ ***pari passu*** (*Lat.: /pari pássu/*) *loc. adv.* No mesmo passo, ao mesmo tempo, simultaneamente: *As vendas cresceram pari passu com a produção.* [F.: Do lat. *pari*, ablat. masc. sing. de *par, paris*, 'igual', e lat. *passu*, ablat. sing. de *passus, us*, 'passo'.]

parir (pa.*rir*) *v.* **1** Dar à luz em parto [*td.*: *A gata pariu cinco filhotes.*] [*int.*: *Algumas mulheres não podem parir.*] **2** *Fig.* Engendrar, gerar, produzir [*td.*: *Demorou meses, mas pariu a tese.*] [▶ **61 parir**] [F.: Do lat. *parere.* Irreg. na 1a. pessoa do pres. do indic. *pairo*; e em todo o pres. do subj. *paira, pairas* etc.]

parisiense (pa.ri.si:*en*.se) *s2g.* **1** Pessoa nascida ou que vive em Paris: "Madame Cacilda Arcourt... passou a galhardear-se com o garbo de uma parisiense que leva os amantes a Clichy" (Camilo Castelo Branco, *Mulher fatal*) *a2g.* **2** De Paris, capital da França (Europa); típico dessa cidade ou de seu povo [F.: Do top. *Paris* + *-i-* + *-ense.*]

paritário (pa.ri.*tá*.ri.o) *a.* **1** Formado por números pares a fim de estabelecer igualdade de categorias **2** *Jur.* Diz-se de órgão judicante da Justiça do Trabalho formado por membros que representam a classe dos empregadores e a dos empregados [F.: *parit-* + *-ário.*]

parkinson (*par*.kin.son) *s2g. Neur.* Doença que provoca, entre outros males, rigidez muscular, lentidão de movimentos e instabilidade postural; MAL DE PARKINSON; DOENÇA DE PARKINSON: *A Parkinson está associada a idosos, mas pode ser detectada precocemente.* [Com inicial maiúsc.] [F.: Do antr. James *Parkinson* (1755-1824), médico inglês.]

parkinsoniano (par.kin.so.ni.*a*.no) *a.* **1** *Neur.* Ref. a doença de Parkinson **2** Que sofre da doença de Parkinson *sm.* **3** Indivíduo portador da doença de Parkinson [F.: Do antr. James *Parkinson* + *-i-* + *-ano.*]

parkinsonismo (par.kin.so.*nis*.mo) *sm. Neur.* Enfermidade neurológica, m. que doença de Parkinson [F.: Do antr. *James Parkinson* + *-ismo.*]

⊕ ***parkour*** (*Fr.: /parkúr/*) *sm.* Atividade, ou esporte, que consiste em se deslocar de um ponto a outro da maneira mais rápida e eficiente possível, contornando, saltando, escalando etc. [Em português, 'arte do deslocamento'. Abrevia-se tb. PK.]

parla (*par*.la) *sf.* Falatório, conversa, debate: "Diz que chegou um doutor no automóvel e parou para tomar água, mas ficaram conversando e ouvindo as parlas do seu Laio, achando muita graça..." (Guimarães Rosa, *"A volta do marido pródigo" in Sagarana*) [F.: regr. de *parlar.*]

parlamentar (par.la.men.*tar*) *a2g.* **1** Ref. a parlamento: *O presidente abriu a sessão parlamentar. s2g.* **2** Pessoa que faz parte do parlamento: *Era um parlamentar experiente.* [F.: *parlamento* + *-ar*[1].]

parlamentarismo (par.la.men.ta.*ris*.mo) *sm.* **1** *Pol.* Tipo de governo em que o Poder Executivo (o gabinete de ministros) emana diretamente do parlamento e apoia-se na aprovação deste: "As declarações verbosas em que se fale muito de legalidade, ordem, parlamentarismo bastam – para iludir a polícia" (Eça de Queirós, *Cartas de Inglaterra*) **2** *Fig.* Preponderância das câmaras legislativas nos negócios públicos [F.: *parlamentar*[1] + *-ismo.*]

📖 O parlamentarismo é uma forma democrática de governo, centrada na escolha por eleições livres dos membros de um parlamento, que funcionará como poder legislativo e como origem do poder executivo (o governo), saído do próprio parlamento. A base desse sistema representativo são os partidos políticos e seus programas, pois estes, tanto ou mais que os indivíduos que os compõem, é que recebem o voto popular, sendo os membros eleitos os representantes desses programas e da visão política apresentada para escolha. O chefe de governo (que ger. não acumula o papel de chefe de Estado, ou seja, de representante da nação) é o primeiro-ministro, e seu governo e suas decisões estão sempre sujeitos à aprovação do parlamento. O chefe de Estado, dependendo de se o sistema é monárquico ou republicano, pode ser um monarca (como na Espanha, no Japão, na Inglaterra, nos Países Baixos) ou um presidente (como na Alemanha, na Itália, em Portugal, em Israel).

parlamentarista (par.la.men.ta.*ris*.ta) *a2g.* **1** Ref. ao parlamentarismo **2** Que defende ideias parlamentaristas e é adepto dessa forma de governo *s2g.* **3** Partidário do parlamentarismo [F.: *parlamentar*[1] + *-ista.*]

parlamentarizar (par.la.men.ta.ri.*zar*) *v. td. Pol.* Tornar (um sistema político) parlamentar [▶ **1 parlamentarizar**] [F.: *parlamentar* + *-izar.*]

parlamento (par.la.*men*.to) *sm.* **1** O conjunto de assembleias integrantes do Poder Legislativo de um país regido por Constituição [Cf. congresso.] **2** O Congresso nacional, formado pelo Senado e a Câmara federais **3** *Hist.* Antigo tribunal de justiça na França [F.: Do fr. *parlement.*]

parlapatão (par.la.pa.*tão*) *a.* **1** Diz-se de pessoa que gosta de contar vantagens ou de mentir para se promover: "Fontes, não menos parlapatão que o seu patrono, jurou e trejurou que o livro estava a bom recato" (Aquilino Ribeiro, *Lápides partidas*) *sm.* **2** Essa pessoa [Pl.: *-tões.* Fem.: *-tona.*] [F.: De *parlar.*]

parlapatear (par.la.pa.*te*.ar) *v.* **1** Comportar-se, agir como parlapatão, como fanfarrão [*int.*] **2** Anunciar ou exprimir (algo) com bazófia [*td.*: *Vivia parlapateando suas façanhas amorosas.*] [*int.*: *Gostava mesmo era de parlapatear.*] [▶ **13 parlapatear**] [F.: *parlapat(ão)* + *-ear.*]

parlapatice (par.la.pa.*ti*.ce) *sf.* Atitude ou fala própria de parlapatão; FANFARRONICE: "Essa última parlapatice, refalsada e tola." (Rui Barbosa, *Excertos eleitorais*) [F.: *parlapat*(ão) + *-ice.*]

parlar (par.*lar*) *v. tr. int.* Falar muito; TAGARELAR; PAROLAR: "Cantarola e dança, ri solto, parla o que era bom calasse..." (Odorico Mendes, *Odisseia*) [▶ **1 parlar**] [F.: *parolar*, com síncope. Hom./Par.: *parla(s)* (fl.), *parla(s)* (sf. [pl.]).]

parlatório (par.la.*tó*.ri:o) *sm.* **1** Lugar reservado (ger. separado por grades, vidro etc.) para conversas entre uma pessoa (ger. em regime de internação, como em mosteiros, prisão etc.) e seu visitante; LOCUTÓRIO **2** Conversa(s) ruidosa(s), ou ruído de conversas; FALATÓRIO **3** Balcão em edifício público us. por autoridades para discursar: *O presidente fez seu discurso no parlatório do Palácio do Planalto.* [F.: Part. de *parlar*, *parlado* (f. rad. *parlat-*) + *-ório.*]

parlenda (par.*len*.da) *sf.* **1** Palavreado, conversa; PARLENGA; PARLANDA: "... retumbaria mais forte e alto que a cominadora parlenda, para sempre inscrita na portada daquele cemitério do Quimbondo." (Guimarães Rosa, *Estas estórias*) **2** Conjunto de rimas infantis, ger. curtas e divertidas, para memorizar algo, escolher alguém etc. (p. ex.: Uni du ni tê, salamê minguê.../Um dois, feijão com arroz.) **3** Desavença, discussão [F.: De *parlanda.*]

⊕ ***parmegiana*** (par.men.gi.*a*.na) (*it.*) *a. Cul.* Diz-se de molho que contém queijo e tomate (espaguete à parmegiana, nhoque à parmegiana) [F.: Do it. *parmigiano.*]

⊕ ***parmegiano*** (par.me.gi.*a*.no) (*it.*) *sm.* Tipo de queijo oleoso, salgado e granulado, fabricado orig. em Parma (Itália) [F.: De *parmegiano*, nat. de Parma.]

parmesão (par.me.*são*) *sm.* **1** Pessoa nascida ou que vive em Parma (Itália); PARMENSE **2** F. red. de *queijo parmesão*: *Comprou um excelente parmesão. a.* **3** De Parma (Itália); típico dessa cidade ou de seu povo **4** *Cul.* Ref. ao queijo duro, ger. us. ralado em massas, fabricado originalmente em Parma [Pl.: *-sãos, -sões.* Fem.: *-sã.* Fem. somente para as acps. 1 e 3.] [F.: Do it. *parmigiano.*]

parnaíba (par.na.*í*.ba) *s2g.* **1** O mesmo que *parnaibano sf.* **2** *N. E. Pop.* Faca comprida, estreita e com ponta; LAMBEDEIRA **3** *BA* Facão de açougueiro [F.: Do top. *Parnaíba* (PI).]

parnasianismo (par.na.si:a.*nis*.mo) *sm. Liter.* Tendência literária, iniciada na França (séc. XIX), preocupada esp. com a forma da poesia, e que teve como expoentes Théophile Gautier, Charles Baudelaire e Leconte de Lisle, na França, Teófilo Braga, em Portugal, e Olavo Bilac, Raimundo Correia e Alberto de Oliveira no Brasil; PARNASO [Com inic. maiúsc.] [F.: *parnasiano* + *-ismo.*]

parnasiano (par.na.si:*a*.no) *a.* **1** Ref. ao parnasianismo **2** Diz-se do adepto do parnasianismo *sm.* **3** Seguidor dos ditames do parnasianismo, sobretudo o extremo rigor com a forma poética [F.: *parnaso* + *-i-* + *-ano.*]

parnaso (par.*na*.so) *sm.* **1** A comunidade dos poetas **2** *Poét.* Coleção de poesias, de um ou mais poetas, de um determinado lugar ou época: o Parnaso lusitano **3** O conjunto dos poetas **4** *Poét.* Parnasianismo [F.: Do top. gr. *Parnasos*, monte da Grécia antiga consagrado às musas. tb. *parnasso.*]

parnasso (par.*nas*.so) *sm.* Ver *parnaso*

◎ **-paro** *el. comp.* Registra-se em adjetivos com as seguintes ideias: **a)** 'que dá à luz, que pare': *duíparo, multíparo, nulíparo, primíparo* (lat.), *secundíparo, uníparo, vivíparo*; **b)** 'que se reproduz ou se multiplica (de certa forma)': *cissíparo, fissíparo, gemíparo, germiníparo, ovíparo, ovovivíparo, tomíparo*; **c)** 'que origina, causa, produz ou provoca ou segrega (algo)': *morbíparo, mucilaginíparo, mucíparo, sudoríparo, tussíparo, uriníparo, veneníparo*; '(*restr. bot.*) que produz': *floríparo* (lat.), *folíparo, frondíparo, ramíparo* [F.: Do lat. *-parus, a, um*, formador de adj. com noção de agente, do v.lat. *parire*, 'dar à luz, parir'; 'criar'; 'gerar'; 'produzir'. F. conexa: *-para.*]

paroara (pa.ro:*a*.ra) *a2g.* **1** Natural ou habitante do estado do Pará **2** Ref ao estado do Pará **3** *AM* Designação dada ao nordestino que vive na Amazônia **4** *AM PA Ant.* Pessoa que agenciava trabalhadores para os seringais da Amazônia *sm.* **5** *Ornit.* Ave passeriforme (*Paroaria coronata*) de topete vermelho, ocorrente em todo o Brasil, também conhecida como *cardeal* [F.: Do tupi. Tb. *parauara.*]

pároco (*pá*.ro.co) *sm.* Padre que responde por uma paróquia; VIGÁRIO; CURA; ABADE [F.: Do lat. *parochus.*]

paródia (pa.*ró*.di:a) *sf.* **1** Imitação engraçada ou crítica de uma obra (literária, teatral, musical) **2** Imitação burlesca de qualquer coisa: *A vaidade é a paródia do orgulho.* [F.: Do gr. *paroidía.* Hom./Par.: *parodia* (fl. de *parodiar*).]

parodiar (pa.ro.di.*ar*) *v. td.* **1** Imitar de modo cômico **2** Imitar, arremedar (alguém ou algo): "Era parodiar a norma guerreira do adversário..." (Euclides da Cunha, *Os sertões*) [▶ **1 parodiar**] [F.: *paródia* + *-ar*[2]. Hom./Par.: *parodia(s)* (fl.), *paródia(s)* (sf. [pl.]).]

paródico (pa.*ró*.di.co) *a.* Rel. a paródia; que tem caráter de paródia [F.: *paródia* + *-ico.*]

parodista (pa.ro.*dis*.ta) *s2g.* Pessoa que faz paródias [F.: *paródia* + *-ista.*]

parodístico (pa.ro.*dís*.ti.co) *a.* Que concerne à paródia; que contém traços de paródia, *paródico*: *O espetáculo tinha um tom parodístico* [F.: *parodista* + *-ico.*]

párodo (*pá*.ro.do) *Teat. sm.* **1** Parte do drama grego que corresponde à entrada do coro **2** No antigo teatro grego, cada uma das rampas laterais de acesso ao palco, por onde entrava o coro e, no início e no fim do espetáculo, o público [F.: Do gr. *párodos, ou.*]

parola (pa.*ro*.la) [ó] *sf.* **1** Conversa que não resulta em nada; conversa fiada **2** Fala exagerada, excessiva; PALAVREADO; TAGARELICE: "Homem, deixe-se estar na cama, e não dê parola a ninguém" (Sanches de Frias, *Ercília*) *a.* **3** *AM* O mesmo que *paroleiro* [F.: Do it. *parola.*]

parolagem (pa.ro.*la*.gem) *sf.* Ação ou resultado de parolar, conversar, tagarelar: "Fui recebendo em mim um desejo de que ele não fosse mais embora, mas ficasse... sem parolagem miúda, sem brincadeira." (Guimarães Rosa, *Grande sertão: veredas*) [F.: *parolar* + *-gem.*]

parolar (pa.ro.*lar*) *v.* **1** Falar muito; TAGARELAR [*int.* / *tr.* +*com*: *Mesmo com dores, parolava (com as enfermeiras); Parolou um pouco acerca da viagem; Gosta de parolar de coisas interessantes.*] **2** Trocar ideias; CONVERSAR [*int.* / *tr.* +*com*: *No verão, ficava horas parolando (com as vizinhas).*] [▶ 1 parolar] [F.: *parola* + *-ar*². Hom./Par.: *parola(s)* (fl.), *parola(s)* (sf. [pl.]); *parole(s)* (fl.), *parole(s)* (sm. [pl.]).]

⊕ **parole¹** (*Fr.*: /parróle/) *sf. Ling.* Para o linguista suíço Ferdinand de Saussure (1857-1913), a parte da linguagem que se expressa por ato do indivíduo, por oposição à língua, que é um fenômeno social, independente de cada indivíduo

parole² (pa.*ro*.le) *sm.* Em alguns jogos, o dobro do valor apostado no lance anterior ■ **Fazer ~** *Lud.* Em jogo de cartas, concordar unanimemente em que se faça nova distribuição de cartas

paroleiro (pa.ro.*lei*.ro) *a.* **1** Diz-se de pessoa que é dada a parolas; PAROLADOR; PALREIRO; PARLADOR: "Também o padre prior não era paroleiro, que andasse à gandaia por vendas e adjuntos" (Manuel Ribeiro, *Planície*) *sm.* **2** Essa pessoa [F.: *parola* + *-eiro.*]

parolice (pa.ro.*li*.ce) *sf.* **1** Ação ou resultado de parolar, *parolagem* **2** Qualidade ou caráter do paroleiro [F.: *parola* + *-ice.*]

paronímia (pa.ro.*ní*.mi:a) *Gram. Ling. sf.* **1** Qualidade, propriedade ou condição de parônimo **2** Semelhança na pronúncia e/ou na escrita entre palavras com significados diferentes (p. ex.: *comprimento* e *cumprimento*, *cavaleiro* e *cavalheiro*) **3** Conjunto de parônimos de uma palavra [F.: Do gr. *paronumía.*]

paronímico (pa.ro.*ní*.mi.co) *Gram. Ling. a.* **1** Ref. à paronímia ou a parônimo *sm.* **2** Palavra semelhante a outra no som ou na forma: *'Absolver' é o paronímico de 'absorver'.* [F.: *paronímia* + *-ico.*]

parônimo (pa.*rô*.ni.mo) *a.* **1** *Gram. Ling.* Diz-se da palavra que tem pronúncia e/ou grafia semelhante à de outra palavra (p. ex.: recriar e recrear) [Us. tb. como adj.] *sm.* **2** Palavra parônima [F.: Do gr. *paronumos.* Cf.: *homônimo.*]

paroníquia (pa.ro.*ní*.qui.a) *sf.* **1** *Angios.* Nome comum às plantas do gen. *Paroncychia*, da fam. das cariofiláceas, com cerca de 110 espécies de ervas com flores pequenas; ERVA-DOS-UNHEIROS; ERVA-PRATA [Encicl.: As paroníquias são encontradas na Europa, Turguia, sudeste dos E.U.A. e do Peru à Bolívia. Algumas são cultivadas como ornamentais; no passado, eram usadas como recurso terapêutico, pois os antigos acreditavam em suas virtudes curativas em casos de panarício.] **2** Espécime desse gênero **3** *Med.* Inflamação da pele em volta da unha; UNHEIRO; PANARÍCIO; PANARIÇO [F.: Do lat. cien. *Paronychia.*]

paronomásia (pa.ro.no.*má*.si.a) *sf.* **1** *Ling.* Conjunto de palavras de línguas diferentes que têm origem comum ou de palavras que, numa mesma língua, apresentam sentidos diferentes, embora tb. tenham origem comum; ADNOMINAÇÃO **2** *Ret.* Figura de linguagem que emprega palavras que têm semelhanças no som, mas que possuem sentidos diversos (p. ex.: *seu espírito preferia sestas a festas*); AGNOMINAÇÃO [F.: Do lat. *paronomasia, ae.*]

paronomástico (pa.ro.no.*más*.ti.co) *a.* Que se refere a paronomásia (estilo paronomástico) [F.: *paronomásia* + *-ico.*]

paroqueiro (pa.ro.*quei*.ro) *a.* Que se refere a paróquia; que é característico de paróquia; PAROQUIAL; PAROQUIANO: *Tinha um respeito paroqueiro ao sacristão.* [F.: *paróquia* + *-eiro.*]

paróquia (pa.*ró*.qui:a) *sf.* **1** Parte territorial de uma diocese que tem por sede uma igreja matriz dirigida por um pároco; FREGUESIA **2** Conjunto dos fiéis que frequentam essa igreja **3** *Bras. Joc. Pop.* Localidade, lugar: *São os mais animados da paróquia.* [F.: Do lat. *parochia, ae.*]

paroquial (pa.ro.qui:*al*) *a2g.* **1** Ref. a pároco ou a paróquia (sede paroquial) **2** *Fig.* Limitado, provinciano, restrito: *Tinha uma visão paroquial dos fatos.* [Pl.: *-ais.*] [F.: *paróquia* + *-al.*]

paroquialismo (pa.ro.qui.a.*lis*.mo) *sm.* **1** Condição ou caráter de paroquial **2** Modo de pensar ou de agir que dá grande importância ao que é próximo, local, sem maiores considerações por fatores mais amplos: *O paroquialismo desse deputado chega a irritar.* [F.: *paroquial* + *-ismo.*]

paroquialista (pa.ro.qui.a.*lis*.ta) *a2g.* **1** Ref. a paroquialismo *s2g.* **2** Aquele que demonstra espírito paroquial, que é dominado pelo paroquialismo [F.: *paroquialismo* + *-ista.*]

paroquiano (pa.ro.qui.*a*.no) *a.* **1** Ref. a paróquia *sm.* **2** Pessoa que mora em ou frequenta uma paróquia (1) [Us. tb. como adj.] [F.: *paróquia* + *-ano.*]

parosmia (pa.ros.*mi*.a) *sf. Neur.* Qualquer tipo de alteração no sentido do olfato [F.: *par (a)-* + *-osmia.*]

parótida (pa.*ró*.ti.da) *sf. Anat.* Cada uma de duas glândulas produtoras de saliva, que ficam atrás do maxilar inferior, sob a orelha [F.: Do gr. *parótis.* Tb. *parótide.*]

parótide (pa.*ró*.ti.de) *sf.* Ver *parótida*

parotidite (pa.ro.ti.*di*.te) *sf. Pat.* Inflamação da parótida; CAXUMBA; PAPEIRA [(*N.*).] [F.: *parótida* + *-ite.*] ■ **~ epidêmica** *Pat.* Doença contagiosa, de origem virótica, que ger. (mas não só) acomete crianças (com reação imunológica duradoura), e que se manifesta com inflamação das parótidas e febre; caxumba; papeira

par ou ímpar (par-ou-*ím*.par) *Lud. sm.* **1** Brincadeira que consiste em fechar uma das mãos e depois abri-la com um ou mais dedos estirados, enquanto o parceiro anuncia se o número de dedos expostos será par ou ímpar **2** *P. ext.* Simulação dessa brincadeira para saber, entre duas pessoas, a quem caberá uma recompensa, um prêmio ou uma tarefa a realizar [Pl.: *pares-ou-ímpares.*]

paroxísmico (pa.ro.*xís*.mi.co) [cs] *a.* Rel. a paroxismo, m. que *paroxístico* [F.: *paroxismo* + *-ico.*]

paroxismo (pa.ro.*xis*.mo) [cs] *sm.* **1** *Med.* Fase de uma doença em que os sintomas se tornam mais fortes; CRISE **2** *Fig.* O mais alto grau de uma sensação, de um sentimento; AUGE: *Seu discurso levou o público ao paroxismo do entusiasmo.* [F.: Do gr. *paroksusmós.*] ■ **~ vulcânico** *Geol.* Intenso recrudescimento de atividade vulcânica

paroxístico (pa.ro.*xís*.ti.co) [cs] *a.* Ref. a paroxismo, paroxísmico [F.: *paroxismo* + *-ístico.*]

paroxítono (pa.ro.*xí*.to.no) [cs] *a.* **1** Diz-se da palavra cuja penúltima sílaba é tônica (p. ex.: can*ji* ca, em*bo* ra) [Us. tb. como subst.] *sm.* **2** Palavra paroxítona: *Alguns paroxítonos levam acento, como nêutron.* [F.: Do gr. *paroksútonos.*]

parque (*par*.que) *sm.* **1** Terreno amplo e arborizado, destinado ao lazer e à recreação **2** Grande jardim murado **3** Terreno arborizado e fechado que circunda uma propriedade: *A escola fica dentro de um parque.* **4** Região natural posta pelo governo sob sua proteção legal afim de preservar sua fisiografia, fauna e flora: *Parque Nacional da Serra da Bocaina; Parque Estadual Marinho da Pedra da Risca do Meio.* **5** *Mil.* Área destinada ao serviço e acomodação de veículos, aeronaves ou material de artilharia **6** *Econ.* Conjunto de estabelecimentos dedicados a determinada atividade econômica: *Parque industrial; parque gráfico.* [F.: Do fr. *parc.*] ■ **~ de diversões** Conjunto de instalações, brinquedos, equipamentos, máquinas etc., ger. em espaço aberto, destinado à recreação de crianças e adultos, mediante pagamento; o espaço onde funciona **~ gráfico** Conjunto de estabelecimentos gráficos de um certo âmbito (empresa, cidade, estado, país etc.) **~ industrial** **1** Conjunto de indústrias de um certo âmbito (empresa, cidade, estado, país etc.) **2** Área reservada para instalação de fábricas **~ infantil** Espaço delimitado onde há instalações (balanços, gangorras, trepa-trepas, escorregas etc.) para recreação infantil **~ nacional** Extensa área natural, demarcada pelo governo (municipal, estadual ou federal), ger. de interesse científico, turístico e de lazer (rios, montanhas, cavernas, cachoeiras, florestas, formações naturais etc.) onde se mantêm e protegem flora, fauna e sua beleza natural **~ temático** Parque de diversões na qual as instalações, os brinquedos etc. têm um tema ou uma característica comum

parquê (par.*quê*) *sm.* Pavimento coberto por tacos, m. que *parquete* [F.: Do fr. *parquet.*]

parquete (par.*que*.te) [ê] *sm.* Assoalho feito de tacos de madeira que formam desenhos ou figuras [F.: Do fr. *parquet.*]

parquímetro (par.*quí*.me.tro) *sm.* Dispositivo instalado junto a vaga de estacionamento pago de veículo, e que mede o tempo durante o qual o veículo ficou estacionado [F.: *parqu* (ear) 'estacionar' + *-i-* + *-metro.*]

parra (*par*.ra) *sf.* **1** *Bot.* Folha ou ramo de videira **2** Bazófia, parlapatice [F.: De or. obsc.]

parreira (par.*rei*.ra) *Bot. sf.* **1** Nome dado a algumas plantas trepadeiras, esp. a videira **2** Tronco da vide que se esparrama sobre grade horizontal de varas ou arames sustentada por pilares, videira: "Ora busqueis a sombra das parreiras, de cujos verdes braços fruto pende" (Diogo Bernardes, *Lima*) [F.: *parra* + *-eira.*]

parreiral (par.rei.*ral*) *sm.* Plantação de parreiras [Pl.: *-rais.*]

parricida (par.ri.*ci*.da) *s2g.* Assassino do pai, da mãe, do avô ou da avó [Us. tb. como adj.] [F.: Do lat. *parricida, ae.*]

parricídio (par.ri.*cí*.di:o) *sm.* Assassinato do próprio pai, da mãe, do avô ou da avó [F.: Do lat. *parricidium, ii.*]

parrilada (par.ri.*la*.da) *sf.* Ver *parrilhada*

parrilhada (par.ri.*lha*.da) *sf. RS Cul.* Prato típico do Rio Grande do Sul em que entram, basicamente, miúdos de vaca e de frango grelhados [F.: Do cast. *parrillada.* Tb. *parrilada.*]

parrudo (par.*ru*.do) *a.* **1** Que é rasteiro como as parras **2** Que é forte, musculoso: *Fez muita musculação e ficou parrudo.* **3** Que é baixo e largo; ATARRACADO: "um rapazelho de dezessete anos, moreno e parrudo" (Xavier Marques, *Jana e Joel*) **4** *Depr.* Alcunha de português [F.: *parra* + *-udo.*]

parse (*par*.se) *sm.* **1** *Ling.* Língua persa falada modernamente **2** *Rel.* Integrante do grupo de persas zoroastristas que, na Antiguidade, se estabeleceu na Índia [F.: Do persa *parsi.*]

parsec (par.*sec*) *sm. Astr.* Unidade de distância astronômica que equivale à distância de uma estrela cuja paralaxe é de um segundo (corresponde a 3, 2616 anos-luz [simb.: *pc*]) [Pl.: *parsecs.*] [F.: Do ing. *parsec.*]

pársi (*pár*.si) *sm. Ling.* A língua persa moderna, m. que *parse* [F.: Do persa *parsi.*]

parsismo (par.*sis*.mo) *sm.* O conjunto dos hábitos, costumes e maneira de ser ou pensar dos pársis [F.: *parse* + *-ismo.*]

parte (*par*.te) *sf.* **1** Qualquer porção de um todo: *Parte lateral do automóvel; parte navegável do rio.* **2** Divisão de uma obra: *O filme é dividido em três partes.* **3** Divisão de um todo; PORÇÃO; QUINHÃO: *Dividiu a ração em partes iguais.* **4** Espaço indeterminado, lugar: "...Cantando espalharei por toda parte / Se a tanto me ajudar o engenho e arte..." (Luís de Camões, *Os Lusíadas*) **5** Lugar determinado, específico: *Na parte da frente o calor é menor* **6** Atribuição, papel, função: *Seja como for, ele cumpriu sua parte.* **7** Denúncia formal de delito, de irregularidade: *Deu parte do assalto à polícia.* **8** *Jur.* Pessoa que figura num processo como autor ou réu: *As partes não compareceram à audiência.* [F.: Do lat. *pars, partis.*] ■ **À ~** **1** Separado, isolado: *Este é um caso à parte, uma exceção.* **2** Em separado; em particular: *Preparou o jantar do filho, e à parte um lanche para ela; Chamou-o à parte para uma conversa.* **3** Além de, sem contar com: *À parte as férias, gozou de licença não remunerada.* [Cf.: *aparte* **sm.**; fl. de *apartar.*] **A ~ do leão** O melhor ou maior dos quinhões; a maior ou mais importante parte (de algo recebido, atribuído etc.): *Ficou com a parte do leão da herança; Naquela tarefa gigantesca, a parte do leão ficou com meu grupo.* **Da ~ de** Recomendado por, enviado por, a pedido ou a mando de: *Vim procurá-lo da parte de seu amigo Mário.* **Dar ~ de** **1** Revelar-se, deixar-se ver como: *Aceitou a tarefa para não dar parte de irresponsável.* **2** Fazer-se de: *Deu parte de doente para faltar ao trabalho.* **3** Denunciar: *Deu parte do crime à polícia.* **De ~** Afastado, a uma certa distância, sem participar: *Ficou num canto, de parte, durante a cerimônia.* **De ~ a ~** Reciprocamente; de um lado a outro: *Ouviam-se protestos e reclamações de parte a parte.* **Em ~** Parcialmente: *Ficou só em parte satisfeito, esperava muito mais.* **Fazer ~ de** Ser um dos componentes de, participar de: *Todos estes atores fazem parte do elenco.* **Ir por ~s** Abordar (questão, tarefa, problema etc.) metodicamente, progressivamente, uma parte de cada vez **~ adversa** *Jur.* Em ação judicial, a parte contrária (autor em relação ao réu e vice-versa) **~ beneficiária** *Econ.* Título negociável emitido por sociedade anônima, que dá direito à participação nos lucros, mas não na administração ou no capital social **~ cavada** *Mús.* A notação da parte (10) de uma certa voz ou um certo instrumento, extraída de uma partitura **~ central** *RS Tabu.* O pênis **~ da oração** *Gram.* Cada sintagma, com sua função sintática, que compõe uma oração **~ disponível** *Jur.* Porção de patrimônio que se pode legar em testamento quando parte dele cabe a herdeiros necessários **~ do discurso** *Ling.* Cada uma das classes de palavras, estabelecidas com base em características de significado e de forma, como o tipo de flexão e de distribuição (12) [São elas: *nome, pronome, adjetivo, artigo, numeral, verbo, advérbio, conjunção, preposição, interjeição.* Sin.: *categoria gramatical; classe de palavra.*] **~ ideal** *Jur.* A fração numérica que, num condomínio, expressa a porção dele que cabe a cada condômino, e ainda não aplicada materialmente à propriedade [Tb. *fração ideal.*] **~ mole** *Anat.* Qualquer parte do corpo em que não há osso **~s íntimas** Órgão sexuais **Por ~ de** Ver *Da parte de* **Pôr de ~** Pôr de lado **Ter ~ com** Ter pacto com, estar aliado a, estar de conluio com **Ter ~ em** Ver *Tomar parte em* **Tomar ~ em** Participar de, ser ou estar atuante em

parteira (par.*tei*.ra) *sf.* **1** Mulher que assiste aos partos e ministra primeiros socorros às parturientes **2** *Pop.* Guarda-chuva ordinário ou velho [F.: *parto* + *-eira.*]

parteiro (par.*tei*.ro) *a.* **1** Diz-se de médico que faz partos *sm.* **2** Esse médico **3** *Irôn.* Muito extremoso e de sinceridade duvidosa [F.: *parto* + *-eiro.* Sin. ger.: *obstetra.*]

partejar (par.te.*jar*) *v.* **1** Fazer parto em [*td.*] **2** Ajudar ou auxiliar mulher em trabalho de parto [*int.*] **3** Dar à luz; parir [*int.*] **4** *N. E.* Bajular para conseguir algo [*td.*] [▶ 1 partejar] [F.: *parto* + *-ejar.* Hom./Par.: *partejo* (1ª p. s.); *partejo* (s. m.).]

◎ **parteno-** *el. comp.* = 'virgem'; 'não fecundado': *partenofobia, partenófobo, partenogênese* [F.: Do gr. *parthénos, ou*, 'virgem', 'donzela'.]

partenofobia (par.te.no.fo.*bi*.a) *sf. Psiq.* Pavor patológico de mulher virgem [F.: *parten (o)-* + *-fobia.*]

partenofóbico (par.te.no.*fó*.bi.co) *a.* **1** Ref. a partenofobia *sm.* **2** *Psiq.* Pessoa que tem pavor de mulher virgem, m. que *partenófobo* [F.: *partenofobia* + *-ico.*]

partenófobo (par.te.*nó*.fo.bo) *Psiq. a.* **1** Que sofre de partenofobia *sm.* **2** Indivíduo que apresenta essa fobia [Sin. ger.: *partenofóbico*; F.: *parten (o)-* + *-fobo.*]

partenogênese (par.te.no.*gê*.ne.se) *sf. Biol.* Reprodução de um ser vivo (plantas e invertebrados) sem fecundação de óvulo [F.: Do gr. *parthénos* 'virgem' + *-gênese.*]

partenogenético (par.te.no.ge.*né*.ti.co) *a.* Ref. a partenogênese [F.: *partenogênese* + *-ico.*]

partes (*par*.tes) *sfpl.* **1** Órgãos genitais exteriores: *Tinha vergonha de mostrar as partes.* **2** Dons e qualidades de uma pessoa, prendas **3** *Pop.* Ardis, sestros de uma pessoa: *Não me venha com partes.*

partição (par.ti.*ção*) *sf.* **1** Ação de dividir, de partir; DIVISÃO; PARTILHA: *A partição das tarefas não agradou.* **2** Ato de iniciar uma partida **3** *Her.* Linha divisória no campo do escudo **4** *Quím.* Distribuição de um soluto entre duas fases líquidas 5 *Álg.* Decomposição de um conjunto em subconjuntos de modo que cada elemento do conjunto esteja em apenas um dos subconjuntos [Pl.: *-ções.*] [F.: Do lat. *partitio, onis.*]

participação (par.ti.ci.pa.*ção*) *sf.* 1 Ação ou resultado de participar; de fazer parte de: *Acionistas com participação no lucro da empresa.* 2 Aviso, informação: *Recebi a participação do nascimento de sua neta.* 3 *Jur.* Direito do sócio de uma sociedade comercial no rateio de seus resultados empresariais [Pl.: *-ções.*] [F.: Do lat. *participatio, onis.*] ■ ~ **nos lucros** 1 *Econ.* Sistema de remuneração no qual parte dos lucros de uma empresa é distribuído entre seus empregados, independentemente de salários, gratificação por produtividade e outros benefícios 2 *Jur.* Direito de sócio de empresa de receber sua parte dos lucros operacionais

participante (par.ti.ci.*pan*.te) *a2g.* 1 Diz-se de pessoa que participa, que tem parte ativa: *Os atletas participantes da Olimpíada.* *s2g.* 2 Essa pessoa: *O concurso teve mais de dez mil participantes.* [F.: Do lat. *participans, antis.*]

participar (par.ti.ci.*par*) *v.* 1 Ter ou tomar parte de [*tr. +de, em: Ela não participará da cerimônia.* Ant.: *abster.*] 2 Associar-se pelo pensamento, pelo sentimento; COMPARTILHAR; COMPARTIR [*tr. +de: Como não participar do sofrimento alheio?*] 3 Tomar parte em; COMPARTILHAR [*tr. +de: Nessa empresa, os funcionários participam dos lucros.*] 4 Informar ou dar ciência de; COMUNICAR; ANUNCIAR [***td.:*** *participar um casamento*] [***tdi.*** *+a:* "...participei minha chegada aos amigos..." (José de Alencar, *Lucíola*) Ant.: *omitir, silenciar.*] 5 Ter natureza ou qualidades comuns a (alguém ou algo) [*tr. +de: O coco participa das danças tradicionais nordestinas.*] 6 Associar-se pelo pensamento ou sentimento [***tr+ de:*** *Não participo desse ódio pelo diferente.*] [▶ 1 **participar**] [F.: Do lat. *participare.* Hom./Par.: *participáveis* (fl.), *participáveis* (pl. de *participável*); *partícipe(s)* (fl.), *partícipe(s)* (s2g. a2g. [pl.]).]

participativo (par.ti.ci.pa.*ti*.vo) *a.* 1 Ref. a participação 2 Que favorece a participação [F.: Rad. do part. *participado* (f. *participat-*) + *-ivo.*]

partícipe (par.*tí*.ci.pe) *a2g.* 1 Que participa, m. que *participante* [*+de, em: O acusado partícipe do delito deve receber pena menor; Todos os soldados partícipes na conspiração foram processados e condenados.*] *s2g.* 2 Aquele que participa, que toma parte: *A festa contou com poucos partícipes.* [F.: Do lat. *particeps, cipis.* Hom./Par.: *participe* (fl. participar); *partícipes* (pl.); participes (fl. de participar).]

participial (par.ti.ci.*pi*.al) *a2g. Gram.* Ref. a ou da natureza do particípio [F.: Do lat. *participialis, le.*]

particípio (par.ti.*cí*.pi:o) *sm. Gram. Ling.* Forma nominal do verbo que possui características tanto verbais (tempo, modo e aspecto) quanto nominais (gênero e número) [Alguns verbos têm dois particípios, p. ex., gastar: *gastado* e *gasto.*] [F.: Do lat. *participium, ii.*]

partícula (par.*tí*.cu.la) *sf.* 1 Parte pequena de algo: *Examinou partículas do solo.* 2 *Fís.* Parte elementar de um sistema 3 *Gram.* Palavra invariável de uma só sílaba e ger. átona (pronomes, preposições, conjunções) 4 *Rel.* No catolicismo, a hóstia, esp. a pequena: "O padre aproximou-lhe da boca entreaberta a partícula consagrada" (Manuel Ribeiro, *Planície heroica*) [F.: Do lat. *particula, ae.*] ■ ~ **alfa** *Fís. nu.* Núcleo estável de hélio 4 (com 2 prótons e 2 nêutrons), proveniente de um núcleo maior, que o emite num processo de decaimento (*decaimento alfa*). [Tb. apenas *alfa.* Símb.: a] ~ **apassivadora** *Gram.* O pronome *se*, ao formar, com o verbo, voz passiva [Ex.: *Esperam-se bons resultados = Bons resultados são esperados.*] ~ **atômica** *Fís.* Toda partícula cujas dimensões situam-se na escala das dimensões de um átomo ~ **beta** *Fís. nu.* Num processo de decaimento da interação fraca de um átomo, elétron ou pósitron emitido por um nêutron desse átomo. [Tb. apenas *beta.* Símb.: *b*] ~ **elementar** *Fís. nu.* Qualquer dos tipos de partícula considerados elementos fundamentais da matéria, associado cada um a um conjunto de números quânticos que o define. [São os bárions, os bósons W e Z, os léptons e os mésons, e suas antipartículas] ~ **estranha** *Fís. nu.* Partícula elementar cuja estranheza (4) não é nula ~ **fundamental** *Fís. nu.* Ver *Partícula elementar* ~ **subatômica** *Fís.* Toda partícula cujas dimensões situam-se na escala das dimensões dos elementos constituintes dos átomos (portanto muito menores que as destes), como elétrons, prótons, etc. ~ **Sagrada** ~ *Rel.* A hóstia ~ **viral** *Vir.* Partícula infecciosa formada por um ácido nucleico e uma camada de proteínas

particulado (par.ti.cu.*la*.do) *a.* Que é composto de partículas separadas [F.: *partícula* + *-ado.*]

particular (par.ti.cu.*lar*) *a2g.* 1 Característico de determinada(s) pessoa(s) ou coisa(s); ESPECÍFICO; PRÓPRIO: *O artista vê o mundo de um jeito particular.* 2 Que é de uso ou propriedade exclusiva de alguém; que não é de todos (secretário particular; elevador particular); PRIVADO; PRIVATIVO 3 Que não pertence ao poder público; *p. ext.* que é pago (escola particular; hospital particular) 4 Que não se destina a todos (atendimento particular) 5 Que atende em local privado ou que presta serviço ou atendimento privado (médico particular) 6 Que se destina ou que só diz respeito apenas a uma certa pessoa (correspondência particular; interesse particular) 7 De caráter pessoal e, portanto, reservado, secreto, confidencial (encontro particular; conversa particular; assunto particular) 8 Que não é comum; RARO; SINGULAR: *Apreciei o timbre particular de sua voz.* 9 *P. ext.* Excepcional, extraordinário: *Um sujeito com uma memória particular.* *sm.* 10 Uma pessoa qualquer: *Um particular fez a denúncia.* 11 O que é específico, singular: *Primeiro falou do particular e depois passou para o geral.* 12 Conversa reservada, sigilosa: *Disse que precisava ter um particular com o amigo.* 13 *Fig.* Assunto, questão: *A firma já apresentou neste particular uma outra visão.* 14 *Fig. Pop.* Veículo particular: *Os dois bandidos fugiram num particular.* [F.: Do lat. *particularis, e,* do lat. *particula, ae,* 'pequena parte'.]

particularidade (par.ti.cu.la.ri.*da*.de) *sf.* 1 Qualidade do que é particular *sf.* 2 Marca especial de alguém ou de algo; CARACTERÍSTICA; PECULIARIDADE: "...fazê-los trazer a público os seus pontos de vista, para um auditório disposto a compreender as particularidades de cada um..." (Cecília Meireles, *Educação musical*) 3 Detalhe, minúcia: *Contou particularidades do caso.* [F.: Do lat. *particularitas, atis.* Ant. ger.: *generalidade.*]

particularismo (par.ti.cu.la.*ris*.mo) *sm.* 1 Qualidade do que é particular, m. que *particularidade*: "As suas belezas naturais são as mesmas em todo o ano, variando apenas, como sucede em toda a parte, os aspectos da sua paisagem com o particularismo das estações." (Brito Camacho, *Cerros e vales.*) 2 *Pol.* Predomínio do sentimento particular de uma população, comunidade ou grupo, que se concentra em seus interesses particulares, rejeitando a intervenção do Estado ou de grupos mais abrangentes 3 Modo de entender e explicar os fenômenos sociais mais abrangentes a partir de um fator ou causa isolada [F.: *particular* + *-ismo.*]

particularista (par.ti.cu.la.*ris*.ta) *a2g.* 1 Ref. a particularismo 2 Que adota as ideias ou a maneira de ver as coisas do particularismo *s2g.* 3 Aquele que segue o particularismo [F.: *particularismo* + *-ista.*]

particularização (par.ti.cu.la.ri.za.*ção*) *sf.* 1 Ação ou resultado de particularizar(-se) *sf.* 2 Relato pormenorizado: *Fez a particularização de cada antecedente do caso.* 3 Menção especial: *Fez uma explanação abrangente, sem descer à particularização de nenhum caso.* [F.: *particularizar* + *-ção.*]

particularizado (par.ti.cu.la.ri.*za*.do) *a.* 1 Que se particularizou: "Veja 'A batalha naval de Matapão', particularizada no *Sumário de vária história*, de um colecionador inteligentíssimo" (Camilo Castelo Branco, *Caveira*) *a.* 2 Relatado com pormenores; DETALHADO [F.: Part. de *particularizar.*]

particularizante (par.ti.cu.la.ri.*zan*.te) *a2g.* 1 Que particulariza, particularizador *s2g.* 2 Quem particulariza, particularizador [F.: *particularizar* + *-nte.*]

particularizar (par.ti.cu.la.ri.*zar*) *v.* 1 Relatar com particularidades ou pormenores; PORMENORIZAR; DETALHAR [***td.:*** "...explicou e particularizou todo o seu pensamento..." (Franklin Távora, *O cabeleira*)] 2 Fazer menção especial a (alguém ou algo) [***td.:*** *O prefeito particularizou a brilhante atuação dos bombeiros.*] 3 Especificar, discriminar [***td.:*** *Particularize, no projeto, os custos com administração.* Ant.: *nas acps. 1 e 2: generalizar.*] 4 Singularizar-se, distinguir-se [***pr.:*** *Essa cantora se particulariza pela extensão vocal.*] [▶ 1 **particularizar**] [F.: *particular* + *-izar.*]

partida (par.*ti*.da) *sf.* 1 Ação ou resultado de partir: *A partida do avião foi atrasada.* [Ant.: *chegada.*] 2 *Restr.* Ação de sair ou de fazer sair de um certo ponto: *O juiz não vai demorar a autorizar a partida para o início da corrida.* 3 Momento em que essa ação se dá: *Na partida, os corredores ficam muito estressados e os cavalos também.* 4 Momento primeiro ou inicial de algo (ger. de alguma ação ou acontecimento); começo, início: *A partida dessa situação foi a demissão do pai.* 5 *Fig.* Separação, afastamento: *A dor da partida foi arrasadora.* 6 *Com.* Grande quantidade de mercadorias para vender ou comprar: *A firma recebeu de Recife uma partida de carne de sol.* 7 *Esp.* Disputa esportiva; JOGO; PRÉLIO: *Partida de futebol, de voleibol etc.; intervalo da partida.* 8 *P. ext.* Peleja, disputa: *Brasil x Dengue. Vamos vencer esta partida!* 9 Em alguns jogos, o número de pontos necessários para um dos disputantes ser o vencedor 10 *Lud.* Disputa de jogos de salão, como xadrez, bilhar, baralho; CÂNTER 11 *RS Turfe* Apresentação feita pelos parelheiros antes da largada 12 *Pop.* Ignição do motor de um veículo 13 *Pop.* Dito proferido ou ato praticado como gracejo ou logro: *Só no dia seguinte se deu conta de que fora alvo de uma partida.* 14 Reunião festiva, ger. para ouvir música, conversar etc.; SARAU 15 Grupo de pessoas armadas, de desordeiros que praticam crimes ou atividades ilícitas; BANDO [F.: *partir* + *-ida*[1].] ■ **~s dobradas** *Cont.* Sistema de escrituração contábil no qual para cada lançamento de débito numa conta faz-se simultaneamente um lançamento equivalente de crédito em outra **Correr as setes ~s (do mundo)** Viajar muito, percorrendo muitos lugares **Ganhar/perder a ~** *Fig.* Ser bem-sucedido/malsucedido em tarefa, missão, empreendimento etc. **Pregar ~s** *Lus.* Ver *Pregar uma partida* **Pregar uma ~** 1 Fazer brincadeira, pirraça, artimanha, por picardia ou por maldade; pregar uma peça 2 Burlar, lograr, enganar; pregar uma peça

partidaço (par.ti.*da*.ço) *sm. Pop.* Pessoa que, por ter dinheiro ou posição social significativa, é considerada altamente desejável para um casamento; *partidão*: *Para você, que quer se casar, essa garota é um partidaço!* [F.: *partido* + *-aço.*]

partidão (par.ti.*dão*) *sm.* 1 Grande partido, organização política de grande porte 2 *Bras. Irôn.* Nome dado ao antigo Partido Comunista Brasileiro 3 Bom arranjo; colocação vantajosa 4 Pessoa que, por sua posição social ou riqueza, é vista como noiva ou noivo cobiçável; *partidaço* [F.: *partido* + *-ão.*]

partidário (par.ti.*dá*.ri:o) *a.* 1 Ref. a partido (os quadros partidários) *a.* 2 Diz-se de pessoa que segue uma organização ou uma ideia *sm.* 3 Essa pessoa: *É um partidário do governo.* [F.: *partido* + *-ário.* Ant. ger.: *adversário.*]

partidarismo (par.ti.da.*ris*.mo) *sm.* Atitude partidária exagerada; FACCIOSISMO; PROSELITISMO [F.: *partidário* + *-ismo.*]

partidarista (par.ti.da.*ris*.ta) *a2g.* 1 Que é seguidor de um partido político 2 Que defende ardorosamente um partido político, uma causa ou ideologia *s2g.* 3 Aquele que é adepto de um partido político e segue fielmente suas orientações; PARTIDISTA [F.: *partidário* + *-ista.*]

partidarização (par.ti.da.ri.za.*ção*) *sf.* Ação ou resultado de partidarizar(-se): *A partidarização da classe política não deve interferir na viabilidade da execução de projetos populares.* [Pl.: *-ções.*] [F.: *Partidarizar* + *-ção.*]

partidarizar (par.ti.da.ri.*zar*) *v. td.* Filiar(-se) a um partido político, tornar(-se) partidário [▶ 1 **partidarizar**] [F.: *partidário* + *-izar.*]

partideiro (par.ti.*dei*.ro) *sm.* Sambista que improvisa, canta ou dança o samba de partido-alto [F.: *partido* + *-eiro.*]

partido (par.*ti*.do) *a.* 1 Que se partiu; FRAGMENTADO; QUEBRADO 2 Dividido em partes: *Espelho partido.* 3 Que apresenta rachaduras, gretas (lábios partidos): *O para-brisa está todo partido.* 4 *Fig.* Que sofreu grande mágoa ou decepção; que está emocionalmente ferido (coração partido) 5 *Bot.* Diz-se de folha cujos recortes do limbo atingem quase a nervura central ou o pecíolo *sm.* 6 Organização de fim político, cujos membros defendem concepções e objetivos políticos e sociais definidos, e que tencionam ocupar o governo (de nação, país, estado ou município) ou ter representatividade junto a este (partido de direita; partido de esquerda; partido da situação; partido de oposição) 7 Vantagem, proveito: *Precisava tirar partido da situação, mas não sabia como.* 8 Decisão, resolução: *Não sabia que partido tomar.* 9 Posição, parte, lado: *Tomou sempre o partido do mais forte.* 10 Indivíduo casadouro, visto segundo sua situação social e econômica (bom partido; péssimo partido) 11 Contrato de serviços de advocacia com retribuição mensal fixa: *Fechou o escritório e agora é advogado de partido.* 12 *Arq.* Na elaboração de um projeto, a decisão sobre as grandes linhas de construção 13 *Turfe* Recurso ilícito, como empurrão, fechada (2) etc., empregado por um jóquei para criar dificuldade a um cavalo a seu lado 14 Grande extensão de terra plantada com cana-de-açúcar [F.: Do lat. *partitus, a, um,* part. do v.lat. *partire.*] ■ **Tirar ~ de** Aproveitar-se de, tirar vantagem de: *Tirava partido de sua altura para ganhar os rebotes.* **Tomar ~** Decidir-se ou manifestar-se em favor de algo: *Nesta votação não tomarei partido.* **Tomar o ~ de** Ser ou passar a ser, ou manifestar-se, ou agir a favor de (algo ou alguém): *Toda a bancada tomou o partido de seu colega.*

partido-alto (par.ti.do-*al*.to) *sm. Bras. Mús.* Antiga espécie de samba, cantado de improviso e dançado em roda, semelhante ao pagode [Pl.: *partidos-altos.*]

partilha (par.*ti*.lha) *sf.* 1 Ação ou resultado de partilhar, de dividir algo com outras pessoas: "Obrigar os detentores à venda dos cereais, determinar a partilha dos grãos, foram atos de salvação pública" (Oliveira Martins, *História de Portugal*) 2 *Jur.* Divisão de uma herança ou de outro tipo de bem material 3 *Jur.* Ato escrito, constante do inventário, pelo qual o juiz homologa o acordo entre as partes 4 Porção que toca a cada um numa divisão de algo, quinhão 5 *Fig.* Dote, atributo: *A vida eterna é a partilha dos que buscam a santificação.* [F.: Do lat. *particula, ae.*]

partilhado (par.ti.*lha*.do) *a.* 1 Que se partilhou, que foi repartido *a.* 2 Diz-se de bens que foram objeto de partilha 3 Diz-se do que se compartilhou com alguém [F.: part. de *partilhar.*]

partilhar (par.ti.*lhar*) *v.* 1 Fazer partilha de [***td. / tdr.*** *+com, entre: partilhar a herança (com os primos).*] 2 Repartir, dividir, distribuir [***td. / tdr.*** *+com, entre: Isabel partilhou os donativos (entre os desabrigados):* "... sabíamos partilhar o que tivéssemos com amor e delicadeza." (Cecília Meireles, *"Lamento pela cidade perdida" in Crônicas de viagem 2*)] 3 Participar de (algo); COMPARTILHAR; DIVIDIR [***td.:*** *partilhar a alegria de alguém.*] [***tdr.*** *+com: Partilho do seu descontentamento.*] 4 Ter parte em (algo); COMPARTILHAR; DIVIDIR [***td. / tdr.*** *+com: Jamais partilharia o apartamento (com colegas).*] 5 Distribuir; COMPARTIR [*+com: Iam pelas casas e partilhavam o pão com todos os irmãos...*] [▶ 1 **partilhar**] [F.: *partilha* + *-ar*[2]. Hom./Par.: *partilha(s)* (fl.), *partilha(s)* (sf. [pl.]); *partilháveis* (fl.), *partilháveis* (pl. de *partilhável*).]

partilhável (par.ti.*lhá*.vel) *a2g.* Que pode ser partilhado [Pl.: *-veis.*] [F.: *partilhar* + *-vel.*]

⊕ ***parti pris*** (*fr.*) *loc. subst.* Opinião assumida antecipadamente, de maneira preconcebida ou tendenciosa [Pl.: *partis pris.*]

partir (par.*tir*) *v.* 1 Dividir(-se) em partes ou porções [***td.:*** *partir um pão.*] [*tr. +em: partir o bolo em dez pedaços.*] 2 Dar (algo) a diferentes partes; DISTRIBUIR; DIVIDIR; REPARTIR [***tdr.*** *+com, entre: Partiu o dinheiro entre os irmãos.*] 3 Fender(-se) ou quebrar(-se) [***td.:*** "...ao descer a escada, rolou, partindo os óculos na pedra." (Raul Pompeia, *O Ateneu*)] [***int.:*** *O relógio caiu e partiu-se.*] 4 Separar, dividir [***td. tdr.*** *+em: O rio parte a cidade (em duas metades).*] 5 *Fig.* Mortificar(-se), afligir(-se) [***td.:*** *A notícia partiu meu coração; Minha alma se parte ao ver tanto sofrimento.*] 6 Ir-se embora, retirar-se, ger. para sempre [*int. ta.: Os hóspedes partiram (da cidade)*: "...quando você partiu assim sem olhar para trás..." (Ana Carolina, *O avesso dos ponteiros*): "Alma minha gentil que te partiste" (Luís de Camões, *Título de poema*) Ant.: *chegar, voltar.*] **7** Pôr-se a caminho, seguir viagem, sair (com destino certo) [*int. ta.: Os meninos já partiram (para a excursão)*. Ant.: *retornar, voltar.*] **8** Ter a origem, o ponto de partida em (algum lugar); ORIGINAR-SE; PROCEDER-SE; VIR [*ta.: O tiro partiu daquele edifício.*] **9** Ter origem ou começo em; NASCER; PRINCIPIAR [*ti. +de: O desentendimento partiu de uma brincadeira.*] **10** Tomar como base, inspiração [*tr. +de: Todo o projeto partiu de uma ideia simples.*] **11** Mostrar-se discordante (opiniões, ideias etc.); DIVERGIR [*tr. +em: As opiniões partiram-se (em diversas facções) após as denúncias.*] **12** *Bras. Pop.* Começar a valer-se de [*tr. +para: partir para a ignorância.*] **13** *Bras. Pop.* Atacar, investir [*tr. +para: Partiu para cima do rival com uma faca.*] **14** Sulcar [*td.: O navio seguiu a rota, partindo os mares.*] **15** *Fig.* Morrer [*int.*] [▶ 3 partir] [F.: Do lat. *partire*. Hom./Par.: *parto* (fl.), *parto* (sm.).] ■ **A ~ de 1** Us. para marcar o ponto ou limite inicial (no espaço, no tempo, numa série ordenada) de uma contagem ou medida, de um ordenamento, etc.; a começar de: *A partir de segunda-feira, começará a fazer dieta.* **2** Com base em (informação, argumento, suposição, raciocínio mencionados ou aludidos); como consequência de (algo que foi mencionado ou aludido): *A partir dos novos dados obtidos, poderemos completar a análise.*

partista (par.*tis*.ta) *Bras. a2g.* **1** Que é cheio de partes, exigências, caprichos **2** Que demonstra medo, timidez **3** Diz-se de cavalgadura que se assusta com facilidade *s2g.* **4** Aquele que é cheio de partes, exigências, caprichos [F.: *parte* + *-ista.*]

partita (par.*ti*.ta) *Mús. sf.* **1** Composição instrumental dividida em várias partes **2** Entre os compositores dos sécs. XVII e XVIII, composição instrumental com vários movimentos, m. que *suíte* [F.: Do it. *partita.*]

partitivo (par.ti.*ti*.vo) *a.* **1** Diz-se do que reparte **2** *Gram.* Diz-se do adjetivo que limita o significado do substantivo a alguns indivíduos indeterminadamente, como *algum, muito, pouco, outro*; SEGREGATIVO *sm.* **3** *Ling.* Palavra que representa parte de um todo (p. ex.: a preposição *de* em ela veio *de* preto) [F.: Do lat. medv. *partitivus, a, um.*]

partitura (par.ti.*tu*.ra) *sf.* **1** *Mús.* Registro escrito de uma composição musical que, por decodificação, torna possível a reprodução da mesma: *A partitura da ópera O Guarani.* **2** Papel ou outro material no qual esse tipo de registro foi impresso [F.: Do it. *partitura.*] ■ **~ de canto e piano** *Mús.* Aquela de obra para canto e orquestra que apresenta todas as partes vocais e na qual a parte de orquestra é transcrita para piano

⊕ **partner** (*ing.*) *sm. Dnç.* Parceiro; par de dança: *Ginger Rogers foi a principal partner do dançarino e ator Fred Astaire.*

parto (*par*.to) *sm.* **1** *Obst.* Ação ou resultado de parir, de (uma fêmea, ger. no final do período de gestação) expelir um feto do próprio útero; processo pelo qual a fêmea dá à luz; PARTURIÇÃO; PARIÇÃO; PARIDELA **2** *Fig.* Produção, produto, obra, invento: "Contos, ficções extravagantes, partos de uma mente a delirar" (Antônio Feliciano de Castilho, *Noite de S. João*) **3** *Fig. Pop.* Atividade demorada e árdua, que exige muito esforço: *Pintar o palácio foi um parto.* [F.: Do lat. *partus, us.*] ■ **~ a termo** *Obst.* Parto ao fim dos nove meses de gravidez **~ caudal** *Obst.* Parto no qual o feto apresenta primeiro as nádegas **~ cefálico** *Obst.* Parto no qual o feto apresenta primeiro a cabeça **~ cesáreo/cesariano** *Obst.* Parto realizado por meio de incisão cirúrgica na parede do abdome e do útero para retirada do feto **~ da montanha** *Pop.* Situação na qual um grande esforço, ou um processo complicado, tem um resultado insignificante [Alusão ao dito *A montanha pariu um rato.*] **~ difícil 1** *Fig.* Realização ou preparação demorada e/ou difícil, trabalhosa **2** *Fig.* Algo que é feito ou obtido com grande ou demorado esforço **~ humanizado** *Obst.* Ver achega enciclopédica **~ induzido** *Obst.* O que é provocado ou estimulado por meios artificiais, mecânicos ou químicos **~ normal** *Obst.* O que se realiza pela vagina, acionado pelas contrações da parturiente **~ prematuro** *Obst.* O que se realiza antes de decorridas 37 semanas de gravidez **~ seco** *Obst.* Aquele que se realiza depois que a parturiente perdeu quase todo o líquido amniótico

📖 O parto humanizado é aquele em que a equipe obstétrica, numa relação de respeito e humanidade, dá liberdade de escolha, de ação e de expressão à parturiente, atendendo suas necessidades e seus direitos, e em que a assistência obstétrica é dada sem qualquer intervenção desnecessária que possa atrasar ou complicar o parto, ou ainda causar desconforto físico ou agredir psicologicamente a parturiente.

párton (*pár*.ton) *sm. Fís.* Partícula subnuclear postulada na teoria cromodinâmica quântica como unidade constituinte básica dos hádrons, que explica o espalhamento de elétrons de alta energia por núcleons [F.: Do ing. *parton.*]

parturição (par.tu.ri.*ção*) *sf. Obst.* Ação ou resultado de parturir, m. que *parto* [F.: Do lat. *parturitio, onis.*]

parturiente (par.tu.ri:*en*.te) *a2g.* **1** Diz-se de mulher ou animal que está prestes a parir, em trabalho de parto, ou que acaba de parir: *O veterinário examinou o animal parturiente. sf.* **2** Essa mulher ou esse animal: *Apesar do parto de trigêmeos, a parturiente passa bem.* [F.: Do lat. *parturiens, entis.*]

paru (*pa*.ru) *Zool. sm. Bras.* Denominação comum a alguns peixes, marinhos, da fam. dos pomacantídeos, como o *Pomacanthus paru* e o *P. arcuatus*, encontrados nas águas tropicais e subtropicais do Atlântico, de corpo alto, chato e ovalado, de coloração negra ou marrom-acinzentada; FRADE; PARU-FRADE [F.: Do tupi *pa'ru.*]

paru-frade (pa.ru-*fra*.de) *sm. Zool.* Ver *paru* (*Pomacanthus* spp.) [Pl.: *parus-frades* e *parus-frade.*]

parúsia (pa.*rú*.si.a) *sf. Teol.* A segunda vinda de Jesus Cristo à Terra, conforme textos do Novo Testamento, sobretudo as cartas do apóstolo Paulo [F.: Do *gr. parousía, as.* Tb. *parusia.*]

parvo (*par*.vo) *a.* **1** Diz-se de pessoa que tem pouca inteligência ou pouca capacidade de compreender e avaliar as coisas; TOLO: "como no caso do reitor, psicólogo formado e perfeito parvo, no caso." (João Ubaldo Ribeiro, *Diário do farol*) *sm.* **2** Essa pessoa: "...do bronzeado capitão Cambará, do Batalhão de Obuses, que ele considerava um parvo completo." (Marques Rebelo, *O simples coronel Madureira*) [F.: Do lat. *parvus, a, um* 'pequeno'.]

parvoíce (par.vo.*í*.ce) *sf.* **1** Característica de quem é parvo; IDIOTICE; TOLICE **2** Atitude ou dito de parvo: "Passamos aquelas tolas horas a tomar café com leite, e a conversar lembranças sem cor, parvoíces, anedotas." (Guimarães Rosa, *Estas estórias*) [F.: *parvo-* + *-ice.*]

pascal (pas.*cal*) *a2g.* Ref. a ou próprio da Páscoa: "Desejei ansiosamente cear convosco o cordeiro pascal antes de padecer..." (Rebelo da Silva, *Fastos*) [Pl.: *-cais.*] [F.: Do lat. *paschalis, e.* Tb. *pascoal.*]

pascaliano (pas.ca.li:*a*.no) *a.* Ref. a Blaise Pascal (1632-1662), filósofo e matemático francês, ou às suas ideias e teorias [F.: Do top. *Pascal* + *-iano.* Tb. *pascalino.*]

pascalino (pas.ca.*li*.no) *a.* Ver *pascaliano*

pascentar (pas.cen.*tar*) *v.* Ver *apascentar* [▶ 1 pascentar] [F.: Do lat. *pascente* (part. de *pascere*) + *-ar*².]

pascer (pas.*cer*) *v.* **1** Pastar [*int.: O gado pascia calmamente.*] [*td.: Os bezerros pasceram a grama do jardim.*] **2** Fazer (o gado) pastar [*td.: Não deixe de pascer as ovelhas, sempre dizia o velho pastor.*] **3** Nutrir, alimentar (alguém ou a si mesmo) de [*tr. / tdr. +de: pascer (os filhos) do que há de melhor.*] **4** *Fig.* Dar prazer a ou obter prazer de (esp. pelo deleite de coisas belas); DELICIAR(-SE); DELEITAR(-SE) [*td.: Pascia seus olhos olhando a paisagem.*] [*tdr. +em: Pasciam seus olhos na beleza da região.*] [*tr. +em: Pascemonos somente naquilo que é belo e justo.*] [▶ 33 pascer Verbo defec., só se conjuga nas formas em que ao *c* se segue *e* ou *i.*] [F.: Do lat. *pascere*. Hom./Par.: *pasce(s)* (fl.), *passe* (sm. [pl.] e fl. de *passar*).]

páscoa (*pás*.co:a) *sf.* **1** *Rel.* Festa anual cristã comemorativa da ressurreição de Cristo **2** *Rel.* Festa anual judaica comemorativa da fuga dos hebreus do Egito [Nas acps. 2 e 3 inicial maiúsc.] **3** *Rel.* Festa da primavera do antigo povo hebreu, na época pré-mosaica **4** Participação coletiva no ato pascal (a páscoa dos militares) [F.: Do lat. *pascha.*]

pascoal (pas.co:*al*) *a2g.* Ref. a Páscoa, m. que *pascal* [Pl.: *-coais.*] [F.: *páscoa* + *-al.*]

⊠ **Pasep** Sigla de *Programa de Formação do Patrimônio do Servidor Público*

pasmaceira (pas.ma.*cei*.ra) *sf.* **1** Falta de animação; APATIA; MARASMO; MESMICE: *a pasmaceira do vilarejo.* **2** Assombro exagerado: *Ficou surpresa com a pasmaceira da amiga ao ver o galã.* [F.: De *pasmo.*]

pasmado (pas.*ma*.do) *a.* **1** Que está sem ação; APALERMADO **2** Que demonstra admiração, espanto: "Andava pasmado com a pequenez dos homens que cercavam D. Miguel de Bragança e que ele não queria nem para administradores de irmandades" (Silva Gaio, *Mário*) [F.: Part. de *pasmar.*]

pasmar (pas.*mar*) *v.* **1** Provocar ou sentir pasmo, assombro ou admiração; ASSOMBRAR(-SE) [*td.: A rapidez dos enfermeiros nos pasmou.*] [*int.: Assistimos a um documentário de pasmar*: "Devia pasmar-me, mas não me pasmei." (João Ubaldo Ribeiro, *Diário do farol*)] [*tr. +de: Pasmou do que ouviu*] **2** Fixar (a vista) em; FITAR: *O cavaleiro pasmou a vista no obstáculo à sua frente.* [*tdr. +em*] **3** Admirar, examinar com assombro e estupefação [*vt +para: Os turistas pasmavam para a beleza das cataratas.*] [▶ 1 pasmar Part.: *pasmado* e *pasmo.*] [F.: *pasmo*¹ + *-ar*². Hom./Par.: *pasmo* (fl.), *pasmo* (sm. a.).]

pasmo (*pas*.mo) *sm.* **1** Admiração espanto, assombro: *Com que pasmo verifiquei que estava rico! sm.* **2** Delíquio, desmaio, perda dos sentidos [F.: Do lat. tard. *pasmus.*]

pasmoso (pas.*mo*.so) [ô] *a.* Diz-se de algo ou alguém que provoca pasmo, *pasmante* [F.: *pasmo* + *-oso.*]

paspalhão (pas.pa.*lhão*) *a.* **1** Diz-se de pessoa boba, tola *sm.* **2** Essa pessoa: "Janjão da Don'Ana é um paspalhão, e não conta." (Guimarães Rosa, *Sagarana*) [Pl.: *-lhões.*] [F.: De or. onom. Sin. ger.: *parvo, paspalho.*]

paspalho (pas.*pa*.lho) *a.* **1** Em que há tolice, que demonstra bobagem (modos paspalhos) *sm.* **2** Tolo, atoleimado, o mesmo que *paspalhão*

pasquim (pas.*quim*) *sm.* **1** Jornal crítico ou calunioso, ger. impresso de forma simples **2** *Fig.* Jornal de má qualidade; JORNALECO **3** Escrito satírico afixado em local público [Pl.: *-quins.*] [F.: Do fr. *pasquin.*]

pasquinada (pas.qui.*na*.da) *Jorn. sf.* **1** Jornal ou folheto satírico, m. que *pasquim* **2** Apreciação ou crítica difamatória publicada em pasquins, jornais, manifestos, panfletos etc.: "Já separados por velhos ciúmes, intrigas e pasquinadas atrozes." (Xavier Marques, *Sargento Pedro*) [F.: *pasquim* + *-ada.*]

pasquinagem (pas.qui.*na*.gem) *sf.* **1** Elaboração de pasquim **2** Sátira por meio de pasquim [Pl.: *-gens.*] [F.: *pasquinar* + *-agem.*]

pasquinar (pas.qui.*nar*) *v.* **1** Fazer pasquim [*int.*] **2** Satirizar (alguém ou algo) por meio de pasquim: *Irreverentes, pasquinavam toda a cidade, das autoridades aos mendigos.* [*td.*] [▶ 1 pasquinar] [F.: *pasquim* + *-ar*², seg. o mod. erudito.]

passa (*pas*.sa) *sf.* **1** Fruta desidratada, esp. a uva **2** *Fig.* Pessoa muito idosa, de pele engelhada [F.: Do lat. *passa* 'estendida, aberta'.]

passacale (pas.sa.*ca*.le) *sf. Dnç.* Tipo de música ou dança popular, m. que *passacaglia* [F.: Do espn. *pasacalle.*]

passada (pas.*sa*.da) *sf.* **1** Movimento com os pés para andar; PASSO **2** *Bras.* Assentada, vez: *Resolveu o problema numa passada.* **3** Visita rápida a algum lugar: *Deu uma passada no bar para beber um drinque.* **4** Antiga medida de quatro palmos **5** *Esp.* No jogo de tênis, certa jogada em que o jogador se coloca junto à rede ou no meio de sua quadra e devolve a bola sem que o adversário a alcance [F.: fem. substv. de *passado.*] ■ **Dar uma ~** Ir rapidamente (a um lugar) e ficar pouco tempo: *Vou dar uma passada no mercado.*

passadeira (pas.*sa*.dei.ra) *sf.* **1** Tapete estreito que se estende em corredores e escadas **2** Mulher que tem por ofício passar roupas; ENGOMADEIRA **3** Tipo de filtro usado nos engenhos de açúcar **4** Tira de fazenda existente na cintura das calças, por onde passa o cinto **5** *Mil.* Aparelho destinado a calibrar peças de artilharia **6** *Lus.* Faixa pintada nas ruas para travessia de pedestres [F.: *passar* + *-deira.*]

passadiço (pas.sa.*di*.ço) *a.* **1** Que dura pouco tempo (encontro passadiço); EFÊMERO; PASSAGEIRO *sm.* **2** Lugar por onde se passa; corredor de acesso; PASSAGEM **3** *Bras. Cnav.* Lugar alto no navio, onde fica o timão: "Subi um tempo ao passadiço, para me reconciliar com os espíritos da brisa..." (Guimarães Rosa, *Estas estórias*) **4** Calçada, lugar de passagem de pedestres [F.: *passado* + *-iço.*]

passadio (pas.sa.*di*:o) *sm.* Alimento usual: "Nas noites assim, de passadio bom demais..." (Antônio Callado, *Bar Don Juan*) [F.: *passado* + *-io.*] ■ **Ter bom ~** Ter usualmente bom alimento, boa comida

passadismo (pas.sa.*dis*.mo) *sm.* **1** Culto do passado; SAUDOSISMO: "O suposto 'tropicalismo', linguagem comum das novas artes e movimentos, (...), era um bestialógico que misturava passadismo e cafonice para gozar os nacionalistas e tradicionalistas (...)." (Nelson Motta, *Noites tropicais*) **2** *Liter. Fil. Pol.* Tendência doutrinária ou não que preconiza expressões do passado histórico [F.: *passado* + *-ismo.*]

passadista (pas.sa.*dis*.ta) *a2g.* **1** Ref. a passado ou a passadismo **2** Que cultua o passado **3** Que é adepto do passadismo: "Sou passadista, confesso. Ninguém pode se libertar duma só vez das teorias avós que bebeu (...)." (Mário de Andrade, *Prefácio interessantíssimo*) *s2g.* **4** Pessoa que cultua o passado **5** Pessoa que é adepta do passadismo [F.: *passado* + *-ista.*]

passado (pas.*sa*.do) *sm.* **1** Tempo anterior ao presente; tudo o que ocorreu nesse tempo: "Seu mal é comentar o passado / Ninguém precisa saber/ O que houve entre nós dois (...)" (Herivelto Martins e Marino Pinto, *Segredo*) [Ant.: *futuro.*] **2** O conjunto dos acontecimentos que compõe a história de alguém ou algo: *o passado de uma família, o passado do povo egípcio.* **3** *Gram.* A flexão do verbo pela qual se nota uma ação já finda ou um estado anterior ao momento em que se fala; PRETÉRITO [Cf.: *presente* e *futuro.*] *a.* **4** Que diz respeito ao passado (1); que ocorreu no passado (lembranças passadas) **5** Mais recente, último (sábado passado) **6** Obsoleto, velho (gíria passada) **7** Envelhecido, sem viço: *É um senhor bonitão, ainda que um tanto passado.* **8** Em processo de apodrecimento ou podre: *Essas ameixas já estão passadas.* **9** Seco ao sol ou no forno (diz-se das frutas) (figos passados) **10** Diz-se do grau de cozimento de um alimento (cozido, frito, grelhado ou assado) **11** Que se passou a ferro (roupa passada) **12** *Fig.* Sem graça; ENCABULADO; PERTURBADO; CONSTRANGIDO: *Ficou passada com a indiscrição do colega.* **13** *Fig.* Pasmo, estarrecido, zonzo: *As grosserias dele me deixaram passada.* **14** Cheio de fome; ESFAIMADO; FAMINTO [*+de: Depois de um dia inteiro sem comer, estava passado de fome.*] [F.: Part. de *passar.*] ■ **~ na casca do alho** *N. E* Tarimbado, experiente, ladino

passador (pas.sa.*dor*) [ô] *a.* **1** Que passa ou faz com que alguma coisa passe **2** Que faz intrigas, mexericos **3** Que corrompe ou desencaminha *sm.* **4** Aquele que passa ou faz passar (alguma coisa) **5** Mexeriqueiro, fofoqueiro **6** Coador, filtro **7** Utensílio de cozinha cheio de pequenos furos, us. para espremer batatas, legumes etc. **8** Pregador para prender cabelos **9** Argola ou alça por onde passa um cinto, fita, faixa etc. **10** Aquele que emite ou saca um cheque **11** Variedade de seta para ser us. em arco, besta etc. **12** Aquele que troca objetos falsos por verdadeiros **13** Aquele que corrompe **14** *Bras.* Aquele que conduz gado às feiras **15** *Bras.* Tira de couro para apertar partes do arreio **16** Em engenharia, peça metálica que se coloca na junta de um pavimento de concreto [F.: *passado* + *-or.*]

passageiro (pas.sa.*gei*.ro) *a.* **1** Que passa depressa, que dura pouco; BREVE; PASSADIÇO: "Também, se foi verdadeiramente lágrima, foi tão passageira que, quando dei por ela, já não existia." (Machado de Assis, *Memorial de Aires*) [Ant.: *duradouro.*] **2** Leve, pequeno, de pouca importância;

INSIGNIFICANTE: *Cometeu uma falta passageira.* [Ant.: *grave.*] 3 Diz-se do local por onde transita muita gente **sm.** 4 Pessoa que viaja em veículo público ou particular: *O carro leva quatro passageiros, afora o motorista.* 5 Pessoa que viaja num navio ou avião (por oposição a tripulante): *No naufrágio, morreram dois tripulantes e nove passageiros.* 6 *Bras.* Indivíduo encarregado de dar passagem em canoa às pessoas que têm de passar um rio ou arroio [F.: Do fr. *passager.*]

passagem (pas.*sa*.gem) **sf.** 1 Ação ou resultado de passar: *O povo vibrou com a passagem do bloco.* 2 Lugar por onde se chega a outro; PASSADIÇO: *A viela era passagem dos moradores.* 3 Ligação entre duas localidades: *A península Ibérica era ponto de passagem entre o comércio com o Oriente e a Europa.* 4 Valor pago pelo passageiro para viajar: *Houve um aumento das passagens de ônibus.* 5 Bilhete que dá ao portador o direito de viajar: *Como não tinham as passagens, foram postos para fora do trem.* 6 Acontecimento, episódio, fato: *Lembrou passagens de sua infância.* [Mais us. no pl.] 7 Trecho de obra (literária ou musical): *Decorou uma passagem do poema.* 8 Mudança, transição (passagem de idade) 9 Caso, acontecimento, episódio real ou inventado, de caráter cômico ou curioso: *As cartas eram sempre recheadas de passagens tragicômicas.* 10 *Bras. N.* Trecho de rio 11 *Fig.* Morte 12 Ponteado ou rede que se faz com linhas para tapar um buraco ou rasgão em tecido ou malha; CERZIDO [Pl.: *-gens.*] [F.: Do fr. *passage.*] ∎ **De ~** Superficialmente; por alto **Dizer de ~** Fazer breve comentário ou afirmação em meio a conversa, discurso, debate etc. **Estar de ~** Ficar (em certo lugar) por pouco tempo, sem se demorar **Fazer ~** *Bras.* Morrer **~ ao ato** *Psiq.* Termo que designa, na evolução de um processo psiquiátrico, ação agressiva, violenta contra outrem ou contra si mesmo **~ da voz** *Mús.* O ponto ou região da emissão de voz, no canto, em que a voz muda de registro **~ de break** *Bras. Telv.* Vinheta ou sinal que marca início e fim de um intervalo no programa (ger. para divulgação de anúncios) **~ de modelos** *Lus.* Desfile de modas **~ de nível** Em rua ou estrada, cruzamento com uma ferrovia, no mesmo nível desta **~ de som** *Bras.* Teste de equipamento de som antes de sua utilização num espetáculo, programa etc. **~ forçada** *Jur.* Direito que garante a proprietário ou morador em prédio sem acesso direto a via pública, a passagem através de propriedade vizinhas **~ inferior** Passagem subterrânea que atravessa uma rua, uma estrada etc. **~ meridiana** *Astron.* No movimento diurno aparente de um astro, posição na qual se encontra ao cruzar o meridiano local **~ superior** Passagem aérea (viaduto, ponte etc.) que atravessa uma rua, uma estrada etc. **Passar de ~** 1 *Turfe* Ultrapassar (o cavalo) facilmente outro(s) cavalo(s) durante um páreo 2 *Fut.* Passar (jogador, controlando a bola nos pés) facilmente por seu marcador ou qualquer outro jogador do time adversário

passamanaria (pas.sa.ma.na.*ri*.a) **sf.** 1 Obra de passamanes 2 Fábrica de passamanes ou o lugar onde são comercializados 3 Ofício do fabricante ou comerciante de passamanes [F.: *passamanes* + *-aria.*]

passamanes (pas.sa.*ma*.nes) **smpl.** Galões, fitas, borlas, franjas ou enfeites similares, tecidos ou entretecidos de fios de ouro, prata, seda, us. como adorno ou acabamento de roupas, cortinas, estofados etc.: "Saíram das velhas arcas os belos trajes garridos, os estofos de cores uivantes, as plumas, (...), os passamanes acairelados de ouro (...)." (Paulo Setúbal, *O príncipe de Nassau*) [F.: Do fr. *passements.*]

passamento (pas.sa.*men*.to) **sm.** 1 Falecimento, morte: "Não quero que uma nota de alegria/ Se cale por meu triste passamento." (Álvares de Azevedo, *Lembrança de morrer*) [Ant.: *nascimento*] 2 *Bras. N. E. Pop.* Síncope, desmaio: "Daquele dia em diante/ eu só tive um pensamento/ de chambregar com Carolina/ imaginando esse momento/ de tanto sonhar com ela/ quase tive um passamento." (José Honório da Silva, *Um São João com Carolina*) [F.: *passar* + *-mento.*]

passa-moleque (pas.sa-mo.*le*.que) **sm.** *Bras.* Estratégia ou truque para levar alguém a engano; LOGRO; PERFÍDIA [Pl.: *passa-moleques.*]

passante (pas.*san*.te) **s2g.** 1 Indivíduo que passa, que caminha por algum lugar, esp. locais públicos; TRANSEUNTE: "Os vizinhos e alguns passantes ajoelharam-se, enquanto o padre e o sacristão entravam." (Machado de Assis, *Casa velha*) **a2g.** 2 Que passa, que excede: "(...) estava sentada uma velhinha bem passante dos setenta, mas que não o mostrava." (Almeida Garrett, *Viagens na minha terra*) [F.: *passar* + *-nte.*] ∎ **~ de** Que tem mais de: *Era uma multidão passante de dez mil pessoas.*

passaporte (pas.sa.*por*.te) **sm.** 1 Documento pessoal e oficial, emitido pela autoridade competente, que permite ao portador sair do país e que lhe serve como identificação no exterior 2 *Fig. Pop.* Licença franca e ampla dada a alguém para executar alguma coisa: *Tem passaporte para fazer e dizer o que quiser.* [F.: Do fr. *passeport.*]

passar (pas.*sar*) **v.** 1 Cruzar, percorrer, (distância) ger. ultrapassando (limite, fronteira, obstáculo) [**td.**: *Passar a ponte; O corredor passou quem estava na dianteira.*] [**int.**: *O ônibus de turismo já passou pela cidade.*] 2 Deslocar(-se), mover(-se) (de um lugar a outro) [**td.**: *Barcaças passam as cargas para o cais.*] [**int.**: *O gado passou (de uma margem à outra margem).*] 3 Deixar (algo) por (outro), ou mudar (de condição) [**int.**: *Passar do choro ao riso.*] [**tr.** *+para*: *Passou-se para o partido adversário.*] 4 Superar ou exceder [**td.**: *Passou o mestre (em destreza).*] [**int.**: *A conta não passa de Cr$ 50,00.*] 5 Transpassar, varar [**int.**: *A bala passou a parede.*] 6 Estender-se [**tr.** *+entre, por*: *A estrada passava entre duas montanhas.*] 7 Coar ou peneirar [**td.**: *Passe a farinha pela peneira; passar o café.*] 8 Fazer entrar ou entrar; INTRODUZIR(-SE) [**td.**: *Passar a linha pelo buraco da agulha.*] [**int.**: *Minha mão não passa por este buraco*] 9 Correr, fluir [**int.**: *O rio São Francisco passa caudaloso*] 10 Fazer correr, ou espalhar por [**td.**: *Passar a mão pelo cabelo*] 11 Decorrer [**td.**: *O rapaz passa os dias escrevendo*] [**int.**: *O tempo passa como a brisa.*] 12 Escapar, acabar, ou esgotar-se [**int.**: *O prazo da prova já passou.*] 13 Circular ou difundir(-se) [**int.**: *O documento passou de mão em mão*] 14 Entregar, outorgar [**td.**: *Passe o sal, por favor.*] [**tdi.** *+a, para*: *Passou a palavra ao entrevistado.*] 15 Transferir(-se) [**tdi.** *+a, para*: *Passaram suas propriedades para a Igreja*] [**int.**: *Passei da filial para a sede do banco.*] 16 Transmitir [**td.**: *Seu olhar passa confiança.*] [**tdi.** *+a, para*: *Já passei seu recado ao vizinho.*] 17 Exibir ou ser exibido [**td.**: *A televisão passou o jogo?*] [**int.**: *O filme está passando nos cinemas.*] 18 Estar por certo tempo (num lugar) [**tda.**: *Passou a semana na montanha.*] 19 Aparentar [**tp.**: *Passa por bobo.*] 20 Achar-se em determinado estado ou condição [**int.**: *Minha mulher passa bem.*] 21 Sofrer, experimentar, viver [**td.**: *Passar um mau momento.*] 22 Viver, ou seguir vivo [**int.**: *O médico acha que ele não passa de hoje.*] 23 Expirar, morrer [**int.**: *Agonizou algumas horas e passou.*] 24 Ocorrer, suceder [**int.**: *Conte-me o que (se) passou.*] 25 Ter sua ação em [**ta.**: *Esta comédia se passa no Norte.*] 26 Entrar ou ficar para [**tr.** *+para*: *Passar para a posteridade.*] 27 Mostrar-se rapidamente [**int.**: *Um sorriso passou pelos seus lábios.*] 28 Ser aprovado [**int.**: *O projeto passou na Câmara.*] 29 Ser passável ou tolerável [**int.**: *A peça não é boa, mas passa.*] 30 Submeter a determinada ação, ou ser objeto de [**td.**: *Passar a roupa (a ferro); Passar mais o bife.*] [**tr.** *+por*: *O suspeito passou por um interrogatório.*] 31 Aplicar, dirigir [**tdi.** *+em*: *Passou um pito no menino.*] 32 Fazer circundar, ou envolver [**tdi.** *+em, por*: *Passou o cachecol no pescoço.*] 33 Prescrever, receitar [**td.**: *O médico passou o remédio para a criança*] 34 Determinar (esp. tarefa escolar) [**td.**: *Passar um dever de casa.*] [**tdi.** *+para*: *Passou para os alunos uma redação.*] 35 Ensaiar ou estudar [**td.**: *Passar um texto, uma cena de teatro, novela etc.*] 36 Emitir ou outorgar [**td.**: *Passar um atestado médico.*] [**tdi.** *+a*: *Passamos uma procuração a ele para tratar do inventário.*] 37 Vender [**td.**: *Passar uma rifa.*] [**tdi.** *+a*: *Passou o carro ao comprador.*] 38 Engatar ou engrenar [**td.**: *Passar as marchas de um automóvel*] [**tr.** *+para*: *Agora, passe para a terceira marcha.*] 39 *Bras. Fut.* Dar um passe, entregando a bola a um companheiro [**tdi.** *+para*] 40 Decorrer (com referência ao tempo) [**int.**: *Recordava-se da juventude que passou.*] 41 Colocar ou ser colocado sob a ação de [**tr.** *+por*: *Os rapazes passaram por treinamento rigoroso.*] 42 Sobreviver com pouca alimentação [**tr.** *+a*: *Passou a chá com biscoitos durante a gripe*] 43 Ficar exposto a (experiência agradável ou penosa) [**td.**: *Passamos fome na volta da excursão.*] [**tr.** *+por*: *Passamos por momentos divertidos no passeio.*] 44 Experimentar determinado estado (físico, mental, espiritual) [**int.**: *Meu avô não está passando bem.*] 45 Recobrir, enrolar [**tda.**: *Passou uma capa na cabeça do doente e levou-o para casa.*] 46 Ficar (em determinado estado) [**tp.**: *Ela passou a noite inteira chateada.*] 47 Aparecer de repente [**ta.**: *O cantor passou de manhã pela cidade, mas ninguém o viu*] 48 Fazer alguma coisa (durante certo período de tempo) [**td.**: *Passou três anos estudando russo.*] 49 Acabar (certo período de tempo) [**int.**: *Agora é tarde, já passou a hora*] 50 Transcorrer (certo período de tempo) [**int.**: *Já (se) passaram seis meses desde que meu neto viajou.*] 51 Mudar de (assunto, comportamento etc.) para outro [**td.**: *Não faz nada, passa o tempo de pernas para o ar.*] 52 Mudar bruscamente de (atitude, opinião, atitude etc.) [**tr.** *+a*: *Passa de gentil a grosseiro em questão de segundos.*] 53 Deixar escapar [**int.**: *A hora passou, agora não dá mais tempo.*] 54 Receitar [**td.**: *O médico passou um remédio muito bom.*] 55 Ler, decorar [**td.**: *O ator passou e repassou o texto até conseguir memorizá-lo.*] 56 Perder-se [**int.**: *O melhor momento desse jogador já passou.*] 57 *Bras.* Fazer contrabando de [**td.**: *Passou uma caixa de fuzis pela fronteira.*] 58 Fazer circular [**td.**: *O falsário estava passando dinheiro feito em casa.*] 59 Trancar [**td.**: *passar a chave, o cadeado, etc.*] 60 Não estar mais em condições de ser ingerido (alimento) [**int.**: *Esse mamão passou.*] 61 Coar ou peneirar [**int.**] [▶ 1 **passar**] [F.: Do lat. tard. *passare* lat. *passus*. Hom./Par.: *passa(s)* (fl.), *passa* (s. f. e pl.); *passo* (fl.), *passo* (sm., a. e adv.) e *paço* (sm.); *passais* (fl.), *passais* (pl. passal[s. m.]; *passarão* (fl.), *passarão* (sm.); *passe(s)* (fl.), *passe* (sm. e pl.), *pasce(s)* (fl. pascer); *passara(s)* (fl.), *passará(s)* (fl.): *pássara* (sf. e pl.); *passou* (fl.), *Paço* (top.).] ∎ **Deixar ~** 1 Não aplicar restrições, represálias, corretivos, impedimentos etc. a (algo, ação, atitude etc.); relevar: *Vocês não cumpriram o regulamento, mas por esta vez vamos deixar passar.* 2 Não dar muita importância a, minimizar: *Vou deixar passar essa sua observação.* **Não ~ de** Ser apenas, não ser mais do que: *Todos esses sintomas não passam de uma reação alérgica.* **Não se ~ para** Não se prestar (alguém) a assumir atitude ou realizar ação que julgue inadequada, não condizente com seu caráter, prestígio etc. **~ (alguém) para trás** 1 *Pop.* Enganar, trair, ludibriar 2 Ocupar lugar ou auferir direitos ou vantagens que deveriam ser de (alguém) 3 *Bras. Fam. Pop.* Ser infiel a, desleal com; trair **~ ao largo** Passar a certa distância, de longe **~ baixo** Passar por dificuldades financeiras, de saúde etc. **~ bem** 1 Gozar de boa saúde ou de boa situação de vida 2 Ter fartura de boas comidas e bebidas **~ de** Ir além de certa medida (de espaço, tempo, quantidade, intensidade etc.), do permitido, do usual, do natural, do esperado etc.; ultrapassar: *Na estrada, nunca passava dos 90 km/h; Já passava das 22h quando eles chegaram; Desta vez ela passou dos limites.* **~ desta para melhor** Morrer **~ por** 1 Ser submetido a, enfrentar (situações, sofrimentos, condições etc.): *Passou por muitas dificuldades antes de firmar-se na vida.* 2 Ser tomado por, ser considerado ou visto (enganadamente) como: *Passa por advogado, mas nunca se formou em direito.* **~ por cima (de)** Não levar em consideração (esp. autoridade ou hierarquia), não dar importância a **~ por cima de (alguém)** Ver *Passar (alguém) para trás (2).* **~ raspando** *Bras.* Ser aprovado (em exame, teste, concurso etc.) com a nota mínima de aprovação **~ sem** Dispensar, não carecer de, adaptar-se à falta de (algo): *Resolvi que vou passar sem fumar o resto da vida.*

pássara (*pás*.sa.ra) **sf.** 1 *N. E. Pop.* A fêmea do peru; PERUA 2 *Lus. Tabu.* A vulva [F.: *pássaro* + *-a*. NOTA: Us. no N. E. brasileiro como eufemismo por aqueles que consideram vulgar a palavra *perua.*]

passarada (pas.sa.*ra*.da) **sf.** 1 Grande quantidade de pássaros: "Pois quem mora lá no/ morro, já vive pertinho do céu/ Tem alvorada, tem passarada..." (Herivelto Martins, *Ave-Maria no morro*) 2 Reunião ou coletivo dos pássaros [F.: *pássaro* + *-ada*. Sin. ger.: *passaredo.*]

passaralho (pas.sa.*ra*.lho) **sm.** *RJ Joc. Pop.* Demissão de muitos empregados simultaneamente [F.: *pássaro* + *-alho* (como parte de *caralho*).]

passaredo (pas.sa.*re*.do) [ê] **sm.** Ver *passarada*: "Quero ver o passaredo / Pelos portos de Lisboa/ Voa, voa que eu chego já" (Kleiton e Kledir, *Vira virou*) [F.: *pássaro* + *-edo.*]

passarela (pas.sa.*re*.la) [é] **sf.** 1 Ponte estreita e elevada que serve para que os pedestres atravessem, com segurança, ruas, avenidas, estradas 2 Pista elevada para desfiles de moda e de beleza 3 *Bras.* Lugar destinado a desfiles de carnaval (passarela do samba): "Que o artista num sonho genial/ Escolheu para este carnaval/ E o asfalto como passarela / Será a tela do Brasil em forma de aquarela" (Silas de Oliveira, *Aquarela brasileira*) 4 *Bras. Teat.* Nos teatros, espécie de estrado, adiante do palco, por onde desfilam as coristas em certos números de revistas [F.: Do fr. *passerelle.*]

passarinha (pas.sa.*ri*.nha) **sf.** 1 Ave pequena do sexo feminino 2 Baço de homem ou de animal: "É da passarinha. No vão esquerdo, abaixo das costelas, os baços jamais cessam de aumentar." (Guimarães Rosa, "Sarapalha" *in Sagarana*) 3 *Gír.* A genitália da mulher; VULVA 4 *N. E.* A nervura que aparece no meio da enxada [F.: *pássara* + *-inha*. Hom./Par.: *passarinha(s)* (sf. [pl.]), *passarinha(s)* (fl. de passarinhar).] ∎ **Bater a ~** a *Bras. Pop.* Ter vontade de algo; ter algum palpite ou intuição [Mais us. em frases negativas.]

passarinhada (pas.sa.ri.*nha*.da) **sf.** 1 Bando de passarinhos; PASSARADA; PASSAREDO: "Havia pelo ar uma mistura jovial de sons... modulações e trinos da passarinhada." (Viriato Correia, *Contos do sertão*) 2 Pinote de cavalgadura resultante de susto; PASSARINHÃO 3 *Bras. RS Cul.* Iguaria preparada com carne de passarinhos e polenta [F.: *passarinho* + *-ada.*]

passarinhar (pas.sa.ri.*nhar*) **v.** 1 Caçar pássaros [**int.**] 2 *Fig.* Vadiar, vagabundear [**int.**] 3 *Bras.* Espantar-se, assustar-se (cavalgadura) [**td.**] 4 *S* Mover (cavalgadura) a cabeça, impedindo que lhe coloquem os freios ou toquem as orelhas [**td.**] 5 *Tabu.* Encostar-se em (alguém) com fins libidinosos [**td.** / **int.**] [▶ 1 **passarinhar**] [F.: *passarinho* + *-ar*[2]. Hom./Par.: *passarinha(s)* (fl.), *passarinha(s)* (sf. [pl.]); *passarinho* (fl.), *passarinho* (sm.).]

passarinheiro (pas.sa.ri.*nhei*.ro) **a.** 1 Que caça, cria ou vende pássaros 2 Que se assusta (diz-se de cavalo); ASSUSTADIÇO: *É um animal arisco e passarinheiro.* **sm.** 3 Pessoa que caça, cria ou vende pássaros: *Todo passarinheiro sabe que o pintassilgo é de muito difícil manutenção.* 4 Cavalo assustadiço, propenso a passarinhar [F.: *passarinho* + *-eiro.*]

passarinho (pas.sa.*ri*.nho) **sm.** 1 Dim. de pássaro 2 *Bras.* Qualquer ave pequena, esp. a doméstica, criada em gaiola 3 *Bras. Bot.* Certa árvore silvestre, de flores vermelhas ou amarelas [F.: *pássaro* + *-inho.*] ∎ **Morrer como um ~** Morrer suavemente, sem sofrer **Ver ~ verde** *Pop.* Estar alegre, satisfeito, ou demonstrar satisfação, sem motivo aparente

pássaro (*pás*.sa.ro) **sm.** 1 *Zool.* Ave pequena; PASSARINHO 2 *Zool.* Denominação comum às aves da ordem dos passeriformes 3 *Fig. Pop.* Pessoa astuta e sagaz [Dim.: *passarinho.*] [F.: Do lat. *passere*, 'pardal'.] ∎ **Não ser ~ que voe em bando** *N. E. Pop.* Ter (alguém) caráter, índole, personalidade próprios, que o distinguem

passarola (pas.sa.*ro*.la) **sf.** 1 Pássaro grande; PASSAROLO; AVEJÃO 2 *Bras.* Designação que se deu ao aeróstato inventado por Bartolomeu de Gusmão [F.: *pássaro* + *-ola.*]

pássaro-preto (*pás*.sa.ro-*pre*.to) *Zool.* **sm.** 1 *Bras.* Ver *melro* (3) (*Gnorimopsar chopi*) 2 Ver chupim *Molothus bonariensis*) 3 Ave passeriforme (*Agelaius ruficapillus*) paludícola de ampla presença no Brasil; tb. *garibáldi* [Pl.: *pássaros-pretos.*]

passatempo (pas.sa.*tem*.po) **sm.** Atividade divertida; DIVERTIMENTO; ENTRETENIMENTO: "Estava no seu jardim, sossegado, armando, para o lançar ao ar, um papagaio de papel, no passatempo honesto de um mandarim retirado..." (Eça de Queirós, *O mandarim*) [Segundo as regras gramaticais, a grafia de *passatempo* é contrária ao padrão, pois deveria haver um hífen separando a forma verbal *passa* do subst. *tempo*. O uso não corrigido, porém, consagrou a forma tal qual ela hoje se apresenta.] [F.: *passar* + *tempo*.]

passável (pas.*sá*.vel) *a2g.* 1 Que dá passagem; TRANSPONÍVEL: *um corredor estreito, mas passável.* 2 Que pode ser aceito; ACEITÁVEL; TOLERÁVEL: "Não bastava a abolição dos castigos corporais, o que já dava uma benemerência passável." (Raul Pompeia, *O Ateneu*) 3 Diz-se de nota ou média que possibilita ao aluno passar de ano, de classe etc. [Pl.: *-veis*.] [F.: *passar* + *-vel*.]

passe (*pas*.se) *sm.* 1 Bilhete, gratuito ou de valor reduzido, us. em transportes coletivos 2 *Esp.* Ação de o jogador (de futebol, basquetebol etc.) passar a bola para o companheiro de equipe: *Foi um jogo cheio de passes errados.* 3 *Esp.* Contrato firmado entre o atleta profissional e o clube: *O jogador teve o seu passe comprado por um time europeu.* 4 *P. ext.* Qualquer contrato entre um profissional e o seu contratante: *O jornal concorrente tentou comprar o passe da repórter.* 5 Permissão, autorização para se fazer algo (passe livre): *É preciso um passe especial para circular por essa área.* 6 *Rel.* Ato de passar as mãos por diante dos olhos ou por cima da cabeça de pessoa que se pretende magnetizar, ou sobre a parte doente da pessoa que se pretende curar por força mediúnica 7 *Taur.* Ato de passar um touro à capa [F.: De *passar*. Hom./Par.: *passe* (fl. de *passar*).] ▪▪ **~ de mágica** 1 Gesto rápido feito por mágico ou ilusionistas para fazer um truque, que o público não percebe 2 *Fig.* Modo eficiente e rápido de conseguir algo antes considerado improvável ou impossível: *Num passe de mágica conseguiu ser promovido na empresa.* **Como num ~ de mágica** Diz-se de circunstância na qual se dá uma mudança acentuada, que acontece repentinamente e de modo aparentemente inexplicável

passeador (pas.se:a.*dor*) [ô] *sm.* 1 Aquele que passeia muito: "Vi as últimas horas da noite e as primeiras do dia, vi os derradeiros passeadores e os primeiros varredores." (Machado de Assis, *Dom Casmurro*) *a.* 2 Diz-se daquele que passeia muito [F.: *passear* + *-dor*. Sin. ger.: *passeante*.]

passeante (pas.se:*an*.te) *s2g* 1 Ver *passeador*: "Uma hora mais tarde, a minha curiosidade de passeante foi atraída por uma coisa extraordinária." (Raul Pompeia, *De madrugada*) 2 Aquele que se entrega à vadiagem *a2g.* 3 Ver *passeador* 4 Diz-se de quem se entrega à vadiagem [F.: *passear* + *-nte*.]

passear (pas.se.*ar*) *v.* 1 Levar (alguém, animal) ou ir a algum lugar e percorrê-lo (a pé ou não) para espairecer, distrair-se etc.; VAGUEAR; VAGAR [*td.*: *passear o cachorro na calçada.*] [*int.* / *ta.*: *Há muito tempo não passeamos (em Paquetá).*] 2 Dirigir vagarosamente, para um e para o outro lado [*td.*: *passear o olhar/o pensamento.*] 3 Passar ou mover-se vagarosamente por; DESLIZAR [*ta.*: *O ribeirão passeia por entre as pastagens; Seu pensamento passeava pelos acontecimentos da manhã.*] 4 Percorrer (lugar) a passeio [*td.*: *Passearam Natal como se fosse a primeira vez.*] 5 Divulgar, difundir [*td.*: *O filósofo passeia suas ideias entre os estudantes.*] 6 Mostrar com ostentação; EXIBIR [*td.*: *Aprovado, disse que jamais passearia sua condição de vencedor.*] [▶ 13 passear] [F.: *passo* + *-ear*². Hom./Par.: *passeio* (fl.), *passeio* (sm.).]

passeata (pas.se:*a*.ta) *sf.* 1 *Bras.* Marcha coletiva organizada como manifestação pública de alegria ou de reivindicações: *Toda a comunidade está convidada a participar da passeata, trajando camisa escura em símbolo de luto.* 2 Passeio até pequena distância; VOLTA; GIRO [F.: *passear* + *-ata*.]

passeio (pas.*sei*.o) *sm.* 1 Ação ou resultado de passear: *Saiu para dar um passeio.* *sm.* 2 Ação de percorrer ou de fazer percorrer uma certa extensão de caminho para exercício ou por divertimento: *Levou os convidados para um passeio pelas praias.* 3 Local propício para passear: *O parque oferece alguns dos passeios mais bonitos da região.* 4 Caminho curto, pequena distância: *Daqui até lá é um passeio.* 5 Parte lateral, ger. mais elevada, de algumas ruas, destinada ao trânsito exclusivo de pedestres; CALÇADA: *Estacionaram irregularmente no passeio.* 6 Lugar onde se passeia; praça, largo, jardim, destinado ao exercício ou ao passeio (passeio público) 7 *Turfe* Disputa vencida com facilidade por um dos cavalos 8 *Fig.* Conquista muito fácil de algo: *O time deu um passeio no adversário.* 9 Diz-se do traje elegante, fino, us. esp. em comemorações, festividades etc. importantes [F.: De *passear*. Hom./Par.: *passeio* (fl. de *passear*).] ▪▪ **~ completo** *Vest.* Termo que designa traje feminino convencional (e não esportivo) e, para os homens, terno e gravata

passeiro (pas.*sei*.ro) *a.* 1 Que anda a passo, devagar 2 *Fig.* Vagaroso, mole, negligente 3 *Bras. N. E.* Diz-se do cavalo que tem bom passo 4 Diz-se de cavalo que apresenta três variedades de andadura: baixo, meio e esquipado *sm.* 5 Homem que, mediante pagamento, dá passagem, nos passos dos rios, em canoa ou balsa [F.: *passo* + *-eiro*. Hom./Par.: *paceiro* (adj. s. m.).]

⊕ **passe-partout** (*pas*.se-*par*.tout) *sm2n.* 1 Chave que serve para abrir quase todas as fechaduras; CHAVE MESTRA 2 Cartão recortado como uma moldura para enquadrar desenho, fotografia etc. 3 Peça que se adapta às seringas de injeção a fim de possibilitar a aplicação de agulhas de quaisquer calibres [F.: Do fr. *passe-partout* de *passe*, deriv. de *passer* 'passar' + *partout* 'por toda a parte'.]

passeriforme (pas.se.ri.*for*.me) [ó] *a2g.* 1 *Zool.* Ref. aos passeriformes *sm.* 2 Espécime de ave pequena ou média da ordem dos passeriformes de uma multiplicidade de espécies existente em todo o mundo [F.: Do lat. cient. *passeriformes*.]

passes (*pas*.ses) *smpl.* Ato de passar repetidamente as mãos por diante dos olhos ou por cima da cabeça de pessoa que se pretende magnetizar, ou sobre a parte doente da pessoa que se pretende curar por força mediúnica [F.: Pl. de *passe*. Hom./Par.: *passes* (fl. de *passar*).]

passibilidade (pas.si.bi.li.*da*.de) *sf.* Qualidade ou condição de passível [F.: Do lat. tard. *passibilitate*. Cf.: *passividade*.]

passiflora (pas.si.*flo*.ra) *sf.* *Bot.* Designação comum às plantas do gên. *Passiflora*, da fam. das passifloráceas, ger. conhecidas como maracujá, que crescem em forma de lianas e são cultivadas pelos frutos comestíveis, como ornamentais ou devido a suas propriedades medicinais [F.: Do lat. cient. *Passiflora* 'flor-da-paixão'.]

passiflorácea (pas.si.flo.*rá*.ce:a) *sf.* *Bot.* Fam. da ordem das violales, que reúne 17 gên. e 575 espécies, a maioria de lianas com gavinhas, tb. de arbustos e árvores, com folhas ger. inteiras ou palmadas, dispostas em espiral, flores freq. hermafroditas, solitárias ou em cimeiras, e bagas ou cápsulas. Nativas de regiões tropicais e subtropicais temperadas, várias são cultivadas pelos frutos e/ou como ornamentais, como o maracujá [F.: Do lat. cient. fam. *Passifloraceae*.]

passifloráceo (pas.si.flo.*rá*.ce:o) *a.* *Bot.* Pertencente ou relativo às passifloráceas [F.: *passiflora* + *-áceo*.]

passim (pas.*sim*) *adv.* *Bibl.* Termo latino que se emprega junto a uma citação bibliográfica para indicar a existência de outras referências sobre o mesmo assunto em diversas passagens da obra [F.: adv. *passim* 'aqui e ali, a cada passo'.]

passional¹ (pas.si:o.*nal*) *a2g.* 1 Ref. a paixão 2 Passível de paixão, esp. amorosa 3 Forte, ardente (sentimento passional) 4 Desprovido de razão (atitude passional) 5 Motivado por paixão (crime passional) [Pl.: *-nais*.] *sm.* 6 *Rel.* Livro com a narrativa da Paixão de Cristo [Nesta acp., inicial maiúsc.] [F.: Do lat. tard. *passionale*.]

Passional² (Pas.si:o.*nal*) *sm.* Livro com a narrativa da Paixão de Cristo

passionalidade (pas.si:o.na.li.*da*.de) *sf.* Qualidade ou característica do que é passional: *A passionalidade e o ímpeto quase selvagem da personagem Carmen foram traduzidos na ópera de Bizet em uma música igualmente impetuosa.* [F.: passional + *-i-* + *-dade*.]

passionalismo (pas.si:o.na.*lis*.mo) *sm.* Condição ou estado do que é passional, *passionalidade* [F.: *passional* + *-ismo*.]

passionário (pas.si:o.*ná*.ri:o) *sm.* Livro que relata a Paixão de Cristo, m. que *passional* (6) [F.: *passion-* + *-ário*.]

passista (pas.*sis*.ta) *s2g.* 1 *Bras.* Dançarino de samba que se destaca pela agilidade, graça e desenvoltura esp. nos conjuntos de escolas de samba 2 *N. E.* Dançarino de frevo *a2g.* 3 *Bras.* Que desfila e samba com desenvoltura, durante as apresentações de uma escola de samba 4 *N. E.* Que dança frevo [F.: *passo* + *-ista*.]

passível (pas.*sí*.vel) *a2g.* Suscetível de sofrer ou experimentar certas ações: "Parecia ter descoberto que tudo era passível de aperfeiçoamento" (Clarice Lispector, *Amor*) [Pl.: *-veis*.] [F.: Do lat. tard. *passibile*. Cf.: *passivo*; *possível*. Ant. ger.: *impassível*.]

passividade (pas.si.vi.*da*.de) *sf.* 1 A qualidade do que é passivo: *É triste a passividade com que as comunidades assistem à degradação dos espaços públicos.* [Ant.: *impassividade*.] 2 *Gram.* A qualidade da voz passiva 3 *Quím.* A propriedade de um sólido que reagiu com outra substância dando origem a uma camada de proteção, de forma a impedir reações posteriores [F.: Do lat. tard. *passivitate*.]

passivismo (pas.si.*vis*.mo) *sm.* Atitude ou comportamento em que predomina a passividade [Ant.: *ativismo*] [F.: *passivo* + *-ismo*.]

passivo (pas.*si*.vo) *a.* 1 Que sofre ou que recebe a ação (fumante passivo) 2 Que não atua ou não reage (temperamento passivo) 3 *Gram.* Diz-se da voz de verbo em que o sujeito da oração sofre ou recebe a ação em lugar de praticá-la [Caracteriza-se pela presença do v. *ser* seguido de particípio: *A casa foi construída por meu avô.* Ver tb. *ativo* e *voz*.] *sm.* 4 *Jur. Econ.* O conjunto das dívidas e obrigações de uma pessoa física ou jurídica 5 *Econ.* O montante dos saldos credores de diferentes contas, registrado ao lado do ativo em balancetes [F.: Do lat. tard. *passivus*. Ant. ger.: *ativo*.] ▪▪ **~ circulante** *Cont.* Conjunto de dívidas e obrigações de uma empresa exigíveis a curto prazo **~ exigível** *Cont.* Conjunto de dívidas e obrigações de uma empresa, exigíveis a curto ou longo prazo **~ não exigível** *Econ.* Capital, patrimônio, reservas de uma empresa

passo¹ (*pas*.so) *sm.* 1 Movimento feito com os pés para andar ou para dançar 2 Deslocamento do corpo através da marcha dos pés (apressar o passo); ANDAMENTO 3 Modo como se realiza este deslocamento (passo apressado/lento) 4 Cada uma das diferentes posições do pé e do corpo numa dança (passo de valsa / de tango / de bolero) 5 *Mil.* Cada uma das diferentes maneiras de marchar da tropa (passo de carga; passo acelerado) 6 Um dos andamentos do cavalo, o mais lento: *A égua seguia a passo.* 7 Vestígio de pegada em um terreno: *Viram-se na praia os passos do homem.* 8 Espaço que vai de um a outro pé quando se anda regularmente: *Daqui até lá são dez passos.* 9 *Rel.* Cada um dos estágios da Paixão de Cristo (Passos da Paixão) [Nesta acp., com inicial maiúsc.] 10 *Fig.* Estágio, etapa de um processo: *Com o curso de especialização concluía mais um passo na sua carreira.* 11 *Fig.* Iniciativa importante, capaz de gerar consequências boas ou más: *Deu um mau passo*: "Pouco tempo levou a pedi-la e a casar-se. Nunca se arrependeu deste passo." (Aloísio Azevedo, *Casa de pensão*) 12 *Fig.* Ponto, conjuntura, situação: "Mas, neste passo, assim prontos estando/ Eis o mestre, que olhando os ares anda..." (Luís de Camões, *Os Lusíadas*) 13 *Fig.* Ato, negócio, assunto (passo sério) 14 *Fig.* Caso ou episódio divertido, engraçado 15 *Fig.* Trecho de uma obra literária, artística; PASSAGEM: *Leu o passo do romance sugerido pelo professor.* 16 Passagem estreita ou difícil em um valado, ou um monte; DESFILADEIRO; GARGANTA 17 Estreito, passagem de mar 18 *Bras.* Local onde se pode atravessar um rio mais comodamente e com menos perigo 19 *Hist.* Medida antiga equivalente a dois pés e meio ou 82 cm 20 *Hist.* Medida antiga, no tempo da dominação romana na Península Ibérica, equivalente a cinco pés ou 1 m e 65 cm 21 *Tec.* Distância entre o centro da espira de um parafuso e o centro da espira adjacente 22 *Tec.* Distância entre dois dentes de uma engrenagem 23 *Bras. Hist.* No período colonial, depósito litorâneo de açúcar ou paubrasil [F.: Do lat. *passu*. Hom./Par.: *passo* (fl. de *passar*), *paço* (sm.).] ▪▪ **A cada ~** A todo momento, a cada instante; frequentemente: *A cada passo retocava a maquiagem.* **Ao mesmo ~** Ao mesmo tempo, com a mesma velocidade ou o mesmo ritmo **Ao ~ que** 1 À medida que, à proporção que: *Ao passo que estudava o assunto, novas dúvidas lhe apareciam.* 2 Enquanto, mas: *Maria é diligente, ao passo que a irmã é preguiçosa.* **A ~** Lentamente **A ~ e ~** Ver *Passo a passo* **A ~s largos** *Fig.* Rapidamente, em ritmo acelerado: *Aquela empresa avança a passos largos para a falência.* **A ~s lentos** *Fig.* Vagarosamente, em ritmo lento **Apertar o ~** *Fig.* Marchar mais rapidamente, acelerar o ritmo de marcha; apertar o pé **Cada passinho** *SP Pop.* A todo instante, a cada momento: *Cada passinho ele enxugava o rosto reclamando do calor.* **Ceder o ~ a** 1 *Fig.* Ceder a vez a, deixar (alguém) passar a frente por cortesia 2 *Fig.* Constatar ou reconhecer a superioridade de (alguém); ser vencido por 3 Ser substituído por, dar lugar a: *A hesitação cedeu o passo às ações necessárias.* **Dar ~s por** *Fig.* Fazer o necessário para (certo fim); esforçar-se por (algo) **Dar um mau ~** 1 *Fig. Pop.* Decidir ou fazer algo errado, imprudente, condenável 2 *Antq.* Perder a virgindade (mulher solteira) [Segundo antigos padrões de moralidade.] **Marcar ~** 1 Movimentar os pés como se estivesse marchando, sem sair do lugar 2 *Fig.* Não progredir, ficar estagnado **~ a ~** 1 Lentamente (ao caminhar), vagarosamente, um passo após o outro 2 *Fig.* Gradativamente, cuidadosamente (na evolução de um processo, uma tarefa etc.), uma etapa de cada vez: *Vamos avançar passo a passo em nosso projeto.* **~ de cágado** Passo muito vagaroso, avanço ou progresso muito lento: *Marcharam de volta a passo de cágado; As obras progrediam em passo de cágado.* **~ de estrada** *Hip.* Certa andadura de cavalo, lenta e ritmada **~ de ganso** *Mil.* Maneira de marchar de alguns exércitos, tropas ou corporações, na qual os passos são dados com as pernas esticadas, elevadas até (quase) a altura da cintura **~ de urubu-malandro** *Bras. Joc.* Andar desajeitado que lembra os passos de um urubu **~ grave** Passo (tipo de marcha de uma tropa) cadenciado, em continência **~ oblíquo** Passo (tipo de marcha de uma tropa) oblíquo em relação à direção da marcha **~ ordinário** *Mil.* Passo (tipo de marcha de uma tropa) cadenciado, ger. em marcha operacional, com a velocidade normal de uma caminhada **Primeiros ~s** *Fig.* Fase primeira, inicial (de um processo, projeto, estudo etc.) **Seguir os ~s de** *Fig.* Tomar (alguém) como exemplo **Trocar o(s) ~(s)** *Pop.* Andar tropegamente, ger. por estar embriagado ou tonto

passo² (*pas*.so) *sm.* *Rel.* Cada um dos estágios da Paixão de Cristo (Passos da Paixão) [F.: Do lat. *passu*.]

pasta (*pas*.ta) *sf.* 1 Porção de matéria sólida (amido, gesso, argila, cimento etc.) diluída em líquido, gordura etc., que se caracteriza pela plasticidade (pasta de farinha; pasta de goma) 2 *P. ext.* Qualquer substância de consistência fluida, formada pela mistura de sólidos e líquidos (pasta de lama; pasta de sangue) 3 Qualquer produto ou substância alimentícia com a consistência de pasta (2) (pasta de cebola) 4 Creme ou pomada, de uso como cosmético, medicamento, produto de higiene etc. (pasta dentifrícia) 5 Espécie de mala ou maleta de couro, papelão ou plástico onde se guardam ou carregam documentos, livros etc. 6 Espécie de recipiente, ou envoltório, ou caixa, ou capa de cartolina, papelão, plástico etc., onde se guardam documentos (ger. a cada uma dessas pastas corresponde um tipo de documentos), e que por sua vez são classificadas e guardadas em arquivo: *Pasta da Justiça, do trabalho.* 7 *P. ext. Fig.* Cargo de ministro ou secretário de estado 8 *Metal.* Porção de ouro, de prata ou de qualquer outro metal fundido por trabalhar 9 *Art. pl.* A massa de tinta preparada na paleta pelo pintor para aplicação na tela 10 *Enc.* Cada um dos retângulos, ger. de papelão, que, colocados nas laterais de um livro, compõem as capas dianteira e traseira 11 *Pap.* Substância composta à base de trapos, madeiras, palhas ou mistura que é submetida a depuração para produção do papel 12 *Inf.* Unidade de armazenamento de arquivos de dados de um computador [F.: Do lat. tard. *pasta*. Hom./Par.: *pasta* (fl. de *pastar*).] ■ **~de dentes** Dentifrício, creme com propriedades higiênicas e antissépticas para limpeza e proteção dos dentes **~ mecânica** *Pap.* Pasta (11), us. pra fabricação de papel **~ suspensa** Espécie de pasta (6) feita de duas abas de papelão dobradas uma sobre a outra, entre as quais se guardam documentos, e em cujos cantos ganchos de metal ou plástico permitem pendurá-la nas gavetas de arquivos **~ 007 (zero zero sete)** Pasta (5) em forma de maleta pequena, retangular, sólida, ger. de couro

pastagem (pas.*ta*.gem) *sf.* Ver *pasto* (1 e 2) [Pl.: *-gens*.] [F.: *pastar* + *-agem*.]

pastar (pas.*tar*) *v.* **1** Alimentar-se de erva ainda na terra (diz-se de gado); PASCER [*int.*: "...se não quiser, vá pastar com as outras alimárias." (João Ubaldo Ribeiro, *Diário do farol*)] **2** Comer a erva que existe em (diz-se de gado) [*td.*: *Os cavalos pastaram o capim recém-plantado.*] **3** Levar (gado) para se alimentar de ervas ainda na terra; PASCER; PASTOREAR [*td.*: *Durante a seca, os sitiantes pastam seus animais nas várzeas.*] **4** *Pop.* Não fazer nada; não progredir [*int.*: *Enquanto a mulher rala, ele fica pastando.* Ant.: *avançar, progredir.*] [▶ **1** pastar] [F.: Do lat. *pastare*, de *pascere*, 'pascer'. Hom./Par.: *pasta(s)* (fl.), *pasta(s)* sf. [pl.]); *pastaria(s)* (fl.) *pastaria(s)* (sf. [pl.]); *pasto* (fl.), *pasto* (sm.); *pasteis* (fl.), *pastéis* (pl. de *pastel*).]

pastaria (pas.ta.*ri*:a) *sf. Bras.* Campo de pastagem; PASTIO; PASTO: "Seu Tonho Inácio prosperava, ano a ano, colhendo mais arrobas de mantimentos e sempre com mais boi na pastaria." (Mário Palmério, *Chapadão do Bugre*) [F.: *pasto* + *-aria*. Hom./Par.: *pastaria* (fl. de *pastar*).]

pasteiro (pas.*tei*.ro) *sm.* **1** *Bras. RS* Vendedor de pasto (1) **2** *Bras.* Diz-se de gado vacum dócil que prefere estar perto da sede da fazenda [F.: pasto + *-eiro*.]

pastejar (pas.te.*jar*) *v.* **1** Comer erva, vegetação rasteira; PASTAR [*int.*: *Animais pastejavam lá fora.*] **2** *RS* Mesmo que *pastorear* [*td.*] [▶ **1** pastejar] [F.: *pasto* + *-ejar*. Hom./Par.: *pastejo* (fl.), *pastejo* [ê] (sm.).]

pastejo (pas.*te*.jo) [ê] *sm.* Ação de pastejar; PASTAR [F.: regress. de *pastejar*. Hom./Par.: *partejo* [ê] (sm.), *pastejo* [ê] (fl. de *pastejar*).]

pastel[1] (pas.*tel*) *sm.* **1** *Cul.* Iguaria frita ou assada feita de massa de farinha com recheio salgado ou doce **2** *Bras. Pej.* Pessoa chata, enfadonha, aborrecida **3** *Bras. Pej.* Pessoa de pouco préstimo por sua lentidão ou preguiça **4** *Tip.* Mistura de caracteres tipográficos em consequência de se ter desmanchado uma forma, uma coluna ou uma linha; GRALHA [F.: Do fr. ant. *pastel*.] ■ **~ de vento** *Cul.* Pastel[1] (1) sem recheio **~ folhado** *Cul.* Tipo de pastel[1] (1) feito de massa folhada e assado em forno

pastel[2] (pas.*tel*) *sm.* **1** *Art. pl.* Tipo de pintura a seco, de cores suaves, feita com lápis especial **2** *Art. pl.* Quadro realizado com essa técnica: *Tenho um pastel muito valioso.* **3** O lápis us. nessa pintura **4** A cor tênue, pálida do pastel (2) [Pl.: *-téis*.] *a2g2n.* **5** Que é de cor suave, esmaecida (toalhas pastel) [F.: Do it. *pastello*.]

pastelão (pas.te.*lão*) *sm.* **1** *Cul.* Grande pastel, ger. salgado e assado, para cortar em fatias; EMPADÃO **2** *Cin. Teat. Telv.* Comédia cujo humor se baseia em situações agitadas e com muitas confusões **3** *Bras. S* Indivíduo moleirão; PAMONHA [Pl.: *-lões*.] [F.: *pastel* + *-ão*.]

pastelaria (pas.te.la.*ri*.a) *sf.* **1** *Cul.* Termo genérico que designa todos os tipos de iguaria feitos com massa de farinha recheada **2** Estabelecimento onde se fazem e vendem essas iguarias; PASTELEIRO [F.: *pastel* + *-aria*.]

pasteleiro (pas.te.*lei*.ro) *sm.* **1** Quem faz ou vende pastelaria (1) **2** Estabelecimento onde se faz ou vende pastelaria (1); PASTELARIA **3** *Bras. RJ Gír. Tip.* Revisor tipográfico que, nas provas, deixa escapar pastéis, gralhas [F.: *pastel* + *-eiro*.]

pasteuriano (pas.teu.ri:*a*.no) *a.* Relativo a Louis Pasteur (1822-1895, químico e biologista francês), ou a suas descobertas, ideias e processos [F.: Do antr. Louis *Pasteur* + *-i-* + *-ano*.]

pasteurização (pas.teu.ri.za.*ção*) *sf.* **1** Ato, efeito ou processo de pasteurizar **2** *Ind. Al.* Tratamento térmico aplicado a produtos alimentícios (esp. leite e laticínios, cerveja, vinhos), visando destruir ou inativar microrganismos patogênicos sem subtrair o valor nutritivo ou alterar as propriedades físico-químicas do produto **3** *Fig. Pej.* Vulgarização a que é submetida uma obra, conceito, teoria etc., visando torná-la menos contundente e, assim, mais palatável para o grande público [Pl.: *-ções*.] [F.: *pasteurizar* + *-ção*.]

pasteurizado (pas.teu.ri.*za*.do) *a.* **1** Que passou por processo de pasteurização (queijo pasteurizado) **2** *Fig. Pej.* Simplificado, empobrecido, vulgarizado para ser melhor consumido pelo público (espetáculo pasteurizado) [F.: Part. de *pasteurizar*.]

pasteurizador (pas.teu.ri.za.*dor*) [ô] *a.* **1** Que pasteuriza *sm.* **2** Aparelho para pasteurizar; PASTEURIZADEIRA [F.: *pasteurizar* + *-dor*.]

pasteurizar (pas.teu.ri.*zar*) *v. td.* **1** Realizar a pasteurização *v. td.* **2** Aquecer (leite, laticínios, vinho, cerveja) para eliminar germes daninhos **3** *Fig.* Retirar qualidades artísticas, originalidade (de uma obra) para agradar ao grande público [▶ **1** pasteurizar] [F.: Do fr. *pasteuriser*.]

pastiche (pas.*ti*.che) *sm.* **1** Trabalho literário ou artístico grosseiramente copiado de outro **2** Peça musical, espécie de ópera, que inclui trechos ou árias de sucesso de múltiplas obras e compositores [F.: Do fr. *pastiche*. Hom./Par.: *pastiche* (fl. de *pastichar*). Tb. *pasticho*.]

pasticho (pas.*ti*.cho) *sm.* Ver *pastiche*

pastifício (pas.ti.*fí*.ci:o) *sm.* *SP* Fábrica de massas alimentícias [F.: Do it. *pastificio*.]

pastilha (pas.*ti*.lha) *sf.* **1** Confeito, bala, na forma de pequeno tablete aromatizado, que derrete na boca (pastilha de hortelã) **2** Medicamento em formato de pastilha (1) (pastilha para tosse) **3** Pequeno tablete de cerâmica ou louça vitrificada, us. como revestimento externo ou interno de prédios, pisos, paredes etc. (fachada de pastilhas); MOSAICO **4** *Bras.* Bordado em ponto cheio em forma de pastilha (1) **5** *Mús.* Nos instrumentos de sopro, a parte da chave que veda o orifício **6** *Aut.* Componente do sistema de frenagem dos veículos automotores (pastilhas de freio) [F.: Do espn. *pastilla*. Hom./Par.: *pastilha* (fl. de *pastilhar*).] ■ **~ elástica** *Lus.* Goma de mascar, chicle, chiclete

pastio (pas.*ti*:o) *sm.* **1** Campo onde há pastagem; lugar onde o gado pasta; PASTO **2** Ação de pastar [F.: *pasto* + *-io*.]

pasto (*pas*.to) *sm.* **1** Erva que serve de alimento para o gado; PASTAGEM **2** Terreno em que há este tipo de erva, onde o gado pode pastar; PASTAGEM **3** *Fig.* Qualquer alimento ou refeição (casa de pasto); COMIDA: *Após o trabalho, um bom pasto e repouso.* **4** *Fig.* Alimento espiritual **5** Grande prazer; REGOZIJO; SATISFAÇÃO: *dar pasto aos olhos e aos ouvidos.* **6** Assunto eleito, escolhido; TEMA: *pasto para intrigas.* [F.: Do lat. *pastu*. Hom./Par.: *pasto* (fl. de *pastar*).]

pastor (pas.*tor*) [ô] *sm.* **1** Indivíduo que leva o gado para pastar e que cuida dele: "Sete anos de pastor Jacob servia / Labão, pai de Raquel, serrana bela; / Mas não servia ao pai, servia a ela, / E a ela só por prêmio pretendia." (Luís de Camões, *Sete anos de pastor*) **2** *Rel.* Sacerdote protestante **3** Guia espiritual (pastor dos pobres) *a.* **4** *Cinol.* Diz-se de um tipo de cão que guarda rebanhos **5** Que leva vida de pastor (povos pastores) [F.: Do lat. *pastore*.] ■ **~ alemão** *Cinol.* Cão forte e inteligente, originário da Alemanha, de pelo cinza, preto ou amarelado, muito us. como guia de cegos, cão de guarda e cão policial. [Tb. *cão policial* ou apenas *policial*, ou (*Lus.*) *cão-polícia*] **~ belga** *Cinol.* Cão de tamanho médio, originário da Bélgica, de pelo negro, us. como pastor de ovelhas

pastora (pas.*to*.ra) [ô] *sf.* **1** Mulher que leva o gado ao pasto e o vigia **2** *Bras.* Participantes tradicionais dos desfiles das escolas de samba; PASTORINHA: *Pastora da Velha Guarda da Portela.* [F.: fem. de *pastor*. Hom./Par.: *pastora* [ô] (sf.), *pastora* (fl. de *pastorar*).]

pastoral (pas.to.*ral*) *a2g.* **1** Próprio de pastor, pertencente ou relativo a pastor ou à vida campestre; PASTORIL **2** *Rel.* Ref. a pastor espiritual (ação pastoral) *sf.* **3** *Rel.* No catolicismo, circular do papa ou de um bispo em que se expõe doutrina religiosa ou lição de moral: "... uma pastoral do patriarca de Lisboa em que se publicava com afetada e ridícula mágoa a morte do rei, atribuindo-a aos pedreiros-livres." (Garrett, *Portugal na balança*) **4** *Poét.* Composição poética do gênero pastoril **5** *Teat.* Peça teatral cujas personagens são pastores e pastoras **6** *Mús.* Composição instrumental ou vocal, de caráter idílico, na qual a parte cantante reproduz o som e as melodias da cornamusa dos pastores [Pl.: *-rais*.] [F.: Do lat. *pastorale*.]

pastor-alemão (pas.*tor*-a.le.*mão*) *sm. Cinol.* Cão robusto, originário da Alemanha, de grande porte, pelagem preta, cinza-clara ou amarelada e orelhas pontiagudas, us. como cão de guarda, guia para cegos, mensageiro e rastreador, esp. pela polícia; CÃO POLICIAL; POLICIAL [Pl.: *pastores-alemães*.]

pastorar (pas.to.*rar*) *v. td.* **1** Guiar, vigiar ou guardar (o gado que pasta); APASCENTAR; PASTOREAR **2** Observar (alguém) procurando não ser visto; ESPREITAR **3** Ficar à espera de (alguém) [▶ **1** pastorar] [F.: *pastor* + *-ar*[2]. Hom./Par.: *pastora(s)* (fl.), *pastora(s)* (sf. [pl.]); *pastorais* (fl.), *pastorais* (pl. de *pastoral*).]

pastorear (pas.to.re.*ar*) *v. td.* **1** Conduzir e vigiar gado no pasto; o mesmo que *pastorar* (1) **2** Liderar, conduzir como pastor (3) **3** Liderar, conduzir como governante; GOVERNAR [▶ **13** pastorear] [F.: *pastor* + *-ear*[2].]

pastoreio (pas.to.*rei*.o) *sm.* **1** Trabalho de pastor de gado; ofício pastoril: "Trabalhador canhestro, não se afizera, sequer, a cultura das vazantes. Seu forte era o pastoreio." (José Américo de Almeida, *A bagaceira*) **2** *Bras.* Terreno de pastagem, lugar onde se pastoreia o gado **3** Este gado [F.: De *pastorear*. Hom./Par.: *pastoreio* (fl. de *pastorear*).]

pastoreiro (pas.to.*rei*.ro) *sm.* **1** Indústria, atividade pastoril **2** *Bras. Ba* Terreno onde há pasto; PASTAGEM **3** Lugar onde se pastoreiam os animais **4** *Bras.* Os animais pastoreados [F.: *pastor* + *-eiro*.]

pastorejar (pas.to.re.*jar*) *v. td.* **1** Mesmo que *pastorear* **2** Cortejar, requestar (mulher) [▶ **1** pastorejar] [F.: *pastor* + *-ejar*. Hom./Par.: *pastorejo* [ê] (fl.), *pastorejo* [ê] (sm.).]

pastoril (pas.to.*ril*) *a2g.* **1** Concernente a pastor, a pastoreio ou a vida no campo; PASTORAL; CAMPESTRE: "Quem deixa o trato pastoril, amado, / Pela ingrata civil correspondência, / Ou desconhece o rosto da violência, / Ou do retiro da paz não tem provado" (Cláudio Manoel da Costa, *Soneto XIV*) **2** *Fig.* Feito de modo simples ou que se mostra simples; RÚSTICO; BUCÓLICO *sm.* **3** *Liter.* Gênero que trata de cenas da vida pastoril [Compreende o idílio e a écloga e tb. se chama bucólico.] **4** *Bras. N. E. Dnç. Teat.* Folguedo popular dramático com danças e canto, que, do Natal ao dia de Reis, se representa em tablado ao ar livre, ger. diante de um presépio, e no qual há uma personagem masculina jocosa, o velho, e algumas figuras femininas, as pastoras [Tb. chamado *pastorinhas* ou *pastoris*.] [Pl.: *-ris*.] [F.: *pastor* + *-il*.]

pastorinha (pas.to.*ri*.nha) *sf.* **1** Jovem pastora **2** O mesmo que *pastora* (2) [F.: Dim. de *pastora*.]

pastosidade (pas.to.si.*da*.de) *sf.* Qualidade, condição ou estado do que é pastoso; VISCOSIDADE [F.: *pastoso* + *-(i)dade*.]

pastoso (pas.*to*.so) [ô] *a.* **1** Que tem a consistência de pasta (alimento pastoso) **2** *P. ext.* De consistência viscosa, pegajosa **3** *Fig.* Espesso, toldado, arrastado (fala pastosa): "Ele não entendeu bem a minha resposta e continuou com a voz pastosa: – Sabes donde venho?" (Lima Barreto, *Recordações do escrivão Isaías Caminha*) [Pl.: [ó]. Fem.: [ó].] [F.: *pasta* + *-oso*.]

pastrame (pas.*tra*.me) *sm. Cul.* Peito de boi temperado com pimenta, alho, açúcar, coriandro e outros condimentos, que primeiramente se põe para defumar e depois se cozinha [F.: Do romeno *pastramă* 'carne defumada'.]

◎ **-pata** *el. comp.* = 'aquele que sofre de ou apresenta certa doença, afecção ou distúrbio (físico ou mental)'; 'aquele que é especialista em certo sistema terapêutico ou pratica dado método de cura': *acropata, acrópata, adenopata, adenópata, cardiopata, cardiópata, condutopata, demonopata, demonópata, frenopata, frenópata, hemeropata, hemerópata, neuropata, neurópata, psicopata, sociopata; alopata, alópata, homeopata, isopata, isópata* [Segundo a tradição erudita (conforme o alfa breve do rad. gr.), os voc. com esse el. deveriam ser proparoxítonos no port; o uso, porém, consagrou as f. paroxítonas, daí a flutuação da tônica em alguns pares (*acrópata/ acropata*), ou mesmo a ocorrência apenas da f. paroxítona (*homeopata, sociopata*).] [F.: Do gr. *-pathés, és, es*, do gr. *páthos, eos-ous*, 'aquilo que a gente passa, sofre, experimenta' (em relação às paixões da alma e ao sofrimento físico [doenças], por opos. 'àquilo que se faz'); 'experiência', 'provação', 'acontecimento', etc. F. conexas: *pato-* e *-patia*.]

pata[1] (*pa*.ta) *sf.* **1** A fêmea do pato **2** *Ict.* Tipo de cação da fam. dos carcarrinídeos (*Sphyrna tiburo*), encontrável nos oceanos Atlântico e Pacífico, de até 1m e 50cm de comprimento, de cabeça maleiforme com os olhos nas extremidades, de dorso cinza-claro e ventre claro [F.: *pato* + *-a*.]

pata[2] (*pa*.ta) *sf.* **1** *Anat. Zool.* Apêndice dos animais vertebrados ou artrópodes, us. para locomoção ou apoio; PÉ **2** *Joc.* O pé grande de uma pessoa: *Vinha bêbedo, e meteu a pata na poça.* **3** *Náut.* A extremidade do braço da âncora, que é de forma triangular e consta de unha e orelhas [F.: De or. obsc.] ■ **À ~** *Pop.* A pé **Meter a ~ 1** *RS Pop.* Falar ou comportar-se de forma inadequada (ao contexto), cometer uma rata, uma gafe **2** Estragar tudo (um plano, uma situação, um acordo etc.)

pataca (pa.*ta*.ca) *sf.* **1** *Bras. Num.* Antiga moeda de prata de valor correspondente a 320 réis **2** *Econ.* O modo pelo qual são feitas as transações monetárias no Timor e em Macau **3** *Econ.* O tipo de moeda usado em Macau e no Timor, que se subdivide em 100 partes chamadas avos **4** *Fig.* Qualquer quantia em dinheiro [F.: Da mesma or. incerta que o esp. *pataca*.]

patacão (pa.ta.*cão*) *sm.* **1** Relógio de algibeira, muito grande; CEBOLÃO **2** *Econ. Hist.* Nome de diversas antigas moedas do Brasil, Portugal, Espanha e alguns países da América do Sul, ger. de cobre, por vezes de prata **3** *Bras. Econ. Hist.* Antiga moeda de prata de 2$000: "Tinha vinte anos quando deixei a casa paterna; possuía alguns estudos, poucos, meia dúzia de patacões, muito amor e muita esperança." (Machado de Assis, *Helena*) **4** *Fig.* Indivíduo tolo, que diz asneiras; ESTÚPIDO; IDIOTA; PARVO [Pl.: *-cões*.] [F.: *pataca* + *-ão*.]

patacho (pa.*ta*.cho) *sm. Mar.* Antiga embarcação mercante de dois mastros, constituída por uma a vela dianteira redonda e uma traseira latina [F.: Do espn. *patache* 'embarcação ligeira de guerra', do espn. ant. *patax* de or. incerta.]

patacoada (pa.ta.co:*a*.da) *sf.* **1** História mentirosa ou sem lógica; BOBAGEM; DISPARATE: "E nunca há fim, de patacoada e hipótese." (João Guimarães Rosa, *Tutameia*) **2** Jactância ridícula; BAZÓFIA; BRAVATA; FANFARRONADA; PARLAPATICE: "Só temos presunção, nada mais. Olhe esse homenzinho de filosofia: muita moral, muito conceito, muita patacoada." (Coelho Neto, *Água de juventa*) **3** Brincadeira, gracejo, chiste **4** *Bras.* Afirmação ou declaração inverídica; MENTIRA *Pop.*; LOROTA [F.: *pataco* + *-oada*.]

patada (pa.*ta*.da) *sf.* **1** Pancada ou golpe dado com a planta do pé: "Ainda bem! gritei, atirando patadas ao ladrilho." (Eça de Queirós, *A Relíquia*) **2** Pancada dada com a pata por um animal; COICE: *O cavaleiro morreu com as patadas do cavalo.* **3** *Fig. Pop.* Ato de descortesia, de incivilidade; GROSSERIA: *Fui alertá-lo com a melhor das intenções e só levei patadas.* **4** *Fig. Pop.* Falta de gratidão, de reconhecimento; INGRATIDÃO [F.: *pata* + *-ada*.] ■ **Dar ~** *Pop.* Agir com desconsideração, grosseria, estupidez, ou revelar ingratidão **Levar ~** *Pop.* Ser tratado com desconsideração, grosseria, estupidez, ou ser vítima de ingratidão

pata-de-vaca (pa.ta-de-*va*.ca) *sf. Bot.* Nome comum às plantas do gên. *Bauhinia*, da fam. das leguminosas, subfam. cesalpinioídea, nativas das regiões tropicais e muito cultivadas como ornamentais, esp. na arborização urbana, de flores vistosas e folhas com formato peculiar, que lembra a pata de bois e vacas, como, p. ex., *Bauhinia forficata*, árvore nativa do S. e S. E. do Brasil, de flores brancas e folhas com uso terapêutico; BAUÍNIA; MÃO-DE-VACA; MORORÓ; PÉ-DE-BOI; UNHA-DE-BOI; UNHA-DE-VACA [Pl.: *patas-de-vaca*.]

patágio (pa.*tá*.gi:o) *sm. Anat. Zool.* Membrana que liga os membros anteriores e posteriores de certos animais, como os morcegos, e é us. para fazer voar ou planar [F.: Do lat. cient. *patagium*.]

patagônio (pa.ta.*gô*.ni:o) *a.* **1** Da Patagônia (América do Sul); típico dessa região ou de seu povo *sm.* **2** Pessoa nascida ou que vive na Patagônia

patalear (pa.ta.le.*ar*) *v. int. RS* Desferir golpes com as patas; PATEAR [▶ 13 patalear] [F.: Do espn. *patalear*.]

pataleio (pa.ta.*lei*:o) *sm. Bras. RS* Golpe ou som produzido pelas patas de cavalgaduras [F.: Dev. de *patalear*.]

patamar[1] (pa.ta.*mar*) *sm.* **1** Espaço amplo entre dois lances de escada ou no seu topo: "Já na escada havia um cheirinho adocicado e triste a devoção e a virgem velha: e no patamar pendia um velho cartão, com um dístico." (Eça de Queirós, *Os Maias*) **2** *Fig.* Grau, estágio, nível: *Os preços agrícolas mantiveram-se em patamar baixo.* [F.: De or. obsc.]

patamar[2] (pa.ta.*mar*) *sm.* **1** *Ant.* Portador de despachos, de mensagens; ESTAFETA; MENSAGEIRO **2** *Mar.* Embarcação costeira da Índia (Malabar) [F.: Do mal. *pattamari*.]

patati-patatá (pa.ta.ti-pa.ta.*tá*) *sm. Bras. Pop.* Expressão us. no fim de um enunciado para denotar ditos, conversa sem importância ou uma tagarelice cujo teor não é preciso especificar, equivalente a 'e assim por diante', 'e quejandos' 'etc.': *Falou de trabalho, de viagens, dos filhos, patati-patatá.* [Us. quando não se quer prosseguir com uma enumeração longa.] [F.: Do fr. (et) *patati* (et) *patata*; voc. onom.]

patativa (pa.ta.*ti*.va) *sf.* **1** *Bras. Zool.* Pássaro da fam. dos emberizídeos (*Sporophila plumbea*) de cor cinzenta e canto muito apreciado: "Pelos galhos dos arbustos, as patativas, os canários e bigodes (...) trinavam." (Viriato Correia, *Contos do sertão*) **2** *Fig.* Pessoa que fala muito [F.: Do tupi prov.] ■ **~ do Norte** Antonomásia de Epitácio Pessoa, presidente do Brasil (1919-1922)

patavina (pa.ta.*vi*.na) *pr. indef.* Nada, coisa nenhuma: "– Saberá V. Exa. que eu não entendo patavina dos partidos do Ceará." (Machado de Assis, *Bons dias*) [F.: Do lat. *patavina*.]

patavino (pa.ta.*vi*.no) *sm. a.* O mesmo que *paduano*[1]

pataxó (pa.ta.*xó*) *sm.* **1** *Etnol.* Pessoa pertencente ao povo indígena dos pataxós, que habita áreas da Bahia e de Minas Gerais **2** *Ling.* Língua da família linguística maxacali, tronco macro-jê, falada por este povo *a2g.* **3** Do ou ref. ao pataxó (1 e 2)

patchuli (pat.chu.*li*) *sm.* **1** *Bot.* Planta da fam. das labiadas (*Pogostemon heyneanus*), nativa da Índia, da qual se extrai óleo muito aromático e volátil **2** Perfume que se extrai dessa planta [F.: Do tâmil *paccilai*.]

⊕ ***patchwork*** (*patch*.work) *sm.* Tecido feito de retalhos de várias cores, padrões e formas, costurados entre si, formando desenhos geométricos (almofada de patchwork) [Pl.: *patchworks*.] [F.: Do ing. *patchwork* de *patch* 'peça (de tecido etc.) sobreposta, remendo' e *work* 'trabalho, obra'.]

patê (pa.*tê*) *sm. Cul.* Pasta feita freq. do fígado de aves, de peixe, de carne ou vegetais que em geral se come frio [F.: Do fr. *pâté*.]

pateada (pa.te.*a*.da) *sf.* **1** Ação de patear **2** Ruído feito com os pés em sinal de reprovação nos teatros, circos etc.: "Reparei algumas vezes que não sabia o papel... Ter-lhe-iam muitas vezes feito justiça se lhe dessem pateadas em lugar de o aplaudir." (Bocage, *Gil Brás*) [Ant.: *aclamação*.] [F.: *patear* + *-ada*.]

patear (pa.te.*ar*) *v.* **1** Bater com as patas, ou com os pés, no chão [*td.*: *A criação pateara o jardim*] [*int.*: *Pouco acostumado ao terreno, o cavalo pateava.*] **2** Reprovar (espetáculo, apresentação) batendo com os pés no chão: *O público pateou a ópera.* [*td.* / *int.*] *v. Int.* **3** Ter mau êxito, fracassar, falir: *Com a crise, os comerciantes simplesmente patearam.* **4** *Fig.* Morrer [▶ 13 patear] [F.: *pata*[2] + *-ear*[2].]

⊕ ***pâté de foie gras*** (pâ.*té*.de.foie.*gras*) *sm. Cul.* Tipo de patê feito com fígado de ganso ou pato engordados por processos especiais para servir ao preparo dessa iguaria [Pl.: *pâtés de foie gras*.] [F.: D o fr. *foie* 'fígado de ave engordada com figos' e *gras* (lat. *grassus* 'gordo').]

patela (pa.*te*.la) [ê] *sf. Anat.* Osso curto, achatado e arredondado que se localiza na parte frontal do joelho e permite a flexão e a extensão da perna [*Patela* substituiu *rótula* na nova terminologia anatômica.] [F.: Do lat. *patella*.]

patelar (pa.te.*lar*) *a2g. Anat.* Ref. a patela [F.: *patel(i)-* + *-ar*[1].]

◎ **patel(i)-** *el. comp.* 'prato'; 'patela', 'rótula': *patelar, patelectomia, pateliforme* [F.: Do lat. *patella, ae*.]

pátena (*pá*.te.na) *sf. Litu.* Lâmina ou prato de ouro ou de outro metal dourado que cobre o cálice e em que se coloca a hóstia para consagração na missa [F.: Do lat. *patena*. Tb. *patena*.]

patência (pa.*tên*.ci:a) *sf. Med.* Qualidade ou estado de estar desimpedido, desobstruído, permitindo livre passagem de ar, fluidos etc.: *a patência de uma artéria, das vias nasais* etc. [F.: *patente* + *-ência*.]

patente (pa.*ten*.te) *a2g.* **1** Bem claro; EVIDENTE: *A inteligência do rapaz é patente.* **2** Aberto a todos; ACESSÍVEL; FRANQUEADO: "Os cavaleiros chegaram ao topo da subida. A caverna de Covadonga, o palácio do duque de Cantábria, estava patente." (Alexandre Herculano, *Eurico, o presbítero*) *sf.* **3** Documento de concessão de um título, posto ou privilégio (patente de alferes; patente de invenção) **4** *Fig.* Posto, título ou privilégio **5** *Jur.* Direito de propriedade concedido a alguém por mérito de invenção de objetos, de desenho original de um produto, um mecanismo etc. [Tb. se diz *carta patente*.] **6** Diploma de membro de irmandade ou confraria: *patente de irmão do Santíssimo.* **7** Contribuição que os mais antigos numa corporação fazem pagar aos que para ela retornam **8** *Bras. S* Vaso sanitário, latrina, esp. de louça (porque os primeiros, importados da Inglaterra, traziam impressa a palavra *patent*, privilégio de fabricação) [F.: Do lat. *patente*.]

patenteado (pa.ten.te.*a*.do) *a.* **1** Tornado patente, evidente, demonstrado **2** A que se concedeu patente de invenção, que foi registrado (brinquedo patenteado) **3** Franqueado, liberado (estradas patenteadas) [F.: Part. de *patentear*.]

patentear (pa.ten.te.*ar*) *v.* **1** Tornar patente ou evidente; EVIDENCIAR [*td.*: *Qualquer gesto patentearia suas intenções.*] [*tdi.* +*a*: *Patenteou a todos as suas intenções*: "Patenteam-se-lhe, uniformes, os mesmos quadros." (Euclides da Cunha, *Os sertões*) Ant.: *encobrir, ocultar, velar*.] **2** Dar patente a ou obter patente de (invenção); REGISTRAR [*td.*] **3** Tornar (algo) livre, aberto a; FRANQUEAR; LIBERAR [*tdi.* +*a*: *patentear os portos às nações vizinhas.* Ant.: *bloquear, fechar*.] [▶ 13 patentear] [F.: *patente* + *-ear*[2]. Hom./Par.: *patenteáveis* (fl.), *patenteáveis* (pl. de *patenteável*).]

patenteável (pa.ten.te.*á*.vel) *a2g.* Que se pode patentear [Pl.: *patenteáveis*.] [F.: *patentear* + *-vel*.]

paternal (pa.ter.*nal*) *a2g.* **1** Próprio de pai (amor paternal; conselho paternal; modos paternais); PATERNO [Ant.: *maternal*.] **2** Como se fosse de um pai; PATERNO: "Manuel foi à noite ao quarto do caixeiro. Falou-lhe com brandura paternal; lamentou-o com palavras amigáveis." (Aluísio de Azevedo, *O mulato*) [Cf.: *maternal*.] **3** *Fig.* Que mostra compreensão, benevolência; AFÁVEL; BENEVOLENTE; BONDOSO [Pl.: *-nais*.] [F.: *paterno* + *-al*.]

paternalismo (pa.ter.na.*lis*.mo) *sm.* **1** Regime da autoridade do pai: *O paternalismo continua a imperar em muitas famílias.* **2** Sistema social de relações paternais entre o chefe e os seus subordinados, como se constituíssem estes uma família debaixo da sua proteção tutelar **3** *P. ext. Pol.* Tendência política a apelar para atitudes protetoras para disfarçar o autoritarismo: *Não se deve confundir preocupação social com paternalismo.* [F.: *paternal* + *-ismo*.]

paternalista (pa.ter.na.*lis*.ta) *a2g.* **1** Que diz respeito ao paternalismo (atitude paternalista; mentalidade paternalista; relações paternalistas) *s2g.* **2** Que é adepto do paternalismo: *Agora, que ficou velho e perdeu o poder, virou um paternalista sentimental?* [F.: *paternalismo* + *-ista*.]

paternalístico (pa.ter.na.*lís*.ti.co) *a.* Relativo a ou próprio do paternalismo ou paternalista (visão paternalística; modelo paternalístico): *Os Estados Unidos têm um sentido paternalístico em relação à América Latina.* [F.: *paternalista* + *-ico*.]

paternidade (pa.ter.ni.*da*.de) *sf.* **1** Qualidade, condição ou estado de pai: *Paternidade deixa homem mais "civilizado", diz estudo.* **2** Laço sanguíneo entre pai e filho(s): *determinação de paternidade pelo DNA.* **3** *Fig.* Autoria intelectual: *a paternidade de um projeto.* [F.: Do lat. *paternitatis*.] ■ **~ civil** *Jur.* Aquela que resulta de adoção **~ ilegítima** *Jur.* Aquela em função de prole gerada fora do casamento **~ natural** *Jur.* Aquela que resulta de prole, sem impedimento por parte do pai ou da mãe, por motivo de matrimônio

paterno (pa.*ter*.no) *a.* **1** Ref. ao ou do pai (autoridade paterna, lar paterno) **2** Que é próprio do pai (sentimentos paternos); PATERNAL **3** Que procede da família do pai (avô paterno; herança paterna) **4** Que tem afeição e cuidados como os de um pai; PATERNAL [F.: Do lat. *paternus*.]

pateta (pa.*te*.ta) *a2g.* **1** Falto de inteligência, tolo, parvo *s2g.* **2** Indivíduo pateta [F.: Do espn. *pateta* Sin. ger.: *esperto*.]

pateteado (pa.te.te.*a*.do) *a.* **1** Que pateteia, que diz ou faz tolices *sm.* **2** Quem faz patetices [F.: Part. de *patetear*.]

patetice (pa.te.*ti*.ce) *sf.* **1** Qualidade de quem é pateta **2** Atitude, comportamento de quem é pateta; TOLICE; PARVOÍCE; IDIOTICE [F.: *pateta* + *-ice*.]

pateticismo (pa.te.ti.*cis*.mo) *sm.* Inerência, caráter de patético [F.: patético + *-ismo*.]

patético (pa.*té*.ti.co) *a.* **1** Que desperta compaixão, piedade, tristeza (cena patética); TOCANTE; TRISTE **2** *P. ext.* Que encerra ou se caracteriza pela emoção, piedade, pesar, terror etc. extremados ou impróprios (às circunstâncias, situação, ou condições) (discurso patético; palavras patéticas; gesto patético) **3** *P. ext.* Totalmente inadequado ou impróprio (desculpas patéticas) **4** Que provoca sentimento de desprezo pela maneira de lidar com situações ou sentimentos (sujeito patético) **5** *Anat.* Ref. ao, ou próprio do nervo patético *sm.* **6** O que comove, o que desperta compaixão, pena, tristeza: *O autor mistura como poucos o patético, o grotesco e o absurdo em textos de humor negro.* **7** Modo de despertar esses sentimentos **8** Capacidade de despertar nos outros esses sentimentos, essas emoções **9** O mesmo que *nervo patético* [F.: Do gr. *pathetikós, é, ón*, pelo lat. *patheticus, a, um*.]

patetismo (pa.te.*tis*.mo) *sm.* Qualidade, ato, comportamento de pateta (patetismo histórico; ápice do patetismo) [F.: pateta + *-ismo*.]

⊕ ***páthos*** (*Gr.* /*pátos*/) *sm2n.* Qualidade que desperta sentimento de piedade ou tristeza; capacidade de comover, enternecer

pati (pa.*ti*) *sm.* **1** *Bras. Zool.* Denominação comum a algumas espécies de peixes teleósteos, da fam. dos pimelodídeos, esp. do gên. *Pseudopimelodus*, com ampla distribuição nos rios brasileiros. Possuem coloração geral amarelo-parda, com máculas escuras difusas; abdome branco-prateado; nadadeira adiposa, com cerca de 1/3 do comprimento do corpo; barbilhões bem-desenvolvidos; PIRACATINGA; PATI-BASTARDO **2** *Bras. Angios.* Espécie de palmeira (*Cocos botryophora*) também chamada patioba e pati-doce [F.: Do tupi.]

◎ **-patia** *el. comp.* Registra-se em substv. originalmente gregos ou formados na terminologia científica, em geral com as seguintes ideias: **a)** 'doença ou afecção ou distúrbio (em dado órgão, tecido, estrutura, membro, parte do corpo etc.)': *acropatia, adenopatia, angiopatia, aortopatia, arteriopatia, artropatia, cardiomiopatia, cardiopatia, cementopatia, coagulopatia, colecistopatia, colopatia, condropatia, dermatopatia, dermopatia, desmopatia, encefalopatia, endocrinopatia, enteropatia, esplenopatia, gastropatia, ginecopatia, glossopatia, hemopatia, hepatopatia, linfadenopatia, linfopatia, metropatia, mielopatia, miopatia, nefropatia, oariopatia, otopatia, oftalmopatia, onicopatia, ooforopatia, osteopatia, otopatia, periodontopatia, pneumopatia, raquiopatia*; **b)** 'doença produzida por (algo) ou decorrente de dadas condições': *aeropatia, fotopatia, heliopatia, naupatia, pediopatia*; **c)** 'afecção que se manifesta em dado horário ou período': *hemeropatia*; **d)** 'distúrbio psicológico ou mania': *condutopatia, demonopatia, ecopatia, erotopatia, frenopatia, psicopatia, sociopatia, zoopatia*; **e)** 'distúrbio neurológico': *fisiopatia, neuropatia, nevropatia*; **f)** 'capacidade ou ação destrutiva': *alelopatia*; **g)** 'sofrimento' ou 'sensibilidade, sensação' ou 'sentimento': *antipatia* (lat. gr.), *empatia* (ingl.), *eupatia* (gr.), *simpatia* (lat. gr.); **h)** (*p. ext.*) 'pensamento': *telepatia*; **i)** 'método de cura, sistema terapêutico ou de tratamento': *alopatia* (al.), *heteropatia, homeopatia* (al.), *isopatia* [F.: Do gr. *-pátheia, as*, de substv. abstratos a partir de adj. em *-pathés, és, és*, do gr. *páthos, eos-ous*, 'aquilo que a gente passa, sofre, experimenta' (em relação às paixões da alma e ao sofrimento físico [doenças], por opos. 'àquilo que se faz'); 'experiência', 'provação', 'acontecimento', etc., + suf. gr. *-ía, as* (ver *-ia*[1]). F. conexas: *pato-* e *-pata*.]

patibular (pa.ti.bu.*lar*) *a2g.* **1** Referente a patíbulo: "A força patibular, sob a clemência das damas que governavam, tinha as vigas apodrecidas e verdes de musgo." (Eça de Queirós, *Últimas páginas*) **2** *Fig.* De aparência sinistra ou criminosa: *uma figura patibular.* [F.: *patíbulo* + *-ar*[1].]

patíbulo (pa.*tí*.bu.lo) *sm.* **1** Lugar, ger. um palanque montado a céu aberto, onde se erguia o instrumento de tortura (forca, garrote ou guilhotina) para a execução dos condenados à pena capital; CADAFALSO **2** Qualquer dos instrumentos de tortura (forca, garrote, guilhotina) us. para executar os condenados à morte [F.: Do lat *patibulum*.]

patifaria (pa.ti.fa.*ri*.a) *sf.* Ato ou comportamento de patife: "As desavergonhadas só queriam aquilo para conversar melhor com os namorados, sem que os outros dessem com a patifaria." (Aluísio de Azevedo, *O mulato*) [F.: *patife* + *-aria*.]

patife (pa.*ti*.fe) *a.* **1** Que é capaz de ou que pratica ações vis ou maliciosas; que tem má índole; CANALHA; VIL **2** *Bras. P. us.* Diz-se de pessoa covarde, insegura, medrosa *sm.* **3** Indivíduo patife [Fem.: *-fa*] [F.: De or. obsc.]

patim[1] (pa.*tim*) *sm.* **1** Pátio pequeno **2** Pequeno patamar de escada **3** *Mar.* Pequena plataforma que se projeta do costado de uma embarcação [F.: Posv. do espn. *patin* 'pátio pequeno'.]

patim[2] (pa.*tim*) *sm.* **1** Calçado, ou peça a ele adaptada, dotado de rodas para permitir a rolagem sobre o pavimento **2** Calçado dotado de uma lâmina de metal para deslizar no gelo [Nos dois casos, mais usado no plural.] [F.: Do fr. *patin*.]

pátina (*pá*.ti.na) *sf.* **1** Camada esverdeada que se forma sobre o cobre ou o bronze quando expostos por muito tempo à ação do tempo e do ar **2** Oxidação das tintas pela ação do tempo e sua transformação gradual pela luz **3** Depósitos terrosos que se formam sobre a superfície dos mármores antigos **4** Pintura decorativa que procura reproduzir esses efeitos de envelhecimento em objetos e móveis [F.: Do fr. *patine*.]

patinação (pa.ti.na.*ção*) *sf.* **1** Ação ou resultado de patinar **2** *Esp.* Esporte praticado sobre patins de rodas ou para gelo [Pl.: *-ções*.] [F.: *patinar* + *-ção*.] ■ **~ artística** *Esp.* Modalidade esportiva na qual se realizam coreografias e manobras acrobáticas sobre patins

patinador (pa.ti.na.*dor*) [ô] *a.* **1** Que patina *sm.* **2** Pessoa que patina, por lazer ou como esporte (patinador olímpico) [F.: Part. de *patinar* + *-or*.]

patinagem (pa.ti.*na*.gem) *sf.* Ação ou exercício de patinar; PATINAÇÃO [F.: patinar + *-agem*.]

patinamento (pa.ti.na.*men*.to) *sm.* Giro da roda de um veículo sem provocar deslocamento, por falta de aderência: *Iniciou-se o teste medindo-se o patinamento do trator.* [F.: patinar (ver *patinhar*) + *-mento*.]

patinar (pa.ti.*nar*) *v. int.* **1** Deslizar com patins **2** Escorregar, patinhar: *Os carros patinavam na lama da rua.* **3** Em uma embreagem, ter as superfícies de atrito deslizando umas contra as outras, sem produzir arrasto [▶ 1 patinar] [F.: *patim* + *-ar*[2], seg. o mod. erudito. Hom./Par.: *patina(s)* (fl.), *pátina(s)* (sf. [pl.]).]

patinete (pa.ti.*ne*.te) *sf.* Brinquedo composto por um guidão que se liga a uma pequena prancha onde se apoia um pé, enquanto se dá impulso com o outro [F.: Do fr. *patinette*.]

patinhar (pa.ti.*nhar*) *v. int.* **1** Agitar a água com os pés ou as mãos, ao modo dos patos **2** Deslocar-se sobre (lama, neve, água etc.) 3 Girar (roda de veículo, disco de embreagem etc.) sem transferir movimento; PATINAR [▶ 1 patinhar] [F.: *pato*[1] + *-inhar*. Hom./Par.: *patinho* (fl.), *patinho* (sm.).]

patinho (pa.*ti*.nho) ***sm.*** 1 Pato pequeno ***sm.*** 2 Carne não muito tenra, da parte interna da perna traseira do boi 3 Vaso alongado e achatado, de metal ou ágata, us. por doentes do sexo masculino para urinar sem que tenham que se levantar da cama; COMPADRE; PAPAGAIO 4 *Ornit.* O mesmo que *teque-teque* [F.: *pato* + *-inho*. Hom./Par.: *patinho* (sm.), *patinho* (fl. de *patinhar*).] ■ **Cair como um ~** Ser facilmente logrado

pátio (*pá*.ti:o) ***sm.*** 1 Espaço descoberto e cercado por muros, contíguo a uma casa ou edifício: *o pátio da escola.* 2 Área descoberta situada no interior de uma casa ou edifício 3 Espaço descoberto cercado de edifícios 4 Átrio, adro 5 *Ant.* Nos conventos jesuítas, nome do espaço em que eram dadas as aulas de latim e belas-artes 6 *Lus. Ant.* Nome dado aos antigos teatros em Lisboa [F.: De or. incerta.]

⊕ ***pâtisserie*** (*pâ*.tis.se.ri:e) ***sf.*** 1 Tipo de massa finamente preparada, us. na confecção de doces e salgados 2 Loja onde se vendem os doces e salgados feitos com essa massa [F.: Do fr. *pâtisserie* 'conjunto de bolos, pastas, tortas'; 'preparação de massa (doce ou salgada) a ser usada na confecção de bolos, tortas, doces etc.', de *pâtisser* 'trabalhar a massa' + *-erie* '.]

pato (*pa*.to) ***sm.*** 1 *Zool.* Denominação comum às aves da fam. dos anatídeos, aquáticas, que se caracterizam pela membrana entre os dedos e o bico chato com lâminas transversais que filtram água ou lama de onde extraem seus alimentos 2 Iguaria preparada com carne de pato (1) 3 *Pop.* Pessoa que se deixa enganar facilmente; BOBO; IDIOTA 4 *Bras. Fut.* Jogador incompetente 5 *N. E.* Pedaço do charque que corresponde à paleta [F.: De or. onom. Hom./Par.: *pato* (sm.), *pacto* (sm.).] ■ **~ rouco** *S.* Pessoa de voz rouca **Pagar o ~** 1 *Pop.* Sofrer as (más) consequências das ações de outrem, ser o bode expiatório 2 Pagar as despesas de outrem

◎ **pato-** ***el. comp.*** = 'doença': *patofobia, patogênese, patogenia, patógeno, patognomônico* (gr.), *patologia* [F.: Do gr. *páthos, eos-ous,* 'aquilo que a gente passa, sofre, experimenta' (em relação às paixões da alma e ao sofrimento físico [doenças], por opos. 'àquilo que se faz'); 'experiência', 'provação', 'acontecimento' etc. F. conexas: *-pata* e *-patia*.]

patoá (pa.to.*á*) *Ling.* ***sm.*** 1 Variante linguística francesa, falada ger. por pequenas comunidades rurais 2 Dialeto de qualquer língua 3 Linguajar específico de um grupo social ou profissional; JARGÃO [F.: Do fr. *patois* Hom./Par.: *patuá* (sm.).]

pato-do-mato (pa.to-do-*ma*.to) ***sm.*** *Bras. Zool.* Ave da fam. dos anatídeos (*Cairina moschata*) que ocorre no Brasil e em países adjacentes; com cerca de 85 cm de comprimento, plumagem negra, asa com uma pequena faixa branca mais evidente nos machos, estes também possuem penacho nucal e topete [Espécie que originou o pato doméstico sul-americano.]; PATO-BRAVO; PATO-SELVAGEM [Pl.: *patos-do-mato*.]

patofobia (pa.to.fo.*bi*.a) ***sf.*** *Psiq.* Pavor mórbido de adoecer [F.: *pato-* + *-fobia*.]

patofóbico (pa.to.*fó*.bi.co) *Psiq.* ***a.*** 1 Ref. à patofobia 2 Diz-se de indivíduo que tem patofobia; PATÓFOBO ***sm.*** 3 Esse indivíduo; PATÓFOBO [F.: *patofobia* + *-ico*[2].]

patófobo (pa.*tó*.fo.bo) *Psiq.* ***a.*** 1 Diz-se de indivíduo que sofre de patofobia; PATOFÓBICO ***sm.*** 2 Esse indivíduo; PATOFÓBICO [F.: *pato-* + *-fobo*.]

patogênese (pa.to.*gê*.ne.se) *Biol. Pat.* ***sf.*** 1 Maneira como surgem e evoluem as doenças 2 Estudo acerca do desenvolvimento e evolução das doenças [F.: *pato-* + *-gênese*. Sin. ger.: *patogenesia*.]

patogenesia (pa.to.ge.ne.*si*.a) ***sf.*** *Biol. Pat.* O mesmo que *patogênese.* [F.: *pato-* + *-genesia*.]

patogenético (pa.to.ge.*né*.ti.co) ***a.*** 1 Que diz respeito a patogênese ou patogenesia 2 Que é capaz de causar, propiciar o surgimento de, ou propagar doenças (ambiente patogenético) [F.: *patogên(ese)* + *-ético*, seg. o mod. gr. Sin. ger.: *patogênico*.]

patogenia (pa.to.ge.*ni*.a) ***sf.*** *Med.* Ramo da patologia que estuda a origem das doenças e o processo pelo qual uma doença evolui; NOSOGENIA; PATOGÊNESE; PATOGENESIA [F.: *pato-* + *-genia*.]

patogenicidade (pa.to.ge.ni.ci.*da*.de) *Pat.* ***sf.*** 1 Capacidade que um organismo possui de causar doenças em outros organismos 2 O grau dessa capacidade 3 Fator que provoca doenças por meio da liberação de bactérias patogênicas [F.: *patogênico* + *-(i)dade*.]

patogênico (pa.to.*gê*.ni.co) *Pat.* ***a.*** 1 Ref. a patogenia 2 Que causa ou é capaz de causar doenças: "Parece ter demonstrado umas raças melhor que outras a certas influências patogênicas peculiares... ao clima tropical." (Gilberto Freyre, *Casa-grande e senzala*) [F.: *patogenia* + *-ico*[2].]

patógeno (pa.*tó*.ge.no) *Biol. Pat.* ***a.*** 1 O mesmo que *patogênico* (2) ***sm.*** 2 Agente desencadeador de doença [F.: *pato-* + *-geno*.]

patognomonia (pa.tog.no.mo.*ni*.a) ***sf.*** *Med.* Estudo dos sintomas e sinais designativos das doenças [F.: De *patognomon-*, rad. de *patognomônico* (gr.), + *-ia*[1].]

patognomônico (pa.tog.no.*mô*.ni.co) ***a.*** 1 *Med.* Ref. ou inerente a patognomonia 2 Diz-se de sinal ou sintoma característico de dada doença [F.: Do gr. *pathognomonikós, é, ón,* 'que faz reconhecer uma doença'.]

patola (pa.*to*.la) [ó] ***sf.*** 1 *Zool.* Pata de caranguejos, siris etc., que funcionam como pinça 2 *Gír.* A mão 3 *Náut.* Peça larga de ferro, curva em um dos lados, que retém um dos elos da corrente da amarra [F.: *pata* + *-ola*.]

patologia (pa.to.lo.*gi*.a) *Med.* ***sf.*** 1 Ramo da medicina que tem por objeto o estudo das doenças, sua origem, causas e sintomas 2 *Pat.* Desvio, em relação ao que é considerado normal, do ponto de vista anatômico ou fisiológico, que caracteriza ou constitui uma doença [F.: Do fr. *pathologie*; ver *pato-* e *-logia*.] ■ **~ clínica** 1 *Med.* Genericamente, a prática da patologia em qualquer de suas modalidades 2 Ramo da patologia que se ocupa (por métodos e técnicas diversas) do diagnóstico de doenças **~ humoral** *Ant. Med.* Na Antiguidade, conceito médico de que as doenças são consequentes de alterações no sangue e demais líquidos do corpo

patológico (pa.to.*ló*.gi.co) ***a.*** 1 *Pat.* Que diz respeito à patologia 2 Ref. a ou próprio de uma doença 3 Que tem origem ou causa numa doença; que revela ou é indicativo de alguma patologia 4 Que é excessivo, sendo quase doentio, ou que mostra, de fato, comportamento doentio: "A surda aflição que lhe punha no espírito a sua falta de recursos, à força de reproduzir-se, havia-se já convertido em estado patológico, numa espécie de enfermidade nervosa, que o trazia sempre desinquieto." (Aluísio Azevedo, *O coruja*) [F.: Do gr. *pathologikós, é, ón,* 'que trata de doenças'; 'concernente às doenças'.]

patologista (pa.to.lo.*gis*.ta) *Pat.* ***a2g.*** 1 Diz-se daquele que se especializou em patologia ***s2g.*** 2 Esse especialista [F.: *patologia* + *-ista*.]

patorra (pa.*tor*.ra) [ô] ***sf.*** 1 *Vit.* Casta de uva-tinta 2 *Pop.* Pata grande; pé desmesurado [F.: *pata*[2] + *-orra*.]

patos (*pa*.tos) ***sm2n.*** Ver *páthos*

patota (pa.*to*.ta) [ó] *Bras.* ***sf.*** 1 *Pop.* Grupo de amigos; TURMA 2 Negócio duvidoso, em que há suspeita de trapaça 3 Trapaça em um jogo; BATOTA [F.: De or. obsc.]

patranha (pa.*tra*.nha) ***sf.*** História mentirosa; narrativa fantasiosa; MENTIRA: "O negócio da gravidez era uma patranha, engendrada à última hora!" (Aluísio Azevedo, *O mulato*) [patranhada.] [F.: Do cast. *patraña*.]

patranhada (pa.tra.*nha*.da) ***sf.*** 1 Série de patranhas, de mentiras 2 Narração cheia de patranhas, de fantasias [F.: *patranha* + *-ada*[1].]

patranheiro (pa.tra.*nhei*.ro) *Pej.* ***a.*** 1 Que é dado a dizer patranhas, mentiras; MENTIROSO 2 Que fantasia a realidade, que tende a inventar histórias ***sm.*** 3 *Pej.* Indivíduo patranheiro [F.: *patranha* + *-eiro*.]

patrão (pa.*trão*) ***sm.*** 1 Dono, diretor ou gerente de uma loja, empresa, repartição etc. em relação aos empregados 2 O dono da casa em relação aos seus empregados 3 Indivíduo que governa barco de pesca 4 Em regatas, indivíduo que dirige o leme 5 Aquele que defende, protege; PATRONO; PADROEIRO 6 *Pop.* Tratamento de respeito empregado por pessoas humildes ou incultas ao se dirigirem a outra socialmente superior 7 *Pop.* Us. informalmente como tratamento pessoal 8 *Amaz.* Dono de seringal [Pl.: *-trões*. Fem.: *-troa*] [F.: Do lat. *patronus*.]

◎ **patr(i)-** ***el. comp.*** = 'pai': *patriarca* (gr.), *patrilateral, patrilinear, patricida* (lat.), *patricídio* [F.: Do gr. *patér, patrós,* 'pai'; 'avô'; 'antepassado'; 'fundador', lat. *pater, patris*. F. conexa: *patri(o)-*.]

pátria (*pá*.tri:a) ***sf.*** 1 País em que se nasceu e do qual se é cidadão; TERRA 2 Estado, província, cidade etc. em que se nasceu; TERRA NATAL 3 Nação em relação à qual se desenvolve sentimento de pertencimento e ligação afetiva 4 País ou cidade em que se conta um grande número de pessoas ou uma grande quantidade de coisas de um gênero determinado; BERÇO: *A Argentina é a pátria do tango; Atenas foi a pátria dos filósofos.* 5 País que se considera como o melhor: *Minha pátria é onde eu vivo bem.* 6 A região ou o clima adequado e próprio para certos animais ***a2g.*** 7 *RS* Diz-se do gado do qual não se conhece o dono [F.: Do lat. *patria*.]

patriarca (pa.tri.*ar*.ca) ***sm.*** 1 Homem idoso e respeitável que é chefe de uma grande família ou tribo 2 *Rel.* Chefe político e religioso do povo hebreu 3 *Rel.* Líder da Igreja grega 4 *Rel.* Prelado de uma categoria superior ao bispo e arcebispo que governa uma diocese grande: *o patriarca de Lisboa.* 5 *Ecles.* Bispo residencial de uma diocese principal 6 *Rel.* Designação do fundador de algumas ordens religiosas [F.: Do lat. *patriarcha*.] ■ **O ~ da Independência** Antonomásia de José Bonifácio de Andrada e Silva, político brasileiro

patriarcado (pa.tri.ar.*ca*.do) ***sm.*** 1 Organização social ou familiar em que prevalece a autoridade paterna [Ant.: *matriarcado*.] 2 Princípio social de estabelecer a descendência pelo pai 3 *Ecles.* Na Igreja Católica Apostólica Romana, diocese administrada por um patriarca 4 *Ecles.* Dignidade ou jurisdição de patriarca 5 *Ecles.* Residência patriarcal [F.: Do lat. *patriarchatus*.]

patriarcal (pa.tri.ar.*cal*) ***a2g.*** 1 Ref. a patriarca ou a patriarcado 2 Dirigido por patriarca (família patriarcal; clã patriarcal) [Ant.: *matriarcal*.] 3 Que inspira respeito devido à sua dignidade; DIGNO; VENERANDO 4 Que é transmitido de pais para filhos ou de geração para geração 5 Cuja atitude revela bondade e amor; BONDOSO; PACÍFICO [Pl.: *-cais*.] ***sf.*** 6 Sede do patriarcado, igreja que tem a cadeira do patriarca; SÉ PATRIARCAL [Pl.: *-cais*.] [F.: Do lat. *patriarchalis*.]

patriarcalismo (pa.tri:ar.ca.*lis*.mo) ***sm.*** 1 Caráter ou modo de vida patriarcal: "Seria um rei simples... sem passar pelas ruas de Paris com um enorme guarda-sol vermelho debaixo do braço, como um emblema constitucional do patriarcalismo." (Eça de Queirós, *Cartas familiares*) 2 Influência social dos patriarcas [F.: *patriarcal* + *-ismo*.]

patriarcalista (pa.tri:a.ca.*lis*.ta) ***a2g.*** 1 Que diz respeito ao patriarcalismo ***s2g.*** 2 Partidário do patriarcalismo [F.: patriarcalismo + *-ista*.]

patriciado (pa.tri.ci.*a*.do) ***a.*** 1 A classe dos nobres; ARISTOCRACIA 2 Grupo que detém o poder; ELITE 3 *Hist.* Na Roma Antiga, dignidade ou condição de patrício, de descendente de nobre 4 *Hist.* Classe social composta pelos patrícios romanos [F.: Do lat. *patriciatus*.]

patricinha (pa.tri.*ci*.nha) ***sf.*** *Bras. Pop.* Adolescente ou jovem do sexo feminino pertencente à classe alta, que tende a só usar roupas e acessórios de grife e frequentar lugares da moda [Ant.: *mauricinho*.] [F.: Do antr. *Patrícia* + *-inha*.]

patrício (pa.*trí*.ci:o) ***sm.*** 1 Pessoa natural da mesma pátria ou localidade que outra; COMPATRIOTA; CONTERRÂNEO 2 Pessoa que pertence à nobreza ou à classe alta; ARISTOCRATA [Ant.: *plebeu*.] 3 *Hist.* Membro da classe nobre, entre os antigos romanos ***a.*** 4 Que é natural da mesma pátria ou localidade que outrem; COMPATRIOTA; CONTERRÂNEO 5 Que se refere à mesma pátria de alguém 6 Que é de origem aristocrática [Ant.: *plebeu*.] 7 Que é elegante, requintado ***a.*** 8 *Hist.* Pertencente à classe nobre, entre os antigos romanos [F.: Do lat. *patricius*.]

patrilateral (pa.tri.la.te.*ral*) ***a2g.*** *Antr.* Ref. a parentesco pelo lado paterno (primo paralelo patrilateral, casamento patrilateral) [Pl.: *-rais*.] [F.: *patr(i)-* + *lateral*. Cf. *matrilateral* e *patrilinear*.]

patrilateralidade (pa.tri.la.te.ra.li.*da*.de) ***sf.*** Caráter, condição de patrilateral [F.: patrilateral + *-i-* + *-dade*.]

patrilinear (pa.tri.li.ne.*ar*) *Antr.* ***a2g.*** 1 Ref. à descendência por parte de pai 2 Que se fundamenta na descendência paterna (sociedade patrilinear) 3 Cujo parentesco é formado pela consanguinidade paterna; AGNÁTICO [Ant.: *cognático*.] 4 Em que o parentesco, a herança, o sobrenome e a autoridade são transmitidos do pai para os filhos (filiação patrilinear) [F.: *patr(i)-* + *linear*. Cf. *matrilinear* e *patrilateral*.]

patrilinearidade (pa.tri.li.ne:a.ri.*da*.de) ***sf.*** Qualidade ou condição de patrilinear [F.: *patrilinear* + *-idade*. Cf. *matrilinearidade*.]

patrilocal (pa.tri.lo.*cal*) ***a2g.*** *Antr.* Que diz respeito à patrilocalidade [Pl.: *-cais*.] [F.: *patr(i)-* + *local*.]

patrilocalidade (pa.tri.lo.ca.li.*da*.de) ***sf.*** *Antr.* Instituição social segundo a qual os cônjuges, após o casamento, passam a residir na casa dos pais do marido, ou no mesmo local de onde ele é originário [F.: *patrilocal* + *-(i)dade*.]

patrimoniado (pa.tri.mo.ni:*a*.do) ***a.*** Que tem patrimônio, que recebeu patrimônio [F.: *patrimônio* + *-ado*.]

patrimonial (pa.tri.mo.ni.*al*) ***a2g.*** Ref. a ou pertencente ao patrimônio (bens patrimoniais) [Pl.: *-ais*.] [F.: Do lat. *patrimonialis*.]

patrimonialismo (pa.tri.mo.ni:a.*lis*.mo) ***sm.*** Organização social em que os bens (materiais e não materiais) de uma nação, uma instituição, uma empresa ou um indivíduo, são considerados como patrimônio cujo valor serve de referência para diversos fins [F.: *patrimonial* + *-ismo*.]

patrimonialista (pa.tri.mo.ni:a.*lis*.ta) ***a2g.*** 1 Ref. ou inerente ao patrimonialismo ***s2g.*** 2 Indivíduo ou organização que funciona de acordo com os princípios do patrimonialismo [F.: *patrimonialismo* + *-ista*.]

patrimônio (pa.tri.*mô*.ni:o) ***sm.*** 1 Conjunto dos bens de família, transmitidos por herança ***sm.*** 2 Conjunto dos bens de uma pessoa, instituição ou empresa, herdados ou adquiridos 3 Conjunto dos bens materiais e imateriais de uma nação, estado, cidade, que constituem herança coletiva e são transmitidos de geração a geração: *o patrimônio cultural brasileiro.* 4 *Ant. Rel.* Bens destinados para a ordenação e sustentação de um eclesiástico [F.: Do lat. *patrimonium*.] ■ **~ líquido** *Jur.* Somatório dos valores de uma empresa em determinado momento, que inclui o capital social, as reservas, reservas de lucros e de prejuízos acumulados **~ público** *Jur.* Conjunto dos bens das pessoas jurídicas de direito público, ou de uso público

◎ **patri(o)-** ***el. comp.*** = '(da) pátria': *patriofobia, patriota* (lat. gr.) [F.: Do gr. *patriá, âs,* 'descendência'; 'raça'; 'família'; 'tribo'; 'casta'. F. conexa: *patr(i)-*.]

pátrio (*pá*.tri:o) ***a.*** 1 Ref à ou da pátria; NATAL; NATIVO: *os estrangeirismos na língua pátria.* 2 Ref. ao ou do pai (pátrio poder); PATERNO [F.: Do lat. *patrius*.]

patriota (pa.tri.*o*.ta) ***s2g.*** 1 Pessoa que ama a pátria 2 Pessoa que está sempre pronta a servir a sua pátria e a agir em sua defesa 3 Pessoa da mesma pátria; COMPATRIOTA ***sm.*** 4 *PE* Adepto da revolução pernambucana de 1817 e/ou de 1824 ***sf.*** 5 *Bras. Pop.* Mulher de seios volumosos ***a2g.*** 6 Que ama a pátria (povo patriota) 7 Que está sempre pronto a servir a pátria e a agir em sua defesa 8 Que demonstra zelo pelos interesses da pátria; PATRIÓTICO [F.: Do lat. *patriota*. Ant. acps. 1, 2, 6, 7 e 8: *antipatriota*.]

patriotada (pa.tri.o.*ta*.da) *Bras.* ***sf.*** 1 Grande número de patriotas 2 Demonstração exagerada de patriotismo 3 Rebelião que não teve êxito [F.: *patriota* + *-ada*.]

patrioteiro (pa.tri:o.*tei*.ro) ***a.*** 1 *Pej.* Que alardeia o patriotismo ***sm.*** 2 Pessoa que alardeia seu patriotismo [F.: *patriota* + *-eiro*.]

patriotice (pa.tri.o.*ti*.ce) ***sf.*** *Pej.* Falso patriotismo [F.: *patriota* + *-ice*.]

patriótico (pa.tri.*ó*.ti.co) ***a.*** 1 Ref. a pátria (hino patriótico) 2 Ref. a patriotismo (sentimentos patrióticos, espírito patriótico) 3 Que mostra amor e respeito pela pátria (cidadãos <u>patrióticos</u>); PATRIOTA [F.: Do lat. *patrioticus*. Ant. ger.: *antipatriótico*.]

patriotismo (pa.tri:o.*tis*.mo) *sm.* **1** Qualidade de quem é patriota *sm.* **2** Amor e devoção à pátria [F.: *patriota* + *-ismo*. Ant. ger.: *antipatriotismo*.]

patripotestal (pa.tri.po.tes.*tal*) *a.* Que diz respeito a, ou que se caracteriza pela posição central ocupada pelo pai, e o poder exercido por ele sobre a família [Ant.: *matripotestal*.] [F.: *patr(i/o)-* + *potest-*.]

patripotestalidade (pa.tri.po.tes.ta.li.*da*.de) *sf.* Condição ou qualidade de patripotestal [F.: *patripotestal* + *-(i)dade*.]

patrística (pa.*trís*.ti.ca) *sf.* **1** *Teol.* Filosofia cristã estabelecida pelos *Santos Padres* da Igreja nos primeiros cinco séculos da era cristã, caracterizada pelo combate à descrença e a outras religiões por meio de uma defesa intelectual e racional da nova religião, usando para isso argumentações e conceitos provenientes sobretudo do platonismo e do aristotelismo **2** Ciência que estuda a doutrina dos Santos Padres **3** História literária dessa doutrina [F.: Do lat. ecles. *patristica*.]

patroa (pa.*tro*.a) [ô] *sf.* **1** A mulher do patrão **2** A dona de casa em relação aos empregados da casa **3** A dona de certos estabelecimentos, como lojas, bares etc. **4** *Pop.* Esposa [F.: Do lat. *patrona*.]

patrocinado (pa.tro.ci.*na*.do) *a.* Que recebe patrocínio [F.: Part. de *patrocinar*.]

patrocinador (pa.tro.ci.na.*dor*) [ô] *a.* **1** Que patrocina *sm.* **2** Pessoa ou entidade que patrocina, que apoia alguém ou alguma coisa **3** Empresa que fornece apoio financeiro a atividade ou evento cultural, esportivo etc., em troca de espaço para publicidade [F.: *patrocin-* + *-ador*.]

patrocinar (pa.tro.ci.*nar*) *v. td.* **1** Dar patrocínio financeiro ou apoio a: <u>*patrocinar*</u> *um show.* **2** *Fig.* Fazer surgir ou acontecer; ORIGINAR; PROMOVER: *A reunião* <u>*patrocinará*</u> *o reencontro de velhos conhecidos.* **3** Proteger, defender: "Nem havia advogado de fora que se atrevesse a vir <u>patrocinar</u> uma causa contra os oficiais públicos." (Alexandre Herculano, *História de Portugal*) [▶ **1** **patrocinar**] [F.: Do lat. **patrocinare* lat. *patrocinari*.]

patrocínio (pa.tro.*cí*.ni:o) *sm.* **1** Ação ou resultado de amparar; PATRONAGEM; PATRONATO; AUXÍLIO; AJUDA; PROTEÇÃO **2** *Publ.* Maneira de se custear total ou parcialmente esportes, artistas, rádio, televisão etc. utilizando-se deles para fins publicitários **3** Financiamento concedido por empresas ou instituições a atividades artísticas, culturais, científicas, comunitárias, educacionais, esportivas ou promocionais; MECENATO: *Cada vez mais as empresas utilizam-se do* <u>*patrocínio*</u> *como estratégia de marketing.* [F.: Do lat. *patrocini um, ii*.]

patrologia (pa.tro.lo.*gi*:a) *sf.* **1** Estudo da vida e obra dos padres da Igreja **2** Escrito ou publicação que aborda esse assunto **3** Coletânea desses escritos ou publicações [F.: Do gr. *Pater, patros* 'pai, padre' + *logos* 'tratado' + *ia*.]

patrológico (pa.tro.*ló*.gi.co) *a.* Ref. ou inerente a patrologia [F.: *patrologia* + *-ico*.]

patrologista (pa.tro.lo.*gis*.ta) *s2g.* Indivíduo que se dedica a patrologia, que é perito nessa ciência; PATRÓLOGO [F.: *patrologia* + *-ista*.]

patrona (pa.*tro*.na) *sf.* **1** Padroeira, protetora **2** *N.* Bolsa de couro us. pelos sertanejos; PATUÁ **3** *Bras.* Cesto us. por indígenas brasileiros para guardar ou transportar seus pertences **4** *Ant.* Pequena mala de couro em que os soldados de infantaria levavam os cartuchos; CARTUCHEIRA [F.: Do al. *Patron*.]

patronado (pa.tro.*na*.do) *sm.* **1** Prerrogativa do patrono sobre os seus protegidos **2** Estado ou condição do patrão, do patrono ou do padroeiro; PATRONATO; PADROADO [F.: Do lat. *patroná tus, us*.]

patronagem (pa.tro.*na*.gem) *sf.* **1** Proteção e promoção das artes, da literatura, das ciências etc., ou de artistas, escritores, cientistas etc.; MECENATO: *No antigo Egito, a atividade científica foi impulsionada pela* <u>*patronagem*</u> *real.* **2** Auxílio financeiro, sem fins publicitários, para atividades artísticas ou culturais; MECENATO **3** Favorecimento a alguém ou algo, como forma de angariar adeptos e conquistar apoio: *os impactos da* <u>*patronagem*</u> *sobre a dinâmica partidária brasileira.* **4** Conjunto de indivíduos que dirigem uma entidade; DIRETORIA: *normas estabelecidas pela atual* <u>*patronagem*</u>. [Pl.: *-gens*.] [F.: *patrono* + *-agem*.]

patronal (pa.tro.*nal*) *a2g.* **1** Ref. à proteção, auxílio, apoio de um patrono *a2g.* **2** Ref. a patrão, esp. de indústria ou empresa, ou ao patronato (organizações <u>patronais</u>) **3** Constituído por patrões (sindicato <u>patronal</u>) [Pl.: *-nais*.] [F.: Do lat. *patronalis*.]

patronato (pa.tro.*na*.to) *sm.* **1** Proteção e auxílio de um patrono **2** Instituição que recolhe, presta assistência a e educa menores carentes *sm.* **3** A classe dos patrões **4** O conjunto dos patrões **5** Autoridade de patrão [F.: Do lat. *patronatus*.]

⊕ **patronesse** (pa.tro.*nes*.se) (*Fr. /patronéss/*) *sf.* **1** Mulher que patrocina e/ou organiza obra de caridade **2** Fem. de *patrono* (2 a 5, 7)

patronímico (pa.tro.*ní*.mi.co) *a.* **1** Formado a partir do nome do pai **2** *Ling.* Que indica a filiação (sufixo <u>patronímico</u>) *sm.* **3** Sobrenome formado a partir do nome do pai **4** *Ling.* Designação genérica com que são classificados os nomes próprios formados a partir de outros e que indicam a origem paterna ou a linhagem [F.: Do gr. *patronymikós*.]

patrono (pa.*tro*.no) *sm.* **1** Santo padroeiro: *São Sebastião é o* <u>*patrono*</u> *do Rio de Janeiro.* **2** Defensor de causa ou ideia **3** Pessoa escolhida por uma turma de formandos para apadrinhá-la, e que é homenageada durante a formatura [Nesta acep., fem.: *patronesse*.] **4** *Jur.* O advogado em relação ao cliente **5** Pessoa já falecida, de reconhecido valor no campo das Artes, das Letras ou da Ciência, eleita por uma instituição ou academia (de Letras, Ciências etc.) para ser o tutor de uma de suas cadeiras **6** Figura militar ou civil de grande vulto, já falecida, escolhida como protetora de cada uma das Forças Armadas, unidade militar etc. **7** *Hist.* Na Antiga Roma, o senhor com relação aos libertos [F.: Do lat. *patronus*.]

patrulha (pa.*tru*.lha) *sf.* **1** Ação de vigilância e proteção executada por soldados ou agentes especializados; ação ou resultado de patrulhar; PATRULHAMENTO **2** Ronda de soldados **3** Grupo encarregado de vigilância **4** *Pej.* Grupo de pessoas que procura controlar ideologicamente os seus pares ou a coletividade **5** *Pej.* Bando de vadios; súcia **6** *Bras.* Subdivisão de uma companhia de escoteiros ou de bandeirantes [F.: Do fr. *patrouille*. Hom./Par.: *patrulha* (fl. de *patrulhar*); *patrulhas* (pl.), *patrulhas* (fl. de *patrulhar*).] ■■ **Parar ~** *RS* Reagir, revidando, a uma agressão ou ofensa

patrulhado (pa.tru.*lha*.do) *a.* **1** Vigiado por patrulha **2** Que sofre patrulhamento ideológico [F.: Part. de *patrulhar*.]

patrulhador (pa.tru.lha.*dor*) *a.* **1** Que patrulha, vigia **2** *Fig.* Que faz patrulhamento ideológico, intelectual etc.: *Imagino o que ela responderia a algum* <u>*patrulhador*</u> *que a acusasse de estar desvirtuando a língua portuguesa.* [F.: *patrulhar* + *-dor*.]

patrulhamento (pa.tru.lha.*men*.to) *sm.* Ação ou resultado de patrulhar [F.: *patrulhar* + *-mento*.]

patrulhar (pa.tru.*lhar*) *v.* **1** Vigiar ou fazer ronda com patrulha(s) [*td.*: <u>*patrulhar*</u> *uma estrada.*] [*int.*: *Para melhorar a segurança, é preciso* <u>*patrulhar*</u> *mais.*] **2** *Fig.* Controlar o comportamento de (alguém), cobrando coerência com princípios éticos, políticos etc. [*td.*: *Os aliados mais radicais* <u>*patrulhavam*</u> *os colegas.*] **3** *Mil.* Percorrer sistematicamente (área do inimigo), para descobrir seus movimentos e estratégias [*td.*] [▶**1** **patrulhar**] [F.: Do fr. *patrouiller*. Hom./Par.: *patrulha(s)* (fl.), *patrulha(s)* (sf. [pl.]).]

patrulheiro (pa.tru.*lhei*.ro) *sm.* **1** Pessoa que patrulha **2** *Mar.* Embarcação que faz parte de patrulha [F.: *patrulha* + *-eiro*.]

patrulhinha (pa.tru.*li*.nha) *sf.* **1** Pequena patrulha **2** *Bras. S. E.* Automóvel tipo fusca equipado para uso policial; JOANINHA [F.: patrulha + *-inha*.]

patrulhismo (pa.tru.*lhis*.mo) *sm.* Ato ou ação de patrulha ideológica, intelectual etc.: *O irremediável* <u>*patrulhismo*</u> *ideológico que assola certas políticas.* [F.: patrulhar + *-ismo*.]

patuá (pa.tu.*á*) *sm.* **1** Pequeno amuleto, ger. um saquinho, contendo oração ou relíquia; BREVE; RELÍQUIA **2** O mesmo que *balaio* (1) **3** Bolsa de couro us. pelos sertanejos; PATRONA [F.: Do tupi *patauá*. Hom./Par.: *patoá* (sm.).]

patudo (pa.*tu*.do) *a.* Que tem pés ou patas grandes: "Seguia-o um velhote de manta, baixo, <u>patudo</u>." (Aquilino Ribeiro, *Batalha sem fim*) [F.: *pata*[2] + *-udo*.]

patuleia (pa.tu.*lei*.a) *sf.* **1** A classe baixa; PLEBE; POVO; RALÉ **2** *Lus. Hist.* Nome dado ao partido popular radical, na revolução portuguesa de 1846-1847 *s2g.* **3** *Lus. Hist.* Membro ou partidário desse partido [F.: Por *patoleia*, de *patola*.]

patureba (pa.tu.*re*.ba) *sm.* **1** *Bras. RJ* Bagre seco e salgado; CAICÓ; MULATO-VELHO **2** *Bras. Zool.* Ave resultante do cruzamento de um pato com uma marreca *s2g.* **3** *Bras. Pop.* Indivíduo simplório, pessoa atoleimada [Ant.: *arguto*.] [F.: prov. do tupi.]

paturi (pa.tu.*ri*) *Bras. Zool. sm.* **1** O mesmo que *irerê* **2** Ave anatídea (*Sarkidiornis melanotos*), das Américas Central e do Sul (Brasil, esp. Amazônia), da China, Índia e África, com até 82 cm de comprimento, dorso e bico negros e cabeça e pescoço brancos [F.: Do tupi.]

patuscada (pa.tus.*ca*.da) *sf.* **1** Festa com muita comida e bebida; COMEZAINA **2** Comemoração barulhenta e animada entre amigos; FARRA; PÂNDEGA [F.: *patusc-* + *-ada*.]

patuscar (pa.tus.*car*) *v. int.* Viver em patuscadas, em festas: "Sem ofício que o salvasse da camaradagem de vadios suspeitos com quem <u>patuscava</u> nas tavernas..." (Camilo Castelo Branco, *Novelas*) [▶ **11** **patuscar**] [F.: *patusco* + *-ar*[2]. Hom./Par.: *patusco* (fl.), *patusco* (sm. a.).]

patusco (pa.*tus*.co) *a.* **1** Que gosta de patuscadas **2** Que é divertido, brincalhão: "Confessou-me que era uma velha <u>patusca</u>" (Machado de Assis, *Brás Cubas*) **3** Que é extravagante, excêntrico *sm.* **4** Aquele que é patusco, que gosta de uma patuscada [F.: De or. obsc. Hom./Par.: *patusco* (fl. de *patuscar*); *patusca(s)* (fem. e pl.), *patusca(s)* (fl. de *patuscar*).]

pau *sm.* **1** Qualquer pedaço de madeira (estaca de <u>pau</u>) **2** *Pop.* Castigo físico; SURRA **3** *Vulg.* O pênis; CACETE **4** *Fut.* Cada uma das traves que formam o gol **5** *SE Gír.* Design. genérica de uma unidade monetária: *Custou 200* <u>*paus*</u>. **6** *Pop.* Reprovação em exame: *Tirou 2,0 em matemática e levou* <u>*pau*</u>. **7** Mastro em que se içam bandeiras: *Quando há luto as bandeiras ficam a meio* <u>*pau*</u>. **8** Mastro de uma embarcação **9** Pedaço de forma regular de certas substâncias duras (canela em <u>pau</u>) [F.: Do lat. *pallus*.] ■■ **A dar com um/o ~** Em grande quantidade: *Na estreia tinha gente* <u>*a dar com um pau*</u>. **Abrir nos ~s** *Bras. Pop.* Sair correndo, fugir **A meio ~** **1** Içado só até meia altura do mastro (diz-se de bandeira, ger. por luto) **2** *Fig.* Triste, deprimido (diz-se de alguém) **3** *Joc. Pop. Tabu.* Sem vigor sexual, sem capacidade de ereção (diz-se de homem) **Assentar o ~ em** *Bras.* Ver *Meter o pau em* (1) **Baixar o ~ em** *Bras. Pop.* Dar pancada em, espancar, surrar; baixar o sarrafo em **Bater no ~** *Bras. Pop.* Afastar (supostamente, com o gesto) o azar, isolar (5), bater na madeira **Cantar o ~** Ocorrer briga, tumulto, pancadaria: *As torcidas se enfrentaram e o* <u>*pau cantou*</u>. **Chutar o ~ da barraca** **1** *Bras. Gír.* Agir com irritação e grosseria, ger. como reação a uma situação; engrossar: *Ao ser criticado não se conteve,* <u>*chutou o pau da barraca*</u> *e partiu para a briga.* **2** Abandonar intempestivamente projeto, empreendimento, parceria etc.; chutar o balde: *Decepcionado com o rendimento do time, o técnico* <u>*chutou o pau da barraca*</u> *e se demitiu.* **Dar nos ~s** Escapar correndo, fugir em debandada **Dar por ~s e por pedras** Agir irracionalmente, cometer desatinos **De ~ duro** *Bras. Tabu.* Com o pênis ereto **De ~ feito** *Lus.* Pronto para o que der e vier **Entrar no ~** *Bras. Pop.* Entrar numa briga; levar uma surra **Escreveu não leu o ~ comeu** Se o acordo (o combinado, o regulamento etc.) não for cumprido haverá consequências (punição, represália etc.) **Falar ao ~ (de)** **1** *Bras. Tabu.* Excitar sexualmente **2** Suscitar desejo, vontade, gana, entusiasmo etc. **Ficar ~ da vida** *Bras.* Ficar muito irritado, irado, fulo **Jogar com ~ de dois bicos** *Bras.* Adotar ou defender duas posições ou ideias oposta, a fim de estar bem com ambos os lados **Levantar a ~** *N. E.* Erguer do solo reses que caíram de fraqueza, fome ou sede, usando varas que se passam sob o ventre **Levar ~** **1** *Bras. Pop.* Ser reprovado (em exame), repetir de ano **2** *Tabu.* Ser sexualmente possuído (por homem) **Levar a ~** *Pop.* Tentar impor uma posição ou desfecho (de questão, discordância etc.) por meios violentos **Matar a ~** *Bras. Pop.* Resolver um problema, responder a uma questão, cumprir uma tarefa etc. com eficiência e competência **Meter o ~** *Bras.* Trabalhar com energia e dedicação **Meter o ~ em** **1** Surrar, espancar; tocar o pau em **2** *Bras. Pop.* Criticar fortemente, falar mal de **3** Dissipar, esbanjar: <u>*Meteu o pau no*</u> *dinheiro que herdou do avô.* **Meter o ~ na jaca** Ver *Enfiar/meter o pé na jaca* no verbete *pé* **Mostrar com quantos ~s se faz uma cangalha** *CE* Ver *Mostrar com quantos paus se faz uma canoa* **Mostrar com quantos ~s se faz uma canoa** *Bras.* Aplicar um corretivo, dar uma lição (em alguém); mostrar com quantos paus se faz uma cangalha **Nem a ~** *Bras. Gír.* De jeito algum: *Com essa chuva não saio* <u>*nem a pau*</u>. **Passar pelo ~ do canto** *Ant.* Tirar nota baixa em prova, concurso etc. **~ a ~** *Bras.* Em condição de igualdade; em pé de igualdade: *Disputaram a liderança* <u>*pau a pau*</u>. **~ à toa** *Amaz.* Termo com o qual os caboclos denominam plantas que não conhecem **~ com formiga(s)** *N. E. Pop.* Situação difícil, embaraçosa, constrangedora **~ da venta** *N. E. Pop.* Ver *Pau do nariz* **~ de jabutis** *N.* Vara na qual se prendem cinco jabutis, para assim vendê-los **~ de surriola** *Cnav.* Cada um dos paus no costado de um navio nos quais se amarram embarcações menores **~ do nariz** *N. E. Pop.* Septo nasal; pau da venta **~ para toda obra** Algo que serve para muitas coisas, ou alguém que se presta para muitas coisas **~ roliço** *Cons.* Madeira não aparelhada, no formato roliço original **Pegar no ~ furado** **1** *Bras. Gír.* Ser convocado ou sorteado para o serviço militar **2** Fazer o serviço militar, esp. para lutar numa guerra **Quebrar o ~** **1** *Bras. Pop.* Haver uma violenta discussão, debate, conflito etc. **2** Irromper uma briga, um confronto, um tumulto **Tocar o ~ em** *Pop.* Ver *Meter o pau em* (1)

pau a pique (pau a*pi*.que) *sm. Bras.* Parede de ripas ou varas entrecruzadas cobertas com barro; TAIPA [Pl.: *paus a pique*.]

pau-brasil (pau-bra.*sil*) *sm. Bot.* Árvore da fam. das leguminosas, subfam. cesalpinioídea (*Caesalpinia echinata*), de madeira com cerne vermelho, do qual se extrai tinta, que já foi abundante em quase toda a Mata Atlântica; ARABUTÃ; IBIRAPIRANGA; IBIRAPITANGA; PAU-DE-TINTA; PAU-ROSADO [Pl.: *paus-brasis, paus-brasil*.]

pau-d'água (pau-*d'á*.gua) *sm.* **1** *Bras. Pop.* Ébrio contumaz; BEBERRÃO; CACHACEIRO; PINGUÇO **2** *Bot.* Árvore pequena da fam. das dracenáceas (*Dracaena fragrans*), natural das regiões tropicais da África, muito us. como ornamental, de flores brancas, muito pequenas e em cachos, com perfume doce e forte **3** *Bot.* Árvore da fam. das voquisiáceas (*Vochysia thyrsoidea*), nativa do Brasil, de flores amarelas e aromáticas e cujo tronco, quando perfurado, deixa escorrer uma goma amarela ou avermelhada, semelhante à goma-arábica; ÁRVORE-DA-GOMA-ARÁBICA; GOMEIRA; PAU-DE-GOMA; PAU-DE-VINHO [Pl.: *paus-d'água*.]

pau-d'alho (pau-*d'.a*.lho) *sm. Bras. Bot.* Árvore de até 10 m (*Seguieria langsdorffii*), da fam. das fitolacáceas, nativa do Brasil (MG, SP), de folhas lanceoladas, com pe-cíolos aculeados, flores brancacentas e sâmaras aladas, a madeira tem forte cheiro aliáceo, as folhas são estimulantes e antirreumáticas; CANELA-À-TOA; ESPINHO-DE-JUVU; LIMÃO-DO-MATO; PAU-DE-ALHO; PAU-FEDORENTO

pau-d'arco (pau-*d'ar*.co) *Bot. sm.* **1** Nome comum a diversas árvores do gên. *Tabebuia*, da fam. das bignoniáceas, de madeira muito resistente, ger. mais conhecidas como ipê **2** A madeira dessas árvores [Pl.: *paus-d'árco*.]

pau de amarrar égua (pau de a.mar.*raré*.gua) *sm. Bras. SP Pop.* Pessoa desmoralizada, que se presta a qualquer coisa [Pl.: *paus de amarrar égua*.]

pau de arara (pau de a.*ra*.ra) *Bras. sm.* **1** Pau em que são carregadas, amarradas, araras e outras aves, no interior do Brasil **2** Instrumento de tortura em que a vítima, com os pulsos amarrados aos tornozelos, é pendurada pelos joelhos num pau roliço **3** Caminhão que transporta retirantes do Nordeste brasileiro, ger. rumo a estados do Sul e do Sudeste do País **4** Esse retirante **5** *Pej.* Qualquer nordestino [Pl.: *paus de arara.*]

pau de cabeleira (pau de ca.be.*lei*.ra) ***sm.*** **1** Espécie de cabide em forma de cabeça, sobre o qual se penteiam ou guardam cabeleiras e perucas **2** Pessoa que serve de intermediário entre namorados; ALCOVITEIRO **3** Acompanhante de namorados; COLETE-CURTO [Pl.: *paus de cabeleira.*]

pau de carga (pau de*car*.ga) ***sm.*** *Cnav.* Aparelho que consiste numa forte verga de madeira ou de aço, com uma das extremidades apoiada ao pé de um mastro ou de uma coluna, e a outra sustentada por amantilhos, us. para trabalhos que exigem muito esforço ou para suspender grandes pesos; LANÇA [Pl.: *paus de carga.*]

pau de fogo (pau de*fo*.go) [ô] ***sm.*** *Bras. Pop. Arm.* Arma de fogo, principalmente o revólver; PAU DE FUMO; PAU DE FUMAÇA [Pl.: *paus de fogo* [ó].]

pau de fumaça (pau de fu.*ma*.ça) ***sm.*** O mesmo que *pau de fogo* [Pl.: *paus de fumaça.*]

pau-de-jangada (pau-de-jan.*ga*.da) ***sm.*** *Bot.* Árvore pequena (*Apeiba tibourbou*), da fam. das tiliáceas, nativa de regiões tropicais das Américas, cujos ramos novos e inflorescências têm pelos hirsutos e ferrugíneos, flores verde-amareladas, em panículas curtas, cápsulas disciformes densamente espinhosas, com sementes oleaginosas, e madeira esponjosa e leve, própria para o fabrico de jangadas e papel [Pl.: *paus-de-jangada.*]

pau-de-mocó (pau-de-mo.*có*) ***sm.*** *Bras. Bot.* Árvore da família das leguminosas, subfamília papilionácea (*Tipuana auriculata*) [Pl.: *paus-de-mocó.*]

pau-de-pernambuco (pau-de-per.nam.*bu*.co) ***sm.*** *Bras. Bot.* O mesmo que *pau-brasil* (*Caesalpinia echinata*) [Pl.: *paus-de-pernambuco.*]

pau de sebo (pau de*se*.bo) [ê] ***sm.*** **1** Mastro untado de sebo que se ergue em festas juninas, tendo no topo prêmios para quem os alcançar; COCANHA; MASTRO DE COCANHA **2** *Bot.* Árvore da fam. das euforbiáceas (*Sapium sebiferum*), nativa da China, cujas sementes contêm gordura us. para fazer velas; ÁRVORE-DE-SEBO [Nesta acp., com hifens: *pau-de-sebo.*] [Pl.: *paus de sebo, paus-de-sebo.*]

pau-de-tamanco (pau-de-ta.*man*.co) ***sf.*** *Bras. Bot.* Arvoreta paludícola, do litoral, da família das bignoniáceas (*Tabebuia cassinoides*), de folhas simples e coriáceas, címulas trifloras, escassas, alvas com a fauce amarela, aromáticas, fruto coriáceo, castanho, estriado, com várias sementes, e que fornece madeira branca, levemente rosada, uniforme, leve, macia e durável, própria para marcenaria fina [Pl.: *paus-de-tamanco.*]

pau-de-viola (pau-de-vi:*o*.la) ***sm.*** **1** *Bras. Amaz. Bot.* Árvore (*Citharexylum cinereum*) da fam. das verbenáceas, de madeira resistente, própria para carpintaria, instrumentos musicais e pasta para papel, folhas lanceoladas, cinzentas na página inferior, flores brancas, aromáticas, em racemos, e drupas carnosas, vermelhas; CINCO-CHAGAS; MARUPÁ; PAU-DE-GUITARRA; POMBEIRA; TARUMÃ; UCUUBA-BRANCA **2** *Bras. Pop.* Embusteiro, mistificador, intrujão [Nesta acp., sem hifens: *pau de viola.*] [Pl.: *paus-de-viola, paus de viola* [ó].]

pau-ferro (pau-*fer*.ro) ***sm.*** *Bot.* Árvore da fam. das leguminosas, subfam. cesalpinioídea (*Caesalpina ferrea*), nativa do Brasil, de tronco manchado, madeira muito dura, flores amarelas e frutos aromáticos, ricos em tanino; JUCÁ [Pl.: *paus-ferros, paus-ferro.*]

paul (pa.*ul*) ***sm.*** Terra encharcada, alagadiça; PÂNTANO [Pl.: *-uis.*] [F.: Do lat. *palus, udis.*]

paulada (pau.*la*.da) ***sf.*** **1** Pancada desferida com pedaço de pau; BORDOADA; CACETADA; PORRADA **2** *Fig.* Grande desgosto: *O divórcio foi uma paulada.* **3** *Bras. Fut.* Chute com muita força [F.: *pau + -l- + -ada.*]

paulatino (pau.la.*ti*.no) ***a.*** **1** Que é feito aos poucos; GRADUAL; PROGRESSIVO: *método paulatino de alfabetização.* **2** Que é feito devagar; LENTO; VAGAROSO: *exercício paulatino de alongamento.* [F.: Do lat. *paulatim* ou *paullatim.*]

pauleira (pau.*lei*.ra) ***sf.*** **1** *Bras. Gír.* Ritmo frenético: *A semana mal começou, mas já está a maior pauleira* **2** Som em alto volume, esp. o produzido por *rock pauleira*

pauliceia (Pau.li.*cei*.a) ***sf.*** A cidade de São Paulo, capital do Estado de São Paulo [Com inicial maiúsc.] [F.: Do top. Pauliceia, cidade e município do Estado de São Paulo.]

paulificação (pau.li.fi.ca.*ção*) ***sf.*** **1** Ação ou resultado de paulificar **2** O que causa aborrecimento; AMOLAÇÃO; CACETEAÇÃO; MAÇADA [Pl.: *-ções.*] [F.: *paulifica(r) + -ção.*]

paulificar (pau.li.fi.*car*) ***v.*** *Bras.* Amolar, importunar [***td.*** / ***int.***: *Não cansa de paulificar os irmãos.*] [▶ **11 paulificar**] [F.: *pau + -l- + -ificar.*]

paulino (pau.*li*.no) ***a.*** Que diz respeito a São Paulo Apóstolo [F.: Do antr. São *Paulo + -ino.*]

paulista (pau.*lis*.ta) ***s2g.*** **1** Pessoa nascida ou que vive no Estado de São Paulo **2** *Fig.* Pessoa teimosa, birrenta **3** *RS* Pessoa muito desconfiada **4** *BA* Amansador de burros **5** Integrante da Ordem de São Paulo ***a2g.*** **6** De São Paulo; típico desse estado ou de seu povo **7** Que é teimoso, birrento **8** *RS* Que é muito desconfiado **9** *BA* Que amansa burros **10** Que integra a Ordem de São Paulo ***sm.*** **11** *Bras.* Carne dura retirada da parte posterior da coxa do boi, us. para assar; LAGARTO **12** *Mús.* Afinação da viola caipira **13** *Ornit.* Ave passeriforme (*Sporophila caerulescens*), o mesmo que *papa-capim*; tb. *coleirinho* [F.: Do top. (*São*) *Paulo + -ista.*]

paulistada (pau.lis.*ta*.da) ***a.*** *Pej.* Referente aos habitantes de São Paulo: *A paulistada, outrora desvairada, ora ocupa-se com o pouso e decolagem de aviões.* [F.: paulista + *-ada.*]

paulistano (pau.lis.*ta*.no) ***a.*** **1** Ref. a cidade de São Paulo ***sm.*** **2** Pessoa que é natural ou habitante dessa cidade [F.: Do top. (*São*) *Paulo + -ista- + -ano.*]

pau-mandado (pau-man.*da*.do) ***sm.*** Pessoa que obedece cegamente, sem resistência ou questionamento [Pl.: *paus-mandados.*]

pau-marfim (pau-mar.*fim*) *Bot.* ***sm.*** **1** Nome comum a várias árvores de diferentes fam., mas esp. de *Balfourodendron riedelianum*, da fam. das rutáceas, que ocorre no Brasil, de madeira clara e resistente us. em tacos, móveis; GRAMIXINGA; GUARATAIA; GUATAIA; GUATAMBU; MARFIM **2** O mesmo que *tatu* **3** A madeira dessas árvores [Pl.: *paus-marfins e paus-marfim.*]

pau-mulato (pau-de-mu.*la*.to) ***sm.*** **1** *Bras. Bot.* Designação comum a várias árvores, de diferentes gên. e fam., que ocorrem no Brasil, pelos troncos e/ou madeiras de tom pardo, ger. us. em carpintaria, caixotaria etc. **2** *Bras. Amaz. Bot.* Árvore (*Calycophyllum spruceanum*) da fam. das rubiáceas, nativa da Amazônia, de tronco retilíneo, com casca totalmente lisa, pardo-bronzeada, depois vermelha, depois verde e, enfim, do tom escuro que lhe dá o nome, madeira resistente, branco-amarelada, que tb. escurece com o tempo, folhas oblongas, pequenas flores alvas, em cimeiras, e frutos capsulares; MULATEIRO **3** *Bras. Amaz. Bot.* Árvore grande (*Qualea coerulea*), da fam. das voquisiáceas, nativa da Amazônia, com madeira us. em embarcações, folhas ger. elípticas, subcoriáceas e flores violáceas, com a base amarela, em racemos; PAU-DE-MASTRO; QUALÉ-AZUL; QUARUBA; QUARUBA-AZUL **4** *Bras. PA Bot.* Árvore de até 35m (*Qualea dinizii*), da mesma fam. de casca lisa, flores ger. violáceas, em racemos axilares e terminais, e frutos capsulares **5** *Bras. GO Bot.* Árvore pequena (Vochysia micrantha), da mesma fam., com casca adstringente, madeira resistente, folhas verticiladas, coriáceas e inflorescências cilíndricas com flores pequenas e afastadas; VINHATU [Pl.: *paus-mulatos; paus-mulato.*]

pau-para-toda-obra (pau-*pa*.ra-*to*.da-o.bra) ***sm.*** *Bras. Bot.* Pau-pereira [Pl.: *paus-para-toda- obra.*] [Cf.: *pau para toda obra*, no verbete *pau.*]

pau-pereira (pau-pe.*rei*.ra) ***sm.*** *Bras. Bot.* Árvore da fam. das apocináceas (*Geissospermum laeve*), originária do Brasil, de casca muito medicinal e madeira forte, bastante us. em cabos de ferramenta; PAU-DE-PENTE; PAU-PARA-TODA-OBRA; PAU-PEREIRO; PINGUACIBA [Pl.: *paus-pereiras.*]

pauperismo (pau.pe.*ris*.mo) ***sm.*** Pobreza extrema; miséria; PAUPÉRIE; PENÚRIA [Ant.: *opulência, fartura.*] [F.: Do fr. *paupérisme.*]

pauperização (pau.pe.ri.za.*ção*) ***sf.*** **1** Ação, processo ou resultado de pauperizar(-se), tornar(-se) pobre; EMPOBRECIMENTO: *A crescente pauperização das periferias das cidades, tornou-se um grande foco de violência urbana.* **2** *Econ.* Segundo Karl Marx, filósofo e economista alemão (1818-1883), processo de perda de qualidade de vida da classe trabalhadora [F.: pauperizar + *-ção.*]

pauperizado (pau.pe.ri.*za*.do) ***a.*** Que se pauperizou; EMPOBRECIDO: *Os pauperizados pela globalização revoltam-se contra os enriquecidos por ela.* [F.: Part. de *pauperizar.*]

pauperizar (pau.pe.ri.*zar*) ***v.*** Fazer ficar ou ficar pobre; EMPOBRECER [***td.***: *A seca pauperizou a população da região.*] [***int.***: *O grupo pauperizou-se em poucos meses.*] [▶ **1 pauperizar**] [F.: Do ing. *to pauperize.*]

paupérrimo (pau.*pér*.ri.mo) ***a.*** Extremamente pobre; POBRÍSSIMO: "Ora ele exerce e pode continuar a exercer a indústria paupérrima de agricultor..." (Aq. Ribeiro, *Aldeia*) [Ant.: *riquíssimo* Superl. abs. sint. de *pobre.*] [F.: Do lat. *pauperrimu.*]

paúra (pa.*ú*.ra) ***sf.*** *Bras.* Medo excessivo; PAVOR [Ant.: *destemor, coragem*] [F.: Do it. *paura* (sXII) 'medo', este do lat. *pă vor, ō ris* 'comoção, agitação, turbação'.]

pau-rosa (pau-*ro*.sa) ***sm.*** **1** *Bot.* Árvore (*Aniba rosaeodora*) da fam. das lauráceas, nativa das Guianas e da Amazônia, de casca pardo-avermelhada, folhas alternas, coriáceas, e inflorescências paniculadas; pau-de-rosas, pau-rosa-do-oiapoque. A espécie nativa da Amazônia, possui madeira pesada, com cerne castanho-amarelado, da qual se obtém essência us. em perfumaria, mediante destilação com vapor de água **2** Árvore (Ocotea caudata) da mesma fam., nativa das Guianas, de folhas com ápice acuminado, pilosas na página inferior, e flores glabras em panículas; CANELINHA; LICÃ; PAU-CRAVO [Pl.: *paus-rosas, paus-rosa.*]

paus ***smpl.*** Um dos quatro naipes das cartas de baralho, representação gráfica de um trevo, de cor preta: "...o seboso valete de paus era o outro, com quem me traía..." (Dalton Trevisan, *A velha querida*) [F.: Pl. de *pau.*]

◎ **-pausa** ***el. comp.*** = cessação: *entrepausa, menopausa*

pausa (*pau*.sa) ***sf.*** **1** Interrupção momentânea de ação, movimento ou som: "Fez uma pausa vazia." (Clarice Lispector, *A maçã no escuro*) **2** Lentidão, morosidade; VAGAR: *Passeava com pausa pela varanda.* **3** Ralo do bico dos regadores **4** Espaço entre as vigas de um madeiramento **5** *Mús.* Cada um dos sinais gráficos que indica a duração do silêncio **6** *Ling.* Interrupção maior ou menor do discurso, entre palavras ou orações, explicitada pela pontuação [F.: Do lat. *pausa, ae.* Hom./Par.: *pausa* (fl. de *pausar*).] ■ **~ cômica** *Teat.* Em peça teatral, momento de humor intercalado em sequência dramática, como forma de aliviar momentaneamente as tensões do espectador

pausado (pau.*sa*.do) ***a.*** **1** Efetuado com pausa, vagaroso (andamento pausado); LENTO [Ant.: *ligeiro, rápido.*] **2** De ritmo cadenciado, compassado (leitura pausada) ***adv.*** **3** Pausadamente, de maneira pausada [F.: Do lat. *pausatus, a, um.*]

pausar (pau.*sar*) ***v.*** **1** Fazer pausa [***int.***] **2** Tornar pausado ou cadenciado; CADENCIAR; RITMAR [***td.***: *pausar um discurso.* Ant.: *acelerar.*] ***v. td.*** **3** Fazer pausa em; tornar pausado [***t.***: "Estou-me recordando – dizia o Príncipe pausando as suas reminiscências..." (Camilo Castelo Branco, *A brasileira de Prazins*)] **4** Demorar, reter: "A taberneira mediu-o da cabeça aos pés e pausou a sua observação no grosso grilhão e no alfinete..." (Camilo Castelo Branco, *Novelas*) [F.: Do lat. *pausare.* Hom./Par.: *pausa(s)* (fl.), *pausa(s)* (sf. [pl.]).]

pauta (*pau*.ta) ***sf.*** **1** Conjunto de linhas horizontais impressas numa folha de papel, para facilitar a escrita **2** Papel com linhas horizontais nitidamente impressas, que se põe sob uma folha translúcida, para guiar a escrita **3** Cada uma dessas linhas impressas **4** *Mús.* Conjunto de cinco linhas para escrever as notas musicais; PENTAGRAMA **5** Enumeração, listagem; LISTA; RELAÇÃO; ROL **6** *Jorn.* Agenda ou roteiro de temas, assuntos, casos a serem apresentados numa edição de jornal, revista, programa de rádio ou televisão **7** Lista de cotações postadas nas bolsas de valores **8** Tarifa alfandegária **9** Ordem do dia **10** *Jur.* Listagem que divulga para os interessados os processos a serem julgados por um juiz ou tribunal [F.: Do lat. medv. *pacta, orum.* Hom./Par.: *pauta* (fl. de *pautar*).] ■ **Em ~** De que se trata, de que se fala, em questão: *Essa lei não se aplica à proposta em pauta.*

pautado (pau.*ta*.do) ***a.*** **1** Com pauta; riscado de traços paralelos (papel almaço pautado) **2** Posto em pauta ou rol; ARROLADO; ENUMERADO **3** Regular, moderado, disciplinado; METÓDICO [Ant.: *descomedido, descontrolado.*] [F.: Part. de *pautar.*]

pautar (pau.*tar*) ***v.*** **1** Imprimir ou traçar pauta em (papel) [***td.***] **2** Pôr em pauta, lista ou relação; RELACIONAR; ARROLAR [***td.***: *Pautou os itens a serem debatidos na reunião.*] **3** *Jorn.* Programar (assunto) para edição de jornal, noticiário de televisão etc. [***td.***: *O editor pautou a enchente para a primeira página.*] **4** Moderar, controlar, regular [***td.***: *pautar os gastos.* Ant.: *descontrolar.*] **5** Orientar, adequar, nortear [***tdr.*** *+por*: *Os adolescentes pautam sua conduta pela dos pais.*] [▶ **1 pautar**] [F.: *pauta*[1] + *-ar*[2]. Hom./Par.: *pauta(s)* (fl.), *pauta(s)* (sf. [pl.]); *pautais* (fl.), *pautais* (pl. de *pautal*).]

pauteiro (pau.*tei*.ro) ***sm.*** *Jorn.* Jornalista que elabora a pauta [F.: *pauta + -eiro.*]

pauzinhos (pau.*zi*.nhos) ***smpl.*** Intriga, mexerico [F.: Dim. pl. de *pau.*] ■ **Mexer os ~** **1** Fazer fofoca, mexerico; envolver algo ou alguém em intriga **2** Recorrer aos meios necessários (interferência de pessoas influentes, meios de pressão, recursos etc.) para conseguir um objetivo **Tecer/tocar os ~** Ver *Mexer os pauzinhos*

pavana (pa.*va*.na) *Mús.* ***sf.*** **1** Dança de or. italiana, renascentista, em andamento lento **2** *Mús. Dnç.* Composição instrumental baseada nessa dança **3** Repreensão, descompostura; REPRIMENDA **4** *Bras.* Ver *palmatória* [F.: Do it. *pavana.*] ■ **Tocar a ~** Espancar, surrar, sovar

pavão (pa.*vão*) ***sm.*** **1** *Zool.* Denominação comum às aves da fam. dos fasianídeos, dos gên. *Pavo* e *Afropavo*, encontradas na África e Ásia **2** *Zool.* Ave da fam. dos fasianídeos, *Pavo cristatus*, originária da Índia e do Sri Lanka, cujos machos erguem e abrem em leque a longa cauda com plumas de um verde iridescente e caprichosos ocelos **3** *Bras. Ornit.* Pássaro de penas com cores vivas (*Cephalopteros ornatus*); tb. *pavão-do-mato* **4** *Astron.* Constelação delimitada pelas constelações de Oitante, ao sul, Ave Paraíso e Altar, a oeste, Telescópio e Índio, ao norte, e pela última, a leste **5** *Fig.* Pessoa muito ostentosa, vaidosa **6** *Bras. Lud.* O grupo 19 no jogo do bicho, formado pelas dezenas 73, 74, 75, 76 [Pl.: *-vões.* Fem.: *-voa.*] [F.: Do lat. *pavo, onis.*]

pavê (pa.*vê*) ***sm.*** *Cul.* Doce feito com biscoitos molhados em bebida licorosa, dispostos em camadas cobertas por caldas, cremes ou musses e servido gelado [F.: Do fr. *pavé.* Hom./Par.: *pavês* (sm.).]

paveia (pa.*vei*.a) ***sf.*** **1** Molho ou braçada de palha, de feno **2** Montículo de mato roçado **3** Espiga de cereal [F.: De or. obsc.]

pavês (pa.*vês*) ***sm.*** **1** *Mar.* Anteparo de chapa fina ou balaustrada para proteger a tripulação **2** *Antq. Mar.* Protetor contra tiro, ger. feito de tábuas, nas bordas da embarcação [Mais us. no pl.] **3** *Antq. Mar.* Escudo grande, para proteger todo o corpo **4** *Mar.* Balaustrada que protegia por ante à ré o cesto da gávea **5** Bandeira, bandeirola; GALHARDETE **6** Encerado que reveste a borda de fora das trincheiras [Pl.: *-veses.* Col.: *pavesada.*] [F.: Do it. *pavese.* Hom./Par.: *pavês* (pl. de *pavê*), *paveses* (fl. de *pavesar*).]

pávido (*pá*.vi.do) ***a.*** **1** Dominado pelo pavor **2** Que demonstra receio ou medo; ASSUSTADO; MEDROSO [F.: Do lat. *pavidus, a, um.* Ant. ger.: *impávido.*]

pavilhão (pa.vi.*lhão*) ***sm.*** **1** Construção leve, ger. para servir de abrigo **2** Abrigo desarmável; BARRACA; TENDA **3** Anexo da edificação principal **4** Construção isolada que faz parte de um grupo de prédios **5** Construção ampla em eventos de curta duração como feiras e exposições: *pavi-*

<u>lhão</u> *da feira de aeronáutica.* 6 Construção em parques e jardins, ger. de ripas de madeira revestidas de trepadeiras; CARAMANCHÃO; QUIOSQUE 7 Bandeira (<u>pavilhão</u> auriverde) 8 *Anat.* Extremidade expandida de conduto ou canal (<u>pavilhão</u> auditivo) 9 *Mús.* Parte inferior e mais larga de vários instrumentos de sopro, assim como de antigos alto-falantes; CAMPÂNULA 10 Símbolo de uma nacionalidade 11 *Rel.* Cortina que protege o sacrário 12 Sobrecéu de cama; CAMPÂNULA [Pl.: *-lhões.*] [F.: Do fr. *pavillon.*] ■ **~ da orelha/auricular** *Anat.* A estrutura cartilaginosa da orelha

pavimentação (pa.vi.men.ta.*ção*) *sf.* 1 Ação ou resultado de pavimentar, calçar 2 *P. ext.* Qualquer revestimento de rua, de estrada, de solo etc.; PAVIMENTO; PISO [Pl.: *-ções.*] [F.: *paviment(ar)* + *-ção.*]

pavimentado (pa.vi.men.*ta*.do) *a.* Que se pavimentou, que recebeu pavimentação [F.: Do lat. *pavimentatus, a, um.*]

pavimentadora (pa.vi.men.ta.*do*.ra) *sf.* Equipamento us. para revestir com pavimento rua, estrada etc. [F.: *pavimentar* + *-dora.*]

pavimentar (pa.vi.men.*tar*) *v. td.* 1 Aplicar pavimento (1) em (rua, estrada etc.) 2 Fazer, construir em pavimentos [▶ 1 pavimentar] [F.: *pavimento* + *-ar*².] Hom./Par.: *pavimento* (fl.), *pavimento* (sm.).]

pavimento (pa.vi.*men*.to) *sm.* 1 Qualquer revestimento do solo (asfalto, pedra, madeira, cerâmica etc.); ASSOALHO; PISO: *O <u>pavimento</u> do pátio era de ladrilhos.* 2 Cada andar de um edifício: *Olharam a vista lá do 40º <u>pavimento</u>.* 3 Ver *pavimentação* [F.: Do lat. *pavimentum, i.* Hom./Par.: *pavimento* (fl. de *pavimentar*).] ■ **~ flexível** Revestimento flexível de ruas e estradas, por material betuminoso, como o asfalto **~ rígido** Revestimento duro, ger. de concreto sobre pedras com nervuras feitas de vigas de aço **~ térreo** Aquele que fica ao nível do solo

pavimentoso (pa.vi.men.*to*.so) [ô] *a. Histl.* Diz-se de tecido epitelial cujas células são achatadas em forma de ladrilhos [Pl.: [ó]. Fem.: [ó].] [F.: *pavimento* + *-oso.*]

pavio (pa.*vi*:o) *sm.* 1 Cordão para acender vela, lampião ou candeeiro a querosene, e explosivos; TORCIDA 2 Rolo de cera que envolve esse cordão [F.: Do lat. vulg. *papilu.*] ■ **Ter o ~ curto** *Bras. Pop.* Ser irritadiço, facilmente encolerizável

pá-virada (pá-vi.*ra*.da) *s2g. CE* Pessoa da pá-virada [Pl.: *pás-viradas.*]

pavloviano (pav.lo.vi.*a*:no) *a.* 1 *Psi.* Que diz respeito ao estudioso ou seguidor das ideias e metodologia de Ivan Petrovitch Pavlov [1849-1936], fisiologista russo, conhecido por seus experimentos e teorias acerca dos reflexos condicionados 2 Que é especialista em Pavlov, segue suas teorias e/ou adota sua metodologia *sm.* 3 Estudioso ou seguidor das teorias e dos métodos de Pavlov [F.: Do antr. *Pavlov* + *-iano.*]

pavoa (pa.*vo*:a) [ô] *sf. Zool.* A fêmea do pavão [F.: *pavão* sob a f. rad. *pavon-* desnasalisada + *-a.* Hom./Par.: *pavoa* (sf.), *pavoã* (sf.).]

pavonada (pa.vo.*na*.da) *sf.* 1 Ação com a qual o pavão abre sua cauda em leque 2 *Fig.* Atitude presunçosa, jactante ou vaidosa; FANFARRICE [F.: *pavão* + *-ada*, seg. o padrão erudito.]

pavoneamento (pa.vo.ne:a.*men*.to) *sf.* Ação ou efeito de pavonear(-se); OSTENTAÇÃO; PROSÁPIA; SOBERBA [F.: *pavonear* + *-mento.*]

pavonear (pa.vo.ne.*ar*) *v.* 1 Exibir-se com ostentação ou vaidade, como o pavão [*td.*: *Gosta de <u>pavonear</u> suas joias nas festas.*] 2 Enfeitar(-se) exageradamente [*td.*: *<u>pavonear</u> o cachorro para o concurso.*] 3 Atribuir (a si mesmo) qualidades ou vantagens em demasia; UFANAR-SE; VANGLORIAR-SE [*tdr.* +*de*: *<u>Pavoneia</u>-<u>se</u> <u>de</u> muito esperto, mas perdeu o prazo.*] [▶ 13 pavonear] [F.: *pavão* + *-ear*², seg. o mod. erudito.]

pavonice (pa.vo.*ni*.ce) *sf.* Vaidade, presunção, egotismo: *Reunião de bajuladores louvando a estrela e incitando sua <u>pavonice</u>.* [F.: *pavonear* + *-ice.*]

pavonino (pa.vo.*ni*.no) *a.* Próprio do pavão; semelhante ao pavão: "...verde-folha de café, manchado de vermelho, riscado de preto com <u>pavonino</u> espelho na cauda." (Guimarães Rosa, *Ave, Palavra*) [F.: *pavão* (> *n*) + *-ino.*]

pavor (pa.*vor*) [ô] *sm.* Medo intenso, susto incontido: "Vivia num constante <u>pavor</u>; dormia vestido..." (Lima Barreto, *Triste fim de Policarpo Quaresma*) [F.: Do lat. *pavor, oris.* Ideia de 'pavor': *-fobia* (*aerofobia*); *-fobo* (*claustrófobo*).]

pavoroso (pa.vo.*ro*.so) [ô] *a.* 1 Que provoca ou pode provocar pavor: "A derrota, traiçoeira e <u>pavorosa</u>, / As frontes lhes curvou, com mão potente" (Antero de Quental, *Odes modernas*) 2 Muito feio ou muito ruim: *Fez um discurso <u>pavoroso</u>.* [Pl.: [ó]. Fem.: [ó]] [F.: *pavor* + *-oso.*]

pavuna (pa.*vu*.na) *sf. Bras. S* Vale escarpado e profundo [F.: Do tupi *ypag-una.*]

paxá (pa.*xá*) *sm.* 1 Título não hereditário de governadores e vizires, no antigo Império Otomano 2 *Fig. Pop.* Homem poderoso e insolente; MANDÃO 3 *Fig. Pop.* Homem indolente e endinheirado 4 *Fig. Pop.* Homem que tem várias amantes; SULTÃO [F.: Do ár. *basha.* Sin. ger.: *baxá.*]

paxalato (pa.xa.*la*.to) *sm.* 1 Dignidade, poder de paxá 2 Propriedades, região sob o domínio de um paxá; BAXALATO: "O Sultão desejaria mandar tropas ao Egito... e refazer dele uma província turca, um <u>paxalato</u> dependente do serralho." (Eça de Queiroz, *Cartas de Inglaterra*) [F.: *paxá* + *-l-* + *-ato.*]

paxiúba (pa.xi.*ú*.ba) *sf. Bras. Bot.* Palmeira (*Socratea exorrhiza*) nativa da América do Sul, de raízes-escoras e frutos ovoides apreciados pelas aves, e cuja madeira é us. pelos índios para a confecção de arcos e flechas; ACUNÃ; BAXIÚBA; SACHAPONA [F.: Do tupi *pati' iwa.*]

⊕ ***pax Romana*** (pax Ro.*ma*.na) *loc. subst.* Paz proveniente da supremacia militar e do autoritarismo, semelhante à que o império romano impôs em suas terras conquistadas [F.: Do lat. *pax, cis* 'paz' e *romana* adj. nom. fem. sing. de *romanus, a, um* 'romano'.]

⊕ ***pay-per-view*** (*Ing./pei-per-viu/*) *sm. Telv.* Sistema de televisão em que os assinantes pagam para assistir a determinado programa

paz *sf.* 1 Situação de concórdia e tranquilidade 2 Superação da violência e dos conflitos: "No céu redondo os anjos seguravam a ponta das nuvens – foi assim que ele teve ideia de <u>paz</u> inofensiva" (Clarice Lispector, *A maçã no escuro*) [Ant.: *guerra, conflito.*] 3 Situação de países que não estão em guerra 4 *Psi.* Individualmente, harmonia interior, conciliação; CALMA 5 *Pol.* Cessação de hostilidades entre nações, acordo, restabelecimento de relações amigáveis; ARMISTÍCIO 6 Circunstância de repouso e silêncio; QUIETUDE; SOSSEGO: *No campo, encontrou condições de <u>paz</u>* [F.: Do lat. *pax, pacis.* Hom./Par.: *pás* (pl. de *pá*). Ideia de 'paz': *pac(i)-* (*pacificar, pacifismo*).] ■ **~ podre** Placidez decorrente de inação, de desinteresse, de indiferença **Fazer as ~es (com)** 1 Reconciliar-se, ficar de bem (com alguém) 2 *Fig.* Aceitar (algo) como ele é, sem tentar modificá-lo: *<u>fazer</u> <u>as</u> <u>pazes</u> <u>com</u> os cabelos, <u>com</u> o próprio corpo.* **Jogar à ~** Apostar numa rodada de jogo tudo que se ganhou do adversário, dando-lhe oportunidade de recuperar o que perdeu **Ser de boa ~** Ser tranquilo, pacífico, conciliador

pazada (pa.*za*.da) *sf.* 1 O que cabe ou pode caber numa pá: *uma <u>pazada</u> de lixo.* 2 Pancada com uma pá: *Deu uma <u>pazada</u> na cobra rastejante ao seu lado.* 3 *P. ext.* Bordoada, lambada, paulada [F.: *pá* + *-z-* + *-ada.*] ■ **Às ~s** *Pop.* Em grande quantidade: *O cabo eleitoral distribuía brindes <u>às</u> <u>pazadas</u>.*

⊠ **Pb¹** *Quím.* Símb. de chumbo

⊠ **PB²** Sigla do Estado da Paraíba

⊠ **P&B** Preto e branco

⊠ **pc** *Astron.* Símb. de parsec

⊕ ***PCR*** (PCR) *Bioq.* Técnica por intermédio da qual se amplia milhares de vezes determinada região de uma molécula de ADN [Possui grande aplicabilidade em clínica médica para fins diagnósticos, na identificação de seres vivos ou mortos a partir de pequenas amostras de tecido, em biotecnologia, criminologia etc.] [F.: Do acrônimo do ing. *P* olymerase *C* hain *R* eaction (1987) 'reação da cadeia de polimerase'.]

⊠ **Pd** (Pd) *Quím.* Símb. de *paládio*

⊠ **PDA** *sm.* Sigla para o inglês *Personal Digital Assistant* (assistente pessoal digital), dispositivo empunhável com uma só mão (tb. chamado *handheld*), que pode cumprir várias das funções atribuíveis a computador, como agenda telefônica, agenda de compromissos, processador de textos, planilha eletrônica, aplicativo de correio eletrônico, navegação na internet, câmera digital etc.

PDV (PDV) 1 Sigla de *Programa de Demissão Voluntária* 2 Sigla de 'ponto de venda', caixa registradora em loja, supermercado etc.

PE (PE) *Bras.* Sigla do Estado de Pernambuco

pé *sm.* 1 *Anat.* Cada uma das duas partes do corpo humano que ficam nas extremidades das pernas e que servem de apoio tanto para se ficar ereto como para andar 2 *Anat.* Cada membro de locomoção e apoio ou fixação de um animal; PATA 3 Cada unidade ou exemplar de uma planta (<u>pé</u> de café/ de alface) 4 Parte inferior e de sustentação de um móvel, um objeto (<u>pé</u> da cadeira/ do cálice) 5 *Fig.* Situação de um negócio, de um processo: *Em que <u>pé</u> está a venda da casa?* 6 *Metrol.* Medida linear inglesa equivalente a 30, 48 cm: *O avião estava a três mil <u>pés</u> (914 m) de altitude* 7 *Poét.* Em versificação, unidade rítmica do verso na maior parte das línguas indo-europeias [F.: Do lat. *pes*] etc.).] ■ **Abrir no/o ~** *MG Pop.* Sair correndo, fugir **Ao ~ da letra** Literalmente, exatamente como expresso em palavras **Ao ~ de** 1 Junto a, bem perto de: *Sente aqui <u>ao</u> <u>pé</u> <u>de</u> mim, e vamos conversar.* 2 Ao lado de, em comparação com: *<u>Ao</u> <u>pé</u> <u>dessas</u> rosas, as outras flores parecem murchas.* **Ao ~ do ouvido** Aos cochichos, em segredo **A ~** Andando, com os próprios pés, sem usar qualquer meio de transporte: *Fomos até o cinema <u>a</u> <u>pé</u>.* **A ~ de** Mal servido, mal atendido: *Evite por enquanto esse restaurante, está <u>a</u> <u>pé</u> <u>de</u> cozinheiro.* **A ~ firme/quedo** 1 Imóvel, parado 2 *Fig.* Destemidamente, sem receio, sem medo **Apertar o ~** Andar mais rápido; apertar o passo **Bater (o) ~** Insistir, teimar, não obedecer ou não se deixar convencer **Botar o ~ na forma** [ô] *Fut.* Treinar chutes para aprimorar a pontaria **Botar/meter o ~ no mundo** 1 *Bras. Pop.* Percorrer vários lugares, viajar 2 Fugir **Cair de ~** *Bras. Fig.* Sofrer derrota com dignidade, resistindo e sem demonstrar humilhação **Começar com o ~ direito** Começar bem, de maneira certa, exitosa **Começar com o ~ esquerdo** Começar mal, de maneira errada, fracassada **Com o/um ~ atrás** De maneira hesitante; com desconfiança ou com má vontade; de pé-atrás **Com o ~ no estribo** *Bras.* Na iminência de partir, pronto para partir **Com/em ~s de lã** Silenciosamente, sorrateiramente, sem fazer barulho **Com um ~ nas costas** *Bras.* Com toda a facilidade; de olhos fechados (2): *Ele dirige <u>com</u> <u>um</u> <u>pé</u> <u>nas</u> <u>costas</u>.* **Dar com o ~ no mundo** Fugir **Dar no ~** *Bras. Gír.* Fugir, escapar **Dar ~** 1 *Bras. Pop.* Ter (certo lugar em mar, rio, piscina, lago etc.) profundidade tal que é possível alguém ficar de pé com a cabeça fora da água 2 *Bras. Fig.* Ser possível, exequível: *Sei que combinamos para hoje, mas não vai <u>dar</u> <u>pé</u>, vou trabalhar até tarde.* [Tb. apenas *dar.*] **De ~** 1 Em posição vertical, ereta 2 Confirmado, mantido (combinação, acordo etc.): *Nosso acordo continua <u>de</u> <u>pé</u>.* 3 Firme, na mesma atitude, com as mesmas disposições ou ideias etc. **De ~ atrás** Ver *Com o/um pé atrás* **De ~ quebrado** Diz-se de verso que tem sílabas a mais ou a menos do que as do padrão **De quatro ~s** De quatro, de gatinhas **Do ~ para a mão** 1 De repente, inesperadamente 2 De imediato, logo **Em ~** Ver *De pé* (1) **Em ~ de guerra** Em situação de conflito ou de antagonismo **Em ~ de igualdade** Em situação ou condição de equivalência **Em ~s de lã** Ver *Com/em pés de lã* **Encher o ~** *Bras. Fut.* Chutar a bola com muita força **Encostado ao ~ da imbaúba** *N.E. Fam.* Sem ânimo, indolente, mandrião, preguiçoso **Enfiar o ~** *Fut.* Cometer falta, atingindo jogador adversário **Enfiar/meter o ~ na jaca** 1 Embriagar-se; tomar um porre, ficar de pileque 2 *P. ext.* Cair na farra, esbaldar-se 3 *P. ext.* Não se comedir, não se controlar; exceder-se de alguma forma no comportamento **Estar com o(s) ~(s) na cova** Estar perto da morte, ou na iminência de morrer **Fazer ~ atrás** 1 Recuar, retroceder para juntar forças e firmar-se 2 *Fig.* Mobilizar-se para resistir **Ficar/pegar no ~ de** *Bras. Fam.* Insistir com (alguém) seguidamente, importunar, azucrinar **Ir aos ~s** *RS Pop.* Defecar; ir ao banheiro **Ir e vir num ~ só** *Bras. Pop.* Ver *Ir num pé e voltar no outro* **Ir num ~ e vir no outro** Ver *Ir num pé e voltar no outro* **Ir num ~ e voltar no outro** *Bras. Fam.* Ser muito rápido e demorar pouco tempo para ir a algum lugar e voltar, fazer algo, executar tarefa etc. **Ir num pé só** *Bras. Fam.* Ir a algum lugar com toda a rapidez **Jurar de ~s juntos** Afirmar algo com firmeza e convicção **Lamber os ~s de** *Fig.* Bajular, adular com subserviência **Largar do ~** *Bras. Fam.* Deixar de apoquentar, de importunar, de azucrinar **Meter o ~** *Fut.* Ver *Enfiar o pé* **Meter o ~ na jaca** *Bras. Gír.* Ver *Enfiar/meter o pé na jaca* **Meter o ~ no atoleiro** *Bras. Fig.* Ficar muito pobre, arruinar-se; meter o pé no lodo **Meter o ~ no lodo** Ver *Meter o pé no atoleiro* **Meter o ~ no mundo** *Bras. Pop.* Ver *Botar/meter o pé no mundo* **Meter os ~s em** Tratar com desprezo, humilhar, vilipendiar **Meter os ~s pelas mãos** 1 Confundir-se, atrapalhar-se 2 Cometer rata, gafe **Não arredar ~ (de)** 1 Ficar (num certo lugar), não sair (de onde está) 2 *Fig.* Não desistir ou ceder, não mudar (de uma posição, ideia etc.) **Não chegar aos ~s de** Ser inferior a (em geral ou em algum aspecto): *O novo carro é veloz, mas em resistência <u>não</u> <u>chega</u> <u>aos</u> <u>pés</u> <u>do</u> modelo anterior.* **Negar a ~s juntos** *Pop.* Negar insistentemente, insistir em negativa **Passar o ~ adiante da mão** 1 Abusar de liberdade, passar dos limites 2 Precipitar-se, agir sem pensar **~ ante ~** Sorrateiramente, cautelosamente, na ponta dos pés **~ calcâneo** *Ort.* Aquele que apresenta flexão dorsal permanente, fazendo do calcanhar o único ponto de apoio [Cf.: *Pé equino.*] **~ cavo** *Ort.* Aquele cujo arco da planta é muito alto **~ chato** Diminuição da curvatura do arco do pé, com a consequente alteração da posição da perna ao pisar e andar **~ de anjo** *Bras. Fam.* Pé grande [Tb.: *pé de anjo* (2).] **~ de apoio** Aquele com o qual se pisa com mais força em determinado momento ou movimento, para apoiar o peso do corpo **~ de árvore** *Bras. Pop.* Ver *Pé de pau* **~ de arvoredo** *Bras. Pop.* Ver *Pé de pau* **~ de atleta** *Derm.* Infecção por fungos entre os dedos do pé, com frieiras, fissuras etc. **~ de mato** *Bras. Pop.* Ver *Pé de pau* **~ de pau** *Bras. Pop.* Termo genérico que designa qualquer árvore; pé de árvore, pé de arvoredo, pé de mato **~ equino** *Ort.* Aquele que está em extensão permanente, de modo que não se apoia sobre o calcanhar, somente sobre os metatarsos e os dedos [Cf.: *Pé calcâneo.*] **~ na jaca** *Bras. Gír* Situação, comportamento, atitude de quem se excede, não controla impulsos considerados repreensíveis [Ver tb. *Enfiar/meter o pé na jaca.*] **~ na bunda** 1 *Bras. Tabu.* Demissão, dispensa: *Desacatou o chefe, e este lhe deu um <u>pé</u> <u>na</u> <u>bunda</u>.* 2 Rejeição, fora: *Tantas fez com a namorada que levou um <u>pé</u> <u>na</u> <u>bunda</u>.* **~ na tábua** 1 Us. para se referir à velocidade máxima, ao limite de aceleração que se pode dar a um automóvel ou a outro veículo [Ger. serve para pedir que alguém dê maior velocidade ao veículo.] 2 Us. como interj. para pedir pressa ou exigir mais rapidez na realização de algo **~ torto** *Ort.* Malformação do pé, que tem como consequência uma distribuição irregular do peso do corpo sobre sua planta [Pode ser corrigida após o nascimento.] **~ valgo** *Ort.* Aquele que só se apoia no solo com a parte interna da planta **~ varo** *Ort.* Aquele que só se apoia no solo com a parte externa da planta **Pegar no ~ de** *Bras. Pop.* Ver *Ficar/pegar no pé de* **Pegar pelo ~** *Bras. Pop.* Pegar, surpreender (alguém) em seu ponto fraco, ou em ato ou dito comprometedor, mentira etc.: *Disse que faltou à aula por estar doente, mas o professor o <u>pegou</u> <u>pelo</u> <u>pé</u>, ao encontrá-lo na piscina.* [Tb. apenas *pegar.*] **Perder (o) ~** Ficar, quando de pé (no mar, piscina, rio etc.), totalmente submerso, por não dar pé o lugar em que está **Pisar no ~ de** 1 *Pop.* Provocar, espicaçar, melindrar (alguém) 2 Ofender, molestar (alguém) com palavras ou atitudes **Sofrer que só ~ de cego** *N. E. Pop.* Sofrer muito **Ter os ~s (fincados) na terra** Ser realista, não se deixar iludir por facilidades ou exagerado otimismo **Ter os ~s no chão** Ver *Ter os pés (fincados) na terra* **Ter ~** 1 Ser capaz de caminhar muito, ser bom andarilho 2 Ver *Dar pé* **Ter ~s de barro** *Fig.* Não ter firmeza ou solidez, apesar de parecer o contrário **Ter um ~ na cova** Ver *Estar com o(s) pé(s) na cova.* **Tirar o ~ da lama/do lodo** Sair de uma situação ruim, melhorar de vida, de nível econômico etc. **Tirar o ~ do lodo** 1 Ver *Tirar o pé da lama* 2 *MA Fut.* Numa partida, após muito tempo sem conseguir, conseguir finalmente chutar a bola **Tomar ~** Estando de pé dentro de água, tocar o fundo com os pés **Tomar ~ em** Tomar conhecimento, inteirar-se de (situação, problema etc.) **Um ~ lá, outro cá** Com muita rapidez, o mais rápido possível: *Entregue esta carta em mãos ao gerente, um pé lá outro cá.* **Um ~ no saco** *Bras. Gír.* Diz-se de algo ou alguém muito chato ou inoportuno; um saco

pê (pê) *sm.* Nome da letra *p* [Pl.: *pês ou pp.*] [Hom./Par.: *pês* (pl.), *pez* /ê/ (sm.); *pê(s)* (sm. [pl.]), *pé(s)* (sm. [pl.]).] ■ **~ da vida** *Bras. Vulg.* Eufemismo para *puto da vida*, injuriado, irritadíssimo [Tb. *p. da vida.*]

peado (pe.*a*.do) *a.* 1 Que se prendeu com peia 2 *Fig.* Indivíduo, grupo, região etc. que recebe forte influência ou domínio de algo ou de alguém; DOMINADO; SUBJUGADO [F.: P art. de *pear.*]

peador (pe.a.*dor*) [ô] *sm.* 1 *Bras.* Que diz respeito ao lugar onde se peiam cavalgaduras 2 Lugar onde as cavalgaduras ficam peadas [F.: *peado* + *-or.* Sin. ger.: *peadouro; peadoiro.*]

peagem (pe.a.gem) *sf. Ant.* O mesmo que *pedágio* [F.: Do fr. *péage* (c1150): 'direito ou taxa de passagem cobrada para se atravessar um caminho, uma estrada, uma ponte etc.'.]

pealar (pe.a.*lar*) *v. td.* 1 Atirar o pealo para prender (o animal) 2 *Fig.* Armar uma armadilha, uma cilada para; ENGANAR [▶ 1 **pealar**] [F.: *pealo* + *-ar.* Hom./Par.: *pealo* (fl.), *pealo* (sm.).]

pealo (pe.*a*.lo) *sm.* 1 *Bras. RS* Laço que se lança à cavalgadura que corre, para prendê-la pelas patas dianteiras e derrubá-la 2 Ato de pealar [Chama-se *cucharra*, quando se deita o laço por das patas da frente do cavalo; de *sobrecostilhas*, quando se o deita sobre a costela ou lombo; *lado* ou *sobrelombo*, quando se o atira sobre o lombo, fazendo-o descair até prender as patas] [F.: Do plat. *peal* 'id.', do espn. *peal.* Hom./Par.: *pealo* (sm.), *pealo* (fl. de *pealar*).] ■ **Errar o ~** 1 *RS* Falhar numa tentativa de algo 2 *RS* Não conseguir o que parecia fácil **Passar em ~** *RS* Usar de subterfúgios, truques, artimanhas para enganar (alguém) **~ de cucharra** *RS* Laço que se lança por baixo das patas dianteiras do animal **~ de sobrecostilhas** *RS* Laço que se lança por sobre as costelas do animal **~ de sobrelombo** *RS* Laço que se lança sobre o lombo do animal, fazendo-o decair até prender as mãos

peanha (pe.*a*.nha) *sf.* 1 Pequeno pedestal para colocar imagem, busto, estátua, cruz 2 Pedal do tear; APEANHA; PREMEDEIRA 3 *P. ext.* Banquinho que serve de apoio para os pés 4 *Antq. Mar.* Peça de madeira que ficava sob os bancos dos remadores das galés, na qual ficavam atadas as correntes que prendiam os forçados [F.: Do lat. *pedanea.*]

peão[1] (pe.*ão*) *sm.* 1 *Lud.* Cada uma das oito peças mais simples do jogo de xadrez 2 *Lud.* Cada peça do jogo de damas 3 Em tauromaquia, o toureiro que enfrenta o touro a pé 4 Homem da plebe, nas monarquias; PLEBEU 5 *Lus.* Aquele que anda a pé; pedestre 6 *Bras.* Bloco de terra que é provisoriamente mantido intato em trabalhos de terraplanagem manual, para facilitar a posterior cubagem do material escavado; DAMA 7 *Mil.* Soldado de infantaria; INFANTE [Pl.: *-ões, -ães.* Fem.: *-oa, -ona.*] [F.: Do lat. medv. *pedo, onis.* Hom./Par.: *pião* (sm.).]

peão[2] (pe.*ão*) *sm.* 1 *Bras.* Auxiliar de boiadeiro; vaqueiro: "Fosse um peão ou qualquer outra pessoa fazê-lo entrar na balsa..." (Simões Lopes Neto, *Casos do Romualdo*) 2 *Bras.* Amansador de animais 3 Trabalhador rural 4 Trabalhador da construção civil e de obras viárias, dentro ou fora das cidades 5 Qualquer trabalhador braçal ou não qualificado 6 *Bras.* Condutor de tropa 7 *RS* Numa estância, pessoa encarregada dos serviços domésticos; CONCHAVADO [Pl.: *-ões, -ães.* Fem.: *-oa, -ona.* Col.: *peonada, peonagem, recruta.*] [F.: Do plat. *peón.* Hom./Par.: *pião* (sm.).]

pear (pe.*ar*) *v. td.* 1 Prender com peia ou corda 2 *Fig.* Criar embaraço, estorvo a; ATRAVANCAR; ESTORVAR: *As obras pearam o trânsito durante dias.* [Ant.: *desobstruir, estimular.*] 3 *Mar.* Amarrar (carga marítima), para que a arrumação não se desfaça com o movimento do mar [▶ 13 **pear**] [F.: *peia* + *-ar*[2]. Hom./Par.: *pear, piar* (em várias fl.).]

◎ **-peba** *el. comp.* = 'chato'; 'plano'; 'largo'; 'liso': *iacarapeba, aratupeba, caapeba, tapeba, jararacapeba, tatupeba* [F.: Do tupi *'pewa* ou *'bewa.* Outras formas: *-peva, -beba, -veba, -éua: acangapeva, jaracambeba, jaracambeva, marrecapéua.*]

peba (pe.ba) [é] *a2g.* 1 Alongado, achatado 2 *Bras. N. E.* De má-qualidade, ordinário *sm.* 3 *Bras. Zool.* Tatu amarronzado e de pelos esparsos na carapaça (*Euphractus sexcinctus*) 4 *Ict.* Peixe de flancos e ventre prateado (Centropomus paralellus), encontrado em águas salobras e rios, da Flórida ao Sul do Brasil; ROBALO [F.: Do tupi *pewa, bewa.*] ■ **Pegar um ~** *Bras. N. E.* Levar um tombo

pebolim (pe.bo.*lim*) *sm. Lud.* Brinquedo de mesa em forma de uma caixa que simula um campo de futebol e seus dois times, em que cada um dos dois competidores manipula varetas de movimento frontal e lateral, que mantêm suspensos os 22 bonecos que formam as duas equipes; TOTÓ *lus.;* MATRAQUILHOS [Pl.: *-lins.*] [F.: De or. obsc.]

peça (pe.ça) [é] *sf.* 1 Cada elemento ou unidade de um conjunto (peça de motor, peça de roupa) 2 Parte ou pedaço de um todo (peça de carne) 3 Qualquer objeto tomado, em si, como unidade completa; EXEMPLAR: *Comprou uma linda peça de cerâmica.* 4 Porção inteira de tecido (peça de linho) 5 Objeto manufaturado; ARTEFATO 6 Objeto de metal precioso; JOIA: *Herdou da avó uma peça de rubis.* 7 Cada uma das divisões de uma casa; CÔMODO: *apartamento de cinco peças.* 8 *Bras.* Pessoa ou animal cuja beleza chama atenção 9 *Fig.* Engano, logro: *pregaram-lhe uma peça.* 10 *Bras. S* Pênis do burro ou cavalo 11 *Mús.* Composição musical: *Tocou uma peça de Guerra Peixe.* 12 *Teat.* Texto ou representação teatral: *Foi ver uma peça de Plínio Marcos.* 13 *Liter.* Qualquer composição literária: *O conto do aluno era uma peça surpreendente.* 14 Componente de diversos jogos (peça de xadrez) 15 *Pop.* Pessoa incomum, divertida, ger. hilariante: "Foi o nosso grande camarada... a boa peça do José Manuel..." (Manuel Antônio de Almeida, *Memórias de um sargento de milícias*) 16 *Num.* Antiga moeda de ouro portuguesa 17 Animal abatido durante uma caçada 18 *Publ.* Qualquer elemento que faz parte de uma campanha publicitária ou de promoção comercial como cartaz, anúncio de jornal, encarte etc. 19 *Jur.* Documento que integra um processo 20 *Her.* Qualquer um dos símbolos que podem compor o campo de um escudo de armas ■ **Ficar na ~** *Bras. Pop.* Ficar solteirona, ficar para tia/titia **~ anatômica** *Anat.* Pedaço de um cadáver convenientemente preparado e dissecado para ser objeto de estudo de anatomia ou patologia (ger. em escolas de medicina) **~ cirúrgica** *Med.* Porção de tecido ou órgão retirado cirurgicamente de organismo para diagnóstico **~ de artilharia** *Mil.* Qualquer artefato da artilharia, como canhão, obus, morteiro etc. **~ de museu** 1 *Bras. Fig. Pop.* Objeto valioso por seu conteúdo histórico ou artístico 2 *Pej.* Coisa ultrapassada, antiga, obsoleta **~ de reposição** Sobressalente (2) **~ de resistência** 1 Item de destaque em um repertório, como um certo prato num restaurante, a obra musical de mais sucesso no repertório de um intérprete, um número circense etc. 2 Atividade, especialidade em que alguém é mais exímio; o forte **Pregar uma ~** Enganar, lograr, ger. por brincadeira

pecadilho (pe.ca.*di*.lho) *sm.* Pecado pequeno, sem gravidade [Gram.: Dim. irregular de *pecado.*] [F.: *pecad(o)* + *-ilho.*]

pecado (pe.*ca*.do) *sm.* 1 *Rel.* Violação de preceito religioso: "Se basta a vos irar tanto pecado, / A abrandar-vos sobeja um só gemido..." (Gregório de Matos, *Os homens bons*) 2 *P. ext.* Falta, erro, transgressão: "Estou pagando os pecados de outro" (Dalton Trevisan, *O vampiro de Curitiba*) 3 Crueldade, maldade: *Seria um pecado imperdoável derrubar aquelas árvores.* 4 Pena, lástima: *É um pecado você perder esse filme.* 5 Estado em que se encontra uma pessoa que violou um preceito religioso: *O homem vive em pecado.* [Aum.: *pecadaço.* Dim.: *pecadilho.*] [F.: Do lat. *peccatum, i.*] ■ **~ capital** *Rel.* Cada um dos sete aspectos – ou defeitos – de caráter ou de comportamento considerados pecaminosos pela Igreja católica medieval, que são *avareza, gula, inveja, ira, luxúria, orgulho* e *preguiça* **~ mortal** *Rel.* Na doutrina cristã, todo aquele que, de tão grave, leva à danação da alma do pecador **~ original** *Rel.* O pecado de Adão e Eva no paraíso (desobedecendo a Deus), cuja culpa recai sobre todos os descendentes, a partir de seu nascimento **~ venial** *Rel.* Na doutrina cristã, aquele que não chega a destituir o pecador da graça divina, embora a reduza **Dos (meus) ~s** Espantoso, terrível: *Foi uma catástrofe dos (meus) pecados.*

pecador (pe.ca.*dor*) [ô] *a.* 1 Que peca, que comete pecado 2 Que tem vícios, defeitos sérios 3 *Rel.* Que confessa os pecados *sm.* 4 Aquele que peca, que comete pecado 5 Aquele que tem vícios, defeitos sérios 6 *Rel.* Aquele que confessa os pecados [Aum.: *pecadoraço.*] [F.: Do lat. *peccator, oris.*]

pecaminosidade (pe.ca.mi.no.si.*da*.de) *sf.* Caráter, inerência do que é pecaminoso [F.: *pecaminoso* + *-i-* + *-dade.*]

pecaminoso (pe.ca.mi.*no*.so) [ô] *a.* Ref. a pecado, que lhe é próprio ou o propicia (ato pecaminoso, atmosfera pecaminosa) [Pl.: [ó]. Fem.: *ó*] [F.: Do rad. lat. *peccamen, in(is)* + *-oso.*]

peça-piloto (pe.ça-pi.*lo*.to) *sf.* Primeira peça produzida (ger. para demonstração junto a compradores em potencial, clientes ou para realização de testes) de determinada roupa ou objeto que serão produzidos em série [Pl.: *peças-piloto.*]

pecar (pe.*car*) *v.* 1 Cometer pecado [*tr.* +*contra, em*: *pecou Davi o pecado de bersabeia e Urias; pecar contra Deus; pecou nestes mandamentos...*] [*int.*: *Confessou que pecara.*] 2 Cometer qualquer falta ou erro; OFENDER; TRANSGREDIR [*tr.* +*contra*: *pecar contra a moral.*] [*int.*: *Pecaram por ter desprezado os relatórios.* Ant.: *obedecer, seguir.*] 3 Ficar sujeito a; incidir em; INCORRER; CAIR [*tr.* +*em*: *Ela peca sempre nas mesmas coisas.*] 4 Ser passível de censura por [*tr.* +*por*: "O treinador... pecou pela falta de ousadia." (*O Dia*, 09.06.2003)] [▶ 11 **pecar**] [F.: Do lat. *peccare.* Hom./Par.: *peco* (fl.), *peco* (sm. a.); *peca* (fl.), *peca* (fem. de *peco*); *pecáveis* (fl.), *pecáveis* (pl. de *pecável*).]

pecha (pe.cha) *sf.* Falha, imperfeição, defeito; BALDA: *Leva a pecha de interesseira.* [F.: Do espn. *pecha.* Sin. ger.: *perfeição.* Hom./Par.: *pecha* (fl. de *pechar*).]

pechada (pe.*cha*.da) *sf.* 1 *Bras. S.* Embate entre dois cavaleiros, ou entre um cavaleiro e um animal, vindos de lados opostos 2 *P. ext.* Choque, encontrão, batida 3 *Gír.* Ação de pedir dinheiro a alguém; FACADA: *Pródigo, falido, não cansava de dar pechadas.* [F.: Do plat. *pechada* 'empurrão dado com o peito do cavalo; qualquer empurrão'. Hom./Par.: *pechada* (sf.), *peixada* (sf.).]

pechar (pe.*char*) *v. td.* 1 *S.* Dar ou levar esbarrão; CHOCAR (-SE) 2 Pedir uma quantia a [▶ 1 **pechar**] [F.: Do espn. ant. *pechar.* Hom./Par.: *pecha(s)* (fl.), *pecha(s)* (sf. [pl.]).]

pechelingue (pe.che.*lin*.gue) *sm.* 1 Indivíduo que pilha navios mercantes e povoações costeiras; PIRATA: "...os governadores do Rio de Janeiro... quando crescia a audácia dos pechelingues a ponto de ameaçarem os estabelecimentos portugueses..." (José de Alencar, *Alfarrábios*) 2 *P. ext.* Indivíduo que furta ou rouba; LADRÃO [F.: D o esp. *pichelingue* 'pirata'.]

pechincha (pe.*chin*.cha) *sf.* 1 Grande vantagem ou lucro surpreendente 2 *P. ext.* Qualquer coisa muito mais barata que habitualmente (feira de pechinchas); ACHADO; BARGANHA: *O livro foi uma pechincha.* [F.: De or. obsc. Hom./Par.: *pechincha* (fl. de *pechinchar*).]

pechinchar (pe.chin.*char*) *v.* 1 Tentar comprar abaixo do preço; BARGANHAR; REGATEAR [*td.*: *pechinchar o preço de uma mercadoria.*] [*int.* / *tr.* +*em*: *Nunca deixa de pechinchar (no preço do serviço).*] 2 Lucrar sem esperar ou sem merecer [*td.*: *pechinchou um excelente contrato.*] [*int.*: *Bom seria se vivêssemos de pechinchar.*] [▶ 1 **pechinchar**] [F.: *pechincha* + *-ar*[2]. Hom./Par.: *pechincha(s)* (fl.), *pechincha(s)* (sf. [pl.]).]

pechincheiro (pe.chin.*chei*.ro) *a.* 1 Que é dado a pechinchar, a buscar ou pedir pechinchas, vantagens *sm.* 2 Aquele que é dado a pechinchar, a buscar ou pedir pechinchas, vantagens [F.: *pechinch(a)* + *-eiro.*]

pechisbeque (pe.chis.*be*.que) *sm.* 1 Liga metálica, de cobre e zinco, que imita o ouro; OUROPEL 2 *P. ext.* Objeto sem valor 3 *Fig.* Falso brilho, mistificação [F.: Do antr. ing. *Pinchbeck.*]

◎ **pecil(o)-** *el. comp.* = 'variado', 'variegado'; 'diverso': *pecilandria, pecilotermia, pecilotermo* [F.: Do gr. *poikílos, e, on.*]

pecilotermia (pe.ci.lo.ter.*mi*.a) *sf.* Condição ou característica do que é pecilotérmico [F.: *pecilotermo* + *-ia*[1].]

pecilotérmico (pe.ci.lo.*tér*.mi.co) *Zool. a.* 1 Diz-se de animal cuja temperatura corpórea varia conforme a temperatura ambiente, como os anfíbios, peixes e répteis *sm.* 2 Esse animal [F.: *pecil(o)-* + *-term(o)-* + *-ico*[2]. Sin. ger.: *pecilotermo.*]

pecilotermo (pe.ci.lo.*ter*.mo) *a. sm. Zool.* O mesmo que *pecilotérmico* [F.: *pecil(o)-* + *-termo.*]

peciolado (pe.ci.o.*la*.do) *a.* 1 *Bot.* Que possui pecíolo (diz-se de folha); PECIOLAR 2 *Ent.* Que diz respeito aos peciolados 3 Que possui tórax e abdome articulados por uma fina união *sm.* 4 *Ent.* Espécime dos peciolados [F.: *pecíolo* + *-ado.*]

pecíolo (pe.*cí*.o.lo) *sm.* 1 *Bot.* Haste que se prende ao limbo da folha e a liga à bainha ou diretamente a um ramo ou caule 2 *Ent.* Segmento que liga o tórax e o abdome dos insetos [F.: Do lat. *petiolus, i.*]

peçonha (pe.*ço*.nha) *sf.* 1 Secreção venenosa produzida e us. como defesa por muitos e diferentes tipos de animal 2 *P. ext.* Qualquer veneno 3 *Fig.* Pendor para o mal, perversidade, malícia [F.: Do lat. vulg. *potionea.*] ■ **Deitar ~** Maliciar, interpretar maldosa e maliciosamente dito ou ação alheios

peçonhento (pe.ço.*nhen*.to) *a.* 1 Que contém peçonha (cobra peçonhenta); VENENOSO 2 *P. ext.* Que está contaminado com substância venenosa (riacho peçonhento) 3 *Fig.* Que se mostra perverso (pessoa peçonhenta); PÉRFIDO; TRAIÇOEIRO [F.: *peçonh(a)* + *-ento.*]

péctico (*péc*.ti.co) *a.* 1 *Quím.* Diz-se das substâncias que dão consistência às geleias vegetais 2 Diz-se do ácido proveniente da ação dos álcalis sobre a pectina 3 Relativo a pectina 4 Derivado da pectina [F.: Do gr. *pé ktikós, ê, ón* 'que (se) coagula'.]

pectina (pec.*ti*.na) *sf.* 1 *Quím.* Substância existente nas polpas vegetais, de onde é retirada pela água fervente e precipitada pelo ácido clorídrico. É um aglutinante intercelular e forma compostos absorventes coloidais [É formada por uma longa cadeia de unidades de ácido galacturônico ligadas uma a outra pelos carbonos 1 e 4.] 2 *Anat. Zool.* Nos escorpiões, cada um dos dois apêndices sensoriais encontrados posteriormente às placas genitais, atados ao segundo segmento abdominal; PÉCTEN; PENTE [F.: D o gr. *pé -któs, ê, ón* 'fixado, compacto, espesso, coagulado'.]

pectíneo (pec.*tí*.ne.o) *a.* 1 Ref. ou inerente ao pécten 2 Que tem formato igual ou semelhante a um pente; PECTINIFORME 3 Relativo à púbis [F.: *pectin(i)-* + *-eo.*]

◎ **pectin(i)-** *el. comp.* = 'pente'; 'pécten': *pectíneo, pectinicórneo, pectinídeo* (lat. cient.), *pectinifólio* [F.: Do lat. *pecten, inis.*]

pectinídeo (pec.ti.*ní*.de.o) *Zool. sm.* 1 Espécime dos pectinídeos, fam. de moluscos bivalves da ordem dos mitiloides, que compreende, entre outros, os leques do gên. *Pecten a.* 2 Ref. ou pertencente aos pectinídeos [F.: Adaptação do lat. *Pectinidae.*]

pectoriloquia (pec.to.ri.lo.*qui*.a) *sf. Pneumo.* Fenômeno que, na auscultação, faz parecer a voz como que provinda diretamente do peito, resultante da extraordinária ressonância do tecido pulmonar [F.: *pector(i)-* + *-loquia.*] ■ **~ afônica** *Pneumo.* Percepção nítida, na ausculta do tórax, de palavra cochichada, devido a derrame seroso da pleura

pecuária (pe.cu.*á*.ri.a) *sf.* 1 Criação de gado (bovino, caprino, asinino, ovino, cunicular etc.); o conjunto de técnicas e atividades relacionadas à criação de gado 2 O conjunto dos criadores de gado (esp. o bovino) [F.: Do lat. *pecuaria, ae,* 'rebanhos'; 'gado'.]

pecuário (pe.cu.*á*.ri.o) *a.* 1 Ref. ou pertencente à pecuária ou aos criadores de gado, ou próprio deles *sm.* 2 Proprietário ou criador de gado [F.: Do lat. *pecuarius, a, um.*]

pecuarista (pe.cu.a.*ris*.ta) *a2g.* **1** Ref. a pecuária (comércio pecuarista) **2** Que cria ou possui gado **3** Que é especialista em pecuária *s2g.* **4** Criador ou proprietário de gado **5** Especialista em pecuária [F.: *pecuária* + *-ista.*]

pecuarização (pe.cu.a.ri.za.*ção*) *sf.* Prática ou introdução de atividade pecuária: *Foi uma época em que a economia do Acre já convivia com a pecuarização.* [F.: *pecuária* + *-zação.*]

peculatário (pe.cu.la.*tá*.ri.o) *a.* **1** Ref. a peculato **2** Que praticou ou pratica o peculato *sm.* **3** Aquele que praticou ou pratica o peculato [F.: *peculat(o)* + *-ário.* Sin. ger.: *peculador.*]

peculato (pe.cu.*la*.to) *sm. Jur.* Crime do desvio de verba, do furto de dinheiro ou bem móvel apreciável por parte de funcionário público, em proveito próprio ou de terceiros; abuso de confiança pública [F.: Do lat. *peculatus, us.*]

peculiar (pe.cu.li.*ar*) *a2g.* **1** Que é próprio de algo ou alguém; CARACTERÍSTICO; INERENTE: "Recentrei-me, como peculiar aos tímidos e aos sensatos" (Guimarães Rosa, *Grande sertão: veredas*) **2** Originalmente ref. a pecúlio [F.: Do lat. *peculiaris, e.*]

peculiaridade (pe.cu.li.a.ri.*da*.de) *sf.* Condição ou qualidade de peculiar; PARTICULARIDADE [F.: *peculiar* + *-(i)dade.*]

pecúlio (pe.*cú*.li.o) *sm.* **1** Soma de dinheiro economizada para qualquer eventualidade *lus.*; AFORRO; ECONOMIA; PÉ DE MEIA **2** Todo tipo de dinheiro poupado **3** O conjunto dos bens móveis e imóveis **4** Benefício da Previdência Social caso o segurado retorne ao trabalho após a aposentadoria, ou fique inválido por acidente [Em caso de morte, os dependentes recebem o benefício.] **5** *Fig.* Coleção ou reserva de notas, subsídios [F.: Do lat. *peculium, ii.*]

pecúnia (pe.*cú*.ni.a) *sf.* Ver *dinheiro* [F.: Do lat. *pecunia, ae.*]

pecuniário (pe.cu.ni.*á*.ri:o) *a.* Ref. a pecúnia, dinheiro, ou representado por soma deste (valor pecuniário, abono pecuniário) [F.: Do lat. *pecuniarius, a, um.*]

⊠ **ped** *Mús.* Notação musical que indica o uso do pedal

pedaço (pe.*da*.ço) *sm.* **1** Parte de um todo concreto (pedaço de bolo, pedaço de terreno); BOCADO; FRAGMENTO: "Eu a Charneca, e tu o Sol, sozinhos, / Fôssemos um pedaço da paisagem!" (Florbela Espanca, *Livro de sóror saudade*) **2** Certo espaço de tempo: *Ficamos ali um pedaço, inutilmente.* **3** *Bras. Pop.* Experiência ruim (ger. com *mau.*): *Passou ali um mau pedaço.* **4** Parte ou passagem de livro, de enredo **5** Diz-se de pessoa fisicamente atraente: *A garota é um pedaço.* [F.: Do lat. vulg. *pitaccium.*] ∎ **Aos ~s 1** Totalmente fragmentado, despedaçado **2** Totalmente rasgado, estraçalhado **3** *Fig.* Muito cansado, sem forças; caindo pelas tabelas **A ~s** Espaçadamente, a intervalos **Caindo aos ~s 1** Velho ou doente; alquebrado; mal conservado **2** Ver *Aos pedaços* (3) **Fazer em ~s 1** Despedaçar, fragmentar **2** Rasgar, estraçalhar **Passar um mau ~** *Bras. Pop.* Enfrentar situação difícil, penosa, perigosa etc. **~ de mau caminho 1** *Bras. Pop.* Pessoa fisicamente atraente **2** Pessoa malévola e traiçoeira

pedágio (pe.*dá*.gi.o) *sm.* **1** *Bras.* Espécie tributária que se paga para transitar numa rodovia: *O pedágio tem se tornado escandalosamente caro.* **2** O posto onde se paga essa espécie: *O ônibus quase não para no pedágio.* [F.: Do it. *pedaggio.* Sin. ger.: *portagem* (*lus.*).]

pedagogia (pe.da.go.*gi*.a) *sf.* **1** Ciência e conjunto de teorias, princípios e métodos da educação e do ensino **2** *P. ext.* O ofício e a prática do ensino sistemático **3** Característica de bom pedagogo: *professora de muita pedagogia.* **4** Ciência que abrange as técnicas de tratamento de crianças e adolescentes com dificuldades de aprendizado **5** Método pedagógico empregado na reeducação ou educação especializada de adultos [F.: Do gr. *paidagogia, as.*]

pedagógico (pe.da.*gó*.gi.co) *a.* **1** Ref. a pedagogia (orientação pedagógica) **2** De acordo com os princípios da pedagogia: *Marília foi pouco pedagógica com os rapazes.* [F.: Do gr. *paidagogikós, e, on.*]

pedagogismo (pe.da.go.*gis*.mo) *sm.* **1** Características, processos ou sistemas dos pedagogos **2** Exclusivismo no que diz respeito à pedagogia **3** Aplicação indiscriminada de teorias pedagógicas sem base experimental ou comprovação científica **4** *Fig.* Pedantismo, dogmatismo [F.: *pedagogia* + *-ismo.*]

pedagogista (pe.da.go.*gis*.ta) *s2g.* **1** Pessoa versada em pedagogia; teórico da educação: "Foi no meio destes exercícios, uma das maiores glórias do notável pedagogista, que, olhando de repente, vimos uma cena que pinta a escola dos surdos-mudos do Padre Aguilar" (D. Ant. da Costa, *No ninho*) **2** Indivíduo que pesquisa ou divulga temas relacionados à pedagogia [F.: *pedagogismo* + *-ista.*]

pedagogo (pe.da.*go*.go) [ô] *sm.* **1** Pessoa formada em pedagogia **2** Pessoa que se dedica à pedagogia, à educação e seus princípios; MESTRE; PROFESSOR **3** *Antq.* Preceptor de crianças ou escravo que as conduzia à escola **4** *Pop. Pej.* Pessoa que julga ter o direito de repreender os outros [F.: Do gr. *paidagogós, ou.*]

pedal (pe.*dal*) *sm.* **1** Peça movida pelo pé e que faz parte de diversos meios de transporte (nas bicicletas, motocicletas, automóveis, tratores, aviões, como alavanca de comando ou transmissão), máquinas de costura e instrumentos musicais (piano, harpa, órgão, bateria), com finalidades variadas **2** *Mús.* Nota que se sustenta ou se repete, em geral de registro grave, e em torno da qual as outras partes se movimentam; nota pedal **3** *Mús.* Cada um dos sons fundamentais nos instrumentos de sopro de metal, emitidos quando a coluna de ar vibra como um todo *a2g.* **4** *Anat.* Ref. ao pé; PODAL [Pl.: *-dais.*] [F.: Do lat. *pedalis, e.*] ∎ **Duplo ~** *Mús.* Duas notas que se sustentam como base de linha melódica ou harmônica ao longo de um trecho musical (pedal [2]), quando são a tônica e a dominante **~ de dominante** *Mús.* Nota que se sustenta como base de linha melódica ou harmônica ao longo de um trecho musical (pedal [2]), quando é a dominante **~ de tônica** *Mús.* Nota que se sustenta como base de linha melódica ou harmônica ao longo de um trecho musical (pedal [2]), quando é a tônica

pedalada (pe.da.*la*.da) *sf.* **1** Cada impulso dado sobre o pedal, esp. na bicicleta, em que cada passo se converte em movimento circular **2** *Fut.* Lance em que o jogador passa os pés por sobre a bola alternadamente e em movimentos rápidos, para confundir e driblar o adversário [F.: Fem. substv. de *pedalado.*]

pedalar (pe.da.*lar*) *v.* **1** Mover ou impulsionar o pedal ou a pedaleira de [*td.*: *pedalar uma bicicleta/uma máquina de costura/um órgão.*] **2** Andar de bicicleta ou praticar o ciclismo [*int.*: *Aprendeu a pedalar com seis anos.*] **3** *Esp.* No futebol, movimento que o jogador faz com os pés como se estivesse pedalando, para enganar o adversário [► 1 pedalar] [F.: *pedal* + *-ar*[2].]

pedaleira (pe.da.*lei*.ra) *sf. Mús.* Teclado adaptado aos pés, no órgão, e us. principalmente para as notas mais graves [F.: *pedal* + *-eira.*]

pedaliácea (pe.da.li.*á*.ce.a) *sf. Bot.* Espécime das pedaliáceas, fam. de ervas e arbustos tropicais e subtropicais (no Brasil, representada apenas pelo cultivo do gergelim), com várias espécies cultivadas pela graça ornamental, pelo óleo das sementes e pelos fins medicinais [F.: Do lat. cient. *Pedaliaceae.*]

pedaliáceo (pe.da.li.*á*.ce.o) *a. Bot.* Ref. às pedaliáceas [F.: *pedáli(a)* + *-áceo.*]

pedalinho (pe.da.*li*.nho) *sm. Bras.* Pequeno barco movido a pedais, us. para passeios em lagos e lagoas [F.: *pedal* + *-inho.*]

pedante (pe.*dan*.te) *a2g.* **1** Que ostenta conhecimentos que não tem; AFETADO; PRESUMIDO **2** Que vive exibindo cultura e erudição; PRESUNÇOSO *s2g.* **3** Aquele que ostenta conhecimentos que não tem; AFETADO; PRESUMIDO **4** Aquele que vive exibindo cultura e erudição; PRESUNÇOSO [F.: Do it. *pedante.*]

pedanteria (pe.dan.te.*ri*.a) *sf.* Afetação própria de pessoa pedante; PEDANTISMO: "...da pesadez e uma certa pedanteria da tradução literal, se disse então... que eram belles infidèles, epíteto que muito o honrava." (João Barrento, "Escritos sobre Rainer Maria Rilke" *in Revista Cultura, março de 2003*) [F.: Do fr. *pedanterie.*]

pedantesco (pe.dan.*tes*.co) [ê] *a.* **1** Próprio de pedante: "Diziam (os gramáticos) as coisas mais simples e rudimentares num tom pedantesco e dogmático..." (Artur Azevedo, *O gramático*) **2** Pretensioso, afetado [F.: Do it. *pedantesco.*]

pedantismo (pe.dan.*tis*.mo) *sm.* Procedimento ou dito característico de pedante; PEDANTICE [F.: *pedant(e)* + *-ismo.*]

◎ **-pede** = pé: *bípede, palmípede, quadrúpede*

pé de água (pé-d'*á*.gua) *sm. Bras.* Chuva repentina e intensa, mas pouco demorada; AGUACEIRO; TORÓ; PANCADA [Pl.: *pés-d'água.*]

pé de amigo (*pé* de a.*mi*.go) *sm. Bras. S.* Peia que prende uma das patas traseiras e as duas dianteiras de um animal, impedindo-o de movimentar-se e de escoicear [Pl.: *pés de amigo.*]

pé de anjo (*pé* de*an*.jo) *sm.* **1** *Bras.* Tênis branco **2** *Pop.* Pé demasiado grande [Pl.: *pés de anjo.*]

pé de atleta (pé de a.*tle*.ta) *sm. Med.* Micose debaixo dos dedos dos pés ou em suas fissuras [Pl.: *pés de atleta.*]

pé de boi (pé de*boi*) *sm.* **1** *Bras. Pop.* Pessoa que trabalha muito, e que cumpre cegamente as suas obrigações **2** *Pop.* Pessoa conservadora, que não aprova inovações **3** *Bot.* O mesmo que *pata-de-vaca* [Nesta acp., com hifens: *pé-de-boi.*] [Pl.: *pés de boi, pés-de-boi.*]

pé de cabra (pé de*ca*.bra) *sm.* **1** *Carp.* Alavanca de ferro que termina em saliência recurva e fendida como um pé de cabra, us. para arrancar pregos e abrir caixotes; ARRANCA-PREGOS **2** *Pop.* Essa mesma ferramenta us. para arrombar portas **3** *Bras. Pop.* Ver *diabo.* **4** *Bot.* Planta da fam. das convolvuláceas (*Ipomoea pes-caprae*), tropical e litorânea, comum em praias brasileiras, de raiz tuberosa, folhas arredondadas e flores campanuladas roxas; BATATA-DA-PRAIA; PÉ-DE-CABRA; SALSA-DA-PRAIA [Nesta acp., com hifens: *pé-de-cabra.*] [Pl.: *pés de cabra, pés-de-cabra.*]

pé de chinelo (*pé*de chi.*ne*.lo) *sm.* **1** *Bras.* Marginal pouco perigoso *a.* **2** *Pop. P. ext.* De baixa condição social, reles, inexpressivo; JOÃO-NINGUÉM; PÉ DE POEIRA [Pl.: *pés de chinelo.*]

pé de chumbo (*pé* de *chum*.bo) *sm.* **1** *Bras.* Pessoa que anda lentamente **2** Motorista muito vagaroso **3** Indivíduo que não progride, não alcança prosperidade; ZÉ-NINGUÉM **4** *Pej.* Indivíduo rude, grosseiro; GALEGO **5** *Angios.* Arbusto de até 2 m (Salvia splendens), da fam. das labiadas, nativo do Brasil (RJ até SC), de folhas ovadas e flores escarlates, cultivado como ornamental; CARDEAL-DO-BRASIL; CARDEALINA; CARDINALA; SANGUE-DE-ADÃO [Nesta acp., com hifens: *pé-de-chumbo.*] [Pl.: *pés de chumbo, pés-de-chumbo.*]

pé de galinha (pé de ga.*li*.nha) *sm.* **1** Conjunto de rugas que se formam no canto externo dos olhos **2** *Enc.* Rugas que aparecem no canto da página devido a defeito na dobragem **3** *Bot.* Erva da fam. das gramíneas, *Cynodon dactylon*, forrageira, nativa do Brasil; CAPIM-DE-BURRO [Nesta acp., com hifens: *pé-de-galinha.*] **4** *Bras. Mar.* Parte estrutural de uma embarcação formada por duas ou três hastes convergentes que sustentam um eixo, haste etc. [Pl.: *pés de galinha, pés-de-galinha.*]

pé de meia (pé de*mei*.a) *sm.* Dinheiro que se economiza para o futuro *lus.*; AFORRO; PECÚLIO [Pl.: *pés de meia.*]

pé de moleque (pé de mo.*le*.que) *sm.* **1** *Bras. Cul.* Doce sólido, feito de açúcar ou rapadura e amendoim torrado **2** *Bras. N. E.* Bolo preparado com mandioca, fubá, coco e açúcar **3** *Cul.* Doce angolano, feito de amendoim triturado imerso em calda de açúcar temperada com erva-doce, e cortado em torrões, após esfriar **4** *MG* Calçamento de rua feito com pedras irregulares [Pl.: *pés de moleque.*]

pé de ouvido (*pé* de ou.*vi*.do) *sm. Bras. SP* Bofetada no pé do ouvido [Pl.: *pés de ouvido.*]

pé de pato (pé de.*pa*.to) *sm.* Calçado de borracha, em forma de pé de pato, usado por mergulhadores e nadadores para se deslocarem com mais rapidez *lus.*; BARBATANA; NADADEIRA [Pl.: *pés de pato.*]

pederasta (pe.de.*ras*.ta) *sm.* Pessoa que é dada à pederastia; HOMOSSEXUAL [F.: Do gr. *paiderastés, ou.*]

pederastia (pe.de.ras.*ti*.a) *sf.* **1** Relacionamento sexual entre homem e rapaz bem jovem **2** *P. ext.* Homossexualismo masculino; HOMOSSEXUALIDADE [F.: Do gr. *paiderastía, as.*]

pederástico (pe.de.*rás*.ti.co) *a.* Que diz respeito a, ou é próprio de pederastia ou pederasta (amor pederástico) [F. De *pederasta* + *-ico.*]

pederneira (pe.der.*nei*.ra) *sf. Pet.* Pedra que, em atrito com o metal, produz faísca e foi, por isso, us. em antigos isqueiros, espingardas, peças de artilharia; PEDRA DE FOGO; PEDERNAL; SÍLEX [F.: Do lat. vulg. *petrinariu.*]

pedessista (pe.des.*sis*.ta) *a2g.* **1** Que estava filiado, ou era adepto do PDS (Partido Democrático Social) **2** Relativo a esse partido *s2g.* **3** Pessoa filiada ou afinada com a doutrina política desse partido [F.: Da sigla *PDS* sob a f. *pedesse* + *-ista.*]

pedestal (pe.des.*tal*) *sm.* **1** *Arq.* Base feita de pedra, metal, mármore, madeira e que sustenta coluna, escultura, imagem religiosa, objeto decorativo; PEANHA; PLINTO **2** *Fig.* Aquilo que tem o efeito de elevar ou pôr em evidência [Pl.: *-tais.*] [F.: Do fr. *piédestal.*]

pedestre (pe.*des*.tre) *a2g.* **1** Que está a pé ou que anda a pé **2** *Fig.* Simples, modesto; sem brilho ou pretensão *sm.* **3** Aquele que está a pé ou que anda (tráfego de pedestres) **4** Aquele ou aquilo que é simples, modesto; sem brilho ou pretensão **5** *Bras. Antq.* Espécie de miliciano outrora existente no Rio de Janeiro [F.: Do lat. *pedester, tris, tre.*]

pedestrianismo (pe.des.tri.a.*nis*.mo) *sm. Esp.* Prática esportiva que consiste em fazer grandes caminhadas a pé [F.: Do ing. *pedestrianism.*]

pedetismo (pe.de.*tis*.mo) *sm.* Ideário e/ou prática política do PDT (Partido Democrático Trabalhista) [F.: Da sigla *PDT* sob a f. *pedetê* + *-ismo.*]

pedetista (pe.de.*tis*.ta) *a2g.* **1** Filiado, simpatizante, ou militante do PDT (Partido Democrático Trabalhista) **2** Que diz respeito a esse partido *s2g.* **3** Pessoa filiada ou afinada com a doutrina política desse partido [F.: *pedetê* + *-ista.*]

pé de valsa (*pé* de *val*.sa) *sm. Bras. Pop.* Dançarino excelente; PÉ DE OIRO; PÉ DE OURO [Pl.: *pés de valsa.*]

pé de vento (pé de*ven*.to) *sm.* **1** *Bras. Pop.* Rajada de vento, ventania súbita; VENTANIA **2** *Ang. Moç.* Confusão, tumulto [Pl.: *pés de vento.*]

◎ **ped(i)-** *el. comp.* = pé: *pedágio, pedestal, pedicuro*

◎ **-pedia** *el. comp.* = educação, conjunto de conhecimentos; correção: *enciclopédia; ortopedia*

◎ **-pédia** *el. comp.* Ver *-pedia*

pediatra (pe.di.*a*.tra) *s2g.* **1** *Med.* Médico especializado em pediatria; médico especializado no tratamento dos problemas de saúde da criança *a2g.* **2** Esse médico (médico pediatra) [F.: Do gr. *paidós* + *iatrós.*]

pediatria (pe.di.a.*tri*.a) *sf. Med.* Especialidade da medicina que trata dos problemas de saúde da criança [F.: *ped(o)-* + *-iatria.*]

pediátrico (pe.di.*á*.tri.co) *a.* Ref. a pediatria [F.: *pediatr(ia)* + *-ico.*]

pedicelo (pe.di.*ce*.lo) *sm.* **1** *Bot.* Haste que sustenta a flor de uma inflorescência (e depois o fruto) **2** Suporte capilar da urna dos musgos **3** *Ent.* Segundo artigo ou peça das antenas de um inseto [F.: Do lat. científico *pedicellus*, que substituiu o lat. cláss. *pediculus* 'pé pequeno'.]

pediculado[1] (pe.di.cu.*la*.do) *a. Med.* Que está ligado ao pedículo; que se prende por pedículo: *A tireoide é um saco pediculado.* [F.: *pedículo* + *-ado*[1].]

pediculado[2] (pe.di.cu.*la*.do) *sm.* **1** *Zool.* Espécime dos pediculados, ordem de peixes teleósteos que vivem a grande profundidade *a.* **2** Ref. aos pediculados [F.: Do lat. cient. *pediculatus.*]

pediculídeos (pe.di.cu.*lí*.de.os) *smpl. Ent.* Família de insetos a que pertence os vulgares piolho e chato [F.: lat. científico *Pediculidae.*]

pedículo (pe.*dí*.cu.lo) *sm.* **1** *Anat.* Ligamento estreito e alongado de vértebras e vísceras **2** *Anat. Zool.* Ver *pedúnculo.* **3** *Bot.* Pequena haste que sustenta órgão vegetal que não seja a folha, a flor ou a inflorescência ou o fruto e que não se confunde, portanto, com os pecíolos, pedúnculos e pedicelos [F.: Do lat. *pediculus, i.*]

pediculose (pe.di.cu.*lo*.se) *Med. sf.* **1** Infestação por pediculídeos **2** Desig. geral das moléstias provocadas por piolhos [F.: *pedículo* + *-ose.*]

pedicure (pe.di.*cu*.re) *s2g.* Pessoa especializada no tratamento dos pés; CALISTA [F.: Do lat. *pedis* + *cura* através do fr. *pédicure*. Tb. *pedicuro*.]

pedicuro (pe.di.*cu*.ro) *sm.* Ver *pedicure* [Neste caso, aplicado a profissionais do sexo masculino.]

pedida (pe.*di*.da) *sf.* **1** *Bras. Pop.* Aquilo que, sendo pedido, indicado ou sugerido, é tido como uma excelente escolha ou opção; melhor escolha: *Um conhaque, nessa hora, seria uma boa pedida.* **2** Carta que o jogador pede em certos jogos de azar **3** Licença para ceifar que se pede ao senhorio [F.: Fem. substv. de *pedido*.]

pedido (pe.*di*.do) *sm.* **1** Ação ou resultado de pedir (pedido de casamento, pedido de demissão) **2** Aquilo que se pede: *Mal viu a estrela cadente, fez o pedido.* **3** Ordem de compra; ENCOMENDA: *O fornecedor não atendeu aos pedidos.* **4** A coisa encomendada em uma transação comercial: *Meu pedido ainda não chegou pelo correio.* *a2g.* **5** Solicitado, requisitado, pleiteado [F.: Do lat. *petitus, a, um.*]

pediforme (pe.di.*for*.me) *a2g.* Que tem forma de pé [F.: *ped(i)*+ *-forme*.]

⊕ **pedigree** (*Ing./pedigri/*) *sm.* **1** A ascendência de um animal de raça, esp. cachorro, gato ou cavalo **2** *P. ext.* Documento que atesta a ascendência de um animal de raça: *Como faço para tirar o pedigree de meu cão?* **3** *Fig.* Boa origem familiar e/ou social de uma pessoa: *A moça tem pedigree.* [Pl.: pedigrees.]

pedilúvio (pe.di.*lú*.vi.o) *sm.* **1** Ato de lavar os pés humanos ou as patas dos animais: *Os cascos podem ser mantidos descontaminados com pedilúvios; Caminhar com os pés descalços sobre a água fria de riachos, cachoeiras, córregos naturais é a forma mais simples de pedilúvio.* **2** Local apropriado para lavar pés humanos ou patas animais: *O pedilúvio pode ter cerca de 10 cm de profundidade.* **3** *Agr.* Recipiente com germicida colocado nas áreas de produção, para desinfecção dos calçados daqueles que lá ingressam: *As botas devem ser colocadas dentro do pedilúvio e esfregadas com uma escova de mão.* [F.: Segundo o modelo do lat. *proluvium*.]

pedimento (pe.di.*men*.to) *sm.* **1** Pedido, súplica, exortação: *As crianças fazem pequenos pedimentos aos pais.* **2** *Jur.* Requisição, solicitação judicial: *Que se promova, nos termos da lei, o sequestro e o pedimento dos bens ou valores obtidos por enriquecimento ilícito.* [F.: *pedir* + *-mento*.]

pedinchão (pe.din.*chão*) *a.* **1** Que pedincha, que pede com insistência ou impertinência; PIDÃO *sm.* **2** Aquele que pedincha, que pede com insistência ou impertinência; PIDÃO [Pl.: *-chões*. Fem.: *-chona*] [F.: *pedincha*+ *-ão*.]

pedinchar (pe.din.*char*) *v.* Pedir com insistência e de modo inoportuno, com lamúrias [*td.*: "As ideias, dirigindo-se às ideias... não pedincham adesões." (Rui Barbosa, *Excursão eleitoral*)] [*int.*: "Depois todos queriam, todos pedinchavam..." (Eça de Queirós, *A cidade e as serras*)] [▶ **1 pedinchar**] [F.: De *pedir*. Hom./Par.: *pedincha(s)* (fl.), *pedincha(s)* (sf. s2g. a2g. [pl.]); *pedincharia(s)* (fl.), *pedincharia(s)* (sf. [pl.]).]

pedinchento (pe.din.*chen*.to) *a. P. us.* O mesmo que *pedinchão*: "Assustou-se ao ver o cão sujo e pedinchento." (Jorge Amado, *Tocaia grande*) [F.: *pedinchar* + *-ento*.]

pedinte (pe.*din*.te) *a2g.* **1** Que pede esmolas, que mendiga; MENDIGO *s2g.* **2** Aquele que pede esmolas, que mendiga; MENDIGO [F.: *pedi(r)*+ *-nte*.]

pediplano (pe.di.*pla*.no) *sm. Geol.* Superfície que apresenta topografia plana a suavemente inclinada e dissecada, truncando o substrato rochoso; PEDIMENTO: "O planalto ocupa a maior parte do estado e está dividido em cinco compartimentos bem individualizados: planalto sul-baiano, Espinhaço, depressão são-franciscana, planalto ocidental e pediplano." ("Característica do Território e da Sociedade no Estado da Bahia") [F.: *pedi-* + *plano*.]

pedir (pe.*dir*) *v.* **1** Fazer pedido; solicitar que conceda [*td.*: *pedir ajuda/dinheiro emprestado.*] [*tdi.* +*a, para*: *Pediu permissão ao pai para viajar.*] [*int.*: *Ele só faz pedir.*] **2** Implorar, suplicar, rogar [*td.*: *Chorava e pedia clemência/piedade.*] [*tdi.* +*a, para*: *Pediu perdão ao amigo pelo desaforo.*] **3** Fazer pedido em favor de; interceder por; TERÇAR [*tir.* +*a/por*: *Sempre pede a Deus pela mãe.*] **4** Ter por conveniente [*td.*: *Esta solenidade pede traje de gala.*] **5** Reclamar em função de direito legítimo ou suposto; EXIGIR; REIVINDICAR [*td.*: *pedir justiça.*] [*tdi.* +*a, para*: *A legislação pede brevê aos pilotos.*] **6** Ter necessidade de; DEMANDAR; REQUERER; PRECISAR [*td.*: *A vida a dois pede privacidade.* Ant.: *dispensar, prescindir.*] **7** Cobrar (certo preço) por [*tdr.* +*por*: *Está pedindo uma bagatela pelo carro.*] **8** Propor (matrimônio) a [*td.*: *pedir a mão da noiva.*] [▶ **44 pedir**] [F.: Do lat. *petire, por petere. Hom./Par.: *peça(s)* (fl.), *peça(s)* (sf. [pl.]).]

pé-direito (pé-di.*rei*.to) *Arq. sm.* **1** Altura entre o piso e o teto de cada andar de um imóvel **2** Muro ou pilar sobre o qual se sustenta um arco, abóbada, armação de cantaria ou madeira **3** Altura das ombreiras da porta **4** *Geol.* Partes laterais de uma lapa [Pl.: *pés-direitos.*] ◼ **~ de abóbada** *Arq.* Numa abóbada, cada um dos elementos que neutralizam as forças laterais de empuxo

peditório (pe.di.*tó*.ri.o) *sm.* **1** Pedido feito a muitas pessoas, para obra de caridade ou filantropia; subscrição caridosa **2** Súplica repetida, rogo insistente [F.: Do lat. *petitorium, i.*]

◎ **ped(o)-** *el. comp.* = criança: pedagogia, pediatria, pedofilia, pedofobia, pederasta

pedofilia (pe.do.fi.*li*.a) *sf.* **1** *Psi.* Perversão caracterizada pela atração sexual de adulto por criança **2** Prática de atos sexuais de adulto com criança [F.: Do gr. *ped(o)-* + *-filia*.] ◼ **~ erótica** *Psiq.* Atração erótica por crianças. [Tb. apenas *pedofilia*]

pedofílico (pe.do.*fí*.li.co) *a.* **1** Que diz respeito a, ou é próprio de pedofilia: *Uma vez solto, ele reincidiu no ato pedofílico.* **2** Ref. ou inerente a pedófilo *sm.* **3** Indivíduo que sofre de pedofilia [F.: *pedofil(ia)* + *-ico*. Sin. ger.: *pedófilo*.]

pedófilo (pe.*dó*.fi.lo) *a.* **1** Que tem a perversão da pedofilia ou a pratica *sm.* **2** Aquele que tem a perversão da pedofilia ou a pratica [F.: Do gr. *ped(o)-*+ *-filo*.]

pedofobia (pe.do.fo.*bi*.a) *sf.* Aversão a criança: "Misoginia e pedofobia são os pilares sobre os quais se assentou a instituição escolar...." (Renato Mezan, "Uma abordagem psicanalítica da educação") [F.: *pedo-*[1] + *-fobia*.]

pedofóbico (pe.do.*fó*.bi.co) *a.* **1** Que diz respeito a, ou é próprio de pedofobia **2** Relativo ou inerente a pedófobo *sm.* **3** Indivíduo que sofre de pedofobia [F.: De *pedofob(ia)* + *-ico*[2]. Sin. ger.: *pedófobo*.]

pedófobo (pe.*dó*.fo.bo) *a.* **1** Que sofre de pedofobia (mulher pedófoba; velho pedófobo) **2** Que diz respeito a pedofobia *sm.* **3** Indivíduo que padece de aversão mórbida a crianças: *Ele se declarou um pedófobo incurável.* [F.: *pedo-*[1] + *-fobo*.]

pedogênese (pe.do.*gê*.ne.se) *sf. Geol.* Processo de formação dos solos: *A erosão (morfogênese) não é maior do que a pedogênese.* [F.: *pedo-*[2] + *-gênese*.]

pedologia[1] (pe.do.lo.*gi*.a) *sf.* Ciência que tem por objetivo o esclarecimento da gênese do solo e de todos os processos e fenômenos que nele ocorrem [F.: *pedo-*[2] + *-logia*.]

pedologia[2] (pe.do.lo.*gi*.a) *sf.* Ciência de estudo do solo, sua origem, morfologia, classificação etc.; EDAFOLOGIA [F.: Do gr. *pedon* 'solo' + *-logia*, pelo fr. *pédologie*.]

pedológico[1] (pe.do.*ló*.gi.co) *a.* Ref. ou de acordo com a pedologia: *Faremos o levantamento pedológico desta área.* [F.: *pedolog(ia)* + *-ico*.]

pedológico[2] (pe.do.*ló*.gi.co) *a.* Ref. a *pedologia*[2]; EDAFOLÓGICO [F.: *pedologia*[2] + *-ico*[2].]

pedômetro (pe.*dô*.me.tro) *sm.* Forma não pref. de *podômetro*: *Meu pedômetro tem diversas funções como, por exemplo, a de cálculo de calorias.* [F.: De *ped-* (rad. lat. de *pes, pedis* 'pé') + *-o-* + *-metro*.]

pedomorfismo (pe.do.mor.*fis*.mo) *sm.* Manutenção em adulto de caracteres juvenis: "O problema é que estes infantes, segundo o próprio jornal, têm 20 e 21 anos. Legítimos marmanjos. A retranca da matéria é 'Comportamento'. Deveria ser 'Puerilismo' ou 'Pedomorfismo'." (Alberto Dines, "Os meninos cara-pintada") [F.: *pedo-*[1] + *-morfismo*.]

pedomorfose (pe.do.mor.*fo*.se) *sf. Biol.* Fenômeno biológico que consiste na retenção de caracteres larvais por parte dos organismos adultos [F.: *pedo-*[1] + *-morfose*.]

pedra (*pe*.dra) *sf.* **1** *Pet.* Matéria rochosa sempre sólida e dura, que existe em todas as formas e tamanhos, seja em unidades grandes e mais ou menos uniformes, como os rochedos, seja em fragmentos de todo tipo: "Me cobre com uma pedra perfumada." (Manuel Bandeira, *Estrela da tarde*) **2** Monte, montanha dessa natureza: *Subia para o alto da pedra da Babilônia.* **3** Lápide: "A pena deste desterro/Que eu mais desejo esculpida/Em pedra ou em duro ferro..." (Luís de Camões, *Babel e Sião*) **4** Pedra preciosa, semipreciosa ou falsa, us. em joalheria e bijuteria **5** Retângulo de ardósia para se escrever; LOUSA; QUADRO-NEGRO; QUADRO **6** Pedaço de qualquer substância com a consistência da pedra (pedra de açúcar, pedra de sabão, pedra de sal) **7** Granizo, gelo (chuva de pedra) **8** Peça utilizada em diversos jogos de tabuleiro (pedras de dama, pedras de gamão) **9** *Art. pl.* Calcário us. na litografia **10** *Med.* Concreção de natureza pétrea que se forma em certos órgão do corpo, como os rins, a bexiga etc.; cálculo: *Ele está com pedra nos rins.* **11** *Bras. Gír.* Pequeno bloco de crack ou haxixe **12** *Fig.* Pessoa estúpida, de inteligência limitada: *Esse rapaz é uma pedra.* **13** Peça usada para sortear os números em certos jogos de azar (p. ex. o bingo): *Faltam duas pedras para fechar a cartela.* **14** O que é rígido, insensível, duro, frio: *Ela me lançou um olhar de pedra.* [F.: Do lat. *petra, ae.* Ideia de 'pedra': *ita-*: *itaipava*, *lapid(i)-*: *lapidação*, *lit(o)-*: *litogravura*, *-lito*: *monólito* etc.] ◼ **Atirar a primeira ~** Ser o primeiro a condenar, criticar algo ou alguém **Botar/pôr uma ~ em cima de** Esquecer, dar por terminado (ger. em acordo com alguém) algo desagradável, ofensa etc. **Cantar a ~** *Bras. Pop.* Prever acontecimento, situação, atitude etc., e prevenir quanto a isso **Com a ~ no sapato 1** Cauteloso e desconfiado quanto a possível surpresa; alerta **2** Incomodado, ressentido **Com quatro ~s na mão** Com disposição belicosa, com agressividade **De ~ e cal 1** Firme, seguro, resistente: *Esta estrutura está de pedra e cal.* **2** *Fig.* Irredutível (alguém) quanto a sua atitude, decisão etc.: *Não adianta tentar demovê-lo, está de pedra e cal.* **3** *Fig.* Sem qualquer dúvida, com toda a certeza: *Pode contar, irei à reunião, de pedra e cal.* **Descansar carregando ~** *Pop.* Trabalhar em período que devia ser de descanso **Dormir como uma ~** Dormir um sono profundo **E lá vai ~** E tantos, e mais ainda; e lá vai fumaça: *Ele fez umas cem abdominais e lá vai pedra.* **Fazer chorar as ~s da calçada 1** Suscitar sentimentos humanitários e piedosos mesmo em pessoas pouco afeitas a isso: *Em seus discursos sobre a pobreza ele faz chorar as pedras da calçada.* **2** *Irôn.* Referência irônica ao que é sentimentaloide, melodramático: *Foi um apelo de fazer chorar as pedras da calçada.* **Jogar a primeira ~** Ver *Atirar a primeira pedra*. **Jogar ~s/pedrinhas** *Pop. Esp.* Jogar muito mal **Não deixar ~ sobre ~** Arrasar totalmente (tb. *Fig.*): *Criticou a diretoria, e não deixou pedra sobre pedra.* **~ afeiçoada** *Cons.* Pedra preparada para um determinado fim em construção [Cf.: *pedra aparelhada*.] **~ alectória** Segundo uma crença antiga, pedra miraculosa que se formava no estômago ou no fígado dos galos **~ amarroada** *Cons.* Fragmento de pedra bruta partida com o marrão **~ angular 1** *Cons.* Numa edificação, cada pedra que forma um ângulo, uma esquina **2** *Fig.* O fundamento de algo, aquilo sobre o que se apoia uma ideia, uma instituição, uma política etc. **~ aparelhada** *Cons.* Pedra afeiçoada na qual uma ou mais faces têm um preparo especial **~ britada** *Cons.* Pedra em pequenos fragmentos, us. como base para o asfaltamento de estradas, no leito de ferrovias para assentamento dos trilhos, para calçamento de caminhos e jardins, como elemento na produção de concreto etc.; brita **~ de amolar** Qualquer pedra abrasiva us. para afiar o corte de instrumentos cortantes **~ de ara** *Litu* Na missa católica, pedra no cento do altar, sobre a qual se põem o cálice e a hóstia **~ de brunir** *Enc.* Instrumento com o qual o encadernador lustra o corte de livros, depois de dourados **~ de cantaria** *Cons.* Pedra lavrada em formato geométrico para uso em construção **~ de escândalo** A causa (fato, pessoa, história etc.) de um escândalo **~ de isqueiro** Pedra que, golpeada ou friccionada, provoca a faísca que acende a chama de um isqueiro **~ de toque 1** *Our.* Jaspe, ou quartzo, ou outra pedra escura us. ant. por joalheiros para avaliar a pureza de metais preciosos, como o ouro e a prata **2** *Fig.* Elemento por meio do qual se pode avaliar (ou no qual se manifestam) as verdadeiras qualidades ou a real natureza de algo: "A pedra de toque de um livro (para um escritor) é o momento em que o livro oferece enfim um espaço onde, com toda a naturalidade, se pode dizer o que se quer dizer." (Virginia Woolf, *Diário*) **~ filosofal 1** *Alq* Fórmula que os alquimistas tentavam descobrir para transformar qualquer metal em ouro **2** *Fig.* Algo valioso e raro que em vão se tenta obter **~ fina** Pedra não preciosa us. em joalheria e bijuteria; pedra semipreciosa **~ fundamental** *Cons.* Pedra que é solenemente assentada para selar depósito de uma ata, ou outros documentos ou objetos, como marco simbólico do início da construção de uma obra; primeira pedra **~ insossa** *Cons.* Na construção de uma parede, pedra que se usa sem argamassa; pedra seca, pedra sossa **~ lascada** *Arqueol.* Fragmento de pedra grosseiramente quebrado, us. como arma ou ferramenta do homem no período paleolítico **~ lavrada** *Cons.* Pedra com uma ou mais faces aparelhadas, ou esculpida de diversas formas **~ litográfica** Tipo de calcário que, por ter composição e consistência características (alto teor de carbonato de cálcio, homogeneidade, granulação fina), pode ser usado para imprimir gravuras (ver *litografia*) [Tb. se diz apenas *pedra*; sin.: *calcário litográfico*.] **~ no sapato** *Fig.* Dificuldade, estorvo, incômodo **~ polida** *Arqueol.* Pedra trabalhada us. como arma ou ferramenta do homem no período paleolítico **~ portuguesa** Pedra em fragmentos cúbicos us. em calçamentos, ger. compondo mosaicos em preto e branco **~ por ~** Pouco a pouco, um a um, lenta e sistematicamente **~ preciosa** *Gem.* Termo genérico para vários tipos de mineral brilhante, de diversas cores, duros e raros, que são lapidados para uso em joias e adornos [Ex.: o diamante, o rubi, a esmeralda, a safira, o topázio.] **~ rolada** Fragmento de pedra sem arestas, arredondado por ação de água do mar, de rio etc.; seixo rolado **~ seca** Ver *Pedra insossa* **~ semipreciosa** Ver *Pedra fina* **~ sossa** Ver *Pedra insossa* **Pôr uma ~ em cima de** Ver *Botar/pôr uma pedra em cima de* **Primeira ~** Ver *Pedra fundamental* **Ser de ~** *Fig.* Ser insensível (ao sofrimento alheio, a emoções etc.), estoico, empedernido **Ser uma ~ no caminho** *Fig.* Ser um obstáculo, um empecilho **Ser uma ~ no sapato** Ser um incômodo, um estorvo

pedrada (pe.*dra*.da) *sf.* **1** Golpe ou arremesso desferido com pedra **2** *Fig.* Insulto, ofensa [F.: *pedra*+ *-ada*.] ◼ **E lá vai ~** *Bras. Pop.* Ver *E lá vai pedra* no verbete *pedra*

pedra da lua (pe.dra da*lu*.a) *sf. Gar.* O mesmo que *adulária* [Pl.: *pedras da lua*.]

pedra de amolar (pe.dra de a.mo.*lar*) *sf.* Peça de quartzito ou de arenito apropriada para afiar lâminas metálicas de objetos cortantes (facas, facões, tesouras, navalhas etc.); AMOLADEIRA; ESMERIL [Pl.: *pedras de amolar*.] [Cf.: *rebolo*.]

pedra do sol (pe.dra do*sol*) *sf. Min.* Oligoclasita que apresenta inclusões de hematita ou mica: *Segundo a mística, a pedra do sol ajuda a levantar o espírito e tem efeito antidepressivo.* [Pl.: *pedras do sol*.]

pedra-pomes (pe.dra-*po*.mes) *sf. Pet.* Pedra de lava, muito leve e porosa, vendida em pedaços, nas farmácias e que serve para limpar e amaciar a pele; PÚMICE [Pl.: *pedras-pomes*.]

pedraria (pe.dra.*ri*:a) *sf.* **1** Porção mais ou menos expressiva de pedras preciosas ou que as imitam (brincos de pedraria; bordado com pedraria) **2** Certa quantidade de pedra de cantaria [F.: *pedr(a)*+ *-aria*.]

pedra-sabão (pe.dra-sa.*bão*) *sf. Bras. Pet.* Nome de diversas variedades de esteatita relativamente macias, de coloração que vai do cinza ao esverdeado ou amarelado, e se usa tanto em artesanato como em esculturas de porte, como os profetas de Aleijadinho [Pl.: *pedras-sabões, pedras-sabão*.]

pedra-seca (pe.dra-*se*.ca) *sf.* Pedra que entra sem argamassa na construção de um muro ou uma parede; PEDRA INSOSSA; PEDRA SOSSA: "Erguidos como represas entre as encostas, toscos muramentos de pedra-seca." (Euclides da Cunha, *Os sertões*)

pedra-ume (pe.dra-*u*.me) *sf.* **1** *Quím.* Sulfato de alumínio e potássio bastante adstringente e vendido em pedaços cristalinos como hemostático, purificador de água etc.; ALUME

2 Arbusto de uso medicinal da família das mirtáceas (*Myrcia sphaerocarpia*); CAMBUÍ [Pl.: *pedras-umes*.]

pedregoso (pe.dre.*go*.so) [ô] *a.* Que tem pedras em abundância; PEDRENTO; PEDREGUENTO: *caminho pedregoso; estrada pedregosa.* [Pl.: [ó]. Fem.: *ó*] [F.: *pedreg-* + *-oso*.]

pedregulho (pe.dre.*gu*.lho) *sm.* **1** Pedra grande; PENEDO **2** Pequena pedra arredondada que se tira do fundo dos rios; CALHAU; SEIXO **3** *Bras.* Grande quantidade de pedras pequenas [F.: *pedreg-* + *-ulho*.]

pedreira (pe.*drei*.ra) *sf.* **1** Formação rochosa de onde se extraem pedras de construção: *O pai dela é dono de uma pedreira.* **2** *Fig.* Atividade trabalhosa demais e cansativa **3** *Bras. SC* Trecho de estrada muito pedregoso [F.: *pedra*+ *-eira*.] ■ **Ser (uma) ~** *Bras.* Ser muito difícil ou trabalhoso; ser (alguém) carne de pescoço

pedreiro (pe.*drei*.ro) *sm.* **1** Operário que se dedica a obras de alvenaria; ALVANEL **2** *Ornit.* Ver *joão-de-barro* **3** *Ornit.* Ver *joão-bobo* **4** *Ornit.* O m. q. *gaivão* ou *andorinhão* **5** *Mil.* Peça de artilharia antiga que arremessava projéteis de pedra; ROQUEIRA [F.: *pedra*+ *-eiro*.]

pedrento (pe.*dren*.to) *a.* **1** Que tem aspecto ou é feito de pedra **2** Que tem pedra em abundância **3** Diz-se do fruto cuja polpa tem pedras (banana *pedrenta*) **4** Diz-se da cor que os cúmulos dão ao céu

pedrês (pe.*drês*) *a2g.* **1** Diz-se de galinha ou galo pintalgado de preto e branco; CARIJÓ: *Galinha pedrês, não a comas nem a dês.* **2** Que é feito de pedras pretas e brancas (calçada *pedrês*) *s2g.* **3** Galinha ou galo pintalgado de preto e branco; CARIJÓ [Pl.: *-dreses*.] [F.: *pedra* + *-ês*.]

pedrisco (pe.*dris*.co) *sm.* **1** *Cons.* Pedra britada: "Outro produto... utilizado na elaboração do concreto estrutural é o chamado *pedrisco* misto." (Luís Eulálio Moraes Terra, "Utilização do concreto estrutural" **2** Saraiva (granizo) muito fina **3** Cascalho miúdo, pedras pequeninas [F.: De *pedra* + *-isco*.]

pedrista[1] (pe.*dris*.ta) [é] *s2g.* **1** *BA* Grande comprador ou negociante de diamantes: "É ao Espírito Santo que se deve agradar e não a estes capangueiros, *pedristas* e faiscadores, aí das grotas do garimpo." (Afrânio Peixoto, *Bugrinha*) *s2g.* **2** *MG* Negociante de pedras preciosas e outras gemas [F.: De *pedra* + *-ista*.]

pedrista[2] (pe.*dris*.ta) [é] *a2g.* **1** Ref. a Pedro I, imperador do Brasil, e rei de Portugal como Pedro IV **2** Que é partidário de Pedro I do Brasil, ou Pedro IV de Portugal *s2g.* **3** Pessoa pedrista (2) [F.: Do antr. *Pedro* + *-ista*.]

pedroso (pe.*dro*.so) [ô] *a.* **1** Que tem a natureza ou a consistência da pedra; PÉTREO **2** Ver *pedregoso* [Pl.: [ó]. Fem.: [ó].] [F.: *pedr(a)*+ *-oso*.]

pedrouço (pe.*drou*.ço) *sm.* Montão de pedras: "Ora é o duro *pedrouço*, ora é um frouxel de paina/Ora o olhar amortece, ora lhe aviva o lume/Ora agita as paixões, ora as paixões amaina." (Emílio de Meneses, *A dúvida*) [F.: *pedra* + *-ouço* < **-auce*, talvez de origem pré-romana, segundo Corominas.]

pedunculado (pe.dun.cu.*la*.do) *a. Bot.* Que dispõe de pedúnculo; PEDUNCULAR [F.: *pedúncul(o)*+ *-ado*. Cf.: *séssil*.]

pedúnculo (pe.*dún*.cu.lo) *sm.* **1** *Bot.* Haste que sustenta a flor ou a inflorescência e depois os frutos ou a infrutescência [Cf.: *pedicelo*.] **2** *Zool.* Suporte que liga ao substrato vários animais invertebrados, como a craca; PEDÍCULO [F.: Do lat. *pedunculus*.]

pé-duro (*pé*-du.ro) *sm.* **1** *BA* Trabalhador rural **2** *BA Pej.* Fazendeiro modesto e analfabeto da região do cacau **3** *S. C. O.* Pessoa sem educação, grosseira; CASCA-GROSSA **4** *S. C. O.* Gado mestiço bovino ou cavalar **5** *S* Habitante do campo ou da roça, esp. os de pouca instrução e convívio, de modos rústicos e canhestros; CAIPIRA [Pl.: *pés-duros*.] [Tb. us. apositivamente.]

pê-efe (pê-*e*.fe) [é] *sm. Bras. Pop.* Refeição comercial que já vem servida no prato; PRATO-FEITO [Pl.: *pê-efes*.]

peeira (pe.*ei*.ra) *sf. Lus. Vet.* Ulceração da pele entre as unhas do gado bovino [F.: Do lat. *pedarius, a, um*.]

⊕ **peeling** (*Ing.* /*píling*/) *sm. Derm.* Procedimento que provoca a descamação e a renovação da pele, mediante a destruição por meio de agentes químicos de células epidérmicas: *O peeling ajuda a combater manchas, acnes e cicatrizes da pele.*

pê-eme (pê-*e*.me) *Bras. sf.* **1** A corporação da polícia militar *s2g.* **2** Policial que serve nessa corporação [Pl.: *pê-emes*.]

peemedebista (pe.e.me.de.*bis*.ta) *a2g.* **1** *Pol.* Ref. ao Partido do Movimento Democrático Brasileiro (PMDB) **2** Diz-se de indivíduo filiado a esse partido ou dele simpatizante *s2g.* **3** Esse indivíduo: *Aqui está um peemedebista histórico.* [F.: De *PMDB* (f. *peemedebê*) + *-ista*.]

pé-frio (pé-*fri*.o) *sm.* **1** *Bras. Pop.* Azar, falta de sorte: *Foi um tremendo pé-frio encontrar aquela chata. s2g.* **2** Pessoa sem sorte e que supostamente dá azar aos outros **3** *Bras. S.* Pessoa medrosa, covarde [Pl.: *pés-frios*.]

pega[1] (*pe*.ga) [é] *sf.* **1** Ação ou efeito de pegar; fato de pegar **2** Dispositivo ou parte de um objeto (alça, cabo) que possibilita pegá-lo **3** Divertimento infanto-juvenil em que uma criança tem de correr atrás das outras para pegá-las; PIQUE; PEGADOR: *Brincavam de pega até cansar.* **4** Fase de fixação da cal ou da argamassa **5** Fato de uma planta pegar, vingar **6** *Lus.* Artefato de porteção manual para pegar recipientes quentes *sm.* **7** *Pop.* Corrida ilegal de carros ou motos, ger. à noite, em vias públicas; RACHA **8** Discussão acalorada, briga; DESAVENÇA; DISPUTA: "Foi um *pega* tremendo e por debaixo da copada reboavam os berros dos briguentos..." (Mário de Andrade, *Macunaíma*) [Nesta acp., é masc. no Brasil e fem. em Portugal.] **9** Argola de ferro utilizada para prender os pés dos escravos fugitivos [F.: Dev. de *pegar.* Hom./Par.: *pega* (sf.).]

pega[2] (*pe*.ga) [ê] *sf.* **1** *Ornit.* Ave europeia corvídea, *Pica pica*, preta, de asas azuis e abdome branco, algo de verde no dorso, buliçosa, palradeira **2** *Bras. Ornit.* Gralha-do-campo, *Cyanocorax cristatellus*, comum no Brasil central **3** *Fig.* Mulher muito faladeira **4** Mulher feia e que se veste com mau gosto **5** *Lus. Tabu.* Puta, prostituta; RAMEIRA [F.: Do lat. vulg. *peca, ae.* Hom./Par.: *pega* (sf. sm.).]

pegada (pe.*ga*.da) *sf.* **1** Ação ou resultado de pegar **2** Marcas de pés ou patas no chão **3** Rastro, vestígio **4** *Fut.* Lance em que o goleiro agarra a bola, com as duas mãos **5** *Fut.* Tentativa, exitosa ou não, de tirar a bola do adversário; ROUBADA **6** *Fut.* Investida violenta, faltosa: *jogo de muita pegada.* **7** *Fut.* Ato de chutar a bola de determinado modo: *Com uma boa pegada do pé esquerdo, mandou a bola na rede.* **8** *Esp.* No boxe, um soco muito potente capaz de nocautear o adversário [F.: Do lat. *pedicata, ae*.]

pegadiço (pe.ga.*di*.ço) *a.* **1** Que pega ou adere com facilidade; PEGAJOSO; PEGUENTO **2** *Fig.* Inoportuno, chato [F.: *pegado*+ *-iço*.]

pegadinha (pe.ga.*di*.nha) *sf.* **1** *Telv.* Quadro de cunho humorístico, em que alguém, sem saber que está sendo filmado ou televisionado, é levado a reagir a uma situação cômica ou constrangedora encenada por um ator **2** *P. ext.* Artifício para enganar alguém ou induzi-lo ao erro, muitas vezes por brincadeira, divertimento etc.: *A prova estava cheia de pegadinhas.* [F.: Dim. de *pegada*.]

pegadio (pe.ga.*di*.o) *sm.* **1** *N. E.* Apego profundo a algo: *Seu pegadio com os estudos fazia-a esquecer-se do mundo lá fora.* **2** *N. E.* Apego, afeição, amizade íntima: "Brincávamos juntos, comíamos juntos, que todo mundo reparava nesse *pegadio* constante." (José Lins do Rego, *Menino de Engenho*) [F.: *pegado* + *-io*[2].]

pegado (pe.*ga*.do) *a.* **1** Que se pegou, grudado, colado **2** Que é próximo ou adjacente; VIZINHO; CONTÍGUO: *Sua casa era pegada à minha.* [F.: Part. de *pegar*.]

pegador (pe.ga.*dor*) [ô] *a.* **1** Que pega **2** *Esp.* No pugilismo e outras lutas, diz-se do lutador que tem um soco potente e nocauteia facilmente o adversário *sm.* **3** Aquele que pega **4** Instrumento que serve para pegar certas coisas (*pegador* de gelo, *pegador* de macarrão) **5** *Esp.* No pugilismo e outras lutas, o lutador que tem um soco potente e nocauteia facilmente o adversário **6** Ver *pega* (2) **7** Ver *esconde-esconde.* **8** *Bras. Ict.* Peixe da fam. dos equeneídeos, *Remora remora*, que tem um disco cefálico com que se prende a outros peixes ou cetáceos; RÊMORA [F.: *pegad(o)*+ *-or*.]

pegajento (pe.ga.*jen*.to) *a. Bras.* O mesmo que *pegajoso*: "Voltavam pisando um barro *pegajento* a que chamavam rua..." (Sérgio R. Severo Portilho, "Lanceiros da fome")

pegajoso (pe.ga.*jo*.so) [ô] *a.* **1** Que é grudento e viscoso **2** *Fig.* Diz-se de pessoa desagradavelmente subserviente, pegadiça (2) (indivíduo *pegajoso*) [Pl.: [ó]. Fem.: *ó*] [F.: Do espn. *pegajoso*.]

pega-ladrão (pega-la.*drão*) *sm.* **1** *Bras.* Dispositivo de segurança para broches, colares, pulseiras, alfinetes de gravata, que evita que sejam furtados ou se percam **2** Dispositivo elétrico que dispara um alarme para evitar roubo, furto, invasão de propriedade etc. [Pl.: *pega-ladrões*.]

pegamento (pe.ga.*men*.to) *sm.* Processo de pegar, prosperar, vingar (uma planta, um enxerto): *Quando ocorre o pegamento dos dois enxertos, seleciona-se aquele que apresenta brotação mais vigorosa.* [F.: *pegar* + *-mento*.]

pegão (pe.*gão*) *sm.* **1** Grande pé de vento: "Donde houveste, ó pélago revolto, /Esse rugido teu? Em vão dos ventos/Corre o insano *pegão* lascando os troncos..." (Gonçalves Dias, *Primeiros cantos*) **2** Pilar reforçado de grandes proporções **3** Pilar intermediário integrante da infraestrutura de uma ponte que serve de apoio à superestrutura da mesma: "É igualmente notável pela excelência da fábrica, apresentando-se solidamente assente nas margens e no *pegão* central reforçado com talha-mar e talhante, do qual arrancam dois arcos..." (Luis Fontes, "Ponte") [Pl.: *-gões*.] [F.: *pé* + *-g-* + *-ão*[1].]

pega-pega (pe.ga-*pe*.ga) *sf.* **1** Tumulto em via pública, em que populares correm atrás de suposto ladrão ou malfeitor **2** Tumulto generalizado caracterizado pela correria nas ruas **3** O m. q. *pique* (brincadeira infantil) **4** *Bot.* O m. q. *carrapicho* [Pl.: *pegas-pegas, pega-pegas*.]

pega pra capar (pega-pra-ca.*par*) *sm2n. Pop.* Tumulto generalizado, ger. com agressões físicas: *Depois do comício, ocorreu um pega pra capar entre os eleitores dos diferentes partidos.*

pegar (pe.*gar*) *v.* **1** Segurar ou agarrar [*tda.: pegar uma xícara (pela asa).*] [*tr.* +*de, em*: *pegar na mão de alguém; Pegou da bolsa e saiu.*] **2** Apanhar ou buscar (alguém ou algo) [*tda.: Pegou-a no aeroporto.*] [*td.: Quem vai pegar os doces?*] **3** Atropelar ou chocar-se com [*td.: O ônibus pegou uma motao*] **4** Brigar com [*td.: Irritado, disse que pegaria o colega na saída; Eles se pegaram de socos em plena rua.*] **5** Alcançar, atingir [*td.: Não pegue i o início da aula; Meu pai pegou a época da ditadura.*] **6** Alcançar (algo que se deseja) [*td.: pegar a coordenação de um projeto.*] **7** Atingir, chegar a (valor, intensidade, tamanho maiores); CONSEGUIR; OBTER [*td.: Os calçados brasileiros estão pegando preço.* Ant.: *perder.*] **8** Conter (em seus limites) [*td.: O capítulo pega todo o Segundo Reinado.*] **9** Adquirir ou transmitir-se por contágio, contato ou influência; ABRANGER; COMPREENDER [*td.: O menino pegou um cacoete terrível.*] **10** Encontrar (desprevenido); FLAGRAR; SURPREENDER [*td.: Pegaram os pichadores.*] [*tdp.: O cliente me pegou desprevenido.*] **11** *Gír.* Firmar-se, colar [*int.: Essa moda não pegou.*] **12** Ser alcançado ou atingido por; RECEBER [*td.: pegar sol.*] **13** Assumir obrigação ou começar a fazer [*td.: O marceneiro pegou uma nova encomenda.*] [*tr.* +*em*: *Ela pega no serviço às nove.*] **14** Funcionar [*int.: O carro não quer pegar.*] **15** Captar (imagem, onda sonora) [*td. int.: Aqui a televisão não pega (alguns canais).*] **16** Fazer (chama, fogo) ter início; ACENDER; INFLAMAR [*int.: Com o frio, o fogo é difícil de pegar.* Ant.: *apagar.*] **17** Compreender ou captar [*td. int.: Esse aluno pega (tudo) muito rápido.*] **18** Lançar raízes [*int.: A muda de jambo não pegou.*] **19** Tomar (condução) [*td.*] **20** Tomar (caminho ou direção); SEGUIR [*td.: Resolveram pegar um atalho.*] **21** *Bras.* Ir a (evento) para usufruí-lo [*td.: pegar um cinema.*] **22** Pedir proteção ou intercessão a; AGARRAR-SE [*tr.* +*a*: *Pega-se a santo Antônio na esperança de casar.*] **23** Ser condenado a (determinada pena) [*td.: O assassino pegou trinta anos de prisão.*] **24** Atrapalhar, dificultar [*int.: O que pega nele é a timidez.*] **25** Fixar-se, colar, aderir [*td.: pegar selos.*] [*tda.: pegar um cartaz num muro.*] [*int.: O arroz pegou.*] **26** *Bras. Gír.* Manter com (alguém) relacionamento amoroso sem compromisso [*td.: Estava pegando a vizinha.*] **27** Implicar com (alguém) [*tr.* +*com*: *Pegou-se com o vizinho e vivia provocando-o.*] **28** Assegurar-se, aderir (a algo ou alguém) para valer-se dele [*tr.* +*a*: *Sentindo-se insegura, pegou-se ao irmão; Vou me pegar à sua promessa e cobrar o prometido.*] [▶ **14 pegar** Part.: pego, pegado. Us. tb. como v. auxiliar: seguido da prep. *a* + v. principal no infinitivo, indicando 'início ou insistência da ação': *Pegou a cantar músicas religiosas.*] [F.: Do lat. *picare*, 'untar de pez'. Hom./Par.: *pega(s)* (fl.), *pega(s)* (sf. sm. s2g. a2g. [pl.]); *pego* (fl.), *pego* (sm.).] ■ **É ~ ou largar** Expr. us. para indicar que, numa negociação, a última proposta ou oferta feita é definitiva, e não comportará mais concessões ou melhoras, cabendo à outra parte decidir se a aceita ou não **~ bem** *Bras. Gír.* Ter boa repercussão, ser bem aceito por ser adequado, oportuno etc. **~ mal** *Bras. Gír.* Não ter boa repercussão, ser mal aceito, por ser inadequado, canhestro, etc.: *Sua recusa em dialogar com o adversário pegou muito mal.*

pega-rapaz (pe.ga-ra.*paz*) *sm.* Mecha de cabelo em forma de meia-lua ou anelada, pendente sobre a testa ou as laterais do rosto [Pl.: *pega-rapazes*.]

pego (*pe*.go) [é] *Oc. sm.* **1** Pélago, abismo no mar **2** Caverna no fundo do mar, de um lago ou rio; LAGAMAR [F.: Do lat. *pelagus, i*.]

peguano (pe.gu.*a*.no) *sm.* **1** Indivíduo nascido ou que vive em Pegu (hoje Mianmar, Ásia) **2** De Pegu; típico desse país ou de seu povo [F.: Do top. *Pegu* + *-ano*[1].]

peguento (pe.*guen*.to) *Pop. a2g.* **1** Que pega, prega, gruda com facilidade (jiló *peguento*; barro *peguento*) **2** Que tem o aspecto engordurado (cabelo *peguento*, corpo *peguento*) [F.: *peg(ar)* + *-u-* + *-ento*.]

pegureiro (pe.gu.*rei*.ro) *sm.* **1** Pessoa que cuida de gado; PASTOR **2** Cachorro que cuida de gado *a.* **3** Relativo a pastor; PASTORIL; PEGURAL [F.: Do lat. *pecorarius, i*.]

◎ **-peia** *el. comp.* = criação, construção: *epopeia, onomatopeia, prosopopeia*

peia (*pei*.a) *sf.* **1** Corda ou grilhão com que se prendem os pés dos animais **2** *Náut.* Cabo com que se amarra a carga para que se não desloque **3** *Fig.* Estorvo, embaraço, obstáculo: *Manifestou sua opinião abertamente, sem peias.* **4** *Bras. N. E.* Chicote de tiras de couro entrançadas **5** *Tabu.* O órgão sexual masculino; pênis; PICA; PIROCA; CARALHO [F.: Do lat. vulg. *pedea, ae*.] ■ **Meter a ~ (em)** *Bras. Pop.* Criticar, difamar (algo ou alguém) **Ser ~** *PE AL Pop.* Ser difícil, penoso, trabalhoso

peidar (pei.*dar*) *v. int. Tabu.* Soltar gases pelo ânus [▶ **1 peidar**] [F.: *peido* + *-ar*[2]. Hom./Par.: *peido* (fl.), *peido* (sm.).]

peido (*pei*.do) *sm. Tabu.* Gás de origem intestinal que é expelido pelo ânus; flato; TRAQUE; PUM [F.: Do lat. *peditum, i*.]

peido-alemão (pei.do-a.le.*mão*) *sm. Pej.* Barbante embebido em preparado que exala mau cheiro ao ser queimado; BARBANTE-CHEIROSO: "Em Salvador era comum soltarem nos coletivos cheios, um cordão que, aceso, expelia um odor insuportável, e o denominaram '*peido-alemão*'..." (Ludmila Zaira Farnezi, *Problemas de comunicação?*) [Pl.: *peidos-alemães*.]

⊕ **peignoir** (*Fr.* /*penhoár*/) *sm.* Ver *penhoar*

peiote (pei.*o*.te) *Angios. sm.* Planta cactácea do México e dos Estados Unidos da América (*Lophophora Williamsii*) da qual se extrai a mescalina: *Em "As Portas da Percepção", Huxley narra seus experimentos com a mescalina, princípio ativo do peiote.* [F.: Do espn. mexicano *peyote* e, este, do náuatle *peyotl*.]

peiotismo (pei.o.*tis*.mo) *sm.* Qualquer culto religioso de indígenas norte-americanos em que se faz uso do peiote me seu ritual [F.: *peiote* + *-ismo*.]

peita (*pei*.ta) *sf.* **1** Gratificação ilegal em dinheiro ou presente dado como suborno **2** Crime de corrupção passiva daquele que a recebe **3** *Antq.* Antigo imposto pago pela plebe [F.: Dev. de *peitar*.]

peitada (pei.*ta*.da) *sf.* Golpe aplicado com o peito [F.: Fem. substv. de *peitado*.]

peitador (pei.ta.*dor*) [ô] *a.* Que peita ou enfrenta situações difíceis e arriscadas (educador/empresário/desportista *peitador*); BRAVIO; DESTEMIDO [F.: *peitar* + *-dor*.]

peitama (pei.*ta*.ma) *sf. Vulg.* O mesmo que *peitaria*: "Tu ainda tem uma *peitama* bem boa, hein, tia? A negra sorriu: – Esses meninos de hoje não respeita os mais velho, compadre João de Adão." (Jorge Amado, *Capitães de areia*) [F.: *peito* + *-ama*.]

peitar[1] (pei.*tar*) *v. td.* **1** Corromper (alguém) com peita(s) (1); SUBORNAR **2** Impor peitas, contribuições ou multas [▶ 1 peitar] [F.: *peita* + *-ar*². Hom./Par.: *peita(s)* (fl.), *peita(s)* (sf. [pl.]); *peito* (fl.), *peito* (sm.); *peitaria(s)* (fl.), *peitaria(s)* (sf. [pl.]).]

peitar[2] (pei.*tar*) *v. td.* **1** Enfrentar (alguém ou algo) destemidamente: *Resolveu peitar o assaltante e conseguiu dominá-lo.* **2** *Bras.* Abrir passagem com o peito: *Saiu peitando a multidão até chegar ao palanque.* [▶ 1 peitar] [F.: *peito* + *-ar*². Hom./Par.: *peita(s)* (fl.), *peita(s)* (sf. [pl.]); *peito* (fl.), *peito* (sm.); *peitaria(s)* (fl.), *peitaria(s)* (sf. [pl.]).]

peitaria (pei.ta.*ri*:a) *sf. Bras. Vulg.* Seios grandes, fartos [F.: *peit(o)* + *-aria*.]

peiteira (pei.*tei*.ra) *sf.* Tira de couro que cinge o peito da montaria: *Nos rodeios, o peão se segura apenas por duas cordas amarradas à peiteira do cavalo.* [F.: *peito* + *-eira*.]

peitica (pei.*ti*.ca) *N. E. sf.* **1** Brincadeira de mau gosto, impertinência; CHATICE: "Ora que peitica! Há quem aguente este azucrim?" (José Américo de Almeida, *A bagaceira*) **2** Pessoa implicante, teimosa, impertinente; CHATO: "É a última vez que me empatas, peitica do inferno!" (Domingos Olímpio, *Luzia-homem*) **3** Má sorte; AZAR: *Não vá botar peitica no meu casamento.* **4** Certa ave de canto monótono: "A agoureira peitica solitária/ Que do velho ingazeiro aflita geme..." (J. Natividade Saldanha, apud Dic. do Folclore Brasileiro) [F.: Do tupi *peitíka*.]

peitilho (pei.*ti*.lho) *sm.* Peça de vestuário, removível ou fixa, que recobre o peito [F.: *peito* + *-ilho*.]

peitista (pei.*tis*.ta) *s2g.* **1** Nadador especializado em nado de peito, esp. em competições ***a2g.*** **2** Diz-se de tal nadador [F.: *peito* + *-ista*.]

peito (*pei*.to) *sm.* **1** *Anat.* Parte do tronco que vai da base do pescoço ao abdômen; TÓRAX: "Apertou-lhe comovidamente a cabeça contra o peito" (Antônio de Alcântara Machado, *Laranja da China*) **2** Tórax dos outros animais, inclusive como alimento humano, esp. no caso dos bovinos, suínos, caprinos e aves **3** Cada um dos seios da mulher: "Meus peitos, cuja alvura terminavam/ Preciosos rubis, patentes foram" (Bocage, *Cartas de Olinda a Alzira*) **4** O aparelho respiratório: *O rapaz estava doente do peito.* **5** *Fig.* Coração, alma: *Pulsava-lhe no peito uma ternura difícil de suportar.* **6** *Fig. Pop.* Coragem, brio, valentia: *Para isso, é preciso ter peito* [F.: Do lat. *pectus, oris*.] ■ **Aberto dos ~s** *Bras.* Diz-se de cavalgadura ou animal de sela ou de tiro cujos músculos peitorais estão relaxados devido ao esforço, e que por isso cai facilmente **Abrir dos ~s 1** *Bras.* Sucumbir ao cansaço **2** *PA N. E.* Inesperadamente, fazer um gesto ou praticar ação de generosidade **Abrir o ~** *Fig.* Revelar com sinceridade os próprios sentimentos, preocupações, temores etc. **A ~ 1** Com tenacidade, dedicação, empenho etc. **2** Com boa vontade, interesse, apego etc. **A ~ descoberto** Com desprendimento, coragem etc. **Bater nos ~s** Demonstrar arrependimento, remorso etc. **Comer o ~ da franga (com molho pardo)** *MG Pop.* Obter vitória, conquistar supremacia **Criar ao ~** Amamentar **De ~ aberto** Com toda a franqueza, de maneira exposta e leal **Doente do ~** *Bras. Pop.* Tuberculoso; fraco do peito **Do ~** Íntimo, querido (diz-se esp. de amigo) **Esquentar o ~** *Bras. Pop.* Embriagar-se **Fraco do ~** *Bras. Pop.* Ver *Doente do peito* **Lavar o ~ 1** Desabafar, aliviar-se contando ou confessando fatos, segredos etc. **2** Vingar-se, obter desforra **Levar a ~** Ver *Tomar a peito* **Matar no ~** *Bras. Fut.* Interceptar a bola amortecendo-a no peito, preparando-a para a jogada seguinte **Meter os ~s** *Bras. Gír.* Lançar-se com energia em empreendimento, tarefa, competição etc. **Molhar o ~** *Bras. Pop.* Ver *Esquentar o peito* **No ~ (e na raça) 1** *Bras. Gír.* De qualquer maneira, do jeito que der **2** Com toda a disposição, sem medir esforços ou dificuldades **Passar nos ~s** *Bras. Tabu.* Possuir sexualmente, ter relações sexuais com; seduzir [Tem conotação de uma posse arrogante e agressiva] **~ aberto** *Fig.* Franqueza, sinceridade, transparência **~ a ~** *Fig.* De frente, sem fugir ao confronto ou enfrentamento **~ de prova** Armadura para o peito, couraça **~ do pé** A parte de cima, o dorso do pé **Pôr ~ a** Empreender esforços para concluir (tarefa, missão, projeto etc.) **Ter ~ a** Resistir a, opor-se a **Tomar a ~** Empenhar-se por, dedicar-se com interesse e empenho a; levar a peito

peitoral (pei.to.*ral*) *a2g.* **1** Ref. ao peito dos seres humanos e de outros animais **2** Diz-se de cada um dos músculos da caixa torácica anterior **3** Que é bom para o peito (4), que fortifica o peito: *Esse remédio é peitoral.* ***sm.*** **4** Remédio que é bom para o peito (4), que fortifica o peito; medicamento contra as infecções pulmonares **5** *Antq.* Parte da armadura que cobria o peito **6** *Bras. N. E.* Placa de couro curtido com a função do peitoral de armadura **7** Parte externa e anterior do peito do cavalo **8** *Hip.* Correia que passa no peito da montaria **9** *Rel.* Parte superior frontal do hábito religioso e que recobre o peito **10** Cada um dos dois músculos peitorais (2) [Pl.: *-rais*.] [F.: Do lat. *pectoralis, e*.] ■ **Grande ~** *Anat.* O maior dos dois músculos peitorais **Pequeno ~** *Anat.* O menor dos dois músculos peitorais

peitoril (peito.*ril*) *sm.* Ver *parapeito* [Pl.: *-ris*.]

peitudo (pei.*tu*.do) *a.* **1** Diz-se de homem que tem o peito desenvolvido **2** Diz-se de mulher de mamas ou seios grandes **3** *Fig.* Diz-se de homem que é destemido, valente; CORAJOSO ***sm.*** **4** Homem destemido, valente **5** *Bras. Pop.* Parte do lombo da montaria em que se põe a sela; suadouro **6** *RS* Trovador, cantador com boa voz [F.: *peit(o)* + *-udo*.]

peixada (pei.*xa*.da) *sf.* **1** *Cul.* Prato feito à base de peixe cozido ou ensopado **2** Grande quantidade de peixe cozido ou ensopado **3** *Pop.* Facilitação ou proteção que se presta a alguém em uma disputa, um concurso etc.; apadrinhamento: *Ele só foi aprovado no concurso porque houve peixada.* [F.: *peix(e)* + *-ada*.]

peixão (pei.*xão*) *sm.* **1** Peixe grande **2** Mulher atraente e de corpo exuberante [Pl.: *-xões*.] [F.: *peix(e)* + *-ão*.]

peixaria (pei.xa.*ri*.a) *sf.* Estabelecimento comercial onde se vendem peixes e frutos do mar em geral [F.: *peix(e)* + *-aria*.]

peixe (*pei*.xe) *sm.* **1** *Zool.* Denominação. comum aos animais aquáticos e vertebrados de diversas classes que possuem respiração branquial, têm os membros convertidos em nadadeiras, e o esqueleto cartilaginoso ou ósseo **2** *Bras.* Ver *peixinho* (2) [F.: Do lat. *piscis, is*. Ideia de 'peixe': *icti(o)*- (*ictiologia*).] ■ **Como ~ fora d'água** Desajustado, desconfortável, pouco à vontade em certa situação ou circunstância **Como o ~ na água** Confortável, à vontade no assunto ou na situação, em seu elemento: *Quando se fala de música, ele fica como o peixe na água.* **Falar aos ~s** *Gír. Mar. G.* Vomitar pela borda de embarcação **Fazer render o ~** Conseguir manter e prolongar uma situação favorável **Mudo como um ~** Não dizer uma palavra, manter silêncio absoluto **Não ser nenhum ~ podre** Ter algum valor ou mérito, não ser desprezível **Não ser ~ nem carne** Não se definir a favor ou contra, não tomar partido **Não ter nada (a ver) com o ~** Ser indiferente ou alheio a situação, disputa, causa etc. **~ de couro** *Bras. Zool.* Designação comum a certos peixes teleósteos siluriformes sem escamas, ou revestidos de placas ósseas. [São os bagres e os cascudos] **Pregar aos ~s** Tentar aconselhar, ou explicar algo, sem qualquer resultado **Vender o seu ~ 1** Convencer ou tentar convencer com seus argumentos **2** Cuidar dos próprios negócios e interesses

📖 Os peixes foram os primeiros vertebrados a aparecer na Terra. Existem cerca de 30 mil espécies com característica variadas, a maior parte delas marinhas. São em geral cobertos de escamas ou couro e têm corpo afunilado (para melhor cortar as águas em sua movimentação). Membranas chamadas *nadadeiras*, de acordo com sua localização os impulsionam ou lhes dão direção e estabilidade. Têm esqueleto (crânio e coluna vertebral, da qual saem ossículos estruturais), sistema nervoso (encéfalo e medula espinhal) e digestivo. A respiração se processa pela absorção de água pela boca, a retirada de seu oxigênio pelas *brânquias*, ou *guelras*, e sua expulsão por pequenos orifícios no corpo. Um sistema circulatório simples leva o oxigênio, pelo sangue, a todo o corpo. A temperatura do sangue é variável, de acordo com o ambiente.

peixe-agulha (pei.xe-a.*gu*.lha) *sm. Ict.* Designação comum a vários peixes marinhos do gên. *Strongylura*, da fam. dos belonídeos, de corpo muito alongado e com focinho em forma de bico; AGULHA-BRANCA; AGULHINHA; CARAPIÁ [Pl.: *peixes-agulhas e peixes-agulha*.]

peixe-anjo (pei.xe-*an*.jo) *sm. Ict.* O mesmo que peixe-morcego [Pl.: *peixes-anjo, peixes-anjos*.]

peixe-boi (pei.xe-*boi*) *sm. Zool.* Denominação comum aos mamíferos aquáticos e sirênios da fam. dos triquecídeos, manso, de corpo roliço, de até 3m de comprimento, com duas spp., uma de água-doce (*Trichechus inunguis*) encontrada na bacia amazônica e, a outra marítima (*Trichechus manatus*), encontrado dos EUA ao Nordeste brasileiro, em águas costeiras [Pl.: *peixes-bois, peixes-boi*.]

peixe-cachorro (pei.xe-ca.*chor*.ro) *sm. Ict.* Certa espécie de peixes carnívoros com dentes longos, pontudos e fortes [Pl.: *peixes-cachorro, peixes-cachorros*.]

peixe-elétrico (pei.xe-e.*lé*.tri.co) *sm. Zool.* Denominação comum à algumas spp. de peixes teleósteos, esp. o *Malapterurus electricus*, da fam. dos malapterurídeos, da África tropical, com mais de 1m de comprimento, e o poraquê, da fam. dos eletroforídeos, *Electrophorus electricus*, castanho-avermelhado, amazônico, serpentiforme, com até 2 m, capaz de descargas elétricas intensas [Pl.: *peixes-elétricos*.]

peixe-espada (*pei*.xe-es.*pa*.da) *Zool. sm.* **1** Denominação comum à diversas spp. de peixes, esp. o *Trichiurus lepturus*, da fam. dos triquiurídeos de até 1, 5m de comprimento, do Atlântico oeste, de cauda pontiaguda, frequentemente à venda no comércio **2** Ver *espada* (*Xiphophorus helleri*) **3** Ver *espadarte* [Pl.: *peixes-espadas, peixes-espada*.]

peixe-frade (pei.xe-*fra*.de) *sm. Ict.* Peixe de coloração que varia do verde-amarelado ao arroxeado, escamas marginadas de amarelo sobre fundo preto, nadadeiras peitorais com mancha amarela na base, comprimento de até 66 cm; PARU [Pl.: *peixe-frade, peixes-frades*.]

peixeira (pei.*xei*.ra) *sf.* **1** Vendedora de peixe **2** *Bras. N. E.* Faca de lâmina larga, us. na limpeza de peixe **3** *Bras. N. E.* Facão curto e pontiagudo usado como arma **4** *S* Travessa própria para servir peixe [F.: *peix(e)* + *-eira*.]

peixeirada (pei.xei.*ra*.da) *sf.* Golpe de peixeira: "No Nordeste... quando eu era menino, chamar alguém de corno rendia invariavelmente peixeirada..." (João Ubaldo, *Questões cronológicas*) [F.: *peixeira* + *-ada*.]

peixeiro (pei.*xei*.ro) *sm.* Vendedor de peixe [F.: *peix(e)* + *-eiro*.]

peixe-lua (pei.xe-*lu*.a) *sm. Ict.* Maior peixe ósseo conhecido, chega a atingir 3 m e cerca de 900 kg, caracteriza-se pela forma circular do corpo, que não possui barbatanas caudais [Pl.: *peixes-lua, peixes-luas*.]

peixe-morcego (pei.xe-mor.*ce*.go) *sm. Ict.* Peixe de corpo achatado das costas para baixo, de forma triangular e coloração arenosa com manchas escuras em toda a parte superior do corpo, ventre branco, com 10 cm a 15 cm, ocorrendo na margem americana do Atlântico; PEIXE-ANJO [Pl.: *peixes-morcego, peixes-morcegos*.]

peixe-rei (pei.xe-*rei*) *sm. Ict.* Peixe de corpo longo com riscas fosforescentes, revestido de escamas muito finas de cores azulada, verde ou amarela; costuma nadar em grandes cardumes e se alimenta sobretudo de seres planctônicos [Pl.: *peixe-rei, peixes-reis*.]

peixe-voador (*pei*.xe-vo:a.*dor*) *sm.* **1** *Zool.* Denominação comum de duas ou três espécies de peixes teleósteos, esp. o *Hirundichthys affinis*, da fam. dos exocetídeos, do Atlântico, de valor comercial **2** Ver *coió*. **3** Peixe da fam. dos exocetídeos, *Exocoetus volitans*, de até 25 cm de comprimento; VOADOR [Pl.: *peixes-voadores*.]

peixinho (pei.*xi*.nho) *sm.* **1** Peixe pequeno **2** *Bras. Pop.* Pessoa protegida de alguém (ger. de político ou de pessoa influente); privilegiado; PEIXE; APADRINHADO **3** *Esp.* Salto rente ao chão com que o jogador de futebol tenta cabecear uma bola baixa para dentro do gol ou com que o jogador de vôlei tenta defender uma bola baixa antes de ela tocar no chão [F.: *peixe* + *-inho*.]

pejado (pe.*ja*.do) *a.* **1** Que se pejou, se encheu; carregado, repleto, cheio; CARREGADO **2** Que manifesta pejo, vergonha; envergonhado; ENVERGONHADO **3** Diz-se de mulher ou fêmea animal prenhe [F.: Part. de *pejar*.]

pejamento (pe.ja.*men*.to) *sm.* **1** Ação ou resultado de pejar(-se) **2** Aquilo que dá ou provoca pejo, vergonha [F.: *peja(r)* + *-mento*.]

pejar (pe.*jar*) *v.* **1** Causar ou ter pejo; ENVERGONHAR(-SE); ACANHAR(-SE) [***ti.*** *+a: A repreensão pejou muito a José.*] [***td.:*** *Ele não se peja diante de nada.*] **2** Ficar na dúvida, ger. por receio; HESITAR [***int.:*** *Saiu decidido a brigar, mas pejou-se quando viu o bando.*] **3** Ficar ressentido, magoado com (alguém ou algo) [***tr.*** *+com: Pejou-se com o pai.*] **4** Fazer ficar ou ficar cheio de; CARREGAR; ENCHER [***td.:*** *pejar um caminhão.*] [***tdr.*** *+de: Pejaram de contêineres o navio; pejar-se de remorsos.*] **5** Encher não deixando espaço ou tempo para outra coisa; ESTORVAR; OCUPAR [***td.:*** *As cadeiras pejavam o corredor.* Ant.: *desobstruir, esvaziar.*] **6** Engravidar [***int.***] **7** *Bras. Ant.* Parar de moer (o engenho) [▶ 1 pejar] [Hom./Par.: *peja(s)* (fl.), *peja(s)* (sf. [pl.]); *pejo* (fl.), *pejo* (sm.).]

peji (pe.*ji*) *sm. Rel.* Altar de um orixá onde estão seus fetiches, comidas etc.: "Após a vinda dos orixás, os pratos com a feijoada são levados ao salão e vão ocupar lugar no peji do santo homenageado." (Raul Lody, *Santo também come*) [F.: Do ioruba *pèje* 'banquete'.]

pejo (*pe*.jo) [ê] *sm.* **1** Vergonha, pudor **2** *Antq.* Impedimento, estorvo, obstáculo **3** Acanhamento, timidez, falta de traquejo social [F.: Dev. de *pejar*.]

pejorativo (pe.jo.ra.*ti*.vo) *a.* **1** Que exprime desaprovação, depreciação (diz-se esp. de vocábulo ou expressão); DEPRECIATIVO **2** Que denota despeito, ressentimento [F.: Do fr. *péjoratif*.]

◎**-pel** Equiv. de *pel (o)*-

pela[1] (*pe*.la) *sf.* **1** Bola, frequentemente de borracha, usada para brincar **2** Bola us. no jogo da pela **3** O próprio jogo da pela, com raquete [F.: Do lat. *pila, ae*.]

pela[2] (*pe*.la) *sf.* **1** Camada de cortiça, nos sobreiros **2** Ação ou resultado de pelar, tirar a pele ou a casca [F.: Dev. de *pelar*.]

pelada[1] (pe.*la*.da) *sf.* **1** *Pop. Fut.* Partida de futebol realizada em local improvisado e praticada por amadores **2** Partida de futebol ruim, com uma atuação de baixa qualidade por parte de equipes profissionais [F.: *péla* + *-ada*.] ■ **Bater uma ~** *Bras.* Jogar uma pelada

pelada[2] (pe.*la*.da) *sf.* **1** *Pat.* Doença que faz cair tufos inteiros de pelo, principalmente na cabeça **2** Clareira no meio da mato [F.: Fem. substv. de *pelado*.]

peladão (pe.la.*dão*) *sm. Bras. Pop.* Inteiramente pelado, despido, nu [F.: *pelado* + *-ão*¹.]

peladeira (pe.la.*dei*.ra) *sf.* **1** O mesmo que *peladura* **2** Ato de descascar arroz: *Construíram-se três casas para a peladeira do arroz.* **3** *Pop.* Mulher que joga futebol: *A bela, peladeira fenomenal, embasbacava os marmanjos de Copacabana.* [F.: *pelada* + *-eira*.]

peladeiro (pe.la.*dei*.ro) *a.* **1** Que joga peladas, que joga mal o futebol, ou amadoristicamente ***sm.*** **2** Aquele que joga peladas, que joga mal o futebol, ou amadoristicamente [F.: *pelad(a)* + *eiro*.]

pelado[1] (pe.*la*.do) *a.* **1** Que não tem pelo **2** A que tiraram o pelo (cabeça pelada) ***sm.*** **3** Campo de pasto pobre, sem quase nada; RAPADOR [F.: Part. de *pelar*.]

pelado[2] (pe.*la*.do) *a.* **1** *Bras. Pop.* Que está sem roupa; NU **2** Que está sem casca (tomate pelado); DESCASCADO **3** A que se tirou a pele; ESFOLADO **4** *Fig.* Que não tem dinheiro; POBRE [Tb. us. como *sm.* nesta acp.] [F.: Part. de *pelar*².]

peladura[1] (pe.la.*du*.ra) *sf.* **1** Ação ou resultado de pelar¹ **2** *Med.* Ausência dos cabelos ou dos pelos do corpo; ALOPECIA: "... um senhor indivíduo que embarcara à última hora, sorrateiramente, tinha toda a traça da maldade e do crime: enormes cicatrizes de talhos, desfiguravam-lhe o rosto; uma larga peladura, de bala, raiava-lhe a cabeça." (João Simões Lopes Neto, *Casos de Romualdo*) [F.: *pelar* + *-dura*. Ver tb. *alopecia*.]

peladura² (pe.la.*du*.ra) *sf.* **1** Ação ou resultado de pelar² **2** *RS* Pavor repentino; susto **3** *RS* Fato ou evento que faz sofrer, que angustia; DESGRAÇA [F.: *pelado² + -ura*.]

pelagem (pe.*la*.gem) *sf.* Conjunto de pelos que cobrem o corpo dos mamíferos; PELAME: *cão de pelagem castanha*. [Pl.: *-gens*.] [F.: *pelo + -agem*.]

pelagianismo (pe.la.gi.a.*nis*.mo) *sm.* Doutrina de Pelágio (360-420 d.C.), heresiarca bretão, segundo a qual o ser humano nascia imaculado, sem o pecado original, portanto predisposto a naturalmente obedecer os mandamentos de Deus, independente da graça divina, donde, por seu esforço próprio, poderia evitar o pecado: *Existe algo de Rousseau no pelagianismo*. [F.: *pelagiano + -ismo*.]

pelágico (pe.*lá*.gi.co) *a.* Ref. a pélago; OCEÂNICO [F.: Do lat. *pelagicus*, do gr. *pelagikós*.]

◎ **pelag(o)-** *pref.* = 'alto-mar, oceano': *pelágia, pelagismo, pelagóbia, pelagófito, pelagografia, pelágone, pelagoscópio, pelagosito*

pélago (*pé*.la.go) *sm.* **1** Mar profundo; PEGO **2** Alto-mar **3** *Fig.* Imensidade, profundidade, abismo: *um pélago de tristezas*. [F.: Do lat. *pelagus, i*, do gr. *pélagos*.]

pelagografia (pe.la.go.gra.*fi*.a) *sf. Antq.* Estudo dos mares, dentro do antigo conceito de geografia [F.: *pelago + -grafia*.]

pelagra (pe.*la*.gra) *sf. Med.* Doença causada por deficiência de ácido nicotínico e que se caracteriza por vermelhidão da pele e problemas digestivos, nervosos e psíquicos [F.: Do it. *pellagra*.]

pelagroso (pe.la.*gro*.so) [ô] *a.* **1** Ref. ou inerente à pelagra *sm.* **2** Doente de pelagra [Pl.: [ó]. Fem.: [ó].] [F.: *pelagra + -oso*.]

pelame¹ (pe.*la*.me) *sm.* O mesmo que *pelagem*: *A escovação estimula a circulação sanguínea na raiz do pelame*. [F.: *pelo + -ame*.]

pelame² (pe.*la*.me) *sm.* **1** O conjunto da pele e dos pelos de um animal **2** Quantidade dessas peles; COURAMA **3** Operação de extração dos pelos da pele de animal, mergulhando-a em água e cal **4** Tanque para curtir peles e couros de animais [F.: *pele + -ame*.]

pelanca (pe.*lan*.ca) *sf.* **1** Pele mole e caída **2** Carne enrugada e magra **3** *Bras.* Peles nas margens dos cortes de carnes bovinas, galináceas ou suínas *sm.* **4** *Bras. Gír.* Repórter antigo no ofício [F.: Do *pele*.]

pelancoso (pe.lan.*co*.so) [ô] *a.* Com pelanca, cheio de pelanca; PELANCUDO: "Ela estava abatida, com os olhos empapuçados, as faces emaciadas, o pescoço mais mole e pelancoso." (Júlia Lopes de Almeida, *A intrusa*) [Pl.: [ó]. Fem.: [ó].] [F.: *pelanca + -oso*.]

pelancudo (pe.lan.*cu*.do) *a.* Cheio de pelancas [F.: *pelanca + -udo*.]

pela-porco (pe.la-*por*.co) *sm.* **1** *MA* Dança folclórica do Maranhão que teve origem na aristocracia rural daquele estado; LELÊ: *São danças folclóricas quase extintas: pajelança, bambaê, pela-porco*. **2** *N. E.* Indivíduo que corta cabelo em feiras livres **3** Espécie de banco ou assento: *Sentava-se horas a fio no pela-porco, a admirar os barcos*. [Pl.: *pela-porcos*.]

pelar¹ (pe.*lar*) *v. td.* Tirar o pelo a ou perdê-lo [▶ **1 pelar** As formas (eu) *pelo*, (tu) *pelas*, (ele) *pela* são grafadas com acento agudo.] [F.: *pelo + -ar²*. Hom./Par.: *pela(s)* (fl.), *pela(s)* sf. [pl.]); *pele(s)* (fl.), *pele(s)* (sf. [pl.]); *pelaria(s)* (fl.), *pelaria(s)* (sf. [pl.]); *pela(s)* (fl.); *pela(s)* (pl. de *pelo*); *pelo* (fl.), *pelo* (prep.); *pelo* (fl.), *pelo* (sm.).]

pelar² (pe.*lar*) *v.* **1** Deixar ou ficar nu em pelo; DESPIR(-SE) [*td*.] **2** Tirar ou ficar sem a pele ou a casca [*td*.] **3** *Bras.* Estar muito quente, a ponto de tirar a pele [*int*.: *A água está pelando*.] **4** *Fig.* Gostar muito [*int.* +*por*: "A Titi pela-se por religião..." (Eça de Queirós, *A relíquia*)] **5** *Gír.* Roubar os pertences (de alguém); DEPENAR [*td*.: *Pelaram os turistas no ônibus*.] [▶ **1 pelar** As formas (eu) *pelo*, (tu) *pelas*, (ele) *pela* são grafadas com acento agudo.] [F.: *pele + -ar²*. Hom./Par.: *pela(s)* (fl.), *pela(s)* sf. [pl.]); *pele(s)* (fl.), *pele(s)* (sf. [pl.]); *pelaria(s)* (fl.), *pelaria(s)* (sf. [pl.]); *pela(s)* (fl.); *pela(s)* (pl. de *pelo*); *pelo* (fl.), *pelo* (prep.); *pelo* (fl.), *pelo* (sm.).]

pelargônio (pe.lar.*gô*.ni.o) *sm. Bot.* Nome comum às plantas do gên. *Pelargonium*, da fam. das geraniáceas, originárias de regiões tropicais, com flores ger. vistosas, cultivadas como ornamentais, e que se assemelham aos verdadeiros gerânios; GERÂNIO

pelasgos (pe.*las*.gos) *smpl.* Primitivos habitantes da Pelásgia, antigo nome da região onde hoje se encontram a Grécia e a Itália, que ali viveram no séc. XII a. C [F.: Do lat. *pelasgi, orum*.]

pele (*pe*.le) *sf.* **1** *Anat.* Membrana mais ou menos espessa que reveste o corpo do homem e dos animais vertebrados **2** *Pop.* Epiderme **3** Cútis, tez **4** *Fig.* A própria pessoa: *defender a pele*. **5** A pele (1) curtida de um animal; COURO: *bolsa de pele de cobra*. **6** A pele (1) de um animal separada do corpo (us. como agasalho ou enfeite de peças do vestuário) **7** Casca de certos frutos e legumes **8** Pelanca (1) **9** Partes tendinosas que se encontram nas carnes comestíveis; PELANCA **10** Odre (1) *s2g.* **11** *Bras.* Pessoa que é alvo de troça ou gozação [F.: Do lat. *pellis, is*. Hom./Par.: *pele* (sf.), *pele* (fl. de *pelar*). Ideia de 'pele': *dermat(o)- (dermatite); -derme (paquiderme)*.] ■ **Arriscar a ~** Enfrentar riscos na realização de algo **Cair na ~ de** *Bras. Pop.* Zombar de, caçoar de **Cortar na ~ de** Criticar, falar mal de (alguém); difamar; tosar na pele de **Estar na ~ de** *Fig.* Estar na situação ou condição de **~ anserina** **1** *Med.* Pele que se tornou rugosa devido a doença **2** Pele arrepiada em virtude de frio, medo etc. **~ da unha** Pedacinho de pele rija, em volta de uma unha; cutícula [Diz-se tb. *pelinha*.] **~ e osso** Muito magro (diz-se de pessoa ou de animal) **Salvar a ~** **1** *Bras.* Evitar ou livrar-se de encargos, responsabilidades etc. **2** Evitar ou livrar-se de castigo, censura, agressão, represália etc. **Sentir na (própria) ~** Vivenciar como experiência própria (atitude, sensação, sentimento etc.): *Só compreendeu realmente o que é ingratidão quando a sentiu na (própria) pele*. **Tirar a ~ a/de** Espoliar (alguém), explorar, defraudar ao máximo **Tosar na ~ de** Ver *Cortar na pele de*

peleador (pe.le.a.*dor*) [ô] *sm. RS SC* Brigão, rusguento, pelejador: "Por ser peleador inquieto/com sonho não se conforma, /pega a ilusão e a transforma/em algo lindo e concreto." (Paulo de Freitas Mendonça, "Entre flores e espinhos") [F.: Do espn. plat. *peleador*.]

pelear (pe.le.*ar*) *v. int.* **1** *RS SC* Lutar, combater, pelejar **2** Teimar, insistir, porfiar [▶ **13 pelear**] [F.: Do espn. *pelear*. Hom./Par.: *peleia(s)* (fl.), *peleia(s)* (sf. [pl.]).]

pelebreu (pe.le.*breu*) *sm. CE PI* Pinto sem penas: "...mandando logo a mulher lhe dar um pelebreu assado ou uma galinha cozida, morria de fome." (José Helder de Souza, *A mistela que comeu o Padre Verdeixa*) [F.: De origem obscura.]

◎ **pelec(i)-** *el. comp.* = 'machado': *pelecípode* (lat. cient.), *pelecoide* [F.: Do gr. *pélekys, eos*.]

pelecípode (pe.le.*cí*.po.de) *Malac. sm.* **1** Espécime dos pelecípodes, classe de moluscos cujo corpo mole é protegido por uma concha rígida com duas valvas calcárias; são as ostras, os mariscos e os mexilhões *a2g.* **2** Ref. ou pertencente aos pelecípodes [F.: Adaptação do lat. cient. *Pelecypoda*.]

pelecoide (pe.le.*cói*.de) *a2g.* Em forma de machado [F.: *pelec(i)- + -oide*.]

pelega (pe.*le*.ga) [ê] *sf. Bras. Antq.* Papel-moeda, nota de dinheiro [F.: De *pelego*.]

pelegada (pe.le.*ga*.da) *sf.* **1** Porção de pelegos (1) (peles de carneiro ou de ovelha com lã) **2** *Pej.* Porção de pelegos (2) (agentes do governo que atuam nos sindicatos dos trabalhadores): "Submetidos às pressões patronais, têm suas demissões simplesmente abonadas pelos sindicatos controlados pela pelegada." (Carlos Freitas, "Obrigatoriedade do diploma..." *in Observatório da Imprensa 11.10.2005*)

pelego (pe.*le*.go) [ê] *sm.* **1** *Bras.* Pele de carneiro com a lã (us. sobre a montaria, como tapete etc.) **2** *Bras. Pej.* Sindicalista cooptado por órgãos patronais ou do governo **3** *Bras. Fig. Pej.* Pessoa servil; CAPACHO [Col. nas acps. 1, 2 e 3: *pelegada*.] **4** *RS* Passo errado nas danças gaúchas [F.: Do espn. *pellejo*.]

peleguismo (pe.le.*guis*.mo) *sm.* Atitude ou ato de pelego (2 e 3) [F.: *pelego + -ismo*.]

peleia (pe.*lei*.a) *RS SC sf.* **1** Briga, contenda, luta **2** Batalha, combate. peleja [F.: Do espn. *pelea*. Hom./Par.: *peleia(s)* (sf. [pl.]), *peleia(s)* (fl. de *pelear*).]

peleja (pe.*le*.ja) [ê] *sf.* **1** Luta, combate, batalha **2** Trabalho, lida **3** Disputa esportiva; JOGO: "...o entusiasmo da peleja com bola de meia." (Marques Rebelo, *Contos reunidos*) **4** *Bras. Mús.* Disputa musical; DESAFIO [F.: Dev. de *pelejar*. Hom./Par.: *peleja(s)* (sf. [pl.]), *peleja(s)* (fl. de *pelejar*).]

pelejado (pe.le.*ja*.do) *a.* Que é resultado de peleja; DISPUTADO; BATALHADO [F.: Part. de *pelejar*.]

pelejador (pe.le.ja.*dor*) [ô] *a.* **1** Que peleja, combate, luta **2** Que trabalha muito; BATALHADOR; LUTADOR **3** Que é dado a brigas; BRIGÃO *sm.* **4** Indivíduo pelejador [F.: *pelejar + -dor*.]

pelejar (pe.le.*jar*) *v.* **1** *Bras.* Esforçar-se por; insistir, teimar (em algo ou com alguém) [*tr.* +*com, para*: *Pelejou com o pai para que a deixasse viajar*.] **2** Sustentar verbalmente (um ponto de vista); combater (ideia, opinião); lutar por ou contra; DISCUTIR [*tr.* +*contra, por*: *pelejar contra uma ideia*.] [*int*.: *Os dois palestrantes pelejaram horas a fio*.] **3** Participar de (combate, luta); LUTAR [*int. /ta*.: *O bom soldado peleja em qualquer guerra*.] [*td*.: *pelejar uma guerra estrangeira*.] **4** *Bras. Pop.* Trabalhar muito, sem descanso [*int*.: *Pelejaram a vida inteira e não têm direito a aposentadoria*.] **5** *Bras.* Insistir, teimar [*td.* +*com*: *Pelejou com o guarda para que o dispensasse da multa*.] [▶ **1 pelejar**] [F.: *pelo + -ejar*. Hom./Par.: *peleja(s)* (fl.), *peleja(s)* (sf. [pl.]).]

pelerina (pe.le.*ri*.na) *sf.* Ver *pelerine*

pelerine (pe.le.*ri*.ne) *Vest. sf.* **1** Capa rodada, sem mangas, de tecido grosso, que cobre os ombros e desce até os joelhos **2** Pequeno manto que cobre somente parte das costas e do peito [F.: Do fr. *pèlerine*. Tb. *pelerina*.]

pélete (*pé*.le.te) *sm.* Ver *pellet*

peleteiro (pe.le.*tei*.ro) *sm.* Indivíduo que prepara e/ou comercializa peles; PELEIRO [F.: Calcado no fr. *pelletier*.]

peleteria (pe.le.te.*ri*.a) *sf. Bras.* Firma que confecciona artigos de pele animal ou que vende peles [F.: Do fr. *pelleterie*.]

peletização (pe.le.ti.za.*ção*) *sf.* Operação de moldagem na qual partículas finamente divididas são aglomeradas em forma de grânulos ou peletes: *Após a peletização, as sementes são levadas para a secagem*. [F.: *peletizar + -ção*. Ing. *pelletization*.]

peletizar (pe.le.ti.*zar*) *v.* Converter em péletes ou em algo compacto como os péletes [▶ **1 peletizar**] [F.: Do ing. *pellet + -izar*.]

pele-vermelha (pe.le-ver.*me*.lha) *s2g.* **1** Indígena norte-americano [Tb. us. como adj.: *índios peles-vermelhas*.] *a2g.* **2** Ref. ou pertencente aos peles-vermelhas [Pl.: *peles-vermelhas*.]

pelica (pe.*li*.ca) *sf.* Pele fina de animal, esp. cabra ou ovelha, curtida e preparada para confecção de sapatos, luvas, bolsas etc. [F.: *pel(e)* + o fem. de *-ico¹*.]

peliça (pe.*li*.ça) *sf.* Roupa ou colcha feita de peles com pelos finos e macios: "...cuidar dos capotes e peliças... na noite do baile..." (Antônio Callado, *Reflexos do baile*) [F.: Do lat. tardio *pellicia*.]

pelicanídeo (pe.li.ca.*ní*.de.o) *Ornit. a.* **1** Relativo a, ou pertencente aos pelicanídeos *sm.* **2** Espécime dos pelicanídeos [F.: *pelicano + -ídeo*.]

pelicano (pe.li.*ca*.no) *sm.* **1** *Zool.* Denominação comum às aves aquáticas da fam. dos pelecanídeos, do gên. *Pelecanus*, encontradas na África, Ásia, Europa, Austrália e Américas, de grande porte, com bico largo e desenvolvido, pescoço longo e uma grande bolsa por baixo do bico para armazenar peixes **2** *Od.* Instrumento recurvado numa das extremidades, que serve para arrancar dentes [F.: Do lat. *pelecanus*, do gr. *pelekán, ânos*.]

pelico (pe.*li*.co) *sm.* **1** *Antq.* Traje pastoril feito de pele de carneiro **2** *Pop.* Secundinas [F.: *pel(e) + -ico¹*.]

película (pe.*lí*.cu.la) *sf.* **1** Pele ou membrana muito fina **2** Camada pouco espessa: *Passou uma película de geleia sobre o pão*. **3** Filme cinematográfico [F.: Do lat. *pellicula, ae*.]

pelintra (pe.*lin*.tra) *a2g.* **1** Diz-se de quem é pobre e mal-vestido mas pretende fazer-se admirar **2** Que não se envergonha de seus atos condenáveis; SEM-VERGONHA **3** Que é afetado no trajar; PERALTA *s2g.* **4** Indivíduo pelintra [F.: De or. obsc. Hom./Par.: *pelintra* (a2g. s2g.), *pelintra* (fl. de *pelintrar*).]

pelintragem (pe.lin.tra.*gem*) *sf.* **1** Hábitos, modos, comportamento de pelintra: "A única pelintragem, adequada ao seu mister, que apresentava, consistia em trazer o cabelo ensopado de óleo e repartido no alto da cabeça, dividido muito exatamente ao meio – a famosa 'pastinha'." (Lima Barreto, *Clara dos Anjos*) **2** Conjunto, agrupamento de pelintras [F.: *pelintra + -agem*.]

pelintrar (pe.lin.*trar*) *v. td. int.* Transformar(-se) em pelintra (malvestido, maltrapilho) [▶ **1 pelintrar**] [F.: *pelintra + -ar*. Hom./Par.: *pelintra(s)* (fl.), *pelintra(s)* (a2g. s2g.); *pelintr aria(s)* (fl.), *pelintraria* (sf. [pl.]).]

⊕ **pellet** (*Ing.* /*pêlit*/) *sm.* **1** *Farm.* Espécie de comprimido sólido e esférico ou redondo us. como remédio ou alimento: *A absorção de substâncias implantadas sob a pele (sob forma sólida de pellet) ocorre lentamente ao longo de semanas ou meses; Ração completa, com 21% de proteína verdadeira e alta energia, na forma peletizada com partículas resultantes de extrusão incorporadas ao pellet, rica em aminoácidos*. **2** *Min.* Pequena bola de partículas prensadas de minério de ferro: *Na hipótese de mudança de destinação do minério de ferro e do "pellet", o ICMS suspenso na forma do inciso I, será pago pelo estabelecimento remetente*. [F.: Do ing. *pellet* fr. antigo *pelote*, lat. vulg. **pilota* dim. do lat. clás. *pila, ae* 'bola'.]

pelo (pe.lo) [ê] **1** Contr. da prep. *per* com o art. def. *o*, com o sentido de 'junto de', 'através de', 'à margem de': *Fomos pela estrada de terra*. **2** Contr. da prep. *por* com o pr. dem. *o*, com o sentido de 'por aquilo': *Pelo que disseram, o goleiro é muito bom*. [Hom./Par.: *pelo(s)* (contr. [pl.]), *pelo(s)* (sm. [pl.]), *pelo* (fl. de *pelar*).]

pelo (*pe*.lo) *sm.* **1** *Anat.* Filamento (cabelo, penugem, cílio, pestana) que nasce em certas partes da pele do corpo do homem e dos mamíferos em geral **2** *Anat. Zool.* Qualquer filamento que cresça na cutícula ou epiderme dos invertebrados que seja semelhante aos pelos dos mamíferos; PELAGEM: *o pelo do gato/do cão*. **3** *Bot.* Cada filamento que recobre parte ou partes de um vegetal: *os pelos da urtiga*. [F.: Do lat. *pilus, i*, do gr. *pilos*. Hom./Par.: *pelo(s)* (sm. [pl.]), *pelo(s)* (contr. [pl.]), *pelo* (fl. de *pelar*). Ideia de 'pelo': *pil(i/o)- (piloso)*.] ■ **Coçar o ~** Surrar, espancar, sovar **Dar ~** **1** *MG Pop.* Deixar-se montar (cavalgadura) em pelo **2** *Fig.* Deixar-se usar, explorar, por complacência, indulgência, pusilanimidade etc. **Em ~** **1** Nu **2** *Bras.* Sem sela ou arreios (diz-se de montaria) **Ir ao ~ a** Espancar; coçar o pelo **Manso de em ~** *RS* Que se deixa montar em pelo (cavalgadura) **Nu em ~** *Bras. Fam.* Totalmente despido **~ capitado** *Bot.* Ver *Pelo glanduloso* **~ glandular** *Bot.* Pelo cujo ápice constitui-se de uma ou mais células secretoras, e que pode não ter a aparência de um pelo **~ glanduloso** *Bot.* Pelo que apresenta na extremidade um pequena esfera que contém líquido segregado por ele; pelo capitado **~ malpighiáceo** *Bot.* Pelo formado por dois ramos horizontais dispostos numa base curta **~ radicular** *Bot.* Pelo absorvente próximo ao ápice da raiz de uma planta **~ tapado** *RS* Pelagem de cavalo de cor uniforme e não clara **Ter ~** *Pop.* Ser atrevido, ousado **Ter ~s no coração** Ser impiedoso, não ter pena ou compaixão **Viajar de ~ a ~** *RS* Fazer longo percurso montado sem mudar de montaria **Vir a ~** Vir à baila, vir a propósito

pelo-sinal (pe.lo-si.*nal*) *sm.* **1** *Rel.* Oração da religião católica que, enquanto recitada é acompanhada de três sinais da cruz feitos respectivamente na testa, na boca e no coração **2** *Bras.* Gênero de poesia popular e oral em que o último verso de cada quadra é um fragmento da oração pelo-sinal: *Os pelos-sinais são comuns em todo o Brasil*. [Pl.: *pelos-sinais*.] [F.: Substantivação do sintagma *"pelo sinal"* com que se inicia a referida oração.]

peloso (pe.*lo*.so) [ô] *a.* O mesmo que *peludo*: "Tem pernas, braços e peitos muito pelosos, mas de pelo algodoado e felpudo." (Gonçalves Dias, *O Brasil e Oceania*) [Pl.: [ó]. Fem.: [ó].] [F.: Do lat. *pilosus, a, um*.]

pelota (pe.*lo*.ta) *sf.* **1** Pela pequena **2** *Bras.* Bola de futebol: "Agilíssimo no tratamento da pelota, tornara-se... atacante do Olímpico Atlético Clube..." (Marques Rebelo, *Contos reunidos*) **3** Pequena bola de qualquer material (pelota de neve/de barro); BOLINHA; BOLOTA **4** *Bras. S Vulg.* Testículo **5** *Cir.* Instrumento ou parte de instrumento que serve para fazer compressão **6** Almofada de funda herniária **7** Almofada para alisar o pelo dos chapéus depois de engomados [Dim.: *pelotilha*.] [F.: Do espn. *pelota*. Hom./Par.: *pelota(s)* (sf. [pl.]), *pilota(s)* (fl. de *pilotar*).] ■ **~ basca** *Esp.* Jogo para dois ou quatro participantes, que, por meio de uma espécie de pá estreita e curva, arremessam uma bola de encontro a uma parede à sua frente, tentando alcançá-la quando rebatida pela parede, e, ao rebater, tirá-la do alcance do(s) adversário(s) **Dar/não dar ~ a/para** *Bras. Gír.* Dar/não dar importância a (algo ou alguém); demonstrar/não demonstrar interesse por (algo ou alguém); prestar/não prestar atenção a (algo ou alguém); dar/não dar bola a/para

pelotaço (pe.lo.*ta*.ço) *sm. Bras. Fut.* Chute forte [F.: *pelot(a)* + *-aço*.]

pelotão (pe.lo.*tão*) *sm.* **1** *Mil.* Divisão de uma companhia de soldados **2** *Fig.* Grupo de pessoas agindo juntas (pelotão de fotógrafos/de atletas) [Pl.: *-tões*.] [F.: Do fr. *peloton*.]

pelote[1] (pe.lo.te) *sm.* **1** Pequena pelota, bolinha: "Nosso planeta não passa de 'um pelote de poeira que dá voltas em torno de uma vulgar estrela situada no rincão mais remoto de uma obscura galáxia' – como dizia o astrônomo Carl Sagan." (Cecília Prado, "Desafio nos céus") **2** Pelote (1) feito de fios (de lã, algodão, linha etc.) enrolados [F.: Do fr. *pelote*.]

pelote[2] (pe.*lo*.te) *sm.* **1** *Ant. Vest.* Antigo casaco sem mangas para homens, us. por baixo da capa: "Com uma cota de malha vestida por baixo do pelote e da capa e com o meu punhal na cinta..." (Alexandre Herculano, *O monge de Císter*) **2** *Ant. Vest.* Roupa feminina curta [F.: *pele* + *-ote*.] ■ **Em ~** Completamente despido; nu em pelo

peloterapia (pe.lo.te.ra.*pi*.a) *sf.* Tratamento de doenças em que se usam terras ou lamas medicinais [F.: Do rad. grego *pel(o)*- 'lama, argila' + *-terapia*.]

peloterápico (pe.lo.te.*rá*.pi.co) *a.* Que diz respeito ou inerente a peloterapia [F.: *peloterap(ia)* + *-ico*.]

pelotiqueiro (pe.lo.ti.*quei*.ro) *sm.* **1** Destro em fazer peloticas; que é hábil, ligeiro com as mãos para iludir ou enganar os demais; MÁGICO; PRESTIDIGITADOR **2** O mesmo que *malabarista*: "...ele próprio admirou-se da agilidade do pelotiqueiro, cujas mãos ele nem via, tal a velocidade com que Justino manuseava as pelóticas." (Zélia Scorza Pires, "Estórias que ensinam") [F.: *pelotica* + *-eiro*.]

pelotização (pe.lo.ti.za.*ção*) *sf. Metal.* Processo de aglomeração de fragmentos ultrafinos de minério de ferro não utilizáveis na produção de ferro primário, que gera um produto em forma de pelota, de qualidade superior para usinas siderúrgicas: *A empresa pretende instalar uma nova usina de pelotização.* [Pl.: *-ções*.] [F.: *pelota* + *-izar* + *-ção*.]

pelourada (pe.lou.*ra*.da) *sf. Antq.* Tiro ou sequência de tiros de pelouro: "...Luís Coutinho... deu-lhe combate de uma forma tão feliz que lhe partiu o mastro do traquete com uma pelourada e enviou o corsário inglês para a Inglaterra." (Alexandre Monteiro, *O naufrágio da nau Chagas*) [F.: *pelouro* + *-ada*.]

pelourinho (pe.lou.*ri*.nho) *sm.* **1** Coluna em lugar público onde criminosos e escravos eram expostos e castigados **2** Essa coluna, us. para nela se afixarem avisos, convocações, editais etc., esp. os dos pelouros municipais [F.: Do fr. *pilori*, posv. do lat. medv. *pilorium*.]

pelouro (pe.*lou*.ro) *sm.* **1** Cada uma das comissões em que se divide o poder legislativo municipal em Portugal: *pelouro da juventude da câmara municipal.* **2** *Antq.* Bala de metal com que se carregavam muitas das antigas armas de fogo: *Com a projeção de um pelouro de ferro com cerca de 7,7 quilos de peso... partiu o mastro do traquete com uma pelourada.* [F.: Talvez de **peroulo*, dim. moçárabe do lat. *petra*, segundo Corominas.]

⊕ **pelouse** (*Fr.* /pelúz/) *sf.* Gramado: "A conversa que reproduzimos decorreu num quintal da Rua da Vale (na Lisboa que resistiu ao terramoto mas não resiste à incúria dos homens) onde pontifica o verde cru das heras, o verde frágil da *pelouse* e o farfalhar da folhagem das árvores à leve passagem da brisa da tarde." (Júlio Pomar, *"Remador contra a maré"*); *Esse artigo nacional foi visto por um cronista no chapéu de uma senhora brasileira na 'pelouse' de um hipódromo de Paris.*

pelúcia (pe.*lú*.ci.a) *sf.* **1** Tecido de seda, lã etc. aveludado e felpudo em uma das faces **2** Pelos, pelugem [F.: Adaptação do it. *peluzzo*, do lat. medv. *pellutium*.]

peludo (pe.*lu*.do) *a.* **1** Que tem pelos em abundância; coberto de pelos (mamute peludo; orelhas peludas) **2** *Fig.* Desconfiado, acanhado, tímido **3** *Bras.* Que tem muita sorte; SORTUDO **4** Diz-se do animal que não é de raça **5** *AM* Irritadiço *sm.* **6** Pileque, porre: *tomar um peludo.* **7** *RS* Servente de circo **8** *RS Zool.* Tatupeba [F.: *pelo* + *-udo*.] ■ **Tirar um ~** *Bras. RS* Retirar a muito custo um veículo de um atoleiro ou buraco onde as suas rodas ficaram presas [Cf. (nesta acp.): *peludear*.]

pelugem (pe.*lu*.gem) *sf.* Conjunto de pelos que cobrem a face ou a pele [Pl.: *-gens*.] [F.: *pêl(o)* + *-ugem*.]

pelve (*pel*.ve) *sf. sf2n. Anat.* Cavidade óssea formada pela união do ilíaco, do sacro e do cóccix; BACIA [F.: Do lat. *pelvis, is*, Ideia de 'pelve': *pelv(i)-*. Tb, *pélvis*.]

◎ **pelv(i)-** *el. comp.* = 'bacia'; 'pelve': *pelviano, pélvico, pelviforme, pelvimetria* [F.: Do lat. *pelvis, is*, 'bacia metálica para lavar os pés'.]

pelviano (pel.vi.*a*.no) *Anat. a.* O mesmo que *pélvico* [F.: *pelv(i)-* + *-ano*[1].]

pélvico (*pél*.vi.co) *a. Anat.* Da ou ref. à pelve; PELVIANO [F.: *pelv(i)-* + *-ico*[2].]

pelviforme (pel.vi.*for*.me) *a2g.* Que tem forma de bacia ou taça [F.: *pelv(i)-* + *-forme*.]

pelvimetria (pel.vi.me.*tri*.a) *sf. Anat.* Medição das diferentes partes da pelve e de sua capacidade [F.: *pelv(i)-* + *-metria*[1].]

pélvis (*pél*.vis) *sf2n. Anat.* Ver *pelve*

pemba (*pem*.ba) *sf.* **1** *Bras. Umb.* Bastão de giz com cola, usado para riscar pontos (sinais mágicos) que identificam a linha vibratória de cada entidade **2** *Ang.* Caulim com que os curandeiros riscam ou marcam o que deve ser protegido dos maus espíritos **3** *Ang.* Ato de feiticeiro ou curandeiro; FEITIÇO **4** *Bras. Vulg.* O pênis [F.: Do bântu.]

pena[1] (*pe*.na) *sf.* **1** *Anat. Zool.* Estrutura complexa e ceratinizada que recobre o corpo das aves **2** Tubo de pena (1) de algumas aves com que se escreve depois de aparado **3** Peça metálica bicuda que se encaixa numa caneta para escrever *Lus.*; APARO **4** *Fig.* Profissão de escritor **5** *Fig.* Estilo e maneira de escrever: *uma pena ferina.* **6** Parte espalmada da bigorna [F.: Do lat. *penna, ae*. Hom./Par.: *pena(s)* (sf. [pl.]), *pena(s)* (fl. de *penar*). Ideia de 'pena': *pen(i)- (peniforme)*; *plum(i)- (plumagem)*.] ■ **Ao correr da ~** De improviso (ao escrever), registrando as ideias à medida que e na forma com que ocorrem **Pegar na ~** Começar a escrever **~ de ouro** Escritor ou jornalista talentoso, que escreve bem, com belo estilo **Uma ~** De muito pouco peso, muito leve (coisa ou pessoa)

pena[2] (*pe*.na) *sf.* **1** Castigo aplicado à pessoa que cometeu qualquer espécie de falta; PENALIDADE; PUNIÇÃO **2** Lástima: *É uma pena você não poder vir.* **3** Compaixão, dó: *Estou com muita pena dela.* **4** Desgosto, tristeza, pesar [F.: Do lat. *poena, ae*, do gr. *poine*.] ■ **A duras ~s** Com grande esforço, com muita dificuldade **~ acessória** *Bras. Jur.* Aquela que se aplica em consequência da aplicação da pena principal **~ capital** *Jur.* Aquela que condena o réu à morte; pena de morte; pena última **~ de morte** *Jur.* Ver *Pena capital* **~ de talião** **1** *Ant. Jur.* Antiga pena que impunha ao réu o mesmo dano que ele causara à sua vítima **2** A aplicação dessa pena [Tb. apenas *talião*.] **~ infamante** *Jur.* Pena que não envolve a integralidade ou disponibilidade física do condenado, e apenas sua honra pessoal [Como cassação de mandato ou de direitos políticos, banimento de corporação etc.] **~ mortal** Ver *Pena capital* **~ última** Ver *Pena capital* **Poucas ~s** Os poucos (ou inexistentes) pontos de interesse de algo **Rico de ~ e bico** Diz-se de quem, sem ser rico, pretende passar por sê-lo **Sob ~ de** **1** Sujeito à pena de **2** Com o risco de ficar sujeito a, a ser penalizado com **Valer a ~** Ser compensador, valer o esforço, o sacrifício

penação (pe.na.*ção*) *sf.* Ato de penar, sofrer, sacrificar-se: *O islamismo também reconhece a penação de Cristo antes de ser crucificado.* [Pl.: *-ções*.] [F.: *penar* + *-ção*.]

penacho (pe.*na*.cho) *sm.* **1** Conjunto de penas us. como enfeite para a cabeça, para chapéus, capacetes etc. **2** *Anat. Zool.* Topete de penas; CRISTA **3** *Arq.* Porção triangular da abóbada que sustenta a volta de uma cúpula **4** *Fig.* Governo, mando, direção **5** *Antq.* Ostentação, alarde [F.: Do it. *pennacchio*, do lat. tardio *pinnaculum*.] ■ **Perder o ~** Ser desprovido daquilo que suscitava vaidade, que era motivo de orgulho **Ter o ~ de** Ter a petulância, o atrevimento de; atrever-se a

pé na cova (*pé*naco.va) *s2g.* **1** *Bras. Joc.* Pessoa envelhecida, doente, de aspecto cadavérico **2** *Ant.* Antigo abono concedido aos trabalhos assalariados com mais de 30 anos de serviço, requerido ao Instituto Nacional de Previdência Social (hoje Instituto Nacional de Seguro Social), para que permanecessem em serviço [Pl.: *pés na cova*.]

penada (pe.*na*.da) *sf.* **1** Traço de pena de escrever **2** Palavra ou conjunto de palavras escritas **3** *Fig.* Opinião, palpite: *Adora dar penadas sobre qualquer assunto.* [F.: *pena*[1] + *-ada*[2].] ■ **Com uma ~** Ver *De uma penada* **Dar uma ~ por** Intervir em favor de: *Deu uma penada por João, e o delegado mandou soltá-lo imediatamente.* **De/em uma ~** **1** Com a simples assinatura de um documento oficial: *Resolveu o problema do déficit em uma penada.* [Us. em geral para contrastar a simplicidade do ato da assinatura ou redação do documento com a amplitude ou eficácia dos seus efeitos.] **2** *Fig.* De forma resumida (ao escrever ou registrar algo)

penado[1] (pe.*na*.do) *a.* **1** Que está penando, sofrendo (alma penada) *sm.* **2** Pessoa que está penando, sofrendo: "Ficou gente por fora ouvindo o homem... gemendo como um penado." (José Lins do Rego, *Pedra Bonita*) [F.: Part. de *penar*.]

penado[2] (pe.*na*.do) *a.* **1** Dotado ou provido de penas **2** *Bot.* Diz-se de folha composta cujos folíolos se inserem ao longo de um pecíolo comum, semelhante a uma pena **3** *Bot.* Diz-se de nervação foliar com uma única nervura primária da qual as demais partem [F.: *pen(i)-* + *-ado*[1].]

penafidelense (pe.na.fi.de.*len*.se) *s2g.* **1** Indivíduo nascido ou que vive em Penafiel (Portugal) *a2g.* **2** De Penafiel; típico dessa cidade ou de seu povo [F.: Do top. *Penafiel* + *-ense*.]

penafiel (pe.na.fi.*el*) *sm.* Dança e ária popular do norte de Portugal [F.: Do top. *Penafiel*.]

penal (pe.*nal*) *a2g.* Ref. a penas judiciais ou a leis punitivas (código penal) [Pl.: *-nais*.] [F.: Do lat. *poenalis, e*. Hom./Par.: *penais* (pl.), *penais* (fl. de *penar*).]

penalidade (pe.na.li.*da*.de) *sf.* Punição imposta por lei; PENA [F.: *penal* + *-(i)dade*.] ■ **~ máxima** *Fut.* Pênalti

penalista (pe.na.*lis*.ta) *s2g.* Especialista em direito penal; CRIMINALISTA [Tb. us. como adj.: *advogado penalista*.] [F.: *penal* + *-ista*.]

penalização (pe.na.li.za.*ção*) *sf.* **1** *Jur.* Aplicação de pena ou penalidade **2** *Fig.* Perda, prejuízo: *A inflação inevitavelmente impõe uma penalização aos assalariados.* [Pl.: *-ções*.] [F.: *penalizar* + *-ção*.]

penalizado (pe.na.li.*za*.do) *a.* **1** A que se impôs pena ou penalidade; PUNIDO **2** Que sente pena, tristeza; PESAROSO: "Todo mundo que passava ficava penalizado de ver aquela situação." (Antônio Callado, *Entre o deus e a vasilha*) [F.: Part. de *penalizar*.]

penalizar (pe.na.li.*zar*) *v.* **1** Provocar ou sentir pena ou pesar; PUNGIR; CONDOER [*td.*: *Seu sofrimento me penaliza.*] [*int.*: *O casal penalizou-se pela morte do amigo.*] **2** *Jur.* Aplicar pena ou penalidade a; APENAR: *A população não pode ser penalizada por uma infração que não cometeu.* [*td.*] **3** *Bras. Fig.* Causar prejuízo ou perda a; GRAVAR; ONERAR [*td.*: *A tributação excessiva penaliza o povo.*] [▶ 1 penalizar] [F.: *penal*[2] + *-izar*.]

penalizável (pe.na.li.*zá*.vel) *a2g.* Que pode ser penalizado, suscetível de penalização: *Cometeram um ato que foi julgado nocivo e penalizável pela justiça.* [F.: *penalizar* + *-vel*.]

penalogia (pe.na.lo.*gi*.a) *sf.* Forma não preferencial de *penologia*

penalógico (pe.na.*ló*.gi.co) *a.* Forma não preferencial de *penológico*

penalogista (pe.na.lo.*gis*.ta) *s2g.* Forma não preferencial de *penologista*

pênalti (*pê*.nal.ti) *Fut. sm.* **1** Falta em jogador dentro da grande área, punida com chute direto na direção do gol, a 10m de distância, cobrado por um adversário; penalidade máxima **2** Esse chute [F.: Do ing. *penalty*.]

penar (pe.*nar*) *v.* **1** Sofrer (pena ou padecimento); PADECER [*td.*: *Fiquei anos penando a sua ausência.*] [*int.*: *Certas pessoas nasceram para penar.*] **2** Pagar (por falta cometida); EXPIAR; PURGAR [*td.*: *penar os pecados.*] **3** Causar dor ou pena a; fazer sofrer; DESGOSTAR [*td.*] [▶ 1 penar] *sm.* **4** Sofrimento físico ou moral; PADECIMENTO: "Você vai pagar e é dobrado/ Cada lágrima rolada/ Nesse meu penar" (Francisco Buarque de Holanda, *Apesar de você*) [F.: *pena*[2] + *-ar*[2]. Hom./Par.: *pena(s)* (fl.), *pena(s)* (sf. [pl.]); *penais* (fl.), *penais* (pl. de *penal*); *penes* (fl.), *pênis* (sm2n.); *penar*, *pinar* (em várias fl.).]

penaroso (pe.na.*ro*.so) [ô] *a. Lus. RS* Que faz sentir pena ou piedade; PUNGENTE; PESAROSO: "...e tal qual como uma pessoa penarosa, que gosta de estar sozinha, assim o carreteiro ganhou o mato." (João Simões Lopes Neto, *O boi velho*) [Pl.: [ó]. Fem.: [ó].] [F.: De **penar*, – (por *pena*) + *-oso*, talvez por influência de *pesaroso*.]

penates (pe.*na*.tes) *smpl.* **1** Na antiga Roma, espíritos protetores (da casa ou do Estado) **2** A família, a casa dos pais: "Pensei no meu jardim e quintal... como um homem caseiro e amigo dos seus lares e penates..." (Antônio Callado, *O baile*) [F.: Do lat. *Penates, ium* ou *um*.]

penca (*pen*.ca) *sf.* **1** Conjunto de frutos ou flores presos a uma única haste **2** *Fig.* Grande quantidade: *Tomou uma penca de remédios.* **3** *Bras.* Conjunto de balangandãs: *Pendurou uma penca de prata na cabeceira da cama.* **4** *Pop.* Nariz grande **5** *RS* Corrida de cavalos com três ou mais participantes [F.: De or. obsc.] ■ **Às ~s** *Pop.* Ver *Em penca* **Em ~** *Pop.* Em grande quantidade: *Havia gente em penca no comício.* **~ de chaves** Conjunto de chaves presas em argola ou chaveiro

pence (*pen*.ce) *sf.* Pequena prega do avesso e que vai estreitando até desaparecer, para melhor moldar ou para ajustar uma roupa: *Depois de fechar a pence camuflada no decote, recortei o molde separando as partes.* [F.: Do *fr. pince*.]

pencenê (pen.ce.*nê*) *sm.* Ver *pincenê*

⊕ **pendant** (*Fr.* /pãdã/) *sm.* **1** Par de pinturas, esculturas ou de quaisquer outras manifestações do gênero as quais, ger. com as mesmas medidas e formato, executadas sob o mesmo tema e em sequência, formam um todo ou conjunto: "Difícil entender por que a *Folha* não deu o "pendant" das fotos que mostram o executivo Edward Fine no dia do atentado, cheio de pó." (Bernardo Ajzemberg, "Ombudsman folha") **2** Par, parceria, simetria: "O texto que com esse faz pendant, 'O elixir do pajé', é dotado de menos enredo e, vez por outra, de mais verve satírica." (Paulo Franchetti, "O riso romântico")

pendão (pen.*dão*) *sm.* **1** Bandeira, estandarte **2** Bandeira que se leva na frente de tropas ou de procissões; GUIÃO **3** Insígnia, símbolo de um ideal, uma causa, um grupo etc.: *levantar o pendão da revolta.* **4** Inflorescência do milho [Pl.: *-dões*.] [F.: Do espn. *pendón*, do fr. ant. *penon*.]

pendência (pen.*dên*.ci.a) *sf.* **1** Questão ainda não resolvida **2** Disputa, contenda, litígio **3** Tempo durante o qual uma questão judicial fica pendente [F.: *pender* + *-ência*. Hom./Par.: *pendência* (sf.), *pendencia* (fl. de *pendenciar*).]

pendenga (pen.*den*.ga) *Bras. Pop. sf.* **1** Pendência, conflito, briga **2** Discussão exaltada; BATE-BOCA [F.: De *pendência*.]

pendente (pen.*den*.te) *a2g.* **1** Que pende, que está pendurado ou suspenso **2** Que está inclinado (cabeça pendente)

3 Que ainda não foi resolvido, feito, pago etc. (dívida pendente) 4 Que está prestes a acontecer; IMINENTE 5 Dependente: *O início das obras está pendente da liberação de verbas.* 6 Com tendência para; PROPENSO *sm.* 7 Brinco que pende da orelha *sf.* 8 *RS* Declive, vertente [F.: Do lat. *pendens, entis.*]

pendentif (*Fr. /pãdãtif/*) *sm.* Pingente preso a uma corrente ou cordão que se usa com um colar

pender (pen.*der*) *v.* 1 Encontrar-se pendurado ou suspenso (em) [*int.* /*ta.*: *Um lustre de cristal pendia (do teto) iluminando o salão.*] 2 Estar ou fazer ficar vergado, inclinado [*td.* /*tda.*: *O vento pendia o limoeiro (para o chão).*] [*int.*: *A Torre de Pisa sempre pendeu; Carregados de frutos, os galhos pendiam.*] 3 *Fig.* Ter tendência ou inclinação para [*tr.* +*para*: *Esse rapaz pende para a pintura.*] 4 Estar na dependência de; DEPENDER [*tr.* +*de*: *O bom resultado pendia de nossos esforços.*] 5 Estar disposto, meio resolvido a; TENDER [*tr.* +*a*: *Pendo a crer que os convites não chegarão a tempo.*] 6 Estar para cair, para se desprender do alto: *Uma chuva pende do céu escuro; os frutos maduros pendem das mangueiras.* 7 Estar atento e muito interessado: *Todos pendiam das palavras do capitão.* [▶ 2 pender Part.: *pendido* e *penso*.] [F.: Do lat. *pendere.*]

pendido (pen.*di*.do) *a.* 1 Pendurado, suspenso 2 Vergado, inclinado: "As árvores pendidas, com as ramagens derreadas, miravam-se na água." (Coelho Neto, *Água de Juventa*) [F.: Part. de *pender.*]

pendoado (pen.do.*a*.do) *a.* Carregado de pendão: "...fazia gosto ver, pelo mês de Maria, o milharal pendoado cheio de espigas louras." (Ferreira Itajuba, "O São João Antigo") [F.: Part. de *pendoar.*]

pendor (pen.*dor*) [ô] *sm.* 1 Jeito que se tem para algo (pendor artístico); INCLINAÇÃO; TENDÊNCIA 2 Declive, encosta, vertente [Col.: *pendorada.*] [F.: *pender* + *-or.*]

pen-drive (*Ing. /pen-dráiv/*) *sm.* 1 *Inf.* Unidade de armazenamento portátil que grava e lê informações e cujo formato lembra o de uma caneta 2 *Inf.* Unidade de armazenamento portátil de pequenas dimensões, que ger. se conecta a computador via USB

pêndula (*pên*.du.la) *sf.* 1 *Antq.* Relógio de pêndulo: "Quando me sentei aqui, ouviam-se as pancadas da pêndula, ouviam-se muito bem. Seria conveniente dar corda ao relógio." (Graciliano Ramos, *São Bernardo*) 2 Pêndulo de relógio [F. De *pêndulo.*] ■ **~ astronômica** *Astron.* Relógio astronômico regulado pela oscilação de um pêndulo **~ de mercúrio** *Astron.* Relógio de pêndulo no qual um depósito de mercúrio substitui a ação do peso do pêndulo, o que permite compensar variações no comprimento de sua haste **~ horizontal** *Geofís.* Instrumento inventado em 1831, que permitiu observações confiáveis de movimentos tectônicos e de deformação do solo, e das elevações e abaixamentos da crosta terrestre sob a força de atração do Sol e da Lua (marés terrestres)

pendular[1] (pen.du.*lar*) *a2g.* 1 Próprio de pêndulo (movimento pendular) 2 Que oscila; OSCILANTE; OSCILATÓRIO [F.: *pêndulo* + *-ar*[2].]

pendular[2] (pen.du.*lar*) *v. td. int.* Fazer oscilar ou oscilar como um pêndulo (1, 2) [▶ 1 pendular] [F.: *pêndulo* + *-ar*[2]. Hom./Par.: *pendula(s)* (fl.), *pendula(s)* (sf. [pl.]); *pendulo* (fl.), *pêndulo* (sm.).]

pêndulo (*pên*.du.lo) *sm.* 1 Corpo pesado, suspenso a um fio ou haste metálica e que oscila livremente pela ação da gravidade 2 Disco metálico preso à extremidade de uma haste que oscila com intervalos iguais, marcando e regulando o movimento do mecanismo do relógio 3 *Fig.* Coisa que se faz ou sucede com intervalos regulares *a.* 4 Que está pendente (ramos pêndulos) [F.: Do lat. *pendulus, a, um.* Hom./Par.: *pêndulo* (a. sm.), *pendulo* (fl. de *pendular*).] ■ **~ balístico** *Fís.* Pêndulo de grande inércia, us. para medir a velocidade de projéteis que o atingem **~ cicloidal** *Fís.* Pêndulo no qual um corpo suspenso oscila descrevendo arcos de cicloide **~ composto** *Fís.* Aquele formado por corpo suspenso que oscila em torno de um eixo horizontal que não passa pelo centro de gravidade do corpo; pêndulo físico **~ de Foucault** *Fís.* Pêndulo projetado em 1851 pelo físico Léon Foucault, para demonstrar, pela rotação gradativa do plano vertical de oscilação do pêndulo, a rotação da Terra em torno de seu eixo **~ esférico** *Fís.* Aquele formado por um corpo que oscila sobre uma superfície esférica **~ físico** *Fís.* Ver *Pêndulo composto* **~ ideal** *Fís.* Ver *Pêndulo simples* **~ simples** *Fís.* Pêndulo formado por um ponto material, ou um corpo que o represente (como uma pequena esfera), suspenso por um fio inextensível e de massa nula ou desprezível, que oscila num plano vertical; pêndulo ideal

pendura (pen.*du*.ra) *sf.* 1 Ação ou resultado de pendurar 2 *Bras. Pop.* Compra fiada 3 Coisa pendurada: *uma pendura de uvas.* [F.: Dev. de *pendurar.* Hom./Par.: *pendura(s)* (sf. [pl.]), *pendura(s)* (fl. de *pendurar*).] ■ **Na ~** *Bras. Pop.* Sem dinheiro; a/sem nenhum; na pindaíba

pendurado (pen.du.*ra*.do) *a.* 1 Preso por uma parte em um ponto elevado; PENDENTE; SUSPENSO: *Quadro de avisos pendurado na parede.* 2 Descaído, caído: *Seus olhos pendurados não deixavam dúvida: ela morria de sono.* 3 Endividado: *Compre a prazo e você ficará eternamente pendurado.* [F.: Part. de *pendurar.*]

pendurar (pen.du.*rar*) *v.* 1 Pôr ou fixar (algo) acima do chão [*td.*: *Pendure a toalha para secar.*] [*tda.*: *Pendurou a roupa no varal.*] 2 Estar pendente [*ta.*: *Uma enorme gaiola de arame pendurava-se do teto.*] 3 Ficar suspenso; suspender-se [*tda.*: *O menino gosta de se pendurar nos galhos.*] 4 Estar colocado a grande altura sobre um plano vertical ou inclinado [*ta.*: "Sintra pendura-se pela montanha entre lençóis de águas-vivas..." (Alexandre Herculano, *Arras por foro de Espanha*)] 5 *Bras. Pop.* Dar como garantia, caução; EMPENHAR; PENHORAR [*td.*: *Desempregada, teve de pendurar as joias.*] 6 *Bras.* Deixar de pagar ou comprar fiado [*td.*: *Pendurou as compras.*] 7 *Bras.* Não largar, ficar muito tempo em [*ta.*: *Pendurou-se no telefone horas a fio.*] 8 Adicionar, apor (elementos) a [*tdr.* +*a*: *Pendurou emendas ao projeto original.*] 9 Aposentar (usado com elemento que indique a profissão) [*td.*: *A bailarina pendurou as sapatilhas; O goleiro pendurou as chuteiras; O juiz pendurou a toga.*] 10 *Fig.* Deixar em posição dependente [*td.*: "O equívoco liberou o volante Hernandes para a partida contra o líder do Grupo 1 e pendurou o meia Duda, que agora tem dois cartões amarelos." (*Jornal de Piracicaba online*, 08.08.05)] [▶ 1 pendurar] [F.: Do lat. medv. **pendulare.* Hom./Par.: *pendura(s)* (fl.), *pendura(s)* (sf. s2g. [pl.]); *pendurais* (fl.), *pendurais* (pl. *pendural* [sm.]); *penduro* (fl.), *penduro* (sm.). Ant. ger.: *despendurar.*]

penduricalho (pen.du.ri.*ca*.lho) *sm.* 1 Ornato pendente de cordão ou pulseira; BERLOQUE; PINGENTE 2 Objeto pendente us. como enfeite 3 *Joc.* Condecoração (militar ou honorífica) [F.: De *pendurar.*]

pen(e)- *el. comp.* = quase: *península, penumbra.* [F.: Do lat. *paene.*]

penedia (pe.ne.*di*.a) *sf.* 1 Local em que há muitos penedos *sf.* 2 Fraga, rochedo: "...há uma solidariedade que nada pode destruir entre a pedra rolada e a penedia de onde saiu." (Miguel Torga, *O senhor Ventura*) [F.: *pened(o)* + *-ia*[1].]

penedo (pe.*ne*.do) [ê] *sm.* Rocha grande; PENHA; PENHASCO [F.: Do port. ant. *pena*, 'rocha', + *-edo.*]

peneira (pe.*nei*.ra) *sf.* 1 Peça ger. redonda com fundo de tela por onde passa somente a matéria fina ali posta 2 Joeira, crivo 3 *Bras.* Chuva fina; CHUVISCO 4 *Fig.* Seleção, escolha: *Passou na peneira do vestibular.* [F.: De or. obsc. Hom./Par.: *peneira* (sf.), *peneira* (fl. de *peneirar*).]

peneiração (pe.nei.ra.*ção*) *sf.* Ação ou trabalho de peneirar; PENEIRADA; PENEIRAMENTO [Pl.: *-ções.*] [F.: *peneirar* + *-ção.*]

peneirada (pe.nei.*ra*.da) *sf.* 1 O mesmo que *peneiração* 2 O que se peneira de uma vez [F.: *peneirar* + *-ada*[1].]

peneirado (pe.nei.*ra*.do) *a.* 1 Passado pela peneira (farinha peneirada) 2 *Fig.* Que foi escolhido, selecionado dentre outros 3 Que se peneira ou bamboleia (andar peneirado) [F.: Part. de *peneirar.*]

peneiragem (pe.nei.*ra*.gem) *sf.* 1 Operação pela qual se separa a terra do carvão no balão (carvoeira) 2 Operação de peneirar ou de fazer passar por uma peneira: "A purificação do caldo consta de duas operações: peneiragem e clarificação. A primeira visa às impurezas grosseiras do caldo e a segunda, especialmente à eliminação das impurezas coloidais." ("Ideias, negócios") [F.: *peneirar* + *-agem.*]

peneiramento (pe.nei.ra.*men*.to) *sm.* O mesmo que *peneiração* [F.: *peneirar* + *-mento.*]

peneirar (pe.nei.*rar*) *v.* 1 Fazer passar por peneira [*td.*: *peneirar a farinha.*] 2 Agitar na peneira para fazer com que casca, impurezas ou elementos estranhos se separem; COAR [*td.*: *O garimpeiro peneirava o cascalho em busca de pedras preciosas.*] 3 Polvilhar [*tda.*: *Peneire açúcar sobre a massa de torta.*] 4 *Fig.* Selecionar, escolher [*td.*: *A firma peneirava os candidatos.*] 5 *Bras.* Chover miúdo; chuviscar [*td.*: "Em breve, o céu peneirava um chuvisco fino e passageiro." (Aluísio de Azevedo, *O mulato*)] [*int.*: "Iracema dobrou a cabeça sobre a espádua, como a tenra palma da carnaúba, quando a chuva peneira na várzea." (José de Alencar, *Iracema*)] 6 Sustentar-se no ar (aves, esp. as de rapina), batendo as asas [*int.*: *O gavião peneirava sobre o ninho.*] 7 Fazer passar por seleção; tornar mais apurado; BURILAR [*td.*: *O diretor da empresa peneirou os candidatos aos cargos; Peneirou a dissertação antes de digitá-la.*] 8 Mover(-se), bamboleando [*td.*: *A jovem caminhava, peneirando os quadris.*] [*int.*: *A mulata peneirava.*] 9 *Bras. N. E.* Olhar à distância [*td.*: *Na praça, os rapazes peneiravam a entrada das moças.*] [▶ 1 peneirar] [F.: *peneira* + *ar*[2]. Hom./Par.: *peneira(s)* (fl.); *peneira(s)* (sf.); *peneiro* (fl.), *peneiro* (sm.).]

penetra (pe.*ne*.tra) *s2g.* 1 *Bras. Pop.* Pessoa que, sem convite, consegue entrar em festas e cerimônias 2 *Pop.* Pessoa insolente, petulante [F.: Dev. de *penetrar.* Hom./Par.: *penetra(s)* (s2g. [pl.]), *penetra(s)* (fl. de *penetrar*).]

penetrabilidade (pe.ne.tra.bi.li.*da*.de) *sf.* Condição ou caráter de penetrável (penetrabilidade do frio/da lâmina) [Ant.: *impenetrabilidade.*] [F.: *penetrável* + *-(i)dade*, conforme o padrão erudito.]

penetração (pe.ne.tra.*ção*) *sf.* 1 Ação ou resultado de penetrar 2 *Fig.* Sagacidade, perspicácia: "Com que superior penetração nos apresenta a íntima tragédia da idade juvenil desamparada..." (Cecília Meireles, "A alma do adolescente" *in Obra em prosa*) 3 *Restr.* Introdução do pênis durante o ato sexual [Pl.: *-ções.*] [F.: Do lat. *penetratio, onis.*]

penetrado (pe.ne.*tra*.do) *a.* Que sofreu penetração [Ant.: *impenetrado.*] [F.: Part. de *penetrar.*]

penetrador (pe.ne.tra.*dor*) [ô] *a.* O mesmo que *penetrante* [F.: Do lat. *penetrator, oris.*]

penetrante (pe.ne.*tran*.te) *a2g.* 1 Que penetra, entra em algum lugar (espinho penetrante) 2 *Fig.* Muito intenso (diz-se de sensações como dor, frio etc.) 3 *Fig.* Sagaz, perspicaz (inteligência/olhar penetrante) [F.: Do lat. *penetrans, antis.* Sin. ger. (p. us.): *penetrador.*]

penetrar (pe.ne.*trar*) *v.* 1 Adentrar, introduzir-se (em) (tb. *Fig.*) [*td.*: *Os operários penetraram o túnel cuidadosamente.*] [*ta.*: *O contentamento penetrou em seu coração.*] 2 Atravessar, passar pelo meio de [*td.*: *A bala penetrou a parede.*] [*ta.*: *O prego penetrou na madeira.*] 3 Compreender, perceber, perscrutar [*td.*: *penetrar suas intenções.*] [*ta.*: *Nunca consegui penetrar nesse mistério.*] 4 Transpor, invadir [*ta.*: *Os assaltantes penetraram na residência pulando o muro.*] 5 *Pop.* Entrar em (algum lugar) sem ser convidado [*ta.*: *Tentou penetrar na festa porque não conseguiu convite.*] 6 Persuadir-se ou compenetrar-se [*tr.* +*de*: *Primeiro penetrou-se de que estava certo, depois agiu.*] 7 Insinuar-se, atingir [*ta.*: *Uma dúvida penetrou em sua mente.*] [▶ 1 penetrar] [F.: Do lat. *penetrare.* Hom./Par.: *penetra(s)* (fl.), *penetra(s)* (s2g. [pl.]),.]

penetrável (pe.ne.*trá*.vel) *a2g.* Que pode ser penetrado; em que se pode penetrar [Ant.: *impenetrável.*] [Pl.: *-veis.*] [F.: Do lat. *penetrabilis, e.* Hom./Par.: *penetráveis* (pl.), *penetráveis* (fl. de *penetrar*).]

pênfigo (*pên*.fi.go) *sm. Med.* Doença de pele que se caracteriza principalmente pela formação de vesículas de tamanho variável que deixam manchas; PONFÓLIGE [F.: Do lat. cient. *pemphigus* e este do gr. *pémphix, igos* 'sopro, bolha'.] ■ **~ foliáceo** *Derm.* Dermatose crônica que se manifesta na forma de pequenas bolhas na pele, com descamação

pengó (pen.*gó*) *sm.* 1 Indivíduo apalermado, de pouca inteligência 2 Pessoa maltrapilha, malvestida *s2g.* 3 Pessoa capenga, que coxeia ou manqueja *a2g.* 4 Que é capenga, coxo: "Pois aquele sujeito é um desgraçado! Co' aquele jeito assim meio pengó, ele pinta no bairro." (Cornélio Pires, *Cenas e paisagens*) [F.: De origem obscura.]

penha (*pe*.nha) *sf.* Rocha grande, isolada e saliente; PENEDO; PENHASCO [F.: Do espn. *peña.*]

penhascal (pe.nhas.*cal*) *sm.* O mesmo que *penhasqueira* [Pl.: *-cais.*] [F.: *penhasco* + *-al.*]

penhasco (pe.*nhas*.co) *sm.* O mesmo que *penha* [F.: Do espn. *peñasco.*]

penhascoso (pe.nhas.*co*.so) [ô] *a.* Cheio de penhascos [F.: *penhasc(o)* + *-oso.*]

penhasqueira (pe.nhas.*quei*.ra) *sf.* Fileira ou série de penhascos; PENHASCAL [F.: *penhasco* + *-eira.*]

penhoar (pe.nho.*ar*) *sm.* Roupa feminina de uso caseiro, de tecido leve e ger. aberta na frente, que se veste sobre as roupas íntimas ou sobre as de dormir; QUIMONO; ROBE [F.: Do fr. *peignoir.*]

penhor (pe.*nhor*) [ô] *sm.* 1 Objeto, bem móvel ou imóvel que se dá como garantia de pagamento de uma dívida, de um empréstimo 2 *Fig.* Garantia, segurança, prova: "...troquemos penhores de paz: devemos pedir um ao outro uma prova de amor..." (Joaquim Manuel de Macedo, *O moço loiro*) 3 Espécie de jogo popular: "...ou aquele que entregava o corpo e o trabalho como penhor de uma dívida." (Alberto da Costa e Silva, *A manilha e o libambo*) [F.: Do lat. *pignus, orem.* Hom./Par.: *penhores* (pl.), *penhores* (fl. de *penhorar*).]

penhora (pe.*nho*.ra) [ó] *sf.* 1 Ação ou resultado de penhorar 2 Apreensão de bens do devedor judicialmente executado que cubram sua dívida [F.: Dev. de *penhorar.* Hom./Par.: *penhora(s)* (sf. [pl.]), *penhora(s)*, (fl. de *penhorar*).] ■ **~ no rosto dos autos** *Jur.* Aquela que envolve bens do executado em ação pendente em juízo, lavrada no verso da primeira folha dos autos

penhorado (pe.nho.*ra*.do) *a.* 1 Dado em penhor (joia penhorada) 2 *Fig.* Muito agradecido: "...oferece e agradece penhorado, e ainda pede desculpa por alguma contrariedade." (Antônio Callado, *Reflexos do baile*) [F.: Do lat. *pignoratus, a, um.*]

penhorar (pe.nho.*rar*) *v.* 1 Efetuar a penhora de [*td.*: *Como não quitasse a dívida, penhoraram todos os seus móveis.*] 2 Dar como penhor ou garantia de empréstimos [*td.*: *Penhorou carro e joias e conseguiu o dinheiro de que precisava.*] 3 Tornar agradecido ou mostrar-se grato ou reconhecido [*td.*: *A afeição do amigo penhorou-o profundamente.*] [*tr.* +*a*: *Penhorou-se às palavras de consolo que recebeu dos familiares.*] 4 *Fig.* Dizer com certeza; dar como garantia; ASSEGURAR; GARANTIR [*td.*: *O engenheiro penhorou o sucesso do projeto.*] [*tdr.* +*a*: *Penhorou aos filhos que os levaria ao parque.*] [▶ 1 penhorar] [F.: Do lat. *pignorare.* Hom./Par.: *penhora(s)* (fl.), *penhora(s)* (sf. [pl.]); *penhores* (fl.), *penhores* [ô] (pl. de *penhor* [sm.]); *penhoráveis* (fl.), *penhoráveis* (pl. de *penhorável* [a2g.]).]

penhorista (pe.nho.*ris*.ta) *s2g.* 1 Pessoa que tem casa de penhor: *A peça conta a história de uma jovem que empenha objetos e a sua liberdade a um penhorista com o qual se casa; Um dia encontra uma velha, uma penhorista.* *a2g.* 2 De penhores, em que se penhoram objetos: *Fui ao leilão da casa penhorista atrás de um sobretudo de segunda mão.* [F.: *penhor* + *-ista.*]

pen(i)- *el. comp.* = pena[1]: *peniforme.* [F.: Do lat. *penna, ae.*]

pêni (*pê*.ni) *sm.* A centésima parte da libra esterlina, moeda inglesa [F.: Do ing. *penny.* Hom./Par.: *pêni* (sm.), *pene* (fl. de *penar*); *pênis* (pl.), *penes* (fl. de *penar*), *pênis* (sm2n.).]

-penia *el. comp.* = 'deficiência ou diminuição de (certo elemento)'; 'número ou teor (de elemento, substância etc.) abaixo do normal': *calcipenia, caliopenia, eosinopenia, gra-*

nulocitopenia, leucopenia, neutropenia, osteopenia, pancitopenia, trombocitopenia [F.: Do gr. *penía, as*, 'pobreza', 'indigência'.]

peniano (pe.ni:*a*.no) ***a.*** **1** Ref. ao pênis **2** Que é do pênis (artéria peniana) [F.: *pêni(s)-* + *-ano*^{1}.]

penicada (pe.ni.*ca*.da) ***sf.*** **1** Golpe com um penico: "...mal eu tinha dado a primeira penicada na cabeça de um, já apareceu Santo Antônio de um lado e Padre Vieira do outro..." (João Ubaldo Ribeiro, "Os fantasmas da rua do Canal") **2** O conteúdo de um penico [F.: *penico* + *-ada*.]

⊕ **penicil(i)- *el. comp.*** = 'pincel': *peniciliforme, penicilina* (ingl. lat. cient. *Penicillium* lat. *penicillum*) [F.: Do lat. *penicillum* ou *penicillus, i*, 'pincel', dim. do lat. *peniculus, i*, 'escova'.]

peniciliforme (pe.ni.ci.li.*for*.me) ***a2g.*** Em forma de pincel [F.: *penicil(i)-* + *-forme*.]

penicilina (pe.ni.ci.*li*.na) ***sf.*** *Farm.* Designação de um grupo de antibióticos produzidos a partir de várias espécies de fungos dos gêneros *Penicillium* e *Aspergillus*, us. contra várias bactérias (Gram-positivas, quase todas; Gram-negativas, algumas) [F.: Do ingl. *penicillin*, do lat. cient. *Penicillium* (lat. *penicillum* ou *penicillus, i*, 'pincel') + *-in* (ver *-ina*^{2}).]

penico (pe.*ni*.co) ***sm.*** O mesmo que *urinol* [F.: De or. incerta. Hom./Par.: *penico* (sm.), *pinico* (fl. de *pinicar*).] ■ **~ do mundo** *RJ Pop.* Lugar onde há chuvas abundantes **Pedir ~** **1** *Bras. Gír.* Em confronto físico, reconhecer a derrota, pedindo trégua **2** Por covardia ou fraqueza, desistir de competir, de lutar, de enfrentar ou de tentar algo, dando-se por vencido; pedir arrego **3** Estar ou mostrar-se desgastado, sem condições de trabalho ou de funcionamento, quase parando: *Este carro está pedindo penico, não anda mais 1.000 km.*

pênico (*pê*.ni.co) ***sm. a.*** O mesmo que *cartaginês* (1 e 3) [F.: Do lat. *poenicus, a, um*. Hom./Par.: *pênico* (sm. a.), *penico* (sm.).]

peniforme (pe.ni.*for*.me) ***a2g.*** Semelhante a pena^2, na forma [F.: *pen(i)-* + *-forme*.]

península (pe.*nín*.su.la) ***sf.*** Porção de terra rodeada de água pelos lados exceto um, que a une ao continente [F.: Do lat. *peninsula, ae*.]

peninsular (pe.nin.su.*lar*) ***a2g.*** **1** Ref. a península **2** Que nasceu ou vive em uma península (diz-se de pessoa) ***s2g.*** **3** Essa pessoa [F.: *península* + *-ar*^{1}.]

peniqueira (pe.ni.*quei*.ra) ***sf.*** **1** *Pop. Antq.* Espécie de mesinha de cabeceira onde se guardava o penico: "Um aposento largo e forrado de azul e branco com florinhas amarelas fingindo ouro; havia um tapete aos pés da cama, e sobre a peniqueira um despertador de níquel[...]." (Aluísio de Azevedo, *O Cortiço*) **2** *N.E. Pej.* Criada que cuida de quarto [F.: *penico* + *-eira*.]

pênis (*pê*.nis) ***sm2n.*** *Anat.* Órgão sexual masculino [F.: Do lat. *penis, is*. Hom./Par.: *pênis* (sm2n.), *pênis* (pl. de *pêni*).]

penitência (pe.ni.*tên*.ci:a) ***sf.*** **1** Arrependimento, remorso por erro, falta ou crime cometido **2** Expiação, punição ou castigo recebido por esse erro, falta ou crime: "Não obstante, continuavam a subir, como se fosse penitência, devagarinho, cara no chão" (Machado de Assis, *Esaú e Jacó*) **3** *Rel.* Entre os católicos, sacramento que consiste na declaração voluntária de pecados ao sacerdote e na absolvição do pecador; CONFISSÃO **4** *Rel.* A pena imposta pelo sacerdote ao confessando, ao absolvê-lo dos pecados **5** *Fig.* Grande sofrimento ou tormento [F.: Do lat. *poenitentia, ae*.]

penitenciado (pe.ni.ten.ci.*a*.do) ***a.*** **1** Diz-se de pessoa a quem se impôs penitência ***sm.*** **2** Essa pessoa [F.: Part. de *penitenciar*.]

penitencial (pe.ni.ten.ci.*al*) ***a2g.*** Ref. a, ou próprio de penitência (romaria penitencial); PENITENCIÁRIO [Pl.: *-ais*.] [F.: Do lat. *poenitentialis, e*.]

penitenciar (pe.ni.ten.ci.*ar*) ***v.*** **1** Impor penitência (a) ou fazer penitência [***td.***: *Penitenciou-o pelo erro cometido; Penitenciou-se com orações e sacrifício.*] **2** Expiar, pagar ou lamentar-se de (crime, pecado etc.) [***td.***: *Durante muitos anos, o médico penitenciou a negligência que mostrara com alguns pacientes.*] [***tr.*** *+de, por*: *Diante dos funcionários, o presidente da empresa penitenciou-se pelas decisões pouco acertadas.*] [▶ 1 penitenciar] [F.: *penitência* + *-ar*^{2}. Hom./Par.: *penitenciaria(s)* (fl.), *penitenciaria(s)* (sf. [pl.]); *penitenciais* (fl.), *penitenciais* (pl. de *penitencial* [a2g. sm.]); *penitenica(s)* (fl.), *penitência(s)* (sf. [pl.]); *penitenciária(s)* (fl.), *penitenciária(s)* (sf. e fem. de *penitenciário* (a. sm.) [pl.]).]

penitenciária (pe.ni.ten.ci:*á*.ri:a) ***sf.*** *Jur.* Prisão oficial em que os condenados pela Justiça cumprem pena [F.: *penitência* + *-ária*.]

penitente (pe.ni.*ten*.te) ***a2g.*** **1** Arrependido **2** Que tem caráter de penitência (caridade penitente) ***s2g.*** **3** Pessoa arrependida de seus pecados **4** Pessoa que cumpre uma penitência (2) [F.: Do lat. *poenitens, entis*.]

⊕ **penny** (*Ing.* /*pêni*/) ***sm.*** Moeda divisionária britânica equivalente à duodécima parte do *shilling* retirada de circulação em 1971

penosa (pe.*no*.sa) ***sf.*** *Pop.* Galinha [F.: Fem. substv. de *penoso*.]

penoso (pe.*no*.so) [ô] ***a.*** **1** Que é causa de dor, sofrimento ou incômodo (tratamento penoso; decisão penosa) **2** Que requer grande esforço ou grande sacrifício (subida penosa) [Pl.: [ó]. Fem.: [ó].] [F.: *pena*^{1} + *-oso*.]

pensação (pen.sa.*ção*) ***sf.*** Ato de pensar, refletir, meditar: "O imaginário e a criatividade de Aloísio demandam investigação... pois com frequência andou ele por duas ou mais vias de ação ou pensação..." (Antônio Houaiss, *Aloísio Magalhães*) [F.: *pensar* + *-ção*.]

pensado (pen.*sa*.do) ***a.*** **1** Que foi objeto de reflexão (gesto pensado) [Ant.: *impensado*.] **2** Que se medicou, cuidou ou tratou convenientemente [F.: Part. de *pensar*.]

pensador (pen.sa.*dor*) [ô] ***a.*** **1** Que pensa, medita ***sm.*** **2** Pessoa que pensa **3** Intelectual que faz (e ger. escreve) reflexões profundas sobre temas de interesse humano, social, político, científico, artístico, religioso etc. [F.: *pensar* + *-dor*.]

pensamento (pen.sa.*men*.to) ***sm.*** **1** Ação ou resultado de pensar **2** Capacidade ou atividade de formular e/ou evocar ideias, juízos, conceitos etc.; REFLEXÃO: *Dedicou o pensamento às questões sociais de seu tempo.* **3** Cada produto dessa atividade mental; IDEIA: *Reuniu num livro seus pensamentos sobre arte contemporânea.* **4** Linha conceitual característica de um intelectual, de um grupo ou de uma época: *Leu tudo sobre o pensamento grego.* **5** Mente, cabeça, maneira de pensar: *Seu pensamento é conservador.* **6** Expressão resumida de uma ideia em forma de frase: *pensamento do dia.* [F.: *pensar* + *-mento*.]

pensante (pen.*san*.te) ***a2g.*** Que pensa: *É a cabeça pensante da quadrilha.* [F.: Do lat. *pensans, antis*.]

pensão (pen.*são*) ***sf.*** **1** Renda que, por direito, alguém recebe periodicamente de indivíduo ou instituição (pensão alimentícia) **2** Hotel familiar, para hóspedes eventuais ou residentes **3** Conjunto de serviços de restaurante incluídos na diária de um hotel (pensão completa) **4** Fornecimento regular de refeições em domicílio [Pl.: *-sões*.] [F.: Do lat. *pensio, onis*.] ■ **~ alimentícia** *Jur.* Pensão (1) que, por decisão judicial ou obrigação legal, alguém deve pagar a outrem para provisão alimentar; pensão de alimentos **~ de alimentos** *Jur.* Ver *Pensão alimentícia* **~ militar** *Jur.* A que deve ser paga a militar reformado ou a seus herdeiros **~ por morte** *Jur.* A que deve ser paga (ger. por sistema previdenciário) a dependente(s) de segurado a partir da morte deste

pensar^1 (pen.*sar*) ***v.*** **1** Elaborar ideias ou raciocínios; MEDITAR; REFLETIR [***td.***: *pensar um novo método de ensino.*] [***tr.*** *+em*: *pensar num assunto.*] [***int.***: *Na Terra, só o ser humano pensa.*] **2** Ter como intenção; COGITAR; TENCIONAR [***td.***: *Pensava estudar hoje.*] **3** Procurar lembrar-se, recordar-se [***tr.*** *+em*: *Vive pensando na terra natal.*] **4** Preocupar-se com [***tr.*** *+em*: *Ele pensa em todos os detalhes.*] **5** Julgar, supor [***td.***: *Pensamos que ele não voltaria.*] **6** Formar imagem mental de; IMAGINAR; PREVER [***td.***: *Nunca pensei que tal me sucedesse.*] **7** Aplicar um penso; fazer um curativo em [***td.***: *pensar um ferimento.*] **8** Ter o mesmo ponto de vista, opinião [***td.***: *Pensamos a mesma coisa que ele.*] [***int.***: *Não penso do mesmo modo que a maioria.*] **9** Tratar convenientemente ou cuidar [***td.***: *pensar um bebê.*] [▶ 1 pensar] [F.: Do lat. *pensare*. Hom./Par.: *penso* (fl.), *penso* (a. sm.); *pensáveis* (fl.), *pensáveis* (pl. de *pensável* [a2g.]); *penseis* (fl), *pênseis* [pl. de *pênsil* [a2g.]).]

pensar^2 (pen.*sar*) ***sm.*** **1** Pensamento, juízo, opinião **2** Prudência, tino, sensatez [F.: Ver *pensar*^{1}.]

pensativo (pen.sa.*ti*.vo) ***a.*** **1** Que pensa, ou que é dado a pensar, a refletir longamente **2** Mergulhado em pensamentos; MEDITATIVO **3** Característico de quem está envolvido em pensamentos (ar pensativo) [F.: *pensar* + *-tivo*.]

pênsil (*pên*.sil) ***a2g.*** **1** Que pende; PENDURADO; SUSPENSO **2** Diz-se de ponte (1) cujo tabuleiro é suspenso por cabos de aço, estes pendentes de longos e grossos cabos apoiados em pilastras de grande altura [Pl.: *-seis*.] [F.: Do lat. *pensilis, e*.]

pensionar (pen.si:o.*nar*) ***v.*** **1** Dar ou pagar pensão (a) [***td.***: *Médicos são condenados a pensionar paciente que ficou em vida vegetativa.*] **2** Estabelecer ou impor pensão ou cargo a [***tdr.*** *+em*: *O fiscal pensionou a fábrica em dois mil reais.*] **3** Sobrecarregar com tarefas, trabalhos [***td.***: *pensionar os empregados.*] [▶ 1 pensionar] [F.: *pensão* sob a f. *pension-* + *-ar*^{2}. Hom./Par.: *pensionaria(s)* (fl.), *pensionária(s)* (fem. de *pensionário* (a. sm. [pl.]).]

pensionário (pen.si:o.*ná*.ri:o) ***a.*** **1** Ref. a pensão ***sm.*** **2** *P. us.* Pessoa que é pensionista (1) do Estado [F.: *pensão* (rad. *pension-*) + *-ário*, seg. o mod. erudito.]

pensionato (pen.si:o.*na*.to) ***sm.*** **1** Internato **2** Instituição que aluga apartamentos esp. para idosos ou mulheres solteiras ou viúvas [F.: *pensão* (rad. *pension-*) + *-ato*^{2}, seg. o mod. erudito.]

pensionista (pen.si:o.*nis*.ta) ***s2g.*** **1** Pessoa que recebe pensão (1), esp. do Estado **2** Pessoa que mora em pensionato **3** Quem recebe pensão alimentícia [F.: *pensão* (rad. *pension-*) + *-ista*, seg. o mod. erudito.]

penso (*pen*.so) ***sm.*** **1** Alimentação, sustento, tratamento etc. de crianças ou de animais **2** Aplicação de remédio para limpeza ou tratamento de feridas, incisões cirúrgicas etc. **3** O mesmo que *curativo* (4) **4** Ração para o gado [F.: Dev. de *pensar*. Hom./Par.: *penso* (sm.), *penso* (fl. de *pensar*).] ■ **~ higiênico** *Angol. Gui. Lus.* Peça absorvente para recolher o fluxo menstrual da mulher; absorvente higiênico/íntimo

◎ **-pent-** *Quím.* Nomenclatura dos elementos transférmicos(qv) presença do dígito 5 no número atômico do elemento; UNILPÊNTIO

◎ **pent(a)- *el. comp.*** = 'cinco'; 'cinco vezes'; 'cinco elementos': *pentacampeão, pentacampeonato, pentáculo* (lat.), *pentadáctilo, pentadátilo, pentaedro, pentágono, pentagrama, pentassílabo* (lat. gr.), *pentatlo, pentátlon; pentobarbital* [F.: Do gr. *penta -*, do gr. *pénte*.]

penta (*pen*.ta) ***sm.*** *Bras. Pop. Esp.* F. red. de *pentacampeão*

pentacampeão (pen.ta.cam.pe:*ão*) ***a.*** **1** Diz-se de esportista, clube, escola de samba etc. que ganhou cinco vezes um mesmo campeonato ***sm.*** **2** Esse esportista, clube, escola de samba etc. [Pl.: *-ões*. Fem.: *-ã*.] [F.: *pent(a)-* + *campeão*. F. red.: *penta*.]

pentacampeonato (pen.ta.cam.pe:o.*na*.to) ***sm.*** Campeonato vencido pelo mesmo concorrente pela quinta vez, consecutiva ou não [F. red.: *penta*.] [F.: *pent(a)-* + *campeonato*. F. red.: *penta*.]

pentacosaedro (pen.ta.co.sa.*e*.dro) ***sm.*** *Geom.* Poliedro de 25 faces [F.: *pent(a)-* + *(i)cosaedro*.]

pentacoságono (pen.ta.co.*sá*.go.no) ***sm.*** *Geom.* Polígono de 25 lados [F.: *pent(a)-* + *(i)coságono*.]

pentáculo (pen.*tá*.cu.lo) *Oct.* ***sm.*** **1** Símbolo de magia que consiste no traçado contínuo de uma estrela de cinco pontas, dentro da qual se forma um pentágono perfeito, a qual se atribui poderes sobrenaturais **2** Nome dado a diversos talismãs que seguem o traçado mágico de uma estrela de cinco pontas [F.: Do lat. medv. *pentaculum, i*.]

pentadáctilo (pen.ta.*dác*.ti.lo) ***a.*** Ver *pentadátilo*

pentadátilo (pen.ta.*dá*.ti.lo) ***a.*** **1** Que tem cinco dedos **2** *Bot.* Diz-se de folha que se compõe de cinco folíolos [F.: *pent(a)-* + *-dátilo*. Tb. *pentadáctilo*.]

pentadecágono (pen.ta.de.*cá*.go.no) ***sm.*** *Geom.* Polígono de 15 lados [F.: *pent(a)-* + *decágono*.]

pentaedro (pen.ta.*e*.dro) ***sm.*** *Geom.* Poliedro de cinco faces [F.: *pent(a)-* + *-edro*.]

pentágono (pen.*tá*.go.no) ***sm.*** *Geom.* Polígono de cinco lados [F.: *pent(a)-* + *-gono*.]

pentagrama (pen.ta.*gra*.ma) ***sm.*** **1** *Mús.* Grupo de cinco linhas retas paralelas e equidistantes em que se escrevem as notações musicais; PAUTA **2** *Geom.* Figura geométrica regular com a forma de uma estrela de cinco pontas **3** *Oct.* Símbolo formado por cinco sinais ou letras e a que se atribui força mágica [F.: *pent(a)-* + *-grama*.]

pentâmetro (pen.*tâ*.me.tro) *Poét.* ***sm.*** **1** Verso de cinco pés na poesia greco-latina, que de ordinário se usava alternado com o hexâmetro, e se empregava principalmente em elegias ***a.*** **2** Que diz respeito a esse tipo de verso [F.: Do gr. *pentámetros* (*stíkhos*), pelo lat. *pentameter, tra, trum*.] ■ **~ iâmbico** *Poét.* Verso decassílabo com acento tônico nas sílabas pares

pentarquia (pen.tar.*qui*.a) ***sf.*** Governo de cinco chefes [F.: *pent(a)-* + *-arquia*.]

pentassilábico (pen.tas.si.*lá*.bi.co) ***a.*** Pentassílabo (1) [F.: *pentassílabo* + *-ico*^{2}.]

pentassílabo (pen.tas.*sí*.la.bo) ***a.*** **1** Que tem cinco sílabas; PENTASSILÁBICO ***sm.*** **2** Palavra de cinco sílabas **3** *Poét.* Verso de cinco sílabas [F.: Do lat. *pentasyllabus, a, um*.]

pentateuco (pen.ta.*teu*.co) ***sm.*** O conjunto dos cinco primeiros livros do Antigo Testamento, que constituem a *Torá* judaica [Esses livros são: o Gênese, o Êxodo, o Levítico, o Números e o Deuteronômio.] [Com inicial maiúsc.] [F.: Do gr. *pentáteukhos, ou*, pelo lat. *pentateuchus, i*.]

pentatlo (pen.*ta*.tlo) ***sm.*** **1** Entre os antigos gregos, os cinco principais exercícios por eles praticados (corrida, salto, arremesso de disco, lançamento de dardo e luta) **2** *Esp.* Competição esportiva em que os concorrentes praticam cinco diferentes modalidades atléticas [F.: Do gr. *péntathlon, ou*. Tb. *pentátlon*.] ■ **~ moderno** *Esp.* Prova olímpica masculina composta de cinco provas diferentes (300 m nado livre na natação, 4.000 m de corrida rústica no atletismo, 5.000 m com obstáculos em equitação, competição de espada, em esgrima, pistola a 25 m, no tiro ao alvo) disputadas pelo mesmo atleta, cujo resultado é a soma dos resultados de cada prova

pentátlon (pen.*tá*.tlon) ***sm.*** Ver *pentatlo* [Pl.: *-tlons e* (*p. us.*) *-tlones*.]

pentatônico (pen.ta.*tô*.ni.co) *Mús.* ***a.*** **1** Que tem cinco tons (música pentatônica); PENTÁFONO: *A sensual tristeza do 'blues' é sonorizada em solos pentatônicos.* ***sm.*** **2** *Mús.* Sistema acústico que utiliza cinco tons da escala diatônica; ESCALA PENTATÔNICA [F.: *pent(a)-* + *-tônico*.]

pente (*pen*.te) ***sm.*** **1** Instrumento dentado com que se penteiam, ajeitam ou prendem os cabelos **2** Peça em que se encaixam as balas das armas automáticas e que as carrega à medida que se atira **3** Utensílio metálico com o qual os cardadores desenredam a lã **4** Utensílio que as bordadeiras usam para limpar bordados de ponto alto **5** *Zool.* Nos insetos, série de cerdas curtas nas patas ou em qualquer outro segmento **6** *Anat.* Porção anterior da pelve [F.: Do lat. *pecten, inis*.] ■ **~ de balas** Pente (2)

penteadeira (pen.te:a.*dei*.ra) ***sf.*** Móvel com espelho e gavetas, us. pelas mulheres para se pentear e maquiar; TOUCADOR [F.: *pentear* + *-deira*.]

penteado (pen.te.*a*.do) ***a.*** **1** Que se penteou, que tem os cabelos, pelos, franjas etc. ajeitados e arranjados ***sm.*** **2** Arranjo dado aos cabelos, que resulta da ação de penteá-los de dada forma [F.: Part. de *pentear*.]

penteador (pen.te.a.*dor*) [ô] ***a.*** **1** Que penteia ***sm.*** **2** Aquele que penteia; CABELEIREIRO **3** Tecido ou capa que se põe sobre os ombros de quem vai ter cortados ou penteados os cabelos [F.: *pentear* + *-dor*.]

penteadura (pen.te.a.*du*.ra) ***sf.*** Ação ou resultado de pentear(-se) [F.: *pentear* + *-dura*.]

pentear (pen.te.*ar*) ***v.*** **1** Arrumar ou compor com pente ou escova (cabelos de outrem ou de si próprio etc.) [***td.***: *Penteou os cabelos antes de sair; Parou diante do espelho* *para se pentear.*] [*int.*: "Está muito bem, ninguém dirá que é de pessoa que não sabe pentear." (Machado de Assis, *Dom Casmurro*)] **2** Desembaraçar, alisar (pelos, franjas etc.) [*td.*: *pentear as franjas do tapete.*] **3** *Pop.* Preparar-se para alguma coisa; ALMEJAR; ASPIRAR [*tdr.* +*para*: *Penteia-se para ser um bom jogador.*] **4** Tocar a sola da chuteira na bola para ajustá-la ou controlá-la [*td.*: *Antes de bater a falta, o jogador penteou a bola.*] [▶ 13 pentear] [F.: Do v.lat. *pectinare.*]

pentecostal (pen.te.cos.*tal*) *a2g.* **1** Ref. a Pentecostes ou pentecostalismo [Pl.: *-tais.*] *s2g.* **2** Membro ou adepto do pentecostalismo [Pl.: *-tais.*] [F.: Do lat. *pentecostalis, e.*]

pentecostalismo (pen.te.cos.ta.*lis*.mo) *sm. Rel.* Movimento religioso nas Igrejas Reformadas e tb. no catolicismo, caracterizado pela busca de união com o Espírito Santo; PENTECOSTISMO [F.: *pentecostal* + *-ismo.*]

pentecostalista (pen.te.cos.ta.*lis*.ta) *a2g.* **1** Relativo ou pertencente ao pentecostalismo (movimento/sacerdote pentecostalista) *s2g.* **2** Adepto ou simpatizante do pentecostalismo [F.: *pentecostal* + *-ista.*]

pentecoste (pen.te.*cos*.te) *sm.* Ver *pentecostes*

pentecostes (pen.te.*cos*.tes) *Rel. sm.* **1** Festa da Igreja católica, no sétimo domingo após a Páscoa, para celebrar a descida do Espírito Santo sobre os apóstolos **2** Festa judaica (em hebraico *Shavuot*), sete semanas após a Páscoa, que, além do caráter agrícola, celebra o recebimento do Pentateuco (Torá) por Moisés, das mãos de Deus [F.: Do lat. *Pentecoste, es,* 'o 50º dia depois da Páscoa'. Com inicial maiúsc. nas duas acps. Tb. *pentecoste.*]

pentecostismo (pen.te.cos.*tis*.mo) *sm.* O mesmo que *pentecostalismo.* [F.: *Pentecoste* + *-ismo.*]

pente-fino (pen.te-*fi*.no) *sm.* **1** Tipo de pente com dentes finos e muito próximos um do outro **2** *Fig.* Exame rigoroso, para localizar imperfeições, defeitos etc.: *Os auditores fizeram um pente-fino na empresa.* [Pl.: *pentes-finos.*] ■ **Passar um ~ em** *Bras.* Submeter a análise minuciosa e rigorosa

pentelhação (pen.te.lha.*ção*) *sf. Bras. Vulg.* Ação ou resultado de pentelhar; CHATEAÇÃO; ABORRECIMENTO; IMPORTUNAÇÃO [Pl.: *-ções.*] [F.: *pentelhar* + *-ção.*]

pentelhar (pen.te.*lhar*) *v.* **1** *Bras. Vulg.* Causar aborrecimento a; CHATEAR; IMPORTUNAR [*td.*: *Ele ficou pentelhando o amigo até conseguir o que queria.*] [*int.*: *Quando será que esse menino vai crescer e parar de pentelhar?*] **2** Enfurecer, exasperar (por não dar trégua, por perseguir ou ultrajar) [*td.*: *O patrão pentelhava a empregada.*] [*int.*: *Aborrecendo o patrão com suas queixas, a governanta não deixava de pentelhar.*] [▶ 1 pentelhar] [F.: *pentelho* + *-ar*². Hom./Par.: *pentelho* (fl.), *pentelho* (sm.).]

pentelho (pen.*te*.lho) [ê] *Bras. sm.* **1** *Vulg.* Pelo da região pubiana **2** *Gír.* Pessoa desagradável, maçante [Nessa acp., fem.: *pentelha.*] [F.: *pente* + *-elho.* Hom./Par.: *pentelho* (sm.), *pentelho* (fl. de *pentelhar*).]

pentélico (pen.*té*.li.co) *sm.* **1** Célebre mármore oriundo do monte Pentélico, situado a noroeste de Atenas, na Grécia, de alvura leitosa que com o tempo adquire tonalidade castanho-dourada, muito usado na escultura e na arquitetura mais antigas, tornando-se raro o seu uso a partir do séc. IV a. C: "[Virgília] Era dessas figuras talhadas em pentélico, de um lavor nobre, rasgado e puro, tranquilamente bela, como as estátuas, mas não apática nem fria." (Machado de Assis, *Memórias póstumas de Brás Cubas*) *a.* **2** Diz-se desse mármore: "A grande estrutura de mármore pentélico serve só para cobrir as estátuas dos deuses e dos heróis, e as pinturas nacionais das suas muralhas..." (Joaquim Nabuco, "Camões") [F.: Do gr. *pentelikós*, pelo lat. *pentelicus, a, um.*]

⊕ **pentimento** (*It.* /*pen. ti. men. to*/) *sm. Art. Pl.* Aparecimento, em telas, de pinturas ou desenhos feitos anteriormente: "É comum que os restauradores de obras de arte encontrem, por debaixo de uma famosa pintura, uma outra pintura ou desenho feito pelo próprio artista. O pentimento denuncia o arrependimento, o erro inicial, a mudança de ideia do artista." (Tabajara L. de Almeida, "Um pentimento")

◎ **pento-** *el. comp.* Ver *pent(a)-*

pentobarbital (pen.to.bar.bi.*tal*) *sm. Quím.* Barbitúrico sintético ($C_{11}H_{18}N_2O_3$), us. como sedativo, hipnótico e antiespasmódico [Pl.: *-tais.*] [F.: *pento-* + *barbital.*]

pêntodo (*pên*.to.do) *sm.* Válvula eletrônica que possui cinco eletrodos: grade supressora, grade de controle, grade auxiliar, placa e catodo [F.: *pent(a)-* + *-odo.* A melhor f. é *pêntodo*, embora menos us do que *pentodo.*]

penugem (pe.*nu*.gem) *sf.* **1** O conjunto de penas finas e macias que cobrem o corpo das aves, junto à pele **2** Pelo macio e curto **3** Buço [Pl.: *-gens.*] [F.: *pena*² + *-ugem.*]

penugento (pe.nu.*gen*.to) *a.* Cheio de penugem ou cotão: "...É alta, magra, /morena, rosto penugento, dentes alvos, /sinal de nascença junto ao olho esquerdo, /levemente estrábica." (Carlos Drummond de Andrade, *Desaparecimento de Luísa Porto*) [F.: *penug(em)* + *-ento.*]

penúltimo (pe.*núl*.ti.mo) *a.* **1** Que vem imediatamente antes do último *sm.* **2** Quem ou o que vem nessa posição: "Seu retrato era o penúltimo da direita, na segunda fila" (Josué Montello, *Um rosto de menina*) [F.: Do lat. *paenultimus, a, um.*]

penumbra (pe.*num*.bra) *sf.* **1** Ponto de transição entre a luz e a sombra **2** Meia-luz [F.: Do lat. *paene*, 'quase', + lat. *umbra, ae*, 'sombra'. Hom./Par.: *penumbra* (sf.), *penumbra* (fl. de *penumbrar*).]

penumbral (pe.num.*bral*) *a2g.* Que faz surgir penumbra (eclipse penumbral) [F.: *penumbra* + *-al*¹.]

penumbrar (pe.num.*brar*) *v.* Deixar pouco iluminado, à meia-luz; causar penumbra a [*td.*: "Sombras da tarde, sombras vespertinas [...] vão penumbrando as coisas cristalinas..." (Cruz e Sousa, *Luar*)] [*int.*: *A claridade do início da noite foi penumbrando até escurecer.*] [▶ 1 penumbrar] [F.: *penumbra* + *-ar*². Hom./Par.: *penumbra* (fl.), *penumbra* (sf.).]

penumbrento (pe.num.*bren*.to) *a.* **1** Em que existe penumbra (ambiente penumbrento) **2** Ref. a ou próprio de penumbra (tom penumbrento) [F.: *penumbra* + *-ento.*]

penumbrismo (pe.num.*bris*.mo) *sm. Liter.* Estética literária de certos poetas que no início do séc. XX tendiam para uma linha temática de acentuado intimismo [F.: *penumbra* + *-ismo.*]

penumbroso (pe.num.bro.so) [ô] *a.* **1** Imerso em penumbra, com pouca luminosidade (casa penumbrosa; caminho penumbroso) **2** De aspecto triste, melancólico (poesia penumbrosa; canto penumbroso) [Pl.: [ó]. Fem.: [ó].] [F.: *penumbra* + *-oso.*]

penúria (pe.*nú*.ri:a) *sf.* **1** Privação do que é essencial para sobreviver **2** Pobreza extrema, total; MISÉRIA [F.: Do lat. *paenuria, ae.*]

peoa (pe.*o*.a) [ô] *sf.* Ver *peona*

peona (pe:o.na) [ô] *sf.* **1** Aquela que amansa ou conduz animais **2** Aquela que faz serviços braçais **3** Mulher empregada no trabalho rural **4** *Fig. Pop.* Mulher que trabalha muito ou por muito tempo; aquela a quem cabe todo o serviço pesado, difícil de fazer [F.: Fem. de *peão*. Tb. *peoa.*]

peonada (pe:o.*na*.da) *sf.* *S* Agrupamento, grande número de peões²; PEONAGEM [F.: Do espn. platense *peonada.*]

peonagem¹ (pe:o.*na*.gem) *sf.* **1** Pessoas a pé, pedestres **2** Conjunto de soldados de infantaria; peões, infantes [Pl.: *-gens.*] [F.: *peão* + *-agem*², segundo o padrão erudito.]

peonagem² (pe:o.*na*.gem) *sf.* O mesmo que *peonada* [F.: *peão* + *-agem*², segundo o padrão erudito.]

peônia (pe:*ô*.ni:a) *sf.* Planta da família das ranunculáceas: "Tocou no copo de sua vizinha a Luisinha Rojão, toda resplendecente, e mais vermelha que uma peônia." (Eça de Queirós, *A cidade e as serras*) [F.: Do lat. científico *Paeonia.*]

peperômia (pe.pe.*rô*.mi:a) *sf.* Gênero de ervas da fam. das piperáceas de países tropicais cultivadas como plantas ornamentais [F.: Do lat. cient. *peperomia.*]

pepineira¹ (pe.pi.*nei*.ra) *sf.* **1** Terreno semeado ou plantado de pepinos; PEPINAL **2** Planta que dá o pepino; PEPINEIRO **3** Canteiro semeado para obtenção de mudas; SEMENTEIRA; VIVEIRO [F.: *pepino* + *-eira.*]

pepineira² (pe.pi.*nei*.ra) *sf.* **1** Viveiro, canteiro onde se cultivam mudas; SEMENTEIRA **2** *Fig. Pop.* Trabalho ou negócio fácil, rendoso sem exigir muito esforço ou risco; MAMATA; PECHINCHA **3** *Pop.* Brincadeira, farra, pândega, patuscada [F.: Do fr. *pépinière.*]

pepineiro (pe.pi.*nei*.ro) *sm. Bot.* Planta rasteira da fam. das cucurbitáceas (*Cucumis sativus*), natural da Ásia, cujo fruto, o pepino, é rico em água e muito us. na alimentação humana; PENINO [F.: *pepino* + *-eiro.*]

pepino (pe.*pi*.no) *sm.* **1** *Bot.* Fruto do pepineiro, de casca verde, polpa clara, com formato cilíndrico e alongado, comestível cru, em salada ou em conserva **2** *Bot.* O mesmo que *pepineiro* **3** *Fig.* Situação ou problema trabalhoso, embaraçoso ou de difícil solução [F.: Do port. ant. * *pep(om)* (lat. *pepo, onis*) + *-ino*¹, ou do espn. *pepino*, posv.]

pepino-do-mar (pe.pi.no-do-*mar*) *Zool. sm.* Denominação comum aos animais marinhos equinodermos, da classe dos holoturoides, de corpo. ger cilíndrico, com esqueleto de microscópicos ossículos calcários situados na derme e que apresentam grande variedade de formas. Algumas espécies, dessecadas, constituem iguaria da cozinha oriental; HOLOTÚRIA [Pl.: *pepinos-do-mar.*]

pepita (pe.*pi*.ta) *sf.* Fragmento de metal, esp. ouro [F.: Do espn. *pepita.*]

peplo (*pe*.plo) *Vest. sm.* **1** Espécie de túnica ou vestido amplo de tecido leve, sem mangas, preso por fivela a um dos ombros e ajustado à cintura por um cinto, us. pelas mulheres na Grécia antiga; era mais folgado que a clâmide e mais distinto que o pálio **2** Véu branco que se colocava na embarcação que conduzia a estátua de Palas Atena nas panateneias [F.: Do gr. *péplos, ou*; do lat. *peplus, i.*]

◎ **peps(i)-** *el. comp.* = 'digestão': *pepsina* [F.: Do gr. *pépsis, eos*, do v. gr. *pépto*, 'cozinhar'; 'digerir'. F. conexa: *-pepsia* e *pept(o)-*.]

◎ **-pepsia** *el. comp.* = 'função digestiva'; 'digestão': *apepsia* (gr.), *bradipepsia* (gr.), *eupepsia* (gr.), *hiperpepsia* [F.: Do gr. *-pepsis, eos*, do v. gr. *pépto*, 'cozinhar'. F. conexas: *peps(i)-* e *pept(o)-*.]

pepsia (pep.*si*.a) *sf.* O conjunto dos processos da digestão de alimentos [F.: Do gr. *-pepsía, as*, 'digestão', como em *dispepsia, eupepsia* etc.]

péptico (*pép*.ti.co) *a.* **1** Ref. a digestão **2** Ref. a pepsina **3** *Pop.* Que ajuda a digestão [F.: Do gr. *peptikós, é, ón.*]

peptídeo (pep.*tí*.de:o) *Bioq. sm.* **1** Qualquer composto natural ou sintético que contém dois ou mais aminoácidos ligados pelo grupo amina de um e pelo grupo carboxila de outro **2** Proteína de baixo peso molecular [F.: *pept(o)-* + *-ídeo*. Tb.: *peptídio, peptido, péptido.*]

peptídico (pep.*tí*.di.co) *a. Bioq.* Ref. a peptídeo [F.: *peptídeo* + *-ico*².]

◎ **pept(o)-** *el. comp.* = 'cozinhar', 'fermentar', 'digerir': *péptico* (gr.), *peptídeo, peptona* [F.: Do v. gr. *pépto*, 'cozinhar'; 'amadurecer'; 'digerir'. F. conexas: *peps(i)-* e *-pepsia.*]

peptona (pep.*to*.na) *Bioq. sf.* Derivado de proteína solúvel em água resultante da hidrólise parcial de uma proteína por um ácido ou enzima durante a digestão e us. em meio de cultura em bacteriologia [F.: *pept(o)-* + *-ona*².]

pé-quebrado (pé-que.*bra*.do) *sm. Bras. Pop. Liter.* Verso popular, não raro us. em sátiras ou paródias, de rítmica ou métrica irregular [Pl.: *pés-quebrados.*] [As quadras de pé-quebrado ocorrem p. ex. no pelo-sinal, na ave-maria, na salve rainha, no padre-nosso.]

pequena (pe.*que*.na) *sf.* **1** *Bras. Pop.* Garota, moça, mocinha: *Essa pequena promete!* **2** Criança do sexo feminino; MENINA **3** Namorada: "Ela já não é mais a minha pequena." (Jorge Benjor, *Que pena*) [F.: Fem. substv. de *pequeno.*]

pequenez (pe.que.*nez*) [ê] *sf.* **1** Qualidade ou condição de pequeno **2** Tamanho reduzido: "A exiguidade da vida na terra devia dar-nos o sentimento profundo da nossa pequenez..." (Cecília Meireles, *Crônica de viagem 2*) **3** *Fig.* Baixa estatura moral ou intelectual **4** *Fig.* Mesquinharia, baixeza [F.: *pequeno* + *-ez*. Tb. *pequeneza.*]

pequeneza (pe.que.*ne*.za) [ê] *sf.* Ver *pequenez*

pequenininho (pe.que.ni.*ni*.nho) *a. sm.* O mesmo que *pequenino* [F.: *pequenino* + *-inho.*]

pequenino (pe.que.*ni*.no) *a.* **1** Bem pequeno [Ant.: *enorme, imenso.*] *sm.* **2** Menino pequeno: "Estéril, adotara na alma os pequeninos dos senhores." (Coelho Neto, *Inverno em flor*) [F.: *pequeno* + *-ino*¹.]

pequeno (pe.*que*.no) *a.* **1** Com área, volume, extensão, tamanho, valor abaixo da média **2** Não muito intenso (pequeno amor) **3** Vil, reles, mesquinho (pessoa pequena) **4** Modesto (pequeno comerciante) [Superl.: *pequeníssimo, mínimo.*] *sm.* **5** Criança, menino **6** Namorado **7** Filho, criança **8** Pessoa economicamente desfavorecida [M. us. no pl. nas acp. 7 e 8.] [F.: Do lat. vulg. *pitinnus.* Ant. ger.: *grande.*]

pequeno-burguês (pe.que.no-bur.*guês*) *a.* **1** Ref. ou pertencente à pequena burguesia **2** *Pej.* Diz-se de quem tem mentalidade estreita e tacanha, centrada em seus próprios interesses, preconceituosa, presa aos modelos vigentes etc. [Pl.: *pequeno-burgueses.* Fem.: *pequeno-burguesa.*] *sm.* **3** Indivíduo pequeno-burguês (1) [Pl.: *pequeno-burgueses.* Fem.: *pequeno-burguesa.*]

pequenote (pe.que.*no*.te) *a.* **1** Um tanto pequeno: *Os cavalos pularam a cerca, exceto um potro pequenote.* *sm.* **2** Menino um tanto pequeno: "No chão arrasta-se um pequenote de um ano, com uma camisolinha porca amarrada em nós sobre o cóccix." (Raul Pompeia, *Antes e depois*) [F.: *pequeno* + *-ote.*]

pé-quente (pé.*quen*.te) *sm.* **1** *Bras. Pop.* Pessoa que tem sorte ou que traz sorte para outrem, para uma equipe etc. [P. op. a *pé-frio.*] **2** Motorista que anda em alta velocidade, que pisa fundo no acelerador [Pl.: *pés-quentes.*]

pequerrucho (pe.quer.*ru*.cho) *a.* **1** Diz-se de criança que é muito pequena ou de pouca idade *sm.* **2** Essa criança [F.: De um rad. *pequerr-*, alter. de *pequeno*, + *-ucho.*]

pequi (pe.*qui*) *Bot. sm.* **1** Nome comum a árvores da fam. das cariocaráceas, gênero *Caryocar*, de boa madeira e frutos ger. edules **2** Árvore dessa fam. (*Caryocar brasiliense*) de fruto grande, oleaginoso e de polpa alaranjada, us. na fabricação de licor e como condimento **3** O fruto aromático dessa árvore [F.: Do tupi *pe'ki.*]

pequinês (pe.qui.*nês*) *sm.* **1** Pessoa nascida ou que vive em Pequim, capital da China (Ásia) **2** Certa raça de cães felpudos, de pequeno porte *a.* **3** De Pequim; típico dessa cidade ou de seu povo [Pl.: *-neses* [ê]. Fem.: *-nesa* [ê].] [F.: Do top. *Pequim* + *-ês*, seg. o mod. erudito.]

pequizeiro (pe.qui.*zei*.ro) *Bot. sm.* O mesmo que *pequi* (2) [F.: *pequi* + *-zeiro.*]

per [ê] *prep. Antq.* O mesmo que *por* [F.: Do lat. *per.*] ■ **De ~ si** **1** *Antq.* Pessoalmente, individualmente: *Cada aluno, de per si, encarregou-se de uma tarefa.* **2** Em si mesmo, sem considerar as circunstâncias: *Os primeiros resultados, de per si, não são expressão de sucesso ou de fracasso.* **3** Por si só, sem considerar os outros: *O segundo gol, de per si, já valeu o ingresso.*

◎ **per-** *pref.* **1** Através: *perambular.* **2** Duração: *perpétuo* **3** Do início ao fim: *perseguir* **4** Conclusão: *perfazer, perpetrar.* **5** Dispersão: *perquirir.* **6** Desvio, destruição: *perversão.* **7** Intensidade: *perturbar.* [F.: Do lat. *per.*]

pera (*pe*.ra) *sf.* **1** *Bot.* Fruto da pereira de polpa branca, sumarenta e doce **2** Barba cultivada abaixo do ponto central do lábio inferior [Pl.: *peras.*] [F.: Do lat. *pira*, pl. de *pirum, i*, tomado como fem. sing.]

perácido (pe.*rá*.ci.do) *Quím. sm.* Qualquer ácido que contém o grupo peróxido (-O-O-) [F.: *per-* + *ácido.*]

peral (pe.*ral*) *sm.* Plantação de pereiras [Pl.: *-rais.*] [F.: *pêra* + *-al.*]

peralta (pe.*ral*.ta) *a2g.* **1** Levado, saliente, travesso *s2g.* **2** Criança travessa: "insinua aleivosias a respeito de algum peralta da vizinhança" (Ana Maria Machado, *A audácia dessa mulher*) **3** Pessoa afetada no vestir-se e no enfeitar-se [F.: De or. contrv.]

peraltar (pe.ral.*tar*) *v. int.* Levar vida de peralta, travesso: *Se ele continuar peraltando assim, vai tirar meu humor.* [▶ 1 peraltar] [F.: *peralta* + *-ear*².]

peraltice (pe.ral.*ti*.ce) *sf.* **1** Qualidade de peralta **2** Atitude ou comportamento de peralta [F.: *peralta* + *-ice.*]

peralvilho (pe.ral.*vi*.lho) *sm.* Indivíduo afetado, que se veste e age com esmero excessivo; ALMOFADINHA; CAS-

QUILHO; JANOTA [F.: or. obscura. Hom./Par.: *peralvilho* (sm.), *peralvilho* (fl. de *peralvilhar*).]

perambeira (pe.ram.*bei*.ra) *Bras. sf.* O mesmo que *precipício* [F.: De or. incerta.]

perambulação (pe.ram.bu.la.*ção*) *sf.* Ação ou resultado de perambular [Pl.: *-ções.*] [F.: *perambular* + *-ção.*]

perambulagem (pe.ram.bu.*la*.gem) *sf.* O mesmo que *perambulação* [F.: *perambular* + *-agem*[1].]

perambular (pe.ram.bu.*lar*) *v. int. Bras.* Caminhar sem destino; VAGUEAR: *Muitos cães vadios perambulam pelas ruas da cidade.* [▶ 1 perambular] [F.: Do lat. *perambulare.*]

perambulatório (pe.ram.bu.la.*tó*.ri:o) *a. Bras.* Que perambula, em que há perambulação [F.: *perambular* + *-tório.*]

perante (pe.*ran*.te) *prep.* **1** Na presença de; diante de: *É sempre bem-comportado perante o diretor.* **2** Com relação a: *Perante a lei, todos os homens são iguais.* [F.: *per* + *ante.*]

pé-rapado (pé-ra.*pa*.do) *sm. Bras. Pej.* Pessoa de condição social muito baixa; pé-rachado; POBRETÃO: "Pela expressão pé-rapado designam os matutos, o sujeito pobre, o que não tem nada de seu" (Franklin Távora, *Cabeleira*) [Pl.: *pés-rapados.*]

perau (pe.*rau*) *sm.* **1** *RS* Despenhadeiro, declive brusco que dá para um rio **2** *Bras.* Linha inferior da margem onde começa o leito do rio e que, conforme o maior ou menor volume de água, fica coberta ou descoberta **3** *Bras.* Depressão, cova ou buraco que surge subitamente no leito de um rio, lago ou na praia [F.: Do tupi *pe'rau.*]

perborato (per.bo.*ra*.to) *Quím. sm.* Sal que contém o radical BO_3, formado por um borato e peróxido de hidrogênio (p. ex.: perborato de sódio, us. como branqueador) [F.: *per-* + *borato.*]

perca[1] (*per*.ca) [ê] *sf.* **1** O mesmo que (e não preferencial a) *perda* **2** Prejuízo, dano [F.: Regr. de *perder*, pelo rad. *perc-.*]

perca[2] (perca) *Ict. sf.* **1** Gênero e espécie de peixes teleósteos da fam. dos percídeos, de água-doce, de carne muito apreciada (esp. a *Perca fluviatilis*) **2** Espécime desse gênero [F.: Do gr. *pérke*, pelo lat. cient. *Perca.*]

percal (per.*cal*) *sm.* Tecido fino de algodão de trama bem fechada [Pl.: *-cais.*] [F.: Do fr. *percale.*]

percalço (per.*cal*.ço) *sm.* **1** Problema inerente a dada atividade ou estado de coisas **2** Incômodo inerente à profissão, ao ofício **3** Ganho, lucro ou receita eventual [F.: Do lat. **percalceo.*]

percalina (per.ca.*li*.na) *sf.* Tecido de algodão liso, forte e lustroso, us. para encadernação [F.: Do fr. *percaline.*]

⊕ **per capita** (*Lat.* /per cápita/) *loc. a.* **1** Para cada indivíduo **2** *Jur.* Num espólio, diz-se de divisão igualitária em que se divide a herança em tantas partes quantos forem os herdeiros [F.: Do lat. *per capita* 'por cabeça'.]

perceber (per.ce.*ber*) *v. td.* **1** Conhecer através dos sentidos: *Olhou com atenção e percebeu a moça que se aproximava.* **2** Aperceber-se de algo, por meio da inteligência; COMPREENDER; ENTENDER: *Não percebeu o que queríamos dizer.* **3** Dar-se conta de; conhecer por intuição; NOTAR; REPARAR: *Percebi sua insatisfação.* **4** Receber (ordenado, renda etc.): *Muitos empregados percebem salário-mínimo.* [▶ 2 perceber] [F.: Do lat. *percipere.* Hom./Par.: *percebe(s)* (fl.), *percebe(s)* [ê] (sm. [pl.]).]

percebido (per.ce.*bi*.do) *a.* **1** Conhecido pelos sentidos: *presença logo percebida pelos espectadores.* **2** Que foi entendido; COMPREENDIDO: *discurso não percebido em toda a sua extensão.* [F.: Part. de *perceber.*]

percebimento (per.ce.bi.*men*.to) *sm.* Ação de perceber, apercebimento [F.: *perceber* + *-mento.*]

percebível (per.ce.*bí*.vel) *P. us. a.* O mesmo que *perceptível*: "Essa figura estilística, (...) surge em palavras que não indicam manifestação do real e sim abstrações opostas a fenômenos percebíveis pelos sentidos..." (Paulo Rónai, *João Guimarães Rosa: ficção completa*) [Ant.: *impercebível, imperceptível.*] [F.: *perceber* + *-ível.*]

percentagem (per.cen.*ta*.gem) *sf.* Ver *porcentagem* [Pl.: *-gens.*]

percentil (per.cen.*til*) *Est. sm.* **1** Cada um dos 99 valores em que se divide uma série em 100 partes iguais; CENTIL [Pl.: *-tis.*] *a.* **2** Diz-se de cada um desses valores **3** Que diz respeito a percentagem; de percentagem [F.: Do ing. *percentile*, de *per cent* 'por cento'.]

percentual (per.cen.tu.*al*) *a2g.* **1** Que se refere a percentagem; de percentagem *sm.* **2** M. q. *percentagem*: *O percentual de cada uma ainda não havia sido estipulado.* [Pl.: *-ais.*] [F.: Expr. lat. *per centum* + *-al*[1]. Tb. *porcentual.*]

percepção (per.cep.*ção*) *sf.* **1** Ato de perceber **2** Ação de analisar, diagnosticar, avaliar **3** Apreensão pelos sentidos; sensação, senso: "...porque deles não existe uma percepção, esses elementos, essas visões, que são como que a parte objetiva do sonho..." (João Cabral de Melo Neto, *Considerações sobre o poeta dormindo*) **4** Entendimento: *Só agora teve a percepção da gravidade da situação.* **5** Consciência, intuição, esp. moral: *Já tem a percepção do certo e do errado.* **6** *Jur.* Cobrança do que é devido **7** Recebimento de quantia em dinheiro, remuneração [Pl.: *-ções.*] [F.: Do lat. *perceptione(m).* Ideia de 'percepção': *-estesia; anestesi(o)-* ('não percepção pelos sentidos').]

perceptibilidade (per.cep.ti.bi.li.*da*.de) *sf.* **1** Faculdade de perceber: "Só Amélia, com os estiletes da sua perceptibilidade feminina, conseguiu penetrar no âmago daquelas tristezas,..." (Aluísio Azevedo, *Casa de pensão*) **2** Qualidade, condição ou estado do que é perceptível [F.: *perceptível* + *-(i)dade*, segundo o modelo erudito.]

perceptível (per.cep.*tí*.vel) *a2g.* **1** Que se pode perceber; inteligível [+*a, por*: *sons perceptíveis ao ouvido.*] **2** Com capacidade de perceber; PERCEPTIVO [Pl.: *-veis.*] [F.: Do lat. *perceptibile(m).*]

perceptividade (per.cep.ti.vi.*da*.de) *sf.* **1** Qualidade de perceptivo **2** Capacidade de percepção; PERCEPTIBILIDADE [F.: *perceptivo* + *-(i)dade.*]

perceptivo (per.cep.*ti*.vo) *a.* **1** Ref. a percepção (padrão perceptivo) **2** Que tem a virtude ou a capacidade de perceber [F.: Do lat. *percept-* + *-ivo.*]

percepto (per.*cep*.to) *sm.* **1** *Psic.* Conteúdo de uma percepção *a.* **2** *P. us.* Que se percebeu; PERCEBIDO [F.: Do lat. *perceptus, a, um.*]

perceptual (per.cep.tu.*al*) *a.* Ref. ou que envolve a percepção, esp. a percepção imediata: *acuidade perceptual; A resposta perceptual do sinal é a impressão auditiva.* [Pl.: *-ais.*] [F.: *percepto* + *-al*, segundo o modelo erudito.]

percevejo (per.ce.*ve*.jo) [ê] *sm.* **1** *Zool.* Denominação comum à diversas spp. de insetos da ordem dos hemípteros, composta por espécies hematófagas, fitófagas e predadoras **2** Espécie de prego pequeno de cabeça chata e redonda, us. para fixar papel esp. em quadros de aviso; TACHA [F.: De or. obsc.]

percha[1] (*per*.cha) [é] *sf.* **1** Vara de três a quatro a metros de comprimento us. por ginastas **2** *Tec.* Pau em que são colocados os tecidos depois de pisoados para serem cardados **3** *Tec.* Máquina composta de vários tambores revestidos de corda para tornar paralelo o pelo dos estofos **4** *Mar.* Cada uma das molduras que servem de ornamento à proa do navio [F.: Do fr. *perche.*]

percha[2] (*per*.cha) [é] *sf. Bot.* Guta-percha

perciforme (per.ci.*for*.me) *Ict. a.* **1** Ref. aos perciformes, ordem de peixes teleósteos que ocorrem em águas marinhas e doces tropicais e subtropicais, é a mais abundante em espécies, reunidas em numerosas famílias. São os atuns, as percas, as pescadas, o tucunaré etc. *sm.* **2** Qualquer espécime dessa ordem [F.: Do lat. cient. ordem *Perciformes*; de *perca* + *-forme.*]

perclorato (per.clo.*ra*.to) *Quím. sm.* Qualquer sal ou éster do ácido perclórico [F.: *per-* + *clorato.*]

percloreto (per.clo.*re*.to) *Quím. sm.* Cloreto que contém a maior proporção de cloro em qualquer elemento [F.: *per-* + *cloreto.*]

percluso (per.*clu*.so) *a.* Impossibilitado de se locomover, de exercer as funções da locomoção: "Deus terá compaixão da abandonada e da ausente, / erguerá a enferma, e os membros perclusos / já se desatam em forma de busca." (Carlos Drummond de Andrade, *Desaparecimento de Luísa Porto*): "O velho Silvério Taranta, que passou o inverno percluso com o reumático." (Aquilino Ribeiro, *Aldeia*) [F.: Do fr. *perclus.*]

percolação (per.co.la.*ção*) *Quím. sf.* **1** Ação ou resultado de percolar **2** Operação de fazer passar um líquido através de uma substância porosa para dela extrair componentes solúveis, ou de fazê-lo passar por um filtro para purificá-lo **3** *Geol.* Passagem da água através de uma rocha ou do solo de modo que dissolve e remove alguns de seus constituintes e causa erosão interna [F.: Do lat. *percolatio, onis.* Sin. ger.: *lixiviação.*]

percolar (per.co.*lar*) *v.* O mesmo que *lixiviar* [▶ 1 percolar] [F.: Do latim *percolare.*]

percorrer (per.cor.*rer*) *v. td.* **1** Andar ou passar ao longo: *Percorremos todo o litoral uruguaio em dois dias.* **2** Perfazer, completar: *O corredor percorreu o trajeto em duas horas.* **3** Passar a vista sobre (algo): *Percorri o livro em busca da data.* [▶ 2 percorrer] [F.: Do lat. *percurrere.* Ideia de *'percorrer'*, usar pospos. *-âmbulo: preâmbulo, sonâmbulo* etc.]

percuciência (per.cu.ci.*ên*.ci:a) *sf.* Qualidade, caráter de percuciente; PERSPICÁCIA [F.: *percuci (ente)* + *-ência.*]

percuciente (per.cu.ci:*en*.te) *a2g.* **1** Que percute, ou fere: "Um som estrídulo de clarim vibrou percuciente" (Coelho Neto, *Miragem*) **2** Penetrante, profundo (comentário percuciente) [F.: Do lat. *percutiente(m).*]

percurso (per.*cur*.so) *sm.* **1** Ação de percorrer **2** Espaço percorrido: *O percurso de um rio; o percurso de um astro* **3** Caminho, trajetória: "Fui caminhar no calçadão, cumpri garbosamente o percurso habitual..." (João Ubaldo Ribeiro, *O conselheiro come*) [F.: Do lat. *percursu(m).* Ideia de 'percurso': *drom (o)-.*]

percussão (per.cus.*são*) *sf.* **1** Ação ou resultado de percutir **2** Choque resultante da colisão de dois corpos **3** Instrumento ou conjunto de instrumentos que se percutem (p. ex.: o bongô, o tambor etc.) **4** *Med.* Procedimento clínico que consiste em bater numa parte do corpo, ger. com a ponta dos dedos, a fim de apreciar-lhe as variações de sonoridade e por ela deduzir o estado ou os limites dessa parte [Pl.: *-sões.*] [F.: Do lat. *percussione(m).*] ■ **~ imediata** *Med.* Percussão (4) feita apenas com os dedos, sem usar plessímetro **~ mediata** *Med.* Percussão (4) que se faz sobre uma placa chamada plessímetro

percussionista (per.cus.si:o.*nis*.ta) *s2g. Mús.* Quem toca instrumento de percussão [F.: *percussão* (f. rad. *percussion-*) + *-ista.*]

percussivo (per.cus.*si*.vo) *a.* Ref. a percussão (instrumento percussivo) [F.: Do lat. *percussus (-a-um)* + *-ivo.*]

percussor (per.cus.*sor*) [ô] *sm.* **1** *Arm.* Nas armas de fogo, peça que percute a cápsula do projétil para transmitir fogo a sua carga **2** O que percute; PERCUTIDOR *a.* **3** Que percute, que faz percussão (dedo percussor); PERCUTIDOR [F.: Do lat. *percussor, oris.*]

percutâneo (per.cu.*tâ*.ne:o) *a.* **1** Que se realiza através da pele intacta ou por meio de agulha, cateter, sonda etc.: *biópsia percutânea; absorção percutânea de corticosteroides; autoenxerto percutâneo de medula óssea.* **2** Que se introduz na pele (cateter percutâneo, agulha percutânea) [F.: *per-* + *cutâneo.*]

percutente (per.cu.*ten*.te) *a2g.* O mesmo que *percuciente* (granada/análise percutente) [F.: *percutir* + *-ente.*]

percutido (per.cu.*ti*.do) *a.* **1** Batido com força (tambor percutido); TOCADO **2** Que teve repercussão (som percutido) [F.: Part. de *percutir.*]

percutidor (per.cu.ti.*dor*) [ô] *a.* **1** Que percute *sm.* **2** Aquele ou aquilo que percute; PERCUSSOR **3** Haste metálica que provoca a inflamação da carga, ao chocar-se com o fundo da cápsula de um projétil [F.: *percutido* + *-or.*]

percutir (per.cu.*tir*) *v.* **1** Tocar ou bater com força em [*td.*: *A criança percutiu com força os enfeites da mesa e quebrou-os.*] **2** Ter repercussão; REPERCUTIR [*ta.*: *O estampido percutiu por todo o prédio.*] **3** *Mús.* Extrair som de instrumento de percussão [*td.*: *percutir os tambores.*] [▶ 3 percutir] [F.: Do lat. *percutere.*]

percutível (per.cu.*tí*.vel) *a2g.* Que se pode percutir (instrumento musical percutível) [Pl.: *-veis.*] [F.: *percutir* + *-vel.*]

perda (*per*.da) [ê] *sf.* **1** Ação ou resultado de perder(-se); EXTRAVIO; SUMIÇO **2** Privação de alguém ou de algo que se possuía (perda de uma amizade/documentos) **3** Total destruição (perda da colheita/de vidas) **4** Fim da vida, falecimento: *Nunca superou a perda da mãe.* **5** O fato de ser derrotado: *A perda do jogo foi uma surpresa.* **6** Ruína, desgraça, prejuízo **7** decréscimo gradual, diminuição: *Preocupava-se com a perda da audição.* [F.: Do lat. vulg. **perdita.*] ■ **Em pura ~** Com péssimo resultado, o pior possível **~s e danos** *Jur.* Prejuízos no patrimônio ou na renda em consequência de inadimplência, imperícia, conduta inadequada etc. de outrem, passível de indenização **Sem ~ de tempo** Sem demora, sem adiamento, imediatamente

perdão (per.*dão*) *sm.* **1** Livramento de pena, ofensa ou dívida; INDULTO **2** Remissão de culpa (perdão dos pecados) **3** Ação pela qual alguém se livra da obrigação de cumprir um dever por interveniência de quem deveria exigi-lo [Pl.: *-dões.*] *interj.* **4** Expressão us. como pedido de desculpas: *Perdão! Não foi por querer.* [F.: Do lat. medv. *perdonet*, de *perdonare.*]

perdedeira (per.de.*dei*.ra) *Pop. sf.* **1** Aquilo que causa perdas ou que faz perder: *Os perseguidos da má sorte e da perdedeira da vida.* **2** Sucessão de perdas

perdedor (per.de.*dor*) [ô] *a.* **1** Diz-se da pessoa derrotada em uma disputa *sm.* **2** Aquele que perde (choro de perdedor) **3** Quem é frequentemente malsucedido [F.: *perdido* (-*i*- > -*e*-) + *-or.* Ant. ger.: *vencedor.*]

perde-ganha (per.de-*ga*.nha) *sm2n.* **1** Jogo em que aquele que primeiro perde ou que faz menos pontos é o vencedor; ganha-perde **2** Atividade ou competição em que igualmente se ganha e se perde com facilidade [F.: *perder* + *ganhar.*]

perder (per.*der*) *v.* **1** Deixar de possuir ou de ter; ficar sem (algo) [*td.*: *perder um dente; perder dinheiro na bolsa.*] [*tdr.* +*para*: *O país perdeu parte do território para o inimigo.*] **2** Ficar privado da presença de (alguém) por morte [*td.*: *Ela perdeu o marido num acidente de carro.*] [*tdr.* +*para*: *Perdeu o amigo para a violência.*] **3** Não chegar a dar à luz a (um filho) [*td.*: *Ela perdeu o bebê no segundo mês de gravidez.*] **4** Ficar privado do afeto e companhia de (alguém) por afastamento ou rompimento [*td.*: *A bebida o fez perder a mulher.*] [*tdr.* +*para*: *Perdeu o namorado para a colega de faculdade.*] **5** Ficar sem (algo) por extravio ou esquecimento (ger. em lugar ignorado) [*td.*: *Perdi a chave de casa na rua.*] **6** Passar a ter (algo) a menos ou a não ter [*td.*: *Ele está perdendo cabelo.*] **7** *Restr.* Sofrer diminuição em (algo) [*td.*: *Apanhado em flagrante, o marido perdeu a cor; Com tantas paralisações, o trabalho perdeu o ritmo; perder o fôlego; perder energia.*] **8** *Restr.* Passar a ter (tantos quilos) a menos; emagrecer [*td.*: *A atriz perdeu dez quilos com a dieta.*] **9** *Restr.* Ficar sem (dada capacidade ou faculdade) temporária ou definitivamente [*td.*: *perder a memória; perder a fala, a voz; perder a vista; perder a razão, o juízo.* Como perífrases, tais construções muitas vezes podem ser substituídas por verbos: *perder a fala* = emudecer; *perder a vista* = enceguecer; *perder a razão, o juízo* = enlouquecer.] **10** Deixar de ter, de gozar de [*td.*: *Perdeu a saúde depois do acidente.*] **11** Deixar de ter (sensação, necessidade ou condição ou disposição física), temporária ou definitivamente [*td.*: *O nervosismo a fez perder o apetite; Ele nunca perde a fome; Perdeu o equilíbrio e caiu.*] **12** Não sentir ou não ter mais (dado sentimento, disposição moral, psicológica ou afetiva etc.) [*td.*: *A menina perdeu o gosto aos (pelos) estudos; Perdeu o entusiasmo; Perdeu a fé.*] **13** Deixar de contar com (dado conceito, reputação, crédito ou algo a seu favor etc.) [*td.*: *Ele perdeu o conceito no colégio; Com a falência, perdeu o crédito no banco.*] **14** Não fazer proveito de (algo); desperdiçar [*td.*: *perder uma oportunidade.*] **15** Despender (tempo) em (dada ação, situação etc.) [*tdr.* +*em*: *Ele perde muitas noites em suas farras.*] [*td.*: *Perdeu horas arrumando o cabelo.* Está implícito muitas vezes que o tempo foi mal usado ou gasto em algo inútil, ou de modo improdutivo.] **16** Livrar-se ou desfazer-se de (hábito, vício etc.) [*td.*: *Aquele imigrante inglês não perdeu o costume de tomar chá todo dia.*] **17** Não estar presente, não comparecer a (evento, acontecimento, aula etc.) [*td.*: *perder a palestra.*] **18** *Restr.* Deixar de presenciar, de ver e ouvir [**td.:** *Não fui ao concerto de piano e depois soube que perdi um excelente programa.*] **19** *Restr.* Não chegar a tempo para [**td.:** *perder o avião, um encontro.*] **20** Esquecer-se de (conhecimento ou habilidade) [**td.:** *Com a falta de prática, perdi todo meu inglês; Os anos de reclusão o fizeram perder o traquejo social.*] **21** Não saber ou não achar o caminho (certo) para chegar ou sair de algum lugar; não reconhecer ou não conhecer o lugar em que se encontra [**td.:** *Entraram num atalho e acabaram perdendo o caminho de volta para a estrada.*] [**int.:** *Nove jovens se perderam na floresta da Tijuca no último feriado; Perderam-se depois que saíram da avenida principal.*] **22** *Fig.* Ficar atrapalhado, desorientado; ATRAPALHAR-SE; DESORIENTAR-SE **23** Ficar absorvido [**tr.** *+em: Perdeu-se em cogitações.*] **24** Extraviar-se [**int.:** *Uma ovelha se perdeu.*] **25** Desaparecer da vista; SUMIR [**int.:** *O balão perdeu-se nas nuvens.*] **26** Ser vencido ou derrotado em (luta, guerra, batalha, ou disputa, partida, competição, votação etc.) pelo adversário (grupo [nação, país, time, equipe etc.] ou indivíduo) [**td.:** *perder uma batalha.*] [**tr.** *+de, para: O Flamengo não pode perder do Vasco.*] [**tdr.:** *O candidato perdeu a eleição para o adversário.*] [**tr.** *+em: Perdi no videogame*] [**int.:** *Tinha certeza que iria perder, mas ainda assim insistiu na peleja.*] **27** Ficar em posição de desvantagem (em relação a) [**tr.** *+para: As aplicações na poupança perdem para as de renda fixa.*] **28** Ter mau resultado em; sair-se mal em [**td.:** *perder uma aposta; perder uma causa.*] **29** Ter prejuízo ou sofrer dano em [**tr.** *+em: Ele saiu perdendo no negócio.*] **30** Ficar aquém do devido ou esperado em termos de [**td.:** *A empresa carioca perdeu audiência no último ano.*] [**tr.** *+em: Ganhou em representatividade, mas perdeu em qualidade.*] **31** Causar ruína a; não deixar que vingue [**td.:** *A chuva perdeu o trigo.*] **32** *Fig.* Fazer cair ou cair em desgraça, em perdição [**td.:** *O jogo perdeu muita gente.*] [**int.:** *Queria subir na vida e acabou se perdendo numa teia de corrupção.*] **33** *Pop.* Cair na prostituição e/ou no vício [**int.:** *A jovem foi para a cidade grande para tentar a vida, mas se envolveu com más companhias e acabou se perdendo.*] **34** *Fig. P. us.* Gostar demais de (alguém) [**tr.** *+por: O rapaz perde-se pela namorada.*] **35** Deixar (o navio) de ver (terra); afastar-se totalmente da costa [**td.:** *O navio perdeu terra.*] [▶ **24 perder**] [F.: Do v.lat. *perdere*, 'pôr a perder'; 'causar a perda, a ruína de'. Hom./Par.: *perca* [ê] (fl.), *perca* (sf.); *percas* [ê] (fl.), *percas* (pl. do sf.); *percais* (fl.), *percais* (pl. de *percal* [sm.]).] **■ Perdeu** *Bras. Gír.* Ver *Perdeu, perdeu* **Perdeu, perdeu** *Bras. Gír.* Us. por bandidos para anunciar um assalto e para exigir a redenção da vítima sem que esta esboce qualquer reação: "Os criminosos interceptaram o carro aos gritos de 'perdeu, perdeu', que é a forma como parte deles anuncia os assaltos no Rio." (Ancelmo Góis *in O Globo*, 10.08.2003): "O marginal chega para a Costanza Pascolato, por exemplo, e diz: 'Perdeu, perdeu, madame. Pode passar a bolsa'." (*Tribuna da Imprensa online*, 20.01.2006) [Embora funcione como se dissessem (e de modo muito enfático, é claro)"de qualquer forma você já perdeu: ou a bolsa ou o carro ou a vida", essa locução parece advir da reduplicação em discurso coloquial do tipo: 'Quem perdeu, perdeu', como se fosse dito: 'não tem mais jeito, acabou, deixa pra lá', ou seja, 'a única coisa a ser feita é aceitar a derrota'.]

perdição (per.di.*ção*) *sf.* **1** Ação ou resultado de perder(-se); PERDA **2** Condenação da alma às penas do inferno; DANAÇÃO **3** Situação de fracasso; ANIQUILAMENTO; DESGRAÇA: *O excesso de confiança foi a sua perdição.* **4** Falta de moral, de honra: *A descoberta dos seus furtos foi a perdição para a família.* **5** Aquilo que é irresistível: *O chocolate é uma perdição.* [Pl.: *-ções.*] [F.: Do lat. medv. *perditione(m).*]

perdido (per.*di*.do) *a.* **1** Que sumiu ou se extraviou (documento perdido); DESAPARECIDO **2** Que não se pode recuperar (amor perdido) **3** Que não tem esperança de salvação: *Apesar dos esforços, o paciente está perdido.* **4** Esquecido, olvidado (lembranças perdidas): "...fizera com que algum antigo sitiante perdido no tempo batizasse o lugar como Recanto das Águas..." (Ana Maria Machado, *Audácia dessa mulher*) **5** Que tem um comportamento imoral; DEVASSO: *uma mulher perdida.* **6** Que se encontra ou se revela desorientado: *Andava pela casa com o olhar perdido.* **7** Apaixonado, louco de amor: *Totalmente perdido por ela.* **8** Que se encontra em local distante e/ou de difícil acesso: *Mora num lugar perdido no meio do mato.* **9** Disperso, espalhado (sons perdidos) *sm.* **10** Aquilo que se perdeu ou está sumido (achados e perdidos) [F.: Part. de *perder.*] **■ Dar um ~ em (alguém) 1** *Bras. Gír.* Deixar alguém à sua espera e não retornar: *Disse para a namorada que ia ao banheiro, mas deu nele um perdido e só apareceu no dia seguinte.* [Usual entre os adolescentes – esp. os que gostam de balada (qv.) –, a ideia dessa expressão talvez resulte da moda entre os jovens de ficar (12) na mesma noite com várias pessoas diferentes – e de não querer ou não ter jeito para dizer que vai procurar outra pessoa para ficar.] **2** Combinar (encontro ou telefonema) com alguém e não aparecer ou não ligar (ou não atender); dar bolo: "Convidamos o cara do Rio, o nosso vizinho, o lutador de jiu-jitsu e algumas pessoas que conhecemos por lá. (...) O lutador deu um perdido na Clara e o vizinho também não apareceu." (Mônica Martelli, "A guerra do réveillon sem par *in Criativa online*) **3** Usar de ardil ou burlar a atenção de alguém para fazer algo; dar a volta (em alguém): "Eu que fiz a sobremesa (panetone recheado com sorvete). Não deu pra quem quis. Até minha sogra, que é diabética, deu um perdido nas filhas (que a vigiam o tempo todo), provou e aprovou (...)" (Guga Gomes, *Pedreiro construindo uma vida*)

perdigão (per.di.*gão*) *sm.* **1** *Zool.* O macho da perdiz (*Rhynchotus rufescens*) **2** *Zool.* Espécie de codorna **3** *Açor.* Cavalo preto ou avermelhado com manchas brancas [Pl.: *-gões.*] [F.: Posv. do lat. **perdico, ónis.*]

perdigoto (per.di.*go*.to) [ô] *sm.* **1** O filhote da perdiz **2** Gota de saliva arremessada no ato da fala **3** *GO SP* Tipo de chumbo fino para caça [F.: Do lat. vulg. **perdicottus, i.*]

perdigueiro (per.di.*guei*.ro) *a.* **1** Que caça perdizes *sm.* **2** Cão de orelhas largas e pendentes, originalmente empregado na caça de perdizes [F.: Do lat. medv. **perdicarius.*]

perdimento (per.di.*men*.to) *P. us. sm.* **1** Ato ou resultado de perder; PERDA; PERDIÇÃO: "...homem que me obrigava à voluntária pobreza, às injúrias de meus parentes, ao perdimento de um grande patrimônio e da herança de um nome nobre." (Camilo Castelo Branco, *Os brilhantes do brasileiro*) **2** *Jur.* Pena de confisco de bens pelo erário público [F.: *perder* + *-imento.*]

perdível (per.*dí*.vel) *a2g.* **1** Que se pode perder, que está sujeito a perder-se **2** Que é de ganho, lucro ou resultado duvidoso [Pl.: *-veis.*] [F.: *perder* + *-ível.*]

perdiz (per.*diz*) *Zool. sf.* **1** Ave da fam. dos tinamídeos (*Rhynchotus rufescens*), encontrada na Bolívia, Argentina e em áreas campestres do Brasil, de pescoço curto, cabeça pequena, bico forte e plumagem parda com manchas escuras, espécie muito caçada **2** Ave tinamiforme da fam. dos tinamídeos (*Nothura maculosa*); tb. *codornacomum* [Masc.: *perdigão.*] [F.: Do lat. *perdice(m).* Ideia de 'perdiz': *perdic -.*]

perdoado (per.do.*a*.do) *a.* Diz-se de quem ou do que recebeu perdão (pecador/pecado/débito perdoado) [F.: Part. de *perdoar.*]

perdoar (per.do.*ar*) *v.* **1** Conceder perdão a; deixar de punir [**td.:** *perdoar os pecados.*] [**ti.** *+a: perdoar aos inimigos.*] [**int.:** *Quem sabe perdoar é virtuoso.*] [**tdi.** *+a: O chefe perdoou as faltas aos funcionários que trouxeram atestado médico.*] [**tir.:** *Ela nunca se perdoou pela cumplicidade com aquele roubo.*] **2** Pedir perdão; desculpar(-se) [**td.:** *perdoar uma indelicadeza.*] [**tdi.** *+a: Perdoamos ao rapaz a ofensa.*] [**tr.** *+com/por: Ele se perdoou com os amigos por ter chegado atrasado.*] **3** Abrir mão do pagamento de (dívida); deixar de punir (dívida, ofensa etc.) [**td.:** *Perdoei meu pai.*] [**tdi.** *+a: Perdoou ao irmão o pagamento de 100 reais.*] [**int.:** *Agiotas não perdoam.*] [**ti.** *+a: Perdoou ao irmão.*] **4** Tratar com piedade, com clemência; não fazer mal; POUPAR [**td.:** *A morte não perdoa ninguém.*] [**tdr.** *+de: O pai não os perdoou do castigo.*] **5** Ver com bons olhos [**td.:** *Não perdoava a sua escolha profissional.*] [▶ **16 perdoar** NOTA: É normal, no português do Brasil, o uso desse verbo com objeto direto de pessoa.] [F.: Do lat. *perdonare.* Hom./Par.: *perdoe(s)* (fl.), *perdoe(s)* (sf. [pl.]).]

perdoável (per.do:*á*.vel) *a2g.* Que se pode ou deve perdoar (falta perdoável) [Pl.: *-veis.*] [F.: *perdoar* + *-vel.*]

perdulário (per.du.*lá*.ri:o) *a.* **1** Diz-se de pessoa que gasta demais *sm.* **2** Essa pessoa; DISSIPADOR; GASTADOR [Ant.: *usurário.*] [F.: De *perder.* Sin. ger.: *esbanjador, mãoaberta.*]

perdularismo (per.du.la.*ris*.mo) *sm.* Qualidade, caráter ou ação de perdulário (perdularismo da administração pública); PERDULARIDADE [Ant.: *comedimento, economia, parcimônia.*] [F.: *perdulário* + *-ismo.*]

perduração (per.du.ra.*ção*) *sf.* Ação ou resultado de perdurar; longa duração: *É compreensível a perduração de uma obra como D. Quixote.* [Ant.: *efemeridade, impermanência.*] [Pl.: *-ções.*] [F.: *perdurar* + *-ção.*]

perdurante (per.du.ra.*ti*.vo) *P. us. a.* Que perdura; DURADOURO; PROLONGADO [Ant.: *efêmero, fugaz.*] [F.: Do lat. *perdurans, antis.*]

perdurar (per.du.*rar*) *v.* **1** Durar muito, subsistir, permanecer [**int.:** *A democracia só perdura se a sociedade a deseja.*] [**ta.:** *O domínio de Portugal sobre o Brasil perdurou até o século XIX.*] **2** Ser lembrado através dos séculos; permanecer na lembrança [**int.:** *O nome de Ayrton Senna perdurará na lembrança dos brasileiros.*] [▶ **1 perdurar**] [F.: Do lat. *perdurare.*]

perdurável (per.du.*rá*.vel) *a2g.* Que dura ou pode durar muito; DURADOURO; DURÁVEL [Ant.: *efêmero, passageiro*] [Pl.: *-veis.*] [F.: *perdurar* + *-vel.* Hom./Par. *perduráveis* (pl.), *perduráveis* (fl. de *perdurar*).]

pereba (pe.re.ba) [é] *Bras. Pop. sf.* **1** Lesão cutânea **2** Ver *escabiose s2g.* **3** Indivíduo medíocre naquilo que faz, esp. jogador de futebol [F.: Do tupi *pe'rewa.*]

perebento (pe.re.*ben*.to) *a.* Que tem perebas, feridas na pele [F.: *pereba* + *-ento.*]

perecedouro (pe.re.ce.*dou*.ro) *a.* Que vai perecer ou chegar ao fim; MORTAL; MORREDOURO [Ant.: *imperecedouro*] [F.: *perecido* (-i- > -e-) + *-ouro.*]

perecer (pe.re.*cer*) *v. int.* **1** Deixar de viver; MORRER: *Muitos soldados brasileiros pereceram na II Guerra Mundial.* **2** Ter fim; ACABAR-SE: *Suas esperanças pereceram.* [▶ **33 perecer**] [F.: Do lat. vulg. *periscere*, forma incoativa de *perire* 'morrer'.]

perecibilidade (pe.re.ci.bi.li.*da*.de) *sf.* Qualidade ou caráter de perecível; DEGRADABILIDADE; DETERIORABILIDADE [Ant.: *durabilidade, imperecibilidade.*] [F.: *perecível* + *-(i)dade.*]

perecido (pe.re.*ci*.do) *a.* **1** Que pereceu; MORTO **2** Que acabou, que teve fim (sonhos perecidos) [F.: Part. de *perecer.*]

perecimento (pe.re.ci.*men*.to) *sm.* **1** Ação de perecer; EXTINÇÃO; MORTE **2** Estado de fraqueza; DEFINHAMENTO **3** padecimento, sofrimento (perecimento de uma tristeza) **4** *Jur.* Direito ou coisa que deixa de existir por perda, destruição ou extinção [F.: *perecer* + *-mento.*]

perecível (pe.re.*cí*.vel) *a2g.* Que está sujeito a perecer (alimento perecível); DETERIORÁVEL [Pl.: *-veis.*] [F.: *perecer* + *-vel.*]

peregrinação (pe.re.gri.na.*ção*) *sf.* **1** Viagem a terras distantes **2** Viagem a lugar santo; ROMARIA [Pl.: *-ções.*] [F.: *peregrinar* + *-ção.*]

peregrinante (pe.re.gri.*nan*.te) *a2g.* **1** Que peregrina (povo peregrinante) **2** Ref. a peregrinação (origem peregrinante) *s2g.* **3** Aquele que peregrina (peregrinantes de Cristo) [F.: Do lat. *peregrinans, antis* part. pres. de *peregrinare.* Sin. ger.: *peregrinador, peregrino.*]

peregrinar (pe.re.gri.*nar*) *v.* **1** Viajar por terras distantes [**ta.:** *O Papa peregrinou por diversos países do mundo todo.*] [**int.:** *Queria aposentar-se e passar o resto de seus dias a peregrinar.*] **2** Fazer peregrinação ou romaria [**ta.:** *peregrinar a Aparecida/a Meca; Peregrinava por Jerusalém.*] [**int.:** *Peregrinando, os romeiros mostravam sua fé.*] **3** *Bras. Fig.* Andar por vários estabelecimentos, à procura de algo [**int.:** *peregrinar em busca de um livro raro.*] [**ta.:** *Peregrinou por várias clínicas até encontrar a cura para sua doença.*] [▶ **1 peregrinar**] [F.: Do lat. *peregrinare.* Hom./Par.: *peregrino* (fl.), *peregrino* (a. sm.).]

peregrino (pe.re.*gri*.no) *a.* **1** Diz-se de pessoa que faz peregrinações; ROMEIRO: "Travessaram, com acuração, os peregrinos da santa, aleijados, cegos..." (Guimarães Rosa, *Tutameia*) **2** Diz-se de pessoa que empreende longas jornadas; MIGRANTE **3** Diz-se de pessoa que causa estranheza por onde passa; ESTRANGEIRO; ESTRANHO **4** Raro, excepcional, extraordinário, excelente (beleza peregrina; talento peregrino) **5** *P. ext.* Diz-se de pessoa ou de algo que tem qualidades raramente vistas; ESPECIAL *sm.* **6** Essa pessoa [F.: Do lat. *peregrinu(m).*]

pereiópode (pe.rei.*ó*.po.de) *Zool. sm.* Nos crustáceos, cada um dos apêndices torácicos adaptados para a locomoção [F.: *pereo-*, do gr. *peraios, a, on* 'do lado oposto' + *-pode.*]

pereira (pe.*rei*.ra) *sf. Bot.* Árvore da fam. das rosáceas (*Pyrus communis*), natural da Europa e da Ásia, cultivada, assim como suas numerosas variedades e híbridos, pelos frutos comestíveis, as peras; PÊRA [F.: *pêra* + *-eira.*]

pereiral (pe.rei.*ral*) *sm.* Plantação de pereiras, peral [Pl.: *-rais.*] [F.: *pereira* + *-al.*]

perempção (pe.remp.*ção*) *Jur. sf.* Extinção do direito de praticar um ato processual pela perda de prazo definido e definitivo expresso em lei [Pl.: *-ções.*] [F.: Do lat. *peremptio, onis.*]

perempto (pe.*remp*.to) *Jur. a.* Que incorreu em perempção; extinto por haver decorrido o prazo legal; CADUCO [F.: Do lat. *peremptus, a, um.*]

peremptoriamente (pe.remp.to.ri:a.*men*.te) *adv.* De modo peremptório, decisivo, definitivo (afirmar/negar/recusar/desmentir peremptoriamente); CATEGORICAMENTE; TERMINANTEMENTE [F.: *peremptório* + *-mente.*]

peremptoriedade (pe.remp.to.ri:e.*da*.de) *sf.* Característica do que é peremptório [F.: *peremptóri (o)* + *-e-* + *-dade.*]

peremptório (pe.remp.*tó*.ri:o) *a.* **1** Que perime, que põe termo a algo, que extingue **2** Que é decisivo, terminante (ordem peremptória, tom peremptório); DEFINITIVO [Ant.: *vacilante.*] **3** *Jur.* Que extingue o efeito, que causa perempção [F.: Do lat. *peremptoriu(m).*]

perenal (pe.re.*nal*) *a2g. Poét.* O mesmo que *perene*: "Eles foram gozar bens inefáveis/ Na pura esfera, onde d'aurora os raios/ Seu brilho perenal jamais extinguem..." (Bernardo Guimarães, *Visita à sepultura de meu irmão*) [Pl.: *-ais.*] [F.: *perene* + *-al.*]

perene (pe.*re*.ne) *a2g.* **1** Que não termina; ETERNO; PERENAL [Ant.: *passageiro.*] **2** Que dura muito tempo; DURADOURO [Ant.: *efêmero, momentâneo.*] **3** Que não cessa; ININTERRUPTO [Ant.: *descontínuo, intermitente.*] **4** *Bot.* Diz-se de qualquer planta que vive por três anos ou mais [F.: Do lat. *perenne(m).*]

◎ **pereni-** *el. comp.* = 'duradouro', 'perene': *perenifoliado, perenifólio* [F.: Do lat. *perennis, e.*]

perenidade (pe.re.ni.*da*.de) *sf.* Característica do que é perene; CONTINUIDADE; PERPETUIDADE [F.: Do lat. *perennitate(m).*]

perenifólio (pe.re.ni.*fó*.li:o) *Bot. a.* Que tem folhas perenemente verdes, renovando-as no transcorrer do ano (sem que haja queda total delas); SEMPRE-VERDE [F.: *pereni-* + *-fólio.*]

perenizar (pe.re.ni.*zar*) *v.* Tornar(-se) eterno, interminável [**td.:** "É uma maneira de perenizar a imagem de JK." (*Correio Braziliense*, 03.08.2002)] [**int.:** "Como proteger contra a morte/ tantos amores ansiosos por perenizar-se/ além deste jogo perigoso, / a vida?" (João Silvério Trevisan, *Matéria Vida*)] [▶ **1 perenizar**] [F.: *perene* + *-izar.*]

perequação (pe.re.qua.*ção*) *sf.* Distribuição igual e justa de uma coisa entre muitas pessoas: "A distribuição desproporcionada de riqueza e de miséria e a existência de países e continentes desenvolvidos e de outros não desenvolvidos exigem uma perequação e que se procurem as vias para um justo desenvolvimento de todos." (João Paulo II, "Laborem exercens" *in Folha Online Especial Papa*, 02.04.2005) [Pl.: *-ções.*] [F.: Do lat. *peraequatio, onis.*]

perequê (pe.re.*quê*) *S. Pop. sm.* Briga, barulho, discussão, tumulto: *Bebeu demais e armou um perequê medonho.* [F.: voc. expressivo.]

perequeté (pe.re.que.*tê*) **a2g. 1** *Bras. Pop.* Que se veste de maneira elegante, com muitos enfeites **2** *Bras. Pop.* Faceiro, emperiquitado **sm. 3** *Bras. Pop.* detalhe, requinte, enfeite: *Uma pessoa ou uma roupa cheia de perequetés* [F.: Posv. de or. indígena.]

perereca (pe.re.*re*.ca) **sf. 1** *Zool.* Denominação comum à diversos anfíbios anuros arborícolas, esp. aqueles da fam. dos hilídeos, de pele lisa, cor verde ou marrom, pernas traseiras compridas e dedos com ventosas; RÃ **2** *Bras. Pop.* A vulva **3** *Bras. Pop.* Dentadura, prótese ou pivô móveis **4** *Ent.* Outra designação do mosquito *carapanã-pinima* **a2g. 5** *Bras. Pop.* Diz-se de pessoa, esp. crianças, ou animal pequeno muito inquieto [F.: Do tupi *pere'reka* 'indo aos saltos'.]

pererecar (pe.re.re.*car*) **v. int. 1** *Bras. Pop.* Ir de um lado para outro, sem rumo: *A bola pererecou na área, e ninguém chutou.* **2** Dar saltos (pião, bola, jogador): *O jogador pererecava, fugindo do marcador.* [▶ **11** pererecar] [F.: *perereca* + *-ar*². Hom./Par.: *perereca(s)* (fl.); *perereca(s)* (sf. [pl.]); *pererecar*, *piriricar* (em várias fl.).]

perereco (pe.re.*re*.co) **sm. 1** *SP Pop.* Briga cheia de lances movimentados; grande tumulto; CONFLITO; ROLO **2** *RJ Pop.* Dança desenfreada do maxixe [F.: *perereca*, com alt. da vogal temática, posv. alusão aos saltos desse animal.]

pererenga (pe.re.*ren*.ga) *Bras. Mús.* **sf.** O menor dos tambores us. na dança tambor de crioula, originalmente feito de tronco escavado e coberto de pele de cabra em uma das extremidades; CRIVADOR; QUIRERÊ [F.: De or. afr., posv.]

⊕ ***perestroika*** (*rus.* /*perestroica*/) **sf.** Proposta de reforma política e financeira da ex-União Soviética feita por Leonid Brezhnev (1906-1982) em 1979, e realizada por Mikhail Gorbatchov (n. 1931) a partir de 1985 [F.: Do rus. *perestroika* 'reestruturação'. Cf.: *glasnost*.]

perfazer (per.fa.*zer*) **v. td. 1** Atingir o total de (número, quantidade, quantia); TOTALIZAR: *Trabalhou quatro horas por dia durante treze dias, perfazendo um total de 52 horas.* **2** Acabar de fazer; COMPLETAR; CONCLUIR: *perfazer um trajeto.* **3** Pôr em execução; EXECUTAR; REALIZAR: *A ginasta perfez duas piruetas no ar.* [▶ **22** perfazer: Part.: *perfeito*.] [F.: *per-* + *fazer.*]

perfazimento (per.fa.zi.*men*.to) **sm.** *P. us.* Ação ou resultado de perfazer; ACABAMENTO; CONCLUSÃO [F.: *perfazer* + *-mento*.]

perfeccionismo (per.fec.ci:o.*nis*.mo) **sm. 1** Intenção exagerada de fazer tudo com perfeição: "no limite do perfeccionismo que podia virar defeito e exigência desmedida." (Ana Maria Machado, *A audácia dessa mulher*) **2** Doutrina que prega a busca da perfeição a partir de um modelo preconcebido **3** *Fil. Hist.* Doutrina inglesa do séc. XVIII que dispensava a religião para chegar a perfeição **4** *Fil. Rel.* Doutrina do americano John Humphrey Joyes (séc. XIX) que pregava a perfeição na religião cristã pela comunidade dos bens e das mulheres **5** *Rel.* Capacidade de atingir a perfeição (imputada, evangélica ou por santificação) [F.: *perfeição* (f. rad. *perfeccion-*) + *-ismo*.]

perfeccionista (per.fec.ci:o.*nis*.ta) **a2g. 1** Que diz respeito ao perfeccionismo. **2** Que procura fazer tudo o mais perfeito possível (diz-se de pessoa) **s2g. 3** Essa pessoa **4** Adepto do perfeccionismo [F.: *perfeição* (f. rad. *perfeccion-*) + *-ista*.]

⊕ ***perfect binding*** (*Ing.* /*pêrfekt baidin*/) *Art. gr.* **sf.** Método rápido e relativamente barato de acabamento de livros, que consiste em dispor as páginas em bloco e cortá-las nas quatro extremidades, fresar a lombada, aplicar-lhe cola e juntar-lhe a capa, e aparar as três bordas [Abrev. PB.]

perfectibilidade (per.fec.ti.bi.li.*da*.de) **sf. 1** Característica do que é perfectível **2** possibilidade de se aprimorar (a perfectibilidade humana) [F.: *perfectível* (suf. *-vel* na f. lat.) *-bil(i)-* + *-idade*.]

perfectível (per.fec.*tí*.vel) **a2g.** Que pode ser aperfeiçoado ou atingir a perfeição [Pl.: *-veis*.] [F.: Do lat. *perfectus-a-um* + *-vel*.]

perfeição (per.fei.*ção*) **sf. 1** Execução perfeita **2** Pureza, exatidão, correção (perfeição de estilo/de frase) **3** O nível mais alto que se pode conceber (perfeição divina) **4** O mais alto grau de excelência alcançado em uma atividade ou trabalho; PRIMOR: "– Ah, o demônio é demorado. Amigo da perfeição." (Antônio Callado, *Bar Don Juan*) **5** O máximo de virtude ou bondade: *perfeição de caráter.* **6** Beleza, requinte, formosura, encanto: *Que perfeição de rosto!* [Pl.: *-ções*.] [F.: Do lat. *perfectione(m)*. Ant. ger.: *imperfeição*.]

perfeito (per.*fei*.to) **a. 1** Livre de defeito, que só possui boas qualidades: *Deus é o único ser perfeito.* **2** Feito ou executado sem defeito algum (construção perfeita, almoço perfeito); EXCELENTE; MAGISTRAL; PRIMOROSO **3** Que atingiu o nível mais alto que se pode conceber (amor perfeito) **4** Total, cabal, rematado, completo: *Perfeito equilíbrio entre forma e conteúdo.* [Tb. us. para enfatizar qualidades negativas: um perfeito idiota.] **5** *Mús.* Ref. ao acorde musical de três sons que, em seu estado fundamental, possui quinta justa **6** *Gram.* Diz-se de tempo verbal que exprime ação ou estado já concluído em relação a uma determinada época **sm. 7** Esse tempo verbal [F.: Do lat. *perfectu(m)*. Ant. ger.: *imperfeito*.]

perfídia (per.*fí*.di:a) **sf.** Ação ou característica de pérfido; DESLEALDADE; FALSIDADE; INSÍDIA; TRAIÇÃO [Ant.: *lealdade*.] [F.: Do lat. *perfidia*.]

pérfido (*pér*.fi.do) **a. 1** Que revela falsidade, que denota perfídia, inspirado pela perfídia (atitude pérfida); DESLEAL; INSIDIOSO: "Sorriso pérfido. Sorriso ruim de gente que não acredita nas coisas boas da vida." (Cecília Meireles, "Uma aposta" *in Obra em prosa*) [Ant.: *leal*.] **2** Que trai a fé jurada; INFIEL [Ant.: *fiel*.] [F.: Do lat. *perfidu(m)*.]

perfil (per.*fil*) **sm. 1** Contorno do rosto visto de lado **2** O delineamento de um objeto ou de uma figura visto de um dos lados: *o perfil de um edifício.* **3** Descrição ou informação acerca das características de alguém: *A polícia já tem o perfil do assassino.* **4** As próprias características de alguém (esp. as profissionais) ou de alguma coisa: *Ela não se encaixa no perfil da nossa empresa; ele não possui um perfil de gerente.* **5** *Arq.* Desenho que representa um edifício cortado perpendicularmente, desde a parte superior até a base **6** *Mil.* O ato de perfilar as tropas [Pl.: *-fis*.] [F.: Do espn. *perfil*.] ▪ **De ~** De lado (ref. à visão que se tem de algo)

perfilação (per.fi.la.*ção*) **sf.** Ação ou resultado de perfilar(-se); PERFILAMENTO [Pl.: *-ções*.] [F.: *perfilar* + *-ção*.]

perfilado (per.fi.*la*.do) **a. 1** Que se perfilou **2** Desenhado de perfil **3** Posto em linha (diz-se de soldado) **4** Em posição de sentido (tropa perfilada) [F.: Part. de *perfilar*.]

perfilagem (per.fi.*la*.gem) **sf. 1** Ação ou resultado de perfilar, de traçar o perfil de uma coisa mediante registro gráfico de seu exterior ou interior, da disposição ou composição de seus elementos (perfilagem de solo/de*software*) **2** Ação ou resultado de traçar o perfil, de aferir o desempenho de qualquer conjunto organizado de informações (perfilagem de produção/de usuários) **3** *Geof. Geol.* Na perfuração de poços, medida da resistência de cada camada de solo e rocha que serão atravessadas; PERFILAGEM ELÉTRICA **4** *Geol.* Análise de um poço mediante filmagem de seu interior para observar o nível das entradas de água, as paredes, emendas na tubulação do revestimento, sujidades etc.; PERFILAGEM ÓPTICA [Pl.: *-gens*.] [F.: *perfil* + *-agem*.]

perfilamento (per.fi.la.*men*.to) **sm.** Ver *perfilação* [F.: *perfilar* + *-mento*.]

perfilar (per.fi.*lar*) **v. 1** Traçar ou desenhar o perfil de [**tdp.:** "Como era o candidato mais novo da eleição, seus assessores o perfilaram na mídia como um 'jovem executivo, agressivo e seguro'." (*Extra Alagoas*, 07 a 13.03.2004 [ed. 261])] **2** Pôr (ger. soldados) em linha ou fila [**td.:** *O sargento perfilou os recrutas para a inspeção do comandante.*] [**int.:** *As tropas se perfilaram e ouviram o Hino Nacional; Os cavalos de corrida se perfilaram na linha de largada.*] **3** Pôr-se em aprumo; APRUMAR(-SE); ENDIREITAR(-SE) [**td.:** *perfilar o corpo.*] [**int.:** *Perfilou-se diante do capitão.*] **4** Apresentar-se (para algum fim) [**int.:** *Vários candidatos se perfilavam para o cargo.*] **5** Estabelecer cotejo, um paralelo entre; COMPARAR; COTEJAR [**tdr.** *+com: Perfilava Platão com Aristóteles.*] **6** Colocar em posição vertical (a arma) entre o braço e o corpo [**td.:** *perfilar a arma.*] [▶ **1** perfilar] [F.: *perfil* + *-ar*².]

perfilhação (per.fi.lha.*ção*) **sf. 1** Ação ou resultado de perfilhar **2** *Jur.* Acolhimento voluntário de alguém como filho, perante o juiz; ADOÇÃO [Pl.: *-ções*.] [F.: *perfilhar* + *-ção*. Sin. ger.: *perfilhamento*.]

perfilhado (per.fi.*lha*.do) **a. 1** Que foi objeto de perfilhação **2** Legalmente reconhecido como filho **sm. 3** O que alguém perfilhou [F.: Part. de *perfilhar*.]

perfilhamento (per.fi.lha.*men*.to) **sm.** Ver *perfilhação* [F.: *perfilhar* + *-mento*.]

perfilhar (per.fi.*lhar*) **v. 1** Reconhecer legalmente como filho; ADOTAR [**td.:** *Depois da morte do irmão, ele perfilhou os sobrinhos.*] **2** *Fig.* Abraçar, adotar, defender (ideia, teoria etc.) [**td.:** *Muitos acadêmicos perfilhavam o mesmo ponto de vista.*] **3** Emitir, produzir rebentos (a planta) [**int.:** *Na primavera, as roseiras perfilharam.*] [▶ **1** perifilhar] [F.: *per-* + *filho* + *-ar*².]

⊕ ***performance*** (*Ing.* /*perfórmans*/) **sf. 1** Execução de uma atividade ou trabalho: *A performance do guitarrista foi o ponto alto do espetáculo.* **2** *Teat.* Evento ger. improvisado em que o(s) artista(s) se apresenta(m) por conta própria **3** *Cin. Teat. Telv.* Ver *representação* **4** *Esp.* Desempenho em uma exibição: *O público aprovou sua performance no último jogo.* **5** Medição do desempenho, auferimento da capacidade de alguma coisa: *A performance do novo motor superou as expectativas*

performante (per.for.*man*.te) **a2g.** Capaz de ter boa *performance* ou desempenho: *O sistema foi testado até se tornar o mais performante possível:* "Hoje, o homem moderno mata um leão por dia e precisa ser cada vez mais performante, seja no meio profissional ou no ambiente familiar." (Gilberto Ururahy, *O Globo*, 05.05.1998) [F.: *performa(nce)* + *-nte*.]

performático (per.for.*má*.ti.co) **a.** Ref. a *performance* [F.: De *performance*.]

performativo (per.for.ma.*ti*.vo) **a. 1** *Ling.* Diz-se de sentença cuja enunciação realiza a ação denominada pelo verbo (p. ex.: *Declaro-me culpado.*) **2** *Ling.* Diz-se de verbo que tem força de dar à sentença caráter performativo (1) (p. ex.: verbos que exprimem ordem, intenção, pedido) **3** Que realiza a ação que descreve (poder/discurso performativo) **4** *Cin. Teat. Telv.* Em que há performance ou modo particular de interpretação [F.: Do ing. *performative*.]

perfumado (per.fu.*ma*.do) **a.** Que tem ou exala perfume; CHEIROSO; ODORÍFICO: "...ruminando o justo relaxamento que o aguardaria no caloroso, perfumado e clandestino ninho..." (Marques Rebelo, "Conto *a la mode*" *in Contos reunidos*) [Ant.: *catinguento; fedorento*] [F.: Part. de *perfumar*.]

perfumador (per.fu.ma.*dor*) [ô] **a. 1** Que perfuma **sm. 2** Recipiente em que se queimam ervas ou substâncias que exalam perfume [F.: *perfumado* + *-or*.]

perfumar (per.fu.*mar*) **v. td. 1** Pôr perfume em: *Eu me perfumei para ir à festa:* "...sem perfumar sua flor, / sem poetizar seu poema." (João Cabral do Melo Neto, *Alguns toureiros*) **2** Espalhar perfume, cheiro agradável por; AROMATIZAR: *As flores perfumam sua casa.* [▶ **1** perfumar] [F.: Do fr. *parfumer*, deriv. do lat. vulgar **perfumare*. Hom./Par.: *perfumaria(s)* (fl.), *perfumaria(s)* (sf. [pl.]); *perfume(s)* (fl.), *perfume(s)* (sm. [pl.]).]

perfumaria (per.fu.ma.*ri*.a) **sf. 1** Local onde se fabrica ou vende perfume **2** Conjunto ou coleção de perfumes **3** *Bras. Pop.* Coisa desnecessária, superficial: *Numa festa o que importa são os convidados, o resto é perfumaria.* **4** *Bras. irôn.* Nome dado às bebidas não alcoólicas, e também às licorosas ou doces [F.: *perfume* + *-aria*. Hom./Par.: *perfumaria* (sf.), *perfumaria* (fl. de *perfumar*).]

perfume (per.*fu*.me) **sm. 1** Odor agradável que alguns corpos, esp. as flores, exalam: *o perfume da rosa.* **2** Preparado ger. líquido de substâncias aromáticas, us. para perfumar a pele, as roupas etc. **3** *Fig.* Agrado, deleite, efeito agradável, suavidade, doçura, unção: "O perfume do nome da Virgem perdura muito; às vezes dá saldos para uma vida inteira..." (Guimarães Rosa, *Grande sertão: veredas*) [F.: Do fr. *parfum*. Hom./Par.: *perfume* (sm.), *perfume* (fl. de *perfumar*).]

perfumeira (per.fu.*mei*.ra) **sf.** Recipiente, ger. de vidro e com lavores, para acondicionar perfume (perfumeira de cristal/francesa/chinesa) [F.: *perfume* + *-eira*.]

perfumista (per.fu.*mis*.ta) **s2g.** Pessoa que prepara ou vende perfumes [F.: *perfume* + *-ista*.]

perfumoso (per.fu.*mo*.so) [ô] **a.** Que tem perfume, que exala um aroma; CHEIROSO; PERFUMADO [Pl.: [ó]. Fem.: [ó].] [F.: *perfume* + *-oso*.]

perfunctório (per.func.*tó*.ri:o) **a.** Que se faz para cumprir uma obrigação ou rotina, mesmo que sem utilidade ou necessidade [F.: Do lat. *perfunctōrius, a, um*. Tb. *perfuntório*.]

perfuntório (per.fun.*tó*.ri:o) **a.** Ver *perfunctório*

perfuração (per.fu.ra.*ção*) **sf. 1** Ação ou resultado de perfurar **2** Abertura, furo feito com o auxílio de um instrumento **3** *Med.* Ruptura em um órgão [Pl.: *-ções*.] [F.: *perfurar* + *-ção*.]

perfurado (per.fu.*ra*.do) **a.** Que se perfurou; que tem furo(s); FURADO [F.: Part. de *perfurar*.]

perfurador (per.fu.ra.*dor*) [ô] **a. 1** Que serve para perfurar, abrir furo(s); PERFURANTE **sm. 2** Aquele ou aquilo que perfura [F.: Rad. de *perfurado* + *-or*.]

perfuradora (per.fu.ra.*do*.ra) [ô] **sf. 1** *Bras.* Máquina dotada de broca para perfurar o solo; PERFURATRIZ **2** Máquina para furar cartões, fichas etc. [F.: *perfurador* + *-a*.]

perfurante (per.fu.*ran*.te) **a2g.** Que perfura, que penetra (instrumento perfurante); PERFURADOR [F.: *perfurar* + *-nte*.]

perfurar (per.fu.*rar*) **v. td. 1** Fazer furo(s) em; FURAR: "A bala perfurou o vidro dianteiro..." (*Diário Popular*, 30.08.2005) **2** Fazer escavações, perfurações em; CAVAR; ESCAVAR: *perfurar poços de petróleo.* [▶ **1** perfurar] [F.: Do lat. *perforare*. Hom./Par.: *perfuráveis* (fl.), *perfuráveis* (pl. de *perfurável* [a2g.]).]

perfuratriz (per.fu.ra.*triz*) **sf.** Ver *perfuradora* (1) [F.: *perfurar* + *-iz*.]

perfurina (per.fu.*ri*.na) *Bioq.* **sf.** Proteína de células matadoras naturais e células T citotóxicas, que destrói vírus, bactérias, células cancerosas, de órgãos transplantados etc. (gene da perfurina): *Penetração nuclear de perfurina.* [F.: Do ing. *perforin*, de *perfor(ate)* 'perfurar' + *-in*.]

perfurocortante (per.fu.ro.cor.*tan*.te) **a.** Que perfura e corta simultaneamente [F.: *perfur(ante)* + *cortante*.]

perfusão (per.fu.*são*) *Med.* **sf.** Injeção, através dos vasos sanguíneos, de um líquido em tecido ou órgão [Pl.: *-sões*.] [F.: Do lat. *perfusio, onis*.]

pergaminho (per.ga.*mi*.nho) **sm. 1** Pele de cabra ou ovelha raspada e polida, para nela se escrever, técnica desenvolvida no reino de Pérgamo, na Antiguidade **2** Manuscrito ou documento feito à mão com essa pele: *Não conseguiu ler o pergaminho.* **3** *Antq.* Diploma de curso superior [F.: Do lat. tardio *pergaminum*. Hom./Par.: *pergaminho* (sm.), *pergaminho* (fl. de *pergaminhar*).] ▪ **~ vegetal** *Pap.* Tipo de papel com aspecto semelhante ao do pergaminho e resistente como este, obtido com tratamento com ácido sulfúrico de folhas feitas de celulose pura

pérgola (*pér*.go.la) **sf.** Ver *pérgula*

pérgula (*pér*.gu.la) **sf.** *Arq.* Estrutura construída em jardins, com teto vazado, coberta de barrotes sustentados por pilares, ger. enfeitada com trepadeiras, que serve de área de lazer [F.: Do it. *pergola*. Tb. *pérgola*.]

pergunta (per.*gun*.ta) **sf. 1** Palavra ou frase com que se faz uma interrogação: *Ouviu a pergunta, mas não deu resposta.* **2** Pedido de informação sobre algo **3** Questão que se coloca para ser respondida ou resolvida: *As perguntas da filosofia nem sempre têm respostas.* **4** Questão formulada numa prova, num exame [F.: Regress. de *perguntar*. Hom./Par.: *pergunta* (sf.), *pergunta* (fl. de *perguntar*).] ▪ **~ de algibeira** Pergunta cujo objetivo é confundir aquele a quem é feita **~ retórica** Aquela que não visa obter uma resposta, mas a enfatizar uma ideia com sua mera formulação. [Ex.: *Tirei 10 na prova. Poderia ter sido melhor?*]

perguntador (per.gun.ta.*dor*) [ô] **a. 1** Diz-se de pessoa que pergunta **2** Diz-se de quem gosta de perguntar, de quem é curioso **sm. 3** Aquele que pergunta: *O bom terapeuta é um bom perguntador.* **4** Indivíduo curioso, indagador:

Neruda, o perguntador, trouxe a interrogação para a poesia. [F.: *perguntar* + *-or*.]
perguntante (per.gun.*tan*.te) ***a2g.*** **1** *P. us.* Que pergunta ***s2g.*** **2** Aquele que pergunta: "Por que João sorria/ se lhe perguntavam/ que mistério é esse?/ E propondo desenhos figurava/ menos a resposta que/ outra questão ao perguntante?" (Carlos Drummond de Andrade, *Um chamado João*) [F.: *perguntar* + *-nte*.]
perguntar (per.gun.*tar*) *v.* **1** Fazer pergunta(s); INDAGAR [***td.***: *Perguntei se podia entrar.*] [***tdi.*** *+a, para*: *Perguntou ao viajante sua nacionalidade.*] [***int.***: *Depois de ter lido o manual, parou de perguntar.*] **2** Pedir esclarecimentos a respeito de [***tr.*** *+acerca de, sobre, por*: *Perguntou pelo doente; Penélope perguntou sobre o paradeiro de Ulisses.*] [***int.***: *O menino ainda não passou da fase de perguntar.*] **3** Propor ou expor (algo) como dúvida a (alguém ou si mesmo), ger. para obter uma solução [***td.***: *Pergunto se vocês estão conscientes do risco que correm*] [***tdi.*** *+a*: *O professor perguntou aos alunos como eles poderiam melhorar seu desempenho; Ele se perguntava se o negócio valeria a pena.*] [▶ 1 **perguntar**] [F.: Do lat. vulg. **praecuntare*. Hom./Par.: *pergunta(s)* (fl.), *pergunta(s)* (sf. [pl.]).]
◎ **peri-** *pref.* Em torno: *pericárdio, perímetro* [F.: Do gr. *perí*.]
perianal (pe.ri.a.*nal*) *a.* Que circunda o ânus (prurido perianal) [Pl.: *-ais*.] [F.: *peri-* + *anal*.]
perianto (pe.ri.*an*.to) ***sm.*** *Bot.* Conjunto formado por envoltórios, cálice e corola, que protegem os órgãos reprodutores da flor [F.: *peri-* + *-anto*. Cf.: *perigônio*.]
periarterite (pe.ri.ar.te.*ri*.te) *Med.* ***sf.*** Inflamação da camada externa de uma artéria [F.: *peri-* + *arterite*.]
periastro (pe.ri:*as*.tro) ***sm.*** *Astron.* Ponto orbital mais próximo de um astro em relação a outro em torno do qual gravita [F.: *peri-* + *astro*. Cf.: *apoastro*.]
periblepsia (pe.ri.blep.*si*.a) *Pat.* ***sf.*** Olhar desvairado que acompanha o delírio [F.: *peri-* + *-blepsia*.]
períbolo (pe.*rí*.bo.lo) ***sm.*** **1** *Ant.* Área arborizada em torno de um templo **2** Espaço entre um edifício e o muro que o cerca; PÁTIO **3** O mesmo que *adro* (1) [F.: Do gr. *períbolos, ou*.]
pericárdico (pe.ri.*cár*.di.co) *a.* **1** Ref. a pericárdio **2** Que tem origem no pericárdio [F.: *pericárdio* + *-ico*. Sin. ger.: *pericardiário, pericardino*.]
pericárdio (pe.ri.*cár*.di:o) ***sm.*** *Anat.* Membrana que envolve a parte externa do coração [F.: Do gr. *perikárdios, os, on*.]
pericardite (pe.ri.car.*di*.te) ***sf.*** *Med.* Inflamação do pericárdio [F.: *pericárdio* + *-ite*.]
pericarpo (pe.ri.*car*.po) ***sm.*** *Bot.* O conjunto das partes (epicarpo, mesocarpo, endocarpo) que constituem o fruto, com exceção das sementes [F.: *peri-* + *-carpo*.]
perícia (pe.*rí*.ci:a) ***sf.*** **1** Qualidade de quem é perito, de quem demonstra mestria: "Confiara-lhe dona Inacinha a superintendência das meninas taludas, depois de verificar a sua perícia, o seu exemplar procedimento." (Domingos Olímpio, *Luzia-Homem*) **2** Destreza, habilidade: *O piloto demonstrou perícia na aterrissagem.* **3** *P. ext.* Pessoa ou grupo de pessoas especializadas em fazer exame ou vistoria de caráter técnico: *A perícia chegou depressa para estudar a cena do crime.* **4** Esse exame ou vistoria: *A perícia foi feita de manhã cedo.* **5** *Jur.* Parte de um processo judicial que consiste em confiar a especialistas a incumbência de fornecer ao juiz os elementos que lhe permitem tomar uma decisão [F.: Do lat. *peritia, ae*. Ant. ger.: *imperícia*.]
pericial (pe.ri.ci.*al*) ***a2g.*** **1** Ref. a perícia **2** Realizado ou apresentado por perito(s) (laudo pericial) [Pl.: *-ais*.] [F.: *perícia* + *-al*.]
periciar (pe.ri.ci.*ar*) *v.* ***td.*** Fazer perícia, exame minucioso ou vistoria em: *A polícia vai periciar o local do crime.* [▶ 1 **periciar**] [F.: *perícia* + *-ar*^{2}.]
pericístico (pe.ri.*cís*.ti.co) *a.* **1** Que circunda a bexiga **2** Que circunda um cisto (tecido pericístico) [F.: *peri-* + *cístico*.]
pericistite (pe.ri.cis.*ti*.te) *Urol.* ***sf.*** Inflamação dos tecidos que envolvem a bexiga [F.: *peri-* + *cistite*.]
periclitante (pe.ri.cli.*tan*.te) ***a2g.*** Que periclita, que corre perigo ou expõe ao perigo (saúde periclitante, situação periclitante) [F.: Do lat. *periclitans, antis*.]
periclitar (pe.ri.cli.*tar*) *v.* ***int.*** Estar em perigo; correr perigo; PERIGAR: *A testemunha periclitava.* [▶ 1 **periclitar**] [F.: Do lat. **periclitare*, por *periclitari*.]
pericôndrio (pe.ri.*côn*.dri:o) *Anat.* ***sm.*** *Anat.* Membrana que reveste uma cartilagem [F.: Do lat. cient. *perichondrium*.]
pericondrite (pe.ri.con.*dri*.te) *Ort.* ***sf.*** Inflamação do pericôndrio [F.: *pericôndrio* + *-ite*.]
periculosidade (pe.ri.cu.lo.si.*da*.de) ***sf.*** **1** Qualidade ou condição de periculoso, de perigoso **2** *Jur.* Inclinação ou propensão para o mal, para o crime [F.: Rad. lat. *periculos-* + *-(i)dade*.]
periderme (pe.ri.*der*.me) *Bot.* ***sf.*** Conjunto de tecidos com função protetora que substitui a epiderme de órgãos com crescimento secundário contínuo, como caule e raízes [F.: *peri-* + *-derme*.]
peridídimo (pe.ri.*dí*.di.mo) ***sm.*** *Anat.* Membrana fibrosa e esbranquiçada que envolve os testículos [F.: *peri-* + *-dídimo*.]
peridural (pe.ri.du.*ral*) ***a2g.*** **1** *Anat.* Que se localiza em torno da dura-máter (região peridural) **2** *Med.* Diz-se de anestesia em que o anestésico é introduzido na região peridural [Pl.: *-rais*.] [F.: *peri-* + *dural*.]
periecos (pe.ri:*e*.cos) ***smpl.*** *Astron.* Indivíduos que vivem no mesmo paralelo de latitude, mas em longitudes cuja diferença de horário é de 12 horas [F.: Do gr. *períoikoi*. Cf.: *antecos* e *antípoda*.]
periélio (pe.ri:*é*.li.o) ***sm.*** *Astron.* Ponto em que um astro, ao descrever sua órbita, se encontra mais próximo do Sol [F.: *peri-* + *-élio*. Cf.: *afélio*.]
periferia (pe.ri.fe.*ri*.a) ***sf.*** **1** *Geom.* Linha, imaginária ou não, que delimita um lugar, um corpo, uma superfície; CONTORNO; PERÍMETRO: *a periferia de um círculo/território.* **2** *Geom.* Superfície de um sólido **3** *Fig.* Condição ou localização do que está em volta, próximo, na vizinhança de algo, e não no centro: *a periferia da biblioteca pública.* **4** *Fig.* Contiguidade, proximidade: *Ficava sempre na periferia dos problemas, sem examiná-los a fundo.* **5** *Bras.* Região afastada do centro urbano de uma cidade, ger. habitada por população de baixa renda: *Vive na periferia do Rio de Janeiro.* **6** *P. ext.* Conjunto dos países em desenvolvimento, em relação às grandes potências **7** *Bot.* Extremidade marginal da folha [F.: Do gr. *periphéreia, as*.]
periférico (pe.ri.*fé*.ri.co) *a.* **1** Ref. a ou situado na periferia **2** *Anat.* Que está mais afastado do centro do corpo, como o sistema nervoso periférico **3** *Bot.* Que envolve o embrião (diz-se de perisperma) ***sm.*** **4** *Inf.* Equipamento que não faz parte dos componentes centrais de processamento de um computador, mas que se acopla a ele para complementar e otimizar suas funções, como, p. ex., a impressora [F.: *periferia* + *-ico*.]
perífrase (pe.*rí*.fra.se) ***sf.*** *Ling.* Figura de estilo que consiste no uso de maior quantidade de palavras para exprimir o que poderia ser dito com menos palavras, visando suavizar a realidade ou descrevê-la de modo mais explícito e analítico; CIRCUNLÓQUIO [F.: Do gr. *períphrasis, eos*.] ■ **~ lexical** *Ling.* Aquela na qual a locução usada substitui uma palavra como expressão de seu significado; circunlóquio. [Pode ter objetivos diversos, como amenizar eufemisticamente uma expressão (*bem-aventurança eterna* em vez de *morte*), facilitar o entendimento (*osso da coxa* em vez de *fêmur*), criar uma imagem simbólica ou metafórica do objeto ou fato (*rei dos animais* em vez de *leão*) etc.] **~ morfológica** *Ling.* Aquela na qual se substitui a flexão gramatical da palavra que representa o significado por uma locução na qual outra palavra expressa a função gramatical (como *vou entrar* em vez de *entrarei*)
perifrasear (pe.ri.fra.se.*ar*) *v.* **1** Expressar(-se) por meio de perífrase(s) [***td.***: *perifrasear uma explicação.*] **2** Recorrer a perífrases [***int.***: *Esse professor tem a mania de perifrasear.*] [▶ 13 **perifrasear**] [F.: *perífrase* + *-ear*^{2}.]
perifrástico (pe.ri.*frás*.ti.co) *a.* **1** Ref. a perífrase **2** Expresso por perífrase **3** Que abunda em perífrases [F.: *periphrastikós, é, ón*.]
perigalho (pe.ri.*ga*.lho) ***sm.*** **1** Pelanca sob o queixo **2** *Bras. Mar.* Cabo que sustenta a verga da mezena ou o espinhaço de um toldo [F.: De or. contrv.]
perigar (pe.ri.*gar*) *v.* ***int.*** Correr perigo; PERICLITAR: *Sua vida perigava.* [▶ 14 **perigar**] [F.: *perigo* + *-ar*^{2}. Hom./Par.: *perigo* (fl.), *perigo* (sm.).]
perigeu (pe.ri.*geu*) ***sm.*** *Astron.* Ponto em que um astro, ao descrever sua órbita, se encontra mais próximo da Terra [Ant.: *apogeu*.] [F.: Do fr. *périgée*, deriv. do gr. *perígeion*.]
periglacial (pe.ri.gla.ci.*al*) ***a2g.*** **1** Ref. à área circunvizinha às regiões polares (clima periglacial) **2** Ref. à época geológica imediatamente anterior ou posterior à época glacial (arenitos periglaciais) [Pl.: *-ais*.] [F.: *peri-* + *glacial*.]
perigo (pe.*ri*.go) ***sm.*** **1** Situação de risco ou ameaça para alguém ou algo: *Não queria se expor ao perigo.* **2** O que provoca ou pode provocar essa situação: *O lixo nuclear é um grande perigo para a humanidade.* **3** Pessoa que constitui uma ameaça para a segurança dos outros: *Esse motorista de ônibus é um perigo público.* **4** *Pop.* Pessoa (homem ou mulher) muito sedutora e provocante **5** *Jur.* Situação em que pode ocorrer lesão física ou dano moral a um indivíduo [F.: Do lat. *periculum, i*. Hom./Par.: *perigo* (sm.), *perigo* (fl. de *perigar*).] ■ **A ~** **1** *Bras. Gír.* Em situação de perigo, de risco **2** Sem dinheiro (e necessitado dele com urgência) **3** *P. ext.* Em grande dificuldade (que pode levar a pessoa a gestos extremos, que usualmente não tomaria, ou a condições que não aceitaria) [Sin. ger.: *na pior*.]
perigônio (pe.ri.*gô*.ni.o) ***sm.*** *Bot.* Verticilo protetor da flor, formado por um ou mais círculos de peças iguais, chamadas tépalas [F.: *peri-* + *-gono* + *-io*.]
perigoso (pe.ri.*go*.so) [ô] *a.* **1** Que expõe ao perigo; em que há perigo (salto perigoso); ARRISCADO: "Eu, desde guri, conheci o lagoão já tapado pelos campus, mas o lugar sempre respeitado como tremedal perigoso..." (João Simões Lopes Neto, "No Manantial" *in Contos gauchescos*) [Ant.: *seguro*] **2** Diz-se de alguém que apresenta periculosidade, esp. criminosos [Ant.: *confiável, inofensivo*.] [Pl.: [ó]. Fem.: [ó].] [F.: Do lat. *periculosus, a, um*.]
periguete (pe.ri.*gue*.te) ***s2g.*** *Pop.* Pessoa estouvada, tagarela, sem muitos escrúpulos, doidivanas, às vezes de comportamento imprevisível e antissocial, às vezes imoral, sexualmente atrevida [F.: *perig* (corruptela de *perigo*) + *-ete* (da des. fr. *ette*).]
perilinfa (pe.ri.*lin*.fa) *Anat.* ***sf.*** Líquido que circunda o labirinto membranoso da orelha interna e o separa do labirinto ósseo [F.: *peri-* + *linfa*.]
perilinfático (pe.ri.lin.*fá*.ti.co) *a.* Ref. a perilinfa [F.: *peri-* + *linfático*.]
perimedular (pe.ri.me.du.*lar*) *Anat.* ***a2g.*** Localizado à volta de medula [F.: *peri-* + *medular*.]
perimetral (pe.ri.me.*tral*) ***a2g.*** **1** Ref. a perímetro; PERIMÉTRICO [Pl.: *-trais*.] ***sf.*** **2** Avenida ou estrada que delimita uma área, região etc.: *A perimetral da margem direita do porto de Santos terá ciclovia.* [Pl.: *-trais*.] [F.: *perímetro* + *-al*.]
perimetria (pe.ri.me.*tri*.a) ***sf.*** *Geom.* Medição de perímetro [F.: *perímetro* + *-ia*.]
perimétrico (pe.ri.*mé*.tri.co) *a.* Ref. a perímetro; PERIMETRAL [F.: *perímetro* + *-ico*.]
perimétrio (pe.ri.*mé*.tri:o) ***sm.*** Camada serosa, pouco espessa, que envolve parcialmente o útero [F.: *peri-* + *metr(o)-*^{1} + *-io*.]
perimetrite (pe.ri.me.*tri*.te) *Ginec.* ***sf.*** Inflamação do perimétrio [F.: *perimétrio* + *-ite*.]
perímetro (pe.*rí*.me.tro) ***sm.*** **1** *Geom.* Linha que contorna e limita uma figura ou superfície geométrica: *perímetro da face de um cubo.* **2** *Geom.* A medida dessa linha: *O perímetro desse cubo é de 8 cm.* **3** Linha que delimita uma área, uma região etc. (perímetro urbano) **4** *Oft.* Aparelho que se destina a medir a amplitude do campo visual periférico [F.: Do gr. *perímetros*.] ■ **~ molhado** A área da seção transversal de uma canalização para líquidos que fica em contato com o líquido nela transportado
perimísio (pe.ri.*mí*.si:o) *Anat.* ***sm.*** Tecido conjuntivo que envolve o músculo (perimísio externo) e seus feixes internos de fibras musculares (perimísio interno) [F.: *peri-* + *mis-* < *mi(o)-*^{2} e *mus-* (gr. *mýs, muós* 'músculo') + *-io*.]
perinatal (pe.ri.na.*tal*) ***a2g.*** *Obst.* Ref. aos períodos de gestação, ou parto ou pós-parto (mortalidade perinatal) [Pl.: *-tais*.] [F.: *peri-* + *natal*.]
perinatalogia (pe.ri.na.ta.lo.*gi*.a) *Obst.* ***sf.*** **1** Ramo da obstetrícia dedicado à anatomia e fisiologia, diagnóstico e tratamento de distúrbios da mãe e do feto ou recém-nascido durante o final da gravidez, o parto e o puerpério **2** Ramo da medicina que se ocupa da vida e do desenvolvimento do feto e do recém-nascido durante o período perinatal [F.: *perinatal* + *-logia*.]
perinatológico (pe.ri.na.ta.*ló*.gi.co) *a.* Ref. a perinatologia [F.: *perinatalogia* + *-ico*^{2}.]
perineal (pe.ri.ne.*al*) ***a2g.*** Ref. ao períneo [Pl.: *-ais*.] [F.: *períneo* + *-al*^{1}.]
◎ **-perine(o)-** *el. comp.* Ver *perine(o)-*
◎ **perine(o)-** *el. comp.* = 'períneo, região entre os órgãos sexuais (masculino ou feminino) e o ânus': *perineoplastia, perineotomia*; *colpoperineoplastia* [F.: Do gr. *períneon* ou *períneos, ou*, 'região entre o escroto e o ânus'.]
períneo (pe.*rí*.ne:o) ***sm.*** *Anat.* Região situada entre entre a vulva e o ânus na mulher, e entre o escroto e o ânus no homem [F.: Do gr. *perineos, ou* ou *perinaios*.]
perineoplastia (pe.ri.ne:o.plas.*ti*.a) *Cir.* ***sf.*** Cirurgia para recomposição do períneo [F.: *perine(o)-* + *-plastia*.]
perineotomia (pe.ri.ne:o.to.*mi*.a) *Cir.* ***sf.*** Incisão cirúrgica no períneo [Cf. *episiotomia*.] [F.: *perine(o)-* + *-tomia*.]
periodicidade (pe.ri:o.di.ci.*da*.de) ***sf.*** **1** Caráter do que é periódico **2** *Edit.* Período de tempo entre os números editados de uma publicação [F.: *periódico* + *-i-* + *-dade*.]
periódico (pe.ri:*ó*.di.co) *a.* **1** Ref. a período **2** Que ocorre ou se faz em intervalos regulares (visitas periódicas) **3** Diz-se de publicação (jornal, revista etc.) que é lançada em bancas e livrarias em intervalos regulares **4** *Fís.* Diz-se do processo físico (cíclico) que apresenta certos sintomas em períodos fixos (febre periódica) **5** *Mat.* Diz-se de uma dízima em que um ou mais algarismos se repetem indefinidamente ***sm.*** **6** Jornal ou publicação vendidos em dias fixos [F.: Do lat. *periodicus, a, um*, deriv. do gr. *periodikós*.]
periodismo (pe.ri:o.*dis*.mo) ***sm.*** **1** Estado ou condição do que está submetido a intervalos ou movimentos periódicos **2** Jornalismo (1) [F.: *período* + *-ismo*.]
periodista (pe.ri:o.*dis*.ta) ***s2g.*** *Jorn.* Jornalista que escreve em periódicos (6) [F.: *período* + *-ista*.]
periodização (pe.ri:o.di.za.*ção*) ***sf.*** Ação ou resultado de periodizar: "...abandona a periodização velha e forçada que (...) dividia a História do Brasil em ciclos econômicos (pau-brasil, açúcar, ouro etc.)..." (*O Globo*, 21.10.2000) [Pl.: *-ções*.] [F.: *periodizar* + *-ção*.]
periodizar (pe.ri:o.di.*zar*) *v.* ***td.*** **1** Dividir em períodos: *periodizar o treinamento*: "Muitos são os artifícios utilizados pelos historiadores para periodizar o tempo." (*Folha de S.Paulo*, 04.04.1999) **2** Expor em períodos: *periodizou a narrativa/o relatório.* [▶ 1 **periodizar**] [F.: *período* + *-izar*.]
período (pe.*rí*:o.do) ***sm.*** **1** Qualquer intervalo de tempo (período escolar) **2** Cada semestre letivo em um curso universitário: *A Licenciatura em Letras consta de oito períodos.* **3** *Med.* Tempo que transcorre entre duas datas ou fatos tomados como referência (período menstrual) **4** Espaço de tempo que se define por determinados acontecimentos ou características (período barroco) **5** *Geol.* Cada intervalo de tempo em que se dividem as eras geológicas (período paleolítico) **6** *Gram.* Frase em que está contida uma ou mais orações de sentido completo **7** *Mat.* Numa dízima periódica, o conjunto dos algarismos que se repetem **8** Época, tempo: *Nesse período ocorreu a expansão da cultura cafeeira.* **9** Divisão cronológica: *Gosto mais do período de verão.* **10** *Astron.* Tempo gasto por um astro para descrever sua órbita [F.: Do lat. *periodus, i*, deriv. do gr. *períodos*.] ■ **~ anomalístico** *Astron.* Tempo necessário para que um astro que gravita em torno de outro (esp. a Lua) faça uma órbita completa a partir do periastro **~ antracolítico** *Pal.* Aquele que vai do início do período carbonífero ao fim do permiano **~ arquiano** *Geol.* Período geológico da era proterozoica, no qual não há vestígio de vida; período azoico

[Tb. apenas *arquiano*.] ~ **axial** *Astron.* Tempo no qual um objeto celeste completa uma rotação em torno de seu eixo ~ **azoico** *Geol.* Ver *Período arquiano* [Tb. apenas *azoico*.] ~ **calcolítico** *Geol.* Período geológico entre o neolítico e a idade do bronze ~ **cambriano** *Geol.* Primeiro período geológico da era paleozoica, no qual surgem equinodermos, foraminíferos e trilobites [Tb. apenas *cambriano*.] ~ **carbonífero** *Geol.* Quinto período geológico da era paleozoica, no qual surgem, entre outros, os batráquios e os répteis [Tb. apenas *carbonífero*.] ~ **composto** *Gram.* Aquele que é formado por mais de uma oração: a relação entre as orações componentes pode ser de coordenação (justaposição de orações autônomas) ou de subordinação (uma oração exerce função de elemento sintático 'dentro' de outra oração, que é a principal); pode haver períodos com mais de duas orações, algumas coordenadas, outras subordinadas ~ **cretáceo** *Geol.* Terceiro período geológico da era mesozoica, quando surgem os primeiros mamíferos, e os angiospermos [Tb. apenas *cretáceo*.] ~ **da pedra lascada** *Geol.* Ver *Período paleolítico* ~ **da pedra polida** *Geol.* Ver *Período neolítico* ~ **devoniano** *Geol.* Quarto período geológico da era paleozoica, no qual surgem braquiópodes, miriápodes, desenvolvem-se vermes e peixes [Tb. apenas *devoniano*.] ~ **eolítico** *Geol.* O mais antigo período do eolítico [Tb. apenas *eolítico*.] ~ **jurássico** *Geol.* Segundo período geológico da era mesozoica, quando predominam os dinossauros e surgem espécies de transição entre répteis e aves [Tb. apenas *jurássico*.] ~ **lunissolar** *Astron.* Ciclo de certo número de anos ao término do qual a cada dia de cada mês corresponde o mesmo dia da semana do ano inicial do ciclo, e a lua nova incide no mesmo dia do mês ~ **menstrual** Tempo que decorre durante um fluxo menstrual; menstruação ~ **mesolítico** *Geol.* Período pré-histórico entre o paleolítico e do neolítico, após o período glacial, caracterizado pelo surgimento das primeiras armas e instrumentos de pedra polida [Tb. apenas *mesolítico*.] ~ **neolítico** *Geol.* Período pré-histórico entre o mesolítico e a idade dos metais, quando se domesticam animais, surge a agricultura e se usam artefatos de cerâmica e de pedra polida [Tb. apenas *neolítico*.] ~ **orbital** *Astron.* Aquele no qual um astro completa uma órbita ~ **ordoviciano** *Geol.* Segundo período geológico da era paleozoica, quando o desenvolvimento da fauna chega aos crustáceos [Tb. apenas *ordoviciano*.] ~ **paleolítico** *Geol.* Período pré-histórico no qual há os primeiros sinais de atividade humana, com a presença de instrumentos de pedra lascada e de pinturas rupestres [Divide-se em inferior, médio e superior. Tb. apenas *paleolítico*.] ~ **permiano** *Geol.* Sexto período geológico da era paleozoica, no qual desenvolvem-se batráquios, peixes e répteis e, na flora, surgem os gimnospermos [Tb. apenas *permiano*.] ~ **permocarbonífero** *Geol.* Segundo certa classificação geológica, período pré-histórico que abrange o carbonífero e o permiano ~ **pré-cambriano** *Geol.* Período geológico no fim da era proterozoica e início da paleozoica, quando surgem os primeiros sinais de vida. Representa 80% de toda a pré-história [Tb. apenas *pré-cambriano*.] ~ **quaternário** *Geol.* Segundo e último período da era cenozoica, no qual o aspecto da fauna e da flora se assemelha ao atual, e quando surge o homem [Tb. apenas *quaternário*.] ~ **sideral** *Astron.* Tempo no qual planeta ou satélite, visto do corpo celeste em torno do qual orbita, completa uma revolução completa, tendo uma estrela como referência ~ **siluriano** *Geol.* Terceiro período geológico da era paleozoica, quando se desenvolvem os crustáceos e surgem os escorpiões [Tb. apenas *siluriano*.] ~ **simples** *Gram.* Aquele formado por uma única oração ~ **terciário** *Geol.* Primeiro período geológico da era cenozoica, no qual desaparecem os dinossauros, aves, peixes e répteis assumem aspectos semelhantes ao atual, desenvolvem-se os mamíferos e surgem os primeiros símios antropomorfos [Tb. apenas *terciário*.] ~ **triádico** *Ant. Geol.* Ver *Período triásico* ~ **triásico** Primeiro período geológico da era mesozoica, no qual surgem os sáurios aquáticos e os terrestres (dinossauros) [Tb. apenas *triásico*.]

periodologia (pe.ri:o.do.lo.*gi*.a) *Liter. sf.* Estudo da história da literatura mediante sua divisão em períodos, segundo critérios variados, considerando o estilo literário predominante numa época e sua evolução, permanência e declínio [F.: *período* + *-logia*.]

periodontal (pe.ri:o.don.*tal*) *a.* **1** Ref. a ou próprio da periodontia (sondas periodontais) **2** Ref. a ou próprio do periodonto (doença periodontal) [Pl.: *-ais*.] [F.: *peri-* + *-odont(o)* + *-al*.]

periodontia (pe.ri:o.don.*ti*.a) *sf. Od.* Especialidade da odontologia que estuda os tecidos próximos aos dentes (p. ex.: as gengivas), as afecções que os atingem e seu tratamento [F.: *periodonto* + *-ia*.]

periodontista (pe.ri:o.don.*tis*.ta) *a2g.* **1** *Od.* Que se especializou em periodontia *s2g.* **2** *Od.* Dentista especializado em periodontia [F.: *periodonto* + *-ista*.]

periodontite (pe.ri:o.don.*ti*.te) *sf. Od.* Infecção e/ou inflamação do periodonto; PARODONTITE [F.: *periodonto* + *-ite*.]

periodonto (pe.ri:o.*don*.to) *sm. Od.* Conjunto de tecidos que fixa os dentes nos alvéolos; PARODONTE [F.: *peri-* + *-odonto*.]

perioperatório (pe.ri:o pe.ra.*tó*.ri:o) *a.* **1** Que ocorre ou atua antes e após a cirurgia (assistência perioperatória, médico perioperatório) **2** Ref. ao período que decorre entre o preparo do paciente para a cirurgia até a alta hospitalar *sm.* **3** Esse período [F.: *peri-* + *operatório*.]

perioral (pe.ri.o.*ral*) *a2g.* Situado em torno da boca (dermatite perioral) [Pl.: *-ais*.] [F.: *peri-* + *oral*.]

periosteíte (pe.ri:os.te.*í*.te) *sf. Pat.* Inflamação do periósteo; PERIOSTITE [F.: *periost (e)-* + *-iste*.]

periósteo (pe.ri.*ós*.te:o) *sm. Anat.* Membrana conjuntiva que reveste os ossos, podendo formar elementos ósseos; PERIÓSSEO [F.: Do gr. *periósteon, ou*.]

perióstico (pe.ri.*ós*.ti.co) *a.* Ref. ou pertencente ao periósteo (reação perióstica); PERIOSTAL; PERIOSTEAL [F.: *periósteo* + *-ico*[2].]

periostite (pe.ri:os.*ti*.te) *Med. sf.* Inflamação do periósteo; PERIOSTEÍTE [F.: *perióst(eo)* + *-ite*.]

peripatético (pe.ri.pa.*té*.ti.co) *a.* **1** O mesmo que *aristotélico* (2 e 3) **2** Que (se) ensina passeando, como Aristóteles (384-322 a.C.) **3** *Fig.* Extravagante na expressão e nos gestos *sm.* **4** Seguidor de Aristóteles [F.: Do gr. *peripatetikós, é, ón*.]

peripatetismo (pe.ri.pa.te.*tis*.mo) *Fil. sm.* O mesmo que *aristotelismo* [F.: *peripatét(ico)* + *-ismo*.]

peripécia (pe.ri.*pé*.ci:a) *sf.* **1** Incidente, aventura, fato imprevisto ou palpitante: "(...) a vida exterior, com seus teatros, as suas palavras de café, os seus almoços ruidosos e cheios de risos, as suas aventuras picantes, as suas peripécias, as suas alegrias..." (Aluísio Azevedo, *Girândola de amores*) **2** Em uma narrativa (literária, cinematográfica etc.) momento em que ocorrem fatos inesperados, surpreendentes ou mirabolantes [F.: Do gr. *peripéteia*.]

périplo (*pé*.ri.plo) *sm.* **1** Navegação em torno de um mar, um continente, ou das costas marítimas de um país **2** Relato de uma viagem dessas **3** Longa viagem: *Fez um périplo pelo Norte da África.* [F.: Do gr. *períploos* ou *periplous*.]

períptero (pe.*ríp*.te.ro) *Arq. a.* **1** Diz-se de templo circundado por uma colunata contínua (templo períptero) *sm.* **2** Conjunto arquitetônico formado por colunata e seu entablamento e que circunda um templo ou edifício, característico dos grandes templos gregos antigos **3** *P. ext.* O templo ou edifício com essa formação [F.: Do gr. *peripteros, os, on*.]

periquerático (pe.ri.que.*rá*.ti.co) *a.* Situado em torno da córnea (hiperemia periquerática) [F.: *peri-* + *cerat(o)-* + *-ico*[2].]

periquita (pe.ri.*qui*.ta) *sf.* **1** *N. N. E. Vulg.* A vulva **2** *Vit.* Casta de uva portuguesa **3** *Vit.* Essa uva [Nas acp. 2 e 3 tb. us. com adj.] [F.: Fem. de *periquito*.]

periquito (pe.ri.*qui*.to) *sm.* **1** *Zool.* Denominação comum às diversas spp. de aves da fam. dos psitacídeos **2** *Bot.* Erva da fam. das amarantáceas (*Alternanthera paronychioides*), natural do Brasil, de flores pequenas, cultivada como ornamental; PERPÉTUA **3** *N. N. E.* Pequeno candeeiro de folha de flandres, com pavio de algodão **4** *Bras. Hist.* Adepto do integralismo **5** *Bras.* O mesmo que *chupão* (7) *a2g. s2g.* **6** *Bras.* O mesmo que *palmeirense*[11] [F.: Do espn. *periquito*. Hom./Par.: *periquito* (sm.), *periquito* (a2g. s2g.), *periquito* (fl. de *periquitar*).]

perisastro (pe.ri.*as*.tro) *sm. Astron.* Ponto orbital mais próximo de um astro em relação a outro em torno do qual gravita [F.: *peri-* + *astro*.]

periscópio (pe.ris.*có*.pi.o) *sm. Ópt.* Equipamento óptico que, por meio de um jogo espelhos, permite enxergar por cima de obstáculos, us. esp. em submarinos para observação de objetos que se encontram na superfície da água [F.: *peri-* + *-scópio*.]

perispírito (pe.ris.*pí*.ri.to) *Espt. sm.* Envoltório fluido que une corpo e espírito e que, segundo o espiritismo, após a morte, possui todas as funções correspondentes aos sentidos do corpo físico [F.: *peri-* + *espírito*.]

perissodáctilo (pe.ris.so.*dác*.ti.lo) *Zool. sm.* **1** Espécime dos perissodátilos, ordem de mamíferos ungulados, de estômago simples e pés com um ou três dedos providos de casco córneo, como cavalos, rinocerontes e antas *a.* **2** Ref. a perissodáctilo ou aos perissodáctilos [F.: Do lat. cient. ordem *Perissodactyla*. Var.: *perissodátilo*.]

perissologia (pe.ris.so.lo.*gi*.a) *sf.* Vício de linguagem que consiste em repetir com palavras diferentes um pensamento já expresso [F.: *perisso-* (do gr. *perissós, ê, ón* 'enorme, supérfluo') + *-logia*.]

peristalse (pe.ris.*tal*.se) *sf. Fisl.* Ver *peristaltismo* [F.: Do lat. científico *peristalsis*.]

peristáltico (pe.ris.*tál*.ti.co) *a.* **1** *Fisl.* Ref. a peristaltismo **2** *Fisl.* Diz-se do movimento feito por meio de contrações musculares dos órgãos ocos, que tem por finalidade empurrar o bolo alimentar ao longo do sistema digestivo para que seja expelido como matéria fecal **3** Ver *bomba* [F.: Do fr. *péristaltique*, deriv. do gr. *peristaltikós*.]

peristaltismo (pe.ris.tal.*tis*.mo) *sm. Fisl.* Conjunto de contrações e relaxamentos musculares de órgãos ocos (como os do sistema digestório) que impulsionam para frente seu conteúdo; PERISTALSE [F.: *peristalt (ico)* + *-ismo*.]

peristilo (pe.ris.*ti*.lo) *sm.* **1** Conjunto de colunas em torno ou em frente de um pátio, de um prédio **2** *Fig.* O que serve de introdução ou antecede [F.: Do fr. *pérystile*, deriv. do gr. *perístylon, stylion*.]

perístole (pe.*rís*.to.le) *Biol. sf.* Contração das paredes do estômago em torno de seu conteúdo [Cf. *peristaltismo*.] [F.: Do gr. *peristolé, és* 'compressão'.]

peritagem (pe.ri.*ta*.gem) *sf.* Vistoria feita por perito(s) [Pl.: *-gens*.] [F.: *perito* + *-agem*.]

perito (pe.*ri*.to) *a.* **1** Diz-se de pessoa que se especializou em determinado ramo ou assunto; EXPERIENTE: *indivíduo perito em contabilidade.* **2** Que tem habilidade ou conhecimento em alguma atividade: *cozinheiro perito em churrascos.* **3** *Jur.* Que é nomeado pela justiça para fazer perícia *sm.* **4** Aquele que adquiriu perícia em alguma arte, técnica, atividade etc.: *Foram convocados vários peritos.* [F.: Do lat. *peritus, a, um*. Ant. ger.: *imperito*. Hom./Par.: *perito* (a. sm.), *perito* (fl. de *peritar*).]

perito-contador (pe.ri.to-con.ta.*dor*) [ô] *sm.* Contador especializado em perícia de escritas contábeis [Pl.: *peritos-contadores*.]

peritoneal (pe.ri.to.ne.*al*) *a2g.* Ref. ao peritônio [Pl.: *-ais*.] [F.: *peritone (o)-* + *al*.]

peritônio (pe.ri.*tô*.ni:o) *sm. Anat.* Membrana que reveste as paredes internas do abdome e as paredes externas dos órgãos digestivos [F.: Do fr. *péritoine*, deriv. do lat. tardio *peritonaeum*, e este do gr. *peritónaion*.]

peritonioplastia (pe.ri.to.ni:o.plas.*ti*.a) *Cir. sf.* Procedimento cirúrgico que consiste em desfazer aderência de vísceras abdominais e recobrir-lhes as superfícies nuas com peritônio, para evitar recorrência; PERITONIZAÇÃO [F.: *peritônio* + *-plastia*.]

peritonioscopia (pe.ri.to.ni:os.co.*pi*.a) *Med. sf.* Exame do peritônio por meio de laparoscópio inserido através da parede abdominal [Cf. *laparoscopia*.] [F.: *peritônio* + *-scopia*.]

peritoniostomia (pe.ri.to.ni.os.to.*mi*.a) *Cir. sf.* Estomia na cavidade abdominal [F.: *peritônio* + *-stomia*.]

peritonite (pe.ri.to.*ni*.te) *sf. Pat.* Inflamação do peritônio, ger. ocasionada por infecção ou perfuração dos órgãos abdominais [F.: *periton (o)-* + *-ite*.]

periumbilical (pe.ri.um.bi.li.*cal*) *a.* Situado ao redor do umbigo [F.: *peri-* + *umbilical*.]

periungueal (pe.ri.un.gue.*al*) *a.* Situado ao redor da unha (infecção periungueal) [Pl.: *-ais*.] [F.: *peri-* + *ungueal*.]

periurbano (pe.ri.ur.*ba*.no) *a.* Situado nas proximidades de uma área urbana (zona periurbana, agricultura periurbana) [F.: *peri-* + *urbano*.]

perivascular (pe.ri.vas.cu.*lar*) *a2g.* Situado ao redor de vaso sanguíneo [F.: *peri-* + *vascular*.]

perjurar (per.ju.*rar*) *v.* **1** Renunciar a (crença, fé, opinião etc.); ABJURAR [*td.*: *Perjurou as ideias que adotara na juventude.*] **2** Fazer um juramento falso [*int.*: *Ele perjurou perante o tribunal.*] **3** Quebrar um juramento [*int.*: *Muitos políticos fazem promessas irreais e acabam perjurando.*] [▶ 1 perjurar] [F.: Do lat. *perjurare*. Hom./Par.: *perjuro* (fl.), *perjuro* (a. sm.).]

perjúrio (per.*jú*.ri.o) *sm.* **1** Ação ou resultado de perjurar **2** Falso juramento: "E é belo esse mundo de fantasmas aéreos, por entre cujos lábios descorados não transpiram nem perjúrio nem dobrez..." (Alexandre Herculano, *Eurico, o presbítero*) [F.: Do lat. *perjurium, ii*.]

perjuro (per.*ju*.ro) *a.* **1** Que perjura, que trai seu próprio juramento (indivíduo perjuro) *sm.* **2** Aquele que perjura; TRAIDOR [F.: Do lat. *perjurus, a, um*. Hom./Par.: *perjuro* (a. sm.), *perjuro* (fl. de *perjurar*).]

perlaboração (per.la.bo.ra.*ção*) *Psic. sf.* Processo pelo qual o psicanalisando integra uma interpretação e supera as resistências que ela suscita; elaboração interpretativa [Pl.: *-ções*.] [F.: Do fr. *perlaboration*; do al. *Durcharbeiten*, *Durcharbeitung*.]

perlado (per.*la*.do) *a.* O mesmo que *perolado* [F.: *perl(a)* + *-ado*[2].]

perlar (per.*lar*) *v. td.* **1** Dar aspecto de pérola a; EMPERLAR; EMPEROLAR **2** Fazer como se parecesse pérola: *Pequenas gotas perlavam sua pele.* [F.: *perla* + *-ar*. Hom./Par.: *perla(s)* (fl.), *perla* (sf. e pl.).]

perlífero (per.*lí*.fe.ro) *a.* **1** Que produz pérola (molusco perlífero) **2** Ref. a pérola: *potencial perlífero da região.* **3** Pródigo em pérolas (área perlífera) [F.: *pérola* + *-ífero*; F. paral. *perolífero*.]

perliquitete (per.li.qui.*te*.te) [ê] *P. us. a2g.* Espevitado, pernóstico, presumido: "Quem ali estava era uma velhotazita, bastante burlesca e perliquitete." (Aquilino Ribeiro, *Quando ao gavião cai a pena*) [F.: voc. expressivo. Var.: *perliquitetes*.]

perlocucionário (per.lo.cu.ci:o.*ná*.ri:o) *Ling. a.* Diz-se de ato linguístico que produz efeito sobre o ouvinte, como o de persuadir, amedrontar, surpreender ou fazer agir; PERLOCUCIONAL; PERLOCUTÓRIO [F.: *per-* + *locução* + *-ário*, segundo o modelo erudito.]

perlonga (per.*lon*.ga) *P. us. sf.* Ação ou resultado de perlongar [F.: f. reg. de *perlongar*.]

perlongar (per.lon.*gar*) *v.* **1** Estender-se ao longo de; ir ao longo de; COSTEAR [*td.*: "...possantes massas sublevadas que se orientam perlongando o litoral perpendicularmente ao rumo do SE..." (Euclides da Cunha, *Os sertões*)] **2** Permanecer por um longo tempo; demorar, durar [*int.*: *A guerra perlongou-se por 16 anos.*] **3** Deixar para o dia seguinte; ADIAR; PROCRASTINAR [*td.*: *Perlongou o pedido de rescisão de contrato.*] [▶ 14 perlongar] [F.: *per-* + *longo* + *-ar*[2]. Hom./Par.: *perlonga(s)* (fl.), *perlonga(s)* (sf. [pl.]); *perlongo* (fl.), *perlongo* (sm.).]

perlustração (per.lus.tra.*ção*) *sf.* Ação de perlustrar [Pl.: *-ções*.] [F.: *perlustrar* + *-ção*.]

perlustrado (per.lus.*tra*.do) *a.* Que se perlustrou [F.: *perlustrar* + *-ado*.]

perlustrar (per.lus.*trar*) *v. td.* **1** Percorrer com os olhos; EXAMINAR; OBSERVAR **2** Andar por, percorrer: *Aves brancas perlustravam o céu.* [▶ 1 perlustrar] [F.: Do lat. *perlustro, as, avi, atum, are*.]

permanecer (per.ma.ne.*cer*) *v.* **1** Continuar a existir, a ser; CONSERVAR-SE; SUBSISTIR [*int.*: *Suas lições permanecem* *até hoje.*] [**tp.:** *Do antigo grupo, só ele permanece vivo.*] **2** Manter-se em determinado lugar por certo tempo [**ta.:** *A criança permaneceu na escola até a mãe vir buscá-la.*] **3** Insistir com persistência; PERSISTIR; PERSEVERAR [**tr.** +*em*: *Permaneceu em seus princípios até o fim.*] [▶ **33** permanecer É v. auxiliar, exprimindo a continuação da ação, quando seguido de geru. ou de *a* + *infinit.*: *Ele permanecia cantando/a cantar.*] [F.: Do lat. **permanescere*, incoativo de *permanere*.]

permanência (per.ma.*nên*.ci:a) ***sf.*** **1** Ação de permanecer, de continuar no lugar onde se encontra; DEMORA; ESTADA: *Sua permanência no local despertou suspeitas.* **2** Qualidade ou condição do que dura longo tempo; CONTINUIDADE: *A permanência dos sintomas preocupava o médico.* **3** Ação de se manter numa posição ou num cargo: *A sua permanência no time depende dos resultados do próximo jogo.* **4** Permissão oficial a um estrangeiro para viver e/ou trabalhar num país: *Obteve um visto de permanência.* [F.: Do lat. medv. *permanentia*. Ant. ger.: *impermanência*.]

permanente (per.ma.*nen*.te) ***a2g.*** **1** Que é constante, contínuo, ininterrupto **2** Que ocorre com frequência: *Sentia uma dorzinha permanente.* **3** De caráter definitivo (dentição permanente) ***s2g.*** **4** *Bras.* Ondulação feita artificialmente nos cabelos ***sm.*** **5** *Bras.* Documento que permite, a seu portador, o ingresso gratuito em certos lugares e em alguns meios de transporte [F.: Do lat. *permanens, entis*.]

permanganato (per.man.ga.*na*.to) ***sm.*** *Quím.* Qualquer sal ou éster com o ânion MnO- [F.: *per-* + *manganato*.]

permeabilidade (per.me:a.bi.li.*da*.de) ***sf.*** **1** Qualidade de permeável. **2** *Eletrôn.* Razão entre o módulo da indução magnética e a intensidade do campo magnético [F.: *permeável* + -(*i*)*dade*. Ant. ger.: *impermeabilidade*.]

permeabilização (per.me:a.bi.li.za.*ção*) ***sf.*** Ação ou resultado de permeabilizar(-se) [Ant.: *impermeabilização*.] [Pl.: *-ções*.] [F.: *permeabilizar* + *-ção*.]

permeabilizado (per.me:a.bi.li.*za*.do) ***a.*** Que passou por processo de permeabilização [Ant.: *impermeabilizado*.] [F.: *permeabilizar* + *-ado*.]

permeabilizar (per.me:a.bi.li.*zar*) ***v.*** Tornar(-se) permeável (tb. *Fig.*) [**td.:** *O médico adotou um procedimento para permeabilizar as vias aéreas do paciente.*] [**tr.** +*a*: *Ele sempre se permeabilizava à influência do último modismo.*] [▶ **1** permeabilizar] [F.: *permeável* + *-izar*.]

permeação (per.me.a.*ção*) ***sf.*** Ação, processo ou resultado de permear [Pl.: *-ções*.] [F.: *permear* + *-ção*.]

permear (per.me.*ar*) ***v.*** **1** Fazer passar através de; ATRAVESSAR [**td.:** *Sons vagos permeavam o silêncio.*] **2** Fazer passar pelo meio; FURAR; TRASPASSAR [**td.:** *Belos brincos permeavam suas orelhas.*] [**tdr.** +*com, de*: *Permeou suas orelhas com argolas douradas.*] **3** Estar presente ao longo de; OCORRER; PASSAR [**td.:** "...a escravidão passou 300 anos a permear a sociedade brasileira." (Joaquim Nabuco, *O abolicionismo*)] **4** Estar entre, de permeio [**td.:** *Nem vinte anos permeiam as duas guerras.*] **5** Colocar de permeio, no meio de [**tdr.** +*com, de*: *Permearam de pedras os espaços entre os jardins.*] [**tr.** +*entre*: *Entre a juventude e a velhice permeia a idade da razão.*] [▶ **13** permear] [F.: Do lat. *permeare*. Hom./Par.: *permeáveis* (fl.), *permeáveis* (pl. de *permeável* [a2g.]); *permeio* (fl.), *permeio* (adv.).]

permeável (per.me:*á*.vel) ***a2g.*** **1** Diz-se de corpos ou substâncias que deixam passar outros por entre seus poros ou interstícios (tecido permeável, membrana permeável) **2** *Fig.* Que se deixa levar por algo ou por alguém: *Ele era permeável a argumentos com um mínimo de lógica.* [Pl.: *-veis*.] [F.: Do lat. *permeabilis, e*. Ant. ger.: *impermeável*. Hom./Par.: *permeáveis* (pl.), *permeáveis* (fl. de *permear*).]

permeio (per.*mei*.o) ***adv.*** Us. na loc **De permeio** [F.: *per* (< do lat. *per*)- + *meio*.] ■ **De ~** **1** Entre, em situação intermediária: *Estavam perto um do outro, mas havia uma parede de permeio.* **2** No meio de, em mistura com: *Recebeu também uma advertência, de permeio com os elogios.* **3** Neste ínterim: *Dedicava horas ao estudo, e, de permeio, ouvia música para relaxar.*

permiano (per.mi:*a*.no) ***a.*** **1** Ref. ou pertencente a cidade de Perm (Rússia) **2** *Geol.* Diz-se de período geológico entre o triássico e o carbonífero ***sm.*** **3** *Geol.* Esse período [Nesta acp. com inicial maiúsc.] **4** *Gloss.* Língua uralo-altaica, do grupo ugro-finlandês [F.: Do ing. *permian*, deriv. do top. *Perm*.]

permissão (per.mis.*são*) ***sf.*** **1** Ação ou resultado de permitir; AUTORIZAÇÃO; CONSENTIMENTO; LICENÇA [Ant.: *proibição*.] **2** *Ret.* Figura de linguagem pela qual se deixa ao(s) ouvinte(s) a decisão de alguma coisa [Pl.: *-sões*.] [F.: Do lat. *permissio, onis*. Ant. ger.: *proibição*.]

permissibilidade (per.mis.si.bi.li.*da*.de) ***sf.*** Qualidade de permissível [F.: *permissi (vel)-* + *-b-* + *-(i)dade*.]

permissionário (per.mis.si:o.*ná*.ri:o) ***sm.*** **1** Aquele que recebeu permissão ou licença: *Autorizou-se o licenciamento de um permissionário do sistema de transporte alternativo.* **2** Que recebeu permissão ou licença (empresa permissionária) [F.: *permissão* + *-ário*, segundo o modelo erudito. Sin. ger.: *licenciado*.]

permissível (per.mis.*sí*.vel) ***a2g.*** Que pode ser permitido; ADMISSÍVEL; TOLERÁVEL [+*a, para*: *Esse assunto não é permissível a / para crianças.* Ant.: *inaceitável, inadmissível*.] [Pl.: *-veis*.] [F.: Do lat. medv. *permissibilis, e*.]

permissividade (per.mis.si.vi.*da*.de) ***sf.*** **1** Qualidade de quem ou do que é permissivo: *Não é possível apoiar qualquer tipo de permissividade.* **2** *Elet.* Razão entre o módulo do vetor deslocamento elétrico em um material e o módulo do campo elétrico [F.: *permissivo* + *-i-* + *-dade*.] ■ **~ relativa** *Elet.* Relação entre a permissividade de um meio e a do vácuo

permissivismo (per.mis.si.*vis*.mo) ***sm.*** Tendência à permissividade, à tolerância ou indulgência excessiva para com comportamentos considerados imorais e antissociais; LICENCIOSIDADE [F.: *permissivo* + *-ismo*.]

permissivista (per.mis.si.*vis*.ta) ***a2g.*** **1** Ref. a permissivismo (interpretação permissivista) **2** Que apoia ou pratica o permissivismo (moral permissivista; ambiente permissivista) [F.: *permissivo* + *-ista*. Sin. geral: *licencioso*.]

permissivo (per.mis.*si*.vo) ***a.*** **1** Que permite ou concede permissão com facilidade (pais permissivos); INDULGENTE; TOLERANTE [Ant.: *inflexível, intransigente*.] **2** Que envolve permissão: *Teve uma educação totalmente permissiva.* **3** A que falta controle (sociedade permissiva); DESREGRADO; LICENCIOSO [Ant.: *rígido, severo*.] [F.: *permiss-* + *-ivo*.]

permitido (per.mi.*ti*.do) ***a.*** Que se permitiu; a que se concedeu permissão; CONSENTIDO; FACULTADO: *Cena permitida pela censura.* [Ant.: *proibido, vedado*.] [F.: Part. de *permitir*.]

permitir (per.mi.*tir*) ***v.*** **1** Dar liberdade, licença, poder ou consentimento para [**td.:** *A instituição não permite fumar em suas dependências.*] [**tdi.** +*a, para*: *Permitiu aos alunos um descanso.*] **2** Tomar a liberdade de [**td.:** *Permitimo-nos tecer algumas críticas à tese.*] **3** Dar liberdade para; ADMITIR; CONCEDER; TOLERAR [**td.:** *O caso não permite vacilações.*] [**tdi.** +*a*: *Esta é a única extravagância que me permito.*] **4** Dar ocasião a; POSSIBILITAR [**td.:** *A coragem dos soldados permitiu a vitória.*] [▶ **3** permitir] [F.: Do lat. *permittere*.]

permocarbonífero (per.mo.car.bo.*ní*.fe.ro) *Cron. Geol.* ***a.*** **1** Diz-se de intervalo de tempo que reúne os períodos permiano e carbonífero da era paleozoica ***sm.*** **2** Esse intervalo [F.: *perm(iano)* + *-o-* + *carbonífero*.]

permuta (per.*mu*.ta) ***sf.*** **1** Ação ou resultado de permutar; CÂMBIO; TROCA: "E já explicou um filósofo humorista que o casamento era sempre uma permuta, mas não de almas e corações e sim: durante o dia – de maus humores; durante a noite – de maus odores." (Aluísio Azevedo, *Livro de uma sogra*) **2** *Fig.* Troca de objetos, de coisas entre seus respectivos donos (permuta de livros); PERMUTAÇÃO **3** Troca de ideias, de informações entre pessoas, entidades etc. **4** *Jur.* Acordo pelo qual os contratantes trocam entre si coisas que a eles pertencem **5** *Gen.* Ver *permutação* [F.: Dev. de *permutar*. Hom./Par.: *permuta* (fl. de *permutar*).]

permutabilidade (per.mu.ta.bi.li.*da*.de) ***sf.*** Qualidade do que é permutável [F.: *permutável* (*-vel* sob a f. lat. *-bil(i)-*) + *-dade*.]

permutação (per.mu.ta.*ção*) ***sf.*** **1** Ação ou resultado de permutar **2** Ver *permuta* (2) **3** Substituição de uma coisa por outra **4** Modificação na ordem dos elementos que formam um conjunto, com o objetivo de se obter nova combinação **5** *Ling.* Troca da ordem de elementos de uma frase (p. ex.: *caiu uma grande chuva à noite* por *uma grande chuva caiu à noite*.) **6** *Gen.* Troca de material genético entre cromossomos homólogos durante a meiose; ENTRECRUZAMENTO; PERMUTA **7** *Ling.* Ver metátese [Pl.: *-ções*.] [F.: Do lat. *permutatio, onis*.] ■ **~ cíclica/circular** *Álg.* Permutação num sistema ordenado, de modo que cada elemento é substituído pelo subsequente, até que o último é substituído pelo primeiro, formando-se um ciclo no qual não há primeiro nem último elemento **~ com repetição/completa** *Álg.* Permutação de elementos num conjunto no qual há elementos repetidos, de tal forma que os elementos repetidos permutam-se como se diferentes fossem, atingindo-se assim o máximo possível de permutações

permutar (per.mu.*tar*) ***v. td.*** **1** Dar reciprocamente; TROCAR: *Permutar mercadorias.* **2** *Fig.* Dar em troca; PARTILHAR: *Permutamos durante o colóquio muitas ideias acerca da educação.* [▶ **1** permutar] [F.: Do lat. *permutare*. Hom./Par.: *permuta(s)* (fl.), *permuta(s)* (sf. [pl.]); *permutáveis* (fl.), *permutáveis* (pl. de *permutável* [a2g.]).]

permutável (per.mu.*tá*.vel) ***a2g.*** Que pode ser permutado, trocado [+*por*: *Um objeto permutável por outro.*] [Pl.: *-veis*.] [F.: Do lat. *permutabilis, e*. Hom./Par.: (pl.) *permutáveis* (fl. de *permutar*).]

perna (*per*.na) ***sf.*** **1** *Anat.* Cada um dos membros inferiores do ser humano **2** *Anat.* Parte de cada um dos membros inferiores entre o joelho e o tornozelo **3** *Anat. Zool.* Cada um dos membros de locomoção de diversos animais **4** Cada haste que serve de apoio a um objeto (perna de mesa, de cadeira): *Perna de mesa/cadeira/piano etc.* **5** Haste de letra: *As três pernas do 'm'.* **6** Parte da calça que corresponde a uma perna: *Pôs um remendo na perna esquerda da calça.* **7** Parte comprida que se destaca de um objeto a que pertence (perna do compasso) **8** *Cons.* Cada uma das duas partes que formam uma tesoura de telhado **9** *N. E. Pop.* Companheiro, parceiro **10** *Teat.* Divisória de tecido que limita a área cênica e impede a visão da coxia [Aum.: *pernaço, pernaça*.] [F.: Do lat. *perna, ae*.] ■ **Abrir as ~s** **1** *Bras. Tabu.* Deixar-se possuir sexualmente (mulher) **2** *Bras. P. ext.* Ceder, facilitando algo, sob pressão ou por vontade própria: *Resistiu quanto pôde, mas teve de abrir as pernas; O professor deu uma de bonzinho, abriu as pernas na prova e todo mundo passou.* **3** *Bras. Esp.* Jogar mal propositalmente, para perder; entregar o jogo **Bater ~s** *Bras. Fam.* Andar à toa, por andar **Bolear a ~** *S.* Montar no cavalo ou dele apear **Cerrar ~** *RS* Fazer parar, subitamente, o cavalo **Com uma ~ às costas** Com grande facilidade; com um pé nas costas **Dar à ~** Apertar o passo, andar depressa [Cf.: *Dar às pernas*.] **Dar às ~s** Fugir, debandar [Cf.: *Dar à perna*.] **Desenferrujar as ~s** *Bras. Fig.* Movimentar as pernas para exercitá-las, ger caminhando **Em cima da ~** *Bras.* Precariamente, apressadamente, sem cuidado **Esticar as ~s** Morrer; esticar as canelas **Fazer uma ~** **1** Em jogo, substituir o parceiro **2** Entrar numa negociação, aliando-se a alguém **Não ir lá das ~s** **1** *Fam.* Não estar se desenvolvendo bem, não estar sólido, não ir para a frente: *Este projeto não vai lá das pernas.* **2** Não demonstrar condições para cumprir o objetivo, realizar tarefa ou missão etc. **Não ter ~s** *Fig.* Não ter força nas pernas, ou energia para andar, correr, praticar algum esporte etc. **Passar a ~ em** Enganar, lograr **~ de pau** **1** Peça de madeira que se adapta a um toco de perna de um amputado para dar-lhe apoio no lugar da parte amputada [Cf.: *perna de pau*.] **2** Cada uma de um par de hastes compridas de madeira, com um estribo a certa altura, no qual se apoia cada pé de quem as usa como uma espécie de prolongamento da perna, para andar nelas se equilibrando, como brincadeira ou acrobacia **~ mecânica** *Ort.* Perna artificial, para substituição de perna amputada, dotada de articulação que permite certos movimentos **~s de bolas** *RS* As três tiras de couro que, nas boleadeiras, ligam as pedras **~s de cercar frango** *Bras. Fam.* Pernas encurvadas, arqueadas **~s de maçarico** *Bras.* Pernas muito finas e longas **~s, para que te quero** *Fam.* Exclamação que expressa a ânsia de fugir correndo de algo (ameaça, perigo etc.) [A expressão é gramaticalmente errada, ao usar o pronome 'te' por 'vos'.] **Ter à ~** Ser perseguido ou importunado por (alguém): *Tenho meu chefe à perna, está de marcação comigo.* **Ter (boas) ~s** Estar em boas condições para andar ou usar as pernas (em esportes e práticas em que são exigidas) **Trocando as ~s** Em estado de embriaguez: *Saiu da festa trocando as pernas.* **Trocar as ~s** *Gír.* Andar com dificuldade, perdendo o equilíbrio, por estar muito bêbado ou drogado (a ponto de não conseguir andar mantendo o equilíbrio) **Trocar ~s** **1** Andar sem destino ou caminho certo, à toa, ou passeando; vaguear: "Mas também não seria muito divertido andar sozinho pela cidade, a trocar pernas, sem um companheiro, sem um amigo." (Aluísio de Azevedo, *Casa de pensão*) **2** Andar sem firmeza nas pernas, perdendo o equilíbrio, tropeçando ou quase caindo

pernada (per.*na*.da) ***sf.*** **1** Passada larga: *Corria a grandes pernadas.* **2** *Bras.* Longa caminhada; ESTIRÃO **3** Pancada com a perna; CHUTE; PONTAPÉ **4** Ver *rasteira* **5** *Esp.* Movimento que se faz com as pernas para nadar **6** *PE* Passo do frevo **7** *Bot.* Qualquer dos ramos principais do tronco de uma árvore; BRAÇO; GALHO **8** Braço de rio pequeno **9** *Náut.* Conjunto de fios que formam um cabo; RAMAL [F.: *perna* + *-ada*.]

perna de pau (per.na de*pau*) *Bras.* ***s2g.*** **1** *Pej. Pop.* Pessoa que não tem uma perna ou tem uma delas defeituosa; PERNETA **2** *Pej. Pop. Fut.* Jogador de má qualidade; PERNETA **3** *Pej. Pop.* Pessoa desajeitada ou medíocre em sua atividade ou profissão [Pl.: *pernas de pau*.]

pernalta (per.*nal*.ta) ***a2g.*** **1** Que tem longas pernas; PERNALTO ***sm.*** **2** *Orn.* Espécime dos pernaltas, ant. classificação de aves de pernas longas e desprovidas de penas [F.: *perna* + *alta*.]

pernambucana (per.nam.bu.*ca*.na) ***sf.*** **1** *Bras.* Tipo de faca de ponta; LAMBEDEIRA; PEIXEIRA **2** *BA* Aguardente [F.: fem. de *pernambucano*.]

pernambucano (per.nam.bu.*ca*.no) ***sm.*** **1** Pessoa nascida ou que vive em Pernambuco ***a.*** **2** De Pernambuco; típico desse estado brasileiro ou de seu povo [F.: Do top. *Pernambuco* + *-ano*.]

pernambucos (per.nam.*bu*.cos) *RS* ***smpl.*** Us. na locução *estar nos pernambucos*: estar à vontade, achar-se na situação almejada [F.: pl. de *Pernambuco*.]

perneira (per.*nei*.ra) ***sf.*** **1** *Vest.* Conjunto de peças, ger. de couro, que protegem as pernas, muito us. por vaqueiros **2** Tipo de bota us. por habitantes do interior, esp. do sertão **3** *Vet.* Doença bovina que produz edemas e lesões nas patas do animal [F.: *perna* + *-eira*.]

pernejar (per.ne.*jar*) *P. us.* ***v.*** Espernear, mover, agitar as pernas com violência, convulsivamente; tb. *pernear* [▶ **1** pernejar] [F.: *perna* + *-ear*.]

perneta (per.*ne*.ta) [ê] ***a2g.*** **1** *Bras.* Diz-se de pessoa que não tem uma das pernas ou tem uma delas defeituosa (homem perneta) ***s2g.*** **2** Essa pessoa: *O perneta não pôde correr.* **3** *Pej. Pop. Fut.* Ver *perna de pau* (1 e 2) [F.: *perna* + *-eta*.]

perniciosidade (per.ni.ci:o.si.*da*.de) ***sf.*** Qualidade ou caráter de pernicioso; NOCIVIDADE: *A perniciosidade para o público infantil de certos programas de tevê.* [F.: *pernicioso* + *-(i)dade*.]

pernicioso (per.ni.ci.*o*.so) [ô] ***a.*** Que pode causar dano moral, intelectual etc. (indivíduo pernicioso, filme pernicioso): "... acho que essas donzelas, que sonham assim torto, são verdadeiras aleijadas do coração, deformidade consequente de uma moléstia que grassava muito quando eu tinha dezoito anos – a infecção romântica, com caráter pernicioso." (Aluísio Azevedo, *Livro de uma sogra*) [Ant.: *benéfico, salutar*.] [Pl.: [ó]. Fem.: [ó].] [F.: Do lat. *perniciosus, a, um*.]

pernil (per.*nil*) ***sm.*** **1** Coxa comestível de porco ou de outros quadrúpedes **2** *Fig.* Perna fina, magra [Pl.: *-nis*.] [F.: *perna* + *-il*.] ■ **Esticar o ~** Morrer

pernilongo (per.ni.*lon*.go) *Bras. Zool.* ***sm.*** **1** Ver *mosquito* **2** Ave da fam. dos recurvirrostrídeos (*Himantopus himantopus*), de dorso negro e partes inferiores brancas, pés e íris vermelhos, com cerca de 38 cm, encontrada dos EUA ao sul da América do Sul [F.: *pern(i)-* + *longo*.]

pernoitar (per.noi.*tar*) *v. ta.* Passar a noite em, ger. para dormir; PERNOUTAR: "Quase nunca dormia ali; pernoitava em casa..." (Lima Barreto, *O triste fim de Policarpo Quaresma*) [▶ 1 pernoitar] [F.: Do lat. *pernoctare*. Hom./Par.: *pernoita(s)* (fl.), *pernoita(s)* (sf. [pl.]); *pernoite(s)* (fl.), *pernoite(s)* (sm. [pl.]).]

pernoite (per.*noi*.te) *sm. Bras.* Ação ou resultado de pernoitar; ESTADA; PERNOITAMENTO: *Depois do pernoite no albergue, seguiu caminho.*: "Cavalo dorme de noite, como toda a criação. (...) eu arrumo João e Laurinha para o pernoite." (Antônio Callado, *Bar Don Juan*) [F.: Dev. de *pernoitar*. Hom./Par.: *pernoite* (fl. de *pernoitar*).]

pernosticismo (per.nos.ti.*cis*.mo) *sm.* Qualidade ou comportamento de pernóstico, pernosticidade, esnobismo [F.: *pernóstico* + *-ismo*, segundo o modelo vernáculo.]

pernóstico (per.*nós*.ti.co) *Pop. a.* **1** Que é afetado, pedante (indivíduo pernóstico; discurso pernóstico); PRESUMIDO; PRETENSIOSO: "Um mulato de pastinha, com os colarinhos altíssimos e o jeito pernóstico de levantar o dedo mínimo..." (João do Rio, *Dentro da noite*) [Ant.: *desafetado, modesto.*] **2** Que é espevitado, repontão; GROSSEIRO; MALCRIADO [Ant.: *educado, respeitoso.*] **3** *Bras.* Que gosta de usar termos incomuns, que às vezes desconhece, para aparentar cultura; DOUTORAL; SENTENCIOSO *sm.* **4** Indivíduo pernóstico [F.: *prognóstico* com troca do prefixo *pro-* por *per-*.]

peroba (pe.*ro*.ba) *Bras. sf.* **1** *Bot.* Designação comum a diversas árvores das famílias das apocináceas e das bignoniáceas cuja madeira é us. em marcenaria e construções *a2g. s2g.* **2** *Pop.* O mesmo que *galalau* **3** *Fam.* O mesmo que *maçante* [F.: Do tupi ipe'rowa, de *i'pe* 'casca' + *'rowa* 'amargo'.]

perobal (pe.ro.*bal*) *sf.* Terreno onde há muitas perobas [F.: *peroba* + *-al*.]

peroba-rosa (pe.ro.ba-*ro*.sa) *Bras. Bot. sf.* **1** Designação comum a várias árvores do gênero *Aspidosperma*, da fam. das apocináceas, de madeira rosada e de boa qualidade, de cuja casca se extrai tanino **2** Árvore da fam. das apocináceas (*Aspidosperma polyneuron*), nativa do Brasil, de madeira amarelo-rosada, folhas elípticas, coriáceas, com numerosas nervuras, e pequenas flores amareladas dispostas em glomérulos; PEROBA-AÇU; PEROBA-AMARELA; PEROBA-AMARGOSA; PEROBA-MIÚDA; PEROBINHA; SOBRO **3** Árvore (*Aspidosperma ellipsocarpum*) de folhas cartáceas e inflorescências em corimbos **4** Árvore (*Aspidosperma tomentosum*) da fam. das apocináceas, nat. do Brasil; PAU-PEREIRA-DO-CAMPO **5** Árvore (*Aspidosperma cylindrocarpon*) da fam das apocináceas, de tam. variável; PEROBA-IQUIRA **6** Árvore (*Aspidosperma excelsum*) da fam. das apocináceas, nat. das Guianas e Amazônia; SAPOPEMA; BUCUTÁ [Pl.: *perobas-rosas*.]

pérola (*pé*.ro.la) *sf.* **1** Glóbulo duro, de cor levemente prateada, brilhante, que se forma no interior das conchas de alguns moluscos bivalves **2** Conta proveniente desse glóbulo, us. em joias (colar de pérolas) **3** *Fig.* Pessoa ou coisa deleitável, adorável: *Essa moça é uma pérola.* **4** *Pop. Irôn.* Dito um tanto idiota quer pelo conteúdo, quer pela forma com que é dito (ger. sem concordância, com troca de palavras etc.) **5** *Bot.* Gema de plantas lenhosas **6** *Fig.* Gota de água, de lágrima *sm.* **7** A cor suavemente prateada dessa conta *a2g2n.* **8** Que tem a cor da pérola (sapatos pérola) **9** *Fig.* Diz-se dessa cor: *Echarpe de cor pérola.* [F.: Do port. ant. *perla* (< it. *perla*, este posv. do lat. vulg. *pernula*, dim. do lat. *perna, ae*, 'pernil'), com epêntese. Hom./Par.: *pérola* (sf.), *perola* (fl. de *perolar*), *pérula* (sf.).] ◼ **~s aos porcos** Coisas de valor, ideias ou palavras inteligentes, favores e benefícios etc. concedidos a quem não tem condições de desfrutá-los por não estar à altura deles

perolado (pe.ro.*la*.do) *a.* **1** A que se deu forma, aspecto ou cor de pérola (miçangas peroladas; tinta acrílica perolada) **2** Diz-se de cor ou tonalidade feita para brilhar como a pérola ou aparentar sua textura (vermelho perolado; verde perolado) **3** Em que há pérolas (joia perolada) [F.: Part. de *perolar*. Tb. *perlado*.]

perolandense (pe.ro.lan.*den*.se) *s2g.* **1** Indivíduo nascido ou que vive em Perolândia (GO) *a2g.* **2** De Perolândia; típico dessa cidade ou de seu povo [F.: Do top. *Perolând(ia)* + *-ense*.]

perolar (pe.ro.*lar*) *v. td.* Dar forma, cor, aparência de pérola a; EMPEROLAR; PERLAR: *As gotas de orvalho perolavam o verde da grama.* [▶ 1 perolar] [F.: *pérola* + *-ar*². Hom./Par.: *perola(s)* (fl.), *pérola(s)* (sf. [pl.]).]

perolizado (pe.ro.li.*za*.do) *a.* A que se deu a cor ou a forma da pérola [F.: Part. de *perolizar*.]

perolizar (pe.ro.li.*zar*) *v.* **1** Dar cor ou aspecto de pérola a [*td.*: *Perolizei a pintura; Substância que peroliza o xampu.*] **2** Citar uma pérola (dito memorável, célebre ou ridículo), ou exclamar como se fosse uma pérola (4) [*td.*: *Voltou-se devagar e perolizou: "Que não seja imortal, posto que é chama..."*] [▶ 1 perolizar] [F.: *pérola* + *-izar*.]

perônio (pe.*rô*.ni:o) *sm. Anat.* O mesmo que *fíbula* [F.: Do lat. cient. *perone*, deriv. do gr. *perónē*.]

peronismo (pe.ro.*nis*.mo) *sm.* **1** Conjunto das ideias e práticas políticas do caudilho argentino Juan Domingo Perón (1895-1974) **2** Adesão ao peronismo, ou simpatia por ele [F.: (*Juan Domingo*) *Perón* + *-ismo*.]

peronista (pe.ro.*nis*.ta) *s2g.* **1** Partidário ou simpatizante do peronismo *a2g.* **2** Ref. ao peronismo **3** Que é partidário ou simpatizante do peronismo [F.: (*Juan Domingo*) *Perón* + *-ista*.]

peroração (pe.ro.ra.*ção*) *sf.* **1** *Ling.* Conclusão de um discurso; EPÍLOGO **2** *Ling.* Breve discurso **3** *Mús.* A conclusão de uma sinfonia [Pl.: *-ções*.] [F.: Do lat. *peroratio, onis*.]

perorador (pe.ro.ra.*dor*) [ô] *sm.* **1** Aquele que discursa; ORADOR **2** Aquele que perora *a.* **3** Que perora [F.: *perorar* + *-dor*. Sin. ger.: *orador*.]

perorar (pe.ro.*rar*) *v.* **1** Falar, pronunciar-se (a favor de); DEFENDER [*td.*: *Perorar uma causa.*] [*int.*: *Perorou com entusiasmo em defesa do acusado.*] **2** Falar ou discursar pomposamente; discorrer pretensiosamente [*tr.* +*para, sobre*: *Assistimos a alguns comentaristas perorando sobre as últimas eleições.*] [*ti.* +*a, para*: *Perorava a uma plateia interessada.*] [*int.*: *Quando encontrava pessoas dispostas a ouvi-lo, o pastor perorava.*] **3** Finalizar um discurso [▶ 1 perorar] [F.: Do lat. *perorare*.]

peroxidase (pe.ro.xi.*da*.se) [cs] *Bioq. sf.* **1** Qualquer enzima que catalisa a degradação de peróxidos *a.* **2** Diz-se de qualquer dessas enzimas (enzima peroxidase) [F.: *peróxido* + *-ase*.]

peróxido (pe.*ró*.xi.do) [cs] *Quím. sm.* Qualquer composto, orgânico ou inorgânico, com propriedade oxidante que contêm o grupo -O-O- [F.: *per-* + *óxido*.] ◼ **~ de hidrogênio** *Quím.* Água oxigenada

perpassante (per.pas.*san*.te) *a.* Que perpassa: *Nota-se claramente a linha perpassante de sua tese.* [F.: *perpassar* + *-nte*.]

perpassar (per.pas.*sar*) *v.* **1** Passar ao longo ou perto de [*td.*: *Um arrepio o perpassou.*] [*tda.*: *Perpassou o olhar pelo jardim.*] **2** Passar o tempo; CORRER; DECORRER [*tp.*: *Os dias perpassam serenos.*] [*int.*: *Sem me dar conta, os meses perpassaram.*] **3** Passar levemente; deslizar sobre, ou roçar por [*tda.*: *Perpassei delicadamente a mão por seus cabelos.*] [*ta.*: *Uma brisa perpassava pelas ramagens.*] [*int.*: "A brisa perpassando levou um murmúrio..." (José de Alencar, *Iracema*)] **4** Estar presente do início ao fim [*td.*: *O tema da amizade perpassa toda a obra daquele autor.*] **5** Avançar sem se deter [*int.*: *A procissão perpassava lentamente.*] [▶ 1 perpassar] [F.: *per-* + *passar.* Hom./Par.: *perpasse(s)* (fl.), *perpasse(s)* (sm. [pl.]); *perpassáveis* (fl.), *perpassáveis* (pl. de *perpassável* [a2g.]).]

perpasse (per.*pas*.se) *sm.* Ação ou resultado de perpassar; PASSAGEM; TRANSCURSO: *Entendeu a questão no perpasse do discurso.* [F.: f. reg. de *perpassar*. Hom./Par.: *perpasse* (sf.), *perpasse* (fl. de *perpassar*).]

perpendicular (per.pen.di.cu.*lar*) *Geom. a2g.* **1** Que forma um ângulo reto com outra linha ou plano *sf.* **2** Linha perpendicular **3** Qualquer configuração geométrica cuja interseção com outra forme um ângulo reto [F.: Do lat. tard. *perpendicularis, e*.]

perpendicularidade (per.pen.di.cu.la.ri.*da*.de) *sf.* Qualidade de perpendicular [F.: *perpendicular* + *-(i)dade*.]

perpetração (per.pe.tra.*ção*) *sf.* Ação ou resultado de perpetrar [Pl.: *-ções*.] [F.: Do lat. *perpetratio, onis*.]

perpetrado (per.pe.*tra*.do) *a.* Que se perpetrou: *O crime foi perpetrado pela manhã.* [F.: Part. de *perpetrar*.]

perpetrador (per.pe.tra.*dor*) [ô] *a.* **1** Que perpetra *sm.* **2** Aquele que perpetra [F.: Do lat. tard. *perpetrator, oris*.]

perpetrar (per.pe.*trar*) *v. td.* **1** Cometer (crime ou qualquer ato condenável): *Vândalos perpetraram ataques contra as lojas das redondezas.* **2** Levar a cabo, realizar (atividade, trabalho, uma criação qualquer etc.): *perpetrar um projeto social* [▶ 1 perpetrar] [F.: Do lat. *perpetrare*.]

perpétua (per.*pé*.tu:a) *Bot. sf.* **1** Planta (*Gomphrena globosa*) pertencente à fam. das amarantáceas, de folhas simples e flores de cores variadas, de propriedades expectorantes e fornecedora de matéria corante violeta, proveniente da Índia e da China **2** Erva (*Gomphrena gnaphaloides*) da mesma fam., de flores esbranquiçadas, nativa de SP e MG **3** *Bras.* Erva (*Alternanthera paronychioides*) da fam. das amarantáceas, cultivada como ornamental, e nativa do Brasil **4** O mesmo que *sempre-viva* (*Ammobium alatum*) **5** A flor de algumas dessas plantas [F.: Fem. substv. de *perpétuo*. Hom./Par.: *perpétua* (sf.), *perpetua* (fl. de *perpetuar*); *perpétuas* (pl.), *perpetuas* (fl. de *perpetuar*).]

perpetuação (per.pe.tu:a.*ção*) *sf.* Ação ou resultado de perpetuar(-se); PERPETUAMENTO [Pl.: *-ções*.] [F.: Do lat. medv. *perpetuatio, onis*.]

perpetuado (per.pe.tu:*a*.do) *a.* **1** Que se perpetuou **2** Que se torna perpétuo; que fica para sempre: "O talento há de ser perpetuado em sua família:" (Prosper Mérimée, "A Vênus Ille" *in Mar de histórias*) **3** *Fig.* Que se mantém presente através da sua prole e das gerações que se seguem [F.: Part. de *perpetuar*.]

perpetuador (per.pe.tu:a.*dor*) [ô] *a.* **1** Que perpetua *sm.* **2** Aquele ou aquilo que perpetua [F.: *perpetuar* + *-dor*.]

perpetuante (per.pe.tu.*an*.te) *a.* Que perpetua; PERPETUADOR: *Fator perpetuante da doença.* [F.: Do lat. *perpetuans, antis* part. pres. de *pereptuare*.]

perpetuar (per.pe.tu.*ar*) *v.* **1** Tornar(-se) duradouro, permanente [*td.*: *Os guias de viagens perpetuam as fantasias sobre as ilhas exóticas.*] [*tda.*: *Quer perpetuá-lo no poder.*] [*int.*: "Assim a ocupação se perpetuou, unindo ocupador e ocupado num ciclo de violência." (*Jornal da Unicamp*, 02.2002)] **2** Dar fama duradoura a; IMORTALIZAR [*td.*: *O tempo perpetuou sua memória.*] **3** Manter(-se) por reprodução ou geração (espécie animal); dar sucessão por muito tempo a [*td.*: *Um pecuarista do interior de São Paulo está recorrendo à tecnologia da clonagem para tentar perpetuar um de seus principais animais, uma vaca Nelore que morreu no fim de julho.*] [*int.*: *As sementes dos vegetais se perpetuam e conservam a capacidade de se reproduzir.*] **4** Transmitir de geração em geração [*tdi.* +*a*: *Os gregos perpetuaram sua arte à posteridade.*] [*int.*: *Os costumes perpetuam-se de pais a filhos.*] [▶ 1 perpetuar] [F.: Do lat. *perpetuare*. Hom./Par.: *perpetua(s)* (fl.), *perpétua(s)* (sf. [pl.]); *perpetuo* (fl.), *perpétuo* (a.).]

perpetuidade (per.pe.tu:i.*da*.de) *sf.* **1** Duração perpétua: *Discutiam a perpetuidade do universo*: "Há neste mundo uma ação e reação em tudo, que constituem a ordem, e determinam a conservação e perpetuidade do mesmo mundo." (Marquês de Maricá, *Máximas, pensamentos e reflexões*) [Ant.: *provisoriedade, temporariedade, transitoriedade*.] **2** Duração muito longa: "A herança dos sábios tem sempre maior extensão e perpetuidade que a dos ricos: compreende o gênero humano, e alcança a mais remota posteridade." (*Idem*) [Ant.: *brevidade, efemeridade*.] **3** Qualidade de perpétuo [F.: Do lat. *perpetuitas, atis*. Sin. ger.: *eternidade, perenidade*.]

perpétuo (per.*pé*.tu:o) *a.* **1** Que não tem fim; PERENE: *Poder divino e perpétuo.* **2** Que dura para sempre (ou [*fig.*] até a morte) (prisão perpétua) **3** Que tem duração ilimitada (diz-se de cargo ou função); VITALÍCIO **4** Que nunca se interrompe; que não cessa: *Queria descobrir a máquina de funcionamento perpétuo.* **5** Diz-se de sepultura concedida por prazo indeterminado (jazigo perpétuo) [F.: Do lat. *perpetuus, a, um*. Ant. ger.: *breve, efêmero*. Hom./Par.: *perpétuo* (a. sm.), *perpetuo* (fl. de *perpetuar*); *perpétua* (fem.), *perpetua* (fl. de *perpetuar*); *perpétuas* (pl.), *perpetuas* (fl. de *perpetuar*).]

perplexidade (per.ple.xi.*da*.de) [cs] *sf.* Estado ou condição de perplexo, de quem ficou pasmo, sem reação; HESITAÇÃO; PERPLEXIDEZ: *Ficou em estado de perplexidade ao ver a cena.* [F.: Do lat. *perplexitas, atis*.]

perplexidez (per.ple.xi.*dez*) [cs...ê] *P. us. sf.* O mesmo que *perplexidade* [F.: *perplexid(ade)* + *-ez*.]

perplexo (per.*ple*.xo) [cs] *a.* **1** Que ficou pasmo, hesitante ou indeciso, sem reação, diante ger. de algo inesperado, incompreensível ou absurdo: *Ainda confuso após o atentado, parou perplexo em meio ao caos.* **2** Que encerra ou revela pasmo, perplexidade: *Seus olhos perplexos seguiam o desenrolar da cena.* **3** *Fig.* Admirado, pasmado ou tomado de encanto; ATÔNITO: *Ficou perplexo diante de tanta beleza.* [F.: Do lat. *perplexus, a, um*.]

perquirição (per.qui.ri.*ção*) *sf.* Ação ou resultado de perquirir; PERQUISIÇÃO [Pl.: *-ções*.] [F.: *perquirir* + *-ção*.]

perquiridor (per.qui.ri.*dor*) [ô] *sm.* **1** Aquele que perquire *a.* **2** Que perquire (espírito perquiridor) [F.: *perquirir* + *-dor*. Sin. ger.: *perquisidor*.]

perquirir (per.qui.*rir*) *v.* Averiguar com escrúpulo, examinar minuciosamente; ESQUADRINHAR; PERSCRUTAR [*td.*: "...e perquire os traços mais fugitivos das paisagens..." (Euclides da Cunha, *Os sertões*)] [*int.*: "Chico, o herói, não perquiria tanto." (Guimarães Rosa, "Nós, os temulentos" *in Tutameia*)] [▶ 3 perquirir] [F.: Do lat. *perquirere*.]

perreiro (per.*rei*.ro) *Lus. sm.* **1** *Ant.* Aquele que enxota cães na igreja; tb. *enxota-cães* **2** Indivíduo responsável pela guarda da matilha [F.: *perro* + *-eiro*.]

perrengue (per.*ren*.gue) *Bras. Pop. a2g.* **1** Que é frouxo, covarde **2** Diz-se de indivíduo lerdo, abobalhado **3** Que é teimoso, obstinado; BIRRENTO **4** *RS* Diz-se de animal ou pessoa que sofre de manqueira congênita; COXO **5** *RJ* Diz-se de indivíduo briguento *s2g.* **6** Indivíduo ou animal perrengue *sm.* **7** Discussão, bate-boca; DESENTENDIMENTO; BRIGA *sm.* **8** Situação difícil de ser controlada ou que apresenta grande risco; APERTO: *Naquele dia dentro do ônibus eles passaram por um perrengue terrível.* **9** *Pop.* Situação ou estado de total falta de dinheiro ou de condições materiais; APERTO: *Ele ficou num grande perrengue depois que voltou da capital.* [F.: Do espn. *perrengue*. Hom./Par.: *perrengue* (a2g. s2g. sm.) *perrengue* (fl. de *perrengar*).]

perro (*per*.ro) [ê] *a.* **1** *Fig.* Difícil de mover ou de abrir ou fechar; EMPERRADO **2** *Fig.* Diz-se de indivíduo teimoso, obstinado *sm.* **3** *Cinol.* O mesmo que *cão* (*Canis familiaris*) **4** *Fig. Pej.* Pessoa de má índole, vil, canalha [F.: Do espn. *perro*.]

persa (*per*.sa) *s2g.* **1** Pessoa nascida na Pérsia, atual Irã (Ásia) **2** *Gloss.* Língua indo-europeia falada no Irã e no Afeganistão *a2g.* **3** Da Pérsia; típico desse país ou de seu povo; PÉRSEO; PÉRSICO [F.: Do lat. *persae, arum*, tomado no sing.]

per saecula saeculorum (*Lat. /per sécula seculórum/*) *loc. adv.* Para sempre [F.: Do lat., 'pelo século dos séculos'.]

perscrutação (pers.cru.ta.*ção*) *sf.* Ação ou resultado de perscrutar [Pl.: *-ções*.] [F.: Do lat. *perscrutatio, onis*.]

perscrutado (pers.cru.*ta*.do) *a.* Examinado ou investigado a fundo [F.: Part. de *perscrutar*.]

perscrutador (pers.cru.ta.*dor*) [ô] *a.* **1** Que perscruta *sm.* **2** Aquele que perscruta [F.: Do lat. tard. *perscrutator, oris*.]

perscrutar (pers.cru.*tar*) *v. td.* **1** Examinar ou investigar a fundo: *Telescópios sofisticados perscrutam o céu em busca de astros distantes.* **2** Tentar desvendar, conhecer o segredo das coisas; SONDAR: *perscrutar as intenções alheias.* [▶ 1 perscrutar] [F.: Do lat. *perscrutare*. Hom./Par.: *perscrutáveis* (fl.), *perscrutáveis* (pl. de *perscrutável* [a2g.]).]

perscrutável (pers.cru.*tá*.vel) *a2g.* Que pode ser perscrutado [Pl.: *-veis*.] [F.: Do lat. *perscrutabilis, e*. Hom./Par.: *perscrutáveis* (pl.), *perscrutáveis* (fl. de *perscrutar*).]

⊕ **per se** (*Lat. /per se/*) *loc. adv.* Por si mesmo; em si mesmo [F.: 'por si'.]

persecução (per.se.cu.*ção*) *sf.* **1** Ação ou resultado de perseguir, de ir ao encalço de (persecução de criminosos) **2**

Esforço para alcançar (objetivo, meta, ideais etc.): *Corria na perseguição de um sonho.* [Pl.: -ções.] [F.: Do lat. *persecutio, onis.*]

persecutório (per.se.cu.*tó*.ri:o) *a.* 1 Que envolve ou em que há perseguição: *Era dominado por uma espécie de mania persecutória.* 2 *Psiq.* Diz-se de quem se imagina vítima de perseguições: *Sofria de alucinações persecutórias.* [F.: Do lat. *persecutus, a, um* (part. do v.lat. *persequi*, 'perseguir') + *-ório.*]

perseguição (per.se.gui.*ção*) *sf.* 1 Ação ou resultado de perseguir, de ir ao encalço de: *Fugia da perseguição policial.* 2 *P. ext.* Ação ou comportamento de quem age no intuito de coagir, reprimir, hostilizar ou perseguir grupo ou indivíduo (ger. considerado[s] como seu[s] opositor[es], adversário[s], desafeto[s], ou visto[s] com preconceito) (perseguição religiosa): *Perseguições racistas são imperdoáveis.* [Pl.: -ções.] [F.: *perseguir* + *-ção.*]

perseguida (per.se.*gui*.da) *sf. Bras. Joc. Tabu.* O mesmo que *vulva* [F.: fem. subst. de *perseguido.*]

perseguido (per.se.*gui*.do) *a.* 1 Que sofre ou sofreu perseguição 2 *P. ext. Fig.* Vitimado, marcado: *Um povo perseguido pela tragédia* [F.: Part. de *perseguir.*]

perseguidor (per.se.gui.*dor*) [ô] *a.* 1 Que persegue: *Tinha um marido perseguidor.* *sm.* 2 Aquele que persegue: *Procurava escapar de seus perseguidores.* [F.: *perseguir* + *-dor.*]

perseguir (per.se.*guir*) *v. td.* 1 Ir ao encalço de; correr atrás de: *A fã perseguiu o carro do ídolo.* 2 Tratar com hostilidade e/ou injustamente: *O chefe o persegue.* 3 Aborrecer, importunar com pedidos, súplicas etc.: *Perseguiam o deputado com pedidos de emprego.* 4 Causar incômodo, perturbação; IMPORTUNAR; INCOMODAR: *O barulho dessa obra me persegue o dia todo.* 5 Procurar alcançar, lutar para obter: *perseguir uma meta.* 6 *Fig.* Estar junto de, acompanhar: *O escritor disse que a ideia de um novo romance o persegue há tempos.* 7 Impor punição, castigo, tormento; CASTIGAR; FLAGELAR: *Nero perseguia os cristãos.* [▶ 55 per**seguir**] [F.: Do lat. vulg. **persequere.*]

perseverança (per.se.ve.*ran*.ça) *sf.* Qualidade de quem persevera; CONSTÂNCIA; PERSISTÊNCIA; PERTINÁCIA: "Dodora, porém, sob cuja resignada perseverança agitava-se a estranha humana pressa." (João Guimarães Rosa, "Além da amendoeira" *in Ave, Palavra*) [Ant.: *desistência, inconstância.*] [F.: Do lat. *perseverantia, ae.*]

perseverante (per.se.ve.*ran*.te) *a.* Que persevera; que tem a perseverança como qualidade básica; OBSTINADO; PERSISTENTE [Ant.: *inconstante, instável.*] [F.: Do lat. *perseverans, antis.*]

perseverar (per.se.ve.*rar*) *v.* 1 Continuar esforçando-se para alcançar (algo); INSISTIR; TEIMAR [*tr.* +em: *perseverar num objetivo.*] [*int.: Nunca foi de desistir, sempre perseverou.* Ant.: *desistir, renunciar.*] 2 Continuar a fazer (algo negativo) [*tr.* +em: *perseverar numa má estratégia.*] 3 Continuar a acontecer, a existir [*int.: A seca perseverou meses a fio.*] 4 Manter-se (de certa forma ou maneira); PERMANECER; FICAR [*tp.: O menino perseverou firme diante do interrogatório.*] [▶ 1 perseve**rar**] [F.: Do lat. *perseverare.* Sin. ger.: *persistir.*]

persiana (per.si.*a*.na) *sf. Decor.* Cortina de placas fixas ou móveis, de materiais variados (madeira, metal, plástico etc.), que tem a finalidade de controlar a luminosidade, evitar a exposição ou ventilar o ambiente de que faz parte, e que é acionada, para fechar ou abrir, por meio de cordões [F.: Do fr. *persienne.*]

pérsico (*pér*.si.co) *a.* Ver *persa* [F.: Do lat. *persicus,a,um.*]

persignação (per.sig.na.*ção*) *sf.* Ação de persignar-se [Pl.: *-ções.*] [F.: *persignar* + *-ção.*]

persignado (per.sig.*na*.do) *a.* Que se persignou [F.: Part. de *persignar.*]

persignar-se (per.sig.*nar*-se) *v. int.* Fazer com o polegar três sinais da cruz, na testa, na boca e no peito: "...não deixava de persignar-se e rezar um "credo" em voz baixa..." (Lima Barreto, *A Nova Califórnia*) [▶ 1 persig**nar**-se] [F.: Do lat. *persignare.*]

persistência (per.sis.*tên*.ci:a) *sf.* 1 Qualidade de persistente; OBSTINAÇÃO; PERSEVERANÇA; PERTINÁCIA [Ant.: *abdicação, impersistência, inconstância.*] 2 *Enol.* Qualidade do vinho cujo aroma e sabor permanecem de maneira marcante nos sentidos de quem o provou [F.: *persistir* + *-ência.*]

persistente (per.sis.*ten*.te) *a2g.* 1 Que revela persistência; que persiste; DURADOURO; CONTÍNUO 2 *Enol.* Diz-se de vinho cujo aroma e sabor apresentam persistência 3 *Bot.* Diz-se de folhas que persistem, embora murchas, durante a estação fria 4 *Ecol.* Diz-se de poluente que por bom tempo continua ativo no ambiente, sem entrar em processo de degradação [F.: Do lat. *persistens, entis.* Ant. ger.: *impersistente, inconstante, instável.* Ideia de 'persistente', usar pref. *meno-*.]

persistir (per.sis.*tir*) *v.* 1 Continuar empenhando-se; INSISTIR; PERSEVERAR [*tr.* +em: *Ela decidiu persistir nessa carreira.*] [*int.: Persistir é próprio dos fortes.*] 2 Continuar a fazer (algo negativo), a ficar [*tr.* +em: *Persistir num erro é burrice.*] 3 Continuar a ser (de determinado modo) [*tp.: Os homens persistiam calados.*] 4 Continuar a existir, a acontecer [*int.: Se a dor persistir, você deve voltar ao médico.*] [▶ 3 persis**tir**] [F.: Do lat. *persistere.* Sin. ger.: *perseverar.* Ant. ger.: *impersistir.*]

personagem (per.so.*na*.gem) *s2g.* 1 Cada uma das figuras humanas apresentadas em obra de ficção (romance, filme, peça teatral etc.) 2 Papel representado por ator ou atriz que encarna uma dessas figuras 3 Pessoa de prestígio social, profissional etc.; PERSONALIDADE: *Personagem importante na vida do Rio de Janeiro.* 4 *Pop.* Pessoa que, por características pouco comuns, chama a atenção dos outros; TIPO: *Esse padeiro é um personagem raro de se ver.* [Pl.: *-gens.*] [F.: Do fr. *personage.* Ideia de 'personagem', usar pref. *prosop(o)-*.]

⊕ ***persona grata*** (*Lat.* /*persôna grata*/) ***loc. subst.*** Pessoa que, por diversas razões, é bem recebida em qualquer lugar (residência, instituição, país etc.): *Aqui no museu, esse senhor é persona grata.* [Pl.: *personae gratae.*] [F.: *persona* nom. de *persona, ae* 'pessoa' e *grata* nom. fem. sing. de *gratus, a, um* 'agradável'. Cf.: *persona non grata.*]

⊕ ***personal coach*** (*Ing.* /*pêrsonal coutch*/) ***loc. subst.*** Profissional de diversas formações que presta consultoria emocional personalizada

personalidade (per.so.na.li.*da*.de) *sf.* 1 Qualidade ou característica do que é pessoal; PESSOALIDADE 2 Pessoa de destaque social, cultural, profissional, político etc.; PERSONAGEM: *Era uma grande personalidade política.* 3 Aspecto que alguém assume ou projeta publicamente; IMAGEM: *Mudou sua maneira de ser assumindo nova personalidade.* 4 Conjunto de qualidades ou características que marcam uma pessoa, um grupo social etc.: *Era a expressão perfeita da personalidade brasileira.* 5 *Psic.* Conjunto de traços psíquicos e emocionais que formam a totalidade de uma pessoa, distinguindo-a das demais: *Possuía uma personalidade marcante.* 6 Conjunto de traços morais e/ou intelectuais que possuem marca pessoal ou alguma originalidade: *Era um homem banal, sem personalidade.* [F.: Do lat. tard. *personalitas, atis.*] ■ **Dupla/múltipla ~** *Psiq.* Distúrbio psíquico que se manifesta ao assumir o paciente, alternada ou simultaneamente, distintas personalidades **~ borderline** *Psiq* Denominação de distúrbio psíquico que se manifesta com variações no humor e na autoestima, instabilidade nas relações com outras pessoas, impulsos de cólera, depressão e sentimento de tédio, com tentativas de suicídio etc. **~ esquizoide** *Psiq.* Estado psíquico limítrofe na evolução para a esquizofrenia, que se manifesta numa deterioração emocional e mental perceptível no comportamento **~ jurídica** *Jur.* Aptidão (de instituição individual ou coletiva) de arcar com obrigações e ser portador de direitos, reconhecida por lei e pelo sistema judiciário; personalidade moral **~ moral** *Jur.* Ver *Personalidade jurídica* **~ paranoide** *Psiq.* Estado de distúrbio da personalidade no qual se manifestam desconfianças e suspeitas, mania de perseguição, hipersensibilidade a crítica etc. **~ psicopática** *Psiq.* Grave distúrbio psíquico que se manifesta em comportamento antissocial sem autocrítica ou arrependimento, imoralidade ou amoralidade, isolamento, incapacidade de amar ou de se relacionar, dificuldade ou incapacidade de aprender

personalismo (per.so.na.*lis*.mo) *sm.* 1 Qualidade daquilo que é estritamente pessoal, subjetivo 2 Maneira de ser do indivíduo que refere todas as coisas a si mesmo, que se coloca como o centro de tudo o que ocorre à sua volta: *Perde os amigos por causa de seu personalismo insuportável.* 3 *Fil.* Doutrina que coloca a personalidade humana como o elemento fundamental no campo ético e/ou metafísico 4 *Pol.* Sistema político submetido à personalidade de seu líder, esp. quando é forte e carismática 5 *Pol.* Predominância dos interesses e valores individuais sobre os da coletividade: *O personalismo desse sistema político é intolerável.* 6 *Teol.* Doutrina segundo a qual a personalidade de Deus é a responsável pela criação do universo [F.: Do fr. *personnalisme,* 'egoísmo'.]

personalista (per.so.na.*lis*.ta) *a2g.* 1 Relativo ao personalismo 2 Que é estritamente pessoal, subjetivo: *A visão social desse escritor é por demais personalista.* 3 Diz-se de quem é egocêntrico 4 Diz-se de pessoa seguidora ou adepta do personalismo *s2g.* 5 Essa pessoa 6 Pessoa egocêntrica, não raro egoísta [F.: Do fr. *personnaliste.*]

personalístico (per.so.na.*lís*.ti.co) *a.* Que diz respeito a personalista; que se revela pessoal, subjetivo; PERSONALISTA [F.: *personalista* + *-ico.*]

personalização (per.so.na.li.za.*ção*) *sf.* Ação ou resultado de personalizar; PERSONIFICAÇÃO [Ant.: *impersonalização.*] [Pl.: *-ções.*] [F.: *personalizar* + *-ção.*]

personalizado (per.so.na.li.*za*.do) *a.* 1 Alterado ou modificado para atender exigências do usuário 2 Feito ou produzido para atender ao gosto peculiar do cliente: *Encomendou camisas personalizadas.* 3 Diz-se de papel, cheque bancário etc. que tem gravado o nome do usuário [F.: Part. de *personalizar.* Ant. ger.: *impersonalizado.*]

personalizar (per.so.na.li.*zar*) *v.* 1 Tornar exclusivo de uma pessoa; tornar mais pessoal [*td.: personalizar um serviço.*] 2 Conferir qualidades de pessoa a; PERSONIFICAR; PESSOALIZAR [*td.: Ela personaliza seus objetos dando-lhes nomes.*] 3 Mencionar (a pessoa, o nome de); NOMEAR [*td.: Conto o fato sem personalizar ninguém.*] [*int.: Durante a reunião, o chefe preferiu não personalizar.*] [▶ 1 personali**zar**] [F.: Do fr. *personnaliser.*]

⊕ **personal trainer** (*Ing.* /*pêrsonal trêiner*/) ***loc. subst.*** Profissional que planeja e executa um programa de educação física diretamente com o cliente, dando-lhe assistência permanente

◎ **personal zen** (*Ing.* /*pêrsonal zen*/) ***loc. subst.*** Profissional que orienta o cliente na meditação

⊕ ***persona non grata*** (*Lat.* /*persôna non grata*/) ***loc. subst.*** Pessoa que, por diversas razões, inclusive por não ser benquista ou por ser politicamente inaceitável, não é bem-vinda a um lugar (casa, instituição, país etc.) [Pl.: *personae non gratae.*] [F.: *persona* nom. de *persona, ae* 'pessoa', adv. de neg. *non*, 'não', e *grata* nom. fem. sing. de *gratus, a, um* 'agradável'. Cf.: *persona grata.*]

◎ **person(i)-** *pref.* = pessoa, personagem: *personalidade, personificar.*

personificação (per.so.ni.fi.ca.*ção*) *sf.* 1 Ação ou resultado de personificar; PERSONALIZAÇÃO 2 Pessoa que simboliza ou faz pensar algo de abstrato; EXPRESSÃO: *Era a personificação do cinema independente.* 3 Pessoa que representa uma ideia ou uma qualidade; MODELO: *Jean-Paul Sartre foi a personificação do existencialismo.* 4 *Ret.* O mesmo que *prosopopeia* [Pl.: *-ções.*] [F.: *personificar* + *-ção.*]

personificado (per.so.ni.fi.*ca*.do) *a.* 1 Que se personificou, foi personalizado 2 Que se tornou a personificação ou a representação de algo [F.: Part. de *personificar.*]

personificar (per.so.ni.fi.*car*) *v.* 1 Atribuir caráter de pessoa a; PERSONALIZAR [*td.: Os índios personificam os elementos da natureza.*] 2 Ser ou tornar a personificação, a representação de [*td.: D. Quixote personifica a honradez.*] [*tdr.* +em: *Personificou no protagonista a bondade.*] 3 Representar de modo simbólico [*td.: A casa em desordem personifica seu estado emocional.*] [▶ 11 personifi**car**] [F.: *person(i)* + *-ficar.*]

perspectiva (pers.pec.*ti*.va) *sf.* 1 *Grav. Pint.* Técnica de representar objetos tridimensionais sobre uma superfície plana, pela utilização de linhas que convergem para um ponto central da tela 2 Aquilo que o olhar alcança a partir de determinado lugar; PANORAMA 3 Maneira de considerar uma situação, um problema; PONTO DE VISTA: *Em minha perspectiva esse projeto não vai dar certo.* 4 Forma ou maneira sob a qual algo se apresenta ou é visto: *Na perspectiva dos terroristas, morrer é algo de glorioso.* 5 Esperança, expectativa: *A perspectiva de um bom casamento deixava-o animado.* [F.: Do lat. medv.: *perspectiva, ae.* Hom./Par.: *perspectiva* (fl. de *perspectivar*).] ■ **Em ~** 1 *Fig.* Que se espera ou se acredita que vai acontecer no futuro: *Com essa crise, os resultados em perspectiva não são animadores.* 2 Com alguma distância ou afastamento; sem envolvimento atual com algo (um acontecimento, uma atividade etc.): *Visto em perspectiva, o caso não parece grave.*

perspectivação (pers.pec.ti.va.*ção*) *sf.* Ação ou resultado de perspectivar; PERSPETIVAÇÃO [F.: *perspectivar* + *-ção.*]

perspectivar (pers.pec.ti.*var*) *v. td.* Pôr em perspectiva: *O pintor perspectivou a série de colunas em seu quadro.* [▶ 1 perspectiva**r**] [F.: *perspectiva* + *-ar.* Hom./Par.: *perspectiva(s)* (fl.), *perspectiva(s)* (sf. [pl.]); *perspectivo* (fl.), *perspectivo* (a.).]

perspectivismo (pers.pec.ti.*vis*.mo) *Fil. sm.* 1 Teoria que afirma ser o conhecimento sempre parcial, limitado pela perspectiva particular pela qual cada indivíduo observa o mundo e interage com ele 2 Maneira de considerar (alguma coisa) segundo visões, planos e pontos de vista diferentes [F.: *perspectiva* + *-ismo.*]

perspectivista (pers.pec.ti.*vis*.ta) *a2g.* 1 Diz do indivíduo adepto às ideias do perspectivismo *s2g.* 2 O adepto do perspectivismo [F.: *perspectiva* + *-ista.*]

perspectivo (pers.pec.*ti*.vo) *a.* Que diz respeito a perspectiva; PERSPÉCTICO [F.: Do lat. tard. *perspectivu.* Hom./Par.: *perspectivo* (fl. perspectivar).]

perspicácia (pers.pi.*cá*.ci:a) *sf.* Qualidade de quem é perspicaz, de quem é capaz de observar com argúcia, de compreender as coisas; ARGÚCIA; CLARIVIDÊNCIA; ESPERTEZA; LUCIDEZ [Ant.: *estupidez, imperspicácia, inépcia.*] [F.: Do lat. *perspicacia, ae.*]

perspicaz (pers.pi.*caz*) *a2g.* 1 Diz-se de pessoa que tem perspicácia, que é bom observador; ESPERTO; PENETRANTE; SAGAZ: "Acostumaram-nos, entretanto, a um vivo rol de atributos, de qualidades, mais ou menos específicas, sejam as de (...) precavido, pão-duro, perseverante, perspicaz." (João Guimarães Rosa, "Minas Gerais" *in Ave, Palavra*) 2 *Fig.* Que sabe compreender o que observa; ARGUTO; INTELIGENTE [Superl.: *perspicacíssimo.*] [F.: Do lat. *perspicax, acis.* Ant. ger.: *apalermado, obtuso.*]

perspicuidade (pers.pi.cu:i.*da*.de) *sf.* Qualidade de perspícuo; NITIDEZ; TRANSPARÊNCIA [Ant.: *intransparência, opacidade.*] [F.: Do lat. *perspicultas, atis.*]

perspícuo (pers.*pí*.cu:o) *a.* Que se pode ver com clareza, nitidez; EVIDENTE; MANIFESTO; NÍTIDO [Ant.: *obscuro, opaco.*] [F.: Do lat. *perspicuus, a, um.*]

perspiração (pers.pi.ra.*ção*) *sf.* Ação ou resultado de perspirar; SUOR [Pl.: *-ções.*] [F.: *perspirar* + *-ção.*]

perspirar (pers.pi.*rar*) *v.* 1 Sair o suor pelos poros; SUAR; TRANSPIRAR [*int.: O rapaz subiu a ladeira correndo e chegou perspirando.*] 2 Pressentir (algo) com base em indícios; ENTREVER [*td.: Observando o filho, a mãe logo perspirou a mentira.*] [▶ 1 perspi**rar**] [F.: Do lat. *perspirare.*]

perspiratório (pers.pi.ra.*tó*.ri:o) *a. Med.* Decorrente da perspiração [F.: *perspirar* pelo rad. lat. *perspirat-* + *-ório.*]

persuadido (per.su:a.*di*.do) *a.* 1 Que foi convencido ou se convenceu 2 Que foi estimulado ou incentivado [+*a, de, por*: *Foi persuadido a votar a favor; Persuadido de que estava tudo certo; Persuadido pelas evidências.*] [F.: Part. de *persuadir.*]

persuadir (per.su:a.*dir*) *v.* 1 Levar (alguém ou a si mesmo) a acreditar, aceitar ou decidir [*td.: Ele sempre consegue persuadir a irmã.*] [*tdr.* +a, de: *Persuadi meu pai de que eu tinha razão.*] [*tr.* +a, de: *Persuadiu-se a aceitar o acordo.*] 2 Levar (alguém ou a si mesmo) a fazer algo [*tdr.* +*a*: "... acabou pedindo que persuadisse o filho a ir comigo." (Machado de Assis, *Casa velha*)] 3 Fazer (alguém) ter certeza de [*tdr.* +*de*: *A atitude do amigo persuadiu-o de que algo estava errado.*] 4 Levar a certeza, a convicção ao ânimo de (alguém) [*int.*: *Suas palavras não persuadem.*] 5 Mostrar a importância, a necessidade ou a conveniência de; APONTAR [*td.*: *O comando de greve persuadiu a volta ao trabalho.*] [▶ 3 persuadir] [F.: Do lat. *persuadere.* Sin. ger.: *convencer.*]

persuadível (per.su:a.*dí*.vel) ***a2g.*** Que se pode persuadir [+*a, de, por*: *Persuadível a interromper a ação; Persuadível de mudar de opinião; Persuadível pelas próprias circunstâncias.*] [Pl.: *-veis.*] [F.: Do lat. *persuadibilis.*]

persuasão (per.su:a.*são*) ***sf.*** 1 Ação ou resultado de persuadir(-se); CONVENCIMENTO; CONVICÇÃO 2 Capacidade de convencer [Pl.: *-sões.*] [F.: Do lat. *persuasio, onis.* Ant. ger.: *dissuasão.*]

persuasiva (per.su:a.*si*.va) ***sf.*** Habilidade ou talento de persuadir [F.: Fem. substv. de *persuasivo.*]

persuasivo (per.su:a.*si*.vo) ***a.*** 1 Que tem poder de persuasão (oradora persuasiva; discurso persuasivo); PERSUASÓRIO; CONVINCENTE 2 Que tem habilidade para persuadir: "... exerceu seu espírito irrequieto, agitado, discutidor, persuasivo, aconselhando e dominando o do rei." (Afrânio Peixoto, *Maias e Estevas*) [F.: Do lat *persuasivus, a, um.* Ant. ger.: *dissuasivo, dissuasório.*]

persuasório (per.su:a.*só*.ri:o) ***a.*** O mesmo que *persuasivo*

pertença (per.*ten*.ça) ***sf.*** 1 Domínio de uma arte, ciência, especialidade etc.: *Essa questão é pertença exclusiva da economia.* 2 *Jur.* Qualquer coisa que, por determinação judicial ou destinação natural, liga-se ao uso de outra como acessório ou complemento 3 *Lus.* Atribuição, privilégio: *Essa tarefa é pertença de outro departamento.* 4 *Lus.* Domínio absoluto, incontestado, sobre algo; PROPRIEDADE: *Essas terras foram pertença do meu avô!* [F.: Do lat. *pertinentia.* Sin. Ger.: *pertencimento.*]

pertencente (per.ten.*cen*.te) ***a2g.*** 1 Diz-se de que pertence a alguém ou a alguma coisa (pertencente ao patrimônio nacional); CONCERNENTE; RELATIVO 2 Que faz parte de alguma coisa (peça pertencente ao maquinismo) 3 Ref. a, que diz respeito a alguma coisa; PERTINENTE: *Assuntos pertencentes às ciências naturais.* [F.: *pertencer-* + *-nte.*]

pertencer (per.ten.*cer*) ***v. ti.*** 1 Ser propriedade de [+*a*: *Este carro pertence a ele.*] 2 Ser parte de [+*a*: *As Canárias pertencem à Espanha.*] 3 Ser da responsabilidade ou obrigação de [+*a*: *Esta decisão pertence a mim.*] 4 Dizer respeito, ser relativo a [+*a*: *A Inconfidência Mineira pertence à história da busca pela liberdade no Brasil.*] 5 Ser devido a; CABER [+*a*: *A honra de discursar na formatura pertencia ao aluno mais aplicado da turma.*] 6 Ser característico de, peculiar, inerente a [+*a*: *A reflexão pertence ao ser humano.*] [▶ 33 pertencer] [F.: Do lat. **pertinescere*, incoativo de *pertinere.* Hom./Par.: pertença (fl.), pertença(s) (sf. [pl.]); *pertences* (fl.), *pertences* (smpl.).]

pertences (per.*ten*.ces) ***smpl.*** 1 Objetos pessoais; bens, coisas: *Guardou seus pertences no armário.* 2 Acessórios, ingredientes; PERTENÇAS: *Reuniu todos os pertences para a feijoada.* [F.: Pl. de *pertence.* Hom./Par.: *pertence* (fl. de *pertencer*), *pertences* (fl. de *pertencer*).]

pertencimento (per.ten.ci.*men*.to) ***sm.*** *Ant.* O mesmo que *pertença* [F.: *pertencer* + *-mento.*]

pertinácia (per.ti.*ná*.ci:a) ***sf.*** 1 Característica, qualidade ou ação de pertinaz 2 Tenacidade, persistência, obstinação; TEIMOSIA [F.: Do lat. *pertinatia, ae.*]

pertinacíssimo (per.ti.na.*cís*.si.mo) ***a.*** Que é extremamente pertinaz [F.: Do lat. *pertinacissimus, a, um.*]

pertinaz (per.ti.*naz*) ***a2g.*** 1 Que não desiste de fazer ou de alcançar alguma coisa; PERSISTENTE; PERSEVERANTE: *Ela é pertinaz em obter esse emprego.* 2 Que insiste em manter determinadas atitudes ou ideias; TEIMOSO; OBSTINADO: *Pertinaz na defesa de seus conceitos.* [Pl.: *-nazes.* Superl.: *pertinacíssimo.*] [F.: Do lat. *pertinax, acis.*]

pertinência (per.ti.*nên*.ci:a) ***sf.*** 1 Característica ou qualidade de pertinente 2 O mesmo que *pertença* [F.: Do lat. *pertinentia, ae.*]

pertinente (per.ti.*nen*.te) ***a2g.*** 1 Que vem a propósito, próprio para o fim a que se destina; OPORTUNO; APROPRIADO: "Mas, além daquelas razões, tão pouco pertinentes para uma antipatia figadal, outras, mais sutis, mais congênitas, existiam no ânimo de Fräulein." (Aquilino Rbeiro, *Mônica*) [Ant.: *impertinente.*] 2 Importante, relevante (argumentação pertinente) 3 Que tem relação (com alguma coisa) (pertinente à poesia provençal); RELATIVO; CONCERNENTE [F.: Do lat. *pertinens, entis.*]

perto (*per*.to) ***adv.*** 1 A curta distância: *A praia fica perto.* 2 Pouco afastado no tempo: *O carnaval está perto.* ***a2g.*** 3 Que está muito próximo; VIZINHO: *O cinema fica perto de onde moro.* [F.: De or. incerta, talvez do lat. tard. *pectus, o ris.* Sin. ger.: *próximo.* Ant. ger.: *longe.*] ■ **~ de** 1 A pouca distância de; próximo de (no espaço ou no tempo): *Eles moram perto da estação; Estamos perto da formatura.* 2 Aproximadamente: *Teremos de esperar pela conexão perto de três horas.* 3 A ponto de: *Ela está perto de bater o recorde da prova.* 4 Comparado a: *Perto do Amazonas, este rio é um riacho.* **Ao ~** Ver *De perto* (1) **De ~** 1 A pequena distância; ao perto: *Foram à praia para ver a ressaca de perto.* 2 *Fig.* Intimamente, com profundidade: *Nessa viagem eu o conheci de perto; Estudou de perto todos os problemas da produção.*

perturbação (per.tur.ba.*ção*) ***sf.*** 1 Ação ou resultado de perturbar(-se) 2 Estado de quem está perturbado; AGITAÇÃO; INQUIETAÇÃO: *Era notória sua perturbação no momento.* [Ant.: *tranquilidade.*] 3 Perplexidade, hesitação, indecisão [Ant.: *certeza, segurança.*] 4 Transtorno, desordem, confusão (perturbação social) [Ant.: *ordem.*] 5 *Pat. Psiq.* Distúrbio, de intensidade variável, no desempenho de uma função física ou psíquica (perturbação respiratória/mental); TONTURA; VERTIGEM 6 *Fís.* Alteração das características de um meio físico (perturbações sonoras) 7 Alteração das condições de equilíbrio (perturbações climáticas) 8 *Astr.* Desarranjo na trajetória dos corpos celestes causado por força extrínseca: *A perturbação na órbita planetária foi causada pelo envelhecimento do sol.* 9 *Fís.* Mudança repentina e passageira que eventualmente ocorre a uma agulha magnética [Pl.: *-ções.*] [F.: Do lat. *perturbatio, onis.*]

perturbado (per.tur.*ba*.do) ***a.*** 1 Que passou ou passa por processo de perturbação 2 Que se desnorteou; ALUCINADO; DESVAIRADO [F.: Part. de *perturbar.* Sin. ger.: *transtornado.* Ant. ger.: *tranquilo.*]

perturbador (per.tur.ba.*dor*) [ô] ***a.*** 1 Diz-se de que ou quem perturba (olhar perturbador; pessoa perturbadora); PERTURBATÓRIO; PERTURBANTE ***sm.*** 2 Aquele ou aquilo que perturba [F.: Do lat. *perturbator, oris.*]

perturbante (per.tur.*ban*.te) ***a2g.*** O mesmo que *perturbador* (notícias perturbantes) [F.: *perturbar-* + *-nte.*]

perturbar (per.tur.*bar*) ***v.*** 1 Causar ou sentir perturbação, atordoamento [*td.*: "A surpresa, retratando-se em todos os olhares, não perturbou o rigor da manobra." (Euclides da Cunha, *Os sertões*)] [*int.*: "Ergue a virgem os olhos, que o sol não deslumbra; sua vista perturba-se." (José de Alencar, *Iracema*)] 2 Fazer perder, ou perder, a tranquilidade; ABALAR(-SE); AFLIGIR(-SE) [*td.*: *Esses pensamentos começavam a me perturbar.*] [*int.*: *Ouviu tudo sem se perturbar.*] 3 Causar incômodo, perturbação a; IMPORTUNAR; INCOMODAR [*td.*: *Estou estudando, pare de me perturbar!*] 4 Criar obstáculo, impedimento a [*td.*: *A chuva forte perturbou o passeio marítimo.*] 5 *Fig.* Causar transtorno ou pôr fim a; ATRAPALHAR [*td.*: *perturbar a ordem/a concentração.*] 6 Causar ou sentir embaraço, vergonha; EMBARAÇAR [*td.*: *As perguntas indiscretas o perturbaram.*] 7 Causar, ou sofrer, comoção [*td.*: *A triste notícia perturbou toda a família.*] [*int.*: *Perturbou-se quando soube que não passara no concurso.*] 8 Causar distúrbios emocionais [*td.*: *As brigas dos pais perturbavam a mente das crianças.*] 9 Ficar turvo; TURVAR-SE [*int.*: *Por causa da fumaça, a atmosfera perturbou-se.*] [▶ 1 perturbar] [F.: Do lat. *perturbare.*]

perturbatório (per.tur.ba.*tó*.ri:o) ***a.*** Que perturba; o mesmo que *perturbador* (1) [F.: *perturbar* + *-t-* + *-ório.*]

peru (pe.*ru*) ***sm.*** 1 *Zool.* Ave da fam. dos fasianídeos (*Meleagris gallopavo*), originária da América do Norte, de plumagem escura com reflexos verde-metálicos ou cor de bronze, pescoço e cabeça desnudos, providos de carúnculas eréteis, cauda larga e arredondada, encontrada em todo o mundo como animal doméstico, comestível, de carne muito apreciada 2 O prato que se prepara com essa ave 3 *Bras. Lud.* No *jogo do bicho*, as dezenas 77, 78, 79 e 80, pertencentes ao 20º grupo, e correspondentes ao número do peru (20) 4 *Bras.* O que observa um jogo (esp. de cartas) sem tomar parte nele; MIRÃO 5 Embarcação de carga, com um mastro, em forma de canoa 6 *Bras. Vulg.* O pênis 7 *Bras. Pop.* Indivíduo que gosta de dar palpites 8 *Bras. Pej.* Namorado ridículo, cortejador chulo 9 *Bras. Ant. Pop.* Antiga nota de vinte cruzeiros [F.: De or. incerta, prov. do top. *Peru.*] ■ **Cercar ~** *Bras. Pop.* Caminhar tropegamente, ger. por estar embriagado **~ de roda** Peru que abre sua cauda em leque **Não enjeitar ~ por carregado** *N.E. Pop.* Não se amedrontar com riscos; enfrentar situações difíceis ou perigosas

perua (pe.*ru*.a) ***sf.*** 1 *Zool.* Fêmea do peru 2 *Bras. Gír. Pej.* Mulher que se veste e age de maneira espalhafatosa e pretensamente elegante 3 *SP* O mesmo que *caminhonete*; FURGÃO 4 *SP* O mesmo que *van* 5 *Bras. Gír.* Meretriz, prostituta 6 *AL Pop.* Mistura de aguardente com caldo de cana 7 *Pop.* O mesmo que *bebedeira* [F.: Fem. de *peru.* Hom./Par.: *perua* (fl. de *peruar*).]

peruada (pe.ru.*a*.da) ***sf.*** 1 *Bras. Pop.* Atitude de peruar, de dar palpite: *Não joga, mas fica dando peruadas que irritam os jogadores.* 2 Galanteio, namoro, paquerada: *Desiludia-se dos homens, de ouvir tanta peruada grosseira.* [F.: *peru* + *-ada.*]

peruagem (pe.ru:*a*.gem) ***sf.*** *Pop.* Ação ou resultado de peruar; PERUAÇÃO [F.: *peruar* + *-agem.*]

peruano (pe.ru:*a*.no) ***a.*** 1 Pertencente ao Peru (América do Sul), típico desse país ou de seu povo (litoral peruano; música peruana) ***sm.*** 2 Indivíduo natural ou que vive no Peru; PERUVIANO 3 *N.E. Ornit.* Espécie de galinha de pescoço pelado [F.: Do top. *Peru* + *-ano.*]

peruar (pe.ru.*ar*) ***v.*** 1 *Bras. Pop.* Observar (ger. um jogo), ger. dando palpites [*td.*: *peruar uma partida.*] [*int.*: *Ela ficou perto da mesa de pôquer, só peruando.*] 2 Dar uma volta; passear [*int.*: *Sábado, fomos peruar pelo shopping.*] 3 Investigar, bisbilhotar [*int.*: *Eu estava peruando no sótão e descobri umas fotos antigas.*] [▶ 1 peruar] [F.: *peru* + *ar*[2]. Hom./Par.: *perua(s)* (fl.), *perua(s)* (sf. [pl.]).]

peruca (pe.*ru*.ca) ***sf.*** Cabeleira artificial, postiça [F.: Do fr. *perruque.*]

peru de festa (pe.ru de *fes*.ta) ***sm.*** *Bras. Pop.* Qualidade de quem gosta muito de festas, de quem vai a festas com grande frequência [Pl.: *perus de festa.*]

perueiro (pe.ru:*ei*.ro) ***sm.*** 1 *SP* Motorista que transporta regularmente pessoas em perua (3), mediante pagamento 2 *Bras.* Criador de perus ***a.*** 3 Ref. ou inerente a peru (carne perueira) [F.: *peru-* + *-eiro.*]

peruíce (pe.ru.*í*.ce) ***sf.*** *Pop.* Comportamento ou atitude própria de perua (2) [F.: *perua* + *-ice.*]

peruqueiro (pe.ru.*quei*.ro) ***sm.*** 1 Fabricante de perucas 2 Vendedor de perucas [F.: *peruca* + *-queiro.*]

perusino (pe.ru.*si*.no) ***sm.*** 1 Indivíduo nascido ou que vive em Perúsia (Itália) ***a.*** 2 De Perúsia; típico dessa cidade ou de seu povo [F.: Do top. *Perús(ia)* + *-ino*[1].]

peruviano (pe.ru.vi:*a*.no) ***a.*** *P. us.* O mesmo que *peruano* [F.: Do fr. *péruvien.*]

pervadir (per.va.*dir*) ***v. td.*** Tomar conta; ocupar, invadir, inundar: *Queria que sentimentos nobres pervadissem seu coração.* [▶ 3 pervadir] [F.: *per-* + *vadir.*]

pervagar (per.va.*gar*) ***v.*** 1 Atravessar em diversas direções; CRUZAR [*td.*: *Pervagou toda a praia de Copacabana.*] 2 Errar, perambular, vaguear [*int.*: *Sem ter o que fazer, pervagava pela cidade.*] [▶ 14 pervagar] [F.: Do lat. **pervagare*, por *pervagari.*]

pervasividade (per.va.si.vi.*da*.de) ***sf.*** 1 Qualidade, atributo ou característica de pervasivo 2 Capacidade ou tendência a propagar-se, infiltrar-se, difundir-se total ou inteiramente através de vários meios, canais, sistemas, tecnologias etc. [F.: *pervasivo* + *-(i)dade*, para traduzir o ingl. *pervasiveness.*]

pervasivo (per.va.*si*.vo) ***a.*** 1 Que se espalha, difunde por toda parte, ou que tende a propagar-se ou estender-se totalmente por meio de diversos canais, tecnologias, sistemas, dispositivos etc. 2 De aplicabilidade geral ou total [F.: Do ingl. *pervasive*, do lat. *pervasus*, part. pass. do v.lat. *pervadere*, 'atravessar'; 'espalhar-se', fonte do ingl. *(to) pervade*, 'espalhar-se'; 'impregnar'; 'saturar'.]

perversão (per.ver.*são*) ***sf.*** 1 Ação ou resultado de perverter(-se) 2 Mudança do bem em mal; CORRUPÇÃO 3 Desmoralização (perversão sexual); DEPRAVAÇÃO; IMORALIDADE [Ant.: *pureza.*] 4 *Med. Psiq.* Perturbação ou alteração de uma função normal, esp. de ordem psíquica [Pl.: *-sões.*] [F.: Do lat. *perversio, onis.*]

perversidade (per.ver.si.*da*.de) ***sf.*** 1 Característica ou qualidade do que é perverso; MALVADEZA; MALDADE 2 Índole ruim ou natureza ferina 3 Corrupção, depravação [F.: Do lat. *perversitas, atis.*]

perversivo (per.ver.*si*.vo) ***a.*** *P. us.* O mesmo que *pervertedor* [F.: *perverso* + *-ivo.*]

perverso (per.*ver*.so) ***a.*** 1 Que prejudica os outros intencionalmente; MALVADO; MAU; CRUEL [Ant.: *bondoso.*] 2 Que ou o que tem péssimas qualidades morais (índole perversa) 3 Que denota perversão, malvadeza; PERVERTIDO; DEPRAVADO ***sm.*** 4 Indivíduo perverso [F.: Do lat. *perversus.*]

perversor (per.ver.*sor*) [ô] ***a.*** 1 Diz-se de que ou quem perverte; PERVERTEDOR ***sm.*** 2 Aquele ou aquilo que perverte; PERVERTEDOR [F.: Do lat. *perversoris.*]

pervertedor (per.ver.te.*dor*) [ô] ***a.*** 1 Que perverte, que provoca ou induz à perversão; PERVERSIVO ***sm.*** 2 Aquele que perverte [F.: *perverter* + *-dor.*]

perverter (per.ver.*ter*) ***v.*** 1 Tornar(-se) perverso ou depravado; DEPRAVAR(-SE) [*td.*: *A corrupção perverte o ambiente político nacional.*] [*int.*: *Ela se perverteu com esse grupo.*] 2 Realizar alteração em; ALTERAR(-SE) [*td.*: *Perverter regras/costumes.*] [*int.*: *O latim perverteu-se nas colônias romanas.*] 3 Modificar (algo), dando-lhe mau sentido [*td.*: *Caluniador, perverte tudo o que escuta.*] [▶ 2 perverter NOTA: Possui duplo part.: *pervertido* e *perverso.*] [F.: Do lat. *pervertere.* Hom./Par.: *pervertido* (part.), *pervertido* (a. sm.); *perverso* (part.), *perverso* (a. sm.).]

pervertido (per.ver.*ti*.do) ***a.*** 1 Que se perverteu 2 Depravado, devasso, libertino; IMORAL [Ant.: *puro.*] ***sm.*** 3 Indivíduo pervertido [F.: Part. de *perverter.*]

pervígil (per.*ví*.gil) ***a2g.*** 1 Diz-se de quem sofre de insônia ***s2g.*** 2 Aquele que sofre de insônia [Pl.: *-geis.*] [F.: Do lat. *pervigil, ilis.*]

pervigília (per.vi.*gí*.li.a) ***sf.*** Vigília que se prolonga por toda a noite ou por um longo período de tempo [F.: Do lat. *pervigilia, ae.*]

pés ***smpl.*** Us. na loc. adv. *pés e pelo* [F.: pl. de *pé.* Hom./Par.: *pés* (pl.), *pez* (sm.) e *pês* (pl. de *pê*).]

pesada (pe.*sa*.da) ***sf.*** 1 O que se pesa de uma vez na balança 2 *P. us.* Ação ou resultado de pesar; PESAGEM 3 *Fís.* Operação em que se mede o peso ou a massa de um corpo [F.: Fem. substv. de *pesado.* Hom./Par.: *pezada* (sf.).] ■ **Da ~** 1 *Bras. Pop.* Apto a enfrentar qualquer situação 2 Que suscita respeito, que se faz respeitar

pesadão (pe.sa.*dão*) ***a.*** 1 Que é muito pesado 2 Diz-se de indivíduo lerdo, lento: *O time tinha um atacante pesadão.* 3 Que é enfadonho ao extremo (livro pesadão) [Pl.: *-dões.* Fem.: *-dona*] [F.: *pesado* + *-ão.*]

pesadelo (pe.sa.*de*.lo) [ê] ***sm.*** 1 Sonho aterrador e angustiante 2 *Fig.* Pessoa, coisa ou situação que causa angústia, tormento, aflição: *Essa dívida é um verdadeiro pesadelo para ele.* 3 Apatia, marasmo, letargia, desinteresse: *Voltou a escrever: parece ter saído daquela espécie de pesadelo.* [F.: *pesado* + *-elo.*]

pesado (pe.*sa*.do) ***a.*** 1 Que tem peso, que está sujeito à lei da gravidade 2 Que pesa muito (embrulho pesado) 3 Que exige muito esforço (tarefa pesada); ÁRDUO; PENOSO 4 Que se move com lentidão; VAGAROSO; LERDO: *Jogador pesado e de pouca técnica.* [Ant.: *rápido.*] 5 Tenso, opressivo (atmosfera pesada; ambiente pesado) 6 *Fig.* Carregado, cheio: *Voz aguda, pesada de falso moralismo.* 7 *Fig.* Que ofende, escandaliza (piada pesada) [Ant.: *decente.*] 8 *Fig.* Difícil de interromper, por ser muito intenso (sono pesado); PROFUNDO 9 *Bras. Pop.* De digestão ou assimilação difícil (comida/ leitura pesada); INDIGESTO **10** *Pop.* Diz-se de mulher em gravidez adiantada **11** *RS* Diz-se de indivíduo de peso, de importância, de grande fortuna **12** Azarado, infeliz, sem sorte (sujeito pesado) [Ant.: *sortudo.*] **13** Deselegante, desgracioso: *Pesados contornos do prédio; As linhas pesadas da estátua.* [Ant.: *gracioso.*] *adv.* **14** Com força, vigor, intensidade (trabalhar/treinar pesado) *sm.* **15** *Bras. Pop.* O trabalho de difícil execução: *Pega no pesado de sol a sol.* **16** Indivíduo azarado; CAIPORA [F.: Part. de *pesar.* Ant. ger.: *leve.*] ■ **Pegar no ~** Fazer trabalho cansativo, árduo, difícil

pesador (pe.sa.*dor*) [ô] *a.* **1** Que pesa *sm.* **2** Aquele que se encarrega de pesar *sm.* **3** Qualquer aparelho ou máquina para pesar [F.: *pesado* + *-or.*]

pesadume (pe.sa.*du*.me) *sm.* **1** Peso, carga **2** Ausência de boa vontade; má disposição para atender alguém ou fazer algo; ACRIMÔNIA; ASPEREZA **3** Sentimento de pesar, de tristeza [F.: *pesado* + *-ume.*]

pesagem (pe.*sa*.gem) *sf.* **1** Ação ou resultado de pesar (pesagem de mercadorias) **2** *Turfe* Lugar em que se pesam os jóqueis em corridas de cavalos [Pl.: *-gens.*] [F.: *pesar* + *-agem*[1].]

pêsames (*pê*.sa.mes) *smpl.* Demonstração de tristeza pela morte de alguém; CONDOLÊNCIAS: *Dar os pêsames a uma viúva; Uma visita de pêsames.* [F.: Pl. de *pêsame,* de *pesa* + *-me.* Ant. ger.: *parabéns.*]

pesar[1] (pe.*sar*) *sm.* **1** Tristeza, pena, dor: *Com pesar, anunciou que fora despedido.* **2** Arrependimento, remorso: *Pesar de ter ofendido o irmão.* [F.: Do lat. *pensare.*] ■ **~ de** Apesar de; malgrado: "...passos, / risos e choros.../duros pesar de seu destino, duros/pesar de serem só a hora do sonho..." (Alphonsus de Guimaraens Filho, *O poeta e o poema*) **Apesar dos ~es** Apesar de tudo que conspira contra: *A violência aumentou, mas, apesar dos pesares, o Rio ainda é uma cidade maravilhosa.*

pesar[2] (pe.*sar*) *v.* **1** Pôr(-se) na balança para saber o peso [*td.*: *O senhor já pesou a carne?; Eu me peso toda semana.*] **2** Ter determinado peso [*td.*: *A criança pesa 25 quilos.*] [*int.*: *O ouro pesa mais do que a prata.*] **3** Ser pesado [*int.*: *Este caixote pesa muito.*] **4** Calcular o peso aproximado de; SOPESAR [*td.*: *O cozinheiro apanhou um punhado de nozes, pesou-as com a mão e jogou-as na massa.*] **5** Examinar com atenção; ponderar sobre; CONSIDERAR [*td.*: *Pesou as consequências do que queria fazer.*] **6** Influir decisivamente [*tr.* +em: *A escola pesa na formação de um caráter.*] [*int.*: *Suas opiniões nunca pesaram em casa.*] **7** Causar tormento, opressão; exercer pressão; OPRIMIR; PRESSIONAR [*tr.* +em, sobre: *Dificuldades financeiras pesavam sobre o empresário.*] [*int.*: *O remorso pesa.*] **8** Provocar desgosto, pesar em [*ti.* +a, em: *Pesou-me vê-lo tão abatido.*] **9** Provocar sentimento de arrependimento; causar remorso [*tr.* +a: *O crime pesa ao criminoso.*] **10** Fazer sentir um incômodo semelhante ao peso [*td.*: *A feijoada pesou-me o estômago.*] [*ti.* +a, em: *O jantar me pesou a noite toda.*] **11** Tornar-se fator de pressão ou sobrecarga; SOBRECARREGAR [*tr.* +em, sobre: *As prestações do carro vão pesar muito em nosso orçamento.*] **12** Sobrecarregar o espírito [*int.*: *As noites, intermináveis, pesavam.*] **13** Estar a cargo de, ser responsabilidade de [*tr.* +sobre: *Todos os negócios da repartição pesavam sobre mim.*] **14** Equilibrar-se no ar; SUSPENDER(-SE) [*tr.* +em: *O beija-flor pesa-se nas asas.*] [▶ **1** pesar] [F.: Do lat. *pensare.* Hom./Par.: *peso* (fl.), *peso* [ê] (sm.); *peses* (fl.), *pezes* [ê] (pl. de *pez* [sm.]).] ■ **Em que pese (a)** **1** Ainda que incomode (alguém) **2** *P. ext.* Malgrado, apesar de; não obstante: *Em que pese o esforço despendido, não completaram a tarefa a tempo.*

pesaroso (pe.sa.*ro*.so) [ô] *a.* **1** Que sente pesar, tristeza; DESGOSTOSO **2** Arrependido, contrito [Pl.: [ó]. Fem.: [ó].] [F.: *pesar* + *-oso.*]

pesca (*pes*.ca) *sf.* **1** Prática de pescar, com fins comerciais, esportivos ou de subsistência (pesca de caniço/submarina); PESCARIA **2** A arte, a técnica de pescar **3** O que se pescou, o produto da pesca; PESCADO **4** *P. ext.* Ação de retirar alguma coisa da água **5** *Fig.* Procura, investigação (pesca de manuscritos; pesca em arquivos); PESQUISA [F.: Dev. de *pescar.*] ■ **~ de farracho** Tipo de pesca no qual se atraem os peixes com uma luz e se os matam com um farracho **~ submarina** Ver *Caça submarina* no verbete *caça*

pescada (pes.*ca*.da) *sf.* **1** *Zool.* Denominação comum a diversos peixes da fam. dos cienídeos, marinhos ou de água-doce, de coloração ger. prateada e carne muito apreciada **2** *Lus. Pop.* Mulher antipática [F.: Fem. substv. de *pescado.*]

pescadinha (pes.ca.*di*.nha) *sf.* *Zool.* Espécie de pescada pequena (*Isopisthus parvipinnis*), com até 25 cm de comprimento e coloração cinza-prateada, encontrada ao longo de toda a costa brasileira [F.: *pescada* + *-inha.*]

pescado (pes.*ca*.do) *a.* **1** Que se pescou (robalo pescado em alto-mar; manuscrito pescado num sebo) [Tb. *Fig.*] *sm.* **2** Aquilo que se pescou: *Fomos a uma feira abarrotada de pescado.* **3** Qualquer peixe ou animal aquático comestível [F.: Part. de *pescar.*]

pescador (pes.ca.*dor*) [ô] *a.* **1** Diz-se de que ou quem pesca; PESQUEIRO **2** Apropriado para a pesca (barco pescador) *sm.* **3** Aquele ou aquilo que pesca (pescador de camarões/de documentos) **4** O mesmo que *peixeiro* [F.: Do lat. *piscatoris.*]

pescar (pes.*car*) *v.* **1** Fisgar (peixe) com anzol ou por outro processo [*td.*: *Pescamos vários pargos.*] **2** Praticar a pesca [*int.*: *Ele gosta de pescar nas férias.*] **3** Retirar da água (qualquer objeto) [*td.*: *A água do lago estava tão poluída que pesquei um pneu velho.*] **4** *Bras. Gír.* Conseguir compreender, captar [*td.*: *Escutei o que ele dizia, mas não pesquei uma palavra.*] [*tdr.* +de: *Não pesca nada de inglês.*] **5** Realizar busca em; PROCURAR [*td.*: *Meu namorado pescou um lindo poema na internet e mandou para mim.*] **6** Ver de relance, perceber [*td.*: *Ouviu a conversa dos colegas e pescou que haviam brigado.*] **7** Colar em prova ou exame [*int.*: *Um aluno pescou durante a prova de matemática.*] **8** *Bras. Pop.* Dormir sentado [*int.*: *Sentava no sofá e acabava pescando.*] **9** Apanhar em flagrante [*td.*: *O policial pescou o ladrão roubando a casa.*] [▶ **11** pescar] [F.: Do lat. *piscari.* Hom./Par.: *pesca(s)* (fl.), *pesca(s)* (sf. [pl.]); *pescaria(s)* (fl.), *pescaria(s)* (sf. [pl.]).]

pescaria (pes.ca.*ri*.a) *sf.* **1** Ver *pesca* (3, 4) **2** A indústria da pesca **3** Grande quantidade de peixe **4** *Bras. Lus. Gír.* Cola em provas ou exames [F.: *pescar* + *-aria.*] ■ **~ de corrico** *Bras.* Corrico

pesca-siri (pes.ca-si.*ri*) *Bras. Pop. Vest. sf.* Calça curta, cuja barra não cobre o tornozelo [Tb. se diz *calça pesca-siri.*] [Pl.: *pesca-siris.*]

pescoçada (pes.co.*ça*.da) *sf.* **1** O mesmo que *pescoção* **2** Pancada com o pescoço [F.: *pescoço* + *-ada.*]

pescoção (pes.co.*ção*) *Bras. Pop. sm.* **1** Tapa no pescoço; CACHAÇÃO; SAFANÃO **2** *P. ext.* Tabefe, sopapo, bolacha [Pl.: *-ções.*] [F.: *pescoço* + *-ão*[1].]

pescoceira (pes.co.*cei*.ra) *sf.* **1** Mesmo que *pescoço* **2** *Ort.* Aparelho us. para manter o pescoço ereto, imóvel (pescoceira de neoprene/de ponta curva) [F.: *pescoço* + *-eira.*]

pescoceiro (pes.co.*cei*.ro) *a.* **1** *S* Diz-se de cavalo que pescoceia; pescoceador **2** *S Fig.* Diz-se de indivíduo pescoceador, que desfere pescoções ou cachações **3** *SP* Diz-se de indivíduo que fala muito, que é muito loquaz; FALADOR [F.: *pescoço* + *-eiro.*]

pescoço (pes.*co*.ço) [ô] *sm.* **1** *Anat.* Parte do corpo que une a cabeça ao tronco **2** *P. ext.* Garganta **3** *Anat. Zool.* O mesmo que *cachaço* **4** Gargalo (de garrafa, pote, vaso etc.) **5** *Turfe* Distância correspondente ao tamanho de um pescoço, us. para medir ou comparar as posições dos cavalos ao final do páreo [F.: De or. incerta, talvez do espn. *poscoço* <prov. do lat. *post-* + *-cocceus.*] ■ **Até o ~** **1** *Fig.* Em grande medida, quase totalmente: *Ele está envolvido até o pescoço nesse escândalo.* **2** Muito comprometido, envolvido, assoberbado: *Está com tarefas até o pescoço.* **Pelo ~** *Fig.* Ver *Até o pescoço(2)*: *Ficou com dívidas pelo pescoço.* **Salvar o ~** *Fig.* Salvar a vida

pescoçudo (pes.co.*çu*.do) *a.* Diz-se de quem tem o pescoço comprido ou grosso [F.: *pescoço* + *-udo.*]

peseta (pe.*se*.ta) [ê] *sf.* **1** *Ant.* Moeda espanhola, de prata **2** Unidade dos valores em peseta, us. em notas e moedas. [1 peseta = 100 cêntimos.] **3** Denominação do dinheiro us. na Espanha até a recente adoção do euro [F.: Do espn. *peseta.*]

peso (*pe*.so) [ê] *sm.* **1** *Fís.* Força que se exerce sobre um corpo pela atração gravitacional da Terra **2** Força que um corpo exerce sobre qualquer obstáculo que se opõe à sua queda **3** Condição de um corpo pesado **4** Qualquer objeto que possa ter seu peso avaliado **5** Qualquer objeto, metálico ou não, que possa ser us. como padrão nas balanças **6** Corpo suspenso de um maquinismo qualquer, como o relógio, para lhe dar movimento **7** Tudo o que pode exercer pressão **8** Quantidade de coisas que, em seu conjunto, constituem uma carga: *Aquele carro não podia levar tanto peso.* **9** Pedra do lagar que se liga à viga pelo fuso **10** Pequeno objeto, mais ou menos pesado, que se coloca sobre papéis para impedir que sejam levados pelo vento **11** Capacidade de poder para ter autoridade ou para exercer influência: *Era um nome de peso no jornalismo político* **12** *Esp.* Em atletismo, objeto metálico e esférico, próprio para ser lançado a distância pelos atletas participantes de uma competição **13** *Esp.* Categoria em que se divide certas modalidades de esporte, esp. o boxe, em que o peso dos lutadores o coloca em determinada categoria (peso-pesado, peso-leve, peso-galo, peso-pena etc.) **14** Unidade monetária e moeda de diversos países (Argentina, Bolívia, Colômbia, Chile, Cuba, Guiné-Bissau, República Dominicana, República das Filipinas e Uruguai) **15** Mal-estar, esp. proveniente do estômago: *Aquele peso no estômago deixava-o nervoso.* **16** *Fig.* Qualquer coisa que incomoda, aflige ou produz cansaço: *Precisava tirar aquele peso da consciência; Começava a sentir o inexorável peso da idade.* **17** *Fig.* Força, ímpeto: *Era difícil conter o peso daquela massa de invasores.* **18** Nos açougues, certa quantidade de carne: *Ficou atraída por aquele peso de alcatra.* **19** *Fig.* Mérito, importância, valor: *Era um trabalho literário de pouco peso.* **20** Encargo, incumbência: *O cunhado desempregado era um peso para toda a família.* **21** Mesmo que *haltere* **22** Má sorte; azar: *Essa moça, coitada, vive perseguida por um peso danado!* **23** Em diversas operações matemáticas, parâmetro com o qual se multiplicam certas grandezas, com o fim de lhes conceder maior ou menor importância **24** Calço ou escora de pedra que se coloca sobre outra maior, para criar nesta um ponto a partir do qual se possa movê-la **25** *Art. gr.* Mesmo que *força* [F.: Do lat. *pensum, i.* Hom./Par.: *peso* (fl. pesar). Ideia de peso: usar antepos. grama(t)-.] ■ **A ~ de ouro** Por preço muito alto: *Contratou a equipe a peso de ouro, mas foi compensador.* **De ~** **1** De grande importância ou relevância: *Este é um romance de peso em nossa literatura.* **2** De grande influência, ponderável (argumento de peso) **Dois ~s e duas medidas** **1** Critérios ou raciocínios diferentes na avaliação de casos análogos **2** *P. ext* Parcialidade em julgamentos ou avaliações **Em ~** Em massa, com todos os membros ou participantes: *Os alunos compareceram em peso.* **~ aderente** Em veículo, a parcela do peso que cada roda motriz transmite à superfície de rolamento **~ atômico** *Fís-quím.* Termo impróprio para *Massa atômica* (ver no verbete *massa*) [É impróprio porque não se considera a aceleração da gravidade.] **~ bruto** Soma dos pesos de um produto e de sua embalagem **~ específico** *Fís.* Peso da unidade de volume de um corpo, material ou substância **~ líquido** Peso de produto, sem contar o peso de embalagem **~ molecular** *Fís-quím.* Termo impróprio para *Massa molecular* (ver no verbete *massa*) [É impróprio porque não se considera a aceleração da gravidade.] **~ morto** **1** Peso de veículo, ferramenta, aparelho etc. que sobrecarrega o trabalho útil **2** *Fig.* Aquilo que, não tendo utilidade, sobrecarrega ou onera um sistema útil: *Essas máquinas obsoletas são um peso morto para nossa indústria.* **3** *Fig.* Pessoa que não trabalha ou colabora em trabalho ou tarefa, sobrecarregando os que o fazem; parasito **Prematuro de ~** Diz-se de criança que nasceu com peso abaixo de 2,5 kg; essa criança **Valer o seu ~ em ouro** Ter muito valor

peso-cruzador (pe.so-cru.za.*dor*) [ô] *Pug. sm.* **1** Categoria de boxe em que o lutador deve ter o peso máximo de 90,719 kg *s2g.* **2** O lutador dessa categoria *a2g.* **3** Diz-se de pugilista que pertence a essa categoria [Pl.: *pesos-cruzadores e pesos-cruzador.*]

peso-galo (pe.so-*ga*.lo) *Pug. sm.* **1** Categoria do boxe até 53,525 kg *s2g.* **2** Lutador dessa categoria [Pl.: *pesos-galos, pesos-galo.*]

peso-leve (pe.so-*le*.ve) *Pug. sm.* **1** Categoria de boxe em que o lutador deve ter o peso máximo de 61,237 kg *s2g.* **2** O lutador dessa categoria *a2g.* **3** Diz-se de pugilista que compete nessa categoria (lutadores pesos-leve) [Pl.: *pesos-leves* e *pesos-leve.*]

peso-ligeiro (pe.so-li.*gei*.ro) *Pug. sm.* **1** Categoria de boxe em que o lutador deve ter o peso máximo de 74 kg *s2g.* **2** O lutador dessa categoria *a2g.* **3** Diz-se de pugilista que pertence a essa categoria (lutador peso-ligeiro) [Pl.: *pesos-ligeiros* e *pesos-ligeiro.*]

peso-médio (pe.so-*mé*.di.o) *Pug. sm.* **1** Categoria de boxe em que o lutador deve ter no máximo 66,67 kg *s2g.* **2** O lutador dessa categoria *a2g.* **3** Diz-se de pugilista que pertence a essa categoria [Pl.: *pesos-médios* e *pesos-médio.*]

peso-médio-ligeiro (pe.so-mé.di:o-li.*gei*.ro) *Pug. sm.* **1** Categoria de boxe em que o lutador deve ter o peso máximo de 69 kg *s2g.* **2** Lutador dessa categoria *a2g.* **3** Diz-se de pugilista que pertence a essa categoria [Pl.: *pesos-médios-ligeiros* e *pesos-médio-ligeiro.*]

peso-meio-pesado (pe.so-mei.o-pe.*sa*.do) *Pug. sm.* **1** *Pug.* Categoria de boxe em que o lutador deve ter o peso máximo de 81 kg *s2g.* **2** O lutador dessa categoria *a2g.* **3** Diz-se de pugilista que pertence a essa categoria [Pl.: *pesos-médios-ligeiros* e *pesos-médio-ligeiro.*]

peso-mosca (pe.so-*mos*.ca) [ô] *Pug. sm.* **1** Categoria do boxe até 50,802 kg *s2g.* **2** Lutador dessa categoria [Pl.: *pesos-moscas e pesos-mosca.*]

peso-palha (pe.so-*pa*.lha) *Pug. sm.* **1** *Pug.* Categoria de boxe em que o lutador deve ter o peso máximo de 47, 73 kg *s2g.* **2** O lutador dessa categoria *a2g.* **3** Diz-se de pugilista que pertence a essa categoria [Pl.: *pesos-palhas* e *pesos-palha.*]

peso-pena (pe.so-*pe*.na) [ê] *Pug. sm.* **1** Categoria do boxe até 57,152 kg *s2g.* **2** Lutador dessa categoria [Pl.: *pesos-penas, pesos-pena.*]

peso-pesado (pe.so-pe.*sa*.do) *Pug. sm.* **1** Categoria do boxe acima de 79,378kg *s2g.* **2** Lutador dessa categoria [Pl.: *pesos-pesados e pesos-pesado.*]

peso-pluma (pe.so-*plu*.ma) *sm.* **1** *Pug.* Categoria de boxe em que o lutador deve ter o peso máximo de 50 kg *s2g.* **2** *Pug.* O lutador dessa categoria *a2g.* **3** *Pug.* Diz-se de pugilista que pertence a essa categoria **4** *Fig.* Diz-se de tudo que é considerado muito leve em relação a outros do mesmo tipo (máquina/portátil/automóvel/texto peso-pluma) [Pl.: *pesos-plumas e pesos-pluma.*]

pespegar (pes.pe.*gar*) *v.* **1** Aplicar (golpe violento) em [*td.*: *Pespegava um soco.*] [*tdr.* +em: *Pespegou um murro no ladrão.*] **2** Enganar ou iludir (alguém) com (afirmação falsa, mentira) [*tdr.* +em: *Pespegou uma mentira no pai.*] **3** Aplicar (algo) em; IMPINGIR [*tdr.* +em: "Mas, no Morumbi, o São Paulo não perdoou: pespegou 5 a 2 no Botafogo..." (*Diário de São Paulo,* 23.11.2005)] [▶ **14** pespegar] [F.: Forma alterada de *pós-* + *pegar.* Hom./Par.: *pespego* [ê] (fl.); *pespego* [ê] (sm.).]

pespontar (pes.pon.*tar*) *v.* **1** Coser com pespontos [*td.*: *Pespontar a barra do bolso.*] **2** Espalhar (gotas, traços etc.) sobre (algo) como se fosse pesponto [*td.*: "O sangue velho espirrou pespontando o terno de linho branco de uma autoridade que passava." (*A Notícia,* 21.03.1999)] **3** *Fig.* Ter pretensão (de ou em) [*tr.* +de, em: *O aluno pespontava de inteligente; O delegado não pespontava em desvendar o crime.*] [▶ **1** pespontar] [F.: *pesponto* + *-ar*[2]. Hom./Par.: *pesponto* (fl.), *pesponto* (sm.).]

pesponto (pes.*pon*.to) *sm.* **1** Ponto largo que arremata uma costura com reforço ou enfeite; PONTO-ATRÁS **2** Costura externa, feita à máquina com pontos graúdos, para prender ou ornamentar a parte costurada [F.: Dev. de *pespontar.* Sin. ger.: *posponto.*]

pesqueiro (pes.*quei*.ro) [ê] *a.* **1** Ref., inerente a ou próprio da pesca (atividade pesqueira) **2** Que é apropriado ou usado para pescar (barco pesqueiro); PESCADOR *sm.* **3** *Náut. T.* Barco de pesca **4** Lugar de viveiro ou abrigo para peixes **5** *S* Lugar onde se pesca [F.: *pesca* + *-eiro.*] ■ **Estragar o ~** *SP Pop.* Confundir, embaraçar, perturbar

pesque-pague (pes.que-*pa*.gue) ***sm.*** Lugar onde se criam ou se mantêm peixes (ger. um lago ou represa) para fins de pesca recreativa; paga-se de acordo com a quantidade ou peso do que se pescou, daí o nome 'pesque-pague': "Ela já é a espécie mais popular nos viveiros nacionais e a preferida dos frequentadores de pesque-pagues." (Luiz Roberto Toledo, "Tilápia") [Nesses lugares normalmente pode se ter o peixe limpo e preparado, serviço pelo qual se paga um preço adicional.] [Pl.: *sm2n.* ou *pesque-pagues.*]

pesquisa (pes.*qui*.sa) ***sf.*** **1** Ação ou resultado de pesquisar (pesquisa de mercado/de laboratório) **2** Estudo metódico a fim de ampliar o conhecimento sobre determinada área do saber (pesquisa econômica/científica) **3** Busca para averiguação da realidade; INVESTIGAÇÃO; INQUIRIÇÃO [F.: Do espn. *pesquisa.* Hom./Par.: *pesquisa* (fl. de *pesquisar*).] ■ **~ de campo** Aquela na qual se faz observação direta e se coletam dados no próprio local ou segmento que é o âmbito da pesquisa **~ de mercado** Coleta de dados e informações – e sua análise e conclusões a respeito – ref. a preferência de consumidores de bens ou serviços, visando a conceber e projetar produtos ou a criar publicidade para eles **~ de motivação** Aquela que visa a captar e analisar a reação psicológica do público a um fato, um produto, um serviço, uma marca etc. **~ de opinião** Aquela que visa a captar e analisar as opiniões do público, ou de um segmento, sobre um certo fato ou assunto **~ operacional** *Adm. Econ.* Técnica, por métodos matemáticos, de levantamento e análise de problemas de organização, visando à otimização de recursos em economia e administração

pesquisado (pes.qui.*sa*.do) ***a.*** **1** Diz-se de que ou quem é ou foi objeto de pesquisa (palavras pesquisadas; antecedentes pesquisados) **2** Investigado, inquirido, indagado: *Pesquisados os motivos da renúncia.* **3** Procurado com aplicação e diligência [F.: Part. de *pesquisar.*]

pesquisador (pes.qui.sa.*dor*) [ô] ***a.*** **1** Diz-se de que ou quem pesquisa ***sm.*** **2** Aquele que pesquisa [F.: *pesquisar* + *-dor.*]

pesquisar (pes.qui.*sar*) ***v.*** **1** Fazer pesquisa ou investigação (sobre); INVESTIGAR [***td.***: *Pesquisar um assunto/preços.*] [***int.***: *Pasteur passou a vida pesquisando.*] **2** Procurar obter informações acerca de [***td.***: *O governo resolveu pesquisar a vida dos envolvidos no escândalo.*] [▶ 1 pesquisar] [F.: *pesquisa* + *-ar*². Hom./Par.: *pesquisa(s)* (fl.), *pesquisa(s)* (sf. [pl.]).]

pessegada (pes.se.*ga*.da) ***sf.*** Doce feito com pêssegos [F.: *pêssego* + *-ada*².]

pessegal (pes.se.*gal*) *Agr.* ***sm.*** **1** Pomar, plantação de pessegueiros **2** Variedade de ameixa [Pl.: *-gais.*] [F.: *pêssego* + *-al.*]

pêssego (*pês*.se.go) ***sm.*** **1** *Bot.* Fruto do pessegueiro, de casca aveludada e polpa carnuda e doce **2** *Lus. Tabu.* O ânus [F.: Do lat. *persicu(m) malum.*]

pessegueiro (pes.se.*guei*.ro) *Bot.* ***sm.*** Árvore pequena da fam. das rosáceas (*Prunus persica*), natural da China, cultivada como ornamental pelas delicadas flores rosadas e esp. pelo fruto comestível, o pêssego: "O encarregado do horto levava-o a ver os pessegueiros carregados de frutos pubescentes, carnudos e corados." (Coelho Neto, *Fabulário*) [F.: *pêssego* + *-eiro.*]

pessimismo (pes.si.*mis*.mo) ***sm.*** **1** Tendência a encarar as situações e os acontecimentos somente pelo aspecto negativo; tendência para julgar tudo mau; DERROTISMO; CETICISMO **2** *Fil.* Doutrina originada no pensamento do filósofo alemão Arthur Schopenhauer (1788-1860) que afirma a supremacia do mal sobre o bem e induz à adoção de uma atitude geral de escapismo, imobilismo ou conformismo **3** Doutrina dos que não creem no progresso material e moral, na melhoria das condições sociais, econômicas, políticas etc. [F.: *péssimo* + *-ismo.* Ant. ger.: *otimismo.*]

pessimista (pes.si.*mis*.ta) ***a2g.*** **1** Diz-se de que ou quem tem, ou exprime, pessimismo (opinião/poeta pessimista); DERROTISTA; CÉTICO **2** *Fil. Pol.* Ref. ou inerente ao pessimismo ou a seus adeptos (filosofia/plataforma pessimista) ***s2g.*** **3** Pessoa que tem ou revela pessimismo **4** *Fil. Pol.* Partidário do pessimismo [F.: *pessimismo* + *-ista.* Ant. ger.: *otimista.*]

péssimo (*pés*.si.mo) ***a.*** *Gram.* Superl. abs. sint. de mau; muito mau, muito ruim, malíssimo: *Fiz péssimos exames; A atuação do árbitro foi péssima.* [F.: Do lat. *pessimu, a, um.*]

pessoa (pes.*so*.a) [ô] ***sf.*** **1** Indivíduo da espécie humana, homem ou mulher; CRIATURA; SER **2** *Gram. Ling.* Categoria pela qual se indica quem fala, diferenciando emissor (primeira pessoa), destinatário (segunda pessoa) e objeto de que se fala (terceira pessoa) **3** *Jur.* Ser ao qual se atribuem direitos e obrigações (pessoa física; pessoa jurídica) **4** Personalidade, indivíduo notável, eminente; PERSONAGEM: *O presidente é a primeira pessoa do país.* **5** Individualidade (a sua/a minha pessoa) **6** *Teol.* No catolicismo, as pessoas divinas, as três pessoas da Santíssima Trindade, o Pai, o Filho e o Espírito Santo [F.: Do lat. *persona.*] ■ **~ de direito privado** *Jur.* Toda pessoa jurídica voltada para atuação em área de interesse privado **~ de direito público** *Jur.* Toda pessoa jurídica voltada para atuação em área de interesse público **~ física** *Jur.* Toda pessoa, ser humano, indivíduo, como detentor de direitos por sê-lo; pessoa natural **~ interposta** *Jur.* A que é parte num ato jurídico sem ter nele interesse, em substituição ao verdadeiro interessado por não querer este, por algum motivo (ger. de natureza ilícita), aparecer **~ jurídica** Toda instituição, empresa, entidade etc. legalmente reconhecida em sua existência e em suas responsabilidades, e com isso autorizada a funcionar para fins especificados; pessoa moral **~ moral** Ver *Pessoa jurídica* **~ natural** Ver *Pessoa física* **~s divinas** *Teol.* No cristianismo, o Pai, o Filho e o Espírito Santo, considerados pessoas distintas (a Santíssima Trindade) de um só Deus **Como uma só ~** Com ações, respostas ou opiniões idênticas e simultâneas ou coordenadas **Em ~ 1** Pessoalmente: *O presidente resolveu comparecer em pessoa à cerimônia.* **2** Representado, encarnado em alguém: *Ela parece ser a felicidade em pessoa.* **Ser a segunda ~ de** Ser o braço-direito de alguém em sua função, ou seu primeiro substituto na ordem hierárquica **Uma ~** Us. como equivalente de *eu* ou *nós*; a gente

pessoal (pes.so:*al*) [ô] ***a2g.*** **1** Que se refere ou diz respeito a pessoa (direitos pessoais; deveres pessoais); INDIVIDUAL [Ant.: *universal, coletivo.*] **2** Ref., inerente ou peculiar à própria pessoa (convite pessoal; patrimônio pessoal; estilo pessoal); INDIVIDUAL **3** *Gram.* Que possui flexão de pessoa (diz-se esp. do pronome e do infinitivo) [Ant.: *impessoal.*] [Pl.: *-ais.*] ***sm.*** **4** Conjunto de pessoas com afinidades ou interesses comuns; turma, amigos, a família (o pessoal lá de casa; o pessoal do clube/do bairro) **5** Conjunto de pessoas encarregadas do mesmo trabalho (pessoal da limpeza) [Superl.: *personalíssimo, pessoalíssimo.*] [F.: Do lat. *personalis, e.*]

pessoalidade (pes.so.a.li.*da*.de) ***sf.*** **1** Qualidade de pessoa; PERSONALIDADE **2** Próprio do que é pessoal [F.: Do lat. tard. *personalitas, atis.*]

pessoalização (pes.so:a.li.za.*ção*) ***sf.*** Ação ou resultado de pessoalizar; PERSONIFICAÇÃO [Pl.: *-ções.*] [F.: *pessoalizar* + *-ção.*]

pessoalizar (pes.so:a.li.*zar*) ***v. td.*** Ver *personalizar* (2) [▶ 1 pessoalizar] [F.: *pessoal* + *-izar.* Hom./Par.: *pessoalizáveis* (fl.), *pessoalizáveis* (pl. de *pessoalizável* [a2g.]). Ant. ger.: *impessoalizar.*]

pestana (pes.*ta*.na) ***sf.*** **1** *Anat.* Cada um dos pelos que recobrem a borda das pálpebras; CÍLIO **2** *Pop.* Sono ligeiro, cochilo, soneca **3** *Mús.* Filete de reforço, junto das cravelhas, nos instrumentos de corda como o violoncelo, violão, violino etc. **4** *Mús.* Posição em que o dedo indicador, aplicado sobre o braço de instrumentos como o violão, comprime-lhe mais de uma corda para auxiliar na formação de um acorde **5** *Mús.* Peça que se posiciona sobre o braço desses instrumentos perpendicularmente a suas cordas, e que as aperta para modificar-lhes a afinação **6** Tira cosida a uma peça do vestuário que, possuindo casas, serve para abotoar e ocultar os botões (a pestana de uma calça) **7** *Art. gr.* Recorte de papel, cartolina etc., colado à margem das páginas de livros esp. em brochura, us. para índice de dedo **8** *Bras.* Vegetação arbórea à margem de rios e lagos [F.: De or. incerta, prov. do espn. *pestaña.*] ■ **Queimar as ~s** *Pop.* Estudar muito **Tirar uma ~** *Fam.* Tirar um cochilo, cochilar, dormitar

pestanejar (pes.ta.ne.*jar*) ***v. int.*** **1** Mover rapidamente as pestanas: *Ao ouvir o elogio, a menina pestanejou, encabulada.* **2** *Fig.* Vacilar, hesitar: *Teve de defender a família e não pestanejou.* [Nesta acp., usa-se ger. com uma palavra negativa.] [▶ 1 pestanejar] [F.: *pestana* + *-ejar.*] ■ **Sem ~** Imediatamente e sem hesitação

pestanudo (pes.ta.*nu*.do) ***a.*** Que tem pestanas espessas, grandes [F.: *pestana* + *-udo.*]

peste (*pes*.te) [é] ***sf.*** **1** Doença epidêmica grave e contagiosa **2** *Med. Pat. Zool.* Qualquer epidemia que produza grande mortandade (peste bubônica) **3** Tudo o que possa concorrer para corrupção dos costumes e das pessoas **4** Abundância de qualquer coisa prejudicial ou danosa **5** Fedor, mau cheiro; PESTILÊNCIA **6** *Lus. Pop.* Faíscas elétricas **7** Coisa funesta ***s2g.*** **8** Pessoa de má índole ou que cria tumulto: *Esse menino é uma peste.* [F.: Do lat. *pestis, is.*] ■ **Da ~ 1** *Bras. Pop* Espantoso, de arrepiar, terrível **2** Expressão que realça e enfatiza o caráter bom ou mau de algo ou alguém: *Ô filminho (ruim) da peste, saí no meio; Camarada bom da peste era aquele!* **~ bubônica** *Med.* Peste (1) que se manifesta com febre, dores generalizadas, inchaço nos gânglios linfáticos (bubões, esp. na virilha), que podem supurar e levar a septicemia **~ pneumônica** *Med.* Forma de peste (1) que evolui para pneumonia de lobo pulmonar, e é ger. letal **~ negra** *Med.* Peste (1) que dizimou grande parte da população da Europa no séc. XIV, caracterizada por hemorragias subcutâneas que apareciam como manchas negras na pele **Pra ~** *N.E. Pop.* Em grande quantidade ou com muita intensidade: *Veio gente pra peste ao forró; Esbravejou pra peste até ser atendido.*

pesteado (pes.te.*a*.do) ***a.*** **1** *Bras.* Que foi vítima da peste **2** Que se encontra doente [F.: part. de *pestear.*]

pestear (pes.te.*ar*) ***v.*** Ver *empestear* [▶ 13 pestear] [F.: *peste* + *-ear*².]

pesticida (pes.ti.*ci*.da) *Agr. Zool.* ***a2g.*** **1** Diz-se do que se usa para combater parasitas de plantas ou animais (substância pesticida); PRAGUICIDA ***sm.*** **2** O que é usado para combater parasitas de plantas ou animais: *O novo pesticida foi muito eficaz.* [F.: Do ingl. *pesticide.*]

pestífero (pes.*tí*.fe.ro) ***a.*** **1** Que transmite peste, que causa a peste (animal pestífero); PESTILENTO **2** *Fig.* Pernicioso, danoso (natureza pestífera) ***sm.*** **3** *Med.* Doente de peste [F.: Do lat. *pestiferus.*]

pestilência (pes.ti.*lên*.ci:a) ***sf.*** **1** Mal contagioso **2** Doença que provoca grande mortandade **3** *Fig.* Mau cheiro; FEDOR; FEDENTINA [F.: Do lat. *pestilentia, ae.* Sin. ger.: *peste.*]

pestilencial (pes.ti.len.ci.*al*) ***a2g.*** O mesmo que *pestilento* [Pl.: *-ais.*] [F.: *pestilência* + *-al.*]

pestilento (pes.ti.*len*.to) ***a.*** **1** Ref. a ou próprio da peste (febre pestilenta) **2** Infectado de peste; DOENTIO **3** Muito desagradável, repugnante (pântano pestilento); INFECTO; PÚTRIDO **4** Que exala mau cheiro (lugar pestilento); FÉTIDO [Ant.: *cheiroso.*] **5** *Fig.* Que causa perversão ou degeneração (vício pestilento); NOCIVO [F.: Do lat. *pestilentus, a, um.* Sin. ger.: *pestífero.*]

pestoso (pes.*to*.so) [ô] ***a.*** **1** Diz-se de indivíduo que foi atacado de peste, esp. a bubônica ***sm.*** **2** Esse indivíduo [F.: *peste* + *-oso.*]

⊠ **PET** *Quím.* Material termoplástico que pode ser reprocessado diversas vezes quando aquecido em temperaturas adequadas, muito us. em embalagens (garrafas PET) [Abrev. de polietileno tereftalato, desenvolvido em 1941 pelos químicos ingleses Whinfield e Dickson.]

peta¹ (*pe*.ta) [ê] ***sf.*** **1** Mancha no olho do cavalo **2** Machadinha nas costas do podão ou sacho **3** Prolongamento de madeira, us. para evitar que o vidro se risque [F.: Do gr. *pítta*, 'pez', pelo lat. **pitta.* Hom./Par.: *peta(s)* [ê] (sf. [pl.]), *peta(s)* (fl. de *petar*).]

peta² (*pe*.ta) [ê] ***sf.*** **1** Afirmação que não corresponde à verdade, feita com a intenção de enganar; MENTIRA: "...a carta do Tristão, por exemplo, os agradecimentos do barão à filha, e esta grande peta: que a viúva resolveu casar comigo..." (Machado de Assis, *Memorial de Aires*) **2** *BA Cul.* Biscoito de polvilho de textura crocante; MENTIRA-CARIOCA **3** *Lus.* Vestígio, marca, sinal **4** *Lus.* Mancha de podre na fruta **5** *Lus. Cul.* Pedaço de fígado de porco assado ou cozido [F.: De or. obsc. Hom./Par.: *peta(s)* [ê] (sf. [pl.]), *peta(s)* (fl. de *petar*).]

pétala (*pé*.ta.la) *Bot.* ***sf.*** Cada uma das partes, alvas ou coloridas, iguais entre si ou desiguais, em forma de lâmina que formam a corola de uma flor [F.: Do lat. cient. *petalum, i* deriv. do gr. *petalon, ou.*]

◎ **-pétalo** ***el. comp.*** = pétala: *apopétalo, epipétalo.* Equiv.: *-pétala; -petalo-: coripétala; apetalia* [F.: Do gr. *pétalon.*]

petardear (pe.tar.de.*ar*) ***v.*** **1** Empregar petardo a (algo que se deseja derrubar, perfurar ou fazer explodir) [***td.***: *Os policiais petardearam o esconderijo.*] **2** Fazer saltar usando petardos [***td.***: *petardear uma rocha.*] **3** Explodir como petardo [***int.***: *Nas festas juninas, fogos petardeiam.*] [▶ 13 petardear] [F.: *petardo* + *-ear*².]

petardo (pe.*tar*.do) ***sm.*** **1** *Arm.* Artefato explosivo portátil, para destruir obstáculos; BOMBA **2** Tipo de fogo de artifício que estoura no ar **3** *Bras. Fut.* Chute muito forte [F.: Do fr. *pétard.*]

petebismo (pe.te.*bis*.mo) *Bras. Pol.* ***sm.*** **1** Doutrina ou conjunto de ideias do PTB, Partido Trabalhista Brasileiro **2** Filiação a esse partido ou simpatia que se demonstra por ele [F.: *petebê* (da sigla P.T.B.) + *-ismo.*]

petebista (pe.te.*bis*.ta) *Bras. Pol.* ***a2g.*** **1** Referente ou pertencente ao PTB, partido Trabalhista Brasileiro **2** Diz-se de pessoa filiada a esse partido ou que dele é simpatizante ***s2g.*** **3** Essa pessoa [F.: *petebê* (da sigla PTB) + *-ista.*]

peteca (pe.*te*.ca) ***sf.*** **1** *Lud.* Pequeno círculo, ger. de couro, arredondado e leve, ao qual se fixam penas e que se lança ao ar com a palma da mão **2** *P. ext. Lud.* Pequena base, de plástico, borracha, cortiça etc., que se joga com raquete **3** *Fig.* Coisa ou pessoa de que se faz pouco-caso; objeto de escárnio: *Tornou-se uma peteca, sem vontade própria nem personalidade.* [F.: Do tupi *pe'teka.*] ■ **Deixar a ~ cair** *Bras.* Não conseguir manter continuidade de esforço, atuação, trabalho etc.; vacilar, falhar **Não deixar a ~ cair** *Bras.* Apesar de condições adversas, manter tenazmente a continuidade de empreendimento, tarefa etc.

petelecada (pe.te.le.*ca*.da) ***sf.*** *Bras.* O mesmo que *peteleco* [F.: *peteleco* + *-ada.*]

peteleco (pe.te.*le*.co) ***sm.*** **1** *Bras.* Pancada com a ponta do dedo médio ou do indicador apoiado no polegar e solto com força; PIPAROTE **2** *S Lud.* Espécie de bilhar em miniatura, jogado com botões impelidos com petelecos [F.: Voc. de or. expr.]

petequear (pe.te.que.*ar*) ***v. int.*** *Bras.* Jogar a peteca: *Quando criança, brincava de petequear.* [▶ 13 petequear] [F.: *peteca* + *-ear*².]

petéquia (pe.*té*.qui:a) *Derm.* ***sf.*** Mancha pequena e superficial, de coloração vermelha ou arroxeada, que surge na pele ou nas mucosas [F.: Do fr. *pétéchies* < lat. *impetigo, inis.*]

petequial (pe.te.qui.*al*) ***a2g.*** **1** Referente à petéquia **2** Que tem petéquias [Pl.: *-ais.*] [F.: *petéquia* + *-al.*]

petição¹ (pe.ti.*ção*) ***sf.*** **1** Ação ou resultado de pedir; SOLICITAÇÃO **2** *Jur.* Pedido escrito dirigido a uma autoridade ou a um tribunal; REQUERIMENTO **3** Rogo, súplica [Pl.: *-ções.*] [F.: Do lat. *petitio, onis.*]

petição² (pe.ti.*ção*) ***sm.*** *RS* Petiço maior do que o usual [Pl.: *-ções.*] [F.: *petiço* + *-ão.*]

peticionar (pe.ti.ci:o.*nar*) ***v.*** Fazer petição¹ (2) [***ti.*** *+a*: *Os médicos peticionaram ao ministro da saúde.*] [***int.***: *O advogado vai peticionar em juízo.*] [▶ 1 peticionar] [F.: *petição* + *-ar*², segundo o modelo erudito. Hom./Par.: *peticionaria(s)* (fl.), *peticionária(s)* (fem. de *peticionário* (sm.) [pl.]).]

peticionário (pe.ti.ci:o.*ná*.ri:o) ***sm.*** **1** Pessoa que faz petição ou requerimento; REQUERENTE **2** *Jur.* Indivíduo que intenta demanda em juízo [F.: *petição* + *-ário.* Hom./Par.: *peticionária(s)* (sf. [pl.]), *peticionaria, peticionarias* (fl. de *peticionar*). Ideia de: *peti-.*]

petiço (pe.*ti*.ço) *RS* ***a.*** **1** Diz-se de cavalo pequeno ou de pernas curtas **2** *Pej.* Diz-se de homem de baixa estatura ***sm.***

3 Cavalo pequeno 4 *Pej.* Homem baixinho [Fem.: *peticota.* Dim.: *peticote*] [F.: Do plat. *petiso.*]

petimetre (pe.ti.*me*.tre) *a.* 1 *Vest.* Diz-se de indivíduo que se traja com excesso de apuro; PERALVILHO *sm.* 2 Esse indivíduo; PERALVILHO [F.: Do fr. *petit-maître.*]

petiscar (pe.tis.*car*) *v.* 1 Comer petiscos [*int.*: *Petiscou na festa sem parar.*] 2 Comer um pouco, para provar ou por inapetência [*td.*: *Petisquei a bacalhoada.*] [*int.*: *Sem apetite, só petiscou na hora do almoço.*] 3 Ter conhecimentos superficiais ou rudimentares de alguma coisa [*tr.* +*de*: *Petiscava de francês.*] [▶ 11 petiscar] [F.: *petisco* + *-ar*². Hom./Par.: *petisca(s)* (fl.), *petisca(s)* (sf. [pl.]); *petisco* (fl.), *petisco* (sm.).]

petisco (pe.*tis*.co) *sm.* 1 *Cul.* Comida saborosa, preparada com capricho [Sin.: *acepipe, antepasto, aperitivo, bijungaria, chicha, gulodice, gulosaria, guloseima, guloseira, gulosice, gulosidade, gulosina, iguaria, lambarice, lambeta, lambujem, paparicho, paparico, petisqueira, pipirete, pitéu, quitute, tira-gosto.*] 2 *Cul.* Iguaria leve e apetitosa que se serve de entrada; TIRA-GOSTO 3 *Bras. Pop.* Indivíduo pretensioso, ridículo e desfrutável 4 *Ant.* Fuzil com que se fere lume na pederneira [F.: De or. obsc. Hom./Par.: *petisco* (sm.), *petisco* (fl. de *petiscar*).]

petismo (pe.*tis*.mo) *Bras. Pol. sm.* Doutrina ou programa do PT, Partido dos Trabalhadores [F.: *pet(ê)* + *-ismo.*]

petisqueira (pe.tis.*quei*.ra) 1 *Bras. N. E.* Ver *petisco* (1) *sf.* 2 *Bras. Lus.* Restaurante 3 *N. N. E.* Armário onde se guardam comida e petiscos; GUARDA-COMIDA [F.: *petisco* + *-eira.*]

petista (pe.*tis*.ta) *Pol. a2g.* 1 Referente ao PT, Partido dos Trabalhadores 2 Que é adepto desse partido (jornalista petista) *s2g.* 3 O adepto desse partido (petista insatisfeito) [F.: *pet(ê)* + *-ista.*]

⊕ **petit-pois** (*Fr.* /*peti-puá*/) *sm. Bot.* Semente da ervilha, fresca ou em conserva

petiz (pe.*tiz*) *sm.* 1 *Pop.* Menino, garoto, guri *a2g.* 2 *Pop.* De pouca idade; pequeno [Fem.: *petiza e tiza.* Col.: *criançada, gurizada, gurizeiro, pequenada, petizada.*] [F.: Do fr. *petit.* Ideia de: *pequen-* e *peti-*.]

petizada (pe.ti.*za*.da) *sf. Pop.* Grupo de petizes; GAROTADA: "...os doceiros escondiam as flautas com que anunciavam à petizada os quindins que levavam" (Lima Barreto, *Numa e Ninfa*) [F.: *petiz* + *-ada*².]

◎ **-peto** *el. comp.* que vai para, que se dirige a: *centrípeto; ímpeto.* [F.: Do lat. *petere.*]

peto (*pe*.to) [é] *sm.* Us. na loc. *de peto* ■ **De ~** De propósito

peto¹ (*pe*.to) [ê] *a.* 1 Que tem qualquer desvio ocular; ESTRÁBICO; VESGO 2 *Fig.* Malicioso, brejeiro, provocante (olhar peto) [F.: De or. obsc.]

peto² (*pe*.to) *a.* Impertinente, maçador [F.: Regr. de *petar.*]

peto³ (*pe*.to) *sm. Lus. Zool.* O mesmo que *pica-pau* [F.: De or. obsc.]

◎ **petr-** *el. comp.* pedra, rochedo: *pétreo; petrificação* [F.: Do lat. *petra, ae.* Cf. *pedr-*.]

petrechar (pe.tre.*char*) *v.* O mesmo que *apetrechar.* [▶ 1 petrechar] [F.: *petrecho* + *-ar*². Hom./Par.: *petrecho* (fl.), *petrecho* [ê] (sm.).]

petrechos (pe.*tre*.chos) [ê] *smpl.* 1 Artefatos necessários à confecção de algo; APRESTOS 2 *Arm.* Munições e armas us. em guerra: "Era indispensável tirar aqueles petrechos com que se fortificariam as costas da ilha." (Xavier Marques, *Sargento Pedro*) [F.: Do cast. *pertrechos.* Sin. ger.: *apetrechos.* Ideia de: *traz-*.]

petrel (pe.*trel*) *sm. Ornit.* Nome comum a aves da fam. dos procelariídeos, esp. do gên. *Macronectes*, que sobrevoam os oceanos, alimentam-se de peixes e nidificam em pequenas ilhas [F.: Do ing. *petrel.*]

pétreo (*pé*.tre:o) *a.* 1 Ref. a ou próprio da pedra; PEDERNAL; PETROSO: "Se tocassem a campainha, eu devia manter um silêncio pétreo..." (João Ubaldo Ribeiro, *O conselheiro come*) 2 Que tem aparência ou consistência de pedra; PETROSO 3 *Fig.* Que não tem sentimentos; frio, desumano (coração pétreo); DURO; INSENSÍVEL [Ant.: *sensível.*] [F.: Do lat. *petreus, a, um.* Sin. ger.: *sáxeo.* Ideia de: *petr-*.]

petrificação (pe.tri.fi.ca.*ção*) *sf.* 1 Ação ou resultado de petrificar(-se); formar pedras 2 *Ant.* Designação antiga das formações fossilizadas 3 Processo de substituição de constituintes orgânicos por constituintes minerais; MINERALIZAÇÃO 4 *Fig.* Paralisação que resulta de um susto grande ou de uma surpresa: *Petrificação pelo medo.* 5 *Fig.* Permanência em um dado estado; ESTABILIZAÇÃO; IMOBILIZAÇÃO; INALTERABILIDADE; PARALISAÇÃO [Pl.: *-ções.*] [F.: *petrificar* + *-ção.* Ideia de: *petr-* e *faz-*.]

petrificado (pe.tri.fi.*ca*.do) *a.* 1 *Fís-quím.* Que se petrificou; feito pedra (planta petrificada) 2 *Fig.* Estupefato, surpreso: "Pois tu entras numa casa... e ficas assombrado, petrificado, ao encontrar lá o médico!" (Eça de Queirós, *Os Maias*) 3 Imobilizado, paralisado, incrustado: *Comunidade petrificada no atraso e nas superstições.* [F.: Part. de *petrificar.* Ideia de: *petr-* e *faz-*.]

petrificante (pe.tri.fi.*can*.te) *a2g.* Que petrifica; ts. *petrificador* [F.: *petrificar* + *-nte.*]

petrificar (pe.tri.fi.*car*) *v.* 1 Transformar(-se) em pedra [*td.*: *Medusa petrificava as pessoas que olhavam para ela.*] [*int.*: *A lava do vulcão se petrifica ao esfriar.*] 2 *Fig.* Tornar(-se) frio e insensível [*td.*: *A amargura petrificou seu coração.*] [*int.*: *Mesmo pessoas sensíveis se petrificam com o sofrimento.*] 3 *Fig.* Fazer ficar ou ficar paralisado [*td.*: *O susto a petrificou.*] [*int.*: *Petrificou-se ao receber a terrível notícia.*] [▶ 11 petrificar] [F.: *petr-* + *-i-* + *-ficar.* Hom./Par.: *petrifica(s)* (fl.), *petrífica(s)* (fem. de *petrífico* (a.) [pl.]); *petrífico* (fl.), *petrífico* (a.).]

◎ **petro-** *el. comp.* rocha, petróleo: *petrologia; petrodólar; petroquímica.* [F.: Do gr. *petro-* gr. *pétra, as.*]

petrodólar (pe.tro.*dó*.lar) *sm. Econ.* Dólar originário da venda de petróleo, esp. pelos países árabes, e aplicado no mercado financeiro internacional [F.: *petr(óleo)-* + *-o-* + *-dólar.*]

petróglifo (pe.*tró*.gli.fo) *Arqueol. sm.* 1 O mesmo que *gravura rupestre* 2 Gravação de imagens, representações ou grafismos que se encontram nas partes interiores ou exteriores de cavernas, da autoria de homens dos períodos neolítico e calcolítico [F.: *petr-* + *-o-* + *-glifo.*]

petrografia (pe.tro.gra.*fi*.a) *sf.* 1 *Geol.* Ciência que descreve e classifica as rochas 2 *Arqueol. Pet.* Representação de sinais, imagens etc. gravadas nas rochas e cavernas pelos primitivos; PINTURA RUPESTRE [F.: *petro-* + *-grafia.* Cf.: *litografia, petrologia.*]

petrográfico (pe.tro.*grá*.fi.co) *Pet. a.* Ref., inerente a ou próprio da petrografia (registros petrográficos; pesquisa petrográfica) [F.: *petrografia*+ *-ico*². Ideia de: *petro-* e *-gráfico.*]

petrógrafo (pe.*tró*.gra.fo) *sm.* Especialista em petrografia [F.: *petro-* + *-grafo.*]

◎ **petrol-** *el. comp.* petróleo: *petroleiro; petrolífero.* [F.: Do lat. *petroleum.*]

petroleiro (pe.tro.*lei*.ro) *Petr. a.* 1 Ref. ou inerente a petróleo e seus derivados (setor petroleiro); PETROLÍFERO 2 Diz-se de meio, veículo, navio que transporta petróleo (frota petroleira) 3 Que produz petróleo (região petroleira) *sm.* 4 Navio que faz o transporte do petróleo; NAVIO-PETROLEIRO 5 *Bras.* Pessoa que trabalha na indústria de petróleo 6 Pessoa que usa petróleo para destruição; PETROLISTA; TERRORISTA 7 *Fig.* Indivíduo extremista, revolucionário, petrolista [F.: *petróleo* + *-eiro.* Ideia de: *petrol-*.]

petróleo (pe.*tró*.le:o) *Pet. Quím. Petrq. sm.* 1 Óleo mineral natural, constituído quase só de hidrocarbonetos, de cor escura, existente em depósitos muito extensos nas rochas sedimentares, us. como combustível e como lubrificante depois de ser refinado *Bras.* ÓLEO 2 *Bras. Pop.* Aguardente feita com a cana-de-açúcar; CACHAÇA [F.: Do fr. *pétrole*, deriv. do lat. medv. *petroleum, i.* Ideia de: *petrol-*.]

🕮 No decorrer do século XX a importância do petróleo como fonte de energia cresceu de 3,7% do total de fontes exploradas (em 1900) para 50% no fim do século. Além de principal fonte de energia (combustíveis, como a gasolina, o querosene, o óleo diesel), ele serve de matéria-prima para a indústria petroquímica (plásticos, tintas, tecidos sintéticos). Sua importância econômica fez do petróleo o principal produto mundial, motivo de crises e de tensões internacionais. É um produto fóssil, resultante da decomposição de compostos orgânicos depositados em determinadas formações geológicas. Por isso, apesar da descoberta de novas jazidas, inclusive no fundo do mar, ele se esgotará um dia, o que aumenta sua criticidade e motiva a pesquisa de fontes alternativas de energia. Os maiores produtores e as maiores jazidas de petróleo (65%) estão nos países do Oriente Médio. No Brasil, a partir de 1939, quando se descobriu petróleo em Lobato, BA, a produção brasileira cresceu a ponto de tornar o país praticamente autossuficiente. O Brasil, através da Petrobras, é líder mundial na prospecção e produção de petróleo em águas profundas.

petrolífero (pe.tro.*lí*.fe.ro) *Petrq. a.* 1 Que contém petróleo (jazidas petrolíferas) 2 Que produz petróleo (indústria petrolífera) [F.: *petróleo* + *-ífero.* Sin. ger.: *petroleiro.* Ideia de: *petrol-*.]

petrologia (pe.tro.lo.*gi*.a) *Geol. sf.* Ciência que trata da origem, formação, composição, estrutura e classificação das rochas; LITOLOGIA [F.: *petro-* + *-logia.* Cf.: *petrografia.*]

petrológico (pe.tro.*ló*.gi.co) *Geol. a.* Ref. ou inerente à petrologia (estudo petrológico; pesquisa petrológica) [F.: *petrologia* + *-ico.* Ideia de: *petr-*, *petro-* e *-lógico.*]

petrólogo (pe.*tró*.lo.go) *Geol. sm.* Especialista em petrologia; PETRÓGRAFO [F.: *petro-* + *-logo.*]

petromax (pe.*tro*.max) [cs] *sf2n.* Tipo de lampião, com camisa, que us. o querosene [F.: nome comercial.]

petroquímica (pe.tro.*quí*.mi.ca) *Quím. Petrq. sf.* Ciência e técnica da transformação do petróleo em produtos químicos de uso industrial [F.: *petróleo* + *-o-* + *química.* Ideia de: *petro-* e *quimi(o)-*.]

petroquímico (pe.tro.*quí*.mi.co) *Petrq. sm.* 1 Indivíduo especialista em petroquímica *a.* 2 Ref., inerente ou pertencente à petroquímica (processo petroquímico; setor petroquímico) [F.: *petroquímica*, com var. suf. Ideia de: *petro-* e *quimi(o)-*.]

⊕ **pet shop** (*Ing.* /*pétchop*/) *sm.* Estabelecimento comercial que cuida de animais domésticos, oferecendo serviços de tosa, banho etc. e vende acessórios, alimentos e produtos de higiene para animais de estimação. Algumas vendem animais e têm serviço médico-veterinário

petulância (pe.tu.*lân*.ci:a) *sf.* Característica, qualidade, ação ou modos de petulante; atrevimento; ATREVIMENTO; INSOLÊNCIA; OUSADIA: *Teve a petulância de contradizer a autoridade.* [Ant.: *respeito.*] [F.: Do lat. *petulantia, ae.* Ideia de: *ped-*.]

petulante (pe.tu.*lan*.te) *s2g.* 1 Aquele que denota petulância, que é arrogante e desrespeitoso; ATREVIDO; INSOLENTE; IRREVERENTE; SAIÃO 2 Pessoa impetuosa, audaciosa; ATREVIDO; OUSADO *a2g.* 3 Diz-se do que ou de quem é arrogante e não demonstra respeito pelos outros; ATREVIDO; INSOLENTE; IRREVERENTE; SAIÃO [Ant.: *respeitoso.*] 4 Que demonstra ímpeto, vivacidade; ATREVIDO; OUSADO [F.: Do lat. *petulans, antis.* Ideia de: *ped-*.]

petum (pe.*tum*) *Bras. Angios. sm.* 1 Mesmo que *tabaco* 2 Nome comum a duas plantas solanáceas ornamentais (*Nicotiana alata* e *Nicotiana longiflora*); tb. *fumo-de-jardim* [Pl.: *-tuns.*] [F.: prov. do tupi *pe'tïma.* Tb. *petume.*]

petume (pe.*tu*.me) *sm.* Ver *petum*

petúnia (pe.*tú*.ni:a) *Bot. sf.* 1 Planta herbácea (*Petunia violacea*), da fam. das solanáceas, orig. da América do Sul, de grandes e belas flores roxas, muito us. como ornamentação 2 Nome comum às plantas do gên. *Petunia*, da fam. das solanáceas, nativas de regiões tropicais e subtropicais da América do Sul, muito us. em ornamentação, como, p. ex., *Petunia violacea*, de belas e numerosas flores roxas [F.: Do lat. cient. *Petunia.*]

peúga (pe.*ú*.ga) *Lus. Vest. sf.* 1 Meia curta masculina ou feminina: *No frio, só usa peúgas de lã.* 2 *Ant.* Calçado de sola dura e que cobre o pé; SAPATO [F.: Do lat. *peduca* lat. *pes, pedis.* Ideia de: *ped(i)-*.]

peúva (pe.*ú*.va) *sf.* 1 *Bras. Bot.* Ver *ipê-rosa.* [Col.: *peuval.*] *s2g.* 2 *SP Pop.* Pessoa importuna, maçante [F.: Do tupi *ïpe'ïwa.* Ideia de: *-uva.*]

◎ **-peva** *el. comp.* Ver *-peba*

pevide (pe.*vi*.de) *sf.* 1 *Bot.* Semente achatada de alguns frutos carnosos, como a abóbora, o melão, o pepino, a melancia etc. 2 Massa com forma de pevide de abóbora ou de melão 3 *Hort.* Variedade de pera; SORVETE 4 *Ornit.* Película que aparece na língua de algumas aves, esp. das galinhas, que as impede de beber e pode causar a morte se não for arrancada 5 *Pat.* Defeito de fala e articulação da voz que consiste em não poder ou não conseguir pronunciar a letra *r* 6 Parte carbonizada e de mau cheiro que fica no pavio quando este é apagado; MORRÃO 7 *ES RJ Pop.* Aguardente, cachaça 8 *Gír.* Ver *ânus* [F.: Do lat. *pipita*, de *pituita.* Ideia de: *pevid-*.]

⊠ **p. ex.** Abrev. de *por exemplo*

◎ **-pexia** *el. comp.* = 'fixação cirúrgica (de órgão, estrutura etc.)': *anexopexia, desmopexia, histeropexia, orquidopexia, orquiopexia, proctopexia, rectopexia/retopexia, reopexia, tiflopexia, vaginopexia* [F.: Do gr. *pêksis, eos*, 'fixação', + *-ia*¹.]

pexotada (pe.xo.*ta*.da) *sf.* 1 *Lud.* Ação de pexote; erro cometido no jogo; má jogada: "Repetindo-lhe a cada pexotada que jogador não guarda cabras..." (Domingos Olímpio, *Luzia Homem*) 2 Erro que se comete por ignorância ou inexperiência [F.: *pexote* + *-ada*². Sin. ger.: *pixotada.*]

pexote (pe.*xo*.te) *s2g.* 1 Criança, esp. menino 2 Pessoa inexperiente; NOVATO; PRINCIPIANTE: *É um pexote nas coisas do amor; A fábrica agora tem muitos pexotes.* 3 *Lud.* Mau jogador, que comete grandes erros no jogo: "... Apenas meia hora e percebi que o rapaz era pexote e estava sendo roubado descaradamente" (Graciliano Ramos, *São Bernardo*) *sm.* 4 *Bras. Mec. Tec.* Pequena broca us. para fazer furinhos em pedras, ou para rachá-las a partir das fendas geradas pela explosão de dinamite [F.: De or. controv., talvez do chin. *pe xot.* Sin. ger.: *pixote.* Hom./Par.: *pexote* (s2g. sm.), *peixote* (sm.).]

pez [ê] *Quím. sm.* 1 Substância negra e viscosa que se obtém da destilação do alcatrão; PICHE 2 Designação frequentemente atribuída aos betumes naturais 3 Resina dos pinheiros [F.: Do lat. *pix, picis.* Cf.: *breu.* Hom./Par.: *pez* (sm.), *pê(s)* (sm. [pl.]); *pé(s)* (sm. [pl.]); *pese, peses, peses* (fl. de *pesar*). Ideia de: *peg-, pich-, pic(i/o)-, piss(o)-* e *pito-*.] ■ **~ mineral** Betume

pezada (pe.*za*.da) *Bras. sf.* Golpe dado com o pé; pancada forte desferida com o pé [F.: *pé* + *-zada.* Hom./Par.: *pezada* (sf.), *pesada* (sf.), fem. de *pesado* (a.). Ideia de: *ped(i)-*.]

pezeira (pe.*zei*.ra) *sf.* 1 *Mob.* Parte da cama oposta à cabeceira 2 Qualquer objeto, mecanismo, suporte com a função de apoio para os pés [F.: *Pé* + *-z-* + *-eira.*]

pezeiro (pe.*zei*.ro) *a.* 1 Em um rodeio, diz-se do cavaleiro que, em perseguição ao boi, busca laçá-lo pelos pés (competidor pezeiro) *sm.* 2 *Esp.* O cavaleiro que, em um rodeio, se propõe a laçar o boi pelos pés: "1. 4. Arremesso da laçada de pé: Antes que a laçada do pezeiro possa ser arremessada, o boi deve estar em movimento..." (Federação Nacional do Rodeio Completo, *Manual de Regras* – 1999) [F.: *pé* + *-z-* + *-eiro.*]

pezudo (pe.*zu*.do) *Anat. Zool. a.* Diz-se daquele que tem pés grandes (homem pezudo; animal pezudo) [F.: *pé* + *-zudo.* Ideia de: *ped(i)-*.]

pezunho (pe.*zu*.nho) *sm.* 1 Mesmo que *chispe* 2 Pé grande e de má conformação [F.: Do espn. *pesuño.*]

⊠ **pH** *Quím. sm.* Sigla de potencial de H (hidrogênio), representado por um valor numérico que indica se uma solução química é ácida (quando é menor do que sete), neutra (quando é igual a sete) ou básica (quando é maior do que sete) [F.: Abrev. de *Pondus hydrogenii* (peso do hidrogênio).]

⊠ **PhD** *sm.* 1 Designação de pessoa que tem curso de doutorado e defendeu tese de doutoramento 2 *Fig.* Aquele que é uma sumidade em algum ramo do conhecimento [F.: Abrev. do lat. *Philosophiae Doctor* (doutor em filosofia).]

pi *sm.* 1 A 16ª letra do alfabeto grego, correspondente ao p latino (p, P) 2 *Geom.* Número transcendente que tem como símbolo essa letra, e cujo valor aproximado é 3,14159, correspondente à razão entre o perímetro de uma circunferência e o seu diâmetro; NÚMERO PI **3** *Fís. nu.* Píon [F.: Do lat. *pi*, deriv. do gr. *pêi*, *pî*.]

pia (*pi*.a) *sf.* **1** Espécie de bacia fixada na parede, com água corrente e escoamento para ser utilizada em banheiros e cozinhas; CUBA *Lus.*; LAVA-LOIÇAS **2** Aparelho sanitário, em forma de bacia, provido de torneiras e ralo; LAVABO; LAVATÓRIO **3** Qualquer recipiente de pedra para líquidos (pia-batismal) **4** *BA Lus.* Concavidade nas pedras, onde se acumula a água pluvial **5** *Lus.* Reservatório de água para abastecimento de povoados **6** *Lus.* Sepultura cavada na rocha [F.: Do lat. *pila, ae.* Hom./Par.: *pia* (sf.), *piá* (sm.), *pia* (fl. de piar).] ■ **~ batismal** *Litu.* Vaso de pedra que recebe a água para a cerimônia do batismo **Salgado que só ~** *N. E. Pop.* Muito salgado, salgado demais

piá (pi:*á*) *sm.* **1** *Bras. Etnog.* Menino indígena ou mestiço de índio com branco; índio jovem, caboclinho **2** Qualquer menino; FEDELHO; GAROTO; GURI [Esp. no PR e em sua capital.] **3** *RS SC* Qualquer menor, não branco, que trabalha como peão de estância [F.: Do tupi-guar. *pi'a.* Hom./Par.: *piá* (sm.), *pia* (sf., fl. de *piar*).]

piaba (pi:*a*.ba) *Bras. sf.* **1** *Zool.* Denominação dada a algumas espécies de peixes de rio, da fam. dos anostomídeos, esp. dos gên. *Leporinus* e *Schizodon*, de boca pequena, que se alimentam de matéria vegetal e de detritos orgânicos; ARACU; PIAU; PIAVA **2** *Pop.* Coisa de pouca monta; pequena quantia [F.: Do tupi *pi'awa.*]

piabanha (pi.a.*ba*.nha) *Bras. Ict. sf.* **1** Peixe da fam. dos caracídeos (*Brycon piabanha*), de dorso cinzento e comprimento até 65 cm, encontrado rio Paraíba; PIABANHA-VERMELHA **2** Peixe da fam. dos caracídeos (*Brycon carpophagus*), de dorso cinzento, ventre prateado e até 20 cm de comprimento, encontrado na bacia dos rios Amazonas e Paraná; PIABINHA [F.: Do tupi *pia'waya.*]

piaçaba (pi:a.*ça*.ba) *sf.* **1** *Bras. Bot.* Nome comum a algumas espécies de palmeiras, das quais se extraem fibras resistentes e maleáveis de mesmo nome us. no fabrico de vassouras, como, p. ex., *Attalea funifera*, nativa do N.E. do Brasil; COQUEIRO-PIAÇABA; PIAÇABEIRA; PIAÇAVEIRA **2** *Bot.* Fibra retirada dessas palmeiras **3** *Bras.* Vassoura feita com essas fibras [Col.: *piaçabal.*] [F.: Do tupi *pïa'sawa.* Sin. ger.: *piaçá.* Tb. *piaçava.*]

piaçabeira (pi.a.ça.*bei*.ra) *Angios. sf.* **1** Palmeira (*Leopoldinia piassaba*) nativa do norte da América do Sul; tb. *palmeira-piaçaba* **2** Nome comum a duas espécies de palmeiras (*Attalea funifera*). Tb. *piaçaba* [F.: *piaçaba* + *-eira.*]

piaçava (pi:a.*ça*.va) *sf.* Ver *piaçaba*

piaçoca (pi.a.*ço*.ca) *sf. Bras. Zool.* Ver *jaçanã* (*Jacana jacana*) [F.: Do tupi **pia'soka.*]

piada (pi:*a*.da) *sf.* **1** Dito ou pequena história espirituosa e/ou engraçada; ANEDOTA; CHISTE; PILHÉRIA **2** Papo-furado; LOROTA **3** Dito picante ou obsceno que provoca risos **4** Qualquer pessoa ou coisa que não mereça crédito ou não tenha qualidade: *A fraude nas eleições mostrou que a apuração dos votos era uma piada; Esse diretor é uma piada.* **5** *Ornit.* Trinado, pio de certas aves e animais; PIADO; PIO **6** *Pneumo.* Ver *estertor* ■ **~ de salão** *Bras.* Aquela que não inclui palavrões ou descrições obscenas ou grosserias, podendo por isso ser contada em círculos e ambientes convencionais **Ter ~** **1** *Lus.* Ser cômico, engraçado **2** Ser interessante, chamativo, curioso

piadista (pi:a.*dis*.ta) *s2g.* **1** Aquele que diz, cria ou conta piadas *a2g.* **2** Diz-se de quem diz ou cria piadas; que tem prazer em contar piadas [F.: *piada* + *-ista.* Sin. ger.: *trocista.*]

piadístico (pi:a.*dís*.ti.co) *a.* **1** Ref. ou inerente a, ou próprio de piada, anedota, dito ou alusão engraçada (vocação piadística) **2** *Ornit. Zool.* Ref. ou inerente a piado, pio, voz característica de certas aves e animais (som piadístico) **3** *Fig.* Ref. ou inerente a que ou quem tem má qualidade ou é ridículo, pretensioso (indivíduo piadístico) [F.: *piadaista* + *-ico*[2].]

piado (pi.*a*.do) *sm.* **1** A voz de algumas aves; PIO **2** Ruído respiratório anormal; ESTERTOR; PIEIRA [F.: Part. de *piar.*]

piafé (pi.a.*fé*) *sm.* Movimento do cavalo quando bate as patas no chão, sem sair do lugar: "É ali que ele vem caracolar no seu ginete estafado e mostrar em garbosos piafés a finura da raça." (Latino Coelho, *Cervantes*)

piaga (pi:*a*.ga) *Bras. sm.* Sacerdote espiritual dos indígenas; PAJÉ [F.: De idioma da fam. caribe, pelo esp. sulamericano *piage, piaye.*]

piagetiano (pi.a.ge.ti.*a*.no) *a.* **1** *Psic.* Ref. ao psicólogo e pedagogo suíço Jean Piaget (1896-1980) ou a suas teorias **2** Diz-se de tratamento psicológico, estudo ou método que seguem a linha de Piaget **3** Diz-se de profissional especializado no método de Jean Piaget *sm.* **4** O adepto ou seguidor das ideias de Piaget [F.: Do antr. (Jean) *Piaget* + *-iano.*]

pia-máter (pi.a-*má*.ter) *sf. Anat.* A mais interna das membranas que recobrem o cérebro e a medula espinhal [Pl.: *pias-máteres.*] [F.: Do lat. *pia mater.* Cf.: *dura-máter e aracnoide.*]

pianismo (pi.a.*nis*.mo) *sm.* **1** *Mús.* O conjunto das características da execução e da técnica do piano **2** Amor ou gosto pelo piano: *Revigorou, no público, o gosto pelo pianismo.* [F.: *piano* + *-ismo.*]

pianíssimo (pi.a.*nís*.si.mo) *Mús. adv.* **1** Muito piano; com muita suavidade [Originariamente us. em partituras como indicação para o pianista.] *sm.* **2** Composição ou passagem musical executada com muita suavidade [F.: Do it. *pianissimo.*]

pianista (pi:a.*nis*.ta) *s2g.* **1** *Mús.* Pessoa que toca piano, que sabe tocar piano **2** *Bras. Fig. Pop.* Parlamentar que simula o voto de quem está ausente acionando em seu lugar tecla do painel de votação, na Câmara dos Deputados ou no Senado Federal [F.: *piano* + *-ista.* Ideia de: *plan-.*]

pianística (pi.a.*nís*.ti.ca) *sf. Mús.* Arte e técnica do pianista, de tocar ou de compor para o piano [F.: fem. substv. de *pianístico.*]

pianístico (pi:a.*nís*.ti.co) *a. Mús.* Ref., inerente a ou próprio de piano[1], de pianista, da pianística (repertório pianístico; obra pianística) [F.: *pianista* + *-ico.* Ideia de: *plan-.*]

piano[1] (pi:*a*.no) *Mús. sm.* **1** Instrumento musical de cordas que são percutidas dentro de uma caixa de ressonância por martelos de madeira acionados por 88 teclas (piano de concerto; piano de cauda) **2** Pianista que faz parte de uma orquestra ou de outro conjunto musical [F.: F. red. do it. *pianoforte;* fr. *piano.* Ideia de: *plan-.*] ■ **~ de armário** Piano[1] (1) cujas cordas e caixa de ressonância são verticais, e por isso ocupa pouco espaço horizontal **~ de cauda** Piano[1] (1) em forma de asa, cujas cordas e caixa de ressonância são horizontais, podendo a tampa desta ser levantada para obter-se maior sonoridade [De acordo com o tamanho da caixa de ressonância, pode ser de um quarto de cauda, meia cauda e cauda inteira, este o piano us. em concertos.] **~ mecânico** Piano[1] (1) cujo teclado é acionado por pedais externos ou internos, ou por manivela **~ preparado** Piano que teve o timbre alterado com a colocação de objetos em suas cordas, o que resulta em sons de natureza heterodoxa, conforme conceito do músico John Cage **~ transpositor** Piano[1] (1) cujo teclado é móvel em relação às cordas que aciona, permitindo assim transposição de tons da música executada sem alteração da partitura

piano[2] (pi:*a*.no) *adv.* **1** *Mús.* Com pouca intensidade; suavemente: *Essa sonata deve ser tocada piano.* [Em partituras, us. como indicação para execução. Abrev.: *p.*] **2** *Fig.* Pausadamente, pouco a pouco, devagar: *Decisão tomada piano.* *sm.* **3** *Mús.* Trecho executado suavemente, com menos sonoridade [F.: Do it. *piano,* red. de *pianoforte.* Ideia de: *plan-.*]

piano-bar (pi:a.no-*bar*) *sm.* Bar calmo, com música ambiente tocada por um pianista [Pl.: *pianos-bares.*] [F.: Do ing. *piano bar.*]

⊕ **pianoforte** (pi.a.no.*for*.te) (*it.*) *sm. Ant. Mús.* O mesmo que *piano;* FORTE-PIANO

pianola (pi:a.*no*.la) [ó] *Mús. sf.* Tipo de piano (1) mecânico, com as cordas verticais e um maquinismo interno que o faz tocar automaticamente [F.: Do fr. *pianola,* deriv. do ing. *pianola.*]

pianólatra (pi.a.*nó*.la.tra) *s2g.* **1** Indivíduo que se dedica apaixonadamente ao estudo do piano, à arte de tocá-lo ou e/ou compor para ele **2** Pessoa que demonstra intensa paixão pelo piano, pelas composições feitas para ele, por seus principais instrumentistas *a2g.* **3** Ref. ou inerente ao estudioso ou ao entusiasta do piano [F.: *piano* + *-latra.*]

pianolatria (pi.a.no.la.*tri*.a) *sf. Mús.* Adoração muito intensa ao piano, seu repertório e seus intérpretes [F.: *piano* + *-latria.*]

pião (pi:*ão*) *sm.* **1** *Lud.* Brinquedo que tem a forma de pera com uma ponta, sobre a qual gira acionado pelo desenrolar rápido de um cordel em torno dele; o jogo do pião **2** Mastro de uma escada em caracol **3** *Bras. Cap.* No jogo de capoeira, movimento em que o indivíduo gira no chão apoiado na cabeça **4** *Cnav.* Eixo em torno do qual gira uma peça ou um dispositivo qualquer (pião de verga) **5** *AL* Tipo de pisca-pisca com formato de pião (1) **6** *Basq. Fut.* Jogador que se coloca, no ataque de seu time, numa posição central e executa função de distribuição de jogadas, lateralmente, para os companheiros **7** *Lus.* Manobra de emergência que se faz com um veículo, invertendo sua direção, quando se freia subitamente os freios para fazê-lo parar; CAVALO DE PAU **8** *Lus.* Ver *frade de pedra* **9** *Bot.* Ver *pinhão* (2), *pinhão-de-purga* **10** *Turfe* Parte de um hipódromo, circunscrita pela pista de corridas; PIÃO DO PRADO [Pl.: *-ões.*] [F.: Var. de *peão.* Cf.: *peão.*] ■ **Fazer ~** *Lus.* Ao frear veículo, manobrar para fazê-lo girar sobre o próprio eixo; fazer cavalo de pau **Fazer ~ em** Girar sobre (ponto de apoio para o giro) **~ de mão** *Bras. Cap.* O giro do pião (3) com apoio em apenas uma das mãos **~ do prado** *Turfe* Num hipódromo, espaço (ger. ajardinado) em torno do qual fica a pista de corrida [Tb. apenas *pião* (10).] **~ mágico** Dispositivo no qual, mediante sua rotação rápida, duas imagens separadas parecem sobrepor-se ou pôr-se lado a lado **Tomar o ~ na unha** *Bras.* Enfrentar resolutamente e energicamente situação difícil ou perigosa

piapara (pi.a.*pa*.ra) *Bras. Ict. sm.* **1** Peixe teleósteo da fam. dos anostomídeos (*Leporinus conirostris*), de corpo com faixas transversais escuras, de comprimento até 16 cm, encontrado nos rios Paraíba, Doce, Paraná e Paraguai; BOGA; PIABA **2** Peixe teleósteo da fam. dos anostomídeos (*Leporinus elongatus*), de dorso esverdeado com faixas transversais, encontrado nos rios São Francisco, Paraná-Paraguai e no rio Uruguai; PIAMPARA; PIRAPARA [F.: orig. obsc.]

piar (pi.*ar*) *v. int.* **1** Dar pios: *Os pássaros piavam ao amanhecer.* **2** *Fig.* Emitir opinião ou protesto (ger. usado negativamente): *O garoto não gostou do comentário do amigo, mas não piou.* **3** *Gír.* Em jogos de cartas, dar palpites ou fazer comentários sobre o próprio jogo ou do parceiro: *Não gosto de jogar com quem fica piando o tempo todo.* [▶ **1** piar] [F.: *pio* + *-ar*[2]. Hom./Par.: *pia(s)* (fl), *pia(s)* (sm. [pl.]); *piara(s)* (fl.), *piara(s)* (sf. [pl.]); *piava(s)* (fl.), *piava(s)* (sf. [pl.]); *pio* (fl.), *pio* (sm.); *pia(s)* (fl.), *piá(s)* (sm. [pl.]); *piar, pear* (em várias fl.); *pio* (fl.), *pió* (sf.).]

piartrose (pi.ar.*tro*.se) *sf. Reum.* Artrite purulenta, com abscesso [F.: *pi(o)-* + *-artro* + *-ose.*]

piastra (pi:*as*.tra) *sf.* **1** *Num.* Moeda de prata cunhada em diversos países **2** *Econ. Num.* Antiga moeda do Vietnã do Sul **3** *Econ.* Nome dado à centésima parte da unidade monetária em alguns países que tinham a libra como moeda antes da adoção do euro [F.: Do it. *piastra.*]

piau (pi.*au*) *sm.* **1** *Bras. Ict.* Mesmo que *piaba* **2** *N.E. Ict.* Mesmo que *canivete* (*Leporinus striatus*) **3** *Ict.* Mesmo que *piapara* (*Leporinus elongatus*) **4** Espancamento, sova, surra **5** *SP Pop.* Truque ardiloso; LOGRO: *Passou um piau no comerciante.* [F.: Do tupi.]

piauí (pi.au.*í*) *a.* **1** Diz-se de uma variedade de gado bovino caracterizado pelo pequeno porte, porém cornos muito desenvolvidos *sm.* **2** Esse tipo de gado **3** *Bras. Dnç.* Espécie de dança, em que os dançadores se movem acocorados. Tb. *cambindas* [F.: Do top. *Piauí.*] ■ **Fazer ~** *Bras. N.E.* Para derrubar ou dominar uma rês, levantar e torcer firmemente a base de sua cauda

piauiense (pi:au.i:*en*.se) *s2g.* **1** Pessoa nascida ou que vive no Piauí *a2g.* **2** Ref., inerente a ou próprio do estado do Piauí; típico desse estado ou de seu povo (sertão piauiense; linguajar piauiense) [F.: Do top. *Piauí* + *-ense.* Sin. ger.: *Gír. Pej. piauizeiro.*]

piava (pi:*a*.va) *sf. Bras. Ict.* Ver *piaba.* [F.: Var. de *piaba.* Hom./Par.: *piava* (sf.), *peava* (fl. de *pear*); *piava* (fl. de *piar*).]

⊠ **PIB** *Econ.* Sigla de *Produto Interno Bruto*: O PIB mede a totalidade de bens e serviços produzidos por um país em determinado período

pica[1] (*pi*.ca) *sf.* **1** *Tabu.* O pênis; PINTO **2** Tipo de lança antiga; PIQUE **3** *Lus.* Picada de injeção **4** *Mar.* Cada peça delgada que se usava na construção da proa e da popa de navios de madeira [F.: Dev. de *picar.* Hom./Par.: *pica* (sf.), *pica* (fl. de *picar*). Cf.: *picada.* Ideia de: *pic-.*]

pica[2] (*pi*.ca) *sf.* Variação, perversão no apetite, ânsia de comer determinado alimento, como pode ocorrer com mulheres grávidas [F.: Do lat. *pica* (ave, a pega, da qual se diz que come qualquer coisa que encontre).]

picaço (pi.*ca*.ço) *a.* **1** Diz-se de equídeo de cor escura com a testa ou os pés brancos *sm.* **2** Esse equídeo **3** *MG SP* Aracnídeo acarino (*Amblyomma cajennense*); tb. *carrapato-estrela* **4** *RS* Trem de ferro [F.: Do espn. *picazo.* Cf. *malacara* (nas apcs. 1 e 2).] ■ **~ bragado** *RS* Cavalo malhado cujas manchas são brancas

picada (pi.*ca*.da) *sf.* **1** Ação ou resultado de picar(-se) **2** Ferida provocada por objeto pontiagudo, ou por mordedura de animal ou inseto (picada de agulha/de cobra/de abelha); BICADA; FERROADA; PICADURA **3** Caminho aberto em mata fechada a golpes de facão ou foice; ATALHO; PIQUE; TRILHA: "A estrada está a sua direita. Mas ele se dirige para a picada onde deve ter menos gente." (Jorge Amado, *Jubiabá*) **4** *Bras. Lus. Pop.* Golpe com faca ou navalha; FACADA; NAVALHADA; PICADURA: *Foi preso por dar duas picadas.* **5** *Bras. Lus. Fig.* Desgosto ou sofrimento moral; ferida: *Sofrer picadas no amor-próprio.* **6** *Vet.* Sangria feita em cavalos **7** *Aer.* Mergulho de avião em ângulo vertical; PIQUE [F.: *picar* + *-ada.* Ideia de: *pic-.*]

picadeiro (pi.ca.*dei*.ro) *sm.* **1** A área central de um circo, reservada à exibição das atrações; ARENA **2** *Hip.* Local de adestramento de cavalos e/ou exercícios de equitação; PICARIA **3** *Cnav.* Suporte de madeira ou de metal onde se colocam os navios no seco, para construção ou reparo **4** *Bras. N. E.* Cana ou lenha cortadas e empilhadas **5** Cepo us. pelos tanoeiros para encurvar as aduelas [F.: *picar* + *-deiro.* Ideia de: *pic-.*]

picadela (pi.ca.*de*.la) [é] *sf.* Picada ligeira ou pouco profunda [F.: *picada* + *-ela.* Ideia de: *pic-.*]

picadinho (pi.ca.*di*.nho) *a.* **1** Picado em pedaços pequenos **2** *Pop.* Que fica melindrado facilmente *sm.* **3** *Bras. Cul.* Prato de carne cortada em pedaços, ger. com molho e acompanhamentos diversos; PICADO: *Convidou-nos para jantar um picadinho com batatas.* **4** *N. E. Fut.* Jogo pouco objetivo, com passes curtos e muitas laterais: *O meia pernambucano é especialista em picadinhos.* **5** *Bras. Dnç.* Dança popular, de origem africana, com passos simples, calmos e arrastados; PULADINHO [F.: *picado* + *-inho.*]

picado (pi.*ca*.do) *a.* **1** Que foi picado ou está coberto de picadas; ESPICAÇADO: *Voltou da mata com as pernas picadas.* **2** Que tem o corpo coberto de pintas ou sinais: *ruivo de rosto picado.* **3** Cortado ou rasgado em pedaços (jornal picado) **4** *Oc.* Diz-se do mar batido, agitado, com ondas pequenas; ENCAPELADO **5** *Aer.* Diz-se do voo em que o nariz do avião é inclinado para baixo; CABRADO **6** *Mús.* Diz-se de trecho que se executa destacando os sons ligeiramente **7** *Bras. Lus. Fig.* Que se irritou, melindrou ou ofendeu **8** *Bras. Lus. Pop.* Diz-se de indivíduo levemente embriagado **9** Diz-se de bebida que está ligeiramente azeda, esp. caldo de cana **10** *Her.* Que é pontilhado com outro esmalte (diz-se de escudo, peça ou figura) *sm.* **11** Aspereza de uma superfície picada **12** *Cul.* Ver *picadinho* (3) **13** *Bras. N. E. Cul.* Ver *sarapatel* **14** *Bras. N. N. E. Hip.* Andadura a passo, de cavalo de sela **15** Enfeite de vestuário (esp. em roupa de mulher), ger. em forma de folhas; tb. *cacundê* **16** *Vest.* Recorte nas bordas de algumas peças de roupa **17** *Mús.* Ver *staccato* [F.: Part. de *picar.* Ideia de: *pic-.*]

picador (pi.ca.*dor*) [ô] *a.* **1** Diz-se do que pica **2** Diz-se daquele que a cavalo, nas touradas, pica o touro com a vara **3** Diz-se daquele que retalha baleias **4** Diz-se daquele que abre picadas no mato *sm.* **5** O que pica **6** Indivíduo que, nas touradas, pica o touro com uma vara **7** Mateiro que vai na frente, abrindo as picadas **8** Indivíduo que trabalha retalhando as baleias pescadas **9** O mesmo que *picotador* (instrumento que picota) [F.: *picar* + *-dor*.]

picadura (pi.ca.*du*.ra) *sf.* Ver *picada* (2) [F.: *picar* + *-dura*. Ideia de: *pic-*.]

picamento (pi.ca.*men*.to) *sm.* Ação de picar(-se) [F.: *picar* + *-mento*.]

picanha (pi.*ca*.nha) *sf.* **1** Região posterior do lombo da rês **2** A carne dessa parte da rês **3** *Cul.* Churrasco feito com essa carne [F.: De or. obsc., prov. *picar* + *-anha*. Ideia de: *pic-*.]

picante (pi.*can*.te) *a2g.* **1** Que pica **2** *Cul.* Diz-se do que tem sabor ardido (molho picante; pimenta picante) **3** *Fig.* Que tem ou revela malícia ou sarcasmo (piada picante); IRÔNICO; MAROTO; MORDAZ **4** *Cul.* Que estimula o apetite: "...o temperarão (o peru) com vinagre, e todos os adubos de sorte que fique picante." (Domingos Rodrigues, *Arte da cozinha*) *sm.* **5** Estimulante do apetite [F.: *picar* + *-nte*. Ideia de: *pic-* e *-aia*.]

picão (pi.*cão*) *sm.* **1** Qualquer instrumento pontiagudo us. para lavrar ou furar pedras **2** Ver *picareta* (1). **3** Ponta de ferro da aguilhada **4** Tipo de instrumento de apoio us. por alpinistas **5** *Bras. Bot.* Nome comum a algumas plantas dos gên. *Bidens* e *Cosmos*, da fam. das compostas, nativas das Américas, cultivadas como ornamentais e por suas propriedades terapêuticas, como, p. ex., *Cosmos bipinnatus*, erva natural do México, de flores alvacentas, róseas ou roxas, tb. conhecida como picão-açu, picão-de-flor-grande e picão-uçu **6** *Bot.* Erva da mesma fam. (*Bidens graveolens*), nativa do Brasil, com flores amarelas, muscilaginosa e conhecida por suas propriedades antiescorbúticas; AMOR-DE-NEGRO **7** *Bras. Vulg.* Indivíduo que atrai e se relaciona sexualmente com inúmeras parceiras; COMEDOR; TREPADOR **8** *Bras. Tabu.* Pênis grande **9** *Ant.* Indivíduo valentão, sempre disposto a brigar [Pl.: *-cões*.] [F.: *picar* + *-ão*. Ideia de: *pic-*.]

pica-pau (pi.ca-*pau*) *sm.* **1** *Zool.* Denominação comum às aves da fam. dos picídeos, quase cosmopolitas; são trepadoras, com pés dotados de dois dedos para a frente e dois para trás e bico forte, us. para perfurar a madeira e picar troncos de árvore em busca de insetos para se alimentar; CARAPINA; IPECU; MURUTUCU; PETO; PINICAPAU **2** *Folc.* Reisado de origem sergipana, composto de diversas cenas e quadros, tb. chamado borboleta **3** *MG Dnç. Mús.* Dança de roda em que há dois violeiros ao centro **4** *SP Dnç. Mús.* Fandango (6) **5** *Bras. Pop.* Soldado de polícia **6** Espingarda us. para caçar pássaros; LAZARINA **7** *SP* Pequena serraria, na zona do rio Paraná **8** *RS Hist.* Alcunha dada pelos rebeldes federalistas (maragatos) aos republicanos ou legalistas, na revolução de 1893 [Pl.: *pica-paus*.] [Ideia de: *pic-*.]

pica-pau-rei (pi.ca-pau-*rei*) *sm.* *Zool.* Pica-pau das florestas (*Campephilus robustus*) do Paraguai, Argentina e Brasil, com 36 cm de comprimento, cabeça e pescoço vermelhos e asas e cauda pretos; CARPINTEIRO [Pl.: *pica-paus-reis* ou *pica-paus-rei*.]

picape (pi.ca.pe) *sf.* Caminhonete com carroceria aberta para transporte de mercadorias [F.: Do ingl. *pickup*.]

picar (pi.*car*) *v.* **1** Ferir(-se) ou furar(-se) com algo pontiagudo [*td.*: *Um espinho o picou.*] [*tda.*: *Piquei o dedo com um alfinete.*] [*int.*: *Picou-se numa farpa.*] **2** Dar picada ou ferroada (um inseto) (em) [*td.*: *A abelha picou a criança.*] [*int.*: *Após picar, a abelha não sobrevive porque perde o ferrão e parte do intestino.*] **3** Cortar em pedacinhos [*td.*: *Pique e refogue os legumes.*] **4** Provocar ou sentir ardência ou queimação [*td.*: *Nunca provara uma pimenta que picasse tanto a língua.*] [*int.*: *Sua língua ainda picava, meia hora depois de ter comido o acarajé.*] **5** Provocar comichão em [*td.*: *A sarna picava todo o corpo do menino.*] **6** Abrir buracos (insetos, traças, vermes etc.) em [*td.*: *A traça picou o paletó.*] **7** Crivar de pequenos orifícios com instrumento pontiagudo [*td.*: *Picou o desenho para reproduzir seus contornos sobre o papel.*] **8** Encher de asperezas por meio de instrumento próprio [*td.*] **9** Ferir (animal marinho) com o arpão; ARPOAR [*td.*: *Do barco, tentava picar o tubarão.*] **10** *Taur.* Enfiar farpa, bandarilha (no touro); FARPEAR [*td.*: *O toureiro picou o touro.*] **11** *Fig.* Provocar, estimular [*td.*: *Para ele fazer alguma coisa, é preciso que o piquem.*] **12** *Bras. Pop.* Deixar um lugar com pressa ou em fuga [*int.*: *Quando viram a polícia, se picaram rapidinho.*] **13** Causar zanga, irritação a; IRRITAR [*td.*: *Era implicante e picava o irmão todo o tempo.*] **14** Apressar [*td.*: "O regedor picava o passo, ansioso de se ver entre os lençóis de sua cama..." (Antônio Feliciano de Castilho, *Mil e um mistérios*)] **15** *Avi.* Baixar o nariz (da aeronave), iniciando mergulho [*int.*: *O avião desgovernado picou até o solo.*] **16** Pressionar as esporas em; ESPOREAR [*td.*: *A amazona picava o belo alazão.*] **17** Morder a isca [*int.*: *Finalmente, o peixe picou.*] **18** *Lud.* No bilhar, impelir a bola com o taco em posição quase vertical [*td.*: *Picar a bola.*] **19** *Lud.* Fazer a bola repicar no chão (em jogos de tênis, futebol etc.), ou repicar (a bola) no chão [*td.*: *O atacante picou a bola para conseguir fazer o gol.*] [*int.*: *A bola picou fora da área de serviço.*] **20** Subir de preço [*int.*: *A gasolina e o álcool picaram no ano passado.*] **21** Em leilão, cobrir o lance de outra pessoa [*td.*: *Na última hora, picou o quadro e conseguiu arrematá-lo.*] **22** *Bras. Gír.* Aplicar(-se) droga injetável [*td.*] [▶ **1** picar] [F.: Da raiz onom. *pic*, 'golpe', + *-ar*[2]. Hom./Par.: *pica* (fl.), *pica* (sf.); *picas* (fl.), *picas* (pl. do sf.).]

picardia (pi.car.*di*.a) *sf.* **1** Condição ou atitude de pícaro **2** Falta de consideração, de respeito; insulto; AFRONTA; DESCONSIDERAÇÃO; DESFEITA **3** Maldade, velhacaria; ENGANO; LOGRO **4** *Pop.* Donaire, elegância, garbo, galhardia [F.: Do espn. *picardía*.]

picaresco (pi.ca.*res*.co) [ê] *a.* **1** Ref., inerente a ou próprio de pícaro **2** Que provoca riso ou zombaria; RIDÍCULO **3** *Liter. Teat.* Diz-se do gênero cômico literário e teatral, de origem espanhola, que tem o pícaro como protagonista (romance picaresco; comédia picaresca); BURLESCO [F.: Do espn. *picaresco*.]

picareta (pi.ca.*re*.ta) [ê] *sf.* **1** Instrumento com duas pontas de ferro, us. para escavar terra, arrancar pedras etc.; ALVIÃO; PICÃO *sm.* **2** *MG RS Vest.* Chapéu de palha *s2g.* **3** *Bras. Pop.* Pessoa que usa de expedientes, enganos ou mentiras para alcançar favores; EMBUSTEIRO; VIGARISTA *a2g.* **4** *Bras. Pop.* Diz-se de que ou quem faz uso de meios reprováveis para enganar, fraudar etc.; EMBUSTEIRO; VIGARISTA [F.: *picar* + *-eta*. Hom./Par.: *picareta(s)* (sf. sm. s2g. a2g[pl.]), *picaretas*, *picareta* (fl. de *picaretar*). Ideia de: *pic-*.]

picaretagem (pi.ca.re.*ta*.gem) *sf.* *Bras.* Ação que tem por objetivo enganar, burlar etc.; expediente do picareta; EMBUSTE; FRAUDE; VIGARICE [Pl.: *-gens*.] [F.: *picareta* + *-agem*[2].]

picaretar (pi.ca.re.*tar*) *v. int.* *Bras. Pop.* Agir de modo a enganar alguém ou fraudar algo: *Você deveria estudar mais e picaretar menos.* [▶ **1** picaretar] [F.: *picareta* + *-ar*[2]. Hom./Par.: *picareta(s)* (fl.), *picareta(s)* (sf. [pl.]).]

pícaro (*pí*.ca.ro) *a.* **1** Diz-se de que ou quem é astucioso, ardiloso **2** Esperto, perspicaz; SAGAZ [Ant.: *obtuso*.] **3** Que é ridículo, cômico, burlesco *sm.* **4** Aquele ou aquilo que é ardiloso; indivíduo pícaro **5** Pessoa esperta, sagaz **6** *Liter. Teat.* Personagem central da trama picaresca, cuja principal característica é viver de ardis e expedientes para tirar proveito das classes mais privilegiadas [F.: Do espn. *pícaro*. Hom./Par.: *pícara(s)* (fem. e pl. de *pícaro*), *picara*, *picaras* (fl. de *picar*).]

piçarra (pi.*çar*.ra) *Geol. sf.* **1** Rocha sedimentar argilosa endurecida **2** Tipo de solo us. na pavimentação de estradas **3** Mistura de terra, areia e pedra; CASCALHO *Bras.*; TAPURURUCA **4** Rochedo de onde se extrai pedras; PEDREIRA; PENEDIA **5** *Bras.* Afloramento rochoso no fundo dos rios ou dos terrenos das lavras diamantíferas [F.: Do cast. *pizarra*. Sin. ger.: *piçarro*. Hom./Par.: *piçarra* (sf.), *piçarra* (fl. de *piçarrar*).]

picas (*pi*.cas) *pr. indef.* *Bras. Tabu.* Nada, coisa nenhuma: *Estava perto da cena, mas não viu picas.* [F.: *pica* + *-s*.]

picassiano (pi.cas.si.*a*.no) *a.* **1** Referente a Pablo de Ruiz y Picasso (1881-1973), pintor espanhol malaguenho **2** Que é próprio desse pintor ou se refere à sua pintura *sm.* **3** Aquele que é adepto, admirador, estudioso ou tem o estilo de Picasso [F.: Do antr. (Pablo de Ruiz y) *Picasso* + *-iano*.]

picentino (pi.cen.*ti*.no) *sm.* **1** Indivíduo nascido ou que vive em Piceno (hoje Marca de Ancona, Itália) *a.* **2** De Piceno; típico dessa cidade ou de seu povo [F.: Do lat. *picentinu*.]

píceo (*pí*.ce:o) *a.* **1** Que é da natureza do pez **2** Semelhante ao pez ou que o produz **3** Que é da cor do pez [F.: Do lat. *piceus, a, um*.]

pichação (pi.cha.*ção*) *Bras. sf.* **1** Ação ou resultado de pichar **2** Inscrição, ger. de caráter político, ou rabisco em fachada, parede, muro etc. **3** *Pop.* Crítica maldosa a algo ou alguém [Pl.: *-ções*.] [F.: *pichar* + *-ção*. Sin. ger.: *pichamento*.]

pichado (pi.*cha*.do) *a.* **1** Diz-se do que levou pichação, que foi rabiscado, pintado (muro pichado) **2** Diz-se de indivíduo que foi vítima de pichação, fofoca, intriga, ofensa, difamação: *Esse cara foi pichado por todo mundo!* [F.: part. de *pichar*.]

pichador (pi.cha.*dor*) [ô] *Bras. a.* **1** Que picha *sm.* **2** Aquele que picha [F.: *pichar* + *-dor*.]

pichamento (pi.cha.*men*.to) *Bras. sm.* O mesmo que *pichação* [F.: *pichar* + *-mento*.]

pichar (pi.*char*) *v. td.* **1** Aplicar piche em **2** Escrever ou rabiscar em (fachada, muro etc.): *Picharam toda a parede.* **3** *Pop.* Falar mal de; CRITICAR: *Pichar um filme; Pichar um político.* [▶ **1** pichar] [F.: *piche* + *-ar*[2]. Hom./Par.: *piche(s)* (fl.), *piche(s)* (sm. [pl.]); *picheis* (fl.), *pichéis* (pl. de *pichel* [sm.]).]

piche (*pi*.che) *sm.* Resina pegajosa de cor negra, que se obtém a partir da destilação do alcatrão ou da terebintina; PEZ [F.: Do ing. *pitch*. Hom./Par.: *piche(s)* (sm. [pl.]), *piche(s)* (fl. de *pichar*).]

pichel (pi.*chel*) *sm.* Vasilha que se usava para retirar vinho dos tonéis ou para bebê-lo; PICHO [Pl.: *-chéis*.] [F.: Do fr. ant. *pichier* (hoje *pichet*). Hom./Par.: *pichéis* (pl.), *picheis* (fl. de *pichar*).]

pichelingue (pi.che.*lin*.gue) *sm.* **1** *Ant.* Bandido que rouba navios mercantes e povoados costeiros; PIRATA: "...multiplicava as forças de seu navio a ponto de... resistir às esquadras de pichelingues que tentavam dar cabo dele." (José de Alencar, *Alfarrábios*) **2** *P. ext.* Aquele que furta, rouba; LADRÃO [F.: prov. do espn. *pichelingue*.]

pichorra (pi.*chor*.ra) [ô] *sf.* **1** Pichel com bico **2** *Lus.* Pequeno cântaro de barro com bico [F.: *picho* + *-orra*.] ■ **Mijar fora da ~** *RS* Deixar de cumprir ou não cumprir até o fim compromisso, obrigação etc.

picídeo (pi.*cí*.de.o) *Ornit. a.* **1** Referente aos picídeos, fam. de aves piciformes que inclui os pica-paus **2** Espécime dos picídeos [F.: Do lat. cien. fam. *Picidae*.]

⊕ **pick-up** (Ing.: /pic-ap/) *sf.* **1** Ver *picape sm.* **2** Toca-discos

picles (*pi*.cles) *Cul. smpl.* Legumes diversos conservados em salmoura ou vinagre us. como petisco ou condimento [F.: Do ing. *pickles*.]

pico (*pi*.co) *sm.* **1** Cume agudo de montanha ou monte; CIMO [Ant.: *sopé*.] **2** Ponta muito aguda; BICO **3** Movimento intenso (horário de pico); TUMULTO; PIQUE **4** O nível mais alto, o auge; PIQUE: *À noite a audiência da TV chega ao pico.* **5** *Bras. Gír.* Dose de entorpecente injetada com seringa, de uma vez **6** *Fig.* Sabor ácido: *Este vinho tem um certo pico.* **7** *N.* Pelo de alguns vegetais, que produz comichão em quem o toca **8** *Fig.* Graça, chiste, malícia *adv.* **9** Um pouco mais: *São duas horas e pico.* [Us. sempre precedido da conj. *e*.] [F.: Dev. de *picar*. Hom./Par.: *pico* (sm.), *pico* (fl. de *picar*).] ■ **~ central** *Astron.* Elevação no centro de cratera lunar **Tomar um ~** *Bras. Gír.* Aplicar em si mesmo ou deixar que lhe apliquem dose de tóxico

picofarad (pi.co.*fa*.rad) [fá] *sm.* *Met.* Unidade de capacidade elétrica correspondente a 10^{-12} farads [Símb.: *pF*.] [F.: *pico* + *farad*.]

picograma (pi.co.*gra*.ma) *sm.* *Met.* Medida correspondente a 10^{-12} gramas, o que equivale a um trilionésimo de grama [F.: *pico* + *grama*.]

picolé (pi.co.*lé*) *sm.* **1** *Bras.* Sorvete solidificado que se toma segurando um palito que o atravessa **2** *RJ Pop.* Caixa do correio, fixada a pequeno poste, na rua ou em prédios públicos [F.: De or. expressiva.]

picotadeira (pi.co.ta.*dei*.ra) *sf.* O mesmo que *picotador*; tb. *picotadora* [F.: *picotado* + *-eira*.]

picotado (pi.co.*ta*.do) *a.* **1** Em que há picote[1] (selo picotado) **2** Perfurado com picotador (bilhete picotado) [F.: Part. de *picotar*.]

picotador (pi.co.ta.*dor*) [ô] *sm.* Instrumento us. para picotar ou furar bilhetes, ingressos etc.; tb. *picotadora*, *picotadeira*; PICADOR [F.: *picotar* + *-dor*.]

picotagem (pi.co.*ta*.gem) *sf.* Ação ou resultado de picotar [Pl.: *-gens*.] [F.: *picotar* + *-agem*[2].]

picotar (pi.co.*tar*) *v. td.* **1** Fazer picotes em (papel, talão etc.): *Ele se esqueceu de picotar o ponto de controle.* **2** Cortar em pedacinhos: *As crianças picotaram as folhas coloridas para fazer um mosaico.* **3** Cortar pequenas partes de: *picotar o cabelo; O diretor picotou o filme para reduzi-lo.* [▶ **1** picotar] [F.: *picote* + *-ar* 2. Hom./Par.: *picote(s)* (fl.), *picote(s)* (sm. [pl.]).]

picote[1] (pi.*co*.te) *Bras. sm.* **1** Recorte denteado nas margens de selos postais, talões, cupons etc. **2** Perfuração produzida pelo picotador em bilhetes, ingressos etc. **3** Sequência de pequenas perfurações feitas em papel para separar as partes a serem destacadas [F.: *pico* + *-ote*. Hom./Par.: *picote(s)* (sm. [pl.]), *picote(s)* (fl. de *picotar*).]

picote[2] (pi.*co*.te) *sm.* Ponto de rendaria em forma de argola de linha, us. em rendas finas [F.: Do fr. *picot*.]

picote[3] (pi.*co*.te) *sm.* Pano grosseiro de lã de cabra [F.: Do espn. *picote*.]

picrato (pi.*cra*.to) *sm.* *Quím.* Designação dos sais do ácido pícrico ou dos ânions provenientes dele [F.: *picr(o)-* + *-ato*[2].]

pícrico (*pí*.cri.co) *a.* **1** *Quím.* Ref. ou inerente ao ácido us. em processos de anestesia e cicatrização [Fórm.: $C_6H_3N_3O_7$] *sm.* **2** Esse ácido [Fórm.: $C_6H_3N_3O_7$] [F.: *picr(o)-* + *-ico*[2]. Cf.: *trinitrofenol*.]

◎ **picr(o)-** *el. comp.* = 'amargo'; 'ácido': *pícrico, picrato, picrocromita, picrotoxina* [F.: Do gr. *pikrós, á, ón*.]

picrotoxina (pi.cro.to.*xi*.na) [cs.] *sf.* *Farm.* Alcaloide vegetal que se extrai de plantas da fam. dos menispermáceas, us. como medicação respiratória, esp. em veterinária [Fórm.: $C_{30}H_{34}O_{13}$] [F.: *picr(o)-* + *toxina*.]

pictografia (pic.to.gra.*fi*.a) *sf.* Modo primitivo de escrever que representava objetos da realidade de maneira simplificada, ger. por intermédio de símbolos ou ícones [F.: *pict-* + *-o-* + *-grafia*.]

pictográfico (pic.to.*grá*.fi.co) *a.* **1** Ref. ou inerente a pictografia **2** Representado por meio de pictografia [F.: *pictografia* + *-ico*.]

pictograma (pic.to.*gra*.ma) *sm.* **1** Antiga manifestação da escrita que inclui desenhos e pinturas rudimentares, ger. datados do período pré-histórico ou da Antiguidade **2** Qualquer forma de desenho ou pintura us. em pictografia **3** Signo que faz parte de um sistema gráfico pictórico [F.: *pict-* + *-o-* + *-grama*.]

pictorial (pic.to.*ri*.al) *a2g.* O mesmo que *pictórico* [Pl.: *-ais*.] [F.: Do lat. *pictorius, a, um*.]

pictórico (pic.*tó*.ri.co) *a.* **1** Da ou ref. à pintura **2** Que se assemelha à pintura (filme pictórico) [F.: Do lat. *pictore* + *-ico*[2]. Sin. ger.: *pictorial*, *pictural*.]

pictural (pic.*tu*.ral) *a2g.* O mesmo que *pictórico* [Pl.: *-ais*.] [F.: *pictura* + *-al*.]

picuá (pi.cu.*á*) *Bras. sm.* **1** Tipo de cesto; BALAIO; SAMBURÁ **2** Saco us. para carregar comida ou roupa em viagem **3** Peça de chifre ou de substância dura, onde se guardam diamantes [F.: Do tupi *piku'a*.]

picuinha (pi.cu:*i*.nha) *sf.* **1** Atitude cuja intenção é contrariar, aborrecer alguém; PIRRAÇA **2** Comportamento hostil que revela desconfiança gratuita; PREVENÇÃO **3** Expressão ou dito picante, espirituoso **4** O primeiro piado das aves [F.: De or. incerta.]

picula (pi.*cu*.la) *sf.* *Bras. Lud.* Brincadeira infantil semelhante ao pega-pega, pique (brincar de picula)

picumã (pi.cu.*mã*) *sm.* **1** Mesmo que *fuligem* **2** Teia de aranha enegrecida pela fuligem **3** *Pop.* O mesmo que *pixaim* (cabelo); CARAPINHA [F.: Do tupi *apeku'mã*. Sin. ger.: *pucumã*.]

pidão (pi.*dão*) *Bras. a.* **1** Diz-se de quem pede muito [Pl.: *-dões*.] *sm.* **2** Aquele que pede muito [Pl.: *-dões*.] [F.: De *pedir*. Sin. ger.: *pedinchão*.]

pídgin (*pid*.gin) *Ling. sm.* Língua nascida do contato entre falantes de diversas línguas, que serve como segunda língua para fins esp. comerciais [F.: Do ing. *pidgin*. Cf.: *crioulo* (13).]

piedade (pi:e.*da*.de) *sf.* **1** Sentimento de compaixão pelo sofrimento dos outros; COMISERAÇÃO; DÓ; MISERICÓRDIA **2** Devoção, amor e respeito pelos assuntos ou coisas religiosas; RELIGIOSIDADE [F.: Do lat. *pietas, atis*. Ant. ger.: *impiedade*.]

piedoso (pi:e.*do*.so) [ô] *a.* Que tem ou denota piedade: "Um mover de olhos brando e piedoso." (Luís de Camões, *Líricas*) [Ant.: *impiedoso*.] [Pl.: [ó]. Fem.: [ó].] [F.: *pied(ade)* + *-oso*.]

piegas (pi:e.gas) [é] *a2g2n.* **1** Em que há excesso de pieguice, de sentimentalismo (música/romance piegas) **2** Diz-de quem é ridiculamente sentimental **3** Diz-se de quem fica embaraçado ou atrapalhado com bobagens *s2g2n.* **4** Pessoa piegas (2 e 3) [F.: De or. obsc.]

pieguice (pi:e.*gui*.ce) *sf.* **1** Característica ou condição de piegas; sentimentalismo excessivo **2** Modo ou dito de piegas [F.: *pieg(as)* + *-ice*. Sin. ger.: *pieguismo*.]

pieguismo (pi.e.*guis*.mo) *sm.* O mesmo que *pieguice* [F.: *piega(s)* + *-ismo*.]

pielite (pi.e.*li*.te) *sf. Urol.* Inflamação da pelve renal, ger. consequente da inflamação do parênquima renal, de quadro clínico em que constam febre, dor lombar, perturbações digestivas etc. [F.: *piel(o)-* + *-ite*[1]. Cf.: *pielonefrite*.]

◎ **-piel(o)-** *el. comp.* Ver *piel(o)-*

◎ **piel(o)-** *el. comp.* = 'cavidade'; 'pelve': *pielite, pielografia, pielonefrite, pielonefrose; cistopielite* [F.: Do gr. *pýelos, ou*.]

pielografia (pi.e.lo.gra.*fi*.a) *Rlog. sf.* Exame radiológico dos rins, ureteres e da bexiga, após administração intravenosa de contraste [F.: *piel(o)-* + *-grafia*.]

pielonefrite (pi.e.lo.ne.*fri*.te) *sf. Urol.* Inflamação do parênquima renal e da pelve em consequência de infecção bacteriana [F.: *piel(o)-* + *-nefr(o)-* + *-ite*[1]. Cf.: *pielite*.]

pielonefrose (pi.e.lo.ne.*fro*.se) *sf. Urol.* Designação dada às afecções da pelve renal [F.: *piel(o)-* + *-nefr(o)-* + *-ose*[1].]

piemia (pi.e.*mi*.a) *sf. Med.* Septicemia generalizada, causada pela entrada dos micróbios da supuração no sangue, caracterizada pelo aparecimento de múltiplos abscessos e acompanhada de febres, calafrios, suores, icterícia e dores articulares [F.: *pi(o)-* + *-emia*.]

piemontês (pi:e.mon.*tês*) *sm.* **1** Pessoa nascida ou que vive no Piemonte (Itália) **2** *Gloss.* Língua falada na região do Piemonte [Pl.: *-teses*. Fem.: *-tesa*.] *a.* **3** Do Piemonte; típico dessa região ou de seu povo **4** Do ou ref. ao piemontês (2) [Pl.: *-teses*. Fem.: *-tesa*.] [F.: Do top. *Piemonte* + *-ês*.]

píer (*pí*.er) *sm.* Estrutura construída sobre o mar para atracação de embarcações [F.: Do ing. *pier*.]

⊕ ***piercing*** (Ing.: /*pírcin*/) *sm.* Peça, ger. de metal, de tamanho e forma variáveis, us. como adorno preso ao corpo por meio de um orifício feito na pele, cartilagem ou língua

⊕ ***pierogi*** (*Pol.*: /*píroji*/) *sm.* Espécie de pastel cozido de massa fina, recheado com batata, ou queijo, ou outro recheio; na Ucrânia tem o nome de *varenike*

pierrô (pi:er.*rô*) *sm.* **1** *Teat.* Personagem originário da comédia italiana, sentimental e ingênuo, que usa vestimentas largas, enfeitadas com pompons e de gola grande e franzida **2** Fantasia tradicional de carnaval que reproduz essa vestimenta [F.: Do fr. *pierrot*.]

◎ **-piese** *el. comp.* = 'pressão': *hiperpiese, hipopiese* [F.: Do gr. *píesis, eos*.]

piestista (pi.es.*tis*.ta) *a2g.* **1** Ref. ou inerente ao pietismo *a2g.* **2** Diz-se do sectário do pietismo *s2g.* **3** Indivíduo sectário do pietismo [F.: Do fr. *piétiste*.]

pietismo (pi.e.*tis*.mo) *Rel. sm.* **1** Movimento de intensificação e renovação da fé cristã, que valorizava o misticismo na experiência religiosa, e que teve origem na Igreja luterana alemã, no séc. XVII **2** *P. ext.* Crença na superioridade da fé sobre a razão [F.: Do fr. *piétisme*.]

piezeletricidade (pi.e.ze.le.tri.ci.*da*.de) *sf. Elet.* Transformação que se opera em alguns cristais quando sujeitos a deformações de natureza mecânica, o que acarreta diferença de potencial entre pares de faces opostas; PIEZOELETRICIDADE [F.: *piez(o)-* + *eletricidade*.]

piezelétrico (pi.e.ze.*lé*.tri.co) *a.* Ref. ou inerente a piezeletricidade; PIEZOELETRICIDADE [F.: *piez(o)-* + *elétrico*.]

piezo (pi.*e*.zo) *sm. Ant. Metrol. Fís.* Unidade de medida de pressão que, no sistema MTS, equivale a 10^2 pascals [Símb.: *pz*] [F.: red. de *piezoelétrico*.]

piezometria (pi.e.zo.me.*tri*.a) *sf. Fís.* Parte da física que mede, com o piezômetro, a pressão dos fluidos e a compressibilidade de substâncias [F.: *piez(o)-* + *-metria*.]

piezométrico (pi.e.zo.*mé*.tri.co) *a.* Ref. ou inerente a piezometria [F.: *piezometria* + *-ico*.]

piezômetro (pi.e.*zô*.me.tro) *sm. Fís.* Instrumento que mede a pressão dos fluidos e a compressibilidade de substâncias submetidas a pressões elevadas [F.: *piez(o)-* + *-metro*.]

pifado (pi.*fa*.do) *Bras. Pop. a.* Que pifou; QUEBRADO; AVARIADO [F.: Part. de *pifar*.]

pífano (*pí*.fa.no) *sm. Mús.* O mesmo que *pífaro* [F.: prov. do cast. *pífano*.]

pifão (pi.*fão*) *Pop. sm.* O mesmo que *bebedeira* [Pl.: *-fões*.] [F.: De or. obsc.]

pifar (pi.*far*) *v.* **1** *Bras. Pop.* Deixar de funcionar; AVARIAR-SE; QUEBRAR [*int.*: *O computador pifou*.] **2** Chegar à exaustão; ficar exaurido [*int.*: *O rapaz pifou depois de correr a maratona*.] **3** Beber demais [*int.*: *Na festa, pifou a noite toda*.] **4** Apoderar-se fraudulentamente de (algo); ROUBAR; SUBTRAIR [*td.*: *O ladrão pifou a bolsa da jovem*.] [*tdi.* +*a*: *Pifou aos aposentados os direitos*.] **5** *Bras. Pop.* Não ter o resultado esperado; FRACASSAR [*int.*: *Seus planos pifaram*.] [▶ **1** pifar] [F.: Or. obsc. Hom./Par.: *pifa(s)* (fl.), *pifa(s)* (s2g. [pl.]); *pife(s)* (fl.), *pife(s)* (sm. [pl.]).]

pífaro (*pí*.fa.ro) *Bras. sm.* **1** Flauta rústica, de som agudo, com seis orifícios, us. em conjuntos musicais populares; PÍFANO **2** Músico que toca essa flauta [F.: Do it. *piffero*, do médio alto-al. *Pifer*.]

pife-pafe (pi.fe-*pa*.fe) *sm. Bras. Lud.* Jogo de cartas em que entram dois baralhos de 52 cartas, com sistema de apostas similar ao do pôquer, e de que participam de quatro a nove jogadores que, recebendo nove cartas cada um, procuram formar trincas e sequências [Pl.: *pife-pafes*.]

pífio (*pí*.fi:o) *a.* Sem valor ou qualidade; ORDINÁRIO; RELES: *A apresentação do pianista foi pífia*. [F.: Do cast. *pifia*.]

pigarrear (pi.gar.re.*ar*) *v. int.* Tossir com pigarro, ou tentar livrar-se dele: "Logo na primeira reunião Tidoca apareceu pigarreando seco..." (Alcântara Machado, *As cinco panelas de ouro*) [▶ **13** pigarrear] [F.: *pigarro* + *-ear*[2].]

pigarro (pi.*gar*.ro) *sm.* Irritação na garganta, provocada pelo catarro ou outra causa, minimizada por meio de movimentos musculares e pela passagem de ar no local, o que produz um ruído característico: *O cigarro sempre provoca-lhe pigarro*. [F.: De or. obsc.]

pigmeia (pig.*mei*.a) *sf.* Feminino de pigmeu [F.: *pigm(eu)* + *-eia*.]

pigmentação (pig.men.ta.*ção*) *sf.* **1** Formação e/ou acumulação de pigmentos num organismo animal ou vegetal [Ant.: *despigmentação*.] **2** Coloração obtida por meio de pigmentos [Pl.: *-ções*.] [F.: *pigmentar* + *-ção*.]

pigmentado (pig.men.*ta*.do) *a.* Que tem pigmento [Ant.: *despigmentado*.] [F.: Part. de *pigmentar*.]

pigmentar (pig.men.*tar*) *v.* **1** Dar cor de pele a [*td.*: *O artesão pigmentou o rosto da boneca*.] **2** Dar cor a, ou adquiri-la, por meio de pigmentação [*td.*: *pigmentar um tecido*.] [*int.*: *A pele se pigmenta com a exposição ao sol*.] [▶ **1** pigmentar] [F.: *pigmento* + *-ar*[2]. Hom./Par.: *pigmentar* (fl.), *pigmentar* (a2g.); *pigmentares* (fl.), *pigmentares* (pl. de *pigmentar* [a2g.]); *pigmento* (fl.), *pigmento* (sm.); *pigmentaria(s)* (fl.), *pigmentária(s)* (fem. de *pigmentário* (a.) [pl.]).]

pigmento (pig.*men*.to) *sm.* **1** *Biol.* Substância composta de granulações de cor variada, responsável pela coloração das células de um organismo ou de um tecido **2** *Fís. Quím.* Substância natural ou produzida quimicamente, facilmente pulverizável, us. como corante [F.: Do lat. *pigmentum, i*. Hom./Par.: *pigmento* (sm.), *pigmento* (fl. de *pigmentar*).]

pigmeu (pig.*meu*) *sm.* **1** *Etnog.* Indivíduo que pertence a etnias encontradas na África, cuja estatura não ultrapassa 1,50 m **2** Pessoa que tem baixa estatura; ANÃO; BAIXINHO **3** *Fig.* Pessoa sem grandeza, mesquinha, insignificante [Fem.: *-meia*.] *a.* **4** Que tem baixa estatura; ANÃO; BAIXINHO [Fem.: *-meia*] [F.: Do lat. *pygmaeus, i*, do gr. *pygmaîos*.]

pignoratício (pig.no.ra.*tí*.ci:o) *a.* Relativo ao contrato de penhor [F.: Do lat. tar. *pignoraticius, a, um*.]

piguancha (pi.*guan*.cha) *sf.* **1** *RS* Mulher jovem; CHINA; CHINOCA **2** *RS* Jovem prostituta **3** *SP* A fêmea do cavalo; ÉGUA [F.: De or. obsc.]

pijama (pi.*ja*.ma) *sm.* **1** Indumentária caseira, composta ger. de casaco e calças, própria para dormir **2** Tipo de calça larga us. na Índia pelas mulheres [F.: Do hind. *paejamah*, pelo ing. *pyjama*.] ■ **~ de madeira** *Bras. Gír.* Ver *Paletó de madeira* no verbete *paletó* **De ~** *Bras. Joc.* Diz-se de militar (general) que, por ação de lei especial, foi promovido a general quando passou para a reserva **Vestir o ~ de madeira** *Bras. Gír.* Morrer

pila (*pi*.la) *sm.* Pessoa ociosa, sem ocupação [F.: red. de *pilantra*.]

pilado (pi.*la*.do) *a.* **1** Que foi socado, pisado com o pilão **2** Descascado no pilão **3** Posto para defumar, para secar à fumaça [F.: part. de *pilar*.]

pilador (pi.la.*dor*) [ô] *a.* **1** Que pila *sm.* **2** Aquele que pila [F.: *pilado* + *-or*.]

pilantra (pi.*lan*.tra) *a2g.* **1** Que é mau-caráter, desonesto **2** Que tem a pretensão de apresentar-se bem, embora sem recursos *s2g.* **3** Pessoa pilantra (1 e 2) [F.: De or. contrv., posv. de *pelintra*.]

pilantragem (pi.lan.*tra*.gem) *sf.* **1** Ação de pilantra **2** Irresponsabilidade, aventureirismo **3** Círculo de pilantras: *Lá está ele entre a pilantragem*. [Pl.: *-gens*.] [F.: *pilantr(a)* + *-agem*[2].]

pilão (pi.*lão*) *sm.* **1** Mão de almofariz **2** Cada um dos maços de madeira calcados de ferro us. nos moinhos de pisar: "Seus pés batiam na praia como pilões." (Xavier Marques, *Sargento Pedro*) **3** Qualquer ferramenta us. para bater, triturar, amassar e moer **4** *Bras.* Gral de madeira rija, onde se descasca e tritura café, milho, arroz etc. **5** *SP Pop.* Cavalo ou burro trotador **6** Peso com que se equilibra a balança romana **7** *SP* Boia-fria (1) [Pl.: *-lões*.] [F.: Do fr. *pilon*.]

pilar[1] (pi.*lar*) *sm.* **1** *Arq. Cons.* Coluna que tem função de sustentação em uma construção **2** *Fig.* Apoio, esteio, suporte: *um pilar da moralidade e da ética*. [F.: Do cast. *pilar*. Hom./Par.: *pilar(es)* (sm. [pl.]), *pilar(es)* (fl. de *pilar*).]

pilar[2] (pi.*lar*) *v. td.* **1** Esmagar no pilão: *As mulheres pilavam a mandioca para fazer farinha*. **2** Descascar (ger. cereal) no pilão: *pilar arroz; pilar milho*. [▶ **1** pilar] [F.: Do lat. *pilare*. Hom./Par.: *pilar(es)* (fl.), *pilar(es)* (sm. [pl.]).]

pilastra (pi.*las*.tra) *sf. Arq.* Coluna vertical us. como adorno ou suporte em fachada ou embutida na parede [F.: Do it. *pilastro*.]

pilates (pi.*la*.tes) *sm.* Sistema de exercícios terapêuticos para equilibrar, flexibilizar e fortalecer a musculatura, realizados com equipamento específico (desenvolvido em 1920 pelo fisioterapeuta e atleta alemão Joseph H. Pilates) [F.: Do antr. *Pilates*.]

pilebflebite (pi.le.fle.*bi*.te) *sf. Med.* Inflamação da veia porta

píleo (*pí*.le.o) *sm.* **1** *Ant.* Espécie de chapéu ou gorro, que entre os antigos romanos usavam os homens livres e os escravos alforriados **2** Barrete de bispos e de cardeais **3** *Anat. Zool.* Região situada na parte superior e central da cabeça das aves **4** *Bac.* Parte dilatada, esporígena, dos fungos agaricales; CHAPÉU; PILÉU [F.: Do lat. *pilleus, i*.]

pileque (pi.*le*.que) *Bras. sm.* Estado de quem se embriagou; BEBEDEIRA; PIFÃO [F.: De or. obsc.] ■ **Suspender um ~** *Bras. RS Pop.* Ver *embriagar*

pilha (*pi*.lha) *sf.* **1** *Fís. Quím.* Sistema ou dispositivo que transforma energia química em elétrica **2** Amontoado de objetos colocados uns sobre os outros: *uma pilha de livros*. **3** Caixa ou invólucro que contém outras caixas menores metidas umas dentro das outras **4** *Bras. Pop.* Pessoa nervosa, agitada, irritada **5** Pilhagem (1) **6** *Lus. Pop.* Lanterna [F.: Dev. de *pilhar*. Hom./Par.: *pilha* (sf.), *pilha* (fl. de *pilhar*).] ■ **~ atômica** *Fís. nu.* Ver *Reator nuclear* **~ eletroquímica** *Fís-quím.* Dispositivo que transforma energia química em elétrica, pela reação de solução química com eletrodos nela mergulhados; bateria [Tb. apenas *pilha*.] **~ seca** *Fís-quím.* Pilha eletroquímica cujo elemento reativo é composto de dióxido de manganês e cloreto de amônia, seu ânodo é de zinco e seu cátodo de grafite [São as pilhas us. em equipamentos elétricos portáteis.] **Às ~s** Muito, em grande quantidade ou intensidade **Estar/ser uma ~ de nervos** Estar/ser muito nervoso

pilhado (pi.*lha*.do) *a.* **1** Flagrado, surpreendido: *pilhado em flagrante*. **2** Saqueado, roubado (lojas pilhadas) [F.: Part. de *pilhar*.]

pilhagem (pi.*lha*.gem) *sf.* **1** Ação ou resultado de pilhar ou roubar; PILHA; SAQUE **2** A coisa pilhada [Pl.: *-gens*.] [F.: *pilhar* + *-agem*[2].]

pilhar (pi.*lhar*) *v.* **1** Apoderar-se, de modo fraudulento, do que pertence a outrem; ROUBAR [*td.*: *O menino pilhou revistas na banca*.] **2** Adornar-se do bem alheio, de modo violento; SAQUEAR [*td.*: *Os manifestantes pilharam supermercados*.] **3** *Fig.* Ser acometido por [*td.*: *Pilhou uma gripe*.] **4** Aparecer inesperadamente diante de; surpreender ou ser surpreendido (em certa condição ou estado) [*td.*: *O policial pilhou o bandido*.] [*tdp.*: *A mãe pilhou o filho absorto em seus estudos*.] **5** Conseguir algo; OBTER [*td.*: *pilhar um cargo*.] **6** Achar-se em ou conseguir chegar a (determinado lugar ou estado) [*tp.*: *A mãe morreu, e Rosa pilhou-se rica*.] [*int.*: *Depois de esbanjar a riqueza, pilhou-se na miséria*.] [*ta.*: *Quando se pilharam em casa, as crianças ficaram tranquilas*.] [▶ **1** pilhar] [F.: Do it. *pigliare*, deriv. do lat. * *piliare* 'enterrar como uma pilastra, empilhar'. Hom./Par.: *pilha(s)* (fl.), *pilha(s)* (sf. [pl.]); *pilharia(s)* (fl.), *pilharia(s)* (sf. [pl.]).]

pilhéria (pi.*lhé*.ri:a) *sf.* Dito engraçado, sarcástico, espirituoso; PIADA; CHISTE: "A tristeza era uma muralha que vinha abaixo com uma boa pilhéria, com uma boa sátira." (Coelho Neto, *Inverno em flor*) [F.: De or. obsc. Hom./Par.: *pilhéria* (sf.), *pilheria* (fl. de *pilheriar*).]

pilheriador (pi.lhe.ri:a.*dor*) [ô] *a.* **1** Que é dado a pilhérias *sm.* **2** Aquele que é dado a pilhérias [F.: *pilheriar* + *-dor*.]

pilheriar (pi.lhe.ri.*ar*) *v.* Fazer pilhérias, troças; GALHOFAR [*int.*: *Esse aí não escolhe ocasião para pilheriar*.] [*tr.* +*com, de*: *Divertia a plateia pilheriando dos políticos*.] [▶ **1** pilheriar] [F.: *pilhéria* + *-ar*. Hom./Par.: *pilheria(s)* (fl.), *pilhéria(s)* (sf. e pl.).]

pilhérico (pi.*lhé*.ri.co) *Bras. a.* **1** Que diz respeito a pilhéria; ENGRAÇADO; ESPIRITUOSO **2** Diz-se de quem faz pilhérias; PIADISTA; PILHERIADOR **3** Diz-se de quem é dado a ironias ou zombarias; IRÔNICO; ZOMBETEIRO [F.: *pilher-* + *-ico*.]

◎ **pili-** *el. comp.* = pelo: *pilífero, piliforme* [F.: Do lat. *pilus*.]

pilífero (pi.*lí*.fe.ro) *a.* **1** Que tem ou produz pelos **2** *Bot.* Piloso [F.: *pili-* + *-fero*.]

◎ **pil(i/o)-** *el. comp.* = pelo: *pilífero, piloso*. [F.: Do lat. *pilus, i*.]

pilocarpina (pi.lo.car.*pi*.na) *sf. Quím.* Alcaloide líquido que se extrai do jaborandi, de uso terapêutico no tratamento do glaucoma; JABORIDINA [Fórm.: $C_{11}H_{18}N_2O_2$] [F.: *pilocarpo* + *-ina*.]

pilono (pi.*lo*.no) *sm.* **1** Pórtico monumental em templo egípcio **2** Pilar que sustenta esse pórtico, ou outra estrutura, como uma ponte **3** Estruturas monumentais que guarnecem qualquer pórtico **4** Estrutura piramidal metálica que suporta fios estendidos. Tb. *pilão* [F.: Do gr. *pylón*.]

piloro (pi.*lo*.ro) [ó] *Anat. sm.* Abertura que liga o estômago ao duodeno [F.: Do gr. *pylorós*.]

pilosidade (pi.lo.si.*da*.de) *sf.* Qualidade do que é piloso [F.: *pilos(o)* + *-(i)dade*.]

piloso (pi.*lo*.so) [ô] *a.* **1** Que tem pelos; peludo **2** *Bot.* Diz-se de planta ou parte vegetal que tem pelos; PILÍFERO [Pl.: [ó]. Fem.: [ó].] [F.: Do lat. *pilosus, a, um*. Ant. ger.: *glabro*.]

pilotagem (pi.lo.*ta*.gem) *sf.* 1 Ação ou resultado de pilotar 2 A técnica ou o ofício de piloto [Pl.: *-gens.*] [F.: *pilotar* + *-agem*[2].]

pilotar (pi.lo.*tar*) *v.* 1 Dirigir como piloto (avião, carro de corrida) [*int.: Aprendeu a pilotar muito cedo com o pai.*] [*td.: Sonhou que pilotava uma Ferrari.*] 2 Dirigir (diversos veículos) [*td.: Pilotar motocicleta/ônibus/patinete.*] 3 *Turfe* Conduzir (cavalo de corrida) [*td.*] 4 *Fig.* Conduzir como guia [*td.: Pilotava os turistas na floresta da Tijuca.*] 5 *Bras. Fig.* Ser muito habilidoso numa atividade [*td.: Pilotar um fogão/um computador/um violão.*] [▶ 1 pilotar] [F.: *piloto* + *-ar*. Hom./Par.: *pilota(s)* (fl.), *pilota* (sf. e pl.); *piloto* (fl.), *piloto* /ô/ (sm.) e *Piloto* /ô/ (antr.).]

piloteiro (pi.lo.*tei*.ro) *sm. GO MS* O mesmo que *prático* ('conhecedor de acidentes hidrográficos') [F.: *piloto* + *-eiro.*]

pilotis (pi.lo.*tis*) *Arq. smpl.* O conjunto dos pilares ou das colunas que sustentam uma construção, deixando a área do pavimento térreo livre para circulação [F.: Do fr. *pilotis.*]

piloto (pi.*lo*.to) [ô] *sm.* 1 Indivíduo que dirige uma embarcação, aeronave ou automóvel 2 *Pop.* Indivíduo que dirige qualquer veículo 3 *Fig.* Aquele que serve de guia, mentor 4 *Telv.* Capítulo de um programa ou de uma série de TV, feito para servir de experiência e modelo para futura produção 5 Qualquer experiência inovadora que sirva de modelo ou exemplo (aula piloto; projeto piloto) [Nesta acp., com valor adjetivo se posposto a outro substantivo.] 6 Nos aquecedores a gás, bico que se mantém aceso e serve para acender os demais bicos 7 *Bras. Hip.* Jóquei 8 Pessoa que não tem um olho; ZAROLHO 9 *Bras. Ict.* Peixe (*Naucrates ductor*) da fam. dos carangídeos; PEIXE-PILOTO 10 *RS* Agrimensor 11 *Bot.* Planta hipericácea (*Helianthenum lasianthum*) *a2g2n.* 12 *Bras.* Diz-se de quem não tem um olho; ZAROLHO [F.: Do it. *piloto*. Hom./Par.: *piloto* (sm.), *piloto* (fl. de *pilotar*).] ▪ **~ automático** 1 Dispositivo que mantém um veículo (navio, avião, espaçonave) na rota especificada e corrige os desvios, sem necessidade de manobra de piloto ou tripulante 2 *Fig.* Modo de agir ou de se comportar sem consciência ou sem atenção especial, por hábito, instinto, etc., ou segundo uma rotina fixa; estado caracterizado por ter-se a atenção voltada para outro assunto, mais distante, que não as ocupações ou tarefas imediatas [Na internet: "Pessoas mentalmente cansadas se colocam no piloto automático"(*Universidade de Amsterdã, 23.05.2002*) Ou seja, participantes de um teste que se encontram mentalmente cansados buscam sistematicamente menos soluções do que seus companheiros que estão em boa condição física e mental.] **~ de provas** *Aer. Aut.* Piloto que testa modelos de aeronave ou automóvel em diversas situações, para aferir seu desempenho e comportamento e detectar possíveis problemas a serem corrigidos nos projetos

pílula (*pí*.lu.la) *sf.* 1 Medicamento sólido, de tamanho pequeno, que se ingere com a ajuda de líquido 2 *Fig.* Coisa desagradável ou difícil de suportar 3 *Pop.* Aquilo que engana; LOGRO; MENTIRA 4 Pílula (1) anticoncepcional [F.: Do lat. *pilula, ae.*] ▪ **Dourar a ~** Tentar fazer algo ruim parecer menos ruim, ou aceitável, ao descrevê-lo, apresentá-lo, relatá-lo etc. **Engolir a ~** 1 Tolerar, sem reclamar, algo ou alguém desagradável, prejudicial etc.: *Não via como justas as exigências que lhe foram feitas, mas engoliu a pílula.* 2 Deixar-se ludibriar, convencer etc.: *A desculpa era inverossímil, mas ela engoliu a pílula.*

pílulas (*pí*.lu.las) *interj.* Us. para expressar enfado, aborrecimento ou reprovação: *Imaginei que fosse um negócio sério, ora pílulas!* [F.: Pl. de *pílula.*]

pilungo (pi.*lun*.go) *Bras. sm. S* Cavalo de má qualidade; MATUNGO; PILECA [F.: talvez de *pileca* + *matungo.*]

pimba (*pim*.ba) *Interj. BA Pop.* Expressa ocorrência súbita ou desfecho de uma ação: *De repente, o jogador ajeitou a bola e, pimba, chutou em gol!* [F.: Hom./Par.: *pimba* (interj.), *pimba* (fl. *pimbar*).]

pimenta (pi.*men*.ta) *sf.* 1 *Bot.* Nome comum a diversas espécies do gên. *Capsicum*, da fam. das solanáceas e do gên. *Piper*, da fam. das piperáceas; PIMENTEIRA 2 *Bot.* O fruto dessas plantas, us. como condimento picante e em conservas 3 *Fig.* Pessoa de gênio difícil, brigona, colérica 4 *Fig.* Pessoa muito ativa, irrequieta: *Seu sobrinho é uma pimenta.* 5 *Fig.* Malícia, sensualidade: *Escreveu um romance com muita pimenta.* 6 *Bras. Ent.* Inseto do gên. *Paederus*, cujas secreções produzem lesões na pele; POTÓ [F.: Do lat. *pigmenta.*]

pimenta-do-reino (pi.men.ta-do-*rei*.no) *Bot. sf.* 1 Planta trepadeirada fam. das piperáceas (*Piper nigrum*), nativa do Sudoeste da Ásia, muito cultivada no Brasil, cujos frutos e sementes são us. como condimento 2 O fruto dessa planta, desprovido de polpa e com uma única semente 3 Essa semente [Pl.: *pimentas-do-reino.*]

pimenta-malagueta (pi.men.ta-ma.la.*gue*.ta) [ê] *Bot. sf.* 1 Planta da fam. das solanáceas (*Capsicum frutescens*), nativa da América tropical, muito cultivada no Brasil, cujos frutos vermelhos são us. como condimento extremamente picante 2 Fruto dessa planta 3 Malagueta [Pl.: *pimentas-malaguetas* e *pimentas-malagueta.*]

pimentão (pi.men.*tão*) *Bot. sm.* Planta da fam. das solanáceas (*Capsicum annuum*), com diversas variedades cultivadas como hortaliça, de frutos grandes, verdes, vermelhos ou amarelos, ligeiramente picantes, muito us. na culinária [Pl.: *-tões.*] [F.: *pimenta* + *-ão*[1].] ▪ **Um ~** Diz-se de alguém que está com o rosto vermelho (por queimadura de sol, p. ex.) ou muito corado, ruborizado (de excitação, vergonha etc.)

pimenteira (pi.men.*tei*.ra) *sf.* 1 *Bot.* O mesmo que *pimenta* (1) 2 Recipiente us. para servir pimenta à mesa; PIMENTEIRO [F.: *pimenta* + *-eira.*]

pimenteiral (pi.men.*tei*.ral) *sm.* Plantação de pés de pimenta [Pl.: *-ais.*] [F.: *pimenteira* + *-al.*]

pimenteiro (pi.men.*tei*.ro) *sm.* 1 Louça em que se guarda a pimenta ou que se serve o molho preparado com ela 2 *Angios.* Árvore *exótica* (*Vitex agnus-castus*) da fam. das verbenáceas, de flores de corola bilabiada e fruto drupáceo com cálice ampliado 3 *Angios.* Nome comum a diversas plantas piperáceas e solanáceas; PIMENTA [F.: *pimenta* + *-eiro.*]

pimentinha (pi.men.*ti*.nha) *sf.* 1 *Bot.* Planta (*Capsicum microcarpum*) da fam. das solanáceas, cujos frutos pequeninos são us. como condimento 2 Pimenta pequena [F.: *pimenta* + *-inha.*]

pimento (pi.*men*.to) *Lus. sm.* O mesmo que *pimentão* [F.: Posv. de *pimenta.*] ▪ **~ morrone** *Lus.* Pimentão vermelho, doce

pimpão (pim.*pão*) *a.* 1 Que é vaidoso 2 Que se veste com afetação; JANOTA 3 Que é gabola, fanfarrão [Pl.: *-pões*. Fem.: *-pona.*] *sm.* 4 Indivíduo pimpão (1, 2 e 3) [Pl.: *-pões*. Fem.: *-pona*] [F.: *pimpar* + *-ão*[1].]

pimpar (pim.*par*) *v.* 1 Aparentar valentia que não se tem [*int.: Embora medroso, sempre pimpava diante dos fortes.*] 2 Exibir posses, riqueza [*int.: Muitos ricos gostam de pimpar.*] 3 Viver de maneira divertida [*td.*] 4 Exibir-se, demonstrar importância; procurar destacar-se [*int.: Pimpava no meio do salão, mas ninguém o olhava.*] [▶ 1 pimpar]

pimpinela (pim.pi.*ne*.la) *Bot. sf.* 1 Nome comum às plantas do gên. *Pimpinella*, da fam. das umbelíferas, nativas da Europa, Ásia e África, algumas cultivadas como condimento 2 O mesmo que *anis* (1) [F.: Do lat. tard. *pimpinella.*]

pimpolho (pim.*po*.lho) [ô] *sm.* 1 *Bot.* Broto da videira 2 *Fig.* Criança pequena 3 *Fig.* Menino parrudo [F.: Do cast. *pimpollo*. Hom./Par.: *pimpolho* (sm.), *pimpolho* (fl. de *pimpolhar*).]

pina (*pi*.na) *sf.* 1 Cada uma das peças curvas que compõem a circunferência da roda de um veículo; CAMBA 2 *Anat. Zool.* Pavilhão da orelha dos mamíferos 3 *Anat. Zool.* Barbatana, nadadeira 4 *Bot.* Cada uma das partes em que se divide uma folha de pteridófita [F.: Do lat. *pinna, ae.*]

pinácea (pi.*ná*.ce:a) *sf. Bot.* Espécime das pináceas, fam. de arbustos e árvores da classe das coníferas, das regiões temperadas do hemisfério norte, da América Central, América do Sul, Sumatra e Java, cultivadas para extração de madeira e polpa, pelas sementes comestíveis e resinas e, também, para ornamentação [Não ocorrem no Brasil e muitas são denominadas pinheiros.] [F.: Adaptação do lat. cient. *Pinaceae.*]

pináceo (pi.*ná*.ce:o) *a. Bot.* Ref. ou pertencente às pináceas [F.: De *pinácea*, com var. suf; ver *-áceo.*]

pinacoteca (pi.na.co.*te*.ca) *sf.* 1 Coleção de quadros 2 Museu de pinturas [F.: Do lat. *pinacotheca, ae*, do gr. *pinakothéke.*]

pináculo (pi.*ná*.cu.lo) *sm.* 1 O ponto mais alto de um lugar; CUME: *pináculo de um edifício/de um monte.* 2 *Fig.* O grau mais alto; ÁPICE; AUGE: *Atingiu o pináculo da carreira.* [F.: Do lat. *pinnaculum, i.* Sin. ger.: *píncaro.*]

pinça (*pin*.ça) *sf.* 1 Instrumento semelhante a uma pequena tenaz, constituído de duas hastes unidas numa ponta que, pressionadas, se unem na outra ponta para segurar e arrancar algo 2 *Cir.* Instrumento cirúrgico para prender, aproximar ou afastar tecidos 3 *Anat. Zool.* Apêndice próprio para agarrar, encontrado nos crustáceos e aracnídeos 4 Parte inferior e anterior do casco do cavalo; porção da ferradura correspondente a essa parte 5 Pence [F.: Do fr. *pince*, pelo cast. *pinzas*. Hom./Par.: *pinça* (sf.), *pinça* (fl. de *pinçar*). Ideia de 'pinça': *quel(i/o)-* (*quelícera*).] ▪ **~ hemostática** *Cir.* Termo genérico que designa instrumentos cirúrgicos que, ao pressionar as paredes de vasos sanguíneos detêm ou evitam hemorragia [Tb. apenas *hemostática.*]

pinçagem (pin.*ça*.gem) *sf.* 1 Ação ou resultado de pinçar; PINÇAMENTO 2 *Bot.* Poda feita com uma tesoura longa ou com a ponta dos dedos 3 Corte das novas brotações ou dos ramos finos do bonsai, executada tb. na fase de crescimento dessa árvore [F.: *pinçar* + *-agem.*]

pinçamento (pin.ça.*men*.to) *sm.* Ação ou resultado de pinçar [F.: *pinçar* + *-mento.*]

pinçar (pin.*çar*) *v.* 1 Prender com pinça [*td.*] 2 Retirar (pelos) com pinça [*td.*] 3 *PE* Fisgar, pescar (peixe) [*td.*] 4 *Fig.* Retirar (algo) do meio de um conjunto de coisas [*tda.: Pinçou várias impropriedades no texto do discurso.*] [▶ 12 pinçar] [F.: *pinça* + *-ar*. Hom./Par.: *pinça(s)* fl.), *pinça* (sf. e pl.); *pinceis* (fl.), *pincéis* (sm. [pl.]).]

píncaro (*pín*.ca.ro) *sm.* 1 O mesmo que *pináculo* 2 *Lus.* Pedúnculo de certos frutos, esp. de cereja [F.: De or. obsc.]

pincel (pin.*cel*) *sm.* 1 Ferramenta constituída de um cabo com tufo de pelos numa das pontas, us. para aplicar tinta, verniz etc. 2 Utensílio de cabo curto, com pelos macios numa das pontas, us. para espalhar creme de barbear no rosto 3 *Fig.* A pintura artística 4 *Fig.* O estilo ou a maneira de pintar da cada artista: *o pincel revolucionário de Picasso.* 5 *Ópt.* Feixe de raios luminosos (pincel de luz) 6 *Bot.* Nome comum a algumas plantas do gên. *Emilia*, da fam. das compostas, cujas flores se assemelham a pequenos pincéis, cultivadas como ornamentais e como medicinais; PINCEL-DE-ESTUDANTE [Pl.: *-céis.*] [F.: Do cat. *pinzell*, do lat. *penicillus, i.* Hom./Par.: *pincéis* (pl.), *pinceis* (fl. de *pinçar*).] ▪ **~ de barba** Pincel (2) **~ de luz** Fino feixe luminoso, que forma uma área luminosa punctiforme ao atingir uma superfície

pincelada (pin.ce.*la*.da) *sf.* 1 Traço feito com pincel 2 *Fig.* Comentário ou explanação breve, sucinta: *Antes de falar da Revolução Francesa, deu uma pincelada sobre a história da França.* [F.: *pincel* + *-ada*[1].]

pincelar (pin.ce.*lar*) *v. td.* 1 Usar o pincel em: *Pincelava os livros para deixá-los limpos.* 2 Passar pincel com tinta em: *Pincelou as paredes da cozinha.* 3 Passar medicamento (na garganta, p. ex.) em movimentos que lembram os de alguém que usa um pincel [▶ 1 pincelar] [F.: *pincel* + *-ar.*]

pincenê (pin.ce.*nê*) *sm.* Óculos leves, sem hastes, que se fixam ao nariz pela pressão de uma mola [F.: Do fr. *pince-nez.*]

pinchar (pin.*char*) *v.* 1 Arremessar, jogar alguma coisa com força em alguém ou algo [*td.: Pinchou a bola com força.*] [*tda.* +*em*: *Pinchou a bola na caçapa.*] 2 Fazer pular ou cair de; jogar, empurrar [*td.: Subitamente, pinchou o rapaz que se esborrachou no chão.*] [*tda.: Pinchou o garoto do alto da árvore.*] 3 Jogar-se, lançar-se de um lugar para o outro [*int.: Corria pela praia, pinchando.*] [*tda.: Pinchou-se no meio do lamaçal.*] [▶ 1 pinchar] [F.: Do espn. *pinchar.*]

pincho[1] (*pin*.cho) *sm.* 1 Salto, pulo, cabriola 2 *PA Lud.* Tipo de jogo semelhante à malha [F.: Dev. de *pinchar.* Hom./Par.: *pincho* (sm.), *pincho* (fl. de *pinchar*).]

pincho[2] (*pin*.cho) *Bras. S Gír. sm.* 1 Pequeno pé de cabra 2 Alfinete de gravata 3 Cáften, rufião [F.: De or. incerta, posv. do espn. *pincho.*]

pindá (pin.*dá*) *Bras. sf.* 1 Entre indígenas brasileiros, certo tipo de anzol 2 *Zool.* O mesmo que *ouriço-do-mar* [F.: Do tupi *pi'nda.*]

pindaíba (pin.da:*í*.ba) *sf.* 1 *Bras. Gír.* Penúria, falta de dinheiro 2 *Bras.* Corda feita com fio de palha de coqueiro 3 *Bot.* Nome comum a diversas árvores e arbustos da fam. das anonáceas, como, p. ex., *Xylopia frutescens*, árvore nativa das Guianas e da Amazônia, tb. conhecida como coajerucu, da qual se extrai fibras e madeira e cujas sementes são us. como condimento; COAJERUCU 4 *Bot.* Ver *biribá* [F.: Do tupi *pina'iwa.*] ▪ **Na ~** *Bras. Gír.* Sem dinheiro algum, sem um tostão

pindaibal (pin.*dai*.bal) *sf.* Lugar onde crescem pindobas *pindobal* [F.: *pindaíba* + *-al.*]

pindoba (pin.*do*.ba) *sf.* 1 *Bras. Bot.* Nome comum a diversas espécies de palmeiras, esp. do gên. *Attalea*, de cujas sementes se extrai óleo [Col.: *pindobal.*] 2 *Bot.* O fruto e a semente dessas palmeiras 3 Tecido de palha de palmeira [F.: Do tupi *pi'ndowa.*]

pineal (pi.ne:*al*) *a2g.* 1 Que tem formato de pinha 2 Píneo (1) 3 *Anat.* Diz-se de pequeníssima glândula oval na base do cérebro [Pl.: *-ais.*] [F.: Do fr. *pinéal*, do lat. cient. *pinealis.*]

pinel (pi.*nel*) *Bras. Gír. a2g.* Indivíduo louco ou adoidado; DOIDO; MALUCO [Pl.: *-néis.*] [F.: Do nome do *Hospital Pinel* do Rio de Janeiro, pronto-socorro psiquiátrico assim chamado em homenagem ao psiquiatra francês Philippe *Pinel* (1745-1826).] ▪ **Ficar ~** *Bras. Gír.* Perder a razão, enlouquecer

píneo (*pí*.ne:o) *a.* 1 Ref. a pinheiro; PINEAL 2 Feito de pinho [F.: Do lat. *pineus-a -um.*]

pinga (*pin*.ga) *Bras. sf.* 1 *Pop.* Aguardente de cana-de-açúcar; CACHAÇA 2 *Pop.* Qualquer bebida alcoólica 3 Pequena quantidade de qualquer líquido; GOTA: *uma pinga de rum; uma pinga de vinagre.* 4 Gota, pingo: "Só sei que me acordaram desta espécie de letargo algumas grossas pingas de chuva." (Silveira da Mota, *Viagens*) 5 *MG Pop.* Goteira do telhado 6 *Fig.* Pessoa embriagada, bêbeda [Us. tb. como adj.] *sm.* 7 *Pop.* Homem que não tem dinheiro: "Antes de se casar comigo era um pinga e não tinha onde cair morto." (França Júnior, *Direito por linhas tortas*) [Us. tb. como adj.] [F.: Regress. de *pingar*. Hom./Par.: *pinga* (sf. e sm.), *pinga* (fl. de *pingar*).] ▪ **Ficar sem ~ de sangue** Empalidecer (de susto, medo etc.) **Na ~** *Bras. Pop.* Embriagado, bêbedo

pingaço (pin.*ga*.ço) *sf. S* Grande pingo (8) (cavalo bom e bonito) [F.: *pingo* + *-aço.*]

pingadeira (pin.ga.*dei*.ra) *sf.* 1 Ação ou resultado de pingar 2 Sequência de pingos 3 Aquilo que pinga 4 *Bras. Arq.* Saliência do telhado, cornija, ou sulco longitudinal na base da face interna desta, para evitar que as águas pluviais escorram pelas paredes; LACRIMAL 5 Vasilha que se põe sob a grelha para recolher o molho que pinga dos assados 6 *Pop.* Negócio de rendimento parco mas contínuo 7 *Pop.* Despesa contínua, ordinária 8 *Pop.* Ver *menstruação* 9 *Pop.* Ver *gonorreia* [F.: *pingar* + *-deira.*]

pingado (pin.*ga*.do) *a.* 1 Cheio de pingos 2 *Pop.* Diz-se do café com um pouco de leite, ou vice-versa 3 *Bras. Pop.* Diz-se do arroz com um pouco de feijão ou do caldo deste 4 *Pop.* Embriagado, bêbedo *sm.* 5 Café pingado (2) [F.: Part. de *pingar.*]

pinga-fogo (pin.ga-*fo*.go) *sm.* 1 *Pop.* Arma de fogo manual; PISTOLA; REVÓLVER 2 Cavalo fogoso 3 Indivíduo provocador, desordeiro, valentão *a.* 4 Que diz respeito a esse tipo de indivíduo [Pl.: *pinga-fogos.*]

pingante (pin.*gan*.te) *a2g.* 1 Que pinga *sm.* 2 Pessoa muito pobre; POBRETÃO [F.: *pingar* + *-nte.*]

pingar (pin.*gar*) *v.* **1** Verter pingos ou gotas (de) [*td.*: *Pingue dez gotas do remédio em meio copo d'água.*] [*td.*: *Seu nariz estava pingando sangue.*] [*td.*: *Essa torneira pingou durante a noite toda.*] [*int.*] **2** Começar a chover ou a chuviscar [*int.*] **3** Cair em pingos ou gotas [*tda.*: *A água pingava da calha.*] [*int.*: *A água da calha começou a pingar.*] **4** *Fig.* Dar rendimento gradativamente, aos poucos [*td.*: *Faz alguns bicos que pingam um dinheirinho todo mês.*] [*int.*: *O lucro entra aos poucos, pingando.*] **5** Deixar passageiros em vários pontos, durante viagem [*td.*: *Esse ônibus vai pingando passageiros em cada esquina.*] **6** *Bras. Fut.* Cair a bola sobre a área, centrada por um jogador [*int.*] **7** *Lus.* Ficar tonto de sono [*int.*] [▶ 14 pingar] [F.: do lat. vulg. *pendicare. Hom./Par.: *pinga(s)* (fl.), *pinga* (sf. e pl.); *pingue(s)* (fl.), *pingue* (a2g. e pl.); *pingo* (fl.), *pingo* (sm.); *pingueis* (fl.), *pinguéis* (pl. pinguel[sm.]).]

pingente (pin.*gen*.te) *sm.* **1** Pequeno objeto que pende, ger. com formato de pingo: *lustre com pingentes.* **2** Brinco pendente **3** Qualquer enfeite pendente de pulseira, relógio, cordão etc.; BERLOQUE; PENDURICALHO: *pingentes para celular; pingentes de pulseira;* "(...) os brincos de longos pingentes que tremulavam na ponta das orelhas de nácar." (José de Alencar, *Senhora*) **4** *Bras.* Passageiro que viaja no estribo do bonde ou pendurado em qualquer veículo coletivo [F.: *pingar* + *-nte*, posv. por analogia com *pendente*.]

pingo (*pin*.go) *sm.* **1** Pequena porção de líquido que cai inteira, em formato quase esférico; GOTA; PINGA **2** *Bras.* Porção ínfima, esp. de líquido **3** Porção de banha derretida ou gota de qualquer outra gordura; PINGUE **4** Mucosidade nasal **5** *Joc. Edit.* Ponto-final, entre revisores de texto **6** Pequena porção de solda **7** *Lus.* Dinheiro **8** *RS* Cavalo bonito e/ou de boa qualidade, bom corredor [F.: Regress. de *pingar*. Hom./Par.: *pingo* (sm.), *pingo* (fl. de *pingar*).] ▪ **~ de gente 1** Criança pequena **2** Pessoa franzina ou muito baixa [Pode ter conotação depreciativa.] **Pôr os ~s nos is** Esclarecer (algo) totalmente; resolver ou acertar uma situação

pingolim (pin.go.*lim*) *sm. Bras. Pop.* O mesmo que *pênis*; PINTO (3)

pinguço (pin.*gu*.ço) *Bras. Pop.* *a.* **1** Que bebe muito e com frequência; BEBERRÃO; CACHACEIRO; ÉBRIO *sm.* **2** Indivíduo que bebe frequentemente e em demasia [F.: *pinga* + *-uço*.]

pingue (*pin*.gue) *a2g.* **1** Gordo, gorduroso [Ant.: *magro*.] **2** Fértil, produtivo [Ant.: *estéril, árido*.] **3** Com abundância, fartura: "(...) a mão do homem tinha convertido a bronca selva, que cobria o solo, em jardins e pomares deleitosos, em gramais e pingues pastagens (...)." (Bernardo Guimarães, *A escrava Isaura*) [Ant.: *escasso, parco*.] **4** Que se mostra rendoso, lucrativo [Ant.: *desvantajoso, improfícuo*.] **5** Vultoso, generoso, polpudo: "Essa apreciável massa monetária, transformada em depósitos bancários, gera pingues retornos às instituições financeiras que os recebem." (*Folha de S.Paulo*, 14.02.2001) [Ant.: *insignificante, irrisório*.] *sm.* **6** Pequena porção de gordura; PINGO [F.: Do lat. *pinguis -e* 'gordo, fértil, rendoso'. Hom./Par.: *pingue* (a2g. e sm.), *pingue* (fl. de *pingar*).]

pinguela (pin.*gue*.la) [é] *sf.* **1** Ponte tosca sobre um rio, feita de pedaços de pau ou de um só tronco **2** Pauzinho ou gancho us. para armar ratoeiras, armadilhas, arapucas; PINGUELO [F.: Posv. de *pingar*.]

pinguelear (pin.gue.le.*ar*) *v. int. Bras.* Pular de um lado para outro; SALTITAR [▶ 13 pinguelear] [F.: *pinguela* + *-ear*.]

pinguelo (pin.*gue*.lo) *Bras. sm.* **1** *N* O mesmo que *pinguela* **2** O mesmo que *gatilho* **3** *Bras. Tabu.* O mesmo que *pênis* **4** *BA Tabu.* O mesmo que *clitóris* **5** *N* Antigo nome que se dava ao partido liberal monárquico e a seus seguidores [F.: alt. de *pinguela*.]

pingue-pongue (pin.gue-*pon*.gue) *sm.* Jogo em que cada parceiro, com raquete, arremessa uma bola de celuloide sobre a rede para o lado do adversário, que deve rebatê-la, deixando-a tocar apenas uma vez na mesa, sob pena de perder ponto; TÊNIS DE MESA [Usa-se ger. *pingue-pongue* no jogo por lazer e *tênis de mesa* em competições esportivas.] [Pl.: *pingue-pongues*.] [F.: Do ing. *ping-pong*, posv. de or. onomatopaica.]

pinguim (pin.*guim*) *sm.* **1** *Zool.* Denominação comum às aves da fam. dos esfeniscídeos, marinhas, que ocorrem apenas no hemisfério sul, de plumagem curta e densa, postura ereta em terra e cujas asas atrofiadas e os pés palmados são adaptados à natação **2** *Bot.* Planta da fam. das bromeliáceas (*Bromelia pinguin*), nativa do Caribe e América do Sul, de folhas aculeadas, verdes na base e depois vermelhas, flores em panícula, avermelhadas, e cujos frutos são bagas amarelas de sabor ácido [Pl.: *-guins*.] [F.: Na acp. 1 do fr. *pingouin*; na acp. 2, do lat. científico (*Bromelia*) *pinguin*.]

pinguim-azul (pin.*guim*-a.zul) *sm. Zool.* A menor espécie de pinguim existente (*Eudyptula minor*), habitante do sul do Pacífico [Pl.: *pinguins-azuis*.]

pinguim-de-magalhães (pin.guim-de-ma.ga.*lhães*) *sm. Zool.* Espécie de pinguim (*Spheniscus magellanicus*) sul-americano de águas temperadas [Pl.: *pinguins-de-magalhães*.]

pinguinho (pin.*gui*.nho) *sm.* **1** Pingo pequeno **2** *Bras. Pop.* Mínima quantidade de qualquer coisa (um pinguinho de sopa) **3** *Bras. Pop.* Coisa sem a menor importância, insignificante; NINHARIA: *Por causa de um pinguinho, armou uma briga descomunal.* [F.: *pingo* + *-inho*.] ▪ **~ de gente** Ver *Pingo de gente* no verbete *pingo*

◎ **pinh-** *el. comp. Pref.* = pinheiro, pinha: *pinhal, pinífero.* [F.: Do lat. *pinus -i*.]

pinha (*pi*.nha) *sf.* **1** *Bot.* Fruto dos pinheiros e de outras gimnospermas **2** *Bot.* Nome comum a diversos frutos da fam. das anonáceas, extensivo às plantas; ATA; FRUTA-DE-CONDE **3** *Bot.* Ver *fruta-de-conde* **4** *Bot.* Ver *graviola* **5** Qualquer objeto semelhante ao fruto dos pinheiros **6** *Fig.* Aglomeração de pessoas ou coisas: *pinha de gente; pinha de cocos.* **7** Bordado nas laterais externas das meias **8** *Mar.* Entrelaçamento no chicote dos cabos para impedir que escapem ou para adorná-los [F.: Do lat. *pinea*. Ideia de 'pinha': *pin(i)-* (*pinífero*), *pinh-* (*pinhiforme*).]

pinhal (pi.*nhal*) *sm.* Plantação de pinheiros; PINHEIRAL; PINHEIRAME [Pl.: *-nhais*.] [F.: *pinh-* + *al*.]

pinhão (pi.*nhão*) *sm.* **1** *Bot.* Semente comestível contida na pinha de diversas espécies de pinheiro, esp. do pinheiro-do-paraná **2** *Bot.* Ver *pinhão-de-purga* **3** *Bot.* Ver *biribá* **4** *Mec.* Num conjunto de duas engrenagens acopladas, a de dentes mais largos **5** *Aut.* Peça do diferencial num automóvel **6** *Lus. Pop.* Pancada na cabeça com pau ou com os nós dos dedos; CAROLO [Pl.: *-nhões*.] *a2g2n.* **7** De cor vermelha como a casca do pinhão (1) [F.: Do cast. *piñón*.]

pinhão-de-purga (pi.nhão-de-*pur*.ga) *sm. Bot.* Árvore ou arbusto da fam. das euforbiáceas (*Jatropha curcas*), nativo das regiões tropicais e cultivado como ornamental, de cujas sementes se extrai um óleo com propriedades purgativas us. na medicina popular, e tb. como biodiesel, lubrificante e na fabricação de sabões; PINHÃO; PINHÃO-DE-CERCA; PINHÃO-MANSO; PURGUEIRA [Pl.: *pinhões-de-purga*.]

pinhão-do-paraguai (pi.nhão-do-pa.ra.*guai*) *sm. Angios.* O mesmo que *pinhão-de-purga* (*Jatropha curcas*) [Pl.: *pinhões-do-paraguai*.]

pinhão-roxo (pi.nhão-*ro*.xo) *sm. Angios.* Árvore da fam. das euforbiáceas (*Jatropha gossypifolia*), de folhas grandes e palmadas, flores roxas e frutos capsulares, de us. medicinal; BATATA-DE-TIÚ; ERVA-PURGANTE; JALAPÃO; MAMONINHA [Pl.: *pinhões-roxos*.]

pinhé (pi.*nhé*) *sm. Zool.* Ver *carrapateiro* [F.: Posv. de or. onom.]

pinheira (pi.*nhei*.ra) *Bot. sf.* Fruta-de-conde [F.: *pinha* + *-eira*.]

pinheiral (pi.nhei.*ral*) *sm.* Ver *pinhal* [Pl.: *-rais*.] [F.: *pinheir(o)* + *-al*.]

pinheirinho (pi.nhei.*ri*.nho) *Bot. sm.* **1** Árvore da fam. das podocarpáceas (*Podocarpus lambertii*), nativa do Brasil, cultivada como ornamental e cuja madeira clara é us. em carpintaria; PINHEIRO-BRAVO **2** Denominação comum a várias plantas de pequeno porte, da fam. das licopodiáceas, que se assemelham a pinheiros [F.: *pinheiro* + *-inho*.]

pinheiro (pi.*nhei*.ro) *sm.* **1** *Bot.* Nome comum às árvores resinosas do gên. *Pinus*, da fam. das pináceas, a maioria nativa das regiões temperadas do hemisfério norte, extensamente cultivadas para extração da madeira, celulose e resina; PINHO **2** *Bot.* Árvore alta dessa fam. (*Pinus eliiottii*), nativa do sudeste dos Estados Unidos e de Cuba, bem adaptada ao centro-sul do Brasil, us. tb. em reflorestamento por seu crescimento rápido **3** *Bot.* Ver *pinheiro-do-paraná* *a.* **4** Diz-se de rês de chifres retos [F.: *pinho* + *-eiro*. Col.: *pinhal, pinheirada, pinheiral, pinheirame.* Ideia de 'pinheiro': *pinh-* (*pinho*), *pin(i)-* (*pínico*).]

pinheiro-brasileiro (pi.nhei.ro-bra.si.*lei*.ro) *sm. Bot.* O mesmo que *pinheiro-do-paraná* (*Araucaria angustifolia*) [Pl.: *pinheiros-brasileiros*.]

pinheiro-bravo (pi.nhei.ro-*bra*.vo) *Bot. sm.* **1** Mesmo que *pinheirinho* (*Podocarpus lambertii*) **2** Árvore da fam. das pináceas (*Pinus sylvestris*), que chega a ter mais de 35 m de altura; tb. *pinheiro-da-escócia* [Pl.: *pinheiros-bravos*.]

pinheiro-do-paraná (pi.nhei.ro-do.pa.ra.*ná*) *Bot. sm.* Árvore da fam das araucariáceas (*Araucaria angustifolia*), nativa do Brasil, de madeira branca, mole e de qualidade, resina aromática e pinhas globosas, com sementes comestíveis; ARAUCÁRIA; ARAUCÁRIA-DO-BRASIL; CURI; PINHEIRO; PINHEIRO-BRASILEIRO; PINHO-DO-PARANÁ [Pl.: *pinheiros-do-paraná*.] [F.: *pinheiro* + *do* + top. *Paraná* (Brasil).]

pinhé-pinhé (pi.nhé-pi.*nhé*) *sm. Bras. Lud.* Brincadeira infantil que consiste em cada criança prender, com um leve beliscão, o dorso da mão da outra, formando uma escada de mãos que balança devagar e se desfaz quando alguém grita"pinhé-pinhé" [Pl.: *pinhés-pinhés*.] [F.: De *carapinhé*.]

pinho (*pi*.nho) *sm.* **1** *Bot.* Ver *pinheiro* **2** Madeira dos pinheiros **3** *Bras. Pop.* Violão ou viola brasileira: "Vai, meu samba, tudo se transformou, / Nem as cordas do meu pinho / Podem mais amenizar a dor (...)." (Paulinho da Viola, *Tudo se transformou*) [F.: Do lat. *pinus -i*.] ▪ **Chorar no ~** *Bras.* Tocar violão ou viola (instrumento dedilhado semelhante ao violão)

◎ **pin(i)-** *el. comp.* Ver *pinh-*

◎ **pini-** *el. comp.* = 'pluma'; 'barbatana': *pinípede* (lat. cient.) [F.: Do lat. *pinna, ae*.]

pinicada (pi.ni.*ca*.da) *Bras. sf.* **1** Ação ou resultado de pinicar **2** Sensação de comichão ou de picadas agudas no corpo **3** Beliscão, pinicão **4** *Pop.* Dito ou indireta mordaz, ferina; ALFINETADA; PICUINHA; PROVOCAÇÃO [F.: *pinicar* + *-ada*. Hom./Par.: *pinicada* (sf.), *penicada* (sf.).]

pinicar (pi.ni.*car*) *v.* **1** Ferir com o bico; BICAR [*td.*] **2** Dar beliscão em [*td.*: *A professora pinicou o aluno desatento.*] [*td.*] **3** Produzir sensação de comichão, de ardor; PICAR; ESPETAR [*td.*: *Aquelas plantas pinicaram sua pele; Queixou-se de que a calça de lã estava pinicando suas pernas.*] [*int.*: *Saiu do mato com a pele pinicando; Não vestia o suéter porque pinicava.*] **4** *BA MG* Reduzir a fragmentos ou rasgar em pequenos pedaços [*td.*: *O gato pinicou o jornal que estava na poltrona.*] **5** *RS* Fincar as esporas em [*td.*: *Só ganhou a corrida quando pinicou o cavalo.*] **6** *N. E.* Abrir e fechar os olhos de maneira muito rápida; PISCAR [*td.*] **7** Tocar em (algo ou alguém) de maneira ger. repetida, com a mão ou algum objeto; CUTUCAR [*td.*] **8** Picar em pedacinhos [*td.*] **9** *N.E.* Piscar (abrir e fechar os olhos rapidamente) [*td.*] [▶ 11 pinicar] [F.: *pinico* + *-ar*. Hom./Par.: *pinico* (fl), *pinico* (sm.); *pínico* (fl.), *penico* (sm.) e *pínico* (a.).]

pinico (pi.*ni*.co) *sm. Bras. Pop.* Ponta aguda; BICO; PICO [F.: Regress. de *pinicar*. Hom./Par.: *pinico* (sm.), *penico* (sm.), *pínico* (a.).]

pínico (*pí*.ni.co) *a.* Ref. a pinheiro [F.: *pin(i)-* + *ico*[2]. Hom./Par.: *pínico* (a.), *penico* (sm.), *pinico* (sm. e fl. de *pinicar*).]

pinífero (pi.*ní*.fe.ro) *a.* Plantado de pinheiros, ou que produz ou é capaz de produzir pinheiros; tb. *pinígero* [F.: Do lat. *pinifer, era, erum.* Hom./Par.: *pinífero* (a.), *penífero* (a.).]

pinimba (pi.*nim*.ba) *sf. Bras. Pop.* Implicância, má-vontade, cisma; tb. *pinima*; BIRRA

pinípede (pi.*ní*.pe.de) *Zool.* *sm.* **1** Espécime dos pinípedes, ordem de mamíferos marinhos carnívoros, com corpo hidrodinâmico, com dedos ligados por membrana, orelha externa pequena ou ausente e corpo coberto por uma grossa camada subcutânea de gordura, encontrados esp. nas regiões polares e temperadas, como os leões-marinhos, focas, morsas, etc. *a2g.* **2** Pertencente ou referente aos pinípedes [F.: Adaptação do lat. cient. *Pinnipedia*, do lat. *pinna, ae*; ver *pini-*.]

piniqueira (pe.ni.*quei*.ra) *Pop. sf.* **1** *Ant.* Mesa de cabeceira ou caixa, onde se guardava o penico **2** *AL Pej.* Empregada doméstica [F.: *penico* > c/qu + *-eira*.]

pino (*pi*.no) *sm.* **1** Haste de metal cilíndrica e delgada, que se introduz em orifício para unir, fixar ou articular duas ou mais peças **2** Peça que serve de eixo às duas asas da dobradiça **3** *Mec.* Peça cilíndrica que movimenta as velas alternadamente em um motor de explosão; TUCHO **4** *Mec.* Haste de válvula em motor de explosão **5** *Eletrôn.* Componente do macho da tomada ou plugue que consiste em uma ou mais pequenas hastes delgadas e cilíndricas que se insere na parte fêmea, ou tomada de corrente elétrica, para fazer ligação temporária, ou na tomada de entrada de outro aparelho eletroeletrônico **6** *Od.* Pequena haste metálica que fixa pivô ou coroa à raiz do dente **7** Pequeno prego de madeira com que se prende a sola dos sapatos ou com que se calafeta o orifício onde se introduz prego de metal **8** Ponto mais elevado a que chega o Sol; ZÊNITE **9** *Fig.* Ponto culminante; AUGE; CIMO **10** *Lus.* Posição em que se apoia o corpo na palma das mãos, mantendo-o na vertical **11** *Lud.* Cada uma das balizas do jogo de boliche **12** *Lus.* No jogo da malha, cada uma das pequenas estacas contra as quais se atira; CHINQUILHO; MECO; PALETA [F.: F. divergente de *pinho*. Hom./Par.: *pino* (fl. de *pinar*).] ▪ **~ banana** *Elet.* Tipo de pino de conexão us. em equipamentos eletrônicos, cuja extremidade apresenta lâminas longitudinais flexíveis no formato de uma banana **A ~** Na vertical em relação a um ponto: *sol a pino.* **Bater ~ 1** *Mec.* Em motor a explosão, bater o pino da válvula no bloco, por alimentação insuficiente de combustível ou por desregulagem **2** *Bras. Fig. Pop.* Demonstrar (algo ou alguém) exaustão, incapacidade física ou mental de realizar tarefa ou função

pinocitose (pi.no.ci.*to*.se) *sf. Biol.* Processo de absorção de fluidos por células vivas, por meio da invaginação da membrana plasmática [F.: *pino* + *-citose*.]

pinoia (pi.*noi*.a) *Bras. Pop. sf.* **1** Coisa nenhuma; nada; de jeito nenhum: "Outro dia li que a oração foi presenteada a Lacerda por um bispo. Bispo, uma pinoia! Era uma vó Marta autêntica (...)." (Luís Nassif, *Folha de S.Paulo*, 04.04.1999) **2** Coisa sem-préstimo , ordinária; DROGA; PORCARIA **3** Negócio ruim, malogrado; ENGODO; LOGRO **4** Aborrecimento, chateação, amolação [Ant.: *prazer, satisfação*.] **5** Mulher bem-arrumada e de vida devassa *sm.* **6** Pessoa fraca, sem-préstimo , inútil *a2g.* **7** Diz-se de pessoa inútil, sem-préstimo [Ant.: *importante*.] [F.: De or. obsc.]

pinópsida (pi.*nóp*.si.da) *sf. Bot.* O mesmo que *conífera* [F.: Do lat. cient. *Pinopsida*.]

pinote (pi.*no*.te) *sm.* **1** Salto da cavalgadura ao dar o coice **2** Salto, cabriola, pulo **3** Movimento de fuga; ESCAPADELA; ESCAPULIDA **4** Passeio ou visita rápida; GIRO; VOLTA: *Quando puder, dou um pinote na sua casa.* [F.: *pino* + *-ote*.] ▪ **Dar o ~** *Bras. Gír.* Em gíria de delinquentes, fugir da cadeia ou da polícia

pinotear (pi.no.te.*ar*) *v. int.* Dar pinotes; ESPINOTEAR: *O cavalo não parava de pinotear.* [▶ 13 pinotear] [F.: *pinote* + *-ear*.]

⊕ ***pinscher*** (*al.*) *sm. Cinol.* Pequeno cão de estimação originário da Alemanha, de cabeça longa, pescoço comprido, orelhas retas, e pelo liso e baixo

⊕ ***pint*** (*ing.*) *sm.* O mesmo que *quartilho* (unidade de capacidade do sistema inglês)

pinta[1] (*pin*.ta) *sf.* **1** Pequena mancha, natural ou artificial, na pele; SINAL **2** Aparência, aspecto, jeito que alguém ou algo assume: *Ele tem pinta de atleta.* **3** *Bras.* Sinal, indício de algo: *Pela pinta, domingo vai fazer sol.* **4** *Bras.* Amostra de jazida aurífera **5** *Bras.* Espécie de desenho decorativo em certos materiais como azulejo, cerâmica etc. ou em tecido; PADRÃO **6** *Zool.* A fêmea do pinto **7** *N. E. Fam.* O pênis, esp. do menino **8** *Bras. Gír.* Red. de *pinta-brava*

[F.: Regress. de *pintar*. Hom./Par.: *pinta* (sf.), *pinta* (fl. de *pintar*).] ■ **~ do olho** *Bras.* Maneira de olhar, expressão do olhar **Ter boa ~** 1 Dar indícios de ter boa qualidade 2 Ter boa aparência, ser bonito, vistoso [Cf.: *boa-pinta*.]

pinta[2] (*pin*.ta) ***sf.*** 1 A fêmea do pinto 2 *Bras. N. E. Pop.* Pênis, principalmente de menino [F.: *pint(o)* + *-a*.]

pinta[3] (*pin*.ta) ***sf.*** *Ant. Metrol.* Antiga medida de capacidade para sólidos e líquidos, us. em Portugal, equivalente à quarta parte de um alqueire (para sólidos) e a três quartilhos (para líquidos) [F.: Do fr. *pinte*.]

pinta[4] (*pin*.ta) ***sf.*** *Bras. Gír.* F. red. de *pinta-brava*

pinta-brava (pin.ta-*bra*.va) *Bras. Pop.* ***s2g.*** 1 Pessoa de aparência suspeita e ameaçadora; BARRA-PESADA; CAFAJESTE [Ant.: *manso, pacífico*.] 2 Pessoa que leva ou aparenta levar vida desregrada, libertina; DEPRAVADO; PERVERTIDO [Ant.: *decente, digno, honrado*.] [Pl.: *pintas-bravas*.] [F.: *pinta* + o fem. de *bravo*.]

pintada (pin.*ta*.da) ***sf.*** 1 *Ornit.* O mesmo que *galinha-d'angola* (*Numida meleagris*) 2 *AP Ornit.* Ave passeriforme, família dos emberizídeos (*Sporophila americana*), tb. chamada *patativa* [F.: fem. substv. de *pintado*.]

pintado[1] (pin.*ta*.do) ***a.*** 1 Que tem pintas; MOSQUEADO [*+com, de: Era uma criança já pintada com/de sardas.*] 2 Que se pintou; representado em pintura [*+a, com, de, em: quadro pintado à óleo; pintado de cores berrantes; pintado com/em relevo.*] 3 Revestido de tinta (paredes pintadas) 4 Idêntico, semelhante, igual 5 Provido de pintura, de maquiagem; MAQUIADO: *Apareceu bem vestida e pintada.* 6 Descrito, retratado, representado (tb. fig.): *um rapaz pintado como gentil e cortês.* [*+com, de, em: papel pintado com /de /em azul.*] 7 *Fig.* Que transparece; ESTAMPADO; REFLETIDO [*+em: alegria pintada no rosto.*] 8 Que tem cor(es) (papel pintado) 9 *BA* Que age com audácia, com desrespeito; AUDACIOSO; ATREVIDO ***sm.*** 10 *Antq.* Certo tecido de algodão estampado; CHITA 11 *Bras.* Almoço da gente do campo, composto de feijoada com milho pilado, toucinho e carne-seca de porco 12 *Ict.* Bagre da fam. dos pimelodídeos (*Pseudoplatystoma coruscans*) encontrado em grandes rios do Brasil, de até 3,30 m de comprimento, coloração parda com manchas negras até nas nadadeiras e ventre esbranquiçado. É tb. criado em cativeiro; BAGRE-PINTADO; MANDI; MANDI-PINTADO 13 *Ict.* Bagre da fam. dos pimelodídeos (*Pimelodus maculatus*) que ocorre nos rios do Brasil; BEM-TE-VI-RAJADO 14 *Ornit.* Pássaro da fam. dos tiranídeos (*Myiodynastes maculatus*), que ocorre desde o México até a Argentina, de coloração pardo-escura com estrias ferrugíneas [F.: Part. de *pintar*.]

pintado[2] (pin.*ta*.do) ***sm.*** *Bras. Ict.* Peixe (*Pseudoplatystoma coruscans*), espécie de bagre da região amazônica; tb. *surubim-pintado*

pintado[3] (pin.*ta*.do) ***sm.*** *Bras. Ict.* Peixe, espécie de bagre (*Pimelodus maculatus*), que apresenta muitas manchas arredondas pelo corpo; tb. *bagre-pintado* ou *mandi-pintado*

pintainho (pin.ta.*i*.nho) [a-i] ***sm.*** Pinto quase implume ou totalmente implume; PINTO; PINTINHO [F.: *pinto* + *-a-* + *-inho*. Hom./Par.: *pintainho* [a-i] (sm.), *pintainho* [a-i] (fl. de pintainhar).]

pintalgado (pin.tal.*ga*.do) ***a.*** Que possui pintas de várias cores; MOSQUEADO; SARAPINTADO; VARIEGADO: "(...) fazendo com que, ao meio-dia, não restasse um palmo livre de areia, (...), pintalgado pelas cores vivas das barracas, (...)." (Marques Rebelo, "*Conto à la mode*" in *Contos reunidos*) [F.: Part. de *pintalgar*.]

pintalgar (pin.tal.*gar*) ***v.*** Pintar(-se) de cores variadas [***td.:*** *O jogo de luzes coloridas pintalgava o muro.*] [***tdr.*** *+de: A encosta pintalva-se de corres vivas.*] [▶ 14 **pintalgar**] [F.: De *pintar*.]

pintar (pin.*tar*) ***v.*** 1 Representar ou retratar por meio de traços e cores [***td.:*** *Pintar um quadro.*] [***int.:*** *Ele pinta muito bem.*] 2 Cobrir de tinta [***td.:*** *Pintou a parede da sala.*] 3 Aplicar maquiagem (em) [***td.:*** *Pintou os lábios; Ela se pinta com discrição.*] 4 *Fig.* Retratar, figurar de certa maneira [***td.:*** *Ele pinta a vida como se fosse um mar de rosas.*] 5 *Bras. Pop.* Aparecer ou acontecer, ocorrer, surgir [***int.:*** *Pintou uma oportunidade de emprego.*] [***td.:*** *Neste bar pintam umas garotas bonitas; Em festa de embalo sempre pinta uma briga.*] 6 *Bras.* Fazer travessuras [***int.:*** *Os meninos pintaram durante a excursão.*] 7 Representar por escrito; escrever [***td.:*** *Alencar pintava os cenários de suas histórias em estilo elevado.*] 8 Começar a mudar para branco (a cor dos cabelos) [***int.:*** *Seus cabelos começaram a pintar antes dos 40.*] 9 Usar de astúcia para burlar, iludir [***td.***] 10 *Pop.* Começar a aparecer, aos poucos ou de repente [***int.:*** *O carro da polícia pintou na entrada da rua.*] 11 *Bras. Pop.* Conter boas perspectivas; apresentar boas possibilidades [***int.:*** *Esse filme está pintando para o Oscar.*] 12 Descrever ou retratar (alguém ou algo) com palavras [***tdp.:*** *Pintam esse rapaz como um monstro.*] 13 Aplicar tintas no corpo, ger. para fins festivos ou ritualísticos [***td.:*** *Pintaram os índios para a apresentação da dança.*] 14 Tornar-se claro, visível [***ta.:*** *A felicidade pintava em seu rosto.*] 15 Brincar ou divertir-se com muito empenho, muita energia [***int.:*** *Os meninos pintaram sem parar durante a festa.*] 16 *RS* Entrar em processo de engorda (o gado invernado) [***int.***] 17 *Bras. Pop.* Dar a impressão de que vai se tornar (alguma coisa de apreciável) [***tp.:*** *Essa moça está pintando como a atriz ideal para o papel.*] 18 Demonstrar eficiência; ser bom (um remédio) [***td.***] [▶ 1 **pintar**] [F.: Do lat. **pinctare*. Hom./Par.: *pinta(s)* (fl), *pinta* (sf. e pl.); *pinto* (fl.), *pinto* (sm.). Ant. ger.: *despintar*.] ■ **A/ao ~** Na ocasião propícia, ideal **~ e bordar** *Bras. Fam.* Fazer (com alguém) o que quer, aproveitando situação vantajosa, circunstância adequada etc.: *Neste carnaval vou pintar e bordar.*

pintarroxo (pin.tar.*ro*.xo) [ô] ***sm.*** *Zool.* Pássaro da família dos fringilídeos (*Acanthis cannabina*), migratório, encontrado na Europa, África e Ásia, de canto agradável e coloração marrom, com manchas vermelhas na cabeça e no peito [F.: Do cast. *pintarrojo*.]

pintassilgo (pin.tas.*sil*.go) *Zool.* ***sm.*** 1 Denominação comum aos pássaros do gên. *Carduelis*, da fam. dos fringilídeos, que ocorrem em quase todos os continentes 2 Pássaro da fam. dos fringilídeos (*Carduelis magellanicus*), sul-americano, conhecido como pássaro de gaiola, de cabeça negra, dorso verde e barriga amarela; PINTASSILGO-DO-CAMPO; PINTASSILGO-MINEIRO; PINTASSILVA 3 Pássaro da fam. dos fringilídeos (*C. spinus*), migratório, de plumagem amarela, verde e negra, encontrado na Europa, Ásia e no norte da África [F.: De or. contrv.]

pinteiro (pin.*tei*.ro) ***a.*** 1 *N. E.* Diz-se de quem sonega pequenas quantias nas compras ***sm.*** 2 *N. E.* Esse sonegador 3 Lugar em que se faz a criação de pintos incubados artificialmente [F.: *pinto* + *-eiro*.]

pinto (*pin*.to) ***sm.*** 1 Filhote de galinha novo; PINTAINHO [NOTA: Col.: *ninhada, pintarada*.] 2 *Pop.* Criança pequena 3 *Fam.* O pênis 4 *Ict.* Cação atlântico da fam. dos ciliorriníideos (Scyliorhinus haeckelii), de dorso marrom com nove manchas escuras transversais, ventre amarelado, de pequeno porte e lento nos movimentos; CAÇÃO-GATA; CAÇÃO-PINTO; PINTADINHO 5 *Lus. Econ.* Antiga moeda portuguesa [F.: De or. posv. onom. Hom./Par.: *pinto* (sm.), *pinto* (fl. de *pintar*).] ■ **Comer como ~ e cagar como pato** *Bras. Joc. Tabu.* Ganhar pouco e gastar muito **Como um ~ (pelado)** Muito molhado, encharcado **Fazer ~** *N. E.* Surrupiar (ger. empregado doméstico) das compras feitas para o empregador **Ser ~** 1 *Bras.* Ser (tarefa, trabalho etc.) fácil; ser canja: *Nadar 10 piscinas? Isso é pinto.* 2 Não ser páreo na comparação com algo ou alguém: *O calor do verão passado foi pinto, comparado com o deste ano.*

pintor (pin.*tor*) [ô] ***sm.*** 1 *Art. pl.* Pessoa que exerce a arte da pintura 2 Pessoa que pinta: *pintor de paredes; pintor de carros.* 3 *Fig.* Escritor que faz narrações e descrições com exatidão 4 *Lus. Fig.* Pessoa fantasista ou mentirosa ***a.*** 5 Que pinta artisticamente 6 Que pinta 7 Que costuma fazer com rigor as narrações e descrições em uma obra 8 Diz-se de quem é afeito ou afeita à mentira, à fantasia [F.: Do lat. *pinctor-oris*.] ■ **~ de liso** Pintor de paredes

pintoso (pin.*to*.so) [ô] *Bras. Pop.* ***a.*** Que tem boa pinta, boa aparência, cheio de charme; BEM-APESSOADO; BONITO [Pl.: [ó]. Fem.: [ó].] [F.: *pinta* + *-oso*.]

pintura (pin.*tu*.ra) ***sf.*** 1 Ação ou resultado de pintar 2 Revestimento de uma superfície com substância corante: *A pintura do muro ficou ótima.* 3 Arte ou ofício do pintor 4 Cor, tonalidade, colorido: *A pintura do quarto é muito escura.* 5 A obra (quadro, painel, afresco etc.) executada pelo pintor 6 Conjunto das obras de um pintor, uma época, uma escola, um país etc. [Nesta acp., col.: *galeria, pinacoteca*.] 7 Ver *maquiagem*: *O choro borrou-lhe a pintura dos olhos.* 8 *Fig.* Descrição oral, escrita (literária ou não) ou imagética feita com exatidão, com perfeição [Puristas consideram galicismo a loc. *pintura a óleo*; sugerindo em seu lugar *pintura de óleo*.] [F.: Do lat. **pinctura*, por *pictura*.] ■ **~ a óleo** 1 *Art. pl.* Tipo de pintura feita com tintas preparadas com óleo, ger. de linhaça 2 Obra pintada com essa tinta [Tb. apenas *óleo*.] **~ a têmpera** 1 *Art. pl.* Tipo de pintura feita com tintas dissolvidas em cola, clara de ovo ou outro adstringente, o que faculta sua adesão à base da pintura 2 Obra pintada com essa tinta [Tb. apenas *têmpera*.] **~ de gênero** *Art. pl.* Representação pictórica de cenas do dia a dia, desprovidas de referências simbólicas **~ gestual** *Art. pl.* Pintura abstrata que retrata o movimento gestual do artista **~ mural** *Art. pl.* Pintura realizada diretamente sobre uma parede, ou nela aplicada [Tb. apenas *mural*.] **~ rupestre** A que representa figuras e sinais, feita por homens primitivos nas paredes das cavernas que habitavam

pinturesco (pin.tu.*res*.co) [ê] ***a.*** Ver *pitoresco* [F.: *pintura* + *-esco*.]

⊕ ***pin-up-girl*** (*ing.*) ***sf.*** Mulher jovem, bonita e sensual, especialmente a que serve de modelo para fotos eróticas us. em impressos populares tais como calendários, pôsteres, capas de revistas etc. [Tb. se diz apenas *pin-up*.] [Pl.: *Ing.: pin-up-girls*.]

pio[1] (*pi*:o) ***sm.*** 1 Voz característica de várias aves (p. ex.: o mocho, o pardal) e do morcego etc.; PIADA; PIADO; PIPIAR; PIPILAR 2 *P. ext.* Voz do filhote de qualquer ave 3 Som semelhante a um pio (1) 4 Instrumento de sopro ou assobio que imita o pio (1) das aves, us. para atraí-las [F.: Regress. de *piar*. Hom./Par.: *pio* (sm.), *pio* (a.), *pio* (fl. de *piar*).]

◎ **pi(o)-** ***el. comp.*** = pus: *piorreia*. [F.: Do gr. *pýon, ou*.]

pio[2] (*pi*:o) ***a.*** 1 Que denota piedade ou caridade; BONDOSO; CARIDOSO; CARITATIVO; PIEDOSO [Ant.: *despiedado, inclemente*.] 2 Que cumpre os deveres da religião; DEVOTO; RELIGIOSO: "Mais cansado que pio, ajoelhei-me/ Sobre os degraus do túmulo (...)." (Almeida Garrett, *Camões*) [Ant.: *ateu, irreligioso*.] [Superl.: *pientíssimo, piíssimo*.] [F.: Do lat. *pius-a -um*. Ant. ger.: *ímpio*. Hom./Par.: *pio* (a.), *pio* (sm.), *pio* (fl. de *piar*); *pia* (fem.), *pia* (sf.), *pia* (fl. de *piar*).]

piociânico (pi.o.ci.*â*.ni.co) ***a.*** *Med.* Que produz pus (bacilo piociânico)

piodermite (pi.o.der.*mi*.te) ***sf.*** *Pat.* Qualquer dermopatia em que se formam lesões purulentas na pele; PIODERMIA [F.: *pi(o)-* + *derm(o)-* + *-ite*.]

piogênese (pi.o.*gê*.ne.se) ***sf.*** *Med.* Formação de pus; PIOGENIA; SUPURAÇÃO [F.: *pi (o)-* + *-gênese*.]

piogênico (pi:o.*gê*.ni.co) ***a.*** Que forma pus (bactéria piogênica) [F.: *piogen(ia)* + *-ico*[2].]

piolhada (pi:o.*lha*.da) ***sf.*** Porção de piolhos; PIOLHAMA; PIOLHEIRA [F.: *piolh(o)* + *-ada1*.]

piolheira (pi:o.*lhei*.ra) ***sf.*** Ver *piolhada* [F.: *piolho* + *-eira*.]

piolhento (pi:o.*lhen*.to) ***a.*** 1 Cheio de piolhos 2 *P. ext.* De aspecto sujo, imundo ***sm.*** 3 Pessoa cujos cabelos estão cheios de piolho 4 *P. ext.* Indivíduo muito sujo [F.: *piolho* + *-ento*.]

piolho (pi.o.lho) [ô] *Zool.* ***sm.*** 1 Denominação comum aos insetos da ordem dos anopluros, ectoparasitas de vertebrados 2 Inseto anopluro (*Pediculus capitis*) da fam. dos peiculídeos, que parasita a cabeça humana, alimentando-se de sangue e causando pruridos. Suas lêndeas (ovos) fixam-se aos cabelos; PIOLHO-DA-CABEÇA 3 Denominação comum aos insetos ectoparasitas de aves domésticas, da ordem dos ftirápteros, esp. aos ácaros *Dermanyssus gallinae* e *Lyponissus bursa*, que parasitam a pele de galináceos, pombos e pássaros em cativeiro, são cosmopolitas, se nutrem de fragmentos de penas e epiderme, medem até 1mm de comprimento, constituem praga da avicultura e causam dermatites tb. em humanos [F.: Do lat. vulg. *peduculus*, do lat. clássico *pediculus*, dim. de *pedis*.]

piolho-de-cobra (pi.o.lho-de-*co*.bra) ***sm.*** *N. E. Zool.* Nome comum a artrópodes miriápodes diplópodes, como as lacraias, que têm o corpo dividido em várias partes, cada uma com um par de pernas [Pl.: *piolhos-de-cobra*.]

píon (*pí*.on) *Fís.* ***sm.*** Méson resultante da colisão de partículas de alta energia, de massa 270 vezes maior que a do elétron, carga positiva, negativa ou zero e spin zero; MÉSON PI; PI [Pl.: *píones e píons*.] [F.: Do ing. *pion*, de *pi (mes)on*. NOTA: Foi o primeiro méson, descoberto pelos físicos Lattes, Occhialini e Powell, em 1947.]

pionefrose (pi.o.ne.*fro*.se) ***sf.*** *Urol.* Supuração de parênquima renal, com perda parcial ou total de função [F.: *pi (o)-* + *-nefr(o)-* + *-ose*.]

pioneirismo (pi:o.nei.*ris*.mo) ***sm.*** Caráter ou qualidade do que ou de quem é pioneiro, precursor [F.: *pioneiro* + *-ismo*.]

pioneiro (pi:o.*nei*.ro) ***sm.*** 1 Aquele que primeiro abre ou descobre caminho através de regiões desconhecidas; DESBRAVADOR: *Amundsen foi o pioneiro da Antártida.* 2 Aquele que lança novas ideias nas ciências, artes etc.; PRECURSOR [*+de, em: um pioneiro da informática; um pioneiro na luta contra o câncer.*] ***a.*** 3 Que é o elemento inicial da evolução de alguma ciência, arte, sistema etc.; PRECURSOR [*+em: projeto pioneiro na produção de biodiesel.*] 4 Que anuncia ou acrescenta algo novo, inovador ou transformador em qualquer campo de atividade ou área [F.: Do fr. *pionnier*.]

pior (pi.*or*) ***a2g.*** 1 Mais ruim (comparativo de superioridade de mau): "Como um anjo caído/ Fiz questão de esquecer/ Que mentir pra si mesmo/ É sempre a pior mentira." (Renato Russo, *Quase sem querer*) ***adv.*** 2 Comparativo de mau; mais mal; de modo mais mau: *Os atores representaram hoje pior que ontem.* 3 Com agravamento dos sintomas de doença: "O comendador principia a tomar o remédio, mas, de dia para dia, se vai sentindo pior." (Aluízio Azevedo, *Girândola de amores*) [Superl.: *abs. sint. de mau*] ***sm.*** 4 O que é inferior em qualidade; o que é menos adequado; o que é mais grave; ESTORVO; IMPEDIMENTO: *O pior já passou.* 5 O mais ruim; o péssimo (superlativo de mau): *Dos lugares, reservou o pior.* [F.: Do lat. *pejor-oris*. Ant. ger.: *melhor*.] ■ **Levar a ~** Ser superado em competição ou disputa [P. op. a *Levar a melhor*.] **Na ~** 1 *Bras.* Em má situação; a perigo 2 *Bras. Gír.* Deprimido, na fossa

piora (pi.*o*.ra) [ó] ***sf.*** 1 Ação ou resultado de piorar 2 Mudança para pior 3 Agravamento de doença [F.: Regress. de *piorar*. Sin. ger.: *piorada, pioramento, pioria*. Ant. ger.: *melhora*. Hom./Par.: *piora* (sf.), *piora* (fl. de *piorar*).]

piorada (pi:o.*ra*.da) *Bras. Pop.* ***sf.*** Ver *piora* [Ant.: *melhora*.] [F.: *pior* + *-ada*.]

piorado (pi:o.*ra*.do) ***a.*** Que está em pior estado; AGRAVADO; COMPLICADO [Ant.: *aliviado, melhorado*.] [F.: Part. de *piorar*.]

piorar (pi.o.*rar*) ***v.*** 1 Tornar(-se) pior [***td.:*** *As alterações pioraram o texto.*] [***int.:*** *A situação tende a piorar.*] 2 Encontrar-se em estado de saúde pior [***int.:*** *O paciente piorou.*] [▶ 1 **piorar**] [F.: Do lat. tard. *pejorare*. Hom./Par.: *piora(s)* (fl), piora (sf. e pl.). Ant.: melhorar.]

piorra (pi.*or*.ra) ***sf.*** 1 Pequeno pião; PITORRA 2 Pião de folha de flandres que emite um assobio ao girar; ZORRA [F.: Posv. de *pião*.]

piorreia (pi.or.*rei*.a) *Pat.* ***sf.*** 1 Derramamento de pus 2 *Pop.* Denominação vulgar da piorreia alveolar dentária [F.: *pi(o)-* + *reia*.]

piorreico (pi:or.*rei*.co) ***a.*** Ref. a piorreia [F.: *piorré(ia)* + *-ico*[2].]

pipa (*pi*.pa) ***sf.*** 1 Vasilha bojuda, de madeira, com capacidade para 420 litros, us. esp. para vinho 2 *Bras. Lud.* Armação composta por duas varetas cruzadas e recobertas por um papel fino, formando ger. um losango que contém em uma das pontas uma linha que facilita sua estabilidade quando posta em movimento para planar 3 *Joc. Pop.* Pessoa gorda e baixa 4 *Joc. Pop.* Pessoa que bebe demais;

BEBERRÃO; ÉBRIO **5** *Antq.* Antiga medida de capacidade equivalente a 4, 972 hectolitros **6** *Bras.* O volume de água contido no tanque do carro-pipa (pipa d'água) [F.: De um lat. vulg. **pipa*, deriv. de *pipare* 'piar'.]

pipada (pi.*pa*.da) *sf. Bras. Gír.* Ato ou efeito de pipar, fumar *crack* com um cachimbo (*pipe* em ing.) improvisado: "Essa característica faz do *crack* uma droga 'poderosa' do ponto de vista do usuário, já que o prazer acontece quase que instantaneamente após uma pipada." (Cebrid – Dept° de Psicobiologia – UNIFESP, *Cocaína: efeitos no cérebro*) [F.: Part. de *pipar*.]

piparote (pi.pa.*ro*.te) [ó] *sm.* **1** Pancada leve com a ponta do dedo médio ou indicador, ao soltar-se com força depois de ser contido pelo polegar; TÁLITRO: "A obra em si mesma é tudo: se te agradar, fino leitor, pago-me da tarefa; se te não agradar, pago-te com um piparote e adeus." (Machado de Assis, *Memórias póstumas de Brás Cubas*) **2** *Pop.* Reprimenda, repreensão leve [F.: Do cast. *papirote (paperote)*, deriv. de *papo*.]

pipeiro (pi.*pei*.ro) *sm. Bras. Pop.* Indivíduo que faz pipa (1) [F.: *pipa* + *-eiro*.]

◎ **piper-** *el. comp.* = 'pimenta': *piperina, piperácea* (lat. cient.), *piperáceo* [F.: Do lat. *piper, is*, 'pimenta'.]

piperácea (pi.pe.*rá*.ce:a) *sf. Bot.* Espécime das piperales, fam. de plantas que compreende oito gên. e mais de 3.000 spp., a maioria constituída de arbustos, lianas, ervas e pequenas árvores de folhas simples, ger. em espiral, e flores pequenas, cultivadas como ornamentais ou para o preparo de condimentos, sendo encontradas em regiões tropicais [F.: Adaptação do lat. cient. *Piperaceae*, do lat. cient. *Piper* (lat. *piper, is*, 'pimenta'), gênero-tipo.]

piperáceo (pi.pe.*rá*.ce:o) *a. Bot.* Ref. ou pertencente às piperáceas [F.: De *piperácea*, com var. suf; ver *-áceo*.]

pipeta (pi.*pe*.ta) [ê] *sf.* **1** *Quím.* Tubo de vidro ou de plástico, às vezes com escala de graduação, us. em laboratórios para transvasar, por aspiração, porções determinadas de líquido **2** Bomba us. nas adegas para transvasar vinho e que consiste num tubo que se introduz no batoque do tonel cheio e se retira, tapando-se-lhe o orifício superior com o dedo **3** *P. ext.* Qualquer tubo para transvasar líquidos [F.: Do fr. *pipette*, de *pipe* 'pipa'.]

pipi (pi.*pi*) *Infan. sm.* **1** Urina **2** O órgão sexual do menino ou da menina [F.: Do fr. *pipi*, de *pisser* 'urinar'.] ▪ **Fazer ~** Urinar

pipilar (pi.pi.*lar*) *v.* **1** Soltar pio; piar (a ave) [*int.*] **2** Dizer ou cantar em voz semelhante ao pipilo das aves [*td.*: *A mãe pipilou uma canção de ninar.*] [*int.*: *As garotinhas pulavam e pipilavam.*] [▶ **1** pipilar] *sm.* **3** O mesmo que *pio* [F.: Do lat. *pipilare*. Hom./Par.: *pipilo* (fl.), *pipilo* (sm.).]

pipilo (pi.*pi*.lo) *sm.* **1** Ação ou resultado de pipilar; PIPIO; PIPITO **2** Som característico das aves em geral [F.: Regress. de *pipilar*. Col.: *chalreada, chilrada, chilreada*.]

pipoca (pi.*po*.ca) *sf.* **1** Grão de milho arrebentado ao calor do fogo, para se comer **2** Pequena bolha na pele; BORBULHA; EMPOLA **3** Forma larvar de certos vermes cestódios, que consiste numa vesícula cheia de líquido onde se invagina o escólex, e é encontrada nos músculos de mamíferos hospedeiros intermediários; CISTICERCO **4** *Bras. Mús.* Dança do fandango brasileiro, com sessões instrumentais comandadas por viola caipira, que tb. acompanha as de cantoria [F.: Do tupi *pi'poka*. Hom./Par.: *pipoca* (fl. de *pipocar*).]

pipocar (pi.po.*car*) *Bras. v. int.* **1** Estourar, ou soar como pipoca: *As metralhadoras pipocavam.* **2** Aparecer, surgir: *Começaram a pipocar danceterias no bairro; As notícias pipocavam.* **3** *Fut.* Demonstrar receio em disputas de bola **4** Ferver em borbotões **5** *Fig. Mar.* Surgir (farol, luz) de repente ao longe, no horizonte: *As luzes começaram a pipocar no porto* [▶ **11** pipocar] [F.: *pipoca* + *-ar*. Hom./Par.: *pipoca(s)* (fl), *pipoca* (sf. e pl.); *pipoco* (fl.); *pipoco* /ô/ (sm.).]

pipocas (pi.*po*.cas) *interj.* Exprime enfado, irritação; BOLAS [F.: Posv. do pl. de *pipoca*.] ▪ **Ora ~** Expressão interjetiva de desapontamento, irritação, desgosto etc.; ora bolas

pipoco (pi.*po*.co) [ô] *sm.* **1** *Bras.* Ruído de coisa que pipoca, estala ou estoura; ESTAMPIDO **2** Ação ou resultado de pipocar **3** Discussão ou briga agitada; DESORDEM; ROLO [F.: Regress. de *pipocar*. Hom./Par.: *pipoco* (sm.), *pipoco* (fl. de *pipocar*).]

pipoquear (pi.po.que.*ar*) *v. int.* **1** *Bras.* Arrebentar como pipoca **2** O mesmo que *pipocar* [▶ **13** pipoquear] [F.: *pipoca* + *-ear*.]

pipoqueira (pi.po.*quei*.ra) *sf.* Aparelho, máquina ou panela especial em que se colocam grãos de milho para o preparo de pipocas [F.: *pipoca* + *-eira*.]

pipoqueiro (pi.po.*quei*.ro) *sm. Bras.* Vendedor de pipoca [F.: *pipoc(a)* + *-eiro*.]

piptadênia (pip.ta.*dê*.ni.a) *sf. Angios.* Nome dado às plantas do gên. *Piptadenia*, da fam. das leguminosas, que compreende 15 spp. encontradas em regiões tropicais das Américas, algumas muito apreciadas pela qualidade de sua madeira [F.: Do lat. cien. gên. *Piptadenia*.]

piptinga (pi.pi.*tin*.ga) *sf. Zool.* Ver *manjuba*

pique[1] (pi.*que*) *sm.* **1** *Bras. Lud.* Brincadeira infantil em que uma criança deve pegar uma das restantes, antes que alcancem certo local (o pique); ANGAPANGA; BOTA; PEGA; PEGADOR; PEGA-PEGA **2** *Bras.* O lugar aonde essas crianças têm de chegar para não serem pegas **3** *Bras.* Pequeno orifício como que feito por objeto pontiagudo **4** *Bras.* Pequeno corte **5** *Vest.* Pequeno corte nas margens internas da costura, para facilitar-lhe o caimento e os arremates **6** Sabor picante, azedo; ACIDEZ; ACRIDEZ **7** *Bras. Pop.* Ação com a intenção de contrariar, de irritar; BIRRA; PIRRAÇA **8** *Lus. Fig.* Ação premeditada com a intenção de provocar ou desagradar; ACINTE; PROVOCAÇÃO **9** *Lus. Fig.* Interpretação ou dito picante ou maldoso; MALÍCIA **10** Atalho estreito na mata; PICADA **11** Cartão de cor, com um desenho picado a alfinetes, sobre o qual trabalham as rendeiras de bilros **12** *Bras.* Corte que se dá na orelha de animal de estimação, para diferençá-lo **13** *Amaz.* Corte dado nas seringueiras boas, para as assinalar **14** *Antq. Arm.* Lança de combate [F.: Regress. de *picar*. Hom./Par.: *pique* (sm.), *pique* (fl. de *picar*).] ▪ **A ~** Em sentido vertical, a prumo: *O paredão erguia-se a pique sobre a enseada.* **A ~ de** A ponto de: *Estava a pique de desfalecer de cansaço.* **Bater ~** **1** Na brincadeira de pique[1] (1), chegar ao pique[1] (2) **2** Passar por um lugar sem se deter nele: *Vou bater pique na sua festa antes de viajar.* **De ~** *Bras.* Intencionalmente, de propósito; por pique **Ir a ~** **1** Afundar (embarcação) **2** *Fig.* Falir, arruinar-se **Por ~** Ver *De pique*

pique[2] (*pi*.que) *sm.* **1** O ponto mais elevado ou o mais alto grau; AUGE; PICO: *O pique das vendas é em janeiro:* "(...) dá para seguir no pique da moda em decoração a cada cinco anos." (*Veja*, 29.05.2002) **2** *Bras. Pop.* Grande disposição e entusiasmo; DETERMINAÇÃO; GARRA: *João assumiu o cargo no maior pique.* **3** *Bras. Pop.* Grande agitação, movimentação, tumulto; PICO: "(...) uma hora para cruzar os 12 km da autoestrada nos horários de pique." (*Veja Rio*, 08.05.2002) **4** *Bras. Pop.* Corrida, correria, arrancada: *Veio num pique para proteger-se da chuva.* [F.: Do ing. *peak* 'cume, auge, apogeu'. Hom./Par.: *pique* (sm.), *pique* (fl. de *picar*).]

piquê (pi.*quê*) *sm.* Tecido de algodão constituído de dois panos ligados por pontos, cujo trançado das linhas forma desenhos [F.: Do fr. *piqué*. Hom./Par.: *piquê* (sm.), *pique* (sm.), *pique* (fl. de *picar*).]

piqueiro (pi.*quei*.ro) *sm.* **1** *Ant.* Guerreiro ou soldado armado de pique ou lança **2** Em tauromaquia, aquele que se encarrega de picar o touro com uma vara curta **3** Auxiliar de mateiro no trabalho de abrir picadas [F.: *pique* + *-eiro*.]

piquenique (pi.que.*ni*.que) *sm.* Excursão festiva de um dia em que cada participante leva uma parte da comida e/ou da bebida que será consumida por todos numa refeição ao ar livre [F.: Do fr. *piquenique*, pelo ing. *picnic*, ou diretamente do primeiro.]

piquete (pi.*que*.te) [ê] *sm.* **1** Nas greves, grupo de trabalhadores de empresa ou grupo de estudantes que tenta conseguir a adesão dos colegas e impedir-lhes a entrada nos locais de trabalho ou estudo **2** *Mil.* Destacamento militar designado diariamente para limpeza nos quartéis ou para sair em emergências **3** Grupo de empregados designados para trabalhar em certo turno **4** *Geog.* Pequena estaca que se crava no chão para demarcar terreno em trabalhos topográficos **5** *Fig.* Pessoa que a todo momento está sendo chamada para algum trabalho **6** *Mil.* Destacamento militar que forma guarda avançada ou pronto para atuar a qualquer momento: "Destacavam-se piquetes vigilantes, de vinte homens cada um, ao mando de cabecilha de confiança, para vários pontos de acesso (...)." (Euclides da Cunha, *Os sertões*) **7** *MG* Pequeno pasto ou plantação **8** *RS* Pequeno potreiro, ger. perto das habitações, onde se recolhem os animais do serviço diário **9** *RS* Nas estâncias, cavalo que se tem pronto para montar em qualquer necessidade; PIQUETEIRO [F.: Do fr. *piquet*.]

piqueteiro (pi.que.*tei*.ro) *sm.* **1** Pessoa que participa de piquete numa greve **2** *RS* Cavalo que, nas estâncias, se utiliza em qualquer necessidade [F.: *piquete* + *-eiro*.]

piquira (pi.*qui*.ra) *Bras. a2g.* **1** Diz-se de peixe miúdo **2** Diz-se de cavalo de pequeno tamanho **3** *Fig.* Diz-se de pessoa insignificante *s2g.* **4** Peixe pequeno **5** Cavalo de pequena estatura **6** Indivíduo insignificante *sm.* **7** Homem baixinho **8** *SP* Peixe caraciforme da fam. dos caracídeos (*Holoshestes heteredon*), encontrado em rios do Brasil, com até 4,5 cm de comprimento, que pode ser criado em aquários *sm.* **9** *Ict.* Peixe teleósteo (*Bryconamericus stramineus*; tb. *lambarizinho*) **10** *Ict.* Peixe teleósteo *Aphyocharax difficilis*; tb. *piquirão* [F.: Do tupi *pele tenra, pequeno*.]

pira[1] (*pi*.ra) *sf.* **1** Espécie de vaso, bacia, receptáculo etc. onde arde um fogo simbólico (*pira olímpica*) **2** Fogueira onde se cremam cadáveres **3** *P. ext.* Qualquer fogueira **4** Lugar ou circunstância em que algo ou alguém passa por uma prova (de coragem, força, fidelidade, caráter etc.); CRISOL [F.: Do gr. *pyrá*, pelo lat. *pyra-ae*. Hom./Par.: *pira* (fl. de *pirar*).]

pira[2] (*pi*.ra) *sm. Gír.* Us. na *loc. dar o pira* [F.: Regress. de *pirar* 'fugir'.] ▪ **Dar o ~** **1** *Bras. Gír.* Sair apressadamente de algum lugar **2** Fugir

piracaia (pi.ra.ca.*i*.a) *sf. PA* Nome dado a uma cerimônia em que um tambaqui (peixe da amazônia) é assado na brasa e servido ao visitante, que deve degustá-lo com as mãos e sentado na areia

piracanjuba (pi.ra.can.*ju*.ba) *sf. Ict.* Peixe teleósteo da fam. dos caracídeos (Brycon lundii), de focinho avermelhado e dorso esverdeado, com até 80 cm de comprimento, de carne muito apreciada e encontrado em diversos rios brasileiros [F.: Do tupi *pyrakang'iuwa*.]

piração (pi.ra.*ção*) *Bras. Gír. sf.* **1** Ação ou resultado de pirar **2** Estado ou condição de pirado; DOIDEIRA; LOUCURA; MALUQUEIRA [Pl.: *-ções*.] [F.: *pira(r)* + *-ção*.] ▪ **Ser uma ~** *Bras. Gír.* Ser muito bom, maravilhoso; ser uma loucura

piracema (pi.ra.*ce*.ma) *sf.* **1** *Amaz.* Migração dos peixes para desovar nas nascentes dos rios **2** *Amaz.* Época em que isso ocorre **3** *Amaz.* Cardume de peixes **4** *SP* Rumor que fazem os peixes quando sobem o rio para desovar nas nascentes [F.: Do tupi *pi'ra* 'peixe' + *'sema* 'sair'.]

piracuí (pi.ra.cu.*í*) *Amaz. Cul. sm.* **1** Iguaria preparada com peixe seco em pó **2** Farinha de peixe; PIRACUIM [F.: Do tupi *piraku'i*.]

pirado (pi.*ra*.do) *Bras. Pop. a.* Que pirou; DOIDO; MALUCO [F.: Part. de *pirar*.]

piraí (pi.ra.*í*) *sm.* **1** Azorrague ou látego feito de couro cru **2** Nome dado pelos indígenas aos peixes pequenos [F.: Do tupi **pira'i*. Hom. /par.: *piraí* (sm.), *pirai* (fl. de pirar).]

piraíba (pi.ra.*í*.ba) *sf. Bras. Zool.* Peixe actinopterígio da fam. dos pimelodídeos (*Bachyplatystoma filamentosum*) que chega a 3 m de comprimento e pode pesar mais de 150 kg, com boca e cabeça enormes, de coloração ger. escura, encontrado nos rios Amazonas e Parnaíba [Segundo lenda amazônica, o piraíba engole crianças e ataca pessoas adultas] [F.: Do tupi *pira'iwa*.] ▪ **Puxar ~** *AM CE Pop.* Cabecear de sono

piraju (pi.ra.*ju*) *sm. Zool.* O mesmo que *dourado* (7), peixe dos caracídeos [F.: Posv. de *pirajuba*.]

pirajuba (pi.ra.*ju*.ba) *sf. Zool.* Nome de dois peixes de grande porte (*S. brevidens* e *S. maxillosus*); o mesmo que *dourado* (7) [F.: Do tupi *pira'iuuba*, *pi'ra* 'peixe' + *iuua* 'amarelo'.]

pirambeira (pi.ram.*bei*.ra) *Bras. sf.* Despenhadeiro íngreme; PRECIPÍCIO; ABISMO; PERAMBEIRA [F.: De or. obsc.]

piramboia (pi.ram.*bói*:a) *sf. Bras. Ict.* Peixe da fam. dos lepidossirenídeos (*Lepidosiren paradoxa*), de coloração esverdeada e manchas negras, com cerca de 1,20 m de comprimento, encontrado na Amazônia e no Paraguai; costuma ficar enterrado na lama durante as estações secas; BOIUNA; CARAMURU; TRAIRABOIA [F.: Do tupi **pira'mboya*.]

piramidal (pi.ra.mi.*dal*) *a2g.* **1** Que tem forma de pirâmide (tb. fig.) (hierarquia piramidal; montanhas piramidais) **2** *Fig.* Extraordinário, colossal, monumental **3** Ref. ou pertencente a pirâmide [Pl.: *-dais*.] [F.: *pirâmide* + *-al*.]

piramidar (pi.ra.mi.*dar*) *v. td. int.* Constituir(-se) de forma hierarquizada [▶ **1** piramidar] [F.: *piramide* + *-ar*.]

pirâmide (pi.*râ*.mi.de) *sf.* **1** *Geom.* Sólido que tem um polígono como base e faces laterais triangulares que convergem num só vértice **2** *Arq. Hist.* Monumento em forma de pirâmide quadrangular remanescente de antigas civilizações como a egípcia e as pré-colombianas **3** *Fig.* Pilha ou monte de objetos em forma de pirâmide **4** *Fig. Anat.* Qualquer estrutura anatômica cuja forma lembra a deste sólido [F.: Do gr. *pyramís -ídos*, pelo lat. *pyramis -idis*.] ▪ **~ oblíqua** *Geom.* Aquela que não é reta, ou seja, cuja altura não passa pelo centro ou centroide da base **~ quadrada** *Geom.* Pirâmide cuja base é um quadrado **~ regular** *Geom.* Pirâmide reta que tem como base um polígono regular **~ reta** *Geom.* Pirâmide na qual a altura (reta perpendicular ao plano da base e que passa pelo vértice) passa pelo centro ou centroide da base **~ truncada** *Geom.* Ver *Tronco de pirâmide* no verbete *tronco*

pirangueiro (pi.ran.*guei*.ro) *a.* **1** Diz-se de quem é reles, desprezível **2** *PB* Diz-se daquele que se aproveita desonestamente da boa-fé dos outros **3** Diz-se de pequeno navio de cabotagem, ger. desgastado, velho *a. sm.* **4** O mesmo que *pedinchão sm.* **5** Pessoa que não presta, ordinária, vil **6** *PA* Pessoa desonesta, que se aproveita da ingenuidade ou boa-fé dos outros **7** *PA* Pequeno navio de cabotagem, em geral desgastado ou velho [F.: *piranga* + *-eiro*.]

piranha (pi.*ra*.nha) *sf.* **1** *Zool.* Denominação geral a diversos peixes da fam. dos caracídeos (gên. *Serrasalmus* e *Pygocentrus*), encontrados em rios e lagos sul-americanos; são predadores vorazes, dotados de dentes numerosos e cortantes e vivem ger. em cardumes **2** *Bras. Pej.* Meretriz, prostituta **3** *Bras. Pej.* Mulher libertina, leviana, que tem relações sexuais com qualquer homem; VAGABUNDA **4** *GO Lud.* Dança de roda infantil em que a criança do centro deve executar o que os outros participantes mandarem [F.: Do tupi *pi'ra* 'peixe' + *ãia* 'dente'.]

piranhuda (pi.ra.*nhu*.da) *sf. Bras. Pej.* O mesmo que *piranha* (prostituta ou mulher de vida licenciosa); MERETRIZ [F.: *piranha* + *-uda*.]

pirão (pi.*rão*) *sm.* **1** *Bras. Cul.* Papa feita de farinha de mandioca e caldo de peixe, carne ou ave cozidos com legumes ou sem eles **2** *Angol.* Papa feita de farinha de mandioca e caldo de peixe temperado com azeite de dendê **3** *Ang. Cul.* Papa de fubá que acompanha o prato principal **4** *Bras. Joc.* Mulher bonita e sensual [Pl.: *-rões*.] [F.: De or. contrv.]

piraputanga (pi.ra.pu.*tan*.ga) *Bras. Ict. sf.* **1** O mesmo que *matrinxã* (*Brycon orbignyanus*) **2** Peixe teleósteo, presente no rio São Francisco (*Brycon reinhardti*); tb. *peripetinga* [F.: Do tupi **pirapi'tanga*.]

piraquara (pi.ra.*qua*.ra) *s2g.* **1** *Bras. Fig.* Indivíduo que vive na roça ou no campo; CAIPIRA **2** *Bras.* Nome que designa os habitantes das margens do rio Paraíba do Sul **3** *RJ* Pescador exímio **4** *Bras. Ict.* Peixe teleósteo perciforme (*Polydactylus virginicus*), do Atlântico ocidental; tb. *parati-barbudo* [F.: Do tupi **pira'kwara*.]

pirar (pi.*rar*) *v. int.* **1** *Bras. Gír.* Perder o uso da razão; ENDOIDECER; ENLOUQUECER: *Abandonado pela mulher, acabou pirando.* **2** *Gír.* Cair fora, safar-se; esgueirar-se; ESCAPAR; FUGIR: *Quando percebeu a aproximação da polícia, pirou; Aproveitou que o portão estava aberto para se* *pirar.* [▶ 1 pirar] [F.: De orig. duv. Hom./Par.: *pira(s)* (fl), *pira* (sf. e pl.); *pira(s)* (fl.), *pirá* (sm. e pl.); *pirai* (fl.); *piraí* (sm.) e *Piraí* (top.).]

pirarucu (pi.ra.ru.*cu*) *Bras. Zool. sm.* Grande peixe amazônico (*Arapaima gigas*), da fam. dos osteoglossídeos, com até 2,60 m de comprimento e 160 kg de peso, de carne muito apreciada [F.: Do tupi *pi'ra* 'peixe' + *uru'ku* 'urucu, vermelho'.]

pirata (pi.*ra*.ta) *s2g.* **1** Ladrão que cruza os mares unicamente para roubar e pilhar **2** *P. ext.* Indivíduo que rouba ou assalta; LADRÃO; GATUNO **3** *Lus.* Indivíduo que sequestra avião para fazer exigências em troca; TERRORISTA **4** *Bras.* Indivíduo astucioso, espertalhão, tratante **5** *Fig.* Fantasia carnavalesca baseada nas vestes do pirata dos mares **6** *Fig.* Indivíduo galanteador, sedutor **7** *Fig.* Indivíduo que enriquece por meios ilícitos, fraudulentos e/ou violentos, como tráfico de influência e extorsão *a2g.* **8** Copiado sem autorização legal (CD pirata, *software* pirata) [Ant.: *autêntico, original.*] **9** *Rád. Telv.* Que opera ou faz transmissões clandestinamente (rádio pirata); CLANDESTINO **10** Que opera numa linha de transporte coletivo sem autorização legal (ônibus pirata) **11** Ref. ou pertencente a pirata (navio pirata) [F.: Do it. *pirata*, der. do lat. *pirata, ae* gr. *peiratés*.] ▪ **~ do ar** Pessoa que se apodera pela força de uma aeronave (subjugando com armas a tripulação e os passageiros) para, por meio de chantagem, impor certas condições e exigências **~ eletrônico** Ver *cracker* e *hacker*

piratagem (pi.ra.*ta*.gem) *sf.* O mesmo que *pirataria* [Pl.: *-gens.*] [F.: *pirat(a)* + *agem*.]

pirataria (pi.ra.ta.*ri*.a) *sf.* **1** Ação ou resultado de piratear **2** Atividade criminosa que consiste na abordagem violenta de uma embarcação para saqueá-la ou atacar seus passageiros **3** Ação criminosa que consiste no sequestro de um avião cujo resgate é condicionado ao atendimento de exigências dos sequestradores; PIRATARIA AÉREA **4** Ação criminosa que consiste na reprodução, uso ou venda de cópias não autorizadas de material protegido pelas leis do direito autoral **5** Ação de apropriar-se pela força de bens alheios; EXTORSÃO; ROUBO **6** Bando de piratas [F.: *pirat(a)* + *-aria*. Sin. ger. (p. us.): *piratagem*.] ▪ **~ aérea** Sequestro de avião

pirateado (pi.ra.te.*a*.do) *a.* **1** Resultante de pirataria; ROUBADO; PILHADO; SAQUEADO **2** Resultante de roubo da propriedade intelectual; FALSIFICADO; PLAGIADO [F.: Part. de *piratear*.]

piratear (pi.ra.te.*ar*) *v.* **1** Fazer cópia pirata de [*td.*: *Piratear CDs.*] **2** Plagiar ou copiar (algo) infringindo o direito de propriedade intelectual [*td.*] **3** Furtar, roubar [*td.*] **4** Saquear (embarcações) [*td.*] [*int.*] **5** Atuar como pirata; viver de pirataria [*int.*] [▶ 13 piratear] [F.: *pirata* + *-ear*.]

pirateiro (pi.ra.*tei*.ro) *Bras. Pop. sm.* Pessoa que se dedica à pirataria, que falsifica ou vende coisas falsificadas [F.: *pirata* + *-eiro*.]

pirenaico (pi.re.*nai*.co) *sm.* **1** Indivíduo nascido ou que vive em Pireneus (cordilheira entre a Espanha e a França) *a.* **2** De Pireneus; típico dessa cordilheira ou de seu povo [F.: Do lat. *pyrenaicu*.]

pirenaico (pi.re.*nai*.co) *a.* Ref. aos Pireneus, cadeia de montanhas entre a França e a Espanha; PIRENEU [F.: Do lat. *pyrenaicus, a um*.]

pireneu (pi.re.*neu*) *a.* Ver *pirenaico*

pires (*pi*.res) *sm2n.* Pequeno prato sobre o qual se assenta a chávena ou a xícara [F.: Do malaio *piring*, por meio de uma forma **pirins* (pl. de **pirim*), posv.]

pirético (pi.*ré*.ti.co) *Med. a.* Ref. a febre; FEBRIL [F.: *piret(o)-* + *ico*²; fr. *pyrétique*.]

◎ **piret(o)-** *el. comp.* Registra-se em vocábulos introduzidos na linguagem científica internacional, a partir do séc. XIX: *pirético, piretoterapia* etc. [F.: Do lat. cient. *pyreto-* (gr. *pyretós* 'calor, febre').]

piretologia (pi.re.to.lo.*gi*.a) *Med. sf.* Estudo da febre [F.: *piret(o)-* + *-logia*.]

piretológico (pi.re.to.*ló*.gi.co) *a.* Ref. a piretologia [F.: *piretolog(ia)* + *-ico*².]

piretoterapia (pi.re.to.te.ra.*pi*.a) *Ter. sf.* Tratamento por meio da indução artificial de febre [F.: *piret(o)-* + *terapia*.]

piretrina (pi.re.*tri*.na) *sf. Quím.* Constituinte ativo de inseticida, tóxico, que se desdobra em piretrin 1 ($C_{21}H_{28}O_3$) e piretrin 2 ($C_{22}H_{28}O_5$) [F.: *piretro* + *-ina*.]

piretro (*pi*.re.tro) *sm.* **1** *Angios.* Nome comum a plantas da fam. das compostas, que se inclui atualmente no gên. *Chrysanthemum* **2** *Angios.* Erva (*Tanacetum cinerariifolium*), nativa da península balcânica, cultivada como ornamental **3** *Angios.* Planta (*Tanacetum coccineum*) de flores de cores diversas, cultivada como ornamental e encontrada no Irã e no Cáucaso **4** *Angios.* Planta da fam. das compostas (*Anacyclus pyrethrum*), de inflorescências us. como inseticida e raízes que possuem óleo vegetal us. no passado como remédio contra dor de dente e nevralgia facial **5** Inseticida produzido a partir dos capítulos secos dos vegetais *Anacyclus pyrethrum* e *Tanacetum cinerariifolium* [F.: Do lat. cien. gên. *Pyrethrum*.]

pirex (pi.*rex*) [cs] *sm2n.* **1** Vidro resistente ao calor, à eletricidade e a produtos químicos **2** Qualquer recipiente para uso doméstico feito desse vidro *a2g2n.* **3** Feito desse vidro (forma pirex) [F.: Da marca registrada *Pyrex*.]

pirexia (pi.re.*xi*.a) [cs] *Med. sf.* **1** Febre **2** Estado febril [F.: Do lat. cient. *pyrexia* (gr. *pýrexis*).]

pírico (*pí*.ri.co) *a.* Ref. a pira ou fogo [F.: *pir(i/o)-* + *-ico*².]

piridina (pi.ri.*di*.na) *sf. Quím.* Substância química incolor, de cheiro desagradável, extraída do alcatrão do carvão e us. como solvente [Fórm.: C_5H_5N] [F.: *pir(o)-* + *-idina*.]

piridinolina (pi.ri.di.no.*li*.na) *sf. Anat.* Substância que compõe a molécula de colágeno e que auxilia na absorção óssea

piriforme (pi.ri.*for*.me) *a2g.* Que apresenta formato de pêra; PERIFORME [F.: *pir (i/o)-* + *-forme*.]

pirilampagem (pi.ri.lam.*pa*.gem) *sf. Bras.* Suposta aparição de pessoa que já morreu, de alma penada; FANTASMA [F.: *pirilampar* + *-agem*.]

pirilampo (pi.ri.*lam*.po) *sm. Zool.* O mesmo que *vaga-lume* [F.: Do gr. *pyrilampís*. Sin. ger.: *caga-lume, caga-fogo, cudelume, luzecu, lampíride, lampírio, lampiri, lumeeiro, mosca-de-fogo, noctiluz, uauá*.]

pirimidina (pi.ri.mi.*di*.na) *sf.* **1** *Bioq.* Molécula orgânica da qual derivam algumas das bases nitrogenadas que se encontram presentes nos ácidos nucleicos [Fórm.: $C_4H_4N_2$] **2** Qualquer substância que tem relação com a pirimidina ou dela deriva [F.: combin. de *piridina* e *amidina*.]

◎ **pir(i/o)-** *el. comp. Pref.* = fogo, calor: *pírico, pirofobia, pirogravura, pirotecnia*. [F.: Do gr. *pyro -*, de *pyr pyrós* 'fogo'.]

piripaque (pi.ri.*pa*.que) *Pop. sm.* **1** Qualquer indisposição ou perturbação física *Pop.*; TRECO *Pop.*; TROÇO **2** Ataque nervoso *Pop.*; CHILIQUE *Pop.*; FANIQUITO **3** Problema que prejudica ou interrompe o funcionamento de algo *Gír.*; TILTI: *Meu computador deu um piripaque*; "...o tal *bug* do milênio ("piripaque" dos computadores na hora de mudar o calendário) ocorreu com um ano de atraso." (*Jornal do Brasil*, 10.01.2001) [F.: De or. expressiva.]

piriri (pi.ri.*ri*) *sm.* **1** *Pop.* Desarranjo intestinal; DIARREIA **2** *Bras. Bot.* Arbusto da fam. das euforbiáceas (*Mabea occidentalis*), nativo da Amazônia, de cujos ramos ocos se fazem tubos de cachimbo; CANUDO-DE-PITO [F.: Do tupi *piri'ri*.]

piririca (pi.ri.*ri*.ca) *Bras. a2g.* **1** Áspero como lixa **2** *Pop.* Que não tem modos, irrequieto *sf.* **3** Corredeira pequena; RÁPIDO **4** Ligeira ondulação na superfície da água, causada pelos peixes [F.: Do tupi.]

piriricar (pi.ri.ri.*car*) *Bras. v.* **1** Encrespar-se suavemente (a superfície da água de rio) [*int.*] **2** Produzir ondulação na superfície da água [*int.*: *Os peixinhos piriricavam suavemente.*] **3** Enrugar a testa por estar zangado [*int.*] **4** Provocar abalo, choque, comoção em; ABALAR [*td.*: *A notícia piriricou todos os alunos.*] [▶ 11 piriricar] [F.: *piririca* + *-ar*. Hom./Par.: *piririca* (3ªp. s.), *piriricas* (2ªp. s.)/ *piririca* (sf. e a2g.) e pl. *pererecar* (vários tempos do v.).]

pirita (pi.*ri*.ta) *Min. sf.* Sulfeto de ferro cúbico, de brilho metálico, us. na fabricação de ácido sulfúrico e para extração de enxofre, ouro e ferro [F.: Do gr. *purites, ou*, pelo lat. imp. *pyrites, ae*. Ver *pirit(i)-*.]

◎ **pirit(i)-** *el. comp.* = 'pirita': *piritífero, piritiforme* [F.: Do gr. *pyrites, ou*.]

piritionato (pi.ri.ti:o.*na*.to) *sm. Quím.* Substância us. para combater a caspa (piritionato de zinco) [F.: Do ingl. *pyrithionate*, do ingl. *pyrithione* + *-ate* (ver *-ato*²).]

pirobo (pi.*ro*.bo) [ô] *sm. N. E. Pej.* Homossexual masculino; EFEMINADO [F.: orig. obsc.]

piroca (pi.*ro*.ca) *sf.* **1** *Tabu.* O pênis **2** *Tabu.* Pênis de menino *a.* **3** *AM* Calvo, careca **4** *N.O.* Sovina, pão-duro, unha de fome [F.: Do tupi *pi'roka*, 'calvo, careca'.]

piroclástico (pi.ro.*clás*.ti.co) *a.* Formado por acumulação de fragmentos resultantes de erupção vulcânica [F.: *pir(i/o)-* + *-clast(o)-* + *-ico*².]

pirofilia (pi.ro.fi.*li*.a) *sf. Bot.* Propriedade que apresentam certas plantas de se beneficiarem com o efeito das queimadas sobre o solo [F.: *pir (o)-* + *-filia*.]

pirofobia (pi.ro.fo.*bi*.a) *sf. Psiq.* Medo doentio do fogo [F.: *pir(i/o)-* + *-fobia*.]

pirofóbico (pi.ro.*fó*.bi.co) *a.* **1** Ref. a pirofobia **2** Que sofre de pirofobia; PIRÓFOBO *sm.* **3** Aquele que sofre de pirofobia; PIRÓFOBO [F.: *pirofob(ia)* + *-ico*².]

pirófobo (pi.*ró*.fo.bo) *a. sm.* Ver *pirofóbico* [F.: *pir(i/o)-* + *-fobo*.]

piroga[1] (pi.*ro*.ga) *sf.* Embarcação indígena feita de um só tronco de árvore escavado a fogo [F.: Do caribe *piragua*, pelo fr. *pirogue*.]

piroga[2] (pi.*ro*.ga) *sf.* Embarcação indígena feita de um tronco de árvore escavado a fogo: "Pequeninas pirogas mergulhando e subindo na onda como troncos perdidos." (Coelho Neto, *Inverno em flor*) [F.: Do fr. *pirogue*.]

pirogênico (pi.ro.*gê*.ni.co) *a.* **1** Produzido pelo calor **2** *Med.* Caracterizado por febre e calafrios (reação pirogênica) [F.: *pir(i/o)-* + *-gen(o)-* + *-ico*².]

pirogravar (pi.ro.gra.*var*) *v. td.* Fazer gravura utilizando instrumento próprio de ponta incandescente [▶ 1 pirogravar] [F.: *piro* + *-gravar*.]

pirogravura (pi.ro.gra.*vu*.ra) *sf.* **1** Técnica de gravação ou desenho com ponta incandescente **2** Obra feita com essa técnica [F.: *pir(i/o)-* + *gravura*.]

pirólise (pi.*ró*.li.se) *sf.* **1** *Quím.* Processo de decomposição pelo calor **2** Processo de tratar o lixo por meio do fogo, com o objetivo de obter subprodutos que possam ser comercializados [F.: *piro-* + *-lise*.]

pirologia (pi.ro.lo.*gi*.a) *sf.* Estudo sobre o fogo [F.: *pir(i/o)-* + *-logia*.]

piromania (pi.ro.ma.*ni*.a) *Psiq. sf.* Distúrbio mental caracterizado pelo prazer mórbido de provocar incêndios [F.: *pir(i/o)-* + *-mania*.]

piromaníaco (pi.ro.ma.*ní*.a.co) *a.* **1** Ref. à piromania **2** Que sofre de piromania; PIRÔMANO *sm.* **3** Aquele que sofre de piromania; PIRÔMANO [F.: *piroman(ia)* + *-íaco*.]

pirômano (pi.*rô*.ma.no) *a. sm.* Ver *piromaníaco* [F.: *pir(i/o)-* + *-mano*[1].]

pirometria (pi.ro.me.*tri*.a) *sf.* Técnica de medir altas temperaturas [F.: *pir(i/o)-* + *-metria*.]

pirométrico (pi.ro.*mé*.tri.co) *a.* Ref. à pirometria ou ao pirômetro [F.: *pirometr(ia)* + *-ico*².]

pirômetro (pi.*rô*.me.tro) *sm.* Instrumento para medir altas temperaturas [F.: Do fr. *pyromètre*. Ver *pir(i/o)-* e *-metro*.]

pirose (pi.*ro*.se) *Pat. sf.* Sensação de queimação no estômago, ger. associada com regurgitação de suco gástrico para o esôfago; AZIA [F.: Do gr. *pýrosis*, pelo lat. científico *pyrosis*.]

pirosfera (pi.ros.*fe*.ra) *Geof. sf.* Zona do interior da Terra, abaixo da litosfera, composta de magma [F.: *pir(i/o)-* + *-sfera*. Cf.: *geosfera*.]

pirosférico (pi.ros.*fé*.ri.co) *a.* Ref. à pirosfera [F.: *pirosfera* + *-ico*².]

pirotecnia (pi.ro.tec.*ni*.a) *sf.* **1** Técnica de usar o fogo ou os explosivos **2** Técnica de fabricar fogos de artifício [F.: Do fr. *pyrotechnie*. Ver *pir(i/o)-* e *-tecnia*.]

pirotécnico (pi.ro.*téc*.ni.co) *a.* **1** Ref. a pirotecnia *sm.* **2** Fabricante ou vendedor de fogos de artifício [F.: Do fr. *pyrotechnique*. Ver *pir(i/o)-*.]

pirraça (pir.*ra*.ça) *sf.* **1** Algo que se faz de propósito, para contrariar, irritar ou afligir alguém; BIRRA [+*a, com, contra*: *fazer pirraça a/com a mãe*; "...fazia da circunstância uma pirraça contra o Silvino: 'Eu é que sou o mau, repetia andando à rodada, eu é que sou o bandalho (...)' Silvino foi gradualmente perdendo a paciência." (Raul Pompeia, *O Ateneu*)] **2** Implicância, birra, cisma [+*com, contra*: *Ele tem pirraça com /contra a colega.*] [F.: De or. obsc. Hom./Par.: *pirraça* (sf.), *pirraça* (fl. de *pirraçar*).]

pirracento (pir.ra.*cen*.to) *a.* **1** Que é dado a fazer pirraças *sm.* **2** Pessoa pirracenta [F.: *pirraça* + *-ento*. Sin. ger.: *pirraceiro*.]

pirralhada (pir.ra.*lha*.da) *sf. Bras.* Grupo de pirralhos; CRIANÇADA; GURIZADA [F.: *pirralho* + *-ada*².]

pirralho (pir.*ra*.lho) *sm.* **1** Menino pequeno; CRIANÇA; FEDELHO *Fam.*; PETIZ **2** *P. ext.* Indivíduo de baixa estatura [F.: De or. obsc.]

pirríquio (pir.*rí*.qui:o) *a. sm. Poét.* No sistema de versificação greco-romano, diz-se de ou pé métrico com dois tempos breves [F.: Do gr. *pyrrhíkhios*.]

pirrônico (pir.*rô*.ni.co) *a.* **1** *Fil.* Ref. ou pertencente à doutrina do pirronismo **2** *P. ext.* Diz-se de quem duvida ou finge duvidar de tudo; CÉTICO **3** Rabugento, teimoso, obstinado *sm.* **4** *Fil.* Indivíduo partidário ou seguidor do pirronismo **5** *P. ext.* Aquele que permanentemente duvida ou questiona tudo **6** Indivíduo teimoso, obstinado [F.: Do gr. *pýrrhon-* + *-ico*².]

pirronismo (pir.ro.*nis*.mo) *sm.* **1** *Fil.* Doutrina de Pirro de Élida (c. 365 – c. 275 a.C.), filósofo grego que tinha por base cultivar um estado permanente de questionamento e rejeição a certezas absolutas e duvidar de tudo; doutrina dos adeptos e seguidores de Pirro; CEPTICISMO **2** *P. ext. Fil.* Postura filosófica, costume ou mania de duvidar de tudo; CETICISMO **3** *P. ext.* Teimosia, obstinação contra as razões ou argumentos apresentados [F.: Do gr. *pýrrhon* + *-ismo*.]

piruá (pi.ru:*á*) *sm.* **1** *Bras.* Grão de milho que não rebenta quando se prepara a pipoca; MURURU **2** *Ict.* Peixe (*Balistes vetula*), teleósteo tetraodontiforme, da fam. dos balistídeos, hab. do Atlântico tropical, de dorso verde-azulado, ventre amarelado, faixas azuladas na boca, estrias amareladas ao redor dos olhos; CANGULO; PEIXE-PORCO [F.: Do tupi *piru'a*.]

pirueta (pi.ru.e.ta) [ê] *sf.* **1** Rodopio sobre um pé **2** Manobra em que o avião voa em círculo no plano vertical: "No ano passado, ele viu um avião militar cair depois de uma tentativa de pirueta, durante um evento em Bratislava." (*Folha Online*, 25.07.2000) **3** Volta que o cavalo dá sobre uma das patas dianteiras **4** Salto em que se dá uma volta no ar, apoiando as mãos no chão, ou não, e caindo sobre os pés; CABRIOLA [F.: Do fr. *pirouette*. Hom./Par.: *pirueta* (sf.), *pirueta* (fl. de *piruetar*).]

piruetar (pi.ru.e.*tar*) *v. int.* **1** Fazer pirueta(s) **2** Girar sobre um dos pés **3** Dar saltos, cambalhotas [▶ 1 piruetar] [F.: *pirueta* + *-ar*. Hom./Par.: *pirueta(s)* (fl.), *pirueta* /ê / (sf. e pl.).]

pirulitar-se (pi.ru.li.*tar*-se) *Pop. v. pr.* Sair, ir embora (de onde se está), dar o fora [F.: *pirulito* + *-ar*² + *-se*.]

pirulito (pi.ru.*li*.to) *sm.* **1** Confeito ou bala de formato e cores variados, enfiado num palito, se pega para o chupar **2** Doce feito de açúcar em ponto de bala, enformado em um cone de papel, e onde se enfia um palito que permite segurá-lo para chupar. [Sin. (lus.) nessas acps.: *chupa-chupa*.] **3** *Fam.* Pênis de menino **4** *Tabu.* Pênis [F.: Posv. de **pirolito*, f. epentética de *pirlito*, por *pilrito*.]

pirúvico (pi.*rú*.vi.co) *a. Quím.* Diz-se de ácido cetônico resultante da destilação seca do ácido tartárico, us. em pesquisa bioquímica [Fórm.: $C_3H_4O_3$] [F.: *pir(i/o)-* + *-ico*².]

⊠ **PIS** *Bras.* Sigla de *Plano de Integração Social*

pisa (*pi*.sa) *sf.* **1** Surra, sova: "...uma visão infernal que o ameaçava, a ele também, não com igual pisa, mas com a morte, que para ele era mil vezes pior." (Franklin Távora, *O Cabeleira*) **2** Maceração das uvas no lagar com os pés; PISADA **3** Polimento das bagas de cacau que secam ao sol, pisando sobre elas na barcaça **4** Ação de pisar **5** *Lus.* Porção de uvas ou azeitonas que se espreme de uma vez no lagar **sm.** 6 *Bras. Gír.* A arte de roubar em lojas 7 *Bras. Gír.* O mesmo que *pisante* [F.: Dev. de *pisar*. Hom./Par.: *pisa* (sf. sm.), *pisa* (fl. de *pisar*).] ▪ **Trabalhar no ~** *Bras. Gír.* Ter como trabalho o roubo em lojas

pisada (pi.*sa*.da) **sf.** 1 Impressão dos pés que se deixa no caminho; PEGADA; RASTRO 2 Ação ou resultado de pisar; PISADELA 3 *N. E. Fig.* Ritmo, andamento em que algo se processa: *Nessa pisada, daqui a um ano se forma.* 4 Modo de pisar, de assentar o pé no chão quando se caminha: *Pela análise da pisada é possível recomendar o tênis ideal.* 5 *N.E.* Andadura de cavalo 6 Pisa das uvas no lagar; PISA [F.: *pisar* + *-ada*¹.]

pisadela (pi.sa.*de*.la) **sf.** 1 Ação ou resultado de pisar; PISADA 2 Pisada leve [F.: *pisada* + *-ela*.]

pisado (pi.*sa*.do) **a.** 1 Que se pisou 2 Machucado, contundido: "...Sofia levantou o pé sobre um banquinho e mostrou ao marido o joelho pisado; inchara um pouco..." (Machado de Assis, *Quincas Borba*) 3 Esmagado ou pilado (milho pisado) 4 Coagulado (sangue pisado) 5 *Fig.* Humilhado, menosprezado, espezinhado [F.: Part. de *pisar*.]

pisadura (pi.sa.*du*.ra) **sf.** 1 Marca de pisada 2 Lesão sem ruptura de tecido; CONTUSÃO; EQUIMOSE 3 *N.E.* Ferida no lombo da cavalgadura; MATADURA [F.: *pisad(a)* + *-ura*.]

pisano (pi.*sa*.no) **sm.** 1 Indivíduo nascido ou que vive em Pisa (Itália) **a.** 2 De Pisa; típico dessa cidade ou de seu povo [F.: Do top. *Pisa* + *-ano*¹.]

pisante (pi.*san*.te) **sm.** *Bras. Gír.* Sapato, calçado [F.: *pisar* + *-nte*.]

pisão (pi.*são*) **sm.** 1 Pisada forte 2 *Emec. Têxt.* Máquina que comprime e bate o pano para o tornar mais encorpado 3 *Cap.* Golpe violento que se aplica com a planta do pé [Pl.: *-sões*.] [F.: *pisar* + *-ão*³.]

pisar (pi.*sar*) **v.** 1 Pôr os pés em cima de; mover-se com os pés; ANDAR [**td.**: *Pisou com orgulho a terra em que ia plantar.*] [**ta.**: *Por favor, não pise na grama.*] [**int.**: *Pisava torto; Não viam por onde pisavam.*] 2 Calcar ou esmagar com os pés [**td.**: *Pisar as uvas para fazer vinho.*] [**ta.**: *Desculpe-me por ter pisado no seu pé.*] 3 Pressionar (acelerador, embreagem etc.) com o pé [**ta.**: *Pisou fundo no freio para evitar a batida.*] 4 Entrar, ingressar [**td.**: *Os espanhóis foram os primeiros a pisar o solo americano.*] [**ta.**: *Depois disso, não pisei mais naquele bar.*] 5 *Fig.* Tratar (alguém) de maneira brutal ou com desprezo [**td.**: *Vive pisando o assistente.*] [**tr.** +*em*: *Ela tende a pisar em quem está por baixo.*] 6 Moer no pilão; TRITURAR [**td.**] 7 *Bras. Pop.* Cair fora; ESCAPAR; FUGIR [**ta.**: *O preso pulou o muro e pisou rápido na estrada.*] 8 Fazer escavação; ESCAVAR [**td.**: *Pisaram todo o quintal para encontrar o corpo.*] 9 Atropelar [**td.**: *O ônibus pisou dois cabritos na subida do morro.*] 10 Insistir em; REPISAR; REPETIR [**tr.** +*em, sobre*: *Seus filmes sempre pisam sobre o mesmo assunto.*] 11 Exercer domínio (físico ou moral) sobre [**td.**: *Ao final, a modéstia pisará a soberba.*] [▶ 1 pisar] [F.: Do lat. *pinsare*. Hom./Par.: *pisa(s)* (fl), *pisa* (sf. e pl.); *piza* (sf. e pl.); *piso* (fl.), *piso* (sm.); *pisaria* (fl.); *pizaria* (sf.).]

pisca-alerta (pis.ca-a.*ler*.ta) **sm.** 1 *Mec.* Dispositivo que permite às lanternas de um veículo automotor se acenderem e apagarem alternativamente 2 *P. ext.* Qualquer lâmpada que acende e apaga intermitentemente [Pl.: *pisca-alertas*.] [F.: *pisca-* + *-alerta*. Cf.: pisca-pisca.]

piscada (pis.*ca*.da) **sf.** *Pop.* O mesmo que *piscadela* [F.: Fem. substv. de *piscado*.]

piscadela (pis.ca.*de*.la) **sf.** 1 Ação ou resultado de piscar 2 Sinal que se faz piscando rapidamente um olho: "...Mas retribuo a piscadela do garoto de frente do Trianon/ Eu sei o que é bom." (Caetano Veloso, *Fora de ordem*) [F.: *pisca(r)* + *-dela*. Sin. ger.: *piscada*.]

piscado (pis.*ca*.do) **sm.** *Bras.* O mesmo que *piscadela* [F.: Part. de *piscar*.]

piscamento (pis.ca.*men*.to) **sm.** *Bras.* O mesmo que *piscadela* [F.: *piscar* + *-mento*.]

piscante (pis.*can*.te) **a2g.** 1 Diz-se de que pisca (luzes/ olhos piscantes) 2 Pisco¹ [F.: *piscar-* + *-nte*.]

pisca-pisca (pis.ca-*pis*.ca) **sm.** 1 Nos automóveis, farolete que acende e apaga seguidamente para sinalizar mudança de rumo 2 Na sinalização do trânsito, farolete que acende e apaga continuamente 3 Ação ou movimento de piscar seguidas vezes 4 *Mar.* Dispositivo constituído de lâmpadas e acionado a distância, us. para sinalização noturna; ESCOTE 5 *Lud.* Jogo de salão em que os participantes se comunicam com um piscar de olhos e disputam uma cadeira desocupada no centro da roda **s2g.** 6 Pessoa que tem cacoete de piscar seguidamente os olhos [Pl.: *pisca-piscas* e *piscas-piscas*.]

pisca-piscar (pis.ca-pis.*car*) **v. int.** Piscar repetidamente [▶ 11 pisca-piscar]

piscar (pis.*car*) **v.** 1 Fechar e abrir rapidamente (os olhos) [**td.**: *Não conseguia piscar um olho independentemente do outro.*] [**int.**: *Piscava sem parar em situações embaraçosas.*] 2 Dar sinal, piscando [**tr.** +*para*: *Piscou para a filha, num sinal de aprovação.*] [**tdr.** +*para*: *Piscou o olho para a moça que ocupava a mesa ao lado.*] 3 *Fig.* Cintilar, tremeluzir [**int.**: *Pequenas luzes piscavam ao longe.*] 4 *Fig.* Acionar (farol, lanterna) para sinalizar [**td.**] [▶ 11 piscar] [F.: De or. exp. Hom./Par.: *pisca(s)* (fl), *pisca* (sf. e pl.); *pisco* (fl.), *pisco* (a. sm.).] ▪ **Num ~ de olhos** Muito rapidamente, em pouquíssimo tempo; em poucos instantes; num abrir e fechar de olhos

piscatório (pis.ca.*tó*.ri:o) **a.** Ref. a pesca ou a pescador [F.: Do lat. tardio *piscatorius, a, um*.]

písceo (*pís*.ce:o) **a.** Ref. a peixe [F.: *pisc(i)-* + *-eo*.]

◎ **pisc(i)-** *el. comp.* Registra-se em vocábulos introduzidos na linguagem científica internacional a partir do séc. XIX: *piscicultura, piscicultor, pisciano, piscícola* etc. [F.: Do lat. *piscis, is*, 'peixe'.]

pisciano (pis.ci.*a*.no) *Astrol.* **a.** 1 Que nasceu sob o signo de Peixes 2 Ref. a esse signo, ou às qualidades ou influências a ele atribuídas, segundo a astrologia **sm.** 3 Aquele que nasceu sob o signo de Peixes [F.: *pisc(i)-* + *-ano*¹.]

piscicultor (pis.ci.cul.*tor*) [ô] **sm.** 1 Aquele que se dedica à piscicultura **a.** 2 Ref. a piscicultura [F.: *pisc(i)-* + *-cultor*.]

piscicultura (pis.ci.cul.*tu*.ra) **sf.** Arte de criar peixes [F.: Do fr. *pisciculture*. Ver *pisc(i)-*.]

pisciforme (pis.ci.*for*.me) **a2g.** Que tem forma de peixe [F.: *pisc(i)-* + *-forme*.]

piscina (pis.*ci*.na) **sf.** 1 Grande tanque com água tratada próprio para a prática de esportes aquáticos e/ou para recreação 2 *Antq.* Tanque próprio para bebedouro de gado 3 Pia-batismal 4 *Antq.* Reservatório de água onde se criavam peixes; VIVEIRO 5 *Fig.* O sacramento da penitência 6 *Antq.* Em alguns conventos, fonte onde os religiosos lavavam as mãos após as refeições [F.: Do lat. *piscina, ae*.] ▪ **~ curta** *Esp.* Piscina (1) com 25 m de comprimento e no mínimo 21 m de largura, us. em competições de natação **~ de saltos** *Esp.* Piscina dotada de trampolim e de plataforma, us. em competições de saltos ornamentais **~ olímpica** *Esp.* Piscina (1) com 50 m de comprimento e no mínimo 21 m de largura, us. em competições de natação **~ probática** *Hist. Rel.* Piscina junto ao templo judaico em Jerusalém, us. como reservatório de água para a lavagem de animais a serem sacrificados nos rituais religiosos

piscinão (pis.ci.*não*) **sm.** 1 *SP Cons.* Estrutura subterrânea para drenar e acumular as águas pluviais, evitando enchentes 2 Piscina grande 3 *RJ* Espécie de parque público construído numa praia, dotado de infraestrutura de esporte e lazer e também de um lago artificial abastecido com água do mar tratada no próprio parque [Pl.: *-nões*.] [F.: *piscina* + *-ão*¹.]

piscívoro (pis.*cí*.vo.ro) **a.** Diz-se de quem ou do que se alimenta de peixes; ICTIÓFAGO [F.: *pisci-* + *-voro*.]

pisco (*pis*.co) **a.** 1 Diz-se de que ou quem pisca os olhos; PISCANTE; PISQUEIRO 2 Diz-se do(s) olho(s) de quem pisca muito **sm.** 3 Ação de piscar os olhos [F.: Dev. de *piscar*.]

piscosidade (pis.co.si.*da*.de) **sf.** Qualidade de piscoso (piscosidade da lagoa) [F.: *piscoso-* + *-(i)dade*.]

piscoso (pis.*co*.so) [ô] **a.** Abundante em peixe (rios piscosos) [Pl.: [ó]. Fem.: [ó]] [F.: Do lat. *piscosus, a, um*.]

piso (*pi*.so) **sm.** 1 Superfície onde se pisa (piso irregular); CHÃO 2 Tipo de revestimento dessa superfície: *piso de cerâmica.* 3 Cada um dos andares de um prédio; PAVIMENTO 4 Preço ou valor mais baixo: *O Banco Central determinou o piso para a cotação do dólar.* [Ant.: *teto*.] 5 Modo de pisar ou de andar 6 Face superior do degrau 7 *Antq.* Propina ou dote que pagava uma freira ao entrar no convento [F.: Dev. de *pisar*. Hom./Par.: *piso* (sm.), *piso* (fl. de *pisar*).] ▪ **~ salarial** *Bras. Econ.* Salário-mínimo estipulado para determinada profissão, função ou cargo

pisoar (pi.so.*ar*) **v. td.** Bater (pano) depois de tecido com pisão (2), para que fique encorpado [F.: *pisão* (na f. desnasalizada *piso-*) + *-ar*².]

pisoteado (pi.so.te.*a*.do) **a.** 1 Calcado ou esmagado com os pés 2 *Fig.* Humilhado, aviltado, espezinhado [F.: Part. de *pisotear*.]

pisotear (pi.so.te.*ar*) *Bras.* **v. td.** 1 *RS* Esmagar com os pés; CALCAR: *Os cavalos pisotearam os estudantes.* 2 *Fig.* Espezinhar, humilhar: *O chefão gostava de pisotear os subordinados.* [▶ 13 pisotear] [F.: Do espn. plat. *pisotear*. Hom./Par.: *pisoteio* (fl.), *pisoteio* (sm.).]

pisoteio (pi.so.*tei*.o) **sm.** *Bras.* Ação de pisotear [F.: Dev. de *pisotear*, posv. por infl. do espn. *pisoteo*. Hom./Par.: *pisoteio* (sm.), *pisoteio* (fl. de *pisotear*).]

pista (*pis*.ta) **sf.** 1 Leito de rodovia ou rua sobre o qual circulam os veículos; PISTA DE ROLAMENTO 2 Cada uma das partes em que se divide a pista (1), de acordo com o sentido do trânsito, a rapidez de deslocamento dos veículos etc. (pista expressa; pista central; pista sentido Centro) 3 *Esp.* Via, caminho destinado à prática de esportes de corrida, como atletismo, hipismo, automobilismo, ciclismo etc. 4 Terreno destinado a pouso e decolagem de aviões: *A aeronave parou na cabeceira da pista.* 5 Parte de um salão destinada a danças 6 Indicação, sinal, vestígio que pode levar a uma descoberta 7 Procura, busca, encalço 8 Orientação, indicação 9 Marca dos pés na caminhada; PEGADAS; RASTRO [F.: Do it. *pista*, posv. pelo fr. *piste*.] ▪ **Dar na ~** *Bras. Gír.* Fugir **Estar na ~** *Gír.* Estar disponível para ficar (12) com alguém ou à procura de romance, ger. sem compromisso **Fazer a ~** 1 *Bras. Gír.* Ir embora (de algum lugar) 2 Fugir, escapar; dar o fora; dar na pista **na ~** *Gír.* No asfalto, fora da comunidade, fora da favela **~ de rolamento** Faixa pavimentada de rodovia, rua, estrada etc. sobre a qual passam veículos **~ sonora** 1 *Cin.* Parte da película cinematográfica ou magnética, do DVD, ou de qualquer suporte onde se grava a informação sonora; trilha sonora 2 A informação sonora aí gravada

pistache (pis.*ta*.che) *Bot.* **sm.** 1 Arbusto caducifólio da fam. das anacardiáceas (*Pistacia vera*), nativo da Ásia Central e Ásia Menor, muito cultivado nos EUA e no Mediterrâneo pelo frutos avermelhados, de polpa oleosa, cuja semente é comestível *Lus.*; ALFÓSTICA *Lus.*; ALFÓSTICO *Lus.*; ALFÓSTIGO; PISTACEIRA; PISTACHEIRO 2 O fruto, comestível, dessa planta *Lus.*; ALFÓSTICA *Lus.*; ALFÓSTICO *Lus.*; ALFÓSTIGO; PISTÁCHIS 3 A semente dessa planta, ger. consumida torrada e salgada, como aperitivo, tb. us. como condimento, no preparo de doces e sorvetes e da qual se extrai um corante alimentar; PISTÁCHIS [F.: Do fr. *pistache*. Var.: *pistacha, pistacho, pistácia, pistácio*.]

pistão (pis.*tão*) **sm.** 1 *Mús.* Dispositivo em forma de êmbolo que serve para controlar a emissão das notas em certos instrumentos de sopro do naipe dos metais 2 Cilindro ou disco que se movimenta, com ajuste hermético, no interior de seringas, bombas etc.; ÊMBOLO 3 *Mús.* Trompete de pistões (1) 4 Aquele que toca pistão (3); PISTONISTA [Pl.: *-tões*.] [F.: Do it. *pistóne*, pelo fr. *piston*. Tb. *pistom*.]

pistilo (pis.*ti*.lo) *Bot.* **sm.** Unidade do gineceu, o órgão reprodutor feminino da flor, composta de ovário, estilete e estigma [F.: Do lat. *pistillum* ou *pistillus, i*. Cf.: *estame*.]

pistola (pis.*to*.la) **sf.** 1 *Arm.* Arma de fogo de cano curto, que se empunha com uma das mãos para atirar [A pistola moderna ger. carrega-se com pente de balas introduzido na coronha.] 2 Aparelho eletrostático ou a ar comprimido que serve para aspergir tinta ou verniz 3 Qualquer aparelho que dispara uma carga a modo de pistola (1) 4 *Pirot.* Fogo de artifício constituído de um canudo por onde são lançadas bolas luminosas 5 *Num.* Antiga moeda francesa equivalente a dez francos 6 *Num.* Antiga moeda de ouro espanhola 7 *MG RJ Tabu.* O pênis [Dim.: *pistoleta, pistolete, pistolim*.] [F.: Do fr. *pistole*, der. do al. *pistole*, e este do tcheco *pist'ala*.] ▪ **~ automática** Aquela que, aproveitando o empuxo dos gases que impulsionam o projétil, expele automaticamente o cartucho vazio e introduz um do pente (carregado) na câmara, com isso permitindo disparos sucessivos ao premir do gatilho [Tb. apenas *automática*.] **~ fogo-central** *Bras.* Tipo de pistola com dois canos e dois gatilhos

pistolagem (pis.to.*la*.gem) *Bras.* **sf.** 1 Assassinato por encomenda: "O crime aconteceu há um mês e (...) tem características de pistolagem. Isso porque o mandante prometeu um pagamento de R$ 1.500 ao executor." (*Folha Online*, 17.03.2005) 2 Bando de pistoleiros [Pl.: *-gens*.] [F.: *pistol(eiro)* + *-agem*¹.]

pistolão (pis.to.*lão*) **sm.** 1 Pessoa influente que intervém em favor de outra: *Ele tem um pistolão que lhe arranjou emprego.* 2 O pedido ou recomendação dessa pessoa [Pl.: *-lões*.] [F.: Do lat. *epistolam* 'carta, epístola'.]

pistoleira (pis.to.*lei*.ra) **sf.** *Bras. Gír. Pej.* Prostituta, meretriz [F.: Fem. de *pistoleiro*.]

pistoleiro (pis.to.*lei*.ro) **sm.** 1 Indivíduo que mata por encomenda, mediante pagamento; assassino profissional 2 Facínora, bandido, malfeitor [F.: Do cast. *pistolero*.]

pistolete (pis.to.*le*.te) [ê] **sm.** 1 *Gram.* Dim. irreg. de pistola 2 *Arm.* Pequena pistola; PISTOLETA; PISTOLIM 3 Espécie de broca, usada em trabalhos de mineração [F.: *pistola* + *-ete*.]

pistom (pis.*tom*) **sm.** Ver *pistão* [Pl.: *-tons*.]

pistonista (pis.to.*nis*.ta) *Mús.* **s2g.** Aquele que toca pistom; PISTÃO; PISTOM [F.: *pistom* + *-ista*, seg. o modelo erudito.]

pita (*pi*.ta) **sf.** 1 *Bot.* O mesmo que *piteira* (2) 2 *Bot.* O mesmo que *agave* (2) 3 Fibra extraída da folha da piteira 4 Trança feita dessa fibra [F.: Do quíchua *pita*, pelo cast. *pita*. Hom./Par.: *pita* (sf.), *pita* (fl. de *pitar*).]

pitaco (pi.*ta*.co) **sm.** *Gír.* Sugestão, palpite, conselho que se dão sem terem sido pedidos, com ou sem conhecimento de causa; CHUTE; PALPITE [F.: De or. obsc.]

pitada (pi.*ta*.da) **sf.** 1 Porção de substância em pó que se pega entre o polegar e o indicador: *pitada de sal; pitada de rapé.* 2 *P. ext.* Porção pequena de qualquer coisa: *uma pitada de humor.* [F.: De or. obsc.]

pitador (pi.ta.*dor*) [ô] **sm.** *Bras.* Pessoa que pita ou fuma; FUMADOR; FUMANTE [F.: *pitar* + *-dor*.]

pitagórico (pi.ta.*gó*.ri.co) **a.** 1 *Fil.* Ref. ou inerente a Pitágoras (séc. VI a.C.), a sua escola ou doutrina filosófica ou matemática 2 Que segue ou é adepto do pitagorismo; PITAGORISTA **sm.** 3 *Fil.* Partidário do pitagorismo, seguidor das ideias pitagóricas; PITAGORISTA [F.: Do lat. *pythagoricus*, deriv. do gr. *pythagorikós*.]

pitagorismo (pi.ta.go.*ris*.mo) **sm.** *Fil.* Doutrina filosófico-religiosa ou escola de Pitágoras de Samos, filósofo e matemático grego (século VI a. C) e seus seguidores, os pitagóricos, caracterizada pelas tendências místico-moralista, de um lado, e filosófico-matemática, de outro [F.: Do antr. *Pitágoras* + *-ismo*.]

pitança (pi.*tan*.ça) **sf.** 1 Comida, alimento: "Afinal agarrou num dos pés do naturalista, a quem entregou uma nesga de rapadura e uns restos de farinha embrulhados em papel, pitança mais que sóbria..." (Visconde de Taunay, *Inocência*) 2 Mesada, pensão 3 *Antq.* Prato extraordinário que só se dá em dias de festa 4 Ração diária de alimentos 5 Esmola da missa [F.: Do lat. clássico *pietas, -atis*, pelo lat. medv. *pitantia*, de **pietantia*.]

pitanga (pi.*tan*.ga) *Bot.* **sf.** 1 Fruto da pitangueira 2 Pitangueira [F.: Do tupi *pi'tanga* 'avermelhado'.] ▪ **Chorar ~s** *SP* Insistir em pedir, com lamúrias, o que antes foi negado

pitangueira (pi.tan.*guei*.ra) *Bot.* **sf.** 1 Nome comum a certos arbustos ou árvores do gên. *Eugenia*, da fam. das mirtáceas, naturais do Brasil, como, p. ex., *Eugenia uniflora*, *E. sulcata* e *E. pitanga*, cujos frutos são bagas vermelhas comestíveis; PITANGA 2 O mesmo que *acapu* [F.: *pitanga* + *-eira*.]

pitar (pi.*tar*) *Bras. v.* Fumar ou cachimbar; aspirar fumo [*td.*: *Pitou um cigarrinho, depois foi dormir.*] [*int.*: "As mulheres pitavam pelo quintal ou tomavam café na cozinha." (Viriato Correia, *Contos do sertão*)] [▶ 1 pitar] [F.: talvez do tupi *peti'ar*. Hom./Par.: *pita(s)* (fl), *pita* (sf. e pl.); *pite(s)* (fl.), *pite* (sm. e pl.); *pito* (fl.); *pito* (sm.); *pitem* (fl.); *pitém* (sm.).]

⊕ **pit bull** (*Ing.* /pítbul/) *sm.* **1** *Cinol.* Cão de mandíbulas robustas e de grande força e ferocidade, cuja raça é resultante do cruzamento de *bulldog* com *terrier* **2** *Fig.* Indivíduo agressivo e rude, propenso a brigas

pitecantropo (pi.te.can.*tro*.po) *Pal. sm.* Denominação comum aos hominídeos do Pleistoceno cujos fósseis foram encontrados em Java, anteriormente considerados pertencentes ao gên. *Pithecanthropus*, mas hoje agrupados na espécie *Homo erectus* [F.: Do lat. científico *pithecanthropus (erectus)*, a partir de *píthekos* 'macaco' + *anthropos* 'homem'.]

◎ **pitec(o)-** *el. comp.* = 'macaco', 'símio': *pitecantropo* [F.: Do gr. *píthekos*.]

piteira (pi.*tei*.ra) *sf.* **1** Tubo oco de marfim, plástico, metal etc., às vezes com filtro no interior, e ao qual se adapta o cigarro, cigarrilha ou charuto para o fumar; BIQUEIRA; BOQUILHA **2** *Bot.* Planta da fam. das agaváceas (*Furcraea foetida*), nativa das regiões tropicais das Américas, muito cultivada como ornamental e para extração das fibras de suas folhas, e cuja inflorescência, com flores esverdeadas de odor desagradável, pode atingir 12 m; PITA **3** *Bot.* O mesmo que *agave* **4** *Gír.* Aguardente de figo **5** *Pop.* Bebedeira, porre, pifão [F.: Na acp. 1, *pitar* + *-eira*; nas demais, *pit(a)* + *-eira*.]

pitéu (pi.*téu*) *sm.* **1** Comida apetitosa e saborosa; IGUARIA; PAPARICHO; QUITUTE: "O material para tais pitéus vinha directamente de Portugal, por Macau. E o que é certo é que o bacalhau à Gomes de Sá, o chispe, o feijão com orelheira de porco (...) e outras mais maravilhas do paladar, passaram a ser comida em Pequim..." (Miguel Torga, *Senhor ventura*) **2** *PE Cul.* Guisado de carne picada de cujo molho se faz pirão com farinha de mandioca; GALOPEADO [F.: De or. obsc.]

piti (pi.*ti*) *sm. Bras. Pop.* Ataque histérico; CHILIQUE; FANIQUITO; FRICOTE [F.: Red. de *pitiatismo*.]

pítia (*pí*.ti:a) *sf.* Sacerdotisa do deus Apolo que, em Delfos, pronunciava oráculos [F.: Do gr. *pythía*, pelo lat. *pythia*.]

pitiatismo (pi.ti:a.*tis*.mo) *Psiq. sm.* Distúrbio secundário da histeria produzido ou eliminado por meio da sugestão [F.: Do gr. *peithós* 'persuasão' + gr. *iatós* 'curável', pelo fr. *pithiatisme*, termo criado pelo médico francês J.F.F. Babinski (1857-1932).]

pítico (*pí*.ti.co) *a.* **1** Ref. ou inerente a Delfos, a seu templo ou a pítia (culto pítico; cerimônia pítica) **2** Designativo dos jogos celebrados de 4 em 4 anos em Delfos, em honra de Apolo, Latona e Diana (jogos píticos) [F.: Do lat. *pythicus*, deriv. do gr. *pithikós*.]

pitiríase (pi.ti.*rí*.a.se) *sf.* **1** *Derm.* Denominação comum a várias doenças da pele, caracterizadas pela formação de escamas sardentas rosadas ou amareladas que se esfarelam **2** *Vet.* Doença dos animais domésticos causada por alteração das glândulas sebáceas e caracterizada por escamas epiteliais ou crosta [F.: Do gr. *pityríasis*.]

pitiriasiforme (pi.ti.ri:a.si.*for*.me) *a.* **1** Diz-se de que tem forma de pitiríase (descamação/eczemátide pitiriasiforme) **2** Que é escamado [F.: *pitiríase* + *-i-* + *-forme*.]

pititinga (pi.ti.*tin*.ga) *sf. Zool.* Ver *manjuba*

◎ **pit(o)-** *el. comp.* Registra-se em vocábulos da área da medicina, como *pitiatismo*, *pitiático* etc. [F.: Do gr. *peithó, óos-oûs*, 'persuasão'.]

pito[1] (*pi*.to) *sm.* **1** *Bras.* Cachimbo: "Trouxe a brasa, pôs a brasa no pito e sentou-se de pernas cruzadas para fumar com todo o seu sossego." (Monteiro Lobato, *Viagem ao céu e O Saci*) **2** *S.* Cigarro: "...e aí no mais já enxotava a cachorrada, e puxando o pito de detrás da orelha, pigarreava..." (João Simões Lopes Neto, *Contos gauchescos*) **3** Tubo de borracha em que se aplica a bomba para encher a bola de futebol **4** *S.* Cavalo magro **5** *Santom.* Flauta rústica, de bambu [F.: Regress. de *pitar*. Hom./Par.: *pito* (sm.), *pito* (fl. de *pitar*).] ■ **De ~ aceso** *S.* Excitado, irrequieto, agitado **Sossegar o ~** *S. Pop.* Acalmar-se, sossegar (quem está agitado, excitado)

pito[2] (*pi*.to) *sm. Bras. Pop.* Repreensão, censura: *Ele levou um pito da professora.* [F.: De or. obsc. Hom./Par.: *pito* (sm.), *pito* (fl. de *pitar*).]

pito[3] (*pi*.to) *sm.* Antigo vaso grego para guardar vinhos ou cereais [F.: Do gr. *píthos, ou*.]

pito[4] (*pi*.to) *sm. MG Ent.* O mesmo que *libélula* [F.: De or. obsc.]

pitoco (pi.*to*.co) [ô] *sm.* **1** *Bras. Pop.* Objeto pequeno, curto, ger. roliço, ou parte saliente semelhante: *Um pitoco de plástico prende a cabeça do boneco.* **2** *N.E. N.O.* Interruptor ou botão saliente de eletrodoméstico: *Para desligar, pressione esse pitoco azul.* **3** *Bras. Fig.* Pessoa de baixa estatura ou criança; PETIÇO: *Quem chamou esse pitoco de gente?* **4** *N. O.* Pedaço de cachimbo; cachimbo quebrado *a.* **5** *S.* Que tem rabo curto ou cortado; COTÓ; SURU **6** *RS* Diz-se de objeto comprido ao qual falta um pedaço **7** *RS Fig.* Que não tem uma das falanges do dedo **8** Curto, pequeno [F.: Posv. de *pito*[1].]

pitomba (pi.*tom*.ba) *sf.* **1** *Bras. Bot.* Fruto da pitombeira **2** *Bot.* O mesmo que *pitombeira* **3** *Bras. Gír.* Tapa, bofetada **4** *Fut.* Chute violento **5** *Bot.* Arbusto da fam. das mirtáceas (*Eugenia lutescens*), nativo do cerrado brasileiro, de flores brancas e olorosas, fruto rugoso, amarelado quando maduro, de polpa carnosa comestível; PERINHA [F.: Do tupi *pi'toma*.]

pitombeira (pi.tom.*bei*.ra) *Bot. sf.* Árvore da fam. das sapindáceas (*Talisia esculenta*), natural do Brasil, cujo fruto globoso, de casca amarelada e dura, tem ger. uma única semente envolvida por arilo ligeiramente rosado e comestível; PITOMBA; PITOMBEIRO [F.: *pitomba* + *-eira*.]

pitombo (pi.*tom*.bo) *sm.* **1** *Angios.* O mesmo que *pitomba* **2** *Lus.* Inchaço, calombo [F.: Var. de *pitomba*.]

pitometria (pi.to.me.*tri*.a) *sf.* Medição da capacidade dos tonéis [F.: *pito*[3] + *-metria*.]

píton[1] (*pí*.ton) *sm.* Na Antiguidade, homem que fazia profecias; ADIVINHO; MAGO [F.: Do gr. *python, -onos*, pelo lat. *python, -onis*. Cf.: *pitonisa* e *pítia*.]

píton[2] (*pí*.ton) *sm.* **1** *Mit.* Grande serpente morta por Apolo, que para comemorar sua vitória teria fundado os Jogos Píticos **2** *Zool.* Denominação de várias serpentes não venenosas, do gênero *Python*, da família dos boídeos, que matam a presa por constrição e ocorrem na zona intertropical do Velho Mundo; PITÃO **3** *Zool.* Qualquer espécime desse gênero; PITÃO [F.: Do gr. *pýthon, -onos*, pelo lat. *python, -onis*.]

pitonisa (pi.to.*ni*.sa) *sf.* **1** *Mit.* Sacerdotisa do templo de Apolo, na Grécia clássica **2** O mesmo que *pítia* **3** Na Antiguidade, mulher que fazia profecias **4** *P. ext.* Mulher que prediz o futuro; ADIVINHA; PROFETISA [F.: *píton* + *-isa*. Cf.: *píton*.]

pitoresco (pi.to.*res*.co) *a.* **1** Digno de ser pintado, de figurar num quadro **2** Que chama a atenção pela singularidade; CURIOSO; INUSITADO; ORIGINAL **3** Que diverte; DIVERTIDO; RECREATIVO **4** De caráter particular e distintivo; CARACTERÍSTICO; TÍPICO: *Os regionalismos dão um tom pitoresco ao discurso.* **5** Agradável, ameno: "...as árvores que haviam nascido nas fendas das pedras, e reclinando sobre o vale, teciam um lindo dossel de verdura, tornavam aquele retiro pitoresco." (José de Alencar, *O guarani*) **6** O mesmo que *pictórico* *sm.* **7** Conjunto dos elementos que torna alguém ou algo pitoresco: *O pitoresco do imaginário popular.* [F.: Do it. *pittoresco*. Var.: *pinturesco*.]

pitorra (pi.*tor*.ra) [ô] *sf.* **1** Pequeno pião; PIORRA **2** *Amaz.* Criança pequena *s2g.* **3** *Fig.* Pessoa baixa e gorda [F.: De or. obsc.]

⊕ **pit-stop** (*Ing.* /pítstop/) *sm. Aut.* Nas corridas automobilísticas, parada rápida no boxe para abastecimento, troca de pneus e outros serviços de manutenção do carro

pitu (pi.*tu*) *sm. Zool.* Denominação comum a diversos camarões de água-doce, pertencentes às fam. dos palemonídeos, atiídeos e sergestídeos [F.: Do tupi *pi'tu*.]

pituíta (pi.tu.*í*.ta) *sf.* **1** *Antq. Med.* Na Antiguidade, secreção viscosa eliminada pelo nariz e que se supunha provir do encéfalo **2** Líquido aquoso proveniente dos brônquios ou do estômago **3** Secreção nasal espessa [F.: Do lat. *pituita, -ae*.]

pituitária (pi.tu:i.*tá*.ri:a) [u-i] *sf.* **1** *Anat. Fisl.* O mesmo que *hipófise* **2** *Anat.* Membrana mucosa que forra as cavidades nasais [F.: *pituit(a)* + *-ário*.]

pituitário (pi.tu:i.*tá*.ri:o) [u-i] *a.* **1** Ref. a pituitária **2** Que diz respeito a, ou que tem o caráter da pituíta [F.: *pituíta* + *-ário*.]

pituitoso (pi.tu.i.*to*.so) [u-i ô] *a.* **1** *Med.* Ref. ou inerente a pituíta; caracterizado por pituíta **2** Cheio de pituíta; que abunda em pituíta (secreção pituitosa) [Fem. e pl.: [ó].] [F.: Do lat. *pituitosus, a, um*.]

pituitrina (pi.tui.*tri*.na) *sf. Fisl.* Hormônio secretado pelo lóbulo posterior do corpo pituitário, que controla a tonicidade dos tecidos da musculatura lisa e involuntária dos vasos sanguíneos e dos órgãos contráteis do corpo (intestinos, bexiga e útero) [F.: Do ing. *pituitrine*.]

pium (pi.*um*) *Bras. Zool. sm.* O mesmo que *borrachudo* [Pl.: *-uns*.] [F.: Do tupi *pi'um*.]

piúria (pi:*ú*.ri:a) *sf. Pat.* Presença de pus na urina [F.: *pi(o)-* + *-úria*. Tb. *piuria*.]

piúva (pi:*ú*.va) *sf. Bras. Angios.* Árvore alta (*Tabebuia longiflora*), da fam. das bignoniáceas, de folhas compostas, flores campanuladas amarelas, madeira pesada com listras escuras, casca adstringente; IPÊ-AMARELO; IPÊ-COMUM [F.: De orig. obsc., prov. var. de *peuva*.]

pivete (pi.*ve*.te) *s2g.* **1** *Bras. Gír.* Criança que vive na rua e ajuda ladrões, rouba ou mendiga *sm.* **2** Qualquer substância aromática que se queima para perfumar o ambiente **3** Criança esperta, que se dá ares de pessoa crescida **4** *Pej.* Mau cheiro [F.: Do cat. *pevet*, pelo cast. *pebete*.]

pivô (pi.*vô*) *sm.* **1** *Fig.* Agente principal: *pivô da crise.* **2** Pequena haste metálica que se aplica à raiz do dente ou a um implante dentário e que serve de suporte à coroa ou ao dente postiço **3** *Od.* A coroa ou dente postiço fixado à raiz ou ao implante por meio do pivô (1) **4** *Tec.* Eixo vertical fixo a uma peça e encaixado no oco de outra peça que, assim, adquire movimento giratório **5** *Fig.* Sustentáculo, base **6** *Esp.* No basquete e no futsal, jogador que atua na frente da linha de ataque, servindo de base para as jogadas, coordenando-as ou finalizando-as **7** *Ling.* Em análise distribucional, mesmo termo encontrado em diferentes enunciados, entre os quais estabelece uma equivalência [F.: Do fr. *pivot*.]

pivotante (pi.vo.*tan*.te) *a2g.* **1** *Mec.* Diz-se de peça que gira à volta de um eixo fixo **2** *Bot.* Diz-se de raiz que penetra perpendicularmente no solo, sem muitas ramificações; AXONOMORFO [F.: Do fr. *pivotant*.]

pivotar (pi.vo.*tar*) *v. td. Arq.* Fazer girar em volta de um pivô [▶ 1 pivotar] [F.: *pivô* + *-ar*.]

pixaim (pi.xa.*im*) [a-im] *Bras. a2g.* **1** Diz-se de cabelo muito curto e encaracolado; CARAPINHA; CRESPO; ENCARAPINHADO; LANOSO; RUIM [Ant.: *liso*.] *sm.* **2** Esse tipo de cabelo; CARAPINHA: "Dr. Jacarandá resplandecia, leve e retinto, como se estivesse engraxado e novo. O pixaim branco realçava na treva da nuca, valorizava o chapéu velho..." (Graciliano Ramos, *Viventes das Alagoas*) [F.: Do tupi *apixa'im*.]

⊕ **pixel** (*Ing.* /píksal/) *Inf. sm.* Cada um dos pontos de uma malha de pontos dispostos muito próximos e que, ao receber informação a traduzem em intensidade luminosa, cor, tonalidade etc., para compor uma imagem que corresponde à informação recebida, e cuja resolução será tanto melhor quanto menores e portanto mais próximos forem eles [Usa-se muito a forma aportuguesada *píxel* [cs].] [F.: *pix* (pl. de *pic*, abr. de *picture*) + *el(ement)*, 'elementos de imagem'.]

pixídio (pi.*xí*.dio) [cs] *sm. Bot.* Denominação genérica dos frutos capsulares, como a sapucaia, o jequitibá e o eucalipto, que se abrem por uma fenda circular, como a tampa de uma caixa, desprendendo-se a porção superior (opérculo); PÍXIDE [F.: Do gr. *puksídion, ou* 'caixinha'.]

pixilinga (pi.xi.*lin*.ga) [ch] *sf.* **1** *Ent.* Inseto parasita de galináceos (*Goniodes stylifer*), tb. chamado *piolho-de-galinha* **2** *AL Pop.* Coisa muito pequenina [F.: De or. contrv. Var.: *pichilinga*.]

pixotada (pi.xo.*ta*.da) *sf.* **1** *Esp. Lud.* Disparate cometido no jogo; jogada malfeita: "...atribuía as perdas consideráveis, que ele sofria, ao fato de andar com o juízo passeando, em vez de fixá-lo nas cartas ensebadas e sujas do baralho, (...) repetindo-lhe a cada pixotada que jogador não guarda cabras." (Domingos Olímpio, *Luzia Homem*) **2** Falta cometida por ignorância ou inexperiência **3** Grupo de pixotes **4** Conjunto dos pixotes: *A pixotada precisa ouvir os mais experientes.* [F.: *pixote* + *-ada*[2]. Forma mais us. no Brasil, em lugar da original *pexotada*.]

pixote (pi.*xo*.te) *s2g.* **1** Criança nova; PIRRALHO **2** Pessoa inexperiente; NOVATO; PRINCIPIANTE **3** Pessoa que joga mal, que comete grandes erros no jogo *sm.* **4** *Bras.* Pequena broca us. para abrir pequenos furos nas pedras ou para as dividir a partir das fendas obtidas por explosivos [F.: Do chin. cantonês *pe xot* 'não sei'. NOTA: Forma mais us. no Brasil, em lugar da original *pexote*.]

pixuá (pi.xu.*á*) [ch] *sm.* **1** *Bras. Angios.* Erva euforbiácea (*Euphorbia portucaloides*), lactescente, de folhas pequenas e obovadas, cartilaginosas na margem, flores em pequenas umbelas e cápsulas diminutas, de propriedades purgativas; PIXUÁ **2** *RS* Fumo forte e de má qualidade [F.: Do tupi *pixu'a*.]

pixuna (pi.*xu*.na) *Bras. sf.* **1** *Zool.* Pequeno roedor sul-americano da fam. dos murídeos (*Bolomys lasiurus*) **2** *Bot.* Árvore pequena (*Eugenia glomerata*), da fam. das mirtáceas, nativa da Amazônia, de folhas coriáceas, discolores, bagas elípticas e madeira us. para lenha e pequenas obras **3** *Bot.* Arbusto alto (*Coccoloba pichuna*), da fam. das poligonáceas, nativa do Amazonas, de folhas coriáceas, inflorescências densas, terminais, frutos diminutos, pretos, azedos [F.: Do tupi *pi'xuna*.]

pi-zero *sm. Fís.* Méson em cuja composição misturam-se pares de *quark-antiquark* *u* e *d*, de massa 34,97 MeV/c^2, *isospin* 1, *spin* nulo, paridade negativa e carga elétrica nula [Pl.: *pis-zero*.]

pizicato (pi.zi.*ca*.to) *Mús. sm.* **1** Modo de tocar instrumento de arco ferindo-se a corda com o indicador ou o polegar **2** Trecho executado desse modo [F.: Do it. *pizzicato* 'beliscado'.]

⊕ **pizza** (*It.* /pítsa/) *sf.* Prato de or. italiana feito de massa de pão aberta em forma de disco e coberta com molho de tomates, queijo e orégano, ou com diversos outros ingredientes, e assada no forno [NOTA: Em Portugal se pronuncia /piza/.] ■ **Acabar em ~** **1** *Bras. Gír.* Ser encerrada ou interrompida (investigação ou apuração de denúncias de irregularidades administrativas, corrupção etc.) sem levar – ger. devido a manobras políticas – ao julgamento ou punição dos implicados **2** *P. ext.* Não ter (processo, investigação, denúncia etc.) resultados efetivos, concretos; não dar em nada

⊕ **pizzaiolo** (*It.* /pitsaiôlo/) *sm.* Indivíduo que prepara *pizzas* nos restaurantes, lanchonetes, cantinas etc.

pizzaria (pi.za.*ri*.a) [tsa] *Bras. sf.* Estabelecimento comercial especializado em *pizzas* [F.: *pizza* + *-aria*.]

⊠ **pK** *sm. Quím.* Logaritmo decimal do inverso da constante de dissociação de um ácido ou de uma base, que indica o grau de eletrovalência de um eletrólito e esp. a força das soluções ácida e básica [pK = log 1/K]

plá *sm.* **1** *Bras. Gír.* Indicação ou informação desconhecida; DICA **2** Conversa amena; PAPO [F.: Voc. expressivo.]

placa (*pla*.ca) *sf.* **1** Folha de material resistente, mais ou menos espessa; CHAPA; LÂMINA **2** Condecoração em forma de pequena placa (1) com dizeres **3** Chapa de metal que os veículos automotores têm de ter na traseira e/ou na dianteira com seu número de licença, e cidade e sigla do estado de origem; CHAPA **4** Placa (1) que se expõe com informação para conhecimento público (placa de sinalização) **5** *Inf.* Placa (1) de fibra de vidro na qual constam impressos *chips* e outros componentes eletrônicos do computador; placa de circuito impresso **6** Placa (1) fornecida por certos órgãos da administração pública e que comprova a concessão de uma licença ou autorização **7** *P. ext.* Essa licença ou autorização **8** *Elet. Eletrôn.* Numa válvula, eletrodo com potencial positivo em relação ao emissor de elétrons e por onde entra a corrente elétrica **9** *Od.* Película não calcificada, composta de bactérias, aderida à superfície dos dentes **10** *Anat.* Estrutura plana e delgada, como uma lamela, escama etc. **11** *Pat.* Área circunscrita de estrutura e/ou coloração diferente na epiderme, em mucosa ou na parede interna de uma artéria **12** *Grav.* Lâmina de metal polido us. como forma para gravuras **13** Suporte de metal, em forma de placa (1), para vela ou candeeiro e que se fixa à parede ou mobiliário **14** *N. E. P. ext.* Esse candeeiro **15** *Arm.* Reparo de morteiro constituído por grossa chapa metálica [F.: Do neerlandês *placke*, pelo fr. *plaque*.] ■ **~ crivada** *Bot.* Parede com crivos (em forma de peneira) que separa as células do floema (sistema de transporte das substâncias nutritivas geradas na fotossíntese ao resto da planta), e que permite a comunicação entre elas **~ de circuito impresso** *Eletrôn.* Aquela na qual estão impressas as conexões entre os elementos de um circuito impresso, e na qual (e de acordo com aquelas) estes são montados **~ de crescimento** *Anat. Histl.* Placa cartilaginosa de certos ossos (esp. os longos tubulares) que produz seu crescimento longitudinal **~ dentária** *Od.* Depósito (ger. de natureza bacteriana) que se forma sobre os dentes e nas gengivas, importante causa de cáries **~ dérmica** *Zool.* Cada uma das placas que formam, nos quelônios, a carapaça (dorsal) e o plastrão (ventral) **~ de expansão** *Inf.* Placa (5) que aumenta determinada capacidade de um computador (p. ex., a memória) ou lhe acrescenta uma função ou conectividade **~ de memória** *Inf.* Placa de expansão que aumenta a capacidade da memória principal de um computador **~ de Soleil** *Ópt.* Dispositivo formado pela justaposição de duas placas de quartzo, que provocam a rotação do plano de polarização da luz, uma para a esquerda, a outra para a direita **~ fria** *Bras. Pop.* Placa de veículo falsa; chapa fria **~ madrepórica** *Zool.* Placa com muitos poros que, nos equinodermos, é a via de entrada de água **~ motora** *Fisl. Histl.* Numa fibra muscular, terminação nervosa que transmite o impulso motor que aciona sua contração **~ neural** *Emb.* No embrião, a estrutura que dará origem ao sistema nervoso central **~ óssea** *Ort.* Placa que se aparafusa nos fragmentos de osso a serem unidos após certos casos de fratura

placabilidade (pla.ca.bi.li.*da*.de) *sf.* **1** Característica ou qualidade de placável **2** Serenidade, brandura de ânimo: "Resignado e tenaz, com a placabilidade superior dos fortes, encara de fito a fatalidade incoercível..." (Euclides da Cunha, *Os sertões*) [F.: Do lat. *placabilitas, atis.*]

placa-mãe (pla.ca-*mãe*) *sf. Inf.* Placa de circuito impresso central do computador, que contém a unidade central de processamento (CPU) e outros componentes essenciais; PLACA LÓGICA [Pl.: *placas-mãe.*]

placar[1] (pla.*car*) *sm.* **1** Quadro em que se apresentam os resultados de competição esportiva, votação etc. **2** O resultado em números dessa competição, votação etc.; ESCORE: *O placar do jogo está em 1x0.* **3** Condecoração, venera, placa [F.: Do fr. *placard.*]

placar[2] (pla.*car*) *sm.* **1** *Esp.* Marcador, mostrador ou painel em que se registram os pontos em competições esportivas; por extensão, o resultado dessas competições; ESCORE: *O placar da final foi 3 x 2.* **2** *P. ext.* Cartaz, placa **3** Venera, condecoração [F.: Do fr. *placard.*]

placável (pla.*cá*.vel) *a2g.* Diz-se de que se pode placar; que pode ser placado (fúria placável; choro placável) [Pl.: *-veis.* Superl.: *placabilíssimo.*] [F.: Do lat. *placabilis, e.* Hom./Par.: (pl.) *placáveis, placáveis* (fl. de *placar*).]

placê (pla.*cê*) *sm.* **1** *Bras. Turfe* Numa corrida, colocação de um cavalo pelo menos no segundo ou no terceiro lugar **2** Sistema de apostas em que o jogador acerta se o cavalo escolhido chegar pelo menos no segundo ou no terceiro lugar **3** O rateio pago nesse sistema, proporcional às apostas e conforme o número de cavalos do páreo [F.: Do fr. *placé.*]

placebo (pla.*ce*.bo) [ê] *sm.* **1** *Med.* Substância farmacologicamente neutra, cirurgia ou terapia simulada us. para controlar reações, ou administrada a um paciente pelo seu possível efeito psicológico benéfico *a.* **2** Diz-se do efeito observável ou mensurável sobre uma pessoa ou grupo tratado com placebo (1) [Ver tb. *nocebo.*] **3** Que é placebo (1) (medicamento placebo) [F.: Do lat. *placebo* 'eu agradarei'.]

placenta (pla.*cen*.ta) *sf.* **1** *Emb.* Órgão formado no interior do útero grávido e que, por meio do cordão umbilical, estabelece a ligação do feto com a mãe, para alimentação, oxigenação e eliminação de gás carbônico e resíduos nitrogenados; TROFOSPERMA **2** *Bot.* Região do carpelo onde se inserem e desenvolvem os óvulos [F.: Do gr. *plakounta*, acusativo de *plakoûs, -oûntos*, pelo lat. *placenta, -ae* 'bolo'.] ■ **~ prévia** *Obst.* Complicação na gestação, com o descolamento prematuro da placenta da parede na parte superior do útero e seu posicionamento junto ao colo do útero, com possível sangramento

placentário (pla.cen.*tá*.ri:o) *a.* **1** Ref. ou pertencente a placenta *sm.* **2** *Zool.* Mamífero que desenvolve placenta **3** *Bot.* Parte do fruto formada pela reunião de placentas [F.: *placenta* + *-ário.*]

placidez (pla.ci.*dez*) [ê] *sf.* Qualidade ou estado de plácido; SOSSEGO; TRANQUILIDADE: "No meu coração fazia-se um encanto e uma placidez mais suaves." (João Grave, *O último fauno*) [Ant.: *agitação, exasperação, fúria.*] [F.: *plácido* + *-ez.*]

plácido (*plá*.ci.do) *a.* **1** Em que há sossego e quietação; CALMO; SERENO; SOSSEGADO: "A nossa vida era mais ou menos plácida (...) passávamos as noites à nossa janela da Glória, mirando o mar e o céu, a sombra das montanhas e dos navios..." (Machado de Assis, *Dom Casmurro*) [Ant.: *agitado, conturbado, tumultuado.*] **2** Que denota sossego de ânimo ou serenidade de espírito; BRANDO; MANSO; TRANQUILO: "...Com plácido rosto, / Sereno e composto, / O acerbo desgosto/ Comigo sofri." (Gonçalves Dias, *I-Juca Pirama*) [Ant.: *agressivo, belicoso, violento.*] **3** Em que há paz; PACÍFICO [F.: Do lat. *placidus, -a, -um.*]

◎ **-plac(o)-** *el. comp.* Ver *plac(o)-*

◎ **plac(o)-** *el. comp.* = 'superfície plana e/ou chata'; 'placa'; (*p. ext.*) 'placa óssea'; (*p. ext.*) 'escama': *placoderme* (lat. cient.), *placóforo* (lat. cient.), *placoide*; *poliplacóforo* (lat. cient.) [F.: Do gr. *pláks, plakós*, 'qualquer superfície chata e larga'; 'plano'; 'superfície do mar'; 'platô numa região montanhosa', etc.]

placoderme (pla.co.*der*.me) *sm.* **1** *Pal.* Espécime dos placodermes, classe (*Placodermi*) de peixes extintos, com carapaça de grandes placas ósseas protegendo o corpo e estruturas mandibulares primitivas *a2g.* **2** Ref. ou pertencente aos placodermes [F.: Adapt. do lat. cient. *Placodermi.*]

plaga (*pla*.ga) *Poét. sf.* **1** Região, país: "...possam eles [meus cantos], ó meus amigos! – efêmeros filhos de minh'alma – levar uma lembrança de mim às vossas plagas!..." (Castro Alves, *Espumas flutuantes*) **2** Porção de terreno [F.: Do lat. *plaga, -ae.*]

plagiado (pla.gi.*a*.do) *a.* **1** Que foi objeto de plágio; COPIADO; IMITADO *sm.* **2** Aquele que foi plagiado [F.: Part. de *plagiar.*]

plagiador (pla.gi.a.*dor*) [ô] *sm.* Indivíduo que apresenta como de própria autoria obra intelectual ou artística que copiou de outrem; PLAGIÁRIO [F.: *plagiar* + *-dor.*]

plagiar (pla.gi.*ar*) *v. td.* **1** Apresentar como seu (obra, criação, ideia etc. de outrem): *Plagiar uma música.* **2** Imitar ou copiar (obra alheia): *Plagiar um compositor.* [▶ **1** plagiar] [F.: *plágio* + *-ar.* Hom./Par.: *plagiaria(s)* (fl), *plagiária* (f. plagiário e sm. e pl.); *plagio* (fl.); *plágio* (sm.).]

plagiário (pla.gi.*á*.ri:o) *sm.* V. *plagiador* [F.: *plagiar* + *-ário.*]

plágio (*plá*.gi:o) *sm.* **1** Ação ou resultado de plagiar **2** A fraude que resulta do plágio (1); tb. *plagiato* **3** *Jur.* Apresentação de imitação ou cópia de obra intelectual ou artística alheia como sendo de própria autoria [F.: Do gr. *plágion*, pelo lat. *plagium, -ii.*]

plaina (*plai*.na) [ã] *sf.* Ferramenta de carpinteiro que serve para desbastar, aplainar e alisar madeira [F.: F. regress. de *aplainar.*]

plaino (*plai*.no) *a.* **1** Plano, liso (terreno plaino) *sm.* **2** Planície, chapada [F.: De or. contrv., talvez f. epentética de *plano.*]

◎ **plan-** *el. comp.* = 'plano': *planisfério* [F.: Do lat. *planus, -a, -um.*]

planador (pla.na.*dor*) [ô] *sm.* **1** Espécie de avião sem motor ou outro meio de propulsão **2** Aquele ou aquilo que plana *a.* **3** Que plana [F.: Adapt. do fr. *planeur.*]

planadorista (pla.na.do.*ris*.ta) *s2g. Esp.* Indivíduo que pratica voo em planador [F.: *planador* + *-ista.*]

planaltino (pla.nal.*ti*.no) *a.* **1** *Bras.* Ref., inerente ou pertencente a planalto, região geográfica (relevo planaltino; paisagem planaltina); típico dessa região ou de seu habitante **2** Ref. às cidades de Planalto (GO, BA, PR, RS e SP) e Novo Planalto (GO); típico dessas cidades ou de seu povo (culinária planaltina; sotaque planaltino) *sm.* **3** *Etnog.* Pessoa nascida ou que vive em região geográfica de planalto **4** Pessoa nascida ou que vive nas cidades de Planalto (GO, BA, PR, RS e SP) e Novo Planalto (GO) [F.: Do top. *Planalto* + *-ino.* Sin. ger.: *planaltense.*]

planalto (pla.*nal*.to) *sm.* **1** *Geof.* Grande extensão de terreno elevado, plano ou com poucas ondulações, entrecortada por vales; ACHADA; ALTIPLANO; CHAPADA; ESPLANADA; LHANURA; PLATÔ **2** *Pol.* F. red. de Palácio do Planalto, sede do governo federal, em Brasília (DF), localizada no planalto Central [Nesta acp., com inicial maiúsc.] [F.: *plano* + *alto.*] ■ **O ~ 1** *Bras.* O Palácio do Planalto, sede da presidência da República Federativa do Brasil **2** *Fig.* O governo do Brasil, esp. o poder executivo ou a presidência: *Fontes ligadas ao planalto comentam que a crise já está sendo contornada.* [Por metonímia.]

planar (pla.*nar*) *v. int.* **1** Voar (aeronave) sustentando-se no ar por impulso anterior, sem ação de motor **2** Voar (ave) sem mover as asas **3** Viajar em planador **4** Pairar, sobrevoar [▶ **1** planar] [F.: Do fr. *planer.* Hom./Par.: *plana(s)* (fl), *plana* (sf. e pl.); *plano* (fl.), *plano* (a. e sm.); *planaria(s)* (fl.), *planária* (sf. e pl.).]

planária (pla.*ná*.ria) *sf.* **1** *Zool.* Denominação comum à diversas spp. de vermes platelmintos, da classe dos turbelários, do gênero *Planaria*, de corpo esguio e mole e epiderme ciliada; são marinhos ou de água-doce, habitando tb. lugares úmidos **2** Qualquer espécime desse gênero; LESMA [F.: Do lat. cient. *Planaria.* Hom./Par.: *planaria* (fl. de *planar*).]

plâncton (*plânc*.ton) *Biol. sm.* Conjunto de microrganismos aquáticos, vegetais ou animais, que vivem em suspensão em água-doce, salobra ou marinha e constituem alimento de muitas espécies animais [F.: Do gr. *planktón*, pelo fr. *plancton.*]

planctônico (planc.*tô*.ni.co) *a.* *Biol.* Ref., inerente ou pertencente a plâncton (matéria planctônica) [F.: *plâncton* + *-ico*[2].]

planejado (pla.ne.*ja*.do) *a.* Que cumpre um planejamento ou é resultante dele; PLANEADO; PLANIFICADO [F.: Part. de *planejar.*]

planejador (pla.ne.ja.*dor*) [ô] *sm.* **1** Indivíduo especializado em planejamentos **2** Aquele que planeja *a.* **3** Que planeja [F.: *planeja(r)* + *-dor.* Sin. ger.: *planeador, planificador.*]

planejamento (pla.ne.ja.*men*.to) *sm.* **1** Ação ou resultado de planejar **2** Processo em que se determina um conjunto integrado de ações e procedimentos para a consecução de um ou mais objetivos **3** Definição das etapas, métodos e meios necessários para a realização de um trabalho, evento etc. **4** *Econ. Pol.* Elaboração de projetos estratégicos para a solução de problemas sociais, econômicos, de urbanização etc., ou para o atingimento de metas de governo [F.: *planejar* + *-mento.* Sin. ger.: *planificação.*]

planejar (pla.ne.*jar*) *v. td.* **1** Idealizar plano de (edificação); PROJETAR: *Planejar um hotel/uma estante/um parque.* **2** Elaborar plano, programa, roteiro; PROGRAMAR: *Planejar uma fuga/uma excursão/uma visita.* **3** Demonstrar a intenção de; TENCIONAR: *Planejou ir ao cinema à tarde.* [▶ **1** planejar] [F.: *plano* + *-ejar.* Sin. ger.: *planear.*]

planejável (pla.ne.*já*.vel) *a2g.* Que se pode planejar, que admite planejamento; PLANIFICÁVEL; PROGRAMÁVEL [F.: *planeja(r)* + *-vel.* Hom./Par.: *planejáveis* (fl. de *planejar*).]

planeta (pla.*ne*.ta) [ê] *sm.* **1** *Astron.* Corpo celeste sem luz própria que gira em torno do Sol [São eles, pela ordem, a partir do Sol: Mercúrio, Vênus, Terra, Marte, Júpiter, Saturno, Urano e Netuno (Plutão deixou de ser considerado planeta em 2006, passando à categoria de planeta anão). Excluem-se os cometas, asteroides, meteoroides e satélites naturais.] **2** *Astron.* Qualquer corpo semelhante associado a outra estrela **3** *Restr.* O planeta Terra [F.: Do gr. *planétes*, pelo lat. *planeta, -ae.*] ■ **~ anão** *Astron.* Nova classificação da União Astronômica Internacional (a partir de 2006) para corpos celestes, diferenciando de planeta aqueles que não tenham eliminado corpos capazes de interferir em sua órbita e não sejam satélites; Plutão, assim como Éris, foi então classificado como planeta anão (deixando de ser considerado planeta) [São Marte, Júpiter, Saturno, Netuno e Plutão.] **~ exterior** *Astron.* Cada um dos planetas do sistema solar cuja órbita em torno do Sol é exterior à da Terra **~ inferior** *Astron.* Ver *Planeta interior* [São Mercúrio e Vênus.] **~ interior** *Astron.* Cada um dos planetas do sistema solar cuja órbita em torno do Sol é interior à da Terra **~ joviano** *Astron.* Cada um dos grandes planetas do sistema solar, Júpiter, Saturno, Urano e Netuno **~ superior** *Astron.* Ver *Planeta exterior* [São Mercúrio Vênus, Terra e Marte.] **~ telúrico** *Astron.* Cada um dos quatro planetas do sistema solar mais próximos do Sol, de pequena massa e grande densidade média **~ vermelho** *Astron.* Designação de Marte

planetário (pla.ne.*tá*.ri:o) *a.* **1** Ref. ou pertencente à Terra, ou que a abrange; GLOBAL; MUNDIAL; TERRESTRE **2** Ref., pertencente ou semelhante a um planeta *sm.* **3** Instrumento óptico-mecânico-eletrônico que projeta imagens do céu noturno, simulando a movimentação do sistema solar **4** Anfiteatro com cúpula na qual um planetário (3) projeta essas imagens [F.: Do lat. tard. *planetarius.*]

planetarização (pla.ne.ta.ri.za.*ção*) *sf.* Difusão, circulação e propagação de algo ou de um fenômeno local pelo mundo inteiro: *Almeja-se a planetarização dos ideais de paz e concórdia; Deve-se evitar, a todo custo, a planetarização do acidente nuclear de Chernobyl.* [Pl.: *-ções.*] [F.: *planetarizar* + *-ção.* Cf.: *globalização.*]

planetografia (pla.ne.to.gra.*fi*:a) *sf. Astron.* Estudo dos planetas; PLANETOLOGIA [F.: *planeta* (-a > -o) + *-grafia.*]

planetográfico (pla.ne.to.*grá*.fi.co) *a.* Ref. ou inerente a planetografia (tratado planetográfico); PLANETOLÓGICO [F.: *planetografia* + *-ico*[2].]

planetoide (pla.ne.*toi*.de) *Astron. sm.* Cada um dos pequenos corpos celestes rochosos encontrados, esp., entre as órbitas de Marte e Júpiter; ASTEROIDE [F.: Do fr. *planétoïde.*]

plangência (plan.*gên*.ci:a) *sf.* Qualidade ou estado de plangente [F.: *plang(er)* + *-ência.*]

plangente (plan.*gen*.te) *a2g.* **1** Que pranteia, chora **2** Lastimoso, lamentoso, triste: "Por isso, quando o sol da vida já declina, (...), é-nos doce parar na encosta da colina e volver para trás o nosso olhar plangente." (Guerra Junqueiro, *Musa em férias*) [Ant.: *alegre, contente, radiante.*] [F.: *plangens, -entis*, part. pres. de *plangere.*]

planger (plan.*ger*) *v.* **1** Soar de maneira melancólica, triste [**td.**: *Planger uma viola.*] [**int.**: *Os violões dos seresteiros plangiam na praça.*] **2** Chorar, lastimar-se [**int.**] [▶ **35** planger] [F.: Do lat. *plangere.*]

◎ **plani-** Equiv. de *plan-*: *planície* [F.: Do lat. *planus, a, um.*]

planície (pla.*ní*.ci:e) *sf.* **1** *Geog.* Grande extensão de terras planas; BAIXADA; CAMPINA; ESTEPE; PLAINO; PRAINO; VEREDA **2** *Astron.* Área baixa e plana na superfície de planeta ou satélite; PLANITIA [F.: Do lat. *planities, -ei.*]

planificação (pla.ni.fi.ca.*ção*) *sf.* **1** Ação ou resultado de planificar **2** O mesmo que *planejamento*: "Toda planificação na China, país que tem 1,3 bilhão de habitantes, envolve sempre números gigantescos. Assim, para desafogar as suas duas mais importantes cidades, a capital Pequim e Xangai..." (*IstoÉ Online*, 08.03.2002) [Pl.: *-ções.*] [F.: *planificar* + *-ção.*]

planificado (pla.ni.fi.*ca*.do) *a.* Que cumpre uma planificação ou é resultado dela; PLANEADO; PLANEJADO: *a economia planificada da URSS.* [F.: Part. de *planificar.*]

planificador (pla.ni.fi.ca.*dor*) [ô] *sm.* **1** Aquele que planifica; PLANEJADOR: "No caso, o gigante era o Estado, planificador e construtor das hidrelétricas." (*Veja*, 13.06.2001) *a.* **2** *Econ. Pol.* Próprio de quem planifica ou da busca de solução de problemas sociais, econômicos etc. mediante planificação: "...sob a crença geral de que esses processos seriam liderados pela ação planificadora do Estado, com os novos instrumentos econômicos e gerenciais." (*Folha de S.Paulo*, 10.01.1999) **3** Que planifica; PLANEJADOR **4** Aplanador, nivelador: *processo planificador das regiões.* [F.: *planifica(r)* + *-dor.*]

planificar (pla.ni.fi.*car*) *v. td.* **1** Estabelecer um plano; PLANEJAR: *Planificar um sistema de trabalho.* **2** Projetar (acidentes de uma perspectiva) em um plano: *Planificar um cubo.* **3** *Mat.* Determinar a área de (uma superfície) **4** Elaborar plano, roteiro: *Planificou exibir o filme em cidades pequenas.* **5** Representar sólido geométrico em plano [▶ **11** planificar] [F.: *plani-* + *-ficar*. Hom./Par.: *planificáveis* (fl.), *planificáveis* (pl. planificável, a2g.).]

planilha (pla.*ni*.lha) *sf.* **1** Formulário padronizado para registro de informações **2** Formulário padronizado para cálculo (*planilha* de custos) **3** Cada uma das faces da carteira de identidade; ESPELHO [F.: Do espn. plat. *planilla*.] ■ **~ eletrônica** *Inf.* Programa para computador que organiza dados ou fórmulas de processamento entre os dados em forma de matriz (linhas e colunas) [Tb. apenas *planilha*.]

planimetria (pla.ni.me.*tri*:a) *sf.* **1** Técnica de medição de superfícies planas com o emprego do planímetro; GEOMETRIA PLANA; PLANOMETRIA **2** *Geom.* Ramo da geometria que trata das figuras planas **3** Representação gráfica de um terreno sem seu relevo [F.: *plano* + *-i-* + *-metria*.]

planimétrico (pla.ni.*mé*.tri.co) *a.* **1** Ref., inerente a ou próprio da planimetria (levantamento planimétrico) **2** Diz-se de mapa sem registro do relevo da região representada [F.: *planimetria* + *-ico*².]

planisférico (pla.nis.*fé*.ri.co) *a.* Ref. a planisfério [F.: *planisfér(io)* + *-ico*².]

planisfério (pla.nis.*fé*.ri:o) *sm.* **1** Mapa do globo terrestre ou da abóbada celeste representado em plano retangular **2** Representação de um globo ou esfera em um plano [F.: Do lat. medv. *planisphaerium*.]

plano (*pla*.no) *a.* **1** Raso, liso, que não tem desigualdades nem diferenças de nível (terreno plano) **2** Que tem superfície plana, sem reentrâncias e saliências (espelho/vidro plano); LISO **3** *Fig.* Simples, fácil, claro *sm.* **4** Superfície plana limitada, isolada ou em relação a outra(s) superfície(s): *O terreno é irregular, mas a casa fica no plano.* **5** Conjunto integrado de medidas projetadas para realizar alguma coisa ou alcançar um objetivo; PROGRAMA; PROJETO [+*contra, para: plano contra assaltantes; plano para a paz.*] **6** *Econ. Pol.* Conjunto integrado de métodos e medidas estratégicas para a solução de problemas sociais, econômicos, de urbanização etc., ou que visam atingir metas de governo (plano econômico/ urbanístico) [+ *contra, para: plano contra a inflação; plano para desenvolver o turismo.*] **7** Representação gráfica, em determinada escala, de cidade, bairro, construção, rede de transportes etc. (plano de um parque) **8** Grau de importância: *O combate à corrupção está em primeiro plano; A viagem de férias ficou em segundo plano.* **9** *Fig.* Projeto, intenção [+ *para: plano para as férias.*] **10** *Cin. Telv.* Trecho filmado ou gravado sem cortes **11** *Geom.* Superfície que contém totalmente uma reta que liga dois de seus pontos **12** Arranjo ou disposição geral de uma obra de arte ou intelectual (o plano dos *Lusíadas*) **13** Âmbito, área, domínio, esfera (plano material/federal/simbólico) **14** *Fig.* Situação, posição de destaque ou privilegiada: *O protagonista tem de estar no primeiro plano.* **15** *Des.* Cada uma das faixas paralelas imaginárias, perpendiculares ao ponto de onde se observa, em que se divide um corpo, uma cena etc., entre a superfície frontal e a de fundo: *Esta imagem se divide em três planos.* **16** *Fot.* Modo de enquadrar o tema de uma fotografia (plano do chão/superior) **17** Superfície, nível, altura (plano de afloramento da rocha) **18** *Anat.* Superfície plana imaginária formada pelo prolongamento de um ponto a partir de um eixo definido esp. em relação ao crânio e à pelve (plano medial/ sagital/ distal) [F.: Do lat. *planus, -a, -um*. Hom./Par.: *plano* (fl. de *planar*). Ideia de 'plano': *homal(o)-* (*homalocéfalo*); *li(o)-* (*liodermo*); *plan-* (*planisfério*).] ■ **De ~ 1** Imediatamente **2** Sumariamente **Grande ~** *Cin. Telv.* Aquele que mostra o personagem ou objeto em grande aproximação; *close-up* [Tb. *Grande primeiro plano.*] **Grande ~ geral** *Cin. Telv.* Aquele que mostra personagens, cenário, paisagem etc. em tomada ampla **Grande primeiro ~** *Cin. Telv.* Ver *Grande plano.* **Médio longo ~** *Cin. Telv.* Plano intermediário entre os planos médio e geral **~ americano** *Cin. Telv.* Plano de tomada de cena no qual os personagens aparecem da cintura para cima **~ complexo** *Mat.* Plano no qual cada ponto se associa a um número complexo **~ coordenado** *Geom. an.* Qualquer dos três planos que formam um sistema cartesiano de coordenadas **~ da eclíptica** *Astron.* Plano da órbita terrestre em torno do Sol **~ de curvatura** *Geom. an.* Ver *Plano osculador* **~ de incidência** *Ópt.* Plano definido pela direção de um raio luminoso que incide sobre uma superfície e pela perpendicular à superfície no ponto de incidência **~ de onda** *Fís.* Considerando uma onda eletromagnética no vácuo, plano definido num certo momento pelos vetores elétrico e magnético dessa onda **~ de polarização** *Ópt.* Numa onda eletromagnética cujo plano de vibração é invariável, plano perpendicular ao plano de vibração do vetor elétrico dessa onda **~ de reflexão** *Ópt.* Plano definido pela direção do raio luminoso refletido por uma superfície e pela perpendicular à superfície no ponto de reflexão **~ de saúde** Plano de seguro que cobre despesas médicas e de hospitalização; seguro-saúde **~ de vibração** *Ópt.* Numa onda eletromagnética cujo plano de vibração é invariável, plano que contém o vetor elétrico dessa onda **~ diretor** *Urb.* Plano de gestão contínua de uma cidade, que envolve participação pública e privada, e visando a seu desenvolvimento, expansão urbana, funções sociais etc. [É obrigatório no Brasil para cidades de população superior a 20 mil habitantes.] **~ focal** *Fot.* Plano no qual se forma a imagem nítida do objeto quando a distância da lente está regulada para infinito [É o plano perpendicular ao eixo óptico do sistema, que contém o foco.] **~ galáctico** *Astron.* Aquele no qual, e/ou perto do qual concentra-se a maior parte dos componentes de uma galáxia **~ geral** *Cin. Telv.* Ver *Grande plano* **~ horizontal** Por convenção, plano paralelo à superfície da Terra naquele ponto **~ ideal** *Geom.* Ver *Plano impróprio* **~ impróprio** *Geom.* Conjunto dos pontos impróprios e das retas impróprias; plano ideal, plano no infinito **~ inclinado 1** *Fís.* Máquina simples, que consiste num plano rígido em ângulo com a horizontal, em que se pode deslocar para cima um objeto com redução da força necessária para movê-lo **2** *Arq.* Rampa de inclinação suave que liga dois andares ou dois níveis de uma edificação **~ invariável** *Fís.* Num corpo que gira com um ponto fixo (determinado no momento inicial do movimento) em movimento angular constante, plano perpendicular ao vetor do momento angular **~ mediano** *Anat.* Plano imaginário que atravessa o corpo humano verticalmente, pelo meio e perpendicularmente à largura, dividindo-o em duas metades virtuais, a metade direita e a metade esquerda **~ médio** *Cin. Telv.* Aquele no qual os personagens são enquadrados de corpo inteiro **~ meridiano** *Astron.* Cada plano (em relação a um local da superfície terrestre) definido pelo eixo da Terra e pela naquele local **~ no infinito** *Geom.* Ver *Plano impróprio* **~ normal** *Geom.* Aquele perpendicular à tangente a uma curva num determinado ponto **~ osculador** *Geom. an.* Aquele definido pela tangente e pela normal de uma curva em determinado ponto; plano de curvatura **~ piloto 1** *Bras.* Plano básico de obra, projeto etc., a partir do qual se planejarão os detalhes e diferentes fases de realização **2** A área de um projeto contemplada por plano piloto (1): *O Parque Nacional de Brasília fica a 9 km do plano piloto.* **~ próximo** *Cin. Telv.* Termo genérico para planos que mostram personagens e objetos como que próximos do espectador **~ radical** *Geom.* Lugar geométrico dos pontos que têm a mesma potência em relação a duas superfícies esféricas **~ sagital** *Anat.* Plano imaginário que atravessa o corpo humano verticalmente, perpendicularmente à largura (não necessariamente pelo meio), paralelo ao plano mediano **~s colineares** *Geom.* Planos que têm em comum uma reta **~s conjugados** *Ópt.* Num sistema óptico, planos perpendiculares ao eixo óptico de maneira que para todo ponto objeto sobre um deles o ponto imagem correspondente está sobre o outro **~s paralelos** *Geom.* Planos que não se interceptam, ou, teoricamente, se interceptam apenas no infinito **~ tangente** *Geom.* Plano que contém todas as tangentes a uma superfície num certo ponto **Primeiríssimo ~** *Cin. Telv.* Ver *Grande plano* **Primeiro ~** *Cin. Telv.* Ver *Grande plano* **Salso ~** *Poét.* O mar

> 🕮 Plano inclinado: A resistência do plano inclinado ao peso do objeto neutraliza parte da potência necessária para mover o objeto, que se divide em dois componentes: o que é neutralizado pela resistência do plano inclinado, e o que deve ser usado para elevar o objeto ao longo do plano inclinado, portanto menor que a potência necessária para elevá-lo sem o plano. V. tb. achega enciclopédica no verbete *máquina*.

planta (*plan*.ta) *sf.* **1** *Bot.* Qualquer ser vivo do reino *Plantae*, caracterizado por apresentar celulose e clorofila nas células; VEGETAL [Col.: *fitoteca, flora, herbário, plantação*.] **2** *Arq.* Desenho ou traçado que representa edifício, máquina, cidade etc. em projeção horizontal **3** *N. E.* Plantio, plantação **4** *Bras.* A primeira plantação da cana [Nesta acp., ver tb. *soca*.] [F.: Do lat. *planta, -ae*. Hom./Par.: *planta* (fl. de *plantar*). Noção de 'planta': *botan(ic)-* (*botânica, botanólogo*).] ■ **~ baixa** *Arq.* Representação gráfica da seção horizontal de um edifício, de uma casa, de uma construção, num corte ger., acima do plano dos peitoris das janelas, de modo a que seus vãos (e os das portas) nela apareçam **~ de localização** *Arq. Urb.* Representação gráfica da posição exata de uma área, de um terreno etc., no contexto de sua vizinhança **~ do pé** Parte inferior do pé humano, sobre a qual se apoia quando a pessoa está de pé **~ topográfica** Representação gráfica detalhada de uma pequena área da superfície terrestre; carta topográfica

plantação (plan.ta.*ção*) *sf.* **1** Ação ou resultado de plantar; PLANTIO; SEMEADURA **2** Terreno plantado; LAVOURA; LAVRA; ROÇADO; SEARA **3** Aquilo que se plantou; LAVOURA; LAVRA: *A geada estragou a plantação.* [F.: Do lat. *plantatio, onis*.]

plantadeira (plan.ta.*dei*.ra) *sf. Agr.* Máquina de plantar [F.: *plantar* + *-deira*.]

plantado (plan.*ta*.do) *a.* **1** Em que há plantação: *terreno plantado com árvores frutíferas.* **2** *Fig.* Em pé, parado: "Anselmo, o algoz, se encontrava plantado à sua espera, com um alentado monte de pastas, esarcelas e papéis avulsos..." (Marques Rebelo, *O simples coronel Madureira*) **3** Firme, enraizado, arraigado: "Serão numerosos os anos em que dois ou mais príncipes, cada qual bem plantado numa parte do reino..." (Alberto da Costa e Silva, *A manilha e o libambo*) **4** Que se plantou: *Arrancou todas as flores plantadas.* [F.: Part. de *plantar*.]

plantador (plan.ta.*dor*) [ô] *sm.* **1** Aquele que planta *a.* **2** Que planta [F.: Do lat. *plantator, -oris*. Ant. ger.: *desplantador*.]

plantaginácea (plan.ta.gi.*ná*.ce:a) *sf. Bot.* Espécime das plantagináceas, família de plantas da ordem das plantaginales com três gêneros e 275 espécies, de folhas alternas e pequenas flores em espigas e corola seca, sem brácteas, frutos capsulares ou aquênicos, a maioria de ervas algumas daninhas e outras us. como medicinais, esp. como laxantes [F.: Do lat. cient. fam. *Plantaginaceae*.]

plantagináceo (plan.ta.gi.*ná*.ce:o) *a. Bot.* Ref., inerente ou pertencente à fam. das plantagináceas [F.: *plantaginác(e(a)* + *-o*.]

plantão (plan.*tão*) *sm.* **1** Trabalho noturno ou em dias ou horas normalmente sem expediente em fábrica, hospital, redação de jornal etc.: *Só há um médico de plantão.* **2** Um período desse trabalho **3** Profissional escalado para um desses períodos; PLANTONISTA: *O plantão da noite ainda não chegou.* **4** Serviço para o qual é escalado diariamente um militar, em sua companhia, caserna etc. **5** O militar encarregado desse serviço **6** *Fig.* Permanência num lugar, tendo em vista um objetivo: *Fez plantão diante do hotel e conseguiu um autógrafo.* [Pl.: *-ões*.] [F.: Do fr. *planton*. Hom./Par. *plantão* (sm.), *plantão* (aum. de *planta*).] ■ **De ~ 1** Escalado para trabalhar (ou para estar disponível para trabalhar, em caso de necessidade), em plantão ('horário em que normalmente não há expediente') **2** *Fig.* À espera, em vigia alerta, de sobreaviso

plantar (plan.*tar*) *a2g.* Ref. à, ou próprio da planta do pé [F.: Do lat. *plantare*.]

plantel (plan.*tel*) *sm.* **1** *Zootec.* Qualquer conjunto de animais, esp. os de boa qualidade: *plantel avícola brasileiro; plantel de reprodução.* **2** *Fig.* Grupo de profissionais de uma agremiação esportiva, empresa etc., esp. quando muito capazes: *O time está com um bom plantel.* **3** *Restr. Zootec.* Lote de animais de boa raça, selecionados para reprodução **4** *Ant. Hist.* O conjunto dos escravos de um senhor, uma província, uma região, um país [Pl.: *-éis*.] [F.: Do cast. *plantel*. Hom./Par.: *plantéis* (pl.), *planteis* (fl. de *plantar*).]

plantio (plan.*ti*.o) *sm.* **1** Ação ou resultado de plantar; PLANTAÇÃO **2** Terreno plantado; LAVRA; LAVOURA; PLANTAÇÃO; ROÇADO; SEARA [F.: *planta* + *-io*¹.]

plantonista (plan.to.*nis*.ta) *s2g. Bras.* Aquele que está de plantão; PLANTÃO [F.: *plantão* + *-ista*.]

plântula (*plân*.tu.la) *sf. Bot.* Embrião vegetal em desenvolvimento, após a germinação da semente, formado pela radícula, caulículo, gêmula e cotilédones; planta recém-nascida [F.: *planta* + *-ula*.]

planura (pla.*nu*.ra) *sf.* **1** O mesmo que *planície* **2** O mesmo que *planalto*: "Estiram-se então planuras vastas. Galgando-lhes pelos taludes, que as soerguem dando-lhes a aparência exata de tabuleiros suspensos, topam-se (...) extensas áreas." (Euclides da Cunha, *Os sertões*) [F.: *plan-* + *-ura*.]

plaquê (pla.*quê*) *sm.* **1** Lâmina metálica dourada, muito delgada, us. como revestimento de objetos de metal ordinário **2** Metal dourado ordinário, us. na fabricação de bijuterias e outros objetos de adorno [F.: Do fr. *plaqué*.]

plaquear (pla.que.*ar*) *v. td. Gen.* Colocar células e bactérias sobre um meio semissólido de cultura com o objetivo de cultivá-las [▶ **13** plaquear] [F.: *placa* + *-ear*.]

plaqueta (pla.*que*.ta) *sf.* **1** *Histol.* Um dos elementos constituintes do sangue com importante influência na coagulação sanguínea **2** Pequena placa de metal **3** Pequena peça de metal que se assemelha a uma medalha, mas que não é arredondada **4** Livro pequeno, brochura de poucas páginas [F.: Do fr. *plaquette*.] ■ **~ sanguínea** *Histl.* Plaqueta (1)

◎ **-plasia** *el. comp.* = 'desenvolvimento ou crescimento irregular'; 'distúrbio evolutivo'; 'anormalidade formacional'; (*p. ext.*) 'tumor' (*neoplasia*); 'desenvolvimento com dada(s) característica(s)': *acondroplasia, condroplasia, displasia, heteroplasia, hiperplasia, hipoplasia, homoplasia, leucoplasia, metaplasia* [F.: Do gr. *plásis, eos*, 'ação de modelar, de dar feição a algo' (do v. gr. *plásso*, 'modelar'; 'dar feição'), + *-ia*¹. F. conexas: *plast(o)-* e *-plastia*.]

◎ **-plasma** *el. comp.* Ver *plasm(o)-*.

plasma (*plas*.ma) *sm.* **1** *Histl.* A parte líquida do sangue, antes da coagulação, constituída pelo soro e pelo fibrinogênio [Tb. se diz *plasma sanguíneo*.] **2** *Histl.* A linfa desprovida de seus corpúsculos ou células [Tb. se diz *plasma linfático*.] **3** *Histl.* A substância orgânica fundamental das células e dos tecidos; PROTOPLASMA **4** *Miner.* Espécie de quartzo translúcido de coloração esverdeada (calcedônia), tb. us. na confecção de joias **5** *Fís.* Gás ionizado, com íons e elétrons positivos livres, cuja carga elétrica total é nula [F.: Do gr. *plásma, atos*, 'obra modelada'; 'figura de argila ou de cera'; 'modulação da voz'; 'imitação'; 'invenção', do v. gr. *plásso*, 'modelar'; 'dar forma ou feição a algo'; 'imaginar'; 'simular'.] ■ **~ germinativo 1** *Biol.* A informação hereditária que os gametas transmitem à descendência **2** Termo genérico para células e tecidos que dão origem a um novo organismo **~ intersticial** *Histl.* Aquele contido nos espaços intercelulares; líquido intersticial **~ sanguíneo** *Histl.* Plasma (1)

plasmado (plas.*ma*.do) ***a.*** Que se plasmou, que foi feito; MODELADO [F.: Part. *de plasmar.*]

plasmar (plas.*mar*) ***v.*** **1** Modelar em barro, gesso etc. [***td.***: *O escultor plasmava pequenas estatuetas.*] **2** Formar(-se), modelar(-se) [***td.***: *Essa faculdade plasmou excelentes profissionais.*] [***tr.*** *+em*: *Seu caráter plasmou-se na personalidade do preceptor.*] [▶ 1 plasmar] [F.: Do lat. tard. *plasmare*, 'criar (o homem)'; 'formar'; 'dar feição'.]

plasmático (plas.*má*.ti.co) ***a.*** *Histl.* Ref., inerente ou pertencente ao plasma (tecido plasmático); PLÁSMICO [F.: *plasma* + *-ático*, seg. o mod. gr.]

plasmável (plas.*má*.vel) ***a2g.*** Que se pode plasmar; que pode ser modelado (substância plasmável) [Pl.: *-veis*. Superl.: *plasmabilíssimo*] [F.: *plasmar* + *-vel*. Hom./Par.: *plasmáveis* (pl.), *plasmáveis* (fl. de *plasmar*).]

plásmico (plás.*mi*.co) ***a.*** *Histl.* O mesmo que *plasmático* [F.: *plasma* + *-ico*[2].]

plasmídeo (plas.*mí*.de:o) *Gen.* ***sm.*** **1** Molécula circular de ADN encontrada em bactérias, não integrada ao cromossomo e capaz de se duplicar ***a.*** **2** Diz-se dessa molécula [F.: *plasma* + *-ideo*[1].]

◎ **plasm(o)-** ***el. comp.*** = 'plasma'; 'protoplasma', 'citoplasma'; 'membrana plasmática'; 'protozoário': *plásmico, plasmócito, plasmocitoma, plasmódio* (lat. cient.), *plasmorrexe; androplasma, axoplasma, carioplasma, criptoplasma, ectoplasma, endoplasma, hialoplasma, toxoplasma* (lat. cient.) [F.: Do gr. *plásma, atos*, 'obra modelada'; 'figura de argila ou de cera'; 'modulação da voz'; 'imitação'; 'invenção', do v. gr. *plásso*, 'modelar'; 'dar forma ou feição a algo'; 'imaginar'; 'simular'. Ver *plast(o)-*.]

plasmócito (plas.*mó*.ci.to) ***sm.*** **1** *Biol.* Microrganismo do plasma sanguíneo ou dos glóbulos sanguíneos, semelhante a uma célula **2** *Histl. Imun.* Célula conjuntiva esférica ou elipsoidal, cuja função é sintetizar e produzir anticorpos em locais sujeitos à penetração de bactérias e em áreas onde existe inflamação crônica [F.: *plasm(o)-* + *-cito.*]

plasmocitoma (plas.mo.ci.*to*.ma) ***sm.*** *Med.* Massa de células plasmáticas constituintes da fase inicial do mieloma [F.: *plasmócito* + *-oma*[1].]

plasmodiídeo (plas.mo.di.*í*.de:o) ***sm.*** **1** Espécime dos plasmodiídeos, fam. monoespecífica de protozoários esporozoários que abrange os parasitos da malária ***a.*** **2** Ref. ou pertencente aos plasmodiídeos [F.: Adapt. do lat. cient. *Plasmodiidae.*]

plasmódio (plas.*mó*.di:o) ***sm.*** *Micbiol.* Nome comum a seres unicelulares do gên. *Plasmodium*, da fam. dos plasmodiídeos, constituído por espécies parasitas das células intestinais e sanguíneas, incluindo o agente causador da malária [F.: Do lat. cient. *Plasmodium*; ver *plasm(o)-*.]

plasta (*plas*.ta) *RS* ***sf.*** **1** Qualquer matéria mole e moldável (p. ex. o barro) **2** *Fig.* Pessoa ou animal moleirão, inútil, sem-préstimo ; LERDO [F.: Do espn. plat. *plasta.*]

◎ **-plastia** ***el. comp.*** = 'cirurgia ou intervenção plástica ou reparadora (em dado órgão, membro, estrutura ou parte do corpo)'; 'reconstrução ou restauração cirúrgica (de dado órgão, membro etc.)'; 'arte ou técnica de modelar (objeto) ou produzir (coisa ou som)' (*ceroplastia, sonoplastia*); (*p. ext.*) 'formação'; 'produção' (*hemoplastia*); (*fig.*) 'materialização' (*teleplastia*): *anaplastia, abdominoplastia, angioplastia, areoloplastia, artroplastia, balanoplastia, blefaroplastia, digitoplastia, elitroplastia, faloplastia, genioplastia, genoplastia, ginecoplastia, gnatoplastia, mamiloplastia, mastoplastia, meloplastia, mioplastia, oftalmoplastia, osteoplastia, palatoplastia, timpanoplastia, uranoplastia, valvoplastia* [F.: Do gr. *plastós, é, ón*, 'modelado' (do v. gr. *plásso*, 'modelar'; 'dar forma ou feição a algo'), + *-ia*[1]. F. conexa: *plast(o)-* e *-plasia.*]

plastia (plas.*ti*.a) ***sf.*** *Cir.* Procedimento cirúrgico de recuperação ou restauração de um órgão [F.: *plast(o)-* + *-ia*[1].]

plástica (*plás*.ti.ca) ***sf.*** **1** Arte de modelar figuras em gesso, barro etc. **2** A conformação física de alguém, seus contornos: *A plástica impecável dos ginastas.* **3** Cirurgia feita com o objetivo de melhorar o aspecto de determinadas partes do corpo, seja por motivos estéticos ou em função de acidentes, queimaduras etc. [Tb. se diz *cirurgia plástica.*] [F.: Do gr. *plastiké* (*tékhne*) (do fem. do *a.* gr. *plastikós, é, ón*), pelo lat. *plastica, ae.*]

plasticidade (plas.ti.ci.*da*.de) ***sf.*** Qualidade do que pode ser moldado [F.: *plástico* + *-(i)dade.*]

plasticizar (plas.ti.ci.*zar*) ***v. td.*** **1** Dar ou adquirir consistência plástica, maleável, flexível **2** Cobrir, para dar proteção (cartão, carteira etc.), com material plástico ou matéria similar; PLASTIFICAR [▶ 1 plasticizar] [F.: *plástico* + *-izar.*]

plástico (*plás*.ti.co) ***a.*** **1** Capaz de ser modelado (massa plástica) **2** Ref. a plástica **3** Que envolve a elaboração de formas ou que se adapta a esse trabalho (artes plásticas; artista plástico) **4** *Fil.* Que tem o poder ou a virtude de formar (as naturezas plásticas) **5** Que diz respeito à cirurgia plástica **6** De belas formas ***sm.*** **7** *Quím.* O mesmo que *matéria plástica* **8** Material que resiste a compressão, estiramento sem se romper ou quebrar [F.: Do gr. *plastikós, é, ón.*]

plastificação (plas.ti.fi.ca.*ção*) ***sf.*** Ação ou resultado de plastificar [Pl.: *-ções*.] [F.: *plastificar* + *-ção.*]

plastificado (plas.ti.fi.*ca*.do) ***a.*** Que passou por plastificação [F.: Part. de *plastificar.*]

plastificadora (plas.ti.fi.ca.*do*.ra) [ô] ***sf.*** **1** Máquina para plastificar, fazendo aderir ao papel, cartão etc. uma película de plástico transparente **2** Estabelecimento especializado em plastificação [F.: *plastificar* + *-dora.*]

plastificante (plas.ti.fi.*can*.te) ***a2g.*** **1** Que plastifica ***sm.*** **2** Aquilo que plastifica **3** *Cons.* Aditivo que aumenta a resistência de um concreto, reduzindo a água que entra em sua mistura [F.: *plastificar* + *-nte.*]

plastificar (plas.ti.fi.*car*) ***v. td.*** **1** Tornar plástico **2** *Art. gr.* Passar na máquina de plastificar **3** Envolver (papel, tecido, documento etc.) em película de matéria plástica: *Plastificou a carteira de identidade.* [▶ 11 plastificar] [F.: *plasti-* (< *plástico*) + *-ficar*, como adapt. do fr. *plastifier.*]

plastimodelista (plas.ti.mo.de.*lis*.ta) ***a2g.*** **1** Ref., inerente a ou próprio de plastimodelismo (atividade plastimodelista) **2** Diz-se de pessoa que trabalha em plastimodelismo ou é aficionado desse passatempo ***s2g.*** **3** Essa pessoa [Cf. *aeromodelista.*] [F.: *plastimodelismo* + *-ista*, seg. o mod. gr.]

◎ **-plast(o)-** ***el. comp.*** Ver *plast(o)-*

◎ **-plasto** ***el. comp.*** Ver *plast(o)-*

◎ **plast(o)-** ***el. comp.*** = 'modelado'; 'matéria formada de'; 'modelagem'; 'formação'; 'plasto'; 'desenvolvimento'; 'plasticidade': *plastoquinona, plastotipia; cromoplastofonia; cromoplasto, eritroplasto, oleoplasto* [F.: Do gr. *plastós, ê, ón*, 'modelado', 'a que se deu (certa) forma', do v. gr. *plásso*, 'modelar'; 'dar feição a'. F. conexas: *-plastia* e *-plasia.*]

plastrão (plas.*trão*) ***sm.*** **1** Gravata com pontas cruzadas **2** A parte da frente na altura do peito de uma camisa; PEITILHO **3** *Esp.* Almofada de proteção do esgrimista **4** Armadura de proteção; COURAÇA **5** *Zool.* Nos quelônios, a parte de baixo do casco, sob o abdome [Pl.: *-trões*.] [F.: Do fr. *plastro*. Tb. *plastrom.*]

plastrom (plas.*trom*) ***sm.*** Ver *plastrão* [Pl.: *-trons.*]

plataforma (pla.ta.*for*.ma) ***sf.*** **1** Área, superfície plana e horizontal, localizada em nível mais alto que a área em seu entorno **2** Em estações de trem, metrô etc., área de embarque e desembarque de passageiros e cargas **3** Rampa de lançamento de foguetes, mísseis etc. **4** *Fig.* Conjunto de compromissos de governo assumidos publicamente por um candidato a cargo eletivo ou partido político [Nesta acp. F.: Do ing. *platform.*] **5** *Inf.* Padrão operacional em que se assenta o sistema do computador ***a2g.*** **6** Que se assemelha a uma plataforma (salto plataforma) [F.: Do fr. *plate-forme.*] ■ **~ continental** *Oc.* A parte do relevo submarino mais próxima da costa, cuja largura varia e cuja profundidade média é de 200 m; plataforma submarina **~ de abrasão** *Oc.* Plataforma formada pela contínua erosão da costa pelo mar **~ espacial** *Astnáut.* Espaçonave tripulada que fica em órbita por longo tempo, ger. para missões científicas de observação e análise; estação espacial **~ submarina** *Oc.* Ver *Plataforma continental*

plataformista (pla.ta.for.*mis*.ta) ***s2g.*** *Petr.* Pessoa que trabalha em plataforma de petróleo: *O plataformista trabalha 15 dias e folga outros 15.* [F.: *plataforma* + *-ista.*]

plátano (*plá*.ta.no) ***sm.*** *Bot.* Nome comum às árvores do gên. *Platanus*, da fam. das platanáceas, originárias do hemisfério norte, que se caracterizam pela casca descamante, muito us. como ornamentais e em arborização urbana, como, p. ex., *Platanus orientalis*, nativa da Europa ao Irã, cuja casca absorve substâncias poluentes do ar [F.: Do lat. *platanus.*]

plateia (pla.*tei*.a) ***sf.*** **1** O conjunto de espectadores de apresentação artística, musical, circense etc.; PÚBLICO **2** Local em cinemas, teatros, casas de espetáculos reservados para o público **3** Em alguns teatros e casas de espetáculo, o pavimento térreo destinado aos espectadores [F.: Do fr. *platée.*]

platelminto (pla.tel.*min*.to) ***a.*** **1** Ref. aos platelmintos ***sm.*** **2** *Zool.* Espécime dos platelmintos, filo de vermes de vida livre ou parasitas, de corpo comprido e achatado como uma fita [F.: *plati-* + *-elminto.*]

platense (pla.*ten*.se) ***a2g.*** **1** *Geog.* Ref., inerente a ou pertencente à região do Rio da Prata (estuário platense) **2** Típico dessa região ou de seus habitantes (costumes platenses; tradição platense) ***s2g.*** **3** *Etnog.* Pessoa nascida ou que vive no Rio da Prata [F.: Do espn. *platense*. Sin. ger.: *platino.*]

◎ **plat(i)-** ***el. comp.*** 'chato', 'largo': *platelminto, platirrino*

platibanda (pla.ti.*ban*.da) ***sm.*** **1** *Arq.* Grade ou muro de alvenaria construída no alto das paredes externas de uma edificação, a fim de embelezá-la ou protegê-la **2** Grade ou muro que delimita um espaço **3** Bordadura em canteiro de flores, ger. guarnecido de relva ou de flores pequenas para melhor sobressair o contorno dele **4** *Arq.* Moldura chata mais larga que saliente [F.: Do fr. *plate-bande.*]

platina[1] (pla.*ti*.na) ***sf.*** *Quím.* Elemento químico de número atômico 78, metal nobre, branco-prateado, denso, dúctil e maleável, muito importante na indústria (joias, instrumentos cirúrgicos e odontológicos), nas artes e nos trabalhos científicos por suas propriedades mecânicas, químicas e catalíticas [F.: Do espn. *platina.*]

platina[2] (pla.*ti*.na) ***sf.*** **1** Peça plana que compõe a estrutura de vários aparelhos, ger. servindo de suporte para outras peças **2** Presilha colocada nos ombros de alguns uniformes militares [Mais us. no pl.] **3** Peça de metal que suporta os mecanismos de movimento de um relógio **4** *Ópt.* Parte do microscópio onde se apoiam as lâminas com o material a ser analisado **5** *Tip.* Chapa de ferro revestida de almofada que, nas prensas de platina, exerce pressão sobre a forma [F.: Do fr. *platine.*]

platinado (pla.ti.*na*.do) ***a.*** **1** Que contém platina ou que é coberto com platina (troféu platinado) **2** Em que houve platinagem **3** Que tem a cor cinza-prateada da platina (cabelos platinados) ***sm.*** **4** A cor cinza-prateada **5** *Autom.* Componente da parte elétrica do motor que interrompe a passagem de corrente em um circuito [F.: *platin-* + *-ado.*]

platinagem (pla.ti.*na*.gem) ***sf.*** **1** Ação ou resultado de platinar **2** Cobrir com uma camada de platina por processos eletroquímicos **3** Processo de branqueamento que se faz com uma mistura de estanho e mercúrio [F.: *platinar* + *-agem.*]

platinar (pla.ti.*nar*) ***v. td.*** **1** Revestir de platina utilizando processos eletroquímicos **2** *P. ext.* Dar a cor ou o brilho da platina a: *Platinou a longa cabeleira.* **3** Branquear por meio de uma mistura de estanho ou de mercúrio [▶ 1 platinar] [F.: *platina* + *-ar*. Hom./Par.: *platina(s)* (fl.), *platina* (sf. e pl.); *platino* (fl.), *platino* (a. e sm.).]

platino (pla.*ti*.no) ***sm.*** **1** Pessoa nascida ou que vive na região do rio da Prata (estuário da América do Sul) ***a.*** **2** Da região do rio da Prata, típico dessa região ou de seu povo: *As repúblicas platinas.* [F.: Do cast. *platino.*]

platirrino (pla.tir.*ri*.no) ***sm.*** **1** Indivíduo que tem o nariz mais alargado em relação ao seu comprimento **2** Espécime de uma infraordem de primatas, cujas narinas apresentam-se distantes entre si e voltadas para as laterais ***a.*** **3** Relativo a esses primatas [F.: Do gr. *platurrinos.*]

platitude (pla.ti.*tu*.de) ***sf.*** **1** Característica ou qualidade do que é banal, comum; BANALIDADE; TRIVIALIDADE [Ant.: *profundidade, relevância.*] **2** Característica ou condição do que é medíocre, inexpressivo; INEXPRESSIVIDADE; MEDIOCRIDADE [Ant.: *expressividade.*] **3** Característica do que é uniforme, monótono, regular; UNIFORMIDADE [Ant.: *diversidade, variedade.*] [F.: Do fr. *platitude.*]

platô (pla.*tô*) ***sm.*** **1** Ver *planalto* **2** *Mec.* Em uma embreagem a disco, dispositivo responsável pela transmissão da força do motor às rodas de tração [F.: Do fr. *plateau.*]

platônico (pla.*tô*.ni.co) ***a.*** **1** Diz-de do que tem um caráter ideal, isento dos prazeres físicos (amor platônico) **2** Ref. a Platão (429-347 a.C.), filósofo grego ou aos seus pensamentos **3** Adepto aos pensamentos de Platão ***sm.*** **4** Aquele que é seguidor do pensamento de Platão **5** Ver tb. *platonismo* [F.: Do lat. *platonicus.*]

platonismo (pla.to.*nis*.mo) ***sm.*** **1** *Fil.* Doutrina ou sistema filosófico de Platão (428 a.C. a 348 ou 347 a.C.) e seus seguidores, cuja característica principal é a de que toda a realidade observável pela cognição humana é o reflexo incompleto de um mundo transcendental e perfeito, denominado 'mundo das ideias'. O *platonismo* ocupa-se dos temas éticos e políticos, postulando que por intermédio do conhecimento do Bem, os Estados e o ser humano alcançam a justiça [Cf.: *aristotelismo.*] **2** *Fig.* O caráter, a qualidade do amor platônico; CASTIDADE [F.: Do fr. *platonisme.*]

plausibilidade (plau.si.bi.li.*da*.de) ***sf.*** Qualidade de ser plausível [F.: *plausibil-* + *-idade.*]

plausível (plau.*sí*.vel) ***a2g.*** **1** Que se pode aceitar como válido ou razoável (desculpa plausível); ACEITÁVEL; RAZOÁVEL **2** Digno de aplauso ou aprovação [F.: Do lat. *plausibilis.*]

⊕ ***play*** (*Ing.* /*plêi*/) ***sm.*** F. red. de *playground*

⊕ ***playback*** (*Ing.* /*plêibéc*/) ***sm.*** **1** Gravação instrumental us. para ser reproduzida como acompanhamento de um solista **2** Recurso, us. em ger. por cantores, que consiste na reprodução de uma gravação prévia do número a ser apresentado, cabendo ao solista apenas simular estar cantando

⊕ ***playboy*** (*Ing.* /*plêibói*/) ***sm.*** Homem, ger. jovem, rico e solteiro, que leva a vida a frequentar festas e eventos sociais

⊕ ***playground*** (*Ing.* /*plêigraund*/) ***sm.*** Área us. para a recreação de crianças, ger. equipada com brinquedos como escorrega, balanço etc.; PLAY

⊕ ***play-off*** (*Ing.* /*plêi-of*/) ***sm.*** *Esp.* Jogo ou sequência de jogos finais que visam o desempate de um campeonato ou decidem um campeão

plebe (*ple*.be) [é] ***sf.*** **1** Classe social de menos prestígio e riqueza; POVO; RALÉ **2** *Ant.* A última classe do povo na antiga Roma (em oposição aos patrícios, a classe aristocrática) [F.: Do lat. *plebis.*]

plebeia (ple.*bei*.a) ***a.*** **1** Fem. de plebeu ***sf.*** **2** Mulher de plebeu [F.: Do lat. *plebeia.*]

plebeísmo (ple.be.*ís*.mo) ***sm.*** **1** O estado, a condição, os modos ou os usos de plebeu **2** Qualidade de plebeu **3** *Ling. Lex.* Palavras, expressões e modos de dizer característicos do dialeto das classes populares, freq. considerados pelas classes dominantes como um linguajar vulgar [F.: *plebe* + *-ismo.*]

plebeu (ple.*beu*) ***sm.*** **1** Homem do povo, da plebe ***a.*** **2** Que pertence à plebe **3** *Fig.* Ordinário, sem distinção, reles [F.: Do lat. *plebeio.*]

plebiscitário (ple.bis.ci.*tá*.rio) ***a.*** **1** Ref., inerente a ou pertencente a plebiscito; da natureza de plebiscito (pleito plebiscitário) **2** Baseado em plebiscito (decisão plebiscitária) ***sm.*** **3** Partidário da votação plebiscitária [F.: *plebiscito* + *-ário.*]

plebiscitarismo (ple.bis.ci.ta.*ris*.mo) ***sm.*** Constância de plebiscito; adoção de plebiscito: "Isso o cientista Bolívar Lamounier identifica com a ideologia do plebiscitarismo, um apelo direto à massa popular..." (*Correio Braziliense*, 15.10.2002) [F.: *plebiscitário* + *-ismo.*]

plebiscito (ple.bis.*ci*.to) ***sm.*** **1** Consulta sobre alguma questão específica, em que o povo referenda sua posição respondendo sim ou não [O plebiscito é um instrumento da *democracia participativa*, que pressupõe a interferência direta do povo nas decisões governamentais. Caracteriza-se pela convocação dos cidadãos a manifestarem sua opinião por meio do voto (sim ou não), antes de uma lei ser elaborada, consistindo-se numa fase do procedimento para sua elaboração. Neste ponto o plebiscito diferencia-se do 'referendo', no qual os cidadãos são convocados a expressar sua opinião, que tem caráter deliberativo, após a lei ter sido elaborada.] **2** *Ant.* Lei decretada ou estabelecida pelo povo romano em comício [F.: Do lat. *plebiscitum.*]

plectro (*plec*.tro) [é] ***sm.*** **1** *Mús.* Pequena peça de material rígido com a qual se vibram as cordas de um instrumento; PALHETA **2** *Ant. Mús.* Instrumento usado para fazer vibrar as cordas da lira **3** *Poét.* A poesia, o gênio poético [F.: Do lat. *plectrum.*]

◎ **-plegia** ***el. comp.*** = 'paralisia': *blefaroplegia, cardioplegia, faringoplegia, gnatoplegia, hemiplegia, mioplegia, nefroplegia, pneumoplegia, quadriplegia, tetraplegia* [F.: Do gr. *plegé, ês*, 'golpe'; 'pancada'; 'percussão', + *-ia*[1].]

plêiada (*plêi*:a.da) ***sf.*** Ver *plêiade*

plêiade (*plêi*.a.de) ***sf.*** **1** Grupo de pessoas ilustres **2** Grupo de pessoas de uma certa profissão ou classe **3** *Astron.* Cada umas das estrelas da constelação das Plêiades (grupo de sete estrelas que podem ser vistas a olho nu, localizadas no aglomerado galáctico de Touro) [F.: Do lat. *Plēiădes.* Tb. *plêiada.*]

pleiotropia (plei.o.tro.*pi*:a) ***sf.*** *Biol. Gen.* Capacidade que tem um único gene de ser o responsável por múltiplos efeitos no fenótipo de um organismo [F.: *pleio-* (do gr. *pleíon, ón, on* 'mais numeroso') + *-tropia.*]

pleiotrópico (plei.o.*tró*.pi.co) *Biol. Gen.* ***a.*** **1** Ref. ou inerente a pleiotropia **2** Diz-se de gene dotado de pleiotropia [F.: *pleiotropia* + *-ico*[2].]

pleistocênico (pleis.to.*cê*.ni.co) ***a.*** Ref. ou inerente a Pleistoceno (erosão pleistocênica); PLISTOCÊNICO [F.: *pleistoceno* + *-ico*[2].]

pleistoceno (pleis.to.*ce*.no) *Geol.* ***a.*** **1** Diz-se do período geológico da era cenozoica no qual surgiram os primeiros seres humanos e as geleiras polares se expandiram, cobrindo mais de um terço da Terra ***sm.*** **2** Esse período [Nesta acep. com inic. maiúsc.] [F.: Do fr. *pléistocène.*]

pleiteado (plei.te.*a*.do) ***a.*** Que pleiteou, questionou, requereu, demandou, concorreu [F.: Part. de *pleitear.*]

pleiteante (plei.te.*an*.te) ***s2g.*** **1** Quem pleiteia ***a2g.*** **2** Diz-se de quem pleiteia [F.: *pleitear* + *-ante.* Sin. ger.: *pleiteador.*]

pleitear (plei.te.*ar*) ***v.*** **1** Esforçar-se para conseguir [***td.***: *Pleiteava um aumento salarial.*] **2** Revelar-se a favor de; DEFENDER [***td.***: *Pleiteava a construção de novos hospitais.*] **3** Apresentar-se como candidato a; CONCORRER [***td.***: *Pleitear uma cadeira no Senado.*] **4** *Jur.* Brigar em juízo; REQUERER [***td.***: "Todo consumidor lesado tem o direito de pleitear indenização" (Folha de S.Paulo, 17.10.1999)] **5** Sustentar em discussão; DISPUTAR; DEFENDER [***td.***: *Pleiteou sua permanência na casa durante uma semana.*] **6** Reivindicar, lutar (para conseguir algo) [***td.***: *O jogador pleiteava um lugarzinho no time.*] **7** Competir, rivalizar [***tr.*** *+com: Esse goleiro pleiteia com os melhores do mundo.*] [▶ **13 pleitear**] [F.: *pleito* + *-ear.*]

pleito (*plei*.to) ***sm.*** **1** Escolha de candidato para ocupar cargos públicos, postos ou desempenhar determinadas funções por meio de votação; ELEIÇÃO **2** Confrontação de opiniões e argumentos; DEBATE **3** *Jur.* Demanda, questão judicial; LITÍGIO [F.: Do lat. *placitum.*]

plenária (ple.*ná*.ri:a) ***sf.*** Assembleia ou tribunal que visa reunir em sessão todos os seus membros [F.: Fem. substv. de *plenário.*]

plenário (ple.*ná*.ri:o) ***sm.*** **1** O conjunto de membros de uma associação reunidos em assembleia **2** O local que abriga essa assembleia ***a.*** **3** Que é inteiro, pleno, completo [F.: Do lat. *plenarius.*]

◎ **pleni-** ***el. comp.*** 'cheio': *plenilúnio, plenipotenciário*

plenilúnio (ple.ni.*lú*.ni:o) ***sm.*** Fase da Lua em que ela se encontra inteiramente iluminada; lua cheia [F.: *pleni-* + *-lúnio.*]

plenipotência (ple.ni.po.*tên*.ci:a) ***sf.*** Poder absoluto, sem restrições [F.: *pleni-* + *potência.*]

plenipotenciário (ple.ni.po.ten.ci.*á*.ri:o) ***a.*** **1** Que possui plenos poderes (governo plenipotenciário) ***sm.*** **2** Agente diplomático a quem o governo concedeu plenos poderes [F.: *plenipotência* + *-ário.*]

plenitude (ple.ni.*tu*.de) ***sf.*** Estado do que está cheio, completo; COMPLETUDE; TOTALIDADE [F.: Do lat. *plenitudinis.*] ■ **Em ~** Na totalidade ou na medida máxima de algo (extensão, qualidade, intensidade, quantidade etc.)

pleno (*ple*.no) ***a.*** **1** Que está cheio, repleto **2** Que é absoluto, total (satisfação plena) **3** Diz-se da assembleia ou tribunal que reúne em sessão todos os seus sócios (tribunal pleno) **4** Refere-se ao arco cujo flexa equivale à metade do vão ***sm.*** **5** Ver *plenário* [F.: Do lat. *plenus.*] ■ **A ~** Totalmente, plenamente: "Tu que a pleno gozaste.... esse coro de gênios...." (Antônio Feliciano de Castilho)

◎ **pleo-** ***el. comp.*** = 'em maior número'; 'mais numeroso': *pleocroísmo* [F.: Do gr. ático *pléon, on, on.* F. conexa: *plio-.*]

pleocroísmo (ple:o.cro.*ís*.mo) ***sm.*** **1** *Crist.* Propriedade de certos cristais de variar de cor ao absorverem, de forma seletiva, os raios luminosos e conforme a direção em que estes os atravessam **2** *Ópt.* O mesmo que *dicroísmo* [F.: *pleo-* + *-croísmo.*]

pleonasmo (ple.o.*nas*.mo) *Ling.* ***sm.*** **1** Uso repetitivo de um conceito ou redundância de um termo, que, se não for vicioso, pode intensificar a força expressiva do discurso [p. ex.: *principal protagonista, monopólio exclusivo.*] **2** Excesso de palavras para expressar um ideia; CIRCUNLÓQUIO **3** Qualidade do que é supérfluo; INUTILIDADE; SUPERFLUIDADE [F.: Do lat. tard. *pleonasmus.* Cf.: *tautologia.*]

pleonástico (ple.o.*nás*.ti.co) ***a.*** Em que há pleonasmo; REDUNDANTE [F.: Do fr. *pleonastique.*]

plessímetro (ples.*sí*.me.tro) *Med.* ***sm.*** **1** Instrumento constante de uma pequena placa, que é golpeada na percussão mediata; PLESSÔMETRO **2** Placa de vidro us. para examinar afecções da pele sob pressão [F.: *plessi-* + *-metro.*]

pletismografia (ple.tis.mo.gra.*fi*:a) *Med.* ***sf.*** **1** Medição e registro, por meio de pletismógrafo, das modificações de volume de uma parte do corpo, órgão ou membro decorrentes de fenômenos circulatórios **2** Técnica e emprego do pletismógrafo [F.: *pletismo-* + *-grafia.*]

pletismógrafo (ple.tis.*mó*.gra.fo) ***sm.*** *Med.* Aparelho ou equipamento us. em pletismografia, que mede as variações de volume de um órgão ou membro sob influxo de sangue [F.: *pletismo-* + *-grafo.*]

◎ **plet(o)-** ***el. comp.*** = '(em) grande quantidade'; 'abundância'; 'multidão': *pletodonte* (lat. cient.), *pletora* (gr.) [F.: Do gr. *plêthos, eos-ous.*]

pletora (ple.*to*.ra) [ó] ***sf.*** **1** *Med.* Elevação do volume de sangue no organismo, provocando dilatação anormal dos vasos sanguíneos **2** *Fig.* Abundância de vitalidade, de energia; EXUBERÂNCIA **3** *Fig.* Qualquer tipo de excesso; SUPERABUNDÂNCIA [Ant.: *carência, deficiência.*] **4** Malestar provocado por excesso de atividade **5** *Fig. Bot.* Superprodução de seiva [F.: Do gr. *plethóre, es.*]

pletórico (ple.*tó*.ri.co) ***a.*** **1** Que tem pletora **2** Que tem relação com a pletora (estado pletórico) **3** Que manifesta exuberância; ESTUANTE [F.: Do gr. *plethorikós, é, ón.*]

◎ **-pleura** ***el. comp.*** Ver *pleur(o)-*

pleura (*pleu*.ra) ***sf.*** **1** *Anat.* Cada uma das membranas que forram os pulmões (pleura visceral) e a superfície interna da parede torácica correspondente (pleura parietal), e se refletem sobre o diafragma (pleura diafragmática) **2** *Zool.* Região lateral do tórax dos insetos [F.: Do gr. *pleurás, âs.*] ■ **~ parietal** *Anat.* Camada de pleura que reveste por dentro a cavidade torácica **~ visceral** *Anat.* Camada de pleura que reveste por fora os pulmões

pleural (pleu.*ral*) ***a2g.*** Relativo ou pertencente a pleura [Pl.: *-rais.*] [F.: *pleura* + *-al*[1].]

pleuris (pleu.*ris*) ***sm2n.*** *Med.* O mesmo que *pleurisia* [F.: Do lat. medv. *pleurisis, is.*]

pleurisia (pleu.ri.*si*.a) ***sf.*** *Med.* Inflamação crônica ou aguda da pleura; PLEURITE; PLEURIS [F.: Do fr. *pleurisie*, do lat. medv. *pleurisis, is.*]

pleurite (pleu.*ri*.te) ***sf.*** *Med.* O mesmo que *pleurisia* [F.: Do gr. *pleurîtis, ítidos*, em *pleurîtis nósos*, 'doença do lado, da pleura'.]

pleurítico (pleu.*rí*.ti.co) *Med.* ***a.*** **1** Relativo a pleurisia ou causado por ela (dor pleurítica) **2** Diz-se de indivíduo que padece de pleurisia ***sm.*** **3** Esse indivíduo [F.: Do gr. *pleuritikós, é, ón*, lat. *pleuriticus, a, um.*]

◎ **-pleur(o)-** ***el. comp.*** Ver *pleur(o)-*

◎ **pleur(o)-** ***el. comp.*** = 'lado'; 'flanco'; 'pleura'; 'lateral'; 'pleural'; 'parede ou lateral de um corpo ou de uma estrutura'; 'cavidade': *pleurisia* (< fr. ant. lat. medv.), *pleurite* (gr.), *pleurodinia, pleuropneumonia, pleuropulmonar; odontopleurose; endopleura, mesopleura, somatopleura* [F.: Do gr. *pleurá, âs*, 'flanco'; 'lado'.]

pleurodinia (pleu.ro.di.*ni*:a) *Med.* ***sf.*** **1** Dor reumática nos músculos e nervos intercostais, devido a inflamação **2** Dor de origem pleural que ocorre após intervenção cirúrgica; PSEUDOPLEURISIA; PSEUDOPLEURITE [F.: *pleur(o)-* + *-odinia.*] ■ **~ epidêmica** *Pat.* Infecção virótica aguda que se manifesta com febre, inapetência e dor aguda no músculo diafragma, que se acentua com os movimentos da respiração

pleuropneumonia (pleu.ro.pneu.mo.*ni*.a) ***sf.*** *Med.* Inflamação do pulmão e da pleura que o reveste [F.: *pleur(o)-* + *pneumonia.*]

pleuropulmonar (pleu.ro.pul.mo.*nar*) ***a2g.*** *Anat.* Relativo simultaneamente ao pulmão e à pleura [F.: *pleur(o)-* + *pulmonar.*]

plexo (*ple*.xo) [é] ***sm.*** **1** *Anat.* Interconexão de nervos, vasos sanguíneos e vasos linfáticos **2** A região onde se dá essa interconexão [F.: Do lat. *plexus.*] ■ **~ braquial** *Anat.* Plexo formado pelo entrelaçamento dos prolongamentos dos ramos ventrais do quinto ao oitavo nervos cervicais e parte do nervo torácico **~ cardíaco** *Anat.* Entrelaçamento das ramificações dos nervos simpático e vago que se estende da região do arco da aorta e da artéria pulmonar aos átrios, ventrículos e coronárias **~ celíaco** *Anat.* Ver *Plexo solar* **~ cervical** *Anat.* Plexo formado pelo entrelaçamento dos prolongamentos dos ramos ventrais do primeiro ao quarto nervos cervicais **~ coroide** *Anat.* Cada um dos cordões vasculares que se inserem nos ventrículos laterais do cérebro, formando a pia-máter, e que atuam na produção de líquido cefalorraquidiano **~ lombar** *Anat.* Plexo formado pelos ramos ventrais do primeiro ao quarto nervos lombares, no interior dos psoas **~ solar** *Anat.* Grande plexo simpático formado por gânglios e ramos nervosos, na região da parte superior da aorta abdominal, atrás do estômago, que se ramifica a todas as vísceras do abdome; plexo celíaco

plica (*pli*.ca) ***sf.*** **1** *Med.* Dobra de uma membrana ou tecido; PLICADURA; PREGA **2** *Gram.* O acento agudo **3** O sinal (') anteposto à sílaba tônica na transcrição fonética de uma palavra, segundo as regras do alfabeto fonético internacional **4** *Mat.* Sinal (') que se alceia à direita de uma letra (a') **5** *Mús.* Espécie de haste que, na notação musical medieval, complementa as figuras de duração de tempo e também as ornamenta [Cf.: *neuma.*] [F.: Do lat. cient. *plica.*]

plicado (pli.*ca*.do) ***a.*** **1** Que se plicou; acentuado com plica **2** Que tem dobras ou pregas; DOBRADO; ENRUGADO **3** *Bot.* Diz-se de folha dobrada em várias pregas longitudinais, como um leque [F.: Do lat. *plicatus, a, um.*]

plicar (pli.*car*) ***v. td.*** **1** Preguear, franzir **2** Pôr plicas em [▶ **11 plicar**] [F.: Do lat. *plicare.* Hom./Par.: *plica(s)* (fl.), *plica(s)* (sf. [pl.]).]

plicatura (pli.ca.*tu*.ra) ***sf.*** **1** *Anat.* Ver *plica* **2** *Cir.* Cirurgia para a redução de um órgão [F.: Do lat. *plicatura.*]

◎ **-plice** ***el. comp.*** = multiplicar: *dúplice, duplo, tríplice, triplo*

plinto (*plin*.to) *Arq.* ***sm.*** **1** Peça quadrangular que constitui a parte da base inferior de um pedestal ou de uma coluna; ALAQUE; SOCO **2** O pedestal que sustenta uma estátua; ALAQUE: "...sucedendo-se em renques de plintos e torres e pilastras truncadas..." (Euclides da Cunha, *Os Sertões*) **3** *Esp.* Aparelho de ginástica para saltos e evoluções; CAVALO [F.: Do lat. tard. *plinthus.*]

◎ **plio-** ***el. comp.*** = 'mais numeroso'; 'maior': *plioceno, pliofilia* [F.: Do gr. *pleíon, on, on.* Ocorre tb. a f. *pleio-*, não preferencial.]

plioceno (pli.o.*ce*.no) *Geol.* ***a.*** **1** Diz-se do período geológico da era cenozoica em que os mamíferos já habitavam a Terra e surgiram os primeiros ancestrais diretos do homem ***sm.*** **2** Esse período [Nesta acp. com inicial maiúsc.] [F.: *plio-* + *-ceno*[2].]

plissado (plis.*sa*.do) ***a.*** **1** Com pregas, formando plissê (saia plissada) **2** Ver *plissê* [F.: Part. de *plissar.*]

plissagem (plis.*sa*.gem) ***sf.*** Ação ou resultado de plissar [F.: *plissar* + *-agem.*]

plissar (plis.*sar*) ***v. td.*** *Vest.* Fazer pregas estreitas e permanentes em: *Plissar uma saia.* [▶ **1 plissar**] [F.: Do fr. *plisser.*]

plissê (plis.*sê*) ***sm.*** Sequência de pregas permanentes em tecido feitas em máquina apropriada; PLISSADO [F.: Do fr. *plissé.*]

◎ **-plo** ***el. comp.*** Ver *-plice*

◎ **-ploide** ***el. comp.*** = 'conjunto cromossômico'; 'o número de cromossomos de um grupo'; 'que tem dado número de cromossomos': *aloploide, hexaploide, monoploide, octoploide, poliploide, tetraploide, triploide* [F.: Do VCI *-ploid*, de *haploid* e *diploid* (*haploide* e *diploide*), termos cunhados pelo cientista alemão Eduard Strasburger (1844-1912), a partir do gr. *haplóos*, 'simples', 'único'; 'não composto', e gr. *di plóos*, 'duplo', respectivamente, + *-id*, 'idioplasma' (posv. do gr. *eidos*, 'forma'; 'aspecto'). Ver *-oide.*]

plotador (plo.ta.*dor*) [ô] ***sm.*** **1** Aquele que plota ***a.*** **2** Que plota, que marca os pontos que formam um gráfico do desenho [F.: *plotar* + *-dor.* Cf.: *plotter.*]

plotadora (plo.ta.*do*.ra) [ô] ***sf.*** Tipo de impressora gráfica que transpõe imagens (ger. de grande extensão, como diagramas ou desenhos arquitetônicos) geradas pelo computador para o papel [F.: *plotar* + *-dora.* Cf.: *plotter.*]

plotagem (plo.*ta*.gem) ***sf.*** **1** Ação ou resultado de plotar **2** *Inf.* Montagem, construção de imagem por meio de linhas **3** Localização sucessiva em mapa, gráfico de posição em escala etc., de um alvo ou objeto que neles se desloca [Pl.: *-gens.*] [F.: *plotar* + *-agem*[2].]

plotar (plo.*tar*) ***v. td.*** **1** *Mar.* Localizar (embarcação, alvo) por meio de mapa, desenho em escala etc. **2** *Inf.* Transpor, para o papel, imagem gerada por computador **3** *Bras. Pop. Mar.* Compreender, entender: *O marinheiro plotou a mensagem.* [▶ **1 plotar**] [F.: Do ingl. *(to) plot.*]

⊕ **plotter** (*Ing.* /*plóter*/) ***sm.*** Aparelho que imprime imagens geradas por um computador, linha a linha [Cf.: *plotadora.*]

plugado (plu.*ga*.do) ***a.*** **1** Que se plugou, que se conectou à rede elétrica ou a outro dispositivo elétrico ou eletrônico: *O abajur não está plugado à tomada; as caixas de som estão plugadas ao amplificador.* **2** *Inf.* Que está conectado a um computador ou a uma rede de computadores **3** *Fig. Gír.* Que está atento aos acontecimentos; LIGADO; ANTENADO [F.: Part. de *plugar.*]

plugar (plu.*gar*) ***v.*** **1** Ligar (aparelho elétrico) a uma tomada [***td.***] **2** *Inf.* Conectar (equipamento) a um computador [***td.***] [***tda.***] **3** *Inf.* Conectar (seu próprio computador ou algum computador) a uma rede de computadores [***td.***] [▶ **14 plugar**] [F.: Do ingl. *(to) plug* + *-ar.*]

⊕ **plug-in** (*Ing.*: /*pluguin*/) ***sm.*** *Inf.* Programa para computador que pode ser adicionado a outro programa, este ger. maior e mais complexo, para permitir rotinas e tarefas suplementares e específicas

plugue (*plu*.gue) ***sm.*** *Elet. Eletrôn.* Peça com dois ou mais pinos que se encaixa em uma tomada, estabelecendo uma conexão elétrica [F.: Do ing. *plug.*]

pluma (*plu*.ma) ***sf.*** **1** Pena de ave, ger. longa e flexível **2** Essa pena quando utilizada como adorno em chapéus, roupas etc. **3** Conjunto dessas penas us. para enfeitar chapéus, capacetes etc.; PENACHO **4** *Náut.* Nome de diversos cabos no navio, como os que suportam a barlavento as antenas e a verga da cábrea, os que vão para diante e para trás nas cabrilhas, etc. [F.: Do lat. *pluma*.]

plumado (plu.*ma*.do) *a.* **1** Que tem pluma(s) **2** Que foi enfeitado com plumas (fantasia plumada; chapéu plumado) [F.: Do lat. *plumatus, a, um*. Ant. ger.: *desemplumado*.]

plumagem (plum.*ma*.gem) *sf.* **1** Conjunto de penas que cobre uma ave **2** O conjunto de plumas de um adorno **3** *Fig.* O aspecto exterior; APARÊNCIA [F.: *pluma* + *-agem*.] ▪▪ **Bater a bela/linda ~ 1** *Pop.* Fugir **2** Ir embora

plumário (plu.*má*.ri:o) *sm.* **1** Que diz respeito a pluma ou constituído de plumas **2** *Art. pl.* Diz-se da modalidade de artesanato cuja matéria-prima é a pluma **3** Ref. a esse artesanato [F.: Do lat. *plumarius*.]

plúmbeo (*plúm*.be:o) *a.* **1** Ref. ao chumbo; PLÚMBICO **2** Que tem a cor cinzenta do chumbo (nuvens plúmbeas) **3** *Fig.* De aparência tristonha, soturna [F.: Do lat. *plumbeus, a, um*.]

◎ **plumb(i)-** *el. comp.* = 'chumbo': *plumbífero, plumbismo* [F.: Do lat. *plumbum, i*.]

plumbismo (plum.*bis*.mo) *sm. Med.* Intoxicação causada por absorção de chumbo; SATURNISMO [F.: *plumb(i)-* + *-ismo*.]

◎ **-plume** *el. comp.* Ver *plum(i)-*

plúmeo (*plú*.me:o) *a.* **1** Ref. a pluma **2** Que é confeccionado com plumas **3** Com plumas; EMPLUMADO [F.: Do lat. *plumeus, a, um*.]

◎ **plum(i)-** *el. comp.* = 'pluma'; 'pena'; (*P. ext.*) 'asa': *plumicórneo, plumífero, plumista, plúmula* (lat.); *biplume, implume* [F.: Do lat. *pluma, ae*.]

plumista (plu.*mis*.ta) *s2g.* **1** Artista que se dedica à arte plumária **2** Pessoa que negocia com plumas **3** Pessoa que prepara as plumas para o comércio [F.: *plum(i)-* + *-ista*.]

plumoso (plu.*mo*.so) [ô] *a.* **1** Cheio de plumas **2** Com a forma de uma pluma **3** *Bot.* Diz-se de vegetal que apresenta pelos laterais em suas ramificações, assemelhando-se a uma pluma [Pl.: [ó]. Fem.: [ó].] [F.: Do lat. *plumosus, a, um*.]

plural (plu.*ral*) *sm.* **1** *Gram.* Categoria gramatical que designa a quantidade 'mais de um' [Ant.: *singular*. Aplica-se a vocábulos variáveis (artigos, substantivos, adjetivos, verbos e pronomes) que concordam entre si (*dia claro / dias claros; o gato mia / os gatos miam*).] **2** *Gram.* Palavra que recebeu a marca de plural (1) *a2g.* **3** Que é variado; DIVERSIFICADO [Pl.: *-rais*.] [F.: Do lat. *plurali, e*.] ▪▪ **~ de modéstia** *Gram.* Uso do pronome da primeira pessoa no plural ao invés de no singular (*nós por eu*) como forma, sincera ou não, de expressar modéstia ao coletivizar o papel do locutor em algo meritório; plural majestático **~ majestático 1** *Gram.* Uso da primeira e segunda pessoas no plural (*nós* e *vós*) ao invés de no singular (*eu* e *tu*) no estilo de falas e pronunciamentos de reis, autoridades etc., como expressão de consideração ao(s) interlocutor(es) **2** Ver *Plural de modéstia*

pluralidade (plu.ra.li.*da*.de) *sf.* **1** Qualidade do que existe em (grande) quantidade; DIVERSIDADE; MULTIPLICIDADE **2** Existência de diversas variações de algo ao mesmo tempo; DIVERSIDADE **3** O que está em maior número (pluralidade de votos); MAIORIA **4** Grande quantidade de algo (pluralidade de alternativas) [F.: Do lat. tard. *pluralitas, atis*.]

pluralismo (plu.ra.*lis*.mo) *sm.* **1** *Pol.* Sistema político no qual se defende a coexistência de vários partidos em uma sociedade, com igualdade de direitos ao exercício do poder público **2** *Soc.* Diversidade de interesses, opiniões, experiências etc.: *o pluralismo de uma sociedade*. **3** Ideia ou conceito de que em uma só entidade (pessoas, sociedade etc.) podem coexistir harmonicamente diferentes aspectos [F.: *plural* + *-ismo*.]

pluralista (plu.ra.*lis*.ta) *s2g.* **1** Adepto ao pluralismo *a2g.* **2** Que é partidário do pluralismo [F.: *plural* + *-ista*.]

pluralização (plu.ra.li.za.*ção*) *sf.* Ação ou resultado de pluralizar [Pl.: *-ções*.] [F.: *pluralizar* + *-ção*.]

pluralizar (plu.ra.li.*zar*) *v. td.* **1** Colocar ou empregar (palavra, frase) no plural **2** Tornar mais numeroso; MULTIPLICAR: *Pluralizar esforços*. **3** *Fig.* Diversificar: *O empresário pluralizou seus investimentos*. [▶ 1 pluralizar] [F.: *plural* + *-izar*.]

◎ **plur(i)-** *el. comp.* = 'muitos'; 'inúmeros': *pluralismo, pluripartidarismo* [F.: Do lat. *plus, pluris*.]

pluriangular[1] (plu.ri.an.gu.*lar*) *a2g.* **1** *Geom.* Diz-se de que tem vários ângulos (poliedro pluriangular) **2** *Des.* Que forma muitos ângulos (traçado pluriangular) [F.: *plur(i)-* + *angular* Sin. ger.: *plurianguloso*. Ant. ger.: *uniangular*.]

pluriangular[2] (plu.ri.an.gu.*lar*) *a2g.* Diz-se de que pode ser definido ou interpretado de vários ângulos (análise pluriangular) [F.: *plur(i)-* + *-angular*. Sin. ger.: *plurianguloso*. Ant. ger.: *uniangular*.]

plurianual (plu.ri:a.nu:*al*) *a2g.* Ref. a vários anos, ger. mais de três (orçamento plurianual; intempéries plurianuais) [Pl.: *-ais*.] [F.: *plur(i)-* + *anual*.]

pluricelular (plu.ri.ce.lu.*lar*) *a2g.* *Biol.* Que é composto de mais de uma célula; MULTICELULAR [F.: *plur(i)-* + *celular*.]

pluricultural (plu.ri.cul.tu.*ral*) *a2g.* Diz-se do que é composto de várias culturas (desenvolvimento pluricultural; integração pluricultural); MULTICULTURAL [Ant.: *unicultural*.] [Pl.: *-rais*.] [F.: *plur(i)-* + *cultural*.]

pluriculturalismo (plu.ri.cul.tu.ra.*lis*.mo) *sm.* *Antr.* Multiplicidade e diversidade cultural: *A ONG propõe-se a desenvolver ações de pluriculturalismo pelo mundo*. [Ant.: *uniculturalismo*] [F.: *plur(i)-* + *culturalismo*.]

pluridimensional (plu.ri.di.men.si:o.*nal*) *a2g.* Diz-se do que se expressa e se desenvolve em muitas direções (fenômeno pluridimensional; educação pluridimensional); MULTIDIMENSIONAL [Ant.: *unidimensional*.] [Pl.: *-nais*.] [F.: *pluri-* + *dimensão* + *-al*, pelo padrão erudito.]

pluridisciplinar (plu.ri.dis.ci.pli.*nar*) *a2g.* *Pedag.* Ref. ou inerente a muitas disciplinas ou vários ramos de pesquisa (currículo pluridisciplinar; experiência pluridisciplinar); MULTIDISCIPLINAR; INTERDISCIPLINAR [Ant.: *unidisciplinar*] [F.: *plur(i)-* + *disciplinar*.]

pluridisciplinaridade (plu.ri.dis.ci.pli.na.ri.*da*.de) *sf.* *Pedag.* Característica ou qualidade de pluridisciplinar: *A pluridisciplinaridade é a existência de relações complementares entre disciplinas mais ou menos afins*. [Ant.: *unidisciplinaridade*.] [F.: *pluridisciplinar* + *-i-* + *-dade*.]

pluriforme (plu.ri.*for*.me) [ó] *a2g.* Diz-se do que tem mais de uma forma (ação pluriforme; imaginário pluriforme) [Ant.: *uniforme*] [F.: *plur(i)-* + *-forme*.]

plurifuncional (plu.ri.fun.ci:o.nal) *a2g.* Diz-se do que tem muitas funções (edifício plurifuncional; equipamento plurifuncional) [Ant.: *unifuncional*.] [Pl.: *-nais*.] [F.: *plur(i)-* + *funcional*.]

plurilateral (plu.ri.la.te.*ral*) *a2g.* **1** Com muitos lados **2** *Jur.* Diz-se do acordo que atende o interesse de muitas partes [Pl.: *-rais*.] [F.: *plur(i)-* + *lateral*.]

plurilíngue (plu.ri.*lín*.gue) *a2g.* **1** Diz-se de indivíduo, comunidade, região, país etc. que se expressam em mais de dois idiomas **2** Diz-se do indivíduo que domina mais de dois idiomas; POLIGLOTA *s2g.* **3** Indivíduo que domina mais de dois idiomas; POLIGLOTA [F.: *plur(i)-* + *-língue*. Sin. ger.: *multilíngue*.]

pluriovulado (plu.ri.o.vu.*la*.do) *a.* *Bot.* Que apresenta muitos óvulos; MULTIOVULADO [F.: *plur(i)-* + *ovulado*.]

pluripartidário (plu.ri.par.ti.*dá*.ri:o) *a.* **1** Ref. ao pluripartidarismo; PLURIPARTIDARISTA **2** Ref. a, ou que concerne a mais de um partido (interesses pluripartidários) [F.: *plur(i)-* + *partidário*.]

pluripartidarismo (plu.ri.par.ti.da.*ris*.mo) *sm.* *Pol.* Sistema político no qual coexistem vários partidos políticos [F.: *plur(i)-* + *partidarismo*.]

pluripartidarista (plu.ri.par.ti.da.*ris*.ta) *a2g.* **1** Diz-se daquele que defende o pluripartidarismo **2** Ref. ao pluripartidarismo; PLURIPARTIDÁRIO *s2g.* **3** O adepto ao pluripartidarismo [F.: *plur(i)-* + *partidarista*.]

pluripotência (plu.ri.po.*tên*.ci:a) *sf.* *Emb.* Capacidade que as células-tronco embrionárias possuem de originar qualquer tipo de célula do organismo, exceto a célula placentária: *estudo da pluripotência em células híbridas*. [F.: *plur(i)-* + *potência*.]

plurirracial (plu.rir.ra.ci.*al*) *a2g.* *Etnol.* Diz-se de que abrange ou abriga muitas raças (sociedade plurirracial); MULTIRRACIAL [Pl.: *-ais*.] [F.: *plur(i)-* + *racial*.]

plurissecular (plu.ris.se.cu.*lar*) *a2g.* **1** Que tem muitos séculos de existência; MULTISSECULAR **2** Muito antigo [F.: *plur(i)-* + *secular*.]

plurívoco (plu.*rí*.vo.co) *a.* Que admite várias significações; que tem muitos sentidos ou acepções (palavra plurívoca; atributo plurívoco); MULTÍVOCO [Ant.: *unívoco*.] [F.: Do lat. tardio *plurivocus, a, um*.]

⊕ ***plush*** (*Ing.* /*plâch*/) *sm.* *Têxt.* Tecido muito macio, semelhante ao veludo, confeccionado com algodão, seda ou lã

plutão[1] (plu.*tão*) *sm.* **1** *Mit.* Deus romano dos Infernos, na Antiguidade [Nesta acp., com inicial maiúsc.] **2** *Poét.* O fogo **3** *Astron.* Plutoide, ou planeta-anão do sistema solar, na nona órbita a partir do Sol [Nesta acp., com inicial maiúsc.] [Pl.: *-tões*.] [F.: Do mitôn. gr. *Ploúton, onos*, pelo mitôn. lat. *Pluto* ou *Pluton, onis*, 'deus dos Infernos'.]

Plutão[2] (Plu.*tão*) *sm.* **1** *Astron.* Nono planeta do sistema solar, a partir do Sol **2** *Mit.* Deus romano dos infernos, na Antiguidade [F.: Do gr. *Plouton*.]

◎ **pluto-** *el. comp.* = 'riqueza': *plutocracia, plutocrata* [F.: Do gr. *ploûtos, ou*.]

plutocracia (plu.to.cra.*ci*.a) *sf.* **1** O poder daqueles que detêm a riqueza **2** O governo regido pelas classes mais favorecidas economicamente **3** A influência das elites econômicas no exercício do poder [F.: Do gr. *ploutokratía, as*.]

plutocrata (plu.to.*cra*.ta) *s2g.* **1** Membro da plutocracia **2** Pessoa influente em virtude da riqueza que possui [F.: *pluto-* + *-crata*.]

plutocrático (plu.to.*crá*.ti.co) *a.* **1** Ref. a plutocracia **2** Ref. a plutocrata [F.: *plutocrata* + *-ico*[2].]

plutoide (plu.*toi*.de) *sm.* *Astron.* Designação de corpo celeste em órbita em torno do Sol, mais afastada que a de Netuno, e cuja massa está em equilíbrio hidrostático, o que lhe dá formato permanente assemelhado ao de uma esfera [F.: *Plutão* (antes classificado como planeta) + *-oide*. Tb. se diz *planeta anão* (ver loc. no verbete *planeta*).]

📖 Até 2006 Plutão era considerado um planeta, quando foi reclassificado como planeta anão. Mas em 2008 a União Astronômica Internacional criou uma classificação específica tomando Plutão como paradigma, a de *plutoide*. A princípio, além de Plutão, somente Éris foi considerado um plutoide, mas a estes juntaram-se depois Makemake e Haumea.

plutomania (plu.to.ma.*ni*:a) *Psiq. sf.* **1** Ânsia excessiva ou mórbida pela riqueza **2** Alienação mental e ilusão de se imaginar rico [F.: *pluto-* + *-mania*.]

plutomaníaco (plu.to.ma.*ní*.a.co) *Psiq. a.* **1** Ref., inerente a ou próprio da plutomania **2** Diz-se de indivíduo que tem plutomania; PLUTÔMANO *sm.* **3** Esse indivíduo; PLUTÔMANO [F.: *plutomania* + *-íaco*.]

plutômano (plu.*tô*.ma.no) *a. sm.* *Psiq.* O mesmo que *plutomaníaco* (2 e 3) [F.: *pluto-* + *-mano*.]

plutônico (plu.*tô*.ni.co) *a.* **1** *Petr.* Diz-se de rocha magmática formada nas grandes profundezas da crosta terrestre; ABISSAL **2** Ref. a rocha ou corpo intrusivo formados a grandes profundidades **3** Ref. a Plutão [F.: *plutão* (rad. *pluton-*) + *-ico*[2], seg. o mod. erudito.]

plutônio (plu.*tô*.ni:o) *sm.* *Quím.* Elemento químico sintético, radioativo, de número atômico 94, us. na produção de energia nuclear e na fabricação de bombas atômicas [Símb.: *Pu*.] [F.: Do fr. *plutonium*.]

plutonismo (plu.to.*nis*.mo) *sm.* Corrente teórica que preconiza a formação da Terra a partir da solidificação de massas fundidas [F.: Do fr. *plutonisme*.]

pluvial (plu.vi.*al*) *a2g.* **1** Da, ref. à, ou que provém da chuva, ou próprio para receber a água da chuva (esgoto pluvial; galerias pluviais): *aproveitamento da água pluvial*. **2** De regiões muito chuvosas, ou em que chove muito (floresta pluvial) **3** Da água de chuva (drenagem pluvial) [Pl.: *-ais*.] *sm.* **4** *Rel. Litu.* Indumentária us. por bispo ou sacerdote em ações litúrgicas solenes, fora da missa (bênçãos, sacramentos, procissões etc.) [F.: Do lat. *pluvialis, e*.]

◎ **pluvi(o)-** (plu.vi:o-) *el. comp.* = 'chuva': *pluvial* (lat.), *pluviógrafo, pluviograma, pluviometria, pluviômetro, pluvioso*[1] (lat.) [F.: Do lat. *pluvia, ae*, 'chuva'; 'água da chuva'.]

pluviógrafo (plu.vi:*ó*.gra.fo) *sm.* *Met.* Aparelho que registra a quantidade e intensidade de chuva caída em determinado lugar [F.: *pluvi(o)-* + *-grafo*.]

pluviograma (plu.vi:o.*gra*.ma) *sm.* *Met.* Gráfico de registro em milímetros da quantidade, intensidade e duração de chuva caída em determinado lugar [Cf.: *pluviógrafo* e *pluviômetro*.] [F.: *pluvi(o)-* + *-grama*.]

pluviometria (plu.vi.o.me.*tri*.a) *sf.* *Met.* Ciência que estuda a distribuição das chuvas por épocas e por regiões; HIETOMETRIA [F.: *pluvi(o)-* + *-metria*[1].]

pluviométrico (plu.vi.o.*mé*.tri.co) *Met. a.* **1** Ref. à, ou próprio da pluviometria (boletim pluviométrico); HIETOMÉTRICO **2** *P. ext.* Ref. à, ou da distribuição ou da ocorrência de chuvas (alto índice pluviométrico); HIETOMÉTRICO [F.: *pluviometria* + *-ico*[2].]

pluviômetro (plu.vi.*ô*.me.tro) *sm.* *Met.* Instrumento que mede a quantidade de chuva precipitada em certa região em dada época; HIETÔMETRO [F.: *pluvi(o)-* + *-metro*.]

pluviosidade (plu.vi.o.si.*da*.de) *sf.* Quantidade de chuva precipitada em uma região em determinada época: *O índice de pluviosidade no Rio de Janeiro em setembro foi altíssimo*. [F.: *pluvioso*[1] + *-(i)dade*.]

pluvioso[1] (plu.vi.*o*.so) [ô] *a.* **1** De chuva(s), ou em que há chuva; CHUVOSO **2** *Poét.* Que anuncia chuva; CHUVOSO [Pl.: [ó]. Fem.: [ó].] [F.: Do lat. *pluviosus, a, um*.]

pluvioso[2] (plu.vi.*o*.so) [ô] *sm.* *Cron.* Mês do *calendário republicano*, entre os meses nivoso e ventoso [F.: Do fr. *pluviôse*, do lat. *pluviosus, a, um*, 'chuvoso'.]

⊠ **p. m.** *Cron.* Abrev. de post meridiem [Cf.: *a. m.*]

⊠ **Pm** *Quím.* Símb. de *promécio*

⊠ **PNB** Sigla de *Produto Nacional Bruto*

⊠ **PND** *Econ.* Sigla de *Plano Nacional de Desenvolvimento*

◎ **-pneia** *el. comp.* = respiração: *apneia, dispneia*

◎ **-pneico** *el. comp.* Ref. a -pneia: *dispneico; taquipneia*

pneu *sm.* **1** Cada um dos tubos circulares de borracha cheios de ar comprimido que circundam as rodas de um veículo; PNEUMÁTICO **2** *Bras. Pop.* Excesso de gordura na cintura, que forma pequeno volume ou dobra saliente [F.: Do fr. *pneu*, f. red. do fr. *pneumatique*.] ▪▪ **~ radial** Aquele no qual a lona se dispõe em tiras perpendiculares à banda de rodagem

pneuma (*pneu*.ma) *sm.* **1** *Med.* Na Antiguidade, princípio vital ou força causadora da respiração e do pulso, da qual dependia a vida e cujo enfraquecimento causaria doenças **2** *Fil.* Segundo os estoicos, substância etérea ou espírito universal que penetra todas as coisas; essência espiritual invisível e intangível **3** *Teol.* Espírito divino, o Espírito Santo, força que opera no mundo executando a vontade de Deus [F.: Do lat. tard. *pneuma* < gr. *pneûma, atos* 'sopro, ar; alento; sopro divino'.]

◎ **pneumat-** *el. comp.* = 'sopro', 'ar': *pneumatologia, pneumatólise* [F.: Do gr. *pneûma, atos*.]

pneumática (pneu.*má*.ti.ca) *sf.* *Fís.* Ciência que estuda as propriedades físicas do ar e de outros gases [F.: Fem. substv. de *pneumático*.]

pneumático (pneu.*má*.ti.co) *a.* **1** Ref. ao ar **2** Diz-se de aparelho que funciona a partir da energia produzida pelo pressão do ar *sm.* **3** O mesmo que *pneu* [F.: Do fr. *pneumatique*.]

pneumatologia (pneu.ma.to.lo.*gi*.a) *sf.* **1** O mesmo que *pneumática* **2** *Teol.* Estudo dos espíritos como seres intermediários na relação entre os homens e Deus [F.: *pneumat(o)-* + *-logia*.]

pneumatológico (pneu.ma.to.*ló*.gi.co) *a.* Ref. a pneumatologia [F.: *pneumatologia* + *-ico*[2].]

pneumatologista (pneu.ma.to.lo.*gis*.ta) *s2g.* **1** O especialista em pneumatologia *a2g.* **2** Que se especializou em pneumatologia [F.: *pneumatologia* + *-ista*.]

◎ **pneum(o)-** *el. comp.* = 'pulmão': *pneumonia, pneumotórax* [F.: Do gr. *pneúmon, onos*.]

pneumocócico (pneu.mo.*có*.ci.co) *a.* *Bac.* Ref. ou inerente a pneumococia ou pneumococo (infecção pneumocócica) [F.: *pneumococo* + *-ico*[2].]

pneumococo (pneu.mo.*co*.co) *sm.* *Bac.* Bactéria (*Diplococcus pneumoniae*) que produz no homem a pneumonia aguda e tb. sinusite, meningite, otite etc.; ESTREPTOCOCO [F.: *pneum(o)-* + *-coco.*]

pneumoconiose (pneu.mo.co.ni:*o*.se) *sf. Pneumo.* Doença ou reação crônica dos pulmões, sob várias formas, decorrente da inalação de ar que contém em suspensão partículas minerais ou metálicas, pó ou poeira; AEROSE [F.: *pneum(o)-* + *-con(i/o)-* + *-ose.*]

pneumoencefalografia (pneu.mo.en.ce.fa.lo.gra.*fi*.a) *sf. Med. Rlog.* Encefalografia realizada depois de injeção de ar ou outro gás na cavidade cerebral [F.: *pneum(o)-* + *encefalografia.*]

pneumogástrico (pneu.mo.*gás*.tri.co) *a.* Que é próprio do pulmão e do estômago [F.: *pneum(o)-* + *-gástrico.*]

pneumografia (pneu.mo.gra.*fi*.a) *sf.* 1 *Anat. Med.* Descrição anátomo-morfológica dos pulmões 2 *Med.* Medição ou registro gráfico dos movimentos respiratórios por meio do pneumógrafo; PNEUMOGRAMA 3 *Rlog.* Radiografia de pulmão ou pulmões, ou de órgãos ou tecidos após a injeção de ar ou oxigênio [F.: *pneum(o)-* + *-grafia.*]

pneumógrafo (pneu.*mó*.gra.fo) *sm. Med.* Aparelho us. na pneumografia (2) [F.: *pneum(o)-* + *-grafo.*]

pneumólise (pneu.*mó*.li.se) *sf. Cir.* Operação para separar o pulmão de aderências pleurais inflamatórias com a parede torácica [F.: *pneum(o)-* + *-lise.*]

pneumologia (pneu.mo.lo.*gi*.a) *Pneumo. sf.* 1 Ramo da medicina que trata das doenças dos órgãos respiratórios em todos os seus aspectos 2 Tratado ou estudo sobre os pulmões e as doenças pleuropulmonares [F.: *pneum(o)-* + *-logia.* Sin. ger.: *pneumonologia.*]

pneumologista (pneu.mo.lo.*gis*.ta) *Pneumo. a2g.* 1 Diz-se de profissional especialista em pneumologia (1) *s2g.* 2 Esse profissional; PNEUMÓLOGO [F.: *pneumologia* + *-ista.*]

pneumonalgia (pneu.mo.nal.*gi*.a) *sf. Pat.* Dor no pulmão [F.: *pneumon(o)-* + *-algia.*]

pneumonia (pneu.mo.*ni*.a) *sf. Med.* Inflamação do pulmão causada pela ação de bactéria ou vírus [F.: Do gr. *pneumonía, as*, pelo lat. medv. *pneumonia.*] ▪▪ **~ aguda** *Pneumo.* Aquela cuja evolução é rápida **~ dupla** *Pneumo.* A que se manifesta nos dois pulmões **~ fibrinosa** *Pneumo.* A que apresenta acentuada exsudação de fibrina nas vias respiratórias **~ lobar** *Pneumo.* Pneumonia aguda que atinge um ou mais lobos pulmonares

pneumônico (pneu.*mô*.ni.co) *Pneumo. a.* 1 Ref. ou inerente a pneumonia (surto pneumônico) 2 Diz-se de pessoa que sofre de doença pulmonar *sm.* 3 Essa pessoa [F.: Do gr. *pneumonikós, é, ón.*]

pneumopatia (pneu.mo.pa.*ti*.a) *sf. Med.* Qualquer doença que afete os pulmões [F.: *pneum(o)-* + *-patia.*]

pneumopático (pneu.mo.*pá*.ti.co) *a.* Ref. a ou próprio da pneumopatia [F.: *pneumopatia* + *-ico*[2].]

pneumotomia (pneu.mo.to.*mi*.a) *sf. Cir.* Incisão cirúrgica no pulmão [F.: *pneum(o)-* + *-tomia.*]

pneumotórax (pneu.mo.*tó*.rax) [cs] *sm2n. Med.* Presença anômala de ar na pleura [F.: *pneum(o)-* + *-tórax.*] ▪▪ **~ artificial** *Pneumo.* O que é provocado intencionalmente como forma de tratamento de doenças ou distúrbios pulmonares, esp. a tuberculose; pneumotórax terapêutico **~ terapêutico** *Pneumo.* Ver *Pneumotórax artificial*

⊠ **Po** Símb. de *polônio*

pó[1] *sm.* 1 Conjunto de pequeníssimas partículas sólidas suspensas no ar ou depositadas em alguma superfície 2 Qualquer substância sólida reduzida a partículas muito pequenas (pó de café) 3 Os restos mortais 4 *Bras. Gír.* A cocaína [F.: Do lat. vulg. **pulvus* (clás. *pulvis, eris*).] ▪▪ **~ de faca** *Bras.* Pó para polir metais **~ de giz** *Bras. Pop.* Cocaína **~ de múmia** *Hist. Med.* Pó dito como resultante da moagem de múmia, que, na Idade Média, se acreditava ter propriedades terapêuticas **Morder o ~** 1 *Fig.* Cair morto, ou cair por terra 2 Ser vencido; derrotado

pó[2] *sm.* F. red. de *pó de arroz*

pô *interj. Bras. Pop.* Exprime descontentamento, aborrecimento, enfado, raiva, indignação, ou, por vezes, contrariamente, surpresa, espanto, admiração, contentamento ou alegria: *Pô! Que sujeito chato!; Pô, que legal, ele conseguiu o trabalho que queria!* [F.: F. red. de *porra.*]

poá (po.*á*) *sm.* 1 Pinta redonda 2 *Têxt.* Ponto de uma cor sobre fundo de outra cor, ger. em tecido: *Apareceu com um vestido verde com poás vermelhos.* [F.: Do fr. *pois* 'ervilha'.]

poaia (po:*ai*.a) *Bras. sf.* 1 *Bot.* Denominação comum a várias plantas de diferentes gên., esp. árvores e arbustos da fam. das rubiáceas, nativas do Brasil 2 *Bot.* Erva (*Polygala angulata*), da fam. das rubiáceas, nativa do Brasil (PA a SP), de longas raízes grossas e nodulosas, que fornece a emetina; IPECACUANHA 3 *Bot.* Denominação genérica das raízes eméticas de várias ervas do gên. *Polygala*, da fam. das poligaláceas, nativas do Brasil, sucedâneas da ipecacuanha *a2g.* 4 *Pop.* Diz-se de pessoa sem graça, enjoada *s2g.* 5 *Pop.* Essa pessoa [F.: Do tupi *pu'aya.*]

pobre (*po*.bre) *a2g.* 1 Que tem poucos recursos ou posses: "Pedro pedreiro quer voltar atrás/ Quer ser pedreiro pobre e nada mais" (Chico Buarque, *Pedro pedreiro*) [Ant.: *rico.*] 2 Em que há pobreza ou que aparenta pobreza (região pobre) [Ant.: *rico.*] 3 *Fig.* Diz-se de ideia, conceito, obra etc. que é simples, sem muita elaboração [Ant.: *rico.*] 4 *Fig.* Com pouca fertilidade 5 *Fig.* De quem ou de que se tem pena, compaixão, ou que é digno de pena, de compaixão; COITADO: "Amor de perdição paixão que cobre/ Todo o meu pobre peito pela vida afora" (Jards Macalé e Waly Salomão, *Dona de castelo*) [Aum.: *pobretão.* Superl.: *paupérrimo, pobríssimo.*] *s2g.* 6 Pessoa de poucas posses 7 Aquele que pede esmolas; MENDIGO; PEDINTE [F.: Do lat. *pauper, eris.*] ▪▪ **~ de Cristo** Pessoa muito pobre e muito humilde **~ de espírito** Pessoa desprovida de sensibilidade intelectual, tola, ingênua, simplória **Dos ~s** *Irôn.* Diz-se de algo ou alguém de qualidade, quantidade, tamanho etc. inferiores aos daquilo ou daquele que se usa como termo de comparação: *Esta ressaca é o tsunami dos pobres; O cozinheiro desse botequim é o Bocuse dos pobres.*

pobre-diabo (po.bre-di.*a*.bo) *sm.* 1 *Pej.* Pessoa considerada sem importância por não ter posses, prestígio social ou instrução; JOÃO-NINGUÉM; ZÉ-NINGUÉM 2 Aquele que é inofensivo ou sem personalidade [Pl.: *pobres-diabos.*]

pobretão (po.bre.*tão*) [ê] *sm.* 1 Aquele que é muito pobre [Ant.: *ricaço.*] 2 Pessoa sem posses que pretende se passar por endinheirado [Pl.: *-tões.* Fem.: *-tona.*] [F.: *pobrete* + *-ão*[1].]

pobreza (po.*bre*.za) [ê] *sf.* 1 Condição ou estado do pobre [Ant.: *riqueza.*] 2 Carência do que é mais essencial para a sobrevivência; PENÚRIA [Ant.: *opulência.*] 3 *Fig.* A totalidade das pessoas pobres [F.: *pobre* + *-eza.*]

poça (*po*.ça) [ô ou ó] *sf.* 1 Buraco ou depressão natural em que a água se acumula 2 Cova artificial larga e pouco profunda, onde se represa água para rega [F.: De *poço* (ô), com mud. da vogal temática (*-o* > *-a*). Hom./Par.: *poça* (sf.), *possa* (fl. de *poder*).]

poção (po.*ção*) *sf.* 1 Bebida com propriedades medicinais ou curativas 2 *P. ext.* Qualquer bebida [Pl.: *-ções.*] [F.: Do lat. *potio, onis.*]

pocar (po.*car*) *v.* 1 *Bras. Pop.* Estourar como pipoca [*int.*] 2 Bater, golpear com força, com energia em [*td.*] [▶ 11 pocar]

poceiro (po.*cei*.ro) *sm.* 1 Indivíduo que cava poços ou poças, por ofício ou não 2 Cesto em que se lava lã 3 Grande cesto de vime; CABANO; CABANEIRO [F.: *poço* + *-eiro.* Hom./Par.: *posseiro* (a. e sm.).]

pochete (po.*che*.te) [é] *sf.* Pequena bolsa us. presa à cintura ou a tiracolo [F.: Do fr. *pochette.*]

pocilga (po.*cil*.ga) *sf.* 1 Lugar onde se criam porcos; CHIQUEIRO 2 *Fig. P. ext.* Lugar muito sujo ou repulsivo [F.: Do port. arc. **porcilga* < *porco*, por via obscura.]

⊕ ***pocketbook*** (*Ing.* /póct buk/) *loc. subst. Art. gr. Bibl. Edit.* Livro com características técnicas específicas, quanto a tamanho (ger. 10,5 x 13 cm, ou similar), extensão, tipo de papel (de baixa gramatura) etc., e de preço de capa menor do que os demais; LIVRO DE BOLSO

poço (*po*.ço) [ô] *sm.* 1 Buraco cavado na terra fundo o suficiente para a atingir um lençol de água subterrâneo 2 Qualquer buraco profundo (poço do elevador) 3 Escavação para exploração de riquezas minerais 4 Área mais funda de um lago ou rio; PEGO 5 *Mar.* Num ancoradouro, local de maior profundidade [Pl.: [ó].] [F.: Do lat. *puteus, i.*] ▪▪ **~ artesiano** Poço cavado verticalmente até atingir um lençol de água, que flui naturalmente para a superfície sem precisar sem bombeada **~ da orquestra** *Teat.* Espaço entre o palco e a plateia, ger. abaixo do nível desta, onde fica a orquestra em espetáculos como ópera, musicais etc. [Tb. apenas *orquestra.*] **~ de potencial** *Fís.* Num diagrama de energia, região de potencial mínimo vizinha de região de potencial muito maior **~ de visita** Abertura para inspeção e limpeza de galeria de águas pluviais **~ do elevador** *Cons.* Em prédios que dispõem de elevador, o vão de corte quadrangular que atravessa os andares, com pelo menos uma porta em cada andar, e no qual de desloca(m) o(s) elevador(es) **Ser um ~ de** Carregar (alguém) consigo sentimento(s) de, ter como característica individual (atitude de, qualidade etc.): *Ele é um poço de ressentimentos; Aquela professora é um poço de sabedoria.*

◎ **-poda** *el. comp.* = pé: *antípoda, artrópode, miriápode, balípodo*

poda (*po*.da) [ó] *sf.* 1 Ação ou o resultado de podar, de cortar ou aparar ramos de plantas, galhos de árvores, a fim de favorecer o crescimento saudável dos novos 2 Época apropriada para essa atividade [F.: Dev. de *podar.* Sin. ger.: *podadura.* Hom./Par.: *poda* (sf.), *poda* (fl. de *podar*).] ▪▪ **Fazer a ~ de** *Pop.* Criticar, desancar, dizer coisas ruins de (algo ou alguém)

pó da china (pó da*chi*.na) *sm. Bras. Pop. Quím.* Pó branco, muito tóxico, de manipulação perigosa, us. como fungicida, herbicida, desinfetante e na indústria de papel; PENTACLOROFENATO DE SÓDIO [Fórm.: C_6Cl_5ONa] [Pl.: *pós da china.*]

podadeira (po.da.*dei*.ra) *sf.* Tesoura us. para podar; PODÃO [F.: *podar* + *-deira.*]

podado (po.*da*.do) *a.* 1 Que recebeu poda 2 *Fig.* Impedido de crescer, de se desenvolver [F.: Do lat. *putatus, a, um.*]

podador (po.da.*dor*) [ô] *a.* 1 Diz-se do que poda *sm.* 2 Aquele ou aquilo que poda 3 *Ent.* Denominação vulgar do besouro *Chalcodermus bondari*, pequeno coleóptero da fam. dos curculionídeos, existente no Brasil (Nordeste), que poda os galhos dos algodoeiros [F.: *Do lat. putator, oris.*]

podadura (po.da.*du*.ra) *sf.* O mesmo que *poda* [F.: *podar* + *-dura.*]

podão (po.*dão*) *sm.* 1 Foice de cabo curto e lâmina afiada us. para podar árvores, abrir picadas na mata etc. 2 Tesourão para poda; PODADEIRA [Pl.: *-dões.*] [F.: *podar* + *-ão*[1].]

podar (po.*dar*) *v. td.* 1 Cortar (galhos de planta): *Podar a árvore.* 2 *P. ext.* Pôr limites a (pessoa, comportamento); CERCEAR: *Podar os gastos públicos.* [Ant.: *estimular.*] [▶ 1 podar] [F.: Do lat. *putare.* Hom./Par.: *poda(s)* (fl.), *poda* (sf.) e pl.; *podais* (fl.), *podais* (pl. podal[a2g.]); *pode, podem, podemos, podes* (fl.): *pode, podem, podemos, podes* (fl. poder); *podaria(s)* (fl.), podária (sf. e pl.); *pode* (fl.), *pôde* (fl. poder); *podemos* (fl.), *pudemos* (fl. poder).]

⊕ ***podcast*** (*Ing.* /pódquest/) *sm. Inf.* Arquivo de áudio digital, ger. no formato MP3, ou de vídeo (*videocast*, ger. no formato MP4, que pode conter músicas, imagens, notícias etc., distribuído na internet e que se pode acessar e baixar para o computador, celulares, *tablets*, tocadores portáteis de áudio e/ou vídeo etc.

◎ **-pode** Mesmo que *-poda*

pó de arroz (pó de ar.*roz*) *sm.* Pó cosmético muito fino que suaviza as expressões faciais e confere tonalidade uniforme e textura acetinada à pele [Pl.: *pós de arroz.*]

pó de mico (pó de*mi*.co) *sm.* 1 Os pelos urticantes de certas plantas, esp. de algumas do gênero *Mucuna* 2 *Bot.* Planta trepadeira (*Mucuna pruriens*) da família das leguminosas, nativa das regiões tropicais, de flores vermelhas e vagem com pelos urticantes, dos quais se faz o pó-de-mico (3) [Nesta acp., com hifens: *pó-de-mico.*] 3 Pó extremamente urticante, feito dos pelos urentes das vagens dessa e de outras plantas [Pl.: *pós de mico, pós-de-mico.*]

pó de pedra (pó de*pe*.dra) *sm. Cons.* Material proveniente do britamento de pedra, com diâmetros máximos inferiores a 0,075 mm [Pl.: *pós de pedra.*]

poder (po.*der*) *v.* 1 Estar apto, ter competência para [*td.*: *Só um eletricista pode instalar esse disjuntor; Nem todo engenheiro pode ensinar matemática.*] 2 Ter condições físicas ou morais para 3 Ter permissão para [*td.*: *Ele está fraco, ainda não pode andar; À noite, poderemos ver o cometa a olho nu.*] 4 Ter poder ou autoridade para [*td.*: *Posso comer mais gelatina?; A partir desse horário os caminhões não poderão trafegar pela ponte.*] 5 Ter a faculdade ou a possibilidade de [*td.*: *A escola não pode exigir isso de nenhum aluno.*] 6 Ter ocasião ou oportunidade de [*td.*: *Não puderam entrar no clube; Esses animais podem sobreviver em baixíssimas temperaturas.*] 7 Ser provável [*td.*: *Não podemos sair agora; está chovendo muito.*] 8 Ter o direito de, razão ou motivo para [*td.*: *A esta hora as crianças podem estar com fome; Não me aproximei do portão, porque o cachorro podia me estranhar.*] 9 Ter força ou capacidade para suportar [*td.*: *Podia considerar-se o melhor jogador do time.*] 10 Ter domínio sobre, controlar, suportar [*tr.* +com: *Nenhum peão pode com esse cavalo; Quem é que pode com esse barulho infernal?*] 11 Ser possível ou permitido [*int.*: *Ele é o mandachuva aqui, diz o que pode e o que não pode.*] [▶ 25 poder] *sm.* 12 Governo (poder constitucional) 13 Posição de mando, de direção (o poder de um dirigente); AUTORIDADE 14 Habilidade, facilidade (para fazer algo); CAPACIDADE: *Ela tem o poder de me tirar do sério.* 15 Domínio, influência: *Ele exerce muito poder sobre os colegas.* 16 Posse: *O livro está em poder da moça.* 17 Capacidade de produzir certo efeito; VIRTUDE: *O poder de cura de certas plantas.* 18 Força, potência, vigor 19 Domínio que se exerce sobre alguma coisa 20 Recurso pelo qual se supera um obstáculo, uma dificuldade 21 Caráter de quem tem aptidão, capacidade 22 Quantidade considerável *smpl.* 23 Conjunto de permissões, de licenças, que se recebe para agir em nome de quem autoriza tais permissões e licenças; DELEGAÇÃO; PROCURAÇÃO [F.: Do lat. vulg. **potere.* Hom./Par.: *pôde* (fl.), *pode* (fl. poder); *pudemos* fl.), *podemos* (fl. podar); *possa* (fl.), *poça* /ô/ / (s. f. e interj.); *posso* (fl.)/ *poço* /ô/ (sm.); *puderes* (fl.), *poderes* (pl. podere [sf.]); *podendo* (gerúndio), *pudendo* (a.).] ▪▪ **A ~ de** Por meio de, à força de: *Subiu na vida a poder de muito trabalho.* **Pátrio ~** *Jur.* O poder (como conjunto de direitos e deveres) dos pais em relação aos filhos menores **Plenos ~es** 1 *Jur.* Autoridade ilimitada outorgada a alguém para qualquer fim 2 Amplos poderes outorgados a alguém para a execução de fim determinado **~ aquisitivo** *Econ.* Capacidade que tem uma pessoa, um grupo ou classe social, um indivíduo, uma moeda etc., de adquirir mercadorias e serviços; poder de compra **~ calorífico** *Fís.* Quantidade de energia térmica gerada pela combustão da unidade de peso de um combustível **~ de compra** *Econ.* Ver *Poder aquisitivo* **~ de fogo** 1 *Mil.* Capacidade (de arma, unidade militar ou policial, exército etc.) de destruir ou de manter fogo cerrado sobre o inimigo 2 *Fig.* Capacidade de mobilizar recursos e acioná-los em missão, tarefa etc.: *A contusão de X reduziu o poder de fogo do nosso time.* 3 *Fig.* Capacidade de agir, de tomar medidas que enfrentem e possam vencer oposição forte: *O governo usou todo o seu poder de fogo para aprovar a lei.* **~ dispersor** *Ópt.* Capacidade de dispersão da luz em um meio **~ emissivo** *Fís.* Capacidade de um corpo de emitir energia radiante, medida pela quantidade de energia radiante por segundo por unidade de área da superfície emitente **~ constituídos** Os poderes executivo, legislativo e judiciário em conjunto, como base de um sistema político **~ executivo** *Jur.* Em estado democrático, a autoridade constituída para executar as leis e administrar o Estado [Tb. apenas *executivo.* Cf.: *Poder judiciário* e *Poder legislativo.*] **~ jovem** O conjunto dos jovens como fator participativo numa sociedade **~ judiciário** *Jur.* Em estado democrático, a autoridade constituída para zelar pelo cumprimento das leis, julgar e punir suas infrações [Tb. apenas *judiciário.* Cf.: *Poder executivo* e *Poder legislativo.*] **~ legislativo** *Jur.* Em estado democrático, a autoridade constituída para criar as leis [Tb. apenas *legislativo.* Cf.: *Poder executivo* e *Poder judiciário.*] **~ moderador** Em sistema representativo e de múltiplos poderes, aquele de que dispõe o soberano para intervir em questões dos outros poderes quando julgar necessário restabelecer o ameaçado equilíbrio político [Existente no Brasil império, foi abolido com a República.] **~ negro** Movimento (principalmente nos E.U.A.) que visa a conquistar igualdade social para os negros com base em sua força política, em confronto com a do *establishment* [Do ing. *black power*.] ~ **público** 1 O conjunto dos poderes constituídos para governar um Estado 2 A administração pública e seus órgãos; o governo ~ **separador** *Ópt.* Medida da capacidade que tem um instrumento óptico de produzir imagens nítidas e discriminadas de pontos muito próximos entre si ~ **temporal** 1 Aquele de que dispõe o papa como soberano territorial da Igreja 2 Autoridade civil

poderes (po.*de*.res) ***smpl.*** Conjunto de documentos que autoriza alguém ou entidade a agir em seu nome, como seus procuradores; AUTORIZAÇÃO; DELEGAÇÃO; PROCURAÇÃO [F.: Pl. de *poder* (sm.).]

poderio (po.de.*ri*.o) ***sm.*** 1 Domínio e autoridade exercida por alguém ou por uma instituição 2 A força, a potência (poderio bélico) 3 Grande poder [F.: *poder* + *-io*[1].]

poderoso (po.de.*ro*.so) [ô] ***a.*** 1 Que tem (muito) poder ou exerce (muita) influência sobre algo ou alguém: *a poderosa economia paulista.* 2 Que tem grande poder aquisitivo 3 Que faz parte da elite econômica e social 4 Que tem efeito intenso (sonífero poderoso) [Ant.: *débil.*] ***sm.*** 5 Aquele que faz parte da elite econômica e social [Pl.: [ó]. Fem.: [ó].] [F.: *poder* + *-oso*.]

poderosos (po.de.*ro*.sos) [ó] ***smpl.*** A elite econômica e social que detém o poder ou dele usufrui [F.: Pl. de *poderoso*.]

pó de serra (pó de *ser*.ra) ***sm.*** Serragem em pó [Pl.: *pós de serra*.]

pódio (*pó*.di:o) ***sm.*** 1 *Esp.* Plataforma, ger. em três níveis (correspondentes à primeira, segunda e terceira colocações), na qual os vencedores de uma competição sobem para ser premiados 2 *Arq.* Base quadrangular destinada a suportar pilastras 3 *Ant.* Na Roma antiga, muro baixo em torno da arena dos anfiteatros 4 *Ant.* Local sobre esse muro onde ficavam alojados os imperadores e os ilustres da sociedade romana [F.: Do lat. *podium, ii.*]

⊕ ***podium*** (*Lat.* /*pódium*/) ***sm.*** 1 *Esp.* Plataforma com várias alturas onde os primeiros colocados numa competição se apresentam ao público e recebem medalhas, troféus etc. com que são premiados 2 *Mús.* Estrado onde fica o maestro 3 *Arq.* Parede baixa, ger. com um plinto e uma cornija, na fachada de um edifício, que se destina a suportar pilares 4 *Ant.* Balcão, na arena dos anfiteatros romanos, de onde os imperadores e outras altas personagens assistiam aos espetáculos; muro baixo que rodeava a arena dos anfiteatros

◎ **pod(o)-** ***el. comp.*** = 'pé': *podômetro* [F.: Do gr. *poús, podós*.]

◎ **-podo** ***el. comp.*** Ver *-pode*

pododáctilo (po.do.*dác*.ti.lo) ***sm.*** Qualquer dos dez dedos dos pés; ARTELHO [F.: *pod(o)-* + *-dáctilo*. Tb. *pododátilo*.]

podólogo (po.*dó*.lo.go) ***sm.*** *Ort.* Médico especialista em podologia, ramo da ortopedia que se dedica ao exame, diagnóstico, tratamento e prevenção das doenças do pé [F.: *pod(o)-* + *-logo*.]

podômetro (po.*dô*.me.tro) ***sm.*** Aparelho portátil us. para contar o número de passos dados por alguém durante um determinado percurso; PASSÔMETRO [F.: *pod(o)-* + *-metro*.]

podre (*po*.dre) [ô] ***a2g.*** 1 Que está em processo de decomposição; DETERIORADO 2 Que cheira muito mal; FÉTIDO 3 *Fig. Pop.* Que está muito cansado; EXAUSTO 4 *Cul.* Diz-se da consistência esfarelada de uma massa 5 *Fig.* Que revela o lado fraco, ignóbil: *banda podre da polícia.* 6 *Fig.* Que se perverteu; PERVERTIDO ***sm.*** 7 O que está podre em algo; ESTRAGADO 8 O que é condenável em alguém: *Cada um sabe o que há de podre em si.* [F.: Do lat. *putris, e.*] ■ ~ **de** 1 *Pop.* Muitíssimo (podre de rico, podre de esperto) 2 Cheio de (podre de sono; podre de ideias)

podres (*po*.dres) [ô] ***smpl.*** Ações condenáveis; VÍCIOS [F.: Pl. de *podre*.]

podridão (po.dri.*dão*) ***sf.*** 1 Qualidade do que é podre ou do que está em decomposição 2 *Fig.* Comportamento moralmente condenável; PERVERSÃO 3 *Fig.* Qualidade ou caráter de quem ou do que é moralmente condenável 4 *Bot.* Nome comum a várias doenças que atacam diversos vegetais, causadas ger. por fungos e bactérias [Pl.: *-dões*.] [F.: *podre* + *-idão*.]

podrido (po.*dri*.do) ***a.*** 1 Apodrecido, podre, putrefato 2 *Fig.* Inútil, vão (esforço podrido) [F.: Posv. do espn. *podrido*.]

podriqueira (po.dri.*quei*.ra) ***sf.*** *Bras.* O mesmo que *podridão* [F.: *podre* + *-ico-* (*-c-* > *-qu-*) + *-eira*.]

poedeira (po.e.*dei*.ra) ***a.*** 1 Diz-se das aves, ger. galinhas, que já estão em fase de postura ou que põem ovos em grande quantidade ***sf.*** 2 Ave, esp. galinha, nessa fase [F.: Do port. ant. *poer* (> *pôr*) + *-deira*.]

poeira (po.*ei*.ra) ***sf.*** 1 Pó fino que vai se acumulando, com o tempo, sobre objetos 2 Partículas de terra que se levantam do chão 3 *Fig.* Vaidade, presunção 4 *Fig.* Coisa passageira, sem valor ou valia ***a2g.*** 5 Sala de exibição de cinema ou espetáculos de péssima qualidade e conforto (cinema poeira) [F.: *pó*[1] + *-eira*.] ■ **Dar** ~ *Bras. Gír.* Ultrapassar (um veículo outro veículo) abrindo distância **Fazer** ~ *Bras. Gír.* Tumultuar, provocar confusão **Levantar** ~ *Bras. Gír.* Agitar, animar, esp. dançando e cantando: "... dançou bem no compasso/que prazer levantou poeira...." (Ivete Sangalo, *Sorte grande*) **Morder a** ~ *Bras. Pop.* Ver *Morder o pó* no verbete *pó* ~ **atômica** Conjunto de minúsculas partículas radioativas que pairam no ar depois de uma explosão nuclear ~ **cósmica** *Astron.* Conjunto de partículas de matéria de baixa densidade no espaço cósmico ~ **meteórica** *Astron.* Meteoroide muito pequeno ~ **meteorítica** *Astr.* Meteoroide minúsculo, com menos de um décimo de milímetro ~ **vulcânica** *Geol.* Matéria piroclástica ejetada por vulcão, com menos de 0,25 mm de diâmetro **Ter** ~ **nos olhos** *Fig.* Não discernir ou perceber as coisas como realmente são

poeirada (po.ei.*ra*.da) ***sf.*** Muito pó ou muita poeira [F.: *poeira* + *-ada*[1].]

poeirama (po:ei.*ra*.ma) ***sf.*** 1 O mesmo que *poeirada* 2 *Lus.* Vaidade, ostentação 3 *Lus.* Aparência ilusória, enganadora 4 *Lus. Fig.* Desordem, tumulto sem maiores consequências: *A discórdia não passou de uma poeirama.* [F.: *poeira* + *-ama*.]

poeirento (po:ei.*ren*.to) ***a.*** 1 Que tem muita poeira acumulada (estante poeirenta) 2 *Fig.* Que é antigo ou antiquado [F.: *poeira* + *-ento*.]

poejo (po:*e*.jo) [ê] *Bot.* ***sm.*** 1 Erva da fam. das labiadas (*Cunila microcephala*), nativa do Brasil, de uso terapêutico em doenças pulmonares 2 Planta da fam. das labiadas (*Mentha pulegium*), nativa da Europa, Ásia, África e América, de propriedades vermífugas; POEJO-DAS-HORTAS [F.: Do lat. *puleium*.]

poema (po:*e*.ma) *Liter.* ***sm.*** 1 Texto literário escrito em verso 2 Texto desse tipo, ger. extenso que narra um acontecimento real ou imaginário; EPOPEIA 3 *Fig.* Coisa ou assunto digno de ser cantado em versos: "Moça do corpo dourado do sol de Ipanema / O teu balançado é mais que um poema" (Antonio Carlos Jobim e Vinícius de Moraes, *Garota de Ipanema*) [Dim.: *poemeto*.] [F.: Do lat. *poema, atis*, do gr. *póeima, atos*.] ■ ~ **dramático** *Teat.* Termo genérico para espetáculos nos quais os vários elementos cênicos (psicológicos, visuais, musicais etc.) têm expressão simbólica, lírica etc. ~ **em prosa** *Liter.* Obra literária de temática e tratamento típico da poesia, mas escrita em prosa ~ **sinfônico** 1 *Mús.* Peça para orquestra de caráter descritivo (de uma história, uma paisagem etc.) em um só movimento 2 Gênero de música baseada em poemas

poemática (po:e.*má*.ti.ca) ***sf.*** *Liter. Poét.* Parte da poética que estuda o aspecto formal dos poemas [F.: Fem. substv. de *poemático*.]

poemático (po:e.*má*.ti.co) ***a.*** *Liter. Poét.* Ref., inerente a ou próprio de poema (estilo poemático; inspiração poemática) [Cf.: *poético*.] [F.: Do gr. *poiématikós, é, ón*.]

põe-mesa (põe-*me*.sa) ***sf.*** *Zool.* Ver *louva-a-deus* [Pl.: *põe-mesas*.]

poemeto (po:e.*me*.to) [ê] ***sm.*** Pequeno poema [F.: *poema* + *-eto* (ê).]

poente (po:*en*.te) ***a2g.*** 1 Que (se) põe 2 Diz-se do Sol quando se encontra no ocaso (Sol poente) ***sm.*** 3 O pôr do sol: *No poente o céu fica avermelhado.* 4 *Astron. Geog.* A direção na qual o Sol se põe; OESTE [Ant.: *leste*.] [F.: Do lat. *ponens, entis*.]

poento (po.*en*.to) ***a.*** Diz-se do que tem poeira (sótão poento); EMPOEIRADO; POEIRENTO: "Nem houve a qualquer coisa que de regra se conserva sob as pálpebras, quando uma pessoa fecha os olhos: poento obumbramento róseo, de dia..." (Guimarães Rosa, *Sagarana*) [F.: *pó* + *-ento*.]

◎ **-poese** ***el. comp.*** = 'criação', 'fabricação'; 'formação': *eritropoese, galactopoese, hematopoese, hidropoese* [F.: Do gr. *poíesis, eos*.]

poesia (po:e.*si*.a) ***sf.*** 1 *Liter.* Forma de expressão artística por meio de uma linguagem em que se empregam, segundo certas regras, sons, palavras, estruturas sintáticas etc. 2 *Liter.* Esse modo de expressão, estabelecido como gênero literário 3 *Liter.* Poema, ger. curto 4 *Liter.* Arte poética própria de um poeta, um grupo cultural, uma época etc.: *A poesia contemporânea* 5 *Fig.* Qualidade do que exprime sensibilidade e beleza: *Ficamos maravilhados com a poesia de suas palavras.* 6 Caráter do que comove ou inspira: *a poesia da natureza / do amor.* [F.: Do lat. *poesis, is*, deriv. do gr. *poíesis, eos*.] ■ ~ **concreta** *Liter.* Gênero de poesia que tem como elementos importantes o aspecto ideogramático e a disposição espacial das palavras ~ **épica** *Liter.* Narração em verso das proezas (esp. as guerreiras) de grandes heróis ~ **lírica** *Liter.* Gênero poético de expressão subjetiva dos sentimentos do poeta em relação a emoções, vivências, o mundo etc. ~ **pastoril** *Liter.* Gênero de poesia que descreve as coisas e a vida no campo e no seio da natureza ~ **trovadoresca** *Liter.* Poesia dos trovadores medievais, de índole romântica ou satírica

poeta (po:*e*.ta) ***sm.*** 1 Quem se dedica à poesia ou quem faz poesias 2 Quem é sensível, imaginativo e tem habilidade para a expressão artística 3 Aquele cuja obra, trabalho ou forma de expressão encerra poesia no seu conteúdo ou na sua forma 4 Quem é idealista, sonhador 5 *Bras. Gír.* Qualquer pessoa 6 *MG* Pessoa que fala muito e com desenvoltura [Fem.: *-tisa*. Aum.: *poetaço, poetastro*. Os aumentativos são considerados jocosos.] [F.: Do lat. *poeta, ae*, do gr. *poietés, oû*. Hom./Par.: *poeta* (fl. de *poetar*).] ■ ~ **de água-doce** 1 Poeta que escreve poema sobre rio(s) 2 Poeta jovem ou inexperiente; mau poeta ~ **de bancada** *N. E.* Poeta popular **O** ~ **Negro** Antonomásia do poeta brasileiro Cruz e Sousa

poetaço (po:e.ta.*ço*) ***sm.*** *Joc.* O mesmo que *poetastro*

poetagem (po:e.*ta*.gem) ***sf.*** 1 *Bras. Fig. Pej.* Característica de loquaz; LOQUACIDADE; VERBOSIDADE 2 *SP Pop.* Invencionice, lorota, mentira [Ant.: *verdade*.] 3 *Liter. Poét.* Artificialismo poético; POETISMO [Pl.: *-gens*.] [F.: *poetar-* + *-agem*[2].]

poetar (po:e.*tar*) ***v.*** 1 Compor obras poéticas [***int.***] 2 Cantar em verso [***td.***: *Poetou suas experiências amorosas.*] [▶ 1 poetar] [F.: Do lat. tard. *poetare*. Hom./Par.: *poeta(s)* (fl), poeta (sm. e pl.).]

poetastro (po:e.*tas*.tro) ***sm.*** *Joc.* Poeta ruim; POETAÇO [F.: *poeta* + *-astro*.]

poética (po:*é*.ti.ca) *Liter.* ***sf.*** 1 Arte de fazer poemas 2 Ciência que estuda os recursos técnicos us. em poesia 3 Obra didática sobre essa ciência 4 A poesia de um autor, de uma época, de um país [F.: Do lat. *poetica, ae*.]

poético (po:*é*.ti.co) ***a.*** 1 Ref. ou pertencente à, ou próprio da poesia (obra poética) 2 Que revela poesia (texto poético) 3 Que traz inspiração (cenário poético); INSPIRADOR [F.: Do lat. *poeticus, a, um*, do gr. *poietikós, é, ón*.]

poetisa (po:e.*ti*.sa) ***sf.*** Mulher que escreve poesias [F.: *poeta* + *-isa*. Hom./Par.: *poetisa* (sf.), *poetiza* (fl. de *poetizar*).]

poetismo (po:e.*tis*.mo) ***sm.*** 1 *Liter. Poét.* O mesmo que *poetagem* (3): *Seus trabalhos contêm muito de poetismo.* 2 *Liter. Poét.* O conjunto dos poetas (poetismo parnasiano; poetismo anglo-saxão) [F.: *poeta* + *-ismo*.]

poetização (po:e.ti.za.*ção*) ***sf.*** 1 *Liter. Poét.* Ação ou resultado de poetizar, de atribuir as características do que é poético, lírico; celebração em verso (poetização do texto) 2 Ação ou processo de alguém tornar-se poeta; ação ou processo de escrever poemas 3 Composição de poesia sobre algo; tratamento poético de algo: *poetização na narrativa cinematográfica.* 4 *Bras. Fig.* Ação ou resultado de fantasiar; produto da fantasia: *Entregou-se de vez à poetização da realidade.* [Pl.: *-ções*.] [F.: *poetizar* + *-ção*. Ant. ger.: *despoetização*.]

poetizar (po:e.ti.*zar*) ***v.*** 1 Fazer com que fique poético [***td.***: *O cineasta poetizou o filme*; "...e como, então, trabalhá-la / (...) / sem perfumar sua flor / sem poetizar seu poema." (João Cabral de Melo Neto, *Alguns toureiros*)] 2 Compor versos; VERSEJAR [***int.***: *Seu ofício é poetizar.*] [▶ 1 poetizar] [F.: *poético* + *-izar*. Hom./Par.: *poetiza(s)* (fl.), *poetisa* (s.f. e pl.).]

⊕ **pogrom** (*Rús.* /*pogrôm*/) ***sm.*** 1 *Hist.* Na Rússia czarista, agitação ou tumulto de grande violência, dirigidos contra uma comunidade, classe ou minoria, ger. com o beneplácito das autoridades 2 *P. ext.* Movimento popular, quase sempre acompanhado de pilhagem e assassínios, contra uma comunidade étnica ou religiosa, esp. os judeus

poial (poi.*al*) ***sm.*** 1 Lugar onde se assenta ou coloca alguma coisa 2 Assento de madeira, pedra etc. unido à parede ou a muro de entrada de uma casa; POIO [Pl.: *-ais*.] [F.: *poio* (do lat. *podium, ii* 'muro') + *-al*.]

poiar (poi.*ar*) ***v.*** 1 Colocar (algo) em algum lugar, de modo que fique assentado com segurança, firmeza, em equilíbrio [***td.***] 2 Escorar-se em algo para subir [***int. ta.***] 3 Subir em lugar alto [***int.***] [▶ 1 poiar] [F.: *poio* + *-ar*. Hom./Par.: *poia(s)* (fl.), *poio* (fl.), *poio* (sm.).]

poimênica (poi.*mê*.ni.ca) ***sf.*** *Rel.* Atividade pastoral, ação pastoral em igreja cristã, no conceito e na prática [F.: Do gr. *poimen* 'pastor' + *-ica*.]

poimênico (poi.*mê*.ni.co) ***a.*** Ref. a pastoral, ou a atividade pastoral, aconselhamento pastoral, em igreja cristã [F.: Do gr. *poimen* 'pastor' + *-ico*[2].]

poinciana (poin.ci:*a*.na) ***sf.*** *Bot.* Designação comum a plantas da fam. das leguminosas, árvores e arbustos ornamentais dos trópicos, como, p. ex., o pau-brasil e o pau-ferro [F.: Do lat. cient. gên. *Poinciana*.]

⊕ ***point*** (*Ing.* /*point*/) ***sm.*** 1 Lugar público onde há grande afluxo de pessoas por estar na moda 2 *Fig.* Local de encontro

⊕ **pointer** ***sm.*** *Cinol.* Cão de caça grande, esguio, de pelo liso e ger. branco com manchas marrons ou pretas, orelhas grandes e pendentes, farejador, que indica a presença de caça assumindo uma atitude rígida, com a cabeça e o olhar dirigidos para a caça, a cauda esticada rijamente e uma pata dianteira levantada [Cf.: *perdigueiro*.]

pois ***conj. expl.*** 1 Porque; visto que: *Vá com cuidado, pois a pista está molhada.* ***conj.*** 2 Portanto; por conseguinte; nesse caso; então: *Tudo terminado; podemos, pois, comemorar.* [NOTA: Us. para introduzir uma observação evidente, uma réplica, ou a consequência do que foi dito anteriormente: *Você não sabe dançar? Pois trate de aprender!*] 3 Mas; porém; no entanto: *– Convenceram-me de que esse plano é bom; – Pois eu não me deixo convencer.* ***adv.*** 4 Realmente; de fato; de verdade: *Você me convidou, pois não (convidou)?* [NOTA: Ger. antecede uma pergunta.] 5 *Lus.* Sim; sem dúvida: *Se aprecio bons vinhos? – Pois.* [F.: De or. contrv; posv. do lat. *posti, de postius, de postea*, 'depois'.] ■ ~ **é** Num diálogo, expressão de reforço, de concordância: *– Pois é, foi assim que aconteceu; – Ele está jogando muito mal. – Pois é.* ~ **então** 1 Nesse caso, então; pois (2): *Você passou o verão cantando? Pois então (agora) dance!* 2 Us. como reforço de uma afirmação: *– Seu filho é menos um bom aluno. – Pois então!* ~ **não** 1 Expressão de cortesia, us. para estabelecer contato: *– Pois não, o que a senhora deseja?* 2 Coloquialmente, sim, claro que sim: *–Aguarde um pouco, por favor. – Pois não.* ~ **que** Visto que; já que: "....Seus sucessores [de Heráclito] dizem até que nele nem se pode *mesmo* entrar, pois que imediatamente se transforma...." (Rosana Madjaroff) [Cf.: *pois quê*.] ~ **quê** Expressão de espanto: *Pois quê! Ela ainda não chegou?* [Cf.: *pois que*.] ~ **sim** 1 Sim, efetivamente: *– Isto é um camaleão? – Pois sim, um camaleão.* 2 *Irôn.* De forma alguma, não mesmo: *– Ele disse que você vai emprestar-lhe a bicicleta. – Pois sim (que eu vou)!*

poita (*poi*.ta) ***sf.*** 1 Pedra ou peso us. como âncora para fundear ou fazer parar pequenas embarcações 2 *Bras. Fig.* Pessoa apalermada, inerte [F.: Posv. do franco *pauta* 'garra'. Hom./Par.: *poita* (fl. de *poitar*).]

poitar (poi.*tar*) *v.* **1** *Mar.* Segurar, firmar (pequena embarcação) com poita [*td.*] **2** *Bras.* Parar (a canoa) no meio do rio ou do mar [*td.*] **3** *Bras. Gír. Mar.* Jogar objeto no fundo da água (mar, rio, lagoa etc.) [*td.*] **4** Lançar âncora [*int.*] [▶ 1 poitar] [F.: *pouta* + *-ar*. Hom./Par.: *poita(s)* (fl.), *poita(s)* (sf. [pl.]).]

pojado (po.*ja*.do) *a.* **1** Intumescido, inchado, engrossado (caldo pojado; massa pojada) [Ant.: *desintumescido, desinchado.*] **2** *Bras. Fig.* Farto, repleto, cheio: *baú pojado de livros.* **3** *Lus. Náut.* Diz-se de embarcação ancorada [F. Part. de *pojar*.]

polaca (po.*la*.ca) *sf.* **1** *Etnog.* Mulher nascida ou que vive na Polônia; POLONESA **2** *Dnç.* Dança polonesa, de andamento moderado e caráter pomposo **3** *Mús.* Música para essa dança **4** *Vest.* Casaco de senhoras, largo e comprido **5** *Bras. Pej. Pol.* Designação dada à Constituição do Brasil promulgada em 10 de novembro de 1937, durante o Estado Novo **6** *Bras. Antq. Vulg.* Meretriz: *as polacas da rua do Ouvidor.* [F.: Fem. de *polaco*.]

polaciúria (po.la.ci:*ú*.ri:a) *sf. Med.* Frequência exagerada nas micções [F.: *polaci-* (do gr. *pollákis* 'muitas vezes') + *-úria*. *Tb. polaquiuria.*]

polaco (po.*la*.co) *a. sm.* O mesmo que *polonês* [F.: Do polonês *polak*, posv. pelo it. *polacco* ou pelo fr. *polaque*.]

polaina (po.*lai*.na) *sf. Ant. Vest.* Vestimenta que recobre a parte superior do pé e a inferior da perna, us. sobre o calçado [Mais us. no pl.] [F.: Do fr. ant. *polaine*.]

polaquiuria (po.la.qui:*ú*.ri:a) *sf.* Ver *polaciúria*

polar (po.*lar*) *a2g.* **1** Ref. a ou próprio de um dos polos da Terra (calota polar) **2** Que se encontra perto dos polos (regiões polares) **3** Ref. aos polos de um ímã, de um objeto alongado etc. **4** *Fig.* Que se opõe completamente a outro elemento (opiniões polares) **5** *Fís-quím.* Que apresenta polaridade [F.: Do lat. medv. *polar, aris*.]

polaridade (po.la.ri.*da*.de) *sf.* **1** *Elet.* Característica que define o sentido da passagem de corrente elétrica em um ponto do circuito, em relação a seus polos (6) **2** *Fig.* Qualidade do que oscila entre polos (6) opostos: "onde a condição humana foi melhor expressa na sua polaridade de rotina e loucura." (*O Globo*, 11.12.2004) [F.: *polar* + *-(i)dade*.]

polarimetria (po.la.ri.me.*tri*.a) *sf. Fís. Quím.* Processo de medição do ângulo de rotação da luz ou do desvio de seu plano de polarização, ao atravessar uma substância opticamente ativa [F.: *polar(i/o)-* (do lat. medv. *polaris*) + *-metria*.]

polariscopia (po.la.ris.co.*pi*.a) *sf. Ópt.* Determinação qualitativa do poder rotatório e da polarização de um objeto observado através do polariscópio [F.: *polar(i/o)-* (do lat. medv. *polaris*) + *-scopia*.]

polariscópio (po.la.ris.*có*.pi:o) *sm. Ópt.* Instrumento que serve para reconhecer a polarização da luz sobre um objeto e determinar-lhe o plano [F.: *polar(i/o)-* (do lat. medv. *polaris*) + *-scópio*.]

polarismo (po.la.*ris*.mo) *sm.* Característica ou condição do que tem polos ou aspectos opostos (polarismo político) [F.: *polar* + *-ismo*.]

polarização (po.la.ri.za.*ção*) *sf.* **1** *Fís.* Fenômeno ou estado em que, numa radiação eletromagnética, mantém-se constante o plano de vibração **2** *Elet.* Estado, ou mudança para este estado, em que se estabelece diferença entre os potenciais elétricos de dois eletrodos **3** *Elet.* Momento de dipolo por unidade de volume num dielétrico **4** *Fís.* Nome genérico para um conjunto de fenômenos químicos e elétricos acarretados pela aplicação de um potencial elétrico num sistema eletroquímico **5** *Eletrôn.* A tensão de uma polarização (2) [Pl.: *-ções*.] ■ **~ direta** *Eletrôn.* Numa junção PN (ver no verbete *junção*), aplicação de uma tensão externa, de modo que a região com dopagem tipo P (na qual se introduziram átomos com elétron a menos, portanto com sinal positivo) adquira potencial positivo em relação à região com dopagem tipo N (na qual se introduziram átomos com elétron a mais, portanto com sinal negativo) **~ inversa** *Eletrôn.* Numa junção PN (ver no verbete *junção*), aplicação de uma tensão externa, de modo que a região com dopagem tipo N (na qual se introduziram átomos com elétron a mais, portanto com sinal negativo) fique com potencial positivo em relação à região com dopagem tipo P (na qual se introduziram átomos com elétron a menos, portanto com sinal positivo); polarização reversa **~ reversa** *Eletrôn.* Ver *Polarização inversa*

polarizado (po.la.ri.*za*.do) *a.* **1** Que sofreu polarização **2** *Fig.* Fixado inflexivelmente numa ou noutra posição: *debate polarizado entre liberais e conservadores.* [F.: Part. de *polarizar*.]

polarizador (po.la.ri.za.*dor*) [ô] *a.* **1** Que polariza *sm.* **2** Aquele ou aquilo que polariza **3** Instrumento us. para polarizar [F.: *polarizar* + *-dor*.]

polarizante (po.la.ri.*zan*.te) *a2g.* Que polariza ou leva à polarização; POLARIZADOR [F.: *polarizar* + *-nte*.]

polarizar (po.la.ri.*zar*) *v.* **1** Chamar para si; ATRAIR [*td.: Os jogos de computador polarizam a atenção dos jovens.*] **2** Fixar(-se) em polos opostos, ou oscilar entre eles; DIVIDIR(-SE) [*td.: A eleição polarizou empregados e patrões.*] [*tr.* +*entre*: *Polariza-se entre a família e o trabalho.*] **3** *Fís.* Efetuar a polarização de (radiação eletromagnética) **4** *Fig.* Concentrar-se (para determinada finalidade) [*tr.* +*em*: *Sua vida polariza-se na literatura:* "Polarizou-se em Deus, de vez e de vontade." (Guerra Junqueiro *in Pobres de Raul Brandão*)] [▶ 1 polarizar] [F.: *polar* + *-izar*.]

polca (*pol*.ca) [ó] *sf.* **1** *Dnç.* Dança animada de pares, de origem polonesa **2** *Mús.* Gênero de música que acompanha essa dança [F.: Do fr. *polka*, posv. do tcheco *pulka*, 'meio, metade'.]

pôlder (*pôl*.der) *sm.* Terreno que provém do esgotamento de um mar interior, de uma lagoa ou de um pântano, e que, protegido por diques contra inundações, é utilizado para a agricultura, pastagem ou habitação: *moinhos de pôlder.* [F.: Do hol. *polder* pelo fr. *polder*.]

poldro (*pol*.dro) [ô] *sm. Zool.* Ver *potro* [F.: Do lat. medv. *pullitrus*.]

◎ **-pole** *el. comp.* = cidade: *megalópole, metrópole, necrópole*

polé (po.*lé*) *sf.* **1** Máquina para erguer ou arrastar pesos, composta de um pedaço de madeira munido de roldana **2** *Cnav.* Poleame formado por dois moitões sobrepostos na mesma caixa **3** Antigo instrumento us. para tortura [F.: De or. contrv; posv. do lat. vulg. *polidia*.]

poleame (po.le.*a*.me) *Mar. sm.* Peça de madeira ou ferro (polé, roldana, moitão, sapata etc.) para passagem de cabos náuticos [F.: *polé* + *-ame*.] ■ **~ de laborar** *Marinh.* Poleame us. para reforçar ou mudar a direção dos cabos que nele passam **~ surdo** *Marinh.* Poleame sem roldana(s), com abertura(s) por onde passam cabos fixos

polegada (po.le.*ga*.da) *Metrol. sf.* **1** *Ant.* Medida de comprimento antiga, aproximadamente correspondente ao comprimento do segmento do dedo polegar onde fica a unha, equivalendo a 2,75 cm; ÚNCIA **2** Unidade de medida correspondente a 25,40 mm, us. originalmente na Inglaterra e de uso internacional em vários tipos de medida (monitores de computador e telas de televisão, ferramentas etc.) [Nesta acp., abr.: *in* (em ing.) ou *pol* (em port.). Símb.: ".] [F.: Do lat. vulg. **pollicata*, de *pollex, icis*, 'polegar'.] ■ **~ cúbica** Medida de volume correspondente a 16,387 cm^3 [Símb.: pol^3, ou, em ing., in^3.] **~ quadrada** Medida de área correspondente a 6,4516 cm^2 [Símb.: pol^2 ou, em ing., in^2.]

polegar (po.le.*gar*) *a2g.* **1** Diz-se do dedo mais curto e mais grosso que os demais, que fica numa das extremidades da mão, e em oposição aos outros dedos **2** Diz-se do mais grosso dedo do pé; DEDÃO *sm.* **3** O dedo mais curto e grosso da mão **4** O dedo mais grosso do pé [F.: Do lat. *pollicaris, e*.]

poleiro (po.*lei*.ro) *sm.* **1** Armação horizontal de madeira ou outro material onde as aves se acomodam dentro de um galinheiro, uma gaiola etc. **2** *Bras. Fig. Pej.* Camarote ou galeria elevada em teatros, auditórios etc.; TORRINHA **3** *Fig.* Posição superior, de comando, de autoridade **4** *S* Cavalo velho que todos podem montar [F.: *pôlo* + *-eiro*.]

polem (*po*.lem) *sm.* Ver (preferível) *pólen*

polêmica (po.*lê*.mi.ca) *sf.* Divergência de opiniões que provoca debates a respeito de um assunto; CONTROVÉRSIA [Dim.: *polemícula*.] [F.: Fem. substv. do adj. *polêmico*. Hom./Par.: *polêmica* (sf.), *polêmica* (fem. de *polêmico*).]

polêmico (po.*lê*.mi.co) *a.* **1** Que causa controvérsia ou polêmica (decisão polêmica); CONTROVERSO **2** Em que há polêmica (situação polêmica) [F.: Do gr. *polemikós, é, ón*, 'relativo à guerra'. Hom./Par: *polêmica* (fem.), *polêmica* (sf.).]

polemícula (po.le.*mí*.cu.la) *sf. Pej.* Polêmica insignificante [F.: *polêmica* + *-ula*.]

polemismo (po.le.*mis*.mo) *sm.* Mania de polêmica [F.: *polêm(ica)* + *-ismo*.]

polemista (po.le.*mis*.ta) *a2g.* **1** Que sustenta polêmicas *s2g.* **2** Aquele que sustenta polêmicas [F.: Do fr. *polémiste*.]

polemizar (po.le.mi.*zar*) *v.* Criar polêmica; tb. *polemicar* [*tr.* +*com*: *Polemiza com todos.*] [*int.: Esse jornalista gosta de polemizar.*] [▶ 1 polemizar] [F.: *polêmico* + *-izar*.]

polemoniácea (po.le.mo.ni:*á*.ce:a) *sf. Bot.* Espécime das polemoniáceas, família da ordem das solanales, de ervas, arbustos e pequenas árvores com mais de 250 espécies de regiões temperadas, algumas das quais ornamentais [F.: Do lat. cient. *Polemoniaceae*.]

polemoniáceo (po.le.mo.ni:*á*.ce:o) *a. Bot.* Ref. a polemoniácea(s) [F.: De *polemoniácea*, com suf. *-áceo*.]

pólen (*pó*.len) *sm. Bot.* Grãos microscópicos produzidos pelas flores que, sendo carregados pelo vento, por insetos etc., têm a função de fecundar outras flores [Pl.: *polens*.] [F.: Do lat. *pollen, inis*. Tb. (não preferível) *polem*.]

polenta (po.*len*.ta) *sf. Cul.* Alimento pastoso, feito à base de fubá de milho ao qual se pode também juntar manteiga e/ou queijo [F.: Do it. *polenta*, do lat. *polenta, ae*. Cf.: *angu* (1).]

⊕ **pole position** (*Ing. /poul posichon/*) *Aut. sf.* **1** No automobilismo, a primeira colocação na largada de uma corrida *s2g.* **2** O piloto que ocupa essa posição: *Ayrton Senna foi muitas vezes pole position.*

◎ **poli-[1]** *el. comp.* = numeroso(s); muitos; de que há vários: *policromia, poliacanto, policarpo, policelular, poliglota* (gr.) [F.: Do gr. *polýs, pollé, polý*.]

◎ **poli-[2]** *el. comp.* = cidade: *policlínica* (hospital da cidade); *megalópole; própole/ própolis* [F.: Do gr. *pólis, eos*.]

polia (po.*li*.a) *sf.* Roda com uma correia presa à sua circunferência que, girando, faz a correia se mover [F.: Do fr. *poulie*. Hom./Par.: *polia* (sf.), *polia* (fl. de *polir*).]

poliamida (po.li:a.*mi*.da) *Quím. sf.* **1** Polímero resultante da polimerização de aminoácidos ou da policondensação de uma diamina com um ácido carboxílico **2** *P. ext.* Fibra sintética produzida com esse polímero e utilizada na fabricação de roupas, paraquedas, redes contra insetos, suturas para cirurgia etc. [Tb. us. como adj.: *fita poliamida*.] [F.: *poli-[1]* + *-amida*.]

poliandra (po.li:*an*.dra) *sf.* Mulher casada simultaneamente com mais de um homem [F.: Fem. substv. de *poliandro*.]

poliandria (po.li:an.*dri*.a) *sf.* **1** Casamento de uma mulher com mais de um homem ao mesmo tempo **2** *Bot.* Existência de muitos estames numa flor [F.: *poli-[1]* + *-andria*.]

poliândria (po.li:*ân*.dri.a) *sf. Bot.* Em classificação antiga, grupo de plantas que apresentam flores hermafroditas e androceu com numerosos estames [F.: Do lat. cient. *Polyandria*.]

poliândrico (po.li:*ân*.dri.co) *a.* Ref. a poliandria (sociedade poliândrica; casamento poliândrico); POLIANDRO [F.: *poliandria* + *-ico[2]*.]

poliandro (po.li:*an*.dro) *a.* **1** Ref. a poliandria; POLIÂNDRICO **2** *Bot.* Diz-se de planta, flor ou androceu que tem mais de vinte estames livres e iguais [F.: *poli-[1]* + *-andro*.]

poliarterite (po.li:ar.te.*ri*.te) *sm. Pat.* Inflamação simultânea de várias artérias [F.: *poli-[1]* + *arterite*.]

poliblasto (po.li.*blas*.to) *Micbiol. sm.* Cada uma das células ameboides, mononucleadas, fagocitárias encontradas em exsudatos inflamatórios [F.: *poli-[1]* + *-blasto*.]

policarbonato (po.li.car.bo.*na*.to) *sm. Quím.* Polímero obtido por condensação do bisfenol A com o fosgênio ou com o carbonato de difenila e caracterizado pela elevada resistência mecânica e transparência; é muito us. na fabricação de artigos moldados, além de substituir o vidro em diversas aplicações [F.: *poli-[1]* + *carbonato*.]

policarência (po.li.ca.*rên*.ci:a) *Med. sf.* **1** *Restr.* Carência generalizada de nutrientes que caracteriza a desnutrição grave **2** Carência de numerosos elementos [F.: *poli-[1]* + *carência*.]

policarpo (po.li.*car*.po) *Bot. a.* Ref. a um vegetal que frutifica com frequência [F.: Do gr. *polýcarpos, os, on*.]

policefálico (po.li.ce.*fá*.li.co) *a.* Que tem muitas cabeças; MULTICEFÁLICO [F.: *poli-[1]* + *cefálico*.]

policêntrico (po.li.*cên*.tri.co) *a. Geom.* Diz-se de arco ou espiral que possui mais de um centro [F.: *poli-[1]* + *-centr(i)-* + *-ico[2]*.]

policentrismo (po.li.cen.*tris*.mo) *sm.* **1** *Pol.* Conceito, criado pelo comunista italiano Palmiro Togliatti (1893-1964), segundo o qual o socialismo só funcionaria se cada partido pudesse se desenvolver de forma autônoma e adaptado às condições, tradições e aspirações de cada povo **2** *P. ext.* Presença de vários centros autônomos de direção em uma organização, um sistema etc. (policentrismo econômico) [F.: *poli-[1]* + *centrismo*.]

polichinelo (po.li.chi.*ne*.lo) *sm.* **1** *Bras.* Exercício físico no qual se salta repetidamente, alternando a abertura de braços e pernas **2** *Teat.* Antigo personagem de teatro cômico, de aparência disforme, nariz curvo e roupas coloridas, que representa um homem do povo **3** Ator ou marionete que representa esse personagem **4** *Fig.* Pessoa sem modos e/ou sem dignidade; PALHAÇO [F.: Do fr. *polichinelle*, do napolitano *pulecenella* (it. *pulcinèlla*).]

polícia (po.*lí*.ci:a) *sf.* **1** Conjunto de leis que têm o objetivo de garantir a segurança e a ordem pública **2** Corporação composta por instituições responsáveis pela manutenção desses valores **3** O conjunto de membros dessa corporação **4** A segurança e a ordem pública **5** *Ant.* Civilização, cultura de costumes **6** Conjunto de medidas adotadas para manutenção da saúde pública, entre as quais a fiscalização e a profilaxia **7** *Tip.* Lista de letras e sinais, estabelecida pelo fundidor, que devem formar uma fonte de tipos *sm.* **8** O mesmo que *policial* (1) [F.: Do lat. *politia, ae*, do gr. *politeía, as*. Hom./Par.: *polícia* (sf.), *polícia* (fl. de *policiar*).] ■ **~ aduaneira** Polícia cuja missão é vigiar portos, aeroportos e a costa, para impedir e reprimir o contrabando **~ militar** *Bras.* Corporação policial dos Estados e do Distrito Federal, organizada numa estrutura militar análoga à do Exército nacional, e considerada como força auxiliar deste **~ naval** *Bras. Mar.* Força policial da capitania dos portos, para fiscalização de embarcações mercantes, do pessoal marítimo e da utilização das instalações em terrenos da marinha **~ política** Organização policial encarregada da defesa e da preservação do regime político de um Estado **~ rodoviária** Aquela que patrulha as estradas de rodagem **~ sanitária** Setor da saúde pública que vigia condições sanitárias de lugares e instalações públicos e privados, visando evitar e prevenir a propagação de doenças **Casar na ~** **1** *Bras.* Casar em obediência a mandado judicial **2** Casar logo depois de ter conhecido o parceiro

policiado (po.li.ci:*a*.do) *a.* **1** Vigiado, guardado pela polícia **2** Que tem cultura e educação **3** Que é equilibrado, comedido [F.: Part. de *policiar*.]

policial (po.li.ci:*al*) *s2g.* **1** Quem trabalha na polícia para garantir a ordem e a segurança pública; POLÍCIA *a2g.* **2** Da ou ref. à polícia (inquérito policial) **3** Que envolve crimes e/ou sua investigação (romance policial) *sm.* **4** *Cinol.* O mesmo que *pastor-alemão* [Pl.: *-ais*.] [F.: *polícia* + *-al*.]

policialesco (po.li.ci:a.*les*.co) [ê] *Bras. a.* **1** De ou ref. a polícia: "O caso Marka tem dois lados: um policialesco, outro institucional..." (*Folha de S.Paulo*, 11.04.1999) **2** De ou ref. a ficção policial (romance policialesco) [F.: *policial* + *-esco*.]

policialismo (po.li.ci.a.*lis*.mo) *sm.* **1** Excesso de poder em mãos das autoridades policiais; ampliação anômala da esfera de atuação da polícia, que passa a tratar de assuntos ordinariamente fora de sua alçada **2** Procedimento típico da ação policial, caracterizado por vigilância ostensiva, investigações sigilosas e invasivas e repressão, às vezes truculenta **3** *P. us.* O mesmo que *policiamento* [F.: *policial* + *-ismo*.]

policiamento (po.li.ci:a.*men*.to) *sm.* **1** Ação ou resultado de policiar(-se) **2** Patrulhamento policial para prevenção e combate ao crime [F.: *policiar* + *-mento*.]

policiar (po.li.ci.*ar*) *v. td.* **1** Manter a ordem (de algum lugar) pela ação policial: *Soldados policiavam as ruas.*

2 Tomar conta de, zelar, vigiar: *A mulher policiava o marido; O sogro policiou a casa quando ele viajou.* 3 Controlar (as próprias atitudes ou si mesmo); MODERAR(-SE); REPRIMIR(-SE): *Foi duro policiar a minha raiva; Policia-va-se para não comer muito.* [▶ 1 policiar] [F.: *polícia* + *-ar*. Hom./Par.: *policiais(s)* (fl), *policiais* (pl. policial, a2g. e s2g.); *policiáveis* (fl.), *policiáveis* (pl. policiável, a2g.).]

policiável (po.li.ci:*á*.vel) *a2g.* Que se pode policiar [Pl.: *-veis.*] [F.: *policiar* + *-vel.* Hom./Par.: (pl.) *policiáveis, policiáveis* (fl. de *policiar*).]

policístico (po.li.*cís*.ti.co) *a. Pat.* Que apresenta vários cistos (ovário policístico) [F.: *poli-*[1] + *cístico.*]

policitemia (po.li.ci.te.*mi*.a) *sf. Pat.* Aumento excessivo do número de hemácias que circulam no sangue [F.: *poli-*[1] + *cit(o)-* + *-emia.*]

policlínica (po.li.*clí*.ni.ca) *sf. Med.* Instituição de saúde onde se trata todo tipo de doença [F.: Do fr. *polyclinique.*]

policloreto (po.li.clo.*re*.to) [ê] *Quím. sm.* Cloreto cuja molécula contém mais de um átomo de cloro [F.: *poli-*[1] + *cloreto.*] ■ **~ de vinila** *Quím.* Polímero sintético muito us. em diversos produtos, como embalagens, canos, dutos etc. [Sigla: *PVC.*]

policracia (po.li.cra.*ci*.a) *sf.* Sistema de governo pluralista; POLIARQUIA [Ant.: *autocracia, autarquia, monocracia.*] [F.: *poli-*[1] + *-cracia.*]

policrata (po.li.*cra*.ta) *a2g.* 1 Ref. a policracia (governo policrata) *s2g.* 2 Representante eleito de uma policracia 3 Partidário da policracia [F.: *poli-*[1] + *-crata.*]

policromado (po.li.cro.*ma*.do) *a.* Que se tornou policromo; MULTICOLOR; MULTICOLORIDO; MULTICOR [Ant.: *monocromo.*] [F.: Part. de *policromar.*]

policromia (po.li.cro.*mi*.a) *sf.* 1 Grande quantidade de cores 2 Característica daquilo que tem várias cores 3 *Art. gr.* Processo de impressão no qual são empregadas mais de três cores 4 *Art. gr.* Impresso resultante desse processo [F.: *poli-*[1] + *-cromia.*]

policrômico (po.li.*crô*.mi.co) *a.* 1 Em que há policromia (1); que tem muitas cores (vaso policrômico) 2 Ref. a policromia [F.: *policromia* + *-ico*[2].]

policromo (po.li.*cro*.mo) *a.* Que possui muitas cores; MULTICOLORIDO; MULTICOR; POLICROMADO [Ant.: *monocromo.*] [F.: Do gr. *polýchromos, os, on.* Hom./Par.: *policromo* (fl. de *policromar*).]

policultor (po.li.cul.*tor*) [ô] *sm.* Aquele que pratica a policultura [F.: *poli-*[1] + *-cultor.*]

policultura (po.li.cul.*tu*.ra) *sf.* Cultivo de produtos agrícolas diferentes numa mesma área [Ant.: *monocultura.*] [F.: *poli-*[1] + *-cultura.*]

polidactilia (po.li.dac.ti.*li*.a) *sf.* Ver *polidatilia*

polidatilia (po.li.da.ti.*li*.a) *sf. Trt.* Anomalia que consiste na existência de mais de cinco dedos na mão ou no pé de uma pessoa [F.: *poli -*[1] + *dá(c)tilo* + *-ia*[1]. Tb. *polidactilia.*]

polidez (po.li.*dez*) *sf.* 1 Qualidade do que é polido 2 Atitude ou comportamento delicado, cortês, gentil; GENTILEZA; CORTESIA; DELICADEZA [Ant.: *grosseria.*] 3 *Ling.* Característica do discurso que emprega delicadeza, gentileza e cortesia, apresentadas pelo modo de falar do locutor (tom da voz, formas de tratamento etc.) [F.: *polido* + *-ez.*]

polidipsia (po.li.dip.*si*.a) *sf. Pat.* Sede excessiva [F.: *poli-*[2] + *-dipsia.*]

polido (po.*li*.do) *a.* 1 Que se poliu, que passou por polimento e tem a superfície lisa (pedra polida); ALISADO [Ant.: *áspero.*] 2 Que, devido ao polimento, ficou lustroso, brilhoso (ouro polido) [Ant.: *fosco.*] 3 *Fig.* Que é atencioso, educado, cortês [Ant.: *indelicado, grosseiro.*] 4 *Fig.* Que revela educação, cortesia, gentileza (gesto polido) [F.: Do lat. *politus, a, um.*]

polidor (po.li.*dor*) [ô] *a.* 1 Que pule (cera polidora) 2 Que trabalha polindo objetos (operário polidor) *sm.* 3 Aquilo que pule (polidor de metais) 4 Quem trabalha polindo objetos (curso de polidor) [F.: Do lat. *politor, oris.*]

polidura (po.li.*du*.ra) *sf.* 1 Ação ou resultado de polir 2 Qualidade do que é polido [F.: *polir* + *-dura.* Sin. ger.: *polimento.*]

poliédrico (po.li.*é*.dri.co) *a.* Ref. a ou que tem a forma de poliedro (pavimento poliédrico) [F.: *poliedro* + *-ico*[2].]

poliedro (po.li.*e*.dro) *Geom. sm.* 1 Sólido geométrico com quatro ou mais faces, delimitado por polígonos planos 2 Aquilo que tem várias faces *a.* 3 Que tem várias faces [F.: Do gr. *polýedros, os, on.*] ■ **~ côncavo** *Geom.* Aquele que pode ser seccionado por um plano que contém uma de suas faces **~ convexo** *Geom.* O que está inteiramente contido num semiespaço determinado por um plano que contém qualquer de suas faces **~ regular** *Geom.* Poliedro (convexo) cujas faces são polígonos regulares iguais e cujos ângulos sólidos são todos iguais [São eles: tetraedro, hexaedro (cubo), octaedro, dodecaedro e icosaedro.] **~ duais** *Geom.* Par de poliedros regulares tais que, considerando uma esfera circunscrita a um deles, o outro será formado pelos planos tangentes à esfera que passam pelos vértices do primeiro [Ver achega enciclopédica.] **~ simples** *Geom.* Poliedro sem furos

📖 O tetraedro é dual de si mesmo, ou seja, os planos tangentes formam um novo tetraedro externo ao primeiro; o cubo e o octaedro são duais entre si, ou seja, os planos tangentes à esfera circunscrita que passam pelo vértice de um formam o outro, externo ao primeiro; e da mesma forma o dodecaedro e o icosaedro são duais entre si.

poliembrionia (po.li:em.bri:o.*ni*.a) *sf. Biol.* Formação de vários embriões a partir de um mesmo zigoto ou semente [F.: *poli -*[1] + *embrionia.*]

poliesportivo (po.li:es.por.*ti*.vo) *Bras. a.* 1 Que envolve várias práticas esportivas (campeonato poliesportivo) 2 Diz-se de estabelecimento destinado a várias práticas esportivas (ginásio poliesportivo) *sm.* 3 Esse estabelecimento: *O poliesportivo foi inaugurado às vésperas do campeonato.* [F.: *poli -*[1] + *esportivo.*]

poliéster (po.li:*és*.ter) *sm.* 1 *Quím.* Substância resinosa us., entre outros aproveitamentos, para a fabricação de tecidos sintéticos 2 *P. ext.* Tecido feito com fibras de poliéster (1) [F.: Do ing. *polyester.*]

poliestireno (po.li:es.ti.*re*.no) *sm. Quím.* Substância resinosa resultante da polimerização do estireno, us. para a fabricação de isopor e de diferentes tipos de embalagens [F.: *poli-*[1] + *estireno.*]

polietileno (po.li:e.ti.*le*.no) *sm. Quím.* Substância plástica resultante da polimerização do etileno, us. para a fabricação de recipientes e embalagens, tubos etc. [F.: *poli-*[1] + *etileno.*]

polifagia (po.li.fa.*gi*.a) *sf.* 1 Qualidade de quem é polífago, de quem come de tudo 2 Ingestão de alimentos em excesso [F.: Do gr. *polyphagía*, as 'avidez'.]

polífago (po.*lí*.fa.go) *a. sm.* O mesmo que *onívoro* [F.: Do gr. *polyphágos, os, on.*]

polifásico (po.li.*fá*.si.co) *a.* 1 Que tem várias fases: *No sono polifásico, em vez de dormir oito horas por dia, dorme-se de 20 a 30 minutos de quatro em quatro horas.* 2 *Elet.* Diz-se de sistema ou circuito de corrente alternada formado por duas ou mais tensões iguais com diferenças de fases fixas 3 *Elet.* Diz-se de aparelho que gera ou mede essa corrente (motor polifásico; medidor polifásico) [F.: *poli-*[1] + *fásico.* Cf. *bifásico* e *trifásico.*]

polifilo (po.li.*fi*.lo) *a. Bot.* Diz-se de vegetal que sofre uma aumento anormal da quantidade de folhas [F.: *poli-*[1] + *-filo.*]

polifonia (po.li.fo.*ni*.a) *Mús. sf.* 1 Combinação simultânea de vá-rias melodias independentes 2 Execução harmônica de vários sons simultaneamente [F.: Do gr. *polyphonía, as.*]

polifônico (po.li.*fô*.ni.co) *a.* 1 Ref. a ou em que há polifonia 2 Diz-se do eco cujo som se repete diversas vezes 3 Em taquigrafia, diz-se do sinal que representa vários fonemas [F.: *polifonia* + *-ico*[2].]

poliforme (po.li.*for*.me) *a.* Que tem muitas formas; MULTIFORME: "Trata-se de um grande escritor francês, que deixou uma obra vastíssima e poliforme, traduzida em todas as línguas." (Mário Soares, "Memória de Sartre" in *Textos Mário Soares*) [F.: *poli-*[1] + *-forme.*]

poligamia (po.li.ga.*mi*.a) *sf.* 1 Casamento de uma pessoa com vários cônjuges ao mesmo tempo 2 *Antr.* Costume de algumas sociedades nas quais essa prática é aceitável 3 Condição de quem é polígamo 4 *Bot.* Qualidade ou característica de plantas que apresentam flores unissexuais e hermafroditas num só indivíduo ou em indivíduos diferentes [F.: *poli-*[1] + *-gamia.* Cf.: *monogamia* e *bigamia.*]

poligâmico (po.li.*gâ*.mi.co) *a.* 1 Que possui mais de um cônjuge simultaneamente 2 Ref. a ou próprio da poligamia [F.: *poligamia* + *-ico*[2]. Sin. ger.: *polígamo.*]

polígamo (po.*lí*.ga.mo) *a.* 1 Que possui mais de um cônjuge 2 Ref. a ou caracterizado pela poligamia (1 a 3) (família polígama; sistema polígamo) 3 *Bot.* Que apresenta poligamia (4) *sm.* 4 Quem tem mais de um cônjuge simultaneamente [F.: Do gr. *polýgamos, os, on.* Cf.: *monógamo* e *bígamo.*]

poligênese (po.li.*gê*.ne.se) *sf. Biol. Antr.* Origem e desenvolvimento dos seres a partir de mais de uma espécie ancestral [F.: *poli-*[1] + *-gênese.*]

poligenia (po.li.ge.*ni*.a) *sf. Gen.* Característica fenotípica determinada pela interação de vários genes [F.: *poli-*[1] + *-genia.* Hom./Par.: *poliginia* (sf.).]

poligênico (po.li.*gê*.ni.co) *a.* Ref. a ou que apresenta poligenia [F.: *poligenia* + *-ico*[2].]

poligenismo (po.li.ge.*nis*.mo) *sm. Antr.* Teoria segundo a qual a diversidade das raças humanas é atribuída à descendência de vários troncos primitivos [Essa teoria tornou-se obsoleta após o surgimento e a aceitação do darwinismo.] [F.: *polígeno* + *-ismo.*]

poligenista (po.li.ge.*nis*.ta) *a2g.* 1 Ref. a poligenismo 2 Diz-se de indivíduo que é seguidor do poligenismo *s2g.* 3 Esse indivíduo [F.: *polígeno* + *-ista.*]

polígeno (po.*lí*.ge.no) *a.* Que produz excessivamente [F.: *poli-*[1] + *-geno.* Hom./Par.: *polígino* (a.).]

poliginia (po.li.gi.*ni*.a) *sf.* 1 *Bot.* Qualidade ou condição de polígino 2 Casamento de um homem com várias mulheres ao mesmo tempo [Cf.: *poliandria.*] 3 *Zool. Etol.* Forma de acasalamento na qual o macho acasala com mais de uma fêmea [F.: *polígino* + *-ia*[1]. Hom./Par.: *poligenia* (sf.).] ■ **~ sororal** *Antr. Etnol* Prática social, ou regime matrimonial no qual um homem pode casar-se duas ou mais mulheres que sejam irmãs entre si [Tb. impr. *sororato.*]

polígino (po.*lí*.gi.no) *a.* 1 *Bot.* Diz-se de planta, flor ou androceu que tem muitos pistilos 2 *Etol.* Diz-se de homem que tem mais de uma mulher ao mesmo tempo [Cf.: *poliandro* e *polígamo.*] 3 *Zool. Etol.* Diz-se de macho que copula com várias fêmeas [F.: *poli-*[1] + *-gino.* Hom./Par.: *polígeno* (a.).]

poliglota (po.li.*glo*.ta) *a2g.* 1 Que fala várias línguas; PLURILÍNGUE; MULTILÍNGUE 2 Ref. a ou escrito em diversas línguas (manual poliglota) *s2g.* 3 Aquele que fala várias línguas; PLURILÍNGUE; MULTILÍNGUE [F.: Do gr. *polýglottos, os, on.*]

poligonal (po.li.go.*nal*) *Geom. a2g.* 1 Ref. a polígono 2 Que apresenta vários ângulos 3 Cuja base é um polígono *sf.* 4 Red. de *linha poligonal* [Pl.: *-nais.*] [F.: *polígono* + *al.*]

polígono (po.*lí*.go.no) *sm. Geom.* Qualquer figura geométrica plana formada por número igual de lados e ângulos [F.: Do gr. *polýgonos, os, on.*] ■ **~ convexo** *Geom.* O que está inteiramente contido num semiplano determinado por uma reta que contém qualquer de seus lados **~ de tiro** *Mil.* Área de provas para projéteis, obuses, canhões, morteiros e bocas de fogo em geral **~ esférico** *Geom.* Área de superfície esférica delimitada por três ou mais segmentos de arcos que têm o diâmetro máximo para aquela esfera (ou seja, todos contidos na superfície da esfera) **~ estrelado** *Geom.* Polígono regular formado por uma linha poligonal contínua que parte de um dos pontos da divisão de uma circunferência em *n* (> 4 e ímpar) partes e vai se ligando a pontos não consecutivos, sempre com o mesmo intervalo (ou seja, de *p* em *p*) até voltar ao ponto de partida **~ geodésico** Aquele formado por geodésicas que se cortam duas a duas **~ mistilíneo** **~** *Geom.* Polígono que apresenta alguns lados curvilíneos e outros lados retilíneos **~ regular** *Geom.* O que tem todos os lados e todos os ângulos iguais

poligrafia (po.li.gra.*fi*.a) *sf.* 1 Coleção de obras sobre diversos assuntos 2 Conjunto de conhecimentos sobre assuntos variados 3 Qualidade de polígrafo [F.: Do fr. *polygraphie.*]

poligráfico (po.li.*grá*.fi.co) *a.* 1 Ref. a poligrafia ou a polígrafo 2 Diz-se de empresa que atua em diversos ramos das artes gráficas [F.: *poligrafia* + *-ico*[2].]

polígrafo (po.*lí*.gra.fo) *sm.* 1 Quem escreve sobre vários assuntos diferentes: "O polígrafo do sertão: ciências naturais e literatura na obra de Euclides da Cunha." (Marcos Vinicius de Freitas *in História, ciências, saúde* – Manguinhos, maio-agosto 2002) 2 Aparelho que, conectado a alguém, registra alterações em funções fisiológicas, sendo us. como detector de mentiras 3 Máquina que ao acionar diversas penas ao mesmo tempo, produz simultaneamente várias cópias do mesmo original 4 Indivíduo que conhece muitas ciências; POLÍMATA 5 *Bras.* O mesmo que apostila (1) [F.: Do gr. *polygráphos, os, on.* Hom./Par.: *polígrafo* (sm.), *poligrafo* (fl. de *poligrafar*).]

poli-insaturado (po.li-in.sa.tu.*ra*.do) *a. Quím.* Diz-se de substância orgânica que tem muitos pares de átomos de carbono dupla ou triplamente interligados

poli-isopreno (po.li-i.so.*pre*.no) *sm. Quím.* Polímero resultante da polimerização do isopreno, encontrado na borracha natural ou obtido sinteticamente [Fórm.: C_5H_{8n}]

polímata (po.*lí*.ma.ta) *s2g.* Pessoa que sabe ou estuda diversas ciências [F.: Do gr. *polymathés, és, és.* Tb. *polímate.*]

polímate (po.*lí*.ma.te) *s2g.* Ver *polímata*

polimento (po.li.*men*.to) *sm.* 1 Ação ou resultado de polir; POLIDURA 2 *Fig.* Educação esmerada; REFINAMENTO 3 Couro lustroso para fazer sapatos (botas de polimento) [F.: *polir* + *-mento.*]

polimerase (po.li.me.*ra*.se) *sf. Bioq.* Enzima que catalisa a ligação de nucleotídeos e leva à formação de uma nova cadeia de ácido nucleico complementar à cadeia-mãe [F.: *polímero* + *-ase.*]

polimérico (po.li.*mé*.ri.co) *a. Quím.* Ref. ou pertencente a polímero [F.: *polímero* + *-ico*[2].]

polimerização (po.li.me.ri.za.*ção*) *sf. Quím.* Reação química na qual um grande número de moléculas se unem para formar um polímero [Pl.: *-ções.*] [F.: *polimerizar* + *-ção.*]

polimerizar (po.li.me.ri.*zar*) *v. td. Quím.* Converter (monômero) em polímero [▶ 1 polimerizar] [F.: *polímero* + *-izar.*]

polímero (po.*lí*.me.ro) *sm. Quím.* Composto formado por combinações repetidas de moléculas mais simples [F.: Do gr. *polymerés, és, es.*]

polimixina (po.li.mi.*xi*.na) *sf. Farm.* Antibiótico complexo extraído de bactérias *Bacillus polymyxa*: *sulfato de polimixina B.* [F.: Do lat. cient. *polymyxa* + port. *-ina.*]

polimórfico (po.li.*mór*.fi.co) *a.* Ver *polimorfo*

polimorfismo (po.li.mor.*fis*.mo) *sm.* 1 *Biol.* Existência de três ou mais formas claramente distintas em uma mesma espécie 2 *Quím.* Característica de certos elementos que se apresentam com formas e propriedades físicas diferentes; ALOTROPIA 3 *Gen.* Presença de diferentes genótipos para uma determinada característica, numa mesma população 4 *Bot.* Ocorrência de algum órgão, como, p. e. x., a folha, com características diversas ao padrão da espécie [F.: *polimorfo* + *-ismo.*]

polimorfo (po.li.*mor*.fo) *a.* 1 Que se apresenta de várias formas (vírus polimorfo) 2 Que pode se manifestar de diferentes maneiras (distúrbio polimorfo): "Tudo é refratado por esse organismo polimorfo que é a redação do jornal." (*Folha de S.Paulo*, 01.04.1998) 3 Que apresenta polimorfismo; POLIMÓRFICO 4 *Inf.* Diz-se de vírus que assume uma forma diferente cada vez que o programa em que se encontra é acionado 5 *Min.* Diz-se de cada um dos minerais que apresenta diferentes formas e estruturas cristalinas e uma mesma composição química [Nas acp. 4 e 5 tb. us. como subst.] [F.: Do gr. *polýmorphos, os, on.* Tb. *polimórfico.*]

polinésio (po.li.*né*.si:o) *sm.* 1 Pessoa nascida na Polinésia (arquipélago no oceano Pacífico, próximo da Austrália) 2 *Gloss.* Língua do subgrupo malaio-polinésio falada nesse arquipélago *a.* 3 Da Polinésia; típico desse arquipélago ou de seu povo 4 Do ou ref. ao polinésio (2) [F.: Do top. *Polinésia*, com mud. de suf; ver *-io*[3].]

polineurite (po.li.neu.*ri*.te) *sf. Neur.* Inflamação de vários nervos ao mesmo tempo [F.: *poli* -[1] + *neurite*.]

polinevrite (po.li.ne.*vri*.te) *sf. Pat.* O mesmo que *polineurite* [F.: *poli*-[1] + *nevrite*.]

◎ **polin(i)-** *el. comp.* = pólen: *polínico, polinizar* [F.: Do lat. *pollen* ou *pollin, inis*.]

polínico (po.*lí*.ni.co) *Bot. a.* **1** Ref. a pólen **2** Quem contém pólen; POLÍNIFERO [F.: *polin(i)-* + *-ico*[2].]

polinífero (po.li.*ní*.fe.ro) *a.* O mesmo que *polínico* (2) [F.: *polin(i)-* + *-fero*.]

polinização (po.li.ni.za.*ção*) *sf. Bot.* Transporte do grão de pólen da antera para o estigma, realizado através de agentes polinizadores como o vento, a água ou os animais, esp. os insetos, e tb. propositalmente pelo homem [Pl.: *-ções*.] [F.: *polinizar* + *-ção*.]

polinizado (po.li.ni.*za*.do) *a.* Que sofreu polinização [F.: Part. de *polinizar*.]

polinizador (po.li.ni.za.*dor*) [ô] *a.* **1** Diz-se de animal (inseto, pássaro etc.) que poliniza *sm.* **2** Esse animal [F.: *polinizar* + *-dor*.]

polinizar (po.li.ni.*zar*) *v.* Fazer a polinização de [*td.*: *Os insetos polinizam as flores.*] [*int.*: *O vento ajuda a polinizar.*] [▶ 1 polinizar] [F.: *polin(i)-* + *-izar*.]

polinômico (po.li.*nô*.mi.co) *a.* Ref. a ou próprio de polinômio [F.: *polinôm (io)* + *-ico*[2].]

polinômio (po.li.*nô*.mi:o) *sm. Álg.* Expressão composta pela soma algébrica de vários termos [F.: *poli-*[2] + *(bi)nô-mio*.] ▪ **~ homogêneo** *Álg.* Aquele cujos termos são todos potências do mesmo grau **~ inteiro** *Álg.* Aquele cujas variáveis só têm potências inteiras diferentes de zero **~ irracional** *Álg.* Aquele no qual uma variável é submetida a radiciação (extração de raiz) **~ mônico** *Álg.* Aquele que tem com coeficiente da maior potência a unidade **~ racional** *Álg.* Aquele no qual as variáveis só são submetidas às operações de soma, subtração, multiplicação e divisão **~s idênticos** *Álg.* Aquele no qual os coeficientes dos termos com potência do mesmo grau são iguais

◎ **poli(o)-** *el. comp.* = cinzento; massa cinzenta do sistema nervoso: *polioencefalite, poliomielite, poliose* [F.: Do gr. *poliós, á, ón*.]

◎ **-pólio** *el. comp.* = venda, direito de vender: *monopólio, oligopólio*

pólio (*pó*.li:o) *sf. Pat.* F. red. de *poliomielite*

poliomielite (po.li:o.mi:e.*li*.te) *sf. Pat.* Inflamação da massa cinzenta da medula espinhal [F.: *poli(o)-* + *-miel(o)-* + *-ite*[1]. F. red.: *pólio*.] ▪ **~ anterior aguda** *Pat.* Ver *Paralisia infantil* no verbete *paralisia* [Tb. apenas *pólio*.]

poliparasitismo (po.li.pa.ra.si.*tis*.mo) *sm. Med.* Associação de duas ou mais parasitoses em um só hospedeiro (poliparasitismo intestinal) [F.: *poli-*[1] + *parasitismo*.]

poliparasitose (po.li.pa.ra.si.*to*.se) *Med. sf.* Infestação ou infecção por múltiplos parasitos [F.: *poli-*[1] + *parasitose*.]

polipeptídico (po.li.pep.*tí*.di.co) *a.* Ref. ou pertencente a polipeptídio [F.: *polipeptídio* + *-ico*[2].]

polipeptídio (po.li.pep.*tí*.di:o) *sm. Bioq.* Substância formada por uma cadeia de aminoácidos unidos por ligações peptídicas: *O polipeptídeo pancreático plasmático aumenta após a ingestão de alimentos.* [F.: *poli-*[1] + *peptídio*. Tb. *polipeptídeo*.]

poliploide (po.li.*ploi*.de) *Gen. a2g.* **1** Diz-se de organismo, célula ou núcleo celular que possui mais de dois conjuntos completos de cromossomos *sm.* **2** Esse organismo, célula ou núcleo celular [F.: *poli-*[1] + *-ploide*. Cf.: *diploide, haploide, hexaploide, monoploide*.]

poliploidia (po.li.ploi.*di*.a) *sf. Gen.* Qualidade ou condição de poliploide [F.: *poliploide* + *-ia*[1].]

polipneia (po.lip.*nei*.a) *sf. Pat.* Respiração muito rápida, curta e ofegante [F.: *poli-*[1] + *-pneia*.]

pólipo (*pó*.li.po) *sm.* **1** *Pat.* Massa carnosa que se forma em uma mucosa **2** *Zool.* Animal invertebrado aquático de corpo gelatinoso, cilíndrico, dotado de uma boca circundada por tentáculos numa das extremidades, sendo a outra fixa [F.: Do lat. *polypus, i*.]

polipoide (po.li.*poi*.de) *a2g.* **1** Que tem forma de pólipo (1) (tumor polipoide) **2** Ref. ou inerente a pólipo (formação polipoide) [F.: *pólipo* + *-oide*.]

polipose (po.li.*po*.se) *sf. Pat.* Crescimento de tumor pendiculado em uma membrana mucosa (nariz, reto etc.): *polipose nasal em crianças.* [F.: *pólipo* + *-ose*[2].]

poliposo (po.li.*po*.so) [ô] *a.* Que tem natureza de pólipo (1): *granuloma poliposo; tecido poliposo.* [Pl.: [ó]. Fem.: [ó].] [F.: *pólipo* + *-oso*.]

polipsiquismo (po.li.psi.*quis*.mo) *sm.* **1** *Psiq.* Teoria que considera a mente humana dotada de personalidades secundárias com atuações independentes **2** *Parap.* Fenômeno de interação humana, colaboração das forças psíquicas de várias pessoas por força do contágio psíquico e da vibração energética negativa no ambiente, que propicia fenômenos como visões de seres, santos, pessoas falecidas etc. [F.: *poli-*[1] + *psiquismo*.]

poliquimioterapia (po.li.qui.mi:o.te.ra.*pi*.a) *sf. Ter.* Tratamento de doenças, esp. a hanseníase e o câncer, com mais de um medicamento quimioterápico [F.: *poli-*[1] + *quimioterapia*.]

polir (po.*lir*) *v. td.* **1** Proporcionar brilho a; LUSTRAR: *Polir os talheres.* **2** *Fig.* Tornar(se) educado, fino; REFINAR(-SE): *Polia as maneiras da sobrinha; Deu gosto ver como os estudantes se poliram.* **3** *Fig.* Melhorar o estilo de; APRIMORAR: *Polir as frases.* **4** Dar polimento de verniz em (madeira, latão etc.); ENVERNIZAR **5** Esfregar a superfície de (metal, madeira etc.) para eliminar suas asperezas e torná-la lisa, brilhante [▶ **52 polir**] [F.: Do lat. *polire*. Hom./Par.: *polia(s)* (fl.), *polia* (sf. e pl.); *pulo* (fl.), *pulas* (fl.), *pula* (fl.), *pulamos* (fl.), *pulais* (fl. e pl.), *pulam* (fl.): *pulo, pulas, pula, pulais, pulam*, (fl. pular); *pule(s)* (f.), *pule* (sf. e pl.).]

polirribossomo (po.lir.ri.bos.*so*.mo) *sm. Biol. Cit.* Cadeia de ARN mensageiro ligada a vários ribossomos; POLISSOMO [F.: *poli-*[1] + *ribossomo*.]

polirritmia (po.lir.rit.*mi*.a) *sm. Mús.* Utilização simultânea de duas ou mais estruturas rítmicas contrastantes [F.: *poli-*[1] + *ritmo* + *-ia*[1].]

◎ **-polis** *el. comp.* Ver *pol(i)-*[2]

polissacarídeo (po.lis.sa.ca.*rí*.de:o) *sm. Quím.* Molécula de carboidrato formada por uma cadeia de outras mais simples [F.: *poli-*[1] + *sacarídeo*.]

polissemia (po.lis.se.*mi*.a) *sf. Ling.* Multiplicidade de significados de uma palavra (p. ex.: bolo, referindo-se a 'doce' e a 'pancada de palmatória' etc.) [F.: Do fr. *polysémie*.]

polissêmico (po.lis.*sê*.mi.co) *a.* Ref. a polissemia; com mais de um significado [F.: *polissemia* + *-ico*[2].]

polissilábico (po.lis.si.*lá*.bi.co) *a.* **1** Ref. a polissílabo (2) **2** Que possui mais de uma sílaba; POLISSÍLABO [F.: *polissílabo* + *-ico*[2].]

polissílabo (po.lis.*sí*.la.bo) *Gram. a.* **1** Que tem várias sílabas, ger. mais de três (palavra polissílaba) *sm.* **2** Palavra polissílaba [F.: Do gr. *polysýllabos, os, on*.]

polissíndeto (po.lis.*sín*.de.to) *sm. Gram.* Repetição de uma conjunção coordenativa ligando palavras, orações ou outras estruturas sintáticas num mesmo período [Ex. de polissíndeto: 'Ria e corria e pulava e cantava...'] [F.: Do gr. *polysýndetos, os, on*. Ant. ger.: *assíndeto*. Cf.: *síndeto*.]

polissintético (po.lis.sin.*té*.ti.co) *Fon. Gram. a.* Ref. a línguas caracterizadas por palavras longas e complexas, resultantes da aglutinação de morfemas distintos, e que em outras línguas são ger. expressas por frases ou orações; AGLUTINATIVO: *O esquimó é uma língua polissintética.* [F.: *poli-* + *sintético*.]

polissonografia (po.lis.so.no.gra.*fi*.a) *sf. Med.* Exame que avalia o sono e suas variáveis fisiológicas, com registros que quantificam e qualificam o sono do indivíduo [F.: *poli-*[1] + *sono* + *-grafia*.]

◎ **-politano** *el. comp.* = 'natural ou habitante de (dada cidade)'; 'de, ref. ou relativo a (dada cidade)': *angelopolitano, soteropolitano* (f. semi-helenizada) [Em port., os top. terminados em *-polis* formam seus gentílicos em *-politano*, segundo o padrão latino, que soma ao elemento pospositivo com o sentido de 'cidade' a integração sufixal *-itanus* (ver *-itano*). Ocorrem, entretanto, por analogia de sentido, como visto no exemplário, gentílicos que não têm o el. grego na forma do top. equivalente.] [F.: Do lat. *-politanus, a, um*, do lat. *-polis, is* (gr. *pólis, eos*, 'cidade'), + suf. lat. *-itanus, a, um* (ver *-itano*), formador de gentílicos.]

politeama (po.li.te:*a*.ma) *sm. Teat.* Casa que apresenta vários tipos de espetáculos [F.: *poli-*[1] + gr. *theama, atos*, 'espetáculo'.]

politécnica (po.li.*téc*.ni.ca) *sf.* Escola onde se estudam diversas artes e ofícios [F.: Fem. substv. de *politécnico*.]

politécnico (po.li.*téc*.ni.co) *a.* **1** Ref. a diferentes artes e ofícios **2** Ref. a engenharia (diz-se ger. de escola) **3** Diz-se de ou ref. a colégio, escola etc. em que se lecionam disciplinas de área científica [F.: Do gr. *polýtechnos, os, on*.]

politeísmo (po.li.te.*ís*.mo) *sm.* Crença em vários deuses [F.: Do fr. *polythéisme*. Ant. ger.: *monoteísmo*.]

politeísta (po.li.te.*ís*.ta) *a2g.* **1** Ref. a politeísmo **2** Que aceita ou pratica o politeísmo *s2g.* **3** Indivíduo politeísta [F.: Do fr. *polythéiste*.]

política (po.*lí*.ti.ca) *sf.* **1** Arte e ciência da organização e administração de um Estado, uma sociedade, uma instituição etc. **2** O conjunto de fatos, processos, conceitos, instituições etc. que envolvem e regem a sociedade, o Estado e suas instituições, e o relacionamento entre eles **3** O gerenciamento de uma dessas instituições ou do conjunto delas **4** O conjunto de conceitos e a prática que orientam uma determinada forma, pré-escolhida, desse gerenciamento: *O banco adotou uma nova política para empréstimos.* **5** *Fig.* Habilidade para negociar e harmonizar interesses diferentes: *Será preciso uma boa dose de política para conciliar as partes.* **6** Habilidade de conduzir ou influenciar o governo pela organização partidária, opinião pública, conquista do eleitorado etc. **7** Atuação na disputa de cargos de governo ou nas relações partidárias **8** Conjunto de princípios e opiniões de uma pessoa que constituem uma posição ideológica **9** *Fig.* Esperteza, astúcia para obter alguma coisa: *Conduziu o negócio com muita política.* [F.: Do lat. tard. *politica*, do gr. *politiké* (*téchne*).] ▪ **~ afirmativa** *Pol.* Estrutura de conceitos, estratégias, leis, medidas etc. que visa a adotar ações afirmativas em geral ou em determinado setor de desigualdade econômica ou social [Ver *ação afirmativa* no verbete *ação*.]

politicagem (po.li.ti.*ca*.gem) *Pej. sf.* **1** A política praticada para atender interesses particulares ou mesquinhos **2** O conjunto de políticos que se dedicam a fazer politicagem (1) [Pl.: *-gens*.] [F.: *política* + *-agem*. Sin. ger.: *politicalha, politicaria, politiquice, politiquismo*.]

politicalha (po.li.ti.*ca*.lha) *sf. Pej.* O mesmo que *politicagem*: "...cientes de uma impunidade garantida pelos conchavos da baixa politicalha..." (*Folha de S.Paulo*, 16.06.1999) [F.: *política* + *-alha*.]

politicar (po.li.ti.*car*) *v. int.* Falar sobre ou fazer política [▶ **11 politicar**] [F.: *político* + *-ar*. Hom./Par.: *politicaria(s)* (fl.), *politicaria* (sf. e pl.); *política(s)* (fl.), *política* (sf. e pl.), político [adj. sm.] e pl.); *politico* (fl.), *político* (a. sm.).]

politicidade (po.li.ti.ci.*da*.de) *sf.* Qualidade ou condição do que é político (politicidade da educação; politicidade do cuidado) [F.: *político* + *-i-* + *-dade*.]

politicismo (po.li.ti.*cis*.mo) *sm.* **1** Conjunto de conceitos e práticas que orientam uma determinada política **2** *Pej.* O mesmo que *politicagem*: *uso do politicismo para atingir o poder.* [F.: *política* + *-ismo*.]

político (po.*lí*.ti.co) *a.* **1** Ref. à, da ou próprio da política (partido político; abordagem política) **2** Que exerce ou já exerceu cargo eleitoral ou que pretende eleger-se para isso **3** Que se ocupa da política ou é profissional de área política **4** Que se dedica à política ou é especialista em política (esp. de um país, de uma época etc.) (consultor político) **5** Ref. aos negócios públicos **6** Gentil ao tratar de assuntos delicados **7** Hábil para negociar e lidar com opiniões divergentes: *O síndico foi político na condução da reunião.* **8** Ref. ou concernente à cidadania ou aos direitos, deveres e atributos do cidadão **9** *Fig.* Esperto, ladino *sm.* **10** Quem se dedica à política (1) [F.: Do lat. *politicus, a, um*, do gr. *politikós, é, ón*.] ▪ **Estar ~ com** *Bras. Pop.* Estar brigado, de relações estremecidas ou cortadas com (alguém)

politicólogo (po.li.ti.*có*.lo.go) *sm.* Especialista em ciências políticas [F.: *política* + *-o-* + *-logo*.]

politiqueiro (po.li.ti.*quei*.ro) *Pej. a.* **1** Que faz politicagem (1) **2** Que se ocupa muito da política partidária **3** Que é intrigante, mexeriqueiro *sm.* **4** *Pej.* Indivíduo politiqueiro [F.: *político* + *-eiro*.]

politiquês (po.li.ti.*quês*) *sm. Bras. Pej.* Linguagem repleta de termos, conceitos e expressões políticas, ger. us. por políticos [F.: *política* (*-c-* > *-qu-*) + *-ês*.]

politiquice (po.li.ti.*qui*.ce) *sf.* **1** Ação de politiqueiro (1) **2** *Pej.* O mesmo que *politicagem* [F.: *política* + *-ice*.]

politiquismo (po.li.ti.*quis*.mo) *sm. Pej.* O mesmo que *politicagem* [F.: *política* (*-c-* > *-qu-*) + *-ismo*.]

politização (po.li.ti.za.*ção*) *sf.* Ação ou resultado de politizar(-se) [Pl.: *-ções*.] [F.: *politizar* + *-ção*.]

politizado (po.li.ti.*za*.do) *a.* **1** Que conhece e exerce seus direitos e deveres políticos (cidadãos politizados) **2** Que conhece bastante a política e procura participar do processo político de seu país (escritor politizado) [F.: Part. de *politizar*.]

politizar (po.li.ti.*zar*) *v. td.* **1** Dar ou adquirir consciência dos direitos e deveres sociais e políticos e do significado da política na vida social e individual: *Entrou para o partido e politizou-se.* **2** Atribuir caráter político a: *politizou o debate.* [▶ 1 politizar] [F.: Do ingl. (*to*) *politize*.]

politonal (po.li.to.*nal*) *a2g. Mús.* Que se caracteriza pela politonalidade [Pl.: *-nais*.] [F.: *poli-*[2] + *tonal*.]

politonalidade (po.li.to.na.li.*da*.de) *sf. Mús.* Utilização simultânea de duas ou mais tonalidades em uma mesma composição musical [F.: *poli-*[2] + *tonalidade*.]

politônico (po.li.*tô*.ni.co) *Ling. a.* Diz-se do grego antigo, escrito com numerosos sinais diacríticos e us. desde a antiga Grécia até 1982 (grego politônico; ortografia politônica) [Cf.: *monotônico*. F.: *poli-* + *tônico*.]

polítopo (po.*lí*.to.po) *sm. Geom.* Conceito genérico de polígono e de poliedro para um número arbitrário de dimensões finitas [F.: *poli-* + *-topo*.]

politraumatismo (po.li.trau.ma.*tis*.mo) *sm. Med.* Conjunto de lesões que resulta de contusão violenta em várias partes do corpo ao mesmo tempo, ger. ocasionado por acidentes graves [F.: *poli-*[2] + *traumatismo*.]

politraumatizado (po.li.trau.ma.ti.*za*.do) *a.* **1** Que sofreu politraumatismo *sm.* **2** Indivíduo que sofreu politraumatismo [F.: *poli-*[2] + *traumatizado*.]

poliuretano (po.li:u.re.*ta*.no) *sm. Quím.* Grupo de substâncias sintéticas, resinosas, esponjosas ou borrachudas, us. como isolantes, adesivos etc. [F.: *poli-*[1] + *uretano*.]

poliúria (po.li.*ú*.ri:a) *sf. Med.* Produção e excreção de urina em volume maior do que o normal [F.: *poli-*[1] + *-úria*. Tb. *poliuria*.]

polivalência (po.li.va.*lên*.ci:a) *sf.* Qualidade ou característica do que é polivalente [F.: *poli* -[1] + *valência*.]

polivalente (po.li.va.*len*.te) *a2g.* **1** Que tem muitas utilidades (ferramenta polivalente) **2** Que tem muitas habilidades (artista polivalente) **3** Que inclui diferentes atividades: *centro polivalente de formação profissional.* **4** *Farm.* Diz-se de soro ou vacina que combate ou protege contra diversos agentes patogênicos **5** *Quím.* Diz-se de elemento que tem diversas valências [F.: *poli-*[1] + *valente*.]

polo[1] (*po*.lo) [ó] *sm.* **1** Cada extremidade do eixo imaginário da Terra, ou de qualquer planeta, ou de qualquer sistema de formato similar **2** Cada região glacial situada em cada um dos dois polos (1) da Terra. (polo Norte ou Ártico e polo Sul ou Antártico) **3** *Fig.* A parte mais importante ou central; CENTRO; FOCO: *A seca era o polo das preocupações.* **4** *Fig.* Elemento que se opõe completamente a outro: *Ousadia e timidez eram polos de sua personalidade.* **5** Área, instalação em torno da qual ocorre determinada atividade (polo industrial; polo siderúrgico) **6** *Fís.* Cada um dos terminais de uma pilha, circuito ou gerador elétrico: *polos positivo e negativo de uma pilha.* **7** *Fís.* Cada uma das extremidades de um ímã **8** *Mat.* Ponto singular de uma fun-ção de variável complexa que, multiplicada por uma potência inteira de um binômio do primeiro grau na variável, se torna regular **9** *Geom.* Ponto fixo de referência a dois pontos inversos [Tb. *Centro de inversão*.] **10** *Ópt.* O centro óptico de um espelho ou de uma lente curvos [F.: Do lat. *polus, i*, do gr. *polos, ou*.] ▪ **~ aboral** *Zool.* Extremidade oposta ao orifício bucal de animais inferiores **~ Antártico** *Geof.* Polo (1, 2) do hemisfério meridional da Terra **~ Ártico** *Geof.* Polo (1, 2) do hemisfério setentrional da Terra **~ celeste** *Astron.* Cada um dos dois pontos imaginários em que o prolongamento do eixo da Terra intercepta a esfera celeste. [São, portanto, dois, o polo celeste norte e o polo celeste sul] **~ geomagnético** *Geof.* Cada um dos dois pontos da superfície terrestre nos quais a inclinação magnética é de 90º; polo magnético terrestre. [São o polo geomagnético norte e o polo geomagnético sul. Tb. apenas *polo magnético*] **~ magnético 1** *Fís.* Num ímã, o ponto de onde saem ou o ponto para onde convergem as linhas de força do seu campo magnético. [Tb. apenas *polo*] **2** *Geofís.* Ver *Polo geomagnético* **~ magnético terrestre** *Geof.* Ver *Polo geomagnético* **~ negativo** *Elet.* Terminal de uma fonte geradora de eletricidade, no qual há uma grande quantidade de elétrons, que, na busca do equilíbrio, se movem na direção do terminal em que há falta deles, criando-se com isso a corrente elétrica **~ norte 1** *Geof.* Ver *Polo Ártico* [Nesta acp., Norte com inicial maiúscula.] **2** *Astron.* Ver *Polo celeste* **~ positivo** *Elet.* Terminal de uma fonte geradora de eletricidade para o qual fluem os elétrons do polo negativo, criando-se com isso a corrente elétrica **~ sul 1** *Geof.* Ver *Polo Antártico* [Nesta acp., Sul com inicial maiúscula.] **2** *Astron.* Ver *polo celeste* **Passar de um ~ a outro** Numa conversa, exposição, debate etc., passar para um assunto totalmente diverso do que estava sendo tratado

polo[2] (*po*.lo) [ó] *sm. Esp.* Jogo em que os jogadores, a cavalo e usando tacos, tentam impulsionar uma bola além da meta adversária [F.: Do ing. *polo*, do balti (dialeto tibetano) *polo*.] **■ ~ aquático** *Esp.* Jogo disputado dentro de uma piscina com uma baliza flutuante em cada extremidade, entre duas equipes de sete jogadores que tentam, cada uma, marcar mais gols que o adversário

polografia (po.lo.gra.*fi*.a) *sf. Astron.* Estudo e descrição do céu [F.: *polo*[1] + *-grafia*.]

polográfico (po.lo.*grá*.fi.co) *a.* Ref. a polografia [F.: *polografia* + *-ico*[2].]

polonês (po.lo.*nês*) *sm.* **1** Pessoa nascida ou que vive na Polônia (Europa) **2** *Gloss.* Língua falada na Polônia *a.* **3** Da Polônia; típico desse país ou de seu povo **4** Do ou ref. ao polonês (2) [Pl.: *-neses*. Fem.: *-nesa*.] [F.: top. *Polônia* + *-ês*. Sin. ger.: *polaco*.]

polonesa (po.lo.*ne*.sa) [ê] *sf.* **1** Mulher nascida ou que vive na Polônia; POLACA **2** *Dnç.* Dança originária da Polônia, com ritmo característico de marcha e caráter festivo **3** *Mús.* Música para essa dança, inspiradora de muitos compositores eruditos dos séc. XVIII e XIX **4** *Ant.* Segunda saia que as senhoras trajavam por cima do vestido; segunda saia **5** *Ant.* Casaco feminino amplo e comprido [F.: Do fr. *polonaise*.]

polônio[1] (po.*lô*.ni:o) *a.* **1** Ref. à Polônia *sm.* **2** Natural da Polônia, o mesmo que *polonês* [F.: Do top. *Polônia* + *-io*[3].]

polônio[2] (po.*lô*.ni:o) *sm. Quím.* Elemento químico de número atômico 84, metal radioativo [Símb.: *Po*] [Esta palavra não é us. no pl.] [F.: Do lat. cient. *polonium* < top. *Polônia*, país onde nasceu Marie Curie (1867-1934), química que descobriu o polônio.]

polpa (*pol*.pa) [ô] *sf.* **1** *Bot.* Parte carnosa, ger. espessa e comestível, de diversos frutos e raízes **2** Carne sem osso e sem gordura **3** Material pastoso; MASSA: *polpa de papel*. **4** *Fig.* Importância, valor: *trabalho de polpa*. **5** *Anat.* **Od.** Parte interna do dente (polpa dentária) [F.: Do lat. *pulpa, ae*.] **■ ~ coronal** *Od.* Polpa (5) da coroa dentária **~ dentária** *Od.* Polpa (5) **~ radicular** *Od.* Polpa da raiz dentária

⊕ ***polpetta*** (*It. /polpêta/*) *sf. Cul.* Bolinho de carne, o mesmo que *almôndega*

⊕ ***polpettone*** (*It. /polpêtone/*) *sm. Cul.* Rolo de carne moída, com ou sem outros ingredientes no recheio

polposo (pol.*po*.so) [ô] *a.* Que tem grande quantidade de polpa; POLPUDO; CARNOSO [Pl.: [ó]. Fem.: [ó].] [F.: *polpa* + *-oso*.]

polpudo (pol.*pu*.do) *a.* **1** Que tem muita polpa (diz-se de fruto, corte de carne etc.) **2** *Fig.* De grande vulto; CONSIDERÁVEL; VULTOSO: *Ganhou um prêmio polpudo*. **3** Que resulta em grande vantagem monetária (diz-se de negócio, investimento etc.); LUCRATIVO: *Assinou um polpudo contrato*. [F.: *polpa* + *-udo*. Hom./Par.: *polpudo* (a.), *poupudo* (a.).]

poltrão (pol.*trão*) *a.* **1** Que é medroso ou covarde [Ant.: *valente, corajoso*.] **2** Diz-se de animal que, em liberdade, engorda ou se torna preguiçoso *sm.* **3** Pessoa medrosa ou covarde [Pl.: *-trões*. Fem.: *-trona*. Aum.: *poltranaz*.] [F.: Do it. *poltrone*, posv. pelo espn. *poltrón*. Hom./Par.: *poltrona* (fem.), *poltrona* (sf.).]

poltrona (pol.*tro*.na) *sf.* **1** Cadeira confortável, com braços, ger. estofada; CADEIRÃO **2** *Bras.* Cadeira desse tipo, em plateia de cinema, teatro etc. **3** Sela de arções baixos [F.: Do it. *poltrona*. Hom./Par.: *poltrona* (sf.), *poltrona* (fem. de *poltrão*).]

polução (po.lu.*ção*) *sf.* **1** *Urol.* Emissão involuntária de esperma **2** O mesmo que *poluição* [Pl.: *-ções*.] [F.: Do lat. *pollutio, onis*, por via erudita.]

poluente (po.lu:*en*.te) *a2g.* **1** Que polui (descarga poluente) *sm.* **2** Aquilo que polui: "Relatório mostra que ozônio foi o poluente que mais violou a qualidade do ar em 2004." (*Folha de S.Paulo*, 31.03.2005) [F.: Do lat. *polluens, entis*.]

poluição (po.lui.*ção*) *sf.* **1** Ação ou resultado de poluir **2** Degradação do meio ambiente causada pela ação do homem ou qualquer outro fator, e que o torna prejudicial à saúde humana (poluição do ar) **3** Situação em que há interferência de fatores estranhos a um equilíbrio sensorial, resultando em desequilíbrio, confusão etc. (poluição visual; poluição sonora) [Pl.: *-ções*.] [F.: Do lat. *pollutio, onis*, por via popular. F. paral.: *polução*.] **■ ~ atmosférica** Condição na qual partículas sólidas, líquidas ou gasosas em suspensão no ar atingem uma concentração prejudicial ao equilíbrio ambiental e à saúde **~ das águas** Condição na qual se concentram na água (de rio, mar, reservatórios etc.) elementos tóxicos num teor que a torna imprópria para o uso e que ameaça animais e plantas aquáticos **~ sonora** O perturbador efeito ambiental causado pelo excesso de ruídos ou pela intensidade desses ruídos **~ visual 1** O efeito perturbador do reflexo e da refração das luzes e dos letreiros luminosos de uma cidade nas partículas suspensas no ar **2** Excesso de informações visuais não coordenadas, ou que perturbam umas às outras, que torna difícil discernir as relevantes das perturbadoras

📖 As aceleradas industrialização e exploração extrativa de recursos naturais, principalmente a partir da segunda metade do séc. XX, trouxeram consequências danosas para o meio ambiente, ou *ecossistema*, ou seja, para o equilíbrio entre as diversas formas de existência e de atuação dos elementos da natureza. Acúmulos, na atmosfera, de gases e de partículas resultantes de processos industriais, e a drenagem de resíduos industriais para águas de rios, lagos e mares, alteraram as características e o equilíbrio biológico desses elementos. Esse processo chama-se *poluição*, e constitui uma das maiores preocupações dos ambientalistas e da humanidade em geral por sua influência negativa sobre a qualidade de vida e como causa potencial de doenças em cadeia (doenças de pele, doenças do aparelho respiratório, envenenamento das águas e da flora e fauna aquáticas etc.). Vários encontros internacionais, e várias organizações têm se dedicado a pressionar governos a adotarem política ambiental agressiva e urgente para minimizar até extinguir a poluição.

poluído (po.lu:*í*.do) *a.* **1** Que se poluiu **2** Que passou por processo de poluição ou se acha sob o seu efeito (rio poluído) [Ant.: *despoluído*.] **3** *Fig.* Sujo, imundo (pensamentos poluídos) [F.: Part. de *poluir*.]

poluidor (po.lu:i.*dor*) [ô] *a.* **1** Que polui (agente poluidor) *sm.* **2** Aquilo que polui (poluidor ambiental) [F.: *poluir* + *-dor*. Sin. ger.: *poluente*.]

poluir (po.lu.*ir*) *s.* **1** Provocar poluição em [*td.*: *O ácido poluiu o rio e contaminou os peixes*.] [*int.*: *As águas não se poluem sozinhas*.] **2** *Fig.* Fazer perder ou perder a integridade moral; CORROMPER(-SE); SUAR(-SE) [*td.*: *O desfalque poluiu a imagem do banqueiro; Abandonou o meio político para não se poluir*.] **3** Profanar, macular, manchar [*td.*: "Era preciso corromper e poluir um homem já reverenciado por suas letras, para que sobre a cabeça do indiscreto apologista recaíssem os ódios e imprecações da rebelada opinião." (Latino Coelho, *Literatura e história*)] **4** Cometer ação infamante [*td.*] [▶ **56 poluir**] [F.: Do lat. *polluere*. Ant. *despoluir*.]

poluível (po.lu:*í*.vel) *a2g.* Que pode ser poluído [Pl.: *-veis*.] [F.: *poluir* + *-vel*.]

polvadeira (pol.va.*dei*.ra) *RS sf.* **1** Nuvem de pó; POEIRADA: "...troteava miúdo e ligeiro dentro da polvadeira rasteira que as patas do flete levantavam..." (João Simões Lopes Neto, "Trezentas onças" *in Contos gauchescos e lendas do Sul*) *sm.* **2** Indivíduo turbulento, valentão, desordeiro [F.: Do espn. platino *polvadera*.]

polvarim (pol.va.*rim*) *sm.* Ver *polvorim*: "...a pólvora era do el-rei nosso senhor e só por sua licença é que algum particular graúdo podia ter em sua casa um polvarim..." (João Simões Lopes Neto, "Contrabandista" *in Contos gauchescos e lendas do Sul*) [Pl.: *-rins*.]

polveira[1] (pol.*vei*.ra) *a.* **1** *Ant.* Diz-se de espingarda de um ou dois canos que se carrega pela boca *sf.* **2** Essa espingarda [F.: *pólv(ora)* + *-eira*, posv.]

polveira[2] (pol.*vei*.ra) *sf.* Fisga para pescar polvos [F.: *polvo* + *-eira*.]

polvilhado (pol.vi.*lha*.do) *a.* Que se polvilhou [F.: Part. de *polvilhar*.]

polvilhamento (pol.vi.lha.*men*.to) *sm.* Ação ou resultado de polvilhar; POLVILHAÇÃO [F.: *polvilhar* + *-mento*.]

polvilhar (pol.vi.*lhar*) *v.* **1** Lançar pó, farinha sobre; cobrir de pó [*td.*: *Polvilhou o bolo com granulados de chocolate*.] **2** Empoar (o rosto, o corpo) [*td.*: *Polvilhava o rosto diante do espelho*.] [*tdr.* +de, com: *Polvilhou os ombros de (com) talco*.] **3** Enriquecer ou colorir (um texto) com figuras de linguagem [*tdr.* +de, com: *Polvilhou seu texto com metáforas*.] [▶ **1 polvilhar**] [F.: *polvilho* + *-ar*. Hom./Par.: *polvilho* (fl.), *polvilho* (sm.).]

polvilho (pol.*vi*.lho) *sm.* **1** Pó muito fino **2** Farinha de mandioca muito fina **3** Pó que se obtém de várias plantas, esp. dos grãos de cereais **4** Tapioca ou goma [F.: Do espn. *polvillo*.]

polvo (*pol*.vo) [ô] *sm. Zool.* Denominação comum a diversos moluscos cefalópodes, ordem dos octópodes, caracterizados pela presença de oito braços com ventosas [F.: Do lat. *polypus, i*.]

pólvora (*pól*.vo.ra) *sf.* **1** Mistura de enxofre, salitre e carvão, que se inflama rapidamente libertando energia e gases numa explosão, ou como forma de impulsão de projéteis em armas de fogo; pólvora negra **2** Qualquer tipo de mistura explosiva us. em armas de fogo ou artefatos explosivos **3** *Bras. Zool.* Nome comum a mosquitos, ger. muito pequenos, da família dos ceratopogonídeos, que aparecem em regiões de manguezais e cuja picada, além de dolorosa, pode transmitir doenças [F.: Do espn. *pólvora*.] **■ Brincar com ~** Arriscar-se temerariamente, sem dar atenção a perigo **Descobrir a ~ 1** *Irôn.* Descobrir por conta própria aquilo que já é conhecido de muitos **2** *P. ext.* Perceber aquilo que é evidente **3** Apresentar como original algo que é trivial **~ mecânica** *Expl.* Pólvora (2) formada de elementos que não se combinam quimicamente **~ negra** *Expl.* Mistura explosiva de enxofre, salitre e carvão. [Tb. apenas *pólvora* (1)] **~ química** *Expl.* Pólvora (2) formada de elementos que se combinam quimicamente. [Ex. de pólvora química: nitrocelulose] **~ seca** Pólvora (2) não associada a projétil, produzindo apenas um estampido ao detonar

polvorim (pol.vo.*rim*) *Expl. sm.* **1** Pólvora negra de grão muito miúdo **2** Pó que sai da pólvora [Pl.: *-rins*.] [F.: polvorim, do espn. *polvorín*. Tb. *polvarim*.]

polvorinho (pol.vo.*ri*.nho) *sm.* Utensílio para guardar ou levar pólvora à caça: "Em uma das bandoleiras trazia o polvarinho e munição..." (José de Alencar, *Til*): "Nem que um homem viesse a este mundo para andar de arma ao ombro e polvorinho a tiracolo..." (Júlio Dinis, *As pupilas do senhor reitor*) [F.: *pólvora* + *-inho*[1].]

polvorosa (pol.vo.*ro*.sa) *sf.* **1** *Pop.* Grande agitação ou tumulto **2** Grande atividade; AZÁFAMA [F.: Do espn. *polvorosa*, 'poeirenta'.] **■ Em ~ 1** Em grande agitação, excitação: *A notícia do adiamento do show deixou o público em polvorosa*. **2** Em estado de grande desarrumação, muito bagunçado: *Achou o documento, mas deixou o quarto em polvorosa*.

polvoroso (pol.vo.*ro*.so) [ô] *a.* Que está cheio de pó; POEIRENTO [F.: Do espn. *polvoroso*.]

pomada (po.*ma*.da) *sf.* **1** *Farm.* Preparado farmacêutico sob a forma de pasta gordurosa us. externamente como medicamento ou para fins cosméticos **2** *Bras.* Vaidade, presunção **3** *Bras.* Mentira, fraude [F.: Do fr. *pommade*, do it. *pomata*.]

pomadista (po.ma.*dis*.ta) *Bras. a2g.* **1** Que é pedante, vaidoso, presunçoso **2** Que é mentiroso *s2g.* **3** Indivíduo pedante, vaidoso, presunçoso **4** Pessoa mentirosa: "Pomada e pomadista são locuções da nossa terra: é o nome local do charlatão e do charlatanismo." (Machado de Assis, "O segredo do bonzo" *in Papéis avulsos*) [F.: *pomada* + *-ista*.]

pomar (po.*mar*) *sm. Agr.* Terreno plantado de árvores frutíferas [F.: Do lat. *pomarium, ii*, posv.]

pomareiro (po.ma.*rei*.ro) *a.* **1** Ref. a pomar **2** Que sabe cuidar de pomares *sm.* **3** Guarda ou cultivador de pomar [F.: *pomar* + *-eiro*.]

pomba (*pom*.ba) *sf.* **1** *Zool.* Nome comum de várias aves da fam. dos columbídeos, esp. as de maior porte **2** Nos engenhos de açúcar, vasilha de cobre onde se coloca o caldo limpo da cana **3** *N.E.* O pênis **4** *C.O. S.* A vulva *interj.* **5** Manifesta admiração, espanto, surpresa, irritação etc. [Tb. us. no pl.: *Pomba(s), chegaram atrasados outra vez!*] [F.: Do lat. *palumba, ae*.]

pombagira (pom.ba.*gi*.ra) *sf.* Ver *pombajira* [*Pombagira* é f. não aconselhável.]

pombajira (pom.ba.*ji*.ra) *sf. Bras. Rel.* Entidade feminina da umbanda [Com inicial maiúsc.] [F.: Do quimb. F. não aconselhável: *pombagira*.]

pombal (pom.*bal*) *sm.* **1** Local preparado para abrigar ou criar pombos **2** *P. ext.* Lugar procurado por avoantes para a postura, bebida e alimentação **3** *Bras. Pop.* Construção cuja aparência faz lembrar um pombal **4** *Bras. Pej. Pop.* Conjunto habitacional de prédios populares [Pl.: *-bais*.] [F.: *pombo* + *-al*.]

pombalino (pom.ba.*li*.no) *a.* Ref. ao marquês de Pombal (Sebastião José de Carvalho e Melo), estadista português do séc. XVIII, ou à sua época [F.: antr. / *Pombal* + *-ino*[1].]

pomba-rola (pom.ba-*ro*.la) *sf. Ornit.* Designação comum a várias aves columbiformes dos gêneros *Columbina*, *Claravis* e *Uropelia*; ROLA; ROLINHA: "... sinto saudades da mulher, pomba-rola que vou." (Orestes Barbosa, *Chão de estrelas*) [Pl.: *pombas-rolas e pombas-rola*.]

pomba-trocaz (pom.ba-*tro*.caz) *sf. Bras. Ornit.* Ave (*Columba picazuro*) da fam. dos columbídeos, da América meridional, uma das maiores pombas brasileiras, com cerca de 34 cm de comprimento [Pl.: *pombas-trocazes*.]

pombear (pom.be.*ar*) *Bras. v.* **1** Exercer a atividade ou profissão de pombeiro [*int.*: *Vem o velhinho, com seus peixes, a pombear pelas ruas*.] **2** Ir no encalço de; ENCALÇAR; PERSEGUIR [*td.*: *Pombeei os cangaceiros até o rio*.] **3** Observar secretamente; ESPIONAR; ESPREITAR [*td.*: *Pombeou a rua pela fresta da porta*.] [▶ **13 pombear**] [F.: *pombeiro* + *-ar* > *pombeirar* > *pombear*, ou do voc. angol. *pombe* 'sertão' + *-ear*.]

pombeiro[1] (pom.*bei*.ro) *Bras. sm.* **1** *Hist.* Mercador africano de escravos que se embrenhava pelo interior da África à captura de nativos **2** *Hist.* Comerciante que atravessava os sertões do Brasil para negociar com os indígenas **3** Vendedor ambulante de pombos, galinhas etc. **4** *N. E.* Revendedor ambulante de peixe **5** *SC* Antigo mercador ambulante do litoral catarinense [F.: De or. controv; *pombo*, 'mercado', + *-eiro*, posv. Hom./Par.: *pombeiro* (sm.), *pombeiro* (fl. de *pombeirar*).]

pombeiro[2] (pom.*bei*.ro) *sm. Bras.* Espião da polícia; ALCAGUETE; X-9 [F.: Posv. alter. de *bombeiro*, 'espião'. Hom./Par.: *pombeiro* (sm.), *pombeiro* (fl. de *pombeirar*).]

pombeiro³ (pom.*bei*.ro) *a.* 1 *Agr.* Diz-se de uma variedade de milho branco e miúdo *sm.* 2 Essa variedade de milho 3 *N. E. Bot.* Árvore (*Citharexylum myrianthum*), da fam. das verbenáceas, nativa do Brasil, de até 20 m de comprimento, flores tubulosas, brancas e com odor adocicado, dispostas em densos racemos; a madeira é utilizada em caixotaria, forros, lâminas para compensados, embalagens etc.; JACAREÚBA; PAU-VIOLA; BAGA-DE-TUCANO; TARUMÃ; TARUMÃ-BRANCO; TUCANEIRA [F.: De or. obsc.]

pombeiro⁴ (pom.*bei*.ro) *sm. Lus.* Engenho para elevar a água nas marinhas de sal [F.: Posv. alter. de *bomba* + *-eiro*. Hom./Par.: *pombeiro* (sm.), *pombeiro* (fl. de *pombeirar*).]

pombinha (pom.*bi*.nha) *sf.* 1 Pomba pequena 2 Carne que fica ao redor da cauda e da ponta das nádegas das reses 3 *Tabu.* A vulva 4 *Lus.* Moça ingênua [F.: *pomba* + *-inha*.]

pombo¹ (*pom*.bo) *sm.* 1 *Zool.* Ave da fam. dos columbídeos (*Columba livia*), encontrada em todo o mundo, ger. em áreas urbanas 2 *CE Pop.* Embrulho de fezes jogado na rua [Sin., nesta acp., em AL e MG: *pombo sem asa*.] 3 *Lus. Pop.* O mesmo que *mentira* *a.* 4 Diz-se de cavalo branco [F.: Do lat. *palumbus, i*, 'pombo bravo'.]

pombo² (*pom*.bo) *sm.* Charuto us. nos rituais de macumba [F.: De or. contrv; posv. de or. *afric*.]

pomboca (pom.*bo*.ca) *N. E. Pop.* *a2g.* 1 Que é moleirão, preguiçoso *s2g.* 2 Indivíduo moleirão, preguiçoso 3 *SC* Tipo de candeeiro feito de lata em forma de cone com bico e alça, e um pavio na abertura superior 4 *Bras. Ict.* Peixe (*Megalops atlanticus*), da fam. dos megalopídeos, de até 2,5 m de comprimento, comum no N. e N.E. do Brasil; de corpo alongado com escamas grandes, dorso cinza-azulado e ventre prateado; CAMARUPI; CAMARUPIM; CAMORUBI; CAMURIPEMA; CAMURUPIM; PEIXE-PRATA [F.: Posv. de *boboca*.]

pombo-correio (pom.bo-cor.*rei*:o) *sm.* 1 *Zool.* Pombo treinado para servir de correio 2 *Fig.* Pessoa que leva mensagens de uma pessoa a outra, fazendo papel de pombo-correio (1) [Pl.: *pombos-correios* e *pombos-correio*.]

pombo sem asa (pom.bo sem a.sa) *sm.* 1 *AL MG Pop. Joc.* Embrulho de fezes lançado à rua; POMBO 2 *RS* Pedra que é arremessada; PEDRADA [Pl.: *pombos sem asa*.]

pomerânio (po.me.*râ*.ni:o) *sm.* 1 Indivíduo nascido ou que vive na região da Pomerânia (Europa) *a.* 2 Da região da Pomerânia; típico dessa região ou de seu povo [F.: *Pomerân(ia)* + *-io³*.]

pomerodense (po.me.ro.*den*.se) *s2g.* 1 Indivíduo nascido ou que vive em Pomerode (SC) *a2g.* 2 De Pomerode; típico dessa cidade ou de seu povo [F.: Do top. *Pomerode* + *-ense*.]

pomicultor (po.mi.cul.*tor*) *(ô)* *sm.* Indivíduo que trabalha na pomicultura [F.: *pomi-* + *-cultor*.]

pomicultura (po.mi.cul.*tu*.ra) *sf. Agr.* Cultivo de árvores frutíferas [F.: *pomi-* + *cultura*.]

◎**pom(i/o)-** *el. comp.* Fruta, árvore frutífera: *pomicultura*; *pomologia* [F.: Do lat. *pomum, i*.]

pomo (*po*.mo) *sm.* 1 *Bot.* Tipo de fruto no qual a parte carnosa e comestível é formada pelo receptáculo superdesenvolvido da flor, que envolve o ovário, como, p. ex., a pêra e a maçã 2 *Pop.* O seio feminino; MAMA; POMA 3 Parte da empunhadura de uma espada, espécie de botão na extremidade da empunhadura, que impede que a espada escorregue na direção de sua lâmina [F.: Do lat. *pomum, i*.] ▪▪ **~ da discórdia** Pessoa ou coisa disputada, e cuja disputa provoca desavença

pomo de adão (po.mo de a.*dão*) *sm.* 1 *Anat.* Ver *proeminência laríngea* em *proeminência* [Tb. se diz apenas *adão*.] 2 *Bot.* Árvore das rutáceas (Citrus adami), de flores brancas e fruto ácido, do qual se podem fazer doces; TURANJA; ZAMBOEIRO [Nesta acp., com hifens: *pomo-de-adão*.] 3 *Bot.* Esse fruto [Nesta acp., com hifens: *pomo-de-adão*.] [Pl.: *pomos de adão, pomos-de-adão*.] [F.: *pomo* + *de* + o antr. bíblico *Adão* (segundo a Bíblia, o primeiro homem a existir), em alusão à lenda de que Adão teria engasgado-se com um pedaço de maçã que ficou preso na garganta.]

pompa (*pom*.pa) *sf.* 1 Grande ostentação, luxo [Ant.: *simplicidade*.] 2 Aparato magnífico e suntuoso [F.: Do lat. *pompa, ae*, do gr. *pompé, es*.]

pompear (pom.pe.*ar*) *v.* 1 Apresentar, expor com vaidade [*td.*: *Pompeava extravagante penteado*.] 2 Fazer exibição de fausto, riqueza [*int.*: *Os novos-ricos adoram pompear*.] 3 Alardear, exibir beleza, juventude [*int.*: *As novas modelos enfim pompeiam na passarela*.] [▶ 13 **pompear**] [F.: *pompa* + *-ear*. Hom./Par.: *pompeia* (fl.), *Pompeia* (top. e antr.).]

pompom (pom.*pom*) *sm.* 1 Bola de fios curtos de seda, algodão etc. us. como enfeite 2 Objeto semelhante us. para aplicar talco ou pó de arroz [Pl.: *-pons*.] [F.: Do fr. *pompon*.]

pomposidade (pom.po.si.*da*.de) *sf.* Caráter ou qualidade do que é pomposo [F.: *pomposo* + *-(i)dade*.]

pomposo (pom.*po*.so) [ô] *a.* 1 Que mostra luxo, magnificência, pompa (desfile pomposo) 2 Que é empolado, grandiloquente (discurso pomposo) [Pl.: [ó]. Fem.: [ó].] [F.: *pompa* + *-oso*.]

pômulo (*pô*.mu.lo) *sm. Anat.* Maçã do rosto [F.: Do lat. tard. *pomulum, i*, dim. de *pomum, i*.]

poncã (pon.*cã*) *sm. Bras. Agr.* Variedade de tangerina graúda e de casca frouxa, originária do Japão [F.: Do jap. *ponkan*.]

ponchaço (pon.*cha*.ço) *S. sm. RS* Pancada com o poncho, m. que *ponchada* [F.: *poncho* + *-aço*.]

ponchada (pon.*cha*.da) *S. sf.* 1 Quantidade de objetos que pode caber em um poncho: "Se numa mesa de primeira ganhava uma ponchada de balastracas, reunia a gurizada da casa, (...) e semeava as moedas..." (Simões Lopes Neto, *Contos gauchescos e lendas do Sul*) 2 Grande quantidade 3 Pancada com o poncho [F.: *poncho* + *-ada*.]

ponche (*pon*.che) *sm.* 1 Bebida leve preparada com vinho, água e pedaços de frutas 2 Bebida preparada com aguardente, rum ou conhaque, casca e suco de limão, açúcar, especiarias etc. 3 *N. E.* Refresco de frutas [F.: Do ing. *punch*.]

poncheira (pon.*chei*.ra) *sf.* Recipiente onde se prepara e/ou serve o ponche [F.: *ponche* + *-eira*.]

poncho (*pon*.cho) *sm. Vest.* Capa de lã, quadrangular, com uma abertura no centro por onde se enfia a cabeça [F.: Do espn. *poncho*.] ▪▪ **~ do(s) pobre(s)** *S.* Calor do sol **Enrolar o ~** *S.* Preparar-se para uma viagem **Forrar o ~** *S.* Ganhar muito dinheiro, locupletar-se **Passar por baixo do ~** *S.* Passar ou entregar algo às ocultas; contrabandear **Pisar no ~ de** *S.* Ver *Sacudir o poncho de* **Sacudir o ~ de** 1 *S.* Dirigir ofensas e insultos a 2 Desafiar, provocar (alguém)

ponderablidade (pon.de.ra.bi.li.*da*.de) *sf.* Qualidade ou característica do que é ponderável [Ant.: *imponderabilidade*.] [F.: *ponderável* + *-(i)dade*, seg. o mod. erudito.]

ponderação (pon.de.ra.*ção*) *sf.* 1 Ação ou resultado de ponderar 2 Qualidade de quem tem bom-senso, equilíbrio: *A banca examinadora avaliou os candidatos com grande ponderação*. 3 Qualidade daquele que procede com reflexão, meditação 4 *Fig.* Bom-senso, reflexão 5 Característica do que é importante, relevante: *tema de considerável ponderação*. 6 *Mat.* Peso us. para multiplicar certas grandezas, a fim de lhes dar maior ou menor importância: *No edital está previsto que o fator de ponderação técnica é 6 e o de preço é 4*. [Pl.: *-ções*.] [F.: Do lat. *ponderatio, onis*.]

ponderado (pon.de.*ra*.do) *a.* 1 Que encerra ou revela ponderação (2) (decisão ponderada); EQUILIBRADO; SENSATO 2 Analisado com atenção: *Os fatos foram devidamente ponderados*. 3 *Mat.* A que se atribui ponderação (6): *preço médio ponderado*. [F.: Part. de *ponderar*.]

ponderal (pon.de.*ral*) *a2g.* Ref. a peso [Pl.: *-rais*.] [F.: Do lat. *pondus, eris*.]

ponderar (pon.de.*rar*) *v.* 1 Examinar com cuidado, observando todos os lados; AVALIAR [*td.*: "Dr. Igor ponderou longamente os argumentos e decidiu..." (Paulo Coelho, *Brida*)] 2 Citar (dados) como defesa; ALEGAR [*td.*] [*tdi.* +a: *Ponderou (à esposa) que estava exausto e não queria fazer amor*.] 3 Pensar bastante sobre; REFLETIR [*tr.* +em, sobre: *Ponderava no (sobre) seu futuro casamento*.] 4 Ter em consideração; argumentar em defesa de um ponto de vista [*tdi.*: *Ponderou ao filho que aquela não era a melhor solução*.] [▶ 1 **ponderar**] [F.: Do lat. *ponderare*. Ant. ger.: *desponderar*.]

ponderável (pon.de.*rá*.vel) *a2g.* 1 Que se pode ou deve ponderar 2 Que merece ponderação, reflexão (decisão ponderável) 3 Que pode ser pesado, medido, avaliado (densidade ponderável; diferença ponderável) [Pl.: *-veis*.] [F.: Do lat. *ponderabilis, e*. Ant. ger.: *imponderável*.]

ponderoso (pon.de.*ro*.so) [ô] *a.* 1 Pesado: "O ponderoso velador caiu inerte das mãos do mancebo e rolou pesado e baço pelo pavimento." (Almeida Garret, *Viagens na minha terra*) 2 Que tem importância (motivo ponderoso); RELEVANTE 3 Que merece atenção: *pesquisa científica ponderosa*. 4 Que mostra seriedade (atitude ponderosa) 5 Que impressiona e convence (provas ponderosas) [Pl.: [ó]. Fem.: [ó].] [F.: Do lat. *ponderosus, a, um*.]

pônei (*pô*.nei) *sm.* Cavalo pequeno e ágil de várias raças [F.: Do fr. *poney*, do ing. *pony*.]

pongídeo (pon.*gí*.de:o) *Zool.* *sm.* 1 Espécime dos pongídeos, fam. de macacos grandes que compreende três gêneros (*Pongo, Gorilla* e *Pan*) e quatro espécies (orangotango, gorila, chimpanzé e bonobo) *a.* 2 Ref. aos pongídeos [F.: Adaptação do lat. cient. *Pongidae*.]

◎ **-ponia** *el. comp.* = 'cultivo': *geoponia* (gr.), *hidroponia* [F.: Do gr. *-ponía*, conexo com o gr. *pónos, ou*, 'trabalho árduo, difícil'.]

ponjê (pon.*jê*) *sm.* Tecido macio, constituído por uma mistura de lã e seda [F.: Do fr. *pongée* < ing. *pongee* < chinês *pun-chi*.]

◎**pono-** *el. comp.* = 'trabalho (pesado)'; 'os trabalhadores': *ponocracia, ponocrata, ponogenia* [F.: Do gr. *pónos, ou*, 'trabalho árduo, penoso, fatigante'; 'fadiga'; 'sofrimento'.]

ponocracia (po.no.cra.*ci*.a) *sf.* Governo dos trabalhadores ou em que esta classe tem grande força política [F.: *pono-* + *-cracia*.]

ponocrata (po.no.*cra*.ta) *s2g.* Adepto ou partidário da ponocracia [F.: *pono-* + *-crata*.]

ponogenia (po.no.ge.*ni*.a) *sf.* Fadiga ou estafa mental, resultante esp. de grande esforço ou trabalho mental excessivo [F.: *pono-* + *-genia*.]

ponta (*pon*.ta) *sf.* 1 Extremidade mais ou menos aguda de qualquer coisa: *ponta de uma corda; ponta dos dedos; ponta de faca; ponta de um espinho*. 2 Extremidade de qualquer coisa: *ponta da mesa; ponta da toalha*. 3. Extremidade constituída por um ângulo 4 Saliência ou excrescência de qualquer coisa: *uma bolinha de borracha cheia de pontas*. 5 Posição dianteira (em competição, corrida etc.): *Meu time está na ponta do campeonato*. 6 *Geog.* Pequeno cabo que avança pelo mar 7 *Bras. Fig.* Destaque; alta qualidade: *artista de ponta*. 8 *Cin. Teat. Telv.* Pequeno papel em peça de teatro, filme etc.; FIGURAÇÃO 9 *Fig.* Pequena quantidade de qualquer coisa; um pouco; pontinha: *uma ponta de sal; uma ponta de inveja*. 10 *Esp.* Em alguns esportes disputados em campo ou quadra, a zona (ger. de ataque) que fica numa extremidade lateral: *O time atacou pelas pontas*. 11 O princípio ou o fim de uma fila ou série: *Começou numa ponta e acabou na outra*. 12 Ângulo ou curva desenhada, recortada etc. numa superfície; BICO: *renda com pontas*. 13 Ponto onde se encontram duas retas ou as arestas de um poliedro; VÉRTICE: *ponta de um triângulo*. 14 Chifre, corno: *touro de pontas aguçadas*. 15 Resto de cigarro já fumado; GUIMBA 16 *Grav.* Estilete de metal que o gravador a água-forte usa para desenhar sobre o verniz 17 *Tip.* Haste metálica com ponta aguçada, presa a um cabo ou pinça, us. pelo tipógrafo para manipular tipos e espaços numa composição 18 *Bras.* Pequena quantidade de animais 19 *Bras.* Ponto de um rio difícil de atravessar 20 *Bras. Dnç.* Biqueira reforçada das sapatilhas us. pelas bailarinas clássicas 21 *Bras. Dnç.* Posição da bailarina que se apoia nas pontas dos dedos de modo que o pé fique em posição quase vertical 22 *Bras.* Qualquer material que sobra do estoque 23 *Gui.* Pequena ou grande propriedade rural organizada *s2g.* 24 *Bras. Fut.* Atacante que joga pelas laterais do campo; PONTEIRO: *O time jogou sem pontas*. [F.: Do lat. *puncta, ae*. Hom./Par.: *ponta* (sf.), *ponta* (fl. de *pontar*). Ideia de 'ponta': *acu-* (*acupuntura*).] ▪▪ **Aguentar as ~s** *Bras. Gír.* Suportar paciente ou estoicamente situação difícil ou penosa; resistir: *Aguenta as pontas aí, que eu já vou te ajudar*. **Andar na ~** Trajar-se com requinte e capricho **Da ~** *Bras. Gír.* Ver *Da pontinha* no verbete *pontinha* **De ~ a ~** Do princípio ao fim: *Liderou a corrida de ponta a ponta*. **De ~ com** *Bras.* Invocado ou zangado com (alguém) **Na ~ da unha** Rapidamente, com grande velocidade **Na ~ do(s) pé(s)** Com todo o cuidado, devagar e cautelosamente **Pegar uma ~** *N. E.* Estar de namoro **~ de diamante** *Arq.* Ornato arquitetônico na forma de um diamante **~ de estoque** *Bras. Com.* Sobra não vendida de uma ou mais partidas de mercadorias, ger. oferecidas a preço menor **~ de terra** *Geog.* Cabo que vai se estreitando à medida que avança pelo mar **~ dos trilhos** Ponto terminal de uma ferrovia **Saber na ~ da língua** Saber (lição, texto, assunto etc.) perfeitamente, saber de cor **Saber na(s) ~(s) dos dedos** Ver *Saber na ponta da língua* **Segurar as ~** Resistir com paciência e pertinácia a uma situação difícil; sustentar, manter controlar tal situação até que se possa lhe dar solução: *As ruas estão alagadas, segurem as pontas aí que eu já vou buscar vocês*. **Ter na ~ dos dedos** Ver *Saber na ponta da língua*

ponta-cabeça (pon.ta-ca.*be*.ça) [ê] *sf.* Us. na loc. *de ponta-cabeça* [Pl.: *pontas-cabeças* e *pontas-cabeça*.] ▪▪ **De ~** *Bras.* De cabeça para baixo

pontaço (pon.*ta*.ço) *sm. S.* Pancada ou golpe com a ponta de um objeto ou arma; PONTADA; PONTOADA: "...foi ferido com um pontaço nas cruzes..." (Domingos Olímpio, *Luzia Homem*) [F.: Do espn. platino *puntazo*.]

pontada (pon.*ta*.da) *sf.* 1 Dor aguda e pouco duradoura: *Senti uma pontada no peito*. 2 Golpe ou pancada com objeto pontiagudo [F.: *ponta* + *-ada¹*.]

ponta de lança (ponta de *lan*.ça) *s2g.* 1 *Bras. Fut.* Atacante que joga na posição mais avançada; CENTROAVANTE 2 *Fig.* Quem ou o que está na frente, como vanguardeiro ou pioneiro: *A Semana de Arte Moderna foi a ponta de lança do modernismo no Brasil*. [Pl.: *pontas de lança*.]

ponta-direita (pon.ta-di.*rei*.ta) *s2g. Bras. Fut.* Atacante que joga pela extrema-direita [Pl.: *pontas-direitas*.]

ponta-esquerda (ponta-es.*quer*.da) *s2g. Bras. Fut.* Atacante que joga pela extrema-esquerda [Pl.: *pontas-esquerdas*.]

pontal (pon.*tal*) *sm.* 1 Ponta de terra que avança mar ou rio adentro 2 *Mar.* Altura de uma embarcação medida desde a base do casco até a parte superior do convés principal 3 Pontalete de madeira serrado longitudinalmente [Pl.: *-tais*.] [F.: *ponta* + *-al*.]

pontalete (pon.ta.*le*.te) [ê] *sm.* 1 Barrote us. para escorar um prédio, uma laje etc. 2 Forquilha em que, nas procissões, se apoiua o braço dos andores [F.: *pontal* + *-ete*. Hom./Par.: *pontalete(s)* (sm[pl].), *pontalete, pontaletes* (fl. de *pontaletar*). Ideia de: *pung-*.]

pontão¹ (pon.*tão*) *sm.* 1 Plataforma flutuante que serve de ponte ou que, junto com outras, forma uma ponte 2 Ponte de pequeno porte 3 Viaduto pequeno localizado em estrada 4 *AM* Barca chata e estreita que serve como ponte ou como parte de ponte 5 *Mar.* Navio avariado que passa a desempenhar outras funções, tais como depósito, hospital, prisão etc. [Cf. *presiganga*.] 6 Grande lancha coberta us. em trabalhos militares [Pl.: *-tões*.] [F.: Do lat. *pons, pontis*. Ideia de: *pont-*.]

pontão² (pon.*tão*) *sm.* 1 Escora, espeque 2 Prolongamento de mato que avança por um campo [Pl.: *-tões*.] [F.: *ponta* + *-ão¹*.]

pontapé (pon.ta.*pé*) *sm.* 1 Golpe desferido com a ponta do pé; CHUTE; PANÁZIO [+*contra*, em: *pontapé contra a/na porta*.] 2 *Fig.* Ação ou atitude que expressa profunda ingratidão: *Depois de ajudado ele deu um belo pontapé em todos*. 3 *Fig.* Afronta, insulto, ofensa, ultraje 4 *Fig.* Azar, contratempo [F.: *ponta* + *pé*. Ideia de 'pontapé': *pung-* e *ped(i)-*.] ▪▪ **Dar um ~ em** *Bras. Pop.* Desfazer brusca e rudemente um relacionamento **~ inicial** *Fut.* Primeiro chute na bola em uma partida, concedido como gesto simbólico a pessoa que se quer homenagear

pontaria (pon.ta.*ri*.a) *sf.* 1 Ação ou resultado de apontar uma arma para um alvo [+*em*: *pontaria num alvo; Caprichou na pontaria*.] 2 Maior ou menor habilidade de acertar um alvo; MIRA: *Ele tem boa pontaria*. [F.: *ponto* + *-aria*.]

Hom./Par.: *pontaria* (sf.), *pontaria* (fl. de *pontar*). Ideia de 'pontaria': *pung-*.] ▪▪ **Dormir na ~** *Bras.* Fazer pontaria cuidadosa e demoradamente antes de atirar **Fazer ~** Pôr alvo em mira, visar ao alvo para acertá-lo

ponta-seca (pon.ta-*se*.ca) ***sf.*** **1** *Grav.* Instrumento com ponta afiada, de aço ou de diamante, que permite o entalhe de imagens diretamente sobre o cobre **2** *Grav.* Processo de gravura que utiliza esse instrumento **3** *Grav.* Gravura obtida por esse processo **4** A perna do compasso de desenho com ponta sem grafite, que se posiciona no centro da circunferência a ser traçada [Pl.: *pontas-secas*.]

ponte (*pon*.te) ***sf.*** **1** Construção que liga dois lugares separados por curso de água ou depressão de terreno [Dim. irreg.: *pontícula* e *pontilhão*. Cf. *viaduto*.] **2** *Od.* Prótese dentária com dentes postiços que se prende a dentes naturais, podendo ser fixa ou móvel **3** *Fut.* Defesa em que o goleiro, para tocar na bola, projeta-se para o alto, ficando todo seu corpo quase na posição horizontal **4** *Anat.* Porção do cérebro que liga o hemisfério direito ao esquerdo **5** *Esp.* Posição em que o ginasta projeta seu corpo para trás, formando um arco com as costas e apoiando-se nas plantas dos pés e palmas das mãos **6** *Fig.* Tudo que serve de ligação entre pessoas ou coisas: *Seus interesses comuns foram uma ponte entre os dois.* **7** *Quím.* Átomo, ou grupo de átomos unidos, responsável por ligar dois outros membros de um ciclo, que não se encontram adjacentes, dando lugar a uma estrutura bicíclica em que dois anéis compartilham mais de dois átomos **8** *Eel.* Circuito elétrico de medida em que um componente liga dois pontos cujos potenciais são iguais, quando em outros componentes circulam correntes com relações bem determinadas entre si **9** *Ant. Cnav.* Cada coberta de um navio **10** *Mar.* Construção que cobre o convés principal e serve de passagem para uma superestrutura [F.: Do lat. *pons, pontis*. Hom./Par.: *ponte* (sf.), *ponte* (fl. de *pontar*).] ▪▪ **Fazer ~** Não trabalhar ou estudar em dia útil que cai entre um fim se semana e um feriado **~ aérea** *Bras.* Serviço de transporte aéreo contínuo e regular entre duas cidades **~ afogada** Ponte (1) que pode ficar com o tabuleiro submerso devido a maré, enchente etc. **~ branca** *Cons.* Estrutura (ger. de madeira) que serve de ponte provisória até a construção da definitiva **~ de báscula** *Cons.* Ponte (1) na qual parte do tabuleiro pode girar (levantando ou abaixando) em torno de um eixo horizontal **~ de comando** *Lus. Mar.* Passadiço, cabine acima do convés principal de um navio, onde fica o leme, instrumentos de navegação etc., e de onde o capitão ou seus imediatos comandam o navio **~ de Einstein-Rosen** *Astron.* No âmbito do espaço-tempo, conexão entre dois pontos do mesmo universo ou de universos distintos **~ de hidrogênio** *Quím.* Ligação estabelecida entre duas moléculas de uma substância, ou entre átomos de uma mesma molécula, através de um átomo de hidrogênio que é compartilhado por ambas (como acontece com a água, H_2O, no primeiro caso, e com proteínas, no segundo) **~ de safena** *Cir.* Operação cirúrgica que consiste em implantar em artéria coronária, dentro do coração, uma seção de veia safena extraída do próprio paciente, como uma 'ponte' para contornar bloqueio ou estreitamento da coronária; a ponte assim implantada **~ de viés** *Lus. Cons.* Ver *Ponte esconsa* **~ do nariz** *Anat.* Formação óssea ligeiramente saliente, acima da cavidade nasal, formada pela junção de dois pequenos ossos laterais do nariz **~ esconsa** Ponte (1) cuja direção é oblíqua à do curso de água que transpõe **~ flutuante** Tabuleiro de ponte (1) suportado por embarcações, para transpor curso de água, estreito etc., ger. com objetivos militares **~ giratória** *Cons.* Ponte (1) na qual parte do tabuleiro pode girar horizontalmente sobre um eixo vertical **~ levadiça** Ponte (1) (ger. em castelos ou fortalezas antigos) cujo tabuleiro pode, mediante mecanismos e correntes, ser levantado ou abaixado sobre um fosso, com isso permitindo ou interrompendo acesso **~ levante** Ponte (1) móvel, cujo tabuleiro se pode elevar por igual, paralelamente a sua posição original **~ móvel** Ponte (1) cujo tabuleiro pode ser movido (vertical ou horizontalmente) para permitir a passagem de embarcações mais altas que a altura do tabuleiro **~ pênsil** Ponte (1) cujo tabuleiro é sustentado por cabos ancorados em pilares ou em grossos cabos pendentes entre pilares; ponte suspensa **~ suspensa** Ver *Ponte pênsil*

ponteado (pon.te:*a*.do) ***a.*** **1** Coberto ou marcado com pequenos pontos; PONTILHADO ***sm.*** **2** Desenho ou traçado feito com pequenos pontos **3** Tipo de acabamento externo de costura, m. que *pesponto*: "Mas logo voltava à costura redobrando de rapidez no ponteado" (José de Alencar, *O gaúcho*) **4** *Bras. Mús.* Tipo de toque de viola [F.: Part. de *pontear*.]

pontear[1] (pon.te.*ar*) ***v. td.*** **1** *Mús.* Dedilhar ou tocar (instrumento de corda) **2** Assinalar com pontos; PONTILHAR **3** *Vest.* Marcar (costura ou alinhavo) **4** Marcar (desenho, mapa etc.) com pontos [▶ **13 pontear**] [F.: *ponto* + *-ear*. Hom./Par.: *ponteio* (fl.), *ponteio* (sm.).]

pontear[2] (pon.te.*ar*) ***v.*** **1** *Bras.* Ir ou estar na frente ou na ponta [***td.***: *O macho ponteava o rebanho.*] [***int.***: *No alto do morro, uma capela ponteava.*] **2** *S.* Correr ou encaminhar-se para um ponto, esp. à frente de um grupo [***tda.*** *+para*: *pontear para outro rumo;* "...o macho do bando ponteou para o rincão..." (João Simões Lopes Neto, "Penar de velhos" *in Contos gauchescos*)] **3** *S.E.* Regionalismo: *S.E. C.-O.* Desempenhar a função de ponteiro (peão que vai na ponta do rebanho) [***td.***: *pontear o rebanho.*] [***int.***: *Nessa comitiva, o novato vai pontear.*] **4** *Esp.* Ocupar a posição de líder, o primeiro lugar [***td.***: *A égua ponteou o páreo mas esmoreceu no final; A música já ponteia as paradas de sucesso.*] [***int.***: *O Brasil ponteou desde os primeiros jogos da Copa.*] [▶ **13 pontear**] [F.: *ponta* + *-ear*.]

pontederiácea (pon.te.de.ri:*á*.ce:a) ***sf.*** *Bot.* Espécime das pontederiáceas, família de plantas da ordem das hemodorales, aquáticas de regiões tropicais (algumas de regiões temperadas), que tem várias espécies cultivadas no Brasil como ornamentais (em lagos e tanques) por suas flores azuis [F.: Do lat. cient. *Pontederiaceae*.]

pontederiáceo (pon.te.de.ri:*á*.ce:o) ***a.*** *Bot.* Ref. a pontederiácea(s) [F.: De *pontederiácea*, com suf. *-áceo*.]

ponteio (pon.*tei*.o) ***sm.*** **1** Ação ou resultado de pontear **2** *Mús.* Toque que resulta do dedilhamento de instrumentos de corda; PONTEADO **3** *Mús.* Composição musical que se inspira no dedilhamento de instrumentos de corda [F.: Dev. de *pontear*. Hom./Par.: *ponteio* (sm.), *ponteio* (fl. de *pontear*). Ideia de 'ponteio': *pung-*.]

ponteira (pon.*tei*.ra) ***sf.*** **1** Peça colocada como reforço na ponta de guarda-chuva, bengala ou qualquer objeto pontudo; CONTEIRA **2** Peça de metal colocada para reforço na extremidade da bainha de armas brancas; CONTEIRA **3** Extremidade postiça presente em algumas boquilhas e piteiras, em que se introduzem o cigarro ou o charuto **4** Haste de aço pontuda, que se adapta a algumas ferramentas **5** *Bras.* Fio ou cordão especial us. na ponta dos relhos para que estalem quando brandidos **6** *Bras.* Última colheita do algodão [Cf. *baixeira* e *meeira*.] **7** *Bras. Cap.* Golpe traumatizante que é aplicado com a planta do pé **8** *Mús.* Ver *traste* (4) [F.: *ponta* + *-eira*. Ideia de 'ponteira': *pung -*.]

ponteiro (pon.*tei*.ro) ***sm.*** **1** Agulha que, em um relógio, indica horas, minutos ou segundos **2** Agulha móvel que indica algo (velocidade, temperatura, altitude etc.) **3** Ferramenta ger. de ferro com que se risca, lavra ou abre furos em pedra, parede etc. **4** Ferramenta us. para embutir em madeira tachas, pregos etc. **5** Instrumento pontudo para desbastar pedras ou esculpir em pedra, mármore etc. **6** Haste que serve para apontar algo em cartazes, livros, quadros etc. **7** *Bras. Inf.* Em um programa ou aplicativo, função que, a partir de uma variável, remete a outra para a qual está programada **8** *Bras. Inf.* Elemento gráfico que se move na tela de um computador acompanhando os movimentos de um *mouse* ou de outro dispositivo de entrada, e indica objetos, áreas da tela ou conjuntos de caracteres **9** Pessoa ou coisa que está na ponta **10** *Fut.* Jogador que atua no ataque próximo a uma das faixas laterais do campo; PONTA **11** *Mús.* Peça us. para tocar as cordas de um instrumento **12** *RJ Etnog.* Punhal que se usa em cerimônias rituais [F.: *ponto* + *-eiro*.] ▪▪ **Acertar os ~s** **1** Ajustar relógio para a hora certa **2** *Fig.* Ajustar plano, ações, providências etc. com outrem, para que sejam coordenados, sem erros ou omissões

pontevedrino (pon.te.ve.*dri*.no) ***sm.*** **1** Indivíduo nascido ou que vive em Pontevedra (Portugal) ***a.*** **2** De Pontevedra; típico dessa cidade ou de seu povo [F.: Do top. *Pontevedra* + *-ino*[1].]

pontiagudo (pon.ti:a.*gu*.do) ***a.*** Que tem ponta aguçada; PONTUDO [F.: *ponta* + *-i-* + *agudo*. Ideia de: *agud-* e *pung-*.]

pontificado (pon.ti.fi.*ca*.do) *Rel.* ***sm.*** **1** Dignidade de pontífice **2** Tempo de exercício dessa dignidade: *O pontificado do último papa foi longo e frutífero.* [F.: Do lat. *pontificatus, us*. Sin. ger.: *papado*. Ideia de: *pontific-*.]

pontifical (pon.ti.fi.*cal*) *Rel.* ***a2g.*** **1** Ref. a pontífice, próprio dele ou a ele pertencente **2** Ref. a dignidade de pontífice ou de bispo [Sin. das acps. 1 e 2: *pontificial* e *pontifício*.] **3** Diz-se de cerimônia que é celebrada por bispo ***sm.*** **4** *Rel.* Livro que contém as orações, os ritos e as cerimônias que o papa e os bispos devem observar no exercício de sua dignidade, especialmente na administração dos sacramentos da confirmação e da ordem **5** Capa longa us. na celebração de algumas cerimônias religiosas [Pl.: *-cais*.] [F.: Do lat. *pontificalis, e*. Hom./Par.: *pontificais* (pl. de *pontifical*), *pontificais* (fl. de *pontificar*). Ideia de: *pontific-*.]

pontificar (pon.ti.fi.*car*) ***v. int.*** **1** Exercer o cargo de pontífice **2** Rezar missa vestindo a capa pontifical **3** Falar ou escrever de maneira enfática, categórica: *Intelectuais pontificavam de maneira desagradável no saguão da biblioteca.* [▶ **11 pontificar**] [F.: *pontífice* + *-ar*. Hom./Par.: *pontificais* (fl.), *pontificais* (pl. pontifical[adj. 2g.]).]

pontífice (pon.*tí*.fi.ce) *Rel.* ***sm.*** **1** Chefe supremo da Igreja Católica; PAPA **2** Dignatário eclesiástico com jurisdição e autoridade (bispo, arcebispo ou patriarca) **3** Sacerdote da religião romana **4** Ministro encarregado do culto de uma religião **5** *Fig.* O líder de uma escola ou doutrina **6** *Fig.* Pessoa que exerce autoridade em qualquer área (papa da medicina) [F.: Do lat. *pontifex, icis*. Ideia de 'pontífice': *pontific-*.] ▪▪ **~ romano** Ver *Sumo pontífice* no verbete *pontífice* **Sumo ~** O chefe supremo da Igreja católica; papa[1] (1)

pontificial (pon.ti.fi.ci.*al*) ***a2g.*** Ref. a pontífice, o mesmo que *pontifical* (1) [Pl.: *-ais*.] [F.: *pontífice* + *-i-* + *-al*.]

pontifício (pon.ti.*fí*.ci:o) ***a.*** **1** Ref. a pontífice, próprio dele ou dele proveniente (dignidade pontifícia) **2** Ver *pontifical* (1, 2) [F.: Do lat. *pontificius, a, um*. Ideia de 'pontifício': *pontific-*.]

pontilhado (pon.ti.*lha*.do) ***a.*** **1** Assinalado ou marcado com pontos; PONTEADO: *Corte a embalagem na linha pontilhada.* ***sm.*** **2** Conjunto de pequenos pontos sobre uma superfície **3** *Art. pl.* Pintura, desenho ou gravura em que o emprego de pontos desempenha importante papel na produção do efeito estético final [Cf. *pontilhismo* e *pontilhista*.] **4** *PE Dnç. Etnog.* Passo de dança executado no frevo, em que, com a perna direita flexionada e a esquerda cruzada sobre o joelho da primeira, o dançarino dá um salto, troca o pé de apoio e com isso marca o ritmo que incita seus movimentos [F.: Part. de *pontilhar*. Ideia de: *pung-*.]

pontilhão (pon.ti.*lhão*) ***sm.*** Ponte pouco extensa [Pl.: *-lhões*.] [F.: Dim. irreg. de *ponte*. Cf. *pontícula*. Ideia de: *pont-*.]

pontilhar (pon.ti.*lhar*) ***v. td.*** **1** Assinalar com pontinhos **2** Desenhar por meio de pontos **3** Marcar (algo)com ênfase ao longo de sua ocorrência; PONTUAR [▶ **1 pontilhar**] [F.: *ponto* + *-ilho* + *-ar*. Sin. ger.: *pontear*.]

pontilhismo (pon.ti.*lhis*.mo) ***sm.*** **1** *Art. pl. Des. Pint.* Técnica que consiste em justapor pequenas pinceladas em forma de pontos para compor as imagens [Cf. *divisionismo*, *pontilhado* (3) e *ponto* (1).] **2** Movimento artístico neoimpressionista, surgido no final do séc. XIX, que utilizava essa técnica **3** *P. ext. Mús.* Estilo de algumas obras, em que a textura musical é formada por sons isolados em pontos **4** *Psi.* Espécie de percepção em que um evento qualquer é apreendido como uma parte, sem relação com o todo **5** *P. ext.* Modo de tratar um assunto ou tema considerando apenas pontos ou itens esparsos e não sua totalidade [F.: Do fr. *pointillisme*. Sin. ger.: *puntilismo*.]

pontilhista (pon.ti.*lhis*.ta) ***a2g.*** **1** Ref. ao pontilhismo ou dele característico [Cf. *divisionista*.] **2** *Art. pl. Des. Mús. Pint.* Que usa o pontilhismo em suas obras ***s2g.*** **3** *Art. pl. Des. Mús. Pint.* Artista adepto do pontilhismo [F.: *pontilhis(mo)* + *-ista*. Sin. ger.: *puntilista*.]

pontinha (pon.*ti*.nha) ***sf.*** **1** Ponta pequena **2** Pequena quantidade de algo: *Comi uma pontinha do bolo.* **3** Pouco intenso: *Tenho uma pontinha de inveja da beleza de minha irmã.* **4** *Cin. Teat. Telv.* Papel secundário, com poucas aparições e falas, representado por ator ou atriz **5** Obstinação, teimosia; BIRRA; QUESTÃO [F.: *ponta* + *-inha*. Ideia de: *pung-*.] ▪▪ **Da ~** *Bras. Gír.* Bom, bonito, gostoso, agradável [Usa-se ger. acompanhado do gesto de segurar o lóbulo de uma orelha com o polegar e o indicador.] **Da ~ da orelha** Ver *Da pontinha*

pontino (pon.*ti*.no) ***sm.*** **1** Indivíduo nascido ou que vive em Pontino (região da Itália) ***a.*** **2** De Pontino; típico dessa região ou de seu povo [F.: Do top. *Pontino*.]

ponto (*pon*.to) ***sm.*** **1** Sinal, marca ou mancha de dimensão mínima e formato ger. arredondado; PINGO; PINTA **2** Lugar determinado ou fixado (ponto de encontro) **3** Local em que táxis e vans ficam estacionados à espera de passageiros, ou no qual ônibus param em seu percurso para que passageiros desçam ou subam **4** Local de parada de ônibus **5** Unidade us. na contagem de um jogo, competição, avaliação etc.: *Paula obteve muitos pontos na prova.* **6** Tema ou assunto: *Nada tenho a dizer acerca desse ponto.* **7** Condição que algo apresenta em dado momento de um processo evolutivo, ou esse momento: *Até que ponto você chegou no livro que está lendo?; Naquele ponto ela calou-se; É incrível que as coisas tenham chegado a este ponto.* **8** Em uma costura ou sutura, porção de linha entre dois furos feitos pela agulha **9** Em uma sutura, esse ponto feito por agulha: *Levei três pontos na testa.* **10** Laçada de linha em tricô, crochê etc. **11** Registro de entrada e saída do trabalho (caderno de ponto, relógio de ponto) **12** Grau determinado em uma escala de medida (ponto de fervura) **13** O fim, o termo de algo: *Ela resolveu colocar um ponto na relação.* **14** Grau de avanço em um empreendimento de qualquer natureza: *Em que ponto está a construção da casa?* **15** Grau ideal de cozimento ou de consistência de um alimento: *A rapadura está no ponto.* **16** Em jogo, valor atribuído a peça, elemento ou jogada: *Quantos pontos vale essa carta?* **17** *Gram.* Sinal (.) us. na escrita para assinalar o fim do período ou da frase **18** O mesmo sinal us. em abreviações (p. ex.: tel., Dr.) ou em cima do *i* ou do *j* **19** Cada uma das partes da matéria escolar que pode caber como questão em prova, exame etc., ou um determinado aspecto de uma matéria, de um tema, de uma ciência, de uma arte etc. **20** *Teat. Telv.* Pessoa que, sem ser vista ou ouvida pelo público, lembra aos atores suas falas, ou o pequeno alçapão onde ele se coloca, visível aos atores e invisível para o público, ou dispositivo eletrônico que mostra as falas (em programas de televisão) **21** *Econ.* Unidade us. para expressar as variações dos índices econômicos e financeiros **22** *Geom.* Conceito geométrico que designa uma figura completamente desprovida de dimensões **23** Cada uma das pequenas marcas em relevo que formam os signos do alfabeto Braille para cegos **24** Lugar de uma cerzidura, em tecido **25** *Bras.* Lugar no qual está instalado um negócio, uma loja etc.: *O sapateiro aposentou-se e passou o ponto a um colega.* **26** Na craveira de sapateiro ou luveiro, que mede tamanhos de sapatos ou luvas, cada uma das subdivisões **27** *Cons.* Razão entre altura e largura de um vão de telhado **28** *Inf.* O mesmo que *pixel* **29** *Bras. Rel.* Melodia, canto em macumbas e candomblés **30** *Med.* Em acupuntura, ponto exato da pele relacionado com um distúrbio de um órgão [F.: Do lat. *punctum, -i*.] ▪▪ **Aí é que bate o ~** Ver *Agora / aí é que são elas* no verbete *ela* **Ao ~** *Cul.* Diz-se de (porção de) carne entre mal passada e bem passada **A ~ de** **1** Na iminência de, quase a **2** Em tal medida que chega mesmo a: *Chegou a ponto de pedir demissão; Era ousado a ponto de ser imprudente.* **A ~ que** Ver *De maneira que* no verbete *maneira*: *As coisas não deram certo, a ponto que desisti.* **Assinar o ~** **1** Assinar o nome no livro de ponto **2** *Fig.* Apresentar-se (alguém) rapidamente em lugar onde costuma fazê-lo **3** *Fig.* Cumprir (alguém) ato de sua rotina: *Todo dia, depois do expediente, assinava o ponto no botequim.* **4** *Fig. Fam.* Cumprir obrigação sexual; comparecer **Até certo ~** Não totalmente, em parte, em certa medida **Bater o ~** Registrar (alguém) sua entrada ou saída no serviço, ger. em máquina apropriada **Chegar/ir ao ~ de** *Irôn.* Ser capaz de, atingir o limite de (aceitável, do concebível, do possível etc.): *Ele é tão irritante que chega ao ponto de irritar ele mesmo.* **Com todos os ~s e vírgulas** Com todos os detalhes **Dar ~** Chegar (calda de açúcar) a certa consistência **De ~ em branco 1** Com requinte, apuro **2** Fortemente (diz-se que quem está armado); até o dentes **Dormir no ~ 1** *Bras. Fam.* Deixar escapar algo por desatenção, perder oportunidade **2** Deixar-se lograr, ludibriar, por ingenuidade ou desatenção **Em ~** Exatamente (ref. a hora): *Chegou às dez horas em ponto.* **Em ~ de bala 1** *Bras. Gír.* Preparado ou adestrado para exame, prova, competição, etc. **2** *Bras. Gír* Em condições ideais para algo a que se destina ou propõe: *O carro estava em ponto de bala para a corrida.* **3** *Bras. Tabu.* Sexualmente excitado **Em ~ morto** Sem estar engrenado em uma marcha (diz-se de veículo): *O caminhão desceu a ladeira em ponto morto.* **Entregar os ~s** *Bras. Gír.* Abandonar competição, tarefa etc., dando-se por vencido **Estar no ~** Estar (algo ou alguém) na condição ou no momento ideal (para aquilo que dele se espera): *Mexa a calda até estar no ponto; Treinou muito para a competição, agora está no ponto.* **Fazer ~ em** Estacionar (algo ou alguém) ou postar-se habitualmente em (lugar onde é procurado para prestar seus serviços); frequentar assiduamente certo lugar: *Este táxi faz ponto no aeroporto; Faz ponto todo dia naquele boteco.* **Não dar ~ sem nó** Não fazer nada sem visar a alguma vantagem, interesse próprio etc. **~ aberto** Ponto de bordado que consiste em demarcar com alinhavo aberturas ou orifícios arredondados e arrematá-los com ponto cerrado **~ abreviativo** Ponto (1) us. para finalizar abreviaturas, ou sobre as letras *i* e *j* minúsculas **~ alto 1** Momento, acontecimento, realização etc. que se destaca, que é mais marcante, que é considerado especialmente significativo: *O show de música foi um dos pontos altos da festa.* **2** Ponto de crochê no qual a linha é introduzida na parte tecida, depois numa laçada e na alça do ponto anterior, ampliando de um ponto a carreira **~ americano** *Art. gr.* Ver *Ponto anglo-norte-americano* **~ anglo-norte-americano** *Art. gr.* Mediada tipográfica equivalente a 1/72 de polegada, ou c. 0,351 mm; ponto americano; ponto inglês **~ anguloso** *Geom. an.* Ponto de uma curva, tal que as tangentes à direita e à esquerda são diferentes **~ cantado** *Bras. Rel.* Cada um dos cânticos religiosos (esp. na umbanda) que invocam ou homenageiam uma entidade, a incorpora ou desincorpora etc. **~ cardeal** *Geog.* Cada uma das quatro principais direções da rosa dos ventos, ou seja, norte, sul, leste e oeste **~ cego 1** *Oft.* Ponto no qual o nervo óptico se insere em cada retina e no qual não se forma imagem **2** Área, junto a um veículo, onde um objeto (p. ex., outro veículo) não é visível no(s) espelho(s) retrovisor(es) e também não está no campo visual de quem dirige **~ cheio** Ponto de bordado feito numa base riscada com desenho, sobre uma área desse desenho previamente preenchida com pontos de alinhavo, e que consiste em pontos paralelos e muito juntos uns do outro num relevo consistente e uniforme **~ colateral** *Geog.* Cada uma das quatro direções da rosa dos ventos intermediárias aos pontos cardeais, ou seja, nordeste, sudeste, noroeste e sudoeste **~ crítico 1** *Mat.* No domínio de uma função derivável f, ponto no qual a derivada é igual a zero **2** *Fís.* Ponto no qual uma substância tem a mesma temperatura, mesma densidade e mesma pressão seja qual for a fase ou estado: sólido, líquido ou gasoso **3** *Aer.* Numa aproximação de aeronave para aterrissagem, o último momento possível em que o piloto pode, com sucesso, arremeter para interrompê-la **~ culminante 1** O ponto mais elevado de uma montanha, um monte, uma cordilheira, um país etc. **2** *Fig.* O mais alto nível que atinge algo ou alguém; auge, apogeu **~ cuspidal** *Geom.* Numa curva contínua, ponto no qual a tangente, considerada como vetor, reverte seu sentido **~ de acumulação** *Mat.* Ponto tal que, em qualquer vizinhança sua, existe ao menos um ponto de algum conjunto: *Estamos no ponto culminante dessa crise.* **~ de admiração** Ver *Ponto de exclamação* **~ de apoio 1** *Fís.* Ponto sobre o qual se apoia uma alavanca, e onde se articula seu movimento; fulcro **2** *Fig.* Aquilo ou aquele que dá auxílio ou proteção **3** Lugar natural ou artificial em que um grupo de combatentes pode se abrigar temporariamente do cerco do inimigo **~ de areia** Conjunto de pequenos pontos de bordado que cobrem uma superfície, lembrando areia espalhada **~ de aumento** *Mús.* Na escrita musical, ponto (1) que se coloca à direita de uma figura (nota ou pausa), para indicar acréscimo de metade do valor (duração) dela **~ de autoignição** *Fís.* Temperatura acima da qual, devido à composição de uma substância ou matéria, e esta se inflama espontaneamente **~ de bainha** Ponto de costura com o qual se fixa uma bainha ou se prendem tecidos superpostos **~ de bala** *Cul.* Grau de consistência numa calda (de açúcar) depois que esfria, que pode ser mais dura ou mais mole, de acordo com a finalidade [Cf.: *Em ponto de bala.*] **~ de bolha** *Fís. -Quím.* Temperatura em que, sob pressão constante, principia a ebulição de um líquido **~ de cadeia** Tipo de ponto em bordado no qual a linha forma pequenas alças que se encadeiam seguindo o risco no tecido **~ de canutilho** Em bordado, ponto que consiste em enrolar a linha em volta da agulha e fixá-la com este formato no tecido **~ de cedência** *Fís.* O menor valor de uma tensão aplicada a um corpo sólido capaz de provocar sua deformação plástica **~ de condensação** *Fís.* Temperatura na qual, sob pressão constante, tem início a liquefação reversível de um vapor **~ de congelação/congelamento** *Fís.* Temperatura na qual, sob pressão constante, tem início o congelamento reversível da água **~ de contato** Ponto em que coisas ou pessoas se tocam ou se comunicam **~ de cristalização** *Fís.* Ver *Ponto de solidificação* **~ de cruz** Em bordado ou tapeçaria, ponto em que a linha cruza sobre ela mesma, em pequenas cruzes que formam um desenho **~ de descontinuidade** *Mat.* Ponto no domínio de uma função no qual ela não é contínua [Tb. apenas *descontinuidade.*] **~ de diminuição** *Mús.* Na escrita musical, ponto (1) sobre uma nota ou figura que indica sua execução em tempo muito curto, em *staccato.* **~ de ebulição 1** *Fís.* Temperatura na qual a pressão do vapor saturado de um líquido é igual à da atmosfera naquele lugar **2** *Restr.* O ponto de ebulição sob pressão de uma atmosfera [Mais especificamente designado *ponto normal de ebulição.*] **~ de equilíbrio** *Econ.* Num processo ou empreendimento econômico, situação ou condição na qual não há lucro nem perda; *break-even point* **~ de espadana** *Cul.* Ponto de calda de açúcar no qual, ao se tomar uma porção com a colher e deixá-la cair, ela cai em forma de lâminas, ou fitas **~ de estrangulamento** *Fig.* Fase crítica e demorada na resolução de um problema, a qual, uma vez ultrapassada, abre caminho para a solução de todas as fases restantes **~ de exclamação** *Gram.* Sinal de pontuação, na forma de um traço vertical sobre um ponto (!), colocado à direita de palavra ou frase que é uma exclamação, isto é, que expressa de modo forte algum sentimento ou emoção **~ de festonê** Em bordado, ponto no qual trabalha-se a linha perpendicularmente ao risco, prendendo-a em alça na extremidade em que ela sai a agulha; caseado [Tb. apenas *festonê.*] **~ de fixação** *Oft.* Ponto no qual se concentram os raios luminosos refletidos em objeto que se fixa diretamente **~ de fluidez** A temperatura mais baixa na qual um óleo mantem sua fluidez, ou seja, capacidade de escorrer **~ de fuga** *Geom.* Em desenho ou pintura em perspectiva, ponto para onde, na representação, convergem as linhas de profundidade paralelas **~ de fulgor** *Fís-quím.* A menor temperatura na qual vapores de combustível na atmosfera se inflamam na presença de uma chama mas deixam de arder uma vez afastada a chama **~ de fusão** *Fís.* Temperatura na qual, sob pressão constante, tem início a fusão reversível de um sólido **~ de haste** Em bordado, ponto no qual a linha acompanha um risco enrolada sobre si mesma **~ de honra** Questão ou circunstância na qual se considera que está em jogo a honra ou dignidade de alguém **~ de ignição** A menor temperatura na qual vapores de combustível na atmosfera se inflamam na presença de uma chama e continuam ardendo uma vez afastada a chama [Importante fator para medidas de segurança.] **~ de impacto** Ponto da trajetória de um projétil, corpo celeste etc., em que este se choca com o alvo ou com outro corpo cuja trajetória intercepta **~ de inflexão** *Geom. an.* Ponto de uma curva no qual a concavidade à sua direita tem sinal invertido ao da concavidade à sua esquerda [É o início do outono no hemisfério norte e da primavera no hemisfério sul.] **~ de interrogação** *Gram.* Sinal de pontuação (?) que indica que a frase ao final da qual está colocado é uma pergunta ou expressa dúvida **~ de Libra** *Astron.* Ponto de interseção da eclíptica com o equador, no qual o Sol parece passar do hemisfério norte para o hemisfério sul; equinócio do outono **~ de meia** Em tricô, o ponto básico, do qual resulta que o lado direito fique liso e o avesso ondeado **~ de mira** Vértice do prisma que constitui a mira de armas de fogo, que a mirada do atirador deve pôr em linha reta com o a marca da alça de mira e o alvo a ser atingido **~ de não retorno 1** *Aer.* Ponto de uma rota de aeronave além do qual o combustível não será suficiente para um retorno, o que exige que prossiga mesmo com problemas técnicos **2** *Fig.* Em qualquer processo ou desenvolvimento de situações, ponto a partir do qual não há como abortá-lo ou invertê-lo **~ de nó** Em bordado, ponto no qual se enrola o fio algumas vezes na agulha e se o fixa junto ao ponto inicial [Tb. apenas *ponto.*] **~ de orvalho** *Fís.* Temperatura na qual, sob pressão constante, o vapor de água saturado do ar se condensa em gotículas **~ de parada 1** *Geom.* Lugar preestabelecido na rota de um veículo coletivo no qual ele se detém para que passageiros dele desçam ou nele subam **2** *Geom. an.* Ponto de uma curva no qual só existe uma tangente, ou à direita ou à esquerda **~ de Paris** Em bordado, ponto us. para fixar aplicações de modo que a linha delimita o desenho da aplicação **~ de pressão** *Anat. Med.* Ponto no qual um vaso sanguíneo pode ser comprimido contra um osso, interrompendo-se com isso o fluxo do sangue (e detendo-se hemorragia) **~ de referência** Qualquer coisa (lugar, fato, data, gente etc.) tomada como marco de orientação, percepção, juízo, memorização, etc. **~ de reversão** *Geom. Anal.* Ver *Ponto cuspidal.* **~ de seção** Em percurso de veículo coletivo, ponto de parada no qual começa uma nova divisão do percurso, sujeita a nova cobrança **~ de sela** *Geom.* Numa função de duas variáveis o ponto no qual o valor máximo em uma direção corresponde ao mínimo na outra **~ de simetria** *Geom.* Ponto em relação ao qual qualquer ponto de uma figura tem um ponto simétrico **~ de solidificação** *Fís.* Temperatura na qual, sob pressão constante, tem início a solidificação reversível de um líquido; ponto de cristalização **~ de sutura** *Cir.* Ponto (8, 9) us. para juntar os bordos de uma incisão ou ferida, para facilitar a cicatrização **~ de transição** *Fís.* Temperatura na qual, sob pressão constante, há equilíbrio entre duas fases de um sistema **~ de tricô** Em tricô, ponto básico de tricô, no qual a agulha direita é introduzida na alça da agulha esquerda, resultando carreiras ondeadas no lado direito e iguais no avesso **~ de vaporização** *Fís.* Temperatura na qual, sob pressão constante, um líquido e seu vapor estão em equilíbrio **~ de venda** Local (loja, estande, banca de jornal, farmácia etc.) no qual um produto está disponível e exposto para ser adquirido por consumidor **~ de vista 1** *Art. pl.* Ponto de observação tomado por desenhista, pintor etc., para dele observar assunto que será representado em perspectiva; no desenho ou pintura em perspectiva, o virtual ponto que serviu de ponto de vista, obtida pela convergência das linhas paralelas (na realidade) que são representadas como linhas divergentes **2** *Fig.* Modo particular de se considerar uma questão ou assunto **3** *Liter.* Recurso literário com o qual se situa o narrador no contexto da obra **~ Didot** *Tip.* Unidade de medida tipográfica que corresponde a 0,3759 mm **~ duplo** *Geom. an.* Ponto múltiplo com duas tangentes **~ eletrônico 1** *Cin. Teat. Telv.* Ponto (20) que usa emissão de rádio para informar o ator [Cf.: *prompter.*] **2** O aparelho que provê esse ponto em cena [Tb. apenas *ponto.*] **~ estacionário** *Astron.* Ponto no qual um corpo celeste parece estar imóvel em relação às estrelas fixas, que corresponde ao ponto no qual seu movimento aparente muda de sentido **~ facultativo** Dia em que, não sendo feriado, permite-se que empresas, instituições ou funcionários decidam o comparecimento ou não ao trabalho **~ final 1** Ponto (17), sinal de pontuação que marca fim de parágrafo ou de período ou de um texto. Tb. apenas *ponto*, ou com hífen: *ponto-final* **2** *Fig.* O ponto (13) em que algo (um processo, desenvolvimento, uma relação etc.) termina definitivamente **3** Expressão que enfatiza o registro do fim definitivo de uma situação, processo, relação etc. **4** Ponto de parada terminal numa rota de veículo coletivo **~ fixo** *Fís.* Temperatura facilmente reproduzível, que serve de referência numa escala de temperatura: *Não aceito mais reclamações, e ponto-final!* **~ fraco** O componente mais frágil e vulnerável de um sistema, organismo, processo etc.; calcanhar de aquiles **~ geométrico** *Geom.* Ponto (22), considerado como figura geométrica sem dimensões **~ ideal** *Geom.* Ver *Ponto impróprio* **~ imagem** *Ópt.* Num sistema óptico, ponto formado pelos raios luminosos a partir de um ponto de origem, após passarem pelo sistema **~ impróprio** *Geom.* O que tem pelo menos uma coordenada infinita; ponto infinito; ponto ideal **~ infinito** *Geom.* Ver *Ponto impróprio* **~ inglês** *Art. gr.* Ver *Ponto anglo-americano* **~ interior** *Mat.* Ponto de um conjunto para o qual existe uma vizinhança inteiramente contida no conjunto **~ inverso** *Geom.* Qualquer dos dois pontos tais que o produto de suas distâncias a um terceiro ponto sobre a reta que os une é igual à unidade [Do que se deduz que para um ponto de distância ao terceiro ponto, seu inverso está à distância *1/x.*] **~ material** *Fís.* Ponto geométrico ao qual atribui-se massa **~ morto 1** *Mec.* Em veículo automotivos providos de sistema de câmbio, posição da alavanca de câmbio na qual a engrenagem do motor não se engata a engrenagem das rodas motrizes; ponto neutro [Ver *Em ponto morto.*] **2** Ponto no qual o êmbolo de uma máquina ou de motor a explosão inverte o movimento **~ múltiplo** *Geom. an.* Ponto de uma curva no qual há mais de uma tangente, distintas ou coincidentes **~ negro** *Lus.* Cravo, pequeno ponto negro na pele causado por afecção do folículo sebáceo **~ neutro** *Mec.* Ver *Ponto morto* (1) **~ nodal** *Geom. an.* Ponto duplo com duas tangentes distintas **~ normal de ebulição** *Fís.* O ponto de ebulição de um líquido, quando está sob pressão constante de uma atmosfera **~ objeto** *Ópt.* Num sistema óptico, ponto de origem dos raios luminosos que formam o ponto imagem **~ obrigado** *Cons.* Aquele no qual uma estrada forçosamente terá de passar **~ ordinário 1** *Geom. an.* Ponto de uma curva em que esta tem uma única tangente **2** Ponto de uma superfície, no qual ela tem um único plano tangente; ponto regular; ponto simples **~ pacífico** Conceito, opinião, atitude, item etc. quanto aos quais há concordância geral **~ por ~** Item por item, pormenorizadamente, minuciosamente: *Vamos analisar a situação ponto por ponto.* **~ principal** *Ópt.* Ponto de interseção do eixo óptico de uma lente com um plano principal **~ regular** *Geom. Anal.* Ver *Ponto ordinário* **~ satélite** *Astron.* Lugar geográfico na superfície terrestre no qual, em certo momento, o satélite a que se refere está no zênite **~s de acompanhamento** *Art. gr.* Ver *Pontos de condução* **~s de reticência** Reticências **~s de acompanhamento** *Art. gr.* Ver *Pontos de condução* **~s de reticência** Reticências

pontoação (pon.to:a.*ção*) *sf. Bras.* Ação ou resultado de pontoar, mesmo que *pontuação* [Pl.: *-ções.*] [F.: *pontoar* + *-ção.*]

pontoar (pon.to.*ar*) *v.* **1** Marcar pontos numa competição, torneio ou certame [*td.: O programa pontoou 12,5% de audiência.*] [*int.: Flamengo e Guarani não pontoaram ontem.*] **2** Marcar pontos suficientes para ganhar ou se classificar [*int.: O time pontoou nas quartas de final; O piloto não pontoava há duas corridas.*] **3** Numa competição, torneio ou certame, atribuir pontos a [*tdr.* +*com*: *A*

comissão pontou o curso com 9,7.] 4 Des. Grav. Desenhar ou gravar a pontos miúdos, sem contorno linear; GRANIR; PONTILHAR [td.: pontoar a matriz/a imagem.] 5 Coser com pontos largos, provisórios; ALINHAVAR; APONTOAR [td.: pontear o colarinho/a blusa.] [int.: Já sei costurar, antes nem pontoava.] 6 Marcar com pontos, pontilhar [td.: Pontoou a rota dos bandeirantes no mapa do Brasil.] 7 O mesmo que apontoar (1) [▶ 16 pontoar] [F.: ponto + -ar².
Hom./Par.: pontoar (v.), pontuar (v.).]

ponto-cruz (pon.to-cruz) Vest. sm. Ponto de bordado ou tapeçaria que consiste em pequenas cruzes agrupadas para formar o desenho; PONTO DE CRUZ [Pl.: pontos-cruz.]

ponto e vírgula (pon.to e vír.gu.la) sm. Sinal (;) us. na escrita para assinalar uma pausa menor que a do ponto e maior que a da vírgula [Pl.: pontos e vírgulas e ponto e vírgulas.]

ponto-falso (pon.to-fal.so) sm. Pedaço de esparadrapo, ou outro tipo de tira adesiva, empregado para unir as bordas de ferimentos da pele resultante de um corte acidental [Pl.: pontos-falsos.]

ponto-final (pon.to-fi.nal) sm. Sinal de pontuação (.) que marca o fim de uma frase ou de um período. [Tb. ponto-final, ou simplesmente ponto] [Pl.: pontos-finais.]

pontuação (pon.tu:a.ção) sf. 1 Ação ou resultado de pontuar 2 O uso e/ou a colocação, na escrita, dos sinais gráficos, tais como vírgulas, pontos etc., que indicam a separação entre termos sintáticos da oração, as pausas e as entonações das frases: A pontuação pode alterar o significado de uma frase. 3 Totalidade dos pontos obtidos em uma avaliação, competição etc.: Obteve uma pontuação muito alta no concurso. 4 Bot. Lacuna da parede de algumas células parenquimáticas, que surge como depressão, concavidade ou canal, dependendo da espessura da parede [Pl.: -ções.] [F.: Do fr. ponctuation. Sin. ger.: pontoação, punctuação, puntuação. Ideia de: pung-.]

pontuado (pon.tu.a.do) a. 1 Que se pontuou, em que se fez pontuação (parágrafo pontuado) 2 Em que há pontuação 3 Marcado com pontos; PONTOADO; PUNCTUADO; PUNTUADO [F.: Part. de pontuar. Hom./Par.: pontuad(o/a) (a.), pontoad(o/a) (a.), pontoada (sf.). Cf.: pontoada (sf.). Ideia de: pung-.]

pontuador (pon.tu:a.dor) [ô] a. Que pontua [F.: pontuar + -dor.]

pontual (pon.tu:al) a2g. 1 Que cumpre o horário ou o prazo marcado (funcionário pontual) 2 Que chega ou parte no horário marcado (trem pontual) 3 Que é feito dentro do prazo acordado previamente ou na hora marcada (jantar pontual) [+em: Ele é sempre pontual nos pagamentos.] 4 Ref. a um determinado ponto, ou que se reduz a um ponto (de uma situação, um problema etc.): Na dissertação há erros pontuais, mas nada que comprometa o trabalho como um todo. 5 Geom. Ref. a ponto geométrico 6 Ling. Diz-se de aspecto momentâneo, que não apresenta duração no tempo sf. 7 Mat. Sequência de pontos que estão dispostos em uma linha reta sm. 8 Ling. Ver Aspecto pontual no verbete aspecto [Pl.: -ais.] [F.: Do lat. medv. punctualis. Ant. das acps 1 a 3: impontual. Hom./Par.: pontuais (pl. de pontual [a2g.]) / pontuais (fl. de pontuar). Ideia de: pung-.]

pontualidade (pon.tu:a.li.da.de) sf. 1 Qualidade ou característica de pessoa ou coisa pontual 2 Cumprimento dos deveres, compromissos e horários [F.: pontual + -i- + -dade. Ant. ger.: delonga, dilação, impontualidade. Ideia de: pung-.] ■ **~ britânica** Pontualidade absoluta, rigorosa **~ inglesa** Ver Pontualidade britânica

pontuar (pon.tu.ar) v. 1 Usar os sinais de pontuação (em) [td.: Pontue melhor essa frase.] [int.: Ela não sabe pontuar.] 2 Fig. Estar presente; marcar [td.: O medo pontuava os seus sonhos.] 3 Esp. Marcar pontos [int.] 4 Marcar (algo) com ênfase ao longo do tempo de sua ocorrência; PONTILHAR [td.] [▶ 1 pontuar] [F.: Do fr. ponctuer. Hom./Par.: pontuais (fl.), pontuais (pl. pontual, a2g. e sf.); pontoar (vários tempos do v.).]

pontudo (pon.tu.do) a. 1 Que tem ponta(s) [Ant.: despontado, obtuso.] 2 Que termina em ponta (chapéu pontudo; focinho pontudo) 3 Que tem ponta aguçada (prego pontudo); ACUMINADO; AGUÇADO; AGUDO; BICUDO; PONTIAGUDO [Ant.: rombudo.] 4 Que é cheio de pontas (cabelo pontudo); ÁSPERO; ERIÇADO 5 Fig. Que é agressivo, ofensivo, rude (discurso pontudo); ACERADO; ESPICAÇANTE 6 Her. Que tem haste inferior terminada em ângulo agudo (diz-se de cruz) [F.: pont(a) + -udo. Ideia de: cusp(id)-, -cúspide, ox(i/o)- e pung-.]

⊕ **poodle** (Ing. /púdou/) Zool. sm. 1 Raça de cão de porte pequeno ou médio, com pelo crespo e orelhas pendentes [Cf. caniche.] 2 Cachorro dessa raça

⊕ **pool** (Ing. /pul/) sm. 1 Econ. Coligação temporária entre pessoas, físicas ou jurídicas, com a finalidade de controlar preços, ampliar a força no mercado e diminuir ou anular a concorrência: "... a venda da energia para as distribuidoras se dará por meio de leilões concentrados por um 'pool' regulado de compradores..." (Valor Econômico, 26.04.2004) 2 Grupo de pessoas ou entidades que se unem por um objetivo comum: "Museus fazem pool para P. M. Bardi" (Folha de S.Paulo, 18.12.1999) 3 Conjunto de recursos ou equipamentos compartilhados por um determinado número de usuários (pool de computadores) 4 Jorn. Conjunto de jornalistas, escolhidos ou sorteados, que registram uma cobertura importante 5 Biol. Conjunto de genes de uma população em um determinado momento

⊕ **pop** (Ing. /póp/) sm. 1 Forma de cultura popular, esp. musical, difundida pelos meios de comunicação de massa 2 Art. pl. Hist. F. red. de pop art 3 Mús. F. red. de pop music [Ideia de 'pop': popul-.]

popa (po.pa) [ô] sf. 1 Mar. A parte traseira de uma embarcação, oposta à proa [Ant.: proa.] 2 Fig. Pop. Parte inferior do dorso; BUNDA; NÁDEGAS; TRASEIRO 3 Bras. N.E. Salto brusco dado por cavalo; CORCOVO; PINOTE; UPA sm. 4 Sacerdote de categoria inferior que, entre os romanos, era o encarregado de cuidar do fogo, dos vasos, do incenso etc., e de conduzir as vítimas até o altar em que seriam sacrificadas; VITIMÁRIO [F.: Do lat. puppa. Hom./Par.: popa(s) (sf. / sm. [pl.]), polpa(s) (sf. [pl.]), poupa, poupas (fl. de poupar).] ■ **Abrir de ~** Mar. Desatracar (embarcação) afastando do cais primeiro a popa **Botar/meter em ~** Mar. Manobrar (embarcação) para que receba o vento pela popa **Dar uma ~** PB Pop. Censurar com rispidez, com violência

popança (po.pan.ça) sf. Bras. Gír. As nádegas, o traseiro [F.: popa [ô] + -ança. Hom./Par.: popança (sf.), poupança (sf.).]

⊕ **pop art** (Ing. /póp art/) sf. Art. pl. Hist. Movimento artístico figurativo, surgido na década de 1950, que teve como tema imagens populares e bens de consumo divulgados pela mídia [Tb. apenas pop (2).] [Pl.: pop arts.] [Ideia de 'pop art': popul-.]

pope (po.pe) sm. Ecles. Sacerdote da religião cristã ortodoxa russa [F.: Do fr. pope, deriv. do russo pop e, este, do al. pfaffo.]

popeiro (po.pei.ro) Bras. Pop. sm. 1 Indivíduo que vai na popa de embarcação de pesca 2 Mar. Piloto de embarcação que fica na popa para manejá-la a. 3 Diz-se do equino que escoiceia facilmente 4 P. ext. Diz-se de pessoa que se irrita ou exalta com facilidade [F.: popa [ô] + -eiro.]

popeline (po.pe.li.ne) sf. Têxt. Tecido de algodão, de aparência lustrosa, us. para fazer camisas, vestidos etc.; POPELINA [F.: Do fr. popeline.]

⊕ **pop music** (Ingl. /póp miúzic/) loc. subst. Mús. Abrev. de popular music, música popular surgida no início da década de 1960 nos países anglo-saxônicos, caracterizada pelo emprego de instrumentos e equipamentos elétricos e/ou eletrônicos; MÚSICA POP

popopê (po.po.pê) sf. RJ SP Gír. Mulher de bumbum pequeno [F.: popô + pe(queno).]

popozuda (po.po.zu.da) sf. Bras. Gír. Mulher de nádegas proeminentes [F.: popô + -zuda.]

◎ **popul-** el. comp. = povo: populacho; populismo. [F.: Do lat. populus, i.]

populaça (po.pu.la.ça) sf. Multidão de pessoas de classe baixa, m. que populacho [F.: popul- + -aça.]

população (po.pu.la.ção) sf. 1 Conjunto dos habitantes de um determinado lugar: A população brasileira é fortemente miscigenada. 2 A quantidade numérica desses habitantes: A população do Brasil dobrou em trinta anos. 3 Indivíduos de determinada espécie: A população das baleias diminui a cada ano. 4 Conjunto de indivíduos da mesma condição social, mesma profissão ou que compartilham alguma outra característica: A população operária mudou-se lentamente para os subúrbios. 5 Ecol. Conjunto de seres vivos que vivem numa mesma comunidade, se entrecruzam livremente, e com isso trocam entre si material genético 6 Est. Conjunto de elementos com uma dada característica comum, cujas propriedades permitem estudo a partir de amostras; UNIVERSO 7 Astron. População estelar [Pl.: -ções.] [F.: Do lat. populatio, onis. Ideia de: popul -.] ■ **~ economicamente ativa** 1 Econ. A parte da população de um lugar que se dedica à produção de bens e de serviços 2 Numa sociedade, a mão de obra disponível para trabalho produtivo

📖 A população mundial atingia em meados do séc. XX a cifra aproximada de 2.500.000.000 habitantes, e cresceu num ritmo vertiginoso para chegar em inícios de 2004 a cerca de 6.400.000.000 habitantes. Os países mais populosos, em meados de 2003, eram: China (c. 1.300.000.000), Índia (1.050.000.000), Estados Unidos (290.000.000), Indonésia (230.000.000), Brasil (190.733.000), Paquistão (181.000.000) Federação Russa (144.000.000), Bangladesh (138.000.000), Nigéria (134.000.000), Japão (127.000.000) e México (105.000.000).

populacho (po.pu.la.cho) sm. Pej. O povo das classes mais pobres da sociedade; RALÉ; PLEBE [F.: Do it. popolaccio. Ideia de: popul- e -acho. Tb. populaça.]

populacional (po.pu.la.ci:o.nal) a2g. 1 Ref. a população (aumento populacional; envelhecimento populacional) 2 Ref. a demografia (censo populacional); DEMOGRÁFICO [Pl.: -nais.] [F.: população + -al, seg. o padrão erudito. Ideia de: popul-.]

populacionismo (po.pu.la.ci:o.nis.mo) sm. Doutrina que defende o crescimento demográfico como algo natural e positivo [F.: população + -ismo, seg. o mod. erudito.]

populacionista (po.pu.la.ci:o.nis.ta) a. 1 Ref. ao populacionismo 2 Que preconiza o populacionismo s2g. 3 Pessoa que preconiza o populacionismo [F.: população + -ista, seg. o mod. erudito.]

populado (po.pu.la.do) a. 1 Que se povoou; HABITADO; OCUPADO: "O campo de Mugunga, por exemplo, conta hoje mais de 400 mil pessoas – é o mais populado campo de refugiados do mundo" (Folha de S.Paulo, 04.11.1996) 2 Inf. Diz-se de programa, diretório, arquivo etc. preenchido com dados para um objetivo específico sm. 3 Antq. Povoado, vilarejo, aldeia [F.: popul- + -ado.]

popular (po.pu.lar) a2g. 1 Ref. ao povo, a ele pertencente ou dele proveniente (cultura popular) 2 Conhecido ou estimado pelo povo (político popular) [Ant.: impopular.] 3 Que tem a aprovação ou apreço de várias pessoas (professor popular); FAMOSO [Ant.: impopular.] 4 Destinado ao povo (bibliotecas populares) 5 De baixo custo (casas populares); BARATO 6 Que é vulgar, de má qualidade, trivial; PLEBEU 7 Que é democrático (gestão popular) sm. 8 Homem do povo; ANÔNIMO: Um popular foi atropelado. sf. 9 Acomodação barata, em estádios desportivos [F.: Do lat. popularis, e. Ideia de: popul-.]

populares (po.pu.la.res) smpl. 1 Conjunto formado por pessoas do povo, sem que se possa determinar a identidade particular de cada um: Populares saquearam mais um supermercado. 2 Políticos ou partidários da democracia; DEMOCRATAS [F.: Pl. de popular. Ideia de: popul-.]

popularesco (po.pu.la.res.co) a. 1 Que é vulgar ou de baixa qualidade: programa de televisão popularesco. 2 Que imita o que é popular [F.: popular + -esco.]

popularidade (po.pu.la.ri.da.de) sf. 1 Qualidade de pessoa ou coisa popular 2 Estima pública de uma pessoa ou coisa: A popularidade do presidente aumentou no último ano. [F.: Do lat. popularitas-atis. Ant. ger.: impopularidade. Ideia de: popul-.]

popularismo (po.pu.la.ris.mo) sm. Ling. Emprego, na linguagem culta, de pronúncias, vocábulos, locuções etc. que não fazem parte do uso culto formal e que são provenientes da língua popular [F.: popular + -ismo.]

popularista (po.pu.la.ris.mo) a2g. 1 Ref. a popularismo 2 Diz-se do que utiliza linguagem inculta 3 Indivíduo que emprega popularismos [F.: popular + -ista.]

popularização (po.pu.la.ri.za.ção) sf. 1 Ação ou resultado de popularizar(-se) 2 Ação ou resultado de divulgar; DIVULGAÇÃO [Pl.: -ções.] [F.: popularizar + -ção. Ideia de: popul-.]

popularizado (po.pu.la.ri.za.do) a. Que se popularizou [F.: Part. de popularizar. Ideia de: popul-.]

popularizar (po.pu.la.ri.zar) v. td. 1 Tornar(-se) popular, conhecido ou acessível por um grande número de pessoas; DIFUNDIR(-SE); DIVULGAR(-SE) 2 Conseguir a aprovação, a aceitação de todos [td.: O presidente do país popularizou-se muito depressa.] [▶ 1 popularizar] [F.: popular + -izar. Ant. impopularizar.]

populismo (po.pu.lis.mo) sm. 1 Bras. Pol. Tendência política de buscar o apoio do povo pregando, sinceramente ou não, a defesa de seus interesses, e que se utiliza ger. de práticas assistencialistas [Cf. demagogia e demagogismo.] 2 Pol. Ação de caráter populista 3 Liter. Gênero literário de temática popular [F.: Do fr. populisme. Ideia de: popul-.]

populista (po.pu.lis.ta) a2g. 1 Pol. Ref. a populismo: plataforma política populista. 2 Pol. Diz-se de político adepto do populismo 3 Liter. Diz-se de gênero literário com temática popular 4 Liter. Diz-se de escritor adepto do gênero populista s2g. 5 Pol. Político que adota práticas do populismo 6 Liter. Escritor que adota o populismo [F.: Do fr. populiste. Ideia de: popul-.]

populoso (po.pu.lo.so) [ô] a. Que tem população numerosa, que é muito povoado (país populoso) [Pl.: [ó]. Fem.: [ó].] [F.: Do lat. populosus, a, um. Ideia de: popul-.]

⊕ **pop-up** (Ing.: /popáp/) sm. Janela que se abre na interface de um aplicativo para exibir uma informação, uma opção de link etc., ger. em página na internet; sua abertura pode ser inibida ou liberada pelo usuário

pôquer (pô.quer) sm. 1 Lud. Certo jogo de cartas em que cada jogador procura fazer a melhor combinação possível (de acordo com uma hierarquia de combinações) das cinco cartas que lhe cabem, a fim de vencer os adversários 2 Partida desse jogo 3 Fig. Situação aleatória, perigosa 4 Fig. Ação arriscada, temerária [F.: Do ing. poker.] ■ **~ aberto** Tipo de pôquer no qual só a primeira das cinco cartas de cada jogador é oculta **~ de dados** Jogo de pôquer disputado com cinco dados em vez de cartas, em cujas seis faces de cada dado estão representadas cartas do baralho [Em cada dado, um nove, um dez, um valete, uma dama, um rei e um ás.] **~ fechado** Tipo de pôquer em que cada jogador pode abandonar até quatro das cinco cartas que recebeu para receber outras em seu lugar [Tb. apenas pôquer.]

por [ô] prep. 1 Através de; ao longo de: É melhor irmos por aqui. 2 Indica meio ou modo: Deixou clara, por um sacudir de ombros, sua indiferença. 3 Durante: Por uma semana, só treinou. 4 Até: O cabelo chegava pelos quadris. 5 Por volta de: Começou a chover pelas quatro horas. 6 Em razão de: Recebeu o Oscar por sua atuação. 7 Indica periodicidade no tempo: Uma vez por mês ela vai ao cabeleireiro. 8 Indica preço, custo: Comprei o livro por vinte e cinco reais. 9 Indica proporção: dez por cento. 10 Relaciona divisão aritmética: dividir sessenta por quatro. 11 Entre dois nomes repetidos, indica cada um dos elementos de uma série: Arrumou gaveta por gaveta. 12 Indica troca: Troquei meu som por um melhor. 13 A favor de: Torço pelo time de casa. 14 Para: Estava ansioso por que ela chegasse. 15 Em nome de (em invocação, expressão de súplica, dor, espanto etc.): Por tudo que é sagrado. 16 Expressa desinteresse ou desdém, seguido do infinit. do mesmo verbo que o precede: Falou por falar. 17 Introduz termos da oração: a) agente na voz passiva: A notícia foi comentada por todos. b) complemento de nome e de verbo: Estava feliz por vê-lo; sinto por ela muito carinho. c) predicativo do objeto: Tinham por certo sua vitória. 18 Indica finalidade, propósito: Lutou por manter a família *unida.* [F.: Do lat. *pro*, com metátese resultante da infl. de *per*.] ▪▪ **~ entre** Em meio a, pelo meio de, através de: *Divisou, por entre a folhagem, o animal que se aproximava.* **~ que 1** Introdução a orações interrogativas: *Por que você não veio?* **2** Introdução a orações subordinadas que indicam finalidade: *Empenhou-se por que a prova fosse adiada.*

pôr *v.* **1** Depositar, apoiar, pendurar, incluir (algo) em (algum lugar); COLOCAR [**td.**: *Ponha os livros no armário* Ant.: *tirar.*] **2** Colocar(-se) em (certa posição) [**td.**: *Ponha os pés para cima; Pôr-se de bruços.*] **3** Atribuir (algo) a (alguém); COLOCAR; IMPUTAR [**tdr.** +*em*: *A menina pôs a culpa no irmão.*] **4** Dar (nome, apelido) [**tdr.** +*em*: *Puseram na irmã o apelido de Dadá.*] **5** Apresentar(-se) (para determinada finalidade); OFERECER(-SE) [**tdi.** +*a*: *A escola pôs suas salas à disposição dos desabrigados.*] [**td.**: *Ponho-me às suas ordens.*] **6** Botar (ovos) [**td.**: *A galinha pôs um ovo.*] [**int.**: *A pata já pôs.*] **7** Arrumar (a mesa) para ser usada [**td.**: *Pôs a mesa.* Ant.: *tirar.*] **8** Situar-se de forma fictícia (em lugar de outro); COLOCAR-SE; IMAGINAR-SE [**td.**: *Ponha-se na minha posição.*] **9** Vestir(-se) ou calçar(-se) [**td.**: *Ponha o seu melhor vestido; A viúva pôs-se de luto.*] [**tdr.** +*em*: *Sempre punha laços azuis na filha.*] **10** Ocultar-se no horizonte [**td.**: "...o sol está quase a se pôr" (José de Alencar, *O guarani*) Ant.: *despontar.*] **11** Tornar, fazer ficar [**tp.**: "Por favor, não me ponhas mais nervosa." (Josué Montello, *Um rosto de menina*)] **12** Enfeitar; ADORNAR [**td.**] **13** Estabelecer (abrir ao uso público) [**td.**] **14** Colocar em posição adequada, inclinar, curvar, reclinar [**td.**: "Põe no cepo a garganta, e... espera pelo golpe" (Luís de Camões)] [▶ **60 pôr**] [F.: Do lat. *ponere*. Hom./Par.: *posto* /ô / (part.)/ posto (fl. postar); pus (1ªp. s.)/ pus (sm.); por (prep.); ponhais(s) (fl.), punhais (pl. punhal, sm.); porem (3ªp. pl.); porém (conj.); pôs (3ªp. s.); pós (prep. e pl. pó, sm.) e pois (conj. e adv.). Ideia de: pôr em pé (ato de), usar pospos. -stase.] ▪▪ **~ acrônico** *Astron.* Ocaso de astro simultâneo ao nascer do Sol **~ cósmico** *Astron.* Ocaso de astro simultâneo ao pôr do sol

poranduba (po.ran.*du*.ba) *sf. Bras. Pop.* História, notícia, narrativa [F.: Do tupi *pora'nduwa*, 'notícia, pergunta'.]

porão (po.*rão*) *sm.* **1** *Bras.* Parte de uma casa ou de um edifício que fica abaixo do andar térreo, e é normalmente us. como depósito, mas que, dependendo do tamanho, pode tb. ser habitada **2** *Fig.* Lugar oculto ou desconhecido onde se passam atos ilícitos, escabrosos, vergonhosos: *Muita tortura era praticada nos chamados porões da ditadura militar.* **3** *Fig.* Parte da psique humana onde ficam armazenadas lembranças ou fatos inconfessáveis ou que não se quer divulgar **4** *Cnav.* Parte mais baixa no interior de um navio **5** *Cnav.* Em navio mercante, grande espaço reservado à carga, e que se situa entre o duplo-fundo e uma coberta [Mais us. no pl.] **6** *Teat.* A parte de baixo, subterrânea ou não, da caixa de cena **7** *Bras. Gír.* Cada bolso traseiro ou lateral de uma calça, onde se costuma guardar dinheiro [Pl.: *-rões.*] [F.: Do port. arcaico *prão*, deriv. do lat. *planus, a, um*. Ideia de: *plan -*.] ▪▪ **Ir para o ~** *Fig. Teat.* Sair de cartaz (espetáculo teatral)

poraquê (po.ra.*quê*) *sm. Bras. Zool.* Ver *peixe-elétrico* (*Electrophorus electricus*) [F.: Do tupi *pura'ke*. Sin.: *carapó, enguia-elétrica, muçum-de-orelha, pixundé, pixundu, pixunxu, puraquê, treme-treme.*]

porca (*por*.ca) *sf.* **1** A fêmea do porco **2** Peça ger. sextavada ou quadrada, dotada de rosca, que se atarraxa em um parafuso **3** *Lud.* Tipo de jogo de meninos [F.: Do lat. *porca.*] ▪▪ **Aí é que a ~ torce o rabo** *Pop.* Aí é que está o problema, a dificuldade

porcada (por.*ca*.da) *sf.* **1** Conjunto de porcos; PORCALHADA **2** Obra ou coisa malfeita; PORCARIA; PORQUEIRA [F.: *porc(o)* + *-ada.*]

porcalhada (por.ca.*lha*.da) *sf.* **1** Ver *porcaria* (2) **2** Manada de porcos; PORCADA [F.: *porco* + *-alhada.*]

porcalhão (por.ca.*lhão*) *a.* **1** Que é muito sujo, porco **2** Que trabalha sem capricho, de forma descuidada e suja: *bombeiro hidráulico porcalhão.* *sm.* **3** Pessoa muito suja **4** Profissional sem capricho, que faz trabalho porco **5** Ver *porqueira* (6) [Pl.: *-lhões.* Fem.: *-lhona.*] [F.: Provavelmente do cast. *porcallon*. Sin. ger.: *besuntão, bodegueiro, lambão, lambarão, lambuzão, pataloco, pataloto, porco.*]

porção (por.*ção*) *sf.* **1** Parte de um todo; PARCELA; PEDAÇO: *O pasto ocupava a maior porção da fazenda.* **2** Certa quantidade, limitada, de uma coisa qualquer; BOCADO; DOSE: *porção de arroz.* **3** Parte a que tem direito um indivíduo ou que cabe a ele; BOCADO; QUINHÃO: *Essa é a sua porção do doce.* **4** *Bras.* Grande quantidade: *Encontrou uma porção de amigos na festa.* **5** *Anat.* Denominação genérica de parte de órgão ou estrutura [Pl.: *-ções*. Dim.: *porciúncula.*] [F.: Do lat. *portio, onis*. Ideia de: *rat-*.]

porcaria (por.ca.*ri*.a) *sf.* **1** Presença de coisas que tornam um lugar sujo; IMUNDÍCIE; SUJEIRA: *Esse quarto está uma porcaria só.* **2** Ação tida por anti-higiênica, nojenta ou grosseira; PORCALHADA; PORQUEIRA: *É uma porcaria enfiar o dedo no nariz.* **3** *Fig. Pop.* Trabalho ou serviço malfeito; PORCADA; PORQUEIRA: *Essa pintura ficou uma porcaria.* **4** *Fig. Pop.* Coisa muito ruim, de péssima qualidade: *Esse fogão é uma porcaria; A comida do restaurante estava uma porcaria.* **5** *Pej. Pop.* Coisa barata, inútil; BAGULHO; BUGIGANGA: *Tinha mania de comprar porcaria em camelô.* **6** *Pej. Pop.* Quantia insignificante; INSIGNIFICÂNCIA; NINHARIA: *Trabalha tanto para ganhar essa porcaria!* **7** *Fig. Pop.* Guloseima pouco ou nada nutritiva: *As crianças só queriam comer porcaria.* **8** *Fig.* Termo, expressão ou dito sujo, grosseiro, rude, impolido ou obsceno **9** Grande quantidade de porcos; PORCADA; PORQUEIRADA *s2g.* **10** Ver *porqueira* (3) *a2g.* **11** *Fig.* Que não é bom, não tem valor (filme porcaria) [F.: *porco* + *-aria.*]

porcariada (por.ca.ri:*a*.da) *Bras. sf.* **1** Muita sujeira **2** *Pej.* Grande quantidade de coisas ruins, desagradáveis, ou malfeitas: "...já estou farta de toda esta porcariada de Castros Mattas e Maltas..." (Aluísio de Azevedo, *Mattos, Malta ou Matta?*) [F.: *porcaria* + *-ada.*]

porcelana (por.ce.*la*.na) *sf.* **1** Tipo de cerâmica fina, dura e brilhante: *prato de porcelana.* **2** Objeto ou conjunto de objetos feitos desse tipo de cerâmica: *A porcelana dela é finíssima.* **3** *BA* Tigela que pode ser tanto de porcelana quanto de qualquer outro material **4** *Bot.* Planta portulacácea; beldroega-pequena [F.: Do it. *porcellana.*]

porcelanizado (por.ce.la.ni.*za*.do) *a.* Que tem aparência de porcelana [F.: Part. de **porcelanizar* (< *porcelana* + *-izar*).]

porcentagem (por.cen.*ta*.gem) *sf.* **1** Parte de um todo expressa em centésimo **2** Comissão, gratificação [Pl.: *-gens.*] [F.: Do ing. *percentage*. Sin. ger.: *percentual*. Tb. *percentagem.*]

porcentagem (por.cen.*ta*.gem) *sf.* Proporção de uma quantidade em relação a cem, o mesmo que *percentagem* [F.: Contração da loc. *por cento* + *-agem.*]

porcentual *a2g. sm.* Ver *percentual* [Pl.: *-ais.*]

porcino (por.*ci*.no) *a.* Ref. ou pertencente a porco; SUÍNO: "A ventosa bochecha, os beiços grossos, / O porcino perfil e a cabeleira..." (Álvares de Azevedo, *Lira dos vinte anos*) [F.: Do lat. *porcinus, a, um*, 'de porco'.]

porciúncula (por.ci:*ún*.cu.la) *sf.* Porção minúscula de algo [Dim. irregular de porção.] [F.: Do lat. *portiuncula, ae*. Ideia de: *rat-*.]

porco (*por*.co) [ô] *sm.* **1** *Zool.* Denominação comum aos mamíferos artiodátilos da fam. dos suídeos, encontrados originalmente no Velho Mundo [Sin.: *barrão, cachaça, cerdo, cevado, chacim, chico, cochino, farroupo, frimão, gruim, grulha, suíno, tó, varrão, varrasco.*] **2** *Zool.* Mamífero da fam. dos suídeos (*Sus scrofa*), originado a partir da domesticação do javali, que é criado para a obtenção de carne e de banha **3** *P. ext.* A carne desse animal **4** *P. ext. Cul.* Prato que se prepara com a carne do porco **5** *Fig. Pej.* Pessoa suja, imunda **6** *Fig. Pej.* Mau-caráter, vil **7** Ver *diabo* **8** *CE* Ver *bebedeira* **9** *Bras. Lud.* O grupo 18 no jogo do bicho, formado pelas dezenas 69, 70, 71 e 72 *a.* **10** *Fig. Pej.* Diz-se de pessoa que vive suja ou que mantém sujos os espaços onde vive ou trabalha; PORCALHÃO **11** *Fig. Pej.* Que é malfeito ou feito sem capricho (serviço porco) **12** *Fig. Pej.* Que é grosseiro, obsceno, torpe [Pl.: [ó]. Fem.: [ó]. Col.: *alfeire, manada, persigal, piara, porcada, porcalhada, porcaria, suinaria, vara.*] [F.: Do lat. *porcus, i.*] ▪▪ **Montar no/num ~ 1** *S. Pop.* Reclamar acintosamente **2** Portar-se com timidez ou acanhamento, encabular **Passar de ~ a porqueiro** *Pop.* Progredir na vida, melhorar de vida **Tomar um ~** *CE Pop.* Embebedar-se

porco-bravo (por.co-*bra*.vo) *sm. Zool.* Ver *javali* [Pl.: *porcos-bravos.*]

porco-d'água (por.co-d'*á*.gua) *sm. MS* Peixe teleósteo (*Myleus micans*), encontrado na bacia do São Francisco, m. q. *pacu* [Pl.: *porcos-d'água.*]

porco-do-mato (por.co-do-*ma*.to) *sm. Zool.* Denominação comum aos mamíferos artiodátilos da fam. dos taiaçuídeos, como o caititu e o queixada [Pl.: *porcos-do-mato.*]

porco-espinho (por.co-es.*pi*.nho) *sm.* **1** *Zool.* Ver *ouriço-cacheiro.* **2** *Zool.* Nome comum dado aos roedores da fam. dos histricídeos, da Europa, África e Ásia, dotados de longos espinhos; PORCO-ESPIM **3** *Fig.* Pessoa avessa a contato social, sendo, por vezes, grosseira: *Nem pense em falar com aquele professor: ele é um porco-espinho.* [Pl.: *porcos-espinhos.*]

porco-montês (por.co-mon.*tês*) *sm. Zool.* Ver *javali* [Pl.: *porcos-monteses.*]

pôr do sol *sm.* **1** Desaparecimento do sol no horizonte; OCASO; POENTE **2** Cor da atmosfera durante o crepúsculo vespertino [Pl.: *pores do sol.*]

porejar (po.re.*jar*) *v.* **1** Fazer sair ou sair (líquido) em gotas pelos poros; GOTEJAR; SUAR [**td.**: *A parede porejava a água do encanamento.*] [**int.**: *As mãos do candidato porejavam.*] **2** Ficar coberto de gotículas, como se suasse [**int.**: *Com a ducha quente aberta, o espelho porejava.*] **3** *Fig.* Verter, destilar [**td.**: "Lôbregas ruelas, encardidas e porejando vício pela luz fumarenta das tabernas" (Abel Botelho, *Lázaros*)] [▶ **1 porejar**] [F.: *poro* + *-ejar.*]

porém (po.*rém*) *conj.* **1** Palavra us. para indicar uma restrição ou uma condição para alguma coisa; CONTUDO; MAS; TODAVIA: *Podem sair, porém voltem às cinco.* **2** Palavra tb. us. para expressar uma relação de contraste, de oposição entre duas ideias, situações, fatos etc.: *Chovia, porém fomos à praia.* *sm.* **3** *Bras.* Aspecto ruim ou impróprio de algo, de alguém ou de uma situação: *Sempre encontra um porém nos candidatos.* **4** *Bras.* Impedimento, estorvo, obstáculo, óbice [Pl.: *-réns.*] [F.: *por* + *ende*, frequente no port. medv., desde o séc. XIII. Hom./Par.: *porém* (conj./sm.), *porem* (fl de *pôr*).]

porfia (por.*fi*.a) *sf.* **1** Disputa ou contenda verbal obstinada; DISCUSSÃO; DISPUTA; POLÊMICA **2** Disputa acirrada de qualquer natureza; COMPETIÇÃO; DISPUTA; RIVALIDADE **3** Qualidade ou característica própria do que é insistente, perseverante; INSISTÊNCIA; PERSEVERANÇA; TENACIDADE **4** Insistência infundada e irrazoável; OBSTINAÇÃO; TEIMOSIA **5** Atitude de bois de carro que, por birra, ficam se empurrando **6** *PR Mús.* Duelo poético improvisado travado entre dois cantadores, ger. acompanhado de música; DESAFIO [F.: Do lat. *perfidia, ae*. Hom./Par.: *porfia* (sf.), *porfia* (fl. de *porfiar*). Ideia de: *fi -*.] ▪▪ **À ~ 1** *Antq.* Em luta, em disputa: *Antes foram bons vizinhos, agora viviam à porfia.* **2** Sem parar, sem interrupção: *Os problemas se acumulavam à porfia.*

porfiado (por.fi:*a*.do) *a.* **1** Que persiste; OBSTINADO; TEIMOSO: "...a mais feliz era a outra que nesse dia devia ligar-se pelos laços matrimoniais ao jovem Luís Duarte, com quem nutria longo e porfiado namoro" (Machado de Assis, "As bodas de Luís Duarte" *in Histórias da meia-noite*) **2** Disputado com ardor; RENHIDO: "Cansada e exausta já de tão porfiada luta, a velha perdeu de todo a razão..." (Almeida Garrett, *Viagens na minha terra*) [F.: Part. de *porfiar.*]

porfiar (por.fi.*ar*) *v.* **1** Discutir com ardor; POLEMIZAR [**tr.** +*com*: *O jogador foi expulso por porfiar com o juiz.*] [**int.**: *Começaram a porfiar sobre a lei do passe livre.*] **2** Lutar por; DISPUTAR [**td.**: *Porfiava uma vaga na escola.*] [**ti.** +*por*: *Porfiava por uma vaga no time.*] [**tdi.** +*com*: *Porfiou com o antigo professor (uma vaga no magistério).*] **3** Manter-se firme (em ponto de vista, propósito); OBSTINAR(-SE) [**tr.** +*em*: *Porfia em seus ideais.*] [▶ **1 porfiar**] [F.: *porfia* + *-ar*. Hom./Par.: *porfia(s)* (fl), porfia (sf. e pl.).]

porfioso (por.fi:*o*.so) [ô] *a.* **1** Em que há porfia **2** Que é persistente, teimoso: "Porfioso e tenaz no duro empenho" (Gonçalves Dias, "Canto inaugural" *in Segundos cantos*) **3** Que não há interrupção; CONTÍNUO; INCESSANTE: "E me perdi na porfiosa lida." (Machado de Assis, "Versos a Corina" *in Crisálidas*) [F.: *porfia* + *-oso.*]

porfirina (por.fi.*ri*.na) *sf. Bioq.* Grupo prostético, de estrutura anelar e plana, formado por quatro anéis pentagonais de pirrol; tem importância essencial para a vida de animais e plantas por ser a base molecular de pigmentos da hemoglobina e da clorofila [F.: Do gr. *porphýra*, 'púrpura', + *-ina.*]

porífero (po.*rí*.fe.ro) *Zool. sm.* **1** Espécime dos poríferos, filo de animais invertebrados, ger. marinhos, cujo corpo é dotado de poros; são as esponjas; ESPONGIÁRIO *a.* **2** Ref. a poríferos; ESPONGIÁRIO [F.: Adaptação do taxônimo *Porifera*. Ideia de: *por(i/o)*- e *-fero.*]

pormenor (por.me.*nor*) *sm.* Pequeno elemento ou detalhe; MINÚCIA; MINUDÊNCIA; MIUDEZA: *Ela contou todos os pormenores da festa.* [F.: Da loc. *por menor*. Hom./Par.: *pormenor(es)* (sm. [pl.]), *por menores* (loc.).]

pormenorização (por.me.no.ri.za.*ção*) *sf.* Ação ou resultado de pormenorizar; DETALHAMENTO [Pl.: *-ções.*] [F.: *pormenoriza(r)* + *-ção*. Ideia de: *men-*.]

pormenorizado (por.me.no.ri.*za*.do) *a.* Que é descrito ou apresentado em seu mínimos detalhes (relato pormenorizado); DETALHADO; MINUCIADO; MINUDENCIADO [F.: Part. de *pormenorizar*. Ideia de: *men-*.]

pormenorizar (por.me.no.ri.*zar*) *v.* Narrar ou descrever com pormenores; DETALHAR [**td.**: *Pormenorizou o desenrolar da briga.*] [**int.**: *Contou rapidamente sem pormenorizar.*] [▶ **1 pormenorizar**] [F.: *pormenor* + *-izar.*]

porneia (por.*nei*.a) *sf.* Devassidão, libertinagem [F.: Do gr. *porneía, as.*]

◎ **porno-** *el. comp.* prostituta; prostituição; obscenidade: *pornochanchada; pornografia.* [F.: Do gr. *porno-* agr. *pórnē, és.*]

pornô (por.*nô*) *a2g2n.* **1** *Bras. Pop.* F. red. de pornográfico (filme pornô; atrizes pornô) *sm.* **2** Peça teatral ou filme pornográfico: *O pornô mais bem feito da história do cinema.* **3** *Bras. Pop.* Ver *pornografia*: *Decidiu abandonar o pornô.* *sf.* **4** F. red. de pornochanchada [F.: Regress. de *pornográfico*. Hom./Par.: *pornô* (a2g2n. /sm. /sf.), *porno* (sm.). Ideia de: *porno-*.]

pornochanchada (por.no.chan.*cha*.da) *sf. Bras. Cin.* Filme de apelo popular, ger. produzido com poucos recursos, em que se mesclam elementos de humor fácil e de pornografia; PORNÔ [F.: *porno-* + *chanchada.*]

pornodrama (por.no.*dra*.ma) *sm.* Filme ou peça teatral que mistura drama e pornografia; DRAMA PORNÔ; DRAMA PORNOGRÁFICO [F.: *pornô* + *drama.*]

pornofônico (por.no.*fô*.ni.co) *a.* **1** Em que há pornofonia *a.* **2** Diz-se de linguajar chulo, obsceno, pornográfico: *Foi proibido de discursar, em virtude do seu vocabulário pornofônico.* [F.: *pornofonia* + *-ico.*]

pornografia (por.no.gra.*fi*.a) *sf.* **1** Estudo acerca da prostituição **2** Texto, foto, desenho, filme etc. que, com o objetivo único da excitação ou satisfação sexual das pessoas, apresenta ou descreve pessoas nuas ou copulando: *A indústria da pornografia cresceu nos últimos anos.* **3** Característica ou condição do que, com o propósito exclusivo de excitação, apresenta o sexo de maneira obscena, chula: *A pornografia não me agrada.* **4** Característica do que fere o pudor por ser imoral, indecente, libertino, licencioso, obsceno [F.: Do fr. *pornographie*. Ideia de: *porno-*.]

pornográfico (por.no.*grá*.fi.co) *a.* **1** Ref. a pornografia ou dela próprio (indústria pornográfica; estética pornográfica) **2** Em que há pornografia (filme pornográfico); IMORAL; INDECENTE; LIBERTINO **3** Que toma parte em pornografia (atriz pornográfica) [F.: *pornograf(ia)* + *-ico*. Sin. ger.: *pornô*. Ideia de: *porno-* e *-gráfico.*]

pornógrafo (por.*nó*.gra.fo) *sm.* **1** Pessoa que produz obra ou material pornográfico **2** Pessoa que trabalha com pornografia **3** *Antq.* Pessoa que escreve sobre a prostituição [F.: Do fr. *pornographe*, deriv. do gr. *pornográphos*. Hom./Par.: *pornógrafo* (sm.), *pornografo* (fl. de *pornografar*). Ideia de: *porno-* e *-grafo.*]

pornoturismo (por.no.tu.*ris*.mo) *sm. Tur.* Exploração da prostituição em regiões turísticas; TURISMO SEXUAL [F.: *porno-* + *turismo*.]

◎ **-por(o)-** *el. comp.* Ver *por(o)-*

◎ **-poro** *el. comp.* Ver *por(o)-*

◎ **por(o)-** *el. comp.* = 'passagem': *porejar; porífero.* [F.: Do gr. *póros, ou.*]

poro (*po*.ro) [ó] *sm.* **1** Orifício microscópico presente em qualquer corpo, orgânico ou não (poros da madeira; poros da rocha) **2** *Anat.* Cada um dos pequenos orifícios na pele do homem ou de outros animais, pelos quais o suor é eliminado [Tb. se diz *poro sudorífero*.] **3** Cada intervalo hipotético entre as moléculas do corpo **4** *Bot.* Vaso ou traqueíde vascular visto em seção transversal [F.: Do lat. tardio *porus*, deriv. do gr. *póros*. Ideia de: *por(i/o)-*.] ▪▪ **~ de envoltório nuclear** *Cit.* Abertura no envoltório do núcleo de célula que permite a comunicação do interior do núcleo com o citoplasma **~ germinativo** *Bot.* Pequena área através da qual dá-se a germinação do esporo **~ sudorífero** *Anat.* Pequeno orifício na superfície da pele ligado a glândula sudorípara [Tb. apenas *poro*.] **Suar por todos os ~s** Suar muito; suar em bicas

poronga (po.*ron*.ga) *sf. Amaz.* Lamparina à base de querosene encaixada em um suporte que, colocado na cabeça, deixa as mãos livres e serve para iluminar as seringueiras na hora do corte e os caminhos na escuridão da floresta [F.: De or. obsc.]

porongo (po.*ron*.go) *sm.* **1** *Bras. Bot.* Ver *cabaça* **2** *Bot.* Ver *cabaceiro* (2) **3** *Artesn.* Cuia feita a partir de fruto dessa planta; CABAÇA; CABAÇA; PORUNGA; PURUNGA; PURUNGO **4** *RS Artesn.* Cuia us. para tomar chimarrão; PORUNGA **5** *SE Pop.* Ver *cachaça* [F.: Do quichua *poronco*, pelo esp. platino *porongo*.]

porongudo (po.ron.*gu*.do) *a.* **1** *RS Vet.* Diz-se de cavalo que apresenta exostoses muito pronunciadas nos membros e que se assemelham a porongos **2** *Tabu.* Que tem testículos grandes **3** *Fig.* Que é macho, valente [F.: *porongo* + *-udo*.]

pororoca (po.ro.*ro*.ca) *sf.* **1** *Bras.* Fenômeno que ocorre próximo à foz de rios volumosos, como o Amazonas, e que consiste na formação de grandes ondas, que se deslocam com grande estrondo, destruindo tudo o que encontram em seu caminho; MUPOROROCA [Cf. *banzeiro(s)* e *macaréu*.] **2** *PA* Pipoca [F.: Do tupi *poro'roka*. Hom./Par.: *pororoca* (sf.), *pororoca* (fl. de *pororocar*). Ideia de: *-poca*.]

porosidade (po.ro.si.*da*.de) *sf.* **1** Qualidade ou característica do que é poroso **2** Relação entre os espaços vazios formados por poros presentes em um objeto e o seu volume total [F.: Do lat. medv. *porositas, atis*. Ideia de: *por(i/o)-*.]

poroso (po.*ro*.so) [ô] *a.* **1** Que tem poros (pedra porosa; filtro poroso) **2** Que deixa passar líquidos ou fluidos (papel poroso); ABSORVENTE; ESPONJOSO; PERMEÁVEL **3** Que é pouco denso (ossos porosos) **4** Que não é maciço, compacto (matéria porosa); AREJADO; PERFURADO; VENTILADO **5** *Fig.* Que tem predisposição ou inclinação para algo: *Ele possui personalidade porosa à inveja.* [Pl.: [ó]. Fem.: [ó].] [F.: Do lat. medv. *porosus*. Ideia de: *por(i/o)-*.]

porquanto (por.*quan*.to) *conj. expl.* **1** Porque; dado que; visto que: *Cancelou o encontro, porquanto teve de viajar.* *conj. concl.* **2** Em conclusão; portanto: *Viajaram todos; a reunião, porquanto, foi cancelada.* [F.: *por* + *quanto*.]

por que *loc. adv.* **1** Em uma pergunta, refere-se à causa; por qual motivo: *Por que será que estão demorando tanto?* [Us. no início de frase e oração.] **2** Introduz oração subordinada causal: *Não sei por que não entenderam.* [Cf. *porque, por quê* e *porquê*.]

porque (por.*que*) *conj. caus.* **1** Indica causa ou razão de alguma coisa; POIS; VISTO QUE: *Escolhemos este material porque é mais barato.* *conj. expl.* **2** Indica explicação ou justificativa de algo: *Venha, porque quero falar com você.* *conj. fin.* **3** *P. us.* Indica motivação ou finalidade; A FIM DE QUE; PARA QUE: *Não grite porque não seja repreendido.* [F.: *por* + *que*. Cf. *por que, por quê* e *porquê*.]

por quê *loc. adv.* Em uma frase, refere-se à causa; por qual motivo: *Estão brigando? Por quê?; Sem saber por quê, sentia-se triste.* [NOTA: *Us. no final de frases e orações.*]

porquê (por.*quê*) *sm.* Razão, motivo ou causa de alguma coisa: *Não sei o porquê dessa indecisão.* [F.: *por* + *quê*. Cf. *porque, por quê* e *por que*.]

porqueira (por.*quei*.ra) *sf.* **1** Lugar onde são criados os porcos; CHIQUEIRO; POCILGA **2** Lugar muito sujo: *Aquela casa é uma porqueira.* **3** Estado ou condição de lugar muito sujo; PORCARIA: *Eu tenho verdadeira aversão por porqueira.* **4** Mulher que cuida dos porcos **5** *Bras. S Pop.* Briga ou confusão que envolve muitas pessoas; ROLO *s2g.* **6** *Bras. S Pej.* Pessoa considerada de pouca importância ou valor; PORCARIA; PORCALHÃO: *Esse porqueira ainda por cima quer dar lição de moral.* **7** *Bras. S Fam.* Pessoa desajuizada, irresponsável ou turbulenta (diz-se ger. de criança); PORCARIA; PORCALHÃO: *Esse porqueira vai acabar quebrando a casa toda com a bola.* [F.: *porco* + *-eira*.]

porqueiro (por.*quei*.ro) *a.* **1** Rel. a porco *sm.* **2** Guardador de porcos; PORCARIÇO: "Nada contavam sobre o Pai, porqueiro" (Álvares de Azevedo, *Poemas malditos*) **3** *Lus.* Variedade de couve utilizada na alimentação do gado [F.: *porco* + *-eira*.]

porquinho-da-índia (por.qui.nho-da-*ín*.di:a) *sm. Zool.* Pequeno roedor (*Cavia porcellus*), da fam. dos caviídeos, muito us. para testes e experiências laboratoriais e tb. como animal doméstico; COBAIA; PREÁ-DA-ÍNDIA [Pl.: *porquinhos-da-índia*.]

porra (*por*.ra) [ô] *Tabu. sf.* **1** Líquido liberado na ejaculação; ESPERMA; SÊMEN **2** *Ant.* Clava com uma proeminência arredondada e reforçada numa das extremidades **3** Pedaço de pau; cacete, porrete **4** *Vulg.* Algo extremamente ruim; MERDA; PORCARIA: *Não aguento mais esta porra de filme.* *interj.* **5** *Bras.* Exprime admiração, espanto, raiva, surpresa, chateação, impaciência etc.; PÔ; POÇA; POXA: *Porra, que golaço!; Porra, perdi mais 100 reais!; Ai, porra, isso machuca!* [F.: De or. obsc.]

porrada (por.*ra*.da) *Vulg. sf.* **1** Pancada, soco ou tapa violentos: *Levou uma porrada do adversário.* **2** *Bras. Pop.* Grande quantidade: *Disse uma porrada de desaforos.* *interj.* **3** *Pop.* Grito repetido por várias pessoas que assistem a uma briga a fim de incitar os contendores a uma maior violência física **4** *Bras. Fut.* Grito repetido por uma torcida com o intuito de estimular sua equipe a ser mais violenta [F.: *porr(a)* + *-ada*. Ideia de: *porr-*.]

porradaria (por.ra.da.*ri*.a) *sf.* **1** *Tabu.* Pancadaria, grande sova, muita porrada **2** *Tabu.* Grande quantidade ou porção, porrada (2) [F.: *porrada* + *-aria*.]

porra-louca (por.ra-*lou*.ca) *s2g.* **1** *Bras. Vulg.* Pessoa inconsequente, irresponsável: *Um porra-louca desses ainda vai causar um acidente.* *a2g.* **2** *Bras. Vulg.* Que costuma agir de forma inconsequente ou irresponsável: *Ela é uma atriz porra-louca; você nunca sabe se ela virá às gravações.* [Pl.: *porras-loucas*.]

porra-louquice (por.ra-lou.*qui*.ce) *sf. Bras. Vulg.* Ação e/ou dito irresponsável, inconsequente, próprios de um porra-louca; IMPRUDÊNCIA; INCONSEQUÊNCIA; LOUCURA; PORRA-LOUQUISMO [Pl.: *porra-louquices*.] [F.: *porra-louca* + *-ice*. Ideia de: *porr-*.]

porrão (por.*rão*) *Bras. sm.* **1** Vasilha de barro, us. para guardar água; MORINGA **2** *BA* Recipiente de cerâmica ou louça, comumente bojuda e de boca e fundo estreitos, us. para armazenar líquidos ou cereais; TALHA **3** *Fig.* Homem baixo e atarracado **4** *Pop. Lud.* No jogo da porrinha, palavra proferida por um parceiro para significar seu palpite de que todos os parceiros estão com três palitos na mão [Pl.: *-rões*.] [F.: Do espn. *porrón*.]

porre (*por*.re) [ó] *sm.* **1** *Bras. Pop.* Estado ou condição de quem bebeu muito; BEBEDEIRA; EMBRIAGUEZ: *Tomou um porre e deixou o amigo dirigir.* **2** *Bras. Gír.* Situação, acontecimento ou indivíduo entediante, cacete: *A festa estava um porre.* **3** *PA* Um copo de cachaça ou uma dose dessa bebida [F.: Regress. de *porrão*.] ▪▪ **De ~** *Bras. Pop.* Embriagado **Tomar um ~** *Bras. Pop.* Embriagar-se

porreta (por.*re*.ta) [ê] *a2g.* **1** De muito boa qualidade (novela porreta; discurso porreta) **2** Que é muito bonito (praia porreta) **3** Que é competente no que faz e confiável (prefeito porreta) [É uma palavra-ônibus, com vários significados positivos análogos.] **4** Que é muito simpático, agradável, comunicativo, legal (rapaz porreta) [F.: *porra* + *-eta*. Sin. ger.: *porreiro*. Ideia de: *porr-*.]

porretada (por.re.*ta*.da) *sf.* **1** Golpe dado com um porrete; CACETADA; PAULADA; PORRETAÇO **2** *P. ext.* Golpe desferido com qualquer objeto capaz de contundir **3** *Fig.* Ato ou acontecimento, ger. inesperado, que fere ou magoa emocionalmente; LAMBADA; PAULADA: *Quando achou que tudo ia se acertar, levou outra porretada da vida.* [F.: *porrete* + *-ada*. Ideia de: *porr-*.]

porrete (por.*re*.te) [ê] *sm.* **1** Bastão de madeira ou plástico us. para bater; CACETE **2** *Bras.* Aquilo que surte efeito, é decisivo na solução de um problema (diz-se esp. de remédio): *O fitoterápico era um verdadeiro porrete para sua sinusite.* **3** *MG Bot.* Certo arbusto ou árvore pequena (*Cordia ecalyculata*); tb. *café-do-mato* [F.: *porra* + *-ete*. Ideia de: *clav(i)-* e *porr-*.]

porrinha (por.*ri*.nha) *sf. Bras. Lud.* Jogo em que os participantes escondem na mão palitinhos (ou outros objetos pequenos, como moedas) e procuram adivinhar a soma de todos os palitinhos escondidos por todos os participantes; BASQUETE DE BOLSO; JOGO DE PALITINHOS [F.: *porra* + *-inha*. Ideia de: *porr-*.]

porta (*por*.ta) *sf.* **1** Abertura, ger. retangular, com a base inferior no nível do piso, que permite a entrada ou saída de um edifício, casa, cômodo etc. **2** Peça giratória ou corrediça com que se fecha essa abertura **3** Peça us. para fechar veículos, móveis, compartimentos etc.: *A porta do armário emperrou.* **4** Casa, edifício, sala etc. a que pertence uma porta: *Batia de porta em porta.* **5** *Fig.* Via privilegiada de acesso a alguma coisa de natureza abstrata: *O conceito de liberdade é a porta de entrada ao pensamento de Sartre.* **6** *Fig.* Cidade ou país por onde se passa quando se vai para uma região mais distante: *A Turquia é a porta para a Ásia Menor.* **7** *Geog.* Lugar em que as margens de um rio se estreitam ou são alcantiladas **8** *Geog.* Passagem estreita que parece uma porta de acesso; DESFILADEIRO; GARGANTA **9** *Geog.* Canal natural estreito que serve de comunicação entre dois mares ou duas seções do mesmo mar; ESTREITO **10** Palácio de um monarca na Ásia antiga **11** *Anat.* Ver *veia porta* **12** *Eletrôn.* Eletrodo de alguns dispositivos; ELETRODO-PORTA [Aum.: *portão* (*sm*.). Dim.: *portinhola*.] [F.: Do lat. *porta, ae*. Hom./Par.: *porta* (sf.), *porta* (fl. de *portar*).] ▪▪ **Abrir as ~s a** **1** *Fig.* Receber (pessoa[s]) bem, com hospitalidade **2** Admitir (alguém) como membro, sócio etc. **3** Facilitar algo a (algo ou alguém), dar condições de realização a (algo ou alguém): *O governo abriu as portas à importação de tecnologia.* **A ~s fechadas** Sigiloso, ou de maneira sigilosa: *uma reunião a portas fechadas; reuniram-se a portas fechadas.* **À(s) ~(s) de** Próximo de, na iminência de: *Estava às portas do desespero total.* **Arrombar uma ~ aberta** **1** Tentar providenciar o que já está providenciado, resolver o que já está resolvido etc. **2** Explicar, demonstrar, provar etc. algo que já se sabe **Bater à ~ de** **1** *Fig.* Pedir ajuda a **2** Pedir a quem se acha em condições de atender **Casar atrás da ~** *Bras.* Viver junto (cada parceiro ou o casal) sem ter-se casado **Dar com a ~ na cara de** **1** *Fig.* Recusar-se a atender ou receber (alguém) **2** Recusar pedido, apelo etc. de (alguém) **De ~ em ~** *Fig.* De uma pessoa, instituição etc. a outra, na tentativa de obter algo: *Foi de porta em porta, buscando ajuda.* **Errar de ~** Dirigir-se a pessoa, instituição, órgão etc. errados, que não são capazes de ou se recusam a atender **Por ~s secretas** Ver *Por portas travessas* **Por ~s travessas** Por meios obscuros, ou secretos, ou ilegais **~ adentro** Para dentro de (cômodo, casa etc.): *Entrou porta adentro esbravejando.* **~ afora** Para fora de (cômodo, casa etc.): *Irritou-se com o cão e o pôs porta afora.* **~ analógica** *Eletrôn.* Dispositivo cujo sinal de saída é criado num intervalo do sinal de entrada **~ corrediça/de correr** Aquela que desliza sobre trilhos no sentido da largura, para abrir e fechar **~ de sanfona** Aquela feita de material flexível que se estende para fechar e se encolhe sobre várias dobras em sanfona para abrir **~ de vaivém** Porta que não fecha sobre batente e dotada de mola nas dobradiças, o que permite que ultrapasse o ponto de fechamento e volte **~ do leme** *Cnav.* Parte plana e submersa do leme de embarcação, que, estando esta em movimento, quando o leme gira numa direção, opõe resistência ao fluxo da água e faz o barco guinar nessa direção **~ falsa** Porta oculta, camuflada, disfarçada **~ lógica** *Eletrôn.* Dispositivo cujo sinal de saída é o resultado de uma operação lógica digital feita sobre seu sinal de entrada **~ Otomana** **1** *Hist.* Denominação do governo turco na época dos sultões **2** *P. ext.* O império Otomano nessa época; Sublime Porta **~ paralela** Ver *Interface paralela* no verbete *interface* **~ real** *Teat.* No teatro clássico, a porta principal, central, no meio do palco, passagem dos personagens principais da peça **~ sanfonada** Ver *Porta de sanfona* **~ serial** Ver *Interface serial* no verbete *interface* **Sublime ~** Ver *Porta Otomana* **Surdo como uma ~** Totalmente surdo

porta-água (por.ta-*á*.gua) *sm.* Compartimento em mochila ou bolsa para carregar uma garrafa de água [Pl.: *porta-águas*.]

porta a porta (por.ta a *por*.ta) *a2g2n.* **1** Que é feito de casa em casa (coleta de lixo porta a porta) **2** Ref. ao sistema de venda direta (venda porta a porta) **3** Diz-se de serviço que entrega objetos no endereço indicado pelo remetente *sm2n.* **4** *Econ.* Sistema de venda direta, no qual o vendedor se locomove para oferecer e/ou entregar o produto diretamente ao consumidor

porta-aviões (por.ta-a.vi:*ões*) *sm2n. Mar. G.* Grande navio de guerra que transporta aviões de combate, sendo dotado de pista para decolagem e aterrissagem dos aviões; NAVIO-AERÓDROMO; NAVIO PORTA-AVIÕES

porta-bagagem (por.ta-ba.*ga*.gem) *sm.* **1** Compartimento na traseira do carro destinado a malas, m. que *porta-malas* **2** Estrutura metálica que se adapta a carro, moto, bicicleta etc., us. para acomodar bagagens; BAGAGEIRO [Pl.: *porta-bagagens*.]

porta-bandeira (por.ta-ban.*dei*.ra) *s2g.* **1** Pessoa que conduz uma bandeira em cerimônias, desfiles etc.; PORTA-ESTANDARTE *sf.* **2** *Bras.* Mulher que, em desfile de escola de samba ou de bloco carnavalesco, tem a tarefa de, sambando, conduzir a bandeira da agremiação; PORTA-ESTANDARTE: *Ela era a melhor porta-bandeira que já vi desfilar.* *sm.* **3** *Mil.* Oficial encarregado de conduzir a bandeira do regimento; ABANDEIRADO *Ant.*; ALFERES [Pl.: *porta-bandeiras*.]

porta-bebida (por.ta-be.*bi*.da) *sm.* Recipiente com tampa, de vidro ou aço inoxidável, destinado a conter principalmente bebidas alcoólicas; VIDRO DE BOLSO [Pl.: *portas-bebidas*.]

portabilidade (por.ta.bi.li.*da*.de) *sf.* **1** Qualidade ou condição do que é portável, do que pode ser portado, carregado, levado de um lugar a outro **2** *Inf.* Qualidade de *hardware*, *software* ou de qualquer de seus elementos, que lhes permite serem utilizados em qualquer computador (às vezes mediante adaptações) [F.: *portável* (sob o rad. *portabil-*) + *-(i)dade*, seg. o modelo erudito.]

porta-caneta (por.ta-ca.*ne*.ta) *sm.* **1** Estojo para guardar caneta(s) **2** Caixa ou suporte para colocar caneta(s) [Pl.: *porta-canetas*.]

porta-cartões (por.ta-car.*tões*) *sm2n.* Caixa, estojo, pasta, ou compartimento em carteira, para guardar cartões de visita, de crédito ou de débito

porta-cerveja (por.ta-cer.*ve*.ja) *sm.* Recipiente alongado, de plástico ou de poliestireno, que acomoda uma garrafa de cerveja e preserva durante algum tempo a temperatura original do líquido nela contido [Pl.: *porta-cervejas*.]

porta-chapéus (por.ta-cha.*péus*) *sm2n.* **1** *Bras.* Suporte us. para pendurar chapéus **2** Caixa cilíndrica onde chapéus são guardados ou transportados; CHAPELEIRA

porta-chaves (por.ta-*cha*.ves) *sm2n.* Peça em que se prendem chaves; CHAVEIRO [F.: *porta(r)* + pl. de *chave*.]

porta-cheques (por.ta-*che*.ques) *sm2n.* Compartimento em carteira próprio para guardar um talão de cheques

porta-cigarros (por.ta-ci.*gar*.ros) *sm2n.* Estojo para guardar e portar cigarros, m. que *cigarreira*

portada (por.*ta*.da) *sf.* **1** Porta grande ger. ornamentada; PORTAL; PÓRTICO **2** Fachada principal de um prédio **3**

Art. gr. Bibl. Folha de rosto de um livro ornamentada; FRONTISPÍCIO [F.: *port(a)* + *-ada*. Ideia de: *port-*.]

porta-discos (por.ta-*dis*.cos) *sm2n.* Caixa ou estojo para guardar e transportar discos

portador (por.ta.*dor*) [ô] *a.* **1** Que porta, conduz ou carrega consigo algo: *O deputado quis conversar com o jornalista portador da má notícia. sm.* **2** Aquele que porta ou conduz algo: *Os portadores do vírus estão sendo isolados.* **3** Aquele que entrega uma correspondência ou encomenda: *Estava escrito no bilhete que o portador esperaria por uma resposta.* **4** *Jur.* Aquele que possui títulos ou documentos a serem pagos a aquele que os apresenta **5** *Bras.* Aquele que carrega a bagagem; CARREGADOR **6** *Fís.* Elétron, buraco ou íon que é capaz de fazer o transporte de carga elétrica num semicondutor ou em gases; PORTADOR DE CARGA [F.: Do lat. *portator, oris.*] ▪ **Ao ~** Em que não está registrado o nome do destinatário, ou beneficiário (de cheque, carta ou documento, título de crédito etc.) **~ de necessidades especiais** *Pedag.* Pessoa que, permanente ou temporariamente, apresenta alguma deficiência (física, cognitiva, sensorial, múltipla etc.) ou condutas típicas (ver *Conduta típica* no verbete *conduta*), ou habilidades especiais, e que precisam, por isso, de um âmbito e de métodos educacionais específicos para seus casos

porta-estandarte (por.ta-es.tan.*dar*.te) *s2g.* Ver *porta-bandeira sf.* [Pl.: *porta-estandartes.*]

porta-fólio (por.ta-*fó*.li:o) *sm.* **1** Pasta de papelão usado para guardar papéis **2** *P. ext. Econ.* Carteira de títulos ou ações: "A projeção do BC é o ingresso líquido de cerca de US$ 3 bilhões em investimentos em porta-fólio..." (*Folha de S.Paulo*, 04.11.1999) [Forma paral. *portfólio*. Pl.: *porta-fólios.*]

porta-garrafas (por.ta-gar.*ra*.fas) *sm2n.* Caixa de madeira ou de plástico, com várias divisões, us. para proteger, guardar ou carregar garrafas; ENGRADADO

porta-joias (por.ta-*joi*.as) *sm2n.* Pequeno recipiente (vaso, cofre, caixa etc.) em que se guardam joias ou bijuterias; GUARDA-JOIAS

portal (por.*tal*) *sm.* **1** Porta ou entrada principal de edifício ou templo; PORTADOR; PORTELA; PÓRTICO **2** Fachada principal de um prédio, onde se localiza a porta de entrada **3** *P. ext.* Porta grande **4** *Int.* Endereço na internet que oferece conexões várias com serviços, informações, material etc. concernentes a um tema ou área *a2g.* **5** *Anat.* Ref. a veia porta [Pl.: *-tais.*] [F.: *porta* + *-al*. Ideia de: *port-*.]

porta-lápis (por.ta-*lá*.pis) *sm2n.* **1** Estojo ou outro objeto no interior do qual se guardam lápis **2** Dispositivo que serve para adaptar um lápis a instrumento de desenho (p. ex., um compasso)

portaló (por.ta.*ló*) *sm. Cnav.* Abertura em um navio ou barco para entrada e saída das pessoas e de cargas leves [F.: Do cat. *portaló*. Ideia de: *port-*.]

porta-luvas (por.ta-*lu*.vas) *sm2n.* Compartimento em automóvel, ger. no painel ou no consolo, próprio para guardar papéis e objetos pequenos

porta-malas (por.ta-*ma*.las) *sm2n.* Lugar, num veículo, destinado ao transporte de malas ou objetos em geral; BAGAGEIRO; PORTA-BAGAGEM; MALA

porta-moedas (por.ta-mo:*e*.das) *sm2n.* Pequena carteira, ou compartimento em bolsa, para guardar moedas, mesmo que *moedeiro*

porta-níqueis (por.ta-*ní*.queis) *sm2n. Bras.* Pequena bolsa para se guardarem moedas; MOEDEIRO; PORTA-MOEDAS *RS*; NIQUELEIRA

portanto (por.*tan*.to) *conj. concl.* Palavra us. para introduzir oração que contém conclusão retirada a partir de razões ou informações expostas na oração anterior; CONSEQUENTEMENTE; LOGO; POR CONSEGUINTE: *Fiz duas provas; faltam, portanto, mais três.* [F.: *por* + *tanto*.]

portão (por.*tão*) *sm.* **1** Porta de grandes dimensões; PORTADA; PORTAL **2** Porta, ger. de madeira ou de ferro, que, a partir da rua, dá acesso a um jardim público ou a uma casa, edifício, estádios etc. **3** *P. ext.* Porta da rua **4** *Bras.* Barranco elevado da região do rio São Francisco [Pl.: *-tões.*] [F.: *port(a)* + *-ão*. Ideia de: *port-*.]

porta-pó (por.ta-*pó*) *sm2n.* Pequeno recipiente para acondicionar pó de arroz

portar (por.*tar*) *v.* **1** Ter consigo; CARREGAR [*td.*: *Sempre portava documentos.*] **2** Estar vestido com, trajar [*td.*: *Portava um terno azul-escuro.*] **3** Ter certo comportamento; COMPORTAR-SE [*int.*: *Portou-se como um cavalheiro na festa da ex-mulher.*] **4** *Ant. Mar.* Chegar (o navio) ao porto; APORTAR [*int.*] **5** *P. us.* Chegar a um lugar [*int.*] [▶ 1 portar] [F.: Do lat. *portare*. Hom./Par.: *portaria(s)* (fl.), *portaria* (sf. e pl.); porte(s) (fl.), *porte* (sm. e pl.); *porto* (fl.), *porto* /ô/ (sm.) e *Porto* /ô/ (antr. e top.).]

porta-retratos (por.ta-re.*tra*.tos) *sm2n.* Moldura, ger. com vidro, dotada de apoio que permite colocá-la de pé sobre um móvel, e onde se põem fotografias

porta-revistas (por.ta-re.*vis*.tas) *sm2n.* Mobília ou caixa onde se colocam revistas, catálogos, jornais etc.

portaria (por.ta.*ri*.a) *sf.* **1** Local na entrada de edifício, instituição, empresa etc. onde ger. se encontra profissional responsável por anunciar visitantes, dar informações, receber correspondência etc.: *Deixei a encomenda na portaria.* **2** Documento que torna oficial uma decisão administrativa: *O governo editou ontem nova portaria.* [+*sobre*: *portaria sobre licença-maternidade.*] **3** Porta ou portal principal dos conventos **4** Nos conventos, o átrio **5** *Ant.* Função ou cargo de porteiro **6** O porteiro de um edifício, instituição, empresa etc.: *Reclamou do barulho com a portaria.* [F.: *porta* + *-aria*. Hom./Par.: *portaria* (sf.), *portaria* (fl. de *portar*). Ideia de: *port-*.]

porta-seios (por.ta-*sei*:os) *sm2n. Vest.* Ver *sutiã*

portátil (por.*tá*.til) *a2g.* **1** Que, por ser pequeno e leve, pode ser facilmente transportado (televisor portátil; máquina de lavar portátil) **2** Que pode ser desmontado e transportado (palco portátil) **3** Que não é fixo e portanto pode ser transportado (computador portátil) [Pl.: *-teis.*] [F.: Do lat. medv. *portabilis*. Ideia de: *port(a)-*.]

porta-toalhas (por.ta-to:*a*.lhas) *sm2n. Bras.* Peça para se pendurar toalhas, em banheiros e toaletes

porta-treco (por.ta-*tre*.co) *sm.* Peça onde se guardam ou penduram objetos dos mais diversos tipos [Pl.: *porta-trecos.*]

portável (por.*tá*.vel) *a2g.* **1** Que é passível de se portar, de ser levado ou carregado de um lugar a outro **2** *Jur.* Diz-se de dívida a ser paga na casa do credor [Pl.: *-veis.*] [F.: Do fr. *portable*.]

porta-voz (por.ta-*voz*) *s2g.* **1** Pessoa que fala oficialmente em nome de alguém, de um grupo ou de uma instituição *sm.* **2** *Mar.* Cone de plástico, papelão, metal ou outro material que serve para ampliar o volume da voz; MEGAFONE [Pl.: *porta-vozes.*]

porte (*por*.te) *sm.* **1** Tamanho ou dimensão de algo: *animais de pequeno porte; empresa de grande porte.* **2** Modo de manter o corpo ou de andar; POSTURA: *Ela tem um porte muito elegante.* **3** *Fig.* Importância e/ou consideração alcançadas pela excelência no desempenho de atividade artística, científica, cultural ou profissional: *Não há nenhum pesquisador do porte dele nessa universidade.* **4** Ação ou resultado de levar ou transportar; TRANSPORTE **5** Aquilo que é levado ou transportado; CARGA; MERCADORIA; VOLUME **6** Valor cobrado pelo transporte de uma mercadoria **7** Transporte de correspondências, realizado pelos correios **8** Maneira de se comportar ou de proceder; COMPORTAMENTO **9** *Mar.* Capacidade suportada por um navio; TONELAGEM **10** *Art. gr.* Haste à qual se prendem discos e espaços, na máquina de pautar; tb. *porta-espaços* [F.: Dev. de *portar*. Hom./Par.: *porte* (sm.), *porte* (fl. de *portar*). Ideia de: *port(a)-*.] ▪ **~ de arma** Autorização especial concedida a alguém por autoridade competente, de ter e levar consigo arma de fogo **~ posta** Franquia posta, selo, carimbo que atesta o pagamento de taxa postal

porteira (por.*tei*.ra) *sf.* **1** Portão de entrada de fazendas, sítios etc.; CANCELA **2** Mulher responsável por portaria **3** Mulher casada com porteiro [F.: Fem. de *porteiro*. Ideia de: *port-*.] ▪ **~ aberta** *Joc.* Ausência de dentes (esp. os da frente) na boca **De ~ fechada** Sem nada retirar, com tudo que tem dentro (ref. a condição na venda de fazenda, sítio, casa etc.)

porteiro (por.*tei*.ro) *sm.* Pessoa que toma conta da portaria de um prédio ou estabelecimento; GUARDA-PORTÃO [F.: Do lat. *portarius, a, um*. Ideia de: *port-*.] ▪ **~ dos auditórios** *Antq.* Servidor da justiça incumbido de anunciar a abertura e o encerramento de audiências, de afixar editais, de apregoar em hastas públicas etc. **~ eletrônico** Aparelho de intercomunicação entre quem está na porta (fechada) ou na portaria de um prédio, e um morador em seu domicílio, e que permite a este comandar de sua casa a abertura da porta

portelense (por.te.*len*.se) *RJ a2g.* **1** Ref. a ou pertencente à escola de samba carioca Portela **2** Que é membro ou torcedor dessa escola *s2g.* **3** Indivíduo portelense[1] (1) [F.: *Portela* + *-ense*.]

portenho (por.*te*.nho) *sm.* **1** Pessoa nascida ou que vive em Buenos Aires, capital da Argentina (América do Sul) *a.* **2** De Buenos Aires; típico dessa cidade ou de seu povo (dança portenha) [F.: Do espn. platino *porteño*. Sin. ger.: *bonaerense, buenairense*. Ideia de: *port(o)-*.]

portento (por.*ten*.to) *sm.* **1** Pessoa, ocorrência ou coisa prodigiosa, extraordinária; MARAVILHA; MILAGRE; PRODÍGIO: *Ela é um portento de eficiência.* **2** Pessoa dotada de inteligência ou de talento extraordinários; GÊNIO [F.: Do lat. *portentum, i*.]

portentoso (por.ten.*to*.so) [ô] *a.* **1** Que é extraordinário, prodigioso; MARAVILHOSO; MIRACULOSO: *um portentoso exemplo de solidariedade.* **2** Que é invulgarmente inteligente ou culto (mente portentosa) **3** Que resulta de inteligência, genialidade ou talento (empreendimento portentoso); FENOMENAL; GENIAL; PRODIGIOSO **4** Que é imenso, incomum, insólito, raro (força portentosa) [Pl.: [ó]. Fem.: [ó].] [F.: Do lat. *portentosus, a, um*.]

portfólio (port.*fó*.li:o) *sm.* **1** Conjunto ou listagem de produtos, serviços etc. de uma empresa, para divulgação junto a clientes: *Apresentou o portfólio da editora.* **2** Álbum de fotos, trabalhos etc. de um artista, fotógrafo, modelo etc.; BUQUE **3** Pasta sanfonada para guardar documentos, folhetos etc. **4** Conjunto do que se guarda num porta-fólio (fotografias, gravuras etc.) **5** *Econ.* Conjunto de títulos de um investidor; CARTEIRA DE TÍTULOS [F.: Do ing. *portfolio*, alter. do it. *portafoglio*. Sin. das acps. 1 a 4: *porta-fólio*. Ideia de: *port(a)-* e *folh-*.]

pórtico (*pór*.ti.co) *sm.* **1** Portal ornamentado, luxuoso, na entrada de um edifício, palácio etc.; PORTADA; PORTAL **2** *Arq.* Espaço coberto cuja abóboda é sustentada por colunas e que serve de entrada ou vestíbulo **3** *Fig.* A via de acesso a algo que é considerado difícil ou grandioso: *pórtico da ciência espiritual.* **4** *Astron.* Estrutura com formato de pórtico, us. para erguer mísseis, antes do lançamento **5** Trave horizontal sustentada por traves verticais e que serve para suspender aparelhos de ginástica **6** *Fil.* Doutrina dos estoicos, criada por Zenão, que transmitia conhecimentos sob um pórtico em Atenas [F.: Do lat. *porticus, us*. Ideia de: *port-*.]

portimonense (por.ti.mo.*nen*.se) *s2g.* **1** Indivíduo nascido ou que vive em Portimão (Portugal) *a2g.* **2** De Portimão; típico dessa cidade ou de seu povo [F.: Do top. *Portimão* + *-ense*.]

portinhola (por.ti.*nho*.la) *sf.* **1** Porta pequena, esp. de trem, carruagem, automóvel etc. **2** *Cnav.* Espécie de pequena porta que, cerrada, serve para tapar os canhões ou os lançadores de torpedos **3** *Cnav.* Tampo que fecha essa abertura e o portaló **4** *Vest.* Ver *braguilha* **5** Pedaço de pano que cobre a abertura das algibeiras [F.: *porta* + *-inha* + *-ola*. Ideia de: *port-*.]

◎ **-porto** *el. comp.* Registra-se em compostos como *aeroporto, heliporto* etc. [F.: Do port. *porto*, 'embarcadouro'.]

porto[1] (*por*.to) [ô] *sm.* **1** Lugar construído à beira do mar, rio ou baía para embarcações atracarem: *Meu pai sempre trabalhou no porto.* **2** Em mar, rio ou lago, lugar que oferece abrigo às embarcações: *O capitão buscou um porto para fugir da tempestade.* **3** *Fig.* Lugar de refúgio, de paz, de descanso: *Ela é meu porto.* [Pl.: [ó].] [F.: Do lat. *portus -us*.] ▪ **~ aberto** Ver *Porto franco* **~ franco** Aquele no qual não se cobram taxas alfandegárias de mercadorias em importação ou exportação **~ interior** Porto em rio **~ livre** Ver *Porto franco*

porto[2] (*por*.to) [ô] *sm.* Vinho típico de Portugal produzido no Douro; vinho do Porto [F.: F. red. de *vinho do Porto*.]

porto-riquenho (por.to-ri.*que*.nho) *sm.* **1** Indivíduo nascido ou que vive em Porto Rico (Antilhas) [Pl.: *porto-riquenhos.*] *a.* **2** De Porto Rico; típico dessa ilha ou de seu povo [Pl.: *porto-riquenhos.*] [F.: Do top. *Porto Rico* + *-enho*.]

portuário (por.tu:*á*.ri:o) *a.* **1** Ref. a porto (terminal portuário) **2** Que fica nas proximidades de um porto ou é ligado a ele (região portuária) *sm.* **3** Pessoa que trabalha em um porto **4** Funcionário administrativo de um porto [F.: *porto*[1]) + *-uário*. Ideia de: *port(o)-*.]

portucalense (por.tu.ca.*len*.se) *s2g.* **1** *Ant. Hist.* Pessoa que nasceu ou viveu no Condado Portucalense, território situado entre os rios Minho e Tejo, do qual se originou Portugal *a2g.* **2** Pertencente ou rel. a esse condado: "…. memórias que tanto ilustram e engrandecem a nossa cidade e a história do senado e povo portucalense" (Almeida Garrett, *O arco de Sant'Ana*) **3** Diz-se de quem é nascido ou que vive em Portugal, m. que *português* [F.: Do baixo lat. *portucalense*. Tb. *potugalense*.]

portuense (por.tu.*en*.se) *s2g.* **1** Indivíduo nascido ou que vive em Porto (Portugal) *a2g.* **2** De Porto; típico dessa cidade ou de seu povo [F.: Do top. *Port(o)* + *-uense*.]

portuga (por.*tu*.ga) *a2g. s2g. Bras. Pop. Pej.* Alcunha depreciativa que os brasileiros dão aos portugueses: "O velho ficou danado por causa do tal portuga, que gostava de mim um pedaço." (Jorge Amado, *Jubiabá*) [F.: F. red. de *português*.]

portugalense (por.tu.ga.*len*.se) *a2g. s2g.* O mesmo que *portucalense*: "Acha-se o asturiano, o cântabro, o galiciano, o portugalense, o castelhano, isto é, o homem da província ou grande condado..." (Alexandre Herculano, *O bobo*)

português (por.tu.*guês*) *sm.* **1** Pessoa nascida ou que vive em Portugal (Europa); LUSITANO; LUSO *Pej.*; PORTUGA **2** *Gloss.* Língua falada esp. no Brasil, em Portugal, Moçambique, Angola, Cabo Verde, Guiné-Bissau, São Tomé e Príncipe *a.* **3** De Portugal; típico desse país ou de seu povo **4** Do ou ref. ao português (2) [Pl.: *-gueses*. Fem.: *-guesa*.] [F.: Do lat. medv. *portucalensis, e*. Hom./Par.: *portuguesa(s)* (fem. do sm[pl].), *portuguesa(s)* (fl. de *portuguesar*); *portugueses* (pl. do sm.), *portugueses* (fl. de *portuguesar*).] ▪ **Falar em bom ~ 1** Expressar-se claramente e adequadamente em língua portuguesa **2** Ver *Falar (em) português claro.* **Falar (em) ~ claro** Falar, em português, sem subterfúgios, referindo às coisas como elas são **~ arcaico** *Ling.* A língua portuguesa como falada e estruturada entre os sécs. XIII e XVI **~ moderno** *Ling.* A língua portuguesa como falada e estruturada a partir do séc. XVI (quando da publicação de *Os Lusíadas*)

📖 A língua portuguesa tem sua origem na 'importação' do latim vulgar para a península Ibérica, na esteira da conquista romana, no século II a.C. Em Lusitânia instalou-se um centro de latinização da região. A conquista árabe (século VIII) enfraqueceu o latim, que se modificou e assumiu formas locais: o castelhano, de Castela, o catalão, da Catalunha, e o 'romanço lusitânico', falado no litoral oeste, do Minho ao Tejo. Essa região foi separada em 1095 da monarquia de León e entregue a Henrique de Borgonha, como Condado Portucalense (nome oriundo da cidade de Portucale) e expandiu-se para o sul, até o Algarve, levando consigo sua língua, em reação ao árabe, evoluía como uma mistura do galego e do 'portucalês', ou português, e tornou-se, no fim do século XIV, a língua nacional. Expandiu-se com as conquistas coloniais portuguesas, sendo hoje língua falada em todos os continentes (c. 225.000.000 de falantes em Brasil, Portugal, Moçambique, Angola, Cabo-Verde, Guiné-Bissau, São Tomé e Príncipe, Timor Leste, Macau, Goa).

portuguesar (por.tu.gue.*sar*) *v. td.* O mesmo que *aportuguesar* [▶ 1 portuguesar] [F.: *português* + *-ar*[2]. Hom./Par.: *portuguesa(s)* (fl.), *portuguesa(s)* /ê/ (fem. de português a., sm. [e pl.]); *portugueses* (fl.), *portugueses* /ê/ (pl. português a., sm.).]

portulano (por.tu.*la*.no) *Ant. Náut.* ***sm.*** **1** Carta náutica, surgida nos fins da Idade Média, que descreve portos marítimos e costas, ger. desenhada sobre papiro e caracterizada por teias que representam as linhas de rumo correspondente às possíveis direções indicadas pela bússola; CARTA-PORTULANO **2** Livro com mapas e instruções náuticas **3** *P. ext.* Qualquer uma das cartas marítimas antigas [F.: De or. contrv; do it. *portolano*, 'coleção de portos' lat. medv. *portulanus*, 'vigilante dos portos'; do antr. Dulcert *Portolano*, aperfeiçoador do método de linhas de rumo.]

portunhol (por.tu.*nhol*) ***sm.*** **1** *Joc. Pop.* Mistura de português com espanhol, us. em conversas espontâneas entre falantes dessas duas línguas, e que se caracteriza pela inclusão de vocábulos, pronúncia e até construções frasais supostamente de origem hispânica ou lusófona na língua materna de cada um desses falantes **2** O resultado da mistura desses dois idiomas [Pl.: *-nhóis.*] [F.: *portu(guês)* + *(espa)nhol*. Ideia de: *port(o)-*.]

porventura (por.ven.*tu*.ra) ***adv.*** **1** Palavra us. pelo falante para expressar a colocação no plano hipotético da oração modificada por ela; ACASO; POR ACASO; POR HIPÓTESE: *Se porventura tiverem problemas, contatem-nos.* **2** Palavra us. em orações interrogativas de conteúdo retórico ou delicado, que pode ofender ou melindrar o interlocutor; ACASO; POR ACASO; POR CASUALIDADE; POR COINCIDÊNCIA; SERÁ QUE: *Você porventura acredita que vai chegar a tempo?* [F.: *por* + *ventura*. Ideia de: *-vir*.]

porvindouro (por.vin.*dou*.ro) ***a.*** **1** Que está por vir; FUTURO: "Agradeci o porvindouro filho da *Velhaca*..." (Camilo Castelo Branco, *A brasileira de Prazins*) ***smpl.*** **2** As gerações futuras: "...o lançamento é necessário para perpetuar, na lembrança dos 'contemporâneos e dos porvindouros', debates selecionados do parlamento brasileiro." (*Folha de S.Paulo*, 19.06.1998) [F.: *por* + *vindouro*.]

porvir (por.*vir*) ***sm.*** Tempo que está por vir; o que está para acontecer; FUTURO: *Disso depende o nosso porvir.* [Ant.: *passado*.] [F.: *por* + *vir*.]

◎ **pos-** ***pref.*** Após, depois, em seguida, posterioridade: *posterior; póstumo* [F.: Do lat. *post*. Palavras formadas com *pós-* com prefixo não aglutinado só flexionam o segundo elemento da formação do pl. Ex.: *pós-colonial, pós-coloniais*.]

◎ **pós-** ***el. comp.*** Ver *pos-*.

pós ***prep.*** *P. us.* O mesmo que *após* [F.: Do lat. *post*.]

pós-abdome (pós-ab.*do*.me) ***sm.*** *Anat. Zool.* A parte mais estreita e posterior do abdome dos escorpiões [Pl.: *pós-abdomes*.] [Tb. *pós-abdômen*.]

pós-adolescência (pós-a.do.les.*cên*.ci:a) ***sf.*** Período da vida humana logo após a adolescência [Pl.: *pós-adolescências*.]

posar (po.*sar*) ***v.*** **1** Ficar imóvel (para ser pintado, fotografado etc.) [*tr.* +*para*: *Posou para um fotógrafo*.] **2** Trabalhar como ou ser modelo (para fotógrafo, artista ou aluno de belas-artes) [***int.***: *O pintor convidou-o para posar.*] **3** *Fig.* Fazer-se de; BANCAR [***tp.***: *Posar de inocente/de rico*.] [▶ **1** posar] [F.: *pose* + *-ar*. Hom./Par.: *pose(s)* (fl.), *pose* /ô/ (sf. e pl.); *pousar* (vários tempos do v.).]

pós-banho (pós-*ba*.nho) ***a2g.*** Diz-se de água-de-colônia, creme ou óleo que se passa no corpo logo após o banho [Pl.: *pós-banhos*.]

pós-barba (pós-*bar*.ba) ***a2g.*** **1** Diz-se de cosmético (creme, gel etc.) us. no rosto logo após a barbeação [Pl.: *pós-barbas*.] ***sm.*** **2** Esse cosmético [Pl.: *pós-barbas*.]

pós-barroco (pós-bar.*ro*.co) *Art. pl. Arq. Liter. Mús.* ***sm.*** **1** Estilo que surgiu logo após o barroco [Pl.: *pós-barrocos*.] ***a.*** **2** Posterior ao barroco **3** Ref. ou pertencente ao pós-barroco [Pl.: *pós-barrocos*.]

pós-capitalismo (pós-ca.pi.ta.*lis*.mo) ***sm.*** Estágio da economia global na sociedade pós-industrial que, para alguns teóricos, representa a homogeneização econômica, política e, posv., mais adiante, cultural do planeta, decorrente da globalização; e para outros, o fracasso dessa homogeneização neoliberal [Pl.: *pós-capitalismos*.]

pós-capitalista (pós-ca.pi.ta.*lis*.ta) ***a2g.*** Ref. ou pertencente ao pós-capitalismo, ou próprio dele [Pl.: *pós-capitalistas*.]

pós-carnaval (pós-car.na.*val*) ***a2g2n.*** **1** Ref. ou pertencente ao período subsequente ao carnaval (semana pós-carnaval) ***sm.*** **2** Esse período: *O Bacalhau do Batata é o mais famoso bloco do pós-carnaval de Olinda*. [Pl.: *pós-carnavais*.] [Ant. ger.: *pré-carnaval*.]

pós-casamento (pós-ca.sa.*men*.to) ***a2g2n.*** **1** Diz-se do período subsequente ao casamento, variável conforme as circunstâncias ***sm.*** **2** Esse período [Pl.: *pós-casamentos*.] [Ant. ger.: *pré-casamento*.]

poscênio (pos.*cê*.ni:o) ***sm.*** *Teat.* Em um teatro, a parte que fica atrás do palco ou da cena; BASTIDORES [P. opos. a *proscênio*.] [F.: Do lat. *postscaenium*. Ideia de: *pos-*, *pós-* e *cen(o)-*.]

pós-cirurgia (pós-ci.rur.*gi*.a) ***sf.*** *Med.* Período subsequente a uma cirurgia: *A clínica possui sala de repouso para a pós-cirurgia*. [Pl.: *pós-cirurgias*.]

pós-cirúrgico (pós-ci.*rúr*.gi.co) ***a.*** *Med.* Ref. ou pertencente ao período subsequente a uma cirurgia (tratamento pós-cirúrgico). [Pl.: *pós-cirúrgicos*.]

pós-colonial (pós-co.lo.ni:*al*) ***a2g.*** **1** Que ocorre após o período colonial **2** Posterior ao colonialismo; que se tornou independente de um sistema colonialista (país pós-colonial) **3** Ref. a uma corrente que critica as formas culturais herdadas do sistema colonial, esp. ao buscar e analisar traços de dominação colonial nos textos literários **4** *Liter.* Diz-se de qualquer texto ou obra que revela alguma crítica em relação ao período colonial ou ao colonialismo [Pl.: *pós-coloniais*.]

pós-comunismo (pós-co.mu.*nis*.mo) ***sm.*** Período posterior ao fim do regime socialista nos países que eram governados por partidos comunistas: "...o fato de a Rússia não ter conseguido crescer em quase uma década de pós-comunismo..." (*Folha de S.Paulo*, 30.08.1998) [Pl.: *pós-comunismos*. Tb. us. apositivamente: *crise pós-comunismo*.]

pós-comunista (pós-co.mu.*nis*.ta) ***a2g.*** Ref. ou pertencente ao pós-comunismo, ou próprio dele: *Governo russo pós-comunista*. [Pl.: *pós-comunistas*.]

pós-conciliar (pós-con.ci.*li*.ar) ***a2g.*** *Rel.* Posterior a um concílio [Pl.: *pós-conciliares*.]

pós-cubismo (pós-cu.*bis*.mo) *Art. pl.* ***sm.*** **1** Período subsequente ao cubismo, quando este se mescla com outros movimentos estéticos da arte moderna, ou lhes dá origem **2** Estilo, técnica ou movimento estético desenvolvido a partir do cubismo [Pl.: *pós-cubismos*.]

pós-data (pós-*da*.ta) ***sf.*** Data que se coloca em um documento e que é posterior à data verdadeira [Ant.: *antedata*.] [Pl.: *pós-datas*.]

pós-datado (pós-da.*ta*.do) ***a.*** Diz-se de algo em que se colocou uma pós-data (certidão pós-datada) [Ant.: *antedatado*.] [Pl.: *pós-datados*.] [Cf.: *pré-datado*.]

pós-datar (pós-da.*tar*) ***v. td.*** Lançar data posterior à da verdadeira emissão: *pós-datar cheque/procuração*. [▶ **1** pós-datar] [Ant.: *antedatar*. Hom./Par.: *pós-datado* (fl.), *pós-datado* (a.). Cf. *pré-datar*.]

pós-diluviano (pós-di.lu.vi:*a*.no) ***a.*** Que ocorreu depois do dilúvio descrito na Bíblia [Ant.: *antediluviano, pré-diluviano*.] [Pl.: *pós-diluvianos*.]

pós-doutorado (pós-dou.to.*ra*.do) ***sm.*** Curso de especialização, ou estágio em instituição de ensino ou pesquisa, destinado às pessoas que já concluíram o curso de doutorado [Pl.: *pós-doutorados*.]

pós-doutoramento (pós-dou.to.ra.*men*.to) ***sm.*** **1** O mesmo que *pós-doutorado*. **2** Conclusão do pós-doutorado [Pl.: *pós-doutoramentos*.]

pós-doutorando (pós-dou.to.*ran*.do) ***sm.*** Indivíduo que cursa o pós-doutorado [Pl.: *pós-doutorandos*.]

pose (*po*.se) [ô] ***sf.*** **1** Posição corporal e atitude que uma pessoa assume para ser retratada; ATITUDE; POSTURA: *A modelo fez uma pose sensual*. **2** Ação de servir de modelo a um artista **3** Atitude afetada ou artificial; AFETAÇÃO; ARTIFICIALIDADE *Bras. N. E.*; CANCHA; PEDANTISMO: *Aquele seu amigo faz muita pose*. **4** *Fot.* Unidade de medida do tamanho de filmes fotográficos ref. à quantidade de fotos que podem ser feitas com ele; EXPOSIÇÃO: *Você comprou um filme de 12, de 24 ou de 36 poses?* **5** *Fot.* Fotografia em que o tempo de exposição à luz é superior a 1/20 de segundo [Ant.: *instantâneo*.] [F.: Do fr. *pose*. Hom./Par.: *pose* (sf.), *pose* (fl. de *posar*), *pouse* (fl. de *pousar*). Ideia de: *paus-*.]

pós-escolar (pós-es.co.*lar*) ***a2g.*** Que não faz parte do currículo escolar normal; EXTRACURRICULAR [Pl.: *pós-escolares*.]

pós-escrito (pós-es.*cri*.to) ***a.*** **1** Que é escrito posteriormente; mais tarde: *capítulo pós-escrito à primeira edição do livro*. **2** Que é escrito no fim de um texto qualquer, e ger. representa um acréscimo ***sm.*** **3** Aquilo que se escreve em seguida ao fim de um texto, um romance etc. **4** O que se acrescenta a uma carta após tê-la assinado; POST-SCRIPTUM [Abrev.: *P. S.*] [Cf.: *apostila*.] [Pl.: *pós-escritos*.] [F.: Do lat. medv. *postscriptum*.]

posfaciar (pos.fa.ci.*ar*) ***v. td.*** Redigir posfácio para um livro [▶ **1** posfaciar] [F.: *posfácio* + *-ar*. Hom./Par.: *posfacio* (fl.), *posfácio* (sm.).]

posfácio (pos.*fá*.ci.o) ***sm.*** Texto explicativo adicionado no fim de um livro, depois de pronto [Ant.: *prefácio*.] [F.: *pós-* + *-fácio*, em analogia a *prefácio*. Hom./Par.: *posfácio* (sm.), *posfacio* (fl. de *posfaciar*).]

pós-fixado (pós-fi.*xa*.do) ***a.*** *Econ.* Que se fixa (ger. rendimento de investimento) após verificação de um índice ocorrido em certo período [Cf.: *pré-fixado*.] [Pl.: *pós-fixados*.] [F.: *pós-* + *fixado*.]

pós-glacial (pós-gla.ci.*al*) ***a2g.*** **1** Posterior a uma época glacial (degelo pós-glacial) [Pl.: *pós-glaciais*.] ***sm.*** **2** Período ou época posterior a uma época glacial **3** O mesmo que *Holoceno* [Pl.: *pós-glaciais*.]

pós-glaciário (pós-gla.ci.*á*.ri.o) ***a.*** O mesmo que *pós-glacial* [Pl.: *pós-glaciários*.]

pós-graduação (pós-gra.du:a.*ção*) ***sf.*** Grau superior de ensino, destinado à pesquisa, especialização e formação de professores universitários [No Brasil há quatro tipos de cursos de pós-graduação: o aperfeiçoamento, a especialização, o mestrado e o doutorado, sendo que apenas os dois últimos são considerados pós-graduação em sentido estrito e conferem grau de mestre e doutor, respectivamente, ao titular de seu diploma.] [Pl.: *pós-graduações*.]

pós-graduado (pós-gra.du.*a*.do) ***a.*** **1** Que concluiu curso de pós-graduação (engenheiro pós-graduado) **2** Ref. a pós-graduação (curso pós-graduado) ***sm.*** **3** Pessoa que fez pós-graduação: *Os pós-graduados têm mais chances no mercado de trabalho*. [Pl.: *pós-graduados*.]

pós-graduar (pós-gra.du.*ar*) ***v.*** **1** Conceder o grau acadêmico de pós-graduação [***td.***: *A universidade pós-graduará vários engenheiros*.] **2** Conquistar ou receber o título de pós-graduado [***ti.*** +*em*: *Pós-graduou-se em cirurgia facial*.] [***int.***: *Pós-graduou-se com mérito*.] [▶ **1** pós-graduar] [F.: *pós-* + *graduar*. Hom./Par.: *pós-graduado* (fl.), *pós-graduado* (a. sm.).]

pós-guerra (pós-*guer*.ra) ***sm.*** **1** Período que se segue a uma guerra: *a escassez de alimentos do pós-guerra*. ***a2g2n.*** **2** Ref. a esse período: *a Europa pós-guerra*. [Us. ger. em relação à Primeira (1914-1918) e à Segunda (1939-1945) Guerras Mundiais, esp. à Segunda.] [Pl.: *pós-guerras*.] [F.: *pós-* + *guerra*. Sin. ger.: *após-guerra*.]

◎ **-posia** ***el. comp.*** = 'ação de beber', 'ingestão': *oligoposia* [F.: Do gr. *pósis, eos* + *-ia*[1].]

posição (po.si.*ção*) ***sf.*** **1** Postura corporal de alguém, sentado ou de pé: *Fique nesta posição para a foto*. **2** Modo como algo está disposto, colocado; ARRANJO; DISPOSIÇÃO: *O quadro está na posição errada*. **3** Lugar onde algo ou alguém se encontra: *O policial passou sua posição pelo rádio*. **4** Lugar ocupado por alguém em uma hierarquia no interior de uma empresa ou instituição: *Ela tem uma boa posição na empresa*. **5** Ponto de vista ou opinião acerca de algo: *Essa é a minha posição acerca desse tema*. **6** *Fig.* Situação em que alguém se encontra: *Ele ficou numa posição desagradável depois do escândalo*. **7** Função ou cargo ocupado por alguém; CARGO; POSTO: *A posição de diretor trouxe-lhe algumas regalias*. **8** Partido assumido por alguém em determinada circunstância; ATITUDE; OPINIÃO: *Ele firmou posição em favor dos médicos*. **9** *Esp.* Lugar ocupado por determinado jogador de uma equipe, e que é estabelecido segundo suas inclinações e habilidades: *Ele ocupa a posição de levantador do time*. **10** *Mil.* Terreno ocupado por uma tropa durante exercício ou batalha **11** *Mús.* Na execução de música em instrumento de corda, a colocação da mão sobre o braço do instrumento **12** *Mús.* No trombone, cada extensão básica da vara **13** *Publ.* Local de uma peça publicitária em jornal, revista, na programação de rádio e tevê etc. [Cf. *página determinada* e *página indeterminada*.] [Pl.: *-ções*.] [F.: Do lat. *positio -onis*. Ideia de: *-por*.] ■ **~ afastada** *Mús.* Disposição de acorde no qual as notas estão afastadas uma da outra **~ cerrada** *Mús.* Disposição de acorde no qual as notas estão o mais próximo possível uma da outra **~ de descansar** *Mil.* Em formação militar, posição de descanso, com as pernas separadas, o corpo relaxado e as mãos atrás das costas **~ de memória** *Inf.* Setor da memória de um computador, num certo endereço de memória, com capacidade de um *byte* **~ de sentido** *Mil.* Em formação militar, postura rígida, com corpo imóvel e ereto, olhar fixo à frente, calcanhares unidos, braços esticados ao longo do corpo com as mãos junto à coxa (ou com uma das mãos mantendo o fuzil vertical junto à perna direita) **~ estimada** **1** *Aer.* Posição calculada de uma aeronave, com base em parâmetros anteriores conhecidos (posição anterior, direção, velocidade, tempo decorrido etc.) **2** *Náut.* Posição calculada de uma embarcação numa carta náutica, com base no rumo anterior, tempo decorrido etc. **~ geocêntrica** *Astron.* Posição de um astro em relação ao centro da Terra **~ geográfica** **1** *Geog.* Posição de uma localidade, de um certo ponto em relação a parâmetros geográficos tomados como referência **2** Essa posição, como definida pela longitude e pela latitude **~ heliocêntrica** *Astron.* Posição de um astro em relação ao centro do Sol **~ paranoide** *Psic.* Segundo Melanie Klein, tipo de relação amorosa de uma criança de até c. de quatro meses com a mãe, baseada na identificação desta por aquela como o seio que a nutre **~ supina** *Anat. Med.* Com ref. à mão, aquela na qual a palma está voltada para a frente (com a pessoa de pé) ou para cima (com a pessoa deitada de costas); com ref. ao corpo, aquela em que se está em decúbito dorsal **~ topocêntrica** *Astron.* Aquela de um astro, em relação a um observador na superfície da Terra

posicionado (po.si.ci.o.*na*.do) ***a.*** **1** Colocado em determinada posição: *Com a câmera bem posicionada, pôde fotografar todos que passaram*. **2** Que exerce um cargo, uma função, um posto etc. [F.: Part. de *posicionar*. Ideia de: *-por*.]

posicional (po.si.ci.o.*nal*) ***a2g.*** Ref. ou pertencente a posição [Pl.: *-nais*.] [F.: *posição* (rad. *posicion-*) + *-al*[1], seg. o mod. erudito.]

posicionamento (po.si.ci.o.na.*men*.to) ***sm.*** **1** Ação ou resultado de posicionar(-se) **2** Opinião ou posição adotada por alguém a respeito de um assunto em particular: *Qual o seu posicionamento sobre a greve?* **3** *Mkt.* Estratégia que tem por objetivo criar uma percepção diferenciada de marca, empresa, produto etc., em relação a possíveis concorrentes; IMAGEM **4** *Mkt.* Percepção que o mercado consumidor tem de determinada marca ou produto em comparação com outras marcas ou produtos concorrentes; IMAGEM [F.: *posicionar* + *-mento*. Ideia de: *-por*.]

posicionar (po.si.ci.o.*nar*) ***v.*** **1** Pôr(-se) em certa posição [***td.***: *Posicione o corpo para a direita*.] [***tda.***: *Posicionou a estatueta na frente da cama; O novo zagueiro se posiciona bem em campo*.] **2** Assumir posição, opinião [***tdi.*** +*contra*: *O partido posicionou-se contra o senador*.] [▶ **1** posicionar] [F.: *posição* (rad. *posicion-* + *-ar*.]

pós-imperial (pós-im.pe.ri.*al*) ***a2g.*** Posterior ao imperialismo; que ocorre após o término de uma monarquia chefiada por imperador ou imperatriz: "O projeto é retratar a Rússia dos anos 90, pós-comunista e pós-imperial..." (*Folha de S.Paulo*, 15.11.1994) [Pl.: *pós-imperiais*.]

pós-impressionismo (pós-im.pres.si:o.*nis*.mo) ***sm.*** *Art. pl.* Período ou movimento posterior ao impressionismo que reúne artistas que desejavam uma arte mais substancial, não só dedicada a captar um momento passageiro, e no qual há o desenvolvimento de pinturas que serão precursoras de novas escolas, como o cubismo, o expressionismo etc. [Pl.: *pós-impressionismos.*]

pós-impressionista (pós-im.pres.si:o.*nis*.ta) *a2g.* **1** Ref. ao pós-impressionismo **2** Que é seguidor do pós-impressionismo [Pl.: *pós-impressionistas.*] *s2g.* **3** Indivíduo que é seguidor do pós-impressionismo [Pl.: *pós-impressionistas.*]

pós-indexado (pós-in.de.*xa*.do) *Econ. a.* Cujo valor foi indexado, atualizado por algum índice financeiro: *títulos pós-indexados à taxa Selic.* [Pl.: *pós-indexados.*]

pós-industrial (pós-in.dus.tri.*al*) *a2g.* Posterior à era industrial, que é caracterizado pela automação do trabalho e crescente uso da informática [Pl.: *pós-industriais.*]

pós-infartado (pós-in.far.*ta*.do) *a.* **1** Que sofreu infarto [Pl.: *pós-infartados.*] *sm.* **2** Indivíduo que sofreu infarto [Pl.: *pós-infartados.*]

positivação (po.si.ti.va.*ção*) *sf.* Ação ou resultado de positivar [Pl.: *-ções.*] [F.: *positivar* + *-ção.*]

positivar (po.si.ti.*var*) *v.* **1** Concretizar(-se), efetivar(-se) [*td.*: *O corretor positivou a venda.*] [*int.*: *Nossa suspeita positivou-se.*] **2** Mostrar(-se) positivo, evidenciar(-se), revelar(-se) [*td.*: *A testemunha positivou nossa versão dos fatos.*] [*int.*: *Ao final, nossas suspeitas positivaram-se.*] **3** *Fot.* Tirar uma cópia positiva de (um negativo) [*td.*] [▶ 1 positivar] [F.: *positivo* + *-ar.* Hom./Par.: *positivo* (fl.), *positivo* (a., sm. e adv.).]

positividade (po.si.ti.vi.*da*.de) *sf.* Estado, condição ou característica própria do que ou de quem é positivo [F.: *positiv(o)* + *-idade.* Ideia de: *-por.*]

positivismo (po.si.ti.*vis*.mo) *sm.* **1** Condição ou estado do que é positivo: *Seu positivismo era contagiante.* **2** *Fil.* Doutrina filosófica de Auguste Comte (1798-1857), que propõe fazer das ciências experimentais o modelo por excelência do conhecimento humano em substituição às especulações metafísicas ou teológicas; COMTISMO; FILOSOFIA POSITIVA **3** *P. ext. Fil.* Cada uma das doutrinas inspiradas pelo comtismo, e que se caracterizariam pelo cientificismo, pelo emprego da metodologia quantitativa e pela hostilidade ao idealismo **4** *Ling.* Postura adotada por certos linguistas que consideram os fatos da linguagem apenas como fenômenos a serem descritos, independentemente dos falantes que os empregam [Cf. *antimentalismo.*] [F.: Do fr. *positivisme.* Ideia de: *-por.*] ■ **~ lógico** *Fil.* Movimento ou corrente filosófica, iniciados no século XX, cujas principais características são o cientificismo e a perspectiva empirista (como no positivismo) e a aplicação de métodos e análises da lógica formal e matemática

positivista (po.si.ti.*vis*.ta) *a2g.* **1** Ref. ao positivismo (filosofia positivista) **2** Que é adepto do positivismo (pensador positivista) *s2g.* **3** Adepto do positivismo [F.: Do fr. *positiviste.* Cf. *comtista.* Ideia de: *-por.*]

positivo (po.si.*ti*.vo) *a.* **1** Que exprime uma afirmação ou confirmação: *Ele deu uma resposta positiva ao nosso pedido.* **2** Que procura contribuir para o aperfeiçoamento de algo (crítica positiva) **3** Que revela otimismo, confiança (pessoa positiva, atitude positiva) **4** Que confirma a presença de um elemento procurado em análise: *Em virtude do resultado positivo no exame antidoping, o atleta foi punido.* **5** *Arit.* Diz-se de número maior do que zero **6** Que se apoia em fatos e na experiência (ciência positiva) **7** *Gram.* Que indica que um ser possui uma dimensão normal ou que uma qualidade possui uma intensidade normal (p. ex.: a palavra *livro*, por oposição a *livrinho* ou *livrão*, e a palavra *vermelho*, por oposição a *vermelhíssimo* e *pouco vermelho*) [F.: Do lat. tardio *positivus.* Ant. ger.: *negativo.*]

pósitron (*pó*.si.tron) *sm. Fís. nu.* Antipartícula do elétron; de mesma massa e spin do elétron, mas com carga e momento magnético de sinais opostos. [Simb.: *e+*] [Pl.: *pósitrones, pósitrons.*] [F.: Do ing. *positron.*]

pós-kantiano (pós-kan.ti.*a*.no) *Fil. a.* **1** Posterior ao filósofo alemão Immanuel Kant (1724-1804) (idealismo pós-kantiano) **2** Ref. ao pós-kantismo ou aos pós-kantianos [Pl.: *pós-kantianos.*] *sm.* **3** Filósofo ou adepto do pós-kantismo: *Fichte, Schelling e Hegel são grandes pós-kantianos.* [Pl.: *pós-kantianos.*]

pós-kantismo (pós-kan.*tis*.mo) *sm.* Conjunto de doutrinas filosóficas posteriores ao kantismo e que aceitam como verdadeiros seus pressupostos e desenvolveram algumas das ideias de Kant [Pl.: *pós-kantismos.*]

pós-liberalismo (pós-li.be.ra.*lis*.mo) *sm. Econ. Pol.* O mesmo que *neoliberalismo.* [Pl.: *pós-liberalismos.*]

pós-meridiano (pós-me.ri.di:*a*.no) *a.* Que ocorre após o meio-dia ou que se refere a esse período (repouso pós-meridiano) [Ant.: *antemeridiano.*] [Pl.: *pós-meridianos.*] [F.: Do lat. *postmeridianus.*]

pós-modernidade (pós-mo.der.ni.*da*.de) *sf.* **1** Qualidade ou condição própria do que é pós-moderno **2** A época contemporânea, na medida em que se considera que nela há uma ruptura com o ideal racionalista moderno, valorizando-se saberes locais e incomensuráveis entre si [Pl.: *pós-modernidades.*]

pós-modernismo (pós-mo.der.*nis*.mo) *sm.* **1** *Art. pl. Liter. Fil.* Movimento literário, artístico e filosófico surgido no último quarto do século XX que se caracteriza pela ruptura com o ideal moderno de racionalidade **2** *Arq.* Movimento surgido na década de 1960 que defendia o uso de elementos ecléticos característicos das mais diversas escolas na composição de obras arquitetônicas [Pl.: *pós-modernismos.*]

pós-modernista (pós-mo.der.*nis*.ta) *a2g.* **1** Ref. ao pós-modernismo (concepção pós-modernista); PÓS-MODERNO **2** Que é adepto do pós-modernismo (arquiteto pós-modernista) *s2g.* **3** Adepto do pós-modernismo: *Os pós-modernistas romperam com os paradigmas então vigentes.* [Pl.: *pós-modernistas.*]

pós-moderno (pós-mo.*der*.no) *a.* **1** Ref. à pós-modernidade ou ao pós-modernismo (época pós-moderna, arte pós-moderna); PÓS-MODERNISTA *sm.* **2** Ver *pós-modernismo* [Pl.: *pós-modernos.*]

pós-morte (pós-*mor*.te) *a2g2n. sm2n.* O mesmo que *post-mortem.*

pós-natalino (pós-na.ta.*li*.no) *a.* Ref. ao período que se segue ao Natal (liquidações pós-natalinas) [Pl.: *pós-natalinos.*]

posologia (po.so.lo.*gi*.a) *sf.* **1** Indicação (ger. em bula de remédio) da dose adequada de um medicamento para cada caso **2** *Ter.* Estudo da dosagem adequada dos medicamentos para os diversos casos em que eles são utilizados [F.: Do fr. *posologie.*]

posológico (po.so.*ló*.gi.co) *a.* Ref. a posologia [F.: *posolog(ia)* + *-ico.* Ideia de: *poso-* e *-lógico.*]

pós-operatório (pós-o.pe.ra.*tó*.ri.o) *Cir. a.* **1** Ref. ao período que sucede a uma cirurgia (tratamento pós-operatório) *sm.* **2** Esse período: *Teve um pós-operatório tranquilo.* [Pl.: *pós-operatórios.*]

pós-parto (pós-*par*.to) *a2g2n.* **1** Ref. ou pertencente ao período subsequente ao parto (depressão pós-parto) *sm.* **2** Período subsequente ao parto [Pl.: *pós-partos.*]

pospelo (pos.*pe*.lo) *sm.* **1** Sentido contrário ao nascimento do pelo **2** *Fig.* Violência, força bruta [F.: *pos-* + *pelo.*] ■ **A ~ 1** Em direção contrária à do pelo **2** *Fig.* Ao contrário, ao revés **3** Violentamente, à força

pospontado (pos.pon.*ta*.do) *Vest. a.* **1** Que se pospontou ou pespontou (colarinho pospontado) *sm.* **2** Ação, modo ou resultado de pospontar; PESPONTO; POSPONTO: *O pospontado da bainha se descoseu.* [F.: Part. de *pospontar.*]

pospontar (pos.pon.*tar*) *v.* Coser com posponto; dar posponto em; PESPONTAR [*td.*: *pospontar os bolsos/ a bainha.*] [▶ 1 pospontar] [F.: *posponto* + *-ar.* Hom./Par.: *posponto* (sm), *posponto* (fl. de *pospontar*).]

posponto (pos.*pon*.to) *sm.* O mesmo que *pesponto.* [F.: *pos-* + *ponto*[1]. Hom./Par.: *posponto* (sm.), *posponto* (fl. de *pospontar*).]

pospor (pos.*por*) *v.* **1** Pôr (uma coisa) depois (de outra) [*td.*] [*tdi.* +*a*: *Posponha o verbo (ao sujeito).*] **2** Transferir para a data posterior; ADIAR [*td.*: *Sempre pospunha a conversa com a mãe.*] **3** Pôr (alguma coisa) em plano secundário; DESPREZAR [*td.*: *No debate, resolveu pospor suas opções partidárias.*] [*tdi.* +*a*: *Pospunha o erotismo ao amor.*] [▶ 60 pospor] [F.: Do lat. *postponere.* Ant. ger.: *antepor.*]

posposição (pos.po.si.*ção*) *sf.* **1** Ação ou resultado de pospor. [Ant.: *anteposição.*] **2** *Ling.* Partícula que, na língua, segue o nome, pronome ou outra unidade que é por ela regida [Cf. *aposição* e *preposição.*] [Pl.: *-ções.*] [F.: *pos-* + *posição.*]

pospositivo (pos.po.si.*ti*.vo) *a.* **1** Diz-se do que se pospõe. [Ant.: *antepositivo.*] **2** *Gram.* Diz-se de elemento que é colocado após outro *sm.* **3** Elemento que é colocado em posição posterior [Cf. *sufixo.*] [F.: Do lat. medv. *postpositivus, a, um.* Ideia de: *pos-, pós-.*]

posposto (pos.*pos*.to) [ô] *a.* **1** Posto depois (de alguma coisa): *A palavra foi posposta ao substantivo.* **2** Que foi omitido, desprezado, postergado ou preterido [F.: Do lat. *postpositus, a, um,* part. do v.lat. *postponere.* Ideia de: *pos-, pós-.*]

pós-produção (pós-pro.du.*ção*) *sf. Cin. Telv. Publ.* Fase posterior à filmagem ou gravação que reúne as atividades de efeitos especiais, edição de imagem e de som e outros procedimentos para a montagem final do filme, programa ou propaganda [Pl.: *pós-produções.*]

pós-romântico (pós-ro.*mân*.ti.co) *a.* **1** Ref. ao pós-romantismo **2** Que é seguidor do pós-romantismo [Pl.: *pós-românticos.*] *sm.* **3** Indivíduo que é seguidor do pós-romantismo [Pl.: *pós-românticos.*]

pós-romantismo (pós-ro.man.*tis*.mo) *sm. Art. pl. Liter. Mús.* Conjunto de movimentos intelectuais e artísticos posterior ao romantismo e anterior ao pré-modernismo [Pl.: *pós-romantismos.*]

possante (pos.*san*.te) *a2g.* **1** Que é forte, vigoroso (braços possantes) [Ant.: *franzino, fraco.*] **2** Que tem grande capacidade de desempenho (máquina possante) **3** Que é grandioso, majestoso *sm.* **4** *Bras. Gír.* Automóvel, carro: *Está todo feliz porque comprou um possante.* [F.: *posse* + *-ante.* Ideia de: *pod-.*]

posse (*pos*.se) *sf.* **1** Fato ou circunstância de se possuir ou reter alguma coisa; ação ou resultado de se possuir ou de se apossar de algo (posse da terra) **2** Condição de quem possui ou domina alguma coisa: *Está de posse de informações confidenciais.* **3** Estado de alguém ou alguma coisa que está na posse de uma pessoa: *Considerava aquela mulher sua posse.* **4** Admissão ou investidura em cargo, função etc.; a solenidade dessa investidura: *Compareceram à posse do prefeito.* **5** Ato de possuir uma mulher ou homem; CÓPULA **6** *MG MT Pop.* Área correspondente a uma légua quadrada **7** *Jur.* Direito de ter um título de propriedade [F.: Do lat. *posse.*] ■ **Tomar ~ 1** Assumir o controle de propriedade; declarar-se ou ser reconhecido como proprietário (de algo) **2** Assumir cargo ou função de que foi investido

posseiro (pos.*sei*.ro) *a.* **1** *Jur.* Que tem a posse legítima, legal, de alguma coisa *sm.* **2** *Jur.* Aquele que tem essa posse **3** *Bras.* Indivíduo que ocupa terra devoluta ou abandonada para cultivá-la: "A Fazenda Roça Bonita, a maior e mais importante, eu arrendei, por uma quantia ridícula para o arrendatário, mas vultosa para mim. As outras fazendas e fazendolas distribuí entre uns posseiros..." (João Ubaldo, *Diário do farol*) [F.: *posse* + *-eiro.* Hom./Par.: *posseiro* (a. sm.), *poceiro* (sm.), *puceiro* (sm.). Cf.: *usucapião, grileiro.* Ideia de: *pod-.*]

posses (*pos*.ses) *sfpl.* **1** Bens, haveres, recursos: *Era homem de muitas posses.* **2** Meios de subsistência: *O gasto estava acima de suas posses.* **3** Capacidade, aptidão [F.: Pl. de *posse.* Sin. ger.: *possibilidades.* Ideia de: *pod-.*] ■ **De ~s** Rico, endinheirado, que tem propriedades

possessão (pos.ses.*são*) *sf.* **1** Ação ou resultado de possuir ou qualquer coisa possuída: *A chácara era possessão do fazendeiro.* **2** *Hist.* Território possuído por um Estado; COLÔNIA; DOMÍNIO: *O Brasil foi possessão de Portugal.* **3** Estado ou condição de alguém que se vê dominado por uma paixão, uma obsessão etc. **4** *Rel.* Estado ou condição em que uma pessoa ou um grupo é dominado por influência ou força, ger. espiritual ou sobrenatural, que lhe é exterior; TRANSE: *Estava em possessão de forças malignas.* **5** *Rel.* Nas religiões afro-brasileiras, momento em que o iniciado recebe seu orixá, tornando material a divindade [Pl.: *-sões.*] [F.: Do lat. *possessio, onis.* Ideia de: *pod-.*]

possessividade (pos.ses.si.vi.*da*.de) *sf.* **1** Qualidade de possessivo **2** Sentimento exacerbado de posse: "...entre mulheres o ciúme e a possessividade são bem maiores" (*Folha de S.Paulo*, 23.11.1998) [F.: *possessivo* + *-(i)dade.*]

possessivo (pos.ses.*si*.vo) *a.* **1** Que quer tudo para si; que não reparte nada com ninguém; EGOÍSTA **2** Que possui forte sentimento de posse, de dominação (marido possessivo); CIUMENTO **3** *Gram.* Diz-se do pronome que indica posse, como *meu, teu, seu, nosso* [Nesta acp., us. tb. como subst.] *sm.* **4** Indivíduo possessivo **5** *Gram.* Palavra ou pronome que indica posse **6** *Gram.* O genitivo [F.: Do lat. *possessivus, a, um.* Ideia de: *pod-.*]

possesso (pos.*ses*.so) *a.* **1** Que se crê dominado por possessão, pelo demônio etc.; ENDEMONINHADO; POSSUÍDO [+*de, por*: *possesso do (pelo) demônio.*] **2** Que está encolerizado, furioso, irado: *Ficou possesso de ódio ao ser admoestado pelo síndico.* *sm.* **3** Indivíduo dominado por possessão; ENDEMONINHADO **4** Indivíduo encolerizado, furioso: "Esse engenheiro é uma mina, Mariana, um possesso." (Antonio Callado, *Bar Don Juan*) [F.: Do lat. *possesus, a, um.* Ideia de: *pod-.*]

possessor (pos.ses.*sor*) [ô] *a.* **1** Que possui; que é possuidor **2** *Hist.* Diz-se de colono romano que recebia uma parte da terra conquistada *sm.* **3** Aquele que possui [F.: Do lat. *possessor, oris.*]

possessório (pos.ses.*só*.ri.o) *a.* **1** Ref. a posse **2** *Jur.* Diz-se do juízo onde se movem as ações de posse **3** *Jur.* Juiz possessório [F.: Do lat. *possessorius, a, um.*]

possibilidade (pos.si.bi.li.*da*.de) *sf.* Qualidade do que é possível, do que pode acontecer ou existir [+*de, para, quanto a*: *Havia possibilidade de conquistar a garota; Pegar um táxi é uma possibilidade para quem tem pressa; Existem duas possibilidades quanto à origem do problema.*] [F.: Do lat. *possibilitas, atis.* Ant.: *impossibilidade.* Ideia de: *pod-, -ável, -ével, -il, -ível* e *-vel.*]

possibilismo (pos.si.bi.*lis*.mo) *sm.* **1** *Geog. Soc.* Doutrina segundo a qual a natureza é fornecedora de possibilidades para a modificação humana, e não determina a sua evolução [P. opos. a *determinismo.*] **2** *Pol.* Doutrina que visa a aplicação do socialismo por meio de reformas sucessivas, sem revolução [F.: *possível* (rad. *possibil-*) + *-ismo,* seg. o mod. erudito.]

possibilista (pos.si.bi.*lis*.ta) *a.* **1** Ref. ao possibilismo **2** Que é seguidor do possibilismo *s2g.* **3** Indivíduo seguidor do possibilismo [F.: *possibilismo* + *-ista,* seg. o mod. gr.]

possibilitado (pos.si.bi.li.*ta*.do) *a.* Que foi tornado possível [F.: *possibilitar* + *-ado.* Ideia de: *pod-.*]

possibilitador (pos.si.bi.li.ta.*dor*) [ô] *a.* **1** Que possibilita, torna possível [Ant.: *impeditivo.*] *sm.* **2** Aquele que possibilita [F.: *possibilitar* + *-dor.* Ant. ger.: *impedidor, impossibilitador.*]

possibilitar (pos.si.bi.li.*tar*) *v.* **1** Tornar (algo) possível (a alguém); PROPICIAR [*td.*: *O bom tempo possibilitou a nossa vinda.*] [*tdi.* +*a*: *Possibilitou à família uma vida melhor.*] **2** Mostrar que é possível [*td.*: "Diante dos sucessos de março, das antecedências que os possibilitaram... eu digo que essa é a situação para onde caminhamos..." (Rui Barbosa, *O.P.R.C*) Ant.: *impossibilitar.*] [▶ 1 possibilitar] [F.: *possibilidade* + *-ar*[2].]

possível (pos.*sí*.vel) *a2g.* **1** Diz-se do que tem condição de ser ou de existir, do que pode ocorrer ou se realizar; FACTÍVEL: *Aquelas eram as soluções possíveis.* **2** Que pode ser ou não; que talvez ocorra ou se realize, talvez não: *É possível que ele vá à festa; A derrota é possível, mas não provável.* **3** Que não se vê impedido de ser, existir ou acontecer; ADMISSÍVEL; CONCEBÍVEL: *Aquele, apesar de pouco usual, também era um caminho possível.* **4** Que não é proibido; LIBERADO; LÍCITO; PERMITIDO: *Pergunte ao segurança se é possível fumar nas escadas do prédio.* [Pl.: *-veis.*] *sm.* **5** O que pode existir, ser feito, realizado: *Farei o possível para ganhar o jogo; Esqueça esses sonhos e faça apenas o possível.* **6** *Lóg.* De uma perspectiva lógica, aquilo que não contém contradições **7** *Fil.* Aquilo cuja existência é provável **8** *Fil.* Aquilo que não contraria normas morais [F.: Do lat. *possibilis, e.* Ant. ger.: *impossível.*]

possuído (pos.su.*í*.do) *a.* **1** De que se tem posse **2** Que parece dominado por algo, por força desconhecida ou sobrenatural; que sofre uma possessão: *Estava possuído por forças que desconhecia; possuído do demônio;* "A lenda era que esse homem vulgar, possuído de uma paixão devoradora, agarra essa pobre rapariga." (Eça de Queirós, *Os Maias*) **3** Que foi alvo de posse sexual (diz-se esp. de mulher): *Foi possuída por um homem vigoroso.* **4** Que é cheio de si; ARROGANTE; ENFATUADO; PRESUMIDO; SOBERBO *sm.* **5** Aquele que é ou se imagina dominado (por uma força qualquer, esp. sobrenatural); POSSESSO **6** *Bras. Pop.* Aquele que se acha melhor que os outros; ARROGANTE; ENFATUADO; PRESUMIDO; SOBERBO [*+de, por*] [F.: Part. de *possuir*. Ideia de: *sed(i)-*.]

possuidor (pos.su:i.*dor*) [ô] *a.* **1** Diz-se de pessoa que possui algo: *um homem possuidor de muitas riquezas. sm.* **2** Aquele que possui algo [F.: Do part. *possuido* + *-or*. Sin. ger.: *dono, possuinte, proprietário*. Ideia de: *sed(i)-*.]

possuir (pos.su.*ir*) *v.* **1** Ser dono de; TER [*td.: Possuía dois carros.*] **2** Ter em seu poder; DETER [*td.: Papai possui o segredo do cofre.*] **3** Apresentar, ser dotado de (qualidade, característica) [*td.:* "...Amaro não possuía nenhuma vocação para o sacerdócio..." (Eça de Queirós, *O crime do padre Amaro*)] **4** Dominar, deixar-se dominar ou ser dominado por [*td.: O medo possuía os reféns.*] [*ti. +de: Possuiu-se de ódio pelo assassino.*] **5** Ter relação sexual com [*td.: Possuiu a mulher atrás das cortinas.*] **6** Gozar de; USUFRUIR [*td.: Essa moça possui excelente saúde.*] **7** Deixar-se convencer; CONVENCER(-SE); IMBUIR(-SE): *Esse rapaz possui grande talento.* [*i. +de: Possuiu-se de sentimentos patrióticos durante a Copa.*] **8** Ter controle sobre (estado, região etc.); DOMINAR [*td.: O Islã possuiu parte da península ibérica.*] **9** *Fig.* Exercer domínio, posse; SUBJUGAR [*td.: A paixão sempre a possuía.*] **10** Conter, guardar; SUBJUGAR [*td.: Esse quadro possui inúmeros defeitos.*] **11** *Rel.* Trazer para dentro de si (um espírito, um ser sobrenatural) [*td.: O macumbeiro sempre possuía um santo guerreiro.*] [▶ **56** possuir] [F.: Do lat. *possidere*.]

⊕ ***post*** (*Ing.: /pôst/*) *sm.* Comentário, contribuição, mensagem enviada por alguém para um site, uma página na internet, um blog etc., e lá publicada

posta[1] (*pos*.ta) *sf.* **1** Pedaço de peixe cortado em sentido transversal à espinha **2** Pedaço de carne; FATIA; NACO; TALHADA **3** *Pop.* Emprego em que se tem boa remuneração **4** *Bras. Pop.* Pessoa molenga, moleirona [F.: Do lat. *posta*. Hom./Par.: *posta* (sf.), *posta* (fl. de *postar*). Ideia de: *-por*.] ⁂ **Arrotar ~s de pescada** *Pop.* Gabar-se (ger. de coisas imaginárias ou inexistentes), vangloriar-se **Fazer em ~s 1** Cortar em postas ou fatias **2** *Fig.* Arrasar oponente (em competição, luta etc.) **3** *Fig.* Castigar rigorosamente, infligir punição

posta[2] (*pos*.ta) *sf.* **1** *Ant.* Estabelecimento, em diversos pontos de uma estrada, em que se fazia a muda dos cavalos de uma diligência ou qualquer outro carro hipomóvel, oferecendo também alimentação e hospedagem aos viajantes **2** *Ant.* Carro que levava a mala postal e passageiros, ger. puxado por duas parelhas de cavalos **3** Repartição que recebe e expede correspondência; CORREIO [F.: Do it. *posta*. Hom./Par.: ver[1] *posta*.]

postado (pos.*ta*.do) *a.* **1** Que foi posto em algum lugar: *Havia policiais postados ao longo da praia.* **2** Que permanece parado, imóvel, ger. em pé, sem sair do lugar: *Ficou postado na esquina, sem saber que direção tomar.* [*+a, em*] [F.: Part. de *postar*. Ideia de: *-por*.]

postagem (pos.*ta*.gem) *sf. Bras.* Ação ou resultado de postar, expedir, enviar; EXPEDIÇÃO: *Fez a postagem das cartas antes de sair.* [Pl.: *-gens*.] [F.: *postar* + *-agem*. Ideia de: *-por*.]

postal (pos.*tal*) *sm.* **1** Ver *cartão-postal a2g.* **2** Ref. ao correio (caixa postal) [Pl.: *-tais*.] [F.: Do fr. *postal*. Hom./Par.: *postais* (pl.), *postais* (fl. de *postar*). Ideia de: *-por*.]

postalista (pos.ta.*lis*.ta) *s2g.* **1** Funcionário que trabalha no correio: *Os postalistas reclamam do horário de trabalho. a2g.* **2** Diz-se desse funcionário [F.: *postal* + *-ista*. Ideia de: *-por*.]

postar[1] (pos.*tar*) *v. td.* Pôr ou ficar (em determinado lugar), ger. de pé: *O noivo postou o amigo na entrada da igreja; O infeliz postou-se ao meu lado.* [▶ **1** postar] [F.: *posto* + *-ar*[2]. Hom./Par.: *posta(s)* (fl.), *posta(s)* (sf. [pl.]); *postais* (fl.), *postais* (pl. *postal* [a2g. sm.]); *poste(s)* (fl.), *poste* (sm. [pl.]); *posto* (fl.), *posto* [ô] (a. conj. e sm.).]

postar[2] (pos.*tar*) *Bras. v. td.* **1** Enviar (carta, cartão etc.) pelo correio: *postar as cartas.* **2** Enviar *post* para página da internet [▶ **1** postar] [F.: Do fr. *poster*. Hom./Par.: ver *postar*[1].]

posta-restante (pos.ta-res.*tan*.te) *sf.* **1** Correspondência ou encomenda a ser retirada na agência do correio **2** Seção onde se guarda essa correspondência ou encomenda **3** Anotação feita em um envelope a fim de que se saiba que a entrega é por posta-restante [Pl.: *postas-restantes*.] [F.: *posta* + *restante*. Ideia de: *-por*.]

◎ **post(e)-** *el. comp.* = 'prepúcio': *postectomia, posteplastia, postite* [F.: Do gr. *pósthe, es,* 'pênis'; 'prepúcio'.]

poste (*pos*.te) *sm.* **1** Coluna de ferro, madeira, cimento etc., fincada no solo com a finalidade de sustentar fios, lâmpadas etc. **2** Qualquer coluna fincada no chão **3** *Arq.* Pilar de portada **4** *Bras. Fut.* Cada uma das hastes verticais que formam o gol **5** *Bras. Pop. Fut.* Indivíduo de grande estatura e de movimentos lentos: *O novo zagueiro do time é um poste.* **6** Coluna onde se prendiam criminosos para deixá-los expostos à execração pública [F.: Do lat. *postis, is*. Hom./Par.: *poste* (sm.), *poste* (fl. de *postar*). Ideia de: *post-*.]

postear (pos.te.*ar*) *v. td. Bras.* Colocar postes em (rua, estrada etc.) [▶ **13** postear] [F.: *poste* + *-ear*.]

postectomia (pos.tec.to.*mi*.a) *sf. Med.* Retirada da pele que cobre a extremidade do pênis; CIRCUNCISÃO [F.: *post(e)-* + *-ectomia*.]

posteiro (pos.*tei*.ro) *S. sm.* **1** Homem que mora no posto de uma fazenda **2** Vigia de gado: "...avistou o gaúcho no meio do campo o rancho de um posteiro, que assim chamam nas estâncias os vaqueiros incumbidos de guardar o gado solto..." (José de Alencar, *O gaúcho*) [F.: *posto*[2] + *-eiro*.]

posteplastia (pos.te.plas.*ti*.a) *sf. Cir.* Cirurgia plástica no prepúcio [F.: *post(e)-* + *-plastia*.]

pôster (*pôs*.ter) *sm.* **1** Cartaz impresso, de tamanho médio ou pequeno, us. em decoração, publicidade etc. **2** Fotografia ampliada e transformada numa espécie de cartaz, de pôster [Pl.: *pôsteres*.] [F.: Do ing. *poster*. Ideia de: *post-*.]

postergação (pos.ter.ga.*ção*) *sf.* **1** Ação ou resultado de postergar; POSTERGAMENTO **2** Menosprezo, esquecimento **3** Mudança de data ou prazo para ponto mais distante no futuro; ADIAMENTO; PROTELAÇÃO: *Queria uma postergação do prazo de pagamento.* [Pl.: *-ções*.] [F.: *postergar* + *-ção*. Ideia de: *pos-, pós-* e *terg(i)-*.]

postergado (pos.ter.*ga*.do) *a.* **1** Que se postergou; que foi adiado, procrastinado (resolução postergada) **2** Que foi esquecido ou menosprezado; DESPREZADO [F.: Part. de *postergar*. Ideia de: *pos-, pós-* e *terg(i)-*.]

postergar (pos.ter.*gar*) *v.* **1** Transferir para depois, para mais tarde; ADIAR [*td.: Postergaram o casamento para maio.*] **2** Deixar de lado; pôr em segundo plano; PRETERIR [*td.: Postergou a festa de aniversário.*] [*tdr. +a: Postergou o casamento à carreira.*] **3** Deixar (alguém ou algo) para trás [*td.: O corredor assumiu a dianteira, postergando seus rivais.*] **4** Deixar de lado; DESPREZAR; INFRINGIR; VIOLAR [*td.: Posterga todas as normas estabelecidas.*] **5** Deixar de cuidar, de tratar com cuidado; NEGLIGENCIAR [*td.: Desanimada, a mulher postergava seu cuidado consigo mesma.*] [▶ **14** postergar] [F.: Do lat. med. *postergare*.]

postergável (pos.ter.*gá*.vel) *a2g.* Que pode ser postergado, adiado; ADIÁVEL [Ant.: *impostergável*.] [Pl.: *-veis*.] [F.: *postergar* + *-vel*. Hom./Par.: *postergáveis* (pl.), *postergáveis* (fl. de *postergar*). Ideia de: *pos-, pós-* e *terg(i)-*.]

posteridade (pos.te.ri.*da*.de) *sf.* **1** Caráter ou condição do que é posterior: *Considerava a posteridade daquele fato em relação ao outro.* **2** O tempo que deverá se suceder ao presente; o que está por vir; FUTURO; PORVIR: *Queria que seu trabalho ficasse para a posteridade.* **3** Conjunto de descendentes de uma família, nação etc.; DESCENDÊNCIA **4** As gerações futuras **5** A glória em tempos vindouros; CELEBRIDADE; IMORTALIDADE: *Queria seu nome brilhando na posteridade.* [F.: Do lat. *posteritas, atis*. Ideia de: *pos-, pós-*.]

posterior (pos.te.ri.*or*) [ô] *a2g.* **1** Que acontece depois (de uma data, um momento, um fato etc.); ULTERIOR: *Perdeu o emprego, mas, na semana posterior, arranjou outro.* [Ant.: *anterior*.] **2** Que fica atrás (dente posterior) [Ant.: *anterior*.] **3** Que se segue a outra coisa, é mais recente ou mais novo; SEGUINTE; SUBSEQUENTE: *Esse filme é posterior ao que ganhou o Oscar.* [Ant.: *antecedente, anterior, precedente*.] **4** *Anat.* Ver *dorsal* **5** *Ling.* Que é situado do palato mole para trás (diz-se do ponto de articulação de um som) [P. opos. a *anterior* e *central*.] *sm.* **6** O conjunto formado pelas nádegas: *Deu olhada de soslaio no posterior da garota.* [F.: Do lat. *posterior, us*. Ideia de: *pos-, pós-*.]

posterioridade (pos.te.ri.o.ri.*da*.de) *sf.* Estado ou condição do que é posterior [Ant.: *anterioridade*.] [F.: *posterior* + *-i-* + *-dade*. Ideia de: *pos-, pós-*.]

póstero (*pós*.te.ro) *a.* Que virá ou ocorrerá no futuro; FUTURO; PORVINDOURO; VINDOURO: *Refletia sobre a existência póstera da humanidade.* [F.: Do lat. *posterus, a, um*. Ideia de: *pos-, pós-*.]

posteroexterior (pos.te.ro:ex.te.ri.*or*) [ô] *a2g.* Que fica situado atrás e na parte de fora: *A parte posteroexterior da cabeça.* [F.: *póstero* + *exterior*.]

posteroinferior (pos.te.ro:in.fe.ri.*or*) [ô] *a2g.* Situado atrás e na parte de baixo: *A parte posteroinferior da perna.* [F.: *póstero* + *inferior*.]

posterointerior (pos.te.ro:in.te.ri.*or*) [ô] *a2g.* Que fica situado atrás e na parte de dentro: *A parte posterointerior da coxa.* [F.: *póstero* + *interior*.]

posterossuperior (pos.te.ros.su.pe.ri.*or*) [ô] *a2g.* Que fica situado atrás e na parte de cima: *Sentia dor na parte posterossuperior do pescoço.* [F.: *póstero* + *superior*.]

postiço (pos.*ti*.ço) *a.* **1** Que se acrescenta a (algo) e/ou se usa em lugar do natural (cílios postiços; unhas postiças); ARTIFICIAL **2** Diz-se de artifício que se pode pôr e tirar: *Usava uma cabeleira postiça.* **3** Que se usa para melhorar o que já não existe ou para mudar a aparência (dentes postiços; seios postiços); ARTIFICIAL; FALSO **4** *P. ext.* Diz-se de pessoa sem naturalidade, afetada, fingida **5** *Lus.* Que se adotou (filho postiço); ADOTIVO *sm.* **6** *Lus. Pop.* Criança que vive no abandono, desamparada; ENJEITADO **7** *Lus. Pop.* Aquilo que é artificial, postiço **8** *Tip.* Tipo com algum sinal, como acentos, acima das letras [F.: Do espn. *postizo*. Ideia de: *-por*.]

postigo (pos.*ti*.go) *sm.* **1** Pequena abertura em porta ou janela, que permite observar o que ou quem está do lado de fora; ESPREITADEIRA **2** Ver *guichê* **3** Janela pequena **4** Nas embarcações, tampa de vigias etc.: "O alentejano fechou o postigo e subiu ao convés a perscrutar." (Miguel Torga, *O senhor Ventura*) **5** Porta pequena, secundária, em muralha, fortificação etc. **6** Portinhola de coche **7** Abertura no tampo da frente de um tonel ou uma pipa **8** *Mar.* Em antigos navios de guerra, postigos abertos no anteparo do paiol da pólvora; tb. *gateira* [F.: Do lat. *posticum, i*. Ideia de: *post-*.]

postilhão (pos.ti.*lhão*) *sm.* **1** *Antq.* Mensageiro que transportava mensagens e correspondências a cavalo **2** *P. ext.* Qualquer mensageiro **3** Condutor da diligência no serviço de posta [Pl.: *-lhões*.] [F.: Do it. *postiglióne*. Ideia de: *-por*.]

postite (pos.*ti*.te) *sf. Urol.* Inflamação do prepúcio [F.: *post(e)-* + *-ite*[1].]

⊕ ***post-meridien*** (*Lat. /pôst meridiem/*) ***loc. adv.*** Expressão que denota hora pós-meridiana, ou seja, após o meio-dia [Abrev.: *p. m.*] [Cf.: *ante meridiem*.]

⊕ ***post-mortem*** (*Lat. /post-mortem/*) ***a2g2n.*** **1** Que ocorre após a morte de alguém (homenagem *post-mortem*); PÓSTUMO **2** Ref. ou pertencente a um cadáver (exame *post-mortem*) **3** *Espt.* Ref. ou pertencente a vida após a morte **4** *Fig.* Posterior ao fim de algo: "Era um comunismo '*post-mortem*'..." (*Folha de S.Paulo*, 08.02.1998) ***sm2n.*** **5** *Med.* Exame de cadáver; AUTÓPSIA; NECROPSIA **6** *Espt.* A vida após a morte **7** *Fig.* Aquilo que é posterior ao fim de algo [Sin. ger.: *pós-morte*.]

posto[1] (*pos*.to) [ô] *sm.* **1** Função para a qual se foi nomeado; CARGO; DIGNIDADE; EMPREGO: *Foi alçado ao posto de chefe.* **2** Local onde se exerce essa função: *Seu posto de trabalho ficava no segundo andar.* **3** Local que cada indivíduo deve ocupar para desempenhar suas funções **4** Local ocupado por pessoa ou coisa com alguma permanência **5** *Bras.* Repartição ou órgão público que presta atendimento social (posto de saúde) **6** *Bras.* Lugar onde se vendem gasolina e outros produtos necessários aos veículos automotores (posto de gasolina) **7** Local onde ficam instalados os receptores ou emissores de rádio ou televisão **8** *Bras.* Local, em país estrangeiro, em que os funcionários diplomáticos desempenham suas funções: *Foi transferido de seu posto em Berlim para Los Angeles.* **9** *Bras.* Cada um dos graus na hierarquia da carreira diplomática (posto de embaixador) **10** *Bras. S.* Casa distante de uma fazenda de criação a que pertence, ger. ocupada apenas para ordenha e queijaria **11** *Mil.* Lugar em que fica um militar durante um combate, missão especial, serviço: *O soldado servia num posto fronteiriço.* **12** *Mil.* Lugar em que um corpo de tropas se aloja: *Era um posto avançado da infantaria.* **13** *Mar.* Numa esquadra, lugar ocupado por cada navio **14** *Bras. Mil.* A hierarquia de oficial [Pl.: [ó].] [F.: Do lat. *positus, us*. Hom./Par.: *posto* (sm.), *posto* (fl. de *postar*).] ⁂ **~ avançado** *Mil.* Destacamento à frente da linha avançada de um exército, para protegê-la de um ataque de surpresa **~ de comando** *Mil.* Local de onde se comanda uma tropa **~ de gasolina 1** *Bras.* Local onde se atendem veículos para abastecê-los, lubrificá-los etc. **2** As instalações desse local **~ de guarda/ vigia** Lugar no qual ficam os guardas ou vigias de unidade militar, instalação etc., ou a partir do qual se exerce a guarda ou a vigilância **~ de monta** *Zootec.* Lugar no qual se mantêm animais machos selecionados, aonde são levadas as fêmeas para com eles cruzar e com isso aprimorar a qualidade dos rebanhos; estação de monta **~ meteorológico** Lugar, instalações e equipamentos para a observação dos fenômenos meteorológicos em certa região; estação meteorológica **A ~s 1** *Mil.* No devido lugar, pronto para agir: *Os bombeiros ficaram a postos durante a implosão.* **2** Preparado para começar uma atividade, tarefa etc.: *Os alunos estavam a postos para a prova.*

posto[2] (*pos*.to) [ô] *a.* **1** Que se pôs; que foi colocado em um lugar [*+a, em, sobre: dinheiro posto a juros; Foi posto em forma pela ginástica; O menino foi posto sobre a mesa.*] **2** Que foi afirmado, declarado: *Isto posto, passemos ao assunto principal.* **3** Que foi acordado, combinado, decidido **4** Diz-se do Sol após o ocaso [Fem. e pl.: [ó].] ***Conj.*** **5** Ver *posto que* [F.: Part. de *pôr*. Hom./Par.: *posto* (a.), *posto* (fl. de *postar*), *posto* (sm.).] ⁂ **~ que 1** Ainda que, se bem que, embora: *Não conseguiu se classificar, posto que tivesse treinado muito.* **2** Uma vez que, visto que: *Desistiu do concurso, posto que já conseguira empregar-se.*

postre (*pos*.tre) *sm. P. us.* O mesmo que *sobremesa*. [F.: Do espn. *postre*.]

⊕ ***postscript*** (*Ing. /pôusscript/*) *sm. Inf.* Linguagem de programação, muito utilizada em editoração eletrônica, para descrever imagens gráficas

⊕ ***postscriptum*** (*Lat. /postxcríptum/*) *sm.* Texto que se acrescenta ao final de uma carta, o mesmo que *pós-escrito* [Abrev.: PS.]

postulação (pos.tu.la.*ção*) *sf.* Ato de postular: *Postulação de revisão de prova é direito do aluno.* [Pl.: *-ções*.] [F.: lat. *postulatio, onis*.]

postulado (pos.tu.*la*.do) *sm.* **1** *Fil.* Ideia que se pode, sem demonstração, admitir como verdadeira **2** *Fil.* Ponto de partida para um raciocínio; PREMISSA **3** *Rel.* Em certas comunidades religiosas, período de preparação que deve ser cumprido pelos candidatos ao noviciado [F.: Do lat. *postulatio, onis*. Cf.: *pustulado* e *teorema*. Ideia de: *postul-*.] ⁂ **~ das paralelas** *Geom.* Ver *Postulado de Euclides* **~ de Euclides** *Geom.* Aquele segundo o qual de um ponto fora de uma reta só se pode traçar uma paralela a essa reta

postulante (pos.tu.*lan*.te) *a2g.* **1** Diz-se de quem postula algo **2** Que se candidata a um emprego ou cargo **3** Diz-se de indivíduo que cumpre período de postulado em comunidades religiosas *s2g.* 4 Aquele que postula 5 Aquele que se candidata a um emprego ou cargo [*+a*: *postulante ao cargo de prefeito.*] 6 Em comunidades religiosas, aquele que cumpre período de postulado [F.: Do lat. *postulans, antis*. Ideia de: *postul-*.]

postular (pos.tu.*lar*) *v.* 1 Pedir, solicitar, ger. com insistência [*td.*: *Postulava um emprego.*] [*tdi. +a*: *O cantor postulou uma oportunidade ao dono da boate.*] [*tdi. +a*: *Postulou um empréstimo ao banco.*] 2 Requerer, com base em presunção de direito [*td.*: *O funcionário postulava um cargo que lhe cabia legalmente.*] 3 Pedir, solicitar ou exigir que se faça (determinada coisa) [*td.*: *O deputado postulou medidas no regimento interno.*] 4 Ter como hipótese; PRESSUPOR; SUPOR [*td.*: *Exigir tal medida é o mesmo que postular uma ditadura.*] 5 *Jur.* Requerer (algo) em juízo [*td.*: *Postulou a guarda dos filhos.*] 6 *Jur.* Requerer, documentando o pedido [*td.*: *Postulei minha permanência no país.*] [*tdi. +a*: *Postulou ao funcionário da embaixada visto de permanência.*] [▶ 1 postular] [F.: Do lat. *postulare.*]

póstumo (*pós*.tu.mo) *a.* 1 Que acontece após a morte de alguém (homenagem póstuma) 2 Que nasceu após a morte do pai (filho póstumo) 3 Que foi publicado após a morte do autor (romance póstumo) [F.: Do lat. *postumus, a, um*. Ideia de: *pos-, pós-*.]

postura (pos.*tu*.ra) *sf.* 1 Posição do corpo ou de parte dele, aspecto físico: *Fazia exercícios para melhorar a postura*: "Cruze as mãos sobre o peito, na postura de morto." (Paulo Coelho, *O diário de um mago*) 2 Maneira de andar, de se locomover, de se comportar: *Além de bonito, tinha uma postura sedutora.* 3 *Fig.* Posicionamento ou ponto de vista: *Eximiu-se de qualquer postura diante da polêmica.* 4 *Fig.* Atitude, modo de agir: *Não tinha a verdadeira postura de um pai.* 5 *Fig.* Indivíduo de boas maneiras no trajar e no comportamento 6 Ação ou resultado de pôr ovos: *A postura dessas galinhas não foi suficiente.* 7 A época em que ocorre essa postura: *A postura deve começar por esses dias.* 8 Documento em que o prefeito obriga os cidadãos ao cumprimento de certos deveres 9 Posição considerada clássica no sistema da ioga; ÁSSANA 10 *Ant.* Maquiagem ou qualquer outro artifício para embelezamento do rosto [F.: Do lat. *positura, ae*. Ideia de: *-por*.]

postural (pos.tu.*ral*) *a2g.* Ref. a ou próprio da postura física, do corpo [Pl.: *-rais*.] [F.: *postura* + *-al*. Ideia de: *-por*.]

posturas (pos.*tu*.ras) *sfpl.* Preceitos, normas e regulamentos municipais a serem seguidos por órgãos públicos e pelos cidadãos (postura municipal; fiscal de postura) [F.: Pl. de *postura*. Ideia de: *- por*.]

posudo (po.*su*.do) *Bras. Pop. a.* 1 Que tem pose; que é muito arrogante, cheio de si *sm.* 2 Indivíduo que é muito arrogante, cheio de si [F.: *pose* + *-udo*.]

pós-venda (pós-*ven*.da) *sf. Mkt.* Etapa, posterior à venda de produto ou serviço, em que se procura fidelizar o cliente através de avaliação de seu grau de satisfação, do oferecimento de manutenção, de promoções especiais etc.

pós-verbal (pós-ver.*bal*) *a2g.* 1 *Gram.* Situado depois do verbo (posição pós-verbal) 2 Que é derivado do verbo; DEVERBAL [Pl.: *pós-verbais*.]

potabilidade (po.ta.bi.li.*da*.de) *sf.* Qualidade do que é potável: *Fizeram um estudo sobre a potabilidade da água.* [Ant.: *impotabilidade*.] [F.: *potável* + *-bil(i)-* + *-dade*. Ideia de: *pot-*.]

potâmide (po.*tâ*.mi.de) *sf. Mit.* Ninfa dos rios [F.: Do lat. *potamides, um*.]

potamita (po.ta.*mi*.ta) *s2g.* 1 Aquele que vive em rios *a2g.* 2 Que vive em rios [F.: *potam (o)-* + *-ita*.]

◎ **potam(o)-** *el. comp.* = rio: *potâmide; potamobentônico* [F.: Do gr. *potamós*. Cf. *-pótamo*.]

potamografia (po.ta.mo.gra.*fi*.a) *Geog. sf.* 1 Parte da geografia dedicada ao estudo dos rios 2 Relação dos rios de uma região [F.: *potam (o)-* + *-grafia*. Sin. ger.: *potamologia*.]

potamográfico (po.ta.mo.*grá*.fi.co) *a. Geog.* Ref. a potamografia; POTAMOLÓGICO [F.: *potamografia* + *-ico*. Ideia de: *potam(o)-* e *-gráfico*.]

potassa (po.*tas*.sa) *Quím. sf.* Produto químico branco, derivado potássico, que se dissolve na água [F.: Do fr. *potasse*, deriv. do neerl. *potasch*. Ideia de: *pot-*.] ■ **~ cáustica** *Quím.* Hidróxido de potássio; potassa

potássico (po.*tás*.si.co) *a.* 1 Ref. ao potássio 2 Que apresenta potássio na sua composição (fertilizante potássico) [F.: *potássio* + *-ico*².]

potássio (po.*tás*.si:o) *Quím. sm.* Elemento químico de número atômico 19, metálico, branco-prateado, muito mole, do grupo dos metais alcalinos, encontrado em grande quantidade na natureza [Símb.: *K*] [Termo ordinariamente não empregado no pl.] [F.: Do fr. *potassium*, deriv. do ing. *potassium*. Cf. *tabela periódica*. Ideia de: *pot-*.]

potável (po.*tá*.vel) *a2g.* Que pode ser bebido, que é próprio para o consumo humano (água potável) [Pl.: *-veis*.] [F.: Do lat. tardio *potabilis, e*. Ideia de: *pot-*.]

pote (*po*.te) *sm.* 1 Recipiente de diferentes formatos e materiais, para conter água, us. esp. em ambiente domésticos; CÂNTARO; TALHA 2 Vasilha com tampa, de diversos formatos e tamanhos 3 Recipiente ger. de pequeno tamanho, de louça, plástico, metal ou qualquer outro material, com tampa, us. para acondicionar cremes cosméticos ou alimentos como geleia, mel etc. 4 O conteúdo desses recipientes 5 *Metrol.* Antiga medida para líquidos, equivalente a 15, 972 litros 6 *Bras. Joc. Pop.* Indivíduo baixo e atarracado 7 *N. E. Pop.* Cadeia, prisão [F.: Do fr. *pot*, deriv. do lat. vulg. *pottus*. Ideia de: *pot-* e *quitr(id)-*.] ■ **A ~s** Torrencialmente, a cântaros: *Chovia a potes.* **De ~** *Bras. Pop.* Em estado de gravidez; de barriga **Encher o ~** *N. E. Gír.* Esbravejar com alguém, insultando-o, dizer desaforos

potência (po.*tên*.ci.a) *sf.* 1 Qualidade daquilo que é potente; FORÇA; PODER; VIGOR 2 Vigor sexual, esp. no homem: *O amante orgulhava-se de sua potência.* [Ant.: *impotência*.] 3 Capacidade de dar movimento a algo: *Era um motor de muita potência.* 4 Capacidade de conter energia (potência da rede elétrica) 5 Poder para mandar, dirigir, fazer com que outros obedeçam; AUTORIDADE; DOMÍNIO; PODERIO 6 Capacidade de criação, de realização: *Hollywood é a grande potência da indústria de cinema.* 7 Poder misterioso, místico ou sobrenatural: *Sentia-se perseguido pelas potências do Mal.* 8 Capacidade de dar amplitude ao som (potência do alto-falante; cantor sem potência na voz) 9 *Fig.* Pessoa de grande importância e/ou poder: *O homem era uma potência no mercado imobiliário.* 10 País economicamente e militarmente forte: *Os EUA são uma potência.* 11 *Fil.* Caráter do que pode ser produzido ou realizado, mas que ainda não existe; POTENCIAL 12 *Fil.* A fonte de onde se origina a ação 13 *Fís.* A energia produzida ou consumida por unidade de tempo, num sistema que gera ou absorve energia [Expressa em watts ou joules, no Sistema Internacional.] 14 *Ópt.* Em uma lente, o inverso de sua distância focal; CONVERGÊNCIA; VERGÊNCIA 15 *Mat.* O produto obtido pela multiplicação de fatores iguais: *64 é potência de 4 (4x4x4).* 16 *Mat.* Número de vezes, indicado pelo expoente, que um número é multiplicado por ele mesmo em uma potenciação: *2 elevado à potência 4 é igual a 16.* 17 *Mat.* Poder, força, pujança, valentia; tb. *possança* 18 *Geom.* Produto constante das distâncias de um ponto às interseções de uma reta que passa por ele e encontra uma circunferência [F.: Do lat. *potentia, ae*. Hom./Par.: *potência(s)* (sf. [pl.]), *potencia(s)* (fl. de *potenciar*). Ideia de: *pod-*.] ■ **Elevar a uma ~** *Mat.* Multiplicar um número (uma quantidade) por ele mesmo tantas vezes quantas são as unidades da potência [Ex.: elevar 3 à potência 4 significa operar 3'3'3'3.]

potenciação (po.ten.ci.a.*ção*) *sf. Mat.* Operação pela qual se multiplica um número qualquer por ele mesmo quantas vezes estiver indicado no expoente [Pl.: *-ções*.] [F.: *potenciar* + *-ção*. Ideia de: *pod-*.]

potenciado (po.ten.ci.*a*.do) *a.* 1 Tornado mais potente (efeito potenciado); REFORÇADO; POTENCIALIZADO 2 *Mat.* Elevado a uma certa potência [F.: Part. de *potenciar*.]

potenciador (po.ten.ci.a.*dor*) [ô] *a.* 1 Que potencia (fator potenciador) *sm.* 2 O que potencia (potenciador de crescimento) [F.: *potenciar* + *-dor*.]

potencial (po.ten.ci.*al*) *a2g.* 1 Ref. a potência; POSSÍVEL; VIRTUAL 2 Que pode vir a ser: *Tinha um grande talento potencial, ainda não explorado.* 3 Que existe como potencialidade, não como realidade 4 Diz-se de remédio que não tem efeito imediato 5 *Fil.* Que está em potência, que não atingiu plenamente suas tendências inatas ou intrínsecas ou sua forma final [Pl.: *-ais*.] *sm.* 6 Conjunto das qualidades naturais de uma pessoa; POTENCIALIDADE: *Essa indústria está produzindo apenas 40% do seu potencial.* 7 Capacidade de produzir, realizar, agir; POTENCIALIDADE 8 Aquilo que existe como potencialidade; o que pode vir a ser, que é possível de acontecer: "Ali estavam blocos esparsos ou arrumados em pilhas vacilantes prestes a desencadear o potencial de quedas violentas pelos declives" (Euclides da Cunha, *Os sertões*) 9 *Fís.* Função a partir da qual se pode obter o valor da intensidade de um campo em certo ponto 10 *Elet.* Quantidade de eletricidade de que um corpo está carregado [Pl.: *-ais*.] [F.: *potência* + *-al*¹.] ■ **~ biótico** *Ecol.* Capacidade que, teoricamente, uma população tem para crescer quantitativamente **~ de contato** *Fís.* Diferença de potencial elétrica desenvolvida quando dois metais diferentes estão em contato direto **~ de excitação** *Fís. nu.* Energia necessária para levar a um estado maior de energia um átomo ou molécula a partir de seu estado fundamental **~ de ionização** *Fís.* Energia mínima necessária para, num sistema atômico neutro, separar um elétron de um átomo, resultando num elétron e num íon positivo **~ de ruptura** *Elet.* O potencial mínimo no qual um isolante a ele submetido deixar de ter a propriedade de isolante **~ elétrico** *Fís.* Em cada ponto de um campo elétrico, função igual ao trabalho necessário para mover uma carga elétrica positiva e unitária do infinito a esse ponto [Tb. apenas *potencial*.] **~ eletrodinâmico** *Fís.* Qualquer potencial associado a um campo eletromagnético; potencial eletromagnético; potencial escalar **~ eletromagnético** *Fís.* Ver *Potencial eletrodinâmico* **~ eletrostático** *Fís.* Potencial de carga elétrica em repouso **~ escalar** *Fís.* Ver *Potencial eletrodinâmico* **~ gravitacional** *Fís.* O que se refere ao trabalho necessário para deslocar uma unidade de massa do infinito a certo ponto do campo gravitacional **~ magnético** *Fís.* O que se refere ao trabalho necessário para deslocar um polo magnético positivo do infinito a certo ponto do campo magnético **Em ~** Que tem possibilidade de se realizar, ou de acontecer; provável, possível

potencialidade (po.ten.ci.a.li.*da*.de) *sf.* 1 Condição daquilo que é potencial; CAPACIDADE; INTELIGÊNCIA; TALENTO 2 Ver *potencial* (6) [F.: *potencial* + *-i-* + *-dade*. Ideia de: *pod-*.]

potencialização (po.ten.ci.a.li.za.*ção*) *sf.* Ação ou resultado de potencializar: *potencialização do atendimento médico.* [Pl.: *-ções*.] [F.: *potencializar* + *-ção*.]

potencializar (po.ten.ci.a.li.*zar*) *v. td.* 1 Tornar mais eficaz, potente ou poderoso; INCREMENTAR; INTENSIFICAR: *potencializar o ensino.* 2 Tornar mais forte o efeito de uma substância ativa (ger. remédio) sobre o organismo, associando-a a outra: *A bebida alcoólica potencializa o efeito do remédio.* [▶ 1 potencializar] [F.: *potencial* + *-izar*.]

potenciar (po.ten.ci.*ar*) *v.* 1 *Mat.* Elevar (uma quantidade) a qualquer potência [*td.*: "Para potenciar estes efeitos adicionamos outros componentes à fórmula..." (*O Globo*, 01.02.2004)] 2 Tornar mais potente; FOMENTAR; INTENSIFICAR; REFORÇAR; POTENCIALIZAR [*td.*: *potenciar a memória/a inclusão social/ a competitividade; potenciou um aspecto da nossa cultura*; "Para potenciar estes efeitos adicionamos outros componentes à fórmula..." (*O Globo*, 01.02.2004) Ant.: *enfraquecer, debilitar*.] [▶ 1 potenciar] [F.: *potência* + *-ar*. Hom./Par.: *potencia* (fl. v. *potenciar*), *potência* (sf.).]

potenciômetro (po.ten.ci:*ô*.me.tro) *Elet. sm.* 1 Aparelho que serve para medir as diferenças de potencial elétrico 2 Resistor de cursor central móvel, que pode ser us. como divisor de tensão [F.: *potência* + *o. metro*.]

potentado (po.ten.*ta*.do) *sm.* 1 Chefe de Estado que concentra em suas mãos grande poder ou riqueza 2 *P. ext.* Pessoa de muita riqueza e influência; POTESTADE [F.: Do lat. *potentatus, -us*. Ideia de: *pod-*.]

potente (po.*ten*.te) *a2g.* 1 Que pode 2 Que tem poder, força (carro potente; som potente); FORTE; PODEROSO; POSSANTE; VIGOROSO [Ant.: *fraco*.] 3 Que tem potência, vigor; POSSANTE 4 Cheio de vigor sexual (macho potente) [Ant.: *impotente*.] 5 Que tem capacidade, aptidão: *Ele é potente o bastante para resolver esse problema.* [Ant.: *fraco*.] 6 Que é enérgico, resoluto: *um sargento decidido, potente.* 7 Que age como se espera (remédio potente); EFICAZ; FORTE [F.: Do lat. *potens, entis*. Ideia de: *pod-*.]

potestade (po.tes.*ta*.de) *sf.* 1 Domínio ou poder sobre alguma coisa; AUTORIDADE; FORÇA; PODER; POTÊNCIA: *a potestade do imperador.* 2 Ver *potentado* (2) 3 *Rel.* Figura divina; DEUS; DIVINDADE: *as potestades do Olimpo.* [F.: Do lat. *potestas, atis*. Hom./Par.: *potestade* (sf.), *podestade* (sm.). Ideia de: *potest-*.] ■ **~s celestes** *Rel.* Seres celestiais (Deus, anjos etc.) **~s das trevas** *Rel.* Seres demoníacos; demônios

potiguar (po.ti.*guar*) *s2g.* 1 Pessoa nascida ou que vive no Estado do Rio Grande do Norte *a2g.* 2 Do Rio Grande do Norte; típico desse estado ou de seu povo [F.: Do tupi *poti'war*. Sin. ger.: *rio-grandense-do-norte, norte-rio-grandense*. Ideia de: *poti-* e *-guara*.]

potoca (po.*to*.ca) [ó] *sf. Bras. Pop.* Mentira, lorota; ARDIL: *Era um grande contador de potocas.* [Ant.: *verdade*.] [F.: Segundo Nascentes, voc. expressivo. Hom./Par.: *potoca* (sf.), *potoca* (fl. de *potocar*).]

potocar (po.to.*car*) *v. int. Bras. Pop.* Dizer potocas, mentiras; MENTIR: *O menino potocou e foi castigado.* [▶ 11 potocar] [F.: *potoca* + *-ar*¹. Hom./Par.: *potoca(s)* (fl.), *potoca(s)* (sf. [pl.]).]

potoqueiro (po.to.*quei*.ro) *sm.* 1 Aquele que mente; MENTIROSO; POTOQUISTA *a.* 2 *Pop.* Que não diz a verdade (indivíduo potoqueiro) [F.: *potoca* + *-eiro*.]

potosino (po.to.*si*.no) *sm.* 1 Indivíduo nascido ou que vive em Potosi (Bolívia) *a.* 2 De Potosi; típico dessa cidade ou de seu povo [F.: Do top. *Potos(i)* + *-ino*¹.]

⊕ **pot-pourri** (*Fr.* /pô-purri/) *sm.* 1 *Mús.* Miscelânea de trechos de diversas músicas: "...começou o *pot-pourri* da *Norma* com vibrações metálicas dos instrumentos de sax" (Inglês de Sousa, *O missionário*) 2 *P. ext.* Mistura composta de partes de diferente natureza: "...é nessa espécie de *pot-pourri* de estilos de tempos desencontrados, com o emprego de um vocábulo senil, tirado à sorte..." (Lima Barreto, "Harakashy e as escolas de Java" *in Histórias e Sonhos*) 3 Mistura aromática de flores secas

potrada (po.*tra*.da) *sf. Bras. S* Conjunto de potros; POTRARIA [F.: *potro* + *-ada*. Ideia de: *potr-*.]

potranca (po.*tran*.ca) *Bras. sf.* 1 Égua com menos de dois anos 2 Égua jovem, que ainda não foi domada 3 *Vulg. Pej.* Mulher libidinosa ou sexualmente apreciável [Col.: *potrancada*.] [F.: *potranco* + *-a*. Ideia de: *potr-*.]

potranco (po.*tran*.co) *sm. Bras.* Filhote de cavalo com menos de dois anos; POTRECO; POTRILHO [Fem.: *potranca*. Col.: *potrancada*.] [F.: *potro* + *-anco*. Ideia de: *potr -*.]

potreação (po.tre:a.*ção*) *sf. Bras. S.* Ação ou resultado de potrear; POTREADA [Pl.: *-ções*.] [F.: *potrear* + *-ção*. Ideia de: *potr-*.]

potreador (po.tre.a.*dor*) [ô] *Bras. S sm.* 1 Aquele que potreia *a.* 2 Diz-se de quem potreia [F.: Rad. do part. *potreado* + *-or*. Ideia de: *potr-*.]

potrear (po.tre.*ar*) *v.* 1 *RS* Apropriar-se ilicitamente de (gado cavalar), roubando-o do campo do dono; ADONAR-SE [*td.*: *potrear cavalos.*] 2 *RS* Apoderar-se de ou arrebanhar para domar (gado, cavalo) [*td.*: *potrear gado.*] 3 *Bras. P. ext.* Apoderar-se dos bens alheios; PILHAR [*td.*: *Os piratas potrearam muitas cidades.*] 4 *Fig.* Desafiar (alguém) com ironias ou gracejos [*td.*: *Depois de muito beber, começou a potrear todos os presentes.*] 5 *Fig.* Provocar com motejos, zombarias; IRRITAR [*td.*: *Potreava os colegas de classe.*] [*int.*: *Não passava um dia sem potrear.*] 6 *Fig.* Tornar-se colérico, irado; IRAR-SE [*int.*: *Aquela situação fez o homem potrear.*] 7 *Fig.* Repreender com tom de valentia; RALHAR [*int.*: *Potreava as crianças mal-educadas.*] [▶ 13 potrear] [F.: *potro* + *-ear*². Hom./Par.: *potreia(s)* (fl.), *potreia(s)* (sf. [pl.]).]

potreiro (po.*trei*.ro) *sm.* 1 *Bras.* Negociante de cavalos e de gado para a cavalaria e a artilharia do exército 2 *Bras.*

Alpendre ou pátio onde se guardam potros para adestrar **3** *S* Pequeno campo cercado, próximo de uma estância, onde descansam os animais (cavalos, vacas etc.) us. nos trabalhos quotidianos [F.: *potro* + *-eiro*.]

potrilho (po.*tri*.lho) *sm.* *S* Potro de menos de um ano; POTRANCO [Us. ger. apenas no masculino.] [F.: *potro* + *-ilho*.]

potro (*po*.tro) [ô] *sm.* **1** *Bras. Zool.* Filhote de cavalo com menos de quatro anos; POLDRO **2** *Bras. S* Cavalo novo, que ainda não foi domado **3** Ver *ecúleo* [Col.: *potrada, potraria*.] [F.: Do lat. medv. *pullitrus*. Ideia de: *potr-*.]

poucas (*pou*.cas) *sfpl.* Poucas coisas [Us. ger. com conotação negativa.] [F.: *pouc* (*o*) + *-as*. Ideia de: *pauc-*.] **■ Dizer ~ e boas** *Pop.* Dizer coisas desagradáveis para quem ouve, posto que verdadeiras, sinceras, sem evasivas, sem eufemismos

pouca-vergonha (pou.ca-ver.*go*.nha) *Pop. sf.* **1** Ação ou comportamento imoral, desonesto, desavergonhado; IMORALIDADE; SAFADEZA; SEM-VERGONHICE: *É uma pouca-vergonha o que esses políticos fazem*; "... atirando-lhe em rosto a sua infidelidade, o seu crime, a sua pouca-vergonha." (Adolfo Caminha, *A normalista*) **2** Falta de vergonha; DESCARAMENTO; DESPUDOR [Pl.: *poucas-vergonhas*.] [F.: Fem. de *pouco* + *vergonha*.]

pouco (*pou*.co) *sm.* **1** Quantidade mínima de alguma coisa; BOCADO; PINGO: *O pouco que ele comeu foi suficiente.* **2** Aquilo cuja importância é insignificante; BAGATELA; NINHARIA: *Não reclame por tão pouco, senhor!* *pr. indef.* **3** Uma pequena quantidade (pouco dinheiro): *Há muito pouco para tanta gente.* [Superl.: *pouquíssimo*.] *adv.* **4** Em pequena quantidade ou intensidade: *Ele é pouco ágil e fala pouco.* [Ant.: *bastante*.] **5** Em que só há um pequeno espaço de tempo: *Ele demorou pouco aqui em casa.* [Ant.: *bastante, suficientemente*.] [F.: Do lat. *paucus, a, um*. Ant. ger.: *muito*.]

pouco-caso (pou.co-*ca*.so) *sm.* Demonstração de indiferença ou desprezo por algo ou alguém; DESDÉM: *Fez pouco-caso do rapaz e do hotel em que dormiram.* [Pl.: (*p. us.*) *poucos-casos*.] [F.: *pouco* + *caso*.]

poucos (*pou*.cos) *pr. indef.* Algo ou alguém em quantidade menor do que o de costume: *Poucos ficaram até o fim.* [Ant.: *muitos*.] [F.: Pl. de *pouco*. Ideia de: *pauc-*.]

poupa (*pou*.pa) *sf.* **1** *Zool.* Ave da fam. dos upupídeos (*Upupa epops*), de 25 a 29 cm de comprimento, encontrada na Europa, Ásia e África; tem plumagem rosada com as asas largas riscadas de preto e branco, bico longo recurvado e grande crista rosada com pontinhos pretos. Caracteriza-se pelo canto e pelo cheiro desagradável de seu ninho **2** *Anat. Zool.* Topete de penas que adorna a cabeça de algumas aves; PENACHO; CRISTA [F.: Do lat. *upupa, ae*, por via popular Hom./Par.: *poupa* (sf.), *popa* [ô] (sf.).]

poupado (pou.*pa*.do) *a.* **1** Que se economizou; que foi economizado: *Comprou a casa com o dinheiro poupado.* [Ant.: *desperdiçado*.] **2** Que costuma poupar; que não gasta muito; ECONÔMICO; PARCIMONIOSO; POUPADOR [Ant.: *perdulário*.] **3** Que não foi atingido por qualquer coisa nefasta, danosa, vergonhosa ou negativa (desastre, roubo, assassinato, condenação, crítica etc.): *Por sorte, foi poupado pelos assaltantes; Seu livro foi poupado pelos críticos.* [+*a, de, em*: *Tudo é poupado às crianças; poupado de (em) castigos.*] [F.: Part. de *poupar*.]

poupador (pou.pa.*dor*) [ô] *sm.* **1** Aquele que é econômico, que sabe economizar seu dinheiro [Ant.: *perdulário*.] **2** Indivíduo que possui uma caderneta de poupança *a.* **3** Diz-se de pessoa econômica, que sabe poupar [Ant.: *perdulário*.] **4** Diz-se de cliente de caderneta de poupança [F.: Rad. do part. de *poupado* + *-or*. Sin. das acps 1 e 3: *econômico, economizador, parcimonioso, poupado, poupão*.]

poupança (pou.*pan*.ça) *sf.* **1** Ação de poupar dinheiro **2** Gasto moderado **3** Característica de quem não gosta de gastar; SOVINICE **4** *Econ.* Parte da renda individual ou nacional que não é gasta em consumo **5** *Bras.* Caderneta de poupança: *Foi ao banco e abriu uma poupança.* **6** *Inf. Pop.* Nádegas: "Vai entrar na dança, vai usar a poupança..." (Gabriel o Pensador, *Nádegas a declarar*) [F.: *poup(ar)* + *-ança*. Hom./Par.: *poupança* (sf.), *popança* (sf.).]

poupar (pou.*par*) *v.* **1** Gastar pouco, guardar (dinheiro); ECONOMIZAR [*td.*: *Ele poupa cada centavo.*] [*int.*: *Este mês precisaremos poupar.* Ant.: *esbanjar, gastar*.] **2** Evitar que despenda, que aconteça; EVITAR; REDUZIR [*td.*: *poupar sacrifícios.*] [*tdi.* +*a*: *A mãe poupava trabalho aos filhos.*] **3** Eximir de esforços, emoções fortes etc. [*tdr.* +*de*: *É preciso poupar o cardíaco de fortes emoções.*] **4** Tratar com piedade [*td.*: *A crítica não poupa certos escritores.*] **5** Deixar de realizar (algo); não cumprir; EXIMIR-SE [*tr.* +*a*: *Poupe-se ao trabalho de me convencer.*] **6** Tratar com indulgência; não castigar; RESPEITAR [*td.*: *A professora poupou todos os que tinham se desculpado.*] **7** Deixar de lado; pôr de lado [*td.*: *Ele poupava os problemas mais difíceis.*] **8** Deixar de impor; não infligir (castigo, julgamento etc.) [*tdi.* +*a*: *Não poupou censuras ao filho.*] **9** Não tirar proveito de; DESPERDIÇAR [*td.*: *Foi derrotado porque poupou as ocasiões mais propícias.*] **10** Deixar intocado; não atingir [*td.*: *O terremoto poupou a torre da igreja.*] [*tdr.* +*de*: *A epidemia poupou as crianças da morte.*] **11** Tratar o inimigo com generosidade; PERDOAR [*td.*: *Os invasores vitoriosos pouparam todos os inimigos.*] **12** Não se esforçar [*td.*: *O time poupou-se no segundo tempo do jogo.*] **13** Deixar de tirar, estando a ponto de fazê-lo [*tdr.* +*a*: *Os bandidos pouparam a vida dos reféns.*] [▶ 1 poupar] [F.: Do lat. *palpare*. Hom./Par.: *poupa* (fl.), *Popa* [ô] (astr.); *poupa(s)* (fl.), *popa(s)* [ô] (sf. [pl.]).]

pousada (pou.*sa*.da) *sf.* **1** Ação ou resultado de pousar; POUSO: "...susto das coisas jamais pousadas / porém imóveis naturezas vivas." (João Cabral de Mello Neto, *A Lição de Poesia*) **2** Espécie de pequeno hotel ou pensão em localidades não muito populosas, ger. turísticas; ALBERGUE: *Pernoitou na pousada, depois seguiu viagem.* **3** Permanência em algum lugar durante algum tempo; ESTADA; ESTADIA: *Nossa pousada em Búzios foi uma delícia.* **4** *Fig.* A casa de uma pessoa; MORADIA; RESIDÊNCIA: *Na minha pousada mando eu.* **5** *Fig.* Abrigo, acolhimento: *Vivia ao abandono, sem pousada.* [+*em*: *Não negava pousada em sua casa.*] **6** Choupana, cabana [F.: *pous(ar)* + *-ada*[1].]

pousado (pou.*sa*.do) *a.* Que pousou: *pássaro pousado num galho.* [F.: Part. de *pousar*.]

pousar (pou.*sar*) *v.* **1** Descer ao chão, depois do voo (ave ou máquina que voa); ATERRISSAR [*ta.*: *O helicóptero pousou no estádio.*] [*int.*: *Após horas de voo, o pássaro pousou.* Ant.: *decolar*.] **2** *P. ext.* Descer na superfície de um planeta [*ta.*: *A nave pousou em Marte.*] [*int.*: *A nave pousou ao cair da tarde.*] **3** Pôr (algo) sobre uma superfície; APOIAR [*td.*: *Não sabia se pousava sua bagagem ou esperava que a pegassem.*] [*tda.*: *O amigo pousou as mãos em seus ombros.*] **4** Estar (algo) sobre uma superfície [*ta.*: *A garrafa pousava sobre a mesa.*] **5** Dirigir (o olhar) para [*tdr.* +*em*: *Pousou os olhos no desconhecido.*] **6** *P. ext.* Tocar ou fazer tocar levemente [*tdr.* +*em*: *Pousou suas mãos nas da mãe.*] **7** Passar a noite em; HOSPEDAR-SE; PERNOITAR [*ta.*: *A cada noite pousava em um lugar diferente.*] **8** Hospedar-se em pousada ou casa por algum tempo [*ta.*: *O turista pousou num pequeno hotel.*] [*int.*: *Amanhã chegaremos à casa da vovó e pousaremos.*] **9** Estabelecer residência; MORAR [*ta.*: *Pousou por uns tempos num apartamento em Copacabana.*] **10** Parar para descansar, repousar [*int.*: *Há dias trabalha sem pousar.*] **11** Estar ou ficar em repouso; DESCANSAR [*int.*: *O gatinho pousava durante toda a tarde.*] [▶ 1 pousar] [F.: Do lat. *pausare*. Hom./Par.: *pousa(s)* (fl.), *pousa(s)* (sf. [pl.]); *pouso* (fl.), *pouso* (sm.); *pousar, posar* (vários tempos do v.); *pouse(s)* (fl.), *pose(s)* [ô] (sf. [pl.]).]

pousio (pou.*si*.o) *sm.* **1** Interrupção do cultivo da terra: *Depois da colheita, entraram no período de pousio.* **2** Terra que teve o cultivo interrompido *sm.* **3** *P. ext.* Qualquer terra abandonada, sem plantar ou lavrar *a.* **4** Não cultivado (terra pousia); INCULTO [F.: *pouso* + *-io*[2].]

pouso (*pou*.so) [ô] *sm.* **1** Ação de pousar; ATERRISSAGEM: *O avião fez um pouso no mar.* **2** Lugar de repouso de uma ave **3** Lugar para ficar, para dormir: *Precisava de um pouso para descansar.* **4** *Bras.* Construção simples ou tosca, à beira de estradas e caminhos, para abrigo dos que viajam **5** Lugar seguro para a atracação de embarcações; ANCORADOURO **6** Mó dos moinhos sobre a qual a galga faz seus movimentos giratórios [F.: Dev. de *pousar*. Hom./Par.: *pouso* (sm.), *pouso* (fl. *pousar*), *poso* (fl. *posar*).]

povão (po.*vão*) *Bras. Pop. sm.* **1** A classe humilde, de baixa renda, em oposição às classes médias e altas **2** Grande quantidade de gente; MULTIDÃO; POVARÉU: *Não sabiam como acomodar todo aquele povão.* [Pl.: *-vões*.] [F.: *povo* + *-ão*[1].]

povaréu (po.va.*réu*) *sm.* **1** Grande quantidade de pessoas; MULTIDÃO; POVÃO: *Ficou perdido no meio do povaréu.* **2** *Pej.* O conjunto dos grupos mais pobres da sociedade; RALÉ [F.: *povo* + *-aréu*.]

poveiro (po.*vei*.ro) *sm.* **1** Indivíduo nascido em Póvoa do Varzim (Portugal) ou que nela habita *a.* **2** De Póvoa do Varzim; típico dessa cidade ou de seu povo [F.: Do top. *Póv(oa)* (*do Varzim*) + *-eiro*.]

poviléu (po.vi.*léu*) *sm.* *Pej.* O conjunto dos grupos mais empobrecidos de uma sociedade; RALÉ [F.: Dim. irreg. de *povo*.]

povo (*po*.vo) [ô] *sm.* **1** Conjunto de pessoas que vivem num mesmo país e que estão sujeitas às mesmas leis (povo brasileiro) **2** Os habitantes de uma localidade ou região: *Povo de Minas Gerais.* **3** Conjunto de pessoas que não necessariamente habitam o mesmo país ou região mas que são ligadas por laços culturais, linguísticos etc. (povo cigano) **4** Grande número de pessoas: *O povo lotou o pequeno estádio.* **5** O conjunto de pessoas que pertencem à classe mais pobre **6** *Fig.* O conjunto de pessoas que pertencem à mesma família ou à mesma casa: *Gosto de ficar em casa, cercado pelo meu povo.* **7** *Pop.* Grupo de pessoas, gente, turma: *O povo chegou cedo para o churrasco.* *smpl.* **8** As nações, os países: *Os povos civilizados são contra a guerra.* **9** Os seres humanos, as pessoas: *Desejava que os povos fossem como irmãos.* [Aum.: *povaréu*. Dim.: *poviléu*.] [F.: Do lat. *populus, i*. Ideia de 'povo': *dem(o)-* (*democracia*), *popul-* (*populismo*).] **■ ~s naturais** *Antq.* Designação dada a povos considerados pouco civilizados, sem desenvolvimento da organização social ou com poucos recursos tecnológicos (como se estivessem mais próximos da 'natureza' do que os povos ditos civilizados) **~s primitivos** *Etnol.* Ver *Povos naturais*

povoação (po.vo.a.*ção*) *sf.* **1** Ação ou resultado de povoar; POVOAMENTO **2** Lugar povoado **3** Conjunto das pessoas que habitam uma região **4** Lugarejo com poucas casas, poucos habitantes; POVOADO **5** *Bras. Amaz.* Porção de seringueiras na floresta [Pl.: *-ções*.] [F.: *povoar* + *-ção*.]

povoado (po.vo.*a*.do) *a.* **1** Que se povoou, em que se formou povoação **2** Em que há ou passa muita gente (ruas povoadas); MOVIMENTADO **3** *Fig.* Cheio, repleto: *Vida povoada de mistérios.* *sm.* **4** Lugar com poucas casas, poucos habitantes; ALDEIA; LUGAREJO; POVOAÇÃO; VILAREJO [F.: Part. de *povoar*.]

povoador (po.vo.a.*dor*) [ô] *a.* **1** Que povoa *sm.* **2** Aquele que povoa **3** Aquele que imigra para colonizar ou cultivar outras terras; IMIGRANTE; COLONIZADOR [F.: *povoar* + *-dor*.]

povoamento (po.vo.a.*men*.to) *sm.* **1** Ação ou resultado de povoar; POVOAÇÃO **2** *Bras.* Grupo de árvores de diferentes espécies que constituem a mata (povoamento florestal) [F.: *povoar* + *-mento*.]

povoar (po.vo.*ar*) *v.* **1** Colocar (pessoas) em lugar ou região antes desabitada para que aí habitem; formar povoação [*td.*: *povoar o sertão.*] **2** Tornar habitado (por animais ou vegetais) [*td.*: *As borboletas povoaram o vale.*] [*tdr.* +*de*: *A primavera povoou o campo de lindas flores.*] **3** Tornar-se repleto, cheio; encher-se de [*td.*: *Grupos de turistas povoaram a praia distante.*] [*tdr.* +*de*: *povoar a cidade de lojas comerciais.*] [*tr.* +*de*: *A praia povoou-se de surfistas.*] **4** *Fig.* Encher(-se) (de sentimentos, ideias etc.) [*td.*: *Os sonhos povoaram sua vida.*] [*tdr.* +*de*: *Alguns filmes povoam nossa cabeça de medos.*] [*tr.* +*de*: *Sua mente povoa-se de esperanças.*] [▶ 16 povoar] [F.: Do port. ant. *povoo* + *-ar*[2]. Hom./Par.: *povoa* [ô] (fl.), *Póvoa* (top.); *povoa(s)* [ô] (fl.), *póvoa(s)* (sf. [pl.]); *povoas* [ô] (fl.), *Póvoas* (antr.).]

poxa (*po*.xa) [ô] *interj.* *Bras. Pop.* Ver *puxa*

⊠ **pp** *Mús.* Abrev. de *pianíssimo*

⊠ **ppm** *Quím.* Sigla de *parte por milhão* (medida de concentração us. em soluções muito diluídas que expressa a massa de soluto em mg existente em 1 kg [1 milhão de mg] de solução)

⊠ **ppp** *Edit. Eletrôn.* Abrev. de *pontos por polegada quadrada* (medida de definição de uma imagem impressa ou da capacidade de um equipamento produzir imagens com certa definição)

⊠ **PR** Sigla do *Estado do Paraná*

pra *Pop. prep.* **1** F. red. da preposição *para*: *Esse lugar é longe pra burro!* **2** Contr. da prep. *para* com o art. def. *a*: *Eles viajaram pra Bahia.*

praça (*pra*.ça) *sf.* **1** Espaço público, ger. com assentos, coretos, plantas ornamentais etc., destinado ao lazer e ao descanso; jardim público **2** Espaço público cercado de edifícios; LARGO **3** Conjunto de setores comerciais de uma cidade; MERCADO: *A praça estava fraca para a venda de vinhos.* **4** Comunidade financeira e comercial de uma cidade: *Tanto fez que ficou sem crédito na praça.* **5** *Mil.* Ver *praça-forte* **6** Hasta pública; LEILÃO **7** Comportamento que encerra alarde, ostentação: *Ele faz praça de ser bom sujeito.* **8** Feira, mercado **9** Em restaurante e estabelecimentos semelhantes, o espaço ou conjunto de mesas servidas por um garçom **10** *Bras. Cons. Naval* Qualquer compartimento, em embarcações, onde há máquinas instaladas **11** *Bras. Mar. Mer.* Em navio mercante, espaço utilizado para transporte de carga **12** *Bras.* Cidade, esp. a capital *sm.* **13** Soldado de polícia **14** *Mil.* Na hierarquia militar, posto imediatamente abaixo de segundo-tenente **15** *Mil.* Militar que não tem graduação ou posto [F.: Do lat. vulg. *platea, do lat. cl. *platea, ae*, 'praça pública'.] **■ ~ de alimentação** *Bras.* Em centros comerciais (*shopping centers*), setor onde se concentram restaurantes, lanchonetes, sorveterias ou outros estabelecimentos que servem refeições **~ de armas** **1** *Mil.* Em uma guarnição, quartel etc., local onde se fazem exercícios militares ou formatura da tropa para revistas, cerimônias etc. **2** Terreno na parte mais avançada de uma fortificação, onde se pode concentrar a tropa antes de sua saída para um ataque **3** Numa trincheira, lugar onde se concentram os encarregados de defendê-la de um ataque inimigo **4** Lugar de armazenamento e proteção de víveres e munição de um tropa, onde esta pode ficar protegida e abastecida se for obrigada a recuar diante do inimigo [Cf.: *praça-d'armas*.] **~ de guerra** **1** *Mil.* Fortificação, cidade fortificada, fortaleza etc., preparada e equipada para resistir a ataque **2** *Fig. P. Ext.* Qualquer lugar preparado para resistir a ataque **~ de pré** *Ant. Mil.* Militar profissional e subalterno **~ de touros** *Taur.* Arena onde se realizam touradas, corridas de touros **~ especial** *Mil.* Na Marinha do Brasil, aluno do Colégio Naval, aspirante ou guarda-marinha **Assentar/sentar ~** **1** Alistar-se e incorporar-se em uma das forças armadas **2** *MG Pop.* Prostituir-se **Em ~ pública** *Fig.* Abertamente, sem fazer segredo: *Apregoou em praça pública seu amor.* **Fazer ~ de** Apregoar, fazer alarde de **~ ~** Ver *Assentar/sentar praça* **Ser boa ~** *Pop.* Ser bom sujeito

praça-d'armas (pra.ça-*d'ar*.mas) *sf.* *Bras. Mar.* Refeitório de oficiais (porque nesse lugar eram guardadas as armas portáteis dos navios de guerra). [pl.: *praças-d'armas*.]

praça-forte (pra.ça-*for*.te) *sf.* *Mil.* Local, quartel, base, posto militar fortificado e guarnecido de tropas para sua defesa [Pl.: *praças-fortes*.]

pracear (pra.ce.*ar*) *v. td.* Fazer leilão de; LEILOAR: *pracear um espólio; praceou os bens do devedor.* [▶ 13 pracear] [F.: *praça* + *-ear*.]

pracinha (pra.*ci*.nha) *sf.* **1** Pequena praça **2** Lugar público com brinquedos, bancos, balanços, para o lazer de crianças; PARQUINHO *sm.* **3** *Bras. Mil.* Soldado da Força Expedicionária Brasileira, que defendeu o país na Segunda Guerra Mundial (1939-1945) [F.: *praça* + *-inha*.]

pracista (pra.*cis*.ta) *s2g.* **1** Vendedor que trabalha em determinada praça ou local; ZANGÃO **2** Indivíduo do interior que teve alguma educação e já esteve em uma ou mais cidades, não sendo considerado um matuto **3** *RS*

Pej. Designação dada pelo homem do campo ao da cidade [F.: *praça* + *-ista*.]

pradaria (pra.da.*ri*.a) *sf.* **1** Conjunto de prados mais ou menos próximos entre si **2** Grande planície **3** *Bot.* Variedade de formação campestre, comum em áreas de clima temperado, em que predominam as gramíneas cuja altura varia de alguns centímetros a cerca de dois metros [F.: *prado* + *-aria*.]

prado (*pra*.do) *sm.* **1** Grande extensão de terra coberta de plantas herbáceas; CAMPINA **2** Campo coberto de ervas que servem para pastagem; PASTO **3** Lugar em que se disputam corridas de cavalos; HIPÓDROMO [F.: Do lat. *pratum, i*.]

pra-frentex (pra-fren.*tex*) [técs] *a2g2n. Bras. Gír. Antq.* Muito pra-frente, moderno, avançado: "Toda a moçada pra-frentex (gíria da época) se escandalizou com a palavra obscena pronunciada diante da condessa." (Millor Fernandes, "Critérios" *in La insignia*, 06.05.2005) [F.: *pra-frente* + *-ex*, term. indicativa de modernidade.]

praga (*pra*.ga) *sf.* **1** Doença contagiosa que ataca muitas plantas ao mesmo tempo: *A praga quase destruiu o trigal.* **2** Planta daninha **3** Imprecação de que algo de ruim ou desastroso aconteça a alguém: *O que matou esse homem foi praga de invejoso!*: "Pior é praga de mãe ou de pai..." (João Guimarães Rosa, "O porco e seu espírito" *in Ave, Palavra*) **4** Chaga, ferida, ferimento **5** Desgraça coletiva, calamidade **6** Grande quantidade de coisas danosas, nocivas ou destrutivas: *Praga de mosquitos.* **7** Pessoa ou algo que incomoda demais, que irrita: *Esse homem é uma praga!; A praga das guitarras elétricas.* [+*a, contra*] [F.: Do lat. *plaga, ae*.] ■ **Rogar ~ a/contra/para** Desejar (esp. expressando-o em voz alta) algo de ruim, infortúnio, má sorte etc. para (alguém)

pragana (pra.*ga*.na) *sf.* **1** *Bot.* Ponta filiforme de alguns órgãos vegetais; tb. *arista* **2** O que sobra dos grãos, depois de joeirados; RABEIRA; MOINHA [F.: De or. contrv.]

pragmática (prag.*má*.ti.ca) *sf.* **1** Conjunto de normas ou fórmulas que regulam os atos e cerimônias da corte e da igreja **2** *P. ext.* Conjunto de normas de conduta adotado em ocasiões formais; ETIQUETA **3** *Ling.* Parte da linguística que estuda como os enunciados comunicam significados diferentes num contexto **4** *Ling.* Parte da semiologia que estuda esp. as relações entre os símbolos e seus usuários [F.: Do lat. tard. *pragmatica* (loc. *pragmatica sanctio*, 'sanção pragmática').]

pragmático (prag.*má*.ti.co) *a.* **1** Que considera o valor prático e concreto das coisas (pessoa pragmática; pensamento pragmático): "Como político, foi acusado de ser artista, isto é, um idealista muito pouco pragmático, que não se conformava à disciplina partidária..." (José de Alencar, "Este José de Alencar" *in Novas Seletas*) **2** *Fil.* Ref. ao pragmatismo **3** *Fil.* Que é adepto do pragmatismo **4** *Fig.* Que se volta exclusivamente para as coisas práticas, concretas, materiais, para os objetivos de curto prazo, sem maiores considerações de ordem ideológica, filosófica, religiosa etc. **5** Diz-se de jurista que interpreta as leis nacionais [F.: Do lat. *pragmaticus, a, um*, der. do gr. *pragmatikós, e, on*.]

pragmatismo (prag.ma.*tis*.mo) *sm.* **1** *Fil.* Corrente de pensamento que considera a utilidade prática de uma ideia como o critério de sua verdade; filosofia utilitária. [Este sistema de ideias aplica-se esp. ao movimento filosófico que se baseia em conceitos dos norte-americanos Charles Sanders Peirce (1839-1914) e William James (1842-1910).] **2** Comportamento ou atitude, de pessoa ou grupo, que sempre busca resultados práticos, materiais, concretos: *Empresários querem uma política de pragmatismo.* [F.: Do ing. *pragmatism*.]

pragmatista (prag.ma.*tis*.ta) *a2g.* **1** Ref. ao pragmatismo **2** Que é adepto do pragmatismo *s2g.* **3** Indivíduo pragmático [F.: Do ing. *pragmatist*.]

pragmatizar (prag.ma.ti.*zar*) *v.* **1** Tornar pragmático, voltado para a práxis [*td.*: *pragmatizar o conhecimento/ o estudo do português/ o conteúdo dos programas.*] **2** Tornar passível de aplicação prática [*td.*: *pragmatizar a construção de uma sociedade mais digna; pragmatizar os sonhos e projetos.*] **3** Agir de modo pragmático, prático, objetivo [*int.*: "Para muitos, momentaneamente desprivilegiados pela situação política do país, era tempo de pragmatizar." (Roberto Moura, "A construção de uma história do cinema brasileiro" *in Contracampo*, nº 8, jan. /2003)] [▶ **1** pragmatizar] [F.: *pragmát(ico)* + *-izar*.]

praguedo (pra.*gue*.do) [ê] *sm.* Conjunto de pragas: "O praguedo acabara. A prosperidade renascia em toda a redondeza." (Rui Barbosa, *Coletânea literária*.) [F.: *praga* + *-edo*.]

praguejado (pra.gue.*ja*.do) *a.* **1** *Bras.* Atacado de praga: "Escrever para crianças é semear em terra roxa virgem - e não praguejada. Cérebro de adulto é solo já praguejado." (Monteiro Lobato, *Carta a Otaviano Alves de Lima*, 13.08.1946) **2** Que foi vítima de praga; AMALDIÇOADO: "...o menor dos palavrões, praguejado grosso, mandado com raiva..." (*O Globo*, 09.06.2001) [F.: Part. de *praguejar*.]

praguejar (pra.gue.*jar*) *v.* **1** Lançar pragas (3), maldições; AMALDIÇOAR; MALDIÇOAR; PRAGALHAR [*td.*: *A mulher praguejava o comerciante ladrão.*] [*tr.* +*contra*: *O retirante praguejava contra os caminhoneiros.*] [*int.*: *A mulher não parava de praguejar.*] **2** *P. ext.* Denegrir a imagem de (alguém), falando mal; DIFAMAR [*tr.* +*de*: *Praguejava da vizinha por inveja.*] **3** *Bras.* Encher-se um terreno de pragas ou ervas daninhas [*int.*: *O terreno praguejou.*] **4** *Bras.* Ter em grande abundância; ABUNDAR [*int.*: *No bosque, praguejavam os pássaros.*] [▶ **1** praguejar] [F.: *praga* + *-ejar*.]

praguicida (pra.gui.*ci*.da) *a2g.* **1** Diz-se de substância própria para combater pragas *sm.* **2** Essa substância [F.: *praga* + *-i-* + *-cida*.]

praia (*prai*.a) *sf.* **1** Parte baixa na beira do mar, rio ou lagoa, coberta de areia ou pedras **2** Praia, ger. de areia mais ou menos fina, onde se pode tomar banho de mar e de sol **3** Beira-mar, litoral: *Seu sonho era ter uma casa na praia.* **4** *Pop. Bras.* Área de interesse, atividade ou lazer: *Música caipira não é minha praia.* **5** *RS.* Nas charqueadas, cancha onde as reses são esquartejadas [F.: Do lat. tard. *plagia*, der. posv., do gr. *plágia*.] ■ **Morrer na ~** Não conseguir realizar o objetivo, depois de muito esforço e de quase ter conseguido: *Foi líder durante todo o campeonato, mas morreu na praia: perdeu na última rodada.* **~ de viração** *Amaz. GO* Praia onde tartarugas depositam seus ovos **Ser/não ser a ~ de (alguém)** Ser/não ser (profissão, tipo de atividade etc.) de interesse, de domínio ou da capacidade de (alguém)

praiano (prai.*a*.no) *a.* **1** Ref. à praia (traje praiano) **2** Situado à beira-mar (casa praiana) **3** Que reside ou vive numa praia ou no litoral: *Era um sujeito tipicamente praiano.* *sm.* **4** Aquele que reside ou vive numa praia ou no litoral: *Muitos praianos também gostam das montanhas.* [F.: *praia* + *-ano*. Sin. ger.: *praieiro*.]

praieiro (prai.*ei*.ro) *a.* **1** O mesmo que *praiano* **2** *Bras. Hist.* Diz-se do Partido Liberal, antigo partido político brasileiro que deu origem à Revolução Praieira, que ocorreu em Pernambuco em 1848 *sm.* **3** O mesmo que *praiano* **4** *Bras. Hist.* Rebelde que participou da Revolução Praieira [F.: *praia* + *-eiro*.]

prairial (prai.*ri*.al) *sm. Cron.* Nono mês do calendário republicano francês, iniciado em 20 ou 21 de maio e encerrado em 18 ou 19 de junho, conforme o ano [F.: Do fr. *prairial*.]

pralinê (pra.li.*nê*) *sm.* Confeito de amêndoas: *musse de chocolate com pralinê.* [F.: Do fr. *praline*.]

prancha (*pran*.cha) *sf.* **1** Tábua grande e larga; TABUÃO **2** *Esp.* Peça plana, de fibra ou isopor, us. para praticar surfe ou nado **3** A lâmina achatada da espada ou do sabre **4** *Bras. Gír.* Pé grande e chato; LANCHA **5** *SP.* Recusa a pedido de casamento; TÁBUA: *Coitado, o rapaz levou a maior prancha!* **6** *Esp.* Pequeno barco a vela para um só pessoa, us. em esporte e lazer **7** Circular que uma loja maçônica envia a outras lojas similares **8** *Bras.* Nome que se dá a diversas embarcações fluviais, impulsionadas a vela ou a remo **9** *Mar.* Espécie de ponte estendida entre duas embarcações ou entre uma embarcação e o cais **10** *Grav.* Tábua de madeira em que se cavam os sulcos da xilogravura **11** Cada uma dessas tábuas gravadas **12** Vagão ferroviário, composto somente do estrado, us. no transporte de veículos e cargas volumosas [F.: Do fr. *planche*, der. do lat. tard. *planca*. Hom./Par.: *prancha* (sf.), *prancha* (fl. *pranchar*).] ■ **De ~** *Bras.* De cara, direto, sem rodeios **~ a vela** *Esp. Windsurf*

pranchada (pran.*cha*.da) *sf.* **1** Golpe com prancha **2** Pancada que se dá de prancha com a espada ou o sabre **3** Tampo de chumbo que se põe sobre a culatra da peça de artilharia para resguardar o ouvido **4** Pancada simbólica que era dada com a lâmina da espada no indivíduo que se tornava cavaleiro [F.: *prancha* + *-ada*[1].]

planchear (pran.che.*ar*) *v.* **1** Estender-se ao comprido; cair de lado (o cavalo); CHAPAR-SE; ESTATELAR-SE [*int.*: "...estava Alves de Lima para alcançá-lo, quando um adversário lhe dispara um tiro de pistola, fazendo planchear o cavalo..." (Joaquim Manuel de Macedo, "A generosidade de Caxias" *in Ano biográfico*)] **2** Boiar de lado (o peixe); PRANCHAR [*int.*: *Depois de muito lutar com o anzol, o peixe prancheou.*] [*td.*] [▶ **13** pranchear] [F.: *prancha* + *-ear*.]

prancheta (pran.*che*.ta) [ê] *sf.* **1** Mesa própria para desenho, us. esp. por arquitetos **2** *Bras.* Pequena prancha que serve de apoio a alguém que escreve **3** Pequena placa metálica **4** Instrumento us. em topografia para levantamento de plantas **5** Em cartografia, instrumento para medir distâncias [F.: *prancha* + *-eta*.]

prândio (*prân*.di.o) *sm. Poét.* Refeição de gala; BANQUETE [F.: Do lat. *prandium, ii*.]

pranteado (pran.te.*a*.do) *a.* Que é objeto de pranto; CARPIDO; CHORADO; LASTIMADO [F.: Part. de *prantear*.]

pranteador (pran.te.a.*dor*) [ô] *a.* **1** Que pranteia *sm.* **2** Aquele que pranteia [F.: *prantea(r)* + *-dor*. Sin. ger.: *lamentador*.]

prantear (pran.te.*ar*) *v.* **1** Chorar por; LAMENTAR [*td.*: *A nação ainda pranteia seus mortos e feridos.*] [*tr.* +*por*: *Pranteiam pelo filho desaparecido.*] [*int.*: *Ao ouvir as notícias, pôs-se a prantear.*] **2** Verter lágrimas [*int.*: "Junto às santas mulheres pranteastes sobre a lousa do Deus supliciado..." (Fagundes Varela, *Obras III*)] **3** Chorar ou lastimar os próprios males; CARPIR-SE [*td.*: *Pranteava as desgraças sofridas.*] [▶ **13** prantear] [F.: *pranto* + *-ear*[2].]

pranto (*pran*.to) *sm.* **1** Choro intenso. [Ant.: *riso*.] **2** Lamentação, queixa **3** *Lit.* Antigo gênero de poesia elegíaca que lamentava a morte de alguém, esp. de pessoas queridas ou notáveis [F.: Do lat. *planctus, us*. Hom./Par.: *pranto* (sm.), *pranto* (fl. *prantar*).] ■ **Debulhar-se em ~** Chorar muito

prascóvio (pras.*có*.vi.o) *a.sm.* Ver *pacóvio* [Termo us. por Guimarães Rosa em *Grande sertão: veredas*.]

prata (*pra*.ta) *sf.* **1** *Quím.* Elemento de número atômico 47, metálico, muito us. em ligas preciosas, em joias; ARGENTO [Símb.: *Ag*.] **2** *Bras. Gír.* Dinheiro: *Esse homem está cheio da prata.* **3** Ver *prataria*[1]: *Ganhou de presente uma prata de rara qualidade.* [F.: Do lat. vulg. **platta*, fem. de **plattus*, 'plano'.] ■ **~ da casa** **1** Recursos (materiais, metodológicos, humanos etc.) próprios de lugar ou instituição (p. opos. a recursos de terceiros): *Não precisa contratar ninguém de fora, use a prata da casa.* **2** *Restr. Esp.* Jogador profissional, ou da categoria principal, formado nas divisões inferiores (escolinha, juvenis etc.) de um clube ou organização esportiva **~ de lei** A que tem o teor de prata pura estabelecido pela lei do lugar **~ dourada** Prata recoberta de metal avermelhado [Em fr.: *vermeil*.] **~ fulminante** *Expl.* Sal de prata misturado com nitrogênio em pó, explosivo sensível a qualquer choque

pratada (pra.*ta*.da) *sf.* **1** Porção contida num prato **2** Golpe com prato: *Levou uma pratada na cabeça.* **3** Grande quantidade de pratos; PRATARIA; PRATALHADA [F.: *prato* + *-ada*[2].]

prataria[1] (pra.ta.*ri*.a) *sf.* Conjunto de utensílios de prata, como baixelas, vasos etc.; PRATA: *Era especialista em prataria antiga.* [F.: *prata* + *-aria*.]

prataria[2] (pra.ta.*ri*.a) *sf.* Conjunto de pratos; PRATADA; PRATALHADA [F.: *prato* + *-aria*.]

pratarrão (pra.tar.*rão*) *sm.* Prato muito grande; PRATARRAZ [Pl.: *rões*. Aum. irreg. de prato.] [F.: *prato* + *-arrão*.]

pratarraz (pra.tar.*raz*) *sm.* **1** Prato grande; PRATARRÃO **2** O conteúdo de um prato muito grande: *Comeu um pratarraz de feijão.* [F.: Aum. irreg. de *prato*.]

prateação (pra.te.a.*ção*) *sf.* Ação ou resultado de pratear; PRATEADURA [Pl.: *-ções*.] [F.: *pratear* + *-ção*.]

prateado (pra.te.*a*.do) *a.* **1** Coberto com uma camada de prata (brinco prateado); ARGENTADO **2** Que tem a cor da prata (enfeite prateado); ARGÊNTEO *sm.* **3** A camada de prata que recobre um objeto: *O prateado do brinco descascou.* **4** A cor da prata: *O prateado de seus cabelos é lindo.* **5** O que é prateado [F.: Part. de *pratear*.]

pratear (pra.te.*ar*) *v.* **1** Cobrir com prata [*td.*] **2** *Fig.* Tornar(-se)claro ou brilhante como a prata [*td.*: "A lua prateou o mar e o céu" (Jorge Amado, *Jubiabá*)] [*int.*: *Seus cabelos pratearam.*] **3** Pintar (algo) com tinta prateada [*td.*] [▶ **13** pratear] [F.: *prata* + *-ear*.]

prateiro (pra.*tei*.ro) *sm.* **1** Artesão ou fabricante de objetos de prata **2** Comerciante que vende objetos de prata [F.: *prata* + *-eiro*.]

prateleira (pra.te.*lei*.ra) *sf.* **1** Tábua fixada na parede ou em estante, armário etc., onde se colocam objetos diversos, como pratos, roupas, enfeites etc.: *A prateleira da cozinha estava imunda.* **2** Cada divisão horizontal de armário ou estante: *O disco está na prateleira do meio.* **3** Em estabelecimentos comerciais, armação com prateleiras em que se colocam as mercadorias para vender [F.: De *pratel* (antiga denominação de prato pequeno) + *-eira*.] ■ **~ de cima** *BA* Produto ou mercadoria de qualidade **Estar/ficar na ~** *Fig.* Não ser lembrado, ser esquecido **Ir para a ~** *MA Fam.* Ficar solteirona; ficar para titia

prática (*prá*.ti.ca) *sf.* **1** Ação ou resultado de praticar **2** Aquilo que é real, que se opõe ao que é abstrato: *A teoria é boa, mas na prática as coisas não são assim.* **3** Execução de algo que foi idealizado, planejado: *Concluído o aprendizado, lançou-se à prática.* **4** Execução frequente de uma atividade, de um trabalho: *Prática de exercícios físicos.* **5** Capacidade adquirida por treinamento ou experiência para fazer algo com exatidão, com perfeição; DESTREZA; PERÍCIA: *Tem prática em dirigir tratores.* **6** Maneira de se comportar, de agir, de um grupo de pessoas, um povo etc.; COSTUME; USO: *Misturar comida num só prato é prática brasileira.* **7** Modo de fazer determinadas coisas com frequência: *O nepotismo é uma prática dos políticos brasileiros.* **8** Período em que alunos de certos cursos deixam a sala de aula para entrar em contato direto com a profissão que pretendem exercer; ESTÁGIO **9** O que esses alunos fazem durante tal período **10** *Mar.* Licença que se concede a navegantes para que entrem em contato com um porto ou uma cidade **11** Conferência, palestra **12** *Fil.* Ver *práxis* (2) [F.: Do lat. medv. *practica*, der. do gr. *praktiké*. Hom./Par.: *prática* (sf.), *pratica* (fl. de *praticar*).] ■ **Na ~** Na realidade (p. op. a em teoria), no que tange aos fatos: *Lendo as instruções parece complicado, mas na prática é muito simples.* **Pôr em ~** Aplicar, por em ação (plano, ideia etc.); executar, realizar

praticabilidade (pra.ti.ca.bi.li.*da*.de) *sf.* Qualidade do que é praticável [F.: *praticável* + *-(i)dade*, seg. o modelo erudito. Ant.: *impraticabilidade*.]

praticado (pra.ti.*ca*.do) *a.* **1** Que foi colocado em prática; APLICADO; EXPERIMENTADO **2** Versado, combinado [F.: Part. de *praticar*.]

praticagem (pra.ti.*ca*.gem) *sf.* **1** *Mar.* Atividade que consiste em conduzir embarcações com base no conhecimento dos acidentes e pontos característicos da área onde é desenvolvida, a fim de proporcionar maior eficiência e segurança à navegação **2** A totalidade dos práticos de uma área determinada **3** A profissão do prático [F.: *prático* + *-agem*[2].]

praticante (pra.ti.*can*.te) *a2g.* **1** Diz-se de quem pratica ou se exercita em algo (praticante de futebol) **2** Que frequenta cultos e observa as práticas de uma religião: *Era um católico praticante.* **3** Que se encontra em período de treinamento de alguma atividade **4** Que faz discursos, sermões *s2g.* **5** Aquele que pratica (algo) **6** *Restr.* Aquele que pratica uma modalidade esportiva ou certa atividade: *É um praticante de aeromodelismo.* **7** Aquele que faz discursos, sermões ou é dado a discursar **8** *Mar.* Aspirante a oficial da marinha mercante [F.: *praticar* + *-nte*.]

praticar (pra.ti.*car*) *v.* **1** Pôr em prática; REALIZAR [*td.*: *Praticar boas ações.*] **2** Exercitar-se (em qualquer atividade) [*td.*: *Praticava natação.*] **3** Atuar profissio-

nalmente em; EXERCER [*td.*: *Praticar a medicina.*] **4** Executar frequentemente uma ação, a fim de adquirir prática; TREINAR [*td.*: *Pratica piano todas as manhãs.*] **5** Adquirir experiência [*int.*: *Dava aula em mais de uma escola para praticar.*] [*tr.* +com: *O jovem pianista praticava diariamente com um mestre do piano.*] **6** Manter relações íntimas com; FREQUENTAR [*tr.* +com: *Sempre pratica com pessoas que sabem mais do que ele.*] **7** Manter diálogo; CONVERSAR [*tr.* +com: *Pratica com a melhor amiga toda semana pelo telefone.*] [*int.*: *As fofoqueiras praticam toda manhã.*] **8** Expor verbalmente; DIZER; FALAR [*tdi.* +a, para: *Praticou todos os seus sentimentos para o marido.*] **9** Fazer pregação; ministrar ensinamento [*tdi.* +a, para: *Pratica filosofia aos jovens da vizinhança.*] **10** Ter bons conhecimentos de; estudar frequentemente [*td.*: *Pratica a poesia romântica brasileira do século XIX.*] **11** *Mar.* Desempenhar ofício de prático [*int.*: *O comandante mandou-o praticar.*] [▶ 11 praticar] [F.: *prática* + *-ar*².
Hom./Par.: *praticáveis(s)* (fl.), *praticáveis* (pl. *praticável*, [a2g.]); *pratica(s)* (fl.), *prática(s)* (sf. [pl.]); *pratico* (fl.), *prático* (a. sm.).]

praticável (pra.ti.*cá*.vel) *a2g.* **1** Que se pode pôr em prática; EXEQUÍVEL; REALIZÁVEL **2** Que pode dar passagem (caminho praticável); TRANSITÁVEL; VIÁVEL *sm.* **3** *Teat.* Elemento cenográfico móvel que permite a movimentação dos atores no palco, para a composição de cenas [F.: *pratica(r)* + *-vel*. Hom./Par.: *praticáveis* (pl.), *praticáveis* (fl. de *praticar*).]

praticidade (pra.ti.ci.*da*.de) *sf.* Qualidade do que é prático [F.: *prático* + *-(i)dade*.]

praticismo (pra.ti.*cis*.mo) *sm.* **1** Inclinação para agir por meio da prática com o mínimo de teoria ou sem ela: "... na qual se sintonizariam o 'praticismo' do espírito americano e o gênio da nova civilização industrial, científica e técnica." (Anísio Teixeira, "Confronto entre a educação dos EUA e a do Brasil" *in Revista Brasileira de Estudos Pedagógicos*, abr./jun. 1960) **2** Caráter ou condição do que é prático; PRATICIDADE: *o praticismo da câmera digital.* [F.: *prático* + *-ismo*, seg. o mod. vern.]

praticista (pra.ti.*cis*.ta) *a2g.* **1** Ref. ao praticismo, que é favorável ou propício ao praticismo: *o caráter praticista do mercado; ensino com feição praticista. s2g.* **2** Na Igreja de Cristo Cientista (*Christian Science*), pessoa que se dedica a arte de curar [F.: *prático* + *-ista*, seg. o mod. vern.]

prático (*prá*.ti.co) *a.* **1** Ref. à prática **2** Que se ocupa particularmente da prática: *Tratado prático de medicina.* **3** Em que se põe em ação o conhecimento teórico: *Aula prática de fotografia.* **4** Experiente, perito, versado **5** Projetado de modo a facilitar o uso e ser eficaz; FUNCIONAL: *Esse aparelho é muito prático.* **6** Apropriado, conveniente: *É mais prático escrever no computador do que à mão.* **7** Que se baseia no conhecimento do que é de fato possível ou viável; SENSATO: *É mais prático fazer as coisas por etapas.* **8** Que exerce profissão liberal sem ter diploma **9** *Fil.* Que determina a conduta *sm.* **10** Aquele que exerce profissão liberal sem ter diploma: *Era um prático de odontologia.* **11** Indivíduo que conhece a fundo os acidentes hidrográficos e topográficos de áreas restritas marítimas, fluviais e lacustres, e que através delas conduz embarcações de forma segura; PILOTO; TIMONEIRO [F.: Do lat. *practicus, a, um*. Hom./Par.: *prático* (a. sm.), *pratico* (fl. de *praticar*).]

prato (*pra*.to) *sm.* **1** Recipiente próprio para se comer. [Col.: *baixela, prataria*] **2** Comida que cabe nesse recipiente: *Comeu um prato de farofa.* **3** Peça arredondada e côncava de balança, em que é posto o que se vai pesar **4** O que se come habitualmente; ALIMENTO; COMIDA: *Sempre queria os pratos mais saborosos.* **5** *Mús.* Cada uma das peças metálicas em forma de disco que o baterista percute, ger. com baqueta ou vassourinha **6** *Metrol.* Unidade de medida que se usa em cereais **7** *Bot.* Parte basal e sólida dos bulbos **8** Qualquer parte de um maquinismo ou aparelho que se assemelhe a um prato *a.* **9** Chato, plano. [Aum. nas acps 1 e 8: *pratalhaz, pratarrão, pratarraz, pratázio.*] [F.: Do fr. *plat*, der. do lat. vulg. **plattus*, e este do gr. *platýs*, 'plano, chato'.] ◼ **Cuspir no ~ em que comeu** Ser (alguém) ingrato (com quem o ajudou) **Limpar o ~** *Fig.* Comer tudo que está no prato **Pôr em ~s limpos** Esclarecer (assunto, discórdia, intriga etc.) **~ cheio** *Bras. Pop.* Assunto, fato, situação etc. capaz de suscitar muitos comentários, fofocas, críticas, zombarias etc.: *A briga do casal foi um prato cheio para toda a vizinhança.* **~ comercial** Ver *Prato feito* **~ de lentilhas** *Fig.* Pouca recompensa para muita concessão [Com base no episódio bíblico em que Esaú cede seus direitos de primogênito a Jacó por um prato de lentilhas.] **~ de resistência** **1** O prato (3) principal de uma refeição, ou de um restaurante, ou de um *chef* **2** *Fig.* A principal ou mais elogiada e conhecida obra ou realização de alguém (artista, esportista, cineasta etc.) **3** *P. ext.* Aquilo que é a principal atividade, serviço, atração; aquilo que é apresentado ou oferecido como tal **~ feito** **1** *Bras. Pop.* Refeição barata e simples, ger. carne e um ou mais acompanhamentos, com preço determinado, e que já vem servida no prato; prato comercial [Tb. se usam as iniciais, PF, e a forma daí derivada pê-efe.] **2** Aquilo que é muito conveniente, oportuno ou favorável (como se estivesse pronto, preparado especialmente para alguém aproveitar); circunstância ou conjunto de elementos ou fatos que alguém pode usar ou desfrutar facilmente, sem esforço, em seu benefício: *O festival de cinema é um prato feito para os cinéfilos.* **3** Aquilo que tem elementos para despertar interesse, atenção, comentários e debates a seu respeito: *A sucessão presidencial é um prato feito para a imprensa:* "Devo ser um prato feito para psicanalistas..." (João Ubaldo Ribeiro, "O desajustado do Leblon" *in O Globo*, 04.01.2004)

prato-cheio (pra.to-*chei*.o) *sm. Bras. Pop.* Fato ou assunto que se presta esp. para crítica ou zombaria: "Voto eletrônico: um prato-cheio para os *hackers*." (*Observatório da Imprensa*, 28.10.2000) [Pl.: *pratos-cheios*.]

pratos (*pra*.tos) *smpl. Mús.* Instrumento de percussão, composto por duas peças metálicas em forma de disco [F.: Pl. de *prato*.]

praxe (*pra*.xe) *sf.* Aquilo que se pratica ou se faz sempre, rotineiramente; COSTUME; PRÁTICA: *Como de praxe, saiu depois da hora:* "A solenidade da posse de Álvaro na Academia, (...) como sucessor de Roquete Pinto, revestindo-se de tons destoantes da praxe acadêmica, levaria a supor, com a sua..." (Josué Montello, *Sempre serás lembrada*) [F.: Do lat. *praxis, is*, 'modo de proceder', do gr. *prâksis, eos*. Cf.: *práxis*.] ◼ **Ser de ~** **1** Ser habitual, usual **2** Ser regulamentar, ser a norma

◎ **-prax(i)-** *el. comp.* Ver *prax(i)-*

◎ **prax(i)-** *el. comp.* = 'ação', 'realização', 'prática'; 'atividade'; 'modo de agir': *praxiterapia*; *zoopraxinoscópio* [F.: Do gr. *prâksis, eos*, 'ação de agir'; 'modo de agir'. F. conexa: *-praxia*.]

◎ **-praxia** *el. comp.* = 'ação'; 'ato'; 'gesto'; 'movimento'; 'prática': *apraxia* (gr.), *dispraxia, ecopraxia, eupraxia, ortopraxia* [F.: Do gr. *-praksía, as*, do gr. *prâksis, eos*, 'ação ou modo de agir'. F. conexa: *prax(i)-*.]

praxinoscópio (pra.xi.nos.*có*.pi.o) [cs] *sm. Cin.* Cilindro dotado de uma série de espelhos que permitem a projeção de uma sequência de fotos ou de figuras uma após a outra, dando a impressão de movimento. [Aparelho originalmente concebido pelo francês Émile Reynaud (1844-1918) no qual projetava suas pantomimas luminosas] [F.: Adaptação do fr. *praxinoscope*.]

práxis (*prá*.xis) [cs] *sf2n.* **1** Prática, atividade, ação: *Sempre passava da teoria à práxis.* **2** *Fil.* Na filosofia marxista, a atividade humana objetiva, concreta, que supera a teorização e permite que o indivíduo atue diretamente no campo cultural, político e social, contribuindo para mudar as relações entre pessoas e grupos **3** Ação de aplicar, na prática, uma teoria política, artística, social etc. **4** Movimento vanguardista da poesia brasileira, ocorrido em São Paulo em 1961 [F.: Do gr. *prâksis, eos*.]

praxista (pra.*xis*.ta) [cs] *a2g.* **1** Que conhece e/ou obedece as praxes *s2g.* **2** Indivíduo praxista: "...era uma inteligência teórica; para ele, o praxista representava o bárbaro." (Machado de Assis, *Iaiá Garcia*) **3** *Jur.* Jurista que se especializou em direito processual; PROCESSUALISTA [F.: *prax* e (com retomada da pros. gr. em [cs]) + *-ista*.]

praxiterapia (pra.xi.te.ra.*pi*.a) [cs] *sf. Psiq.* Tratamento baseado no trabalho organizado e de complexidade crescente, ger. aplicado a doentes crônicos internados [F.: *prax(i)-* + *-terapia*.]

praxiterápico (pra.xi.te.*rá*.pi.co) *a. Psiq.* Ref. à praxiterapia [F.: *praxiterapia* + *-ico*².]

prazenteiro (pra.zen.*tei*.ro) *a.* **1** Que demonstra prazer; ALEGRE; FESTIVO: *Recebia os amigos sempre alegre, prazenteiro.* **2** Agradável, afável [F.: *prazente* + *-eiro*. Ant.: *macambúzio, triste*.]

prazer¹ (pra.*zer*) *sm.* **1** Sentimento agradável, de gozo, de alegria, ger. ligado à satisfação de uma necessidade ou impulso vital; CONTENTAMENTO; JÚBILO **2** Deleite produzido por ato sexual **3** Distração, divertimento, diversão **4** Disposição que se caracteriza pela afabilidade: *O clube tem o prazer de convidar os sócios para mais uma festividade.* [F.: Do lat. *placere*. Ideia de 'prazer': *hedon(o)-* (*hedonista*).]

prazer² (pra.*zer*) *v.* O mesmo que *aprazer.* [*ti.* +a: *Não lhe praz comer à noite.*] [*int.*: *Muitos são os divertimentos que prazem.*] [▶ 22 prazer] [F.: Do lat. *placere*. Ideia de 'prazer': usar antepos. *hedon (o)-*.]

prazeroso (pra.ze.*ro*.so) [ô] *a. Bras.* Que dá prazer, satisfação, alegria (companhia prazerosa; passeio prazeroso); AGRADÁVEL; PRAZENTEIRO [F.: *prazer* + *-oso*.]

prazo (*pra*.zo) *sm.* **1** Tempo delimitado que se tem para fazer alguma coisa: *O prazo para a inscrição já terminou.* **2** Período de tempo: *Queria um prazo maior.* **3** Prédio anfitêutico; AFORAMENTO [F.: Do lat. *placitus*.] ◼ **A ~** *Econ.* Com pagamento no futuro, ger. parcelado [P. op. a *à vista*.] **A/em curto ~** Após, ou no decorrer de período curto; no futuro próximo: *A medida é boa, mas em curto prazo não esperamos resultado.* **A/em longo ~** **1** Após, ou no decorrer de, período longo; em futuro não próximo, ou distante **2** No fim das contas; ao final de (determinado processo de mudanças): *No início não se sentem melhoras, mas a longo prazo os exercícios fazem efeito.* **A/em médio prazo** Após, ou no decorrer de período nem longo nem curto

◎ **pré-** *Pref.* Indica anterioridade, antecipação, adiantamento: *pré-história, pré-socrático, pré-candidato, pré-fabricado* etc. [corresponde a pre-, mas não aglutina e usa-se sempre com hífen.] [F.: Do lat. *prae-*.]

preá (pre.*á*) *Bras. s2g.* **1** *Zool.* Nome comum dado a diversos pequenos roedores sul-americanos, da fam. dos caviídeos, de corpo robusto, patas e orelhas curtas e cauda ausente **2** *Zool.* Nome comum dado a três espécies de mamíferos roedores caviídeos, do gên. *Galea*, de dorso amarelado e preto, que vivem em capinzais, lagoas e rios do N. e N. E **3** *N. E.* Indivíduo que toma parte em diversões sem gastar **4** *Mar.* Marinheiro inexperiente e desajeitado [F.: Do tupi *apere'a*.]

pré-adamita (pré-a.da.*mi*.ta) *a2g.* Anterior à existência de Adão (raça pré-adamita) [Pl.: *pré-adamitas*.] [F.: *pré-* + *adamita*.]

pré-adolescência (pré-a.do.les.*cên*.ci.a) *sf.* Fase da vida que antecede a adolescência [Pl.: *pré-adolescências*.] [F.: *pré-* + *adolescência*.]

pré-adolescente (pré-a.do.les.*cen*.te) *a2g.* **1** Que está na pré-adolescência [Pl.: *pré-adolescentes*.] *s2g.* **2** Aquele que está na pré-adolescência [Pl.: *pré-adolescentes*.] [F.: *pré-* + *adolescente*.]

pré-agônico (pré-a.*gô*.ni.co) *a.* Que precede a agonia ou a morte (estado pré-agônico) [Pl.: *pré-agônicos*.] [F.: *pré-* + *agônico*.]

preamar (pre.a.*mar*) *sf.* Maré alta, maré-cheia: "Olhe o sombreado, entre mar e terra firme. São bancos de areia, que a preamar recobre." (João Guimarães Rosa, "Estas Estórias" *in Ave, Palavra*) [Ant.: *baixa-mar*.] [F.: port. ant. prea (do lat. *plena*, fem. de *plenus, a, um*) + *mar* (ainda como sf., do lat. *maris, e*).]

preâmbulo (pre.*âm*.bu.lo) *sm.* **1** Texto preliminar de escrito ou fala, que apresenta ou anuncia o assunto principal: "...lembrou-se de que tudo o que dissera não passava de preâmbulo ao assunto grave..." (Martins Pena, *As casadas solteiras*) **2** A parte preliminar de uma lei, de um decreto ou de um diploma em que o soberano anuncia a sua promulgação **3** Ver *prefácio* (1) **4** *Mús.* Ver *prelúdio* (4) [F.: Do lat. tar. *praeambulus*. Hom./Par.: *preâmbulo* (sm.), *preambulo* (fl. *preambular*).] ◼ **Sem (mais) ~s** De imediato, sem introduções, indo direto ao assunto

pré-anestésico (pré-a.nes.*té*.si.co) *a.* **1** Relativo ao estado de anestesia leve provocado por medicamento administrado antes da anestesia geral (preparo pré-anestésico) **2** Diz-se de medicamento que provoca esse estado [Pl.: *pré-anestésicos*.] *sm.* **3** Esse medicamento [Pl.: *pré-anestésicos*.] [F.: *pré-* + *anestésico*.]

preanunciação (pre.a.nun.ci.a.*ção*) *sf.* Ação ou resultado de preanunciar: "A preanunciação do futuro é obra própria de Deus, que os demônios nunca puderam imitar." (Amador Arrais, *Diálogos*) [F.: *preanunciar* + *-ção*.]

preanunciado (pre.a.nun.ci.*a*.do) *a.* Anunciado previamente: *As medidas de contenção de despesas foram preanunciadas pelo Presidente.* [F.: Part. de *preanunciar*.]

preanunciar (pre.a.nun.ci.*ar*) *v. td.* **1** Anunciar previamente: "Ora, a ideia de preanunciar uma desvalorização cambial no futuro, com data marcada, é inconcebível..." (*O Estado de S. Paulo*, 04.07.2004) **2** Predizer, pressagiar, prever [▶ 1 preanunciar] [F.: *pre-* + *anunciar*.]

preaquecer (pre.a.que.*cer*) *v.* Aquecer previamente: *Preaqueça o forno antes de assar o pão.* [▶ 33 preaquecer] [F.: *pre-* + *aquecer*.]

preaquecido (pre.a.que.*ci*.do) *a.* Aquecido previamente (forno preaquecido) [F.: Part. de *preaquecer*.]

preaquecimento (pre.a.que.ci.*men*.to) *sm.* Ação ou resultado de preaquecer [F.: *preaquecer* + *-imento*.]

prear (pre.*ar*) *v.* Tornar prisioneiro; APRISIONAR; CAPTURAR [*td.*: *Conseguiu prear a caça.*] [*int.*: *Os caçadores estavam prontos para prear.*] [▶ 13 prear] [F.: Do lat. *praedare*. Hom./Par.: *prear, preá* (s2g.). Ant. ger.: *soltar, libertar*.]

pré-aviso (pré-a.*vi*.so) *sm.* Aviso dado com alguma antecedência [Pl.: *pré-avisos*.] [F.: *pré-* + *aviso*.]

prebenda (pre.*ben*.da) *sf.* **1** *Ecles.* Rendimento de canonicato **2** Função de cônego; CANONICATO **3** *P. ext.* Renda eclesiástica **4** *Fig.* Atividade lucrativa que dá pouco trabalho; SINECURA **5** *Bras.* Tarefa desagradável, muito trabalhosa; MAÇADA [F.: Do lat. med. *praebenda, ae*. Hom./Par.: *prebenda* (sf.), *prebenda* (fl. *prebendar*).]

prebendar (pre.ben.*dar*) *v.* Conferir prebenda ou prebendaria a [▶ 8 prebendar] [F.: *prebenda* + *-ar*. Hom./Par.: *prebenda* (sf.), *prebenda* (fl. de *prebendar*).]

preboste (pre.*bos*.te) *Ant. sm.* **1** Antigo magistrado militar a serviço nos quartéis e navios de guerra, encarregado de punir delitos cometidos pelos praças **2** Juiz civil ou militar na antiga magistratura francesa **3** *Rel.* Superior de algumas ordens religiosas **4** Designação comum a certos empregados reais ou feudais [F.: Do cat. *prebost*.]

pré-cabralino (pré-ca.bra.*li*.no) *a.* Anterior à chegada de Pedro Álvares Cabral ao Brasil [Pl.: *pré-cabralinos*.] [F.: *pré-* + *cabralino*.]

precação (pre.ca.*ção*) *sf.* Súplica, rogação, deprecação [Pl.: *-ções*.] [F.: Do lat. *precatio, onis*. Cf. *precaução*.]

pré-cambriano (pré-cam.bri.*a*.no) *Geol. a.* **1** Diz-se de período da era proterozoica que antecede o cambriano, no qual surgem os primeiros sinais de vida rudimentar [Pl.: *pré-cambrianos*.] *sm.* **2** Esse período [Nesta acp. com inicial maiúsc.] [Pl.: *pré-cambrianos*.] [F.: *pré-* + *cambriano*.]

pré-canceroso (pré-can.ce.*ro*.so) [ô] *Med. Pat. a.* **1** Que antecede a doença cancerosa [Pl.: *pré-cancerosos* [ó]. Fem.: [ó] *sm.* **2** Aquele que desenvolve um processo pré-canceroso [Pl.: *pré-cancerosos* [ó].] [F.: *pré-* + *canceroso*.]

pré-candidato (pré-can.di.*da*.to) *sm.* Aquele que postula ser candidato oficial a algum cargo, esp. político: *Era um dos pré-candidatos ao cargo de prefeito.* [Pl.: *pré-candidatos*.] [F.: *pré-* + *candidato*.]

precantar (pre.can.*tar*) *v.* Pressagiar em versos ou cantos [*td.*] [▶ 1 precantar] [F.: Do v.lat. *praecantare*. Cf. *precatar*.]

pré-capitalismo (pré-ca.pi.ta.*lis*.mo) *sm. Econ. Hist.* Situação econômica, política e social anterior ao capitalismo, que representa uma passagem do feudalismo para o capitalismo [Pl.: *pré-capitalismos*.] [F.: *pré-* + *capitalismo*.]

pré-capitalista (pré-ca.pi.ta.*lis*.ta) ***a2g.*** Que antecede o capitalismo (sistema pré-capitalista) [Pl.: *pré-capitalistas.*] [F.: *pré-* + *capitalista.*]

precariedade (pre.ca.ri.e.*da*.de) ***sf.*** Qualidade, caráter de precário, de fraco, incerto ou deficiente: *Ganha pouco, vive em extrema precariedade.* [F.: *precário* + *-edade.*]

precário (pre.*cá*.ri.o) ***a.*** **1** Que é pouco, escasso: *Era homem de conhecimentos precários.* **2** Que não é estável: *Tinha um emprego precário.* **3** Que é frágil, débil: *Equilíbrio emocional precário.* **4** Que se encontra em más condições: *Assistência médica precária; equipamento precário.* **5** Que não tem sustentação (apoio precário) [Superl.: *precariíssimo.*] [F.: Do lat. *precarius, a, um.*]

precarização (pre.ca.ri.za.*ção*) ***sf. Bras.*** Ação ou resultado de tornar precário, inseguro: *Nos últimos anos tem havido uma precarização crescente do mercado de trabalho.* [Pl.: *-ções.*] [F.: *precarizar* + *-ção.*]

precarizar (pre.ca.ri.*zar*) ***v. int. td.*** Tornar(-se) precário; BAIXAR; DEBILITAR; DESESTABILIZAR; ESCASSEAR: *O mercado de trabalho precarizou-se.* [Ant.: *abundar, estabilizar, fortalecer, melhorar*] [▶ **1 precarizar**] [F.: *precário* + *-izar.*]

pré-carnavalesco (pré-car.na.va.*les*.co) [ê] ***a.*** Que se realiza um pouco antes do carnaval (desfile pré-carnavalesco); anterior ao carnaval [Pl.: *pré-carnavalescos.*] [F.: *pré-* + *carnavalesco.*]

precatado (pre.ca.*ta*.do) ***a.*** Que se precatou; ACAUTELADO; PRECAVIDO [F.: Part. de *precatar*. Ant.: *imprecatado.*]

precatar (pre.ca.*tar*) ***v.*** Pôr(-se) de sobreaviso ou precaução acerca de (algo ou alguém); ACAUTELAR(-SE); PRECAVER(-SE); PREVENIR(-SE) [***td.:*** *O médico precatou a família do doente.*] [***tdr.*** *+contra, de: O deputado precatou a comunidade contra esses abusos.*] [▶ **1 precatar**] [F.: Or. obsc.]

precatória (pre.ca.*tó*.ri.a) ***sf. Jur.*** Carta pela qual um órgão da Justiça pede a outro que realize um determinado ato. [Tb. se diz *carta precatória.*] [F.: Fem. substv. de *precatório.*]

precatório (pre.ca.*tó*.ri.o) ***a.*** **1** Que pede ou solicita algo (documento precatório); ROGATÓRIO ***sm.*** **2** Documento precatório: *O juiz recebeu o precatório.* [F.: Do lat. *precatorius, a, um.* Hom./Par.: *precatório* (a. sm.), *precatório* (a.).]

precaução (pre.cau.*ção*) ***sf.*** **1** Ação ou providência por meio da qual se busca evitar algo ruim: *Tomou precauções para não ter a casa assaltada.* **2** Qualidade de quem é precavido: *Sua maior virtude era a precaução.* [F.: Do lat. tard. *praecautio, onis.* Hom./Par.: *precaução* (sf.), *precação* (sf.).]

precautelar (pre.cau.te.*lar*) ***v. td. tdr.*** O mesmo que *precaver* [▶ **1 precautelar**] [F.: *pré-* + *cautelar*[2].]

precauto (pre.*cau*.to) ***a. Lus.*** Precavido, prevenido: "... onde talvez apenas o observador precauto qualquer luz acharia que o traísse a alienação do espírito." (António Mora (Fernando Pessoa), "A Casa de Saúde de Cascaes" *in Contos*) [F.: Do lat. *precautus.*]

precautório (pre.cau.*tó*.ri.o) ***a.*** Relativo à precaução; que envolve precaução; PRECAUCIOSO: *O princípio precautório é um elemento das leis internacionais para o meio ambiente.* [F.: rad. do part. pass. lat. *precaut-* + *ório.* Cf. *precatório.*]

precaver (pre.ca.*ver*) ***v.*** Pôr(-se) de sobreaviso quanto a (algo ou alguém); acautelar(-se) antecipadamente; PRECATAR(-SE); PREVENIR(-SE) [***td.:*** *precaver os perigos.*] [***tdr.*** *+contra, de: Precaveram os escoteiros dos mosquitos; A mãe precaveu os filhos contra lugares perigosos.*] [▶ **2 precaver**] [F.: Do lat. *praecavere.*]

precavido (pre.ca.*vi*.do) ***a.*** Que procura se antecipar a situações problemáticas, para evitá-las; CAUTELOSO; PREVENIDO: "...silêncio que entre o casal cada dia mais se impunha, secreto e precavido recurso para que tudo não se desmoronasse e guardadas fossem as necessárias aparências que a economia comum exigia." (Marquês Rebelo, *O Simples Coronel Madureira*) [F.: Part. de *precaver*. Ant.: *imprecatado, imprevidente, incauto.*]

prece (*pre*.ce) ***sf.*** **1** Fala, pensamento ou texto dirigido a uma divindade ou a um santo, em louvação, agradecimento ou súplica; ORAÇÃO; REZA: "...o que também me ocorreu anos depois, já ordenado, para não falar nos momentos de prece conjunta e inúmeras outras ocasiões em que o ar contrito dos envolvidos era quase o equivalente a alguém me fazendo cócegas." (João Ubaldo, *Diário do Farol*) **2** Ação ou resultado de rogar, de suplicar [F.: Do lat. *preces, um.* Col.: *breviário, rezaria, rosário.*]

precedência (pre.ce.*dên*.ci.a) ***sf.*** **1** Qualidade de precedente; PRECESSÃO **2** Condição do que deve ficar em primeiro lugar; PREFERÊNCIA; PRIMAZIA [*+a, sobre: A saúde tem precedência a / sobre a riqueza.*] [F.: Do lat. tar. *praecedentia.* Hom./Par.: *precedência* (sf.), *procedência* (sf.).]

precedente (pre.ce.*den*.te) ***a2g.*** **1** Que precede, que vem antes; ANTECEDENTE [*+a: acontecimento precedente a outro.* Ant.: *subsequente, ulterior.*] ***sm.*** **2** Ato, situação ou decisão que serve como parâmetro para deliberações futuras: *Esse parecer do juiz abre um precedente.* **3** Fato considerado a outro em relação de anterioridade: *Os precedentes me permitiram agir dessa maneira.* [F.: Do lat. *praecedens, entis.* Hom./Par.: *precedente* (a2g.), *procedente* (a2g.).] ■ **Sem ~(s)** Inédito, sem igual, nunca antes ocorrido ou igualado (fato, qualidade, intensidade, quantidade etc.)

preceder (pre.ce.*der*) ***v.*** **1** Acontecer, localizar-se ou existir antes de [***td.:*** *Na bibliografia do autor, o dicionário precede a antologia grega.*] [***tr.*** *+a: O Natal precede ao Ano-Novo.*] **2** Fazer (algo) acontecer ou aparecer antes (de outra coisa) [***tdr.*** *+de, por: O prefeito precedeu a inauguração de um longo discurso; Precedeu o livro por uma dedicatória.*] **3** Ter precedência ou preferência [***tr.*** *+a: Idosos precedem aos demais na fila.*] **4** Chegar na frente de [***td.:*** *O vencedor precedeu o segundo colocado em vinte minutos.*] **5** Ter qualidade superior a [***tr.*** *+a: O cinema francês precede ao indiano.*] **6** Efetuar pagamento antes da data do vencimento [***td.:*** *Este mês minha mãe precedeu todas as contas.*] **7** Viver anteriormente a [***td.:*** *Sócrates precedeu Platão.*] [▶ **2 preceder**] [F.: Do lat. *praecedere.* Sin. ger.: *anteceder.* Hom./Par.: *preceder, proceder* (em todas as fl.).]

preceito (pre.*cei*.to) ***sm.*** **1** O que é recomendado como regra e ensinamento: *Procurava seguir os preceitos do catolicismo.* **2** Ensinamento, doutrina: *Cansou-se dos preceitos marxistas.* **3** Orientação, prescrição, indicação: *Seguia rigorosamente os preceitos do médico.* **4** Cláusula, condição: *Impôs-lhe o preceito de não ir ao teatro naquela noite.* **5** *Bras.* Em capoeira, momento em que os dois lutadores se agacham, antes de começar a luta **6** *Rel.* O mesmo que *jejum* (guardar preceito) [F.: Do lat. *praeceptum, i.* Col.: *preceituário.*] ■ **~ pascal** *Rel.* Aquele segundo o qual todo católico deve comungar no período da Páscoa **A ~ 1** De acordo com a regra ou o esperado; como convém, como deve ser: *Vamos comemorar sua formatura a preceito.* **2** Com todos os detalhes e minúcias: *Quero conhecer o regulamento a preceito.*

preceituação (pre.cei.tu.a.*ção*) ***sf.*** Ação ou resultado de preceituar (preceituação constitucional) [Pl.: *-ções.*] [F.: *preceituar* + *-ção.*]

preceituado (pre.cei.tu.*a*.do) ***a.*** **1** Que se preceituou, que se prescreveu ou estabeleceu como preceito ou norma (conduta preceituada) ***sm.*** **2** Aquilo que foi prescrito, estabelecido: *Todas as providências devem seguir os termos do preceituado.* [F.: Part. de *preceituar.*]

preceitual (pre.cei.tu.*al*) ***a2g.*** Ref. a preceito; que encerra preceito (obrigação preceitual) [Pl.: *-tuais.*] [F.: *preceito* (*o* > *u*) + *-al.*]

preceituar (pre.cei.tu.*ar*) ***v.*** **1** Estabelecer ou determinar como preceito [***td.***] **2** Criar ou estabelecer regras [***int.***] [▶ **1 preceituar**] [F.: *preceito* + *-ar*[2].]

preceituário (pre.cei.tu.*á*.ri.o) ***sm.*** Conjunto de preceitos, normas, regras [F.: *preceit(o)* + *-uário.*]

preceptivo (pre.cep.*ti*.vo) ***a.*** **1** Ref. a preceito, preceitual ***a.*** **2** Que encerra preceito (conteúdo preceptivo) **3** Que tem a natureza de preceito: *As recomendações do médico têm um sentido preceptivo.* ***sm.*** **4** Aquilo que contém preceito (o preceptivo mencionado) [F.: Do lat. *praeceptivus, a, um.*]

preceptor (pre.cep.*tor*) [ô] ***sm.*** **1** Pessoa encarregada da instrução privada de uma criança ou jovem **2** Aquele que ministra preceitos e instruções; MESTRE **3** *Ant.* Mestre ou comendador de ordem militar [F.: Do lat. *praeceptor, oris.*]

preceptoral (pre.cep.to.*ral*) ***a2g.*** Ref. a, ou próprio de preceptor (disciplina preceptoral) [Pl.: *-rais.*] [F.: *preceptor* + *-al.*]

precessão (pre.ces.*são*) ***sf.*** **1** Ação ou resultado de preceder; PRECEDÊNCIA **2** *Astr.* Movimento retrógrado na órbita de um astro, em pontos que ela corta um plano de referência **3** *Astr.* Lentidão na rotação de um astro por influência de fator externo **4** *Fís.* Movimento de rotação do eixo de rotação de um corpo rígido que gira e se acha sujeito à ação de um sistema conjugado externo [Pl.: *-sões.*] [F.: Do lat. *praecessio, onis.*] ■ **~ dos equinócios** *Astron.* Deslocamento dos equinócios de leste para oeste, ao longo da eclíptica, tendo cada ciclo a duração de 26.000 anos

precificação (pre.ci.fi.ca.*ção*) ***sf.*** Ação ou resultado de precificar [Pl.: *-ções.*] [F.: *precificar* + *-ção.*]

precificado (pre.ci.fi.*ca*.do) ***a.*** Diz-se do produto que traz etiqueta de preço: *A lei manda que todos os produtos em exibição nos supermercados estejam precificados.* [F.: Part. de *precificar.*]

precificar (pre.ci.fi.*car*) ***v. td.*** **1** Atribuir preço a **2** Aplicar etiqueta com preço a (produto), ger. usando etiquetadora [▶ **11 precificar**] [F.: *preço* (na forma *preci*) + *-ficar.*]

precinta (pre.*cin*.ta) ***sf.*** **1** Faixa, cinta ou atadura que serve para cingir ou atar alguma coisa **2** Tecido grosso de algodão com que se fazem cilhas e outros artigos **3** Cinta ou braçadeira metálica para prender peças de madeira, pedra etc. **4** *Mar.* Tira de lona com que se forram os cabos [Forma paral. *percinta.*] [F.: Fem. substv. do lat. *praecintus, a, um.* Hom./Par.: *pressinta* (flex. de *pressentir*).]

precintar (pre.cin.*tar*) ***v.*** **1** Atar ou cingir com precinta(s) [***td.:*** *precintar a caixa.*] **2** *Fig.* Circundar, rodear, cingir; AMARRAR; CINGIR; PRENDER [***td.:*** "...o traço contínuo e dominante das montanhas, precintando-o..." (Euclides da Cunha, *Os sertões*)] [▶ **1 precintar**] [F.: *precinta* + *-ar.* Hom./Par.: *precinta* (sf. e pl.), *precinto* (sm. e pl.), *precinta, precintas, precinto* (fl. de *precintar*), *pressinta, pressintas, pressinto* (fl. de *pressentir*).]

precinto (pre.*cin*.to) ***sm.*** Faixa com que se cinge ou ata alguma coisa, m. que *precinta* [F.: Do lat. *precintus, a, um;* Hom./Par.: *precinto* (sm.), *pressinto* (fl. de *pressentir*).]

preciosa (pre.ci.*o*.sa) ***Bras. sf.*** **1** *Pop.* Aguardente feita de cana-de-açúcar; CACHAÇA **2** *BA Pop.* O órgão genital feminino; VULVA **3** *Angios.* Árvore da fam. das lauráceas (*Ocotea odorifera*), m. que *casca-preciosa* **4** *Ant. Hist.* Designação dada na França, no séc. XVII, às mulheres de maneiras e linguagem muito afetadas: *Molière ironizou esse tipo afetado em sua comédia "As preciosas ridículas".* [F.: Fem. substv. de *precioso.*]

preciosidade (pre.ci.o.si.*da*.de) ***sf.*** **1** Qualidade do que é precioso **2** Qualquer coisa de muito valor, beleza ou raridade: *A velha foto era uma preciosidade.* **3** *P. ext.* Dito, verso ou trecho original e/ou espirituoso [F.: Do lat. *pretiositas, atis.*]

preciosismo (pre.ci.o.*sis*.mo) ***sm.*** **1** Requinte, sofisticação e/ou perfeccionismo excessivos ao falar, escrever ou fazer algo: *O escritor se perdia em preciosismos desnecessários.* **2** Nos salões literários da França no séc. XVII, tendência exagerada ao uso de recursos estilísticos [F.: *precioso* + *-ismo.*]

preciosista (pre.ci.o.*sis*.ta) ***a2g.*** **1** Ref. ao ou próprio do preciosismo **2** Que admira o preciosismo ou procede de acordo com ele (escritor preciosista, jogador preciosista) ***S2g.*** **3** Indivíduo preciosista [F.: *precioso* + *-ista.*]

preciosístico (pre.ci.o.*sís*.ti.co) ***a.*** Ref. a preciosismo ou à preciosista (estilo preciosístico) [F.: *preciosista* + *-ico*[2].]

precioso (pre.ci.*o*.so) [ô] ***a.*** **1** Que tem muito valor (joia preciosa) **2** Que é muito estimado ou apreciado: *Essa coleção de discos é meu bem mais precioso.* **3** De grande valia: *Recebeu uma ajuda preciosa.* **4** Que se caracteriza pela suntuosidade, pela magnificência **5** Que é afetado, amaneirado: "Ela tem um modo precioso de segurar as cartas, de jogar, de fumar, de não sorrir nem rir..." (João Guimarães Rosa, "Noites do sertão" in *Ave, Palavra*) [Pl.: *-[ó].* Fem.: *-[ó].*] [F.: Do lat. *pretiosus, a, um.*]

precipício (pre.ci.*pí*.ci.o) ***sm.*** **1** Lugar onde há uma depressão profunda, com paredes escarpadas; ABISMO; DESPENHADEIRO **2** *Fig.* Perigo grave, iminente: *Não suportava mais, estava à beira de um precipício.* **3** Perdição, ruína; CATÁSTROFE: *A economia do país pode cair no precipício.* **4** *MG* Competição entre duas pessoas na qual cada uma tenta chegar à posição do adversário e voltar ao ponto de partida, sem cruzar com ele, seguindo um percurso que tenta marcar atirando um ferrinho ao ao chão. Tb. *finca* [F.: Do lat. *praecipitium, ii.*]

precipitação (pre.ci.pi.ta.*ção*) ***sf.*** **1** Ação ou resultado de precipitar(-se). [Ant.: *cautela, prudência.*] **2** Pressa, afobação: *Na precipitação, perdeu as chaves do carro.* **3** Atitude ou resolução irrefletida **4** Queda de água no solo, em forma de chuva, neve ou granizo: *Houve grande precipitação na região, onde não chovia há meses.* **5** *Quím.* Processo em que uma substância insolúvel num líquido se deposita no fundo do recipiente [Pl.: *-ções.*] [F.: Do lat. tard. *praecipitatio, onis.*] ■ **~ atmosférica** Fenômeno da transformação da nebulosidade atmosférica, de acordo com as condições, em orvalho, ou chuva, ou granizo, ou neve **~ radioativa** *Fís. nu.* Precipitação sobre a superfície terrestre das partículas radioativas resultantes de uma explosão nuclear

precipitado (pre.ci.pi.*ta*.do) ***a.*** **1** Que age de maneira impulsiva, irrefletida **2** Que revela imprudência (atitude precipitada) ***sm.*** **3** *Fig.* Aquele que age de maneira impulsiva, irrefletida **4** *Quím.* Produto insolúvel resultante do fenômeno da precipitação [F.: Do lat. *praecipitatus, a, um.*]

precipitar (pre.ci.pi.*tar*) ***v.*** **1** Atirar(-se) de cima para baixo, ger. de lugar elevado; LANÇAR(-SE) [***tda.:*** *Precipitou o adversário ao/no mar; Precipitou-se no despenhadeiro.*] **2** Levar, arrastar à situação difícil, aventuresca ou perigosa [***tdi.*** *+a, em: Maus negócios precipitaram a empresa numa crise.*] **3** Antecipar um acontecimento; ACELERAR [***td.:*** *Os maus resultados precipitaram a implementação de novas medidas.*] **4** *Quím.* Depositar-se (substância sólida) no fundo de um vidro, tubo de ensaio etc., ao se separar do meio líquido em que estava dissolvida [***int.:*** *O sal da solução precipitou-se.*] **5** Jogar-se a, em, sobre ou contra [***tda.:*** "...a tropa em pânico queria precipitar-se ao rio..." (Antonio Callado, *Bar Don Juan*)] **6** Mover-se com ímpeto e rapidez [***td.:*** *Ao ouvir o alarme, precipitou-se para fora da sala.*] **7** *Fig.* Lançar(-se) em situação desfavorável, em desgraça [***tdr.*** *+em: O vício precipitou o jovem na desgraça.*] **8** Falar muito rápido [***td.:*** *Impaciente, precipitava seu discurso.*] **9** Andar rápido; ACELERAR-SE; CORRER [***td.:*** *Por causa da chuva, a menina precipitava as passadas.*] **10** Cair de maneira impetuosa [***int.:*** *As águas precipitavam-se por entre as pedras.*] **11** Ocorrer antes do tempo previsto [***int.:*** *Com a demissão do ministro, a crise política precipitou-se.*] **12** Lançar-se com força contra; ARREMESSAR-SE [***int.:*** *Ondas de três metros precipitavam-se contra a murada.*] **13** Lançar de maneira violenta [***tdr.*** *+contra: A pancada do carro precipitou o rapaz contra o poste.*] **14** Vir de maneira rápida [***td.:*** *Os aqueus precipitaram-se de todas as partes para atacar Troia.*] **15** Sair em disparada [***td.:*** *Após o tiro de largada, os atletas precipitaram-se velozmente.*] **16** Ato de condensar e fazer cair água (em forma de chuva, granizo etc.) [***int.:*** *Após meses, a água precipitou-se no sertão.*] [▶ **1 precipitar**] [F.: Do lat. *praecipitare.* Hom./Par.: *precipite(s)* (fl.), *precípite(s)* (a2g. [pl.]).]

precipitável (pre.ci.pi.*tá*.vel) ***a2g.*** Que se pode precipitar (água precipitável) [Pl.: *-veis.*] [F.: *precipitar* + *-vel.*]

precípite (pre.*cí*.pi.te) ***a2g.*** **1** Que está em risco de precipitar-se **2** Rápido, veloz: "Seixas arrojou-se pelo aposento a precípites, esbarrando-se nos trastes, batendo de encontro às paredes..." (José de Alencar, *Senhora*) [F.: Do lat. *praeceps, iptis.*]

precipitoso (pre.ci.pi.*to*.so) [ô] ***a.*** **1** Que tem precipícios ou abismos (caminho precipitoso) **2** Que pode precipitar-se, m. que *precípite* (1) **3** *Fig.* Que não demonstra temor; ARROJADO; IMPETUOSO **4** *Fig.* Que age de maneira impulsiva, sem refletir; IMPACIENTE; IMPRUDENTE; PRECIPITADO [F.: *precípite* + *-oso.*]

precípuo (pre.*cí*.pu.o) ***a.*** **1** Que é mais importante; ESSENCIAL; PRINCIPAL [Ant.: *dispensável, secundário.*] ***sm.*** **2**

Jur. Vantagem que o testador ou a lei confere a um dos coerdeiros [F.: Do lat. *praecipuus, a, um.*]

precisado (pre.ci.*sa*.do) ***a.*** Diz-se de pessoa que necessita de algo, esp. de meios para sobreviver; CARENTE; NECESSITADO [*+de*: *precisado de dinheiro.* Ant.: *descarecido, desnecessitado.*] [F.: Part. de *precisar.*]

precisão (pre.ci.*são*) ***sf.*** **1** Rigor e correção ao se fazer um cálculo ou se medir algo: *O engenheiro mediu o terreno com precisão; Fez as contas com invejável precisão.* [Ant.: *imprecisão.*] **2** Escolha criteriosa de palavras ou expressões para formular com exatidão um pensamento: *Expôs suas ideias com grande precisão.* [Ant.: *imprecisão, inexatidão.*] **3** *P. ext.* Concisão, laconismo [Ant.: *prolixidade, redundância.*] **4** Funcionamento perfeito ou quase perfeito de um serviço, de um mecanismo etc.; CORREÇÃO: *O metrô funciona com precisão.* [Ant.: *imperfeição, imprecisão.*] **5** Cumprimento de horário; PONTUALIDADE; REGULARIDADE: *O apito da fábrica toca com precisão rigorosa, às 6 da manhã.* [Ant.: *impontualidade.*] **6** Falta de algo útil ou necessário; CARÊNCIA; NECESSIDADE: *Tinha precisão de mais dinheiro.* [Ant.: *abundância.*] [Pl.: *-sões.*] [F.: Do lat. *praecisio, onis.*] ■ **De ~** Diz-se de instrumento de medição acurado, sensível a unidades mínimas da medida (balança de precisão, relógio de precisão) **Fazer ~** *N. E. Fam. Pop.* Fazer necessidade, urinar ou defecar

precisar (pre.ci.*sar*) ***v.*** **1** Ter necessidade (de) ou ser (algo) necessário [***td.***: *Precisava ficar calma antes de tomar qualquer decisão.*] [***tr.*** *+de*: *Crianças precisam de carinho; Preciso de que você me ajude.*] [***int.***: *Faz fisioterapia porque precisa.*] **2** Passar necessidade [***int.***: *É pedinte porque precisa.*] **3** Determinar ou indicar com precisão [***td.***: *Vamos precisar a hora do nosso encontro.*] **4** Fazer com que (algo) se torne preciso, exato [***td.***: *Precisou o detonador da bomba.*] [***int.***: *O relógio do computador precisou-se automaticamente.*] **5** Fazer menção a (algo) enfaticamente [***td.***: *Precisou o autor do livro muitas vezes durante a palestra.*] **6** *Art. Pl.* Dar realce aos contornos de um trabalho [***td.***: *O pintor precisou os traços da mulher em seu quadro.*] [▶ **1 precisar**] [F.: *preciso + -ar*². Hom./Par.: *precisa(s)* (fl.), *precisa(s)* (fem. *preciso* a. [pl.]); *preciso* (fl.), *preciso* (a.).]

preciso (pre.*ci*.so) ***a.*** **1** Que é necessário; INDISPENSÁVEL: *Enumerou tudo aquilo que era preciso.* [Ant.: *desnecessário, dispensável.*] **2** Fixo, exato, determinado, certo **3** *P. ext.* Diz-se de cálculo rigoroso e correto [Ant.: *impreciso.*] **4** Diz-se de texto que expressa ou informa ideias de maneira clara e acurada; CATEGÓRICO; RIGOROSO [Ant.: *duvidoso, equívoco.*] **5** Lacônico, resumido; CONCISO **6** Que funciona corretamente, com perfeição (relógio preciso) [Ant.: *defeituoso, impreciso.*] **7** Que atinge o alvo (tiro preciso) [F.: Do lat. *praecisus, a, um.* Hom./Par.: *preciso* (fl. de *precisar*); *precisa* (fem.), *precisa* (fl. de *precisar*).]

preclaridade (pre.cla.ri.*da*.de) ***sf.*** Qualidade, caráter, estado de preclaro; BRILHO; DISTINÇÃO: "Saudade arraigada no senso de preclaridade do que somos e fazemos." (Miguel Reale, *Discurso de posse na ABL*) [F.: *preclaro + -(i)dade.*]

preclaro (pre.*cla*.ro) ***a.*** **1** Diz-se de pessoa dotada de distinção, mérito ou saber, que se destaca ou é conhecido por isso; FAMOSO; ILUSTRE **2** Que tem beleza, formosura [F.: Do lat. *praeclarus, a, um.* Ant.: *desconhecido.*]

pré-classificado (pré-clas-si.fi.*ca*.do) ***a.*** Que foi classificado previamente [Pl.: *pré-classificados.*] [F.: *pré- + classificado.*]

precluir (pre.clu.*ir*) *Jur.* ***v.*** Ser ou fazer com que seja (uma faculdade processual) atingida de preclusão [***td.***: *Uma ação contra um devedor preclue o direito de acionar outro.*] [***int.***: *A gratuidade assegurada na lei não preclue.*] [▶ **56 precluir**] Verbo defectivo, só se emprega na 3ª. pess. do sing. e do pl.] [F.: Do lat. *praecludere.* O sin. *precludir* é a forma erudita.]

preclusão (pre.clu.*são*) ***sf.*** **1** *Ling.* Contato prévio de dois órgãos para a produção de um fonema explosivo, como, p. ex. *b* e *p* **2** *Jur.* Perda de determinada faculdade processual civil pelo não exercício dela, por já ter sido validamente exercitada ou pela realização de atividade incompatível com tal exercício [Pl.: *-sões.*] [F.: Do lat. *praeclusio, onis.*]

preço (*pre*.ço) [ê] ***sm.*** **1** Quantia estipulada para a aquisição de uma mercadoria ou serviço; CUSTO; VALOR: *Sabe o preço de um quilo de arroz?; O preço do ingresso do cinema aumentou.* **2** Relação de troca entre bens **3** *Fig.* Custo moral ou de outra natureza para se alcançar algo; CASTIGO; PENALIDADE: *Pagou o preço da traição.* **4** *Fig.* Compensação, prêmio [preçário.] [F.: Do lat. *pretium, i.*] ■ **~ administrado** **1** *Econ.* Aquele que é fixado por arbítrio, não subordinado à lei de oferta e procura **2** *Restr.* Preço administrado (1) controlado por autoridade governamental **~ constante** *Econ.* Num conjunto de dados econômicos ref. a um período, parâmetro de equivalência de preços para permitir comparação [P. op. a *preço corrente* (2).] **~ corrente** **1** *Econ.* Aquele efetivamente praticado no mercado; preço de mercado **2** *Econ.* Num conjunto de dados econômicos ref. a um período, os preços nominais efetivamente em vigor em cada período [P. op. a *preço constante.*] **~ de capa** **1** Preço de um livro para o consumidor final **2** Preço de número ou exemplar de revista, jornal ou outra publicação, quando comprados individualmente, e não por assinatura **~ de custo** *Econ.* Aquele que é igual à soma de todas as despesas feitas para se obter um produto ou serviço (material, mão de obra, transporte, impostos etc.) **~ de mercado** *Econ.* Ver *Preço corrente* (1) **~ social** *Econ.* A parcela do preço de bem ou serviço que leva em conta seu custo social (ver no verbete *custo*) **Abrir ~** Em leilão de um certo item, dar o primeiro lance **A(o) ~ de** Com o sacrifício de, com o risco de: *Enriqueceu, sim, mas ao preço de sua saúde.* **A ~ de banana** *Bras.* A preço muito baixo, baratíssimo: *Aproveite, os livros estão a preço de banana.* **A qualquer/todo ~** **1** *Fig.* Sem levar em consideração o preço, qualquer que seja o preço: *Vou arrematar esse quadro, a qualquer preço.* **2** *Fig.* Qualquer que seja o esforço ou sacrifício necessário; custe o que custar: *Vamos vencer esta competição, a qualquer preço!* **Justo ~** *Jur.* Valor de algo determinado oficialmente por peritos, ou de acordo com cotações oficiais **Não ter ~** Ser de valor inestimável, ser inegociável (tb. *Fig.*): *A amizade não tem preço.* **Sem ~** Que não tem preço **Ter em alto ~** Admirar, apreciar, ter em alta conta **Vender pelo ~ de fatura** *AL Pop.* Repassar (alguém) um relato tal como o ouviu, sem acréscimo, omissão ou exagero

precoce (pre.*co*.ce) ***a2g.*** **1** Que amadurece antes do tempo (fruto precoce); TEMPORÃO [Ant.: *serôdio.*] **2** Diz-se de quem desenvolveu certas habilidades antes da idade normal ou habitual (romancista precoce); PREMATURO [Ant.: *tardio.*] [F.: Do lat. *praecox, cocis.*]

precocidade (pre.co.ci.*da*.de) ***sf.*** Estado ou condição de quem ou do que é precoce: *A menina revelava extraordinária precocidade.* [F.: *precoce + -(i)dade.*]

precognição (pre.cog.ni.*ção*) ***sf.*** **1** Conhecimento antecipado de situação ou fato ainda não ocorrido; PREMONIÇÃO; PREVISÃO **2** Percepção de acontecimento futuro independentemente de qualquer processo lógico; PRESSENTIMENTO; INTUIÇÃO [Pl.: *-ções.*] [F.: *praecognitio, onis.*]

pré-colombiano (pré-co.lom.bi.*a*.no) ***a.*** Que antecede a descoberta da América por Cristóvão Colombo, navegador genovês (1436 -1506) a serviço da Espanha [Pl.: *pré-colombianos.*] [F.: *pré- + colombiano.*]

pré-colonial (pré-co.lo.ni.*al*) ***a2g.*** Que antecede o período colonial (América pré-colonial) [Pl.: *pré-coloniais.*] [F.: *pré- + colonial.*]

pré-coma (pré-*co*.ma) ***sm.*** *Med.* Estado patológico que antecede o coma [F.: *pré- + coma.*]

preconceber (pre.con.ce.*ber*) ***v. td.*** **1** Conceber ou planejar (algo) de antemão: *Preconcebeu um plano emergencial com as más vendas.* **2** Supor ou imaginar (algo) com antecipação: *Preconcebeu que aquela campanha não seria boa.* [▶ **2 preconceber**] [F.: *pré- + conceber.*]

preconcebido (pre.con.ce.*bi*.do) ***a.*** **1** Diz-se do que é planejado ou idealizado com antecedência; PREMEDITADO: *O plano foi preconcebido em todos os detalhes.* **2** Concebido sem reflexão, sem fundamentos sólidos (ideias preconcebidas) [F.: Part. de *preconceber.*]

preconceito (pre.con.*cei*.to) ***sm.*** **1** Opinião ou ideia preconcebida sobre algo ou alguém, sem conhecimento ou reflexão; PREJULGAMENTO: "...existia algo no mundo que tornasse compulsório ou indispensável ter uma vocação? Positivamente não, trata-se de um mero preconceito." (João Ubaldo, *Diário do farol*) **2** Atitude genérica de discriminação ou rejeição de pessoas, grupos, ideias etc., em relação a sexo, raça, nacionalidade, religião etc. (preconceito racial); INTOLERÂNCIA **3** Ideia ou juízo fundado em crendices e superstições; CISMA: *Era um homem cheio de preconceitos irracionais.* [F.: *pré- + conceito.*]

preconceitual (pre.con.cei.tu.*al*) ***a2g.*** Que revela caráter de preconceito ou baseia-se nele (opinião preconceitual) [Pl.: *-ais.*] [F.: *preconceito + -ual.*]

preconceituoso (pre.con.cei.tu.*o*.so) [ô] ***a.*** **1** Diz-se daquele que tem preconceito(s): *Era um intelectual preconceituoso.* ***sm.*** **2** Esse indivíduo: *Os preconceituosos geralmente são injustos.* [Pl.: [ó]. Fem.: [ó].] [F.: *preconceito + -uoso.*]

precondição (pre.con.di.*ção*) ***sf.*** Condição a ser atendida antes da efetivação de alguma coisa: *O trabalho é precondição para a prosperidade.* [Pl.: *-ções.*] [F.: *pre- + condição.*]

preconização (pre.co.ni.za.*ção*) ***sf.*** **1** Ação ou resultado de preconizar **2** *Ecles.* Declaração, em consistório pontifício, de que um eclesiástico indicado para o bispado ou outro posto está em condições essenciais de assumir o cargo em questão [Pl.: *-ções.*] [F.: *preconizar + -ção.*]

preconizado (pre.co.ni.*za*.do) ***a.*** **1** Que se preconizou; ACONSELHADO; RECOMENDADO: *prática preconizada pelos costumes.* **2** Que passou por processo de preconização (2) [F.: Part. de *preconizar.*]

preconizador (pre.co.ni.za.*dor*) [ô] ***a.*** **1** Diz-se daquele ou daquilo que preconiza ***sm.*** **2** Esse indivíduo [F.: *preconizar + -dor.* Sin. ger.: *anunciador.*]

preconizar (pre.co.ni.*zar*) ***v.*** **1** Aconselhar ou elogiar com entusiasmo; RECOMENDAR [***td.***: *Em seu artigo preconiza uma nova política educacional.*] [***tdi.*** *+a*: *Preconizou aos jovens o uso de preservativo.*] [***tdp.***: *Preconizou-a a melhor aluna da turma.*] **2** *Rel.* Fazer a preconização de [***td.***: *preconizar um cardeal.*] [▶ **1 preconizar**] [F.: Do lat. tard. *praeconizare.*]

pré-consciente (pré-cons.ci.*en*.te) *Psic.* ***sm.*** **1** Vasta área de posse das lembranças de que a consciência precisa para desempenhar as suas funções, segundo a teoria da personalidade de Sigmund Freud, neurologista e psiquiatra austríaco (1856-1939) [Pl.: *pré-conscientes.*] ***a2g.*** **2** Diz-se do processo desenvolvido segundo essa teoria (desejo pré-consciente) [Pl.: *pré-conscientes.*] [F.: *pré- + consciente.*]

precordial (pre.cor.di.*al*) ***a2g.*** *Anat.* Ref. ao precórdio, região próxima do coração (dor precordial) [Pl.: *-ais.*] [F.: *precórdio + -al*¹.]

precórdio (pre.*cór*.di.o) ***sm.*** *Anat.* Região localizada acima do coração ou do estômago; ANTICÁRDIO; BOCA DO ESTÔMAGO [F.: Do lat. *praecordium, ii.*]

pré-cozido (pré-co.*zi*.do) ***a.*** Que passou por cozimento prévio (alimento pré-cozido) [Pl.: *pré-cozidos.*] [F.: *pré- + cozido.*]

precursor (pre.cur.*sor*) [ô] ***a.*** **1** Que precede, que vai ou está à frente de algo: *O spiritual foi o precursor do blues.* **2** Que antecipa, sinaliza ou dá início a novos conceitos, situação, técnicas, comportamentos, movimentos etc.: *filmes precursores do neorrealismo.* **3** Que anuncia a vinda de alguém ou algo (bando precursor); ANUNCIADOR; INDICADOR: *nuvens precursoras de tempo ruim.* ***sm.*** **4** Aquele ou aquilo que precede, que inicia; PRÓGONO [Ant.: *epígono.*] ***sm.*** **5** Alguém ou algo precursor (2 e 3): *Os precursores às vezes são esquecidos.* [F.: Do lat. *praecursor, oris.*] ■ **O ~ (de Cristo)** Alusão a S. João Batista [Com inicial maiúscula.]

predação (pre.da.*ção*) ***sf.*** Ação ou resultado de predar; PILHAGEM; RAPINA: *O projeto visa impedir a predação de ovos de tartarugas marinhas.* [Pl.: *-ções.*] [F.: *predar + -ção.*]

predador (pre.da.*dor*) [ô] ***a.*** **1** Diz-se de animal que se alimenta de outro animal **2** Diz-se de quem ou o que destrói aquilo do que se utiliza ***sm.*** **3** Animal que destrói com violência outro animal, ger. para se alimentar **4** Indivíduo que destrói aquilo do que se utiliza **5** *P. ext.* Aquele ou aquilo que destrói o ambiente que atua; qualquer agente [F.: Do lat. *predator, oris.*]

predar (pre.*dar*) ***v. td.*** **1** Abater, matar (uma presa): *O leão predou o cervo.* **2** Ir à caça; CAÇAR: *Os animais carnívoros predam outros animais para sobreviver.* **3** Destruir de maneira violenta (um ser vivo): *O urso predou o peixe.* **4** *Ecol.* Matar para consumir (ser vivo), a fim de obter energia vital: *O gato selvagem, faminto, predou um pássaro.* **5** *Ecol.* Comer a prole de (outro animal): *A cobra predaria os ovos do pardal se a mãe não chegasse.* **6** Ingerir (fruto) extinguindo sua semente: *Predou o mamão inteiro.* [▶ **1 predar**] [F.: Do v.lat. *praedare.*]

pré-datado (pré-da.*ta*.do) ***a.*** Que se após data futura (cheque pré-datado) [Pl.: *pré-datados.*] [F.: *pré- + datado.* Cf.: *pós-datado.*]

pré-datar (pré-da.*tar*) ***v. td.*** Colocar data futura em (ger. em cheque): *pré-datar um cheque.* [▶ **1 pré-datar**] [F.: *pré- + datar.* Cf.: *pós-datar.*]

predatório (pre.da.*tó*.ri.o) ***a.*** **1** Que preda, ou que envolve ou causa destruição; ANIQUILADOR; DESTRUIDOR: *O homem é um ser predatório.* **2** Próprio de predador (ato predatório) **3** Ref. a roubos ou a piratas **4** Ref. a navios corsários [F.: Do lat. *praedatorius, a, um.*]

predecessor (pre.de.ces.*sor*) [ô] ***a.*** **1** Que antecede outro no tempo (diz-se de indivíduo ou coisa); ANTECESSOR ***sm.*** **2** Esse indivíduo ou coisa; ANTECESSOR: *Este conferencista é melhor que os seus predecessores.* [F.: Do lat. tard. *praedecessor, oris.* Ant. ger.: *sucessor.*]

predefinição (pre.de.fi.ni.*ção*) ***sf.*** **1** Ação ou resultado de predefinir **2** Previsão de que deve acontecer; PROGNÓSTICO **3** Destino previamente determinado; PREDESTINAÇÃO [Pl.: *-ções.*] [F.: *predefinir + -ção.*]

predefinido (pre.de.fi.*ni*.do) ***a.*** **1** Que foi definido previamente **2** Previsto, prognosticado [F.: Part. de *predefinir.*]

predefinir (pre.de.fi.*nir*) ***v.*** **1** Definir com antecipação [***td.***: *O realizador predefiniu todos os sentidos do filme.*] **2** Fazer a previsão de; PROGNOSTICAR [***td.***: *Predefiniu o rápido crescimento da loja.*] [***tdr.*** *+a*: *Na reunião, o diretor predefiniu aos funcionários um período de dificuldades.*] **3** Planejar o futuro de [***td.***: *Predefiniu as alternativas da empresa.*] [▶ **3 predefinir**] [F.: *pre- + definir.*]

predestinação (pre.des.ti.na.*ção*) ***sf.*** **1** Ação ou resultado de predestinar, de predeterminar o destino de alguém ou de algo **2** Ação ou resultado de antecipar o destino de alguém ou de algo; PREDEFINIÇÃO; PROGNÓSTICO **3** *Teol.* Determinação de Deus de conduzir seus eleitos à vida eterna [Pl.: *-ções.*] [F.: Do lat. *praedestinatio, onis.*]

predestinado (pre.des.ti.*na*.do) ***a.*** **1** Que se destinou antecipadamente **2** *Teol.* Destinado por Deus para a glória eterna; ABENÇOADO; BEM-AVENTURADO [Ant.: *desgraçado, infortunado.*] **3** *P. ext.* Diz-se de indivíduo que é preparado para grandes feitos ou conquistas ***sm.*** **4** Indivíduo predestinado [F.: Part. de *predestinar.*]

predestinar (pre.des.ti.*nar*) ***v.*** **1** Destinar antecipadamente (algo ou alguém) para certo fim ou condição [***tdr.*** *+a, para*: *Tudo parece predestinar minha irmã ao sucesso.*: "Nasci num dia 25 de dezembro. A data pode não predestinar ninguém a curtir sua porção Papai-Noel, mas, ao menos, inspira." (*Veja São Paulo*, 24.12.2003)] **2** *Teol.* Escolher (Deus) o destino de (alguém) [***tdr.*** *+a, para*: *Deus predestinou-o a grandes metas.*] [▶ **1 predestinar**] [F.: *pre- + destinar.*]

predeterminação (pre.de.ter.mi.na.*ção*) ***sf.*** Ação ou resultado de predeterminar [Pl.: *-ções.*] [F.: *predeterminar + -ção.*]

predeterminado (pre.de.ter.mi.*na*.do) ***a.*** Que se predeterminou [F.: Part. de *predeterminar.*]

predeterminar (pre.de.ter.mi.*nar*) ***v. td.*** Determinar com antecipação: *Entrevistas orientadas predeterminaram as respostas desejadas; Ele predeterminou que fôssemos primeiro à igreja e depois à escola.* [▶ **1 predeterminar**] [F.: *pre- + determinar.*]

◎ **pré-diabete** *el. comp.* Ver *pré-diabetes*

pré-diabetes (pré-di.a.*be*.tes) ***s2g2n.*** ***s2g.*** *Med.* Estado patológico que antecede a manifestação clínica do diabetes [F.: *pré- + diabetes.* Tb. *pré-diabete.*]

predial (pre.di.*al*) ***a2g.*** Relativo, próprio ou inerente a prédio (imposto predial) [Pl.: *-ais.*] [F.: *prédio + -al*¹.]

prédica (*pré*.di.ca) *sf.* **1** Fala em que se faz exortação moral ou religiosa; PREGAÇÃO; SERMÃO **2** *P. ext.* Qualquer discurso [F.: Dev. de *predicar*. Hom./Par.: *prédica* (sf.), *predica* (fl. de *predicar*); *prédicas* (pl. do sf.), *predicas* (fl. do v.).]

predicação (pre.di.ca.*ção*) *sf.* **1** Ação ou resultado de predicar *sf.* **2** Discurso religioso ou moral; SERMÃO; PREGAÇÃO **3** *Ling.* Relação entre os dois constituintes maiores (sujeito e predicado) que formam uma sentença **4** *Ling.* Atribuição de propriedades como lugar, qualidade etc. aos seres ou objetos [Pl.: *-ções*.] [F.: *predicar* + *-ção*.] ■ **~ completa** *Gram.* Aquela na qual o sentido completo de um verbo não exige complemento [Neste caso, o verbo é intransitivo.] **~ incompleta** *Gram.* Aquela na qual o sentido completo de um verbo exige complemento [Neste caso, o verbo é transitivo.] **~ verbal** *Gram.* Condição de um verbo, numa determinada acepção ou em todas as suas acepções, de exigir ou não, ou aceitar ou não complementos

predicado (pre.di.*ca*.do) *sm.* **1** Qualidade peculiar de alguém ou de algo; ATRIBUTO **2** Qualidade especial de uma pessoa, como bondade, talento, beleza etc.; DOTE; PRENDA; VIRTUDE **3** *Gram.* Aquilo que se diz sobre o sujeito de uma oração, ger. tendo como núcleo um verbo (p. ex.: em *Maria abriu a porta* o predicado é *abriu a porta*.) **4** *Lóg.* Termo que se atribui ao sujeito de uma proposição, por meio de uma afirmação ou negação [F.: Do b. -lat. e lat. medv. *praedicatum*.] ■ **~ nominal** *Gram.* Predicado (3) composto por verbo de ligação seguido de predicativo [Ex.: *João é meu vizinho; Maria está doente*.] **~ verbal** *Gram.* Predicado (3) cujo núcleo é um verbo significativo [Ex.: *Mário quebrou o copo; José adoeceu*.] **~ verbo-nominal** *Gram.* Predicado (3) formado por um verbo significativo seguido de um predicativo do sujeito [Ex.: *Teresa chegou cansada do passeio*.]

predicador (pre.di.ca.*dor*) [ô] *a.* **1** Que predica; PREGADOR; PREDICANTE *sm.* **2** *Rel.* Aquele que predica, esp. pregador protestante **3** *Ling.* Qualquer palavra com função predicativa que atribui qualidades ou propriedades ao que se refere [F.: Do lat. *praedicator, oris*.]

predicamento (pre.di.ca.*men*.to) *sm.* **1** Conjunto de objetos ou pessoas que possuem características comuns; CLASSE; CATEGORIA **2** *Lóg.* Classe, categoria de predicados de uma proposição **3** *Fil.* Uma das dez classes ou categorias a que regularmente se reduzem todas as entidades e coisas físicas: "...reduzindo a dez cabeças, ou predicamentos, toda a variedade de coisas que o mundo tem..." (Rodrigues Lobo, *Corte na aldeia*) [F.: Do lat. *praedicamentum, i*.]

predição (pre.di.*ção*) *sf.* **1** Ação ou resultado de profetizar, de predizer o que vai acontecer no futuro; PREVISÃO; VATICÍNIO **2** O que se predisse; AGOURO: *Cumpriu-se a predição do bruxo*. [Pl.: *-ções*.] [F.: Do lat. *praedictio, onis*.]

predicar (pre.di.*car*) *v.* **1** O mesmo que *pregar*² [*td*.] [*int*.] [*tr*.] **2** *Gram. Lóg.* Afirmar, negar ou atribuir algo ao sujeito [*td*.: *Para Aristóteles, a substância predica o modo verdadeiro de ser*.] [▶ **11** predi**car**] [F.: Do v.lat. *praedicare*, por via culta. Hom./Par.: *prédica* (sf.), *predica*, (fl. de *predicar*); *prédicas* (o pl. do sf.), *predicas* (fl. do v.).]

predicativo (pre.di.ca.*ti*.vo) *sm.* **1** *Gram.* Aquilo que constitui atributo, identidade ou indicação situacional do sujeito ou do objeto [Us. tb. como adjetivo (oração predicativa).] [Pode ser representado por adjetivo (*O céu está escuro*), substantivo (*Meu tio é engenheiro*), numeral (*Minha poltrona é a 15*) etc.] *a.* **2** Que serve para predicar **3** Que exerce a função de predicativo (oração predicativa) **4** Diz-se de verbo de ligação, i. é, daquele cuja função é ligar o sujeito ao predicativo [F.: Do lat. *praedicativus, a, um*.]

predicatório (pre.di.ca.*tó*.ri.o) *a.* Que contém ou expressa elogio, louvor; ENCOMIÁSTICO; LAUDATÓRIO [Ant.: *depreciativo, ofensivo*.] [F.: Do lat. *praedicatorius, a, um*.]

predileção (pre.di.le.*ção*) *sf.* Preferência por algo ou alguém; INCLINAÇÃO; PROPENSÃO [+*a, para, por*: *Sempre mostrara predileção a seu castelo; Não tenha predileção amorosa para outro rapaz; predileção por louras*.] [Pl.: *-ções*.] [F.: Do fr. *prédilection*.]

predileto (pre.di.*le*.to) *a.* **1** Que é o preferido, o mais querido dentre os da mesma espécie ou qualidade (filho predileto): *Sua fruta predileta era a jaca*. [+*a, de*: *a aluna predileta ao/do professor*.] *sm.* **2** O preferido, o predileto (aquele ou aquilo que é objeto de predileção): *Seus amigos partiam cedo, mas o predileto ficava até mais tarde*. [F.: Do lat. medv. *praedilectus, a, um*.]

pré-diluviano (pré-di.lu.vi.*a*.no) *a.* O mesmo que *antediluviano* [Pl.: *pré-diluvianos*.] [F.: *pré-* + *diluviano*.]

prédio (*pré*.di.o) *sm.* **1** Propriedade imóvel **2** Edificação com vários pavimentos ou andares, destinada à habitação ou a atividades comerciais ou industriais; EDIFÍCIO **3** Qualquer edificação: *O prédio da igreja é do século XVIII*. [F.: Do lat. *praedium, ii* 'propriedade'.] ■ **~ rústico** Prédio (1) (propriedade imóvel), considerando-se o terreno **~ urbano** Prédio (1), (propriedade imóvel), considerando edificação sobre o terreno

predisponência (pre.dis.po.*nên*.ci.a) *sf.* **1** Qualidade de predisponente *sf.* **2** Ação ou resultado de predispor(-se); PREDISPOSIÇÃO: *Não há predisponência da doença por idade ou sexo*. [F.: *predisponente* + *-ência*.]

predisponente (pre.dis.po.*nen*.te) *a2g.* **1** Que predispõe **2** Que contribui para o aparecimento de certos sintomas ou doenças: *A queda da capacidade imunológica é causa predisponente para o surgimento de doenças*. [F.: *pre-* + *disponente*.]

predispor (pre.dis.*por*) *v.* Dispor(-se) com antecipação; tornar(-se) propício [*tdi*. +*a, para*: *A baixa imunidade predispõe o organismo a infecções*; "...o falso apóstolo, que o próprio excesso de subjetivismo predispusera à revolta contra a ordem natural..." (Euclides da Cunha, *Os sertões*); "Por essa época predispuseram-se as cousas para a candidatura que o nosso escritor sonhava desde muito tempo:..." (José de Alencar, *Senhora*)] [*tdi*. +*a, para*: *Sempre em más companhias, predispôs-se ao vício desde a juventude*.] [▶ **60** predis**por**] [F.: *pre-* + *dispor*.]

predisposição (pre.dis.po.si.*ção*) *sf.* **1** Ação ou resultado de predispor(-se) **2** Inclinação ou tendência para algo: *predisposição para o esporte*. **3** *Med.* Probabilidade alta de alguém contrair ou desenvolver certa doença [+*a, para*: *predisposição a / para certas doenças*.] [Pl.: *-ções*.] [F.: *pre-* + *disposição*.]

predisposto (pre.dis.*pos*.to) [ô] *a.* Que se predispôs; PROPENSO; TENDENTE [+*a, para*: *predisposto a aceitar; predisposto para o mal*.] [F.: *pre-* + *disposto*.]

preditivo (pre.di.*ti*.vo) *a.* **1** Ref. a ou que contém predição **2** Que prediz; que anuncia o que vai acontecer: *As admoestações preditivas dos profetas nem sempre são levadas em conta*. **3** Que deduz a partir de informações prévias: *método de controle preditivo*. [F.: Do lat. *praedictivus, a, um*.]

predito (pre.*di*.to) *a.* **1** Que foi anteriormente dito ou citado: *Alegou que o endereço predito estaria errado*. **2** Que se predisse: *Foi predito que ele morreria cedo*. [F.: Do lat. *praedictus, a, um*.]

predizer (pre.di.*zer*) *v.* Dizer antecipadamente; ANTEVER; PRESSAGIAR; PREVER; VATICINAR [*td*.: *Hoje a meteorologia prediz o tempo com mais acertos*: "...a consultar alguém, antes a cabocla do Castelo, a adivinha célebre do tempo, que descobria as coisas perdidas e predizia as futuras." (Machado de Assis, *Esaú e Jacó*)] [*tdi*. +*a*: *O médium predisse-lhe o futuro*.] [▶ **20** pre**dizer**] [F.: *pre-* + *dizer*.]

predizível (pre.di.*zí*.vel) *a2g.* Que é possível predizer, antecipar (problema predizível) [Pl.: *-veis*.] [F.: *predizer* + *-ível*.]

predominação (pre.do.mi.na.*ção*) *sf.* Ação ou resultado de predominar; PREDOMÍNIO [Pl.: *-ções*.] [F.: *predominar* + *-ção*.]

predominância (pre.do.mi.*nân*.ci.a) *sf.* Qualidade ou condição de quem predomina; ASCENDÊNCIA; FORÇA; PREDOMÍNIO [+*em, sobre*: *Tinha sólida predominância em seu trabalho; a predominância do racional sobre o irracional*. Ant.: *submissão*.] [F.: *predominar* + *-ância*.]

predominante (pre.do.mi.*nan*.te) *a2g.* Diz-se do que ou de quem predomina, prevalece; DOMINANTE [+*a, em*: *Esse valor é predominante aos demais; O predominante em cinema é o uso de velhos clichês*.] [F.: *predominar* + *-nte*.]

predominar (pre.do.mi.*nar*) *v.* **1** Ser o mais visível, numeroso, intenso ou frequente [*tr*. +*em, sobre*: *O arranha-céu predomina sobre os prédios da rua*.] [*ta*. +*em*] [*int*.] **2** Ter o maior domínio, importância ou influência [*tr*. +*em, sobre*: *A gentileza predominava nos contatos sociais*; "...distância maior se estendera entre eles dois, filha da desigualdade de condição que naqueles tempos tanto predominava nas relações sociais e de família." (Franklin Távora, *O matuto*); "...Daí a circunstância revelada por uma observação feliz, de predominarem ainda hoje, nas denominações geográficas daqueles lugares, termos de origem tapuia..." (Euclides da Cunha, *Os sertões*); "...abarrota-se o estômago de sanduíches para que a alma bruta predomine sobre a outra..." (Camilo Castelo Branco, *Coração, cabeça e estômago*)] [*ta*. +*em*: "...hoje é sábado, e os gênios sinistros predominam: escolhe outro dia,..." (Joaquim Manuel de Macedo, *Luneta mágica*)] [*int*.] [▶ **1** predomi**nar**]

predomínio (pre.do.*mí*.ni.o) *sm.* **1** Domínio sobre algo ou alguém; PREPONDERÂNCIA; SUPREMACIA: *predomínio da inteligência sobre a força bruta*. [Ant.: *subordinação*.] **2** Superioridade em qualidade, em poder, em resultados positivos: *É principalmente na paz que uma nação deve mostrar seu predomínio*. [Ant.: *inferioridade*.] **3** Ver *predominação* **4** Ver *predominância* [F.: *pre-* + *domínio*. Ant. ger.: *dependência*.]

pré-eleitoral (pré-e.lei.to.*ral*) *a2g.* Que antecede eleições: *Acordo político pré-eleitoral*. [Pl.: *pré-eleitorais*.] [F.: *pré-* + *eleitoral*.]

preeminência (pre.e.mi.*nên*.ci.a) *sf.* Condição ou caráter do que é preeminente; PRIMAZIA [+*sobre*: *O conhecimento tem preeminência sobre a experiência?*] [F.: Do lat. *praeeminentia, as*. Hom./Par.: *preeminência* (sf.), *proeminência* (sf.).]

preeminente (pre.e.mi.*nen*.te) *a2g.* **1** Que se encontra acima dos outros; EXCELSO; SUBLIME **2** Que tem valor, qualidade superior; TRANSCENDENTE [Ant.: *inferior, pequeno*.] **3** Que sobressai, que é perfeito, sublime; DISTINTO; EMINENTE; NOTÁVEL [+*em*: *Conhecia gente preeminente nas artes*. Ant.: *comum, vulgar*.] [F.: Do lat. *praeeminens, entis*. Hom./Par.: *preeminente* (a2g.), *proeminente* (a2g.).]

preempção (pre.emp.*ção*) *sf.* **1** Precedência na compra **2** Compra antecipada **3** *Inf.* Interrupção da execução de um processo para a realização de outro durante a execução simultânea de dois ou mais programas **4** *Jur.* Cláusula contratual que cria para o comprador a obrigação de quando vender a coisa, notificar o vendedor de seu preço e condições, para que este, em igualdade de condições, possa adquiri-la de volta [Pl.: *-ções*.] [F.: Do lat. *praeemptio, onis*.]

preencher (pre.en.*cher*) *v. td.* **1** Ocupar integralmente (espaço, tempo): *As novelas preenchem o espaço nobre da TV*. **2** Ocupar (função, cargo): *Já preenchemos a vaga de secretária*. **3** Satisfazer: *O candidato preenchia todos os requisitos*. **4** Fornecer (informações solicitadas) por escrito, nos espaços apropriados: *Preencher uma ficha de inscrição*. **5** Cumprir exigência para determinada função, cargo etc.: *Não atendia às exigências para preencher o comando da tropa*. **6** Encher o dia, entreter, passar o tempo: *Lê muito para preencher os fins de semana*; "Alguns dos meus sonhos eram preenchidos por um mundo de coisas lógicas" (Aquilino Ribeiro, *Cinco réis de gente*) **7** *Fig.* Tornar mais completo; COMPLEMENTAR; COMPLETAR: *Aquele casamento não preenchia nenhum dos cônjuges*. **8** Acrescentar a (algo)para que se complete, completar: *Falta preencher as reentrâncias da parede para que fique totalmente alinhada*. [▶ **2** preen**cher**] [F.: *pre-* + *encher*.]

preenchido (pre.en.*chi*.do) *a.* **1** Que se preencheu: *questionário preenchido rapidamente*. **2** Cheio, completo (vagas preenchidas) [Ant.: *vago, vazio*.] [F.: Part. de *preencher*.]

preenchimento (pre.en.chi.*men*.to) *sm.* Ação ou resultado de preencher (preenchimento de formulários, de vagas) [F.: *preencher* (*-e-* > *-i-*) + *-mento*.]

preensão (pre.en.*são*) *sf.* Ação ou resultado de prender, segurar, agarrar: *As garras artificiais tinham grande capacidade de preensão*. [Pl.: *-sões*.] [F.: Do lat. *prehensio, onis*.]

preênsil (pre.*ên*.sil) *a2g.* Que é capaz de segurar, agarrar, prender; PREENSOR: *A pinça é um instrumento preênsil*. [Pl.: *-seis*.] [F.: Rad. do lat. *prehensus* (part. pass. de *prehendere*) + *-il*.]

preensor (pre.en.*sor*) [ô] *a.* Ver *preênsil* [F.: Rad. do lat. *prehensus* (part. pass. de *prehendere*) + *-or*.]

pré-escola (pré-es.*co*.la) *sf.* **1** Educação oferecida a crianças de um a seis anos, que compreende o maternal, o jardim de infância e a alfabetização, e objetiva prepará-las para o ensino fundamental; PRÉ-ESCOLAR **2** Estabelecimento que oferece educação desse tipo [Pl.: *pré-escolas*.] [F.: *pré-* + *escola*.]

pré-escolar (pré-es.co.*lar*) *a2g.* **1** Que vem antes da idade do período escolar **2** Que se refere à pré-escola *sm.* **3** O mesmo que *pré-escola* (1) [Pl.: *pré-escolares*.] [F.: *pré-* + *escolar*.]

preestabelecer (pre.es.ta.be.le.*cer*) *v. td.* Estabelecer com antecedência; determinar de antemão; PREDETERMINAR: "Mas não há um meio legal de preestabelecer uma indenização caso um dos cônjuges venha a cometer adultério." (*Veja*, 28.03.2001) [▶ **33** preestabele**cer**] [F.: *pre-* + *estabelecer*.]

preestabelecido (pre.es.ta.be.le.*ci*.do) *a.* Diz-se do que se estabeleceu antecipadamente; PREDETERMINADO; PREFIXADO: *Obedecia a regras preestabelecidas*. [F.: Part. de *preestabelecer*.]

preestabelecimento (pre.es.ta.be.le.ci.*men*.to) *sm.* Ação ou resultado de preestabelecer (preestabelecimento de preços); PREFIXAÇÃO [F.: *preestabelecer* + *-mento*.]

pré-estreia (pré-es.*trei*.a) *sf.* Apresentação de um filme ou peça teatral para convidados especiais antes da estreia comercial [Pl.: *pré-estreias*.]

preexcelso (pre:ex.*cel*.so) *a.* Muito excelso; muito alto; muito superior; SUBLIME: *A preexcelsa misericórdia de Deus é limitada somente por sua justiça*. [F.: *pre-* + *excelso*.]

preexistência (pre:e.xis.*tên*.ci.a) [z] *sf.* **1** Qualidade de preexistente, daquilo que já existia anteriormente [+*a*: *a preexistência da matéria à consciência*.] **2** *Teol.* Existência do Cristo antes da encarnação **3** *Teol.* Existência anterior da alma, antes de a pessoa nascer [F.: *pre-* + *existência*.]

preexistente (pre:e.xis.*ten*.te) [z] *a2g.* Diz-se do que já existia antes (moléstia preexistente) [+*a*: *A matéria é preexistente à consciência*. Ant.: *posterior, superveniente*.] [F.: *pre-* + *existente*.]

preexistir (pre.e.xis.*tir*) [z] *v.* Existir antes (de), preceder [*ti*. +*a*: *O ovo preexistiu à galinha, ou é o contrário?*] [*int*.: *Não foi um gesto espontâneo, a intenção preexistia*.] [▶ **3** preexis**tir**] [F.: *pre-* + *existir*.]

pré-fabricação (pré-fa.bri.ca.*ção*) *sf.* **1** Fabricação em série de partes ou componentes de uma unidade maior, para montagem posterior **2** *Cons.* Técnica de construção baseada na utilização desses elementos [Pl.: *pré-fabricações*.] [F.: *pré-* + *fabricação*.]

pré-fabricado (pré-fa.bri.*ca*.do) *a.* **1** Fabricado em partes para ser montado posteriormente (casa pré-fabricada) **2** *Pej.* Não espontâneo; ARTIFICIAL: *Não gostou nada daquele sorriso pré-fabricado*. [Pl.: *pré-fabricados*.] *sm.* **3** Objeto pré-fabricado: *Comprou vários pré-fabricados*. [Pl.: *pré-fabricados*.] [F.: *pré-* + *fabricado*.]

pré-fabricar (pré-fa.bri.*car*) *v. td.* **1** Fabricar peças para serem armadas e montadas **2** *Fig.* Planejar algo de antemão; ARQUITETAR [▶ **11** pré-fabri**car**] [F.: *pré-* + *fabricar*.]

prefaciado (pre.fa.ci.*a*.do) *a.* Em que se colocou prefácio: *livro prefaciado por personalidade famosa*. [F.: Part. de *prefaciar*.]

prefaciador (pre.fa.ci.a.*dor*) [ô] *a.* **1** Diz-se de pessoa que prefacia, que escreve um prefácio *sm.* **2** Essa pessoa: *O prefaciador, às vezes, é mais importante que o próprio autor*. [F.: *prefaciar* + *-dor*.]

prefaciar (pre.fa.ci.*ar*) *v. td.* **1** Escrever introdução ou prefácio para; PREAMBULAR; PRELUDIAR: *Meu professor prefaciou várias antologias de poemas*. **2** *Fig.* Servir de ou fazer introdução, apresentação a; PRECEDER: *A cena inicial prefaciava o enredo do filme; O cientista sempre prefaciava os seus discursos com uma piada*. [▶ **1** prefaci**ar**] [F.: *prefácio* + *-ar*². Hom./Par.: *prefaciais* (fl.), *prefaciais* (pl. de *prefacial*); *prefacio* (f.), *prefácio* (sm.).]

prefácio (pre.*fá*.ci.o) ***sm.*** **1** Texto introdutório ou de apresentação, breve ou longo, presente no início de um livro; INTRODUÇÃO; PREÂMBULO: *Escreveu um prefácio maior que a obra.* [+a, de: *Escreveu um prefácio ao novo catálogo de livros; O prefácio do livro era muito longo.*] **2** *Litu.* Parte da missa católica que imediatamente antes do Cânon [Inicial ger. maiúsc.] [F.: Do lat. *praefatio, onis.* Hom./Par.: *prefacio* (fl. de *prefaciar*).]

prefeito (pre.*fei*.to) ***sm.*** **1** *Bras.* Chefe do poder executivo de um município **2** Superior de convento **3** *Antq.* Em um colégio, o encarregado de vigiar os alunos **4** Superior de algumas comunidades **5** *Hist.* No antigo Império Romano, aquele que administrava as prefeituras [F.: Do lat. *praefectus, i* 'governador'.]

prefeitura (pre.fei.*tu*.ra) ***sf.*** **1** *Bras.* Cargo exercido pelo prefeito **2** *Bras.* O prédio, a sede e o conjunto dos órgãos e recursos da administração municipal; MUNICIPALIDADE **3** *Hist.* Cada uma das divisões do Império Romano, feitas pelo imperador Constantino [F.: Do lat. *praefectúra, ae.*]

preferência (pre.fe.*rên*.ci.a) ***sf.*** **1** Ação ou resultado de preferir: *Era um homem sem preferências.* **2** Inclinação, simpatia maior por certa pessoa ou coisa; FAVORITISMO; PREDILEÇÃO [+*por*: *Tinha preferência pelos amigos que falavam pouco.*] **3** Prioridade, primazia: *Os idosos tinham preferência naquele guichê.* **4** Manifestação de afeto, de estima a alguém: *Demonstrava diariamente sua preferência pelo caçula.* **5** *Jur.* Vantagem garantida por lei a certos direitos creditórios, de serem pagos em primeiro lugar [F.: Do lat. *praeferentia, ae.*]

preferencial (pre.fe.ren.ci.*al*) ***a2g.*** **1** Ref. a ou que tem preferência: *Era o candidato preferencial do grupo.* ***sf.*** **2** *Bras.* Nos cruzamentos, rua em que os veículos têm prioridade de passagem [Pl.: *-ais.*] [F.: *preferência* + *-al.*]

preferencialista (pre.fe.ren.ci.a.*lis*.ta) *Econ.* ***a2g.*** **1** Relativo à ação preferencial (capital preferencialista) **2** Que possui ações preferenciais (sócio preferencialista) ***s2g.*** **3** Titular de ações preferenciais: *os dividendos do preferencialista.* [F.: *preferencial* + *-ista.*]

preferente (pre.fe.*ren*.te) ***a2g.*** **1** Que prefere ***s2g.*** **2** Aquele que prefere [F.: Do lat. *preferens, entis.*]

preferido (pre.fe.*ri*.do) ***a.*** Que se prefere, que foi o escolhido; que é o mais querido; FAVORITO; PREDILETO: *Era o seu cantor preferido.* [Ant.: *desprezado, preterido.*] [F.: Part. de *preferir.*]

preferir (pre.fe.*rir*) ***v.*** **1** Escolher (uma opção entre outras possíveis) [***tdr.*** +a: *Prefiro acordar cedo a pegar um ônibus lotado de manhã.*] **2** Gostar mais de; ter predileção por; dar preferência a (alguém ou algo em relação a outrem ou outra coisa); achar melhor (uma ação ou atividade em relação a outra) [***td.:*** *Você prefere carne ou peixe?*] [***tdr.*** +a: "Primo, preferia morrer a causar-lhe o menor desgosto..." (Joaquim Manuel de Macedo, *Luneta mágica*)] **3** Antepor, querer antes: *Prefiro morrer a fugir como covarde.* **4** Ter primazia: *O dever deve sempre preferir ao prazer.* [▶ **50 preferir** As construções "Prefiro mais doce do que salgado", "Preferia frio do que calor", "Preferem que perguntem a que se calem com dúvidas", embora não aceitas pela norma culta, são abonadas com autores consagrados da língua portuguesa.] [F.: Do lat. **praeferere*, por *praeferre*, 'levar à frente'.]

preferível (pre.fe.*rí*.vel) ***a2g.*** Que se deve preferir [+a: *É preferível omitir a mentir.*] [Pl.: *-veis.*] [F.: *preferir* + *-vel.*]

prefiguração (pre.fi.gu.ra.*ção*) ***sf.*** **1** Ação ou resultado de prefigurar(-se); ANTECIPAÇÃO; ANTEVISÃO **2** Representação de algo que ainda não existe, mas que poderá existir ou se receia que exista (prefiguração do perigo) [Pl.: *-ções.*] [F.: Do lat. *praefiguratio, onis.*]

prefigurado (pre.fi.gu.*ra*.do) ***a.*** Que se prefigurou (sonho prefigurado) [F.: Part. de *prefigurar.*]

prefigurar (pre.fi.gu.*rar*) ***v. td.*** **1** Figurar ou representar (algo) antecipadamente: *A situação prefigura uma catástrofe.* **2** Representar (algo) com suposições, usando a imaginação; PRESSUPOR; CONJECTURAR: *Prefigurava moradias no espaço, amigos em Marte.* ***v. pr.*** **3** Afigurar-se, parecer a alguém: "A passagem pela 'selva escura' da existência prefigura-se-nos sempre, desde os anos mais verdes, como menos fúnebre..." (José Calda, *Benigna verba*) [▶ **1** prefigurar] [F.: Do lat. *praefigurare.*]

prefinir (pre.fi.*nir*) ***v. td.*** Determinar com antecedência; marcar antecipadamente; PREDETERMINAR; PREESTABELECER; PREFIXAR: *Já prefinimos o dia da assembleia.* [▶ **3** prefinir] [F.: Do lat. *praefinire.* Hom./Par.: *prevenir* (v.), *prefinir* (v.).]

pré-firmado (pré-fir.*ma*.do) ***a.*** Firmado, validado previamente (acordo pré-firmado) [Pl.: *pré-firmados.*] [F.: *pré-* + *firmado.*]

prefixação (pre.fi.xa.*ção*) [cs] ***sf.*** **1** Ação ou resultado de prefixar (prefixação de preços) **2** *Gram.* Processo de formação de palavras pela colocação de prefixo em palavra já existente (*fazer/desfazer*) [Pl.: *-ções.*] [F.: *prefixar* + *-ção.*]

prefixado (pre.fi.*xa*.do) [cs] ***a.*** **1** Que se prefixou (data prefixada); PREDETERMINADO; PREESTABELECIDO **2** *Gram.* A que se acrescentou um prefixo [F.: Part. de *prefixar.*]

prefixar (pre.fi.*xar*) [cs] ***v. td.*** **1** Estabelecer com antecedência; PREDETERMINAR: *O ministro prefixou os juros.* **2** *Gram.* Utilizar um elemento como prefixo [▶ **1** prefixar] [F.: *pre-* + *fixar.* Hom./Par.: *prefixo* (fl.), *prefixo* (a. sm.); *prefixais* (fl.), *prefixais* (pl. de *prefixal*).]

prefixo (pre.*fi*.xo) [cs] ***a.*** **1** Fixado antes (horário prefixo); PREFIXADO **2** Que é exato, preciso, rigoroso ***sm.*** **3** Algarismos iniciais comuns às linhas telefônicas de uma certa região **4** Conjunto de letras ou números que identificam aeronaves, viaturas policiais etc. **5** *Gram.* Elemento formador de palavras posto antes do radical (com por, re ver, in correr etc.) [Ver tb. *afixo* e *sufixo.*] **6** *Rád. Telv.* Vinheta característica de emissora ou programa us. em rádio e televisão [F.: Do lat. *praefixus, a, um.* Hom./Par.: *prefixo* (fl. de *prefixar*).]

prefloração (pre.flo.ra.*ção*) ***sf.*** *Bot.* Disposição das sépalas e pétalas de um botão antes de desabrochar; PREFLORESCÊNCIA [Pl.: *-ções.*] [F.: *pre-* + *floração.*]

preflorescência (pre.flo.res.*cên*.ci.a) ***sf.*** *Bot.* Forma como se dispõe o perianto na formação floral, m. que *prefloração* [F.: *pré-* + *florescência.*]

pré-frontal (pré-fron.*tal*) *Anat.* ***a2g.*** Localizado na região anterior ao osso frontal (córtex pré-frontal) [Pl.: *-tais.*] [F.: *pré-* + *frontal.*]

prefulgente (pre.ful.*gen*.te) ***a2g.*** **1** Que prefulge; que tem muito brilho (estrela prefulgente); RESPLANDECENTE **2** Diz-se do ser que brilha antes de qualquer outro de sua espécie: *Vênus é a estrela prefulgente da tarde.* [F.: *pré-* + *fulgente.*]

prefulgir (pre.ful.*gir*) ***v.*** **1** Fulgir, resplandecer antes (de algum outro objeto que brilhe) [***int.***] **2** Fulgir, brilhar, resplandecer [***int.:*** *Seus olhos prefulgiram na plateia.*] [▶ **46** prefulgir] [F.: Do lat. *praefulgere.*]

prega (*pre*.ga) ***sf.*** **1** Parte de tecido ou outro material que se dobra sobre si mesma, e que, em peças do vestuário, serve para ornamentar a roupa: *saia com pregas.* **2** Dobra na pele; PLICA; RUGA: *rosto cheio de pregas.* **3** Dobra casual de qualquer material muito flexível **4** Dobra ou depressão de terreno **5** *Geol.* Curvatura ou plissamento em rocha produzida por fatores diversos, ger. tectônicos [F.: Do lat. vulg. **plica.* Hom./Par.: *prega* (fl. de *pregar*).] **■ ~ de cotovelo** *Anat.* Região das partes moles na face interna da articulação do braço com o antebraço **~ neural** *Emb.* A que se forma com a invaginação da placa neural (ver no verbete *placa*) **~ vestibular** *Anat.* Cada uma de duas pregas junto às pregas vocais, que bloqueiam a laringe na deglutição de alimentos, impedindo que entrem no sistema respiratório [Não têm ação na emissão da voz.] **~ vocal** *Anat.* Cada uma de duas pregas junto à laringe que têm ação na emissão da voz

pregação (pre.ga.*ção*) ***sf.*** **1** Ação de pregar: *As suas pregações ecológicas já chegam às raias da obsessão.* [+de, sobre: *A pregação de/sobre problemas sociais não basta para resolvê-los.*] **2** Discurso de explanação ou incitação religiosa; SERMÃO; PRÉDICA: *O padre desceu do púlpito depois da pregação aos fiéis.* **3** *Pop.* Fala em que se repreende ou censura alguém; ADMOESTAÇÃO; REPREENSÃO; REPRIMENDA **4** *P. ext.* Discurso ou parlatório fastidioso, importuno e demorado; CANTILENA; LENGALENGA [Pl.: *-ções.*] [F.: *pregar* + *-ção.*]

pregada (pre.*ga*.da) ***sf.*** **1** *N. E. Pop.* Ferimento causado por prego ou instrumento perfurante **2** *Bras. Pop.* Pancada com prego **3** *Bras. Gír.* Golpe, intencional ou não, dado com a mão ou o pé; PANCADA [F.: Fem. substv. de *pregado.*]

pregado (pre.*ga*.do) ***a.*** **1** Seguro por prego: *um quadro pregado na parede; a etiqueta pregada na gravata; foto pregada no álbum.* **2** *P. ext.* Fixado por qualquer meio [+a, contra, em, sobre: *os olhos pregados ao/no chão/ sobre mim/ contra a janela.*] **3** *Bras. N. E. Pop.* Embriagado **4** *Fig.* Parado, estático (pregado no chão) **5** *Bras. Pop.* Cansado, esfalfado: *O passeio nos deixou pregados.* [F.: Part. de *pregar.* Ideia de 'pregado', usar pref. *pag(o)-.*]

pregador (pre.ga.*dor*) [ô] ***sm.*** **1** Aquele que exerce a prédica, prega sermões, apregoa ideia ou doutrina: *A vitória do pregador consiste em levar o ouvinte a agir.* **2** Aquilo que serve para pregar, prender, abotoar, fixar (pregador de roupa, pregador de cabelo) **3** *Fam.* Aquele que é ranzinza, que está sempre a resmungar, a lamentar-se, a repreender **4** *S Gír.* Aquele que é mentiroso ***a.*** **5** Que exerce a prédica, prega sermões, apregoa ideia ou doutrina **6** Que serve para pregar, prender, abotoar, fixar **7** *Fam.* Diz-se de quem está sempre ralhando **8** *S Gír.* Diz-se de quem mente muito [F.: *pregar* + *-dor.*]

pregão (pre.*gão*) ***sm.*** **1** Divulgação oral, feita por leiloeiros e corretores, dos produtos à venda e das ofertas recebidas: *No caso de não haver lance suficiente à cobertura do valor mínimo do lote, o coordenador do pregão poderá retirar o lote do leilão.* **2** O local na Bolsa de Valores em que essa divulgação é feita: *A maior parte das ordens de compra ou venda de ações parte de corretoras de fora do pregão.* **3** Divulgação em voz alta de produtos à venda, por vendedores ambulantes: "Hortelões, picando os burros carregados de seiras, atiravam os pregões de hortaliça fresca." (Eça de Queirós, *Contos*) **4** Divulgação das boas ou más qualidades, das ações meritórias ou censuráveis de alguém: "Vereis amor da pátria, não movido/ De prêmio vil, mas alto e quase eterno; / Que não é prêmio vil ser conhecido/ Por um pregão do ninho meu paterno." (Camões, *Os lusíadas*) **5** Ver *proclama* [Mais us. no pl.] [Pl.: *-gões.*] [F.: Do lat. *praeco, onis* 'pregoeiro público'.]

pregar¹ (pre.*gar*) ***v.*** **1** Fixar (ger. com prego) [***td. /tda.:*** *Você já pregou o quadro de avisos (na recepção).*] **2** Prender, colar (algo) com objeto ou processo apropriado [***td. /tda.:*** *A costureira pregou a gola (na camisa).*] **3** Cravar (objeto pontiagudo) [***td. /tda.:*** *Pregou vários percevejos (no quadro).* Ant.: *nas acp. 1 a 3: despregar, desprender, soltar.*] **4** Aplicar (susto, peça, logro, mentira) [***td.:*** *Meu irmão adora pregar peças.*] [***tdi.*** +a, em: "Vá devagarinho para lhe pregar um susto." (Machado de Assis, *Dom Casmurro*)] **5** Dar (golpe) com força; PESPEGAR; ASSENTAR [***tdi.*** +a, em: *Pregou-lhe um bofetão.*] **6** Fixar (o olhar) em; FITAR [***tda.:*** *A menina, envergonhada, pregou os olhos no chão.*] **7** *Bras. Pop.* Cansar(-se) ao extremo; EXAURIR(-SE) [***td.:*** *A maratona de provas pregou os vestibulandos.*] [***int.:*** *Fora de forma, ele prega à toa.*] [▶ **14 pregar**] [F.: *prego* + *-ar²*. Hom./Par.: *prega(s)* (fl.), *prega(s)* (sf. [pl.]); *pregaria(s)* (fl.), *pregaria(s)* (sf. [pl.]); *prego* (fl.), *prego* (sm.).] **■ Não ~ olho** Não dormir nem um minuto **~ com** Forçar (algo ou alguém) a ir, a cair, a bater, a mover-se etc.; derrubar, arrastar: *Agarrou-o livro e pregou com ele na parede.*

pregar² (pre.*gar*) ***v.*** **1** Proferir (sermões ou mensagens de doutrina religiosa) [***td.:*** *Aquele padre pregava os melhores sermões.*] [*: Daqui, ouve-se o pastor pregando na igreja.*] **2** Preconizar, difundir (conceito, ideia) [***td.:*** *Gandhi pregava a não violência.*] **3** Protestar, reclamar com veemência; BRADAR [***int.:*** *Por mais que pregasse, os filhos não lhe ouviam.*] [***tr.*** +contra, por: *pregar contra o comércio de armas.*] [▶ **14 pregar**] [F.: Do lat. *praedicare.* Hom./Par.: *prega(s)* (fl.), *prega(s)* (sf. [pl.]); *pregaria(s)* (fl.), *pregaria(s)* (sf. [pl.]); *prego* (fl.), *prego* (sm.).]

pré-genital (pré-ge.ni.*tal*) ***a2g.*** Que antecede o amadurecimento dos órgãos genitais (sexualidade pré-genital) [Pl.: *pré-genitais.*] [F.: *pré-* + *genital.*]

pregnância (preg.*nân*.ci.a) *Psic.* ***sf.*** **1** Estabilidade de uma forma na percepção ***sf.*** **2** Na teoria da Gestalt, tendência de as formas assumirem a melhor configuração, ger. a mais simples, caracterizada pelo equilíbrio, homogeneidade, regularidade e simetria [F.: Do ing. *pregnance.*]

prego¹ (*pre*.go) ***sm.*** **1** Peça metálica constituída por uma haste delgada, da qual uma das extremidades forma uma cabeça mais grossa e larga e a outra é pontiaguda, para se cravar ou espetar no corpo que se pretende fixar ou segurar **2** Alfinete com cabeça grande us. como adorno ou para fixar o chapéu **3** Cravo (4) **4** *Pop.* Local onde se toma dinheiro emprestado deixando como garantia objetos de valor; PENHOR: *Pagou as dívidas colocando as joias da mulher no prego.* **5** *Bras. Pop.* Cansaço extremo; ESGOTAMENTO; EXAUSTÃO: *Fiquei no maior prego depois da caminhada.* [Ant.: *energia, vigor.*] **6** *Bras.* Mentira ou ato de contar mentiras; BURLA; PETA [Ant.: *honestidade, sinceridade.*] **7** *Bras. Pop.* Cachaça, aguardente **8** *Bras. Pop.* Bebedeira, embriaguez [Ant.: *abstemia, sobriedade.*] **9** *Zool.* Espécie de macaco (*Cebus apella*) da Amazônia; MACACO-PREGO **10** *Bras. Pop.* Indivíduo ingênuo, tolo, inexperiente, fácil de enganar; BOBO; PASPALHO [Ant.: *esperto, sabido.*] **11** *BA Pop.* Indivíduo de cor preta; NEGRO [Tem conotação pejorativa e denota preconceito] **12** *Lus.* Corte de segunda de carne bovina **13** *Lus.* Sanduíche de filé de carne bovina **14** *Ort.* Haste, de metal ou outro material, us. para fixar as pontas ou fragmentos de ossos fraturados; PINO [F.: Dev. *pregar¹*. Ideia de 'prego', usar pref. *helo-* e suf. *-clávio.*] **■ ~ caibral** *Carp.* Prego grande para pregar caibros, toras e madeiras grossas; prego de caverna **~ de caverna** *Bras. Carp.* Ver *Prego caibral* **~ estopar** *Carp.* Tipo de prego de haste curta e cabeça larga **~ trabal** *Carp.* Aquele us. para pregar traves **Bater o ~** Morrer **Dar o ~** **1** *Bras. Pop.* Cansar-se muito, ficar exausto; pregar¹ (7) **2** Interromper, por cansaço, exercício físico, caminhada etc. **3** Dar-se por vencido, desistir de lugar ou de enfrentar algo ou alguém [Cf.: *Dar os pregos* (2).] **Dar os ~s** **1** *S.* Ficar irritado, zangado, furioso **2** Ficar desiludido ou desapontado [Cf.: *Dar o prego* (3).] **Ir no ~** *N. E.* Ir (a algum lugar) com atraso **Nadar como um ~** Não saber nadar, ou nadar muito mal **Não bater/botar/meter/pregar ~ sem estopa** Não agir em favor de alguém a não ser para receber algo em troca ou ter alguma vantagem

prego² (*pre*.go) ***sm.*** *Mastz.* Red. de *macaco-prego*

pregoeiro (pre.go.*ei*.ro) ***sm.*** **1** Indivíduo que nos leilões põe os objetos em praça e afinal os arremata a quem mais dá, depois de ter sucessivamente recebido os diversos lances; LEILOEIRO: *Quando se inicia o leilão, o pregoeiro coloca o lote em praça por um valor a partir do qual este pode ser vendido.* **2** Aquele que lança pregão; o que proclama, publica, divulga ou promove alguma coisa: "Depois o pregoeiro da cidade, parando a um canto do adro, tocou uma buzina, e numa voz tremenda começou a ler um edital." (Eça de Queirós, *O defunto*) **3** Aquele que exalta, enaltece, faz propaganda; ARAUTO: "O Padre Maciel, que o batizara vinte e sete anos antes, e que o via já homem completo, era o primeiro pregoeiro da sua transformação." (Machado de Assis, *A parasita azul*) ***a.*** **4** Diz-se de quem faz pregão [F.: *pregoar* + *-eiro.*]

pregões (pre.*gões*) ***smpl.*** Proclamas nupciais [F.: Pl. de *pregão.*]

pregresso (pre.*gres*.so) ***a.*** **1** Que ocorreu ou transcorreu anteriormente (uso pregresso; comportamento pregresso; história pregressa; vida pregressa); ANTERIOR; PASSADO [Ant.: *posterior, vindouro.*] **2** *Med.* Ref. ao histórico da patologia familiar do paciente [F.: Do lat. *praegressus, a, um.*]

pregueadeira (pre.gue.a.*dei*.ra) ***sf.*** Máquina que faz pregas em tecidos [F.: *preguear* + *-deira.*]

pregueado (pre.gue.*a*.do) ***a.*** **1** Feito ou disposto em pregas: *abajur com cúpula pregueada* ***sm.*** **2** Detalhe composto de pregas: *No peitilho, nas mangas e na barra, um pregueado em cetim.* [F.: Part. de *preguear.* Sin. ger.: *plissado.* Cf.: *franzido.*]

pregueamento (pre.gue.a.*men*.to) ***sm.*** Ação ou resultado de preguear; PREGUEADO [F.: *preguear* + *-mento.*]

preguear (pre.gue.*ar*) ***v.*** **1** Fazer pregas ou dobras em (tecido, papel etc.); PREGAR [***td.:*** *preguear uma saia.*] **2** Fazer ficar ou ficar cheio de rugas; ENRUGAR; VINCAR [*td.*: *O sofrimento pregueou o seu rosto.*] [*int.*: *Basta usar a calça de linho uma vez para que ela pregueie.* Ant.: *alisar, desvincar.*] [► 13 preguear] [F.: *prega* + *-ear*².]

preguiça (pre.*gui*.ça) *sf.* 1 Falta de energia ou de vontade de fazer uma atividade ou trabalhar; INDOLÊNCIA; INÉRCIA: *Não fui à ginástica por pura preguiça.* [Ant.: *ânimo, disposição.*] 2 Demora ou lentidão em praticar qualquer coisa; LERDEZA [Ant.: *agilidade, presteza.*] 3 Negligência, desleixo, descaso: *Não fez a bainha da calça por preguiça.* [Ant.: *capricho, esmero.*] 4 Corda que dirige o peso que se vai guindando para impedir que este toque na parede ou se prenda em algum obstáculo 5 Pau grosso em que estão pregadas as cangalhas da canoura do moinho 6 *Bras. Zool.* Nome comum dado aos mamíferos xenartros da fam. dos bradipodídeos e da fam. dos megaloniquídeos, que vivem em árvores e se movimentam muito lentamente; BICHO-PREGUIÇA [F.: Do lat. *pigritia, ae.*]

preguiçar (pre.gui.*çar*) *v. int.* Ter preguiça; deixar-se ficar no ócio: *Levante-se, pare de preguiçar.* [Ant.: *fatigar, sobrecarregar.*] [► 12 preguiçar] [F.: *preguiça* + *-ar*². Hom./Par.: *preguiça(s)* (fl.), *preguiça(s)* (sf. [pl.]).]

preguiceiro (pre.gui.*cei*.ro) *a.* 1 Que tem preguiça; PREGUIÇOSO 2 Que convida ao repouso, ao sono; próprio para dormir: "..., em uma cadeira mais baixa, de encosto derreado, cômodo preguiceiro para o corpo e o espírito que deseja cismar." (José de Alencar, *Senhora*) *sm.* 3 Indivíduo preguiçoso 4 *Mob.* Cadeira de encosto reclinável, m. que *espreguiçadeira* 5 *Lus. Mob.* Banco comprido posto ao lado da lareira 6 *Mob.* Banco com encosto; ESCABELO: "... se haviam sentado, uns nos preguiceiros, outros em pequenos escabelos." (Pedro Ivo, *Contos*) [F.: *preguiça* + *-eiro.*]

preguicento (pre.gui.*cen*.to) *a2g.* 1 Que tem preguiça; PREGUIÇOSO *sm.* 2 Indivíduo preguicento [F.: *preguiça* + *-ento.*]

preguiçosa (pre.gui.*ço*.sa) *sf.* 1 *Bras.* Ver *espreguiçadeira* 2 *Bras.* Pequena abelha que deixa que lhe tirem o mel sem reagir [F.: Fem. substv. de *preguiçoso.*]

preguiçoso (pre.gui.*ço*.so) [ô] *sm.* 1 Aquele que tem preguiça; INDOLENTE; MALANDRO *a.* 2 Que tem preguiça; DESANIMADO; LERDO [*+em*: *preguiçoso nos estudos.*] 3 Tardo, lento, demorado: "... as ondas vinham espraiar-se preguiçosas no areal da baía." (Alexandre Herculano, *Eurico, o presbítero*) [Ant.: *ligeiro, rápido.*] 4 Que gosta de ficar na cama ou de se levantar tarde 5 Negligente, descuidado, relapso no cumprimento de suas obrigações [Ant.: *cumpridor, diligente.*] 6 Que não funciona como deveria (intestino preguiçoso) [Ant.: *ativo.*] [Pl.: [ó]. Fem.: [ó].] [F.: *preguiça* + *-oso.*]

pré-história (pré-his.*tó*.ri.a) *sf.* 1 *Hist.* Período da história humana que antecede a invenção da escrita e o uso dos metais 2 *Fig.* O período de constituição inicial de uma técnica, uma ciência ou uma instituição, no qual elas apresentam seus traços principais de maneira primitiva, ainda sem o enriquecimento proporcionado pelos processos de evolução, de aperfeiçoamento: *A pré-história do cinema.* [Pl.: *pré-histórias.*] [F.: *pré-* + *história.* Cf.: *neolítico, paleolítico.*]

pré-historiador (pré-his.to.ri.a.*dor*) [ô] *sm.* Historiador que se especializou em pré-história [Pl.: *pré-historiadores.*] [F.: *pré-* + *historiador.*]

pré-histórico (pré-his.*tó*.ri.co) *a.* 1 Que se refere à pré-história 2 Anterior ao aparecimento da escrita e dos metais 3 *Fig.* Que se refere aos princípios da evolução de uma técnica, ciência, instituição etc.: *Gostava de filmes pré-históricos.* 4 *Pej.* Antiquado, ultrapassado: *Joguem no lixo essa cadeira pré-histórica!* 5 *Pej.* Grosseiro, rude (indivíduo pré-histórico) [Pl.: *pré-históricos.*] [F.: *pré-* + *histórico.*]

pré-impressão (pré-im.pres.*são*) *sf. Edit. Elet.* Fase anterior à impressão em que se elabora a configuração final dos textos e imagens visando à produção eletrônica dos fotolitos para a impressão [Pl.: *pré-impressões.*] [F.: *pré-* + *impressão.*]

pré-industrial (pré-in.dus.tri.*al*) *a2g.* 1 Diz-se de época histórica que precede o surgimento da indústria (sociedade pré-industrial) 2 Diz-se de lugar, setor econômico etc. antes do processo de industrialização [Pl.: *pré-industriais.*] [F.: *pré-* + *industrial.*]

pré-inscrição (pré-ins.cri.*ção*) *sf.* Inscrição provisória que pode se tornar definitiva depois da avaliação das informações ali prestadas [Pl.: *pré-inscrições.*] [F.: *pré-* + *inscrição.*]

pré-islâmico (pré-is.*lâ*.mi.co) *a.* 1 Que precede o aparecimento do islamismo (poeta pré-islâmico) 2 Anterior ao estabelecimento do islamismo em determinado país, região etc. (Egito pré-islâmico) [Pl.: *pré-islâmicos.*] [F.: *pré-* + *islâmico.*]

preitear (prei.te.*ar*) *v.* Render (preito ou homenagem) a [*tdi.* *+a*: *O médico preiteou homenagens à primeira professora.*] [► 13 preitear] [F.: *preito* + *-ear*². Hom./Par.: *preitear, pretear* (em todas as fl.).]

preito (*prei*.to) *sm.* 1 Demonstração de apreço, respeito etc. por alguém; HOMENAGEM; TRIBUTO: *Todos renderam preito ao valente general.* 2 Negócio, assunto a ser resolvido 3 Acordo, pacto, ajuste 4 Condição de vassalo ou o tributo pago por ele; VASSALAGEM: "... fidalgo leal, entendia que estava preso ao rei de Portugal pelo juramento da nobreza, e que só a ele devia preito e menagem." (José de Alencar, *O guarani*) [F.: Do provç. antigo *plait.* Hom./Par.: *pleito* (sm.).]

prejudicado (pre.ju.di.*ca*.do) *a.* 1 Que sofreu prejuízo: *Os alunos foram prejudicados pela paralisação.* [*+em*: *prejudicado no seu rendimento.*] 2 Que foi lesado, danificado, inutilizado: *O mecanismo do relógio ficou gravemente prejudicado com o choque.* [Ant.: *beneficiado, favorecido.*] 3 *Bras.* Desequilibrado, desatinado, amalucado [Ant.: *equilibrado.*] *sm.* 4 Aquele que sofreu prejuízo: *Foi comprovada a irresponsabilidade do prejudicado; Ela foi uma das maiores prejudicadas pela injustiça.* [F.: Part. de *prejudicar.*]

prejudicador (pre.ju.di.ca.*dor*) [ô] *a.* 1 Que prejudica (procedimento prejudicador) *sm.* 2 Aquele que prejudica [F.: *prejudicar* + *-dor.*]

prejudicar (pre.ju.di.*car*) *v. td.* 1 Causar prejuízo ou dano a, ou sofrê-los: *O desmatamento prejudica o meio ambiente; Ele vai se prejudicar se continuar faltando às aulas.* 2 Atrapalhar, perturbar: *A chuva prejudicou o trânsito.* 3 Tornar nulo, sem efeito (por erro, descumprimento de norma, falha técnica etc.): *O registro fora de data prejudicou sua candidatura.* 4 Tirar o valor, a qualidade; DEPRECIAR: *O livro é ruim, mas não prejudica a reputação do autor.* [► 11 prejudicar] [F.: Do lat. *praejudicare.* Sin. ger.: *beneficiar.*]

prejudicial (pre.ju.di.ci.*al*) *a2g.* 1 Que causa prejuízo, que pode fazer mal a alguém ou algo; DANOSO; NOCIVO: *O cigarro é prejudicial à saúde.* [Ant.: *benéfico.*] 2 Que causa ou pode causar prejuízo financeiro (acordo prejudicial); LESIVO [Ant.: *proveitoso, útil.*] 3 *Jur.* Que deve anteceder o julgamento 4 *Bras. Jur.* Diz-se de ação em que se busca reconhecer, reivindicar, garantir, defender o estado civil ou a situação jurídica de uma pessoa nas relações de família (p. ex., investigação de paternidade, nulidade ou anulação de casamento, paternidade, cidadania, separação, divórcio etc.) [Pl.: *-ais.*] [F.: Do lat. *praejudicialis, e.*]

prejudicialidade (pre.ju.di.ci.a.li.*da*.de) *sf.* 1 Caráter do que é prejudicial 2 *Jur.* Questão levantada no decorrer de uma ação penal, que tem como objeto o elemento essencial do delito, e cuja investigação decida pela incompetência do juízo criminal e pela consequente suspensão do processo; ação prejudicial [Ocorre em questões pessoais e familiares como, p. ex., reconhecimento de paternidade, anulação de casamento etc.] [F.: *prejudicial* + *-(i)dade.*]

prejuízo (pre.ju.*í*.zo) *sm.* 1 Perda de dinheiro ou de bens: *prejuízos causados pela enchente.* [*+a, em, para*: *prejuízo à família; prejuízo para a empresa; prejuízo nos negócios.* Ant.: *ganho, lucro.*] 2 Perda de outra natureza; DANO: *A reforma do teatro ocorrerá sem prejuízo para o espetáculo.* 3 Juízo antecipado e irrefletido, preocupação; PRECONCEITO: *homem cheio de prejuízos.* [*+contra*: *prejuízo contra os estrangeiros.*] 4 *Bras. Pop.* Despesa em compra, serviços etc.: *Perguntou ao garçom de quanto era o prejuízo.* [F.: Do lat. *praejudicium, ii.*] ■ **Em ~ de** Contrariamente à existência, prevalência, integridade, validade, interesse de; em detrimento de: *Qualquer medida a ser adotada não deve ser em prejuízo daquelas já em vigor.*

prejulgado (pre.jul.*ga*.do) *sm.* 1 *Bras. Jur.* Pronunciamento prévio das câmaras reunidas sobre a interpretação de qualquer norma jurídica, se reconhecer que sobre ela ocorre, ou poderá ocorrer, divergência de interpretação entre câmaras ou turmas julgadoras *a.* 2 Que foi julgado antecipadamente [F.: Part. de *prejulgar.*]

prejulgamento (pre.jul.ga.*men*.to) *sm.* 1 Formação de juízo sem exame prévio; INFERÊNCIA; PRESSUPOSIÇÃO: *A aceitação do afastamento do ministro não implica qualquer prejulgamento em relação à sua conduta.* 2 *Jur.* Interpretação (de norma) em prejulgado [F.: *prejulgar* + *-mento.*]

prejulgar (pre.jul.*gar*) *v.* 1 Julgar antecipadamente [*t.*: "Não prejulgo o que esteja agora se passando pelo cérebro de Miss Evelyn..." (Monteiro Lobato, *O choque*)] *v.* 2 Formar juízo sobre (fatos ou pessoas) previamente, sem exame ou avaliação; CONJETURAR [*td.*: *Você não leu, está prejulgando o meu trabalho!*] [*tdp.*: *Foi infeliz ao prejulgar razoável o trabalho do grupo.*] 3 *Jur.* Pronunciar (norma) em prejulgado [*td.*] [►14 prejulgar] [F.: *pre-* + *julgar.*]

prelação (pre.la.*ção*) *sm. Ant. Jur.* Direito de preferência de que gozavam os filhos para ocuparem os empregos dos pais [Pl.: *-ções.*] [F.: Do lat. *praelatio, onis.* Hom./Par.: *prelação* (sm.), *preleção* (sf.).]

prelacial (pre.la.ci.*al*) *a2g.* 1 Referente a, ou próprio de prelado; PRELATÍCIO 2 Ref. a prelazia [F.: *prelacia* + *-al.* Hom./Par.: *prelaciais* (pl.), *prelaciais* (fl. de *prelaciar*).]

prelado (pre.*la*.do) *sm.* 1 *Ecles.* Título honorífico privativo de certas dignidades eclesiásticas tais como bispos, arcebispos, chefes de comunidades religiosas etc. 2 Título concedido ao reitor da Universidade de Coimbra, Portugal [F.: Do lat. *praelatus, a, um.*]

prelatício (pre.la.*tí*.ci.o) *a.* Ref., pertencente ou inerente a prelado ou a prelazia (chapéu prelatício): *Foi a primeira vez na cidade que se assistiu a um cerimonial prelatício.* [F.: *prelado* (*-d-* > *-t-*) + *-ício.*]

prelazia (pre.la.*zi*.a) *sf.* 1 Dignidade, cargo ou jurisdição de prelado 2 Área sob jurisdição de um prelado: *a prelazia da Opus Dei.* 3 *P. ext.* Diocese: *A história da prelazia confunde-se com a da criação do município.* [F.: Do baixo-lat. *praelatia.*]

preleção (pre.le.*ção*) *sf.* 1 Palestra feita com fins didáticos: *O curso abrange preleções teóricas, trabalho de laboratório e aulas práticas, além de estágio supervisionado* 2 *Esp.* Palavras de orientação e incentivo proferidas por um técnico antes de uma partida [Pl.: *-ções.*] [F.: Do lat. *praelectio, onis.*]

prelecionar (pre.le.ci.o.*nar*) *v.* 1 Fazer preleção (sobre algo ou para alguém); ENSINAR [*td.* /*tdi.* *+a, para*: *prelecionar filosofia (aos universitários).*] [*int.* /*ti.* *+a, para*: *Há anos deixou de prelecionar (para os seminaristas).*] 2 Discursar perante um auditório [*int.*: "O homem que tanto prelecionara acerca da prudência, não teve mão em si." (Camilo Castelo Branco, *Palheiro*)] [► 1 prelecionar] [F.: *preleção* + *-ar*², seg. o mod. erudito.]

preliar (pre.li.*ar*) *v. int.* Disputar prélio; COMBATER; LUTAR [► 1 preliar] [F.: Do lat. *proeliare*, 'combater', 'lutar'. Hom./Par.: *prelio* (fl.), *prélio* (sm.).]

prelibação (pre.li.ba.*ção*) *sf.* Ação ou efeito de prelibar; satisfação antecipada: "...e de mãos à cinta, gozando-se na prelibação da tortura, ficou de pé uns minutos, à espera." (Monteiro Lobato, *Negrinha*) [Pl.: *-ções.*] [F.: Do lat. *praelibatio, onis.*]

prelibador (pre.li.ba.*dor*) [ô] *sm.* 1 Aquele que preliba *a.* 2 Que preliba, antegoza [F.: *prelibar* + *-dor.*]

prelibar (pre.li.*bar*) *v. td.* Usufruir previamente, por imaginação, de (um prazer, uma diversão); ANTEGOZAR; ANTEGOSTAR [► 1 prelibar] [F.: Do lat. *praelibare.*]

preliminar (pre.li.mi.*nar*) *a2g.* 1 Que precede o objeto principal e serve para facilitar a sua compreensão (discurso preliminar; estudos preliminares; considerações preliminares) 2 Primário (11): *A menina foi alfabetizada no curso preliminar.* *sf.* 3 *Bras. Esp.* Partida de qualquer jogo desportivo que antecede a partida principal [No futebol, diz-se principalmente do jogo entre equipes juvenis ou aspirantes, que antecede o jogo dos chamados titulares ou primeiro time.] *sm.* 4 Condição prévia, começo de ajuste, de acordo: *a ratificação dos preliminares da paz.* 5 Introito, introdução [F.: Do fr. *préliminaire.*]

prélio (*pré*.li.o) *sm.* Qualquer tipo de disputa ou embate entre adversários; COMBATE: "Quando surge o alviverde imponente/ No gramado em que a luta o aguarda/ Sabe bem o que vem pela frente/ Que a dureza do prélio não tarda" (Gennaro Rodrigues e Antonio Sergi, *Hino do Palmeiras*) [F.: Do lat. *proelium, ii.*]

prelo (*pre*.lo) *sm.* 1 *Art. gr.* Aparelho manual ou mecânico que serve para imprimir apertando os caracteres sobre o papel ou vice-versa; máquina de impressão tipográfica; PRENSA 2 *Bras.* Pequena máquina de impressão tipográfica, us. para tiras provas (prova de prelo) [F.: Do lat. *prelum, i.*] ■ **~ de provas** Aparelho us. para tirar provas tipográficas, de ofsete etc. [Consiste numa placa de mármore e um rolo manual de tintagem. Tb. apenas *prelo.*] **~ manual** Antiga prensa de madeira para imprimir [Tb. apenas *prelo.*] **No ~** *Edit.* Prestes a ser publicado (livro, obra), em processo de edição e de impressão **Sair do ~** Ter todo o processo de edição e impressão terminado, vir à luz (livro, obra)

prelóquio (pre.*ló*.qui.o) *sm. P. us.* Parte de um discurso ou obra que antecede o texto principal; EXÓRDIO; PREFÁCIO; PREÂMBULO [Hom./Par.: *prelóquio* (sm.), *prolóquio* (sm.).]

preludial (pre.lu.di.*al*) *a2g.* Rel. a prelúdio; PRELIMINAR [Pl.: *-ais.*] [F.: *prelúdio* + *al.*]

preludiar (pre.lu.di.*ar*) *v.* 1 Fazer prelúdio (3) de; anunciar previamente, ser indício de; PRENUNCIAR [*td.*: *A ameaça de guerra preludiava tempos difíceis.*] 2 Ensaiar antes de cantar ou tocar [*int.*: *O pianista gostava de preludiar antes do concerto.*] 3 *Mús.* Entoar ou executar (trecho de música) no gênero dos prelúdios (4); IMPROVISAR [*td.* /*int.*] 4 Preceder com prelúdio: "Daí os aleives que preludiam, nesse monumento de época, a exibição dos sentimentos pessoais..." (Rui Barbosa, *Réplica*) 5 Tocar um prelúdio: *A orquestra preludiava no teatro quando entramos...* [► 1 preludiar] [F.: *prelúdio* + *-ar.* Hom./Par.: *preludio* (fl.), *prelúdio* (sm.).]

prelúdio (pre.*lú*.di.o) *sm.* 1 Exercício preliminar; primeiro passo para um certo desfecho: "O mais belo dia da vida tornava-se para eles um dia de desgraça e de solidão; a formalidade do casamento foi simplesmente o prelúdio do mais completo divórcio." (Machado de Assis, *Miss Dollar*) [*+a, de*: *prelúdio da/à guerra.*] 2 Sinal ou prenúncio de algo: *O canto das cigarras é o prelúdio de um dia de sol.* 3 Prólogo, prefácio, preâmbulo 4 *Mús.* Peça musical, dotada de certa autonomia formal, que serve como introdução a uma obra, cena ou ato, podendo tb. ser executada isoladamente 5 *Mús.* O que se canta ou toca para experimentar a voz ou um instrumento e ver se está no tom ou afinado [F.: Do fr. *prélude.*]

preluzir (pre.lu.*zir*) *v. int.* 1 Brilhar muito; RESPLANDECER; REFULGIR 2 *Fig.* Sobressair, destacar-se, realçar: *A excelência de João preluz entre os demais pesquisadores.* [► 57 preluzir] [F.: Do lat. *praelucere.*]

pré-masterização (pré-mas.te.ri.za.*ção*) *sf. Eletrôn.* Correção de níveis e frequências para melhorar o resultado final de uma gravação musical, antes da sua duplicação em escala [Pl.: *pré-masterizações.*] [F.: *pré-* + *masterização.*]

pré-masterizar (pré-mas.te.ri.*zar*) *v. td. Eletrôn.* Preparar arquivo digital a ser empregado na masterização (gravação das matrizes para cópia) de discos compactos [► 1 pré-masterizar] [F.: *pré-* + *masterizar.*]

pré-matrimonial (pré-ma.tri.mo.ni.*al*) *a2g.* Anterior ao matrimônio (orientação pré-matrimonial) [Pl.: *pré-matrimoniais.*] [F.: *pré-* + *matrimonial.*]

prematuridade (pre.ma.tu.ri.*da*.de) *sf.* Estado do que é prematuro, esp. recém-nascido: *Mesmo a prematuridade branda e moderada coloca o bebê em risco de vida.* [F.: *prematuro* + *-(i)dade.*]

prematuro (pre.ma.*tu*.ro) *a.* 1 Que sucede antes do tempo em que naturalmente teria de suceder (crescimento prematuro; velhice prematura; morte prematura); PRECOCE [Ant.: *tardio.*] 2 Que amadureceu antes de tempo próprio (frutos prematuros); TEMPORÃO [Ant.: *serôdio*.] 3 Que aparece ou se manifesta antes do tempo (talento prematuro) [Ant.: *atrasado*.] 4 Diz-se de criança que nasceu antes do tempo normal de gestação (bebê prematuro) *sm.* 5 Criança prematura (4) [F.: Do lat. *praematurus, a, um*.]

pré-maxilar (pré-ma.xi.*lar*) [cs] *sm. Anat. Zool.* Na maioria dos vertebrados, cada um de um par de ossos que constituem a parte anterior do maxilar superior [Pl.: *pré-maxilares*.] [F.: *pré-* + *maxilar*.]

premeditação (pre.me.di.ta.*ção*) *sf.* 1 Ação de premeditar: *Agiu com premeditação naquele caso.* 2 *Jur.* Propósito formado antes da perpetração de um crime: *A premeditação é um agravante do delito.* [Pl.: *-ções*.] [F.: Do lat. *praemeditatio, onis*.]

premeditado (pre.me.di.*ta*.do) *a.* Que se premeditou; posto, refletido, pensado com antecipação (crime premeditado) [Ant.: *impremeditado*.] [F.: Part. de *premeditar*.]

premeditar (pre.me.di.*tar*) *v. td.* Refletir sobre e decidir (algo) com antecedência; ARQUITETAR; PLANEJAR: *O acusado disse que não premeditou o crime.* [▶ 1 premeditar] [F.: Do lat. **praemeditare*, por *praemeditari*. Hom./Par.: *premeditáveis* (fl.), *premeditáveis* (pl. de premeditável).]

premência (pre.*mên*.ci.a) *sf.* Qualidade ou característica de premente; URGÊNCIA: *O recorrente invocou a premência da assinatura do contrato.* [F.: *premir* + *-encia*.]

pré-menstrual (pré-mens.tru.*al*) *a2g. Fisl.* Que antecede o período da menstruação (tensão pré-menstrual) [Pl.: *pré-menstruais*.] [F.: *pré-* + *menstrual*.]

premente (pre.*men*.te) *a2g.* 1 Que não admite demora (socorro premente); IMEDIATO; URGENTE [Ant.: *demorado, tardio*.] 2 Que faz compressão, que aperta 3 *Fig.* Que causa angústia, aflição (espera premente); AFLITIVO; ANGUSTIANTE [Ant.: *despreocupado, tranquilo*.] [F.: Do lat. *premente*.]

premer (pre.*mer*) *v. td.* 1 Pressionar, apertar: *Para chamar o elevador, basta premer o botão.* 2 Apertar para extrair líquido; ESPREMER: *premer as laranjas.* 3 Fazer com que se torne ou pareça mais estreito, apertado; COMPRIMIR: *As estantes premiam a sua sala de estudo.* [▶ 2 premer] [F.: Do lat. *premere*. Tb. *premir*.]

premiação (pre.mi.a.*ção*) *sf.* 1 Ato ou efeito de premiar 2 Concessão de prêmios; a cerimônia dessa concessão: *Foi convidado para assistir à premiação do concurso.* [Pl.: *-ções*.] [F.: *premiar* + *-ção*.]

premiado (pre.mi.*a*.do) *a.* 1 Que se premiou, que recebeu prêmio: *atletas premiados nas olimpíadas.* 2 Diz-se de bilhete de loteria ou de rifa contemplados em sorteio: *compra de bilhetes premiados.* *sm.* 3 Quem foi contemplado por um prêmio: *as premiadas no concurso de beleza.* [F.: Part. de *premiar*.]

premiador (pre.mi.a.*dor*) [ô] *a.* 1 Que concede prêmio ou elege os premiados *sm.* 2 O que premia [F.: *premiado* + *-or*.]

premiar (pre.mi.*ar*) *v. td.* 1 Conceder um prêmio a (em sorteio, competição etc.): *O concurso premiará os melhores poemas.* 2 Recompensar: *Premiou o filho com uma viagem.* [▶ 1 premiar] [F.: *prêmio* + *-ar*. Hom./Par.: *premio* (fl.), *prêmio* (sm.).]

premiável (pre.mi.*á*.vel) *a2g.* Passível de ser premiado: *Com a fraude, o corredor deixou de ser premiável.* [F.: *premiar* + *-vel*.]

premiê (pre.mi.*ê*) *sm.* Chefe do governo em certos regimes parlamentaristas, como a França e a Itália; PREMIER [F.: red. do franc. *premier*.]

pré-militar (pré-mi.li.*tar*) *a2g.* Que ocorre antes da instrução ou do serviço militar (curso pré-militar) [Pl.: *pré-militares*.] [F.: *pré-* + *militar*.]

prêmio (*prê*.mi.o) *sm.* 1 Recompensa dada ou paga a uma pessoa por mérito ou serviço, ou concedida aos vencedores de torneio, concurso, competição, jogo, partida etc.; COMPENSAÇÃO [+*a, de, para, por*: *prêmio de originalidade; prêmio à beleza; prêmio para honestidade; prêmio por esforço.* Ant.: *castigo, punição*.] 2 Dinheiro ou objeto de valor dado ao sorteado em rifa ou loteria 3 Distinção conferida a quem dela se tornou digno por qualquer trabalho literário, científico, artístico, industrial etc.; CONDECORAÇÃO; GALARDÃO 4 *Econ.* Pagamento por seguro contratado, i.e., o preço pago para que uma seguradora cubra um dado risco, sendo este preço diretamente proporcional ao tamanho do risco 5 *Econ.* A diferença entre o valor nominal de um título e o seu preço acima do par 6 *Econ.* O preço pago na compra de um contrato de opção 7 *Publ.* Bem ou vantagem oferecido ao consumidor, vinculado à aquisição de uma mercadoria; BÔNUS; BRINDE [F.: Do lat. *praemium, ii*.] ∎ **Grande ~** 1 *Turfe* Na programação turfística, cada páreo importante, com prêmio alto, no qual correm ger. os melhores cavalos das escuderias 2 *Aut.* Corrida internacional de carros de fórmula, com premiação em dinheiro aos vencedores, e que forma, com outras (ger. em outros países) uma série ou campeonato anual **~ de consolação** Compensação, em forma de prêmio simbólico ou de valor menor ao dos prêmios dos vencedores, concedida a quem, mesmo tendo algum mérito, não fez jus a estes **~ Nobel** 1 Prêmio anual em dinheiro e láurea de qualidade concedido pela Fundação Nobel (norueguesa) àqueles que ela considera os grandes destaques nos campos da física, química, fisiologia ou medicina, ciências econômicas, literatura e paz 2 Ganhador de um prêmio Nobel: *Saiu a lista dos prêmios Nobel.*

premir (pre.*mir*) *v.* O mesmo que *premer* [▶ 58 premir]

premissa (pre.*mis*.sa) *sf.* 1 Ideia ou fato inicial de que se parte para formar um raciocínio: *Ele partiu de uma premissa falsa.* 2 *Lóg.* Cada uma das duas proposições de um silogismo (a maior e a menor), das quais se infere ou se tira a consequência [F.: Do lat. *praemissa (sententia)*. Sin. ger.: *proposição*.] ∎ **~ maior** *Lóg.* Num silogismo, a que contém o termo maior, ou seja, o predicado da conclusão **~ menor** *Lóg.* Num silogismo, a que contém o termo menor, ou seja, o sujeito da conclusão

pré-modernismo (pré-mo.der.*nis*.mo) *sm.* Período artístico e literário que antecedeu o modernismo [F.: *pré-* + *modernismo*.]

pré-modernista (pré-mo.der.*nis*.ta) *a2g.* 1 Que é anterior ao modernismo 2 Ref. ou pertencente ao pré-modernismo *s2g.* 3 Artista pré-modernista: *Admirava os pré-modernistas.* [Pl.: *pré-modernistas*.] [F.: *pré-* + *modernista*.]

pré-molar (pré-mo.*lar*) *Anat. a2g.* 1 Diz-se de cada um dos dentes situados entre os caninos e os molares (quatro em cada maxilar) *sm.* 2 Dente pré-molar [Pl.: *pré-molares*.] [F.: *pré-* + *molar*.]

pré-moldado (pré-mol.*da*.do) *a.* 1 Feito previamente a partir de molde para ser utilizado depois (laje pré-moldada) [Pl.: *pré-moldados*.] *sm.* 2 Qualquer peça de concreto pré-moldado feita em série: *pré-moldados para viadutos.* [Pl.: *pré-moldados*.] [F.: *pré-* + *moldados*.]

premonição (pre.mo.ni.*ção*) *sf.* 1 Sensação de que algo está para acontecer; INTUIÇÃO; PRESSENTIMENTO: *As suas últimas cartas estão recheadas de premonições trágicas.* 2 Acontecimento ou sinal que serve de aviso; AGOURO; PRESSÁGIO [Pl.: *-ções*.] [F.: Do lat. *praemonitio, onis*. Hom./Par.: *premunição* (sf.).]

premonitório (pre.mo.ni.*tó*.ri.o) *a.* 1 Que diz respeito à premonição *a.* 2 Que adverte com antecipação; que se deve considerar como aviso ou prevenção (sonho premonitório): *Dias antes da eclosão da guerra, o jornalista publicou um artigo premonitório.* [F.: Do lat. *praemonitoriu*.]

premunição (pre.mu.ni.*ção*) *sf.* 1 Ação ou resultado de premunir 2 Imunização prévia; prevenção imunológica contra uma infecção: *A premunição é um dos métodos empregados na imunização de bovinos.* [Pl.: *-ções*.] [F.: Do lat. *praemunitio, onis* 'preparação'. Hom./Par.: *premonição* (sf.).]

premunir (pre.mu.*nir*) *v.* 1 Tomar medidas de cautela ou preparar-se contra (perigo, dificuldade etc.); PREVENIR(-SE) [*td.*: *premunir epidemias.*] [*tdr.* +*contra*: *O general premunira os soldados contra as manobras.*] [*tr.* +*contra*: *premunir-se contra acidentes.* Ant.: *descuidar*.] 2 Munir (do necessário) com antecedência; PROVER [*tr.* +*de*: *premunir a casa de víveres.* Ant.: *desguarnecer, desprover*.] 3 Evitar com antecedência: *O técnico recomendou aos jogadores não cometerem faltas graves, premunindo assim expulsões.* [▶ 3 premunir] [F.: Do lat. *praemunire*.]

pré-natal (pré-na.*tal*) *a2g.* 1 Que é anterior ao nascimento da criança 2 Que se realiza nesse período (exame pré-natal) [Pl.: *pré-natais*.] *sm.* 3 Tratamento médico que a mulher grávida faz antes do parto: *Internou-se para fazer o pré-natal.* [Pl.: *pré-natais*.] [F.: *pré-* + *natal*.]

prenda (*pren*.da) *sf.* 1 Prêmio ganho em determinadas competições ou brincadeiras; BRINDE 2 Penalidade aplicada ao perdedor em alguns jogos ou brincadeiras (pagar prenda) 3 Presente, dádiva, mimo 4 *Antq.* Habilidade, conhecimento em um ramo de atividade; DOTE; QUALIDADE: *moça com muitas prendas.* 5 *Irôn.* Pessoa de más qualidades ou ruim: *Eu não tive o prazer de conhecer essa prenda.* 6 *RS* Moça, mulher nova 7 *RS* Joia (no sentido próprio e fig.) 8 *N. E.* Cada uma de duas peças de madeira que prendem entre si as forquetas das cangalhas [Us. ger. no pl.] [F.: Do lat. imperial *pignora*.] ∎ **~s domésticas** Designação oficial da atividade ou profissão exercida por pessoa que cuida do próprio lar, sem remuneração

prendado (pren.*da*.do) *a.* Dotado de prendas, de qualidades morais, de habilitações: "Se chego tarde não vou casar, eu perco a noiva e o jantar/ A moça não é nenhuma miss mas é prendada e me faz feliz..." (Kleiton e Kledir, *Maria Fumaça*) [+*em*: *prendada na música e na equitação*.] [F.: Part. de *prendar*.]

prendar (pren.*dar*) *v.* 1 Dar prenda a; BRINDAR; PRESENTEAR; REGALAR [*tdr.* +*com, de*: *A idade nos prenda de paciência*.] [*td.*: *prendar os funcionários assíduos*.] 2 Tornar (alguém) hábil para; HABILITAR; CAPACITAR [*tdr.*: *A tia prendava-a para a cozinha*.] [▶ 1 prendar] [F.: Do lat. ** pignorare*, por *pignorari*. Hom./Par.: *prendar, prender* (em várias fl.).]

prendas (*pren*.das) *sfpl.* 1 *Bras. N. E.* Duas peças de madeira que atam entre si as duas forquilhas que compõem as cangalhas 2 *Ant. Lud.* Tipo de jogo de salão em que os participantes tentam descobrir objetos ou resolver enigmas e assim recebem, conforme o caso, uma prenda ou um castigo: "O século XIX foi o século do brinquedo de prendas, por todo o Brasil." (Luís da Câmara Cascudo, *Dicionário do folclore brasileiro*) [Var.: *pendas*.]

prendas do lar (pren.das do*lar*) *sfpl.* Trabalho daqueles cuja atividade, não remunerada, é cuidar do lar, como as mães, esposas etc.

prendedor (pren.de.*dor*) [ô] *sm.* 1 Aquilo que prende ou se destina a prender, segurar, fixar, firmar etc. (prendedor de gravata, de porta, de cabelo, de toalhas) *a.* 2 Que prende, que serve para prender, segurar, fixar, firmar etc.: *grampo prendedor para pastas.* [F.: *prender* + *-dor*.]

prender (pren.*der*) *v.* 1 Fazer ficar unido ou fixo (com corda, braços etc.) [*td.*: *A bailarina prendeu os cabelos*.] [*tda.*: *Papai nos prendia em seus braços e nos fazia cócegas*.] 2 Fazer ficar ou ficar seguro, preso a [*td.* / *tda.*: *Usou cola para prender os cartazes (ao mural); A roupa prendeu-se no prego*.] [*tdr.* +*a, em*: "... eu é que coso, prendo um pedaço ao outro..." (Machado de Assis, "Um apólogo" *in Novas seletas*) Ant.: *nas acp. 1 e 2: soltar*] 3 Colocar na prisão; ENCARCERAR [*td.*: *O delegado prendeu o bandido.* Ant.: *libertar, soltar*.] 4 Dificultar, restringir ou impedir o deslocamento ou o movimento a [*td.* / *tda.*: *Prenda o cachorro por causa das visitas; Essa saia prende os meus passos; A enchente prendeu minha mãe (em casa); prender um pássaro (na gaiola)*.] 5 *Fig.* Atrair (alguém, sua atenção ou seu interesse) [*td.* / *int.*: *Esse filme prende (a atenção); Suas aulas prendiam até os alunos menos interessados*.] 6 Conquistar a atenção de ou afeiçoar-se a; CATIVAR; SEDUZIR [*td.*: *O ar desprotegido do rapaz prendia as meninas.* Ant.: *afastar*.] [*tdr.* +*a*: *Bastam poucas horas para Rogério prender-se a uma mulher*.] 7 Unir(-se) emocionalmente a; VINCULAR(-SE) [*tdi.* +*a*: *Uma enorme amizade prende minha mãe a minha madrinha; Prendi-me àquela amiga*.] 8 Preocupar-se com [*tdr.* +*a*: *A mãe prende-se ao bem-estar dos filhos*.] 9 Comprometer-se afetivamente ou casar-se [*int.* / *tr.* +*a*: *Achavam que Pedro jamais se prenderia (àquela mulher)*.] 10 Suspender, interromper (um processo fisiológico) [*td.*: *prender a respiração debaixo d'água*.] 11 Ter ou estabelecer relação com; ENCADEAR(-SE); VINCULAR(-SE) [*tdr.* +*a, com*: *É preciso prender uma ideia à outra*.] [*tr.* +*a, com*: *Essa frase não se prende a nenhuma outra do parágrafo*: "... e como isto se prende com o casamento, vamos ao casamento" (Machado de Assis, "O dicionário" *in Novas seletas*)] [*tr.* +*a, com*] [▶ 2 prender Part.: *prendido, preso*.] [F.: Do lat. *prehendere*. Hom./Par.: *prenda(s)* (fl.); *prenda(s)* (sf. [pl.]).]

prenha (*pre*.nha) *a. Pop.* Grávida, m. que *prenhe (1)* [F.: Do lat. *praegnatus, us*.]

prenhe (*pre*.nhe) *a2g.* 1 Diz-se de fêmea no período de gestação; GRÁVIDO; PEJADO 2 *Fig.* Cheio, pleno, repleto: *prenhe de sabedoria*: "E grato refrigério vens trazer-lhe/ No teu remansear prenhe de enlevos!" (Gonçalves Dias, *A tarde*) [Ant.: *oco, vazio*.] 3 *Mar.* Diz-se de vela enfunada pelo vento [F.: Do lat. *praegnas, atis*.]

prenhez (pre.*nhez*) [ê] *sf.* Estado da fêmea no período da gestação; GRAVIDEZ: *Durante a prenhez as vacas necessitam de tratamento diferenciado para que cheguem ao parto com saúde* [F.: *prenhe* + *-ez*.] ∎ **~ molar** *Obst.* Aquela na qual o ovo se converte em mola² (2) **~ tubária** *Obst. Gin.* Ver *Gravidez tubária* no verbete *gravidez*

prenome (pre.*no*.me) *sm.* Nome que precede o de família; nome de batismo; NOME [F.: Do lat. *praenomen, inis*.]

prensa (*pren*.sa) *sf.* 1 Aparelho manual ou mecânico composto essencialmente de duas peças das quais uma se move aproximando-se da outra para comprimir, apertar ou achatar qualquer objeto colocado entre as duas [De acordo com sua função específica, tem uma configuração e uma denominação própria.] 2 *Art. gr.* Máquina manual ou mecânica para imprimir livros, jornais, revistas etc.; PRELO; IMPRESSORA 3 O aperto ou compressão que se determina por esse aparelho; a impressão resultante desse aperto 4 *Fot.* Caixilho de impressão 5 *Pap.* Qualquer dos conjuntos de cilindros entre os quais passa a folha de papel em formação, na parte úmida da máquina contínua 6 *N. E.* Aparelho rústico, de madeira, para o fabrico da farinha de mandioca, esp. a trave horizontal colocada sobre o arrocho 7 *Pop.* Pressão para tirar informações ou conseguir alguma coisa (dar uma prensa; tomar uma prensa) [F.: Dev. de *prensar*. Hom./Par.: *prensa* (fl. de *prensar*).] ∎ **~ de lagar** Prensa (1) para espremer uvas, sementes oleaginosas, etc. **~ hidráulica** *Fís.* Aquela que usa a não compressibilidade dos fluidos para transmitir força **~ rotativa** Máquina de impressão (gráfica, rotográfica, planográfica) na qual a pressão se exerce entre duas superfícies cilíndricas em cada estação de cor, a primeira com forma [ô] ou chapa com a gravação entintada do material a ser impresso, a segunda a que conduz o papel-contínuo, desenrolando-o da bobina de alimentação; máquina rotativa [Tb. apenas *rotativa*.]

prensado (pren.*sa*.do) *a.* Que se prensou; COMPRIMIDO: *fardos de algodão prensados.* [F.: Part. de *prensar*.]

prensagem (pren.*sa*.gem) *sf.* Ato de prensar (prensagem a frio; prensagem a vácuo) [Pl.: *-gens*.] [F.: *prensar* + *-agem*.]

prensar (pren.*sar*) *v. td.* 1 Comprimir em uma prensa (1): *A máquina prensa os fardos de papéis.* 2 Apertar com força; ESPREMER; PRESSIONAR: *Prense a massa da torta na assadeira.* [Ant.: *desapertar, descomprimir, folgar*.] [▶ 1 prensar] [F.: Do lat. *pressare*, freq. de *premere*, 'apertar', com infl. de *praehensa*, part. pass. do v.lat. *praehendere*, 'prender'. Hom./Par.: *prensa(s)* (fl.), *prensa(s)* (sf. [pl.]).]

prenseiro (pren.*sei*.ro) *sm. Bras. N. E.* Aquele que trabalha com a prensa (6), na produção da farinha de mandioca [F.: *prensa* + *eiro*.]

prensista (pren.*sis*.ta) *s2g.* 1 *Art. gr.* Trabalhador que maneja a prensa manual ou faz funcionar a prensa mecânica; impressor (2) 2 *Pap.* Operário que maneja a prensa, na parte úmida da máquina de papel; TELISTA 3 Em chapelaria, operário encarregado de prensar a massa [F.: *prensa* + *ista*.]

prenunciação (pre.nun.ci.a.*ção*) *sf.* Ato ou efeito de prenunciar; PREDIÇÃO [Pl.: *-ções*.] [F.: Do lat. *praenuntiatio, onis*.]

prenunciado (pre.nun.ci.*a*.do) ***a.*** Que se prenunciou, que foi anunciado antecipadamente; PROFETIZADO; VATICINADO: *O nascimento de Jesus foi prenunciado muitos séculos antes, por vários profetas.* [F.: Part. de *prenunciar*.]

prenunciador (pre.nun.ci.a.*dor*) [ô] ***a.*** **1** Que prenuncia: *nuvens prenunciadoras de chuva.* ***sm.*** **2** Aquele ou aquilo que prenuncia [F.: Do lat. *praenuntiator, oris.*]

prenunciar (pre.nun.ci.*ar*) ***v. td.*** **1** Indicar com antecedência; fazer supor; PREDIZER; PROGNOSTICAR: *A crise na empresa prenunciava sua falência.* **2** Agir como precursor; PRECEDER: *O relâmpago prenuncia a trovoada.* [▶ **1 prenunciar**] [F.: Do lat. *praenuntiare.* Hom./Par.: *prenunciar, pronunciar* (em todas as fl.); *prenuncio* (fl.), *prenúncio* (sm.).]

prenunciativo (pre.nun.ci.a.*ti*.vo) ***a.*** Que prenuncia ou serve para prenunciar [F.: Do lat. *praenuntiativus, a, um.*]

prenúncio (pre.*nún*.ci.o) ***sm.*** Anúncio de coisa futura; PREDIÇÃO; PROGNÓSTICO: "O grito é a fuga do silêncio/ O prenúncio de um gozo ou um sinal de dor..." (Lobão, *O grito*) [F.: Dev. de *prenunciar.* Hom./Par.: prenuncio (fl. de *prenunciar*).]

pré-nupcial (pré-nup.ci.*al*) ***a2g.*** Que antecede as núpcias (exame pré-nupcial); ANTENUPCIAL [Pl.: *pré-nupciais.*] [F.: *pré-* + *nupcial.*]

preocupação (pre.o.cu.pa.*ção*) ***sf.*** **1** Ação ou resultado de preocupar(-se) **2** Pensamento que produz ansiedade, medo ou inquietação; APREENSÃO; INQUIETAÇÃO: "O que completava a pessoa de Helena, e ainda mais lhe mereceu o respeito de todos, é que, no meio das ocupações e preocupações daqueles dias, não fez padecer um só instante a disciplina da casa." (Machado de Assis, *Helena*) [Ant.: *calma, despreocupação.*] **3** Ideia fixa e dominante, que absorve completamente o espírito, distraindo-o de qualquer outra; COMPULSÃO; OBSESSÃO [+(*para*) *com, de, por; em; sobre; quanto a; em torno de*: *preocupação com a moda; preocupação pelos filhos; preocupação em conhecer os detalhes do projeto; preocupação sobre a saúde; preocupação quanto ao seu estado de espírito.*] **4** O estado de inquietação que resulta dessa ideia fixa **5** Preconceito, prejulgamento [Pl.: *-ções.*] [F.: Do lat. *praeoccupatio, onis.*]

preocupado (pre.o.cu.*pa*.do) ***a.*** **1** Que está inquieto ou apreensivo com alguma coisa ou com alguém: "Eles me querem preocupada e distraída, e não lhes importa como." (Clarice Lispector, *O ovo e a galinha*) **2** Que tem a cabeça cheia de problemas; CONSUMIDO; PENSATIVO **3** Temeroso de que suceda algo negativo [+(*para*) *com, de* (*que*); *por; em*: *preocupado com o boletim; preocupado de que a festa seja um sucesso; preocupado pelas circunstâncias adversas; preocupado nos estudos.*] [F.: Do lat. *praeoccupatus, a, um.* Ant. ger.: *despreocupado.*]

preocupante (pre.o.cu.*pan*.te) ***a2g.*** **1** Que preocupa, que gera preocupação (dados preocupantes; consequências preocupantes) ***sm.*** **2** O que preocupa: *O preocupante desta situação é o desnorteamento e a falta de ideias de muitos jovens.* [F.: *preocupar* + *-nte.*]

preocupar (pre:o.cu.*par*) ***v.*** **1** Causar apreensão a (alguém) ou ficar apreensivo; INQUIETAR(-SE) [***td.*** / ***int.***: *A situação do país preocupa* (*o presidente*): "...frivolidades que preocupam o espírito da mocidade..." (José de Alencar, *Novas seletas*) Ant.: *despreocupar, sossegar, tranquilizar.*] **2** Levar em consideração; atentar para [***td.***: *O país deve preocupar-se com a melhoria do ensino.*] **3** Dar valor a; IMPORTAR-SE; PRENDER-SE [***td.***: *Você se preocupa demais em ser o primeiro.* Ant.: *nas acps. 2 e 3: desleixar.*] [▶ **1 preocupar**] [F.: Do lat. *praeoccupare.*]

pré-olímpico (pré-o.*lím*.pi.co) ***a.*** **1** Referente à fase de preparação ou de classificação para os jogos olímpicos **2** Diz-se de competição ou torneio classificatório para as olimpíadas [Pl.: *pré-olímpicos.*] ***sm.*** **3** Essa competição ou torneio: *Participou do pré-olímpico, mas foi desclassificado.* [Pl.: *pré-olímpicos.*] [F.: *pré-* + *olímpico.*]

préon (*pré*.on) ***sm.*** *Fís.* Partícula elementar hipotética que seria o constituinte fundamental de *quarks* e *léptons* [F.: orig. contrv.]

pré-operatório (pré-o.pe.ra.*tó*.ri.o) *Cir.* ***a.*** **1** Ref. ao ou próprio do período que antecede uma cirurgia [Pl.: *pré-operatórios.*] ***sm.*** **2** Conjunto de exames e procedimentos realizados nesse período: *Fez o pré-operatório numa clínica particular.* [Pl.: *pré-operatórios.*] [F.: *pré-* + *operatório.*]

pré-ovulatório (pré-o.vu.la.*tó*.ri.o) ***a.*** *Fisl.* Que antecede a ovulação [Pl.: *pré-ovulatórios.*] [F.: *pré-* + *ovulatório.*]

preparação (pre.pa.ra.*ção*) ***sf.*** **1** Ação ou resultado de preparar(-se); PREPARO; PREPARATIVO **2** Formação e conhecimentos em uma ciência ou atividade: *Teve uma boa preparação em matemática.* **3** *Tec.* Ação ou maneira de preparar certas coisas para empregar ou conservar: *preparação dos alimentos.* **4** *Farm.* O produto que resulta das diversas operações farmacêuticas; PREPARADO: *uma preparação mercurial.* [Pl.: *-ções.*] [F.: Do lat. *praeparatio, onis.*]

preparado (pre.pa.*ra*.do) ***a.*** **1** Que se preparou, que está pronto [+*a, para*: *A empresa não estava preparada à/para a admissão de novos funcionários.*] **2** *Bras.* Que tem boa formação em uma ciência ou atividade (pessoa preparada); CULTO; INSTRUÍDO [Ant.: *inculto.*] **3** Que está apto, hábil para desempenhar uma atividade ou tarefa; TREINADO: *O atleta machucou-se porque não estava bem preparado para a prova.* [Ant.: *destreinado.*] ***sm.*** **4** Produto químico ou farmacêutico; PREPARAÇÃO: *um preparado para unhas quebradiças.* [F.: Part. de *preparar.*]

preparador (pre.pa.ra.*dor*) [ô] ***a.*** **1** Que prepara alguma coisa: *enfermeiro preparador das medicações prescritas.* ***sm.*** **2** Pessoa encarregada de executar os trabalhos práticos, de fazer as demonstrações, ou de dispor os aparelhos e experiências em salas de aula de escolas de ensino médio ou superior, auxiliando o professor **3** Pessoa que treina esp. atletas (preparador físico); TREINADOR [F.: Do lat. *praeparator, oris.*] ■ **~ físico** *Esp.* Profissional (ger. formado em educação física) que prepara fisicamente, por meio de exercícios apropriados para cada fim (força, velocidade, resistência, flexibilidade etc.) um atleta ou uma equipe

preparar (pre.pa.*rar*) ***v.*** **1** Aprontar (algo) para que possa ser utilizado [***td.***: *O autor está preparando o seu próximo livro; preparar a terra para o plantio; A mesa do jantar fora preparada adredemente; Sempre preparava as malas em cima da hora.*] **2** Cuidar para que (algo) aconteça como planejado [***td.***: *Os amigos prepararam a festa; preparar o ataque.*] **3** Compor (algo) a partir de elementos ou ingredientes [***td.***: "Diga à Amélia para preparar um refresco bem gelado." (Vinícius de Morais, *O falso mendigo*)] **4** Criar um estado de coisas propício a (que algo ocorra) [***tdr.*** +*para*: *O presidente preparou a população para a adoção do novo plano; Os médicos estão se preparando para entrar em greve; Ficou a manhã preparando o espírito para encontrar o antigo namorado.*] **5** Municiar(-se) do necessário para vivenciar ou enfrentar (algo); ARMAR(-SE); APARELHAR(-SE); APRONTAR(-SE) [***td.***: *preparar a apresentação de um trabalho/a lição de casa.*] [***tdr.*** +*para*: *preparar-se para a viagem.*] **6** Habilitar, treinando (para alguma finalidade) [***td.***: *O curso básico prepara os novos funcionários.*] [***tdr.*** +*para*: *O técnico preparará o time para o jogo.* Ant.: *nas acp. 4 a 6: despreparar.*] **7** Vestir(-se), arrumar(-se) [***td.***: *A mãe preparou a criança para a festa;* "...preparou-se com maior esmero do que se fosse a um baile." (José de Alencar, *A pata da gazela*) Ant.: *desarrumar.*] **8** Estar prestes a manifestar-se [***int.***: *O temporal que se preparava pegou os viajantes ainda na estrada.*] **9** *Bras.* Instruir-se, transmitir ou adquirir preparo [***td.***: *O estudo prepara o indivíduo para o mundo; Os grandes educadores preparam-se ininterruptamente.*] **10** *Edit.* Organizar (provas tipográficas) de acordo com normas técnicas e editoriais estabelecidas [***td.***] **11** *Edit.* Trabalhar sobre (texto, livro, original), de modo a adequá-lo ao tipo de edição que se deseja, atualizando ortografia, elaborando notas etc. [***td.***] [▶**1 preparar**] ***interj.*** **12** Voz de comando para deixar a arma em posição de atirar [F.: Do lat. *praeparare.* Hom./Par.: *preparo* (fl.), *preparo* (sm.).]

preparativo (pre.pa.ra.*ti*.vo) ***a.*** **1** Que prepara ou contribui para alguém se preparar; PREPARATÓRIO ***sm.*** **2** Preparação, apresto, preparo: *É simples o preparativo do prato.* [F.: *Preparado* com alter. no rad. *preparat* + *-ivo.*]

preparativos (pre.pa.ra.*ti*.vos) ***smpl.*** Ações realizadas ou providências tomadas previamente para viabilizar a concretização de algo: *os preparativos para a viagem.* [F.: Pl. de *preparativo.*]

preparatório (pre.pa.ra.*tó*.ri.o) ***a.*** **1** Que prepara ou serve para preparar; PREPARATIVO **2** Que prepara ou ensina para exame, concurso etc. (curso preparatório; escola preparatória) **3** Preliminar, prévio (trabalho preparatório) [F.: *Preparado* com alter. no rad. *preparat* + *-ório.* Ant. ger.: *consequente, subsequente.*]

preparo (pre.*pa*.ro) ***sm.*** **1** Ação ou resultado de preparar(-se); APRESTO; PREPARAÇÃO **2** *Bras.* Cultura, instrução, erudição [Ant.: *incultura, insapiência.*] **3** *Bras.* Conhecimento, prática ou outro requisito para o desempenho de determinada atividade ou tarefa: *Tinha preparo para assumir o cargo; o preparo físico de um atleta.* **4** Operação a que se submetem certos tecidos e peles para lhes dar acabamento **5** *Jur.* Quantia que a pessoa interessada no seguimento de uma causa deposita antecipadamente nas mãos do escrivão para pagamento das custas **6** *Pop.* Castração (de animais) [F.: Dev. de *preparar.* Hom./Par.: *preparo* (fl. de *preparar*).] ■ **~ físico** Conjunto das condições dos músculos, do coração e da circulação sanguínea, da capacidade respiratória, em função da capacidade do indivíduo de executar exercícios físicos e de suportar esforço físico contínuo: *Estou com um bom* (*mau*) *preparo físico.*

pré-peritoneal (pré-pe.ri.to.ne.*al*) ***a2g.*** *Anat.* Que se localiza diante do peritônio [Pl.: *pré-peritoneais.*] [F.: *pré-* + *peritoneal.*]

preponderância (pre.pon.de.*rân*.ci.a) ***sf.*** **1** Superioridade de peso ou força (preponderância física) **2** *Fig.* Superioridade de influência, autoridade, importância; HEGEMONIA; PREDOMÍNIO; SUPREMACIA [F.: *preponderar* + *-ância.*]

preponderante (pre.pon.de.*ran*.te) ***a2g.*** **1** Diz-se de corpo que tem maior peso em relação a outro **2** *Fig.* Que tem mais importância, mais influência decisiva, mais valor ou consideração (interesses preponderantes); HEGEMÔNICO; INFLUENTE; PODEROSO [Ant.: *desimportante.*] **3** Que é superior em quantidade [F.: Do lat. *praeponderans, antis.*]

preponderar (pre.pon.de.*rar*) ***v.*** **1** Ter primazia ou mais influência (sobre); PREVALECER [***ti.*** +*sobre*: *O bem prepondera sobre o mal.*] [***int.***: *Sonhamos com um país onde a honestidade prepondere.*] **2** Ser maioria (sobre) [***int.*** / ***tr.*** +*sobre*: *Em Salvador, a população afro-brasileira prepondera sobre a branca.*] **3** *Ant.* Ter maior peso, ser mais pesado [***Int.***: *A moeda de ouro prepondera mais que muitas de cobre.*] [▶ **1 preponderar**] [F.: Do lat. *praeponderare.* Sin. ger.: *predominar.*]

prepor (pre.*por*) [ô] ***v. tdr.*** **1** Pôr antes de; ANTEPOR [+*a*: *prepor o pronome ao verbo.*] **2** Preferir [+*a*: *prepor a arte às ciências.*] **3** Nomear, eleger (alguém) para assumir direção ou pôr-se à frente de qualquer serviço [+*a*: *Prepuseram um gerente à cada departamento.*] [▶ **60 prepor** Part.: *preposto.*] [F.: Do lat. *praeponere.* Hom./Par.: *prepor, propor* (em todas as fl.).]

preposição (pre.po.si.*ção*) ***sf.*** **1** Ato de prepor **2** Característica do que foi colocado em posição anterior **3** *Gram.* Palavra invariável que serve para estabelecer as relações entre duas palavras (p. ex.: pulava *de* alegria, ficou *em* casa, feito *por* mim, útil *a* todos etc.) **4** *Jur.* Contrato pelo qual alguém constitui um preposto para que em seu nome realize negócios [Pl.: *-ções.*] [F.: Do lat. *praepositio, onis.* Hom./Par.: *proposição* (sf.).] ■ **~ acidental** *Gram.* Palavra que, não sendo preposição, pode ter essa função em certa frase ou contexto [Ex.: *afora, conforme, durante, fora, mediante, salvo* etc. Cf.: *Preposição essencial.*] **~ composta** *Gram.* A que é expressa por mais de um vocábulo; locução prepositiva [Ex.: *acerca de, por trás de, por entre* etc. Cf.: *Preposição simples.*] **~ essencial** *Gram.* Palavra invariável que só é us. como preposição; preposição simples [São: *a, ante, após, até, com, contra, de, desde, em, entre, para, perante, por, sem, sob, sobre, trás.*] **~ simples** *Gram.* A que é representada por apenas um vocábulo; preposição essencial [Cf.: *preposição composta.*]

preposicionado (pre.po.si.ci.o.*na*.do) ***a.*** **1** Diz-se do que está posicionado na frente de algo **2** *Gram.* Diz-se de complemento antecedido por preposição: *objeto direto preposicionado.* [F.: Part. de *preposicionar.*]

preposicional (pre.po.si.ci.o.*nal*) ***a2g.*** **1** Rel. a preposição **2** Que contém preposição **3** Que tem função de preposição [Pl.: *-ais.*] [F.: *preposição* + *-al.*]

preposicionar (pre.po.si.ci.o.*nar*) ***v. td.*** Colocar preposição em [▶ **1 preposicionar**] [F.: *preposição* + *-ar.*]

prepositiva (pre.po.si.*ti*.va) ***sf.*** *Ling.* O primeiro fonema em ditongos ou tritongos [Cf. *pospositiva.*]

prepositivo (pre.po.si.*ti*.vo) ***a.*** **1** Que se põe diante, adiante ou primeiro (sinal prepositivo) **2** *Gram.* Ref. à preposição (locução prepositiva) [F.: Do lat. *praepositivus, a, um.*]

preposterar (pre.pos.te.*rar*) ***v. td.*** Mudar a ordem de (algo); inverter: *preposterar as etapas de um projeto.* [▶ **1 preposterar**] [Hom./Par.: *prepostero* (fl.), *prepóstero* (a.); *prepostera* (fl.), *prepóstera* (fem. de *prepóstero*).]

preposteridade (pre.pos.te.ri.*da*.de) ***sf.*** Qualidade de prepóstero [F.: Do lat. *praeposteritas, atis.*]

prepóstero (pre.*pós*.te.ro) ***a.*** **1** Posto às avessas, invertido **2** Contrário à boa ordem, feito às avessas do que deve ser [F.: Do lat. *praeposterus, a, um.* Hom./Par.: *prepóstero* (a.), *prepostero* (fl. de *preposterar*).]

preposto (pre.*pos*.to) [ô] ***a.*** **1** Que foi posto antes ou adiante **2** Predileto, favorito ***sm.*** **3** Pessoa encarregada pelo proprietário de administrar uma firma **4** *Bras.* Aquele que representa, substitui, fica no lugar de outro [Pl.: [ó]. Fem.: [ó].] [F.: Do lat. *praepositus, a, um.* Hom./Par.: *proposto* (a. sm.).]

prepotência (pre.po.*tên*.ci.a) ***sf.*** **1** Qualidade ou característica de prepotente **2** Poder supremo; FORÇA; ONIPOTÊNCIA [Ant.: *insignificância.*] ***sf.*** **3** Atitude de pretensa superioridade; ARROGÂNCIA: *Acreditava ser mais inteligente que os colegas: pura prepotência.* [Ant.: *humildade.*] **4** Abuso de poder; DESPOTISMO; TIRANIA [Ant.: *imparcialidade, justiça.*] [F.: Do lat. *praepotentia, ae.*]

prepotente (pre.po.*ten*.te) ***a2g.*** **1** Muito poderoso, muito influente [Ant.: *insignificante.*] **2** Que tem ou exerce prepotência; ABSOLUTISTA; AUTOCRÁTICO [Ant.: *democrático.*] **3** Que abusa da autoridade ou do poder que tem; DESPÓTICO; OPRESSOR [Ant.: *justo, liberal.*] [F.: Do lat. *praepotens, entis.*]

pré-primário (pré-pri.*má*.ri.o) ***a.*** **1** Diz-se do curso que era feito antes do antigo primário (atual primeiro ciclo do ensino fundamental) [Pl.: *pré-primários.*] ***sm.*** **2** Esse curso [Pl.: *pré-primários.*] [F.: *pré-* + *primário.*]

pré-programado (pré-pro.gra.*ma*.do) ***a.*** **1** Programado antecipadamente **2** *Eletrôn. Inf.* Diz-se do que foi previamente programado por meio de dispositivo eletrônico ou de informática (gravação pré-programada; e-mail pré-programado) [Pl.: *pré-programados.*] [F.: *pré-* + *programado.*]

pré-projeto (pré-pro.*je*.to) ***sm.*** Conjunto de estudos preparatórios ou experimentais realizados antes da elaboração do projeto (pré-projeto de doutorado; pré-projeto de irrigação; pré-projeto legislativo); ANTEPROJETO [Pl.: *pré-projetos.*] [F.: *pré-* + *projeto.*]

pré-puberdade (pré-pu.ber.*da*.de) ***sf.*** *Fisl.* Fase do desenvolvimento entre o final da infância e início da puberdade [F.: *pré-* + *puberdade.*]

pré-púbere (pré-*pú*.be.re) ***a2g.*** **1** Diz-se de criança que ainda não atingiu a puberdade [Pl.: *pré-púberes.*] ***s2g.*** **2** Criança pré-púbere [Pl.: *pré-púberes.*] [F.: *pré-* + *púberes.*]

prepucial (pre.pu.ci.*al*) ***a2g.*** **1** Ref. a ou próprio de prepúcio (inflamação prepucial) **2** Que acontece no prepúcio [F.: *prepúcio* + *-al.*]

prepúcio (pre.*pú*.ci.o) ***sm.*** *Anat.* Pele que cobre a cabeça do pênis (glande) não circuncidado [F.: Do lat. *praeputium, ii.* Ideia de 'prepúcio', usar pref. *post(e)-.*]

prequeté (pre.que.*té*) ***a2g.*** **1** *Bras.* Excessivamente enfeitado, janota; PEREQUETÉ ***sf.*** **2** *Bras. N.* Sandália usada nos campos por indígenas [F.: Or. contrv.]

pré-renascentista (pré-re.nas.cen.*tis*.ta) ***a2g.*** **1** Que antecedeu a Renascença (estilo pré-renascentista) [Pl.: *pré-renascentistas.*] ***s2g.*** **2** Pintor, arquiteto, escritor etc.

pré-renascentista [Pl.: *pré-renascentistas.*] [F.: *pré-* + *renascentista.*]

pré-requisito (pré-re.qui.si.to) *sm.* **1** Requisito prévio e fundamental para se alcançar ou conseguir algo: *Ele não tinha os pré-requisitos para trabalhar como modelo.* **2** *Pedag.* Disciplina que é cursada obrigatoriamente antes de outra [Pl.: *pré-requisitos.*] [F.: *pré-* + *requisito.*]

pré-revolucionário (pré-re.vo.lu.ci.o.*ná*.ri.o) *a.* Que precede uma revolução (clima pré-revolucionário) [Pl.: *pré-revolucionários.*] [F.: *pré-* + *revolucionário.*]

pré-romântico (pré-ro.*mân*.ti.co) *a.* **1** Que precede o Romantismo (movimento pré-romântico) **2** Ref. a, ou próprio desse movimento estético e literário: "...aquelas cadências de difusa sentimentalidade que se afastam da Arcádia galante para tocar motivos pré-românticos..." (Alfredo Bosi, *História concisa da literatura brasileira*) [Pl.: *pré-românticos.*] *sm.* **3** Artista ou escritor pré-romântico [Pl.: *pré-românticos.*] [F.: *pré-* + *romântico.*]

prerrogativa (prer.ro.ga.*ti*.va) *sf.* **1** Direito especial, próprio de um cargo, posição etc. (prerrogativa real) **2** Vantagem exclusiva dos indivíduos de determinado grupo; PRIVILÉGIO; REGALIA: *Gozava das prerrogativas que a lei lhe concedia.* [F.: Do lat. *praerogativa.* Ant. ger.: *dever, obrigação.*]

presa (*pre*.sa) [ê] *sf.* **1** Ação ou resultado de apresar, de se tomar algo ao inimigo **2** Aquilo que se tomou ao inimigo; DESPOJO; ESPÓLIO: *A presa foi melhor que a vitória.* **3** Aquilo ou aquele que é ou pode ser tomado, arrebatado ou caçado com força ou à força: *A fera lançou-se sobre sua presa.* **4** Dente canino humano **5** Mulher aprisionada; PRISIONEIRA **6** Ação ou estado de uma substância que se solidifica, que se coagula (presa de um cimento) **7** Garra de ave de rapina [Mais us. no pl.] **8** *Lus.* Cavidade larga e rasa, em que se junta água para regar plantas **9** *Açor.* Elevação numa estrada ou terreno, que se torna obstáculo de difícil transposição para pessoas, animais ou automóveis [F.: Fem. substv. de *preso.*]

presador (pre.sa.*dor*) [ô] *a.* **1** *P. us.* Que presa *sm.* **2** Aquele que presa [F.: *presado* + *-or.* Sin. ger.: *apresador.* Hom./Par.: *presador* (a., sm.), *prezador* (a. sm.).]

pré-sal (pré-*sal*) *sm2n. Geol.* Camada abaixo da camada de sal no fundo do mar da costa brasileira, entre o Espírito Santo e Santa Catarina, onde foram descobertos grandes depósitos de óleo, numa faixa de 800x200 km. Sob uma lâmina de água entre 1.500 e 3.000 metros, e um soterramento entre 3.000 e 4.000 metros, contém, por avaliações geológicas, grande volume de petróleo e gás [F.: *pré-* + *sal.*]

presar (pre.*sar*) *v. td.* O mesmo que *apresar.* [▶ 1 presar] [F.: F. aferética de *apresar.* Hom./Par.: *presa(s)* (fl.), *presa(s)* (sf. [pl.]); *presado* (part.), *prezado* (a.); *presar* (v.), *prezar* (em todas as fl.); *preso* (fl.), *preso* (a. sm.). Ant. ger.: *libertar.*]

◎ **presb(i/o)-** *pref.* = ancião, velho: *presbicardia, presbiofrenia, presbiopia, presbítero, presbitismo.*

presbiopia (pres.bi.o.*pi*.a) *sf. Med.* Lesão do órgão visual que impede de distinguir bem os objetos próximos, como acontece ger. às pessoas idosas, por defeito do cristalino já sem elasticidade para curvar-se e assim acomodar-se à visão próxima; vista cansada [F.: *presb(i/o)-* + *-opia.* Tb. *presbiopía.*]

presbiopia (pres.bio.*pia*) *sf.* Ver *presbiopia*

presbiteral (pres.bi.te.*ral*) *a2g.* Ref. a ou próprio de presbítero, m. que *presbiteral* [F.: *presbítero* + *-al.*]

presbiterato (pres.bi.te.*ra*.to) *sm.* **1** *Rel.* Condição ou cargo de presbítero, m. que *presbiterado* **2** No catolicismo, ordem que confere o sacerdócio [F.: Do lat. *presbyteratus, us.*]

presbiterianismo (pres.bi.te.ri.a.*nis*.mo) *sm. Rel.* Denominação cristã dos presbiterianos; sistema eclesiástico que remonta ao teólogo francês João Calvino [Jean Calvin] (1509-1564), que introduziu a reforma na França; presbiteranismo [F.: *presbiterian(o)* + *-ismo.*]

presbiteriano (pres.bi.te.ri.*a*.no) *a.* **1** Ref. ao presbiterianismo *a.* **2** Diz-se de protestante que não admite ordem nem hierarquia eclesiástica superior à de presbítero; PRESBITERANO [Opõe-se a *episcopal.*] *sm.* **3** O seguidor do presbiterianismo [F.: *presbitéri(o)* + *-ano.*]

presbitério (pres.bi.*té*.ri.o) *Rel. sm.* **1** Residência do pároco católico **2** Igreja paroquial **3** Altar ou capela principal de uma igreja **4** No Protestantismo, a corporação dos presbíteros **5** O cargo do presbítero **6** Tempo durante o qual se exerceu esse cargo [F.: Do gr. *presbuterion, ou.*]

presbítero (pres.*bí*.te.ro) *sm.* **1** Sacerdote, padre **2** Dirigente de igreja protestante; ANCIÃO; BISPO **3** Indivíduo eleito pela congregação dos presbiterianos para ser seu chefe espiritual [F.: Do gr. *presbyteros, eos.*]

presciência (pres.ci.*ên*.ci.a) *sf.* **1** Conhecimento do que ainda virá **2** Previdência, previsão; PRESSENTIMENTO **3** Percepção instintiva que precede o aprendizado acadêmico **4** *Teol.* Conhecimento que Deus tem de tudo o que há de acontecer [F.: Do lat. *praescientia, ae.* Ant. ger.: *impresciência.*]

presciente (pres.ci.*en*.te) *a2g.* **1** Dotado de presciência; que tem conhecimento antecipado do porvir: "...aqui nessa montanhas recortadas pela mão presciente de Guignard..." (Vinícius de Moraes, *Para uma menina com uma flor*) **2** *P. ext.* Acautelado, previdente, prudente [Ant.: *imprevidente, incauto.*] [F.: Do lat. *praesciens, entis.*]

prescindir (pres.cin.*dir*) *v.* **1** Deixar de contar com; DISPENSAR [*tr.* +*de*: *Inexperientes, prescindiram da ajuda dos antigos funcionários.* Ant.: *aceitar, contar.*] **2** Separar mentalmente uma coisa de outra(s); ABSTRAIR [*tr.* +*de*: *O ensino da língua não pode prescindir dos exemplos de uso.* Ant.: *atentar, incluir.*] [▶ 3 prescindir] [F.: Do lat. *praescindere.*]

prescindível (pres.cin.*dí*.vel) *a2g.* De que se pode prescindir; DESNECESSÁRIO; DISPENSÁVEL; SUPÉRFLUO: *depoimento prescindível para a condenação do acusado.* [Ant.: *imprescindível, necessário.*] [Pl.: *-veis.* Superl.: *prescindibilíssimo.*] [F.: *prescindir* + *-vel.*]

prescrever (pres.cre.*ver*) *v.* **1** Estabelecer com precisão; DETERMINAR [*td.*: *A Constituição prescreve os direitos dos cidadãos.*] **2** Ordenar ou orientar com antecipação e precisão [*td.*: *O secretário prescreveu o roteiro de viagem do embaixador.*] **3** Recomendar, receitar (remédio, dieta) [*td.*: *O fisioterapeuta prescreveu exercícios diários.*] **4** Perder a importância, a validade ou cair em desuso [*int.*: *As novelas de rádio prescreveram quando surgiu a televisão.*] **5** *Jur.* Perder o efeito legal pelo passar do tempo; CADUCAR [*int.*: *A liminar contra o concurso prescreveu.*] [▶ 2 prescrever Part.: *prescrito.*] [F.: Do lat. *praescribere.* Hom./Par.: *prescrever, procrever* (em todas as fl.).]

prescrição (pres.cri.*ção*) *sf.* **1** Ação ou resultado de prescrever **2** Ordem formal e explícita: *Não cumpriu as prescrições do governo.* **3** Norma, preceito; DITAME; REGRA: *as prescrições da moral.* **4** Receita dada por médico (prescrição médica) **5** *Jur.* Perda da efetividade de um direito, ou da punibilidade de uma transgressão ou de um transgressor, por decurso de tempo; CADUCIDADE [Ant.: *vigência.*] [Pl.: *-ções.*] [F.: Do lat. *praescriptio, onis.*] ▪▪ **~ aquisitiva** *Jur.* Anulação da posse legal de algo pelo não exercício ou reclamação do direito de posse como reação a sua violação por outrem durante tempo determinado por lei

prescricional (pres.cri.ci.o.*nal*) *a2g.* Que pode ser prescrito (prazo prescricional); PRESCRITÍVEL [F.: *prescrição* sob a forma red. *prescricion* + *-al.*]

prescritível (pres.cri.*tí*.vel) *a2g.* **1** Que se pode prescrever; ACONSELHÁVEL: *Este é o único medicamento prescritível para a doença.* **2** *Jur.* Sujeito a perder o efeito após determinado prazo legal (crime prescritível) [F.: *prescrito* + *i* + *vel.*]

prescritivo (pres.cri.*ti*.vo) *a.* **1** Ref. a prescrição ou que a contém (aspecto prescritivo) **2** *Gram.* Ref. à gramática normativa que orienta quanto ao uso correto da língua [F.: Do lat. *praescritivus, a, um.*]

prescrito (pres.*cri*.to) *a.* **1** Ordenado, estabelecido, regulado (medicamento prescrito) **2** Que prescreveu, deixou de vigorar por motivo de prescrição [F.: Do lat. *praescriptus, a, um.* Hom./Par.: *proscrito* (a. sm.).]

pré-seleção (pré-se.le.*ção*) *sf.* Seleção inicial de um processo de escolha (pré-seleção de projetos) [Pl.: *pré-seleções.*] [F.: *pré-* + *seleção.*]

pré-selecionado (pré-se.le.ci.o.*na*.do) *a.* **1** Escolhido em um processo de pré-seleção (candidato pré-selecionado) *sm.* **2** O que foi selecionado previamente [Pl.: *pré-selecionados.*]

presença (pre.*sen*.ça) *sf.* **1** Comparecimento ou estada de alguém em um lugar: *A reunião contou com a presença de todos.* [Ant.: *ausência, falta.*] **2** Existência ou influência de pessoa ou coisa em algum lugar etc.: *O exame confirmou a presença de infecção; a presença de elementos africanos na música latino-americana.* [Ant.: *ausência, inexistência.*] **3** Maneira de se apresentar; APARÊNCIA; PORTE: *Ela tem uma presença magnífica.* **4** Assiduidade, frequência: *O rendimento no curso dependerá de sua presença.* **5** Qualidade do que chama a atenção e impressiona; PERSONALIDADE: *Tem presença no palco.* [F.: Do lat. *praesentia, ae.*] ▪▪ **~ de espírito** Combinação de calma, rapidez de pensamento, eficácia, decisão, improvisação, humor etc., que fazem com que alguém possa responder ou reagir rapidamente e de maneira adequada ou original a uma situação imprevista e difícil **Com a ~ de** Com a participação, testemunho, colaboração etc. de: *O ato realizou-se com a presença do ministro.* **Em ~ de** **1** Diante de (fato, situação ou pessoa), na eventualidade ou na iminência de (situação, circunstância): *Em presença dos amigos abriu seu coração; Na presença da morte fez um balanço de sua vida.* **2** Ante, devido a, tendo em vista: *Em presença de tantas provas, admitiu sua culpa.* **Marcar ~** **1** *Bras.* Comparecer, estar presente **2** *Restr.* Comparecer ou estar presente apenas por obrigação ou conveniência **3** Chamar atenção sobre si, de modo forçado ou por interesse, para ser notado ou lembrado **Na ~ de** Ver *Em presença de* (1) **Ter ~ de espírito** Ser capaz de manter a calma e de pensar, agir ou reagir convenientemente, diante de algo inesperado, de um imprevisto perigoso ou embaraçoso etc.

presenciado (pre.sen.ci.*a*.do) *a.* Quie se presenciou, em que se esteve presente (fato presenciado); ASSISTIDO [F.: part. de *presenciar.*]

presencial (pre.sen.ci.*al*) *a2g.* **1** Rel. a algo ou alguém que está ou esteve presente (a uma ocorrência): *testemunha presencial.* **2** Realizado à vista de alguém: *curso presencial.* [Pl.: *-ais.*] [F.: *presença* + *ial.*]

presenciar (pre.sen.ci.*ar*) *v. td.* **1** Estar presente durante (um fato); assistir a: *Presenciamos a entrega do prêmio.* **2** Verificar, observar: "O duque de Clinton presenciava, maravilhado, a isenção de Branca..." (Camilo Castelo Branco, *Livro negro*) [▶ 1 presenciar] [F.: *presença* + *-iar*[2]. Hom./Par.: *presenciais* (fl.), *presenciais* (pl. de *presencial*).]

presente (pre.*sen*.te) *a2g.* **1** Que está em determinado lugar: *Ela está sempre presente e a seu lado.* [Ant.: *ausente.*] **2** Que existe ou ocorre no momento; ATUAL; CORRENTE: *na presente situação.* **3** Que permanece na memória; LEMBRADO: *uma cena para sempre presente.* [Ant.: *esquecido.*] **4** Que está claro, evidente; MANIFESTO: *É presente seu interesse por ela.* [Ant.: *duvidoso, incerto, obscuro.*] **5** *Gram.* Diz-se de tempo verbal que expressa o momento atual *sm.* **6** O tempo atual; ATUALIDADE; HOJE: *O presente deve ser vivido intensamente.* [Ant.: *futuro, passado.*] **7** Aquilo que se dá ou recebe, ger. em ocasiões especiais (presente de aniversário); LEMBRANÇA; MIMO **8** *Gram.* Tempo verbal que situa o enunciado no instante em que se fala, no agora (presente do indicativo) [Opõe-se aos tempos do passado e do futuro.] [F.: Do lat. *praesens, entis.*] ▪▪ **~ de grego** Presente indesejado ou que é um estorvo para quem o recebe **~ gnômico** *Gram.* Uso do verbo no presente do indicativo para expressar um fato ou condição permanentemente verdadeiro, portanto sem tempo determinado [Ex.: *A terra gira em torno do Sol; Os morcegos são mamíferos alados.*] **~ histórico** *Gram.* Uso do verbo no presente do indicativo como recurso de estilo para expressar fatos passados; presente narrativo [Ex.: *A corrida já começara, quando cai um temporal e os pilotos se apressam a trocar os pneus.*] **~ narrativo** *Gram.* Ver *Presente histórico* **Ter ~** Ter ciência, consciência ou lembrança, tomar em consideração: *Ao se decidir, tinha presente todo o esforço envolvido no processo.*

presenteado (pre.sen.te.*a*.do) *a.* **1** Diz-se de algo que foi dado de presente; DOADO: *O carro foi presenteado pelos amigos.* **2** Diz-se de alguém que recebeu presente(s): *As mulheres foram presenteadas com flores.* [F.: Part. de *presentear.*]

presentear (pre.sen.te.*ar*) *v.* Dar (algo) a (alguém) como presente; BRINDAR; PRENDAR [*td.*: *O comerciante presenteou os clientes no Natal.*] [*tdr.* +*com*: *Gosta de presentear as pessoas com flores.*] [▶ 13 presentear] [F.: *presente* + *-ear*[2].]

presentes (pre.*sen*.tes) *smpl.* As pessoas presentes (1) em um lugar: *Darei a palavra a cada um dos presentes.* [F.: Pl. de *presente.*]

presentificação (pre.sen.ti.fi.ca.*ção*) *sf.* Ação ou resultado de presentificar [Pl.: *-ções.*] [F.: *presentificar* + *ção.*]

presepada (pre.se.*pa*.da) *Bras. Pop. sf.* **1** Feito ou modos de gabola, fanfarrão; FANFARRICE; GABOLICE: *Ele é cheio de presepada, mas não é de nada.* **2** Atitude ridícula ou extravagante; ESCÂNDALO; ESCARCÉU: *Sua presepada chamou a atenção dos passantes.* **3** Brincadeira de mau gosto; INCONVENIÊNCIA; PALHAÇADA [F.: *presépio* + *-ada.*]

presepeiro (pre.se.*pei*.ro) *a.* **1** *Bras.* Que faz presepadas; FANFARRÃO; GALHOFEIRO *sm.* **2** *N. E. Ant.* Alcunha que se dava aos maranhenses **3** Aquele que confecciona ou monta presépios **4** *Bras. Inf.* Aquele que faz presepadas; ESCANDALOSO; INCONVENIENTE [F.: *presepe* + *eiro.*]

presépio (pre.*sé*.pi.o) *sm.* Representação em maquete do estábulo em que nasceu Jesus e da cena do nascimento [F.: Do lat. *praesepium, ii.*]

preservação (pre.ser.va.*ção*) *sf.* **1** Ação ou efeito de preservar(-se); CONSERVAÇÃO; PROTEÇÃO; RESGUARDO: *O IPHAN cuida da preservação dos bens culturais.* **2** *Ecol.* Conjunto de ações, como programas de reprodução, adotadas para manter e salvaguardar populações ou espécies (preservação ambiental) [Pl.: *-ções.*] [F.: *preservar* + *-ção.*] ▪▪ **~ ambiental** *Ecol.* O conceito e as medidas que envolvem a proteção do meio ambiente para que se preservem suas características próprias

preservacionismo (pre.ser.va.ci.o.*nis*.mo) *Ecol. sm.* Política ambiental de proteção ao meio ambiente e aos recursos naturais; CONSERVACIONISMO [F.: rad. de *preservação* na forma *preservacion* + *ismo.*]

preservacionista (pre.ser.va.ci.o.*nis*.ta) *Ecol. a2g.* **1** Que é favorável ao preservacionismo (política preservacionista) *s2g.* **2** Aquele que defende o preservacionismo: *Os preservacionistas têm advertido para o esgotamento dos recursos hídricos.* [Sin. ger.: *conservacionista*; F.: *preservação* na forma red. *preservacion* + *ista.*]

preservado (pre.ser.*va*.do) *a.* **1** Que foi conservado em seu estado primitivo (mata preservada); CUIDADO; MANTIDO [Ant.: *destruído, deteriorado.*] **2** Que está protegido contra algum mal, perigo ou dano; DEFENDIDO; RESGUARDADO: *Teve sua liberdade preservada.* [Ant.: *exposto.*] [F.: Part. de *preservar.*]

preservador (pre.ser.va.*dor*) [ô] *a.* **1** Que preserva (efeito preservador) *sm.* **2** Aquele que preserva [F.: *preservado* + *-or.*]

preservar (pre.ser.*var*) *v.* Manter(-se) livre de perigo, dano ou deterioração; CONSERVAR(-SE); RESGUARDAR(-SE) [*td.*: *É preciso preservar nossas matas; Você deve se preservar mais.*] [*tdp.*: *Exercitar a mente preserva o cérebro ágil.*] [*tdr.* +*de*: *Que Deus nos preserve de todo o mal.* Ant.: *desproteger, expor.*] [▶ 1 preservar] [F.: Do lat. *praeservare.*]

preservativo (pre.ser.va.*ti*.vo) *a.* **1** Que tem a propriedade de preservar, de proteger de algum mal ou perigo (medidas preservativas); DEFENSIVO; PREVENTIVO *sm.* **2** Aquilo que preserva ou defende: *preservativo contra náuseas.* **3** *Med.* Dispositivo ou substância us. para evitar a concepção; CONTRACEPTIVO **4** *Med.* Envoltório feito de material fino e elástico com que se cobre o pênis durante a relação sexual para evitar a gravidez e/ou o contágio de doenças sexualmente transmissíveis; CAMISA DE VÊNUS; CAMISINHA **5** *Bac.* Substância adicionada a um produto para destruir microorganismos ou impedir sua proliferação [F.: Part. *preservado* com alter. *d* > *t* + *-ivo.*]

presidência (pre.si.*dên*.ci.a) *sf.* **1** Ação ou resultado de presidir, de dirigir: *a presidência da sessão.* **2** Cargo ou dignidade de presidente: *candidato à presidência.* 3 O poder executivo nos países onde o chefe do Estado tem o título de presidente 4 Tempo durante o qual se exerce as funções de presidente 5 *P. ext.* O presidente: *A presidência acaba de sancionar o aumento do funcionalismo.* 6 O palácio ou tribunal onde reside ou trabalha o presidente 7 O estrado ou cadeira onde toma assento o presidente de um tribunal, de uma assembleia etc. 8 *Pop.* O lugar de honra em festa, reunião, mesa etc.: *Assim que chegou ao banquete, convidaram-no a ocupar a presidência.* [F.: *presidir* + *-ência.*] ■ **~ da República** *Pol.* No sistema presidencialista, o poder executivo centrado no presidente

presidencial (pre.si.den.ci.*al*) *a2g.* 1 Ref. ou pertencente ao presidente ou à presidência (gabinete presidencial) 2 Que emana do presidente (despacho presidencial) [Pl.: *-ais.*] [F.: *presidência* + *-al.*]

presidencialismo (pre.si.den.ci.a.*lis*.mo) *sm.* Forma de governo na qual o chefe do Poder Executivo é o presidente da República; sistema presidencial, regime presidencialista: *o presidencialismo nos Estados Unidos da América.* [F.: *presidencial* + *-ismo.*]

📖 Este sistema democrático de governo baseia-se na escolha individual de um chefe de Estado, que é ao mesmo tempo o chefe de governo (executivo). É o presidente quem determina a formação do poder executivo, nomeando ministros e, diretamente ou através destes, os funcionários da hierarquia estatal, em seus vários níveis. O poder executivo, centralizado no presidente, é independente dos demais poderes, o legislativo e o judiciário, e é, teoricamente, mais estável que o do sistema parlamentarista, pois só uma maioria de 2/3 do Congresso pode depor um presidente. O presidencialismo é, com variações, o sistema adotado no Brasil, nos EUA, na França e na maioria dos países da América Latina.

presidencialista (pre.si.den.ci.a.*lis*.ta) *a2g.* 1 Ref. a ou próprio do presidencialismo 2 Em que vigora o presidencialismo (sistema presidencialista) 3 Diz-se de pessoa adepta do presidencialismo (político presidencialista) *s2g.* 4 Essa pessoa [F.: *presidencial* + *-ista.*]

presidenciável (pre.si.den.ci.*á*.vel) *a2g.* 1 Diz-se de pessoa que aparenta ter condições de ser indicado ou de se apresentar como candidato a presidência, esp. da República: *Há vários governadores presidenciáveis.* *s2g.* 2 Essa pessoa: *A imprensa já especula sobre os possíveis presidenciáveis.* [Pl.: *-veis.* Superl.: *presidenciabilíssimo.*] [F.: *presidencia(r)* (< *presidênci(a)* + *-ar*) + *-vel.*]

presidente (pre.si.*den*.te) *s2g.* 1 Pessoa que chefia conselho, tribunal, assembleia etc.: *presidente da Câmara dos Deputados.* 2 O chefe de Estado de um país que adota o presidencialismo (presidente da República) 3 Pessoa que preside a um ato, concurso, empresa etc.: *presidente da banca examinadora.* *a2g.* 4 Que preside, que dirige [F.: Do lat. *praesidens, entis.* Tb. se usa como af. e sf.: *presidenta.*] ■ **~ da República** *Pol.* No sistema republicano presidencialista, o chefe do governo e chefe de Estado

presidiar (pre.si.di.*ar*) *v. td.* Dotar de presídio ou guarnição; DEFENDER; FORTIFICAR [▶ 1 presidiar] [Hom. Par.: *presidio* (fl.), *presídio* (sm.); *presidiaria* (fl.), *presidiária* (fem. de *presidiário*).]

presidiário (pre.si.di:*á*.ri.o) *a.* 1 Ref. a presídio (administração presidiária) *sm.* 2 Pessoa que cumpre condenação em um presídio: *O presidiário teve a pena diminuída.* [F.: Do lat. *praesidiarius, a, um.*]

presídio (pre.*sí*.di:o) *sm.* 1 Instituição em que cumprem pena os condenados pela Justiça; CASA DE DETENÇÃO; PENITENCIÁRIA 2 Campo ou casa fortificada que serve de presídio (1) a civis ou militares 3 A força militar que guarnece uma praça de guerra ou um forte; GUARNIÇÃO: *um presídio de cem homens.* 4 Essa praça de guerra 5 *P. ext.* Cadeia, cárcere, prisão [F.: Do lat. *praesidium, ii.*]

presidir (pre.si.*dir*) *v.* 1 Exercer o papel de presidente (3) de; DIRIGIR [*td.*: *presidir um clube/o congresso/um país.*] [*tr.* +*a*: *Presidia a uma importante instituição.*] 2 Assistir a (reunião, cerimônia) como autoridade ou chefe dessa reunião ou cerimônia; COORDENAR [*td.*: *Presidiu a reunião de pais.*] [*tr.* +*a*: *Sempre presidia aos debates de que participa.*] 3 Exercer influência, indicando rumos, orientando; GUIAR; NORTEAR; REGULAR [*td.* /*tr.* +*a*: *Os princípios que presidem (ao) seu comportamento foram aprendidos com a família*] [▶ 3 presidir] [F.: Do lat. *praesidere.*]

presilha (pre.*si*.lha) *sf.* 1 Cordão, tira de pano, couro ou metal que serve para prender, apertar ou esticar uma outra peça 2 Alça, pequeno laço ou botoeira feitos com esse cordão ou tira (presilha do cinto, do calçado) 3 Peça própria para prender o cabelo; FIVELA: *A menina trazia duas presilhas de metal nos cabelos.* 4 Reforço de linha com pontos muito juntos, us. em botoeiras e ilhoses 5 *Elet.* Terminal us. para efetuar conexões rápidas e não definitivas [F.: Do espn. *presilla.*] ■ **Sentar-se na ~** *RS Fig.* Recusar, negar-se a, resistir a algo **Ser de ~** *Pop.* Ser insinuante, cheio de lábia, ao se aproveitar de alguém

preso (*pre*.so) [ê] *a.* 1 Que está seguro, fixo, ligado a coisa ou pessoa por qualquer meio; FINCADO; FIXO; PREGADO: *Parafuso preso na madeira.* [Ant.: *despregado, solto.*] 2 Condenado à prisão ou privado da liberdade; APRISIONADO; CATIVO; ENCLAUSURADO [Ant.: *liberto, livre, solto.*] 3 Encerrado em local fechado ou impedido de se locomover livremente (preso no escritório, no trânsito) 4 *Fig.* Que não tem liberdade de ação: *preso à determinação do chefe.* [Ant.: *liberado.*] 5 *Fig.* Casado [Ant.: *solteiro.*] 6 *Fig.* Ligado moralmente: *preso pelos laços de amizade.* [Ant.: *descomprometido, desobrigado.*] *sm.* 7 Pessoa que está presa, sob custódia; PRISIONEIRO: *Os presos foram transferidos para outras celas.* [F.: Do lat. *prehensus, a, um.* Hom./Par.: *prezo* (fl. de *prezar*).]

pré-socrático (pré-so.*crá*.ti.co) *a.* 1 Diz-se da filosofia anterior ao filósofo grego Sócrates 2 *Fil.* Ref. a, ou próprio dos pensadores, das suas doutrinas ou das ciências que precederam Sócrates [Pl.: *pré-socráticos.*] *sm.* 3 *Fil.* Cada um dos pensadores gregos anteriores a Sócrates (470-399 a.C.), ou seus contemporâneos, que iniciaram o que se considera a filosofia e as ciências ocidentais [Pl.: *pré-socráticos.*] [F.: *pré-* + *socrático.*]

pressa (*pres*.sa) *sf.* 1 Vontade ou necessidade de sem demora chegar a algum lugar, realizar algo, atingir certa situação etc.; URGÊNCIA: "– Veja se corre um pouco; tenho pressa." (Josué Montello, *Um rosto de menina*) [+ *de, em,* seguido de verbo no infinitivo.] 2 Precipitação, afobação, afã: *A pressa é inimiga da perfeição.* [Ant.: *calma, vagar.*] 3 Rapidez, velocidade: *Saiu na maior pressa.* [Ant.: *demora, lentidão.*] [F.: Do lat. *pressa* fem. substv. de *pressus, a, um.*] ■ **À(s) ~(s)** 1 Rapidamente, apressadamente: *Teve que ir às pressas resolver o problema.* 2 Precipitadamente, afobadamente; sem cuidado: *Fez a prova às pressas, e não passou.* **A toda a ~** O mais rapidamente possível **Com ~** 1 Apressado: *Estávamos com pressa, por isso não paramos aí.* 2 Apressadamente: *Saiu com pressa e esqueceu o celular.* **Dar-se ~** Apressar-se **Sem ~** 1 Calmo, pausado, tranquilo: *Foi uma visita sem pressa, e conversamos muito.* 2 Calmamente, tranquilamente: *Pode trabalhar sem pressa, só preciso do relatório amanhã.*

pressagiar (pres.sa.gi.*ar*) *v.* 1 Prever, profetizar [*td.*: *A cartomante pressagiou o destino do cantor.*] [*tdi.* +*a*: *Pressagiaram-lhe uma vida de trabalho.*] 2 Ser o sinal de; INDICAR [*td.*: *Os relâmpagos pressagiam a tormenta.*] [▶ 1 pressagiar] [F.: *presságio* + *-ar*². Sin. ger.: *prenunciar.* Hom.: *pressagio* (fl.), *presságio* (sm.).]

presságio (pres.*sá*.gi.o) *sm.* 1 Sinal que se acredita anunciar um acontecimento futuro; AGOURO; AUGÚRIO: *O pio da coruja era presságio de tragédias.* 2 Suposto conhecimento de um acontecimento futuro; INTUIÇÃO; PRESSENTIMENTO: *Seus presságios nunca se confirmavam.* [F.: Do lat. *praesagium, ii.* Hom./Par.: *pressagio* (fl. de *pressagiar*).]

pressagioso (pres.as.gi.*o*.so) [ô] *a.* Que contém presságio, m. que *pressago* [F.: *pressago* + *oso.*]

pressago (pres.*sa*.go) *a.* Que anuncia coisa futura; que prognostica ou prevê: *Achava que tinha sonhos pressagos, e isso o preocupava.* [F.: Do lat. *praesagus, a, um.*]

pressão (pres.*são*) *sf.* 1 Ação ou resultado de pressionar, premer, apertar: *O colchão deformou-se com a pressão de seu peso.* 2 Força exercida sobre um fluido em todas as direções 3 Coerção exercida sobre uma pessoa para obrigá-la a fazer alguma coisa: *Não resistiu à pressão do amigo e aceitou candidatar-se.* 4 *Bras.* Colchete de pressão (1) 5 *Fís.* O quociente da força exercida constantemente sobre uma superfície pela área dessa superfície 6 *Med.* Tensão do sangue nas artérias, veias: *Sua pressão oscilava frequentemente.* [Pl.: *-sões.*] [F.: Do lat. *pressio, onis.*] ■ **~ alta** *Med.* Pressão arterial elevada; hipertensão **~ arterial** *Fisl. Med.* A pressão que o sangue, em sua circulação, exerce sobre a parede interna das artérias, e que tem parâmetros considerados normais, abaixo ou (esp.) acima dos quais atenção médica é recomendável **~ atmosférica** *Fís.* Pressão (peso) por unidade de superfície de uma coluna de ar que vai desde o solo, num certo ponto da superfície terrestre, até o ponto mais alto da atmosfera [É expressa pela massa dessa coluna de ar multiplicada pela aceleração da gravidade nesse ponto.] **~ barométrica** *Met.* A pressão atmosférica num certo ponto da Terra, medida pela altura da coluna de mercúrio de um barômetro **~ capilar** *Fís.* A pressão maior sobre a parte côncava de uma interface líquido-gasosa no interior de um capilar (tubo de diâmetro muito pequeno) **~ crítica** *Fís.* Pressão acima da qual as fases distintas de uma substância (como líquido e como vapor) não podem coexistir **~ de impacto** *Fís.* Ver *Pressão dinâmica* **~ de vapor** *Fís.* Pressão do vapor de uma substância quando em equilíbrio com uma outra fase da mesma substância (líquida ou sólida) **~ diastólica** *Fisl.* Pressão arterial no momento da diástole; pressão máxima **~ dinâmica** *Fís.* Pressão que um fluido em movimento exerce sobre uma superfície estática; pressão de impacto [É igual ao produto da massa do volume do fluido pela metade do quadrado da velocidade de seu movimento.] **~ estática** *Fís.* Pressão que exerce um fluido em movimento sobre uma superfície em movimento solidário ao do fluido **~ hidrostática** *Fís.* Pressão que exerce um fluido em repouso sobre uma superfície ou um corpo **~ interna** *Fís.* Num fluido, componente da pressão que se origina na energia de coesão entre suas moléculas **~ intracraniana** *Fisl.* A exercida, dentro da caixa craniana, pelo líquido cefalorraquidiano **~ intraocular** *Fisl. Oft.* A exercida, no globo ocular, pelo humor aquoso **~ máxima** *Fisl.* Ver *Pressão diastólica* **~ mínima** *Fisl.* Ver *Pressão sistólica* **~ osmótica** *Fís-quím.* Pressão que deve ser aplicada numa solução que está separada do solvente por membrana semipermeável para impedir a passagem por osmose do solvente para a solução **~ parcial** *Fís.* Pressão que cada gás, numa mistura de gases, exerceria se ocupasse sozinho, na mesma temperatura, todo o volume da mistura **~ populacional** *Soc.* Tensão social resultante de um processo em que a natalidade é muito maior que a mortalidade, determinando, portanto, elevada taxa de crescimento demográfico, sem aumento proporcional dos meios de subsistência **~ reduzida** *Fís.* Resultado da divisão da pressão de um fluido por sua pressão crítica **~ sanguínea** *Fisl. Med.* Ver *Pressão arterial* **~ sistólica** *Fisl.* Pressão arterial no momento da sístole; pressão mínima **~ venosa** *Fisl. Med.* A pressão que o sangue, em sua circulação, exerce sobre a parede interna das veias **Marcar por/sob ~** *Bras. Esp.* Marcar (13) jogador adversário no campo de defesa deste

pressentido (pres.sen.*ti*.do) *a.* 1 Que se sentiu ou percebeu antecipadamente; PREVISTO; PRENUNCIADO: *O desfecho pressentido por ele acabou por confirmar-se.* 2 Diz-se de som, ruído, barulho facilmente perceptível: *O barulho pressentido por eles era realmente de um avião.* 3 Diz-se de algo de que se desconfia; SUSPEITADO: *O quebra-quebra pressentido pelas autoridades não ocorreu graças à polícia.* [F.: part. de *pressentir.*]

pressentimento (pres.sen.ti.*men*.to) *sm.* 1 Ação ou efeito de pressentir; DESCONFIANÇA; SUSPEITA 2 Previsão instintiva e sem causa conhecida de um acontecimento futuro (ger. desastroso ou funesto); ANTEVISÃO; INTUIÇÃO; PRESCIÊNCIA: *Tinha o pressentimento de que não teria um bom dia.* [F.: *pressentir* + *-mento.*]

pressentir (pres.sen.*tir*) *v. td.* 1 Ter certa intuição ou sentimento a respeito de; DESCONFIAR; SUSPEITAR: *Olga pressentiu que aquilo não ia dar certo.* 2 Adivinhar, pressagiar: *Diz que pressentia a morte dos entes queridos.* 3 Conjeturar, calcular (um fato iminente): *pressentir a chegada de alguém.* 4 Sentir ou perceber ao longe ou antes de ver: *Pressentiu a nossa presença.* 5 Sentir ou sofrer a influência de algo que não se vê ou que está muito longe: *Muitos dias antes, alguns animais pressentiram a tsunami e fugiram para as montanhas.* [▶ 50 pressentir] [F.: Do lat. *praesentire.* Hom./Par.: *pressentir, persentir* (em todas as fl.); *pressinta(s)* (fl.), *precinta(s)* (fl. de *precintar* e sf. [pl.]); *pressinto* (fl.), *pressinto* (fl. de *precintar* e sm.).]

pressentível (pres.sen.*tí*.vel) *a2g.* Que se pode pressentir, prever; PRESUMÍVEL; PREVISÍVEL [F.: *pressentir* + *-vel.*]

pressionado (pres.si.o.*na*.do) *a.* 1 Que sofreu pressão (músculo pressionado) 2 Que foi obrigado, coagido: *As testemunhas foram pressionadas pelo advogado de acusação.* [F.: part. de *pressionar.*]

pressionar (pres.si.o.*nar*) *v.* 1 Fazer pressão sobre (algo); APERTAR; COMPRIMIR [*td.*: *Para apagar, pressione a tecla "del".* Ant.: *desapertar.*] 2 Forçar (alguém) a (fazer algo); COAGIR; OBRIGAR; CONSTRANGER [*td.*: *Quanto mais você me pressiona, menos eu quero trabalhar.*] [*tdr.* +*a*: *A mãe pressionou o filho a dizer a verdade.* Ant.: *desobrigar, livrar.*] [▶ 1 pressionar] [F.: *pressão* + *-ar*², seg. o mod. erudito.]

🌐 **press-release** (*ing: préss-rilíss*) *sm. Jorn.* Texto jornalístico, com dados sobre pessoa ou instituição, para ser distribuído à imprensa, m. que *release* [Pl.: *press-releases.*]

pressupor (pres.su.por) [ô] *v. td.* 1 Imaginar (algo) a partir de certos indícios; PRESUMIR: *Pela sua aparência, pressuponho que você já esteja curado.* 2 Estar supostamente baseado em ou relacionado com (algo); SUBENTENDER: *Fazer bom jornalismo pressupõe a busca permanente da verdade.* [▶ 60 pressupor Part.: *pressuposto.*] [F.: *pre-* + *supor.*]

pressuposição (pres.su.po.si.*ção*) *sf.* 1 Ação ou efeito de pressupor; suposição antecipada; CONJECTURA; PRESSUPOSTO; SUPOSIÇÃO: *A pressuposição fazia com que desconfiasse de tudo e de todos.* 2 *Lóg.* Enunciado de cujo valor verdadeiro depende a verdade ou falsidade de outra [Pl.: *-ções.*] [F.: *pre-* + *suposição.*]

pressuposto (pres.su.*pos*.to) [ô] *a.* 1 Que se pressupôs; que se supôs por antecipação; PRESUMIDO: *Não conseguiu atingir os resultados pressupostos.* *sm.* 2 Suposição, conjectura, pressuposição, tb. como intenção, projeto: *O pressuposto, neste caso, é que o investimento se pagará em três anos.* 3 *Jur.* Circunstância ou fato considerado como antecedente necessário de outro: *A livre circulação de pessoas é o pressuposto básico da cidadania.* 4 Motivo alegado para encobrir verdadeira razão de uma ação ou omissão; DESCULPA; PRETEXTO [F.: *pre-* + *suposto.*]

pressurização (pres.su.ri.za.*ção*) *sf.* 1 Ação ou efeito de pressurizar: *a pressurização das cabines de aeronaves.* 2 Processo adotado para pressurizar [Pl.: *-ções.*] [F.: Do ing. *pressurization.*]

pressurizado (pres.su.ri.*za*.do) *a.* Que sofreu pressurização (cabine pressurizada) [F.: Part. de *pressurizar.*]

pressurizar (pres.su.ri.*zar*) *v.* 1 Provocar ou aumentar a pressão em/de (algo): *Usa-se uma bomba para pressurizar a água.* 2 Conservar pressão normal no interior de: *pressurizar a cabine de um avião.* [▶ 1 pressurizar] [F.: Do ingl. (*to*) *pressurize.*]

pressuroso (pres.su.*ro*.so) [ô] *a.* 1 Que tem pressa de agir ou ao agir; AFOBADO; PRECIPITADO [Ant.: *lerdo, moroso.*] 2 Que revela zelo; APLICADO; DILIGENTE; ZELOSO: *Desvela-se pressuroso no atendimento às crianças.* [Ant.: *descuidado, negligente.*] 3 Afanoso, atarefado, azafamado (atendente pressuroso) [Ant.: *disponível, ocioso.*] 4 Impaciente, irrequieto [Ant.: *calmo, sereno.*] [Pl.: [ó]. Fem.: [ó].] [F.: Do port. arc. *pressura* + *-oso.*]

◎ **prest-¹** *pref.* = estar à frente de, levar vantagem, vencer: *prestança, prestante, préstite, préstito*

◎ **prest-²** *pref.* = à disposição, a serviço: *prestação, prestador, prestativo, préstimo, prestimoso*

prestabilidade (pres.ta.bi.li.*da*.de) *sf.* Qualidade, condição ou estado daquilo que é prestável, que tem serventia; PRESTÂNCIA; VALIA; SERVENTIA; UTILIDADE: *A prestabilidade de certos produtos oferecidos pela televisão é bastante duvidosa.* [F.: *prestável* com o suf. *vel* sob a forma *bil(i)* + *-dade*.]

prestação (pres.ta.*ção*) *sf.* **1** Ação ou resultado de prestar (serviço); FORNECIMENTO **2** Cada uma das parcelas de uma dívida ou compra feitas a prazo; COTA **3** *Jur.* Ação pela qual se cumpre uma obrigação, conforme estipulada em contrato *sm.* **4** *Bras. Pop.* Vendedor ambulante pelo sistema de prestações; prestamista, turco, turco da prestação [Pl.: *-ções*.] [F.: Do lat. *praestatio, onis*.] ■ **À ~** A ser pago em pagamentos parcelados **Em ~ões** Ver *À prestação*. **~ de contas** **1** Demonstração documentada dos gastos efetuados por pessoa, firma etc., apresentada a pessoa, instituição firma etc. que lhe passou o dinheiro para determinados fins **2** *P. ext.* Toda explicação ou justificativa para suas ações, atitudes, medidas etc. apresentada por alguém a quem as deve, por hierarquia, lealdade, interesse etc.

prestador (pres.ta.*dor*) *a.* **1** Que serve, que presta; PRESTANTE; PRESTATIVO *sm.* **2** Aquele que presta serviços, auxílio, assistência, contas etc.; FORNECEDOR [F.: Do lat. *praestator, oris*.] ■ **~ de serviços** Pessoa ou firma cuja atividade principal é prestar serviços, que podem ser de inúmeros tipos e âmbitos **~a de serviços** Empresa prestadora de serviços

prestamista (pres.ta.*mis*.ta) *a2g.* **1** Ref. a prestações (seguro prestamista) *s2g.* **2** Pessoa que empresta dinheiro a juros: *Recorreu ao prestamista para sair do sufoco.* **3** Pessoa que compra alguma coisa à prestação **4** Indivíduo que possui títulos da dívida pública **5** *N.E.* Ambulante que vende a prestações [F.: *préstamo* + *-ista*.]

prestança *sf.* **1** Qualidade do que presta, do que tem serventia; PRESTÂNCIA; PRESTABILIDADE: "''...hampa de vara-de-topar que provava prestança..." (Guimarães Rosa, "A estória de Lélio e Lina" *in No Urubuquaquá, no Pinhém*) **2** Préstimo, ajuda, socorro [Forma paral. *prestância*. F.: Do lat. *prestantia, ae*.]

prestante (pres.*tan*.te) *a2g.* **1** Que presta, que tem serventia **2** Que gosta de ajudar, auxiliar, socorrer; PRESTATIVO; PRESTIMOSO: "amo-te assim de um calmo amor prestante..." (Vinícius de Morais, "Soneto do amor total" *in Para viver um grande amor*) **3** Que é célebre por suas obras ou feitos; NOTÁVEL; INSIGNE [F.: Do lat. *prestans, antis*.]

prestar (pres.*tar*) *v.* **1** Conceder, dispensar [*td.*: *prestar atenção*.] [*tdi.* +*a*: *O guarda prestou auxílio ao motorista*. Ant.: *negar, recusar*.] **2** Realizar, executar [*td.*: *prestar exame vestibular*.] **3** Apresentar (algo) com reverência; realizar (algo) com consideração ou respeito a (alguém); RENDER [*td.*: *prestar continência*.] [*tdi.* +*a*: *prestar uma homenagem aos pais*.] **4** Informar sobre (algo solicitado ou exigido) [*td.*: *O diretor prometeu prestar esclarecimentos*.] [*tdi.* +*a*, *para*: *prestar contas à justiça*.] **5** Realizar (algo) por imposição legal; CUMPRIR [*td.*: *prestar serviço militar*.] **6** Ser bom, útil ou apropriado (para); ter préstimo; SERVIR [*tr.* +*para*: *Roupa branca não (se) presta para dias chuvosos*.] [*int.*: *Esse ventilador não presta*.] **7** Ser bom, correto ou honesto [*int.*: "...ainda conheço, pelo faro, quem presta e quem não presta." (Josué Montello, *Sempre serás lembrada*)] **8** Aceitar participar de (algo considerado inadequado ou desaconselhável); CONDESCENDER [*tr.* +*a*: *Ele não se prestou àquela falcatrua*; "Há os pequenos partidos que não têm ideologia definida e se prestam a esse tipo de coisa..." (*Folha Online*, 01.03.2006); "...a viúva não tinha outra ocupação que não fosse agradar à menina, fazer-lhe companhia e prestar-se a todas as suas vontades e caprichos." (José de Alencar, *Senhora*)] **9** Ser próprio ou adequado para; adequar-se; SERVIR [*tr.* +*a*: *Este utensílio presta-se a vários usos*.] **10** Dar, imprimir, transmitir (certa feição) a (algo ou alguém) [*tdi.* +*a*: *A maquilagem presta à atriz uma aparência vulgar*.] [▶ **1** prestar] [F.: Do lat. *praestare*. Hom./Par.: *prestáveis* (fl.), *prestáveis* (pl. de *prestável*); prestes (fl.), prestes (a. adv); presto (fl.), presto (sm. a. adv.).]

prestatário (pres.ta.*tá*.ri.o) *sm. Jur.* Aquele que recebe alguma coisa por empréstimo [F.: *prestar* + *-t-* + *-ário*.]

prestatividade (pres.ta.ti.vi.*da*.de) *sf.* Qualidade de quem é prestativo, solícito; PRESTIMOSIDADE; SOLICITUDE: *Atendia os clientes com prestatividade e rapidez*. [F.: *prestativo* + *-(i)dade*.]

prestativo (pres.ta.*ti*.vo) *a.* **1** Que tem préstimo; que gosta de prestar favores; OBSEQUIOSO; PRESTIMOSO **2** Que está sempre pronto a ajudar; SOLÍCITO: *Sempre que tentava estacionar o carro, o flanelinha prestativo ajudava*. [F.: *prestar* + *-t-* + *-ivo*.]

preste[1] (*pres*.te) *sm. Antq.* Padre, sacerdote [F.: Do fr. ant. *prestre*, hoje *prêtre*.]

preste[2] (*pres*.te) *a2g. adv. Ant.* O mesmo que *prestes* [Hom./Par.: *preste* (a2g. adv.), *preste* (sm.).]

prestes (*pres*.tes) *a2g2n.* **1** Pronto, disposto, preparado: *Está prestes para o que der e vier*. [Ant.: *despreparado*.] **2** Que está para acontecer ou que vai acontecer logo; IMINENTE; PRÓXIMO: *O temporal está prestes a desabar*. [Ant.: *distante, remoto*.] **3** Que é ligeiro, rápido: *sempre prestes em suas tarefas*. [Ant.: *lento, lerdo*.] *adv.* **4** *Antq.* Com presteza, com rapidez, prestamente, prestemente: *Prestes, obedecia a suas ordens*. [F.: Do lat. *praestus, a, um*. Sin. ger.: *preste*.]

presteza (pres.*te*.za) [ê] *sf.* **1** Característica de quem é ou está prestes **2** Qualidade de quem é pressuroso, solícito, de quem atende ou ajuda com rapidez e boa vontade; OBSEQUIOSIDADE; PRESTIMOSIDADE: *Naquela repartição não se formavam filas, pois os servidores atendiam com presteza*. [Ant.: *descaso, indiferença*.] **3** Agilidade, rapidez, ligeireza, celeridade [Ant.: *demora, lentidão, morosidade*.] [F.: *preste* + *-eza*.]

prestidigitação (pres.ti.di.gi.ta.*ção*) *sf.* Arte e habilidade de fazer mágica com as mãos; ILUSIONISMO [Pl.: *-ções*.] [F.: *prest-*[2] + *-i-* + *digitação*.]

prestidigitador (pres.ti.di.gi.ta.*dor*) [ô] *a.* **1** Que tem grande habilidade com as mãos para iludir os espectadores **2** *Fig.* Que tem capacidade de fingir e enganar as pessoas *sm.* **3** Artista cujas habilidades consistem esp. na rapidez dos movimentos dos dedos e das mãos; ILUSIONISTA; MÁGICO **4** *Fig.* Indivíduo que ilude os outros fazendo-os acreditar em suas verdades [F.: *prest-*[2] + *-i-* + *digitador*.]

prestigiado (pres.ti.gi.*a*.do) *a.* **1** Que se prestigiou **2** Que goza de prestígio, respeito ou fama; FAMOSO; RENOMADO; RESPEITADO [Ant.: *desacreditado, mal-conceituado*.] **3** *Irôn. Fut.* Diz-se de treinador cuja equipe não consegue resultados positivos em um campeonato (técnico prestigiado) [F.: Part. de *prestigiar*.]

prestigiar (pres.ti.gi.*ar*) *v. td.* **1** Conferir valor a: *prestigiar a indústria nacional*. [Ant.: *desprezar*.] **2** Indicar apreço por meio de participação ou comparecimento: *Um grande público prestigiou a exposição*. [Ant.: *ausentar-se*.] [▶ **1** prestigiar] [F.: *prestígio* + *-ar*[2]. Hom./Par.: *prestigio* (fl.), *prestígio* (sm.).]

prestígio (pres.*tí*.gi.o) *sm.* **1** Ilusão dos sentidos provocada por truques, ilusionismo, artifícios de mágicos, prestidigitação etc. **2** *Fig.* Fascinação, encanto, sedução, atrativo que parece ter um tanto de maravilhoso **3** Admiração e respeito de que goza uma pessoa, graças a seu sucesso ou a suas qualidades: *Seus livros lhe conferiram prestígio internacional*. [Ant.: *descrédito, desprestígio*.] **4** Capacidade de (algo ou alguém) exercer influência, graças ao prestígio (3) de que goza **5** *Soc.* O prestígio (3, 4) como valor social, como fator de relações sociais [F.: Do lat. tardio *praestigium, ii*.]

prestigioso (pres.ti.gi.*o*.so) [ô] *a.* **1** Que contém artifício, sedução; ENCANTADOR; SEDUTOR [Ant.: *nojento, repulsivo*.] **2** Que tem poder de influenciar em decisões (político prestigioso); INFLUENTE; PODEROSO [Ant.: *insignificante, obscuro*.] **3** Que é respeitado, que tem bom conceito (professor prestigioso); CONSAGRADO; RENOMADO [Ant.: *desconhecido, desprestigiado*.] [Pl.: [ó]. Fem.: [ó].] [F.: Do lat. *praestigiosus, a, um*.]

préstimo (*prés*.ti.mo) *sm.* **1** O que há de útil, de meritório ou de proveitoso em alguma pessoa ou coisa; SERVENTIA; UTILIDADE: *Essas roupas não têm mais préstimo*. [Ant.: *ineficácia, inutilidade*.] **2** Característica de quem tem presteza: *O préstimo que utilizava em seus atendimentos fazia-o ainda mais querido pelos pacientes*. **3** Favor, serviço, auxílio: *Preciso de seus préstimos neste projeto*. [Nesta acp., mais us. no pl.] [F.: Do v. *prestar*.]

prestimonial (pres.ti.mo.ni.*al*) *a2g.* **1** Referente a prestimônio; PRESTIMONIÁRIO **2** Diz-se de propriedade ou bem sujeitos a prestimônio *sm.* **3** *Ant.* Quem usufruía de prestimônio [F.: *prestimônio* + *-al*.]

prestimônio (pres.ti.*mô*.ni.o) *sm.* **1** Pensão outrora concedida pela Igreja ou pelo poder secular para sustento pessoal **2** Rendimento concedido a um eclesiástico sem título de benefício **3** *P. ext.* Terra ou propriedade destinada a esse rendimento [F.: Do lat. *prestimonium, i*.]

prestimosidade (pres.ti.mo.si.*da*.de) *sf.* **1** Qualidade de prestimoso; OBSEQUIOSIDADE; PRESTABILIDADE **2** Ato de favor, ajuda, colaboração: *Atendia a todos com prestimosidade*. [F.: *prestimoso* + *-(i)dade*.]

prestimoso (pres.ti.*mo*.so) [ô] *a.* **1** Que tem préstimo, que é útil; APROVEITÁVEL: *Aquele funcionário é prestimoso em tudo que faz*. [Ant.: *inútil, insatisfatório*.] **2** Que está sempre pronto a ajudar, colaborar, participar; PRESTATIVO [Ant.: *imprestável, preguiçoso*.] [Pl.: [ó]. Fem.: [ó].] [F.: *préstimo* + *-oso*.]

préstite (*prés*.ti.te) *sm.* Na Antiga Roma, quem presidia algumas solenidades [F.: Do lat. *praestes, itis*.]

préstito (*prés*.ti.to) *sm.* **1** Grande número de pessoas caminhando juntas; CORTEJO; PROCISSÃO **2** *Fig.* Apresentação, exibição de carros alegóricos (préstito carnavalesco) [F.: Do lat. *praestitus, a, um*.]

presto (*pres*.to) *a.* **1** Que se faz ou realiza com rapidez; LIGEIRO; RÁPIDO [Ant.: *lento, moroso*.] *adv.* **2** *Mús.* Palavra que serve para exprimir um andamento muito ligeiro, mais apressado que o alegro *sm.* **3** *Mús.* Trecho musical escrito e executado nesse andamento [F.: Do it. *presto*.]

presumido (pre.su.*mi*.do) *a.* **1** Baseado em suposição, presunção; IMAGINADO; PRESSUPOSTO: *O fato presumido não aconteceu realmente*. **2** Que se tem em alta conta: *Era um sujeito presumido*. **3** Orgulhoso, presunçoso, vaidoso (atitude presumida) *sm.* **4** Aquele que se julga melhor que outros, ou superior a eles **5** Indivíduo arrogante, que possui orgulho excessivo [F.: Part. de *presumir*.]

presumir (pre.su.*mir*) *v.* **1** Supor, levando em conta as probabilidades; CONJETURAR; ACREDITAR [*td.*: *O juiz presume que a testemunha fale a verdade*.] **2** Imaginar (algo) a partir de certos indícios; PRESSUPOR [*td.*: *Como João esteve doente, presumo que ele não vá à festa*.] **3** Ter presunção; vangloriar-se de (algo) [*tr.* +*de*: *presumir de artista*. Ant.: *depreciar-se*.] **4** Ter suspeita de (algo); DESCONFIAR [*td.*: *Estou presumindo que o resultado será desfavorável*.] [▶ **3** presumir] [F.: Do lat. *praesumere*.]

presumível (pre.su.*mí*.vel) *a2g.* **1** Que se pode presumir, supor ou suspeitar **2** Passível de acontecer; PROVÁVEL: *A participação da seleção brasileira na final da Copa de 2006 é presumível*. [Pl.: *-veis*.] [F.: *presumi(r)* + *-vel*. Ant. ger.: *impresumível*.]

presunção (pre.sun.*ção*) *sf.* **1** Ação ou resultado de presumir(-se) **2** Suposição da verdade ou validade de algo com base em sua aparência, em experiência anterior etc.: *Seu comportamento justificava a presunção de que mentia*. **3** Convicção, ger. infundada ou exagerada, de suas próprias qualidades; AFETAÇÃO; PRETENSÃO; VAIDADE: "Ratapulgo, o Bugubú, prezava-se. Inventara para si uma altura, apoiava-se numa presunção de arrogância." (Guimarães Rosa, *Estas estórias*) **4** Demonstração clara dessa convicção; VAIDADE; IMODÉSTIA; PRETENSÃO **5** *Jur.* O que se supõe verdadeiro até prova em contrário ou, em certos casos, mesmo que esta exista; conjectura tirada de indícios: *julgar por presunção*. [Pl.: *-ções*.] [F.: Do lat. *praesumptio, onis*.]

presunçoso (pre.sun.*ço*.so) [ô] *a.* **1** Que tem presunção, que supõe ser melhor que os outros, que acredita ter muitas e raras qualidades; PRETENSIOSO; VAIDOSO *sm.* **2** Pessoa excessivamente vaidosa e pretensiosa [Pl.: [ó]. Fem.: [ó]] [F.: Do lat. *praesumptuosus*.]

presuntivo (pre.sun.*ti*.vo) *a.* **1** Que se pode presumir ou supor, que é presumível **2** Que está para ser; que se espera que seja; que apresenta probabilidades de ser **3** *Jur.* Diz-se de herdeiro que naturalmente receberá herança, e só deixará de herdá-la se o testamento dispuser o contrário [F.: Do lat. *praesumptivus*.]

presunto (pre.*sun*.to) *sm.* **1** Pernil de porco em conserva, podendo ser preparado de várias maneiras (cozido, defumado etc.) **2** *Enol.* Vinho que se emprega na complementação de outro com o fim de dar à mistura uma homogeneidade e harmonia de fusão, que só o tempo, a estufagem ou outros meios mais demorados lhe poderiam conferir **3** *Bras. Gír.* Pessoa morta; DEFUNTO; CADÁVER [Nesta acp., ger. us. entre delinquentes ou pela polícia.] **4** Variedade de pêra de Lamego [F.: Do lat. *presunctum*.] ■ **Virar ~** **1** *Bras. Gír. Joc.* Morrer **2** Ser assassinado

⊕ **prêt-à-porter** (*Fr.* /pretaporté/) *a2g.* **1** Diz-se de roupa de qualidade que, embora ger. assinada por estilista, é fabricada em série, ao contrário da chamada roupa de alta-costura *sm.* **2** Esse tipo de roupa (desfile de *prêt-à-porter*)

pretejar (pre.te.*jar*) *v.* **1** *Bras.* Fazer(-se) preto ou escuro; ESCURECER(-SE); ENEGRECER(-SE) [*td.*: *A fuligem pretejou a parede*.] [*int.*: *O céu pretejou, anunciando temporal*. Ant.: *clarear*.] **2** *Pop.* Ficar preto, difícil; COMPLICAR [*int.*: *A situação pretejou para o nosso lado*.] **3** *Fig.* Tomar cor: *As jabuticabas começam a pretejar nos galhos*. [▶ **1** pretejar] [F.: *preto* + *-ejar*.]

pretendente (pre.ten.*den*.te) *a2g.* **1** Que pretende algo: *funcionários pretendentes a uma promoção*. **2** Que faz uma solicitação julgando-se com direito a alguma coisa (candidato pretendente); SOLICITANTE; REQUERENTE **3** Que aspira ao casamento com certa pessoa (noiva pretendente) *s2g.* **4** Aquele que pretende alguma coisa: *Os pretendentes à vaga que se apresentem*. **5** Quem pretende um trono (ou seja, ser rei ou rainha) vago ou ocupado por outrem **6** Quem aspira ao casamento com uma determinada pessoa: *Por sua beleza e simpatia, tinha muitos pretendentes*. **7** *P. ext.* Admirador ou namorado: "A porta abriu-se; e entrou-me um homem já idoso, vestido em trajes de pretendente, de calça, casaca e colete preto." (José de Alencar, *Ano velho*) [F.: Do lat. *praetendens, entis*.]

pretender (pre.ten.*der*) *v.* **1** Ter intenção de; TENCIONAR [*td.*: *Marcelo disse que pretende ir ao cinema amanhã*.] **2** Aspirar a; DESEJAR [*td.*: "Estava apaixonado e pretendia casar comigo." (Miguel Torga, *Rua*)] **3** Reclamar (algo) como um direito; EXIGIR [*td.*: *Disse que ao advogado que pretendia ser reembolsado dos honorários*.] **4** Julgar-se, considerar-se [*td.*: *Ela se pretende uma grande atleta*.] **5** Esperar (algo, certa conduta) de; exigir, contar com [*td.*: *Um cargo político pretende um comportamento ético exemplar*.] [*tdr.* +*de*: *É comum o professor pretender dedicação total dos alunos*.] **6** Afirmar, sustentar (algo nem sempre fundamentado) [*td.*: *Algumas pessoas pretendem que haverá terremotos no Brasil*.] [▶ **2** pretender] [F.: Do lat. *praetendere*.] ■ **~ a mão de** Ter intenção de casar com; pedir em casamento

pretendido (pre.ten.*di*.do) *a.* **1** Que é objeto de pretensão (emprego pretendido) **2** Diz-se de pessoa que é escolhida ou desejada por outrem para noivar ou casar: *A moça pretendida aceitou o pedido de casamento*. *sm.* **3** O noivo [F.: Part. de *pretender*.]

pretensão (pre.ten.*são*) *sf.* **1** Ação ou resultado de pretender **2** Falta de modéstia; PRESUNÇÃO: *Seria muita pretensão minha achar que vou ganhar*. **3** Intenção, desejo, ambição: *Fez o curso com a pretensão de arrumar um emprego*. **4** Aquilo que é solicitado ou exigido: *Não foi possível atender sua pretensão*. **5** *Jur.* Solicitação ou objeto de ação judicial [Pl.: *-sões*.] [F.: Do lat. *praetensio, onis*. Ant. ger.: *despretensão*.]

pretensiosidade (pre.ten.ci.o.si.*da*.de) *sf.* Qualidade ou característica do que é pretensioso: *O evento foi marcado pela megalomania e pretensiosidade dos anfitriões*. [F.: *pretensioso* + *-(i)dade*.]

pretensioso (pre.ten.si.*o*.so) [ô] *a.* **1** Que se julga melhor do que é; CONVENCIDO; PRESUNÇOSO; SOBERBO; VAIDOSO: *Por ser pretensioso, não entendia por que ela não o amava*.

2 Amaneirado, afetado, pedante *sm.* 3 Aquele que se acha superior aos demais 4 Pessoa de hábitos e modos rebuscados, afetados: *O pretensioso não percebe que é extremamente ridículo.* [Pl.: [ó]. Fem.: [ó] [F.: *Pretensão* com alter. no rad. > *pretensi(on)* + *-oso*. Ant. ger.: *despretensioso.*]

pretenso (pre.*ten*.so) *a.* 1 Que pretende ser algo: *um curso para pretensos atores.* 2 Que não se sabe se é ou não é verdadeiro; que se supõe ser; SUPOSTO: *O pretenso pai foi submetido ao exame de DNA.* 3 De natureza ou caráter fictício, imaginário: *Alegava uma pretensa doença para justificar suas faltas.* [F.: Do lat. *praetensus.*]

preterição (pre.te.ri.*ção*) *sf.* 1 Ação ou resultado de desprezar, deixar de lado; ESQUECIMENTO; OMISSÃO 2 Ação ou resultado de, sem razão justa, não efetivar um cargo ou promoção devidos: "A promoção em ressarcimento de preterição é realizada após ser reconhecido, ao graduado preterido, o direito à promoção que lhe caberia." (Presidência da República, Dec. nº 4. 853, de 06.10.2003, cap. 2, art. 9º) 3 Beneficiamento de alguém em cargo ou promoção que caberia a outrem 4 *Jur.* Omissão de direitos ou princípios 5 *Ret.* Figura de linguagem que consiste em mencionar um assunto justamente ao negar querer fazê-lo [Pl.: *-ções.*] [F.: Do lat. *praeteritio, onis.*]

preterido (pre.te.*ri*.do) *a.* 1 Que foi alvo de preterição; REJEITADO; DESPREZADO: "Quem for o preterido dos dois terá o poder de indicar o candidato ao governo de São Paulo (...)" (*O Globo*, 22.02.2006) 2 Diz-se de herdeiro omitido em testamento 3 Que não foi mencionado; OMITIDO: *informações preteridas durante o depoimento.* 4 Diz-se de pessoa que não foi promovida [F.: Part. de *preterir.*]

preterir (pre.te.*rir*) *v. td.* 1 Deixar de lado ou dispensar, dando preferência a outro: *preterir alimentos transgênicos.* [Ant.: *preferir.*] 2 Não levar em conta; DESCONSIDERAR; OMITIR: *Você não pode preterir um fato dessa relevância!* [Ant.: *incluir, lembrar, mencionar.*] 3 Ir além de; ULTRAPASSAR: *Os ganhos preteriram os do ano passado.* 4 Deixar, sem motivo legal, de promover a posto ou a emprego: *A nova presidência preteriu os médicos mais qualificados.* 5 Deixar de lado; DESPREZAR; MENOSPREZAR: *preterir a ajuda de alguém.* [Ant.: *aceitar.*] 6 *Jur.* Omitir um herdeiro no testamento [▶ **50 preterir**] [F.: Do lat. *praeterire.*]

pretérito (pre.*té*.ri.to) *a.* 1 Que já passou ou aconteceu *sm.* 2 *Gram.* Tempo dos verbos que designa ação passada ou estado anterior [No modo indicativo, diz-se *perfeito*, se a ação ou estado se consumou dentro de um espaço de tempo determinado (ex.: falei, tenho falado); *mais-que-perfeito*, se se consumou antes de outra já consumada ou em ato de se consumar (ex.: falara); *imperfeito*, se ainda não está consumada ou não o estava no tempo em que outra se consumou (ex.: falava). Cf.: *presente* e *futuro*. Para o modo subjuntivo, v. locuções ao fim do verbete.] 3 O passado [F.: Do lat. *praeteritus.*] ■ **~s do indicativo** *Gram.* Ver achega em *pretérito* (2) **~ imperfeito do subjuntivo** *Gram.* Indica ação passada (ou atemporal) em oração subordinada iniciada por *que* (ger. quando a oração principal denota pedido, sugestão, ordem etc.), ou em orações subordinadas condicionais iniciadas por *se* ou *caso* [Ex.: *Pediu que chegasse cedo; Se eu soubesse, teria respondido.*] **~ mais-que-perfeito do subjuntivo** *Gram.* Indica ação hipotética, com os verbos auxiliares ter ou haver no pretérito imperfeito do subjuntivo e o verbo principal no particípio passado [Ex.: *Não acreditei que eles tivessem feito isso.*]

preterível (pre.te.*rí*.vel) *a2g.* Que pode ser preterido [Ant.: *impreterível.*] [Pl.: *-veis.*] [F.: *preteri(r)* + *-vel.*]

pré-teste (pré-*tes*.te) *sm.* 1 *Est.* Aplicação de um questionário preliminar a um grupo selecionado para verificar problemas de compreensão das questões e fornecer subsídios para a sua modificação 2 Teste preliminar para avaliação de candidatos a emprego, concurso etc. [Pl.: *pré-testes.*] *a2g2n.* 3 Que se realiza antes de um exame clínico para estabelecer um diagnóstico: *glicemia média pré-teste; aconselhamento pré-teste de HIV.* [F.: *pré-* + *teste.*]

pretextar (pre.tex.*tar*) [es] *v. td.* Tomar como pretexto; alegar como desculpa: *Não se pode descumprir a lei pretextando ignorar sua existência:* "As mães arrastavam as filhas pretextando o sereno." (Machado de Assis, *Memórias póstumas de Brás Cubas*) [▶ **1 pretextar**] [F.: *pretexto* + *-ar*².] Hom./Par.: *pretexta(s)* (fl.), *pretexta(s)* (sf. [pl.]); *pretexto* (fl.), *pretexto* (sm.).]

pretexto (pre.*tex*.to) [ê] *sm.* Motivo alegado para se fazer, deixar de fazer ou explicar algo; ALEGAÇÃO; DESCULPA: *Usou o pretexto do engarrafamento do trânsito para justificar seu atraso.* [F.: Do lat. *praetextus.*] ■ **A ~ de** Com a desculpa, ou motivo aparente de: *A pretexto de limpar a estante, procurou o livro que o irmão escondera.*

pretidão (pre.ti.*dão*) *sf.* 1 Qualidade do que é preto; NEGRUME; PRETURA: *a pretidão do carvão.* 2 Ausência total de luz; ESCURIDÃO; PRETUME [F.: *preto* + *-i-* + *-dão.*]

preto (*pre*.to) [ê] *sm.* 1 A cor do carvão, do piche, do ébano 2 Por metonímia, roupa dessa cor: *Ia todo vestido de preto.* 3 *Pej.* Indivíduo de pele escura 4 *Pej. Hist.* Escravo ou empregado negro 5 *Ópt.* A ausência total de cor, pela absorção de todas as radiações luminosas *a.* 6 Que é da cor do carvão, do piche, do ébano: *Ela tem cabelos pretos.* 7 Diz-se dessa cor: *a cor preta de um corvo.* 8 Sujo, emporcalhado: *As crianças chegaram da rua com a roupa preta.* 9 Diz-se de café sem leite 10 Diz-se do que é escuro, tirante a negro, cinzento ou sombrio: *Viu surgirem nuvens pretas; O céu ficou preto e começou um temporal.* 11 *Bras. Gír.* Difícil, complicado: "Mas o que eu quero é lhe dizer que a coisa aqui tá preta" (Chico Buarque e Francis Hime, *Meu caro amigo*) 12 Diz-se do que tem cor mais escura do que os demais do mesmo tipo (pão preto, passas pretas) 13 *Pej.* Que tem a pele escura [F.: Do lat. **prettu.*] ■ **Pôr o ~ no branco** 1 Escrever, registrar em papel, ou num documento oficial, aquilo que foi falado, combinado verbalmente 2 *Fig.* Esclarecer (algo) completamente, ser explícito **~ e branco** Ver *preto e branco* **~ no branco** Explícito, sem subterfúgios, às claras: *Vamos esclarecer isso, preto no branco.*

preto e branco (pre.to e*bran*.co) *a2g2n.* 1 Diz-se do que é malhado ou pintado nas cores preta e branca (sapatos preto e branco) 2 *Cin. Telv.* Diz-se do que não é colorido: *Assisti a um filme preto e branco.* 3 *Art. gr.* Diz-se de obra impressa ou de arte-final produzidas com a cor preta e seus meios-tons 4 Diz-se de aparelho de televisão que não reproduz imagens coloridas *sm2n.* 5 A combinação dessas duas cores: *Ficou muito bem de preto e branco.* [Tb. us. nas f. abreviadas *P&B* ou *p&b.*]

pretor (pre.*tor*) [ô] *sm.* 1 *Hist.* Magistrado da antiga Roma encarregado da administração da justiça, ou do governo de uma província 2 *Bras. RJ* Magistrado de alçada inferior à de juiz de direito [F.: Do lat. *praetor.*]

pretoria (pre.to.*ri*.a) *Antq. sf.* 1 Jurisdição de pretor 2 Repartição do pretor [F.: *pretor* + *-ia*. Hom./Par.: *pretória* (a.) e *Pretória* (sf.).]

pretorial (pre.to.ri.*al*) *a2g.* De ou relativo a pretor (ética pretorial) [Pl.: *-ais.*] [F.: *pretor* + *-i-* + *-al.*]

pretoriano (pre.to.ri.*a*.no) *a.* 1 Ref. ou pertencente a pretor (orientação pretoriana) 2 Ref. ou pertencente à guarda dos imperadores da Roma antiga *sm.* 3 Soldado membro dessa guarda [F.: Do lat. *praetorianus, a, um.*]

pretório (pre.*tó*.ri.o) *sm.* 1 *Hist.* Na antiga Roma, a tenda de um general em campanha 2 *Hist.* O tribunal do pretor 3 *P. ext.* Qualquer tribunal ou qualquer sede de tribunal [F.: Do lat. *praetorius, ii.*]

pretume (pre.*tu*.me) *Bras. Pop. sm.* 1 A cor preta 2 Falta de luz; ESCURIDÃO; NEGRUME [F.: *pret(o)* + *-ume.*]

pretura[1] (pre.*tu*.ra) *sf. Ant.* Cargo ou dignidade de pretor [F.: Do lat. *praetura, ae.*]

pretura[2] (pre.*tu*.ra) *sf. Bras.* O mesmo que *pretidão* [F.: *preto* + *-ura.*]

pré-universitário (pré-u.ni.ver.si.*tá*.ri.o) *a.* 1 Anterior à universidade ou que prepara para ela (encontro pré-universitário; curso pré-universitário) 2 Diz-se de estudante que se prepara para a universidade [Pl.: *pré-universitários.*] *sm.* 3 Estudante pré-universitário 4 Curso pré-universitário; PRÉ-VESTIBULAR: *Ele fez o pré-universitário em sua própria cidade.* [Pl.: *pré-universitários.*] [F.: *pré-* + *universitário.*]

prevalecente (pre.va.le.*cen*.te) *a2g.* Que prevalece; DOMINANTE; PREDOMINANTE; PREPONDERANTE; PREVALENTE: *É opinião prevalecente a que estabelece o esporte como fundamental para a saúde do homem.* [F.: *prevalece(r)* + *-nte.*]

prevalecer (pre.va.le.*cer*) *v.* 1 Ter mais peso ou valor; PREPONDERAR [*tr.* +*a, sobre*: *A lei prevalece sobre as vontade individuais*] [*int.*: "No fim, a vontade dele vai prevalecer." (*O Dia*, 11.04.2003)] 2 Continuar existindo; PERSISTIR [*td. /tda.*: *Apesar dos esforços, a miséria ainda prevalece (no país).*] 3 Tirar partido; APROVEITAR-SE; VALER-SE [*tr.* +*de*: *O lutador se prevaleceu da lesão do adversário e ganhou a luta.*] [▶ **33 prevalecer**] [F.: Do lat. *praevalescere.*]

prevalecido (pre.va.le.*ci*.do) *a.* 1 Que prevaleceu 2 *S.* Que usa de uma posição de vantagem ou superioridade para agir de modo autoritário; DESPÓTICO [F.: P art. de *prevalecer.*]

prevalecimento (pre.va.le.ci.*men*.to) *sm.* 1 Ato ou efeito de prevalecer; PREVALÊNCIA; PRIMAZIA 2 Ação de favorecer alguém ou algo, valendo-se de posição superior; FAVORECIMENTO: *Houve prevalecimento na escolha dos fornecedores.* [F.: *prevalec(er)* + *-i-* + *-mento.*]

prevalência (pre.va.*lên*.ci.a) *sf.* Qualidade ou condição de quem ou do que prevalece; SUPERIORIDADE; SUPREMACIA; VANTAGEM: *A vitória do time marcou a prevalência da garra sobre a técnica.* [F.: Do lat. *praevalentia.*]

prevalente (pre.va.*len*.te) *a2g.* 1 Que demonstra prevalência; que predomina, que prevalece 2 *Est.* Designativo do valor do argumento para o qual o produto da frequência de classe pelo argumento central é um máximo [F.: Do lat. *praevalens, entis.*]

prevaricação (pre.va.ri.ca.*ção*) *sf.* 1 Ação ou efeito de prevaricar; ERRO; FALTA; INFRAÇÃO 2 Crime praticado por funcionário público quando, no exercício de suas funções, procrastina, deixa de executar atribuições sob sua responsabilidade ou as executa contra determinações legais, objetivando a satisfação de interesses pessoais: *Por prevaricação, foi sumariamente exonerado.* 3 *P. ext.* Infidelidade conjugal; ADULTÉRIO [Pl.: *-ções.*] [F.: Do lat. *praevaricatio, onis.*]

prevaricador (pre.va.ri.ca.*dor*) [ô] *a.* 1 Que prevarica *sm.* 2 Pessoa que prevarica [F.: Do lat. *praevaricator.*]

prevaricar (pre.va.ri.*car*) *v.* 1 Praticar adultério [*int.*: *Pedro não prevarica nem em pensamento.*] 2 Agir mal; proceder de maneira incorreta [*int.*: *O funcionário prevaricou e foi repreendido pelo chefe.*] 3 Deixar de cumprir com o dever [*int.*: *O bombeiro prevaricou e foi suspenso da corporação.*] [*tr.* +*de*: *Prevaricar das obrigações.*] 4 Corromper, perverter [*td.*: *A permissividade em excesso prevarica os adolescentes.*] 5 *Jur.* Faltar, por interesse ou má-fé, aos deveres do cargo; praticar o crime de prevaricação (2): "Instiga os magistrados a prevaricarem, antepondo a popularidade à justiça." (Rui Barbosa, *Cartas da Inglaterra*) [*int.*] [▶ **11 prevaricar**] [F.: Do lat. **praevaricare*, por *praevaricari.*]

prevenção (pre.ven.*ção*) *sf.* 1 Ação ou resultado de prevenir(-se): *medicamento de prevenção contra a gripe.* 2 Opinião ou ideia (negativa) preconcebida contra alguém ou algo, sem motivo racional: *Não conseguia ocultar sua prevenção contra o rapaz.* 3 Medida tomada para evitar perigos ou danos; PRECAUÇÃO; CAUTELA: *Por prevenção instalou extintores.* 4 Aviso-prévio 5 *Ret.* Figura que consiste em refutar antecipadamente argumentos adversários; ANTECIPAÇÃO; PROLEPSE [Pl.: *-ções.*] [F.: *preven(ir)* + *-ção.*]

prevenido (pre.ve.*ni*.do) *a.* 1 Que se previne ou toma cuidado; CAUTELOSO; PRECAVIDO; PRUDENTE: *Um homem prevenido vale por dois.* 2 Que está avisado de algo que vai acontecer: *Foi prevenido pelos irmãos de que iriam mudar de cidade.* 3 Que age com desconfiança; DESCONFIADO 4 Que anda sempre com dinheiro para eventuais despesas: *Pagou a conta do acidente, pois era o único prevenido.* [F.: Part. de *prevenir.* Ant. ger.: *desprevenido.*]

preveniente (pre.ve.ni.*en*.te) *a2g.* 1 Que leva à prática do bem (diz-se de graça divina) 2 *P. us.* Que chega antes [F.: Do lat. *praeveniens, entis.* Hom./Par.: *proveniente* (a2g.).]

prevenir (pre.ve.*nir*) *v.* 1 Avisar (alguém) sobre (algo, ger. negativo) [*td.*: *Ele foi embora sem prevenir a família.*] [*tdr.* +*de, sobre*: *Previna seus companheiros do risco que correm.*] 2 Evitar [*td.* /*tr.* +*contra*: *Vitamina C previne (contra) gripes e resfriados.*] 3 Tomar precauções (para impedir que algo aconteça); acautelar-se (contra) [*int.*: *É mais fácil prevenir do que remediar.*] [*tr.* +*contra*: *O prefeito se preveniu contra as enchentes de verão.*] [*td.*: *prevenir delitos é melhor que puni-los.* Ant.: *desacautelar, desprevenir.*] 4 Dispor antecipadamente; PRECAVER; PREPARAR [*td.*: *Preveniram tudo para o caso de um ataque noturno.* Ant.: *descuidar.*] 5 Fazer (alguém) ter (certa opinião); predispor contra ou a favor de (alguém ou de algo); INFLUENCIAR [*tdr.* +*contra*: *A diretora preveniu os novos funcionários contra o setor.*] 6 Proibir, vedar [*td.*: *A lei previne a venda de álcool nos dias de eleição.*] [▶ **49 prevenir**] [F.: Do lat. *praevenire.*]

preventivo (pre.ven.*ti*.vo) *a.* 1 Que tem por fim acautelar e prevenir; que contém prevenção (disposição preventiva); DEFENSIVO *sm.* 2 Aquilo que previne ou evita 3 *Med.* Exame feito nas mulheres, a fim de detectar doença ginecológica maligna em seu estágio inicial: *Fazia regularmente um preventivo do útero e da mama.* 4 *P. ext. Med.* Qualquer exame realizado para identificar um mal antecipadamente e evitar a sua evolução 5 Material preservativo para proteção do sujeito em relação às doenças sexualmente transmissíveis [F.: Do lat. *praeventus.*]

prever (pre.*ver*) *v.* 1 Adivinhar, profetizar [*td.*: *A vidente previu o desastre.*] [*int.*: *Vovó tinha o dom de prever.*] 2 Pressupor, presumir [*td.*: *Eu previa que você se ausentasse.*] 3 Avaliar com base em um fundamento [*td.*: *A astronomia consegue prever inundações?*] 4 Ver ou estudar (algo) com antecedência; PREPARAR [*td.*: *Nunca prevê o roteiro para as aulas.*] 5 Fazer reflexões, conjecturar [*Int.*: "O abade previra com juízo..." (Camilo Castelo Branco, *Novelas*)] [▶ **32 prever** Part.: *previsto.*] [F.: Do lat. *praevidere.* Hom./Par.: *previu* (fl.), *prévio* (a.); *previa(s)* (fl.), *prévia(s)* (sf. [pl.]).]

pré-verbal (pré-ver.*bal*) *a2g.* 1 Anterior a um verbo (posição pré-verbal; sujeito pré-verbal.) 2 Que ainda não é capaz de falar (idade pré-verbal) 3 Anterior à palavra [Pl.: *pré-verbais.*] [F.: *pré-* + *verbal.*]

pré-vestibular (pré-.ves.ti.bu.*lar*) *a2g.* 1 Diz-se de curso preparatório para o vestibular [Pl.: *pré-vestibulares.*] *sm.* 2 Esse curso: *Fez o pré-vestibular num colégio perto de casa.* [Pl.: *pré-vestibulares.*] [F.: *pré-* + *vestibular.*]

prévia (*pré*.vi.a) *sf. Bras.* Pesquisa feita com eleitores, antes das eleições, para prever os possíveis resultados: *Na prévia feita há uma semana, o candidato da oposição vencia em quase todas as regiões.* [F.: Fem. substv. de *prévio.* Hom./Par.: *previa* (fl. de *prever*).]

previdência (pre.vi.*dên*.ci.a) *sf.* 1 Qualidade ou condição de quem é previdente, precavido: *Sua previdência tem-no livrado de surpresas desagradáveis.* [Ant.: *imprevidência.*] 2 Instituição pública ou privada que assegura aos aposentados (por meio de contribuições feitas durante todo o período de exercício de uma profissão ou de um ofício), pensão, seguridade social, assistência médica etc. 3 *P. ext. Fig.* O conjunto dos funcionários que trabalha neste setor, esp. os de instituições públicas: *Iniciou-se ontem a greve da previdência.* 4 Capacidade de prever ou adivinhar alguma coisa: *Acertou o resultado, mas foi sorte, e não previdência.* [F.: Do lat. *praevidentia.* Hom./Par.: *providência* (sf.).] ■ **~ privada** Sistema privado, ou instituição privada (ou seja, não estatal), que capitaliza contribuições de associados para, em prazo previsto, garantir-lhes aposentadoria ou pensão **~ social** 1 Conjunto de dispositivos e de associações (esp. as estatais e paraestatais) que zelam pelo bem-estar do trabalhador, como a garantia de remuneração após aposentadoria ou exoneração, assistência médica, pensão, seguro-desemprego etc. [Tb. apenas *previdência.*] 2 Instituição que exerce essa função [Tb. apenas *previdência.*]

previdencial (pre.vi.den.ci.*al*) *a2g.* 1 Ref. a previdência 2 Ref. à previdência social, às suas normas etc. (pecúlio previdencial; despesa previdencial) [Pl.: *-ais.*] [F.: *previdência* + *-al.* Hom./Par.: *providencial* (a2g.).]

previdencialismo (pre.vi.den.ci.a.*lis*.mo) *sm.* Assistência social prestada pelo governo por meio do sistema de previdência social (crise do previdencialismo) [F.: *previdencial + -ismo.*]

previdenciário (pre.vi.den.ci.*á*.ri.o) *a.* 1 Ref. à previdência social (instituto previdenciário) *sm.* 2 *Bras.* Funcionário de um instituto de previdência [F.: *previdênci(a) + -ário.*]

previdente (pre.vi.*den*.te) *a2g.* 1 Que prevê o futuro; VIDENTE 2 Que se previne; PRECAVIDO 3 *P. ext.* Que mostra prudência, bom-senso, em suas palavras e ações; SENSATO *s2g.* 4 Pessoa que se previne 5 *P. ext.* Indivíduo prudente, sensato [F.: Do lat. *praevidens, entis.* Ant. ger.: *imprevidente.*]

prévio (*pré*.vi.o) *a.* 1 Que ocorre antes de outra coisa com a qual se relaciona: *Houve um encontro prévio para combinar os detalhes da reunião.* 2 Preliminar (estado prévio, condição prévia) [F.: Do lat. *praevius.*]

previsão (pre.vi.*são*) *sf.* 1 Ação ou resultado de prever; ANTEVISÃO; PRESCIÊNCIA 2 Análise, estudo, cálculo feito com antecedência (de algo que deverá ocorrer no futuro) (previsão do tempo/dos lucros) 3 Cautela, prudência nas ações e nas palavras: *Sua previsão poupou-o de aborrecimentos.* [Pl.: *-sões.*] [F.: Do lat. *praevisio, onis.* Ant. ger.: *imprevisão.*]

previsibilidade (pre.vi.si.bi.li.*da*.de) *sf.* 1 Qualidade de previsível 2 Faculdade de prever, de adivinhar [F.: *previsível*, (com suf. *-vel* sob a f. lat. *-bil(i)* + *-dade.* Ant. ger.: *imprevisibilidade.*]

previsível (pre.vi.*sí*.vel) *a2g.* Que pode ser previsto; CALCULÁVEL; PRESUMÍVEL; PROGNOSTICÁVEL: *Já se sabe a sua opinião, pois é bastante previsível.* [Pl.: *-veis.*] [F.: Do lat. *praevisus* (v. prever) + *-i-* + *-vel.* Ant. ger.: *imprevisível.*]

previso (pre.*vi*.so) *a.* 1 *P. us.* O mesmo que *previsto* *sm.* 2 *Ant.* Astrólogo 3 *P. ext.* Bruxo, feiticeiro [F.: Do lat. *praevisus, a, um* 'visto antes'.]

previsor (pre.vi.*sor*) [ô] *a.* 1 O mesmo que *previdente* 2 Diz-se de pessoa que prevê, esp. o tempo *sm.* 3 Essa pessoa: "Segundo o previsor, a frente fria que estava sobre o Rio deixou a cidade na semana passada..." (*O Globo*, 02.02.2005) [F.: *previso + -or.*]

previsto (pre.*vis*.to) *a.* 1 Que se previu 2 Visto ou conhecido antecipadamente (acontecimento previsto) 3 Calculado ou conjeturado previamente (plano previsto) 4 Prevenido; mencionado com antecedência: *um crime previsto na lei.* 5 Previdente, acautelado [F.: Part. de *prever.* Ant. ger.: imprevisto.]

pré-vocacional (pré-vo.ca.ci.o.*nal*) *a2g.* Que se destina a revelar a tendência ou a vocação de alguém (teste pré-vocacional) [Pl.: *pré-vocacionais.*] [F.: *pré- + vocacional.*]

prez (prez) [ê] *sm. Ant.* Préstimo, capacidade

prezado (pre.*za*.do) *a.* 1 Muito querido, muito estimado; digno de estima (prezado amigo) 2 Asseado, cuidadoso, limpo [F.: Part. de *prezar.*]

prezar (pre.*zar*) *v.* 1 Ter(-se) em alta consideração; RESPEITAR(-SE); VALORIZAR(-SE) [*td.*: *Prezo muito a opinião dos meus amigos; A pessoa que se preza gosta de ler um bom livro.* Ant.: *desconsiderar, desprezar.*] 2 Orgulhar-se, envaidecer-se [*tr.* +*de*: *Ele se preza de ser filho de um poeta.*] 3 Estimar, desejar, gostar de (alguém ou algo) [*td.*: *Os garotos prezam bastante o diretor do clube.* Ant.: *desgostar.*] 4 Respeitar, acatar [*td.*: *Se os governantes não prezarem as leis, o povo também não as prezará.* Ant.: *desobedecer, desrespeitar.*] [▶ 1 prezado] [F.: Do lat. *pretiare.* Hom./Par.: *prezar, presar* (em todas as fl.); *prezáveis* (fl.), *prezáveis* (pl. de *prezável*); *preza(s)* (fl.), *presa(s)* (sf. [pl.]); *prezo* (fl.), *preso* (a. sm.).]

priapesco (pri.a.*pes*.co) [ê] *a.* 1 Concernente a priapismo (objeto priapesco) 2 Em que há priapismo (excitação priapesca) [F.: Do antr. *Príapo* + *-esco.*]

priápico (pri.*á*.pi.co) *a.* 1 Ref. a priapo ou a priapismo 2 Diz-se daquele cujo comportamento sexual agride as regras sociais; INDECOROSO; LICENCIOSO 3 Erótico, sensual (comportamento priápico) [F.: Do antr. *Príapo* + *-ico²*.]

priapismo (pri.a.*pis*.mo) *sm.* 1 Apetite ou excitação sexual excessiva 2 *Med.* Ereção persistente, dolorosa e que não leva à ejaculação, decorrente não da excitação sexual, mas de uma insuficiência na drenagem sanguínea nos corpos cavernosos penianos [F.: Do gr. *priaprismós, ou.*]

priapo (pri.*a*.po) *sm. P. us.* Pênis, falo [F.: Do gr. *Príapos, ou.*]

prima¹ (*pri*.ma) *sf.* A filha de tio ou de tia com relação às sobrinhas ou sobrinhos destes e vice-versa [F.: Fem. de *primo.*] ∎ **~ cruzada** *Antr. Etnol.* Em relação a um indivíduo, filha de um irmão de sua mãe, ou filha de uma irmã de seu pai **~ paralela** *Antr. Etnol.* Em relação a um indivíduo, filha de um irmão de seu pai, ou filha de uma irmã de sua mãe

prima² (*pri*.ma) *sf.* 1 *Mús.* A primeira e mais fina das cordas de vários instrumentos, como viola, guitarra etc. 2 *Litu.* A primeira hora canônica que corresponde às seis da manhã 3 *Esg.* Posição primeira em que se inicia a apresentação de esgrimistas 4 *Zool.* A fêmea das aves de rapina (açor, falcão, gavião, esmerilhão) 5 *Zool.* O primeiro açor de uma ninhada [F.: Do lat. *primus, a, um.*]

primacia (pri.ma.*ci*.a) *sf. P. us.* O mesmo que *primazia* [F.: Do lat. medv. *primatia.*]

primacial (pri.ma.ci.*al*) *a2g.* 1 Pertencente ou concernente a primaz (2) 2 Em que há primazia ou grande importância: *A felicidade é primacial para uma boa qualidade de vida.* 3 Que é de qualidade superior, de máximo significado: *Castro Alves foi uma figura primacial para a abolição da escravatura.* [Pl.: *-ais.*] [F.: *primaci(a) + -al.*]

primado (pri.*ma*.do) *sm.* 1 Importância maior de uma coisa comparada a outra(s); PRIMAZIA: *o primado da educação no desenvolvimento da criança.* 2 Característica, condição do que se destaca, do que, numa escala de valores ocupa o primeiro lugar; PRIORIDADE 3 O que se mostra excelente, o que é superior 4 *Ecles.* A primazia de um arcebispo sobre os demais arcebispos ou bispos de uma determinada região [F.: Do lat. *primatus.*]

prima-dona (pri.ma-*do*.na) *sf.* 1 *Mús.* Título da primeira e principal cantora de uma ópera 2 *P. ext.* Qualquer cantora de ópera; DIVA 3 *P. ext.* Principal atriz de uma companhia dramática 4 *Pej.* Mulher cheia de pose que busca valorizar-se exageradamente com exigências descabidas, tornando-se antipática e ridícula perante todos: *Foi dispensada do trabalho por causa dos seus chiliques de prima-dona.* [Pl.: *prima-donas.*] [F.: Do it. *prima donna.*]

primar (pri.*mar*) *v.* 1 Destacar-se, notabilizar-se por [*tr.* +*por*: *A diretora primava pela discrição.*] 2 Ter a primazia, ser o primeiro em [*tr.* +*entre, sobre*: *A Grécia prima entre os produtores de azeite.*] 3 Ser primoroso, hábil em; ESMERAR-SE [*tr.* +*em*: *primar na linguagem.* Ant.: *descuidar-se.*] [▶ 1 primar] [F.: Do fr. *primer.* Hom./Par.: *primaria* (fl.), *primária* (fem. de *primário*).]

primariedade (pri.ma.ri.e.*da*.de) *sf.* 1 Qualidade ou condição do que é primário, elementar: *O nível da maioria dos textos televisivos beira a primariedade.* 2 *Jur.* Condição de réu primário, sem antecedentes criminais [F.: *primário + -edade.*]

primário (pri.*má*.ri.o) *a.* 1 Que precede outro em lugar ou em tempo; PRIMEIRO 2 Simples, básico, elementar: *Foi um erro primário.* 3 Que está nos estágios iniciais, básicos de desenvolvimento: *o setor primário da economia.* 4 *Bras.* Diz-se de pessoa que tem pouca instrução: *Primário, mas muito esforçado.* 5 *Bras.* Que revela estreiteza, rudeza; ACANHADO; MEDÍOCRE; LIMITADO; PRIMITIVO 6 *Jur.* Que cometeu algo pela primeira vez (criminoso primário) 7 *Pedag.* Ref. ao primeiro segmento do ensino fundamental (ensino primário) 8 *Bras. Pedag.* Diz-se de professor ou professora que leciona nesse segmento (professora primária) 9 *Ópt.* Diz-se de cada uma das três cores fundamentais que, misturadas entre si em dosagens variadas, produzem todas as cores do espectro visível 10 *Astron.* Ver *principal*: *É muito esperto, mas nem terminou o primário!* *sm.* 11 *Pedag.* Termo que no passado designava o período escolar do 2º ao 5º do atual ensino fundamental [F.: Do lat. *primarius.*]

primarismo (pri.ma.*ris*.mo) *sm.* 1 Característica do que é primário; PRIMARIEDADE: *o primarismo de sua pintura.* 2 *Pej.* Qualidade do que é tacanho, limitado: *Seus tolos argumentos eram mostra do seu primarismo.* 3 Caráter do que é mesquinho, miserável 4 Condição do que está em primeiro lugar ou primeiramente se destaca [F.: *primár(io) + -ismo.*]

primata (pri.*ma*.ta) *Zool. a2g.* 1 Ref. aos primatas *sm.* 2 Espécime dos primatas, ordem de mamíferos que inclui o homem, os macacos e os lêmures [F.: Do lat. *primates.*]

primatas (pri.*ma*.tas) *smpl. Zool.* Ordem de mamíferos onde estão incluídos os micos, macacos, gorilas, chimpanzés, orangotangos, lêmures e babuínos, vulgarmente chamados símios, e os seres humanos e outros humanoides, sendo que a maior parte possui costumes arborícolas e está confinada nas regiões tropicais. Têm, como características principais, membros muito desenvolvidos, cinco dedos providos de unhas, duas tetas na região peitoral, olhos voltados para frente e testículos extra-abdominais [F.: Do lat. cient. *Primates.*]

primatologia (pri.ma.to.lo.*gi*.a) *sf. Zool.* Ramo da zoologia dedicado ao estudo dos primatas [F.: *primata + -o- + -logia.*]

primatológico (pri.ma.to.*ló*.gi.co) *a.* Ref. a primatologia (estudos primatológicos) [F.: *primatologia + -ico²*.]

primatologista (pri.ma.to.lo.*gis*.ta) *s2g. Zool.* Ver primatólogo [F.: *primatologia + -ista.*]

primatólogo (pri.ma.*tó*.lo.go) *s2g. Zool.* Especialista em primatologia; PRIMATOLOGISTA [F.: *primata + -o- + -logo.*]

primavera (pri.ma.*ve*.ra) *sf.* 1 Estação do ano, ger. de calor moderado e temperatura amena, que começa no equinócio depois do inverno [21 de março, no hemisfério norte; 22 de setembro no hemisfério sul (que inclui o Brasil)] e acaba no solstício do verão [22 de junho, no hemisfério norte; 21 de dezembro, no hemisfério sul] 2 *Fig.* Época primeira, inicial: *Na primavera do mundo, ainda não havia sociedade organizada.* 3 *Fig.* A juventude: *na primavera da vida.* 4 *Fig.* Idade de pessoa jovem, principalmente do sexo feminino: *Completará amanhã quinze primaveras.* 5 *Bot.* Planta da fam. das convolvuláceas (*Ipomoea quamoclit*) 6 *Bot.* Ver *buganvília* 7 *Bot.* Trepadeira (*Ipomoea coccinea*) de uso medicinal antirreumático; tb. *flor-de-cardeal* 8 *Bras. Bot.* Manacá (*Brunfelsia hopeana*), em algumas regiões do país e especialmente no Sul 9 *Zool.* Ave tiranídea *Pop.* MARIA-BRANCA [F.: Do lat. *primo vere.*] ∎ **~ da vida** *Fig.* A infância; a mocidade, a juventude

primaveril (pri.ma.ve.*ril*) *a2g.* 1 Ref. à primavera; PRIMAVERAL; PRIMAVERINO; PRIMAVERO: *uma noite primaveril.* 2 *Fig.* Que faz lembrar a primavera por ter as mesmas características dessa estação do ano: *Tinha uma beleza primaveril.* 3 *Fig.* Diz-se de pessoa de pouca idade, jovem [Pl.: *-ris.*] [F.: *primaver(a) + -il.*]

primaz (pri.*maz*) *a2g.* 1 Que ocupa o primeiro lugar *sm.* 2 *Ecles.* Eclesiástico com posição superior à de bispos e arcebispos [F.: Regress. de *primazia.*]

primazia (pri.ma.*zi*.a) *sf.* 1 Importância maior de uma pessoa ou coisa em relação a outra; PREFERÊNCIA; PRIORIDADE; PRIVILÉGIO: *Teve a primazia de ser convidado para a reunião.* 2 Primor, excelência, superioridade: *Não se valia da primazia do cargo.* 3 *Ecles.* Cargo ou dignidade de primaz [F.: Do lat. *primatia.*]

primeira (pri.*mei*.ra) *sf.* 1 *Aut.* Marcha do motor de um carro, us. para dar a partida: *Engatou a primeira e arrancou cantando os pneus.* 2 *Mús.* Diz-se da corda *prima* de instrumentos como violão, guitarra etc. 3 *Mús.* Melodia que se destaca entre outras da mesma tonalidade 4 *Lud.* Jogo de cartas em que se distribuem quatro a cada parceiro [F.: Fem. de *primeiro.*] ∎ **De ~** 1 Da melhor qualidade; de primeira ordem; excelente: *Serviu-nos um almoço de primeira.* 2 Na primeira tentativa ou oportunidade 3 *Fut.* Sem controlar ou ajeitar a bola depois de recebê-la, ao chutar em gol ou ao dar um passe

primeira-dama (pri.mei.ra-*da*.ma) *sf. Pol.* A esposa do presidente da República, do governador ou do prefeito [Pl.: *primeiras-damas.*]

primeiranista (pri.mei.ra.*nis*.ta) *s2g.* Estudante do primeiro ano de um curso; CALOURO: *primeiranista de medicina.* [F.: *primeir(o) + an(o) + -ista.*]

primeiro (pri.*mei*.ro) *num.* 1 Diz-se de ordinal que, em uma sequência, corresponde ao número um (primeiro andar; primeira série) *a.* 2 Que é o mais antigo numa série cronológica: *Os primeiros tempos do mundo.* 3 Que é o mais antigo de uma série, de uma classe: *Ouvia histórias sobre o primeiro imigrante da família.* 4 Que vem antes dos outros, que inaugura uma série: *Acabou de lançar seu primeiro romance.* 5 Anterior, primitivo: *Voltou aos seus primeiros amores.* 6 Que é ou está colocado ou situado antes de todos os outros, em relação à ordem estabelecida pela pessoa que fala ou por uma convenção; aquele pelo qual se começa: *a primeira casa de uma rua; a primeira porta à direita; o primeiro capítulo de um livro.* 7 Que é o mais importante, o mais distinto, o mais notável entre todos da mesma série, da mesma espécie: *Gonçalves Dias é o primeiro poeta lírico brasileiro.* 8 Que é essencial, fundamental, principal: *Arroz e feijão são gêneros de primeira necessidade.* 9 Que apresenta menos importância quando comparado com outras entidades do mesmo gênero, as quais precede na ordem descendente (juiz de primeira instância); INICIAL; RUDIMENTAR: *Ensinou-lhes os primeiros elementos de química.* *sm.* 10 O que ocupa o primeiro lugar: *Foi o primeiro na lista dos aprovados.* 11 O que foi dito, mencionado, citado antes: *Comentava sobre o primeiro.* *adv.* 12 Antes de qualquer outra coisa ou pessoa; PRIMEIRAMENTE: *Preciso fazer isso primeiro; Primeiro, falarei da vida do autor, depois tratarei de sua obra.* [Us. muitas vezes como marcador do discurso significando *para começar, para iniciar, em primeiro lugar* etc.] [F.: Do lat. cl. *primarius, a, um.*] ∎ **~ que** Antes que, antes de: *Quero chegar primeiro que ele (chegue).* **De ~** 1 *Pop.* Em primeiro lugar, primeiramente: *De primeiro se cumprimentaram, depois debateram o contrato.* 2 Antigamente: *De primeiro a iluminação nas ruas era a gás.* 3 No princípio: *De primeiro só havia trevas.* **O ~ sem segundo** O que lidera, o que se destaca sem ter concorrente ou competidor à altura

primeiro-ministro (pri.mei.ro-mi.*nis*.tro) *Pol. sm.* Chefe de governo no parlamentarismo [Pl.: *primeiros-ministros.*]

primeiro-mundismo (pri.mei.ro-mun.*dis*.mo) *Pol. sm.* 1 Política hegemônica do Primeiro Mundo em relação aos demais países 2 Posição política que enfatiza ser a adesão ao Primeiro Mundo o melhor para todos os países 3 *Pej.* Postura de admiração exagerada ou submissa em relação aos padrões econômicos ou socioculturais do Primeiro Mundo [Pl.: *primeiro-mundismos.*]

primeiro-mundista (pri.mei.ro-mun.*dis*.ta) *a2g.* 1 Ref., pertencente a ou próprio do Primeiro Mundo (realidade primeiro-mundista) *a2g.* 2 Diz-se de indivíduo que é admirador ou seguidor dos padrões de vida primeiro-mundistas [Pl.: *primeiro-mundistas.*] *s2g.* 3 Especialista ou estudioso do Primeiro Mundo [Pl.: *primeiro-mundistas.*]

primeiro-tenente (pri.mei.ro-te.*nen*.te) *sm.* 1 *Mil.* Posto de oficial do Exército brasileiro, situado entre o de capitão e o de segundo-tenente 2 Posto de oficial da Marinha brasileira, situado entre o de capitão-tenente e o de segundo-tenente 3 Posto de oficial da Aeronáutica brasileira, situado entre o de capitão-aviador e o de segundo-tenente 4 Oficial que ocupa qualquer desses postos [Pl.: *primeiros-tenentes.*]

⊕ **prime rate** (*Ing.* /praim reit/) *loc. subst. Econ.* Taxa de juros que bancos norte-americanos oferecem a seus clientes preferenciais, por ser a mais baixa do mercado, frequentemente tomada como referência em transações financeiras internacionais

primevo (pri.*me*.vo) [é] *a.* 1 Inicial, primeiro: *Adão e Eva foram o casal primevo.* 2 Primitivo, antigo: *o Brasil primevo do século XVI.* 3 De pouca idade, muito jovem ou infantil (crianças primevas) [F.: Do lat. *primaevus.*]

primícias (pri.*mí*.ci.as) *sfpl.* 1 Os primeiros frutos da terra 2 Os primeiros animais de um rebanho 3 *Fig.* As primeiras produções ou os primeiros efeitos de algo contínuo: *as primícias de um talento poético; as primícias do seu trabalho.* 4 Os primeiros sentimentos, felicidades, emoções: *as primícias da adolescência.* 5 Começos, prelúdios de qualquer coisa em processo ou organizada em série [F.: Do lat. *primitiae.*]

◎ **prim(i/o)-** *el. comp. Pref.* = primeiro, dianteiro, principal, que tem prioridade, que surgiu primeiro: *primário, primata, primazia, primeiro, primitivo* etc.

primípara (pri.*mí*.pa.ra) *Zool. a.* **1** Que pariu ou que vai parir pela primeira vez (fêmea primípara) *sf.* **2** *Zool.* Fêmea que tem o primeiro parto [F.: Do lat. *primipara.*]

primiparidade (pri.mi.pa.ri.*da*.de) *sf.* Estado ou condição de primíparo [F.: *primíparo + -i- + -dade.*]

primíparo (pri.*mí*.pa.ro) *a.* **1** Diz-se de quem pare ou pariu pela primeira vez (mulher primípara; animal primíparo): *Foram divididas em dois grupos de primíparos e um de multíparo.* *sm.* **2** O que pare ou pariu pela primeira vez [F.: Do lat. *primiparus, a, um.*]

primitividade (pri.mi.ti.vi.*da*.de) *sf.* **1** Estado ou condição de primitivo: *primitividade de um método; primitividade de uma tribo indígena.* **2** Falta de civilidade; SELVAGERIA [F.: *primitivo + -i- + -dade.*]

primitivismo (pri.mi.ti.*vis*.mo) *sm.* **1** Característica do que é ou de quem é primitivo; PRIMITIVIDADE **2** Característica do que é primário, elementar, rústico: *Suas atitudes demonstravam um certo primitivismo de conhecimento dos fatos.* **3** *Art. pl.* Tendência artística que busca os seus modelos na ingenuidade de forma e expressão da arte dos povos primitivos **4** *Art. pl.* A arte dos povos primitivos **5** *Fil.* Ideologia que consiste na afirmação de que o melhor da natureza humana está contido na bondade, pureza e ingenuidade primitivas [F.: *primitiv(o) + -ismo.*]

primitivista (pri.mi.ti.*vis*.ta) *a2g.* **1** Ref. ao primitivismo **2** *Art. pl. Fil.* Diz-se do que é ou de quem é seguidor ou defensor do primitivismo (pintura primitivista, artista primitivista) *s2g.* **3** *Art. pl. Fil.* Aquele que é adepto do primitivismo [F.: *primitiv(ismo) + -ista.*]

primitivo (pri.mi.*ti*.vo) *a.* **1** Que é o primeiro a existir, que está na origem de uma pessoa ou coisa; INAUGURAL; INICIAL; PRIMEVO; PRIMORDIAL: *O valor primitivo de uma moeda; O estado primitivo do homem.* **2** Que dura desde os tempos mais antigos (ferramenta primitiva) **3** Que existiu primeiro entre os indivíduos de uma espécie, entre os exemplares de uma obra (texto primitivo); ORIGINAL **4** Diz-se do caráter, dos hábitos, da vida do homem existente nos primeiros tempos do mundo, anterior a qualquer civilização, e de tudo quanto pareça próprio desses tempos (um bárbaro primitivo); BRUTO; RUDE; RUDIMENTAR; TOSCO **5** *P. ext. Fig.* Que é brutal, impulsivo, rude **6** Ref. a uma sociedade sem indústrias ou máquinas modernas, e cujo estilo de vida é simples (povo primitivo) **7** *Art. pl.* Diz-se do pintor ou escultor que precedeu os mestres da Renascença [Toma-se tb. substantivamente.] **8** *Art. pl. Fil.* Que é adepto do primitivismo; PRIMITIVISTA **9** *Gram.* Diz-se de vocábulo simples que não resulta de outro na língua portuguesa: *Livro é uma palavra primitiva.* **10** *Gram.* Diz-se de tempos ou forma verbal (presente e pretérito perfeito simples do indicativo e o infinitivo) cujos radicais servem para formar outros tempos *sm.* **11** Aquele ou aquilo que é primitivo **12** *Art. pl. Fil.* Aquele que segue o primitivismo; PRIMITIVISTA [F.: Do lat. *primitivus, a, um.*]

primo¹ (*pri*.mo) *a.* **1** *Mat.* Diz-se do número que só pode ser dividido pela unidade ou por ele mesmo *sm.* **2** *Mat.* Esse número: *Os primos de 1 a 10 são: 1, 2, 3, 5 e 7.* **3** O filho de tio ou de tia em relação às sobrinhas ou aos sobrinhos destes e vice-versa [Neste caso, chamado tb. *primo-irmão.* 'Primo' aplica-se tb. a primos dos pais, filhos de primos dos pais etc., com diversos graus desse parentesco.] **4** *Gír.* O pai do noivo, como é chamado entre os ciganos [F.: Do lat. *primus.* Hom./Par.: *primo* (fl. de *primar*).] ■ **~ carnal** Ver *Primo coirmão* **~ coirmão** Em relação a um indivíduo, filho de irmão ou irmã de seu pai ou de sua mãe; primo carnal; primo germano; primo-irmão; primo primeiro **~ cruzado** *Antr. Etnol.* Em relação a um indivíduo, filho de um irmão de sua mãe, ou filho de uma irmã de seu pai **~ direito** Ver *Primo paralelo* **~ em primeiro grau** Ver *Primo coirmão* **~ em segundo grau** Em relação a um indivíduo, filho de primo ou prima coirmãos de seu pai ou de sua mãe; primo segundo **~ em terceiro grau** Em relação a um indivíduo, filho de primo ou prima em segundo grau de seu pai ou de sua mãe; primo terceiro **~ germano** Ver *Primo coirmão* **~ paralelo** *Antr. Etnol.* Em relação a um indivíduo, filho de um irmão de seu pai, ou filho de uma irmã de sua mãe **~ primeiro** Ver *Primo coirmão* **~ segundo** Ver *Primo em segundo grau* **~ terceiro** Ver *Primo em terceiro grau*

⊕ **primo**² (*Lat. primo*) *adv.* Em primeiro lugar; PRIMEIRAMENTE [F.: Do lat. *primo.*]

primogênito (pri.mo.*gê*.ni.to) *a.* **1** Que nasceu primeiro, que é mais velho em relação aos seus irmãos (diz-se de filho): *Meu primogênito já completou quinze anos, o outro tem treze.* *sm.* **2** O filho mais velho em relação aos irmãos [F.: Do lat. *primogenitus.*]

primogenitura (pri.mo.ge.ni.*tu*.ra) *sf.* Qualidade ou condição de primogênito [F.: *primogênit(o) + -ura.*]

primo-irmão (pri.mo-ir.*mão*) *sm.* **1** Pessoa em relação aos filhos de seus tios; primo em primeiro grau **2** *Bras. Fam.* Aquele que foi criado por tios, em relação aos filhos destes [Pl.: primos-irmãos.]

primor (pri.*mor*) [ô] *sm.* **1** Qualidade daquele ou daquilo que é superior, excelente, perfeito: *Caprichava no texto, buscando um primor quase inatingível.* **2** Magnificência, suntuosidade: *A recepção aos convidados foi um primor.* **3** Beleza, esmero, perfeição: "Sem que desfrute os primores / Que não encontro por cá (...)." (Gonçalves Dias, *Canção do exílio*) [Nesta acp. usa-se mais no pl.] **4** Sutileza de detalhes; DELICADEZA **5** Bondade, amabilidade **6** Obra que revela primor; obra perfeita, primorosa: *Suas poesias são um primor.* [F.: Do lat. *primoris.*] ■ **A ~** Com capricho, com esmero

primordial (pri.mor.di.*al*) *a2g.* **1** Ref. a primórdio **2** Que se originou primeiro, que surgiu primeiro; PRIMITIVO: *O homem primordial vivia nas cavernas.* **3** Que é importante ou mais importante, que se destaca entre os demais, que é principal; CRUCIAL; ESSENCIAL; FUNDAMENTAL: *O primordial na democracia é o respeito aos direitos do outro.* **4** Que existe concomitantemente à existência de outra coisa; PRIMIGÊNIO **5** *Bot.* Diz-se das primeiras folhas das plantas (folhas primordiais) **6** *Jur.* Diz-se do primeiro título constitutivo de um direito (título primordial) [Pl.: *-ais.*] [F.: Do lat. *primordialis.*]

primórdio (pri.*mór*.di.o) *sm.* **1** O que se organiza primeiro *sm.* **2** Início, origem, princípio de algo: *Nos primórdios da nossa literatura, destacou-se José de Anchieta.* **3** A parte inicial de um discurso; EXÓRDIO [Mais us. no pl.] [F.: Do lat. *primordium.*]

primoroso (pri.mo.*ro*.so) [ô] *a.* **1** Feito com primor (3), com perfeição: *um quadro primoroso.* **2** Excelente, belo, distinto: *Em sua vida teve atitudes primorosas.* **3** Que denota primor; EXCELENTE; MARAVILHOSO: *um romance primoroso.* [Pl.: [ó]. Fem.: *ó*] [F.: *primor + -oso.*]

primo-torto (pri.mo-*tor*.to) *sm. Fam.* Filho de casamento anterior ou posterior de um tio ou tia afim, em relação aos sobrinhos deste(s) [Pl.: *primos-tortos.*]

prímula (*prí*.mu.la) *sf.* **1** *Bot.* Nome geral dado às ervas da família das primuláceas (gên. *Primula*), nativas em sua maioria da China, Etiópia, Java, Nova Guiné e do sul da América do Sul, que inclui 400 espécies com rizomas e flores vistosas, cultivadas como ornamentais e medicinais **2** A flor dessas plantas, tb. conhecida como *primavera* [F.: Do lat. cient. gên. *Primula.*]

primulácea (pri.mu.*lá*.ce.a) *sf. Bot.* Espécime da família das primuláceas, que inclui 22 gêneros e 825 espécies de plantas ornamentais, com folhas dispostas em espiral, frutos capsulares e flores hermafroditas, cultivadas como ornamentais [F.: Do lat. cient. fam. *Primulaceae.*]

primuláceo (pri.mu.*lá*.ce.o) *a. Bot.* Ref. às primuláceas (arbusto primuláceo) [F.: *prímula + -áceo.*]

⊕ ***princeps*** (*Lat. /prinkeps ou prinseps/*) *a.* Diz-de da primeira edição de um livro

princesa (prin.*ce*.sa) [ê] *sf.* **1** Esposa de príncipe **2** Soberana de principado **3** A filha de rei, imperador ou príncipe **4** *P. ext.* Soberana de qualquer estado: *princesa Margareth da Inglaterra.* **5** Moça graciosa e bela: *Que linda princesa é sua filha!* **6** *Fig.* Moça que é tratada com todas as regalias: *Atendem todas as suas vontades como uma princesa.* **7** Jovem eleita em festividades (princesa do carnaval, princesa do torneio) **8** *Iron.* Pessoa do sexo feminino que se julga superior aos outros: *A princesa quer que a carregue no colo?* [F.: Do fr. *princesse.*] ■ **~ do Arocá** *Bras. Rel.* Iemanjá **~ do Mar** *Bras. Rel.* Iemanjá

principado (prin.ci.*pa*.do) *sm.* **1** Dignidade de príncipe ou de princesa **2** Território cuja administração ou governo pertence a um príncipe ou uma princesa: *o principado de Mônaco.* **3** Forma de governo exercido por príncipe ou princesa **4** Espaço de tempo, período em que o príncipe ou a princesa exerce suas atribuições **5** *Fig.* Período em que há uma liderança, um domínio, um poder superior exercidos por alguém ou algo (a exemplo de reinado): *o principado da moral, da ética e do respeito mútuo.* [F.: Do lat. *principatus.*]

principal (prin.ci.*pal*) *a2g.* **1** Que é mais importante, que se destaca entre os demais por suas qualidades objetivas ou subjetivas (personagem principal) [Ant.: *secundário.*] **2** Fundamental, essencial: *A fome foi a causa principal dos seus desvarios.* **3** Que é o mais notável, o mais saliente: *Aquele é o seu defeito principal.* **4** *Mús.* Diz-se da parte cantante de uma sinfonia (trecho principal) **5** *Astron.* Diz-se de astro celeste que tem em sua órbita um satélite; PRIMÁRIO **6** Diz-se da oração que possui outra ou outras subordinadas a ela: *Em "quero que você venha", "quero" é a oração principal.* [Pl.: *-pais.*] *sm.* **7** Prelado superior de um colégio, comunidade religiosa ou corporação **8** O que há de mais considerável, de mais importante: *Isto é o principal do negócio.* **9** Pessoa mais importante pela sua hierarquia ou pelo seu mérito: *os principais da cidade.* **10** *Econ.* Capital de uma dívida (em contraposição aos juros): *Até o final do mês, prometo pagar-lhe o principal e os juros.* [Pl.: *-pais.*] *sf.* **11** *Gram.* A classificação de uma oração em relação a outra ou outras subordinadas [Pl.: *-pais.*] *s2g.* **12** *Astron.* O astro principal; PRIMÁRIO [Pl.: *-pais.*] [F.: Do lat. *principalis.*]

principalidade (prin.ci.pa.li.*da*.de) *sf.* Característica ou condição do que é principal, prioritário; PRIMAZIA [F.: Do lat. tardio *principalitas, atis* 'primazia'.]

príncipe¹ (*prín*.ci.pe) *sm.* **1** Filho de rei ou de rainha **2** Membro de uma família reinante **3** Homem que é o governante de um principado **4** Título de nobreza em alguns países: *o príncipe de Bismarck.* **5** *Fig.* O primeiro em mérito, em talento: *Pelé é o príncipe dos jogadores brasileiros.* **6** *Fig.* Pessoa que está sempre bem vestida e é gentil e educada **7** *Bras. Zool.* Ave passeriforme da fam. dos tiranídeos (*Pyrocephalus rubinus*) do N. e C.O. do Brasil, de dorso pardo e cabeça e parte inferior vermelho-sangue; MINGUIM; PASSARINHO-DE-VERÃO; SÃO-JOÃOZINHO *a2g.* **8** *P. us.* Que é primeiro ou principal, que está em primeiro lugar: *Consultou na biblioteca a edição príncipe de Os Lusíadas, de Camões.* [F.: Do lat. *princeps.*] ■ **Como um ~** Com muito conforto e riqueza, com muitas regalias e muitos privilégios **~ consorte** Marido de rainha que exerce seu reinado **~ da(s) Treva(s)** O chefe dos demônios **~ do ar 1** O chefe dos demônios **2** O chefe dos demônios **~ dos Apóstolos** Antonomásia de Pedro, fundador da Igreja católica **~ encantado 1** Nas histórias de fadas e nos contos populares, o herói nobre, bonito, valente, gentil, que salva a heroína e se casa com ela **2** *Fig. P. ext.* Homem cheio de qualidades, parceiro ideal das moças casadouras e por elas sonhado **~ regente** Aquele que, como príncipe, reina temporariamente na ausência ou impedimento do rei **~ da Igreja Rel** No cristianismo, os doze apóstolos

príncipe² (*prín*.ci.pe) *Bot. a2g.* **1** Que diz respeito às príncipes *sf.* **2** Ordem (e espécie dessa ordem) de planta monocotiledônea que inclui as palmáceas; tb. *arecale* [F.: Do lat. cient., ordem *Princeps.*]

principelho (prin.ci.*pe*.lho) [ê] *sm.* **1** Príncipe menino ou muito jovem **2** *Pej.* Príncipe pouco importante [Dim. irreg. de *príncipe.*] [F.: *príncipe + -elho.*]

principesco (prin.ci.*pes*.co) [ê] *a.* **1** Relativo, pertencente ou inerente a príncipe ou a principado (terras principescas) **2** Próprio de príncipe; que está em harmonia com o que é próprio de príncipe: *de hábitos principescos; de riqueza principesca.* **3** *Fig.* Que é luxuoso, pomposo, suntuoso: *uma recepção principesca.* [F.: *princip(e) + -esco.*]

principiante (prin.ci.pi*an*.te) *a2g.* **1** Que está no princípio ou que principia; INCIPIENTE: *A música fez um sucesso extraordinário considerando-se a sua principiante carreira solo.* **2** Que está começando a se exercitar em alguma coisa (atleta principiante) *s2g.* **3** Pessoa que começa a aprender alguma atividade ou profissão; APRENDIZ; NOVATO: *O principiante deve ter humildade para aprender.* [F.: Do lat. *principians, antis.*]

principiar (prin.ci.pi.*ar*) *v.* **1** Ter início ou dar início; COMEÇAR; INICIAR [*td.*: *Seu gesto principiou uma discussão.*] [*int.*: *O verão principiou hoje.* Ant.: *concluir, encerrar, finalizar, terminar.*] **2** Ter (determinada qualidade) ao iniciar um processo [*tdp.* / *tp.*: *Ele principiou (a carreira) inseguro e agora é um líder.*] [► **1** principiar] [F; Do lat. *principiare.* Hom./Par.: *principio* (fl.), *princípio* (sm.).]

princípio (prin.*cí*.pi.o) *sm.* **1** Ação ou resultado de principiar; COMEÇO; INÍCIO; ORIGEM **2** O momento em que se faz alguma coisa pela primeira vez; a primeira formação de uma coisa: *Desde o princípio do mundo, partículas chocam-se incessantemente.* **3** Causa primária: *o princípio do bem e o princípio do mal; o trabalho é o princípio de toda a riqueza.* **4** Valor moral, dignidade: *É um homem de princípios.* [Nesta acp., mais us. no pl.] **5** Preceito, regra, lei (princípio de geometria/de direito) **6** Dito ou provérbio moralizante **7** *Quím.* Elemento ou conjunto de elementos que sob algum ponto de vista assume predomínio na constituição de um corpo orgânico qualquer: *A quinina é o princípio ativo das quinas.* **8** Qualquer causa natural que concorra para que os corpos se movam, operem e vivam (o princípio do calor/da vida) **9** *Fil.* A origem de um conhecimento, de um saber [F.: Do lat. *principium, ii.* Hom./Par.: *principio* (fl. de *principiar*).] ■ **A ~** No início, no começo **Em ~** Conceitualmente; antes de mais nada: *Em princípio, não temos nada contra a proposta, mas vamos examinar melhor os detalhes.* **~ ativo** *Farm.* A substância (em medicamento) que é a base da ação terapêutica **No ~** Ver *A princípio* **Por ~** Como resultado de regras, valores, orientações previamente estabelecidas (e não por gosto, ou por impulso momentâneo, ou em função das circunstâncias presentes) **~ cíclico** *Ling.* Na gramática gerativa, conceito de que cada complemento em uma estrutura gramatical constitui um ciclo, um domínio onde se aplicam as regras da sintaxe **~ cosmológico** *Cosm.* Conceito de que o universo é homogêneo ao longo de todas as direções **~ da bivalência** *Lóg.* Na lógica clássica, conceito de que uma proposição ou é verdadeira ou é falsa [Cf.: *Princípio do terceiro excluído.*] **~ da causalidade** *Fil.* Conceito relacional básico de que tudo foi fenômeno tem uma causa **~ da contradição** *Lóg.* Princípio aristotélico de que nada pode ser simultaneamente o que é e o que não é, ou seja, de que nada que é pode ser também o que não é. O que significa que a negação de uma proposição verdadeira é falsa, e vice-versa; princípio de não contradição **~ da finalidade** *Fil.* Conceito relacional básico de que tudo que é tem uma finalidade, o que implica em tentar compreender o que é por aquilo que fará vir **~ da identidade** *Lóg.* Conceito relacional básico de que qualquer coisa é idêntica a si mesma **~ da não contradição** *Lóg.* O mesmo que *Princípio de contradição* **~ da razão suficiente** *Fil.* Segundo o matemático Leibniz, princípio de que nada acontece sem haver uma razão para tal **~ da realidade** *Psic.* Conceito de que o princípio do prazer com suas exigências deve se adaptar à realidade, como forma de garantir sua satisfação [Cf.: *Princípio do prazer.*] **~ de Arquimedes** *Fís.* Princípio de que um corpo parcial ou totalmente imerso num fluido sofre um empuxo de baixo para cima igual ao peso do volume de água deslocado pela parte imersa **~ de constância** *Psic.* Na teoria freudiana, inclinação psíquica de manter o nível de excitação constante e o mais baixo possível **~ de Pascal** *Fís.* Princípio que estabelece que um fluido num recipiente transmite uma pressão externa a que esteja submetido em todas as direções e de forma equivalente **~ do prazer** *Psic.* Inclinação psíquica a buscar o prazer e evitar o sofrimento, sem considerar a realidade [Cf.: *Princípio da realidade.*] **~ do terceiro excluído** *Lóg.* Princípio de que não existe meio-termo entre uma proposição verdadeira e uma falsa [Cf.: *Princípio da bivalência.*]

princípios (prin.*cí*.pi.os) *smpl.* **1** Noções básicas de uma área de conhecimento: *Aprendemos os princípios da geometria.* **2** Regras de comportamento moral de uma pessoa ou de um grupo: *Cuidado, ele não tem princípios.* **3** Proposições, opiniões que o espírito admite como ponto de partida; regra fundamental, doutrinas: *os princípios legais e morais.* [F.: Pl. de *princípio.*]

principista (prin.ci.*pis*.ta) *a2g.* Que é fortemente ou radicalmente ligado a princípios (lei principista) [F.: *princípio + -ista.*]

príon (*prí*.on) *sm. Biol.* Certo agente causador de doenças do sistema nervoso, formado apenas por proteína e, apesar de não ter material genético, capaz de se autocopiar [Pl.: *príons e príones.*] [F.: Do ing. *prion* (de proteinaceous + infectious + *-on*).]

prior (pri.*or*) [ô] *sm.* **1** *Ecles.* Superior de certas ordens religiosas católicas **2** *Rel.* Cura de almas de uma paróquia; PÁROCO **3** *Antq. Mil.* Dignitário nas antigas ordens militares [Fem.: *priora, prioresa.*] [F.: Do lat. *prior.*]

priorado (pri.o.*ra*.do) *sm.* **1** Comunidade religiosa comandada por prior ou prioresa **2** Cargo ou dignidade de prior ou de prioresa **3** Conjunto ou exercício das funções de prior **4** Casa ou igreja de prior [F.: *prior + -ado.* Tb. *priorato.*]

priorato (pri.o.*ra*.to) *sm.* Ver *priorado*

prioridade (pri.o.ri.*da*.de) *sf.* **1** Qualidade de ser primeiro; PRIMAZIA **2** Condição de preferência dada a alguém ou algo (ação, providência etc.), determinada por necessidade, hierarquia ou vontade; a atribuição dessa condição a alguém ou algo; PRECEDÊNCIA: *Idosos e crianças terão prioridade nas filas.* **3** Aquilo ou aquele(s) a que se atribui prioridade (2): *A solução da falta d'água é nossa prioridade.* [F.: Do lat. *prioritas, atis.*]

prioritário (pri.o.ri.*tá*.ri.o) *a.* Que tem prioridade, primazia (metas prioritárias); PREFERENCIAL [F.: Do fr. *prioritaire.*]

priorização (pri.o.ri.za.*ção*) *sf.* Ação ou resultado de priorizar [Pl.: *-ções.*] [F.: *priorizar + -ção.*]

priorizado (pri.o.ri.*za*.do) *a.* Que se priorizou; a que se deu prioridade: *projetos priorizados pelo governo.* [F.: Part. de *priorizar.*]

priorizar (pri.o.ri.*zar*) *v. td. Bras.* Colocar em primeiro plano; dar preferência a: *priorizar a educação.* [Ant.: *preterir, relegar.*] [▶ **1** priorizar] [F.: *prior + -izar.*]

prisão (pri.*são*) *sf.* **1** Ação ou resultado de prender; CAPTURA: *Ordenou a prisão do assaltante.* **2** Lugar fechado onde ficam as pessoas cuja liberdade foi retirada por força da lei ou por uma força superior à do prisioneiro; CADEIA; CÁRCERE: *O delegado pôs os meliantes na prisão; O sequestrado fugiu de sua prisão.* **3** Condição ou estado de prisioneiro; CATIVEIRO: *Nunca se recuperou de sua longa prisão.* **4** Pena de detenção que se deve cumprir na cadeia: *Foi condenado a dois anos de prisão.* **5** *Fig.* Tudo que, aceito ou não de boa vontade, cerceia a liberdade individual: *O rígido horário era para ele uma prisão; Submeteu-se prazeroso à doce prisão do amor.* **6** Corrente, corda com que se prende [Pl.: *-sões.*] [F.: Do lat. *prehensio, onis.*] **■ ~ de ventre** Constipação, retenção de fezes **~ domiciliar** *Jur.* Pena ou medida judicial preventiva pela qual o réu fica confinado em seu domicílio durante o prazo da medida **~ especial** *Bras. Jur.* Termo que designa condições especiais (regime carcerário, instalações, concessões etc.) na prisão de suspeitos ou acusados de delito, indiciados, réus etc. (ger. antes da condenação definitiva) de determinadas categorias profissionais, ou com certos níveis de escolaridade (universitário) **~ preventiva** *Jur.* Prisão de um acusado ou suspeito de delito com base em indícios de autoria

priscar (pris.*car*) *S. v. int.* **1** Dar priscos[2] **2** Fugir, dando priscos: *O cavalo priscava, mas o cavaleiro não caía.* **3** Retirar-se, afastar-se de um lugar: *Estava cansado, prisquei(-me) cedo.* [▶ **11** priscar] [F.: *prisco + -ar.* Hom./Par.: *prisca* (sf e pl), *prisco* (sm), *prisca, priscas, prisco* (fl. de *priscar*).]

prisco[1] (*pris*.co) *a. Poét.* Ref. a um tempo passado (priscas eras); ANTIGO; PRÍSTINO [F.: Do lat. *priscus, i.* Hom./Par.: *prisco* (a.), *prisco* (fl. de *priscar*).]

prisco[2] (*pris*.co) *sm.* **1** Salto com o qual uma cavalgadura tenta derrubar o cavaleiro **2** Cavalo que dá prisco(s) (1) [F.: De or. obsc.]

prisional (pri.si.o.*nal*) *a2g.* **1** Próprio de ou ref. a prisão (sistema prisional); CARCERÁRIO **2** Cumprido no cárcere (pena prisional) [Pl.: *-nais.*] [F.: *prisão* (f. rad. *prision -*) *+ -al.*]

prisioneiro (pri.si.o.*nei*.ro) *sm.* **1** Aquele que perdeu a liberdade; PRESO **2** Pessoa capturada pelo inimigo em guerra **3** *Fig.* Quem está sob o domínio de um sentimento: *prisioneiro das ilusões.* **4** *Bras.* Parafuso com rosca em ambas as extremidades *a.* **5** Diz-se de quem perdeu a liberdade; PRESO **6** Diz-se de quem foi capturado pelo inimigo em guerra **7** *Fig.* Diz-se de quem está sob o domínio de um sentimento [F.: Do fr. *prisonnier.*]

prisma (*pris*.ma) *sm.* **1** *Geom.* Figura geométrica que tem dois polígonos iguais e paralelos como bases e paralelogramos como faces laterais **2** *Fig.* Modo de ver ou considerar as coisas; ponto de vista: *Analisando por esse prisma, você tem razão.* **3** *Ópt.* Prisma (1) de material transparente, ger. cristal, que decompõe a luz nas várias frequências visíveis, que resultam nas cores do vermelho ao violeta [F.: Do lat. tardio *prisma, atis,* deriv. do gr. *prísma, atos.* Ideia de 'prisma': *prismat(o)- (prismatizar).*] **■ ~ de iluminação e ventilação** *Arq. Cons.* Vão-livre ao longo de toda a altura de um prédio, destinado a prover de ventilação e iluminação as unidades habitacionais ou os cômodos que se comunicam com ele **~ de Nicol** *Ópt.* Prisma de dupla refração, que, ao nele incidir um raio luminoso, deixa passar um raio que segue as leis da refração, e reflete outro que não as segue **~ de ventilação** *Arq.* Vão-livre ao longo de toda a altura de um prédio, destinado a prover de ventilação certas unidades habitacionais que se comunicam com ele (ger. banheiros e cozinhas) **~ oblíquo** *Geom.* Aquele cujas faces laterais não são perpendiculares ao plano da base [P. op. a *Prisma reto.*] **~ regular** *Geom.* Prisma reto que tem como bases polígonos regulares **~ reto** *Geom.* Aquele cujas faces laterais são perpendiculares ao plano da base [P. op. a *Prisma oblíquo.*] **~ truncado** *Geom.* Porção de um prisma compreendida entre dois planos não paralelos que cortam suas faces e arestas laterais; tronco de prisma

prismar (pris.*mar*) *v. td. Fig.* Reproduzir ou interpretar a partir de certo ângulo ou prisma [▶ **1** prismar]

prismático (pris.*má*.ti.co) *a.* Ref. a ou que tem forma de prisma [F.: Do fr. *prismatique.*]

prismatizar (pris.ma.ti.*zar*) *v. td. int.* Dar forma de prisma a; adquirir forma de prisma: *prismatizar o cristal; A íris prismatizou(-se) ao sol.* [▶ **1** prismatizar] [F.: *prisma + (t) + -izar.*]

◎ **prismat(o)-** *el. comp.* = 'prisma': *prismático, prismatizar, prismatoide* [F.: Do gr. *prîsma, atos.*]

pristino (*prís*.ti.no) *a. Poét.* O mesmo que *prisco* [F.: Do lat. *pristinus, a, um.*]

privação (pri.va.*ção*) *sf.* Ação ou resultado de privar(-se): *privação da vista; privação dos direitos políticos.* [Pl.: *-ções.*] [F.: Do lat. *privatio, onis.* Ver tb. *privações.* Ideia de 'privação': *an- (anabiose); an(a)- (anacrônico); in-*[2] *(incolor).*]

privacidade (pri.va.ci.*da*.de) *sf.* Qualidade ou condição de privado, do que diz respeito apenas ao indivíduo; INTIMIDADE: *Paula vive sozinha para ter privacidade.* [F.: Do ing. *privacy.*]

privações (pri.va.*ções*) *sfpl.* Ausência daquilo que é necessário à vida; NECESSIDADE: *O pobre homem está passando privações terríveis.* [F.: Pl. de *privação.*]

privada (pri.*va*.da) *sf.* **1** Vaso sanitário; LATRINA; RETRETE **2** *P. ext.* Banheiro, toalete [F.: Fem. substv. de *privado.*]

privado (pri.*va*.do) *a.* **1** De ou para apenas uma pessoa ou grupo restrito (estacionamento privado); PARTICULAR; PRIVATIVO [Ant.: *público.*] **2** Pessoal, íntimo (conversa privada) **3** A que ou a quem falta algo; CARENTE; DESPROVIDO **4** Que não pertence ao Estado (banco/setor privado); PARTICULAR [P. opos. a *público.*] *sm.* **5** Favorito, valido [F.: Do lat. *privatus, a, um;* como *sm.: privatus, i.*]

privança (pri.*van*.ça) *sf.* **1** Familiaridade, intimidade, amizade: *Tinha privança com algumas celebridades.* **2** Estado ou condição de favorito ou privado (5): *Goza da privança do ministro.* [F.: Do lat. *privantia, ae.*]

privar (pri.*var*) *v.* **1** Despojar (alguém ou a si mesmo) de [*tdr.* +*de*: *Não se pode privar ninguém de seus direitos; Para emagrecer, a mulher se privou de doces.*] **2** Impedir (alguém) de ter ou aproveitar (algo) [*tdr.* +*de*: *A timidez o priva de fazer amizades.* Ant.: *permitir, possibilitar.*] **3** Compartilhar, conviver em intimidade [*tr.* +*com, de*: *Ainda muito jovem, já privava com pintores famosos; Caiu nas graças do príncipe e privava dos segredos do palácio.*] [▶ **1** privar] [F.: Do lat. *privare.*]

privatismo (pri.va.*tis*.mo) *sm.* Tendência político-econômica de forte valorização da iniciativa privada; PRIVATIVISMO: "...o discurso neoliberal tenta (...) conferir título de modernidade ao que há de mais atrasado em nossa sociedade; um privatismo selvagem, que faz do interesse privado a medida de todas as coisas..." (*O Globo*, 01.07.2004) [F.: *privat(ivo) + -ismo.*]

privativismo (pri.va.ti.*vis*.mo) *sm.* O mesmo que *privatismo* [F.: *privativo + -ismo.*]

privativista (pri.va.ti.*vis*.ta) *a2g.* **1** Ref. ao que é privado, individual, particular (moral privativista) **2** Ref. a privativismo (tendência privativista) *a2g.* **3** Diz-se de indivíduo que é adepto do privativismo *s2g.* **4** Esse indivíduo [F.: *privativo + -ista.*]

privativo (pri.va.*ti*.vo) *a.* **1** Que é para uso exclusivo de uma pessoa ou pequeno grupo (entrada privativa); PRIVADO **2** Próprio, exclusivo, peculiar: *Este costume é privativo dele.* **3** Que priva: *pena privativa de liberdade.* [F.: Do lat. tardio *privativus.*]

privatização (pri.va.ti.za.*ção*) *sf.* Ação ou resultado de privatizar [Pl.: *-ções.*] [F.: *privatizar + -ção.*]

privatizado (pri.va.ti.*za*.do) *a.* Que se privatizou (rodovia privatizada) [F.: Part. de *privatizar.*]

privatizar (pri.va.ti.*zar*) *v. td.* Pôr (empresa ou serviço público) sob controle ou posse do setor privado (4) [Ant.: *estatizar.*] [▶ **1** privatizar] [F.: Do lat. *privatus,* part. pass. do v.lat. *privare* (v. *privar*), + *-izar.*]

privatizável (pri.va.ti.*zá*.vel) *a2g.* Passível de ser privatizado (instituições privatizáveis) [Ant.: *socializável.*] [F.: privatizar + -vel. Hom./Par.: (pl.) *privatizáveis, privatizáveis* (fl. de *privatizar*).]

privê (pri.*vê*) *a2g.* **1** Diz-se de local, reunião, evento etc. destinado a poucas pessoas ou a um público muito seleto (sala privê; espetáculo privê); ÍNTIMO; SELETO **2** Que é individual (garagem privê); PARTICULAR; PRIVATIVO [Ant.: *público.*] [F.: Do fr. *privé.*]

privilegiado (pri.vi.le.gi.*a*.do) *a.* **1** Que tem privilégio (minoria privilegiada) **2** *Fig.* Que é único, singular (voz privilegiada) *sm.* **3** Aquele que tem privilégio **4** *Fig.* Indivíduo singularmente dotado [F.: Part. de *privilegiar.*]

privilegiar (pri.vi.le.gi.*ar*) *v. td.* **1** Conceder privilégio; dar preferência; PRIORIZAR; FAVORECER: *privilegiar o pequeno agricultor.* **2** Tratar com destaque, dar mais valor a: *Alguns técnicos privilegiam o futebol defensivo.* **3** Tratar (alguém ou algo) melhor do que a outros; DISTINGUIR; BENEFICIAR: *Você não pode privilegiá-lo só porque é seu conhecido.* [Ant.: *nas acp. 1 e 3: desfavorecer, prejudicar, preterir.*] **4** Tornar-se ou considerar-se privilegiado [*Pr.* Muitos artistas se privilegiaram com a orientação e o exemplo dos grandes mestres.] [▶ **1** privilegiar] [F.: *privilégio + -ar*[2]. Hom./Par.: *privilegio* (fl.), *privilégio* (sm.).]

privilégio (pri.vi.*lé*.gi.o) *sm.* **1** Direito ou vantagem especial que se concede a uma ou mais pessoas com exclusão dos outros; PRERROGATIVA: *os privilégios dos diretores.* **2** Atributo específico de alguém ou de um grupo; APANÁGIO: *A educação não é privilégio dos ricos.* **3** Licença, permissão, oportunidade que só e dada a alguns: *Teve o privilégio de conviver com o mestre.* **4** Dom natural: *A fala é um dos privilégios da espécie humana.* [F.: Do lat. *privilegium, ii.* Hom./Par.: *privilégio* (sm.), *privilegio* (fl. de *privilegiar*).]

pro *Pop.* **1** Contr. da prep. *para* com art. def. *o*: *Viajou pro Chile.* **2** Contr. da prep. *para* com pr. pess. *o*: *Estou pro que der e vier.* [F.: Contr. de *para* + art. def. masc. *o.* Hom./Par.: *pro* (contr.), *pró* (sm. prep. adv.).]

◎ **pro-** *pref.* = 'que antecede', 'anterior', 'antecipado': *prognóstico, prólogo* [F.: Do gr. *pró.*]

◎ **pró-** *el. comp.* Ver *pro-*

proa (*pro*.a) *sf.* **1** A parte da frente de uma embarcação, oposta à popa **2** *Fig.* Soberba, presunção *sm.* **3** O que rema na proa; PROEIRO [F.: Do lat. *prora, -ae.*] **■ Abrir de ~** *Mar.* Desatracar embarcação a começar da proa **De ~** Pela parte da frente: *O carro entrou de proa no poste.* **Fazer ~** *Mar.* Pôr a proa em certa direção **Ter pela ~** *Fig.* Ter pela frente, ter de enfrentar

proatividade (pro.a.ti.vi.*da*.de) *sf.* Qualidade do que ou de quem é proativo [F.: *proativo + -idade.*]

proativo (pro.a.*ti*.vo) *a.* Que, por antecipação, identifica possíveis desenvolvimentos, problemas ou situações, permitindo adoção de atitudes ou medidas adequadas [F.: Do ing. *proactive.*]

probabilidade (pro.ba.bi.li.*da*.de) *sf.* **1** Característica ou condição daquilo que é provável: *Quanto mais cedo o tratamento, maior a probabilidade de cura.* [Ant.: *improbabilidade.*] **2** Indício da verdade ou possibilidade de uma coisa; VEROSSIMILHANÇA **3** Chance de algo acontecer, expressa numericamente: *70% de probabilidade.* **4** *Mat.* Número positivo, menor que a unidade, associado a um evento aleatório e determinado pela frequência relativa com que ocorre numa longa série de eventos [F.: Do lat. *probabilitas, atis.*]

probabilismo (pro.ba.bi.*lis*.mo) *sm.* **1** *Fil.* Doutrina segundo a qual a verdade absoluta é sempre inatingível, o que confere ao conhecimento humano um caráter de incerteza, na medida em que tudo está baseado apenas em probabilidades **2** *Fil.* Doutrina segundo a qual são aceitos e tidos como confiáveis (para certas áreas do conhecimento, como a filosofia e a moral) preceitos baseados apenas em hipóteses com certo grau de probabilidade [F.: *provável (-vel > -bil(i)-) + -ismo.*]

probabilíssimo (pro.ba.bi.*lís*.si.mo) *a.* Muitíssimo provável: *É um probabilíssimo candidato ao segundo turno.* [Ant.: *improbabilíssimo.*] [Superl. abs. sint. de *provável.*] [F.: *provável (-vel > -bil(i)-) + -íssimo.*]

probabilista (pro.ba.bi.*lis*.ta) *a2g.* **1** *Est. Mat.* Diz-se do que é baseado em probabilidades (projeção probabilista); PROBABILÍSTICO **2** *Fil.* Ref. ou inerente ao probabilismo como doutrina filosófica ou moral (teoria probabilista) **3** Diz-se de indivíduo seguidor ou partidário dessa doutrina (filósofo probabilista; teólogo probabilista) *s2g.* **4** *Fil.* Esse indivíduo **5** Matemático especialista em cálculo de probabilidades [F.: *provável (-vel > -bil(i) -) + -ista.*]

probabilístico (pro.ba.bi.*lís*.ti.co) *a.* **1** *Est. Mat.* Ref. ou inerente a probabilidades (técnica probabilística) **2** Diz-se do que é baseado em cálculo de probabilidades (método probabilístico) **3** Ref. a probabilismo ou probabilista (s2g.) [F.: *probabilista- + -ico*[2].]

probante (pro.*ban*.te) *P. us. Jur. a2g.* Que prova; que dá testemunho autêntico; CATEGÓRICO; COMPROBATÓRIO; CONCLUDENTE; IRREFUTÁVEL [Ant.: *improcedente, inconcludente, refutável.*] [F.: Do lat. *probans, antis.*]

probatório (pro.ba.*tó*.ri.o) *a.* **1** Ref. a ou que contém prova **2** Que serve de prova (período probatório) [F.: Do lat. medv. *probatorius.*]

probidade (pro.bi.*da*.de) *sf.* Qualidade de probo; retidão de caráter; INTEGRIDADE; HONESTIDADE [Ant.: *improbidade.*] [F.: Do lat. *probitas, atis.*] **■ ~ administrativa** Conduta honesta, íntegra de funcionários públicos na gestão da coisa pública

problema (pro.*ble*.ma) *sm.* **1** Questão ou situação difícil de tratar, lidar, resolver (problemas sociais/ecológicos) **2** Aborrecimento, contrariedade: *Está sempre com problemas em casa.* **3** Mau funcionamento, falha ou defeito em algo (problemas técnicos) **4** Disfunção orgânica ou psíquica (problema respiratório/emocional) **5** Questão proposta para investigação, debate ou solução, em qualquer área do conhecimento: *Parece insolucionável o problema da origem do universo.* **6** *Mat.* Questão para ser solucionada mediante cálculos [F.: Do lat. tardio *problema, atis*, do gr. *próblema, atos.*]

problemática (pro.ble.*má*.ti.ca) *sf.* Conjunto de problemas relativos a um mesmo assunto, atividade, campo do conhecimento etc.: *a problemática da pobreza; a problemática da psicanálise.* [F.: Fem. substv. de *problemático.*]

problemático (pro.ble.*má*.ti.co) *a.* **1** Que tem ou é problema (questão problemática) **2** Duvidoso, incerto: *Nossa ida até lá é problemática.* **3** Diz-se de pessoa difícil de lidar ou de controlar **4** Que tem problema psíquico [F.: Do lat. *problematicus*, deriv. do gr. *problematikós.*]

problematizar (pro.ble.ma.ti.*zar*) *v. td.* **1** Dar caráter ou forma de problema a **2** Tornar problemático, complexo, difícil: *Problematizou a própria vida ao exilar-se na Europa.* **3** Colocar em dúvida: *Há quem problematize o valor de Napoleão.* [▶ 1 problematizar] [F.: *problemático* + *-izar*, seg. o mod. gr.]

probo (*pro*.bo) [ô] *a.* Que é honesto, de bom caráter; ÍNTEGRO; HONRADO [F.: Do lat. *probus, a, um.*]

probóscide (pro.*bós*.ci.de) *Anat. Zool. sf.* **1** Focinho longo e flexível de alguns mamíferos, como a anta e o elefante **2** Aparelho bucal sugador de diversos insetos; HAUSTELO; SUGADOR [F.: Do lat. tardio *proboscis, idis*, do gr. *proboskís, ídos.*]

proboscídeos (pro.bos.*cí*.de:os) *smpl.* Ordem de mamíferos paquidermes que possuem o apêndice nasal em forma de tromba: *Os proboscídeos são mamíferos representados por uma única espécie atual, o elefante.* [F.: Do lat. cient. ordem *Proboscidea.*]

procaína (pro.ca.*í*.na) *sf. Farm.* Composto químico us. como anestésico local, principalmente em procedimentos odontológicos: *A procaína foi sintetizada pelo bioquímico austríaco Alfred Einhorn, em 1905.* [Fórm.: $C_{13}H_{20}N_2O_2$] [F.: Do ingl. *procaine.*]

procarionte (pro.ca.ri.*on*.te) *a2g. sm. Biol.* O mesmo que *procarioto* [F.: *pro-*¹ + *cari(o)-* + *-onte.*]

procariota (pro.ca.ri.*o*.ta) *a2g. sm.* Ver *procarioto*

procariote (pro.ca.ri.*o*.te) *s2g. Bot.* O mesmo que *monera* [F.: Do lat. cient. *prokariotae.*]

procarioto (pro.ca.ri.*o*.to) [ô] *a. a2g.* **1** *Biol.* Que é desprovido de núcleo celular (diz-se de célula ou organismo) *sm.* **2** *Biol.* Célula ou organismo procarioto [F.: *pro-*¹ + *cari(o)-* + *-ota*². Sin. ger.: *procarionte.* Tb. *procariota.*]

procedência (pro.ce.*dên*.ci.a) *sf.* **1** Ação ou resultado de proceder **2** Lugar de onde vem algo ou alguém; ORIGEM; PROVENIÊNCIA: *Qual a procedência destes turistas?* **3** Base, fundamento, razão: *Sua desconfiança não tem procedência.* [F.: *proceder* + *-ência.* Hom./Par.: *procedência* (sf.), *precedência* (sf.), *procidência* (sf.). Ideia de 'procedência': *-enho* (*caribenho*); *-eno* (*romeno*); *-ense* (*fluminense*); *-ês* (*português*); *-ota*² (*cipriota*).]

procedente (pro.ce.*den*.te) *a2g.* **1** Que procede; ORIGINÁRIO; PROVENIENTE: *voo procedente de Lisboa.* **2** Que tem base, fundamento (crítica procedente) [Ant.: *improcedente.*] [F.: *procedens, entis.* Hom./Par.: *procedente* (a2g.), *precedente* (a2g. sm.), *procidente* (a2g.).]

proceder (pro.ce.*der*) *v.* **1** Agir, fazer (de determinada maneira) [*int.: Como proceder para adotar uma criança?; Se procederes bem, irás à excursão.*] **2** Levar ou ser levado a efeito; SUCEDER(-SE); REALIZAR(-SE); EXECUTAR(-SE) [*tr.* +a: "...o governador deseja proceder à reforma agrária..." (Antônio Callado, *Entre o deus e a vasilha*)] [*int.: O seminário procedeu mesmo sem microfone.*] **3** Ter (algo ou alguém) como origem; NASCER; DERIVAR [*tr.* +de: *A amizade procede da confiança; proceder de uma linhagem nobre.*] **4** Vir de (um lugar); PROVIR [*tr.* +de: *Esses brinquedos procedem da China.*] **5** Ter cabimento; JUSTIFICAR-SE [*int.: Seus argumentos não procedem.*] **6** Ter seguimento; PROSSEGUIR; CONTINUAR [*int.: As reivindicações procediam, tumultuando as ruas.* Ant.: *estagnar, parar.*] **7** Entregar (alguém ou algum negócio) à justiça [*int.* / *tr.* +a, *contra*: *Sei que a lei me assiste, mas não quero proceder (contra a firma).*] [▶ 2 proceder] *sm.* **8** Modo de agir; COMPORTAMENTO; PROCEDIMENTO: "O ressentimento para mim não combina com meu proceder..." (Neguinho da Beija-Flor, *Bem melhor que você*) [F.: Do lat. *procedere*, 'ir para adiante'. Hom./Par.: *proceder, preceder* (em todas as fl.).]

procedimental (pro.ce.di.men.*tal*) *a2g.* Ref. a ou de acordo com certo procedimento: *Examinemos a constitucionalidade procedimental do inquérito policial.* [Pl.: *-tais.*] [F.: *procedimento* + *-al.*]

procedimento (pro.ce.di.*men*.to) *sm.* **1** Ação ou resultado de proceder **2** Modo de agir, de portar(-se); COMPORTAMENTO; CONDUTA **3** Modo de fazer alguma coisa; MÉTODO; PROCESSO **4** *Jur.* Forma legal de se encaminhar uma causa em juízo [F.: *proceder* + *-mento.*]

procedural (pro.ce.du.*ral*) *a2g.* **1** *Inf.* De procedimento: *A linguagem procedural deve ser instalada em cada banco de dados em que vai ser utilizada.* **2** Ref. a procedura, ao direito processual que trata de prazos legais (normas procedurais) [Pl.: *-rais.*] [F.: *procedura* + *-al.*]

procela (pro.*ce*.la) *sf.* **1** Tempestade marítima; TORMENTA **2** *Fig.* Grande agitação; TUMULTO [F.: Do lat. *procella, ae.*]

procelária (pro.ce.*lá*.ri.a) *sf. Zool.* Denominação comum a diversas aves oceânicas, da fam. dos procelariídeos, também conhecidas como pardelas [F.: Do it. *procellaria*, do lat. *procellaria.*]

procelariídeo (pro.ce.la.ri.*í*.de.o) *a.* **1** Que diz respeito aos procelariídeos, família de aves procelariiformes, com 12 gên. e cerca de 55 spp *sm.* **2** *Ornit.* Espécime dos procelariídeos [F.: Do lat. cient. fam. *Procellariidae.* Var.: *procelarídeo.*]

procelariiforme (pro.ce.la.ri.i.*for*.me) *a2g.* **1** Que diz respeito aos procelariiformes, ordem de aves pelágicas, com quatro fam., 23 gên. e cerca de 93 spp., ger. encontradas no hemisfério sul; PROCELARIFORME *sm.* **2** *Ornit.* Espécime dos procelariiformes [F.: Do lat. cient. ordem *Procellariiformes.*]

procelo (pro.*ce*.lo) *sm.* **1** *Zool.* Espécime dos procelos, subordem de anuros que reúne diversas famílias entre as quais se destacam os bufonídeos, hilídeos etc. *a.* **2** Ref. aos procelos **3** *Anat.* Diz-se de vértebra que tem a face anterior côncava [F.: Do lat. cient. subordem *Procoela.*]

proceloso (pro.ce.*lo*.so) [ô] *a.* **1** Que é sujeito a procelas (mares procelosos); TEMPESTUOSO **2** Que origina tempestade (ventos procelosos) [Pl.: [ó]. Fem.: [ó].] [F.: Do lat. *procellosus, a, um.*]

prócer (*pró*.cer) *sm.* Homem importante de uma nação, classe, partido etc.: "Muito bem sabiam os próceres de Cartago que não viriam encontrar no Ocidente apenas terra batida..." (Aquilino Ribeiro, *Os avós dos nossos avós*) [F.: Do lat. *procer, eris.* Hom./Par.: *prócer* (sm.), *prócero* (a.).]

processado (pro.ces.*sa*.do) *a.* **1** Submetido a processo penal; AUTUADO: *Pastor processado por alegado discurso discriminatório encoraja igreja a evitar a timidez.* **2** Que passou por transformações (queijo processado; gás processado) **3** Diz-se de documento, dado etc. que foi verificado; CONFERIDO *sm.* **4** *Jur.* Tudo que faz parte de um processo [F.: Part. de *processar.*]

processador (pro.ces.sa.*dor*) [ô] *a.* **1** Que processa *sm.* **2** Aquele ou aquilo (dispositivo) que processa **3** *Inf.* Componente físico de um computador, responsável pela manipulação de dados e programas [F.: *processar* + *-dor.*] ■ **~ central** *Inf.* Ver *Unidade central de processamento* no verbete *unidade* **~ de alimentos** Equipamento de cozinha que prepara alimentos de várias maneiras exercendo várias funções (descascador, misturador, liquidificador etc.) **~ de texto** *Inf.* Aplicativo para escrita, formatação (escolha de fonte, alinhamento de parágrafos, disposição na página e muito mais) e impressão de textos, com recursos de pesquisa e localização, correções automáticas, inclusão de imagens etc. [Cf.: *editor de texto.* Tb. *tratador de texto* (*Lus.*).]

processamento (pro.ces.sa.*men*.to) *sm.* **1** Ação ou resultado de processar **2** *Inf.* Processamento de dados [F.: *processar* + *-mento.*] ■ **~ de dados** *Inf.* Organização, classificação, tratamento e armazenamento de dados e informações em computador ou outro dispositivo, de forma a ter acessos diversificados ou associá-las de acordo com suas diferentes significações e áreas de interesse etc. **~ de texto** *Inf.* Uso de processador de textos (ver no verbete *processador*) para redigir, editar, formatar e imprimir textos **~ distribuído** *Inf.* Processamento (2) feito por dois ou mais computadores em rede **~ em lote** *Inf.* Processamento (2) no qual um determinado conjunto de dados e de instruções constitui um lote a ser processado do início ao fim, e diversos lotes sequencialmente, sem interação com o usuário até o resultado final **~ em série** *Inf.* Processamento (2) no qual cada instrução só é cumprida após o cumprimento da precedente, de acordo com o programa [Cf.: *Processamento paralelo.*] **~ paralelo** *Inf.* Processamento (2) no qual o conjunto de instruções e respectivas tarefas é dividido, por instrução do programa, entre dois ou mais processadores que as executam em paralelo, agilizando o processo [Cf.: *Processamento em série.*]

processante (pro.ces.*san*.te) *a2g.* **1** Que processa **2** Diz-se de autoridade ou entidade judicial que preside um processo (comissão processante) [F.: *processar* + *-nte.*]

processar (pro.ces.*sar*) *v.* **1** *Jur.* Mover ação judicial contra (alguém ou algo); ACIONAR [*td.*] **2** *Inf.* Submeter (dados) a processamento [*td.*] **3** *Fig.* Dar tratamento material ou intelectual [*td.: Ainda não processamos os últimos acontecimentos.*] **4** Acontecer, desenrolar-se [*int.:* "O ritual devia processar-se lentamente com o banho de mar..." (Pepetela, *A geração da utopia*)] **5** *Jur.* Reunir e ordenar em forma de processo (documentos judiciais ou administrativos) de acordo com a lei; AUTUAR [*td.*] **6** *Cul.* Picar, moer ou triturar alimentos com a finalidade de usá-los no preparo de pratos [▶ 1 processar] [F.: *processo* + *-ar*². Hom./Par.: *processo* (fl.), *processo* (sm.); *processáveis* (fl.), *processáveis* (pl. de *processável*).]

processional (pro.ces.si.o.*nal*) *a2g.* **1** Próprio de ou relativo a procissão (cruz processional; carro processional) **2** Disposto em forma de procissão: "...o modelo do Carnaval é o modelo processional..." (Rita Amaral, "Festa à brasileira: sentidos do festejar no país que 'não é sério'") [Pl.: *-nais.*] [F.: *procissão* (f. radical *procession-*) + *-al.*]

processo (pro.*ces*.so) *sm.* **1** Ação de proceder, de dar seguimento (a algo): *Seu pedido está em processo de avaliação* **2** Série de ações ou operações visando a um resultado (processo de seleção/de fabricação) **3** Desenvolvimento gradativo de uma atividade, um fenômeno etc. (processo de aprendizagem/de crescimento) **4** Maneira de executar qualquer coisa; MÉTODO: *Tapetes feitos por processo manual.* **5** Conjunto de documentos com os quais se dá andamento a determinada questão: *O processo já foi protocolado.* **6** *Jur.* Ação judicial (entrar com um processo) **7** *Jur.* As peças referentes a uma ação judicial; AUTOS **8** *Anat.* Ressalto na extremidade de um osso **9** *Anat.* Qualquer prolongamento anatômico de uma parte principal (de um órgão) [*Processo* substituiu *apófise* na nova terminologia anatômica.] [F.: Do lat. *processus, us.* Hom./Par.: *processo* (sm.), *processo* (fl. de *processar*).] ■ **~ coracoide/coracoideo** *Anat.* Processo (8) na borda superior externa da escápula **~ espinhoso** *Anat.* Projeção para trás, em forma de espinha, de uma vértebra **~ estiloide** *Anat.* Projeção pontiaguda de alguns ossos **~ estocástico** *Est.* Aquele no qual a um dado valor de uma variável corresponde um valor provável de outra **~ mastoide** *Anat.* Processo (8) de forma cônica na base do osso temporal **~ temporal** *Anat.* Processo (8) do osso zigomático, que se articula com o processo zigomático do osso temporal **~ zigomático** **1** *Anat.* Processo (8) do osso temporal que se articula com o processo temporal do osso zigomático **2** Proeminência da maxila articulada com o osso zigomático **3** Saliência do osso frontal, que forma com o osso zigomático a borda lateral da órbita ocular

processual (pro.ces.su.*al*) *a2g.* Ref. a processo judicial [Pl.: *-ais.*] [F.: *processo* (*-o-* > *-u-*) + *-al.*]

processualista (pro.ces.su.a.*lis*.ta) *s2g. Jur.* Profissional especialista em processualística: *Uma processualista cearense na luta pelo fortalecimento da Advocacia Pública e da Justiça Socioambiental.* [F.: *processual* + *-ista.*]

processualística (pro.ces.su.a.*lís*.ti.ca) *sf. Bras. Jur.* Teoria do processo judicial [F.: Fem. substv. de *processualístico.*]

processualístico (pro.ces.su.a.*lís*.ti.co) *a.* Que diz respeito a processualística ou a processualistas: *o sistema processualístico vigente no país.* [F.: *processualista* + *-ico*².]

procissão (pro.cis.*são*) *sf.* **1** *Rel.* Cortejo em que sacerdotes e fiéis seguem em fila recitando orações, cantando preces, carregando imagens ou alguma relíquia digna de veneração etc. **2** *P. ext.* Cortejo, séquito, comitiva **3** *Fig.* Série de pessoas que vão caminhando umas atrás das outras [Pl.: *-sões.*] [F.: Do lat. *processio, onis.* Hom./Par.: *procissão* (sf.), *processão* (sf.).]

proclama (pro.*cla*.ma) *sm.* **1** Edital de casamento publicado em órgão oficial **2** Anúncio de casamento, lido nas igrejas; PROCLAMAÇÃO [Mais us. no pl.] [F.: Dev. de *proclamar.* Hom./Par.: *proclama* (sm.), *proclama* (fl. de *proclamar*). Ver tb. *proclamas.*]

proclamação (pro.cla.ma.*ção*) *sf.* **1** Ação ou resultado de proclamar, de anunciar publicamente **2** Escrito que contém o que se proclamou **3** Proclama (2) [Pl.: *-ções.*] [F.: Do lat. *proclamatio, onis.*]

proclamado (pro.cla.*ma*.do) *a.* **1** Que foi largamente anunciado; DECLARADO: *Outro objetivo proclamado é o de que creches e pré-escolas deverão fazer parte da educação básica.* [Ant.: *calado, omitido.*] **2** Declarado solenemente: *Em 24.10.2005, terminou o Ano da Eucaristia, proclamado pelo Papa João Paulo II.* **3** Decretado, publicado: *Que tal começarmos a exercer o jamais proclamado direito de sonhar?* **4** Afirmado com ênfase; AFIANÇADO: *No irreverente manifesto 'O direito à preguiça', Paul Lafargue faz a defesa do direito ao ócio, em oposição ao tão proclamado 'direito ao trabalho'.* [Ant.: *contestado, desmentido.*] [F.: Part. de *proclamar.*]

proclamador (pro.cla.ma.*dor*) [ô] *a.* **1** Que proclama *sm.* **2** Aquele que proclama [F.: Do lat. *proclamator, oris.*]

proclamar (pro.cla.*mar*) *v.* **1** Anunciar em público e em voz alta; aclamar com solenidade; ACLAMAR [*td.:* "Um magistrado proclama à face da nação inteira a inocência de Jesus Cristo." (Montalverne)] **2** Tornar público; pronunciar publicamente e com grande entusiasmo; declarar enfaticamente [*td.: Proclamou que seria um presidente revolucionário.*] [*tdi.* +a: *Proclamava ao povo que defenderia a nação.*] **3** *Jur.* Decretar uma lei [*td.: proclamar uma lei a favor dos deficientes.*] **4** Fazer aclamar; CELEBRAR; EXALTAR [*td.: A poesia homérica proclama a excelência humana.*] **5** Conferir em voz alta e em público o título ou epíteto a [*tdp.: Proclamou o jogador "rei do futebol"; Proclamou-se rei da sinuca.*] **6** Elevar (alguém ou a si mesmo) a nível de maior importância; arvorar-se em; converter-se em [*td.: Proclamaram-no chefe da seita religiosa.*] [▶ 1 proclamar] [F.: Do lat. *proclamare* 'gritar, dizer em voz alta'. Hom./Par.: *proclama(s)* (fl.), *proclama(s)* (sm. [pl.]).]

proclamas (pro.*cla*.mas) *smpl.* Anúncio público de matrimônio a realizar-se, convidando os fiéis a darem a conhecer eventuais impedimentos quanto à sua realização; BANHOS: *Os proclamas eram afixados nas portas das igrejas de todas as freguesias da cidade, para se tornar público o ato.* [F.: Dev. de *proclamar.* Hom./Par.: *proclamas* (fl. de *proclamar*).]

próclise (*pró*.cli.se) *sf. Gram.* Fenômeno de pronúncia que integra, como sílaba inicial, um vocábulo átono (ger. artigos, pronomes, preposições, conjunções) ao vocábulo que o segue (p. ex.: *o caso, se tentou, de malha* etc.) [F.: *pro-* + *-clise*¹. Cf.: *ênclise* e *mesóclise.*]

proclítico (pro.*clí*.ti.co) *a.* Diz-se da palavra em próclise [F.: Do lat. cient. *procliticus.* Cf.: *enclítico* e *mesoclítico.*]

proclive (pro.*cli*.ve) *a2g.* **1** Inclinado para diante: *Serão [os porcos] posicionados em decúbito dorsal, em proclive de 20 graus e submetidos a sondagem orogástrica com aspiração do conteúdo do estômago.* **2** *P. us.* Tendente, simpatizante: "Nesse sentido, não haveria texto barroco – e, talvez, mais ainda neobarroco, considerando a multiplicidade das escolhas (formais, ideológicas, discursivas) da contemporaneidade – sem um leitor a ele proclive." (Horácio Costa, "A poesia neobarroca na América Latina": "(...) alterando e agredindo a rotina visual, mental, a que é tão proclive a espécie humana." (Luis Camillo Osório et alii, "Momentos da Arte no Século XX – Lá e Cá") [F.: Do lat. *proclivis, e.*]

⊠ **Procon** Sigla de *Procuradoria de Proteção e Defesa do Consumidor*

procônsul *sm.* Na antiga Roma, magistrado que governava uma província com a autoridade de um cônsul [F.: Do lat. *proconsul, is.*]

pró-córion (pró-*có*.ri:on) *sm. Emb.* Revestimento albuminífero do ovo quando passa pela tromba uterina [Pl.: *pró-córions e pró-coriones.*] [F.: *pró- + córion.*]

procrastinação (pro.cras.ti.na.*ção*) *sf.* Ação ou resultado de procrastinar; ADIAMENTO [Pl.: *-ções.*] [F.: Do lat. *procrastinatio, onis.*]

procrastinado (pro.cras.ti.*na*.do) *a.* Transferido para outra ocasião (compromisso procrastinado); ADIADO; DELONGADO; PROTELADO [Ant.: *adiantado, antecipado.*] [F.: Part. de *procrastinar.*]

procrastinador (pro.cras.ti.na.*dor*) [ô] *sm.* 1 Aquele que procrastina, adia: *Indeciso, ele é um procrastinador compulsivo.* 2 Aquele que é lento, moroso: *O procrastinador é sempre perfeccionista.* *a.* 3 Diz-se de indivíduo procrastinador (1 e 2) [F.: *procrastinar + -dor.*]

procrastinar (pro.cras.ti.*nar*) *v.* Deixar para depois; ADIAR; POSTERGAR [*td.*: *Resolveram procrastinar a decisão.*] [*int.*: *Procrastinar só atrapalha as coisas.* Ant.: *abreviar, antecipar.*] [▶ 1 procrastinar] [F.: Do v.lat. *procrastinare.*]

procriação (pro.cri.a.*ção*) *sf.* Ação ou resultado de procriar; GERAÇÃO [Pl.: *-ções.*] [F.: Do lat. *procreatio, onis.*]

procriador (pro.cri.a.*dor*) [ô] *a.* 1 Diz-se de quem ou do que procria (órgão procriador; touro procriador): *Como o homem, o irracional é também suscetível de apego, de amizade, sem que, porém, se preocupe com isso, quando trata de cumprir o seu mister procriador.* 2 *Fig.* Que produz, cria (ato procriador; ideias procriadoras); FÉRTIL; PROCRIATIVO *sm.* 3 Aquele ou aquilo que procria: "O pai é visto por esta mulher apenas como um procriador biológico, não havendo o reconhecimento do desejo partilhado deste casal no nascimento da criança." (Maria Regina Miranda Ewald, "Psicose puerpural: a intolerável dor de uma separação") [F.: Do lat. *procreator, oris.*]

procriar (pro.cri.*ar*) *v.* 1 Gerar, parir, reproduzir-se [*td.*: *Procriou muitos filhos.*] [*int.*: *procriar para garantir a continuidade da espécie.*] 2 Promover a procriação de: "...e trata a cada um de modo tal, que vingue, por mais bravo que fosse, a procriar bom fruto..." (Antônio Feliciano de Castilho, *Geórgicas*) 3 Provocar a germinação ou a multiplicação de (vegetais) [*td.*] 4 Germinar, brotar [*int.* O sujeito nesta acp. é um vegetal.] 5 *Fig.* Promover o crescimento ou o surgimento de (talento, líderes etc.) [*td.*: *As dificuldades procriam pessoas de fibra.*] [▶ 1 procriar] [F.: Do v.lat. *procreare.*]

proctalgia (proc.tal.*gi*.a) *sf. Med.* Dor no reto (8) [F.: *proct(o)- + -algia.*]

proctálgico (proc.*tál*.gi.co) *a. Med.* Ref. a proctalgia [F.: *proctalgia + -ico*[2]*.*]

proctectasia (proc.tec.ta.*si*.a) *sf. Med.* Dilatação do ânus ou do reto [F.: *proct(o)- + -ectasia.*]

proctectomia (proc.tec.to.*mi*.a) *sf. Cir.* Remoção do reto ou de parte dele [F.: *proct(o)- + -ectomia.*]

proctectômico (proc.tec.*tô*.mi.co) *a. Cir.* Ref. a proctectomia [F.: *proctectomia + -ico*[2]*.*]

proctite (proc.*ti*.te) *sf. Med.* Inflamação do revestimento interno do reto, ou seja, da mucosa retal, e/ou do ânus; RETITE [F.: *proct(o)- + -ite*[1]*.*]

◎ **-proct(o)-** *el. comp.* Ver *proct(o)-*

◎ **-procto** *el. comp.* Ver *proct(o)-*

◎ **proct(o)-** *el. comp.* = 'ânus'; 'reto (8)': *proctalgia, proctasia, protectomia, proctite, proctologia, proctoscopia; coloproctologia; periprocto.* [F.: Do gr. *proktós, oû.*]

proctologia (proc.to.lo.*gi*.a) *sf. Med.* Ramo da medicina que trata das doenças do reto e do ânus [F.: *proct(o)- + -logia.*]

proctológico (proc.to.*ló*.gi.co) *a. Med.* Ref. à proctologia [F.: *proctologia + -ico*[2]*.*]

proctologista (proc.to.lo.*gis*.ta) *s2g. Med.* Médico que se especializou em proctologia [F.: *proctologia + -ista.*]

proctoscopia (proc.tos.co.*pi*.a) *sf. Med.* Exame do reto e do ânus por meio de retoscópio; RETOSCOPIA [F.: *proct(o)- + -scopia.*]

procura (pro.*cu*.ra) *sf.* 1 Ação de procurar; BUSCA: *Seu irmão está à sua procura; É grande a procura de informações pela internet.* 2 *Econ.* Interesse do consumidor em comprar determinado produto ou serviço; DEMANDA: *O calor fez aumentar a procura por ventiladores.* [F.: Dev. de *procurar*. Hom./Par.: *procura* (sf.), *procura* (fl. de *procurar*).]

procuração (pro.cu.ra.*ção*) *sf.* 1 Poder ou autorização que uma pessoa confere a outra para que trate de, ou assuma, em seu nome, seus interesses, providências, responsabilidades etc.; MANDATO 2 *Jur.* O documento ou instrumento que registra e oficializa uma procuração (1) [Pl.: *-ções.*] [F.: Do lat. *procuratio, onis.*] ■ **~ apud acta** *Jur.* Procuração verbal do réu a seu defensor, por declaração ao juiz **~ por instrumento particular** *Jur.* Procuração escrita de próprio punho, ou datilografada, ou digitada, com reconhecimento da firma do mandante e (caso de próprio punho) da caligrafia **~ por instrumento público** *Jur.* Procuração feita por tabelião público em seu livro de notas, da qual extrai cópia(s) para uso do outorgante ou do outorgado

procurado (pro.cu.*ra*.do) *a.* Que se procura ou se procurou [F.: Part. de *procurar.*]

procurador (pro.cu.ra.*dor*) [ô] *sm.* 1 Quem recebeu uma procuração para tratar dos interesses de alguém; MANDATÁRIO 2 Advogado do Estado, membro do Ministério Público 3 Intermediário, mediador *a.* 4 Que procura [F.: Do lat. *procurator, oris.*] ■ **~ da Justiça** Representante do Ministério Público em processos de alta instância

procuradora (pro.cu.ra.*do*.ra) [ô] *sf.* 1 Mulher que exerce a função de procurador 2 *Astr.* Pequena luneta instalada na montagem de um grande instrumento e destinada a facilitar sua colocação em posição apropriada para observação [F.: Fem. de *procurador.*]

procuradoria (pro.cu.ra.do.*ri*.a) *sf.* Atividade ou escritório de procurador (2) [F.: *procurador + -ia*[1]*.*]

procurar (pro.cu.*rar*) *v.* 1 Tentar encontrar (o que se acha perdido) [*td.*: *Procurou o retrato entre os papéis.*] 2 Esforçar-se para conseguir; empenhar-se em [*td.*: *Procure ajuda!*: "...eu que sempre procurara estudar..." (João Ubaldo Ribeiro, *Diário do farol*) Ant.: *descuidar-se, desistir.*] 3 Buscar (solução ou explicação); INVESTIGAR; PESQUISAR [*td.*: *Há anos procuram a cura para o câncer.*] 4 Ir atrás de (alguém); perguntar por [*td.*: *O chefe procurou você há pouco.*] [*tr.* +*por*: *Se procurarem por mim, diga que já volto.*] 5 Tentar falar com [*td.* /*tr.* +*por*: *Se estás tão arrependida, procures (por) seu pai, abra-lhe o coração.*] 6 Escolher e separar (o que parecer melhor) entre muitos; SELECIONAR [*td.*: *Durante algum tempo, as mulheres vivem procurando o homem ideal; Procura sempre palavras bombásticas.*] 7 Dirigir-se, encaminhar-se para; DEMANDAR [*td.*: *O vapor procurava a saída da baía.*] 8 Ser atraído por [*td.*: *O ferro procura o ímã.*] 9 *Jur.* Exercer as funções de procurador [*int.*] [▶ 1 procurar] [F.: Do lat. *procurare.* Hom./Par.: *procura(s)* (fl.), *procura(s)* (sf. [pl.]).]

procuratório (pro.cu.ra.*tó*.ri.o) *a.* 1 Ref. a procuração, ou que tem o valor ou a função de uma procuração (instrumento procuratório; endosso procuratório) *sm.* 2 Mandato procuratório: *É vedado ao advogado estrangeiro o exercício do procuratório judicial.* [F.: Do lat. *procuratorius, a, um.*]

prodigalidade (pro.di.ga.li.*da*.de) *sf.* 1 Caráter ou qualidade de pessoa pródiga 2 Ação de prodigalizar; ESBANJAMENTO; DESPERDÍCIO [Ant.: *economia, parcimônia.*] 3 Generosidade, liberalidade, dadivosidade 4 Profusão, abundância [F.: Do lat. tard. *prodigalitas, atis.*]

prodigalizar (pro.di.ga.li.*zar*) *v. td.* 1 Gastar sem controle; ESBANJAR; DILAPIDAR; PRODIGAR [*td.*: *Os netos prodigalizavam a fortuna da família.* Ant.: *economizar.*] 2 Dar (algo) (a alguém) com generosidade excessiva [*td.* /*tda.* +*a*: *prodigalizar elogios (ao) afilhado.*] 3 Expor a perigo, a risco; ARRISCAR [*td.*: *prodigalizar a saúde.*] 4 Gastar-se, cansar-se; atender a tudo e a todos [*Pr.*: "Meu marido é um homem honesto e trabalhador. Cansa-se, luta, prodigaliza-se." (Eça de Queirós e Ramalho Ortigão, *O mistério da estrada de Cintra*)] [▶ 1 prodigalizar] [F.: Do rad. lat. *prodigal-*, como em *prodigalidade*, + *-izar.*]

prodígio (pro.*dí*.gi.o) *sm.* 1 Coisa ou feito fora do comum ou sobrenatural; MARAVILHA; PORTENTO: *os prodígios dos heróis mitológicos.* 2 Pessoa extremamente talentosa; GÊNIO; PORTENTO: *Ele é um prodígio no saxofone.* *a.* 3 Diz-de de criança excepcionalmente inteligente, precoce (menino prodígio) [F.: Do lat. *prodigium, ii.*]

prodigioso (pro.di.gi.*o*.so) [ô] *a.* 1 Que tem o caráter de prodígio; que parece sobrenatural; MIRACULOSO; FANTÁSTICO: *os prodigiosos trabalhos de Hércules.* 2 Estupendo, portentoso, extraordinário: "...o goleiro teve uma prodigiosa atuação na noite de quarta-feira..." (*O Globo*, 24.11.2000) [Pl.: [ó]. Fem.: [ó].] [F.: Do lat. *prodigiosius, a, um.*]

pródigo (*pró*.di.go) *a.* 1 Que gasta demais; ESBANJADOR; GASTADOR 2 Que dá, distribui, faz ou emprega com profusão e sem dificuldade; GENEROSO: *Ele é pródigo em elogios; A natureza foi pródiga com essa moça.* 3 Que produz muito, com facilidade (região pródiga); FECUNDO; FÉRTIL [Superl.: *prodigalíssimo.*] *sm.* 4 Pessoa pródiga (1 e 2) 5 *Mar.* Peça que reforça o costado do navio [F.: Do lat. *prodigus, a, um.* Hom./Par.: *pródigo* (a. sm.), *prodigo* (fl. de *prodigar*).]

pródito (*pró*.di.to) *a.* 1 *P. us.* Atraiçoado, traído 2 Que se revelou; dado à luz; DESVENDADO; DIVULGADO: "Meus dias são uma jangada velejando num mar desconhecido/ Transportando um 'eu' – pródito – poeta-principiante!" (Edio de Oliveira Júnior, "Navego contra o destino" *in Poesias*) [F.: Do lat. *proditus, a, um.*]

proditor (pro.di.*tor*) [ô] *a. sm. Antq. P. us.* O mesmo que *traidor*: "...seria ser proditor das mesmas ovelhas que Cristo me entregou e de que lhe hei de dar conta..." (Pe. Antônio Vieira, *Sermão da Epifania*) [F.: Do lat. *proditor, oris.*]

proditório (pro.di.*tó*.ri:o) *a.* 1 *Antq.* Em que há traição; ALEIVOSO; TRAIÇOEIRO: "...homicídio proditório..." (Antônio de Morais e Silva, *Diccionario da Língua Portugueza* (2ª edição, 1813)) 2 Ref. a traição [F.: Do lat. *proditorius, a, um.*]

prodrômico (pro.*drô*.mi.co) *a. Med.* Ref. a pródromo; INICIAL: "Compreensão da dor como sintoma prodrômico do infarto agudo do miocárdio: vivências da clientela para ações imediatas." (Fernanda Carneiro Mussi, *Curriculum vitae*) [F.: *pródromo + -ico*[2]*.*]

pródromo (*pró*.dro.mo) *sm.* 1 Espécie de prefácio, introdução explicativa; PREÂMBULO: *O pródromo e a peça O Escravocrata encontram-se no tomo 2 do Teatro de Artur de Azevedo, na coleção Clássicos do Teatro Brasileiro.* 2 Prenúncio, preliminar, exórdio: *A Inconfidência Mineira é o pródromo da nossa libertação.* [Tb. us. no pl.: *Depois da Ilíada que relata os pródromos da queda de Troia, Homero compôs a Odisseia.*] 3 *Med.* Conjunto de sintomas iniciais de uma doença: "...muitos pacientes... relatam pouco ou quase nenhum sintoma (pródromo) antes da síncope..." (Blair P. Grubb, Sérgio do Carmo Jorge, "Aspectos da classificação, diagnóstico e tratamento das síndromes de disfunção anatômica associada a intolerância ortostática"; A recorrência no aparecimento de lesões de orofaringe (geralmente com pródromos de coceira ou ardência por comprometimento de raízes nervosas). Tb. us. no pl.] [F.: Do gr. *pródromos, ou* 'o que corre adiante'.]

produção (pro.du.*ção*) *sf.* 1 Ação ou resultado de produzir 2 Tudo o que é criado, feito, gerado, ou o processo de produzi-lo (produção intelectual; produção literária; produção industrial); PRODUTO 3 Capacidade de produzir; PRODUTIVIDADE 4 *Econ.* Criação de bens e serviços para atender às necessidades econômicas 5 *Cin. Rád. Teat. Telv.* Atividades do processo de realização de vídeos, espetáculos musicais, de artes cênicas, de programas radiotelevisivos etc., que vão desde a obtenção de recursos financeiros à escolha de elenco, figurino etc. 6 A quantidade ou o valor de bens produzidos em determinado setor de atividade: *A produção de petróleo do Brasil já ultrapassou 1,5 milhão de barris diários.* 7 O conjunto de obras produzidas por alguém, empresa etc., ou em determinado lugar, época, escola estilística etc.: *a produção literária no Brasil contemporâneo; álbum com toda a produção de Tom Jobim.* 8 *Publ.* Numa agência de publicidade, o setor que executa os projetos desenvolvidos pela criação; a atividade desse setor [Pl.: *-ções.*] [F.: Do lat. *productio, -onis.*] ■ **~ de par** *Fís.* Transformação de um fóton num par de partículas: um elétron e um pósitron **~ editorial** Preparação de uma obra editorial, desde o recebimento dos originais até a efetiva publicação **~ gráfica** Preparação de uma obra editorial no que tange a sua consecução física, desde a composição até a impressão e o acabamento

producente (pro.du.*cen*.te) *a2g.* 1 Que produz [Ant.: *improducente*] 2 Produtivo, proveitoso 3 Concludente, procedente (argumento producente) [F.: Do lat. *producens, entis.*]

produtividade (pro.du.ti.vi.*da*.de) *sf.* 1 Qualidade, característica ou capacidade do que ou de quem é produtivo; capacidade de produzir [Ant.: *improdutividade.*] 2 Eficiência, rendimento na produção 3 O total produzido 4 *Econ.* Relação entre os bens produzidos (medidos em valor ou quantidade) e os bens e insumos de produção (máquinas, matéria-prima, mão de obra etc.) 5 *Ling.* Uso frequente de certos elementos para formar novas palavras [F.: *produtivo + -(i)dade.*]

produtivismo (pro.du.ti.*vis*.mo) *sm.* Doutrina político-econômica que considera a produção máxima o fim único da evolução social: "A lógica do produtivismo orienta a vida de um grupo de indivíduos (os 'consumidores adequados'), enquanto um outro grupo (os 'consumidores falhos') fica à deriva econômica, política, social e psicológica, lutando pela sobrevivência." (Holgonsi Soares Gonçalves Siqueira, "A ideologia do produtivismo") [F.: *produtivo + -ismo.*]

produtivista (pro.du.ti.*vis*.ta) *a2g.* Ref. a ou próprio do produtivismo: "Na realidade, o modelo produtivista resolveu parcialmente o problema de quantidade de alimentos, mas não resolveu o problema da fome por causa da pobreza (falta de acesso aos alimentos)." (Embrapa, "Modelo produtivista de desenvolvimento tecnológico") [F.: *produtivo + -ista.*]

produtivo (pro.du.*ti*.vo) *a.* 1 De, ref. a produção (processo produtivo) 2 Que produz (terras produtivas) [Ant.: *improdutivo*] 3 Que traz proveito, que rende; PROVEITOSO; RENDOSO: *A agricultura tem se mostrado uma atividade produtiva.* [F.: Do lat. *productivus, a, um.*]

produto (pro.*du*.to) *sm.* 1 Aquilo que é resultado de uma atividade humana ou de processo natural (produto industrial; produto intelectual); PRODUÇÃO 2 Coisa ou objeto produzidos como bem de consumo ou de comércio; ARTIGO; MERCADORIA 3 Quantia recebida ou apurada: *produto de uma venda.* 4 *Mat.* Resultado da operação de multiplicação 5 *Econ.* Valor total, ger. anual, dos bens e serviços produzidos num país 6 *Quím.* Substância resultante de uma transformação química 7 *Mat.* O mesmo que *interseção* (5) [F.: Do lat. *productus, a, um.*] ■ **~ cartesiano** *Mat.* Cada par ordenado composto por elementos de dois conjuntos **~ escalar** *Cálc. vet.* Dados dois vetores definidos por seus vetores componentes, formando cada par com o componente correspondente do outro vetor, soma dos produtos de cada componente de um vetor por seu par do outro; produto interno [O produto escalar dos vetores $A(A_x, A_y, A_z)$ e $B(B_x, B_y, B_z)$ é $(A_xB_x + A_yB_y + A_zB_z)$.] **~ externo** *Cálc. vet.* Ver *Produto vetorial* **~ final** *Econ.* Configuração de um produto para aquisição do consumidor final [Cf.: *produto intermediário.*] **~ intermediário** 1 *Econ.* Configuração de um produto como insumo de uma fase no processo de produção [Cf.: *produto final.*] 2 *Quím.* Qualquer substância no início ou no meio de uma sequência de reações, ainda não em sua configuração final [Tb. se diz apenas *intermediário.*] **~ interno** 1 *Cálc. vet.* Ver *Produto escalar* 2 *Econ.* Valor total dos bens e serviços produzidos num país, incluindo os pagamentos externos a fatores de produção. [Cf.: *Produto nacional*.] ~ **interno bruto** *Econ.* Produto interno (2), incluindo a depreciação [Sigla: *PIB*. Cf.: *Produto interno líquido*.] ~ **interno líquido** *Econ.* Produto interno (2), não incluindo a depreciação [Cf.: *Produto interno bruto*.] ~ **nacional** *Econ.* Valor total dos bens e serviços produzidos num país, não incluindo os pagamentos externos a fatores de produção [Cf.: *produto interno* (2).] ~ **nacional bruto** *Econ.* Produto nacional, incluindo gastos de depreciação [Sigla: *PNB*.] ~ **nacional líquido** *Econ.* Produto nacional, não incluindo a depreciação ~ **parcial** *Arit.* Resultado da multiplicação do multiplicando por um dos algarismos de ordem do multiplicador [Na operação de multiplicar, cada parcela da soma que constitui o produto.] ~ **primário** *Econ.* Produto em estado bruto, obtido de atividade agropecuária ou de extração vegetal ou mineral ~ **químico** *Quím.* Qualquer substância, pura ou decomposição conhecida, adequada ao uso a que se destina, produzida em laboratório ou pela indústria química como produto final ou ingrediente de novos produtos ~ **vetorial** *Cálc. vet.* Vetor perpendicular ao plano definido por dois outros vetores, e de módulo igual ao produto dos módulos destes dois pelo seno do ângulo que formam entre si; produto externo

produtor (pro.du.*tor*) [ô] *a.* **1** Que produz (classe produtora) *sm.* **2** Aquele que produz: *produtor de um texto.* **3** Pessoa, empresa, região etc. que produz mercadorias: *os produtores de remédios; o maior produtor mundial de soja.* **4** Pessoa que é responsável por produção (5): *produtor de um filme.* [F.: Do lat. *productor-oris*.] ■ ~ **gráfico** Profissional que cuida da produção gráfica de uma publicação

produtora (pro.du.*to*.ra) [ô] *sf.* **1** Empresa que faz produção de filmes, espetáculos, eventos, *shows* etc. **2** Mulher que trabalha com produção de eventos, filmes, peças, *shows* etc. [F.: Fem. de *produtor*.]

produtriz (pro.du.*triz*) *a. P. us.* Fem. de produtor [F.: De *produ(zir)* + *-triz*, por anal. com fem. em *-triz* formados no próprio lat. como *abdicatriz, belatriz e expultriz*.]

produzido (pro.du.*zi*.do) *a.* **1** Que se produziu: *Na fazenda, parte do leite produzido vira queijo.* **2** Cultivado, gerado: *Café produzido por Minas é um dos destaques em simpósio de alimentos.* **3** Feito, fabricado: *Jogo produzido e distribuído pela mesma empresa; É o primeiro veículo multicombustível produzido no Brasil.* **4** Feito, realizado (isto é: financiado, supervisionado e executado): *A série "O escritor por ele mesmo", produzida pelo IMS, foi muito elogiada pelos críticos.* **5** Feito, elaborado: "Texto produzido pelo Centro de Bioética..." (*cremesp.org.br*) **6** Gerado ou causado: *O som no telhado produzido pelo vento era assustador.* **7** *Bras. Pop.* Diz-se de pessoa que está vestida, penteada, maquiada etc. com elegância ou esmero [F.: Part. de *produzir*. As acps. de 2 a 7 são restritivas da 1ª.]

produzir (pro.du.*zir*) *v.* **1** Fazer nascer de si; DAR; GERAR [*td.: Essa árvore não produz frutos.*] [*int.: Horta bem cuidada produz muito.*] **2** Fabricar [*td. /int.: A usina parou de produzir (açúcar).*] **3** Causar, produzir, originar [*td.: O remédio produziu uma reação na pele; O medo pode produzir visões.*] **4** Criar usando a imaginação [*td.: O pintor produz melhor (seus quadros) à noite;* "...naqueles tempos em que se produziam boatos em ritmo industrial..." (João Ubaldo Ribeiro, *Diário do farol*)] **5** Levar a efeito; REALIZAR [*td.: As professoras produziram um ótimo trabalho.*] **6** Alegar: *Produziu argumentos irrespondíveis.* **7** Fazer produção (5) de (*show*, filme, evento etc.) [*td.*] **8** *Bras. Pop.* Vestir (alguém ou a si mesmo) com sofisticação [*td.: Produziu-se toda para a festa; Produziu a mãe, deixando-a irreconhecível.*] **9** Dar (algo) como proveito ou rendimento a (alguém); RENDER [*td. /tdi. +a: Tem uma firma que (lhe) produz excelentes lucros.*] **10** Ser o lugar ou a época do nascimento de (alguém ou algo) [*td.: Um país que produziu grandes homens; A década de 1960, no Brasil, produziu compositores magníficos.*] **11** Ser o inventor, o descobridor ou o criador de (algo) [*td.: Quem produziu a bússola, os chineses ou os europeus?*] **12** *Jur.* Apresentar (testemunhas, documentos, provas) [*td.: O advogado era mestre em produzir testemunhas de última hora.*] **13** Tornar-se realidade; ACONTECER; DAR-SE [*int.: Se os vaticínios se produzirem, estaremos ricos.*] [▶ **57** produ**zir**] [F.: Do lat. *producere*. Ideia de 'que produz': -fero (vinífero); -gero (lanígero); -paro (ovíparo).]

proeiro (pro.*ei*.ro) *sm.* **1** Tripulante que, numa embarcação, está encarregado da proa: "O outro é o proeiro. Este acompanha as manobras que são definidas pelo timoneiro, como mudar de lado, mudar as velas, as posições..." (*Folha de S.Paulo*, 10.01.2006) **2** Marinheiro que trabalha com o gancho metálico posto na extremidade de uma haste de madeira para facilitar as manobras de atracação de embarcação miúda [F.: *proa* + *-eiro*.]

proejar (pro.e.*jar*) *v. ta. P. us. Mar.* Navegar em determinada direção; APROAR [▶ **1** proe**jar**] [F.: *pro(a)* + *-ejar*.]

proeminência (pro.e.mi.*nên*.ci.a) *sf.* **1** Atributo, estado ou aspecto do que é proeminente **2** A parte proeminente, a que sobressai de/em algo; PROTUBERÂNCIA; SALIÊNCIA **3** Elevação de terreno **4** *Fig.* Qualidade ou característica do que é superior material, espiritual ou moralmente; SUPERIORIDADE; PREEMINÊNCIA [F.: Do lat. *proeminentia, ae.* Hom./Par.: *proeminência* (sf.), *preeminência* (sf.).] ■ ~ **laríngea** *Anat.* Protuberância na parte anterior do pescoço, causada por parte saliente no alto da cartilagem tireoidea, mais proeminente nos homens do que nas mulheres [Comumente chamada *pomo de adão*.] ~ **solar** *Astr.* Jato brilhante de gás emitido pelo Sol, acima da cromosfera [Cf.: *Protuberância solar*.]

proeminente (pro.e.mi.*nen*.te) *a2g.* **1** Que se eleva acima do que está em volta; ALTO: *uma rocha proeminente.* **2** Que sobressai (feições proeminentes); SALIENTE **3** Que é superior, notável, pelo poder, riqueza, inteligência, cultura, moral etc. que possui; ILUSTRE; PREEMINENTE [F.: Do lat. *proeminens, entis*. Hom./Par.: *proeminente* (a2g.), *preeminente* (a2g.).]

proeza (pro.*e*.za) [ê] *sf.* **1** Ato admirável, que requer coragem e/ou destreza para ser praticado; FAÇANHA **2** *Irôn. Pop.* Qualquer ato incomum ou escandaloso (proezas gastronômicas; proezas sexuais) [F.: Do fr. ant. *proece* (atual *prouesse*).]

profanação (pro.fa.na.*ção*) *sf.* **1** Ação ou resultado de profanar; SACRILÉGIO **2** *Fig.* Ato desrespeitoso ou irreverência contra qualquer pessoa ou coisa digna de respeito: *profanação de um túmulo; profanação de um livro sagrado.* **3** *Fig.* Mau emprego que abusivamente se faz de algo respeitável [Pl.: *-ções*.] [F.: Do lat. *profanatio, onis*.]

profanado (pro.fa.*na*.do) *a.* Que se profanou (túmulo profanado) [F.: Do lat. *profanatus, a, um*.]

profanador (pro.fa.na.*dor*) [ô] *a.* **1** Que profana; PROFANANTE *sm.* **2** Aquele ou aquilo que profana [F.: Do lat. *profanator, oris*.]

profanar (pro.fa.*nar*) *v. td.* **1** Desrespeitar a santidade de (lugares ou coisas sagradas): "Os assaltantes profanaram o templo judaico, danificando objetos de culto..." (*O Globo*, 27.08.2001) **2** Violar, desrespeitar (normas, princípios etc.): *Ao recebê-lo mal, profanou todas as regras da hospitalidade.* **3** Diminuir o valor ou fazer uso indigno de; AVILTAR; DEGRADAR: *Certas composições profanam a música.* [Ant.: *dignificar, engrandecer*.] **4** *Fig.* Manchar, macular, infamar: *Acha que o divórcio profanará a honra da filha.* **5** *Fig.* Ofender, insultar, injuriar: *O excesso de palavrões dos jogadores profanava o ouvido daquelas senhoras.* [Ant.: *exaltar, honrar*.] [▶ **1** profa**nar**] [F.: Do lat. *profanare*. Hom./Par.: *profano* (fl.), *profano* (a. sm.); *profanáveis* (fl.), *profanáveis* (pl. de *profanável*).]

profanatório (pro.fa.na.*tó*.ri.o) *a.* Que profana (ato profanatório); PROFANADOR [F.: *profanar* + *-tório*.]

profanável (pro.fa.*ná*.vel) *a2g.* Suscetível de ser profanado; VIOLÁVEL [Ant.: *inviolável*.] [F.: *profanar* + *-vel*. Hom./Par.: (pl.) *profanáveis, profanáveis* (fl. de *profanar*).]

profanidade (pro.fa.ni.*da*.de) *sf.* **1** A condição de ser profano, não sagrado: "Em face dos desafios da ciência à teologia, interessa hoje à Igreja ter elementos que sejam profissionais, simultaneamente em ciência e em religião. É através deles que se consagra a Deus a profanidade científica." (Pe. Luís Archer, "A consagração da profanidade científica") **2** Ato ou dito profano; PROFANAÇÃO [F.: Do lat. *profanitas, atis*.]

profano (pro.*fa*.no) *a.* **1** Que não tem relação com a religião [Ant.: *sacro, sagrado*.] **2** Que desrespeita o que é sagrado; HERÉTICO **3** Que não pertence à religião **4** Que é próprio do mundo material em oposição aos valores espirituais (música profana); LAICO; MUNDANO *sm.* **5** Pessoa ou coisa profana **6** Indivíduo que não pertence a uma religião, seita etc. **7** *Fig.* Pessoa não iniciada em certos conhecimentos; LEIGO [F.: Do lat. *profanus, a, um*. Hom./Par.: *profano* (a. sm.), *profano* (fl. de *profanar*).]

prófase (*pró*.fa.se) *sf. Biol.* Primeiro estágio da divisão celular, em que os cromossomos duplicados se condensam e se tornam visíveis ao microscópio e o invólucro nuclear se desagrega [F.: *pro-* + *-fase*.]

profecia (pro.fe.*ci*.a) *sf.* **1** Previsão do que acontecerá no futuro, feita por um profeta; VATICÍNIO: *As profecias das Escrituras Sagradas.* **2** Previsão feita por pessoa que diz antever ou conhecer previamente acontecimentos futuros **3** Previsão baseada em presunções, probabilidades, conjecturas etc. [F.: Do lat. ecles. *prophetia, ae*, do gr. *prophēteía, as*, 'interpretação da vontade dos deuses'.]

proferir (pro.fe.*rir*) *v.* **1** Expressar oralmente; PRONUNCIAR: *proferir um discurso.* **2** Ler em voz alta (ou publicar) (esp. magistrado); DECRETAR: *O juiz proferiu sentença de absolvição.* [▶ **50** profe**rir**] [F.: Do lat. *proferere*, por *proferre*.]

professador (pro.fes.sa.*dor*.) [ô] *sm.* **1** Pessoa que professa: *Malatesta foi o maior professador da corrente realista e refletida do anarquismo.* **2** Pessoa que atua como professor: *O professador atua como norteador dos alunos.* **3** Pessoa que exerce determinada profissão: *vitoriosa carreira de professador das autênticas ciências do direito.* *a.* **4** Diz-se de quem segue os princípios, os preceitos de algo **5** Diz-se de quem faz de algo sua profissão **6** Diz-se de quem faz votos **7** Diz-se de quem reconhece algo em público **8** Que atua como professor [F.: *professar* + *-dor*.]

professar (pro.fes.*sar*) *v.* **1** Ser seguidor ou adepto de [*td.: professar uma religião.* Ant.: *negar, renegar*.] **2** Atuar como profissional de [*td.: professar a medicina.*] **3** Reconhecer (atitude, conceito, ideia) publicamente [*td. /tdi. +a: Professou sua gratidão (àqueles que o recriminaram)*. Ant.: *calar, esconder, omitir*.] **4** Propagar (princípios, ideias, conceitos); PRECONIZAR; APREGOAR [*td.: professar o ideal integralista.*] **5** Proferir votos solenes ligando-se a uma religião, a uma doutrina, a uma ordem religiosa [*int. /tr. +em: Professou (na Ordem de São Francisco) aos 27 anos.*] **6** Pôr (algo) em prática [*td.: Seria hora de o governo professar seus compromissos de campanha.*] **7** Prometer, comprometer-se, jurar [*tdi. +a: Os filiados professaram fidelidade ao partido.*] [▶ **1** profes**sar**] [F.: *professo* + *-ar*².
Hom./Par.: *professo* (fl.), *professo* (a. sm.).]

professo (pro.*fes*.so) *a.* **1** Que professou uma ordem religiosa **2** *Fig.* Que é hábil, perito, capaz **3** Ref. a ou próprio de frades e freiras (casa professa) **4** Devoto (de um santo) *sm.* **5** Religioso que professou uma ordem religiosa **6** Indivíduo hábil, perito, capaz [F.: Do lat. *professus, a, um*.]

professor (pro.fes.*sor*) [ô] *sm.* **1** Indivíduo que se especializou em ensinar, em escola ou universidade; DOCENTE; MESTRE **2** Aquele que ensina algo (disciplina, atividade, arte, ofício, técnica etc.) a alguém: *professor de judô.* **3** *Fig.* Aquele que é perito ou muito versado em alguma coisa **4** Aquele que professa uma religião *a.* **5** Que tem diploma ou título de professor ou que ensina por ofício [F.: Do lat. *professor, oris*. Hom./Par.: *professores* (pl.), *professores* (fl. de *professorar*); *professora* (fem.), *professora* (fl. de *professorar*).] ■ ~ **catedrático** *Bras. Antq.* Cargo de professor universitário, existente no Brasil até 1968, exercido por professor que prestou concurso para a cátedra de determinada matéria, e que em função disso a dirigia [Tb. apenas *catedrático*.] ~ **primário** *Bras. Antq.* Antiga designação de professor que ensinava em escola chamada *primária*, que corresponde a escola de ensino fundamental ~ **titular** Professor responsável por cátedra (1) em universidade [Tb. apenas *titular*.]

professorado (pro.fes.so.*ra*.do) *sm.* **1** A categoria profissional dos professores: *O professorado está reivindicando melhores salários.* **2** O conjunto dos professores de determinado lugar: *o professorado baiano; o professorado da Escola de Comunicação.* **3** Exercício do cargo de professor; MAGISTÉRIO: *Tem muitos anos de professorado.* [F.: *professor* + *-ado*².]

professoral (pro.fes.so.*ral*) *a2g.* **1** Ref. a professor ou a professorado (atividades professorais) **2** Que é próprio de professor (tom professoral) [Pl.: *-rais*.] [F.: *professor* + *-al*¹. Hom./Par.: *professorais* (pl.), *professorais* (fl. de *professorar*).]

professorando (pro.fes.so.*ran*.do) *sm. Bras.* Aquele que está prestes a se formar professor [F.: *professor* + *-ando*.]

professorar (pro.fes.so.*rar*) *v.* **1** *P. us.* Ser professor (de); ENSINAR; LECIONAR [*td. /int.: Sempre quis professorar (geografia).*] **2** Exercer as funções de professor [▶ **1** professo**rar**] [F.: *professor* + *-ar*². Hom./Par.: *professora* (fl.), *professora* (fem. de *professor*); *professorais* (fl.), *professorais* (pl. de *professoral*); *professores* (fl.), *professores* (pl. de *professor*).]

profeta (pro.*fe*.ta) *sm.* **1** *Rel.* Aquele que tem o dom de prever o futuro, por inspiração de Deus **2** Aquele que se diz, ou que dizem, ser capaz de adivinhar o futuro; VIDENTE **3** *Rel.* Título dado pelos muçulmanos a Maomé [Com inic. maiúsc., nesta acp.] [Fem. (de 1 e 2): *profetisa*.] [F.: Do lat. *propheta* ou *prophetes, ae*, do gr. *prophétes, ou*.]

profético (pro.*fé*.ti.co) *a.* **1** Ref. a profeta ou a profecia (visão profética) **2** Que encerra ou revela um vaticínio, uma profecia (tom profético; palavras proféticas) [F.: Do lat. *propheticus, a, um*.]

profetismo (pro.fe.*tis*.mo) *sm.* Militância político-religiosa de alguém que, com discurso profético, faz revelações tanto para o homem do povo quanto para seus mandatários sobre verdades ocultas ao senso comum: "O que caracteriza o profetismo é a capacidade de alguém revelar, por gestos ou palavras, uma verdade oculta a outras pessoas." (Pedro A. Ribeiro de Oliveira, "Profetismo no exercício do poder") [F.: *profeta* + *-ismo*.]

profetizar (pro.fe.ti.*zar*) *v.* **1** Predizer na qualidade de profeta [*td.: Isaías profetizou a vinda do Messias.*] [*tdi. +a: Profetizava à multidão um futuro de paz e concórdia.*] **2** Antever o futuro por meio de deduções; PROGNOSTICAR; PREVER [*td.: O economista profetizou o fim da inflação.*] [▶ **1** profeti**zar**] [F.: Do gr. *prophēteízein*, pelo lat. *prophetizare*. Hom./Par.: *profetiza(s)* (fl.), *profetisa(s)* (sf. [pl.]).]

proficiência (pro.fi.ci.*ên*.ci.a) *sf.* **1** Qualidade ou atributo de proficiente; COMPETÊNCIA; CAPACIDADE **2** Domínio ou qualificação em certa área de conhecimento ou em dada atividade: *teste de proficiência no idioma francês.* **3** Grau ou nível de aproveitamento; proveito, proficuidade [F.: *proficiente* (sob o rad. *proficienc-*) + *-ia*², seg. o mod. vernáculo e por analogia. Ant. ger.: *improficiência*.]

proficiente (pro.fi.ci.*en*.te) *a2g.* **1** Diz-se da pessoa extremamente capaz e eficiente; COMPETENTE; PERITO: *um administrador proficiente.* **2** *P. ext.* Que tem grande domínio ou domínio total de uma língua, uma matéria, etc.: *Miguel é proficiente em espanhol.* **3** Que apresenta bom rendimento ou aproveitamento **4** Que dá proveito; PROFÍCUO [F.: Do lat. *proficiens, entis*. Ant. ger.: *improficiente*.]

proficuidade (pro.fi.cu.i.*da*.de) *sf.* Qualidade ou característica do que é profícuo; PROVEITO; PROFICIÊNCIA [F.: *profícu(o)* + *-(i)dade*.]

profícuo (pro.*fí*.cu.o) *a.* **1** Que dá proveito; que resulta em algo proveitoso, positivo, útil ou lucrativo (ação profícua); PROFICIENTE **2** Que tem êxito; RENDOSO: *É um projeto profícuo.* [F.: Do lat. tard. *proficuus, a, um*. Ant. ger.: *improfícuo*.]

profilático (pro.fi.*lá*.ti.co) *a.* **1** Ref. a profilaxia **2** Que previne ou us. para prevenir doenças (medida profilática); PREVENTIVO *sm.* **3** Medicamento profilático (2) [F.: Do gr. *prophylaktikós, é, ón*.]

profilaxia (pro.fi.la.*xi*.a) *Med. sf.* **1** Parte da medicina que tem por objeto medidas adequadas para prevenir ou evitar doenças **2** Uso de procedimentos para prevenir doenças [F.: Do gr. *prophýlaxis*, pelo lat. cient. *prophylaxis*, pelo fr. *prophylaxie*.]

profissão (pro.fis.*são*) *sf.* **1** Atividade especializada que requer formação e pode ou não servir de meio de vida: *a profissão de arquiteto; a profissão de bancário.* **2** Trabalho para obtenção dos meios de subsistência; OCUPAÇÃO; OFÍCIO: *a profissão de balconista.* **3** Declaração ou confissão pública de uma crença, uma opinião, uma atitude etc. [Pl.: *-sões*.] [F.: Do lat. *professio, -onis*. Ideia de 'profissão': *-aria* (*engenharia*); *-ado*³ (*bispado*); *-ato*¹ (*oficialato*).] ■ **~ de fé 1** Declaração pública da crença religiosa de alguém **2** *P. ext.* Declaração da linha fundamental e dos princípios de um movimento (político, social, artístico, religioso etc.) **~ liberal** Profissão de nível superior que faculta ao profissional trabalhar sem vínculo empregatício, de forma autônoma e por iniciativa própria (como, p. ex., a medicina, a advocacia, a odontologia etc.) **De ~** *Irôn.* A julgar pela prática, talento ou assiduidade em certa atitude ou atividade: *É um fofoqueiro de profissão.*

profissional (pro.fis.si.o.*nal*) *a2g.* **1** Ref. a profissão, ou a uma determinada profissão, ou próprio dela (categorias profissionais; ética profissional) **2** Que exerce uma atividade por profissão (músico profissional) [Nesta acp., opõe-se a *amador*.] **3** *Fig.* Diz-se de indivíduo criterioso, aplicado, responsável etc. no exercício de sua profissão **4** *Pej.* Que dá caráter de profissão a uma atividade que não é propriamente considerada como tal (político profissional) [Pl.: *-nais*.] *s2g.* **5** Pessoa que exerce uma atividade por profissão [Pl.: *-nais*.] [F.: *profissão* (rad. *profission-*) + *-al*¹, seg. o padrão erudito. Ideia de 'profissional': *-ário* (*bibliotecário*).] ■ **~ liberal** Aquele que exerce profissão liberal

profissionalismo (pro.fis.si:o.na.*lis*.mo) *sm.* **1** *Bras.* Ação, procedimento, qualidade ou característica do bom profissional, daquele que é competente, capaz, proficiente, responsável, sério, pontual, ético etc. em sua profissão **2** Carreira de profissional **3** Conjunto de profissionais de uma área, ou a totalidade deles, ou o seu modo de atuar, a sua filosofia de trabalho [F.: *profissional* + *-ismo*. Cf.: *amadorismo*.]

profissionalização (pro.fis.si.o.na.li.za.*ção*) *sf.* **1** Ação ou resultado de profissionalizar(-se) **2** Treinamento preparatório ou capacitador para certa profissão; CAPACITAÇÃO [Pl.: *-ções*.] [F.: *profissionalizar* + *-ção*.]

profissionalizado (pro.fis.si.o.na.li.*za*.do) *a.* Que se tornou profissional, ou que adquiriu caráter profissional (músico profissionalizado; esporte profissionalizado) [F.: Part. de *profissionalizar*.]

profissionalizante (pro.fis.si:o.na.li.*zan*.te) *a2g.* Que profissionaliza, que forma profissionais (curso profissionalizante; escola profissionalizante) [F.: *profissionalizar* + *-nte*.]

profissionalizar (pro.fis.si.o.na.li.*zar*) *v.* **1** Tornar (alguém ou a si próprio) profissional [*td.*: *A federação profissionalizou os árbitros*: "...muita gente busca as oficinas para se profissionalizar..." (*O Globo*, 12.02.2004)] **2** Conferir ou adquirir caráter de profissionalismo [*td.*: *profissionalizar o futebol.*] [*int.*: *O voleibol profissionalizou-se.*] [▶ 1 profissionalizar] [F.: *profissional* + *-izar*.]

profiterole (pro.fi.te.*ro*.le) [ó] *sf.* **1** Massa fina cozida e depois assada ao forno em forma de pequenas bolas para serem recheadas com creme doce ou salgado **2** Sobremesa feita com essas bolas recheadas de sorvete e cobertas com calda quente de chocolate [Mais us. no pl.] [F.: Do fr. *profiterole*.]

profligar (pro.fli.*gar*) *v. td.* **1** Causar destruição a; ARRUINAR; DERRUBAR; DESTRUIR: *A tropa profligou o acampamento inimigo.* **2** Atacar com palavras, argumentos, ideias; COMBATER: *Profligou aquela atitude autoritária.* **3** Corromper, depravar moralmente; PERVERTER: *A sede de poder profliga grande número de políticos.* [▶ 14 profligar] [F.: Do lat. *profligare*.]

⊕ ***pro forma*** (*Lat.* /pro forma/) *loc. adv.* **1** Apenas por formalidade, sem maior franqueza ou significado: *Cumprimentaram-se pro forma, sem nenhuma emoção. loc. a.* **2** Que está segundo o modelo: *recibo pro forma.*

prófugo (*pró*.fu.go) *a.* Que foge ou deserta; DESERTOR; FUGITIVO [F.: Do lat. *profugus, a, um*.]

profundas (pro.*fun*.das) *Pop. sfpl.* **1** A parte mais profunda (de algo); PROFUNDEZAS: *profundas do oceano.* **2** O inferno [F.: Substv. do pl. do fem. de *profundo*.] ■ **~ do inferno** *Pop.* A parte mais funda do inferno [Tb. apenas *profundas*.]

profundeza (pro.fun.*de*.za) [ê] *sf.* **1** Ver *profundidade*. **2** Lugar muito profundo; o fundo: *as profundezas do oceano; as profundezas da alma.* [Nesta acp., mais us. no pl.] [F.: *profund(o)* + *-eza*.]

profundidade (pro.fun.di.*da*.de) *sf.* **1** Qualidade do que é profundo (profundidade do mar/ de uma pesquisa) **2** Distância da superfície ao fundo (de algo); FUNDURA: *Qual a profundidade deste lago?* **3** Num sólido, corpo, espaço, objeto etc., distância entre o plano do ponto mais próximo ao plano mais afastado: *O móvel tinha um metro de largura, 80 cm de altura e 70 cm de profundidade.* **4** Grande quantidade ou intensidade (profundidade de conhecimentos) **5** Com riqueza de detalhes, em todos os aspectos: *Conhece o tema em profundidade.* **6** Caráter do que é difícil de compreender ou explicar (profundidade de uma filosofia/de um mistério) **7** Efeito tridimensional criado num desenho, quadro etc. [F.: Do lat. *profunditas, atis*. Sin. ger.: *profundeza*.] ■ **Lançamento em ~** *Bras. Fut.* Passe longo de um jogador a um companheiro que ataca, de modo que este alcance na corrida a trajetória da bola já bem avançada e profunda no campo adversário **Lançar em ~** *Bras. Fut.* Fazer lançamento em profundidade **~ de campo** *Fot. Ópt.* Campo de distâncias intermediárias entre as distâncias mínima e máxima de um objeto a um sistema óptico (p. ex., a objetiva de uma câmera fotográfica), no qual este fornece uma imagem nítida daquele **~ de foco 1** *Fot. Ópt.* Campo entre as posições mais afastada e mais próxima de um anteparo a um sistema de projeção de imagem, no qual este pode projetar sobre aquele imagens de boa qualidade **2** Designação imprópria de *Profundidade de campo*

profundo (pro.*fun*.do) *a.* **1** Que tem uma grande distância entre o fundo, ou a parte mais baixa, e a superfície, ou a parte mais alta, ou a borda (rio profundo; decote profundo); FUNDO **2** Que tem grande extensão desde a entrada até o extremo oposto (túnel profundo) **3** Distante da superfície (do solo, da água, do corpo etc.) (órgão profundo; tumor profundo): *nas camadas mais profundas da Terra.* **4** Que vai ao fundo das coisas, não se prendendo só às aparências: *Fez uma análise profunda da situação.* **5** Muito grande ou abrangente (profundo conhecimento; profunda escuridão) **6** Intenso, muito forte: *Caiu num sono profundo*: "...e a profunda tristeza que havia em seus olhos." (Machado de Assis, *Helena*) **7** *Restr.* Diz-se de sentimento arraigado, entranhado etc. (ódio profundo; amor profundo) **8** Que tem grande importância, grande alcance: *O país está passando por uma profunda mudança.* **9** Que penetra muito (corte profundo) **10** Que vem do fundo (suspiro profundo) **11** De tom grave: *Ele tinha uma voz profunda e um pouco rouca.* **12** Diz-se de cor forte, carregada (azul profundo) **13** Difícil de compreender, de conhecer (mistério profundo) **14** Diz-se de lençol d'água que se forma a grandes profundidades **15** *Ling. Gram.* Diz-se de estrutura que estabelece as relações sintáticas e semânticas básicas das orações **16** *Psi.* Ref. à personalidade ou ao inconsciente, ou próprio deles *sm.* **17** Profundeza, profundidade: *o profundo do mar.* **18** *Fig.* O oceano, o mar **19** *Fig.* O Inferno *adv.* **20** De modo profundo; profundamente: *Suas palavras tocaram profundo em todos nós.* [F.: Do lat. *profundus, a, um*. Hom./Par.: *profundo* (a. sm. adv.), *profundo* (fl. de *profundar*).]

profundor (pro.fun.*dor*) [ô] *sm. Aer.* Peça situada no bordo de fuga do estabilizador horizontal, na cauda de uma aeronave, e responsável pelo movimento (arfagem) desta sobre seu eixo lateral: *Num avião leve, o leme e o profundor trabalham com suavidade de uma borboleta.* [F.: *profundo* + *-or*.]

profusão (pro.fu.*são*) *sf.* **1** Grande quantidade; ABUNDÂNCIA: *A televisão mostrou uma profusão de imagens da festa.* **2** Esbanjamento, prodigalidade [Pl.: *-sões*.] [F.: Do lat. *profusio, onis*. Ant. ger.: *escassez*.]

profuso (pro.*fu*.so) *a.* **1** Que existe ou é produzido em quantidade; ABUNDANTE: *a luminosidade profusa da manhã.* **2** Em abundância, em excesso; que está acima do comum, do esperado ou do normal: *sangramento profuso; lacrimejamento profuso; suor profuso.* **3** Que gasta ou que dá muito; que é pródigo ou dissipador: *Um sujeito profuso em suas compras.* **4** Em quantidade (ou em valor) maior do que o habitual ou do que o necessário; GENEROSO: *pagamento profuso por um serviço.* **5** Que usa muitas palavras ou frases para se expressar; PROLIXO [F.: Do lat. *profusus, a, um*, 'derramado em abundância'.]

progênie (pro.*gê*.ni.e) *sf.* **1** Ascendência, origem: *Era de ilustre progênie.* **2** Os descendentes, a prole; DESCENDÊNCIA: *Legou à sua progênie todas as suas qualidades.* [F.: Do lat. *progenies, ei*. Sin. ger. *progenitura*.]

progenitor (pro.ge.ni.*tor*) [ô] *sm.* **1** Ascendente (masculino) do pai ou da mãe de uma pessoa (avô desta ou qualquer outro antepassado) **2** *P. ext.* Aquele que dá ou deu origem a outro indivíduo; o pai, o genitor [F.: Do lat. *progenitor, oris*.]

progenitora (pro.ge.ni.*to*.ra) [ô] *sf.* **1** Ascendente feminino do pai ou da mãe de uma pessoa (avó ou qualquer outra ascendente) **2** *P. ext.* Aquela que dá ou deu origem a outro indivíduo; a mãe, a genitora [F.: Fem. de *progenitor*.]

progenitura (pro.ge.ni.*tu*.ra) *sf.* O mesmo que *progênie* (1) [F.: *progênito* + *-ura*.]

progesterona (pro.ges.te.*ro*.na) *sf. Bioq.* Hormônio feminino responsável pelo ciclo menstrual e pelas modificações do organismo durante a gravidez [F.: Do ing. *progesterone*.]

progestina (pro.ges.*ti*.na) *sf. Bioq.* Substância sintética semelhante à progesterona: *A progestina sintética atua no organismo do mesmo modo que a progesterona.* [F.: Do ing. *progestin*.]

prognata (prog.*na*.ta) *a2g. s2g.* Ver *prógnato*

prognatia (prog.na.*ti*.a) *sf. Med.* O mesmo que *prognatismo* [F.: *prógnato* + *-ia*¹.]

prognatismo (prog.na.*tis*.mo) *sm. Med.* Acentuada proeminência da mandíbula para a frente; PROGNATIA [F.: *prógnato* + *-ismo*.]

prógnato (*próg*.na.to) *a.* **1** Que tem prognatismo *sm.* **2** Aquele que tem prognatismo [F.: *pro-*² + *-gnato*. Tb. *prognata*.]

prognose (prog.*no*.se) [ó] *sf.* O mesmo que *prognóstico*: "A verdadeira prognose faz-se não apenas com o intelecto, mas também com a vontade, a sensibilidade valorativa e o juízo ético." (Fábio Konder Comparato, "A humanidade do século XXI: a grande opção") [F.: Do gr. *prógnósis, eós* 'conhecimento antecipado'.]

prognosticado (prog.nos.ti.*ca*.do) *a.* Previsto, predito, prenunciado: "O futuro glorioso de Portugal prognosticado por Pessoa ainda não aconteceu, mas o brilho da obra que produziu, esse ninguém o pode tirar." ("O supra-Camões") [F.: Part. de *prognosticar*.]

prognosticar (prog.nos.ti.*car*) *v.* Fazer previsão, prognóstico de; PREVER [*td.*: *prognosticar males.*] [*tdi.* +*a*: *Prognosticava à família um futuro desastroso.*] [▶ 11 prognosticar] [F.: *prognóstico* + *-ar*². Hom./Par.: *prognostico* (fl.), *prognóstico* (sm.).]

prognóstico (prog.*nós*.ti.co) *sm.* **1** Suposição sobre processos ou resultados futuros baseada nas condições vigentes e num esperado desempenho dos fatores atuantes: *O jornal fez um prognóstico sobre o crescimento da indústria.* **2** *Med.* Parecer médico sobre o resultado provável de uma doença: *Nestes casos o prognóstico é quase sempre favorável.* **3** Indício de acontecimento futuro *a.* **4** Diz-se de sinal, indício etc. que demonstra, antecipa ou antecede o que está por vir, por acontecer [F.: Do lat. *prognosticus, a, um*, do gr. *prognostikós, é, ón*. Hom./Par.: *prognóstico* (sm.), *prognostico* (fl. de *prognosticar*).]

prógono (*pró*.go.no) *sm.* **1** O primeiro, o mais ilustre, o precursor: "A asserção do prógono do pessimismo cabe, em cheio, à estrutura intelectual de Bernardo Guimarães." (Armelim Guimarães, "Bernardo Guimarães, o romancista da Abolição") **2** Pessoa que faz parte dos antepassados; ANCESTRAL **3** Diz-se dessa pessoa [F.: Do gr. *prógonos, os, on*. Ant. ger.: *epígono*.]

programa (pro.*gra*.ma) *sm.* **1** Planejamento de atividades, tanto de lazer quanto de trabalho: *O programa da empresa inclui a criação de cursos profissionais; O programa dela foi estudar o dia inteiro e ir ao teatro à noite.* **2** As próprias atividades desse planejamento **3** Impresso com descrição das atividades de algum evento; PROGRAMAÇÃO: *Na entrada distribuíram o programa do concerto; O programa era todo dedicado a Bach.* **4** Espetáculo de rádio ou televisão: *Ele assistia aos programas do Chacrinha.* **5** O conteúdo de um curso, de uma cadeira etc. (o programa da oitava série) **6** Exposição sucinta dos projetos de um candidato ou partido político; PLATAFORMA **7** *Inf.* Conjunto de instruções que definem o que o computador deve fazer; SOFTWARE: *Criou um programa para calcular as notas dos alunos.* **8** *Bras. Pop.* Encontro para fins sexuais, mediante pagamento [F.: Do lat. tardio *programma, atis*, deriv. do gr. *prógramma, atos*. Hom./Par.: *programa* (sm.), *programa* (fl. de *programar*).] ■ **De ~** *Bras. Pop.* Diz-se de pessoa que, mediante pagamento, acompanha outrem em programas (1, 7), esp. os de caráter sexual **~ aplicativo** *Inf.* Todo programa de computador que executa tarefas específicas, como registrar e editar textos, fazer cálculos etc. [Tb. apenas *aplicativo* (2). Cf.: *Programa utilitário*.] **~ audiovisual** Apresentação de conteúdo (educacional, instrucional, artístico etc.) através de imagens e de sons com elas sincronizados (ger. com projeção de *slides* associados a trilha sonora, ou por programas de computador) [Tb. apenas *audiovisual*.] **~ de computador** *Inf.* Série de instruções interligadas para computador, para que este realize determinada(s) tarefa(s) **~ de índio** *Bras. Fam. Pop.* Programa (1) desagradável, cansativo, aborrecido [O uso dessa expressão com essa conotação pode denotar preconceito.] **~ utilitário** *Inf.* Todo programa de computador que executa tarefas de manutenção ou gerenciamento das funções do próprio computador ou sistema [Tb. apenas *utilitário*. Cf.: *programa aplicativo*.]

programação (pro.gra.ma.*ção*) *sf.* **1** Ação ou resultado de programar **2** Planejamento das atividades de uma pessoa, instituição, empresa etc. para determinado período; PROGRAMA: *Nossa programação de férias prevê uma semana na praia.* **3** Conjunto dos programas (4), eventos culturais etc. que serão apresentados num certo período por uma emissora de televisão ou de rádio, por um teatro, cinema etc. **4** *Inf.* Área do conhecimento que prepara programas de computador **5** *Inf.* Ação de desenvolver programas de computador [Pl.: *-ções*.] [F.: *programar* + *-ção*.] ■ **~ estruturada** *Inf.* Técnica de programação para computador que estrutura o programa em módulos organizados hierarquicamente, que podem ser us. em outras associações e programas **~ linear** *Mat.* Técnica de programação de processos e atividades que visa, pela abordagem linear das variáveis, determinar a linha ótima de desenvolvimento do processo, portanto sua otimização **~ orientada a objetos** *Inf.* Ver *Orientação a objetos* no verbete *orientação* **~ visual 1** Ramo do desenho industrial (ver no verbete *desenho*) que envolve a conceituação, a organização e a representação gráfica de informação por meio de signos visuais (como em sistemas de sinalização, logotipos e logomarcas, projetos gráficos etc.) [Tb. *Comunicação visual*.] **2** O resultado dessa atividade, em qualquer de suas formas

programado (pro.gra.*ma*.do) *a.* **1** Previsto para acontecer; ESPERADO; PRENUNCIADO: *Estamos diante da insensatez de um escândalo programado.* [Ant.: *casual, fortuito, imprevisto*.] **2** Estabelecido de acordo com um programa; PLANEJADO; PROJETADO: *Com download programado, você economiza tempo de acesso.* [Ant.: *ocasional*.] **3** *Fig.* Diz-se de quem age sem refletir ou pensar, tem comportamento maquinal, seguindo ordens: *povo programado para não reagir.* [F.: Part. de *programar*.]

programador (pro.gra.ma.*dor*) [ô] *a.* **1** Que programa *sm.* **2** Aquele ou aquilo que programa **3** *Inf.* Profissional que desenvolve ou aperfeiçoa programas de computador [F.: *programar* + *-dor.*] ■ **~ visual** Profissional especialista em programação visual; comunicador visual

programar (pro.gra.*mar*) *v.* **1** Traçar planos para; PLANEJAR [*td.*: *programar as férias.*] **2** Organizar uma programação (2, 3) [*td.*: *Esqueceram de programar os eventos de música.*] **3** *Inf.* Criar (programa computacional) [*td.* / *int.*] [▶ 1 programar] [F.: *programa* + *-ar*[2]. Ant. ger.: *desprogramar*. Hom./Par.: *programa(s)* (fl.), *programa(s)* (sm. [pl.]); *programáveis* (fl.), *programáveis* (pl. de *programável*).]

programático (pro.gra.*má*.ti.co) *a.* Ref. a programa [F.: *programa* + *-ático*, seg. o mod. gr.]

programável (pro.gra.*má*.vel) *a2g.* **1** Que se pode programar **2** *Inf.* Diz-se de aparelho que, por não ter parâmetros de funcionamento definidos, aceita instruções para executar certas tarefas [Pl.: *-veis.*] [F.: *programar* + *-vel.* Hom./Par.: *programáveis* (pl.), *programáveis* (fl. de *programar*).]

progredir (pro.gre.*dir*) *v.* **1** Aperfeiçoar seus recursos, capacidades etc.; DESENVOLVER-SE [*td.*: *O sistema de telefonia tem progredido a olhos vistos.* Ant.: *estagnar, involuir, piorar, retroceder.*] **2** Melhorar o desempenho, o aprendizado (em algo) [*int.* / *tr.* +*em*: *Os meninos progrediram (nos estudos).*] **3** Tornar-se mais grave; AGRAVAR-SE [*int.*: *O câncer dele progrediu.* Ant.: *melhorar.*] **4** Ir para adiante; AVANÇAR; PROSSEGUIR [*int.*: *O barco, de tão pesado, não progredia.*] **5** Fazer progresso: "Estamos condenados à civilização. Ou progredimos, ou desaparecemos." (Euclides da Cunha, *Os sertões*) [▶ 49 progredir] [F.: Do lat. **progredere*, por *progredi.*]

progressão (pro.gres.*são*) *sf.* **1** Ação ou resultado de progredir; PROGRESSO **2** Desenvolvimento gradual e constante (de um processo); AVANÇO: *A progressão das pesquisas sinalizava para breve a descoberta da cura da doença.* **3** Elevação ou acesso a cargo, função, nível ou a categoria superior ou série seguinte (em ordem de sequência) (progressão funcional; progressão continuada): *progressão de um pesquisador para outro nível.* [Pl.: *-sões.*] [F.: Do lat. *progressio, onis.*] ■ **~ aritmética** *Mat.* Sucessão de termos numéricos na qual a diferença entre dois termos consecutivos é sempre a mesma (cada termo é igual ao anterior somado a um número constante para toda a progressão) **~ geométrica** *Mat.* Sucessão de termos numéricos na qual o quociente entre dois termos consecutivos é sempre o mesmo (cada termo é igual ao anterior multiplicado por um número constante para toda a progressão) **~ harmônica** **1** *Mat.* Sucessão de termos numéricos tais que seus inversos formam uma progressão aritmética **2** *Mús.* Ver *marcha harmônica* no verbete *marcha* **~ melódica** *Mús.* Toda sucessão de notas que constitui uma melodia

progressismo (pro.gres.*sis*.mo) *sm.* **1** Tendência progressista: *Em "O poço", conto de Mário de Andrade, o protagonista, dividido entre o autoritarismo e o progressismo, vê-se desafiado por peões insubordinados contra o mandonismo do patrão.* **2** *Pol.* Conjunto de princípios e práticas adotadas por partidos progressistas: "O progressismo liberal-democrático sustenta a tese de que o desenvolvimento econômico, social e cultural é condição básica e relevante para a melhoria do nível econômico e educacional da população..." (Eliezer Schneider, "Progresso e história da educação: uma releitura de Anísio Teixeira e Paul Monroe" *in Fórum Educacional*, jul./set. 1986) [F.: *progresso* + *-ismo.*]

progressista (pro.gres.*sis*.ta) *a2g.* **1** Ref. ao progresso **2** *Pol.* Que é a favor ou partidário do progresso econômico, social etc.: *Apesar da idade, vovó é progressista* [Cf.: *conservador.*] **3** *Bras. Pol.* Que é partidário de reformas e avanços sociais de caráter igualitário etc. **4** Que contribui para o progresso, para o desenvolvimento da sociedade, do país etc. **5** Que está em plena evolução, em desenvolvimento contínuo, graças aos avanços sociais, tecnológicos, científicos etc. (sociedade progressista) *s2g.* **6** Pessoa progressista **7** *Bras. Hist.* Pessoa partidária da regência de Diogo Antônio Feijó (1784-1843) [F.: *progresso* + *-ista.*]

progressividade (pro.gres.si.vi.*da*.de) *sf.* **1** Qualidade, caráter ou estado do que é progressivo [Ant.: *improgressividade*] **2** Desenvolvimento gradual; PROGRESSÃO **3** Princípio ou modalidade de elevação ou de aumento aplicado em alguns impostos, segundo um parâmetro definido: *A progressividade do imposto de renda é constitucional; Há controvérsias sobre a constitucionalidade da progressividade do IPTU.* [F.: *progressivo* + *-(i)dade.*]

progressivismo (pro.gres.si.*vis*.mo) *sm.* Conjunto de princípios educacionais que defendem uma pedagogia mais estimulante, como a formação de grupos de debates, maior informalidade na sala de aula, currículo mais amplo e o uso de laboratórios e de ginásios esportivos: "A educação pública brasileira toma contornos efetivamente nacionais nos anos 30, com a criação do Ministério da Educação. Neste período, adotou-se o progressivismo..." (Rudá Ricci, "Esboço de uma nova concepção de educação do meio rural brasileiro") [F.: *progressivo* + *-ismo.*]

progressivo (pro.gres.*si*.vo) *a.* **1** Que progride, ou em que há progressão; EVOLUTIVO: *O prédio entrou em progressiva decadência.* **2** Que evolui gradualmente ou por etapas: *Nota-se uma progressiva melhora na economia.* **3** *Med.* Diz-se de doença que progride no organismo de modo desfavorável, que não apresenta possibilidade de cura **4** *Mús.* Diz-se de um tipo de *rock* caracterizado por composições longas, de harmonia e instrumentação sofisticadas **5** *Ling.* Diz-se do aspecto verbal relativo à duração de um processo [F.: *progresso* + *-ivo.*]

progresso (pro.*gres*.so) *sm.* **1** Ação ou resultado de progredir; PROGRESSÃO **2** Marcha ou movimento para diante (em trabalho, processo etc.): *Fizemos bastante progresso em uma semana de pesquisa.* **3** Desenvolvimento, continuação ou acrescentamento de uma ação (progresso de um incêndio/ de uma inundação) **4** Mudança progressiva, ger. favorável (progresso tecnológico); EVOLUÇÃO **5** Processo de crescimento e enriquecimento de uma região, um país etc.; DESENVOLVIMENTO **6** *P. ext.* A evolução da civilização **7** *Fig.* Vantagem ou conquista obtida; ÊXITO [F.: Do lat. *progressus, us.* Hom./Par.: *progresso* (sm.), *progresso* (a.).]

proibição (pro:i.bi.*ção*) *sf.* Ação ou resultado de proibir: *proibição do fumo em lugares fechados.* [Ant.: *autorização, permissão.*] [Pl.: *-ções.*] [F.: Do lat. *prohibitio, onis.*]

proibidão (pro.i.bi.*dão*) *sm. Bras. Gír. Mús.* Composição musical popular cujas letras retratam realidades perversas e personagens da comunidade, soltos ou presos, vivos ou mortos, muito apreciado em bailes *funk* [Em alguns casos considera-se que faz apologia ao crime, tendo sua execução proibida.] [Pl.: *-dões.*] [F.: *proibido* + *-ão*[1].]

proibido (pro.i.*bi*.do) *a.* **1** Não permitido (acesso proibido); INTERDITADO; VEDADO **2** Ilegal, ilícito (arma proibida) **3** Que sofreu proibição (de uso, veiculação, divulgação etc.): *Essa música é proibida.* **4** *Fig.* Que é objeto de forte objeção, repressão etc. ou que é tido como impossível (amor proibido) [F.: Part. de *proibir.*]

proibir (pro.i.*bir*) *v.* **1** Não consentir; ordenar ou recomendar que não se faça [*td.*: *O médico proibiu a ingestão de álcool.*] [*tdr.* +*de*: *Se soubesse da festa, papai me proibiria de sair.* Ant.: *consentir, deixar.*] **2** Tornar ilegal; VETAR; INTERDITAR [*td.*: *referendo para proibir o comércio de armas de fogo.* Ant.: *legalizar.*] [▶ 54 proibir] [F.: Do lat. *prohibere.* Ant. ger.: *permitir.*]

proibitivo (pro.i.bi.*ti*.vo) *a.* **1** Que proíbe, que impede (leis proibitivas); PROIBITÓRIO **2** Que torna muito difícil a aquisição de algo (custo proibitivo) [F.: *proibir* + *-tivo.*]

proibitório (pro.i.bi.*tó*.ri.o) *a.* O mesmo que *proibitivo* (1) [F.: Do lat. *prohibitorius, a, um.*]

projeção (pro.je.*ção*) *sf.* **1** Ação ou resultado de projetar(-se) **2** Exibição de imagens numa tela: *Durante a projeção do filme, o som falhou.* **3** Cálculo antecipado que se faz de algo: *uma projeção de quantos alunos cursarão a sétima série.* **4** Importância, destaque: *um político de grande projeção no país.* **5** Arremesso, lançamento **6** Saliência, proeminência **7** *Psic.* Mecanismo de defesa pelo qual uma pessoa atribui a outra ou a algum fator externo suas próprias motivações ou conflitos **8** *Astron. Cart.* Representação de uma parte da superfície terrestre ou do céu sobre um plano **9** *Geom.* Transformação de uma figura contida num plano em outra por meio de retas baixadas sobre esse plano **10** *Urb.* Unidade imobiliária que corresponde à área projetada sobre um terreno, tal como consta do título de propriedade [Pl.: *-ções.*] [F.: Do lat. *projectio, onis.*] ■ **~ cônica** *Geog.* Representação da superfície da Terra projetada num cone planificado, cone que tangencia a esfera terrestre na latitude média em relação ao observador [Nela os meridianos convergem para o vértice do cone, os paralelos são arcos paralelos à curvatura da linha que representa a base do cone.] **~ de Mercator** *Geog.* Projeção cilíndrica (modificada) da Terra, na qual meridianos e paralelos são retas perpendiculares entre si, os meridianos intervalados igualmente, os paralelos com distâncias crescentes entre si à medida que se aproximam dos polos, o que distorce os tamanhos reais, ao aumentar as áreas dessas regiões **~ gnomônica** *Geog.* Projeção perspectiva da superfície da Terra num plano tangente à esfera terrestre, ficando o polo da projeção no centro desta [Nesta projeção os círculos máximos da esfera (o equador e todos os meridianos) são apresentados como linhas retas.] **~ oblíqua** *Geom.* Aquela na qual as retas de projeção são oblíquas ao plano de projeção **~ ortogonal** *Geom.* Aquela na qual as retas de projeção são ortogonais ao plano de projeção **~ polar** Projeção gnomônica na qual o plano tangente passa por um dos polos, ficando este polo no centro da projeção [Nesta projeção os paralelos são representados por círculos concêntricos em relação a este polo.]

projecionista (pro.je.ci.o.*nis*.ta) *s2g.* **1** Profissional responsável pela operação dos equipamentos de projeção; OPERADOR CINEMATOGRÁFICO: *Cinema Paradiso, de Giuseppe Tornatore, mostra a amizade entre um menino e um projecionista de cinema.* *a2g.* **2** Que projeta filmes por profissão: "A gravação consistia em fugazes entradas na cabine de locução, separadas por compridos intervalos que eu matava lendo... conversando com meu amigo projecionista, Monsieur Louis." (Mario Vargas Llosa, "O nudista visitante") [F.: *projeção* (f. rad. *projecion-*) + *-ista.*]

projetado (pro.je.*ta*.do) *a.* **1** Feito de acordo com um projeto; CONCEBIDO; IDEALIZADO: *Motor projetado para uso em via pública.* **2** Que se projetou, se lançou; ARREMESSADO; JOGADO: *impacto causado por objeto projetado da janela.* **3** Direcionado para: *Dente projetado para fora.* **4** *Fig.* Que adquiriu projeção, notoriedade; AFAMADO; CELEBRIZADO: *jogador projetado mundialmente durante a Copa.* [F.: Part. de *projetar.*]

projetar (pro.je.*tar*) *v.* **1** Desenhar projeto ou planta de [*td.*: *projetar a sede da escola.*] **2** Reproduzir (filme, transparência) em tela [*td.*] **3** *Fig.* Fazer ficar ou ficar famoso; DISTINGUIR [*td.*: *O campeonato projetou novos atletas; Projetou-se como dançarino.*] **4** Planejar, programar [*td.*: *Projetaram a formatura para julho.*] **5** Atirar(-se) à distância; ARREMESSAR(-SE); LANÇAR(-SE) [*tda.*: *Projetou a pedra sobre a vidraça; O louco projetou-se em direção ao precipício.*] **6** Fazer incidir ou incidir; ESTENDER(-SE); PROLONGAR(-SE) [*tdr.* +*em*, *sobre*: *A solidariedade projeta seus benefícios sobre um grande número de pessoas; A sombra do fotógrafo projetou-se no retrato.*] **7** *Geom.* Figurar ou representar por meio de projeção (2) de [*td.*: *projetar um ponto/uma linha sobre um plano.*] [▶ 1 projetar] [F.: Do lat. *projectare.* Hom./Par.: *projeto* (fl.), *projeto* (sm.); *projeteis* (fl.), *projéteis* (pl. de *projétil*).]

projetável (pro.je.*tá*.vel) *a2g.* Que se pode projetar [Pl.: *-veis.*] [F.: *projetar* + *-vel.* Hom./Par.: (pl.) *projetáveis*, *projetáveis* (fl. de *projetar*).]

projétil (pro.*jé*.til) *sm.* **1** *Arm.* Objeto arremessado por arma de fogo **2** Qualquer objeto sólido arremessado para atingir algo ou alguém [Pl.: *-teis.*] [F.: Do fr. *projectile.* Hom./Par.: *projéteis* (pl.), *projeteis* (fl. de *projetar*). Tb. *projetil* (o pl. de *projetil* é *projetis*).]

projetista (pro.je.*tis*.ta) *a2g.* **1** Diz-se de profissional (ger. engenheiro) especializado em fazer projetos (arquitetônicos, mecânicos etc.) *s2g.* **2** Engenheiro projetista [F.: *projeto* + *-ista.*]

projetivo (pro.je.*ti*.vo) *a.* **1** Ref. a projeção (cálculo projetivo) **2** *Geom.* Em que a representação de um objeto se dá por sua projeção sobre um plano (desenho projetivo) **3** *Psi.* Diz-se de teste em que se detectam aspectos do mundo interior de uma pessoa mediante o modo como ela relaciona os estímulos visuais a que é exposta: *O psicodiagnóstico de Rorschach poderia ser considerado um teste projetivo.* [F.: Do fr. *projectif.*]

projeto (pro.*je*.to) *sm.* **1** Plano de fazer algo em futuro próximo ou distante; INTENTO: *Nosso projeto é viajar pela Amazônia nas férias.* **2** Esboço detalhado de um trabalho: *projeto de pesquisa; projeto de decoração.* **3** Aquilo que se pretende realizar segundo um programa estabelecido: *Há vários projetos de conservação do meio ambiente.* **4** *Arq.* Plano geral elaborado para qualquer obra, incluindo plantas, descrições e justificações, cálculos, orçamento etc.: *o projeto de uma ponte.* **5** Redação provisória de um texto, um estatuto, uma lei etc. [F.: Do lat. *projectus -us.* Hom./Par.: *projeto* (sm.), *projeto* (fl. de *projetar*).] ■ **~ de gente** *Joc.* Criança [Us. ger. com conotação carinhosa.] **~ de lei** Proposta de lei estruturada nos termos jurídicamente adequados para, se aprovada em assembleia ou câmara legislativa, se transformar em lei **~ de resolução** Texto emitido em assembleias e organismos internacionais, a ser aprovado para a execução efetiva de determinações, medidas, leis etc. **~ gráfico** **1** *Edit.* Concepção, planejamento e realização da configuração visual e das características gráficas de publicação ou conjunto de publicações [Como, p. ex., a família tipográfica, corpo, entrelinhas, capa e ilustrações, diagramação, formato, tipo de papel, tipo de acabamento etc.] **2** O resultado concreto dessa realização, expresso nas características gráficas da publicação acabada

projetor (pro.je.*tor*) [ô] *sm.* **1** Qualquer aparelho us. para projetar filme, vídeo, transparência, imagem de computador etc. **2** Aparelho que projeta ao longe um feixe luminoso; HOLOFOTE **3** Refletor us. em iluminação de jardins, fachadas de edifício, monumentos etc. [F.: Adaptação do fr. *projecteur.*] ■ **~ digital** Projetor multimídia **~ multimídia** Aparelho que projeta, ger. ampliadamente, imagens de dispositivos de vídeo (DVD, imagens computadorizadas)

projetual (pro.je.tu.*al*) *a2g. Arq.* De ou relativo a projeto (ensaio projetual) [Pl.: *-ais.*] [F.: *projeto* + *-al*, posv. por anal. a palavras como *fatual*, *manual* etc.]

projetualismo (pro.je.tu.a.*lis*.mo) *sm.* Exercício da atividade, da prática, da elaboração do processo projetual [F.: *projetual* + *-ismo.*]

projetura (pro.je.*tu*.ra) *sf. Arq.* Sacada ou saliência de cornijas, balcões, janelas, abas do telhado ou de qualquer corpo do edifício que se afasta do prumo da parede: "Debaixo da cornija, ou projetura,/ Estão as armas deste reino abertas/ No liso centro de vistosa tarja..." (Tomás Antônio Gonzaga, *Carta chilena 3*) [F.: Do lat. *projectura, ae.*]

prol *sm. Ant.* Proveito, lucro [Pl.: *próis.*] [F.: Do lat. vulg. *prode*, 'útil', pela f. **prole.*] ■ **A ~ de** Ver *Em prol de* **De ~** De prestígio, importante, de relevo: *Ela é um dos membros de prol da instituição.* **Em ~ de** **1** Em benefício de, a favor de: *uma campanha em prol das vítimas da enchente.* **2** Em defesa de: *mobilização em prol da preservação do meio ambiente.*

pró-labore (pró-la.*bo*.re) *sm.* **1** Pagamento por tarefa especial, não rotineira **2** Remuneração que o empresário ou os sócios retiram da empresa [Pl.: *pró-labores.*] [F.: Da nominalização da loc. lat. *pro labore*, 'pelo trabalho'.]

prolação (pro.la.*ção*) *sf.* **1** Pronúncia em voz alta e clara **2** Adiamento, demora, procrastinação **3** Prolongação do som [Pl.: *-ções.*] [F.: Do lat. *prolatio, onis.*]

prolapso (pro.*lap*.so) *sm. Med.* Queda ou deslocamento de um órgão ou de parte do mesmo para fora da cavidade ou de seus limites naturais (prolapso retal) [F.: Do lat. *prolapsus, a, um.*]

prolatar (pro.la.*tar*) *v. td. Bras.* Promulgar, proferir sentença [▶ 1 prolatar] [F.: De *prolação.* Hom./Par.: *prolato* (fl.), *prolato* (a.).]

prolator (pro.la.*tor*) [ô] *a.* 1 *Jur.* Diz-se de quem profere uma sentença: *órgão prolator da decisão.* 2 Diz-se de quem promulga uma lei *sm.* 3 Juiz prolator 4 Aquele que promulga uma lei [F.: Do part. pas. lat. *prolat (us)* + *-or.*]

prole (*pro*.le) *sf.* 1 Aqueles que descendem de um indivíduo ou casal; DESCENDÊNCIA 2 Filho ou filhos de um indivíduo ou de um casal [F.: Do lat. *proles, is.*]

prolegômenos (pro.le.*gô*.me.nos) *smpl.* 1 Princípios gerais de qualquer ciência ou arte expostos preliminarmente 2 Introdução expositiva de algum tratado científico ou artístico 3 Prefácio longo [F.: Do gr. *prolegómena,* substv. do neutro pl. de *prolegómenos, méné, menon* 'que é colocado em primeiro lugar'.]

prolepse (pro.*lep*.se) *sf.* 1 *Ret.* Discurso ou passagem de discurso em que se previnem as objeções ou em que se refutam antecipadamente as mesmas 2 Ocorrência antes do tempo previsto; ANTECIPAÇÃO 3 Previsão de algo que está para acontecer; ANTEVISÃO; PRENOÇÃO [F.: Do gr. *prólepsis, is.*]

proléptico (pro.*lép*.ti.co) *a.* Ref. a prolepse [F.: Do gr. *proleptikós, é, ón.*]

proletariado (pro.le.ta.ri.*a*.do) *sm.* 1 A classe dos proletários 2 Conjunto dos proletários de uma cidade, uma região, um país etc.: *o proletariado urbano; o proletariado mundial.* [F.: *proletári(o)* + *-ado*⁴. Cf.: *operariado.*]

proletário (pro.le.*tá*.ri.o) *sm.* 1 Trabalhador que vive apenas de seu salário 2 *Hist.* Na Roma antiga, cidadão da última classe do povo, cujos membros eram pobres e isentos de impostos *a.* 3 Ref. a proletário (1) ou ao proletariado (bairro proletário; partido proletário) [F.: Do lat. *proletarius, ii.* Cf.: *operário.*]

proletarização (pro.le.ta.ri.za.*ção*) *sf.* 1 Processo que consiste na aquisição de valores proletários por parte de um burguês 2 Declínio da classe média, que se aproxima da proletária por perda do *status* econômico: "A proletarização das camadas mais qualificadas coincide com a introdução de inovações técnicas na produção industrial e com a perda dos meios de produção pela pequena burguesia..." (Henrique Rattner, "O declínio da classe média" *in Revista Espaço Acadêmico,* fevereiro de 2006) [Pl.: *-ções.*] [F.: *proletarizar* + *-ção.*]

proletarizar (pro.le.ta.ri.*zar*) *v.* 1 Fazer(-se) proletário, operário, ou assumir-lhe a consciência histórica [*td.: Militantes de várias classes sociais se proletarizaram.*] 2 Passar de uma camada de classe média para a classe operária [*int.: Com a recessão, pai e filho se proletarizaram.*] [▶ 1 proletarizar] [F.: *proletári(o)* + *-izar.*]

◎ **proli-** *el. comp.* = descendência, prole: *prolífero, prolífico* [F.: Do lat. *proles, is.*]

proliferação (pro.li.fe.ra.*ção*) *sf.* Ação ou resultado de proliferar; MULTIPLICAÇÃO; PROPAGAÇÃO: *proliferação de bactérias; proliferação de armas nucleares.* [Pl.: *-ções.*] [F.: *proliferar* + *-ção.*]

proliferar (pro.li.fe.*rar*) *v. int.* 1 Ter prole ou geração; PROLIFICAR: "Os homens... encheram o mundo, proliferando como plantas daninhas..." (João Grave, *Último fauno*) *v. int.* 2 Crescer numericamente; ESPALHAR-SE; PROPAGAR-SE: *As seitas religiosas proliferam no país.* [Ant.: *diminuir.*] 3 Ter filhos; REPRODUZIR-SE [▶1 proliferar] [F.: *prolífero* + *-ar*² Sin. ger.: *multiplicar-se.* Hom./Par.: *prolífero* (fl.), *prolífero* (a.), *prolífera* (fl.), *prolífera* (fem. de *prolífero*).]

proliferativo (pro.li.fe.ra.*ti*.vo) *a.* O mesmo que *proliferador* [F.: *proliferar* + *-tivo.*]

prolífero (pro.*lí*.fe.ro) *a.* O mesmo que *prolífico: compositor prolífero.* [F.: *proli-* + *-fero.* Hom./Par.: *prolífero* (a.), *prolífero* (fl. de *proliferar*); *prolífera* (fem.), *prolífera* (fl. de *proliferar*).]

prolificentíssimo (pro.li.fi.cen.*tís*.si.mo) *a.* Muitíssimo prolífico [Superl. abs. sint. de *prolífico.*] [F.: *prolí(fico)* + *-ficente* + *-íssimo.*]

prolificidade (pro.li.fi.ci.*da*.de) *sf.* Caráter ou qualidade de prolífico; FECUNDIDADE [F.: *prolífico* + *-(i)dade.*]

prolífico (pro.*lí*.fi.co) *a.* 1 Que pode gerar filhos; FECUNDANTE 2 Que tem prole abundante; FECUNDO 3 Que produz muito (escritor prolífico); PRODUTIVO [Superl.: *de prolífico: prolificentíssimo.*] [F.: *proli-* + *-fico.* Sin. ger.: *prolífero.* Hom./Par.: *prolífico* (a.), *prolifico* (fl. de *prolificar*); *prolífica* (fem.), *prolifica* (fl. de *prolificar*).]

prolígero (pro.*lí*.ge.ro) *a. Biol.* Diz-se do que porta o germe reprodutor [F.: *prol(i)-* + *-gero.*]

prolixidade (pro.li.xi.*da*.de) [cs] *sf.* 1 Qualidade ou característica do que é prolixo [Ant.: *concisão*] 2 *P. ext.* Capacidade ou propensão a exceder-se ao falar ou ao escrever, estendendo-se além do necessário ou usual [F.: Do lat. *prolixitas, atis.*]

prolixo (pro.*li*.xo) [cs] *a.* 1 Que usa mais palavras e frases do que o necessário (estilo prolixo; pessoa prolixa) 2 Muito longo (discurso prolixo) 3 *Fig.* Enfadonho, fastidioso [F.: Do lat. *prolixus, a, um.* Ant. nas acps. 1 e 2: *conciso.*]

⊠ **Prolog** *Inf.* Linguagem de programação declarativa que se utiliza de um conjunto de fatos e relações lógicas entre objetos da base de dados, ao invés de relações matemáticas, para chegar a uma solução de forma interativa [F.: Acrônimo do fr. *Programmation en logique* 'programação em lógica'.]

prólogo (*pró*.lo.go) *sm.* 1 Parte inicial explicativa de uma obra escrita; PREFÁCIO [Ant.: *epílogo.*] 2 *Teat.* Na Grécia antiga, a primeira parte da tragédia, na qual se fazia a exposição do seu tema 3 *Teat.* Cena inicial em que os acontecimentos se passam muito antes da ação que se vai desenrolar [F.: Do lat. *prologus, i,* do gr. *prólogos, ou.* Hom./Par.: *prólogo* (sm.), *prologo* (fl. de *prologar*).]

prolongação (pro.lon.ga.*ção*) *sf.* Ação ou resultado de prolongar(-se); PROLONGAMENTO [Pl.: *-ções.*] [F.: *prolongar* + *-ção.*]

prolongado (pro.lon.*ga*.do) *a.* 1 Que se prolongou; ALONGADO: *prazo prolongado por um mês* 2 Que tem longa duração (cerimônia prolongada); DEMORADO [F.: Part. de *prolongar.*]

prolongador (pro.lon.ga.*dor*) [ô] *a.* 1 Que prolonga, aumenta, dilata: *cabo prolongador de microfone. sm.* 2 Aquilo que prolonga, dá maior extensão a alguma coisa (prolongador de torneira) 3 *Lud.* Na sinuca e no bilhar, taco que ajuda o taco principal nas jogadas em que a bola se encontra em local de difícil acesso; GARFO [F.: *prolongar* + *-dor.*]

prolongamento (pro.lon.ga.*men*.to) *sm.* 1 Ação ou resultado de prolongar, de tornar mais longa alguma coisa [Ant.: *encurtamento.*] 2 Trecho, parte ou prazo prolongado, estendido; EXTENSÃO; PRORROGAÇÃO 3 Aumento de duração de algo; continuação de uma ação (prolongamento da conversa); DILAÇÃO; DILATAÇÃO [Ant.: *interrupção.*] [F.: *prolongar-* + *-mento.*]

prolongar (pro.lon.*gar*) *v.* 1 Estender(-se) no tempo ou no espaço; ALONGAR(-SE) [*td.: Seria bom se pudéssemos prolongar as férias.*] [*tda.: A BR-116 prolonga-se até o Nordeste.* Ant.: *encurtar.*] 2 Deixar para depois; ADIAR [*td.: Não prolongue mais a sua decisão.*] 3 Ir ou correr ao longo ou encostado em, encostar-se a [*tda.: Foi-se prolongando com a parede para não ser visto.*] 4 Pôr ou dirigir ao longo de [*tda.: prolongar o navio com a costa.*] [▶ 14 prolongar] [F.: Do lat. *prolongare.* Hom./Par.: *prolonga(s)* (fl.), *prolonga(s)* (sf. [pl.]); *prolongo* (fl.), *prolongo* (sm.).]

prolongável (pro.lon.*gá*.vel) *a2g.* Que se pode prolongar, esticar, dilatar (prazo prolongável) [F.: *prolongar* + *-vel.* Hom./Par.: (pl.) *prolongáveis, prolongáveis* (fl. de *prolongar*).]

prolóquio (pro.*ló*.qui.o) *sm.* Máxima, adágio, dito: "...longe da vista, longe do coração." O gênio dos anexins, aí, vai longe de andar certo. Esse prolóquio tem mais malícia que ciência, mais epigrama que justiça, mais engenho que filosofia." (Rui Barbosa, *Oração aos moços*) [F.: Do lat *proloquium, ii.*]

⊠ **PROM** *Inf.* Memória programável só de leitura, i. e., que, por segurança, não pode ser alterada pelo usuário comum [F.: Acrônimo do ing. *p(rogrammable) r(ead)- o(nly) m(emory).*]

promanar (pro.ma.*nar*) *v.* Provir de algum lugar ou alguém; VIR; ORIGINAR-SE; DIMANAR [*tr. +de: As ordens promanavam do ministro da Defesa.*] [▶ 1 promanar] [F.: Do lat. tardio *promanare.*]

promazina (pro.ma.*zi*.na) *sf. Quím.* Substância do grupo dos neurolépticos que atua basicamente bloqueando os receptores dopamínicos do tipo 2 [F.: Do ing. *promazine.*]

promessa (pro.*mes*.sa) [é] *sf.* 1 Ação ou resultado de prometer, ger. em troca de algo: *Ela cumpriu sua promessa.* 2 Compromisso assumido de se fazer ou não algo [*+a, de: promessa aos eleitores; Saiu com a promessa de voltar logo.*] 3 Esperança que se fundamenta em algo concreto e aparente (promessa de tempestade) 4 *Rel.* Compromisso que se assume com um ente ou ser sagrado, a fim de se obter deste uma graça 5 *Jur.* Compromisso, ger. escrito, que se assume perante alguém, a fim de se realizar algo ou de se contrair uma obrigação: *Iria assinar a promessa de compra e venda do imóvel.* [F.: Do lat. medv. *promissa.* Sin. ger.: *juramento, voto.*] ∎ **~ de compra e venda** Compromisso entre duas partes para a aquisição, em condições previamente estipuladas, de um bem imobiliário pertencente a uma dela (o promitente vendedor) pela outra (o promitente comprador) **Quebrar ~** Não cumprir promessa feita

promesseiro (pro.mes.*sei*.ro) *a.* 1 Que faz promessas (devoto promesseiro) 2 *Pej.* Que promete, mas não cumpre (político promesseiro) *sm.* 3 Pessoa que, para ter uma graça alcançada, costuma fazer promessas ao santo ou santa de devoção: *O promesseiro subia de joelhos a escadaria da igreja.* 4 *Pej.* Indivíduo que vive fazendo promessas para obter favores em troca: *Um promesseiro que só aparece em época de eleições.* [F.: *promessa* + *-eiro.*]

prometedor (pro.me.te.*dor*) [ô] *a.* 1 Diz-se de que ou quem promete 2 *Fig.* Que dá esperança de sucesso (safra prometedora; talento prometedor) *sm.* 3 Aquele que promete algo a outrem [F.: *prometer-* + *-dor.*]

prometeico (pro.me.*tei*.co) *a.* 1 Ref. a ou próprio de Prometeu, titã que roubou o fogo do Olimpo para entregá-lo aos homens e foi castigado por Zeus 2 *Fig.* Que tem a bravura e a grandeza de Prometeu: *um esforço prometeico.* [F.: Do mitônimo *Prometeu* + *-ico*².]

prometer (pro.me.*ter*) *v.* 1 Assumir verbalmente ou por escrito compromisso de; ASSEGURAR; COMPROMETER-SE [*tdi. +a: O técnico prometeu ao porteiro que voltaria à tarde.*] [*int.: Não basta prometer, é preciso cumprir.*] 2 Comprometer-se a dar (algo) [*td.: O pai prometia mundos e fundos.*] 3 *Fig.* Dar indícios, sinais de; PRESSAGIAR [*td.:* "...era domingo e prometia bom tempo." (Marques Rebelo, *Marafa*)] 4 Dar sinal ou esperança de que será bem-sucedido [*int.: Este menino promete.*] 5 Garantir que pagará [*tdi. +a: Prometeu a ela um bom aumento.*] [▶ 2 prometer] [F.: Do lat. *promittere.*]

prometido (pro.me.*ti*.do) *a.* 1 Que se prometeu 2 Reservado, destinado em razão de promessa feita (trabalho prometido; mesada prometida) 3 Diz-se de homem que se comprometeu a casar com determinada mulher *sm.* 4 Aquilo que se prometeu, o que foi objeto de promessa: *O prometido foi ir ao cinema hoje.* 5 Indivíduo que se comprometeu em casamento com determinada mulher; NOIVO [F.: Part. de *prometer.*]

prometimento (pro.me.ti.*men*.to) *sm.* Ação ou resultado de prometer; COMPROMISSO; PROMESSA: *O prometimento feito aos eleitores deverá ser cumprido ao longo do mandato.* [F.: *prometer* + *-mento.*]

promiscuidade (pro.mis.cu.i.*da*.de) *sf.* 1 Estado ou condição de promíscuo (promiscuidade política; promiscuidade sexual) 2 Atividade sexual constante com pessoas diversas; liberalidade sexual 3 *Bras.* Envolvimento, convivência estreita com pessoas bem diversas 4 Mistura desordenada de coisas e/ou pessoas bem diversas: "... só se sentindo bem, e realizada, no burburinho, congestionamento e promiscuidade do bairro..." (Marques Rebelo, "A árvore" *in Contos reunidos*) [F.: *promíscuo-* + *-(i)dade.*]

promiscuir-se (pro.mis.cu.*ir*-se) *v. int.* 1 Estar, viver ou passar a viver em promiscuidade 2 *P. us.* Misturar-se sem ordem ou critério (coisas diversas) [▶ 56 promiscuir-se] [F.: *promíscuo* + *-ir* + *se*¹.]

promíscuo (pro.*mís*.cu.o) *a.* 1 Que denota promiscuidade 2 Que se constitui de elementos diferentes, misturados sem ordem, critério ou distinção 3 Que envolve elementos reprováveis, desonestos, obscenos, imorais etc. (relações promíscuas) 4 *Bras.* Que costuma ter relações amorosas e/ou sexuais com vários parceiros (sujeito promíscuo) [F.: Do lat. *promiscuus.*]

promissão (pro.mis.*são*) *sf.* 1 Ação ou resultado de prometer; PROMESSA 2 Aquilo que foi prometido (terra da promissão) [Pl.: *-sões.*] [F.: Do lat. *promissionis.*]

promissor (pro.mis.*sor*) [ô] *a.* 1 Que se prevê como sendo bom 2 Cujas perspectivas ou resultados parecem ser bons, bem-sucedidos, propícios (negócio promissor; futuro promissor) 3 Que traz boas novas (notícias promissoras) 4 *Jur.* Diz-se daquele que faz promessa a outrem; PROMITENTE *sm.* 5 *Jur.* Pessoa que faz promessa a outrem; PROMITENTE [Ant.: *promissário.*] [F.: Do lat. *promissoris.*]

promissória (pro.mis.*só*.ri.a) *Econ. Jur. sf.* Título de crédito no qual uma pessoa (devedor) assume que deve a outra (beneficiário ou favorecido) certa quantia e que lhe pagará em determinado dia [Red. de *nota promissória.*] [F.: fem. substv. de *promissório.*]

promitente (pro.mi.*ten*.te) *Jur. a2g.* 1 Que faz promessa a alguém *s2g.* 2 Aquele que faz promessa a alguém [Ant.: *promissário.*] [F.: Do lat. *promitentis.* Sin. ger.: *promissor.*]

promoção¹ (pro.mo.*ção*) *sf.* 1 Ação ou resultado de promover 2 Obtenção de cargo, categoria, posto mais elevado ou superior: *Você conseguiu sua promoção?* 3 *Jur.* Manifestação, por meio de pareceres, requerimentos, petições etc. do promotor nos autos [Pl.: *-ções.*] [F.: Do lat. *promotionis.* Hom./Par.: *premoção* (s. f.).] ∎ **~ de venda** *Com.* Conjunto de técnicas, medidas e realizações destinadas a incentivar a venda de produtos ou serviços, ao estimular o interesse e o envolvimento de vendedores e consumidores

promoção² (pro.mo.*ção*) *sf.* 1 *Mkt. Publ.* Conjunto das atividades que objetivam melhorar ou tornar mais forte a fama, o valor de alguém ou de algo; FOMENTO; INCENTIVO: *Invista na promoção do novo produto; Com a medida, o governo visa à promoção do comércio.* 2 *Com.* Estratégia de venda de um ou de vários estabelecimentos comerciais que, de comum acordo, acertam baixar os preços dos produtos, a fim de facilitar-lhes a venda (promoção de verão) [Pl.: *-ções.*] [F.: Do ingl. *promotion.*]

promocional (pro.mo.ci.o.*nal*) *a2g. Mkt. Publ.* Ref. ou inerente à promoção; ou que tem o caráter de promoção² (preços promocionais; campanha promocional) [Pl.: *-nais.*] [F.: *promoção-*² + *-al.*]

promombó (pro.mom.*bó*) *sm. Bras.* Tipo de pescaria à noite, em que se faz uma pequena fogueira ou se coloca um lampião dentro da canoa, a fim de que os peixes saltem para dentro dela, atraídos pela luz: "Eu solto minha canoa/ Vou pescar de promombó." (Zé Carreiro, *Cururu*) [F.: Posv. do tupi *piramo'mbo* 'peixe que salta'.]

promontório (pro.mon.*tó*.ri.o) *sm.* 1 *Geog.* Cabo formado por penhascos ou rochas elevadas: "Aqui toda a africana costa acaba neste meu nunca visto promontório." (Luís de Camões, *Os lusíadas*) 2 *Anat. Ort.* Pequena saliência na parede interna do tímpano, que corresponde à rampa externa do caracol e ao lado externo do vestíbulo 3 *Anat. Ort.* Saliência resultante da mútua articulação do sacro com a última vértebra lombar 4 *Anat.* Qualquer saliência, protuberância anatômica [F.: Do lat. *promontorium.*] ∎ **~ sacro** *Anat.* Saliência junto à articulação do sacro com a última vértebra lombar

⊕ ***promoter*** (*Ing. /promôter/*) *s2g.* Aquele que organiza e promove eventos, festas etc.; promotor de eventos

promotor (pro.mo.*tor*) [ô] *sm.* 1 Pessoa ou instituição que dá o principal impulso a alguma coisa ou que é a causa principal dela; pessoa que organiza e divulga algo; PROMOVEDOR: *um promotor de campanhas; um promotor de tumultos.* 2 *Jur.* Funcionário público formado em direito que promove o andamento de processos judiciais no interesse da sociedade: "O Russo era mais fino que o delegado, o promotor, o juiz." (Monteiro Lobato, *Urupês*) 3 Aquele que organiza e promove eventos, festas, recepções, seminários etc. [Cf.: *promoter* (ing.).] *a.* 4 Que promove, desenvolve, estimula ou excita algo; PROMOVEDOR: *órgão promotor de melhorias urbanas; funcionário promotor de reuniões.* [F.:

Do lat. *promotoris.*] ■ ~ **público** *Bras.* Representante do Ministério Público junto aos tribunais de justiça, como acusador de suspeitos de crimes

promotoria (pro.mo.to.*ri*.a) *Jur. sf.* **1** Cargo, ofício, ocupação de promotor **2** Local onde trabalha o promotor [F.: *promotor-* + *-ia*¹.]

promover¹ (pro.mo.*ver*) *v.* **1** Oferecer recursos para (evento); organizar (uma atividade) [*td.*: "...a Universidade (...) promoveu um seminário com cientistas de 23 países." (*O Globo*, 18.01.2004)] **2** Causar, provocar [*td.*: *O roubo promoveu a discórdia entre os funcionários.* Ant.: *evitar, impedir.*] **3** Nomear para (cargo ou categoria superior) [*tdr.* +*a*: *Promoveram o novato a supervisor.* Ant.: *rebaixar.*] **4** Favorecer o crescimento de; IMPULSIONAR; FOMENTAR [*td.*: *A prefeitura tem promovido o esporte.*] **5** *Jur.* Requerer ou propor (diz-se esp. de instância pública) [*td.*: *O escrivão não pode promover essa investigação.*] [▶ **2** promover] [F.: Do lat. *promovere.*]

promover² (pro.mo.*ver*) *v. td. p.* Fazer propaganda positiva de (algo, alguém ou si mesmo): *Os bons alunos promovem os cursinhos; Promovia-se à custa do dinheiro público.* [▶ **2** promover] [F.: Do ingl. *(to) promove.*]

promovível (pro.mo.*ví*.vel) *a2g.* **1** Que se pode promover, executar, pôr em prática (espetáculo promovível) **2** Que pode ser elevado a um cargo ou uma função superior (oficial promovível) **3** Passível de ser promovido, anunciado em propaganda (produto promovível) [Pl.: *-veis.*] [F.: *promover* (*-e* > *-i*) + *-vel.*]

⊕ **prompt** (*Ing. /prômpt/*) *Inf. sm.* Sinal gráfico do computador que indica estar ele pronto para receber novos comandos digitados pelo usuário

⊕ **prompter** (*Ing. /prômpter/*) *Eletrôn. Telv. sm.* Aparelho eletrônico que exibe em um monitor de vídeo o texto que deve ser lido por jornalistas, nas transmissões ao vivo, ou us. em cena por atores

promulgação (pro.mul.ga.*ção*) *Adm. Jur. sf.* **1** Ação ou resultado de promulgar **2** Publicação, divulgação de lei, decreto etc. [Pl.: *-ções.*] [F.: Do lat. *promulgati, onis.*]

promulgador (pro.mul.ga.*dor*) [ô] *a.* **1** Que promulga (decreto promulgador) *sm.* **2** Aquele ou aquilo que promulga (promulgador de leis; promulgador da paz) [F.: *promulgar* + *-dor.*]

promulgar (pro.mul.*gar*) *v. td.* **1** Mandar publicar: *promulgar uma lei.* **2** Tornar (documento de natureza legislativa) público, conhecido de todos [▶ **14** promulgar] [F.: Do lat. *promulgare.*]

pronação (pro.na.*ção*) *sf.* **1** *Fisl.* Ação ou resultado de girar a palma de cada mão para trás e para baixo, por meio da rotação do antebraço **2** *Fisl.* Ação ou resultado de girar cada pé para dentro e para baixo **3** *Anat.* Posição de quem está deitado sobre o ventre [Por opos. a *supinação.*] [Pl.: *-ções.*] [F.: Do lat. medv. *pronatio, onis.*]

pronador (pro.na.*dor*) [ô] *a.* **1** Diz-se de cada um dos músculos responsáveis pela pronação: *músculo pronador redondo.* **2** *P. ext.* Diz-se de pessoa que tem a pronação como deformidade patológica (atleta pronador) *sm.* **3** *Anat.* Cada músculo que executa a pronação **4** *P. ext.* Indivíduo afetado fisicamente pela pronação: *O pronador pisa mais forte com a parte interna do calcanhar.* [F.: Do lat. medv. *pronator, oris.*]

pronome (pro.*no*.me) *Gram. Ling. sm.* **1** Palavra gramatical que substitui um nome e funciona como um nome, um adjetivo, fazendo referência a pessoas ou coisas, ou uma oração que a segue ou antecede **2** Vocábulo que pode substituir um substantivo ou um sintagma nominal [(1) A classe dos pronomes apresenta, ainda, as seguintes divisões: a) *pronome adjetivo* (aquele que modifica um substantivo); b) *pronome demonstrativo* (aquele que situa no espaço ou no tempo as coisas mencionadas); c) *pronome de tratamento* (aquele que substitui no discurso os pronomes pessoais *tu* e *vós*); d) *pronome indefinido* (aquele que se refere à terceira pessoa de modo indeterminado); e) *pronome interrogativo* (o pronome indefinido us. em enunciados interrogativos); f) *pronome pessoal* (aquele que substitui as pessoas do discurso); g) *pronome possessivo* (aquele que modifica um substantivo acrescentando-lhe a ideia de posse); h) *pronome relativo* (aquele que se refere a um nome antecedente, introduzindo uma oração adjetiva); i) *pronome substantivo* (aquele que substitui um nome e, portanto, jamais o acompanha). 2) Há ainda o *pronome combinado* (aquele que associa numa única forma dois pronomes átonos de funções diversas, ligados por contração ou por hífen: *mo* = *me* + *o*).] [F.: Do lat. *pronomen,* significando 'que está no lugar do nome'.] ■ ~ **adjetivo** *Gram.* Aquele que modifica um substantivo atribuindo-lhe determinação ou indeterminação, noção de posse, de quantidade etc. [P. ex.: *este, aquele, algum, meu, nosso, um, vários* etc.] ~ **complementar** *Gram.* Ver *Pronome objetivo* ~ **demonstrativo** *Gram.* Aquele que tem função díctica, isto é, que dá ao substantivo noção de localização (no espaço ou no tempo) em relação a quem o uso [P. ex.: *este, esse, aquele, isto, isso, aquilo.*] ~ **de tratamento** *Gram.* Palavra ou expressão que substitui pronome pessoal no discurso [É ger. us. para a 2ª pessoa, mas com o verbo conjugado na 3ª, com em *você(s), Sua(s)/Vossa(s) Excelência(s), Suas(s)/Vossa(s) Senhorias,* etc.] ~ **indefinido** *Gram.* Aquele que se refere à 3ª pessoa sem determiná-la exatamente [Ex.: *algo, alguém, algum, outro, qualquer, nada, ninguém, um* etc.] ~ **interrogativo** *Gram.* Pronome indefinido us. em interrogação [Ex.: *que...? quem...? quantos...? quais...?.*] ~ **objetivo** *Gram.* Forma que assume pronome pessoal ao ser us. como objeto direto ou indireto [Ex.: *o, as, lhe, nos* etc.] ~ **oblíquo** *Gram.* Ver *Pronome objetivo* ~ **pessoal** *Gram.* Pronome que substitui os substantivos que designam as pessoas do discurso: o da pessoa que fala (1ª pessoa: *eu, nós*), o da pessoa com quem se fala (2ª pessoa, *tu, vós*) e o da pessoa de quem se fala (3ª pessoa, *ele, ela, eles, elas.*) ~ **possessivo** *Gram.* O que atribui ideia de posse, relação, participação etc. ao substantivo que modifica (e com o qual concorda), relacionando-o com a pessoa que o possui etc. [Ex: *meu, minha, teu, sua, nossos, vossa.*] ~ **recíproco** *Gram.* Pronome oblíquo que indica que a ação se exerce reciprocamente entre os sujeitos (cada sujeito é ao mesmo tempo sujeito e objeto da ação) [São: *nos* (*nós nos abraçamos*), *vos* (*vós vos abraçastes*) e *se* (*eles se abraçaram*).] ~ **reflexivo** *Gram.* Pronome oblíquo que indica que o sujeito da ação é também o objeto [São *me* (*eu me penteei*), *se* (*você/ele/ela se penteou, vocês/eles/elas se pentearam*) e *vos* (*vós vos penteastes.*).] ~ **relativo** *Gram.* Pronome que relaciona um nome a uma oração adjetiva [Ex.: *que, cujo* etc.] ~ **reto** *Gram.* Forma de pronome pessoal quando us. como sujeito; pronome subjetivo [São: *eu, tu, ele, ela, nós, vós, eles, elas.*] ~ **subjetivo** *Gram.* Ver *Pronome reto* ~ **substantivo** *Gram.* Aquele que substitui integralmente um nome ou um pronome pessoal [Ex.: *isso, isto, algo, alguém, quem, tudo, nada* etc.]

pronominal (pro.no.mi.*nal*) *Gram. Ling. a2g.* **1** Ref. a pronome, que tem caráter de pronome (adjetivo pronominal; locução pronominal) **2** Diz-se do verbo a que se liga obrigatoriamente o pronome reflexivo *se* (p. ex.: arrepender-se) [Pl.: *-nais.*] [F.: Do lat. tard. *pronominalis.*]

pronta-entrega (pron.ta-en.*tre*.ga) *sf. Com.* Entrega feita por um estabelecimento comercial imediatamente após a compra da mercadoria pelo consumidor: *Todos os produtos anunciados são para pronta-entrega.* [Pl.: *pronta-entregas.*]

prontidão (pron.ti.*dão*) *sf.* **1** Estado ou condição do que se encontra pronto **2** Condição de quem está pronto para realizar algo: *A defesa civil está de prontidão por causa do temporal da madrugada.* **3** Agilidade e rapidez de compreensão e na execução de algo; PRESTEZA; RAPIDEZ: *Pede-se prontidão no atendimento.* **4** Boa vontade, diligência na execução de algo *sm.* **5** *RJ SP* Policial de serviço em uma delegacia: "... fazer força contra a polícia naquela situação não era golpe de branco. Deixou-se levar. Ajeitava a roupa, (...), passava o lenço no olho que chorava. O prontidão gozou..." (Marques Rebelo, *Marafa*) [Pl.: *-dões.*] [F.: *pronto-* + *-idão.*] ■ **De/em** ~ Alerta, pronto para agir

prontificar (pron.ti.fi.*car*) *v. td.* **1** Pôr (algo, alguém ou a si mesmo) à disposição para; OFERECER(-SE) [*tdi.* +*a, para*: *prontificar o escritório ao colega.*] [*tdr.* +*a*: *O guarda imediatamente prontificou-se a ajudar-nos.*] [*td.*: *prontificar ajuda.*] **2** Deixar pronto; APRONTAR [*td.*: *prontificar o fechamento do caixa.*] [▶ **11** prontificar] [F.: *pronto* + *-ificar.*]

pronto (*pron*.to) *a.* **1** Que não demora; LIGEIRO; IMEDIATO: *Este remédio dá pronto alívio à dor.* [Ant.: *lento, demorado.*] **2** Que se concluiu; TERMINADO; FINDO: *A comida já está pronta.* **3** Preparado para algo; DISPOSTO [+*para*: *Pronto para fazer a prova do vestibular; Pronto para o que der e vier.*] **4** Composto, arrumado, vestido: *Vamos ao cinema? Já estou pronto.* **5** Rápido, direto, imediato, instantâneo (resposta pronta) **6** *Bras. Gír.* Que está sem dinheiro, que está quebrado, duro *sm.* **7** *Bras. Gír.* Indivíduo desprovido de dinheiro *adv.* **8** Com prontidão; PRONTAMENTE *interj.* **9** Nada mais a dizer ou fazer: *Pronto, acabou a aula.* **10** Resposta que se dá a alguém que nos chama ou nos interroga, indicando presença **11** *Bras.* Aquilo que se diz, quando se atende a um telefonema; ALÔ **12** *Mar.* Exclamação indicadora que uma manobra será feita logo a seguir [F.: Do lat. *promptus, a, um.*] ■ **De** ~ Logo, de imediato, prontamente: *Recebeu o e-mail e, de pronto, já estava respondendo.*

pronto-socorro (pron.to-so.*cor*.ro) [ô] *Med. sm.* Hospital ou setor de hospital onde são atendidos os casos que necessitam de socorro imediato [Pl.: *prontos-socorros.*]

prontuário (pron.tu.*á*.ri.o) *Doc. sm.* **1** Fichário ou ficha que contém informações e antecedentes importantes a respeito de alguém ou de algo (prontuário médico; prontuário policial) **2** *Bras. Fig.* O conjunto dessas informações **3** *Lus.* Publicação que contém uma matéria resumida, de modo a se encontrar prontamente o que se quer saber; MANUAL **4** Lugar onde se guardam ou arquivam coisas importantes de que se pode fazer uso a qualquer momento [F.: Do lat. *promptuarium.*]

pronúncia (pro.*nún*.ci.a) *Fon. Ling. sf.* **1** Ação ou resultado de pronunciar algo; PRONUNCIAÇÃO **2** Modo como são falados, pronunciados ou articulados os sons, as palavras ou frases por um indivíduo, uma região (pronúncia sulista; pronúncia portuguesa); ACENTO; SOTAQUE **3** Maneira como uma palavra se apresenta oralmente: *Qual é a pronúncia desta palavra inglesa?* **4** Modo de pronunciar, de articular; ARTICULAÇÃO; DICÇÃO: *Tinha muitos erros de pronúncia.* **5** Maneira especial de falar em relação à acentuação, à prosódia: *Escreve bem em francês, mas tem má pronúncia.* **6** O conjunto dos sons de uma língua; FONÉTICA: *A pronúncia do alemão é difícil para um falante brasileiro.* [F.: Dev. de *pronunciar.* Hom./Par.: *pronuncia* (fl. de *pronunciar*).]

pronunciação (pro.nun.ci.a.*ção*) *sf.* **1** Ação ou resultado de pronunciar algo **2** Enunciação de uma fala, de um discurso **3** Maneira de pronunciar, de emitir os sons de uma língua; PRONÚNCIA **4** *Jur.* Ver *pronunciamento* [Pl.: *-ções.*] [F.: Do lat. *pronuntiationis.*]

pronunciado (pro.nun.ci.*a*.do) *a.* **1** Que se pronunciou, que foi dito, enunciado (decisão pronunciada) **2** Que se falou de certo, de determinada maneira **3** *Fig.* Que se destaca, que está em evidência (sotaque pronunciado; nariz pronunciado); ACENTUADO *sm.* **4** O que se pronuncia, ger. de grande importância; PRONUNCIAMENTO: *Todos pararam para ouvir o pronunciado do Presidente da República.* [F.: Part. de *pronunciar.*]

pronunciamento (pro.nun.ci.a.*men*.to) *sm.* **1** Ação ou resultado de pronunciar(-se) **2** Manifestação pública de uma opinião, de um ponto de vista **3** Aquilo, ger. importante, que se pronuncia, que se diz; DECLARAÇÃO; MANIFESTAÇÃO; PRONUNCIADO [+*a, sobre*: *Fez um pronunciamento à nação; Seu pronunciamento oficial sobre a questão fronteiriça.*] **4** *Jur.* Decisão judicial; PRONUNCIAÇÃO [F.: Do cast. *pronunciamiento.*]

pronunciar (pro.nun.ci.*ar*) *v.* **1** Dizer, emitir (sons ou palavras); ARTICULAR [*td.*: *Aos cinco anos ainda não pronunciava o "r".*] **2** Falar como autoridade; DETERMINAR [*td.*: *O juiz pronunciou a sentença.*] **3** Dar opinião; MANIFESTAR-SE [*tdr.*: *Os comerciantes se pronunciaram a favor do horário de verão.* Ant.: *calar-se.*] **4** Marcar bem, tornar bem visível, claro ou saliente; dar relevo ou realce a; SALIENTAR [*td.*: *O pintor pronunciou demasiadamente os músculos do braço.*] **5** Fazer pronunciamento (2); INSURGIR-SE [*tdr.*: *Os detentos pronunciaram-se contra a superlotação das celas.* Ant.: *obedecer.*] **6** Exprimir (decisão, sentença) a respeito de (algo ou alguém) [*td.*: *O juiz pronunciou o réu inocente.*] **7** Articular as palavras de um idioma mais ou menos de acordo com a prosódia: *Ele fala inglês, mas ainda pronuncia mal certas palavras.* **8** Proferir, recitar: *Pronunciou um belo discurso.* [▶ **1** pronunciar] [F.: Do lat. *pronuntiare.* Hom./Par.: *pronuncia(s)* (fl.), *pronúncia(s)* (sf. [pl.]); *pronuncio* (fl.), *pronúncio* (sm.); *pronunciáveis* (fl.), *pronunciáveis* (pl. de *pronunciável*).]

pronunciar-se (pro.nun.ci.*ar*-se) *v.* **1** Emitir a sua opinião; tornar público o que pensa e sente; MANIFESTAR-SE; OPINAR [*int.*: *Os comerciantes pronunciaram-se a favor do horário de verão.*] **2** Revoltar-se, rebelar-se, insurgir-se [*int.*: *As províncias do Norte pronunciaram-se contra o governo.*] [▶ **1** pronunciar-se] [F.: Do lat. *pronuntiare.*]

pronunciável (pro.nun.ci.*á*.vel) *a2g.* **1** Que pode ser pronunciado, que se pode pronunciar; ARTICULÁVEL: *palavra pronunciável em qualquer tom.* **2** *Fig.* Que se destaca, que se acentua; DESTACÁVEL: *formas pronunciáveis de seu corpo.* [Pl.: *-veis.*] [F.: Do lat. *pronuntiabilis.* Ant. ger.: *impronunciável.*]

◎ **prop-** *pref. Quím.* Designa uma cadeia de três átomos de carbono, em grupamento ou substância: *propanol, propanolol.*

propagação (pro.pa.ga.*ção*) *sf.* **1** Ação ou resultado de propagar(-se) **2** Multiplicação por meio de reprodução, de geração; DIFUSÃO; DISSEMINAÇÃO: *propagação de espécies raras da fauna brasileira.* **3** Desenvolvimento, proliferação, alastramento (propagação da doença) **4** Divulgação, difusão, vulgarização (propagação de notícias; propagação de ideias) **5** *Fís.* Transmissão dos imponderáveis através de um meio: *Não é possível fazer a propagação do som no vácuo.* [Pl.: *-ções.*] [F.: Do lat. *propagationis.*]

propagador (pro.pa.ga.*dor*) [ô] *a.* **1** Que propaga ou difunde; DIFUSOR; PROPAGATIVO [+*de*: *agência propagadora de notícias; mosquito propagador da dengue.*] **2** Que torna conhecido, que divulga *sm.* **3** Aquele que propaga, que exerce propaganda: *Os novos propagadores do cristianismo.* [F.: Do lat. *propagatoris.*]

propaganda (pro.pa.*gan*.da) *sf.* **1** Ação ou resultado de propagar, de difundir; PROPAGAÇÃO **2** Difusão, vulgarização de ideias, princípios, conhecimentos, teorias etc.; PROPAGAÇÃO; PROSELITISMO **3** *Mkt. Publ.* Difusão de mensagem de caráter informativo ou educativo **4** *Mkt. Publ.* Difusão de mensagem visual, musical, verbal etc., de caráter persuasivo que busca destacar um produto ou serviço passível de ser consumido **5** *Mkt. Publ.* A peça em que se faz essa difusão; ANÚNCIO; RECLAME: *Odiava as propagandas daquela loja de móveis e eletrodomésticos.* [F.: Do lat. *propaganda.*] ■ ~ **abusiva** *Publ.* Tipo de mensagem publicitária que induz à violência, vale-se do medo ou da superstição, é preconceituosa ou discriminatória, pode suscitar no consumidor comportamento prejudicial à sua saúde e segurança ou às de terceiros etc.; publicidade abusiva ~ **enganosa** *Publ.* Tipo de mensagem publicitária cujas informações ou descrições são falsas, com o intuito de iludir o consumidor ao atribuir qualidades inexistentes ao produto ou serviço; publicidade enganosa [Cf.: *propaganda abusiva.*] ~ **subliminar** *Publ.* Técnica publicitária na qual a mensagem não é transmitida explicitamente para ser conscientemente captada e compreendida, mas através de recursos que atuem no subconsciente e na emoção do receptor, como impactos visuais e auditivos, associação com imagens positivas ou negativas, analogias e comparações etc.

propagandear (pro.pa.gan.de.*ar*) *v.* **1** Divulgar propaganda de, promover algo ou alguém; ANUNCIAR; PROPAGAR [*td.*: *Propagandearam centenas de produtos inúteis.*] **2** Dedicar-se ao proselitismo (religioso ou ideológico); DOUTRINAR [*td.*: *Propagandeava o calvinismo.*] [*tda.* +*para*: *Ela propagandeava sua seita para todos os incautos.*] [▶ **13** propagandear] [F.: *propagand(a)* + *-ear*².]

propagandista (pro.pa.gan.*dis*.ta) *s2g.* **1** Pessoa que faz propaganda, que divulga, difunde algo: *propagandista da* *fé; propagandista dos bons costumes.* **2** *Mkt.* Representante da indústria farmacêutica encarregado da propaganda e promoção de remédios junto aos médicos **3** *Mkt.* Aquele que, em uma empresa ou indústria, tem como ofício fazer a propaganda do produto que se quer comerciar (propagandista de cosméticos) **4** *Antq. Publ.* Profissional que cria e executa uma campanha publicitária; PUBLICITÁRIO ***a2g.*** **5** Que apregoa, propala, prega; que faz propaganda **6** *Mkt.* Que trabalha junto à indústria farmacêutica na divulgação de remédios para a classe médica **7** *Antq. Publ.* Que cria e executa campanhas publicitárias; PUBLICITÁRIO [F.: *propaganda-* + *-ista.*]

propagandístico (pro.pa.gan.*dís*.ti.co) ***a.*** Ref. ou inerente a propaganda ou a propagandista (efeito propagandístico; ética propagandística) [F.: *propagandista* -+ *-ico.*]

propagar (pro.pa.*gar*) ***v.*** **1** Difundir, divulgar [***td.:*** *propagar o conhecimento.; Más notícias propagam-se rapidamente.*] **2** Aumentar o número de descendentes; REPRODUZIR; PROLIFERAR [***td.:*** *propagar uma espécie animal.*] **3** Espalhar-se por contágio [***int.:*** *A dengue se propaga facilmente.*] **4** Generalizar-se, espalhar-se no espaço; conquistar terreno [***int.*** */* ***ta.:*** *As plantações de café propagaram-se (por São Paulo e Paraná).*] **5** Atravessar o espaço; TRANSMITIR-SE; IRRADIAR-SE [***td.:*** *A luz propaga-se mais velozmente que o som.*] [▶ **14 propagar**] [F.: Do lat. *propagare.*]

propagatório (pro.pa.ga.*tó*.ri.o) ***a.*** Que propaga, divulga, dissemina (movimento propagatório); PROPAGADOR [F.: *propagar* + *-tório.*]

propágulo (pro.*pá*.gu.lo) ***sm.*** *Bot.* Parte de um vegetal que se destina a multiplicá-lo ou propagá-lo, como talos, ramos etc. [F.: Do lat. cient. *propagulum.*]

propalado (pro.pa.*la*.do) ***a.*** Que foi tornado público, divulgado (boato propalado); ESPALHADO, PROPAGADO: *um poder propalado por todos os cantos do país.* [Ant.: *abafado, escondido.*] [F.: Part. de *propalar.*]

propalador (pro.pa.la.*dor*) [ô] ***a.*** **1** Que propala, que divulga, que difunde ***sm.*** **2** Aquele que propala, que divulga (propalador de novidades) [F.: *propalar* + *-dor.* Sin. ger.: *divulgador, difusor.*]

propalar (pro.pa.*lar*) ***v. td.*** **1** Tornar público; DIVULGAR; NOTICIAR: *Propalava o final de seu casamento.* **2** Espalhar, propagar, disseminar: *propalar um vírus.* [▶ **1 propalar**] [F.: Do lat. *propalare.*]

propano (pro.*pa*.no) ***sm.*** *Quím.* Hidrocarboneto saturado existente no gás natural e no petróleo bruto e us. como combustível, fluido refrigerante etc. [Fórm.: C_3H_8] [F.: Do ing. *propane.*]

propanolol (pro.pa.no.*lol*) ***sm.*** *Quím.* Substância us. no tratamento de doenças cardiovasculares [Fórm.: $C_{16}H_{21}NO_2$] [F.: Do ing. *propanolol.*]

propanona (pro.pa.*no*.na) ***sf.*** *Quím.* Substância volátil e incolor us. como solvente; ACETONA [Fórm.: C_3H_6O] [F.: *propano* + *-ona.*]

proparoxítono (pro.pa.ro.*xí*.to.no) [cs] *Gram.* ***a.*** Diz-se da palavra cuja antepenúltima sílaba é tônica (p. ex.: xícara, exdrúxulo, fizéssemos) [Us. tb. como subst.: *Os proparoxítonos não são abundantes na língua portuguesa.*] [F.: Do gr. *proparoxytonos.*]

propedêutica (pro.pe.*dêu*.ti.ca) ***sf.*** **1** Ciência preparatória; instrução preliminar; introdução a uma ciência **2** Conjunto de estudos que precedem, como etapa preparatória, os cursos superiores de especialização profissional ou intelectual **3** *Med.* Análise e estudo clínico dos sintomas de uma doença para conclusão diagnóstica [F.: Do fr. *propedeutique.*]

propedêutico (pro.pe.*dêu*.ti.co) ***a.*** **1** Que diz respeito à propedêutica **2** Que serve de introdução; INTRODUTÓRIO; PRELIMINAR **3** Que prepara o aluno para receber instrução mais completa (formação propedêutica) [F.: *propedêutic(a)* + *-o.*]

propelente (pro.pe.*len*.te) *Expl.* ***sm.*** Explosivo ou material combustível, esp. o de projéteis e foguetes [F.: Do lat. *propellente.*]

propelir (pro.pe.*lir*) ***v. td.*** **1** Impelir para diante; ARREMESSAR: *É a pólvora que propele a bala do fuzil.* **2** *Fig.* Estimular, impulsionar, fomentar: *propelir as artes.* [Ant.: *desestimular.*] [▶ **50 propelir**] [F.: Do lat. *propellere.*]

propender (pro.pen.*der*) ***v.*** **1** *Fig.* Ter ou mostrar disposição ou tendência para (algo) [***ti.*** *+a, para: Todos propendemos a lutar para sobreviver; propender para o crime.*] **2** Pender-se ou inclinar-se para (alguma direção) [***ta.:*** *Os galhos propendiam para o chão.*] [▶ **2 propender** Part.: *propendido, propenso.*] [F.: Do lat. *propendere.* Sin. ger.: *pender.*]

propeno (pro.*pe*.no) ***sm.*** *Quím.* Hidrocarboneto gasoso e incolor derivado do petróleo e us. esp. na manufatura de polipropileno; PROPILENO [Fórm.: C_3H_6] [F.: *prop(ano)* + *-eno.*]

propensão (pro.pen.*são*) ***sf.*** **1** Ação ou resultado de propender **2** Tendência ou vocação que se tem para algo [*+a, para: propensão à depressão; propensão para o desenho.*] **3** Disposição física ou emocional; INTENÇÃO [*+de, para: Ela não mostrava nenhuma propensão de deixar o vício; As crianças não mostravam propensão para sair.*] [Pl.: *-sões.*] [F.: Do lat. *propensionis.* Sin. ger.: *pendor, inclinação.*]

propenso (pro.*pen*.so) ***a.*** **1** Que tem ou mostra propensão ou disposição para alguma coisa [*+a: propenso ao debate; propenso à brincadeira.*] **2** Que mostra inclinação, tendência para algo [*+a: Estava propenso a mudar de país.*] **3** Favorável, propício [*+a: tempos propensos ao recolhimento/à simplicidade.* Ant.: *desfavorável.*] [F.: Do lat. *propensus.*]

properispômeno (pro.pe.ris.*pô*.me.no) ***a.*** **1** Diz-se de palavra do grego antigo que é grafada com acento circunflexo na penúltima sílaba **2** Diz-se de palavra do português cuja penúltima sílaba tem a vogal 'o' sobre a qual recai o acento tônico (moço, polvo etc.) ***sm.*** **3** *Gram.* Qualquer dessas palavras [Algumas delas fazem o plural em 'o' fechado (moços, polvos) e outras em 'o' aberto (porco, corpo).] [F.: Do gr. *properispómenos.*]

propiciação (pro.pi.ci.a.*ção*) ***sf.*** **1** Ação ou resultado de propiciar **2** *Rel.* Ação ritual ou cerimonial para agraciar uma divindade, para aplacar a ira ou a justiça divina, para obter perdão de culpa etc. **3** *P. ext. Rel.* Oferenda ou sacrifício feito com este fito [Pl.: *-ções.*] [F.: Do lat. *propitiationis.*]

propiciador (pro.pi.ci.a.*dor*) [ô] ***a.*** **1** Que propicia, permite, proporciona: *ambiente propiciador de bons relacionamentos.* ***sm.*** **2** O que propicia, proporciona: *O aprendizado é um propiciador do crescimento intelectual.* [F.: Do lat. *propitiator, oris.*]

propiciar (pro.pi.ci.*ar*) ***v.*** **1** Oferecer condições para que (algo) aconteça; PROPORCIONAR [***td.:*** *A festa propiciou vários reencontros.*] [***tdi.*** *+a: A viagem propiciará ao jornalista uma experiência importante.* Ant.: *dificultar, impossibilitar.*] **2** Provocar o aparecimento inesperado de (algo); DEPARAR [***tdi.*** *+a: A sorte propiciou-lhe excelentes negócios.*] [▶ **1 propiciar**] [F.: Do lat. *propitiare.* Hom./Par.: *propicio* (fl.), *propício* (a.).]

propiciatório[1] (pro.pi.ci.a.*tó*.ri.o) ***sm.*** **1** *Rel.* Placa de ouro, encimada por dois querubins, que cobria a Arca da Aliança dos hebreus **2** *P. ext. Litu. Rel.* Recipiente sagrado em que se oferecem sacrifícios a Deus **3** *Litu. Rel.* Aquele ou aquilo que atrai a benevolência, satisfaz à justiça ou aplaca a ira divina; INTERCESSÃO: "Eu o aceitava (o castigo) na melhor das conformações, oferecendo-o de propiciatório às penas iníquas que estava padecendo a minha gente..." (Aquilino Ribeiro, *Cinco réis de gente*) **4** *Rel.* Santuário onde se recebiam as graças de Deus [F.: Do lat. *propitiatorium, ii.*]

propiciatório[2] (pro.pi.ci.a.*tó*.ri.o) ***a.*** **1** Que diz respeito a propiciação **2** Que torna propício, que tem a virtude de atrair a boa vontade de uma divindade; PROPICIADOR: *um sacrifício propiciatório.* **3** Que possibilita atingir bons resultados: *repouso propiciatório para uma rápida recuperação.* [F.: Do lat. ecl. *propitiatorius, a, um.*]

propício (pro.*pí*.ci.o) ***a.*** **1** Que propicia, ajuda, possibilita, favorece; BENÉFICO: *São alimentos propícios para uma boa digestão.* **2** Que se mostra adequado; PRÓPRIO: *Os exercícios eram propícios para as gestantes.* [Ant.: *inadequado.*] **3** *Rel.* Favorável, benévolo: *As divindades lhes eram propícias.* **4** Que se mostra conveniente; ADEQUADO; OPORTUNO: *Era uma data propícia para o casório.* [F.: Do lat. *propitius.* Hom./Par.: *propicio* (fl. de *propiciar*).]

◎ **propil-** *el. comp.* Us. em termos químicos para indicar a presença de grupo propila: *propilamina, propilbenzina, propilglicol.* [F.: Do ingl. *propyl.*]

propileno (pro.pi.*le*.no) ***sm.*** *Quím.* O mesmo que *propeno* [F.: *propila* + *-eno.*]

propina (pro.*pi*.na) ***sf.*** **1** Gratificação em dinheiro por algum serviço ou favor prestado; GORJETA: *Deu propina à camareira do hotel; Não gostava de dar propinas.* **2** *P. ext. Pej.* Quantia em dinheiro que se oferece a alguém em troca de favor ou benefício quase sempre ilícito: *Naquela repartição pública, o serviço só funcionava à base de propina.* **3** *Lus.* Joia ou taxa que, ao ser admitido, o novo sócio paga em certas associações, agremiações, clubes etc. **4** *Lus.* Taxa com que se paga, em determinadas escolas, certos serviços como abertura de matrícula, trancamento de matrícula etc. [F.: Do lat. tard. *propina, ae.*]

propinar (pro.pi.*nar*) *P. us.* ***v.*** **1** Oferecer como bebida; ADMINISTRAR; MINISTRAR [***tdi.*** *+a: Propinou-lhe um conhaque de primeira:* "A quantos mil não propinei eu mesmo a bebida funesta!" (Antônio Feliciano de Castilho (trad.), *Fausto*, de Goethe)] **2** *Lus. Fig.* Dar ou conceder, outorgar [***tdi.*** *+a: propinou-me um soco nas costas.*] **3** *Bras.* Pagar propina (a) [***td.:*** *Propinou o fiscal da prefeitura.*] [***int.:*** *Há maus motoristas que propinam.*] [▶ **1 propinar**] [F.: Do lat. *propinare.*]

propinoduto (pro.pi.no.*du*.to) ***sm.*** *Joc.* Possível canal de transferência de propinas de fontes corruptoras para destinatários, ger. políticos [Termo criado no decorrer de escândalo político-administrativo surgido no Brasil no final de 2005, quando foi revelada a suposta compra dos votos de alguns deputados por meio de propinas oriundas de fontes não identificadas, como, p. ex., contas bancárias de certas empresas.] [F.: *propin(a)* + *-o-* + *duto.*]

propinquidade (pro.pin.qui.*da*.de) ***sf.*** Característica, qualidade ou estado de propínquo; PROXIMIDADE [F.: Do lat. *propinquitas, atis.*]

propínquo (pro.*pín*.quo) ***a.*** **1** Que é ou se encontra próximo em relação ao espaço; VIZINHO; PRÓXIMO **2** Que é ou se encontra próximo em se tratando do tempo; RECENTE; PRÓXIMO: *Um acontecimento propínquo.* [F.: Do lat. *propinquus.*]

proplástico (pro.*plás*.ti.co) ***a.*** **1** Que diz respeito a obras modeladas em barro (arte proplástica) ***sm.*** **2** *Art. pl.* Modelo em barro ou cera para trabalho de escultura [F.: *pro-*[2] + *plástico.*]

própole (*pró*.po.le) ***s2g.*** Resina que as abelhas coletam das plantas e misturam à cera a fim de, com a mistura, construir alvéolos, reparar a colmeia e cobrir os animais que morrem dentro dela [Esta substância tb. é us. por várias pessoas como remédio caseiro com fins antibióticos.] [F.: Do gr. *propólis.* Tb. *própolis.*]

própolis (*pró*.po.lis) ***s2g2n.*** Matéria resinosa segregada pelas abelhas, e que elas empregam para tapar as tendas dos cortiços [Tb. *própole*]

proponente (pro.po.*nen*.te) ***a2g.*** **1** Diz-se de que ou de quem propõe (documento proponente; advogado proponente) **2** Que apresenta proposta verbal ou escrita ***s2g.*** **3** Aquele ou aquilo que propõe (proponente de ações; proponente de candidatura) [F.: Do lat. *proponentis.*]

propor (pro.*por*) ***v.*** **1** Apresentar como sugestão ou opção; SUGERIR [***td.:*** *propor um acordo.*] [***tdi.*** *+a: O que você propôs a ela?*] **2** Mostrar-se disposto a [***td.:*** *Os meninos propuseram estudar mais.*] [***tr.*** *+a: Ele propôs-se a parar de fumar.*] **3** Ter como objetivo [***td.:*** *Os livros didáticos se propõem facilitar a aprendizagem.*] **4** Apresentar (algo) como desafio (a alguém) [***td.:*** *propor uma charada.*] [***tdi.*** *+a: propor uma charada ao pai.*] **5** Entrar com (ação judicial); INTENTAR; MOVER; REQUERER [***td.:*** *A associação vai propor uma ação de despejo contra a pastelaria.*] **6** Oferecer a exame, submeter (algo) à apreciação (de alguém) [***td.:*** *Os candidatos devem propor os seus projetos.*] [***tdi.*** *+a: Os candidatos devem propor o seu plano de governo à opinião pública.*] **7** Apresentar (alguém ou a si mesmo) para cargo ou função [***td.:*** *A oposição não propôs candidatura alguma.*] [***tdi.*** *+a: Proponha-lhes o nome do diretor executivo, antes que escolham outro.*] [***tdp.:*** *Proporiam o padre como candidato a reitor; Durante a convenção do partido, propôs-se vereador.*] **8** Contar oralmente ou por escrito; RELATAR [***td.:*** *O jornalista propôs o acontecido.*] [***tdi.*** *+a: A vítima propôs o ocorrido ao delegado.*] **9** Dar ordem ou determinação para que se faça (algo); DETERMINAR; DISPOR [***td.:*** *O governo propôs a redução dos juros bancários.*] [***tdi.*** *+a: Mesmo quando a mãe lhes propõe absurdos, os rapazes obedecem.*] **10** Oferecer em lanço ou como preço [***td.:*** *Os compradores não costumam propor qualquer valor nos pregões.*] [***tdr.*** *+por: O boiadeiro propôs 200 reais pela novilha.*] [▶ **60 propor** Part.: *proposto.*] [F.: Do lat. *proponere.* Hom./Par.: *propor, prepor* (em todas as fl.).]

proporção (pro.por.*ção*) ***sf.*** **1** Parte dividida de um todo, tomado como passível de divisão, de repartição **2** Arrumação harmônica das partes que compõem um todo; HARMONIA; SIMETRIA **3** *Arit. Mat.* Igualdade entre duas razões **4** *Fig.* Grande importância, dimensão: *O caso ganhou uma proporção inesperada.* [*Nesta acp. tb. se usa no pl.*] [Pl.: *-ções.*] [F.: Do lat. *proportionis.* Ant. ger.: *desproporção.*] ■ **À ~** Em quantidade ou intensidade proporcional (à que foi anteriormente mencionada): *Para um litro use três colheres de açúcar, ou, para mais de um litro, à proporção.* **À ~ que** Us. para dar ideia de que dois processos vão acontecendo em paralelo, avançam simultaneamente, ger. (mas não necessariamente) quando há dependência entre eles, um é causado pelo outro; à medida que; conforme: *A temperatura sobe à proporção que o verão se aproxima; Os problemas pareciam acumular-se à proporção que se esforçava por resolvê-los.* **De grandes/pequenas ~s** Muito grande/muito pequeno **~ contínua** *Arit.* Expressão de igualdade de três ou mais razões [Ex.: 4/6 = 8/12 = 16/24.]

proporcionado (pro.por.ci.o.*na*.do) ***a.*** **1** Em que há proporção **2** *Arq. Art. pl.* Diz-se das relações geométricas em um edifício, ou em obra artística, que está bem-disposto, bem arrumado; HARMONIOSO **3** Possibilitado, propiciado causado: *Ótimos momentos proporcionados pelo clima reinante.* [F.: Do lat. tard. *proportionatus, a, um.*]

proporcionador (pro.por.ci.o.na.*dor*) [ô] ***a.*** **1** Que proporciona, faculta ***sm.*** **2** O que proporciona: *O convívio escolar é um proporcionador de amizades duradouras.* [F.: *proporcionar* + *-dor.* Sin. ger.: *facultador, propiciador.*]

proporcional (pro.por.ci.o.*nal*) ***a2g.*** **1** Em que há proporção, simetria; HARMONIOSO; SIMÉTRICO **2** *Arit. Mat.* Ref. ou inerente à proporção matemática: *Fez uma distribuição proporcional de recursos entre os prefeitos, de acordo com o tamanho das cidades.* **3** *Gram.* Diz-se da conjunção ou sintagma que expressa um fato ocorrido ou a ocorrer concomitantemente a outro ***s2g.*** **4** *Gram.* Conjunção subordinativa ou sintagma que expressa um fato ocorrido ou a ocorrer concomitantemente a outro com que se compara (p. ex.: *À medida que o tempo passava, mais aflito ele ficava.*) [Pl.: *-nais.*] [F.: Do lat. tard. *proportionalis, e.*]

proporcionalidade (pro.por.ci.o.na.li.*da*.de) ***sf.*** **1** Característica, qualidade ou propriedade de proporcional **2** *Mat.* Propriedade que duas grandezas apresentam de serem proporcionais **3** *Mat.* Parte da matemática que observa as grandezas proporcionais e as propriedades das proporções [F.: Do lat. *proportionalitas, atis.* Ant. ger.: *desproporcionalidade.*]

proporcionalizar (pro.por.ci.o.na.li.*zar*) ***v.*** Tornar proporcional; proporcionar [***tdr.:*** *Proporcionalize o castigo à culpa.*] [***tdr.*** *+entre, por: Proporcionalizaram o prêmio entre os vencedores; Proporcionalizam o consumo pelo número de dias.*] [▶ **1 proporcionalizar**] [F.: *proporcional* + *-izar.*]

proporcionar (pro.por.ci.o.*nar*) ***v.*** **1** Tornar proporcional; HARMONIZAR; ADAPTAR; PROPORCIONALIZAR [***tdr.*** *+a. com: proporcionar a altura do pedestal com a da estátua; Ao criá-lo à sua imagem e semelhança, Deus proporcionou-se com o homem.* Ant.: *desarmonizar, desproporcionar.*] **2** Tornar (algo) oportuno; dar ensejo para (algo acontecer); PROPICIAR [***tdi.*** *+a: Gostaria de proporcionar-lhe mais conforto.*] [***td.:*** *A leitura proporciona momentos muito agradáveis.*] **3** Oferecer-se, apresentar-se, vir em ocasião oportuna [***ti.:*** *Proporcionou-nos o ensejo de falar ao minis-*

tro.] [▶ 1 proporcionar] [F.: *proporção* (sob a f. *proporcion-*) + *-ar*[2], seg. o mod. erudito. Hom./Par.: *proporcionáveis* (fl.), *proporcionáveis* (pl. de *proporcionável*).]

proporcionável (pro.por.ci.o.*ná*.vel) ***a2g.*** Que se pode proporcionar, adequar ou acomodar; ADAPTÁVEL; ADEQUÁVEL: "Então o cisne, sentindo-se fechado, solitário, prisioneiro do espaço proporcionável ao tamanho da sua vida insignificante, esqueceu tudo e mirou-se como um narciso no espelho da água clara..." (José Antônio Gonçalves, *Tenho um diário*) [Pl.: *-veis*.] [F.: *proporcionar* + *-vel*. Hom./Par.: *proporcionáveis* (pl.), *proporcionáveis* (fl. de *proporcionar*).]

proposição (pro.po.si.*ção*) ***sf.*** **1** Ação ou resultado de propor **2** Sugestão que se faz sobre alguma coisa; PROPOSTA: "Manuel, o caçula, propôs irmos passar o dia na outra rua, proposição muito vaga como se vê." (Marques Rebelo, "Dois pares pequenos" *in Contos resumidos*) **3** Afirmação, asserção, sentença, máxima **4** *Lóg.* Expressão que pode ser verdadeira ou falsa, na lógica de cunho aristotélico; ENUNCIAÇÃO **5** *Lóg.* Enunciado expresso, na lógica moderna, por símbolos matemáticos que supõem diversos valores de verdade como verdadeiro, falso, indeterminado etc. **6** *Gram.* Sentença, oração [Pl.: *-ções*.] [F.: Do lat. *propositio, onis*. Hom./Par.: *proposição* (sf.), *preposição* (sf.).]

proposicional (pro.po.si.ci.o.*nal*) ***a2g.*** **1** Que diz respeito a proposição **2** Que guarda uma proposição (lógica proposicional); PROPOSITIVO [Pl.: *-nais*.] [F.: *proposição* (sob a f. *proposicion-*) + *-al*[1].]

propositado (pro.po.si.*ta*.do) ***a.*** Em que há propósito, intenção ou resolução prévia; PROPOSITAL [Ant.: *despropositado*.] [F.: *propósito-* + *-ado*[1].]

proposital (pro.po.si.*tal*) ***a2g.*** Que tem ou é feito com propósito, que é premeditado; INTENCIONAL: *O jogador deu-lhe um chute proposital.* [Ant.: *acidental*] [Pl.: *-tais*.] [F.: *propósito-* + *-al*.]

propositivo (pro.po.si.*ti*.vo) ***a.*** Que diz respeito a proposição; AFIRMATIVO; PROPOSICIONAL: "No mundo das novas mídias, somente o caminho do jornalismo propositivo (análise, argumentação e crítica) terá poder de concorrência." (Ivo Lucchesi, "A imprensa em questão" *in Observatório da Imprensa*, 06.12.2005) [F.: Do lat. *propositivus, a, um*.]

propósito (pro.*pó*.si.to) ***sm.*** **1** Coisa que se pretende alcançar ou fazer; INTENÇÃO; OBJETIVO **2** Decisão que se toma sobre alguma coisa; DELIBERAÇÃO; RESOLUÇÃO: *Estava com o firme propósito de demitir o funcionário.* **3** Juízo, prudência, tino: *Um homem de muito propósito.* [Ant.: *despropósito*.] [F.: Do lat. *propositum*.] ■ **A ~ 1** Convenientemente; na horinha: *Este aumento veio bem a propósito.* **2** Us. para introduzir assunto ligado àquele do qual se vinha falando [Us. equivalentemente a *por sinal*, *por falar nisso*.] **A ~ de** Sobre, a respeito de: *Pronunciou-se a propósito dos planos do amigo.* **De ~** Com intenção; não por acaso ou por acidente; adrede, intencionalmente **Fora de ~** Que não se coaduna, não é pertinente aos fatos, à situação, à lógica etc.; descabido, inadequado, inoportuno **Ter ~** Ter sentido, ser adequado, ser sensato ou conveniente: *Não sei se tem propósito apresentar essa proposta agora.*

propositor (pro.po.si.*tor*) [ô] ***a.*** **1** Que propõe, oferece, sugere: *Assumia sempre um papel propositor nos debates do Centro Acadêmico.* ***sm.*** **2** Pessoa que apresenta proposta, moção, sugestão: *moção retificada pelo propositor original.* [F.: *propósito* + *-or*.]

proposta (pro.*pos*.ta) ***sf.*** **1** Ação ou resultado de propor **2** Aquilo que se propõe, que se oferece; PROPOSIÇÃO; MOÇÃO; OFERTA **3** Projeto, plano que se submete à apreciação de outrem [*+de, para, sobre*: *Discutiu-se a proposta de negociação; Fez uma proposta para o chefe; Sua proposta sobre a reforma era a mais viável.*] **4** Oferta de dinheiro por algum serviço ou favor: *Ao vender o carro, escolheu a melhor entre as propostas recebidas.* **5** Ideia, concepção original na realização de trabalho artístico: *A proposta do artista era um tanto bizarra, porém genial*; "... com a antropofagia erigida em princípio norteador e atitude cultural desejável, segundo a proposta modernista de Oswald de Andrade: vamos devorar culturalmente esses gringos, deglutir tudo o que eles têm pra nos dar como alimento." (Ana Maria Machado, *Texturas*) [F.: Fem. substv. de *proposto*.]

proposto (pro.*pos*.to) [ô] ***a.*** **1** Que se propôs, que foi objeto de proposta (acordo proposto) ***sm.*** **2** Aquilo que se propôs **3** Indivíduo a quem outro escolhe para exercer em seu lugar certas funções: *O amigo foi o proposto da empresa.* [F.: Do lat. *propositus*. Hom./Par.: *preposto* (sm.); *proposto* (adj. sm.).]

propriedade (pro.pri.e.*da*.de) ***sf.*** **1** Aquilo que pertence a alguém: *Tenho a propriedade desta edição; Aquele carro é propriedade minha.* **2** Bem imóvel (apartamento, casa, prédio, galpão etc.): *O valor das propriedades subiu muito nesta área, após a construção do shopping.* [Nesta acp., col.: *patrimônio*.] **3** Terreno, extenso ou não, ger. cercado ou delimitado, podendo conter ou não uma construção; FAZENDA; SÍTIO: *Na estrada deserta, havia várias placas com a inscrição propriedade particular!* [Nesta acp., col.: *patrimônio*.] **4** *Jur.* Direito de posse, uso e gozo que se tem sobre algo **5** *Jur.* Bem ou conjunto dos bens sobre os quais se exerce esse direito **6** Característica ou atributo próprios (propriedades da água/terapêuticas); PARTICULARIDADE; PECULIARIDADE **7** Condição do que é ou está apropriado, adequado: *Vestiu-se com propriedade para a ocasião.* [Ant.: *impropriedade*.] **8** *Fon. Ling.* Adequação no emprego da palavra, da linguagem, do estilo, com relação ao que se quer exprimir: *Sua frase é sempre correta e cheia de propriedade; Falou com propriedade.* [F.: Do lat. *proprietas, atis*.] ■ **~ industrial 1** *Jur.* Titularidade (e o direito a ela) sobre a criação intelectual de produtos, ideias etc. ligados a processos industriais **2** Conjunto de recursos e instrumentos legais que protegem o direito industrial (1) **~ intelectual 1** *Jur.* Titularidade (e o direito a ela) autoral sobre toda criação intelectual **2** Conjunto de recursos, normas e instrumentos legais que protegem o direito intelectual (1) [Cobre as áreas do direito autoral, da propriedade industrial e de direitos conexos.] **~ limitada** *Jur.* Propriedade sobre a qual incidem ônus reais, ou propriedade resolúvel **~ nua** *Jur.* Aquela da qual o proprietário não tem uso pleno, ou que é limitada por ônus reais **~ plena** *Jur.* Aquela à disposição do proprietário sob qualquer aspecto **~ privada 1** Pertinência de um bem, ou de bens, a uma pessoa **2** Aquilo que pertence a uma pessoa **~ resolúvel** *Jur.* Propriedade que, independentemente da vontade do proprietário, pode ser revogada ou extinta

proprietário (pro.pri.e.*tá*.ri.o) ***a.*** **1** Que é dono de algo **2** Que tem propriedade(s) (2 e 3) ***sm.*** **3** Aquele que é senhor de bens, esp. imóveis: *Fez uma reunião apenas com os proprietários para decidir o reajuste do condomínio.* **4** Pessoa que aluga um ou mais imóveis, esp. com objetivos financeiros; SENHORIO; LOCADOR [Ant.: *inquilino, locatário*.] **5** Aquele que é senhor ou possuidor de quaisquer bens: *proprietário de direitos autorais.* [F.: Do lat. tard. *proprietarius*.]

próprio (*pró*.pri.o) ***a.*** **1** Que pertence a alguém: *Finalmente, realizamos o sonho da casa própria!* **2** Que é natural, característico de alguém ou algo; PECULIAR; PARTICULAR: *O idealismo é próprio dos jovens.* **3** Adequado, apropriado, conveniente: *Entrou na sala no momento próprio.* **4** Mesmo, em pessoa: *O próprio juiz concordou com o fato de que a decisão era absurda.* **5** *Gram.* Diz-se do sentido exato, original, literal de uma palavra (significação própria); TEXTUAL; PRECISO [Ant.: *figurado*. Cf.: *denotativo* (Gram.) e *conotativo* (Gram.).] **6** *Gram.* Diz-se do substantivo que nomeia um ser ou um ente específico como, p. ex., Pedro, Porto Alegre em oposição ao substantivo comum (nome próprio) [Cf.: *comum* (Gram.).] [Superl.: *propiíssimo*] ***pr. dem.*** **7** Com valor demonstrativo, intensifica a identificação feita pelo pronome pessoal: *Ela própria tratou de verificar se tudo estava pronto para a ceia.* ***sm.*** **8** *Fil.* Segundo Aristóteles, aquilo que, embora qualifique objeto específico e só ele, não é parte de sua essência básica **9** Indivíduo portador de mensagens, recados, encomendas etc.; MENSAGEIRO; PORTADOR **10** Bem, propriedade, imóvel pertencente a entidade pública, governo etc. [Us. no pl.] [F.: Do lat. *proprius*.] ■ **~ nacionais** Bens pertencentes à União

proprioceptivo (pro.pri.o.cep.*ti*.vo) *Fisl. Neur.* ***a.*** **1** Que diz respeito a propriocepção **2** Condicionado a receber estímulos internos oriundos de um órgão, músculo ou tendão (organismo proprioceptivo) [F.: Do ing. *proprioceptive*.]

proprioceptor (pro.pri.o.cep.*tor*) [ô] ***a.*** **1** Diz-se de cada terminação nervosa sensorial esp. presente nos músculos, tendões e no labirinto, que informa a respeito dos movimentos e da posição corporal (mecanismo proprioceptor) ***sm.*** **2** *Fisl. Neur.* Sistema receptor sensorial estimulado pela atividade própria do organismo que detecta mudanças no movimento e posição do corpo [F.: Do ing. *proprioceptor*.]

próprios (*pró*.pri.os) ***smpl.*** *Jur.* Conjunto de propriedades, de bens imóveis de uma entidade de direito público interno (próprios da União; próprios estaduais) [F.: Do lat. *proprius*.]

propugnação (pro.pug.na.*ção*) ***sf.*** **1** Ação ou resultado de propugnar **2** Luta em defesa de algo; ADVOCAÇÃO [*+de, por*: *propugnação da fé; propugnação pela liberdade*.] [Pl.: *-ções*.] [F.: Do lat. *propugnationis*.]

propugnador (pro.pug.na.*dor*) [ô] ***a.*** **1** Que propugna, defende (político propugnador); BATALHADOR ***sm.*** **2** Indivíduo lutador, defensor de uma causa: *um propugnador das classes menos favorecidas.* [F.: Do lat. *propugnator, oris*.]

propugnar (pro.pug.*nar*) ***v.*** Lutar em prol de (algo); DEFENDER [***td.***: *propugnar a causa ambientalista.*] [***tr.*** *+por*: *propugnar por justiça.*] [▶ 1 propugnar] [F.: Do lat. *propugnare*.]

propulsão (pro.pul.*são*) ***sf.*** **1** Ação ou resultado de propulsar; IMPULSÃO: "A vida continua, para a frente, com a propulsão da necessidade..." (Afrânio Peixoto, *Ensinar a ensinar*) **2** Movimento impulsivo para a frente **3** *Fís. Mec.* O mecanismo ou sistema propulsor **4** *Fig.* O que impulsiona para a frente, o que movimenta ou faz progredir; ESTÍMULO; IMPULSO: *Sua carreira ganhou propulsão com aquele belíssimo projeto.* [Pl.: *-sões*.] [F.: Do fr. *propulsion*, deriv. do lat. *propulsus*, part. de *propellere*.] ■ **~ a jato** *Aer.* Sistema de propulsão baseado na ejeção de um fluido em alta velocidade (ger. produzida por queima de combustível líquido, de sólidos inflamáveis etc., em motores a jato ou em foguetes), originando uma reação na forma de um empuxo no sentido contrário **~ solar** *Astnáut.* Sistema de propulsão que utiliza a energia cinética de partículas emitidas pelo Sol (vento solar) para impulsionar as velas de um veículo espacial **~ solar-elétrica** *Astnáut.* Sistema de propulsão por meio de motores iônicos, que usam a eletricidade gerada em painéis solares para produzir um feixe contínuo de partículas eletricamente carregadas (íons) que impulsionam uma nave espacial

propulsar (pro.pul.*sar*) ***v. td.*** **1** Empurrar para frente ou para longe; IMPULSIONAR; PROPELIR; PROPULSIONAR: *Propulsou para longe os que tentaram invadir sua propriedade.* [Ant.: *atrair*.] **2** *Fig.* Dar impulso; ESTIMULAR; INCENTIVAR: *propulsar os estudos da fauna amazônica.* [Ant.: *desestimular*.] [▶ 1 propulsar] [F.: Do lat. *propulsare*, freq. do lat. *propellere*.]

propulsionar (pro.pul.si.o.*nar*) ***v.*** O mesmo que *propulsar* [▶ 1 propulsionar] [F.: rad. *propulsion-* + *-ar*[2].]

propulsor (pro.pul.*sor*) [ô] ***a.*** **1** Que propulsa, que produz propulsão ou impele para a frente (êmbolo propulsor); PROPULSIVO; PROPULSANTE **2** *Fig.* Que produz ou estimula o desenvolvimento, o progresso ***sm.*** **3** *Fís. Mec.* Tudo o que exerce ou origina movimento de propulsão (propulsor a jato) **4** *Fís. Mec.* Qualquer engenho, mecanismo etc. que transmita movimento a um maquinismo **5** *Fot.* O disparador **6** *Cnav.* Hélice de embarcação [F.: Do fr. *propulseur*, deriv. do lat. tard. *propulsoris*.]

⊕ ***pro rata*** (*Lat.* /pro rata/) ***loc. a.*** **1** Que é proporcional (divisão pro rata); EQUIVALENTE ***loc. adv.*** **2** De modo proporcional; PROPORCIONALMENTE: *É preciso fazer pro rata a distribuição de verbas entre as secretarias.*

prorrogabilidade (pror.ro.ga.bi.li.*da*.de) ***sf.*** Qualidade ou característica do que é prorrogável: *A prorrogabilidade de prazos deve ser admitida como passível de ser solicitada.* [Ant.: *improrrogabilidade*.] [F.: *prorrogável* (*-vel* > *-bil(i)-*) + *-dade*.]

prorrogação (pror.ro.ga.*ção*) ***sf.*** **1** Ação ou resultado de (se) prorrogar; PROTELAÇÃO; ADIAMENTO **2** Aumento de prazo ou duração; DILATAÇÃO: *O jogo teve prorrogação de dez minutos.* [Pl.: *-ções*.] [F.: Do lat. *prorogationis*. Ant. ger.: *antecipação*.]

prorrogar (pro.ro.*gar*) ***v. td.*** **1** Fazer com que (prazo ou duração) se estenda; PROLONGAR: *Resolveram prorrogar a liquidação até março.* **2** Manter em exercício além do prazo previsto: *Prorrogaram o mandato do síndico.* **3** *Fut.* Fazer durar além do tempo regulamentar: *O juiz prorrogou a partida em três minutos.* [▶ 14 prorrogar] [F. Do lat. *prorogare*. Hom./Par.: *prorrogáveis* (fl.), *prorrogáveis* (pl. de *prorrogável*).]

prorrogável (pror.ro.*gá*.vel) ***a2g.*** Que se pode prorrogar; ADIÁVEL: *O jogo é prorrogável a critério do árbitro.* [F.: *prorrogar* + *-vel*. Hom./Par.: (pl.) *prorrogáveis, prorrogáveis* (fl. de *prorrogar*).]

prorromper (pro.rom.*per*) ***v.*** **1** Manifestar-se repentinamente; IRROMPER; DESATAR [***tr.*** *+em*: *A plateia prorrompeu em risos.*] [***int.***: *A gritaria prorrompeu pelo corredor.*] **2** Sair com ímpeto: *A dor que guardava no peito prorrompeu na forma de copiosas lágrimas.* [▶ 2 prorromper] [F.: Do lat. *prorumpere*.]

prosa (*pro*.sa) ***sf.*** **1** *Liter.* Narrativa ficcional, em oposição a verso, composta sem forma métrica, sem verso(s): *Assinou o artigo em prosa para o jornal.* **2** Modo de falar ou de escrever segundo o hábito e uso natural da vida; facilidade em falar **3** Conversa, paleio: "Às vezes o padre Amâncio passava por lá e parava para dar dois dedos de prosa." (José Lins do Rego, *Pedra bonita*) **4** *Bras. Pop.* Indivíduo de muita lábia, palavreado; BAZÓFIA; MANHA; ASTÚCIA **5** Vaidade, pretensão, orgulho: *Lá vai ele cheio de prosa rua abaixo.* **6** *N Pop.* Ver *namoro* ***a2g.*** **7** Diz-se de quem é ou está cheio de si; PEDANTE; CONVENCIDO: *Ele ficou todo prosa com os elogios.* **8** *Bras. Gír.* Fanfarrão, gabola ***s2g.*** **9** *Bras.* Indivíduo pedante, cheio de si **10** *Bras.* Indivíduo loquaz, conversador; proseador [F.: Do lat. *prosa*.] ■ **Perder a ~** *Bras.* Ficar desconcertado, encabulado **Ter boa ~ 1** Ser bom conversador, ter uma conversa interessante **2** Ser insinuante no falar, ter lábia

prosador (pro.sa.*dor*) [ô] ***sm.*** **1** *Liter.* Aquele que escreve em prosa **2** Aquele que fala ou escreve de modo natural, que tem facilidade para falar **3** *Bras. Pop.* Aquele que tem muita lábia, muito palavreado; que é loquaz [F.: *prosar* + *-dor*.]

prosaico (pro.*sai*.co) ***a.*** **1** *Liter.* Ref., inerente ou próprio da prosa, que tem a natureza da prosa (estilo prosaico; texto prosaico) **2** Banal, comum, trivial (cotidiano prosaico; hábitos prosaicos) [Ant.: *incomum, invulgar*.] **3** Desprovido de sublimidade, de nobreza; que apresenta caráter prático (vida prosaica) [F.: Do lat. tard. *prosaicus*.]

prosaísmo (pro.sa.*ís*.mo) ***sm.*** **1** Qualidade ou característica do que é prosaico **2** *Liter.* Expressão ou texto de estilo prosaico: *O prosaísmo está presente em poemas de grandes escritores.* **3** Inexistência de poesia em textos escritos em versos: *Poeta é criticado pelo prosaísmo de suas obras.* **4** *Fig.* Qualidade do que é seco, vulgar, material, sem encanto poético nem elevação de sentimentos: "A pompa das vindimas no mundo velho, que os prosaísmos da vida egoísta exautoram das suas galas mitológicas." (Fialho de Almeida, *País das uvas*) [Ant.: *elevação, sublimidade*.] [F.: *prosa* + *-ismo*.]

prosápia (pro.*sá*.pi.a) ***sf.*** **1** Atitude ou comportamento orgulhoso; VAIDADE **2** *P. ext.* Discurso, palavreado enfático, esnobe **3** *P. ext.* Ostentação no vestir **4** Linhagem, ascendência, genealogia (prosápia aristocrática; prosápia humilde) [F.: Do lat. *prosapia*.]

prosar (pro.*sar*) ***v. int.*** **1** *Bras.* Conversar descontraidamente; PROSEAR **2** Escrever texto em prosa [▶ 1 prosar] [F.: *prosa* + *-ar*[2]. Hom./Par.: *prosa(s)* (fl.), *prosa(s)* (sm. s2g. a2g. [pl.]).]

proscênio (pros.*cê*.ni.o) *Teat.* ***sm.*** **1** A parte anterior do palco junto à ribalta **2** *P. ext.* Palco, cenário, teatro **3** *Fig.* Lugar onde se desenrolam fatos à vista de todos [F.: Do lat. *proscaenium*, deriv. do gr. *proskénion*.]

proscrever (pros.cre.*ver*) *v.* **1** Proibir, condenar [***td.***: *A Igreja proscreve o aborto.* Ant.: *aprovar.*] **2** Impedir de frequentar; BANIR [***tdr.*** *+de*: *Proscreveram do grupo o amigo desleal.* Ant.: *aceitar, acolher.*] **3** Fazer sair (de certo lugar, esp. da pátria); DEGREDAR; DESTERRAR; BANIR [***td.***: *Resolveram os insurgentes proscrever os que até então detinham o poder.* Ant.: *repatriar.*] **4** Acabar com; CORTAR; ABOLIR [***td.***: *Depois do Natal, proscreveria a fritura.* Ant.: *incluir.*] [▶ 2 proscrev**er** Part.: *proscrito.*] [F.: Do lat. *proscribere*, 'anunciar por escrito'. Hom./Par.: *proscrever, prescrever* (em todas as fl.).]

proscrição (pros.cri.*ção*) *sf.* **1** Ação ou efeito de proscrever **2** Desterro, banimento; EXÍLIO [Ant.: *repatriação.*] **3** *Pol.* Perseguição ou violência exercida contra alguém em tempo de guerra ou de discórdias civis; abolição, proibição [F.: Do lat. *proscriptionis.* Hom./Par: *prescrição* (sf.).]

proscrito (pros.*cri*.to) *a.* **1** Que se proscreveu; condenado à proscrição; expulso, desterrado, degredado **2** Que se proibiu (livro proscrito); PROIBIDO; BANIDO **3** Abolido, extinto (benefícios proscritos) *sm.* **4** Pessoa banida da pátria; EXILADO [F.: Do lat. *proscriptus.* Hom./Par: *prescrito* (a.).]

prosear (pro.se.*ar*) *v. int.* **1** *Bras.* Conversar descontraidamente; bater papo; PROSAR: *Júlia adora prosear com a cunhada.* **2** Exibir os próprios méritos e conquistas; GABAR-SE; JACTANCIAR-SE [▶ 13 pros**ear**] [F.: *prosa* + *-ear*².]

proselitismo (pro.se.li.*tis*.mo) *sm.* **1** Empenho para se conseguir prosélitos, adeptos; sectarismo (proselitismo político; proselitismo religioso); DOUTRINAÇÃO; CATEQUESE **2** O conjunto de prosélitos [F.: Do fr. *prosélytisme.*]

proselitista (pro.se.li.*tis*.ta) ***a2g.*** **1** Ref. ou inerente a proselitismo; que envolve proselitismo **2** Diz-se de que ou quem faz proselitismo ***s2g.*** **3** Aquele ou aquilo que faz proselitismo [F.: *prosélito* + *-ista.*]

prosélito (pro.*sé*.li.to) *sm.* **1** Indivíduo que passa a adotar nova religião, doutrina ou posição política; que foi atraído por uma seita, uma opinião, um partido; adepto, seguidor; SECTÁRIO [Ant.: *adversário.*] **2** *Ant. Rel.* Pessoa que abjurava suas crenças para abraçar a religião judaica [F.: Do lat. ecles. *proselytus*, deriv. do gr. *prosélytos.*]

prosênquima (pro.*sên*.qui.ma) *sm. Bot.* Conjunto de fibras ou filamentos que constituem o tecido fibroso e resistente da madeira e da cortiça [F.: *pros-* + *-ênquima.*]

prosista (pro.*sis*.ta) ***a2g.*** **1** *Bras.* Que conta lorotas; CONVERSADOR; GRACEJADOR ***s2g.*** **2** *Bras.* Indivíduo conversador, gracejador ***a2g. s2g.*** **3** *Liter.* O mesmo que *prosador* [F.: *prosa* + *-ista.*]

prosístico (pro.*sís*.ti.co) *Liter. a.* ref., inerente ou próprio da prosa. O mesmo que *prosaico* (1) (texto prosístico) [F.: *prosista-* + *-ico*².]

prosódia (pro.*só*.di.a) *Fon. Gram. Ling. sf.* **1** Acentuação ou entonação características de uma língua ou dialeto **2** Pronúncia correta; ORTOFONIA **3** Estudo das normas de acentuação e entoação das palavras **4** Parte da fonética que estuda traços da fala tais como ritmo, intensidade, tom, altura e duração [Para estas três últimas acepções cf.: *ortoépia.*] **5** *Mús.* Reciprocidade entre texto e melodia, de modo que a entonação das palavras e o ritmo da música se correspondam [F.: Do lat. *prosodia*, deriv. do gr. *prosoidía.*]
■ **~ musical** *Mús.* Nas músicas cantadas com palavras, ajuste dos acentos tônicos das palavras aos tempos fortes do compasso

◎ **-prosop(o)-** *el. comp.* Ver *prosop(o)-*

◎ **-prosopo** *el. comp.* Ver *prosop(o)-*

◎ **prosop(o)-** *el. comp.* = 'face', 'rosto'; 'máscara'; 'personagem'; 'pessoa': *prosopografia, prosopônimo, prosopopeia* (gr.), *prosopoplegia*; *mesoprosópio*; *diprosopo, leptoprosopo* [F.: Do gr. *prósopon, ou.*]

prosopopeia (pro.so.po.*pei*.a) *sf.* **1** *Ling. Ret.* Figura que consiste na atribuição de sentimentos, psicologia e comportamento humanos a seres inanimados e a animais; METAGOGE; PERSONIFICAÇÃO **2** *Pej.* Discurso artificial, solene, empolado; falatório, palavreado **3** *N. E. Pop.* Vaidade; gabolice [F.: Do gr. *prosopopoiia, as.*]

prospecção (pros.pec.*ção*) *sf.* **1** *Geol. Min. Petr.* Análise de terreno para avaliar se nele estão presentes jazidas minerais, petrolíferas ou de gás **2** *Fig.* Investigação aprofundada dos componentes de qualquer coisa, de uma pessoa ou das características de uma obra artística ou teórica; PESQUISA [F.: Do ingl. *prospection*, deriv. do lat. tard. *prospectionis.*]

prospectar (pros.pec.*tar*) *v.* **1** Fazer prospecção, localizando e calculando o valor de uma jazida mineral ou petrolífera **2** *Fig. Com. Econ.* Abordar (cliente, mercado) para avaliar-lhe o potencial de compra [***td.***] **3** *Fig.* Tentar descobrir, localizar [***td.***: *Prospectar soluções/ recursos.*] **4** *Fig.* Tentar conhecer, observando com discrição; PERSCRUTAR; SONDAR [***td.***: *Prospectava o colega, que falava:* "Assim teus namorados se prospectam..." (Carlos Drummond de Andrade, "Véspera" *in A vida passada a limpo*)] **5** *P. us.* Sobressair, destacar-se [***int.***: *O jequitibá prospectava na paisagem.*] [▶ 1 prospect**ar**] [F.: Do lat. *prospectare* (iterativo de *prospicere*).]

prospectivo (pros.pec.*ti*.vo) *a.* **1** Ref. ou inerente à prospecção, ou próprio dela (técnicas prospectivas) **2** Que diz respeito ao futuro (visão prospectiva) **3** Que faz ver adiante(política prospectiva) [F.: Do lat. *prospectivus.* Sin. ger.: *prospetivo.*]

prospecto (pros.*pec*.to) *sm.* **1** *Mkt. Publ.* Pequeno texto impresso, em que se faz propaganda de empresa, serviço ou produto **2** *Art. gr. Bibl. Edit.* Impresso que informa a publicação de um livro, contendo mostras e exemplos de páginas e ilustrações, etc.; boneco, protótipo **3** Projeto, plano, programa (prospecto de obras públicas) **4** Ação de ver de frente; perspectiva, aspecto [F.: Do lat. *prospectus.* Tb. *prospeto.*]

prospector (pros.pec.*tor*) [ô] *a.* **1** Que faz prospecção (sistema prospector) *sm.* **2** *Min.* Aquele que conhece e indica os terrenos metalíferos para prospecção **3** *Fig.* Indivíduo responsável pela pesquisa e indicação de negócios ou aplicações financeiras para pessoas físicas ou jurídicas [F.: Do ing. *prospector.*]

prosperar (pros.pe.*rar*) *v.* **1** Tornar-se mais produtivo (em); PRODUZIR; CRESCER [***tr.*** *+em*: *O país prosperava na agricultura e no comércio.* Ant.: *decrescer.*] [***int.***: *O país prosperava.*] **2** Ficar rico; ENRIQUECER [***int.***: *Um negociante que prospera de ano para ano.* Ant.: *empobrecer.*] **3** Dar bom resultado; ter êxito [***int.***: *Seus negócios prosperavam.*] **4** Favorecer, melhorar [***td.***: *A autoestima prospera o desempenho.*] [▶ 1 prosper**ar**] [F.: Do lat. *prosperare.* Hom./Par.: *prospera* (fl.), *próspera* (fem. de *próspero*); *prospero* (fl.), *próspero* (a.).]

prosperidade (pros.pe.ri.*da*.de) *sf.* **1** Qualidade ou estado de próspero; situação favorável; felicidade, ventura (prosperidade financeira; prosperidade intelectual) **2** Situação próspera (prosperidade nos negócios) [F.: Do lat. *prosperitatis.* Ant. ger.: *ruína, miséria.*]

próspero (*prós*.pe.ro) *a.* **1** Que acumulou dinheiro ou bens; RICO [Ant.: *pobre*] **2** Que alcançou êxito, que é bem-sucedido (colégio próspero); VENTUROSO; AFORTUNADO [Ant.: *desventurado*] **3** Favorável; PROPÍCIO; BENÉFICO: *um ano próspero a novas realizações.* [Ant.: *desfavorável.*] **4** Desenvolvido, adiantado (países prósperos) [Ant.: *atrasado*] [F.: Do lat. *prosperus.* Hom./Par: *prospero* (fl. de *prosperar*).]

prospérrimo (pros.*pér*.ri.mo) *a.* Muitíssimo próspero; PROSPERÍSSIMO: *Que o próximo ano seja prospérrimo para todos!* [Superl. abs. sint. de *próspero.*] [F.: Do lat. *prosperrimus, a, um.*]

prospeto (pros.*pe*.to) *sm.* Ver *prospecto*

prossecução (pros.se.cu.*ção*) *sf.* Ação ou resultado de prosseguir; continuação, andamento, seguimento (prossecução da narrativa); PROSSEGUIMENTO [Ant.: *interrupção, suspensão.*] [F.: Do lat. *prosecutionis.*]

prosseguidor (pros.se.gui.*dor*) [ô] *a.* **1** Diz-se de que ou quem prossegue *sm.* **2** Aquele que prossegue; CONTINUADOR [F.: *prosseguir* + *-dor.*]

prosseguimento (pros.se.gui.*men*.to) *sm.* Ação ou resultado de prosseguir; prosseguição, continuação (prosseguimento das obras; prosseguimento da narrativa); PROSSECUÇÃO [F.: *prosseguir* + *-mento.* Ant. ger.: *interrupção.*]

prosseguir (pros.se.*guir*) *v.* **1** Levar ou ir em frente; SEGUIR; CONTINUAR [***tr.*** *+em*: *Prossiga na sua luta, meu filho!* Ant.: *parar.*] **2** Continuar (caminho); seguir (percurso iniciado) [***td.***: *Mesmo cansados, os caminheiros decidiram prosseguir a viagem no mesmo dia.*] **3** Retomar (fala, ação etc.) [***td.*** / ***tr.*** *+em*: *As vaias impediram-no de prosseguir (em) seu discurso.* Ant.: *interromper, suspender.*] **4** Permanecer, ficar [***tp.***: *Prosseguiu calado a noite toda.*] **5** Ir por diante [***Int.***: "Via-se o vulto impassivo aprumar-se ao longe, considerando a força por instantes, e prosseguir depois tranquilamente." (Euclides da Cunha, *Os sertões*)] [▶ **55** prossegu**ir**] [F.: Do lat. *prosequere, por prosequi.*]

prossilogismo (pros.si.lo.*gis*.mo) *sm. Lóg.* Encadeamento de silogismos em que a conclusão de cada um se torna a premissa do seguinte [F.: Do gr. *prossullogismós, ou.*]

prossímio (pros.*sí*.mi.o) *sm.* **1** Ref. aos prossímios ***smpl.*** **2** *Zool.* Espécime dos prossímios, subordem de primatas de hábitos noturnos e arborícolas que originaram os atuais lêmures e társios; são dotados de um focinho alongado, dedos com garras achatadas, cauda comprida e densa pelagem [Modernamente são classificados entre os estrepsirrinos.] [F.: Do lat. cient. subordem *Prosimii.*]

prostaglandina (pros.ta.glan.*di*.na) *sf. Bioq.* Cada uma de várias moléculas derivadas do ácido araquidônico e com diversas funções fisiológicas, como vasodilatação e aumento da permeabilidade vascular [F.: Do al. *Prostaglandin.*]

próstase (*prós*.ta.se) *sf. Hist. Med.* Predomínio de um humor (4) do organismo sobre outro [F.: Do gr. *próstasis, eos.*]

próstata (*prós*.ta.ta) *Anat. sf.* Glândula do aparelho genital masculino, que circunda o colo vesical e a parte inicial da uretra, e é parcialmente responsável pela produção do esperma [F.: Do gr. *prostátes.*]

prostatalgia (pros.ta.tal.*gi*.a) *sf. Pat. Urol.* Dor na próstata [F.: *próstata* + *-algia.*]

prostatectomia (pros.ta.tec.to.*mi*.a) *sf. Cir.* Ablação parcial ou total da próstata [F.: *próstata* + *-ectomia.*]

prostático (pros.*tá*.ti.co) *a.* **1** Ref., inerente a ou pertencente à próstata **2** Que sofre da próstata *sm.* **3** Indivíduo que sofre da próstata [F.: *próstata* + *-ico*².]

prostatite (pros.ta.*ti*.te) *sf. Urol.* Inflamação aguda ou crônica da próstata [F.: *próstata* + *-ite*¹.]

prostatotomia (pros.ta.to.to.*mi*.a) *sf. Cir.* Incisão na próstata [F.: *próstata* + *-o-* + *-tomia.*]

prosternação (pros.ter.na.*ção*) *sf.* Ação ou resultado de prosternar(-se); HUMILHAÇÃO; PROSTRAÇÃO; PROSTERNAMENTO [F.: *prosternar* + *-ção.*]

prosternar (pros.ter.*nar*) *v. td.* **1** Fazer cair; levar ao chão; DERRUBAR: *prosternar o adversário com um só golpe.* **2** Submeter pela força; SUBJUGAR; ABATER: *O comandante pensava que nada prosternaria o seu batalhão.* **3** Curvar-se até o chão em reverência; PROSTRAR-SE: *O vassalo prosternou-se diante do rei.* [▶ 1 prostern**ar**] [F.: Do lat. *prosternare.* Sin. ger.: *prostrar.*]

prostético (pros.*té*.ti.co) *a. P. us.* Ref. a próstese, ou em que há próstese (ou prótese); PROTÉTICO [F.: Do gr. *prosthetikós.*]

prostibular (pros.ti.bu.*lar*) ***a2g.*** Relativo, semelhante a ou próprio de prostíbulo: "Todo mundo é bandido na guerra por mercados. É algo prostibular." (Roberto Rodrigues, *em entrevista para a revista ISTO É Independente - on line*) [F.: *Prostíbulo* + *-ar.*]

prostibulário (pros.ti.bu.*lá*.ri.o) *sm.* **1** Indivíduo frequentador de prostíbulos; BORDELENGO *a.* **2** Ref. a prostíbulo (ambiente prostibulário) [F.: *prostíbulo* + *-ário.*]

prostíbulo (pros.*tí*.bu.lo) *sm.* **1** Estabelecimento onde prostitutas recebem seus clientes; casa de tolerância; BORDEL; LUPANAR **2** *Tabu.* Puteiro [F.: Do lat. *prostibulum.*]

prostilo (pros.*ti*.lo) *Arq. sm.* **1** Edifício que só tem uma fila de colunas na fachada frontal **2** Fachada de um templo com colunas **3** Pórtico entre as colunas e a parede do templo [F.: Do gr. *próstylos (dómos).*]

prostituição (pros.ti.tu.i.*ção*) [u-i] *sf.* **1** Ação ou resultado de prostituir(-se) **2** Realização de ato sexual ou libidinoso em troca de dinheiro **3** O modo de vida que inclui a realização de tais atos como principal fonte de renda: *Viver na prostituição.* **4** *Fig.* Vida desregrada **5** *Fig. Pej.* Degradação moral e material; corrupção, aviltamento [F.: Do lat. *prostitutionis.*]

prostituído (pros.ti.tu.*í*.do) *a.* **1** Diz-se de indivíduo que se prostituiu; PROSTITUTO: "...só este ideal lhe havia de cair aos pés como um anjo prostituído!" (Raul Pompeia, "Último castelo" *in Dramas Fluminenses*) *sm.* **2** Aquele que se prostituiu: "...como faz Aristófanes em As Nuvens, em que a imoralidade dos prostituídos tem a ver com uma má-educação dos jovens." (Rachel C. Lima Reis, *Homossexualidade e política nas comédias de Aristófanes*) [F.: Part. de *prostituir.*]

prostituidor (pros.ti.tu.i.*dor*) [ô] *a.* **1** Que prostitui; CORROMPEDOR: *Manteve sua dignidade, embora recebesse um convite prostituidor.* *sm.* **2** Aquele que prostitui, degrada, desonra: *Um prostituidor deverá cumprir penas mais severas.* [F.: *prostituir* + *-dor.*]

prostituir (pros.ti.tu.*ir*) *v. td.* **1** Levar a fazer ou fazer sexo mediante pagamento: *A miséria acaba por prostituir as filhas dos miseráveis; A moça tinha aparência de donzela, mas prostituía-se à noite.* **2** *Fig.* Tornar(-se) degradante, devasso; CONSPURCAR(-SE); CORROMPER(-SE): *O desejo de poder prostitui os homens.* [Ant.: *regenerar.*] [▶ **56** prostit**uir**] [F.: Do lat. *prostituere.*]

prostituível (pros.ti.tu.*í*.vel) ***a2g.*** Suscetível de prostituir-se, corromper-se, desmoralizar-se: *entidade corrupta e prostituível.* [Pl.: *-veis.*] [F.: *prostituir* + *-vel.*]

prostituta (pros.ti.*tu*.ta) *sf.* **1** Mulher que se prostitui (1); MERETRIZ; RAMEIRA **2** *Tabu.* Puta [F.: Do lat. *prostituta.*]

prostituto (pros.ti.*tu*.to) *a.* **1** Diz-se de homem que se prostitui; que faz sexo por dinheiro; PROSTITUÍDO **2** *Fig. Pej.* Diz-se de homem que se corrompe, que se degrada; DESONRADO; AVILTADO *sm.* **3** Homem que faz sexo por dinheiro [F.: Do lat. *prostitutum.*]

prostração (pros.tra.*ção*) *sf.* **1** Ação ou resultado de prostrar(-se); PROSTERNAÇÃO **2** Situação de curvamento, de posição junto ao solo **3** *Fig.* Estado de grande enfraquecimento físico ou de desânimo profundo; FRAQUEZA; DEBILIDADE [Ant.: *força; vigor.*] **4** *Fig.* Estado de fadiga moral ou psíquica; depressão [F.: Do lat. *prostrationis.*]

prostrado (pros.*tra*.do) *a.* **1** Curvado, lançado no chão: *Prostrado aos pés de seu pai.* **2** Fraco, desfalecido, que perdeu as forças por doença ou por cansaço **3** *Fig.* Que se acha abatido psíquica ou moralmente [Ant.: *fortalecido.* Nas acps. 2 e 3.] **4** *Bot.* Situado sobre o solo (ramo prostrado) [F.: Part. de *prostrar.*]

prostrador (pros.tra.*dor*) [ô] *a.* **1** Que prostra, derruba, desanima (discurso prostrador); PROSTRANTE *sm.* **2** Aquele ou aquilo que prostra: *um prostrador de ânimos.* [F.: *prostrar* + *-dor.*]

prostrar (pros.*trar*) *v.* **1** Fazer cair ou cair ao chão ou sobre algo; DERRUBAR [***td.***: *Com um soco, prostrou o adversário*] [***ta.***: "A bala partiu, e Raimundo, com um gemido, prostrou-se contra a parede" (Aluísio Azevedo, *O mulato*)] **2** Submeter(-se) pela força; CURVAR(-SE); ABATER(-SE); HUMILHAR(-SE) [***td.***: *O desejo do colonizador era prostrar todos os indígenas do Novo Mundo; Muitos africanos escravizados não se prostraram diante do colonizador;* "...o que se não imagina é a dor que o prostrou – a dor e o espanto, – quando ela, erguendo-se da cadeira em que estava, lhe respondeu, saindo: – Esqueça-se disso...." (Machado de Assis, *A mão e a luva*)] **3** *Fig.* Enfraquecer, debilitar, física ou moralmente; EXTENUAR [***td.***: "Eu, em moça, tive uma doença igual que me prostrou por duas semanas..." (Machado de Assis, *Esaú e Jacó*); "...foi um desespero mudo e concentrado, mas que me prostrou em uma atonia profunda;..." (José de Alencar, *Cinco minutos*)] **4** Destruir, extinguir, matar [***td.***: "E prostrar uma após outra / Geração e geração, / Como preste que só reina / Em meio da solidão." (Gonçalves Dias, *Primeiros cantos*); "Poti já prostrou o velho Andira e quantos guerreiros topou na luta seu válido tacape." (José de Alencar, *Iracema*)] **5** Abaixar-se até o chão em postura de súplica ou de adoração [***tda.***: "Que todos esses homens, de sobrecasaca de domingo, se prostrariam diante de mim como diante de um Cristo." (Eça de Queirós,

O mandarim); "Belchior levanta-se e corre a prostrar-se aos pés de Isaura." (Bernardo Guimarães, *A escrava Isaura*)] [▶ **1 prostrar**] [F.: Do lat. vulg. **prostrare*.]

protactínio (pro.tac.*tí*.ni.o) *sm. Quím.* Elemento químico de número atômico 91 da família dos actiniídeos [Símb.: *Pa.*] [F.: Do lat. cient. *protactinium.*]

protagonismo (pro.ta.go.*nis*.mo) *sm.* **1** *Cin. Liter. Teat. Telv.* Característica de quem é personagem principal de peça teatral, filme, livro etc. **2** Qualidade de quem exerce papel de destaque em qualquer acontecimento (protagonismo juvenil): *Teve o reconhecimento do povo por seu protagonismo na campanha contra a fome.* [F.: *protagon(ista)* + *-ismo*. Sin. ger.: *atuação, desempenho.*]

protagonista (pro.ta.go.*nis*.ta) *s2g.* **1** *Teat. Hist.* Personagem principal nas peças do teatro grego clássico [Cf.: *deuteragonista* e *tritagonista*.] *s2g.* **2** *Cin. Liter. Teat. Telv.* Personagem principal em livro, peça, filme ou novela **3** *Cin. Liter. Teat. Telv.* Ator ou atriz que desempenha esse papel **4** *Fig.* Pessoa que desempenha ou ocupa o primeiro lugar em uma situação, em um ambiente, em um acontecimento: *Ela foi sem dúvida a protagonista do baile.* [F.: Do fr. *protagoniste*, deriv. do gr. *protagonistés.*]

protagonizar (pro.ta.go.ni.*zar*) *v. td.* **1** *Bras.* Ser o protagonista de (filme, peça teatral, novela etc.): *Fernanda Montenegro protagonizou vários dos principais filmes, peças e novelas feitos no país.* **2** *Bras.* Ter papel de destaque em (acontecimento, situação): *Madre Teresa de Calcutá protagonizou o trabalho humanitário.* [▶ **1 protagonizar**] [F.: *protagonista* + *-izar*, seg. o mod. erudito.]

prótalo (*pró*.ta.lo) *sm.* **1** *Bot.* Pequeno corpo, ger. lameliforme, que emana dos esporios dos criptógamos vasculares e no qual se desenvolvem os anterídios e os arquegônios **2** Órgão vegetal, de forma variada, e resultante da germinação de certos esporos; tb. *proembrião* **3** O mesmo que *protonema*. [F.: *pro-* + *talo*.]

protanopia (pro.ta.no.*pi*.a) *Oft. sf.* O mesmo que *protanopsia* [F.: *prot(o)-* + *an-* + *-opia*.]

protanopsia (pro.ta.nop.*si*.a) *sf. Oft.* Transtorno cromático da visão em que há falta de percepção mais acentuada para o campo do vermelho; PROTANOPIA [Quando a cegueira cromática tende para o campo do verde, diz-se *deuteranopsia*.] [F.: *prot(o)-* + *a(n)-* + *-opsia*.]

protão (pro.*tão*) *sm.* O mesmo que *próton*

prótase (*pró*.ta.se) *sf.* **1** *Teat.* A primeira das três partes de um drama, na qual se faz a apresentação da argumentação [A segunda parte, o desenrolar do drama, denomina-se *epítase*; a terceira, o esclarecimento final dos acontecimentos, *catástase*.] **2** *Lóg.* A primeira proposição de uma demonstração **3** *Gram.* A primeira parte de um período gramatical, que determina a condição para que o fato principal aconteça [p. ex.: *se você estudar* (condição), *fará boas provas* (fato principal)] [A segunda parte chama-se *apódose*.] [F.: Do gr. *prótasis, eós*. Hom./Par.: *prótese*.]

proteácea (pro.te.*á*.ce:a) *sf. Bot.* Espécime das proteáceas, fam. da ordem das proteales, que reúne 77 gên. e 1.600 spp. de árvores e arbustos nativos do Sul da África, da Austrália e das Américas Central e do Sul, cultivados pela madeira, para uso ornamental ou medicinal, ou por suas sementes comestíveis [F.: Adaptação do lat. cient. *Proteaceae.*]

proteáceo (pro.te.*á*.ce.o) *a. Bot.* Ref. a proteáceas [F.: De *proteácea*, com var. de suf; ver *-áceo*.]

protéase (pro.*té*.a.se) *sf. Bioq.* Enzima que catalisa a hidrólise de proteínas [F.: Do ing. *protease.* Tb. *protease.*]

proteásico (pro.te.*á*.si.co) *a. Bioq.* Ref. a protéase ou protease; PROTEÁTICO [F.: *protéase* ou *protease* + *-ico*[2], seg. o mod. vern.]

proteático (pro.te.*á*.ti.co) *a. Bioq.* O mesmo que *proteásico* [F.: *proté(ase)* ou *prote(ase)* + *-ático*, seg. o mod. gr.]

proteção (pro.te.*ção*) *sf.* **1** Ação ou resultado de proteger(-se) **2** Cuidado especial com alguém considerado frágil; ABRIGO; RESGUARDO: *Os pais sempre dão proteção aos filhos.* **3** Aquilo que fornece defesa contra dano físico ou algo desagradável ou perigoso; SOCORRO: *O dique serviu de proteção contra as ondas.* **4** Patrocínio, favor; AMPARO: *O artista estava sob a proteção da rainha.* **5** Ares de protetor, tom de proteção **6** *Econ.* Auxílio, privilégio ou favor concedido a um setor produtivo, por meio de restrições a importações de produtos estrangeiros [Cf.: *protecionismo*.] **7** *Adm. Jur.* Ação do Estado e do Poder Público pondo um bem cultural ou um bem natural sob sua guarda e impondo restrições de uso e manuseio (proteção arquitetônica; proteção cultural; proteção ambiental) [Cf.: *tombamento*.] **8** Exército, defesa armada [Pl.: *-ções*.] [F.: Do lat. *protectionis.* Sin. ger.: *defesa, salvaguarda*. Ant. ger.: *desproteção, abandono*.] ▪ **Área de ~ ambiental** *Ecol.* Área ger. extensa, com algum grau de ocupação humana e com atributos ecológicos importantes para seu bem-estar, submetida por lei a medidas de preservação que visam a proteger a biodiversidade, controlar o processo de ocupação e de exploração econômica e de uso dos recursos naturais de modo a garantir sua sustentabilidade [Sigla: *APA*.] **~ ambiental** *Ecol.* Ver *Preservação ambiental* no verbete *preservação* **~ catódica** *Quím.* Sistema de proteção contra corrosão de metais (ger. em estruturas e tubos subterrâneos) que consiste em aplicar-lhe uma corrente elétrica na qual seja o catodo, sendo as partículas negativas da corrosão atraídas para o anodo

protecionismo (pro.te.ci.o.*nis*.mo) *Econ. Pol. sm.* Política econômica, prática ou doutrina de proteção à produção de um país ou região por meio da imposição de altas taxas alfandegárias ou de cotas de importação aos produtos estrangeiros [Opõe-se a livre-comércio] [F.: Do fr. *protectionnisme.*]

protecionista (pro.te.ci.o.*nis*.ta) *Econ. Pol. a2g.* **1** Ref. ou inerente a protecionismo, ou que é partidário do protecionismo (política/decreto/programa protecionista) *s2g.* **2** Partidário e praticante do protecionismo [F.: Do fr. *protectionniste.*]

proteger (pro.te.*ger*) *v.* **1** Livrar(-se) ou afastar(-se) do mal, do perigo; DEFENDER(-SE) [*td.: Protegeu o amigo.*] [*tdr.* +*de*: *proteger a galáxia dos invasores; proteger-se da gripe.* Ant.: *desproteger.*] **2** Servir de barreira; usar meios de defesa contra; ABRIGAR(-SE) [*td.: O muro protegia a casa.*] [*tdr.* +*contra, de*: *A cerca protegia a horta dos porcos.* Ant.: *expor.*] **3** Cobrir(-se) com algo ou abrigar(-se) ou esconder(-se) em algum lugar para ficar a salvo de (perigos, fatores externos) [*td.: proteger a cabeça.*] [*tdr.* +*de*: *Protegeu as plantas do vento.*] **4** Dar tratamento melhor; FAVORECER; PRIVILEGIAR [*td.: A gerência protegia alguns funcionários.*] **5** Promover o crescimento ou a manutenção de (algo); AMPARAR; FOMENTAR [*td.: O governo deve proteger a agricultura familiar.*] **6** Impedir a destruição ou a extinção; PRESERVAR [*td.: É preciso proteger a nossa fauna.*] **7** Ocultar a culpa de (alguém) [*td.: Testemunhas familiares geralmente protegem o réu.*] [▶ **35 proteger**] [F.: Do lat. *protegere.*]

protegido (pro.te.*gi*.do) *sm.* **1** Aquele ou aquilo que recebe algum tipo de proteção especial ou favorecimento: *O protegido da direção da empresa; O protegido na escalação do time.* **2** Aquele que recebe auxílio financeiro ou patrocínio (cf.: *protetor*) *a.* **3** Que tem proteção, que recebe ou recebeu proteção; ABRIGADO; DEFENDIDO **4** Diz-se de que ou quem recebe algum tipo de proteção especial ou de favorecimento; PREDILETO; PREFERIDO [+*contra, de, por*: *Protegido contra a chuva; Protegido do ministro; Protegido por Deus.*] **5** Preservado por lei ambiental (área protegida; animal protegido) [F.: Part. de *proteger.* Ant. ger.: *desprotegido.*]

proteico (pro.*tei*.co) *Bioq. a.* Ref. ou inerente a, ou próprio de proteína; que é da natureza da proteína; que contém proteína (substância proteica; alimento proteico); PROTEÍNICO [F.: *prote(ína)* + *-ico*[2].]

proteídeo (pro.te.*í*.de.o) *Zool. sm.* **1** Espécime dos proteídeos, fam. de salamandras aquáticas que habitam a América do Norte e a Europa, de corpo comprido e membros curtos *a.* **2** Ref. ou pertencente aos proteídeos [F.: Adaptação do lat. cient. *Proteidae.*]

proteiforme (pro.tei.*for*.me) *a2g.* Que muda de forma frequentemente [F.: *prote(o)-*[1] + *-iforme.*]

proteína (pro.te.*í*.na) *Bioq. sf.* Composto orgânico de carbono, nitrogênio, oxigênio e hidrogênio, que constitui elemento essencial aos organismos vivos, formando os constituintes dos tecidos e líquidos orgânicos [Proteínas são, em essência, combinações de aminoácidos e seus derivados; encontram-se principalmente na carne, no leite e nos ovos, e também na soja e em cereais como trigo e aveia.] [F.: Do al. *Protein* (gr. *proteîos, a, on*, 'primário'), pelo fr. *proteine.*] ▪ **~ conjugada** *Bioq.* Aquela, não peptídica, que contém grupo(s) prostético(s), componente orgânico ou inorgânico estreitamente ligado **~ fibrosa** *Bioq.* Qualquer das proteínas não solúveis em água, filamentosas, cuja cadeia polipeptídica estende-se ao longo de um eixo, como o colágeno e a queratina **~ globular** *Bioq.* Qualquer das proteínas solúveis cuja cadeia polipeptídica é globular, como as albuminas, as globulinas etc.

proteínase (pro.te.í.*na*.se) *sf. Bioq.* Enzima que desdobra as proteínas [F.: *proteína* + *-ase.* Tb. *proteinase.*]

proteinato (pro.te.i.*na*.to) *sm. Bioq.* Proteína simples, rica em aminoácidos [F.: *proteína* + *-ato*[2].]

proteinemia (pro.te.i.ne.*mi*.a) *sf. Med.* Quantidade de proteína presente no sangue [F.: *proteína* + *-emia.*]

proteínico (pro.te.*í*.ni.co) *Bioq. a.* Ref., inerente a ou próprio da(s) proteína(s); PROTEICO: *teor proteínico da soja.* [F.: *proteína* + *-ico*[2].]

proteinúria (pro.te.i.*nú*.ri.a) *sf. Med.* Presença de proteína(s) na urina [F.: *proteína* + *-úria.* Tb. *proteinuria.*]

proteinúrico (pro.te.i.*nú*.ri.co) *a. Med.* Ref. a proteinúria [F.: *proteinúria* ou *proteinuria* + *-ico*[2].]

protelação (pro.te.la.*ção*) *sf.* Ação ou resultado de protelar (protelação de prazo; protelação da decisão); ADIAMENTO; DELONGA; PROLONGAMENTO [F.: Do lat. *protelationis.* Ant. ger.: *antecipação.*]

protelado (pro.te.*la*.do) *a.* Que se protelou, adiou; ADIADO; POSTERGADO: *concurso protelado judicialmente.* [Ant.: *adiantado, antecipado.*] [F.: Part. de *protelar.*]

protelador (pro.te.la.*dor*) [ô] *a.* **1** Que protela, prorroga (expediente protelador): "Curadores impostos ao vosso procedimento, proteladores oficiais de vossas vontades." (Rui Barbosa, *Discursos e conferências*) *sm.* **2** Aquele que protela: *Faça o teste e descubra se você é um protelador.* [F.: *protelar* + *-dor*. Sin. ger.: *postergador.*]

protelar (pro.te.*lar*) *v. td.* Deixar (algo) para depois; ADIAR; RETARDAR; PROCRASTINAR [Ant.: *antecipar.*] [▶ **1 protelar**] [F.: Do lat. *protelare.* Hom./Par.: *proteláveis* (fl.), *proteláveis* (pl. de *protelável*).]

protelatório (pro.te.la.*tó*.ri.o) *a.* Que prorroga ou procrastina; que é próprio para protelar (efeito protelatório) [F.: *protelar-* + *-tório.*]

protendido (pro.ten.*di*.do) *a.* **1** Estendido para diante (prazo protendido); DILATADO; ESTICADO [Ant.: *diminuído, encurtado.*] **2** Posto em riste, erguido (postura protendida) **3** *Cons.* Compactado, reforçado (diz-se de estrutura de cimento armado): *piso de concreto protendido.* [F.: Part. de *protender.*]

◎ **prote(o)-**[1] *el. comp.* = 'diferentes formas'; 'mudança de aspecto ou forma': *proteácea* (lat. cient.), *proteídeo* (lat. cient.), *proteiforme* [F.: Do gr. *Proteús*, 'Proteu, filho de Tétis e Oceanus que possuía o dom da premonição e assumia diferentes formas, em geral assustadoras, para afugentar aqueles que quisessem consultá-lo sobre o futuro.]

◎ **prote(o)-**[2] *el. comp.* = 'proteína': *protéase, protease* (< ing.), *proteólise* [F.: De *prote(ína)* + *-o* -.]

proteólise (pro.te.*ó*.li.se) *sf. Bioq.* Desdobramento de proteínas por influência de fermentos solúveis ou agentes químicos [F.: *prote(o)-*[2] + *-lise.*]

proteolítico (pro.te.o.*lí*.ti.co) *Bioq. a.* **1** Que diz respeito a proteólise **2** Diz-se de enzima ou reação química capaz de provocar a proteólise [F.: *proteól(ise)* + *-itico*, seg. o mod. gr.]

◎ **proter(o)-** *el. comp.* = 'anterior (no espaço ou no tempo)': *proterandria, proteroginia, proterozoico* [F.: Do gr. *próteros, os, on.*]

proterozoico (pro.te.ro.*zoi*.co) *a.* **1** *Geol.* Ref. à era proterozoica *sm.* **2** Era anterior ao aparecimento dos animais na Terra, no intervalo do tempo geológico compreendido entre 2.500 e 570 milhões de anos [Inicial maiúsc.] [F.: *proter(o)-* + *-zoico.*]

protérvia (pro.*tér*.vi.a) *sf.* Imprudência, insolência, petulância: "Tu és feito de luz e feito de baixezas, feito de heroicidade e de protérvias más." (Guerra Junqueiro, *A velhice do Padre Eterno*) [F.: Do lat. *protervia, ae.*]

protervo (pro.*ter*.vo) [é] *a.* **1** Petulante, insolente, atrevido **2** Descarado, desavergonhado; IMPUDENTE [F.: Do lat. *protervus.*]

prótese (*pró*.te.se) *sf.* **1** *Cir. Med. Od. Ort.* Peça ou aparelho artificial que substitui um órgão ou parte do corpo (prótese dentária; prótese ortopédica) **2** *Fon. Ling.* Inserção de um som extra no início de uma palavra, sem alterar-lhe o significado (p. ex.: *alembrar* em lugar de *lembrar*) **3** *Mús.* V. *anacruse* [F.: Do lat. *prothese*, deriv. do gr. *próthesis.*]

protestado (pro.tes.*ta*.do) *Econ. Jur. a.* Diz-se de título de crédito que se protestou, que foi a protesto (4) [F.: Part. de *protestar.*]

protestador (pro.tes.ta.*dor*) [ô] *a.* **1** Diz-se de que ou quem faz protesto; que protesta; que contém protesto (ação protestadora) *sm.* **2** Aquele ou aquilo que faz protesto [F.: *protestar* + *-dor.*]

protestante (pro.tes.*tan*.te) *a2g.* **1** *Rel.* Ref. ou inerente ao protestantismo (igreja protestante) **2** Diz-se de pessoa ou algo que protesta (passeata protestante) **3** *Rel.* Cuja religião é o protestantismo (família protestante) **4** *Rel. Hist.* Nome primeiramente usado para denominar os adeptos de Martinho Lutero (1483-1546), por terem protestado contra um édito de Carlos V, e depois aos anglicanos, aos calvinistas, aos metodistas etc. *s2g.* **5** Pessoa protestante (2, 3, 4) [F.: Do fr. *protestant*, deriv. do lat. *protestantis.*]

protestantismo (pro.tes.tan.*tis*.mo) *sm.* **1** *Hist. Pol. Rel.* Denominação comum a várias religiões cristãs originadas a partir da ruptura com a Igreja Católica, liderada por Martinho Lutero no séc. XVI **2** *Rel.* A religião, a crença dos protestantes **3** O conjunto dos protestantes, das igrejas e das nações protestantes [F.: *protestante-* + *-ismo.*]

protestar (pro.tes.*tar*) *v.* **1** Manifestar insatisfação, discordância, revolta; RECLAMAR [*tr.* +*contra*: *Os alunos protestaram contra o excesso de matéria.* Ant.: *acatar, apoiar, aprovar.*] [*int.: Os alunos protestaram.*] **2** Realizar manifestação pública de protesto (como comício, passeata) [*td.: Pensavam que protestar na avenida Paulista intimidaria os banqueiros.*] **3** Clamar, bradar por [*tr.* +*por*: *protestar por melhores salários.*] **4** *Jur.* Cobrar na justiça pagamento de [*td.: protestar um cheque.*] **5** Afirmar (a alguém) a intenção de; PROMETER [*tdi.* +*a*: *O candidato protestou aos eleitores defender a educação pública.*] **6** Comprometer-se solenemente a; assegurar ou afirmar categoricamente [*tdi.* +*a*: *Protesto a vocês que jamais ultrajarei o nome de minha família; protestar respeito às leis.*] [▶ **1 protestar**] [F.: Do lat. *protestare.* Hom./Par.: *protesto* (fl.), *protesto* (sm.).]

protestatório (pro.tes.ta.*tó*.ri.o) *a.* Que envolve protesto; que serve para protestar (instrumento protestatório) [F.: *protestar-* + *-tório.*]

protesto (pro.*tes*.to) [é] *sm.* **1** Ação ou resultado de reclamar; PROTESTAÇÃO; QUEIXA [Ant.: *resignação*] **2** Manifestação pública ou não, de discordância ou desagrado com uma situação ou decisão: *Abandonou a discussão ante o protesto de todos.* **3** Tenção ou resolução inabalável **4** *Econ. Jur.* Ato jurídico por meio do qual se registra a falta de pagamento de um título de crédito, a fim de receber a dívida por vias judiciais *Interj.* **5** Exclamação, us. principalmente em julgamentos, que expressa firme desacordo com o que está sendo declarado [F.: Dev. de *protestar.*]

protético (pro.*té*.ti.co) *a.* **1** Ref., inerente ou próprio de prótese; em que há prótese (aparelho protético); PROSTÉTICO *sm.* **2** *Od.* Profissional especializado na confecção de próteses dentárias [F.: Do gr. *prothetikós.*]

protetor (pro.te.*tor*) [ô] *a.* **1** Diz-se de que ou quem oferece proteção: *O efeito protetor da vitamina C. sm.* **2** Aquele ou aquilo que oferece proteção: *protetor solar fator 15.* **3** Pessoa que oferece amparo financeiro a alguém, como p. ex. custeando estudos, patrocinando esportes ou incentivando a produção artística (cf.: *protegido*); MECENAS **4** Pessoa responsável pela segurança de algo ou de alguém [F.: Do lat. *protectoris.*] ▪ **~ solar** **1** Substância que sobre a pele filtra parte da radiação ultravioleta dos raios solares **2** Produto us. como bronzeador, que utiliza tal substância

protetorado (pro.te.to.*ra*.do) *sm.* **1** País ou território sob a autoridade de outro, sobretudo no que diz respeito a sua política externa **2** A situação desse país ou território [F.: *protetor* + *-ado*¹.]

protetoral (pro.te.to.*ral*) *a.* **1** Que diz respeito a protetor; PROTETÓRIO: "...não podia se acostumar àquela voz untuosa, àquele derretido aspecto protetoral que ele sabia fingir nos momentos de bom humor." (Adolfo Caminha, *Bom crioulo*) **2** Ref. a protetorado: *Alguns países recebem apoio protetoral de outros mais ricos.* [Pl.: *-rais.*] [F.: *protetor* + *-al.*]

protetório (pro.te.*tó*.ri.o) *a.* **1** Ref. a protetor (ação protetória); PROTETORAL **2** Que protege, resguarda, socorre: *Um contrato deve ter cláusulas protetórias para contratante e contratado.* [F.: Do lat. *protectorius, a, um.*]

prótide (*pró*.ti.de) *sm. Bioq.* Qualquer membro do grupo de substâncias que compreende os aminoácidos e os corpos que dão por hidrólise um ou vários destes aminoácidos [F.: *prote-* + *-ide.* Forma paral. *prótido.*]

protídeo (pro.*tí*.de.o) *sm. Bioq.* Macromolécula composta de cadeias polipeptídicas, m. que *proteína* [F.: Do ing. *protide.*]

protista (pro.*tis*.ta) *Biol. sm.* Qualquer organismo, humano, animal ou vegetal, formado por uma só célula, ou por poucas células [F.: Do gr. *prótistos.*]

◎ **prot(o)-** *el. comp.* = 'primeiro'; 'anterior': *proto-história, protoplasma, protótipo* [Antes de vogal, *h, r* ou *s* usa-se com hífen.] [F.: Do gr. *prôto-*, do gr. *prôtos, e, on.*]

protocélula (pro.to.*cé*.lu.la) *sf.* **1** *Biol.* Primeira célula, célula ancestral **2** *Fig. P. ext.* Qualquer coisa considerada criadora, precursora, primeira: *A casa grande e a senzala foram a protocélula da sociedade brasileira.* [F.: *prot(o)-* + *célula.*]

protociência (pro.to.ci.*ên*.ci.a) *sf.* Ciência em estágio primário de evolução, que tem como conteúdo especulações ou hipóteses ainda não testadas adequadamente, mas que busca o reconhecimento da comunidade científica [F.: *prot(o)-* + *ciência.*]

protocolado (pro.to.co.*la*.do) *Doc. a.* **1** Registrado em protocolo (ofício protocolado) **2** Remetido sob protocolo [F.: Part. de *protocolar.*]

protocolar¹ (pro.to.co.*lar*) *a2g.* **1** Ref. ou inerente a protocolo **2** Conforme o protocolo, a etiqueta, a determinadas convenções de procedimento em público (cumprimentos/normas protocolares) **3** Cerimonioso, formal, convencional (relações protocolares; sentimento protocolar) [F.: *protocolo* + *-ar*¹.]

protocolar² (pro.to.co.*lar*) *v. td. Bras.* Registrar em protocolo [▶ **1 protocolar**] [F.: *Protocolo* + *-ar*². Hom./Par.: *protocolo* (fl.), *protocolo* (sm.).]

protocolo (pro.to.*co*.lo) *sm.* **1** *Adm.* Registro dos atos oficiais, de correspondência, de documentação de um governo, repartição, tribunal, firma, entidade etc. **2** *Adm. Doc.* Seção de repartição pública ou empresa privada onde se dá entrada em processos e se registram documentos **3** *Doc.* Recibo onde se registram número e data de processo protocolado **4** Acordo firmado por vários países ou empresas (protocolo comercial) **5** *Fig.* Regras e procedimentos a serem seguidos em cerimônia pública; formalidade; CERIMONIAL; ETIQUETA [F.: Do fr. *protocole*, deriv. do lat. medv. *protocollum* gr. *protókollon.*] ▪▪ **~ de comunicação** *Inf.* Conjunto de normas e padrões técnicos que determinam o formato da transmissão de dados entre computadores; protocolo de transmissão de dados **~ de transmissão de dados** *Inf.* Ver *Protocolo de comunicação*

protofonia (pro.to.fo.*ni*.a) *Bras. Mús. sf.* Abertura de ópera, sinfonia ou concerto; introdução orquestral de qualquer obra lírica: *A protofonia do Guarani, de Carlos Gomes, é muito popular.* [F.: *prot(o)-* + *-fonia.*]

proto-história (pro.to-his.*tó*.ri.a) *Hist. sf.* **1** Período situado entre a pré-história e a história, pouco antes do surgimento da escrita **2** Ciência que estuda esse período [Pl.: *proto-histórias.*] [F.: *prot(o)-* + *história.*]

proto-histórico (pro.to-his.*tó*.ri.co) *Hist. a.* Ref., inerente a, ou pertencente à proto-história (animal proto-histórico; era proto-histórica) [F.: *proto-história* + *-ico*².]

protolíngua (pro.to.*lín*.gu:a) *sf. Ling.* Língua primitiva registrada historicamente ou pressuposta que, por semelhanças gráficas, fonéticas, ou etimológicas se presume ser origem de outra língua ou de uma família de línguas [F.: *prot(o)-* + *língua.*]

protomártir (pro.to.*már*.tir) *sm.* **1** Primeiro mártir, entre os de uma religião, seita ou ideário político-social **2** Cognome de Santo Estevão, por ser considerado o mais antigo mártir do cristianismo **3** *Bras.* Designação de Tiradentes, por ter sido o primeiro mártir da Independência [F.: *prot(o)-* + *mártir.*]

próton (*pró*.ton) *Fís. nu. sm.* Partícula atômica de massa 938,27 MeV/c² (equivalente a 1,672623 x 10-27 kg), carga elétrica positiva e igual à do elétron em magnitude, número bariônico + 1, composto de dois quarks u e de um quark d, que, junto com o nêutron, constitui o núcleo dos átomos [Símb.: *p*] [F.: Do gr. *prôton.*]

protonefrídio (pro.to.ne.*frí*.di.o) *sm. Anat. Zool.* Órgão excretor de alguns invertebrados [F.: Do lat. cient. *protonefridium.*]

protonema (pro.to.*ne*.ma) *sm. Bot.* Conjunto dos filamentos do espório do musgo, nos quais se formam rebentos que se desenvolvem em novas plantas; PROTOTALO [F.: *prot(o)-* + *-nema* (filamento).]

protopiteco (pro.to.pi.*te*.co) *sm. Pal. Zool.* Símio primitivo que deu origem à família dos macacos [F.: *prot(o)-* + *piteco.*]

protoplaneta (pro.to.pla.*ne*.ta) [ê] *sm. Astron.* Matéria cósmica com características físicas essenciais para transformar-se em planeta [F.: *prot(o)-* + *planeta.*]

protoplasma (pro.to.*plas*.ma) *Cit. sm.* **1** Substância gelatinosa de composição variável que constitui a célula viva **2** *Fig.* Substância fundamental, matéria primordial [F.: *prot(o)-* + *-plasma.*]

protoplasmático (pro.to.plas.*má*.ti.co) *a.* Que diz respeito ao protoplasma; PROTOPLÁSMICO [F.: *prot(o)-* + *plasmático.*]

protoplásmico (pro.to.*plás*.mi.co) *a.* Ref. ao protoplasma; PROTOPLASMÁTICO [F.: *prot(o)-* + *plásmico.*]

protoporfirina (pro.to.por.fi.*ri*.na) *sf. Bioq.* Hemoglobina original que entra na constituição de vários pigmentos respiratórios e de células animais e vegetais: *O acúmulo de protoporfirina nas células vermelhas indica deficiência de ferro.* [F.: *prot(o)-* + *porfirina.*]

protórax (pro.*tó*.rax) [cs] *Anat. Zool. sm2n.* O primeiro dos três segmentos do tórax dos insetos, caracterizado por não apresentar asas ligadas a ele [F.: *pro-* + *-tórax.*]

protose (pro.*to*.se) *sf. Bioq.* Carboidrato ou polímero de açúcar de alto valor nutritivo que pode substituir a carne e outros produtos de origem animal em dietas vegetarianas [F.: *prot(o)-* + *ose.*]

prototípico (pro.to.*tí*.pi.co) *a.* **1** Ref. a protótipo **2** Que tem características de protótipo: "Um espanhol prototípico, retaco, com a cara e a barriga de um daqueles velhos toureiros que comentam o estilo do touro no ouvido do matador." (Luís Fernando Veríssimo, *Traçando o mundo – Um*) [F.: *protótipo* + *-ico*².]

protótipo (pro.*tó*.ti.po) *sm.* **1** Primeiro tipo, primeiro exemplar, original: *A arquitetura grega pode considerar-se como protótipo para vários estilos posteriores.* **2** *Ind. Tec.* A primeira versão de um produto, fabricado industrialmente ou de modo artesanal, segundo as especificações de um projeto, us. ger. para testes ou como modelo; PADRÃO: *protótipo de um novo carro.* **3** Exemplar que apresenta de maneira clara as características próprias do tipo, classe etc. a que pertence; EXEMPLO; IDEAL: *Ele é o protótipo do marido submisso.* **4** *Inf.* Forma preliminar de novo sistema de computador ou de novo programa, para efeito de teste e aperfeiçoamento **5** *Art. gr.* M. q. *tipômetro* [F.: Do lat. tard. *prototypus*, deriv. do gr. *prōtótypos.*]

protovitamina (pro.to.vi.ta.*mi*.na) *sf. Bioq.* Substância orgânica elementar presente em variados tipos de alimento, e de fundamental importância no processo metabólico, nutricional e na prevenção de diversas patologias [F.: *prot(o)-* + *vitamina.*]

protoxilema (pro.to.xi.*le*.ma) *sm. Bot.* Primeiro xilema que se forma na região de expansão das raízes e do caule durante o processo de crescimento destes [F.: *prot(o)-* + *xilema.*]

protozoário (pro.to.zo.*á*.ri:o) *Biol. Zool. a.* **1** Ref. aos protozoários *sm.* **2** Denominação comum a milhares de organismos microscópicos, unicelulares, do reino dos protistas, muitos dos quais parasitam o homem; em classificações antigas os protozoários constituíam um filo do reino animal [F.: *prot(o)-* + *-zo(o)-* + *-ário.*]

protozoonose (pro.to.zo.o.*no*.se) *sf. Med.* Nome genérico para qualquer doença causada por protozoário; PROTOZOOSE [F.: *prot(o)-* + *zoonose.*]

protozoose (pro.to.zo.*o*.se) *sf. Pat.* Doença causada por protozoários; PROTOZOONOSE [F.: *protozo(ário)* + *-ose*¹.]

protraimento (pro.tra.i.*men*.to) *sm.* **1** Ação ou resultado de protrair **2** Delonga, adiamento (protraimento de prazo; protraimento da decisão) [F.: *protrair* + *-mento.*]

protrair (pro.tra.*ir*) *v.* **1** Mover(-se) para a frente ou tornar(-se) proeminente [*td.: protrair o peito.*] [*int.: Na gravidez, o ventre se protrai.*] **2** Transferir para mais adiante; ADIAR; POSTERGAR [*td.: protrair uma viagem* (*para o mês seguinte*). Ant.: *antecipar.*] **3** Fazer (algo) durar mais; DILATAR; ESTENDER; PROLONGAR [*td.: protrair um tratamento; protrair os estudos.* Ant.: *abreviar.*] **4** Tirar para fora [*td.: O menino protraía a língua.*] **5** Tornar(-se) mais evidente; DESTACAR(-SE); SOBRESSAIR [*tr. +de: A jovem protraía-se do grupo.*] [*int.: Sua beleza começa a protair-se.*] [▶ **43 protrair**] [F.: Do lat. *protrahere.*]

protraível (pro.tra.*í*.vel) *a2g.* Que se pode protrair(-se) ou alongar(-se) para a frente; PROTRÁTIL [Ant.: *retrátil*] [Pl.: *-veis.*] [F.: *protrair* + *-vel.*]

protrombina (pro.trom.*bi*.na) *sf. Bioq.* Proteína do plasma que funciona como elemento coagulador do sangue [F.: *pro-* + *trombina.*]

protrombinemia (pro.trom.bi.ne.*mi*.a) *sf. Med.* Verificação da dosagem de protrombina no sangue para determinar o tempo de coagulação sanguínea [F.: *protrombina* + *-emia.*]

protrusão (pro.tru.*são*) *Med. Pat. sf.* **1** Crescimento ou deslocamento, normal ou patológico, para frente ou para o lado de órgão ou estrutura corporal (protrusão ocular) **2** Estado de órgão que produz saliência, transitória ou permanente, em um local do corpo [F.: *protruso-* + *-ão*³.]

protruso (pro.*tru*.so) *a.* Que está colocado adiante da sua posição normal ou a ultrapassou por qualquer motivo (dentes protrusos); PROTRAÍDO [F.: Do lat. *protrusus, a, um.*]

protuberância (pro.tu.be.*rân*.ci:a) *sf.* **1** Parte saliente de uma superfície; relevo; PROEMINÊNCIA **2** Eminência, saliência num e noutro ponto da superfície do crânio; bossa **3** *Astron.* Protuberância solar [F.: *protuberante-* + *-ia*².] ▪▪ **~ anular** *Anat.* Parte do sistema nervoso central, entre o mesencéfalo e o bulbo raquiano **~ solar** *Astron.* Jato de matéria incandescente lançada pelo Sol, que pode atingir milhares de quilômetros [É facilmente visível nos eclipses solares. Cf.: *Proeminência solar.*]

protuberante (pro.tu.be.*ran*.te) *a2g.* **1** Que tem protuberância (órgão protuberante); PROEMINENTE **2** Projetado, destacado, saliente: *As estacas protuberantes delimitam o terreno.* [F.: Do lat. tard. *protuberantis.*]

protuberar (pro.tu.be.*rar*) *v.* Fazer protuberância, ser ou estar protuberante [*int.: A galhada do cervo protuberava-lhe na cabeça.*] [▶ **1 protuberar**] [F.: Do lat. tardio *protuberare.*]

proustiano (prous.ti.*a*.no) [prus] *a.* **1** Rel. ao romancista francês Marcel Proust (1871-1922), ao seu estilo ou à sua novelística: "O estudo da história íntima de um povo tem alguma coisa da introspecção proustiana." (Gilberto Freyre, *Casa grande & senzala*) **2** Que imita ou admira o estilo desse escritor (autor proustiano) **3** *Fig.* Diz-se da capacidade de recuperar fatos retidos na memória, aparentemente banais, mas relevantes para a pessoa: *Vinham-lhe à memória recordações proustianas da infância. sm.* **4** Indivíduo conhecedor, seguidor ou admirador da obra de Proust: "E isso é ainda melhor porque, claro, Lampedusa era um proustiano." (Chico Lopes, *Crônicas, contos e ensaios – "O leopardo"*) [F.: Do antr. Marcel *Proust* + *-iano.*]

prova (*pro*.va) [ó] *sf.* **1** Aquilo que serve como evidência de algo, que atesta a veracidade ou a autenticidade de alguma coisa; que atesta ou garante uma intenção, um sentimento; INDÍCIO; TESTEMUNHO: *O poema era uma prova de amor; Requer-se, no momento, todas as provas de honestidade e probidade.* **2** Mostra, sinal, indício: *Uma prova de amizade.* **3** Conjunto de questões ou tarefas us. para testar conhecimento teórico ou prático de algo; ENSAIO; EXPERIÊNCIA **4** *Esp.* Competição esportiva; CERTAME: *A prova de cem metros rasos será amanhã.* **5** Demonstração formal da validade de teorema, teoria etc. **6** *Arit.* Verificação da correção de uma operação aritmética mediante cálculos que devem conduzir a determinados resultados se a operação foi corretamente realizada [Cf.: *prova dos nove* e *prova real.*] **7** Experiência: *Passou por diversas provas antes de assumir o cargo.* **8** Ação de vestir uma roupa para experimentá-la **9** Degustação de bebida ou alimento para avaliar seu sabor e qualidade **10** *Art. gr.* Impressão para verificação e correção de erros e falhas (prova tipográfica) **11** *Fot.* A primeira revelação de um negativo **12** *Jur.* Cada um dos elementos utilizados, ou meios empregados para formar o julgamento (prova testemunhal; prova do crime) **13** *Lóg.* Aquilo que induz à admissão de uma proposição ou da realidade de um fato [F.: Do lat. *proba.*] ▪▪ **~ circunstancial** *Jur.* Aquela que se deduz da existência de um ou mais fatos ou indícios que levam à presunção da existência ou autenticidade do fato que se quer provar **~ de artista** No processo de gravura, prova tirada pelo artista e que não faz parte da série numerada, podendo ter marcas e observações de trabalho, ou aquela que serve de referência para a tiragem da série **~ de autor** *Art. gr. Edit.* Aquela (ger. prova de página) que se encaminha ao autor para que faça ele a revisão **~ de carga** *Cons.* Teste de resistência (de solos, estruturas etc.) mediante aplicação direta de cargas **~ de cores** *Art. gr.* Ver *Prova progressiva* **~ de escova** *Art. gr.* Prova tipográfica obtida ao se bater com a escova em folha de papel umedecida sobre a matriz entintada da composição **~ de esforço** *Card.* Avaliação da condição cardiovascular de um pessoa mediante medições tomadas enquanto realiza esforço físico (numa esteira, numa bicicleta ergométrica etc.) **~ de fogo** **1** Antigo método de provar ou não a inocência de acusado, que devia segurar uma barra incandescente, sendo considerado inocente se não se queimasse **2** *P. ext. Fig.* Prova, tarefa, obstáculo, situação de grande dificuldade, que exige muito esforço, talento, pertinácia etc., e que serve para medir o preparo de quem os enfrenta: *Este papel vai ser uma prova de fogo para o ator.* **3** A prova definitiva, a evidência incontestável de algo (fato, ideia, suposição etc.) **~ de galé** *Art. gr.* Ver *Prova de granel* **~ de granel** *Art. gr.* Em tipografia, prova de uma composição ainda não paginada, ger. em tiras obtidas de paquê **~ de máquina** *Art. gr.* A prova obtida do caderno de impressão com as páginas impostas, após todas as revisões, como última prova antes da impressão **~ de página** *Art. gr.* Prova de texto já paginado, com todos os elementos da página (cabeços, número de página, ilustração etc.) **~ de paquê** *Art. gr.* Ver *Prova de granel* **~ de revezamento** *Esp.* Em atletismo, natação etc., prova de equipe, ger. com quatro participantes, na qual os corredores ou nadadores percorrem um de cada vez, e seguidamente, a distância prevista, saltando o nadador na piscina quando o que o antecede toca na borda, e passando o corredor ao companheiro que o segue um bastão, dentro de certo setor marcado na pista, e sem deixá-lo cair [Tb. apenas *revezamento.*] **~ dos noves** *Arit.* Prova (6) para as quatro operações aritméticas, que consiste em verificar a congruência do número que se opera e do resultado ao se subtrair nove ou múltiplo de nove **~ heliográfica** *Art. gr.* Prova de máquina tirada por processo de heliografia **~ parcial** *Antq.* Cada uma de duas provas que se realizavam nos cursos secundário e científico, ou clássico, no fim de cada semestre, para avaliar o conhecimento da matéria [Num sistema de médias ponderadas, a prova do primeiro semestre tinha peso 2, a do segundo, que abrangia matéria do ano inteiro, peso 3.] ~ **progressiva** *Art. gr.* Prova de uma ilustração em cores, fornecida pelo fornecedor do fotolito para orientar o impressor quanto à carga de tinta em da cor, a ordem de impressão etc.; prova de cores ~ **real** *Arit.* Prova (6) que consiste em fazer a operação inversa [P. ex., subtrair o subtraendo do total para obter o minuendo; multiplicar o quociente pelo divisor para obter o dividendo etc.]

provação (pro.va.*ção*) ***sf.*** **1** Ação ou resultado de provar **2** Situação de sofrimento e infortúnio: *A morte de meu pai foi uma provação para mim.* **3** Prova, aperto, risco; perigo [Pl.: *-ções.*] [F.: Do lat. *probationis.*]

provado (pro.*va*.do) ***a.*** **1** Que se provou; DEMONSTRADO, COMPROVADO: "Apesar do rijo cerne, provado na resistência a todas as surpresas, o tabaréu pasmou-se de alto a baixo." (Alberto Rangel, *Fura-mundo*) **2** Que passou por prova; EXPERIMENTADO: *Seu dom artístico foi provado pelos julgadores.* **3** Reconhecido, sabido: *Teve provado o seu valor.* **4** Que passou por provações: *Teve vida provada, até conseguir o reconhecimento do seu valor.* [F.: Do lat. *probatus, a, um.*]

provador (pro.va.*dor*) [ô] ***a.*** **1** Que prova ou que é próprio para provar (documento provador) ***sm.*** **2** Profissional encarregado da degustação de bebidas ou alimentos, com o fim de testar sua qualidade (provador de vinho) **3** *Bras. Com.* Em loja, compartimento fechado onde os clientes experimentam as roupas; cabina [F.: Do lat. *probatoris.*]

provar (pro.*var*) ***v.*** **1** Mostrar (a alguém) que (algo) é verdade; DEMONSTRAR [***td.:*** *Provou a necessidade de se usar cinto de segurança.*] [***tdi.*** *+a: Provou ao operário a necessidade de se usar capacete.*] **2** Dar prova de; COMPROVAR [***tdi.*** *+a: Quero provar a você o meu desinteresse.*] **3** Experimentar (bebida, comida) [***td.:*** *Prove este bolo.*] [***tr.*** *+de: Prove desta torta.*] [***int.:*** *Antes de comer, ela prova.*] **4** Comer em pequena quantidade; BELISCAR [***td.:*** *No almoço, só provou a comida.*] **5** Vestir (roupa, acessório) para ver se fica bem; EXPERIMENTAR [***td.:*** *provar um vestido.*] **6** Testar, experimentar, vivenciar [***td.:*** *Já provou o abandono e a fome.*] [***tr.*** *+de: Não queira provar da minha ira.*] [► **1 provar**] [F.: Do lat. *probare.* Hom./Par.: *prova(s)* (fl.); *prova(s)* (sf. [pl.]); *prováveis* (fl.), *prováveis* (pl. de *provável* [a2g.]); *provará(s)* (fl.), *provará(s)* (sm. [pl.]); *provem* (fl.), *provém, provêm* (fl. de *provir*).]

provável (pro.*vá*.vel) ***a2g.*** **1** Que tem grande chance de ocorrer; POSSÍVEL; REALIZÁVEL: *É provável que eu volte amanhã.* **2** Que pode ser provado; comprovável (inocência provável; competência provável); ADMISSÍVEL **3** Que tem aparências de verdadeiro; VEROSSÍMIL [Pl.: *-veis.*] [F.: Do lat. *probabilis.* Hom./Par.: *prováveis* (pl.), *prováveis* (fl. de *provar*). Ant. ger.: *improvável.*]

provecto (pro.*vec*.to) [é] ***a.*** **1** Que tem idade avançada; idoso, velho (professor provecto) [Ant.: *jovem*] **2** Que progrediu ou avançou em algo (provecto na profissão; provecto nas pesquisas) **3** Experiente, respeitável, abalizado (professora provecta) [Ant.: *inexperiente*] **4** *P. ext.* Que diz respeito à velhice [F.: Do lat. *provectus.*]

provedor (pro.ve.*dor*) [ô] ***sm.*** **1** Aquele que dá o sustento ou fornece algo: *O estado é um provedor de serviços públicos.* **2** Dirigente de instituição assistencial: *O provedor do hospital negou todas as denúncias.* **3** *Inf.* Instituição ou sistema de conexão com rede de computadores, por meio de linha telefônica, cabo, radiofrequência etc. [F.: *prover + -dor.*] ■ ~ **de acesso** *Inf.* Instituição ou empresa que dispõe de uma conexão de alta capacidade e velocidade com rede de computadores (esp. a internet) e faculta essa conexão, por seu intermédio, a seus clientes ou associados [Tb. apenas *provedor.*]

provedoria (pro.ve.do.*ri*.a) ***sf.*** **1** Encargo ou ofício de provedor: "A vara simbólica da justiça deu as atuais varas de órfãos, da provedoria, do crime, do cível." (Afrânio Peixoto, *Ensinar a ensinar*) **2** Jurisdição do provedor **3** Casa de despacho ou repartição em que o provedor exerce as suas funções [F.: *provedor + -ia.*]

proveito (pro.*vei*.to) ***sm.*** **1** Utilidade, função ou vantagem de algo; BENEFÍCIO: *Uma estadia no exterior é sempre de grande proveito.* [Ant.: *desvantagem.*] **2** Dinheiro, lucro; rendimento: *Investir em imóveis não lhe trouxe o proveito esperado.* [Ant.: *prejuízo.*] [F.: Do lat. *profectus.*] ■ **bom ~** Diz-se como expressão de cordialidade para quem começa uma atividade que se espera seja prazerosa (refeição, diversão, lazer etc.) **Em ~ de** Em favor, em benefício de **Sem ~** Sem utilidade, sem resultado prático: *Não perca tempo lendo essas instruções, será uma leitura sem proveito.* **Tirar ~ de** Aproveitar-se de, utilizar, explorar para benefício próprio: *O time soube tirar proveito do nervosismo do adversário e dominou a partida.*

proveitoso (pro.vei.*to*.so) [ô] ***a.*** **1** Que traz benefício ou apresenta utilidade (estágio proveitoso; aula proveitosa); ÚTIL; PROFÍCUO [Ant.: *prejudicial.*] **2** Lucrativo, rendoso; RENTÁVEL: *A empresa assinou um contrato muito proveitoso.* [Ant.: *desvantajoso.*] [F.: *proveito- + -oso.*]

provençal (pro.ven.*çal*) ***s2g.*** **1** Pessoa nascida ou que vive em Provença (sul da França) ***a2g.*** **2** Da Provença; típico dessa região ou de seu povo ***a2g.*** **3** *Gloss.* Diz-se do grupo de dialetos falados na antiga Provença **4** Relativo à língua literária dos trovadores medievais **5** *Cul.* Diz-se de prato preparado à moda de Provença ***sm.*** **6** O conjunto de dialetos falados na antiga Provença [F.: Do fr. *provencial* (hoje *provençal*), deriv. do top. *Provence.* Cf. *província.*] ■ **À ~** **1** À maneira dos habitantes da Provença, à maneira da Provença **2** *Cul.* Diz-se de alimento preparado com alho, azeite de oliva, ervas e salsa

proveniência (pro.ve.ni.*ên*.ci.a) ***sf.*** **1** Ação ou resultado de provir **2** Lugar de onde alguém ou alguma coisa provém; origem; FONTE; PROCEDÊNCIA: *Móveis de proveniência francesa; Turistas de procedência argentina.* [F.: *proveniente + -ia.*]

proveniente (pro.ve.ni.*en*.te) ***a2g.*** Que vem ou é originário de; ORIUNDO; PROCEDENTE [*+de: Mercadoria proveniente do Ceará.*] [F.: Do lat. *proveniens, entis.* Hom./Par.: *preveniente* (a2g.).]

provento (pro.*ven*.to) ***sm.*** **1** Lucro ou rendimento financeiro **2** Vantagem que se tira de alguma coisa **3** Salário do servidor público aposentado ou posto em disponibilidade (tb. us. no plural) [F.: Do lat. *proventus, us.*]

proventos (pro.*ven*.tos) ***smpl.*** **1** Remuneração recebida por profissional liberal; HONORÁRIOS **2** Pagamento que recebem do Estado os servidores públicos civis e militares inativos [F.: Do lat. *proventus, us.*]

prover (pro.*ver*) ***v.*** **1** Fornecer (algo de que se necessita); munir(-se) (do necessário) [***td.:*** *Sempre proveu os filhos.*] [***tdr.*** *+com, de: Pensava que prover os filhos de alimentação era tarefa só do pai.*] [***int.:*** *Não se aflija, Deus proverá.* Ant.: *desprover.*] **2** Dar providências; ACUDIR [***td.:*** *Deus provê os justos.*] [***tr.*** *+a: Deus provê a todos.* Ant.: *desassistir.*] **3** Providenciar acerca de; DISPOR; ORDENAR; REGULAR [***td.:*** *A equipe de festas proveu tudo com eficiência.*] [***tr.*** *+a: A riqueza provê ao luxo.*] [***int.:*** *Para prover, é necessário prever.*] **4** Conceder (dom, qualidade, talento) a (alguém); DOTAR; PRENDAR [***tdr.*** *+com, de: A natureza proveu-a de todas as qualidades boas.*] **5** Nomear (alguém) para um cargo (em); INVESTIR [***tda.:*** *O vereador proveu uma nova equipe na Secretaria de Saúde.* Ant.: *destituir.*] **6** Realizar o preenchimento de (um cargo) [***td.:*** *O prefeito deixou de prover os cargos de confiança.*] **7** Dispor sobre (algo) [***tr.*** *+sobre: O Ministério Público proverá sobre o destino dos imóveis.*] **8** *Jur.* Receber e deferir (recurso) [***td.:*** *prover um recurso.*] [► **26 prover**] [F.: Do lat. *providere.*]

proverbial (pro.ver.bi.*al*) ***a2g.*** **1** Relativo a provérbio **2** Que tem caráter de provérbio **3** *Fig.* Que é notório, sabido: *Aquela cena fazia cair por terra a proverbial rivalidade entre cães e gatos.* [F.: Do lat. *tard. proverbialis.*]

proverbialidade (pro.ver.bi.a.li.*da*.de) ***sf.*** Caráter ou qualidade do que é proverbial [F.: *proverbial + -i- + -dade.*]

provérbio (pro.*vér*.bi.o) ***sm.*** **1** Dito ger. sucinto, rico em imagens, que expressa suposta sabedoria popular (p. ex.: *água mole em pedra dura, tanto bate até que fura.*); DITADO **2** *Rel.* No Livro dos Provérbios, na Bíblia, pequena frase edificante, educativa ou supostamente cheia de sabedoria; MÁXIMA; PENSAMENTO [F.: Do lat. *proverbium, ii.* Hom./Par.: *proverbio* (fl. de *proverbiar*). Ideia de 'provérbio', usar antepos. *parami (o)-*.]

proveta (pro.*ve*.ta) [ê] *Quím.* ***sf.*** **1** Tubo cilíndrico de vidro us. para experimentos em laboratórios de química, biologia etc. **2** Pequeno copo cilíndrico ou cônico que se destina a recolher gases ou medir líquidos **3** Tubo de pequeno tamanho em que se determina o grau dos álcoois [F.: Do fr. *éprouvette.*]

providência¹ (pro.vi.*dên*.ci.a) ***sf.*** **1** Ação realizada com o propósito de evitar alguma coisa maléfica, nociva, ou minorar seus efeitos; PREVIDÊNCIA [*+contra, de, para, sobre: O governo tomou providências contra as enchentes.*] **2** Ação realizada com o propósito de fornecer os meios para a ocorrência de algo [*+para: Tomou providências para fazer uma viagem calma.*] **3** Ação concreta para a decisão de algo **4** Precaução com relação ao futuro para evitar ocorrências desagradáveis, danosas ou funestas: *Tomou todas as providências para garantir uma boa aposentadoria.* **5** Ocorrência afortunada, feliz, venturosa: *Foi uma providência este nosso encontro.* [F.: Do lat. *providentia, ae.* Hom./Par.: *providencia* (fl. de *providenciar*) e *previdência* (sf.).]

Providência² (Pro.vi.*dên*.ci.a) ***sf.*** **1** *Rel.* Condução divina dos eventos do mundo: *Confiava na Providência divina.* [Com inic. maiúsc.] **2** O próprio Deus, como árbitro do universo [Com inic. maiúsc.] **3** *Agr.* Variedade de pêra pequena, muito saborosa [F.: Do lat. *providentia, ae.* Hom./Par.: *providencia* (fl. de *providenciar*); *previdência* (sf.).]

providencial (pro.vi.den.ci.*al*) ***a2g.*** **1** Relativo a providência **2** Relativo à Providência divina **3** Que acontece na hora certa, oportuna: *A chegada da polícia foi providencial.* **4** Que vem muito a propósito: *Foi uma ajuda providencial.* [F.: *providência + -al.* Hom./Par.: *providenciais* (pl.), *providenciais* (fl. de *providenciar*); *previdencial* (a2g.).]

providencialista (pro.vi.den.ci.a.*lis*.ta) *Rel. Fil.* ***a2g.*** **1** Rel. ao providencialismo (discurso providencialista) **2** Que é seguidor ou simpatizante do providencialismo: *Os escritores providencialistas, como Santo Agostinho e Bossuet, tudo atribuem à providência divina.* ***s2g.*** **3** Seguidor do providencialismo: *Só um providencialista convicto como São Paulo poderia afirmar que "tudo colabora para o bem dos que amam a Deus".* [F.: *providencial + -ista.*]

providenciar (pro.vi.den.ci.*ar*) ***v.*** **1** Tomar medidas, providências (1 a 4) (acerca de) [***td.:*** *Já providenciaram os passaportes?*] [***tr.*** *+acerca, contra, para, sobre: Pode deixar que providenciamos contra os penetras; Providenciaram para que nada faltasse aos hóspedes.*] **2** Pôr à disposição (de alguém); FORNECER [***td.:*** *providenciar uma caneta.*] [***tdi.*** *+a, para: Providencie uma caneta para o doutor.*] [► **1 providenciar**] [F.: *providência + -ar².* Sin. ger.: *prover.* Hom./Par.: *providenciais* (fl.), *providenciais* (pl. de *providencial* [a2g.]); *providencia(s)* (fl.), *providência(s)* (sf. [pl.]).]

providente (pro.vi.*den*.te) ***a2g.*** **1** Que provê; PRÓVIDO **2** Que é prudente, cauteloso, cuidadoso; PREVIDENTE **3** Que é providencial [F.: Do lat. *providens, entis.* Hom./Par.: *previdente* (a2g.) Ant. ger.: *improvidente.* Cf.: *previdente.*]

provido (pro.*vi*.do) ***a.*** **1** Que se proveu ou se muniu de: *Animal provido de tentáculos.* **2** Que possui ou é dotado de (algo): *Homem provido de bons sentimentos.* **3** Que tem de sobra aquilo que é necessário; FORNIDO: *A geladeira está bem provida de alimentos.* **4** Que foi designado para um cargo ou função (em geral refere-se a cargo, emprego ou função públicos) **5** *Jur.* Diz-se de recurso a que se deu provimento [F.: Part. de *prover.* Hom./Par.: *próvido* (a.).]

próvido (*pró*.vi.do) ***a.*** **1** Que provê, que dá provimento; PROVEDOR **2** Que é prudente, que se precavê, se previne [F.: DO lat. *providus, a, um.*]

provimento (pro.vi.*men*.to) ***sm.*** **1** Ação ou resultado de prover; ABASTECIMENTO **2** Conjunto ou reserva de alimentos, de artigos de consumo; PROVISÃO **3** Conjunto de coisas necessárias, proveitosas, úteis **4** Preenchimento de cargo ou função pública por meio de nomeação **5** Reserva em dinheiro ou outros valores **6** *Jur.* Parecer favorável de tribunal superior a recurso que contraria decisão de um juiz comum [F.: Part. de *prover.*]

província (pro.*vín*.ci.a) ***sf.*** **1** Subdivisão territorial, política e administrativa adotada em alguns países **2** Cidade ou região afastada da capital **3** No Brasil, durante o Segundo Reinado, cada uma das grandes divisões administrativas do país, governada por um presidente **4** O conjunto das regiões do interior de um país, em oposição à capital **5** O conjunto dos habitantes da província **6** *Ecles.* O conjunto dos conventos e conventuais, em um país, de uma ordem religiosa **7** *Ecles.* A totalidade da jurisdição de uma metrópole **8** *Hist.* Na Roma antiga, termo designativo de país ou extensa região conquistada pelos romanos fora da Itália **9** *Lus.* Em Portugal, região caracterizada pela presença de habitantes de origem étnica e tradições diferentes da maioria das regiões [F.: Do lat. *provincia, ae.*]

provincial (pro.vin.ci.*al*) ***a2g.*** **1** Relativo a província **2** Que é próprio da província; PROVINCIANO **3** *Ecles.* Que pertence a uma província religiosa **4** *Ecles.* Diz-se de superior de um conjunto de casas religiosas, de determinada ordem, que formam uma província ***s2g.*** **5** *Ecles.* Esse superior [F.: Do lat. *provincialis, e.*]

provincianismo (pro.vin.ci.a.*nis*.mo) ***sm.*** **1** Maneira de ser e de se comportar típicas dos habitantes de uma província **2** O conjunto dos costumes e hábitos de uma província **3** *Ling.* Maneira de enunciar as palavras que é típica de provincianos **4** *Ling.* Palavra ou locução característica de província **5** Mentalidade atrasada, mau gosto (do ponto de vista das cidades grandes) [F.: *provinciano + -ismo.*]

provinciano (pro.vin.ci.a.*no*) ***a.*** **1** Relativo a província **2** Que nasceu ou habita a província **3** Cuja mentalidade ou costumes são típicos das províncias **4** *Pej.* Diz-se de pessoa de mentalidade atrasada, tacanha, de gosto medíocre ***sm.*** **5** Pessoa que nasceu ou mora em província **6** Pessoa de mentalidade atrasada [F.: *província + -ano.* Cf.: *caipira, matuto.*]

provindo (pro.*vin*.do) ***a.*** Que proveio; ORIGINÁRIO, ORIUNDO, PROCEDENTE: *Todos os recursos provindos dos doadores foram aplicados na edificação da obra.* [Provindo é forma do gerúndio e do particípio.] [F.: Part. de *provir.*]

provir (pro.*vir*) ***v.*** **1** Ser a consequência de; ADVIR; RESULTAR [***tr.*** *+de: A dor muscular provém do excesso de exercícios.*] **2** Ser descendente de [***tr.*** *+de: Soraia provém de família gaúcha.*] **3** Ter origem em [***tr.*** *+de: A língua portuguesa provém do latim.*] **4** Ser oriundo, originário de (algum lugar) [***ta.:*** *Os escravos provêm da África.*] [► **42 provir** Part.: *provindo.*] [F.: Do lat. *provenire.* Sin. ger.: *originar-se, proceder, vir.* Hom./Par.: *provir, provar* (em algumas fl.).]

provisão (pro.vi.*são*) ***sf.*** **1** Ação ou resultado de prover; PROVIMENTO **2** Estoque de gêneros alimentícios, necessários para o sustento de uma família, comunidade, pessoa etc., durante algum tempo **3** Estoque de qualquer produto (provisão de telhas) **4** Acúmulo de coisas proveitosas; ABUNDÂNCIA **5** Prescrição, decreto, ordem, providência **6** Reserva em dinheiro ou outros valores: *Tinha uma boa provisão de dólares.* **7** *Com.* Cobertura de título cambial [Pl.: *-ões.*] [F.: Do l a t. *provisio, ónis.*] ■ ~ **de boca** *Mil.* Qualquer alimento ou provisão que sirva de alimento [M. us. no pl.] ~ **de guerra** *Mil.* Qualquer tipo de munição, artefato de guerra etc. [M. us. no pl.]

provisionado (pro.vi.si.o.*na*.do) ***a.*** **1** Que está garantido por provisão ou nela tem origem **2** *Bras.* Diz-se de aluno do último ano do bacharelado em Direito que recebeu provisão para advogar em juízo de primeira instância, mediante inscrição na Ordem dos Advogados **3** Diz-se de pessoa autorizada a advogar em juízo de primeira instância, embora não tenha feito o curso de Direito; RÁBULA ***sm.*** **4** *Bras.* Pessoa autorizada a advogar sem ter concluído o cursado Direito [F.: Part. de *provisionar.*]

provisional (pro.vi.si.o.*nal*) ***a2g.*** **1** Feito por provisão: *um programa provisional de alimentos.* **2** Que é provisório, interino (substituto provisional) [Pl.: *-nais.*] [F.: *provi(são>sion) + -al.*]

provisionar (pro.vi.si.o.*nar*) ***v.*** **1** Abastecer de provisões; APROVISIONAR [***td.:*** *Provisionou a despensa:* "Conforme a política interna de abertura e manutenção de contas, cabe ao correntista provisionar devidamente sua conta-corrente, de modo que nenhum cheque seja devolvido sem fundo..." (*O Globo*, 03.10.2001)] [*tdr.* +*com, de*: *Antes de partir, a expedição provisionou-se com/de alimentos.*] **2** Conceder provisão (3, 6) a (alguém) para desempenhar certa profissão [*td.*: *O governo provisionou-o para o cargo de professor.*] [▶ 1 provisionar] [F.: *provisão* + *-ar*², segundo o modelo erudito. Hom./Par.: *provisionais* (fl.), *provisionais* (pl. de *provisional* [a2g.]).]

provisoriedade (pro.vi.so.ri.e.*da*.de) *sf.* Qualidade ou condição do que é provisório [F.: *provisório* + *-dade.*]

provisório (pro.vi.*só*.ri.o) *a.* **1** Que não é definitivo; que não tem caráter permanente (trabalho provisório); TEMPORÁRIO **2** *Od.* Coroa dentária que não é permanente, ger. de material inferior **3** Que assume um cargo interinamente, até que outro seja nomeado para ocupar o cargo em caráter mais permanente *sm.* **4** Soldado auxiliar da milícia estadual, pertencente a grupo criado provisoriamente **5** *Bras. Bot.* Ver *jaraguá* (*1*) [F.: Do lat. *provissus*. Hom./Par.: *provisória* (fem.), *provisoria* (sf.).]

provocação (pro.vo.ca.*ção*) *sf.* **1** Ação ou resultado de provocar, de forçar alguém, grupo ou país a participar de um conflito, de uma luta: *Faz uma provocação ao país vizinho, colocando tropas na fronteira.* **2** Ato ou atitude de afrontar, de insultar **3** Atitude de atrevimento, de petulância: *A resposta debochada foi uma provocação; Sua entrada no salão, vestindo roupa de banho, foi uma provocação.* **4** Ato de estimular, de incitar: *O terapeuta fez uma provocação para ver se o paciente reagia.* **5** A ação praticada pelo provocador: *Não gostou nada daquela provocação.* [Pl.: *-ções.*] [F.: Do lat. *provocatio, onis.*]

provocador (pro.vo.ca.*dor*) [ô] *a.* **1** Que provoca; que resulta em provocação (ato provocador) **2** Diz-se de quem faz provocação, que insulta, ofende; INSULTUOSO; MALCRIADO **3** Diz-se de pessoa que provoca desejo sexual (mulher provocadora); PROVOCANTE **4** *Pol.* Diz-se de indivíduo que, durante manifestações públicas ou reuniões políticas, faz provocações com o intuito de criar tumulto para impedir o bom andamento dessas manifestações: *Agente provocador do partido contrário.* *sm.* **5** Aquele que faz provocação **6** Aquele que desafia, insulta, ofende **7** Aquele que faz provocações sexuais **8** Aquele que tumultua reuniões públicas e/ou políticas [F.: Do lat. *provocator, oris.*]

provocante (pro.vo.*can*.te) *a2g.* **1** Que provoca; PROVOCADOR **2** Que desperta a curiosidade o interesse; que incita, instiga; ESTIMULANTE: *O filme tinha uma proposta provocante.* **3** Que provoca o desejo sexual (dança provocante; mulher provocante) **4** Insultuoso (palavras/atitudes provocantes) [F.: Do lat. *provocans, antis.*]

provocar (pro.vo.*car*) *v.* **1** Ser o agente gerador de; DESPERTAR; SUSCITAR [*td.*: *provocar reações; provocar doenças; provocar ciúmes.*] [*tdi.* +*a*: *A gritaria provocou estranheza à vizinhança.*] **2** Estimular (alguém) a (fazer algo); INCENTIVAR [*tdr.* +*a*: *Provocou o atleta a inscrever-se no campeonato.* Ant.: *desanimar, desencorajar.*] **3** Convidar ou instigar (alguém) para briga; DESAFIAR [*td.*: *Provocava os colegas e depois fugia.*] [*int.*: *Provocava e depois fugia.*] **4** Ser a causa de; ACARRETAR; CAUSAR [*td.*: *A pista escorregadia provocou o acidente.*] **5** Fazer sair do estado normal de tranquilidade; EXASPERAR; IRRITAR [*td.*: *provocar um animal.*] [*int.*: *Pare de provocar e trabalhe.*] **6** Proceder de modo a promover (algo) [*td.*: *Com suas calúnias, ele provoca sempre confusões.*] **7** Estimular desejo sexual em [*td.*: *A jovem provoca os rapazes com suas roupas justas.*] **8** *N.* Vomitar [*int.*] [▶ 11 provocar] [F.: Do lat. *provocare.*]

provocativo (pro.vo.ca.*ti*.vo) *a.* **1** Que provoca, que excita **2** Que provoca irritação, zanga **3** Que contém provocação; PROVOCANTE [F.: Do lat. tard. *provocativus, a, um.*]

provocatório (pro.vo.ca.*tó*.ri.o) *a.* Que provoca; PROVOCADOR, PROVOCATIVO: *Seu discurso foi considerado bastante provocatório.* [F.: Do lat. *provocatorius, a, um.*]

proxeneta (pro.xe.*ne*.ta) [cs, ê] *s2g.* **1** Pessoa que serve de intermediário em casos amorosos **2** Indivíduo que agencia e explora as atividades de uma ou mais prostitutas, sobrevivendo às suas custas; CAFETÃO; GIGOLÔ; CÁFTEN [F.: Do lat. *proxeneta* ou *proxenetes, ae.*]

proxenetismo (pro.xe.ne.*tis*.mo) *sm.* **1** Qualidade ou atividade de proxeneta **2** Intermediação de atos libidinosos incentivando a prostituição ou mantendo prostíbulos destinados a esses fins; ALCOVITAGEM **3** *Jur.* Delito que consiste em estimular, constranger ou induzir alguém à prática da prostituição, beneficiando-se financeiramente ou não de tal atividade; LENOCÍNIO; RUFIANISMO [F.: *proxeneta* + *-ismo.*]

proximal (pro.xi.*mal*) [ss] *a2g.* **1** Que está próximo do centro ou do ponto de confluência **2** *Anat.* Situado próximo das origens dos membros do corpo **3** *Anat.* Que fica para o lado da cabeça **4** *Bot.* Diz-se do ramo, folha ou inflorescência situada perto de seu ponto de origem ou de sua base **5** *Od.* Diz-se do que está mais próximo do ponto médio do arco dental [Ant.: *distal.*] [Pl.: *-mais.*] [F.: *próximo* + *-al.*]

proximidade (pro.xi.mi.*da*.de) *sf.* **1** Condição do que é ou está perto, próximo; vizinhança, contiguidade: *A proximidade do trem; a proximidade da morte.* **2** Pequena distância ou pequeno período de tempo: *A proximidade do carro era de 10 metros; Alegrava-se com a proximidade do Natal.* **3** Característica do que é íntimo, familiar: *Era grande a proximidade entre os dois amigos.* [F.: Do lat. *proximitas, átis.*]

proximidades (pro.xi.mi.*da*.des) *sfpl.* Lugares próximos de outro tomado como referência; ARREDORES; VIZINHANÇA: *Todos os produtos oferecidos na feira livre provêm de granjas situadas nas proximidades da cidade.* [F.: Do lat. *proximitas, atis.*]

próximo (*pró*.xi.mo) *a.* **1** Que está perto no tempo ou no espaço (tempestade/casa próxima) **2** Que vem logo depois ou que se passou recentemente: *No próximo sábado, ele viaja; O acidente, ainda próximo, não lhe saía da cabeça.* **3** Diz-se de pessoa com quem se tem ligação muito estreita (amigo próximo) **4** Diz-se de pessoa que tem com outra uma relação muito próxima de parentesco (parente próximo) **5** Que se parece com (algo ou alguém): *Tem um comportamento próximo ao da irmã.* **6** Que está chegando, que está prestes a acontecer: *Minha viagem está próxima; Nossa reunião está próxima.* *sm.* **7** Aquele que vem em seguida: *Mande chamar o próximo da fila!* **8** Cada um dos seres humanos: *De fato nos sentimos melhor quando ajudamos ao próximo.* *adv.* **9** Lugar perto, nas vizinhanças: *Ela mora próximo daqui.* [F.: Do lat. *proximus, a, um.*]

prudência (pru.*dên*.ci.a) *sf.* **1** Qualidade própria de quem age com cuidado para evitar más consequências: *Dirigia com muita prudência.* **2** Ponderação, sensatez ou paciência ao tratar de um assunto: *Favor abordar o incidente com muita prudência!* [F.: Do lat. *prudentia, ae.* Hom./Par.: *prudencia* (fl. de *prudenciar*).]

prudencial (pru.den.ci.*al*) *a2g.* **1** Rel. ou pertencente a prudência **2** Que tem caráter ou natureza de prudência **3** Que indica prudência ou sisudez: "Esta carta explica o silêncio de Antônio de Almeida. Compreendeu-a com o juízo prudencial dos quarenta anos." (Camilo Castelo Branco, *Fazem mulheres*) **4** Sensato, cordato [Pl.: *-ais.*] [F.: *prudência* + *-al.*]

prudente (pru.*den*.te) *a2g.* **1** Que revela prudência, moderação; COMEDIDO: *Sempre prudente, preferiu economizar o dinheiro.* **2** Que procede com sensatez, que é judicioso ou cordato **3** Que pensa ou age com cautela; PRECAVIDO: *Seja prudente ao dirigir nas estradas.* [F.: Do lat. *prudens, entis.* Ant. ger.: *imprudente.*]

pruína (pru.*í*.na) *sf. Bot.* Eflorescência

prum[1] *prep. Pop.* Contração popular e incorreta da preposição *para* com o numeral cardinal *um*: *Dê esse dinheiro de esmola prum pobre.*

prum[2] *prep. Pop.* Contração popular e incorreta da preposição *por* com o numeral cardinal *um*: *Trocou o relógio prum anel de ouro.*

prumada (pru.*ma*.da) *sf.* **1** A linha vertical determinada pelo prumo **2** *Náut.* Ação ou efeito de jogar um prumo no mar para medir a profundidade **3** Essa profundidade medida **4** *Bras. Arq.* Conjunto de elementos ou peças iguais de uma construção, considerados a partir de seu alinhamento vertical **5** *DF* Conjunto de apartamentos que possuem uma entrada comum e são servidos por um mesmo elevador ou mesma escadaria [F.: *prumar* + *-ada.*]

■ **Andar/estar na ~** *Pop.* Ter comportamento digno, correto, íntegro

prumo (*pru*.mo) *sm.* **1** *Cons.* Instrumento formado de um peso suspenso por um fio, us. ger. na construção civil, para verificar se uma superfície está ou não na posição vertical): "O bagre-anão, do Guaporé, defende-se: faz-se de chumbo e cai a prumo ao fundo" (Guimarães Rosa, "Aquário" *in Ave, Palavra*) **2** *Náut.* Instrumento us. para medir a profundidade em rios, lagos, mares e oceanos **3** *Fig.* Elegância de porte **4** Qualidade de quem tem juízo, de quem tem tino, prudência: *Esse governo perdeu completamente o prumo e o rumo.* **5** Penetração de espírito; AGUDEZA; PERSPICÁCIA **6** *Cnav.* Haste de ferro que se fixa verticalmente numa antepara, para servir de reforço **7** *Mar.* Haste metálica, fina e comprida, que mede a altura de um líquido armazenado ou acumulado em tanque de navio **8** *Náut.* Dispositivo com o qual se verifica a profundidade das águas singradas por uma embarcação e tb. para examinar a natureza do fundo [F.: Do lat. *plumbum, i.*] ■ **A ~** **1** Em posição vertical de 90º em relação à horizontal; perpendicularmente: *Ergueu uma parede perfeitamente a prumo.* **2** Em posição ereta; espigado: *Os soldados formaram uma fila para a revista, todos a prumo, compenetrados.* **Botar/deitar/largar o ~** *Mar.* Medir profundidade (de água) usando prumo (2) **Perder o ~** *Bras.* Perder o juízo, perder a cabeça, ter desvio de conduta **~ de mão** *Mar.* Prumo (2), instrumento para medir a profundidade em certo ponto de mar, lago, rio etc.

prurido (pru.*ri*.do) *sm.* **1** *Med.* Irritação na pele ou na mucosa que leva a pessoa a se coçar; COCEIRA; COMICHÃO **2** *Fig.* Resistência ou hesitação ocasionada por apego a princípios morais ou de outra natureza; ESCRÚPULO **3** *Fig.* Desejo intenso; TENTAÇÃO; INQUIETAÇÃO **4** Estado de impaciência, de inquietação **5** Aquilo que surge, que aparece como um sintoma, como uma manifestação: *Foi quando apareceram seus primeiros pruridos de escritor.* [F.: Do lat. *pruritus, us.*]

pruriente (pru.ri.*en*.te) *a2g.* **1** Que prure, que causa prurido ou coceira; PRURÍGENO, PRURIGINOSO, PRURÍTICO: *Tinha uma secreção pruriente em todo o corpo.* **2** *Fig.* Que excita, estimula, provoca desejo: *uma sensação pruriente de carinho.* [F.: Do lat. *pruriens, entis* 'sentir ou ter comichão'.]

pruriginoso (pru.ri.gi.*no*.so) [ô] *a.* **1** Rel. a prurido **2** Que causa coceira ou comichão **3** *Med.* Que produz prurido (lesão pruriginosa); PRURIENTE; PRURÍGENO [F.: Do lat. *pruriginosus, a, um* 'que apresenta comichões'.]

prussiano (prus.si.*a*.no) *sm.* **1** Pessoa nascida ou que vive na Prússia **2** Língua indo-europeia extinta, falada em algumas regiões da Prússia oriental até o séc. XVII *a.* **3** Da Prússia (norte da Alemanha); típico dessa região ou de seu povo **4** *Fig.* Que demonstra inflexibilidade, rigidez (moral prussiana): "Escapara então ao rigor do *drill* prussiano, e ganhava número de probabilidades para sair vivo do comprido da guerra, chanças e estrapaças" (João Guimarães Rosa, "O mau humor de Wotan" *in Ave, Palavra*) **5** Diz-se de pessoa ou grupo de pessoas, esp. militares, que está dominada pelo espírito militarista da antiga aristocracia da Prússia: *Militar de espírito prussiano.*

prússico (*prús*.si.co) *a. Quím.* Diz-se de ácido (HCN) descoberto por C. W. Scheele (1742-1786, químico sueco) em 1780, us. esp. em navios para o extermínio de insetos e roedores; CIANÍDRICO [Este ácido é us. na execução de condenados em câmaras de gás.] [F.: Do top. *Prússia* por 'azul da Prússia, matéria corante'. Cf.: *prussiano.*]

⊠ **PS** (PS) Abrev. de *post-scriptum*

psélio (*psé*.li.o) *sm.* Pulseira ou aro para o tornozelo, us. como adorno pelos antigos persas, gregos e romanos [F.: Do gr. *psélion, ou* 'anel para os braços, bracelete, anel para as pernas'.]

pseudartrose (pseu.dar.*tro*.se) *sf. Ort.* Junção óssea que causa movimento anormal, como uma fratura curada por fibrose ou uma articulação interespinhal sem rigidez normal; NEARTROSE [Como não há formação de calo ósseo normal, produz-se uma falsa articulação, donde esta designação.] [F.: *pseud(o)-* + *artrose.*]

pseudepígrafe (pseu.de.*pí*.gra.fe) *sf.* Livro em que o título ou o nome do autor são falsos [Quando se refere às Sagradas Escrituras denomina-se *apocrifia.*] [F.: *pseud(o)-* + *epígrafe.*]

◎ **pseud(o)-** *el. comp.* = 'falso': *pseudartrose, pseudoepígrafe, pseudônimo, pseudópode* [Antes de *o* e h usa-se com hífen: *pseudo-osteose, pseudo-histórico*; antes de palavra iniciada por *r* ou *s*, estes são duplicados: *pseudorreligioso, pseudossocialista.*] [F.: Do gr. *pseudés, é, és*, 'falso', 'mentiroso'.]

pseudobulbo (pseu.do.*bul*.bo) *sm. Bot.* Parte do caule de orquídea epífita de aspecto bulboso [F.: *pseu(o)-* + *bulbo.*]

pseudocaule (pseu.do.*cau*.le) *sm. Bot.* Coluna semelhante a um caule, constituída pelas bainhas foliares, muito grandes, apertadamente superpostas, e na ponta da qual estão as magnas folhas como, por ex., a da bananeira; PSEUDOTRONCO [F.: *pseud(o)-* + *caule.*]

pseudociência (pseu.do.ci.*ên*.ci.a) *sf.* **1** Conjunto de crenças ou afirmações sobre o mundo ou a realidade, que se considera equivocadamente como tendo base ou estatuto científico **2** Conjunto de teorias, métodos e afirmações com aparência científica, mas que partem de premissas falsas e/ou que não usam os métodos de pesquisa próprios da ciência [F.: *pseud(o)-* + *ciência.*]

pseudocientífico (pseu.do.ci.en.*tí*.fi.co) *a.* **1** Ref. ou pertencente a pseudociência **2** Que tem aparência de científico, que é falsamente científico: "...cultura humanista e clássica, que o pedantismo pseudocientífico por um momento danosamente arredou..." (Ricardo Jorge, *Sermões de um leigo*) [F.: *pseud(o)-* + *científico.*]

pseudocientista (pseu.do.ci.en.*tis*.ta) *s2g.* **1** Pessoa versada em alguma pseudociência ou que se dedica a conhecimentos pseudocientíficos **2** Falso cientista [F.: *pseud(o)-* + *cientista.*]

pseudocisto (pseu.do.*cis*.to) *sm. Med.* Aquilo que tem a aparência de um cisto, mas não possui suas reais características [F.: *pseud(o)-* + *cisto.*]

pseudocoma (pseu.do.*co*.ma) *sm. Med.* Estado aparentemente comatoso, mas sem atingir o estado de inconsciência, em que nem sequer uma estimulação energética desperta o doente [F.: *pseud(o)-* + *coma.*]

pseudofruto (pseu.do.*fru*.to) *sm. Bot.* Tipo de fruto no qual há um grande desenvolvimento de outras partes da flor, além do ovário, como, p. ex., o pedicelo do cajueiro e o receptáculo floral da maçã, da pera e do morango [F.: *pseud(o)-* + *fruto.*]

pseudomorfo (pseu.do.*mor*.fo) *a. Min.* Diz-se de mineral que acidentalmente tomou uma forma cristalina própria de outro; ALOMÓRFICO; PARAMÓRFICO; PSEUDOMÓRFICO [F.: *pseud(o)-* + *-morfo.*]

pseudomorfose (pseu.do.mor.*fo*.se) *sf. Min.* Ação que produz uma forma cristalina, estranha a um mineral, mas que ele apresenta acidentalmente; ALOMORFISMO; PARAMORFISMO; PSEUDOMORFISMO [F.: *pseudomorfo* + *-ose*[1].]

pseudônimo (pseu.*dô*.ni.mo) *a2g.* **1** Diz-se de autor que assina suas obras com um nome que não é o seu, com a intenção de ocultar o nome verdadeiro **2** Diz-se de obra escrita ou publicada com um suposto nome, que ger. soa melhor ao ouvido do que o verdadeiro nome do autor *sm.* **3** Nome falso ger. adotado por escritores, cineastas, artistas, jornalistas etc. [F.: Do gr. *pseudonumos, os, on.* Ant. ger.: *autônimo.*]

pseudópode (pseu.*dó*.po.de) *sm. Cit.* Prolongamento temporário do corpo de algumas células e protozoários, que serve para sua alimentação e deslocamento [F.: *pseud(o)-* + *-pode.* Tb. *pseudópodo.*]

pseudópodo (pseu.*dó*.po.do) *sm.* Ver *pseudópode*

psi *sm.* Nome da 23ª letra do alfabeto grego [F.: Letra do alfabeto gr. dita *psí*, chamada em port. *psi*, equivalente às pronúncias /ps/, /bs/ e /phs/.]

psicagogia (psi.ca.go.*gi*.a) *sf. Ant. Rel.* **1** Cerimônia religiosa, entre os antigos gregos, para aplacar as almas dos mortos **2** Evocação mágica das sombras **3** Arte de guiar as almas dos mortos pelos melhores caminhos [F.: Do gr. *psykhagogía, as,* 'evocação das almas dos mortos'.]

psicagógico (psi.ca.*gó*.gi.co) *a.* **1** Ref. ou pertencente a psicagogia **2** *Ant. Med.* Dizia-se do medicamento que reanima a ação vital no caso de síncope, apoplexia etc. [F.: Do gr. *psykhagogikós, é, ón.*]

psicagogo (psi.ca.*go*.go) [ô] *sm.* **1** Praticante da psicagogia, evocador das almas dos mortos **2** *Mit.* Na Grécia antiga, condutor ou guia das almas para o reino dos mortos; PSICOPOMPO [F.: Do gr. *psykhagogós, ós, ón,* 'que transporta ou guia as almas'.]

psicalgia (psi.cal.*gi*.a) *sf.* **1** Dor moral; amargura congênita **2** *Med.* Dor cuja causa é considerada apenas psíquica, não se encontrando outra origem **3** *Psi.* Angústia que acompanha um esforço mental; PSIQUIALGIA [F.: *psic(o)-* + *-algia.*]

psicálgico (psi.*cál*.gi.co) *Med. a.* **1** Ref. a psicalgia **2** Que apresenta psicalgia [F.: *psicalgia* + *-ico*².]

psicanalisado (psi.ca.na.li.*sa*.do) *a.* Que se submeteu ao tratamento de psicanálise [Tb. se diz apenas *analisado.*] [F.: Part. de *psicanalisar.*]

psicanalisando (psi.ca.na.li.*san*.do) *sm. Psiq.* Aquele que está em processo de tratamento pela psicanálise [Tb. se diz apenas *analisando.*] [F.: *psicanalisar* + *-ando.*]

psicanalisar (psi.ca.na.li.*sar*) *v. td.* Submeter(-se) a tratamento psicanalítico [▶ **1 psicanalisar**] [F.: *psicanálise* + *-ar*². Hom./Par.: *psicanalisáveis* (fl.), *psicanalisáveis* (pl. de *psicanalisável* [a2g.]).]

psicanalisável (psi.ca.na.li.*sá*.vel) *a2g.* Que é passível de ser psicanalisado: "Uma sociedade não é psicanalisável, diz Kaus Horn, ela mesma é oposta à prática terapêutica..." (Ciro Marcondes Filho, *A Produção Social da Loucura*) [Pl.: *-veis.*] [F.: *psicanalisar* + *-vel.* Hom./Par.: *psicanalisáveis* (pl.), *psicanalisáveis* (fl. de *psicanalisar* [v.]).]

psicanálise (psi.ca.*ná*.li.se) *sf.* **1** *Psiq.* Teoria da psique humana, formulada por Sigmund Freud (1856-1939), que gira basicamente em torno das estruturas inconscientes responsáveis pelo comportamento das pessoas **2** Terapia, baseada nessa teoria, na qual o terapeuta conduz a interpretação dos significados inconscientes presentes na fala, nos sonhos e nas ações do paciente [Tb. se diz apenas *análise.*] [F.: Do al. *Psychoanalyse,* posv. pelo fr. *psychanalyse.*]

psicanalista (psi.ca.na.*lis*.ta) *Psic. a2g.* **1** Diz-se de médico ou psicólogo especializado em psicanálise **2** Diz-se de terapeuta que trata pelo método da psicanálise [Tb. se diz apenas *analista.*] *s2g.* **3** O especialista em psicanálise **4** Terapeuta que usa o método da psicanálise em seus pacientes [Tb. se diz apenas *analista.*] [F.: Do fr. *psychanaliste.*]

psicanalítico (psi.ca.na.*lí*.ti.co) *a.* **1** Relativo à psicanálise **2** Diz-se de profissional que usa o método da psicanálise **3** Diz-se de profissional que emprega a psicanálise para analisar um paciente, um livro, filme, peça de teatro, objeto de arte etc.: *Utilizou método psicanalítico para estudar a obra de Ibsen.* [F.: *psicaná(lise)* + *-litico*², segundo o mod. gr.]

psicastenia (psi.cas.te.*ni*.a) *sf. Ant. Psiq.* Neurose que se caracteriza por obsessões, dúvidas, percepção incompleta dos sentimentos, ausência de atenção e vontade, e enfraquecimento geral das funções psíquicas [F.: *psic(o)-* + *-astenia.*]

psicastênico (psi.cas.*tê*.ni.co) *Ant. Psiq. a.* **1** Ref. a psicastenia **2** Que sofre de psicastenia [F.: *psicastenia* + *-ico*².]

◎ **-psic(o)-** *el. comp.* Ver *psic(o)-*

◎ **psic(o)-** *el. comp.* = 'alma'; 'espírito'; 'inteligência'; 'mente'; 'psiquismo'; 'inconsciente'; 'psicológico', 'psíquico': *psicagogia, psicanálise, psicastenia, psicobiografia, psicodélico, psicodrama, psicofísico, psicografia, psicoimunologia, psicologia, psicometria, psicomotriz, psicopatia, psicopedagogia, psicose, psicotécnico, psicoterapia, psicotrópico; psiquialgia, psiquiatria; biopsicossocial; apsiquismo* [F.: Do gr. *psykhé, ês,* 'sopro'; 'sopro de vida'; 'alma'. F. conexa: *-psiquia.*]

psicoanaléptico (psi.co.a.na.*lép*.ti.co) *a. Farm.* Diz-se de medicamento ou substância, como anfetaminas, antidepressivos etc., que estimula a atividade mental de portadores de problemas psíquicos [F.: *psic(o)-* + *analéptico.*]

psicobiografia (psi.co.bi.o.gra.*fi*.a) *sf. Psiq.* Aplicação de uma teoria da personalidade (ou da subjetividade) ao estudo da vida de um indivíduo, enfatizando um enfoque interpretativo e explicativo para elaborar sua biografia: *A psicobiografia revela quanto a produção científica de um indivíduo é dependente dos movimentos sociais, políticos e econômicos por ele vivenciados.* [F.: *psic(o)-* + *biografia.*]

psicobiologia (psi.co.bi.o.lo.*gi*.a) *sf.* **1** *Biol.* Estudo da reciprocidade ou influência entre as funções e atividades psíquicas e comportamentais e os processos biológicos **2** Conjunto dos aspectos ou processos biológicos vistos como base dos fenômenos psíquicos ou mentais [F.: *psic(o)-* + *biologia.*]

psicodélico (psi.co.*dé*.li.co) *a.* **1** Que causa alterações na percepção ou alucinações, com efeitos alucinógenos (drogas psicodélicas) **2** *Fig.* Que lembra ou remete a esses estados alterados de percepção (música psicodélica) **3** *P. ext.* Diz-se de qualquer produção artística ou intelectual que estimule, de alguma forma, alterações de percepção, alucinações ou estados de grande exaltação emocional **4** Diz-se de roupa ou decoração que, pela profusão de cores e traços extravagantes, se coloca inteiramente fora dos padrões habituais (camisa psicodélica; bar psicodélico) *sm.* **5** *Farm.* Substância ou medicamento que causa alterações na percepção ou alucinações [F.: *psic(o)-* + *-del(o)-* + *-ico*².]

psicodelismo (psi.co.de.*lis*.mo) *sm.* **1** Modismo típico da década de 1970, expresso em decoração, roupas, objetos etc., de cores muito vivas e formas aleatórias e inusitadas, como resultantes das visões de uma pessoa drogada **2** Alucinações visuais, aumento ou alteração da percepção e, eventualmente, comportamento parecido com o observado em psicóticos ou pessoas sob efeito de alucinógenos [F.: Adaptação do fr. *psychédélisme.*]

psicodinâmica (psi.co.di.*nâ*.mi.ca) *sf.* **1** Parte da psicologia que trata dos efeitos dinâmicos dos fenômenos psíquicos, esp. os que aparecem como reação inconsciente aos estímulos ambientais **2** O estudo dos processos mentais e emocionais subjacentes ao comportamento humano, e de sua motivação [F.: *psic(o)-* + *dinâmica.*]

psicodinamismo (psi.co.di.na.*mis*.mo) *sm.* **1** *Fil.* Doutrina que reduz a uma força todas as energias do universo, dos fenômenos físicos até a ordem moral **2** Conjunto de forças ou fatores determinantes do comportamento humano **3** *Psi.* Abordagem clínica que entende a personalidade como resultante da interação de fatores conscientes e inconscientes [F.: *psic(o)-* + *dinamismo.*]

psicodisléptico (psi.co.dis.*lép*.ti.co) *a. Farm.* Diz-se de substância capaz de provocar surtos psicóticos, alucinações e delírios; PSICODÉLICO [F.: Do fr. *psychodysleptique,* 'que modifica a atividade mental normal'.]

psicodrama (psi.co.*dra*.ma) *sm. Psi.* Terapia de grupo em que pacientes improvisam cenas dramáticas que serão analisadas em conjunto [Esse tipo de abordagem tem como base o que cada um revela de si nessas improvisações.] [F.: *psic(o)-* + *drama.* Cf.: *sociodrama.*]

psicodramático (psi.co.dra.*má*.ti.co) *a. Psi.* Ref. ou pertencente ao psicodrama [F.: *psicodrama* + *-ático,* segundo o mod. gr.]

psicodramista (psi.co.dra.*mis*.ta) *s2g. Psi.* Psicoterapeuta que adota a técnica do psicodrama [F.: *psicodrama* + *-ista.*]

psicofármaco (psi.co.*fár*.ma.co) *Farm. a.* **1** Diz-se de medicamento us. em psicofarmacologia *sm.* **2** Fármaco us. nesse ramo da farmacologia [F.: *psic(o)-* + *fármaco.*]

psicofarmacologia (psi.co.far.ma.co.lo.*gi*.a) *sf. Farm.* Ramo da farmacologia que estuda a ação de drogas sobre o comportamento dos indivíduos [F.: *psic(o)-* + *farmacologia.*]

psicofísico (psi.co.*fí*.si.co) *a.* **1** Que diz respeito ao espírito e à matéria **2** Relativo a psicofísica [F.: *psic(o)-* + *físico.*]

psicogênese (psi.co.*gê*.ne.se) *sf.* **1** *Psiq.* Estudo da origem e desenvolvimento dos processos mentais ou psicológicos, da mente ou da personalidade; PSICOGENIA **2** A origem ou o desenvolvimento desses processos mentais ou psicológicos; PSICOGENIA **3** Estudo das causas psíquicas geradoras de alterações no comportamento [F.: *psic(o)-* + *-gênese.*]

psicogenia (psi.co.ge.*ni*.a) *sf. Psiq.* O mesmo que *psicogênese.* [F.: *psic(o)-* + *-genia.*]

psicogênico (psi.co.*gê*.ni.co) *Psiq. a.* **1** Que diz respeito à psicogenia ou psicogênese **2** Diz-se da doença ou transtorno orgânico provocado por causas psicológicas (dermatose psicogênica) [F.: *psicogenia* + *-ico*².]

psicogeriatria (psi.co.ge.ri.a.*tri*.a) *sf. Med.* Ramo da geriatria que trata da parte psíquica e emocional dos idosos: *Tratamentos recomendados pela psicogeriatria podem tornar o idoso uma pessoa ativa, produtiva e feliz.* [F.: *psic(o)-* + *geriatria.*]

psicografado (psi.co.gra.*fa*.do) *Espt. a.* **1** Que se psicografou **2** Que foi escrito sob a influência de um espírito [F.: Part. de *psicografar.*]

psicografar (psi.co.gra.*far*) *v. td. int. Espt.* Escrever sob a influência de um espírito [▶ **1 psicografar**] [F.: *psic(o)-* + *grafar.* Hom./Par.: *psicografo* (fl.), *psicógrafo* (sm.).]

psicografia (psi.co.gra.*fi*.a) *sf.* **1** Descrição de fenômenos psíquicos **2** Descrição psicológica de um indivíduo **3** *Espt.* Escrita feita por um médium sob a influência direta de um espírito desencarnado **4** Em *marketing,* estudo do comportamento, atividades e maneira de ser dos consumidores [F.: *psic(o)-* + *-grafia.*]

psicográfico (psi.co.*grá*.fi.co) *a.* **1** Que se refere a psicografia **2** Feito por meio de psicografia; PSICOGRAFADO [F.: *psicografia* + *-ico*².]

psicógrafo (psi.*có*.gra.fo) *sm.* **1** Indivíduo especializado em psicografia, aquele que faz o estudo psicológico de uma pessoa **2** Autor de psicografia **3** *Espt.* O médium que se comunica com os espíritos para psicografar [F.: *psic(o)-* + *-grafo.* Hom./Par.: *psicógrafo* (sm.), *psicografo* (fl. de *psicografar*).]

psicolepsia (psi.co.lep.*si*.a) *sf. Psiq.* Redução repentina, intensa e pouco duradoura da tensão mental, com nível de vigilância próximo ao dos quadros de depressão [F.: *psic(o)-* + *-lepsia.*]

psicoléptico (psi.co.*lép*.ti.co) *a.* **1** *Psiq.* Ref. a psicolepsia **2** Diz-se de medicamento ou droga que tem ação calmante ou relaxante sobre as funções psíquicas *sm.* **3** Esse medicamento [F.: *psic(o)-* + *-léptico.*]

psicolinguista (psi.co.lin.*guis*.ta) *s2g. Ling.* Aquele ou aquela que se dedica ao estudo da psicolinguística [F.: *psic(o)-* + *linguista.*]

psicolinguística (psi.co.lin.*guís*.ti.ca) *sf. Ling.* Ramo da linguística que estuda as relações entre o conhecimento e o uso de uma língua, como o processo de aquisição e processamento linguísticos e os fatores psicológicos relacionados a eles [F.: *psic(o)-* + *linguística.*]

psicolinguístico (psi.co.lin.*guís*.ti.co) *a.* Ref. ou pertencente à ou próprio da psicolinguística [F.: *psic(o)-* + *linguístico.*]

psicologia (psi.co.lo.*gi*.a) *Psi. sf.* **1** Ciência que estuda as estruturas mentais e comportamentais dos indivíduos **2** Conjunto de traços mentais e comportamentais característicos de um indivíduo ou de um grupo: *A psicologia dos meninos de rua tem muitos traços comuns.* **3** Trato, diplomacia com pessoas que se mostram de difícil trato: *Esse professor usa de psicologia para tratar com os alunos.* **4** Curso universitário onde se ensinam os diversos métodos da psicologia, bem como ciências afins **5** Conhecimento empírico das emoções e sentimentos de uma pessoa, que se faz ger. com a intenção de compreender seu comportamento, maneira de ser e pensar etc. **6** Estudo de uma obra de arte ou de um tema por meio de análise psicológica [F.: Do lat. cient. *psychologia*; ver *psic(o)-* e *-logia.*]

▪ **~ analítica** *Psi.* Método psicanalítico concebido por Carl G. Jung, afastando-se do de Freud **~ biológica** *Psi.* Campo de estudo do comportamento humano intermediário entre o dos fenômenos psíquicos e dos biológicos **~ clínica** *Psi.* Ramo da psicologia que trata do estudo do comportamento individual ou de grupo, do diagnóstico de distúrbios nesse campo e de técnicas de ajuda e tratamento **~ cognitiva** *Psi.* Ramo da psicologia que trata do mecanismo de percepção e interpretação mental dos fatos e da realidade e do processo de conhecimento e aprendizado **~ da educação** *Psi.* Ramo da psicologia que trata de sua aplicação aos processos de aprendizagem; psicopedagogia **~ diferencial** *Psi.* Ramo da psicologia que estuda comparativamente os aspectos psicológicos de seres ou grupos de seres diferentes ou de tipo diferente **~ do desenvolvimento** *Psi.* Ramo da psicologia que estuda os aspectos psicológicos inerentes ao desenvolvimento do ser humano e as mudanças e transformações dele decorrentes **~ estrutural** *Psi.* Método de diagnóstico e de tratamento psicológicos baseado na análise da interação e integração de vários e diversos estados psíquicos e experiências conscientes **~ experimental** *Psi.* Ramo da psicologia que submete a experimentação científica os fatos por ela observados, para atribuir-lhes medidas e parâmetros e daí extrair leis gerais **~ holística** *Psi.* Conceito e prática psicológicos baseados na ideia de que a mente humana constitui uma unidade indivisível, e como tal deve ser estudada e tratada **~ industrial** *Psi.* Ramo da psicologia que se ocupa dos problemas de relação do homem com a indústria, seja nas diferentes posições nas relações de trabalho (a empresa e sua organização, os métodos, as condições de trabalho, os trabalhadores etc.) seja na área do consumo, da relação com o público etc. **~ racional** *Fil.* Área da metafísica que trata do pensamento humano em suas causas e seus princípios **~ social** *Psi.* Ramo da psicologia voltado para o estudo dos aspectos sociais da mente e do comportamento, dentro dos vários modelos e situações de interação do homem com grupos, e com a sociedade como um todo

psicológico (psi.co.*ló*.gi.co) *a.* **1** Referente ou inerente à psicologia **2** Que diz respeito à psique e aos fenômenos mentais ou emocionais (distúrbio psicológico) **3** Que faz uso da psicologia para alcançar certas finalidades: *Fez pressão psicológica para desestabilizar o adversário.* **4** Que dá ênfase ao lado psicológico do comportamento (romance/filme psicológico) [F.: *psicologia* + *-ico*².]

psicologismo (psi.co.lo.*gis*.mo) *sm.* **1** Tendência a prestigiar a interpretação psicológica em detrimento de qualquer outra provinda de outro ramo da ciência *sm.* **2** *Fil.* Tendência a atribuir à psicologia a preponderância entre as ciências filosóficas, e a ela submeter a lógica e a gnosiologia **3** *Fil.* Doutrina que considera todos o conhecimento como mero fato psicológico **4** Termo ou conceito da psicologia, us. em contexto não técnico [F.: *psicologia* + *-ismo.*]

psicologista (psi.co.lo.*gis*.ta) *s2g.* **1** *Psiq.* Especialista em psicologia; PSICÓLOGO **2** Pessoa que elaborou um estudo ou tratado de psicologia *a.* **3** *Psiq.* Ref. a psicologismo [F.: *psicologia* + *-ista.*]

psicologizante (psi.co.lo.gi.*zan*.te) *a2g.* **1** Que psicologiza **2** Que tem cunho psicológico: *Atribuir às frustrações do sociedade a causa da violência é uma visão psicologizante.* [F.: *psicologizar* + *-nte.*]

psicologizar (psi.co.lo.gi.*zar*) *v.* **1** Fazer a psicologia de [*td.*] **2** Dar caráter psicológico a [*td.*] **3** *Pej.* Fazer especulações de caráter psicológico sem base nos conhecimentos da psicologia [*td.*] **4** Estudar psicologia [*int.*] [▶ **1 psicologizar**] [F.: *psicologia* + *-izar.*]

psicólogo (psi.*có*.lo.go) *sm.* **1** Profissional especializado em psicologia **2** *P. ext.* Indivíduo que possui grande acuidade psicológica, sem ser formado em psicologia [F.: *psic(o)-* + *-logo.*]

psicologuês (psi.co.lo.*guês*) *Pej. Joc. sm.* **1** Jargão próprio dos psicólogos **2** Linguajar pedante, recheado de expressões próprias da psicologia [F.: *psicólogo* + *-ês.*]

psicometria (psi.co.me.*tri*.a) *sf.* **1** *Psi.* Ramo da psicologia voltado para a elaboração e crítica de métodos de mensuração e avaliação de fenômenos e características psicológicas **2** *Espt.* Faculdade de alguns médiuns que consiste na percepção ou visão de fatos ou acontecimentos ligados a uma pessoa ou a um objeto [F.: *psic(o)-* + *-metria*¹.]

psicométrico (psi.co.*mé*.tri.co) *a. Psi. Espt.* Ref. a psicometria [F.: *psicometria* + *-ico*².]

psicomotor (psi.co.mo.*tor*) [ô] *Neur. Psiq. a.* **1** Que se refere à integração das funções motoras e psíquicas **2** Diz-se das partes do cérebro que presidem as relações com os movimentos dos músculos (centros psicomotores) [Fem.: *psicomotora e psicomotriz.*] [F.: *psic(o)- + motor.*]

psicomotricidade (psi.co.mo.tri.ci.*da*.de) *Neur. Psiq. sf.* Conjunto das funções nervosas e musculares integradas ao sistema nervoso [F.: *psic(o)- + motricidade.*]

psicomotricista (psi.co.mo.tri.*cis*.ta) *Med. a2g.* **1** Ref. a psicomotricidade *s2g.* **2** Especialista em psicomotricidade [F.: *psicomotricidade*, sob a f. do rad. *psicomotric- + -ista.*]

psicomotriz (psi.co.mo.*triz*) *Neur. Psiq. af.* **1** Ref. a psicomotricidade **2** Diz-se da ação mental que induz à contração muscular [F.: *psic(o)- + motriz.*]

psiconeurose (psi.co.neu.*ro*.se) *sf. Psi.* Distúrbio psíquico que não acarreta distorção da realidade ou desestruturação da psique do indivíduo; NEUROSE [F.: *psic(o)- + neurose.*]

psiconeurótico (psi.co.neu.*ró*.ti.co) *Psi. a.* **1** Relativo a psiconeurose; NEURÓTICO **2** Diz-se de indivíduo que apresenta esse estado ou distúrbio psíquico; NEURÓTICO *sm.* **3** Aquele que apresenta distúrbios psiconeuróticos; NEURÓTICO [F.: *psic(o)- + neurótico.*]

psicopata (psi.co.*pa*.ta) *Psiq. a2g.* **1** Diz-se de quem sofre de psicopatia *s2g.* **2** *Psiq.* Aquele ou aquela que sofre de psicopatia [F.: *psic(o)- + -pata.*]

psicopatia (psi.co.pa.*ti*.a) *sf.* **1** *Psiq.* Distúrbio psíquico caracterizado pela tendência a comportamentos violentos a antissociais e pela ausência de qualquer sentimento de culpa em relação aos atos praticados, o que torna o enfermo incapaz de se relacionar com os outros [Uma das características marcantes de psicopatia é o egocentrismo extremo.] **2** Qualquer doença mental; PSICOSE [F.: *psic(o)- + -patia.* Sin. ger.: *psicopatologia.*]

psicopático (psi.co.*pá*.ti.co) *a. Psiq.* Ref. a psicopatia, ou próprio de psicopata [F.: *psicopatia + -ico*[2].]

psicopatologia (psi.co.pa.to.lo.*gi*.a) *Psi. Psiq. sf.* **1** *P. ext.* Ramo da medicina que estuda as estruturas e as causas das doenças mentais **2** O mesmo que *psicopatia* [F.: *psic(o)- + patologia.*]

psicopatológico (psi.co.pa.to.*ló*.gi.co) *a. Psi. Psiq.* Ref. a psicopatologia [F.: *psicopatologia + -ico*[2].]

psicopatologista (psi.co.pa.to.lo.*gis*.ta) *Psiq. a2g.* **1** Diz-se de especialista em psicopatologia *s2g.* **2** *Psiq.* Aquele ou aquela que é especialista nesse ramo da medicina [F.: *psicopatologia + -ista.*]

psicopedagogia (psi.co.pe.da.go.*gi*.a) *sf.* Ramo da pedagogia voltado para a aplicação dos resultados da psicologia da aprendizagem a métodos e práticas pedagógicos; psicologia da educação [F.: *psic(o)- + pedagogia.*]

psicopedagógico (psi.co.pe.da.*gó*.gi.co) *a.* Ref. à ou próprio da psicopedagogia, ou que considera ou faz uso dos conceitos por ela apresentados [F.: *psicopedagogia + -ico*[2].]

psicose (psi.*co*.se) *sf.* **1** *Psiq.* Distúrbio mental agudo que produz distorções na percepção da realidade e desintegração da personalidade, às vezes acompanhado de estados alucinatórios (como p. ex. a esquizofrenia ou a paranoia) **2** *Psiq.* Qualquer doença mental, esp. as graves **3** *Fig. Pop.* Ideia fixa, obsessiva: *Está com a maior psicose por cinema digital.* [F.: Do lat. cient. *psychosis*; ver *psic(o)-* e *-ose*[1].] ⁑ **~ endógena** *Psiq.* Psicose não atribuível a qualquer distúrbio orgânico **~ exógena** *Psiq.* Psicose motivada por distúrbio orgânico, esp. cerebral **~ maníaco-depressiva** *Psiq.* Distúrbio psíquico que se manifesta em oscilação (no paciente) de estados de depressão (tristeza, angústia, às vezes tendência ao suicídio) com estados de excitação (manias, hiperatividade etc.)

psicossexual (psi.cos.se.xu.*al*) *a2g.* **1** Ref. aos aspectos psíquicos da sexualidade **2** Ref. ao que diz respeito à área da psicologia em relação ao estudo da sexualidade [Pl.: *-ais.*] [F.: *psic(o)- + sexual.*]

psicossocial (psi.cos.so.ci.*al*) *a2g.* **1** Ref. a psicossociologia; PSICOSSOCIOLÓGICO **2** Que envolve simultaneamente aspectos psicológicos e sociais **3** Que estuda as relações sociais sob a ótica da psicologia [Pl.: *-ais.*] [F.: *psic(o)- + social.*]

psicossociologia (psi.cos.so.ci.o.lo.*gi*.a) *sf.* **1** Estudo de conceitos, questões e problemas comuns à psicologia e à sociologia **2** Estudo da influência e da importância da sociedade nas questões e fenômenos do psiquismo [F.: *psic(o)- + sociologia.*]

psicossociológico (psi.cos.so.ci.o.*ló*.gi.co) *a. Psiq. Soc.* Ref. a psicossociologia [F.: *psicossociologia + -ico*[2].]

psicossomática (psi.cos.so.*má*.ti.ca) *Med. sf.* **1** Ramo da medicina que trata das questões ou dos processos psicossomáticos **2** Estudo das relações que se estabelecem entre certos processos psíquicos e alguns problemas de funções orgânicas [F.: Fem. substv. de *psicossomático.*]

psicossomático (psi.cos.so.*má*.ti.co) *Med. a.* **1** Que diz respeito, ao mesmo tempo, ao orgânico e ao psíquico **2** Diz-se de sintoma ou doença física que tem sua origem em problemas de natureza psicológica **3** Que se refere a ou é próprio da psicossomática [F.: *psic(o)- + somático.*]

psicotécnica (psi.co.*téc*.ni.ca) *Psi. sf.* **1** Método de mensuração e avaliação das reações psicológicas e psicossomáticas dos indivíduos **2** O conjunto das técnicas que permitem a aplicação do conhecimento psicológico ao domínio prático [F.: *psic(o)- + técnica.*]

psicotécnico (psi.co.*téc*.ni.co) *a.* **1** Referente à ou próprio da psicotécnica *sm.* **2** *Bras.* Ver *exame psicotécnico*, em *exame*: *Para tirar a carteira de motorista é preciso fazer psicotécnico.* [F.: *psic(o)- + técnico.*]

psicoterapeuta (psi.co.te.ra.*peu*.ta) *s2g. Psi.* Especialista em psicoterapia [F.: *psic(o)- + terapeuta.*]

psicoterapêutico (psi.co.te.ra.*pêu*.ti.co) *Psi. a.* **1** Ref. a psicoterapia ou a psicoterapeuta **2** Que trata dos problemas psíquicos [F.: *psicoterapeuta + -ico*[2].]

psicoterapia (psi.co.te.ra.*pi*.a) *sf. Psi.* Tratamento de distúrbios ou doenças psicológicas por meio da discussão dos problemas do paciente, da sugestão, tranquilização etc., sem recorrer a medicamentos [F.: *psic(o)- + -terapia.* Hom./Par.: *psicoterapia* (sf.), *psicroterapia* (sf.).] ⁑ **~ de apoio** *Psi.* Psicoterapia baseada em técnicas de persuasão, sugestão, relaxamento etc. **~ profunda** *Psi.* Psicoterapia baseada em técnicas de catarse, de psicanálise, psicodrama etc.

psicoterápico (psi.co.te.*rá*.pi.co) *a.* **1** *Psi* Relativo a psicoterapia **2** *P. ext.* Que ajuda a sanar os problemas psíquicos [F.: *psicoterapia + -ico*[2]. Hom./Par.: *psicoterápico* (a.), *psicroterápico* (a.).]

psicoteste (psi.co.*tes*.te) *sm. Psi.* Teste para avaliação psicológica [F.: *psic(o)- + teste.*]

psicótico (psi.*có*.ti.co) *Psiq. a.* **1** Ref. a ou próprio de psicose (surto psicótico) *a.* **2** Diz-se de indivíduo sofre de psicose *sm.* **3** *Psiq.* Aquele que sofre de psicose [F.: *psic(ose) + -ótico*, segundo o mod. gr.]

psicotóxico (psi.co.*tó*.xi.co) [cs] *Psiq. a.* **1** Diz-se de substância capaz de produzir alterações psíquicas diversas *sm.* **2** *Psiq.* Essa substância [F.: *psic(o)- + tóxico.*]

psicotrópico (psi.co.*tró*.pi.co) *Psiq. a.* **1** Diz-se de qualquer substância, medicamento ou planta capaz de alterar o estado psíquico, a percepção ou o comportamento de um indivíduo *sm.* **2** *Psiq.* Esse tipo de substância, medicamento ou planta [F.: *psic(o)- + -trop(o)- + -ico*[2].]

◎ **psicro-** *el. comp.* = 'frio': *psicroalgia, psicroestesia, psicrofilia, psicrometria, psicroterapia* [F.: Do gr. *psykhrós, á, ón.*]

psicroalgia (psi.cro.al.*gi*.a) *sf. Med.* Sensação de frio que causa dor [F.: *psicro- + -algia.*]

psicrometria (psi.cro.me.*tri*.a) *sf. Met.* Medição da umidade atmosférica por meio do psicrômetro [F.: *psicro- + -metria*[1].]

psicrômetro (psi.*crô*.me.tro) *sm. Fís.* Instrumento us. para determinar a quantidade de vapor existente na atmosfera; HIGRÓGRAFO [F.: *psicr(o)- + -metro.*]

psicroterapia (psi.cro.te.ra.*pi*.a) *sf.* Terapia que utiliza compressas e banho de água fria [F.: *psicro- + -terapia.* Hom./Par.: *psicroterapia* (sf.), *psicoterapia* (sf.).]

psicroterápico (psi.cro.te.*rá*.pi.co) *a.* Ref. ou pertencente à psicroterapia [F. *psicroterapia + -ico*[2]. Par.: *psicoterápico* (a.).]

psique (*psi*.que) *sf.* **1** *Psi.* Totalidade das estruturas, processos e fenômenos psicológicos, conscientes e inconscientes, presentes em um indivíduo; PSIQUISMO **2** *Psi.* A parte espiritual do homem, a que se distingue do todo corporal e físico; MENTE **3** Termo que, em certos ramos do conhecimento, esp. a filosofia e a teologia, designa a essência do princípio de vida, visto como base das funções psíquicas e do comportamento humano; ALMA; ESPÍRITO [F.: Do gr. *psykhé, ês.* Tb. *psiquê, mas* a melhor f. é *psique.*]

◎ **-psiqu(i)-** *el. comp.* Ver *psic(o)-*

◎ **psiqu(i)-** *el. comp.* Ver *psic(o)-*

◎ **-psiquia** *el. comp.* = 'alma'; 'estado de (in)consciência'; 'certo estado ou condição mental': *apopsiquia, apsiquia, lipopsiquia, megalopsiquia* (gr.), *micropsiquia, oligopsiquia* [F.: Do gr. *-psykhía, as*, do gr. *psykhé, ês*, 'sopro'; 'sopro de vida'; 'alma', + *-ía, as* (ver *-ia*[1]). F. conexa: *psic(o)-.*]

psiquiatra (psi.qui.*a*.tra) *s2g. Psiq.* Médico especializado em psiquiatria [F.: *psiqu(i)- + -iatra.*]

psiquiatria (psi.qui.a.*tri*.a) *sf. Psiq.* Ramo da medicina que cuida do estudo e tratamento dos distúrbios mentais [F.: *psiqu(i)- + -iatria.*]

psiquiátrico (psi.qui.*á*.tri.co) *a.* **1** Relativo à ou próprio da psiquiatria **2** Que tem a finalidade de tratar as doenças mentais (tratamento psiquiátrico) **3** *Pop.* Ref. aos ou próprio dos distúrbios de que trata a psiquiatria: *Disse que o primo tinha problemas psiquiátricos.* [F.: *psiquiatria + -ico*[2].]

psíquico (*psí*.qui.co) *a.* **1** Referente à psique, à mente, à alma **2** Relativo ao que ocorre na esfera mental do indivíduo e ao seu comportamento; MENTAL; PSICOLÓGICO [F.: Do gr. *psykhikós, e, ón*, 'ref. ao sopro (de vida)'; 'ref. à alma, ao espírito'.]

psiquismo (psi.*quis*.mo) *sm.* **1** *Psiq.* O conjunto dos processos psíquicos, mentais (conscientes ou inconscientes) de uma pessoa ou grupo de pessoas **2** *Psiq.* O conjunto dos processos psíquicos particulares de um indivíduo **3** *Psiq.* Atividade psíquica, entendida separadamente da física ou orgânica **4** *Fil.* Sistema de ideias segundo o qual a alma é formada por um fluido que anima todos os seres [F.: *psiqu(i)- + -ismo.*]

◎ **psitac(i)-** *el. comp.* Ver *psitac(o)-*

psitacídeo (psi.ta.*cí*.de:o) *Zool. sm.* **1** Espécime dos psitacídeos, fam. de aves psitaciformes, de bico alto e recurvado, e pés zigodáctilos; comuns em diversas partes do mundo, apresentam grande diversidade de espécies na América do Sul; são os papagaios, araras, periquitos etc. *a.* **2** Ref. ou pertencente aos psitacídeos [F.: Adaptação do lat. cient. *Psittacidae*, calcado no lat. *psittacus, i*, 'papagaio', do gr. *psittakós, oû.*]

psitaciforme (psi.ta.ci.*for*.me) *Zool. sm.* **1** Espécime dos psitaciformes, ordem de aves de bico duro e curvo, pés adaptados para agarrar e plumagem colorida, que compreende os papagaios, araras, cacatuas, periquitos e lóris *a2g.* **2** Ref. ou pertencente aos psitaciformes [F.: Adaptação do lat. cient. *Psittaciformes.*]

psitacismo (psi.ta.*cis*.mo) *sm.* **1** *Psiq.* Doença psíquica caracterizada pela repetição maquinal das palavras sem consciência do seu significado **2** *Pej.* Discurso longo e vazio; VERBORRAGIA **3** *Pej.* Aprendizado por repetição maquinal [F.: *psitac(o)- + -ismo.*]

◎ **psitac(o)-** *el. comp.* = 'papagaio': *psitáceo, psitacídeo* (lat. cient.), *psitaciforme* (lat. cient.), *psitacismo, psitacose; psitacinita* [F.: Do gr. *psittakós, oû.*]

psiu *interj.* **1** Us. para chamar alguém, principalmente quando não se sabe seu nome: "Gritei, ninguém me ouviu, e olha que eu ainda fiz psiu!" (Eduardo Dusek, *Nostradamus) Interj.* **2** Us. para fazer calar ou pedir silêncio: *Psiu! Não se pode fazer barulho aqui dentro!*

psoas (*pso*.as) [ô] *Anat. sm2n.* Cada um dos músculos integrantes de dois pares que ficam (dois a dois) de cada lado do abdome [F.: Do lat. cient. *psoas*, deriv. do gr. *psóas.*] ⁑ **Grande ~** *Anat.* Cada um dos dois músculos (um do lado direito outro do lado esquerdo do abdome) que vão da borda inferior da 12ª vértebra lombar até às coxas **Pequeno ~** *Anat.* Cada um dos dois músculos (um do lado direito outro do lado esquerdo do abdome) que vão do disco entre a 12ª vértebra torácica e a 1ª lombar, até a bacia [Muitas vezes são rudimentares, ou mesmo ausentes.]

psoíte (pso.*í*.te) *sf. Med.* Inflamação do músculo psoas [F.: *pso-* de *psoas + -ite.*]

psoríaco (pso.*rí*.a.co) *Med. Derm. a.* **1** Relativo a ou próprio da psoríase **2** Da natureza da psoríase **3** Diz-se de indivíduo que sofre de psoríase *sm.* **4** Esse indivíduo [F.: *psor(o)- + -íaco.*]

psoríase (pso.*rí*.a.se) *sf. Med.* Doença crônica da pele, caracterizada pelo surgimento de placas cutâneas avermelhadas, com escamação, que ocorre esp. nos membros e no couro cabeludo [F.: Do gr. *psoríasis, eos.*]

◎ **psor(o)-** (psor(o)-) *el. comp.* = 'sarna': *psoríaco, psoríase* (gr.) [F.: Do gr. *psóra, as.*]

⊠ **Pt** *Quím.* Simb. de *platina*

pteridácea (pte.ri.*dá*.ce:a) *sf. Bot.* Espécime das pteridáceas, família de plantas da classe das filicópsidas, com mais de 800 espécies de fetos, a maioria tropicais, de uso medicinal ou ornamental [F.: Do lat. cient. *Pteridaceae.*]

◎ **-pterid(o)-** *el. comp.* Ver *pterid(o)-*

◎ **pterid(o)-** *el. comp.* = 'feto[2]': *pteridácea* (lat. cient.), *pteridófita* (lat. cient.), *pteridografia, pteridologia; telepteridácea* (lat. cient.) [F.: Do gr. *pterís, ídos.*]

pteridófita (pte.ri.*dó*.fi.ta) *Bot. sf.* Espécime das pteridófitas, divisão do reino vegetal, que reúne plantas vasculares e sem flores, que formam esporângios nas folhas ou em folhas modificadas; trata-se de um grupo bastante diversificado, cujos representantes mais comuns são as samambaias e avencas [F.: Do lat. cient. *Pteridophyta.* Tb.: *pteridófito.*]

pteridófito (pte.ri.*dó*.fito) *sm.* **1** *Bot.* O mesmo que *pteridófita* **2** *Pal.* Vegetal cujo aparecimento ou desenvolvimento ocorreu no período pteridofítico ou paleofítico [F.: *pterid(o)- + -fito.*]

pteridosperma (pte.ri.dos.*per*.ma) *sf. Pal.* Espécime das pteridospermas, classe de gimnospermas fósseis semelhantes a pteridófitas, que coexiste com a ordem das cicadofilicales [F.: Adaptação do lat. cient. *Pteridospermae.*]

◎ **-ptérigio** *el. comp.* = 'nadadeira'; 'barbatana': *arquipterígio, dipterígio, gastropterígio, malacopterígio, micropterígio* [F.: Do gr. *pterýgion, ou*, dim. do gr. *ptérix, ygos*, 'asa'. F. conexas: *pterig(o)-* e *pter(o)-.*]

◎ **pterig(o)-** *el. comp.* = 'asa': *pterigogêneo* (lat. cient.), *pterigoto* (lat. cient. gr.) [F.: Do gr. *ptéryks, ygos.* Outra f.: *-pterix.* F. conexa: *pter(o)-* e *-ptérigio.*]

pterigoto (pte.ri.*go*.to) *sm.* **1** Rel. aos pterigotos *sm.* **2** *Ent.* Espécime dos pterigotos, subclasse de insetos alados que compreende todos os que sofrem metamorfose completa ou incompleta; PTERIGOGÊNEO [F.: Do lat. cient. subclasse *Pterygota*, do gr. *pterugótós, ós, ón* 'dotado de asas'.]

◎ **-pter(o)-** *el. comp.* Ver *pter(o)-*

◎ **-ptero** *el. comp.* Ver *pter(o)-*

◎ **pter(o)-** *el. comp.* = 'asa'; 'coluna': *pterodáctilo, pterodátilo, pteroide, pteroma* (lat. gr.), *pterópode* (lat. cient.), *pterossauro* (lat. cient.); *balenopterídeo* (lat. cient.), *epipterado; áptero* (gr.), *calóptero, helicóptero* (< fr.), *himenóptero* (lat. cient.) [F.: Do gr. *ptéron, oû*, 'pena'; 'pluma'; 'asa'; 'remo'; 'galho(s) de árvore'; 'colunata de templo' etc. F. conexa: *pterig(o)-* e *-ptérigio.*]

pterodáctilo (pte.ro.*dác*.ti.lo) *sm.* Ver *ptedrodátilo*[1] e *pterodátilo*[2]

pterodátilo[1] (pte.ro.*dá*.ti.lo) *a. Zool.* Que tem os dedos reunidos por uma membrana [F.: *pter(o)- + -dáctilo, -dátilo.*]

pterodátilo[2] (pte.ro.*dác*.ti.lo, pte.ro.*dá*.ti.lo) *sm. Pal. Zool.* Gênero fóssil de sáurios voadores caracterizados por suas expansões membranosas semelhantes às do morcego [F.: Do lat. cient. *Pterodactilus.*]

pteroide (pte.*roi*.de) *a2g.* Que tem forma ou aspecto de asa [F.: *pter(o)- + -oide.*]

pteroma (pte.*ro*.ma) *Arq. sm.* **1** Fileira de colunas em torno de um edifício **2** Na Grécia antiga, ala de um edifício [F.: Do gr. *ptéroma, atos*, pelo lat. *pteroma, atis.*]

pterópode (pte.*ró*.po.de) *Zool. sm.* **1** Espécime dos pterópodes, ordem de moluscos gastrópodes, pelágicos, de concha mínima ou inexistente e pés adaptados como grandes nadadeiras *a2g.* **2** Ref. ou pertencente aos pterópodes [F.: Adaptação do lat. cient. *Pteropoda.*]

pterospermo[1] (pte.ros.*per*.mo) *Bot. a.* Que possui sementes aladas [F.: *pter(o)- + -spermo.*]

pterospermo[2] (pte.ros.*per*.mo) ***sm.*** *Bot.* Denom. Comum às plantas arbóreas e arbustivas do gên. *Pterospermum*, da fam. das esterculiáceas, nativas da Ásia tropical, de madeira resistente e flores aromáticas noturnas [F.: Do lat. cient. *Pterospermum.*]

pterossauro (pte.ros.*sau*.ro) *Pal.* ***sm.*** **1** Espécime dos pterossauros, ordem de répteis arcossauros voadores do Mesozoico, cujas asas eram formadas por uma membrana que se estendia do braço até o longuíssimo quarto dedo ***a.*** **2** Ref. ou pertencente aos pterossauros [F.: Adaptação do lat. cient. *Pterosauria.*]

⊠ **PTFE** *Quím.* Sigla de *politetrafluoretileno*

ptialina (pti:a.*li*.na) ***sf.*** *Bioq.* Qualquer das diversas enzimas capazes de converter o amido em maltose; amilase salivar [F.: *ptial(o)-* + *-ina*[2].]

◎ **-ptial(o)-** ***el. comp.*** Ver *ptial(o)-*

◎ **ptial(o)-** ***el. comp.*** = 'saliva': *ptialina, ptialagogo, ptialismo; aptialia* [F.: Do gr. *ptýalon, ou.*]

ptolemaico (pto.le.*mai*.co) ***a.*** **1** *Hist.* Ref. ou pertencente a qualquer dos reis egípcios chamados Ptolomeu, da dinastia que durou de 305 a.C. a 30 a.C., ou a esse período histórico do Egito (Egito <u>ptolemaico</u>) **2** Ref. ao astrônomo, matemático e geógrafo grego Cláudio Ptolomeu (séc. II), ou a suas ideias e doutrina (sistema <u>ptolemaico</u>) [F.: Do antr. *Ptolomeu, Ptolemeu* + *-ico*[2], segundo o modelo vernáculo. Tb. *ptolomaico.*]

ptolomaico (pto.lo.*mai*.co) ***a.*** Ver *ptolemaico*

◎ **-ptose** ***el. comp.*** = 'queda'; 'prolapso'; 'deslocamento'; 'condição mórbida de órgão ou membro que parece estar pendente': *blefaroptose, carpoptose, heteroptose, histeroptose, mastoptose, metroptose, quitoptose* [F.: Do gr. *ptôsis, eos*, 'queda', 'descida', do v. gr. *pípto*, 'cair'.]

ptose (*pto*.se) *Pat.* ***sf.*** Queda ou abaixamento anômalo de um órgão; DESCENSO; PROCIDÊNCIA; PROLAPSO [F.: Do gr. *ptôsis, eos.*]

⊠ **Pu** *Quím.* Símb. de *plutônio*

pua (*pu*.a) ***sf.*** **1** *Carp.* Peça de aço espiralado que, instalada e girada manualmente no chamado arco de pua, serve para furar madeira; BROCA **2** Ponta aguçada; AGUILHÃO; PICO **3** Haste da espora, em cuja ponta existe a roseta **4** Ver *furadeira* **5** Espaço entre os dentes do pente do tear **6** Bico da verruma **7** *Bras.* Estado de quem está bêbado; BEBEDEIRA; PORRE **8** Prego de madeira; CAVILHA; PINO [F.: obsc.] ■ **Sentar a ~ (em)** **1** *Bras. Pop.* Bater com força, surrar [*Senta a pua* era o lema da Força Aérea Brasileira durante a Segunda Guerra Mundial.] **2** Agir ou atuar com determinação, energia, dinamismo: *Este projeto é trabalhoso, portanto vamos <u>sentar a pua</u> desde o início.*

puã (pu.*ã*) *Bras.* ***sf.*** **1** *Zool.* Siri (*Callinectes sapidus*) de até 15cm de envergadura, encontrado no litoral atlântico das Américas e da Europa, do cor azul-esverdeada ou cinzenta; CAXANGÁ; SIRI-AZUL; SIRI-CORREDOR; SIRIPUÃ **2** *S. E. Zool.* Quela ou pinça dos crustáceos: "...dona Cecê é perita em <u>puã</u> de caranguejo..." (Renato Pacheco, *A Oferta e o Altar*)

puba (*pu*.ba) ***sf.*** **1** *Bras.* Massa de mandioca deixada de molho até amolecer e fermentar; CARIMÃ; MASSA PUBA: "Ajudava a velha Luisa a fazer o mungunzá e o mingau de <u>puba</u> que ela vendia à noite no terreiro." (Jorge Amado, *Jubiabá*) **2** *Bras.* Terreno úmido e coberto de capim **3** *N. E. Pop.* Demasiado apuro no vestir; FACEIRICE ***sm.*** **4** *N. E.* Boi-gordo; boi de corte ***a.*** **5** *Bras.* Mole, molengão [F.: Do tupi *pubae* 'fermentado'.]

pubar (pu.*bar*) *N. E.* ***v.*** **1** Pôr (mandioca) de molho para amolecer e fermentar, para ficar puba [***td.:*** *pote de <u>pubar</u> mandioca.*] [***int.:*** *A mandioca já <u>pubou</u> no pote.*] **2** Tornar-se podre; APODRECER [***int.:*** *Fora da geladeira, a comida <u>pubou</u>.*] [▶ **1 pubar**] [F.: Do tupi *'puua.*]

puberdade (pu.ber.*da*.de) ***sf.*** **1** Estado ou qualidade de púbere **2** Fase de transição humana da infância para a adolescência, em que se desenvolvem os caracteres sexuais secundários e se acelera o crescimento, dando início à atuação das funções reprodutivas; PUBESCÊNCIA [F.: Do lat. *pubertas, atis.*]

púbere (*pú*.be.re) ***a2g.*** Que adquire pelos, que amadurece; PUBESCENTE [Ant.: *impúbere.*] [F.: Do lat. *puber, eris.*]

pubescência (pu.bes.*cên*.ci.a) ***sf.*** **1** *Fisl.* Ver *puberdade* **2** *Bot.* Penugem que cobre certos órgãos da planta, ou determinados frutos como, p. ex., o pêssego [F.: *pubesc(er)* + *-ência.*]

pubescente (pu.bes.*cen*.te) ***a2g.*** **1** Ver *púbere* **2** *Bot.* Diz-se de planta ou órgão vegetal que apresenta pubescência (2) [F.: Do lat. *pubescens, entis.*]

pubescer (pu.bes.*cer*) ***v. int.*** Chegar à puberdade; tornar-se púbere: *É difícil compreender os jovens quando <u>pubescem</u>.* [▶ **33 pubescer**] [F.: Do lat. *pubescere.*]

pubiano (pu.bi.*a*.no) ***a.*** *Anat.* Ref. ao púbis; PÚBICO [F.: *púbi(s)* + *-ano.*]

púbico (*pú*.bi.co) ***a.*** Ver *pubiano*

púbis (*pú*.bis) *Anat.* ***sm2n.*** **1** Parte anterior da base de cada osso ilíaco; pube **2** Parte inferior do abdome, de forma triangular e que, a partir da puberdade, se cobre de pelos **3** Os pelos que recobrem os órgãos genitais [F.: *pubis, is.* Ideia de 'púbis': pub(i/o) (puberdade).]

publicação (pu.bli.ca.*ção*) ***sf.*** **1** Ação ou resultado de publicar, oferecer ao público algo impresso (livro, folheto, jornal, revista etc.) **2** Ato de tornar público qualquer fato, difundi-lo; DIVULGAÇÃO **3** *P. ext.* Qualquer obra impressa distribuída ao público: *Naquele ano, várias <u>publicações</u> trataram do problema.* **4** Ver *periódico* [Pl.: *-ções.*] [F.: Do lat. *publicatio, onis.*] ■ **~ digital** *Edit.* Ver *Publicação eletrônica* **~ eletrônica** *Edit.* Aquela cujo suporte é mídia digital, como CD, disquete, DVD, disco rígido etc.; publicação digital **~ on-line** *Edit. Inf.* Publicação eletrônica acessível em rede de computadores (como a internet) [Ex.: jornal *on-line*, dicionário *on-line*.]

publicado (pu.bli.*ca*.do) ***a.*** **1** Que se publicou ***a.*** **2** Impresso para venda ou distribuição gratuita; EDITADO: *Ele tem seis livros <u>publicados</u>.* **3** Divulgado nos meios de comunicação (matéria <u>publicada</u>): *O decreto está <u>publicado</u> no Diário Oficial.* **4** Que se publicou ou tornou público; DIFUNDIDO; DIVULGADO [F.: Part. de *publicar.*]

publicador (pu.bli.ca.*dor*) [ô] ***a.*** **1** Que publica, que tem meios para publicar (casa <u>publicadora</u>); EDITOR ***sm.*** **2** Aquele que publica, que tem meios para publicar; EDITOR [F.: Do lat. *publicator, oris.*]

pública-forma (pú.bli.ca-*for*.ma) ***sf.*** *Jur.* Cópia de um documento feita e reconhecida por tabelião, que passa a valer como o original [Pl.: *públicas-formas.*]

publicano (pu.bli.*ca*.no) ***sm.*** **1** *Hist.* Na antiga Roma e em todas as colônias do Império Romano, coletor de impostos: "E eis que havia ali um homem chamado Zaqueu; e era este um chefe dos <u>publicanos</u> e era rico." (João Ferreira de Almeida (trad.), *"O Santo Evangelho Segundo S. Lucas" in Bíblia Sagrada*) **2** Coletor de impostos: "Duas ou três prestações insatisfeitas o <u>publicano</u> ia, sequestrava os bens do insolvente..." (Aquilino Ribeiro, *Os avós dos nossos avós*) **3** *Pej.* Homem de negócios [F.: Do lat. *publicanus, i.*]

publicar (pu.bli.*car*) ***v. td.*** **1** Reproduzir (esp. obra escrita) em meio impresso ou eletrônico; EDITAR: *<u>publicar</u> um livro.* **2** Levar ou trazer ao conhecimento geral; DIFUNDIR; DIVULGAR: *É preciso <u>publicar</u> as leis de proteção ambiental.* **3** Tornar conhecido (notícia, novidade, segredo); ESPALHAR; PROPAGAR: *<u>publicar</u> segredos alheios.* **4** Imprimir e pôr à venda ou distribuir gratuitamente (desenho, trabalho escrito etc.): *O departamento de vendas <u>publicou</u> as fotos do edifício.* [▶ **11 publicar**] [F.: Do lat. *publicare.* Hom./Par.: *publico* (fl.), *público* (sm.); *publicáveis* (fl.), *publicáveis* (pl. de *publicável* [a2g.]).]

publicável (pu.bli.*cá*.vel) ***a2g.*** **1** Que pode ser publicado **2** Que tem qualidades para ser publicado, ou que pode sê-lo por não ser moralmente ofensivo [Pl.: *-veis.*] [F.: *publica(r)* + *-vel.*]

publicidade (pu.bli.ci.*da*.de) *Publ.* ***sf.*** **1** Ação ou resultado de tornar algo ou alguém conhecido e aceito pelo público **2** Conjunto de técnicas de comunicação de massa us. para realizar tal tarefa; PROPAGANDA **3** Divulgação de mensagem de caráter persuasivo em espaço de jornal, revista, rádio, televisão com o objetivo de levar o consumidor a comprar um produto (roupa, carro, apartamento, eletrodoméstico, livro, medicamento etc.), eleger um candidato para cargo político, contratar a realização de serviços; PROPAGANDA **4** Material (cartaz, anúncio, panfleto) empregado nessa atividade **5** *Restr.* Caráter do que é feito em público [F.: Do fr. *publicité.*] ■ **~ abusiva** *Publ.* Ver *Propaganda abusiva* **~ enganosa** *Publ.* Ver *Propaganda enganosa* **Dar ~ (a)** Divulgar, tornar conhecido (algo, fato etc.)

publicista (pu.bli.*cis*.ta) ***s2g.*** **1** *P. us.* Aquele que escreve sobre assuntos públicos (política, questões sociais) **2** Escritor que escreve sobre política **3** *Jur.* Aquele que é especialista em direito público [F.: Do fr. *publiciste.*]

publicitário (pu.bli.ci.*tá*.ri.o) ***a.*** **1** Ref. a publicidade (campanha <u>publicitária</u>) ***sm.*** **2** *Publ.* Profissional de publicidade; aquele que planeja, cria ou veicula mensagens de publicidade [F.: Do fr. *publicitaire.*]

publicização (pu.bli.ci.za.*ção*) ***sf.*** **1** Ação ou resultado de tornar público, de dar publicidade **2** Transferência da gestão de serviços públicos, como saúde e educação, para entidades públicas não estatais que o poder executivo passa a subsidiar, assegurando-lhes, porém, autonomia administrativa e financeira **3** *Jur.* Processo infraconstitucional de intervenção legislativa em área que antes interessava apenas ao âmbito privado do indivíduo: *<u>publicização</u> do Direito Privado.* [Pl.: *-ções.*] [F.: *publicizar* + *-ção.*]

publicizado (pu.bli.ci.*za*.do) ***a.*** **1** Que se publicizou **2** Publicado, divulgado [F.: Part. de *publicizar.*]

público (*pú*.bli.co) ***sm.*** **1** A coletividade, o povo **2** Conjunto de pessoas reunidas em assembleia, manifestação, espetáculo artístico: *O <u>público</u> aplaudiu o mágico.* **3** O conjunto dos destinatários de uma produção artística, mensagem publicitária etc.: *Era um espetáculo para <u>público</u> adolescente.* ***a.*** **4** Ref. a coletividade ou a esta destinado (ensino <u>público</u> /saúde <u>pública</u>) [Ant.: *privado.*] **5** Ref. ao governo de um país (cargo/homem <u>público</u>) [Ant.: *privado.*] **6** Que é conhecido ou foi presenciado por todos: *O senador sofreu uma agressão <u>pública</u>.* **7** Aberto ou acessível a qualquer pessoa (concurso <u>público</u>, mulher <u>pública</u>) **8** Que se realiza na presença de várias pessoas: *Fez uma leitura <u>pública</u> do testamento.* [Superl.: *publicíssimo.*] [F.: Do lat. *publicus, a, um.* Ideia de 'público': demio- (demiurgo).] ■ **Em ~** **1** Para muitas pessoas, para uma assistência: *Apesar de ser bom orador, não gostava de falar <u>em público</u>.* **2** À vista de muita gente, não privadamente: *Brigavam <u>em público</u> e faziam as pazes em particular.* **Em ~ e raso** *Jur.* Com o sinal público e a assinatura particular do tabelião ou seu representante

público-alvo (pú.bli.co-*al*.vo) ***sm.*** *Publ.* Grupo social com traços comuns de profissão, idade, sexo, grau de instrução etc. que se tem em vista como objeto de mensagem ou campanha publicitária [Pl.: *públicos-alvos e públicos-alvo.*]

publieditorial (pu.bli.e.di.to.ri.*al*) *Publ.* ***a2g.*** **1** Ref. a matéria publicitária publicada na forma de notícia. ***s2g.*** Essa matéria {F.: *publi* (red. de *publicitário*) + *editorial.*]

publieleitoral (pu.bli.e.lei.to.*ral*) ***a2g.*** Ref. a matéria paga de caráter eleitoral, apresentada como se fosse reportagem ou notícia [F.: Red. de *publicitário* + *eleitoral.*]

pubo (*pu*.bo) *N. E.* ***a.*** **1** Diz-se de alimento fermentado ou podre: "Tão são tivesse o senhor o miolo, que já me está cheirando a mandioca <u>puba</u>!" (José de Alencar, *O Garatuja*) **2** *Fig.* Que está extremamente cansado; ESTAFADO; EXAUSTO *Fig.*; PODRE [F.: Deriv. de *puba*. Hom./Par.: *pubo* (a.), *pubo* (fl. de *pubar*).]

⊠ **PUC** Sigla de *Pontifícia Universidade Católica*

puçá (pu.*çá*) ***sm.*** **1** *Bras. Pesc.* Rede em forma de cone com cabo para manejar us. para capturar peixes e crustáceos **2** *N. E.* Peneira de pegar peixes pequenos ou camarões **3** *Ant.* Rede de tule em forma de cone com que se capturavam borboletas **4** *CE* Borla de algodão que ornamenta as redes de dormir, prendendo-se-lhe às bordas **5** *SP* Tipo de renda que ornamenta vestes femininas, esp. vestidos **6** *PI* Fruto do puçazeiro [F.: Do tupi *pi'sa.*]

puçanga (pu.*çan*.ga) ***sf.*** **1** *Bras.* Remédio, esp. caseiro; MEZINHA **2** Método de cura ou remédio us. pelos pajés **3** *P. ext.* Beberagem, poção [F.: Do tupi *po'sanga.*]

púcaro (*pú*.ca.ro) ***sm.*** Vaso, ger. com asas, para se tirar líquido de um recipiente maior; BÚCARO; PÚCARA [F.: obsc.]

pudendo (pu.*den*.do) ***a.*** **1** Que não se expõe, que tem recato, pudor; PUDICO **2** Que é objeto dessa pudicícia (partes <u>pudendas</u>) **3** *Anat.* Ref. aos órgãos genitais (patologia <u>pudenda</u>) [F.: Do lat. *pudendus, a, um.* Hom./Par.: *podendo* (fl. de *poder*).]

pudente (pu.*den*.te) ***a2g.*** Que tem pudor; PUDICO; RECATADO [Ant.: *devasso.*] [F.: Do lat. *pudens, entis.*]

pudera (pu.*de*.ra) ***interj.*** Us. para ressaltar que um acontecimento era esperável, devido a outros anteriores: *Venceu fácil? <u>Pudera</u>! Era o melhor time!* [F.: Do pret. m. -q. -perf. do ind. do v. *poder.*]

pudibundo (pu.di.*bun*.do) ***a.*** **1** Que demonstra excessivo pudor, mesmo que *pudico*: "Era uma pobre mendiga,/ Porém, cândida donzela;/ <u>Pudibunda</u>, afável, doce..." (Gonçalves Dias, "A Mendiga" *in Primeiros Cantos*) **2** Que demonstra pudor (modos <u>pudibundos</u>); PUDICO; PUDOROSO; RECATADO **3** *Fig.* Da cor avermelhada, semelhante a cor das faces de uma pessoa ruborizada: "Uma rosinha das mais <u>pudibundas</u> a entreabrir-se." (António Feliciano de Castilho, *A Chave do Enigma*) [F.: Do lat. *pudibundus, a, um.*]

pudicícia (pu.di.*cí*.ci.a) ***sf.*** Qualidade de pudico, característica do que ou quem demonstra pudor, recato; CASTIDADE; PUREZA: *A <u>pudicícia</u> frustrou o seu projeto de realismo crítico.* [F.: Do lat. *pudicitia, ae.* Ant. ger.: *impudor, impudicícia.*]

pudico (pu.*di*.co) ***a.*** **1** Que revela muito pudor, recato; CASTO: *Tinha os olhos <u>pudicos</u>, inexperientes.* **2** Que se retrai e se envergonha facilmente; ENCABULADO [Superl.: *pudicíssimo.*] [F.: Do lat. *pudicus, a, um.* Sin. ger.: *pudibundo.*]

pudim (pu.*dim*) *Cul.* ***sm.*** **1** Sobremesa cremosa, feita com leite, leite condensado, açúcar e ovos, levando às vezes chocolate ou frutas várias e cozida em calda de açúcar queimado (<u>pudim</u> de coco/de ameixa/de pão) **2** Prato salgado de ingredientes variáveis, em geral com amido, ovos, às vezes queijo, carne de frango desfiado ou peixe, e assado ou cozido em banho-maria [Pl.: *-dins.*] [F.: Do ing. *pudding.*]

pudor (pu.*dor*) [ô] ***sm.*** **1** *Psi.* Reação emocional pela qual uma pessoa tende a proteger sua intimidade e a sentir vergonha do que possa invadi-la ou comprometê-la; PEJO; RECATO; PUDICÍCIA [Ant.: *impudor, despudor.*] **2** A manifestação cotidiana dessa vergonha, com o constrangimento e o mal-estar que ela suscita **3** O padrão cultural em que tal reação se cristaliza, esp. em relação à sexualidade: *atentado ao <u>pudor</u>.* [F.: Do lat. *pudor, oris.*]

pudoroso (pu.do.*ro*.so) ***a.*** **1** Ref. a pudor (silêncio <u>pudoroso</u>); PUDENTE **2** Que tem pudor; CASTO; RECATADO; RESERVADO; SÉRIO [Pl.: [ó]. Fem.: [ó].] [F.: *pudor* + *-oso.* Ant. ger.: *impudente, impudico.*]

◎ **puer(i)-** ***Pref.*** = 'Menino', 'criança': *puericultura, pueril, puerilidade, puerpério*

puerícia (pu.e.*rí*.ci.a) ***sf.*** Ver *infância*

puericultor (pu.e.ri.cul.*tor*) [ô] ***sm.*** Pessoa que se dedica à puericultura, como voluntário ou como especialista [F.: *pueri-* + *-cultor.*]

puericultura (pu.e.ri.cul.*tu*.ra) ***sf.*** Conjunto de técnicas e conhecimentos integrados na busca do desenvolvimento físico e mental das crianças, desde o período da gestação até a puberdade [F.: *pueri-* + *cultura.*]

pueril (pu.e.*ril*) ***a2g.*** **1** Ref. a criança (disposição <u>pueril</u>); INFANTIL **2** *Pej.* Que revela ingenuidade, imaturidade (comportamento <u>pueril</u>) [Pl.: *-ris.*] [F.: Do lat. *puerilis, e.*]

puerilidade (pu.e.ri.li.*da*.de) ***sf.*** **1** Condição ou qualidade de pueril; INFÂNCIA; MENINICE **2** *Pej.* Característica emocional de quem se comporta ou age de maneira infantil, frivolamente, sem maturidade: *Não gostava da <u>puerilidade</u> da filha.* **3** *Fig.* Qualidade do que é fútil, tolo, superficial: *O filme era repleto de <u>puerilidades</u>.* [F.: Do lat. *puerilitas, atis.*]

puerilizar (pu:e.ri.li.*zar*) ***v.*** **1** Tornar(-se) pueril, infantil; INFANTILIZAR(-SE) [***td.:*** *A apresentadora <u>pueriliza</u> a linguagem o máximo possível.*] [***int.:*** *Sua voz se <u>puerilizou</u>.*] **2** Tratar como criança; INFANTILIZAR [***td.:*** *A cultura de massa <u>pueriliza</u> os cidadãos.*] [▶ **1 puerilizar**] [F.: *pueril* + *-izar.*]

puérpera (pu.*ér*.pe.ra) ***a.*** **1** *Obst.* Diz-se de mulher que acabou de dar à luz ***sf.*** **2** Mulher que acabou de dar à luz; PARTURIENTE [F.: Do lat. *puerpera, ae.*]

puerperal (pu.er.pe.*ral*) ***a2g.*** 1 Ref. a puérpera 2 Ref. ao parto 3 Que pode ocorrer depois do parto (crise puerperal) [Pl.: *-rais.*] [F.: *puérper(a)* + *-al.*]

puerpério (pu.er.*pé*.ri.o) ***sm.*** *Obst.* Período de cerca de 40 dias depois do parto, quando os órgãos genitais e o corpo da mulher retornam a seu estado normal, de antes da gestação [F.: Do lat. *puerperium, ii.*]

pufe (*pu*.fe) ***sm.*** 1 Pequeno móvel redondo e acolchoado us. como assento ou descanso dos pés 2 Armação para estufar saias ou vestidos 3 Espécie de toucado de grande volume 4 *Jorn.* Notícia, anúncio ou propaganda atrevida [F.: Do fr. *pouf.*]

◎ **pugil-** ***Pref.*** = 'punho': *pugilato, pugilismo, pugna, pugnar*

púgil (*pú*.gil) ***a2g.*** 1 Diz-se de quem gosta de brigar [Pl.: *-geis.* Superl.: *pugílimo, pugilíssimo.*] ***s2g.*** 2 *Antq.* Pugilista, lutador [Pl.: *-geis.*] [F.: Do lat. *pugil, ilis.*]

pugilar¹ (pu.gi.*lar*) ***sm.*** *Hist.* Ver *códice* [F.: Do lat. *pugillar, aris.*]

pugilar² (pu.gi.*lar*) ***v.*** Lutar com os punhos [▶ 1 pugilar] [F.: Do lat. *pugillari.*]

pugilato (pu.gi.*la*.to) ***sm.*** 1 Modalidade de luta em que só se usam os punhos, a socos 2 *Fig.* Discussão ou debate demasiadamente acalorado [F.: Do lat. *pugillatus, us.*]

pugílimo (pu.*gí*.li.mo) ***a.*** Superl. abs. sint. de *púgil*; MUITO PÚGIL; PUGILÍSSIMO [F.: *púgil* + *-imo.*]

pugilismo (pu.gi.*lis*.mo) ***sm.*** *Esp.* Prática esportiva do pugilato, segundo um regulamento internacional; boxe; luta de boxe [F.: Do ing. *pugilism.*]

pugilista (pu.gi.*lis*.ta) ***s2g.*** Atleta que pratica pugilismo; BOXEADOR [F.: Do ing. *pugilist.*]

pugilístico (pu.gi.*lís*.ti.co) *Esp.* ***a.*** Ref. a pugilismo ou a pugilista (meio pugilístico; combate pugilístico) [F.: *pugilista* + *-ico².*]

◎ **pugn-** ***el. comp.*** Ver *pugil-*

pugna (*pug*.na) ***sf.*** 1 Ação ou resultado de pugnar, lutar; COMBATE; LUTA: "...A pugna imensa/ Travara-se nos cerros da Bahia..." (Castro Alves, "Ode ao dous de julho" *in Espumas Flutuantes*) 2 Confronto de ideias ou discussão exaltada; DEBATE; POLÊMICA: *Foi acirrada a pugna entre os candidatos.* [F.: Do lat. *pugna, ae.*]

pugnacidade (pug.na.ci.*da*.de) ***sf.*** 1 Qualidade do que é pugnaz; BELICOSIDADE 2 Tendência à briga, ao conflito aberto [F.: Do lat. *pugnacitas, atis.*]

pugnar (pug.*nar*) ***v.*** 1 Entrar em briga, combate ou luta (por alguma coisa); travar combate [***td.***: *pugnar uma batalha.*] [***tr.*** *+por*: *Homens pugnam por religião.*] [***int.***: *Não foi preciso pugnar, os inimigos se renderam.*] 2 *Fig.* Discutir com veemência; ALTERCAR; POLEMIZAR [***tr.*** *+com, sobre*: *Vivia pugnando com o marido sobre as mínimas coisas; Vivia pugnando sobre as mínimas coisas.*] [***int.***: *Há vizinhos que gostam de pugnar.*] 3 *Fig.* Esforçar-se ao máximo para alcançar, obter (algo) [***tr.*** *+por*: *Os professores pugnam por melhores salários.*] 4 *Fig.* Agir na defesa de; DEFENDER [***td.***: *pugnar os oprimidos.*] [***tr.*** *+por*: *Deve-se pugnar pelos próprios direitos.*] [▶ 1 pugnar] [F.: Do lat. *pugnare.* Hom./Par.: *pugna(s)* (fl.), *pugna(s)* (sf. [pl.]).]

pugnaz (pug.*naz*) ***a2g.*** 1 Que tem inclinação para lutar, combater; BELICOSO; COMBATIVO 2 Que defende ativamente uma causa; MILITANTE; COMBATIVO 3 Perseverante, obstinado [Superl.: *pugnacíssimo.*] [F.: Do lat. *pugnax, icis.*]

puído (pu.*í*.do) ***a.*** 1 Que se puiu, se gastou com a fricção 2 Que ficou polido, lustroso de tanto uso (diz-se esp. de roupas); GASTO; SOVADO [F.: Part. de *puir.*]

puir (pu.*ir*) ***v.*** 1 Desgastar(-se) (esp. tecido, roupa) pelo uso [***td.***: *A brincadeira de escorregar puiu as calças dos meninos.*] [***int.***: *Suas roupas puíram(-se).*] 2 Dar lustre; POLIR [***td.***: *A empregada puiu os enfeites de bronze.*] [▶ 56 puir NOTA: v. defec., não se conjuga na 1ª pess. do pres. do ind., em todo o pres. do subj. nas segundas pess. do sing. e pl. do imper. afirm. e no imper. neg.] [F.: Do lat. *polire.*]

pujança (pu.*jan*.ça) ***sf.*** 1 Qualidade de pujante, excepcionalmente forte; VIGOR; FORTALEZA 2 Poder de agir, mandar, submeter os outros; PODERIO: *A pujança do tigre a enlouqueceu.* 3 Grandeza, magnificência: *a pujança do Egito, no Novo Império.* 4 Abundância de recursos materiais; RIQUEZA; FARTURA: *O planeta se assombra com a pujança da China.* 5 Máximo de desenvolvimento alcançado pela vida; VIÇO; EXUBERÂNCIA: *a pujança da floresta tropical.* 6 Grande capacidade produtiva de uma terra [F.: Do espn. *pujanza.*]

pujante (pu.*jan*.te) ***a2g.*** 1 Que é muito forte, robusto (atleta pujante); VIGOROSO 2 Diz-se de vegetação que se desenvolve com rapidez e intensidade (arvoredo pujante); VIÇOSO; FRONDOSO 3 Em que há grande abundância ou produtividade (fruticultura/siderurgia pujante) [F.: Do espn. *pujante.* Hom./Par.: *pojante* (a2g.).]

pula-brejo (pu.la-*bre*.jo) *Bras. Vest.* ***a2g2n.*** 1 Diz-se das calças cujo comprimento vai até o meio da panturrilha; CÁPRI; MEIA-CORONHA; CARANGUEJEIRA; PESCADOR ***sf.*** 2 Esse tipo de calça [Pl.: *pula-brejos.*]

pulador (pu.la.*dor*) [ô] ***a.*** Que pula, que tem o hábito de pular (cavalo pulador); SALTADOR [F.: Rad. do part. de *pulado* + *-or.*]

pula-pula (pu.la-*pu*.la) ***sm.*** 1 *Lud.* Brinquedo infantil que consiste numa haste com duas pequenas barras transversas próximas das extremidades, para apoio das mãos e dos pés, e uma mola ou material flexível na extremidade inferior, para fazer pular 2 *Lud.* Qualquer brinquedo próprio para pular, como cama elástica ou inflável 3 *Ornit.* Pássaro da fam. dos emberezídeos (*Basileuterus culicivorus*), de coloração verde-oliva na parte superior e amarela na inferior, e faixa branca margeada de negro em volta dos olhos [Pl.: *pula-pulas e pulas-pulas.*]

pular (pu.*lar*) ***v.*** 1 Mover o corpo para cima, afastando-se do chão; SALTAR [***int.***: *Os sapos se deslocam pulando.*] 2 Passar por cima de (obstáculo) [***td.***: *pular a cerca.*] 3 Jogar-se de (lugar alto); SALTAR [***ta.***: *O louco ameaçava pular do décimo andar.*] 4 Deixar de ler, de contar; SALTAR [***td.***: *Pulei um capítulo do romance.*] 5 Colocar-se de pé bruscamente [***ta.***: *Quando o relógio despertou, pulou da cama.*] 6 Dançar com animação, divertir-se (esp. no carnaval) [***td.***: *Pularam carnaval a noite toda.*] [***int.***: *Pularam a noite toda.*] 7 Manifestar alegria, animação; VIBRAR [***int.***: *pular de alegria.*] 8 Pulsar com vigor (ger. devido a sobressalto) [***int.***: *Seu coração pulava de susto.*] 9 *Fig.* Passar (para valor, posto, fortuna maior); aumentar depressa; SUBIR [***tr.*** *+para*: *A passagem pulou para três reais.*] [***int.***: *Com o aumento do salário, os preços pularam.*] 10 Trocar com frequência de (casa, emprego etc.) [***tr.*** *+de*: *Vive pulando de emprego.*] 11 Desenvolver-se rapidamente (esp. plantas); PULULAR [***int.***: *Na primavera, as flores pulam.*] [▶ 1 pular] [F.: Do lat. *pullare.* Hom./Par.: *pula(s)* (fl.), *pula(s)* (sm. sf. [pl.]), *pula(s)* (fl. de *polir*); *pulamos* (fl.), *pulamos* (fl. de *polir*); *pulais* (fl.), *pulais* (fl. de *polir*); *pulo* (fl.), *pulo* (sm.); *pulá(s)* (fl.), *pulá(s)* (s2g. [pl.]).]

◎ **pulcri-** ***el. comp.*** = 'belo'; 'lindo': *pulcrícomo, pulcritude* (lat.) [F.: Do lat. *pulcher, chra, chrum.*]

pulcritude (pul.cri.*tu*.de) ***sf.*** *Poét.* Qualidade ou condição do que é pulcro; FORMOSURA; BELEZA [F.: Do lat. *pulchritudo, inis.*]

pulcro (*pul*.cro) ***a.*** 1 *Poét.* De grande beleza; FORMOSO; BELO 2 Que é gracioso, delicado; MIMOSO [Superl.: *pulquérrimo, pulcríssimo.*] [F.: Do lat. *pulcher, chra, chrum.*]

pule (*pu*.le) ***sf.*** 1 *Bras.* Bilhete de apostas, no turfe: *Jogou uma pule no número cinco.* 2 A cotação de um cavalo, conforme suas chances de vitória numa corrida: *Era um cavalo de pule alta.* 3 Prêmio da aposta num cavalo, definido a partir de sua cotação; RATEIO: *Acertou uma pule de 50 reais.* [F.: Do fr. *poule.* Hom./Par.: *pule* (fl. de *pular*).]

pulga (*pul*.ga) ***sf.*** *Zool.* Nome comum dado a insetos sifonápteros, de corpo estreito, pernas muito desenvolvidas, que permite contínuos e grandes saltos, e que se alimenta do sangue de vários animais, como gatos, cães e também do homem [Col.: *pulguedo.*] [F.: Do lat. vulg. *pulica.* Ideia de 'pulga': *pulg (u)-* (pulgueiro).] ∎ **Com a ~ atrás da orelha** *Bras.* Desconfiado, suspeitoso em relação a uma situação ou fato, às intenções de alguém etc.

pulgão (pul.*gão*) ***sm.*** *Zool.* Nome comum dado aos pequenos insetos homópteros da fam. dos afidídeos, com cerca de 5mm de comprimento, corpo mole e colorido, que se alimentam da seiva das plantas e podem se tornar importantes pragas agrícolas; AFÍDEO [Pl.: *-gões.*] [F.: *pulg(a)* + *-ão.*]

pulguedo (pul.*gue*.do) [ê] ***sm.*** 1 Grande quantidade de pulgas; PULGUEIRO 2 Lugar em que se encontram muitas pulgas 3 *RS Pej.* Bairro ou lugar pobre [F.: *pulg(u)-* + *-edo.*]

pulgueiro (pul.*guei*.ro) ***sm.*** 1 Ver *pulguedo* 2 *Bras. Cin.* Cinema de péssima categoria; POEIRA 3 *SP Pej.* Cobertor [F.: *pulg(u)-* + *-eiro.*]

pulguento (pul.*guen*.to) ***a.*** Que se acha com muita pulga: *O gato estava pulguento e triste.* [F.: *pulg(u)-* + *-ento.*]

pulha (*pu*.lha) ***sf.*** 1 Piada ou comentário zombeteiro; TROÇA: *Gostava de fazer pulhas.* 2 Afirmação mentirosa; LOROTA 3 Comportamento ou ato de mau-caráter; CANALHICE ***a2g.*** 4 *Pop.* Que não tem caráter, dignidade; PATIFE; CALHORDA ***sm.*** 5 *Pop.* Aquele que não tem caráter, dignidade; PATIFE; CALHORDA: *Era um pulha, e todos sabiam disso.* [F.: Do espn. *pulla.*]

pulmão (pul.*mão*) ***sm.*** 1 *Anat.* Cada um dos dois órgãos do sistema respiratório dos vertebrados terrestres, no ser humano localizados no tórax, e responsáveis pelas trocas gasosas, fornecendo oxigênio para o corpo e eliminando gás carbônico 2 *Fig.* Tudo aquilo que colabora na purificação do ar, eliminando gás carbônico e expelindo oxigênio, como ocorre, p. ex., com as florestas 3 *Pop.* Intensidade da voz: *Pavarotti é um pulmão imenso.* 4 *Pop.* Capacidade de falar muito alto ou depressa: *Esse locutor esportivo tem o maior pulmão!* [Pl.: *-mões.*] [F.: Do lat. *pulmo, onis.* Hom./Par.: *polmão* (sm.).] ∎ **A plenos pulmões** Em voz alta, com toda a voz **~ de aço** *Med.* Aparelho médico que consiste num grande cilindro hermético de aço no qual é introduzido, do pescoço para baixo, um paciente incapaz de respirar por deficiência funcional nos músculos torácicos. Variação de pressão provocada no interior do aparelho faz os pulmões se expandirem e relaxarem, propiciando a respiração **~ de água** *Pop.* Designação pop. para *Edema agudo do pulmão* (ver no verbete *edema*.) **Ter bons pulmões** 1 Ter voz forte e cheia 2 Ter boa capacidade respiratória

📖 O pulmão é o principal órgão do aparelho respiratório dos vertebrados e de muitos invertebrados. Naqueles, ger. apresenta-se em par. É no pulmão que o sangue recebe o oxigênio extraído do ar (ou da água, nos pulmões simples de alguns peixes pulmonados) e libera o dióxido de carbono, ou gás carbônico, resultante do metabolismo corporal. Esse processo desenrola-se da seguinte maneira: o sangue, depois de oxigenar os tecidos do corpo e carregar-se de dióxido de carbono, chega ao coração pela veia cava superior, e deste é impelido aos pulmões pela artéria pulmonar. Nos alvéolos pulmonares, o ar inspirado libera o oxigênio para o sangue, e o dióxido de carbono passa para o pulmão, que o libera pela expiração. O sangue oxigenado vai ao coração pela veia pulmonar, e do coração é impelido ao corpo pela artéria aorta.

◎ **pulmo(n)-** ***el. comp.*** = 'pulmão': *pulmonado* (lat. cient.), *pulmonal, pulmonar, pulmonite* [F.: Do lat. *pulmo, onis.*]

pulmonado (pul.mo.*na*.do) *Zool.* ***sm.*** 1 Espécime dos pulmonados, subclasse de moluscos gastrópodes hermafroditas, terrestres ou de água-doce, que respiram por meio de uma cavidade vascularizada semelhante a um pulmão e têm um ou dois pares de tentáculos na cabeça, como as lesmas e os caracóis ***a.*** 2 Ref. ou pertencente aos pulmonados [F.: Adaptação do lat. cient. *Pulmonata.* Ver *pulmo(n)-*.]

pulmonal (pul.mo.*nal*) *P. us.* ***a2g.*** Ref. a pulmão, mesmo que *pulmonar* [Pl.: *-nais.*] [F.: *pulmo(n)-* + *-al¹.*]

pulmonar (pul.mo.*nar*) ***a2g.*** 1 Ref. a pulmão (radiografia/artéria pulmonar) 2 Que se localiza nos pulmões ou em um pulmão; que se desenvolve no pulmão ou ataca esse órgão (enfisema pulmonar; tuberculose pulmonar) [F.: *pulmo(n)-* + *-ar¹.*]

pulmonite (pul.mo.*ni*.te) *Antq. Pneumo.* ***sf.*** Inflamação dos pulmões, mesmo que *pneumonia* [F.: *pulmo(n)-* + *-ite¹.*]

pulo (*pu*.lo) ***sm.*** 1 Ação ou resultado de pular, impulsionar o corpo com o auxílio das pernas, projetando-o para cima, para a frente ou para trás 2 *Fig.* Pulsação forte, descompassada (pulos do coração) 3 Ida rápida a algum lugar: *Deu um pulo no bar e voltou ao papo.* 4 Erro, esquecimento, omissão: *O texto tinha muitos pulos: de palavras, frases inteiras.* 5 Mudança súbita de posição, de condição etc.; SALTO: *O pulo da inflação já preocupa.* [F.: Dev. de *pular.* Hom./Par.: *pulo* (fl. de *pular*).] ∎ **Dar um ~** 1 Crescer, desenvolver-se, com muita rapidez: *O garoto deu um pulo enorme, está um homem.* 2 Prosperar grandemente; melhorar muito de vida: *F. deu um pulo – quem o viu e quem o vê!* **Dar um ~ a/até/em** Ir a algum lugar para uma visita ou estada rápida: *Vou dar um pulo à/até a/na farmácia.* **Num ~/Em dois ~** *Fig.* Num instante, com rapidez, em muito pouco tempo: *O trânsito estava ótimo, em um pulo chegamos lá.*

pulo do gato (pu.lo do*ga*.to) ***sm.*** 1 Informação importante que o mestre não revela e que o discípulo terá de descobrir por si só 2 Elemento fundamental na solução de um problema: "O pulo do gato, diz a cientista curitibana, foi perceber que as ondas pequenas são tão importantes no processo quanto os vagalhões." (*Folha de S.Paulo*, 22.03.2003) 3 Recurso engenhoso para sair de uma situação difícil: *O pulo do gato foi desviar a atenção do adversário.* [Pl.: *pulos do gato.*]

pulorose (pu.lo.*ro*.se) *Vet.* ***sf.*** Doença bacteriana contagiosa, ger. fatal, que ataca os filhotes de galináceos [F.: Do lat. *pullorum* (pl. de *pullus*, *i* 'pinto, frango') + port. *-ose.*]

pulôver (pu.*lô*.ver) ***sm.*** Agasalho de lã, com ou sem mangas, que se coloca pela cabeça e pelos braços, até ajustar-se ao corpo; SUÉTER [Pl.: *pulôveres.*] [F.: Do ing. *pullover.*]

◎ **pulp-** ***el. comp.*** = 'polpa (esp. a dentária)': *pulpar, pulpectomia, pulpite* [F.: Do lat. *pulpa, ae.*]

pulpar (pul.*par*) ***a2g.*** 1 Rel. a polpa 2 *Od.* Ref. ou pertencente a polpa dentária (inflamação pulpar) [Pl.: *-pares.*] [F.: *pulp-* + *-ar¹.*]

pulpectomia (pul.pec.to.*mi*.a) *Od.* ***sf.*** Remoção da polpa (coronal e radicular) de um dente [F.: *pulp-* + *-ectomia.*]

pulpeiro (pul.*pei*.ro) *RS* ***sm.*** Dono ou balconista de pulperia; TABERNEIRO; VENDEIRO [F.: Do espn. plat. *pulpero.*]

pulpite (pul.*pi*.te) *Od.* ***sf.*** Inflamação da polpa dentária [F.: *pulp-* + *-ite¹.*]

púlpito (*púl*.pi.to) ***sm.*** 1 Lugar elevado dentro das igrejas, ger. uma armação de madeira ou pedra, do alto da qual o sacerdote fala e prega 2 Sermão do sacerdote 3 *Fig.* Ofício ou dignidade de sacerdote: *Trocou o púlpito pela tribuna política.* 4 Armação em que se penduram os pavios para fazer velas [F.: Do lat. *pulpitum, i.*]

pulquérrimo (pul.*quér*.ri.mo) ***a.*** Extremamente belo ou gentil: "Que me aconteceria se eu dissesse a uma bela dama: a senhora é pulquérrima?" (Rubem Braga, *Ai de ti, Copacabana*) [Ant.: *feiíssimo, horrendo.*] [F.: Superl. abs. sint. de *pulcro.*]

pulsação (pul.sa.*ção*) ***sf.*** 1 Ação ou resultado de pulsar, de dilatar-se e contrair-se alternadamente, esp. o coração e as artérias; LATEJAMENTO; LATEJO 2 *Fisl.* O batimento resultante, e sua frequência; PULSO (2) 3 *Mús.* Unidade de medida do tempo musical, ajustada no metrônomo, e a partir da qual se criam os ritmos de cada movimento; CADÊNCIA; TEMPO 4 *Fig.* Qualquer sucessão de batidas em determinado ritmo [Pl.: *-ções.*] [F.: Do lat. *pulsatio, onis.*]

pulsante (pul.*san*.te) ***a2g.*** Que pulsa; PULSÁTIL; PULSADOR [F.: Do lat. *pulsans, antis.*]

pulsão (pul.*são*) *Psic.* ***sf.*** Na psicanálise freudiana, processo dinâmico, pressão ou força originária de um estado de tensão ou excitação corporal que move o organismo para o objetivo de o suprimir [Pl.: *-sões.*] [F.: Do lat. *pulsus, us,* pelo ing. *pulsion.*] ∎ **~ de autoconservação** *Psic.* Aquela originária do conjunto das necessidades básicas (fome, sede etc.) para a conservação da vida **~ de destruição** *Psic.* Segundo Freud, a pulsão de morte quando voltada contra terceiros, ou contra o mundo em geral ~ **de morte** *Psic.* Segundo Freud, pulsão para a imobilidade e o repouso absoluto como meio de libertar-se de tensões ~ **de vida** *Psic.* Segundo Freud, pulsão de preservação e ampliação do organismo (como a pulsão de autoconservação e a pulsão sexual) ~ **parcial** *Psic.* Segundo Freud, toda pulsão independente que pressiona por uma satisfação específica, antes de ou sem se juntar a outras para formar um quadro mais complexo ~ **sexual** *Psic.* Segundo Freud, o impulso para o ato sexual como desvio do instinto hereditário (que é de reprodução), e como impulso cujo fim é o prazer

pulsar[1] (pul.*sar*) *sm. Astron.* Radioestrela que emite ondas de rádio em impulsos repetidos regularmente (de 1,4 em 1,4 segundo), com a duração média de 35 milionésimos de segundo [F.: Do ing. *pulsar.*]

pulsar[2] (pul.*sar*) *v.* **1** Bater, palpitar (coração, sangue nas veias etc.) [*int.*: *Ao ver o namorado, o coração pulsava.*] **2** *Fig.* Repercutir, vibrar, ger. como um som [*ta.*: *Suas desculpas ainda pulsam na minha lembrança.*] **3** Perceber por certos indícios; PRESSENTIR; SENTIR [*td.*: *Olhando para a moça, pulsávamos uma profunda melancolia.*] **4** Procurar saber (as opiniões de alguém) [*td.*: *O professor pulsava a opinião dos alunos.*] **5** Tocar, tanger (instrumento musical) [*td.*: *Pulsava com alegria as cordas da harpa.*] **6** Pôr (algo) em movimento por meio de impulso; IMPELIR [*td.*: *pulsar a motocicleta.*] **7** Respirar com dificuldade; ARQUEJAR [*int.*: *Depois de muito correr, pulsava.*] [▶ 1 pulsar] [F.: Do lat. *pulsare.* Hom./Par.: *pulso* (fl.), *pulso* (sm.).]

pulsátil (pul.*sá*.til) *a2g.* **1** Que pulsa; que tem pulsações (dores pulsáteis; fluxo pulsátil); PULSADOR; PULSANTE **2** Ref. a pulsação (padrão pulsátil): *O caráter pulsátil da enxaqueca.* [Pl.: *-teis.*] [F.: *pulsat* (rad. do part. latino *pulsatus, a, um*) + *-il.*]

pulsativo (pul.sa.*ti*.vo) *a.* **1** Ref. a pulsação; PULSANTE; PULSÁTIL **2** Que é acompanhado de pulsação **3** Que provoca pulsação [F.: *pulsa(r)* + *-tivo.*]

pulseira (pul.*sei*.ra) *sf.* **1** Joia ou enfeite que se usa em torno do pulso ou do braço; BRACELETE **2** *Bras. Gír.* Ver *algema* [F.: *puls(o)* + *-eira.*] ■ ~ **de relógio** Correia de couro, pano ou plástico, ou corrente de metal etc., que prende relógio ao pulso

pulsional (pul.si.o.*nal*) *a2g.* Ref. a pulsão ou próprio dela (movimento pulsional) [Pl.: *-nais.*] [F.: *pulsão* + *-al*, segundo o mod. vern.]

pulso (*pul*.so) *sm.* **1** *Anat.* Parte do corpo entre o antebraço e a mão **2** *Med.* Latejamento das artérias, causado pelo fluxo do sangue impulsionado pelas batidas do coração e que se percebe ou se mede esp. na parte interna do pulso **3** *Fig.* Firmeza e autoridade para dar ordens (homem de pulso): *Está faltando pulso nessa terra!* **4** A mão: *Arrastou o arruaceiro no pulso.* **5** *Elet. Eletrôn.* Variação brusca de uma grandeza elétrica, seguida do retorno ao valor normal **6** *Eletrôn.* Cada um dos grupos de ondas eletromagnéticas emitidas pelo radar e outros aparelhos semelhantes, em intervalos de tempo preestabelecidos [F.: Do lat. *pulsus, us.*] ■ **Abrir o** ~ Dar um mau jeito no pulso, ou sofrer distensão dos músculos dessa parte do antebraço **A** ~ À força: *Impediu-o a pulso de entrar na casa.* **A** ~ **e a canelão** *N. E. Pop.* Ver *A pulso* **Cortar os** ~**s** Cometer ou tentar cometer suicídio cortando as veias ou artérias dos pulsos para sangrar até morrer **De** ~ **1** Enérgico, vigoroso, que sabe se impor (diz-se de alguém) **2** Que revela ou expressa vigor, competência, capacidade etc. (atuação de pulso; obra de pulso; autor de pulso) ~ **aberto** *Pop.* Distensão muscular na região do punho ~ **livre** **1** Permissão ou tolerância para algo que em geral é proibido ou restringido **2** *Restr.* Autorização para trabalhar remuneradamente; faculdade que tem o médico que trabalha em repartição pública de trabalhar remuneradamente em clínicas particulares ou por conta própria **3** Autonomia ou liberdade que tem alguém para agir conforme deseja ou lhe convém ~ **miúro** *Med.* Oscilação cíclica do pulso (2) com períodos normais alternados com outros com cada vez menos frequência de batimentos **Tirar/tomar o** ~ **(de)** **1** Observar o ritmo ou medir a frequência dos batimentos cardíacos (de alguém), sentindo com os dedos as pulsações da artéria radial (a que passa pelo pulso), ou de outra artéria **2** *Fig.* Obter informações ou levantar dados que permitam avaliar uma situação ou ter boa noção da natureza de um problema

pulsor (pul.*sor*) [ô] *sm. Tec.* Nome comum a vários dispositivos eletrônicos ou magnéticos de invenção recente e com finalidades várias, como controle das funções vitais, automação de serviços domésticos, funcionamento de rede hidráulica etc. [F.: *puls(o)*+ *or.*]

pululação (pu.lu.la.*ção*) *sf.* **1** Ação ou resultado de *pulular*; PULULAMENTO **2** Proliferação rápida e abundante de organismos e bactérias [Pl.: *-ções.*] [F.: *pulular* + *ção.*]

pululante (pu.lu.*lan*.te) *a2g.* Que pulula, fervilha; FERVILHANTE [F.: Do lat. *pullulans, antis.*]

pulular (pu.lu.*lar*) *v.* **1** Estar cheio de ou existir em abundância; FERVILHAR [*tr.* +*de*: *A praça pululava de camelôs.*] [*int.*: *Os flanelinhas pululavam ao redor do teatro.*] **2** Multiplicar-se [*int.*: *Quanto mais estudava, mais as dúvidas pululavam em sua cabeça.*] **3** Brotar, germinar com rapidez [*int.*: *As flores pululavam na primavera.*] **4** *Fig.* Ferver, arder (ger. sangue nas veias) [*int.*: *Diante de uma injustiça, o sangue me pulula nas veias.*] [▶ 1 pulular] [F.: Do lat. *pullulare.*]

pulvéreo (pul.*vé*.re.o) *a.* **1** Ref. a pó **2** Feito de pó [F.: Do lat. *pulvereus, a, um.*]

◎ **pulver(i)-** *el. comp.* = 'pó'; 'poeira': *pulverimetria, pulverizar* (lat.) [F.: Do lat. *pulvis, eris.*]

pulverização (pul.ve.ri.za.*ção*) *sf.* **1** Ação ou resultado de pulverizar(-se) **2** Qualquer redução a pó de objeto ou matéria dura: *O minério sofreu total pulverização.* **3** Atividade de aspergir ou borrifar um líquido ou qualquer produto que o tenha como veículo: *Fez uma pulverização contra os mosquitos.* [Pl.: *-ções.*] [F.: *pulveriza(r)* + *-ção.*]

pulverizado (pul.ve.ri.*za*.do) *a.* **1** Que se pulverizou **2** Reduzido a pó **3** Que recebeu pulverização; ASPERGIDO; BORRIFADO **4** *Fig.* De aparência semelhante a estar encoberto por uma fina camada de pó: "...olhávamos as poderosas constelações da Índia, o céu pulverizado de luz." (Eça de Queirós e Ramalho Ortigão, *Mistérios da Estrada de Sintra*) [Us. tb. *Fig.*] **5** *Fig.* Desfeito, dispersado; destruído, aniquilado: *Rebelião pulverizada pelos policiais.* [F.: Part. de *pulverizar.*]

pulverizador (pul.ve.ri.za.*dor*) [ô] *a.* **1** Que pulveriza, que é capaz de pulverizar **2** Diz-se de utensílio com que se espalha pó de substância sólida ou se borrifam gotículas de produto líquido: *Teve de agir com uma bomba pulverizadora.* *sm.* **3** Utensílio com que se espalha pó de substância sólida ou se borrifam gotículas de produto líquido: *Molhou a planta com um pulverizador.* [F.: *pulverizad(o)* + *-or.*]

pulverizar (pul.ve.ri.*zar*) *v.* **1** Espalhar em minúsculas porções; POLVILHAR [*tda.*: *Pulverizou a casa com aromatizante.*] **2** Aniquilar, destruir (argumentação contrária, inimigo) [*td.*: *A promotoria pulverizou a tese do advogado de defesa.*] **3** Transformar(-se) em pequenos fragmentos ou em pó [*td.*: *pulverizar uma jarra de vidro.*] [*int.*: *Alguns livros velhos se pulverizaram.*] **4** Fazer passar (líquido) por um pulverizador, para reduzi-lo a gotas [*td.*: *Pulverizei o perfume.*] [▶ 1 pulverizar] [F.: Do lat. *pulverizare.* Hom./Par.: *pulverizáveis* (fl.), *pulverizáveis* (pl. de *pulverizável* [a2g.]).]

pulverulência (pul.ve.ru.*lên*.ci:a) *sf.* **1** Estado ou aspecto do que é pulverulento **2** Poeira, pó **3** Desagregação, esboroamento de uma matéria que é ou se torna friável; ESFARELAMENTO; GRANULAÇÃO: *pulverulência do reboco; pulverulência da argamassa.* [F.: *pulverul(ento)* + *-ência.*]

pulverulento (pul.ve.ru.*len*.to) *a.* **1** Ver *poeirento* **2** *Bot.* Diz-se de planta que é ou parece coberta de pó **3** Diz-se de mineral quebradiço, que se fragmenta com facilidade [F.: Do lat. *pulverulentus, a, um.*]

pulviniforme (pul.vi.ni.*for*.me) *Bot. a2g.* Que tem forma de almofada (plantas pulviniformes) [F.: Do lat. *pulvinus, i* (almofada) + *-forme.*]

pum *sm.* **1** *Fam.* Denominação eufemística, infantilizante, da emissão de gases pelo ânus, durante a digestão de alimentos; FLATO; VENTOSIDADE; PEIDO: (*Vulg.*): *O menino soltou um pum.* [Pl.: *puns.*] *interj.* **2** *Fam.* Us. para imitar barulho de explosão ou pancada [F.: onom.]

puma (*pu*.ma) *sm. Zool.* Ver *suçuarana*

pumba (*pum*.ba) *interj.* **1** Indica o ruído de uma pancada ou queda: *De repente, pumba! Caiu no chão.* **2** Indica a rapidez de um movimento súbito: *Deu onze horas, escovei os dentes e pumba! na cama.* [F.: De or. onom.]

punção (pun.*ção*) *sf.* **1** Ação ou resultado de pungir, furar com instrumento pontiagudo **2** *Med.* Intervenção com instrumento pontiagudo em órgão ou tecido, com o fim de lhe extrair líquido ou matéria purulenta *sm.* **3** Instrumento metálico e pontiagudo para furar ou gravar **4** Instrumento de aço para fazer marcas em objetos de ouro e prata **5** *Enc.* Ferro para dourar ornatos [Pl.: *-ções.*] [F.: Do lat. *punctio, onis.*]

punçar (pun.*çar*) *Med. v. td.* Cortar, furar ou abrir com punção ou qualquer instrumento perfurante ou cortante; fazer punção; PUNCIONAR: *punçar um furúnculo/o dedo para extrair sangue/os meridianos da acupuntura.* [▶ 12 punçar] [F.: Do lat. *punctiare.*]

puncionar (pun.ci:o.*nar*) *v. td. Cir.* Fazer corte com bisturi ou instrumento pontiagudo em; PUNÇAR: *O médico puncionou o nódulo.* [▶ 1 puncionar] [F.: *punção* sob a f. *puncion-* + *-ar*[2].]

◎ **puncti-** *pref.* = ponta, picada, ferimento: *punctiforme, punctura, punctilioso.* [F.: Do lat. *punctum, i.*]

punctiforme (punc.ti.*for*.me) *a2g.* Que tem forma ou aparência de ponta [f. paral.: *puntiforme.* F.: *punti-* + *-i-* + *-forme.*]

punctura (punc.*tu*.ra) *sf.* Picada feita com punção, agulha, ou outro instrumento pontiagudo; tb. *puntura*

pundonor (pun.do.*nor*) [ô] *sm.* **1** Sentimento de autoestima, de honra, dignidade; ponto de honra; ALTIVEZ; BRIO **2** Exagerada suscetibilidade no amor-próprio: *Percebendo o pundonor do marceneiro, elogiou muito a escrivaninha.* [F.: Do espn. *pundonor.*]

pundonoroso (pun.do.no.*ro*.so) [ô] *a.* **1** Que tem ou mostra pundonor; BRIOSO; DIGNO; HONRADO: "Todas as vezes que lhe aparecia um ímpeto de coragem, sempre que lhe assistia um assomo de dignidade, (...) o pai, ou professor, caía-lhe em cima, abafando-lhe os impulsos pundonorosos." (Aluísio Azevedo, *Casa de Pensão*) [Ant.: *baixo, indigno, torpe, vil.*] **2** Que é cheio de pudor, mesmo que pudico [Pl.: [ó]. Fem.: [ó].] [F.: *pundonor* + *-oso.*]

punga 1 s (*pun*.ga) *sf.* **1** Furto instantâneo e astucioso (de carteira, joias etc.) **2** Arte de levar a efeito esse tipo de furto *s2g.* **3** Ver *punguista* **4** *P. ext.* O produto de tal atividade **5** *P. ext.* A vítima desse delito [F.: Do pal. *punga.*]

punga 2 a (*pun*.ga) *a2g.* **1** Sem utilidade; IMPRESTÁVEL *a2g.* **2** Diz-se de cavalo que só chega entre os últimos *sm.* **3** Cavalo que chega sempre entre os últimos colocados **4** *MA* Espécie de samba que se canta em versos improvisados e se dança numa roda de quintal; PONGA **5** Umbigada que se dá nessa dança [F.: obsc.]

pungência (pun.*gên*.ci.a) *sf.* **1** Qualidade de pungente **2** Sensação de dor lancinante, esp. moral ou emocional; AFLIÇÃO; ANGÚSTIA [F.: *pung(ir)* + *-ência.*]

pungente (pun.*gen*.te) *a2g.* **1** Que punge, fere com ponta aguçada e no fundo **2** Que dói muito, que atormenta; LANCINANTE: "A saudade é dor pungente, morena." (Antônio Almeida e João de Barro, *A saudade mata a gente*) **3** Que toca a fundo o ânimo, as paixões; COMOVEDOR: *Fez um apelo pungente, e inútil, aos políticos ali reunidos.* **4** Que fere fundo os sentidos, esp. a audição, o olfato, o paladar [F.: Do lat. *pungens, tis.*]

pungidor (pun.gi.*dor*) [ô] *a.* **1** Ver *pungente sm.* **2** Aquele ou aquilo que punge, que fere fundo, ou aflige [F.: Part. *pungi(r)* + *-dor.*]

pungimento (pun.gi.*men*.to) *sm.* **1** Ação ou resultado de pungir, ferir **2** *Fig.* Aflição, padecimento moral [F.: *pungi(r)* + *-mento.*]

pungir (pun.*gir*) *v.* **1** Ferir ou furar com objeto pontiagudo; PICAR [*td.*: *Pungiu o bolo com a faca.*] **2** *Fig.* Ferir moral ou sentimentalmente; MAGOAR [*td.*: *O remorso punge até os mais insensíveis.*] [*int.*: *O remorso punge:* "Se (...)/Tudo o que punge (...) /o coração, no rosto se estampasse..." (Raimundo Correia, "Mal secreto" *in Sinfonias*)] **3** Provocar incentivo em alguém; ESTIMULAR; INCITAR [*td.*: *A ambição pungia-os.*] [*tdr.* +*a*: *A impaciência pungia o gerente a ligar para os credores.*] **4** Começar a apontar (a barba, a vegetação) [*td.*: *Os pelos pungiam o rosto do jovem.*] [*int.*: *Sua barba pungia.*] [▶ 46 pungir] [F.: Do lat. *pungere.*]

pungitivo (pun.gi.*ti*.vo) *a.* Ver *pungente*

punguear (pun.gue.*ar*) *v. Bras. Pop.* Furtar (carteira, dinheiro, joia) do bolso ou bolsa da vítima, ger. em lugares tumultuados [▶ 13 punguear] [F.: *punga1* + *-ear*[2].]

punguismo (pun.*guis*.mo) *sm.* Vida, atividade ou habilidade de punguista, de batedor de carteira [F.: *punga* + *-ismo.*]

punguista (pun.*guis*.ta) *s2g.* Aquele que pungueia, que pratica a punga, bate carteira e outros objetos; PUNGA; CARTEIRISTA [(*Lus.*) F.: *pung(a)* + *-u-* + *-ista.*]

punhada (pu.*nha*.da) *sf.* Golpe com o punho, a mão fechada; SOCO; MURRO [F.: *punh(o)* + *-ada.*]

punhado (pu.*nha*.do) *sm.* **1** Quantidade que caiba numa das mãos **2** *Fig.* Quantidade pequena: *um punhado de heroicos combatentes.* **3** *P. ext.* Quantidade grande; PORÇÃO: *Disse um punhado de asneiras.* [F.: *punh(o)* + *-ado.*] ■ **Ser um** ~ **de trabalho** *N. E. Pop.* Ser (uma criança) muito agitada, travessa, brigona, demandando atenção ou causando preocupação para dela cuida ou quem a educa

punhal (pu.*nhal*) *sm.* **1** Arma branca de lâmina estreita e penetrante, ger. de cabo em cruz, de grande presença na literatura dramática e na história da monarquia: "Timbres, elmos, punhais... A doida quer morrer-me..." (Mário de Sá-Carneiro, *Indícios de ouro*) **2** *Fig.* Qualquer coisa que fira ou magoe profundamente [Pl.: *-nhais.*] [F.: Do lat. vulg. *pugnale.* Ideia de 'punhal': *gladi-* (*gladiador*).] ■ **Encostar um** ~ **no peito de (alguém)** Coagir, forçar (alguém) (a algo) com ameaças

punhalada (pu.nha.*la*.da) *sf.* **1** Golpe desferido com punhal **2** *P. ext.* Ferimento disso resultante **3** *Fig.* Profundo golpe moral, de ingratidão, de traição [F.: *punhal* + *-ada.*]

punheta (pu.*nhe*.ta) [ê] *sf. Tabu.* Masturbação masculina; BRONHA [F.: *punh(o)* + *-eta.*] ■ **Bater/tocar** ~ *Bras. Tabu.* Masturbar-se

punheteiro (pu.nhe.*tei*.ro) *sm. Tabu.* Aquele que se masturba muito, que vive batendo punheta; MASTURBADOR [F.: *punhet(a)* + *-eiro.*]

punho (*pu*.nho) *sm.* **1** Ponto de articulação do antebraço com a mão; MUNHECA; PULSO **2** A mão fechada **3** Parte por onde se pega a arma branca; EMPUNHADURA; CABO **4** Reforço de tecido ajustado às extremidades das mangas de camisas, blusas ou vestidos, protegendo o pulso **5** *Bras.* Parte do remo segurada pelos remadores **6** Extremidades de corda trançada das redes de dormir [F.: Do lat. *pugnus, i.*] ■ **Desatar o** ~ **da rede** *CE Pop.* Fugir, debandar **De/do próprio** ~ Diz-se de texto, documento etc. escrito pela mesma pessoa que o assina

punibilidade (pu.ni.bi.li.*da*.de) *sf.* Qualidade, condição ou estado de punível: "O político já assume o poder sabendo que, quando finalmente as investigações de seu caso estiverem concluídas, sua punibilidade estará extinta." (*O Globo*, 21.08.2005) [Ant.: *impunibilidade.*] [F.: *punível* + *-(i)dade*, segundo o mod. erudito.]

punição (pu.ni.*ção*) *sf.* **1** Ação ou resultado de punir **2** Qualquer castigo imposto a alguém: *A punição do menino foi ficar sem o passeio do domingo.* **3** Pena infligida por juiz a criminoso: *Encontrou no cárcere a punição.* **4** *Fig.* Experiência de algo muito desagradável: *A visita interminável virou uma punição.* [Pl.: *-ções.*] [F.: Do lat. *punitio, onis.*]

púnico (*pú*.ni.co) *sm.* **1** O mesmo que *cartaginês* (1) *a.* **2** O mesmo que *cartaginês* (3) **3** *Fig.* Desleal, falso, desonesto [F.: Do lat. *punicus, a, um.*]

punido (pu.*ni*.do) *a.* Que se puniu ou que recebeu punição (crimes punidos; criminosa punida); APENADO; CASTIGADO; PENITENCIADO [+*de, com, por*: "Supunha ver, no seu curto horizonte, a Feitoria inglesa punida com a instituição da Companhia." (Camilo Castelo Branco, *Perfil do Marquês de Pombal*): "A estas horas estaria eu amargamente punida do meu delito." (idem, *Cenas da Foz*): "O mal é sempre punido pelas suas próprias consequências." (idem, *Mistérios de Lisboa*) Ant.: *impune, impunido.*] [F.: Part. de *punir*.]

punidor (pu.ni.*dor*) [ô] ***a.*** **1** Que pune (ação punidora) ***sm.*** **2** Aquele que pune, que aplica a punição [F.: Do lat. *punitor, oris.* Sin. ger.: *castigador*.]

punir¹ (pu.*nir*) ***v. td.*** **1** Impor punição, castigo a (alguém ou si mesmo); CASTIGAR(-SE): *punir os culpados; Punia-se por ter sido negligente.* [Ant.: *perdoar, relevar.*] **2** Infligir castigo a: *Alguns dias de cadeia vão puni-lo suficientemente.* [▶ 3 punir] [F.: Do lat. *punire.*]

punir² (pu.*nir*) ***v. tr.*** Bater-se, lutar por; assumir a defesa de; PUGNAR [*+por*: *punir pela pátria; Sempre puniria pela honra da família.*] [▶ 3 punir] [F.: Do arcaísmo *punar* lat. *pugnare.*]

punitivo (pu.ni.*ti*.vo) ***a.*** **1** Ref. a punição **2** Concebido para a punição (código punitivo) **3** *Fig.* Que contém ou sugere punição (emprego punitivo) [F.: Rad. do part. *punido*, na f. *punit-* + *ivo.*]

punível (pu.*ní*.vel) ***a2g.*** Que pode ser punido; CASTIGÁVEL: *Era no tempo em que até os ricos eram puníveis.* [Pl.: *-veis.*] [F.: *puni(r)* + *-vel.*]

⊕ **punk** (*Ing.* /pânc/) ***sm.*** **1** Movimento de origem inglesa, e ger. de jovens, agressivamente contrário às convenções sociais, manifestando-se por formas de comportamento, vestuário, expressão musical peculiares ***a2g.*** **2** Ref. a esse movimento **3** Que é adepto desse movimento ***s2g.*** **4** Aquele que é adepto desse movimento

puntiforme (pun.ti.*for*.me) ***a2g.*** Que tem forma de ponto (lesão puntiforme) [F.: *pun(c)ti-* + *-forme*. Tb. *punctiforme.*]

puntura (pun.*tu*.ra) ***sf.*** Ferida ou picada produzida por objeto perfurante [F.: Do lat. *punctura, ae.* Tb. *punctura.*]

pupa (*pu*.pa) ***sf.*** *Zool.* Nos insetos que passam por metamorfose completa em seu desenvolvimento, estado intermediário entre a larva e a imago, que é sua forma definitiva [F.: Do fr. *pupe.* Cf.: *crisálida.*]

pupal (pu.*pal*) ***a2g.*** Ref. a pupa ou da pupa (parasitoides pupais; câmara pupal) [Pl.: *-pais.*] [F.: *pupa* + *-al.*]

pupila (pu.*pi*.la) ***sf.*** **1** *Anat.* Orifício bem no meio da íris que, mediante dilatações e contrações, regula a quantidade de luz que entra no olho; MENINA DO OLHO **2** Fem. de *pupilo* **3** Moça que se prepara, num convento, para professar; NOVIÇA **4** *Ópt.* Abertura circular (ou a medida do seu diâmetro) pela qual um instrumento óptico deixa passarem raios luminosos, do ambiente externo para o seu interior (pupila de entrada) ou do seu interior para fora (pupila de saída) [F.: Do lat. *pupilla, ae.* Ideia de 'pupila': *pupil(o)-* (*pupilometria*).]

pupilar¹ (pu.pi.*lar*) ***a2g.*** Ref. ou pertencente a pupilo: *Um bom tutor deve zelar escrupulosamente os interesses pupilares.* [F.: Do lat. *pupilaris, e.*]

pupilar² (pu.pi.*lar*) ***v. int.*** Soltar o seu grito (o pavão), piar [▶ 1 pupilar] [F.: Do lat. *pupilare.* Hom./Par.: *pupila(s)* (fl.), *pupila(s)* (sf. [pl.]); *pupila* (fl.), *pupila* (fem. de *pupilo*); *pupilo* (fl.), *pupilo* (sm.).]

pupilar³ (pu.pi.*lar*) ***v.*** **1** Tornar(-se) pupilo; pôr(-se) debaixo da proteção de um tutor [***td.***: *pupilar a neta.*] **2** Agir como pupilo [***ti.*** *+a*: "...também não se pupilou a intriguistas mesureiros e lacaios." (Rui Barbosa, *Queda do Império*)] [▶ 1 pupilar] [F.: *pupilo* + *-ar²*. Hom./Par.: *pupila(s)* (fl.), *pupila(s)* (sf. [pl.]); *pupilo* (fl.), *pupilo* (sm.).]

pupilar⁴ (pu.pi.*lar*) ***v. ta.*** Revelar-se (pelos olhos): *A emoção pupilava. em seus olhos.* [▶ 1 pupilar] [F.: *pupila* + *-ar²*.]

pupilar⁵ (pu.pi.*lar*) ***a2g.*** Ref. à, ou da pupila (brilho pupilar) [F.: *pupila* + *-ar¹*.]

pupilo (pu.*pi*.lo) ***sm.*** **1** Aquele que tem com outra pessoa, ger. mais velha, uma relação de aprendizado constante; DISCÍPULO; ALUNO **2** O que é amparado e ajudado por pessoa mais influente; AFILHADO; PROTEGIDO **3** Menor órfão que tem tutor [F.: Do lat. *pupillus, i.*]

pupunha (pu.*pu*.nha) *Bot.* ***sf.*** **1** Palmeira (*Bactris gasipaes*) de até 20 m de altura, da qual se aproveitam os frutos e o palmito; as flores, como tempero; as palhas, em cestaria e na cobertura de habitações; o estipe, em construções, mobiliário e artesanato; e as amêndoas, para extração de óleo; PALMEIRA-PUPUNHA; PIRAJÁ-PUPUNHA; PUPUNHEIRA **2** O fruto dessa palmeira [F.: Posv. do tupi, mas de or. indeterminada.]

pupunheira (pu.pu.*nhei*.ra) *Bot.* ***sf.*** Palmeira (*Bactris gasipaes*), mesmo que *pupunha* [F.: *pupunha* + *-eira.*]

purê (pu.*rê*) ***sm.*** *Cul.* Prato que se prepara com batata e outros tubérculos ou frutas amassados com leite e temperos leves; PIRÊ [F.: Do fr. *purée.*]

pureza (pu.*re*.za) [ê] ***sf.*** **1** Qualidade do que é puro, sem mistura, sem acréscimos; PURIDADE: *A pureza da água da cascata.* **2** Transparência, limpidez: *Era um cristal de pureza rara.* **3** Inocência, candura (pureza de sentimentos) **4** Virgindade, castidade **5** Elegância, finura, correção (pureza de estilo) **6** Vernaculidade, casticismo (pureza idiomática) [F.: Do lat. *puritia, ae.*]

purga (*pur*.ga) ***sf.*** *Med.* Medicação que trata a constipação intestinal; tb. *purgante, laxante* [F.: Dev. de *purgar.*]

purgação (pur.ga.*ção*) ***sf.*** **1** Ação ou resultado de purgar(-se); PURIFICAÇÃO **2** Evacuação induzida por um purgante **3** *Rel.* Expiação de pecados, faltas desta vida ou de outra, supositícia **4** *P. ext.* Provação, castigo **5** *Pat.* Blenorragia **6** Corrimento, fluxo patológico [Pl.: *-ções.*] [F.: Do lat. *purgatio, onis.*] ▪ **~ do mês** *Bras. Pop.* Menstruação

purgado (pur.*ga*.do) ***a.*** **1** Que se purgou; DEPURADO; DESPOLUÍDO; PURIFICADO [Ant.: *contaminado, poluído, sujo.*] **2** Que tomou purgativo ou vermífugo **3** *Fig.* Expiado, redimido, remido, pago (pecados purgados; males purgados) **4** *Fig.* Isento, livre, desprovido: "Seo Priscílio, e os de fora, estivessem agora purgados de curiosidades. Mas eu não tirava o sentido disto: e os outros quartos da casa, o atrás de portas?" (Guimarães Rosa, *Primeiras Estórias*) [Ant.: *cheio, farto, provido.*] [F.: Part. de *purgar.*]

purgador (pur.ga.*dor*) [ô] ***sm.*** **1** Aquilo que purga; que tem a virtude de purgar; PURGANTE **2** Em certas máquinas, torneira por onde se escoa a água proveniente da condensação de vapor, ou qualquer outro líquido acumulado **3** *N. E.* Nos engenhos, trabalhador encarregado de purgar o açúcar ***a.*** **4** Que purga [F.: *purgar* + *-dor.*]

purgante (pur.*gan*.te) ***a2g.*** **1** Que purga, purifica; PURGADOR **2** *Med.* Diz-se de medicamento que provoca diarreia e, com isso, eliminação do conteúdo dos intestinos; PURGATIVO **3** *Farm.* Ver *laxante* (1) ***sm.*** **4** Aquilo que purga, purifica; PURGADOR **5** *Med.* Medicamento que provoca diarreia e, com isso, eliminação do conteúdo dos intestinos; PURGATIVO **6** *Farm.* Ver *laxante* **7** *Pej.* Pessoa ou coisa chata, desagradável: *Esse médico é um purgante.* [F.: Do lat. *purgans, antis.*]

purgar (pur.*gar*) ***v.*** **1** Limpar de impurezas; PURIFICAR [***td.***: *purgar um metal.*] [***tdr.*** *+de*: *purgar o sangue de impurezas.*] **2** Expelir pus, secreção [***int.***: *O machucado parou de purgar.*] **3** *Fig.* Remir (faltas, culpas) [***td.***: *purgar os pecados.*] [***tr.*** *+de*: *Purgar-se das irresponsabilidades com os filhos.*] **4** *Fig.* Afastar (alguém) de (algo ruim); LIVRAR [***tdr.*** *+de*: *Desejava purgar a família de todos os males.*] **5** Ministrar ou tomar purgante [***td.***: *A enfermeira purgou o doente.*] [▶ 14 purgar] [F.: Do lat. *purgare.* Hom./Par.: *purga(s)* (fl.), *purga(s)* (sf. [pl.]).]

purgativo (pur.ga.*ti*.vo) ***a.*** Ver *purgante* (2, 3)

purgatorial (pur.ga.to.ri.*al*) ***a2g.*** **1** Ref. ao purgatório (período purgatorial) ***a2g.*** **2** *Fig.* Que purga: "...à proporção que o espírito se restabelece, vai vendo o país como ele é; então poucos lhe chamam Celeste Império, alguns infernal império, muitos purgatorial império!" (Machado de Assis, *O protocolo*) [Pl.: *-ais.* F.: *purgatório* + *-al.*]

purgatório (pur.ga.*tó*.ri.o) ***a.*** **1** Que purga, purifica; PURGANTE; PURGATIVO ***sm.*** **2** *Rel.* Conforme a teologia e as tradições católico-romanas, lugar onde as almas dos que não cometeram pecados graves devem purgá-los antes de chegar ao paraíso **3** *P. ext.* Qualquer local de sofrimento e provação [F.: Do lat. *purgatorius, a, um.*]

puri (pu.*ri*) ***sm.*** **1** Variedade de mandioca **2** *Gloss.* Língua da família coroado, do tronco macro-jê, falada por essas indígenas ***s2g.*** **3** *Etnog.* Pessoa pertencente aos puris, grupo indígena extinto que se distribuía pelo Rio de Janeiro, Espírito Santo e sudeste de Minas Gerais **4** Mestiço de branco e índio; MAMELUCO [F.: De or. indígena.]

puridade (pu.ri.*da*.de) ***sf.*** **1** Condição do que é puro, m. q. *pureza* **2** Segredo, confidência: "Depois da refeição, disse-lhe o moço à puridade: – Tenho que lhe dizer, mas só depois..." (Domingos Olímpio, *Luzia-Homem*) [F.: Do lat. *puritas, atis.*] ▪ **À ~** Sigilosamente, particularmente

purificação (pu.ri.fi.ca.*ção*) ***sf.*** **1** Ação ou resultado de purificar(-se), tornar(-se) puro **2** Ação ou resultado de expiar os pecados **3** Qualquer rito religioso de cunho purificador **4** *Rel.* Festa católica que comemora a purificação da Virgem Maria, em todo dia 2 de fevereiro; Festa das Candeias; Candelária [Pl.: *-ções.*] [F.: Do lat. *purificatio, onis.*]

purificador (pu.ri.fi.ca.*dor*) [ô] ***a.*** **1** Que purifica, que retira as impurezas ***sm.*** **2** Aquele ou aquilo que purifica, que retira as impurezas **3** Material ou mecanismo us. para purificar líquidos ou ar; FILTRO [F.: Rad. do part. *purifica(do)* + *-dor.*] ▪ **~ de ar** Pulverizador (3) com substância que, com seu odor, elimina o mau cheiro de um ambiente

purificante (pu.ri.fi.*can*.te) ***a2g.*** Ver *purificador*

purificar (pu.ri.fi.*car*) ***v.*** **1** Tornar(-se) puro; tirar impurezas de (algo ou si mesmo) [***td. tdr.*** *+de*: *purificar a água (de resíduos químicos).*] **2** Tornar(-se) puro de máculas ou manchas morais ou espirituais [***td. tdr.*** *+de*: *purificou o coração (dos sentimentos torpes)*: "Quanto melhor conheço a tua alma, mais me purifico ao seu contato." (Raul Brandão, *Memórias*)] [▶ 11 purificar] [F.: Do lat. purificare. Ideia de 'purificar': *catar-.*]

purificativo (pu.ri.fi.ca.*ti*.vo) ***a.*** Ver *purificador*

purificatório (pu.ri.fi.ca.*tó*.ri.o) ***a.*** **1** Ver *purificador* **2** Que expia os pecados; EXPIATÓRIO; PURGATÓRIO [F.: Do lat. tardio *purificatorius, a, um.*]

purina (pu.*ri*.na) ***sf.*** **1** *Quím.* Base orgânica nitrogenada ($C_5H_4N_4$), cristalina e incolor, da qual derivam a adenina e a guanina e, como produto metabólico final, o ácido úrico **2** Líquido composto de urina de animais e água de chuva, além de compostos orgânicos provenientes do estrume, us. como fertilizante [F.: Do al. *Purin*, voc. criado pelo químico alemão Emil Fischer (1852-1919), com base nos voc. lat. *purum* 'puro' e *uricum* '(ácido) úrico' + -in (port. *-ina*); do fr. e ing. *purine.*]

purismo (pu.*ris*.mo) ***sm.*** **1** Atitude em que se defende e preconiza a preservação das características originais e peculiares de uma cultura, de uma tradição e esp. de um idioma **2** *Gram.* Preocupação com a pureza da linguagem, que implica, sobretudo, a condenação do uso de estrangeirismos; VERNACULISMO **3** Pronúncia pernóstica, afetada [F.: *pur(o)* + *-ismo.*]

purista (pu.*ris*.ta) ***a2g.*** **1** Que é defensor e preconizador do purismo (1, 2) **2** Que é dado ao purismo (1, 2) **3** Ref. ao purismo ***s2g.*** **4** Aquele que é defensor e preconizador do purismo (1, 2) **5** Aquele que é dado ao purismo (1, 2) [F.: *pur(o)* + *-ista.*]

puritanismo (pu.ri.ta.*nis*.mo) ***sm.*** **1** Doutrina e comportamento dos puritanos **2** Austeridade moral, demasiado apego à letra da lei [F.: *puritan(o)* + *-ismo.*]

puritano (pu.ri.*ta*.no) ***a.*** **1** Que era ou é adepto do credo protestante desse nome na Grã-Bretanha do séc. XVI, de influência calvinista, excessivo apego ao texto bíblico, repulsa aos prazeres do mundo, crença na predestinação **2** Que segue os princípios da ala desse nome no presbiterianismo, de obediência estrita às Escrituras e intransigente austeridade moral **3** *P. ext.* Diz-se de quem se impõe um código de conduta inflexível, esp. na sexualidade ***sm.*** **4** Aquele que era ou é adepto do credo protestante desse nome na Grã-Bretanha do séc. XVI, de influência calvinista, excessivo apego ao texto bíblico, repulsa aos prazeres do mundo, crença na predestinação **5** Aquele que segue os princípios da ala desse nome no presbiterianismo, de obediência estrita às Escrituras e intransigente austeridade moral **6** *P. ext.* Aquele que se impõe um código de conduta inflexível, esp. na sexualidade [F.: Do ing. *puritan.*]

puro (*pu*.ro) ***a.*** **1** Que não tem mistura, acréscimos ou alteração (café puro; ar puro); LIMPO **2** Que não tem mancha ou nódoa; IMACULADO **3** Que tem aspecto límpido, transparente: "Na curva do seu sapato/ o calcanhar rosa e puro." (Carlos Drummond de Andrade, "O mito" *in A rosa do povo*) **4** Que revela bondade, honestidade, generosidade e esp. inocência **5** Que não sabe sobre sexo, nunca o fez ou se abstém de fazê-lo; CASTO **6** Sem qualquer restrição; ABSOLUTO: *Atacou-o por pura inveja.* **7** De perfeita correção vernácula; CASTIÇO [F.: Do lat. *purus, a, um.* Ideia de 'puro': *pur(i)-* (*purificação*).] ▪ **~ de** Isento de; livre de: espírito puro de ambições políticas **~ e simples** Sem restrição nem modificação: promessa pura e simples

puro-sangue (pu.ro-*san*.gue) ***a2g.*** **1** Diz-se de cavalo ou égua de raça pura, que não tem traços de qualquer outra: *É um árabe puro-sangue.* ***s2g.*** **2** Cavalo ou égua de raça pura, que não tem traços de qualquer outra (puro-sangue árabe) [Pl.: *puros-sangues.*]

púrpura (*púr*.pu.ra) ***sf.*** **1** Substância corante entre vermelho-escura e violeta, que se extrai da púrpura (4), e com a qual se tingem tecidos; OSTRO **2** A cor tão característica dessa substância **3** *P. ext.* O vermelho **4** *Zool.* Molusco gastrópode e muricídeo do gên. *Purpura*, que fornece a secreção desse nome, us. desde a Antiguidade no tingimento de tecidos **5** Tecido purpurino associado ao poder, à pompa, aos reis, aos cardeais (púrpura cardinalícia): "O coração, numa imperial oferta,/ Ergo-o ao alto! E, sobre a minha mão,/ É uma rosa de púrpura, entreaberta!" (Florbela Espanca, *Charneca em flor*) **6** *Her.* Esmalte purpurino **7** *Pat.* Moléstia de extravasamento subcutâneo do sangue, que provoca manchas purpúreas na pele [Pode estar associada a problemas digestivos (púrpura nervosa, doença de Henoch) ou a distúrbios nas articulações (púrpura reumática, doença de Schönlein).] ***a2g2n.*** **8** Que tem cor púrpura; PURPURINO; PURPÚREO [F.: Do lat. *purpura, ae.*]

purpurado (pur.pu.*ra*.do) ***a.*** **1** Tingido com púrpura **2** Que tem cor púrpura **3** Vestido de púrpura (antigo símbolo de poder real ou eclesiástico): "Os tiranos purpurados." (Alexandre Herculano) **4** *Fig.* Elevado à dignidade de cardeal **5** *Fig.* Investido do poder real ***sm.*** **6** *Fig.* Indivíduo elevado à dignidade de cardeal **7** *Fig.* Rei, soberano [F.: Do lat. *purpuratus, a, um* 'vestido de púrpura'.]

purpurar (pur.pu.*rar*) ***v.*** **1** O mesmo que *purpurear* (1 e 2); AVERMELHAR [***td. int.***] **2** *Fig.* Elevar à dignidade cardinalícia [***td.***] **3** *P. ext.* Vestir de púrpura [***td.***] [▶ 1 purpurar] [F.: *púrpur(a)* + *-ar²*.]

purpurear (pur.pu.re.*ar*) ***v.*** **1** Dar a cor púrpura a; tingir de púrpura [***td.***: *Os cardeais desde o início purpurearam o palácio.*] **2** Avermelhar(-se), corar; RUBORIZAR-SE [***td.***: *O embaraço purpureou-lhe o rosto; "Purpurearam(-se)-lhe as faces, acelerou-se-lhe o pulso com a febre."* (Camilo Castelo Branco, *Vinte horas de liteira*)] [▶ 13 purpurear] [F.: *púrpur(a)* + *-ear²*.]

purpúreo (pur.*pú*.re.o) ***a.*** Ver púrpura (8) [F.: Do lat. *purpureus, a, um.*]

purpurina (pur.pu.*ri*.na) ***sf.*** **1** Nome de vários pós metálicos e finos us. para impressão dourada, prateada, bronzeada, assim como em maquiagem e artes visuais **2** Substância corante extraída de raízes dos vegetais do gên. *Rubia.* **3** *Bot.* Erva da fam. das melastomatáceas (*Rhychanthera serrulata*), nativa do Brasil, de flores purpúreas em cachos [F.: *púrpur(a)* + *-ina.*]

purpurino (pur.pu.*ri*.no) ***a.*** Ver púrpura (8) [F.: *púrpura* + *-ino.*]

púrria (*púr*.ri.a) *Lus. Antq.* ***sf.*** **1** Bando de garotos baderneiros, bagunceiros **2** *Pej.* Bando, malta, súcia, caterva: "... bastou um bando – uma púrria – para correr o Fernandes Costa do Terreiro do Paço..." (Raul Brandão, *Memórias*) [F.: or. obsc.] ▪ **De ~** *Lus. Pop.* Em bando

puruca (pu.*ru*.ca) *Bras.* ***sf.*** Peneira com que se escolhe o café em grão, poruca [F.: Do tupi *po'ruka* 'desconjuntado'.]

purulência (pu.ru.*lên*.ci.a) ***sf.*** **1** Qualidade do que é purulento **2** *Med.* Supuração, abscesso **3** *Fig.* Aquilo que ofende, avilta [F.: Do lat. *purulentia, ae.*]

purulento (pu.ru.*len*.to) ***a.*** **1** Que está cheio de pus ou de que sai pus (ferida purulenta) **2** *Fig.* Repulsivo, nojento (governo purulento) [F.: Do lat. *purulentus, a, um.*]

pururuca (pu.ru.*ru*.ca) ***a2g.*** **1** Fraco, quebradiço **2** *Cul.* De pele torrada, crocante feito torresmo (diz-se esp. de leitão assado, em prato de primeira ordem) *sf.* **3** *Bras.* Coco ainda tenro, macio **4** *MG* Saibro misturado com pedra miúda; CANJICA **5** Milho miúdo e duro, us. para alimentar cavalos de raça [F.: obsc.]

pus *sm. Pat.* Líquido amarelado, opaco e viscoso, que se forma durante os processos infecciosos e se compõe esp. de leucócitos e bactérias [F.: Do lat. *pus, puris.* Ideia de 'pus': *pi(o)-* (*piogênese*); *pur(i)-*[1] (*purulento*).]

pusilânime (pu.si.*lâ*.ni.me) *a2g.* **1** Que é fraco, frouxo de ânimo, de vontade **2** Que não tem coragem, que é covarde; POLTRÃO *s2g.* **3** Aquele que é fraco, frouxo de ânimo, de vontade **4** Aquele que não tem coragem, que é covarde; POLTRÃO [F.: Do lat. *pusillanimis, e.* Ant. ger.: *audacioso; corajoso.*]

pusilanimidade (pu.si.la.ni.mi.*da*.de) *sf.* **1** Condição ou característica de quem é pusilânime; frouxidão de ânimo, de vontade **2** Covardia; POLTRONICE [F.: Do lat. *pusillanimitas, atis.* Ant. ger.: *audácia; coragem.*]

pústula (*pús*.tu.la) *sf.* **1** *Pat.* Ferida ou tumor que contém pus **2** *Fig.* Defeito moral grave, mazela, corrupção **3** *Fig.* Pessoa infame, de caráter abominável [F.: Do lat. *pustula, ae.*] ■■ **~ maligna** *Pat.* Doença infecciosa de animais médios e grandes (causada pelo *Bacillus anthracis*), transmissível ao homem, muitas vezes mortal; carbúnculo

pustular (pus.tu.*lar*) *Pat. a2g.* Constituído de pústulas ou caracterizado por estas (lesões pustulares, dermatose pustular) [F.: *pústul(a)* + *-ar*[1].]

pustulento (pus.tu.*len*.to) *a.* **1** Coberto de pústulas; PUSTULOSO **2** *Fig.* Degenerado, miserável [F.: *pustul(a)* + *-ento.*]

pustuloso (pus.tu.*lo*.so) [ô] *a.* **1** Diz-se do que tem forma ou aparência de pústula *a.* **2** Que está coberto de pústulas, o mesmo que *pustulento* [F.: Do lat. *pustolosus, a, um.*]

puta (*pu*.ta) *sf.* **1** *Tabu.* Prostituta, mulher que faz sexo por dinheiro; BAGAGEIRA; BISCATE; MERETRIZ; MUNDANA; PIRANHA; PISTOLEIRA **2** *Fig.* Mulher despudorada e acintosamente vulgar *a2g2n.* **3** Muito grande, intenso ou extraordinário: *uma puta comemoração; um puta carro.* [F.: obsc. Nas defs 1 e 2 é ofensivo.]

putada (pu.*ta*.da) *Vulg. sf.* **1** Bando de putas ou putos **2** O conjunto das putas; PUTARIA; PUTANHAL [F.: *puta* + *-ada.*]

putana (pu.*ta*.na) *sf.* **1** *Vulg.* Puta, prostituta **2** *Mit.* Demônio feminino da mitologia hinduísta, filha de Bali, que amamentou o bebê Krishna com o seio envenenado, para tentar em vão matá-lo [Nesta acp. com inicial maiúscula.] [F.: Do ital. *putana.*]

putanheiro (pu.ta.*nhei*.ro) *Vulg. a.* **1** Homem que está sempre em busca de aventuras sexuais; COMEDOR; FEMEEIRO; GALINHA; MULHERENGO **2** Homem que gosta de relacionar-se sexualmente com prostitutas [F.: *puta* + *-eiro.*]

putaria (pu.ta.*ri*.a) *sf.* **1** *Tabu.* Reunião de putas ou de putos; PUTADA **2** Ver *prostíbulo.* **3** Comportamento considerado indecente, libertino; SAFADEZA; SACANAGEM **4** Procedimento desonesto e seriamente lesivo a outrem; SACANAGEM; SAFADEZA: *O que ele fez com os alunos foi uma putaria.* [F.: *put(a)* + *-aria.*]

putativo (pu.ta.*ti*.vo) *a.* **1** Que se atribui hipoteticamente a algo ou alguém (filho/matrimônio putativo); SUPOSTO; SUPOSITÍCIO **2** *Jur.* Diz-se de quem ou do que, apesar de ilegítimo, tem a legitimidade reconhecível [F.: Do lat. *putativus, a, um.*]

putear (pu.te.*ar*) *Vulg. v.* **1** *RS* Procurar prostitutas [*int.*: *Puteava todo fim de semana.*] **2** Levar vida de prostituta [*int.*: *Ela puteava nos cursos e clubes que frequentava.*] **3** *RS* Descompor, xingar com obscenidades [*td.*: *Puteou o motorista sem motivo.*] [▶ 13 putear] [F.: *put(a)* + *-ear*[2].]

puteiro (pu.*tei*.ro) *Vulg. sm.* **1** Casa de prostituição; BORDEL *N. E.*; CABARÉ; LUPANAR; PROSTÍBULO **2** Grupo de putas; PUTADA; PUTARIA; PUTEDO [F.: *puta* + *-eiro.*]

putirum (pu.ti.*rum*) *Amaz. sm.* Trabalho solidário, coletivo e gratuito, mesmo que *mutirão*: "Quando o roçado é grande o roceiro apela para o sentimento de solidariedade dos vizinhos para um putirum, ajuri ou ajutório (mutirão). E é uma festa esse sentimento gregário." (Hernani de Carvalho, site *Jangada Brasil*, ano III, nº 38) [Pl.: *-runs.*]

puto (*pu*.to) *sm.* **1** *Tabu.* Ver *homossexual.* **2** Homem devasso, depravado, ou de mau caráter, desonesto **3** *Lus. Fam.* Menino, criança, filho **4** *Bras. Tabu.* Vintém, centavo: *Não tinha um puto no bolso. a.* **5** *Tabu.* Zangado, irritado, com raiva: *Ficou puto com a irmã.* [F.: Fem. do lat. vulg. *puttus.*] ■■ **~ da vida** *Bras. Tabu.* Puto (5), irritadíssimo, pê da vida **Ficar ~** *Bras. Tabu.* Ficar muito irritado ou zangado **Um ~ (de um)** *Bras. Tabu.* Expressão de realce da avaliação (positiva ou negativa) de uma situação, de uma qualidade, de uma quantidade: *Foi um puto (de um) programa (um programa muito bom); Estou com uma puta (de uma) dor de cabeça (muita dor de cabeça); Fizemos uma puta comemoração (uma grande comemoração).*

◎ **putre-** *el. comp.* = 'podre'; 'em decomposição, em estado de podridão': *putrefação, putrefacção* (lat.), *putrefazer* (lat.), *putrescente* (lat.),

putrefação, (pu.tre.fa.*ção*) *sf.* **1** Processo ou resultado de putrefazer(-se), de tornar(-se) podre; APODRECIMENTO **2** *Biol.* Decomposição de materiais orgânicos levada a efeito por microrganismos [Pl.: *-ções.*] [F.: Do lat. *putrefactio, onis.* Tb. *putrefacção.*]

putrefacção (pu.tre.fac.*ção*) *sf.* Ver *putrefação*

putrefaciente (pu.tre.fa.ci.*en*.te) *a2g.* Que leva à putrefação, ao apodrecimento de algo ou alguém; PUTREFATIVO [F.: Do lat. *putrefaciens, entis.*]

putrefacto (pu.tre.*fac*.to) *a.* Ver *putrefato*

putrefativo (pu.tre.fa.*ti*.vo) *a.* O mesmo que *putrefaciente* [F.: *putrefato* + *-ivo.*]

putrefato (pu.tre.*fa*.to) *a.* Que se putrefez ou está em estado de putrefação; PODRE; PÚTRIDO [Tb.: *putrefeito.*] [F.: Do lat. *putrefactus, a, um,* por via erudita; *putrefeito*, do mesmo lat., mas por via pop. Tb. *putrefacto*;.]

putrefazer (pu.tre.fa.*zer*) *v.* **1** Tornar(-se) podre, estragado; APODRECER(-SE); ESTRAGAR(-SE) [*td.*: *O calor putrefez a carne.*] [*int.*: *As laranjas putrefizeram-se.*] **2** *Fig.* Deteriorar(-se) moralmente; CORROMPER(-SE) [*td.*: *A corrupção putrefez aquele diretor.*] [*int.*: *A corporação putrefazia-se.*] [▶ 22 putrefazer Part.: *putrefeito.*] [F.: Do lat. *putrefacere.* Sin. ger.: *putrificar.*]

putrescente (pu.tres.*cen*.te) *a2g.* Que começa a putrefazer-se, que está prestes a apodrecer [F.: Do lat. *putrescens, entis,* part. pres. do v.lat. *putrescere,* 'apodrecer'; 'corromper-se'.]

putrescina (pu.tres.*ci*.na) *Quím. sf.* Substância ($C_4H_{12}N_2$) encontrada em qualquer célula [F.: Do rad. lat. *putresc-*, do v.lat. *putrescere,* 'apodrecer'; 'putrificar-se'; 'corromper-se', + *-ina*[2]. Inicialmente foi detectada em matéria em estado de putrefação.]

putrescível (pu.tres.*cí*.vel) *a2g.* Que pode putrefazer-se; suscetível a apodrecer [Ant.: *imputrescível.*] [Pl.: *-veis.*] [F.: Do lat. *putrescibilis, e,* do v.lat. *putrescere,* 'apodrecer'; 'corromper-se'.]

◎ **putri-** *el. comp.* O mesmo que *putre-*: *putrificar.* [F.: Do lat. *putris, e.*]

putrião (pu.tri.*ão*) *N. E. Ornit. sm.* **1** Ave anseriforme da fam. dos anatídeos (*Sarkidiornes melanotos*), de plumagem negra com faixa branca nas asas e bico com tuberosidade; PATO-DE-CRISTA; PATO-DO-MATO **2** *N. E. Pop. Vulg.* Tratamento dado entre homens, quer por divertida camaradagem, quer como xingamento [Pl.: *-ões.*] [F.: De or. obsc.]

pútrido (*pú*.tri.do) *a.* **1** Que se decompôs, que está podre; PUTREFATO **2** Em estado de putrefação **3** Que cheira mal; FÉTIDO **4** *Fig.* Moralmente degradado; CORRUPTO [F.: Do lat. *putridus, a, um.*]

putrificar (pu.tri.fi.*car*) *v. td. int.* O mesmo que *putrefazer* [▶ 11 putrificar] [F.: *putri-* + *-ficar.*]

⊕ **putsch** (*al.* /putch/) *sm.* Tentativa de golpe de Estado, bem-sucedida ou não, tramada em segredo e executada de surpresa [Em al., com inicial maiúscula]

puxa (*pu*.xa) *interj. Bras.* Us. para exprimir admiração, surpresa, impaciência, irritação, aborrecimento etc. [Tb. *puxa vida.*] [F.: Do espn. *pucha,* eufemismo de *puta.* Tb.: *poxa.*]

puxação (pu.xa.*ção*) *sf.* **1** Ação ou resultado de puxar; PUXADA; PUXAMENTO **2** *Amaz.* Transporte de madeira arrastada pela mata **3** Ver *puxa-saquismo* [Pl.: *-ções.*] [F.: *puxa(r)* + *-ção.*] ■■ **~ de saco** *Bras. Gír.* Puxação (3), puxa-saquismo

puxada (pu.*xa*.da) *sf.* **1** Ação ou resultado de puxar, de trazer algo, num gesto, para mais perto de si **2** Ver *puxão.* **3** Ver *puxa-saquismo.* **4** Em certos jogos de cartas, a primeira jogada de uma rodada **5** *Bras.* Caminhada de grande distância **6** Incremento, impulso; ritmo acelerado (puxada tecnológica) [F.: Fem. substv. de *puxado.*]

puxadinho (pu.xa.*di*.nho) *a.* **1** *Irôn.* Muito esmerado no modo de vestir-se; JANOTA: *Ia a todas as reuniões com um traje puxadinho para bem impressionar. sm.* **2** *Irôn.* Aquele que se veste impecavelmente, com capricho **3** *Bras.* Pequena obra anexa não prevista na planta original de uma construção: *Morava num puxadinho construído na casa dos seus pais.* [F.: *puxado* + *-inho.*]

puxado (pu.*xa*.do) *a.* **1** Que (se) puxou, que (se) esticou (cabelos puxados); RETESADO **2** Arrastado por uma fonte de tração: *carro puxado pelos bois.* **3** Diz-se de olho que parece ter sido esticado **4** *Fig.* De realização difícil, cansativa (serviço puxado); TRABALHOSO **5** *Pop.* De preço alto (prestações puxadas); CARO *sm.* **6** Cômodo extra construído numa casa, em cima ou nos fundos [F.: Part. de *puxar.*]

puxador (pu.xa.*dor*) [ô] *a.* **1** Que puxa algo **2** Que inicia ou serve de guia em canto, oração, recitativo *sm.* **3** Aquele que puxa algo **4** Aquele que inicia ou serve de guia em canto, oração, recitativo **5** Peça que serve para puxar gavetas, portas de cômodas, armários **6** *Bras. Gír.* Ladrão de carro **7** *Bras. Gír.* Aquele que fuma maconha, puxador de fumo [F.: *puxa(do)* + *-dor.*] ■■ **~ de samba** *Bras. Pop.* Cantor que, nas escolas de samba, durante todo o desfile canta o samba ao microfone, para que, amplificado ao longo das linhas da escola, seja acompanhado sincronicamente por toda a escola

puxa-encolhe (pu.xa-en.*co*.lhe) *Bras. Pop. sm.* Situação que não se decide ou resolve; CHOVE NÃO MOLHA; INDECISÃO; VAI NÃO VAI [Pl.: *puxa-encolhes.*]

puxa-estica (pu.xa-es.*ti*.ca) *Bras. Pop. sm.* **1** *Fig.* Situação de tensão entre duas forças opostas: *Começou o puxa-estica entre os candidatos do segundo turno:* "...quebrou o braço no puxa-estica com um pivete que queria levar sua bolsa..." (Hildegard Angel, *O Globo*, 02.07.2000) **2** Ação de puxar e esticar repetidamente [Pl.: *puxa-esticas.*]

puxante (pu.*xan*.te) *a2g.* **1** Que puxa (dor puxante); PUXADOR: "E pode esperar que o homem vai ser comido numas beliscadas puxantes, aos arranques;..." (João Ubaldo Ribeiro, *Sargento Getúlio*) **2** *Ant. Fig.* Muito condimentado ou picante **3** *Ant. Fig.* Que desperta o desejo de beber: *O amendoim torradinho ou a batata frita com sal são muito puxantes.* [F.: *puxar* + *ante.*]

puxão (pu.*xão*) *sm.* Ação ou resultado de puxar (algo ou alguém) de forma brusca e forte; PUXADA [Pl.: *-xões.*] [F.: *pux(ar)* + *-ão.*] ■■ **~ de orelha** **1** Castigo ou gesto de reforço a advertência, que consiste em torcer o lóbulo da orelha do castigado ou advertido **2** *Fig.* Crítica ou admoestação a alguém

puxa-puxa (pu.xa-*pu*.xa) *a2g.* **1** *Bras.* Diz-se do que é grudento e pode ser esticado (balas puxa-puxas) *sm.* **2** *Cul.* Doce de consistência elástica, que se pode esticar [Pl.: *puxas-puxas e puxa-puxas.*]

puxar (pu.*xar*) *v.* **1** Trazer para perto de si [*td.*: *Puxe uma cadeira e sente-se conosco.*] **2** Mover, tracionar atrás de si; arrastar [*td.*: *O garotinho puxava um carrinho.*] **3** Fazer força para arrancar [*td.*: *Use uma torquês para puxar prego.*] **4** *Bras.* Transportar, suportar (grande peso) [*td.*: *Minha picape puxa uma tonelada.*] **5** Sacar (faca, revólver etc.) [*td.*] **6** *Pop.* Iniciar, provocar (conversa, reza, briga etc.) [*td.*: *O carteiro vive puxando papo com os porteiros.*] **7** *Pop.* Gastar, consumir [*td.*: *A geladeira puxa muita força; Esse carro puxa muita gasolina.*] **8** Ser parecido com; herdar traços de [*td.*: *Puxou a calma da mãe.*] [*ti.* +*a*: *Todos os filhos de José puxaram ao avô.*] **9** Tornar retesado; esticar [*td.*: *Puxou o fio do telefone até o quarto.*] **10** Arrancar, tirar [*td.*: *Puxou a gravata com força e a jogou longe.*] **11** Movimentar (algo) para cobrir ou ocultar (alguma coisa) [*td.*: *Puxou a saia até o joelho.*] [*tdr.* +*sobre*: *Puxou a manta sobre o rosto.*] **12** Iniciar (atividade em grupo) [*td.*: *Foram os meninos que puxaram a cantoria.*] **13** Tragar, sorver [*td.*: *Pôs o cigarro na boca e puxou a fumaça.*] **14** Absorver (um líquido) [*td.*: *A parede puxou bem essa tinta.*] **15** Herdar traços psicológicos de [*td.*: *Esse menino puxou a mãe.*] [*ti.* +*a*: *A garota puxou ao pai.*] **16** Aproximar-se (uma cor) de outra [*tr.* +*para*: *Aquele rosa puxava para o laranja.*] **17** Provocar estímulo; obrigar a trabalhar [*ti.* +*por*: *Esse professor puxa demais pela turma.*] **18** Fazer desencadear; suscitar [*td.*: *Um assunto puxa outro.*] [*tr.* +*por*: *Puxou por uma conversa que não agradou ninguém.*] **19** Movimentar (uma das pernas ou ambas) com dificuldade, arrastando-a [*tr.* +*de*: *Coitado, ele puxa de uma perna!*] **20** Ampliar (casa) acrescentando-lhe ger. mais um cômodo [*td.*: *Puxou mais um quarto nos fundos da casa.*] **21** Servir (um prato) durante refeição [*td.*: *Puxe o prato de arroz, por favor!*] **22** Fazer aparecer; despertar [*td.*: *Esse vestido puxa a sua sensualidade.*] **23** Despertar a energia de; incitar [*td.*: *As pancadas puxaram o animal morro acima.*] **24** Tornar vivo ou mais vivo; avivar [*td.*: *A aplicação do óleo puxou o brilho da mesa.*] **25** Fazer esquentar mais; fazer ferver (algo que se cozinha) [*td.*] **26** *Bras. Gír.* Roubar (veículo) [*td.*: *Hoje de manhã, Zezinho puxou dois carros!*] **27** *Bras. Gír.* Fumar (maconha ou produto similar) [*td.*: *Puxou dois 'baseados' antes de dormir.*] **28** *Bras. Gír.* Fazer agrado de maneira subserviente; bajular [*td.*: *Ele vive puxando os chefes para conseguir favores.*] **29** Lançar na mesa (carta de baralho) [*td.*] **30** *MG* Servir-se de (comida ou bebida) [*td.*] **31** *Pop.* Provocar a vontade de beber [*td.*: *Linguiça frita puxa uma cervejinha!*] **32** *Pop.* Ser causa de [*td.*: *Preguiça demais puxa doença!*] **33** Exigir, forçar, obrigar [*ti.* +*por*: *Se não puxar por ele, o trabalho não sai nunca!*] **34** *Fam.* Trazer consigo [*td.*: *Novo casamento puxa nova casa.*] **35** Ter pendor, inclinação para [*tr.* +*para*: *Esse menino puxa para futebol.*] **36** *Pop.* Demonstrar muito capricho no trajar [*int.*: *Esse rapaz puxa-se demais!*] **37** *Pop.* Latejar ou inflamar [*int.*: *Esse ferimento está puxando muito!*] **38** *Pop.* Embebedar-se, embriagar-se [*int.*] **39** *Bras.* Transportar grande quantidade de [*td.*: *Essa caminhonete puxa uns quinhentos quilos facilmente.*] **40** Atrair, levar, arrastar [*td.*: *A música irresistível puxava os rapazes.*] [*tda.*: *A música trepidante puxava as moças para o salão.*] **41** Torcer-se (a madeira) em virtude calor ou de umidade; empenar [*int.*] [▶ 1 puxar] [F.: Do lat. *pulsare.* Hom./Par.: *puxa(s)* (fl.), *puxa* (a2g., s2g. e sm. [e pl.]); *puxe* (fl.), *puxe* (interj.); *puxo* (fl.), *puxo* (sm.) e *pucho* (sm.).]

puxa-saco (pu.xa-*sa*.co) *a2g.* **1** *Bras. Gír.* Ver *bajulador s2g.* **2** Ver *bajulador* [Pl.: *puxa-sacos.*]

puxa-saquismo (pu.xa-sa.*quis*.mo) *sm.* **1** *Bras. Gír.* Condição e característica de quem é puxa-saco; SABUJICE **2** Ação ou resultado de puxar saco, bajular; ADULAÇÃO [Pl.: *puxa-saquismos.*]

puxavante (pu.xa.*van*.te) *sm.* **1** O mesmo que *puxão* (puxavante de cabelos): "Não pensava no morto. E, quando, a um puxavante da consciência, tentava recordá-lo, sentia-o estranhamente afastado de si." (Rachel de Queiroz, *João Miguel*) **2** Instrumento us. para aparar os cascos dos cavalos antes de os ferrar **3** *Bras.* Peça que transmite movimento a outra, mesmo que *biela* **4** Ferramenta us. pelo calafate para retirar a estopa velha das costuras da embarcação **5** Pedal articulado com a manivela de um eixo de torno, rebolo etc. **6** *PE Pop.* Amante, concubina **7** *Lus.* Comida condimentada, servida como aperitivo para beber; SALGADINHO; TIRA-GOSTO *a2g.* **8** *Lus.* Que desperta desejo de beber, m. que *puxante*; PUXANTE [F.: *puxar* + *avante.*]

puxeta (pu.*xe*.ta) [ê] *sf. Bras. Fut.* Jogada em que o atleta chuta a bola para trás, por sobre o próprio corpo [F.: Rad. *pux-* + *-eta.*]

puxo (*pu*.xo) *sm.* **1** *Pop.* Dor no ânus, após evacuação difícil; TENESMO **2** Contração uterina, na hora do parto [F.: Dev. de *puxar.* Hom./Par.: *puxo* (sm.), *pucho* (sm.).]

PVC *Quím.* Policloreto de vinila [F.: Sigla do ing. *polyvinyl chloride.*]

q [quê] ***sm.*** **1** A décima sétima letra do alfabeto [É sempre seguida de *u*, em português.] **2** A décima terceira consoante do alfabeto **3** *Fon.* Símbolo do alfabeto fonético us. na transcrição do fonema /q/ (consoante oclusiva velar surda) **4** *Fon.* Esse fonema ou som ***num.*** **5** Us. em lugar do décimo sétimo algarismo, em uma série (fila Q) ***sm.*** **6** *Elet. Comun.* Sinal que designa o fator de qualidade de um circuito **7** *Fís.nu.* Sinal que indica a sétima camada eletrônica do átomo **8** *Mat.* Designa o conjunto dos números racionais [Com maiúsc., nesta acp.] **9** *Med. Vet.* Nome da febre que caracteriza a doença cujo agente patogênico é a riquétsia **10** *Metrol.* Símb. de *quintal*[2] **11** *Telc.* Nome do código internacional de abreviação, de três letras, us. para comunicações radiotelegráficas e radiotelefônicas [Com maiúsc., nesta acp.]

⊠ **Q.G.** *Mil.* Sigla de *quartel-general*

⊠ **Q.I.** Sigla de *quociente de inteligência*

quacre (*qua*.cre) *Rel.* ***s2g.*** Membro de seita protestante inglesa (Sociedade de Amigos), fundada no séc. XVII e com grande número de seguidores nos Estados Unidos, de costumes muito rígidos, entre os quais o de não pegar em armas, não admitir os sacramentos e não prestar juramento perante a justiça [F.: Do ing. *quaker*.]

◎ **-quad-** *Quím.* ***el. comp.*** Na nomenclatura sistemática dos elementos transférmicos, representa o número 4 constante no número atômico de um elemento: *unilquádio*

quaderna (qua.*der*.na) ***sf.*** **1** *Her.* Reunião de quatro peças semelhantes ou iguais em um escudo, via de regra dispostas simetricamente, formando uma espécie de cruz ou flor de quatro pétalas; CADERNA; LUNEL **2** *Lud.* A face de quatro pontos do dado ***sfpl.*** **3** Os quatro pontos num lance de dados **4** Lance no jogo em que dois ou mais dados marcam quatro pontos [F.: Do lat. *quaterni, ae*, 'de quatro em quatro'.]

quadernado (qua.der.*na*.do) *Bot.* ***a.*** Diz-se das folhas ou flores dispostas na haste em grupos de quatro [F.: *quaderna* + *-ado*.]

quadra (*qua*.dra) ***sf.*** **1** Espaço, interno ou ao ar livre, demarcado para a prática de certos esportes (quadra de tênis) **2** Compartimento, espaço, pedaço de terreno etc. com a forma de um quadrilátero **3** Distância entre as esquinas que delimitam um dos lados do quarteirão; QUARTEIRÃO: *A farmácia fica a três quadras daqui.* **4** *Poét.* Estrofe de quatro versos **5** *Fig.* Época, fase: "(...) Sobrevinha a quadra eleitoral (...)." (Euclides da Cunha, *Os sertões*) **6** Série ou conjunto de quatro elementos em jogo (números em bingo e víspora, números em certas loterias, cartas em jogo de cartas etc.) **7** *Bras.* Nome de várias unidades de medida de comprimento e de superfície [Algumas dessas unidades: comprimento equivalente a 60 braças (132 m); superfície equivalente a 17.424 m², quadra quadrada; medida agrária equivalente ao alqueire de 48.400 m²; medida de superfície equivalente a 50 quadras quadradas; quadra de sesmaria.] **8** *RS* Unidade de comprimento equivalente a 132 m, us. como referência para carreira de parelheiros; quadra de carreira **9** *Filat.* Grupo de quatro selos que formam um quadrado, dois a dois [F.: Do lat. *quadra*.] ▪ **~ da Lua** Uma quarta parte de mês lunar **~ de carreira** *RS* Medida de extensão us. em corrida de parelheiros [Tb. apenas *quadra* (*8*).] **~ de sesmaria** Unidade de medida de superfície equivalente a 50 quadras (7) quadradas **~ do ano** Estação do ano **~ quadrada** Ver *quadra* (7)

quadradice (qua.dra.*di*.ce) *Bras. Pop.* ***sf.*** Qualidade de quadrado (2); CARETICE; CONSERVADORISMO [F.: *quadrado* + *-ice*.]

quadrado (qua.*dra*.do) ***a.*** **1** Que tem os quatro lados iguais **2** *Pop.* Que é preso a conceitos antiquados ou convencionais (pessoa quadrada, ideias quadradas); CARETA ***sm.*** **3** *Geom.* Figura quadrada (1) com quatro ângulos retos **4** *Mat.* Resultado da multiplicação de um número por si próprio [Dim.: *quadrícula*.] [F.: Do lat. *quadratu*.] ▪ **Aos ~s** *Lus.* Quadriculado, xadrez (diz-se de padrão de tecido etc.) **~ mágico** **1** *Mat.* Matriz quadrada formada por números inteiros, de tal modo que as somas dos números de cada linha, de cada coluna e das duas diagonais são sempre as mesmas **2** *Fut.* Formação tática na qual dois atacantes e dois meias têm como referências para suas posições esquemáticas os quatro vértices de um quadrado imaginário [Termo adotado durante a preparação da seleção brasileira de futebol para a Copa do Mundo de 2006.] **~ perfeito** *Arit.* Número inteiro que é o quadrado de outro número inteiro; p.ex.: 9, 16 e 25 são quadrados perfeitos

quadrafônico (qua.dra.*fô*.ni.co) ***a.*** O mesmo que *quadrifônico* [F.: *quadr(i)-* + *fônico*.]

quadragenário (qua.dra.ge.*ná*.ri:o) ***a.*** **1** Que tem entre quarenta e 49 anos de idade ***sm.*** **2** Pessoa que tem entre quarenta e 49 anos de idade [F.: Do lat. *quadragenariu*. Sin. ger.: *quarentão*.]

quadragésima (qua.dra.*gé*.si.ma) ***a.*** **1** Período de quarenta dias **2** *Antq.* A Quaresma [F.: Do lat. *quadragesima, ae*.]

quadragesimal (qua.dra.ge.si.*mal*) ***a2g.*** Ref. ou pertencente à quadragésima ou quaresma [Pl.: *-ais*.] [F.: *quadragésima* + *-al*.]

quadragésimo (qua.dra.*gé*.si.mo) ***num.*** **1** Ordinal que, em uma sequência, corresponde ao número quarenta ***a.*** **2** Que é quarenta vezes menor do que a unidade ou um todo (diz-se de parte): *Percorreu a quadragésima parte do percurso.* ***sm.*** **3** A quadragésima parte de alguma coisa: *Já foi gasto um quadragésimo da verba.* [F.: Do lat. *quadragesimu*.]

quadrangulado (qua.dran.gu.*la*.do) ***a.*** O mesmo que *quadrangular* [F.: Do lat. *quadrangulatus, a, um*.]

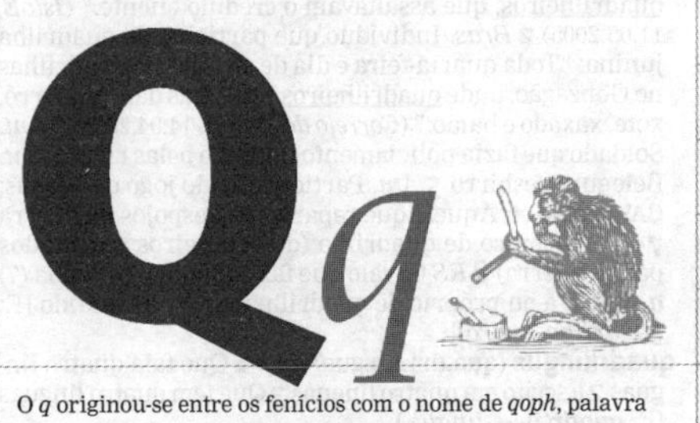

O *q* originou-se entre os fenícios com o nome de *qoph*, palavra que significava macaco. Seu equivalente grego era o caractere denominado *kappa*, que, por coincidência, representava praticamente o mesmo som que o *capa*, outra letra grega. Aos poucos, o *kappa* foi caindo em desuso, só voltando ao alfabeto com os etruscos e os romanos, que o utilizavam apenas quando seguido de letra *u*.

ϙ	Fenício
ϙ	Grego
ϙ	Grego
ϙ	Etrusco
ϙ	Romano
Q	Romano
q	Minúscula carolina
Q	Maiúscula moderna
q	Minúscula moderna

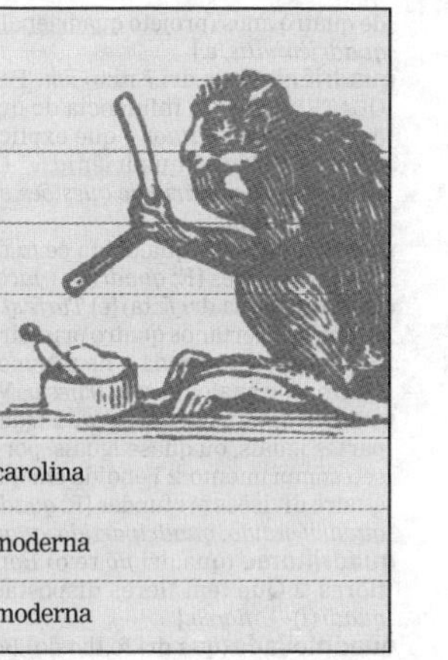

quadrangular (qua.dran.gu.*lar*) ***a2g.*** **1** *Geom.* Que possui quatro ângulos; cuja base tem quatro ângulos (prisma quadrangular) **2** Que tem quatro cantos ou quinas ***sm.*** **3** *Esp.* Torneio ou etapa disputada por quatro equipes: *A derrota tirou o time da liderança do quadrangular final.* [F.: Do lat. *quadrangulare*.]

quadrângulo (qua.*drân*.gu.lo) ***sm.*** **1** *Geom.* Figura com quatro ângulos; QUADRILÁTERO **2** Objeto ou figura com formato quadrangular [F.: Do lat. *quadrangulu*.]

quadrantal (qua.dran.*tal*) ***a2g.*** **1** Quadrado nas quatro faces; CÚBICO **2** *Ant. Mil.* Diz-se de fortificação cuja defesa era proporcional à quarta parte do alcance do canhão **3** *Ant.* Entre os antigos romanos, medida para líquidos equivalente a uma ânfora (cerca de 25 litros) [F.: Do lat. *quadrantalis, e*.]

quadrante (qua.*dran*.te) ***sm.*** **1** *Geom.* A quarta parte de uma circunferência, o arco de 90° **2** *Geom.* Quarta parte da esfera **3** Região do globo terrestre **4** Mostrador de relógio **5** Ver *relógio de sol* no verbete *relógio*. **6** Ramo de atividade **7** *Ant. Náut.* Instrumento de navegação similar ao sextante, mas cujo setor abrange apenas um quarto de círculo [F.: Do lat. *quadrante*.] ▪ **~ solar** Designação de vários instrumentos que indicam a hora segundo o deslocamento aparente do Sol no céu e com base na alteração da posição da sombra

quadrão (qua.*drão*) *N.E. Liter. Mús.* ***sm.*** Oitava de poesia popular, cantada, cujos versos rimam segundo o seguinte esquema aaabcccb [F.: *quadra* + *-ão*[1].]

quadrar (qua.*drar*) ***v.*** **1** Dar a forma quadrada a [***td.***: *Quadrar uma janela.*] **2** *Mat.* Elevar (um número) ao quadrado, multiplicá-lo por ele mesmo [***td.***] **3** *Bras.* Dar postura distendida ao tórax, aos ombros, perfilar(-se) [***td.***] **4** Satisfazer, convir [***ti.*** + ***a.***: *Essa atitude não quadra a seu modo de ser.*] [***int.***: *Sua sugestão não quadrou.*] **5** Condizer, estar em conformidade com [***tr.*** + ***com***: *Sua elasticidade quadra com as artes do trapézio.*] **6** *Taur.* Colocar-se (o bandarilheiro) na frente do touro para lhe pôr as bandarilhas [***int.***] **7** Delimitar uma área de terreno [***td.***] **8** Harmonizar, combinar com [***tr.*** + ***com***: *A nova cor não quadra com o cenário.*] **9** Cortar (cortiça) em pedaços quadrados para fazer rolhas, boias etc. [***td.***] **10** *Hip.* Fazer estacar o cavalo para lhe distribuir corretamente o apoio entre as quatro patas [***td.***] [▶ **1** **quadrar**] [F.: Do lat. *quadrare*. Hom./Par.: *quadra*(s) (fl.), *quadra* (sf. e pl.); *quadro* (fl.), *quadro* (sm.); *quadráveis* (pl. de *quadrável* [a2g.]).]

◎ **quadrat(i)-** ***el. comp.*** = 'quadrado': *quadratiforme, quadrático, quadratífero* [F.: Do lat. *quadratus, a, um*.]

quadrática (qua.*drá*.ti.ca) *Geom.* ***sf.*** Curva gerada pela interseção de um plano com um cone circular; CURVA QUADRÁTICA; SEÇÃO CÔNICA [F.: f. substv. de *quadrático*.]

quadrático (qua.*drá*.ti.co) ***a.*** **1** Ref. a quadrado ou que é quadrado **2** *Mat.* Diz-se de valor elevado ao quadrado **3** *Crist.* O mesmo que *tetragonal* [F.: *quadrat(i)-* + *ico*[2].]

quadratífero (qua.dra.*tí*.fe.ro) ***a.*** Cujas faces são quadradas ou que tem quadrados [F.: *quadrat(i)-* + *-fero*.]

quadratim (qua.dra.*tim*) *Tip.* ***sm.*** **1** Medida tipográfica que corresponde a um quadrado de largura igual à altura em pontos de uma fonte, e que serve de base para outras medidas relativas (quadrado, meio-quadratim etc.) [Tradicionalmente, esta medida correspondia à largura do maior tipo de uma fonte, o M maiúsculo.] **2** Quadrado de metal que serve para deixar espaço em branco no papel em que se imprime, ou para abrir parágrafos ou determinar medidas [Pl.: *-tins*.] [F.: Do it. *quadratino*. Ver tb. *quadrado* e *meio-quadratim*.]

quadratriz (qua.dra.*triz*) *Geom.* ***sf.*** Curva que serve para resolver o problema da trissecção do ângulo e o da quadratura aproximada do círculo [Pl.: *-trizes*.] [F.: Do lat. cient. *quadratrix, icis*, fem. do lat. *quadrator, oris*.]

quadratura (qua.dra.*tu*.ra) ***sf.*** **1** *Geom.* Cálculo, a partir de uma figura geométrica, de um quadrado (3) cuja área seja igual à dessa figura **2** *Astron.* Quarto crescente (primeira quadratura) ou minguante (segunda quadratura) **3** *Astrol.* Posição de dois astros em relação à Terra quando as suas direções formam um ângulo reto **4** *Mús.* Processo de organização de uma melodia, por meio de um número par de frases, todas com a mesma extensão [F.: Do lat. *quadratura*.] ▪ **~ do círculo** **1** *Geom.* Método ou processo de calcular a área de um círculo, mediante a obtenção de um quadrado de área equivalente **2** *Fig.* Problema cuja solução é impossível; tarefa inexequível **Primeira ~** *Astron.* V. *Quarto crescente* **Segunda ~** *Astron.* V. *Quarto minguante*

quadrela (qua.*dre*.la) ***sf.*** **1** *Arq.* Extensão ou porção de fachada, parede, muro etc., ger. contida entre pilastras, cantos etc.; LANÇO **2** *Ant.* Pequeno campo cultivado; BELGA; COURELA **3** *Ant. Pej.* Quadrilha de bandidos [F.: *quadra* ou *quadro* + *-ela*.]

◎ **quadr(i)-** ***el. comp.*** = 'quatro': *quadriciclo, quadricípite, quadricromia, quadrículo, quadricúspide, quadridimensional, quadriênio* (< lat.), *quadrifacetado, quadrifólio, quadriga* (< lat.), *quadrilátero* (< lat.), *quadrilíngue, quadrimotor* [F.: Do lat. *quadri-*, do lat. *quattuor*, 'quatro'. F. conexa: *quadru-*.]

quádrica (*quá*.dri.ca) *Geom.* ***sf.*** Superfície representada em coordenadas cartesianas por uma equação do segundo grau [F.: *quadr(i)-* + *-ica*.]

quadricentenário (qua.dri.cen.te.*ná*.ri:o) ***a.*** **1** Que completou quatrocentos anos ***sm.*** **2** Data em que se completa essa idade **3** Comemoração desse aniversário [F.: *quadr(i)-* + *centenário*.]

quadríceps (qua.*drí*.ceps) *Anat.* ***a2g2n. sm2n.*** O mesmo que *quadricípite* [F.: *quadr(i)-* + **-ceps*, por analogia com *bíceps*.]

quadriciclo (qua.dri.*ci*.clo) ***sm.*** **1** Veículo de quatro rodas, leve e de pequenas dimensões, com propulsão por pedais ou pequeno motor **2** Trole de linha férrea [F.: *quadr(i)-* + *-ciclo*.]

quadricipital (qua.dri.ci.pi.*tal*) ***a.*** Ref. ou pertencente ao quadricípite ou quadríceps [F.: *quadricípite* + *-al*.]

quadricípite (qua.dri.*cí*.pi.te) *Anat.* ***sm.*** **1** Músculo da parte anterior da coxa que, acima, se divide em quatro partes que se unem abaixo por um tendão comum **2** Ref. ou pertencente a esse músculo [F.: Do lat. *quadriceps, cipitis* 'de quatro cabeças'. Sin. ger.: *quadríceps*.]

quadricromia (qua.dri.cro.*mi*.a) *Art.gr.* ***sf.*** **1** Técnica de impressão em quatro cores; TETRACROMIA **2** Cor resultante dessa técnica de impressão **3** Estampa impressa por essa técnica [F.: *quadr(i)-* + *-cromia*.]

quadrícula (qua.*drí*.cu.la) ***sf.*** **1** Quadrado pequeno; QUADRÍCULO **2** Quadra pequena [F.: *quadr(i)-* + *-cula*.]

quadriculação (qua.dri.cu.la.*ção*) ***sf.*** **1** *Des.* Técnica de cópia, ampliada ou reduzida, que consiste em traçar linhas verticais e horizontais, formando quadros, sobre a imagem a ser copiada e sobre uma superfície em que se copiará o desenho, proporcionalmente, quadro a quadro **2** Ação ou resultado de quadricular **3** *Inf. Fot. Telv.* Conjunto de *pixels* que compõem a imagem [Pl.: *-ções*.] [F.: *quadricular* + *-ção*.]

quadriculado (qua.dri.cu.*la*.do) ***a.*** Dividido em ou que apresenta pequenos quadrados (tecido quadriculado); QUADRICULAR [F.: Part. de *quadricular*.]

quadricular[1] (qua.dri.cu.*lar*) ***a2g.*** O mesmo que *quadriculado* [F.: *quadrícula* + *-ar*.]

quadricular[2] (qua.dri.cu.*lar*) ***v. td.*** Dividir em pequenos quadrados: *quadricular um papel, um tecido* [▶ **1** **quadricular**] [F.: *quadrícula* + *-ar*[2]. Hom./Par.: *quadrícula* (fl.), *quadrícula* (sf.); *quadrículas* (fl.), *quadrículas* (pl.); *quadrículo* (fl.), *quadrículo* (sm.).]

quadricular[3] (qua.dri.cu.*lar*) ***v. td.*** **1** Dividir em quadrículas **2** Dar formato de quadrícula a [▶ **1** **quadricular**] [F.: *quadrícula* + *-ar*[1].]

quadrículo (qua.*drí*.cu.lo) ***sm.*** **1** Pequeno quadrado ou retângulo; QUADRÍCULA **2** Pequeno quarto [F.: *quadra* + *-i-* + *-culo*.]

quadricúspide (qua.dri.*cús*.pi.de) ***a2g.*** Que termina em quatro pontas agudas [F.: *quadr(i)-* + *-cúspide*.]

quadridimensional (qua.dri.di.men.si:o.*nal*) ***a2g.*** **1** Ref. às quatro dimensões: comprimento, altura, largura e tempo **2** Que tem as quatro dimensões [Pl.: *-nais*.] [F.: *quadr(i)-* + *dimensional*.]

quadrienal (qua.dri:e.*nal*) ***a2g.*** **1** Que ocorre ou é feito a cada quatro anos: *A Copa do Mundo de futebol é uma competição quadrienal.* **2** Que se realiza em um período de quatro anos (projeto quadrienal) [Pl.: *-nais.*] [F.: Do lat. *quadriennalis, e.*]

quadriênio (qua.dri.*ê*.ni:o) *sm.* Período de quatro anos; QUATRIÊNIO: "... Influência de quatríduo... e de outros derivados de *quatuor* é que explica a forma quatriênio; o certo porém é quadriênio..." (Napoleão Mendes de Almeida, *Dicionário de questões vernáculas*) [F.: Do lat. *quadriennium, ii.*]

quadrifacetado (qua.dri.fa.ce.*ta*.do) *a.* Que tem quatro facetas ou faces [F.: *quadr(i)-* + *faceta* + *-ado*[1].]

quadrifeta (qua.dri.*fe*.ta) [ê] *Turfe sf.* Tipo de aposta em que se tem de acertar os quatro primeiros cavalos vencedores, na ordem de chegada e no mesmo páreo [F.: *quadr(i)-* + **-fecta*, por analogia com *trifecta*. Ver tb.: *trifecta.*]

quadrífido (qua.*drí*.fi.do) *a.* **1** Que é dividido em quatro partes iguais, ou quase iguais, por divisões até o meio de seu comprimento **2** Fendido em quatro partes **3** Que tem quatro divisões profundas [F.: *quadrifidus, a, um*. Sin.ger.: *quadrifendido, quadripartido, quadripartite.*]

quadriflóreo (qua.dri.*fló*.re:o) *Bot. a.* **1** Que tem quatro flores **2** Que tem flores dispostas quatro a quatro [F.: *quadr(i)-* + *-flóreo.*]

quadrifoliado (qua.dri.fo.li.*a*.do) *Bot. a.* **1** Que tem quatro folhas; QUADRIFÓLIO **2** Que tem folhas dispostas em grupos de quatro; QUADRIFÓLIO **3** Que tem quatro folíolos [F.: *quadr(i)-* + *foliado.*]

quadrifólio (qua.dri.*fó*.li:o) *Bot. a.* **1** Diz-se do vegetal com quatro folhas, ou que apresenta as folhas dispostas em grupo de quatro *sm.* **2** *Bot.* Planta arbustiva da fam. das leguminosas, subfam. papilionoídea (*Zornia tenuifolia*), cujas folhas têm quatro folíolos, usada como forragem [F.: *quadr(i)-* + *-fólio.*]

quadrifônico (qua.dri.*fô*.ni.co) *Acús. a.* Ref. à ou que é feito a partir de gravação ou reprodução sonora em quatro canais de áudio (som quadrifônico, gravação quadrifônica) [F.: *quadr(i)-* + *fônico.*]

quadrifurcado (qua.dri.fur.*ca*.do) *a.* Que possui quatro ramos [F.: *quadr(i)-* + *furca* + *-ado*[1].]

quadriga (qua.*dri*.ga) *sf.* **1** Antigo carro de duas rodas, puxado por quatro cavalos **2** Conjunto de quatro cavalos atrelados para puxar um carro [F.: Do lat. *quadriga, arum*, 'reunião ou conjunto de quatro coisas'; 'carro puxado por quatro cavalos'.]

quadrigário (qua.dri.*gá*.ri:o) *sm.* Condutor de quadriga [F.: Do lat. *quadrigarius, ii.*]

quadrigêmeo (qua.dri.*gê*.me:o) *a.* **1** *Biol.* Ref. a cada um dos quatro irmãos nascidos do mesmo parto **2** *Anat.* Ref. a cada uma das quatro saliências arredondadas situadas no cérebro (tubérculos quadrigêmeos) *sm.* **3** Cada um dos quatro irmãos nascidos do mesmo parto; QUÁDRUPLO [F.: Do lat. *quadrigeminus.*]

quadrijato (qua.dri.*ja*.to) *Aer. sm.* **1** Aeronave com quatro reatores, de longo alcance operacional e grande capacidade de carga (p.ex.: *Airbus A340*) *a.* **2** Diz-se desse tipo de aeronave: *O Boeing 707 foi um dos primeiros aviões quadrijatos comerciais.* [F.: *quadr(i)-* + *jato*. Sin. ger.: *quadrirreator* (*Prefer.* mas *P.us.*).]

quadrijugado (qua.dri.ju.*ga*.do) *Bot. a.* Que tem quatro pares de folíolos opostos [F.: *quadr(i)-* + lat. *jugatus* 'ligado', segundo o modelo vernáculo.]

quadríjugo (qua.*drí*.ju.go) *Poét. a.* **1** Puxado por quatro cavalos emparelhados ou por dois tiros de bestas **2** *Bot.* O mesmo que *quadrijugado* [F.: Do lat. *quadrijugus, a, um.*]

quadril (qua.*dril*) *sm. Anat.* Região lateral do corpo humano, que vai da cintura até a parte superior da coxa: "...velhíssima de cinquenta anos, quadris enormes, peito mirrado..." (Antônio Carlos Vilaça, *O nariz do morto*) [Pl.: *-dris.*] [F.: De or. obsc.]

quadrilateral (qua.dri.la.te.*ral*) *a2g.* **1** Que tem quatro lados; QUADRILÁTERO **2** Ref. a quadrilátero [Pl.: *-rais.*] [F.: *quadrilátero* + *-al*[1].]

quadrilátero (qua.dri.*lá*.te.ro) *a.* **1** De quatro lados *sm.* **2** *Geom.* Polígono quadrilátero (1) **3** *Mil.* Posição estratégica que se apoia em quatro pontos fortificados **4** *Pop. Fut.* O campo de futebol [F.: Do lat. *quadrilaterus, a, um.*] ■ **~ completo** *Geom.* Figura geométrica constituída de quatro retas que se cortam duas a duas, num total de seis pontos de interseção, formando um quadrilátero **~ regular** *Geom.* O que tem quatro lados e quatro ângulos iguais; quadrado

quadrilha (qua.*dri*.lha) *sf.* **1** Bando de ladrões ou assaltantes **2** *Dnç.* Dança executada por vários pares, muito comum nas festas juninas **3** *Ant. Dnç.* Dança palaciana do séc. XIX, que abria os bailes da corte: "... A quadrilha não só se popularizou, como dela apareceram várias derivadas no interior..." (Câmara Cascudo, *Dicionário do folclore*) **4** *Mús.* A música tocada nesse tipo de dança **5** *Náut.* Pequena frota de navios; FLOTILHA **6** Grupo de cavalos amadrinhados, mansos e de pelagem diferente **7** *Ant.* Turma de quatro ou mais cavaleiros aprestados para o jogo das canas **8** *Ant.* Número limitado de cavaleiros aprestados para a guerra [F.: Do espn. *cuadrilla.*] ■ **~ caipira** *SP Dnç.* Certo tipo de quadrilha (2) típica do interior **~ de cães** Matilha (1) de cães de caça

quadrilheiro (qua.dri.*lhei*.ro) *sm.* **1** Aquele que faz parte de uma quadrilha de bandidos: "Em Minas, um quadrilheiro desempenado, João Brandão, destroçava escoltas e embrenhava-se no alto sertão do S. Francisco, tangendo cargueiros ajoujados de espingardas." (Euclides da Cunha, *Os sertões*): "Ela passava então as informações para os seus quadrilheiros, que assaltavam o crédulo cliente." (*IstoÉ*, 11.05.2005) **2** *Bras.* Indivíduo que participa de quadrilha junina: "Toda quarta-feira é dia de ensaios de quadrilhas no Gonzagão, onde quadrilheiros e turistas dançam forró, xote, xaxado e baião." (*Correio da Bahia*, 14.04.2004) **3** *Ant.* Soldado que fazia policiamento noturno pelas ruas **4** *Ant.* Beleguim, esbirro **5** *Ant.* Participante do jogo das canas; CAVALEIRO **6** Aquele que repartia os despojos da guerra **7** *Ant.* Membro de quadrilha (de guerreiros aprestados para a guerra) **8** *RS* Cavalo que faz parte de quadrilha (7) *a.* **9** Ref. a ou próprio de quadrilheiro (1) ou bandido [F.: *quadrilha* + *-eiro.*]

quadrilíngue (qua.dri.*lín*.gue) *a2g.* **1** Que fala quatro línguas **2** Escrito em quatro línguas **3** Que tem quatro línguas [F.: *quadr(i)-* + *-língue.*]

quadrilogia (qua.dri.lo.*gi*.a) *sf.* **1** Conjunto de quatro obras literárias, teatrais, cinematográficas etc. relacionadas entre si pela temática ou enredo **2** Conjunto de quatro elementos (seres, objetos etc.) de igual natureza [F.: *quadr(i)-* + *-logia*. Cf.: *tetralogia.*]

quadrímano (qua.*drí*.ma.no) *a. sm.* O mesmo que *quadrúmano* [F.: Do lat. *quadrimanus, a, um.*]

quadrimestral (qua.dri.mes.*tral*) *a2g.* **1** Ref. a quadrimestre **2** Que aparece, ocorre ou se faz de quatro em quatro meses; QUADRIMENSAL **3** Que dura quatro meses; QUADRIMESTRE [Pl.: *-trais.*] [F.: *quadrimestre* + *-al*[1].]

quadrimestralidade (qua.dri.mes.tra.li.*da*.de) *sf.* Qualidade de quadrimestral [F.: *quadrimestral* + *-(i)dade.*]

quadrimestre (qua.dri.*mes*.tre) *sm.* Espaço de quatro meses [F.: Do lat. *quadrimestris, e.*]

quadrimotor (qua.dri.mo.*tor*) [ô] *sm.* **1** Avião aparelhado com quatro motores *a.* **2** Que tem quatro motores [F.: *quadr(i)-* + *motor.*]

quadringentésimo (qua.drin.gen.*té*.si.mo) *num.* **1** Ordinal que, em uma sequência, corresponde ao número quatrocentos: *o quadrigentésimo aniversário do jornal.* *a.* **2** Que é quatrocentas vezes menor que a unidade ou um todo (diz-se de parte): *a quadringentésima parte do terreno.* [Us. tb. como subst.: *um quadringentésimo do terreno.*] [F.: Do lat. *quadringentesimus.*]

quadrinha (qua.*dri*.nha) *sf.* **1** Pequena quadra **2** *Liter.* Quadra com estrofes de sete sílabas, muito comum na poesia popular **3** Trova, quadra [F.: *quadra* + *-inha.*]

quadrinho (qua.*dri*.nho) *sm.* **1** Cada uma das unidades gráficas que compõem uma história em quadrinhos **2** Quadro pequeno [F.: *quadro* + *-inho.*]

quadrinhos (qua.*dri*.nhos) *Bras. smpl.* **1** O mesmo que *história em quadrinhos* ***smpl.*** **2** Revista em quadrinhos [F.: *quadro* + *-inho* + *s.*]

quadrinista (qua.dri.*nis*.ta) *Bras. s2g.* Autor de histórias em quadrinhos; QUADRINHISTA [F.: *quadrin(ho)* + *-ista.*]

quadrinístico (qua.dri.*nís*.ti.co) *a.* Ref. a quadrinhos ou a quadrinista; QUADRINHÍSTICO: *O universo quadrinístico é muito diversificado.* [F.: *quadrinista* + *-ico*[2].]

quadrinização (qua.dri.ni.za.*ção*) *Bras. sf.* Ação ou resultado de quadrinizar [Pl.: *-ções.*] [F.: *quadrinizar* + *-ção.*]

quadrinizado (qua.dri.ni.*za*.do) *Bras. a.* Que se quadrinizou; narrado em quadrinhos: *Há uma versão quadrinizada de D. Quixote.* [F.: Part. de *quadrinizar.*]

quadrinizar (qua.dri.ni.*zar*) *Bras. v. td.* Pôr (um relato) no formato de história em quadrinhos: *Quadrinizar a vida de D. Pedro II.* [▶ **1** quadrinizar] [F.: *quadrinho* + *-izar*, com despalatalização.]

quadrinômio (qua.dri.*nô*.mi:o) *Mat. sm.* Expressão algébrica composta de quatro termos [F.: *quadr(i)-* + *-nômio.*]

quadrioctogonal (qua.dri.oc.to.go.*nal*) *a2g.* Diz-se do prisma octogonal com vértices tetraédricos [Pl.: *-nais.*] [F.: *quadr(i)-* + *octogonal.*]

quadripartito (qua.dri.par.*ti*.to) *a.* Dividido em quatro partes (negociações quadripartites); QUADRÍFIDO [F.: Do lat. *quadripartitus, a, um.*]

quadripétalo (qua.dri.*pé*.ta.lo) *Bot. a.* Que tem quatro pétalas; TETRAPÉTALO [F.: *quadr(i)-* + *-pétalo.*]

quadriplegia (qua.dri.ple.*gi*.a) *Neur. sf.* O mesmo que *tetraplegia* [F.: *quadr(i)-* + *-plegia.*]

quadriplégico (qua.dri.*plé*.gi.co) *a.sm. Neur.* O mesmo que *tetraplégico* [F.: *quadriplegia* + *-ico*[2].]

quadripotencial (qua.dri.po.ten.ci.*al*) *Fís. sm.* Em relação a um referencial inercial, quadrivetor com um componente temporal de potencial escalar, e três componentes espaciais de um potencial vetor [Pl.: *-ais.*] [F.: *quadr(i)-* + *potencial.*]

quadrirreme (qua.drir.*re*.me) *Ant. Náut. sf.* **1** Nau ou galera com quatro ordens de remo (ou com quatro remadores em cada remo) **2** Embarcação com quatro remos *a2g.* **3** Diz-se dessas embarcações [F.: Do lat. *quadriremis, is.*]

quadrissecular (qua.dris.se.cu.*lar*) *a2g.* Que tem quatro séculos; que durou quatro séculos [F.: *quadr(i)-* + *secular.*]

quadrissemana (qua.dris.se.*ma*.na) *sf.* **1** Período de quatro semanas **2** *Econ. Est.* Cada uma de quatro semanas que não necessariamente coincidem com um mês completo, consideradas para cálculo de índices econômicos: *Inflação em baixa na segunda quadrissemana do ano.* [F.: *quadr(i)-* + *semana.*]

quadrissemanal (qua.dris.se.ma.*nal*) *a2g.* Ref. a quadrissemana, ou que transcorre nesse período [Pl.: *-nais.*] [F.: *quadrissemana* + *-al*[1].]

quadrissilábico (qua.dris.si.*lá*.bi.co) *a.* Que tem quatro sílabas; QUADRISSÍLABO; TETRASSILÁBICO; TETRASSÍLABO [F.: *quadr(i)-* + *silábico.*]

quadrissílabo (qua.dris.*sí*.la.bo) *sm.* **1** Palavra de quatro sílabas *a.* **2** Diz-se da palavra que possui quatro sílabas; QUADRISSILÁBICO [F.: *quadr(i)-* + *-silabo.*]

quadrivalve (qua.dri.*val*.ve) *Bot. Zool. a2g.* Que tem quatro valvas [F.: *quadr(i)-* + *-valve.*]

quadrivector (qua.dri.vec.*tor*) [ô] *sm.* Ver *quadrivetor*

quadrivetor (qua.dri.ve.*tor*) [ô] *Fís. sm.* Conjunto composto de quatro quantidades associadas ao referencial inercial, que se alteram conforme a transformação de Lorentz quando esse referencial se modifica [F.: *quadr(i)-* + *vetor*. Tb. *quadrivector.*] ■ **~ dos momenta** *Fís.* Aquele cujos quatro componentes são: a energia do sistema e as três componentes espaciais que constituem as ordenadas do contínuo espaço-tempo **~ posição** Aquele no qual um dos quatros componentes é o tempo, e os outros três são os componentes do vetor de posição

quadrívio (qua.*drí*.vi:o) *sm.* **1** Lugar onde dois caminhos ou ruas se cruzam ou quatro terminam; ENCRUZILHADA **2** *Ant.* O mesmo que *quadrivium* [F.: Do lat. *quadrivium, ii*, 'encruzilhada', por via semierudita.]

⊕ **quadrivium** (*Lat.* /*quadrívium*/) *sm.* Na Idade Média, nome pelo qual a filosofia escolástica designava o conjunto das quatro artes liberais baseadas na matemática: aritmética, geometria, música e astronomia que, juntamente com o *trivium*, perfaziam as sete artes liberais ensinadas nas universidades [Pl.: *quadrivia (lat.).*] [F.: Do lat. *quadrivium, ii*. Ver tb.: *trivium.*]

quadro (*qua*.dro) *sm.* **1** *Art.gr.* Cercadura gráfica ger. quadrilátera, em forma de traço simples ou múltiplo ou ornamental, que envolve desenho, texto, anúncio etc.; a área (e seu conteúdo) limitada por ela: *O relatório incluía muitos quadros explicativos.* [Nesta acp. o mesmo que *boxe.*] **2** *Art. pl.* Pintura feita em superfície plana de material vário (tela, madeira, papel etc.), ger. cercada por moldura: "...Trocaste apenas quadros seculares pelas cores de novas aquarelas..." (Carlos Pena Filho, "Soneto para certa moça ou História da poesia brasileira" *in Livro geral*) **3** Peça de madeira, cortiça, metal etc., ger. quadrilátera, presa em paredes ou muros, e em que se afixam avisos, recados etc. (quadro de avisos) **4** Painel de controle de uma instalação (quadro de força) **5** Quadro-negro, quadro de giz: "... como um aluno que não estudou a lição e quer escapar de ser chamado ao quadro..." (José Saramago, *Todos os nomes*) **6** *Fig.* Situação, panorama: *Preocupa-o o atual quadro da empresa.* **7** *Fig.* Exposição, relato, resenha descritiva: *Traçou um quadro fiel da posição do partido ante os escândalos.* **8** *Fig.* Conjunto de carreiras e/ou de cargos isolados da administração pública **9** *Fig.* Membro de diretoria, técnico ou alto funcionário de empresa: *Faltam quadros especializados em ecologia.* **10** *Fig.* Conjunto de funcionários de corporação, repartição, empresa, ou de participantes de uma equipe **11** *Fig.* Conjunto de membros de um clube, associação etc. (quadro social) **12** Armação estrutural de bicicleta ou motocicleta **13** *Cin. Telv.* Cada cena de um espetáculo, programa etc. **14** *Fot.* Cada cena unitária gravada em película cinematográfica [Nesta acp. o mesmo que *fotograma.*] **15** *Cin. Telv. Fot.* Área enquadrada pela objetiva de uma câmara; CAMPO; PLANO **16** *Bras. Esp.* Conjunto de atletas que disputam competições pelo mesmo clube **17** Nas colmeias, armação de madeira em que ficam as lâminas de cera **18** *Med.* Conjunto de sinais e sintomas de uma doença: *O paciente apresenta um grave quadro depressivo.* **19** *Mil.* Grupo de oficiais que dão treinamento militar **20** *PE* O mesmo que *cortiço* *a.* **21** *P.us.* O mesmo que *quadrado* [F.: Do lat. *quadrum, i*. Ideia de 'quadro', usar pref. *pinaco-.*] ■ **~ clínico** *Med.* Conjunto dos sintomas que caracterizam o estado de uma pessoa (aí incluídos os sintomas observados pelo médico e os relatados pelo paciente) **~ de gênero** *Art.pl.* Pintura que retrata algum aspecto ou assunto do cotidiano (por oposição aos que representam cenas históricas, mitológicas etc.) **~ magnético** Tipo de quadro (3) com superfície metálica, o que permite nele fixar elementos imantados (como etiquetas adesivas especiais) ou ímãs como fixadores de recados, avisos, recortes etc. **~ sinóptico** Apresentação organizada de informações de forma resumida e em formato de tabela, de modo que se perceba o todo através das referências e das interligações entre elas **~ vivo** **1** Representação de uma cena (momento histórico, composição simbólica, cena de obra literária ou artística etc.) com os personagens imóveis, vestidos a caráter, tendo ao fundo um cenário, assim simulando um quadro **2** Cena real que, por sua plasticidade (cores, harmonia etc.) lembra uma obra artística: "....o rio Coreaú [no Ceará], onde as canoas ficam ancoradas e formam um quadro vivo com cores e balanço nas águas que sobem e descem no vaivém da maré." (*Diário do Nordeste*, 2001) **3** *Fig.* Cena (real ou criada pela imaginação) muito expressiva ou impressiva, e que evoca forte e vividamente uma ideia, um sentimento etc.: *O conto traz um quadro vivo da solidão.*

quadro a quadro (qua.dro a *qua*.dro) *Cin. a2n.* **1** Diz-se de técnica de animação que consiste em fotografar, quadro a quadro, cada posição da sequência de movimentos dos elementos da cena (criação/vídeo quadro a quadro) *sm2n.* **2** Essa técnica **3** *Cin.* Filme curto, ger. trailer, feito com quadros isolados das principais cenas de um filme: *Fizeram um quadro a quadro do trailer com 145 fotos.*

quadro de feltro (qua.dro de *fel*.tro) *sm.* Quadro forrado de feltro ou flanela de cor neutra, us. como recurso didático para apresentar textos ou ilustrações que se aderem ao tecido; FLANELÓGRAFO [Pl.: *quadros de feltro.*]

quadro de giz (qua.dro de *giz*) *sm.* O mesmo que *quadro-negro* [Pl.: *quadros de giz.*]

quadro-negro (qua.dro-*ne*.gro) *sm.* Peça plana retangular ou quadrada instalada em sala de aula, de fundo negro, verde ou branco, em que o professor ou o aluno escrevem, fazem cálculos etc.; LOUSA; QUADRO DE GIZ [Pl.: *quadros-negros.*]

◎ **quadru-** *el. comp.* = 'quatro': *quadrúmano* (< lat.), *quadrúpede* (< lat.), *quadruplicar, quadrupolo* [F.: Do lat. *quadru-*, do lat. *quattuor*, 'quatro'. F. conexa: *quadr(i)-*.]

quadrúmano (qua.*drú*.ma.no) *a.* **1** Que tem quatro mãos (diz-se de animal) **2** Ref. ou pertencente aos quadrúmanos *sm.* **3** Animal que possui quatro mãos **4** *P.us. Zool.* O mesmo que *símio* [F.: Do lat. *quadrumanus, a, um.*]

quadrupedar (qua.dru.pe.*dar*) *v. int.* **1** Bater os cascos no chão (a cavalgadura) ao marchar **2** Fazer barulho como os quadrúpedes, ao andar: *Entrou na sala violentamente, quadrupedando.* **3** Apoiar-se com os pés e as mãos no chão simultaneamente: "E conseguiu quadrupedar-se, depois verticalizou-se, disposto a prosseguir pelo espaço o seu peso corporal." (Guimarães Rosa, "Nós, os tremulentos" *in Tutameia*) [▶ 1 quadrupedar] [F.: *quadrúpede* + *-ar*². Hom./Par.: *quadrupedais* (fl.), *quadrupedais* (pl. de *quadrupedal* [a2g.]); *quadrupede*(s) (fl.), *quadrúpedes* (pl. do a2g.).]

quadrúpede (qua.*drú*.pe.de) *sm.* **1** Mamífero que possui quatro patas e se desloca sobre os quatros membros *s2g.* **2** *Pej.* Pessoa estúpida, mal-educada *a2g.* **3** Diz-se de mamífero com quatro patas [F.: Do lat. *quadrupes, edis.*]

quadruplicação (qua.dru.pli.ca.*ção*) *sf.* Ação ou resultado de quadruplicar, de multiplicar por quatro, de tornar quatro vezes maior [Pl.: *-ções.*] [F.: Do lat. *quadruplicatio, onis.*]

quadruplicado (qua.dru.pli.*ca*.do) *a.* Multiplicado por quatro [F.: Part. de *quadruplicar.*]

quadruplicar (qua.dru.pli.*car*) *v.* **1** Tornar(-se) quatro vezes maior [*td.*: *Depois de formado, conseguiu quadruplicar a sua renda.*] [*int.*: *Sua coleção de selos quadruplicou.*] **2** Fazer crescer ou crescer imensamente [*td.*: *Seu desrespeito quadruplicou a minha raiva.*] [*int.*: *Seu amor quadruplicou, ao vê-lo agir de modo tão nobre.*] [▶ 11 quadruplicar] [F.: Do v.lat. *quadruplicare.* Hom./Par.: *quadruplicáveis* (fl.), *quadruplicáveis* (pl. de *quadruplicável* [a2g.]).]

quádruplo (*quá*.dru.plo) *num.* **1** Que é quatro vezes a quantidade ou o tamanho de um *a.* **2** Que tem quatro partes ou elementos (telão quádruplo) **3** Que é para ou de quatro pessoas (homicídio quádruplo) *sm.* **4** Quantidade ou tamanho quatro vezes maior: *O número de candidatos era o quádruplo do número de vagas.* [F.: Do lat. *quadruplus.*]

quádruplos (*quá*.dru.plos) *smpl.* Gêmeos em número de quatro; QUADRIGÊMEOS [F.: Pl. de *quádruplo.*]

quadrupolo (qua.dru.*po*.lo) *Elet. sm.* Sistema neutro composto de quatro cargas elétricas pontuais, duas positivas e duas negativas, dispostas alternadamente nos vértices de um quadro [F.: *quadru-* + *-polo.*]

quaga (*qua*.ga) *Zool. sf.* Equídeo perissodáctilo extinto (*Equus quagga*), de cabeça e pescoço listrados, que vivia na África do Sul, em grandes manadas, e que foi dizimado pela caça. O último espécime morreu em cativeiro, num zoológico de Amsterdã, em 1883 [F.: Do taxônimo (*Equus*) *quagga.*]

quaiquica (quai.*qui*.ca) *Zool. sf.* **1** Designação comum a diversas espécies de marsupiais brasileiros da fam. dos didelfiídeos, do gên. *Marmosa, Metachirus* e *Peramys*, alguns deles desprovidos de bolsa marsupial e distintos dos ratos por terem mais de 12 dentes incisivos; CUÍCA; JUPATI **2** marsupial da fam. dos didelfiídeos (*Philander opossum*), que ocorre desde o México até a Argentina, com corpo de cerca de 30cm de comprimento, cauda longa e peluda apenas na base, dorso cinza-escuro, partes inferiores e manchas sobre os olhos amarelo-claras [F.: or. incerta.]

quaisquer (quais.*quer*) *pr.indef.* Plural de *qualquer*: *Estou pronto a aceitar a tarefa, quaisquer que sejam as dificuldades.* [F.: *quais* (pl. de *qual*) + *quer*.]

⊕ **quaker** (*Ing.* /*quêiker*/) *s2g.* O mesmo que *quacre*

qual *pr.indef.* **1** Que coisa ou que pessoa, dentre outras (em interrogação direta e indireta): *Qual é a melhor?; Não sabia qual era melhor.* [*Por ser us. em frase interrogativa, é também chamado de pronome interrogativo.*] **2** De que natureza, de que tipo: *Quais as virtudes que você mais preza num homem?* **3** Um e outro: *Qual prefere acordar cedo, qual dorme até tarde.* [*É us. repetidamente.*] *pr.rel.* **4** Que: *Fui ao seu dentista, o qual me pareceu muito bom.* [*É sempre precedido pelo art. o ou a*, que indica o gênero do nome a que se refere.] *conj.* **5** Como, tal como, assim como: "(...) Qual Prometeu,/ Tu me amarraste um dia (...)." (Castro Alves, "Vozes d'África" *in Os escravos*) [Nesse caso, é invariável, não apresentando flexão de número.] *interj.* **6** Exprime dúvida, espanto, descrença ou admiração: *Qual, ele não conseguirá isso nunca!* [Pl.: *quais.*] [F.: Do lat. *qualis.*] ▪ **Cada ~** Cada um: *Os alunos entraram e sentaram, cada qual em seu lugar.* **O ~** Forma definida e flexionada do pronome *que*¹ *(3)* [Fl.: *a qual, os quais, as quais.*] **Tal ~** Exatamente como, idêntico a, da mesma maneira que: *É tímido e delicado, tal qual o pai.*

qualé (qua.*lé*) *Bot. sm.* Árvore da fam. das voquisiáceas (*Qualea pulcherrima*), nativa de regiões tropicais das Américas, encontrada esp. na Amazônia, de folhas coriáceas e flores em racemos e cuja madeira é us. na construção de canoas; é muito apreciada por sua ornamentalidade [F.: or. obsc.]

qualidade (qua.li.*da*.de) *sf.* **1** Propriedade inerente a um objeto ou ser: *Uma das qualidades do cobre é sua maleabilidade.* **2** Propriedade positiva de um objeto ou ser; VIRTUDE; DOM: "... Os romances da segunda fase... valem muito pelas qualidades de escritor..." (Massaud Moisés, *A literatura portuguesa*) [Ant.: *defeito.*] **3** Condição, *status*: *Representou a classe na qualidade de presidente.* **4** Categoria, tipo: *De que qualidade é esta laranja? Seleta ou lima?* **5** Condição natural das pessoas ou coisas pela qual se distinguem de outras **6** *Fil.* Maneira de ser da pessoa (essência, natureza) **7** *Pej.* Raça, casta, laia **8** *Ling.* União sonora que compõe uma vogal (altura, sonoridade etc.); qualidade vocálica [F.: Do lat. *qualitate.*] ▪ **De ~ 1** Que é de boa qualidade; superior, excelente (diz-se ger. de coisa): *Este é um produto de qualidade.* **2** Notável, que se destaca de outros por alguma característica pessoal como talento, educação etc. (diz-se de pessoa) **Na ~ de** Na função de, a título de: *Assinou o contrato na qualidade de procurador.* **~ primária/primeira** *Fil.* Propriedades físicas (tamanho, forma etc.) sem as quais não se pode conceber a materialidade de algo **~ secundária/segunda** *Fil* Propriedade acessória de algo, presente em sua percepção mas não essencial a sua materialidade (como cor, cheiro, textura, sabor etc.) **~ substancial** *Jur.* A qualidade (de algo) que determina o interesse quanto a ele (sem a qual, portanto, não seria objeto de acordo, contrato, litígio etc.) **~ vocálica** *Fon. Ling.* Na emissão de som para uma vogal, a qualidade desse som resultante da posição combinada dos articuladores (língua, lábios, palato, dentes etc.)

qualificação (qua.li.fi.ca.*ção*) *sf.* **1** Ação ou resultado de qualificar(-se) **2** Apreciação, juízo feito sobre alguma coisa **3** Conjunto de informações identificadoras sobre um indivíduo: *O formulário pedia todas as qualificações: nome, idade, endereço etc.* **4** Habilitação acadêmica ou profissional: *curso de qualificação na área de eletrônica; exame de qualificação para o Mestrado.* **5** *Esp.* Conjunto de condições requeridas para participar numa prova esportiva; passagem à fase seguinte de uma prova esportiva como resultado de bom desempenho: *a qualificação para a fase final do campeonato.* [Pl.: *-ções.*] [F.: *qualificar* + *-ção.*]

qualificadamente (qua.li.fi.ca.da.*men*.te) *adv.* **1** Com qualificação profissional ou pessoal adequada; com qualidade: *Os profissionais estão habilitados para atuar qualificadamente; As pessoas querem ser ouvidas qualificadamente, em ambiente acolhedor.* **2** Com pormenores; CIRCUNSTANCIADAMENTE; DETALHADAMENTE; PORMENORIZADAMENTE: *Explicou qualificadamente os fatos no seu contexto; Forneceram qualificadamente todas as informações.* [F.: Fem. de *qualificado* + *-mente.*]

qualificado (qua.li.fi.*ca*.do) *a.* **1** Que se qualificou **2** Que tem qualificação, que tem competência especial; COMPETENTE; APTO **3** Conhecido ou distinto por alguma qualidade saliente: *uma pessoa de tão qualificado valor.* **4** *Esp.* Que satisfaz as condições requeridas para participar numa prova esportiva (jogadores qualificados) **5** *Jur.* Diz-se de qualquer tipo de delito, crime etc. com circunstâncias agravantes conforme definidas especificamente em lei (homicídio qualificado) **6** *Gram.* Cujo sentido foi modificado [F.: Part. de *qualificar.*]

qualificador (qua.li.fi.ca.*dor*) [ô] *sm.* **1** Aquele que qualifica, que atribui qualidade: *O transporte urbano é um qualificador do espaço.* [Ant.: *desqualificador.*] **2** *Inf.* Elemento de dados cujo valor pode ser expresso como um código que atribui significado específico à função de outro elemento de dados ou segmento: *O qualificador 'data' deve incluir dia, mês e ano.* *a.* **3** Que qualifica (circunstância qualificadora); QUALIFICATÓRIO [Ant.: *desqualificador, desqualificatório.*] [F.: *qualificar* + *-dor.*]

qualificar (qua.li.fi.*car*) *v.* **1** Caracterizar (alguém ou algo) por certa qualidade ou condição; CLASSIFICAR [*td.*: *O conceito de 'supermodelo' qualifica as modelos mais requisitadas.*] [*tdp.*: *O procurador qualificou de ilegais as provas apresentadas.*] **2** Emitir opinião ou parecer; APRECIAR; AVALIAR [*td.*: *Não me julgo apto para qualificar essa tese.*] **3** Tornar(-se) profissionalmente mais bem preparado [*td.*: *qualificar a mão de obra; Para assumir a chefia, Lígia qualificou-se em cursos de extensão.*] **4** Passar por etapa eliminatória (em concurso, torneio etc.) [*tr.* +*para*: *O tenista venceu as preliminares e qualificou-se para o mundial.* Ant.: *desclassificar.*] **5** Considerar apto, qualificado para (cargo, função etc.) [*td.*: *A banca qualificou apenas dois candidatos.* Ant.: *nas acp. 3 a 5: desqualificar.*] **6** *Jur.* Determinar a natureza de uma (infração), segundo suas características [*td. tdp.* + *de*: *qualificar um crime (de hediondo).*] [▶ 11 qualificar] [F.: Do v.lat. *qualificare.* Hom./Par.: *qualificáveis* (fl.), *qualificáveis* (pl. de *qualificável* [a2g.]).]

qualificativo (qua.li.fi.ca.*ti*.vo) *a.* **1** Que qualifica, que mostra a qualidade; que serve para qualificar; QUALIFICADOR: "... e procurar (os adjetivos) que, pela amplitude de seu significado, envolvem o substantivo numa atmosfera semântica cuja representação ultrapassa a intenção qualificativa..." (Ernesto Guerra da Cal, *Língua e estilo em Eça de Queirós*) **2** *Antq. Gram.* Diz-se do adjetivo que exprime a qualidade sem restringir a significação do substantivo (p.ex.: *pombo azulado*) *sm.* **3** Palavra que qualifica alguém ou alguma coisa: *Usou de muitos qualificativos amáveis para com ele.* [F.: *qualificar* + *-tivo.*]

qualificatório (qua.li.fi.ca.*tó*.ri:o) *a.* **1** Que qualifica; QUALIFICADOR [Ant.: *desqualificador, desqualificatório.*] **2** Diz-se de etapa de concurso, torneio ou certame em que se qualificam os candidatos para a(s) etapa(s) seguinte(s) (fase qualificatória); CLASSIFICATÓRIO *sm.* **3** Essa etapa de concurso, torneio ou certame (abertura do/eliminados no qualificatório); CLASSIFICATÓRIO [F.: *qualificar* + *-tório.*]

qualificável (qua.li.fi.*cá*.vel) *a2g.* **1** Que se pode qualificar: *Adora qualquer filme qualificável como de terror.* **2** Que tem qualificação [Pl.: *-veis.*] [F.: *qualificar* + *-vel.* Ant.ger.: *inqualificável.* Hom./Par.: *qualificáveis* (pl.), *qualificáveis* (fl. de *qualificar* [a2g.]).]

qualira *sm. CE MA Tabu.* Homossexual passivo do sexo masculino [F.: or. obsc.]

qualitativamente (qua.li.ta.ti.va.*men*.te) *adv.* Do ponto de vista da qualidade: *Reduzir a quantidade e melhorar qualitativamente a alimentação.* [F.: Fem. de *qualitativo* + *-mente.*]

qualitativo (qua.li.ta.*ti*.vo) *a.* **1** Ref. à qualidade das coisas, dos seres: *Estudo qualitativo de trabalhos desenvolvidos em educação ambiental.* **2** Ref. à natureza, à essência das coisas ou dos seres: *Nacionalidade, partido político, ocupação ou sexo são variáveis qualitativas.* **3** *Publ.* Diz-se da pesquisa não estruturada, de caráter exploratório, que busca, para além dos dados estatísticos, uma compreensão mais profunda do contexto em que o problema da pesquisa está inserido, como forma de descobrir ilações que possam orientar uma estratégia de comunicação mercadológica [F.: Do lat. *qualitativu.*]

qualquer (qual.*quer*) *pr.indef.* **1** Us. para pessoa, coisa, lugar ou tempo sem especificação **2** Nenhum: *Não trouxe qualquer das suas encomendas.* **3** Algum, um: *Qualquer hora eu apareço aí.*: "(...) não oscilou como seria normal, como oscilaria qualquer indivíduo fulminado por um ataque (...)." (Lúcio Cardoso, *Crônica da casa assassinada*) ["Todos estavam sabendo que ele não era um qualquer (...)." (José Lins do Rego, *Fogo morto*) Quando us. depois do subst., adquire valor pejorativo.] **4** Todo, toda: *Hoje em dia, qualquer criança sabe que Papai-Noel não existe.* **5** Cada um: *Generoso, não escolhe as pessoas que precisam de sua ajuda, fazendo caridade a qualquer.* [Pl.: *quaisquer.*] [F.: *qual* + *quer.*] ▪ **~ que seja** Seja qual for: *Ele vai se candidatar, qualquer que seja o resultado da pesquisa.*

⊕ **quand même** (*Fr.* /*kã mêm*/) *loc.adv.* Apesar dos pesares; apesar de tudo; mesmo assim

quando (*quan*.do) *adv.* **1** Em que época; em que data: *Quando é seu aniversário?* *pr.rel.* **2** Em que: *O lugar era tranquilo na época quando morávamos lá.* *conj.temp.* **3** No momento em que: *Fiquei arrepiada quando tocaram a música.* **4** No tempo em que **5** Cada vez que; sempre que: *Quando tomo o remédio, melhoro.* *conj.condic.* **6** No caso de; se: *Só é gentil quando quer alguma coisa.* *conj. conces.* **7** Embora: *Vive saindo, quando deveria estar estudando.* [F.: Do lat. *quando.*] ▪ **A ~ e ~** V. *De quando em quando* **De ~ a ~** V. *De quando em quando.* **De ~ em~/de vez em ~** Em ocasiões não muito frequentes nem muito raras; de tempos em tempos; ocasionalmente; de vez em quando **(Eis) senão ~** Subitamente, de repente: *Eis senão quando, apareceu após longa ausência.* **~ de** No tempo, época, momento ou ocasião em que algo se dá; por ocasião de **~ em ~** V. *De quando em quando* **~ menos** No mínimo, pelo menos: *Resolveu aceitar convite, quando menos como gesto de cordialidade.* **~ muito** Não mais que (a quantidade ou medida mencionada); no máximo; se tanto: *Vieram poucas pessoas, quando muito umas vinte.* **~ não** Se não for assim; do contrário, se não: *Teria de estudar, quando não a reprovação era certa.*

quantal (quan.*tal*) *Fís. a.* **1** Ref. ou inerente a *quantum* ou a sistema quantizado (teoria quantal) **2** Ref. a ou que tem apenas duas alternativas experimentais, p.ex. 'morto ou vivo', 'tudo ou nada' (conteúdo/resposta quantal) [Pl.: *-tais.*] [F.: *quanta* + *al.*]

quantas (*quan*.tas) *sfpl.* Us. na loc. *a quantas* [*anda*(*m*)] ▪ **A ~** Us., seguido do verbo *andar* (ger. [mas não só] no presente do indicativo), para falar ou indagar do estado ou condição de algo (esp. daquilo de que não se tinha informações recentes): *Não sabemos a quantas anda... A quantas andará...?*

◎ **quant(i)-** *el. comp.* = 'quão grande'; 'quantidade': *quantificar* [F.: Do lat. *quantus, a, um*, 'quão grande'.]

quantia (quan.*ti*.a) *sf.* **1** Quantidade de dinheiro; IMPORTÂNCIA; SOMA: "...ia depositar quase todas as noites, em lugares determinados, quantias e objetos com o fim de chamar em auxílio... as suas divindades..." (Manuel Antônio de Almeida, *Memórias de um sargento de milícias*) **2** Quantidade de alguma coisa: "...de trezentas vacas parideiras, quantia delas aviavam parição, com a passagem da lua..." (Guimarães Rosa, "A estória de Lélio e Lina" *in No Urubuquaquá, no Pinhém*) [F.: *quanto* + *-ia.*]

quântico (*quân*.ti.co) *Fís. a.* **1** Ref. aos quanta; que se baseia na teoria dos quanta **2** Diz-se da lógica trivalente proposta pelo físico H. Reichenbach para resolver certos problemas apresentados pela mecânica quântica [F.: *quant(i)-* + *-ico.*]

quantidade (quan.ti.*da*.de) *sf.* **1** Grande porção de pessoas ou coisas: *Encontrou na prova uma quantidade de erros.* **2** Grandeza dos componentes de um conjunto que podem ser contados, ou de algo cujo tamanho ou intensidade pode ser medido ou avaliado: "...os policiais estão estressados com a grande quantidade de trabalho" (*Folha de S.Paulo*, 20.12.1999) **3** A medida, em peso, volume ou número, de uma porção da matéria ou de um conjunto de objetos: *A quantidade de carros de luxo é maior nos bairros mais ricos.* **4** *Fil.* Uma das categorias fundamentais do espírito, que responde à questão *quanto*, a qual investiga a possibilidade de saber se um objeto do conhecimento pode ser medido por um número 5 *Fon.* Duração relativa de um fonema ou vogal: "... A propriedade que têm as vogais de ser longas ou breves é que se chama quantidade..." (Napoleão Mendes de Almeida, *Dicionário de questões vernáculas*) [F.: Do lat. *quantitas, quantitatis.*] ■ **~ de movimento** *Fís.* Num corpo em movimento, produto da sua massa inercial pela sua velocidade

quantificação (quan.ti.fi.ca.*ção*) *sf.* 1 Ação ou resultado de quantificar; determinação da quantidade ou do valor de algo 2 *Lóg.* Operação pela qual se busca ligar as variáveis livres de uma fórmula lógica por meio de quantificadores 3 *Fís.* Operação que permite determinar os valores numéricos possíveis de uma grandeza física [Pl.: *-ções.*] [F.: *quantificar + -ção.*]

quantificacional (quan.ti.fi.ca.ci:o.*nal*) *a2g.* 1 Que diz respeito a quantificação (cálculo/força quantificacional) 2 *Lóg.* Que se baseia em quantificadores; que usa enunciados quantificados (linguagem quantificacional) [F.: *quantificação* (sob a f. *quantificacion-*) + *-al*¹, seg. o mod. erudito.]

quantificado (quan.ti.fi.*ca*.do) *a.* 1 Que foi submetido a quantificação 2 Que foi avaliado com rigor matemático 3 *Lóg.* Diz-se da proposição em que certas variáveis são ligadas por quantificadores [F.: Part. de *quantificar.*]

quantificador (quan.ti.fi.ca.*dor*) [ô] *sm.* 1 Aquilo que quantifica *sm.* 2 *Gram.* Determinante que expressa quantidade, como *ambos, todos, cada.* 3 *Lóg.* Símbolo da linguagem formal indicativo de quantidade (como *todos, muitos, alguns*) [F.: *quantificar + -dor.*] ■ **~ existencial** *Lóg.* Quantificador (3) lógico, representado por notação algébrica, que indica a existência de (pelo menos) um, ou mais elementos qualificados na proposição (equivalente a *um* ou *alguns*) **~ universal** *Lóg.* Quantificador (3) lógico, representado por notação algébrica, que indica o âmbito universal da proposição (equivalente a *todos*)

quantificar (quan.ti.fi.*car*) *v. td.* 1 Especificar a quantidade, o valor ou a extensão de; AVALIAR: *Ainda não quantificaram o número de votos.* 2 *P.ext.* Atribuir valor quantitativo a: *quantificar os danos morais.* 3 *Fís.* O mesmo que *quantizar* [▶ 11 quantificar] [F.: *quant(i)- + -ficar.* Hom./Par.: *quantificáveis* (fl.), *quantificáveis* (pl. *quantificável* [a2g.]).]

quantificativo (quan.ti.fi.ca.*ti*.vo) *a.* 1 O mesmo que *quantitativo* 2 Em que há quantificação ou que quantifica (critério quantificativo) [F.: *quantificar + -tivo.*]

quantificável (quan.ti.fi.*cá*.vel) *a2g.* Que é suscetível de quantificação, que pode ser quantificado (dados quantificáveis) [Pl.: *-veis.*] [F.: *quantificar + -vel.* Hom./Par.: *quantificáveis* (pl.), *quantificáveis* (fl. de *quantificar* [v.]).]

quantil (quan.*til*) *Est. sm.* Qualquer separatriz que, numa amostragem, divide em partes iguais um intervalo de frequência [Pl.: *-tis.*] [F.: *quant(i) + -il.* Cf.: *quartil.*]

quantioso (quan.ti.*o*.so) *a.* 1 Ref. a grande quantia 2 Avultado, considerável, numeroso: "Mercê... das suas quantiosas e repetidas dádivas, dos seus esbanjamentos vergonhosos." (Abel Botelho, *O Barão de Lavos*) [Ant.: *escasso, ínfimo, parco.*] 3 Muito rico (homem quantioso); ABASTADO; ENDINHEIRADO [Ant.: *necessitado, pobre.*] [F.: *quantia + -oso.*]

quantitativamente (quan.ti.ta.va.*men*.te) *adv.* Do ponto de vista da quantidade (quantitativamente insignificante) [F.: o fem. de *quantitativo + -mente.*]

quantitativo (quan.ti.ta.*ti*.vo) *a.* 1 Ref. a quantidade 2 Que exprime ou determina a quantidade 3 Ref. a valores numéricos 4 *Quím.* Diz-se da análise que determina, em massa ou volume, os componentes de uma combinação ou de uma mistura 5 *Publ.* Diz-se da pesquisa que considera os dados estatísticos expressos em quantidades *sm.* 6 Determinada quantidade; TOTAL 7 Importância de dinheiro; MONTANTE; QUANTIA; SOMA [F.: Do lat. *quantitas, atis*, 'quantidade', + *-ivo.*]

quantização (quan.ti.za.*ção*) *Fís. sf.* 1 Adoção das leis da mecânica quântica para descrever sistemas até então descritos pela mecânica clássica 2 Redução das grandezas observáveis a valores quânticos, discretos mas mensuráveis [Pl.: *-ções.*] [F.: *quantizar + -ção.*]

quantizar (quan.ti.*zar*) *v. td. Fís.* Fazer a quantização de (um sistema físico) [▶ 1 quantizar] [F.: *quant(um) + -izar.*]

quanto (*quan*.to) *pr.indef.* 1 Que quantidade: *Quantos dias faltam para o feriado?* 2 Que preço: *Quanto custou sua blusa?* [Por ser us. em frase interrogativa, é tb. chamado de *pronome interrogativo.*] 3 Uma grande quantidade não definida: "... Quanto ensaio, de que nem me lembro mais, nem o título ao menos..." (Antônio Carlos Vilaça, *O nariz do morto*) *pr.rel.* 4 Tudo que, todo que: *Não sabia quanto queria.* [F.: Do lat. *quantum.*] ■ **~ antes** 1 O mais cedo possível: *Vamos sair daqui quanto antes.* [É de uso frequente, nesta acp., a f. *o quanto antes.*] 2 Quanto mais cedo: *Essa operação é necessária, e quanto antes melhor.* **~ a** No que se refere a, relativamente a: *Quanto a meu projeto, vai indo muito bem.*

quantos (*quan*.tos) *smpl.* Us. na expressão *Não sei dos quantos* ■ **Não sei dos ~** Us. coloquialmente em substituição a nome ou sobrenome que não se conhece: *Procure um senhor Fernando não sei dos quantos.*

quantum (*Lat./quântum/*) *sm.* 1 *Fís.* A menor quantidade, indivisível, de energia eletromagnética 2 *Est.* Em estatística, quantidade física de algo (em unidades, peso etc., produzido, exportado, importado etc.), sem considerar seu valor 3 *Jur.* Quantidade que toca a cada um em uma partilha 4 *Jur.* Montante de uma indenização [Pl.: *quanta.*]

⊕ **quantum satis** (*Lat. /quantum sátis/*) *Farm. loc.adv.* Quanto baste, quanto for suficiente [Us. em receitas médicas para indicar uma dose suficiente, razoável. Abrev.: *q.s.*]

quão *adv.* Quanto, como: *Quão seguro é viajar de avião?*; "... Que tão cedo de cá me leve a ver-te/ Quão cedo dos meus olhos te levou" (Luís de Camões, "Soneto" *in Rimas*) [F.: Do lat. *quam.*]

quapoia (qua.*pói*:a) *Bras. Angios. sf.* Árvore de até 6m da família das gutíferas (*Clusia insignis*), nativa da Amazônia, de flores róseas ou brancas e fruto comestível. Cultivada como ornamental, produz um suco resinoso com propriedades purgativas [F.: or. indígena.]

quáquer (*quá*.quer) *s2g. Rel.* Membro de seita protestante inglesa (Sociedade dos Amigos) fundada no séc. XVII; QUACRE [F.: Do ing. *quaker.*]

quarador (qua.ra.*dor*) [ô] *Bras. sm.* 1 Piso de cimento liso onde se põe a roupa lavada para corar; CORADOURO 2 *S. Fig.* Lugar muito exposto ao sol [F.: *quarado + -or.*]

quaradouro (qua.ra.*dou*.ro) *sm.* Lugar ensolarado onde se põe a roupa para quarar; CORADOURO; QUARADOR: "Viu a gringa estendendo os lençóis brancos no quaradouro." (Jorge Amado, *Jubiabá*)

quarar (qua.*rar*) *v. Bras.* Branquear(-se) roupa ao sol; CORAR [*td.*: *quarar lençóis*] [*int.*: *Juliana não gostava de pôr a roupa para quarar.*] [▶ 1 quarar] [F.: Alter. de *corar.*]

quarenta (qua.*ren*.ta) *num.* 1 Quantidade correspondente a 39 unidades mais uma 2 Número que representa essa quantidade (arábico: 40; romano: XL) *sm.* 3 Aquele ou aquilo que, numa série de quarenta, ocupa o último lugar: *Ele é o quarenta da fila.* [F.: Do lat. *quadraginta.*]

quarentão (qua.ren.*tão*) *a.* 1 *Pop.* Que tem entre quarenta e 49 anos de idade: *um publicitário quarentão. sm.* 2 *Pop.* Indivíduo que tem entre quarenta e 49 anos de idade: *O goleiro é quase um quarentão.* [Pl.: *-tões.* Fem.: *-tona.*] [F.: *quarenta + -ão.*]

quarentena (qua.ren.*te*.na) *sf.* 1 Intervalo de tempo de quarenta dias 2 Período em que viajantes provenientes de lugares com doenças contagiosas ou epidemias ficam isolados ou proibidos de frequentar certos lugares, para evitar contágio: *Quarentena de 72 horas para pessoas vindas da Ásia é uma das medidas adotadas contra a gripe do frango.* 3 *Mar.* Estadia, num lazareto ou a bordo dos navios, a que são obrigadas as pessoas, mercadorias e bagagens provenientes de país atacado de moléstia contagiosa ou suspeito de tal, antes de se comunicarem com os habitantes do país ou do porto onde querem entrar 4 Imposição do Código de Ética da Administração Pública que obriga certos funcionários a observar um intervalo de quatro meses entre o desligamento do serviço público e um contrato com o setor privado, quando se configurar conflito de interesses, ficando o funcionário impossibilitado de realizar atividade compatível com o cargo anteriormente exercido 5 Conjunto de quarenta coisas 6 *Rel.* O mesmo que *quaresma* [Com inicial maiúsc., nesta acp.] 7 *Rel.* Festividade que dura quarenta dias 8 *Bras. Pop.* Abstinência sexual [F.: Do fr. *quarantaine.*] ■ **De ~** Isolado, de lado, na espera: *Deixe os engenheiros de quarentena até esclarecermos as causas do apagão.*

quarentona (qua.ren.*to*.na) *a.* 1 Diz-se de mulher que tem 40 anos de idade ou cerca disso *sf.* 2 Mulher nessa faixa etária [F.: *quarenta + -ona.*]

quareógrafo (qua.re.*ó*.gra.fo) *Des. sm.* Instrumento próprio para desenhar perspectivas com exatidão; PERSPECTÓGRAFO

quaresma (qua.*res*.ma) *sf.* 1 *Rel.* No catolicismo, período de quarenta dias, que vai da Quarta-Feira de Cinzas até o Domingo de Ramos [Com inicial maiúsc., nesta acp.] 2 *Bras. Bot.* Ver *flor-da-quaresma s2g.* 3 *Am Pop.* Pessoa mentirosa [F.: Nas acps. 1 e 2 do lat. *quadragesima*, na acp. 3 do antr. *Quaresma.*]

quaresmal (qua.res.*mal*) *a2g.* Ref. a quaresma (1) [Pl.: *-mais.*] [F.: *quaresma + -al.*]

quaresmeira (qua.res.*mei*.ra) *Angios. sf.* Designação comum a várias árvores e arbustos da família das melastomáceas, do gên. Tibouchina, ornamentais, de flores ger. roxas, e muito us. em paisagismo urbano. Ger.florescem entre fevereiro e março e, algumas árvores, até maio; FLOR-DA-QUARESMA; QUARESMA; QUARESMEIRA [F.: *quaresma + -eira.*]

⊕ **quark** (*Ing./cuárc/*) *sm. Fís.* Cada um dos seis tipos de partículas elementares que, por hipótese, estariam na base de qualquer matéria existente no universo [Os seis tipos são chamados 'sabores'. Três são classificados como 'leves' (*up, down* e *strange*) e três como 'pesados' (*top, bottom* e *charm*).]

quarkônio (quar.*kô*.ni:o) *Fís. sm.* Méson composto de um *quark* e um *antiquark* de mesma natureza [F.: Do ing. *quarkonium.*]

quarta¹ (*quar*.ta) *sf.* 1 Cada uma das quatro partes em que se divide um todo: *Deste pernil você pode levar duas quartas.* 2 Vasilha de barro de gargalo estreito, para guardar água fresca; MORINGA; QUARTINHA 3 *Mec.* A quarta marcha de um automóvel: *Engrenou a quarta e acelerou.* 4 *Bras.* A quarta parte de um alqueire (medida agrária) 5 *N.* Medida de capacidade equivalente a 40 litros 6 *PI* Medida para cereais, legumes etc., equivalente a 72 litros 7 *S.* Cada uma das juntas de bois que puxam uma carreta 8 *Mús.* Intervalo de quatro graus numa escala diatônica [F.: De *quarto.*] ■ **Assentar na ~** *RS Pop.* Dar à luz **Dar na ~** *CE Pop.* Parir, dar à luz **Enredar-se na ~** *S. Pop.* Ficar atrapalhado, tonto, sem saber o que fazer **~ da ponta** *Bras.* Num carro puxado a juntas de bois, a junta que vai na frente **~ do coice** *Bras.* Num carro puxado a juntas de bois, a junta que vai atrás **~ do meio** *Bras.* Num carro puxado a juntas de bois, junta que vai entre a da ponta e a do coice **~ proporcional** *Arit.* O quarto termo de uma proporção, i.e., o consequente da segunda razão [Numa proporção a: b:: c: d, o elemento *d* é a quarta proporcional.]

quarta² (*quar*.ta) *sf.* F. red. de *quarta-feira*

quartã (quar.*tã*) *Med. a.* 1 Diz-se de febre intermitente que se repete a cada quatro dias *sf.* 2 *Med.* Essa febre [Pl.: *-tãs.*] [F.: Do lat. *quartana.*]

quarta de final (quar ta de fi.*nal*) *Bras. Esp. sf.* Fase de um torneio em que oito pessoas ou times disputam o acesso às quatro vagas da fase semifinal [Pl.: *quartas de final.*]

quarta-doença (quar.ta-do.*en*.ça) *Pat. sf.* Doença infecciosa de origem virótica que incide em crianças jovens e produz febre durante cerca de três dias, seguida de exantema pouco tempo após a febre ceder; EXANTEMA SÚBITO; QUARTA-MOLÉSTIA [Pl.: *quartas-doenças.*]

quarta-feira (quar.ta-*fei*.ra) *sf.* Quarto dia da semana; segue-se à terça-feira [Pl.: *quartas-feiras.*] ■ **~ de cinzas** *Litu.* No catolicismo, o primeiro dia da Quaresma, que se segue imediatamente à terça-feira de carnaval **~ de trevas** *Rel.* A quarta-feira imediatamente anterior à Sexta-feira Santa

quartaludo (quar.ta.*lu*.do) *a.* Diz-se de cavalo que tem aberturas ou qualquer outro defeito nos quartos [F.: Alt. de *quartela + -udo.*]

quarta-moléstia (quar.ta-mo.*lés*.ti:a) *Pat. sf.* O mesmo que *quarta-doença* [Pl.: *quartas-moléstias.*] ■ **~ venérea** *Antq. Pat.* Antiga denominação do *Linfogranuloma venéreo* (ver no verbete *linfogranuloma*)

quartanista (quar.ta.*nis*.ta) *s2g.* 1 Estudante do quarto ano de qualquer curso, esp. de curso universitário *a2g.* 2 Que diz respeito a esse estudante [F.: *quarto + ano + -ista.*]

quartar (quar.*tar*) *v. int. Esp.* Em luta de esgrima, sair da linha [▶ 1 quartar] [F.: *quarto + -ar.* Hom./Par.: *quarta(s)* (sf.), *quarta* (sf.) e pl; *quarto* (fl.), *quarto* (num., sm.); *quarteis* (fl.), *quartéis* (pl. de quartel[s.m.]).]

quartau (quar.*tau*) *sm.* 1 *Bras.* Cavalo robusto e curto, bom para carga; QUARTÃO: "E fugimos: Ele montado num possante quartau pedrês, eu à garupa." (Domingos Olímpio, *Luzia Homem*) 2 *Lus. Pop.* Pessoa baixa e gorda 3 *N.E. P.us.* Cavalo castrado 4 *Ant. Arm.* Antiga peça de artilharia bem menor que um canhão ou que era a quarta parte deste 5 *Bras. Gír.* Mulher de quadris largos, corpulenta, bonitona [F.: posv. do fr. *courtaud* 'pessoa ou animal de baixa estatura'.]

quarteado (quar.te.*a*.do) *a.* 1 Dividido em quatro partes ou peças 2 Que tem quatro cores ou desenhos diferentes: "Suas bandeiras de seda quarteadas das cores que os capitães designavam." (Rebelo da Silva) 3 Diz-se de cavalo robusto, espadaúdo e de membros bem proporcionados [F.: part. de *quartear.*]

quartear (quar.te.*ar*) *Bras. v. td.* 1 Dividir em quatro partes 2 Ornar com quatro cores ou desenhos diferentes 3 Atuar como substituto de (alguém) em certas formas de vigília 4 *Taur.* Fazer quarteio a (touro) 5 *S.* Auxiliar (animal, ger. cavalo) a puxar um carro 6 *RS* Ajudar a tirar (carro) de atoleiro por meio da ação de uma corda [▶ 13 quartear] [F.: Do espn. plat. *cuartear.* Hom./Par.: *quarteio* (fl.), *quarteio* (sm.).]

quarteirão (quar.tei.*rão*) *sm.* 1 Área urbana em forma de quadrilátero, em que cada lado é uma rua ou avenida 2 A quarta parte de cem 3 *N.* Quarta parte de uma garrafa 4 *Her.* A parte do escudo ou da armadura quando as lâminas são quarteadas 5 Cada uma das quatro vigas que atravessam os cantos do teto da casa 6 *Ant.* Antigo imposto a que estava sujeito cada casal 7 *Ant.* Divisão dos distritos policiais de subdelegacias abrangendo um quarteirão e policiada por um inspetor [Pl.: *-rões.*] [F.: *quarteiro + -ão.*]

quartel¹ (quar.*tel*) *sm.* 1 Quarta parte de um todo, de uma quantia; QUARTO 2 A quarta parte do ano; TRIMESTRE 3 A quarta parte de um século: *no último quartel do século passado.* 4 Cada uma das quatro refeições diárias 5 Uma das redes das armações de atum 6 *Ant.* Quantia, imposto ou foro que se pagava todos os trimestres 7 *Ant.* Quarta parte de uma semana de trabalho que se pagava ou recebia 8 *Her.* Cada uma das quatro partes em que se divide o escudo 9 *Náut.* Tampo de escotilha 10 *Náut.* Cada uma das partes do tampo de escotilha 11 *Náut.* Peça que aumenta as dimensões dos mastros e vergas de madeira 12 Graça que se concede a inimigo, ao se lhe poupar a vida [Pl.: *-téis.*] [F.: Do espn. *cuartel.* Hom./Par.: *quartéis* (pl.), *quarteis* (fl. de *quartar*).] ■ **~ paulista** *SP* Unidade agrária de superfície equivalente a 2.42 hectares; alqueire (paulista)

quartel² (quar.*tel*) *sm.* 1 *Mil.* Edificação em que se alojam tropas: "... O quartel ainda não se rendeu..." (Érico Veríssimo, *Olhai os lírios do campo*) 2 *Mil.* Intervalo de paz durante uma guerra; TRÉGUA: *guerra sem quartel.* 3 Casa onde se mora; DOMICÍLIO 4 *Fig.* Proteção, abrigo: *Não se podia esperar deles tolerância nem quartel.* [Pl.: *-téis.*] [F.: Do fr. *quartier.*] ■ **Não dar ~** Não conceder (a inimigo) a graça de poupar-lhe a vida

quartela (quar.*te*.la) *sf.* 1 Região entre o boleto e a coroa do casco dos equídeos, e que tem por base a primeira falange: "O feitor atou as mãos do animal por cima dos cascos, junto das quartelas." (Noel Teles, *Terra campa*) **2** *Arq.* Peça de madeira ou de pedra que serve de sustentáculo a outra maior [F.: *quarto* + *-ela*. Na acp. 2 ver tb. *mísula*.]

quartelada (quar.te.*la*.da) *sf.* **1** *Pej.* Rebelião de militares com o objetivo de tomar o poder **2** *Teat.* Conjunto de pranchas que formam o assoalho do palco **3** Uma das partes que compõem as redes de pesca **4** Medida de extensão das amarras [F.: *quartel* + *-ada*.]

quarteleiro (quar.te.*lei*.ro) *sm.* Soldado responsável pelos uniformes e armamentos da sua companhia nos corpos de tropas [F.: *quartel* + *-eiro*.]

quartel-general (quar.tel -ge.ne.*ral*) *Mil. sm.* **1** Repartição militar comandada por general com seu estado-maior [Sigla: *QG, Q.G.*] **2** Centro de operações militares **3** Local de reunião habitual [Pl.: *quartéis-generais*.]

quartel-mestre (quar.tel-*mes*.tre) *Ant. Mil. sm.* **1** Oficial responsável pelo recebimento e distribuição dos fundos pelos corpos de tropas do exército, sob inspeção do conselho administrativo **2** Militar que superintendia o alojamento das tropas [Pl.: *quartéis-mestres*.]

quarteto (quar.*te*.to) [ê] *sm.* **1** *Poét.* Estrofe de quatro versos; QUADRA **2** *Mús.* Peça musical para quatro vozes ou para quatro instrumentos **3** *Mús.* Conjunto de quatro músicos instrumentistas ou de quatro cantores **4** *Pop.* Grupo de quatro pessoas reunidas: *quarteto de amigos*. [F.: Do it. *quartetto*.] ■ **~ com piano 1** *Mús.* Quarteto (3) formado por um trio (violino, viola e violoncelo) e um piano **2** Composição para tal quarteto **~ de cordas 1** *Mús.* Conjunto de música formado por quatro instrumentistas que executam instrumentos de cordas friccionáveis (ger. dois violinos, viola e violoncelo, ou violino, viola, violoncelo e contrabaixo) **2** Música especialmente composta para ser executada por tal conjunto **~ de sopro 1** *Mús.* Conjunto de música formado por quatro instrumentistas, que executam instrumentos de sopro, sejam madeiras (flauta, oboé, clarinete e fagote), ou metais (trompete, trompa, saxofone, trombone e tuba) **2** Música especialmente composta para ser executada por tal conjunto **~ vocal 1** *Mús.* Conjunto de música formado por duas vozes femininas (soprano e contralto) e duas masculinas (tenor e baixo), com ou sem acompanhamento **2** Composição musical para ser executada por tal conjunto

quartil (quar.*til*) *sm.* **1** *Est.* Qualquer uma das separatrizes, aos 25º, 50º ou 75º percentis, que dividem a área de uma distribuição de frequência em quatro domínios de áreas iguais **2** *Astron.* Aspecto apresentado por dois astros, esp. planetas, afastados um do outro 90º [F.: *quarto* + *-il*. Cf.: *quantil*.]

quartilho (quar.*ti*.lho) *Metrol. sm.* **1** *Lus.* Medida de capacidade para líquidos equivalente a meio litro **2** *Lus.* Antiga unidade de capacidade portuguesa para líquidos equivalente à quarta parte da canada (0,665 litro) **3** Unidade de medida de capacidade britânica para líquidos, equivalente a 1,136 litro, no Canadá, e a 0,568 litro, no Reino Unido; PINT [F.: Do espn. *cuartillo*.]

quartinha (quar.*ti*.nha) *N.E. RS sf.* Garrafa de barro com tampa, para guardar água; MORINGA; QUARTA [F.: *quarta* + *-inha*.]

quartinheira (quar.ti.*nhei*.ra) *PE Ant. P.us. sf.* Móvel para guardar quartinhas, com buracos que as cobrem até o bojo; QUARTINHEIRO [F.: *quartinha* + *-eira*.]

quartinho (quar.*ti*.nho) *sm.* **1** Quarto pequeno; CUBÍCULO **2** *Ant.* Antiga moeda de ouro de mil e duzentos réis **3** *Ant.* Latrina [F.: *quarto* + *-inho*.]

quartista (quar.*tis*.ta) *a2g.* **1** Ref. aos cavalos quarto de milha, ou à criação deles *sm.* **2** Pessoa, ou família representada por seu chefe, que recebe imóvel ou unidade rural, ou partes desta, incluindo, ou não, outros bens, benfeitorias e facilidades, e neles exerce atividade agrícola, pecuária, agroindustrial, extrativa vegetal ou mista, sob contrato de arrendamento ou parceria rural; ARRENDATÁRIO; MEEIRO; PARCEIRO-OUTORGADO; PERCENTISTA; SUBARRENDATÁRIO [F.: *quarto* + *-ista*.]

quarto (*quar*.to) *num.* **1** Que corresponde a uma das quatro partes em que se divide um todo: *Duração de 15 minutos (quarta parte da hora).* **2** Numeral ordinal e fracionário que numa sequência ocupa a posição de número quatro: *Ele é o quarto da fila.* *sm.* **3** A quarta parte de uma dimensão ou medida: *Três litros e um quarto.* **4** Que ocupa o quarto lugar: *Foi o quarto colocado no campeonato.* **5** Numa casa, o cômodo ou aposento onde se dorme; ALCOVA; DORMITÓRIO **6** Espaço de tempo em que alguns profissionais, especialmente marinheiros, alternadamente velam, enquanto os demais descansam; PLANTÃO **7** Nos animais, parte superior da coxa e lateral dos quadris **8** Fenda no casco das cavalgaduras **9** *Metrol.* Medida de capacidade para líquidos, equivalente à quarta parte de um tonel ou de uma pipa **10** *N.E.* O mesmo que *velório* [F.: Do lat. *quartus, a, um*.] ■ **Dar um ~ ao Diabo** *Pop.* Estar disposto a tudo, ou fazer de tudo para conseguir algo **Fazer ~ a** *Bras.* Passar a noite, ou parte dela, junto a (pessoa doente); velar **Passar no ~** *CE Pop.* Ludibriar, lograr, passar para trás **Passar um mau ~ de hora** Estar em situação difícil, angustiante etc. durante curto período **Primeiro ~** *Astron.* V. *Quarto crescente* **~ crescente** *Astron.* Momento das fases da Lua em que a metade da face visível que é voltada para oeste está iluminada; primeiro quarto **~ de despejo** Cômodo no qual se guardam móveis e objetos velhos, trastes etc. **~ de tom** *Mús.* Intervalo musical (entre duas notas seguidas) que equivale à metade de um semitom, us. na música oriental e em certa corrente da música ocidental contemporânea **~ minguante** *Astron.* Momento das fases da Lua em que a metade da face visível que é voltada para leste está iluminada; segundo quarto **Segundo quarto** *Astron.* V. *Quarto minguante*

quarto-de-milha (quar.to-de-*mi*.lha) *Zool. s2g.* **1** Raça de cavalos marchadores, muito versátil, que se comporta bem em saltos, tambores, balizas, enduro, hipismo rural, na lida com o gado e é veloz em corridas planas de curtas distâncias **2** Qualquer espécime dessa raça *a2g.* **3** Ref. ou pertencente à raça quarto de milha [Pl.: *quartos-de-milha*.]

quarto e sala (quar.to e *sa*.la) *Arq. sm.* Apartamento de sala e um quarto, com banheiro, cozinha e, às vezes, área e dependências de empregada: *São muito caros os quarto e sala em Copacabana.* [Pl.: *quartos e salas e quarto e salas.* Tb. us. como *sm2n*.]

quarto-forte (quar.to-*for*.te) *sm.* Nos hospícios, quarto adaptado para isolar doentes furiosos: "Mas foi no início da década de 80, com o abandono de práticas coercitivas de tratamento (eletrochoques e isolamento em quarto-forte) que a Colônia Juliano Moreira ganhou nova cara." (*O Globo*, 13.07.2000) [Pl.: *quartos-fortes*.]

quartola (quar.*to*.la) *sf.* Pequeno barril de madeira, equivalente a um quarto de tonel, us. para acondicionar líquidos; ANCORETA; ANCOROTE: "...ela trazia uma garrafa que meu avô enchia com cachaça tirada de uma quartola." (Márcio José Lauria, *Histórias anciãs*) [F.: *quarto* + *-ola*.]

quartos (*quar*.tos) *smpl.* Quadris, anca: "... o touro repontou e deu de armas, jogando os quartos traseiros para uma banda..." (Guimarães Rosa, "Entremeio com o vaqueiro Mariano" *in Estas estórias*) [F.: Pl. de *quarto*.] ■ **Cair com os ~s** *N.E. Tabu.* Ser a parte passiva numa relação de pederastia **Dar com os ~s de lado** *N.E. Pop.* Esquivar-se a um compromisso; roer a corda

quartzífero (quartz.*í*.fe.ro) *a. Petr.* Que contém quartzo em sua composição (rocha quartzífera); QUÁRTZICO [F.: *quartzo* + *-ífero*.]

quartzítico (quar.*tzí*.ti.co) *a. Petr.* Que tem características de quartzito (seixo quartzítico) [F.: *quartzito* + *-ico*².]

quartzito (quartz.*i*.to) *sm. Petr.* Rocha metamórfica resultante da compactação de arenito com cristais de quartzo [F.: *quartzo* + *-ito*.]

quartzo (*quar*.tzo) *sm.* **1** *Min.* Mineral comum, sílica cristalizada que se encontra em numerosas rochas, us. como ornamento (joias) e na indústria (relógios, eletrônica) **2** Cristal de quartzo, natural ou artificial, cujas propriedades piezelétricas fazem funcionar, com precisão, relógios e outros mecanismos [F.: Do al. *Quartz*.] ■ **A ~** Diz-se de mecanismo ou aparelho que usa as propriedades piezelétricas do cristal de quartzo como fonte de energia: *relógio a quartzo*.

quaruba (qua.*ru*.ba) *Bras. Bot. sf.* **1** Árvore de até 60 m, da família das voquisiáceas (*Vochysia grandis*), nativa da Amazônia, cuja madeira de cerne vermelho é us. em carpintaria. Tem folhas membranosas e inflorescências racemosas; CEDRORANA; COARIÚBA; COARIÚVA **2** Árvore da fam. das voquisiáceas (*Vochysia maxima*), nativa do Brasil (PA), de folhas elípticas e flores alaranjadas e cuja madeira leve e rosada é us. em carpintaria e na indústria de compensados; CEDRORANA; QUARUBA-VERDADEIRA **3** Árvore de até 25m da fam. das voquisiáceas (*Vochysia eximia*), nativa do Brasil (PA), de folhas verde-escuras, flores dispostas em inflorescência e frutos capsulares verrucosos **4** Denominação comum a várias árvores da fam. das voquisiáceas, exploradas pela qualidade de sua madeira [F.: Do tupi *gwari'iwa*.]

quarup (qua.*rup*) *Etnog. sm2n.* Nas tribos indígenas do Xingu, cerimônia em forma de dança para celebração dos mortos [F.: Do camaiurá *kwaryp*.]

quasar (qua.*sar*) *Astron. sm.* Objeto celeste com aspecto de estrela, e a uma enorme distância da Terra, que emite ondas de rádio de grande intensidade e uma energia cem trilhões de vezes maior do que a do Sol [F.: Do ing. *Quasar*, abr. de *Quasi Stellar Astronomical Radiosource*, (Radiofonte astronômica quase estelar).]

quase (*qua*.se) *adv.* **1** Perto: *A farmácia fica quase na esquina.* **2** Por pouco: "...Sua nervosidade geral – corpo e espírito, era enorme, impressionava, quase assustava..." (Antônio Carlos Vilaça, *O nariz do morto*) **3** Pouco menos de: *A senhora tinha quase vinte gatos.* **4** Prestes a: *Júlio está quase se formando.* [F.: Do lat. *quasi*.]

quase contrato (qua.se con.*tra*.to) *Jur. sm.* Compromisso voluntário que assume uma pessoa em relação a outra, ou, reciprocamente, duas pessoas entre si, sem que haja contrato formal [Pl.: *quase contratos*.]

quase delito (qua.se de.*li*.to) *Jur. sm.* Ato culposo, que causa dano a alguém, gerando obrigação de reparação, independentemente da intenção de lesionar; QUASE CRIME [Pl.: *quase delitos*.]

quase equilíbrio (qua.se e.qui.*lí*.bri:o) *Fís. sm.* Característica de um sistema que se encontra próximo do estado de equilíbrio [Pl.: *quase equilíbrios*.]

quasímodo¹ (qua.*sí*.mo.do) *Litu. sm.* O domingo da Pascoela [F.: Do lat. *quasi modo* 'do mesmo modo', palavras iniciais do introito da missa nesse domingo.]

quasímodo² (qua.*sí*.mo.do) *sm.* Indivíduo extremamente feio e/ou desproporcionado; MONSTRENGO; MOSTRENGO [F.: Do antropônimo *Quasímodo*, personagem do livro *Notre-Dame de Paris*, de Victor Hugo (1802-1885).]

quássia (*quás*.si:a) *Bot. sf.* **1** Denominação comum às plantas do gên. *Quassia*, da fam. das simarubáceas, nativas das regiões tropicais, de folhas alternas e compostas, flores escarlates em inflorescências racemosas, e com cerca de 40 espécies, algumas com propriedades inseticidas e medicinais **2** Árvore de até 30 m da fam. das simarubáceas (*Quassia amara*), nativa das Guianas e Brasil (da Amazônia até ES e RJ), de folhas imparipenadas, flores em inflorescências paniculadas e frutos drupáceos. Tem madeira branca e leve e sua casca contém substância amarga us. como vermífugo e inseticida; MARAPUÁ; MARUBÁ; MARUPAÚBA; PAU-AMARGO; QUÁSSIA-AMARGOSA; SIMARUBA [F.: Do lat. cient. gên. *Cassia*. Hom./Par.: *cássia* (sf), *quássia* (sf).]

quassina (quas.*si*.na) *Quím. sf.* Substância amarga (lactona terpênica) extraída da casca da quássia [Fórm.: $C_{22}H_{28}O_6$] [F.: *quássia* + *-ina*.]

quaternário (qua.ter.*ná*.ri:o) *a.* **1** *Geol.* Diz-se do período geológico da Terra em que houve grandes glaciações e no qual surgiu o homem **2** *Mús.* Diz-se de compasso com quatro tempos **3** *Quím.* Que é composto de quatro elementos *sm.* **4** *Geol.* Período quaternário [Nesta acp., com inicial maiúsc.] [F.: Do lat. *quaternariu*.]

quaternização (qua.ter.ni.za.*ção*) *Quím. sf.* Processo de conversão de um composto em quaternário: *Quaternização de aminas terciárias.* [Pl.: *-ções*.] [F.: *quaternizar* + *-ção*.]

quaternizado (qua.ter.ni.*za*.do) *a. Quím.* Convertido em composto quaternário: *Xampu enriquecido com proteína quaternizada.* [F.: Part. de *quaternizar*.]

quaternizar (qua.ter.ni.*zar*) *v. Quím.* Causar ou sofrer quaternização [*td.*] [*int.*] [► 1 quaternizar] [F.: *quaterno* + *-izar*.]

quaterno (qua.*ter*.no) *a.* Composto de quatro unidades, elementos, modos etc. de igual natureza [F.: Do lat. *quaternus, a, um*.]

quati (qua.*ti*) *sm.* **1** *Zool.* Mamífero carnívoro diurno da fam. dos procionídeos (*Nasua nasua*) que ocorre em boa parte da América do Sul, de 70 cm, com focinho longo, cauda longa, de 55 cm, felpuda e com sete a oito anéis de coloração escura. Vivem em bandos de até 30 indivíduos **2** *N.E. Folc.* Dança de roda em que o solista fica no meio, com o corpo inclinado, imitando o vulto curvado do quati [F.: Do tupi *akwa'ti* 'nariz pontudo'.]

quatindiba (qua.tin.*di*.ba) *Bras. Bot. sf.* **1** Planta arbustiva sarmentosa ou arvoreta da fam. das ulmáceas (*Celtis brasiliensis*), nativa do Brasil (BA a SC), de folhas ger. ovadas, flores apétalas, branco-esverdeadas, e frutos drupáceos, pilosos e ásperos. Tem casca espinescente e adstringente e fornece madeira branca, porosa, us. na produção de papel; CORINDIBA; CORINDIÚBA; CRINDIÚVA **2** Arvoreta da mesma fam. (*Celtis morifolia*), que ocorre no N.E., S.E. e C.O., de folhas cartáceas, frutos drupáceos elipsoides e cuja casca contém substância antipirética; CURUBÁ **3** Árvore da mesma fam. (*Trema micrantha*), encontrada na região tropical das Américas, ramos pubescentes, flores esverdeadas, frutos drupáceos avermelhados. A madeira tem pouca resistência à umidade, mas do córtex se extraem fibras muito fortes; a casca é lisa e delgada, com propriedades adstringentes; CORINDIÚVA; CRINDIÚVA; PAU-DE-PÓLVORA; PERIQUITEIRA [F.: Do tupi *karanda'iwa*, segundo Antenor Nascentes.]

quatorze (qua.*tor*.ze) [ô] *Bras. num.* **1** Quantidade correspondente a 13 unidades mais uma **2** Número que representa essa quantidade (arábico: 14; romano: XIV) **3** O décimo quarto *sm.* **4** O conjunto de algarismos que representam o número quatorze **5** O indivíduo ou o objeto que representa o décimo quarto lugar em uma série [F.: Do lat. *quattordecim*. Sin. ger.: *catorze*.]

◎ **quatr-** *pref.* = quatro: *quatrela, quatríduo*

quatragem (qua.*tra*.gem) *MG Dnç. sf.* Antiga dança popular sapateada, em que dois pares evoluem em círculo ao centro de uma roda de pessoas que cantam, batem palmas, tocam adufes e tambores e, à sua vez, alternam-se com os pares do centro [F.: *quatro* + *-agem*².]

quatralvo (qua.*tral*.vo) *a.* Diz-se do cavalo malhado de branco nos pés [F.: *quatro* + *alvo*.]

quatríduo (qua.*trí*.du:o) *sm.* Período de quatro dias [F.: Do lat. *quatriduum, i*.]

quatrienal (qua.tri.e.*nal*) *a2g.* Ver *quadrienal* [Pl.: *-nais*.] [F.: *quatriênio* + *-al*.]

quatriênio (qua.tri:*ê*.ni:o) *sm.* Ver *quadriênio*

quatrilhão (qua.tri.*lhão*) *num.* Mil trilhões, ou 10 elevado à 15ª potência [Pl.: *-lhões*.] [F.: Do fr. *quatrillion* ou *quadrillion*.]

quatrilho (qua.*tri*.lho) *sm.* Jogo de cartas caracterizado pela troca de parceiros durante a partida, e de que participam quatro pessoas, que recebem nove cartas cada uma, vencendo a que faz maior número de vazas [F.: Do espn. *cuatrillo*.]

quatro (*qua*.tro) *num.* **1** Quantidade correspondente a três unidades mais uma **2** Número que representa essa quantidade (arábico: 4; romano: IV) *sm.* **3** Nota de avaliação correspondente a esse número: *Tirou quatro em português.* **4** Pedra de dominó, carta de baralho ou face de dado com esse número **5** Pessoa ou coisa que, numa série, ocupa o quarto lugar: *O seu assento é o quatro.* [F.: Do lat. *quattuor*.] ■ **Cair de ~ 1** Cair sobre mãos e joelhos **2** *Fig.* Ser derrotado ou dominado, render-se ou submeter-se; ser obrigado a reconhecer a total superioridade do adversário **3** *Fig.* Espantar-se ou surpreender-se intensamente (a ponto de ficar sem ação) **4** *Fig. Pop.* Gostar de (algo ou alguém) de modo entusiástico; apaixonar-se **5** *Fut.* Ser derrotado, sofrendo quatro gols do adversário **De ~ 1** Com os joelhos, os pés e as mãos apoiados no chão **2** *Fig.* Em estado de forte surpresa ou comoção; atônito **3** *Fig.* Totalmente vencido ou submisso **4** *Fig.* Tomado por paixão, forte afeição ou admiração

quatro-cantos (qua.tro-*can*.tos) *Bras. Lud.* ***sm2n.*** Brincadeira infantil em que quatro crianças se posicionam em cada canto de um quadrado e tentam trocar de lugar entre si, enquanto uma quinta criança, que fica no meio, tenta ocupar uma das posições vagas; QUATRO-CANTINHOS

quatrocentão (qua.tro.cen.*tão*) ***sm.*** **1** *Bras. Pop.* Que tem quatrocentos anos **2** Que é de origem paulista muito antiga (família quatrocentona) [Pl.: *-tões*. Fem.: *-tona*.] [F.: *quatrocentos* + *-ão*.]

quatrocentista (qua.tro.cen.*tis*.ta) ***a2g.*** **1** Ref. ou pertencente ao séc. XV ou de quatrocentos (pintura quatrocentista) **2** Diz-se de escritor ou artista desse século ***s2g.*** **3** Escritor ou artista do séc. XV: *Boticelli, Giotto e Mantegna são artistas quatrocentistas.* **4** *Lus. Pus. Esp.* Atleta especialista em corrida de 400m rasos [F.: *quatrocentos* + *-ista*.]

quatrocentos (qua.tro.*cen*.tos) ***num.*** **1** Quantidade correspondente a 399 unidades mais uma **2** Número que representa essa quantidade (arábico: 400; romano: CD) ***sm.*** **3** O século XV: "...na penúltima ou última década do Quatrocentos..." (Alberto da Costa e Silva, *A manilha e o libambo*) [Inicial maiúsc.] [F.: *quatro* + *centos*.]

quatro-olhos (qua.tro-*o*.lhos) ***s2g2n.*** **1** *Bras. Joc.* Pessoa que usa óculos **2** *Bras. Ict.* Denominação comum a três espécies de peixes ciprinodontes, do gên. Anableps, da fam. dos anablepídeos, encontrados em águas costeiras e na foz de grandes rios da região amazônica e da América Central; seus olhos são proeminentes e divididos em porção superior e inferior, que permitem ver fora e dentro da água ao mesmo tempo, já que vivem sempre à superfície; TARIOTA; TRALHOTO

quatro-quartos (qua.tro-*quar*.tos) ***sm2n.*** Apartamento com quatro quartos: *O avô deixou-lhes um quatro-quartos em Ipanema.*

quaxinduba (qua.xin.*du*.ba) *Bras. Angios.* ***sf.*** Designação comum a diversas árvores da fam. das moráceas, do gên. *Ficus* (p.ex., *Ficus pertusa*, *Ficus insipida*, *Ficus anthelmintica*, *Ficus vermifuga*), nativas do Brasil e que têm como característica um látex com propriedades vermífugas; CAXINGUBA; COAJINGUBA; COAXINGUVA; CUAXINGUBA; GUAXINDUBA [F.: Do tupi **kwaxi'ngiwa* ou **kwaxi'ndiwa*.]

que[1] ***pr.indef.*** **1** Qual coisa (em interrogação direta e indireta): *Que barulho é esse?; Não sei que barulho é esse; O que é isso?* [a) Antes de um subst. só se usa 'que' (*Que barulho é esse?*) b) Antes de um verbo, podem ocorrer 'que' ou 'o que', sendo este último o mais usado (*O que é isso?*) c) Na linguagem oral é comum ser repetido, apenas por expressividade: *Em que (é) que você trabalha?* d) Por ser us. em frase interrogativa, é tb. chamado de *pronome interrogativo*.] **2** Us. tb. em frase exclamativa: *Que maravilha!* ***pr.rel.*** **3** O qual, a qual: *A cidade, que chamam de Paraíso, é linda.* [Nesta acp., é invariável, ao contrário do seu correspondente *o qual* que varia em gênero (a qual) e em número (os quais, as quais).] [F.: Do lat. *quid*. Hom./Par.: *quê* (pr.indef., sm.).] **■ É ~** Us. para dar ênfase, junto a uma parte da frase (um nome, uma expressão etc.) para a qual se quer chamar a atenção (p.ex., para contrastar ou distinguir algo ou alguém em relação a outros): *Ela ajudou muito; ele é que atrapalhou; Isso é que não está certo!* [Não confundir com o emprego de *que* como conjunção subordinativa integrante: *O fato é que até agora ela não chegou.* Não confundir, também, com o uso de *que* = 'porque' (conjunção subordinativa causal), ao se apresentar uma explicação, as razões, causas ou motivos de algo: *Se não chegou até agora, é que não vem.*] **Por ~** Us. para perguntar qual a causa, motivo ou razão para algo [A expr. equivale a "por que razão/motivo", "qual a razão/o motivo para". Us. a) em interrogações diretas: *Por que o céu é azul?*; b) em interrogações indiretas (em frases afirmativas que têm valor de interrogação), ou para nomear ou expressar dúvida, ignorância etc.: *Perguntou ao filho por que ele chorava. Não sei por que desistiram.* Cf.: *porque, porquê e por quê*.] **~ de** Quanto(s); quanta(s): *Que de imaginação se revela nesse livro!; Que de voluntários atenderam ao apelo!* [Us. ger. para dar ênfase, em exclamações, indicando admiração etc. Cf.: *quede*.] **~ nem** Us. para comparação, para dar ideia de equivalência ou semelhança: do mesmo modo ou da mesma maneira que; como se fosse; tal qual; que só: *Ela é que nem a mãe: preocupa-se com todos.* [Não confundir com justaposição sintática de *que* e *nem*: *Garantiu que nem ele nem ninguém jamais quebrariam o acordo.*] **~ tal** Ver no verbete *tal*

que[2] ***conj.*** **1** Introduz oração com função de sujeito, complemento, predicativo de outra oração (p.ex.: em *Pensei que hoje fosse chover*, *que hoje fosse chover* é o complemento de *pensei*) [a) No português corrente, substitui: 1) prep. *de*: *Tenho que sair agora.* 2) prep. *a*: *Prefiro ouvir que falar.* b) Por omissão de verbos como *espero*, *desejo* etc., inicia frases que expressam estímulo, invocação etc.: *Que vença o melhor!*] ***conj.comp.*** **2** Introduz o segundo termo da comparação, podendo ser precedido ou não da prep.*de*: *Era mais alto (do) que qualquer outro de sua idade.* ***conj.*** **3** Introduz oração que é consequência do que foi dito na oração principal: *Estava tão atrasado, que esqueceu os documentos.* ***conj.expl.*** **4** Porque; devido a: *Não lhe ofereça carne, que ela é vegetariana.* **■ No ~** Assim que; quando: *No que ele saiu, começou a chover.*

quê ***pr.indef.*** **1** Que coisa: *estava pensando em quê?; Quê?! Não entendi.* [a) Us. somente em frases isoladas ou em final de frase. b) Por ser us. em frase interrogativa, é tb. chamado de *pronome interrogativo*.] ***sm.*** **2** Alguma coisa; qualquer coisa: *Ela tem um quê de mistério; Ele tem alguns quês que me desagradam.* **3** Causa, razão, motivo: *É preciso pensar os quês e porquês dessa ações.* [F. subst. de *que*. Hom./Par.: *que* (pron., conj., interj.).] **■ Por ~** Por que motivo, ou razão: *E os resultados não foram bons por quê?* [Us. em fim de frase interrogativa. Cf.: *porque, porquê* e *por que*.] **Sem mais nem por ~/ sem mais ~ nem para ~/ sem ~ nem para ~** Sem qualquer motivo, gratuitamente, à toa

quebequense (que.be.*quen*.se) ***s2g.*** **1** Aquele ou aquela que nasceu ou habita em Québec (província e cidade do Canadá) ***a2g.*** **2** De Québec; típico dessa província, dessa cidade ou de seu povo [F. top. *Québec* (c = *qu*) + *-ense*.]

quebra (*que*.bra) ***sf.*** **1** Ação ou resultado de quebrar(-se) **2** Fragmentação de algo que estava inteiro; FRATURA; RUPTURA: *Lamentava a quebra de seu vaso de porcelana.* **3** Perda, diminuição, interrupção (em produção, serviço, fluxo etc.): *quebra no fornecimento de gás.* **4** Rompimento (de relação, compromisso etc.): *quebra de contrato/de promessa.* **5** Falência: *a quebra da Bolsa de Nova York.* **6** Transgressão, violação (de regra, regulamento etc.): *quebra de disciplina.* **7** *Bras.* Desconto em mercadoria [F.: Dev. de *quebrar*. Hom./Par.: *quebra* (fl. de *quebrar*).] **■ De ~ 1** Em acréscimo, ou como complemento; além do que é suficiente, necessário, esperado ou combinado: *Fiz uma cirurgia na boca e de quebra ganhei 15 pontos* (neste caso, em uso irônico); *Fez um desconto e, de quebra, ofereceu um brinde.* **2** Além disso; em acréscimo, como se não bastasse (o que foi antes mencionado); de lambujem: *É um ambiente ideal para malhar o corpo e, de quebra, descansar a mente.* [Us. frequentemente com o sentido de 'também', para mencionar ou dar destaque a outro aspecto ou consequência de algo.] **3** Que resta, por ser além da conta; de sobra **~ de bitola** Numa ferrovia, passagem para uma rede ou trilhos de bitola diferente; a diferença entre as bitolas **~ de serviço** *Bras. Esp.* No tênis, vitória obtida num *game* em que o adversário tem o serviço (17) **~ de verso** *Poét.* Passagem de parte de um sintagma iniciado num verso para o verso seguinte; *enjambement*

quebra-cabeça (que.bra-ca.*be*.ça) [ê] ***sm.*** **1** Jogo em que se combinam peças que juntas formam uma figura; PUZZLE **2** *Fig.* Adivinhação, desafio à inteligência: *Descobrir onde estava o erro foi um verdadeiro quebra-cabeça.* **3** *Fig.* Problema difícil [Pl.: *quebra-cabeças*.]

quebração (que.bra.*ção*) ***sf.*** **1** Ação de quebrar, ou de quebrar muitas coisas, muitas vezes: *Vi várias pessoas de perna quebrada; a quebração é geral; Começou a quebração na obra do banheiro.*: "Mas é um livro que qualquer um escreveria. (...) É resultado de uma porção de quebração de cara" (Carlos Heitor Cony, *Folha Online*, 02.02.2002) **2** Lugar onde quebram as ondas na zona de arrebentação: "...placas de sinalização também atentam para a formação de correntezas, especialmente a que ocorre na área de quebração das ondas." (Idem, 30.12.2004) **3** *Bras. Gír.* Estado de grande agitação numa pista de dança ou num *show*, causado por aumento da intensidade ou volume da música **4** *Bras. Pop.* O mesmo que *quebra-quebra* [Pl.: *-ções*] [F.: *quebrar* + *-ção*.]

quebracho (que.*bra*.cho) *Angios.* ***sm.*** **1** Designação comum a diversas árvores de madeira e casca ricas em tanino, nativas da América do Sul, esp. as do gên. *Schinopsis*, da fam. das anacardiáceas, como a *Schinopsis lorentzii*, encontrada na região entre Brasil, Argentina e Paraguai, caracterizada pelo fruto duro e provido de uma espécie de asa; QUEBRACHO-VERMELHO **2** O mesmo que *baraúna* **3** Árvore de até 25 m da fam. das apocináceas (*Aspidosperma triternatum*), encontrada no Sul do Brasil, Paraguai e Argentina, com folhas opostas ou ternadas, flores avermelhadas e frutos foliculares coriáceos **4** Planta arbustiva da fam. das celastráceas (*Maytenus spinosa*), nativa do Sul do Brasil e do Uruguai, coberta de espinhos, inclusive os frutos subglobosos, e com folhas polimorfas e flores solitárias ou em fascículos [F.: Do castelhano americano *quebracho*, de *quiebra* 'quebra' + *hacha* 'machado'. Tb. *quebraço*.]

quebraço (que.*bra*.ço) ***sm.*** Ver *quebracho*

quebrada (que.*bra*.da) ***sf.*** **1** Declive ou aclive em monte ou em terreno ondulado; LADEIRA: "rimbombos se prolongavam indefinidamente pelas quebradas." (Marques Rebelo, "Vejo a lua no céu" *in Contos reunidos*.) **2** *Bras.* Curva em estrada **3** Depressão estreita e profunda em terreno, cadeia montanhosa etc., ger. produzida por erosão da água **4** Lugar afastado [F.: Fem. subst. de *quebrado*.]

quebradeira (que.bra.*dei*.ra) *Pop.* ***sf.*** **1** *Bras.* Falência generalizada; falta de dinheiro: *Com a redução do turismo, teme-se uma quebradeira no setor hoteleiro.* **2** Falta de forças; cansaço físico ou mental; MOLEZA [F.: *quebrado* + *-eira*.]

quebradiço (que.bra.*di*.ço) ***a.*** Que se quebra facilmente; FRÁGIL; QUEBRÁVEL [F.: *quebrado* + *-iço*.]

quebrado (que.*bra*.do) ***a.*** **1** Que se quebrou **2** Que se fez em pedaços (vidro quebrado); ESTILHAÇADO; PARTIDO **3** Em que houve fratura (perna quebrada); FRATURADO **4** Que parou de funcionar; ENGUIÇADO: *A filmadora está quebrada.* **5** Em más condições; com fendas: *A cozinha precisa de reparos, está toda quebrada.* **6** Que perdeu as forças; CANSADO; EXTENUADO **7** Com o corpo doído: *Depois daquela ginástica, acordei hoje quebrado.* **8** Que se desrespeitou, transgrediu, violou (regra quebrada, acordo quebrado) **9** Falido, arruinado **10** *Gír.* Sem dinheiro algum; sem um tostão; DURO; LISO **11** Interrompido, perturbado: "...até que o silêncio da noite acobertou a cidade, quebrado de quando em vez pelos latidos de algum cachorro..." (João Ubaldo Ribeiro, *Diário do farol*) **12** *Fig.* Sensual, lânguido (olhar quebrado) **13** *Bras. Pop.* Que tem hérnia **14** *Poét.* Sem métrica (diz-se de verso): "Embora em pé quebrado tudo cante..." (Manuel Bandeira, "Para embrulhar um livro", poema não publicado em livro) [F.: Part. de *quebrar*.]

quebrador (que.bra.*dor*) [ô] ***sm.*** **1** Aquele ou aquilo que quebra (quebrador de grãos) **2** Aquele que transgride, infringe (ordem, lei, regulamento etc.) **3** *PA* Colhedor de castanhas-do-pará, que quebra os ouriços para as extrair **4** *Pus.* Indivíduo que trabalha quebrando quaisquer frutos duros para lhes extrair as amêndoas (quebradores de babaçu); QUEBRADEIROS **5** *Inf.* Programa que descobre ou 'quebra' senha em um sistema; CRACKER ***a.*** **6** Que diz respeito a que ou a quem quebra [F.: *quebrar* + *-dor*.]

quebrados (que.*bra*.dos) ***smpl.*** Dinheiro trocado: *Deu-lhe 10 reais e uns quebrados.* [F.: Pl. subst. de *quebrado*.]

quebradouro (que.bra.*dou*.ro) ***sm.*** **1** Lugar em litoral, praia etc., em que as ondas arrebentam, ger. fazendo espuma; ARREBENTAÇÃO **2** Em plantações de arroz, valeta que permite a passagem de água entre canteiros [F.: *quebrar* + *-douro*. Tb. *quebradoiro*.]

quebradura (que.bra.*du*.ra) ***sf.*** **1** Ação ou resultado de quebrar; QUEBRA; QUEBRAMENTO **2** Ruptura ou abertura de alguma coisa **3** *Pop. Pat.* O mesmo que *hérnia* [F.: *quebrar* + *-dura*.]

quebra-freio (que.bra-*frei*:o) *S.* ***s2g.*** **1** Aquele que é bravio, arisco, selvagem **2** Indivíduo dado a provocar desordens; ARRUACEIRO; BRIGÃO; DESORDEIRO; RUFIÃO **3** Aquele que é valente, destemido, corajoso; VALENTÃO ***a.*** **4** Que diz respeito a quebra-freio (1 a 3) [Pl.: *quebra-freios*.]

quebra-galho (que.bra-*ga*.lho) ***sm.*** *Pop.* Recurso improvisado us. para resolver problemas ou dificuldades [Pl.: *quebra-galhos*.]

quebra-gelos (que.bra-*ge*.los) [ê] ***sm2n.*** Navio equipado para navegar por mares cheios de gelo [Tb. *navio-quebra-gelos*.]

quebra-luz (que.bra-*luz*) ***sm.*** Anteparo para proteger os olhos da incidência direta de luz; ABAJUR [Pl.: *quebra-luzes*.]

quebra-mar (que.bra-*mar*) ***sm.*** Paredão que oferece proteção contra o impacto das ondas do mar [Pl.: *quebra-mares*.]

quebramento (que.bra.*men*.to) ***sm.*** **1** Ação ou resultado de quebrar(-se); QUEBRA **2** *Pop.* Cansaço intenso; FRAQUEZA; PROSTRAÇÃO: "...sorrindo, satisfeita, num derretimento, no quebramento, nas harmonias!" (Guimarães Rosa, *Noites do sertão*) **3** Violação (de regra, acordo etc.); ROMPIMENTO [F.: *quebrar* + *-mento*.]

quebra-molas (que.bra-*mo*.las) ***sm2n.*** Obstáculo de pouca altura construído transversalmente no leito de ruas e estradas para forçar a redução da velocidade dos veículos

quebrança (que.*bran*.ça) ***sf.*** **1** *Bras. Pop.* Agitação alegre e ruidosa, com música e dança: *Vamos dançar, cair na quebrança.* **2** O embate das ondas nos rochedos **3** *BA* Fase, no curso das quadraturas, em que as marés começam a ser pequenas [F.: *quebrar* + *-ança*.]

quebra-nozes (que.bra-*no*.zes) ***sm2n.*** Utensílio com que se partem nozes

quebrantado (que.bran.*ta*.do) ***a.*** **1** Que está fraco, debilitado **2** *Fig.* Que está desanimado, abatido **3** *Fig.* Vencido, dominado: *poder quebrantado pela vontade popular.* **4** Que foi vítima de quebranto [F.: Part. de *quebrantar*.]

quebrantamento (que.bran.ta.*men*.to) ***sm.*** **1** Ação ou resultado de quebrantar; QUEBRANTO **2** Estado de fraqueza **3** Transgressão, violação [F.: *quebrantar* + *-mento*.]

quebrantar (que.bran.*tar*) ***v.*** **1** Tornar(-se) mais fraco, menos vigoroso; ABATER; DEBILITAR [***td.***: *Nada quebrantava o ânimo do marinheiro.*] [***int.***: *Embora não desistisse, seu ímpeto quebrantara-se.*] **2** Pôr sob controle; APLACAR; SUBJUGAR [***td.***: *Quem conseguiria quebrantar a fúria do coronel?*] **3** *Fig.* Desobedecer a (costumes, deveres); quebrar (preceito ou convenção); VIOLAR; TRANSGREDIR [***td.***: *quebrantar a lealdade ao diretor; O marido quebrantou o juramento.*] **4** Ser um lenitivo [***int.***: *O sono quebranta.*] **5** Sofrer ação de quebranto [***int.***] **6** Derrubar (fortificação, muralha etc.); ARRUINAR; QUEBRAR [***td.***: *Os invasores quebrantaram os muros da pequena cidade.*] [▶ **1** quebrantar] [F.: Do lat. vulg. **crepantare* < lat. *crepare*, 'fazer estrépito'. Hom./Par.: *quebranto* (fl.), *quebranto* (sm.); *quebrantáveis* (fl.), *quebrantáveis* (pl. *quebrantável*).]

quebrante (que.*bran*.te) ***sm.*** **1** *Bras. Pop.* O mesmo que *quebranto* (1 e 2) (espantando o quebrante): "O ar morno e pesado produzia quebrantes no corpo e convidava a gente a estender-se no chão, sobre a esteira, e deixar-se ficar de olhos fechados em plena preguiça." (Aluísio Azevedo, *Girândola de amores*) ***a.*** **2** Que se quebra (fibra quebrante) [F.: *quebrar* + *-nte*.]

quebranto (que.*bran*.to) ***sm.*** **1** Na superstição popular, efeito danoso do olhar de uma pessoa sobre alguém ou algo; MAU-OLHADO **2** Estado ou condição de quem é vítima de quebranto (1) **3** Estado ou condição de cansaço, languidez, abatimento, desânimo [Ant.: *ânimo, vigor.*] [F.: Dev. de *quebrantar.*]

quebra-pau (que.bra-*pau*) *Bras. Pop. sm.* Discussão ou briga violenta e descontrolada, às vezes com agressão física; CONFLITO; QUEBRAÇÃO; ROLO [Pl.: *quebra-paus.*]

quebra-pedra (que.bra-*pe*.dra) *sm. Bot.* Nome comum a algumas plantas do gên. *Phyllanthus*, da fam. das euforbiáceas, de cujas folhas se faz um chá terapêutico, us. para dissolver cálculos dos rins e da bexiga; ARREBENTA-PEDRA; ERVA-POMBINHA [Pl.: *quebra-pedras.*]

quebra-peito (que.bra-*pei*.to) *sm.* **1** *Bras. Gír.* Cigarro de má qualidade, muito forte; ARROMBA-PEITO; LASCA-PEITO; MATA-RATO: "O cigarro socialista era um quebra-peito insuportável. Agora, eles tragam Hollywood *made in Brazil.*" (Joelmir Betting, *O Globo*, 20.06.2003) *a.* **2** *Mar.* Diz-se de escada de corda, ger. us. em embarcações (escada (de) quebra-peito) **3** *Bras. Ant. Hist.* Diz-se de certa moenda com dois cilindros horizontais, de tração manual, us. em engenhos de cana-de-açúcar: *Na moenda quebra-peito, o escravo encostava o peito à trave para empurrá-la.* [Pl.: *quebra-peitos.*]

quebra-quebra (que.bra-*que*.bra) *sm.* **1** *Bras.* Arruaça com depredação de imóveis públicos e privados **2** *Pop.* Briga ou conflito envolvendo várias pessoas **3** *Cul.* Certo tipo de biscoito que se desfaz na boca [Pl.: *quebra-quebras.*]

quebra-queixo (que.bra-*quei*.xo) *sm.* **1** *Cul.* Puxa-puxa de goiaba e coco ralado *a2g.* **2** *CE* Diz-se de bebida gelada demais [Pl.: *quebra-queixos.*]

quebra-quilos (que.bra-*qui*.los) *Bras. sm2n.* **1** *Hist.* Revolta, em 1875, na Paraíba, contra a obrigatoriedade do sistema métrico decimal e a cobrança de novos impostos: "O tenente Maurício vem por aí com o batalhão do 14, do quebra-quilos, arrasando tudo." (José Lins do Rego, *Pedra Bonita*) **2** Indivíduo que tomou parte nessa revolta **3** *N. Vest.* Chita estampada de preto e vermelho

quebrar (que.*brar*) *v.* **1** Fazer ficar ou ficar em pedaços; despedaçar(-se), romper(-se) [*td.*: *Use a enxada para quebrar os torrões de terra.*] [*int.*: *O pires quebrou(-se).*] **2** Fraturar, partir [*td.*: *quebrar a perna.*] **3** Estragar(-se), danificar(-se) [*td.*: *Quem quebrou o liquidificador?*] [*int.*: *A marcha da bicicleta quebrou.* Ant.: *consertar.*] **4** Enguiçar (veículo) [*int.*: *O ônibus em que estávamos quebrou.*] **5** Desfazer(-se), dissipar(-se) [*td.*: *Piadas nem sempre ajudam a quebrar a tensão; Suas mentiras quebraram nossa confiança.*] [*int.*: *Quebrou-se o encanto.*] **6** *Pop.* Descumprir (compromisso assumido, regra de conduta etc.) [*td.*: *quebrar uma promessa/ o protocolo.* Ant.: *cumprir.*] **7** Dominar ou enfraquecer (algo ou alguém); SUBJUGAR [*td.*: *Ameaças não conseguiram quebrar sua determinação*] **8** *Pop.* Levar ou ir (pessoa, firma, instituição) à falência; arruinar(-se); FALIR [*td.*: *As compras de Natal me quebraram.*] [*int.*: *A firma quebrou e não pode pagar os funcionários.*] **9** Desviar-se de certa direção, fazendo curva acentuada [*ta.*: *Quebre à direita no próximo sinal.*] **10** Diminuir a intensidade de; ENFRAQUECER [*td.*: *As nuvens quebravam um pouco o sol.*] **11** Ultrapassar (limite previamente estipulado) [*td.*: *Quebrou o recorde dos cem metros rasos.*] **12** Bater ou estourar (as ondas) [*int.*: "...o eco das ondas quebrando nas praias." (José de Alencar, *Iracema*)] **13** Desrespeitar, transgredir ou anular, cassar (um direito [imunidade, sigilo bancário etc.]) [*td.*: *Quem quebrou o sigilo bancário da testemunha de acusação?*] **14** *Edit.* Passar (parte de palavra, verso etc.) para a linha seguinte [*td.*] **15** *Pop.* Espancar (alguém); SURRAR [*td.*: *Disse que iria quebrá-lo se não parasse de falar.*] **16** *Pop.* Deixar (alguém) desconcertado, desnorteado; fazer ficar sem ação, sem resposta, sem saber o que fazer etc. [*td.*: *Ele a quebrou quando desdisse o que ela afirmara.*] **17** *Bras. Pop.* Requebrar-se ao andar, ao dançar [*td.*: *Quando anda, ela quebra as cadeiras.*] [*tr.* + com: *Quando anda, ela quebra com as cadeiras.*] **18** *Bras. N.E. Pop.* Amansar (um animal) [*td.*] **19** *Bras. Pop.* Adquirir ou sofrer de hérnia [*int.*] [▶ **1** quebrar] [F.: Do lat. *crepare.* Hom./Par.: *quebra(s)* (fl.), *quebra(s)* (sf. [pl.]); *quebro* (fl.), *quebro* (sm.); *quebráveis* (fl.), *quebráveis* (pl. de *quebrável* [a2g.]).] ∎ **Botar para ~** Ver no verbete *botar* **O ~ da barra** *Bras.* Os albores da manhã

quebrável (que.*brá*.vel) *a2g.* **1** Que pode ser quebrado **2** Que se quebra facilmente; FRÁGIL; QUEBRADIÇO [Pl.: *-veis.*] [F.: *quebrar* + *-vel.*]

quebra-vento (que.bra-*ven*.to) *sm.* **1** Em certos veículos, janelinha nas portas dianteiras que se pode girar para desviar o vento na direção desejada **2** Anteparo us. para proteger a lavoura do vento [Pl.: *quebra-ventos.*]

quebra-verso (que.bra-*ver*.so) *Art.gr. sm.* Sinal de abertura de colchete ([) us. para indicar continuação de um verso que se teve de quebrar [Pl.: *quebra-versos.*]

quebro (*que*.bro) *sm.* **1** Ação ou resultado de quebrar(-se): "O quebro da vaga na amurada do navio é queixoso e tétrico." (Castro Alves, *Espumas flutuantes*) **2** Meneio do corpo; BAMBOLEIO; REQUEBRO; SARACOTEIO **3** Inflexão ou modulação da voz; TRILO; TRINADO: "Quebros tens de entoar quando respondas" (Filinto Elísio, "Quebros dos rouxinóis") **4** Rubrica: tauromaquia. Movimento que o toureiro faz com a cintura sem arredar pé, para evitar a marrada [F.: f. reg. de *quebrar*. Hom./Par.: *quebro* (sm), *quebro* (fl. de *quebrar*).]

queda (*que*.da) *sf.* **1** Ação ou resultado de cair; CAÍDA **2** Tombo: "Teresinha de Jesus/ de uma queda foi ao chão" (Cantiga de roda, *Teresinha de Jesus*) **3** Redução, baixa (queda de preços) **4** Inclinação para algo; TENDÊNCIA; VOCAÇÃO: *queda para o palco.* **5** Perda de prestígio, influência ou poder: *Estão tramando a queda do ministro.* **6** Decadência, ruína (queda de império) **7** Pecado, erro: *a queda de Adão e Eva.* [F.: Do arc. *caeda.*] ∎ **Dar/levar uma ~ Cair Duro na ~** *Bras. Pop.* Resistente, que não se deixa dobrar ou vencer facilmente; perseverante, obstinado **~ de barreira** *Bras.* Deslizamento de camadas de terra em áreas de declive, ger. em consequência de muita chuva, e bloqueando estradas **~ livre 1** A fase de descida em paraquedas na qual o paraquedas ainda não foi aberto **2** *Pext. Fig.* Queda rápida, descenso rápido

queda-d'água (que.da-*d'á*.gua) *sf.* Torrente de água que cai do alto; CACHOEIRA; CASCATA [Pl.: *quedas-d'água.*]

queda de asa (que.da de *a*.sa) *Bras. Pop. sf.* **1** *Bras.* Guinada súbita e brusca de um veículo **2** *Lus.* Manobra em que o aeromodelo sobe na vertical e roda 180º sobre a ponta de uma das asas, desce na vertical e retoma o voo horizontal no mesmo nível e sentido da entrada **3** *Bras.* Mudança repentina e radical; GUINADA; VIRADA: *O candidato deu uma queda de asa na campanha.* [Pl.: *quedas de asa.*]

queda de braço (que.da de *bra*.ço) *sf. Bras. Lud.* Disputa em que um dos adversários tenta encostar o antebraço do outro na mesa em que ambos apoiam os cotovelos [Pl.: *quedas de braço.*]

queda de quatro (que.da de *qua*.tro) *Bras. Cap. sf.* Movimento de defesa em que o capoeirista, com os pés fixos no chão, cai para trás, apoiando-se nas mãos [Pl.: *quedas de quatro.*]

queda de rim (que.da de *rim*) *Bras. Cap. sf.* Movimento de defesa ou acrobacia em que o capoeirista espalma uma das mãos no chão e apoia o tronco no cotovelo, mantendo o corpo erguido numa diagonal em relação ao chão [Pl.: *quedas de rim.*]

quedar (que.*dar*) *v.* **1** Ficar parado ou quieto [*int.*: *Luís quedou depois de levar uma bronca.*] **2** Deter-se, demorar-se, ficar [*ta.*: *A meninada quedava-se em frente à nossa casa.* Ant.: *andar, prosseguir.*] **3** *Fig.* Manter-se ou continuar (em certa condição); PERMANECER [*tp.*: *Luís quedou(-se) aborrecido.*] [▶ **1** quedar] [F.: Do lat. *quetare, por *quietare*, 'fazer descansar'. Hom./Par.: *queda* (fl.), *queda* (sf.); *quedas* (fl.), *quedas* (pl. do sf.); *quedo* (fl.), *quedo* (a.); *quede* (fl.), *quede* (sm. adv.); *quedes* (fl.), *quedes* (pl. do sm.).]

quede (*que*.de) *adv. Bras. Pop.* Expressão interrogativa que significa *que é de? onde está?*; CADÊ [Tb. *quedê.*]

quedo (*que*.do) [ê] *a.* **1** Quieto, imóvel, parado: "...aqui, falando alegre, ali cuidosa; / agora estando queda, agora andando." (Luís de Camões, *Quando o sol encoberto vai mostrando*) [Ant.: *inquieto, movediço.*] **2** Tranquilo, sereno, manso, calmo, plácido: "Eu amo a noite taciturna e queda!/ Amo a doce mudez que ela derrama,..." (Gonçalves Dias, "A noite") [Ant.: *agitado, tumultuado.*] **3** Vagaroso, demorado, pausado [Ant.: *célere, rápido.*] **4** Comportado, comedido, moderado [Ant.: *descomedido, imoderado.*] [Pl.: [ê].] [Fem.: [ê].] [F.: Do lat. *quetus*, de lat. *quietus, a, um.*]

quefazeres (que.fa.*ze*.res) [ê] *smpl.* O que há para se fazer; afazeres, ocupações de rotina [F.: *que* + *fazeres.*]

quefir (que.*fir*) *sm.* Bebida acidulada, resultante de uma fermentação particular do leite, originalmente feita pelos tártaros e caucasianos [Pl.: *-res.*] [F.: Do russo *kefir.*]

queijada (quei.*ja*.da) *sf. Cul.* Pequeno doce de massa de farinha de trigo recheada com creme, queijo etc. [Doce típico de Portugal, no Brasil foi esp. adaptado na Bahia, onde se recheia com coco.] [F.: *queijo* + *-ada*[1].]

queijadeiro (quei.ja.*dei*.ro) *a.* **1** Que diz respeito a queijada *sm.* **2** Aquele que faz ou vende queijadas [F.: *queijada* + *-eiro.*]

queijadinha (quei.ja.*di*.nha) *sf. Cul.* Doce de coco com queijo e ovos [F.: *queijada* + *-inha.*]

queijaria (quei.ja.*ri*.a) *sf.* **1** Local em que se vendem queijos **2** Local em que se fabricam queijos; QUEIJEIRA [F.: *queijo* + *-aria.*]

queijeira (quei.*jei*.ra) *sf.* **1** Prato para guardar queijo, com tampa em forma de campânula **2** Ver *queijaria* (*1 e 2*). **3** Prateleira onde se põe o queijo para secar [F.: *queijo* + *-eira.*]

queijeiro (quei.*jei*.ro) *a.* **1** Ref. à fabricação ou venda de queijo (indústria queijeira) *sm.* **2** Indivíduo que fabrica ou vende queijos [F.: *queijo* + *-eiro.*]

queijo (*quei*.jo) *sm.* **1** *Cul.* Alimento feito à base de coalhada láctea comprimida em formas apropriadas **2** *CE Pop.* Remendo que se coloca nos fundilhos das calças [F.: Do lat. pop. *caseus.*] ∎ **~ flamengo** *Lus. Cul.* O mesmo que *queijo do reino* **~ parmesão** *Cul.* Tipo de queijo de massa dura, próprio para ser ralado, originário de Parma, Itália **~ prato** *Cul.* Queijo amarelo de massa cozida compacta, feita de leite de vaca **~ suíço** *Cul.* Queijo amarelo de massa cozida, compacta e elástica, cheia de buracos; *emmenthal*

queijo de minas (quei.jo de *mi*.nas) *Bras. Cul. sm.* **1** Queijo de massa branca, crua e homogênea, baixo teor de gordura e cuja consistência varia conforme esteja mais ou menos curado, muito consumido no Brasil **2** Variedade frescal do queijo de minas, de massa não maturada e com muito soro **3** Variedade Cândido Tostes do queijo de minas, de sabor acidulado e relativamente mais consistente, com numerosas e pequeninas olhaduras mecânicas [Pl.: *queijos de minas.*]

queijo do reino (quei.jo do *rei*.no) *Bras. Cul. sm.* Queijo tipo Edam, de origem holandesa, condimentado, de massa dura, semicozida e não fermentada, de formato esférico e coberto por uma camada de parafina vermelha [Pl.: *queijos do reino.*]

queima (*quei*.ma) *sf.* **1** Ação ou resultado de queimar(-se); QUEIMAÇÃO; QUEIMADURA **2** Combustão, incêndio: "... era ver esses coqueiros que restam em pé no campo morto da queima e seca..." (Guimarães Rosa, *Estas estórias*) **3** Venda a preços muito baixos; LIQUIDAÇÃO [F.: Dev. de *queimar*. Hom./Par.: *queima* (fl. de *queimar*).] ∎ **~ de arquivo 1** *Fig.* Destruição de documentos ou outros indícios ou provas de um crime, de uma atividade ilegal etc. **2** Assassinato de pessoa que, por ter participado de certa atividade ilegal ou por ter presenciado um crime, poderia vir a denunciá-los ou testemunhar a esse respeito

queimação (quei.ma.*ção*) *sf.* **1** Ação ou resultado de queimar(-se); QUEIMA; QUEIMADURA **2** Sensação na pele semelhante a uma queimadura **3** Desconforto estomacal causado por acidez excessiva **4** *Fig.* Aquilo que aborrece, incomoda [Pl.: *-ções.*] [F.: *queimar* + *-ção.*]

queimada (quei.*ma*.da) *sf.* **1** Queima de mato, vegetação, arvoredo, para preparar o solo para o plantio **2** Local em que é feita essa queima **3** Área de floresta ou campo que pega fogo devido ao calor excessivo e falta de chuvas **4** *S* Cachaça fervida com gengibre e açúcar [F.: Fem. subst. de *queimado.*]

queimadeiro (quei.ma.*dei*.ro) *sm.* **1** Forno crematório **2** *Hist.* Lugar onde se armavam fogueiras para queimar os condenados à pena do fogo **3** *BA* Vendedor de queimados (9) [F.: *queimado* + *-eiro.*]

queimadiço (quei.ma.*di*.ço) *a.* **1** Que facilmente se queima **2** Muito sensível ao calor; ESCALDADIÇO [F.: *queimado* + *-iço.*]

queimado (quei.*ma*.do) *a.* **1** Que se queimou, foi destruído pelo fogo; INCENDIADO **2** Tostado em excesso (torrada queimada) **3** Bronzeado (diz-se de pele): "um senhor moreno, em mangas de camisa, queimado de sol..." (Josué Montello, *Sempre serás lembrada*) **4** Murcho, seco pela ação de calor ou frio intenso (plantação queimada) **5** *Fig.* Que perdeu o prestígio ou ficou malvisto: *Está queimado no trabalho.* **6** *Bras. Fig. Pop.* Um tanto bêbedo *sm.* **7** Característica do que se queimou: "cheiro de fumo, de fumaça, de queimado, de coisa extinta..." (João Cabral de Melo Neto, *O alpendre no canavial*) **8** *Bras.* Jogo infantil que consiste em arremessar uma bola para atingir os adversários **9** *BA* Bala, caramelo [F.: Part. de *queimar.*]

queimador (quei.ma.*dor*) [ô] *a.* **1** Diz-se do que queima *sm.* **2** Artefato us. para queimar: *queimador de ervas aromáticas.* **3** Local por onde sai a chama: *os queimadores do fogão.* [F.: *queimado* + *-or.*]

queimadura (quei.ma.*du*.ra) *sf.* **1** Ação ou resultado de queimar; QUEIMA; QUEIMAÇÃO **2** Ferimento causado por fogo, raios solares ou substância química [F.: *queimado* + *-ura.*]

queimamento (quei.ma.*men*.to) *sm.* Ação ou resultado de queimar(-se); QUEIMA; QUEIMAÇÃO; QUEIMADURA [F.: *queimar* + *-mento.*]

queimante (quei.*man*.te) *a.* **1** Que queima (sol queimante); QUEIMOSO **2** Que arde (comida/dor queimante); ARDENTE; PICANTE; QUEIMOSO **3** *N.E. Gír.* Arma de fogo; BERRO; MÁQUINA; REVÓLVER [F.: *queimar* + *-nte.*]

queimar (quei.*mar*) *v.* **1** Destruir(-se) com fogo ou calor; INCENDIAR(-SE) [*td.*: *queimar papel*] [*int.*: *Se ocorrer aquecimento excessivo, o fio pode queimar.*] **2** Ferir(-se) a pele com fogo ou calor excessivo [*td.*: *A água fervente queimou o meu dedo; Cátia vive se queimando nas panelas.*] **3** Ter excessivamente aumentada a sua temperatura; ABRASAR-SE; AFOGUEAR-SE [*int.*: *Com quarenta graus de febre, a testa da menina queimava.*] **4** Aquecer ou cozinhar além da conta [*td.*: *Não vá queimar os biscoitos!*] [*int.*: "... estava jogando dominó enquanto o feijão queimava." (O Globo, 17.05.2003)] **5** Provocar ardência (esp. substância picante); ARDER; PICAR [*td.*: *Tanta cachaça queimara sua garganta.*] [*int.*: *Essa pimenta queima de verdade.*] **6** Tornar(-se) (a cor da pele) mais escura pela ação do sol; BRONZEAR(-SE) [*td.*: *Usou uma viseira para não queimar o rosto.*] [*int.*: *queimar-se nos ombros.*] **7** Tirar ou perder o viço, o frescor; CRESTAR(-SE); EMURCHECER(-SE) [*td.*: *O sol queima as roseiras.*] [*int.*: *As plantações queimaram-se durante a seca.*] **8** Fazer parar ou parar de funcionar (aparelho elétrico, lâmpada etc.) [*int.*] **9** *Bras. Fig.* Fazer perder ou perder prestígio, credibilidade etc.; DESACREDITAR(-SE) [*td.*: *Aquela fotografia queimou a atriz com os fãs.*] **10** Despertar ardor febril e intenso em; ABRASAR [*td.*: *Sua ausência queima o meu peito.*] [*ta.*: *A paixão por José queimava ainda em seu coração.*] **11** Liquidar em curto espaço de tempo (patrimônio, mercadorias etc.); gastar tudo; MALBARATAR; DISSIPAR [*td.*: *Em dois anos queimou toda sua herança.* Ant.: *economizar, guardar.*] **12** Vender por preço muito baixo; LIQUIDAR [*td.*: *A sapataria vai queimar todo o seu estoque.*] **13** Eliminar ou reduzir (excesso de peso.) [*td.*: *queimar gordura/calorias.*] **14** Não passar por (todas as fases intermediárias em atividade ou processo) [*td.*: *queimar etapas.*] **15** *Esp.* Encostar (a bola) em (rede),esp. em voleibol, tênis, pingue-pongue [*td.*: *queimar o saque.*] [*int.*: *A bola queimou na rede e o jogador perdeu a vantagem.*] **16** *Esp.* Em automobilismo e em algumas modalidades de esporte (natação, salto etc.), cometer infração (p.ex., largar antes da hora, ultrapassar a linha no salto etc.) que anula o evento [*td.*: *queimar o salto, a largada.*] [*int.*: *A largada foi anulada, pois todos queimaram.*] **17** *Bras. Pop.* Ficar muito zangado ou aborrecido; ABESPINHAR-SE; IRRITAR-SE [*tr.* + com: *Queima-se com as amigas à toa.*] **18** *Bras.* Atirar com arma de fogo em; matar ou atingir com arma de fogo; BALEAR [*td.*] **19** *Art.gr.* Durante a impressão, perder (papel) em grande quantidade, por defeito ou mal uso da máquina impressora [*td.*] **20** *N.E.* Cozer (telha ou tijolo) [*td.*] **21** *N.E.* Errar (um passo de dança) [*td.*] [▶ 1 queimar] [F.: Do lat. *caimare, que teria suplantado o lat. *cremare*. Hom./Par.: *queima(s)* (fl.), *queima(s)* (sf. [pl.]); *queimo* (fl.), *queimo* (sm.). Ideia de 'queimar': *caust(i/o)- (causticante, holocausto); cauter- (cauterizar); queim- (queimada)*.]

queima-roupa (quei.ma-*rou*.pa) *sf.* Us. na loc. *À queima-roupa* [F.: Dev. de *queimar* + *roupa*.] ■ **À ~ 1** De muito perto: *Deu-lhe um tiro à queima-roupa.* **2** Repentina e bruscamente; de improviso: *Provocado, disse-lhe à queima-roupa algumas verdades.*

queimável (quei.*má*.vel) *a2g.* **1** Que se pode ou deve queimar (lixo queimável) **2** Que se queima facilmente [Pl.: *-veis.*] [F.: *queimar* + *-vel*. Hom./Par.: *queimáveis* (pl.), *queimáveis* (fl. de *queimar* [v.]).]

queimo (*quei*.mo) *sm.* Sensação causada por alguma coisa queimante (o queimo da pimenta/do sol); ARDÊNCIA; QUEIMAÇÃO; QUEIMOR [F.: f. reg. de *queimar*. Hom./Par.: *queimo* (sm.), *queimo* (fl. de *queimar*).]

queimoso (quei.*mo*.so) [ô] *a.* O mesmo que *queimante* (1 e 2) [F.: *queima* + *-oso*.]

queirosiano[1] (quei.ro.si.*a*.no) *a.sm.* O mesmo que *eciano* (Lisboa queirosiana): "Seja como for, a carta em questão, que há de perdurar como uma das mais belas páginas *queirosianas*..." (Aquilino Ribeiro, *Camões, Camilo, Eça*) [F.: *(Eça de) Queirós* + *-iano*.]

queirosiano[2] (quei.ro.si.*a*.no) *sm.* **1** Pessoa nascida ou que vive em Queirós (SP) *a.* **2** De Queirós; típico dessa cidade ou de seu povo [F.: Do top. *Queirós* + *-iano*.]

queixa (*quei*.xa) *sf.* **1** Ação ou resultado de queixar(-se) **2** Manifestação de dor física ou moral; LAMENTAÇÃO; QUEIXUME **3** Expressão de descontentamento, mágoa ou pesar; LAMÚRIA; RECLAMAÇÃO: "...as queixas dos europeus sobre o declínio do comércio." (Alberto da Costa e Silva, *A manilha e o libambo*) **4** Motivo de ressentimento: *Não tenho queixas dele.* **5** Comunicação a autoridade ou superior a respeito de algo que se considera errado ou injusto: "– Eu, se fosse você, fazia queixa a seu Schneider de que o José não te deixa conversar direito..." (Marques Rebelo, *Marafa*) **6** Sintoma descrito pelo paciente **7** *Jur.* Forma pela qual se inicia uma ação judicial, consistindo em exposição feita pelo ofendido ou por seu representante legal; QUEIXA-CRIME; QUERELA [F.: Dev. de *queixar*. Hom./Par.: *queixa* (sf.), *queixa* (fl. de *queixar*).] ■ **Dar ~** Apresentar denúncia contra (algo ou alguém) **Dar/fazer ~ (de) 1** *Fam.* Reclamar contra ação ou conduta (de alguém) **2** Denunciar, dedurar **~ do peito** *Pop.* Tuberculose

queixa-crime (quei.xa-*cri*.me) *Jur. sf.* Ver *queixa* [Pl.: *queixas-crimes, queixas-crime*.]

queixada (quei.*xa*.da) *sf.* **1** Maxila inferior, esp. a mandíbula **2** Queixo grande **3** *Bras. Cap.* Golpe em que o capoeirista faz um semicírculo no ar, com umas das pernas **4** *Zool.* Espécie de porco selvagem diurno da fam. dos taiaçuídeos (*Tayassu pecari*), com até 1m de comprimento, pelagem escura e queixo branco. Ocorre do sul do México ao Nordeste da Argentina [F.: *queixo* + *-ada*.]

queixal (quei.*xal*) *a2g.* **1** Ref. ou pertencente ao queixo *sm.* **2** Dente molar: "E Sebastião escancarou a boca, para mostrar um queixal ao amigo." (Aluísio Azevedo, *O mulato*) **3** Queixada, mandíbula: "Ainda hoje, quando o geólogo encontra nela um queixal de Megatherium ou um fêmur de Propithecus tem vontade de oferecer à Minerva uma hecatombe de bois brancos!" (Lima Barreto, *Os Bruzundangas*) [F.: *queixo* + *-al*.]

queixar-se (quei.*xar*-se) *v.* **1** Manifestar desagrado ou mal-estar com; RECLAMAR [*tr.* +*de*: *Depois de dez anos, ainda se queixava da morte do marido.*: "...teu avô queixa-se de que estudas pouco..." (Júlia Lopes de Almeida, *A intrusa*)] **2** Fazer reclamação ou denúncia formal (de algo) junto a [*tir.* + *a, de*: *Por que você não se queixa disso ao síndico?*] [*tr.* + *de*: *queixar-se da falta de luz*] [*ti.* + *a*: *Diariamente queixava-se ao diretor.*] **3** Dizer, ger. em tom de lamento, que está (sofrendo) com (dor ou mal físico ou moral, dificuldade financeira, problema etc.); RECLAMAR [*tr.* + *de*: *Queixou-se de dores nas costas; queixar-se da falta de dinheiro*] [▶ 1 queixar-se] [F.: Do lat. *quassiare (< lat. *quassare*, 'mover; tremer; enfraquecer' etc.) + *se*[1]. Hom./Par.: *queixa(s)* (fl.), *queixa(s)* (sf. [pl.]); *queixo* (fl.), *queixo* (sm.); *queixais* (fl.), *queixais* (pl. de *queixal*).]

queixeira (quei.*xei*.ra) *sf.* **1** Parte acessória da viola ou do violino, ger. almofadada, em que se apoia o queixo **2** No capacete de motociclista, parte que recobre o queixo e protege o rosto [F.: *queixo* + *-eira*.]

queixo (*quei*.xo) *sm.* **1** *Anat.* Parte inferior do rosto, abaixo da boca; MENTO **2** Cada uma das partes curvas e fortes da torquês, que servem para prender o que se quer arrancar **3** *Zool.* Cada uma das duas maxilas dos vertebrados [F.: Do lat. *capseum, de *capsa* 'caixa'. Hom./Par.: *queixo* (fl. de *queixar*).] ■ **Amolar os ~s** *CE Fam.* Estar na ansiosa expectativa de uma boa refeição, um banquete etc. **Bater ~** Tiritar de frio **Botar os ~s em** *S.* Insultar, destratar **Cair de ~** *Bras. Tabu.* Praticar sexo oral **Cair o ~** Ficar pasmo, admirado **Dar aos ~** *Lus.* Comer, alimentar-se de, mastigar **De ~ caído** Admirado, pasmado, perplexo **Derrubar o ~ de** *S.* Impor algo a (alguém), sujeitar, submeter **Duro de ~ 1** *Bras.* Diz-se de cavalgadura que não obedece ao freio **2** *Fig.* Diz-se de pessoa teimosa, cabeça-dura **Ficar de ~ na mão** *Bras.* V. *Ficar de queixo caído*

queixosamente (quei.xo.sa.*men*.te) *adv.* Em tom de queixa; de modo queixoso; LAMURIOSAMENTE: "Pávia falava queixosamente, mas deixando entrever a ponta de uma ameaça." (Raul Pompeia, *As joias da coroa*) [F.: Fem. de *queixoso* + *-mente*.]

queixoso (quei.*xo*.so) [ô] *a.* **1** Que se queixa **2** Que encerra ou expressa mágoa, tristeza *sm.* **3** Pessoa que faz queixa **4** Ver *querelante* [Pl.: [ó]. Fem.: [ó].] [F.: *queixa* + *-oso*.]

queixudo (quei.*xu*.do) *a.* Que tem o queixo grande [F.: *queixo* + *-udo*.]

queixume (quei.*xu*.me) *sm.* **1** Queixa, lamúria **2** Som lastimoso; GEMIDO [F.: *queixa* + *-ume*.]

quejando (que.*jan*.do) *pr.indef.* **1** Que é da mesma natureza, similar **2** Algo ou alguém similar: *... quer estejamos num sistema capitalista, comunista, xiita ou quejando.* [F.: Do lat. *quid genitu*. Hom./Par.: *queijando* (fl. de *queijar*).]

quela (*que*.la) *sf.* **1** *Zool.* Os dois últimos segmentos dos apêndices de diversos crustáceos e aracnídeos, que formam pinça **2** *P.ext.* Qualquer coisa em forma de garra ou pinça [F.: Do gr. *khelé, ês*, do lat. *chele, es*. Cf.: *quelípode*.]

quelação (que.la.*ção*) *sf.* **1** *Med.* Processo de remover um metal pesado da corrente sanguínea e da parede das artérias por meio de um quelato, como tratamento do envenenamento por chumbo ou mercúrio **2** *Quím.* Combinação de um íon metálico com um composto orgânico para formar um quelato [F.: Do ing. *chelation*.]

quelato (que.*la*.to) *Quím. sm.* Composto em forma de anel heterocíclico, contendo um íon metálico em ligação coordenada a pelo menos dois íons não metálicos [F.: Do ing. *chelate*.]

quelelê (que.le.*lê*) *Bras. Gír. sm.* **1** *PE* Mexerico, intriga **2** Briga, discussão **3** Altercação, briga que envolve muitas pessoas; DESORDEM; REFREGA; ROLO; TUMULTO **4** *MA* Festa à tarde [F.: or. obsc.]

◎ **quel(i)-** *el. comp.* = 'pinça'; 'mandíbula': *quelícera, quelídeo* (< lat.cient.), *quelípode, queloide*. [F.: Do gr. *khelé, ês*, 'pinça'; 'mandíbulas'.]

quelícera (que.*lí*.ce.ra) *Zool. sf.* Cada um dos dois apêndices articuláveis da região pré-oral dos aracnídeos e merostomados, ger. us. para inocular veneno e tb. para preensão, defesa e ataque [F.: *quel(i)-* + *-cera*.]

quelicerado (que.li.ce.*ra*.do) *Zool. sm.* **1** Espécime dos quelicerados, subfilo de artrópodes desprovidos de antenas, de corpo ger. dividido em cefalotórax e abdome, com um par de quelíceras, um par de pedipalpos e quatro pares de patas. A maioria deles é terrestre *a.* **2** *Zool.* Ref. ou pertencente aos quelicerados [F.: Adaptç. do lat.cient. *Chelicerata*.]

quelídeo (que.*lí*.de:o) *Zool. sm.* **1** Espécime dos quelídeos, fam. de tartarugas de água-doce, algumas semiaquáticas, encontradas na América do Sul, Austrália e Nova Guiné. Contém cerca de 40 espécies e 11 gêneros *a.* **2** *Zool.* Ref. ou pertencente aos quelídeos [F.: Adaptç. do lat.cient. *Chelidae*. Cf.: *quelônio*.]

quelípode (que.*lí*.po.de) *sm.* Ver *quelópode*

◎ **quelo-** *el. comp.* Ver *quel(i)-*

queloide (que.*loi*.de) *sm. Med.* Cicatriz protuberante [F.: *quel(i)-* + *-oide*.]

queloniídeo (que.lo.ni.*í*.de:o) *Zool. sm.* **1** Espécime dos queloniídeos, fam. de répteis quelônios dos mares temperados, ger. carnívoros, de cabeça não retrátil, carapaça baixa, patas dianteiras mais longas e espalmadas *a.* **2** *Zool.* Ref. ou pertencente aos queloniídeos [F.: Adaptç. do lat. cient. *Cheloniidae*.]

quelônio (que.*lô*.ni:o) *sm. Zool.* Espécime dos quelônios, ordem de répteis terrestres ou aquáticos, encontrados no mundo todo e dotados de carapaça, como, p.ex., as tartarugas, cágados e jabutis [F.: Adaptç. do lat.cient. *Chelonia*.]

quelonioide (que.lo.ni.*oi*.de) *Zool. sm.* **1** Espécime dos quelonioides, fam. de quelônios que inclui as tartarugas marinhas *a2g.* **2** *Zool.* Ref. ou pertencente aos quelonioides [F.: Adaptç. do lat.cient. *Chelonioidea*.]

◎ **quelon(o)-** *el. comp.* = 'tartaruga': *quelônio* (< lat.cient.), *quelonografia, quelonógrafo* [F.: Do gr. *khelóne, es*.]

quelonografia (que.lo.no.gra.*fi*.a) *sf. Zool.* Estudo que se incumbe da descrição das tartarugas [F.: *quelon(o)-* + *-grafia*.]

quelonográfico (que.lo.no.*grá*.fi.co) *a. Zool.* Que diz respeito a quelonografia [F.: *quelonografia* + *-ico*[2].]

quelonógrafo (que.lo.*nó*.gra.fo) *sm. Zool.* Aquele que se dedica à quelonografia [F.: *quelon(o)-* + *-grafo*.]

quelópode (que.*ló*.pode) *Zool. sm.* Apêndice terminado em pinça, esp. os dos crustáceos decápodes [F.: *quelo-* + *-pode*. Cf.: *quela*. Tb. *quelípode*.]

queluzito (que.lu.*zi*.to) *Min. sm.* Rocha metamórfica complexa, composta de espessartita, rodonita, rodocrosita, quartzo etc. [F.: topônimo *Queluz* + *-ito*[2].]

quem *pr.indef.* **1** Que pessoa (em interrogação direta e indireta): *Não lembro quem me contou isso;* "Quem inventou o amor/Me explica por favor" (Renato Russo, *Antes das seis*) [Por ser us. em frase interrogativa, é tb. chamado de *pronome interrogativo*.] **2** Alguém que: "Pra que dar atenção a quem não sabe conversar..." (Gabriel o Pensador, *Lôrabúrra*) *pr.rel.* **3** Pessoa que: *Sairá com quem chegar primeiro.* [F.: Do lat. *quem*.] ■ **~ dera** Oxalá, tomara que **~ é ~** Conjunto de informações sobre pessoas (p.ex., aquelas ligadas a determinada área de atividade), com nomes, dados pessoais ou profissionais, posição hierárquica, *status* social etc. **~ quer que** Não importa quem; qualquer pessoa **Saber ~ é ~** Reconhecer as pessoas pelo nome e conhecer certas informações relevantes a seu respeito (profissão, autoridade etc.) **~ ... ~** Um.... outro; este.... aquele: *Quem fala....quem faz.*

quena (*que*.na) *Mús. sf.* Flauta andina de bambu, com embocadura chanfrada, originalmente feita de tíbias [F.: Do quíchua *quena*.]

quenga (*quen*.ga) *sf. N.E. Vulg.* Prostituta, meretriz [F.: Do quimb. *kienga* 'tacho'.]

quengada (quen.*ga*.da) *sf.* **1** *N.E. Vulg.* Bando de quengas ou prostitutas **2** *Bras. Pop.* Pancada com o quengo, a cabeça; CABEÇADA **3** *Bras. Fig. Pop.* Ação impensada, inconsequente, leviana; BURRADA; CABEÇADA **4** *Bras.* Esperteza, trapaça: "Diz a velha: – Não dou mais!/ Tu, agora, és o meu escravo!/ Disse o diabo: – Danada!/ Meteu-me numa quengada!" (Gustavo Barroso, *Ao som da viola*) [F.: acp. 1: *quenga* + *-ada*[2]; demais acp.: *quengo* + *-ada*[2].]

quengo (*quen*.go) *sm.* **1** *Bras. Pop.* Cabeça **2** *Fig.* Capacidade intelectual [F.: Ver em *quenga*.]

queniano (que.ni:*a*.no) *sm.* **1** Pessoa nascida ou que vive no Quênia (África) *a.* **2** Do Quênia; típico desse país ou de seu povo [F.: Do top. *Quênia* + *-ano*.]

◎ **quen(o)-** *el. comp.* = 'ganso': *quenopódio* (< lat. cient.), *quenopodídeo* (< lat. cient.) [F.: Do gr. *khén, khenós*.]

quenopódio (que.no.*pó*.di:o) *Bot. sm.* Denominação geral das plantas do gên. *Chenopodium*, da fam. das quenopodiáceas, cujas espécies, em sua maioria, são nativas de regiões temperadas e herbáceas, todas com pequenas folhas ger. rígidas, flores com cálice de quatro ou cinco sépalas, esporófitas e cultivadas como alimento, ornamentais ou medicinais; ANSERINA [F.: Do lat.cient. *Chenopodium*.]

quenquém (quen.*quém*) *sf.* **1** *Ent.* Denominação de várias espécies de formigas do gên. *Acromyrmex*, que ocorrem em regiões desde a Califórnia até a Patagônia, exceto no Chile. Constroem ninhos subterrâneos de uma única panela, que têm sempre à entrada numerosos fragmentos de folhas e hastes. Causam grandes danos à lavoura e assemelham-se às saúvas quanto aos demais hábitos, mas as operárias são ger. menores; CHANCHÃ; FORMIGA-CAIAPÓ; FORMIGA-CARREEIRA; FORMIGA-CORTADEIRA; FORMIGA-MINEIRA; QUENQUÉM-DE-MONTE **2** *Ornit.* O mesmo que *cancã*[2] (1) [Pl.: *quéns*.] [F.: or. contrv.]

quentão (quen.*tão*) *sm.* **1** *Bras.* Bebida feita com vinho, ou cachaça, açúcar, gengibre e canela, e servida quente **2** Qualquer bebida forte e quente [Pl.: *-tões*.] [F.: *quente* + *-ão*.]

quentar (quen.*tar*) *v.* Mesmo que *aquentar* [▶ 1 quentar] [F.: Do lat. *calentāre*. Hom./Par.: *quente(s)* (fl.), *quente* (a2g. sm.) e pl. Em algumas regiões do Brasil, ocorre na expressão *quentar sol* (aquecer ao sol), como no poema *Sesta*, de Carlos Drummond de Andrade: "A família mineira/está quentando sol/sentada no chão/calada e feliz.".]

quente (*quen*.te) *a2g.* **1** Que tem, produz ou conserva calor (dia quente; sol quente; roupa quente) **2** Que foi aquecido (ferro quente) **3** *Fig.* Que gera excitação ou exaltação (discussão quente) **4** *Fig.* Sensual, ardente **5** *BA Fig.* Muito apimentado (diz-se de tempero ou comida) **6** Que demonstra afeto, cordialidade (acolhida quente); CALOROSO [F.: Do lat. *calente(m)*. Ant. ger.: *frio*.] ■ **Com um ~ e dois fervendo 1** *Bras. Pop.* Irritado, nervoso, excitado: *Melhor não falar com ele agora, chegou com um quente e dois fervendo.* **2** De imediato, apressadamente: *Recebeu um telefonema e se mandou com um quente e dois fervendo.* **Estar ~ 1** Em brincadeira infantil (de esconder, de adivinhar, de descobrir algo etc.) chegar muito perto do que se procura **2** *P. ext.* Estar perto de descobrir a verdade, um fato etc. **3** *Lus.* Ser recente

quentinha (quen.*ti*.nha) *Bras. sf.* **1** Embalagem térmica, ger. de alumínio, em que se transportam, ou são entregues, comidas compradas prontas, alimentos para viagem ou sobra de refeição feita em restaurante **2** A comida transportada nessa embalagem **3** Marmita: *Com o Restaurante do Servidor, os servidores não mais precisam da quentinha de casa.* [F.: *quente* + *-inha*. Caso de marca registrada (Kentinha®), que passou a subst. comum.]

quentura (quen.*tu*.ra) *sf.* **1** Estado ou qualidade do que está quente; CALOR **2** *Pop.* Febre **3** *Fig.* Excesso de sensualidade **4** *N.E.* Cio [F.: *quente* + *-ura*.]

quepe (*que*.pe) [é] *sm.* Boné com viseira, ger. us. como peça de uniforme militar [F.: Do fr. *képi*.]

queque (*que*.que) *sm.* **1** *Cul.* Bolo semelhante ao pão de ló, porém mais compacto, feito de farinha de trigo, manteiga, ovos, açúcar, fermento e raspa de limão **2** *Cul.* Qualquer variação desse bolo com frutas, chocolate, farinha de aveia etc. **3** *Bras. Cul.* O mesmo que *mãe-benta* **4** *Lus. Pop.* Pessoa que se comporta e veste de maneira sofisticada e ger. é presunçosa e afetada; EMPOLADO; ESNOBE **5** *Lus.* Pessoa de família tradicional e ger. abastada *a2g.* **6** *Lus.* Que diz respeito a queque(3 e 4) [F.: Do ing. *cake*.]

quer *conj.alter.* Ou [Usa-se ger. repetida: *Quer goste, quer não, a decisão está tomada*.]

queratina (que.ra.*ti*.na) *sf. Bioq.* Ver *ceratina*

queratinase (que.ra.ti.*na*.se) *sf. Bioq.* Ver *ceratinase*

queratinização (que.ra.ti.ni.za.*ção*) *Histl. sf.* Ver *ceratinização*

queratinizado (que.ra.ti.ni.*za*.do) *a. Histl.* Ver *ceratinizado*

queratinizar (que.ra.ti.ni.*zar*) *v.* Ver *ceratinizar* [▶ 1 queratinizar]

queratite (que.ra.*ti*.te) *Oft. sf.* Ver *ceratite*.

queratocone (que.ra.to.*co*.ne) *sm. Oft.* Ver *ceratocone*

queratoplastia (que.ra.to.plas.*ti*.a) *sf. Cir. Oft.* Ver *ceratoplastia*

queratose (que.ra.*to*.se) *sf. Derm.* Ver *ceratose*

queratotomia (que.ra.to.to.*mi*.a) *sf. Cir. Oft.* Ver *ceratotomia*

quercismo (quer.*cis*.mo) [quer] *Bras. sm.* **1** Ideias e práticas políticas de Orestes Quércia (1938-2011), ex-governador de São Paulo pelo PMDB (1987-1991) **2** Adesão ao quercismo (1), ou simpatia por ele [F.: (*Orestes*) *Queércia* + -*ismo*.]

quercista (quer.*cis*.ta) [quer] *Bras. a.* **1** Ref. ao quercismo, ou próprio dele **2** Que é partidário ou simpatizante do quercismo *sm.* **3** Indivíduo simpatizante ou partidário do quercismo [F.: (*Orestes*) *Quércia* + -*ista*.]

querela (que.*re*.la) [é] *sf.* **1** Discussão, disputa (querelas familiares) **2** *Jur.* Ver *queixa* **3** *Ant.* Queixa, lamentação [F.: Do lat. *querela*.]

querelado (que.re.*la*.do) *a.* **1** Que se querelou *a.* **2** *Jur.* Diz-se da pessoa contra a qual se apresenta queixa em juízo, contra quem se move uma ação judicial *sm.* **3** *Jur.* Réu de ação judicial [F.: Part. de *querelar*. Ant. ger.: *querelante*.]

querelante (que.re.*lan*.te) *a2g.* **1** *Jur.* Diz-se da pessoa que querela, que move uma ação judicial contra alguém *s2g.* **2** *Jur.* O autor da queixa numa ação judicial [F.: *querelar* + -*ante*. Ant. ger.: *querelado*.]

querelar (que.re.*lar*) *v.* **1** Apresentar querela ou acusação criminal contra; queixar-se em juízo [*tr.* + *com, contra*: *querelar com um testamenteiro*.] [*tr.* + *de*: *querelar-se do mau atendimento*.] [*int.*: *Neste caso não é possível querelar.*] **2** *Fig.* Queixar-se, reclamar, lamuriar-se [*tr.* + *de*: *Vivia querelando-se dos colegas*.] [▶ **1** querelar] [F.: Do lat. *querelare, por *querelari*, ou de *querela* + -*ar*². Hom./Par.: *querela(s)* (fl.), *querela(s)* (sf. [pl.]).]

queremismo (que.re.*mis*.mo) *Bras. Hist. sm.* Movimento político popular, surgido em maio de 1945, para defender a permanência de Getúlio Vargas na presidência da República, caracterizado pelo refrão "Queremos Getúlio": "Os termos queremismo e queremista pareciam ter entrado definitivamente para o dicionário político brasileiro." (Érico Veríssimo, *Incidente em Antares*) [F.: *querem(os)* + *ismo*. Cf.: *getulismo*.]

queremista (que.re.*mis*.ta) *Bras. sm.* **1** Partidário ou simpatizante do queremismo: "O Dr. Getúlio deve estar cercado de queremistas trabalhistas e sevandijas." (Érico Veríssimo, *Incidente em Antares*) *a2g.* **2** Ref. ao queremismo, ou próprio dele **3** Diz-se do indivíduo simpatizante ou partidário do queremismo [F.: *querem(os)* + -*ista*.]

querena (que.*re*.na) *sf.* **1** *Lus. Cnav.* Parte do casco do navio que fica abaixo do nível da água; CARENA **2** *Lus. Pext. Mar.* Conserto ou limpeza na embarcação **3** *Mar.* Rumo, direção **4** *Lus.* Revestimento interior das vasilhas de vinho com sebo derretido, a fim de que o contato com a madeira seja evitado [F.: var. do it. *carena*.]

querenar (que.re.*nar*) *Lus. Mar. v. td.* **1** Prover de carenagem; CARENAR **2** Fazer a restauração de; RECONSTITUIR [▶ **1** querenar] [F.: *querena* + -*ar*. Hom./Par.: *querena(s)* (fl.), *querena* (sf.) e pl.]

querença (que.*ren*.ça) *sf.* Afeto, afeição [F.: *querer* + -*ença*.]

querência (que.*rên*.ci:a) *sf. MG RS* **1** Local de criação ao qual os animais se apegam por instinto **2** Terra natal [F.: Do plat. *querencia*.]

querendão (que.ren.*dão*) *sm.* **1** *S.* Indivíduo sedutor, melífluo com as mulheres; NAMORADOR: "Pensaria mesmo que a filha tinha fugido com o querendão?... Quem sabe lá!... Que o rapaz rondava, isso ele e todos sabiam..." (João Simões Lopes Neto, *Contos gauchescos*) **2** *S.* Aquele que quer ou ama; APAIXONADO; ENAMORADO **3** *S.* Animal que logo se habitua com uma nova querência **4** *Pext.* Pessoa que em pouco tempo se acostuma com outra *a.* **5** *S. Vest.* Diz-se de uma das três variantes do nó 'namorado' do lenço do gaúcho, aquela que deixa algum espaço entre os nós. As outras são 'apaixonado' (nós apertados) e 'livre' (nós muito folgados) **6** *RS* Indivíduo habitualmente disposto a aceitar briga ou desafio; VALENTÃO **7** *N.* Indivíduo que vive pedindo coisas; PEDINCHÃO; PIDÃO **8** Ref. ou inerente a querendão (1 a 7) [Pl.: -*dões*. Fem.: -*dona*] [F.: Do espn. platino *querendón*.]

querer (que.*rer*) *v.* **1** Sentir vontade de; ter intenção de; DESEJAR; ASPIRAR [*td.*: "Se você quer ser minha namorada..." (Carlos Lyra e Vinícius de Moraes, *Minha namorada*)] [*int.*: *Para subir na vida não basta querer, é preciso trabalhar duro.*] **2** Ordenar ou exigir [*td.*: *Quero que você esteja aqui às dez em ponto.*] **3** Ter vontade de adquirir ou possuir (bem de consumo) [*td.*: *Lúcia sempre quis um carro.*] **4** Ter vontade de comer (algo); APETECER [*td.*: *Queria uma bela banana split.*] **5** Ter a pretensão de; TENCIONAR; PRETENDER [*td.*: "...disse ao pai que queria ser ministro..." (Machado de Assis, *Quincas Borba*)] **6** Sentir afeto ou amor por; estimar(-se) [*td.*: *Júlia desencantou-se e deixou de querer Paulo; Onde já se viu dois irmãos não se quererem?*] [*ti.* + *a*: *Glória quer muito aos sobrinhos.*] **7** *Pext.* Sentir desejo, atração ou paixão por [*td.*: *Ele sempre a quis, mesmo quando casado; Vivia dizendo que queria a ela apenas.* No ex. '*Vivia dizendo que queria a ela apenas*', a prep. ocorre, não por exigência do verbo *querer* (td.), mas do pron. oblíquo tônico *ela*, em realce pela presença do adv. (*apenas*), a exemplo do que também ocorre com o verbo *pretender*, o pron. *ela* e o adv. *só* em um dos sonetos de Camões: "Sete anos de pastor Jacob servia / Labão, pai de Raquel, serrana bela; / mas não servia ao pai, servia a ela, / e a ela só por prêmio pretendia.".] **8** Tencionar obter de (alguém) ou com (algo) [*tdr.* + *de, com*: *O que ele quer de vocês?; Ainda não entendi o que ele quer com tudo isso.*] **9** Optar por; decidir-se; PREFERIR [*td.*: *O pai pretendia dar ao filho formando uma viagem ou um carro; ele quis um carro.*] **10** Desejar obter como pagamento [*tdr.* +*por*: *Os proprietários querem muito dinheiro pelo terreno.*] **11** Dispor-se a [*td.*: *Ele quis levá-la até em casa, mas ela não deixou.*] **12** Desejar que (alguém ou algo) seja, esteja (de certa maneira) ou chegue a (certa posição) [*tdp.*: *O pai queria-o jornalista; Os professores querem-nos mais dedicados.*] **13** Dar consentimento (para que alguém faça algo [caso certo fato se verifique]); CONSENTIR; PERMITIR; CONCORDAR [*td.*: *Quero que fiquem com o dinheiro, se eu estiver mentindo.*] **14** Desejar (algo bom ou ruim) a (alguém) [*tdi.* + *a*: *Embora rancorosa, não queria nenhum mal aos novos colegas.*] **15** *Fig.* Acreditar, julgar [*td.*: *O detetive ficou surpreso: o resultado do exame do perito não foi o que ele queria.*] **16** Prestar culto a; VENERAR; ADORAR [*td.*: *Queremos Deus que é o nosso Rei, queremos Deus que é o nosso Pai!*] **17** Ter a bondade de [*td.*: *Queira sentar-se, por favor; Quer me passar o pão?* Nesta acp., us. no imperat., mas ger. como deferência, cortesia, ou como pedido, em tom cortês.] **18** Fazer tentativa(s) para (fazer algo [esp. de modo precoce]) [*td.*: *Com bem menos de um ano, a nenê já queria falar.*] **19** Ter necessidade de; PRECISAR [*td.*: *Essa sopa quer mais um pouquinho de sal.*] **20** *Pop.* Estar em (condições de) funcionamento; ter condição ou possibilidade de (usa-se em relação a máquina, veículo, peça, instrumento etc.) [*td.*: *A televisão não quer funcionar porque queimou uma peça; O carro não quer pegar; A manivela não está querendo girar.* Us. na negativa.] **21** *Pop.* Agir, inconscientemente ou não, ou portar-se de modo que (algo aconteça); fazer por onde [*td.*: *Sua mãe disse que ela está querendo repetir o ano.*] **22** *Pop.* Estar propenso a (adoecer, gripar-se etc.); apresentar os primeiros sintomas, sinais [*td.*: *Vovô está querendo ficar gripado.*] **23** *Pop.* Estar na iminência ou próximo de [*td.*: *Está querendo chover.*] [▶ **27** querer Nas acps. 21, 22 e 23, em construções formadas por v. aux. (*estar*) + gerúndio (*querer*), seguidos de verbo no infinito, com ou sem complementos.] *sm.* **24** Ação ou resultado de querer; DESEJO; VONTADE: *É uma criança cheia de querer.* [F.: Do v.lat. *quaerere*, 'procurar'; 'procurar obter ou procurar saber'. Hom./Par.: *queira* (fl.), *queira* (sf.); *queiras* (fl.), *queiras* (pl. do sf.).] ▪ **Como quem não quer e querendo** Dissimuladamente, ocultando a verdadeira intenção ou vontade [V.tb. *Sem querer, querendo*.] **Não ~ nada com** Não estar interessado em (algo ou alguém), não ter vontade de se dedicar a: *Bem que José tentou, mas ela não quis nada com ele; Ele não quer nada com o estudo...* **Não ~ saber de** Não ter o menor interesse em, preferir ignorar; recusar tomar conhecimento de, ou assumir algo **Por ~** De propósito, intencionalmente **Quer dizer** Us. como fórmula para introduzir correção, retificação ou esclarecimento daquilo que se acaba de dizer [Equivale a expressões como *digo* e *ou melhor*. Trata-se da expr. *querer dizer*, us. de modo interjectivo, sem sujeito nem complemento.] **~ crer** Acreditar, mas com certa relutância, admitir, supor: *Quero crer que ela está dizendo a verdade.* **~ dizer** **1** Ter a intenção de, estar disposto a dizer **2** Ter a intenção de expressar, de demonstrar algo: *Ao não comparecer, ela queria dizer que não aceitara a proposta.* **3** Significar, equivaler (em significado): *Sua ausência queria dizer que não estava interessada; Em inglês, time quer dizer tempo.* **4** Ver *Quer dizer* **Sem ~** Sem intenção, involuntariamente: *Desculpe, machuquei você sem querer.* **Sem ~, querendo** **1** De modo fingido, dissimulado. (V. tb.*Como quem não quer e querendo*) **2** De modo aparentemente casual, acidental, mas em que há (ou parece também haver) intenção oculta, inconsciente

querido (que.*ri*.do) *a.* **1** De que ou de quem se gosta muito *sm.* **2** Pessoa de quem se gosta muito [F.: Part. de *querer*. Sin. ger.: *amado*. Ant. ger.: *odiado*.]

querigma (que.*rig*.ma) *Rel. sm.* **1** A essência da mensagem cristã **2** Anunciação dessa mensagem ao não cristão, para despertar-lhe a fé inicial e convertê-lo. Constitui a primeira fase da iniciação cristã **3** Cada um dos trechos do Novo Testamento que proclama os ensinamentos de Jesus Cristo (p.ex.: o evangelho de S. Marcos) [F.: Do gr. *quérugma, atos, tó* 'proclamação, anúncio'.]

querigmático (que.rig.*má*.ti.co) *a.* **1** Ref. ou pertencente a querigma **2** Que tem função de querigma, ou é próprio dele [F.: *querigma* + -*ático*.]

querimônia (que.ri.*mô*.ni:a) *sf.* Querela, queixa em juízo [F.: Do lat. *querimônia, ae*.]

quermes (*quer*.mes) *sm.* **1** *Ent.* Corante escarlate obtido dos corpos secos de fêmeas de insetos homópteros do gên. *Kermes*, típico da fam. dos quermídeos **2** Corpo-seco dessas fêmeas, de formato esférico, encontrado sobre as folhas de várias espécies de carvalho, esp. *Quercus coccifera*; QUERMES ANIMAL **3** *Farm.* Medicamento à base de trióxido e trissulfeto de antimônio; QUERMES MINERAL [F.: Do ár. *kirmiz* 'cochonilha'; do fr. *kermès*; do lat. cient. gên. *Kermes*.] ▪ **~ animal** Quermes (2) **~ mineral** Quermes (3)

quermesse (quer.*mes*.se) [é] *sf.* Feira beneficente ao ar livre, com sorteios, jogos, comidas etc. [F.: Do fr. *kermesse*.]

◎ **quero-** *el. comp.* = 'alegria'; 'alegrar-se': *querofobia, queromania* [F.: Do v.gr. *khaíro*, 'alegrar-se'; 'estar feliz'.]

querofobia (que.ro.fo.*bi*:a) *Psiq. sf.* Medo mórbido de alegria [F.: *quero-* + -*fobia*.]

querofóbico (que.ro.*fó*.bi.co) *a.* **1** *Psiq.* Ref. a querofobia **2** Que tem querofobia; QUERÓFOBO *sm.* **3** *Psiq.* Aquele que tem querofobia; QUERÓFOBO [F.: *querofobia* + -*ico*².]

querófobo (que.*ró*.fo.bo) *sm.* **1** *Psiq.* Aquele que tem querofobia; QUEROFÓBICO *a.* **2** *Psiq.* Que tem querofobia; QUEROFÓBICO [F.: *quero-* + -*fobo*.]

queromania (que.ro.ma.*ni*.a) *Psiq. sf.* Excesso de alegria, euforia mórbida [F.: *quero-* + -*mania*.]

queromaníaco (que.ro.ma.*ní*.a.co) *a.* **1** *Psiq.* Ref. a queromania **2** Que tem queromania *sm.* **3** *Psiq.* Aquele que tem queromania [F.: *queroman(ia)* + -*íaco*.]

quero-quero (que.ro-*que*.ro) *sm. Zool.* Ave da fam. dos caradriídeos (*Vanellus chilensis*) que vive perto de regiões alagadas e campestres, com plumagem cinzenta, faixa negra da testa ao peito, ventre claro, topete nucal, íris e pernas avermelhadas e esporão vermelho na asa [Pl.: *quero-queros*.]

querosene (que.ro.*se*.ne) *sf. Quím.* Líquido derivado do petróleo, us. como combustível, solvente e inseticida [F.: Do fr. *kérosène*.]

querúbico (que.*rú*.bi.co) *a.* O mesmo que *querubínico* [F.: Do lat. *querub* + -*ico*.]

querubim (que.ru.*bim*) *sm.* **1** Anjo **2** *Art.pl.* Cabeça de criança sustentada por duas asas **3** *Fig.* Criança muito bonita [Pl.: -*bins*.] [F.: Do lat. *cherubim*.]

querubínico (que.ru.*bí*.ni.co) *a.* Ref. a ou próprio de querubim; QUERÚBICO; QUERUBÍNEO [F.: *querubim* + -*ico*², segundo o modelo vernáculo.]

quérulo (*qué*.ru.lo) *a. Poét.* Que se queixa; LAMENTOSO; PLANGENTE; QUEIXOSO: "De júbilo palpita a natureza,/ E as vozes mil desprende/ De seus eternos, místicos cantares: / (...) Do rugir das florestas seculares,/ Do quérulo murmúrio dos ribeiros,..." (Bernardo Guimarães, *Cantos da solidão*): "Nestas quérulas palavras parece que o poeta (...) vem já determinado a buscar estranha e nova terra." (Latino Coelho) [F.: Do lat. *querulus, a, um*.]

querulomania (que.ru.lo.ma.*ni*:a) *Psiq. sf.* Quadro mórbido de queixas constantes de supostas injustiças [F.: *quérulo* + -*mania*.]

querulômano (que.ru.*lô*.ma.no) *Psiq. sm.* **1** Aquele que tem querulomania *a.* **2** Que tem querulomania; QUERULOMANÍACO [F.: *quérulo* + -*mano*.]

quesito (que.*si*.to) *sm.* **1** Questão, ponto, item submetido ao julgamento de outrem **2** Condição, requisito [F.: Do lat. *quaesitum*.]

questão (ques.*tão*) *sf.* **1** Pergunta que se faz para obter um esclarecimento ou informação **2** Pergunta em prova ou exame para avaliação de aluno ou candidato **3** Assunto: *Essa questão sempre gera discussões acirradas entre eles.* **4** Tema que é objeto de debate, estudo ou reflexão **5** Problema ou conflito a ser resolvido: "...foi que achou de bom aviso pôr uma pedra em cima da questão." (João Guimarães Rosa, *Sagarana*) **6** Desavença, contenda, discussão: *Tive questão com esse vizinho várias vezes.* **7** *Jur.* A demanda, a matéria debatida em juízo [Pl.: -*tões*.] [F.: Do lat. *quaestione(m)*.] ▪ **Em ~** Em em foco, em estudo, em apreço: *O que está em questão neste caso é o direito de livre expressão.* **Fazer ~ (de)** **1** Não abrir mão (de), ter como vontade inabalável (de): *Fez questão de hospedar o amigo em sua casa; Por favor, aceite a oferta, faço questão.* **2** Empenhar-se firmemente por algo, sem transigir **Fazer ~ fechada (de)** Fazer questão (de) de maneira absolutamente intransigente, sem admitir não ser atendida ou satisfeita sua vontade ou intenção **Fora de ~** **1** Diz-se daquilo que não se quer ou não se aceita levar em consideração, ou do que não é aceitável, razoável, plausível (como hipótese, solução etc.) **2** Diz-se do que é inquestionável, indiscutível; do que é considerado certo, decidido, irrevogável **~ aberta** Aquela que ainda não foi decidida ou resolvida; assunto ou problema sobre o qual não há acordo [Ant.: *Questão fechada*.] **~ de** Cerca de, aproximadamente: *A largada se dará em questão de minutos.* **~ de ordem** Em sessões de assembleia legislativa, questão levantada ref. ao reencaminhamento dos debates ao tema principal em discussão **~ de tempo** Questão, problema, situação que será resolvida depois de se passar algum tempo (sem se precisar quanto tempo): *Tomadas essas medidas, o fim da crise é uma questão de tempo.* **~ de vida ou morte** **1** Questão premente, que por envolver perigo de vida deve ser logo resolvida **2** *Fig.* Questão urgente, que não admite adiamento **~ fechada** **1** Aquela que é considerada como definitivamente decidida ou resolvida **2** Aquilo que não se aceita discutir, que se considera fora de dúvida, ou inegociável [Ant.: *Questão aberta*.] **~ prejudicial** *Bras. Jur.* Questão ordinariamente de natureza privada, que caberá ao juiz decidir, antes da questão principal

questionado (ques.ti:o.*na*.do) *a.* Que se questionou, pôs em questão; CONTROVERTIDO; DEBATIDO; DISCUTIDO: *Falamos sobre a questionada absolvição do réu.* [F.: part. de *questionar*.]

questionador (ques.ti:o.na.*dor*) [ô] *a.* **1** Que questiona (espírito questionador) *sm.* **2** Pessoa que questiona [F.: *questionado* + -*or*.]

questionamento (ques.ti:o.na.*men*.to) *sm.* **1** Ação ou resultado de questionar(-se) **2** Interrogatório, indagação [F.: *questionar* + -*mento*.]

questionante (ques.ti:o.*nan*.te) *a2g.* **1** Que questiona: *Atitude racional, reflexiva e questionante.* *s2g.* **2** Aquele que questiona, que levanta uma questão: *O questionante foi claro e objetivo.* [F.: *questionar* + -*nte*.]

questionar (ques.ti:o.*nar*) *v.* **1** Fazer perguntas a; INTERROGAR; INTERPELAR [*tdr.* +*sobre*: *A polícia questionou o suspeito sobre a origem do dinheiro.*] **2** Lançar dúvida sobre (ideia, decisão, procedimento etc. de outrem ou de si mesmo); DISCUTIR [*td.*: *Há quem questione as suas teses sobre o poder da mídia.*] [*tdr.* + *com, sobre*: *Adorava questionar assuntos espirituais com o avô; Você se questiona sobre a profissão que escolheu?*] **3** *Jur.* Recorrer à justiça para contestar (dívida, direito etc.) [*td.*] [▶ 1 questionar] [F.: *questão* (sob o rad. *question-*) + *-ar*^{2}, seg. o mod. erudito. Hom./Par.: *questionáveis* (fl.), *questionáveis* (pl. de *questionável*).]

questionário (ques.ti:o.*ná*.ri:o) ***sm.*** Coleção ou compilação metódica de questões ou de perguntas sobre determinado assunto [F.: *questão* (f. rad. *question-*) + *-ário*.]

questionável (ques.ti.o.*ná*.vel) ***a2g.*** **1** Que se pode ou se deve questionar; CONTROVERSO; DISCUTÍVEL [Ant.: *indiscutível*.] **2** Sobre o qual pairam dúvidas; DUVIDOSO; PROBLEMÁTICO **3** De que se suspeita (atitude questionável); DÚBIO [Pl.: *-veis*.] [F.: *questionar* + *-vel*. Ant. ger.: *inquestionável*.]

questiúncula (ques.ti.*ún*.cu.la) ***sf.*** **1** Questão fútil e sem proveito **2** Pequena questão [F.: Do lat. *quaestiuncula, ae*, dim. de *quaestio, onis* 'questão'.]

questor (ques.*tor*) [ô] *Hist.* ***sm.*** **1** Magistrado da antiga Roma que tinha a seu cargo as finanças do Estado: "Enquanto se preparava para resistir a uma provável investida, mandara o questor, que assumira o comando [do exército romano restante], pedir reforços à Hispânia Citerior." (Aquilino Ribeiro, *Os avós dos nossos avós*) **2** Na Roma antiga, juiz criminal [F.: Do lat. *quaestor, oris*.]

questuário (ques.tu.*á*.ri:o) ***sm.*** **1** Aquele que só pensa em lucrar; que só visa ao lucro ***a.*** **2** Que só visa ao lucro (lenocínio questuário) [F.: Do lat. *quaestuarius, a, um*. Sin. ger.: *ambicioso, calculista, interesseiro*. Ant. ger.: *altruísta, generoso*.]

◎ **-queta** ***el. comp.*** Ver *quet(o)-*

quetçal (quet.*çal*) ***sm.*** **1** *Econ.* Nome do dinheiro us. na Guatemala **2** *Econ.* Unidade dos valores em quetçal, us. em notas e moedas: *Cédula de dez quetçais.* [1 quetçal = cem centavos. Símb.: Q.] **3** *Ornit.* Ave da fam. dos trogonídeos (*Pharomachrus mocinno*), encontrada no México e América Central, de plumagem verde brilhante, vermelha no peito e no abdome, e cujos machos têm longa cauda [F.: Do náuatle *ketzalli* 'longas e brilhantes penas da cauda'.]

◎ **-queto** ***el. comp.*** Ver *quet(o)-*

◎ **quet(o)-** ***el. comp.*** = 'cabeleira longa'; 'crina'; 'cerda': *quetodontídeo* (< lat. cient.), *quetópode*.(< lat. cient.); *espiroqueto* (< lat. cient.); *oligoqueta* (< lat. cient.) [F.: Do gr. *khaíte, es*, 'melena'; 'crina'.]

quetodontídeo (que.to.don.*tí*.de:o) *Zool.* ***sm.*** **1** Espécime dos quetodontídeos, grande fam. de peixes marinhos, teleósteos, perciformes, pequeninos e de corpo quase discoide, boca protrátil e coloração viva e variada. Reúne cerca de dez gêneros e mais de cem espécies ***a.*** **2** *Zool.* Ref. ou pertencente aos quetodontídeos [F.: Adaptç. do lat. cient. *Chaetodontidae*.]

qui ***sm.*** A 22ª letra do alfabeto grego (x, χ)

quiabeiro (qui:a.*bei*.ro) ***sm.*** *Bot.* Planta da fam. das malváceas (*Hibiscus esculentus*), de or. africana, cultivada como hortaliça pelo fruto comestível, o quiabo, que se come verde, depois de cozido [F.: *quiabo* + *-eiro*.]

quiabo (qui:*a*.bo) ***sm.*** *Bot.* Fruto comestível do quiabeiro, em forma de cápsula alongada, pilosa, com muitas sementes e mucilagem [F.: De or. incerta.]

quiáltera (qui:*ál*.te.ra) *Mús.* ***sf.*** Alteração no valor das notas que formam uma unidade de tempo ou de compasso [F.: Alt. do lat. *sesquialtera*.]

quiasma (qui.*as*.ma) ***sf.*** **1** *Cit. Gen.* Ponto de junção entre dois cromátides de cromossomos homólogos, que aparentam estar cruzados, onde ocorre a troca de material genético durante a meiose **2** *Anat.* Cruzamento ou interseção de dois feixes fibrosos, como tendões, nervos ou tratos **3** *Ling.* Iteração anafórica em que se repete um grupo de dois termos alterando-lhes a ordem (p.ex.: "Vinhas fatigada e triste, e triste e fatigado eu vinha." Olavo Bilac, *Poesias*) **4** *Ling.* O mesmo que *cruzamento sintático* **5** *Ret.* O mesmo que *quiasmo* **6** Cruz em forma de X que se lança à margem de um manuscrito para indicar reprovação de alguma passagem **7** Disposição em forma de X **8** *Ling.* Aliteração com fonemas iniciais, centrais ou finais da palavra (p.ex.: O doce rei me recebeu.) [F.: Do gr. *khiasmós, ou* 'disposição em X'.] ■ **~ óptico** *Anat.* Cruzamento em X, dos nervos ópticos

quiasmático (qui.as.*má*.ti.co) ***a.*** Ref. ou inerente a *quiasma* ou *quiasmo* [F.: *quiasma* + *-ático*.]

quiasmo (qui.*as*.mo) ***sm.*** *Ret.* Figura de estilo que consiste em inverter a ordem das palavras de duas frases que se opõem (p.ex.: Era um cordeiro em casa, lá fora uma fera era; Deve-se comer para viver, e não viver para comer.); QUIASMA [F.: Do gr. *khiasmós, ou* 'disposição em X'.]

quibada (qui.*ba*.da) *Bras. Cul.* ***sf.*** Refeição cujo prato principal é quibe, preparado recheado, frito, assado, cru, grelhado [F.: *quibe* + *ada*^{1}.]

quibando (qui.*ban*.do) *N.* ***sm.*** Disco de palha tecido em zonas paralelas, espécie de peneira grossa que serve para sengar arroz, café etc. [F.: Do quimbundo *kibandu* 'peneira'.]

quibas (*qui*.bas) *Bras. Vulg.* ***smpl.*** O mesmo que *testículos*: "No meu pensar, antes morrer queimado do que perder os quibas. A voz vai afinando, a barba vai caindo..." (João Ubaldo Ribeiro, *Sargento Getúlio*) [F.: Do quimb. *kiba kivumba matuba* 'escroto'.]

quibe (*qui*.be) *Cul.* ***sm.*** Espécie de croquete ou bolinho de origem árabe, feito com trigo integral, recheado de carne moída ou queijo tipo ricota, temperado com hortelã, azeite e outros condimentos [F.: Do ár. levantino *quibba(t)*.]

quibebe (qui.*be*.be) [é ou ê] ***sm.*** *N.E. Cul.* Purê de abóbora [F.: Do quimb. *quibebe*.]

quibungo (qui.*bun*.go) ***sm.*** **1** *BA Folc.* Ente fantástico, metade homem, metade animal, com cabeça grande e um buraco no meio das costas: "A mãe ralhava com ela, chamando-lhe a atenção para o quibungo que pega os meninos de noite." (Arthur Ramos, *O folclore negro no Brasil*, apud *Jangada Brasil*) **2** *MG* Baile de negros [F.: Do quimb., posv.]

quiçá (qui.*çá*) ***adv.*** Talvez, provavelmente: "Não teria, quiçá, muitos préstimos, mas queria colaborar..." (João Ubaldo Ribeiro, *Diário do farol*) [F.: Do espn. *quizá*.]

quiçaça (qui.*ça*.ça) *SP Pop.* ***sf.*** Terra árida, de vegetação xerófila, mato baixo e espinhento, espécie de capoeira [F.: or. obsc.] ■ **Derreter na ~** *SP Pop.* Fugir, debandar

quicar (qui.*car*) ***v.*** **1** *Bras. Pop.* Bater (bola, objeto de borracha etc.) em uma superfície, de modo a voltar ou de maneira que volte para o ponto de saída [*td.*: *quicar uma bola de basquete.*] [*int.*: *A bola quicou e foi para fora da quadra.*] **2** *Fig.* Ficar com muita raiva; ENFURECER-SE [*int.*: *O motorista quicou ao perceber o pneu furado.*] [▶ 11 quicar] [F.: Voc. onom. Hom./Par.: *quique(s)* (fl.), *quique(s)* (sm. [pl.]); *quico* (fl.), *quico* (sm.); *quicó* (fl.), *quicó* (sm.).]

quicé (qui.*cé*) *N.E.* ***sf.*** Faca pequena e velha, ger. sem gume ou sem cabo; CACUMBU; CAXIRENGUENGUE: "Uma noite, (...) eu vagueava sozinho, pelas ruas da vila, levando como única arma uma faquinha de cortar fumo, um quicé à toa..." (Raymundo Magalhães, *O lobisomem*) [F.: Do tupi *ki'se*. Var.: *quicê, quecé, quicê*.]

quichaça (qui.*cha*.ça) *Bras. Pop.* ***sf.*** Teimosia, birra, mania [F.: Alter. de *cachaça*.]

⊕ ***quiche*** (*Fr./kích/*) ***s2g.*** *Cul.* Espécie de torta salgada sem cobertura, com recheio cremoso, feito de ovos, leite, ao qual se podem adicionar legumes diversos ■ **~ Lorraine** Tipo de quiche com toucinho, presunto e às vezes queijo

quíchua (*quí*.chu:a) ***s2g.*** **1** Indivíduo pertencente aos quíchuas, indígenas sul-americanos que habitavam a região que hoje engloba a Argentina, a Bolívia, o Equador e o Peru **2** *Gloss.* Língua dos quíchuas, falada no antigo império inca e, até hoje, na Argentina, Bolívia, Equador e Peru ***a2g.*** **3** Do ou ref. ao quíchua (1) [F.: Do espn. *quichua*.]

quicongo (qui.*con*.go) ***s2g.*** **1** Indivíduo pertencente aos quicongos, grupo que habita a República Democrática do Congo, a República do Congo e o extremo noroeste de Angola ***sm.*** **2** *Gloss.* Língua banta falada em Angola **3** *Gloss.* Grupo de línguas bantas que compreende o maiombe, o cabinda, o cacongo, o mussuco, o mussurongo, o muxicongo, o quicongo e o sosso ***a2g.*** **4** Do ou ref. ao quicongo (1) [F.: Do banto.]

⊕ ***quid*** (*Lat. /quid/*) ***sm.*** Principal dificuldade; BUSÍLIS; CERNE: *o quid do problema.*

quidam (*qui*.dam) *Fam.* ***sm.*** Pessoa de pouca importância, de pouca consideração; ZÉ-NINGUÉM: "Supunha ter encontrado um homem, mas encontrara um quidam, um canalha, um desfrutador!" (Aluísio Azevedo, *Casa de pensão*) [F.: Do lat. *quidam*.]

quididade (qui.di.*da*.de) ***sf.*** **1** *Fil.* Para os escolásticos, essência de uma coisa, o que uma coisa é em si **2** Qualidade essencial [F.: Do lat. *quidditas, atis*.]

quiescência (qui.es.*cên*.ci:a) ***sf.*** **1** Qualidade ou estado de quiescente **2** *Fisl. Zool.* O mesmo que *diapausa* **3** *Med. Psic.* O mesmo que *latência* [F.: Do lat. *quiescentia, ae*.]

quiescente (qui.es.*cen*.te) ***a.*** Que descansa, que está em sossego; QUIETO; TRANQUILO: "Estais como um oceano quiescente e adormentado que se (...) estagnasse na imobilidade." (Rui Barbosa, *O Partido Republicano Conservador*) [F.: Do lat. *quiescens, entis*.]

quietação (qui:e.ta.*ção*) ***sf.*** **1** Ação ou resultado de quietar(-se) **2** Estado de quem está quieto **3** Estado de que está tranquilo; CALMA; QUIETUDE; SOSSEGO: "...o alvor do dia, a melancolia da tarde, a quietação da noite..." (Machado de Assis, *Novas seletas*) **4** Situação de paz, de harmonia e concórdia: *quietação entre as hostes inimigas.* [Pl.: *-ções*.] [F.: *quietar* + *-ção*. Ant. ger.: *inquietação*.]

quietamente (qui:e.ta.*men*.te) ***adv.*** **1** Tranquilamente, pacificamente, sossegadamente: "...desde que perdera o pai e vendera o casarão em que ela quietamente tinha vivido durante dezena de anos..." (Lima Barreto, *A Nova Califórnia*) **2** De maneira discreta, cautelosa ou despercebida: "...e daí a pouco, sem rumor e com as mais escrupulosas precauções, se abria quietamente a porta da clausura." (Almeida Garrett, *Viagens na minha terra*) [F.: Fem. de *quieto* + *-mente*.]

quietar (qui:e.*tar*) ***v.*** **1** Tornar(-se) mais calmo, mais tranquilo; APAZIGUAR; AQUIETAR [*td.*: *Quietou o bebê dando-lhe a chupeta*] [*int.*: *Quando o show começou a multidão quietou(-se).*] **2** Ficar quieto, parado, ou sem grandes movimentos [*int.*: *Não conseguirá dormir se não (se) quietar*] [▶ 1 quietar] [F.: Do lat. *quietare*. Sin. ger.: *aquietar*. Hom./Par.: *quiete(s)* (fl.), *quiete(s)* (sm. [pl.]); *quieto* (fl.), *quieto* (a.).]

quietarrão (qui:e.tar.*rão*) ***sm.*** **1** Muito quieto; calmo demais **2** Que fala pouco; CALADÃO [Pl.: *-rões*. Fem.: *-rona*.] [F.: *quiet(o)* + *-arrão*.]

quieteza (qui:e.*te*.za) [ê] ***sf.*** *P.us.* O mesmo que *quietude* [F.: *quiet(o)* + *-eza*.]

quietismo (qui:e.*tis*.mo) ***sm.*** **1** Estado de apatia, indiferença **2** *Rel.* Doutrina mística do séc. XVII, que pregava a anulação da vontade e a contemplação como forma de unir-se a Deus [F.: Do fr. *quiétisme*.]

quietista (qui:e.*tis*.ta) ***a2g.*** **1** Ref. ao quietismo **2** Que é seguidor do quietismo ***s2g.*** **3** Seguidor do quietismo [F.: Do fr. *quiétiste*.]

quieto (qui:*e*.to) ***a.*** **1** Que não se mexe; IMÓVEL; PARADO: *Não consegue ficar quieto um minuto.* [Ant.: *inquieto, irrequieto*.] **2** Calmo, sem ruído; SOSSEGADO; TRANQUILO: *Moro numa rua quieta.* [Ant.: *agitado, barulhento*.] **3** Que é manso, dócil (menino quieto) [Ant.: *inquieto, irrequieto*.] **4** Acomodado, comedido: "Casar com o marido, o Avelim dos Abreus, rapaz quieto." (Guimarães Rosa, *Noites do sertão*) ***sm.*** **5** *MG* Vida calma [F.: Do lat. *quietu(m)*. Hom./Par.: *quieto* (fl. de *quietar*).]

quietude (qui:e.*tu*.de) ***sf.*** **1** Estado de quem ou do que está quieto; CALMA **2** Paz, tranquilidade de espírito; QUIETAÇÃO: "Palmo a palmo, ganhava a quietude e o conforto." (Manuel Bandeira, "A sugestão dos astros", poema não incluído em livro) [Ant.: *inquietação, inquietude*.] **3** Local calmo: "Andei-me à quente quietude." (Guimarães Rosa, *Estas estórias*) [F.: Do lat. *quietudo,inis*.]

quijuba (qui.*ju*.ba) *Ornit.* ***sf.*** *PA* Ave (*Aratinga solstitialis*) da fam. dos psitacídeos, nativa da Amazônia; JANDAIA; QUECI-QUECI [F.: Do tupi *ki'yuba*, posv.]

quilate (qui.*la*.te) ***sm.*** **1** Quantidade de ouro fino em uma liga, medida em unidades que correspondem a 1/24 da liga [O ouro puro tem 24 quilates, ou seja, ocupa 24 unidades de medida em cada 24 unidades do material considerado.] **2** Unidade de peso de diamantes, correspondente a 200 mg **3** *Fig.* Grau de qualidade, de excelência: *um artista de alto quilate.* [F.: Do ár. *qirat*.] ■ **~ métrico** Peso ou massa equivalente a 2 dg (dois decigramas), us. para gemas ou metais preciosos [Símb.: *k*.]

quilateira (qui.la.*tei*.ra) ***sf.*** Instrumento em forma de peneira us. para avaliar pelo volume os quilates das pedras preciosas [F.: *quilat(e)* + *-eira*.]

quilemia (qui.le.*mi*.a) ***sf.*** *Med.* Presença de quilo^{2} no sangue [F.: *quil(o)-*^{2} + *-emia*.]

quilêmico (qui.*lê*.mi.co) ***a.*** Ref. a quilemia [F.: *quilemia* + *-ico*^{2}.]

quilha (*qui*.lha) ***sf.*** **1** *Cnav.* Peça fundamental da estrutura de uma embarcação, que se estende longitudinalmente em sua parte inferior, e à qual se prendem todas as peças transversais que compõem a estrutura do casco **2** Peça fixada na parte de baixo da traseira de uma prancha de surfe, e que lhe dá estabilidade na água [F.: Do fr. *quille*.] ■ **~ dorsal** *Zool.* Nos quelônios, junção das partes laterais da carapaça em seu dorso; crista dorsal

quilianismo (qui.li:a.*nis*.mo) ***sm.*** Crença no fim do milênio como ocasião de grandes catástrofes e de transição para uma época de paz, felicidade e justiça; MILENARISMO [F.: Do gr. *khiliás*, 'mil', + *-ismo*.]

quilite (qui.*li*.te) *Pat.* ***sf.*** Inflamação dos lábios da boca, que pode apresentar eczema, fissura, eritema etc. [F.: *quil (o)-*^{1} + *-ite*^{1}.]

◎ **quil(o)-**^{1} ***el. comp.*** = 'lábio': *quilite, quilofagia, quilófago.* [F.: Do gr. *kheîlos, eos-ous*.]

◎ **quil(o)-**^{2} ***el. comp.*** = 'suco'; 'quilo^{2}': *quilocaule, quilemia* [F.: Do gr. *khylós, oû*, 'suco'; 'sumo'; 'seiva'; 'suco produzido durante a digestão'.]

◎ **quilo-** ***el. comp.*** = '1.000 vezes (antes de unidade de medida)': *quilocaloria, quilociclo, quilograma, quilômetro.* [F.: Do gr. *khílioi, ai, a*, 'mil'; 'milhar'.]

quilo^{1} (*qui*.lo) ***sm.*** *Fís.* F. red. de quilograma

quilo^{2} (*qui*.lo) ***sm.*** **1** *Fisl.* Líquido leitoso feito de linfa e gordura secretado no intestino durante o processo da digestão **2** *Fisl.* Última fase do processo de digestão, na qual o alimento transforma-se em massa líquida [F.: Do gr. *khylós, ou*, 'suco'.] ■ **Fazer o ~** **1** Deitar-se para descansar ou dormir após refeição; fazer a sesta **2** Caminhar após refeição para ajudar a digestão

quilocaloria (qui.lo.ca.lo.*ri*.a) *Fís. Metrol.* ***sf.*** Unidade de medida de energia igual a mil calorias; GRANDE-CALORIA [Símb.: *Cal* e *kcal*.] [F.: *quilo-* + *caloria*.]

quilocaule (qui.lo.*cau*.le) *Bot.* ***a2g.*** Cujo caule é suculento [F.: *quil(o)-*^{2} + *-caule*.]

quilociclo (qui.lo.*ci*.clo) ***sm.*** *P.us. Fís.* Unidade de frequência igual a 1.000 ciclos por segundo [Símb.: *kc*. Tb. se diz impropriamente *quilo-hertz*.] [F.: *quilo-* + *ciclo*.]

quilofagia (qui.lo.fa.gi.a) ***sf.*** Vício de morder constantemente os lábios [F.: *quil(o)-*^{2} + *-fagia*.]

quilofágico (qui.lo.*fá*.gi.co) ***a.*** Ref. a quilofagia ou a quilófago [F.: *quilofagia* + *-ico*^{2}.]

quilófago (qui.*ló*.fa.go) ***sm.*** Aquele que tem quilofagia [F.: *quil(o)-*^{2} + *-fago*.]

quilograma (qui.lo.*gra*.ma) *Fís.* ***sm.*** Unidade de medida de massa equivalente a mil gramas [Tb. se diz apenas *quilo*] [Símb.: *kg*] [F.: *quilo-* + *grama*.]

quilograma-força (qui.lo.gra.ma-*for*.ça) [ô] ***sm.*** *Fís.* Unidade de medida de força, que consiste no peso de um quilograma submetido à força da gravidade, e corresponde a 9,80665 newtons [Símb.: *kgf*] [Pl.: *quilogramas-força, quilogramas-forças*.]

quilogrâmetro (qui.lo.*grâ*.me.tro) ***sm.*** *Fís.* Unidade de medida de energia correspondente ao trabalho realizado por um quilograma-força cujo ponto de aplicação sofre um deslocamento de um metro na direção da força [Símb.: *kgfm*] [F.: *quilograma* + *-metro*, com haplologia.]

quilo-hertz (qui.lo-*hertz*) ***sm2n.*** *Fís.* Medida de frequência equivalente a mil hertz [Símb.: *kHz*] [F.: *quilo-* + *hertz*.]

quilolitro (qui.lo.*li*.tro) ***sm.*** Medida de capacidade equivalente a 1.000 litros [Símb.: *kl*] [F.: *quilo-* + *litro*.]

quilombado (qui.lom.*ba*.do) ***sm.*** **1** O mesmo que *quilombola*: "...ele embrenhara-se pelas matas adentro (...) no rumo dos quilombados da Lagarteira. Seria verdade ou mentira o afamado mocambo dos negros?" (Antônio Torres, "Quando a cidade faz esquina com a escrita", apud *Uma coisa e outra*) ***a.*** **2** Semelhante a quilombo; AQUILOMBADO [F.: *quilomb(o)* + *-ado*[2].]

quilombo (qui.*lom*.bo) ***sm. Bras. Hist.*** Lugar escondido ou fortificado em que se refugiavam escravos fugidos [F.: Do quimb. *kilombo* 'união'.] **■ ~ dos Palmares** *Bras. Hist.* Quilombo em Alagoas, do qual escravos fugidos fizeram um Estado, no séc. XVII [Tb. apenas *Palmares*.]

quilombola (qui.lom.*bo*.la) *Bras. Hist.* ***s2g.*** Escravo ou escrava refugiados em quilombo [F.: De or. contrv.]

quilometragem (qui.lo.me.*tra*.gem) ***sf.*** **1** Número de quilômetros percorridos: *Não se deve comprar carro usado sem olhar a quilometragem.* **2** Medição de percurso em quilômetros [Pl.: *-gens*.] [F.: *quilômetro* + *-agem*[2].]

quilometrar (qui.lo.me.*trar*) ***v. td.*** Medir ou marcar por quilômetros: *quilometrar uma viagem/uma estrada.* [▶ 1 quilometrar] [F.: *quilômetro* + *-ar*[2]. Hom./Par.: *quilometro* (fl.), *quilômetro* (sm.).]

quilométrico (qui.lo.*mé*.tri.co) ***a.*** **1** Ref. a quilômetros (escala quilométrica) **2** Que tem um quilômetro **3** Medido em quilômetros (estrada quilométrica) **4** *Fig.* Longo demais (fila quilométrica) [Ant.: *mínimo*.] [F.: *quilômetro* + *-ico*.]

quilômetro (qui.*lô*.me.tro) ***sm.*** *Metrol.* Unidade de medida de comprimento equivalente a mil metros [Símb.: *km*.] [F.: *quilo-* + *-metro*. Hom./Par.: *quilometro* (fl. de *quilometrar*).]

quiloparsec (qui.lo.*par*.sec) ***sm.*** *Astron.* Unidade de medida de distância us. em astronomia, equivalente a 1.000 parsecs: *O sistema solar dista oito quiloparsecs do centro da Via Láctea.* [Símb.: *kpc*.] [F.: *quilo*[1]- + *parsec*.]

quiloplastia (qui.lo.plas.*ti*.a) *Cir.* ***sf.*** Cirurgia plástica no(s) lábio(s) [F.: *quil(o)-*[1] + *-plastia*.]

quiloplástico (qui.lo.*plás*.ti.co) ***a.*** *Cir.* Ref. a quiloplastia [F.: *quiloplastia* + *-ico*[2].]

quilópode (qui.*ló*.po.de) *Zool.* ***sm.*** **1** Espécime dos quilópodes, classe de miriápodes que compreende as lacraias ***a2g.*** **2** *Zool.* Ref. ou pertencente aos quilópodes [F.: Adaptç. do lat.cient. *Chilopoda*.]

quilose (qui.*lo*.se) *Med.* ***sf.*** Lesão labial, causada, ger., por deficiência de riboflavina e outras vitaminas do complexo B e caracterizada por fissuras e descamação [F.: *quil(o)-*[1] + *-ose*[1].]

quilotar (qui.lo.*tar*) *Bras.* ***v. td.*** Escurecer (os dedos, o cachimbo etc.) fumando [▶ 1 quilotar] [F.: Adaptç. do fr. *culotter*.]

quiloton (qui.lo.*ton*) *Fís.* ***sm.*** Unidade de avaliação de potencial explosivo equivalente à energia liberada por uma explosão de 1.000 toneladas de TNT [Símb.: *KT*] [F.: *quilo*[1]*-* + *ton(elada)*.]

quilovolt-ampere (qui.lo.volt-am.*pe*.re) *Elet.* ***sm.*** Unidade de medida de potência aparente em circuitos de corrente alternada, equivalente a 1.000 volts [Símb.: *kWA*] [Pl.: *quilovolts-amperes, quilovolts-ampere*.] [Tb. *quilovolt-ampère*.]

quilowatt (qui.lo.*watt*) ***sm.*** *Elet. Fís.* Medida de potência equivalente a mil watts [Símb.: *kW*.] [F.: *quilo-* + *watt*.]

quilowatt-hora (qui.lo.watt-*ho*.ra) ***sm.*** *Elet. Fís.* Unidade de consumo de energia equivalente ao consumo em uma hora de um quilowatt [Símb.: *kWh*] [Pl.: *quilowatts-horas e quilowatts-hora*.]

quilúria (qui.*lú*.ri:a) ***sf.*** *Pat.* Presença de quilo[2] na urina [F.: *quil(o)-*[2] + *-úria*. Tb. *quiluria*.]

quilúrico (qui.*lú*.ri.co) *Pat.* ***a.*** **1** Ref. a quilúria **2** Que sofre de quilúria ***sm.*** **3** *Pat.* Aquele que sofre de quilúria [F.: *quilúria* ou *quiluria* + *-ico*[2].]

quimanga (qui.*man*.ga) *Bras. N.E.* ***sf.*** **1** Espécie de cabaça, feita com casco de coco, na qual os jangadeiros levam a comida **2** *P.ext.* Provisão de comida que se leva para uma pescaria [F.: Do quimb. *kimanga*.]

quimbanda[1] (quim.*ban*.da) *Bras. Pej. Rel.* ***sf.*** **1** Ramo da umbanda que supostamente pratica a magia negra e cujo culto tem como ponto principal a invocação de exus, com o objetivo de prejudicar pessoas **2** Terreiro de quimbanda [F.: Do quicongo *kibanda*. Cf.: *macumba*.]

quimbanda[2] (quim.*ban*.da) *Rel.* ***s2g.*** **1** *Bras.* Sacerdote de cultos da linha angola e congo **2** *Ang.* Adivinho, curandeiro [F.: Do quimb. *kibanda*.]

quimbembe (quim.*bem*.be) *Bras. N.* ***sm.*** **1** Habitação pobre e rústica; CABANA **2** O mesmo que *quimbembeque* ***a2g.*** **3** Malvestido, pobre [F.: De or. afr. Hom./Par.: *quimbembe* (a2g.sm.), *quimbembé* (sm.).]

quimbembeque (quim.bem.*be*.que) ***sm.*** *Bras. N.* Amuleto, berloque, penduricalho [Mais us. no pl.] [F.: De or. afr.]

quimbundo (quim.*bun*.do) ***sm.*** **1** Indivíduo dos quimbundos, grupo banto de certas regiões de Angola; tb. *ambundo* ***sm.*** **2** *Gloss.* Língua banta falada em Angola pelos quimbundos, ou ambundos ***a.*** **3** Ref. a quimbundo (1) **4** *Gloss.* Ref. ao quimbundo (2), língua banta [F.: Do banto *kimbundu*.]

quimera (qui.*me*.ra) [é] ***sf.*** **1** *Mit.* Monstro mitológico com cabeça de leão, corpo de cabra e cauda de serpente [Inicial maiúsc.] **2** *Fig.* Fantasia, ilusão, utopia perseguida: "A Grã-Bretanha perseguira (...) a quimera de controlar os territórios (...) de Angola..." (Alberto da Costa e Silva, *Um rio chamado Atlântico*) **3** *Zool.* Gênero de peixes da fam. dos quimerídeos, de corpo fusiforme, cabeça curta, cauda terminada em prolongamento filiforme, grandes nadadeiras peitoral e dorsal, comum nos oceanos Atlântico e Pacífico [F.: Do gr. *Khímaira*.]

quimérico (qui.*mé*.ri.co) ***a.*** **1** Ref. a quimera **2** Que não é real (histórias quiméricas); FANTÁSTICO; FICTÍCIO **3** Que mistura fantasia e realidade **4** Ref. a *quimerismo* [F.: *quimera* + *-ico*[2].]

quimerismo (qui.me.*ris*.mo) ***sm.*** *Gen.* Alteração genética resultante da formação de embrião a partir da fusão de dois óvulos fecundados que têm caracteres genéticos diferentes; com isso, em vez de se formarem gêmeos, forma-se um só indivíduo em que convivem células com características genéticas distintas; o hermafroditismo é uma das formas de quimerismo [F.: *quimera* (monstro mitológico cujo apecto físico reúne formas de animais diferentes: cabeça de leão, corpo de cabra e cauda de serpente, em uma das versões) + *-ismo*.]

quimerizar (qui.me.ri.*zar*) ***v. td. int.*** Criar quimeras, fantasias [▶ 1 quimerizar] [F.: *quimera* + *-izar*.]

quimiatria (qui.mi.a.*tri*.a) *Med.* ***sf.*** O mesmo que *iatroquímica* [F.: *quimi(o)-* + *-iatria*.]

química (*quí*.mi.ca) ***sf.*** **1** *Quím.* Ciência que estuda a composição das substâncias, suas propriedades e transformações **2** *Fig.* Interação positiva num relacionamento afetivo, profissional etc.: *Há uma boa química entre eles.* [F.: Fem. substv. de *químico*.] **■ Fazer uma ~** **1** Dar um jeitinho, resolver jeitosamente uma situação ou problema **2** Em orçamento do poder público, desviar irregularmente uma verba ou parte dela de uma rubrica para outra **~ biológica** *Quím.* Bioquímica **~ fina** *Quím.* Ramo da química industrial que, a partir de insumos básicos da indústria, produz substâncias complexas e sofisticadas (fármacos, catalisadores, reagentes etc.) **~ fisiológica** *Quím.* Bioquímica **~ industrial** *Quím.* Química aplicada na fabricação dos produtos industriais, inclusive para consumo **~ inorgânica** *Quím.* Ramo da química que estuda todos os elementos, seus compostos, suas reações etc., com exceção dos hidrocarbonetos **~ nuclear** *Fisquím.* Ramo da química que estuda os nuclídeos radioativos e seus compostos, e os efeitos das radiações sobre eles **~ orgânica** *Quím.* Ramo da química que estuda os compostos que contêm cadeias de carbono, suas propriedades, reações etc.

químico (*quí*.mi.co) ***a.*** **1** Ref. a química, ou que é conforme as leis da química (produto químico; reação química) ***sm.*** **2** Indivíduo formado em química **3** Produto químico [F.: Do rad. do ár. *(al)kīmíia* + *-ico*.]

químico-industrial (quí.mi.co-in.dus.tri.*al*) ***a2g.*** **1** Ref. à química e à indústria **2** Ref. à química industrial [Pl.: *químico-industriais*.] ***sm.*** **3** Pessoa especializada em química industrial [Pl.: *químicos-industriais*.]

quiminose (qui.mi.*no*.se) *Pat.* ***sf.*** Qualquer doença causada por substância química [F.: *quim(i/o)-* + *-nose*.]

◎ **quimi(o)-** ***el. comp.*** = 'química'; 'produto químico'; 'quimioterapia': *quimiatria, quimiofobia, quimioprofilaxia, quimiorreceptor, quimiossíntese.* [F.: De *química*, fem. substv. de *químico*, do lat. medv. *chimia*, da latinização do ár. *alchimia*.]

quimiofobia (qui.mi:o.fo.*bi*.a) ***sf.*** Aversão a produtos químicos: "A indústria de alimentos foge da inscrição 'artificial' no rótulo dos seus produtos por conta da quimiofobia que existe entre os consumidores..." (*Folha Online*, 02.09.2004) [F.: *quimi(o)-* + *-fobia*.]

quimioprofiláctico (qui.mi:o.pro.fi.*lác*.ti.co) ***a.*** Ref. à quimioprofilaxia [F.: *quimi(o)-* + *profiláctico*. Tb. *quimioprofilático*.]

quimioprofilático (qui.mi:o.pro.fi.*lá*.ti.co) ***a.*** Ver *quimioprofiláctico*

quimioprofilaxia (qui.mi:o.pro.fi.la.*xi*.a) [cs] *Med.* ***sf.*** Uso de substâncias químicas como meio de evitar doenças [F.: *quimi(o)-* + *profilaxia*.]

quimiorreceptor (qui.mi:or.re.cep.*tor*) [ô] *Fisl.* ***sm.*** Qualquer receptor ativado por substância química, como os do paladar ou do olfato, ou sensível a alterações químicas, como, p.ex., a redução do teor de oxigênio na corrente sanguínea [F.: *quimi(o)-* + *receptor*.]

quimiosfera (qui.mi.os.*fe*.ra) *Met.* ***sf.*** Camada da alta atmosfera onde ocorrem reações fotoquímicas e que inclui a parte superior da estratosfera, a mesosfera e a parte inferior da termosfera [F.: *quimi(o)-* + *-sfera*.]

quimiossíntese (qui.mi.os.*sín*.te.se) *Bioq.* ***sf.*** Síntese de matéria orgânica a partir de dióxido de carbono e água, por meio da energia liberada por reações químicas [F.: *quimi(o)-* + *síntese*.]

quimiossintético (qui.mi:os.sin.*té*.ti.co) ***a.*** *Bioq.* Ref. a quimiossíntese [F.: *quimi(o)-* + *sintético*.]

quimiossintetizante (qui.mi:os.sin.te.ti.*zan*.te) ***a2g.*** *Bioq.* Que realiza quimiossíntese [F.: *quimi(o)-* + *sintetizante*.]

quimiotaxia (qui.mi:o.ta.*xi*.a) [cs] *Biol.* ***sf.*** Ação atrativa ou repulsiva exercida por certas substâncias sobre os microorganismos ou sobre as células [F.: *quimi(o)-* + *-taxia*.]

quimioterapia (qui.mi:o.te.ra.*pi*.a) ***sf.*** *Med.* Tratamento de doenças, esp. o câncer, por meio de substâncias químicas [Tb. se diz apenas *quimio*.] [F.: *quimi(o)-* + *-terapia*.]

quimioterápico (qui.mi:o.te.*rá*.pi.co) ***a.*** **1** Ref. a quimioterapia ***sm.*** **2** Produto químico empregado na terapia de doenças, como o câncer [F.: *quimioterapia* + *-ico*[2].]

quimismo (qui.*mis*.mo) ***sm.*** **1** Conjunto dos fenômenos orgânicos provenientes de reações químicas **2** Emprego excessivo ou abusivo da química [F.: *quimi(o)-* + *-ismo*.]

quimitipia (qui.mi.ti.*pi*.a) *Grav.* ***sf.*** Processo químico de gravura que transforma uma lâmina em baixo-relevo em gravura de alto-relevo, para possibilitar a impressão [F.: *quimi(o)-* + *-tipia*.]

quimo (*qui*.mo) ***sm.*** *Fisl.* Espécie de pasta em que se transformam os alimentos parcialmente digeridos no estômago [F.: Do gr. *khumós*.]

quimógrafo (qui.*mó*.gra.fo) *Med.* ***sm.*** Aparelho com que se registram graficamente os movimentos de órgãos internos (p.ex.: a pressão sanguínea nos vasos) [F.: *quim(o)-* (do gr. *kyma*, 'ondulação') + *-grafo*.]

quimono (qui.*mo*.no) ***sm.*** **1** Vestimenta longa us. pelos japoneses, com mangas largas, cruzada na frente e amarrada por um cinto **2** *Esp.* Roupa de duas peças us. por lutadores de judô, caratê e jiu-jítsu, cuja parte de cima é similar a um quimono (1), porém mais curto **3** *Bras.* Penhoar, robe [F.: Do jap. *kimono*.]

quina[1] (*qui*.na) ***sf.*** Ângulo saliente; ARESTA; PONTA: *a quina da mesa.* [F. aferética de *esquina*.]

quina[2] (*qui*.na) ***sf.*** **1** Grupo de cinco objetos ou números: *Acertou a quina da loto.* **2** Dado, carta de jogar ou pedra de dominó com cinco pontos **3** *Lud.* Sequência de cinco números na mesma linha de um cartão de loto ou víspora **4** *Lud.* Modalidade de loteria em que ganha aquele que acerta um total de cinco números [F.: Do lat. cl. *quina*.]

quina[3] (*qui*.na) ***sf.*** **1** *Bras. Bot.* Nome comum às plantas do gên. *Cinchona*, da fam. das rubiáceas, cuja casca fornece a quinina, como, p.ex., *Cinchona officinalis*, árvore nativa dos Andes **2** A casca dessas plantas **3** *Quím.* Alcaloide extraído dessa casca que, us. contra a malária, provoca relaxamento muscular e é antipirético; QUININA; QUININO [F.: De or. obsc.]

quinado (qui.*na*.do) ***a.*** **1** Que contém casca de quina[3] (diz-se de substância, medicamento) ***sm.*** **2** Vinho que contém quina[3] [F.: *quina*[3] + *-ado*.]

quinanga (qui.*nan*.ga) ***sf.*** *Bras. N.E.* O mesmo que *quimanga* [F.: Var. de *quimanga*.]

quinar (qui.*nar*) ***v. int.*** Fazer uma quina[2] (4), ganhar na loto [▶ 1 quinar] [F.: *quina*[1] + *-ar*[2]. Hom./Par.: *quina(s)* (fl.), *quina(s)* (sf. [pl.]); *quino* (fl.), *quino* (sm.); *quinaria* (fl.), *quinária* (fem. de *quinário*).]

quinário (qui.*ná*.ri:o) ***a.*** **1** Que tem por base o número cinco (numeração quinária) **2** Que é divisível por cinco **3** Composto de cinco **4** *Poét.* Diz-se do verso de cinco sílabas; PENTASSÍLABO **5** *Mús.* Diz-se do compasso que tem cinco tempos [F.: Do lat. *quinarius, a, um*. Hom./Par.: *quinária* (fem.), *quinaria* (fl. de *quinar*).]

quinau (qui.*nau*) ***sm.*** **1** Correção de um erro; EMENDA; RETIFICAÇÃO: "– Perdão! fiz eu muito colegialmente. O forte S. Joaquim não fica no Purus... O Oliveira olhou-me com alguma raiva e eu tive que comprimir a alegria colegial do quinau." (Lima Barreto, *Recordações do escrivão Isaías Caminha*) **2** Sinal com que se marca erro escolar: *O aluno teve seis quinaus.* [Pl.: *-aus*.] [F.: or. contrv.] **■ Dar ~ (em)** **1** Mostrar, por palavras, o erro de (alguém), corrigir, falando, erro de (alguém): *Pediu a palavra e deu quinau em todos os que haviam apresentado propostas.* **2** Suplantar, passar a frente de: *Era o azarão, mas deu quinau em todos os competidores e ganhou a corrida.*

quindão (quin.*dão*) ***sm.*** *Bras. Cul.* Quindim grande [Pl.: *-dões*.] [F.: *quind (im)* + *-ão*.]

quindecágono (quin.de.*cá*.go.no) *Geom.* ***sm.*** Polígono de 15 lados [F.: *quin(que)* + *decágono*.]

quindênio (quin.*dê*.ni:o) ***sm.*** **1** Porção de quinze **2** Período de 15 dias consecutivos; QUINZENA **3** Pagamento por 15 dias de trabalho; QUINZENA [F.: Do lat. *quindeni, ae, a*.]

quindim (quin.*dim*) ***sm.*** **1** *Bras. Cul.* Docinho feito com gemas de ovos, açúcar e coco ralado **2** (Fig.) Suavidade, meiguice **3** Graciosidade, encanto **4** Tratamento carinhoso; AMORZINHO; BENZINHO [Pl.: *-dins*.] [F.: Prov. do quicg. *kénde*.]

quineira (qui.*nei*.ra) *Bot.* ***sf.*** Nome dado às árvores e arbustos do gên. *Cinchona*, da fam. das rubiáceas, das quais se obtém o quinino; QUINA; QUINA-VERDADEIRA [F.: *quin(a)*[3] + *-eira*.]

quinetoscópio (qui.ne.tos.*có*.pi:o) ***sm.*** Ver *cinetoscópio*

quingentésimo (quin.gen.*té*.si.mo) ***num.*** **1** Ordinal que, em uma sequência, corresponde ao número quinhentos ***a.*** **2** Que é quinhentas vezes menor do que a unidade ou um todo (diz-se de parte): *a quingentésima parte da renda nacional* [Us. tb. como subst.: *um quingentésimo da renda nacional*.] [F.: Do lat. clás. *quingentesimu(m)*.]

quinhão (qui.*nhão*) ***sm.*** **1** Parte que cabe a cada um na divisão de um todo; COTA; PARCELA: *Ficou com o menor quinhão dos lucros.* **2** *Fig.* Destino, sorte [Pl.: *-nhões*.] [F.: Do lat. imp. *quinione(m)*.]

quinhenta (qui.*nhen*.ta) ***sf.*** *Moç.* **1** Moeda de 500 meticais **2** *Ant.* Moeda de cinquenta centavos de escudo: "E era nessa porta que estava sempre um miúdo simpático e sorridente, a vender amendoim torrado com açúcar (...) – É uma quinhenta..." (J. M. P. Soares, *O canto do Xirico (blog)*) [F.: De *quinhentos*.] **■ Não ter ~** *Moç.* Não ter dinheiro algum, não ter um tostão

quinhentismo (qui.nhen.*tis*.mo) ***sm.*** O estilo artístico, literário, filosófico etc. do séc. XVI [F.: quinhentos + *-ismo*.]

quinhentista (qui.nhen.*tis*.ta) ***a2g.*** **1** Ref. a ou próprio do quinhentismo ou dos Quinhentos **2** Que segue a escola quinhentista ***s2g.*** **3** Escritor ou artista do século XVI [F.: *quinhentos* + *-ista*.]

quinhentos (qui.*nhen*.tos) ***num.*** **1** Quantidade correspondente a 499 unidades mais uma **2** Número que representa essa quantidade (arábico: 500; romano: D) *sm2n.* **3** O século XVI, sob o ponto de vista artístico, literário e filosófico: "Pelo menos é o que nos conta André Álvares d'Almada, no fim do Quinhentos." (Alberto da Costa e Silva, *A manilha e o libambo*) [Inicial maiúsc.] [F.: Do lat. *quingenti*, prov. pelo esp. *quiñentos*.]

quinhoeiro (qui.nho.*ei*.ro) *sm.* **1** Aquele que tem quinhão na divisão de um todo; SÓCIO **2** Aquele que compartilha, que se solidariza: *Foi quinhoeiro de nossa dor.* [F.: *quinhão* + *-eiro*.]

quinina (qui.*ni*.na) *sf. Quím.* Substância extraída da casca da quina[2] (gên. Cinchona) e de uso medicinal, esp. contra a malária; QUININO [F.: Do fr. *quinine*.]

quinino (qui.*ni*.no) *sm. Quím.* Ver *quinina*

quinoa (qui.*no*.a) [ô] *sf.* **1** *Bot.* Planta anual (*Chenopodium quinoa*) da fam. das quinopodiáceas, nativa dos Andes (Colômbia, Peru e Chile), com folhas triangulares, substitutas do espinafre e sementes grandes us. em sopas no lugar de cereais e das quais se faz uma espécie de manteiga **2** Planta anual (*Chanopodium hircinum*) da fam. das quenopodiáceas, nativa do Brasil (MG, RJ, SP), gabrifoliada, caule estriado, frutos aquênicos com sementes pretas e lustrosas, com propriedades antirreumáticas; CAPERIÇOBA-BRANCA [F.: Do hispano-americano *quinua*. Tb. *quinua*.]

quinona (qui.*no*.na) *Quím. sf.* **1** Substância cristalina ($C_6H_4O_2$) us. como agente oxidante **2** Denominação comum aos derivados do benzeno obtidos com a substituição de dois átomos de hidrogênio por dois de oxigênio [F.: *quina*[3] + *-ona*.]

quinquagenário (quin.qua.ge.*ná*.ri:o) *a.* **1** Diz-se de pessoa que tem entre 50 e 59 anos de idade *sm.* **2** Pessoa quinquagenária [F.: Do a. lat. *quinquagenariu(m)*. Sin. ger.: *cinquentão*.]

quinquagésimo (quin.qua.*gé*.si.mo) *num.* **1** Ordinal que, em uma sequência, corresponde ao número cinquenta *a.* **2** Que é cinquenta vezes menor do que a unidade ou um todo (diz-se de parte): *Ficou com a quinquagésima parte da herança* [Us. tb. como subst.: *Ficou com um quinquagésimo da herança*.] [F.: Do lat. clás. *quinquagesimu(m)*.]

◎ **quinqu(e/i)-** *el. comp.* = cinco: *quinquagenário*, *quinquênio*.

quinquefoliado (quin.que.fo.li:*a*.do) *Bot. a.* Que tem cinco folhas ou cinco folíolos; QUINQUEFÓLIO [F.: *quinqu(e/i)-* + *foliado*.]

quinquelíngue (quin.que.*lín*.gue) *a.* **1** Que fala cinco línguas **2** Que está escrito em cinco línguas [F.: *quinqu(e/i)-* + *-língue*.]

quinquenal (quin.que.*nal*) *a2g.* **1** Que dura um quinquênio: *Elaboraram um programa quinquenal.* **2** Que ocorre de cinco em cinco anos (jogos quinquenais) [Pl.: *-nais*.] *sm.* **3** *Hist.* Magistrado municipal da Roma antiga, cujo cargo era exercido por um período de cinco anos [Pl.: *-nais*.] [F.: Do lat. *quinquennale(m)*.]

quinquênio (quin.*quê*.ni.o) *sm.* **1** Período de cinco anos; LUSTRO **2** *Ant.* Adicional incorporado ao salário do servidor público a cada cinco anos de serviço ininterrupto [Vantagem extinta em 1990.] [F.: Do lat. *quinquennium*.]

quinquevirado (quin.que.vi.*ra*.do) *sm.* **1** Dignidade, funções de quinquéviro **2** Tribunal de quinquéviros [F.: Do lat. *quinqueviratus, us*.]

quinquéviro (quin.*qué*.vi.ro) *sm. Hist.* Na Roma antiga, cada um dos cinco magistrados responsáveis pelo cumprimento de certos regulamentos policiais [F.: Do lat. *quinqueviri, orum*.]

quinquídio (quin.*quí*.di:o) *sm.* Espaço de cinco dias [F.: *quinqu(e/i)-* + *-dio* (do lat. *dies*, 'dia').]

quinquilharia (quin.qui.lha.*ri*.a) *sf.* **1** Objeto de pouco valor; BUGIGANGA; MIUDEZA [Mais us. no pl.] **2** *P.ext.* Coisa sem importância; INSIGNIFICÂNCIA; NINHARIA [F.: Do fr. *quincaillerie*.]

quinta[1] (*quin*.ta) *sf.* **1** *Lus.* Propriedade rural; CHÁCARA; SÍTIO **2** O mesmo que *quina*[2] **3** *Mús.* Intervalo de cinco graus sequenciais, na escala diatônica **4** *Esp.* Na esgrima, uma das paradas [F.: Do lat. *quintana*.]

quinta[2] (*quin*.ta) *sf.* F. red. de *quinta-feira*

quintã (quin.*tã*) *a.* **1** Diz-se da febre que se repete de cinco em cinco dias *sf.* **2** Febre quintã [F.: Do lat. *quintanus, a, um*.]

quinta-coluna (quin.ta-co.*lu*.na) *s2g.* **1** Indivíduo que, estabelecido em um país em guerra com outro, colabora secretamente com o inimigo ou provável invasor **2** Conjunto de agitadores ou espiões envolvidos em atividades subversivas [Pl.: *quintas-colunas*.]

quinta-colunismo (quin.ta-co.lu.*nis*.mo) *sm.* **1** Prática adotada por quintas-colunas *sm.* **2** A classe dos quintas-colunas **3** Atuação ou procedimento de quinta-coluna [Pl.: *quinta-colunismos*.]

quinta-colunista (quin.ta-co.lu.*nis*.ta) *a2g.* **1** Ref. a quinta-colunismo **2** Diz-se de pessoa que pratica o quinta-colunismo *s2g.* **3** Essa pessoa [Pl.: *quinta-colunistas*.]

quinta-doença (quin.ta-do.*en*.ça) *sf. Med.* Doença infecciosa branda que acomete crianças e cujos sintomas são erupção cutânea e pouca ou nenhuma febre; eritema infeccioso [Pl.: *quintas-doenças*.] ▪ **~ venérea** *Pat.* Linfogranuloma venéreo

quinta-essência (quin.ta-es.*sên*.ci:a) *sf.* **1** A própria essência de alguma coisa; o mais alto grau: *Seu rosto era a quinta-essência da beleza.* **2** O que existe de melhor: *a quinta-essência da educação.* [Pl.: *quinta-essências*.] [Tb. *quintessência*.]

quinta-feira (quin.ta-*fei*.ra) *sf.* Quinto dia da semana; segue-se à quarta-feira [Pl.: *quintas-feiras*.] ▪ **~ Maior/ Manta** A quinta-feira da Semana Santa

quintal[1] (quin.*tal*) *sm.* **1** Terreno na parte de trás da casa, ger. com um jardim ou uma horta **2** *Bras. P.ext.* Terreno, ger. ajardinado ou acimentado, na frente ou na lateral de uma moradia **3** *Fig.* Campo de ação **4** Pequena propriedade rural, com moradia [Pl.: *-tais*.] [F.: Do lat. vulg. **quintanale*, posv.]

quintal[2] (quin.*tal*) *sm. Antq.* Antiga unidade de medida de peso, que equivalia a quatro arrobas (cerca de 60 kg) [Símb.: *q*] [Pl.: *-tais*.] [F.: Do ár. *quintar*.] ▪ **~ métrico** Unidade de medida de peso correspondente a 100 kg

quintanista (quin.ta.*nis*.ta) *s2g.* Estudante que frequenta o quinto ano de curso superior [F.: *quint(o)* + *an(o)* + *-ista*.]

quintão (quin.*tão*) *sm. Ant. Mús.* Instrumento de cinco cordas tangidas por arco [Pl.: *-tões*.] [F.: Do fr. *quinton*.]

quintessência (quin.tes.*sên*.ci:a) *sf.* Ver *quinta-essência*

quinteto (quin.*te*.to) [ê] *sm.* **1** *Mús.* Composição para cinco vozes ou instrumentos **2** *Mús.* Grupo de cinco vozes ou instrumentos: *quinteto de cordas.* **3** Grupo de cinco pessoas **4** *Poét.* Estrofe de cinco versos, ger. de sete sílabas métricas; QUINTILHA [F.: Do it. *quintetto*.]

quintil (quin.*til*) *a2g.* **1** *Astron.* Diz-se da posição de dois planetas que distam entre si a quinta parte do zodíaco ou 72º **2** *Mat.* Diz-se de expressão de quinto grau; QUÍNTICO **3** *Est.* Diz-se de separatriz que divide a área de uma distribuição de frequência em cinco domínios de áreas iguais *sm.* **4** *Est.* Essa separatriz [F.: *quint(o)* + *-il*.]

quintilha (quin.*ti*.lha) *Poét. sf.* Estrofe de cinco versos, ger. heptassílabos e com rimas dispostas em *abaab* [F.: *quint(o)* + *-ilha*.]

quintilhão (quin.ti.*lhão*) *num.* Mil quatrilhões, ou 10 elevado à 18ª potência [Pl.: *-lhões*.] [F.: Do ing. *quintillion*.]

quinto (*quin*.to) *num.* **1** Ordinal que, em uma sequência, corresponde ao número cinco (quinta fileira) *a.* **2** Que é cinco vezes menor do que a unidade ou um todo (diz-se de parte): *Só recebeu a quinta parte do salário.* *sm.* **3** A quinta parte: *Só recebeu um quinto do salário.* **4** O que está no quinto lugar: *Ele é o quinto na sucessão.* **5** Barril com volume equivalente à quinta parte de uma pipa **6** *Hist.* No período colonial, imposto de 20% cobrado pela coroa portuguesa sobre o ouro, a prata e os diamantes extraídos das terras brasileiras **7** *Pop.* O inferno [Us. no pl.: *os quintos do inferno*.] **8** *Pop.* Lugar muito distante [Us. no pl.: *quintos*.] [F.: Do lat. clás. *quintu(m)*.] ▪ **Ir para os ~s** *Pop. Depr.* Morrer: *Finalmente, ele foi para os quintos.* [Revela menosprezo por quem morreu.] **Mandar para os ~s** **1** *Bras. Pop.* Matar, dar um fim a: *O mocinho enfrentou o bandido em duelo e mandou-o para os quintos.* **2** Xingar, dirigir impropérios a (alguém): *Irritou-se com ele e mandou-o para os quintos, mas depois desculpou-se.*

quintuplicação (quin.tu.pli.ca.*ção*) *sf.* Ação ou resultado de quintuplicar; multiplicação por cinco [Pl.: *-ções*.] [F.: *quintuplicar* + *-ção*.]

quintuplicado (quin.tu.pli.*ca*.do) *a.* **1** Cinco vezes maior: *Vendeu-o por um preço quintuplicado.* **2** Multiplicado por cinco [F.: Part. de *quintuplicar*.]

quintuplicar (quin.tu.pli.*car*) *v.* **1** Tornar(-se) cinco vezes maior [**td.**: *quintuplicar os rendimentos*.] [**int.**: *A produção da granja quintuplicou(-se) em dois anos*.] **2** Fazer crescer ou crescer imensamente [**td.**: *O incidente quintuplicou sua angústia*.] [**int.**: *Sua alegria quintuplicou(-se) ao saber da boa nova*.] [▶ **11** quintuplicar] [F.: *quintúplice* + *-ar*[2]. Hom./Par.: *quintuplicáveis* (fl.), *quintuplicáveis* (pl. de *quintuplicável* [a2g.]).]

quíntuplo (*quín*.tu.plo) *num.* **1** Que é cinco vezes a quantidade ou o tamanho de uma unidade *a.* **2** Que tem cinco partes ou elementos **3** Que é para ou de cinco pessoas (apartamento quíntuplo) *sm.* **4** Quantidade ou tamanho cinco vezes maior: *Lá se paga o quíntuplo por um aparelho desses.* [F.: Do lat. **quintuplus*.]

quíntuplos (*quín*.tu.plos) *smpl.* Gêmeos em número de cinco [F.: Ver em *quíntuplo*.]

quinua (qui.*nu*.a) *sf.* O mesmo que *quinoa*

quinuclidina (qui.nu.cli.*di*.na) *Quím. sf.* Substância ($C_7H_{13}N$) da qual derivam a quinina e outros alcaloides relacionados [F.: *qui(nina)* + *nucle(i)-* + *-idina*.]

quinze (*quin*.ze) *num.* **1** Quantidade correspondente a 14 unidades mais uma **2** Número que representa essa quantidade (arábico: 15; romano: XV) [F.: Do lat. vulg. *quindecimu(m)*.]

quinzena (quin.*ze*.na) *sf.* **1** Período de 15 dias seguidos: *na primeira quinzena de novembro.* **2** Remuneração pelo trabalho feito em 15 dias **3** Conjunto de 15 pessoas, objetos, unidades de mesma natureza **4** *BA* Renda paga aos donos de engenho pelos lavradores, consistindo em uma arroba de açúcar por cada quinze produzidas [F.: *quinze* + *-ena*.]

quinzenal (quin.ze.*nal*) *a2g.* **1** Ref. a quinzena (1) **2** Realizado ou apresentado de quinze em quinze dias (pagamento quinzenal, programa quinzenal) **3** Publicado de quinze em quinze dias (revista quinzenal) [Pl.: *-nais*.] [F.: *quinzena* + *-al*.]

quinzenalmente (quin.ze.nal.*men*.te) *adv.* De quinze em quinze dias; a cada quinzena [F.: *quinzenal* + *-mente*.]

quinzenário (quin.ze.*ná*.ri:o) *sm.* Periódico quinzenal [F.: *quinzen(a)* + *-ário*.]

quiosque (qui:*os*.que) [ó] *sm.* Pequena construção em lugares públicos para venda de jornais, flores, bebidas etc. [F.: Do fr. *kiosque*.]

quipá (qui.*pá*) *sm. Bras. Bot.* Planta (*Opuntia inamoena*) rasteira e espinhosa, da fam. das cactáceas: "Matei uns três infelizes assim, pelo cima de uns quipás, sendo que um chegou devagar no chão, receando os espinhos sem dúvida." (João Ubaldo Ribeiro, *Sargento Getúlio*) [F.: Do tupi *ki'pa*, posv.]

quiproquó (qui.pro.*quó*) *sm.* **1** Confusão em que se toma uma coisa por outra **2** O engano que resulta nessa confusão [F.: Expr. lat. *quid pro quo* 'uma coisa pela outra'.]

quique (*qui*.que) *Bras. sm.* Ação ou resultado de quicar: "Agora, fazendo a bola quicar e girar ao mesmo tempo, o quique será do mesmo jeito?" (*Ciência Hoje das Crianças*) [F.: Dev. de *quicar*. Hom./Par.: *quique* (sm.), *quique* (fl. de *quicar*).]

quiquiqui (qui.qui.*qui*) *CE sm.* **1** Onomatopeia de som de risada: "Reprimi belas palavras,/ Para suprimir os vetos/ A censura dos meus filhos,/ O quiquiqui dos meus netos." (José Rodrigues de Oliveira, "O folheto da aids", site *Literatura de cordel Online*) *sm.* **2** Indivíduo gago [F.: De or. onom.]

quiragra (qui.*ra*.gra) *sf. Med.* Gota que ataca as articulações das mãos [F.: Do lat. *cheragra* ou *chiragra, ae*.]

quiral (qui.*ral*) *Quím. a.* Diz-se de molécula com estrutura característica que torna impossível sobrepô-la à sua imagem no espelho [Pl.: *-rais*.] [F.: *quir(o)-* + *-al*.]

quiralgia (qui.ral.*gi*.a) *sf. Med.* Dor na mão [F.: Do gr. *kheiralgía, as*.]

quirálgico (qui.*rál*.gi.co) *a.* Ref. a quiralgia [F.: *quiralgia* + *-ico*[2].]

quirapsia (qui.rap.*si*.a) *sf. Med.* Massagem, fricção com as mãos [F.: Do gr. *kheirapsía, as*.]

quirartrite (qui.rar.*tri*.te) *sf. Med.* Artrite na mão [F.: *quir(o)-* + *artrite*.]

quirguiz (quir.*guiz*) *sm.* **1** Pessoa nascida ou que vive no Quirguistão (Ásia) **2** *Gloss.* Língua falada no Quirguistão *a.* **3** Do Quirguistão; típico desse país ou de seu povo **4** Do ou ref. ao quirguiz (2) [F.: Do russo *kyrghyz*.]

quiribatiano (qui.ri.ba.ti:*a*.no) *sm.* **1** Pessoa nascida ou que vive no Kiribati (Oceania) *a.* **2** Do Kiribati; típico desse país ou de seu povo [F.: Do top. *Kiribati* + *-ano*, seg. o mod. vernáculo.]

quirica (qui.*ri*.ca) *Bras. Vulg. sf.* A vulva: "Assim faz Veneranda com as furadas de pouca idade, lasca-lhes pedra-ume na quirica para enganar os trouxas." (Jorge Amado, *Teresa Batista cansada de guerra*) [F.: De or. contrv.]

quiriri (qui.ri.*ri*) *Bras. s2g.* **1** *Etnol.* Pessoa pertencente a um povo indígena da região nordeste da Bahia **2** Dos ou ref. aos quiriris [Etn. bras.: *Kiriri*.]

◎ **-quir(o)-** *el. comp.* Ver *quir(o)-*

◎ **-quiro** *el. comp.* Ver *quir(o)-*

◎ **quir(o)-** *el. comp.* = 'mão': *quiragra* (< lat.), *quiralgia* (< gr.), *quirartrite*, *quirodáctilo*, *quirógrafo*, *quirologia*, *quiromancia*, *quiromania*, *quiromante*, *quironomia*, *quiroplastia*; *acroquirismo*; *acefaloquiro*, *isoquiro*, *macroquiro*. [F.: Do gr. *kheír, kheirós*. F. conexa: *-quiria*.]

quirodáctilo (qui.ro.*dác*.ti.lo) *sm.* Ver *quirodátilo*

quirodátilo (qui.ro.*dá*.ti.lo) *sm. Anat.* Dedo da mão [F.: *quir(o)-* + *-dátilo*. Tb. *quirodáctilo*.]

quirófano (qui.*ró*.fa.no) *Cir. sm.* Sala de cirurgia, com lugar para a assistência, separado por tabiques envidraçados [F.: *quir(o)-* + *-fano*.]

quirografário (qui.ro.gra.*fá*.ri:o) *Jur. a.* **1** Que não tem preferência nem garantia real de pagamento (diz-se de dívida) **2** Diz-se do credor que, em caso de falência ou concordata, só será pago depois dos credores preferenciais **3** *Lus.* Diz-se de documento particular não autenticado publicamente [F.: Do lat. *chirografarius, a, um*, 'escrito à mão'.]

quirógrafo (qui.*ró*.gra.fo) *sm.* **1** Escrito autógrafo **2** Diploma com a competente assinatura **3** Breve do papa, não publicado nem promulgado [F.: Do lat. *chirographum*, do gr. *kheirógraphon*.]

quirologia (qui.ro.lo.*gi*.a) *sf.* Técnica de conversação por meio de sinais feitos com os dedos (p.ex.: o alfabeto dos surdos-mudos); DACTILOLOGIA [F.: *quir(o)-* + *-logia*.]

quirológico (qui.ro.*ló*.gi.co) *a.* Ref. a quirologia; DACTILOLÓGICO [F.: *quirologia* + *-ico*[2].]

quiromancia (qui.ro.man.*ci*.a) *sf.* Adivinhação do futuro pelas linhas da palma da mão; QUIROSCOPIA [F.: Do gr. *kheiromanteía, as*.]

quiromania (qui.ro.ma.*ni*.a) *sf.* Automasturbação masculina, feita com as mãos; ONANISMO [F.: *quir(o)-* + *-mania*.]

quiromante (qui.ro.*man*.te) *s2g.* Pessoa que pratica quiromancia [F.: Do gr. *kheirómantis, eos*.]

quiromântico (qui.ro.*mân*.ti.co) *a.* Ref. a quiromancia ou a quiromante [F.: *quiromante* + *-ico*[2].]

quironomia (qui.ro.no.*mi*.a) *sf.* **1** A arte dos ademanes, de coordenar os gestos com o discurso **2** Mímica **3** *Pug.* Tática defensiva que consiste em apenas aparar os golpes do adversário, para cansá-lo [F.: Do gr. *kheironomía, as*.]

quironômico (qui.ro.*nô*.mi.co) *a.* Ref. a quironomia [F.: *quironomia* + *-ico*[2].]

quirônomo (qui.*rô*.no.mo) *sm.* Aquele que ensina ou pratica quironomia [F.: Do gr. *kheironómos, ou*.]

quiroplastia (qui.ro.plas.*ti*.a) *P.us. Cir. sf.* Cirurgia plástica da mão [F.: *quir(o)-* + *-plastia*.]

quiropodia (qui.ro.po.*di*.a) *Med. sf.* Tratamento das doenças dos pés [F.: Do gr. *kheiropódes, ou*, 'com fendas nos pés', + *-ia*[1].]

quiropódico (qui.ro.*pó*.di.co) *a. Med.* Ref. a quiropodia [F.: *quiropodia* + *-ico*[2].]

quiropodista (qui.ro.po.*dis*.ta) *s2g. Med.* Pessoa especializada em quiropodia [F.: *quiropodia* + *-ista*.]

quiroprática (qui.ro.*prá*.ti.ca) *sf. Ter.* Terapia que consiste na manipulação das articulações que apresentam dificuldades de movimentação, para eliminar subluxações vertebrais que comprometem a passagem dos impulsos nervosos pelo corpo, e, desta forma, liberar os impulsos nervosos bloqueados, aliviando dores e melhorando o organismo como um todo; QUIROPRAXIA [F.: *quir*(o)- + *prática*.]

quiroprático (qui.ro.*prá*.ti.co) *Ter. a.* **1** Ref. a quiroprática (terapia quiroprática; QUIROPRÁXICO *sm.* **2** *Ter.* Especialista em quiroprática; QUIROPRAXISTA [F.: *quir*(o)- + *prático*.]

quiróptero (qui.*róp*.te.ro) *Zool. sm.* **1** Espécime dos quirópteros, ordem de mamíferos noturnos que abrange os morcegos *a.* **2** *Zool.* Ref. ou pertencente aos quirópteros [F.: Adaptç. do lat.cient. *Chiroptera.*]

quisling (*Norueguês /quíslin/*) *sm.* Traidor que colabora com um inimigo que pretende invadir seu país; QUINTA-COLUNA; TRAIDOR [F.: Do antr. (*Vidkun*) *Quisling* (1887-1945), chefe de governo da Noruega que colaborou com os nazistas.]

quisto (*quis*.to) *sm. Med.* Cavidade fechada onde se acumula líquido, podendo ocorrer em qualquer parte do corpo, apesar de ser mais comum em glândulas e órgãos que secretam líquido; CISTO [F.: Do gr. *kystys.*]

quitação (qui.ta.*ção*) *sf.* **1** Ação ou resultado de quitar(-se) **2** Ato pelo qual o credor desobriga o devedor, após ter sido quitada a dívida **3** Documento que comprova tal pagamento [Pl.: -*ções.*] [F.: *quitar* + -*ção.*]

quitanda (qui.*tan*.da) *Bras. sf.* **1** Pequena loja em que se vendem frutas, verduras, ovos etc. **2** Conjunto de iguarias doces e salgadas feitas em casa **3** Tabuleiro que contém essas iguarias [F.: Do quimb. *kitanda* 'feira'.] ■ **Ter ~** *SP Pop.* Ter boa condição de saúde, ou boa posição social

quitandeiro (qui.tan.*dei*.ro) *sm.* **1** Dono ou empregado de quitanda **2** Indivíduo que prepara quitandas (2) [F.: *quitanda* + -*eiro.*]

quitar (qui.*tar*) *v.* **1** Pagar integralmente (o que se deve); saldar (dívida) [*td.*: *Quitou a última parcela da prestação.*] **2** Isentar(-se), livrar(-se) (de obrigação); DESOBRIGAR [*tdr.* + *de*: *Resolveu quitar os netos dos almoços semanais*; *quitar-se das análises estatísticas.*] **3** Esquivar-se de, poupar-se de; EVITAR [*td.*: *Procurava quitar reuniões sociais convencionais.*] **4** Separar-se (de marido ou esposa); DESQUITAR-SE [*td.*: *Geraldo quitou a esposa.*] [*tr.* + *de*: *Mesmo sem o apoio dos filhos, quitou-se do marido.*] [▶ 1 quitar] [F.: Do fr. *quitter.* Hom./Par.: *quite*(s) (fl.), *quite*(s) (a2g.sm. [pl.]).]

quite (*qui*.te) *a2g.* **1** Livre de dívida, promessa, obrigação: *Está quite com o serviço militar.* **2** Empatado em disputa ou jogo [F.: Part. irreg. de *quitar*. Hom./Par.: *quite* (fl. de *quitar*).]

quitenho (qui.*te*.nho) *sm.* **1** Indivíduo natural ou que vive em Quito (capital do Equador) *a.* **2** De Quito; típico dessa cidade ou de seu povo [F.: Do top. *Quit*(o) + -*enho.*]

quitina (qui.*ti*.na) *Bioq. sf.* Substância córnea que compõe o exoesqueleto dos artrópodes [F.: *quit*(o)- + -*ina*².]

quitinete (qui.ti.*ne*.te) [é] *sf.* **1** Cozinha minúscula ou armário que, aberto, transforma-se em cozinha **2** Apartamento de um só cômodo, além do banheiro e quitinete (1) [F.: Do ing. *kitchenet.*]

◉ **quit**(o)- *el. comp.* = 'membrana que envolve'; 'envoltório'; 'exoesqueleto': *quitina, quitoptose*; *adenossinquitonite* [F.: Do gr. *khitón, ónos*, 'túnica'; 'vestimenta'; 'estojo'.]

◉ **-quiton-** *el. comp.* Ver *quit*(o)-

quitoptose (qui.top.*to*.se) *Ginec. sf.* Prolapso da vagina [F.: *quit*(o)- + -*ptose.*]

quitute (qui.*tu*.te) *sm.* Comida saborosa; IGUARIA; PETISCO [F.: Do quimb. *kitutu* 'indigestão'.]

quituteiro (qui.tu.*tei*.ro) *sm.* Pessoa que faz quitutes [F.: *quitute* + -*eiro.*]

quiuí (qui.*uí*) *sm. Bot.* Ver *quivi* [F.: Do ing. *kiwi-kiwi.*]

quivi (qui.*vi*) *sm.* **1** *Bot.* Trepadeira da fam. das actinidiáceas (*Actinidia deliciosa*), originária do Leste da Ásia, muito cultivada pelos frutos comestíveis; QUIUÍ **2** *Bot.* Fruto dessa planta, ovoide, coberto de pelos marrons, com polpa verde e sementes pretas e pequenas; QUIUÍ **3** *Ornit.* Certa ave não voadora da Nova Zelândia [F.: Do ing. *kiwi-kiwi.*]

quixaba (qui.*xa*.ba) *Bot. sf.* **1** Fruto da quixabeira, de cor roxa, doce e comestível: "Gostei de favas do mato, muito murici, quixaba e jaca." (Guimarães Rosa, *Grande sertão: veredas*) **2** Ver *quixabeira* [F.: Prov. de or. indígena.]

quixabeira (qui.xa.*bei*.ra) *sf. Bot.* Árvore espinhosa da fam. das sapotáceas (*Sideroxylon obtusifolium*), nativa do Brasil e abundante na caatinga, cujas folhas e frutos são forrageiros; QUIXABA [F.: *quixaba* + -*eira.*]

quixotada (qui.xo.*ta*.da) *sf.* **1** Ato ou atitude quixotescos; QUIXOTICE **2** Bravata, bazófia ridícula; QUIXOTICE [F.: Do ficcion. Dom *Quixote* + -*ada*¹.]

quixote (qui.*xo*.te) *sm.* Indivíduo ingênuo e idealista, que toma as dores dos outros e ger. se sai mal; DOM-QUIXOTE [F.: Do antr. *Dom Quixote*, personagem do romance homônimo de Miguel de Cervantes Saavedra (1547-1616), escritor espanhol.]

quixotesco (qui.xo.*tes*.co) [ê] *a.* **1** Ref. a D. Quixote, personagem idealista, ingênuo, romântico e um tanto alienado, criado por Miguel de Cervantes, escritor espanhol **2** *P.ext.* Ousado, irrealista, utópico, ao modo de D. Quixote (projeto quixotesco) [F.: Do antr. Dom *Quixote* + -*esco*.]

quixotice (qui.xo.*ti*.ce) *sf.* O mesmo que *quixotada* [F.: Do ficcion. Dom *Quixote* + -*ice.*]

quixotismo (qui.xo.*tis*.mo) *sm.* **1** Atitude ou índole quixotesca, ousada **2** Cavalheirismo ou romantismo exagerados [F.: Do antr. Dom *Quixote* + -*ismo.*]

quizila (qui.*zi*.la) *sf.* **1** Rixa, desavença **2** Sensação de aborrecimento, incômodo **3** Antipatia, prevenção contra alguém [F.: Do quimb. *kijila* 'preceito'. Hom./Par; *quizila* (fl. de *quizilar*). Tb. *quizília*.]

quizilar (qui.*zi*.*lar*) *v. td. int.* Causar ou sofrer quizila, incômodo, importunação; ABORRECER(-SE) [*td.*] [▶ 1 quizilar] [F.: *quizila* + -*ar*. Hom./Par.: *quizila* (s) (fl.), *quizila* (sf. e pl.).]

quizília (qui.*zi*.li:a) *sf.* Ver *quizila*

quizomba (qui.*zom*.ba) *sf.* **1** *Bras. Ang.* Festa, divertimento, folguedo: "Neste evento que congraça/ Gente de todas as raças/ Numa mesma emoção./ Esta quizomba é nossa constituição..." (Luís Carlos, Jonas, Rodolfo, *Quizomba, a festa da raça*) **2** Certa dança muito movimentada [F.: Do quimb. *kizomba.*]

quizumba (qui.*zum*.ba) *sf. RJ Pop.* Confusão envolvendo várias pessoas [F.: Prov. do quimb. *quizomba* 'festa'.]

quociente (quo.ci.*en*.te) *sm. Mat.* Resultado de uma divisão aritmética [F.: Do fr. *quotient*, de um lat. *quotiente. Tb. *cociente*.] ■ **~ de inteligência** *Psi.* Relação (obtida por fórmula preestabelecida) entre o nível de inteligência de uma pessoa (aferido por testes especiais) e o padrão normal estabelecido por especialistas para a idade e outros parâmetros da pessoa testada [Ger. é o quociente do parâmetro de 'idade mental', assim obtido, pela idade cronológica, que resulta numa escala de 70 a 130 (excetuando-se os casos excepcionais.) Por essa escala, menos de 70 revelaria debilidade mental e mais de 130, inteligência superior. Sigla: *QI*]

quórum (*quó*.rum) *sm.* Número mínimo de pessoas necessário para que se faça uma votação, uma assembleia etc.: *Adiaram a sessão por falta de quórum.* [Pl.: -*runs.*] [F.: Do lat. *quorum* 'dos quais'.]

quota (*quo*.ta) *sf.* Ver *cota*²

quota-parte (quo.ta-*par*.te) *sf.* Ver *cota-parte* [Pl.: *quotas-partes.*]

quotidiano (quo.ti.di.*a*.no) *a.sm.* Ver *cotidiano* [F.: Do lat. *quotidianu*(m).]

quotista (quo.*tis*.ta) *a2g.s2g.* Ver *cotista* [F.: *quota* + -*ista.*]

quotização (quo.ti.za.*ção*) *sf.* Ver *cotização* [Pl.: -*ções.*] [F.: *quotizar* + -*ção.*]

quotizado (quo.ti.*za*.do) *a.* Ver *cotizado*

quotizar (quo.ti.*zar*) *v. td.* Ver *cotizar* [▶ 1 quotizar]

quotizável (quo.ti.*zá*.vel) *a2g.* Ver *cotizável* [Pl.: -*veis.*]

⊠ **qwerty** *a.* Denominação do teclado tradicional de máquina de escrever ou de computador, na qual a sequência de letras *q, w, e, r, t* e *y* está situada à esquerda, imediatamente abaixo da fileira numérica

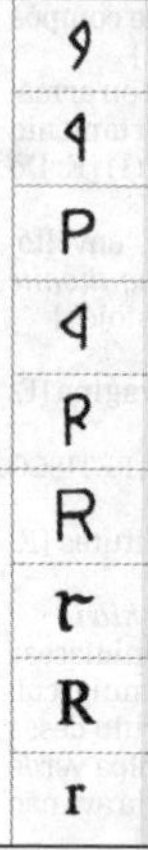	Fenício
	Grego
	Grego
	Etrusco
	Romano
	Romano
	Minúscula carolina
	Maiúscula moderna
	Minúscula moderna

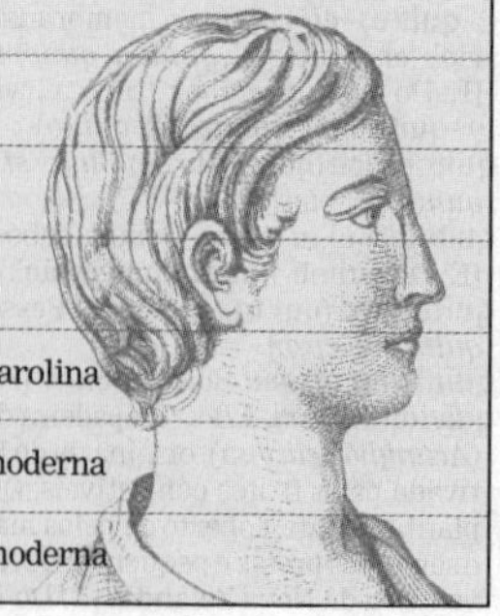

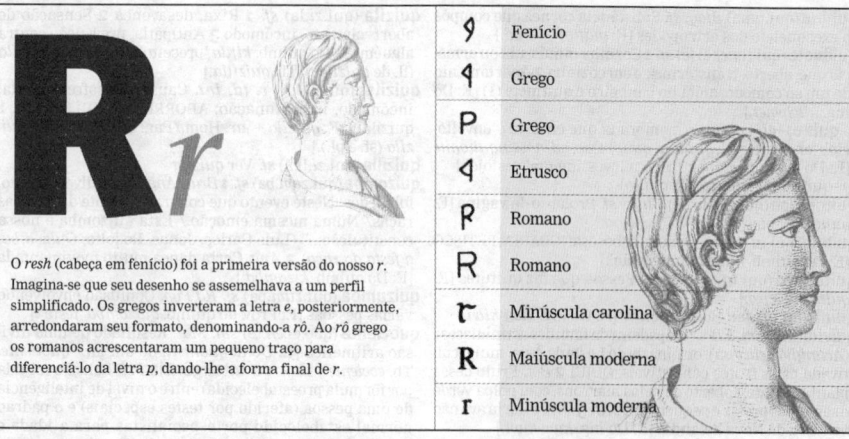

O *resh* (cabeça em fenício) foi a primeira versão do nosso *r*. Imagina-se que seu desenho se assemelhava a um perfil simplificado. Os gregos inverteram a letra *e*, posteriormente, arredondaram seu formato, denominando-a *rô*. Ao *rô* grego os romanos acrescentaram um pequeno traço para diferenciá-lo da letra *p*, dando-lhe a forma final de *r*.

r[1] (*érre*) ***sm.*** **1** A décima oitava letra de nosso alfabeto **2** A décima quarta consoante desse alfabeto **3** A figura ou qualquer representação dessa letra; o som por ela representado ***num.*** **4** O 18º elemento de uma série (rua R) [F.: Do lat.]

⊠ **r**[2] *Geom.* Abrev. de *raio*

⊠ **R**[3] **1** *Fís.* Símb. de *resistência elétrica* **2** *Fís.* Símb. da *constante de Rydberg* **3** *Fís.* Símb. da *constante universal dos gases* **4** *Fís.* Símb. de *roentgen* **5** *Mat.* Símb. do conjunto dos números reais

⊠ **Ra** *Quím.* Símb. de *rádio*

rã ***sf.*** **1** *Zool.* Denominação comum a vários anfíbios anuros de pele lisa, que ger. vivem na água ou perto dela **2** *Zool.* Denominação comum aos anfíbios anuros da fam. dos ranídeos, esp. os do gên. *Rana*, encontrados no mundo todo; RÃ-VERDADEIRA **3** *Zool.* Denominação comum aos anfíbios anuros da fam. dos leptodactilídeos, esp. os do gên. *Leptodactylus*, encontrados nas Américas, ger. em ambientes alagados; JIA **4** *Zool.* O mesmo que *perereca* (1) **5** *Cul.* Prato preparado com a carne de rã (1), esp. suas coxas de rã [F.: Do lat. *rana, ae.*]

rababe (ra.*ba*.be) ***sm.*** *Mús.* Instrumento de arco oriental com uma ou duas cordas, talvez o mais antigo desse gênero [F.: Do ár. *rabab.*]

rabaça (ra.*ba*.ça) ***sf.*** **1** *Bot.* Planta da fam. das umbelíferas (*Sium nodiflorum*), originária da Europa [Col.: *rabaçal.*] **2** *Fig.* Pessoa sem graça, sem préstimo **3** *Lus.* Fruta ainda verde [F.: Do lat. **rapacia*, de *rapacium*, 'folha de rabão'.]

rabaçal (ra.ba.*çal*) ***sm.*** Plantação de rabaças [Pl.: *-çais.*] [F.: *rabaça* + *-al*[1].]

rabacué (ra.ba.cu.*é*) ***a2g.*** *SP Pop.* Reles, desprezível, ordinário [F.: De *rabo.*]

rabada (ra.*ba*.da) ***sf.*** **1** *Cul.* Alimento feito à base de rabo (ger. do boi) cozido **2** Rabadilha (1) **3** Rabicho ou trança de cabelo ornada de fitas **4** Pancada com o rabo de um animal **5** *Fig.* O(s) último(s) numa corrida, numa fileira etc.; RABEIRA **6** *Gui.* Nádegas, traseiro **7** Posta de peixe tirada da cauda [F.: *rabo* + *-ada*[1].]

rabadela (ra.ba.*de*.la) ***sf.*** O mesmo que *rabadilha* [F.: *rabada* + *-ela.*]

rabadilha (ra.ba.*di*.lha) ***sf.*** **1** *Zool.* Parte de trás do corpo de alguns mamíferos, aves, peixes etc., de onde se prolonga o rabo; RABADA **2** A porção do peixe que o pescador não chega a vender e usa para consumo próprio [F.: *rabada* + *-ilha*. Sin. ger.: *rabadela.*]

rabado (ra.*ba*.do) ***a.*** Que tem cauda ou rabo; CAUDADO [F.: *rabo* + *-ado*[1].]

rabalvo (ra.*bal*.vo) ***a.*** *Zool.* Que tem o rabo branco [Ant.: *rabipreto.*] [F.: *rabo* + *alvo.*]

rabanada[1] (ra.ba.*na*.da) ***sf.*** **1** Golpe dado com o rabo **2** *Bras. Fam.* Gesto brusco de irritação ou menosprezo: *Pedi-lhe desculpas, mas ele me deu uma rabanada.* **3** *Bras. Pop.* Meneio dos quadris; REBOLADO **4** *Bras. Gír.* Rasteira para fazer cair **5** *Fig.* Rajada de vento violenta e súbita [F.: *rábano* + *-ada*[1].]

rabanada[2] (ra.ba.*na*.da) ***sf.*** *Cul.* Fatia de pão, ger. dormido, embebida em leite ou em água com açúcar (por vezes em vinho), que se passa no ovo batido e se frita, podendo, ainda, ser servida coberta de açúcar e canela [F.: *rábano* + *-ada*[1].]

rabanal (ra.ba.*nal*) ***sm.*** Plantação de rábanos [Pl.: *-nais.*] [F.: *rábano* + *-al*[1].]

rabanar (ra.ba.*nar*) ***v. int.*** Agitar o rabo, a cauda [▶ 1 rabanar] [F.: *rabão* (sob a f. *raban-*) + *-ar*[2].]

rabanete (ra.ba.*ne*.te) [ê] ***sm.*** **1** *Bot.* Planta da fam. das crucíferas (*Raphanus sativus*), nativa do Mediterrâneo, muito cultivada pela raiz curta e carnosa, freq. vermelha **2** A raiz dessa planta, de sabor picante, us. em saladas [F.: *rábano* + *-ete* [ê].]

rábano (*rá*.ba.no) ***sm.*** **1** *Bot.* Nome comum a várias espécies do gên. *Raphanus*, da fam. das crucíferas, nativas do Mediterrâneo, Europa e Ásia, de raízes comestíveis [Col.: *rabanal.*] **2** A raiz dessas plantas: "Queijo adornado de mostarda, de salada, de vinagre, de sal, de rábanos e dum leve pó apimentado do Ceilão." (Eça de Queirós; Ramalho Ortigão, *Mistérios da estrada de Sintra*) **3** O mesmo que *couve-rábano* ou *couve-rábão* [F.: Do lat. *raphanus*, este do gr. *rháphanos, ou.*]

rabão (ra.*bão*) ***a.*** **1** Que tem o rabo curto ou cortado (cavalo rabão) **2** *Bras. S* Que é ou se tornou curto (vestido rabão) [Pl.: *-bões*. Fem.: *-bona.*] ***sm.*** **3** *Pop.* O diabo ***sm.*** **4** *Lus.* Barco achatado, típico do rio Douro [Pl.: *-bões.*] [F.: *rabo* + *-ão*[1].]

rabavento (ra.ba.*ven*.to) ***a.*** Que vai na direção do vento (diz-se de voo das aves) [F.: *rabo* + a prep. *a* + *vento.*]

◎ **rabd(o)-** ***el. comp.*** = '(pequena) vara': *rabdologia, rabdomancia* [F.: Do gr. *rhábdos, ou.*]

rabdologia (rab.do.lo.*gi*.a) ***sf.*** Método de cálculo por meio de pauzinhos em que estão gravados números simples [F.: *rabd(o)-* + *-logia.*]

rabdológico (rab.do.*ló*.gi.co) ***a.*** Ref. a rabdologia [F.: *rabdologia* + *-ico*[2].]

rabdomancia (rab.do.man.*ci*.a) ***sf.*** Adivinhação com o auxílio de varinha mágica [F.: Do gr. *rhabdomantheia, as.*]

rabdomante (rab.do.*man*.te) ***s2g.*** Indivíduo que pratica a rabdomancia [F.: *rabd(o)-* + *-mante.*]

rabdomântico (rab.do.*mân*.ti.co) ***a.*** Ref. a rabdomancia ou a rabdomante [F.: *rabdomante* + *-ico*[2].]

rabeador (ra.be:a.*dor*) [ô] ***a.*** **1** Que agita muito a cauda ou o rabo (diz-se esp. de cavalo) ***a.*** **2** *Fig.* Inquieto, desassossegado [F.: *rabear* + *-dor.*]

rabear (ra.be.*ar*) ***v.*** **1** Mexer, movimentar o rabo ou a cauda [***int.***: *Assustado, o lagarto correu rabeando.*] **2** Fazer movimentos que se assemelham aos do animal que rabeia [***int.***: *No fogo intenso, as chamas rabeavam.*] **3** *Mar.* Mover (uma embarcação) a popa no sentido horizontal, ao fundear [***int.***: *O navio rabeou e afundou quase por inteiro.*] **4** Mover o corpo de maneira insistente, de um lado para outro, ger. por inquietação [***int.***: *Entrou na sala rabeando.*] **5** Fazer movimentos ondulantes ou sinuosos com o corpo; rebolar [***int.***] **6** Derrapar (o veículo) nas rodas traseiras [***int.***] **7** Andar no encalço de; acompanhar [***td.***: *O cão rabeava a menina pelo caminho.*] **8** Dirigir (o olhar) para (alguém ou algo) de maneira oblíqua [***td.***: *Quando a garota passou, o rapaz rabeou o olhar.*] [***tdr.*** + *para*: *Rabeou os olhos para o rapaz que passava.*] **9** Fazer adulações de maneira ostensiva; bajular [***ti.*** + *a.*: *Recusava-se a ficar rabeando aos poderosos.*] [▶ 13 rabear] [F.: *rabo* + *-ear*[2]. Hom./Par.: *rabeio* (fl.), *rabeio* (sm.); *rabear* (v.), *rabiar* (v.).]

rabeca (ra.*be*.ca) ***sf.*** **1** *Mús.* Instrumento musical rústico semelhante ao violino, com quatro cordas de tripa, us. na execução de vários gêneros de música popular **2** *Antq. Mús.* Violino (1) **3** Utensílio de ferreiro, us. para fazer girar a broca; SANFONA **4** *Bras. Ict.* Peixe (*Bunocephalus coracoides*) da Amazônia **5** *Lus. Lud.* Fancho ***s2g.*** **6** Tocador de rabeca [F.: Do ár. *rabāb*, pelo fr. ant. *rebec.*]

rabecão (ra.be.*cão*) ***sm.*** **1** *Bras.* Carro us. para transportar cadáveres para o necrotério **2** *Pop. Mús.* Contrabaixo (1) **3** Tocador de rabecão (2) [Pl.: *-cões.*] [F.: *rabeca* + *-ão*[1].] ■ **~ pequeno** *Pop.* Violoncelo

rabeio (ra.*bei*.o) ***sm.*** **1** Ação de rabear **2** *Mar.* Movimento horizonal da popa quando o navio muda de rumo [F.: Dev. de *rabear*. Hom./Par.: *rabeio* (sm.), *rabeio* (fl. de *rabear*).]

rabeira (ra.*bei*.ra) ***sf.*** **1** Traseira de veículo **2** Restos de algo; VESTÍGIO **3** As últimas colocações em uma competição, fila etc.; RABADA: "...as duas equipes estão na rabeira da tabela..." (*O Globo*, 05.10.2003) **4** Cauda de vestido **5** Lama ou sujeira na parte inferior de um vestido [F.: *rabo* + *-eira.*]

rabeiro (ra.*bei*.ro) ***a.*** **1** *Esp.* Diz-se de surfista que é sempre o último a entrar numa onda ***sm.*** **2** Esse surfista [F.: *rabo* + *-eiro.*]

rabejar (ra.be.*jar*) ***v.*** **1** *Taur.* Segurar (o touro) pelo rabo [***td.***] **2** Arrastar a cauda do vestido pelo chão [***int.***] [▶ 1 rabejar] [F.: *rabo* + *-ejar.*]

rabejo (ra.*be*.jo) ***sm.*** Movimento sinuoso semelhante ao que faz a cauda dos animais [F.: Dev. de *rabejar.*]

rabelaisiano (ra.be.*lai*.si:a.no) [lè] ***a.*** **1** De ou próprio do poeta e humanista francês François Rabelais (1494-1553) **2** *Fig.* Sarcástico, mordaz [F.: Do antr. (*François*) *Rabelais.*]

rabelo (ra.*be*.lo) [ê] ***sm.*** **1** O mesmo que *rabiça* **2** *Lus.* Barco à vela com leme comprido e grosso em forma de pá, us. antigamente no rio Douro para transportar pipas de vinho **3** *Lus.* Tripulante desse barco [F.: *rabo* + *-elo.*]

rabequeiro (ra.be.*quei*.ro) *Bras.* ***sm.*** *N. E. Mús.* Aquele que toca rabeca; RABEQUISTA [F.: *rabeca* (*c* = *qu*) + *-eiro.*]

rabequista (ra.be.*quis*.ta) ***s2g.*** Aquele ou aquela que toca rabeca; RABEQUEIRO [F.: *rabeca* (*c* = *qu*) + *-ista.*] ■ **Metido a ~ 1** *Bras. Fam.* Diz-se de pessoa que se faz de importante, que é petulante, saliente **2** Diz-se de jovem que se faz de adulto, metido a conquistador etc.

rabeta (ra.*be*.ta) [ê] ***sm.*** *Lus. Tabu.* Homossexual masculino [F.: *rabo* + *-eta.*]

rabi (ra.*bi*) *Rel.* ***sm.*** O mesmo que *rabino* [F.: Do hebr. *rabbi.*]

rábia (*rá*.bi:a) ***sf.*** *P. us.* V. *raiva* [F.: Do lat. vulg. **rabia*, do lat. cláss. *rabies, ei.*]

rabiar (ra.bi.*ar*) *Pop.* ***v. int.*** **1** Ficar impaciente; IMPACIENTAR-SE **2** Ficar zangado, furioso; ZANGAR(-SE) [***int.***] [▶ 1 rabiar] [F.: *rábia* + *-ar*[2]. Hom./Par.: *rabear* (vários tempos do v.); *rabia* (fl.), *rábia* (sf.); *rabias* (fl.), *rábias* (pl. do sf.).]

rabiça (ra.*bi*.ça) ***sf.*** **1** Cada uma das duas hastes pelas quais se maneja o arado; RABELO **2** Proeminência na parte posterior da albarda (1) [F.: *rabo* + *-iça.*]

rabicano (ra.bi.*ca*.no) ***a.*** Ver *rabicão*

rabicão (ra.bi.*cão*) ***a.*** *RS* Diz-se do cavalo que tem a cauda mesclada de pelos brancos [Pl.: *-cões.*] [F.: Do espn. *rabicano*. Tb. *rabicano.*]

rabicha (ra.*bi*.cha) ***sf.*** **1** Cauda pequena **2** *MG* Tira de couro ou corrente em que se prendem os caldeirões sobre a trempe, nas habitações pobres **3** *Lus.* Parte traseira de um carro [F.: *rabo* + *-icha.*]

rabicho (ra.*bi*.cho) ***sm.*** **1** Trança de cabelo a partir da nuca **2** Tira de couro, nos arreios, que sai da sela e passa por baixo do rabo da cavalgadura; RETRANCA **3** *Bras. Pop.* Envolvimento amoroso; NAMORO: *João e Maria estão de rabicho.* **4** *RS* Sustentáculo de um poste ou mourão, feito de fios de arame torcidos e presos a uma estaca ou pedra cravada na terra **5** *Lus.* Cabo da almanjarra ***a.*** **6** Diz-se do touro que não tem pelo na extremidade da cauda [F.: *rabo* + *-icho.*]

rabichola (ra.bi.*cho*.la) ***sf.*** *Bras. N. E.* Tira de couro que, presa à cangalha, passa por trás do animal para evitar que a albarda escorregue nas descidas [F.: *rabicho* + *-ola.*]

rabicó (ra.bi.*có*) ***a2g.*** *MG SP* Diz-se de animal que não tem cauda, ou só tem um pedaço dela; COTÓ [F.: De *rabo.*]

rábico (*rá*.bi.co) ***a.*** *Vet.* Ref. a raiva ou hidrofobia [F.: *rábia* + *-ico*[2].]

rabicurto (ra.bi.*cur*.to) ***a.*** *Zool.* De rabo curto [Ant.: *rabilongo.*] [F.: *rabo* + *-i-* + *curto.*]

rábido (*rá*.bi.do) ***a.*** **1** Repleto de raiva, de cólera, de fúria; FURIOSO: "Assustada pelos ímpetos rábidos da mãe." (Viriato Correia, *Contos do sertão*) **2** Que causa medo, horror [F.: Do lat. *rabidus, a, um.*]

rabilongo (ra.bi.*lon*.go) ***a.*** *Zool.* Que tem a cauda comprida [Ant.: *rabicurto.*] [F.: *rabo* + *-i-* + *longo.*]

rabinado (ra.bi.*na*.do) ***sm.*** Ver *rabinato*

rabinato (ra.bi.*na*.to) ***sm.*** Dignidade ou o conjunto das funções de rabino [F.: *rabino* + *-ato*[1]. Tb. *rabinado.*]

rabínico (ra.*bí*.ni.co) ***a.*** **1** Ref. ou pertencente aos rabinos (escola rabínica) **2** Diz-se da língua hebraica moderna [F.: *rabino* + *-ico*[2].]

rabino (ra.*bi*.no) *Rel.* ***sm.*** **1** Grande conhecedor e mestre da religião judaica **2** Líder religioso de uma congregação judaica; RABI [F.: Do hebr. *rabbi.*]

rabiola (ra.bi.*o*.la) ***sf.*** **1** *RJ* Rabo de papel de papagaio ou pipa **2** Papagaio ou pipa com esse rabo [F.: *rabo* + *-i-* + *-ola.*]

rabiscado (ra.bis.*ca*.do) ***a.*** **1** Que se rabiscou; coberto de rabiscos **2** *Fig.* Diz-se de algo apenas delineado, feito como esboço apenas [F.: Part. de *rabiscar.*]

rabiscador (ra.bis.ca.*dor*) [ô] ***a.*** **1** Que rabisca, que faz rabiscos **2** *Pej.* Que pinta ou escreve coisas sem importância ***sm.*** **3** Aquele que rabisca **4** *Pej.* Escrevinhador, literato medíocre [F.: *rabiscar* + *-dor.*]

rabiscar (ra.bis.*car*) ***v.*** **1** Fazer rabiscos (em) [***td.***: *Rabiscar papéis.*] [***int.***: *Passou um tempão rabiscando.*] **2** Escrever (algo) apressadamente ou de modo ilegível [***td.***: *Enquanto se vestia, rabiscou o telefone da garota na agenda.*] **3** Compor texto; escrever [***td.***: *Depois do jantar, rabiscava uns contos.*] **4** Compor um desenho de maneira rápida, tosca, como quem faz um esboço [***td.***: *Numa folha solta, rabiscou a planta da casa que desejava.*] [▶ 11 rabiscar] [F.: *rabo* + *-iscar*. Hom./Par.: *rabisco* (fl.), *rabisco* (sm.).]

rabisco (ra.*bis*.co) ***sm.*** **1** Traço ou risco de forma indefinida **2** Desenho feito com esse tipo de traço; GARATUJA **3** Primeira versão de um desenho; ESBOÇO [F.: Dev. de *rabiscar*. Hom./Par.: *rabisco* (sm.), *rabisco* (fl. de *rabiscar*). Ver tb. *rabiscos.*]

rabiscos (ra.*bis*.cos) ***smpl.*** **1** Letras ilegíveis escritas à mão; GARRANCHOS **2** Anotações feitas com esse tipo de letra **3** Primeira versão manuscrita de um texto; RASCUNHO **4** *Pej.* Escrita ou desenho de pouca importância [F.: Pl. de *rabisco.*]

rabisseco (ra.bis.*se*.co) [ê] ***a.*** **1** Estéril, infecundo, infrutífero **2** Magro, mirrado, minguado [F.: *rabo* + *-i-* + *seco.*]

rabisteco (ra.bis.*te*.co) ***sm.*** *Fam.* Nádegas, esp. as de criança [F.: De *rabo.*]

rabo (*ra*.bo) ***sm.*** **1** Prolongamento da coluna vertebral de alguns animais; CAUDA **2** Conjunto de penas traseiras do corpo das aves, presas ao uropígio **3** *Vulg.* As nádegas e/ou o ânus **4** *Bras. Gír.* Rabo de foguete **5** *Lus.* A parte pela qual se pega em qualquer utensílio ou instrumento; CABO **6** *Pop.* Genericamente, prolongamento de qualquer coisa

7 *Vest.* Aba de casaca 8 Parte inferior de uma cachoeira que cai em mais de uma seção, detendo-se em patamar(es) intermediário(s); rabo de cachoeira 9 *Bras. Pop.* Rabo de palha 10 *Lus. Gír. Pej.* Homossexual masculino [F.: Do lat. *rapum, i.*] ∎ **Chegar o ~ à ratoeira** *Fam.* Desistir completamente; considerar-se vencido; entregar os pontos **Crescer como ~ de cavalo** *Bras. Irôn.* Decrescer, declinar: *Meu poder de compra cresceu como rabo de cavalo.* **Dar ao ~** Abanar o rabo (animal) ao andar **Dar com o ~ na cerca** *Bras. Pop.* Morrer **Encher o ~** *Tabu.* Comer muito, fartar-se, empanturrar-se **Meter o ~ entre as pernas** *Bras. Pop.* Calar-se, encolher-se, por submissão, medo, ou por não ter razão **Olhar com o ~ do olho** *Pop.* Olhar de soslaio, de esguelha **Pegar/segurar em ~ de foguete** *Bras. Fam.* Assumir tarefa, problema, situação complicada, difícil de conduzir ou resolver **Pegar no ~ da tirana** *MG Pop.* Trabalhar usando enxada **Pregar ~ em nambu** *Bras.* Dar a alguém atenção ou importância indevidas, por não merecê-las **~ da cachoeira** Rabo (8) **Ter o ~ preso** Estar envolvido em situação, atividade etc. ilegal ou aética, sendo impedido, portanto, de se opor livremente a tais transgressões: *Se recusou participar da comissão que apura o caso, é porque tem o rabo preso.*

rabo de arraia (ra.bo de ar.*rai*.a) *sm.* 1 *Bras. Cap.* Golpe de capoeira no qual, girando o corpo, um lutador tenta atingir o outro com o pé 2 *N. E.* Cavalo de pau [Pl.: *rabos de arraia.*]

rabo de cavalo (ra.bo de ca.*va*.lo) *Bras. sm.* 1 Penteado no qual se prendem cabelos longos na parte de trás da cabeça, formando uma única mecha 2 *Bot.* Nome comum a diversas plantas do gên. *Equisetum*, da fam. das equissetáceas; CAVALINHA [Nesta acp., com hifens: *rabo-de-cavalo.*] [Pl.: *rabos de cavalo, rabos-de-cavalo.*]

rabo de foguete (ra.bo de fo.*gue*.te) [ê] *Bras. Gír. sm.* 1 Problema difícil de ser resolvido *Pop.* ABACAXI: *Ele pegou um rabo de foguete na empresa.* 2 *AM Bot.* Nome de várias plantas floríferas (angiospermas), tais como a guaximaroxa (*Urena logata*) e o malvaísco (*Wissadula hernandioides*) [Nesta acp., com hifens: *rabo-de-foguete.*] 3 *Lus. Zool.* Em Bairradas, pequeno pássaro de cauda comprida (*Aegithalus* sp.) [Nesta acp., com hifens: *rabo-de-foguete.*] [Pl.: *rabos de foguete, rabos-de-foguete.*]

rabo de galo (ra.bo de *ga*.lo) *sm.* 1 *Bras. Pop.* Aperitivo preparado com cachaça e vermute 2 *Bras. Bot.* Planta da fam. das amarilidáceas (*Worsleya rayneri*), nativa do Brasil, de folhas grandes e eretas, formando um leque e flores lilás-violáceas; AÇUCENA; FLOR-DA-IMPERATRIZ; IMPERATRIZ-DO-BRASIL [Nesta acp., com hifens: *rabo-de-galo.*] 3 *RJ Gír.* Navalhada sinuosa 4 *N. E. Pop.* Grande faca; FACÃO [Pl.: *rabos de galo, rabos-de-galo.*]

rabo-de-gato (ra.bo-de-*ga*.to) *sm.* 1 *Bot.* Planta ornamental (*Grevillea rosea*) da fam. das proteáceas 2 *Bot.* Erva (*Pereilema brasilianum*) da fam. das gramíneas, tb. denominada *capim-rabo-de-gato* 3 *Bras.* Cavalo que não é de boa raça 4 *Bras.* Laranja de má qualidade 5 *RJ* Goiabada com queijo [Nesta acp., sem hifens: *rabo de gato.*] 6 *Bras.* Café ruim, frio ou requentado [Nesta acp., sem hifens: *rabo de gato.*] [Pl.: *rabos-de-gato, rabos de gato.*]

rabo de palha (ra.bo de *pa*.lha) *sm.* 1 *Bras.* Fato desonroso, que mancha a reputação de alguém 2 *Ornit.* Ave marinha do gên. *Phaethon*, semelhante ao pelicano [Nesta acp., com hifens: *rabo-de-palha.*] 3 *Zool.* O mesmo que *alma-de-gato* (1) [Nesta acp. com hifens: *rabo-de-palha.*] [Pl.: *rabos de palha, rabos-de-palha.*] ∎ **Ter ~** *Pop.* Estar comprometido, envolvido em algo desonroso, ter má reputação

rabo de peixe (ra.bo de *pei*.xe) *sm. Bras.* Nome dado aos automóveis de luxo com para-lamas traseiros em forma de cauda de peixe, muito em voga nas décadas de 1950 e 1960 [Pl.: *rabos de peixe.*]

rabo-de-raposa (ra.bo-de-ra.*po*.sa) *Bot. sm.* 1 Arbusto (*Acalypha wilkesiana*) da fam. das euforbiáceas, de folhagem multicolorida 2 Nome comum a várias plantas gramíneas dos gêneros *Polypogon* e *Setaria*, tb. denominadas *capim-rabo-de-raposa* 3 Planta (*Leocereus bahiensis*) da fam. das cactáceas, cultivada como ornamental [Pl.: *rabos-de-raposa.*]

rabo de saia (ra.bo de *sai*.a) *Bras. Pop. sm.* 1 Mulher, ger. atraente: *Perdeu-se por um rabo de saia.* 2 *CE* Pequeno busca-pé sem bomba; DIABINHO [Pl.: *rabos de saia.*]

rabo-de-tatu (ra.bo-de-ta.*tu*) *sm.* 1 *Bot.* Planta (*Cypripedium brasiliensis*) da fam. das orquidáceas 2 *Bot.* Nome comum às plantas orquidáceas do gên. *Cyrtopodium*, tb. conhecidas por *sumaré* 3 *Bras. S.* Chicote feito de couro trançado [Nesta acp., sem hifens: *rabo de tatu.*] [Pl.: *rabos-de-tatu, rabos de tatu.*]

rabo de vaca (ra.bo de *va*.ca) *sm. Bras. Antq. Fut.* Drible em que o jogador descreve um semicírculo mantendo a bola no pé [Pl.: *rabos de vaca.*]

rabo-leva (ra.bo-*le*.va) *sm2n.* Pedaço de papel ou de pano que se prega sorrateiramente nas costas de alguma pessoa, por brincadeira ou caçoada [F.: *rabo* + *levar* (na 3ª pess. pres. do ind.).]

rabona (ra.*bo*.na) *sf.* 1 *Vest.* Fraque de abas curtas 2 *Vest.* Jaquetão, casaco curto 3 *Joc. Vest.* Vestido longo, para cerimônias 4 *Bras. Pop.* Mulher de soldado [Fem. de *rabão* (a.).] [F.: *rabo* + *-ona*^{1}. Hom./Par.: *rabona* (sf.), *rabona* (fl. *rabonar*).]

rabonar (ra.bo.*nar*) *Bras. v. td.* 1 *S.* Cortar a cauda ou rabo (de animal) 2 *RS P. ext.* Cortar (algo) bem curto 3 Passar na frente de (animal que está sendo perseguido) [▶ 1 rabonar] [F.: *rabão* (*rabon-*) + *-ar*^{2}. Hom./Par.: *rabona* (fl.), *rabona* (sf.); *rabonas* (fl.), *rabonas* (pl. do sf.); *rabonar* e *rabunar* (vários tempos do v.).]

raboso (ra.*bo*.so) [ô] *a.* 1 Que tem cauda comprida; RABUDO [Pl.: [ó]. Fem.: [ó].] *sm.* 2 *Lus.* Espécie de cogumelo azul e venenoso [Pl.: [ó].] [F.: *rabo* + *-oso.*]

rabuda (ra.*bu*.da) *sf.* 1 *Bras. Pop.* Situação ou posição complicada, problemática ou embaraçosa 2 *Agr.* Tipo de cevada com arestas (5) [F.: Fem. subst. de *rabudo.*]

rabudo (ra.*bu*.do) *a.* 1 Que tem grande rabo (macaco rabudo); RABOSO 2 Diz-se de vestido de cauda longa 3 *SP Pop.* Malvado, cruel *sm.* 4 *Bras. Pop.* O diabo 5 *MG* Armadilha para apanhar peixes nos rios 6 *Bras. Zool.* Mamífero roedor (*Thrichomys apereoides*) de rabo comprido e peludo [F.: *rabo* + *-udo.*]

rabugem (ra.*bu*.gem) *sf.* 1 Doença parecida com a sarna, que ataca os cães 2 *Fig.* Estado de humor de quem é rabugento; RABUGICE 3 *Bras.* Madeira difícil de lavrar 4 *Bot.* Árvore da fam. das leguminosas (*Platymiscium piliferum*), nativa do Brasil, cuja madeira é us. em marcenaria 5 *Bot.* Árvore da fam. das leguminosas (*Platymiscium blanchetii*), nativa da Amazônia e Bahia 6 *Bot.* Árvore da fam. das leguminosas (*Platymiscium floribundum*), nativa de regiões tropicais do Brasil [Pl.: *-gens.*] [F.: Do lat. * *robugine* (por *robiginis* ou *rubiginis*). Hom./Par.: *rabugem* (sf.), *rabujem* (fl. de *rabujar*).]

rabugento (ra.bu.*gen*.to) *a.* 1 Que tem rabugem (1) (diz-se de cão) 2 *Fig.* Que frequentemente está de mau humor ou é dado a ter acessos de irritação; RANZINZA; RANHETA [F.: *rabug(em)* + *-ento.*]

rabugice (ra.bu.*gi*.ce) *sf.* 1 Qualidade, característica, comportamento ou modos de rabugento; RABUGEM; IMPERTINÊNCIA 2 Mau humor constante de pessoa rabugenta [F.: *rabug(em)* + *-ice.*]

rabujado (ra.bu.*ja*.do) *a.* Pronunciado por entre dentes, com mau humor [F.: Part. de *rabujar.*]

rabujar (ra.bu.*jar*) *v. int.* 1 Revelar mau humor; reclamar, resmungar: *Por qualquer coisinha, começava a rabujar.* 2 Fazer birra e choramingar por querer algo: *A menina começou a rabujar porque queria mais pipocas.* [▶ 1 rabujar] [F.: *rabug(em)* + *-ar*^{2}. Hom./Par.: *rabuja* (fl.), *rabuja* (a2g.); *rabujas* (fl.), *rabujas* (pl. do a2g.); *rabujem* (fl.), *rabugem* (sf.).]

rábula (*rá*.bu.la) *sm.* 1 *Bras. Pej.* Advogado pouco culto, incompetente ou pilantra 2 *Bras.* Quem exerce a advocacia sem ser qualificado, sem ter o diploma 3 *Pop. Pej.* Aquele que fala muito, mas não conclui o que começa a dizer 4 *Lus. Cin. Teat. Telv.* Papel insignificante num filme, peça, novela etc.; PONTA [F.: Do lat. *rabula, ae.* Hom./Par.: *rábula* (sm.), *rabula* (fl. de *rabular*).]

rabular (ra.bu.*lar*) *v. int.* 1 Dizer ou praticar rabulices 2 Advogar na condição de rábula [▶ 1 rabular] [F.: *rábula* + *-ar*^{2}. Hom./Par: *rabularia* (fl.), *rabularia* (sf.); *rabularias* (fl.), *rabularias* (pl. do sf.); *rabula* (fl.), *rábula* (sm.); *rabulas* (fl.), *rábulas* (pl. do sm.).]

rabularia (ra.bu.la.*ri*.a) *sf.* 1 Rabulice 2 Fanfarronada [F.: *rábula* + *-aria*. Hom./Par.: *rabularia* (sf.), *rabularia* (fl. de *rabular*); *rabularias* (pl. do sf.), *rabularias* (fl. de *rabular*).]

rabulesco (ra.bu.*les*.co) [ê] *a.* Ref. a ou próprio de rábula (atitude rabulesca) [F.: *rábula* + *-esco.*]

rabulice (ra.bu.*li*.ce) *sf.* 1 Ação, dito ou modos de rábula; CHICANA 2 Palavreado vazio, que nada prova nem conclui [F.: *rábula* + *-ice.* Sin. ger.: *rabularia.*]

raca (*ra*.ca) *sm.* 1 Termo injurioso, us. na linguagem bíblica 2 Homem sem importância, tolo, idiota [F.: De or. semítica.]

raça (*ra*.ça) *sf.* 1 Grupo de pessoas ou de animais com determinadas características físicas hereditárias comuns; ESTIRPE; LINHAGEM: *gado da raça nelore; cães de raça.* 2 *Antr.* Geração ou sucessão de gerações de indivíduos de um desses grupos; o conjunto dos indivíduos com origem étnica, linguística e social comum. [Quanto às acps. 1 e 2, modernamente, a cultura é considerada mais importante na classificação dos grupos humanos do que a raça, que é, inclusive, um conceito sem base biológica.] 3 *Pej. Pop.* Grupo de pessoas de comportamento semelhante, da mesma profissão etc.; CATEGORIA; CLASSE: *Conheço essa raça: não te atenderão a essa hora.* 4 *Pop.* Grande força de vontade; decisão, coragem; GARRA: *Jogando com raça, ganharemos o campeonato.* 5 Ascendência, origem, estirpe, casta: *europeus de distintas raças.* [F.: Do it. *razza*, deriv. do lat. *ratio, onis.*] ∎ **Acabar com a ~ de** 1 *Bras. Pop.* Derrotar, aniquilar, arruinar, matar 2 Vencer de modo definitivo, ou superar, desmoralizando **De ~** De boa linhagem, de boa espécie (animal) (cavalo de raça) **Na ~** *Bras. Gír.* Com disposição, com brio, com energia, usando a força e o entusiasmo **Ter ~** 1 *Bras.* Ser de descendência africana 2 Ser brioso, perseverante, enérgico, entusiasta, valente, na busca de um objetivo

rã-cachorro (rã-ca.*chor*.ro) *sf. Zool.* Anfíbio anuro (*Megaelosia bufonia*), de cor esverdeada com manchas negras, encontrado no Brasil [Pl.: *rãs-cachorros, rãs-cachorro.*]

ração (ra.*ção*) *sf.* 1 Porção balanceada de alimento, distribuída em quantidade suficiente para garantir o bom funcionamento do organismo 2 Essa porção servida em uma refeição de uma pessoa (esp. soldado ou marujo) 3 Porção de forragem, grãos etc. que se dá diariamente a um animal 4 Quantidade de víveres ou de artigos de consumo distribuída racionadamente, em situações excepcionais 5 Alimento para animais, produzido industrialmente [Pl.: *-ções.*] [F.: Do lat. *ratio, onis.*]

racêmico (ra.*cê*.mi.co) *a.* 1 Ref. a racemo 2 *Quím.* Que é inativo à luz polarizada (diz-se de isômero óptico) [F.: *racemo* + *-ico*^{2}.]

racemífero (ra.ce.*mí*.fe.ro) *a.* Que tem ou produz cachos [F.: Do lat. *racemifer, era, erum.*]

racemificação (ra.ce.mi.fi.ca.*ção*) *sf. Quím.* Transformação de uma substância opticamente ativa na forma racêmica inativa [Pl.: *-ções.*] [F.: Do v. *racemificar* + *-ção.*]

racemo (ra.*ce*.mo) *sm.* 1 *Bot.* Tipo de inflorescência no qual as flores estão dispostas em diferentes níveis no eixo comum e se abrem da base para o ápice; CACHO 2 O mesmo que *cacho* (1) [F.: Do lat. *racemus, i.* Tb. *racimo.*]

racemoso (ra.ce.*mo*.so) [ô] *a.* Que tem forma ou aspecto de cacho [Pl.: [ó]. Fem.: [ó].] [F.: Do lat. *racemosus, a, um.*]

racha (*ra*.cha) *sf.* 1 Abertura estreita que existe em algo que se rompeu; FENDA; RACHADURA 2 *Fam.* Pequena porção; MIGALHA 3 Lasca ou fragmento de algo (esp. de vidro, pedra ou madeira) 4 *Tabu.* A vagina 5 *Lus.* Lasca de bacalhau 6 *Bras. Pop.* Partilha feita entre duas ou mais pessoas *sm.* 7 Discordância em um grupo de pessoas com ideias comuns, que causa a formação de dois novos grupos a partir do primeiro; CISÃO: *um racha no partido.* 8 *Pop.* Corrida ilegal de carros; PEGA 9 *Bras. Pop. Lud.* Jogo de futebol disputado em condições rústicas, entre jogadores amadores; PELADA [F.: Dev. de *rachar.* Hom./Par.: *racha* (sf., sm.), *racha* (fl. de *rachar*).]

rachada (ra.*cha*.da) *sf.* 1 *RJ* Paulada, bordoada, cacetada 2 *MG Fig.* Resposta grosseira ou desaforada [F.: *rachar* + *-ada*^{1}.]

rachadela (ra.cha.*de*.la) *sf.* Rachadura pequena [F.: *rachar* + *-dela.*]

rachado (ra.*cha*.do) *a.* 1 Que tem rachadura 2 Que foi repartido entre pessoas (despesa rachada) *sm.* 3 *Bras. S.* Certa dança popular considerada indecente [F.: Part. de *rachar.*]

rachador (ra.cha.*dor*) [ô] *a.* 1 Que racha lenha *sm.* 2 Aquele que racha lenha [F.: *rachar* + *-dor.*]

rachadura (ra.cha.*du*.ra) *sf.* 1 Ação ou resultado de rachar(-se), de abrir(em-se) fenda(s) em um objeto, em uma parede, superfície etc. 2 Racha (1) [F.: *rachar* + *-dura.*]

rachamento (ra.cha.*men*.to) *sm.* Ação ou resultado de rachar; RACHADURA [F.: *rachar* + *-mento.*]

rachar (ra.*char*) *v.* 1 Abrir rachadura(s) em ou sofrer rachadura(s); fender(-se) [*td.*: *A martelada rachou a porta.*] [*int.*: *O copo caiu e rachou.*] 2 Ferir, abrindo um ferimento [*td.*: *A pancada rachou sua cabeça.*] 3 *Bras.* Repartir, dividir [*td.*: *Sugeriu que rachassem a despesa.*] [*tdr.* + *com*: *Rachou a despesa com o irmão.*] 4 Dividir-se por divergência de ideias ou opiniões; CINDIR-SE [*int.*: *Com a briga, o partido rachou.*] 5 Atingir fisicamente (um adversário) com violência [*td.*: *O zagueiro rachou o atacante na entrada da área.*] 6 Dividir (alguma coisa) em proporções iguais (entre duas ou mais pessoas) [*td.*: *Rachou a comida que sobrara.*] [*tdr.* + *com*: *Rachou a comida com os companheiros.*] 7 Ofender, injuriar [*td.*: *Imaginou as piores ofensas para rachar o vizinho.*] 8 Dividir ao comprido [*td.*: *Rachar lenha.*] [▶ 1 rachar] [F.: De or. incerta. Hom./Par.: *racha* (fl.), *racha* (sf., sm.) e *raxa* (sf.); *rachas* (fl.), *rachas* (pl. do sf. e sm.), *raxas* (pl. do sf.).] ∎ **De ~** 1 Muito forte, muito intenso, a ponto de incomodar (ger. ref. a condições climáticas) (sol de rachar; calor/frio de rachar) 2 Muito, além do normal: "...Melhor preparar/Prá ficar bem tonta/Doida de rachar..." (Marina Lima, *Doida de rachar*)

racho (*ra*.cho) *sm.* Racha, fenda [F.: Dev. de *rachar.*]

racial (ra.ci.*al*) *a2g.* 1 Ref. a raça 2 Próprio ou característico de uma raça 3 Que é hostil ou contrário a pessoa ou a grupo de pessoas em virtude de sua etnia 4 Que se dá entre pessoas de etnias diferentes [Pl.: *-ais.*] [F.: Do ing. *racial* ou de *raça* + *-ial.*]

racialmente (ra.ci:al.*men*.te) *adv.* Do ponto de vista da raça; em termos de ou quanto a ração: *Ascendência racialmente indefinida.* [F.: *racial* + *-mente.*]

racimo (ra.*ci*.mo) *sm.* Ver *racemo*

raciocinado (ra.ci:o.ci.*na*.do) *a.* Que foi feito por meio de raciocínio; PENSADO: "...e o que era hipótese (...) transformou-se num corpo de doutrina raciocinado e lógico." (Guerra Junqueiro, *Os simples*) [F.: Part. de *raciocinar.*]

raciocinador (ra.ci:o.ci.na.*dor*) [ô] *a.* 1 Que raciocina *sm.* 2 Aquele que raciocina [F.: Do lat. *ratiocinator, oris.*]

raciocinante (ra.ci:o.ci.*nan*.te) *a2g.* Que implica raciocínio, reflexão [F.: *raciocinar* + *-nte.*]

raciocinar (ra.ci:o.ci.*nar*) *v.* 1 Usar da razão para entender, julgar, calcular etc. [*tr.* + *sobre, acerca de, a respeito de*: *Raciocinava sobre a origem da espécie humana.*] [*int.*: *O rapaz raciocinou rapidamente e compreendeu tudo.*] 2 Concluir por meio de raciocínio; considerar [*td.*: *Raciocinou que aquela não era a melhor solução.*] [▶ 1 raciocinar] [F.: Do v.lat. **ratiocinare, por ratiocinari.*]

raciocínio (ra.ci:o.*cí*.ni:o) *sm.* 1 Ação ou resultado de raciocinar, de organizar e relacionar informações logicamente por meio da inteligência 2 Exercício dessa atividade para resolver problemas, chegar a conclusões etc.: *Precisamos concentrar o raciocínio em uma questão de cada vez.* 3 A capacidade de exercer essa atividade: *exercício para desenvolver o raciocínio.* 4 Aquilo que se conclui ou se infere pelo raciocínio (2): *Este raciocínio não condiz com os dados do problema.* 5 *Lóg.* Operação mental pela qual de dois ou mais juízos que nos são dados (as premissas) tiramos um outro juízo em conclusão, com diversos graus de assentimento [F.: Do lat. *ratiocinium, ii.*] ∎

~ **dedutivo** *Lóg.* Aquele que, a partir de premissa(s) e por sua análise lógica, leva a conclusões ou deduções ~ **imediato** *Lóg.* Aquele que leva da proposição inicial à dedução, sem conclusões intermediárias [Ex.: da proposição *Toda a minha turma foi ao passeio concluir que No passeio havia gente da minha turma.*] ~ **indutivo** *Lóg.* Aquele que deduz empiricamente da análise de situações específicas uma proposição geral que possa ser a explicação ou origem de todas ~ **mediato** *Lóg.* Aquele que leva de uma proposição a uma conclusão através de uma proposição intermediária [Ex.: *Todos os vertebrados têm osso; o gato é um vertebrado; logo, os gatos têm ossos.*] ~ **por absurdo** *Lóg.* Demonstração de uma verdade por meio da demonstração da falsidade de sua negação [Cf.: *Redução ao absurdo.*]

racionabilidade (ra.ci:o.na.bi.li.*da*.de) *sf.* **1** Faculdade de raciocinar **2** Qualidade ou característica de ser racional [F.: Do lat. *rationabilitas, atis.* Sin. ger.: *racionalidade.*]

racionado (ra.ci:o.*na*.do) *a.* **1** Submetido a racionamento (comida/energia racionada) **2** Controlado, dosado, limitado (despesas racionadas) [F.: Part. de *racionar.*]

racional (ra.ci:o.*nal*) *a2g.* **1** Capaz de usar a razão, de raciocinar: *O homem é racional.* **2** *Fil. Lóg.* Que se baseia na razão, no raciocínio lógico, e não na emoção (decisão racional; método racional) **3** *Mat.* Que pode ser expresso como resultado da divisão de dois números inteiros (diz-se de número) [Pl.: *-nais.*] *sm.* **4** Ser pensante [P. opos. a *irracional.* Nesta acp. us.-se ger. no plural.] **5** *Mat.* Número racional (3) [Pl.: *-nais.*] [F.: Do lat. *rationalis, e.* Ant. ger.: *irracional.* Hom./Par.: *racionais* (pl.), *racionais* (fl. de *racionar*).]

racionalidade (ra.ci:o.na.li.*da*.de) *sf.* **1** Qualidade de ser racional: *racionalidade da espécie humana.* **2** Conformidade com a razão: *racionalidade na tomada de decisões.* [F.: Do lat. *rationalitas, atis.* Ant. ger.: *irracionalidade.*]

racionalismo (ra.ci:o.na.*lis*.mo) *sm.* **1** Tendência de observar e compreender o mundo exclusivamente pela razão **2** *Fil.* Doutrina segundo a qual todo conhecimento se baseia nos dados fornecidos pela razão, e não pelos sentidos ou pela experiência [P. opos. a *empirismo.*] **3** Doutrina artística que define a beleza de um objeto ou construção segundo sua adequação ao uso a que se destina **4** *Teol.* Doutrina na qual só se admitem os dogmas religiosos que se fundamentam na razão [F.: *racional* + *-ismo.*]

racionalista (ra.ci:o.na.*lis*.ta) *a2g.* **1** Ref. ou pertencente ao racionalismo (teorias racionalistas) **2** Que segue as ideias do racionalismo *s2g.* **3** Aquele ou aquela que segue ou professa o racionalismo [F.: *racional* + *-ista.*]

racionalização (ra.ci:o.na.li.za.*ção*) *sf.* **1** Ação ou resultado de racionalizar **2** *Álg.* Operação de racionalizar, de eliminar os radicais de uma equação **3** Processo pelo qual a autodefesa do indivíduo lhe faz apresentar argumentos e explicações coerentes para certos atos, pensamentos ou sentimentos, impedindo-o, portanto, de perceber a verdadeira motivação dos mesmos [Pl.: *-ções.*] [F.: *racionalizar* + *-ção.*]

racionalizado (ra.ci:o.na.li.*za*.do) *a.* Que se racionalizou; que foi objeto de racionalização [F.: Part. de *racionalizar.*]

racionalizador (ra.ci:o.na.li.za.*dor*) [ô] *a.* Que racionaliza, que promove a racionalização de algo (medidas racionalizadoras); RACIONALIZANTE [F.: *racionalizar* + *-dor.*]

racionalizante (ra.ci:o.na.li.*zan*.te) *a2g.* Que racionaliza; RACIONALIZADOR [F.: *racionalizar* + *-nte.*]

racionalizar (ra.ci.o.na.li.*zar*) *v. td.* **1** Tornar (alguém) mais racional ou reflexivo: *A experiência dura da vida racionalizou o rapaz.* **2** Buscar compreender, expor ou tratar (algo) de maneira racional, lógica: *Resolveu que devia racionalizar os sentimentos.* **3** Tornar (algo) mais lógico, claro, efetivo: *Racionalizou as despesas domésticas.* **4** Procurar explicar ou justificar (algo) com razões inconvincentes ou falsas: *Racionalizava suas tendências agressivas, sem explicá-las realmente.* **5** Organizar (algo) de maneira mais eficiente, objetiva, ordenada: *Era preciso racionalizar o processo de embarque e desembarque de passageiros.* **6** Organizar (certa atividade econômica) de modo a obter o máximo de rendimento ou aproveitamento pelo menor custo: *racionalizar a produção e a distribuição de um produto.* **7** Fazer uso ou consumir de modo racional, de maneira a ter melhor aproveitamento e a evitar desperdícios: *racionalizar água;* "...conter o êxodo rural e racionalizar os recursos públicos." (José Gilberto de Souza, *Levantamento de unidades agropecuárias do município de Barra Mansa – RJ*) **8** Extinguir os radicais de (uma expressão algébrica) [▶ 1 racionalizar] [F.: *racional* + *-izar.* Hom./Par.: *racionalizáveis* (fl.), *racionalizáveis* (pl. de *racionalizável* [a2g.]).]

racionalizável (ra.ci:o.na.li.*zá*.vel) *a2g.* Que pode ser racionalizado [Pl.: *-veis.*] [F.: *racionalizar* + *-vel.* Hom./Par.: *racionalizáveis* (pl.), *racionalizáveis* (fl. de *racionalizar*).]

racionamento (ra.ci:o.na.*men*.to) *sm.* **1** Ação ou resultado de racionar **2** Restrição ao consumo de certos bens e/ou serviços, imposta pelo governo em situações excepcionais, para assegurar a continuidade de seu fornecimento [F.: *racionar* + *-mento.*]

racionar (ra.ci:o.*nar*) *v. td.* **1** Distribuir em rações ou quantidades medidas: *Racionou as batatas que cabiam à tropa.* **2** Restringir a venda ou o consumo de: *Racionar o gás e a energia elétrica.* **3** *Bras. S.* Dar ração a (animal) [▶ 1 racionar] [F.: *ração* (sob o rad. *racion-*) + *-ar*[2], seg. o mod. erudito. Hom./par.: *racionais* (fl.), *racionais* (pl. de *racional* [a2g. sm.]); *racionáveis* (fl.), *racionáveis* (pl. de *racionável* [a2g.]).]

racionável[1] (ra.ci:o.*ná*.vel) *a2g.* *P. us.* O mesmo que *razoável* [Pl.: *-veis.*] [F.: Do lat. *rationabilis, e.* Hom./Par.: *racionáveis* (pl.), *racionáveis* (fl. de *racionar*).]

racionável[2] (ra.ci:o.*ná*.vel) *a2g.* Que pode ou deve ser racionado [Pl.: *-veis.*] [F.: *racionar* + *-vel.*]

racismo (ra.*cis*.mo) *sm.* **1** Tratamento desigual e injusto ou violência contra pessoas que pertencem a grupo, etnia, cultura etc. diferentes **2** Postura de desprezo e/ou discriminação em relação a um desses grupos **3** *Antq.* Teoria fisiológica e política que, baseada no conceito de raça, admitia a superioridade e o domínio de uma raça pura sobre as demais [F.: *raça* + *-ismo.*]

📖 A moderna contestação do conceito de raça, como aplicado, antigamente, ao conjunto de características étnicas, mudou também o significado do termo racismo. Teoricamente, não existiria tal preconceito, uma vez que estaria relacionado com entidade não existente; ou seja, se não existe uma 'raça negra', como poderia ser 'racista' aquele que tem preconceito contra os negros, ou afrodescendentes? O termo racismo adquiriu, então, conotação genérica, referindo-se a preconceito contra minorias, ou 'diferentes' (quanto a etnia, religião, origem, hábitos sexuais etc.).

racista (ra.*cis*.ta) *a2g.* **1** Ref. a racismo (1) (política racista) **2** Que tem preconceito contra pessoas pertencentes a grupo, etnia, cultura etc. diferentes *s2g.* **3** Pessoa racista (2) [F.: *raça* + *-ista.*]

⊕ **rack** (*Ing.* /*réc*/) *sm.* Móvel constituído por prateleiras e peças fixas, adequadas para abrigar aparelho de som, televisão, dvd etc.

raclete (ra.*cle*.te) *sf.* **1** Prato suíço preparado com certo queijo cuja parte mais mole é ralada para ser comida ao fogo, à medida que se funde **2** O queijo us. nesse prato [F.: Do fr. *raclette.*]

racontar (ra.con.*tar*) *v. td.* *P. us.* O mesmo que *narrar* [▶ 1 racontar] [F.: Do it. *raccontare.* Hom./Par.: *raconto* (fl.), *raconto* (sm.).]

raconto[1] (ra.*con*.to) *sm.* **1** Narrativa, descrição **2** *Mús.* Parte da ópera em que se faz a exposição da ação ou dos acontecimentos que a precederam [F.: Do it. *racconto.* Hom./Par.: *raconto* (sm.), *raconto* (fl. de *racontar*).]

raconto[2] (ra.*con*.to) *sm.* Expressão oral ou escrita de vários acontecimentos, reais ou imaginários, narrativa [F.: Do it. *racconto.*]

raçudo (ra.*çu*.do) *a.* **1** Que tem raça ou origem ilustre **2** *Bras. Pop.* Que demonstra raça, valentia, garra (jogador raçudo) [F.: *raça* + *-udo.*]

racum (ra.*cum*) *sm.* *Zool.* Mamífero carnívoro noturno (*Procyon lotor*), da fam. dos prociónídeos, encontrado na América do Norte, de aspecto semelhante ao do guaxinim [F.: Do ing. *raccoon.*]

⊠ **rad** *Mat.* Símb. de *radiano*

radar (ra.*dar*) *sm.* **1** Técnica de detectar corpos parados ou em movimento a determinada distância, por meio da emissão de ondas radioelétricas e análise de seus reflexos **2** Aparelho que tem essa função, us. no tráfego marítimo, aéreo e terrestre [F.: Do ing. *radar,* das iniciais de *ra(dio) d(etection) a(nd) r(anging).*]

radarmétrico (ra.dar.*mé*.tri.co) *a.* Diz-se do que foi reconhecido por radar [F.: *radar* + *-metr(o)-*[2] + *-ico*[2].]

radiação (ra.di:a.*ção*) *sf.* **1** Ação ou resultado de radiar, de emitir raios; RADIÂNCIA **2** *Fís.* Propagação da energia eletromagnética por ondas ou partículas **3** *Fís.* A energia propagada [Pl.: *-ções.*] [F.: Do lat. *radiatio, onis.*] ▪▪ ~ **corpuscular** *Fís.* Emissão de energia e seu transporte através de partículas subatômicas, como elétrons, fótons etc. ~ **cósmica** *Fís. nu.* A radiação corpuscular e as partículas de energia de origem extraterrestre que a provocam em sua interação com a atmosfera terrestre ~ **cósmica de fundo** *Cosm.* Radiação eletromagnética na faixa das microondas, entre 3 x 10^{11} hertz e 3 x 10^{8} hertz ~ **de frenagem** *Fís.* Ver *Bremsstrahlung* ~ **de frenamento** *Fís.* Radiação que emite uma partícula eletricamente carregada quando perde aceleração ~ **eletromagnética** *Fís.* Energia eletromagnética propagada na forma de ondas ~ **infravermelha** *Fís.* Radiação eletromagnética de comprimento de onda acima da região do infravermelho e abaixo do das ondas de rádio ~ **síncrotron** *Fís.* Radiação eletromagnética emitida por partículas carregadas aceleradas num síncrotron ~ **ultravioleta** *Elet.* Radiação eletromagnética de comprimento de onda na faixa entre 4 nanômetros (região dos raios X longos) e 400 nanômetros (região do violeta)

radiado (ra.di.*a*.do) *a.* **1** Disposto em raios partindo de um centro comum **2** Que tem marcas ou manchas em forma de raios; RAIADO **3** *Biol.* De simetria radial **4** *Bot.* Diz-se do capítulo de uma flor da fam. das compostas que apresenta um tipo de flores no centro do capítulo e outro tipo na periferia, como ocorre, p. ex., na margarida e no girassol [F.: Do lat. *radiatus, a, um.*]

radiador (ra.di:a.*dor*) [ô] *sm.* **1** *Mec.* Peça responsável pelo resfriamento da água que circula em um motor (radiador de automóvel) **2** Aparelho composto de uma série de tubos paralelos em que circula vapor de água ou água quente, e que serve para aquecer ambientes; AQUECEDOR *a.* **3** Que radia; IRRADIADOR [F.: *radiar* + *-dor.*]

radial (ra.di.*al*) *a2g.* **1** Ref. a raio(s) **2** Que lança raios **3** *Anat.* Ref. ao rádio (osso do antebraço) **4** Que vai de um centro urbano à periferia (diz-se de avenida ou rua) [Pl.: *-ais.*] *sf.* **5** Avenida ou rua radial (4) [Pl.: *-ais.*] [F.: *radi(o)-*[1] + *-al*[1]. Hom./Par.: *radiais* (pl.), *radiais* (fl. de *radiar*).]

radialismo (ra.di:a.*lis*.mo) *Rád. Telv. sm.* Atividade jornalística em rádio ou televisão [F.: **radial* (de *rádio* + *-al*[1]) + *-ismo.*]

radialista (ra.di:a.*lis*.ta) *Rád. Telv. s2g.* Aquele ou aquela que trabalha em rádio ou televisão; esp. quem apresenta programas [F.: **radial* (de *rádio* + *-al*[1]) + *-ista.*]

radialmente (ra.di:al.*men*.te) *adv.* De modo radial, sob a forma de ou disposto em raios [F.: *radial* + *-mente.*]

radiamador (ra.di:a.ma.*dor*) [ô] *a. sm.* Ver *radioamador*

radiância (ra.di.*ân*.ci:a) *sf.* **1** Qualidade de radiante **2** *Fig.* Irradiação, brilho **3** *Fís.* Fluxo luminoso emitido por unidade de superfície; EXITÂNCIA [F.: De *radiante* + *-ia*[2], seg. o mod. analógico; ver *radiar* e *-ância.*] ▪▪ ~ **energética** *Fís.* A energia radiante emitida por uma fonte em certa direção por unidade de área transversal a cada segundo ~ **luminosa** *Fotm.* A energia luminosa emitida por uma fonte em certa direção por unidade de área transversal a cada segundo

radiano (ra.di:*a*.no) *Mat. sm.* Unidade us. para medir ângulos, que corresponde a um ângulo com vértice no centro de uma circunferência, abrangendo uma extensão do arco da mesma igual à medida do seu raio (equivale aproximadamente a 57°17'45'') [Símb.: *rad.*] [F.: *radi(o)-*[1] + *-ano*[1].]

radiante (ra.di:*an*.te) *a2g.* **1** *Fís.* Que emite raios, que produz radiações **2** Que brilha muito (aurora radiante); CINTILANTE; FULGURANTE **3** *Fig.* Que está muito alegre; EXULTANTE; RADIOSO **4** *Fig.* Transbordante (de sensações agradáveis) (radiante de felicidade) *sm.* **5** *Astron.* Ponto do céu de onde parece provir a trajetória dos meteoros [F.: Do lat. *radians, antis.*]

radiar (ra.di.*ar*) *v.* **1** Emitir raios de luz ou de calor; IRRADIAR [*int.*: *Pontos luminosos radiavam na escuridão.*] **2** Emitir brilho; brilhar, refulgir [*int.*: *O colar radiava em seu pescoço.*] **3** Cercar de raios luminosos, de luminosidade [*td.*: *A luz do refletor radiava seus cabelos.*] **4** Emanar, proceder [*td.*: *A moça radiava felicidade.*] [*tdi.* + *a*: *O rapaz radiava alegria a todo o grupo.*] [▶ 1 radiar] [F.: Do v.lat. *radiare.* Hom./par.: *radiais* (fl.), *radiais* (pl. de *radial* [a2g. sf.]); *radio* (fl.), *rádio* (sm.).]

radiatividade (ra.di:a.ti.vi.*da*.de) *sf.* *Fís. nu.* Ver *radioatividade*

radiativo (ra.di:a.*ti*.vo) *a.* Ver *radioativo*

radicação (ra.di.ca.*ção*) *sf.* Ação ou resultado de radicar(-se), de criar raízes, de se arraigar, de se firmar [Pl.: *-ções.*] [F.: *radicar* + *-ção.*]

radicado (ra.di.*ca*.do) *a.* **1** Arraigado, enraizado (hábitos radicados) **2** Residente, domiciliado [F.: Part. de *radicar.*]

radical (ra.di.*cal*) *a2g.* **1** Ref. a raiz **2** Ref. à base, ao fundamento, à origem de qualquer coisa; FUNDAMENTAL **3** *Fig.* Que não é moderado; que é drástico, total (dieta radical; mudanças radicais) **4** *Fig.* Que é rígido, extremado em suas opiniões ou posições: *um defensor radical dos direitos humanos.* **5** *Pol.* Que é partidário do radicalismo (2); RADICALISTA **6** *Esp.* Diz-se de esporte que envolve muitos riscos **7** *Cir.* Diz-se de cirurgia que remove todo o tecido ou órgão lesado (mastectomia radical) [Pl.: *-cais.*] *sm.* **8** *Gram.* Parte de uma palavra que mantém sua significação básica e à qual se acrescentam vogal temática e flexões de gênero, número, pessoa (p. ex., *luz* – é o radical de *luzir* e de *luzes*) [Uma palavra pode se constituir somente de radical, como *luz, sol* etc.] **9** *Mat.* Símbolo us. na operação de radiciação **10** *Quím.* Radical livre *s2g.* **11** *Pol.* Partidário do radicalismo (2); RADICALISTA [Pl.: *-cais.*] [F.: *radic(i)-* + *-al*[1]. Hom./Par.: *radicais* (pl.), *radicais* (fl. de *radicar*).] ▪▪ ~ **livre** *Quím.* Molécula ou fragmento de molécula em que os elétrons se encontram desemparelhados, e que pode desencadear reações em cadeia [Os radicais livres são considerados como causadores de envelhecimento, doença cardíaca e alguns tipos de câncer.] ~ **primário** *Ling.* Radical (8) mínimo, que não é derivação de outro radical ~ **secundário** *Ling.* Radical (8) derivado de outro radical

radicalidade (ra.di.ca.li.*da*.de) *sf.* Qualidade ou característica de radical; RADICALISMO [F.: *radical* + *-(i)dade.*]

radicalismo (ra.di.ca.*lis*.mo) *sm.* **1** Comportamento de quem é radical, inflexível; INTRANSIGÊNCIA **2** *Pol.* Doutrina que prega mudanças profundas na sociedade, atacando-se os problemas na sua origem [F.: *radical* + *-ismo.*]

radicalista (ra.di.ca.*lis*.ta) *a2g.* **1** Ref. ao radicalismo (2) **2** Que é partidário do radicalismo (2) *s2g.* **3** *Pol.* Partidário do radicalismo (2) [F.: *radical* + *-ista.* Sin. ger.: *radical.*]

radicalização (ra.di.ca.li.za.*ção*) *sf.* Ação ou resultado de radicalizar(-se) [Pl.: *-ções.*] [F.: *radicalizar* + *-ção.*]

radicalizado (ra.di.ca.li.*za*.do) *a.* **1** Que se radicalizou **2** Tornado radical, extremo, inflexível; EXTREMADO: *um populismo radicalizado.* [F.: Part. de *radicalizar.*]

radicalizar (ra.di.ca.li.*zar*) *v.* Tornar(-se) radical ou adotar postura radical, drástica, extremada [*td.*: *A oposição radicalizou suas críticas ao governo.*] [*int.*: *Os grevistas resolveram radicalizar e estenderam a greve em 30 dias; As divergências entre os diretores da empresa se radicalizaram.*] [▶ 1 radicalizar] [F.: *radical* + *-izar.*]

radicalmente (ra.di.cal.*men*.te) *adv.* **1** Na sua essência; ESSENCIALMENTE **2** De modo radical; TOTALMENTE; COMPLETAMENTE **3** De modo significativo, profundo; PROFUNDAMENTE [F.: *radical* + *-mente.*]

radicando (ra.di.*can*.do) *Mat. sm.* Número ou expressão algébrica que está sob um símbolo de radical [F.: Do lat. *radicandus, a, um.*]

radicar (ra.di.*car*) *v.* **1** Infundir(-se) ou fixar(-se) profundamente; arraigar(-se), enraizar(-se) [***td.***: *Radicar ideias.*] [***tda.***: *Radicar a esperança entre os homens.*] [***ta.***: *A confiança radicou-se entre os imigrantes* Ant.: *desarraigar.*] **2** Fixar residência [***tda.***: *O casal radicou-se no Paraná.*] [▶ **11 radicar**] [F.: Do v.lat. *radicare.* Hom./Par.: *radicais* (fl.), *radicais* (pl. de *radical* [a2g. s2g.]).]

⊕ **radicchio** (*It.* /radíchio/) ***sm.*** *Bot.* Variedade cultivada de chicória (*Cichorium intybus*) de folhas vermelho-purpúreas com veios brancos, consumida em saladas

radicela (ra.di.*ce*.la) *sf. P. us. Bot.* Raiz pequena; RADÍCULA [F.: Do lat. **radicella*, por *radicula, ae.*]

◎ **radic(i)-** *el. comp.* = 'raiz': *radical, radicela* (< *lat.), *radicícola, radiciforme, radicívoro, radicoso* [F.: Do lat. *radix, icis.*]

radiciação (ra.di.ci:a.*ção*) *sf. Mat.* Operação pela qual se calcula a raiz de um número ou expressão [Pl.: *-ções.*] [F.: **radiciar* (de *radic(i)-* + *-ar*^{2}) + *-ção.*]

radicícola (ra.di.*cí*.co.la) ***a2g.*** *Ecol.* Que vive nas raízes das plantas (diz-se de animal ou vegetal); RIZÓFILO [F.: *radic(i)-* + *-cola*^{1}.]

radiciforme (ra.di.ci.*for*.me) ***a2g.*** *Bot.* Que se assemelha a uma raiz; de configuração ou estrutura análoga à de uma raiz [F.: *radic(i)-* + *-forme.*]

radicívoro (ra.di.*cí*.vo.ro) ***a.*** *Biol.* Que se alimenta de raízes de plantas (inseto radicívoro) [F.: *radic(i)-* + *-voro.*]

radicoso (ra.di.*co*.so) [ô] ***a.*** *Bot.* Que tem muitas raízes [Pl.: [ó]. Fem.: [ó].] [F.: *radic(i)-* + *-oso.*]

radícula (ra.*dí*.cu.la) *Bot.* ***sf.*** **1** Raiz pequena; RADICELA **2** Parte do embrião que se desenvolve e se transforma em raiz **3** *Anat.* Os diminutos ramos de um vaso sanguíneo ou de um nervo **4** *Anat.* Raiz nervosa da espinha vertebral [F.: Do lat. *radicula, ae.* Hom./Par.: *radícula* (sf.), *radícola* (a2g.).]

radiculado (ra.di.cu.*la*.do) *Bot.* ***a.*** Que tem raízes ou radículas [F.: *radícula* + *-ado*^{1}.]

radiculite (ra.di.cu.*li*.te) ***sf.*** *Med.* Inflamação das raízes dos nervos raquidianos [F.: *radícula* + *-ite*^{1}.]

radieletricidade (ra.di:e.le.tri.ci.*da*.de) *Fís.* ***sf.*** Ver *radioeletricidade*

radielétrico (ra.di:e.*lé*.tri.co) ***a.*** Ver *radioelétrico*

radiemissão (ra.di:e.mis.*são*) ***sf.*** Ver *radioemissão*

radiemissora (ra.di:e.mis.*so*.ra) [ô] ***sf.*** *Rád.* Ver *radioemissora*

radiespectro (ra.di:es.*pec*.tro) ***sm.*** *Astr.* Ver *radioespectro*

radiestrela (ra.di:es.*tre*.la) [ê] ***sf.*** *P. us. Astr.* Ver *radioestrela*

◎ **radi(o)-^{1}** *el. comp.* = 'raio'; 'radiação'; '(osso) rádio'; 'raio x'; 'ondas eletromagnéticas': *radiano, radiar* (< lat.), *radioativo, radial, radiodiagnóstico* [F.: Do lat. *radius, ii,* 'raio de um círculo ou de uma roda'; 'raio de luz'; 'osso rádio'.]

◎ **radi(o)-^{2}** *el. comp.* = 'rádio'; 'radiofonia': *radialista, radioamador, radiotransmissão* [F.: De *rádio.*]

rádio^{1} (*rá*.di:o) *Anat.* ***sm.*** Osso comprido que juntamente com o cúbito forma o antebraço [F.: Do lat. *radius, ii.* Hom./Par.: *rádio* (sm.), *radio* (fl. de *radiar*).]

rádio^{2} (*rá*.di:o) *Quím.* ***sm.*** Elemento de número atômico 88, radioativo, metálico [Símb.: *Ra.*] [F.: Do lat. cient. *radium.*]

rádio^{3} (*rá*.di:o) *Rád.* ***sm.*** **1** Sistema de comunicação a distância por meio de ondas radioelétricas; RADIODIFUSÃO **2** Aparelho que recebe ou transmite sinais radiofônicos, us. na comunicação de longa distância **3** Ver *radiodifusão* (2). **4** Aparelho que recebe sinais radiofônicos e os decodifica, transformando-os em som (rádio de pilha) ***sf.*** **5** *Rád.* Estação emissora de programas de radiodifusão; RADIOEMISSORA [F.: F. red. de *radiofonia.*] ■ **Ser meio ~, meio televisão** *PE Pop.* Ser pederasta passivo

radioamador (ra.di:o:a.ma.*dor*) [ô] ***a.*** **1** Ref. a atividade não profissional de radiodifusoras, ou radioamadorismo ***sm.*** **2** Aquele que gerencia e/ou opera ou se dedica a esse tipo de atividade sem finalidade lucrativa [F.: *radi(o)-*^{2} + *amador.* Tb. *radiamador.*]

radioamadorismo (ra.di:o:a.ma.do.*ris*.mo) ***sm.*** *Rád.* Atividade de radioamador [F.: *radioamador* + *-ismo.*]

radioamadorista (ra.di:o:a.ma.do.*ris*.ta) ***s2g.*** Aquele ou aquela que pratica ou se dedica ao radioamadorismo; RADIOAMADOR [F.: *radioamadorismo* + *-ista.*]

radioamadorístico (ra.di:o:a.ma.do.*rís*.ti.co) ***a.*** Ref. a radioamadorismo [F.: *radioamadorista* + *-ico*^{2}.]

radioastronomia (ra.di:o:as.tro.no.*mi*.a) ***sf.*** *Astr.* Parte da astronomia que estuda ondas radioelétricas emitidas pelos corpos celestes e pela matéria cósmica em geral [F.: *radi(o)-*^{1} + *astronomia.* Hom./Par.: *radioastronomia* (sf.), *radarastronomia* (s. f.).]

radioastronômico (ra.di:o:as.tro.*nô*.mi.co) ***a.*** *Astr.* Ref. a radioastronomia [F.: *radioastronomia* + *-ico*^{2}.]

radioatividade (ra.di:o:a.ti.vi.*da*.de) *Fís. nu.* ***sf.*** **1** Propriedade de certos tipos de átomos de irradiar partículas ou energia eletromagnética **2** Emissão invisível de energia (radiação gama ou eletromagnética) ou partículas (alfa e beta) pelos núcleos dos átomos de certos elementos químicos de elevado peso atômico [F.: *radi(o)-*^{1} + *atividade.* Tb. *radiatividade.*] ■ **~ artificial/induzida** *Fís. nu.* Radioatividade provocada ao se bombardear núcleo atômico por nêutrons **~ natural** *Fís. nu.* A que ocorre nos nuclídeos encontrados na natureza

radioativo (ra.di:o:a.*ti*.vo) ***a.*** **1** Que irradia **2** *Fís.* Que produz radiação, que possui radioatividade: *O urânio é um elemento radioativo.* [F.: *radi(o)-*^{1} + *ativo.* Tb. *radiativo.*]

radioator (ra.di:o:a.*tor*) [ô] ***sm.*** *Bras. Rád.* Ator de programas de rádio [Fem.: *-triz.*] [F.: *radi(o)-*^{2} + *ator.*]

radioatriz (ra.di:o:a.*triz*) ***sf.*** *Bras. Rád.* Atriz de programas de rádio [F.: *radi(o)-*^{2} + *atriz.*]

radiobase (ra.di:o.*ba*.se) ***a.*** Que tem como base a transmissão radiofônica [F.: *radi(o)-*^{2} + *base.*]

radiobinária (ra.di:o.bi.*ná*.ri:a) ***sf.*** *Astr.* Sistema físico constituído de dois corpos celestes, em que pelo menos um deles emite ondas de rádio [F.: *radi(o)-*^{1} + o fem. de *binário.*]

radiobiologia (ra.di:o.bi:o.lo.*gi*.a) ***sf.*** *Biol.* Estudo dos efeitos das radiações sobre os sistemas biológicos [F.: *radi(o)-*^{1} + *biologia.*]

radiobiológico (ra.di:o.bi:o.*ló*.gi.co) ***a.*** *Biol.* Ref. a radiobiologia [F.: *radiobiologia* + *-ico*^{2}.]

radiobiologista (ra.di:o.bi:o.lo.*gis*.ta) ***s2g.*** *Biol.* Aquele ou aquela que se especializou em radiobiologia [F.: *radiobiologia* + *-ista.*]

radiocarbono (ra.di:o.car.*bo*.no) ***sm.*** *Fís.* Isótopo radioativo do carbono; carbono 14 [F.: *radi(o)-*^{1} + *carbono.*]

radiocomunicação (ra.di:o.co.mu.ni.ca.*ção*) ***sf.*** *Telc.* Transmissão de sinais, sons ou imagens por meio de ondas eletromagnéticas [Pl.: *-ções.*] [F.: *radi(o)-*^{1} + *comunicação.*]

radiocomunicador (ra.di:o.co.mu.ni.ca.*dor*) [ô] ***sm.*** Aquele que faz radiocomunicação [F.: *radi(o)-*^{1} + *comunicador.*]

radiocondutor (ra.di:o.con.du.*tor*) [ô] ***sm.*** *Telc.* Tubo de limalha de ferro us. na telegrafia sem fio [F.: *radi(o)-*^{2} + *condutor.*]

radiocultura (ra.di:o.cul.*tu*.ra) ***sf.*** Conjunto dos processos de cultivo de plantas baseados na ação de certos tipos de radiação [F.: *radi(o)-*^{1} + *-cultura.*]

radiodiagnosticar (ra.di:o.di.ag.nos.ti.*car*) ***v. td.*** *Med.* Realizar o radiodiagnóstico de [▶ **11 radiodiagnosticar**] [F.: *radiodiagnóstico* + *-ar*^{2}. Hom./Par.: *radiodiagnostico* (fl.), *radiodiagnóstico* (sm.).]

radiodiagnóstico (ra.di:o.di:ag.*nós*.ti.co) ***sm.*** *Rlog.* Diagnóstico baseado em exame radiológico [F.: *radi(o)-*^{1} + *diagnóstico.*]

radiodifundir (ra.di:o.di.fun.*dir*) ***v. td.*** Irradiar (programas de rádio) destinados ao público [▶ **3 radiodifundir**] [F.: *radi(o)-*^{2} + *difundir.*]

radiodifusão (ra.di:o.di.fu.*são*) *Rád. Telv.* ***sf.*** **1** Propagação de sinais de rádio^{3} (1), televisão, telex etc., por ondas radioelétricas **2** Transmissão de programas (informativos, culturais, de entretenimento etc.) por meio de radiodifusão (1) [Pl.: *-sões.*] [F.: *radi(o)-*^{2} + *difusão.*]

radiodifusor (ra.di:o.di.fu.*sor*) [ô] ***a.*** **1** Que faz radiodifusão ***sm.*** **2** Aparelho de radiodifusão [F.: *radi(o)-*^{2} + *difusor.*]

radiodifusora (ra.di:o.di.fu.*so*.ra) [ô] ***sf.*** *Rád.* Empresa ou centro transmissor de radiodifusão (2) [F.: Fem. substv. de *radiodifusor.*]

radioecologia (ra.di:o.e.co.lo.*gi*.a) ***sf.*** *Ecol.* Parte da ecologia que estuda as interações dos ecossistemas com as radiações [F.: *radi(o)-*^{1} + *ecologia.*]

radioecológico (ra.di:o.e.co.*ló*.gi.co) ***a.*** *Ecol.* Ref. a radioecologia [F.: *radioecologia* + *-ico*^{2}.]

radioeletricidade (ra.di:o:e.le.tri.ci.*da*.de) *Fís.* ***sf.*** Ciência que estuda as características e aplicações das ondas de rádio^{3} (1), esp. na comunicação a distância [F.: *radi(o)-*^{1} + *eletricidade.* Tb. *radieletricidade.*]

radioelétrico (ra.di:o:e.*lé*.tri.co) ***a.*** Ref. a radioeletricidade [F.: *radi(o)-*^{1} + *elétrico.* Tb. *radielétrico.*]

radioemissão^{1} (ra.di:o:e.mis.*são*) ***sf.*** Emissão eletromagnética proveniente de material radioativo [Pl.: *-sões.*] [F.: *radi(o)-*^{1} + *emissão.*]

radioemissão^{2} (ra.di:o:e.mis.*são*) *Rád. Telv.* ***sf.*** Emissão de sinais de rádio^{3} (1) [Pl.: *-sões.*] [F.: *radi(o)-*^{2} + *emissão.*]

radioemissor (ra.di:o.e.mis.*sor*) [ô] ***a. sm.*** *Radt.* O mesmo que *radiotransmissor* [F.: *radi(o)-*^{1} + *emissor.*]

radioemissora (ra.di:o.e.mis.*so*.ra) [ô] *Rád.* ***sf.*** Lugar de onde se transmitem programas de rádio^{3} [F.: *radi(o)-*^{2} + *emissora.* Cf.: *radiodifusora.*]

radioescuta (ra.di:o.es.*cu*.ta) ***s2g.*** *Telc.* Sistema de recepção de ondas hertzianas emitidas por rádios, destinado ao controle das telecomunicações [F.: *radi(o)-*^{1} + *escuta.*]

radioespectro (ra.di:o.es.*pec*.tro) ***sm.*** *Astr.* Região do espectro eletromagnético correspondente às emissões radioelétricas de origem cósmica [F.: *radi(o)-*^{1} + *espectro.*]

radioespectrógrafo (ra.di:o:es.pec.*tró*.gra.fo) ***sm.*** *Astr.* Instrumento us. para registrar o espectro de frequências das ondas de rádio emitidas por uma fonte cósmica [F.: *radi(o)-*^{1} + *espectrógrafo.*]

radioespectrograma (ra.di:o.es.pec.tro.*gra*.ma) ***sm.*** *Astr.* Registro feito pelo radioespectrógrafo [F.: *radi(o)-*^{1} + *espectro* + *-grama.*]

radioestelar (ra.di:o.es.te.*lar*) ***a2g.*** Ref. a radioestrela [F.: *radi(o)-*^{1} + *estelar.*]

radioestesia (ra.di:o.es.te.*si*.a) ***sf.*** Sensibilidade a radiações [F.: *radi(o)-*^{1} + *-estesia.*]

radioestesista (ra.di:o.es.te.*sis*.ta) ***s2g.*** Aquele ou aquela que tem radioestesia [F.: *radioestesia* + *-ista.*]

radioestrela (ra.di:o.es.*tre*.la) [ê] ***sf.*** *P. us. Astr.* Estrela que emite ondas de rádio; fonte de rádio [F.: *radi(o)-*^{1} + *estrela.*]

radiofarol (ra.di:o.fa.*rol*) ***sm.*** *Mar.* Estação emissora de determinados sinais de rádio, destinada a orientar navios e aeronaves [Pl.: *-róis.*] [F.: *radi(o)-*^{1} + *farol.*]

radiofone (ra.di:o.*fo*.ne) ***sm.*** *Rád.* Aparelho que recebe e transmite sinais radiofônicos; RÁDIO^{3} (2) [P. us no Brasil.] [F.: *radi(o)-*^{1} + *-fone.*]

radiofonia (ra.di:o.fo.*ni*.a) *Rád.* ***sf.*** Transmissão de sons a distância por sinais de rádio^{3} (1) [F.: *rádio*^{3} + *-fonia.*]

> 📖 As emissões radiofônicas consistem na transmissão no espaço de ondas de som, captadas em microfone ou geradas em reprodução de sons pré-gravados. Em qualquer desses processos, as ondas sonoras que definem a variação de altura, intensidade e timbre do som foram transformadas em impulsos elétricos correspondentes. Essas oscilações elétricas, no formato da onda original, modulam, isto é, dão formato de onda às ondas portadoras, que se transmitem pelo ar pela antena transmissora, ou variando a amplitude (Amplitude Modulada, ou AM), ou a frequência (Frequência Modulada, ou FM). Ao captar essas ondas em sua antena, o aparelho receptor identifica o 'desenho' modulado, e esse formato de onda é transmitido ao amplificador e ao alto-falante, que vibra, assim, no formato da onda original, transmitindo-a ao ar e reproduzindo o som que a gerou. (Ver ilustr.)

radiofônico (ra.di:o.*fô*.ni.co) ***a.*** **1** Ref. a radiofonia; RADIOTELEFÔNICO **2** *Rád.* Que se transmite pela radiodifusão (2) (programa radiofônico) [F.: *radiofonia* + *-ico*^{2}.]

radiofonização (ra.di:o.fo.ni.za.*ção*) ***sf.*** *Bras. Rád.* Ação ou resultado de radiofonizar [Pl.: *-ções.*] [F.: *radiofonizar* + *-ção.*]

radiofonizado (ra.di:o.fo.ni.*za*.do) ***a.*** Que se radiofonizou [F.: Part. de *radiofonizar.*]

radiofonizar (ra.di:o.fo.ni.*zar*) *Bras.* ***v. td.*** **1** Adaptar ou escrever (crônica, novela etc.) para os meios radiofônicos **2** Realizar programas radiofônicos (utilizando essas adaptações) [▶ **1 radiofonizar**] [F.: *radi(o)-*^{2} + *-fon (o)-* + *-izar.*]

radiofonógrafo (ra.di:o.fo.*nó*.gra.fo) ***sm.*** *Antq.* Aparelho que funciona como rádio^{3} e como fonógrafo [F.: *rádio*^{3} + *fonógrafo.*]

radiofoto (ra.di:o.*fo*.to) *Rád.* ***sf.*** F. red. de *radiofotografia*

radiofotografia (ra.di:o.fo.to.gra.*fi*.a) ***sf.*** **1** Técnica de transmitir fotografias por meio da radiodifusão (1) **2** Fotografia transmitida por esse processo [F.: *radi(o)-*^{2} + *fotografia.*]

radiofrequência (ra.di:o.fre.*quên*.ci:a) *Fís.* ***sf.*** Frequência das emissões de ondas radioelétricas, de amplitude entre 3 kHz e 300 GHz [F.: *radi(o)-*^{1} + *frequência.*]

radiogaláxia (ra.di:o.ga.*lá*.xi.a) [cs] ***sf.*** *Astr.* Galáxia que é fonte poderosa de ondas de rádio cósmicas [F.: *radi(o)-*^{1} + *galáxia.*]

radiogoniometria (ra.di:o.go.ni:o.me.*tri*.a) ***sf.*** Aplicação do radiogoniômetro à navegação marítima e aérea [F.: *radiogoniômetro* + *-ia*^{1}. Cf.: *radionavegação.*]

radiogoniométrico (ra.di:o.go.ni:o.*mé*.tri.co) ***a.*** Ref. a radiogoniometria [F.: *radiogoniometria* + *-ico*^{2}.]

radiogoniômetro (ra.di:o.go.ni.*ô*.me.tro) ***sm.*** Receptor de sinais de rádio com antena orientável, us. por navios e aeronaves para situar as emissoras terrestres e assim determinar sua própria localização [F.: *radi(o)-*^{1} + *goniômetro.*]

radiografado (ra.di:o.gra.*fa*.do) ***a.*** De que se fez radiografia (pulmão radiografado) [F.: Part. de *radiografar.*]

radiografar (ra.di.o.gra.*far*) ***v. td.*** **1** Produzir imagem de (órgão, osso etc.) por meio de radiografia **2** *Fig.* Produzir informações minuciosas [***td.***: *Os repórteres radiografaram a crise no governo.*] [▶ **1 radiografar**] [F.: *radiografia* + *-ar*^{2}.]

radiografia (ra.di:o.gra.*fi*.a) ***sf.*** **1** *Med. Rlog.* Técnica de, pela aplicação de raios X ou de raios gama, produzir chapas com imagens internas de uma parte do corpo **2** Chapa obtida por meio dessa técnica **3** *Fig.* Análise profunda, estrutural, de um assunto: *radiografia dos problemas sociais.* [F.: *radi(o)-*^{1} + *-grafia.*]

radiográfico (ra.di:o.*grá*.fi.co) ***a.*** Ref. a radiografia [F.: *radiografia* + *-ico*^{2}.]

radiograma (ra.di:o.*gra*.ma) *Telc.* ***sm.*** **1** Comunicação por radiotelegrafia **2** Telegrama enviado ou recebido por esse meio [F.: *rádio*^{3} + *-grama.*]

radiogravador (ra.di.o.gra.va.*dor*) [ô] ***sm.*** Aparelho que funciona como rádio^{3} e como gravador [F.: *rádio*^{3} + *gravador.*]

radiointerferômetro (ra.di:o.in.ter.fe.*rô*.me.tro) ***sm.*** *Astr.* Sistema constituído por uma série de radiotelescópios dispostos em linha, us. para medir pequenas distâncias angulares e estudar as distribuições da densidade de radiação das fontes de rádio; interferômetro radioelétrico [F.: *radi(o)-*^{1} + *interferômetro.*]

radioisotópico (ra.di:o:i.so.*tó*.pi.co) ***sm.*** Ref. a radioisótopo [F.: *radioisótopo* + *-ico*^{2}.]

radioisótopo (ra.di:o.i.*só*.to.po) ***sm.*** *Fís. nu.* O mesmo que *radionuclídeo* [F.: *radi(o)-*^{1} + *isótopo.*]

radiojornal (ra.di:o.jor.*nal*) *Jorn. Rád.* ***sm.*** Programa de notícias transmitido pelo rádio^{3} [Pl.: *-nais.*] [F.: *radi(o)-*^{2} + *jornal.*]

radiojornalismo (ra.di:o.jor.na.*lis*.mo) ***sm.*** *Jorn. Rád.* Jornalismo que utiliza o rádio^{3} como meio de comunicação [F.: *radi(o)-*^{2} + *jornalismo.*]

radiojornalista (ra.di:o.jor.na.*lis*.ta) *Jorn. Rád.* ***s2g.*** Aquele ou aquela que exerce o radiojornalismo [F.: *radi(o)-*^{2} + *jornalista.*]

radiola (ra.di:*o*.la) *Rád.* ***sf.*** Aparelho que funciona como rádio^{3} e como vitrola; RÁDIOVITROLA [F.: *radi(o)-*^{2} + *(vitr)ola.*]

radiolário (ra.di:o.*lá*.ri:o) *Zool.* ***sm.*** **1** Espécime dos radiolários, ordem de protozoários marinhos caracterizados por uma mebrana quitinosa no meio do protoplasma e rodeados por pseudópodes de forma radiada ***a.*** **2** *Zool.* Ref. ou pertencente aos radiolários [F.: Adaptç. do lat. cient. *Radiolaria.*]

radiolesão (ra.di:o.le.*são*) *sf. Pat.* Lesão produzida por irradiação [Pl.: *-sões.*] [F.: *radi(o)-*[1] + *lesão.*]

radiólise (ra.di.*ó*.li.se) *sf. Fís-quím.* Decomposição de substâncias provocada por radiações ionizantes [F.: *radi(o)-*[1] + *-lise.*]

radiologia (ra.di:o.lo.*gi*.a) *Med. Rlog. sf.* **1** Ciência que estuda os raios X e outros fluxos radioativos, e a sua aplicação para obtenção de radiografias, tratamentos médicos etc.; RADIOGRAFIA **2** Especialidade médica relacionada a essas atividades [F.: *radi(o)-*[1] + *-logia.*]

O exame do interior do corpo é importantíssimo para se diagnosticarem doenças e afecções internas com segurança. Só a partir de 1895, com a invenção pelo alemão Roentgen dos raios X, radiações capazes de atravessar corpos opacos, isso foi possível. Logo associou-se essa técnica ao uso de substâncias de contraste, ingeridas ou inoculadas no organismo, permitindo uma maior definição dos órgãos e tecidos. As imagens 'paradas' dos raios X seguiram-se técnicas que permitiram visualizar processos dinâmicos dos órgãos em filmes, e a mobilidade dos raios X em várias camadas, na tomografia computadorizada. Baseados em material radioativo, os raios X exigem precauções, mas novas técnicas não radioativas os vêm substituindo em certos casos, como o ultrassom e a ressonância magnética. Os raios X também são usados como agente terapêutico na destruição de células malignas, como nos casos de câncer.

radiologicamente (ra.di:o.lo.gi.ca.*men*.te) *adv.* Do ponto de vista radiológico [F.: o fem. de *radiológico* + *-mente.*]

radiológico (ra.di:o.*ló*.gi.co) *a.* Ref. a radiologia [F.: *radiologia* + *-ico*[2].]

radiologista (ra.di:o.lo.*gis*.ta) *s2g.* Médico que se especializou em radiologia [F.: *radiologia* + *-ista.*]

radiolografia (ra.di.o.lo.gra.*fi*.a) *sf.* Radiografia em que se utiliza o ar como contraste para tirar a chapa [F.: Do ing. *radiolography.*]

radioluminescência (ra.di:o.lu.mi.nes.*cên*.ci:a) *sf. Fís. nu.* Luminescência provocada pela radiatividade [F.: *radi(o)-*[1] + *luminescência.*]

radiolux (ra.di:o.*lux*) *sm2n. Fís.* Unidade de medida de radiância luminosa equivalente a um lúmen por metro quadrado [F.: *radi(o)-*[1] + *lux.*]

radiomensagem (ra.di:o.men.*sa*.gem) *sf. Telc.* Mensagem transmitida por radiofonia [Pl.: *-gens.*] [F.: *radi(o)-*[2] + *mensagem.*]

radiometria (ra.di:o.me.*tri*.a) *sf. Fís.* Qualquer técnica empregada para detectar e medir a energia de diversas radiações [F.: *radi(o)-*[1] + *-metria*[1].]

radiométrico (ra.di:o.*mé*.tri.co) *a. Fís.* Ref. a radiometria [F.: *radiometria* + *-ico*[2].]

radiômetro (ra.di.*ô*.me.tro) *sm.* **1** *Fís.* Qualquer instrumento us. para detectar e medir radiação eletromagnética ou acústica **2** *Ant. Mar.* Antigo instrumento us. para medir a altura do sol; BALESTILHA [F.: *radi(o)-*[1] + *-metro.*]

radionavegação (ra.di:o.na.ve.ga.*ção*) *sf. Mar.* Técnica de navegação que utiliza ondas radioelétricas para determinar a posição de navios e aeronaves [Pl.: *-ções.*] [F.: *radi(o)-*[1] + *navegação.* Cf.: *radiogoniometria.*]

radionovela (ra.di:o.no.*ve*.la) *Bras. Rád. sf.* Novela transmitida por rádio[3] [F.: *radi(o)-*[2] + *novela.*]

radionuclídeo (ra.di:o.nu.*clí*.de:o) *sm. Fís. nu.* Nuclídeo radioativo, existente na natureza ou obtido artificialmente em reator nuclear [F.: *radi(o)-*[1] + *nuclídeo.*]

radiopaco (ra.di:o.*pa*.co) *a. Rlog.* Que não se deixa penetrar pelos raios X ou outra forma de radiação [F.: *radi(o)-*[1] + *opaco.*]

radiopatrulha (ra.di:o.pa.*tru*.lha) *sf.* **1** Sistema de policiamento urbano em que uma estação central está em comunicação constante com viaturas equipadas com rádio[3], informando-lhes o local das ocorrências **2** Qualquer dessas viaturas [F.: *radi(o)-*[2] + *patrulha.*]

radiopatrulhamento (ra.di:o.pa.tru.lha.*men*.to) *sm.* Serviço de policiamento em que se utilizam radiopatrulhas; RADIOPATRULHA [F.: *radi(o)-*[2] + *patrulhamento.*]

radioperador (ra.di:o.pe.ra.*dor*) [ô] *sm.* Operador de aparelho radiotransmissor [F.: *radi(o)-*[2] + *operador.*]

radiopirata (ra.di:o.pi.*ra*.ta) *sf. Rád.* Estação de rádio que opera clandestinamente [F.: *rádio*[3] + *pirata.*]

radioproteção (ra.di:o.pro.te.*ção*) *sf.* Estudo dos métodos para proteger organismos vivos dos efeitos de radiações ionizantes [Pl.: *-ções.*] [F.: *radi(o)-*[1] + *proteção.*]

radioquímica (ra.di:o.*quí*.mi.ca) *sf. Quím.* Parte da química que estuda substâncias radioativas [F.: *radi(o)-*[1] + *química.*]

radioquímico (ra.di:o.*quí*.mi.co) *a.* Ref. à radioquímica [F.: *radi(o)-*[1] + *químico.*]

radioquimografia (ra.di:o.qui.mo.gra.*fi*.a) *sf. Rlog.* Registro radiográfico, em uma única chapa, dos movimentos de um órgão ou de parte dele [F.: *radi(o)-*[1] + *quimografia.*]

radioquimográfico (ra.di:o.qui.mo.*grá*.fi.co) *a. Rlog.* Ref. a radioquimografia [F.: *radioquimografia* + *-ico*[2].]

radioquimógrafo (ra.di:o.qui.*mó*.gra.fo) *sm. Rlog.* Aparelho próprio para executar a radioquimografia [F.: *radi(o)-*[1] + *quimógrafo.*]

radioquimograma (ra.di:o.qui.mo.*gra*.ma) *sm. Rlog.* Radiografia feita com o radioquimógrafo [F.: *radi(o)-*[1] + *quimograma.*]

radiorreceptor (ra.di:or.re.cep.*tor*) [ô] *Radt. sm.* Aparelho eletrônico que capta e decodifica sinais de rádio[3] (1) [F.: *radi(o)-*[2] + *receptor.*]

rádio-relógio (ra.di:o-re.*ló*.gi:o) *sm.* Aparelho de rádio[3] conjuminado com relógio [F.: *rádio*[3] + *relógio.*]

radiorreportagem (ra.di:or.re.por.*ta*.gem) *sf. Jorn. Rád.* Reportagem transmitida por rádio[3] [Pl.: *-gens.*] [F.: *radi(o)-*[1] + *reportagem.*]

radiorrepórter (ra.di:or.re.*pór*.ter) *Jorn. Rád. s2g.* Repórter especializado em radiorreportagens [F.: *radi(o)-*[2] + *repórter.*]

radioscopia (ra.di:os.co.*pi*.a) *Rlog. sf.* Exame feito com aparelho de raios X, por meio do qual se produzem imagens de partes internas do corpo; FLUOROSCOPIA [F.: *radi(o)-*[1] + *-scopia.*]

radioscópico (ra.di:os.*có*.pi.co) *a. Rlog.* Ref. a radioscopia [F.: *radioscopia* + *-ico*[2].]

radioso (ra.di.*o*.so) [ô] *a.* **1** Que lança raios de luz; BRILHANTE; RESPLANDECENTE **2** *Fig.* Que transmite muita alegria; RADIANTE; JUBILOSO [Pl.: [ó]. Fem.: [ó].] [F.: Do lat. *radiosus, a, um.*]

radiossonda (ra.di:os.*son*.da) *sf. Met.* Aeróstato provido de aparelho radioemissor que transmite, a estações terrestres, informações meteorológicas sobre as altas camadas atmosféricas [F.: *radi(o)-*[1] + *sonda.*]

radiotáxi (ra.di:o.*tá*.xi) [cs] *sm.* Táxi equipado com rádio[3], para comunicação com uma central de operações que informa ao motorista o local aonde se dirigir para buscar os passageiros [F.: *radi(o)-*[2] + *táxi.*]

radioteatral (ra.di:o.te.a.*tral*) *a2g.* Ref. a radioteatro [Pl.: *-trais.*] [F.: *radioteatro* + *-al*[1].]

radioteatro (ra.di:o.te.*a*.tro) *Bras. Rád. Teat. sm.* Espetáculo teatral próprio para ser transmitido por rádio[3]: *Nas décadas de 1940 e 1950 os programas de radioteatro tinham grande audiência.* [F.: *radi(o)-*[2] + *teatro.*]

radiotécnica[1] (ra.di:o.*téc*.ni.ca) *Radt. sf.* Atividade relacionada à aplicação dos conhecimentos sobre ondas radioelétricas, esp. na comunicação a distância [F.: *radi(o)* -[1] + *técnica.*]

radiotécnica[2] (ra.di:o.*téc*.ni.ca) *sf. Pop.* Loja onde se consertam rádios e outros aparelhos eletrônicos [F.: *radi(o)-*[2] + *técnica.*]

radiotécnico (ra.di:o.*téc*.ni.co) *a.* **1** Ref. a radiotécnica[1] *sm.* **2** Aquele que se especializou em radiotécnica[1] [F.: *radi(o)-*[1] + *técnico.*]

radiotelefonia (ra.di:o.te.le.fo.*ni*.a) *sf.* Telefonia por meio de ondas radioelétricas; telefonia sem fio [F.: *radi(o)-*[1] + *telefonia.*]

radiotelefônico (ra.di:o.te.le.*fô*.ni.co) *a.* Ref. a radiotelefonia [F.: *radiotelefonia* + *-ico*[2].]

radiotelefonista (ra.di:o.te.le.fo.*nis*.ta) *s2g.* Aquele ou aquela que opera aparelho de radiotelefonia [F.: *radiotelefonia* + *-ista.*]

radiotelegrafia (ra.di:o.te.le.gra.*fi*.a) *Radt. sf.* Telegrafia na qual a transmissão das informações se faz por ondas radioelétricas; telegrafia sem fio [F.: *radi(o)-*[1] + *telegrafia.*]

radiotelegráfico (ra.di:o.te.le.*grá*.fi.co) *a.* Ref. a radiotelegrafia [F.: *radiotelegrafia* + *-ico*[2].]

radiotelegrafista (ra.di:o.te.le.gra.*fis*.ta) *s2g.* Operador de radiotelegrafia [F.: *radiotelegrafia* + *-ista.*]

radiotelemetria (ra.di:o.te.le.me.*tri*.a) *sf. Telc.* Telemetria por meio de ondas radioelétricas emitidas e recebidas por eco sobre determinado objeto [F.: *radi(o)-*[1] + *telemetria.*]

radiotelescópio (ra.di:o.te.les.*có*.pi:o) *sm. Astr.* Instrumento que recebe as emissões radiolétricas de corpos celestes situados em zonas inacessíveis aos telescópios ópticos [F.: *radi(o)-*[1] + *telescópio.*]

radioterapeuta (ra.di:o.te.ra.*peu*.ta) *s2g. Rlog.* Aquele ou aquela que se especializou em radioterapia [F.: *radi(o)-*[1] + *terapeuta.*]

radioterapêutica (ra.di:o.te.ra.*pêu*.ti.ca) *Rlog. sf.* O mesmo que *radioterapia* [F.: *radi(o)-*[1] + *-terapia.*]

radioterapêutico (ra.di:o.te.ra.*pêu*.ti.co) *a. Rlog.* Ref. a radioterapia; RADIOTERÁPICO [F.: *radioterapeuta* + *-ico*[2].]

radioterapia (ra.di:o.te.ra.*pi*.a) *Rlog. sf.* Uso de radiação para tratar certas doenças, como o câncer; RADIOTERAPÊUTICA [F.: *radi(o)-*[1] + *-terapia.*]

radioterápico (ra.di:o.te.*rá*.pi.co) *a. Rlog.* O mesmo que *radioterapêutico* [F.: *radioterapia* + *-ico*[2].]

radiotransmissão (ra.di:o.trans.mis.*são*) *sf. Telc.* Transmissão de sons a distância por meio dos sinais radioelétricos [Pl.: *-sões.*] [F.: *radi(o)-*[1] + *transmissão.*]

radiotransmissor (ra.di:o.trans.mis.*sor*) [ô] *Radt. sm.* Aparelho que transmite sinais radioelétricos; RADIOEMISSOR [F.: *radi(o)-*[1] + *transmissor.*]

radiotransmitir (ra.di:o.trans.mi.*tir*) *v. td.* Transmitir por meio do rádio [▶ 3 radiotransmit**ir**] [F.: *radi(o)-*[2] + *transmitir.*]

radiouvinte (ra.di:ou.*vin*.te) *Bras. s2g.* Aquele ou aquela que ouve programas de rádio; OUVINTE [F.: *radi(o)-*[2] + *ouvinte.*]

radiovitrola (ra.di:o.vi.*tro*.la) *sf.* O mesmo que *radiola* [F.: *radi(o)-*[2] + *vitrola.*]

radônio (ra.*dô*.ni:o) *sm. Quím.* Elemento gasoso, radioativo, de número atômico 86, us. no combate ao câncer [Símb.: *Rn.*] [F.: Do lat. cient. *radonium.*]

rádula (*rá*.du.la) *sf. Anat. Zool.* Peça bucal da maioria dos moluscos, provida de dentes quitinosos dispostos em fileiras [F.: Do lat. *radula, ae,* 'raspadeira'.]

raer (ra.*er*) *Lus. v. td.* **1** Raspar (o sal) nas marinhas e juntá-lo com o rodo; rer **2** Efetuar a limpeza (do forno) depois de aquecido [F.: Do v.lat. *radere.*]

rafa[1] (*ra*.fa) *sf.* **1** *Pop.* Grande fome; MISÉRIA; PENÚRIA **2** Corte feito nos filões de carvão, para extraí-los da jazida [F.: Dev. de *rafar.* Hom./Par.: *rafa* (sf.), *rafa* (fl. de *rafar*).]

rafa[2] (*ra*.fa) *sf. Ant.* Maré forte [F.: Do espn. *ráfaga.*]

rafado (ra.*fa*.do) *a.* **1** *Pop.* Faminto **2** Muito usado, gasto pelo uso (diz-se de pano) [F.: Part. de *rafar.*]

rafameia (ra.fa.*méi*.a) *sf.* **1** *Bras. N. N. E.* Plebe, ralé **2** *CE* Penúria, miséria [F.: De or. obsc.]

rafar (ra.*far*) *v. td. int.* Estragar(-se), gastar(-se) com o uso (falando de roupa, tecido etc.) [F.: De or. obsc. Hom./Par.: *rafa* (fl.), *rafa* (sf.); *rafas* (fl.), *rafas* (pl. do sf.); *rafe* (fl.), *rafe* (sf.); *rafes* (fl.), *rafes* (pl. do sf.).]

rafe[1] (*ra*.fe) *sf.* **1** *Anat. Bot.* Linha saliente, semelhante a uma costura: *a rafe do escroto / de uma semente.* **2** *Bot.* Fissura na parede celular das diatomáceas que permite a comunicação do conteúdo da célula com o meio exterior [F.: Do gr. *rhaphé, ês.* Hom./Par.: *rafe* (sf.), *rafe* (fl. de *rafar*).]
■ **~ do escroto** *Anat.* Estria que divide a superfície do escroto em duas porções

rafe[2] (*ra*.fe) *sm. Art. gr.* Primeiro esboço, anterior ao leiaute, de um trabalho gráfico [F.: Do ing. *rough.*]

rafeiro (ra.*fei*.ro) *a.* **1** Diz-se de cão treinado para condução e vigia do gado **2** *Fig.* Diz-se do homem observador e vigilante *sm.* **3** Cão rafeiro (1) [F.: De or. controv.]

◎ **rafi-** *el. comp.* Ver *rafid(o)-*

ráfia (*rá*.fi:a) *sf.* **1** *Bot.* Nome comum às palmeiras do gên. *Raphia*, como, p. ex., *Raphia farinifera*, natural de Madagascar e das regiões tropicais da África, de folhas muito grandes das quais se extraem fibras **2** Essa fibra transformada industrialmente em fio [F.: Do lat. cient. *Raphia.*]

◎ **rafid(o)-** *el. comp.* = 'agulha'; 'ponto(s) feito(s) por agulhas ou por instrumentos similares': *rafidografia; rafigrafia, rafigrafo* [F.: Do gr. *rhaphis, ídos,* 'agulha'.]

rafidografia (ra.fi.do.gra.*fi*.a) *sf.* Ver *rafigrafia* [F.: *rafid(o)-* + *-grafia.*]

rafidográfico (ra.fi.do.*grá*.fi.co) *a.* Ref. a ou próprio da rafidografia [F.: *rafidografia* + *-ico*[2]. Tb.: *rafigráfico.*]

rafigrafia (ra.fi.gra.*fi*.a) *sf.* Sistema de escrita desenvolvido para o ensino e o uso de cegos, cujos caracteres são pontos em relevo marcados por uma agulha [F.: *rafi-* + *-grafia.* Tb.: *rafidografia.*]

rafigráfico (ra.fi.*grá*.fi.co) *a.* Ref. a ou próprio da rafigrafia [F.: *rafigrafia* + *-ico*[2]. Tb.: *rafidográfico.*]

rafigrafo (ra.*fi*.gra.fo) *sm.* Aparelho com dez teclas terminadas em agulhas, destinado a gravar em relevo os caracteres do alfabeto, para uso dos cegos [F.: *raf(i)-* + *-grafo.*]

rafinado (ra.fi.*na*.do) *Quím. sm.* **1** Material restante de uma mistura de componentes que foi submetida ao processo químico da extração, após a separação da fase formada pelo solvente e o extrato **2** Qualquer tipo de mistura de hidrocarbonetos que resulta do processo químico de extração [F.: Adaptç. do fr. *raffiné.*]

raglã (ra.*glã*) *Vest. a2g2n.* **1** Diz-se de costura em que a cava termina no decote **2** *P. ext.* Diz-se de peça de roupa com esse tipo de manga [F.: Do ing. *raglan.*]

ragoideo (ra.*goi*.de:o) *a.* Que é semelhante a um bago de uva (pingente ragoideo) [F.: Do gr. *rhagoeidés, és, és.*]

⊕ ***ragtime*** (*ing. /ragtáime) Mús. sm.* **1** Estilo musical ritmado e sincopado, de origem norte-americana, resultante da fusão da música negra com a música de dança dos brancos, que esteve em voga nas duas primeiras décadas do séc. XX e foi desaparecendo no correr dos anos 1920 **2** *P. ext.* Estilo pianístico e orquestral influenciado por esse tipo de música, que foi precursor de certas modalidades do *jazz*

ragu (ra.*gu*) *sm.* **1** *Cul.* Ensopado de carne com legumes **2** *Bras. Pop.* Fome [F.: Do fr. *ragoût.*]

raia[1] (*rai*.a) *sf.* **1** Linha, traço, risca **2** Demarcação de um espaço; FRONTEIRA **3** *Fig.* Limite, lugar que não se pode ou não se deve ultrapassar: *Sua cólera tocava as raias da loucura.* **4** Espaço demarcado na largura para um competidor, em pista de corrida ou em piscina **5** *Bras.* Pista para corrida de cavalos; CANCHA **6** *Fís.* Cada um dos traços negros ou luminosos que dividem o espectro solar perpendicularmente a seu comprimento **7** Área reservada a experiências com mísseis ou foguetes espaciais **8** *S.* Contramarca feita com ferro em brasa nos animais **9** Linha ou sulco da palma da mão **10** No bilhar, tacada que se dá na bola do parceiro, por engano [F.: Do fem. de *raio*, do lat. *radius, i.* Hom./Par.: *raia* (sf.), *raia* (fl. de *raiar*).]
■ **Fechar a ~** *Turfe* Chegar (o cavalo) em último lugar num páreo **Fugir/correr da ~** *Bras. Fam.* Fugir de, evitar confronto, compromisso, dificuldade etc. **Passar as ~s** Passar dos limites, exceder-se **~ de tiro** *Bras. Mar. G.* Faixa de área marítima demarcada para exercícios de tiro **~ espectral** *Ópt.* Num espectro, faixa de emissão ou absorção de radiação numa frequência que a caracteriza **~ leve** *Turfe* A pista de corridas de cavalo quando seca **~ macia** *Turfe* A pista de corridas de cavalo quando úmida **~ pesada** *Turfe* A pista de corridas de cavalo quando encharcada

raia[2] (*rai*.a) *sf. Zool.* Nome comum aos peixes da ordem dos rajiformes, de corpo achatado em forma de disco, grandes nadadeiras peitorais e cauda longa, com ou sem ferrão; ARRAIA [F.: Do lat. *raia* ou *raja, ae.*]

raiado (rai.*a*.do) *a.* **1** Que tem raias (1), riscos; RAJADO: *gato de pelo raiado.* **2** *Fig.* Mesclado, entremeado **3** *Arm.* Estriado interiormente em espiral (diz-se de cano de arma de fogo) *sm.* **4** Série de riscos [F.: Part. de *raiar.*]

raia-pintada (ra.ia-pin.*ta*.da) *Bras. Ict. sf.* **1** Peixe hipotremado, miliobatídeo (*Aetobatus narinari*), de coloração cinza ou marrom, com manchas brancas, ferrão na base da cauda, com cerca de 2 m de comprimento, encontrado em toda a extensão da costa brasileira **2** Ver *arraia-pintada* (*Ellipesurus strongylopterus*) **3** Ver *raia-chita* (*Raja castelnaui*) [Pl.: *raias-pintadas*.]

raiar[1] (rai.*ar*) *v.* **1** Emitir raios luminosos, luz, brilho [*td.*: *O lampeão raiava débil luminosidade.*] [*int.*: *É a hora em que o Sol raia com toda a intensidade.*] **2** Despontar no horizonte; nascer [*int.*: *A manhã raiou mais tarde naquele dia.*] **3** *Fig.* Aparecer, surgir, nascer [*int.*: *Esperava que raiassem novas esperanças.*] [▶ 1 raiar] [F.: *raio* + *-ar*[2].]

raiar[2] (rai.*ar*) *v.* **1** Traçar raias ou riscos em [*td.*: *Raiou várias folhas na aula de desenho.*] [*tdr.* + *de, com*: *Raiou a camisa de amarelo; Raiou o guarda-chuva com linhas vermelhas.*] **2** *Fig.* Tocar as raias ou limite de; BEIRAR [*tr.* + *em, a, por*: *Sua imaginação raiava à loucura; Seu perfeccionismo raia pelo absurdo.*] **3** Fazer sulcos no interior do cano de (arma de fogo), para dar estabilidade e direção à bala disparada [*td.*] [▶ 1 raiar] [F.: *raia*[1] + *-ar*[2].]

rainha (ra.*i*.nha) *sf.* **1** Esposa do rei **2** Mulher que tem a função de governante em uma monarquia **3** *Fig.* Aquela que se destaca em algo: *a rainha do vôlei; A águia é a rainha das aves; Ela é a rainha do mau-humor.* **4** *Ent.* Fêmea de alguns insetos, como as abelhas, as formigas e os cupins, que ger. tem tamanho maior do que o das demais e gera os filhotes **5** *Lud.* Peça principal, depois do rei, no jogo de xadrez e que se movimenta em todas as direções **6** *Lud.* Dama **7** Variedade de pera e de maçã [F.: Do lat. *regina, ae.*] ■ **~ do Mar** *Rel.* Antonomásia de Iemanjá

rainha-do-abismo (ra.i.nha-do-a.*bis*.mo) *sf. Bot.* Erva (*Sinningia canescens*) da fam. das gesneriáceas, nativa do Brasil, cujas folhas são ovadas, apresentado inflorescência corimbiformes e cápsulas pilosas [Pl.: *rainhas-do-abismo*.]

rainha-mãe (ra.i.nha-*mãe*) *sf.* Mãe do rei ou da rainha que se encontra no trono [Pl.: *rainhas-mães, rainhas-mãe*.]

raio (*rai*.o) *sm.* **1** *Fís.* Feixe de luz ou de outra forma de energia radiante (raios do sol; raio de luz) **2** Descarga elétrica no espaço, seguida de relâmpago: *Ontem à noite, caiu uma tempestade com muitos raios.* **3** *Fís.* Movimento retilíneo por meio dos qual se propagam as radiações (raio alfa; raio beta; raio gama); RADIAÇÃO **4** *Geom.* Distância do centro de circunferência ou de esfera a qualquer de seus pontos, metade do diâmetro da circunferência **5** *Geom.* Distância do centro aos vértices de um polígono regular **6** Numa roda, cada uma das varetas de comprimento igual que partem de um centro em diferentes direções **7** *P. ext.* Distância que vai de um ponto central, ou que se toma como centro, para a periferia; tudo quanto se considera partindo do centro para a periferia: *A três léguas de raio não se encontra outro médico; Desenhou uma estrela de cinco raios.* **8** *Fig.* Sinal, mostra, indício (raio de esperança) **9** *Fig. Pop.* Espécie, tipo: *Que raio de coisa é essa?* **10** *Jur.* Perímetro onde determinada coisa se localiza e que se constitui o seu limite **11** *Jur.* Divisão territorial que constitui a jurisdição de uma autoridade judiciária **12** *Zool.* Filamento ósseo de sustentação das nadadeiras dos peixes **13** Palavra us. como intensificador com ideia de descontentamento: *O raio do proprietário acabou aumentando o aluguel.* ***interj.*** **14** Expressão de exclamação, irritação, impaciência, contrariedade etc.: *Oh! raios, que maçada!* [*Mais us. no pl.*] [F.: Do lat. *radius, i.* Hom./Par.: *raio* (sm.), *raio* (fl. de *raiar*).] ■ **~ de ação** **1** *Mil.* Raio de alcance efetivo de uma arma, de um destacamento militar etc. **2** A máxima distância que um navio ou avião ou outro veículo de combate pode alcançar, e voltar ao ponto de partida sem se reabastecer **3** *Fig.* Área (espaço físico ou domínio de atividades) em que alguém atua de modo eficaz **~ de curvatura** *Geom. an.* Num ponto de uma curva, o módulo do inverso da curvatura **~ de giração** *Fís* Na rotação de um corpo em torno de um eixo, raiz quadrada do quociente da inércia do corpo em relação ao eixo pela sua massa [Ou seja, o quadrado do raio de giração é igual ao momento de inércia dividido pela massa.] **~ geodésico** *Geom. an.* Raio de uma circunferência geodésica **~ laser** *Fís.* Raio luminoso coerente (sempre com o mesmo comprimento de onda e mesma relação de fase) em feixe concentrado, no que resulta grande conservação de energia **~ luminoso** *Ópt.* Numa radiação eletromagnética na região visível do espectro, feixe estreito de radiação, imaginável como cada linha perpendicular à frente de onda de radiação **~ polar** *Geom. an.* Ver *Raio vetor* **~s alfa** *Fís. nu.* Radiação formada por partículas alfa **~s anódicos** *Fís.* Radiação formada de partículas de carga positiva, emitidas por um catodo aquecido **~s beta** *Fís. nu.* Radiação formada por partículas beta **~ canal** *Fís. nu.* Radiação formada por íons positivos acelerados, originada em descarga elétrica num tubo com gases rarefeitos; raios positivos **~s catódicos** *Fís.* Radiação formada de feixes de elétrons emitidos por um cátodo, num tubo a vácuo **~s cósmicos** *Fís. nu.* Ver *Radiação cósmica* no verbete *radiação* **~s delta** *Fís. nu.* Radiação de elétrons que foram extraídos de átomos por ação de partículas ionizantes e que, por sua vez, podem ter ação ionizante **~s gama** *Fís. nu.* Radiação eletromagnética, cujo comprimento de onda oscila entre 10^{-10} m e 10^{-14} m, que se verifica quando um núcleo atômico passa a um estado de excitação menor que o inicial **~s o partam** Expressão interjetiva que expressa extrema irritação, ódio, aversão etc., proferida como praga lançada contra alguém **~s positivos** *Fís.* Ver *Raios canal* **~s Roentgen** *Fís.* Ver *Raios X* **~s X** *Fís.* Radiação eletromagnética cujo comprimento é menor que o da radiação ultravioleta, entre 0,001 e 10 nanômetros [Ver achega enciclopédica no fim do verbete.] **~s X brancos** *Fís.* Raios X cujos comprimentos de onda abrangem ampla faixa de variação **~s X duros** *Fís.* Raios X com comprimento de onda pequeno e alto poder de penetração em certos meios **~s X moles** *Fís.* Raios X com baixo poder de penetração **~ verde** *Met.* Efêmero clarão verde no horizonte, que ocorre no momento do nascer de um astro ou de seu ocaso, esp. o Sol [Tema de famoso livro de Júlio Verne.] **~ vetor** **1** *Geom. an.* Num sistema de coordenadas polares, segmento dirigido do polo ao ponto; raio polar **2** Num sistema de coordenadas polares, a coordenada linear; raio polar

📖 O raio é uma descarga elétrica na atmosfera, produzida pela diferença de potencial entre nuvens eletricamente carregadas, ou entre uma nuvem e a terra. Com a movimentação do ar, devido a diferenças térmicas (o ar frio, mais pesado, desce, o ar quente, mais leve, sobe) o atrito entre as moléculas de ar e as de água suspensas gera eletricidade, que se acumula nas nuvens. Quando duas nuvens de potencial elétrico diferente se aproximam o suficiente, uma descarga de eletricidade parte da mais carregada para a menos carregada. Na descarga de uma nuvem para a terra (da nuvem positivamente carregada para a terra, negativa), num determinado momento da descarga, aquele ponto na terra para o qual se dirige a descarga da nuvem carrega-se positivamente e 'devolve' a descarga para a nuvem, fechando o circuito e desenhando um raio potente que desceu e subiu em milionésimos de segundo, com uma voltagem (diferença de potencial) de centenas de milhões de volts. Os para-raios servem para atrair a descarga e a encaminhar com segurança para a terra, sem causar danos. O Brasil é o país com maior ocorrência de raios do mundo.

raiom (rai.*om*) *Têxt. sm.* **1** Fibra têxtil sintética de consistência sedosa feita a partir da celulose **2** O tecido feito com essa fibra; seda artificial [Pl.: *-ons*.] [F.: Do ing. *rayon*.]

raionismo (rai.o.*nis*.mo) *sm. Pint.* Movimento estético abstracionista criado por Mikhail Larionov, pintor russo, em 1911, que sintetizava a representação do mundo usando círculos concêntricos de diversas cores em uma forma de pintura caracterizada por um intenso dinamismo que sugeria a sensação de quarta dimensão [Com inicial maiúsc.] [F.: *raio* + *-n-* + *-ismo*.]

raiva (*rai*.va) *sf.* **1** Acesso violento de ira; CÓLERA; FÚRIA: *Reagiu com raiva à provocação.* **2** Ressentimento, ódio, rancor: *Tem raiva de todos os seus inimigos.* **3** Grande aversão; HORROR; OJERIZA: *Tinha raiva dos oportunistas.* **4** *Vet.* Doença infecciosa virótica que acomete o sistema nervoso central dos mamíferos (esp. cachorro, gato, morcego), transmissível ao homem pela mordedura do animal infectado; HIDROFOBIA **5** *Lus. Cul.* Biscoito feito de farinha com ovos, manteiga e açúcar **6** Prurido nas gengivas das crianças, causado pela dentição **7** Grande apetite; desejo irresistível [F.: Do lat. vulg. *rabia*. Hom./Par.: *raiva* (sf.), *raiva* (fl. de *raivar*).]

raivar (rai.*var*) *v.* **1** Estar furioso, enraivecer-se [*tr.* + *com*: *Raivou com o irmão.*] [*int.*: *Qualquer provocação o fazia raivar; Raivava de ódio.*] **2** *Fig.* Agitar-se furiosamente, arremessar-se com ímpeto [*tr.* + *contra*: *As ondas raivavam contra o cais.*] [*int.*: *A tempestade raivava.*] **3** Desejar, querer com muita força [*tr.* + *por*: *Raivava por encontrar o inimigo.*] **4** Tornar-se ameaçador [*td.*: *Raivava sua vingança no silêncio.*] **5** Expressar (sentimentos hostis) [*td.*: *Raivava toda a sua sede de vingança.*] [▶ 1 raivar] [F.: *raiva* + *-ar*. Hom./Par.: *raiva(s)* (fl.), *raiva* (sf. [e pl.]).]

raivejar (rai.ve.*jar*) *v.* **1** Ser tomado por sentimento de raiva, de cólera; RAIVAR; RAIVECER [*int.*] **2** Expressar raiva, cólera [*td.*] **3** *Fig.* Agitar-se furiosamente; RAIVAR [*int.*] [▶ 1 raivejar] [F.: *raiva* + *-ejar*.]

raivento (rai.*ven*.to) *a.* **1** Dominado pela raiva, pelo ódio; RAIVOSO; RAIVUDO **2** Que facilmente se deixa dominar pela raiva [F.: *raiva* + *-ento*.]

raivoso (rai.*vo*.so) [ô] *a.* **1** Que está dominado pela raiva, pela cólera; FURIOSO **2** Que se enfurece com facilidade **3** Atacado de raiva (4); HIDRÓFOBO [Pl.: [ó]. Fem.: [ó].] [F.: Do lat. *rabiosus, a, um*.]

raivudo (rai.*vu*.do) *a.* Que se enfurece com facilidade; RAIVOSO [F.: *raiva* + *-udo*.]

raiz (ra.*iz*) *sf.* **1** *Bot.* Parte de uma planta vascular que ger. cresce para baixo e dentro do solo (ou da água) e cuja principal função é fixar o organismo vegetal e absorver nutrientes e água [Dim.: *radícula*. Em certas plantas (como a beterraba, o aipim ou mandioca etc.), a raiz é a parte comestível.] **2** Elemento de inserção de um dente, fio de cabelo etc. **3** A parte inferior, a base de algo: *a raiz da serra.* **4** *Fig.* Origem; causa: *a raiz de um problema.* **5** *Gram.* Elemento irredutível de uma palavra, obtido pela eliminação de todos os afixos e desinências (p. ex.: nas palavras *imiscuir, promiscuir, imiscível, miscível* existe a raiz *misc-*) **6** *Mat.* Com relação a um número dado, o número que multiplicado por si mesmo algumas vezes tem como resultado o primeiro **7** *Od.* Porção do dente implantada no alvéolo dentário **8** *Fig.* Ligação emocional, ger. com o lugar onde se nasceu ou a cultura em que se cresceu: *Pedro vive em Brasília, mas tem raízes em São Paulo.* **9** *Anat.* Nome comum da parte inicial de qualquer órgão ou região do corpo **10** *Ling.* O núcleo significativo de uma família de palavras, ger. de uma língua antiga, documentada ou reconstruída por comparação e que teria originado as formas posteriores [P. ex.: a raiz indo-europeia **leuk-*, 'ser luminoso', deu origem a vários vocábulos no grego e no latim, donde uma profusão de palavras dessa família nos idiomas modernos. No português, p. ex., encontramos, entre vários outros: *luz, lúcido, lúmen, luminoso, lua, lunático, lucívago, elucidar, Lúcifer, alumiar, elucubração, selênio, selenita, iluminação, ilustre, ilustrativo, translúcido* etc.] **11** *Anat.* A parte dos membros que se encontra mais próxima do tronco **12** *Anat.* Ponto em que o nervo se separa dos centros nervosos **13** *Med.* Prolongamento profundo apresentado por certos tumores [F.: Do lat. *radix, icis*.] ■ **Até a ~ dos cabelos** Completamente, totalmente: *Está comprometido no escândalo até a raiz dos cabelos.* **De ~** **1** *Fig.* Diz-se de, ou ref. a manifestação cultural popular considerada autêntica, ou diretamente ligada a determinado grupo ou tradição original (samba de raiz; repentista de raiz). **2** Diz-se de bem ou de bens fixado(s) ao solo, ou construído(s) em solo **Lançar ~s** Fixar-se, radicar-se, estabelecer-se **Pela ~** Totalmente, indo até a origem: *Temos de cortar esse mal pela raiz.* **~ característica** *Álg* Qualquer das raízes da equação característica (de uma matriz); raiz latente **~ cúbica** *Arit.* Um dos divisores (4) de um número: aquele divisor que, elevado ao cubo (à terceira potência), resulta nesse número **~ da serra** *Bras.* Região na qual o terreno começa a se elevar para formar uma serra, monte ou montanha **~ dentária** *Od.* Raiz (2) de um dente, parte do dente inserida no alvéolo e que o fixa na maxila ou na mandíbula [Tb. apenas *raiz*.] **~ dupla** *Mat.* Raiz de uma equação que é também raiz da equação derivada **~ enésima** *Arit.* Um dos divisores (4) de um número: aquele divisor que, elevado à potência *n*, resulta nesse número **~ irredutível** *Mat.* A que se representa por um radical, não podendo ser expressa em forma mais simples **~ latente** *Álg.* Ver *Raiz característica* **~ mestra** **1** *Bot.* A raiz principal, o eixo da raiz de uma planta **2** *P. ext. Fig.* Principal fonte, origem de algo, principal ramo do qual algo se desenvolve **~ nervosa** *Anat.* Cada um dos pares de feixes de fibras nervosas que se ramificam de cada lado da coluna vertebral **~ primária** *Bot.* Numa planta, a raiz primeira, da qual se originam ramificações **~ quadrada** *Arit.* Um dos divisores (4) de um número: aquele divisor que, multiplicado por ele mesmo, resulta nesse número

raizada (ra.i.*za*.da) *sf.* O mesmo que *raizame* [F.: *raiz* + *-ada*[1].]

raizama (ra.i.*za*.ma) [ra-i] *sf.* O mesmo que *raizame* [F.: *raiz* + *-ama*.]

raiz-amarga (ra.iz-a.*mar*.ga) *Bot. sf.* **1** *MG* Planta da família gencianácea (*Lysianthus pendulus*); tb. *genciana-brasileira* **2** Nome comum a várias plantas gencianáceas dos gêneros *Lysianthus, Microcala* e *Zygostigma*; tb. *genciana-da-terra* [Pl.: *raízes-amargas*.]

raizame (ra.i.*za*.me) *sm.* **1** O conjunto de raízes de uma planta **2** Grande número de raízes [F.: *raiz* + *-ame*. Sin. ger.: *raizada, raizama*.]

raiz-do-sol (ra.iz-do-*sol*) *Bot. sf.* **1** Planta da fam. das aristoloquiáceas (*Aristolochia paraensis*), encontrada no Brasil e us. como medicinal **2** Planta da fam. das aristoloquiáceas (*Aristolochia floribunda*), da Amazônia, tb. conhecida como *raiz-de-sol* [Pl.: *raízes-do-sol*.]

raizeiro (ra.i.*zei*.ro) [a-i. ê] *sm. MG* Curandeiro que trata de doenças com a utilização de raízes; RAIZISTA [F.: *raiz* + *-eiro*.]

raízes (ra.*í*.zes) *sfpl.* **1** *Fig.* O lugar e a cultura de origem de uma pessoa ou de sua família: *Ele tem orgulho de suas raízes brasileiras.* **2** *Enc.* Decoração feita no couro da encadernação, imitando raízes vegetais [F.: Pl. de *raiz*.]

raiz-forte (ra.iz-*for*.te) *sf. Bot.* Planta (*Armoracia rusticana*) da fam. das crucíferas, de folhas oblongas e flores alvas, raízes carnosas cujo sabor lembra o da mostarda, us. como condimento picante; originária do Sudoeste da Ásia [Pl.: *raízes-fortes*.]

raizista (ra.i.*zis*.ta) *s2g. Bras. MG* O mesmo que *raizeiro* [F.: *raiz* + *-ista*.]

rajá (ra.*já*) *sm.* Príncipe, chefe ou governante na Índia [Fem.: *rani*.] [F.: Do hind. *raja*. Hom./Par.: *rajá* (sm.), *raja* (sf.), *raja* (fl. de *rajar*). Cf.: *marajá*.]

rajada (ra.*ja*.da) *sf.* **1** Sopro intenso e repentino de vento, de pouca duração; LUFADA **2** *Bras.* Série ininterrupta de tiros, esp. de metralhadora **3** *Fig.* Série, chorrilho: *uma rajada de insultos.* **4** *Fig.* Arroubo, ímpeto, rasgo (rajada de cólera/de eloquência) [F.: De or. obsc.]

rajado (ra.*ja*.do) *a.* **1** Raiado, riscado, listrado **2** *Fig.* Entremeado, mesclado **3** Que tem manchas escuras (diz-se de animal) [F.: Part. de *rajar*.]

rajar (ra.*jar*) *v.* **1** Traçar risco, raia ou faixa em [*td.*: *O foguete explodiu e seus mil pontos luminosos rajaram o céu.*] **2** Pôr de permeio [*tdr.* + *de*: *O acontecimento rajou de desgosto o seu fim de semana.*] [▶ 1 rajar] [F.: Do espn. *rayar*. Hom./Par.: *raja* (fl.), *raja* (sf.), *rajá* (sm.); *rajas* (fl.) *rajas* (pl. do sf.) *rajás* (pl. do sm.); *rajo* (fl.), *rajo* (sm.).]

rajastani (ra.jas.*ta*.ni) *s2g.* **1** Aquele ou aquela que nasceu ou que vive no Rajastão (Noroeste da Índia) *sm.* **2** *Gloss.* Conjunto de línguas índicas do ramo indo-iraniano, falada no Rajastão e tb. no Paquistão *a2g.* **3** Do Rajastão (Índia); típico desse lugar ou de seu povo [F.: Do top. *Rajasthan*.]

rala-bucho (ra.la-*bu*.cho) *sm. PB AL Pop.* Baile popular; ARRASTA-PÉ [Pl.: *rala-buchos*.]

ralação (ra.la.*ção*) *sf.* **1** Ação ou resultado de ralar(-se) **2** *Fig.* Aflição, aborrecimento, desgosto **3** *Bras. Fig.* Trabalho ou esforço extenuante [Pl.: -*ções*.] [F.: *ralar* + -*ção*.]
ralada (ra.*la*.da) *sf. Pop.* Ferimento leve, superficial na pele [F.: *ralar* + -*ada*[1].]
ralado (ra.*la*.do) *a.* **1** Que foi passado no ralador **2** Que foi arranhado, ferido **3** *Fig.* Que se mostra atormentado, angustiado [+ *de*: *Nos últimos tempos, andava ralado de aflição.*] [F.: Part. de *ralar.*]
ralador (ra.la.*dor*) [ô] *sm.* **1** Utensílio doméstico que consiste numa chapa metálica ou de plástico, com orifícios de rebordos salientes, onde se ralam (1) substâncias sólidas, como queijo, legumes, frutas etc. *a.* **2** Que rala [F.: *ralar* + -*dor.*]
raladura (ra.la.*du*.ra) *sf.* **1** O pó ou os fragmentos a que se reduz qualquer substância passada pelo ralador **2** *Fig.* Tormento, inquietação; dor física ou moral, pouco ativa mas contínua; RALAÇÃO [F.: *ralar* + -*dura.*]
rala-gelo (ra.la-*ge*.lo) [ê] *sm.* Máquina de ralar ou de moer gelo [Pl.: *rala-gelos*.]
ralar (ra.*lar*) *v.* **1** Reduzir a pequenos fragmentos por meio de ralador [*td.*: *Ralou coco para fazer o bolo.*] **2** Esfolar-se, arranhar-se [*td.*: *No tombo, ralou o joelho.*] [*int.*: *Na escalada da rocha, sua perna ralou.*] **3** *Fig.* Atormentar-se, corroer-se [*tr.* + *de*: *Ralava-se de ódio.*] **4** *Bras. Fig.* Trabalhar ou esforçar-se ao extremo [*int.*: *Ralava para ganhar o pão de cada dia.*] **5** *Bras. Fig.* Não dar importância a; não ligar para [*tr.* + *para*: *Estou me ralando para as fofocas.*] [▶ **1 ralar**] [F.: *ralo*[1] + -*ar*[2]. Hom./Par.: *rala* (fl.), *rala* (sf.); *ralas* (fl.), *ralas* (pl. do sf.); *ralo* (fl.), *ralo* (s. m.).]
rala-rala (ra.la-*ra*.la) *sm. Bras. Pop.* Esfregação de corpos, em dança ou em situação de natureza sexual: *Estavam deitados no maior rala-rala.* [Pl.: *ralas-ralas ou rala-ralas.*]
ralassaria (ra.las.sa.*ri*.a) *sf.* Qualidade, característica ou comportamento de ralasso; INDOLÊNCIA [F.: *ralasso* + -*aria.*]
ralasso (ra.*las*.so) *a.* **1** Que é mandrião, preguiçoso *sm.* **2** Indivíduo preguiçoso, indolente, mandrião [F.: Alter. de *relapso.*]
ralé (ra.*lé*) *sf.* **1** *Pej.* As classes sociais menos favorecidas; PLEBE; POPULACHO; ARRAIA-MIÚDA **2** A camada social formada por marginais, delinquentes etc.; GENTALHA; ESCÓRIA **3** *Pop.* Energia, disposição, vontade: *Não ter ralé para o trabalho.* **4** Animal de que a ave de rapina costuma fazer presa [F.: De or. obsc.]
raleadura (ra.le:a.*du*.ra) *sf.* Ação ou resultado de ralear(-se); RALEAMENTO [F.: *ralear* + -*dura.*]
ralear (ra.le.*ar*) *v.* Tornar(-se) ralo, menos denso ou menos consistente [*td.*: *A cozinheira raleou o purê.*] [*int.*: *As couves do canteiro ralearam(-se).*] [▶ **13 ralear**] [F.: *ralo*[2] + -*ear*[2]. Hom./Par: *raleia* (fl.), *raleia* (sf.); *raleias* (fl.), *raleias* (pl. do sf.).]
raleira (ra.*lei*.ra) *sf.* **1** Terreno semeado em que as sementes não germinam ou as plantas não crescem **2** Espaço aberto no meio de uma mata; CLAREIRA **3** Carência, escassez total ou parcial de alguma coisa **4** Intervalo ou espaço vazio entre duas filas de pessoas ou coisas **5** *Lus.* Vontade de comer; apetite, fome [F.: *ralo*[2] + -*eira*. Sin. ger.: *raleiro.*]
raleiro (ra.*lei*.ro) *sm.* O mesmo que *raleira* [F.: *ralo*[2] + -*eiro.*]
ralentado (ra.len.*ta*.do) *a.* Que se ralentou; que se tornou mais lento (filme ralentado) [F.: Part. de *ralentar.*]
ralentar (ra.len.*tar*) *v.* **1** *Bras.* Prosseguir mais devagar; DIMINUIR [*td.*: *Ralentou a marcha do carro.*] [*int.*: *O carro ralentou.*] **2** O mesmo que *ralear* [*td. int.*] [▶ **1 ralentar**] [F.: *ralo*[2] + -*entar.*]
ralhação (ra.lha.*ção*) *sf.* Ação ou resultado de ralhar; RALHO [Pl.: -*ções*.] [F.: *ralhar* + -*ção*.]
ralhar (ra.*lhar*) *v.* **1** Repreender ou censurar em tom severo [*tr.* + *com*: *Ralhou severamente com o filho.*] [*Int.*: *O pai só ralha quando o filho desobedece.*] **2** Desabafar a raiva em voz alta, fazendo ameaças [*int.*: *Saiu de casa enfurecido, ralhando e batendo a porta.*] [▶ **1 ralhar**] [F.: Do lat. vulg. **ragulare*, 'vociferar'. Hom./Par.: *ralho* (fl.), *ralho* (s. m.).]
ralho (*ra*.lho) *sm.* **1** Repreensão, censura, ralhação: "Criança travessa (...) que sabendo que faz mal, espera, submissa, os ralhos merecidos." (Antero de Figueiredo, *Cômicos*) **2** Discussão, bate-boca, altercação [F.: Dev. de *ralhar.* Hom./Par.: *ralho* (sm.), *ralho* (fl. de *ralhar*).]
rali (ra.*li*) *Esp. sm.* **1** Competição de regularidade e resistência, automobilística ou de motociclismo, de percurso longo e com muitos obstáculos **2** No voleibol, longa sucessão de ataques e contra-ataques, com a bola em jogo de um lado para outro da rede [F.: Do ing. *rallye*.]
ralídeo (ra.*lí*.de:o) *sm.* **1** *Zool.* Espécime dos ralídeos, fam. de aves gruiformes que compreende saracuras, frangos-d'água e carquejas, que costumam frequentar áreas alagadas, brejos e margens de rios. *a.* **2** *Zool.* Ref. ou pertencente aos ralídeos [F.: Adaptç. do lat. cient. *Rallidae.*]
⊕ **rall** (*it.*) *Mús.* Abrev. de *rallentando*
⊕ **rallentando** (*it.*) *adv. Mús.* Em diminuição gradativa do andamento, quando da execução de uma peça musical [Abrev.: *rall.*]
ralo[1] (*ra*.lo) *sm.* **1** Peça com orifícios em pia, tanque, banheira, piso ou reservatório, para escoamento da água e retenção de detritos **2** *P. ext.* Abertura de um encanamento, logo abaixo do ralo (1) **3** Ralador (1) **4** O crivo da peneira ou do regador **5** Grade ou treliça que se põe nas portas, janelas de conventos, confessionários etc. para que as pessoas que estão do lado de dentro possam ver, sem ser vistas, as que estão de fora e com elas falar sem contato direto **6** *Lus. Ent.* Inseto (*Gryllus gryllotalpa*) ortóptero da fam. dos grilos [F.: Do lat. *rallum, i.* Hom./Par.: *ralo* (sm.), *ralo* (fl. de *ralar*).]
ralo[2] (*ra*.lo) *a.* **1** Pouco espesso, pouco denso (sopa rala; cabeleira rala) **2** Que possui baixa concentração de seu componente fundamental (café ralo; bebida rala) **3** Que apresenta espaços ou que ocorre em intervalos mais ou menos regulares [F.: Do lat. *rarus, a, um.*]
⊕ ***RAM***[1] *Inf.* Sigla do inglês *Random-Access Memory* (Memória de Acesso Aleatório), memória regravável do computador, us. para armazenamento temporário de programas e dados [Cf.: *ROM.*]
⊕ ***RAM***[2] (*ing.*) *sf. Inf.* Memória do computador regravável, us. para armazenamento de programas e dados [F.: Sigla do ing. *Random Access Memory.*]
rama[1] (*ra*.ma) *sf.* **1** Conjunto de ramos e folhagens de árvores e outras plantas; RAMADA; RAMAGEM; RAMARIA **2** *N. E.* Folhas que aparecem nas árvores com as primeiras chuvas **3** *Bras. N. E.* Folhagem de árvores que se dá ao gado durante as secas **4** *Bras. Pop.* Cachaça **5** *Pap.* Margem franjada do papel artesanal; BARBA **6** *Têxt.* Caixilho ou bastidor em que nas fábricas se estiram os panos **7** *Tip.* Armação quadrangular e metálica us. para engradar a composição tipográfica na forma que se encaixa na prensa [F.: De *ramo.*] ▪ **Em ~** Em estado natural, antes de ser processado (algodão em rama; trigo em rama) **Pela ~** Superficialmente, sem se aprofundar: *Só estudou o assunto pela rama, vai ter de estudar mais.* **Puxar uma ~** *AL* Embebedar-se
rama[2] (*ra*.ma) *sf. Ling.* Língua em via de extinção da Nicarágua [F.: Do top. *Rama.*]
ramada (ra.*ma*.da) *sf.* **1** Rama[1] (1) **2** Ramos cortados e dispostos para dar sombra ou abrigo; ENRAMADA **3** Ornato feito de ramos; ENRAMADA **4** Molho de ramos que se põe nos rios para juntar o peixe **5** *Bras.* Abrigo para o gado vacum [F.: *ramo* + -*ada*[1].]
ramadã (ra.ma.*dã*) *sm.* **1** *Cron. Rel.* No calendário islâmico, o nono mês do ano, durante o qual os muçulmanos devem jejuar do amanhecer ao cair da noite **2** *Rel.* O jejum que se pratica durante esse mês [F.: Do ár. *ramadān.* Hom./Par.: *ramada* (s. f.).]
ramado (ra.*ma*.do) *a.* Que tem rama; provido de ramos; ENRAMADO; RAMOSO [F.: *ram(o)* + -*ado.*]
ramagem (ra.*ma*.gem) *sf.* **1** Rama[1] (1) **2** Desenho de flores e folhas sobre um tecido, um papel etc.: "...a cabeça embrulhada em um lenço de ramagens." (Aluísio de Azevedo, *Casa de pensão*) [Pl.: -*gens.*] [F.: *ramo* + -*agem*[2].]
ramal (ra.*mal*) *sm.* **1** Ramificação de tronco rodoviário ou ferroviário **2** Ramificação de tronco de linhas telefônicas **3** Subdivisão de uma linha principal de energia elétrica, de uma tubulação de água, gás, esgotos etc. **4** Ramo, ramificação **5** Enfiada, fiada, fieira (ramal de pérolas) **6** Molho de fios torcidos e entrançados de que se fazem as cordas **7** Borla de fios no alto de um barrete ou touca **8** Galeria que une os pontos secundários de uma fortificação ou mina [Pl.: -*mais.*] [F.: Do lat. *ramalis, e.*]
ramalhada (ra.ma.*lha*.da) *sf.* **1** Ação ou resultado de ramalhar **2** Grande porção de ramalhos [F.: *ramalhar* + -*ada*[1].]
ramalhante (ra.ma.*lhan*.te) *a2g.* **1** Que envolve ou que possui ramos (planta ramalhante) **2** Que sussurra, rumoreja; SUSSURRANTE; RUMOREJANTE: *Passeava à sombra ramalhante das roseiras.* [F.: *ramalhar* + -*nte.*]
ramalhar (ra.ma.*lhar*) *v.* **1** Agitar os ramos de [*td.*: *O vento soprou e ramalhou a roseira.*] **2** Tornar (os ramos) sussurantes [*int.*: *O vento ramalhava nos arbustos.*] [▶ **1 ramalhar**] [F.: *ramalho* + -*ar*[2].]
ramalhetado (ra.ma.lhe.*ta*.do) *a.* Estampado com ramalhete de flores (vestido ramalhetado) [F.: Part. de *ramalhetar.*]
ramalhetar (ra.ma.lhe.*tar*) *v. td.* Estampar ramalhetes de flores em (tecido, veste etc.) [▶ **1 ramalhetar**] [F.: *ramalhete* + -*ar*[2].]
ramalhete (ra.ma.*lhe*.te) [ê] *sm.* **1** Feixe de flores reunidas, ger. artisticamente dispostas; BUQUÊ **2** Pequeno ramo **3** *Fig.* Conjunto de objetos escolhidos e de valor: *Estas poesias são um verdadeiro ramalhete.* [F.: *ramalho* + -*ete* [ê].]
ramalho (ra.*ma*.lho) *sm.* **1** Ramo grande, ger. cortado da árvore [Col.: *ramalhada.*] **2** Ramo cortado que se usa para indicar atoleiros ou lugares perigosos [F.: *ramo* + -*alho.*]
ramalhoso (ra.ma.*lho*.so) [ô] *a.* Que tem muitos ramos; RAMALHUDO; RAMOSO [Pl.: [ó]. Fem.: [ó].] [F.: *ramalho* + -*oso.*]
ramalhudo (ra.ma.*lhu*.do) *a.* **1** Que tem um conjunto de ramos; que tem rama **2** Que farfalha quando o vento sopra **3** Diz-se de tecido estampado com ramagens **4** *P. ext.* Que tem longas pestanas **5** *P. ext.* Que apresenta sobrancelha cerrada, densa **6** *Fig.* Diz-se de texto prolixo, mas sem conteúdo, sem profundidade [F.: *ramalho* + -*udo*. Sin. ger.: *ramalhoso.*]
ramapiteco (ra.ma.pi.*te*.co) *Pal. sm.* **1** Gên. de símios humanoides, extintos, cujos fósseis foram descobertos em sedimentos do Mioceno, na Índia, China e Quênia; mediam até 1,20 m, tinham face achatada e caixa craniana relativamente pequena **2** Qualquer espécime desse gênero [F.: De *Ramapithecus.*]
ramaria (ra.ma.*ri*.a) *sf.* Conjunto de muitos ramos; RAMA[1] [F.: *ramo* + -*aria.*]
rambles (ram.*bles*) *a2g2n. Pop.* Que é da pior qualidade (tecido rambles); ORDINÁRIO; RELES [F.: De or. obsc.]
rameira (ra.*mei*.ra) *sf.* **1** Prostituta, meretriz **2** *Lus.* Urze de que se fazem vassouras [F.: *ramo* + -*eira.*]
rameiro (ra.*mei*.ro) *a.* **1** Diz-se de pássaro que anda de galho em galho para preparar o voo *sm.* **2** Ramo de árvore *sm.* **3** Comprador de ramos e galhos de árvore **4** *Ant.* Falcão ou gavião crescido, us. na caça de altanaria [F.: *ramo* + -*eiro.*]
ramela (ra.*me*.la) [é] *sf.* Ver *remela* [F.: Alt. de *remela.*]
râmeo (*râ*.me:o) *a. Bot.* Diz-se de flor, raiz etc., que brota dos ramos das plantas [F.: Do lat. *rameus, a, um.*]
ramerrame (ra.mer.*ra*.me) *sm.* Ver *ramerrão*
ramerrão (ra.mer.*rão*) *sm.* **1** Coisa que se repete monotonamente; rotina que se segue sem crítica nem reflexão **2** Monotonia **3** Som monótono e continuado [Pl.: -*rões.*] [F.: De or. express. Tb. *ramerrame.*]
◎ **ram(i)-** *el. comp.* = 'ramo': *ramícola, ramificar, ramifloro* [F.: Do lat. *ramus, i.*]
rami (*ra*.mi) *sm.* **1** *Bot.* Arbusto da fam. das urticáceas (*Boehmeria nivea*), que fornece fibra vegetal de grande resistência, us. na confecção de tecidos, cordas etc., nativo de regiões tropicais da Ásia **2** *Bot.* A fibra desse arbusto **3** *P. ext. Têxt.* Tecido fabricado com essa fibra [F.: Do malaio *rami.*]
ramícola (ra.*mí*.co.la) *a2g. Ecol.* Diz-se de organismo que se desenvolve e vive nos ramos [F.: *ram(i)-* + -*cola*[1].]
ramificação (ra.mi.fi.ca.*ção*) *sf.* **1** Ação ou resultado de ramificar(-se) **2** *Bot.* Subdivisão do eixo caulinar, radicular ou vascular em partes menores e semelhantes **3** Subdivisão de um sistema, estrutura, associação etc.: *A conspiração tinha ramificações em todo o país.* **4** *Fig.* Consequência, efeito: *as ramificações de um acidente nuclear.* [Pl.: -*ções.*] [F.: *ramificar* + -*ção.*]
ramificado (ra.mi.fi.*ca*.do) *a.* **1** Dividido em ramos **2** Dividido em partes (sistema ramificado) **3** *Fig.* Propagado, espalhado [F.: Part. de *ramificar.*]
ramificar (ra.mi.fi.*car*) *v.* **1** Gerar ramos ou raízes, ou subdividir-se neles [*td.*: *A árvore ramificou vários galhos.*] [*int.*: *Esses galhos se ramificaram caprichosamente.*] **2** *Fig.* Subdividir-se a partir de um eixo ou de um centro [*td.*: *Ramificou o caminho que levava à entrada da casa.*] [*tr.* + *em*: *A empresa se ramificou em várias filiais.*] **3** *Fig.* Espalhar-se, propagar-se [*ta.*: *O estranho hábito se ramificou pelo bairro inteiro.*] [▶ **11 ramificar**] [F.: *ramo* + -*ificar.*]
ramifloro (ra.mi.*flo*.ro) [ó] *a. Bot.* Diz-se de planta que apresenta flores sobre os ramos [F.: *ram(i)-* + -*floro.*]
ramiforme (ra.mi.*for*.me) *a2g.* Que apresenta forma semelhante a de um ramo [F.: *ram(i)-* + -*forme.*]
ramíparo (ra.*mí*.pa.ro) *a. Bot.* Diz-se de planta que produz ramificações [F.: *ram(i)-* + -*paro.*]
ramnácea (ram.*ná*.ce:a) *sf. Bot.* Espécime das ramnáceas, fam. da ordem das ramnales que reúne 49 gên. e centenas de spp. de árvores e arbustos, e algumas poucas de ervas, cultivadas como medicinais ou por sua madeira, a maioria encontrada em regiões tropicais e subtropicais [F.: Do lat. cient. *Rhamnaceae.*]
ramnáceo (ram.*ná*.ce:o) *a. Bot.* Ref. ou pertencente às ramnáceas [F.: *De ramnácea*, com var. de suf. (ver -*áceo*).]
ramo (*ra*.mo) *sm.* **1** *Bot.* Subdivisão do caule ou tronco das plantas; GALHO [Col.: *rama, ramada, ramagem, ramaria.*] **2** Feixe de flores ou de folhagens; RAMALHETE **3** Ramificação, divisão, parte **4** Setor ou área de uma atividade ou de um saber: *A acupuntura é um ramo da medicina alternativa.* **5** Grupo familiar pertencente a um tronco comum: *Eles são de dois ramos distintos dos Braganças.* **6** *Anat.* Divisão de um vaso sanguíneo ou linfático, ou de um nervo **7** *Anat.* Parte delgada que se prolonga de um osso **8** *Ling.* Conjunto de línguas mais estreitamente aparentadas dentro de uma mesma família linguística **9** *Biol.* Filo **10** *Arq.* Ornamento em forma de ramo (1) **11** Palma benta que se distribui aos fiéis no domingo de Ramos **12** Lote de objetos que se arremata em um leilão **13** Ataque de doença; ACESSO [Dim.: *râmulo, ramúsculo.*] [F.: Do lat. *ramus, i.* Ver tb. *ramos.*] ▪ **~ de ar** *Med.* Mal súbito causado por corrente de ar **~ ruim** *Bras.* Congestão cerebral **Não pisar em ~ verde** *Fig.* Ser cuidadoso, cauteloso
ramona (ra.*mo*.na) *sf.* **1** *GO* Grampo de metal para prender o cabelo **2** *Lus. Pop.* Camburão da polícia; veículo para o transporte de presos [F.: Do antr. *Ramona* (uma das marcas do grampo).]
ramonagem (ra.mo.*na*.gem) *sf. Bras. Mar.* Limpeza da fuligem dos tubos de uma caldeira por meio de jatos de vapor, com a caldeira funcionando [Pl.: -*gens.*] [F.: Do fr. *ramonage.*]
ramos (*ra*.mos) *smpl. Rel.* Festa que marca o início da semana santa, comemorando a chegada de Jesus Cristo em Jerusalém, quando é recebido pela população que carrega ramos de árvores [1) Com inicial maiúsc., nesta acp. 2) Tb. se diz *Domingo de ramos*, pelo fato de esta chegada de Jesus ter se dado neste dia da semana.] [F.: Pl. de *ramo.*]
ramosidade (ra.mo.si.*da*.de) *sf.* Qualidade do que é ramoso [F.: *ramoso* + -*(i)dade.*]
ramoso (ra.*mo*.so) [ô] *a.* **1** Que é ramalhudo, que tem muitos ramos; RAMUDO **2** Diz-se de pestana cheia, densa [Pl.: [ó]. Fem.: [ó].] [F.: Do lat. *ramosus, a, um.* Sin. ger.: *ramalhudo.*]
rampa (*ram*.pa) *sf.* **1** Plano inclinado pelo qual se sobe ou se desce **2** Ladeira **3** Plano com declive em direção ao mar, para lançar embarcações **4** *Aer.* Linha de luzes que iluminam uma pista de aterrissagem **5** *Teat.* Fileira de luzes à beira do palco nos teatros; RIBALTA [F.: Do fr. *rampe.*]

~ de lançamento Estrutura em plano inclinado, fixa ou móvel, destinada ao lançamento de foguetes, mísseis, aeronaves etc.

rampante (ram.*pan*.te) ***a2g.*** **1** *Her.* Em um escudo, diz-se da figura de um quadrúpede empinado, apoiado sobre as patas traseiras, cuja cabeça se encontra voltada para o lado direito **2** *Arq.* Que apresenta inclinação [F.: Do fr. *rampant.*]

rampeado (ram.pe.*a*.do) ***a.*** **1** Diz-se de terreno cortado em rampa ou declive ***sm.*** **2** Terreno em rampa [F.: Part. de *rampear.*]

rampear (ram.pe.*ar*) ***v. td.*** Cortar (terreno) em rampa [▶ **13 rampear**] [F.: *rampa* + *-ear*[2].]

rampeiro (ram.*pei*.ro) ***a.*** *S* De classe social inferior (indivíduo rampeiro) [F.: *rampa* + *-eiro.*]

ramudo (ra.*mu*.do) ***a.*** Que contém muitos ramos; RAMALHUDO; RAMOSO [F.: *ramo* + *-udo.*]

ramular (ra.mu.*lar*) ***a2g.*** *Bot.* Referente a ramo (de árvore, arbusto etc.) [▶ **1 ramular**] [F.: *râmulo* + *-ar*[1].]

râmulo (*râ*.mu.lo) ***sm.*** Ramo de pequeno tamanho; RAMÚSCULO [F.: Do lat. *ramulus, i.*]

ramúsculo (ra.*mús*.cu.lo) ***sm.*** O mesmo que *râmulo* [F.: Do lat. *ramusculus, i.*]

-rana ***el. comp.*** = 'semelhante': *cajarana, canjerana, muçurana, suçuarana* [F.: Do tupi *'rana.*]

rana[1] (*ra*.na) *Zool.* ***sf.*** **1** Gên. dos ranídeos, que compreende várias espécies **2** Qualquer espécie ou espécime desse gên. [F.: Do lat. cient. *Rana.*]

rana[2] (*ra*.na) ***sm.*** *Bras. Gír.* Ladrão que rouba em embarcações [F.: Do espn. plat. *rana.*]

ranale (ra.*na*.le) ***sf.*** *Bot.* Espécime das ranales, ordem de vegetais dicotiledôneos de grande amplitude em que predominam flores diclamídeas, actinomorfas ou zigomorfas [F.: Do lat. cient. ordem *Ranales.*]

ranário (ra.*ná*.ri:o) ***sm.*** Lugar onde se criam rãs; viveiro de rãs [F.: *ran(i)-* + *-ário.*]

rançar (ran.*çar*) ***v. int.*** Criar ranço, tornar-se rançoso; ENRANÇAR; RANCIFICAR [▶ **12 rançar**] [F.: *ranço* + *-ar*[2]. Hom./Par.: *ranço* (fl.), *ranço* (sm.).]

ranchão (ran.*chão*) ***sm.*** Rancharia formada por pequenas casas, destinada a alojar roceiros que trabalham para a municipalidade [Pl.: *-chões.* Aum. de *rancho.*] [F.: *rancho* + *-ão*[1].]

rancharia (ran.cha.*ri*.a) ***sf.*** Conjunto de ranchos, de casebres; RANCHERIA [F.: *rancho* + *-aria.*]

rancheira (ran.*chei*.ra) *RS* ***sf.*** **1** *Dnç.* Dança popular de origem argentina, muito comum no Rio Grande do Sul **2** *Mús.* Música que acompanha essa dança [F.: Do espn. plat. *ranchera.*]

rancheira de carreirinha (ran.chei.ra de car.rei.*ri*.nha) ***sf.*** *S Dnç. Mús.* Variedade mais viva e saltitante da rancheira [Pl.: *rancheiras de carreirinhas.*]

rancheiro (ran.*chei*.ro) ***sm.*** **1** *Bras. S.* Aquele que mora num rancho (1) **2** Cozinheiro de quartel ou presídio ***a.*** **3** *RS* Diz-se de cavalo que, em viagem, quer parar em todas as casas à beira da estrada **4** *RS* Diz-se daquele que gosta de ficar no seu rancho (1), ou em sua casa [F.: *rancho* + *-eiro.*]

rancho (*ran*.cho) ***sm.*** **1** Casebre rústico **2** Refeição, ger. em quartel ou presídio (hora do rancho) **3** Grupo de pessoas reunidas para um fim qualquer, esp. em marcha ou jornada (rancho de peregrinos) **4** Acampamento de rancho (3) **5** *Bras. Folc.* Grupo folclórico, esp. o que representa cenas de pastores e pastoras nos reisados; essa representação **6** *RJ* Bloco carnavalesco, esp. o que evolui ao som de marchas características do rancho (5) **7** Fazenda no oeste dos EUA [Dim.: *ranchel.*] [F.: Do espn. *rancho.*]

rancidez (ran.ci.*dez*) [ê] ***sf.*** Estado ou qualidade daquilo que se tornou râncido, rançoso [F.: *râncido* + *-ez.*]

râncido (*rân*.ci.do) ***a.*** O mesmo que *rançoso* [F.: Do lat. *rancidus, a, um*, por via erudita.]

rancificação (ran.ci.fi.ca.*ção*) ***sf.*** Ação ou resultado de rancificar, de criar ranço ou ficar rançoso [Pl.: *-ções.*] [F.: *rancificar* + *-ção.*]

rancificar (ran.ci.fi.*car*) ***v. int.*** O mesmo que *rançar* [▶ **11 rancificar**] [F.: *ranço* + *-ificar.*]

ranço (*ran*.ço) ***sm.*** **1** Gosto amargo e mau cheiro de alimentos gordurosos (manteiga, leite, carne, laticínios etc.) estragados **2** *P. ext.* Mofo, bafio **3** *Fig.* Traço desagradável que se percebe em uma pessoa ou coisa: *Senti em sua voz um ranço de arrogância.* **4** *Fig.* Caráter de algo que está fora de moda, que se tornou antiquado ***a.*** **5** Rançoso [F.: Do lat. *rancidus, a, um*, por via pop. Hom./Par.: *ranço* (a. sm.), *ranço* (fl. de *rançar*).]

rancor (ran.*cor*) [ô] ***sm.*** **1** Ressentimento profundo por uma ofensa recebida **2** Ódio oculto e reservado **3** Ódio, raiva, ira [F.: Do lat. *rancor, oris.* Hom./Par.: *rancores* [ô] (pl.), *rancores* (fl. de *rancorar-se*).]

rancorosamente (ran.co.ro.sa.*men*.te) ***adv.*** De maneira rancorosa; com rancor: *Recebeu rancorosamente a filha fugitiva.* [F.: o fem. de *rancoroso* + *-mente.*]

rancoroso (ran.co.*ro*.so) [ô] ***a.*** **1** Que guarda rancor: "Sanches rancoroso perseguia-me como um demônio." (Raul Pompeia, *O ateneu*) **2** Cheio de rancor (olhar rancoroso) [Pl.: [ó]. Fem.: [ó].] [F.: *rancor* + *-oso.*]

rançoso (ran.*ço*.so) [ô] ***a.*** **1** Que tem ranço (1) (queijo rançoso) **2** *Fig.* Antiquado, obsoleto **3** *Fig.* Insosso, desenxabido (namoro rançoso) [Pl.: [ó]. Fem.: [ó].] [F.: *ranço* + *-oso.*]

rand *Econ.* ***sm.*** **1** Modo pelo qual se efetuam transações monetárias na África do Sul e Namíbia **2** *P. ext.* A cédula e a moeda utilizadas nessas transações [F.: Do ing. *rand.*]

randevu (ran.de.*vu*) ***sm.*** *Bras.* Casa em que se pratica a prostituição; BORDEL; PROSTÍBULO [F.: Do fr. *rendez-vous.*]

randômico (ran.*dô*.mi.co) ***a.*** *Est.* Aleatório, fortuito (resultados randômicos) [F.: Do ing. *random* + *-ico*[2].]

ranfastídeo (ran.fas.*tí*.de:o) ***sm.*** **1** *Zool.* Espécime dos ranfastídeos, fam. de aves piciformes, gregárias, de plumagem colorida e bico grande, curvado e grosso, que compreende 6 gên. e cerca de 40 espécies, entre os quais se encontram os tucanos e araçaris, comuns na América Central e do Sul ***a.*** **2** *Zool.* Ref. ou pertencente aos ranfastídeos [F.: Adaptç. do lat. cient. *Ranphastidae.*]

ranf(o)- ***el. comp.*** = 'bico', 'bico curvo': *ranfastídeo, ranfoteca* [Ocorre em cultismos do séc. XIX, esp. na área de Zoologia.] [F.: Do gr. *rhámphos, eos-ous.*]

ranfoteca (ran.fo.*te*.ca) ***sf.*** *Anat. Zool.* Tegumento córneo que reveste o bico das aves [F.: *ranf(o)-* + *-teca.*]

rangar (ran.*gar*) ***v. td. int.*** *Bras. Pop.* Comer um rango, uma refeição: *Rangou um bife com batatas; Rangou cedo.* [▶ **14 rangar**] [F.: *rango* + *-ar*[2].]

rangedeira (ran.ge.*dei*.ra) ***sf.*** **1** Peça de couro ou cortiça que se coloca entre a palmilha e a sola do sapato, responsável por ruído característico quando se anda **2** O mesmo que *rangido* **3** *Lus. Zool.* Marreco (*Anas querquedula*) de corpo cinza e pescoço marrom-claro, encontrado na Europa, Ásia e África; CANTADEIRA [F.: *ranger* + *-deira.*]

rangedor (ran.ge.*dor*) [ô] ***a.*** Que range; RANGENTE [F.: *ranger* + *-dor.*]

rangente (ran.*gen*.te) ***a2g.*** Que range, que produz rangido (janelas rangentes); RANGEDOR [F.: *ranger* + *-nte.*]

ranger (ran.*ger*) ***v.*** **1** Produzir ruído áspero, por atrito, ferrugem etc. [***int.:*** *O motor do ventilador começou a ranger; a porta está rangendo.*] **2** Atritar (os dentes) por dor, medo, raiva etc. [***td.:*** *Ficou com medo do avô ao vê-lo ranger os dentes.*] [▶ **35 ranger**] [F.: Do lat. **ringere*, do lat. *ringi*, 'arreganhar os dentes'. Tb. *rangir.*]

range-range (ran.ge-*ran*.ge) ***sm.*** Rangido que se produz de maneira ininterrupta [Pl.: *ranges-ranges* e *range-ranges.*]

rangido (ran.*gi*.do) ***sm.*** Som áspero produzido por objetos que rangem: "Catarina remexeu-se com agitação e mais rangidos de cama." (Aluísio de Azevedo, *Casa de pensão*) [F.: substv. do part. de *ranger.*]

rangífer (ran.*gí*.fer) ***sm.*** *Zool.* O mesmo que *rena* [F.: Do lat. cient. *rangifer.*]

rangir (ran.*gir*) ***v.*** Ver *ranger* [***int.***] [***td.***] [▶ **46 rangir**] [F.: De *ringir*, com dissimilação.]

rango (*ran*.go) *Bras.* ***sm.*** *Pop.* Comida, refeição [F.: De or. obsc.]

rangote (ran.*go*.te) [ó] ***sm.*** *Pop. P. us.* Estômago [F.: *rango* + *-ote.*]

ranhado (ra.*nha*.do) ***a.*** Que foi ranhado; ARRANHADO [F.: Part. de *ranhar.*]

ranhadura (ra.nha.*du*.ra) ***sf.*** Entalhe, sulco, ranhura em uma superfície [F.: *ranhar* + *-dura.*]

ranhar (ra.*nhar*) ***v.*** **1** O mesmo que *arranhar* [***td. int.***] **2** Ciscar, cutucar, revolver (solo, superfície etc.) [***td.:*** *O gato ranhava a terra do quintal.*] **3** *Lus.* Limpar (forno) para nele colocar o pão [***td.***] [▶ **1 ranhar**] [F.: De *arranhar*, com aférese. Hom./Par.: *ranho* (fl.), *ranho* (sm.).]

ranhento (ra.*nhen*.to) ***a. sm.*** Ver *ranhoso* [F.: *ranh(o)* + *-ento.*]

ranheta (ra.*nhe*.ta) [ê] ***a2g.*** **1** Diz-se de quem está sempre reclamando, resmungando ***s2g.*** **2** Pessoa ranheta [F.: *ranho* + *-eta.*]

ranhetice (ra.nhe.*ti*.ce) ***sf.*** Qualidade ou mau humor de ranheta [F.: *ranheta* + *-ice.*]

ranho (*ra*.nho) ***sm.*** Secreção que escorre das narinas; MUCO: "...vinham descalços, rotos, esfomeados e de ranho no nariz." (Aquilino Ribeiro, *Luz ao longe*) [F.: Regress. de *ranhoso.* Hom./Par.: *ranho* (sm.), *ranho* (fl. de *ranhar*).]

ranhoso (ra.*nho*.so) [ô] ***a.*** Que tem ranho; que não se assoa e deixa escorrer o ranho; RANHENTO [F.: *Alter.* de *ronhoso.*]

ranhura (ra.*nhu*.ra) ***sf.*** **1** Entalhe feito em peça de madeira ou de outro material para nela encaixar o ressalto de outra peça **2** Risca ou estria escavada numa superfície plana [F.: Do fr. *rainure.*]

ranhurado (ra.nhu.*ra*.do) ***a.*** Que tem ranhura(s); provido de ranhura(s) [F.: Part. de *ranhurar.*]

ranhuragem (ra.nhu.*ra*.gem) ***sf.*** Ação ou resultado de produzir ranhuras [Pl.: *-gens.*] [F.: *ranhura* + *-agem*[2].]

ranhurar (ra.nhu.*rar*) ***v. td.*** Fazer ranhuras em [▶ **1 ranhurar**] [F.: *ranhura* + *-ar*[2].]

ran(i)- ***el. comp.*** = 'rã': *ranário, ranicultura, ranicultor, ranívoro, ranídeo* [F.: Do lat. *rana, ae.*]

rani (ra.*ni*) ***sf.*** Mulher de rajá [F.: Do sânsc. *rajni.*]

ranicultor (ra.ni.cul.*tor*) [ô] ***sm.*** Aquele que se dedica à ranicultura [F.: *ran(i)-* + *-cultor.*]

ranicultura (ra.ni.cul.*tu*.ra) ***sf.*** Criação de rãs para a alimentação humana [F.: *ran(i)-* + *-cultura.*]

ranídeo (ra.*ní*.de:o) *Zool.* ***sm.*** **1** *Zool.* Espécime dos ranídeos, fam. de anfíbios anuros, que compreende em torno de 600 espécies de rãs, com comprimento de até 35 cm, cabeça pontuda e membros longos, de cor quase sempre marrom ou verde, encontradas na maior parte do mundo ***a.*** **2** *Zool.* Ref. ou pertencente aos ranídeos [F.: Adaptç. do lat. cient. *Ranidae.*]

raniforme (ra.ni.*for*.me) ***a2g.*** Que tem formato ou aparência de rã [F.: *ran (i)-* + *-forme.*]

ranilha (ra.*ni*.lha) ***sf.*** **1** *Anat. Zool.* Saliência macia situada na planta da pata do cavalo ***sf.*** **2** *Anat. Zool.* A parte traseira dos cascos das bestas [F.: Do espn. *ranilla.*]

ranino (ra.*ni*.no) ***a.*** **1** Que se assemelha a uma rã **2** Ref. a rã **3** Ref. a rânula **4** *Anat.* Diz-se de veia ou artéria situada na parte inferior da língua **5** *Anat.* Diz-se de cada saliência que se encontra junto ao freio da língua [F.: *ran(i)-* + *-ino.*]

ranitidina (ra.ni.ti.*di*.na) ***sf.*** *Farm.* Substância química us. na produção de medicamento contra úlcera do estômago [F.: Do ing. *ranitidine.*]

ranívoro (ra.*ní*.vo.ro) ***a.*** *Zool.* Diz-se de animal que se alimenta de rãs [F.: *ran(i)-* + *-voro.*]

ranking (*Ing. /rânquin/*) ***sm.*** Numa escala de classificação, lista dos classificados e a posição de cada um nessa escala: *Esse boxeador é o segundo do ranking mundial.*

ranque (*ran*.que) ***sm.*** A posição em que algo ou alguém se encontra numa série ou numa classificação feita por critérios hierárquicos ou por contagem de pontos [F.: Do ing. *rank.*]

ranqueado (ran.que.*a*.do) ***a.*** Que se acha situado em um determinado ponto de uma hierarquia, de uma série de elementos, de uma contagem de pontos etc.: *O famoso ciclista ranqueado em terceiro lugar no campeonato mundial.* [F.: Part. de *ranquear.*]

ranqueamento (ran.que.a.*men*.to) ***sm.*** Estabelecimento de uma pontuação para formar uma classificação entre diversos elementos [F.: *ranquear* + *-mento.*]

ranquear (ran.que.*ar*) ***v.*** Colocar (alguém ou algo) em dada posição numa classificação; colocar (alguém) no *ranking* [***td.:*** *Precisavam ranquear aquele tenista*] [***tda.:*** *Ranqueou o tenista entre os melhores do Brasil.*] [▶ **13 ranquear**] [F.: *ranque* + *-ear*[2].]

rânula (*râ*.nu.la) ***sf.*** *Pat.* Tumor cístico, que se desenvolve por debaixo da língua, formado pela obstrução e dilatação do canal excretor de glândula mucosa ou salivar; HIDROGLOSSA [Dim. de *rã.*] [F.: Do lat. *ranula, ae,* 'rãzinha'.]

~ pancreática *Pat.* Cisto causado por obstrução do ducto pancreático

ranunculácea (ra.nun.cu.*lá*.cea) ***sf.*** *Bot.* Espécime das ranunculáceas, fam. de plantas das regiões temperadas e frias do hemisfério norte, muito cultivadas como ornamentais ou medicinais, como as anêmonas, as peônias etc., algumas herbáceas, outras aquáticas, tb. arbustos pequenos, de seiva acre, folhas alternas simples ou compostas, flores vistosas e frutos variáveis [F.: Do lat. cient. *Ranunculaceae.*]

ranunculáceo (ra.nun.cu.*lá*.ceo) ***a.*** *Angios.* Ref. a ou próprio das ranunculáceas [F.: *ranunculácea* + *-áceo.*]

ranúnculo (ra.*nún*.cu.lo) *Angios.* ***sm.*** **1** Denominação comum a várias plantas da fam. das ranunculáceas, próprias das áreas temperadas, com espécies medicinais e ornamentais, de folhas simples ou lobadas, flores na maioria amarelas e numerosos aquênios em capítulos ou espigas **2** Erva bulbosa (*Anemone decapetala*) da fam. das ranunculáceas, habitante dos pinheirais do Sul do Brasil, de folhas trifolioladas, folíolos trilobados e denteados, flores radiadas, brancas [F.: Do lat. cient. *Ranunculus.*]

ranzinza (ran.*zin*.za) ***a2g.*** **1** Que se queixa de tudo; mal-humorado; RABUGENTO ***s2g.*** **2** Pessoa ranzinza; RABUGENTO [F.: De or. onom. Hom./Par.: *ranzinza* (a2g.), *ranzinza* (fl. de *ranzinzar*).]

ranzinzar (ran.zin.*zar*) ***v. int.*** *Bras.* Ficar ou tornar-se ranzinza [F.: *ranzinza* + *-ar*[2]. Hom./Par.: *ranzinza* (fl.), *ranzinza* (a2g. s2g.); *ranzinzas* (fl.) *ranzinzas* (pl. do a2g. s2g.).]

ranzinzice (ran.zin.*zi*.ce) ***sf.*** **1** Característica, estado ou comportamento de ranzinza **2** Impertinência, mau humor [F.: *ranzinza* + *-ice.*]

rap (*Ing. /rép/*) ***sm.*** *Mús.* Gênero de música popular, com ritmo bem marcado e letra recitada pelo vocalista, no ritmo da música

rapa (*ra*.pa) ***sf.*** **1** Alimento grudado no fundo da panela ***sm.*** **2** *Pop.* Policial ou fiscal encarregado de apreender mercadoria de camelôs **3** *Pop.* A viatura que conduz esses policiais ou fiscais **4** *Bras. Pop.* Rasteira, pernada **5** *Bras. Pop.* Pessoa comilona **6** *Lud.* Jogo em que se lança um dado atravessado por um eixo e marcado em cada face com uma das palavras: *rapa, tira, deixa* e *põe* (ou suas iniciais); PIRINOLA **7** *Mús.* O mesmo que *reco-reco* [F.: Dev. de *rapar.* Hom./Par.: *rapa* (sf. sm.), *rapa* (fl. de *rapar*).]

rapace (ra.*pa*.ce) ***a2g.*** **1** Que rouba ou rapina; RAPINANTE **2** Que persegue e ataca a presa de modo rápido e insistente **3** *Fig.* Que é ávido por lucro [Superl.: *rapacíssimo.*] [F.: Do lat. *rapax, acis.*]

rapaces (ra.*pa*.ces) ***smpl.*** *Ant. Zool.* Em classificações antigas, ordem de aves que atacam outras aves ou animais, compreendendo atualmente os falconiformes e os estrigiformes; aves de rapina [F.: Adapt. do tax. *Rapaces.*]

~ noturnos *Zool.* Ver *estrigiforme*

rapacidade (ra.pa.ci.*da*.de) ***sf.*** **1** Característica ou qualidade de rapace **2** Tendência ou hábito de roubar **3** Avidez ou agilidade com a qual uma fera ataca sua presa: "Havia na fúria amorosa dessa mulher um quer que fosse da rapacidade da fera." (José de Alencar, *Lucíola*) **4** *Fig.* Ganância de lucro [F.: Do lat. *rapacitas, atis.*]

rapa-cuia (ra.pa-*cui*.a) ***sf.*** **1** *Zool.* Ver *gorgulho* **2** *Zool.* Denominação comum a diversas pererecas, que vivem entre as plantas bromeliáceas e cujo coaxar é prenúncio de chuva; *AL* RAPA-COCO [Pl.: *rapa-cuias.*] ***s2g.*** **3** *Bras. Pop.* Pessoa muito sovina [Pl.: *rapa-cuias.*] [F.: *rapa(r)-* + *-cuia.*]

rapada (ra.*pa*.da) ***sf.*** Ação ou resultado de rapar, de cortar rente demais (rapada de mato; rapada de cabelo) [F.: *rapar* + *-ada*[1].]

rapadeira (ra.pa.*dei*.ra) *sf.* 1 Utensílio que serve para rapar; RAPADOURA 2 Pequena pá de ferro para despregar a massa do pão da masseira, durante a fornada [F.: *rapar + -deira.*]

rapadela (ra.pa.*de*.la) *sf.* Ação ou resultado de rapar; RAPADURA [F.: *rapar + -dela.*]

rapado (ra.*pa*.do) *a.* 1 Que se rapou; RASPADO 2 Que não tem pelos ou barba (rosto rapado) 3 Cortado rente à raiz (cabelo rapado) 4 Diz-se de uma espécie de trigo mole 5 Sem vegetação (pasto rapado) *sm.* 6 Indivíduo humilde, pobretão, sem dinheiro; PÉ-RAPADO [F.: Part. de *rapar.*]

rapador (ra.pa.*dor*) [ô] *a.* 1 Diz-se de que ou de quem rapa; RAPANTE *sm.* 2 Aquele ou aquilo que rapa 3 Indivíduo que trabalha na marnota com o rapão [F.: *rapar + -dor.*]

rapadura (ra.pa.*du*.ra) *sf.* 1 *Bras.* Açúcar mascavo em forma de pequeno tijolo 2 Rapadela 3 *Bot.* Árvore (*Licania utilis*) nativa da Amazônia; CARAIPÉ [F.: *rapar + -dura.*] ■ **Entregar a ~** 1 *Bras. Pop.* Dar-se por vencido, entregar os pontos, desistir de um plano, de uma competição etc. 2 Morrer

rapadureiro (ra.pa.du.*rei*.ro) *a.* 1 Diz-se de que ou de quem produz e/ou comercializa rapadura *sm.* 2 Produtor e/ou comerciante de rapadura [F.: *rapadura + -eiro.*]

rapagão (ra.pa.*gão*) *sm.* 1 *Fig.* Rapaz alto, forte e bonito 2 Rapaz grande [Pl.: *-gões.* Fem.: *raparigaça.*] [F.: De *rapaz* (*z > g*) + *-ão*[1].]

rapagote (ra.pa.*go*.te) [ó] *sm.* 1 O mesmo que *rapazola sm.* 2 Rapaz bem jovem; RAPAZOLA; RAPAZOTE [F.: Alt. de *rapazote.*]

rapanui (ra.pa.*nu*:i) *sm.* 1 *Gloss.* Língua malaio-polinésia da ilha de Páscoa (Chile); PASCOENSE 2 *Ling.* Qualquer vocábulo da língua rapanui [F.: Do top. *Rapa Nui*, nome local da ilha de Páscoa (Chile).]

rapapé (ra.pa.*pé*) *sm.* 1 Cumprimento que se faz arrastando o pé para trás; MESURA *sm.* 2 Cortesia exagerada; SALAMALEQUE 3 Lisonja, adulação [F.: *rapar + pé.*]

rapar (ra.*par*) *v.* 1 Cortar em fragmentos, lascas etc.; raspar ou ralar [*td.*: *Rapou as cenouras antes de cozinhá-las.*] 2 Cortar bem rente, baixinho [*td.*: *Rapar o cabelo.*] 3 Cortar o pelo de; escanhoar [*td.*: *Resolveu rapar a cabeça.*] 4 Roçar (o mato) [*td.*: *Rapar o mato da plantação.*] 5 Pegar o que ainda sobrou, o que restou [*td.*: *O faminto rapou a panela até o fundo.*] 6 Apossar-se daquilo que não lhe pertence; roubar [*td.*: *Rapou todo o meu dinheiro e caiu fora.*] 7 Extinguir, matar [*td.*: *A peste rapou milhares de almas.*] 8 Escarvar o chão com o pé (cavalo, cão) [*int.*] 9 Passar por [*td.*: *Rapar necessidade na vida.*] [▶ 1 **rapar**] [F.: Do germ. **hrapon*, 'arrancar'. Hom./Par.: *rapa* (fl.), *rapa* (sm. sf.); *rapas* (fl.) *rapas* (pl. do sm. sf.).]

rapariga (ra.pa.*ri*.ga) *sf.* 1 Mulher jovem ou adolescente [P. us. no Brasil.] 2 *Bras. N. E. MG GO* Prostituta 3 *Lus.* Criança do sexo feminino [F.: De *raparigo.*]

raparigo (ra.pa.*ri*.go) *sm. Lus.* O mesmo que *rapaz* [F.: Do leonês *rapiego*, 'rapaz, rapinador'.]

raparigueiro (ra.pa.ri.*guei*.ro) *a. N. N. E.* Diz-se de quem é mulherengo, vivendo sempre em torno das mulheres ou em busca delas; FEEMEIRO [F.: *rapariga* (*g = gu*) + *-eiro.*]

rapaz (ra.*paz*) *sm.* 1 Homem jovem ou adolescente [Col.: *rapaziada, rapazio.*] 2 *Lus.* Criança do sexo masculino 3 *Ornit.* Ave (*Gallinago paraguaiae*) da América do Sul; CORTA-VENTO [Fem.: *rapariga.* Aum.: *rapagão.* Dim.: *rapazote.*] [F.: Do lat. *rapax, acis.*]

rapazelho (ra.pa.*ze*.lho) [ê] *sm.* Rapaz muito jovem; RAPAGOTE; RAPAZOTE [Dim. irreg. de *rapaz.*] [F.: *rapaz + -elho.*]

rapaziada (ra.pa.zi.*a*.da) *sf.* 1 *Pop.* Grupo de rapazes; RAPAZIO 2 Dito ou ato impensado, imprudente [F.: *rapaz + -i- + -ada*[1].]

rapazio (ra.pa.*zi*:o) *sm.* Ajuntamento de rapazes; RAPAZIADA [Col. de *rapaz.*] [F.: *rapaz + -io.*]

rapazola (ra.pa.*zo*.la) [ô] *sm.* 1 Rapaz já mais avançado na adolescência 2 Homem imaturo, que procede como rapaz [F.: *rapaz + -ola.*]

rapazote (ra.pa.*zo*.te) [ó] *sm.* Rapaz no começo da adolescência; RAPAGOTE; RAPAZELHO; RAPAZETE [Dim. irreg. de *rapaz.*] [F.: *rapaz + -ote.*]

rapé (ra.*pé*) *sm.* Tabaco em pó, us. para cheirar [Hábito muito difundido nos sécs. XVIII e XIX, e que tende a desaparecer.] [F.: Do fr. *râpé.*]

rapel (ra.*pel*) *sm. Esp.* No montanhismo, descida de vertentes abruptas ou paredões por meio de cordas especiais [Pl.: *-péis.*] [F.: Do fr. *rappel.*]

rapelado (ra.pe.*la*.do) *a. Esp.* Diz-se da descida de encosta, elevação etc., que, na prática do montanhismo, faz uso do rapel [F.: Part. de *rapelar.*]

rapelar (ra.pe.*lar*) *v. int.* Usar o rapel para descer [▶ 1 **rapelar**] [F.: *rapel + -ar*[2].]

rapidamente (ra.pi.da.*men*.te) *adv.* De modo rápido; com rapidez, com extrema velocidade; DEPRESSA: *Decidiu rapidamente sobre o problema.* [Ant.: *lentamente, vagarosamente.*] [F.: o fem. de *rápido + -mente.*]

rapidez (ra.pi.*dez*) [ê] *sf.* Condição ou qualidade do que é rápido; LIGEIREZA; CELERIDADE [Ant.: *lentidão, morosidade.*] [F.: *rápido + -ez.*]

rapidinha (ra.pi.*di*.nha) *sf. Pop.* Relação sexual de curta duração, na qual se atinge o orgasmo em pouco tempo [F.: De (*relação, transa etc.*) *rápida + -inha.*]

rapidinho (ra.pi.*di*.nho) *adv.* 1 *Pop.* De maneira bem rápida, sem qualquer demora: *Adaptou-se às novas regras rapidinho.* **Interj.** 2 Incentivo e instigação para que alguém se apresse com algo [F.: *rápido + -inho*[1].]

rápido (*rá*.pi.do) *a.* 1 Que se move depressa, com muita velocidade; LIGEIRO; VELOZ: *Era o atacante mais rápido do time.* 2 Que é agil, lesto, ligeiro (raciocínio rápido) [Ant. nestas acps.: *lento, lerdo.*] 3 Que tem curta duração: *A cirurgia foi rápida.* 4 Que se faz ou realiza em pouco tempo (recuperação rápida; atendimento rápido) [Ant. nas acps. 3 e 4: *demorado.*] *adv.* 5 Com rapidez; RAPIDAMENTE: *Você come rápido demais!* *sm.* 6 Transporte coletivo que faz seu percurso com poucas paradas ou nenhuma; EXPRESSO 7 Corredeira (1) 8 *Bras.* Serviço de entrega de encomendas no perímetro urbano 9 O mensageiro que faz essas entregas [F.: Do lat. *rapidus, a, um.*] ■ **Às rápidas** Rapidamente

rã-pimenta (rã-pi.*men*.ta) *sm. Bras. Herp.* Rã graúda (*Leptodactylus pentadactylus*), da fam. dos leptodatilídeos, encontrada em todo o Brasil [Pl.: *rãs-pimentas, rãs-pimenta.*]

rapina (ra.*pi*.na) *sf.* Ação ou resultado de roubar com violência ou astúcia [F.: Do lat. *rapina, ae.* Hom./Par.: *rapina* (sf.), *rapina* (fl. de *rapinar*). Ver tb. *ave de rapina* no verbete *ave.*]

rapinador (ra.pi.na.*dor*) [ô] *a.* 1 Diz-se de que ou quem rapina, que tem o hábito de roubar *sm.* 2 Aquele ou aquilo que rapina, que rouba violentamente; RAPINANTE [F.: Do lat. *rapinator, oris.* Sin. ger.: *rapinante.*]

rapinagem (ra.pi.*na*.gem) *sf.* 1 Qualidade, condição ou hábito de quem rouba 2 Série ou conjunto de roubos: *Toda essa rapinagem não o tinha enriquecido.* 3 *Fig.* Arbitragem em jogo de futebol, ou de outra modalidade de esporte, na qual o juiz favorece uma das equipes 4 Plágio de obra intelectual [Pl.: *-gens.*] [F.: *rapinar + -agem*[2].]

rapinante (ra.pi.*nan*.te) *a2g.* 1 Que rapina, que rouba, ger. de modo violento *s2g.* 2 Pessoa que tem o hábito de roubar [F.: *rapinar + -nte.* Sin. ger.: *rapinador.*]

rapinar (ra.pi.*nar*) *v.* Roubar ou subtrair (algo) mediante ardil ou violência [*td.*: *Rapinou o cofre da loja.*] [*int.*: *O negócio dele era rapinar.*] [▶ 1 **rapinar**] [F.: *rapina + -ar*[2]. Hom./par.: *rapina* (fl.), *rapina* (sf.); *rapinas* (fl.), *rapinas* (pl. do sf.).]

rapineiro (ra.pi.*nei*.ro) *Bras. Ornit. a.* 1 Ref. a ou próprio de ave de rapina *sm.* 2 *Bras. Ornit.* Ave de rapina [F.: *rapina + -eiro.*]

rapioca (ra.pi.*o*.ca) [ó] *sf. Bras. Gír.* Festa extravagante, com grande quantidade de pessoas, muita comida, bebida e euforia; FOLIA; PÂNDEGA; PATUSCADA [F.: Voc. expressivo.]

rapista (ra.*pis*.ta) *a2g.* 1 *Mús.* Que compõe ou interpreta *raps* (compositor rapista) *s2g.* 2 *Mús.* Músico que compõe e/ou interpreta *raps* [F.: Do ing. *rap + -ista.*]

rapôncio (ra.*pôn*.cio) *sm. Bot.* Denominação comum da *Campanula rapunculus* e *Phyteuma spicatum*, plantas campanuláceas, bianuais, nativas da Europa, Ásia e África, de folhas oblongas com propriedades medicinais, flores azuis em cachos compridos, frutos capsulares, raízes carnosas e comestíveis; RAPONÇO; RAPÚNCIO [F.: Do it. *raponzo.*]

raposa (ra.*po*.sa) [ô] *sf.* 1 *Zool.* Denominação comum a diversos mamíferos da fam. dos canídeos, esp. os do gên. *Vulpes*, de pelo castanho-avermelhado, pernas relativamente curtas, focinho longo, orelhas pontudas e cauda longa, aparentado com o cão [Col.: *raposada.*] 2 A pele desse animal us. como agasalho por mulheres 3 *Fig.* Pessoa esperta, astuciosa, matreira 4 Vara com que se colhe fruta; CAMBO 5 *SP Zool.* Gambá 6 *Bras.* Apelido dos rebeldes da Sabinada, revolta que ocorreu na Bahia do séc. XIX 7 *Astron.* Pequena constelação do hemisfério boreal 8 Cesto com tampa us. na vindima 9 *Lus. Pop.* Reprovação em exame [F.: Do espn. *raposa.* Hom./Par.: *raposa* (sf.), *raposa* (fl. de *raposar*).]

raposa-do-ártico (ra.po.sa-do-*ár*.ti.co) *sf. Zool.* Pequeno mamífero da fam. dos canídeos, *Alopex lagopus*, das regiões geladas do Hemisfério Norte, cuja pelagem muda de cor durante as estações, sendo castanha no verão e branca no inverno; RAPOSA-POLAR [Pl.: *raposas-do-ártico.*]

raposa-do-campo (ra.po.sa-do-*cam*.po) *sf. Zool.* Mamífero da fam. dos canídeos (*Lycalopex vetulus*), nativo de MG, SP, GO e MT, com cerca de 60 cm de comprimento, pelagem curta e cinzenta, cauda com faixa dorsal e ponta negras, que se alimenta de pequenos animais e frutas silvestres; JAGUAPITANGA; JAGUAMITINGA [Pl.: *raposas-do-campo.*]

raposa-vermelha (ra.po.sa-ver.*me*.lha) *sf. Zool.* Mamífero carnívoro da fam. dos canídeos (*Vulpes vulpes*) nativo da América do Norte, de forte pelagem avermelhada [Pl.: *raposas-vermelhas.*]

raposeante (ra.po.se.*an*.te) *Pej. a2g.* 1 Que é astucioso, malicioso, malandro; que age como uma raposa *s2g.* 2 Aquele ou aquela que é astucioso, cheio de ardis ou afeito à malandragem [F.: *raposear + -nte.*]

raposear (ra.po.se.*ar*) *v.* 1 *SP* Reprovar em exame [*td.*] 2 Agir astuciosa ou ardilosamente, como uma raposa [*int.*] [▶ 13 **raposear**] [F.: *raposa + -ear*[2].]

raposeira (ra.po.*sei*.ra) *sf.* 1 Cova ou toca de raposa 2 *Pop.* Sono tranquilo, prolongado e sossegado; SESTA; SONECA: *Gosta de uma raposeira depois do almoço.* 3 *Pop.* Bem-estar ao se deitar sob sol brando 4 *Pop.* Estado de embriaguez; BEBEDEIRA 5 *SP Bot.* Árvore da fam. das leguminosas (*Pithecellobium langsdorffii*), nativa do Brasil, de folhas penadas e flores claras; OLHO-DE-CABRA-VERDE [F.: *raposa + -eira.*]

raposia (ra.po.*si*:a) *sf.* O mesmo que *raposice* [F.: *raposa + -ia*[1].]

raposice (ra.po.*si*.ce) *sf. Bras. Fig.* Astúcia de raposa, grande malícia; MANHA; RAPOSIA: "Sabia o que queria, homem de muita raposice. Já no sair da Nhanva, tinha composto seu povo em avulsos – cada grupo, cada rumo." (João Guimarães Rosa, *Grande sertão: veredas*) [F.: *raposa + -ice.*]

raposino (ra.po.*si*.no) *a.* 1 Ref. a raposa (focinho raposino) 2 Que tem esperteza, malícia [F.: *raposa + -ino.* Sin. ger.: *vulpino.*]

raposismo (ra.po.*sis*.mo) *sm.* 1 Característica ou qualidade de quem é astuto como as raposas 2 Astúcia, esperteza, vivacidade (raposismo político; raposismo comercial) 3 *Bras. Pej.* Malandragem [F.: *raposa + -ismo.*]

raposo (ra.*po*.so) [ô] *a.* 1 Que tem a cor castanho-avermelhada típica da raposa (diz-se ger. de bovino) *sm.* 2 O macho da raposa 3 *Fig.* Aquele que é astuto, manhoso [F.: De *raposa.* Hom./Par.: *raposo* (a. sm.), *raposo* (fl. de *raposar*).]

⊕**rapper** (*Ing.* /*réper*/) *s2g. Mús.* Cantor(a) ou compositor(a) de *rap* [Pl.: *rappers.*]

rapsódia (rap.*só*.di:a) *sf.* 1 *Mús.* Composição musical formada de cantos tradicionais ou populares de um país 2 Trecho de uma composição poética 3 Entre os antigos gregos, trecho de poema épico cantado por um rapsodo 4 Cada um dos cantos ou livros do poeta grego Homero [F.: Do lat. *rhapsodia, ae*, do gr. *rhapsodía, as.*]

rapsódico (rap.*só*.di.co) *a.* 1 Ref. a rapsódia 2 *Mús.* Que tem o estilo de rapsódia [F.: Do gr. *rhapsodikós, é, ón.*]

rapsodista (rap.so.*dis*.ta) *s2g.* 1 Aquele ou aquela que compila trechos literários de um ou vários autores 2 *Mús.* Músico que compõe rapsódias [F.: *rapsódia + -ista.*]

rapsodo (rap.*so*.do) [ô] *sm.* 1 Na Grécia antiga, cantor ambulante de rapsódia 2 Poeta [F.: Do gr. *rhapsoidós, oû.*]

raptado (rap.*ta*.do) *a.* 1 Que foi vítima de rapto *sm.* 2 Aquele ou aquilo que foi vítima de rapto [F.: Part. de *raptar.*]

raptar (rap.*tar*) *v. td.* 1 Apoderar-se de (alguém), cometer rapto contra (alguém): *Raptou a garota e levou-a para longe.* 2 Apossar-se daquilo que pertence a outrem; FURTAR; ROUBAR: *Raptaram dois automóveis.* [▶ 1 **raptar**] [F.: Do v.lat. *raptare.* Hom./Par.: *rapto* (fl.), *rapto* (sm.).]

rapto (*rap*.to) *sm.* 1 Ação ou resultado de levar alguém (para algum lugar) contra sua vontade, como refém; SEQUESTRO 2 Ato de tirar do lar uma mulher por meio de intimidação ou violência, para fins libidinosos 3 Furto, roubo, rapina 4 *Fig.* Arrebatamento, enlevo, êxtase: *Entrou num rapto ao ouvir os primeiros acordes de Bach.* [F.: Do lat. *raptum, i.* Hom./Par.: *rapto* (sm.), *rapto* (fl. de *raptar*).] ■ **~ consensual** *Jur.* Crime considerado como rapto (de alguém maior de 14 anos e menor de 21) apesar do consentimento da vítima

raptor (rap.*tor*) [ô] *a.* 1 Que rapta *sm.* 2 Aquele que rapta [F.: Do lat. *raptor, oris.*]

raptores (rap.*to*.res) [ô] *smpl. Ant. Ornit.* Em algumas classificações antigas, ordem de aves de hábitos predatórios que abrangia os atuais falconiformes e os estrigiformes e inclui todas as aves de rapina; RAPACES [F.: Do lat. cient. *Raptores.*]

raptorial (rap.to.ri.*al*) *a2g.* 1 *Zool.* Ref., inerente a, ou pertencente às aves de rapina ou às aves rapaces (voo raptorial); RAPINEIRO 2 *Anat. Zool.* Diz-se de órgão, apêndice etc. que é próprio para a captura de presas 3 *Zool.* Diz-se da ave capaz de capturar, com suas garras, pequenas aves e mamíferos [Pl.: *-ais.*] [F.: *raptor + -ial.*]

rapunzel (ra.*pun*.zel) *a2g.* Diz-se de que ou de quem possui os cabelos compridos como os de Rapunzel, personagem da história infantil criada pelos alemães Jacob Grimm (1785-1863) e Wilhelm Grimm (1786-1859), que iam do alto de uma torre até o chão [Pl.: *-zéis.*] [F.: Do antr. *Rapunzel.*]

raque (*ra*.que) *sf.* 1 *Anat.* Coluna vertebral 2 *Med.* Anestesia raquiana 3 *Anat. Zool.* Eixo da pena das aves 4 *Bot.* Eixo da inflorescência, que sustenta as flores e, depois, os frutos 5 *Bot.* Eixo da folha penada onde se inserem os peciólulos [F.: Do gr. *rhákhis, ios.*]

raqueta (ra.*que*.ta) [ê] *sf.* 1 *Esp.* Instrumento, us. em jogos como o tênis, frescobol etc., para impelir a bola, composto de um forte anel ovalado, de madeira, alumínio etc., uma rede de cordas esticadas e cabo longo, feito ger. de madeira, revestido ou não de borracha ou cortiça [No Brasil, usa-se mais frequentemente a forma *raquete.*] 2 Objeto semelhante, que se adapta aos pés para andar na neve [F.: Do it. *racchetta.*]

raquetada (ra.que.*ta*.da) *sf.* Golpe com raquete [F.: *raquete + -ada*[1].]

raquete (ra.*que*.te) *sf.* 1 *Esp.* Peça dotada de cabo e superfície ger. oval (de madeira, cortiça ou com encordoamento), com que se bate ou rebate a bola no frescobol, pingue-pongue, tênis etc. 2 Calçado semelhante a uma raquete (1), us. para andar na neve [F.: Do fr. *raquette.*]

raqueteiro (ra.que.*tei*.ro) *a.* 1 *Pop. Esp.* Diz-se do jogador de tênis; TENISTA; RAQUETISTA 2 *Bras. Pop.* Diz-se de quem usa mal a raquete, que joga mal tênis ou frescobol *sm.* 3 *Esp.* Tenista; RAQUETISTA [F.: *raquete + -eiro.*]

raquialgia (ra.qui:al.gi.a) *sf. Med.* Dor em qualquer ponto da raque ou coluna vertebral [F.: *raqui(o)- + -algia.*]

raquiálgico (ra.qui.*ál*.gi.co) *a. Med.* Ref. ou inerente à raquialgia (dor raquiálgica) [F.: *raquialgia + -ico*[2].]

raquianestesia (ra.qui.a.nes.te.*si*.a) *sf. Med.* Anestesia (1) que se faz pela introdução do medicamento no canal raquiano, para eliminar a sensibilidade da parte inferior do abdômen e dos membros inferiores; ANESTESIA RAQUIDIANA [F.: *raqui(o)- + anestesia.* F. red.: *raque* e *ráqui.*]

raquianestésico (ra.qui.a.nes.*té*.si.co) *a. Med.* Ref. ou inerente à raquianestesia [F.: *raquianestesia* + *-ico*².]

raquiano (ra.qui.*a*.no) *a. Med.* O mesmo que *raquidiano* [F.: *raqu(i)-* + *-ano*¹.]

raquicentese (ra.qui.cen.*te*.se) *sf.* Ver *raquiocentese*

raquidiano (ra.qui.di.*a*.no) *a. Med.* Ref. ou pertencente a ou que ocorre na raque (anestesia raquidiana); RAQUIANO [F.: Do fr. *rachidien*, do gr. *rhákhis, ios*, 'espinha dorsal' (ver *raqui(o)-*), + suf. fr. *-dien*, f. extendida de *-ien* (ver *-iano*).]

raquimedular (ra.qui.me.du.*lar*) *a2g. Anat. Ort.* Ref., inerente a, ou próprio da coluna vertebral e da medula (cirurgia raquimedular; trauma raquimedular) [F.: *raqui(o)-* + *medular*.]

raquimeningite (ra.qui.me.nin.*gi*.te) *sf. Neur. Pat.* Inflamação das meninges raquianas [F.: *raqui(o)-* + *meningite*.]

◎ **raqui(o)-** *el. comp.* = 'espinha dorsal', 'coluna vertebral', 'medula espinhal', 'raque'; 'canal vertebral': *raquialgia, raquianestesia, raquiano, raquidiano* (< fr.), *raquimedular, raquiocentese, raquicentese, raquiomielite, raquiopatia, raquiotomia* [F.: Do gr. *rhákhis, ios*.]

raquiocentese (ra.qui:o.cen.*te*.se) *sf. Neur.* Punção do canal vertebral; punção lombar, punção espinhal [F.: *raqui(o)-* + *-centese*. Tb. *raquicentese*.]

raquiomielite (ra.qui:o.mi:e.*li*.te) *sf. Neur.* Inflamação da medula espinhal [F.: *raqui(o)-* + *mielite*.]

raquiopatia (ra.qui:o.pa.*ti*.a) *sf. Med. Pat.* Qualquer doença da coluna vertebral ou raque [F.: *raqui(o)-* + *-patia*.]

raquioplegia (ra.qui:o.ple.*gi*.a) *sf. Neur.* Paralisia da medula espinhal [F.: *raqui(o)-* + *-plegia*.]

raquioplégico (ra.qui:o.*plé*.gi.co) *a. Neur.* Ref. ou inerente à raquioplegia (trauma raquioplégico) [F.: *raquioplegia* + *-ico*².]

raquiotomia (ra.qui:o.to.*mi*.a) *sf. Cir.* Extirpação de uma lâmina vertebral; LAMINECTOMIA [F.: *raqui(o)-* + *-tomia*.]

raquiticamente (ra.qui.ti.ca.*men*.te) *adv.* **1** De modo raquítico (raquiticamente desenvolvido) **2** *P. ext. Fig.* Muito pouco (raquiticamente satisfatório) [F.: o fem. de *raquítico* + *-mente*.]

raquítico (ra.*quí*.ti.co) *a.* **1** *Pop.* Cuja estrutura física é pouco desenvolvida (diz-se de pessoa, animal, corpo); FRANZINO **2** Que sofre de raquitismo **3** *Fig.* Acanhado, limitado, mesquinho (inteligência raquítica) *sm.* **4** *Pop.* Indivíduo raquítico (1) **5** Aquele que sofre de raquitismo [F.: *raquitismo* + *-ico*², seg. o mod. erudito.]

raquitismo (ra.qui.*tis*.mo) *sm.* **1** *Med.* Doença infantil que se caracteriza pelo acentuado déficit de vitamina D, o que ocasiona deformação do esqueleto **2** *Bot.* Atrofia dos tecidos e dos órgãos das plantas **3** *Fig.* Acanhamento, mesquinhez [F.: Do gr. *rakhítes, ou*, 'ref. à espinha dorsal', + *-ismo*.]

raramente (ra.ra.*men*.te) *adv.* **1** De modo raro, poucas vezes: *Raramente ele é visto na rua.* [Ant.: *frequentemente*.] **2** Com rareza ou raridade: *Eram livros que se achavam raramente.* [F.: o fem. de *raro* + *-mente*.]

rareamento (ra.re:a.*men*.to) *sm.* Ação ou resultado de rarear [F.: *rarear* + *-mento*.]

rarear (ra.re.*ar*) *v.* **1** Tornar(-se) raro, menos denso [*td.: O avançar do tempo rareia os cabelos.*] [*int.: Nesta idade os cabelos começam a rarear.*] **2** Reduzir a frequência com que algo é feito, ou acontecer com menor frequência [*td.: Rareou suas idas ao cinema.*] [*int.: Depois de um certo tempo as oportunidades começam a rarear.*] **3** Tornar(-se) menor em número [*td.: A quantidade de impostos rareia os investimentos na produção.*] [*int.: Rareiam os bons políticos.*] [▶ **13 rarear**] [F.: *raro* + *-ear*².]

rarefação (ra.re.fa.*ção*) *sf.* Ação ou resultado de rarefazer(-se) [Pl.: *-ções*.] [F.: *rarefa(zer)* + *-ção*.]

rarefazer (ra.re.fa.*zer*) *v. td.* **1** Tornar-se menos espesso ou menos denso: *O calor rarefez o creme; O ar rarefez-se rapidamente.* **2** Tornar-se menos numeroso: *A ação da polícia rarefez o grupo de manifestantes; O grupo se rarefazia aos poucos.* **3** Diminuir a frequência, a presença em algum lugar; espaçar, rarear: *Rarefez suas idas à praia.* [▶ **22 rarefazer**] [F.: Do v.lat. *rarefacere*. Ant. ger.: *condensar*.]

rarefeito (ra.re.*fei*.to) *a.* **1** Que se rarefez, tornou-se escasso (provisões rarefeitas) **2** Pouco denso (nuvens rarefeitas) [F.: Do lat. *rarefactus, a, um*.]

rareza (ra.*re*.za) [ê] *sf.* **1** *P. us.* Característica ou qualidade do que é raro ou pouco comum; RARIDADE: "O senhor vai ver pessoa de tal rareza, como perto dele todo o mundo para sossegado, e sorridente, bondoso..." (João Guimarães Rosa, *Grande sertão: veredas*) **2** Característica ou qualidade do que é ralo ou pouco denso: *Quanto mais subiam, mais os alpinistas percebiam a rareza do ar.* [F.: *raro* + *-eza*.]

raridade (ra.ri.*da*.de) *sf.* **1** Condição ou qualidade de raro **2** Acontecimento raro: *É uma raridade vê-lo no teatro.* **3** Objeto raro (museu de raridades) **4** Pouca densidade, pouca espessura [F.: Do lat. *raritas, atis*. Sin. ger. (p. us.): *rareza*.]

raro (*ra*.ro) *a.* **1** Difícil de se encontrar (móvel raro); INCOMUM **2** Que ocorre com pouca frequência: *As chuvas são raras nessa época.* [Ant.: *frequente*.] **3** Pouco abundante, pouco numeroso: *Certas espécies animais estão se tornando raras.* **4** Extraordinário, notável (rara sabedoria) **5** Pouco espesso, pouco denso; RALO: *Tem raros cabelos no alto da cabeça.* *adv.* **6** Poucas vezes; RARAMENTE: *Ele raro aparece por aqui.* [F.: Do lat. *rarus, a, um*.] ■ **De ~ em ~** Raramente, uma vez ou outra **Não ~** Com alguma frequência **~ em ~** Ver *De raro em raro*.

rasa (*ra*.sa) *sf.* **1** *Jur.* Certa quantidade de linhas manuscritas ou datilografadas que corresponde aproximadamente a determinado número de letras, de acordo com uma tabela **2** *Metrol.* Antiga medida de secos, que correspondia mais ou menos ao alqueire: *duas rasas de arroz.* **3** Rasoura (1) **4** O preço da tabela; o preço mais baixo: *pagar pela rasa.* [F.: Do lat. *rasa*, substv. do fem. de *rasus, a, um*. Hom./Par.: *rasa* (sf.), *rasa* (fl. de *rasar*).]

rasadura (ra.sa.*du*.ra) *sf.* **1** Ação ou resultado de rasar(-se) **2** O excedente que se tira da medida com rasoura [F.: *rasar* + *-dura*.]

rasante (ra.*san*.te) *a2g.* **1** Que passa muito próximo do solo **2** Diz-se de fortificação cujos muros são baixos **3** Diz-se de tiro disparado mais ou menos rente ao solo *sm.* **4** Voo rasante (1) [F.: *rasar* + *-nte*.]

rasar (ra.*sar*) *v. td.* **1** Tornar-se raso ou plano ou pôr no mesmo nível; NIVELAR: *Rasar um terreno.* **2** Medir a capacidade (de algo) com rasa: *Rasou grande quantidade de grãos.* **3** Tornar raso ou mais raso: *A estação seca rasou a lagoa.* **4** Encher até a borda: *Rasou a vasilha de leite; Seus olhos rasaram-se de lágrimas.* [▶ **1 rasar**] [F.: Do lat. **rasare*, do lat. *radere*. Hom./Par.: *rasa* (fl.), *rasa* (sf.); *rasas* (fl.), *rasas* (pl. do sf.); *raso* (fl.), *raso* (a. sm.).]

rasca (*ras*.ca) *sf.* **1** Rede de arrastar, própria para pescar raias, lagostas etc.; RASCADA **2** Parte que cabe a cada um na divisão dos lucros; QUINHÃO **3** Instrumento apropriado para pegar ostras e mariscos **4** *Bras. Pop.* Bebedeira *a2g.* **5** *Lus. Pop.* Ordinário, reles [F.: Dev. de *rascar*. Hom./Par.: *rasca* (sf. a2g.), *rasca* (fl. de *rascar*).]

rascada (ras.*ca*.da) *sf.* **1** Espécie de rede de arrasto; RASCA **2** *Bras. Lus. Pop.* Aperto, dificuldade, enrascada: "Sairá triste, com um pungitivo arrependimento de meter o amigo naquela rascada." (Camilo Castelo Branco, *A brasileira de Prazins*) [F.: *rascar* + *-ada*¹.]

rascado (ras.*ca*.do) *a.* **1** Que se rascou; raspado, rapado (superfície rascada) **2** Que se lascou; que se desbastou (pedra rascada); DESBASTADO; LASCADO **3** Cuja superfície foi arranhada **4** *Fig.* Incomodado, perturbado: *Com os tímpanos rascados pelo ruído da música eletrônica, resolveu sair da festa.* **5** Diz-se do vinho que deixou travo na garganta (vinho rascado) [F.: Part. de *rascar*.]

rascante (ras.*can*.te) *a2g.* **1** Que deixa travo ou gosto acentuado na garganta (diz-se ger. de vinho) **2** Diz-se do som áspero, que arranha: *um solo rascante de violino.* **3** Diz-se de fruta que produz cica ou adstringência **4** Diz-se de palavra ou expressão chula ou obscena *sm.* **5** Vinho rascante (1) [F.: *rascar* + *-nte*.]

rascar (ras.*car*) *v.* **1** Raspar ou retirar fragmentos da superfície de (um corpo), com um instrumento qualquer; RAPAR [*td.: Rascou o desgastado verniz da mesa.*] **2** Tirar aparas ou lascas de; desbastar (pedra, cabelo, madeira etc.) [*td.*] **3** Arranhar, ferir [*td.: Rascou o braço ao pular a cerca.*] **4** *Fig.* Importunar, incomodar [*td.: Rascar a paciência dos outros.*] **5** Limpar por dentro (panelas, garrafas etc.) com fragmentos de chumbo, grãos de sal etc. [*td.*] **6** Perturbar (alguém, algo) pelo som desagradável ou irritante [*td.: O ruído do giz no quadro-negro rascava seus ouvidos.*] **7** Produzir certo travo na garganta (falando-se esp. de vinho) [*int.: Este vinho está rascando.*] **8** *BA* Falar em excesso; tagarelar [*int.*] **9** *Lus.* Namorar [*int.*] [▶ **11 rascar**] [F.: Do v.lat. **rasicare*, freq. do v. *radere*, 'raspar'. Hom./Par.: *rasca* (fl.), *rasca* (sf.); *rascas* (fl.), *rascas* (pl. do sf.).]

rascunhado (ras.cu.*nha*.do) *a.* Que está em rascunho; ESBOÇADO [F.: Part. de *rascunhar*.]

rascunhar (ras.cu.*nhar*) *v.* **1** Fazer o rascunho ou o esboço de [*tda.: Rascunhou algumas palavras no diário.*] [*td.: Rascunhou o projeto da casa para mostrá-lo ao arquiteto.*] **2** *Fig.* Fazer riscos, sinais em alguma coisa [*int. td.*] [▶ **1 rascunhar**] [F.: Do espn. *rascuñare*, posv. Hom./Par.: *rascunho* (fl.), *rascunho* (sm.).]

rascunheiro (ras.cu.*nhei*.ro) *a. Pej.* Diz-se de quem faz rascunhos; que apenas esboça algo sem conseguir finalizar: *Tem fama de escritor rascunheiro.* [F.: *rascunho* + *-eiro*.]

rascunho (ras.*cu*.nho) *sm.* **1** Escrito provisório, sujeito a emendas e reformulações; MINUTA **2** Esboço, delineamento [F.: Do espn. *rascuño*. Hom./Par.: *rascunho* (sm.), *rascunho* (fl. de *rascunhar*).]

raseiro (ra.*sei*.ro) *a.* **1** Diz-se do que apresenta pouco fundo **2** *Lus.* Diz-se da medida de cereais à qual se passou a rasoura; RASOURADO [F.: *raso* + *-eiro*.]

rasgação (ras.ga.*ção*) *sf.* Ação ou resultado de rasgar(-se); RASGAMENTO; RASGADURA [Pl.: *-ções*.] [F.: *rasgar* + *-ção*.] ■ **~ de seda** *Bras. Pop.* O mesmo que *rasga-seda*

rasga-coração (ras.ga-co.ra.*ção*) *sm. Bras. Gír. Pop.* Emoção muito forte e intensa: *A partida final do Brasil foi um verdadeiro rasga-coração para vários torcedores.* [Pl.: *rasga-corações*.]

rasgada (ras.*ga*.da) *sm. Esp.* No surfe, manobra feita com a prancha, em que o surfista rasga a onda, levantando um leque de água [F.: *rasgar* + *-ada*¹.]

rasgadamente (ras.ga.da.*men*.te) *adv.* **1** De modo rasgado **2** De modo franco, direto; DESEMBARAÇADAMENTE; FRANCAMENTE: *Falou rasgadamente sobre o que queria, chocando todos os presentes.* **3** *P. ext.* Com suntuosidade; com grandeza de ânimo [F.: o fem. de *rasgado* + *-mente*.]

rasgado (ras.*ga*.do) *a.* **1** Que se rasgou; cortado, feito em pedaços (vestido rasgado; carta rasgada) **2** *Fig.* Grande, amplo, largo (boca rasgada) **3** *Fig.* Franco, aberto, generoso (elogios rasgados) **4** Com ritmo bem marcado (samba rasgado) **5** *Fig.* Aflito, dilacerado: *peito rasgado de dor.* **6** Cheio de vida, de animação: *Vararam a noite numa festança rasgada.* *sm.* **7** Rasgão, rasgo **8** *Bras. Mús.* Modo especial de tocar a viola, o violão etc. arrastando as unhas rapidamente sobre as cordas; RASQUEADO [F.: Part. de *rasgar*.]

rasgador (ras.ga.*dor*) [ô] *a.* **1** Diz-se de que ou de quem rasga **2** *Bras. Fig.* Diz-se de quem é valente, destemido *sm.* **3** Aquele ou aquilo que rasga (rasgador de papel; rasgador de pano) **4** *Bras. Fig.* Indivíduo valente, ousado, decidido [F.: *rasgar* + *-dor*.]

rasgadura (ras.ga.*du*.ra) *sf.* O mesmo que *rasgamento* [F.: *rasgar* + *-dura*.]

rasgamento (ras.ga.*men*.to) *sm.* **1** Ação ou resultado de rasgar(-se); RASGADURA **2** Rasgão (1) [F.: *rasgar* + *-mento*.]

rasga-mortalha (ras.ga-mor.*ta*.lha) *sf.* **1** *Ornit.* Ave estrigiforme (*Tyto alba tuidara*), comum em todo o Brasil, com exceção do Amazonas, tida como agourenta, de cor amarelo-parda, coberta por pequenas manchas pretas e brancas; SUINDARA **2** *Ornit.* Ave caradriídea (*Capella paraguaiea*), comum em toda a América do Sul e Brasil, com dorso escuro, com manchas e estrias amarelas, cabeça preta e sobrancelha amarelada, comum nas áreas pantanosas, onde nidifica, se alimenta de artrópodes e outros invertebrados; NARCEJA [Pl.: *rasga-mortalhas*.]

rasgante (ras.*gan*.te) *a2g.* **1** Que rasga (golpe rasgante) **2** *Mús.* Diz-se do modo de passar as unhas rapidamente pelas cordas de um instrumento musical (violão, viola, violino, violoncelo) sem as pontear (solo rasgante) [F.: *rasgar* + *-nte*.]

rasgão (ras.*gão*) *sm.* **1** Parte rasgada de uma roupa, tecido etc.; RASGADO (7); RASGAMENTO; RASGO (1) **2** *Bras.* Parte do curso de um rio que corre por um desfiladeiro; BRECHÃO [Pl.: *-gões*. Dim.: *rasgadela*.] [F.: *rasgar* + *-ão*³.]

rasgar (ras.*gar*) *v.* **1** Fazer rasgo ou rasgão em, ou sofrer um rasgo ou rasgão [*td.: Rasgou a saia na escada.*] [*int.: A toalha rasgou(-se) de lado a lado.*] **2** Dividir(-se) em partes, destruindo(-se) [*td.: Rasgou o documento.*] [*int.: A fantasia se rasgou toda.*] **3** Dilacerar, cortar em pedaços [*td.: O tigre rasgou a presa.*] **4** Cruzar, sulcar [*td.: O avião rasgava os ares.*] **5** *Fig.* Causar mágoa ou desgosto a [*td.: A fuga da mulher rasgou seu coração.*] **6** *Pop. Irôn.* Sentir (algo, esp. difícil) de modo muito forte, extremo, incontrolável (como se levasse a pessoa a perder o próprio controle) [*tr. + de: rasgar-se de ódio; rasgar-se de inveja.*] **7** Tornar mais largo, amplo (rua, estrada etc.) [*td.: A prefeitura está rasgando a avenida.*] **8** Cavar, lavrar [*td.: Rasgou todo o terreno para colocar as novas sementes.*] **9** Abrir, fazer (abertura) [*td.: rasgar uma janela.*] **10** Cortar, romper, suspender [*td.: Rasgou uma amizade de muitos anos.*] **11** Percorrer (mar, oceano, floresta etc.) de ponta a ponta; ATRAVESSAR [*td.: Rasgou o Mediterrâneo em seu novo iate.*] **12** Surgir, nascer [*int.: A manhã rasgara esplendorosamente.*] **13** *Bras. Mús.* Executar o rasgado na viola [*int.*] [▶ **14 rasgar**] [F.: Do lat. **rasicare*, freq. do v.lat. *radere*, 'raspar'. Hom./Par.: *rasgo* (fl.), *rasgo* (sm.).]

rasga-seda (ras.ga-*se*.da) [ê] *sm. Bras. Gír. Pop.* Elogio mútuo; troca de cumprimentos, de amabilidades, ger. um tanto excessivas; RASGAÇÃO DE SEDA: *É um tal de rasga-seda entre eles.* [Pl.: *rasga-sedas*.]

rasgo (*ras*.go) *sm.* **1** Rasgão, abertura: *A unha do gato fez-lhe um rasgo no vestido.* **2** *Fig.* Manifestação repentina (rasgo de heroísmo/de genialidade); ARROUBO; LAMPEJO **3** Traço dado com pena, pincel etc. [F.: Dev. de *rasgar*. Hom./Par.: *rasgo* (sm.), *rasgo* (fl. de *rasgar*).]

⊕ **rash** (*Ing. /réch/*) *sf. Derm.* Erupção cutânea de curta duração, que ocorre em doenças infecciosas ou em intoxicações medicamentosas [Pl.: *rashes* (*ing.*).] ■ **~ migrador** *Med.* Glossite benigna e migradora

raso (*ra*.so) *a.* **1** Não fundo; de pouca profundidade (prato raso; águas rasas) **2** Que não tem elevações nem depressões (planície rasa) **3** Que não tem obstáculos (corrida rasa) **4** *Mil.* Diz-se de soldado sem graduação **5** Baixo, rasteiro **6** Que foi cortado rente, pela base (cabelo raso) **7** Diz-se de recipiente ou talher que serve de medida, cujo conteúdo não vai além de suas bordas: *uma colher rasa de azeite.* **8** Cheio de líquido até as bordas (taça rasa) **9** Diz-se do sapato que não cobre inteiramente o peito do pé, ou que não tem salto **10** *Fig.* Que é superficial, sem profundidade (inteligência rasa) **11** Liso, que não tem nada escrito, ou que não tem enfeite algum (folha rasa; escudo raso) **12** *Geom.* Diz-se do ângulo que mede 180 °C *sm.* **13** *Bras.* Lugar de pouca profundidade **14** Campo, planície [F.: Do lat. *rasus, a, um*. Hom./Par.: *raso* (a. sm.), *raso* (fl. de *rasar*).]

rasoirar (ra.soi.*rar*) *v.* Ver *rasourar* [▶ **1 rasoirar**]

rasoura (ra.*sou*.ra) *sf.* **1** Pau roliço com que se retira o excesso ou cogulo nas medidas de cereais **2** *Fig.* Tudo o que corta ou desbasta para nivelar, igualar, equiparar **3** Instrumento de entalhador que serve para tirar as asperezas de peça que se entalha **4** Instrumento us. pelos gravadores para polir o granulado da chapa **5** Peça de madeira para cortar a telha e o tijolo nos moldes **6** *MG SP* Trecho raso de rio ou lagoa **7** *Pop.* Absolvição que se obtém por meio de confissão **8** Ação ou resultado de cortar os cabelos com navalha, ou de os cortar bem rente com a tesoura [F.: De *raso*, posv. Hom./Par.: *rasoura* (sf.), *rasoura* (fl. de *rasourar*).]

rasourado (ra.sou.*ra*.do) *a.* **1** Diz-se da medida a que se passou a rasoura; RASEIRO **2** Que tem a barba feita ou o cabelo cortado **3** *Fig.* Espoliado, prejudicado [F.: Part. de *rasourar*.]

rasourante (ra.sou.*ran*.te) *a2g.* Diz-se do que rasoura, nivela ou iguala (espátula rasourante; plano rasourante) [F.: *rasourar* + *-nte*.]

rasourar (ra.sou.*rar*) *v. td.* 1 Nivelar, igualar com uso de rasoura 2 *P. ext.* Igualar, nivelar: *rasourar talentos diferentes é insensibilidade* [▶ 1 rasourar] [F.: *rasoura* + *-ar*[2]. Hom./Par.: *rasoura* (fl.), *rasoura* (sf.); *rasouras* (fl.), *rasouras* (pl. do sf.).]

raspa (*ras*.pa) *sf.* 1 O material que se retira raspando um objeto; APARA 2 Raspadeira (1) 3 Rapa (1): "Migalhas dormidas do teu pão /Raspas e restos /Me interessam." (Cazuza, *Maior abandonado*) 4 *BA* Golpe dado com a perna nas pernas do adversário, derrubando-o [F.: Dev. de *raspar*. Hom./Par.: *raspa* (sf.), *raspa* (fl. de *raspar*).]

raspadeira (ras.pa.*dei*.ra) *sf.* 1 Instrumento para raspar; RASPA; RASPADOR 2 Pente de ferro para raspar o pelo dos animais 3 Lâmina de aço com que se faz o polimento da madeira 4 *Bras. N.* Mulher que raspa a mandioca nos engenhos de farinha 5 *Fotograv.* Lâmina flexível que, na prensa rotográfica, raspa o excesso de tinta do cilindro gravado, durante a impressão 6 *Bot.* Planta da fam. das moráceas (*Ficus asperrima*), originária da Ásia, cujas folhas ásperas podem ser us. como lixas [F.: *raspar* + *-deira*.]

raspadela (ras.pa.*de*.la) [é] *sf.* 1 Ação ou resultado de raspar 2 Raspagem pouco profunda 3 *Pop. Cir. Obst.* Curetagem [F.: *raspar* + *-dela*.]

raspadinha (ras.pa.*di*.nha) *Bras. sf.* 1 Certo tipo de loteria que consiste em raspar uma cartela que contém números ou desenhos encobertos 2 Essa cartela 3 *N. E.* Refresco feito de gelo picado e xarope de fruta [F.: *raspado* + *-inha*.]

raspado (ras.*pa*.do) *a.* Que se raspou (cabeleira raspada); RAPADO: "Acabava de assentar-se um sujeito gordo, de barba toda raspada." (Aluisio de Azevedo, *Casa de pensão*) [F.: Part. de *raspar*.]

raspador (ras.pa.*dor*) [ô] *a.* 1 Diz-se de que ou de quem raspa *sm.* 2 Aquele ou aquilo que raspa; RASPADEIRA 3 *Cir. Obst.* Instrumento cirúrgico us. para raspagem; CURETA 4 *Art. gr. Enc. Grav.* Instrumento, de vários formatos, us. para raspar ou limpar a superfície de matrizes, rolos, encadernações etc.; RASCADOR; RASPADEIRA 5 *P. ext. Fig. Art. gr. Enc. Grav.* Indivíduo que faz a raspagem 6 *AM Folc.* Tipo de reco-reco, feito de taquara, us. exclusivamente pelo mestre-sala da folia de S. Benedito [F.: *raspar* + *-dor*.]

raspadura (ras.pa.*du*.ra) *sf.* 1 Ação ou resultado de raspar; RASPAGEM 2 Conjunto de raspas, de aparas [F.: *raspar* + *-dura*.]

raspagem (ras.*pa*.gem) *sf.* 1 Raspadura (1) 2 *Cir.* Curetagem [Pl.: *-gens*.] [F.: *raspar* + *-agem*[2].]

raspança (ras.*pan*.ça) *sf.* 1 Ação de raspar; RASPAGEM 2 *Bras. Pop.* Descompostura, repreensão [F.: *raspar* + *-ança*.]

raspante (ras.*pan*.te) *a2g.* Que raspa, que roça: *O carro passou raspante à calçada.* [F.: *raspar* + *-nte*.]

raspão (ras.*pão*) *sm.* 1 Ação de raspar, de roçar, de arranhar: "Dando um forte raspão no chão com a bengala (...)." (Eça de Queirós, *O primo Basílio*) 2 Golpe pouco profundo feito obliquamente com instrumento cortante; ARRANHADURA 3 Pequeno ferimento produzido por atrito; ARRANHÃO [Pl.: *-pões*.] [F.: *raspa r* + *-ão*[3].] ■ **De ~** Enviezada e superficialmente, não diretamente: *A bola atingiu-o de raspão.*

raspar (ras.*par*) *v.* 1 Desbastar ou alisar a superfície de (algo) [*td.*: *Raspar madeira.*] 2 Retirar a sujeira aderida a alguma coisa [*td.*: *Raspar o fundo da frigideira.*] 3 Ferir ou tocar de raspão [*td.*: *A faca raspou sua perna.*] [*ta.*: *O carro raspou no poste.*] 4 Cortar rente à pele, com navalha, gilete etc. [*td.*: *Raspou a barba.*] 5 Cortar rente o cabelo ou pelo de; RAPAR [*td.*: *Raspar a cabeça.*] 6 Transformar em raspa; RALAR [*td.*: *Raspar o queijo.*] 7 *Bras.* Apanhar ou sacar integralmente (dinheiro) de onde estava guardado ou depositado [*td.*: *Raspou as economias para presentear os netos.*] 8 *Bras.* Furtar, rapar, roubar [*td.*: *Raspou o dinheiro que estava na gaveta.*] 9 Correr para fugir ou escapar sorrateiramente [*int.*: *Raspou-se pela porta dos fundos e não mais voltou.*] [▶ 1 raspar] [F.: Do germ. **hraspôn*, 'arrancar'. Hom./Par.: *raspa* (fl.), *raspa* (sf.); *raspas* (fl.), *raspas* (pl. do sf.); *raspe* (fl.), *raspe* (sm.); *raspes* (fl.), *raspes* (pl. do sm.).]

rasqueado (ras.que.*a*.do) *Bras. a.* 1 Que se rasqueou 2 *Mús.* Diz-se do toque produzido por meio da vibração que o polegar ou as unhas fazem ao passarem rapidamente pelas cordas de um instrumento musical; RASGADO 3 *Dnç.* Diz-se da dança que se faz ao som desse toque musical *sm.* 4 *Mús.* Toque musical feito com o polegar ou as unhas passadas com rapidez nas cordas de certos instrumentos como viola, violão etc.; RASGADO 5 *Dnç.* Dança ao som desse tipo de toque musical; RASGADO [F.: Part. de *rasquear*.]

rasquear (ras.que.*ar*) *v. td.* 1 *Pop. Mús.* Passar as unhas rapidamente sobre as cordas de um instrumento musical 2 Tirar os pelos soltos (do cavalo); RASQUETEAR [▶ 13 rasquear] [F.: *rasca* + *-ear*[2].]

rasqueteação (ras.que.te.a.*ção*) *sf.* *RS* Ação ou resultado de rasquetear; RASQUETEIO [Pl.: *-ções*.] [F.: *rasquetear* + *-ção*.]

rasquetear (ras.que.te.*ar*) *v. td.* *RS* Limpar (pelo de animal) com rascadeira [▶ 13 rasquetear] [F.: Do espn. plat. *rasquetear.* Hom./Par.: *rasqueteio* (fl.), *rasqueteio* (sm.).]

rastafári (ras.ta.*fá*.ri) *a2g.* 1 *Rel.* Ref., ou inerente a, ou próprio do rastafarianismo ou de seus seguidores 2 Diz-se do adepto do rastafarianismo *a2g2n.* 3 *Estét.* Diz-se do cabelo longo, característico dos rastafári, enrolado em longas madeixas separadas e envoltas em banha ou cera 4 *Bras. P. ext. Estét.* Diz-se do cabelo penteado, a partir da raiz, em trancinhas, às vezes entremeadas de linhas ou contas coloridas *s2g.* 5 *Rel.* Adepto e seguidor do rastafarianismo 6 *Mús.* Músico executante ou compositor do *reggae* ou adepto do *reggae* [F.: *ras-*, 'cabeça, chefe', + *Tafari* (do antr. *Tafari* Makonnen, 1892-1975, coroado imperador da Etiópia com o nome de Haïlé Selassié, considerado 'o messias negro').]

rastafarianismo (ras.ta.fa.ri:a.*nis*.mo) *sm.* *Rel.* Seita messiânica de origem negra, cultuada entre os jamaicanos (que usam cabelo rastafári), que prega o retorno cultural dos negros à África, tem Haïlé Selassié (1892-1975, imperador da Etiópia) como o messias negro, e adota a maconha em seus rituais [F.: *rastafariano* + *-ismo*.]

rastafariano (ras.ta.fa.ri.*a*.no) *a.* *Estét. Mús. Rel.* Ref., inerente, ou pertencente a rastafári (culto rastafariano; música rastafariana; cabelo rastafariano) [F.: *rastafári* + *-ano*[1].]

rastafarismo (ras.ta.fa.*ris*.mo) *sm.* *Rel.* O mesmo que *rastafarianismo* [F.: *rastafári* + *-ismo*.]

rastapé (ras.ta.*pé*) *sm.* *Bras. Pop.* Ver *arrasta-pé* [F.: F. sincopada de *arrasta-pé*.]

rastaquera (ras.ta.*que*.ra) *s2g.* 1 Aquele ou aquela que faz questão de ostentar riqueza 2 *Bras. Pop.* Ignorante *a2g.* 3 Próprio de rastaquera [F.: Do fr. *rastaquouère*.]

rasteador (ras.te:a.*dor*) [ô] *a.* 1 Que rasteia, rasteja; RASTREADOR; RASTEJADOR 2 *Cin.* Que rasteia, procura, cata; RASTREADOR *sm.* 3 Aquele ou aquilo que rasteia ou rasteja 4 Aquele ou aquilo que rasteia, busca, cata [F.: *rastear* + *-dor*.]

rastear (ras.te.*ar*) *v.* 1 Rastejar [*int.*: *Rastejou(-se) até alcançar a cerca.*] 2 *S.* Buscar, catar, procurar [*td.*: *Perdeu a caneta, mas rasteou-a até encontrar.*] [▶ 13 rastear] [F.: *rasto* + *-ear*[2].]

rasteira (ras.*tei*.ra) *sf.* 1 Movimento de perna rápido e certeiro, atingindo a perna de alguém e puxando-a para derrubá-lo; PERNADA; CAMBAPÉ 2 *Fig.* Ação traiçoeira e ardilosa; GOLPE 3 *Bras.* Comadre, urinol 4 *Lus. Gír.* Chinelo [F.: Fem. substv. de *rasteiro*. Hom./Par.: *rasteira* (sf.), *rasteira* (fl. de *rasteirar*).] ■ **Dar/passar uma ~em** 1 *Bras.* Derrubar 2 Enganar, ludibriar 3 Trair, prejudicar (alguém) de maneira astuciosa

rasteiramente (ras.tei.ra.*men*.te) *adv.* 1 De modo rasteiro: *Trocaram passes rasteiramente até a grande área.* 2 Remotamente: *Não há rasteiramente ninguém capaz de fazer o trabalho.* 3 Servilmente: *Aceitou rasteiramente a ofensa.* [F.: Fem. de *rasteiro* + *-mente*.]

rasteiro (ras.*tei*.ro) *a.* 1 Que cresce, e fica, rente ao chão (planta rasteira) 2 Que anda de rastos ou se arrastando pelo chão 3 Que se move sem se elevar a grande altura (voo/vento rasteiro) 4 *Fig.* Baixo, humilde, servil (modos rasteiros) 5 Falta de nobreza, de distinção, de elevação: *Escrevia num estilo rasteiro.* *sm.* 6 *Bras. Bot.* Arbusto (*Cryptostomum multicaule*) da fam. das poligaláceas 7 *Bot.* Ver *rastejante* [F.: *rasto* + *-eiro*. Hom./Par.: *rasteiro* (a. sm), *rasteiro* (fl. de *rasteirar*).]

rastejador (ras.te.ja.*dor*) [ô] *a.* 1 Diz-se do que ou de quem rasteja; RASTEANTE; RASTEJANTE 2 Que anda no rasto ou na pista de alguém ou de alguma coisa 3 Diz-se do que ou quem investiga algo; INVESTIGADOR *sm.* 4 Aquele ou aquilo que rasteja 5 Aquele ou aquilo que anda no rasto ou na pista de alguém ou de alguma coisa 6 Aquele ou aquilo que investiga algo; INVESTIGADOR [F.: *rastejar* + *-dor*.]

rastejadura (ras.te.ja.*du*.ra) *sf.* Ação ou resultado de rastejar, de andar de rastos; RASTEAMENTO; RASTEJO [F.: *rastejar* + *-dura*.]

rastejamento (ras.te.ja.*men*.to) *sm.* 1 Ação ou resultado de rastejar; RASTEJADURA 2 *Geol.* Deslizamento do solo [F.: *rastejar* + *-mento*.]

rastejante (ras.te.*jan*.te) *a2g.* 1 Que rasteja; RASTEJADOR 2 *Bot.* Diz-se de planta, caule ou raiz que se estende horizontalmente sobre o solo (caule/planta rastejante); RASTEIRO; REPTANTE 3 *Fig.* Servil, subserviente, adulador [F.: *rastejar* + *-nte*.]

rastejar (ras.te.*jar*) *v.* 1 Seguir o rastro ou a pista de um suspeito, fugitivo, caça etc. [*td.*: *O caçador rastejava a caça.*] 2 Andar de rastos; ARRASTAR-SE [*int.*: *Na fuga, rastejaram pelo mato.*] 3 *Fig.* Ser subserviente ou servil; AVILTAR-SE [*int.*: *Conseguiu a promoção rastejando diante do chefe; Rastejava-se para conseguir alguma atenção.*] 4 Ser principiante ou novato [*tr.* + *em*: *Ainda estava rastejando em matemática.*] 5 Movimentar-se tocando o chão; arrastar-se [*ta.*: *A barra da saia rastejava pelo chão.*] 6 *P. us.* Ter cerca de; beirar [*td.*: *O homem já rastejava os 60 anos.*] [▶ 1 rastejar] [F.: *rasto* + *-ejar*. Hom./Par.: *rastejo* (fl.), *rastejo* /ê/ (sm.).]

rastejo (ras.*te*.jo) [ê] *sm.* 1 Ação de rastejar, de seguir o rasto 2 Ação de se arrastar 3 Busca, investigação, pesquisa [F.: Dev. de *rastejar*. Hom./Par.: *rastejo* (sm.), *rastejo* (fl. de *rastejar*).]

rastelar (ras.te.*lar*) *v. td.* 1 Tirar a estopa (do linho) com o rastelo 2 Limpar (o gramado, o canteiro) com rastelo 3 Juntar (plantas secas, restos etc.) com o rastelo [▶ 1 rastelar] [F.: *rastelo* + *-ar*[2]. Hom./Par.: *rastelo* (fl.), *rastelo* /ê/ (sm.).]

rastelo (ras.*te*.lo) [ê] *sm.* 1 O mesmo que *ancinho* 2 Instrumento com dentes de ferro, us. para retirar a estopa do linho [F.: Do lat. *rastellus, i*. Hom./Par.: *rastelo* (sm.), *rastelo* (fl. de *rastelar*).]

rastilho (ras.*ti*.lho) *sm.* 1 Fio embebido em pólvora ou outra substância inflamável, que se acende para atear fogo a algo 2 Sulco ou tubo cheio de pólvora, us. para o mesmo fim 3 *Fig.* Aquilo que faz desencadear um acontecimento de forte impacto social, político, econômico etc.: *O escândalo foi o rastilho da queda do governo.* 4 *Fig.* Rasto, pista: *A polícia saiu no rastilho dos bandidos.* [F.: *rasto* + *-ilho*.]

rasto (*ras*.to) *sm.* 1 Marca de pés ou patas no solo ou na areia, ou qualquer outro vestígio deixado por animal ou pessoa no seu trajeto; PEGADA; VESTÍGIO: *Seguiram o rasto do fugitivo pela mata adentro.* 2 A sola de um calçado 3 *Fig.* Sinal, indício: *As chuvas deixaram um rasto de destruição na região.* 4 Rede de arrastar [F.: Do lat. *rastrum*. Tb. *rastro*.] ■ **A rastros/rastos** Ver *De rastros/rastros.* **De rastros/rastos** Rastejando, arrastando-se **Enredar o rastro/rasto a** *RS* Despistar, ludibriar **No rastro/rasto de** No encalço de, atrás de, seguindo a pista de

rastreabilidade (ras.tre:a.bi.li.*da*.de) *sf.* 1 Condição ou qualidade de rastreável 2 Possibilidade de acompanhar ou identificar algo durante um processo (rastreabilidade do projeto): *Os biólogos encontram um meio de promover com mais frequência a rastreabilidade da vida marinha.* [F.: *rastreável* (sob a f. *rastreabil-*) + *-(i)dade*, seg. o padrão erudito.]

rastreado (ras.tre:*a*.do) *a.* 1 Que se rastreou 2 Diz-se do que ou de quem teve o rastro seguido (caça rastreada; foragido rastreado); RASTEJADO 3 Diz-se do que ou de quem foi investigado, inquirido 4 *Agr.* Diz-se da terra limpa com o rastrilho [F.: Part. de *rastrear*.]

rastreador (ras.tre:a.*dor*) [ô] *a.* 1 Que rastreia, segue rastro, pista 2 *Cin.* Diz-se de cão treinado para rastrear a caça *sm.* 3 *Cin.* Cão rastreador (2) [F.: *rastrear* + *-dor*.]

rastreamento (ras.tre:a.*men*.to) *sm.* 1 Ação ou resultado de rastrear 2 Busca de pista ou vestígios; INVESTIGAÇÃO *sm.* 3 Processo de acompanhar a trajetória de qualquer objeto móvel (míssil, automóvel etc.) por meio de radar, rádio etc. 4 Escuta telefônica com o fim de determinar de onde está sendo feita a chamada recebida; GRAMPO [F.: *rastrear* + *-mento*. Sin. ger.: *rastreio*.]

rastrear (ras.tre.*ar*) *v. td.* 1 Seguir o rastro, a pista de (fugitivo, caça etc.) 2 Realizar a localização de (um animal, um objeto, um veículo etc.) por meio de algum sinal (eletrônico, de frequência etc.), por meio de satélite etc.: *chip eletrônico para rastrear bovinos.* 3 Localizar, por meio de programa específico, a origem de: *Rastrear um e-mail contaminado; Rastrear um vírus.* 4 Investigar a respeito de; INQUIRIR [▶ 13 rastrear] [F.: *rastro* + *-ear*[2]. Hom./Par.: *rastreio* (fl.), *rastreio* (sm.); *rastreáveis* (fl.), *rastreáveis* (pl. de *rastreável* [a2g.]).]

rastreável (ras.tre:*á*.vel) *a2g.* 1 Que se pode rastrear; que pode ser rastreado (trajetória rastreável; desempenho rastreável) 2 Diz-se do que ou de quem se pode acompanhar ou investigar 3 Diz-se daquilo cuja origem pode ser identificada (contas rastreáveis) [Pl.: *-veis*.] [F.: *rastrea*(r) + *-vel*. Sin. ger.: *rastejável*. Ant. ger.: *irrastreável*.]

rastreio (ras.*trei*:o) *sm.* 1 Ação ou resultado de rastrear 2 *Astron. Telc.* Acompanhamento, rastreamento de um satélite, míssil ou veículo espacial, por meio de radar, rádio ou fotografia 3 *Inf.* Rastreamento de determinadas informações, armazenadas no disco rígido ou em arquivos sobressalentes; VARREDURA [F.: Dev. de *rastrear.* Hom./Par.: *rastreio* (sm.), *rastreio* (fl. de *rastrear*).]

rastrilho (ras.*tri*.lho) *sm.* 1 *S Agr.* Ancinho ou grade com pontas próprias para espicaçar e limpar a terra ao mesmo tempo; RASTELO 2 *Ant. Hist.* Grade móvel com contrapesos, formada de barras de ferro aguçadas em ponta, com a qual se fechava o acesso a uma praça-forte durante a Idade Média 3 *Ant.* Peça de madeira munida de pontas, us. para fazer barreiras em estradas [F.: Do espn. *rastillo* (< lat. *rastellus*) ou de *rastro* + *-ilho*.]

rastro (*ras*.tro) *sm.* Ver *rasto*

rasura (ra.*su*.ra) *sf.* 1 Ação ou resultado de riscar ou raspar palavras em texto impresso ou manuscrito 2 Esse risco ou essa raspagem 3 Palavra ou conjunto de palavras corrigidas ou riscadas em um texto 4 Conjunto de raspas (1); LIMALHA 5 O resultado da fragmentação de uma substância medicinal por meio de lima, ralador ou outro similar [F.: Do lat. *rasura, ae*. Hom./Par.: *rasura* (sf.), *rasura* (fl. de *rasurar*).]

rasurado (ra.su.*ra*.do) *a.* Que se rasurou; que apresenta rasura (texto rasurado) [F.: Part. de *rasurar*.]

rasurar (ra.su.*rar*) *v. td.* Fazer rasura(s) em; riscar, manchar: *Por descuido rasurou o documento* [▶ 1 rasurar] [F.: *rasura* + *-ar*[2]. Hom./Par.: *rasura* (fl.), *rasura* (sf.); *rasuras* (fl.), *rasuras* (pl. do sf.).]

rata[1] (*ra*.ta) *sf.* 1 *Zool.* Fêmea do rato 2 Mulher muito fértil 3 *Tabu.* A vulva [Aum.: *ratazana*.] [F.: Fem. de *rato*. Hom./Par.: *rata* (sf.), *rata* (fl. de *ratar*).]

rata[2] (*ra*.ta) *sf.* *Bras. Pop.* Gafe, mancada: *Deu uma rata ao trocar o nome dos professores.* [F.: Posv. de *ratão*.]

ratã (ra.*tã*) *sf.* 1 *Bot.* Tipo de palmeira escandente (*Calamus rotang*), nativa da Índia, da qual se extrai a palhinha, us. para trançar assentos e encostos de cadeiras e outros móveis 2 A matéria-prima extraída dessa palmeira, com a qual se faz móveis e outros objetos ger. decorativos; ROTIM 3 *Artesn. Mob.* Fio extraído da palmeira, us. no fabrico de móveis ou no entretecimento de assentos de cadeiras e outros utensílios [Pl.: *-tãs*.] [F.: Do malaio *rótan*, pelo ing. *rattan*.]

ratada (ra.*ta*.da) *sf.* 1 Porção de ratos pequenos, ainda no ninho; ninhada de ratos; RATARIA [Nesta acp., col. de *rato*.] 2 *Fig. Pop.* Ação, comportamento ou dito de ratão; DIABRURA; EXTRAVAGÂNCIA; RATICE 3 *Pej.* Conluio, fraude [F.: *rato* + *-ada*[1].]

ratamba (ra.*tam*.ba) *sf. Bras.* Chicote, chibata, vergasta [F.: De or. obsc.]

ratão (ra.*tão*) *sm.* **1** *Zool.* Rato grande; ARGANAZ **2** *SP Cul.* Massa feita de farinha de trigo, água e sal, us. para fazer panquecas [Pl.: *-tões.* Fem.: *ratona.* Aum. de *rato.*] *a.* **3** *Fig. Pop.* Engraçado, extravagante, ridículo, exótico [Pl.: *-tões.* Fem.: *ratona.*] [F.: *rat(o)* + *-ão.*]

ratão-do-banhado (ra.tão-do-ba.*nha*.do) *sm. Zool.* Mamífero roedor da fam. dos capromiídeos (*Myocastor coypus*), habitante dos banhados da América do Sul meridional, com ca. de 50 cm de comprimento, dorso em tons de negro e amarelo-escuro, ventre e lados do corpo amarelo-brunáceos, dedos dos pés traseiros dotados de membramas natatórias e longa cauda recoberta de escamas e pelos ralos [Pl.: *ratões-do-banhado.*]

ratapimba (ra.ta.*pim*.ba) *interj.* Expressão de imprevisto, ou de conclusão, desfecho; PIMBA: *Ratapimba! Fechou o negócio com a empresa* [F.: Voc. express.]

rataplã (ra.ta.*plã*) *sm.* O soar do tambor [F.: De or. onom.]

ratar (ra.*tar*) *v. td.* Dar dentada à maneira do rato [▶ **1 ratar**] [F.: *rato* + *-ar*[2]. Hom./Par.: *rata* (fl.), *rata* (sf.); *ratas* (fl.), *ratas* (pl. do sf.); *rataria* (fl.), *rataria* (sf.); *ratarias* (fl.), *ratarias* (pl. do sf.); *rato* (fl. de *ratar*), *rato* (sm.); *ratou* (fl. de *ratar*), *ratô* (sm.), *rato* (sm.).]

rataria (ra.ta.*ri*.a) *sf.* **1** Grande quantidade de ratos **2** Os ratos: *A rataria é que iria gostar desse porão.* [F.: *rato* + *-aria.* Hom./Par.: *rataria* (sf.), *rataria* (fl. de *ratar*).]

ratatuia (ra.ta.*tu*.ia) *sf. Gír.* Bando de malfeitores, de desonestos; QUADRILHA [F.: De *rato*, posv.]

ratazana (ra.ta.*za*.na) *sf.* **1** *Zool.* Mamífero roedor da fam. dos murídeos (*Rattus norvegicus*) encontrado no mundo todo, de dorso marrom-amarelado, com pelos pretos e brancos, com até 27 cm de comprimento, com peso que varia em média de 250 a 400 g, associado à presença do homem; RATO-DE-ESGOTO; RATO-DOMÉSTICO; GUABIRU **2** *Zool.* Rata[1] ou rato grande **3** *Pop.* Mulher velha, feia e pretensiosa *s2g.* **4** *Pop.* Pessoa ridícula, que é alvo de zombaria **5** *Bras. Gír.* Ladrão, ladra [F.: De *rato*, mas de formação incerta.]

rateação (ra.te:a.*ção*) *sf.* **1** Ação ou resultado de ratear, de dividir; RATEIO; RATEAMENTO **2** Divisão equitativa de uma certa quantidade de coisas (rateação de lucros; rateação de alimentos) [Pl.: *-ções.*] [F.: *ratear* + *-ção.*]

rateada (ra.te.*a*.da) *Pop. sf.* **1** Fracasso, fiasco: *Ninguém esperava aquela rateada no jogo final.* **2** Gafe: *Cometeu a maior rateada na festa.* [F.: *ratear* + *-ada*[1].]

rateado (ra.te.*a*.do) *a.* **1** Que se rateou **2** Distribuído por meio de rateação ou rateio; dividido proporcionalmente entre todos (prejuízo rateado) [F.: Part. de *ratear.*]

rateador (ra.te.a.*dor*) [ô] *a.* **1** Diz-se do que ou de quem rateia, que faz rateio *sm.* **2** Aquele ou aquilo que rateia (rateador de apostas) [F.: *ratear* + *-dor.*]

rateamento (ra.te.a.*men*.to) *sm.* Ação ou resultado de ratear; RATEAÇÃO; RATEIO [F.: *ratear* + *-mento.*]

ratear[1] (ra.te.*ar*) *v.* Dividir (algo) proporcionalmente (entre pessoas) [*td.*: *Resolveram ratear o prêmio em dinheiro.*] [*tdr.* + *entre*: *Ratearam o dinheiro entre os sócios.*] [▶ **13 ratear**] [F.: Do lat. *ratus, a, um*, 'calculado', + *-ear*[2]. Hom./Par.: *rateio* (fl.), *rateio* (sm.).]

ratear[2] (ra.te.*ar*) *v. int.* **1** Falhar (motor ou mecanismo): *O carro estava rateando.* **2** *Fig.* Debilitar-se, enfraquecer-se (organismo, órgão): *Seu coração estava rateando.* [▶ **13 ratear** Us. só nas 3ªs pess.] [F.: Do fr. *rater*, 'fracassar', com mud. de sufixo.]

rateio (ra.*tei*:o) *sm.* Divisão proporcional de ganhos ou despesas; RATEAÇÃO; RATEAMENTO [F.: Dev. de *ratear.* Hom./Par.: *rateio* (sm.), *rateio* (fl. de *ratear*).]

rateira (ra.*tei*.ra) *sf.* **1** *Bras. Mar.* Disco de metal colocado perpendicularmente entre o costado da embarcação e o cabeço do cais, us. para evitar a entrada de ratos **2** *Lus. Pop.* Meretriz, prostituta [F.: *rato* + *-eira.* Hom./Par.: *rateira* (sf.), *rateira* (fem. de *rateiro*, a. sm.).]

rateiro (ra.*tei*.ro) *a.* **1** Que caça ratos (cão rateiro) *sm.* **2** Gato ou cão que caça ratos [F.: *rato* + *-eiro.* Hom./Par.: *rateira* (fem.), *rateira* (sf.).]

ratice (ra.*ti*.ce) *sf.* **1** *Fig. Pop.* Ação, comportamento ou dito de ratão **2** Ação ridícula, esquisita, extravagante **3** *Fig.* Marotagem; sem-vergonhice [F.: *rat(ão)* + *-ice.*]

raticida (ra.ti.*ci*.da) *a2g.* **1** Que mata ratos *sm.* **2** Preparado próprio para matar ratos [F.: *rato* + *-i-* + *-cida.*]

ratificação (ra.ti.fi.ca.*ção*) *sf.* Ação ou resultado de ratificar [Pl.: *-ções.*] [F.: *ratificar* + *-ção.* Hom./Par.: *ratificação* (sf.), *retificação* (sf.).]

ratificado (ra.ti.fi.*ca*.do) *a.* Que se ratificou; que teve ratificação, que foi confirmado [Ant.: *desmentido.* Cf. *retificado.*] [F.: Part. de *ratificar.*]

ratificador (ra.ti.fi.ca.*dor*) [ô] *a.* **1** Que ratifica; que confirma; RATIFICANTE *sm.* **2** *Jur.* Aquele que ratifica, que contrata; CONTRATANTE; RATIFICANTE [F.: *ratificar* + *-dor.*]

ratificar (ra.ti.fi.*car*) *v.* **1** Fazer a confirmação ou validação de; CONFIRMAR; VALIDAR [*td.*: *Ratificar uma promessa.*] [*tdr.* + *em*: *Apesar das denúncias, ratificaram o novo diretor no cargo.*] **2** Comprovar, corroborar [*td.*: *A crise ratificou as previsões da imprensa.*] **3** Comprovar o que foi declarado; REAFIRMAR [*td.*: *O deputado ratificou suas declarações da véspera.*] **4** *Jur.* Comprovar a validade de um compromisso, juridicamente assumido [*td.*] [▶ **11 ratificar**] [F.: Do lat. medv. *ratificare.* Hom./Par.: *ratificáveis* (fl.), *ratificáveis* (pl. de *ratificável* [a2g.]); *ratificar* (v.), *retificar* (todas as fl.).]

ratificável (ra.ti.fi.*cá*.vel) *a2g.* Que pode ser ratificado [Pl.: *-veis.*] [F.: *ratificar* + *-vel.* Hom./Par.: *ratificável* (a2g.), *retificável* (a2g); *ratificáveis* (pl.), *ratificáveis* (fl. de *ratificar*).]

rato (*ra*.to) *sm.* **1** *Zool.* Nome comum dado ao animal roedor da fam. dos murídeos, esp. aos que pertencem ao gên. *Rattus*, encontrados em todas as partes do mundo, e dos quais são muito conhecidos o rato-preto e a ratazana [Col.: *ratada, rataria.*] **2** Ladrão, gatuno **3** *Fig.* Trapaceiro, tratante **4** *Pop.* Pessoa que frequenta determinado lugar com grande assiduidade (rato de igreja) **5** *Bras. Gír.* Agente policial **6** *Lus. Mouse* [Aum.: *ratazana.*] [F.: Do lat. vulg. *rattu.* Hom./Par.: *rato* (sm.), *rato* (fl. de *ratar*).] ■ **~ de biblioteca** Frequentador assíduo de biblioteca **~ de hotel** Ladrão que atua principalmente em hotéis **~ de praia** **1** *Bras.* Pessoa que frequenta muito a praia **2** Larápio, punguista que atua em praia **~ de sacristia** Pessoa que frequenta muito igrejas, sacristias etc.

rato-almiscarado (ra.to-al.mis.ca.*ra*.do) *sm.* **1** *Zool.* Mamífero roedor aquático da fam. dos cricetídeos (*Ondatra zibethicus*), nativo da América do Norte, introduzido na Europa, com comprimento do corpo de 25-40 cm e cauda comprimida lateralmente medindo entre 20-25 cm, seu corpo é coberto por uma densa pelagem amarronzada impermeável no dorso e ventre mais pálido **2** O mesmo que *almiscareiro* [Pl.: *ratos-almiscarados.*]

rato-d'água (ra.to-d'.*á*.gua) *sm. Zool.* Pequeno mamífero roedor da fam. dos cricetídeos (*Nectomys squamipes*), distribuído por todo o Brasil, semiaquático e noturno, com cerca de 15 cm de comprimento, dorso marrom-escuro, partes inferiores cinzentas ou esbranquiçadas e patas posteriores dotadas de pequenas membranas interdigitais; CUIARA; CUJARA; QUIARA [Pl.: *ratos-d-água.*]

rato-do-mato (ra.to-do-*ma*.to) *sm. Bras. Zool.* Denominação comum de várias espécies de roedores cricetídeos, dos gên. *Oryzomys* e outros, semelhantes ao camundongo, com aspecto do rato-doméstico, porém de vida silvestre [Pl.: *ratos-do-mato.*]

rato-doméstico (ra.to-do.*més*.ti.co) *sm.* **1** *Zool.* Ver *ratazana* (*Rattus norvegicus*); RATO-COMUM; RATO-DE-ESGOTO; GUABIRU **2** Ver *rato-preto* (*Rattus rattus*) [Pl.: *ratos-domésticos.*]

ratoeira (ra.to.*ei*.ra) *sf.* **1** Armadilha para pegar ratos **2** *Fig.* Qualquer armadilha; ARDIL; ESPARRELA **3** *SC Folc.* Dança regional de SC [F.: *rato* + *-eira.*] ■ **Cair na ~** *Fig.* Ser logrado, cair numa armadilha

ratoneiro (ra.to.*nei*.ro) *sm. Pop.* Aquele que furta coisas de pequeno valor; ladrão barato; GATUNO; LARÁPIO; LADRÃO DE GALINHA [F.: *ratão-* + *-eiro*, pelo padrão erudito.]

rato-preto (ra.to-*pre*.to) *sm. Zool.* Ver *rato*; GUABIRU; RATO-CASEIRO; RATO-DOMÉSTICO; RATO-PARDO [Pl.: *ratos-pretos.*]

ratuíno[1] (ra.tu:*í*.no) *a.* *N Pop.* Diz-se do que é ordinário, reles; de qualidade inferior (tecido/caráter ratuíno) [F.: *rato-* + *-ino.* Hom./Par.: *ratuína* (fem.), *ratuína* (sf.).]

ratuíno[2] (ra.tu:*í*.no) *a.* *N Pop.* Diz-se de quem é esperto como rato; RATÃO: "Aquilo é um advogado ratuíno." (Leôncio Mota, *Violeiro moderno*)

⊕ **rave** (*Ing.* /rêiv/) *sf.* Festa dançante, por vezes de caráter itinerante, realizada em ambiente amplo (grandes salões ou ar livre), com música eletrônica, e que não tem hora para acabar

rã-verdadeira (rã-ver.da.*dei*.ra) *sf. Zool.* O mesmo que *rã* (2) [Pl.: *rãs-verdadeiras.*]

ravina (ra.*vi*.na) *sf.* **1** Enxurrada de água pelas encostas **2** A escavação por ela formada; BARRANCO [F.: Do fr. *ravine.*]

ravinamento (ra.vi.na.*men*.to) *Geol. sm.* **1** Processo geomorfológico pelo qual as ravinas se originam **2** Sulcos formados por erosão rápida proveniente das ravinas [F.: Do fr. *ravenement.*]

raviólí (ra.vi.*ó*.li) *sm.* **1** *Cul.* Massa cortada em pequenos quadrados que são recheados com carne moída, espinafre etc. **2** Prato feito com essa massa, ger. servido com molho de tomate e queijo parmesão ralado [F.: Do it. *ravioli.*]

⊕ **ray-ban** (*Ing.* /réi-ban/) *sm2n.* Tipo de vidro de cor esverdeada ou acinzentada, us. em lentes de óculos ou vidraças, que filtra parte dos raios luminosos incidentes sobre ele [Us. como *a2n.* quando junto ao substantivo: óculos ray-ban, vidro ray-ban.]

razão (ra.*zão*) *sf.* **1** Capacidade de raciocinar, de julgar, de compreender, de conhecer; a inteligência em geral: *O ser humano é dotado de razão.* **2** Correção, racionalidade em raciocínio ou julgamento feitos; bom-senso; JUÍZO; DISCERNIMENTO: *Não é a razão que governa os sentimentos.* **3** Funcionamento normal das faculdades intelectuais; LUCIDEZ **4** Causa, motivo, explicação: *Ninguém descobriu a razão de sua morte.* **5** Argumento, alegação, justificação: *As razões apresentadas não foram convincentes.* **6** A lei moral; o direito, a justiça: *um veredicto conforme à razão.* **7** Informação, notícia, nova **8** *Fil.* O pensamento lógico, discursivo, p. opos. à intuição, aos sentimentos **9** *Fil.* Conhecimento natural, p. opos. àquele resultante da revelação ou da fé **10** *Mat.* Quociente entre dois números **11** *Mat.* Diferença entre os termos consecutivos de uma progressão aritmética *sm.* **12** Livro onde se lança o resumo da escrituração dos créditos e dos débitos [Pl.: *-zões.*] [F.: Do lat. *ratio, onis.*] ■ **À ~ de** **1** Us. para informar uma taxa ou porcentagem de variação (p. ex., juros) **2** Ao preço de **3** Na mesma medida ou ritmo de variação que (outra coisa) **Dar ~ a (alguém)** Considerar ou declarar que (alguém) está certo; concordar com (alguém) **Em ~ de** Por motivo de **Estar coberto de ~** Ter toda a razão **Estar com a ~** Ver *Ter razão* **~ anarmônica** *Geom.* Numa reta, dados quatro pontos colineares A, B, C e D, chama-se razão anarmônica à razão AC/AD = BC/BD **~ áurea** *Mat.* Razão entre duas quantidades igual ao número áureo [(Ö 5-1)/2] **~ de Estado** Argumento de justificação de medidas baseado no interesse do Estado acima de outros interesses **~ de homotetia** *Geom.* Ver *Razão de semelhança* **~ de Poisson** *Fís.* Quociente dentre as deformações lateral e longitudinal de um corpo **~ de semelhança** *Geom.* Entre duas figuras geométricas semelhantes, razão entre as linhas correspondentes (homólogas) na semelhança **~ de transferência** *Fís.* Medida da transferência de energia de um sistema oscilante a outro a ele acoplado **~ de variação** *Mat.* Razão entre a variação da variável dependente de uma função e a variação da variável independente **~ externa** *Geom.* Considerados três pontos colineares de uma reta A, B e C, e nessa sequência, a razão entre os segmentos AC e BC **~ harmônica** *Geom.* Razão anarmônica quando igual a -1 **~ interna** *Geom.* Considerados três pontos colineares de uma reta A, B e C, e nessa sequência, a razão entre os segmentos BA e BC **~ inversa** *Mat.* Razão entre inversos de números; razão recíproca **~ prática** *Fil.* Segundo Kant, razão ligada à determinação de uma vontade **~ pura** *Fil.* Segundo Kant, faculdade superior de conhecimento, independente da razão prática, do empirismo, da intuição etc. **~ recíproca** *Mat.* Ver *Razão inversa* **~ simples** *Geom.* Considerados três pontos colineares de uma reta A, B e C, e nessa sequência, razão entre os segmentos AB e BC **~ social** O nome registrado de firma ou empresa **Ter ~** Ter boas razões sensatas ou motivo justo para afirmar ou fazer algo; estar correto ao falar ou pensar algo, ou ao agir de determinada maneira: *Cada um disse uma coisa e não sabíamos quem tinha razão.* **Ter suas razões** Ter seus próprios motivos ou justificativas para seus atos ou suas ideias

razia (ra.*zi*.a) *sf.* **1** Incursão em território inimigo para saquear **2** *Fig.* Ataque, investida: *A polícia fez uma razia nos inferninhos do cais do porto.* **3** *Fig.* Devastação, destruição [F.: Do fr. *razzia*, do ár. da Argélia *gaziya.*]

razoabilidade (ra.zo:a.bi.li.*da*.de) *sf.* Qualidade de razoável [F.: *razoável* (sob a f. *razoabil-*) + *-(i)dade*, seg. o mod. erudito.]

razoar (ra.zo.*ar*) *v.* **1** Apresentar argumentos, motivos, razões sobre (um assunto) em fala, texto ou discurso [*tr.* + *sobre*] **2** Pensar com justeza, com lógica; RACIOCINAR [*int.*] **3** *Jur.* Apresentar alegações, argumentos, razões, em defesa de (causa) [*td.*] [▶ **16 razoar**]

razoável (ra.zo.*á*.vel) *a2g.* **1** Conforme à razão, ao direito ou à equidade: *É um pedido razoável, que pode ser atendido.* **2** Que mostra bom-senso, juízo: *Seja razoável e aceite as coisas como são.* **3** Moderado, comedido, não excessivo (preço razoável) **4** Acima de medíocre; ACEITÁVEL; SUFICIENTE: *O desempenho do ator foi razoável.* [Pl.: *-veis.*] [F.: Do lat. *rationabilis, e.* Hom./Par.: *razoáveis* (pl.), *razoáveis* (fl. de *razoar*).]

razoavelmente (ra.zo:a.vel.*men*.te) *adv.* **1** De modo razoável, mediano (razoavelmente bem-sucedido) **2** De acordo com a razão, consoante a razão (razoavelmente resolvido) [F.: *razoável-* + *-mente.*]

⊠ **Rb** *Quím.* Símb. de *rubídio*

⊠ **Rd** *Fís. nu.* Símb. de *rutherford*

⊠ **RE** *Quím.* Símb. de *rênio*

◎ **re-** *Pref.* = 'retrocesso'; 'repetição'; 'reforço'; 'oposição': *regredir*; *reclassificar*; *realce*; *reagir* [F.: Do lat. *re-.*]

ré[1] *sf.* **1** Mulher ou entidade acusada ou processada em uma ação cível **2** Mulher que cometeu crime; CRIMINOSA [F.: Do lat. *rea, ae.*]

ré[2] *sf.* **1** *Aut.* Marcha de veículo motorizado que o faz andar para trás **2** *Mar.* Parte traseira do navio; POPA **3** O que se deixa para trás, na retaguarda [F.: Posv. do lat. *retro.*] ■ **A ~** **1** *Mar.* À popa, na popa: *Siga a ré; Coloque-se a ré* [P. op. a *avante.*] **2** *Mar.* Para trás **De ~** Com a marcha a ré engatada (veículo automotivo); avançando em direção à traseira

ré[3] *Mús. sm.* **1** A segunda nota musical da escala de dó **2** Sinal que representa essa nota na pauta musical [F.: Do it. *re.*]

reabastecer (re:a.bas.te.*cer*) *v.* **1** Tornar a abastecer(-se) [*td.*: *Reabasteceu o carro antes de seguir viagem.*] [*tdr.* + *de*: *O hospital reabasteceu-se de remédios.*] **2** Colocar combustível em veículo [*int.*: *Os pilotos paravam na metade da prova para reabastecer.*] [▶ **33 reabastecer**] [F.: *re-* + *abastecer.*]

reabastecido (re:a.bas.te.*ci*.do) *a.* Que se reabasteceu; abastecido novamente [F.: Part. de *reabastecer.*]

reabastecimento (re:a.bas.te.ci.*men*.to) *sm.* Ação ou resultado de reabastecer(-se) [F.: *reabastecer* + *-imento.*]

reaberto (re:a.*ber*.to) *a.* Que se reabriu; aberto de novo [F.: Part. de *reabrir.*]

reabertura (re:a.ber.*tu*.ra) *sf.* **1** Ação ou resultado de reabrir(-se): *reabertura de um teatro.* **2** Reinício: *reabertura do período escolar.* [F.: *reaberto* + *-ura* ou de *re-* + *abertura.*]

reabilitação (re:a.bi.li.ta.*ção*) *sf.* **1** Ação ou resultado de reabilitar(-se) **2** Recuperação da estima pública ou particular, pela regeneração moral ou pelo sucesso **3** *Med.* Restabelecimento da saúde física e/ou mental, por meio de cuidados médicos **4** *Arq. Urb.* Conjunto de medidas destinadas a recuperar a capacidade de utilização de um imóvel ou de um complexo urbanístico **5** *Jur.* Recuperação do crédito por parte de alguém que saldou seus débitos **6**

Jur. Retorno de uma pessoa à condição de que antes usufruía [Pl.: *-ções.*] [F.: *reabilitar* + *-ção.*] ■ **~ motora** *Neur.* Ver *Reeducação motora*

reabilitacional (re:a.bi.li.ta.ci:o.*nal*) *a2g.* 1 Ref. a, ou próprio de reabilitação (processo reabilitacional) 2 Diz-se do que tem por objetivo a reabilitação (fisioterapia reabilitacional) [Pl.: *-nais.*] [F.: *reabilitação* (sob a f. *reabilitacion-*) + *-al*[1], seg. o mod. erudito.]

reabilitado (re:a.bi.li.*ta*.do) *a.* Que se reabilitou [F.: Part. de *reabilitar.*]

reabilitador (re:a.bi.li.ta.*dor*) [ô] *a.* 1 Diz-se do que ou quem reabilita; REABILITANTE *sm.* 2 Aquele ou aquilo que reabilita [F.: *reabilitar-* + *-dor.*]

reabilitar (re:a.bi.li.*tar*) *v. td.* 1 *Jur.* Restituir direitos ou condição perdida a 2 Restituir a estima pública ou particular: *A vitória reabilitou a seleção; A seleção reabilitou-se.* 3 Regenerar(-se), recuperar (alguém) de problema físico ou psíquico: *Era viciado, mas um médico o reabilitou; Reabilitou-se e deixou o hospital.* [▶ 1 reabilitar] [F.: *re-* + *habilitar.*]

reabilitatório (re:a.bi.li.ta.*tó*.ri:o) *a.* 1 Que serve para reabilitar; que é próprio para reabilitar (tratamento reabilitatório) 2 Que envolve reabilitação; que proporciona reabilitação (decisão reabilitatória) [F.: *reabilitar* + *-tório.* Sin. ger.: *reabilitativo.*]

reabilitável (re:a.bi.li.*tá*.vel) *a2g.* Passível de ser reabilitado (doente/reputação reabilitável); RECUPERÁVEL [Ant.: *irreabilitável.*] [Pl.: *-veis.*] [F.: *reabilitar* + *-vel. Hom./Par.: reabilitáveis* (pl.), *reabilitáveis* (fl. de *reabilitar*).]

reabraçar (re.a.bra.*çar*) *v. td.* Voltar a abraçar: *Reabraçou o amigo antes de partir.* [▶ 12 reabraçar] [F.: *re-* + *abraçar.*]

reabrir (re:a.*brir*) *v.* Tornar a abrir(-se) [*td.: A família prometeu reabrir o restaurante.*] [*int.: A loja reabriu dois meses após o incêndio.*] [▶ 3 reabrir] [F.: *re-* + *abrir.*]

reabsorção (re:ab.sor.*ção*) *sf.* 1 Ação ou resultado de reabsorver 2 *Fisl.* Capacidade do organismo de absorver substância mórbida por influência das forças vitais: *reabsorção de um tumor.* [Pl.: *-ções.*] [F.: *re-* + *absorção.*]

reabsorver (re.ab.sor.*ver*) *v. td.* Tornar a absorver: *Tempo para reabsorver toda secreção presente no ouvido médio.* [▶ 2 reabsorver] [F.: *re-* + *absorver.*]

reabsorvido (re:ab.sor.*vi*.do) *a.* Diz-se do que se reabsorveu, que se tornou a absorver (ensinamento reabsorvido; substâncias reabsorvidas) [F.: Part. de *reabsorver.*]

reaça (re.*a*.ça) *a2g.* 1 *Bras. Gír. Pol.* Diz-se do que ou quem é reacionário *s2g.* 2 *Bras. Gír. Pol.* Pessoa reacionária [F.: F. red. de *reacionário.*]

reação (re:a.*ção*) *sf.* 1 Ação ou resultado de reagir 2 Ação em sentido inverso a uma ação anterior e provocada por essa ação: *A repressão da liberdade provoca sempre uma reação violenta.* 3 Ato ou sentimento em resposta a uma situação, crítica, ameaça etc.: *Qual será a reação dele diante do fracasso?* 4 Oposição, resistência: *Não esperava tamanha reação às suas ideias.* 5 *Fisl.* Resposta do organismo a um estímulo, alimento ou remédio (reação alérgica) 6 *Pol.* Sistema político ultraconservador, reacionário 7 *Quím.* Alteração na estrutura de substância produzida por mistura com outra, alteração ambiental etc. 8 *Fís.* Ação reflexa ou resistência que um corpo opõe pela sua inércia a outro que sobre ele atua, ou a uma força que o comprime [Pl.: *-ções.*] [F.: *re-* + *ação.*] ■ **~ convergente** *Fís. nu.* Reação em cadeia que diminui com o tempo **~ divergente** *Fís. nu.* Reação em cadeia que aumenta com o tempo **~ elementar** *Quím.* A que se verifica com a interação direta entre duas partículas ou entre uma partícula e uma superfície inerte **~ em cadeia** 1 *Fís. nu* Sequência de reações nucleares na qual o produto de uma reação passa a atuar como reagente, reiniciando o processo 2 *Fig.* Toda sequência de fatos na qual uma consequência torna-se causa, reiniciando o processo **~ nuclear** *Fís. nu.* Toda reação na qual ocorre modificação de um ou mais núcleos de átomos **~ termonuclear** *Fís. nu.* Ver *Fusão nuclear*

reaceleração (re:a.ce.le.ra.*ção*) *sf.* 1 Ação ou resultado de reacelerar, de voltar a acelerar 2 Reativação, recuperação de crescimento ou índices positivos (reaceleração da produção); REAQUECIMENTO 3 Aumento do nível ou ritmo de algo (reaceleração da inflação); REAQUECIMENTO [Pl.: *-ções.*] [F.: *re-* + *aceleração* ou de *reacelerar* + *-ção.*]

reacelerar (re:a.ce.le.*rar*) *v. td. int.* Tornar a acelerar [▶ 1 reacelerar] [F.: *re-* + *acelerar.*]

reacender (re:a.cen.*der*) *v.* 1 Tornar a acender [*td.: Reacendeu o fogo.*] 2 Renovar-se, reanimar-se [*td.: A declaração do prefeito reacendeu nossas esperanças.*] [*int.: Seu ânimo (se) reacendeu.*] [▶ 2 reacender] [F.: Do lat. tard. *reaccendere* ou de *re-* + *acender*. Hom./Par.: *reacender, reascender* (todas as fl.).]

reacendimento (re:a.cen.di.*men*.to) *sm.* Ação ou resultado de reacender [F.: *reacender* + *-imento.*]

reacentuação (re:a.cen.tu:a.*ção*) *sf.* Ênfase, realce: *reacentuação da beleza natural; reacentuação de talento* [Pl.: *-ções.*] [F.: *re-* + *acentuação.*]

reacertar (re.a.cer.*tar*) *v. td.* Acertar de novo ou voltar a acertar [▶ 1 reacertar] [F.: *re-* + *acertar.*]

reacerto (re:a.*cer*.to) *sm.* Ação ou resultado de reacertar (reacerto na negociação/no relacionamento) [F.: *re-* + *acerto.*]

reachar (re.a.*char*) *v. td.* Tornar a achar [▶ 1 reachar] [F.: *re-* + *achar.*]

reacional (re:a.ci:o.*nal*) *a2g.* Que diz respeito a reação, ou reações [Pl.: *-nais.*] [F.: *reação* (sob a f. *reacion-*) + *-al*[1], seg. o mod. erudito.]

reacionário (re:a.ci.o.*ná*.ri:o) *a.* 1 Que se opõe ou mostra oposição a quaisquer mudanças sociais ou políticas (doutrina reacionária; discurso reacionário) 2 Contrário à democracia; ANTIDEMOCRÁTICO *sm.* 3 Indivíduo reacionário (1 e 2) [F.: *reação* (sob a f. *reacion-*) + *-ário*, seg. o mod. erudito.]

reacionarismo (re:a.ci:o.na.*ris*.mo) *sm.* 1 *Pol.* Qualidade, ação ou postura de reacionário 2 Ideias ou sistemas dos reacionários 3 O conjunto dos reacionários 4 Sistema político conservador, partidário da reação e contrário à evolução político-social [F.: *reacionário* + *-ismo.*]

reacomodação (re:a.co.mo.da.*ção*) *sf.* 1 Ação ou resultado de acomodar novamente 2 Readaptação; READEQUAÇÃO [Pl.: *-ções.*] [F.: *reacomodar* + *-ção.*]

reacomodar (re.a.co.mo.*dar*) *v.* 1 Acomodar(-se) novamente [*td.*] 2 Tornar a adaptar(-se); READAPTAR (-SE) [*tdr.* + *a*, *em*] [▶ 1 reacomodar] [F.: *re-* + *acomodar.*]

reacoplamento (re:a.co.pla.*men*.to) *sm.* Ação ou resultado de reacoplar, reconectar, restabelecer contato: *Reacoplamento da cápsula espacial.* [F.: *reacoplar* + *-mento.*]

reacoplar (re.a.co.*plar*) *v. td.* Acoplar novamente [▶ 1 reacoplar] [F.: *re-* + *acoplar.*]

reacostumar (re.a.cos.tu.*mar*) *v. td.* Fazer acostumar(-se) novamente: *Precisava reacostumar o cachorro a dormir fora da casa.* [▶ 1 reacostumar] [F.: *re-* + *acostumar.*]

reactância (re.ac.*tân*.ci.a) *sf. Elet. Eletrôn. Fís.* Ver *reatância*

readale (re:a.*da*.le) *Angios. sf.* 1 Espécime das readales *a2g.* 2 Ref. a, ou próprio das readales [F.: Do gr. *rhoiás, ádos*, 'certo tipo de papoula'; lat. cient. ordem *Rhoedales.*]

readaptabilidade (re:a.dap.ta.bi.li.*da*.de) *sf.* Qualidade, característica ou estado de readaptável [F.: *readaptável* (sob a f. *readaptabil-*) + *-(i)dade*, seg. o mod. erudito.]

readaptação (re:a.dap.ta.*ção*) *sf.* 1 Ação ou resultado de readaptar(-se) 2 *Biol.* Adaptação de um organismo a novas condições de vida 3 *Bras. Jur.* Colocação de servidor público em nova função, ger. para melhor aproveitamento de sua capacidade profissional 4 *Med.* Retorno progressivo às atividades habituais por convalescente de alguma doença [Pl.: *-ções.*] [F.: *readaptar* + *-ção.*]

readaptado (re:a.dap.*ta*.do) *a.* 1 Que se adaptou novamente 2 *Biol.* Diz-se de organismo que se adaptou a novas condições de vida 3 *Bras. Jur.* Diz-se de servidor público que, por motivo de saúde, tenha sofrido alguma limitação sem que tenha ficado inválido, e é encaminhado a uma nova função compatível com suas capacidades [F.: Part. de *readaptar.*]

readaptar (re:a.dap.*tar*) *v.* 1 Tornar a adaptar [*td.: Readaptar o motor do carro.*] [*tdi.* + *a*: *Readaptou o horário de trabalho às suas necessidades.*] [*tr.* + *a*: *A família readaptou-se ao estilo de vida rural.*] 2 *Jur.* Efetivar a readaptação de [*td.*] [▶ 1 readaptar] [F.: *re-* + *adaptar*. Hom./Par.: *readaptáveis* (fl.), *readaptáveis* (pl. de *readaptável* [a2g.]).]

readaptável (re:a.dap.*tá*.vel) *a2g.* Que pode ou deve ser readaptado [Pl.: *-veis.*] [F.: *readaptar* + *-vel.* Hom./Par.: *readaptáveis* (pl.), *readaptáveis* (fl. de *readaptar*).]

readequação (re:a.de.qua.*ção*) *sf.* Ação ou resultado de readequar(-se) (readequação do projeto) [Pl.: *-ções.*] [F.: *readequar* + *-ção.*]

readequar (re:a.de.*quar*) *v.* Tornar(-se) novamente adequado [*tdr.* + *a*: *Readequava seu vestuário às mudanças de temperatura; Readequou-se à vida familiar.*] [▶ 10 readequar. Tradicionalmente considerado defectivo segundo o paradigma 10, *readequar* tem sido conjugado, bem como *adequar*, pelo paradigma 17: *readéquo, readéque* etc.] [F.: *re-* + *adequar.*]

readministração (re:ad.mi.nis.tra.*ção*) *sf.* 1 *Adm.* Administração renovada que consiste em gerir as organizações de modo a torná-las mais produtivas, eficazes, responsáveis e éticas, com os indivíduos envolvidos sentindo-se satisfeitos e recompensados [Cf.: *reengenharia.*] 2 *Med.* Repetição da administração de um medicamento: *Não é recomendada a readministração desse remédio.* [Pl.: *-ções.*] [F.: *re-* + *administração.*]

readmissão (re:ad.mis.*são*) *sf.* 1 Ação ou resultado de readmitir 2 *Jur.* Retorno de funcionário público ao exercício de suas funções, uma vez comprovada a inconsistência dos motivos apresentados para sua exoneração [Pl.: *-sões.*] [F.: *re-* + *admissão.*]

readmitido (re:ad.mi.*ti*.do) *a.* Que se readmitiu, que foi contratado novamente (empregado readmitido) [F.: Part. de *readmitir.*]

readmitir (re.ad.mi.*tir*) *v.* 1 Voltar a admitir [*td.: A empresa readmitiu o funcionário.*] [*tda.: O juiz mandou readmitir todos os empregados na fábrica.*] 2 Tornar a reconhecer (algo) [*td.: Readmitiu que suas acusações eram verdadeiras.*] [▶ 3 readmitir] [F.: *re-* + *admitir.*]

readoção (re:a.do.*ção*) *sf.* Ação ou resultado de adotar novamente: *Foi determinada a readoção da sistemática anterior.* [Pl.: *-ções.*] [F.: *re-* + *adoção.*]

readquirir (re.ad.qui.*rir*) *v. td.* Tornar a adquirir: *Readquiriu o carro que vendera e a confiança que perdera* [▶ 3 readquirir] [F.: *re-* + *adquirir.*]

⊕ ***ready-made*** (*Ing. /rédi-mêid/*) *sm. Art. pl.* Qualquer objeto de uso comum, tirado do seu contexto e tratado como obra de arte por escolha do artista [Proposta estética expressão criada em 1913, pelo artista francês Marcel Duchamp (1887-1968).]

reafirmação (re:a.fir.ma.*ção*) *sf.* 1 Ação ou resultado de reafirmar 2 Confirmação da verdade de uma afirmação [Pl.: *-ções.*] [F.: *reafirmar* + *-ção.*]

reafirmado (re:a.fir.*ma*.do) *a.* Afirmado novamente (compromisso reafirmado); CONFIRMADO [F.: Part. de *reafirmar.*]

reafirmar (re.a.fir.*mar*) *v. td.* Tornar a afirmar; confirmar: *O técnico reafirmou sua confiança no time.* [▶ 1 reafirmar] [F.: *re-* + *afirmar.*]

reaflorar (re.a.flo.*rar*) *v. int.* Aflorar outra vez [▶ 1 reaflorar] [F.: *re-* + *aflorar.*]

reafricanização (re:a.fri.ca.ni.za.*ção*) *sf. Antr.* Movimento de retomada das tradições genuinamente africanas, esp. nas práticas religiosas, como no candomblé [Pl.: *-ções.*] [F.: *re-* + *africanização.*]

reaganiano (re:a.ga.ni:*a*.no) *a.* 1 Referente ao reaganismo (conservadorismo reaganiano) 2 Que é partidário dele (político reaganiano) *sm.* 3 Partidário ou simpatizante do reaganismo [F.: Do antr. Ronaldo *Reagan* + *-i-* + *-ano.*]

reaganismo (re:a.ga.*nis*.mo) *Pol. sm.* 1 Atuação política, econômica e social de Ronald Reagan (1911-2004) 2 Período de seu governo como presidente dos Estados Unidos (1981-1989) ou do seu predomínio na política norte-americana [F.: Do antr. Ronald *Reagan* + *-ismo.*]

reagente (re:a.*gen*.te) *a2g.* 1 Que reage, que tem reação 2 *Quím.* Diz-se de substância que produz reação química *sm.* 3 *Quím.* Substância reagente (2) [F.: Do lat. *reagens, entis.* Sin. ger.: *reativo.*]

reagir (re:a.*gir*) *v.* Exercer ou opor reação a [*tr.* + *a*: *Reagir a uma ofensa.*] [*int.: Quando o agridem, ele reage rápido.*] [▶ 46 reagir] [F.: Do v.lat. *reagere.*]

reaglutinação (re:a.glu.ti.na.*ção*) *sf.* Ação ou resultado de reaglutinar (reaglutinação partidária); REAGLUTINAMENTO [Pl.: *-ções.*] [F.: *reaglutinar* + *-ção.*]

reaglutinador (re:a.glu.ti.na.*dor*) [ô] *a.* 1 Que reaglutina: *O papel reaglutinador do movimento operário. sm.* 2 O que reaglutina [F.: *reaglutinar* + *-dor.*]

reaglutinamento (re:a.glu.ti.na.*men*.to) *sm.* O mesmo que *reaglutinação* [f.: De *reaglutinar* + *-mento.*]

reaglutinar (re.a.glu.ti.*nar*) *v.* Aglutinar(-se) novamente [*td.: Reaglutinou os glóbulos*] [*tr.* + *a*: *Reaglutinar-se ao grupo.*] [▶ 1 reaglutinar] [F.: *re-* + *aglutinar.*]

reagradecer (re.a.gra.de.*cer*) *v.* Agradecer novamente [*td.: Reagradeceu os elogios.*] [*ti.* + *a*: *Reagradeça à sua mãe.*] [*tdi.* + *a*: *Reagradeceu ao pai os favores prestados.*] [*int.: Reagradeceu mais uma vez e foi embora.*] [▶ 33 reagradecer] [F.: *re-* + *agradecer.*]

reagravar (re.a.gra.*var*) *v.* 1 Agravar novamente; tornar(-se) pior [*td.: O tempo frio reagravou sua gripe.*] [*int.: Suas dores de coluna se reagravaram.*] 2 Tornar mais forte; exacerbar [*td.: O desaparecimento da filha reagravou sua tristeza.*] 3 *Jur.* Agravar mais uma vez uma sentença [*int.*] [▶ 1 reagravar] [F.: *re-* + *agravar.*]

reagrupado (re:a.gru.*pa*.do) *a.* Que se reagrupou; agrupado de novo [F.: Part. de *reagrupar.*]

reagrupamento (re:a.gru.pa.*men*.to) *sm.* Ação ou resultado de reagrupar(-se) [F.: *reagrupar* + *-mento.*]

reagrupar (re.a.gru.*par*) *v.* Tornar a agrupar(-se) ou reunir(-se): *Reagrupou os soldados para um contra-ataque; Os soldados reagruparam-se.* [▶ 1 reagrupar] [F.: *re-* + *agrupar.*]

reajuntado (re:a.jun.*ta*.do) *a.* Ajuntado, reunido novamente: *O DNA é quebrado em vários lugares e reajuntado com outro segmento.* [F.: *re-* + *ajuntado.*]

reajustado (re:a.jus.*ta*.do) *a.* 1 Em que houve reajustamento 2 *Bras.* Adequado ao novo custo de vida (salários/preços reajustados) [F.: Part. de *reajustar.*]

reajustagem (re:a.jus.*ta*.gem) *sf.* Ação ou resultado de reajustar (reajustagem da máquina) [Pl.: *-gens.*]

reajustamento (re:a.jus.ta.*men*.to) *sm.* Ação ou resultado de reajustar; REAJUSTE [F.: *reajustar* + *-mento.*]

reajustar (re.a.jus.tar) *v.* 1 Tornar a ajustar [*td.: Reajustar uma roupa.*] [*tdr.* + *a*: *Reajustar uma peça a uma máquina.*] 2 Adequar (salário, preços, tarifas) ao novo custo de vida [*td.: O governo vai reajustar os salários.*] [▶ 1 reajustar] [F.: *re-* + *ajustar*. Hom./Par.: *reajuste* (fl.), *reajuste* (sm.); *reajustes* (fl.), *reajustes* (pl. do sm.); *reajustáveis* (fl.), *reajustáveis* (pl. de *reajustável* [a2g.]).]

reajustável (re:a.jus.*tá*.vel) *a2g.* Que pode ser reajustado [Pl.: *-veis.*] [F.: *reajustar* + *-vel.* Hom./Par.: *reajustáveis* (pl.), *reajustáveis* (fl. de *reajustar*).]

reajuste (re.a.*jus*.te) *sm.* 1 Ação ou resultado de reajustar; REAJUSTAMENTO 2 O valor (monetário) do reajuste (1) 3 *Bras.* Regulagem de peças de máquina, motor etc. [F.: Dev. de *reajustar*. Hom./Par.: *reajuste* (sm.), *reajuste* (fl. de *reajustar*).] ■ **~ salarial** *Econ.* Aumento de salário que visa a corrigir, ao menos parcialmente, a desvalorização da moeda (portanto, não se constituindo em aumento real do valor de compra do salário)

real[1] (re.*al*) *a2g.* 1 Que existe verdadeiramente (vida real) 2 Verídico, autêntico, genuíno: *O jornal publicou a versão real da história.* 3 *Econ.* De que foram descontadas reajustes devido à inflação (salário real); DEFLACIONADO [P. opos. a *nominal.*] 4 *Jur.* Ref. aos bens e não às pessoas (direitos reais) [Pl.: *reais.*] *sm.* 5 O que tem existência real, o que não é fictício ou imaginário; REALIDADE 6 *Jur.* O material (referindo-se aos bens e não às pessoas), aquilo que tem existência de fato [Pl.: *reais.*] *sf.* 7 *Bras. Gír.* A vida real; a realidade: *Caia na real!* [Pl.: *reais.*] [F.: Do baixo lat. *realis.* Hom./Par.: *reais* (pl.), *riais* (fl. de *rir*).]

real[2] (re.*al*) *a2g.* 1 Ref., pertencente ao rei, à rainha ou à realeza (bodas reais); RÉGIO 2 Próprio ou digno do rei; RÉGIO; REALENGO 3 Notável pelo porte, beleza ou elegância (diz-se de dada espécie animal) [Pl.: *reais.*] [F.: Do lat. *regalis, e.*]

real[3] (re.*al*) ***sm.*** **1** Nome do dinheiro us. no Brasil (a partir de 1994) **2** Unidade dos valores em real, us. em notas e moedas: *Uma nota de dez reais.* [1 real = 100 centavos. Símb.: *$*] [Pl. nas acps. 1 e 2: *-ais.*] **3** Nome do dinheiro us. no Brasil até 1942 [Pl. nesta acp.: *réis.*] [F.: Posv. de *real*[2].]

📖 O real, moeda brasileira desde 1994, foi adotado depois de seguidas tentativas – de seguidos governos – de eliminar ou reduzir uma alta inflação que já durava décadas. Para evitar que os efeitos e as reações que haviam neutralizado as medidas anteriores agissem sobre a nova moeda, um período de adaptação foi feito com uma unidade intermediária, chamada URV (Unidade Real de Valor), indexada ao dólar norte-americano. Absorvidas as reações e estabilizada a URV, ela se transformou no real, já não indexado, carregando em si a estabilidade assegurada com a URV.

realçado (re:*al*.ça.do) ***a.*** **1** Que se realçou, destacou (texto realçado) **2** Que realça ou sobressai; RELEVADO **3** *Fig.* Que é excelso, elevado, superior, sublimado [F.: Part. de *realçar.*]

realçador (re:al.ça.*dor*) [ô] ***a.*** **1** Que realça (efeito realçador) ***sm.*** **2** Aquilo que realça (realçador de sabor) [F.: *realçar + -dor.*]

realçar (re.al.*çar*) ***v.*** Dar realce ou destaque a; DESTACAR; SALIENTAR [***td.:*** *A crítica realçou o trabalho dos atores; O novo penteado realçou sua elegância.*] [***int.:*** *Seu livro (se) realça pela originalidade.*] [▶ **12 realçar**] [F.: *re- + alçar.* Hom./Par.: *realce* (fl.), *realce* (sm.); *realces* (fl.), *realces* (pl. do sm.); *realço* (fl.), *realço* (sm.).]

realce (re:*al*.ce) ***sm.*** **1** Ação ou resultado de realçar **2** Destaque, relevo, ênfase: *As rosas vermelhas deram realce ao arranjo; O evento ganhou realce na imprensa.* **3** *Pint.* Destaque que se dá a uma ou mais partes de uma pintura pela aplicação de tons claros [F.: Dev. de *realçar.* Hom./Par.: realce (sm.), *realce* (fl. de *realçar*).]

realejo (re:a.*le*.jo) [ê] ***sm.*** **1** *Mús.* Órgão mecânico portátil que se aciona por meio de uma manivela **2** *Bras. N. E. Mús.* Gaita de boca **3** *Pop.* Piano desafinado **4** *Bras. Pop.* Pessoa que tem a mania de repetir as mesmas histórias **5** *Lus. Pop.* Pessoa que fala muito **6** *Bras. Ornit.* Uirapuru [F.: Do espn. *realejo.* Hom./Par.: *realejo* (sm.), *realejo* (fl. de *realejar*).]

realengo (re:a.*len*.go) ***a.*** **1** Próprio de rei; REAL; RÉGIO **2** *RS* Que pertence a todos; PÚBLICO **3** *Lus.* Que não tem ordem [F.: Do lat. tard. *regalengus*, pelo espn. *realengo.*] ■ **Ao ~** *N. E.* Abandonado, largado, ao deus-dará

realentado (re:a.len.*ta*.do) ***a.*** Que recebeu novo alento [F.: *re- + alentado.*]

realeza (re:a.*le*.za) [ê] ***sf.*** **1** O monarca e sua família; a casa real **2** Poder, condição ou autoridade de monarca **3** *Fig.* Magnificência, grandeza **4** Partido monárquico [F.: *real*[2] *+ -eza.*]

🌐 ***realia*** (*Lat. /reália/*) ***sfpl.*** *Bibl.* Conjunto das ilustrações de uma obra

realidade (re:a.li.*da*.de) ***sf.*** **1** Qualidade ou estado do que é real, verdadeiro [Ant.: *irrealidade.*] **2** A vida real: *Não tinha coragem de enfrentar a realidade.* **3** Verdade: "... mesmo que tenhamos consciência de que na realidade não somos desta maneira, é assim que nos vemos..." (Ana Maria Machado, *Outro chamado selvagem*) **4** *Fig.* Aquilo que existe de fato [F.: Do lat. medv. *realitas, atis.*]

realimentação (re:a.li.men.ta.*ção*) ***sf.*** **1** Ação ou resultado de alimentar (algo ou alguém) novamente (realimentação inflacionária) **2** *Arm.* Ação que consiste na introdução dos projéteis no carregador de uma arma automática ou de repetição **3** *P. ext.* O próprio carregador desse tipo de arma **4** *Eletrôn.* Procedimento que consiste em acoplar o circuito de saída de um sistema de amplificação ao de entrada, para alterar as suas características; RETROALIMENTAÇÃO [Pl.: *-ções.*] [F.: *realimentar + -ção.*]

realimentado (re:a.li.men.*ta*.do) ***a.*** Que se alimentou de novo (sistema realimentado) [F.: Part. de *realimentar.*]

realimentador (re:a.li.men.ta.*dor*) [ô] ***a.*** **1** Que realimenta: *Fator realimentador da inflação.* ***sm.*** **2** O que realimenta: *A falência do sistema penitenciário é um realimentador da violência.* [F.: *realimentar + -dor.*]

realimentar (re.a.li.men.*tar*) ***v. td.*** Alimentar outra vez ou mais vezes [▶ **1 realimentar**] [F.: *re- + alimentar.*]

realinhado (re:a.li.*nha*.do) ***a.*** Que se alinhou de novo: *O valor do negócio precisa ser realinhado; O osso fraturado foi realinhado.* [F.: Part. de *realinhar.*]

realinhamento (re:a.li.nha.*men*.to) ***sm.*** Ação ou resultado de realinhar (realinhamento de preços) [F.: *realinhar + -mento.*]

realinhar ***v. td.*** **1** Tornar a alinhar: *Realinhar as rodas da motocicleta; Realinhou as meninas no pátio.* **2** *Pol.* Fazer novo arranjo ou alinhamento: *Os partidos de oposição precisavam se realinhar.* [▶ **1 realinhar**] [F.: *re- + alinhar.*]

realismo[1] (re:a.*lis*.mo) ***sm.*** **1** Condição ou característica do que é real, do que tem existência de fato [Ant.: *irrealismo.*] **2** Condição do que imita bem a realidade; essa imitação: *Era um filme de grande realismo.* **3** Atitude de quem vê e avalia objetivamente a realidade, sem idealizá-la: *Devemos encarar o futuro com realismo.* **4** *Art. pl. Liter.* Teoria estética do fim do séc. XIX, contrária ao romantismo, segundo a qual a realidade deve ser representada de maneira objetiva e não idealizada, mostrando-se a vida cotidiana e seus personagens como eles são de fato **5** *Fil.* Doutrina segundo a qual a existência do ser é independente da cognição humana [P. opos. a *idealismo.*] [F.: *real*[1] *+ -ismo.*] ■ **~ mágico** *Liter.* Gênero literário cuja narrativa, a partir da realidade, desenvolve-se para o irreal, o surreal, o onírico etc. **~ socialista** *Art. pl. Liter.* Doutrina ou conceito adotado oficialmente pelo Partido Comunista e pelo governo da antiga União Soviética, segundo os quais as artes devem visar à consolidação dos princípios e métodos da revolução socialista, ao enaltecer esta e seus heróis, e ao criticar outros regimes, esp. o capitalismo e o imperialismo e sua arte, considerada 'burguesa' e 'decadente'

realismo[2] (re.a.*lis*.mo) ***sm.*** **1** Sistema político que tem um rei como governante **2** Fidelidade ao sistema político monárquico, aos seus princípios; MONARQUISMO [F.: *real*[2] *+ -ismo.*]

realista[1] (re:a.*lis*.ta) ***a2g.*** **1** Ref. ao realismo[1]; REALÍSTICO **2** Que imita bem a realidade (pintura realista) **3** Que age com realismo[1] (3), que tem senso prático **4** Que é adepto do realismo[1] estético ou filosófico ***s2g.*** **5** Aquele ou aquela que pensa ou age com realismo, que tem senso prático **6** Adepto ou adepta do realismo[1] estético ou filosófico [F.: *real*[1] *+ -ista.* Hom./Par.: *realista* (a2g. s2g.), *realista* (fl. de *realistar*).]

realista[2] (re:a.*lis*.ta) ***a2g.*** **1** Relativo ao realismo (doutrina, sistema político) **2** Diz-se do que ou de quem é partidário do realismo; monarquista **3** Diz-se de indivíduo partidário de um rei **4** Diz-se de partidário do absolutismo; absolutista ***s2g.*** **5** Indivíduo realista (adepto da monarquia, do absolutismo) [F.: *real*[2] *+ -ista.*]

realístico (re:a.*lís*.ti.co) ***a.*** Ref. ou inerente a realismo; REALISTA [F.: *realista + -ico*[2].]

🌐 ***reality-show*** (*Ing. /riáliti-chôu/*) ***sm.*** *Telv.* Tipo de programa, ger. de televisão, que consiste em acompanhar e transmitir o desenvolvimento de situações reais, ou pretensamente reais, em um grupo selecionado e reunido para isso

realização (re:a.li.za.*ção*) ***sf.*** **1** Ação ou resultado de realizar(-se) **2** Tudo aquilo que se realiza **3** *P. ext.* Façanha, proeza **4** *Lus. Cin.* Direção **5** *Econ.* Conversão (de bens) em dinheiro **6** *Fig.* Sentimento de satisfação pessoal pela conquista de algo importante (para si) [Pl.: *-ções.*] [F.: *realizar + -ção.*]

realizado (re:a.li.*za*.do) ***a.*** **1** Que se realizou; FEITO; EXECUTADO **2** Que se tornou real; CONCRETIZADO **3** *Bras.* Que alcançou seu(s) objetivo(s) [F.: Part. de *realizar.* Ant. ger.: *irrealizado.*]

realizador (re:a.li.za.*dor*) [ô] ***a.*** **1** Que realiza **2** Que tem espírito empreendedor (empresário realizador) ***sm.*** **3** Aquele que realiza **4** *Lus. Cin.* Diretor [F.: *realizar + -dor.*]

realizar (re:a.li.*zar*) ***v.*** **1** Tornar(-se) real ou realidade; dar ou (passar a) ter existência concreta; concretizar(-se) [***td.:*** *Ela realizou um antigo sonho: conhecer a França; A equipe conseguiu realizar uma obra dificílima.*] [***int.:*** *Seus sonhos se realizaram.*] **2** Fazer que aconteça ou acontecer, ocorrer [***td.:*** *Eles vão realizar um congresso no próximo mês.*] [***int.:*** *A cerimônia de formatura se realizará no salão nobre.*] **3** Cumprir-se, verificar-se [***int.:*** *A previsão infelizmente realizou-se.*] **4** Criar ou dar forma a [***td.:*** *Realizar uma obra de arte.*] **5** Pôr em ação, em prática; fazer [***td.:*** *Realizou uma boa ação.*] **6** Alcançar sucesso no cumprimento de seu ideal ou na sua proposta de vida (pessoal, profissional etc.) [***tr.:*** *Realizou-se na carreira de ator; Realizar-se na vida pessoal.*] **7** *Bras.* Sentir-se plenamente satisfeito (em ou com) [***tr.*** *+ em, com: Só se realiza na música.*] **8** *Lus.* Dirigir (um filme) [***td.:*** *Ele realizou um musical e um policial.*] **9** *P. us.* Acumular, constituir [***td.:*** *Seus ascendentes realizaram imensas fortunas.*] **10** *Ling.* Fazer uso (tornando, assim, real) (uma unidade linguística potencial) na fala [▶ **1 realizar**] [F.: *real + -izar.* Hom./Par.: *realizáveis* (fl.), *realizáveis* (pl. de *realizável* [a2g.]).]

realizável (re:a.li.*zá*.vel) ***a2g.*** Que pode ser realizado (projeto realizável) [Ant.: *irrealizável.*] [Pl.: *-veis.*] [F.: *realizar + -vel.* Hom./Par.: *realizáveis* (pl.), *realizáveis* (fl. de *realizar*).]

realmente (re:al.*men*.te) ***adv.*** Na realidade, de modo real; VERDADEIRAMENTE [F.: *real + -mente.*]

realocar (re.a.lo.*car*) ***v.*** **1** Alocar novamente [***td.:*** *Realocou o imóvel.*] **2** Dar nova finalidade a (orçamento, verba etc.); TRANSFERIR [***td.:*** *Realocou um terço da verba para reforçar o orçamento da saúde.*] [***int.:*** *O orçamento está fechado, não há o que realocar.*] [▶ **11 realocar**] [F.: *re- + alocar.*]

reanálise (re:a.*ná*.li.se) ***sf.*** Ação ou resultado de reanalisar; nova análise (reanálise da questão) [F.: Dev. de *reanalisar.*]

reanexação (re:a.ne.xa.*ção*) [cs] ***sf.*** Ação ou resultado de reanexar: *A reanexação de Hong Kong à China ocorreu em 1997.* [Pl.: *-ções.*] [F.: *reanexar + -ção.*]

reanexar (re:a.ne.*xar*) ***v. td.*** Anexar de novo [▶ **1 reanexar**] [F.: *re- + anexar.*]

reanimação (re:a.ni.ma.*ção*) ***sf.*** **1** Ação ou resultado de reanimar(-se) **2** *Med.* Conjunto de procedimentos pelos quais se tenta evitar a interrupção das funções vitais de um paciente [Pl.: *-ções.*] [F.: *reanimar + -ção.*]

reanimado (re:a.ni.*ma*.do) ***a.*** **1** Que se reanimou; que recuperou o ânimo: *Após ser reanimado, o acidentado foi levado para o hospital.* **2** Que recuperou energia: *A disputa eleitoral foi reanimada pelos debates entre os candidatos.* [F.: Part. de *reanimar.*]

reanimador (re:a.ni.ma.*dor*) [ô] ***a.*** **1** Que reanima, que restitui o ânimo: *Ficou feliz com as notícias reanimadoras que recebeu do filho.* ***sm.*** **2** Aquele que reanima **3** *Med.* Aparelho us. em cardiologia para reanimação [F.: *reanimar + -dor.*]

reanimar (re:a.ni.*mar*) ***v.*** **1** Restituir (a pessoa ou animal) a consciência, os movimentos, as forças etc., ou readquiri-los [***td.:*** *Reanimou o homem que desmaiara.*] [***int.:*** *Tomou o remédio e logo reanimou; Deram-lhe um banho para que ele se reanimasse.*] **2** Dar a, ou adquirir, novo ânimo ou entusiasmo [***td.:*** *O discurso do general reanimou os soldados.*] [***int.:*** *O pugilista reanimou-se e lutou até o último round.*] [▶ **1 reanimar**] [F.: *re- + animar.*]

reaparecer (re:a.pa.re.*cer*) ***v. int.*** Tornar a aparecer; RESSURGIR: *O homem reapareceu na manhã seguinte.* [▶ **33 reaparecer**] [F.: *re- + aparecer.*]

reaparecimento (re:a.pa.re.ci.*men*.to) ***sm.*** Ação ou resultado de reaparecer; REAPARIÇÃO [F.: *reaparecer + -imento.*]

reaparelhamento (re:a.pa.re.lha.*men*.to) ***sm.*** Ação ou resultado de reaparelhar: *Foi avaliado o equipamento necessário ao reaparelhamento da frota.* [F.: *re- + aparelhamento.*]

reaparição (re:a.pa.ri.*ção*) ***sf.*** O mesmo que *reaparecimento* [Pl.: *-ções.*] [F.: *re- + aparição.*]

reapertar (re:a.per.*tar*) ***v. td. int.*** Tornar a apertar [▶ **1 reapertar**] [F.: *re- + apertar.* Hom./Par.: *reaperto* (fl.), *reaperto /ê/* (sm.).]

reaperto (re:a.*per*.to) [ê] ***sm.*** Ação ou resultado de reapertar (reaperto de conexões) [F.: Dev. de *reapertar.* Hom./Par.: *reaperto* (sm.), *reaperto* (fl. de *reapertar*).]

reaplicação (re:a.pli.ca.*ção*) ***sf.*** Ação ou resultado de reaplicar [Pl.: *-ções.*] [F.: *reaplicar + -ção.*]

reaplicar (re:a.pli.*car*) ***v.*** Tornar a aplicar [***tdi.*** *+ em: Autorizou a enfermeira a reaplicar o antibiótico no paciente.*] [***tdr.*** *+ em: Desistiu de reaplicar suas economias em letras de câmbio.*] [***td.:*** *Reaplicou todo o dinheiro.*] [▶ **11 reaplicar**] [F.: *re- + aplicar.*]

reapreciação (re:a.pre.ci:a.*ção*) ***sf.*** Ação ou resultado de reapreciar; nova apreciação: *Os alunos podem requerer a reapreciação da prova.* [Pl.: *-ções.*] [F.: *reapreciar + -ção.*]

reapreciar (re:a.pre.ci.*ar*) ***v. td.*** Apreciar novamente: *Voltou ao teatro para reapreciar o espetáculo; O diretor prometeu reapreciar a reivindicação dos alunos.* [▶ **1 reapreciar**] [F.: *re- + apreciar.*]

reaprender (re.a.pren.*der*) ***v.*** Voltar a aprender, a recuperar conhecimento(s) [***td.:*** *Após o acidente, teve de reaprender a viver.*] [▶ **2 reaprender**] [F.: *re- + aprender.*]

reaprendizado (re:a.pren.di.*za*.do) ***sm.*** Ação ou resultado de reaprender; REAPRENDIZAGEM: *A evolução da técnica exige um constante reaprendizado.* [F.: *re- + aprendizado.*]

reaprendizagem (re:a.pren.di.za.gem) ***sf.*** Ação ou resultado de reaprender, m. que *reaprendizado* [Pl.: *-gens.*] [F.: *re- + aprendizagem.*]

reapresentação (re:a.pre.sen.ta.*ção*) ***sf.*** Ação ou resultado de reapresentar; nova representação [Pl.: *-ções.*] [F.: *reapresentar + -ção.*]

reapresentado (re:a.pre.sen.*ta*.do) ***a.*** Que se reapresentou; apresentado novamente [F.: Part. de *reapresentar.*]

reapresentar (re:a.pre.sen.*tar*) ***v. td.*** Tornar a apresentar: *O grupo teatral decidiu reapresentar a peça; O soldado reapresentou-se ao quartel.* [▶ **1 reapresentar**] [F.: *re- + apresentar.*]

reaproveitado ***a.*** Que se reaproveitou; novamente aproveitado: *A cozinheira fritou as batatas com óleo reaproveitado.* [F.: Part. de *reaproveitar.*]

reaproveitamento (re:a.pro.vei.ta.*men*.to) ***sm.*** Ação ou resultado de reaproveitar [F.: *reaproveitar + -mento.*]

reaproveitar (re:a.pro.vei.*tar*) ***v. td.*** Tornar a aproveitar: *Reaproveitou a sobra do almoço* [▶ **1 reaproveitar**] [F.: *re- + aproveitar.*]

reaproveitável (re:a.pro.vei.*tá*.vel) ***a2g.*** Que se pode reaproveitar (materiais reaproveitáveis) [Pl.: *-veis.*] [F.: *reaproveitar + -vel.* Hom./Par.: *reaproveitáveis* (pl.), *reaproveitáveis* (fl. de *reaproveitar*).]

reaproximação (re:a.pro.xi.ma.*ção*) ***sf.*** **1** Ação ou resultado de reaproximar(-se) **2** Reconciliação **3** Ação de restabelecer alianças políticas, relações diplomáticas, comerciais etc. [Pl.: *-ções.*] [F.: *reaproximar + -ção.*]

reaproximar (re:a.pro.xi.*mar*) ***v.*** **1** Voltar a aproximar(-se) [***td.:*** *A volta do caçula reaproximou a família.*] [***tdr.*** *+ de: Assustado, o menino reaproximou-se da mãe.*] **2** Restabelecer (relações, aliança, união, contato etc.); RECONCILIAR [***td.:*** *Reaproximar velhos amigos.*] [***tdr.*** *+ de: Conseguiu reaproximá-lo do sócio.*] [***int.:*** *Os dois países se reaproximaram.*] [▶ **1 reaproximar**] [F.: *re- + aproximar.*]

reaprumar (re.a.pru.*mar*) ***v. td.*** Voltar a aprumar(-se): *Reaprumou a cerca que tombara; Reaprumou-se para não cair.* [▶ **1 reaprumar**] [F.: *re- + aprumar.*]

reapurar (re:a.pu.*rar*) ***v. td.*** Apurar novamente: *O candidato mandou reapurar seus votos; O delegado reapurou o caso.* [▶ **1 reapurar**] [F.: *re- + apurar.*]

reaquecer (re:a.que.*cer*) ***v.*** **1** Aquecer(-se) novamente [***td.:*** *Pediu ao cozinheiro que reaquecesse a sopa.*] [***int.:*** *Em alguns minutos o caldo (se) reaqueceu.*] **2** Tornar (-se) mais vívido, animado [***td.:*** *A nudez da anfitriã reaqueceu a festa.*] [***int.:*** *Com a nova erupção, a cidade reaqueceu (-se).*] [▶ **33 reaquecer**] [F.: *re- + aquecer.*]

reaquecido (re:a.que.*ci*.do) ***a.*** **1** Que se aqueceu novamente (refeição reaquecida) **2** Que se tornou mais ativo (comércio reaquecido); REANIMADO; REESTIMULADO [F.: Part. de *reaquecer.*]

reaquecimento (re:a.que.ci.*men*.to) ***sm.*** **1** Ação ou resultado de reaquecer, de requentar (reaquecimento da comida) 2 Renovação do entusiasmo, reativação: *Os empresários comemoraram o reaquecimento do mercado imobiliário.* 3 *Esp.* Conjunto de exercícios rápidos que visam preparar o atleta para entrar na competição: *O treinador já colocou dois reservas no reaquecimento.* [F.: *reaquecer* + *-imento.*]

reaquisição (re:a.qui.si.*ção*) *sf.* Ação ou resultado de readquirir [Pl.: *-ções.*] [F.: *re-* + *aquisição.*]

rearborização (re:ar.bo.ri.za.*ção*) *sf.* Ação ou resultado de rearborizar; REFLORESTAMENTO; REPLANTIO: *O prefeito decidiu iniciar a rearborização do parque.* [Pl.: *-ções.*] [F.: *rearborizar* + *-ção.*]

rearborizar (re.ar.bo.ri.*zar*) *v. td.* Arborizar novamente [▶ 1 rearborizar] [F.: *re-* + *arborizar.*]

rearmamento (re:ar.ma.*men.*to) *sm.* Ação ou resultado de rearmar(-se), de munir(-se) novamente de armas [F.: *rearmar* + *-mento.*]

rearmar (re.ar.*mar*) *v. td.* Prover (alguém, uma tropa etc.) de novas armas: *É preciso rearmar a polícia; O exército rearmou-se.* [▶ 1 rearmar] [F.: *re-* + *armar.*]

rearranjada (re:ar.ran.*ja*.da) *sf.* Rearranjo rápido, superficial, para dar novo aspecto a um ambiente, a um lugar etc.: *Uma rearranjada e a troca do nome podem resolver o problema da loja.* [F.: Fem. substv. de *rearranjado.*]

rearranjado (re:ar.ran.*ja*.do) *a.* Que se rearranjou; que recebeu nova arrumação [F.: Part. de *rearranjar.*]

rearranjar (re.ar.ran.*jar*) *v. td.* 1 Fazer novo arranjo, novo conserto: *O mecânico rearranjou o motor da motocicleta.* 2 Fazer nova acomodação, nova arrumação: *Rearranjou os móveis do quarto para compor nova decoração.* [▶ 1 rearranjar] [F.: *re-* + *arranjar.* Hom./Par.: *rearranjo* (fl.), *rearranjo* (sm.).]

rearranjo (re:ar.*ran*.jo) *sm.* 1 Ação ou resultado de rearranjar, de dar nova disposição: *Decidiu fazer um rearranjo no quarto. O treinador preferiu fazer um rearranjo no time.* 2 *Quím.* Tipo de reação que resulta na alteração do esqueleto carbônico de uma molécula 3 *Gen.* Modificação da posição de um ou mais genes no cromossoma [F.: *re-* + *arranjo.* Hom./Par.: *rearranjo* (sm.), *rearranjo* (fl. de *rearranjar*).]

rearrumação (re:ar.ru.ma.*ção*) *sf.* Ação ou resultado de rearrumar; nova arrumação (rearrumação administrativa) [Pl.: *-ções.*] [F.: *rearrumar* + *-ção.*]

rearrumar (re.ar.ru.*mar*) *v. td.* Arrumar novamente; REORDENAR [▶ 1 rearrumar] [F.: *re-* + *arrumar.*]

rearticulação (re:ar.ti.cu.la.*ção*) *sf.* Ação ou resultado de rearticular(-se), de articular(-se) de novo: *Com a derrota eleitoral o partido ficou fragmentado e teve de buscar uma rearticulação com o governo.* [Pl.: *-ções.*] [F.: *rearticular* + *-ção.*]

rearticular (re.ar.ti.cu.*lar*) *v. td.* Articular de novo, promover nova articulação: *Rearticulou as juntas/as palavras; Teve de rearticular o apoio à candidata; O partido se rearticulava.* [▶ 1 rearticular] [F.: *re-* + *articular.*]

reascender (re.as.cen.*der*) *v.* Ascender novamente [*tr.* + *a: O tirano reascendeu ao poder.*] [*ta.*: *Os foguetes reascenderam ao espaço.*] [*int.*: *O balão parecia que ia cair, mas depois reascendeu.*] [▶ 2 reascender] [F.: *re-* + *ascender.*]

reassegurar (re.as.se.gu.*rar*) *v. td.* Assegurar(-se) mais uma vez [*td.*: *Precisava reassegurar sua liderança.*] [*tr.* + *de: Reassegurou-se de que ainda possuía as joias.*] [▶ 1 reassegurar] [F.: *re-* + *assegurar.*]

reassentado (re:as.sen.*ta*.do) *a.* 1 Que se reassentou 2 Que recebeu novamente a posse de uma gleba para trabalhar (agricultor reassentado) *sm.* 3 Aquele que se reassentou: *Os reassentados receberam assistência técnica.* [F.: Part. de *reassentar.*]

reassentamento (re:as.sen.ta.*men*.to) *sm.* 1 Ação ou resultado de reassentar(-se): *O reassentamento dos trabalhadores sem terra.* 2 Área destinada aos reassentados: *Os agricultores foram encaminhados ao reassentamento de Itaparica.* [F.: *reassentar* + *-mento.*]

reassentar (re.as.sen.*tar*) *v.* Assentar(-se) outra vez [*td. tda. int.*] [▶ 1 reassentar] [F.: *re-* + *assentar.*]

reassistir (re.as.sis.*tir*) *v.* Assistir outra vez ou mais vezes [*td. tr.*] [▶ 3 assistir] [F.: *re-* + *assistir.*]

reassumir (re:as.su.*mir*) *v. td.* 1 Tornar a assumir; readquirir; recuperar: *Reassumir o controle de uma empresa.* 2 *Fig.* Recuperar, readquirir, recobrar: *Afinal, conseguiu reassumir o controle sobre si mesmo.* 3 *Jur.* Retomar (função ou cargo do qual fora afastado) 4 Voltar a apresentar (certa aparência, ar, postura ou característica): *Depois de casados, ele reassumiu a velha austeridade.* 5 Reafirmar algo anteriormente dito ou expresso: *Após um período de silêncio e de controvérsias, reassumiu as críticas que havia feito.* [▶ 3 reassumir] [F.: *re-* + *assumir.*]

reatamento (re:a.ta.*men*.to) *sm.* Ação ou resultado de reatar [F.: *reatar* + *-mento.*]

reatância (re:a.*tân*.ci:a) *Fís. Elet. Eletrôn. sf.* 1 Reação que a autoindução de um circuito elétrico opõe às variações de corrente 2 Impedância acústica resultante da inércia e da elasticidade do meio transmissor [Símb.: *X*] [F.: Do ing. *reactance.* Tb. *reactância.*]

reatar (re:a.*tar*) *v. td.* 1 Tornar a atar ou amarrar: *Reatou os cordões da cortina.* 2 Retomar o que se tinha interrompido ou rompido: *Reatar uma conversa, um assunto, um namoro.* [▶ 1 reatar] [F.: *re-* + *atar*[1]. Hom./Par.: *reata* (fl.), *reata* (sf.); *reatas* (fl.), *reatas* (pl. do sf.); *reate* (fl.), *reate* (sm.); *reates* (fl.), *reates* (pl. do sm.); *reato* (fl.), *reato* (sm.).]

reaterro (re:a.*ter*.ro) [ê] *sm.* 1 Ação ou resultado de reaterrar 2 Área que foi reaterrada [F.: *re-* + *aterro.* Hom./par.: *reaterro* (sm.) e *reaterro* (é) (flex. de *reaterrar*).]

reatiçar (re:a.ti.*çar*) *v. td.* Atiçar novamente: *Reatiçar o fogo/uma briga/uma paixão.* [▶ 12 reatiçar] [F.: *re-* + *atiçar.*]

reativação (re:a.ti.va.*ção*) *sf.* Ação ou resultado de reativar(-se); REATIVAMENTO [Pl.: *-ções.*] [F.: *reativar* + *-ção.*]

reativamento (re:a.ti.va.*men*.to) *sm.* O mesmo que *reativação* [F.: *reativar* + *-mento.*]

reativar (re:a.ti.*var*) *v.* Tornar(-se) outra vez ativo [*td.*: *reativar uma usina parada.*] [*int.*: *O fogo reativou-se.*] [▶ 1 reativar] [F.: *re-* + *ativar.* Hom./Par.: *reativo* (fl.), *reativo* (a. sm.); *reativa* (fl.), *reativa* (fem. de *reativo* [a.]); *reativas* (fl.), *reativas* (pl. do fem. do a.).]

reatividade (re:a.ti.vi.*da*.de) *sf.* 1 Qualidade do que é reativo 2 A propriedade de reagir 3 *Fís. nu.* Parâmetro do afastamento de um reator nuclear em relação à sua criticalidade, e que é determinado pela diferença entre a unidade e o inverso do fator de multiplicação [F.: *reativo* + *-(i)dade.*]

reativo (re:a.*ti*.vo) *a.* 1 Que reage ou faz reagir; REAGENTE *sm.* 2 *Quím.* Reagente (3) [F.: *re-* + *ativo.* Hom./par.: *reativo* (a. sm.), *reativo* (fl. de *reativar*); *reativa* (fem. do a.), *reativa* (fl. de *reativar*).]

reato (re.*a*.to) *sm.* 1 Condição do réu 2 *Teol.* Obrigação de cumprir penitência em obediência às ordens do confessor 3 *Jur.* Imputação de delito; INCRIMINAÇÃO [F.: Do lat. *reatus, us.* Hom./Par.: *reato* (sm.), *reato* (fl. de *reatar*).] ■ **~ da culpa** *Teol.* Ver *reato* (3) **~ da pena** *Teol.* Ver *reato* (3)

reator (re:a.*tor*) [ô] *a.* 1 Que reage *sm.* 2 *Elet.* Elemento de um circuito us. para se opor ao fluxo de corrente elétrica 3 *Fís-quím.* Dispositivo no qual se provoca reação química 4 *Fís. nu.* Instalação onde se provoca, de forma controlada, uma fissão nuclear em cadeia, para aproveitamento como fonte de energia; REATOR ATÔMICO; REATOR NUCLEAR [F.: Do lat. *reactum*, supino do v.lat. *reagere*, 'impulsionar ou empurrar de novo', + *-or.*] ■ **~ atômico** *Fís. nu.* Ver *Reator nuclear* **~ nuclear** *Fís. nu.* Equipamento para realização de uma fissão nuclear em cadeia controlada, para aproveitamento da energia liberada (esp. sua transformação em outras formas de energia, como a elétrica)

reatualização (re:a.tu:a.li.za.*ção*) *sf.* Ação ou resultado de reatualizar(-se) (reatualização de dados) [Pl.: *-ções.*] [F.: *reatualizar* + *-ção.*]

reatualizar (re:a.tu.a.li.*zar*) *v. td.* Tornar a atualizar: *Reatualizar um velho texto.* [▶ 1 reatualizar] [F.: *re-* + *atualizar.*]

reavaliação (re:a.va.li.a.*ção*) *sf.* Ação ou resultado de reavaliar, de proceder a nova avaliação (reavaliação de bens) [Pl.: *-ções.*] [F.: *reavaliar* + *-ção.*]

reavaliado (re:a.va.li.*a*.do) *a.* Que se reavaliou; avaliado de novo [F.: Part. de *reavaliar.*]

reavaliar (re:a.va.li.*ar*) *v. td.* Tornar a avaliar; fazer outra avaliação: *Reavaliou o que escrevera na véspera.* [▶ 1 reavaliar] [F.: *re-* + *avaliar.*]

reavalização (re:a.va.li.za.*ção*) *sf.* Ação ou resultado de tornar a avalizar, de dar aval ou afiançar novamente [Pl.: *-ções.*] [F.: *reavalizar* + *-ção.*]

reaver (re:a.*ver*) *v. td.* 1 Tornar a haver ou ter; RECUPERAR: *Conseguiu reaver o dinheiro que perdera.* 2 *Jur.* Readquirir a posse de [▶ 5 reaver Conjuga-se sem o h, e, por ser defectivo, apresenta apenas as formas em que no radical do paradigma for *v.*] [F.: *re-* + *haver.*]

reavido (re:a.*vi*.do) *a.* Que foi recuperado ou readquirido [F.: Part. de *reaver.*]

reavisar (re.a.vi.*sar*) *v.* Voltar a avisar, a fazer nova advertência [*tdr.* + *de, sobre: O pai reavisou o rapaz sobre os perigos da escalada.*] [*ti. tdi.*] [▶ 1 avisar] [F.: *re-* + *avisar.* Hom./Par.: *reaviso* (fl.), *reaviso* (sm.).]

reavivamento (re:a.vi.va.*men*.to) *sm.* Ação ou resultado de reavivar, de fazer reviver: *É impressionante o reavivamento do Cristianismo na China.* [F.: *reavivar* + *-mento.*]

reavivar (re:a.vi.*var*) *v.* 1 Avivar(-se) intensamente [*td.*] 2 Tornar mais forte o fogo de [*td.*: *Reavivar o fogo da lareira.*] 3 *Fig.* Dar ou receber novo estímulo; ESTIMULAR(-SE) [*td.*: *O governo tomou medidas para reavivar o consumo.*] [*int.*: *O consumo reavivou-se rapidamente.*] 4 Provocar a lembrança de [*td.*: *Aquela visão reavivou um episódio do meu passado; Subitamente, a lembrança reavivou-se em minha memória.*] 5 *Cir.* Tirar tecido impróprio para sutura de uma ferida [*td.*] [▶ 1 reavivar] [F.: *re-* + *avivar.*]

rebaixa (re.*bai*.xa) *sf.* 1 Ação ou resultado de rebaixar; REBAIXAMENTO; REBAIXE 2 *Lus.* Redução de preços; LIQUIDAÇÃO 3 *Agr.* Rebaixamento do terreno para a irrigação dos canteiros na cultura do arroz 4 *Jur.* Desconto em letra, título ou outro crédito quando trocado por dinheiro; REBATE [F.: Dev. de *rebaixar.* Hom./Par.: *rebaixa* (sf.), *rebaixa* (fl. de *rebaixar*).]

rebaixado (re.bai.*xa*.do) *a.* 1 Que se tornou mais baixo (nível rebaixado) [Ant.: *alteado.*] 2 Que teve o preço diminuído 3 Que caiu para divisão ou categoria inferior (dentro de uma confederação esportiva, associação cultural etc.) 4 *Fig.* Humilhado, aviltado: *Sentiu-se rebaixado pelo chefe e pediu demissão.* 5 *Fig.* Vil, indigno, abjeto [F.: Part. de *rebaixar.*]

rebaixamento (re.bai.xa.*men*.to) *sm.* 1 Ação ou resultado de rebaixar; REBAIXE 2 Diminuição no preço ou valor 3 *Fig.* Aviltamento, humilhação 4 *Mil.* Passagem para posto inferior na hierarquia militar, como pena por falta grave 5 Queda ou passagem para divisão inferior (dentro de uma confederação ou associação esportiva ou cultural): *Apesar de todo esforço, o rebaixamento do time foi inevitável.* [F.: *rebaixar* + *-mento.*]

rebaixar (re.bai.*xar*) *v.* 1 Tornar(-se) mais baixo [*td.*: *Rebaixar terras.*] [*int.*: *As terras se rebaixaram.*] 2 Fazer baixar o preço de [*td.*] 3 Perder ou fazer perder a dignidade; aviltar(-se), humilhar(-se) [*td.*: *Rebaixou a companheira na vista de todos; Rebaixou-se para conseguir o emprego.*] 4 *Mil.* Fazer rebaixar de posto na hierarquia militar [*td.*] 5 Fazer passar ou cair para divisão ou categoria inferior (em confederação ou associação esportiva, cultural etc.) [*td.*] [*int.*] [▶ 1 rebaixar] [F.: *re-* + *baixar.* Hom./Par.: *rebaixa* (fl.), *rebaixa* (sf.); *rebaixas* (fl.), *rebaixas* (pl. do sf.); *rebaixe* (fl.), *rebaixe* (sm.); *rebaixes* (fl.), *rebaixes* (pl. do sm.); *rebaixo* (fl.), *rebaixo* (s. m.).]

rebaixe (re.*bai*.xe) *sm.* 1 Ação ou resultado de rebaixar; REBAIXAMENTO 2 *Carp.* Entalhe feito em peça de madeira para encaixar outra peça; REBAIXO [F.: Dev. de *rebaixar.* Hom./Par.: *rebaixe* (sm.), *rebaixe* (fl. de *rebaixar*).]

rebaixo (re.*bai*.xo) *sm.* 1 Ação ou resultado de rebaixar; REBAIXAMENTO; REBAIXE 2 A parte rebaixada de um terreno ou superfície; DEPRESSÃO 3 Inclinação no telhado ou no teto de uma casa 4 *Arq.* Compartimento no vão de uma escada ou de um teto inclinado 5 *Carp.* Encaixe que se abre numa peça de madeira para receber outra; REBAIXE 6 Abertura para escoar águas [F.: Dev. de *rebaixar.* Hom./Par.: *rebaixo* (sm.), *rebaixo* (fl. de *rebaixar*).]

rebalsado (re.bal.*sa*.do) *a.* 1 Que se rebalsou; ESTAGNADO; PALUDOSO: "Os fantasmas vagabundos penetram nestes amplos recintos de águas mortas, rebalsadas..." (Euclides da Cunha, "Judas-Ahsverus" *in À margem da história*) 2 Afundado no charco ou na lama [F.: Part. de *rebalsar.*]

rebalsar (re.bal.*sar*) *v.* 1 Apresentar-se alagadiço, pantanoso [*int.*: *Rebalsavam, na região, muitos lamaçais.*] [*tr.* + *de: Ali, o caminho se rebalsava de charcos.*] 2 Juntar-se, amontoar-se, esp. em pontos alagados [*ta.*: *Os sapos rebalsam-se no charco.*] 3 Chafurdar, patinhar (como em balsa de uvas) [*ta.*] [▶ 1 rebalsar] [F.: *re-* + *balsa* + *-ar*[2]. Sin. ger.: *rebalçar.* Hom./Par.: *rebalso* (fl.), *rebalso* (sm.).]

rebanho (re.*ba*.nho) *sm.* 1 Grupo de animais da mesma espécie, criados e controlados com fins econômicos; o total desses animais numa economia: *o rebanho bovino do Brasil.* 2 Grupo de animais (ger. quadrúpedes) criados ou em estado selvagem: *rebanho de cavalos (selvagens).* [Col. nestas acps.: *rebanhada.*] 3 *Fig.* Conjunto de fiéis de uma religião 4 *Fig.* Grupo de pessoas que se deixam levar por líderes carismáticos [F.: De or. obsc. Hom./Par.: *rebanho* (sm.), *rebanho* (fl. de *rebanhar*).]

rebar (re.*bar*) *v. td. Lus.* Preencher (pequeno espaço) com rebos ou pedras [▶ 1 rebar] [F.: *rebo* + *-ar*[2]. Hom./Par.: *rebo* (fl.), *rebo* (sm.); *rebem* (fl.), *rebém* (sm.).]

rebarba (re.*bar*.ba) *sf.* 1 Aresta ou proeminência em peça de metal ou de madeira cortada 2 *Our.* Parte do engaste que se dobra sobre a pedra preciosa para a prender 3 *Bras. Fig.* Aquilo que sobra de algo: *Chegou tarde ao banquete e só pegou as rebarbas.* 4 *Fig.* Duplo queixo; PAPADA 5 *Fig.* Aquilo que falta fazer ou concluir 6 *Pesc.* Parte de cima da ponta de anzol ou arpão 7 *Tip.* A parte da superfície do tipo que fica sob o olho 8 *Tip.* Intervalo ou claro entre duas linhas contíguas [F.: *re-* + *barba.* Hom./Par.: *rebarba* (sf.), *rebarba* (fl. de *rebarbar*).]

rebarbado (re.bar.*ba*.do) *a.* 1 Que se rebarbou; APARADO; RASPADO 2 Que se rejeitou; RECUSADO; DESPREZADO: "Para não ser acusada de provocar o dilúvio, a Câmara aprovou o projeto que já tinha rebarbado quatro vezes..." (*O Globo*, 22.01.1999) [F.: Part. de *rebarbar.*]

rebarbar (re.bar.*bar*) *v.* 1 Retirar ou aparar as rebarbas de [*td.*] 2 *Fig.* Esquivar-se o animal de seguir seu caminho; REFUGAR [*int.*] 3 *Bras. Fig. Mar.* Recusar-se a obedecer ordem superior [*int.*] [▶ 1 rebarbar] [F.: *rebarbas* + *-ar*[2]. Hom./Par.: *rebarba* (fl.), *rebarba* (sf.); *rebarbas* (fl.), *rebarbas* (pl. do sf.).]

rebarbativo (re.bar.ba.*ti*.vo) *a.* 1 Rude, carrancudo, antipático (fisionomia rebarbativa) 2 Enfadonho, desagradável, árido (leitura/linguagem rebarbativa) [Em função, ger., do caráter repetitivo ou monótono.] 3 Diz-se do indivíduo que apresenta papada e por isso parece ter duas barbas ou queixos [F.: Do fr. *rébarbatif.*]

rebate[1] (re.*ba*.te) *sm.* 1 Ataque, incursão, assalto repentino 2 Combate rápido; ESCARAMUÇA 3 Grito, chamamento ou sinal com se que alerta sobre acontecimento imprevisto e perigoso 4 Anúncio, prenúncio: *Teve uns rebates de febre, mas passaram.* 5 Desconfiança, pressentimento, suspeita: *Tenho um rebate de que isso é falso.* 6 *Antq.* Desconto que se faz em título de crédito quando se troca por dinheiro [F.: Do ár. *ribat*, 'prisão, cativeiro', possiv. Hom./Par.: *rebate* (sm.), *rebate* (fl. de *rebater* e *rebatar*).] ■ **Dar ~** Dar aviso, prevenir **~ falso** Sinal, indício, rumor falso de acontecimento, notícia etc. **Tocar a ~** Tocar (o sino) de maneira a alertar sobre perigo iminente

rebate[2] (re.*ba*.te) *sm.* 1 Ação ou resultado de rebater; REBATIDA: *No bate e rebate, a bola sobrou para o atacante marcar o gol.* 2 Repercussão de um corpo elástico batendo em outro [F.: Dev. de *rebater.*]

rebatedor (re.ba.te.*dor*) [ô] *a.* 1 Que rebate *sm.* 2 O que rebate 3 *Fot.* Apetrecho que rebate a luz (natural ou artificial) para a obtenção de efeitos estéticos 4 *Esp.* Em beisebol, jogador que rebate a bola com um taco 5 *Antq.* Aquele que desconta títulos de crédito com certo ágio [F.: *rebater* + *-dor.*]

rebater (re.ba.*ter*) *v.* 1 Bater de novo ou de volta [*td.*] 2 Responder, contestar ou refutar [*td.*: *Rebater uma acusação.*]

3 Repelir, rechaçar [*td.*: *Rebateu a investida do sedutor.*] 4 Criticar, censurar [*td.*: *O Presidente rebaterá as ações da oposição.*] 5 Aparar ou neutralizar (golpe recebido) [*td.*: *O lutador rebateu os dois primeiros socos.*] 6 Combater ou debelar [*td.*: *Rebater uma epidemia.*] 7 *Esp.* Impelir em outro sentido (a bola) ou devolvê-la para o lado adversário [*td.*: *rebater a jogada.*] [*int.*: *Recebeu a bola e rebateu.*] 8 Numa conversa ou palestra, voltar sempre (ao mesmo tema ou assunto), tornando-o enfadonho, monótono; insistir em dado tema; REPISAR [*td.*] 9 Dobrar (algo plano) fazendo deitar sobre (outro plano) [*td.*] 10 Tornar a datilografar ou digitar [*td.*: *Rebateu metade do texto por ordem do chefe.*] 11 Descontar (letras, recibos etc.) com ágio [*td.*] 12 Praticar a agiotagem; especular [*int.*] 13 Dobrar para cima as pontas de um objeto por meio de batidas, arrebitar [*td.*] [▶ 2 rebater] [F.: *re-* + *bater*. Hom./Par.: *rebate* (fl.), *rebate* (sm.); rebates (fl), *rebates* (pl. do sm.); *rebato* (fl.), *rebato* (sm.).]

rebatida (re.ba.*ti*.da) *sf.* 1 Ação ou resultado de rebater; REBATE; REBATIMENTO 2 Refutação, desmentido 3 *Esp.* Em diversas modalidades de esporte, ato de rebater a bola: *A rebatida do beque jogou a bola para escanteio.* [F.: Fem. substv. de *rebatido*.]

rebatido (re.ba.*ti*.do) *a.* 1 Que se rebateu: *As bolas rebatidas com força caíram fora do campo.* 2 Muito batido; CALCADO 3 Que se voltou ou dobrou sobre si mesmo: "Vestido escuro afogado e de mangas compridas, com pouca roda, simples colarinho, e punhos de linho rebatidos." (José de Alencar, *Lucíola*) 4 Que se rechaçou; REPELIDO 5 Pago ou recebido com desconto (ordenado rebatido) 6 Redatilografado ou redigitado: *Os textos tinham muitos erros, tiveram de ser rebatidos.* [F.: Part. de *rebater*.]

rebatimento (re.ba.ti.*men*.to) *sm.* 1 Ação ou resultado de rebater; REBATIDA; REBATE 2 Rebate, desconto em letra, título, promissória etc. [F.: *rebater* + *-imento*.]

rebatinha (re.ba.*ti*.nha) *sf. Ant.* Coisa muito disputada, muito debatida [F.: Do espn. *rebatiña*.] ■ **Às ~s** Em disputa, em porfia, para ser disputado: *Lançou moedas às rebatinhas para a multidão.*

rebatismo (re.ba.*tis*.mo) *sm.* 1 Ação ou resultado de rebatizar 2 Novo batismo [F.: *re-* + *batismo*.]

rebatível (re.ba.*tí*.vel) *a2g.* 1 Que pode ser rebatido ou contestado (argumento rebatível) 2 Que se pode dobrar; DOBRÁVEL: *cadeira com prancheta rebatível.* [Pl.: *-veis*.] [F.: *rebater* + *-ível*.]

rebatizador (re.ba.ti.za.*dor*) [ô] *a.* 1 Que rebatiza; REBATIZANTE *sm.* 2 Aquele que rebatiza [F.: *rebatizar* + *-dor*. Cf. *anabatista*.]

rebelar (re.be.*lar*) *v.* 1 Incitar à revolta ou insurgir-se contra; revoltar(-se) [*td.*: *Rebelar as tropas.*] [*tdr.* + *contra*: *Rebelou os marinheiros contra o capitão.*] [*int.*: *Os presos se rebelaram.*] 2 Demonstrar desacordo em relação a (algo); opor-se [*tr.* + *contra*: *A população rebelou-se contra o aumento das passagens.*] [▶ 1 rebelar] [F.: Do v.lat. *rebelare*. Hom./par.: *rebela* (fl.), *rebela* (sf.), *rebela* /ê/ (sf.); *rebelas* (fl.) *rebelas* (pl. do sf.); *rebelo* (fl.), *rebelo* /ê / (sm. a.), *Rebelo* /ê/ (antr.).]

rebelde (re.*bel*.de) *a2g.* 1 Que se rebela contra a autoridade legítima ou constituída; REVOLTOSO 2 Indisciplinado, insubordinado (adolescente rebelde) 3 Indomável, indomesticável (cavalo rebelde) *a2g.* 4 Revolto, em desalinho (cabeleira rebelde) 5 Difícil de curar ou debelar (doença rebelde) *s2g.* 6 Aquele ou aquela que se rebela, que se revolta: *Os rebeldes sitiaram a cidade.* 7 Pessoa rebelde (2) [F.: Do espn. *rebelde*.]

rebeldia (re.bel.*di*:a) *sf.* 1 Qualidade ou característica de rebelde: *Foi expulso do colégio por rebeldia.* 2 Vontade contrária; OPOSIÇÃO; RESISTÊNCIA: *É impossível dobrar sua rebeldia!* 3 Teimosia, birra 4 Ação, comportamento ou dito de pessoa rebelde [F.: *rebelde* + *-ia*¹.]

rebelião (re.be.li.*ão*) *sf.* 1 Insurreição contra a autoridade e a ordem estabelecidas na tentativa de substituir uma e outra; INSURREIÇÃO; REVOLTA 2 Oposição ou resistência por qualquer meio moral [Pl.: *-ões*.] [F.: Do lat. *rebellio, onis*.]

rebencada (re.ben.*ca*.da) *sf.* Golpe dado com rebenque [F.: *rebenque* + *-ada*¹.]

rebenque (re.*ben*.que) *sm. Bras.* Pequeno chicote de couro para tocar cavalo [F.: Do espn. *rebenque*.]

rebenqueado (re.ben.que.*a*.do) *RS a.* 1 Tocado, fustigado com rebenque 2 *Fig.* Cansado, estafado, rebentado [F.: Part. de *rebenquear*.]

rebenquear (re.ben.que.*ar*) *Bras. v. td.* 1 Fustigar, tocar (a besta, o gado) com rebenque 2 *Fig.* Levar ao cansaço; CANSAR [▶ 13 rebenquear] [F.: *rebenque* + *-ear*².]

rebentação (re.ben.ta.*ção*) *sf.* 1 Ação ou resultado de rebentar(-se) 2 Quebra das ondas contra os rochedos, na praia ou contra o costado dos navios 3 Local onde ocorre esse choque [Pl.: *-ções*.] [F.: *rebentar* + *-ção*. F. par.: *arrebentação*.]

rebentado (re.ben.*ta*.do) *a.* 1 Que rebentou(-se) 2 *Fig.* Sem dinheiro; QUEBRADO; FALIDO 3 *Fig.* Muito cansado, estafado, exausto [F.: Part. de *rebentar*. F. par.: *arrebentado*.]

rebentão (re.ben.*tão*) *sm.* 1 Broto que nasce junto da raiz da planta e que pode dela separar-se para dar origem a uma nova planta; ARREBENTÃO; LADRÃO 2 *Fig.* Filho, descendente 3 *Bras.* Arbusto dos terrenos incultos 4 *N. E.* Seca prolongada [Pl.: *-tões*.] [F.: *rebento* + *-ão*.]

rebentar (re.ben.*tar*) *v. td. int.* O mesmo que *arrebentar* [▶ 1 rebentar] [F.: De or. contrv; posv. do lat. vulg. **repentare*, do lat. *repente*, 'de súbito'. Hom./Par.: *rebento* (fl.), *rebento* (sm.); *rebentáveis* (fl.), *rebentáveis* (pl. de *rebentável* [a. 2g.]).]

rebento (re.*ben*.to) *sm.* 1 *Bot.* Ver *broto* 2 *Fig.* O filho, o descendente: *A mulher apresentou seus rebentos à vizinha.* 3 *Fig.* O que resulta de um processo, uma atividade etc.; FRUTO; PRODUTO [F.: Dev. de *rebentar*. Hom./Par.: *rebento* (sm.), *rebento* (fl. de *rebentar*).]

rebentona (re.ben.*to*.na) *Bras. sf.* 1 Situação grave que está em vias de decidir-se 2 Motim, sedição, revolta; MOTIM; SEDIÇÃO [F.: *rebentar* + *-ona*.]

rebenzer (re.ben.*zer*) *v. td.* Benzer(-se) outra vez: *Rebenzeu os filhos; Rebenzeu-se logo de manhã.* [▶ 2 rebenzer] [F.: *re-* + *benzer*.]

rebimba (re.*bim*.ba) *sf. Lus.* Falta de energia, de disposição física; PREGUIÇA; INDOLÊNCIA [F.: Dev. de *rebimbar*. Hom./Par.: *rebimba* (sf.), *rebimba* (fl. de *rebimbar*).]

rebimbar (re.bim.*bar*) *v. int.* 1 Repicar (o sino); BADALAR; BIMBALHAR: *Os sinos rebimbam* 2 *MG Lud.* Em jogo de pôquer, dobrar a aposta: *Fez a aposta, mas o parceiro rebimbou.* [F.: *re-* + *bimbar*. Hom./Par.: *rebimbo* (fl.), *rebimbo* (sm.); *rebimba* (fl.), *rebimba* (sf.); *rebimbas* (fl.), *rebimba* (sf.).]

rebimbo (re.*bim*.bo) *sm.* 1 *Lud.* No jogo de pôquer, ação ou resultado de rebimbar, de dobrar a aposta; REPIQUE 2 Faísca, centelha: "Certo que, num rebimbo de raio, eu – pronto! – o Ornelas estava caído muito a morto." (Guimarães Rosa, *Grande sertão: veredas*) [F.: Dev. de *rebimbar*. Hom./Par.: *rebimbo* (sm.), *rebimbo* (fl. de *rebimbar*).]

rebitado (re.bi.*ta*.do) *a.* 1 Que se revira ou arrebita; ARREBITADO 2 *Bras.* Ligado ou preso por meio de rebites [F.: Part. de *rebitar*.]

rebitagem (re.bi.*ta*.gem) *sf.* Ação ou resultado de rebitar, de unir com rebites [Pl.: *-gens*.] [F.: *rebitar* + *-agem*².]

rebitar (re.bi.*tar*) *v.* 1 O mesmo que *arrebitar* [*td. int. tr.*] 2 Ligar (peças de metal) com rebites [*td.*] [▶ 1 rebitar] [F.: *rebite* + *-ar*². Hom./Par.: *rebita* (fl.), *rebita* (sf.); *rebitas* (fl.), *rebitas* (pl. do sf.); *rebite* (fl.), *rebite* (sm.); *rebites* (fl.), *rebites* (pl. do sm.).]

rebite (re.*bi*.te) *sm.* 1 Peça de metal cilíndrica, com cabeça circular, para unir firmemente peças ou chapas de metal 2 Dobra que se faz na ponta de um prego para que não saia da madeira 3 Arrebitamento (esp. do nariz) [F.: Do espn. *ribete*, posv. do ár. *ribat*. Sin. ger.: *arrebite*. Hom./Par.: *rebite* (sm.), *rebite* (fl. de *rebitar*).]

reblindagem (re.blin.*da*.gem) *sf.* 1 Ação ou resultado de reblindar 2 Nova blindagem; reforço da blindagem (reblindagem de automóveis) [Pl.: *-gens*.] [F.: *reblindar* + *-agem*².]

rebo¹ (*re*.bo) [ê] *sm. Lus.* Pequena pedra que colocada debaixo de outra serve para auxiliar seu movimento ou é us. para tapar vãos de uma parede; CALHAU; CASCALHO; RIPIO [F.: Do lat. *repulum, i* (clássico *replus* 'caixilho'). Hom./Par.: *rebo* (sm.), *rebo* (fl. de *rebar*).]

rebo² (*re*.bo) [ê] *a. Lus.* Muito burro; ESTÚPIDO; TAPADO [F.: Ver *rebo*¹.]

reboante (re.bo.*an*.te) *a2g.* Que reboa; que ressoa fortemente (voz reboante; trovão reboante); RETUMBANTE: "... mais movimento e tumulto humano, do que nesse aquário reboante e multicor, em que as casas, as pontes..." (Aníbal Machado, *A morte da porta-estandarte e outras histórias*) [F.: Do lat. *reboans, antis*.]

reboar (re.bo.*ar*) *v. int.* Ecoar com estrondo; RETUMBAR [▶ 16 reboar] [F.: Do v.lat. *reboare*. Hom./Par.: *reboo* (fl.), *reboo* (sm.).]

rebobinadeira (re.bo.bi.na.*dei*.ra) *sf. Pap.* Máquina utilizada para rebobinar em rolos menores as várias larguras da folha de papel produzida na máquina contínua; BOBINADEIRA; ENROLADEIRA [F.: *rebobinar* + *-deira*.]

rebobinado (re.bo.bi.*na*.do) *a.* Que se rebobinou; novamente bobinado [F.: Part. de *rebobinar*.]

rebobinagem (re.bo.bi.*na*.gem) *sf.* Ação ou resultado de rebobinar [Pl.: *-gens*.] [F.: *rebobinar* + *-agem*².]

rebobinamento (re.bo.bi.na.*men*.to) *sm.* Ação ou resultado de rebobinar [F.: *rebobinar* + *-mento*.]

rebobinar (re.bo.bi.*nar*) *v. td.* 1 Tornar a bobinar 2 *Cin. Fot. Telv.* Tornar a enrolar (o filme) na câmera fotográfica, cinematográfica, de televisão etc., ou em projetor [▶ 1 rebobinar] [F.: *re-* + *bobinar*.]

rebocado¹ (re.bo.*ca*.do) *a.* 1 Coberto de reboco (muro rebocado) 2 Excessivamente maquiado: *Tinha o rosto tão rebocado que não a reconheci.* [F.: Part. de *rebocar*¹.]

rebocado² (re.bo.*ca*.do) *a.* Puxado a reboque (carro rebocado) [F.: Part. de *rebocar*².]

rebocador (re.bo.ca.*dor*) [ô] *a.* 1 Diz-se de embarcação que conduz outra a reboque *sm.* 2 Embarcação ger. pequena, com máquina de grande potência e equipada com guindaste, us. para rebocar outras embarcações [F.: *rebocar*² + *-dor*.]

rebocadura (re.bo.ca.*du*.ra) *sf.* Ação ou resultado de rebocar²; REBOCO; REBOQUE [F.: *rebocar*² + *-dura*.]

rebocar¹ (re.bo.*car*) *v. td.* 1 Revestir com reboco: *Rebocar uma parede.* 2 *Fig.* Encher o rosto de maquiagem, com exagero: *Rebocou tanto o rosto que ficou irreconhecível.* [▶ 11 rebocar] [F.: De or. contrv. Hom./Par.: *reboque* (fl.), *reboque* (sm.); *reboques* (fl.), *reboques* (pl. do sm.); *reboco* (fl.), *reboco* /ô/ (sm.); *rebocáveis* (fl.), *rebocáveis* (pl. de *rebocável* [a2g.]).]

rebocar² (re.bo.*car*) *v. td.* 1 Conduzir (veículo) a reboque, puxando-o por cabo, corda etc.: *Rebocava carros, também era capaz de rebocar um navio.* 2 *Bras. Gír.* Levar (uma ou mais pessoas) junto ou atrás de si: *Rebocava um bando de garotas pela praia; Ao sair, o deputado rebocava meia dúzia de eleitores.* [▶ 11 rebocar] [F.: Do v.lat. **remulcare*.]

rebocável (re.bo.*cá*.vel) *a2g.* Que pode ser rebocado (carreta rebocável) [Pl.: *-veis*.] [F.: *rebocar*² + *-vel*. Hom./Par.: *rebocáveis* (pl.), *rebocáveis* (fl. de *rebocar*).]

reboco (re.*bo*.co) [ô] *sm.* 1 *Cons.* Argamassa que se aplica à parede emboçada para dar-lhe uma superfície uniforme e lisa, pronta para receber a pintura 2 Impermeabilizante próprio para revestir o interior de um recipiente 3 Ação ou resultado de rebocar¹ [F.: Dev. de *rebocar*¹. Hom./Par.: *reboco* (sm.), *reboco* (fl. de *rebocar*).]

reboço (re.*bo*.ço) [ô] *sm.* Novo emboço: *A parede está muito arranhada, precisa de um reboço.* [F.: *re-* + *(em)boço*.]

rebojar (re.bo.*jar*) *v. int. Bras.* Formar redemoinho [▶ 1 rebojar] [F.: *re-* + *bojar*.]

rebojo (re.*bo*.jo) [ô] *Bras. sm.* 1 Redemoinho ou contracorrente provocados pela sinuosidade do rio; VORAGEM; SORVEDOURO 2 Redemoinho de vento, ao mudar subitamente de direção 3 Espuma que se forma nas águas do mar ou dos rios 4 Protuberância arredondada que se observa nas nuvens 5 *S.* Vento que sopra do sudoeste [F.: Dev. de *rebojar*. Hom./Par.: *rebojo* (sm.), *rebojo* (fl. de *rebojar*).]

rebolado (re.bo.*la*.do) *a.* 1 Que se executa remexendo os quadris (dança rebolada) *sm.* 2 Movimento circular e rítmico que se imprime aos quadris; REMELEXO 3 *Bras. Teat.* Teatro de revista alegre e malicioso [Us. tb. como a., *teatro rebolado*.] [F.: Part. de *rebolar*. Hom./Par.: *rebolado* (sm.), *rebolada* (sf.).] ■ **Perder o ~** *Bras. Pop.* Ficar desconcertado, sem graça

rebolante (re.bo.*lan*.te) *a2g.* Que rebola (dançarino rebolante) [F.: *rebolar* + *-nte*.]

rebolão¹ (re.bo.*lão*) *a.* 1 Diz-se de quem se gaba de ser melhor ou mais valente que os outros; FANFARRÃO *sm.* 2 Indivíduo fanfarrão [Pl.: *-lões*. Fem.: *-lona*] [F.: De or. incerta.]

rebolão² (re.bo.*lão*) *sm.* Rebolo grande [Pl.: *-lões*.] [F.: *rebolo* + *-ão*¹.]

rebolar (re.bo.*lar*) *v.* 1 Menear(-se), requebrar(-se) [*td.*: *A dançarina rebolava os quadris.*] [*int.*: *A loura rebolava sem parar.*] 2 *Bras. Pop.* Enfrentar grande dificuldade (na realização de uma tarefa); esforçar-se [*int.*: *Os candidatos rebolaram para passar no teste de resistência física.*] 3 Fazer rolar como uma bola [*td.*] [▶ 1 rebolar] [F.: *re-* + *bola* + *-ar*². Hom./Par.: *rebolaria* (fl.), *rebolaria* (sf.); *rebolarias* (fl.), *rebolarias* (pl. do sf.); *rebolo* (fl.), *rebolo* /ô/ (sm.).]

rebolativo (re.bo.la.*ti*.vo) *a.* Que rebola ou que tem rebolado (andar rebolativo) [F.: *rebolar* + *-tivo*.]

rebolcar (re.bol.*car*) *v.* 1 Fazer (algo) rolar como bola [*td.*: *O vento rebolcava as pedras ladeira abaixo.*] [*tda.*: *O vento rebolcou os cilindros do alto da encosta.*] 2 Debater-se, chafurdar-se (em lama, areia etc.) [*ta.*: *Os cães rebolcavam na areia da praia.*] [▶ 11 rebolcar] [F.: Do lat. vulg. *revolvicare*. Tb.: *revolcar*. Hom./Par.: *rebolco* (fl.), *rebolco* /ô / (sm.); *rebolcar*, *rebocar* (todos os tempos do v.).]

reboleante (re.bo.le.*an*.te) *a2g.* Que reboleia; que se move ou gira de um lado para outro: *Uma figura reboleante apareceu correndo pelo palco.* [F.: *rebolear* + *-nte*.]

rebolear (re.bo.le.*ar*) *v.* 1 Rebolar-se, remexer-se [*int.*] 2 Girar sobre si mesmo [*int.*] 3 *RS* Rodar (laço, boleadeira) antes de lançar sobre o animal [*td.*] [▶ 13 rebolear] [F.: *re-* + *bolear*.]

reboleio (re.bo.*lei*:o) *sm.* Ação ou resultado de rebolear(-se) [F.: Dev. de *rebolear*. Hom./Par.: *reboleio* (sm.), *reboleio* (fl. de *rebolear*).]

reboleira (re.bo.*lei*.ra) *sf.* 1 A parte mais densa de uma seara, prado ou arvoredo; REBOLEIRO 2 Agrupamento de árvores ou de arbustos que se destaca num campo; REBOLADA 3 *Bras.* Capão de mata 4 Lodo que se acumula na caixa onde gira a pedra de amolar [F.: *rebolo* + *-eira*.]

reboleiro¹ (re.bo.*lei*.ro) *sm.* Maciço de árvores que sobressai; REBOLEIRA [F.: *rebolo* + *-eiro*.]

reboleiro² (re.bo.*lei*.ro) *a.* 1 Diz-se do gado que costuma pastar ao redor das casas: "Até por dentro do eirado, mansejavam uns bois e vacas, gado reboleiro." (Guimarães Rosa, *Grande sertão: veredas*) 2 *CE* Diz-se de boi arisco [F.: *rebolar* + *-eiro*.]

reboleiro³ (re.bo.*lei*.ro) *sm.* Chocalho grande que se prende ao pescoço de animais [F.: *re-* + *bola* + *-eiro*.]

reboliço (re.bo.*li*.ço) *a.* 1 Que rebola 2 Que tem a forma de rebolo 3 Agitação, confusão, m. que *rebuliço*: "A casa vivia num reboliço constante..." (Aluísio Azevedo, *Casa de pensão*) [F.: *rebolar* + *-iço*. Hom./Par.: *reboliço* (a.), *rebuliço* (sm.).]

rebolir (re.bo.*lir*) *v.* 1 Sacudir repetidamente os quadris; rebolar(-se), bambolear(-se) [*td.*: *A moça rebolia o corpo; Reboliu-se até cansar.*] [*int.*: *Passou a noite rebolindo*] 2 Movimentar-se ou fazer algo de maneira apressada [*int.*] [▶ 58 rebolir] [F.: De *rebolar*, com mudança de conjug. Hom./Par.: *rebolir*, *rebulir* (em várias fl. do v.).]

rebolo (re.*bo*.lo) [ô] *sm.* 1 Mó de arenito que gira em torno de um eixo horizontal e serve para amolar instrumentos cortantes *sm.* 2 *Pop.* Cilindro 3 *Bot.* Doença que ataca a oliveira e prejudica o crescimento de seus frutos 4 *Lus.* Azeitona miúda e redonda 5 Amêndoa arredondada 6 *Bras* Parte da cana-de-açúcar com dois ou mais brotos, us. no replantio 7 *Bras. N. E.* Pedaço de tijolo, telha etc. us. como projétil 8 *Bras.* Nas rinhas, lugar aonde se levam os galos cuja luta se tornou desinteressante ou promete durar muito 9 *Lus.* Qualquer seixo [F.: Dev. de *rebolar*. Hom./Par.: *rebolo* (sm.), *rebolo* (f. de *rebolar*).]

rebombear (re.bom.be.*ar*) *v. td. int.* Bombear outras vezes [▶ 13 rebombear] [F.: *re-* + *bombear*.]

reboo (re.*bo*.o) *sm.* Ação ou resultado de reboar; repercussão do som [F.: Dev. de *reboar*. Hom./Par.: *reboo* (sm.), *reboo* (fl. de *reboar*).]

reboque (re.*bo*.que) *sm.* **1** Vagão ou veículo sem tração própria, puxado por outro que a tem **2** Veículo equipado para rebocar outro que esteja enguiçado; *Bras.* GUINCHO **3** *Fig.* Ação ou resultado de se levar alguém para algum lugar, sem que tenha sido convidado **4** *PE Pop.* Meretriz **5** *Mar.* Cabo us. para rebocar embarcação [F.: Dev. de *rebocar*[2]. Hom./Par.: *reboque* (sm.), *reboque* (fl. de *rebocar*[2]).] ■ **A ~** *Bras.* Como caudatário; sem independência; servilmente **A ~ de 1** Atrelado a **2** *Fig.* Voluntariamente ligado a (algo ou alguém): *Vivia a reboque do amigo.* **3** *Fig.* Como consequência de; que surge ou acontece como que trazido por (fato, ação etc.): *Seu humor variava a reboque das críticas.*

reborda (re.*bor*.da) *sf. Anat.* Extremidade de uma superfície anatômica (reborda orbitária); BORDA [F.: *re-* + *borda*.]

rebordado (re.bor.*da*.do) *a.* **1** Que se bordou novamente: *bolero rebordado com paetês.* **2** Que se bordou por cima [F.: Part. de *rebordar*.]

rebordar[1] (re.bor.*dar*) *v.* Bordar novamente ou dar reforço a um bordado [*td.*: *Rebordou a blusa*] [▶ 1 rebordar] [F.: *re-* + *bordar.* Hom./Par.: *rebordo* (fl.), *rebordo* /ô/ (sm.).]

rebordar[2] (re.bor.*dar*) *v. td.* Alisar as arestas e quinas, esp. de vidros polidos [▶ 1 rebordar] [F.: *re-* + *bordo*[1] + *-ar*[2]. Hom./Par.: ver *rebordar*[1].]

rebordo (re.*bor*.do) [ô] *sm.* Borda voltada para fora ou revirada [Pl.: [ó].] [F.: *re-* + *bordo.* Hom./Par.: *rebordo* (sm.), *rebordo* (fl. de *rebordar*).]

rebordosa (re.bor.*do*.sa) [ó] *Bras. sf.* **1** Situação difícil, desagradável **2** Repreensão, censura **3** Recaída (de doença, mal-estar etc.) **4** Briga, pancadaria **5** *Pop.* O resultado negativo de algo implicado, problemático, confuso ou tumultuado: *levar a rebordosa; pegar a rebordosa* [F.: *rebordo* + *-osa* (fem. de *-oso*).]

rebotalho (re.bo.*ta*.lho) *sm.* **1** O que fica depois de escolhido o melhor; RESTO; REFUGO **2** Coisa sem importância; INSIGNIFICÂNCIA **3** *Fig.* Pessoa vil, reles [F.: De *rebotar* + *-alho*.]

rebotar (re.bo.*tar*) *v. td. P. us.* O mesmo que *repelir* [▶ 1 rebotar] [F.: *re-* + *botar*. Hom./Par.: *rebota* (fl.), *rebota* /ô/ (fem. de reboto [a.]); *rebotas* (fl.), *rebotas* (p. do sm.); *reboto* (fl.), *reboto* /ô/ (a.); *rebote* (fl.), *rebote* (sm.), *rabote* (sm.); *rebotes* (fl.), *rebotes* (pl. de sm.), *rabotes* (pl. do sm.).]

rebote (re.*bo*.te) [ó] *Bras. sm.* **1** *Basq.* Bola que, lançada à cesta, bate no aro ou na tabela ou é rebatida por um defensor do time adversário, retornando ao jogo **2** *Esp.* Bola que, chutada ou lançada em direção ao gol, é rebatida pela defesa e sobra para atacante adversário [F.: Dev. de *rebotar*. Hom./Par.: *rebote* (sm.), *rebote* (fl. de *rebotar*), *rabote* (sm.).]

rebotear (re.bo.te.*ar*) *v. td.* Responder, retrucar [▶ 13 rebotear] [F.: *rebote* + *-ea r*[2].]

reboteiro (re.bo.*tei*.ro) *sm. Esp.* No basquete, jogador que pega o rebote [F.: *rebote* + *-eiro*.]

reboto (re.*bo*.to) [ô] *a.* **1** Que se embotou; que perdeu o fio ou o gume; CEGO **2** *Fig.* Grosseiro no trato; ÁSPERO; RUDE [F.: *re-* + *boto*[2]. Hom./Par.: *reboto* (a.), *reboto* (fl. de *rebotar*).]

rebrilhante (re.bri.*lhan*.te) *a2g.* Que rebrilha; muito brilhante: "Afinal havia uma luz ainda cinzenta, mas dura e rebrilhante de quartzo." (José Saramago, "Embargo" *in Anos do eclipse.*) [F.: *rebrilhar* + *-nte*.]

rebrilhar (re.bri.*lhar*) *v. int.* **1** Tornar a brilhar: *Ao abanar o fogo, fez as chamas rebrilharem.* **2** Brilhar ou refletir brilho com muita intensidade; RESPLANDECER: *O sol rebrilhava no céu; Os brilhantes rebrilhavam em seu pescoço.* [▶ 1 rebrilhar] [F.: *re-* + *brilhar*. Hom./Par.: *rebrilho* (fl.), *rebrilho* (sm.).]

rebrilho (re.*bri*.lho) *sm.* Ação ou resultado de rebrilhar; brilho intenso: "– Olhe ali – disse ele, mostrando um rebrilho na água mais para o lado da Ilha do Medo." (João Ubaldo Ribeiro, "O santo que não acreditava em Deus" *in Já podeis da pátria filhos e outras histórias*) [F.: *re-* + *brilho*.]

rebrilhoso (re.bri.*lho*.so) [ô] *a.* Que rebrilha; REBRILHANTE [Pl.: [ó]. Fem.: [ó].] [F.: *rebrilho* + *-oso*.]

rebritador (re.bri.ta.*dor*) [ô] *sm.* Equipamento para britagem que tritura os fragmentos maiores provenientes do britador [F.: *re-* + *britador*.]

rebrotação (re.bro.ta.*ção*) *sf.* Ação ou resultado de rebrotar (ciclo de rebrotação); REBROTAMENTO [Pl.: *-ções*.] [F.: *rebrotar* + *-ção*.]

rebrotar (re.bro.*tar*) *v. int.* Brotar novamente; REABROTAR [▶ 1 rebrotar] [F.: *re-* + *brotar*.]

rebu (re.*bu*) *sm. Bras. Pop.* Agitação, confusão, rebuliço [F.: F. red. de *rebuliço*.]

rebuçado (re.bu.*ça*.do) *a.* **1** Encoberto com rebuço (1); EMBUÇADO **2** Oculto, disfarçado *sm.* **3** Pequena guloseima doce (rebuçados de limão); BALA **4** *Fig.* Coisa que se faz ou diz com excessivo esmero; tudo o que chega a um grau elevado **5** *Fig.* Elogio, lisonja [F.: Part. de *rebuçar*.]

rebuçar (re.bu.*çar*) *v.* **1** Encobrir(-se) com rebuço [*td.*: *Um lenço negro rebuçava seu rosto*] [*tdr.* + *com*: *A viúva rebuçou-se com um véu.*] **2** *Fig.* Ocultar(-se) ou disfarçar(-se) [*td.*: *Procurava rebuçar a verdade dos fatos; Rebuçou-se para fugir.*] **3** Esconder, velar [*td.*: *Um cortinado púrpura rebuçava a cena.*] [▶ 12 rebuçar] [F.: *re-* + *buço* + *-ar*[2]. Hom./Par.: *rebuço* (fl.), *rebuço* (sm.).]

rebuço (re.*bu*.ço) *sm.* **1** *Vest.* Parte da capa que encobre o rosto **2** *Vest.* Lapela **3** *P. ext.* Véu ou tecido para cobrir o rosto **4** *Fig.* Disfarce, fingimento, dissimulação: *Disse a verdade sem rebuço.* [F.: Dev. de *rebuçar*. Hom./Par.: *rebuço* (sm.), *rebuço* (fl. de *rebuçar*).] ■ **Não ter ~** Não ter escrúpulo: *Não teve o menor rebuço em aceitar uma gratificação indevida.* **Sem ~ 1** Sem nada ocultar, abertamente **2** Sem rodeios, sem meias palavras

rebuliçar (re.bu.li.*çar*) *v. td.* Fazer rebuliço em; REBOLIÇAR [▶ 12 rebuliçar] [F.: *rebuliço* + *-ar*[2]. Hom./Par.: *rebuliço* (fl.), *rebuliço* (sm.); *reboliço* (fl.), *reboliço* (a.).]

rebuliço (re.bu.*li*.ço) *sm.* **1** Confusão, agitação, alvoroço: *A chegada dos campeões causou rebuliço no aeroporto.* **2** Tropel de gente **3** Desordem, discórdia [F.: *re-* + *buliço*. Hom./Par.: *rebuliço* (sm.), *rebuliço* (fl. de *rebuliçar*), *reboliço* (a.).]

rebulir (re.bu.*lir*) *v.* Tornar a bulir [*td.*: *O vento rebulia os papéis.*] [*tr.* + *em*: *Rebulia no assunto sem parar.*] [▶ 3 rebulir] [F.: *re-* + *bulir*. Hom./Par.: *rebulir*, *rebolir* (vários tempos do v.).]

reburocratização (re.bu.ro.cra.ti.za.*ção*) *sf.* Ação ou resultado de reburocratizar: "O processo de reburocratização foi produto de uma conspiração do silêncio e do segredo, que são tão caros à burocracia." (Luiz Carlos Bresser-Pereira *in O Globo*, 24. 06. 1995) [Pl.: *-ções*.] [F.: *re-* + *burocratização*.]

rébus (*ré*.bus) *sm2n.* Ideograma que deixa de significar diretamente o objeto que representa para indicar o fonograma correspondente ao nome desse objeto [Cf.: *Carta enigmática*. F.: Do fr. *rébus*, deriv. do lat. *rebus*. Hom./Par.: *rébus* (sm2n.), *rebus* (pl. de *rebu* [sm.]).]

rebusca (re.*bus*.ca) *sf.* Ação ou resultado de rebuscar [F.: Dev. de *rebuscar*. Hom./Par.: *rebusca* (sf.), *rebusca* (fl. de *rebuscar*).]

rebuscado (re.bus.*ca*.do) *a.* **1** *Fig.* Apurado, requintado (versos rebuscados) **2** Que se tornou a buscar ou procurar [F.: Part. de *rebuscar*.]

rebuscamento (re.bus.ca.*men*.to) *sm.* **1** Qualidade ou característica do que é rebuscado, requintado **2** Ação ou resultado de rebuscar; REBUSCA [F.: *rebuscar* + *-mento*.]

rebuscar (re.bus.*car*) *v. td.* **1** Buscar de novo, buscar com minúcia, ou revirar; VASCULHAR: *Rebuscar uma chave perdida/um armário/palavras num livro.* **2** Dar estilo requintado ou demasiadamente ornado a: *Rebuscava seus textos de maneira excessiva.* **3** Colher (frutos que ainda ficaram na planta depois da colheita) [▶ 11 rebuscar] [F.: *re-* + *buscar*. Hom./Par.: *rebusca* (fl.), *rebusca* (sf.); *rebuscas* (fl.), *rebuscas* (pl. do sf.); *rebusque* (fl.), *rebusque* (sm.); *rebusques* (fl.), *rebusques* (pl. do sm.); *rebusco* (fl.), *rebusco* (sm.).]

rebusque (re.*bus*.que) *sm.* **1** Ação ou resultado de rebuscar-se, *rebusca*; VANTAGEM; NEGOCIATA **2** *RS* Vantagem fortuita [F.: Dev. de *rebuscar*. Hom./Par.: *rebusque* (sm.), *rebusque* (fl. de *rebuscar*).]

recachar[1] (re.ca.*char*) *v. int.* Responder a uma cilada com outra [▶ 1 recachar] [F.: *re-* + *cachar*. Hom./Par.: *recacho* (fl.), *recacho* (sm.).]

recachar[2] (re.ca.*char*) *v. td. int.* Assumir postura elegante [▶ 1 recachar] [F.: *recacho* + *-ar*[2].]

recacho (re.*ca*.cho) *sm.* **1** Posição elegante que denota certa gravidade ou arrogância; APRUMO; IMPONÊNCIA: "Este decreto (...) inculca ao mesmo tempo o caudilho, no recacho presuntuoso que lhe emprestam aqueles adjetivos e substantivos constrangidos a escoltarem-lhe o nome..." (Euclides da Cunha, *À margem da história*) **2** *Fig.* Expressão sincera e espontânea de sentimentos e pensamentos; DESABAFO [F.: *re-* + *cacho*. Hom./Par.: *recacho* (sm.), *recacho* (fl. de *recachar*).]

recadastrado (re.ca.das.*tra*.do) *a.* Que se recadastrou; que foi cadastrado novamente (eleitor recadastrado) [F.: Part. de *recadastrar*.]

recadastramento (re.ca.das.tra.*men*.to) *sm.* Ação ou resultado de recadastrar; novo cadastramento (recadastramento de aposentados) [F.: *recadastrar* + *-mento*.]

recadastrar (re.ca.das.*trar*) *v. td.* Cadastrar de novo; fazer novo recadastramento: *Recadastrar os eleitores* [▶ 1 recadastrar] [F.: *re-* + *cadastrar*.]

recadastro (re.ca.*das*.tro) *sm.* Ação ou resultado de recadastrar; RECADASTRAMENTO: *Foi iniciado o recadastro de pensionistas.* [F.: Dev. de *recadastrar*. Hom./Par.: *recadastro* (sm.), *recadastro* (fl. de *recadastrar*).]

recadeiro (re.ca.*dei*.ro) *a.* **1** Ref. a recado **2** Que leva e traz recados; RECADISTA *sm.* **3** Indivíduo encarregado de levar e trazer recados (recadeiro de novidades); RECADISTA [F.: *recado* + *-eiro*.]

recadista (re.ca.*dis*.ta) *a2g.* **1** Diz-se de pessoa que leva e traz recados, m. que *recadeiro s2g.* **2** Essa pessoa [F.: *recado* + *-ista*.]

recado (re.*ca*.do) *sm.* **1** Mensagem curta, oral ou escrita: *Deixei um recado na sua secretária eletrônica.* **2** Breve mensagem escrita para alguém com quem não se pode, no momento, falar de viva voz **3** Mensagem dada de viva voz a outra pessoa (ou gravada em aparelho), para que seja retransmitida por sua vez ao destinatário **4** *Pop.* Censura, repreensão, ralho **5** Cumprimento, recomendação: *Dê-lhe recados meus.* [Mais us. no pl.] [F.: Posv. do lat. vulg. *recapitu*.] ■ **Dar conta do ~** Desencumbir-se a contento de tarefa ou missão **Dar o ~ 1** *Bras.* Cumprir missão ou tarefa **2** Conseguir expressar ou comunicar aquilo que se pensa, ou o conteúdo de obra artística (em quadro, livro etc.): *Não é um orador talentoso, mas consegue dar o seu recado.* [Ger. us. com o pronome possessivo.]

recaída (re.ca.*í*.da) *sf.* **1** Ação ou resultado de tornar a cair no mesmo erro, na mesma culpa; REINCIDÊNCIA **2** *Med.* Novo acometimento da doença da qual a pessoa aparentemente se recuperara [F.: *re-* + *caída* ou *recair* + *-ida*[3].]

recair (re.ca.*ir*) *v.* **1** Tornar a cair [*int.*: *Bêbado, caiu e recaiu por mais algumas vezes antes de chegar em casa*] **2** Voltar a um estado ou situação anterior [*int.*: *Depois da gritaria infernal, o silêncio voltou a recair.*] **3** Sofrer recaída, ter novo acometimento (de doença) [*tr.* + *de, em*: *Apesar do tratamento, recaiu na doença.*] [*int.*: *O doente recaiu novamente.*] **4** Tornar a incorrer em (erro, falha, culpa); REINCIDIR [*tr.* + *em*: *Preveniram-no para que não recaísse nos vícios do passado.*] **5** Caber ou atribuir (acusação, culpa, responsabilidade etc.) a (alguém) [*tr.* + *sobre, em*: *A culpa acabou recaindo sobre o porteiro.*] **6** Caber por nomeação, votação etc. [*tr.* + *em, sobre*: *A presidência da sessão recairá no mais votado.*] **7** Incidir ou cair (o acento, a ênfase) [*ta.*: *Em 'túnel' o acento tônico recai na penúltima sílaba.*] **8** Atacar uma vez mais, com violência [*tr.* + *sobre*: *Depois do recuo, os manifestantes retornaram e recaíram sobre os policiais.*] **9** Retornar em direção ao solo, a uma superfície [*ta.*: *O balão subiu rápido, mas acabou recaindo sobre o telhado*] **10** Cair sobre; incidir [*tr.* + *sobre*: *Sua crítica recaiu sobre o último capítulo do livro.*] [▶ 43 recair] [F.: *re-* + *cair*.]

recalcado (re.cal.*ca*.do) *a.* **1** Que se recalcou, se calcou de novo ou com mais força **2** Refreado, reprimido **3** *Psic.* Ref. ao ou próprio do recalque **4** *Psic.* Excluído do domínio da consciência **5** *Bras. RS* Cansado de carregar peso; sobrecarregado *sm.* **6** Aquele que sofre de recalque, que mantém no inconsciente desejos, lembranças, percepções associadas a determinados impulsos [F.: Part. de *recalcar*.]

recalcamento (re.cal.ca.*men*.to) *sm.* **1** Ação ou resultado de recalcar **2** *Psic.* O mesmo que *recalque* [F.: *recalcar* + *-mento*.]

recalçamento (re.cal.ça.*men*.to) *sm.* Ação ou resultado de calçar, de pavimentar novamente [F.: *re-* + *calçamento*.]

recalcante (re.cal.*can*.te) *a2g. Psic.* Que recalca; que reprime; que exclui de admissão consciente (agente recalcante) [F.: *recalcar* + *-nte*.]

recalcar (re.cal.*car*) *v. td.* **1** Calcar outra vez ou seguidamente; REPISAR: *Recalcou a terra antes do plantio.* **2** Impedir a ação, a expansão ou manifestação de; REPRIMIR: *Em suas declarações de amor, sempre recalcava os arroubos sentimentais.* **3** *S* Deslocar um membro do corpo: *Recalcar um braço.* **4** *Fig.* Insistir, repisar um determinado assunto: *Recalcou tanto aquela história que acabou entediando todo mundo.* **5** *Psic.* Eliminar do consciente (trauma, sentimento etc.): *Recalcava suas tendências homossexuais.* **6** Fazer penetrar com força: *Recalcar uma cunha.* [▶ 11 recalcar] [F.: Do v.lat. *recalcare* ou de *re-* + *calcar*[1]. Hom./Par.: *recalcáveis* (fl.), *recalcáveis* (pl. de *recalcável* [a2g.]); *recalque* (fl.), *recalque* (sm.); *recalques* (fl.), *recalques* (pl. do sm.).]

recalcificação (re.cal.ci.fi.ca.*ção*) *sf.* **1** Ação ou resultado de recalcificar **2** *Med.* Devolução dos sais de cálcio perdidos aos tecidos do corpo (recalcificação óssea) [Pl.: *-ções*.] [F.: *recalcificar* + *-ção*.]

recalcificar (re.cal.ci.fi.*car*) *v. td.* Tornar a calcificar [▶ 11 recalcificar] [F.: *re-* + *calcificar*.]

recalcitrância (re.cal.ci.*trân*.ci:a) *sf.* **1** Ação ou resultado de recalcitrar, teimar; RECALCITRAÇÃO **2** Qualidade do que é recalcitrante [F.: *recalcitrar* + *-ância*.]

recalcitrante (re.cal.ci.*tran*.te) *a2g.* **1** Que recalcitra, que resiste com obstinação; TEIMOSO; OBSTINADO [Ant.: *submisso*.] *s2g.* **2** Aquele ou aquela que recalcitra, que resiste com obstinação; TEIMOSO; OBSTINADO [F.: *recalcitrar* + *-nte*.]

recalcitrar (re.cal.ci.*trar*) *v.* **1** Insistir (em não obedecer, ou não ceder); OBSTINAR-SE; RESISTIR [*tr.* + *em*: *Recalcitrava em não estudar.*] [*int.*: *Voltou a recalcitrar novamente.*] **2** Rebelar-se, insurgir-se [*int.*: *Não obedecia às ordens, rebelava-se, recalcitrava.*] **3** Desferir coices (o animal) [*int.*: *A mula recalcitrava.*] **4** Responder ou reagir com descortesia [*tr.* + *a*: *Recalcitrou às repreensões do professor.*] **5** Não ceder; opor resistência [*tr.* + *contra*: *Achava inútil recalcitrar contra o ódio.*] **6** *Jur.* Demonstrar resistência a ordem ou determinação emanada de autoridade competente [*int.*] [▶ 1 recalcitrar] [F.: Do v.lat. *recalcitrare*. Hom./Par.: *recalcitro* (fl.), *recalcitro* (a.).]

recalcular (re.cal.cu.*lar*) *v. td. int.* Fazer novo(s) cálculo(s) [▶ 1 recalcular] [F.: *re-* + *calcular*.]

recálculo (re.*cál*.cu.lo) *sm.* Ação ou resultado de recalcular; novo cálculo: *recálculo dos encargos financeiros.* [F.: Dev. de *recalcular*. Hom./Par.: *recálculo* (sm.), *recalculo* (fl. de *recalcular*).]

recalibração (re.ca.li.bra.*ção*) *sf.* Ação ou resultado de recalibrar, m. que *recalibragem* [Pl.: *-ções*.] [F.: *recalibrar* + *-ção*.]

recalibragem (re.ca.li.*bra*.gem) *sf.* Ação ou resultado de recalibrar; nova calibragem (recalibragem dos pneus); RECALIBRAÇÃO; RECALIBRAMENTO: *recalibragem da política econômica.* [Pl.: *-gens*.] [F.: *recalibrar* + *-agem*[2].]

recalibramento (re.ca.li.bra.*men*.to) *sm.* Ação ou resultado de recalibrar, m. que *recalibragem* [F.: *recalibrar* + *-mento*.]

recalibrar (re.ca.li.*brar*) *v. td.* Calibrar de novo [▶ 1 recalibrar] [F.: *re-* + *calibrar*.]

⊕ **recall** (*Ing.* /ricól/) *sm.* Convocação. Em países de língua inglesa e no Brasil, nome do procedimento em que o fornecedor convoca, por meio de anúncios veiculados na imprensa, os compradores de seu produto, quando constatado um defeito de fabricação, a fim de corrigi-lo antes que cause acidente, prejuízo, dano etc. ao consumidor

recalque (re.*cal*.que) *sm.* **1** Ação ou resultado de recalcar; RECALCAMENTO **2** *Psic.* Mecanismo psicológico de defesa pelo qual desejos, sentimentos, lembranças que repugnam à mentalidade ou à formação do indivíduo são excluídos do domínio da consciência e conservados no inconsciente, continuando, assim, a fazer parte da atividade psíquica do indivíduo e a produzir nela certos distúrbios de maior ou menor gravidade; RECALCAMENTO [F.: Dev. de *recalcar*.]

recamado (re.ca.*ma*.do) *a.* **1** Que se recamou (blusa recamada de paetês) **2** Bordado em relevo: *Fez a saia de veludo recamado de fios dourados.* **3** Cheio, abundante: "...fez do vale do grande rio, alteado num socalco de cordilheirras e recamado de matas exuberando floração..." (Euclides da Cunha, "Entre as ruínas" *in Contrastes e confrontos*) **4** Que se encobriu; COBERTO; REVESTIDO: *Um céu recamado de estrelas.* **5** Entretecido, entremeado: *Recitou um monólogo recamado de imagens.* [F.: Part. de *recamar*.]

recamar (re.ca.*mar*) *v.* **1** Colocar recamo em; enfeitar com bordado em relevo [*td.*: *Recamar uma colcha.*] **2** Adornar, enfeitar [*td.*: *Recamou a casa inteira com papel de parede.*] **3** Recobrir(-se), forrar(-se) [*td.*: *Velhos papéis recamavam o chão do escritório.*] [*tr.* + *de*: *O pátio recamava de folhas secas; O piso da varanda recamou-se de folhas secas.*] **4** Colocar de entremeio; ENTREMEAR [*tdr.* + *com*: *Recamou sua redação com citações de clássicos.*] [▶ 1 recamar] [F.: Do it. *ricamare.* Hom./Par.: *recamara* (fl.), *recâmara* (sf.); *recamaras* (fl.), *recâmaras* (pl. do sf.).]

recâmara (re.*câ*.ma.ra) *sf.* **1** Quarto pequeno, sem janelas, localizado no interior da casa; ALCOVA: "...levando o português a fechar a mulher a sete chaves, a guardá-la estiolada em recâmaras e oratórios." (Júlio Dantas, *Amor em Portugal*) **2** As roupas e o conjunto dos utensílios do serviço doméstico; ALFAIAS **3** Escaninho, lugar oculto, recôncavo **4** Culatra de arma de fogo [F.: *re-* + *câmara*. Forma paral.: *recâmera*.]

recambiar (re.cam.bi.*ar*) *v.* **1** Fazer voltar ou retornar a [*td.*: *Recambiar um prisioneiro.*] [*tda.* + *a*: *Recambiar o prisioneiro ao presídio.*] **2** *Econ.* Fazer voltar letra de câmbio por falta de pagamento [*td.*] **3** *SP* Dar uma volta completa com o corpo [*int.*] **4** Devolver; reenviar [*tdi.* + *a*: *Recambiou o cedê ao amigo.*] [*tda.*: *Recambiou o livro à loja.*] [▶ 1 recambiar] [F.: *re-* + *cambiar*. Hom./Par.: *recambiáveis* (fl.), *recambiáveis* (pl. de *recambiável* [a2g.]).]

recambiável (re.cam.bi.*á*.vel) *a2g.* Que pode ser recambiado, levado de volta, devolvido [Pl.: *-veis.*] [F.: *recambiar* + *-vel*. Hom./Par.: *recambiáveis* (pl.), *recambiáveis* (fl. de *recambiar*).]

⊕ **récamier** (*Fr.*: /rêcamiê/) *sm. Mob.* Canapé, ger. sem encosto e com braços recurvados, us. para descansar durante o dia

recamo (re.*ca*.mo) *sm.* **1** Bordado em relevo, sobre tecido **2** *P. ext.* Ornato, enfeite, adorno, embelezamento [F.: Do it. *ricamo.*]

recandidatar (re.can.di.da.*tar*) *v. td. int.* Candidatar(-se) novamente [▶ 1 recandidatar] [F.: *re-* + *candidatar.*]

recandidatura (re.can.di.da.*tu*.ra) *sf.* Nova candidatura: *O presidente apresentou sua recandidatura.* [F.: *re-* + *candidatura.*]

recanteado (re.can.te.*a*.do) *a. Pop.* Isolado num recanto ou local afastado [F.: *re-* + *canto* + *-ea do.*]

recanto (re.*can*.to) *sm.* **1** Local escondido e retirado **2** Recesso, esconderijo; REFÚGIO **3** Lugar bonito e aprazível: *Ficou num recanto privilegiado.* **4** *Fig.* Lugar bastante escondido, recôndito [F.: *re-* + *canto.*]

recapacitação (re.ca.pa.ci.ta.*ção*) *sf.* Ação ou resultado de recapacitar(-se) (recapacitação de professores) *Fig.*; RECICLAGEM [Pl.: *-ções.*] [F.: *recapacitar* + *-ção.*]

recapacitar (re.ca.pa.ci.*tar*) *v.* **1** Tornar(-se) novamente capaz [*td.*: *Os estudos recapacitaram o rapaz; Recapacitou-se em pouco tempo.*] [*tdr.* + *para*: *O curso recapacitou o rapaz para a nova função.*] **2** *P. us.* Gravar na memória; memorizar [*td.*: *Recapacitou todo o primeiro capítulo do livro.*] **3** Tornar-se persuadido de; convencer-se [*tr.* + *de*: *Recapacitou-se das novas exigências da firma.*] [▶ 1 recapacitar] [F.: *re-* + *capacitar.*]

recapagem (re.ca.*pa*.gem) *sf. Bras.* Ação ou resultado de recapar, m. que *recapeamento* [Pl.: *-gens.*] [F.: *recapar* + *-agem*².]

recapar (re.ca.*par*) *v. td.* O mesmo que *recapear* [▶ 1 recapar] [F.: *re-* + *capa*¹ + *-ar*².]

recapeado (re.ca.pe.*a*.do) *a.* Que se recapeou; revestido novamente (asfalto recapeado) [F.: Part. de *recapear.*]

recapeadora (re.ca.pe:a.*do*.ra) [ô] *sf.* Empresa especializada em recapeamento, seja de pneus, seja de estradas [F.: *recapear* + *-dora.*]

recapeamento (re.ca.pe:a.*men*.to) *sm.* **1** Ação ou resultado de recapear, cobrir com nova camada de asfalto; REPAVIMENTAÇÃO; RECAPEAÇÃO **2** O mesmo que *recauchutagem* **3** Novo revestimento feito em parede, muro, solo etc. [F.: *recapear* + *-mento.*]

recapear (re.ca.pe.*ar*) *v. td.* **1** Tornar a capear ou a pavimentar: *recapear uma estrada.* **2** Recauchutar (um pneu) **3** Tornar a revestir (uma parede, um muro etc.) [▶ 13 recapear] [F.: *re-* + *capear.* Sin. ger.: *recapar.*]

recapitalização (re.ca.pi.ta.li.za.*ção*) *sf.* **1** Ação ou resultado de recapitalizar **2** *Econ.* Alteração da estrutura de capital de uma empresa [Pl.: *-ções.*] [F.: *recapitalizar* + *-ção.*]

recapitalizar (re.ca.pi.ta.li.*zar*) *v. td.* Capitalizar outra vez [▶ 1 recapitalizar] [F.: *re-* + *capitalizar.*]

recapitulação (re.ca.pi.tu.la.*ção*) *sf.* **1** Ação ou resultado de recapitular, repetir resumidamente ou sinteticamente (recapitulação de uma lição, recapitulação de um texto); REMEMORAÇÃO; SINOPSE; SÚMULA; EPÍTOME **2** Reexame dos principais elementos ou momento de (recapitulação de uma viagem, recapitulação de uma conversa); REMEMORAÇÃO [Pl.: *-ções.*] [F.: Do lat. *recapitulatio, onis.*]

recapitulado (re.ca.pi.tu.*la*.do) *a.* **1** Que se recapitulou **2** Que se resumiu, sumariou (palestra recapitulada) **3** Que se repassou, para certificar-se de que foi corretamente aprendido (lição recapitulada); REPASSADO **4** Que se rememorou, que foi trazido novamente à memória (sonho recapitulado) [F.: Part. de *recapitular.*]

recapitular (re.ca.pi.tu.*lar*) *v. td.* **1** Repetir resumida ou sinteticamente: *Recapitulou as lições que estudara.* **2** Rememorar ou reexaminar os principais elementos ou momentos de: *Gostava de recapitular os grandes momentos de sua vida.* [▶ 1 recapitular] [F.: Do v.lat. tard. *recapitulare.*]

recaptura (re.cap.*tu*.ra) *sf.* Ação ou resultado de recapturar [F.: Dev. de *recapturar.*]

recapturar (re.cap.tu.*rar*) *v. td.* Capturar novamente: *Recapturaram os detentos que fugiram do presídio.* [▶ 1 recapturar] [F.: *re-* + *capturar.*]

recarga (re.*car*.ga) *sf.* **1** Ação ou resultado de recarregar; aquilo que serve para recarregar (recarga de cartucho, recarga de bateria, recarga de caneta) **2** Nova investida ou ataque **3** Nova investida do touro, depois de ferido pelo toureiro [F.: *re-* + *carga.*]

recargar (re.car.*gar*) *v. td.* Fazer outra carga, nova investida contra (alguém ou algo) [▶ 14 recargar] [F.: *recarga* + *-ar*². Hom./Par.: *recarga* (fl.), *recarga* (sf.); *recargas* (fl.), *recargas* (pl. do sf.).]

recarregado (re.car.re.*ga*.do) *a.* Que se recarregou, se carregou de novo: *O celular está recarregado.* [F.: Part. de *recarregar.*]

recarregador (re.car.re.ga.*dor*) [ô] *sm. Elet.* Equipamento próprio para recarregar (recarregador de bateria) [F.: *recarregar* + *-dor.*]

recarregamento (re.car.re.ga.*men*.to) *sm.* Ação ou resultado de recarregar, novo carregamento: *Levaram uma hora no recarregamento do caminhão.* [F.: *recarregar* + *-mento.*]

recarregar (re.car.re.*gar*) *v. td.* Tornar a carregar(-se): *Recarregar uma arma/uma caneta /um isqueiro; A árvore recarregou-se de frutos.* [▶ 14 recarregar] [F.: *re-* + *carregar.* Hom./Par.: *recarregáveis* (fl.), *recarregáveis* (pl. de *recarregável* [a2g.]).]

recarregável (re.car.re.*gá*.vel) *a2g. Elet.* Que se pode recarregar, dar nova carga de energia elétrica (bateria recarregável) [Pl.: *-veis.*] [F.: *recarregar* + *-vel.* Hom./Par.: *recarregáveis* (pl.), *recarregáveis* (fl. de *recarregar*).]

recasamento (re.ca.sa.*men*.to) *sm.* **1** Ação ou resultado de recasar **2** Novo casamento de antigos cônjuges [F.: *recasar* + *-mento.*]

recasar (re.ca.*sar*) *v. td. int.* Casar de novo: *O mesmo juiz recasou a moça; Aquela mulher vai recasar.* [▶ 1 recasar] [F.: *re-* + *casar.*]

recatado (re.ca.*ta*.do) *a.* **1** Que se guarda, que não se expõe; que tem ou revela pudor (moça recatada; maneiras recatadas); PUDICO **2** Modesto, simples **3** Circunspecto, prudente, comedido **4** Que não aparece em público, retirado, não ostensivo [F.: Part. de *recatar.*]

recatar (re.ca.*tar*) *v.* **1** Guardar(-se), pôr(-se) em recato; RESGUARDAR(-SE) [*td.*: *Optou por recatar o segredo.*] [*tdr.* + *de*: *O pai procurava recatar a filha das más influências.*] **2** Viver ou ocultar-se em recato [*td.*: *A moça se recatava o mais que podia.*] [▶ 1 recatar] [F.: Do v.lat. **recaptare.* Hom./Par.: *recato* (fl.), *recato* (sm.); *recata* (fl.), *recata* (sf.); *recatas* (fl.), *recatas* (pl. do sf.).]

recato (re.*ca*.to) *sm.* **1** Resguardo, precaução, cautela **2** Pudor, honestidade, pureza, modéstia **3** Modéstia, simplicidade **4** Recolhimento [Ant.: *descaro, despudor.*] **5** Lugar retirado, tranquilo; recesso, recanto [F.: Dev. de *recatar.*] ■ **A bom ~ 1** Em segurança, em lugar protegido: *Reuniam-se a bom recato.* **2** Com cautela e prudência: *Resolveu testar um novo tratamento a bom recato.*

recauchutado (re.cau.chu.*ta*.do) *a.* **1** Que se recauchutou, que recebeu nova camada de borracha para recuperar o desgaste da banda de rodagem pelo uso (pneu recauchutado); RECAPADO; RECAPEADO **2** *Bras. Fig. Fam.* Reconstituído, restaurado **3** *Bras. P. ext. Fam.* Que passou por cirurgia plástica: *Ele está com o nariz recauchutado.* [F.: Part. de *recauchutar.*]

recauchutador (re.cau.chu.ta.*dor*) [ô] *a.* **1** Que recauchuta; que faz recauchutagem (aparelho recauchutador) *sm.* **2** Aquele que recauchuta [F.: *recauchutado* + *-or.*]

recauchutadora (re.cau.chu.ta.*do*.ra) [ô] *sf. Bras.* Empresa especializada na recauchutagem de pneus [F.: Fem. substv. de *recauchutador.*]

recauchutagem (re.cau.chu.*ta*.gem) *sf.* **1** Ação ou resultado de recauchutar, de cobrir pneumático com nova camada de borracha para reconstituir a banda de rodagem desgastada pelo uso **2** *Fig.* Restauração, reconstituição de algo prejudicado pelo uso, pelo desgaste **3** *Bras. P. ext. Fam.* Cirurgia plástica [Pl.: *-gens.*] [F.: *recauchutar* + *-agem*².]

recauchutar (re.cau.chu.*tar*) *v.* **1** Recobrir (pneu) com nova camada de borracha [*td.*] **2** Restaurar (o que está gasto pelo uso); RECONSTITUIR [*td.*] **3** *Bras. Joc.* Aperfeiçoar ou corrigir por meio de cirurgia plástica [*td.*: *Ela recauchutou o rosto; Recauchutou-se toda para remoçar.*] [▶ 1 recauchutar] [F.: Do fr. **recaoutchouter*, do fr. *caoutchouter*, 'emborrachar'.]

recavém (re.ca.*vém*) *sm.* **1** Parte posterior do leito do carro de boi **2** *RS Fig.* As nádegas; TRASEIRO [Pl.: *-véns.*] [F.: De or. obsc.]

recção (rec.*ção*) *sf.* Tipo de conta us. para fazer colares [Pl.: *-ções.*] [F.: De or. obsc. Forma paral.: *reção.*]

receado (re.ce:*a*.do) *a.* **1** Que se receou: *O resultado mais receado não aconteceu.* *a.* **2** Que causa receio, medo; TEMIDO: *Esse exame é muito receado pelos candidatos.* [F.: Part. de *recear.*]

recear (re.ce.*ar*) *v.* **1** Ter receio ou apreensão com relação a [*td.*: *Recear uma cirurgia; Receava perder o emprego.*] [*tr.* + *por, de*: *Receia pelo futuro do país; Receia-se de tudo.*] **2** Achar, crer em (algo desagradável) [*td.*: *Receava que o marido estivesse entre as vítimas do acidente.*] [▶ 13 recear] [F.: De or. contrv. Hom./Par.: *receio* (fl.), *receio* (sm.).]

recebedor (re.ce.be.*dor*) [ô] *a.* **1** Que recebe algo ou alguém; RECEPTOR *sm.* **2** Aquele que recebe algo ou alguém; RECEPTOR **3** Funcionário encarregado do recebimento de impostos etc.; COBRADOR [F.: *receber* + *-dor.*]

recebedoria (re.ce.be.do.*ri*:a) *sf.* **1** Cargo ou função de recebedor *sf.* **2** Local, repartição ou órgão público onde se recebem impostos, taxas etc. *ant.*; RECEBIMENTO [F.: *recebedor* + *-ia*¹.]

receber (re.ce.*ber*) *v.* **1** Ser destinatário ou alvo de [*td.*: *Receber uma herança/uma carta/um aviso/um beijo; A Terra recebe a luz solar.*] [*tdr.* + *de*: *Recebeu do pai um ensinamento/uma advertência/um castigo.*] **2** *Restr.* Aceitar ou passar a ter aquilo que dão para si; ganhar [*td.*: *No seu aniversário recebeu vários presentes.*] [*tdr.*: *No Natal, recebeu uma boa quantia do tio.*] **3** Ser receptáculo ou depositário de [*td.*: *Esse terreno recebe detritos urbanos.*] [*tdr.* + *de*: *Os mares recebem águas dos rios.*] **4** Acolher, hospedar, recepcionar [*td.*: *Receber visitas/hóspedes; O governador recebeu o rei no aeroporto.*] [*int.*: *Aquela família sabia receber.*] **5** Admitir ou acolher em certa condição ou qualidade [*tdp.*: *Ela recebeu o menino como um filho.*] **6** Aceitar ou tomar por cônjuge [*tdp.*: *Recebeu a moça como esposa.*] **7** Tomar posse de (pagamento, dívida etc.) [*td.*: *Receber um pagamento.*] [*tdr.* + *de*: *Recebeu do rapaz a última parcela do empréstimo.*] **8** Cobrar (dívida) [*td.*: *Mandou o sobrinho receber a prestação do aluguel.*] **9** Ser informado de (algo) por (alguém) [*td.*: *Recebeu uma boa notícia.*] [*tdr.* + *de*: *Recebeu ordens do chefe.*] **10** Sofrer punição [*td.*: *Recebeu uma pena de dois anos de prisão.*] **11** Recolher (algo) de (origem ou fonte) [*td.*: *Esse rio recebe muitos afluentes.*] [*tdr.* + *de*: *Esse rio recebe muita água de seus afluentes.*] **12** Admitir, aceitar [*td.*: *O escritor recebia mal as críticas.*] **13** Ser atingido por [*td.*: *Recebeu um soco no queixo.*] **14** Ganhar como recompensa [*td.*: *O artista recebeu uma condecoração.*] **15** Sofrer, suportar [*td.*: *Os maus receberão castigo eterno.*] **16** Obter como recompensa [*td.*: *Recebeu a graça divina por sua devoção.*] **17** *Bras. Rel.* Incorporar como médium (um orixá ou entidade espiritual) [*td.*: *Esse rapaz recebeu Ogum.*] **18** *Tec.* Converter (ondas sonoras ou de imagens) em sinais audíveis ou perceptíveis [*td.*: *Nosso rádio não recebe bem a BBC.*] **19** Aprender, assimilar [*tdr.* + *de*: *Esse garoto recebe boas lições dos pais.*] [▶ 2 receber] [F.: Do v.lat. *recipere.*]

recebido (re.ce.*bi*.do) *a.* **1** Que se recebeu **2** Que se aceitou ou acolheu **3** Que se adquiriu por herança ou legado **4** Que foi acolhido, hospedado: *O hóspede foi bem recebido.* **5** Que se casou: *A mulher foi recebida segundo os preceitos da lei de Deus.* **6** Sofrido, padecido [F.: Part. de *receber.*]

recebimento (re.ce.bi.*men*.to) *sm.* **1** Ação ou resultado de receber **2** Aquisição de herança ou legado **3** Casamento, ato de contrair matrimônio **4** *Jur.* Ato de readquirir posse; APOSSAMENTO **5** *Jur.* Ato de acolher um recurso, ou embargo, etc. **6** *Ant.* O mesmo que *recebedoria* [F.: *receber* + *-imento.*]

recebível (re.ce.*bí*.vel) *a2g.* **1** Que é possível receber (subsídio recebível) *sm.* **2** *Econ.* Instrumento financeiro que tem direitos creditórios, títulos ou cessão fiduciária como lastro e somente pode ser emitido com a finalidade de negociação desses créditos (fundo de recebíveis) [Pl.: *-veis.*] [F.: *receber* + *-ível.*]

receio (re.*cei*.o) *sm.* **1** Ação ou resultado de recear, ficar apreensivo em relação a algo ou alguém; APREENSÃO; TEMOR: "– Tenho receio – disse Nico Horta – tenho receio do que vai acontecer nesta casa." (Cornélio Pena, *Dois romances de Nico Horta*) [Ant.: *destemor, afoiteza.*] **2** Estado de dúvida ou incerteza acompanhado de medo relativamente às consequências de um ato ou ao resultado de uma situação: *Tenho receio de não ter estudado o suficiente para fazer uma boa prova.* [F.: Dev. de *recear.*] ■ **Sem ~ 1** Com tranquilidade, em segurança, sem hesitação **3** Afoitamente; sem cautela ou prudência

receita (re.*cei*.ta) *sf.* **1** *Cul.* Relação dos ingredientes e do modo de preparar um prato **2** *Farm.* Fórmula que expõe a composição e o modo de preparar um remédio **3** *P. ext. Med.* Prescrição médica anotada em papel apropriado **4** Cada uma das folhas desse papel **5** *Fig.* Fórmula para se obter o melhor resultado em relação a algo: *"Receita de mulher" é um belo poema de Vinícius de Moraes.* **6** Renda, montante arrecadado, quantia recebida: "A gente só fala assim quando a receita não cobre a despesa." (Graciliano Ramos, *São Bernardo*) **7** *Bras.* Receita Federal. Órgão do governo federal que se ocupa da arrecadação de impostos: *Ele está tendo problemas com a Receita.* [Com maiúsc., nesta acp.] [F.: Do lat. *recepta, orum.*] ■ **~ bruta** *Econ.* Total da receita (6) auferida antes de deduzidas todas as despesas **~ derivada** *Jur.* Aquela obtida de tributos ~

fiscal *Jur.* O tipo de receita obtida com tributos ~ **líquida** *Econ.* Total da receita (6) auferida depois de deduzidas todas as despesas com impostos, taxas e contribuições ~ **pública** *Econ.* Conjunto das receitas (6) auferidas pelo Estado, decorrentes de fontes certas fixadas na legislação [Tb. apenas *receita*.]

receitado (re.cei.*ta*.do) *a.* 1 Que se receitou 2 Que foi prescrito ou recomendado (remédio receitado) [F.: Part. de *receitar*.]

receitador (re.cei.ta.*dor*) [ô] *a.* 1 Que receita *sm.* 2 Aquele que receita: *O médico não é apenas um receitador de remédios.* [F.: *receitar* + *-dor*.]

receitar (re.cei.*tar*) *v.* 1 Fazer ou formular receita de, ou prescrever como médico [*td.*: *O médico receitou vitaminas.*] [*tdi.* + *a*: *Receitou antibióticos ao paciente.*] [*int.*: *Farmacêuticos não podem receitar.*] 2 Aconselhar, recomendar [*td.*: *O sacerdote sempre receitava ponderação.*] [*tdi.* + *a.*: *O economista receitou mudanças ao governo.*] [F.: *receita* + *-ar*². Hom./Par.: *receita* (fl.), *receita* (sf.); *receitas* (fl.), *receitas* (pl. do sf.).]

receituário (re.cei.tu.*á*.ri:o) *sm.* 1 Formulário para receita médica, bloco de receitas 2 O conjunto das receitas que um médico prescreve no decurso de uma determinada doença 3 Coleção de receitas usadas em diversos domínios (artes, indústrias, economia doméstica etc.) [F.: *receita* + *-uário*.]

⊕ **receiver** (*Ing.* /*ricíver*/) *sm.* 1 *Acús.* Reunião de sintonizador e amplificador num só aparelho 2 *Econ.* Pessoa ou entidade que cuida da liquidação de uma sociedade na qual estão envolvidos interesses do público

◎ **recém-** *el. comp.* = 'recente'; 'que está ou fez (algo) há muito pouco tempo': *recém-casado, recém-chegado, recém-formado, recém-nascido* [F.: De *recente*, com apócope. Sempre com hífen.]

recém (re.*cém*) *adv.* Pouco antes, recentemente [F.: Apoc. de *recente*. NOTA: Embora no sul do Brasil *recém* possa ocorrer como advérbio independente, o seu uso mais geral é como prefixo, sempre antes de um particípio, ligado a este por hífen: *recém-formado, recém-nascido*.]

recém-casado (re.*cém*-ca.*sa*.do) *a.* 1 Que acabou de se casar *sm.* 2 Aquele que acabou de se casar [Pl.: *recém-casados*.] [F.: *recém-* + o part. de *casar*.]

recém-chegado (re.cém-che.*ga*.do) *a.* 1 Que acabou de chegar (mercadoria recém-chegada) *sm.* 2 Aquele que acabou de chegar: *Os recém-chegados foram levados para o hotel.* [Pl.: *recém-chegados*.] [F.: *recém-* + o part. de *chegar*.]

recém-formado (re.*cém*-for.*ma*.do) *a.* 1 Que se formou há pouco tempo *sm.* 2 Aquele que se formou há pouco tempo [Pl.: *recém-formados*.] [F.: *recém-* + o part. de *formar*.]

recém-nascido (re.*cém*-nas.*ci*.do) *a.* 1 Que acabou de nascer 2 Aquele que acabou de nascer [Pl.: *recém-nascidos*.] [F.: *recém-* + o part. de *nascer*.]

recendência (re.cen.*dên*.ci:a) *sf.* Caráter ou qualidade de recendente: "...aromatizadas da lânguida recendência da baunilha e do trevo." (Viriato Correia, *Contos do sertão*) [F.: *recender* + *-ência*.]

recendente (re.cen.*den*.te) *a2g.* 1 Que recende, que exala; FRAGRANTE 2 Que tem um forte aroma; AROMÁTICO [F.: *recender* + *-nte*.]

recender (re.cen.*der*) *v.* 1 Exalar (cheiro) (de) [*td.*: *Recender odor fétido/suave perfume.*] [*tr.* + *a*: *A cozinha recendia a peixe.*] [*int.*: *O jardim recendia suavemente.*] 2 *Fig.* Projetar, espalhar [*td.*: *Em todos os seus movimentos, ele recendia talento e elegância.*] [▶ 2 recender] [F.: De or. incerta; posv. de *re-* + port. arc. *encender* ou do lat. *descendere*, com mudança de pref.]

recenseado (re.cen.se.*a*.do) *a.* 1 Que se recenseou; que se incluiu no recenseamento (eleitor recenseado) *sm.* 2 Aquele que foi recenseado: *Só os recenseados poderão participar da eleição.* [F.: Part. de *recensear*.]

recenseador (re.cen.se:a.*dor*) [ô] *a.* 1 Que recenseia, que faz recenseamento *sm.* 2 Aquele que recenceia, que faz recenseamento [F.: *recensear* + *-dor*.]

recenseamento (re.cen.se:a.*men*.to) *sm.* 1 Ação ou resultado de recensear 2 Arrolamento ou enumeração de população, gado etc. *sm.* 3 *Est.* Levantamento do número de habitantes de um país, de uma cidade etc., com informações sobre renda, sexo, traços étnicos, faixa etária, estado civil, saúde, escolaridade, profissão e muitos outros dados; CENSO 4 Arrolamento dos indivíduos que estão em determinadas condições previstas por lei para fazer certos serviços, desempenhar certos cargos ou exercer certas funções (recenseamento dos eleitores, recenseamento dos jovens para o serviço militar) 5 Arrolamento de bens que façam parte do patrimônio nacional 6 Inventário de todos os equipamentos e veículos passíveis de requisição em tempo de guerra 7 Registro ou cadastramento de propriedades [F.: *recensear* + *-mento*.]

recensear (re.cen.se.*ar*) *v. td.* 1 Fazer recenseamento ou censo de: *Recensear a população feminina.* 2 Relacionar em lista: *Recensearam todos os músicos profissionais do Rio.* 3 *Fig.* Fazer análise minuciosa de [▶ 13 recensear] [F.: Do v.lat. *recensere*, com mudança de conjugação, ou de *re-* + *censo* + *-ear*². Hom./Par.: *recenseio* (fl.), *recenseio* (sm.).]

recenseio (re.cen.*sei*.o) *sm.* 1 Ação ou resultado de recensear; RECENSEAMENTO 2 Exame de contas [F.: Dev. de *recensear*. Hom./Par.: *recenseio* (sm.), *recenseio* (fl. de *recensear*).]

recente (re.*cen*.te) *a2g.* 1 Que ocorreu há pouco: *acontecimento recente:* "As flores haviam murchado; algumas, mais recentes, só serviam pra mostrar as outras, murchas." (Luís Vilela, *Contos escolhidos*) 2 Que ainda tem pouco tempo de existência, novo, fresco (namoro recente) [Ant.: *antigo*.] [F.: Do lat. *recens, entis*. Hom./Par.: *recente* (a2g.), *ressente* (fl. de *ressentir*); *recentes* (pl.), *ressentes* (fl. de *ressentir*).]

recentemente (re.cen.te.*men*.te) *adv.* De modo recente; de pouco tempo; de data não remota; PROXIMAMENTE [F.: *recente* + *-mente*.]

recentralização (re.cen.tra.li.za.*ção*) *sf.* Ação ou resultado de recentralizar; nova centralização: *Foi necessária uma recentralização política e administrativa.* [Pl.: *-ções*.] [F.: *recentralizar* + *-ção*.]

recentralizar (re.cen.tra.li.*zar*) *v. td.* Tornar ou voltar a centralizar(-se) [▶ 1 recentralizar] [F.: *re-* + *centralizar*.]

receoso (re.ce.*o*.so) [ô] *a.* 1 Que tem receio; que hesita em fazer ou dizer algo por temer as consequências; TEMEROSO; INSEGURO 2 Que não tem certeza do que deve fazer; HESITANTE; VACILANTE; IRRESOLUTO [Ant.: *confiante, decidido*.] 3 Que tem medo ou é dado a sentir medo; MEDROSO; TEMEROSO [Ant.: *destemido*.] 4 *Fig.* Que é acanhado, retraído, tímido [Ant.: *extrovertido*.] [Pl.: [ó].] Fem.: [ó].] [F.: *rece(io)* + *-oso*.]

recepção (re.cep.*ção*) *sf.* 1 Ação ou resultado de receber 2 Ato ou efeito de receber uma pessoa junto de si, de admitir sua presença 3 Reunião festiva, de caráter oficial ou particular, em que se incorporam os novos integrantes de uma entidade ou se comemora um acontecimento com amigos, conhecidos, sócios etc.: *A recepção na embaixada foi muito concorrida.* 4 Em uma empresa ou instituição, setor destinado a acolher os visitantes e a dar-lhes informações 5 Em um estabelecimento comercial ou de prestação de serviços, hotel, hospital ou evento, o setor que se encarrega de receber, orientar e auxiliar as pessoas 6 *Telc.* Ato ou efeito de receber, em um aparelho receptor (rádio, televisor etc.), um sinal emitido por um transmissor: *A recepção do programa estava bem ruim por causa da tempestade.* [Pl.: *-ções*.] [F.: Do lat. *receptio, onis*.]

recepcionado (re.cep.ci:o.*na*.do) *a.* Que se recepcionou; que foi recebido com atenção ou pompa: *Os visitantes foram recepcionados pelos diretores.* [F.: Part. de *recepcionar*.]

recepcionar (re.cep.ci:o.*nar*) *v.* 1 Dar recepção ou reunião festivas [*int.*: *Ela sabia recepcionar com classe.*] 2 *Bras.* Receber (alguém), em aeroporto, estação etc., com deferência ou de maneira festiva [*td.*: *Uma comitiva recepcionou o embaixador canadense no aeroporto.*] [▶ 1 recepcionar] [F.: *recepção* (sob o rad. *recepcion-*) + *-ar*², seg. o mod. erudito.]

recepcionista (re.cep.ci:o.*nis*.ta) *a2g.* 1 Cuja função é receber os clientes, hóspedes ou visitantes em dado estabelecimento comercial, firma, hotel, hospital, instituição ou evento *s2g.* 2 Pessoa encarregada de receber os hóspedes, clientes ou visitantes em hotel ou qualquer outro tipo de empresa, instituição ou evento [F.: *recepção* (sob a f. *recepcion-*) + *-ista*, seg. o mod. erudito.]

receptação (re.cep.ta.*ção*) *sf.* 1 Ação ou resultado de receptar 2 *Jur.* Crime de receber, comprar ou esconder qualquer objeto que seja produto de crime, ou induzir terceiro a fazê-lo de boa-fé [Pl.: *-ções*.] [F.: Do lat. *receptatio, onis*.]

receptáculo (re.cep.*tá*.cu.lo) *sm.* 1 Lugar onde se recolhe ou guarda alguma coisa (receptáculo de azeite); RECIPIENTE; RECEPTOR 2 *P. ext.* Qualquer vaso ou vasilha 3 *Fig.* Lugar us. como abrigo; REFÚGIO; ESCONDERIJO; VALHACOUTO 4 Ponto de confluência de coisas provenientes de diferentes origens: *Os rios são os receptáculos das águas das montanhas.* 5 *Bot.* Porção superior, alargada, do pedicelo floral que serve de base para os verticilos da flor; TÁLAMO 6 *Bot.* Extremidade do pedúnculo que serve de sustentação para as demais partes da flor 7 *Bot.* Órgão especial desenvolvido na superfície ou no interior do receptáculo (5) de alguns cogumelos, e que contém os órgãos de reprodução com os seus acessórios. Tb. *conceptáculo* [F.: Do lat. *receptaculum, i*.]

receptador (re.cep.ta.*dor*) [ô] *a.* 1 *Jur.* Que recebe, compra ou esconde, com conhecimento de causa, qualquer objeto que seja produto de crime; RECEPTOR *sm.* 2 Aquele que recebe, compra ou esconde, com conhecimento de causa, qualquer objeto que seja produto de crime; RECEPTOR [F.: Do lat. *receptator, oris*.]

receptar (re.cep.*tar*) *v. td.* Comprar, receber ou ocultar (produto do delito de outrem): *O criminoso receptava obras de arte roubadas.* [▶ 1 receptar] [F.: Do v.lat. *receptare*. Hom./Par.: *recepta* (fl.), *recepta* (sf.); *receptas* (fl.), *receptas* (pl. do sf.).]

receptividade (re.cep.ti.vi.*da*.de) *sf.* 1 Qualidade ou característica do que é receptivo, do que tende a receber, aceitar bem alguma coisa ou pessoa 2 *Telc.* Qualidade de um receptor (rádio, televisor) que o faz capaz de receber sinais de comunicação 3 *Art. Gr.* Propriedade que o papel tem de receber a tinta durante o processo de impressão [F.: *receptivo* + *-(i)dade*.]

receptivo (re.cep.*ti*.vo) *a.* 1 Propenso a ou capaz de receber, aceitar bem estímulos, ou opiniões, sugestões 2 Sujeito à influência alheia: *Ele se mostrou bastante receptivo às nossas ideias.* 3 Acolhedor, compreensivo: *Achou a moça receptiva a sua fantasia.* [F.: Do lat. *receptus*, part. do v.lat. *recipere* ('receber'), + *-ivo*.]

receptor (re.cep.*tor*) [ô] *a.* 1 Que recebe algo ou alguém; RECEBEDOR 2 O mesmo que *receptador* (1) 3 *Eletrôn.* Que capta sinais eletromagnéticos e os converte em sons, palavras, imagens, como os de rádio e televisão 4 Que recebe órgão transplantado ou sangue em uma transfusão; DOADOR *sm.* 5 Aquele que recebe algo ou alguém; RECEBEDOR 6 O mesmo que *receptador* (2) 7 *Med.* Aquele que recebe órgão transplantado ou sangue em uma transfusão [Ant.: *doador*.] 8 Aparelho que capta sinais eletromagnéticos e os converte em sons, palavras, imagens, como os de rádio e televisão 9 *Fisl.* Qualquer das terminações nervosas que respondem a toda espécie de estímulo sensorial 10 O mesmo que *receptáculo* [F.: Do lat. *receptor, oris*.] ■ ~ **universal** 1 *Med.* Receptor (7) que, por ser do grupo sanguíneo AB, pode receber transfusão de todos os tipos sanguíneos do sistema ABO, mas só pode doar para receptores do mesmo grupo 2 *Telc.* Receptor (8) que funciona com corrente tanto contínua quanto alternada

recessão (re.ces.*são*) *sf.* 1 Ação ou resultado de recuar, retroceder 2 *Econ.* Redução do índice de crescimento econômico em um ou vários países, acarretando a queda de produção e, consequentemente, o desemprego [Pl.: *-sões*.] [F.: Do lat. *recessio, onis*.] ■ ~ **das galáxias** *Astron.* Movimento das galáxias que parece mostrar que elas se afastam de nós a velocidades que crescem à medida que se afastam ~ **das nebulosas** *Astron.* Movimento das nebulosas que parece mostrar que elas se afastam de nós a velocidades que crescem à medida que se afastam

recessionista (re.ces.si:o.*nis*.ta) *a2g.* *Econ.* Ref. a, ou próprio de recessão: "Seu grupo resiste a assimilar essa visão recessionista que domina o pensamento econômico liberal..." (*Isto é*, 01.12.2004) [F.: De *recessão* (sob a f. *recession-*) + *-ista*, seg. o mod. erudito.]

recessividade (re.ces.si.vi.*da*.de) *sf.* 1 Qualidade ou condição do que é recessivo 2 *Gen.* Propriedade pela qual, em determinados casos, o caráter hereditário, embora presente, não se manifesta na configuração genética regular, podendo, entretanto, ser transmitido para a descendência; CRIPTOMERISMO [Ant.: *dominância*.] [F.: *recessivo* + *-(i)dade*.]

recessivo (re.ces.*si*.vo) *a.* 1 Ref. a recessão, que a gera, a favorece ou a aumenta 2 *Gen.* Diz-se do caráter que, embora presente, não se manifesta na configuração genética regular, podendo, entretanto, ser transmitido para a descendência; CRIPTÔMERO [Ant.: *dominante*.] *sm.* 3 *Gen.* O gene que apresenta a recessividade [Ant.: *dominante*.] [F.: Do lat. *recessum* (sup. do v.lat. *recedere*, 'afastar-se', 'retroceder') + *-ivo*.]

recesso (re.*ces*.so) *sm.* 1 Lugar íntimo, resguardado (o recesso do lar); RECANTO; REFÚGIO 2 Suspensão temporária das atividades de órgãos do Poder Legislativo, Judiciário etc. (recesso parlamentar, recesso do Judiciário) 3 Suspensão temporária, esp. em período de férias, festas, comemorações, em firmas, empresas etc. 4 *Anat.* Nome que se dá a espaço oco e pequeno, cavidade [F.: Do lat. *recessus, us*.] ■ ~ **hepatorrenal** *Anat.* Bolsa formada pelo peritônio, entre o fígado e o rim direito

rechaçado (re.cha.*ça*.do) *a.* 1 Que se rechaçou, que teve o recuo ou a retirada forçados; REPELIDO: "De nossas terras rechaçado o inimigo." (Almeida Garrett, *D. Branca*) 2 Diz-se daquilo a que se resistiu (oferta rechaçada) 3 Diz-se daquilo que se rebateu (argumentos rechaçados) [F.: Part. de *rechaçar*.]

rechaçamento (re.cha.ça.*men*.to) *sm.* Ação ou resultado de rechaçar: *Combinou-se o rechaçamento de qualquer proposta.* [F.: *rechaçar* + *-mento*.]

rechaçar (re.cha.*çar*) *v. td.* 1 Forçar o recuo ou a retirada de; REPELIR: *Rechaçar um exército inimigo.* 2 Resistir, opor-se a: *Rechaçar uma proposta.* 3 *Esp.* Rebater defensivamente (a bola) 4 *Fig.* Contestar argumento, acusação etc.: *Rechaçou todas as insinuações que o homem lhe fazia.* [▶ 12 rechaçar] [F.: Do fr. ant. *rechacier* (atual *rechasser*). Hom./Par.: *rechaço* (fl.), *rechaço* (sm.); *rechaça* (fl.), *rechaça* (sf.); *rechaças* (fl.), *rechaças* (pl. do sf.).]

rechaço (re.*cha*.ço) *sm.* 1 Ação ou resultado de rechaçar, repudiar; REPÚDIO 2 Resistência 3 O mesmo que *ricochete* (1) 4 Certa dança antiga [F.: Dev. de *rechaçar*.]

⊕ **réchaud** (*Fr.: /rechô/*) *sm.* Suporte para travessas, panelas etc., elétrico ou movido a álcool ou a vela, us. para manter os alimentos aquecidos à mesa

recheado (re.che.*a*.do) *a.* 1 Que se recheou, e contém recheio (abobrinha recheada) 2 *Fig.* Muito cheio, repleto; ATULHADO: *Ele tem sempre a carteira recheada de dinheiro.* *sm.* 3 Recheio, recheadura [F.: Part. de *rechear*.]

rechear (re.che.*ar*) *v.* 1 Pôr recheio em [*td.*: *Rechear um bolo.*] [*tdr.* + *com*: *Recheou o bolo com ameixa; Recheou o empadão com carne e palmito.*] 2 Colocar estofo em [*td.*: *Rechear um almofadão.*] 3 Encher totalmente; ABARROTAR [*td.*: *Recheou o estômago do peru*] [*tdr.*: *Recheou o armário com roupas novas.*] 4 *Fig.* Entremear, intercalar [*td.*: *Recheou o livro de frases bíblicas.*] 5 Encher(-se) de dinheiro [*td.*: *Grandes negócios rechearam os cofres do comerciante; Recheou-se com a transação imobiliária.*] [▶ 13 rechear] [F.: *re-* + *cheio* + *-ar*². Hom./Par.: *recheio* (fl.), *recheio* (sm.); *rechear* (v.), *rechiar* (várias fl. do v.).]

rechecar (re.che.*car*) *v. td.* Checar novamente; verificar outra vez [▶ 11 rechecar] [F.: *re-* + *checar*.]

recheio (re.*chei*.o) *sm.* 1 Ação ou resultado de rechear; RECHEADURA 2 Aquilo que enche ou recheia; CONTEÚDO: *Apanhou o recheio da cesta e foi embora:* "Anos e anos havia acumulado as muitas peças que compunham o recheio da habitação." (Josué Montello, *Sempre serás lembrada*) 3 *Cul.* Tudo o que se destina a se colocar no interior de carnes, legumes, massas, bolos, tortas etc.: *O pastel tem recheio de carne; Adoro bolo com recheio de chocolate.* 4 Qualquer coisa que preencha um vão, um vácuo etc. 5 Palavreado desnecessário us. para encompridar texto, discurso etc.; LARDO 6 *Fig.* Pecúlio, economia 7 *Mús.* O conjunto das vozes, na harmonia [F.: Dev. de *rechear.* Hom./Par.: *recheio* (fl. de *rechear*).]

rechinante (re.chi.*nan*.te) *a2g.* Que rechina; que range; que chia; CHIANTE; RANGENTE: "...em matéria de rodas se voltar aos rodízios desse rechinante símbolo do viver colonial." (Monteiro Lobato, *Cidades mortas*) [F.: *rechinar* + *-nte.*]

rechinar (re.chi.*nar*) *v.* 1 Emitir som agudo ou áspero [*int.*] 2 Produzir som semelhante ao da carne que assa na brasa; CHIAR [*int.*] 3 Assar, queimar no fogo [*td.*] 4 *Fig.* Produzir rangido ou estalido [*int.*] 5 Produzir (a cigarra e outros insetos) seu som peculiar; ESTRIDULAR [*int.*] 6 *Fig.* Arder (o sol) [*int.*] [▶ 1 rechinar] [F.: Voc. onom. Hom./Par.: *rechina* (fl.), *rechina* (sf.); *rechinas* (fl.), *rechinas* (pl. do sf.); *rechino* (fl.), *rechino* (sm.).]

rechonchudo (re.chon.*chu*.do) *a.* 1 Diz-se de pessoa moderadamente gorda, roliça; GORDUCHO 2 *P. ext.* Diz-se de partes do corpo humano com essas características: *Tinha a mãozinha rechonchuda.* [F.: De or. contrv.]

rechupado (re.chu.*pa*.do) *a.* 1 Muito magro: "... depois de entesar num estremecimento os membros rechupados, foi pouco a pouco cerrando os lábios..." (Aluísio de Azevedo, *Casa de pensão*) 2 *Pint.* Diz-se de tinta embaciada de um quadro recém-pintado [F.: Part. de *rechupar.*]

rechupar (re.chu.*par*) *v. int.* 1 Tornar-se muito magro; emagrecer excessivamente 2 *Pint.* Embaçar(-se) (a tinta de obra recente) [▶ 12 embaçar] [F.: *re-* (com valor reforçativo, intensificador) + *chupar.*]

reciário (re.ci.*á*.ri:o) *sm. Hist.* Na Roma antiga, gladiador que lutava munido de tridente, punhal e uma rede com a qual tentava envolver o adversário; DICTIÓFORO [F.: Do lat. *retiarius, ii.*]

recibo (re.*ci*.bo) *sm.* 1 Documento escrito que serve para comprovar o recebimento de algo; QUITAÇÃO 2 *Bras. Gír.* Revide a agressão ou insulto; DESFORRA: *Ele reage sempre: não se deixa provocar sem passar logo o recibo.* [F.: Dev. de *receber.*] ■ **Dar/passar recibo de** 1 Revidar (ofensa, agressões físicas ou morais), vingar-se, desforrar-se 2 Tomar conhecimento de: *Não passava recibo das calúnias e das fofocas.* 3 Demonstrar, deixar perceber, evidenciar: *A cada atitude ele passa recibo de sua arrogância.*

reciclado (re.ci.*cla*.do) *a.* 1 Que se reciclou, se processou (objeto jogado fora) para nova utilização (papel reciclado, vidro reciclado) 2 Que teve seus conhecimentos atualizados (profissional reciclado) [F.: Part. de *reciclar.*]

reciclador (re.ci.cla.*dor*) [ô] *a.* 1 Que recicla (empresa recicladora) *sm.* 2 Aquele ou aquilo que recicla (reciclador de plásticos) [F.: *reciclar* + *-dor.*]

recicladora (re.ci.cla.*do*.ra) [ô] *sf.* Empresa especializada em reciclagem de materiais [F.: *reciclar* + *-dora.*]

reciclagem (re.ci.*cla*.gem) *sf.* 1 Ação ou resultado de reciclar 2 Atualização ou requalificação da formação profissional (reciclagem de médicos, reciclagem de professores) 3 Reaproveitamento de algo para a elaboração de novos produtos ou para a sua própria recuperação em boas condições (reciclagem de água poluída, reciclagem de lixo) 4 *Ecol.* Processo através do qual, na cadeia alimentar, os integrantes do ecossistema reaproveitam um determinado composto 5 *Eletrôn.* Alteração da ciclagem [Pl.: *-gens.*] [F.: *reciclar* + *-agem*[2].]

reciclamento (re.ci.cla.*men*.to) *sm.* Ação ou resultado de reciclar; RECICLAGEM [F.: *reciclar* + *-mento.*]

reciclar (re.ci.*clar*) *v. td.* 1 Reaproveitar (algo) para a produção de novos produtos, ou recuperá-los para sua reutilização 2 Promover a atualização ou requalificação de (alguém ou si próprio); atualizar(-se); REQUALIFICAR: *É um curso para reciclar técnicos em segurança; Um bom profissional precisa reciclar-se o tempo todo.* [▶ 1 reciclar] [F.: *re-* + *ciclo*[1] + *-ar*[2]. Hom./Par.: *recicláveis* (fl.), *recicláveis* (pl. de *reciclável* [a. 2g.]).]

reciclável (re.ci.*clá*.vel) *a2g.* Que se pode reciclar (papel reciclável) [Pl.: *-veis.*] [F.: *reciclar* + *-vel.* Hom./Par.: *recicláveis* (pl.), *recicláveis* (fl. de *reciclar*).]

recidiva (re.ci.*di*.va) *sf.* 1 Ressurgimento, após um espaço de tempo qualquer, de uma doença após a cura completa; RECAÍDA 2 Ação ou resultado de tornar a cometer a mesma falta, ou o mesmo crime; REINCIDÊNCIA [F.: Fem. substv. de *recidivo.*]

recidivar (re.ci.di.*var*) *v. int.* 1 Reaparecer (sintoma ou doença): *Quando já parecia curado, a febre recidivou.* 2 Voltar a cometer o mesmo crime ou falta; REINCIDIR: *Dois meses depois de solto, recidivou.* [▶ 1 recidivar] [F.: *recidivo* + *-ar*[2].]

recidivo (re.ci.*di*.vo) *a.* 1 Que reincide, que reaparece 2 Que torna a cometer o mesmo erro ou crime; REINCIDENTE *a.* 3 Que volta a aparecer ou manifestar-se; REINCIDENTE [F.: Do lat. *recidivus, a, um.*]

recife (re.*ci*.fe) *sm.* 1 Rochedo ou conjunto de rochedos perto da costa ou a ela ligados, submersos ou um pouco acima do nível do mar; ARRECIFE; ESCOLHO 2 *Fig.* Estorvo, obstáculo, contrariedade [F.: Do ár. *arrasif.*] ■ **~ circular** *Geog.* Atol **~ de coral** *Oc.* Aquele formado por colônias de coral

recinto (re.*cin*.to) *sm.* 1 Qualquer lugar delimitado, do ponto de vista espacial (recinto do tribunal, recinto do teatro) 2 *Mil.* Espaço fechado compreendido dentro de muros ou obras de defesa 3 Local reservado [F.: Do lat. *recinctus, a, um.* Hom./Par.: *recinto* (sm.), *ressinto* (fl. de *ressentir*).]

récipe (*ré*.ci.pe) *sm.* 1 Receita de médico 2 *Cul.* Receita de prato: "...vou-me entender lá abaixo, à cozinha, com a velha Lawrence, e preparar-vos um *bacalhau à Alencar*, récipe meu... E vocês verão o que é um bacalhau!" (Eça de Queirós, *Os Maias*) 3 *Pop.* Censura áspera; REPREENSÃO; DESCOMPOSTURA [F.: Do lat. *recipe*, fl. de *recipere.*]

recipiente (re.ci.pi.*en*.te) *a2g.* 1 Que recebe, que se destina a receber *sm.* 2 Objeto (vaso, invólucro, embalagem, caixa) que serve para receber ou guardar algo; RECEPTÁCULO: *Ela comprou um recipiente adequado para a lentilha.* 3 *Quím.* Vaso em que se recolhem os produtos da destilação ou de qualquer operação química 4 Campânula de vidro colocada sobre a platina de uma máquina pneumática para receber os corpos com os quais se querem fazer experiências no vácuo [F.: Do lat. *recipiens, entis.*]

recíproca (re.*cí*.pro.ca) *sf.* 1 Caráter, qualidade ou condição do que é recíproco; RECIPROCIDADE: *Ele desconfia dela e a recíproca é verdadeira.* 2 Ideia ou opinião oposta [F.: Fem. substv. de *recíproco.*]

reciprocação (re.ci.pro.ca.*ção*) *sf.* Ação ou resultado de reciprocar(-se); correlação de movimentos, direitos, deveres etc.; RECIPROCIDADE: *mecanismo de reciprocação nas articulações do quadril.* [Pl.: *-ções.*] [F.: Do lat. *reciprocatio, onis.*]

reciprocamente (re.ci.pro.ca.*men*.te) *adv.* De modo recíproco; com reciprocidade; MUTUAMENTE [F.: o fem. de *recíproco* + *-mente.*]

reciprocar (re.ci.pro.*car*) *v.* 1 Dar e receber em troca; PERMUTAR [*td.*: *Viviam reciprocando carinhos.*] [*tdr.* + *com*: *Reciproca com o marido a direção da casa.*] 2 Servir como compensação; SUBSTITUIR [*td.*: *A imaginação não pode reciprocar a vida não vivida.*] 3 Estar situado em posição de correlação; CORRESPONDER-SE [*td.*: *Naquele casal, o respeito mútuo reciproca o amor.*] 4 Seguir cada um por seu turno; ALTERNAR [*td.*: *Os dois rapazes reciprocam-se no horário noturno.*] [▶ 11 reciprocar] [F.: Do v.lat. *reciprocare.* Hom./Par.: *reciproca* (fl.), *recíproca* (sf.), *recíproca* (fem. *recíproco* [a.]); *reciprocas* (fl.), *recíprocas* (pl. do sf.), *recíprocas* (pl. do fem. do a.); *reciproco* (fl.), *recíproco* (a.).]

reciprocidade (re.ci.pro.ci.*da*.de) *sf.* 1 Qualidade do que é recíproco, mútuo; RECIPROCAÇÃO 2 Correspondência mútua [F.: Do lat. *reciprocitas, atis.*]

recíproco (re.*cí*.pro.co) *a.* 1 Que existe (ou se estabelece), de igual modo, entre duas pessoas, ou entre dois grupos (amizade recíproca, carinho recíproco); MÚTUO 2 Que se verifica ou se realiza entre os elementos referentes a dois lados (duas pessoas, dois lados, dois grupos, etc.) (ação recíproca); BILATERAL 3 Que se troca ou retribui entre duas pessoas ou grupos (elogios recíprocos); MÚTUO 4 *Fig.* Que tende a reagir ou a responder de igual modo; MÚTUO: "Os matadores (...) se encontram: o mundo é extremamente recíproco" (Clarice Lispector, *A paixão segundo G.H.*) 5 *Gram.* Diz-se do verbo que expressa uma ação executada ou sofrida mutuamente: *Tristão e Isolda amaram-se além da vida.* 6 *Lóg.* Diz-se das proposições em que a hipótese da primeira se converte na tese da segunda ou vice-versa 7 *Mat.* Diz-se da razão que se forma mudando ou invertendo os termos [F.: Do lat. *reciprocus, a, um.*]

récita (*ré*.ci.ta) *sf.* 1 Declamação, acompanhada ou não de música; RECITAL 2 Qualquer espetáculo teatral, esp. lírico ou de música de câmara: *Deslumbrou-os uma récita do barítono alemão Fischer-Dieskau.* [F.: Dev. de *recitar.*]

recitação (re.ci.ta.*ção*) *sf.* 1 Ação ou resultado de recitar, declamar (poesia ou oração) 2 *Mús.* Declamação litúrgica no canto gregoriano [Pl.: *-ções.*] [F.: Do lat. *recitatio, onis.*]

recitado (re.ci.*ta*.do) *a.* 1 Que se recitou *a.* 2 Lido ou repetido de cor em voz alta (poema recitado); DECLAMADO *sm.* 3 *Mús.* Parte de ópera ou oratório declamada pelo cantor; RECITATIVO [F.: Part. de *recitar.*]

recitador (re.ci.ta.*dor*) [ô] *a.* 1 Que recita; RECITANTE 2 Aquele que recita; RECITANTE [F.: Do lat. *recitator, oris.*]

recital (re.ci.*tal*) *sm.* 1 Concerto de música vocal ou instrumental, dado ger. por um solista (recital de piano): *O recital de Nélson Freire deixou-os maravilhados.* 2 Exibição dos alunos de um professor ou de uma escola de música 3 Audição de poesia ou prosa declamadas [Pl.: *-tais.*] [F.: Do fr. *récital.*]

recitalista (re.ci.ta.*lis*.ta) *a2g.* 1 Que dá recital, audição musical (docente recitalista) *s2g.* 2 Aquele ou aquela que dá recital (recitalista famoso) [F.: *recital* + *-ista.*]

recitar (re.ci.*tar*) *v.* 1 Dizer (oração) em voz alta [*td.*: *Recitar a Ave-Maria.*] 2 Dizer (peça literária) em voz alta [*td.*: *Recitava sonetos.*] [*tdi.* + *para*: *Toda noite recita poemas para a mulher.*] [*int.*: *Ela recitava muito bem.*] 3 Contar, narrar [*td.*: *Vivia recitando suas aventuras amorosas.*] [▶ 1 recitar] [F.: Do lat. *recitare.* Hom./Par.: *recitais* (fl.), *recitais* (pl. de *recital* [sm.]); *recita* (fl.), *récita* (sf.); *recitas* (fl.), *récitas* (pl. do sf.).]

recitativo (re.ci.ta.*ti*.vo) *a.* 1 Destinado a ser recitado (peça recitativa) *sm.* 2 *Mús.* Forma de declamação us. na ópera e no oratório com características melódicas e sem ritmo determinado 3 *Mús.* Parte de oratório ou ópera declamada pelo cantor 4 *P. ext.* Poesia ou prosa declamada com ou sem acompanhamento musical 5 *Mús.* O quinto teclado manual dos órgãos modernos [F.: Do lat. *recitatus*, part. de *recitare* (> *recitar*), + *-ivo.*] ■ **~ instrumental** *Mús.* Aquele acompanhado por instrumentos **~ obrigado** *Mús.* Aquele acompanhado por orquestra, a qual também preenche intervalos de silêncio dos cantores

reclamação (re.cla.ma.*ção*) *sf.* 1 Ação ou resultado de reclamar; RECLAMO 2 Protesto, queixa oral ou por escrito: *Invadiram a assembleia aos brados, com grandes reclamações.* 3 *Jur.* Reivindicação junto a órgão competente 4 *Jur.* Manifestação escrita ou oral de empregado (reclamante), na justiça do trabalho, contra ato lesivo do empregador (reclamado) (reclamação trabalhista) [Pl.: *-ções.*] [F.: Do lat. *reclamatio, onis.*]

reclamado (re.cla.*ma*.do) *a.* 1 Que foi alvo de reclamação, queixa ou reivindicação: *São esses os direitos reclamados pelos grevistas.* *sm.* 2 *Jur.* Na justiça trabalhista, o réu de um processo [F.: Part. de *reclamar.*]

reclamador (re.cla.ma.*dor*) [ô] *a.* 1 Que reclama, que se opõe com palavras; RECLAMANTE: *Mostrou-se um rapaz demasiadamente reclamador.* *sm.* 2 Aquele que reclama, que se opõe com palavras; RECLAMANTE [F.: Part. *reclamar* + *-dor.*]

reclamante (re.cla.*man*.te) *a2g.* 1 Que reclama, que se opõe com palavras; RECLAMADOR 2 *Jur.* Que é autor de processo, na justiça do trabalho *sm.* 3 Aquele que reclama, que se opõe com palavras; RECLAMADOR 4 *Jur.* Aquele que é autor de processo na justiça do trabalho, que intenta ação trabalhista contra o empregador (reclamado) [F.: *reclamar* + *-nte.*]

reclamão (re.cla.*mão*) *Pop. a.* 1 Diz-se daquele que reclama muito (técnico reclamão) *sm.* 2 Aquele que é dado a reclamar: *Os reclamões não receberão nada.* [Pl.: *-mões.* Fem.: *-mona.*] [F.: *reclamar* + *-ão*[2].]

reclamar (re.cla.*mar*) *v.* 1 Manifestar insatisfação (com); fazer queixa; QUEIXAR-SE [*tr.* + *contra, de*: *Reclamou contra uma injustiça; Reclamava dos vizinhos.*] [*int.*: *Ele nunca para de reclamar.*] 2 Exigir, demandar ou reivindicar [*td.*: *Tinha razão de reclamar seus direitos.*] 3 *Restr.* Reivindicar a autoria, a posse de ou o direito a: *Entrou na justiça para reclamar a autoria de uma música.* 4 Rogar, suplicar [*td.*: *Esse menino reclama atenções, cuidados.*] [*tdi.* + *a*: *Reclamou a Deus a recuperação do filho.*] 5 Atrair (aves) com reclamo (instrumento us. por caçadores) [*td.*] [▶ 1 reclamar] [F.: Do v.lat. *reclamare.* Hom./Par.: *reclamáveis* (fl.), *reclamáveis* (pl. de *reclamável* [a2g.]); *reclame* (fl.), *reclame* (sm.); *reclames* (fl.), *reclames* (pl. do sm.); *reclamo* (fl.), *reclamo* (sm.).]

reclamatória (re.cla.ma.*tó*.ri:a) *sf. Jur.* Na justiça do trabalho, ação em que o empregado reclama contra o empregador, a quem acusa de tê-lo prejudicado em seus direitos trabalhistas [F.: Fem. substv. de *reclamatório.*]

reclamatório (re.cla.ma.*tó*.ri:o) *a.* 1 Ref. a reclamação 2 Em que há reclamação ou reivindicação [F.: *reclamar* + *-tório.*]

reclame (re.*cla*.me) *sm. P. us.* Anúncio publicitário veiculado pelos meios de comunicação [F.: Do fr. *réclame.*]

reclamismo (re.cla.*mis*.mo) *sm. Pop.* Ação ou resultado de reclamar muito e sempre; o hábito de reclamar [F.: *reclamar* + *-ismo.*]

reclamista (re.cla.*mis*.ta) *a2g.* 1 Que faz propaganda (texto reclamista) *s2g.* 2 *Bras.* Pessoa que faz publicidade de casa comercial: "Extremamente de arrojo era o sucesso, em todo o caso, e eu humano; andei ver o reclamista." (Guimarães Rosa, "Darandina" *in Primeiras estórias*) [F.: *reclame* + *-ista.*]

reclamo (re.*cla*.mo) *sm.* 1 Ação ou resultado de reclamar; RECLAMAÇÃO; CHAMAMENTO; CLAMOR: "As minhas maldições eram carícias, o meu ódio era feito de reclamos." (Coelho Neto, *Vida mundana*) 2 *Antq. Publ.* Qualquer tipo de publicidade por meio de cartaz, anúncio, prospecto etc.; PROPAGANDA: "...e há tabuletas compostas por artistas célebres, hoje, na época em que o reclamo domina o asfalto..." (João do Rio, "Tabuletas" *in A alma encantadora das ruas*) [No Brasil a f. mais us. é *reclame*, considerada galicismo.] 3 Ação de chamar a atenção 4 *Antq.* Nota ou conselho de cunho jornalístico ou publicitário apresentada em jornal ou revista 5 *Jorn.* Palavra ou sílabas de uma palavra impressas na parte inferior da página, para mostrar que são as primeiras da página seguinte 6 *Teat.* Final da frase de um interlocutor que se escreve no papel do outro, para este reconhecer quando tem de falar; DEIXA 7 Instrumento com que o caçador imita o canto das aves para atraí-las 8 *Mar.* Peça de metal ou madeira que pode ser fixada em pontos variados de uma embarcação para mudar a direção dos cabos [F.: Do fr. *réclame.* Hom./Par.: *reclamo* (sm.), *reclamo* (fl. de *reclamar*).]

reclassificação (re.clas.si.fi.ca.*ção*) *sf.* 1 Ação ou resultado de reclassificar, de classificar novamente 2 *Bras.* Revisão da situação do funcionário e de suas atribuições, para efeito de remuneração [Pl.: *-ções.*] [F.: *reclassificar* + *-ção.*]

reclassificar (re.clas.si.fi.*car*) *v. td.* Tornar a classificar ou dar nova classificação a [▶ 11 reclassificar] [F.: *re-* + *classificar.* Hom./Par.: *reclassificáveis* (fl.), *reclassificáveis* (pl. de *reclassificável* [a2g.]).]

reclassificatório (re.clas.si.fi.ca.*tó*.ri:o) *a.* Que reclassifica; que é feito para reclassificar (processo reclassificatório) [F.: *reclassificar* + *-tório.*]

reclinação (re.cli.na.*ção*) *sf.* 1 Ação ou resultado de reclinar(-se), recostar(-se) 2 Posição do que está reclinado [Pl.: *-ções.*] [F.: *reclinar* + *-ção.*]

reclinado (re.cli.*na*.do) *a.* 1 Inclinado para trás (encosto reclinado) 2 Que está em posição quase horizontal; RECOSTADO; DEITADO [+ *a, em, para, sobre*: *Tinha a cabeça reclinada ao coxim*: "... uma formosa donzela que, reclinada na última almadrequexa..." (Alexandre Herculano, *O bobo*): "...busto reclinado para trás e o olhar vago..." (Afrânio Peixoto, *A esfinge*); "Vasco estava arquejante, com a fronte reclinada sobre o travesseiro..." (Camilo Castelo Branco, *Cenas da Foz*)] 3 Envergado, dobrado sobre si mesmo;

ARQUEADO; INCLINADO: *o tronco reclinado sobre as pernas.* [F.: Part. de *reclinar.*]

reclinar (re.cli.*nar*) *v.* **1** Inclinar(-se) para trás; recostar(-se) [**td.**: *Reclinou o sofá; Escolheu uma poltrona para reclinar-se.*] **2** Pôr(-se) de forma mais ou menos horizontal; deitar(-se) [**td.**: *Reclinou o encosto do sofá para deitar-se.*] [**tda.**: *Reclinou a cabeça no ombro do marido; Reclinou-se no sofá.*] **3** Envergar-se, dobrar-se [**int.**: *O varal reclinava-se com a força do vento.*] [▶ 1 recli**nar**] [F.: Do v.lat. *reclinare.* Hom./Par.: *reclináveis* (fl.), *reclináveis* (pl. de *reclinável* [a2g.]).]

reclinável (re.cli.*ná*.vel) **a2g.** Que se pode reclinar, dobrar (poltrona reclinável, banco reclinável) [Pl.: *-veis.*] [F.: *reclinar + -vel.* Hom./Par.: *reclináveis* (pl.), *reclináveis* (fl. de *reclinar*).]

recloração (re.clo.ra.*ção*) **sf.** Processo empregado para reforçar a desinfecção da água através do cloro gasoso, que mantém o teor de cloro nos pontos de consumo em 0,3 mg/l e garante a qualidade da água [Pl.: *-ções.*] [F.: *reclorar + -ção.*]

reclorar (re.clo.*rar*) *v.* **td.** Fazer a recloração de; voltar a clorar [▶ 1 reclo**rar**] [F.: *re- + clorar.*]

recluído (re.clu.*í*.do) *a.* **1** *P. us.* Que se recluiu; ENCLAUSURADO; ENCARCERADO **2** Fechado, ensimesmado: "Vira-o chegar e estar, era simpático; mas logo o sentira recluído, enrolado em si, nos obscuros." (Guimarães Rosa, "Buriti" *in Noites do sertão*) [F.: Part. de *recluir.*]

recluir (re.clu.*ir*) *v.* **td.** *P. us.* Colocar em clausura ou em cárcere [▶ 56 reclu**ir**] [F.: Do v.lat. *recludere.*]

reclusão (re.clu.*são*) **sf.** **1** Ação ou resultado de prender, encerrar; PRISÃO **2** *Jur.* Tipo de pena mais grave, entre as que suprimem ou limitam a liberdade de um condenado: *Foi condenado a dez anos de reclusão.* **3** Condição de afastamento voluntário do convívio social: *Vive em completa reclusão, não quer ver ninguém.* [Pl.: *-sões.*] [F.: Do lat. *reclusio, onis.*]

reclusivo (re.clu.*si*.vo) *a.* **1** Ref. a, ou próprio de reclusão, de prisão (pena reclusiva) **2** *Fig.* Que produz a sensação de reclusão, de isolamento: *É um reclusivo país comunista.* **3** Que se faz notar pelo afastamento, pelo isolamento (comportamento reclusivo) [F.: *recluso + -ivo.*]

recluso (re.*clu*.so) *a.* **1** Posto em cela **2** Que está em clausura **3** Que se acha em reclusão (3) *sm.* **4** Aquele que foi condenado à pena de reclusão (2) **5** Aquele que se acha em reclusão (3) [F.: Do lat. *reclusus, a, um.*]

reco (*re*.co) *sm.* **1** *Bras. Pop.* Jovem recém-admitido no serviço militar; RECRUTA **2** Soldado raso [F.: Alter. de *recruta.*]

recoberto (re.co.*ber*.to) *a.* Que se recobriu, que se cobriu de novo; REVESTIDO [F.: Part. de *recobrir.*]

recobrado (re.co.*bra*.do) *a.* **1** Que se recobrou, readquirido, recuperado (visão recobrada) **2** Com novo ânimo, novas forças (humor recobrado); RESTABELECIDO **3** *Esp.* Que se cobrou novamente (falta recobrada) [F.: Part. de *recobrar.*]

recobrar (re.co.*brar*) *v.* **1** Readquirir (o que se tinha perdido); REAVER; RECUPERAR [**td.**: *Recobrar a fortuna/o ânimo/o fôlego.*] **2** Recuperar estado ou sensação satisfatória [**td.**: *Foi dominado por um sentimento de fúria, mas logo se recobrou.*] [▶ 1 reco**brar**] [F.: Do lat. *recuperare*, por via popular. Hom./Par.: *recobro* (fl.), *recobro* /ô/ (sm.); *recobra* (fl.), *recobra* (sf.); *recobras* (fl.), *recobras* (pl. do sf.); *recobráveis* (fl.), *recobráveis* (pl. de *recobrável* [a. 2g.]).]

recobrimento (re.co.bri.*men*.to) *sm.* **1** Ação ou resultado de recobrir, cobrir de novo **2** *Geol.* Ação resultante de um processo tectônico que faz com que terrenos mais antigos se sobreponham a terrenos mais recentes [F.: *recobrir + -mento.*]

recobrir (re.co.*brir*) *v.* Tornar a cobrir(-se) ou cobrir(-se) completamente; abranger [**td.**] [▶ 51 reco**brir**] [F.: *re- + cobrir.*]

recobro (re.*co*.bro) [ô] *sm.* **1** Ação ou resultado de recobrar(-se); RECOBRAMENTO **2** Recuperação, retomada, reaquisição, reconquista **3** Reanimação, restabelecimento [F.: Dev. de *recobro.*]

recodificador (re.co.di.fi.ca.*dor*) [ô] *a.* **1** Que produz nova codificação *sm.* **2** O que produz nova codificação [F.: *re- + codificador.*]

recognição (re.cog.ni.*ção*) **sf.** **1** Ação ou resultado de reconhecer, de identificar, de distinguir; RECONHECIMENTO **2** Averiguação, exame [Pl.: *-ções.*] [F.: Do lat. *recognitio, onis.*]

recolagem (re.co.*la*.gem) **sf.** Ação ou resultado de recolar, de colar novamente (recolagem de fragmentos) [Pl.: *-gens.*] [F.: *recolar + -agem*[2].]

recolar (re.co.*lar*) *v.* **td.** Tornar a colar [▶ 1 reco**lar**] [F.: *re- + colar.*]

recoleto (re.co.*le*.to) *a.* **1** *Rel.* Que pertence à ordem reformada de santo Agostinho ou de São Francisco **2** Que leva vida austera e recolhida *sm.* **3** *Rel.* Religioso de qualquer dessas ordens **4** *P. ext.* Indivíduo de vida austera e recolhida [F.: Do lat. *recollectus, a, um.*]

recolha (re.*co*.lha) [ô] **sf.** **1** Ação ou resultado de recolher (recolha de lixo); RECOLHIMENTO; RECOLHIDA **2** Local para onde se recolhe: "Para cortar-lhes a retirada e a recolha aos muros, um grupo de portugueses adiantara-se." (Augusto Casimiro, *Lisboa mourisca*) **3** Abrigo provisório que se aluga para o gado [F.: Dev. de *recolher.* Hom./Par.: *recolha* (sf.), *recolha* (fl. de *recolher*).]

recolhedor (re.co.lhe.*dor*) [ô] *a.* **1** Que recolhe (banco recolhedor) *sm.* **2** O que recolhe **3** *Bras.* Aquele que vai ao campo para procurar cavalos e recolhê-los ao curral [F.: *recolher + -dor.*]

recolher (re.co.*lher*) *v.* **1** Colher, tirar ou pegar [**td.**: *A mulher recolheu a roupa do secador.*] **2** Reunir ou coligir (coisas ou informações dispersas) [**td.**: *Recolheu as roupas espalhadas; Recolher dados de jornais antigos.*] **3** Receber ou angariar [**td.**: *Recolher doações.*] [**tdr.** + *de*: *O padre recolheu as doações do povo.*] **4** Tirar de circulação ou apanhar de volta [**td.**: *O Banco recolhe o dinheiro rasgado.*] [**tdr.**: *Recolheram as senhas de alguns pacientes porque houve irregularidade na distribuição.*] [**tda.**: *Vão recolher das farmácias os remédios proibidos.*] **5** Conduzir a ou pôr-se em abrigo [**tda.**: *O boiadeiro recolhe o gado ao curral; Os lobos recolheram-se à toca.*] **6** Dar abrigo a; abrigar, hospedar [**tda.**: *Recolheram os viajantes no quarto de hóspedes.*] **7** Trazer para si, ou fazer voltar ao lugar de origem [**td.**: *A onça recolheu as garras afiadas.*] [**tda.**: *Recolher o revólver ao coldre.*] **8** Voltar para casa, ou retirar-se para seus aposentos [**td.**: *Recolheu-se às oito da noite.*] **9** Ir viver em lugar retirado ou em reclusão [**tda.**: *Recolheu-se a uma casa na montanha.*] **10** Arrecadar, receber [**td.**: *Recolher impostos.*] **11** Puxar na própria direção; tornar mais curto [**td.**: *Recolheu as rédeas, fazendo parar a carroça.*] **12** Manter dentro de si; encerrar [**td.**: *Ao entrar no velório, recolheu a alegria.*] **13** Encolher, retrair [**td.**: *Assustado, o pobre animalzinho recolheu o pescoço.*] **14** *Jur.* Devolver (um mandado) ao cartório de onde veio **15** Colher, juntar [**td.**: *Vivia recolhendo dados sobre a vida nos quilombos.*] **16** Manter na memória [**td.**: *Os melhores alunos recolhem os ensinamentos com facilidade.*] **17** Retirar-se da vida em sociedade [**tda.**: *Recolheu-se a um convento e lá passou a vida.*] **18** *Bras. Pop.* Passar a ter menos intensidade; ABRANDAR [**int.**: *O doente melhorou porque a febre (se) recolheu.*] **19** Trazer de volta (o que havia sido entregue ou distribuído) [**td.**: *A empresa recolheu a primeira edição da revista.*] [**tda.** + *de*: *Recolheram das bancas a edição especial do jornal.*] [▶ 2 reco**lher**] [F.: *re- + colher.* Hom./Par.: *recolha* /ô/ (fl.), *recolha* /ô/ (sf.); *recolhas* /ô/ (fl.), *recolhas* /ô/ (pl. do sf.); *recolho* /ó/ (fl.), *recolho* /ô/ (sm.).]

recolhido (re.co.*lhi*.do) *a.* **1** Que se recolheu **2** Afastado da vida social **3** Fechado, retraído, nada comunicativo **4** Diz-se de problema de saúde cujos sintomas desaparecem de uma hora para a outra **5** Diz-se de dinheiro, remédio etc. retirado de circulação [F.: Part. de *recolher.*]

recolhimento (re.co.lhi.*men*.to) *sm.* **1** Ação ou resultado de recolher(-se) **2** Estado daquele que se recolhe; RECOLHA **3** Casa religiosa ou asilo, sem votos de religião **4** *P. ext.* Lugar onde se recolhe algo ou alguém **5** Resguardo, comedimento, pudor, recato, modéstia **6** Maneira de viver resguardada e comedida **7** Meditação, concentração espiritual, reflexão **8** *Econ.* Arrecadação ou cobrança (de taxas, tributos, contribuições) **9** *Antr.* Conjunto de normas e restrições culturais (como jejum, repouso, resguardo, abstinência sexual) impostas por determinados códigos de conduta, ger. religiosos, em situações específicas [F.: Dev. de *recolher.*]

recolocação (re.co.lo.ca.*ção*) **sf.** Ação ou resultado de recolocar, reposição [+ *em*: *Sua recolocação no cargo foi exigência do Presidente.*] [Pl.: *-ções.*] [F.: *recolocar + -ção.*]

recolocar (re.co.lo.*car*) *v.* Colocar novamente; REPOR [**td.**: *Recolocou a prateleira que caíra.*] [**tdr.** + *em*: *Recolocou a prateleira no armário.*] [▶ 11 recolo**car**] [F.: Do v.lat. *recollocare.*]

recolonização (re.co.lo.ni.za.*ção*) **sf.** Ação ou resultado de recolonizar; nova colonização [Pl.: *-ções.*] [F.: *recolonizar + -ção.*]

recolonizador (re.co.lo.ni.za.*dor*) [ô] *a.* Que recoloniza; que promove a recolonização (plano recolonizador) [F.: *recolonizar + -dor.*]

recolonizar (re.co.lo.ni.*zar*) *v.* **td.** **1** Colonizar novamente **2** Reduzir mais uma vez à condição de colônia [▶ 1 recoloni**zar**] [F.: *re- + colonizar.*]

recolorido (re.co.lo.*ri*.do) *a.* Que se coloriu novamente: *Os filmes antigos recoloridos ficaram ótimos.* [F.: *re- + colorido.*]

recombinação (re.com.bi.na.*ção*) **sf.** **1** Ação ou resultado de recombinar **2** *Fís.* Processo de formação de um átomo neutro ou molécula por meio da combinação entre um íon positivo e um íon negativo ou elétron **3** *Gen.* Rearranjo de genes que ocorre por ocasião da formação dos gametas, e que pode ser produzida artificialmente por técnicas de engenharia genética [Pl.: *-ções.*] [F.: *recombinar + -ção.*]

recombinado (re.com.bi.*na*.do) *a.* Que tornou a combinar-se: *Pesquisas sobre material genético recombinado.* [F.: Part. de *recombinar.*]

recombinante (re.com.bi.*nan*.te) **a2g.** **1** Que recombina (vacina recombinante) **2** *Bioq.* Diz-se de DNA que contém genes de origens diversas obtidos por técnicas de engenharia genética *sm.* **3** *Bioq.* DNA ou genes obtidos por técnicas de engenharia genética [F.: *recombinar + -nte.*]

recombinar (re.com.bi.*nar*) *v.* **td.** Voltar a combinar; combinar mais uma vez [▶ 1 recombi**nar**] [F.: *re- + combinar.*]

recomeçar (re.co.me.*çar*) *v.* **1** Tornar a começar, ou retomar após interrupção [**td.**: *Recomeçar os estudos/um trabalho.*] [**int.**: *A briga entre o casal recomeçou.*] **2** Produzir-se, formar-se novamente [**int.**: *A chuva recomeçou depois de um tempo.*] [▶ 12 recome**çar**] [F.: *re- + começar.* Hom./Par.: *recomeço* (fl.), *recomeço* /ê/ (sm.).]

recomeço (re.co.*me*.ço) [ê] *sm.* Ação ou resultado de recomeçar, novo começo; REINÍCIO [F.: *re- + começo.*]

recomendação (re.co.men.da.*ção*) **sf.** **1** Ação ou resultado de recomendar(-se) **2** O que serve de advertência, conselho, aviso: *Não ligou para a recomendação do especialista, e perdeu a máquina.* [Pl.: *-ções.*] [F.: *recomendar + -ção.*]

recomendações (re.co.men.da.*ções*) **sfpl.** Expressão de cortesia transmitida a alguém; CUMPRIMENTOS; SAUDAÇÕES; LEMBRANÇAS: *Boa viagem, e recomendações à família.*

recomendado (re.co.men.*da*.do) *a.* **1** Que se recomendou **2** Que é objeto de recomendação (livro recomendado, professor recomendado) *sm.* **3** Aquele ou aquilo que é objeto de recomendação: *Dos quatro filmes que ela apanhou na locadora, só vou ver o recomendado.* **4** *P. Ext.* A pessoa que se recomenda a outra ou que é recomendada por outra; PROTEGIDO: *Meu recomendado não foi atendido.* [F.: Part. de *recomendar.*]

recomendar (re.co.men.*dar*) *v.* **1** Aconselhar, sugerir ou indicar [**td.**: *O professor recomendou calma.*] [**tdi.** + *a*: *O professor recomendou calma ao aluno.*] **2** Entregar (alguém ou si mesmo) aos cuidados ou à instrução de [**tdi.** + *a*: *Recomendou os filhos a um tutor; O rapaz recomendou-se ao mestre.*] **3** Entregar (algo) à guarda de (alguém) [**tdi.** + *a*: *Recomendamos o cão ao vizinho.*] **4** Apresentar cumprimentos [**tdi.** + *a*: *Recomendou a moça aos tios.*] **5** Sugerir, indicar como bom, útil, merecedor de atenção ou crédito etc. [**tdi.** + *a*: *Recomendou ao sobrinho os contos de Machado de Assis.*] **6** Solicitar atenção, cobertura, proteção [**tdi.**: *Recomendou a digitadora ao chefe do departamento.*] **7** Advertir, lembrar [**tdi.** + *a*: *Recomendou aos excursionistas que tivessem muita prudência.*] **8** *Fig.* Ser ou tornar-se digno de respeito, consideração, mérito [**tr.**: *Recomenda-se pelas boas ações que pratica*] [▶ 1 recomen**dar**] [F.: Do v.lat. **recommendare*, do lat. *commendare.* Hom./Par.: *recomendáveis* (fl.), *recomendáveis* (pl. de *recomendável* [a2g.]).]

recomendativo (re.co.men.da.*ti*.vo) *a.* Que se destina a recomendar; RECOMENDATÓRIO: *Trouxe um documento de caráter recomendativo.* [F.: *recomendar + -tivo.*]

recomendatório (re.co.men.da.*tó*.ri:o) *a.* Que recomenda ou serve para recomendar, m. que *recomendativo* (parecer recomendatório) [F.: *recomendar + -tório.*]

recomendável (re.co.men.*dá*.vel) **a2g.** **1** Que se pode ou se pôde recomendar, que merece ou mereceu recomendação **2** Estimável, digno de respeito, de consideração **3** Digno de confiança: *Ela não me parecia muito recomendável.* [Pl.: *-veis.*] [F.: *recomendar + -vel.* Hom./Par.: *recomendáveis* (pl.), *recomendáveis* (fl. de *recomendar*).]

recompensa (re.com.*pen*.sa) **sf.** **1** Ação ou resultado de recompensar(-se) **2** Prêmio ou presente que se concede como retribuição ou compensação por alguma ação ou atitude: *Recebeu uma recompensa por sua dedicação ao projeto.* [Ant.: *punição, castigo.*] **3** *P. Ext.* Prêmio que se oferece pela captura ou por informações que levem à captura de um criminoso ou pela devolução de algo que se perdeu (animal, objeto etc.): *Ofereceu uma recompensa em dinheiro para quem encontrasse seu gato.* [F.: Dev. de *recompensar.*]

recompensado (re.com.pen.*sa*.do) *a.* **1** Que se recompensou, que recebeu recompensa [Ant.: *punido, castigado.*] *sm.* **2** Aquele que se recompensou, que recebeu recompensa [F.: Part. de *recompensar.*]

recompensador (re.com.pen.sa.*dor*) [ô] *a.* **1** Que recompensa (trabalho recompensador): *Deus é o recompensador dos que sofreram injustiças neste mundo.* *sm.* **2** O que recompensa [F.: *recompensar + -dor.*]

recompensar (re.com.pen.*sar*) *v.* **1** Dar recompensa, retribuição ou prêmio a (alguém); PREMIAR [**td.**: *Recompensar um subordinado/uma boa ação/um gesto heroico.*] **2** Dar compensação ou retorno a (algo, outrem ou si mesmo); COMPENSAR; PAGAR [**td.**: *As vendas não recompensaram o investimento.*] [**tdr.** + *com*: *Recompensa o cansaço dos estudos com o saber adquirido.*] **3** *Restr.* Indenizar, compensar [**td.**] **4** Reconhecer ou retribuir [**td.**: *O chefe não recompensava seus esforços.*] [▶ 1 recompen**sar**] [F.: *re- + compensar.* Hom./Par.: *recompensa* (fl.), *recompensa* (sf.); *recompensas* (fl.), *recompensas* (pl. do sf.); *recompensáveis* (fl.), *recompensáveis* (pl. de *recompensável* [a2g.]).]

recompor (re.com.*por*) *v.* **td.** **1** Tornar a compor(-se); fazer que volte ou voltar à forma, estado, ou condição anterior [**td.**: *Recompor um grupo desfeito.*] [**int.**: *Com o tempo, a amizade deles se recompôs.*] **2** Dar outra ordenação ou organização a; REORDENAR; REORGANIZAR [**td.**: *Recompor uma decoração/uma biblioteca.*] **3** Recuperar, restabelecer, restaurar [**td.**: *Recompor uma economia/um orçamento/uma empresa.*] **4** Reconciliar(-se) com [**td.**: *Recompor parentes brigados.*] [**tr.** + *com*: *Recompôs-se com sua arte*] **5** Restabelecer, recuperar [**td.**: *Em pouco tempo, o jogador recompôs sua forma física.*] [▶ 60 recom**por**] [F.: Do v.lat. *reponere.*]

recomposição (re.com.po.si.*ção*) **sf.** Ação ou resultado de recompor(-se), refazer(-se), reorganizar(-se); REORGANIZAÇÃO: *Durante meses se empenhou na recomposição de sua vida familiar.* [Pl.: *-ções.*] [F.: *re- + composição.*]

recomposto (re.com.*pos*.to) [ô] *a.* **1** Que se recompôs, composto novamente **2** Que foi novamente organizado **3** Que foi restaurado [F.: Do lat. *recompositus, a, um.*]

recompra (re.*com*.pra) **sf.** Ação ou resultado de recomprar: *Estabeleceu um programa de recompra de ações.* [F.: Dev. de *recomprar.* Hom./Par.: *recompra* (sf.), *recompra* (fl. de *recomprar*).]

recomprar (re.com.*prar*) *v.* **td.** Comprar novamente; readquirir (aquilo que antes já fora comprado) [▶ 1 recom**prar**] [F.: *re- + comprar.*]

recôncavo (re.*côn*.ca.vo) *sm.* **1** Concavidade, enseada *sm.* **2** Gruta ou cavidade profunda, no meio de rochedos, rochas etc. **3** Terra em torno de cidade ou porto, formando enseada (recôncavo baiano) [F.: *re-* + *-côncavo*.] ■ **~ baiano** *Bras.* Certa área litorânea do estado da Bahia, em torno da baía de Todos os Santos

reconceituação (re.con.cei.tu:a.*ção*) *sf.* Ação ou resultado de reconceituar, nova conceituação: *Precisamos de uma reconceituação da educação comunitária.* [Pl.: *-ções*.] [F.: *re-* + *conceituação*.]

reconcentração (re.con.cen.tra.*ção*) *sf.* **1** Ação ou resultado de reconcentrar (reconcentração territorial); JUNÇÃO; REUNIÃO **2** Ação de recolher-se para dentro de si mesmo; MEDITAÇÃO; REFLEXÃO; RECOLHIMENTO [Pl.: *-ções*.] [F.: *reconcentrar* + *-ção*.]

reconcentrar (re.con.cen.*trar*) *v.* **1** Concentrar(-se) novamente; REUNIR(-SE) [*td.*: *Reconcentrou os jogadores para o próximo jogo.*] [*tdr.* + *em*: *Reconcentraram no primogênito todas as esperanças da família.*] [*ta.*: *Reconcentraram-se no esconderijo combinado.*] **2** Concentrar-se outra vez em (um ponto) [*tr.* + *em*: *Fazia força para reconcentrar-se no trabalho.*] **3** Encerrar no coração, no espírito, no íntimo [*td.*: *Reconcentrou seu amor pela professora durante anos.*] **4** Tornar-se mais forte, mais intenso; INTENSIFICAR [*int.*: *Seus sonhos de disciplina reconcentravam-se diante de situações caóticas.*] [▶ **1** reconcentrar] [F.: *re-* + *concentrar*.]

reconciliação (re.con.ci.li.a.*ção*) *sf.* **1** Ação ou resultado de reconciliar(-se); RECONGRAÇAMENTO **2** *Jur.* Restabelecimento da união dos cônjuges homologado pelo juiz depois de separação judicial **3** *Rel.* No catolicismo, sacramento pelo qual o fiel, reconhecendo seus pecados, os confessa ao sacerdote e, recebendo a absolvição de suas faltas, se reconcilia com Deus, de quem se afastara pelo pecado (sacramento da reconciliação) **4** *Rel.* Cerimônia com que se reabilita um templo que foi profanado **5** *Teol.* No cristianismo, o fato de Cristo ter reconciliado, com sua vinda, a humanidade com Deus [Pl.: *-ções*.] [F.: Do lat. *reconciliatio, onis*.]

reconciliado (re.con.ci.li.a.do) *a.* **1** Que se reconciliou; RECONGRAÇADO **2** *Rel.* No catolicismo, diz-se do penitente que se confessou e recebeu a absolvição dos pecados *sm.* **3** O penitente reconciliado [F.: Do lat. *reconciliatus, a, um*.]

reconciliador (re.con.ci.li.a.*dor*) [ô] *a.* **1** Que reconcilia; PACIFICADOR *sm.* **2** Aquele que reconcilia; PACIFICADOR [F.: Do lat. *reconciliator, oris*.]

reconciliar (re.con.ci.li.*ar*) *v.* **1** Estabelecer a paz entre, ou fazer as pazes; RECONGRAÇAR [*td.*: *Reconciliar países em guerra*] [*tdr.* + *com*: *Os irmãos tentaram reconciliá-la com o pai; Reconciliou-se com o marido*] **2** Restituir à graça de Deus [*td.*: *O arrependimento reconcilia o pecador.*] [▶ **1** reconciliar] [F.: Do v.lat. *reconciliare*. Hom./Par.: *reconciliáveis* (fl.), *reconciliáveis* (pl. de *reconciliável* [a2g.]).]

reconciliatório (re.con.ci.li.a.*tó*.ri:o) *a.* Capaz de promover a reconciliação (processo reconciliatório) [F.: *reconciliar* + *-tório*.]

reconciliável (re.con.ci.li.*á*.vel) *a2g.* Que se pode reconciliar [Pl.: *-veis*] [F.: *reconciliar* + *-vel*. Hom./Par.: *reconciliáveis* (pl.), *reconciliáveis* (fl. de *reconciliar*).]

recondicionado (re.con.di.ci:o.*na*.do) *a.* **1** Que se recondicionou *a.* **2** *Bras.* Restaurado, reaproveitado por meio de recondicionamento (cartucho recondicionado) [F.: Part. de *recondicionar*.]

recondicionador (re.con.di.ci:o.na.*dor*) [ô] *a.* **1** Que recondiciona, que restaura (mecânico recondicionador; creme recondicionador) *sm.* **2** O que recondiciona (recondicionador capilar) [F.: *recondicionar* + *-dor*.]

recondicionamento (re.con.di.ci:o.na.*men*.to) *sm.* Ação ou resultado de recondicionar (recondicionamento de motor); RECUPERAÇÃO; RESTAURAÇÃO [F.: *recondicionar* + *-mento*.]

recondicionar (re.con.di.ci.o.*nar*) *v. td. Bras.* Restituir a condição original; colocar em condições de funcionamento; RESTAURAR: *Recondicionou o motor do carro.* [▶ **1** recondicionar] [F.: *re-* + *condicionar*.]

recôndito (re.*côn*.di.to) *a.* **1** Oculto, encoberto, retirado **2** Que se conhece mal, ignorado, desconhecido; IGNOTO **3** Existente no âmago, profundo; ÍNTIMO: "Quanta gente que ri, talvez, consigo/ Guarda um atroz, recôndito inimigo..." (Raimundo Correia, *Poesias*) *sm.* **4** Âmago, íntimo; IMO **5** Lugar oculto; ESCANINHO [F.: Do lat. *reconditus, a, um*.]

reconditório (re.con.di.*tó*.ri:o) *a.* Lugar recôndito, desconhecido, retirado, onde se pode esconder alguém; ESCONDERIJO; VALHACOUTO: "Tem ótimo reconditório... – meu padrinho consentiu." (Guimarães Rosa, *Grande sertão: veredas*) [F.: Do lat. *reconditorium, ii*.]

recondução (re.con.du.*ção*) *sf.* **1** Ação ou resultado de reconduzir **2** Restituição ao local de origem; DEVOLUÇÃO; RETORNO **3** *Jur.* Qualquer prorrogação de um contrato, sem alterações das cláusulas originais **4** Nomeação para exercer sua função por um novo período: *Teve, assim, sua recondução ao cargo.* [Pl.: *-ções*.] [F.: *re-* + *condução*.]

reconduzir (re.con.du.*zir*) *v.* **1** Tornar a conduzir [*td.*: *Encarregou-se de reconduzir o carro.*] **2** Remeter (para o lugar de onde saíra); devolver [*tda.*: *Reconduziu os soldados ao quartel.*] **3** Reeleger ou renomear [*tda.*: *Reconduziram o funcionário a seu posto.*] [▶ **57** reconduzir] [F.: *re-* + *conduzir*.]

reconectar (re.co.nec.*tar*) *v. td.* Conectar outra vez (aquilo que fora conectado anteriormente) [▶ **1** conectar] [F.: *re-* + *conectar*.]

reconexão (re.co.ne.*xão*) [cs] *sf.* Restabelecimento de uma conexão; nova conexão: *Com a reconexão dos cabos, a luz voltou.* [Pl.: *-xões*.] [F.: *re-* + *conexão*.]

reconferir (re.con.fe.*rir*) *v. td.* Conferir novamente [▶ **50** reconferir] [F.: *re-* + *conferir*.]

reconfiguração (re.con.fi.gu.ra.*ção*) *sf.* Ação ou resultado de reconfigurar, de dar nova disposição ou organização: *reconfiguração do espaço geográfico.* [Pl.: *-ções*.] [F.: *reconfigurar* + *-ção*.]

reconfigurar (re.con.fi.gu.rar) *v.* Configurar novamente; fazer nova configuração [*td.*] [▶ **1** reconfigurar] [F.: *re-* + *configurar*.]

reconfirmação (re.con.fir.ma.*ção*) *sf.* **1** Ação ou resultado de reconfirmar **2** *Rel.* Na igreja ortodoxa grega, cerimônia de nova confirmação [Pl.: *-ções*.] [F.: *reconfirmar* + *-ção*.]

reconfirmar (re.con.fir.*mar*) *v. td.* Tornar a confirmar [▶ **1** reconfirmar] [F.: *re-* + *confirmar*.]

reconfortado (re.con.for.ta.do) *a.* Que se reconfortou, que foi consolado, revigorado: "A camaradagem, reconfortada com o jantar abundante..." (Afonso Arinos, *Pelo sertão*) [F.: Part. de *reconfortar*.]

reconfortador (re.con.for.ta.*dor*) [ô] *a.* **1** Que reconforta, que traz sensação de conforto, de alívio (descoberta reconfortadora); RECONFORTANTE *sm.* **2** Aquele ou aquilo que reconforta; RECONFORTANTE [F.: *reconfortar* + *-dor*.]

reconfortante (re.con.for.*tan*.te) *a2g.* **1** Que reconforta: *Sua visita foi reconfortante.* *sm.* **2** Algo (alimento, bebida, remédio, prece etc.) ou alguém que reconforta [F.: *reconfortar* + *-nte*.]

reconfortantemente (re.con.for.tan.te.*men*.te) *adv.* De maneira reconfortante [F.: *reconfortante* + *-mente*.]

reconfortar (re.con.for.*tar*) *v.* **1** Dar grande ou novo conforto a [*td.*: *O elogio reconfortou o rapaz.*] **2** Revigorar(-se), reanimar(-se) [*td.*: *Os exercícios reconfortaram o paciente.*] [*int.*: *Leite fresco reconforta.*] [*tdr.* + *com*: *Reconfortava-se com boas leituras.*] [▶ **1** reconfortar] [F.: *re-* + *confortar.* Hom./Par.: *reconforto* (fl.), *reconforto* /ô/ (sm.).]

reconforto (re.con.*for*.to) [ô] *sm.* Ação ou resultado de reconfortar(-se), revigorar, dar novo alento; CONSOLAÇÃO; CONSOLO [Pl.: ô.] [F.: *re-* + *conforto*.]

recongraçado (re.con.gra.*ça*.do) *a.* Que se recongraçou; RECONCILIADO [F.: Part. de *recongraçar*.]

recongraçamento (re.con.gra.ça.*men*.to) *sm.* Ação ou resultado de recongraçar(-se); RECONCILIAÇÃO [F.: *recongraçar* + *-mento*.]

recongraçar (re.con.gra.*çar*) *v.* O mesmo que *reconciliar* [*td. tdi.*] [▶ **12** recongraçar] [F.: *re-* + *congraçar*.]

recongregação (re.con.gre.ga.*ção*) *sf.* Ação ou resultado de recongregar, de realizar uma nova união: *Levou-se mais de um mês para completar a recongregação das tropas dispersas.* [Pl.: *-ções*.] [F.: *recongregar* + *-ção*.]

recongregar (re.con.gre.*gar*) *v. td.* Voltar a unir, a agregar, a congregar [▶ **14** recongregar] [F.: *re-* + *congregar*.]

reconhecedor (re.co.nhe.ce.*dor*) [ô] *a.* **1** Diz-se de quem reconhece: *Sujeito reconhecedor dos favores que lhe foram prestados.* *sm.* **2** Aquele que reconhece [F.: *reconhecer* + *-dor*.]

reconhecer (re.co.nhe.*cer*) *v.* **1** Identificar (algo ou alguém que já se conhece) [*td.*: *Reconheceu a mulher pelo andar.*] **2** Admitir como certo, verdadeiro ou legal [*td.*: *Sempre reconhecia as boas intenções.*] **3** Revelar sensibilidade com [*td.*: *Reconheceu os esforços do filho.*] **4** Admitir, aceitar [*td.*: *Reconheceu que o time jogou mal.*] **5** *Jur.* Perfilhar por via legal [*td.*: *Reconheceu o filho que não era seu.*] **6** Distinguir, identificar [*td.*: *Embora estivesse longe, reconheceu o assassino.*] **7** Demonstrar gratidão por; AGRADECER [*td.*: *Reconhecia os favores que lhe prestavam.*] **8** Avaliar a situação ou o estado de [*td.*] **9** Admitir seus próprios erros, faltas, pecados etc. [*td.*: *Reconhecia seus próprios pecados.*] **10** Dizer-se, assumir-se (como alguém que tem certo traço ruim, negativo etc.) [*tdp.*: *Reconheceu-se culpado; Reconheceu-se impertinente.*] **11** Afirmar, proclamar [*td.*: *Os vassalos reconheceram seu novo senhor.*] **12** Ver sua própria fisionomia ou sua maneira de ser em (alguém ou algo) [*td.*: *Reconhecia-se naquele filho/ naquelas cartas que escrevera/ naquele ato.*] **13** Admitir como legal ou verdadeiro [*td.*: *Reconheceu a autenticidade daquela pintura.*] [*tdi.* + *a*: *Reconheceu ao marido suas qualidades.*] [*tdp.*: *Reconheceram-no como grande artista.*] [▶ **33** reconhecer] [F.: Do lat. *recognoscere*.]

reconhecidamente (re.co.nhe.ci.da.*men*.te) *adv.* **1** De modo reconhecido, grato: *Agiu reconhecidamente com os que o salvaram.* *adv.* **2** Sabidamente, comprovadamente: *Ele era reconhecidamente um mau-caráter.* [F.: o fem. de *reconhecido* + *-mente*.]

reconhecido (re.co.nhe.*ci*.do) *a.* **1** Que se reconheceu ou se reconhece, que se identificou: *Demonstrou seu já reconhecido talento de atriz; Reconhecida a voz do engraçadinho, ele teve de se apresentar.* **2** Que se mostra agradecido; GRATO: *Os alunos, reconhecidos, homenagearam o velho mestre.* [F.: Part. de *reconhecer*.]

reconhecimento (re.co.nhe.ci.*men*.to) *sm.* **1** Ação ou resultado de reconhecer(-se); RECOGNIÇÃO: *Quando Antonio Vivaldi morreu, não contava com o reconhecimento de ninguém.* **2** Ato de aceitação da legitimidade de um governo, um culto etc. **3** Identificação: *O reconhecimento do criminoso foi feito por quatro testemunhas.* **4** *Jur.* Ato pelo qual se afiança a genuinidade de uma assinatura ou firma: *Antes de entregar o documento, você deve fazer o reconhecimento da firma.* **5** *Jur.* Ato pelo qual o(s) pai(s) reconhece(m) como seu um filho; PERFILHAÇÃO; PERFILHAMENTO **6** Confissão, declaração de culpa: *O reconhecimento de culpabilidade ajudou a reduzir sua pena.* **7** Gratidão, agradecimento: "Almejara por uma oportunidade de mostrar ao sr. Gonçalo Mendes Ramires o seu reconhecimento." (Eça de Queirós, *A ilustre casa de Ramires*) **8** *Mil.* Missão de levantamento do teatro de operações: *Um comando aerotransportado fez o reconhecimento do terreno.* [F.: *reconhecer* + *-imento*.] ■ **~ de firma** *Jur.* Processo de autenticação de uma assinatura por seu reconhecimento, em cartório, quando comparada com a assinatura do signatário ali registrada **~ de voz** **1** *Inf.* Capacidade, e operação nela baseada, de um sistema reconhecer um comando proferido oralmente e executá-lo **2** Capacidade de um sistema reconhecer palavras proferidas oralmente e registrá-las como sinais digitais que as representam (ger. as letras que as compõem)

reconhecível (re.co.nhe.*cí*.vel) *a2g.* Que se pode reconhecer [Ant.: *irreconhecível*.] [Pl.: *-veis*.] [F.: *reconhecer* + *-ível*.]

reconquista (re.con.*quis*.ta) *sf.* **1** Ação ou resultado de reconquistar **2** *P. ext.* O objeto desse feito **3** *Hist.* Designação historiográfica para o movimento cristão, em Portugal do séc. VIII, de retomada dos territórios ocupados pelos mouros [Com inicial maiúsc.] [F.: *re-* + *conquista*.]

reconquistado (re.con.quis.*ta*.do) *a.* Que se reconquistou: *Portugal logo ocupou as terras reconquistadas aos mouros.* [F.: Part. de *reconquistar*.]

reconquistar (re.con.quis.*tar*) *v. td.* **1** Tornar a conquistar: *Os soldados reconquistaram a região.* **2** Recuperar ou recobrar (o que fora perdido): *Reconquistou o amor da mulher.* [▶ **1** reconquistar] [F.: *re-* + *conquistar.* Hom./Par.: *reconquista* (fl.), *reconquista* (sf.); *reconquistas* (fl.), *reconquistas* (pl. do sf.); *reconquistáveis* (fl.), *reconquistáveis* (pl. de *reconquistável* [a2g.]).]

reconquistável (re.con.quis.*tá*.vel) *a2g.* Que se pode reconquistar: *Minha ex-namorada é reconquistável.* [Pl.: *-veis*.] [F.: *reconquistar* + *-vel.* Hom./Par.: *reconquistáveis* (pl.), *reconquistáveis* (fl. de *reconquistar*).]

reconsideração (re.con.si.de.ra.*ção*) *sf.* **1** Ação ou resultado de reconsiderar; REEXAME **2** *Jur.* Reexame de uma decisão que já havia sido tomada [Pl.: *-ções*.] [F.: *reconsiderar* + *-ção*.]

reconsiderar (re.con.si.de.*rar*) *v.* **1** Tornar a considerar; REEXAMINAR; REPENSAR [*td.*: *Reconsiderar um assunto.*] **2** Refletir melhor sobre um determinado ponto [*td.*: *Reconsiderei a oferta e achei ótima.*] [*int.*: *Depois de reconsiderar muito, viu que estava errado.*] [▶ **1** reconsiderar] [F.: *re-* + *considerar*.]

reconsolidar (re.con.so.li.*dar*) *v.* Consolidar melhor ou de novo [*td.*: *Queria reconsolidar o casamento.*] [*int.*: *O pacto dos candidatos reconsolidou-se naquela reunião.*] [▶ **1** reconsolidar] [F.: *re-* + *consolidar*.]

reconstituição (re.cons.ti.tu:i.*ção*) *sf.* **1** Ação ou resultado de reconstituir(-se); RECOMPOSIÇÃO **2** Simulação que busca reproduzir o ambiente, as condições, a sequência de fatos, ações e acontecimentos e a posição e participação do(s) envolvido(s) e, se houver, da(s) testemunha(s) do crime, para análise pericial, avaliação da veracidade das declarações e dos testemunhos etc.: *A polícia já fez a reconstituição do crime que chocou a cidade.* [Pl.: *-ções*.] [F.: *reconstituir* + *-ção*.]

reconstituído (re.cons.ti.tu.*í*.do) *a.* **1** Diz-se daquilo que se reconstituiu, que foi novamente constituído: *O time do ano passado foi reconstituído; Uma obra-prima da pintura foi reconstituída.* **2** De que se fez uma simulação para fins investigativos (diz-se de crime) [F.: Part. de *reconstituir*.]

reconstituinte (re.cons.ti.tu.in.te) *a2g.* **1** Que reconstitui, que revigora (vinho reconstituinte) *sm.* **2** Medicamento us. para restabelecer as forças de doente ou convalescente; FORTIFICANTE [F.: *reconstituir* + *-nte*.]

reconstituir (re.cons.ti.tu.*ir*) *v. td.* **1** Tornar a constituir ou devolver a forma original, as características originais ou anteriores a; RESTABELECER; RECONSTRUIR: *O restaurador reconstituiu o afresco danificado.* **2** Revigorar, restabelecer: *O remédio reconstituiu o doente.* **3** Fazer simulação da cena de (um crime): *A polícia reconstituiu o assassinato do prefeito mais uma vez.* [▶ **56** reconstituir] [F.: *re-* + *constituir*.]

reconstituível (re.cons.ti.tu.*í*.vel) *a2g.* Que pode ser reconstituído: *A história desse caso é reconstituível do começo ao fim.* [Pl.: *-veis*.] [F.: *reconstituir* + *-vel*.]

reconstrução (re.cons.tru.*ção*) *sf.* **1** Ação ou resultado de reconstruir; REEDIFICAÇÃO **2** O objeto desse trabalho: *A nave lateral direita era uma reconstrução do séc. XVIII.* [Pl.: *-ções*.] [F.: *reconstru(ir)* + *-ção*.]

reconstruído (re.cons.tru.í.do) *a.* Que foi novamente construído [F.: Part. de *reconstruir*.]

reconstruir (re.cons.tru.*ir*) *v.* **1** Tornar a construir (edificação que se desfez ou perdeu em virtude da ação do tempo, de fenômeno da natureza, intempéries, de pilhagem ou de guerra); REEDIFICAR: *Reconstruir uma cidade.* **2** Reorganizar ou reconstituir: *Queria reconstruir sua vida.* **3** Devolver a forma, o aspecto, a ordem ou a constituição original; reconstituir: *Reconstruir um armário antigo.* [▶ **56** reconstruir] [F.: *re-* + *construir*.]

reconstrutivista (re.cons.tru.ti.*vis*.ta) *a2g.* Ref. à reconstrução, ou que busca ou favorece a reconstrução: *O engenheiro deixara-se dominar por um ímpeto reconstrutivista.* [F.: *reconstrutivo* + *-ista*.]

reconstrutivo (re.cons.tru.*ti*.vo) *a.* **1** Que reconstrói ou restaura: *Fez-se assim um esforço reconstrutivo para salvar a cidade.* **2** *Cir.* Diz-se da intervenção cirúrgica que tem por fim reconstituir uma parte do corpo afetada por deformação [F.: *reconstru(ir)* + *-tivo*.]

reconstrutor (re.cons.tru.*tor*) [ô] *a.* 1 Que reconstrói, que é apropriado para reconstruir *sm.* 2 Aquele que reconstrói [F.: *re-* + *construtor.*]

reconsultar (re.con.sul.*tar*) *v. td.* Tornar a consultar: *Reconsultou o livro para as últimas anotações.* [▶ 1 reconsultar] [F.: *re-* + *consultar.*]

recontado (re.con.*ta*.do) *a.* 1 Que foi contado novamente: *A história foi recontada várias vezes.* 2 Conferido, aferido: *O dinheiro foi recontado e entregue como pagamento.* [F.: Part. de *recontar.*]

recontagem (re.con.*ta*.gem) *sf.* Ação ou resultado de recontar, contar de novo: *A oposição exigiu a recontagem dos votos.* [Pl.: *-gens.*] [F.: *recontar* + *-agem²*.]

recontaminação (re.con.ta.mi.na.*ção*) *sf.* Contaminação que ocorre mais uma vez [Pl.: *-ções.*] [F.: *recontaminar* + *-ção.*]

recontaminar (re.con.ta.mi.*nar*) *v.* Contaminar(-se) novamente; causar ou sofrer nova contaminação [*td.*] [*int.*] [▶ 1 recontaminar] [F.: *re-* + *contaminar.*]

recontar (re.con.*tar*) *v.* 1 Tornar a contar, a computar [*td.*: *Foi obrigado a recontar todos os seus cálculos.*] 2 Tornar a contar ou narrar, ou narrar várias vezes [*td.*: *Recontar uma história.*] [*tdi.* + *a*: *Recontava aos filhos sua vida passada.*] [▶ 1 recontar] [F.: *re-* + *contar.* Hom./Par.: *reconto* (fl.), *reconto* (sm.).]

recontatar (re.con.ta.*tar*) *v. td.* 1 Tornar a contatar; contatar novamente 2 *Est.* Fazer nova pesquisa com um dado grupo, após certo período de tempo [▶ 1 recontatar] [F.: *re-* + *contatar.*]

recontato (re.con.*ta*.to) *a.* 1 Novo contato 2 *Com. Comun.* Técnica mercadológica que consiste em restabelecer contato com antigos clientes para tentar trazê-los de volta 3 *Est.* Técnica de pesquisa estatística pela qual se volta a pesquisar um mesmo grupo após certo período de tempo [F.: Part. de *recontatar.*]

recontemplar (re.con.tem.*plar*) *v. td.* Tornar a contemplar: *Contemplava e recontemplava aquela linda paisagem* [▶ 1 recontemplar] [F.: *re-* + *contemplar.*]

recontextualização (re.con.tex.tu:a.li.za.*ção*) *sf.* Ação ou resultado de recontextualizar, de trazer para um novo contexto [Pl.: *-ções.*] [F.: *recontextualizar* + *-ção.*]

recontextualizar (re.con.tex.tu:a.li.*zar*) *v. td.* Criar novo contexto para; voltar a contextualizar [▶ 1 recontextualizar] [F.: *re-* + *contextualizar.*]

recontratação (re.con.tra.ta.*ção*) *sf.* Ação ou resultado de recontratar, de contratar novamente: *Os grevistas exigiram a recontratação dos demitidos.* [Pl.: *-ções.*] [F.: *recontratar* + *-ção.*]

recontratado (re.con.tra.*ta*.do) *a.* 1 Que foi novamente contratado *sm.* 2 Aquele que foi novamente contratado [F.: Part. de *recontratar.*]

recontratar (re.con.tra.*tar*) *v.* 1 Contratar de novo [*td.*] 2 Readmitir (empregado que fora dispensado) [*td.*] 3 *Jur.* Renovar (contrato que perdeu a validade) [*td.*] [*tdr.* + *por*: *Recontratei o escritório por mais dois anos.*] [▶ 1 recontratar] [F.: *re-* + *contratar.*]

recontro (re.*con*.tro) *sm.* 1 Choque entre dois corpos 2 Combate, peleja 3 Embate de pouca duração 4 *Arq.* Partes de uma abóbada que se encontram entre as linhas de sua face exterior, o prolongamento dos pés direitos, e a linha horizontal que passa pelo vértice da abóbada 5 Encontro fortuito [F.: De or. contrv.]

reconvenção (re.con.ven.*ção*) *sf.* 1 Ação ou resultado de reconvir 2 *Jur.* Ação judicial em que, num mesmo processo, o réu opõe direito que anule ou elimine a ação proposta pelo autor desse processo [Pl.: *-ções.*] [F.: *re-* + *convenção.*]

reconversão (re.con.ver.*são*) *sf.* 1 Ação ou resultado de reconverter 2 *Econ.* Nova conversão (de moeda, valores etc.) 3 *Arq.* Intervenção que se efetua no meio urbano com a finalidade de recuperar e reaproveitar acervo arquitetônico protegido [Pl.: *-sões.*] [F.: *re-* + *conversão.*]

reconversar (re.con.ver.*sar*) *v. td.* Conversar novamente: *Conversou e reconversou o assunto até chegar a bom termo.* [▶ 1 reconversar] [F.: *re-* + *conversar.*]

reconverter (re.con.ver.*ter*) *v. td.* Tornar a converter: *Reconverteu o cristão que abdicara de sua crença.* [▶ 2 reconverter] [F.: *re-* + *converter.*]

reconvertido (re.con.ver.*ti*.do) *a.* 1 Que passou por processo de reconversão *sm.* 2 O que passou por esse processo [F.: Part. de *reconverter.*]

reconvir (re.con.*vir*) *v. td. Jur.* Num mesmo processo judicial, propor (o réu do processo) uma ação contra o autor da demanda [▶ 42 reconvir] [F.: *re-* + *convir.*]

reconvocação (re.con.vo.ca.*ção*) *sf.* Ação ou resultado de reconvocar, de convocar novamente: *A reconvocação dos soldados deve ser imediata.* [Pl.: *-ções.*] [F.: *reconvocar* + *-ção.*]

reconvocar (re.con.vo.*car*) *v. td.* Convocar novamente: *O exército reconvocou os soldados que haviam sido dispensados.* [▶ 11 reconvocar] [F.: *re-* + *convocar.*]

recópia (re.*có*.pi:a) *sf.* Ação ou resultado de recopiar [F.: Dev. de *recopiar.* Hom./Par.: *recópia* (sf.), *recopia* (fl. de *recopiar*); *recópias* (pl.), *recopias* (fl. do v.).]

recopiar (re.co.pi.*ar*) *v. td.* Reproduzir outra cópia ou copiar novamente [▶ 1 recopiar] [F.: *re-* + *copiar.* Hom./Par.: *recopia* (fl.), *recópia* (s. f.); *recopias* (fl.), *recópias* (pl. do sf.).]

recordação (re.cor.da.*ção*) *sf.* 1 Ação ou resultado de recordar 2 Repetição de doutrina já estudada; REVISÃO 3 Lembrança de experiências vividas; REMINISCÊNCIA: "Uma noite má, povoada de recordações amargas, pusera-me de mau humor" (Lima Barreto, *Vida e morte de M. J. Gonzaga de Sá*) 4 Objeto que lembra pessoa, lugar, experiências vividas: *De Caruaru, trouxe como recordação esse boi de Vitalino* [Pl.: *-ções.*] [F.: Do lat. *recordatio, onis.*]

recordado (re.cor.*da*.do) *a.* Que se recordou; que foi lembrado [F.: Part. de *recordar.*]

recordador (re.cor.da.*dor*) [ô] *a.* 1 Que recorda ou que traz à lembrança alguma coisa *sm.* 2 Aquele que recorda ou faz relembrar [F.: Part. de *recordar* + *-or.*]

recordar (re.cor.*dar*) *v.* 1 Trazer ou ter de volta à memória; LEMBRAR; REMEMORAR [*td.*: *Recordava sua infância com saudade.*] [*tdi.* + *a*: *O filme recordou a ele sua infância no interior.* Ant.: *esquecer.*] 2 Fazer lembrar; assemelhar-se com; LEMBRAR [*td.*: *Aquele rosto recordava o do seu filho.*] 3 Repassar (lição/estudo) [*td.*: *Recordava bem as lições de matemática.*] [▶ 1 recordar] [F.: Do v.lat. *recordare.* Hom./Par.: *recorde* (fl.), *recorde* (sm.); *recordes* (fl.), *recordes* (pl. do sm.); *recordo* (fl.), *recordo* /ô/ (sm.).]

recordativo (re.cor.da.*ti*.vo) *a.* Diz-se do que traz recordação ou que serve para recordar; RECORDATÓRIO [F.: Do lat. *recordativus, a, um.*]

recordatório (re.cor.da.*tó*.ri:o) *a.* O mesmo que *recordativo* [F.: *recordar* + *-tório.*]

recorde (re.*cor*.de) *sm.* 1 *Esp.* Em qualquer competição, ato desportivo devidamente homologado que suplanta aquele anteriormente alcançado no mesmo âmbito e modalidade: *Bateu o recorde brasileiro dos 100 m rasos.* 2 *P. ext.* Tudo o que sobrepuja, em algum aspecto, realização ou marca precedente: *A exposição bateu recorde de público.* [F.: Do ing. *record.* Hom./Par.: *recorde* (fl. de *recordar*). NOTA: Ocorrem, no Brasil, tb. pros. *récorde* e *récor.*]

recordista (re.cor.*dis*.ta) *a2g.* 1 Que detém ou bate um recorde *s2g.* 2 Aquele ou aquela que detém ou bate um recorde [F.: *recorde* + *-ista.*]

reco-reco (*re*.co.*re*.co) *sm.* 1 *Mús.* Instrumento de percussão, ger. feito de madeira, bambu etc., com entalhes transversais sobre os quais se fricciona uma vareta para produzir som; GANZÁ; CARA-CAXÁ; QUERE-QUEXÉ 2 *P. ext.* O som desses instrumentos: *Já se ouvia um reco-reco ritmado, que anunciava a bateria.* 3 *Infan.* Brinquedo formado por uma haste ligada por um fio a um cilindro que, ao girar, produz um som parecido com o do reco-reco (1) [Pl.: *reco-recos.*] [F.: Voc. onom.]

recorrência (re.cor.*rên*.ci:a) *sf.* 1 Ação ou resultado de recorrer, voltar a correr, passar 2 *Med.* Reaparecimento dos sintomas de uma doença, depois de sua superação 3 *P. ext.* Reaparecimento frequente ou periódico de um fenômeno qualquer [F.: *recorrer* + *-ência.*]

recorrente (re.cor.*ren*.te) *a2g.* 1 Que recorre, torna a correr 2 *Med.* Que parece regredir à situação anterior 3 *P. ext.* Que torna a aparecer, que aparece com frequência (fenômeno recorrente) 4 *Jur.* Que recorre de uma sentença, que volta à demanda inicial, que entra com um recurso *s2g.* 5 *Med.* Aquilo que parece regredir à situação anterior 6 *Jur.* Aquele que recorre de uma sentença, que volta à demanda inicial, que entra com um recurso [F.: *recorrer* + *-nte.*]

recorrentemente (re.cor.ren.te.*men*.te) *adv.* De modo recorrente [F.: *recorrente* + *-mente.*]

recorrer (re.cor.*rer*) *v.* 1 Percorrer outra vez [*td.*: *Recorreu a rua em que conhecera sua mulher.*] 2 Analisar (alguma coisa) de maneira detida, minuciosa; esquadrinhar [*td.*: *Recorreu todas as páginas do catálogo.*] 3 *Mar.* Dar folga gradual a (amarra, cabo etc.) [*td.*] 4 Lembrar, recordar [*td.*: *Recorrer os tempos escolares.*] 5 Pedir ajuda, auxílio ou socorro a (alguém) [*tr.* + *a*: *Precisou recorrer ao pai para pagar o empréstimo.*] 6 Valer-se dos préstimos ou do serviço de (alguém, ger. especializado) [*tr.* + *a*: *A dor o fez recorrer ao dentista.*] 7 Fazer uso de [*tr.* + *a*.: *Recorreu à força para entrar na casa.*] 8 *Jur.* Apelar judicialmente [*tr.* + *de*: *O advogado recorreu da sentença.*] [*int.*: *O advogado foi obrigado a recorrer.*] 9 Efetuar reajuste em (linhas, colunas, páginas) [▶ 2 recorrer] [F.: Do v.lat. *recurrere.*]

recorrida (re.cor.*ri*.da) *sf.* Ação de recorrer, de buscar auxílio [F.: *recorrer* + *-ida¹*.]

recorrido (re.cor.*ri*.do) *a.* 1 *Jur.* Diz-se de juiz ou juízo de cuja decisão se recorreu 2 *P. ext. Jur.* Diz-se da decisão contra a qual se recorre 3 *Art. gr.* Diz-se de texto ou composição que foi refeita em outra medida para atender exigências da diagramação 4 *Jur.* Diz-se de pessoa contra quem foi interposto recurso judicial *sm.* 5 *Art. gr.* Texto ou composição que foi refeita em outra medida para atender exigências da diagramação 6 *Jur.* Pessoa contra quem foi interposto recurso judicial [F.: Part. de *recorrer.*]

recorrível (re.cor.*rí*.vel) *a2g.* 1 *Bras.* De que se pode recorrer 2 *Jur.* Diz-se de decisão, despacho etc. que pode ser novamente analisado por meio de recurso legal [Pl.: *-veis.*] [F.: *recorrer* + *-ível.*]

recortado (re.cor.*ta*.do) *a.* 1 Que se recortou 2 Que tem bordas de muitas saliências e reentrâncias (litoral recortado, mapa recortado) *sm.* 3 Trabalho manual de recortar papel, tecido e outros materiais; RECORTE 4 *Bras. RS* Uma das formas do fandango 5 *Bras. MG SP GO MT* Dança de roda ao som da viola, semelhante ao cateretê [F.: Part. de *recortar.*]

recortar (re.cor.*tar*) *v. td.* 1 Cortar seguindo os contornos de: *Recortar palmilhas.* 2 Cortar para separar: *Recortar a foto de uma revista.* 3 Cortar de acordo com os contornos de um desenho 4 Cortar de novo, fazendo ajuste: *Recortou o vestido várias vezes, até ficar bom.* 5 Pintar em torno de (algo) para criar um realce: *Perdeu um tempão recortando esguias silhuetas.* [▶ 1 recortar] [F.: *re-* + *cortar.* Hom./Par.: *recorte* (fl.), *recorte* (sm.); *recortes* (fl.), *recortes* (pl. do sm.); *recortáveis* (fl.), *recortáveis* (pl. de *recortável* [a2g.]).]

recortável (re.cor.*tá*.vel) *a2g.* Que pode ser recortado (papel recortável) [Pl.: *-veis.*] [F.: *recortar* + *-vel.* Hom./Par.: *recortáveis* (pl.), *recortáveis* (fl. de *recortar* [v.]).]

recorte (re.*cor*.te) *sm.* 1 Ação ou resultado de recortar(-se) 2 Texto, foto, anúncio que se recorta de jornal, revista, fascículo 3 Trabalho manual de recortar papel, tecido e outros materiais; RECORTADO 4 Pedaço de tecido, papel etc. que se recorta como amostra ou para trabalho manual 5 *Fig.* Rasgo, momento: *Sua vida tem recortes de loucura.* 6 Encontro do touro com o toureiro no mesmo ponto, quando o primeiro abaixa a cabeça para marrar e o último se esquiva para outro lado 7 *Geog.* O contorno de um litoral 8 *Mús.* Quadra que se canta para finalizar uma moda ou uma dança 9 Pedaço de renda ou de tecido diferente que se coloca numa veste, como adorno [F.: Dev. de *recortar.*]

recoser (re.co.*ser*) *v. td.* 1 Tornar a coser o que foi descosido ou rasgado: *Recoser a camisa rasgada.* 2 Coser várias vezes: *Cosia e recosia sem parar a calça velha.* 3 *Fig.* Colocar junto; REUNIR: *Recoseu seus textos em uma gaveta.* [▶ 2 recoser] [F.: *re-* + *coser.* Hom./Par.: *recoser, recozer* (todos os tempos do v.).]

recostado (re.cos.*ta*.do) *a.* Que se recostou; INCLINADO; ENCOSTADO [F.: Part. de *recostar.*]

recostar (re.cos.*tar*) *v. td.* Pôr-se meio deitado; ENCOSTAR(-SE); RECLINAR(-SE): *Recostou o corpo no sofá; Recostou-se um pouco depois do almoço.* [▶ 1 recostar] [F.: *re-* + *costa* + *-ar²*. Hom./Par.: *recosta* (fl.), *recosta* (sf.); *recostas* (fl.), *recostas* (pl. do sf.); *recosto* (fl.), *recosto* /ô/ (sm.).]

recosto (re.*cos*.to) [ô] *sm.* 1 Parte de assento onde se apoiam as costas 2 Móvel ou almofada apropriados para as pessoas se recostarem; RECLINATÓRIO [F.: Dev. de *recostar.*]

recostura (re.cos.*tu*.ra) *sf.* Ação ou resultado de recosturar; nova costura: *Como a costura não deu certo, fez uma recostura.* [F.: *re-* + *costura.*]

recosturar (re.cos.tu.*rar*) *v. td. int.* Costurar novamente [▶ 1 recosturar] [F.: *re-* + *costurar.*]

récova (*ré*.co.va) *sf.* Carga transportada por uma tropa de bestas de carga engatadas [F.: Do ár. *rakbat*, 'viajantes montados em bestas'.]

recovar (re.co.*var*) *v. td.* Transportar (mercadorias ou outro tipo de carga) em récuas [▶ 1 recovar] [F.: *récova* + *-ar²*.]

recoveiro (re.co.*vei*.ro) *sm.* 1 Aquele que recova, que transporta mercadorias em récua; ALMOCREVE 2 *Lud.* O mesmo que *cró¹* (jogo de cartas) [F.: *recovar* + *-eiro.*]

recozido (re.co.*zi*.do) *a.* 1 Que foi novamente cozido para chegar ao ponto ideal: *O feijão melhorou quando foi recozido.* 2 Muito cozido; cozido além do ponto [F.: Part. de *recozer.*]

recozimento (re.co.zi.*men*.to) *sm.* 1 Ação ou resultado de recozer; RECOZEDURA 2 Operação pela qual se expõe ao fogo peça de cerâmica, de metal, de vidro etc., e se deixa resfriar lentamente 3 O estado de coisa recozida [F.: *recozer* + *-imento.*]

recravadeira (re.cra.va.*dei*.ra) *sf.* Máquina de recravar, us. na indústria de lataria (recravadeira automática/com alimentação manual) [F.: *recravar* + *-deira.*]

recravar (re.cra.*var*) *v.* Cravar novamente, ou cravar muito, profundamente [*tdr.* + *em*: *Recravou as estacas na terra revolvida.*] [*td.*: *Esses pinos estão soltando, vamos recravar todos.*] [▶ 1 recravar] [F.: *re-* + *cravar.*]

recravejar (re.cra.ve.*jar*) *v. td.* Cravejar novamente [▶ 1 recravejar] [F.: *re-* + *cravejar.*]

recreação (re.cre:a.*ção*) *sf.* 1 Ação ou resultado de recrear 2 O mesmo que *recreio* (1) [Pl.: *-ções.*] [F.: Do lat. *recreatio, onis.* Hom./Par.: *recreação* (sf.), *recriação* (sf.).] ■ **Por sua alta ~** Por livre vontade, voluntária e espontaneamente

recreacional (re.cre:a.ci.o.*nal*) *a2g.* Que diz respeito a, ou em que há recreação (atividades recreacionais) [Pl.: *-nais.*] [F.: *recreação* (sob a f. *recreacion-*) + *-al¹*, seg. o mod. erudito.]

recreacionista (re.cre.a.ci:o.*nis*.ta) *a2g. s2g.* O mesmo que *recreador* [F.: *recreação* (sob a f. *recreacion-*) + *-ista*, seg. o mod. erudito.]

recreador (re.cre:a.*dor*) [ô] *a.* 1 Que recreia, diverte *sm.* 2 Aquilo ou aquele que recreia, diverte [F.: *recrear* + *-dor.* Hom./Par.: *recreador* (a. sm.), *recriador* (a. sm.).]

recrear (re.cre.*ar*) *v. td.* 1 Proporcionar diversão ou recreio a: *Recrear os alunos; Deu um passeio para recrear-se.* 2 Dar prazer a (alguém o si mesmo): *As histórias contadas o recreavam; Recreava-se ao ver os malabaristas.* [▶ 13 recrear] [F.: Do v.lat. *recreare.* Hom./Par.: *recreio* (fl.), *recreio* (sm.); *recriar* (vários tempos do v.).]

recreativismo (re.cre.a.ti.*vis*.mo) *sm.* 1 Conjunto de ideias que visam a criação, aperfeiçoamento ou organização de atividades relacionadas ao recreio ou recreação 2 As próprias atividades de recreio ou recreação [F.: *recreativo* + *-ismo.*]

recreativista (re.cre.a.ti.*vis*.ta) *a2g.* 1 Ref. ou pertencente a recreativismo 2 Diz-se de pessoa especializada em recreção *s2g.* 3 Especialista em recreação [F.: *recreativo* + *-ista.*]

recreativo (re.cre:a.*ti*.vo) *a.* 1 O mesmo que *recreador* (1) 2 Em que há recreação [F.: *recrear* + *-tivo.*]

recredenciamento (re.cre.den.ci:a.*men*.to) *sm.* Ação ou resultado de recredenciar; novo credenciamento [F.: *recredenciar* + *-mento.*]

recredenciar (re.cre.den.ci.*ar*) *v. td.* Credenciar novamente; dar novas credenciais a: *A empresa recredenciou* *seu antigo representante de vendas.* [▶ 1 recredenciar] [F.: *re-* + *credenciar.*]

recreio (re.*crei*.o) *sm.* 1 Diversão, ou o que é feito para divertir; RECREAÇÃO; BRINCADEIRA 2 Período de tempo entre aulas, destinado a repouso, merenda e brincadeiras: *São raras as escolas em que o recreio passa de 15 minutos.* 3 *P. ext.* Local destinado ao recreio: *As crianças estavam todas no recreio.* [F.: Dev. de *recrear.*]

recrescer (re.cres.*cer*) *v.* 1 Tornar a crescer [*int.*: "E voltaram-lhe os soluços, como um temporal que recresce" (Aluísio Azevedo, *Casa de pensão.*)] 2 Aumentar de intensidade [*int.*: *A tempestade recresceu e todos tiveram que correr.*] 3 Surgir, sobrevir, ocorrer. [*int.*: *Os incidentes inesperados recresceram.*] 4 Sobrar, sobejar [*tr.* + *para*: *Os lucros voltaram a recrescer para a empresa.*] [▶ 33 recrescer] [F.: Do v.lat. *recrescere.*]

recria (re.*cri*.a) *sf.* 1 Ação ou resultado de recriar 2 Período compreendido entre o desmame de um animal e sua utilização no trabalho [F.: Dev. de *recriar.* Hom./Par.: *recria* (sf.), *recria* (fl. de *recriar*); *recrias* (pl.), *recrias* (fl. do v.).]

recriação (re.cri:a.*ção*) *sf.* 1 Ação ou resultado de recriar, criar de novo 2 Ação ou resultado de criar em nova dimensão (estética, artística) uma dada realidade: *O neorrealismo é uma adorável recriação da vida social no sul da Itália.* [Pl.: *-ções.*] [F.: *recriar* + *-ção.* Hom./Par.: *recreação* (sf.), *recriação* (sf.).]

recriado (re.cri.*a*.do) *a.* Que se recriou, que foi submetido a um processo de recriação [F.: Part. de *recriar.*]

recriador (re.cri:a.*dor*) [ô] *a.* 1 Diz-se de quem recria *sm.* 2 Aquele que recria [F.: *recriar* + *-dor.*]

recriar (re.cri.*ar*) *v. td.* 1 Criar outra vez: *Vivia para recriar o passado.* 2 Dar uma nova versão ou fazer uma releitura, uma nova apresentação ou um novo arranjo de (algo já existente [obra, peça, música, ambiente etc.]): *Recriar um espetáculo.* [▶ 1 recriar] [F.: *re-* + *criar.* Hom./Par.: *recria* (fl.), *recria* (sf.); *recrias* (fl.), *recrias* (pl. do sf.); *recriar* (v.), *recrear* (várias fl. do v.).]

recriminação (re.cri.mi.na.*ção*) *sf.* 1 Ação ou resultado de recriminar 2 Censura, crítica severa 3 *Jur.* Acusação da prática de crime 4 *Jur.* Acusação feita contra o acusador [Pl.: *-ções.*] [F.: *recriminar* + *-ção.*]

recriminador (re.cri.mi.na.*dor*) [ô] *a.* 1 Que recrimina; ACUSADOR *sm.* 2 Aquele que recrimina; ACUSADOR [F.: *recriminar* + *-dor.*]

recriminar (re.cri.mi.*nar*) *v. td.* 1 *Jur.* Retrucar com acusação a acusação recebida 2 *Jur.* O mesmo que *reconvir* 3 Fazer recriminações, fortes críticas a; censurar: *Não parava de recriminar o filho.* [▶ 1 recriminar] [F.: *re-* + *criminar.* Hom./Par.: *recrimináveis* (fl.), *recrimináveis* (pl. de *recriminável* [a2g.]).]

recriminativo (re.cri.mi.na.*ti*.vo) *a.* Que recrimina; que revela recriminação (conversa recriminativa) [F.: *recriminar* + *-tivo.*]

recriminatório (re.cri.mi.na.*tó*.ri:o) *a.* Que recrimina; RECRIMINADOR; RECRIMINATIVO [F.: *recriminar* + *-tório.*]

recriminável (re.cri.mi.*ná*.vel) *a2g.* Que pode ser recriminado [Pl.: *-veis.*] [F.: *recriminar* + *-vel.* Hom./Par.: *recrimináveis* (pl.), *recrimináveis* (fl. de *recriminar*).]

recristalização (re.cris.ta.li.za.*ção*) *sf.* 1 *Geol.* Processo de formação de novos minerais cristalinos, por metamorfismo, em uma rocha 2 *Metal.* Formação de novos cristais em produto oriundo da metalurgia 3 *Quím.* Processo que purifica uma substância por meio de cristalizações repetidas [Pl.: *-ções.*] [F.: *recristalizar* + *-ção.*]

recristalizar (re.cris.ta.li.*zar*) *v.* Voltar a cristalizar(-se) [*td.*] [*int.*] [▶ 1 recristalizar] [F.: *re-* + *cristalizar.*]

recrudescência (re.cru.des.*cên*.ci:a) *sf.* 1 Caráter ou condição de recrudescente 2 O mesmo que *recrudescimento* 3 *Med.* Retorno, com maior intensidade, dos sintomas de uma doença, dos efeitos de uma epidemia etc. [F.: *recrudescer* + *-ência.*]

recrudescente (re.cru.des.*cen*.te) *a2g.* Que recrudesce, que se intensifica [F.: *recrudescer* + *-nte.*]

recrudescer (re.cru.des.*cer*) *v. int.* 1 Tornar-se mais intenso, exacerbado ou grave: *À noite o temporal recrudesceu.* 2 Retornar com sintomas mais fortes (doença): *Uma antiga moléstia dos rins recrudesceu.* [▶ 33 recrudescer] [F.: Do v.lat. *recrudescere.*]

recrudescimento (re.cru.des.ci.*men*.to) *sf.* Ação ou resultado de recrudescer; RECRUDESCÊNCIA; INTENSIFICAÇÃO; AUMENTO; AGRAVAMENTO [F.: *recrudescer* + *-imento.*]

recruta (re.*cru*.ta) *s2g.* 1 Jovem que acaba de assentar praça e se acha no início da instrução militar 2 *P. ext.* Pessoa inexperiente, em começo de carreira *sf.* 3 Grupo de soldados formado para aumentar o corpo de uma tropa 4 Instrução ou exercício militar preparatório para tais grupos [F.: Dev. de *recrutar.*]

recrutado (re.cru.*ta*.do) *a.* 1 Que foi chamado para o serviço militar 2 Que foi convocado, escalado: *Novos jogadores foram recrutados para o time.* [F.: Part. de *recrutar.*]

recrutador (re.cru.ta.*dor*) [ô] *a.* 1 Que recruta, convoca, atrai *sm.* 2 Aquele que recruta, convoca, atrai 3 *RS* Peão que arrebanha animais perdidos [F.: *recrutar* + *-dor.*]

recrutamento (re.cru.ta.*men*.to) *sm.* 1 Ação ou resultado de recrutar 2 *Mil.* Convocação dos cidadãos que atingem a idade legal para prestar o serviço militar; ALISTAMENTO [F.: *recrutar* + *-mento.*]

recrutar (re.cru.*tar*) *v. td.* 1 Convocar (pessoas) para determinada finalidade: *Recrutou os veteranos para um jogo de futebol.* 2 Chamar para prestar serviço militar 3 Atrair (pessoas) para um partido, causa etc.: *O clube recrutou novos sócios.* 4 *RS Fig.* Reunir (gado que se dispersou) [▶ 1 recrutar] [F.: Do fr. *recruter.* Hom./Par.: *recruta* (fl.), *recruta* (sf. e s2g.); *recrutas* (fl.), *recrutas* (pl. do sf. e s2g.).]

recruzado (re.cru.*za*.do) *a.* Que foi cruzado de novo [F.: Part. de *recruzar.*]

recruzar (re.cru.*zar*) *v.* 1 Cruzar mais uma vez ou várias vezes [*td.*] 2 Entrecruzar-se [*int.*: *Aviões recruzavam entre as nuvens.*] [▶ 1 recruzar] [F.: *re-* + *cruzar.*]

récua (*ré*.cu:a) *sf.* 1 Grupo de animais de carga, ger. asininos, que caminham amarrados uns aos outros 2 A carga que elas transportam 3 Manada de cavalgaduras 4 *Fig. Pej.* Bando de indivíduos desprezíveis, bandidos; CORJA; SÚCIA; CATERVA [F.: Posv. do ár. *rékba.*]

recuada (re.cu.*a*.da) *sf.* Ação ou resultado de recuar; RECUO; RECUAMENTO; RECUA [F.: Fem. subst. de *recuado.*]

recuado (re.cu.*a*.do) *a.* 1 Que recuou 2 Que se mantém isolado, longe dos outros 3 Que fica mais atrás, aquém do alinhamento: *A loja fica naquele prédio recuado.* 4 *Fut.* Na parte posterior do campo, em posição defensiva, na retranca: *O time jogou recuado.* 5 Afastado no tempo, antigo (época recuada) [F.: Part. de *recuar.*]

recuar (re.cu.*ar*) *v.* 1 Fazer retroceder ou retroceder [*td.*: *Recuar as tropas.*] [*int.*: *A investigação não recuará.*] 2 Desistir (de propósito ou intento); RENUNCIAR [*tr.* + *de*: "... mas não recuava de seus propósitos..." (Machado de Assis, *Dom Casmurro*)] [*int.*: *Recuou antes que fosse tarde.*] 3 Pôr aquém da posição anterior [*td.*: *Recuar fronteiras/uma cerca/um limite.*] 4 Retornar, voltar (no tempo ou em relação a ponto de vista anterior) [*ta.*: *Adorava recuar ao passado.*] 5 Renunciar, abdicar [*tr.* + *de*: *Nada o fazia recuar de suas convicções políticas.*] 6 Arrefecer, diminuir [*int.*: *Graças a Deus a febre do menino recuou!*] 7 Desistir de um projeto [*int.*: *Ia estudar filosofia, mas recuou.*] 8 Ficar em atraso ou retroceder [*int.*: *Quem consegue chegar até aqui não recua.*] 9 Ceder espaço a (adversário) [*int.*: *Foi atacado pelo rival, mas não recuou.*] 10 Fazer movimentar-se para trás [*td.*: *Embora ordenassem, não recuou o automóvel.*] [▶ 1 recuar] [F.: De *re-* + *cu* + *-ar*², ou do v.lat. **reculare.* Hom./Par.: *recua* (fl.), *recua* (sf.), *récua* (sf.); *recuas* (fl.), *recuas* (pl. do sf.), *récuas* (pl. do sf.); *recuo* (fl.), *recuo* (sm.).]

recuo (re.*cu*.o) *sm.* 1 Ação ou resultado de recuar; RECUADA; RETROCESSO 2 Espaço aquém de um alinhamento: *Deixou a bicicleta no recuo da pracinha.* 3 *Urb.* Distância mínima obrigatória que as fachadas têm de ter em relação à parte da frente do terreno 4 *Mil.* Movimento de retrocesso do cano dos canhões e obuses convencionais, depois de fazer fogo: *O blindado foi destruído por um canhão sem recuo.* [Ant.: *avanço.*] [F.: Dev. de *recuar.*]

recuperação (re.cu.pe.ra.*ção*) *sf.* 1 Ação ou resultado de recuperar(-se) 2 *Bras.* Período em que estudante reprovado se prepara para uma segunda prestação de provas: *Ficou em recuperação em duas matérias.* 3 Fase de restabelecimento da saúde física ou mental 4 *Jur.* Reintegração de posse, a quem de direito, de algo que lhe havia sido retirado [Pl.: *-ções.*] [F.: Do lat. *recuperatio, onis.*]

recuperado (re.cu.pe.*ra*.do) *a.* 1 Que se recuperou 2 Que foi encontrado ou devolvido 3 Que se restabeleceu de uma enfermidade 4 Que superou um vício 5 Que superou um trauma 6 Que conseguiu retomar ou reorganizar sua vida, dentro da legalidade [F.: Do lat. *recuperatus, a, um.*]

recuperador (re.cu.pe.ra.*dor*) [ô] *a.* 1 Que recupera *sm.* 2 Aquele que recupera [F.: Do lat. *recuperator, oris.*]

recuperar (re.cu.pe.*rar*) *v.* 1 Ter ou possuir novamente (o que se tinha perdido); REAVER [*td.*: *Recuperou o anel que se extraviara.*] 2 Recobrar (saúde, ânimo etc.) ou restabelecer(-se) de (doença) [*td.*: *O lutador recuperou a coragem.*] [*tdr.* + *de*: *Recuperou-se da gripe rapidamente.*] 3 Reintegrar(-se) à vida social, à sociedade, de maneira positiva, depois de período de afastamento, ger. forçado (para tratamento de dependência química, para cumprimento de pena etc.); reabilitar(-se) [*td.*: *O médico recuperou o cocainômano; O delinquente conseguiu recuperar-se.*] 4 Restaurar, reparar, consertar [*td.*: *O mecânico conseguiu recuperar o motor do carro.*] 5 *Inf.* Fornecer (informação requisitada) depois de localizá-la em dispositivo de memória [*td.*] 6 *Jur.* Readquirir a posse de coisa perdida ou roubada [▶ 1 recuperar] [F.: Do v.lat. *recuperare*, por via erudita. Hom./Par.: *recuperáveis* (fl.), *recuperáveis* (pl. de *recuperável* [a2g.]).]

recuperativo (re.cu.pe.ra.*ti*.vo) *a.* Que tem a virtude ou a força de recuperar; RECUPERATÓRIO [F.: Do lat. *recuperativus, a, um.*]

recuperável (re.cu.pe.*rá*.vel) *a2g.* Que se pode recuperar; RECOBRÁVEL [Ant.: *irrecuperável.*] [Pl.: *-veis.*] [F.: *recuperar* + *-vel.* Hom./Par.: *recuperáveis* (pl.), *recuperáveis* (fl. de *recuperar*).]

recursal (re.cur.*sal*) *a2g. Bras. Jur.* Ref. ou inerente a recurso [Pl.: *-sais.*] [F.: *recurso* + *-al*¹. Hom./Par.: *recursais* (pl.), *recursais* (fl. de *recursar*).]

recursão (re.cur.*são*) *sf. Art. gr.* Ação ou resultado de recorrer, reajustar (colunas, páginas, linhas) [Pl.: *-sões.*] [F.: *recurso* + *-ão*³.]

recurso (re.*cur*.so) *sm.* 1 Ação ou resultado de recorrer 2 Meio para resolver uma dificuldade ou um problema: *Como último recurso, procurou a estrela-d'alva.* 3 Expediente, meio: *Apelou para os recursos disponíveis.* 4 *Jur.* Meio pelo qual se solicita a revisão de uma sentença desfavorável: *Entrou com recurso no Supremo Tribunal Federal.* [F.: Do lat. *recursus, us.*] ■ **~s humanos** Força de trabalho, conjunto de pessoas que trabalham numa firma ou empresa **~s naturais** Materiais ou substâncias úteis ao homem, ou que são fonte de riqueza ao serem exploradas, em seu estado natural (jazidas minerais, florestas etc.)

recursos (re.*cur*.sos) *smpl.* Meios pecuniários, posses, dinheiro: *A família tem recursos para viver bem.* [F.: Pl. de *recurso.*]

recurvado (re.cur.*va*.do) *a.* 1 Que se recurvou; RECURVO; CURVO 2 Inclinado para o chão (andar recurvado) [Ant.: *reto, ereto.*] [F.: Part. de *recurvar.*]

recurvar (re.cur.*var*) *v. td.* Tornar(-se) curvo ou muito curvo; dobrar(-se); CURVAR; ENCURVAR: *Recurvou uma vareta; Recurvou-se para passar sob a cerca.* [▶ 1 recurvar] [F.: Do v.lat. *recurvare.* Hom./Par.: *recurva* (fl.), *recurva* (sf.); *recurvas* (fl.), *recurvas* (pl. do sf.); *recurvo* (fl.), *recurvo* (a.).]

recurvo (re.*cur*.vo) *a.* 1 O mesmo que *recurvado* (1) 2 Dobrado, inclinado, torcido [F.: Dev. de *recurvar.*]

recusa (re.*cu*.sa) *sf.* 1 Ação ou resultado de recusar; NEGATIVA; REJEIÇÃO 2 Resposta negativa; NEGA 3 *Psic.* Mecanismo de defesa pelo qual a pessoa se nega a reconhecer a realidade de uma percepção traumática [Ant.: *aprovação, aceitação.*] [F.: Dev. de *recusar.*]

recusado (re.cu.*sa*.do) *a.* 1 Que se recusou; REJEITADO; REPELIDO [Ant.: *aceito.*] 2 Que não se concedeu; NEGADO [F.: Do lat. *recusatus, a, um.*]

recusar (re.cu.*sar*) *v.* 1 Não aceitar; REJEITAR [*td.*: *Recusou o dinheiro oferecido.*] 2 Não atender, não conceder; NEGAR [*td.*: *Recusar um empréstimo/um pedido.*] [*tdi.* + *a*: *Não recuso a ele o perdão.*] 3 Não admitir, não aceitar; REFUTAR [*td.*: *Recusou de imediato aquela argumentação.*] 4 Não obedecer [*td.*: *Todos recusaram a ordem.*] 5 Negar-se a; não aceitar fazer ou não fazer o que lhe é ordenado [*tr.*: *Os soldados recusaram-se a atirar contra a população revoltada*: "...recusara-se a beijar a mão da princesa..." (Raul Pompeia, *O ateneu*)] 6 *Jur.* Não aceitar, questionar ou fazer objeção a competência de (jurado, juiz, tribunal etc.) 7 *Jur.* Declarar-se incompetente ou sob suspeição [*td.*] [▶ 1 recusar] [F.: Do v.lat. *recusare.* Hom./Par.: *recusa* (fl.), *recusa* (sf.); *recusas* (fl.), *recusas* (pl. do sf.); *recusáveis* (fl.), *recusáveis* (pl. de *recusável* [a2g.]).]

recusável (re.cu.*sá*.vel) *a2g.* Que se pode recusar; REJEITÁVEL [Ant.: *aceitável.*] [Pl.: *-veis.*] [F.: Do lat. *recusabilis, e.* Hom./Par.: *recusáveis* (pl.), *recusáveis* (fl. de *recusar*).]

redação (re.da.*ção*) *sf.* 1 Ação ou resultado de redigir: *Era o responsável pela redação final do projeto.* 2 Modo de redigir (redação clara) 3 Expressão de pensamentos, ideias etc. por meio da palavra escrita 4 Exercício escolar de escrita: *Tirou boa nota na redação.* 5 Conjunto dos redatores de um jornal, revista, agência de publicidade, obra de referência etc.: *A redação esclarece que o presente artigo representa a opinião apenas de seu autor.* 6 Local em que trabalham esses redatores: *Houve um acidente na redação do jornal.* [Pl.: *-ções.*] [F.: Do lat. *redactio, onis.*]

redacional (re.da.ci:o.*nal*) *a2g.* Que diz respeito a redação [Pl.: *-nais.*] [F.: *redação* (sob a f. *redacion* -) + *-al*¹, seg. o mod. erudito.]

redar¹ (re.*dar*) *v. int.* Lançar a rede [▶ 1 redar] [F.: *rede* + *-ar*².]

redar² (re.*dar*) *v.* Dar de novo; dar mais uma vez [*td. tdi.*] [▶ 8 redar] [F.: *re-* + *dar.*]

redar³ (re.*dar*) *v. td.* O mesmo que *arrendar*³ [▶ 1 redar] [F.: Var. de *redrar.*]

redarguente (re.dar.*guen*.te) *a2g.* 1 Que redargue *s2g.* 2 Aquele ou aquela que redargue [F.: *redarguir* + *-ente.* Sin. ger.: *redarguidor.*]

redarguição (re.dar.gui.*ção*) *sf.* 1 Ação ou resultado de redarguir 2 Réplica que se dá a uma interpelação 3 *Jur.* Acusação que se faz em resposta a outra acusação 4 *Jur.* Ação de contestar uma prova considerada viciosa [Pl.: *-ções.*] [F.: *redarguir* + *-ção.*]

redarguidor (re.dar.gui.*dor*) [ô] *a.* 1 Que redargue *sm.* 2 Aquele que redargue [F.: *redarguir* + *-dor.* Sin. ger.: *redarguente.*]

redarguir (re.dar.*guir*) *v.* 1 Responder, replicar argumentando [*td.*: *Ao seu convite, redargui que estava para viajar.*] [*tr.* + *a*: *Redarguir a uma acusação.*] [*tdi.* + *a*: *Redarguiu a ele que não aceitava tais provocações.*] 2 *Jur.* Apresentar réplica a; REPLICAR [*td.*] [▶ 48 redarguir] [F.: Do v.lat. *redarguere.*]

redário¹ (re.*dá*.ri:o) *sm.* Condutor, cocheiro de reda (espécie de carroça antiga) [F.: Do lat. *rhedarius, a, um.*]

redário² (re.*dá*.ri:o) *sm.* *CE* Recinto onde se armam muitas redes, ou que a isso se destina [F.: *rede* + *-ário.*]

redatação (re.da.ta.*ção*) *sf.* Ação de marcar nova data [Pl.: *-ções.*] [F.: *redatar* + *-ção.*]

redatar (re.da.*tar*) *v. td.* Marcar ou determinar nova data para [▶ 1 redatar] [F.: *re-* + *datar.*]

redatilografado (re.da.ti.lo.gra.*fa*.do) *a.* Que foi datilografado outra vez [F.: Part. de *redatilografar.*]

redatilografar (re.da.ti.lo.gra.*far*) *v. td.* Tornar a datilografar [▶ 1 redatilografar] [F.: *re-* + *datilografar.*]

redator (re.da.*tor*) [ô] *sm.* Profissional que escreve para jornal, revista, agência de publicidade, obra de referência etc. [F.: Do lat. *redactum*, sup. de *redigere* (> *redigir*), + *-or.*]

redatoreco (re.da.to.*re*.co) *sm. Pej.* Redator de má qualidade [F.: *redator* + *-eco*¹.]

rede (*re*.de) [ê] *sf.* 1 *Têxt.* Tecido de malha larga e diversas finalidades, obtido com o entrelaçamento de fios, cordas que formam retângulos, losangos e outras figuras de tamanhos variáveis 2 Utensílio desse tipo us. na pesca e em certas modalidades de caça **3** *P. ext.* Ardil, armadilha, estratagema: *Armou a rede para apanhar o ladrão.* **4** Equipamento semelhante, e de material mais resistente, utilizado em circos ou por bombeiros para aparar corpos que caem ou saltam de grande altura **5** Equipamento indispensável em muitos esportes, para dividir o campo ou envolver o objetivo, como no futebol, no vôlei, basquete, hóquei, pingue-pongue **6** Tecido desse feitio, mas de fios e malhas finas, para cobrir e prender os cabelos **7** *Bras.* Espécie de leito, feito de tecido resistente, ger. algodão ou fibra, suspenso em ganchos fixados nas paredes ou amarrado em troncos, postes etc., no qual uma pessoa pode dormir, balançar-se etc. **8** *P. ext.* Qualquer conjunto de objetos reticulados ou pontos interligados **9** *Fig.* Conjunto dos meios de comunicação (rede de comunicação) **10** Grupo de emissoras afiliadas de rádio ou televisão que transmitem a mesma programação ou parte da mesma programação (rede de rádio e televisão); CADEIA **11** Conjunto das vias e meios de transporte ferroviário, rodoviário, aquático, aéreo (rede ferroviária, rede aérea, rede de transportes) **12** Conjunto de indivíduos, estabelecimentos, agências, casas, filiais etc. que prestam determinados serviços (rede bancária, rede elétrica, rede de esgotos, rede de supermercados, rede de fiscalização) **13** *Anat.* Denominação genérica para o entrelaçamento de formações, como veias, artérias (rede capilar) **14** *Inf.* Conjunto de dois ou mais computadores interligados **15** *Inf.* Conjunto de computadores interligados em nível mundial; INTERNET **16** *Lus.* Peneira **17** *Lus.* Tela protetora contra insetos [Dim.: *retícula, retículo.*] [F.: Do lat. *rete, is.*] ■ **~ cliente-servidor** *Inf.* Rede de computadores clientes capazes de processar programas e arquivos, na qual um ou mais computadores (servidores) armazenam programas e arquivos utilizados pelos clientes **~ de abastecimento** *Arq. Cons. Urb.* A malha de canalizações que distribui água potável numa região, cidade, edifício etc. **~ de arrasto 1** Rede de pesca própria para ser arrastada pelo fundo de mar, rio, lago etc., recolhendo peixes, crustáceos, frutos do mar etc. **2** *N. E. Fig.* Qualquer coisa que provoca devastação **3** *N. E.* Pessoa que não se detém em sua cobiça ou ambição **4** *N. E.* Pessoa namoradeira **~ de difração** *Ópt.* Sistema óptico constituído de uma placa de material óptico ou de metal cuja superfície apresenta uma série de ranhuras paralelas e muito próximas entre si, que pode refratar, seguidamente, uma radiação eletromagnética que incida sobre ele **~ de distribuição** *Arq. Urb.* A malha de dutos e condutores que distribuem energia elétrica numa região, cidade, edifício etc. **~ de quatro chinelos** *CE* Rede (7) com largura suficiente para que nela durma um casal **~ de telecomunicações** *Telc.* Malha de linhas de comunicação interligadas em pontos que dispõem de equipamentos capazes de fazer circular informações por todos os pontos por ela servidos **~ elétrica** *Elet.* Malha de ligações elétricas que transmite eletricidade de uma fonte geradora aos pontos de consumo por ela servidos [Tb. apenas *rede.*] **~ local** *Inf.* Rede de computadores que abrange uma área limitada **~ remota** *Inf.* Rede de computadores que abrange extensa área, interligados por sistemas de telecomunicações a longa distância **~ social** Termo que designa uma rede de comunicação através da qual se comunica agrupamento de pessoas ger. para trocar ideias, opiniões, informações sobre temas de interesse comum, com maior ou menor envolvimento em questões de interesse social, político, cultural etc. Aplica-se principalmente para grupos que se comunicam pela internet, através dos chamados *sites* e programas de relacionamento **Cair na ~** *Fig.* Ser apanhado ou deixar-se apanhar em situação complicada, armadilha etc. **Da ~ rasgada 1** *Bras. Pop.* De vida desregrada **2** *N. E. Pop.* Atrevido, desbocado

rédea (*ré*.de:a) *sf.* **1** Correia presa ao freio e com que se conduz a montaria ou o animal de tração; BRIDA **2** *Fig.* Governo, comando, direção: *Ele tomou as rédeas da companhia.* [F.: Do lat. *retina, ae.*] ■ **Afrouxar a(s) ~(s) (a)** Dar a (alguém, animal) ou usufruir de liberdade de movimentos, de ação, de decisão; não controlar ou conter; deixar à vontade **À ~ solta** Sem controle, livre **Bancar na ~** *RS* Puxar a rédea de repente para fazer a cavalgadura parar **Com a ~ na mão** *Fig.* Com prudência, com atenção, com cautela **Dar de ~** *RS* Fazer a montaria voltar-se para a direção contrária àquela que está, girando sobre as patas traseiras [Tb. apenas *bancar.*] **Dar ~(s) a** Ver *Afrouxar a rédea a* **Dar ~(s) larga(s) a** Ver *Afrouxar a rédea a* **Soltar a(s) ~(s)** Ver *Afrouxar a rédea.* **Tomar a(s) ~(s)** *Fig.* Tomar ou assumir o controle ou a responsabilidade sobre algo, a direção ou o governo; exercer poder de mando

redebater (re.de.ba.*ter*) *v. td.* Debater mais uma vez; voltar a debater: *Resolveram redebater o assunto.* [▶ **2** redebater] [F.: *re-* + *debater.*]

redecoração (re.de.co.ra.*ção*) *sf. Mob.* Ação de efetuar nova decoração [Pl.: *-ções.*] [F.: *redecorar* + *-ção.*]

redecorado (re.de.co.*ra*.do) *a.* Que passou por processo de redecoração (quarto redecorado) [F.: Part. de *redecorar.*]

redecorar (re.de.co.*rar*) *v. td.* Decorar novamente; dar nova decoração a: *Redecorar a casa.* [▶ **1** redecorar] [F.: *re-* + *decorar*[2].]

redefinição (re.de.fi.ni.*ção*) *sf.* Ação ou resultado de redefinir, tornar a definir [Pl.: *-ções.*] [F.: *redefinir* + *-ção.*]

redefinido (re.de.fi.*ni*.do) *a.* Que se definiu novamente [F.: Part. de *redefinir.*]

redefinir (re.de.fi.*nir*) *v. td.* Definir novamente ou dar nova definição: *redefinir uma área; Precisava redefinir os rumos de sua vida; redefinir as bases de um contrato.* [▶ **3** redefinir] [F.: *re-* + *definir.*]

redemocratização (re.de.mo.cra.ti.za.*ção*) *sf.* Ação ou resultado de redemocratizar(-se) [Pl.: *-ções.*] [F.: *redemocratizar* + *-ção.*]

redemocratizado (re.de.mo.cra.ti.*za*.do) *a.* Que passou por processo de redemocratização [F.: Part. de *redemocratizar.*]

redemocratizante (re.de.mo.cra.ti.*zan*.te) *a2g.* Que redemocratiza; que se revela essencial em um processo de redemocratização; REDEMOCRATIZADOR [F.: *redemocratizar* + *-nte.*]

redemocratizar (re.de.mo.cra.ti.*zar*) *v.* Democratizar(-se) novamente [*td.*: *Precisavam redemocratizar o país.*] [*int.*: *O país redemocratizou-se após a ditadura.*] [▶ **1** redemocratizar] [F.: *re-* + *democratizar.*]

redemoinhar (re.de.mo:i.*nhar*) *v.* O mesmo que *remoinhar* [*int. td.*: *As águas redemoinhando causavam pânico.*] [▶ **1** redemoinhar] [F.: *redemoinho* + *-ar*[2]. Hom./Par.: *redemoinho* (fl.), *redemoinho* (sm.).]

redemoinho (re.de.mo.*i*.nho) *sm.* **1** Ação ou resultado de redemoinhar, de adquirir movimento rotativo em espiral, esp. de água ou vento **2** Movimento de rotação ou em espiral; REMOINHO; RODAMOINHO; TURBILHÃO; VÓRTICE **3** Movimento giratório de uma rajada de vento, ger. ocasionado pela mudança súbita de direção **4** Mecha de cabelos, ger. situada na parte superior da cabeça, em que os pelos crescem na direção contrário à dos demais pelos circundantes, formando uma espiral que se destaca de modo bem evidente: *Pedi que não me cortasse muito os cabelos, pois tenho redemoinho.* [F.: De *remoinho*, com infl. de *'roda'*, formando *rodomoinho, redemoinho.*]

redemunho (re.de.*mu*.nho) *sm. Lus. Ant.* O mesmo que *remoinho*: "E, da noite para o dia,... a vida demudada por completo – assim como um redemunho formado de repentino para arrasar tudo..." (Mário Palmério, *Chapadão do bugre*) [F.: Var. de *redemoinho.*]

redenção (re.den.*ção*) *sf.* **1** Ação ou resultado de redimir(-se), remir(-se), salvar(-se); SALVAÇÃO: *A moratória foi a redenção de suas finanças.* **2** Salvação moral, religiosa ou psicológica de alguém **3** *Rel.* No Cristianismo, o fato de Cristo, por sua Encarnação, ter redimido a humanidade do pecado, reconciliando-a com Deus, de quem ela se afastara livremente [Pl.: *-ções.*] [F.: Do lat. *redemptio, onis.*]

redenominação (re.de.no.mi.na.*ção*) *sf.* Ação ou resultado de redenominar; nova denominação [Pl.: *-ções.*] [F.: *redenominar* + *-ção.*]

redenominar (re.de.no.mi.*nar*) *v. td.* Denominar novamente; dar nova denominação a [▶ **1** redenominar]

redentor (re.den.*tor*) [ô] *a.* **1** Que redime, que pode remir, salvar (Encarnação redentora); SALVADOR **2** *Rel.* No cristianismo, diz-se daquele que redimiu a humanidade (Cristo Redentor) [Com inicial maiúsc., nesta acp.] *sm.* **3** Aquele que redime, que pode remir, salvar; SALVADOR **4** *Rel.* No cristianismo, Aquele que redimiu a humanidade: *Devemos ter fé em nosso Redentor e Salvador, dizem os cristãos.* [Com maiúsc., nesta acp.] [F.: Do lat. *redemptor, oris.*]

redentora (re.den.*to*.ra) [ô] *sf.* **1** Mulher que liberta, que promove a libertação **2** A princesa Isabel, do Brasil (1846-1921) [Com inicial maiúsc.] **3** *Bras. Joc.* Alcunha jocosa dada ao golpe militar de 1964 [F.: Fem. substv. de *redentor.*] ■ **A ~ 1** *Bras. Hist.* Antonomásia da Princesa Isabel, do Brasil, que assinou a Lei Áurea (de libertação dos escravos) em 1888 [Com inicial maiúsc.] **2** *Irôn.* Designação dada ao movimento político-militar que derrubou o governo e assumiu o poder no Brasil em 1964

redentorista (re.den.to.*ris*.ta) *a2g.* **1** *Rel.* Diz-se de membro da ordem da Congregação do Santíssimo Redentor, fundada por santo Afonso de Ligório em 1732, em Scala, reino de Nápoles *s2g.* **2** *Rel.* Esse membro religioso [F.: *redentor* + *-ista.*]

redescoberta (re.des.co.*ber*.ta) *sf.* Ação ou resultado de redescobrir, de descobrir mais uma vez; REDESCOBRIMENTO [F.: Fem. substv. de *redescoberto.*]

redescoberto (re.des.co.*ber*.to) *a.* Que se redescobriu, se descobriu novamente; REENCONTRADO [F.: Part. de *redescobrir.*]

redescobrimento (re.des.co.bri.*men*.to) *sm.* Ação ou resultado de redescobrir, descobrir de novo; REENCONTRO; REDESCOBERTA [F.: *redescobrir* + *-mento.*]

redescobrir (re.des.co.*brir*) *v. td.* Tornar a descobrir ou a encontrar: "Quem me chamou, / Quem vai querer voltar pro ninho, / Redescobrir seu lugar." (Guilherme Arantes, *Brincar de viver*) [▶ **51** redescobrir] [F.: *re-* + *descobrir.*]

redescontar (re.des.con.*tar*) *v. td.* Efetuar (operação de redesconto): *redescontar um título.* [▶ **1** redescontar] [F.: *re-* + *descontar*. Hom./Par.: *redesconto* (fl.), *redesconto* (sm.); *redescontáveis* (fl.), *redescontáveis* (pl. *redescontável* [a2g.]); *redescontária* (fl.), *redescontária* (f. *redescontário* [a. sm.]); *redescontarias* (fl.), *redescontárias* (pl. do fem.).]

redesconto (re.des.*con*.to) *sm. Com.* Operação em que um banco negocia com outro, esp. o Banco Central, qualquer título de crédito obtido de terceiro, para aumentar sua liquidez [F.: *re-* + *desconto.*]

redescrição (re.des.cri.*ção*) *sf.* Ação de descrever novamente [Pl.: *-ções.*] [F.: *re-* + *descrição.*]

redesenhado (re.de.se.*nha*.do) *a.* **1** Que foi novamente desenhado **2** Diz-se de produto já existente, que recebeu inovações ou foi bastante modificado [F.: Part. de *redesenhar.*]

redesenhar (re.de.se.*nhar*) *v. td.* Fazer novamente o desenho: *Como a capa não ficou boa, resolveram redesenhá-la.* [▶ **1** redesenhar] [F.: *re-* + *desenhar.*]

redesenho (re.de.*se*.nho) *sm.* Desenho que foi reelaborado ou refeito [F.: *re-* + *desenho.*]

redesenvolvimento (re.de.sen.vol.vi.*men*.to) *sm.* Retomada do desenvolvimento [F.: *re-* + *desenvolvimento.*]

redespertar (re.des.per.*tar*) *v. td. ti. int.* Despertar novamente [▶ **1** redespertar] [F.: *re-* + *despertar.*]

redestinação (rer.des.ti.na.*ção*) *sf.* Ação de dar nova destinação [Pl.: *-ções.*] [F.: *redestinar* + *-ção.*]

redestinar (re.des.ti.*nar*) *v. td.* Tornar a destinar, dar nova destinação a [▶ **1** redestinar] [F.: *re-* + *destinar.*]

redibitório (re.di.bi.*tó*.ri:o) *Jur. a.* **1** Que diz respeito a redibição **2** Diz-se de ação que pode anular uma venda (ação redibitória) [F.: Do lat. *redhibitor, oris.*]

redigido (re.di.*gi*.do) *a.* Que se redigiu; ESCRITO [F.: Part. de *redigir.*]

redigir (re.di.*gir*) *v.* Exprimir-se por escrito ou exercer o ofício de redator; ESCREVER [*td.*: *Redigir um artigo/ uma carta.*] [*tr.* + *para*: *Redige para dois jornais.*] [*tdr.* + *para*: *Redigir uma matéria para uma revista.*] [*int.*: *Ela redige bem.*] [▶ **46** redigir] [F.: Do v.lat. *redigere.*]

redigitação (re.di.gi.ta.*ção*) *sf.* Ação ou resultado de redigitar, de digitar novamente [Pl.: *-ções.*] [F.: *redigitar* + *-ção.*]

redigitar (re.di.gi.*tar*) *v. td.* Digitar novamente [▶ **1** redigitar] [F.: *re-* + *digitar.*]

redignificação (re.dig.ni.fi.ca.*ção*) *sf.* Ação de voltar a dignificar, a conceder dignificação mais uma vez [Pl.: *-ções.*] [F.: *redignificar* + *-ção.*]

redil (re.*dil*) *sm.* **1** Curral para gado ovino ou caprino; APRISCO **2** Rebanho de ovelhas **3** *Fig. Rel.* Congregação de cristãos; REBANHO [Pl.: *-dis.*] [F.: *rede* + *-il.*]

redimensionado (re.di.men.si:o.*na*.do) *a.* Que passou a ter nova dimensão, nova perspectiva (problema redimensionado) [F.: Part. de *redimensionar.*]

redimensionamento (re.di.men.si:o.na.*men*.to) *sm.* Ação ou resultado de redimensionar, dar novo dimensionamento, ou novas dimensões, a algo [F.: *redimensionar* + *-mento.*]

redimensionar (re.di.men.si.o.*nar*) *v. td.* Tornar a dimensionar ou mudar as dimensões de: *redimensionar um projeto gráfico.* [▶ **1** redimensionar] [F.: *re-* + *dimensionar.*]

redimido (re.di.*mi*.do) *a.* Que se redimiu [F.: Part. de *redimir.*]

redimir (re.di.*mir*) *v. td. tdr. tr.* O mesmo que *remir* [▶ **3** redimir] [F.: Do v.lat. *redimere*, por via erudita.]

redimível (re.di.*mí*.vel) *a2g.* Que se pode redimir, remir; REMÍVEL [Ant.: *irredimível, irremissível.*] [Pl.: *-veis.*] [F.: *redimir* + *-vel.*]

redingote (re.din.*go*.te) [ó] *sm.* **1** O mesmo que *sobrecasaca* **2** *Bras.* Casaco ou vestido comprido, ajustado na cintura e abotoado na frente [F.: Do fr. *redingote*, este do ing. *riding coat.*]

redinha (re.*di*.nha) *sf.* **1** Pequena rede **2** Malha feita de linha de cores diversas, us. para proteger, alisar ou enfeitar os cabelos [F.: *rede* + *-inha.*]

redirecionado (re.di.re.ci:o.*na*.do) *a.* Que se redirecionou, que recebeu nova direção: *O trânsito foi redirecionado por causa das obras de pavimentação.* [F.: Part. de *redirecionar.*]

redirecionamento (re.di.re.ci:o.na.*men*.to) *sm.* Ação ou resultado de redirecionar(-se), dar(-se) nova direção [F.: *redirecionar* + *-mento.*]

redirecionar (re.di.re.ci.o.*nar*) *v.* **1** Dar nova direção a [*td. tda.*: *Redirecionou o refletor (para a esquerda do palco).*] **2** *Inf.* Destinar (fluxos de dados) para outros usuários, sem alterar seu conteúdo [*td. ta.*] [▶ **1** redirecionar] [F.: *re-* + *direcionar.*]

rediscagem (re.dis.*ca*.gem) *sf.* Ação de rediscar (esp. o mesmo número de telefone); nova discagem [Pl.: *-gens.*] [F.: *rediscar* + *-agem*[2].]

rediscar (re.dis.*car*) *v.* Tornar a selecionar (dado número de telefone), seja ao girar o disco, seja ao pressionar o teclado do aparelho [*td.*] [▶ **11** rediscar] [F.: *re-* + *discar.*]

rediscussão (re.dis.cus.*são*) *sf.* Ação ou resultado de rediscutir, de tornar a discutir [Pl.: *-sões.*] [F.: *re-* + *discussão.*]

rediscutir (re.dis.cu.*tir*) *v. td.* Discutir outra vez: *Rediscutiram o projeto por recomendação do diretor.* [▶ **3** rediscutir] [F.: *re-* + *discutir.*]

redispor (re.dis.*por*) *v. tdr.* Conceder nova disposição a [+ *em*: *Redispôs o fichário em ordem alfabética.*] [▶ **60** redispor] [F.: *re-* + *dispor.*]

redistribuição (re.dis.tri.bu:i.*ção*) *sf.* **1** Ação ou resultado de redistribuir, repartir de novo ou de nova forma **2** *P. ext.* Ação ou resultado de repartir algo de modo mais justo (redistribuição de renda, redistribuição de benefícios, redistribuição de terras) [Pl.: *-ções.*] [F.: *redistribuir* + *-ção.*]

redistribuído (re.dis.tri.bu.*í*.do) *a.* Diz-se do que é objeto de redistribuição (dinheiro redistribuído) [F.: Part. de *redistribuir.*]

redistribuidor (re.dis.tri.bu.i.*dor*) [u-i...ô] *a.* **1** Que redistribuiu *sm.* **2** Aquele que é responsável pela redistribuição [F.: *redistribuir* + *-dor.*]

redistribuir (re.dis.tri.bu.*ir*) [u-i] *v.* **1** Tornar a distribuir ou modificar a distribuição de [*td.*: *A primeira coisa é redistribuir a renda nacional.*] [*tdr.* + *entre*: *Redistribuiu as tarefas entre os membros da casa.*] **2** Distribuir por áreas diversas [*td.*] [▶ **56** redistribuir] [F.: *re-* + *distribuir.*]

redistributivismo (re.dis.tri.bu.ti.*vis*.mo) *sm. Pol.* Tendência política que defende a ideia de redistribuir os bens e riquezas, de maneira a minorar o estado de pobreza dos grupos sociais menos favorecidos [F.: *redistributivo* + *-ismo.*]

redistributivista (re.dis.tri.bu.ti.*vis*.ta) *a2g.* 1 Diz-se de quem é adepto ou simpatizante do redistributivismo 2 Que diz respeito a redistributivismo (projeto de lei redistributivista) *s2g.* 3 Aquele ou aquela que é simpatizante ou partidário do redistributivismo [F.: *redistributivo* + *-ista.*]

redistributivo (re.dis.tri.bu.*ti*.vo) *a.* 1 Que redistribui 2 Ref. ou inerente a redistribuição 3 O mesmo que *redistributivista* (2) (políticas redistributivas) [F.: *redistribu(ir)* + *-tivo.*]

redividir (re.di.vi.*dir*) *v. td.* Dividir novamente ou fazer nova divisão: *Reconheceram um erro no cálculo e redividiram o dinheiro.* [▶ 3 redividir] [F.: *re-* + *dividir.*]

redivisão (re.di.vi.*são*) *sf.* Nova divisão: *Se a divisão foi injusta, faça-se uma redivisão.* [Pl.: *-sões.*] [F.: *re-* + *divisão.*]

redivivo (re.di.*vi*.vo) *a.* 1 Que voltou à vida (tb. Fig.) (entusiasmo redivivo); RESSUCITADO; RENOVADO 2 Que remoçou ou rejuvenesceu; REMOÇADO; REJUVENESCIDO 3 Que voltou a se manifestar ou que se renovou [F.: Do lat. *redivivus, a, um.*]

redizer (re.di.*zer*) *v.* 1 Tornar a dizer [*td.: Tentou inutilmente redizer o que ouvira.*] 2 Dizer repetidamente [*td.: Redisse várias vezes o nome, para gravá-lo.*] 3 Repetir (o que foi dito por outrem) [*td.: Redizia as palavras do guia.*] [*tdi.* + *a: Redizia à mulher o que ouvira na rua.*] 4 Recontar, narrar [*td.: Redizer uma história.*] [*tdi.* + *a: Redisse ao acrobata o que ouvira do palhaço.*] [▶ 20 redizer] [F.: Do v.lat. *redicere.*]

redobrado (re.do.*bra*.do) *a.* 1 Que se redobrou, se manifestou em dobro; REDUPLICADO 2 Que se intensificou bastante (esforço redobrado, atenção redobrada) [F.: Part. de *redobrar.*]

redobramento (re.do.bra.*men*.to) *sm.* 1 Ação ou resultado de redobrar, redobradura; REDOBRO 2 Aumento considerável: *Houve um redobramento de forças policiais.* [F.: *redobrar* + *-mento.*]

redobrar (re.do.*brar*) *v.* 1 Voltar a dobrar, dar nova(s) dobra(s) a [*td.: Redobrava os lenços, os lençóis.*] 2 Repetir, fazer de novo [*td.: Redobrou o empréstimo/ as providências que tomara.*] 3 Aumentar grandemente [*td.: Redobrar esforços.*] [*tr.* + *de*: "...assim que o viu, redobrou de aflição..." (Aluísio de Azevedo, *O cortiço*)] [*int.: Suas preocupações redobraram.*] 4 Fazer soar ou soar (sino) diversas vezes [*td.: O sacristão redobrou os sinos.*] [*int.: Os sinos redobravam.*] 5 Tornar a dobrar; quadruplicar [*td.: A companhia redobrou a conta.*] 6 Regorjear (o pássaro) [*int.*] [▶ 1 redobrar] [F.: *re-* + *dobrar.* Hom./Par.: *redobro* (fl.), *redobro* /ô/ (sm.); *redobre* (fl.), *redobres* (sm. a2g.); *redobres* (fl.), *redobres* (o pl. do sm. e a. 2g.); *redobráveis* (fl.), *redobráveis* (pl. de *redobrável* [a2g.]).]

redobrável (re.do.*brá*.vel) *a2g.* Que se pode redobrar [Pl.: *-veis.*] [F.: *redobrar* + *-vel.* Hom./Par.: *redobráveis* (pl.), *redobráveis* (fl. de *redobrar*).]

redobro (re.*do*.bro) [ô] *sm.* 1 Ação ou resultado de redobrar, redobradura; REDOBRAMENTO 2 Dobro multiplicado por dois; QUÁDRUPLO 3 *Ling.* Repetição de parte de uma palavra ou de toda ela com finalidade expressiva, como em Lulu, babá etc. 4 *Gram.* No grego clássico, procedimento usado para a formação de certos tempos verbais que consiste na repetição da consoante inicial, apoiada em um elemento vocálico, ou no aumento da duração da vogal inicial [F.: Dev. de *redobrar.*]

redoma (re.*do*.ma) *sf.* 1 Espécie de campânula de vidro para proteger objetos delicados ou alimentos 2 *Fig.* Situação superprotetora: *Criou a filha numa redoma.* [F.: Do ár., possiv.]

redomão (re.do.*mão*) *a.* 1 *S.* Diz-se de cavalo que ainda não foi bem amansado 2 Diz-se de cavalo recém-domado 3 Diz-se daquilo que incomoda, esp. roupa nova *sm.* 4 *S.* Cavalo que ainda não foi bem amansado 5 Cavalo recém-domado 6 Aquilo que incomoda, esp. roupa nova [Pl.: *-mões.* Fem.: *-mona.*] [F.: Do espn. platino *redomón.*]

redomoinhar (re.do.mo:i.*nhar*) *v.* O mesmo que *remoinhar* [*td.*] [*int.*] [▶ 1 redomoinhar] [F.: *redomoinho* + *-ar*².]

redondamente (re.don.da.*men*.te) *adv.* De maneira total e absoluta; COMPLETAMENTE; INTEIRAMENTE; CATEGORICAMENTE: *Estava redondamente enganado sobre a idoneidade do visitante.* [F.: o fem. de *redondo* + *-mente.*]

redondear (re.don.de.*ar*) *v.* 1 Tornar redondo; dar forma arredondada a; ARREDONDAR [*td.*] 2 Andar à roda [*int.*] [▶ 13 redondear] [F.: *redondo* + *-ear*².]

redondel (re.don.*del*) *sm.* 1 Arena redonda, esp. a que se destina à tauromaquia 2 *Lus.* Área de forma circular 3 Em costura, certo tipo de ponto ou nó [Pl.: *-déis.*] [F.: *redondo* + *-el.*]

redondez (re.don.*dez*) [ê] *sf.* Qualidade ou característica de redondo, esférico ou circular; REDONDEZA [F.: *redondo* + *-ez.*]

redondeza (re.don.*de*.za) [ê] *sf.* 1 Qualidade, característica ou a forma do que é redondo (redondeza da Terra); REDONDEZ 2 *Fig.* O planeta Terra 3 A circunferência de algo 4 As cercanias, as localidades vizinhas 5 *Fig.* A perfeição, a harmonia (com que algo se apresenta ou é feito) [F.: *redondo* + *-eza.*]

redondezas (re.don.*de*.zas) [ê] *sfpl.* Os arredores; CIRCUNVIZINHANÇA; CERCANIAS; CIRCUNJACÊNCIA: *Um estranho estava circulando pelas redondezas.* [F.: Pl. de *redondeza.*]

redondilha (re.don.*di*.lha) *sf. Poét.* Verso de cinco ou sete sílabas métricas (redondilhas menor e maior, respectivamente) [F.: Do espn. *redondilla.*] ■ **~ maior** *Poét.* Verso de sete sílabas **~ menor** *Poét.* Verso de cinco sílabas

redondilho (re.don.*di*.lho) *sm.* O mesmo que *redondilha* [F.: De *redondilha.*]

redondo (re.*don*.do) *a.* 1 Igual ou semelhante a um círculo (mesa redonda); CIRCULAR 2 Igual ou semelhante a uma esfera (bola redonda); ESFÉRICO 3 Igual ou semelhante a um cilindro (coluna redonda) 4 De forma curva, arredondada 5 Obeso, muito gordo: *Mulher toda redonda.* 6 *Fig.* Decisivo, categórico; ROTUNDO: *Disse um "não" redondo.* 7 *Enol.* Diz-se de vinho macio, generoso, sem nenhuma acidez 8 *Art. gr.* Diz-se do gênero de letra ou tipo mais comum, sem qualquer realce 9 *Mar.* Diz-se de embarcação a vela em que predominam as velas redondas *sm.* 10 *Art. gr.* Qualquer tipo sem realce *adv.* 11 Suavemente, de modo leve: *Esse licor desceu redondo.* [F.: Do lat. *rotundus, a, um.*]

redor (re.*dor*) *sm.* Posição de contorno, espaço em volta de algo ou alguém [F.: Posv. do lat. *retro.*] ■ **Ao/em ~** 1 Em várias direções, a partir de determinado ponto central: *Olhou ao redor e não viu ninguém: estava perdido; As flores lançam seu perfume ao redor.* 2 Nas vizinhanças; em áreas ou lugares diversos e mais ou menos próximos de determinado lugar: *As chaves não podem ter caído muito longe; procure em redor; A aldeia era só uma igreja com algumas casas ao redor; Átomos têm um núcleo de prótons e nêutrons, com elétrons em redor.* 3 *Restr.* Us. com ideia de linha ou movimento circulares (ou aproximadamente circulares), tendo algo ou alguém no interior ou no centro **Ao/em ~ de** 1 Formando linha fechada (que volta ao ponto inicial) ou um percurso aproximadamente circular, no interior do qual está (algo, alguém): *Uma cerca ao redor do terreno.* 2 *Restr.* Em movimento de rotação ou revolução, considerado em relação ao centro ou eixo: *A Terra gira em redor do Sol.* 3 Em área ou espaço que se estende em várias direções a partir de (algo ou alguém): *Os transeuntes se aglomeraram em redor do carro acidentado.* 4 Aproximadamente; cerca de; por volta de: *A fazenda tem uma área em redor de dez hectares.* [Usa-se para informar quantidade ou medida não exatas.]

redourado (re.dou.*ra*.do) *a.* Que se redourou; que se tornou novamente dourado [F.: Part. de *redourar.*]

redourar (re.dou.*rar*) *v. td.* Dourar de novo ou de forma mais intensa [▶ 1 redourar] [F.: *re-* + *dourar.*]

redox (re.*dox*) [cs] *a2g2n.* 1 *Quím.* Diz-se de reação em que ocorrem, ao mesmo tempo, uma oxidação e uma redução *s2g2n.* 2 *Quím.* Essa reação [F.: *red(ução)* + *ox(idação).*]

redramatizar (re.dra.ma.ti.*zar*) *v. td.* Tornar a dramatizar: *O drama fora transformado em comédia, mas agora queriam redramatizá-lo.* [▶ 1 redramatizar] [F.: *re-* + *dramatizar.*]

redrar (re.*drar*) *v. td.* O mesmo que *arrendar*³ [▶ 1 redrar] [F.: Do v.lat. *reiterare*, 'repetir', por via popular. Tb.: *redar.*]

redução (re.du.*ção*) *sf.* 1 Ação ou resultado de reduzir; DIMINUIÇÃO 2 *Hidr.* Luva de encanamento, que ajusta o diâmetro de um cano ao de outro 3 *Art. gr.* Cópia menor que o original 4 *Ling.* Fenômeno pelo qual certas palavras ou expressões se convertem em outras menores, por abreviação, evolução fonética, aférese, síncope, apócope etc. 5 *Lex.* Designação geral das formas encurtadas de títulos, palavras, locuções, como abreviaturas, acrônimos, símbolos, siglas 6 *Mús.* Arranjo para um só instrumento (ger. piano) de peça composta para orquestra 7 *Fot.* Obtenção de positivo menor que o negativo [Ant.: *ampliação.*] 8 *Quím.* Processo em que diminui o número de oxidação de um átomo ou o de cargas positivas de um íon 9 *Mec.* Procedimento pelo qual uma peça ou mecanismo é levado à sua posição primitiva 10 *Cir.* Técnica pela qual um órgão ou osso é colocado em seu lugar original quando deslocado ou fraturado 11 *Fot.* Processo utilizado para acentuar os contrastes, acentuando os tons de branco e preto [Pl.: *-ções.*] [F.: Do lat. *reductio, onis.*] ■ **~ ao absurdo** *Lóg.* Método lógico de demonstrar a falsidade de uma proposição ao dela se tirar, por raciocínio lógico, conclusões evidentemente falsas

reducionismo (re.du.ci:o.*nis*.mo) *Fil. sm.* 1 Modo de pensar que procura reduzir a complexidade ou os elementos de um problema, de um fenômeno, a conceitos mais básicos, mais simples, considerados fundamentais ou essenciais para a existência desses elementos ou fenômenos 2 Redução de um ramo do conhecimento a outro mais particular, considerado como mais básico ou fundamental (p. ex.: a redução da matemática à lógica formal) 3 *Pej.* Simplificação excessiva ou exagerada daquilo (análise, estudo, explicação etc.) que exige reflexão mais profunda e demorada [F.: *redução* + *-ismo.*]

reducionista (re.du.ci:o.*nis*.ta) *a2g.* 1 Ref. ou inerente a reducionismo 2 Diz-se de pessoa simpatizante ou que faz uso das ideias reducionistas *s2g.* 3 Essa pessoa [F.: *reducion(ismo)* + *-ista.*]

redundância (re.dun.*dân*.ci:a) *sf.* 1 Característica ou qualidade do que é redundante (demasiado e supérfluo ao mesmo tempo): *Dizendo que eles ganharam um par de gêmeos, o jovem marido caprichou na redundância.* 2 *Gram.* O mesmo que *tautologia* [F.: Do lat. *redundantia, ae.* Cf.: *pleonasmo.*]

redundante (re.dun.*dan*.te) *a2g.* 1 Demasiado, supérfluo; EXCESSIVO; SUPERABUNDANTE 2 Com informações já comunicadas; REPETITIVO [F.: Do lat. *redundans, antis.*]

redundar (re.dun.*dar*) *v.* 1 Ser consequência de; RESULTAR [*tr.* + *de: Uma desgraça redundará de sua arrogância.*] 2 Ter como resultado [*tr.* + *em: Sua persistência não redundou em nada.*] 3 Ser redundante, excessivo; SUPERABUNDAR [*int.: As vírgulas redundavam num único parágrafo.*] 4 Ultrapassar as bordas; TRANSBORDAR [*int.: Com a enchente, o rio redundou.*] [▶ 1 redundar] [F.: Do v.lat. *redundare.*]

reduplicação (re.du.pli.ca.*ção*) *sf.* 1 Ação ou resultado de reduplicar, de redobrar; REDOBRO 2 *Poét. Ret.* Figura que consiste em repetir a mesma palavra seguidamente, para acentuar seu efeito, despertar emoção, incentivo etc. Tb. *epizeuxe* [Pl.: *-ções.*] [F.: *reduplicar* + *-ção.*]

reduplicar (re.du.pli.*car*) *v.* 1 Duplicar de novo, aumentar muito; REDOBRAR; QUADRUPLICAR [*td. int.*] 2 Ampliar na quantidade ou intensidade [*td.: A esquadrilha reduplicou seus voos para destruir o objetivo.*] [*int.: Seus esforços reduplicaram.*] 3 Tornar a dizer, fazer etc. [*td.: Reduplicou os pedidos de perdão.*] [▶ 11 reduplicar] [F.: *re-* + *duplicar.*]

redutibilidade (re.du.ti.bi.li.*da*.de) *sf.* Característica do que é redutível, do que pode ser reduzido [F.: *redutível* (sob a f. *redutibil-*) + *-(i)dade*, seg. o mod. erudito.]

redutível (re.du.*tí*.vel) *a2g.* 1 Que se pode reduzir, diminuir (custos redutíveis) 2 Que pode ser dobrado, dominado (rebeldes redutíveis) [Ant.: *irredutível.*] 3 Diz-se de fração que pode ser simplificada [Pl.: *-veis.*] [F.: *reduto* + *-ível.*]

redutivista (re.du.ti.*vis*.ta) *a2g.* Que diz respeito a redutibilidade [F.: *redutivo* + *-ista.*]

redutivo (re.du.*ti*.vo) *a.* 1 Que diz respeito a redução 2 Que tem a faculdade de reduzir (processo redutivo) 3 Ref. ou inerente a redução analítica; REDUCIONISTA 4 Que tem capacidade de tornar curto, sintético [F.: *reduto* + *-ivo.*]

reduto (re.*du*.to) *sm.* 1 Local fechado e protegido, que serve de abrigo ou esconderijo: *Reduto de traficantes.* 2 Originalmente, local ainda mais fortificado dentro de uma fortaleza 3 Lugar de encontro habitual de políticos, artistas, trabalhadores (reduto de partidários, reduto de sambistas, reduto de sindicalistas, reduto de boêmios) 4 *MT* Local alto, protegido de inundações [F.: Do lat. *reductus, us.*]

redutor (re.du.*tor*) [ô] *a.* 1 Que reduz, diminui: *Vão aplicar um índice redutor de preços.* *sm.* 2 Aquilo ou aquele que reduz, diminui: *Puseram redutor de velocidade na avenida toda.* 3 Instrumento us. para reduzir desenhos, gráficos etc. 4 *Hidr.* Ver *redução.* 5 *Quím.* Substância que produz redução 6 *Mec.* Mecanismo empregado para diminuir a velocidade de rotação do motor [F.: Do lat. *reductor, oris.*] ■ **~ de velocidade** Obstáculo (p. ex., quebra-molas) colocado numa rua, estrada etc., que pode provocar danos ao veículo que passa em velocidade elevada, e que serve para forçar os motoristas a diminuírem a velocidade em certos trechos [Tb. se diz apenas *redutor.*]

reduzida (re.du.*zi*.da) *sf.* 1 Ação ou resultado de reduzir 2 *Aut.* Em veículo utilitário, marcha de maior poder de tração do que a primeira: *Para subir a serra, o caminhoneiro usou várias vezes a reduzida.* [F.: Fem. substv. de *reduzido.*]

reduzido (re.du.*zi*.do) *a.* 1 Que se reduziu, que se tornou pouco ou pequeno; RESTRITO: *Tinha reduzidas possibilidades de vencer.* 2 Que sofreu simplificação; SIMPLIFICADO 3 *Gram.* Diz-se de oração subordinada cujo verbo se apresenta no infinit., geru. ou part. (p. ex.: Passada a crise, começa tudo de novo) 4 Diz-se das vogais átonas em sílaba final (p. ex.: livre, porto) [F.: Part. de *reduzir.*]

reduzir (re.du.*zir*) *v.* 1 Tornar(-se) menor, menos intenso ou mais breve; DIMINUIR [*td.: Reduzir os preços/a velocidade/ uma epidemia.*] [*int.: As vendas reduziram -se; A dor se reduziu.*] 2 Conter(-se) em certos limites, restringir(-se) [*tdr.* + *a: Reduziram as despesas ao mínimo necessário.*] [*tr.* + *a: Seu problema reduzia-se à falta de vontade.*] 3 Adquirir superioridade sobre; subjugar, vencer [*td.: Reduzir as resistências/os amotinados.*] 4 Transformar(-se), converter(-se) em [*tr.* + *a: O terreno acabou reduzindo-se a um brejo.*] [*tdr.* + *a: Reduziu a madeira a pó.*] 5 *Med.* Corrigir, repondo osso ou articulação no lugar [*td.: Reduzir uma fratura/uma luxação.*] 6 *Bras. Aut.* Engatar (marcha de maior poder de tração) [*td.*] [*int.*] 7 Tornar mais brando; aplacar [*td.: A educação nem sempre reduz a agressividade.*] 8 Fazer ficar menor, resumir; ENCURTAR [*td.: O filme reduziu demais o romance.*] 9 *Quím.* Desagregar de uma combinação, de um composto [*td.*] 10 Obrigar, forçar [*tdr.* + *a: Reduziu a mulher a agir como prostituta.*] 11 Cambiar, trocar [*tdr.* + *a: Reduziu os dólares a reais.*] 12 Fazer cair, limitar em proporções [*td.: O remédio reduziu a febre.*] [*tdr.* + *a: Reduzir a criminalidade a índices compatíveis.*] 13 Passar para unidade menor [*tdr.* + *a: Reduzir centímetros a milímetros.*] 14 Arrastar, levar [*tdr.* + *a: A concentração de renda pode reduzir os pobres a uma miséria crescente.*] 15 Tornar uma coisa complexa muito mais simples, desfigurada [*tdr.* + *a*, *em: Reduziram-lhe a filosofia a alguns conceitos banais.*] 16 Tornar-se mais leve, mais fraco [*int.: A chuva reduziu-se no fim da tarde.*] 17 *Geom.* Substituir uma figura por outra equivalente em grandeza [*tdr.* + *a*] 18 *Quím.* Fazer com que fique mais concentrado por meio de ebulição [*td.*] 19 *Mús.* Adaptar partitura a menor número de instrumentos 20 Atrair, aliciar [*tr.* + *a.: Reduziram aqueles eleitores a serem membros passivos de sua igreja.*] [▶ 57 reduzir] [F.: Do v.lat. *reducere.*]

reduzível (re.du.*zí*.vel) *a2g.* Que se pode reduzir [Pl.: *-veis.*] [F.: *reduzir* + *-vel.*]

reedição (re.e.di.*ção*) *sf.* **1** Ação ou resultado de reeditar, editar de novo, ger. com correções, acréscimos, modificações etc. **2** Obra reeditada [Pl.: *-ções.*] [F.: *re-* + *edição.* Cf.: *reimpressão.*]

reedificação (re.e.di.fi.ca.*ção*) *sf.* Ação ou resultado de reedificar, de reconstruir; RECONSTRUÇÃO [Pl.: *-ções.*] [F.: *reedificar* + *-ção.*]

reedificar (re.e.di.fi.*car*) *v. td.* **1** Tornar a edificar ou a instituir; RECONSTRUIR; RESTABELECER **2** *Fig.* Reformar, restaurar [▶ **11** reedific**ar**] [F.: Do v.lat. *reaedificare.*]

reeditado (re.e.di.*ta*.do) *a.* Que se reeditou, se editou de novo, ger. com alterações para melhor, correções, acréscimos, modificações etc. [F.: Part. de *reeditar.* Cf.: *reimpresso.*]

reeditar (re.e.di.*tar*) *v. td.* **1** Tornar a editar, ou fazer nova edição de: *Reeditar a obra de Lima Barreto.* **2** *Fig.* Tornar a produzir, ou a instituir; REPRODUZIR; RESTAURAR: *Alguns querem reeditar o Estado vassalo.* [▶ **1** reedit**ar**] [F.: *re-* + *editar.*]

reeducação (re.e.du.ca.*ção*) *sf.* **1** Ação ou resultado de reeducar(-se), educar(-se) de novo (reeducação alimentar) **2** Ação ou resultado de reabilitar educando [Pl.: *-ções.*] [F.: *re-* + *educação.*] ▪ **~ motora** *Ort. Ter.* Recondicionamento muscular, ger. com o apoio de aparelhos ortopédicos, para uso de músculos em novas funções e/ou restabelecer funções originais prejudicadas por acidente ou doença **~ psíquica** *Psic. Ter.* Recondicionamento de funções psíquicas (como atenção, vontade, resistência a impulsos etc.) por meio de conversas, convencimento ou outros meios

reeducado (re.e.du.*ca*.do) *a.* Que foi novamente educado, que passou por processo de reeducação [F.: Part. de *reeducar.*]

reeducar (re.e.du.*car*) *v. td.* Tornar a educar, ou reabilitar educando: *Precisavam reeducar os alunos reprovados; Difícil reeducar os jovens traficantes.* [▶ **11** reeduc**ar**] [F.: *re-* + *educar.* Hom./Par.: *reeducáveis* (fl.), *reeducáveis* (pl. *reeducável* [a2g.]).]

reeducável (re.e.du.*cá*.vel) *a2g.* Passível de se reeducar [Pl.: *-veis.*] [F.: *reeducar* + *-vel.* Hom./Par.: *reeducáveis* (pl.), *reeducáveis* (fl. de *reeducar*).]

reelaboração (re.e.la.bo.ra.*ção*) *sf.* Ação ou resultado de reelaborar; nova elaboração [Pl.: *-ções.*] [F.: *reelaborar* + *-ção.*]

reelaborado (re.e.la.bo.*ra*.do) *a.* Que se reelaborou [F.: Part. de *reelaborar.*]

reelaborar (re.e.la.bo.*rar*) *v. td.* Elaborar novamente ou de outra forma; dar nova elaboração a: *Insatisfeito, reelaborou o documento.* [▶ **1** reelabor**ar**] [F.: *re-* + *elaborar.*]

reeleger (re.e.le.*ger*) *v. td.* Tornar a eleger(-se): *Não se deve reeleger os maus políticos; Reelegeu-se a custa de muito dinheiro.* [▶ **35** reeleg**er**] [F.: *re-* + *eleger.*]

reelegibilidade (re.e.le.gi.bi.li.*da*.de) *sf.* Característica do que ou quem é reelegível, do que ou quem pode ser reeleito: *A legislação atual garante a reelegibilidade do presidente.* [F.: *reelegível* (sob a f. *reelegibil -*) + *-(i)dade*, seg. o mod. erudito.]

reelegível (re.e.le.*gí*.vel) *a2g.* Que pode ser reeleito, ou seja, eleito para um novo mandato (consecutivo): *Do ponto de vista jurídico, eles são todos reelegíveis.* [Pl.: *-veis.*] [F.: *reeleger* + *-ível.*]

reeleição (re.e.lei.*ção*) *sf.* Ação ou resultado de reeleger(-se), eleger(-se) de novo, para um novo mandato consecutivo [Pl.: *-ções.*] [F.: *re-* + *eleição.*]

reeleito (re.e.*lei*.to) *a.* Que se reelegeu, que se elegeu de novo; que se elegeu para um novo mandato consecutivo [F.: *re-* + *eleito.*]

reelevação (re.e.le.va.*ção*) *sf.* Ação ou resultado de reelevar(-se); nova elevação [Pl.: *-ções.*] [F.: *reelevar* + *-ção.*]

reelevar (re:e.le.*var*) *v. td.* Volar a elevar(-se) [▶ **1** reelev**ar**] [F.: *re-* + *elevar.*]

reelitização (re.e.li.ti.za.*ção*) *sf.* Ação ou resultado de reelitizar(-se) [Pl.: *-ções.*] [F.: *reelitizar* + *-ção.*]

reelitizar (re:e.li.ti.*zar*) *v. td.* Tornar a elitizar; elitizar novamente (o que estava em vias de se tornar comum ou popular) [▶ **1** reelitiz**ar**] [F.: *re-* + *elitizar.*]

reembalado (re.em.ba.*la*.do) *a.* Que foi novamente embalado; que recebeu nova embalagem [F.: Part. de *reembalar.*]

reembalagem (re.em.ba.*la*.gem) *sf.* Ação ou resultado de reembalar, de embalar outra vez [Pl.: *-gens.*] [F.: *reembalar* + *-agem*[2].]

reembalar (re.em.ba.*lar*) *v.* Embalar novamente; colocar em nova embalagem [*td.*: *Reembalou os produtos para vendê-los em outro lugar.*] [*int.*: *Bastava reembalar e remeter.*] [▶ **1** reembal**ar**] [F.: *re-* + *embalar.*]

reembarcar (re.em.bar.*car*) *v. td. int. tda. ta.* Embarcar novamente (passageiros, carga etc.) [▶ **11** reembarc**ar**] [F.: *re-* + *embarcar.* Hom./Par.: *reembarque* (fl.), *reembarque* (sm.); *reembarques* (fl.), *reembarques* (pl. do sm.).]

reembolsado (re.em.bol.*sa*.do) *a.* **1** Que (se) embolsou novamente **2** Que foi reembolsado, indenizado, recompensado **3** Enviado por reembolso postal [F.: Part. de *reembolsar.*]

reembolsar (re.em.bol.*sar*) *v.* **1** Restituir valor monetário a alguém, ou ser compensado por; COMPENSAR(-SE) [*td.*: *Conseguiu reembolsar parte do patrimônio.*] [*tdr.* + *de*: *Reembolsou-se dos investimentos.*] **2** Recuperar (dinheiro gasto com algo, a posse de algo); INDENIZAR [*td.*: *O proprietário reembolsou o inquilino.*] [*tdr.* + *de*: *Reembolsou o inquilo das despesas feitas.*] **3** Compensar com acréscimo [*td.*: *Reembolsou-a com juros elevados.*] [▶ **1** reembols**ar**] [F.: *re-* + *embolsar.* Hom./Par.: *reembolso* (fl.), *reembolso* /ô/ (sm.); *reembolsáveis* (fl.), *reembolsáveis* (pl. de *reembolsável* [a2g.]).]

reembolsável (re.em.bol.*sá*.vel) *a2g.* **1** Que se pode reembolsar; RESTITUÍVEL *sm.* **2** *Bras.* Estabelecimento que vende às pessoas de uma corporação material de uso doméstico (ger. gêneros de primeira necessidade) mediante desconto em folha [Pl.: *-veis.*] [F.: *reembolsar* + *-vel.* Hom./Par.: *reembolsáveis* (pl.), *reembolsáveis* (fl. de *reembolsar*).]

reembolso (re.em.*bol*.so) [ô] *sm.* **1** Devolução de importância devida: *O cantor providenciou o reembolso do valor do ingresso do espetáculo cancelado.* **2** *Bras.* Sistema de aquisição de produtos através da Empresa Brasileira de Correios e Telégrafos (ECT) no qual o vendedor envia o produto para o comprador e esse paga o valor do produto em uma agência dos Correios, que pagam, por sua vez, o vendedor (reembolso postal): *Comprei um livro por reembolso.* [Pl.: [ô].] [F.: Dev. de *reembolsar.*] ▪ **~ postal** *Bras.* Sistema de vendas no qual a entrega e o pagamento da mercadoria são feitos pelo correio

reemergência (re.e.mer.*gên*.ci:a) *sf.* Ação ou resultado de voltar a emergir [F.: *re-* + *emergência.*]

reemergente (re.e.mer.*gen*.te) *a2g.* **1** Que novamente emerge; que surge outra vez **2** Que volta a ascender econômica e/ou socialmente *s2g.* **3** Pessoa reemergente [F.: *re-* + *emergente.*]

reemitir (re.e.mi.*tir*) *v. td.* Emitir mais uma vez: *Por causa de uma rasura, precisou reemitir o documento.* [▶ **3** reemit**ir**] [F.: *re-* + *emitir.*]

reempacotar (re.em.pa.co.*tar*) *v. td. int.* Empacotar novamente: *Como o saco furou, foi obrigado a reempacotar a farinha.* [▶ **1** reempacot**ar**] [F.: *re-* + *empacotar.*]

reempossar (re.em.pos.*sar*) *v.* Empossar de novo; reintegrar na posse [*td.*: *A direção da escola reempossou o professor.*] [*tdr.* + *em*: *Reempossou o funcionário no cargo de tesoureiro.*] [▶ **1** reemposs**ar**] [F.: *re-* + *empossar.*]

reempregar (re.em.pre.*gar*) *v. td.* Empregar de novo: *Reempregou a faxineira que fora despedida.* [▶ **14** reempreg**ar**] [F.: *re-* + *empregar.* Hom./Par.: *reemprego* (fl.), *reemprego* /ê/ (sm.).]

reemprestar (re.em.pres.*tar*) *v. td.* Emprestar novamente [▶ **1** reemprest**ar**] [F.: *re-* + *emprestar.*]

reempréstimo (re.em.*prés*.ti.mo) *sm.* Novo empréstimo [F.: *re-* + *empréstimo.*]

reencaminhamento (re.en.ca.mi.nha.*men*.to) *sm.* Ação ou resultado de encaminhar de novo (reencaminhamento da proposta) [F.: *reencaminhar* + *-mento.*]

reencaminhar (re.en.ca.mi.*nhar*) *v. td.* **1** Encaminhar novamente; voltar a encaminhar **2** Dar novo encaminhamento a [▶ **1** reencaminh**ar**] [F.: *re-* + *encaminhar.*]

reencantamento (re.en.can.ta.*men*.to) *sm.* Ação ou resultado de reencantar(-se) mais uma vez; novo encantamento: *Reencantamento permanente com o relacionamento de quase meio século.* [F.: *reencantar* + *-mento.*]

reencantar (re.en.can.*tar*) *v.* Encantar(-se) novamente; voltar a encantar(-se) [*td.*] [*tr.* + *com*] [▶ **1** reencant**ar**] [F.: *re-* + *encantar.*]

reencarnação (re.en.car.na.*ção*) *sf. Rel.* Ação ou resultado de reencarnar(-se), tornar a encarnar(-se) (a alma de quem morre) em outro corpo, para uma nova vida, segundo crença do espiritismo e de algumas outras religiões [Pl.: *-ções.*] [F.: *reencarnar* + *-ção.*]

reencarnado (re.en.car.*na*.do) *a.* Que se reencarnou, se encarnou de novo [F.: Part. de *reencarnar.*]

reencarnar (re.en.car.*nar*) *v.* **1** Tornar a encarnar, a readquirir um corpo ou a vida material, segundo a crença do espiritismo e de diversas tendências animistas [*int.*: *Achava que o pai, a qualquer momento, ia reencarnar.*] **2** Assumir ou fazer assumir a alma desencarnada, de acordo com tais crenças, um corpo material [*td.*: *O médium reencarnou a alma do domador.*] [*ta.*: *Afirmaram que o espírito encarnara (-se) no visitante.*] [▶ **1** reencarn**ar**] [F.: *re-* + *encarnar.*]

reencarnatório (re.en.car.na.*tó*.ri:o) *a.* Ref. ou inerente a reencarnação [F.: *reencarnar* + *-tório.*]

reencenado (re.en.ce.*na*.do) *a.* Que foi levado novamente à cena: *A peça foi reencenada* [F.: Part. de *reencenar.*]

reencenar (re.en.ce.*nar*) *v. td.* Fazer nova encenação de; encenar de novo: *Pretendiam reencenar Nelson Rodrigues.* [▶ **1** reencen**ar**] [F.: *re-* + *encenar.*]

reencetar (re.en.ce.*tar*) *v. td.* Encetar novamente; REINICIAR: *Após um descanso de meia hora, reencetaram a caminhada.* [▶ **1** reencet**ar**] [F.: *re-* + *encetar.*]

reencher (re.en.*cher*) *v. td. int.* Encher novamente [▶ **2** reench**er**] [F.: *re-* + *encher.*]

reenchido (re.en.*chi*.do) *a.* Que se reencheu; que foi enchido novamente [F.: Part. de *reencher.*]

reencontrado (re.en.con.*tra*.do) *a.* Que se encontrou novamente [F.: Part. de *reencontrar.*]

reencontrar (re.en.con.*trar*) *v. td.* Tornar a encontrar(-se): *Reencontrou a antiga namorada/o dinheiro perdido etc.; Reencontrou-se com o velho professor.* [▶ **1** reencontr**ar**] [F.: *re-* + *encontrar.* Hom./Par.: *reencontráveis* (fl.), *reencontráveis* (pl. de *reencontrável* [a2g.]).]

reencontrável (re.en.con.*trá*.vel) *a2g.* Que se pode reencontrar, que se pode encontrar de novo [Pl.: *-veis.*] [F.: *reencontrar* + *-vel.* Hom./Par.: *reencontráveis* (pl.), *reencontráveis* (fl. de *reencontrar*).]

reencontro (re.en.*con*.tro) *sm.* **1** Ação ou resultado de tornar a encontrar(-se); novo contato pessoal **2** Ação ou resultado de retomar uma crença, um princípio ideológico etc.: *o reencontro com a fé.* [F.: *re-* + *encontro.*]

reenergizado (re.e.ner.gi.*za*.do) *a.* Que se encontra cheio de nova energia; que recebeu reenergização [F.: Part. de *reenergizar.*]

reenergizar (re:e.ner.gi.*zar*) *v. td.* Dar nova energia ou nova carga de energia a: *O cantor precisava reenergizar sua carreira.* [▶ **1** reenergiz**ar**] [F.: *re-* + *energizar.*]

reenfatizar (re.en.fa.ti.*zar*) *v. td.* Tornar a enfatizar: *Enfatizou e reenfatizou a gravidade do problema para que ninguém esquecesse.* [▶ **1** reenfatiz**ar**] [F.: *re-* + *enfatizar.*]

reengatado (re.en.ga.*ta*.do) *a.* Que se engatou, prendeu ou ligou novamente [F.: Part. de *reengatar.*]

reengatamento (re.en.ga.ta.*men*.to) *sm.* Ação ou resultado de reengatar(-se), de voltar a engatar [F.: *reengatar* + *-mento.*]

reengatar (re.en.ga.*tar*) *v.* Engatar novamente; voltar a engatar [*td.*: *O maquinista reengatou a locomotiva e prosseguiu viagem.*] [*tdr.* + *a*, *em*: *O maquinista reengatou a locomotiva à/na composição e prosseguiu viagem.*] [▶ **1** reengat**ar**] [F.: *re-* + *engatar.*]

reengenharia (re.en.ge.nha.*ri*:a) *sf. Adm.* Reestruturação técnico-administrativa de uma empresa, visando a eficiência e o aumento de sua produtividade para que, em termos de competitividade, se adéque às exigências do mercado interno ou global [F.: *re-* + *engenharia.*]

reengenheirar (re.en.ge.nhei.*rar*) *v. td. Econ.* Reorganizar processo de engenharia ou substituí-lo por um novo; REORGANIZAR [▶ **1** reengenheir**ar**] [F.: *re-* + *engenheiro* + *-ar*[2].]

reengenheiro (re.en.ge.*nhei*.ro) *sm. Adm.* Profissional que se dedica a trabalhos de reengenharia [F.: *re-* + *engenheiro.*]

reenquadramento (re.en.qua.dra.*men*.to) *sm.* Ação ou resultado de reenquadrar(-se) novamente; novo enquadramento [F.: *reenquadrar* + *-mento.*]

reenquadrar (re.en.qua.*drar*) *v. td.* **1** Enquadrar novamente; colocar em nova forma de enquadramento **2** Incriminar novamente: *Queriam reenquadrar os deputados faltosos.* [▶ **1** reenquadr**ar**] [F.: *re-* + *enquadrar.*]

reenrolar (re.en.ro.*lar*) *v. td.* Enrolar novamente [▶ **1** reenrol**ar**] [F.: *re-* + *enrolar.*]

reensinar (re.en.si.*nar*) *v. td.* Tornar a ensinar; reforçar o ensino de alguma disciplina ou de algum tópico da matéria [▶ **1** reensin**ar**] [F.: *re-* + *ensinar.*]

reenterrar (re.en.ter.*rar*) *v. td.* Enterrar novamente: *Reenterraram o corpo que a chuva deixara exposto.* [▶ **1** reenterr**ar**] [F.: *re-* + *enterrar.*]

reentrada (re.en.*tra*.da) *sf.* Ação ou resultado de reentrar, de entrar novamente: *a reentrada do ônibus espacial na atmosfera.* [F.: *reentrar* + *-ada*[1].]

reentrância (re.en.*trân*.ci:a) *sf.* Curvatura para dentro ou depressão em superfície: *A poeira acumulava-se nas reentrâncias do móvel.* [F.: *reentrar* + *-ância.* Ant. ger.: *saliência.*]

reentrante (re.en.*tran*.te) *a2g.* Que forma reentrância [F.: *reentrar* + *-nte.*]

reentrar (re.en.*trar*) *v.* **1** Tornar a entrar [*ta.*: *Reentrou na escola de balé.*] **2** Entrar em casa [*int.*: *Reentrou cedo, para surpresa da mulher.*] [▶ **1** reentr**ar**] [F.: *re-* + *entrar.*]

reentronização (re.en.tro.ni.za.*ção*) *sf.* Ação ou resultado de entronizar novamente; retorno ao trono [Pl.: *-ções.*] [F.: *re-* + *entronização.*]

reenviar (re.en.vi.*ar*) *v.* **1** Enviar outra vez; RECAMBIAR [*td.*: *Reenviou a carta que tinha sido devolvida.*] **2** Reproduzir (som, imagem etc.) [*td.*: *A placa metálica reenviava os raios de luz que recebia.*] [*tdi.* + *a*: *A torre de voo reenviou os sinais que recebera aos pilotos.*] [▶ **1** reenvi**ar**] [F.: *re-* + *enviar.* Hom./Par.: *reenvio* (fl.), *reenvio* (sm.).]

reenvio (re.en.*vi*.o) *sm.* Ação ou resultado enviar novamente; novo envio [F.: *re-* + *envio.*]

reequacionamento (re.e.qua.ci:o.na.*me*.nto) *sm.* Ação ou resultado de equacionar(-se) outra vez; novo equacionamento [F.: *reequacionar* + *-mento.*]

reequacionar (re:e.qua.ci:o.*nar*) *v. td.* Equacionar novamente (um problema etc.) [▶ **1** reequacion**ar**] [F.: *re-* + *equacionar.*]

reequilibrar (re.e.qui.li.*brar*) *v. td.* Tornar a equilibrar(-se): *Reequilibrou a trapezista sobre o fio; Reequilibrou-se para não cair.* [▶ **1** reequilibr**ar**] [F.: *re-* + *equilibrar.*]

reequilíbrio (re.e.qui.*lí*.bri:o) *sm.* Ação ou resultado de reequilibrar(-se); novo equilíbrio [F.: *re-* + *equilíbrio.*]

reequipado (re.e.qui.*pa*.do) *a.* Que se equipou novamente (tropas reequipadas) [F.: Part. de *reequipar.*]

reequipamento (re.e.qui.pa.*men*.to) *sm.* Ação ou resultado de reequipar, de dar novo equipamento [F.: *reequipar* + *-mento.*]

reequipar (re.e.qui.*par*) *v. td.* Tornar a equipar; dar outros ou novos equipamentos a: *O comandante queria reequipar a tropa.* [▶ **1** reequip**ar**] [F.: *re-* + *equipar.*]

reerguer (re.er.*guer*) *v. td.* Tornar a erguer(-se): *reergueu o rapaz que caíra; caiu, mas reergueu-se com rapidez.* [▶ **21** reergu**er**] [F.: *re-* + *erguer.*]

reerguida (re.er.*gui*.da) *sf.* Ação ou resultado de reerguer, de levantar de novo [F.: *re-* + *erguida.*]

reerguimento (re.er.gui.*men*.to) *sm.* Ação ou resultado de reerguer(-se), de tornar a erguer(-se) [F.: *reerguer* + *-imento.*]

reescalação (re.es.ca.la.*ção*) *sf.* Nova escalação: *A reescalação do time não agradou aos torcedores.* [Pl.: *-ções.*] [F.: *re-* + *escalação.*]

reescalonamento (re.es.ca.lo.na.*men*.to) *sm.* Ação ou resultado de reescalonar; novo escalonamento (reescalonamento da dívida) [F.: *reescalonar* + *-mento*.]

reescalonar (re.es.ca.lo.*nar*) *v. td.* **1** Voltar a escalonar **2** *Econ.* Determinar novos prazos para pagamento de (dívida): *Reescalonar o pagamento da dívida externa.* [▶ 1 reescalonar] [F.: *re-* + *escalonar.*]

reescrever (re.es.cre.*ver*) *v. td.* Escrever de novo ou de outra forma: *Reescreveu o romance de ponta a ponta.* [▶ 2 reescrever] [F.: Do v.lat. *rescribere*. Part.: *reescrito*.]

reescrita (re.es.*cri*.ta) *sf.* Alguma coisa escrita de novo ou de outra maneira: *Na reescrita da carta aprimorou o tom amoroso.* [F.: Fem. substv. de *reescrito*.]

reescrito (re.es.*cri*.to) *a.* Que foi novamente escrito, ou escrito de outra forma, diferente da original [F.: Part. de *reescrever (re-* + *escrito*).]

reescritor (re.es.cri.*tor*) [ô] *sm.* Aquele que reescreve (tratado, texto, livro etc.) de outra forma [F.: *re-* + *escritor.*]

reescritura (re.es.cri.*tu*.ra) *sf.* **1** Ação ou resultado de reescrever **2** Novo tratamento dado a um texto, a um escrito: *Na reescritura do conto, reduziu palavras, acrescentou ideias, condensou o conteúdo.* [F.: *re-* + *escritura*.]

reestridular (re.es.tri.du.*lar*) *v. int.* Tornar a estridular, a tocar, a retinir [▶ 1 reestridular] [F.: *re-* + *estridular.*]

reestruturação (re.es.tru.tu.ra.*ção*) *sf.* **1** Ação ou resultado de reestruturar, de dar nova estrutura ou organização a algo **2** Reorganização de uma instituição, empresa, programa etc. **3** Modificação dos elementos que compõem uma equipe, um grupo de trabalho etc. **4** Reforço dado às partes estruturais de uma edificação [Pl.: *-ções*.] [F.: *restruturar* + *-ção*.]

reestruturar (re.es.tru.tu.*rar*) *v. td.* **1** Dar nova estrutura ou organização a; REORGANIZAR: *reestruturou toda a empresa.* **2** *Fig.* Criar ou estabelecer nova estrutura de vida (para si) **3** *Fig.* Fortalecer-se emocional e psicologicamente, após grande dificuldade, período difícil, desequilíbrio emocional etc. [▶ 1 reestruturar] [F.: *re-* + *estruturar.*]

reestudar (re.es.tu.*dar*) *v. td.* Estudar de novo; tornar a estudar com mais atenção: *Reestudou o problema/a história da cidade.* [▶ 1 reestudar] [F.: *re-* + *estudar.* Hom./Par.: *reestudo* (fl.), *reestudo* (sm.).]

reestudo (re.es.*tu*.do) *sm.* Ação ou resultado de estudar novamente; novo estudo: *O reestudo de velhos manuscritos.* [F.: *re-* + *estudo*.]

reeuropeizar (re.eu.ro.pe:i.*zar*) *v. td.* Tornar(-se) novamente europeu ou dar mais uma vez caráter ou feição europeia a: *O rapaz reeuropeizou-se; Neocolonialistas queriam reeuropeizar colônias perdidas.* [▶ 18 reeuropeizar] [F.: *re-* + *europeizar*.]

reexame (re.e.*xa*.me) *sm.* Ação ou resultado de tornar a examinar, e com maior minúcia [F.: *re-* + *exame*.]

reexaminar (re.e.xa.mi.*nar*) [z] *v. td.* Tornar a examinar, examinar novamente, de modo mais detalhado, mais atento: *Reexaminou todo o contrato, antes de assiná-lo.* [▶ 1 reexaminar] [F.: *re-* + *examinar.*]

reexibição (re.exi.bi.*ção*) *sf.* Ação ou resultado de exibir novamente; nova exibição: *A reexibição do filme foi um sucesso.* [Pl.: *-ções*.] [F.: *re-* + *exibição*.]

reexibir (re:e.xi.*bir*) *v. td.* Exibir novamente: *Ainda vão reexibir 'E o ventou levou' mais algumas vezes.* [▶ 3 reexibir] [F.: *re-* + *exibir.*]

reexpedir (re.ex.pe.*dir*) *v. td.* Expedir novamente [▶ 44 reexpedir] [F.: *re-* + *expedir.*]

reexportação (re.ex.por.ta.*ção*) *sf.* Ação ou resultado de reexportar, de voltar a exportar [Pl.: *-ções*.] [F.: *reexportar* + *-ção*.]

reexportar (re.ex.por.*tar*) *v. td.* Tornar a exportar (mercadorias que haviam sido importadas) [▶ 1 reexportar] [F.: *re-* + *exportar.*]

reexumar (re.e.xu.*mar*) [z] *v. td.* **1** Exumar novamente: *A polícia resolveu reexumar o cadáver.* **2** *Fig.* Retirar novamente do esquecimento: *Vivia reexumando suas amargas recordações.* [▶ 1 reexumar] [F.: *re-* + *exumar.*]

refação (re.fa.*ção*) *sf.* *P. us.* Ação ou resultado de refazer; REFAZIMENTO [Pl.: *-ções*.] [F.: *re-* + *fação*.]

refalsado (re.fal.*sa*.do) *a.* Em que não há sinceridade; DESLEAL; FALSO; HIPÓCRITA: "Um amor puro e ardente... escarnecido por mulher leviana e refalsada." (Alexandre Herculano, *Lendas e narrativas*) [F.: *re-* (com valor reforçativo, intensificador) + *falso* + *-ado*¹.]

refalsamento (re.fal.sa.*men*.to) *sm.* **1** Ação ou resultado de refalsar; DOLO; ENGANO; TRAIÇÃO **2** Ação, atitude ou dito refalsado **3** Procedimento que induz a engano; FRAUDE [F.: *refalsar* + *-mento*.]

refalsar (re.fal.*sar*) *v. td.* Enganar ou trair (alguém) [▶ 1 refalsar] [F.: *re-* + *falso* + *-ar*².]

refalsear (re.fal.se.*ar*) *v. td.* Praticar traição; ATRAIÇOAR; ENGANAR; ILUDIR [▶ 13 refalsear] [F.: *re-* + *falsear.*]

refastelar-se (re.fas.te.*lar-se*) *v. td.* Ver *refestelar-se*

refaturamento (re.fa.tu.ra.*men*.to) *sm.* Ação ou resultado de faturar mais uma vez; novo faturamento [F.: *re-* + *faturamento*.]

refavelamento (re.fa.ve.la.*men*.to) *sm.* Surgimento de novas favelas [F.: *re-* + *favelamento*.]

refazer (re.fa.*zer*) *v. td.* **1** Fazer de novo: *Precisava refazer os cálculos.* **2** Trazer de volta ao estado original; REORGANIZAR; RESTAURAR: *É preciso refazer o barco, em todos os detalhes.* **3** Revigorar(-se), ou restabelecer(-se): *Depois do susto, ainda não se refez.* **4** Fazer emendas em; corrigir: *Após várias leituras, refez quase todo o poema.* **5** Dar novo estímulo, disposição: *O banho refez-lhe as forças.* **6** Dar forças novas a; recuperar: *O país precisava refazer seu sistema econômico.* **7** Percorrer mais uma vez: *Ao perder o rumo, teve de refazer o caminho.* **8** Efetuar conserto; fazer reparo: *Era preciso refazer a pintura da sala.* **9** Dar alimento a, alimentar: *Era necessário refazer os animais.* [▶ 22 refazer] [F.: *re-* + *fazer*. Hom./Par.: *refez* (fl.), *refez* (a2g.).]

refazimento (re.fa.zi.*men*.to) *sm.* **1** Ação ou resultado de refazer *sm.* **2** Restauração ou refeitura de algo que está em más condições **3** Recuperação da saúde física, das forças **4** O que é concedido como reparação ou compensação de perdas ou prejuízos; INDENIZAÇÃO; RECOMPENSA [F.: *refazer* + *-i mento*.]

refece (re.*fe*.ce) *a2g.* **1** *Ant.* Destituído de valor **2** *Ant.* Que não tem o necessário ou está mal provido; POBRE **3** *Ant.* Que é desprezível, de baixos sentimentos; INFAME; VIL: "Que fosse como uma flor de inocência, e que se convertesse numa barregã (concubina) refece e torpe." (Alexandre Herculano, *Monge*) **4** *Fig.* Em que não há dificuldade; FÁCIL [F.: Do ár. *rahis*, 'barato'; 'pobre'; 'miserável'. Tb.: *refez* (q. v.). Hom./Par.: *refece* (a2g.), *refece* (fl. de *refecer*).]

refego (re.*fe*.go) [ê] *sm.* **1** Prega ou dobra em peça de vestuário, para ornamentá-la ou encurtá-la: "Uma sobrecasaca de cintura curta e ombreiras de refego." (Camilo Castelo Branco, *Maria da fonte*) **2** Dobra em tecido, papel etc. **3** Dobra que aparece no corpo de pessoas com excesso de peso **4** Curvatura em rochas; DEPRESSÃO; DOBRA [F.: De *rofego*. Hom./Par.: *refego* (sm.), *refego* (fl. de *refegar*).]

refeição (re.fei.*ção*) *sf.* **1** Ação ou resultado de alimentar-se: *na hora da refeição.* **2** Conjunto de alimentos e bebidas que se comem e tomam a certas horas do dia ou da noite: *Nutricionistas recomendam fazer cinco refeições por dia.* **3** Qualquer alimento ingerido a qualquer hora: *fazer uma refeição ligeira.* [Pl.: *-ções*.] [F.: Do lat. *refectio, onis*.] ∎∎ **~ de assobio** *Pop.* Café (com leite) e pão com manteiga

refeito (re.*fei*.to) *a.* **1** Feito novamente (fotolog refeito) **2** Alterado, emendado, corrigido: *O relatório refeito também continha falhas.* **3** Que restabeleceu a saúde, as forças: *Teve um câncer, mas, hoje, é um homem refeito.* **4** Que recuperou a paz, a calma: *Só agora está refeita do choque.* **5** Que voltou ao estado normal, regular **6** Que é robusto, forte [F.: Do lat. *refectus, a, um*.]

refeitório (re.fei.*tó*.ri:o) *sm.* **1** Sala de refeições em empresas, escolas, quartéis etc. **2** *Mar.* O local em que é servido o rancho [F.: Do lat. *refectorius, a, um*.]

refeitura (re.fei.*tu*.ra) *sf.* Processo pelo qual se refaz alguma coisa: *Por questões legais, tornou-se imprescindível a refeitura do negócio; Refeitura das esculturas danificadas pelo vandalismo.* [F.: *re-* + *feitura*.]

refém (re.*fém*) *s2g.* **1** A vítima de sequestro, aquele ou aquela cuja liberdade e integridade física ficam condicionadas, em geral, ao cumprimento de certas exigências ou reivindicações feitas por quem (pessoa ou grupo) a capturou: *Família de refém implora clemência aos sequestradores.* **2** *Fig.* Pessoa dominada por forte sentimento de algo: *Vê-se como refém de sua covardia.* **3** *Fig.* Pessoa ou entidade submetida a algo ou que depende de algo para sobreviver: *Nesses casos, o paciente passa o resto da vida refém da medicação.* [Pl.: *-féns*.] [F.: Do ár.]

referência (re.fe.*rên*.ci:a) *sf.* **1** Ação ou resultado de referir *sf.* **2** Alusão a pessoas, coisas, opiniões, texto etc.; MENÇÃO: *Em seu artigo há uma referência a esse fato.* **3** Aquilo que é referido, relatado **4** Relação entre determinadas coisas: *O que se diz tem referência com o que se pensa.* **5** O que se toma como parâmetro por sua qualidade, eficiência etc. **6** Indicação com iniciais e números dada na parte superior de uma carta comercial ou ofício, e que corresponde ao processo a que diz respeito **7** *Ling.* Conceito que opera a mediação entre signo e referente [F.: Do lat. *referentia, ae*.]

referenciado (re.fe.ren.ci.*a*.do) *a.* Que foi tomado como ponto de referência [F.: Part. de *referenciar.*]

referencial (re.fe.ren.ci.*al*) *a2g.* **1** Relativo a (dada) referência, ou que faz referência a algo **2** Que serve como referência; que se pode usar como referência: *base de dados referencial de acesso gratuito na internet; tabela referencial de honorários.* **3** Que é ou que contém referência *s2g.* **4** Aquele ou aquela ou aquilo que se usa como referência: *Tom Jobim é um referencial da MPB.* **5** O que é ou que contém referência: *o uso do referencial psicanalítico em pesquisas sobre organizações.* **6** *Fís.* Estrutura que compõe um sistema, em relação ao qual as coordenadas espaciais e temporais dos fenômenos físicos podem ser especificadas [Pl.: *-ais*.] [F.: *referência* + *-al*¹.] ∎∎ **~ acelerado** *Fís.* O que tem aceleração, em relação a um inercial **~ de Galileu** *Fís.* Referencial inercial **~ inercial** *Fís.* Aquele convenientemente escolhido de modo que em relação a ele um corpo ou vários corpos permanecem em repouso ou em movimento retilíneo uniforme, na ausência de alguma força externa que neles provoque aceleração [Também são inerciais todos os referenciais que estão em repouso ou em movimento retilíneo uniforme em relação a determinado referencial inercial.]

referencialidade (re.fe.ren.ci:a.li.*da*.de) *sf.* Qualidade ou capacidade do que pode servir de referência ou referencial [F.: *referencial* + *-(i)dade*.]

referenciar (re.fe.ren.ci.*ar*) *v. td.* *P. us.* Ter como ponto de referência [▶ 1 referenciar] [F.: *referência* + *-ar*².]

referências (re.fe.*rên*.ci:as) *sfpl.* *Bras.* Informações sobre a capacidade e/ou o comportamento moral, ético e profissional de uma pessoa ou empresa [F.: Pl. de *referência*.]

referendado (re.fe.ren.*da*.do) *a.* Que tem referenda, que se referendou; APROVADO; ENDOSSADO: "As cerimônias gentílicas estavam proibidas pela provisão de Francisco Barreto, referendada por Constantino." (Aquilino Ribeiro, *Constantino*) [F.: Part. de *referendar.*]

referendar (re.fe.ren.*dar*) *v. td.* **1** Firmar (documento, decreto etc.) como responsável: *O diretor referendou o plano de reforma do hospital.* **2** Assinar (um ministro) documento abaixo da assinatura do chefe do Executivo, para que seja publicado: *O ministro referendou o decreto sobre a reforma do judiciário.* **3** Assumir ou aceitar o que já foi aprovado por outrem: *Referendar um acordo político.* [▶ 1 referendar] [F.: Do lat. *referendus* (gerundivo de *referre*) + *-ar*². Hom./Par.: *referenda* (fl.), referenda (sf.); *referendas* (fl.), *referendas* (pl. do sf.); *referendaria* (fl.), *referendária* (fem. de *referendário* [sm.]).]

referendário (re.fe.ren.*dá*.ri:o) *sm.* Aquele que referenda [F.: Do lat. *referandarius, ii*.]

referendo (re.fe.*ren*.do) *sm.* **1** *Jur. Pol.* Instrumento de consulta do governo ao povo concernente a ato normativo, de nível constitucional ou infraconstitucional, podendo anteceder ou não a feitura da norma, com caráter necessariamente vinculativo, e não apenas consultivo [Cf. *plebiscito* e *iniciativa popular legislativa* (no verbete iniciativa).] **2** *Pol.* Essa consulta: *Referendo sobre a venda de armas.* **3** *Pol.* Votação por meio da qual o eleitorado sanciona ou recusa ato normativo: *Ausência no referendo sobre armas deverá ser justificada.* **4** Carta enviada por representante diplomático a seu governo, pedindo-lhe instruções ou aprovação de matéria sobre a qual não tem poderes de decisão [F.: Do lat. *referendum*.]

⊕ **referendum** (*Lat.* /referendum/) *sm.* O mesmo que *referendo*

referente (re.fe.*ren*.te) *a2g.* **1** Que se refere, que diz respeito; CONCERNENTE; RELATIVO; RESPEITANTE [+ *a*: *Cronograma referente ao final do ano letivo.*] *sm.* **2** *Ling.* Elemento extralinguístico, ao qual o signo linguístico se remete, circunscrito ao contexto histórico-cultural e do discurso [F.: Do lat. *referens, entis*.]

referido (re.fe.*ri*.do) *a.* **1** Que se referiu **2** Que se mencionou anteriormente; CITADO; MENCIONADO: *no evento acima referido.* **3** Que se narrou, por escrito ou verbalmente; CONTADO [F.: Part. de *referir.*]

referimento (re.fe.ri.*men*.to) *sm.* Ação ou resultado de referir [F.: *referir* + *-mento*.]

referir (re.fe.*rir*) *v.* **1** Expor oralmente ou por escrito; CONTAR; RELATAR [*td.*: *O livro refere as façanhas de Vasco da Gama.*] [*tdi.* + *a*: *Referiu ao amigo a longa peregrinação que fez a Meca.*] **2** Fazer citação de ou referência, alusão a; ALUDIR; CITAR [*td.*: *Referiu seus romancistas preferidos.*] [*tr.* + *a*: *Não sabia a que o homem se referia.*] **3** Ter relação com, estar ligado a [*tr.* + *a*: *A reclamação referia-se a um mau serviço prestado.*] **4** Atribuir a [*tdi.* + *a*: *Refere ao pai a maioria dessas preocupações.*] **5** Destinar [*tdi.* + *a*: *Referimos aos vizinhos nossos agradecimentos.*] **6** Dizer respeito [*tr.* + *a*: *A censura referia-se apenas ao irmão.*] [▶ 50 referir] [F.: Do lat. *referre*.]

referver (re.fer.*ver*) *v.* **1** Tornar a ferver; ferver por muito tempo [*td.*: *Referver o leite.*] [*int.*: *A sopa refervia.*] **2** Entrar em processo de agitação; AGITAR-SE; VIBRAR [*int.*: *As ondas do mar referviam.*] **3** Fermentar, levedar [*int.*] **4** *Fig.* Alterar-se pela fermentação [*int.*] **5** *Fig.* Ficar exaltado, inflamado [*int.*: *Em seu peito referviam ódios antigos.*] **6** *Fig.* Agravar, exacerbar [*int.*: *No presídio, os tumultos referviam.*] [▶ 2 referver] [F.: Do v.lat. *refervere*.]

refestelado (re.fes.te.*la*.do) *a.* Que se refestelou; REPIMPADO; SATISFEITO [F.: Part. de *refestelar-se*.]

refestelagem (re.fes.te.*la*.gem) *sf.* Ação ou resultado de refestelar(-se) [F.: *refestelar* + *-agem*².]

refestelar-se (re.fes.te.*lar-se*) *v. ta.* **1** Sentar-se ou estender-se comodamente: *Refestelou-se no sofá.* **2** Entregar-se a algo que deleita, que dá prazer: *Chegou a Paris e logo se refestelou no melhor hotel.* [▶ 1 refestelar-se] [F.: *re-* + *festa* + *-el-* (incerto) + *-ar*² + *se*¹. Hom./Par.: *refestelo* (fl.), *refestelo* /ê/ (sm.). Var.: *refastelar-se*.]

refestelo (re.fes.*te*.lo) [ê] *sm.* **1** Festa, folgança, folia; REFESTELA **2** *Fig.* Posição cômoda e agradável; SATISFAÇÃO [F.: Regress. de *refestelar-se*. Hom./Par.: *refestelo* (sm.), *refestelo* (fl. de *refestelar-se*).]

refeudalização (re.feu.da.li.za.*ção*) *sf.* Ação ou resultado de refeudalizar, de transformar em novo feudo [Pl.: *-ções*.] [F.: *refeudalizar* + *-ção*.]

refeudalizar (re.feu.da.li.*zar*) *v.* Dar ou adquirir caráter feudal; tornar a feudalizar(-se) [*td.*] [*int.*] [▶ 1 refeudalizar] [F.: *re-* + *feudalizar*.]

refez (re.*fez*) *a2g.* O mesmo que *refece* [F.: Do ár. *rahis*, 'bonito'; 'pobre'; 'miserável'. Hom./Par.: *refez* (a2g.), *refez* (fl. de *refazer*).] ∎∎ **De ~** Facilmente

refigurar (re.fi.gu.*rar*) *v. td.* Retratar, reproduzir: *O pintor refigurou a mulher em lindo quadro.* [▶ 1 refigurar] [F.: *re-* + *figurar.*]

refil (re.*fil*) *sm.* Conteúdo de certos produtos, como cargas de caneta, cremes etc. para substituição ou reposição daquele que já foi gasto [Pl.: *-fis*.] [F.: Do ing. *refill*.]

refilador¹ (re.fi.la.*dor*) [ô] *a.* **1** Que refila, que mostra os dentes para alguém (diz-se de cão) *sm.* **2** Esse cão [F.: *refilar*¹ + *-dor*.]

refilador[2] (re.fi.la.*dor*) [ô] *a.* 1 Que refila, que apara as pontas de maço de papéis ou de livro, ger. operando uma guilhotina *sm.* 2 Aquele que refila [F.: *refilar*[2] + *-dor*.]

refilar[1] (re.fi.*lar*) *v.* 1 Tornar a filar, a pegar com os dentes (o cão) [*td.*] 2 Morder (aquele que morde ou ameaça morder) [o cão] [*td.*] 3 *Fig.* Reagir contra o agressor [*int.*: *Ao ser atacado, refilou.*] 4 *Lus.* Responder com palavras ou atitudes grosseiras. [*int.*] [▶ 1 refilar] [F.: *re-* + *filar*[2].]

refilar[2] (re.fi.*lar*) *v. td. Art. gr.* O mesmo que *aparar* (10) [▶ 1 refilar] [F.: Do it. *raffilare* ou *rifilare*.]

refilhar (re.fi.*lhar*) *v. int.* 1 *Bot.* Lançar, produzir refilhos ou rebentos (plantas) 2 *Fig.* Difundir-se, propagar-se: *As doutrinas salvacionistas continuam refilhando.* [▶ 1 refilhar] [F.: *refilho* + *-ar*. Hom./Par.: *refilho* (fl.), *refilho* (sm.).]

refilho (re.*fi*.lho) *sm. Bot.* O mesmo que *rebento* (vegetal novo) [F.: *re-* + *filho*. Hom./Par.: *refilho* (sm.), *refilho* (fl. de *refilhar*).]

refiliação (re.fi.li:a.*ção*) *sf.* Nova filiação [Pl.: *-ções*.] [F.: *re-* + *filiação*.]

refiliado (re.fi.li.*a*.do) *a.* Que se filiou novamente [F.: Part. de *refiliar*.]

refiliar (re.fi.li.*ar*) *v.* Filiar(-se) de novo a (partido, entidade, corporação etc.) [*tdr.* + *a*: *Refiliou-se ao partido.*] [▶ 1 refiliar] [F.: *re-* + *filiar*.]

refilmagem (re.fil.*ma*.gem) *sf.* 1 Ação ou resultado de refilmar 2 Realização de um filme baseado em filme anterior [Pl.: *-gens*.] [F.: *refilmar* + *-agem*[2].]

refilmar (re.fil.*mar*) *v. td.* Filmar de novo (um argumento filmado ou filme já feito): *Hollywood refilmou 'Dona Flor e seus dois maridos'.* [▶ 1 refilmar] [F.: *re-* + *filmar*.]

refinação (re.fi.na.*ção*) *sf.* 1 Ação de refinar 2 Processo químico pelo qual se retiram as impurezas ou determinados elementos de certas substâncias; REFINAMENTO; REFINO: *a refinação do açúcar/do petróleo/de metais.* 3 O mesmo que *refinaria* (1) 4 O mesmo que *refinamento* (3) [Pl.: *-ções*.] [F.: *refinar* + *-ção*.]

refinador (re.fi.na.*dor*) [ô] *a.* 1 Que refina 2 *Ind.* Diz-se de aparelho empregado na refinação da pasta do papel *sm.* 3 Esse aparelho 4 Aquele que refina [F.: *refinar* + *-dor*.]

refinadora (re.fi.na.*do*.ra) [ô] *sf.* 1 Indústria que faz o refinamento de um material bruto (refinadora de petróleo) 2 Que refina material bruto [F.: *refinar* + *-dora*.]

refinamento (re.fi.na.*men*.to) *sm.* 1 Ação ou resultado de refinar(-se) 2 Elegância, requinte de alguém ou algo; SOFISTICAÇÃO 3 Aperfeiçoamento, melhoria ou esmero de algo; REFINAÇÃO [F.: *refinar* + *-mento*.]

refinanciamento (re.fi.nan.ci:a.*men*.to) *sm.* Ação ou resultado de refinanciar [F.: *refinanciar* + *-mento*.]

refinanciar (re.fi.nan.ci.*ar*) *v. td.* Financiar novamente; dar ou fazer novo empréstimo [▶ 1 refinanciar] [F.: *re-* + *financiar*. Hom./Par.: *refinanciáveis* (fl.), *refinanciáveis* (pl. de *refinanciável* [a2g.]).]

refinanciável (re.fi.nan.ci.*á*.vel) *a2g.* Que pode ser refinanciado [Pl.: *-veis*.] [F.: *refinanciar* + *-vel*. Hom./Par.: *refinanciáveis* (pl.), *refinanciáveis* (fl. de *refinanciar*).]

refinar (re.fi.*nar*) *v. td.* 1 Tornar mais fino, afinar 2 Tornar mais eficiente: *O fabricante refinou o manual de instruções.* 3 Tornar(-se) mais apurado; aprimorar: *O pianista refinou sua técnica e seu repertório.* 4 Submeter (produto) a operações que lhe retirem as impurezas ou determinados elementos: *Refinaram o açúcar até se tornar nocivo.* 5 Aperfeiçoar-se, apurar-se: *Refinou-se com a leitura e a audição dos clássicos.* [▶ 1 refinar] [F.: *re-* + *fino* + *-ar*[2]. Hom./Par.: *refinaria* (fl.), *refinaria* (sf.); *refinarias* (fl.), *refinarias* (pl. do sf.); *refino* (fl.), *refino* (sm.).]

refinaria (re.fi.na.*ri*.a) *sf.* 1 Lugar onde se realiza a refinação; REFINAÇÃO 2 Fábrica de refinamento do açúcar 3 Usina de refinamento de petróleo bruto em produtos derivados [F.: *refinar* + *-ia*[1].]

refino (re.*fi*.no) *sm.* Ação ou processo de refinar; REFINAÇÃO [F.: Dev. de *refinar*.]

refitar (re.fi.*tar*) *v. td.* Fitar novamente ou várias vezes: *Fitou a jovem ao entrar e, já sentada, refitou-a demoradamente.* [▶ 1 refitar] [F.: *re-* + *fitar*.]

refle (re.fle) *sm.* 1 Tipo de espingarda de cano curto, semelhante ao bacamarte: "Ouvira palavras amargas contra esse terrível rapaz que nem diante dos refles recuava." (Latino Coelho, *Inverno em flor*) 2 *Bras.* Sabre-baioneta, us. por algumas forças policiais [F.: Do ing. *rifle*. Hom./Par.: *refle* (fl. de *reflar*).]

reflectância (re.flec.*tân*.ci:a) *sf. Fís. Ópt.* A fração do fluxo de energia radiante que, ao incidir sobre uma superfície, é refletida [F.: Do ing. *reflectance*.]

refletido (re.fle.*ti*.do) *a.* 1 Reproduzido em superfície refletora; REPRODUZIDO; RETRATADO [+ *em*: "Da imagem de Tieta refletida no espelho, em noite de ano-novo." (Jorge Amado, *Tieta do agreste*)] 2 Feito com consciência, após reflexão 3 Que age com sensatez e seriedade (espírito refletido; homem refletido); CIRCUNSPECTO; SENSATO 4 *Fís.* Que sofreu reflexão [F.: Part. de *refletir*.]

refletir (re.fle.*tir*) *v.* 1 Provocar ou sofrer reflexão (3) [*td.*: *Refletir luz/som/imagem/calor; São tintas que refletem a luz dos faróis e parecem acesas.*] [*int.*: *A luz da Lua refletia-se na água.*] 2 *Fig.* Deixar transparecer; EXPRIMIR; REVELAR [*td.*: *Suas maneiras refletiam fina educação.*] 3 Pensar detidamente; MEDITAR [*tr.* + *em*, *sobre*: *Refletia nas palavras que ouvira/ sobre o problema.*] [*int.*: *Refletiu muito antes de se decidir.*] 4 Ter repercussão em ou sobre [*ta.*: *O escândalo refletiu-se em vários estados.*] [*tr.* + *em*: *A crise refletiu nos escalões superiores.*] 5 Ter influência sobre; incidir [*tr.* + *em*: *O gesto refletiu no irmão mais moço; Sua coragem refletia-se no comportamento dos filhos.*] [▶ 50 refletir] [F.: Do v.lat. *reflectere*.]

refletividade (re.fle.ti.vi.*da*.de) *sf.* Capacidade que tem algo de refletir a luz [F.: *refletir* + *-v-* + *-idade*.]

refletivo (re.fle.*ti*.vo) *a.* Que é dito ou feito com reflexão, com o uso da razão [F.: *refletir* + *-ivo*.]

refletor (re.fle.*tor*) [ô] *a.* 1 Que reflete imagem, luz ou som; REFLETIDOR 2 *Astron.* Diz-se de telescópio cuja objetiva é composta por uma superfície espelhante côncava *sm.* 3 Aparelho de iluminação que permite focalizar e direcionar a luz 4 *Astron.* Telescópio refletor [F.: Do ing. *reflector*.]

reflexamente (re.fle.xa.*men*.te) [cs] *adv.* 1 Com reflexão, de modo reflexo; depois de ter bem pensado; de maneira refletida. Tb. *refletidamente*: "Reflexamente levei a mão à boca e soprei... soprei ao fogo infernal que a devorava." (Aquilino Ribeiro, *Luz ao longe*) 2 De modo reflexo: *Envolveu-se reflexamente, sem pensar, por influência da multidão.* [F.: o fem. de *reflexo* + *-mente*.]

reflexão (re.fle.*xão*) [cs] *sf.* 1 Ação ou resultado de refletir(-se) 2 Desvio de direção que sofre um corpo, quando, com certa velocidade, encontra outro corpo resistente; RICOCHETE: *O jogo do bilhar funda-se no conhecimento das leis da reflexão dos corpos elásticos.* 3 Desvio que dentro do mesmo meio sofre o raio de luz, de calor ou de som quando encontra um obstáculo: *A cor dos corpos é devida à reflexão parcial da luz que neles incide.* 4 Pensamento sério ou meditação profunda a respeito de determinado assunto, problema, ou sobre si mesmo: *Faz as coisas sem reflexão.* 5 Ensaio sobre um assunto, uma temática: *Reflexões sobre a globalização e seus efeitos.* 6 *Fil.* Atenção aplicada ao processo do entendimento, aos fenômenos da consciência e às próprias ideias [Pl.: *-xões*.] [F.: Do lat. *reflexio, onis*. Ver tb. *ângulo de reflexão*, no verbete *ângulo*.]

reflexionante (re.fle.xi.o.*nan*.te) [cs] *a2g.* 1 Que reflete 2 Voltado para a reflexão, para o pensamento reflexivo

reflexionar (re.fle.xi:o.*nar*) [cs] *v.* 1 Refletir sobre (alguma coisa) [*tr.* + *sobre*: *Reflexionava sobre os novos caminhos da arte.*] [*int.*: *Reflexionou muito antes de tomar uma decisão.*] 2 Avaliar, ponderar [*td.*: *Reflexionou que só é feliz quem consegue ser livre.*] [▶ 1 reflexionar] [F.: *reflexão* + *-ar*.]

reflexivamente (re.fle.xi.va.*men*.te) [cs] *adv.* De maneira reflexiva; com utilização do pensamento, do raciocínio [F.: o fem. de *reflexivo* + *-mente*.]

reflexível (re.fle.*xí*.vel) *a2g.* Que se pode refletir [Pl.: *-veis*.] [F.: *reflexo* + *-ível*.]

reflexividade (re.fle.xi.vi.*da*.de) [cs] *sf.* 1 Qualidade daquilo que é reflexivo 2 *Mat.* Qualidade que se observa na relação que um elemento mantém consigo mesmo, entre elementos que se relacionam num conjunto [F.: *reflexivo* + *-(i)dade*.]

reflexivo (re.fle.*xi*.vo) [cs] *a.* 1 Que reflete, que cogita, medita (pessoa reflexiva) 2 Concentrado nas questões voltadas para si mesmo (personalidade reflexiva); PENSATIVO 3 Que demonstra reflexão, ponderação (ar reflexivo) 4 *Gram.* Que complementa o verbo e reflete a pessoa e o número do sujeito (pronome reflexivo) 5 *Gram.* Que se expressa através de um verbo cujo sujeito executa e, ao mesmo tempo, sofre a ação do verbo (voz reflexiva) [A frase '*Eu me visto rápido*' está na voz reflexiva porque nela o sujeito (*eu*) e o complemento (*me*) se refletem na ação de *vestir*.] [F.: Do fr. *réflexif*.]

reflexo (re.*fle*.xo) [cs] *a.* 1 Que é restultado de ação sobre si mesmo; reflexivo (5) 2 Que é causado indiretamente (e não diretamente) por algo; INDIRETO: *O insucesso foi consequência reflexa de seu desânimo.* 3 Que resulta automaticamente de um estímulo (movimento reflexo) 4 Que se reflete (1), que sofre reflexão (3); REFLETIDO: *Ficou ofuscado pela luz do Sol e por seu brilho reflexo na água.* *sm.* 5 Movimento de ação instintiva e automática, de um organismo, de parte dele, ou de alguém, como reação a um estímulo: *O jovem freou o carro por puro reflexo.* 6 Reflexão (3) da luz e seu efeito, que faz brilhar uma superfície, ou a superfície de algo: *reflexo de um tecido, de um quadro.* 7 Circunstância, qualidade, ou condição secundária, indireta, consequente de outra e indicativa desta: *A sua fama é apenas um reflexo da glória do pai.* 8 Circunstância ou qualidade remanescente de outra, que faz lembrar: *Ela é, hoje, um simples reflexo do que fora na juventude.* 9 Consequência, indicativa da causa: *A melhora de suas notas é um reflexo de sua seriedade nos estudos.* [Do lat. *reflexus, a, um*, part. pass. do v.lat. *reflectere*, 'dobrar, recurvar'.] ▪ **~ aquileu** *Neur.* Reflexo (2) em resposta à percussão do tendão de Aquiles, e que consiste na contração do músculo tríceps, trazendo o pé sobre a perna **~ condicionado** *Fisl. Psi.* Resposta psicofísica regular a um determinado estímulo, consequente da associação repetitiva de um estímulo à mesma resposta fisiológica **~ de sucção** *Pedt.* Reflexo (2) que se manifesta nos seres humanos entre o nascimento e os quatro meses de idade, que consiste na sucção imediata de qualquer objeto posto em sua boca **~ gastrocólico** *Fisl.* Surgimento ou aumento de peristaltismo intestinal quando entra alimento no estômago vazio **~ oculocardíaco** *Fisl.* Diminuição do ritmo cardíaco ao se comprimirem os olhos, por estímulo do nervo vago **~ patelar** *Med.* Extensão involuntária da perna para frente, quando pendente livre em ângulo reto, ao se percutir o tendão da patela com um martelo de borracha **~ plantar** *Fisl.* Flexão involuntária dos dedos do pé ao se estimular a planta do pé **~ prensar** *Pedt.* Aquele presente em seres humanos do nascimento aos quatro meses de idade, que consiste em agarrar todo objeto que passe a seu alcance **~ tendinoso** *Neur.* Aquele que faz contrair um músculo ao se percutir seu tendão

reflexógeno (re.fle.*xó*.ge.no) [cs] *a.* Que origina os reflexos (fator/centro/efeito reflexógeno) [F.: *reflexo* + *-geno*.]

reflexologia (re.fle.xo.lo.*gi*.a) [cs] *sf.* 1 Estudo dos reflexos 2 *Psic.* Teoria segundo a qual todos os fenômenos do psiquismo são originários de reflexos condicionados [F.: *reflexo* + *-logia*.]

reflexologista (re.fle.xo.lo.*gis*.ta) [cs] *a2g.* 1 Diz-se de profissional que se especializa em reflexologia; REFLEXÓLOGO *s2g.* 2 Esse especialista [F.: *reflexologia* + *-ista*.]

reflorescente (re.flo.res.*cen*.te) *a2g.* Que refloresce [F.: *reflorescer* + *-nte*.]

reflorescer (re.flo.res.*cer*) *v.* 1 Fazer florescer ou voltar a ficar florido [*td.*: *A primavera reflorecseu as árvores.*] [*int.*: *A roseira branca refloresceu.*] 2 *Fig.* Dar ânimo novo ou maior, revigorar, reanimar, rejuvenescer [*td.*: *A chegada dos filhos refloresceu a família.*] [*int.*: *Na primavera, o amor refloresce por toda parte.*] 3 Tornar mais jovem ou com melhor aspecto [*td.*: *O tratamento refloresceu sua pele.*] [*int.*: *A cosmética moderna ajuda o corpo a reflorescer.*] [▶ 33 reflorescer] [F.: Do v.lat. *reflorescere*.]

reflorescimento (re.flo.res.ci.*men*.to) *sm.* 1 Ação ou resultado de reflorescer 2 *Bot.* Segunda florada num mesmo ano [F.: *reflorescer* + *-imento*.]

reflorestador (re.flo.res.ta.*dor*) [ô] *a.* 1 Que reflorestra *sm.* 2 Aquele que refloresta [F.: *reflorestar* + *-dor*.]

reflorestamento (re.flo.res.ta.*men*.to) *sm.* Ação ou resultado de reflorestar; REFLORESTAÇÃO [F.: *reflorestar* + *-mento*.]

reflorestar (re.flo.res.*tar*) *v. td.* Florestar de novo, plantar novas árvores para refazer uma floresta ou reconstituir suas condições [▶ 1 reflorestar] [F.: *re-* + *floresta* + *-ar*[2].]

reflorir (re.flo.*rir*) *v.* O mesmo que *reflorescer* [*td.*] [*int.*] [▶ 59 reflorir] [F.: *re-* + *florir*.]

refluir (re.flu.*ir*) *v.* 1 Voltar atrás (um fluxo líquido) [*int.*: *A água avançou, mas depois refluiu.*] 2 Retornar ao ponto de partida; RETROCEDER [*ta.*: *Os andarilhos refluíram à aldeia de onde vieram.*] 3 Surgir em quantidade considerável [*ta.*: *O sangue refluiu-lhe ao rosto.*] [▶ 56 refluir] [F.: Do v.lat. *refluere*. Hom./Par.: *refluo* (fl.), *réfluo* (a.); *reflua* (fl.), *réflua* (fem. de a.); *refluas* (fl.), *réfluas* (pl. do fem. de a.).]

refluxo (re.*flu*.xo) *sm.* 1 Ação ou resultado de refluir 2 O movimento da maré descendente; VAZANTE 3 Corrente ou movimento contrário ao outro 4 *Med.* Fluxo no sentido inverso ao normal (como o de alimento do estômago para o esôfago); REGURGITAÇÃO 5 *Quím.* Parte do destilado que é posto de volta à coluna fracionadora, para ser novamente separado [F.: *re-* + *fluxo*.]

refocilante (re.fo.ci.*lan*.te) *a2g.* Que refocila, que serve para refocilar [F.: *refocilar* + *-nte*.]

refocilar (re.fo.ci.*lar*) *v. td.* 1 Conceder novo ânimo ou força a; REVIGORAR: *O professor não encontrou meios para refocilar o aluno.* 2 Descansar, dar repouso a: *O passeio bastou para refocilar o atleta.* 3 Recobrar as forças, o vigor: *Refocilou-se com a superalimentação.* 4 Distrair-se; RECREAR-SE: *Aproveitou o feriadão para refocilar-se.* 5 Recostar-se ou deitar-se de maneira confortável; REFESTELAR-SE: *Refocilava-se na cama dos pais.* [▶ 1 refocilar] [F.: Do v.lat. *refocillare*.]

refogado (re.fo.*ga*.do) *a.* 1 Que foi levemente frito em manteiga, óleo ou azeite quentes, com temperos diversos, cebola, tomate, alho (legumes refogados) *sm.* 2 *Cul.* Molho que se forma ao fritar cebola, alho, tomate, alho, sal em manteiga, óleo ou azeite quentes 3 *Cul.* Alimento cozido com esses temperos (refogado de carne) [F.: Part. de *refogar*.]

refogar (re.fo.*gar*) *Cul. v. td.* 1 Passar tempero em gordura fervente: *Refogou alho, cebola, limão e alfavaca.* 2 Cozinhar em tempero assim preparado; GUISAR; ENSOPAR [▶ 14 refogar] [F.: *re-* + *fogo* + *-ar*[2]. Hom./Par: *refogar*, *refugar* (vários tempos do v.).]

refolho (re.*fo*.lho) [ô] *sm.* 1 Folho que se sobrepõe a outro; DOBRA; REFOLHAMENTO 2 *Fig.* Falta de sinceridade; dissimulação, hipocrisia, dobrez: "Contou as coisas como elas foram, direitamente, singelamente, sem refolhos, sem armadilhas." (Alexandre Herculano, *Lendas e narrativas*) [F.: *re-* + *folho*. Hom./Par.: *refolho* (sm.), *refolho* (fl. de *refolhar*).]

reforçado (re.for.*ça*.do) *a.* 1 Que foi aumentado em sua espessura (alça reforçada) 2 Que foi aumentado em sua resistência ou durabilidade (cordas reforçadas) 3 *Mil.* Que recebeu reforço: *Com a tropa reforçada, seguiram a missão.* 4 Que está mais forte, mais intenso ou mais numeroso 5 Que voltou a ter forças; REVIGORADO [F.: Part. de *reforçar*.]

reforçador (re.for.ça.*dor*) [ô] *a.* 1 Que reforça *sm.* 2 Aquele ou aquilo que reforça 3 Aquilo que se coloca na ponta de um cordel detonante para aumentar o efeito de uma explosão 4 *Fot.* Substância que, colocada em banho fotográfico, tem a finalidade de tornar mais nítida a fotografia 5 Dispositivo que acompanha um veículo espacial em sua ascensão inicial e que ger. é abandonado após queimar-se [F.: *reforçar* + *-dor*.]

reforçamento (re.for.ça.*men*.to) *sm.* Ação ou resultado de reforçar; REFORÇO [F.: *reforçar* + *-mento*.]

reforçar (re.for.*çar*) *v. td.* 1 Tornar(-se) mais forte, mais sólido, mais resistente: *Reforçou a perna da mesa; Reforçou-se com uma superalimentação.* 2 Tornar (algo) mais intenso: *O cantor reforçou o poder de seus agudos.* 3 Tornar mais numeroso: *Reforçou sua equipe de guarda-costas.* 4

Dar mais ânimo, mais vigor; revigorar: *Aquela dose de café reforçou seu ânimo.* **5** Tornar mais enfático: *Reforçou com veemência a sua reivindicação.* **6** Tornar mais sólidos os seus pontos de vista: *Reforçou-se com os argumentos mais irresistíveis.* [▶ 12 reforç**ar**] [F.: *re-* + *força* + *-ar*²*.* Hom./Par.: *reforço* (fl.), *reforço* /ô/ (sm.).]

reforço (re.*for*.ço) [ô] ***sm.*** **1** Ação ou resultado de reforçar **2** Ação de tornar algo mais forte ou resistente **3** Peça ou artefato que confere maior resistência a algo **4** O que complementa ou dá sustentação a outra coisa: *aulas de reforço para 1º e 2º graus.* **5** Grupo de pessoas que se agrega a outro a fim torná-lo mais forte e/ou mais eficiente para concluir uma tarefa **6** *Mil.* Tropa que se junta a outra a fim de auxiliá-la em alguma missão [Pl.: *[ó]*.] [F.: Dev. de *reforçar*. Hom./Par.: *reforços* (pl.), *reforço* (fl. de *reforçar*).]

reforma (re.*for*.ma) ***sf.*** **1** Ação ou resultado de reformar; RENOVAÇÃO **2** Mudança na forma, no estado ou no modo de ser de alguma coisa, para melhorá-la, torná-la mais atual, mais eficiente etc.: *A reforma do judiciário é extremamente necessária.* **3** Nova organização, nova forma, ou novo feitio **4** Medida que visa a uniformização das normas (reforma ortográfica) **5** Obra em imóvel ou parte dele, para reparo ou melhoramento **6** Nova provisão de objetos que se inutilizaram: *Preciso fazer uma reforma de vestuário.* **7** *Bras.* Isenção definitiva do serviço concedida aos militares, ou seja por estarem impossibilitados de o continuarem, ou por terem terminado o tempo estabelecido na lei, mas com a conservação do posto em que se achavam, ou do imediatamente acima, e do respectivo salário **8** *Com.* Substituição de uma letra (promissória, hipoteca etc.), por outra de igual quantia, quando da prorrogação do prazo **9** *Ant.* Restabelecimento de uma disciplina primitiva numa ordem religiosa **10** *Hist.* Movimento religioso do séc. XVI, liderado por Lutero, que rompeu com a Igreja Católica Apostólica Romana e lançou as bases da Igreja Protestante [Com inicial maiúsc.] [F.: Dev. de *reformar*. Hom./Par.: *reforma* (sf.), *reforma* (fl. de *reformar*).] ■ **~ agrária** *Econ. Pol. Soc.* Reforma que consiste em distribuir terras e recursos agrícolas de modo a assentar agricultores sem terra e com isso, ao mesmo tempo, desenvolver a agricultura e promover justiça social

reformação (re.for.ma.*ção*) ***sf.*** **1** Ação ou resultado de reformar; CORREÇÃO; EMENDA; REFORMA **2** *Quím.* Processo químico utilizado para aumentar a octanagem de gasolina e de naftas [Pl.: *-ções*.] [F.: Do lat. *reformatio, onis*.]

reformado (re.for.*ma*.do) ***a.*** **1** Que sofreu reforma; REMODELADO; RESTAURADO **2** Que foi corrigido; EMENDADO **3** Diz-se do militar que se aposentou **4** Diz-se daquele que segue o protestantismo ***sm.*** **5** Que segue a doutrina protestante; CALVINISTA; PROTESTANTE **6** Militar aposentado [F.: Do lat. *reformatus, a, um*.]

reformador (re.for.ma.*dor*) [ô] ***a.*** **1** Que reforma; REFORMATÓRIO ***sm.*** **2** Aquele que reforma **3** Indivíduo que se reformou em uma congregação **4** Iniciador da Reforma protestante do séc. XVI **5** *Bras. RS Pej.* Durante o Império, nome dado pelos farrapos aos membros do partido conservador; CARAMURU; CARIMBOTO; GALEGO [F.: Do lat. *reformator, oris*.]

reformalização (re.for.ma.li.za.*ção*) ***sf.*** Ação de formalizar novamente; nova formalização [Pl.: *-ções*.] [F.: *reformalizar* + *-ção*.]

reformalizar (re.for.ma.li.*zar*) ***v. td.*** Voltar a formalizar [▶ 1 reformaliz**ar**] [F.: *re-* + *formalizar*.]

reformar (re.for.*mar*) ***v.*** **1** Tornar a formar ou construir, refazer a antiga forma; RECONSTRUIR [***td.***: *Reformou a casa.*] **2** Realizar mudança ou reestruturação em, dar nova forma a [***td.***: *Reformar os costumes/a administração/o sistema tributário.*] **3** Dar forma mais aprimorada a [***td.***: *Reformou todo o texto do ensaio.*] **4** Dar fim a; extirpar, suprimir [***td.***: *Queria reformar aqueles métodos baseados na força e na imposição.*] **5** Conceder (ou conseguir) reforma, aposentadoria definitiva de militar [***td.***: *O governo reformou o velho general.*] [***int.***: *O general reformou-se.*] **6** Revalidar um título ou contrato vencido [***td.***] **7** Efetuar revisão, com alterações, modificações em [***td.***: *Reformar os estatutos de uma empresa.*] **8** *Jur.* Alterar (sentença judicial) para atender um recurso [***td.***] **9** Prover(-se) do necessário; abastecer(-se) [***tdr.*** + *de*: *Reformar de trigo a região; Reformou-se de mantimentos.*] **10** Regenerar-se [***int.***: *Cumprida a pena, o preso reformou-se.*] **11** Efetuar correções, modificações; EMENDAR; CORRIGIR [***td.***: *O pastor queria porque queria reformar os hábitos sexuais da comunidade.*] [▶ 1 reform**ar**] [F.: Do v.lat. *reformare*. Hom./Par.: *reforma* (fl.), *reforma* (sf.); *reformas* (fl.), *reformas* (pl. do sf.); *reformáveis* (fl.), *reformáveis* (pl. de *reformável* [a. 2g.]).]

reformatação (re.for.ma.ta.*ção*) ***sf.*** **1** Estabelecimento de um novo formato **2** *Inf.* Ação ou resultado de reformatar, de formatar outra vez um meio magnético [Pl.: *-ções*.] [F.: *reformatar* + *-ção*.]

reformatar (re.for.ma.*tar*) ***v. td.*** *Inf.* Formatar outra vez; repetir o processo de formatação de um meio magnético [▶ 1 reformat**ar**] [F.: *re-* + *formatar*.]

reformativo (re.for.ma.*ti*.vo) ***a.*** **1** Que reforma (elemento reformativo) **2** Que revela capacidade para reformar (gênio reformativo) [F.: *reformar* + *-tivo*.]

reformatório (re.for.ma.*tó*.ri:o) ***a.*** **1** Que reforma ***sm.*** **2** Instituto disciplinar oficial que abriga menores delinquentes para tratamento, reajustamento e educação, visando a sua readaptação à sociedade **3** Conjunto de instruções cujo objetivo é educar e moralizar [F.: *reformar* + *-tório*.]

reformável (re.for.*má*.vel) ***a2g.*** Que pode ou deve ser reformado [Pl.: *-veis*.] [F.: *reformar* + *-vel*. Hom./Par.: *reformáveis* (pl.), *reformáveis* (fl. de *reformar*).]

reformeta (re.for.*me*.ta) [ê] ***sf.*** *Depr.* Reforma inexpressiva, insignificante [F.: *reforma* + *-eta*.]

reformismo (re.for.*mis*.mo) *Pol.* ***sm.*** Doutrina política que pretende alcançar a melhoria da sociedade por meio de reformas sucessivas e graduais dos mecanismos e das instituições já existentes, sem ações violentas ou bruscas [F.: *reforma* + *-ismo*.]

reformista (re.for.*mis*.ta) ***a2g.*** **1** Ref. ao reformismo **2** Que defende ideias reformistas, reformas políticas ou o reformismo ***s2g.*** **3** Aquele ou aquela que defende o reformismo [F.: *reforma* + *-ista*.]

reformulação (re.for.mu.la.*ção*) ***sf.*** Ação ou resultado de reformular, de refazer, repensar, reorganizar [Pl.: *-ções*.] [F.: *reformular* + *-ção*.]

reformulado (re.for.mu.*la*.do) ***a.*** Que se reformulou, que passou por nova formulação [F.: Part. de *reformular*.]

reformulador (re.for.mu.la.*dor*) [ô] ***a.*** **1** Que reformula ***sm.*** **2** Aquele ou aquilo que reformula [F.: *reformular* + *-dor*.]

reformular (re.for.mu.*lar*) ***v. td.*** Voltar a formular ou dar nova expressão a: *O pedagogo queria reformular o sistema de ensino; O técnico de futebol pretendia reformular a filosofia de jogo.* [▶ 1 reformul**ar**] [F.: *re-* + *formular*.]

refração (re.fra.*ção*) ***sf.*** **1** Ação ou resultado de refratar(-se) **2** *Fís.* Mudança de direção de uma onda, esp. sonora ou luminosa, produzida pela modificação do meio em que se propaga [Pl.: *-ções*.] [F.: Do lat. *refractio, onis*.] ■ **Dupla ~** *Ópt.* O mesmo que *birrefringência* **~ ocular** *Oft.* Refração que ocorre naturalmente no olho, com a mudança de direção dos raios luminosos para se concentrarem na retina

refranger (re.fran.*ger*) ***v. td.*** O mesmo que *refratar* [▶ 35 refrang**er**] [F.: *re-* + *franger*.]

refrão (re.*frão*) ***sm.*** **1** *Mús.* Verso ou conjunto de versos que se repetem em determinados intervalos nas canções, odes etc.; ESTRIBILHO **2** *P. ext.* Aquilo que alguém repete incessantemente **3** Máxima popular; ADÁGIO; PROVÉRBIO [Pl.: *-frões, -frães*.] [F.: Do espn. *refrán*.]

refratado (re.fra.*ta*.do) ***a.*** Que sofreu processo de refração [F.: Part. de *refratar*.]

refratar (re.fra.*tar*) ***v.*** **1** Alterar a direção de um raio luminoso, quando este passa de um meio (como a água) para outro (como o ar) [***td.***: *Essa película refrata a luminosidade da manhã.*] **2** Refletir(-se) [***ta.***: *A luz da fogueira refrata-va-se nas paredes.*] [▶ 1 refrat**ar**] [F.: Do lat. *refractus, a, um*, 'quebrado, partido', + *-ar*². Hom./Par.: *refrato* (fl.), *refrato* (a.); *refrataria* (fl.), *refratária* (fem. de *refratário* [a. sm.]); *refratarias* (fl.), *refratárias* (pl. do fem.).]

refratariedade (re.fra.ta.ri.e.*da*.de) ***sf.*** Qualidade do que é refratário [F.: *refratári(o)* + *-edade*, seg. o mod. erudito.]

refratário (re.fra.*tá*.ri:o) ***a.*** **1** *Fís.* Que resiste a altas temperaturas ou a alguma ação química ou física (louça refratária) **2** Que resiste às leis, a autoridade; INSUBMISSO **3** *Fig.* Resistente, indiferente, imune: *um político refratário a pressões.* ***sm.*** **4** Material refratário (1) **5** Jovem que não comparece à convocação do serviço militar obrigatório [F.: Do lat. *refractarius, a, um*. Hom./Par.: *refratária* (fem.), *refrataria* (fl. de *refratar*).]

refrativo (re.fra.*ti*.vo) ***a.*** Que produz refração; REFRANGENTE; REFRINGENTE [F.: *refratar* + *-ivo*.]

refratometria (re.fra.to.me.*tri*.a) ***sf.*** *Ópt.* Medição do índice de refração [F.: *refrato* + *-metria*¹.]

refratométrico (re.fra.to.*mé*.tri.co) ***a.*** *Ópt.* Que diz respeito a refratometria ou a refratômetro [F.: *refratômetro* + *-ico*².]

refratômetro (re.fra.*tô*.me.tro) *Ópt.* ***sm.*** **1** Instrumento que mede o índice de refração de determinada substância **2** Instrumento que determina o poder de refração do olho; OPTÔMETRO [F.: *refrato* + *-metro*.]

refrator (re.fra.*tor*) [ô] ***a.*** **1** Que serve para refratar, que causa refração ***sm.*** **2** Aquilo que refrata **3** *Astron.* Telescópio cuja objetiva é uma lente ou um sistema de lentes; telescópio refrator [F.: *refrato* + *-or*.]

refreado (re.fre.*a*.do) ***a.*** **1** Que se refreou, reprimiu (instintos refreados, ira refreada); CONTIDO; REPRIMIDO **2** Que está sob o jugo, o controle de [F.: Part. de *refrear*.]

refreador (re.fre:a.*dor*) [ô] ***a.*** **1** Que refreia ***sm.*** **2** Aquele ou aquilo que refreia [F.: *refrear* + *-dor*.]

refrear (re.fre.*ar*) ***v. td.*** **1** Conter com uso de freio: *Refreou o cavalo na beira do abismo.* **2** Dominar, subjugar, vencer: *Conseguiu refrear os invasores.* **3** Conter movimento, agitação: *Os soldados conseguiram refrear a fúria dos manifestantes.* **4** Tornar menos intenso; conter(-se): *Conseguia refrear seus impulsos bestiais; Refreava-se para não brigar.* **5** Impor-se abstenção; privar-se: *Refreava-se das bebidas mais fortes.* [▶ 13 refr**ear**] [F.: Do v.lat. *refrenare*. Hom./Par.: *refreio* (fl.), *refreio* (sm.); *refreáveis* (fl.), *refreáveis* (pl. de *refreável* [a. 2g.]).]

refreável (re.fre.*á*.vel) ***a2g.*** Que pode ou deve ser refreado [Pl.: *-veis*.] [F.: *refrear* + *-vel*. Hom./Par.: *refreáveis* (pl.), *refreáveis* (fl. de *refrear*).]

refrega (re.*fre*.ga) [é] ***sf.*** **1** Luta empenhada entre forças inimigas; BATALHA; PELEJA **2** Trabalho exaustivo; LABUTA; LIDA **3** *Bras. N. E.* Rajada de vento [F.: Dev. de *refregar*. Hom./Par.: *refrega* (sf.), *refrega* (fl. de *refregar*).]

refregar (re.fre.*gar*) ***v. int.*** Travar refrega, combate, luta; PELEJAR [▶ 14 refreg**ar**] [F.: Do v.lat. *refricare*. Hom./Par.: *refrega* (fl.), *refrega* (sf.); *refregas* (fl), *refregas* (pl. do sf.).]

refreio (re.*frei*.o) ***sm.*** **1** Ação de refrear **2** Aquilo com que se refreia [F.: Dev. de *refrear*. Hom./Par.: *refreio* (sm.), *refreio* (fl. de *refrear*).]

refrescado (re.fres.*ca*.do) ***a.*** **1** Que se refrescou, tornou-se fresco ou mais fesco; REFRIGERADO: *sala refrescada pelo condicionador de ar.* **2** Que teve as energias repostas graças a descanso ou repouso: *Com a mente refrescada pelo sono, recuperaram a lucidez e a tranquilidade.* **3** Que se tornou mais suave, mais leve [F.: Part. de *refrescar*.]

refrescamento (re.fres.ca.*men*.to) ***sm.*** Ação ou resultado de refrescar(-se) [F.: *refrescar* + *-mento*.]

refrescância (re.fres.*cân*.ci:a) ***sf.*** Sensação agradável de frescor [F.: *refrescar* + *-ância*.]

refrescante (re.fres.*can*.te) ***a2g.*** **1** Que refresca, que torna mais fresco **2** Que anima, dá novas forças [F.: *refrescar* + *-nte*.]

refrescar (re.fres.*car*) ***v.*** **1** Tornar(-se) mais fresco, refrescante [***td.***: *Refrescou a bebida com um pouco de gelo.*] **2** Reavivar(-se), reanimar(-se) [***td.***: *Os conselhos refrescaram-lhe a mente; Refrescava-se em passeios matinais.*] **3** Tornar menos pesado ou árduo; suavizar [***td.***: *Refrescou a pena brutal que impusera ao filho.*] **4** Tornar-se mais calmo ou tranquilo [***int.***: *Refrescava-se ouvindo choros.*] **5** *Mar.* Dar folga ou descanso aos tripulantes de um navio, depois de viagem [***td.***: *Chegara a hora de refrescar os marinheiros.*] **6** Tornar-se mais fresco (o clima) [***int.***: *O dia refrescou.*] **7** Dinamizar o processo de memorização [***td.***: *Esqueci aquela data, por favor refresque a minha memória.*] **8** Renovar-se, ganhar novas forças [***int.***: *Com a chegada dos novos jogadores, o time refrescou-se.*] [▶ 11 refresc**ar**] [F.: *re-* + *fresco* + *-ar*². Hom./Par.: *refresco* (fl.), *refresco* /ê/ (sm.).]

refresco (re.*fres*.co) [ê] ***sm.*** **1** Bebida refrescante, ger. suco de frutas diluído em água **2** O que serve para refrescar **3** *Fig.* Refrigério, alívio, conforto **4** Reforço, aumento de força; AJUDA; SOCORRO **5** *PE Pop.* Surra, sova [F.: Dev. de *refrescar*. Hom./Par.: *refresco* (sm.), *refresco* (fl. de *refrescar*).] ■ **Dar um ~ 1** Diminuir a quantidade ou intensidade de exigências, de trabalho ou esforço a que alguém ou algo é submetido **2** *Restr.* Dar descanso ou alívio a alguém **3** Interromper algo em que vinha insistindo

refresqueira (re.fres.*quei*.ra) ***sf.*** Utensílio próprio para conter refresco (refresqueira térmica) [F.: *refresco* (*c* = *qu*) + *-eira*.]

refrigeração (re.fri.ge.ra.*ção*) ***sf.*** **1** Ação ou resultado de refrigerar(-se) **2** Produção de frio para fins domésticos ou industriais **3** *Fís. nu.* Redução da atividade radioativa; DESATIVAÇÃO [Pl.: *-ções*.] [F.: Do lat. *refrigeratio, onis*.]

refrigerado (re.fri.ge.*ra*.do) ***a.*** Que foi submetido a processo de refrigeração [F.: Part. de *refrigerar*.]

refrigerador (re.fri.ge.ra.*dor*) [ô] ***sm.*** **1** Aparelho próprio para refrigerar; GELADEIRA ***a.*** **2** Que é capaz de refrigerar [F.: *refrigerar* + *-dor*.]

refrigerante (re.fri.ge.*ran*.te) ***sm.*** **1** Bebida refrescante, gasosa, e não alcoólica **2** Aquilo que refrigera ***a2g.*** **3** Que é próprio para refrigerar ou refrescar **4** Que conforta, alivia [F.: *refrigerar* + *-nte*.]

refrigerar (re.fri.ge.*rar*) ***v. td.*** **1** Tornar(-se) frio ou fresco: *Refrigerou o suco na geladeira; O ventinho noturno refrigerou o quarto.* **2** Aliviar(-se) ou reconfortar(-se): *Esse tecido fininho refrigera o corpo; Refrigerou-se à sombra da árvore.* [▶ 1 refriger**ar**] [F.: Do v.lat. *refrigerare*.]

refrigério (re.fri.*gé*.ri:o) ***sm.*** **1** Bem-estar proporcionado pela sensação de frescura **2** Alívio ou consolo de qualquer natureza; prazer que nos conforta [F.: Do lat. *refrigerium, ii*.]

refritar (re.fri.*tar*) ***v. td.*** Fritar de novo [▶ 1 refrit**ar**] [F.: *re-* + *fritar*.]

refugado (re.fu.*ga*.do) ***a.*** **1** Rejeitado, posto de lado **2** Desprezado [F.: P art. de *refugar*. Hom./Par.: *refugado* (a.), *refogado* (a. sm.).]

refugar (re.fu.*gar*) ***v.*** **1** Pôr de lado; REJEITAR [***td.***: *Refugar peças inúteis.*] **2** *Bras.* Negar-se (cavalgadura, boi etc.) a seguir caminho ou entrar no curral [***int.***: *O animal refugou diante da porteira.*] **3** *S* Separar (o gado) [***td.***] [▶ 14 refug**ar**] [F.: Do v.lat. *refugare*. Hom./Par.: *refugo* (fl.), *refugo* (sm.); *refugar*, *refogar* (vários tempos do v.).]

refugiado (re.fu.gi.*a*.do) ***a.*** **1** Que se refugiou ***sm.*** **2** Aquele que se refugiou [F.: Part. de *refugiar*. Sin. ger.: *exilado, expatriado*.]

refugiar-se (re.fu.gi.*ar*-se) ***v. tda.*** **1** Retirar-se para refúgio, lugar seguro ou protegido: *Refugiou-se numa caverna.* **2** *Fig.* Encontrar consolo ou amparo em: *Refugiava-se na música.* **3** Proteger-se a si mesmo: *Refugiou-se sob a marquise.* **4** Asilar-se, expatriar-se: *Perseguido pela polícia política, refugiou-se no México.* [▶ 1 refugi**ar**-se] [F.: *refúgio* + *-ar*² + *se*¹. Hom./Par.: *refugio* (fl.), *refúgio* (sm.).]

refúgio (re.*fú*.gi:o) ***sm.*** **1** Lugar para onde alguém foge ou se retira em busca de segurança e proteção; ABRIGO **2** Lugar que proporciona tranquilidade, paz (refúgio campestre); RETIRO **3** Esconderijo, valhacouto (refúgio de ladrões) **4** Amparo, conforto, proteção: *Procurou refúgio nos braços do amante.* [F.: Do lat. *refugium, ii*. Hom./Par.: *refúgio* (sm.), *refugio* (fl. de *refugiar*).]

refugo (re.*fu*.go) ***sm.*** **1** O que foi refugado ou rejeitado por não prestar; RESTO; REBOTALHO **2** *Bras.* Ação ou resultado de refugar [F.: Dev. de *refugar*. Hom./Par.: *refugo* (sm.), *refugo* (fl. de *refugar*).]

refulgência (re.ful.*gên*.ci:a) ***sf.*** **1** Aspecto brilhante; intensidade de brilho de uma luz vivíssima; RESPLENDOR **2** *Fig.* Brilhantismo, realce, relevo: *A refulgência da glória.* [F.: Do lat. *refulgentia, ae*.]

refulgente (re.ful.*gen*.te) ***a2g.*** **1** Que refulge; muito brilhante; RESPLANDESCENTE; REFÚLGIDO **2** *Fig.* Que se distingue pelo brilhantismo [F.: Do lat. *refulgens, entis*.]

refúlgido (re.*fúl*.gi.do) *a.* O mesmo que *refulgente* [F.: *re-* + *fúlgido*. Hom./Par.: *refúlgido* (a.), *refulgido* (part. de *refulgir*).]

refulgir (re.ful.*gir*) *v. int.* **1** Brilhar muito; LUZIR; RESPLANDECER: *O diamante refulgia em sua gargantilha.* **2** *Fig.* Sobressair, distinguir-se: *Ela refulgia no palco, perfeita em sua interpretação.* [▶ 46 refulgir] [F.: Do v.lat. *refulgere*. Hom./Par.: *refulgido* (part.), *refúlgido* (a.).]

refundar (re.fun.*dar*) *v. td.* Tornar mais profundo; aprofundar [▶ 1 refundar] [F.: *re-* + *fundar*.]

refundição (re.fun.di.*ção*) *sf.* Ação ou resultado de refundir(-se), de tornar a fundir, de tornar a derreter [Pl.: *-ções*.] [F.: *refundir* + *-ção*.]

refundir (re.fun.*dir*) *v.* **1** Tornar a fundir(-se), a derreter(-se) [*td.*: *Refundir a prata*] [*int.*: *O ouro se refundiu rapidamente*] **2** Passar (líquido) de um vaso para outro; TRASVASAR [*td.*] **3** Fazer correção ou reforma em [*td.*: *Refundir um texto*] **4** Ajuntar-se, concentrar-se [*ta.*: *Esses rapazes sempre refundiam no botequim*] **5** Desaparecer de vista; SUMIR [*int.*: *A pipa foi tão alto que se refundiu*] **6** Transformar-se em; CONVERTER-SE [*tr.* + *em*: *Alguns meninos de rua refundiram-se em bons atletas*] [▶ 3 refundir] [F.: Do v.lat. *refundere*.]

refutação (re.fu.ta.*ção*) *sf.* **1** Ação ou resultado de refutar **2** Argumento ou série de argumentos para contestar uma afirmação; CONTESTAÇÃO; RÉPLICA **3** *Ret.* Parte do discurso destinada a refutar os argumentos contrários [Pl.: *-ções*.] [F.: Do lat. *refutatio, onis*.]

refutado (re.fu.*ta*.do) *a.* Que se refutou, recusou ou rejeitou [F.: Part. de *refutar*.]

refutar (re.fu.*tar*) *v. td.* **1** Afirmar o oposto de; NEGAR; DESMENTIR: *O acusado refutou as acusações.* **2** Não aceitar; REJEITAR: *Refutou a imposição que lhe foi feita.* **3** Contestar os argumentos de: *Refutou a teoria do mestre, por não lhe achar fundamento.* [▶ 1 refutar] [F.: Do v.lat. *refutare*. Hom./Par.: *refutáveis* (fl.), *refutáveis* (pl. de *refutável* [a. 2g.]).]

refutatório (re.fu.ta.*tó*.ri:o) *a.* Que refuta; que é próprio para refutar [F.: Do lat. *refutatorius, a, um*.]

refutável (re.fu.*tá*.vel) *a2g.* Que é passível de ser refutado [Pl.: *-veis*.] [F.: *refutar* + *-vel*. Hom./Par.: *refutáveis* (pl.), *refutáveis* (fl. de refutar).]

rega (*re*.ga) *sf.* **1** Ação ou resultado de regar, aguar (*rega* de plantas); REGADURA; REGADIO **2** *Pop.* Chuva (1) [F.: Dev. de *regar*. Hom./Par.: *rega* (sf.), *rega* (fl. de *regar*).]

rega-bofe (re.ga-*bo*.fe) *Pop. sm.* Festa com muita comida e bebida [Pl.: *rega-bofes*.] [F.: *regar* (na 3ª pess. pres. ind.) + *bofe*.]

regaço (re.*ga*.ço) *sm.* **1** Parte do corpo entre a cintura e os joelhos, na posição sentada; COLO **2** Dobra formada por vestido ou avental levantado à frente **3** *Fig.* Meio, interior: *no regaço das colinas.* **4** *Fig.* Lugar onde se repousa, se descansa, se acha abrigo [F.: Dev. de *regaçar*. Hom./Par.: *regaço* (sm.), *regaço* (fl. de *regaçar*).] ■ **Trazer no ~** *Fig.* Tratar com carinho

regadio (re.ga.*di*:o) *a.* **1** Que se rega *sm.* **2** O mesmo que *rega* [F.: *regado* + *-io*.]

regado (re.*ga*.do) *a.* **1** Que se regou (canteiro *regado*) **2** Que é acompanhado de bebida: *ceia regada a vinho.* [F.: Part. de *regar*.]

regador (re.ga.*dor*) [ô] *a.* **1** Que rega *sm.* **2** Recipiente com bico onde se adapta uma espécie de ralo, próprio para regar plantas **3** Aquilo que rega [F.: *regar* + *-dor*.]

regadura (re.ga.*du*.ra) *sf.* O mesmo que *rega* (1) [F.: *regar* + *-dura*.]

regaladamente (re.ga.la.da.*men*.te) *adv.* De maneira regalada, farta, abundante: *Passou a tarde a beber regaladamente.* [F.: Fem. de *regalado* + *-mente*.]

regalado (re.ga.*la*.do) *a.* **1** Que se regalou **2** Que é tratado com regalo, atenções, mimos (políticos *regalados*) **3** Em que há prazer e regalos (vida *regalada*) **4** Que se revela farto, abundante (mesa *regalada*) **5** Contente deleitado **6** Agradável deleitoso [F.: Part. de *regalar*.]

regalar (re.ga.*lar*) *v.* **1** Oferecer regalo, prazer a alguém ou a si mesmo [*td.*: *A escultura regalou-lhe a alma; Regalou-se com um vinho de primeira.*] **2** Dar (algo) de presente a; BRINDAR; PRESENTEAR [*tdr.* + *com*: *Regalou a visita com um almoço à mineira.*] **3** Levar boa vida [*int.*: *Então, só queria saber de regalar.*] [*tr.* + *com*: *Regala-se com os privilégios do cargo.*] **4** Tratar-se com regalo [*td.*: *Regalou-se com três horas de sinuca.*] [▶ 1 regalar] [F.: Do fr. *régaler*. Hom./Par.: *regalo* (fl.), *regalo* (sm.).]

regalia (re.ga.*li*.a) *sf.* **1** Privilégio, prerrogativa, vantagem: "Achavam de tomar *regalia* de desforra na gente, até qualquer molambo de sujeito..." (João Guimarães Rosa, *Grande sertão: veredas*) **2** Direito inerente à realeza [F.: Do espn. *regalía*.]

regalismo (re.ga.*lis*.mo) *sm.* Sistema dos regalistas e dos que defendem as prerrogativas do Estado nas questões da Igreja [F.: Do lat. *regalis, e*, 'real, de rei', + *-ismo*.]

regalista (re.ga.*lis*.ta) *a2g.* **1** Diz-se de quem é adepto dos privilégios do Estado, esp. nas questões relativas à Igreja **2** Que desfruta de privilégios, regalias *s2g.* **3** Aquele ou aquela que é simpatizante do regalismo **4** Aquele ou aquela que goza de regalias ou defende um sistema de concessão de regalias [F.: *regalismo* + *-ista*.]

regalo (re.*ga*.lo) *sm.* **1** Prazer, satisfação, contentamento: "...tão renunciado me quis mostrar aos culpados *regalos* da carne." (Eça de Queirós, *A relíquia*) **2** Presente que se dá a alguém **3** Agasalho de forma cilíndrica, ger. de peles, us. pelas mulheres para proteger as mãos contra o frio **4** Tipo de rede us. para pesca de arrastão [F.: Dev. de *regalar*. Hom./Par.: *regalo* (sm.), *regalo* (fl. de *regalar*).]

reganhar (re.ga.*nhar*) *v. td.* Tornar a ganhar; reaver, recuperar [▶ 1 reganhar] [F.: *re-* + *ganhar*. Hom./Par.: *reganho* (fl.), *reganho* (sm.).]

regar (re.*gar*) *v.* **1** Molhar por aspersão ou irrigação; AGUAR [*td.*: *Regar as plantas.*] **2** *Fig.* Acompanhar com bebida (uma refeição) [*tdr.* + *a, com*: *Regou o almoço com um vinho verde.*] **3** Molhar ou umedecer levemente [*td.*: *As lágrimas logo lhe regaram o rosto.*] **4** Banhar (um rio), correr junto de [*td.*: *Os rios Capibaribe e Beberibe regam o Recife.*] **5** Molhar muito; encharcar; EMPAPAR [*td.*: *O sangue jovem rega o chão das favelas brasileiras.*] [▶ 14 regar] [F.: Do v.lat. *rigare*. Hom./Par.: *rega* (fl.), *rega* (sf.); *regas* (fl.), *regas* (pl. do sf.); *regais* (fl.), *regais* (pl. de *regal* [sm.]); *rego* (fl.), *rego* /ê/ (sm.), *Rego* /ê/ (antr.); *regou* (fl.), *regô* (sm.).]

regata (re.*ga*.ta) *sf.* **1** *Esp. Náut.* Corrida disputada por embarcações, ger. barcos a vela **2** *Vest.* Camiseta decotada e sem mangas [F.: Do veneziano *regata*.]

regatão (re.ga.*tão*) *a.* **1** Que regateia muito *sm.* **2** Aquele que regateia **3** Comerciante que compra no atacado e vende no varejo **4** *AM* Comerciante ambulante que, de barco, percorre os rios, parando em diversos pontos para efetuar vendas **5** *Lus.* Aquele que compra caças no campo e as revende nas cidades **6** *Lus.* Homem inculto, rude, grosseiro [Pl.: *-tões*.] [F.: *regatar* + *-ão*².]

regatar (re.ga.*tar*) *v. td.* Comprar por atacado e vender a varejo [▶ 1 regatar] [F.: Do lat. vulg. **recaptare*, 'comprar novamente'.]

regateador (re.ga.te:a.*dor*) [ô] *a.* **1** Que regateia *sm.* **2** Aquele que regateia [F.: *regatear* + *-dor*.]

regatear (re.ga.te.*ar*) *v.* **1** Discutir, tentando baixar (o preço); PECHINCHAR [*td.*: *Regateou o preço dos óculos.*] [*tdr.* + *a, com*: *Regateara o preço do vaso com o comerciante.*] [*int.*: *Regateava na feira toda.*] **2** Tirar o valor; depreciar; DESFAZER [*td.*: *Regatearam os dotes do touro.*] **3** Discutir grosseiramente, com impertinência [*int.*: *Não debate: regateia.*] **4** Dar com parcimônia, comedimento [*td.*: *Regateava favores a quem quer que fosse.*] [*tdi.* + *a*: *Não regateava elogios aos autores.*] [▶ 13 regatear] [F.: *regat(ar)* + *-ear*². Hom./Par.: *regateio* (fl.), *regateio* (sm.).]

regateio (re.ga.*tei*.o) *sm.* Ação de regatear [F.: Dev. de *regatear*. Hom./Par.: *regateio* (sm.), *regateio* (fl. de *regatear*).]

regateirice (re.ga.tei.*ri*.ce) *sf. Pej.* Condição ou caráter de regateiro, de quem costuma regatear, ou que é muito vaidoso, presumido, jactancioso [F.: *regateiro* + *-ice*.]

regateiro (re.ga.*tei*.ro) *a.* **1** Diz-se daquele que se mostra presunçoso, vaidoso *sm.* **2** Aquele que tem por hábito regatear [F.: *regatear* + *-eiro*.]

regatista (re.ga.*tis*.ta) *a2g.* **1** Diz-se de quem se dedica ao esporte da regata *s2g.* **2** Aquele ou aquela que pratica esse esporte [F.: *regata* + *-ista*.]

regato (re.*ga*.to) *sm.* Pequeno curso d'água; ARROIO; RIACHO; CÓRREGO [F.: Do lat. *rigatus, us*.]

regedor (re.ge.*dor*) [ô] *a.* **1** Que rege, dirige ou governa; REGENTE **2** *Lus. Ant.* Diz-se de autoridade administrativa, política, religiosa etc. *sm.* **3** Essa autoridade **4** Aquele que rege, dirige ou governa [F.: *reger* + *-dor*.]

regeira (re.*gei*.ra) *sf.* **1** *Mar.* Espia cujo chicote sai da popa de embarcação fundeada e vai prender-se à amarra ou âncora que mantém a embarcação no mesmo lugar, embora girando de um lado para outro **2** *Cons.* Cada uma das escoras que, na carreira de construção, se colocam em posição oblíqua ao casco de uma embarcação, com a finalidade de mantê-la imóvel até o momento de seu lançamento ao mar **3** *S* Corda de couro que se prende às orelhas dos bois para que se guiem juntos no trabalho de lavra [F.: *reg(er)* + *-eira*.]

regelado (re.ge.*la*.do) *a.* **1** Que se regelou; que ficou enregelado **2** Congelado, convertido em gelo [F.: Part. de *regelar*.]

regelar (re.ge.*lar*) *v.* Gelar(-se), congelar(-se) [*td.*: *O frio intenso regelou-lhe as mãos.*] [*int.*: *O alpinista regelou-se na neve.*] [▶ 1 regelar] [F.: Do v.lat. *regelare*. Hom./Par.: *regelo* (fl.), *regelo* /ê/ (sm.).]

regência (re.*gên*.ci:a) *sf.* **1** Ação ou resultado de reger(-se) **2** Governo transitório de um país durante ausência ou impedimento de soberano **3** Cargo ou função de regente (2) **4** *Gram.* Relação entre um termo regente (p. ex.: o verbo) e outro termo que o complementa (p. ex.: o objeto), estabelecida através de uma preposição **5** *Mús.* Direção de um conjunto de músicos, ger. uma orquestra: *A sinfônica terá a regência de um novo maestro.* **6** *Mús.* Arte e técnica de reger um conjunto de músicos **7** *Ped.* Atividade de, como professor, reger ou dirigir um grupo de estudantes em sala de aula **8** *Hist.* Período em que o Brasil esteve sob regência (2), devido à minoridade de D. Pedro II (1831-1840) [Nesta acp., com inicial maiúsc.] [F.: Do lat. *regentia, ae*.]

regencial (re.gen.ci.*al*) *a2g.* Ref. a regência (período *regencial*) [Pl.: *-ais*.] [F.: *regência* + *-al*¹.]

regenerabilidade (re.ge.ne.ra.bi.li.*da*.de) *sf.* Qualidade ou característica de regenerável [F.: *regenerável*, sob a f. *regenerabil-*, + *-(i)dade*, seg. o mod. erudito.]

regeneração (re.ge.ne.ra.*ção*) *sf.* **1** Ação ou resultado de regenerar(-se) [Ant.: *degeneração*.] **2** *Biol.* Renovação natural de tecido ou órgão lesionado ou parcialmente destruído **3** Renovação, reabilitação moral (*regeneração* dos costumes) **4** *Eletrôn.* Transferência de energia da saída de um circuito para sua entrada, a fim de reforçar o sinal; REALIMENTAÇÃO **5** *Inf.* Processo de restauração de dados ou arquivos corrompidos **6** Modo de reprodução das árvores nas florestas [Pl.: *-ções*.] [F.: Do lat. *regeneratio, onis*.]

regenerado (re.ge.ne.*ra*.do) *a.* **1** Que se regenerou **2** Que se formou de novo (osso *regenerado*) **3** Reconstituído, reorganizado **4** Que se reabilitou, se emendou (bandido *regenerado*) [F.: Part. de *regenerar*.]

regenerador (re.ge.ne.ra.*dor*) [ô] *a.* **1** Que regenera; REGENERATIVO *sm.* **2** O que regenera: *Usou um regenerador nos cabelos.* [F.: *regenerar* + *-dor*.]

regenerar (re.ge.ne.*rar*) *v. td.* **1** Gerar(-se) ou formar(-se) de novo: *Regenerar células; Se cortado, o rabo da lagartixa se regenera.* **2** Reorganizar, reconstituir: *Regenerar a estrutura da empresa.* **3** Emendar(-se), reabilitar(-se): *Regenerar um criminoso.* [▶ 1 regenerar] [F.: Do v.lat. *regenerare*. Hom./Par.: *regeneráveis* (fl.), *regeneráveis* (pl. de *regenerável* [a2g.]).]

regenerativo (re.ge.ne.ra.*ti*.vo) *a.* Que tem poder de regenerar; REGENERADOR [F.: *regenerar* + *-tivo*.]

regenerável (re.ge.ne.*rá*.vel) *a2g.* Que se pode generar [Ant.: *irregenerável*] [Pl.: *-veis*.] [F.: *regenerar* + *-vel*. Hom./Par.: *regeneráveis* (pl.), *regeneráveis* (fl. de *regenerar*).]

regente (re.*gen*.te) *a2g.* **1** Que rege, que governa, que dirige (príncipe *regente*) *s2g.* **2** Pessoa que governa interinamente um país **3** Pessoa que rege uma orquestra; MAESTRO [F.: Do lat. *regens, entis*.]

reger (re.*ger*) *v.* **1** Reinar, exercer regência, ou governar(-se), dirigir(-se) [*td.*: *Reger um império.*] [*int.*: *O monarca regeu com uma mão atrás outra na frente.*] **2** Orientar(-se) [*tdr.* + *por*: *Os pescadores regiam-se pela direção do vento*] **3** *Mús.* Dirigir (orquestra), atuar como regente ou maestro [*td.*: *Reger uma orquestra. / Rege Stravinski. / Regia óperas russas.*] [*int.*: *O maestro vai reger no Municipal do Rio de Janeiro.*] **4** *Gram.* Determinar as relações sintáticas, o regime de emprego das preposições (ou os casos, nas línguas declináveis) [*td.*: *O verbo 'dar' rege dois objetos, um direto e um indireto; As preposições regem pronomes oblíquos tônicos.*] **5** Exercer funções de professor [*td.*: *Regia a primeira turma da segunda série.*] **6** Encaminhar, orientar [*td.*] [▶ 35 reger] [F.: Do v.lat. *regere*. Hom./Par.: *regia* (fl.), *régia* (sf.); *regias* (fl.), *régias* (pl. do sf.).]

⊕ **reggae** (*Ing.* /réguei/) *Mús. sm.* Tipo de música popular surgida na Jamaica na década de 1960

régia (*ré*.gi:a) *sf.* Palácio ou residência real [F.: Do lat. *regia, ae*. Hom./Par.: *régia* (sf.), *regia* (fl. de *reger*), *régias* (pl.), *regias* (fl. de *reger*).]

regiamente (re.gi:a.*men*.te) *adv.* De maneira régia, altamente compensadora; REALENGAMENTE: *Foi regiamente pago para editar a revista* [F.: o fem. de *régio* + *-mente*.]

região (re.gi.*ão*) *sf.* **1** Grande extensão de terras **2** Território que se distingue de outros por características particulares de clima, produção, população, aspecto físico, posição geográfica etc. **3** *Anat.* Parte delimitada do corpo (*região* lombar) **4** Cada uma das partes em que se divide a atmosfera **5** *Geog.* Cada uma das cinco regiões geográficas em que se divide o Brasil: Norte, Nordeste, Centro-Oeste, Sudeste e Sul; grande região [Pl.: *-ões*.] [F.: Do lat. *regio, onis*.] ■ **Grande ~** *Bras. Geog.* Cada uma das cinco regiões geográficas em que se divide o Brasil, segundo critérios geográficos e políticos [São: Região Norte (Acre, Rondônia, Amazonas, Roraima, Amapá, Pará, Tocantins); Região Nordeste (Maranhão, Piauí, Ceará, Rio Grande do Norte, Paraíba, Pernambuco, Alagoas, Sergipe, Bahia; Região Centro-Oeste (Goiás, Mato Grosso, Mato Grosso do Sul, Distrito Federal); Região Sudeste (Minas Gerais, Espírito Santo, Rio de Janeiro, São Paulo); Região Sul (Paraná, Santa Catarina, Rio Grande do Sul). Tb. apenas *Região*.] **~ abissal** *Ecol. Geog. Oc.* Aquela de grande profundidade, no mar ou em terra **~ biogeográfica** *Ecol.* Cada uma das grande regiões mundiais em função de sua biota característica **~ climática** *Clim. Geog.* Região de clima uniforme, de acordo com determinados critérios **~ D** *Geof.* A região mais baixa da ionosfera, entre 40 e 80 km de altitude **~ F** *Geof.* Região da ionosfera entre 140 e 350 km de altitude **~ fisiográfica** *Geog.* Região que apresenta aspectos geográficos comuns que a caracterizam e identificam, de acordo com determinados critérios (físicos, humanos e econômicos) **~ fitogeográfica** *Geog.* Cada uma das grande regiões mundiais em função de sua flora característica **~ litorânea** *Ocean.* Faixa do litoral entre os limites da preamar e da baixa-mar **~ metropolitana** *Bras. Urb.* Área densamente urbanizada, formada por conglomerado de municípios que pertencem à mesma comunidade socioeconômica **~ militar** *Bras.* Cada uma das áreas em que se divide o Brasil, abrangendo um ou mais estados, para organização, administração e comando de atividades militares, como mobilização para o serviço militar, treinamento, apoio logístico, comando de operações etc. **~ natural** *Geof.* Região caracterizada unicamente por seus aspectos geofísicos (relevo, hidrografia, clima etc.) **~ pelágica** *Oc.* Área do relevo submarino com a profundidade entre 2.000 m e 5.000 m **~ zoogeográfica** *Geog.* Cada uma das grande regiões mundiais em função de sua fauna característica.

regicida (re.gi.*ci*.da) *s2g.* Pessoa que assasina um rei ou uma rainha [F.: Do lat. medv. *regicida, ae*.]

regicídio (re.gi.*cí*.di:o) *sm.* Assassinato de rei ou rainha [F.: Do lat. medv. *regicidium*.]

regido (re.*gi*.do) *a.* **1** Que se rege; DIRIGIDO: "Todos os países *regidos* pela direta e profunda influência da legislação e jurisprudência romana..." (Latino Coelho, *Literatura e história*) *a.* **2** Que se regeu: *orquestra bem regida* **3** *Gram.*

Diz-se de termo que, numa construção gramatical, atua como complemento de outro termo, considerado seu regente [F.: Part. de *reger*.]

regime (re.*gi*.me) *sm.* **1** Sistema político pelo qual se governa um país (regime presidencialista) **2** Modo de viver, de proceder: *Tem submetido a família a um regime muito austero.* **3** Dieta alimentar que se segue para restabelecer a saúde ou para perder ou ganhar peso **4** Regimento, regulamento **5** *Agr.* Método de cultivo ou exploração de espécie vegetal ou de ecossistema (regime extrativista) **6** Sistema, processo, modo: *os cursos d'água de regime uniforme.* **7** *Mec.* Velocidade de rotação de um motor [F.: Do lat. *regimen, inis.* Tb. *regímen*.] ■ **~ de bens** *Jur.* Conjunto de preceitos legais e jurídicos que convencionam a relação patrimonial dos cônjuges, regulamentando a *comunhão de bens* e a *separação de bens*

regímen (re.*gí*.men) *sm.* Ver *regime* [Pl.: *-mens*.]

regimental (re.gi.men.*tal*) *a2g.* **1** Ref. a regulamento; REGULAMENTAR **2** *Mil.* Ref. a regimento [Pl.: *-tais*.] [F.: *regimento* + *-al*¹.]

regimentalmente (re.gi.men.tal.*men*.te) *adv.* **1** De modo regimental ou regimentar **2** De acordo com o regimento ou regulamento [F.: *regimental* + *-mente*.]

regimento (re.gi.*men*.to) *sm.* **1** Ação ou resultado de reger, dirigir, administrar *sm.* **2** Regulamento de uma instituição; ESTATUTO **3** Norma, regime, disciplina **4** *Mil.* Unidade militar comandada por oficial superior **5** *Fig.* Grande número de pessoas sob a dependência de uma só ou reunidas para um fim comum: *Tem um regimento de filhos.* [F.: Do lat. *regimentum, i.*] ■ **~ de custas** Código que tabela as custas judiciais e determina regras para o pagamento delas **~ interno** Conjunto de normas de procedimento e funcionamento interno das câmaras legislativas, dos tribunais, dos órgãos da administração pública e, em alguns casos, de instituições particulares

régio (*ré*.gi:o) *a.* **1** Ref. ou pertencente ao rei; que emana do rei (manto régio, poder régio); REAL **2** *Fig.* Suntuoso, magnífico, esplêndido (salário régio) [F.: Do lat. *regius, a, um.* Hom./Par.: *régia* (fem.), *regia* (fl. de *reger*).]

regional (re.gi:o.*nal*) *a2g.* **1** Ref. a ou próprio de uma região (desenvolvimento regional; culinária regional) *sm.* **2** Conjunto musical que toca músicas próprias de uma região, ger. com instrumentos típicos [Pl.: *-nais*.] [F.: Do lat. *regionalis, e*.]

regionalismo (re.gi:o.na.*lis*.mo) *sm.* **1** Qualidade do que é próprio de uma região **2** *Ling.* Palavra ou expressão próprias de uma região **3** Tendência política de defesa de interesses regionais **4** *Liter.* Caráter da obra literária que se volta esp. para a caracterização dos costumes e tradições regionais [F.: *regional* + *-ismo*.]

regionalista (re.gi:o.na.*lis*.ta) *a2g.* **1** Que defende interesses regionais **2** Que segue ou cultiva o regionalismo (4) *s2g.* **3** Pessoa que defende interesses regionais **4** Aquele ou aquela que segue ou cultiva o regionalismo (4) [F.: *regional* + *-ista*.]

regionalização (re.gi:o.na.li.za.*ção*) *sf.* Ação ou resultado de regionalizar(-se) [Pl.: *-ções*.] [F.: *regionalizar* + *-ção*.]

regionalizado (re.gi:o.na.li.*za*.do) *a.* Tornado regional: *atendimento hospitalar regionalizado.* [F.: Part. de *regionalizar*.]

regionalizar (re.gi:o.na.li.*zar*) *v. td.* **1** Dar feição regional a; tornar(-se) regional: *Pretendia regionalizar a assistência médica; Algumas formas da arte europeia se regionalizaram no Brasil.* **2** Dividir em região **3** Estruturar ou organizar por regiões: *Regionalizar a cobrança de alguns tributos.* [▶ 1 regionalizar] [F.: *regional* + *-izar*.]

regionalmente (re.gi.o.nal.*men*.te) *adv.* De maneira regional; de modo que só diz respeito ao que é regional: *Regionalmente, compreende-se que ajam assim; nacionalmente, não.* [F.: *regional* + *-mente*.]

regirar (re.gi.*rar*) *v.* **1** Tornar a girar, fazer girar [*td.*] **2** Movimentar(-se) em giros; REDEMOINHAR [*int.*: *As pás do moinho regiravam sem parar*] [▶ 1 regirar] [F.: Do v.lat. **regyrare*. Hom./Par.: *regiro* (fl.), *regiro* (sm.).]

registar (re.gis.*tar*) *v. P. us.* O mesmo que *registrar* [▶ 1 registar] [F.: *registo* + *-ar*². Hom./Par.: *registáveis* (fl.), *registáveis* (pl. de *registável* [a2g.]); *registo* (fl.), *registo* (sm.).]

registração (re.gis.tra.*ção*) *sf.* **1** Ação de lançar em registro **2** *Mús.* Arte da combinação dos timbres dos diferentes registros de um órgão [Pl.: *-ções*.] [F.: *registrar* + *-ção*.]

registrado (re.gis.*tra*.do) *a.* **1** Que se registrou **2** Lançado, exarado em livro especial **3** Lembrado, mencionado, notado, gravado na memória: *As grandes navegações portuguesas são fatos registrados na história da humanidade.* **4** *Bras.* Postado sob registro (diz-se de carta ou volume) [F.: Part. de *registrar*.]

registrador (re.gis.tra.*dor*) [ô] *a.* **1** Que registra **2** Diz-se daquele que cuida da escrituração de livros de registro *sm.* **3** Indivíduo que se incumbe da escrituração dos livros de registro **4** Esse cargo ou incumbência **5** O que registra ou serve para registrar **6** *Inf.* Componente de computador destinado a armazenar e transferir caracteres ou grupos de bits [F.: *registrar* + *-dor*.]

registradora (re.gis.tra.*do*.ra) [ô] *sf.* Máquina us. no comércio para calcular e registrar a movimentação dos valores de compra, guardar a quantia recebida e emitir um comprovante ao cliente [Tb. *máquina registradora*.] [F.: Fem. substv. de *registrador*.]

registrar (re.gis.*trar*) *v. td.* **1** Inscrever(-se) em livro ou qualquer outro meio apropriado; registar: *O delegado registrou a ocorrência; Registrara o filho com o nome do avô.* **2** Formalizar a autoria ou propriedade de: *Registrou a nova invenção.* **3** Marcar com a anotação adequada: *Registrar o consumo de eletricidade.* **4** Pôr por escrito; CONSIGNAR: *Registrar um depoimento/ uma falta/um lembrete.* **5** Memorizar: *Registrou na mente tudo o que lhe disseram.* **6** Anotar com auxílio de máquina: *Registrou o preço da compra.* **7** Consignar eletrônica e burocraticamente o envio de uma correspondência: *Registrou a carta e guardou o recibo.* **8** Assinalar, marcar: *Era o dia que registrava o nascimento da matriarca.* **9** *Mar.* Fazer a matrícula de (embarcação) em repartição competente: *Registrar um cargueiro, um iate.* **10** Consignar publicamente um documento, contrato etc., para assegurar-lhe a autenticidade: *Perdeu horas procurando registrar um contrato de locação.* **11** Firmar burocraticamente uma marca ou título de produto comercial: *Registrou nova marca de analgésico.* **12** *S* Anotar a presença de (gado estranho que se mistura ao rebanho) [▶ 1 registrar] [F.: *registro* + *-ar*². Hom./Par.: *registráveis* (fl.), *registráveis* (pl. de *registrável* [a. 2g.]); *registro* (fl.), *registro* (sm.).]

registrário (re.gis.*trá*.ri:o) *a.* *Ant.* O que registra; registrador: "Francisco Bacon, recebida a nomeação de registrário, nunca pôde, em vida de Isabel, tomar posse daquele cargo." (Latino Coelho, *Literatura e história*) [F.: *registro* + *-ário*.]

registrável (re.gis.*trá*.vel) *a2g.* Que se pode registrar [Pl.: *-veis*.] [F.: *registrar* + *-vel*. Hom./Par.: *registráveis* (pl.), *registráveis* (fl. de *registrar*).]

registro (re.*gis*.tro) *sm.* **1** Ação ou resultado de registrar **2** Livro em que são feitas anotações oficiais **3** Repartição oficial onde se faz anotação de certos atos **4** Espécie de torneira que controla o fluxo de água ou gás em um encanamento **5** Porta de dique, açude ou represa **6** Tipo de relógio que indica o consumo de água, luz ou eletricidade **7** Atribuição de um número de identificação a uma correspondência, de maneira a possibilitar seu rastreamento **8** Certidão de nascimento **9** Nos relógios, peça que fica presa na roda dos ponteiros e serve para atrasar ou adiantar seu movimento **10** Exame aduaneiro de mercadorias ou tripulantes **11** O recinto onde se faz esse exame **12** Figura ou imagem de santo ou de outro objeto de devoção ou culto **13** *Mús.* Cada um dos âmbitos de altura em que se divide a escala de sons, de voz ou instrumento (registro grave) **14** *Mús.* O timbre próprio de uma voz ou instrumento **15** *Inf.* Conjunto de dados organizados de maneira a formar uma unidade; ARQUIVO **16** *Ling.* Variante linguística ref. a situação ou contexto em que se faz um proferimento (registro formal) **17** *RS* Exame do gado em busca de reses pertencentes a um outro rebanho **18** Fita, papel, pergaminho que se coloca entre as folhas de um livro para sinal **19** *Tip.* Correspondência exata na posição das páginas, colunas ou linhas no verso da folha ou sucessivas impressões de uma mesma ilustração a cores **20** *Inf.* Conjunto de um ou mais dados referido entre si e manejado como uma única unidade **21** *Inf.* Unidade de informação a ser transferida entre a memória principal do computador e um dispositivo **22** *Art. gr.* O mesmo que *marcador* **23** *S* Casa de comércio por atacado com sortimento completo de mercadorias (na região fronteiriça) **24** *Bras.* Exame e anotação do gado alheio existente numa tropa, invernada ou rodeio **25** *Inf.* Sinais telegráficos que preserva os sinais ou elementos telegráficos que resultam desse processo **26** Documento executado por um funcionário civil que registra óbitos, casamentos, escrituração oficial **27** *Jur.* Documento feito por um escrivão do juízo de direito de cada comarca, que tem por finalidade assentar os precedentes criminais do indivíduo processado **28** *Jur.* Certificado passado pelo escrivão competente em face do registro criminal; folha corrida **29** O timbre diverso das diferentes partes de um órgão **30** *Lus. Jur.* Escrituração oficial das hipotecas e outros créditos; registro hipotecário ou predial [F.: Do lat. medv. *registrum*, deriv. do lat. tard. *regesta*, part. pass. pl. neutro substv. de *regerere*.] ■ **~ civil** **1** Anotação oficial (ger. por cartório ou tabelião público) de todos os dados e eventos ref. a nascimentos, casamentos, óbitos de pessoas físicas, e atos de constituição de pessoas jurídicas **2** Cartório, ofício de registros

rego (*re*.go) [ê] *sm.* **1** Valeta natural ou artificial para escoamento de água **2** Sulco deixado na terra pelo arado ou por outro instrumento **3** *Bras. Vulg.* O sulco entre as nádegas **4** Linha ou risca que divide o cabelo penteado **5** *PA* Riacho formado por águas da chuva em campo descoberto [F.: De um pré-romano **recu-*, cruzado posv. com o céltico *rica*, 'sulco'. Hom./Par.: *rego* (sm.), *rego* (fl. de *regar*).] ■ **Pisar fora do ~** *S.* Comportar-se fora do padrão esperado (ger. com sentido de comportar-se mal)

regolfo (re.*gol*.fo) [ô] *sm.* **1** *Ant.* Variedade de roda hidráulica **2** Movimento das águas produzido pelo processo de propulsão de uma embarcação **3** Contracorrente que avança junto às margens de um rio **4** Alteração no declive das águas de um rio resultante do seu estreitamento pela aproximação de um escoadouro, dos pilares de uma ponte ou qualquer outro obstáculo [F.: Regress. de *regolfar.* Hom./Par.: *regolfo* (sm.), (fl. de *regolfar*).]

regolito (re.go.*li*.to) *sm.* *Geol.* Camada de material solto (sedimentos, terra, rochas fraturadas etc.) que recobre a superfície do globo e tem espessura que varia entre centímetros e dezenas de metros; REGÓLITO [F.: Do gr. *rhêgos, eos, ous.*]

regougado (re.gou.*ga*.do) *a.* Que regougou [F.: Part. de *regougar*.]

regougar (re.gou.*gar*) *v.* **1** Soltar a voz (a raposa, o gambá, certas aves) [*int.*] **2** *Fig.* Resmungar, falar em tom áspero [*td.*: *Regougou uma obscenidade e retirou-se.*] [*int.*: *Ficava num canto a murmurar, a regougar.*] **3** Produzir ruído áspero [*int.*: *O vento regougou a manhã inteira.*] [▶ 14 regougar] [F.: Voc. onom. Hom./Par.: *regougo* (fl.), *regougo* (sm.).]

regougo (re.*gou*.go) *sm.* **1** Ação ou resultado de regougar **2** Som gutural; RONCO [F.: Regress. de *regougar*. Hom./Par.: *regougo* (sm.), *regougo* (fl. de *regougar*).]

regozijar (re.go.zi.*jar*) *v. td.* Alegrar(-se), rejubilar(-se): *Aquela oferta regozijou seu espírito; Regozijou-se com a bela vitória.* [▶ 1 regozijar] [F.: Do espn. *regocijar.* Hom./Par.: *regozijo* (fl.), *regozijo* (sm.).]

regozijo (re.go.*zi*.jo) *sm.* **1** Prazer, alegria, contentamento, júbilo **2** Festa, folia, folguedo: *Os regozijos públicos duraram três dias.* [F.: Do espn. *regocijo*. Hom./Par.: *regozijo* (sm.), *regozijo* (fl. de *regozijar*).]

regra (*re*.gra) *sf.* **1** Norma, lei, costume que dirige, orienta e regula procedimentos (regra gramatical; regras de etiqueta) **2** Moderação, comedimento, parcimônia: *gastar com regra.* **3** *Rel.* Regulamento de certas ordens religiosas **4** Exemplo, modelo **5** Cada uma das linhas de um papel pautado [F.: Do lat. *regula, ae.* Hom./Par.: *regra* (sf.), *regra* (fl. de *regrar*). Ver tb. *regras*.] ■ **~ de três** *Arit.* Dado um conjunto de três valores, dos quais dois têm entre si uma relação de algum tipo, regra que permite calcular um quarto valor que tenha com o terceiro a mesma relação que há entre os dois primeiros [Ex.: Se duas pessoas comem cinco laranjas, quantas laranjas (x) comerão três pessoas? $2/5 = 3/x$. A resposta é 7, 5 laranjas.] **Cagar ~ s** *Bras. Tabu.* Assumir com petulância papel de sabichão **Em ~** **1** Geralmente, usualmente: *Em regra, ele costuma aparecer por aqui às dez.* **2** Cabal, completo: *Deu-lhe uma lição em regra.* **Por via de ~** Ver *Em regra* [Tb. apenas, com alguma crítica de gramáticos, *via de regra*.]

regra de fé (re.gra de*fé*) *sf.* *Rel.* Formulação de uma doutrina considerada como perfeita por uma igreja [Pl.: *regras de fé*.]

regrado (re.*gra*.do) *a.* **1** Bem-comportado, disciplinado, comedido (vida regrada) [Ant.: *desregrado*.] **2** Riscado com a régua; PAUTADO **3** *Antq. Pop.* Que menstrua (diz-se da mulher) [F.: Part. de *regrar*.]

regramento (re.gra.*men*.to) *sm.* Ação ou resultado de regrar [F.: *regra* + *-mento*.]

regrar (re.*grar*) *v. td.* **1** Traçar linhas ou regras sobre; pautar, regular: *Regrou todas as folhas de papel.* **2** Estabelecer certas regras para: *Costumes diversos regram a vida do carioca; Regrava-se por normas severas.* **3** Conter despesas, gastos: *Precisava regrar seu parco dinheiro.* **4** Alinhar, simetrizar: *Regrou todos aqueles objetos dispostos desordenadamente.* [▶ 1 regrar] [F.: Do lat. **reglare* < lat. regulare. Hom./Par.: *regra* (fl.), *regra* (sf.); *regras* (fl.), *regras* (pl. do sf.).]

regras (*re*.gras) *sfpl.* **1** *Antq. Pop.* Menstruação **2** *Bras. N. E. Pop.* Lorota [F.: Pl. de *regra*.]

regra-três (re.gra-*três*) *Bras. sm.* **1** *Esp.* Jogador substituto, reserva **2** Qualquer substituto [Pl.: *regras-três*.]

regravação (re.gra.va.*ção*) *sf.* Ação ou resultado de fazer nova gravação, sobretudo musical: *Fez uma regravação de um samba de Ary Barroso* [Pl.: *-ções*.] [F.: *regravar* + *-ção*.]

regravado (re.gra.*va*.do) *a.* Gravado novamente (música regravada) [F.: *re-* + *gravado*.]

regravar (re.gra.*var*) *v. td.* Tornar a gravar: *Regravar uma música; Regravar algo na memória.* [▶ 1 regravar] [F.: *re-* + *gravar*.]

regravável (re.gra.*vá*.vel) *a2g.* Que se pode regravar [Pl.: *-veis*.] [F.: *regravar* + *-vel*.]

regredir (re.gre.*dir*) *v. int.* Voltar atrás; retroceder, atrasar-se (em número, intensidade etc.); retrogradar: *Apesar dos esforços, a febre não regredia; Por nunca estudar, não progredia, antes regredia.* [▶ 49 regredir] [F.: Do v.lat. **regredere*, de *regredi*.]

regressado (re.gres.*sa*.do) *a.* Que regressou ou acabou de regressar [F.: *regressar* + *-ado*.]

regressante (re.gres.*san*.te) *s2g.* **1** Aquele que regressa de algum lugar *a2g.* **2** Diz-se do que ou de quem regressa de algum lugar [F.: *regressar* + *-ante*.]

regressão (re.gres.*são*) *sf.* **1** Ato ou efeito de regressar; REGRESSO; RETORNO **2** Ato ou efeito de regredir; RETROCESSO: "O juiz responsável pelo preso faz a regressão do regime e o preso perde o direito ao semiaberto e volta a cumprir pena no regime fechado." (*O Globo*, 16.05.2006) **3** *Est.* Em estatística, dependência funcional entre duas ou mais variáveis aleatórias **4** *Psic.* Adoção de procedimento ou atitude próprios de idade inferior ou de fase de desenvolvimento anterior, ger. causado por situações de conflito interno e/ou externo **5** *Biol.* Retrocesso na direção evolutiva **6** *Ret.* Figura de linguagem na qual palavras são repetidas com ordem inversa e sentido alterado: *Deveríamos trabalhar para viver e não viver para trabalhar.* **7** *Psic.* Suposta volta a traumas do passado ou acontecimentos de vidas passadas, por meio de processo hipnótico [F.: Do lat. *regressio, onis*.] ■ **~ fonética** *Ling.* Retorno de um vocábulo à sua forma etimológica ou a uma forma mais próxima desta, depois de ter-se dela afastado **~ marinha** *Oc.* Recuo das águas do mar, ger. deixando sedimentos depositados

regressar (re.gres.*sar*) *v.* Voltar ao lugar de origem (residência, cidade natal), ao ponto ou à condição em que se encontrava; RETORNAR [*ta.: Acabou regressando à casa dos pais; Ela jamais regressaria à vida fácil.*] [*int.: Prometeu regressar assim que o tempo melhorasse.*] [▶ 1 regressar] [F.: *regresso* + *-ar*². Hom./Par.: *regresso* (fl.), *regresso* (sm.).]

regressista (re.gres.*sis*.ta) *a2g.* 1 Diz-se de quem é adepto da retomada de antigos sistemas ou ideias políticas, hoje considerados ultrapassados *a2g.* 2 *Bras.* No Brasil imperial, dizia-se de partidário do retorno de D. Pedro I ao Brasil, para a formação de um novo império no Norte do país *s2g.* 3 O adepto de ideias regressistas 4 *Bras.* O partidário do retorno ao Brasil de D. Pedro I [F.: *regresso* + *-ista.*]

regressividade (re.gres.si.vi.*da*.de) *sf.* Qualidade daquilo ou daquele que regride [F.: *regresso* + *-v-* + *-idade.*]

regressivo (re.gres.*si*.vo) *a.* 1 Que volta ao ponto de partida ou a um estado anterior (contagem regressiva) [Ant.: *progressivo.*] 2 *Ling.* Diz-se da derivação que consiste na eliminação de sufixo da palavra derivante (como, p. ex., em *abalo* de *abalar*). 3 *Econ.* Diz-se de taxa, tributo ou imposto cujo valor relativo é inversamente proporcional à renda do contribuinte [F.: *regresso* + *-ivo.*]

regresso (re.*gres*.so) *sm.* Ação ou resultado de regressar, voltar; RETORNO [F.: Do lat. *regressus, a, um.* Hom./Par.: *regresso* (sm.), *regresso* (f. de *regressar*).]

régua (*ré*.gua) *sf.* 1 Peça longa, plana e graduada, us. para traçar linhas retas e medir 2 Ripa, sarrafo [F.: Do lat. *regula, ae.*] ∎ **~ de aparelho** *Carp.* Régua de madeira dividida em segmentos articulados, us. por carpinteiros **~ de cálculo** Instrumento de cálculo que consiste numa régua e num cursor que desliza sobre ela, graduados em escalas logarítmicas e seus correspondentes antilogaritmos **~ de maré** *Oc. Fís.* Régua graduada fincada verticalmente que permite verificar a altura da maré no momento da verificação **~ paralela** Régua us. em prancheta de desenho, que desliza com o auxílio de fios de náilon que passam por roldanas, mantendo-se paralela à base da prancheta e tb. servindo de apoio aos esquadros [Cf. *régua-tê.*]

reguada (re.*gua*.da) *sf.* Golpe que se aplica com régua [F.: *régua* + *-ada.*]

régua de cálculo (ré.gua de *cál*.cu.lo) *sf.* Instrumento de cálculo constituído por um par de réguas interligadas, com uma deslizando sobre a outra [Pl.: *réguas de cálculo.*]

régua-tê (ré.gua-*tê*) *sf. Arq. Des.* Régua com formato de T, que desliza na prancheta paralelamente à base desta, de tal forma que mantém o paralelismo das linhas com ela traçadas e tb. serve de apoio aos esquadros [Pl.: *réguas-tê.*]

regueira (re.*guei*.ra) *sf.* 1 Sulco por onde a água se escoa: "... borrasca sórdida, que escorre pelas regueiras das ruas." (Rui Barbosa, *Coletânea literária*) 2 Pequeno porção de água corrente; REGUEIRO 3 *Bras.* Depressão lombar que corresponde à linha da coluna vertebral [F.: *rego* + *-eira.*]

reguila (re.*gui*.la) *a2g.* 1 *Lus. Pop.* Diz-se de pessoa de temperamento instável, que briga com facilidade *s2g.* 2 Pessoa com esse temperamento [F.: De or. obsc.]

regulação (re.gu.la.*ção*) *sf.* Ação ou resultado de regular(-se) [Ant.: *desregulação.*] [Pl.: *-ções.*] [F.: *regular*² + *-ção.*]

regulado (re.gu.*la*.do) *a.* 1 Que se regulou; disposto segundo regras (comércio regulado) [Ant.: *desregulado.*] 2 Que se move ou funciona com regularidade (motor regulado) [Ant.: *desregulado.*] 3 *Pop.* Que está em seu período menstrual (diz-se de mulher) [F.: Part. de *regular.*]

regulador (re.gu.la.*dor*) [ô] *a.* 1 Que regula (agência reguladora) *sm.* 2 O que regula (regulador de apetite) 3 Peça ou aparelho que regulariza o movimento de uma máquina (regulador de tensão) [F.: *regular*² + *-dor.*]

regulagem (re.gu.*la*.gem) *sf. Bras.* Ação ou resultado de regular, de ajustar (instrumento, máquina, motor etc.) [Pl.: *-gens.*] [F.: *regular*² + *-agem*².]

regulamentação (re.gu.la.men.ta.*ção*) *sf.* 1 Ação ou resultado de regulamentar, de sujeitar a regulamento [Ant.: *desregulamentação.*] 2 Conjunto das disposições legais concernentes a uma atividade, instituição etc. [Pl.: *-ções.*] [F.: *regulamentar*² + *-ção.*]

regulamentado (re.gu.la.men.*ta*.do) *a.* Que se regulamentou; que passou a ser regido por regulamento [F.: Part. de *regulamentar.*]

regulamentador (re.gu.la.men.ta.*dor*) [ô] *a.* 1 Que regulamenta; que estabelece regulamento *sm.* 2 Aquele ou aquilo que regulamenta [F.: *regulamentar* + *-dor.*]

regulamentar¹ (re.gu.la.men.*tar*) *a2g.* 1 Ref. a regulamento *a2g.* 2 Que está previsto num regulamento ou que está de acordo com ele (tempo regulamentar) [F.: *regulamento* + *-ar*¹.]

regulamentar² (re.gu.la.men.*tar*) *v. td.* Pôr (algo) sob controle de um regulamento [▶ 1 regulamentar] [F.: *regulamento* + *-ar*². Hom./Par.: *regulamento* (fl.), *regulamento* (sm.); *regulamentaria* (fl.), *regulamentária* (fem. de *regulamentário*); *regulamentarias* (fl.), *regulamentárias* (pl. do fem. do a.).]

regulamento (re.gu.la.*men*.to) *sm.* 1 Ação ou resultado de regular² 2 Conjunto de prescrições e normas que estabelecem a conduta de militares 3 Conjunto de regras ou normas de uma instituição 4 Regra, norma, preceito 5 Conjunto de disposições governamentais que explica e regula a aplicação de uma lei, decreto etc. [F.: *regular*² + *-mento.* Hom./Par.: *regulamento* (sm.), *regulamento* (fl. de *regulamentar*).]

regular¹ (re.gu.*lar*) *a2g.* 1 De acordo com a regra, com as leis, a natureza (vida regular) 2 Que tem constância, assiduidade (encontros regulares) 3 Que ocorre em intervalos ou períodos iguais (visitas regulares) 4 Que é mediano, nem bom nem ruim: *A palestra foi regular.* 5 Que é harmonioso, bem proporcionado: *Tem feições regulares.* 6 Que ocorre dentro de um prazo previamente combinado (pagamentos regulares) 7 *Gram.* Diz-se de verbo que segue seu paradigma de conjugação 8 *Geom.* Diz-se do polígono com lados e ângulos iguais 9 *Rel.* Diz-se de religioso que professa uma regra determinada, em vida comunal [F.: Do lat. *regularis, e.*]

regular² (rer.gu.*lar*) *v.* 1 Submeter (-se) a regras bem definidas [*td.: A lei devia regular esse tipo de trabalho.*] 2 Servir de regra, ou pautar (-se), orientar (-se) [*td.: No capitalismo, o mercado regula a economia.*] [*tdr.* + *por*: *Regula sua arte por rígidos princípios; Regula-se pelo exemplo dos grandes compositores.*] 3 Manter em certos limites, moderar; REGRAR [*td.: Regular a alimentação.*] 4 Acertar ou equilibrar o funcionamento de [*td.: Regular um motor.*] [*int.: O relógio não está regulando bem.*] 5 Ter sanidade ou equilíbrio mental [*int.: O rapaz não regula bem.*] 6 Ter ou valer aproximadamente [*tr.* + *com*: *Sua idade regula com a do meu avô.*] 7 Dirigir de acordo com normas preestabelecidas [*td.: Regular um departamento/ uma frequência de tiro.*] 8 Buscar o equilíbrio entre duas ou mais coisas [*tdr.* + *por*: *Regular os gastos pelo que foi ganho.*] 9 Encaminhar de acordo com a lei [*td.*] 10 Dar moderação a; conter [*td.: Desejava regular seus impulsos, sua libido.*] [▶ 1 regular] [F.: Do v.lat. *regulare.*] ∎ **Não ~ bem** Não ser mentalmente equilibrado; ser amalucado, confuso

regularidade (re.gu.la.ri.*da*.de) *sf.* Qualidade ou característica do que é regular¹ [Ant.: *irregularidade.*] [F.: *regular*¹ + *-(i)dade.*]

regularização (re.gu.la.ri.za.*ção*) *sf.* Ação ou resultado de regularizar [Pl.: *-ções.*] [F.: *regularizar* + *-ção.*]

regularizado (re.gu.la.ri.*za*.do) *a.* Que se regularizou [F.: Part. de *regularizar.*]

regularizador (re.gu.la.ri.za.*dor*) [ô] *a.* 1 Que regulariza: *Remédio regularizador do intestino sm.* 2 Aquele ou aquilo que regulariza (regularizador intestinal) [F.: *regularizar* + *-dor.*]

regularizar (re.gu.la.ri.*zar*) *v. td.* Tornar (-se) regular, normal ou ordenado; pôr (-se) em dia; NORMALIZAR(-SE) [*td.: Regularizar o fornecimento/ as atividades.*] [*int.: Seu horário de trabalho regularizou-se.*] [▶ 1 regularizar] [F.: *regular* + *-izar.*]

regulativo (re.gu.la.*ti*.vo) *a.* Que regula; que estabelece regras; REGULADOR [F.: *regular* + *-tivo.*]

regulatório (re.gu.la.*tó*.ri:o) *a.* Que regula; REGULADOR; REGULATIVO [F.: *regular*² + *-tório.*]

regulável (re.gu.*lá*.vel) *a2g.* Que se pode regular; AJUSTÁVEL [Pl.: *-veis.*] [F.: *regular*² + *-vel.* Hom./Par.: *reguláveis* (pl.), *reguláveis* (fl. de *regular* [v.]).]

régulo (*ré*.gu.lo) *sm.* 1 Rei muito jovem 2 Rei de país pequeno 3 *Pej.* Chefe desprovido de qualquer importância, porém tirânico [F.: Do lat. *regulus, i,* 'reizinho'.]

regurgitação (re.gur.gi.ta.*ção*) *sf.* 1 Ação de regurgitar; REGURGITAMENTO 2 *Med.* Fluxo de substância líquida em direção oposta ao normal, passando de um órgão para outro ou de uma parte para outra do mesmo órgão; REFLUXO [Pl.: *-ções.*] [F.: *regurgitar* + *-ção.*]

regurgitada (re.gur.gi.*ta*.da) *sf.* O mesmo que *regurgitação* [F.: *regurgitar* + *-ada*¹.]

regurgitado (re.gur.gi.*ta*.do) *a.* Que foi expelido do estômago, em regurgitação [F.: Part. de *regurgitar.*]

regurgitamento (re.gur.gi.ta.*men*.to) *sm.* O mesmo que *regurgitação* [F.: *regurgitar* + *-mento.*]

regurgitante (re.gur.gi.*tan*.te) *a2g.* 1 Que regurgita, põe para fora do estômago 2 Que está repleto, cheio [F.: *regurgitar* + *-nte.*]

regurgitar (re.gur.gi.*tar*) *v.* 1 Expelir excesso de alimento ou refluxo gástrico [*td.: Regurgitou um pouco da bebida.*] [*int.: A criança não passou bem e regurgitou.*] 2 *Fig.* Estar abarrotado, repleto; TRANSBORDAR [*tr.* + *de*: *O hipódromo regurgitava de gente.*] [*int.: No dia do aniversário a casa regurgitava.*] [▶ 1 regurgitar] [F.: *re-* + lat. *gurges, itis,* 'abismo', + *-ar*².]

regurgito (re.*gur*.gi.to) *sm.* 1 Ação ou resultado de regurgitar, de expelir algo que se encontra em excesso em um órgão, esp. no estômago: *O bebê dava regurgitos a cada mamada.* 2 *Fig.* Retorno, regressão [F.: Dev. de *regurgitar.* Hom./Par.: *regurgito* (sm.), *regurgito* (fl. de *regurgitar*).]

rei *sm.* 1 Soberano de um reino; MONARCA 2 Título dado ao marido da rainha, em certos países 3 O que se considera como o principal num conjunto ou série: *O leão é o rei dos animais.* 4 Indivíduo notável em determinada área: *Pelé continua sendo o rei do futebol.* [Ant.: *rainha.*] 5 Indivíduo que é grande produtor de algo (rei do gado; rei da cachaça; rei do petróleo) 6 Pessoa que detém grande poder em uma certa região 7 *Pej.* Indivíduo com forte tendência a ter determinada atitude ou comportamento: *Ele é o rei de contar vantagens.* [Ant.: *rainha.*] 8 *Lud.* Peça importante do jogo de xadrez, cuja tomada, com o xeque-mate, determina o fim de uma partida 9 *Lud.* Nas cartas de baralho, cada uma das quatro figuras, de naipes diferentes, que tem valor superior ao valete e à dama (rei de copas; rei de paus): *rei de copas.* [Fem.: *rainha*] [F.: Do lat. *rex regis.* Hom./Par.: *reis* (pl.), *réis* (pl. de *real*).] ∎ **~dos ~s** 1 No cristianismo, Jesus Cristo 2 Título autoatribuído por alguns monarcas, como o rei dos partos, o xá do Irã e o negus da Abissínia **~ Momo** *Bras.* Personagem símbolo do carnaval, representado por um homem gordo escolhido para tal papel **O ~ Sol** Antonomásia de Luís XIV, rei de França **Sem ~ nem roque** Sem rumo, sem direção, desorientado **Ter o ~ na barriga** Assumir ares de importância; ser arrogante, presunçoso

⊕ **reich** (*Al.* /ráich/) *sm. Hist. Pol.* Estado ou império, esp. o Terceiro Reich (1932-1945), a Alemanha nazista de Hitler [Com inicial maiúscula (em alemão, sempre; em português, nas referências aos *reichs* específicos).] ∎ **Primeiro ~** O Sacro Império Romano **Segundo ~** O império alemão (1871-1919) **Terceiro ~** O estado alemão durante o domínio nazista (1933-1945)

reichiano (*rei*.chi.*a*.no) (/ai/) *a.* 1 Que se refere ao psicólogo Wilhelm Reich (1897-1957) ou concernente às suas teorias 2 *Psic.* Diz-se de estudo, método ou tratamento que se realiza conforme os métodos e conceitos de Wilhelm Reich 3 Diz-se de especialista ou seguidor das teorias de Wilhelm Reich *sm.* 4 O especialista ou seguidor dessas teorias [F.: Do antr. Wilhelm *Reich* + *-iano.*]

rei-congo (rei-*con*.go) *sm. Zool.* Ver *japu* [Pl.: *reis-congos.*]

reide (*rei*.de) *sm.* 1 *Mil.* Rápida penetração militar em território inimigo 2 Longa viagem ou excursão a pé, a cavalo, de automóvel etc. [F.: Do ing. *raid.*]

reídeo (re.*í*.de.o) *Ornit. a.* 1 Ref. ou pertencente aos reídeos, fam. de aves reiformes de apenas um gên. e duas espécies, conhecidas como emas e encontradas na América do Sul *sm.* 2 Espécime desse gênero [F.: Do lat. cient. fam. *Rheidae.*]

reidratação (re:i.dra.ta.*ção*) *sf.* Ação ou resultado de reidratar [Pl.: *-ções.*] [F.: *reidratar* + *-ção.*]

reidratado (re:i.dra.*ta*.do) *a.* Que foi hidratado novamente [F.: Part. de *reidratar.*]

reidratante (re:i.dra.*tan*.te) *a2g.* 1 Que reidrata *sm.* 2 Substância que serve para reidratar [F.: *reidratar* + *-nte.*]

reidratar (re:i.dra.*tar*) *v. td.* Tornar a hidratar(-se) [▶ 1 reidratar] [F.: *re-* + *hidratar.*]

reificação (re:i.fi.ca.*ção*) [e-i] *sf. Fil.* Processo em que uma realidade humana ou social perde ou parece perder seu dinamismo e passa a apresentar a fixidez de um ser inorgânico, com perda de autonomia e, no caso do homem, de autoconsciência; COISIFICAÇÃO [O conceito foi desenvolvido pelo filófoso George Lucács (1885-1971), tendo em mira uma crítica aos mecanismos do sistema capitalista.] [Pl.: *-ções.*] [F.: *reificar* + *-ção.* Cf.: *alienação.*]

reificado (re:i.fi.*ca*.do) [e-i] *a.* Que sofreu reificação [F.: *reificar* + *-ado.*]

reificador (re:i.fi.ca.*dor*) [e-i...ô] *a.* 1 Que promove ou que contribui para a reificação *sm.* 2 Aquele que promove ou que contribui para a reificação [F.: *reificar* + *-dor.*]

reificante (re:i.fi.*can*.te) [e-i] *a2g. s2g.* O mesmo que *reificador* [F.: *reificar* + *-ante.*]

reificar (re:i.fi.*car*) [e-i] *Fil. v.* 1 Ver (algo abstrato) como se fosse coisa concreta; COSIFICAR [*td.*] 2 *Fil.* Transformar em coisa algo que não o é (p. ex., o homem) [*td. int.: O excesso de trabalho sem proveito ou alegrias reifica (as pessoas).*] 3 *P. ext.* Tornar algo parado, imóvel, estático [*td. int.*] [▶ 11 reificar] [F.: Do lat. *res, rei* + *-i-* + *-ficar.*]

reima (*rei*.ma) *sf.* 1 O mesmo que *reuma* 2 Líquido escuro que se forma ao escorrer de azeitonas, quando em talha; tb. *almofeira* 3 *N. E.* Temperamento de pessoa rabugenta, mal-humorada [F.: Var. de *reuma.*]

reimão (rei.*mão*) *sm.* Animal errante, que não tem habitação certa [Pl.: *-mãos.*] [F.: Do mal. *rimau* ou *harimau.*]

reimoso (rei.*mo*.so) [ô] *a.* 1 Que faz mal à saúde 2 Que causa pruridos 3 Que é genioso, brigão 4 *RS* Tardo, demorado, remanchador [Pl.: [ó]. Fem.: [ó].] [F.: *reima* + *-oso.*]

reimplantação (re.im.plan.ta.*ção*) *sf.* 1 Ação ou resultado de reimplantar, de estabelecer de novo, de readotar ou de tornar a implantar: *a reimplantação de bondes nos grandes centros urbanos.* 2 *Med. Od.* O mesmo que *reimplante* [Pl.: *-ções.*] [F.: *reimplantar* + *-ção.*]

reimplantado (re.im.plan.*ta*.do) *a.* 1 Que passou por processo de reimplante 2 Que foi implantado novamente [F.: Part. de *reimplantar.*]

reimplantar (re.im.plan.*tar*) *v. td.* Implantar novamente [▶ 1 reimplantar] [F.: *re-* + *implantar*. Hom./Par.: *reimplante* (fl.), *reimplante* (sm.); *reimplantes* (fl.), *reimplantes* (pl. de sm.).]

reimplante (re.im.*plan*.te) *Med. Od. sm.* Ação de reimplantar, de colocar novamente um órgão, um dente etc. extraído anteriormente ou perdido; REIMPLANTAÇÃO: *o reimplante de células-tronco do próprio paciente.* [F.: Dev. de *reimplantar.*]

reimpor (re.im.*por*) [e-im] *v.* 1 Tornar a impor [*td.: Vendo que os atletas andavam desatentos, o técnico reimpôs sua autoridade*] [*tdi.* + *a*: *Para obter bons resultados, você terá de reimpor a tradicional disciplina à equipe*] 2 *Art. gr.* Impor novamente, de maneira que se obtenha novo formato [▶ 60 reimpor] [F.: *re-* + *impor.*]

reimportar (re.im.por.*tar*) [e-im] *v. td.* Importar novamente (o que se exportara) [▶ 1 reimportar] [F.: *re-* + *importar.*]

reimposição (re:im.po.si.*ção*) [e-i] *sf.* Ação ou resultado de reimpor, de fazer mais uma ou mais imposições [Pl.: *-ções.*] [F.: *re-* + *imposição.*]

reimpressão (re.im.pres.*são*) *sf.* 1 Ação ou resultado de reimprimir 2 *Edit.* Nova tiragem que se faz de um livro, preservando o conteúdo e a formatação da edição imediatamente anterior [Pl.: *-sões.*] [F.: *re-* + *impressão.*]

reimpressor (re.im.pres.*sor*) [ô] *a.* 1 Que reimprime *sm.* 2 Aquele ou aquilo que faz reimpressão [F.: *re-* + *impressor.*]

reimprimir (re.im.pri.*mir*) *v. td.* Voltar a imprimir ou fazer nova impressão de: *Reimprimiu a obra completa de Manuel*

Bandeira. [▶ 3 reimprimir] [F.: *re-* + *imprimir.* Possui dois particípios: reimprimido (empregado nos tempos compostos) e reimpresso (nos demais usos).]

reinação (rei.na.*ção*) *sf.* **1** *Pop.* Brincadeira ruidosa e alegre; PÂNDEGA **2** *Bras.* Brincadeira infantil em que se desafiam deliberadamente regras de comportamento estabelecidas ou certos limites impostos; ARTE; TRAVESSURA; TRAQUINICE; PERALTICE [Pl.: *-ções.*] [F.: *reinar* + *-ção.*]

reinaço (rei.*na*.ço) *sm. RS Pop.* Período do cio [F.: *reino* + *aço.*]

reinadio (rei.na.*di*:o) *a.* **1** *Pop.* Diz-se de indivíduo brincalhão, travesso, pândego, folgazão *sm.* **2** Esse indivíduo [F.: *reinado* + *-io.*]

reinado (rei.*na*.do) *sm.* **1** Governo de um rei, rainha, imperador etc.; REINO **2** Espaço de tempo que um rei, rainha, imperador etc. reinam **3** Poder absoluto; DOMÍNIO; SUPREMACIA: *o reinado nazista.* **4** *Fig.* Período ou âmbito de predomínio de alguma coisa (ideia, moda, atividade etc.): *o reinado do futebol brasileiro.* [F.: Substv. do part. de *reinar.*]

reinador (rei.na.*dor*) [ô] *a.* Que faz reinações, travessuras [F.: *reinar* + *-dor.*]

reinante (rei.*nan*.te) *a2g.* **1** Que reina (elite reinante) **2** Que tem o predomínio: *A opinião reinante é a de que há vida extraterrestre. s2g.* **3** Aquele ou aquela que reina [F.: Do lat. *regnans, antis.*]

reinar (rei.*nar*) *v.* **1** Exercer autocraticamente governo de um Estado, esp. como rei [*int.*: *D. Manuel I reinou por 26 anos, cobrindo-se de glória.*] **2** Ter poder ou grande influência; IMPERAR [*ta.*: *A megera reinava em seu clã familiar; Só reinara na região com estupidez e truculência.*] **3** *Fig.* Ser a característica ou traço dominante em [*ta.*: *A alegria, ali, reinava noite e dia.*] **4** Estar em vigor ou voga; VIGORAR [*ta.*: *A nova moda reinou por pouco tempo.*] **5** *Bras.* Fazer travessuras, fazer arte [*int.*: *Mal os pais saíram, os três foram reinar no quintal.*] **6** Notabilizar-se, destacar-se [*int.*: *Reinara como o melhor alfaiate da capital.*] **7** *RS* Entrar a fêmea no cio; ALVOROÇAR [*int.*: *Laçou logo a Rosina, nelore, que estava reinando.*] **8** Realizar, exercer [*td.*: *Chegou até a reinar um governo equilibrado.*] **9** Maquinar, planejar [*td.*: *Ele reinou, em sua paróquia, uma intriga desastrosa.*] **10** Grassar (moléstia, praga, crise) [*int.*: *Em todo o país a peste negra reinava.*] [▶ 1 reinar] [F.: Do v.lat. *regnare.* Hom./Par.: *reino* (fl.), *reino* (sm.).]

reinauguração (re.i.nau.gu.ra.*ção*) *sf.* Ação ou resultado de inaugurar (algo) outra vez [Pl.: *-ções.*] [F.: *reinaugurar* + *-ção.*]

reinaugurar (re:i.nau.gu.*rar*) *v. td.* Tornar a inaugurar: *Reinauguraram o teatro com 'Perdoa-me por me traíres'.* [▶ 1 reinaugurar] [F.: *re-* + *inaugurar.*]

reincentivar (re.in.cen.ti.*var*) *v. td.* Dar novo incentivo: *Após a derrota, conversou muito com os atletas e os reincentivou* [▶ 1 reincentivar] [F.: *re-* + *incentivar.*]

reincidência (re:in.ci.*dên*.cia) *sf.* **1** Ação ou resultado de reincidir **2** *Jur.* Perpetração de um delito ou crime pela mesma pessoa que já cometeu um outro delito ou crime da mesma espécie [F.: *reincidir* + *-ência.*]

reincidente (re.in.ci.*den*.te) *a2g.* **1** Que reincide, que repete o que havia feito, ger. erro ou crime *s2g.* **2** Pessoa que reincide (ger. em erro ou crime) [F.: *reincidir* + *-ente.*]

reincidir (re.in.ci.*dir*) *v.* **1** Tornar a incidir ou recair (em) [*tr.* + *em*: *O casal incidiu no mesmo erro.*] [*int.*: *Serão punidos os que reincidirem.*] **2** *Jur.* Praticar novo crime, da mesma natureza ou não [*int.*: *Teve pena mais longa porque reincidiu.*] [▶ 3 reincidir] [F.: *re-* + *incidir.*]

reincluir (re.in.clu.*ir*) *v. tda.* Incluir novamente: *O técnico reincluiu no time o jogador que fora barrado na semana passada* [▶ 56 incluir] [F.: *re-* + *incluir.*]

reinclusão (re:in.clu.*são*) [e-i] *sf.* Ação ou resultado de incluir de novo; nova inclusão: *Ficou feliz com a reinclusão do seu nome na lista* [Pl.: *-sões.*] [F.: *re-* + *inclusão.*]

reincorporação (re.in.cor.po.ra.*ção*) *sf.* Ação ou resultado de reincorporar [Pl.: *-ções.*] [F.: *reincorporar* + *-ção.*]

reincorporar (re.in.cor.po.*rar*) *v. td.* Tornar a incorporar: *A Marinha reincorporou os que lhe haviam sido expulsos.* [▶ 1 reincorporar] [F.: *re-* + *incorporar.*]

reindagação (re.in.da.ga.*ção*) *sf.* Nova indagação: *Depois de muitas indagações e reindagações, descobriu o paradeiro da moça* [Pl.: *-ções.*] [F.: *re-* + *indagação.*]

reindexação (re.in.de.xa.*ção*) [cs] *sf.* Ação ou resultado de reindexar [Pl.: *-ções.*] [F.: *reindexar* + *-ção.*]

reindexar (re.in.de.*xar*) [cs] *v. td.* Tornar a indexar [▶ 1 reindexar] [F.: *re-* + *indexar.*]

reindustrialização (re.in.dus.tri.a.li.za.*ção*) *sf.* Nova industrialização; ação de voltar a industrializar(-se): *Com a rápida reindustrialização, a Alemanha do pós-guerra saiu do caos econômico.* [Pl.: *-ções.*] [F.: *reindustrializar* + *-ção.*]

reindustrializar (re.in.dus.tri.a.li.*zar*) *v. td.* Tornar a industrializar [▶ 1 industrializar] [F.: *re-* + *industrializar.*]

reinfecção (re.in.fec.*ção*) [e-i] *sf. Med.* Nova infecção causada pelos mesmos germes da infecção anterior [Pl.: *-ções.*] [F.: *re-* + *infecção.*]

reinfectar (re.in.fec.*tar*) *v. td.* Infectar novamente [▶ 1 reinfectar] [F.: *re-* + *infectar.*]

reinfestação (re:in.fes.ta.*ção*) [e-i] *sf.* Ocorrência de nova infestação (reinfestação de piolhos) [Pl.: *-ções.*] [F.: *re-* + *infestação.*]

reinflamar (re.in.fla.*mar*) *v.* **1** Pôr ou pegar fogo novamente [*td. int.*] **2** *Med.* Fazer ficar ou ficar novamente inflamado [*td.*: *Aquela substância reinflamou a ferida*] [*int.*: *O machucado reinflamou-se*] **3** Fazer ficar ou ficar novamente exaltado [*td.*: *As provocações reinflamaram a torcida*] [*int.*: *Os ânimos se reinflamaram*] [▶ 1 reinflamar] [F.: *re-* + *inflamar.*]

reingressar (re.in.gres.*sar*) *v. ta.* Ingressar novamente: *Após longa enfermidade, reingressou na carreira.* [▶ 1 reingressar] [F.: *re-* + *ingressar.*]

reingresso (re.in.*gres*.so) *sm.* **1** Ação de reingressar **2** Ingresso, sem prestação de concurso vestibular, em um curso universitário de pessoa já portadora de título universitário [F.: *re-* + *ingresso.*]

reiniciação (re.i.ni.ci.a.*ção*) *sf.* Ação ou resultado de reiniciar, de iniciar novamente [Pl.: *-ções.*] [F.: *reiniciar* + *-ção.*]

reiniciado (re.i.ni.ci.*a*.do) *a.* Que se reiniciou; que teve reinício: *jogo reiniciado com muito atraso* [F.: Part. de *reiniciar.*]

reiniciar (re.i.ni.ci.*ar*) *v.* Iniciar de novo; RECOMEÇAR [*td.*: *Quando as férias acabaram, reiniciou o namoro.*] [*int.*: *As atividades devem reiniciar (-se) em agosto.*] [▶ 1 reiniciar] [F.: *re-* + *iniciar.*]

reinício (re.i.*ní*.ci:o) *sm.* Ação ou resultado de reiniciar; RECOMEÇO [F.: *re-* + *início.* Hom./Par.: *reinicio* (fl. de *reiniciar*).]

reinjeção (re:in.je.*ção*) [e-i] *sf.* Ação ou resultado de injetar novamente (reinjeção de ânimo) [Pl.: *-ções.*] [F.: *re-* + *injeção.*]

reinjetar (re.in.je.*tar*) *v. td.* Tornar a injetar; injetar de novo [▶ 1 injetar] [F.: *re-* + *injetar.*]

reino (*rei*.no) *sm.* **1** *Pol.* País ou estado governado por rei ou rainha; MONARQUIA; REINADO **2** Governo de um rei; REINADO **3** O conjunto dos súditos de um rei ou rainha: *O reino insurgiu-se contra as novas leis.* **4** *Fig.* Domínio em que alguém exerce grande poder ou influência: *Ela está em seu reino nas entranhas da burocracia acadêmica.* **5** *Fig.* Conjunto de seres ou coisas que compartilham certas características fundamentais, constituindo uma esfera, um domínio: *no reino da fantasia.* **6** *Biol.* Cada uma das três divisões tradicionais em que se agrupam os seres pertencentes ao mundo sensível (reino animal/vegetal/mineral) **7** *Biol.* A mais geral das categorias taxonômicas de classificação dos seres vivos (os reinos existentes são: Animalia, Plantae, Fungi, Monera e Protista) **8** *N. E.* Mistura ordinária de cachaça [F.: Do lat. *regnum -i.* Hom./Par.: *reino* (fl. de *reinar*).] ▪▪ **~ animal** O que inclui todos os animais da Terra **~ Animalia** *Biol.* Aquele que inclui pluricelulares, eucariotas e cujas células não possuem parede (como os platelmintos e os asquelmintos); Reino *Metazoa* **~ do Céu** *Teol.* A vida eterna **~ Fungi** *Biol.* Aquele que inclui os fungos, organismos eucarióticos, com múltiplos núcleos dispersos em um conjunto de hifas (longos filamentos). (São os ascomicetos, basidiomicetos, zigomicetos) **~ Metaphyta** *Biol.* Ver *Reino* Plantae **~ Metazoa** *Biol.* Ver *Reino* Animalia **~ mineral** O dos corpos inorgânicos **~ Monera** *Biol.* Reino de organismos muito simples, de estrutura unicelular procarionte, autótrofos ou heterótrofos, isolados. Inclui as bactérias e as algas azuis; Reino *Prokaryotae* **~ Plantae** *Biol.* Aquele de seres eucariontes pluricelulares (com exceção de algumas algas), autótrofos e que realizam fotossíntese; Reino *Metaphyta* **~ Prokaryotae** *Biol.* Ver *Reino* Monera **~ Protista** *Biol.* Reino dos organismos mais simples unicelulares e eucariotas. Alguns realizam fotossíntese, outros ingerem alimentos, ainda outros ingerem nutrientes **~ vegetal** O conjunto de todos os vegetais da Terra

reinoculação (re:i.no.cu.la.*ção*) [e-i] *sf.* Ato ou efeito de inocular novamente [Pl.: *-ções.*] [F.: *reinocular* + *-ção.*]

reinol (rei.*nol*) *a2g.* **1** Ref. a ou de um reino (monopólio reinol) **2** Que nasceu em um reino, esp. no reino de Portugal no tempo colonial *s2g.* **3** Pessoa que nasceu em um reino: *Era neto de um reinol que chegara ao Brasil no século XVIII.* [Pl.: *-nóis.*] [F.: *reino* + *-ol*[1].]

reinquirição (re:in.qui.ri.*ção*) [e-i] *sf.* Ação ou resultado de inquirir novamente; REINDAGAÇÃO [Pl.: *-ções.*] [F.: *reinquirir* + *-ção.*]

reinquirir (re.in.qui.*rir*) *v. td. ti. int.* Fazer nova inquirição [▶ 3 reinquirir] [F.: *re-* + *inquirir.*]

reinscrever (re.ins.cre.*ver*) *v. td.* Tornar a inscrever(-se): *Reinscreveu o filho no vestibular; O rapaz reinscreveu-se no vestibular.* [▶ 2 reinscrever] [F.: *re-* + *inscrever.*]

reinscrição (re:ins.cri.*ção*) *sf.* Ação ou resultado de reinscrever(-se) [Pl.: *-ções.*] [F.: *re-* + *inscrição.*]

reinserção (re.in.ser.*ção*) *sf.* **1** Ação ou resultado de inserir-se novamente (reinserção social) **2** Ação ou resultado de fazer nova inserção [Pl.: *-ções.*] [F.: *re-* + *inserção.* Sin. ger.: *reinclusão.*]

reinserir (re.in.se.*rir*) *v. td.* Inserir novamente [▶ 50 reinserir] [F.: *re-* + *inserir.*]

reinstalação (re.ins.ta.la.*ção*) *sf.* Ação ou resultado de reinstalar(-se) [Pl.: *-ções.*] [F.: *reinstalar* + *-ção.*]

reinstalado (re.ins.ta.*la*.do) *a.* Que se reinstalou, que se instalou de novo [F.: Part. de *reinstalar.*]

reinstalar (re.ins.ta.*lar*) *v. td.* Instalar(-se) novamente: *Reinstalou o condicionador de ar; Reinstalou-se no quarto que mais gostava.* [▶ 1 reinstalar] [F.: *re-* + *instalar.*]

reinstauração (re.ins.tau.ra.*ção*) *sf.* Ação ou resultado de fazer nova instauração [Pl.: *-ções.*] [F.: *reinstaurar* + *-ção.*]

reinstaurar (re.ins.tau.*rar*) *v. td.* Instaurar mais uma vez [▶ 1 reinstaurar] [F.: *re-* + *instaurar.*]

reinstitucionalização (re:ins.ti.tu.ci:o.na.li.za.*ção*) [e-i] *sf.* Ação ou resultado de fazer nova institucionalização [Pl.: *-ções.*] [F.: *reinstitucionalizar* + *-ção.*]

reinstituição (re:ins.ti.tu:i.*ção*) [e-i... u-i] *sf.* Ação ou resultado de reinstituir [Pl.: *-ções.*] [F.: *reinstituir* + *-ção.*]

reinstituir (re.ins.ti.tu.*ir*) *v. td. tdi.* Instituir outra vez [▶ 56 reinstituir] [F.: *re-* + *instituir.*]

reintegração (re.in.te.gra.*ção*) *sf.* **1** Ação ou resultado de reintegrar(-se) **2** Readmissão de funcionário em posto, cargo ou emprego do qual ele havia sido injustamente demitido [Pl.: *-ções.*] [F.: *reintegrar* + *-ção.*]

reintegrado (re.in.te.*gra*.do) *a.* Que se reintegrou: *O aluno reintegrado não poderá requerer trancamento de matrícula.* [F.: Part. de *reintegrar.*]

reintegrador (re.in.te.gra.*dor*) [ô] *a.* **1** Que reintegra: *reintegrador do indivíduo na sociedade. sm.* **2** Aquele ou aquilo que possibilita a reintegração: *O almoço dos domingos é um reintegrador familiar.* [F.: *reintegrar* + *-dor.*]

reintegrar (re.in.te.*grar*) *v.* **1** Devolver a alguém a posse de (bem, emprego, cargo) [*tdr.* + *em, a*: *Reintegraram a professora no antigo cargo.*] **2** Colocar no mesmo lugar em que antes se encontrava [*tdr.* + *a, em*: *Reintegrou ao rebanho os animais extraviados.*] **3** Juntar-se ou ligar-se novamente a [*tdr.* + *a*: *A bailarina reintegrou-se ao grupo.*] [▶ 1 reintegrar] [F.: *re-* + *integrar.* Hom./Par.: *reintegro* (fl.), *reintegro* (sm.).]

reinternação (re.in.ter.na.*ção*) *sf.* Ação ou resultado de fazer nova internação: *A reinternação foi providencial para a rápida melhora.* [Pl.: *-ções.*] [F.: *reinternar* + *-ção.*]

reinternar (re.in.ter.*nar*) *v. td.* Internar novamente: *Reinternou o doente.* [▶ 1 reinternar] [F.: *re-* + *internar.*]

reinterpretação (re:in.ter.pre.ta.*ção*) [e-i] *sf.* Ação ou resultado de fazer nova interpretação: *A reinterpretação histórica deve ser feita à medida que se descubram fatos comprovadamente verdadeiros.* [Pl.: *-ções.*] [F.: *reinterpretar* + *-ção.*]

reinterpretar (re.in.ter.pre.*tar*) *v. td.* **1** Interpretar novamente **2** Dar outra interpretação a: *Reinterpretar o significado de 'Os irmãos Karamazov'.* [▶ 1 reinterpretar] [F.: *re-* + *interpretar.*]

reinterpretativo (re:in.ter.pre.ta.*ti*.vo) [e-i] *a.* Que diz respeito a reinterpretação: *Estudo reinterpretativo dos estilos de época.* [F.: *re-* + *interpretativo.*]

reinterrogar (re.in.ter.ro.*gar*) *v. td.* Interrogar outra vez [▶ 14 reinterrogar] [F.: *re-* + *interrogar.*]

reintrodução (re.in.tro.du.*ção*) *sf.* Ação ou resultado de reintroduzir(-se) [Pl.: *-ções.*] [F.: *re-* + *introdução.*]

reintroduzir (re.in.tro.du.*zir*) [e-in] *v. tda.* Tornar a introduzir: *A moça reintroduziu a seta na aljava.* [▶ 57 reintroduzir] [F.: *re-* + *introduzir.*]

reinvadir (re.in.va.*dir*) *v. td.* Invadir outra vez [▶ 3 reinvadir] [F.: *re-* + *invadir.*]

reinvasão (re:in.va.*são*) [e-i] *sf.* Ação ou resultado de invadir novamente: *reinvasão das terras indígenas* [Pl.: *-sões.*] [F.: *re-* + *invasão.*]

reinvenção (re:in.ven.*ção*) [e-i] *sf.* Ação ou resultado de reinventar [Pl.: *-ções.*] [F.: *re-* + *invenção.*]

reinventado (re:in.ven.*ta*.do) [e-i] *a.* Que se reinventou, inventado outra vez: *Cardápio reinventado para pessoas que não podem comer sal.* [F.: Part. de *reinventar.*]

reinventar (re.in.ven.*tar*) *v. td.* Inventar outra vez [▶ 1 reinventar] [F.: *re-* + *inventar.*]

reinvestido (re:in.ves.*ti*.do) [e-i] *a.* **1** Que foi objeto de reinvestimento: *lucro reinvestido na própria empresa.* **2** Que sofreu nova investida [F.: Part. de *reinvestir.*]

reinvestidura (re:in.ves.ti.*du*.ra) [e-i] *sf. Jur.* Ato ou efeito de reinvestir alguém na posse de um cargo ou função: "A reintegração é a reinvestidura do servidor estável no cargo anteriormente ocupado..." (Lei 8112/90, *Art. 28*) [F.: Rad. de *reinvestido* + *-ura.*]

reinvestigar (re.inves.ti.*gar*) *v. td.* Investigar mais uma vez: *O delegado vai reinvestigar o caso.* [▶ 14 reinvestigar] [F.: *re-* + *investigar.*]

reinvestimento (re:in.ves.ti.*men*.to) [e-i] *sm.* **1** Ação ou resultado de reinvestir: *plano de reinvestimento do lucro obtido.* **2** Valor reinvestido: *O reinvestimento rendeu-lhe 10%, já descontados os impostos.* [F.: *reinvestir* + *-mento.*]

reinvestir (re.in.ves.*tir*) *v.* **1** Investir outra vez [*td. ta. tr.* + *em*: *Reinvestir (as economias) (na Bolsa/em ações).*] [*int.*] **2** Desfechar nova investida [*tr.* + *contra*: *A polícia reinvestiu contra a multidão.*] [▶ 50 reinvestir] [F.: *re-* + *investir.*]

reio (*rei*.o) *sm.* Us. na loc. adv. *a reio.* ▪▪ **A ~** A fio; seguidamente, continuamente

reirmanar (re.ir.ma.*nar*) *v. td.* Irmanar novamente [▶ 1 reirmanar] [F.: *re-* + *irmanar.*]

réis *smpl.* Plural de *real*, antiga moeda us. no Brasil até 1942 [Hom./Par.: *reis* (pl. de *rei*).]

reisada (rei.*sa*.da) *sf.* **1** *Bras. Folc.* O mesmo que *reisado* **2** Em Portugal, festividade popular dos Reis Magos [F.: *reis*, pl. de *rei*, + *-ada*[1].]

reisado (rei.*sa*.do) *Bras. Folc. sm.* **1** Dança dramática popular com que se festeja a véspera e o dia de Reis (6 de janeiro); REISADA **2** Grupo formado por pessoas enfeitadas e com roupas coloridas que visitam casas no período entre o Natal e o dia de Reis pedindo doações e prendas e oferecendo, em contrapartida, canções e danças em louvor aos doadores e, por vezes, representando pequenos autos referentes aos Reis Magos [F.: *reis* (pl. de *rei*) + *-ado*[2].] ▪▪ **~ cearense** *Bras. Folc.* Ver *Bumba meu boi*

reiteração (re:i.te.ra.*ção*) *sf.* Ação ou resultado de reiterar; REPETIÇÃO: *a reiteração de um pedido.* [Pl.: -*ções*.] [F.: Do lat. *reiteratio, onis.*]
reiteradamente (re:i.te.ra.da.*men*.te) *adv.* De modo reiterado; uma e mais vezes; RENOVADAMENTE; REPETIDAMENTE: *Pediu reiteradamente que lhe fosse dada a palavra para defender-se.* [F.: o fem. de *reiterado* + *-mente*.]
reiterado (re:i.te.*ra*.do) *a.* Que se reiterou; REPETIDO, RENOVADO: *Foi punido por descumprimento reiterado das obrigações.* [F.: Part. de *reiterar*.]
reiterar (re.i.te.*rar*) *v.* Dizer ou fazer de novo; iterar [*td.*: *Reiterou a posição assumida.*] [*tdi.* + *a*: *Reiterou à amada o juramento da véspera.*] [▶ 1 reiterar] [F.: Do v.lat. *reiterare*. Hom./Par.: *reiteráveis* (fl.), *reiteráveis* (pl. de *reiterável* (a2g.).]
reiterativo (re:i.te.ra.*ti*.vo) *a.* Que reitera ou serve para reiterar; REPETITIVO [F.: *reiterar* + *-tivo*.]
reiterável (re:i.te.*rá*.vel) *a2g.* Que se pode reiterar [Pl.: *-veis*.] [F.: *reiterar* + *-vel*. Hom./Par.: *reiteráveis* (pl.), *reiteráveis* (fl. de *reiterar*).]
reitor (rei.*tor*) [ô] *sm.* **1** Autoridade máxima de uma universidade **2** *Antq.* Diretor de escola secundária **3** *Ecles.* Padre católico que dirige instituição destinada à formação eclesiástica **4** *Ecles.* Pároco em certas freguesias [F.: Do lat. *rector, oris.*]
reitorado (rei.to.*ra*.do) *sm.* **1** Cargo de reitor; REITORIA **2** Espaço de tempo em que se exerce o cargo de reitor [F.: *reitor* + *-ado²*.]
reitorável (rei:to.*rá*.vel) *a2g.* Que pode se candidatar ou ser eleito para exercer as funções de reitor; passível de se tornar reitor: *O reitorável pareceia não estar afinado com os interesses da universidade.* [Pl.: *-veis*.] [F.: *reitor* + *-a-* + *-vel*.]
reitoria (rei.to.*ri*.a) *sf.* **1** Cargo de reitor; REITORADO *sf.* **2** Gabinete onde trabalha o reitor **3** Andar ou prédio onde fica esse gabinete e no qual trabalham os auxiliares diretos do reitor **4** A administração central de uma universidade, formada pelo reitor e pelos auxiliares escolhidos por ele [F.: *reitor* + *-ia¹*.]
reiuna (rei:*ú*.na) *a.* **1** *Pej.* Diz-se de mulher de vida fácil (mulher reiuna) **2** *Ant.* Diz-se de certa espingarda curta e de fuzil (hoje em desuso): "A primeira coisa que fazia era deitar água nas caçoletas das duas espingardas reiunas do fidalgo, para lhes molhar as escorvas." (Sousa Costa, *Ressurreição dos mortos*) *sf.* **3** *Ant.* Essa espingarda **4** *Bras. Mil.* Botina us. pelos soldados e recebida como parte do uniforme [F.: Fem. de *reiuno*.]
reiunada (rei:u.*nada*) [ei-u] *sf. S.* Agrupamento de cavalos reiunos: "A reiunada está estransilhada..." (João Simões Lopes Neto, "Os cabelos da China" *in Contos Gauchescos*) [F.: *reiuno* + *-ada²*.]
reiunar (rei:u.*nar*) [i-u] *v. td. Bras.* Marcar um animal como reiuno, cortando-lhe a ponta da orelha [▶ 1 reiunar] [F.: Do espn. plat. *reyunar*.]
reiuno (rei.*u*.no) *a.* **1** Diz-se do uniforme que as Forças Armadas fornecem aos soldados (calças reiunas) **2** *Pop.* De má qualidade **3** *Pop.* Que é desprezível, reles *sm.* **4** *S.* Gado que pertence ao Estado, ou que não pertence a ninguém **5** *S.* Cavalo de má aparência e raça [F.: Do espn. plat. *reyuno*.]
reivindicação (re:i.vin.di.ca.*ção*) *sf.* Ação ou resultado de reivindicar, de reclamar aquilo a que se tem direito ou se considera ter direito (reivindicação salarial) [Pl.: *-ções*.] [F.: Do lat. jur. *rei vindicatio*, 'ação de reclamar uma coisa'.]
reivindicado (re:i.vin.di.*ca*.do) *a.* Que se reivindicou: *Aumento salarial reivindicado pelos trabalhadores.* [F.: Part. de *reivindicar*.]
reivindicador (re:i.vin.ca.*dor*) [ô] *a.* **1** Que reivindica; REIVINDICANTE *sm.* **2** Aquele que reivindica [F.: *reivindicar* + *-dor*.]
reivindicante (re:i.vin.di.*can*.te) *a2g.* Que reivindica; REIVINDICADOR [F.: *reivindicar* + *-nte*.]
reivindicar (re:i.vin.di.*car*) *v. td.* **1** Promover demanda para ter de volta (o que se acha na posse de outrem): *Reivindicar um terreno.* **2** Procurar ter ou reaver, reclamar; EXIGIR: *Reivindicavam melhores salários.* **3** Chamar a si; reclamar para si; ASSUMIR: *Reivindicou a autoria da história.* [▶ 11 reivindicar] [F.: Voc. deduz. de *reivindicação*; ver *-ar²*. Hom./Par.: *reivindicáveis* (fl.), *reivindicáveis* (pl. *reivindicável* [a2g.]).]
reivindicativo (re:i.vin.di.ca.*ti*.vo) *a.* Que envolve, encerra reivindicação (movimento reivindicativo) [F.: *reivindicar* + *-tivo*.]
reivindicatório (rei.vin.di.ca.*tó*.ri:o) *a.* Que diz respeito a reivindicação, ou que reivindica; REIVINDICATIVO: *movimento reivindicatório dos funcionários públicos.* [F.: *reivindicar* + *-tório*.]
reixa¹ (*rei*.xa) *sf.* **1** Tábua pequena **2** Pequena barra de ferro **3** Grade us. para proteção de portas, janelas ou como ralo, para barrar a passagem de folhas e outros detritos em água corrente; GELOSIA, REJA [F.: Do espn. *reja*, posv.]
reixa² (*rei*.xa) *sf.* **1** *Ant. Pop.* Briga, combate, disputa; RIXA **2** Ira, ódio; RAIVA [F.: Do lat. *rixa, ae*, por via pop.]
rejeição (re.jei.*ção*) *sf.* **1** Ação ou resultado de rejeitar; RECUSA [+ *a*, *de*: *rejeição à /da sociedade de consumo* É preferível usar *a* para evitar ambiguidades.] **2** *Med.* Processo em que tecido ou órgão transplantado é atacado pelo sistema imunológico de defesa [Pl.: *-ções*.] [F.: Do lat. *rejectio, onis.*]
rejeicionismo (re.jei.ci:o.*nis*.mo) *sm.* Atitude daquele que, sistematicamente, rejeita ou é contrário a alguma coisa: "Foi a intransigência deste rejeicionismo cultural que acicatou na vanguarda uma visão purista das artes." (José Guilherme Merquior, *Para uma crítica da ideologia pós-moderna*) [F.: *rejeição*, sob a f. *rejeicion-*, + *-ismo*, seg. o mod. erudito.]
rejeicionista (re.jei.ci:o.*nis*.ta) *a2g.* **1** Ref. a ou que demonstra rejeicionismo *s2g.* **2** Pessoa inclinada ao rejeicionismo [F.: *rejeição*, sob a f. *rejeicion-* + *-ista*, seg, o mod. erudito.]
rejeitado (re.jei.*ta*.do) *a.* Que se rejeitou (pedido rejeitado); RECUSADO [Ant.: *aceito*.] [F.: Part. de *rejeitar*.]
rejeitar (re.jei.*tar*) *v.* **1** Pôr de lado, largar; REFUGAR [*td.*: *A máquina rejeita os produtos não especificados.*] **2** Não acolher, recusar; ENJEITAR; REPELIR [*td.*: *Rejeitava as propostas suspeitas/ os temperos fortes.*] **3** Não assimilar, rejeitar; EXCLUIR [*td.*: *O corpo rejeitara-lhe o órgão transplantado; O estômago rejeitava aquela comida.*] **4** Demonstrar repúdio, inaceitação [*td.*: *Rejeitava os pretendentes ignorantes.*] **5** Demonstrar desaprovação a algo; DESAPROVAR; REPROVAR [*td.*: *A câmara rejeitou a emenda.*] **6** Demonstrar ou tender a demonstrar desprezo por; DESPREZAR; MENOSPREZAR [*td.*: *Rejeitava as pessoas frias, de sexualidade comedida; Rejeitava as baixinhas.*] **7** Lançar pela boca; vomitar [*td.*: *Rejeitava logo os líquidos doces demais.*] **8** Afastar de si, manter longe [*tdr.* + *de*: *Teve de rejeitá-lo (o pânico) das suas emoções.*] [▶ 1 rejeitar] [F.: Do v.lat. *rejectare*. Hom./Par.: *rejeitáveis* (fl.), *rejeitáveis* (pl. *rejeitável* [a2g.]); *rejeito* (fl.), *rejeito* (sm.).]
rejeitável (re.jei.*tá*.vel) *a2g.* Que se pode rejeitar; que é passível de ser rejeitado [Pl.: *-veis*.] [F.: *rejeitar* + *-vel*. Hom./Par.: *rejeitáveis* (pl.), *rejeitáveis* (fl. de *rejeitar*).]
rejeito¹ (re.*jei*.to) *sm. Ant.* Arma de arremesso que consistia em um pau curto e pesado [F.: Do lat. *rejectus, a, um.*]
rejeito² (re.*jei*.to) *sm. Bras. Pop.* Ver *jarrete*. [F.: Alter. de *jarrete*.]
rejeito³ (re.*jei*.to) *sm.* Ação ou resultado de rejeitar [F.: Dev. de *rejeitar*.] **■ ~ nuclear** Detritos radioativos de reação nuclear, que por isso devem ser isolados para evitar contaminação radioativa; lixo atômico
rejubilação (re.ju.bi.la.*ção*) *sf.* **1** Ação ou resultado de rejubilar(-se) **2** Grande júbilo, contentamento [Pl.: *-ções*.] [F.: *rejubilar* + *-ção*.]
rejubilar (re.ju.bi.*lar*) *v.* Encher(-se) de júbilo ou alegria; ALEGRAR(-SE) [*td.*: *Sua chegada rejubilou a família*] [*int.*: *A notícia fez o amigo rejubilar.*] [*tr.* + *com*: *Rejubilou-se com a vitória vietnamita.*] [▶ 1 rejubilar] [F.: *re-* + *jubilar*. Hom./Par.: *rejubilo* (fl.), *rejúbilo* (sm.).]
rejuvenescedor (re.ju.ve.nes.ce.*dor*) [ô] *a.* **1** Que rejuvenesce; REJUVENESCENTE *sm.* **2** Aquilo que rejuvenesce (rejuvenescedor facial) [F.: *rejuvenescer* + *-dor*.]
rejuvenescer (re.ju.ve.nes.*cer*) *v.* Ficar ou parecer mais jovem; REMOÇAR [*td.*: *A paixão rejuvenesceu-lhe o corpo e a alma.*] [*int.*: *Ela rejuvenesceu no trabalho feito com gosto.*] [▶ 33 rejuvenescer] [F.: *re-* + *juvenescer*.]
rejuvenescido (re.ju.ve.nes.*ci*.do) *a.* Que rejuvenesceu; REMOÇADO [F.: Part. de *rejuvenescer*.]
rejuvenescimento (re.ju.ve.nes.ci.*men*.to) *sm.* Ação ou resultado de rejuvenescer [F.: *rejuvenescer* + *-imento*.]
rela¹ (*re*.la) *sf.* **1** *Herp.* Espécie de rã (*Rana arborea*) que vive nas moitas, tb. chamada *rã-das-moitas*, *rã-verde* e *rubeta*: "Pendurava-se ao pescoço da senhora um escapulário com uma rela ou rã-verde dos valados seca ao fogo." (Júlio Dantas, *Amor em Portugal*) **2** *Herp.* O mesmo que *perereca* **3** *Lus. Vet.* Espécie de micose que dá nas ovelhas [F.: Do port. arcaico *raela*, do lat. *ranella*, por *ranula*. Hom./Par.: *rela(s)* (sf. [pl.]), *rela(s)* (fl. de *relar*).]
rela² (*re*.la) *sf.* Armadilha para apanhar pássaros; ESPARRELA [F.: Posv. de *esparrela*.]
rela³ (*re*.la) *sf. MG* Passeio a pé; CAMINHADA [F.: De or. obsc.]
relação (re.la.*ção*) *sf.* **1** Ligação de algum tipo entre pessoas, coisas ou fatos: *relação de parentesco; Cientistas provam relação entre estresse e doenças.* **2** Vínculo afetivo ou profissional; RELACIONAMENTO: *a relação do casal; A relação entre os funcionários é respeitosa.* **3** Ação de relatar; RELATO **4** Lista de nomes, coisas etc.: *Deixe-me ver a relação dos convidados* **5** Semelhança, presença de características comuns entre coisas ou pessoas distintas: *É notável a relação entre os dois quadros* **6** *Mat.* Resultado da comparação entre duas quantidades comensuráveis **7** *Fil.* Qualquer ideia ou conceito por meio do qual podemos pensar um vínculo entre duas ou mais coisas **8** *Mús.* Intervalo entre dois sons **9** *Ling.* Interdependência entre elementos linguísticos [Pl.: *-ções*.] [F.: Do lat. *relatio, onis.*] **■ ~ associativa** *Ling.* Relação entre elementos linguístico não consecutivos na cadeia da fala, quando um pode substituir o outro **~ de equivalência** *Mat. Lóg.* Qualquer relação reflexiva, simétrica e transitiva entre os elementos de um conjunto [Tb. apenas *equivalência*.] **~ de ordem** *Mat.* Qualquer relação reflexiva, antissimétrica e transitiva entre os elementos de um conjunto **~ não simétrica** *Mat.* Relação entre dois elementos de um conjunto quando a relação que tem o primeiro com o segundo não é a mesma que tem o segundo com o primeiro **~ reflexiva** *Mat.* Aquela entre um elemento de um conjunto e ele mesmo **~ simétrica** *Mat.* Relação entre dois elementos de um conjunto quando a relação que tem o primeiro com o segundo é a mesma que tem o segundo com o primeiro **~ transitiva** *Mat.* Aquela que se estabelece entre os elementos *A* e *C* se se estabeleceu entre *A* e *B* e entre *B* e *C* **Relações de produção** *Econ.* Na economia marxista, relações entre os homens em função de suas posições em relação aos meios de produção de uma sociedade **Relações exteriores 1** *Dipl.* Relações políticas e diplomáticas entre estados soberanos **2** O setor de um governo que trata das relações exteriores (1) **Relações humanas 1** Tratamento das questões relativas aos problemas, interação e inter-relacionamento de pessoas com instituições (empresa, órgão público) e entre si **2** Setor ou departamento de instituição que cuida das relações humanas [Sigla: *RH*] **Relações públicas** Métodos e atividades com que uma organização visa a criar um relacionamento favorável do público com ela [Cf.: *relações-públicas*.] **Ter relações com 1** Ter relacionamento social com **2** Ter relações sexuais com
relacionado (re.la.ci:o.*na*.do) **1** Que foi incluído em uma relação: *jogadores relacionados para a final.* **2** Que convive, interage com outrem; que tem conhecidos ou amigos: *Ele é um sujeito relacionado, conhece muita gente.* **3** Que tem relação ou conexão: *fatos relacionados entre si.* **4** Que foi narrado, relatado [F.: Part. de *relacionar*.]
relacional (re.la.ci:o.*nal*) *a2g.* Ref. a ou que estabelece relação: "...sendo o trabalho docente um trabalho relacional, as exigências emocionais são enevitáveis." (Marília Pinto de Carvalho, "Ensino, uma realidade relacional") [Pl.: *nais*.] [F.: *relação* + *-al*, seg. o mod. erudito.]
relacionamento (re.la.ci:o.na.*men*.to) *sm.* **1** Ação ou resultado de relacionar(-se) **2** A maneira de conviver e/ou lidar com os outros: *uma pessoa de relacionamento difícil.* **3** Relação de amizade, de camaradagem **4** Envolvimento amoroso; CASO: *Mantinha um relacionamento em segredo.* [F.: *relacionar* + *-mento*.]
relacionar (re.la.ci:o.*nar*) *v.* **1** Fazer relação ou lista de [*td.*: *Relacionou os livros que precisava comprar.*] **2** Mostrar ou assinalar relação ou conexão existente [*tdr.* + *a*, *com*: *Relacionar um fato a /com outro.*] [*int.*: *Na natureza tudo se relaciona.*] **3** Fazer relações, conhecimentos, amizades [*tdr.* + *com*: *Resolveu relacioná-lo com os colegas de trabalho.*] [*tr.* + *com*: *Só se relaciona com gente endinheirada.*] **4** Expor por meio de relato, narrativa [*td.*: *Relacionou a aventura minuciosamente.*] [▶ 1 relacionar] [F.: *relação*, sob a f. *relacion-*, + *-ar²*. Hom./Par.: *relacionáveis* (fl.), *relacionáveis* (pl. de *relacionável* [a2g.]).]
relacionável (re.la.ci:o.*ná*.vel) *a2g.* Que pode ser relacionado [Pl.: *-veis*.] [F.: *relacionar* + *-vel*. Hom./Par.: *relacionáveis* (pl.), *relacionáveis* (fl. de *relacionar*).]
relacionista (re.la.ci:o.*nis*.ta) *a2g.* **1** Que estabelece relações (funcionário relacionista; corrente relacionista) *s2g.* **2** Aquele ou aquela que cria ou promove relações (relacionista público) [F.: *relação*, sob a f. *relacion-*, + *-ista*.]
relações (re.la.*ções*) *sfpl.* **1** Pessoas com as quais se mantêm vínculos de amizade ou sociais: *Joana tem muitas relações.* **2** Ato sexual: *Os namorados tinham relações frequentemente.*
relações-públicas (re.la.ções-*pú*.bli.ca) *s2g2n.* Pessoa que trabalha em relações públicas
relamber (re.lam.*ber*) *v. td.* Lamber mais uma ou muitas vezes [▶ 2 relamber] [F.: *re-* + *lamber*.]
relaminação (re.la.mi.na.*ção*) *sf. Metal.* Ação ou processo de laminar novamente (metal) [Pl.: *-ções*.] [F.: *relaminar* + *-ção*.]
relaminado (re.la.mi.*na*.do) *Metal. a.* **1** Diz-se do produto siderúrgico obtido por relaminação (aço relaminado) *sm.* **2** Esse produto [F.: Part. de *relaminar*.]
relaminar (re.la.mi.*nar*) *v. td.* Voltar a laminar (um metal) [▶ 1 relaminar] [F.: *re-* + *laminar*.]
relâmpago (re.*lâm*.pa.go) *sm.* **1** Clarão forte e rápido resultante de descarga elétrica entre as nuvens **2** *Fig.* Luz forte que dura pouco **3** *Fig.* Coisa efêmera *a2g.* **4** Rápido como um relâmpago (sucesso relâmpago) [F.: Posv. do ant. e pop. *lâmpado*, com o prefixo *re-*, que indica a ideia de repetição do brilho.] **■ Num ~** Num brevíssimo espaço de tempo; num átimo
relampagueante (re.lam.pa.gue:*an*.te) *a2g.* Que relampagueia; RELAMPEJANTE [F.: *relampaguear* + *-nte*.]
relampaguear (re.lam.pa.gue.*ar*) *v. int.* O mesmo que *relampejar* [▶ 13 relampaguear] [F.: *relâmpago* + *-ear²*.]
relampeado (re.lam.pe.*a*.do) *a.* Que relampeou [F.: Part. de *relampear*.]
relampear (re.lam.pe.*ar*) *v. td. int.* O mesmo que *relampejar* [▶ 13 relampear] [F.: *relampo* + *-ear²*.]
relampejante (re.lam.pe.*jan*.te) *a2g.* **1** Que relampeja **2** *Fig.* Brilhante, fulgurante: "Tudo era alegria, felicidade relampejante e vivida..." (Alcyone Starling, *O melhor dos dois mundos.*) [F.: *relampejar* + *-nte*.]
relampejar (re.lam.pe.*jar*) *v.* **1** Ocorrer um relâmpago ou uma sequência de relâmpagos; RELAMPAR; RELAMPEAR; RELAMPAGUEAR [*int.*: *O céu ficou nublado e começou a relampejar.*] **2** *Fig.* Passar ou brilhar como um relâmpago [*td.*: *Seus olhos relampejavam chispas de excitação.*] [*ta.*: *A alegria relampejava-lhe no rosto.*] [▶ 1 relampejar] [F.: *relampo* + *-ejar*. Hom./Par.: *relampejo* (fl.), *relampejo* (sm.).]
relançado (re.lan.*ça*.do) *a.* Que se relançou (diz-se de produto, mercadoria) [F.: Part. de *relançar*.]
relançador (re.lan.ça.*dor*) [ô] *a.* **1** Que relança, que torna a lançar *sm.* **2** *Esp.* No tênis de mesa, o jogador que tem direito ao segundo batimento na bola numa jogada [O jogador que tem direito ao primeiro batimento na bola chama-se *servidor*.] [F.: *relançar* + *-dor*.]
relançamento (re.lan.ça.*men*.to) *sm.* **1** Ação ou resultado de relançar **2** Evento em que ocorre o relançamento ou novo lançamento de uma obra, produto etc. [F.: *relançar* + *-mento*.]

relançar (re.lan.*çar*) *v. td.* Lançar mais uma vez: *Relançar a corda/um filme/um disco* [▶ 12 relançar] [F.: *re-* + *lançar.*]

relance (re.*lan*.ce) *sm.* Visão rápida e passageira [F.: Dev. de *relançar.*] ▪ **De/num ~** Rapidamente

relancear (re.lan.ce.*ar*) *v.* Dirigir os olhos a, rapidamente, num relance; relançar [*td.*: *Relanceou o olhar quando a garota passou.*] [*tdi.* + *a, para*: *Relanceou os olhos para a vizinha.*] [▶ 13 relancear] [F.: *relance* + *-ear*[2].]

relancina (re.lan.*ci*.na) *sf.* **1** *Bras. S* Relance [Us. na loc. adv. *de relancina*: de relance, rapidamente.] **2** *Lus. Lud.* Em certos jogos de cartas, o fato de recebê-las com as combinações já formadas e jogá-las de uma só vez [F.: *relance* + *-ina*[1].]

relapsia (re.lap.*si*.a) *sf.* Reincidência no erro ou na culpa; CONTUMÁCIA: "Não sou contumaz, nem me ufano de relapsia." (Camilo Castelo Branco, *Uma praga rogada nas escadarias da forca*) [F.: *relapso* + *-ia*[1].]

relapso (re.*lap*.so) *a.* **1** Que não cumpre suas obrigações ou que o faz de maneira negligente e insatisfatória (funcionário relapso) [+ *em*: *relapso no cumprimento dos deveres.*] **2** Que comete de novo erro ou crime já cometido anteriormente *sm.* **3** Indivíduo relapso [F.: Do lat. *relapsus, a, um.*]

relar[1] (re.*lar*) *v.* **1** O mesmo que *ralar* [*td. tda.*: *Relou a mão no arame*] **2** Roçar em (algo ou alguém) [*ta.*] **3** Roçar ou tocar em (alguém) com intuito libidinoso [*tr.* + *em*] [▶ 1 relar] [F.: alt. de *ralar*. Hom./Par.: *rela* (fl.), *rela* (sf.); *relas* (fl.), *relas* (pl. do sf.).]

relar[2] (re.*lar*) *v. int.* O mesmo que *coaxar* (1) [▶ 1 relar Normalmente conjug. apenas nas 3as pessoas.] [F.: *rela*[1] + *-ar*[2].]

relatado (re.la.*ta*.do) *a.* Que se relatou; de que se fez relato: *um caso relatado minuciosamente.* [F.: Part. de *relatar.*]

relatar (re.la.*tar*) *v.* **1** Fazer relato ou narração de; NARRAR [*td.*: *Relatou os fatos com grande precisão.*] [*tdi.* + *a*: *Relatou ao delegado como ocorrera o assalto.*] **2** Fazer ou apresentar relatório [*td.*: *O cientista relatou os resultados da pesquisa.*] **3** Fazer relação ou lista de [*td.*: *O comerciante relatou os pedidos de compra.*] **4** Fazer a inclusão de; inserir [*tda.* + *em*: *Relatou a moça na lista dos suspeitos.*] **5** *Jur.* Apresentar as bases de um processo aos demais membros do tribunal, para julgamento ou obtenção de parecer [*td.*] [▶ 1 relatar] [F.: *relato* + *-ar*[2]. Hom./Par.: *relato* (fl.), *relato* (sm.).]

relativamente (re.la.ti.va.*men*.te) *adv.* **1** De modo relativo; por comparação: *As frutas da estação estão relativamente baratas.* **2** Em referência, com relação a: *A política dos países desenvolvidos relativamente àqueles em desenvolvimento.* [F.: o fem. de *relativo* + *-mente.*]

relatividade (re.la.ti.vi.*da*.de) *sf.* **1** Qualidade, característica ou condição do que é relativo **2** *Fís.* Teoria segundo a qual espaço e tempo são conceitos relativos, de maneira que a descrição do curso espaço-temporal dos processos físicos depende do estado de movimento dos instrumentos de medição, em relação ao objeto [F.: *relativo* + *-(i)dade.*]

relativismo (re.la.ti.*vis*.mo) *sm. Fil.* Doutrina que afirma a relatividade de todo o conhecimento e nega a existência de verdades absolutas [F.: *relativo* + *-ismo.*]

relativista (re.la.ti.*vis*.ta) *a2g.* **1** Ref. ao relativismo (doutrina relativista) **2** Que é adepto do relativismo (filósofo relativista) *s2g.* **3** Adepto ou adepta do relativismo [F.: *relativo* + *-ista.*]

relativístico (re.la.ti.*vís*.ti.co) *a.* **1** Ref. a relativismo ou a relatividade **2** *Fís.* Ref. à teoria da relatividade [F.: *relativista* + *-ico*[2]. Sin. ger.: *relativista.*]

relativização (re.la.ti.vi.za.*ção*) *sf.* Ação ou resultado de relativizar [Pl.: *-ções.*] [F.: *relativizar* + *-ção.*]

relativizado (re.la.ti.vi.*za*.do) *a.* Que se relativizou; de valor ou importância relativa: "...o poder da televisão fica relativizado pelo acesso a jornais, livros, filmes (...) e até pela possibilidade maior de viajar." (Laurindo L. Leal Filho, "A comunicação como elemento de poder e dominação" *in Federação Nacional dos Jornalistas*, 17.12.2005) [F.: Part. de *relativizar.*]

relativizador (re.la.ti.vi.za.*dor*) [ô] *a.* **1** Que relativiza *sm.* **2** O que relativiza [F.: *relativizar* + *-dor.*]

relativizar (re.la.ti.vi.*zar*) *v.* Tornar relativo; negar caráter absoluto a (algo), considerando-o de valor apenas relativo [*td.*: *Cauteloso, relativizava a maior parte das afirmações.*] [*int.*: *As normas morais sempre se relativizam.*] [▶ 1 relativizar] [F.: *relativo* + *-izar.*]

relativo (re.la.*ti*.vo) *a.* **1** Que se refere a algo ou alguém; REFERENTE: *O boleto relativo ao mês de abril já chegou.* **2** Que não é absoluto, que depende de outra coisa (valor relativo) **3** *Gram.* Diz-se do pronome que introduz uma oração subordinada adjetiva (p. ex.: que, quem, cujo) **4** *Gram.* Diz-se do superlativo quando destaca um ser, dentre outros, pelo grau maior ou menor de certa qualidade (p. ex.: Ela é a mais elegante das ginastas) [F.: Do lat. tard. *relativus, a, um.*]

relato (re.*la*.to) *sm.* **1** Ação ou resultado de relatar **2** Descrição ou informação verbal acerca de evento, fato, situação, condição etc. [F.: Do lat. *relatus, us.* Hom./Par.: *relato* (sm.), *relato* (fl. de *relatar*).]

relator (re.la.*tor*) [ô] *sm.* **1** Aquele que elabora relatório ou parecer sobre um processo, investigação, projeto de lei etc.: *O relator da CPI apresentou ontem seu relatório.* **2** Aquele que faz um relato [F.: Do lat. *relator, oris.*]

relatoria (re.la.to.*ri*.a) *sf. Bras.* Cargo ou função de relator [F.: *relator* + *-ia*[1].]

relatorial (re.la.to.ri.*al*) *a2g.* Ref. a relatório ou a relator (linguagem relatorial) [Pl.: *-ais.*] [F.: *relatório* + *-al*[1].]

relatório (re.la.*tó*.ri.o) *sm.* **1** Narrativa detalhada, oral ou escrita, de um conjunto de fatos, eventos ou ações **2** Texto em que uma pessoa ou comissão encarregada de examinar determinado assunto apresenta uma descrição e avaliação a seu respeito: *O relatório analisa desigualdades raciais em áreas como renda e educação.* **3** *Inf.* Documento de saída, gerado em processamento de dados [F.: *relato* + *-ório.*]

relatorista (re.la.to.*ris*.ta) *s2g. P. us.* Aquele ou aquela que redige um relatório; RELATOR [F.: *relatório* + *-ista.*]

relavado (re.la.*va*.do) *a.* Que foi novamente lavado: "Frutas crescidas/ no Recife relavado / de suas brisas." (João Cabral de Melo Neto, *Jogos frutais*) [F.: *re-* + *lavado.*]

⊕ ***relax*** (*Ing.* /*rilécs*/) *Pop. sm2n.* Alívio causado pela redução de tensões emocionais ou de cansaço físico

relaxado (re.la.*xa*.do) *a.* **1** Que não está tenso ou contraído, física ou mentalmente (músculos relaxados) **2** Que não faz as coisas com o devido cuidado; que revela falta de esmero **3** Que não tem cuidado com a sua própria aparência *sm.* **4** Aquele que não faz as coisas com o devido cuidado ou que não cuida da própria aparência [F.: Do lat. *relaxatus, a, um.*]

relaxador (re.la.xa.*dor*) [ô] *a. sm.* O mesmo que *relaxante* [F.: *relaxar* + *-dor.*]

relaxamento (re.la.xa.*men*.to) *sm.* **1** Ação ou resultado de relaxar(-se) *sm.* **2** Falta de cuidado, esmero no que se faz; NEGLIGÊNCIA; DESLEIXO [+ *com, em*: *relaxamento com/no estudo.*] **3** Diminuição de tensão muscular ou emocional **4** Técnica de alisamento brando de cabelos crespos ou encaracolados [F.: *relaxar* + *-mento.*]

relaxante (re.la.*xan*.te) *a2g.* **1** Que relaxa, descontrai, distende *sm.* **2** Substância ou produto relaxante (relaxante muscular) [F.: Do lat. *relaxans, antis.* Sin. ger.: *relaxador.*]

relaxar (re.la.*xar*) *v.* **1** Reduzir a tensão de, deixar mais frouxo ou mais brando; AFROUXAR [*td.*: *Relaxar as cordas/ os músculos.*] **2** Isentar do cumprimento de (obrigação, lei etc.) [*td.*: *O regimento relaxou a prontidão.*] **3** Redimir pecado, culpa; PERDOAR [*td.*: *O confessor relaxou a beata que desfiara, em prantos, o episódio.*] **4** Enfraquecer(-se), debilitar(-se) [*td.*: *Relaxou o ânimo agressivo.*] [*int.*: *A resistência, no país invadido, não relaxa.*] **5** Desleixar-se, ou tornar-se negligente [*int.*: *Relaxou demais e foi mandado embora.*] [*tr.* + *em*: *Relaxou-se nas principais atribuições.*] **6** Corromper(-se), perverter(-se) [*td.*: *Relaxar os costumes/a higiene pessoal.*] [*int.*: *Relaxou-se junto ao casal que se drogava.*] **7** Procurar descanso, repouso, superação de tensões, ansiedades [*int.*: *Como queriam relaxar; viajaram para a serra; Relaxaram durante uma semana em Arraial.*] **8** Tornar-se negligente, desleixado [*tr.* + *em*: *O rapaz relaxou na roupa, nos horários.*] **9** Demonstrar condescendência; transigir [*tr.* + *com*: *A Justiça não pode relaxar com os corruptos.*] **10** Demonstrar frouxidão, fraqueza [*ta.* + *em*: *O bom zagueiro não relaxa na área.*] [▶ 1 relaxar] [F.: Do v.lat. *relaxare.* Hom./Par.: *relaxe* (fl.), *relaxe* (sm.); *relaxes* (fl.), *relaxes* (pl. do sm.); *relaxo* (fl.), *relaxo* (a. sm.).]

relaxo (re.*la*.xo) *a.* **1** Frouxo, não contraído; RELAXADO *sm.* **2** *Bras. N. E.* Discurso em verso **3** *Bras. N. E.* Dito fanfarrão ou burlesco [F.: Do lat. *relaxus, a, um.* Hom./Par.: *relaxo* (a. sm.), *relaxo* (fl. de *relaxar*).]

relé (re.*lé*) *sm. Elet.* Em aparelho elétrico, dispositivo que abre ou fecha circuitos, quando o sistema atinge estados previamente estabelecidos [F.: Do fr. *relais.* Hom./Par.: *relé* (sm.), *relê* (fl. de *reler*).]

⊕ ***release*** (*Ing.* /*riliz*/) *sm. Jorn.* Matéria informativa distribuída à imprensa, à TV etc. antes de um evento para facilitar a sua divulgação

relegação (re.le.ga.*ção*) *sf.* Ação ou resultado de relegar; RELEGAMENTO [Pl.: *-ções.*] [F.: Do lat. *relegatio, onis.*]

relegado (re.le.*ga*.do) *a.* **1** Que foi desprezado; posto em segundo plano **2** Que foi banido, exilado [F.: Part. de *relegar.*]

relegamento (re.le.ga.*men*.to) *sm.* O mesmo que *relegação* [F.: *relegar* + *-mento.*]

relegar (re.le.*gar*) *v.* **1** Pôr em segundo plano; abandonar [*tdr.* + *a*: *Relegar alguém ao esquecimento.*] **2** Banir, exilar [*td.*: *Relegar inimigos.*] **3** Manifestar desprezo a [*tdr.* + *de*: *Relegou a ex-mulher do respeito dos parentes.*] [▶ 14 relegar] [F.: Do v.lat. *relegare.*]

relegitimar (re.le.gi.ti.*mar*) *v. td.* Legitimar novamente [▶ 1 relegitimar] [F.: *re-* + *legitimar.*]

releitura (re.lei.*tu*.ra) *sf.* **1** *Liter.* Criação de uma obra artística a partir da interpretação de uma outra obra **2** Reinterpretação original de algo: *A socióloga fez uma releitura das relações de poder vigentes.* [F.: *re-* + *leitura.*]

releixo[1] (re.*lei*.xo) *sm.* **1** Saliência ou avançamento de um muro **2** Caminho estreito à beira de um fosso ou de um muro: "Ali estava a mesma passagem temerosa (...) içada à meia encosta num releixo sobre os abismos." (Euclides da Cunha, *Os sertões*) **3** Espaço de terra não lavrada que fica junto ao muro **4** O gume da navalha ou de outro instrumento cortante [F.: Do espn. *releje.*]

releixo[2] (re.*lei*.xo) *Bras. N. E. Pop. a.* **1** Relaxado, relapso **2** Devasso, dissoluto, imoral [F.: Var. de *relaxo.*]

releixo[3] (re.*lei*.xo) *sm. Lus.* O mesmo que *desleixo*

releixo[4] (re.*lei*.xo) *sm. Lus.* Toque de sinos em funeral [F.: De or. obsc.]

relembrado (re.lem.*bra*.do) *a.* Novamente lembrado (façanhas relembradas) [F.: Part. de *relembrar.*]

relembrança (re.lem.*bran*.ça) *sf.* Ação ou resultado de relembrar; RECORDAÇÃO: "Capacito-me que o sonho, particularmente o sonho infantil, além de reação a um sucesso ocorrido em estado de vigília, como pretende Freud, seja uma relembrança, mais ou menos incoerente, de fatos ocorridos na vida de nossos pais." (Aquilino Ribeiro, *Cinco réis de gente*) [F.: *relembrar* + *-ança.*]

relembrar (re.lem.*brar*) *v.* Voltar a lembrar; RECORDAR [*td.*: *Relembrar a adolescência.*] [*tdi.* + *a*: *Relembrou ao rapaz que ele não cumprira suas obrigações.*] [▶ 1 relembrar] [F.: *re-* + *lembrar.*]

relento (re.*len*.to) *sm.* Umidade própria da noite; SERENO: *Expulso de casa, dormiu ao relento.* [F.: *re-* + *lento.*]

reler (re.*ler*) *v. td.* **1** Ler outra vez ou várias vezes: *O homem leu e releu a manchete, como se não acreditasse naquilo; Releu Os lusíadas, maravilhado.* **2** Rever atentamente o que se escreveu, para fazer correções: *Relia as provas duas ou três vezes.* **3** Fazer nova leitura ou interpretação de: "...relendo a sem-palavra das estórias / que nosso entendimento não alcança." (Carlos Drummond de Andrade, "Véspera" *in A vida passa a limpo*) [▶ 34 reler] [F.: *re-* + *ler.* Hom./Par.: *relê* (fl.), *relé* (sf. e sm.); *relês* (fl.), *relés* (pl. do sf. e sm.).]

reles (*re*.les) *a2g2n.* Desprovido de valor; ORDINÁRIO: "Em que pessoa reles e desprezível estava se transformando?" (Ana Maria Machado, *A audácia dessa mulher*) [F.: De or. incerta.]

relevado (re.le.*va*.do) *a.* **1** Que se perdoou, que se desculpou (erros relevados) **2** Que forma relevo ou saliência **3** Que é superior [F.: Do lat. *relevatus, a, um.*]

relevamento (re.le.va.*men*.to) *sm.* **1** Ação ou resultado de relevar(-se) **2** Perdão de falta cometida **3** Relevo: *o relevamento dos sinais impressos na superfície do disco.* **4** Levantamento: *um exaustivo relevamento documental das fontes disponíveis em vários acervos; Foi feito um relevamento das instalações, detalhando sua superfície, uso e características.* [F.: *relevar* + *-mento.*]

relevância (re.le.*vân*.ci:a) *sf.* Qualidade ou característica do que é relevante; IMPORTÂNCIA: *temas da maior relevância.* [Ant.: *irrelevância.*] [F.: *relevar* + *-ância.*]

relevante (re.le.*van*.te) *a2g.* **1** Que importa; IMPORTANTE: *área de relevante interesse ecológico.* **2** Que merece ser levado em conta, que é pertinente (questão relevante) *sm.* **3** O que importa; o que é pertinente [F.: Do lat. *relevans, antis.* Ant. ger.: *irrelevante.*]

relevar (re.le.*var*) *v.* **1** Escusar, perdoar [*td.*: *Relevou as imprudências da filha.*] **2** Ter relevo ou fazer que o tenha; SALIENTAR(-SE); SOBRESSAIR(-SE) [*td.*: *O desenho dos lábios lhe releva a boca.*] [*tr.* + *entre*: *O filme se releva entre os demais.*] **3** Ser relevante, convir, importar [*int.*: *Releva que se anote cada passagem; Releva gravar esses conselhos.*] **4** Dar permissão para [*td.*: *Relevou que a empregada saísse mais cedo.*] **5** Distinguir-se, sobressair-se [*int.*: *Seus atos se relevaram no contexto daqueles anos.*] **6** Proporcionar alívio, atenuar [*td.*: *O interesse da mulher lhe relevou a angústia.*] [▶ 1 relevar] [F.: Do v.lat. *relevare.* Hom./Par.: *relevo* (fl.), *relevo* /ê/ (sm.).]

relevo (re.*le*.vo) [ê] *sm.* **1** Saliência ou reentrância identificável em uma superfície: *o relevo de uma moeda.* *sm.* **2** *Geog.* Conjunto das características de altitude de superfície terrestre em determinada área ou região **3** *Esc.* Escultura feita a partir da produção de saliências e reentrâncias em uma superfície plana **4** *Pint.* Saliência ou profundidade aparente dos objetos desenhados ou pintados **5** *Fig.* Condição ou estado daquilo que tem importância: *Trata-se de uma questão de relevo.* **6** *Fig.* Destaque, realce, ênfase: *O palestrante deu grande relevo a esse fato.* [F.: Dev. de *relevar.* Hom./Par.: *relevo* (sm.), *relevo* (fl. de *relevar*). Ideia de 'relevo': *or(i/o)-* (*orografia*).] ▪ **Pôr em ~** Destacar, salientar, fazer sobressair (tb. uma questão, uma opinião, um aspecto de algo etc.): *Seu desempenho pôs em relevo toda a sua experiência.* **~ acústico** Percepção tridimensional do som, quando captado pelas duas orelhas

relha (*re*.lha) [ê] *sf.* **1** Parte de ferro do arado, que penetra na terra e faz trilhas **2** Tira de ferro que nos carros de boi segura pelo lado de fora o meão e os caibros [Dim.: *relhota, relhote.*] [F.: Do lat. *regula, ae.*]

relhada (re.*lha*.da) *sf. Bras.* Pancada com o relho: "O cocheiro bocejou alto, atirando uma relhada ao flanco do animal que trotava." (Coelho Neto, *O turbilhão*) [F.: *relho*[ê] + *-ada.*]

relhar (re.*lhar*) *v. td.* Colocar relha ou relhas em [▶ 1 relhar] [F.: *relh(a)* + *-ar.*]

relho (*re*.lho) [ê] *sm.* Tira de couro torcido ou chicote de cabo de madeira, us. para chicotear animais [Dim.: *relhota, relhote.*] [F.: De or. incerta.]

reliberar (re.li.be.*rar*) *v. td.* Tornar a liberar [▶ 1 reliberar] [F.: *re-* + *liberar.*]

relicário (re.li.*cá*.ri:o) *sm.* **1** *Rel.* Caixa ou baú onde se guardam objetos pertencentes a um santo ou que foram por ele tocados **2** Caixa ou baú onde se guardam objetos de grande valor afetivo **3** Bolsinha com relíquias que alguns fiéis trazem no pescoço em demonstração de devoção [F.: Do lat. *reliquiae, arum*, 'restos'; 'relíquias'.]

religação (re.li.ga.*ção*) *sf.* **1** Ação ou resultado de religar, de ligar novamente **2** Restabelecimento da ligação de um imóvel à rede de energia, água, gás ou telefonia [Pl.: *-ções.*] [F.: Do lat. *religatio, onis.* Sin. ger.: *religamento.*]

religamento (re.li.ga.*men*.to) *sm.* O mesmo que *religação* [F.: *religar* + *-mento.*]

religar (re.li.*gar*) *v. td.* 1 Tornar a ligar: *Mandou religar o gás.* 2 Ligar melhor, atar: *Religou os cadarços do sapato.* [▶ 14 religar] [F.: Do v.lat. *religare.*]

religião (re.li.gi.*ão*) *sf.* 1 Crença na existência de forças ou entidades sobre-humanas responsáveis pela criação, ordenação e sustentação do universo: *Há religião em quase todas as sociedades humanas.* 2 Forma particular que essa crença assume com base em cada uma das diversas doutrinas formuladas: *Apesar de serem de religiões diferentes, casaram-se.* 3 Existência vivida em obediência estrita aos princípios de um sistema religioso: *Ela trocou os prazeres do mundo pela religião.* 4 Respeito ou reverência às coisas sagradas; FÉ; PIEDADE: *Ela não tem religião.* 5 *Fig.* Concepção de vida ou atitude diante do mundo: *Falar mal dos outros vai contra a minha religião.* 6 Vínculo a uma forma de pensamento ou crença que encerra uma concepção filosófica, ética etc. 7 O que se considera dever sagrado, obrigação: *Tem a religião do trabalho.* [Pl.: *-ões.*] [F.: Do lat. *religio, onis.*] ■ **~ comparada** Estudo comparativo e objetivo das religiões que visa a compreender e descrever a religião como conceito e como fenômeno universal **~ de possessão** *Antr. Etnol.* Aquela que envolve crenças e práticas centradas na possessão por espíritos, divindades etc. **~ do caboclo** *Bras.* Ver *Linha do caboclo* no verbete *linha* **~ reformada** *Rel.* O protestantismo

religiosamente (re.li.gi:o.sa.*men*.te) *adv.* 1 De acordo com os preceitos da religião 2 *Fig.* Com extrema regularidade ou precisão: *Todos os dias saía de casa religiosamente às 17h30.* [F.: Fem. de *religioso* + *-mente.*]

religiosidade (re.li.gi:o.si.*da*.de) *sf.* 1 Qualidade ou característica própria do que é religioso 2 Tendência ou disposição natural para o desenvolvimento de sentimentos religiosos: *A religiosidade do brasileiro manifesta-se na arte popular.* [F.: Do lat. *religiositas, atis.*]

religioso (re.li.gi.*o*.so) [ô] *a.* 1 Ref. a ou próprio da religião (culto religioso) 2 Que é seguidor de uma religião: *Ele é ateu, mas sua família é religiosa.* *sm.* 3 O religioso (2) 4 Aquele que fez votos e ingressou numa congregação ou ordem religiosa: *Esperavam a chegada do religioso para começar a cerimônia.* 5 Casamento religioso [Pl.: [ó]. Fem.: [ó].] [F.: Do lat. *religiosus, a, um.*]

relinchar (re.lin.*char*) *v. int.* Soltar a voz (cavalo, burro) [▶ 1 relinchar] [F.: Do lat. vulg. **rehinnitulare.* Hom./Par.: *relincho* (fl.), *relincho* (sm.).]

relincho (re.*lin*.cho) *sm.* O som emitido pelos cavalos e éguas; RINCHO [F.: Dev. de *relinchar.*]

relíquia (re.*lí*.qui.a) *sf.* 1 Objeto de grande valor em função de ser raro ou antigo 2 *Rel.* Restos do corpo de um santo, ou objeto que tenha pertencido a ele ou tocado seu corpo 3 Coisa ou pessoa a que se tem grande apreço, por ser rara, excepcional, etc. [F.: Do lat. *reliquia, ae.*]

relocação (re.lo.ca.*ção*) *sf.* Ação ou resultado de relocar [Pl.: *-ções.*] [F.: *relocar* + *-ção.*]

relocalização (re.lo.ca.li.za.*ção*) *sf.* Ato ou resultado de relocalizar [Pl.: *-ções.*] [F.: *relocalizar* + *-ção.*]

relocalizar (re.lo.ca.li.*zar*) *v. td.* Localizar de novo [▶ 1 relocalizar] [F.: *re-* + *localizar.*]

relocar (re.lo.*car*) *v.* 1 Fazer nova alocação; alugar outra vez [*td. tdi.* + *a*] 2 *Inf.* Transferir (dados) de uma memória para outra [*td. tda.*] [▶ 11 relocar] [F.: *re-* + *locar.*]

relógio (re.*ló*.gi:o) *sm.* 1 Instrumento ou mecanismo us. para medir a passagem do tempo 2 *Bras.* Aparelho de medição do fornecimento de energia elétrica, gás ou água; REGISTRO: *Fizeram hoje a leitura do relógio da luz.* 3 *Bras. Bot.* Erva lenhosa (Sida horologia), da fam. das malváceas, us. na medicina popular para combater problemas digestivos [F.: Do lat. *horologium -ii*, deriv. do gr. *horologion.*] ■ **Acertar os ~s** 1 Combinar com alguém um plano de ação 2 Chegar a acordo, entendimento; acertar os ponteiros **Brigar com o ~** Tentar ganhar tempo; tentar fazer o máximo de tarefas no menor tempo possível **Fazer as pazes com o ~** Conseguir organizar e realizar as próprias tarefas dentro do tempo necessário, sem que para isso precise se apressar; não tentar fazer mais do que é possível em determinado espaço de tempo **~ analógico** O que mostra as horas pela posição de ponteiros sobre um mostrador **~ atômico** 1 *Astron.* O que marca o tempo pelas vibrações naturais dos átomos do césio, do rubídio ou do hidrogênio; relógio de césio, relógio de rubídio, relógio de hidrogênio 2 *Fís.* O que marca o tempo com base na frequência de uma radiação de ressonância de um átomo ou de uma molécula **~ biológico** *Fisl.* Termo que designa a duração cíclica das funções fisiológicas do corpo **~ de água** Clepsidra **~ de anel** *Astron.* Relógio solar em forma de anel com um orifício através do qual a luz do Sol marca um ponto na fase interna, que indica a hora **~ de césio** *Astron.* Ver *Relógio atômico* **~ de hidrogênio** *Astron.* Ver *Relógio atômico* **~ de ponto** Relógio provido de dispositivo que registra a hora de entrada ou saída de funcionários de uma firma num cartão **~ de pulso** Relógio pequeno, que se usa preso ao pulso; relógio-pulseira **~ de quartzo** Relógio que mede a passagem do tempo por meio das oscilações de um cristal de quartzo **~ de rubídio** *Astron.* Ver *Relógio atômico* **~ de sol** Dispositivo constituído por uma haste vertical que projeta a sombra do Sol num mostrador, com isso determinando sua posição (e a hora) durante o dia **~ digital** Relógio que mostra hora e minutos em dígitos numéricos **~ solar** 1 Relógio de sol, ou qualquer instrumento que indica a hora do dia pela sombra de um gnômon (haste, ponteiro ou outra peça vertical, para fazer sombra) 2 Gnômon

relojoaria (re.lo.jo:a.*ri*.a) *sf.* 1 Estabelecimento comercial onde se vendem relógios 2 Oficina onde se consertam relógios 3 Empresa onde se fabricam relógios 4 Arte e técnica de fabricar e consertar relógios 5 Maquinismo do relógio [F.: **relojão* (aum. de *relógio*) + *-aria*, com desnasalação.]

relojoeiro (re.lo.jo:*ei*.ro) *a.* 1 Ref. a relojoaria (comércio relojoeiro) *sm.* 2 Aquele que fabrica, vende e/ou conserta relógios [F.: De **relojão* (aum. de *relógio*) + *-eiro*, com desnasalação.]

reloteamento (re.lo.te:a.*men*.to) *sm. Bras.* Ação ou resultado de relotear [F.: *relotear* + *-mento.*]

relume (re.*lu*.me) *sm.* Brilho muito forte; CLARÃO; FULGOR [F.: *re-* + *lume.*]

relumeante (re.lu.me.*an*.te) *a2g.* Que relumeia; RESPLANDECENTE [F.: *relumear* + *nte.*]

relumear (re.lu.me.*ar*) *v. int.* Produzir relume, forte brilho; RESPLANDESCER [▶ 13 relumear] [F.: *relume* + *-ear.*]

relutância (re.lu.*tân*.ci:a) *sf.* 1 Ação ou resultado de relutar, de hesitar perante algo; HESITAÇÃO 2 Ação de resistir, de opor resistência a algo; OPOSIÇÃO; RESISTÊNCIA 3 Qualidade do que é relutante: *Qualificou de "relutância egoísta" a decisão do diretor.* 4 Atitude de quem opõe resistência: *a sua relutância em admitir erros.* 5 *Fís.* Num circuito magnético, grandeza igual ao quociente resultante da força magnetomotriz pelo fluxo [F.: *relutar* + *-ância.*]

relutante (re.lu.*tan*.te) *a2g.* Que reluta: *Fiquei meio relutante, porque já tinha ideia de que não seria fácil; Está relutante em contar o que realmente houve.* [F.: Do lat. *reluctans, antis.*]

relutantemente (re.lu.tan.te.*men*.te) *adv.* De modo relutante; com relutância: "...chamam asperamente os craques à ordem, (...) interpelam o juiz, que relutantemente volta ao seu posto." (Rachel de Queirós, *O amistoso, 1º tempo*) [F.: *relutante* + *-mente.*]

relutar (re.lu.*tar*) *v.* 1 Resistir a, opor resistência a [*tr.* + *em*: *Relutou em aceitar a proposta.*] [*int.*: *Apesar das advertências, ainda reluta.*] 2 Tornar a lutar [*int.*: *Lutara muito, mas estava disposto a relutar.*] [*tr.* + *por*: *Relutaria pelos ideais do partido.*] [▶ 1 relutar] [F.: Do v.lat. *reluctare.*]

reluzente (re.lu.*zen*.te) *a2g.* 1 Que reluz, que cintila, que replandece (olhos reluzentes) 2 Que tem muito brilho (tinta reluzente); LUSTROSO [F.: Do lat. *relucens, entis.*]

reluzido (re.lu.*zi*.do) *a.* Que reluziu, resplandeceu [F.: Part. de *reluzir.*]

reluzir (re.lu.*zir*) *v. int.* 1 Luzir muito; BRILHAR; RESPLANDECER: *A pequena lâmpada reluzia a distância.* 2 Manifestar-se com brilho: *Seus olhos reluziram de prazer.* [▶ 57 reluzir] [F.: Do v.lat. *relucere.*]

relva (*rel*.va) *sf.* 1 Erva rala e rasteira 2 Vegetação desse tipo, freq. gramíneas, que cresce naturalmente pelos campos; GRAMADO 3 Área coberta por esse tipo de vegetação; RELVADO 4 *Bot.* Planta da família das gramíneas (*Lolium arvense*); tb. *azevém* [F.: Dev. de *relvar*. Hom./Par.: *relva* (sf.), *relva* (fl. de *relvar*).]

relvado (rel.*va*.do) *sm.* 1 Terreno coberto de relva; GRAMADO; RELVA 2 *Restr.* Campo de futebol [F.: Part. de *relvar.*]

relvão (rel.*vão*) *a.* 1 Que pasta na relva, que vive na relva *sm.* 2 Terreno em que há relva crescida [Pl.: *-vões.*] [F.: *relv(a)* + *-ão*[1].]

relvar (rel.*var*) *v.* Plantar certa extensão de (relva), cobrir(-se) de relva [*td.*: *relvar o jardim*] [*int.*: *O jardim relvou.*] [▶ 1 relvar] [F.: Do leonês *ralbar*, do v.lat. *relevare*, posv. Hom./Par.: *relva* (fl.), *relva* (sf.); *relvas* (fl.), *relvas* (pl. do sf.).]

relvoso (rel.*vo*.so) [ô] *a.* Que tem relva; coberto de relva: "No terraço relvoso de uma casa, ao pé das muralhas, uma figura imóvel..." (Eça de Queirós, *A relíquia*) [Pl.: [ó]. Fem.: [ó].] [F.: *relva* + *-oso.*]

⊠ **rem**[1] *Fisl.* Sigla do ing. *Rapid Eye Movement* (movimento ocular rápido), fase do sono em que os olhos movimentam-se rapidamente, as ondas cerebrais são de baixa voltagem, e há pequenas contrações musculares

rem[2] *sm. Fís. nu.* Unidade de medida de dose de radiação ionizante igual a 0,01 sievert [F.: Do ing. *rem*, sigla de *roentgen equivalent in man*, 'radiação equivalente no homem'.]

remada (re.*ma*.da) *sf.* 1 Ação ou resultado de remar 2 Impulso dado com o remo 3 Pancada ou golpe com o remo 4 *PE Pop.* Dose de bebida alcoólica tomada de um só gole [F.: *remo* + *-ada*[1].]

remado[1] (re.*ma*.do) *a.* Provido de remos [F.: Part. de *remar.*]

remado[2] (re.*ma*.do) *a.* Movido a remos (diz-se de barco) [F.: *rem(o)* + *-ado*[1].]

remador (re.ma.*dor*) [ô] *a.* 1 Que rema *sm.* 2 Aquele que rema, por lazer ou por profissão 3 Aparelho us. para musculação, que simula os movimentos de remar [F.: *remar* + *-dor.*]

remalina (re.ma.*li*.na) *sf. Inf.* Cada uma das margens laterais das folhas de formulários contínuos, ger. destacáveis e providas de furos que são us. pela impressora para fazer avançar o papel [F.: De or. obsc.]

remanchado[1] (re.man.*cha*.do) *a.* Que remanchou; DEMORADO [F.: Part. de *remanchar*[1].]

remanchado[2] (re.man.*cha*.do) *a.* Que se remanchou, que fez borda com o maço no fundo de utensílios de metal: "Ilha, velha ilha, metal remanchado, /minha paixão adolescente..." (Rui Knopfli, *A ilha de Próspero*) [F.: Part. de *remanchar.*]

remanchador (re.man.cha.*dor*) [ô] *a.* 1 Que remancha *sm.* 2 Aquele que remancha [F.: *remanchar* + *-dor.*]

remanchar (re.man.*char*) *v.* 1 Custar a fazer algo; DEMORAR(-SE) [*int.*: *Ficou remanchando e acabou perdendo a aula.*] 2 Executar algo com demasiada lentidão [*tr.* + *em*: *Remancha-se demais num trabalho que exige pressa.*] [▶ 1 remanchar] [F.: Alter. de *remansear*, possiv.]

remancho (re.*man*.cho) *sm.* Vagar, lentidão, pachorra: "O cortiço acordava com o remancho das segundas-feiras." (Aluísio Azevedo, *O cortiço*) [F.: Dev. de *remanchar.* Hom./Par.: *remancho* (sm.), *remancho* (fl. de *remanchar*).]

remanejado (re.ma.ne.*ja*.do) *a.* Que se remanejou, modificou (equipe remanejada; orçamento remanejado) [F.: Part. de *remanejar.*]

remanejamento (re.ma.ne.ja.*men*.to) *sm.* Ação ou resultado de remanejar [F.: *remane jar* + *-mento.*]

remanejar (re.ma.ne.*jar*) *v. td.* 1 Manejar de novo, dar nova ordenação ou organização a: *Remanejar os livros/os dados de uma pesquisa/o pessoal.* 2 Recompor, retocar: *Remanejou o antigo texto para aproveitá-lo em outra publicação.* [▶ 1 remanejar] [F.: *re-* + *manejar.*]

remanescência (re.ma.nes.*cên*.ci:a) *sf.* Caráter ou qualidade de remanescente [F.: *remanescer* + *-ência.*]

remanescente (re.ma.nes.*cen*.te) *a2g.* 1 Que remanesce, que resta ou sobra (vagas remanescentes); RESTANTE *sm.* 2 O que remanesce, o que resta ou sobra de um todo depois de tirada uma ou mais porções; RESTO: *o remanescente de uma herança.* *s2g.* 3 Aquele ou aquela que remanesce, que sobrevive [F.: *remanescer* + *-nte.*]

remanescer (re.ma.nes.*cer*) *v. int.* Restar como sobrevivente ou sobra, perdurar, sobrar: *Ainda remanescem alguns costumes daquela época.* [▶ 33 remanescer] [F.: Do v.lat. ** remanescere.*]

remangar (re.man.*gar*) *v.* 1 Arregaçar as mangas 2 Erguer a mão para alguém, sinalizando ameaça 3 Mostrar-se decidido a fazer algo, preparar-se para uma ação 4 Fingir (alguém) que trabalha [▶ 14 remangar] [F.: *re-* + *manga* + *-ar*. Sin. ger.: *arremangar.*]

remansar (re.man.*sar*) *v.* Ficar em remanso [diz-se dos rios, ribeiros, correntes, etc.] [▶ 1 remansar] [F.: *remanso* + *-ar.*]

remanso (re.*man*.so) *sm.* 1 Período sem atividade; cessação de qualquer atividade; PARADA; PAUSA; REPOUSO: *o remanso depois da lida.* 2 Estado do que é tranquilo e acolhedor: *o remanso de uma casa na montanha.* 3 Lugar sossegado, calmo *sm.* 4 Porção considerável de água de mar ou rio que adentra o litoral ou a margem, formando uma espécie de enseada de águas calmas 5 Trecho de rio onde, por ausência de correnteza, a água fica quase parada: "Os servos correndo, seguiram pelas margens do rio, até adiante do vau, onde ele se estira num suave remanso..." (Eça de Queirós, "Suave milagre" *in Contos*) 6 Trecho em que um rio se alarga e a corrente diminui 7 *Amaz.* Contracorrente junto às margens de um rio, produzida pelo encontro de algum obstáculo 8 *S.* Trecho de um rio, que se segue às corredeiras, onde as águas se espalham, cessando quase completamente a ação da correnteza [F.: Do espn. *remanso.*]

remansoso (re.man.*so*.so) [ô] *a.* 1 Em que há tranquilidade, serenidade, sossego (vida remansosa, recanto remansoso): "Daí em diante, receoso das retaliações, não teve mais uma hora de remansoso contentamento..." (Camilo Castelo Branco, *A brasileira de Prazins*) [Ant.: *agitado, movimentado.*] 2 Em calmaria; calmo (mar remansoso) [Ant.: *agitado, revolto.*] 3 Que é lento, vagaroso [Ant.: *rápido.*] [Pl.: [ó]. Fem.: [ó].] [F.: *remanso* + *-oso*. Sin. ger.: *remansado.*]

remanufaturamento (re.ma.nu.fa.tu.ra.*men*.to) *sm.* Ação ou resultado de manufaturar novamente [F.: *re-* + *manufaturar* + *-mento.*]

remapeamento (re.ma.pe:a.*men*.to) *sm.* Ação ou resultado de mapear novamente [F.: *re-* + *mapear* + *-mento.*]

remaquiado (re.ma.qui:*a*.do) *a.* Novamente maquiado ou maquilado: *O cenário foi remaquiado para parecer novo.* [F.: *re-* + *maquiar* + *-ado*[1].]

remar (re.*mar*) *v.* 1 Impelir (embarcação) por meio de remos [*td.*: *Remar uma canoa.*] [*int.*: *Nas galés, os escravos remavam sem parar.*] 2 Adejar, voar [*int.*: *As gaivotas remavam contra o azul do céu.*] 3 Nadar, sobrenadar [*int.*: *Atirou-se à água e foi remando mansamente com os braços.*] 4 Enfrentar ou realizar tarefa árdua, lutar; RALAR [*tr.* + *contra*: *Tinha de remar contra a desmotivação dos alunos.*] 5 Em competições turfísticas, conduzir cavalos de corridas movimentando os braços como se remasse [*int.*] 6 *Esp.* Praticar regatas, remo [*int.*: *Ele rema para o alvinegro.*] [▶ 1 remar] [F.: *remo* + *-ar*[2]. Hom./Par.: *remo* (fl.), *remo* (sm.); *rema* (fl.), *rema* (sm.); *remas* (fl.), *remas* (pl. do sm.).]

remarcação (re.mar.ca.*ção*) *sf.* 1 Ação de marcar de novo: *A taxa de remarcação é cobrada toda vez que se altera a data ou o voo reservado no bilhete.* 2 Ação de repor marca, número etc., ou de pôr nova marca, número etc.: *A remarcação do chassi pode ser autorizada pelo DETRAN.* 3 Ação ou resultado de aumentar o preço de um produto devido à maior demanda ou à sua escassez: *Remarcação de preços de roupas de inverno aumenta com o frio.* 4 Ação ou resultado de reduzir o preço de um produto, visando venda maior, ou renovação do estoque etc.; LIQUIDAÇÃO: *Comprei estes sapatos na remarcação.* [Pl.: *-ções.*] [F.: *remarcar* + *-ção.*]

remarcado (re.mar.*ca*.do) *a.* Que sofreu remarcação (mercadorias remarcadas; gado remarcado) [F.: Part. de *remarcar.*]

remarcador (re.mar.ca.*dor*) [ô] *a.* 1 Que remarca *sm.* 2 Aquele ou aquilo que remarca [F.: *remarcar* + *dor.*]

remarcar (re.mar.*car*) *v. td.* 1 Marcar de novo algo ou pôr-lhe outra marca: *A moça remarcou a data do encontro;*

Resolveram remarcar todas as peças da coleção. **2** *Bras.* Fixar novo preço para mercadoria: *O comerciante remarcou os preços.* [▶ 11 remarcar] [F.: *re-* + *marcar.* Hom./Par.: *remarcáveis* (fl.), *remarcáveis* (pl. de *remarcável* [a2g.]).]

remarcável (re.mar.*cá*.vel) *a2g.* Que pode ser remarcado [Pl.: *-veis.*] [F.: *remarcar* + *-vel.* Hom./Par.: *remarcáveis* (pl.), *remarcáveis* (fl. de *remarcar*).]

remascar (re.mas.*car*) *v. td.* **1** Tornar a mascar, ruminar: *As ovelhas remascavam a relva* **2** *Fig.* Reconsiderar, remoer: *Passou horas remascando a decisão que tomaria.* [▶ 11 remascar] [F.: *re-* + *mascar.*]

remasterização (re.mas.te.ri.za.*ção*) *sf. Eletrôn. Inf.* Produção de um novo *master* ou matriz, ger. us. equipamento digital, com o objetivo de aprimorar a qualidade da gravação original [Pl.: *-ções.*] [F.: *remasterizar* + *-ção.* Cf.: *masterização.*]

remasterizado (re.mas.te.ri.*za*.do) *a.* Que foi submetido a remasterização [F.: Part. de *remasterizar.*]

remasterizar (re.mas.te.ri.*zar*) *v. td.* Realizar processo de remasterização (de disco, trilha sonora etc.) [▶ 1 remasterizar] [F.: Do ing. *to remaster.*]

rematado (re.ma.*ta*.do) *a.* **1** Que foi concluído; ACABADO; PRONTO: *Rematado o trabalho, passou-se à sua divulgação* **2** Que é completo, total, perfeito (rematado idiota) [F.: Part. de *rematar.*]

rematar (re.ma.*tar*) *v.* **1** Fazer remate ou acabamento em; arrematar [*td.*: *Rematou o ensaio com a citação do mestre.*] **2** Terminar a costura de [*td.*: *A costureira rematou a barra da saia.*] **3** Completar com remate de ornato [*td.*: *Rematou o portão com dois lampiões antigos.*] **4** Findar(-se) por completo [*td.*: *Rematou o almoço com melado e queijo de coalho.*] [*int.*: *A fase da alegria rematou-se logo.*] [▶ 1 rematar] [F.: *re-* + *mate.* Hom./Par.: *remate* (fl.), *remate* (sm.); *remates* (fl.), *remates* (pl. do sm.).]

remate (re.*ma*.te) *sm.* **1** Ação ou resultado de rematar; CONCLUSÃO; ACABAMENTO **2** Aquilo que remata, que completa uma obra **3** Acabamento perfeito na execução de alguma coisa **4** Ornato que finaliza e embeleza qualquer obra de arquitetura **5** *Poét.* Três versos com que ger. se teminam as sextinas **6** *Fig.* O ponto mais alto, o auge **7** *Art. gr.* Ver *serifa* **8** *Art. gr.* Vinheta us. no final de cada capítulo **9** *Lus. Fut.* Chute em gol [F.: Dev. de *rematar.* Hom./Par.: *remate* (sm.), *remate* (fl. de *rematar*).]

rematrícula (re.ma.*trí*.cu.la) *sf.* Nova matrícula [F.: *re-* + *matrícula.*]

remedar (re.me.*dar*) *v.* **1** O mesmo que *arremedar* [*td.*] **2** Imitar (ave) a voz humana ou outro som [*td.*: *O papagaio remedava o dono.*] [*int.*: *O papagaio só ficava remedando.*] [▶ 1 remedar] [F.: Do lat. vulg. **reimitare.* Hom./Par.: *remedo* (fl.), *remedo* /ê/ (sm.).]

remediação (re.me.di:a.*ção*) *sf.* Ação ou resultado de remediar [Pl.: *-ções.*] [F.: *remediar* + *-ção.*]

remediado (re.me.di.*a*.do) *a.* **1** Que tem situação financeira modesta, mas suficiente para sua manutenção *sm.* **2** Indivíduo remediado [F.: Part. de *remediar.*]

remediador (re.me.di:a.*dor*) [ô] *a.* **1** Que remedeia *sm.* **2** O que remedeia [F.: *remediar* + *-dor.*]

remediar (re.me.di.*ar*) *v.* **1** Tratar ou aliviar com remédio [*td.*: *O curandeiro pretendia remediar o doente.*] **2** Atenuar, amenizar [*td.*: *Para remediar sua insegurança, instalou mais um alarme.*] **3** *Bras. Fig.* Fazer correções, reparos [*td.*: *O pedreiro remediou a falha que havia na varanda.*] **4** Prover do necessário; abastecer [*td.*: *Medidas para remediar os sem-teto.*] [*tdr.* + *de*: *Remediou de uma boa corda o político corrupto.*] **5** *Bras.* Servir(-se) de algo insuficiente ou de má qualidade, por não dispor de coisa melhor [*int.*: *Aquele resto de feijão servia para remediar.*] [*tdr.* + *com*: *Remediava-se com um tasco de pão dormido.*] **6** *Bras.* Superar dificuldade por meio de arranjo improvisado [*td.*: *Remediara a situação vendendo balas.*] [▶ 15 remediar] [F.: Do v.lat. *remediare.* Hom./Par. *remediáveis* (fl.), *remediáveis* (pl. *remediável* [a2g.]); *remedeio* (fl.), *remedeio* (sm.).]

remediável (re.me.di.*á*.vel) *a2g.* Que tem remédio, que se pode remediar (problema remediável) [Pl.: *-veis.*] [F.: *remediar* + *-vel.* Hom./Par.: *remediáveis* (pl.), *remediáveis* (fl. de *remediar*).]

remédio (re.*mé*.di:o) *sm.* **1** *Farm.* Substância que serve para curar ou prevenir doenças; MEDICAMENTO: *Para o pediatra, remédios em excesso trazem mais males do que benefícios.* **2** *P. ext. Fig.* O que serve para diminuir o sofrimento moral ou abrandar as dificuldades da vida: *O trabalho foi o remédio para a sua solidão.* **3** *P. ext.* Tudo que serve para corrigir ou evitar uma situação desagradável; RECURSO; SOLUÇÃO: *Não havia remédio senão esperar.* **4** Aquilo que ajuda, que protege: *A religião é o remédio ideal para todos os males.* **5** O que corrige ou retifica uma falha ou um defeito **6** *Jur.* Medida própria e lícita para se atingir um certo fim de direito **7** *Bras. Pop.* Cachaça [F.: Do lat. *remedium, ii.*] ∎ **Nem para ~** *Bras. Fam.* Nenhum: *Não sobrou disquete nem para remédio.*

remedo (re.*me*.do) [ê] *sm.* Simulação ou cópia imperfeita ou defeituosa de algo; ARREMEDO [F.: Dev. de *remedar.* Hom./Par.: *remedo* (sm.), *remedo* (fl. de *remedar*).]

remeiro (re.*mei*.ro) *a.* **1** Que obedece facilmente ao impulso do remo (barco remeiro) **2** Veloz, rápido *sm.* **3** O mesmo que *remador* [Col.: *remeirada.*] **4** *Bras. Ict.* Peixe marinho (*Naucrates ductor*) da fam. dos carangídeos, tb. chamado *peixe-piloto* [F.: *rem(o)* + *-eiro.*]

remela (re.*me*.la) *sf.* **1** Secreção amarelada que se acumula nas bordas das pálbebras, ger. pela manhã, ou em casos de alguma doença nos olhos, esp. nos pontos lacrimais **2** *AL Pop.* A polpa muito tenra do coco-verde [F.: De or. obsc. Tb.: *ramela.* Hom./Par.: *remela* (sf.), *remela* (fl. de *remelar*).]

remelento (re.me.*len*.to) *a.* Que tem ou produz remela; REMELOSO [F.: *remela* + *-ento.*]

remelexo (re.me.*le*.xo) [ê] *sm. Bras. Pop.* Movimento ritmado dos quadris; REBOLADO: "...Que menina é aquela/ Que entrou na roda agora/ Ela tem um remelexo/ Que valha-me Deus! Nossa Senhora!" (Caetano Veloso, *Remelexo*) [F.: Voc. expressivo, relacionado com *mexer.*]

remembrança (re.mem.*bran*.ça) *sf. Ant.* Ação ou resultado de remembrar; LEMBRANÇA; RECORDAÇÃO: "Estás numa remembrança /e o tempo se contradisse. /Porque foges, ficas criança/desta idosa meninice." (Maria Ângela Alvim, *O retrato*) [F.: *remembrar* + *-ança.*]

remembrar[1] (re.mem.*brar*) *v.* O mesmo que *relembrar* [▶ 1 remembrar] [F.: Do lat **rememorare.*]

remembrar[2] (re.mem.*brar*) *v. td.* **1** Recompor (o que estava desmembrado), reunindo as partes **2** Reagrupar, unir (lotes de loteamento imobiliário) para compor lotes maiores [F.: *re-* + *membro* + *-ar*².]

rememoração (re.me.mo.ra.*ção*) *sf.* Ação ou resultado de rememorar [Pl.: *-ções.*] [F.: Do lat. *rememoratio, onis.*]

rememorar (re.me.mo.*rar*) *v.* **1** Voltar a lembrar, recordar; RELEMBRAR [*td.*: *Rememorava os velhos tempos, estupefato.*] [*int.*: *Ficava rememorando durante horas.*] [*tdi.* + *a*: *O navio rememorou-lhe as viagens da infância.*] **2** Despertar uma ideia, uma imagem; lembrar [*td.*: *A planície rememorava as terras mato-grossenses.*] [▶ 1 rememorar] [F.: Do v.lat. *rememorare.* Hom./Par.: *rememoráveis* (fl.), *rememoráveis* (pl. de *rememorável* [a2g.]); *remmora* (fl.), *remêmora* (fem. de *remêmoro*); *rememoras* (fl.), *remêmoras* (pl. do fem.); *rememoro* (fl.), *remêmoro* (a.).]

rememorativo (re.me.mo.ra.*ti*.vo) *a.* Que rememora, que traz à lembrança [F.: *rememorar* + *-tivo.*]

rememorável (re.me.mo.*rá*.vel) *a2g.* Digno de ser rememorado (experiência rememorável); MEMORÁVEL [Pl.: *-veis.*] [F.: *rememorar* + *-vel.* Hom./Par.: *rememoráveis* (pl.), *rememoráveis* (fl. de *rememorar*).]

rememória (re.me.*mó*.ri:a) *sf. P. us.* Relembrança, recordação [F.: *re-* + *memória.*]

remêmoro (re.*mê*.mo.ro) *a. Poét.* Que tem reminiscência, que se lembra ou se recorda: "E esses brados que ululando soam dentro do meu coração como em caverna, abalando-o, remêmoros reboam." (Alberto de Oliveira, *Poesias*) [F.: Do lat. *rememor, oris.* Hom./Par.: *remêmoro* (a.), *rememoro* (fl. de *rememorar*); *remêmora* (fem.), *rememora* (fl. de *rememorar*).]

remendado (re.men.*da*.do) *a.* **1** Que tem ou levou remendos (cobertor remendado) **2** Que usa roupas remendadas: *crianças remendadas e famélicas.* **3** Diz-se de gado malhado [F.: Part. de *remendar.*]

remendador (re.men.da.*dor*) [ô] *a.* **1** Que remenda *sm.* **2** Aquele que é especializado em remendos (remendador de redes) [F.: *remendar* + *-dor.* Sin. ger.: *remendeiro.*]

remendão (re.men.*dão*) *a.* **1** Que faz remendos *sm.* **2** Aquele que faz remendos **3** Sapateiro que se dedica a consertar calçados **4** *Fig.* Artesão pouco hábil [Pl.: *-dões.* Fem.: *-dona.*] [F.: *remendar* + *-ão*². Sin. ger.: *remendeiro.*]

remendar (re.men.*dar*) *v.* **1** Colocar remendo em [*td.*: *A mãe logo lhe remendou a calça rasgada.*] **2** *Fig.* Consertar, retificar [*td.*: *Remendou a asneira com uma desculpa sem graça.*] **3** Misturar estrangeirismos ou termos inadequados a (linguagem, texto) [*td.*: *Remendou a crônica de alto a baixo.*] [*tdr.* + *com, em*: *Remendou a apresentação com o besteirol americano de sempre.*] [▶ 1 remendar] [F.: *re-* + *emendar.* Hom./Par.: *remendo* (fl.), *remendo* (sm.); *remendaria* (fl.), *remendaria* (sf.); *remendarias* (fl.), *remendarias* (pl. do sf.); *remendáveis* (fl.), *remendáveis* (pl. de *remendável* [a2g.]); *remendar, reemendar* (todos os tempos do v.).]

remendável (re.men.*dá*.vel) *a2g.* Que se pode remendar [Pl.: *-veis.*] [F.: *remendar* + *-vel.* Hom./Par.: *remendáveis* (pl.), *remendáveis* (fl. de *remendar*).]

remendeiro (re.men.*dei*.ro) *a. sm.* O mesmo que *remendão* [F.: *remendo* + *-eiro.*]

remendo (re.*men*.do) *sm.* **1** Pedaço de pano costurado para cobrir furo ou rasgo **2** Pedaço de couro, metal etc. us para consertar um objeto de material similar **3** *Fig.* Emenda ou conserto de qualquer natureza: *O deputado propôs um remendo em alguns itens da Constituição.* **4** Mancha na pele dos animais **5** *Art. gr.* Pequeno trabalho gráfico como convite, cartão de visita etc.; OBRA DE BICO [F.: Dev. de *remendar.* Hom./Par.: *remendo* (sm.), *remendo* (fl. de *remendar*).]

remenicar (re.me.ni.*car*) *v.* Replicar, retorquir [*ti.* + *a*: *Não remenicava a seu chefe*] [*int.*: *Ele nunca remenica*] [▶ 11 remenicar]

remense (re.*men*.se) *s2g.* **1** Aquele ou aquela que nasceu ou que vive em Reims (França) *a2g.* **2** De Reims; típico dessa cidade ou de seu povo [F.: Do lat. *rem ensis, e.*]

remergulhar (re.mer.gu.*lhar*) *v. td. int.* Mergulhar de novo [▶ 1 remergulhar] [F.: *re-* + *mergulhar.*]

remessa (re.*mes*.sa) *sf.* **1** Ação de remeter, enviar algo (pelo correio, portador etc.): *A secretária ficou responsável pela remessa do produto.* **2** A coisa enviada: *A remessa ainda não chegou lá.* [F.: Do lat. *remissa*, substv. do neutro pl. de *remissus, a, um*, part. de *remitere* (> *remeter*). Hom./Par.: *remessa* (sf.), *remeça* (fl. de *remedir*), *remessa* (fl. de *remessar*).]

remetente (re.me.*ten*.te) *a2g.* **1** Que remete, envia [Ant.: *destinatário.*] **2** Do qual consta o nome e endereço de quem remete (etiqueta remetente) *s2g.* **3** Pessoa ou entidade que remete uma carta, mensagem eletrônica ou encomenda a alguém [Ant.: *destinatário.*] *sm.* **4** Endereço de quem remete uma carta ou encomenda, ger. adicionado no verso do envelope ou pacote: *Não consta a cidade no remetente da carta.* [F.: *remeter* + *-nte.* Hom./Par.: *remetente* (a2g. s2g.), *remitente* (a2g.).]

remeter (re.me.*ter*) *v.* **1** Mandar algo (esp. correspondência) de um lugar para outro; ENVIAR; EXPEDIR [*tdi.* + *a*: *Remeteu uma carta de protesto ao fabricante.*] **2** Fazer adiamento; ADIAR; TRANSFERIR; POSTERGAR [*td.*: *Remeter uma decisão/ um esclarecimento.*] **3** Fazer investida contra; atacar [*td.*: *Os milicianos remeteram o invasor em todas as frentes.*] **4** Confiar(-se), passar para [*tdi.* + *a*: *Remetemos o caso à autoridade dita competente; Remeteu-se ao bom-senso do juiz.*] **5** Referir-se, reportar-se [*tr.* + *a*: *Este verbete remete a outro.*] [*tdr.* + *a*: *Remeter-se a fontes fidedignas.*] **6** Transferir para; entregar [*tdi.* + *a*: *Remeteu à colega os trabalhos mais árduos.*] **7** Submeter, sujeitar [*tdi.* + *a*: *Remetia a vida alheia a riscos cada vez maiores.*] **8** Ter como referência [*tr.* + *a*: *Remetera-me ao exemplo dos melhores autores.*] [▶ 2 remeter] [F.: Do v.lat. *remittere.*]

remetida (re.me.*ti*.da) *sf.* O mesmo que *arremetida* [F.: Fem. substv. de *remetido* (part. de *remeter*).]

remetido (re.me.*ti*.do) *a.* Que se remeteu, enviou [F.: Part. de *remeter.*]

remexente (re.me.*xen*.te) *a2g. P. us.* Que (se) remexe [F.: *remexer* + *-nte.*]

remexer (re.me.*xer*) *v.* **1** Mexer de novo ou muitas vezes [*td.*: *Remexeu o baú e não encontrou a coroa; Remexemos o guisado, antes de deixá-lo apurar.*] **2** Tocar demasiadamente com as mãos; BULIR; MEXER [*tr.* + *em*: *Remexia, curioso, nos papéis da mãe.*] **3** Sacudir(-se), agitar(-se) [*td.*: *Remexer um coquetel; Remexiam-se, ansiosos, no aeroporto.*] **4** *Bras.* Rebolar(-se), requebrar(-se) [*td.*: *Remexer os quadris; Remexia-se ao ritmo do samba.*] **5** Revolver [*td.*: *Remexeu o canteiro para plantar novas flores.*] [▶ 2 remexer] [F.: *re-* + *mexer.*]

remexido (re.me.*xi*.do) *a.* **1** Mexido de novo ou muitas vezes (bolsos remexidos) **2** *Fam.* Que se move, que se agita muito, que não está quieto (menino remexido) *sm.* **3** *Bras. N. E. Pop.* Confusão, tumulto: "Vê-se mocinha na praia/ com um maiô resumido/deitada no beira-mar/de corpo quase despido/se a besta-fera com efeito/pegar ela mesmo a jeito/vai ser grande o remexido." (José Costa Leite, *A vinda da besta-fera*) [F.: Part. de *remexer.*]

remição (re.mi.*ção*) *sf.* **1** Ação ou resultado de remir(-se) **2** Libertação, resgate de prisioneiros **3** Compensação, ressarcimento de dívida, dano, pena etc. **4** Redenção de pecados ou crimes por meio de penitência [Pl.: *-ções.*] [F.: *remir* + *-ção.* Hom./Par.: *remição* (sf.), *remissão* (sf.).]

remido (re.*mi*.do) *a.* **1** Que, após remição, está isento de dívida ou culpa: *remido do cumprimento da pena.* **2** Resgatado, libertado: *remido do cárcere.* **3** Em clubes, diz-se de sócios isentos de pagar mensalidade (sócio remido) [F.: Part. de *remir.*]

rêmige (*rê*.mi.ge) *sf. Zool.* Cada uma das grandes penas das asas das aves, que auxiliam a sustentação e direção do voo; REMÍGIO [Podem ser primárias (na ponta), médias (na parte média) ou secundárias (perto da junção com o corpo).] [F.: Do lat. *remex, igis.*]

remígio (re.*mí*.gi:o) *sm.* **1** *Zool.* O mesmo que *rêmige* **2** O bater das asas, o voo das aves [F.: Do lat. *remigium, ii.*]

remigração (re.mi.gra.*ção*) *sf.* Regresso ao lugar de onde se tinha emigrado: "O Ministério do Desenvolvimento Agrário vai financiar a remigração de 2,6 mil famílias urbanas para a zona rural este ano, em São Paulo." (*O Estado de S.Paulo*, 21.09.2001) [Pl.: *-ções.*] [F.: *remigrar* + *-ção.*]

remigrar (re.mi.*grar*) *v. int.* Voltar (alguém) ao lugar de onde emigrou; REPATRIAR-SE [▶ 1 remigrar] [F.: Do lat. *remigrare.*]

remilitarização (re.mi.li.ta.ri.za.*ção*) *sf.* Ação ou resultado de remilitarizar [Pl.: *-ções.*] [F.: *remilitarizar* + *-ção.*]

reminiscência (re.mi.nis.*cên*.ci:a) *sf.* **1** Aquilo de que se recorda; LEMBRANÇA; RECORDAÇÃO: *reminiscências da infância.* **2** Recordação vaga, quase apagada **3** Faculdade de reter na memória e reproduzir os conhecimentos adquiridos **4** *Fil.* De acordo com Platão, recordação gradativa que o homem tem das ideias que contemplou em estado puro, antes da sua encarnação; ANAMNESE [F.: Do lat. *reminiscentia, ae.*]

reminiscente (re.mi.nis.*cen*.te) *a2g.* Que lembra, que faz recordar: *cantigas reminiscentes dos tempos de criança.* [F.: Do lat. *reminiscens, entis.*]

remípede (re.*mí*.pe.de) *a2g. Anat. Zool.* Que tem os pés em forma de remos [F.: Do lat. *remipes, edis.*]

remir (re.*mir*) *v.* **1** Resgatar(-se), libertar(-se) [*td.*: *Remir reféns/ prisioneiros.*] [*tdr.* + *de*: *Remiu aqueles homens do cativeiro; Remiram-se da condenação.*] **2** Indenizar, ressarcir [*td.*: *Remiu os prejuízos que causara.*] **3** Tornar a conseguir, obter [*td.*] **4** Poupar, libertar da condenação eterna [*td.*: *O sacerdote fazia tudo para remir os pecadores.*] **5** *Jur.* Liberar (algo) de uma obrigação, de um ônus [*td.*] **6** Recuperar-se de uma falta, de um erro [*tr.* + *de*: *Remiu-se, afinal, daquele ato detestável.*] [▶ 59 remir] [F.: Do v.lat. *redimere*, por via pop. Tb.: *redimir.*]

remirar (re.mi.*rar*) *v. td.* **1** Tornar a olhar, a mirar: *Remirou muitas vezes a casa antes de partir* **2** Olhar atentamente **3** Observar(-se), rever(-se) de maneira atenta: *Remirava a colina de sua infância; Remirava-se na calma superfície do lago* [▶ 1 remirar] [F.: *re-* + *mirar.*]

remissão (re.mis.*são*) *sf.* 1 Ação ou resultado de encaminhar a outro ponto ou lugar: *remissão de um verbete a outro; remissão ao termo mais atual.* 2 Alusão ou referência a algo: *O juiz fez remissão aos argumentos das partes.* 3 Perdão de algo ou de alguém (remissão de pena; remissão de dívida) 4 *Med.* Alívio, melhora dos sintomas de uma doença; REMITÊNCIA 5 Perdão dos pecados concedido pela Igreja: *Não morrer sem remissão.* 6 Sentimento de compaixão, misericórdia 7 Falta de atividade ou de energia 8 Intervalo, interrupção [Pl.: *-sões.*] [F.: Do lat. *remissio, onis.* Hom./Par.: *remissão* (sf.), *remição* (sf.), *reemissão* (sf.).]

remissiva (re.mis.*si*.va) *sf. Bibl. Lex.* Anotação que faz remissão (1) [F.: Fem. subst*v.* de *remissivo.*]

remissível (re.mis.*sí*.vel) *a2g.* 1 Que pode ser remetido, enviado 2 Que pode ser perdoado (ação remissível; ofensa remissível) [Pl.: *-veis.*] [F.: Do lat. *remissibilis, e.* Ant. ger.: *irremissível.*]

remissividade (re.mis.si.vi.*da*.de) *sf.* Qualidade do que é remissível: "Em termos de remissividade histórica, é evidente que o debate sobre democracia é o mais antigo, seguido pela discussão em torno dos direitos humanos..." (Dermi Azevedo, "Democracia, desenvolvimento e direitos humanos") [F.: *remissiv(el)* + *-(i)dade.*]

remissivo (re.mis.*si*.vo) *a.* 1 Que remete para outro ponto (índice remissivo) 2 Que contém referências; ALUSIVO: *São muito úteis as notas remissivas do livro.* 3 Que remite, que encerra perdão, indulgência; REMISSÓRIO [F.: Do lat. *remissivus, a, um.*]

remisso (re.*mis*.so) *a.* 1 Que negligencia seus afazeres, obrigações [+ *em*: *remisso no pagamento das contas.*] 2 Que é indolente ou vagaroso (empregado remisso) 3 Que possui pouca energia ou intensidade (sentimento remisso) [F.: Do lat. *remissus, a, um.*]

remitência (re.mi.*tên*.ci:a) *sf.* 1 Ação ou resultado de remitir(-se); REMISSÃO 2 *Med.* Cessação ou diminuição temporária, com intervalos não periódicos, dos sintomas de uma doença [F.: *remitir* + *-ência.*]

remitente (re.mi.*ten*.te) *a2g.* 1 Que remite; REMISSIVO; REMISSÓRIO 2 *Med.* Que apresenta remitência (2) (doença remitente) [F.: Do lat. *remittens, entis.* Ant. ger.: *irremitente.* Hom./Par.: *remitente* (a2g.), *remetente* (a2g. s2g.).]

remitir (re.mi.*tir*) *v.* 1 Dar absolvição ou perdão a; PERDOAR; INDULTAR [*td.*: *Remitir um crime/ uma culpa.*] [*tdi.* + *a*: *Remitir os pecados aos penitentes.*] 2 Dar por pago ou tornar quite; QUITAR [*td.*: *Remitiu sua maior dívida.*] 3 Tornar mais brando; atenuar [*td.*: *O remédio remitiu a febre.*] [*int.*: *A ventania remitiu.*] 4 Efetuar a entrega de; CEDER; RESTITUIR [*td.*: *O diretor remitiu o cargo.*] [*tdi.* + *a.*: *Remitiu à prima seu direito à herança.*] [▶ 3 remit**ir**] [F.: Do v.lat. *remittere.* Hom./Par.: *remitir, reemitir* (todos os tempos do v.).]

remível (re.*mí*.vel) *a2g.* Que pode ser remido (pena remível) [Pl.: *-veis.*] [F.: *remir* + *-vel.*]

remixado (re.mi.*xa*.do) [cs] *a.* Submetido a remixagem (sons remixados) [F.: Part. de *remixar.*]

remixagem (re.mi.*xa*.gem) [cs] *sf. Mús.* Ação ou resultado de remixar [Pl.: *-gens.*] [F.: *remixar* + *-agem.*]

remixar (re.mi.*xar*) [cs] *v. td.* 1 *Mús.* Fazer nova mixagem de (disco, fita etc.) 2 *P. ext. Mús.* Fazer modificação em (música já gravada), acrescentado techos, suprimindo outros, alterando o volume de um canal etc. [▶ 1 remix**ar**] [F.: *re-* + *mixar.*]

remo (*re*.mo) *sm.* 1 Haste de madeira com uma extremidade chata, que é introduzida na água e movida pelo remador para fazer deslocar o barco 2 *Esp.* Atividade ou esporte de remar em barcos esp. projetados para isso: *Faço remo desde menino.* [F.: Do lat. *remus, i.* Hom./Par.: *remo* (sm.), *remo* (fl. de *remar*).] ▪▪ **A ~** Que se desloca impulsionado pela movimentação dos remos na água (diz-se de embarcação) **Enforcar um ~ Bras** *Marinh.* Deixar um remo pressionado contra o costado, ger. devido a descontrole da remada

remoalho (re.mo:*a*.lho) *sm.* 1 Bolo alimentício que os ruminantes fazem voltar à boca para ser remoído 2 *Apic.* Doença das abelhas que se manifesta por uma espécie de farelo [F.: *remoer* + *-alho.*]

remobiliado (re.mo.bi.li.*a*.do) *a.* Novamente mobiliado (apartamento remobiliado) [F.: Part. de *remobiliar.*]

remobilização (re.mo.bi.li.za.*ção*) *sf.* Nova mobilização [Pl.: *-ções.*] [F.: *remobilizar* + *-ção.*]

remobilizar (re.mo.bi.li.*zar*) *v. td.* Mobilizar de novo: *O país remobilizou milhares de reservistas.* [▶ 1 remobiliz**ar**] [F.: *re-* + *mobilizar.*]

remoçado (re.mo.*ça*.do) *a.* 1 Que remoçou (aparência remoçada); REJUVENESCIDO 2 *Fig.* Que adquiriu novo vigor, nova força (espírito remoçado); REVIGORADO [F.: Part. de *remoçar.*]

remoçador (re.mo.ça.*dor*) [ô] *a.* 1 Que faz com que as pessoas se sintam ou aparentem ser mais jovens; REMOÇANTE *sm.* 2 Aquilo que faz remoçar [F.: *remoçar* + *-dor.*]

remoçamento (re.mo.ça.*men*.to) *sm.* Ação ou resultado de remoçar; REJUVENESCIMENTO [F.: *remoçar* + *-mento.*]

remoçante (re.mo.*çan*.te) *a2g.* 1 Que remoça, que dá aparência de moço ou de mais moço 2 Que revigora (banho remoçante) [F.: *remoçar* + *-nte.* Sin. ger.: *remoçador.*]

remoção (re.mo.*ção*) *sf.* 1 Ação de remover pessoas ou coisas de um lugar para colocar em outro: *a remoção da vítima para o hospital.* 2 Ação de remover algo, eliminando-o: *um bom produto para a remoção de manchas.* 3 Destituição de cargo; DEMISSÃO [Pl.: *-ções.*] [F.: Do lat. *remotio, onis.*]

remoçar (re.mo.*çar*) *v.* Parecer ou mostrar-se mais moço; REJUVENESCER(-SE) [*td.*: *A nova paixão remoçou a matrona.*] [*int.*: *As férias fizeram-na remoçar; Remoçou (-se) com a nova ocupação.*] [▶ 12 remoç**ar**] [F.: *re-* + *moço* + *-ar*².]

remodelação (re.mo.de.la.*ção*) *sf.* Ação ou resultado de remodelar; REMODELAMENTO; REMODELAGEM [Pl.: *-ções.*] [F.: *remodelar* + *-ção.*]

remodelado (re.mo.de.*la*.do) *a.* Novamente modelado; MODIFICADO; TRANSFORMADO [F.: Part. de *remodelar.*]

remodelador (re.mo.de.la.*dor*) [ô] *a.* 1 Que remodela (creme remodelador) *sm.* 2 O que remodela: *O prefeito foi um grande remodelador da cidade.* [F.: *remodelar* + *-dor.*]

remodelagem (re.mo.de.*la*.gem) *sf.* Ação ou resultado de remodelar; REMODELAÇÃO; REMODELAMENTO [Pl.: *-gens.*] [F.: *remodelar* + *-agem*².]

remodelamento (re.mo.de.la.*men*.to) *sm.* O mesmo que *remodelagem* [F.: *remodelar* + *-mento.*]

remodelar (re.mo.de.*lar*) *v. td.* Modelar de novo ou alterar o modelo de: *Restauraram e remodelaram a fachada do templo.* [▶ 1 remodel**ar**] [F.: *re-* + *modelar.*]

remoela (re.mo:*e*.la) *sf.* 1 Acinte, pirraça: "Que um marido perdulário/ perca o dote da mulher, / gaste mais do necessário: / que se ponha temerário/ depois a gritar com ela, / fazendo-lhe a remoela / com a praga imprecatória! Boa história!" (Gregório de Matos, "Torna o poeta a dar outra volta ao mundo com esta segunda crise" *in Obras*) 2 *Ant.* Troça, zombaria [F.: *remoer* + *-ela.*]

remoer (re.mo.*er*) *v.* 1 Moer novamente [*td.*: *Moía e remoía o milho de manhãzinha.*] 2 *Fig.* Cogitar, meditar tenazmente; RUMINAR [*td.*: *Remoera os mesmos problemas insolúveis.*] 3 Preocupar-se em demasia, afligir-se, ou enfurecer-se [*tr.* + *de*: *Remoía-se de ódio.*] 4 Mastigar outra vez [*td.*: *O bode remoía a ração pacientemente.*] [*int.*: *As vacas remoíam junto ao cocho.*] [▶ 36 remo**er**] [F.: *re-* + *moer.*]

remoinhar (re.mo.i.*nhar*) *v.* 1 Produzir remoinho, mover-se em espirais ou círculos [*int.*: *As águas remoinhavam.*] 2 Provocar revoluções, giros, voltas [*int.*: *As folhas secas remoinhavam ao vento.*] [▶ 1 remoinh**ar**] [F.: *re-* + *moinho* + *-ar*². Hom./Par.: *remoinho* (fl.), *remoinho* (sm.).]

remoinho (re.mo.*i*.nho) *sm.* 1 Ação ou resultado de remoinhar *sm.* 2 Movimento forte, em espiral e para baixo, de água ou do ar 3 Ponto da cabeça em que os cabelos se distribuem em espiral 4 Movimento de rotação em espiral 5 Mudança repentina na direção do vento, diante de um obstáculo; RAJADA; TUFÃO; PÉ DE VENTO [F.: Dev. de *remoinhar*. Sin. ger.: *redemoinho, rodamoinho, rodomoinho.* Hom./Par.: *remoinho* (sm.), *remoinho* (fl. de *remoinhar*).]

remolada (re.mo.*la*.da) *sf. Cul.* Molho picante feito de maionese, mostarda, pepinos em conserva, alcaparras, salsa, cebolinha, alho, azeite e limão, ger. servido com frutos do mar e carnes frias [F.: Do fr. *rémoulade.*]

remoldado (re.mol.*da*.do) *a.* Novamente moldado [F.: *re-* + *moldado.*]

remoldagem (re.mol.*da*.gem) *sf.* 1 Ação ou resultado de moldar novamente 2 O mesmo que *recauchutagem* [Pl.: *-gens.*] [F.: *remoldar* + *-agem.*]

remoldar (re.mol.*dar*) *v. td.* Dar nova moldagem a [▶ 1 remold**ar**] [F.: *re-* + *moldar.*]

remonta (re.*mon*.ta) *sf.* 1 Aquisição de novos cavalos para uma tropa de cavalaria: "...intermináveis minúcias sobre distribuição de gêneros e remontas de cavalhadas." (Euclides da Cunha, *Os sertões*) 2 *Pop.* Reparo ou conserto de algo 3 O gado cavalar ou muar adquirido para as tropas de cavalaria 4 Comissão de oficiais encarregada de comprar esse gado 5 *Bras. Turfe* Serviço do Exército que trabalha no aprimoramento da raça equina brasileira, em colaboração com jóqueis-clubes e o Ministério da Agricultura [F.: Dev. de *remontar*. Hom./Par.: *remonta* (sf.), *remonta* (fl. de *remontar*).]

remontado (re.mon.*ta*.do) *a.* 1 Elevado, alteado, colocado em lugar alto: *os remontados rochedos da beira-mar.* 2 Que se ergue ou sobe a uma grande altura: *o remontado voo da águia.* 3 Distante, longínquo, remoto 4 *Fig.* Sublime, elevado (estilo remontado) 5 Que teve remonta (tropas remontadas) 6 Que passou por remonte ou reparo (botas remontadas) [F.: Part. de *remontar.*]

remontagem (re.mon.*ta*.gem) *sf.* Ação ou resultado de remontar: *a remontagem de uma peça teatral/de uma divisória.* [Pl.: *-gens.*] [F.: Do fr. *remontage.*]

remontar (re.mon.*tar*) *v.* 1 Tornar a montar (cavalo ou equivalente) [*int.*: *Remontou e partiu para a fazenda do vizinho.*] [*td.*: *Remontou o jumento e continuou a jornada.*] 2 Erguer(-se) muito, elevar(-se) [*td.*: *O gavião remontou o voo e foi pousar na ponta do eucalipto.*] 3 *Ant.* Consertar algo, deitar remonte em [*td.*: *Remontou as botinas antes da viagem.*] 4 Recuar ou reportar-se a, ter origem em ou datar de [*tr.* + *a*: *É uma crendice que remonta à Idade Média; O mau costume remonta aos tempos do Império.*] 5 Tornar a montar (peça de teatro, ópera, espetáculo) [*td.*: *Remontaram o Idomeneo com bom gosto e competência.*] 6 *Ant. Mil.* Equipar de novas montarias uma tropa [*td.*: *Remontaram o batalhão, que seguiu para a fronteira.*] 7 *S.* Regressar à nascente, voltar a subir [*int.*] 8 Aludir ou referir-se a coisas ou pessoas do passado [*tr.* + *a*: *Sempre se remontava aos hábitos da corte.*] 9 Montar de novo (casa, apartamento); MOBILIAR, MOBILAR [*td.*] [▶ 1 remont**ar**] [F.: Do fr. *remonter.* Hom./Par.: *remonte* (fl.), *remonte* (sm.); *remontes* (fl.), *remontes* (pl. do sm.); *remontáveis* (fl.), *remontáveis* (pl. de *remontável* [a2g.]).]

remontável (re.mon.*tá*.vel) *a2g.* Que se pode remontar [Pl.: *-veis.*] [F.: *remontar* + *-vel.* Hom./Par.: *remontáveis* (pl.), *remontáveis* (fl. de *remontar*).]

remoque (re.*mo*.que) *sm.* 1 Dito engraçado, malicioso ou não, a respeito de algo ou alguém: "O segredo foi um remoque a propósito de certa loureira que passava..." (José de Alencar, *Senhora*) 2 Zombaria 3 Insinuação maliciosa [F.: Dev. de *remocar.*]

remoquear (re.mo.que.*ar*) *v.* Dizer remoques; molestar com remoques [*int.*: "Ande-me pelas literatices, ande, que há de ir longe, ainda remoqueou Militão" (Abel Botelho, *Barão de Lavoa*)] [*td.*: *Vivia remoqueando o amigo.*] [▶ 13 remoque**ar**] [F.: *remoque* + *-ear*².]

rêmora (*rê*.mo.ra) *sf. Ict.* Nome comum a vários peixes marinhos da fam. dos equeneídeos, esp. a *Remora remora*, a qual tem em cima da cabeça uma ventosa com que se fixa a outros peixes grandes ou ao fundo das embarcações [F.: Do lat. *remora, ae.* Hom./Par.: *rêmora* (sf.), *remora* (fl. de *remorar* e sf.).]

remorar (re.mo.*rar*) *v. td. P. us.* Retardar, demorar, delongar [▶ 1 remor**ar**] [F.: Do lat. **remorare, por remorari.* Hom./Par.: *remora(s)* (fl.), *remora* (sf. [e pl.]) *remora(s)* (fl.), rêmora (sf. [e pl.]).]

remorder (re.mor.*der*) *v.* 1 Morder de novo [*td.*: *Raivosa, mordeu e remordeu o braço do rapaz*] 2 *Fig.* Difamar alguém, falar mal de [*td.*: *Gostava de remorder os vizinhos*] 3 Atormentar, torturar [*td.*: *Aquele fracasso remordia todo o seu ser*] 4 Pensar com insistência em [*tr.* + *em*: *Remordia numa solução que não era viável*] [*td.*: *Remordia ideias para um filme*] 5 *Fig.* Tornar-se zangado, raivoso [*int.*: *Remordia-se por ter perdido aquela oportunidade*] 6 *Fig.* Causar aflição, tormento, angústia ou pesar a [*td.*: *A culpa o remordia.*] [▶ 2 remord**er**] [F.: Do lat. *remordere.*]

remordido (re.mor.*di*.do) *a.* 1 Mordido de novo ou repetidas vezes (lábios remordidos) 2 *Fig.* Aflito, atormentado (consciência remordida) 3 *Fig.* Enraivecido, irado: *Estava remordido de inveja.* [F.: Part. de *remorder.*]

remordimento (re.mor.di.*men*.to) *sm.* 1 Ação ou resultado de remorder(-se) 2 O mesmo que *remorso* [F.: *remorder* + *-imento.*]

remorso (re.*mor*.so) *sm.* Sentimento de culpa e angústia que advém do arrependimento por algo que se fez contra alguém [F.: Do lat. *remorsus, a, um,* part. pass. de *remordere.*]

remotamente (re.mo.ta.*men*.te) *adv.* 1 Em época remota 2 Em local remoto; a grande distância 3 Em relação remota; INDIFERENTEMENTE [F.: o fem. de *remoto* + *-mente.*]

◎ **remot(i)- *el. comp.*** = 'distante no espaço ou no tempo': *remotifloro, remotifólio.* [F.: Do lat. *remotus, a, um.*]

remotifloro (re.mo.ti.*flo*.ro) *a. Bot.* Que tem flores distantes umas das outras [F.: *remot(i)-* + *-floro.*]

remotifólio (re.mo.ti.*fó*.li:o) *a. Bot.* Que tem folhas muito afastadas umas das outras [F.: *remot(i)-* + *-fólio.*]

remotivação (re.mo.ti.va.*ção*) *sf.* Nova motivação [Pl.: *-ções.*] [F.: *remotivar* + *-ção.*]

remotivado (re.mo.ti.*va*.do) *a.* Novamente motivado [F.: Part. de *remotivar.*]

remotivar (re.mo.ti.*var*) *v. td.* Dar nova motivação a: *O técnico procurava remotivar a equipe após a derrota* [▶ 1 remotiv**ar**] [F.: *re-* + *motivar.*]

remoto (re.*mo*.to) *a.* 1 Que se encontra distante no tempo ou no espaço (região remota; acontecimentos remotos) 2 Que pode ser acionado a distância (controle remoto) 3 Que é muito pouco provável: *São remotas as chances de vitória.* 4 *Inf.* Que se realiza por meio de conexão entre computadores ou equipamentos similares (acesso remoto) [F.: Do lat. *remotus, a, um.*]

removedor (re.mo.ve.*dor*) [ô] *a.* 1 Que remove *sm.* 2 *Bras.* Produto que serve para remover manchas de tecidos, superfícies, ou remover esmalte, verniz etc. [F.: *remover* + *-dor.*]

remover (re.mo.*ver*) *v.* 1 Mover de novo, mudar (algo ou alguém) de um lugar para outro [*td.*: *Os trabalhadores removeram o televisor.*] [*tda.*: *Resolveu remover o armário da copa*] 2 Conduzir ou transportar de um ponto para outro [*td.*: *A ambulância removeu os feridos.*] 3 Transferir empregado de um lugar para outro [*td.*: *O capataz removeu as famílias dos colonos.*] [*ta.*: *Removeram os peões para outro barracão.*] 4 Fazer desaparecer; dar sumiço a [*td.*: *O assassino removeu os indícios do crime.*] 5 Eliminar, superar [*td.*: *Removera todos os empecilhos para chegar à meta.*] 6 Acabar com, extinguir [*td.*: *A volta para o mato removeu-lhe o medo à solidão.*] 7 *P. us.* Conduzir, levar [*tda.*: *O professor removeu os alunos à sala de aula.*] 8 Fazer entrar em processo de agitação; revolver [*td.*: *A tempestade removeu a terra.*] 9 *Inf.* Suprimir, apagar (arquivos, dados) [*td.*] [▶ 2 remov**er**] [F.: Do v.lat. *removere.*]

removido (re.mo.*vi*.do) *a.* 1 Que se removeu; mudado de lugar; TRANSFERIDO 2 Que foi afastado, tirado, eliminado (mancha removida) [F.: Part. de *remover.*]

removível (re.mo.*ví*.vel) *a2g.* Que se pode remover [Ant.: *irremovível.*] [Pl.: *-veis.*] [F.: *remover* + *-ível.*]

remugir (re.mu.*gir*) *v.* 1 Mugir de novo [*int.*] 2 *P. ext.* Fazer grande barulho; bramir, estrondear [*int.*] 3 *Fig.* Lançar pragas, maldições [*int.*] 4 *Fig.* Manifestar-se por meio de bramidos, de urros [*td.*: *O ferido remugia suas dores.*] [▶ 46 remug**ir**] [F.: Do v.lat. *remugire.*]

remuneração (re.mu.ne.ra.*ção*) *sf.* 1 Ação ou resultado de remunerar 2 Recompensa por trabalho ou favor prestado; PRÊMIO; GRATIFICAÇÃO 3 Retribuição, ger. em dinheiro, por serviço prestado; SALÁRIO; ORDENADO [Pl.: *-ções.*] [F.: Do lat. *remuneratio, onis.*]

remunerado (re.mu.ne.*ra*.do) *a.* Que recebe remuneração (trabalho remunerado) [F.: Do lat. *remuneratus, a, um.*]

remunerador (re.mu.ne.ra.*dor*) [ô] ***a.*** **1** Que remunera; que dá lucro (atividade remuneradora) ***sm.*** **2** Aquele que remunera [F.: Do lat. *remunerator, oris.*]

remunerar (re.mu.ne.*rar*) ***v. td.*** **1** Oferecer remuneração, paga, compensação; RECOMPENSAR; RETRIBUIR: *O deputado remunerou regiamente os delatores.* **2** Pagar salários, vencimentos: *Escravista, fez tudo para não remunerar nenhum trabalhador.* [▶ 1 remune**rar**] [F.: Do v.lat. *remunerare.* Hom./Par.: *remuneráveis* (fl.), *remuneráveis* (pl. de *remunerável* [a2g.]).]

remunerativo (re.mu.ne.ra.*ti*.vo) ***a.*** O mesmo que *remuneratório* [F.: *remunerar* + *-tivo.*]

remuneratório (re.mu.ne.ra.*tó*.ri:o) ***a.*** **1** Ref. à remuneração (estatuto remuneratório); REMUNERATIVO ***a.*** **2** Que remunera, que concede remuneração (contrato remuneratório) **3** Que estabelece remuneração (teto remuneratório) [F.: *remunerar* + *-tório.*]

remunerável (re.mu.ne.*rá*.vel) ***a2g.*** Que se pode ou se deve remunerar (serviço remunerável) [Pl.: *-veis.*] [F.: *remunerar* + *-vel.* Hom./Par.: *remuneráveis* (pl.), *remuneráveis* (fl. de *remunerar*).]

rena (*re*.na) ***sf.*** *Zool.* Mamífero da fam. dos cervídeos (*Rangifer tarandus*) que habita regiões frias do hemisfério norte, possui longos cornos, cascos largos próprios para se deslocar na neve [Na América do Norte é chamada *caribu.*] [F.: Do fr. *renne,* do sueco (e norueguês) *ren.*]

renacionalização (re.na.ci:o.na.li.za.*ção*) ***sf.*** Ação ou resultado de renacionalizar: "Uma nova onda, desta vez de renacionalização de empresas brasileiras, está começando a mudar uma vez mais o panorama da economia nacional." (*Revista Época,* 17.01.2003) [Pl.: *-ções.*] [F.: *renacionalizar* + *-ção.*]

renacionalizar (re.na.ci:o.na.li.*zar*) ***v. td.*** Nacionalizar novamente [▶ 1 renacionali**zar**] [F.: *re-* + *nacionalizar.*]

renal (re.*nal*) ***a2g.*** **1** Ref. aos rins (morfologia renal) **2** Que está presente em um ou nos dois rins (cálculo renal) [Pl.: *-nais.*] [F.: Do lat. *renalis, e.*]

renano (re.*na*.no) ***sm.*** **1** Pessoa nascida ou que vive na Renânia (Alemanha) ***a.*** **2** Da Renânia; típico dessa região ou de seu povo **3** Ref. ao rio Reno (Europa) [F.: Do lat. *rhenanus, a, um.*]

renascença (re.nas.*cen*.ça) ***sf.*** **1** O mesmo que *renascimento* (1 a 5) ***a2g2n.*** **2** Próprio da época ou do estilo da Renascença, do Renascimento (4) [F.: Do fr. *renaissance.*]

renascente (re.nas.*cen*.te) ***a2g.*** Que renasce; que se renova: "Basta que nos modelos por aquela renascente literatura que floresce em Portugal..." (Machado de Assis, "O passado, o presente e o futuro na literatura" *in Textos críticos*) [F.: *renascer* + *-nte.*]

renascentismo (re.nas.cen.*tis*.mo) ***sm.*** Tudo quanto caracteriza a época literária e artística do Renascimento: "Arquitetura onde predomina o renascentismo..." (Ricardo Jorge, *Canhenho de um vagamundo*) [F.: *renascent(e)* + *-ismo.*]

renascentista (re.nas.cen.*tis*.ta) ***a2g.*** **1** *Hist.* Ref. à época da Renascença **2** *Art. pl. Liter. Mús.* Que tem características artísticas ou literárias próprias do Renascimento (madrigal renascentista, ornatos renascentistas) ***s2g.*** **3** *Hist.* Pessoa que viveu na Renascença e cujo pensamento e obra expressam ideais característicos desse período [F.: *renascente* + *-ista.*]

renascer (re.nas.*cer*) ***v.*** **1** Tornar a nascer [***int.:*** *As orquídeas renascem uma vez por ano*] **2** Crescer outra vez; renovar-se [***int.:*** *Com a volta da moça, renasceu o amor.*] **3** Sofrer novo impulso, desenvolver-se [***int.:*** *A arte clássica renasceu no fim da Idade Média.*] **4** Adquirir novo vigor, nova disposição, animar-se [***int.:*** *Renasceu depois das férias.*] **5** Tornar-se mais jovem; remoçar [***int.:*** *Depois da viagem, ela renascera em beleza e inteligência.*] **6** Voltar a ter presença, a aparecer [***int.:*** *Com o fim das chuvas, o turismo renasceu.*] **7** Brotar, desabrochar [***int.:*** *Com o fim da seca, o feijão e o milho renasceram.*] **8** Ter recuperação, reabilitar-se [***int.:*** *Ao deixar a droga, ele logo renasceu.*] [***tr.*** + *para*: *O ex-cocainômano renasceu para o mundo.*] **9** Manter-se vivo, continuar existindo [***int.:*** *Ao acordar, viu que renascia.*] [▶ 33 renas**cer**] [F.: Do v.lat. **renascere,* por *renasci.*]

renascido (re.nas.*ci*.do) ***a.*** Que renasceu (esperança renascida, sonho renascido) [F.: Part. de *renascer.*]

renascimento (re.nas.ci.*men*.to) ***sm.*** **1** Ação ou resultado de renascer **2** Nova vida (como nova existência ou como novo vigor) **3** Movimento que se caracteriza pela ideia de renovação, de restauração ou de recomeço **4** *Hist.* Nos sécs. XV e XVI, movimento artístico, científico e filosófico, iniciado na Itália, que pregava o retorno aos ideais da Antiguidade greco-latina, esp. a valorização do ser humano e de suas capacidades [Nesta acp., com inicial maiúsc.] **5** *Hist.* Período caracterizado por esse movimento [Nesta acp., com inicial maiúsc.] [F.: *renascer* + *-imento.* Sin. ger.: *renascença.*]

renda[1] (*ren*.da) ***sf.*** **1** Quantia recebida regularmente como resultado de investimentos, aluguel de imóveis etc.: *Ele vive de renda.* **2** Quantia recebida regularmente por trabalho realizado: *Achava sua renda muito baixa para tanta responsabilidade.* **3** Quantia total arrecadada em um evento ou promoção: *A renda da final do campeonato foi a maior do ano.* **4** *Econ.* O total das rendas (1 e 2) de uma pessoa ou de um grupo (renda familiar) **5** *Econ.* O total das rendas (1 e 2) dos habitantes de um país (renda nacional) **6** *Econ.* Rendimento sujeito, por lei, a tributação [F.: De or. contrv; talvez do provç. *renda* (lat. vulg. **rendita*). Hom./Par.: *renda* (sf.), *renda* (fl. de *render*); *rendas* (pl. do sf.), *rendas* (fl. de *render*).] ■ **~ bruta 1** *Econ.* Renda auferida sem descontar os custos de sua produção **2** Total de todas as receitas (de pessoa física ou jurídica, de um estado, de um país etc.) sem o desconto das despesas **~ líquida** *Econ.* A renda bruta menos os custos de sua produção **~ nacional 1** *Econ.* Total das rendas líquidas de todas as atividades econômicas de um país **2** Total das riquezas de um país durante um exercício financeiro **~ per capita** *Econ.* A renda média dos habitantes de um país, obtida pela divisão da renda nacional total pelo número de habitantes

renda[2] (*ren*.da) ***sf.*** **1** Tecido fino feito de fios que formam desenhos variados us. para enfeitar ou confeccionar peças de vestuário, roupas de cama e mesa etc. (toalha/blusa de renda) **2** Qualquer tipo de trabalho ornamental em forma de renda [F.: Do espn. *randa.*] ■ **Fazer ~** *N. E. Pop.* Esperar sentado por algo, durante muito tempo; tomar chá de cadeira

renda de bico (ren.da de *bi*.co) ***sf.*** *Bras. N. N. E. Artesn.* Tipo de renda[2] produzida artesanalmente enrolando-se os fios tecidos, em bilros, resultando daí diversas tiras em forma de bicos: "Ela fazia renda de bico, numa grande almofada, trocando com agilidade os bilros..." (Inglês de Sousa, *Tentação*) [Pl.: *rendas de bico.*]

rendado (ren.*da*.do) ***a.*** **1** Enfeitado com renda (saia rendada) **2** Que parece renda (anel rendado) ***sm.*** **3** O conjunto de rendas que adornam uma peça: *o rendado de uma toalha.* **4** Qualquer trabalho entrelaçado ou recortado que lembra renda: *o rendado do balcão da varanda.* [F.: Part. de *rendar*[2].]

rendão (ren.*dão*) ***sm.*** **1** *Têxt.* Espécie de renda[2] grossa de algodão natural ou sintético fabricada industrialmente e us. na confecção de colchas, cortinas, vestidos etc. **2** *SP* Camada de gordura localizada na barriga de animais como cabrito, porco etc., us. no preparo de certo prato da culinária italiana [Pl.: *-dões.*] [F.: *renda*[2] + *-ão*[1].]

rendar[1] (ren.*dar*) ***v.*** **1** O mesmo que *arrendar*[1] (1 e 2) [***td.***] [***tdi.***] [***tdr.*** + *a, de*] **2** Pagar rendas [***int.***] [▶ 1 ren**dar**] [F.: *renda*[1] + *-ar*[2]. Hom./Par.: *renda* (fl.), *renda* (sf.); *rendas* (fl.), *rendas* (pl. do sf.); *rendaria* (fl.), *rendaria* (sf.); *rendarias* (fl.), *rendarias* (pl. do sf.).]

rendar[2] (ren.*dar*) ***v. td.*** Enfeitar ou ornar com rendas; ARRENDAR [▶ 1 ren**dar**] [F.: *renda*[2] + *-ar*[2].]

rendaria (ren.da.*ri*.a) ***sf.*** **1** Arte, fabricação e comércio de rendas **2** Quantidade significativa de rendas [F.: *renda*[2] + *-aria.*]

rendeira (ren.*dei*.ra) ***sf.*** **1** Mulher que faz ou vende rendas **2** *Bras. Ornit.* Ave passeriforme da família dos piprídeos (*Manacus manacus*), apresenta coroa, costas, asas e cauda pretas, peito e colar brancos e pés alaranjados **3** *Bras. Ornit.* Ver *uirapuru* [F.: *renda*[2] + *-eira.*]

rendeiro[1] (ren.*dei*.ro) ***sm.*** **1** Homem que fabrica ou vende rendas[2] **2** *Bras. Ornit.* Ver *rendeira* (2) [F.: *renda*[2] + *-eiro.*]

rendeiro[2] (ren.*dei*.ro) *Jur.* ***sm.*** **1** Aquele que arrenda imóveis ou dinheiro obrigando-se a um pagamento periódico **2** Aquele que arrenda propriedade rural [F.: *renda*[1] + *-eiro.*]

rendengue[1] (ren.*den*.gue) ***sm.*** *Bras. N. N. E.* Parte do corpo humano compreendida entre a cintura e as virilhas: "Imagina um 'queimado' andando no corredor de um avião, com a calça no rendengue e cambaleando!" (Dr. Pêta, "Colunaço do Pêta" *in Jornal Pequeno on-line,* 25.12.2005) [F.: De or. obsc.]

rendengue[2] (ren.*den*.gue) ***sm.*** *CE* Sino pequeno; SINETA [F.: De or. obsc.]

render (ren.*der*) ***v.*** **1** Forçar ou ser forçado a submeter-se, a capitular, ceder [***td.:*** *O soldado rendeu os cinco jovens.*] [***int.:*** *Ameaçada de morte, a jovem se rendeu.*] **2** Sujeitar-se, ceder [***tr.*** + *a*: *Rendia-se aos caprichos da mulher.*] **3** Substituir (alguém) em tarefa ou serviço [***td.:*** *Os empregados tinham vindo render os do turno da noite.*] **4** Dar como lucro ou produto [***td.:*** *O comércio ambulante rende pouco dinheiro.*] [***int.:*** *A política rende muito mais.*] **5** Depor, largar [***td.:*** *Com a explosão, quatro invasores renderam suas armas.*] **6** Manifestar (admiração, homenagem) [***tdi.*** + *a*: *Os atores renderam homenagem à Suassuna.*] **7** Ter como efeito, provocar, causar [***td.:*** *A improvisação rende a má qualidade do produto.*] **8** *Bras.* Alongar-se em demasia; DURAR [***int.:*** *O assunto não rendeu.*] [***ta.:*** *A discussão rendera a noite toda.*] **9** Prestar, dispensar [***tdi.*** + *a.*: *Rendeu grandes serviços à resistência.*] **10** *Pop.* Contrair hérnia [***int.:*** *Pegou peso demais e se rendeu.*] **11** Ter funcionamento eficaz, compensador [***int.:*** *O novo motor não estava rendendo.*] [▶ 2 ren**der**] [F.: Do lat. vulg. **rendere,* do láss. *reddere.*]

renderização (ren.de.ri.za.*ção*) ***sf.*** *Inf.* Processo de computação gráfica que consiste em interpretar os gráficos de objetos e a iluminação, para então criar uma imagem finalizada, vista pela perspectiva escolhida [Pl.: *-ções.*] [F.: De **renderizar* (do ing. [*to*] *render,* 'interpretar', + *-izar*) + *-ção.*]

⊕ ***rendez-vous*** (*Fr.* /rãdevu/) ***sm.*** **1** Lugar escolhido para conversa, encontro etc. **2** Encontro, reunião, entrevista **3** Prostíbulo, randevu **4** *Inf.* Protocolo us. em sistemas de informática para permitir que os dispositivos encontrem os outros automaticamente, sem a necessidade de usar os seus endereços IP ou configurar servidores DNS

rendição (ren.di.*ção*) ***sf.*** **1** Ação ou resultado de render(-se) **2** *Mil.* Ação de entregar-se incondicionalmente, ou sob condições, às forças inimigas; CAPITULAÇÃO **3** Ação de substituir uma força militar, uma frota, um oficial etc. em um serviço: "Quanto à rendição dos homens da Telefônica, no Telégrafo e na rádio, deixe-a a cargo do tenente Walfrido" (Marques Rebelo, "Acudiram três cavaleiros" *in Contos reunidos*) [F.: *r ender* + *-ição.*]

rendido (ren.*di*.do) ***a.*** **1** Que foi dominado, subjugado, vencido **2** Que foi substituído por alguém em tarefa ou serviço **3** *Fig.* Que foi tomado por enlevo, admiração ou êxtase: *Rendido diante do maravilhoso espetáculo, aplaudiu de pé.* **4** *Pop.* Que tem hérnia inguinal [F.: Part. de *render.*]

rendidura (ren.di.*du*.ra) ***sf.*** **1** *Ant. Mar.* Fenda em qualquer peça de madeira de um navio **2** *Bras. Ant. Pop.* Hérnia (1) [F.: *render* + *-i-* + *-dura.*]

rendilha (ren.*di*.lha) ***sf.*** **1** Tira de renda fina e delicada **2** *RS* Aparelho serrilhado, preso à cabeça do freio para subjugar o animal [F.: *rend a*[2] + *-ilha.*]

rendilhado (ren.di.*lha*.do) ***a.*** **1** Que tem rendilha (gola rendilhada) **2** Que tem lavores semelhantes a rendilha: "As magníficas colunatas, (...) as rendilhadas janelas..." (Silveira da Mota, *Viagens*) **3** *Fig.* Que tem ornatos variados, caprichosos e delicados [F.: Part. de *rendilhar.*]

rendilhar (ren.di.*lhar*) ***v. td.*** **1** Enfeitar com rendilhas ou outros ornamentos delicados **2** Colocar formas variadas, caprichosas, de entremeio **3** Cortar, talhar [▶ 1 rendi**lhar**] [F.: *rendilha* + *-ar.*]

rendimento (ren.di.*men*.to) ***sm.*** **1** *Econ.* Lucro sobre dinheiro investido; RENDA: *o rendimento da caderneta de poupança.* [+ *sobre*: *rendimentos sobre ações.*] **2** Quantia recebida por pessoa, família ou instituição por trabalho realizado; RENDA: *Os filhos se empregaram para aumentar o rendimento familiar.* **3** Desempenho em atividade esportiva, intelectual ou de trabalho; APROVEITAMENTO: *Houve queda no rendimento dos alunos.* **4** *Econ.* Eficiência de produção; PRODUTIVIDADE: *A introdução de novas tecnologias duplicou o rendimento da indústria.* **5** Aproveitamento proporcional de força ou energia: *rendimento de um motor* **6** Ação ou resultado de render(-se); RENDIÇÃO **7** *Fís.* Num sistema, quociente entre o trabalho realizado e a energia consumida **8** *Quím.* Relação quantitativa entre a massa de um produto que se obtém de fato e a previsão calculada pela estequiometria numa reação química **9** *Pop.* Deslocamento ou luxação de um osso [F.: *render* + *-imento.*] ■ **~ bruto** *Econ.* Ver *Renda bruta* **~ líquido** *Econ.* Ver *Renda líquida* **~ tributável** *Jur.* Tipo ou parte de rendimento sujeito a cobrança de tributo

rendista (ren.*dis*.ta) ***a2g. s2g.*** *P. us.* O mesmo que *rentista* [F.: *renda*[1] + *-ista.*]

rendoso (ren.*do*.so) [ô] ***a.*** Que produz muita renda, muito lucro (negócio rendoso); LUCRATIVO; RENTÁVEL [Pl.: [ó]. Fem.: [ó].] [F.: *renda*[1] + *-oso.*]

renegação (re.ne.ga.*ção*) ***sf.*** Ação ou resultado de renegar; RENEGAMENTO [Pl.: *-ções.*] [F.: *renegar* + *-ção.*]

renegado (re.ne.*ga*.do) ***a.*** **1** Que renega, abandona sua religião, partido, opiniões etc.; APÓSTATA **2** Que é rejeitado pela própria comunidade **3** Que é odiado, execrado ***sm.*** **4** Aquele que se renegou **5** *Pop.* Aquele que é perverso, mau [F.: Part. de *renegar.*]

renegador (re.ne.ga.*dor*) [ô] ***a.*** **1** Que renega ***sm.*** **2** Aquele que renega [F.: *renegar* + *-dor.*]

renegamento (re.ne.ga.*men*.to) ***sm.*** O mesmo que *renegação* [F.: *renegar* + *-mento.*]

renegar (re.ne.*gar*) ***v.*** **1** Renunciar a, deixar de lado (crença, religião, ideologia) [***td.:*** *Nunca renegou suas convicções.*] [***tr.*** + *a*: *Renegar a Deus.*] **2** Negar-se a reconhecer [***td.:*** *Renegou a paternidade do suposto filho.*] **3** Rejeitar, desdenhar [***td.:*** *Renegava seu passado, seus pais, suas origens.*] **4** Praticar ato de traição contra [***td.:*** *Teve a coragem de renegar a melhor amiga.*] **5** Lançar maldição a [***td.***] **6** Opor desmentido a; negar [***td.:*** *Renegou prontamente a acusação.*] **7** Demonstrar execração por; detestar [***td.:*** *Renega a própria sorte, a existência que tem.*] **8** Demonstrar rejeição por; menosprezar [***td.:*** *Gosta da família, mas renega o filho doente.*] **9** Esconjurar, imprecar [***td.***] [▶ 14 rene**gar**] [F.: Do lat. vulg. **renegare.* Ant. ger.: *aceitar.*]

renegociação (re.ne.go ci:a.*ção*) ***sf.*** Ação ou resultado de renegociar [Pl.: *-ções.*] [F.: *renegociar* + *-ção.*]

renegociar (re.ne.go.ci.*ar*) ***v.*** Tornar a negociar, ger. modificando as condições de contrato anterior [***td.:*** *Queria renegociar suas dívidas*] [***tdr.*** + *com*: *Renegociou os direitos de filmagem com o produtor*] [▶ 1 renegoci**ar**] [F.: *re-* + *negociar.* Hom./Par.: *renegociáveis* (fl.), *renegociáveis* (pl. *renegociável* [a2g.]).]

renegociável (re.ne.go.ci.*á*.vel) ***a2g.*** Que se pode renegociar [Ant.: *irrenegociável.*] [Pl.: *-veis.*] [F.: *renegociar* + *-vel.* Hom./Par.: *renegociáveis* (pl.), *renegociáveis* (fl. de *renegociar*).]

rengo[1] (*ren*.go) ***sm.*** **1** Tecido fino semelhante à gaze e que serve para bordados etc.: "A sombra espessa de um hábito, ou o rengo branco de uma toalha." (Júlio Dantas, *Amor em Portugal*) **2** Fio com que se tece a cassa [F.: Do cast. *renque.*]

rengo[2] (*ren*.go) *Bras.* ***a.*** **1** Que manca de uma perna (diz-se de cavalo e até de pessoa); CAPENGA, COXO [Us. tb. como subst.] ***sm.*** **2** *Vet.* Doença dos quartos traseiros dos cavalos, que praticamente os impossibilita de andar [F.: Do espn. platino *rengo.*]

rengue (*ren*.gue) ***sm.*** Ver *rengo*[1]

renguear (ren.gue.*ar*) ***v. int.*** *S* Ficar rengo, manco, coxo; MANCAR: *O cavalo começou a renguear na curva* [▶ 13 rengue**ar**] [F.: *rengo* + *-ear.*]

rengueira (ren.*guei*.ra) ***sf.*** *Bras. S.* O defeito de renguear; MANQUEIRA [F.: *rengo*[2] + *-eira.*]

renhidamente (re.nhi.da.*men*.te) ***adv.*** De modo renhido: *Disputavam renhidamente a liderança do grupo.* [F.: o fem. de *renhido* + *-mente.*]

renhido (re.*nhi*.do) ***a.*** **1** Disputado com grande paixão (debate renhido) **2** Em que há grande violência (luta renhida) [F.: Part. de *renhir.*]

renhir (re.*nhir*) ***v.*** **1** Disputar, manter (conflito, luta); COMBATER; PELEJAR; PORFIAR [***td.***: *A tropa renhiu um árduo combate.*] [***tr.*** + *com*: *Os persas renhiram com o invasor e o esmagaram.*] [***int.***: *Os milicianos renhiram incansavelmente.*] **2** Tentar tomar (algo ou alguém) para si; pleitear [***td.***: *Os rapazes renhiam as graças da nova aluna.*] **3** Desenvolver discussão; ALTERCAR [***int.***: *As duas comissões renhiram ali, a tarde toda.*] [***tr.*** + *com*: *Durante a aula, renhiu com a professora.*] **4** Ficar mais intenso, violento [***int.***: *Longe da autoridade, o conflito renhia-se.*] [▶ **59** renhir] [F.: Do espn. *reñir.*]

◎ **ren(i)-** ***el. comp.*** = 'rim': *reniforme* [F.: Do lat. *ren, renis.*]

reniforme (re.ni.*for*.me) ***a2g.*** Que tem a forma ou feitio de rim; NEFROIDE [F.: *ren(i)-* + *-forme.*]

rênio (*rê*.ni:o) ***sm.*** ***Quím.*** Elemento metálico de número atômico 75, us. como catalisador [Símb.: *Re*] [F.: Do lat. cient. *rhenium.*]

renitência (re.ni.*tên*.ci:a) ***sf.*** **1** Qualidade ou caráter do que é renitente; PERSISTÊNCIA; OBSTINAÇÃO; TEIMOSIA: "Só inventando uma, mas a imaginação vem travando com renitência, diante de fatos que a ela própria, mesmo em seus estados delirantes, não ocorreriam." (João Ubaldo Ribeiro, *O Globo*, 21.11.2004) **2** Característica do que persiste, do que não cede **3** Forte oposição [F.: Do lat. mediev. *renitentia, ae.*]

renitente (re.ni.*ten*.te) ***a2g.*** **1** Que resiste teimosamente, que não se conforma, que renite; OBSTINADO; CONTUMAZ [+ *em*: *José se mostrava renitente em aceitar a dura verdade.*] **2** Difícil de ceder (febre renitente) [F.: Do lat. *renitens, entis.*]

renitentemente (re.ni.ten.te.*men*.te) ***adv.*** De modo renitente; INSISTENTEMENTE, OBSTINADAMENTE: *Perseguia renitentemente os seus objetivos até conseguir alcançá-los.* [F.: *renitente* + *-mente.*]

renitir (re.ni.*tir*) ***v.*** Insistir obstinadamente em (ideia, ação, atitude); OBSTINAR-SE [***tr.*** + *em*: *Renitia no projeto estapafúrdio.*] [***int.***: *Inconformado, continuou a renitir.*] [▶ **3** renitir] [F.: Do lat. **renitere*, por *reniti.*]

renoiriano[1] (re.noi.ri:*a*.no) ***a.*** **1** De ou próprio do pintor impressionista francês Pierre-Auguste Renoir (1841-1919) ***sm.*** **2** Admirador ou estudioso da obra desse pintor [F.: Do antr. (*Pierre-Auguste*) *Renoir* + *-iano.* Pronuncia-se *renoariano.*]

renoiriano[2] (re.noi.ri:*a*.no) ***a.*** **1** De ou próprio do cineasta francês Jean Renoir (1894-1979) ***sm.*** **2** Admirador ou estudioso da obra desse cineasta [F.: Do antr. (*Jean*) *Renoir* + *-iano.* Pronuncia-se *renoariano.*]

renomado (re.no.*ma*.do) ***a.*** Que tem renome; que é conhecido, famoso (médico renomado); RENOMEADO [F.: *renome* + *-ado*[1].]

renome (re.*no*.me) ***sm.*** Grande prestígio ou boa reputação: *Contrataram um advogado de renome.* [F.: *re-* + *nome.*]

renomeação (no.me:a.*ção*) ***sf.*** Ação ou resultado de renomear [Pl.: *-ções.*] [F.: *renomear* + *-ção.*]

renomeado (re.no.me.*a*.do) ***a.*** **1** Que se tornou a nomear **2** Que tem renome; AFAMADO, RENOMADO: "O renomeado negociador do tratado." (Ricardo Jorge, *Canhenho de um vagamundo*) [F.: Part. de *renomear.*]

renomear[1] (re.no.me.*ar*) ***v. td.*** **1** Dar novo nome a [***td.***: *Ouviu sugestões e decidiu renomear seu novo romance*] **2** Nomear novamente [***td. tdr.*** + *para*: *Renomeará o velho funcionário para novo cargo*] [▶ **13** renomear] [F.: *renome* + *-ar.*]

renomear[2] (re.no.me.*ar*) ***v.*** **1** Dar outro nome a [***td.***: *Renomear uma rua.*] **2** Voltar a nomear (alguém) [***tdp.***: *Renomeou seu velho colaborador chefe do departamento.*] [***tdr.*** + *para*: *Renomeou seu velhor colaborador para a chefia do departamento*] [▶ **13** renomear] [F.: *re-* + *nomear.*]

renovação (re.no.va.*ção*) ***sf.*** Ação ou resultado de renovar (renovação da licença); RENOVAMENTO [Pl.: *-ções.*] [F.: Do lat. *renovatio, onis.*]

renovado (re.no.*va*.do) ***a.*** Que sofreu renovação (programa renovado) [F.: Do lat. *renovatus, a, um.*]

renovador (re.no.va.*dor*) [ô] ***a.*** **1** Que renova (creme renovador) ***sm.*** **2** Aquele ou aquilo que renova (renovador de ar) [F.: Do lat. *renovator, oris.*]

renovamento (re.no.va.*men*.to) ***sm.*** O mesmo que *renovação*: "Por todo o seu domínio de Tormes andavam obras para o renovamento das casas dos rendeiros." (Eça de Queirós, *A cidade e as serras*) [F.: *renovar* + *-mento.*]

renovar (re.no.*var*) ***v.*** **1** Tornar novo outra vez, dar novo aspecto ou forma a; REFORMAR [***td.***: *Renovar uma casa/ um método de ensino/um produto da tecnologia.*] **2** Fazer de novo, prorrogando a duração de [***td.***: *Renovar um contrato/um passaporte.*] **3** Substituir por novo, ou repor [***td.***: *Renovar o estoque de bebidas/o equipamento estratégico.*] **4** Retomar, recomeçar [***td.***: *Renovar uma campanha/uma luta.*] **5** Nascer ou surgir de novo; REAPARECER; RENASCER [***int.***: *Os miosótis se renovam continuamente.*] **6** Sentir ou fazer sentir mais vigor e energia; REVIGORAR-SE [***td.***: *Estâncias hidrominerais renovam as pessoas.*] [***int.***: *Ela se renovou com o tratamento.*] **7** Trocar ou substituir por (algo) mais novo [***td.***: *Renovar o vestuário.*] **8** Dar novo alento, novo ânimo [***td.***: *A bailarina russa renovou o corpo de baile.*] **9** Repetir, reforçar [***td.***: *Como não a atendiam, não parava de renovar os pedidos.*] **10** Efetuar mudanças, reformulações em [***td.***: *O gênio de Bertolt Brecht renovou o teatro.*] **11** Consertar, reformar, reparar [***td.***: *Renovou o avião com a reforma da fuselagem.*] **12** Voltar a ter reconhecimento, sucesso [***td.***: *O papel renovou-lhe a carreira de ator.*] **13** Manter-se aplicado, e atualizado [***td.***: *É um intelectual que sempre se renova.*] **14** Desabrochar novamente [***td.***: *As chuvas renovaram a floração.*] **15** Fazer vigorar novamente [***td.***: *Renovou uma antiga medida de segurança.*] [▶ **1** renovar] [F.: Do v.lat. *renovare.* Hom./Par.: *renovo* (fl.), *renovo* (sm.). Hom./Par.: *renováveis* (fl.), *renováveis* (pl. de *renovável* [a2g.]).]

renovatório (re.no.va.*tó*.ri:o) ***a.*** Que serve para renovar [F.: *renovar* + *-tório.*]

renovável (re.no.*vá*.vel) ***a2g.*** Que se pode renovar (energia renovável) [Pl.: *-veis.*] [F.: *renovar* + *-vel.* Hom./Par.: *renováveis* (pl.), *renováveis* (fl. de *renovar*).]

renovo (re.*no*.vo) [ô] ***sm.*** **1** *Bot.* Ver *broto* (1) **2** Ramo novo que cresce no toco de uma árvore recém-cortada, dando origem a uma nova árvore **3** Botão, broto: "Tudo se foi mirrando e falecendo como os renovos de uma planta que regassem diariamente com água morna." (Aloísio de Azevedo, *Casa de pensão*) **4** Broto que origina outra planta; REBENTO **5** *Fig.* Descendência [F.: Dev. de *renovar.* Hom./Par.: *renovo* (sm.), *renovo* (fl. de *renovar*).]

renque (*ren*.que) ***s2g.*** Conjunto de pessoas ou objetos colocados em linha (renque de árvores); FILEIRA; ALINHAMENTO [F.: Do cat. *renc*, do frâncico **hring.*]

renrém (ren.*rém*) ***sm.*** ***Bras. N. E.*** Altercação prolongada, incessante [Pl.: *-réns.*] [F.: De or. onom.]

rentabilidade (ren.ta.bi.li.*da*.de) ***sf.*** Qualidade ou característica do que produz renda, do que é rentável; LUCRATIVIDADE: *As taxas de rentabilidade variam de acordo com o tipo de investimento.* [F.: Adaptç. do ing. *rentability.*]

rentabilização (ren.ta.bi.li.za.*ção*) ***sf.*** Ação ou resultado de rentabilizar [Pl.: *-ções.*] [F.: *rentabilizar* + *-ção.*]

rentabilizar (ren.ta.bi.li.*zar*) ***v. td.*** ***Econ.*** Fazer rentável, lucrativo [▶ **1** rentabilizar] [F.: *rentável* com f. rad. *-bil(i)-* + *-izar.*]

rentável (ren.*tá*.vel) ***a2g.*** Que gera ou pode gerar lucro ou renda (negócio rentável); LUCRATIVO [Pl.: *-veis.*] [F.: Adaptç. do ing. *rentable.*]

rente (*ren*.te) ***a2g.*** **1** Muito curto, perto da raiz ou da base (cabelo rente; unhas rentes) **2** Muito próximo (muros rentes); VIZINHO **3** *Pop.* Que não falta a certos lugares ou atos; que não falha, com quem se pode contar; ASSÍDUO; CONSTANTE [+ *em*: *Era um amigo rente nos bons e maus momentos.*] ***adv.*** **4** Bem próximo, muito perto: *A bola passou rente à trave* [F.: Do lat. *radente*, 'que raspa', posv.] ◼ **~ a/de** Muito próximo a/ de: *A estrada passava rente à casa; A bala zuniu rente a sua cabeça.* **~ com** Ver *Rente a/de* **~ de** Ver *Rente a /de.*

rentear (ren.te.*ar*) ***v.*** **1** Cortar curto, rente (pelo, cabelo etc.) [***td.***] **2** Passar bem perto de [***td.***: *O carro renteou toda a praça*] **3** Alardear forças, fazer-se pimpão com alguém, aproximar-se de alguém provocando-o, colocar-se em atitude de provocação ou desafio; tb. *rentar* [***ti.*** + *a*] [▶ **13** rentear] [F.: *rente* + *-ear.*]

rentismo (ren.*tis*.mo) ***sm.*** Caráter, condição ou modo de vida de rentista [F.: *rent(ista)* + *-ismo.*]

rentista (ren.*tis*.ta) ***s2g.*** Aquele ou aquela que vive da renda de imóveis ou de aplicações financeiras; RENDISTA [F.: Do espn. *rentista.*]

rentoso (ren.*to*.so) [ô] ***a.*** *P. us.* O mesmo que *rendoso* [Pl.: [ó]. Fem.: [ó].] [F.: Do espn. *rentoso.*]

rentura (ren.*tu*.ra) ***sf.*** *P. us.* Pontaria certeira [F.: *rent(e)* + *-ura.*]

renúncia (re.*nún*.ci:a) ***sf.*** **1** Ação ou resultado de renunciar; RENUNCIAÇÃO; RENUNCIAMENTO **2** *Jur.* Desistência de um direito por seu titular, sem o ceder a outra pessoa [F.: Dev. de *renunciar.* Hom./Par.: *renúncia* (sf.), *renuncia* (fl. de *renunciar*).] ◼ **~ fiscal** *Econ.* Situação, regulamentada por lei, na qual o Estado abre mão de impostos em favor da aplicação da renda que os geraria em projetos de interesse da sociedade, previamente aprovados como tais

renunciador (re.nun.ci:a.*dor*) [ô] ***a.*** **1** Que renuncia ***sm.*** **2** Aquele que renuncia [F.: *renunciar* + *-dor.* Sin. ger.: *renunciante.*]

renunciante (re.nun.ci.*an*.te) ***a2g.*** **1** Que renuncia ***s2g.*** **2** Aquele ou aquela que renuncia [F.: *renunciar* + *-nte.*]

renunciar (re.nun.ci.*ar*) ***v.*** **1** Não desejar, abrir mão de; RECUSAR; DECLINAR; ABDICAR [***td.***: *Renunciar uma oferta/um convite.*] [***tr.*** + *a*: "...deixou uma carta renunciando a seu cargo..." (Josué Montello, *Um rosto de menina*)] **2** Renegar, abjurar [***td.***: *Renunciar uma crença*] [***tr.*** + *a*: *Renunciou a seu velho ideal.*] **3** Demonstrar desprezo por; desdenhar [***tr.*** + *a*: *Achava que todo artista devia renunciar ao dinheiro.*] **4** Abandonar cargo; abdicar [***tr.*** + *a*: *O presidente renunciou ao cargo.*] [***int.***: *O soberano renunciou.*] **5** Em alguns jogos de cartas, não acompanhar o naipe lançado à mesa, apesar de tê-lo nas mãos [***int.***] [▶ **1** renunciar] [F.: Do v.lat. *renuntiare.* Hom./Par.: *renunciáveis* (fl.), *renunciáveis* (pl. de *renunciável* [a. 2g.]); *renuncia* (fl.), *renúncia* (sf.); *renuncias* (fl.), *renúncias* (pl. do sf.).]

renunciatário (re.nun.ci:a.*tá*.ri:o) ***Jur.*** ***a.*** **1** Diz-se da pessoa a favor de quem se renuncia alguma coisa ***sm.*** **2** Essa pessoa [F.: *renunciar* + *-tário.*]

renunciável (re.nun.ci.*á*.vel) ***a2g.*** Que se pode renunciar (direito renunciável) [F.: *renunciar* + *-vel.* Ant. ger.: *irrenunciável.*]

◎ **reo-** ***el. comp.*** = 'que flui, mana'; '(p. ext.) água corrente'; 'corrente': *reófilo, reófobo, reostato, reóstato* [F.: Do gr. *rhéos, ou*, 'aquilo que flui', do gr. *rhéo*, 'manar', 'fluir'; 'lançar-se para'; 'cair', etc.]

reocupação (re:o.cu.pa.*ção*) ***sf.*** Ação ou resultado de reocupar [Pl.: *-ções.*] [F.: *reocupar* + *-ção.*]

reocupar (re:o.cu.*par*) ***v. td.*** Ocupar de novo: *As tropas reocuparam o forte* [▶ **1** reocupar] [F.: *re-* + *ocupar.*]

reófilo (re.*ó*.fi.lo) ***Zool.*** ***a.*** **1** Diz-se de animal que vive em águas correntes ***sm.*** **2** Esse animal [F.: *reo-* + *-filo*[1].]

reófobo (re.*ó*.fo.bo) ***Zool.*** ***a.*** **1** Diz-se de animal que vive em águas paradas ***sm.*** **2** Esse animal [F.: *reo-* + *-fobo.*]

reolhar (re.o.*lhar*) ***v. td.*** Tornar a olhar [▶ **1** reolhar] [F.: *re-* + *olhar.*]

reoperação (re:o.pe.ra.*ção*) ***sf.*** Ação ou resultado de reoperar [Pl.: *-ções.*] [F.: *reoperar* + *-ção.*]

reoperar (re:o.pe.*rar*) ***v. td.*** Operar novamente [▶ **1** reoperar] [F.: *re-* + *operar.*]

reordenação (re:or.de.na.*ção*) ***sf.*** **1** Ação ou resultado de reordenar; REORDENAMENTO **2** *Litu.* Nova ordenação de um sacerdote por lapso de algum rito essencial na primeira cerimônia [Pl.: *-ções.*] [F.: *reordenar* + *-ção.*]

reordenamento (re:or.de.na.*men*.to) ***sm.*** Reordenação (1) [F.: *reordenar* + *-mento.*]

reordenar (re.or.de.*nar*) ***v. td.*** **1** Colocar novamente em ordem **2** *Litu.* Conferir novamente uma ordenação religiosa [▶ **1** reordenar] [F.: *re-* + *ordenar.*]

reorganização (re.or.ga.ni.za.*ção*) ***sf.*** Ação ou resultado de reorganizar (reorganização administrativa) [Pl.: *-ções.*] [F.: *reorganizar* + *-ção.*]

reorganizador (re.or.ga.ni.za.*dor*) [ô] ***a.*** **1** Que reorganiza (processo reorganizador) ***sm.*** **2** Aquele que reorganiza: *O último diretor foi o grande reorganizador de nossa escola.* [F.: *reorganizar* + *-dor.*]

reorganizar (re.or.ga.ni.*zar*) ***v. td.*** Organizar de novo, alterar a organização de; REESTRUTURAR: *O exército se reorganiza para os novos desafios.* [▶ **1** reorganizar] [F.: *re-* + *organizar.*]

reorientação (re:o.ri:en.ta.*ção*) ***sf.*** Ação ou resultado de reorientar [Pl.: *-ções.*] [F.: *reorientar* + *-ção.*]

reorientar (re:o.ri.en.*tar*) ***v. td.*** Tornar a orientar ou mudar o sentido de orientação anterior [▶ **1** reorientar] [F.: *re-* + *orientar.*]

reorquestrar (re:or.ques.*trar*) ***v. td.*** Fazer nova orquestração: *Reorquestrou a melodia de Tom Jobim.* [▶ **1** reorquestrar] [F.: *re-* + *orquestrar.*]

reostato (re.os.*ta*.to) ***sm.*** ***Elet.*** Resistor us. ger. para controlar a corrente elétrica no circuito ou dissipar energia [F.: *reo-* + *-stato.* Tb. *reóstato.*]

reouvir (re.ou.*vir*) ***v. td.*** Ouvir novamente [▶ **40** reouvir] [F.: *re-* + *ouvir.*]

rep ***sm.*** ***Enuc.*** Unidade de medida de dose absorvida, equivalente à absorvida em água após exposição a um roentgen [F.: Do ing. *rep*, sigla de roentgen equivalent physical.]

repactuar (re.pac.tu.*ar*) ***v. td.*** Fazer novo pacto ou nova negociação [▶ **1** repactuar] [F.: *re-* + *pactuar.*]

repaginação (re.pa.gi.na.*ção*) ***sf.*** ***Art. gr.*** Ação ou resultado de repaginar; nova paginação [Pl.: *-ções.*] [F.: *repaginar* + *-ção.*]

repaginar (re.pa.gi.*nar*) ***v. td.*** **1** *Art. gr.* Paginar novamente, refazer a página **2** Dar novo aspecto, novo formato, nova estrutura, nova configuração a: *O carnavalesco repaginou completamente a apresentação de sua escola de samba; Vou repaginar totalmente minha vida.* [▶ **1** repaginar] [F.: *re-* + *paginar.*]

reparação (re.pa.ra.*ção*) ***sf.*** **1** Ação ou resultado de reparar(-se) **2** Ação ou resultado de consertar, reparar ou reformar; CONSERTO; REPARO: *reparação de uma máquina; reparação de uma estrada* **3** Satisfação que se dá a alguém por uma falta ou ofensa (reparação da omissão); RETRATAÇÃO **4** Ação de indenizar, de ressarcir (reparação de prejuízos); RESSARCIMENTO **5** *Jur.* Indenização que alguém é obrigado a pagar por ter violado o direito de outra pessoa [Pl.: *-ções.*] [F.: Do lat. tard. *reparatio, onis.*] ◼ **~ de guerra** *Jur.* Indenização paga por país vencido ao país vencedor de uma guerra (ger. provocada por aquele) pelos danos causados a este pelo conflito

reparador (re.pa.ra.*dor*) [ô] ***a.*** **1** Que repara, melhora, fortifica (sono reparador) **2** Que presta atenção, observa, repara ***sm.*** **3** Aquilo que repara, melhora, fortifica (reparador de cabelos) **4** Aquele que repara, conserta (reparador de máquinas) [F.: Do lat. *reparator, oris.*]

reparar (re.pa.*rar*) ***v.*** **1** Fazer que volte a funcionar; CONSERTAR [***td.***: *Reparar um computador/ uma estante.*] **2** Atenuar o efeito de, corrigir, remediar [***td.***: *Reparar um mal/ um desenho.*] **3** Ter a atenção despertada por; NOTAR; PERCEBER [***td.***: *Reparei logo que era a um tempo bela e inteligente.*] [***tr.*** + *em*: "A menina não reparou na palidez do marido" (José de Alencar, *A viuvinha.*)] **4** Importar-se com, ligar para [***tr.*** + *em*: *Não repare na bagunça.*] **5** Indenizar(-se), ressarcir(-se) [***td.***: *Reparar os prejuízos.*] [***tr.*** + *de*: *Ainda não se reparou da perda que sofreu.*] **6** Recuperar, recobrar [***td.***: *Ainda não reparou as energias.*] **7** Desculpar-se de, retratar-se [***td.***: *Queria reparar a agressão que fizera.*] **8** Tomar cautela, acautelar-se [***tr.*** + *em*: *Reparar no perigo das ruas.*] **9** Observar (algo) atentamente; VIGIAR [***td.***: *Repara meu carro enquanto dou um pulinho ali?*] [▶ **1** reparar] [F.: Do v.lat. *reparare.* Hom./Par.: *reparáveis* (fl.), *reparáveis* (pl. de *reparável* [a2g.]); *reparo* (fl.), *reparo* (sm.).]

reparatório (re.pa.ra.*tó*.ri:o) ***a.*** **1** Ref. a ou que envolve reparação **2** Que repara; REPARADOR [F.: *reparar* + *-tório.*]

reparável (re.pa.*rá*.vel) *a2g.* **1** Que se pode reparar (dano reparável) [Ant.: *irreparável*.] **2** Que pode ser reparado, percebido, notado [Pl.: *-veis*.] [F.: Do lat. *reparabilis, e.* Hom./Par.: *reparáveis* (pl.), *reparáveis* (fl. de *reparar*).]

reparcelamento (re.par.ce.la.*men*.to) *sm.* Ação ou resultado de reparcelar; novo parcelamento [F.: *reparcelar* + *-mento*.]

reparcelar (re.par.ce.*lar*) *v. td.* Parcelar de novo, dividir em novas parcelas [▶ 1 reparcelar] [F.: *re-* + *parcelar*.]

reparo (re.*pa*.ro) *sm.* **1** Conserto ou reforma de algo: *O reparo da tubulação foi concluído ontem.* **2** Observação crítica ou advertência [+ *a*: *Os convidados fizeram vários reparos à festa*.] **3** Observação cuidadosa; ANÁLISE: *um acontecimento digno de reparo.* **4** Peça de vedação para válvula de descarga de água **5** Ação de socorro; AJUDA; AUXÍLIO **6** *Mil.* Qualquer obra de defesa ou proteção de praça militar como trincheira ou fosso **7** *Mil.* Suporte de madeira em que se monta o canhão ou outra arma de artilharia, dotado de rodas que facilitam a pontaria e o deslocamento: "O canhão (...) empina-se no reparo sólido." (Euclides da Cunha, *Os sertões*) **8** *Mil.* Qualquer suporte onde se assente peça de artilharia [F.: Dev. de *reparar*. Hom./Par.: *reparo* (sm.), *reparo* (fl. de *reparar*).]

reparte (re.*par*.te) *Bras. sm.* **1** Divisão, partilha **2** Divisão correspondente a cada edição, feita na tiragem de jornais, revistas etc., a fim de ser enviada em quantidades predeterminadas às bancas, aos assinantes ou a outras cidades: "Em geral, a edição destinada à cidade-sede do jornal é a mais completa, com notícias mais recentes e acuradas, pois é o reparte enviado aos assinantes." ("Edição e versão") [F.: Dev. de *repartir*. Hom./Par.: *reparte* (sm.), *reparte* (fl. de *repartir*).]

repartição (re.par.ti.*ção*) *sf.* **1** Ação ou resultado de repartir(-se) **2** Divisão ou distribuição de algo; PARTILHA: *O acordo visava à repartição do poder dentro do partido.* **3** Órgão ou seção do serviço público ou de prestação de serviços à comunidade: *Os documentos devem ser encaminhados à repartição competente.* **4** Local onde funciona esse órgão ou seção: *A repartição que você procura fica no segundo andar.* **5** O mesmo que *secretaria* (2) **6** *Jur.* Regulação ou rateio das avarias de grande vulto, por meio de avaliação, para indenização [F.: *repartir* + *-ção*.] ∎ **~ consular** Escritório, com suas instalações, pessoal etc., no qual o cônsul exerce suas funções; consulado **~ pública** Cada divisão de um órgão do serviço público, e suas instalações [Tb. apenas *repartição*.]

repartido (re.par.*ti*.do) *a.* **1** Que se dividiu ou distribuiu: *O lucro foi repartido entre os sócios.* **2** Separado em partes (cabelo repartido): "Recebo teu nome também repartido, / Quebrado nos diques, levado nas flores..." (Cecília Meireles, *Um*) **3** *SP* Que revela dúvida, incerteza; INDECISO: *Ela não sabia como agir, sentia-se repartida.* *sm.* **4** *Bras.* Num penteado, a linha que separa as duas partes do cabelo; RISCA [F.: Part. de *repartir*.]

repartidor (re.par.ti.*dor*) [ô] *a.* **1** Que reparte **2** Que faz partilhas *sm.* **3** Aquele que reparte **4** Aquele que faz partilhas [F.: *repartir* + *-dor*.]

repartir (re.par.*tir*) *v.* **1** Separar e distribuir partes de um todo entre pessoas, lugares, situações; COMPARTIR; DIVIDIR(-SE) [*td.*: *Repartir um bolo; Reparte o tempo entre dois empregos.*] [*tdr.* + *com, entre*: *Repartir a comida com os pobres/entre os necessitados.*] **2** Dispor em lugares diferentes ou por diferentes vezes [*td.*: *Repartiu o grupo de visitantes.*] [*tda.*: *Repartiu as moças pelos quartos disponíveis.*] **3** Dividir, separar (as tarefas, o tempo) da melhor maneira possível [*tdr.* + *entre*: *Sabia repartir o tempo entre o trabalho e o amor.*] **4** Compartilhar (alguma coisa) com [*tdr.* + *com*: *Repartiu suas alegrias com a companheira.*] **5** Separar-se em duas ou mais partes [*tr.* + *em*: *A estrada reparte-se em três caminhos perigosos.*] **6** Espalhar-se em várias direções ao mesmo tempo [*ta.*: *A água repartia-se por todo o quintal.*] **7** *Jur.* Dividir em quinhão, fazer rateio [*tdr.* + *entre*] **8** Dedicar-se alternadamente a diferentes atividades [*tr.* + *entre*: *Reparte-se entre a literatura e a ecologia.*] [▶ 3 repartir] [F.: *re-* + *partir*. Hom./Par.: *reparte* (fl.), *reparte* (sm.); *repartes* (fl.), *repartes* (pl. do sm.).]

repassado (re.pas.*sa*.do) *a.* **1** Que se repassou; passado novamente **2** Que foi novamente lido, estudado (texto repassado) **3** Que foi transferido a outrem (verba repassada) **4** Embebido, cheio: *voz repassada de emoção.* **5** *Her.* Em forma de laço ou trança (cauda repassada) [F.: Part. de *repassar*.]

repassador (re.pas.sa.*dor*) [ô] *a.* **1** Que repassa *sm.* **2** *Bras. S.* Campeiro que repassa cavalos [F.: *repassar* + *dor*.]

repassar (re.pas.*sar*) *v.* **1** Tornar a passar [*td.*: *Repassou a fronteira, em sentido contrário.*] [*tr.* + *por, em*: *Repassou pelo bar, antes de ir para casa.*] **2** Tornar a estudar; relembrar [*td.*: *Repassaram o texto/ a matéria.*] **3** Fazer transferência de recursos, transferir a [*td.*: *Repassar o dinheiro/ o depósito combinado.*] [*tdi.* + *a, para*: *O governo repassará essas verbas aos municípios.*] **4** Invadir, penetrar [*td.*: *A angústia repassava-lhe o espírito.*] **5** *SP* Tornar a montar (animal que se está amansando) [*td.*] **6** Passar pelos dedos; desfiar [*td.*: *Ajoelhada, repassava o terço.*] **7** Embeber, molhar [*td.*: *A água repassou o piso da varanda.*] [*tda.*: *Repassou a pescada no limão.*] **8** Ficar repleto, encher-se de [*tr.* + *de*: *À noite, repassava-se de saudade.*] **9** Deixar-se atravessar por um líquido [*td.*: *Essa madeira não deixa repassar água.*] [*int.*: *Aquele impermeável não repassa.*] [▶ 1 repassar] [F.: *re-* + *passar*. Hom./Par.: *repasse* (fl.), *repasse* (sm.); *repasses* (fl.), *repas ses* (pl. do sm.); *repasso* (fl.), *repasso* (sm.); *repassáveis* (fl.), *repassáveis* (pl. de *repassável* [a2g.]).]

repassável (re.pas.*sá*.vel) *a2g.* Que se pode repassar [Pl.: *-veis*.] [F.: *repassar* + *-vel*. Hom./Par.: *repassáveis* (pl.), *repassáveis* (fl. de *respassar*).]

repasse (re.*pas*.se) *sm.* **1** Ação ou resultado de repassar, de passar de novo, voltar: "Era preciso forçar a freguesia, correr os subúrbios, dar um repasse nas lojas de Madureira..." (Marques Rebelo, "História de abelha" *in Contos reunidos*) *sm.* **2** Ação ou resultado de relembrar: *Os estudantes deram um repasse na matéria antes da prova.* **3** *Econ.* Transferência total ou parcial de crédito, verba etc. de uma empresa, entidade, órgão governamental etc. para outro a ele vinculado ou não (repasse de tributos/de dinheiro) **4** *Bras. Pop.* Transferência lucrativa de produto roubado ou ilegal **5** *S* Cada uma das vezes que um cavalo ou potro foi montado para ser domado; REPASSAGEM **6** *Agr.* A colheita ou catação mais recente do algodão **7** Catação, depois da colheita, dos frutos caídos que restaram no cafezal, como profilaxia [F.: Dev. de *repassar*. Hom./Par.: *repasse* (sm.), *repasse* (fl. de *repassar*).]

repasso (re.*pas*.so) *sm. Bras. S* O mesmo que repasse (5) [F.: Dev. de *repassar*. Hom./Par.: *repasso* (sm.), *repasso* (fl. de *repassar*).]

repastar (re.pas.*tar*) *v.* **1** Levar outra vez ao pasto, apascentar de novo [*td.*] **2** Oferecer uma farta alimentação; BANQUETEAR [*td.*: *Repastou os convidados com prodigalidade.*] **3** Comer fartamente [*int.*: *Repastara como um abade.*] [*td.*: *Repastou-se numa taberna da estrada.*] **4** *Fig.* Ficar encantado, deliciado [*int.*: *Repastou-se com o espetáculo.*] [▶ 1 repastar] [F.: *re-* + *pastar*.]

repasto (re.*pas*.to) *sm.* **1** Refeição abundante e festiva: "... Umbopa passou a cozer a came numa panela de barro (...) e mandamos convidar Infandós e Scragga para participarem do nosso repasto." (Eça de Queirós, *Minas de Salomão*) **2** Qualquer porção de alimento **3** Pasto abundante [F.: *re-* + *pasto*. Hom./Par.: *repasto* (sm.), *repasto* (fl. de *repastar*).]

repatriação (re.pa.tri.a.*ção*) *sf.* Ação ou efeito de repatriar(-se); retornar à pátria expontaneamente, ou fazer voltar à pátria (repatriação de refugiados) [Pl.: *-ções*.] [F.: *repatriar* + *-ção*.]

repatriado (re.pa.tri.*a*.do) *a.* **1** Que foi repatriado à força ou voluntariamente (imigrante repatriado) **2** Que retornou ao lugar de origem (dinheiro repatriado) *sm.* **3** Aquele que foi repatriado: *A viagem do repatriado foi paga pela polícia de imigração.* [F.: Part. de *repatriar*.]

repatriamento (re.pa.tri:a.*men*.to) *sm.* O mesmo que *repatriação* [F.: *repatriar* + *-mento*.]

repatriar (re.pa.tri.*ar*) *v. td.* Reconduzir à pátria, ou regressar a ela: *Repatriar refugiados; Depois de longo exílio, repatriaram-se.* [▶ 1 repatriar] [F.: Do v.lat. tard. *repatriare*. Hom./Par.: *repatriáveis* (fl.), *repatriáveis* (pl. de *repatriável* [a2g.]).]

repatriável (re.pa.tri.*á*.vel) *a2g.* Que se pode repatriar [Pl.: *-veis*.] [F.: *repatriar* + *-vel*. Hom./Par.: *repatriáveis* (pl.), *repatriáveis* (fl. de *repatriar*).]

repavimentação (re.pa.vi.men.ta.*ção*) *sf.* Ação ou resultado de repavimentar [Pl.: *-ções*.] [F.: *repavimentar* + *-ção*.]

repavimentado (re.pa.vi.men.*ta*.do) *a.* Que se repavimentou; novamente pavimentado [F.: Part. de *repavimentar*.]

repavimentar (re.pa.vi.men.*tar*) *v. td.* Pavimentar novamente: *Cidadãos, em mutirão, repavimentaram a estrada.* [▶ 1 repavimentar] [F.: *re-* + *pavimentar*.]

repegar (re.pe.*gar*) *v. int.* Reiniciar o trabalho [▶ 14 repegar] [F.: *re-* + *pegar*.]

repelão (re.pe.*lão*) *sm.* **1** Choque ou empurrão violento; ESBARRÃO; ENCONTRÃO: *Ao olhar para trás deu um repelão no hidrante:* "Agarrado pela mulher, quis se desprender, num repelão selvagem." (Nelson Rodrigues, *A dama do lotação*) **2** Assalto, ataque [Pl.: *-lões*.] [F.: *repelo* + *-ão*[1].] ∎ **De ~** Com força, com violência

repelência (re.pe.*lên*.ci:a) *sf.* Caráter ou qualidade de repelente [F.: *repelir* + *-ência*.]

repelente (re.pe.*len*.te) *a2g.* **1** Que afasta e mantém longe **2** *Pej.* Que causa nojo ou repugnância (pessoa repelente) *sm.* **3** Substância ou produto que afasta insetos [F.: Do lat. *repellens, entis*.]

repelir (re.pe.*lir*) *v.* **1** Afastar para fora ou para longe; RECHAÇAR [*td.*: *Repelem a invasão a cada instante.*] **2** Impedir que entre ou se aproxime [*td.*: *Os mísseis terra-ar repeliram o bombardeio.*] **3** Mostrar rejeição por, não acolher [*td.*: "Sua família me repele (...) porque sou pobre..." (José de Alencar, *Senhora*)] **4** Não admitir, não tolerar [*td.*: *Repele qualquer ingerência em seus assuntos.*] **5** Colocar para fora; expelir [*td.*: *Seu estômago passou a repelir todo alimento.*] **6** Não aceitar, desmentir; REBATER [*td.*: *Repeliu todas as insinuações.*] **7** Rejeitar, repudiar [*td.*: *A professora repeliu as justificativas dos alunos.*] **8** Fugir à convivência de; evitar [*td.*: *Resolveu repelir os falsos amigos.*] **9** *Jur.* Defender-se daquilo que se considera injusto **10** Ser incompatível, não combinar [*td.*: *A água e o azeite se repelem.*] [▶ 50 repelir] [F.: Do v.lat. *repellere*.]

repenicado (re.pe.ni.*ca*.do) *sm.* **1** Ação ou resultado de repenicar; REPENIQUE *a.* **2** Que fez um barulho metálico e estridente e/ou rápido e repetido [F.: Part. de *repenicar* (substv.).]

repenicar (re.pe.ni.*car*) *v.* **1** Produzir sons agudos, sob percussão em material metálico; REPICAR [*td.*: *Repenicar um tamborim.*] [*int.*: *O pandeiro repenicava ao ritmo do samba.*] **2** Emitir sons breves e repetidos [*int.*: *A chuva repenicava no telhado.*] [▶ 11 repenicar] [F.: De or. incerta.]

repenique (re.pe.*ni*.que) *sm.* O mesmo que *repenicado* (1) [F.: Dev. de *repenicar*.]

repensamento (re.pen.sa.*men*.to) *sm.* Ação ou resultado de repensar [F.: *repensar* + *-mento*.]

repensar (re.pen.*sar*) *v.* Tornar a pensar, pensar de novo; RECONSIDERAR [*tr.* + *em*: *Repensar num assunto/ numa proposta.*] [*int.*: *Depois de repensar, pediu desculpas.*] [▶ 1 repensar] [F.: *re-* + *pensar*.]

repente (re.*pen*.te) *sm.* **1** Ação impetuosa e irrefletida: *Ele terminou o namoro num repente.* **2** *Bras. Mús.* Improviso recitado ou cantado **3** *Bras. Restr. Poét.* Ver *sextilha* [F.: Do lat. *repens, entis*.] ∎ **De ~ 1** Subitamente, inesperadamente **2** *Pop.* Expressão equivalente a quem sabe?..., talvez.: *O que vou fazer? Não sei, de repente você me convida para sair...*

repentinamente (re.pen.ti.na.*men*.te) *adv.* De modo repentino, de repente [F.: o fem. de *repentino* + *-mente*.]

repentino (re.pen.*ti*.no) *a.* Que ocorre de maneira súbita e imprevisível (inspiração repentina); INESPERADO [F.: Do lat. *repentinus, a, um*.]

repentismo (re.pen.*tis*.mo) *sm.* **1** Qualidade, caráter de repentista; IMPROVISO: *o repentismo dos violeiros nordestinos; o repentismo dos grandes oradores* **2** O que acontece de repente, instintivamente, sem que se dê conta: "Como disse Armando de Lalá, num repentismo desses que vêm à cabeça dos poetas sem mais nem mais:..." (João Ubaldo Ribeiro, *A raiz de mandioca da viúva Monção, Arte e ciência de roubar galinha*) [F.: *repente* + *-ismo*.]

repentista (re.pen.*tis*.ta) *a2g.* **1** Que canta repentes **2** Que diz coisas ou age de modo repentino *s2g.* **3** Aquele ou aquela que faz repentes [F.: *repente* + *-ista*.]

repercorrer (re.per.cor.*rer*) *v. td.* Percorrer de novo ou diversas vezes [▶ 2 repercorrer] [F.: *re-* + *percorrer*.]

repercussão (re.per.cus.*são*) *sf.* **1** Ação ou resultado de repercutir(-se) (repercussão do som) **2** *Fig.* Resultado que se caracteriza pelo prestígio e/ou influência alcançados: *Seu último filme teve repercussão internacional.* **3** *Fig.* Consequência, efeito [+ *em*: *O aumento das passagens de ônibus terá repercussão no custo de vida.*] [F.: Do lat. *repercussio, onis*.]

repercussivo (re.per.cus.*si*.vo) *a.* Que repercute [F.: Do lat. *repercussus, a, um*.]

repercutir (re.per.cu.*tir*) *v.* **1** Reproduzir(-se) por reflexão (som, luz) [*td.*: *A caverna repercutia o grito dos animais.*] [*ta.*: *O sol repercutia na superfície metálica.*] **2** Impressionar, ter consequências, causar comentários [*ta.*: *A notícia repercutiu no mundo teatral.*] [▶ 3 repercutir] [F.: Do v.lat. *repercutere*.]

reperguntar (re.per.gun.*tar*) *v. td. tdi.* Perguntar novamente [▶ 1 reperguntar] [F.: *re-* + *perguntar*.]

repertoriar (re.per.to.ri.*ar*) *v.* Formar repertório de; COMPILAR; REUNIR [▶ 1 repertoriar] [F.: *repertóri(o)* + *-ar*. Hom./Par.: *repertorio* (fl.), *repertório* (sm.).]

repertório (re.per.*tó*.ri:o) *sm.* **1** Conjunto das composições musicais ou peças teatrais de um determinado autor ou período (repertório barroco) **2** Conjunto das obras preparadas por um cantor, músico, orquestra ou grupo teatral: *Adoro o repertório dessa cantora.* **3** Conjunto ou coleção de algo: *Ele conhece um vasto repertório de piadas.* **4** Apresentação de temas em ordem que facilita a consulta **5** *Fig.* Conjunto de conhecimentos **6** Calendário, folhinha **7** *Jur.* Coleção metódica de leis e documentos oficiais [F.: Do lat. tard. *repertorium, ii*.]

repesagem (re.pe.*sa*.gem) *sf.* **1** Ação ou resultado de repesar: *a repesagem dos jóqueis após o páreo.* **2** Lugar onde se faz nova pesagem [Pl.: *-gens*.] [F.: *repesar* + *-agem*[2].]

repesar (re.pe.*sar*) *v. td.* **1** Pesar outra vez: *Repesou a carne, antes de sair.* **2** *Fig.* Analisar, reexaminar com atenção: *Repesou a questão.* [▶ 1 repesar] [F.: *re-* + *pesar*.]

repescagem (re.pes.*ca*.gem) *sf. Esp.* Em um torneio esportivo, etapa em que competidores não classificados preliminarmente disputam entre si uma nova oportunidade de permanecer na competição [Pl.: *-gens*.] [F.: Adaptç. do fr. *repêchage*.]

repescar (re.pes.*car*) *v. td.* **1** Pescar novamente (o peixe) **2** *Fig.* Recuperar (algo) que fora esquecido ou ignorado: *Repescou o velho argumento.* [▶ 11 repescar] [F.: *re-* + *pescar*.]

repeteco (re.pe.*te*.co) *sm. RJ Pop.* Ação ou resultado de repetir; REPETIÇÃO: *Este ano será um repeteco do ano passado, ou teremos novidades?* [F.: *repetir* + *-eco*.]

repetência (re.pe.*tên*.ci:a) *sf.* **1** Ação ou resultado de repetir(-se); REPETIÇÃO **2** Situação de repetente **3** *Ant. Med.* Refluxo de humores para alguma parte do corpo [F.: Do lat. *repetentia, ae*.]

repetente (re.pe.*ten*.te) *a2g.* **1** Diz-se de aluno que volta a estudar as mesmas matérias que já estudou, por ter sido reprovado nos exames **2** Que repete; REPETIDOR *s2g.* **3** Aluno repetente [F.: Do lat. *repetens, entis*.]

repetibilidade (re.pe.ti.bi.li.*da*.de) *sf.* Qualidade do que é repetível [F.: *repetível* + *-(i)dade*, seg. o mod erudito.]

repetição (re.pe.ti.*ção*) *sf.* **1** Ação ou resultado de repetir(-se) **2** Aula suplementar que abrange matéria já dada **3** *Mús.* Reprodução de um trecho de música indicado por um sinal na partitura **4** *Ret.* Figura pela qual uma mesma voz ou frase se repete muitas vezes no mesmo período para dar mais força à expressão **5** *Art. gr.* Erro tipográfico que se caracteriza pela duplicação de palavras ou frases; DUPLICAÇÃO **6** Devolução, restituição [Pl.: *-ções*.] *s2g.* **7** *Bras.* Tipo de rifle ou arma de repetição [Pl.: *-ções*.] [F.: Do lat. *repetitio, onis*.]

repetidamente (re.pe.ti.da.*men*.te) *adv.* De modo repetido, com repetição; muitas vezes [F.: O fem. de *repetido* + *-mente*.]

repetido (re.pe.*ti*.do) *a.* Que se repetiu ou se repete [F.: Part. de *repetir*.]

repetidor (re.pe.ti.*dor*) [ô] *a.* **1** Que repete *sm.* **2** Indivíduo que repassa informações que recebeu: *um repetidor de instruções.* **3** Professor que repete as lições aos alunos **4** *Telc.* Dispositivo utilizado em equipamentos de telecomunicação para amplificar ou reenviar os sinais recebidos: *um repetidor de VHS.* [F.: *repetir* + *-dor*.]

repetidora (re.pe.ti.*do*.ra) [ô] *sf.* **1** *Rád. Telv.* Estação de rádio ou de televisão que retransmite os sinais que recebe para outras estações **2** *Art. gr.* Máquina us. em fotolitografia, própria para repetir a distâncias iguais, um original que se quer copiar determinado número de vezes na mesma chapa **3** *Mar.* Aparelho que repete as indicações transmitidas por radar, sonda etc. [F.: Fem. substv. de *repetidor*.]

repetir (re.pe.*tir*) *v.* **1** Tornar a dizer ou expressar(-se) [*td.*: *Repetiram o pedido, com mais veemência.*] [*tdi.* + *a*: *Repetiu a leitura a seus ouvintes.*] **2** Fazer, executar (algo) ou suceder de novo [*td.*: *Repetir um gesto/uma frase/um número musical.*] [*int.*: *O desastre repetiu-se.*] **3** Ter de cursar outra vez, após reprovação [*td.*: *O aluno repetiu a terceira série.*] [*int.*: *Os alunos que repetiram ficaram sem vaga garantida.*] **4** Tornar a comer, beber etc. [*td.*: *Deslumbrados, repetiram a carne várias vezes.*] **5** Reproduzir (imagens, sons) [*td.*: *O vale repetia os ecos, sem parar.*] [▶ **50 repetir**] [F.: Do v.lat. *repetere*.]

repetitivamente (re.pe.ti.ti.va.*men*.te) *adv.* De modo repetitivo, com muitas repetições [F.: o fem. de *repetitivo* + *-mente*.]

repetitividade (re.pe.ti.ti.vi.*da*.de) *sf.* Qualidade, característica ou condição do que é repetitivo [F.: *repetitivo* + *-(i)dade*.]

repetitivo (re.pe.ti.*ti*.vo) *a.* **1** Que repete ou se repete: *Ele é muito repetitivo em seus discursos; Esse conto é cheio de imagens repetitivas.* **2** Em que há repetições: *É um texto longo e repetitivo.* [F.: *repetir* + *-tivo*.]

repetível (re.pe.*tí*.vel) *a2g.* Que se pode repetir [Pl.: *-veis*.] [F.: *repetir* + *-vel*.]

repicado (re.pi.*ca*.do) *a.* **1** Picado novamente; cortado em pedacinhos (cabelo *repicado*) **2** Que repicou ou repenicou (sinos *repicados*) [F.: Part. de *repicar*.]

repicagem (re.pi.*ca*.gem) *sf.* **1** Ação ou resultado de repicar; REPIQUE **2** *Agr.* Transplante de mudas que se originaram de sementes [Pl.: *-gens*.] [F.: *repicar* + *-agem*[2].]

repicar (re.pi.*car*) *v.* **1** Picar outra vez, fazer em pedacinhos [*td.*: *Repicou o documento/os legumes.*] **2** Produzir ou fazer produzir sons metálicos e sucessivos; REPENICAR [*td.*: *Repicar uma sineta.*] [*int.*: *Os sinos repicavam.*] **3** *Mar.* Içar um pouco mais (a vela, a carangueja etc.) [*td.*] **4** Efetuar o transplante de (muda, planta) [*td.*] **5** Dobrar a aposta em jogo de pôquer [*int.*: *Fez a aposta, mas o parceiro repicou.*] **6** *Mús.* Efetuar repique ou toque de sinos [*int.*] [▶ **11 repicar**] [F.: *re-* + *picar*. Hom./Par.: *repique* (fl.), *repique* (sm.); *repiques* (fl.), *repiques* (pl. do sm.).]

repigmentação (re.pig.men.ta.*ção*) *sf.* Nova pigmentação [Pl.: *-ções*.] [F.: *re-* + *pigmentação*.]

repimpado (re.pim.*pa*.do) *a.* **1** Recostado ou sentado comodamente: "...arrastou a poltrona para a varanda, e repimpada, os braços cruzados, pôs-se a passar a noite." (Eça de Queirós, *O primo Basílio*) **2** Farto, saciado, satisfeito [F.: Part. de *repimpar*.]

repimpar (re.pim.*par*) *v.* **1** Empanturrar(-se), fartar(-se) [*td.*: *Repimpou o estômago com uma baita feijoada.*] **2** Acomodar-se de maneira muito confortável [*tda.*: *Repimpou-se na rede e ali passou a tarde.*] [▶ **1 repimpar**] [F.: De or. incerta; de *re-* + *pimpar*, posv.]

repinicado (re.pi.ni.*ca*.do) *a. sm.* Ver *repenicado* [F.: Part. de *repinicar*.]

repinicante (re.pi.ni.*can*.te) *a2g.* Ver *repenicante* [F.: *repinicar* + *-nte*.]

repinicar (re.pi.ni.*car*) *v. td. int.* Ver *repenicar* [▶ **11 repinicar**] [F.: *re-* + *pinicar*.]

repinique (re.pi.*ni*.que) *sm.* Ver *repenique* [F.: Dev. de *repinicar*. Hom./Par.: *repinique* (sm.), *repinique* (fl. de *repinicar*); *repiniques* (pl.), *repiniques* (fl. de *repinicar*).]

repintado (re.pin.*ta*.do) *a.* Que se repintou; pintado novamente (casa *repintada*) [F.: Part. de *repintar*.]

repintar (re.pin.*tar*) *v.* **1** Pintar novamente **2** Retratar, reproduzir **3** Tornar mais claro, mais vivo **4** *Art. gr.* Fazer impressão dupla, na mesma folha **5** *Art. gr.* Marcar a impressão de uma folha no verso de outra, colocada por baixo, por ter havido aplicação defeituosa da tinta ou outros problemas técnicos [▶ **1 repintar**] [F.: *re-* + *pintar*.]

repintura (re.pin.*tu*.ra) *sf.* Ação ou resultado de repintar; REPINTAGEM [F.: *re-* + *pintura*.]

repique (re.*pi*.que) *sm.* **1** O badalar festivo dos sinos **2** Som agudo dos instrumentos de percussão: *o repique do tarol.* **3** Pequeno instrumento de percussão com som agudo **4** Crescimento de algo que já havia diminuído antes: *repique da inflação; repique da violência.* **5** Entrechoque de bolas no jogo de bilhar **6** Sinal que anuncia alguma ameaça; ALARME; REBATE [F.: Dev. de *repicar*.]

repiquete (re.pi.*que*.te) [ê] *sm.* **1** Vento que sopra sem direção definida **2** Repique de sinos em intervalos curtos **3** Elevação súbita do nível de um rio, em virtude de chuvas na região em que nasce **4** Ladeira íngreme **5** *Bras.* Recaída de doença **6** *Mar.* Bordo curto para ganhar barlavento **7** *Mar.* Movimento em que o navio dá uma pequena guinada, seja por acaso ou por manobra intencional **8** *Bras.* Oscilação das águas que, nos grandes rios, se segue à vazante **9** *N. E.* Seca sem consequências calamitosas [F.: *repique* + *-ete*.]

repisado (re.pi.*sa*.do) *a.* **1** Tornado a pisar; esmagado com os pés **2** *Fig.* Repetido, dito ou feito mais de uma vez (história *repisada*) [F.: Part. de *repisar*.]

repisar (re.pi.*sar*) *v.* **1** Pisar novamente, calcar com os pés [*td.*: *Ainda repisam as uvas em muitas regiões vinícolas.*] **2** Repetir exaustivamente ou insistir em [*td.*: *Repisava o mesmo assunto o dia todo.*] [*tr.* + *em*: *Repisara no mesmo pedido.*] **3** Tornar tedioso devido a insistente repetição [*td.*: *Repisou ad nauseam a mesma advertência.*] [▶ **1 repisar**] [F.: *re-* + *pisar*. Hom./Par.: *repisa* (fl.), *repisa* (sf.); *repisas* (fl.), *repisas* (pl. do sf.).]

replanejamento (re.pla.ne.ja.*men*.to) *sm.* Ação ou resultado de replanejar; novo planejamento [F.: *replanejar* + *-mento*.]

replanejar (re.pla.ne.*jar*) *v. td.* Planejar outra vez [▶ **1 planejar**] [F.: *re-* + *planejar*.]

replanta (re.*plan*.ta) *sf.* **1** Plantio de uma árvore para substituir outra ou cobrir claros em floresta ou bosque **2** *Bras.* A árvore plantada para esse fim [F.: Dev. de *replantar*. Hom./Par.: *replanta* (sf.), *replanta* (fl. de *replantar*).]

replantação (re.plan.ta.*ção*) *sf.* Ação ou resultado de replantar; REPLANTIO [Pl.: *-ções*.] [F.: *replantar* + *-ção*.]

replantado (re.plan.*ta*.do) *a.* Que se replantou; plantado outra vez [F.: Part. de *replantar*.]

replantar (re.plan.*tar*) *v. td.* Plantar de novo: *A mulher replantou os cravos na jardineira.* [▶ **1 replantar**] [F.: *re-* + *plantar*. Hom./Par.: *replanta* (fl.), *replanta* (sf.); *replantas* (fl.), *replantas* (pl. do sf.).]

replantio (re.plan.*ti*:o) *sm.* Ação ou resultado de replantar; REPLANTAÇÃO [F.: *re-* + *plantio*.]

🌐 ***replay*** (*Ing.* /riplêi/) *sm.* **1** Representação de cena ou lance previamente exibidos em programa de televisão ou transmissão esportiva gravados: *Vamos ver o replay do gol.* **2** Repetição parcial ou completa de uma emissão de rádio ou televisão: *Está assistindo ao replay da novela.* **3** Ação de passar, tocar, rodar etc. novamente (CD, DVD, videocassete): *Adoro essa faixa do CD, ela merece um replay.* **4** *Fig. Pop.* Repetição de uma ocorrência ou acontecimento: *Já vimos essa discussão, a cena é um replay.*

repleção (re.ple.*ção*) *sf.* Condição, característica ou estado de repleto [Pl.: *-ções*.] [F.: Do lat. *repletio, onis*.]

repleno (re.*ple*.no) *a.* Repleto, muito cheio [F.: *re-* + *pleno*.]

repleto (re.*ple*.to) *a.* **1** Que está muito cheio (teatro *repleto*); APINHADO; ABARROTADO [Ant.: *irrepleto*.] **2** Que comeu demais, muito satisfeito, farto; EMPANTURRADO [F.: Do lat. *repletus, a, um*. Hom./Par.: *repleto* (a.), *repleto* (fl. de *repletar*).]

réplica (*ré*.pli.ca) *sf.* **1** Ação ou resultado de replicar **2** Argumento us. para refutar uma afirmação **3** Resposta ou argumento contra alguma crítica recebida **4** Reprodução muito parecida com o original: *uma réplica do Cristo Redentor.* **5** Cópia de obra de arte: *Essa estatueta é uma réplica da que está no museu.* **6** *Jur.* Fala do promotor em resposta aos argumentos do advogado de defesa [Para esta acp. cf.: *tréplica*.] **7** *Mús.* Numa fuga, repetição ou imitação do motivo melódico em outro grau da escala; RESPOSTA **8** *Gen.* Molécula de ADN que resulta da utilização de outra molécula idêntica como modelo [F.: Dev. de *replicar*. Hom./Par.: *réplica* (sf.), *replica* (fl. de *replicar*).]

replicabilidade (re.pli.ca.bi.li.*da*.de) *sf.* Qualidade ou característica do que é replicável [F.: *replicável*, sob a f. *replicabil-*, + *-(i)dade*, seg. o mod. erudito.]

replicação (re.pli.ca.*ção*) *sf.* **1** Ação ou resultado de replicar; RÉPLICA **2** *Gen.* Processo de duplicação de uma molécula de ácido desoxirribonucleico (DNA) [Pl.: *-ções*.] [F.: *replicar* + *-ção*.]

replicante (re.pli.*can*.te) *a2g.* **1** Que replica *s2g.* **2** Aquele ou aquela ou aquilo que replica [F.: *replicar* + *-nte*. Sin. ger.: *replicador*.]

replicar (re.pli.*car*) *v.* **1** Opor réplica ou refutação a; CONTESTAR; REFUTAR [*td.*: *Replicar uma acusação/um argumento.*] [*tr.* + *a*: *O advogado replicou ao testemunho prestado.*] [*int.*: "Natividade não replicou, mergulhou no silêncio..." (Machado de Assis, *Esaú e Jacó*)] [*ti.* + *a*: *Ouviu as acusações do adversário sem lhe replicar.*] **2** Fazer réplica ou cópia de [*td.*: *Replicava excelentes xilogravuras.*] **3** *Jur.* Lançar acusação com réplica [*int.*: *O promotor replicou com argumentos incontestáveis.*] [▶ **11 replicar**] [F.: Do v.lat. *replicare*. Hom./Par.: *replica* (fl.), *réplica* (sf.); *replicas* (fl.), *réplicas* (pl. do sf.); *replicáveis* (fl.), *replicáveis* (pl. de *replicável* [a2g]).]

replicável (re.pli.*cá*.vel) *a2g.* Que pode ser replicado; suscetível de réplica [Ant.: *irreplicável*.] [Pl.: *-veis*.] [F.: Do lat. *replicabilis, e*. Hom./Par.: *replicáveis* (pl.), *replicáveis* (fl. de *replicar*).]

🌐 ***replicon*** (*Ing.* /réplikan/) *sm. Gen.* Unidade de replicação (2)

repolho (re.*po*.lho) [ô] *sm. Bot.* Nome comum às variedades cultivadas de couve (*Brassica oleracea*), cujas folhas roxas ou verde-claro se sobrepõem formando uma espécie de bola e são consumidas cruas ou cozidas [Col.: *repolhal*.] [F.: Do espn. *repollo*. Hom./Par.: *repolho* (sm.), *repolho* (fl. de *repolhar*).]

repolhudo (re.po.*lhu*.do) *a.* **1** Que possui formato de repolho ou apresenta várias camadas **2** *Fig.* Que é gordinho ou rechonchudo: "O sr. Couto, fresco e repolhudo, bambolinando-se na cadeira, fazia sortes que as mulheres aplaudiam..." (José de Alencar, *Lucíola*) [F.: *repolho* + *-udo*.]

repoltrear (re.pol.tre.*ar*) *v. int.* Acomodar-se, recostar-se de maneira confortável; REFESTELAR-SE: *Repoltreou-se no sofá para terminar a leitura.* [▶ **13 repoltrear**] [F.: De *repoltronear*.]

repoltronear (re.pol.tro.ne.*ar*) *v. int.* O mesmo que *repoltrear* [▶ **13 repoltronear**] [F.: *re-* + *poltronear*.]

reponente (re.po.*nen*.te) *a2g.* **1** Que repõe **2** Diz-se do herdeiro ou da herdeira que faz reposição *s2g.* **3** Aquele ou aquela que repõe **4** Herdeiro ou herdeira que faz reposição [F.: Do lat. *reponens, entis*.]

reponta (re.*pon*.ta) *sf.* **1** Nova ponta, ponta que aparece pela segunda vez ou periodicamente **2** *Bras.* Começo da maré enchente **3** *SP* Cheia, enchente **4** Repetição de golpe com a ponta da espada ou da lança [F.: Dev. de *repontar*. Hom./Par.: *reponta* (fl.), *reponta* (sf.); *repontas* (fl.), *repontas* (pl. do sf.).]

repontar (re.pon.*tar*) *v.* **1** Recomeçar a aparecer [*int.*: *O ódio reprimido repontava-lhe nas palavras.*] **2** Aparecer aos poucos [*int.*: *A aeronave repontou, enfim, nos céus do Rio.*] **3** Raiar, despertar [*int.*: "O dia repontava já, mas enevoado e triste." (Aluísio de Azevedo, *Casa de pensão*)] **4** Voltar-se para trás com o intento de atacar [*int.*: *O touro subitamente repontou.*] **5** Responder a alguém com aspereza [*td.*: *Repontou que não ia fazer nada.*] [*int.*: *Foi ofendida, mas não repontou.*] [▶ **1 repontar**] [F.: *re-* + *pont(a)* + *-ar*. Hom./Par.: *reponta(s)* (fl.), *reponta* (sf. e pl.); *reponte(s)* (fl.), *reponte* (sm. e pl.).]

repopulação (re.po.pu.la.*ção*) *sf.* Ato ou efeito de repopular, multiplicar ou renovar uma população; REPOVOAÇÃO [Pl.: *-ções*.] [F.: *repopular* + *-ção*.]

repor (re.*por*) *v.* **1** Tornar a pôr, ou fazer voltar ao lugar onde estava [*tda.*: "...e te repõe, pequenino, em face de indecifráveis palmeiras." (Carlos Drummond de Andrade, "Elegia 1938" *in Sentimento do mundo*)] **2** Devolver, restituir, ressarcir [*td.*: *Repôs o que o amigo lhe emprestara*] [*tdi.* + *a*: *A cartomante não reporá aos clientes a indenização acordada.*] **3** Restabelecer(-se) [*td.*: *Repor a saúde/um regime político.*] **4** Tornar a se constituir [*int.*: *Um regime de força só se reporia como piada.*] **5** *Jur.* Restabelecer alguém na situação jurídica em que antes se encontrava [*td.*] [▶ **60 repor**] [F.: *re-* + *pôr*, ou do lat. *reponere*. Hom./Par.: *reposto* (part.), *reposto* (fl. de *repostar*).]

reportado[1] (re.por.*ta*.do) *a.* **1** Comedido, moderado **2** Que se refere, que alude: "...embora não vos diga... a quem podia interessar a falsificação reportada a um século tão pouco curioso destas bagatelas." (Aquilino Ribeiro, *Avós dos nossos avós*) [F.: Do lat. *reportatus, a, um*.]

reportado[2] (re.por.*ta*.do) *sm. Antq. Com.* Especulador que compra a prazo os títulos que venderá à vista [F.: Do fr. *reporté*.]

reportagem (re.por.*ta*.gem) *Jorn. sf.* **1** Atividade jornalística que compreende ger. cobertura de acontecimento, apuração de fatos, pesquisa de assunto, interpretação de informações e redação de texto final **2** O resultado (escrito, filmado, televisionado) da reportagem (1) **3** O conjunto ou a classe dos repórteres [F.: Do fr. *reportage*.]

reportar (re.por.*tar*) *v.* **1** Recuar no tempo; REMONTAR [*tdr.* + *a*: *O livro me reportou à infância.*] **2** Atribuir, referir, imputar [*tdr.* + *a*: *Reporta seu sucesso financeiro à incurável calhordice.*] **3** Contar, narrar [*tdi.* + *a*: *Reportou aos amigos a aventura grotesca.*] **4** Mencionar, referir-se [*tr.* + *a*: *Reportou-se aos delírios da primeira viagem.*] [▶ **1 reportar**] [F.: Do v.lat. *reportare*.]

reporte (re.*por*.te) *Antq. Com. sm.* **1** Combinação de uma operação à vista e outra a prazo ou de duas operações de prazos diferentes **2** Situação da bolsa de valores em que as operações a prazo têm cotação superior às operações à vista para o mesmo valor [F.: Do fr. *report*.]

repórter (re.*pór*.ter) *s2g.* **1** *Jorn.* Profissional que produz reportagens [Pl.: *-res*.] *sm.* **2** *Bras. Antq.* Programa de notícias em rádio ou televisão: *Assisto ao repórter todas as noites* [Pl.: *-res*.] [F.: Do ing. *reporter*, pelo fr. *reporter*.]

reposição (re.po.si.*ção*) *sf.* **1** Ação ou efeito de repor **2** Recomposição, restauração: *reposição das energias.* **3** Ato de fazer alguém assumir um cargo ou função que antes exercia ou em substituição a outrem: *Houve a reposição do antigo presidente da firma* **4** *Jur.* Ação pela qual o arrecadador de impostos deve repor a receita que deixou de arrecadar por negligência [Pl.: *-ções*.] [F.: Do lat. *repositio, onis*.]

reposicionamento (re.po.si.ci.o.na.*men*.to) *sm.* Ação ou resultado de reposicionar [F.: *reposicionar* + *-mento*.]

reposicionar (re.po.si.ci.o.*nar*) *v. td.* Tornar a posicionar(-se). [Conjug.: **1 reposicionar**][F.: *re-* + *posicionar*.]

reposicionável (re.po.si.ci.o.*ná*.vel) *a2g.* Que se pode reposicionar [Pl.: *-veis*.] [F.: *reposicionar* + *-vel*. Hom./Par.: *reposicionáveis* (pl.), *reposicionáveis* (fl. de *reposicionar*).]

repositor (re.po.si.*tor*) [ô] *sm.* Funcionário encarregado da reposição de estoque num estabelecimento comercial [F.: *reposit-* (rad. do lat. *repositum*) + *-or*.]

repositório (re.po.si.*tó*.ri.o) *a.* **1** Que serve para guardar ou conservar medicamento (frasco *repositório*) *sm.* **2** Lugar onde se guarda alguma coisa; DEPÓSITO **3** Repertório, coleção [F.: Do lat. *repositorius, a, um*.]

repostar (re.pos.*tar*) *v. td.* Responder de imediato; RETRUCAR; REPLICAR: *Repostou que não obedeceria tal ordem* [▶ **1 repostar**] [F.: *reposta* + *-ar*. Hom./Par.: *reposta(s)* (fl.), *reposta* (sf. [e pl.]); *repostaria(s)* (fl.), *repostaria* (sf. [e pl.]); *ripostar* (todos os tempos do v.).]

reposteiro (re.pos.*tei*.ro) *sm.* **1** Cortina pendente das portas interiores da casa **2** Criado da casa real que tinha a seu cargo correr essas cortinas [F.: Do lat. **repositarius*.]

repousado (re.pou.*sa*.do) *a.* **1** Que repousou **2** Quieto, sereno, sossegado, tranquilo [F.: Part. de *repousar*.]

repousante (re.pou.*san*.te) ***a2g.*** Que repousa, que faz descansar (fim de semana/cadeira repousante): "Tratar de um canteiro de rosas... quando há frescura e sombra, é coisa repousante e salutar." (Eça de Queirós, *Notas contemporâneas*) [Ant.: *estressante.*] [F.: *repousar* + *-nte.*]

repousar (re.pou.*sar*) ***v.*** **1** Ficar sem atividade, em sossego, para repor energias; DESCANSAR [***td.***: *Repousar o corpo/a mente.*] [***int.***: "O médico disse-lhe que repousasse um pouco..." (Machado de Assis, "A causa secreta" *in Novas seletas*)] **2** Proporcionar uma folga, descanso [***td.***: *O passeio repousou -lhe a cabeça.*] **3** Jazer em sepultura [***ta.***: *Repousa num túmulo simples, encimado por um bloco de granito.*] **4** Assentar, fundar-se [***tr.*** + *em, sobre*: *A tirania respousa na humildade.*] [***ta.***: *A casa repousa sobre um penhasco.*] **5** Encontrar descanso no sono [***int.***: *Naquela noite, não conseguiu repousar.*] **6** Ficar em descanso, deixar de produzir [***int.***: *As terras deveriam repousar por um ano.*] [▶ **1 repousar**] [F.: Do v.lat. *repausare*. Hom./Par.: *repouso* (fl.), *repouso* (sm.).]

repouso (re.*pou*.so) ***sm.*** **1** Ação ou resultado de repousar **2** Ausência, cessação de movimento [Ant.: *movimento.*] **3** Ausência de tensão ou agitação; tranquilidade, paz: "A casa era ainda um bom repouso ao espírito, com o seu luxo rutilante e os sonhos que vagavam no ar" (Machado de Assis, *Quincas Borba*) [Ant.: *canseira; estresse.*] **4** Pausa no trabalho; folga; descanso **5** Sono: *Pediu que ninguém o incomodasse enquanto tirava alguns minutos de repouso* [F.: Dev. de *repousar.*] ■ **~ eterno** A morte **~ semanal** Folga do serviço que, por lei, o empregador tem de conceder ao empregado toda semana

repovoação (re.po.vo.a.*ção*) ***sf.*** Ação ou resultado de repovoar; REPOVOAMENTO [Pl.: *-ções.*] [F.: *repovoar* + *-ção.*]

repovoamento (re.po.vo.a.*men*.to) ***sm.*** O mesmo que *repovoação* [F.: *repovoar* + *-mento.*]

repovoar (re.po.vo.*ar*) ***v.*** **1** Povoar(-se) novamente [***td.***: *Os alemães pretendiam repovoar a região.*] [***int.***: *A província repovoou-se.*] **2** Replantar árvores [***td.***: *Repovoar uma área devastada.*] [▶ **16 repovoar**] [F.: *re-* + *povoar.*]

repreender (re.pre.en.*der*) ***v.*** **1** Censurar, admoestar severamente; ADVERTIR [***td.***: *Repreendeu o piloto.*] [***tdi.*** + *a*: *Repreendeu o cochilo à sentinela.*] **2** Acusar, increpar [***tdr.*** + *por*: *O juiz repreendeu o jogador pela brutalidade da falta.*] [▶ **2 repreender**] [F.: Do v.lat. *reprehendere.*]

repreendido (re.pre.en.*di*.do) ***a.*** Que sofreu repreensão [F.: Part. de *repreender.*]

repreensão (re.pre.en.*são*) ***sf.*** **1** Ação ou efeito de repreender; CENSURA; REPRIMENDA; REPROVAÇÃO; SERMÃO; CHAMADA; PITO **2** *Jur.* Advertência enérgica feita pelo superior hierárquico ao seu subordinado [Pl.: *-sões.*] [F.: Do lat. *reprehensio, onis.*]

repreensível (re.pre.en.*sí*.vel) ***a2g.*** Que merece repreensão ou censura [Ant.: *irrepreensível.*] [Pl.: *-veis.*] [F.: Do lat. *reprehensibilis, e.*]

repreensivo (re.pre.en.*si*.vo) ***a.*** Que repreende, que envolve repreensão; REPREENSOR [F.: Do lat. *reprehensum* (supino de *reprehendere*) + *-ivo.*]

repreensor (re.pre.en.*sor*) [ô] ***a.*** **1** Que repreende **2** Que implica repreensão; REPREENSIVO ***sm.*** **3** Aquele que repreende; REPREENDEDOR [F.: Do lat. *reprehensor, oris.*]

repregar (re.pre.*gar*) ***v. td.*** **1** Pregar outra vez: *Repregou o engradado.* **2** Tornar mais firme com a aplicação de pregos **3** Ornar com pregaduras [▶ **14 repregar**] [F.: *re-* + *pregar.*]

represa (re.*pre*.sa) [ê] ***sf.*** **1** Suspensão, interrupção ou quebra do curso de alguma coisa; represamento **2** Obra destinada à acumulação de água para diversos fins **3** O mesmo que *barragem* (1) **4** *Fig.* Acumulação de qualquer líquido: "...Francisco transfigurou-se, as lágrimas venceram a represa, os dezoito anos refloriram; e, de súbito, Ângela... sentiu-se-lhe apertada nos braços, e beijada nas faces que ardiam dos beiços, das lágrimas e do pudor" (Camilo Castelo Branco, *Os brilhantes do brasileiro*) **5** *Fig.* Acumulação, grande intensidade de qualquer sentimento ou paixão prestes a se manifestar: *represa de rancores* **6** Conserto em um muro ou parede **7** Navio que se retomou do poder inimigo **8** *Arq.* Assentos de arcos, ogivas etc. em uma obra [F.: Do fem. substv. do lat. *reprehensus, a, um*. Hom./Par.: *represa* [ê] (sf.), *represa* [é] (fl. de *represar*).]

📖 A finalidade de uma represa é acumular as águas que fluem num rio, de modo a aproveitá-las quando necessário em diversas funções: abastecimento de água a populações e a indústrias, irrigação, regulagem do volume de água corrente a partir da represa (garantindo a navegação em períodos de seca e evitando inundações em períodos de cheia) e geração de energia hidrelétrica. Consiste numa barragem transversal ao fluxo da água, que o retém, formando um grande reservatório (e um lago), e dispositivos mais ou menos sofisticados de regulagem da saída. O homem tem construído represas desde a Antiguidade, em geral de terra ou alvenaria (tal é a primeira represa conhecida, no rio Nilo, Egito, em c. 2900 a.C.). A partir do século XIX têm sido construídas em concreto. (Para a geração de energia, ver achega no verbete hidrelétrica) A maior represa do mundo em altura é a de Rogun (de terra e pedra), no rio Vakhs, no Tadjiquistão (335 m), em capacidade do reservatório é a de Owen Falls, rio Nilo-Vitória, Sudão (2,7 trilhões de m^3, a maior parte um lago natural), e em potência hidrelétrica é a de Três Gargantas, China (84.700 megawatts).

represado (re.pre.*sa*.do) ***a.*** **1** Detido, retido, suspenso **2** Que não corre, não avança; estagnado **3** *Fig.* Reprimido, concentrado (ódio represado) [F.: Part. de *represar.*]

represália (re.pre.*sá*.li.a) ***sf.*** **1** Ação ou resultado de vingar-se de ofensa, dano ou prejuízo sofridos; VINGANÇA; DESFORRA; REVIDE: "...não era apenas a euforia e o gozo, mas também a represália e o ódio, de mistura com uma sensação vigorosa de plenitude interior..." (Josué Montelo, "O noivo" *in Um rosto de menina*) **2** *P. ext. Pop.* Ação que visa demonstrar insatisfação com algo ou alguém, ou forçar este alguém a fazer ou deixar de fazer algo (que não é, em geral, do seu interesse): *Infelizmente, após a represália, vários moradores resolveram ceder à milícia.* [Trata-se, em geral, de desrespeito ao direito alheio ou de ação ilegal ou coercitiva.] [F.: Do it. *ripresaglia.*]

represamento (re.pre.sa.*men*.to) ***sm.*** Ação ou resultado de represar; REPRESA [F.: *represar* + *-mento.*]

represar (re.pre.*sar*) ***v. td.*** **1** Reter curso de (água corrente): *Represar um rio.* **2** *Fig.* Conter, reprimir: *Procurava represar sua histeria.* **3** Apoderar-se de; tomar como presa: *Os civis represaram o tanque dos invasores.* **4** Colocar na prisão; prender: *Represaram vários bandidos das tropas de ocupação.* **5** Submeter a ação repressiva; reprimir: *Cogitaram de medidas para represar a honestidade.* [▶ **1 represar**] [F.: Do v.lat. *reprehensare*. Hom./Par.: *represa* (fl.), *represa* (sf.); *represas* (fl.), *represas* (pl. do sf.); *represo* (fl.), *represo* (a.).]

representação (re.pre.sen.ta.*ção*) ***sf.*** **1** Ato ou efeito de representar(-se) **2** Coisa que se representa **3** Cópia mais ou menos aproximada do que se tem em mente ou do que se vê **4** *Fil.* Processo por meio do qual a mente presentifica a imagem, ideia ou conceito de um objeto apreendido pelos sentidos, imaginação, memória, ou concebido pelo pensamento **5** Reprodução ou imitação por meio da pintura, escultura, desenho etc. **6** *Teat.* Encenação, interpretação **7** Exposição escrita de motivos, queixas etc.: *O povo entrou com uma representação contra o novo imposto.* **8** Aparato inerente a um cargo **9** Autoridade; característica recomendável ou fundamental: *Não tinha a representação necessária para a responsabilidade que assumira.* **10** Elevada posição social: *casal de representação.* **11** A totalidade dos representantes (4) que ger. agem de maneira coordenada; DELEGAÇÃO: *a representação do Brasil na ONU.* **12** *Pol.* Nomeação de certas pessoas, por meio de votação, para que exerçam em nome do povo as funções próprias dos órgãos eletivos da administração pública **13** *Jur.* Convocação de parentes por ocasião de um falecimento, que herdam do representado todos os direitos em que este sucederia se fosse vivo **14** *Jur.* Posição jurídica do pai ou tutor que atua em nome dos filhos ou tutelados **15** *Jur.* Contrato remunerado, entre dois comerciantes ou empresas comerciais, para que uma parte promova a venda de produtos da outra, realizando negócios em nome dela, promovendo a aproximação de fregueses etc. **16** *Jur.* Direito de o cidadão se dirigir aos poderes públicos para contestar abusos de autoridades e reclamar a responsabilidade delas **17** *Bras. Jur.* Solicitação da vítima de certos delitos ou de seus representantes legais à autoridade policial ou judiciária, assim como ao Ministério Público, para que se proceda contra o delinquente, sem o que não terá validade a ação penal intentada na espécie [F.: Do lat. *representatione.*]

representacional (re.pre.sen.ta.ci.o.*nal*) ***a2g.*** Ref. a representação [Pl.: *-nais.*] [F.: *representação* + *-al*, seg. o mod. erudito.]

representante (re.pre.sen.*tan*.te) ***a2g.*** **1** Que representa; REPRESENTATIVO; REPRESENTADOR **2** Diz-se de quem ou daquilo que é tomado como modelo ou tipo de uma classe ou categoria ***s2g.*** **3** Quem ou o que representa **4** *Dipl.* Pessoa designada para representar o governo de um país junto a outro governo [F.: Do lat. *representans, antis.*]

representar (re.pre.sen.*tar*) ***v.*** **1** Ser imagem, imitação ou símbolo de [***td.***: *O quadro representa a primeira missa no Brasil; Uma balança de dois braços representa a justiça.*] **2** Conceber ou imaginar, ou dar-se à imaginação [***td.***: *Como representar a noção de infinito?*] **3** Significar, expressar ou patentear [***td.***: *Votos nulos represemtam a insatisfação do eleitor; Seu casamento representou grande felicidade para a mãe.*] **4** *Cin. Teat. Telv.* Encenar ou interpretar [***td.***: *A companhia teatral representará Otelo; O ator representou muito bem seu papel*] [***int.***: *Aquela atriz não representa há anos*] **5** Figurar, interpretar na vida real, apresentar(-se) de maneira falsa [***td.***: *Vive representando o papel de bom moço*] [***tdi.*** + *a*: *O demagogo representa ao povo o papel de salvador*] [***int.***: *É um fingido, representa o tempo todo*] [***tr.*** + *de*: *Não perdia ocasião para representar de moralista.*] **6** Ser procurador de, ou atuar em nome de [***td.***: *O advogado vai representar meu pai (na ação contra a empresa); A professora representará o homenageado (na solenidade).*] **7** Chefiar embaixada ou missão de [***td.***: *Ele representa a Alemanha (no Brasil).*] **8** Tornar patente [***td.***: *A vitória representou a alta qualidade de nosso futebol.*] **9** Substituir (alguém) em determinada situação [***td.***: *O filho mais moço representou a família na festividade.*] **10** Ser o exemplo de; ser ilustrativo de [***td.***: *Ele representa o que há de pior no pensamento político.*] **11** Dirigir, endereçar uma representação ou queixa a [***tdi.*** + *a*: *Representou uma reclamação ao diretor da empresa.*] [***tr.*** + *contra*: *Representou contra os membros do conselho.*] **12** Apresentar-se no desempenho de um papel [***tr.*** + *de*: *Meu avô representou de Papai-Noel no último Natal.*] **13** Apresentar-se ao espírito, à imaginação [***td.***: *Em seus devaneios místicos, sempre representava a imagem da Virgem.*] **14** Descrever, pintar [***td.***: *O filme procurava representar a felicidade com um turbilhão de cores.*] [▶ **1 representar**] [F.: Do v.lat. *representare*. Hom./Par.: *representáveis* (fl.), *representáveis* (a2g. [pl.]).]

representatividade (re.pre.sen.ta.ti.vi.*da*.de) ***sf.*** **1** Qualidade ou característica de representativo **2** Qualidade ou característica de um indivíduo ou entidade (partido, sindicato etc.) cujas relações com a população fazem com que expresse os verdadeiros anseios desta: *Era um político de representatividade entre os garimpeiros.* [F.: *representativo* + *-(i)dade.*]

representativo (re.pre.sen.ta.*ti*.vo) ***a.*** **1** O mesmo que *representante* **2** Próprio para representar: *Cometeu atos representativos do seu caráter.* **3** Constituído por representantes (assembleia representativa) **4** Que representa politicamente os interesses de um povo, grupo ou classe social [F.: *representar* + *-tivo*. Ant. ger.: *irrepresentativo.*]

repressão (re.pres.*são*) ***sf.*** **1** Ação ou resultado de reprimir(-se) **2** Aquele ou aquilo que reprime: *Os manifestantes recuaram quando a repressão chegou.* **3** Inibição ou interrupção com utilização de violência **4** *Psic.* Mecanismo psíquico de defesa por meio do qual os sentimentos, as lembranças dolorosas ou os impulsos dissonantes com o ambiente social são afastados do campo da consciência sem passarem para o do inconsciente [Pl.: *-sões.*] [F.: Do lat. tard. *repressio, onis.*]

repressividade (re.pres.si.vi.*da*.de) ***sf.*** Caráter ou qualidade do que é repressivo [F.: *repressiv(o)* + *-(i)dade.*]

repressivo (re.pres.*si*.vo) ***a.*** Que tem o poder ou a finalidade de reprimir [F.: Do lat. *repressus*, part. pass. de *reprimere*, 'deter', 'reter', + *-ivo.*]

repressor (re.pres.*sor*) [ô] ***a.*** **1** Que reprime ***sm.*** **2** O que reprime **3** *Gen.* Molécula de proteína que impede a transcrição de outro gene [F.: Do lat. *repressor, oris.*]

reprimenda (re.pri.*men*.da) ***sf.*** Advertência severa; crítica ou censura forte [F.: Do fr. *réprimande.*]

reprimido (re.pri.*mi*.do) ***a.*** **1** Que se reprimiu **2** De ações e fala bastante controladas, pouco ou nada desembaraçadas; CONTIDO; MODERADO **3** Que vive sob, ou que revela repressão (povo reprimido, pessoa reprimida); OPRIMIDO **4** *Psic.* Refreado por repressão (sentimentos reprimidos) [F.: Part. de *reprimir.*]

reprimir (re.pri.*mir*) ***v. td.*** **1** Conter(-se), refrear(-se); REALÇAR: *Reprimir um gesto/um sentimento; Reprimiu-se para não agredir o detrator.* **2** Impedir, dominar com violência ou punir: *Reprimir uma revolta.* **3** Impedir por ameaça ou castigo: *A polícia reprimiu os invasores do mercado.* **4** Sujeitar uma pessoa por meio de punição; punir: *A polícia reprimiu os delinquentes.* **5** *Jur.* Coibir ou punir por meio de ação punitiva **6** Conter a si mesmo; controlar-se, dominar-se: *Reprimiu-se para não agredir o ofensor.* [▶ **3 reprimir**] [F.: Do v.lat. *reprimere.*]

reprisado (re.pri.*sa*.do) ***a.*** Que se reprisou; novamente apresentado (programa reprisado) [F.: Part. de *reprisar.*]

reprisar (re.pri.*sar*) ***v. td.*** **1** Apresentar outra vez (esp. filme ou espetáculo): *Reprisaram "Casablanca" mais uma vez.* **2** *P. ext.* Repetir determinado ato: *Reprisou a grosseria que fizera na véspera.* **3** *Fig.* Reproduzir na mente série de fatos e acontecimentos ou um fato isolado: *Gostava de reprisar mentalmente seu primeiro encontro amoroso.* [▶ **1 reprisar**] [F.: Do fr. *repriser* ou de *reprise* + *-ar*[2]. Hom./Par.: *reprisáveis* (fl.), *reprisáveis* (pl. de *reprisável* [a2g.]).]

reprisável (re.pri.*sá*.vel) ***a2g.*** Que se pode reprisar [Pl.: *-veis.*] [F.: *reprisar* + *-vel*. Hom./Par.: *reprisáveis* (pl.), *reprisáveis* (fl. de *reprisar*).]

reprise (re.*pri*.se) ***sf.*** **1** Ação ou resultado de reprisar **2** Repetição, esp. de filmes, novelas, peças teatrais etc. [F.: Do fr. *reprise.*]

reprobativo (re.pro.ba.*ti*.vo) ***a.*** O mesmo que *reprobatório* [F.: Do lat. *reprobare*, 'reprovar', + *-tivo.*]

reprobatório (re.pro.ba.*tó*.ri.o) ***a.*** Em que há reprovação; REPROBATIVO [F.: Do lat. *reprobare*, 'reprovar' + *-tório.*]

réprobo (*ré*.pro.bo) ***a.*** **1** Malvado, detestado, perverso **2** *Rel.* Condenado às penas eternas por Deus; PRECITO ***sm.*** **3** Aquele que foi banido da sociedade ou é odiado pela maioria de seus pares [F.: Do lat. *reprobus, a, um.*]

reprocessado (re.pro.ces.*sa*.do) ***a.*** Que se reprocessou; novamente processado [F.: Part. de *reprocessar.*]

reprocessador (re.pro.ces.sa.*dor*) [ô] ***a.*** **1** Que reprocessa ***sm.*** **2** O que reprocessa [F.: *reprocessar* + *-dor.*]

reprocessadora (re.pro.ces.sa.*do*.ra) [ô] ***sf.*** Empresa ou equipamento que opera com reprocessamento de produtos, materiais etc. [F.: Fem. substv. de *reprocessador.*]

reprocessamento (re.pro.ces.sa.*men*.to) ***sm.*** Ação ou resultado de reprocessar [F.: *reprocessar* + *-mento.*]

reprocessar (re.pro.ces.*sar*) ***v. td. int.*** Processar mais uma vez [▶ **1 reprocessar**] [F.: *re-* + *processar.*]

reprochar (re.pro.*char*) ***v.*** Reprovar, censurar, recriminar [***td.***: *Reprochar um ato indigno.*] [***tdi.*** + *a*: *Reprochou ao amigo sua leviandade.*] [▶ **1 reprochar**] [F.: Do fr. *reprocher*. Hom./Par.: *reproche* (fl.), *reproche* (sm.); *reproches* (fl.), *reproches* (pl. do sm.).]

reproche (re.*pro*.che) ***sm.*** Censura, admoestação, exprobação [Ant.: *elogio; louvor.*] [F.: Do fr. *reproche*. Hom./Par.: *reproche* (sm.), *reproche* (fl. de *reprochar*).]

reprodução (re.pro.du.*ção*) ***sf.*** **1** Ação ou resultado de reproduzir(-se) **2** Fotografia, quadro, gravura, etc., imitados ou copiados **3** Reprodução, cópia ou imitação de obra literária, quadro, gravura etc., cuja publicação depende de autorização do detentor dos direitos autorais: *Ganhei uma reprodução de um Picasso.* [V. fac-símile.] **4** *Biol.* Produção de seres semelhantes ao organismo que lhes deu origem; PROCRIAÇÃO [F.: *reprodu(zir)* + *-ção*, ou de *re-* + *produção.*] ■ **~ assexuada** *Biol.* Aquela que se dá sem que haja junção de gametas, como, p. ex., na gemulação, na divisão celular etc. ~ **sexuada** *Biol.* Aquela que se dá pela fusão de dois gametas do mesmo indivíduo (*autogamia*) ou de indivíduos diferentes (*alogamia*)

reprodutibilidade (re.pro.du.ti.bi.li.*da*.de) *sf.* Caráter ou qualidade do que é reprodutível; REPRODUTIVIDADE [F.: *reprodutível* + -*(i)dade*, seg. o mod erudito.]

reprodutível (re.pro.du.*tí*.vel) *a2g.* O mesmo que *reprodutível* [Pl.: -*veis*.] [F.: *re-* + *produtível*.]

reprodutividade (re.pro.du.ti.vi.*da*.de) *sf.* O mesmo que *reprodutibilidade* [F.: *reprodutiv(o)* + -*(i)dade*.]

reprodutivo (re.pro.du.*ti*.vo) *a.* Que reproduz(-se) [F.: *re-* + *produtivo*.]

reprodutor (re.pro.du.*tor*) [ô] *a.* **1** Que (se) reproduz; REPRODUTIVO *sm.* **2** Aquele que reproduz **3** Animal reservado à procriação [F.: *re-* + *produtor*.]

reproduzido (re.pro.du.*zi*.do) *a.* Que se reproduziu; produzido de novo [F.: Part. de *reproduzir*.]

reproduzir (re.pro.du.*zir*) *v.* **1** Produzir de novo; tornar a produzir [*td.*: "Mandou reproduzir os retratos de Maria?" (Júlia Lopes de Almeida, *A intrusa*)] **2** Mostrar de novo; APRESENTAR; EXIBIR [*td.*: "...vagas de imigrantes reproduziam em nossos dias o tumulto das entradas do séc. XVIII." (Euclides da Cunha, *Confrontos e contrastes*)] **3** Traduzir fielmente; imprimir ou publicar de novo; COPIAR; IMITAR; REEDITAR [*td.*: "...não era fácil reproduzir a nota, pois não a havia tirado de uma só página nem de um só livro..." (Machado de Assis, *Casa velha*)] **4** Expor ou narrar com precisão; DESCREVER [*td.*: "...vou reproduzir as histórias que ele me contou..." (Lima Barreto, *O cemitério dos vivos*)] **5** Copiar, imitar, retratar [*td.*: "Nem sempre os filhos reproduzem os pais." (Machado de Assis, *Esaú e Jacó*)] **6** Tornar a executar; REFAZER; REPETIR [*td.*: "Um dia... lembrou-me reproduzir no Engenho Novo a casa em que me criei..." (Machado de Assis, *Dom Casmurro*)] **7** Dar origem a (seres semelhantes ao produtor); PROCRIAR [*td.*: *Os dinossauros deixaram de reproduzir suas espécies.*] [*int.*: "É crença familiar... que os pombos são, quando se reproduzem muito, sinal de prosperidade no lar..." (Lima Barreto, *Marginália*)] **8** Recomeçar, renovar-se, retomar [*int.*: *Reproduziu-se o entusiasmo de outrora.*] **9** Aparecer por mais de uma vez; nascer ou manifestar-se muitas vezes; MULTIPLICAR-SE; REPETIR-SE [*int.*: "As células se reproduziam exatamente iguais durante milhões de anos..." (Paulo Coelho, *Brida*)] [▶ **57 reproduzir**] [F.: *re-* + *produzir*.]

reproduzível (re.pro.du.*zí*.vel) *a2g.* Que se pode reproduzir; REPRODUTÍVEL [Pl.: -*veis*.] [F.: *reproduzir* + -*vel*.]

reprografia (re.pro.gra.*fi*.a) *sf. Doc.* Conjunto dos diversos processos de reprodução de documentos (p. ex.: fotocópia, microfilmagem, xerografia etc.) [F.: *repro(dução)* + -*grafia*.]

reprográfico (re.pro.*grá*.fi.co) *a.* Ref. a reprografia [F.: *reprograf(ia)* + -*ico*[2].]

reprogramação (re.pro.gra.ma.*ção*) *sf.* Ação ou resultado de reprogramar [Pl.: -*ções*.] [F.: *reprogramar* + -*ção*.]

reprogramar (re.pro.gra.*mar*) *v. td.* **1** Programar novamente; fazer nova programação: *A TV resolveu reprogramar o horário matinal.* **2** Fazer a reprise de: *Reprogramar um filme já exibido.* **3** *Inf.* Refazer um programa [▶ **1 reprogramar**] [F.: *re-* + *programar*.]

repropor (re.pro.*por*) *v. tdi.* Tornar a propor; fazer nova proposta [▶ **60 repropor**] [F.: *re-* + *propor*.]

reprovação (re.pro.va.*ção*) *sf.* **1** Ação ou efeito de reprovar [Ant.: *aprovação*.] **2** Censura, repreensão [Ant.: *elogio, louvor*.] **3** Desprezo, desdém [F.: Do lat. *reprobatio, onis*.]

reprovado (re.pro.*va*.do) *a.* **1** Não aprovado, rejeitado, censurado: "Ribas, dispéptico, era o único retraído; suspirava de longe, anjo que era, diante dos reprovados excessos da bacanal" (Raul Pompeia, *O Ateneu*) **2** Considerado incapaz em exame a que se submeteu (aluno/candidato reprovado) *sm.* **3** O que foi julgado incapaz no exame a que se submeteu: *Os reprovados terão nova chance no ano que vem.* [F.: Do lat. *reprobatus, a, um*.]

reprovador (re.pro.va.*dor*) [ô] *a.* **1** Que reprova **2** Em que há reprovação, crítica ou censura; REPROVATIVO *sm.* **3** Aquele que reprova [F.: Do lat. *reprobator, oris*.]

reprovar[1] (re.pro.*var*) *v.* **1** Não aprovar; EXCLUIR; RECUSAR; REJEITAR [*td.*: "Cabeleira não deu mostras de que aprovava ou reprovava semelhante resolução." (Franklin Távora, *O Cabeleira*)] **2** Votar contra [*td.*: *O plenário reprovou o projeto de lei.*] **3** *Fig.* Censurar com rigor; CONDENAR [*td.*: "Tinha orgulho de seu corpo, e ninguém podia reprová-la por causa disto..." (Paulo Coelho, *Brida*)] **4** Considerar inabilitado (aluno, candidato) [*td.*: *O professor não o reprovou.*] [*int.*: *Esse professor prefere não reprovar.*] **5** *Rel.* Condenar às penas eternas [*td.*: *reprovar o povo pecador.*] [▶ **1 reprovar**] [F.: Do v.lat. *reprobare*. Ant. ger.: *aprovar*. Hom./Par.: *reprovado* (fl.), *reprovado* (a. sm.); *reprováveis* (fl.), *reprováveis* (pl. de *reprovável* [a2g.]).]

reprovar[2] (re.pro.*var*) *v. td.* Provar nova e repetidamente; provar bem: *Precisou reprovar o vestido para os acertos finais.* [▶ **1 reprovar**] [F.: *re-* + *provar*.]

reprovativo (re.pro.va.*ti*.vo) *a.* Que expressa reprovação; REPROVADOR; REPROVATÓRIO [F.: *reprovar*[1] + -*tivo*.]

reprovatório (re.pro.va.*tó*.ri.o) *a.* O mesmo que *reprovativo* [F.: *reprovar*[1] + -*tório*.]

reprovável (re.pro.*vá*.vel) *a2g.* Que merece reprovação [F.: Do lat. *reprobabilis, e*. Hom./Par.: *reprováveis* (pl.), *reprováveis* (fl. de *reprovar*).]

repruir (re.pru.*ir*) *v.* **1** Produzir muito prurido em [*td.*] **2** Provocar estado de excitação em (alguém ou si mesmo); ARREBATAR(-SE); INFLAMAR(-SE) [*td. int.*] **3** Sentir cócegas [*int.*] [▶ **56 repruir**] [F.: *re-* + *pruir*.]

reptante[1] (rep.*tan*.te) *a2g.* **1** Que repta ou desafia *s2g.* **2** Aquele que repta ou desafia [F.: Do lat. *reptans, antis*. Sin. ger.: *reptador*.]

reptante[2] (rep.*tan*.te) *a2g.* **1** Que repta ou anda de rastos; RÉPTIL[1] **2** Que fica rente ao solo (planta reptante); RASTEIRO [F.: Do lat. *reptans, antis*.]

reptar (rep.*tar*) *v. td.* **1** Desafiar, instigar: *Reptou o rival.* **2** *Fig.* Colocar-se em oposição a; OPOR-SE: *Costuma reptar qualquer tipo de autoridade.* [▶ **1 reptar**] [F.: Do lat. *reputare*. Hom./Par.: *repto* (fl.), *repto* (sm.); *repto(s)* (fl.), *répteis* (pl. réptil, a2g. e s2g.).]

réptil (*rép*.til) *a2g.* **1** *Zool.* Ref. aos répteis **2** *Fig.* Que tem baixos instintos (diz-se de pessoa), que se presta a todos os atos desprezíveis para atingir seus fins; abjeto, desprezível **3** Que se arrasta ou rasteja [Pl.: -*teis*.] *sm.* **4** *Zool.* Espécime dos répteis, grande classe de vertebrados pecilotérmicos (*Reptilia*), com cerca de 6 mil spp. viventes, de pele seca, coberta de escamas, placas ou carapaça, respiração pulmonar e fecundação interna; são representados pelas tartarugas, jacarés, cobras e lagartos **5** *Pej.* Indivíduo réptil (2) [Pl.: -*teis*.] [F.: Do lat. *reptile*. Hom./Par.: *répteis* (pl.), *repteis* (fl. de *reptar*). Ideia de 'réptil', 'reptil': *herpet(o)-* (*herpetografia*). Tb. *reptil* (pl.: -*tis*).]

reptiliano (rep.ti.li.*a*.no) *a.* Que diz respeito a réptil [F.: *réptil* + -*iano*.]

repto (*rep*.to) *sm.* **1** Ato ou efeito de reptar, de opor-se: "O repto maior porém, não vinha do norte, mas, sim, da região ambunda. Embora a Coroa portuguesa os tivesse proibido de ali negociar..." (Alberto da Costa e Silva, *A manilha e o libambo*) **2** Desafio, provocação [F.: Dev. de *reptar*.]

república (re.*pú*.bli.ca) *sf.* **1** Governo de um Estado em que se tem em vista o interesse geral de todos os cidadãos **2** Forma de organização política em que o governo é exercido durante tempo limitado por um ou mais indivíduos eleitos pelo povo e investidos de certa responsabilidade conforme a função que cumpram nos poderes Executivo, Legislativo ou Judiciário **3** O país assim governado **4** Casa particular de estudantes que vivem em conjunto **5** O grupo de estudantes que aí vive **6** *Fam.* Associação onde reina a desordem [F.: Do lat. *republica* < lat. *res publica*, 'coisa pública'. Hom./Par.: *república* (sf.), *republica* (fl. de *republicar*).] ▪ **Nova** ~ *Hist. Pol.* Designação por vezes dada ao período imediatamente posterior à ditadura militar brasileira de 1964-1985, marcado pela eleição indireta de um presidente civil, formação de uma assembleia constituinte, reorganização partidária, reformas democráticas etc. [Com inicial maiúscula.] ~ **federativa** *Pol.* Aquela dividida em estados federados que têm certo grau de autonomia, mas não soberania, que pertence à União ~ **parlamentar** *Pol.* Aquela que adota o parlamentarismo como regime de governo ~ **presidencialista** *Pol.* Aquela que adota o presidencialismo como regime de governo ~ **Nova** *Hist. Pol.* No Brasil, período republicano após a vitória da revolução de 1930 até o Estado Novo, em 1937 [Com inicial maiúscula.] ~ **popular** *Hist. Pol.* Termo que designava Estados politicamente sob o controle de uma Frente Popular de todas as correntes democráticas do país, sob a direção do Partido Comunista [Cf.: *Democracia popular*.] ~ **Velha** **1** A República brasileira, no período que vai da proclamação à revolução de 1930 **2** Esse período da história brasileira [Com inicial maiúscula.]

> 🕮 Concebida ainda na Antiguidade clássica, adotada depois em Roma e em alguns regimes medievais, esta forma de governo ganhou uma estrutura sólida e institucional a partir da revolução norte-americana de 1787. Baseia-se, conceitualmente, na chefia do Estado por representantes dos interesses populares, e não de famílias (por transmissão hereditária, como na monarquia) ou detentores do poder militar. Nos regimes democráticos, essa chefia determina-se com a eleição do chefe de Estado pelo povo, em voto direto ou através de uma assembleia eleita pelo povo. A república pode ser presidencialista ou parlamentarista (ver achegas nos verbetes parlamentarismo e presidencialismo). Há também sistemas mistos, com maior ou menor concentração de poder no presidente. O Brasil é uma república desde 1889.

republicação (re.pu.bli.ca.*ção*) *sf.* Ação ou resultado de republicar; nova publicação [Pl.: -*ções*.] [F.: *republicar* + -*ção*.]

republicanismo (re.pu.bli.ca.*nis*.mo) *sm.* **1** Qualidade de republicano **2** Doutrina que prega as ideias republicanas **3** Governo republicano [F.: *republican(o)* + -*ismo*.]

republicanista (re.pu.bli.ca.*nis*.ta) *a2g.* **1** Que é partidário da república ou do republicanismo *s2g.* **2** Partidário da república ou do republicanismo: "Rui Barbosa, federalista e republicanista, reconheceria o mérito da resistência senatorial à intervenção militar..." ("O Senado e a queda da monarquia") [F.: *republican(o)* + -*ista*. Sin. ger.: *republicano*.]

republicanização (re.pu.bli.ca.ni.za.*ção*) *sf.* Ação ou resultado de republicanizar(-se): "...republicanização do funcionalismo militar e civil." (Sarmento de Beires, *Trajetórias*) [Pl.: -*ções*.] [F.: *republicanizar* + -*ção*.]

republicanizar (re.pu.bli.ca.ni.*zar*) *v. td. int.* Transformar(-se) em república; tornar(-se) republicano [▶ **1 republicanizar**] [F.: *republicano* + -*izar*.]

republicano (re.pu.bli.*ca*.no) *a.* **1** Ref. ou pertencente à república, próprio da república (constituição republicana) **2** Que é partidário da república ou de governo republicano **3** Que é filiado a um partido republicano ou que nele vota *sm.* **4** Aquele que defende a república **5** Membro ou eleitor de um partido republicano [F.: *república* + -*ano*[1].]

republicar (re.pu.bli.*car*) *v. td.* Publicar novamente; REEDITAR: *Republicaram todo Graciliano Ramos.* [▶ **11 republicar**] [F.: *re-* + *publicar*.]

repúblico (re.*pú*.bli.co) *a.* **1** Ref. a república **2** Ref. aos interesses de todos os cidadãos *sm.* **3** Aquele que é zeloso do bem público; REPUBLICANO [F.: *repúblic(a)* + -*o*. Hom./Par.: *repúblico* (a. sm.), *republico* (fl. de *republicar*).]

republiqueta (re.pu.bli.*que*.ta) [ê] *sf.* **1** República insignificante política ou territorialmente **2** República em que as instituições são frequentemente violadas e os direitos dos cidadãos desrespeitados [F.: *república* (*c* = *qu*) + -*eta* (ê).]

repudiado (re.pu.di.*a*.do) *a.* Que sofreu repúdio [F.: Part. de *repudiar*.]

repudiar (re.pu.di.*ar*) *v. td.* **1** Não admitir ou não aceitar; CONDENAR; REPELIR: "...repudia a tentação; precisava estar seguro..." (Lima Barreto, *Clara dos Anjos*) **2** Deixar ao desamparo; ABANDONAR; DESAMPARAR: "...repudia sua mulher... e fecha-se incestuosamente com Herodíade..." (Eça de Queirós, *A relíquia*) **3** Separar-se legalmente de (o cônjuge); DIVORCIAR-SE [▶ **1 repudiar**] [F.: Do v.lat. *repudiare*. Ant. ger.: *aceitar, acolher*. Hom./Par.: *repudio* (fl.), *repúdio* (sm.); *repudiáveis* (fl.), *repudiáveis* (pl. de *repudiável* [a2g.]).]

repudiável (re.pu.di.*á*.vel) *a2g.* Que se pode ou deve repudiar [Pl.: -*veis*.] [F.: *repudiar* + -*vel*. Hom./Par.: *repudiáveis* (pl.), *repudiáveis* (fl. de *repudiar*).]

repúdio (re.*pú*.di.o) *sm.* **1** Ação ou resultado de repudiar **2** *Jur.* Não aceitação, rejeição [Ant.: *aceitação, acolhimento*.] [F.: Do lat. *repudium, ii*. Hom./Par.: *repúdio* (sm.), *repudio* (fl. de *repudiar*).]

repugnado (re.pug.*na*.do) *a.* Que se repugnou [F.: Part. de *repugnar*.]

repugnância (re.pug.*nân*.ci.a) *sf.* **1** Qualidade ou característica de repugnante **2** Aversão, asco, repulsa: *repugnância a insetos* **3** Incompatibilidade, antipatia: "Amâncio alimentou sempre contra o Pires o mesmo ódio e a mesma repugnância" (Aluísio de Azevedo, *Casa de pensão*) **4** Hesitação para proceder de certo modo; RELUTÂNCIA: *Sentia repugnância de trair.* [F.: Do lat. *repugnantia, ae*.]

repugnante (re.pug.*nan*.te) *a2g.* **1** Que repugna, que causa repugnância **2** Que causa aversão física, mal-estar; NOJENTO; NAUSEABUNDO; REPULSIVO **3** *Fig.* Que causa indignação moral; REVOLTANTE [F.: Do lat. *repugnans, antis*.]

repugnar (re.pug.*nar*) *v.* **1** Não aceitar; pôr de lado; não admitir; RECUSAR; REFUSAR; REJEITAR [*td.*: "Fá-lo depois médico... advogado... o que quiseres e que ele não repugne..." (Júlio Dinis, *As pupilas do senhor reitor*)] **2** Provocar antipatia, aversão, asco, nojo, repugnância em; DESAGRADAR [*td.*: "Repugnava-os... aquela situação..." (Euclides da Cunha, *Os sertões*)] [*ti.* + *a*: "...fizeram um banheiro só para eles, porque o da estalagem repugnou à baiana..." (Aluísio Azevedo, *O cortiço*)] [*int.*: "É o cheiro que guia, repele, atrai, repugna..." (João do Rio, *Dentro da noite*)] **3** Ser incompatível, ser contrário a ou inconciliável com [*tr.* + *a, com*: "...repugnava ao seu pudor de padre saber que aquela concubina... conhecia as suas fragilidades..." (Eça de Queirós, *O crime do padre Amaro*); "Em que é que os devaneios e o orgulho intelectual repugnam com a sociedade brasileira, a ponto de não poderem germinar em seu seio?" (José de Alencar, *Sonhos d'ouro*)] **4** Não aquiescer; OPOR-SE; RESISTIR [*tr.* + *a*: *Muitos repugnam a velhas fórmulas.*] [▶ **1 repugnar**] [F.: Do v.lat. *repugnare*.]

repular (re.pu.*lar*) *v. td. int.* Pular novamente ou várias vezes [▶ **1 pular**] [F.: *re-* + *pular*.]

repulsa (re.*pul*.sa) *sf.* **1** Ação ou resultado de repelir **2** Sentimento ou sensação de aversão, repugnância **3** Reação que repele; objeção, contestação enérgica [Ant.: *atração*.] [F.: Do lat. *repulsa, ae*. Sin. ger.: *repulsão*. Hom./Par.: *repulsa* (sf.), *repulsa* (fl. de *repulsar*).]

repulsão (re.pul.*são*) *sf.* **1** O mesmo que *repulsa* **2** *Fís.* Força em virtude da qual certos corpos, suas moléculas integrantes, ou partículas se repelem mutuamente [Pl.: -*ções*.] [F.: Do lat. *repulsio, onis*. Ant. ger.: *atração*.] ▪ ~ **cósmica** *Astron.* Efeito sob o qual, supostamente, as galáxias distantes se afastariam ainda mais umas das outras

repulsar (re.pul.*sar*) *v. td.* **1** Impedir que (algo ou alguém) chegue perto; REPELIR: *A moça repulsou o colega.* **2** Negar o que se pede ou sugira: *Repulsou a propostazinha decente, afetuosa.* **3** Repercutir, refletir [▶ **1 repulsar**] [F.: *repuls(a)* + -*ar*. Hom./Par.: *repulsa(s)* (fl.), *repulsa* (sf. [e pl.]); *repulso* (fl.), *repulso* (a. sm.). Ant. ger.: *atrair*.]

repulsivamente (re.pul.si.va.*men*.te) *adv.* De modo repulsivo; com repulsão, com aversão, com repugnância [F.: O fem. de *repulsivo* + -*mente*.]

repulsivo (re.pul.*si*.vo) *a.* **1** Que repele, que desagrada, que gera repulsa **2** O mesmo que *repugnante* (2) [Ant.: *atraente*.] [F.: *repulso* + -*ivo*.]

repulso (re.*pul*.so) *a.* **1** Que se repeliu *sm.* **2** *P. us.* Ação ou resultado repulsar **3** *P. us.* Sentimento de aversão; REPULSA [F.: Do lat. *repulsus, a, um*.]

repulsor (re.pul.*sor*) [ô] *a.* Que repulsa ou repele [F.: Do lat. *repulsor, oris*.]

reputação (re.pu.ta.*ção*) *sf.* **1** Ação ou resultado de reputar ou reputar-se **2** Conceito em que alguém é tido pelo público ou por uma sociedade **3** Fama, celebridade, renome **4** Opinião que se forma sobre qualquer coisa: *a reputação dos vinhos portugueses*. [Pl.: -*ções*.] [F.: Do lat. *reputatio, onis*.]

reputado (re.pu.*ta*.do) *a.* **1** Que se reputa, que tem fama ou reputação: "...até mesmo em Manhattan, cujo trânsito não é reputado pela polidez, considera-se natural o carro parar para o pedestre" (João Ubaldo Ribeiro, *O conselheiro come*) **2** Que goza de renome ou consideração; CONCEITUADO [F.: Do lat. *reputatus, a, um.*]

reputar (re.pu.*tar*) *v.* **1** Atribuir determinada qualidade a; CONSIDERAR; JULGAR [*tdp.*: "...reputo gravíssimo o seu estado..." (Adolfo Caminha, *Tentação*); "...porque os reputam por usurpadores daquelas... minas..." (Capistrano de Abreu, *Capítulos de história colonial*)] **2** Dar reputação ou bom nome a [*td.*: *A ousadia do atacante reputou o time.*] **3** Avaliar, estimar [*tdr.* + *em*: *Reputou o objeto em seis mil reais.*] [▶ 1 reputar] [F.: Do v.lat. *reputare.*]

repuxado (re.pu.*xa*.do) *a.* **1** Puxado para trás: *Tinha o cabelo repuxado para a nuca* **2** Esticado, alongado, alisado (elástico repuxado) **3** Que é um tanto afinado nos cantos, assemelhando-se à forma de uma amêndoa (diz-se do olho, esp. dos orientais): "Olhos grandes e bonitos, repuxados para os cantos exteriores, em um feitio acentuado de folhas de roseira" (Aluísio de Azevedo, *Casa de pensão*) [F.: Part. de *repuxar.*]

repuxamento (re.pu.xa.*men*.to) *sm.* Ação de repuxar; REPUXÃO, REPUXO: "Cerrando os dentes, com os músculos da face contraídos em repuxamentos, investi." (Coelho Neto, *Vida mundana*) [F.: *repuxar* + *-mento.*]

repuxão (re.pu.*xão*) *sm.* **1** Ação ou resultado de repuxar **2** Forte puxão [Pl.: *-xões.*] [F.: *repuxar* + *-ão*³.]

repuxar (re.pu.*xar*) *v.* **1** Puxar de novo; puxar com força; ESTICAR; ESPICHAR [*td.*: "...repuxei as rédeas." (João Guimarães Rosa, *Grande sertão: veredas*)] **2** Puxar para trás; RECOLHER; RETRAIR [*td.*: "...depois [a serpente] se constringia repuxando-o [o touro], maneando-o nas roscas contráteis..." (Euclides da Cunha, *Os sertões*)] [*int.*: "A saia curta repuxava e mostrava as coxas roliças." (Marques Rebelo, "A derrota" *in Contos reunidos*)] **3** Distender, retesar (parte do corpo) [*td.*: "Aqui a mulher repuxou os lábios num muxoxo de dúvida." (Monteiro Lobato, *Urupês*)] [*int.*: *A perna repuxava quando corria.*] **4** *Cul.* Tornar melhor; APURAR; REFOGAR [*td.*: *repuxar o molho; repuxar os temperos.*] **5** *Arq.* Reforçar com escoras; pôr repuxo; ESCORAR [*td.*: *repuxar o muro.*] **6** Sair num jato (líquido); BORBOTAR [*int.*: *O velho poço repuxou.*] **7** *Fig.* Buscar, encontrar ou procurar [*td.*: "...repuxei ideias." (João Guimarães Rosa, *Grande sertão: veredas*)] [▶ 1 repuxar] [F.: *re-* + *puxar*. Hom./Par.: *repuxo* (fl.), *repuxo* (sm.).]

repuxo (re.*pu*.xo) *sm.* **1** Ação ou resultado de repuxar **2** Chafariz em que a água se eleva em jato(s) **3** *P. ext.* A água que sai em jatos **4** Movimento de recuo; COICE: *o repuxo do canhão.* **5** *Bras. Pop.* Encargo pesado; tensão; situação perigosa: *não aguentar o repuxo.* **6** Ferro com que se embutem tarraxas na madeira ou peça que se bate para fazer entrar outra em algum buraco ou furo **7** *Arq.* Peça que sustenta um pé de arco **8** *Mar.* Tira de couro com que os marinheiros envolvem a mão para costurar a lona [F.: Dev. de *repuxar*. Hom./Par.: *repuxo* (sm.), *repuxo* (fl. de *repuxar*).] ■ **Aguentar o ~** *Pop.* Resistir a situação adversa; aguentar as pontas, aguentar a mão

requebém (re.que.*bém*) *sm. Bras.* A parte traseira de um carro de bois; RECAVÉM [Pl.: *-béns.*] [F.: Alter. de *recavém.*]

requebrado (re.que.*bra*.do) *a.* **1** Que tem requebros no gesto ou voz, amoroso, lânguido; galanteador **2** *Bot.* Diz-se do pecíolo ou folíolo com uma curvatura em forma de cotovelo *sm.* **3** O mesmo que *rebolado* (2) [F.: Part. de *requebrar.*]

requebrante (re.que.*bran*.te) *a2g.* Que se requebra ou faz requebrar: *Ela vinha caminhando, toda requebrante; um som requebrante.* [F.: *requebrar* + *-nte.*]

requebrar (re.que.*brar*) *v.* **1** Mover o corpo afetadamente; REBOLAR; SARACOTEAR [*td.*: "...Casusa e Sebastião pularam ao meio da sala... requebrando todo o corpo." (Aluísio Azevedo, *O mulato*)] [*int.*: "E ela... ainda mais se requebrava e remexia..." (Aluísio Azevedo, *O cortiço*)] **2** Mover com langor; MENEAR [*td.*: "Quer uma valsa comigo? ...perguntou o rapaz, em segredo, requebrando os olhos." (Aluísio Azevedo, *Casa de pensão*)] **3** Emitir (a voz) de forma agradável, melodiosa [*td.*: "...e não há botequim... onde a sua voz não requebre o Olé lé lé/Candonga Sinhá." (João do Rio, *A alma encantadora das ruas*)] **4** Dançar com requebros [*td.*: "...ainda volteia a sua valsa ou requebra uma polca..." (Lima Barreto, *Marginália*)] [*int.*] **5** Fazer ou dizer galanteios; GALANTEAR; NAMORAR [*td.*: "Encontrá-los-ei nas salas requebrando as damas, dançando, tomando chá..." (Alexandre Herculano, *Opúsculos*)] [▶ 1 requebrar] [F.: *re-* + *quebrar*. Hom./Par.: *requebro* (fl.), *requebro* (sm.).]

requebro (re.*que*.bro) [ê] *sm.* **1** Ação ou efeito de requebrar(-se) **2** Olhar, inflexão de voz, ou movimento corporal lânguidos **3** Expressão carinhosa, gesto amoroso: "E tão requebrado que ele fala!? Má hora, que me eu deixe enganar de teus requebros, meliante, quem quer que tu sejas" (Almeida Garrett, *O Arco de Sant'Ana*) **4** *Mús.* Trinado [F.: Dev. de *requebrar*. Hom./Par.: *requebro* [ê] (sm.), *requebro* [é] (fl. de *requebrar*).]

requeijão (re.quei.*jão*) *sm.* Queijo pastoso feito com a nata do leite coagulada pela ação do calor [Pl.: *-jões.*] [F.: *requeija* + *-ão*¹.]

requeimado (re.quei.*ma*.do) *a.* **1** Que se requeimou; muito queimado **2** Queimado ou enegrecido pelo Sol; CRESTADO; TOSTADO **3** *Fig.* Magoado, ressentido **4** *RS* Diz-se do pelo vermelho (do animal *vacum* ou cavalar) que deixa transparecer faixas enegrecidas **5** *RS* Diz-se do animal que tem essa pelagem [F.: Part. de *requeimar.*]

requeimar (re.quei.*mar*) *v.* **1** Queimar muito ou queimar novamente; RECRESTAR [*td.*: *Requeimou a carne.*] **2** Tornar ressecado pela ação do Sol ou do fogo [*td.*: *Aquele clima requeimava sua pele.*] [*int.*: *Não gostava de ver sua pele requeimar.*] **3** Ter sabor picante, que faz arder a língua [*td.*: *Aquele molho requeimou sua língua.*] [*int.*: *Certas pimentas requeimam demais.*] **4** Experimentar ressentimento; ressentir-se [*int.*: *Requeimou-se com aquela insinuação maldosa.*] [▶ 1 requeimar] [F.: *re-* + *queimar*. Hom./Par.: *requeima* (fl.), *requeima* (sf.); *requeimas* (fl.), *requeimas* (pl. do sf.); *requeime* (fl.), *requeime* (sm.); *requeimes* (fl.), *requeimes* (pl. do sm.).]

requeiro (re.*quei*.ro) *sm.* Catador de restos de minério deixados pela retroescavadeira e que as máquinas não conseguem recolher [F.: De or. obsc.]

requentado (re.quen.*ta*.do) *a.* **1** Aquentado de novo **2** Que sofreu por muito tempo a ação do calor **3** Diz-se do alimento que foi reaquecido (café requentado, comida requentada): "Isso de carregar comida cozinhada de madrugadinha, p'ra depois comer requentada, não é minha regra." (João Guimarães Rosa, "Traços biográficos de Lalino Salãthiel..." *in Sagarana*) **4** *Fig.* Diz-se da notícia de um fato já conhecido apresentado como novidade [F.: Part. de *requentar.*]

requentar (re.quen.*tar*) *v.* **1** Esquentar (comida, bebida) outra vez [*td.*: "Quentar o frio, requentar o pão/E comer com você..." (Gilberto Gil/Bob Marley, *Não chore mais*)] **2** Submeter por demorado tempo à ação do calor [*td.*: *A cozinheira requenta o molho até engrossá-lo.*] **3** Queimar-se um pouco ou ficar (o alimento) impregnado de fumaça [*int.*: *Infelizmente, o café requentou-se.*] **4** *Fig.* Ficar fraco, sem brilho; ENFRAQUECER [*int.*: "...não é já o de meio-dia, claro, /é sol que se requenta, à míngua." (João Cabral de Melo Neto, "Episódio da Guerra Civil espanhola" *in Crime na Calle Relator*)] **5** *Jorn.* Usar mais de uma vez uma pauta já concluída e publicada, dando-lhe nova abordagem [*td.*: *requentar informações; requentar entrevistas.*] [▶ 1 requentar] [F.: *re-* + *quentar*. Hom./Par.: *requentado* (fl.), *requentado* (a.).]

requerente (re.que.*ren*.te) *a2g.* **1** Que requer ou solicita alguma coisa, que pede em juízo *s2g.* **2** Aquele ou aquela que requer, que pede em juízo [F.: *requerer* + *-nte.*]

requerer (re.que.*rer*) *v.* **1** Pedir ger. por requerimento (a alguém ou aos poderes públicos) [*td.*: "...o oficial... requereu reforma..." (Aluísio Azevedo, *Girândola de amores*)] [*tdi.* + *a*: "...apresentando ao chefe [de polícia] todos esses papéis, requereu-lhe que mandasse entregar-lhe a escrava." (Bernardo Guimarães, *A escrava Isaura*)] [*tdr.* + *a, de*: "...os europeus aquinhoados passaram a requerer da Coroa lusitana que os confirmassem no gozo das terras." (Alberto da Costa e Silva, *Um rio chamado Atlântico*)] [*int.*: "...ela mandou-lhe... doze moedas para ir a Lisboa requerer." (Eça de Queirós, *O crime do padre Amaro*)] **2** *Jur.* Pedir em juízo [*td.*: "O advogado requereu corpo de delito na ofendida." (Aluísio Azevedo, *Casa de pensão*)] [*tdi.* + *a*: *Requereu ao tribunal um pedido de habeas-corpus.*] [*int.*: *Precisava de mais uns dias para requerer.*] **3** Demandar, exigir [*td.*: "...o negócio requer toda a pressa..." (Manuel Antônio de Almeida, *Memórias de um sargento de milícias*)] [*tdr.* + *de*: "Requeri dele o prêmio..." (João Guimarães Rosa, *Grande sertão: veredas*)] **4** Ser digno de; MERECER [*td.*: *Nossa vitória requer uma grande celebração.*] **5** Reclamar a presença ou o auxílio de [*td.*: "Para o mister, Drummond já requerera a prestança de um guarda." (João Guimarães Rosa, "Além da amendoeira" *in Ave, palavra*)] **6** Cortejar, galantear, requestar [*td.*: *Bela, todos viviam a requerê-la.*] **7** Consultar almas do outro mundo [*td.*] [▶ 28 requerer] [F.: Do lat. vulg. *requaerere*, do cláss. *requirere.*]

requerido (re.que.*ri*.do) *a.* **1** Que se requereu **2** Que foi solicitado por meio de requerimento *sm.* **3** *Jur.* Autoridade destinatária do requerimento [F.: Part. de *requerer.*]

requerimento (re.que.ri.*men*.to) *sm.* **1** Ato ou efeito de requerer **2** Petição conforme as formalidades legais **3** *P. ext.* Qualquer petição por escrito; PEDIDO; SOLICITAÇÃO [F.: *requerer* + *-imento.*]

requerível (re.que.*rí*.vel) *a2g.* Que se pode requerer [Pl.: *-veis.*] [F.: *requerer* + *-vel.*]

requesta (re.*ques*.ta) *sf.* **1** Ação de requestar **2** Briga, rixa, contenda [F.: Dev. de *requestar*. Hom./Par.: *requesta* (sf.), *requesta* (fl. de *requestar*).]

requestado (re.ques.*ta*.do) *a.* **1** Solicitado, pretendido, instado **2** Pretendido à custa de rixas, combates ou pelejas **3** Que é alvo de cortejo ou de galanteios (mulher requestada) [F.: Part. de *requestar.*]

requestar (re.ques.*tar*) *v.* **1** Fazer pedido; SOLICITAR [*tdi.* + *a*: *Requestou proteção a um gatuno.*] **2** Cortejar, galantear [*td.*: *Requestava as colegas de trabalho.*] **3** Pedir, solicitar de maneira insistente [*td. tdi.*] [▶ 1 requestar] [F.: Do lat. vulg. **requaesitare*. Hom./Par.: *requesta(s)* (fl.), *requesta* (sf. [e pl.]).]

réquiem (*ré*.qui.em) *sm.* **1** *Litu.* Na liturgia católica, parte do ofício dos mortos que principia com a palavra latina *requiem aeternam* (repouso eterno) **2** *Mús.* Música para esse ofício [F.: Do lat. *requiem*, acus. sing. de *requies*, 'repouso', 'descanso'.]

requifife (re.qui.*fi*.fe) *sm.* **1** Adorno, enfeite complicado **2** Excesso de dengues, de formalidades: *Ele é cheio de requififes.* [Mais us. no pl.] [F.: Posv. de *requife.*]

requinta (re.*quin*.ta) *Mús. sf.* **1** Instrumento de sopro semelhante ao clarinete, porém menor e de sons mais agudos *s2g.* **2** Pessoa que toca requinta; REQUINTISTA [F.: Dev. de *requintar.*]

requintadamente (re.quin.ta.da.*men*.te) *adv.* De maneira requintada; com requinte [F.: Fem. de *requintado* + *-mente.*]

requintado (re.quin.*ta*.do) *a.* **1** Que manifesta qualquer qualidade no mais alto grau possível **2** Apurado, elegante, fino (senhora requintada, escolhas requintadas, gosto requintado) *sm.* **3** O que denota elegância, delicadeza, refinamento [F.: Part. de *requintar.*]

requintar (re.quin.*tar*) *v.* **1** Levar ao auge do maior apuro; dar requinte; APRIMORAR [*td.*: *Requintar os gestos/o modo de tratar as pessoas*; "...sentia todas essas inquietações que requintam a força da paixão." (José de Alencar, *A viuvinha*)] **2** Haver-se com afetado primor; EXAGERAR [*int.*: "O seu dandismo requintava..." (Eça de Queirós, *Os Maias*)] **3** Atingir o mais alto grau; APRIMORAR-SE; ESMERAR-SE [*tr.* + *em*: "Velho arquiteto de igrejas, requintara no monumento que lhe cerraria a carreira" (Euclides da Cunha, *Os sertões*)] **4** *SP* Latir continuadamente (o cão) em perseguição à caça [*int.*] [▶ 1 requintar] [F.: *re-* + *quinto* + *-ar*². Hom./Par.: *requinta* (fl.), *requinta* (sf. s2g.); *requintas* (fl.), *requintas* (pl. do sf. s2g.); *requintado* (fl.), *requintado* (a. sm.); *requinte* (fl.), *requinte* (sm.); *requintes* (fl.), *requintes* (pl. do sm.).]

requinte (re.*quin*.te) *sm.* **1** Ato ou efeito de requintar(-se) **2** Exagero de perfeição; excesso no aperfeiçoamento, no acabamento de uma obra: "...um bom número de artífices, que trabalhavam com esmero e requinte o cobre, o estanho e o ferro." (Alberto da Costa e Silva, *A manilha e o libambo*) **3** Refinamento: *Portava-se com requinte.* **4** Manifestação de qualquer qualidade no mais elevado grau possível **5** Excesso calculado a frio (requinte de crueldade) [F.: Dev. de *requintar*. Hom./Par.: *requinte* (sm.), *requinte* (fl. de *requintar*).]

requisição (re.qui.si.*ção*) *sf.* **1** Ação ou resultado de requisitar; exigência legal **2** *Jur.* Pedido de determinada providência, feito por autoridade competente [Pl.: *-ções.*] [F.: Do lat. *requisitio, onis.*]

requisitado (re.qui.si.*ta*.do) *a.* **1** Que se requisitou; PEDIDO; SOLICITADO **2** Exigido, reclamado [F.: Part. de *requisitar.*]

requisitante (re.qui.si.*tan*.te) *a2g.* **1** Que requisita *s2g.* **2** Aquele ou aquela que requisita [F.: *requisitar* + *-nte.*]

requisitar (re.qui.si.*tar*) *v.* **1** Pedir formalmente; fazer requisição de [*td.*: "Trazia um ofício do coronel Medeiros... requisitando forças necessárias à proteção de grande comboio..." (Euclides da Cunha, *Os sertões*)] [*tdi.* + *a, de*: "...requisitei do sr. general comandante do distrito cem praças de linha..." (Euclides da Cunha, *Os sertões*)] **2** Pedir, reclamar, solicitar [*tdi.* + *a*: "Avistou... o criado de uma freguesa sua, o qual... vinha requisitar-lhe a assistência." (Júlio Dinis, *As pupilas do senhor reitor*)] **3** Convocar (alguém ou seus serviços) [*td.*: *Requisitaram-no para a tarefa.*] [▶ 1 requisitar] [F.: Do lat. vulg. **requaesitare*, do lat. clás. *requirere*. Hom./Par.: *requisito* (fl.), *requisito* (sm.).]

requisito (re.qui.*si*.to) *sm.* **1** Condição necessária para se alcançar certo objetivo; QUESITO: "Submetia-se resignadamente a todos esses requisitos do namoro vulgar." (Aloísio Azevedo, *Casa de pensão*) **2** *Jur.* Exigência legal para que um ato jurídico tenha validade *a.* **3** *P. us.* Que foi requisitado ou requerido [F.: Do lat. *requisitus, a, um*, part. pass. de *requirere*. Hom./Par.: *requisito* (sm.), *requisito* (fl. de *requisitar*).]

requisitório (re.qui.si.*tó*.ri.o) *a.* **1** Que requisita; PRECATÓRIO *sm.* **2** *Jur.* Exposição de motivos para justificar a acusação judicial contra alguém [F.: Do lat. medv. *requisitorius, a, um.*]

reriutabano (re.ri.u.ta.*ba*.no) *sm.* **1** Aquele que nasceu ou que vive em Reriutaba (CE) *a.* **2** De Reriutaba; típico dessa cidade ou de seu povo [F.: Do top. *Reriutaba* + *-ano*¹.]

◎**res-** *pref.* = 'repetição'; 'intensidade ou reforço': *resguardar, respingar* [F.: Do cruz. de *re-* (ver) + *ex-* (sob a f. *es-*).]

rés *a2g2n.* **1** Raso, rente, rasante *adv.* **2** Pela raiz, cerce [F.: Do fr. ant. *res* (atual *rez*). Hom./Par.: *rés* (a2g2n. adv.), *rês* (sf.).] ■ **Ao ~ de** No nível de; rente a

rês *sf.* Qualquer quadrúpede us. na alimentação humana [F.: Do ár. *ra's*, 'cabeça'. Hom./Par.: *rês* (sf.), *rés* (a2g2n. adv.); *reses* [ê] (pl.), *rezes* [é] (fl. de *rezar*).]

rescaldamento (res.cal.da.*men*.to) *sm.* Ação ou resultado de rescaldar [F.: *rescaldar* + *-mento.*]

rescaldar (res.cal.*dar*) *v. td.* **1** Escaldar de novo: *Rescaldou a carne-seca para retirar todo o sal.* **2** Aquecer muito; escaldar em excesso: "...a insolação rescalda intensamente as chapadas desnudas..." (Euclides da Cunha, *Os sertões*) [▶ 1 rescaldar] [F.: *re-* + *escaldar*. Hom./Par.: *rescaldo* (fl.), *rescaldo* (sm.).]

rescaldo (res.*cal*.do) *sm.* **1** Calor reverberado de um incêndio ou fornalha **2** O borralho ou as cinzas que conservam ainda algumas brasas **3** O trabalho de prevenção para evitar que se inflamem de novo os restos de um incêndio recente **4** Cinzas expelidas pelos vulcões **5** Peça de baixela us. para conservar quentes os pratos à mesa **6** Porção de estrume colocada em volta de um caixão para aquecer a terra pela fermentação **7** *Fig.* Saldo, resultado: *Sua atitude deixou como rescaldo a antipatia de todos.* [F.: Dev. de *rescaldar*. Hom./Par.: *rescaldo* (sm.), *rescaldo* (fl. de *rescaldar*).]

rescindido (res.cin.*di*.do) *a.* Que se rescindiu (contrato rescindido); DESFEITO; ANULADO; CANCELADO [F.: Part. de *rescindir.*]

rescindir (res.cin.*dir*) *v. td.* **1** Cortar, desfazer, romper (um ato): "...Felipe II (...) rescindiu a doação da capitania..."

(Alberto da Costa e Silva, *A manilha e o libambo*) **2** *Jur.* Tornar sem efeito (acordos, contratos, atos legais); ABROGAR; ANULAR; INVALIDAR: *A ação ordinária pretende rescindir o contrato de compra e venda.* [▶ 3 rescindir] [F.: Do v.lat. *rescindere.*]

rescisão (res.ci.*são*) *sf.* **1** Ação ou efeito de rescindir; extinção (de contrato, por inadimplemento) **2** Rompimento, corte [Pl.: *-sões.*] [F.: Do lat. tard. *rescissio, onis.*]

rescisório (res.ci.*só*.ri.o) *a.* **1** Que rescinde ou anula (contrato) **2** Que dá margem a rescisão **3** Próprio para rescindir [F.: Do lat. tard. *rescissorius, a, um.*]

rés do chão (rés do chão) *sm2n.* Pavimento da casa situado no nível do solo ou da rua; andar térreo: "Era um casarão grande, de dois andares, rés do chão, chácara cheia de fruteiras, rico de salas, quartos, alcovas, povoado de parentes, contraparentes, fâmulos, escravos..." (Lima Barreto, *A biblioteca*)

resedá (re.se.*dá*) *Bot. sm.* **1** Nome comum às ervas do gên. *Reseda*, da fam. das resedáceas, originárias da Europa, Mediterrâneo e Ásia, algumas cultivadas como ornamentais, pelo perfume de suas flores e/ou para extração de óleo essencial e de tintura amarela **2** Árvore da fam. das litráceas (*Lagerstroemia indica*), natural da China, cultivada como ornamental pelas belas e grandes flores, freq. rosa-escuro, e tb. como medicinal; ESCUMILHA; EXTREMOSA; MIMOSA-DOS-JARDINS [F.: Do fr. *réséda.*]

resendense (re.sen.*den*.se) *s2g.* **1** Pessoa nascida ou que vive em Resende (Portugal) *a2g.* **2** De Resende; típico dessa vila ou de seu povo [F.: Do top. *Resende* + *-ense.*]

resenha (re.*se*.nha) *sf.* **1** Ação ou resultado de resenhar **2** Descrição minuciosa **3** Enumeração por partes, contagem, verificação **4** Análise crítica e breve de um texto ou livro; RECENSÃO **5** *Jorn.* Notícia que sintetiza fatos similares e fundamentais para compreender determinado período **6** *Jorn.* Notícia que dá detalhes de um fato e o observa de diversos prismas [F.: Dev. de *resenhar*. Hom./Par.: *resenha* (sf.), *resenha* (fl. de *resenhar*).]

resenhar (re.se.*nhar*) *v. td.* **1** Fazer análise sucinta ou resenha de; relatar de forma crítica: *resenhar um livro.* **2** Relatar minuciosamente; ENUMERAR; INVENTARIAR: "...o bispo do Grão-Pará... depois de resenhar os homens e as coisas... resumiu os traços carcterísticos dos habitantes..." (Euclides da Cunha, *À margem da história*) [▶ 1 resenhar] [F.: Do v.lat. *resignare*. Hom./Par.: *resenha* (fl.), *resenha* (sf.); *resenhas* (fl.), *resenhas* (pl. do sf.); *resenho* (fl.), *resenho* (sm.).]

resenhista (re.se.*nhis*.ta) *s2g.* Pessoa que faz resenhas [F.: *resenh(a)* + *-ista.*]

reserpina (re.ser.*pi*.na) *sf. Farm.* Alcaloide ($C_{33}H_{40}N_2O_9$) encontrado nas raízes da *Rauwolfia serpentina* e us. como medicamento hipotensivo [F.: Do al. *reserpin.*]

reserva (re.*ser*.va) *sf.* **1** Ação ou efeito de reservar; estoque ou acúmulo de algo para uso futuro: *Fez uma reserva de lenha para o inverno.* **2** Área reservada para proteção da fauna e flora ou para preservação de grupos étnicos ameaçados (reserva florestal; reserva indígena) **3** Ação ou resultado de destinar antecipadamente a alguém lugar em meio de transporte, mesa em restaurante, quarto em hotel etc. **4** *Fig.* Ressalva ou restrição quanto a algo ou alguém; CAUTELA: *Trate com reserva essa informação; ela é confidencial.* **5** *Fig.* Discrição em relação a tema, fato ou pessoa: *Manifestou suas reservas quanto ao projeto* [+ *a, para com, sobre, contra*: *reservas ao projeto; reservas para com o projeto; reservas sobre o projeto; reservas contra o projeto.*] **6** Dissimulação, restrição, circunspeção, retraimento, recato **7** *Mil.* Conjunto de pessoas que não estão em serviço militar ativo, mas que podem ser convocadas, se necessário **8** *Mil.* Corpo do exército pronto a entrar em combate quando for preciso reforçar as fileiras dos combatentes: *Ele é um oficial da reserva.* **9** *Náut.* Certo número de vasos de guerra destinados a socorrer os que se acham a descoberto ou desamparados **10** Árvore ainda pequena, que é poupada por ocasião do desmatamento **11** A quantidade de recursos minerais disponíveis em uma jazida, região, país etc. **12** *Enol.* Termo que se usa no rótulo do vinho para indicar que o produto é de qualidade superior ou de uso pessoal do proprietário da vinícola **13** *N.* Área cercada para o gado, com fartura de água e de pastagem **14** *Esp.* Situação de um jogador que não integra a equipe titular; situação em que um jogador não inicia a partida, podendo, no entanto, ser chamado para substituir um jogador titular: *O zagueiro ficou na reserva.* *s2g.* **15** *Esp.* Jogador que entra ou pode entrar na partida em substituição ao titular; SUPLENTE **16** Termo genérico que designa qualquer importância que figure no passivo de uma empresa sem constituir uma obrigação para com terceiros [F.: De *reservar.*] ■ **~ biológica** *Ecol.* Área de preservação de ecossistemas ou de espécies biológicas frágeis, estipulada por um estado ou pela União **~ cambial** *Econ.* Ver *Reservas cambiais* **~ de mercado** *Econ.* Exclusividade concedida a produtor ou vendedor de produtos de certo tipo em certo mercado **~ florestal** **1** *Bras.* Área de florestas ainda não habitada ou explorada, em estado natural, sob proteção do governo até que se determine sua categoria e regime de exploração ou conservação **2** Área florestal preservada por lei para a conservação de seu ecossistema, suas espécies vegetais e animais **~ indígena** *Bras.* Área delimitada por lei para ocupação por povo indígena, ger. em território já por ele ocupado historicamente [Tb. apenas *reserva.*] **~ natural** Parque natural conservado e protegido pelo Estado para preservação de seu ecossistema

reservadamente (re.ser.va.da.*men*.te) *adv.* De modo reservado; com reserva, com discrição: "Maurícia, que no começo da narrativa a ouvia com intenção reservadamente hostil..." (Franklin Távora, *O sacrifício*) [F.: Fem. de *reservado* + *-mente.*]

reservado (re.ser.*va*.do) *a.* **1** Que se reservou (quarto reservado) [+ *a, para*: *reservado aos sócios; reservado para os sócios.*] **2** Diz-se daquele que é discreto, que protege sua intimidade; CIRCUNSPETO; CAUTELOSO; RETRAÍDO; CALADO: *Não quis dar entrevistas; é uma mulher reservada.* [+ *com, para com, sobre, acerca de*: *reservado com os estranhos; reservado sobre a questão; reservado acerca da questão.*] **3** Oculto, íntimo, não patente (pensamento reservado) **4** Que não esquece a injúria de outrem; que conserva ódio latente à pessoa que lhe causou a ofensa **5** Destinado, predestinado [+ *a, para*: *reservados ao sucesso; alguém reservado para grandes sofrimentos.*] *sm.* **6** *Bras.* Privada, latrina **7** Em restaurantes ou bares, pequeno recinto separado do salão principal onde os fregueses possam estar a sós [F.: Part. de *reservar.*]

reservante (re.ser.*van*.te) *a2g.* Que reserva [F.: *reservar* + *-nte.*]

reservar (re.ser.*var*) *v.* **1** Fazer reserva de; pôr de parte (alguma coisa dentre outras); CONSERVAR; GUARDAR; POUPAR [*td.*: "...só reservo o tostado crespo e um qualquer pelego..." (João Simões Lopes, "Chasque do imperador" *in Contos gauchescos*)] [*td.*: "Brida teve que reservar um canto de sua casa... para montar um pequeno oratório..." (Paulo Coelho, *Brida*)] **2** Destinar exclusivamente para certo fim, certa pessoa, certa ocasião; CONCEDER [*tdi.* + *a, para*: "Deus reserva uma morte justa e gloriosa àqueles que viveram uma vida honrada!" (José de Alencar, *O guarani*); "A UFRJ pretende reservar 20% das vagas para alunos da rede pública." (*Jornal Extra*, 23.02.2004)] [*tdr.* + *para*: "...acreditava que Deus a reservara para fazer a ventura desse coração..." (José de Alencar, *Sonhos d'ouro*)] **3** Guardar para si; manter em segredo; ESCONDER; OCULTAR [*td.*: *Discreto, reservava todas as conversas.*] [*tdi.* + *para*: "Permita-me que reserve para mim os motivos de meu procedimento..." (José de Alencar, *Sonhos d'ouro*)] **4** Fazer reserva de [*td.*: *reservar uma passagem de avião.*] **5** Manter afastado, protegido de; DEFENDER; LIVRAR; PRESERVAR [*tdr.* + *de*: "...ela... do sacrifício reservara... o coração." (Camilo Castelo Branco, *Coração, cabeça e estômago*)] **6** Deixar para depois; ADIAR; PROCRASTINAR [*tda.*: *Agradeço-lhe por reservar os problemas para depois das férias.*] **7** Guardar-se para fazer alguma coisa mais tarde; ficar de reserva [*tdr.* + *para*: "...reservar-se-ia para algum casamento de outra laia." (Machado de Assis, *Casa velha*)] [▶ 1 reservar] [F.: Do v.lat. *reservare*. Hom./Par.: *reserva* (fl.), *reserva* (sf.); *reservas* (fl.), *reservas* (pl. do sf.); *reservado* (fl.), *reservado* (a. sm.); *reserváveis* (fl.), *reserváveis* (pl. de *reservável* [a2g.]). NOTA: Apresenta o *e* aberto [é] nas f. rizotônicas.]

reservas (re.*ser*.vas) *sfpl.* **1** *Econ.* Meios de pagamento de grande liquidez internacional (ouro, dólares norte-americanos etc.) de que dispõe um país para, se necessário, pagar dívidas internacionais **2** *Fisl.* Acúmulo de substâncias energéticas em organismo, disponíveis para serem us. quando necessário: *O atleta ainda tinha reservas quando completou a maratona.* [F.: Pl. de *reserva.*] ■ **~ cambiais** *Econ.* Total de meios de pagamento de curso internacional (ouro, moeda estrangeira forte etc.) à disposição de um país; reservas internacionais [São resultantes de superávits no balanço de pagamentos.] **~ internacionais** *Econ.* Ver *Reservas cambiais*

reservatório (re.ser.va.*tó*.ri.o) *sm.* **1** Lugar expressamente feito para ter coisas em reserva, para acumulá-las ou conservá-las; RECEPTÁCULO **2** Recipiente ou lugar próprio para acumulação de líquidos **3** Recipiente próprio para armazenar grandes quantidades de água para uso doméstico, hospitalar, industrial etc.: *O reservatório estava envenenado.* **4** Lugar onde se acumula ou ajunta qualquer matéria: *O estômago é o reservatório dos alimentos.* *a.* **5** Próprio para armazenar, reservar **6** *Bot.* Concavidade existente nas algas euglenófitas em cuja base se localizam o flagelos [F.: *reservar* + *-tório.*]

reservista (re.ser.*vis*.ta) *s2g.* **1** Praça que passou à reserva (7) **2** *Bras.* Aquele que está quite com o serviço militar [F.: *reserva* + *-ista.*]

resfolegante (res.fo.le.*gan*.te) *a2g.* Que resfolega ou resfolga [F.: *resfolegar* + *-nte. Tb. resfolgante.*]

resfolegar (res.fo.le.*gar*) *v.* **1** Respirar ruidosamente, por esforço [*int.*: "...resfolegava, sem ousar mexer com a cabeça..." (Aluísio Azevedo, *O mulato*)] **2** Pôr para fora; EXPELIR; GOLFAR [*td.*: *Ao fumar, resfolega fumaça pelo nariz.*] [*int.*] **3** *Fig.* Tomar alento, coragem, fôlego; RECUPERAR-SE [*tr.* + *de*: "Clorinda... resfolegava dos soluços que sofrera essa tarde..." (Aluísio Azevedo, *Girândola de amores*)] [▶ 14 resfolegar] [F.: *res-* + *fôlego* + *-ar*². Hom./Par. *resfolego* (fl.), *resfôlego* (sm.); NOTA: Apresentam o *e* e o *o* abertos[é] [ó], respectivamente, nas formas rizotônicas. Tb. *resfolgar.*]

resfôlego (res.*fô*.le.go) *sm.* Ação ou efeito de resfolegar; respiração difícil; RESPIRAÇÃO; ANÉLITO: "O resfôlego sôfrego de uma criatura viva." (Monteiro Lobato, *Urupês*) [F.: Dev. de *resfolegar.*]

resfolgante (res.fol.*gan*.te) *a2g.* Ver *resfolegante*

resfolgar (res.fol.*gar*) *v.* O mesmo que *resfolegar*: "...estacava a cada degrau, resfolgando como um touro..." (Eça de Queirós, *A relíquia*) [▶ 14 resfolgar]

resfriado (res.fri.*a*.do) *a.* **1** Que se resfriou; que foi submetido a resfriamento (carne resfriada) **2** *Fig.* Que perdeu o entusiasmo, o ânimo **3** Que contraiu resfriado (4): *A criança está resfriada.* *sm.* **4** *Med.* Afecção das vias respiratórias causada por vírus ou por exposição à umidade ou ao frio **5** Nos pastos, local coberto de relva, próximo às nascentes, onde há umidade **6** *BA MG* Camada de terra sobre lajedos [F.: Part. de *resfriar.*]

resfriador (res.fri.a.*dor*) [ô] *a.* **1** Que resfria, que causa resfriamento (tanque resfriador) *sm.* **2** Recipiente onde se coloca alguma coisa para resfriar [F.: *resfriar* + *-dor.*]

resfriamento (res.fri.a.*men*.to) *sm.* **1** Ação ou efeito de resfriar(-se); redução considerável de temperatura **2** Entorpecimento ou sentimento de dor causado por uma redução considerável de temperatura ou por frio demasiado; RESFRIADO **3** *Fig.* Abrandamento, diminuição **4** Aguamento (de animais) **5** *Mec.* Operação que visa a diminuir o calor produzido pela combustão de mistura gasosa nos cilindros do motor [F.: *resfriar* + *-mento.*]

resfriar (res.fri.*ar*) *v.* **1** Esfriar de novo [*td.*: *Após o degelo, precisou resfriar a geladeira;* "Era um dia quente... e o vinho... conseguia resfriar... seu corpo." (Paulo Coelho, *O alquimista*)] **2** Submeter a um grande abaixamento de temperatura ou a um grande frio artificial [*td.*: *O ar-condicionado resfria o ambiente.* Ant.: *aquecer.*] **3** Cessar de ter calor; tornar-se frio; ESFRIAR [*int.*: "À vista daqueles homens resfriaram-lhe de novo as mãos e voltaram-lhe os calafrios do terror..." (Aluísio de Azevedo, *Casa de pensão*) Ant.: *aquecer.*] **4** Provocar resfriado ou gripe [*td.*: "A chuvinha de ontem... quase me resfriou." (Josué Montello, "Uma tarde, outra tarde" *in Um rosto de menina*)] **5** Ficar resfriado ou gripado; CONSTIPAR(-SE) [*int.*: "E agora para o chuveiro para não resfriar." (Marques Rebelo, *Marafa*)] **6** *Fig.* Perder ou causar a perda de ânimo, ardor, entusiasmo; DESALENTAR; DESANIMAR [*td.*: *O gol do adversário quase ao final do segundo tempo da partida resfriou o ânimo da torcida.*: "...vinha um cunho de madura prudência que abatia e resfriava os ímpetos e os estos dos... oradores..." (Franklin Távora, *O matuto*)] [*int.*: "...a boca resfriou com a ausência do riso, que era a sua alma..." (Aluísio Azevedo, *Girândola dos Amores*)] [▶ 1 resfriar] [F.: *re-* + *esfriar*. Hom./Par.: *resfriado* (fl.), *resfriado* (a. sm.).]

resgatador (res.ga.ta.*dor*) [ô] *sm.* **1** Aquele ou aquilo que resgata: *O papel de Cristo como resgatador da humanidade.* *a.* **2** Diz-se daquele ou daquilo que resgata (ação resgatadora; obra resgatadora) [F.: *resgatar* + *-dor.*]

resgatar (res.ga.*tar*) *v.* **1** Salvar de grande perigo [*td.*: *O salva-vidas conseguiu resgatar a menina.*] **2** Libertar do cativeiro mediante pagamento ou concessões; REMIR; SALVAR [*td.*: "...uma riqueza incalculável, que serviu... para resgatar cristãos... sequestrados por muçulmanos." (Paulo Coelho, *O diário de um mago*)] [*tda.* + *de*: *A polícia resgatou os reféns do cativeiro.*] **3** Conseguir de volta (algo) mediante dinheiro [*td.*: "...Mendes propôs deixar o piano, ficando-lhe o direito de resgatá-lo mais tarde com a devida importância." (Aluísio Azevedo, *Casa de pensão*)] **4** Retirar parte ou todo o dinheiro de fundo de investimento [*td.*: *Precisou resgatar R$800,00 para pagar o que devia.*] **5** Realizar o pagamento de títulos de crédito, obtendo-os de volta [*td.*: "...não sei que interesses tens, Carlos, em resgatares aquela letra!" (José de Alencar, *A viuvinha*)] **6** Conquistar, conseguir por meio de algum sacrifício [*td.*: "Cada passo, cada ato de fé, resgatava de novo toda a raça humana." (Paulo Coelho, *Brida*)] **7** Tornar esquecida (culpa ou ofensa); EXPIAR [*td.*: "Não é demais para resgatar o profundo desprezo em que vivi." (Machado de Assis, "Viver" *in Contos*)] **8** Pagar quitar (dívida) [*td.*: "Cogitei... no modo de resgatar a dívida espiritual... Mandar dizer cem missas ou subir de joelhos a ladeira da Glória..." (Machado de Assis, *Dom Casmurro*)] **9** Tirar do esquecimento; tornar público ou conhecido [*td.*: "...Dr. Igor... resgatara o nome quase esquecido para batizar a doença de alma que ele conseguira diagnosticar..." (Paulo Coelho, *Veronika decide morrer*)] [F.: Cruzamento do lat. **recaptare*, 'recatar', com **reexcaptare*, 'resgatar', posv. Hom./Par.: *resgate* (fl.), *resgate* (sm.); *resgates* (fl.), *resgates* (pl. do sm.); *resgatáveis* (fl.), *resgatáveis* (pl. de *resgatável* [a2g.]).]

resgatável (res.ga.*tá*.vel) *a2g.* Que se pode resgatar [Ant.: *irresgatável.*] [Pl.: *-veis.*] [F.: *resgatar* + *-vel*. Hom./Par.: *resgatáveis* (pl.), *resgatáveis* (fl. de *resgatar*).]

resgate (res.*ga*.te) *sm.* **1** Ação ou resultado de resgatar **2** Libertação do cativeiro, mediante pagamento ou outro meio **3** Quantia com que se resgata alguém ou alguma coisa: *Para libertar o filho, ela pagou um resgate de valor não revelado.* **4** Salvamento; recolhimento de vítimas de acidentes, crimes, atentados etc. (resgate dos feridos, resgate dos corpos): *Os bombeiros realizaram o resgate das vítimas do desabamento.* **5** Quitação de uma dívida ou pagamento de um título de crédito **6** Recompra de alguma coisa que se vendeu ou penhorou [F.: Dev. de *resgatar*. Hom./Par.: *resgate* (sm.), *resgate* (fl. de *resgatar*); *resgates* (pl. do sm.), *resgates* (fl. de *resgatar*).]

resguardar (res.guar.*dar*) *v.* **1** Guardar com cuidado; ABRIGAR; PROTEGER [*td.*: "Os homens... mais devem conservar a honra que resguardar a vida." (Teresa Maria da Silva e Orta, *Aventuras e Diófanes*)] [*tdr.* + *de*: "Resguarda bem teu coração das chamas do amor..." (Bernardo Guimarães, *O ermitão de Muquém*)] **2** Servir de anteparo a; ACOBERTAR; COBRIR [*tdr.* + *contra, de*: "...fosso largo e profundo, que serve para resguardar a cultura contra o gado daninho." (José de Alencar, *Til*): "...meia-água de palha levantada por Francisco para resguardar do sol o poço..." (Franklin Távora, *O matuto*)] **3** Pôr a salvo; DEFENDER; LIVRAR; SALVAR [*td.*: "Não havia anteparos ou pontos desenfiados que o resguardassem." (Euclides da Cunha, *Os sertões*)] [*tdr.* + *de*: *A prudência nos resguardará de imprevistos.*] **4** Cumprir, guardar, observar [*td.*: *resguardar uma tradição/a lei.*] **5** Tomar conta; ACAUTELAR; VIGIAR [*td.*: *Os policiais resguardavam as saídas do estádio.*] **6** Olhar ou estar voltado para; defrontar com [*td.*: *As janelas resguardam os vales/uma bela paisagem.*] [▶ 1 resguardar] [F.: *res-* + *guardar*, posv. Hom./Par.: *resguardo* (fl.), *resguardo* (sm.).]

resguardo (res.*guar*.do) *sm.* **1** Ação ou resultado de resguardar(-se) **2** Qualquer coisa que sirva para proteger alguém ou algo **3** Parapeito, muro **4** Segredo, mistério **5** Reserva, escrúpulo: *Convém ter um certo resguardo na escolha dos candidatos.* **6** Decoro, pudor **7** O que abriga do vento, do frio etc.; AGASALHO **8** Respeito, atenção, acatamento **9** Proteção, defesa, conservação: *Cabe ao exército o resguardo do território.* **10** Regime de alimentação **11** *Bras. Pop.* Período em que a mulher, após dar à luz, mantém repouso e toma certas precauções **12** *Enc.* O conjunto das guardas de um livro **13** Desvio (nas linhas férreas) (linha de resguardo) [F.: Dev. de *resguardar*. Hom./Par.: *resguardo* (sm.), *resguardo* (fl. de *resguardar*).]

residência (re.si.*dên*.ci.a) *sf.* **1** Lugar em que se reside; CASA; DOMICÍLIO **2** Estada obrigatória no lugar onde alguém mora e exerce suas funções ou encargos **3** Período de treinamento de médico formado (ger. em hospital) com duração média de dois anos **4** *Jur.* Lugar onde alguém habita durante um determinado período **5** Trecho de ferrovia ou rodovia, seja em construção seja em tráfego, posta sob a jurisdição de um engenheiro-residente que responde pelas obras ou de construção ou de manutenção **6** As instalações de onde esse engenheiro administra as obras [F.: *residir* + *-ência*.] ■ **~ médica** *Med.* Período no qual médico recém-graduado presta serviços em hospital, como forma de ganhar experiência e/ou especialização

residencial (re.si.den.ci.*al*) *a2g.* **1** Destinado para residências; em que há residências (bairro residencial) **2** Ocupado como residência (prédio residencial) **3** *Ecles.* Diz-se do bispo ou arcebispo de uma circunscrição eclesiástica com existência atual, por oposição ao bispo titular, que exerce suas funções em uma circunscrição eclesiástica extinta [Pl.: *-ais*.] [F.: *residência* + *-al*[1].]

residente (re.si.*den*.te) *s2g.* **1** Aquele que reside em um lugar: *Os residentes do condomínio; Os residentes no exterior.* **2** Aquele que faz residência (diz-se de médico): *O diretor do hospital convocou os residentes e as enfermeiras para a reunião.* *a2g.* **3** Que reside em um lugar: *Os proprietários residentes nos seus imóveis.* **4** Que mora no local onde exerce a sua ocupação (médico residente; bispo residente; músico residente) [F.: Do lat. *residens, entis*.]

residir (re.si.*dir*) *v.* **1** Ter residência ou habitação em; HABITAR; MORAR; VIVER [*ta.*: "Residia ora em Petrópolis... ou no seu rico palacete das Laranjeiras..." (Adolfo Caminha, *Tentação*)] **2** Ter lugar, ter sede ou estar presente em [*ta.*: "...cada um de vós possui um cérebro, onde reside uma partícula de sabedoria divina..." (Aluísio Azevedo, *Casa de pensão*)] **3** Encontrar-se, estar, existir [*tr.* + *em*: "A causa disso... residia nela." (Machado de Assis, *Helena*): "...o seu pensamento motriz não residia em nenhuma das pessoas que encontrara." (Lima Barreto, *O triste fim de Policarpo Quaresma*)] **4** Consistir, fundamentar-se, mostrar-se [*tr.* + *em*: "...e, no passivo enternecimento de julgar-se um objeto dele, reside a sua felicidade de mulher..." (Aluísio Azevedo, *Livro de uma sogra*)] [▶ 3 residir] [F.: Do v.lat. *residere*.]

residual (re.si.du.*al*) *a2g.* Ref. ao resíduo; próprio do resíduo (efeito residual; capacidade residual; valor residual) [Pl.: *-ais*.] [F.: *resíduo* + *-al*[1].]

resíduo (re.*sí*.du.o) *sm.* **1** O que sobra, o que resta, o que permanece; RESTO **2** Parte que sobra de um material depois das operações químicas, das transformações por que passam certas misturas, certas manipulações industriais etc.; cinzas ou partículas que ficam do objeto queimado ou calcinado; SEDIMENTO; ESCÓRIA **3** *Fig.* O fundo, o âmago, a raiz: *Ouvia-se nas palavras do ancião o resíduo jovial da sua personalidade.* **4** *Bioq.* Qualquer um dos fragmentos que constitui um biopolímero, e que, em grande parte, conserva a estrutura de um dos monômeros do qual se originou o biopolímero **5** *Est.* A diferença entre o valor observado de uma variável e o seu valor real ou mais provável *a.* **6** Diz-se daquilo que resta; RESTANTE; REMANESCENTE [F.: Do lat. *residuum, i*.]

residuográfico (re.si.du.o.*grá*.fi.co) *a.* Diz-se de exame ou teste para descobrir se foi certa pessoa que fez uso de arma de fogo em um crime [Este exame é feito com material colhido nas mãos do suspeito para verificar se existem resíduos (de pólvora, chumbo etc.) que são liberados quando uma arma é disparada.] [F.: *resíduo* + *gráfico*.]

resignação (re.sig.na.*ção*) *sf.* **1** Ação ou resultado de resignar(-se) **2** Demissão voluntária do cargo exercido ou da graça recebida; renúncia [+ *de* (... *em favor de*): *a resignação do ministro em favor do chefe de gabinete.*] **3** *Fig.* Submissão aliada à constância e paciência face aos infortúnios; paciência no sofrimento, coragem para suportar os rigores dos infortúnios, constância em uma situação sem que se reaja contra ela, ou sem que o paciente se lamente dela; paciência: "A expressão do rosto não era propriamente de tristeza ou de resignação, mas de constrangimento, e pode ser também que de ansiedade..." (Machado de Assis, *Casa velha*) [+ *a, com, em, (per)ante*: *resignação ao sofrimento; resignação com os reveses; resignação na dor; resignação (per)ante a morte.*] [Pl.: *-ções*.] [F.: *resignar* + *-ção*.]

resignadamente (re.sig.na.da.*men*.te) *adv.* De modo resignado; com resignação: "Quaresma viveu lá, no manicômio, resignadamente, conversando com os seus companheiros..." (Lima Barreto, *Triste fim de Policarpo Quaresma*) [F.: Fem. de *resignado* + *-mente*.]

resignado (re.sig.*na*.do) *a.* **1** Que se resignou, ou de que se desistiu **2** Que tem resignação, que se submete voluntariamente a uma força superior; que se conforma com a sua sorte: "Estavas, linda Branca, nesse instante resignada à enjoativa penitência." (Almeida Garrett, *Dona Branca*) [+ *a, com, em*: *resignada à vontade do pai; resignada com a sua sorte; resignada em sofrer.*] [F.: Do lat. *resignatus, a, um*.]

resignar (re.sig.*nar*) *v.* **1** Ter resignação diante dos reveses; conformar-se com; submeter-se a [*tr.* + *a, com, em*: "Resignou-se à desdita." (Euclides da Cunha, *À margem da história*)] [*int.*: "Resignei-me, e esperei pelo ônibus de sete horas." (José de Alencar, *Cinco minutos*)] **2** Fazer resignação de; ceder por demissão ou renúncia a; renunciar a; demitir-se de; ABANDONAR [*td.*: "Meu pai... foi... resignando... a direção espiritual de minhas irmãs, ...o governo da casa, e... o governo absoluto do seu... coração." (Aluísio Azevedo, *Girândola de amores*)] [*tdr.* + *em*: "Quando Fernando chegou à maioridade, D. Camila nele resignou a autoridade que exercia na casa..." (José de Alencar, *Senhora*)] [▶ 1 resignar] [F.: Do v.lat. *resignare*. Hom./Par.: *resignáveis* (fl.), *resignáveis* (pl. de *resignável* [a2g.]).]

resignatário (re.sig.na.*tá*.ri.o) *a.* **1** Que ofereceu ou a quem foi concedida a resignação (bispo resignatário); RESIGNANTE *sm.* **2** Aquele que ofereceu ou a quem foi concedida a resignação; RESIGNANTE: *O membro do Conselho que faltar sem causa justificada a três reuniões consecutivas poderá ser considerado resignatário e substituído automaticamente.* [F.: *resignar* + *-tário*.]

resilição (re.si.li.*ção*) *sf. Jur.* Extinção de contrato, que pode ser unilateral ou bilateral (distrato), [A resilição bilateral se dá mediante acordo entre as partes.] [Pl.: *-ções*.] [F.: *resilir* + *-ção*.]

resilido (re.si.*li*.do) *a.* Que se resiliu (contrato, acordo, ato etc.); RESCINDIDO [F.: Part. de *resilir*.]

resiliência (re.si.li.*ên*.ci.a) *sf.* **1** *Fís.* Propriedade de um material retornar à forma ou posição original depois de cessar a tensão incidente sobre o mesmo [É determinada pela quantidade de energia devolvida após a deformação elástica, ger. medida em percentual da energia recuperada que fornece informações sobre a elasticidade do material.] **2** *P. ext. Ecol.* Capacidade de um ecossistema retornar à condição original de equilíbrio após suportar alterações ou perturbações ambientais **3** *Fig.* Habilidade que uma pessoa desenvolve para resistir, lidar e reagir de modo positivo em situações adversas [F.: Do lat. *resilientia*.]

resiliente (re.si.li.*en*.te) *a2g.* **1** Que apresenta resiliência **2** *P. ext.* Que tem elasticidade [F.: Do lat. *resiliens, entis*.]

resilir (re.si.*lir*) *v.* **1** *Jur.* Romper (ato, contrato etc.) por livre deliberação das partes [*td.*] **2** Retornar ao ponto de partida [*tr.* + *contra*: *O elástico resiliu contra a mão do menino.*] **3** Escapar, escapulir [*tr.* + *de*: *O chapéu resiliu-lhe da cabeça.*] [▶ 3 resilir] [F.: Do v.lat. *resilire*.]

resilível (re.si.*lí*.vel) *a2g.* Que se pode resilir; ANULÁVEL [Ant.: *irresilível*.] [Pl.: *-veis*.] [F.: *resilir* + *-vel*.]

resina (re.*si*.na) *sf.* **1** Matéria inflamável, consistente e untuosa, que corre de certas árvores (tais como o pinheiro e a aroeira) e particularmente das coníferas **2** Fragmento de resina preparada com que se temperam os arcos dos violinos, violoncelos e contrabaixos para amaciar os sons **3** *P. ext.* Nome que se dá a alguns produtos sintéticos com características semelhantes às da resina [F.: Do lat. *resina, ae*.] ■ **~ acrílica** *Quím.* Material branco, transparente, muito us. na fabricação de objetos e de fibras artificiais; acrílico **~ epóxi** *Quím.* Polímero us. na fabricação de tintas e adesivos e em revestimento de superfícies **~ sintética** *Quím.* Produto de aspecto resinoso obtido da condensação e polimerização de duas ou mais substâncias

resinoso (re.si.*no*.so) [ô] *a.* **1** Que produz resina **2** Que tem as propriedades ou a aparência da resina; que tem a consistência da resina: *O curare é um veneno violento, vermelho escuro, de aspecto resinoso, facilmente solúvel em água; O vinho tem um tempero resinoso que lembra agulhas de pinheiro.* **3** Que está coberto de resina (cobertura resinosa) [Pl.: [ó]. Fem.: [ó].] [F.: Do lat. *resinosus, a, um*. Sin. ger.: *resinento*.]

resistência (re.sis.*tên*.ci.a) *sf.* **1** Ação ou resultado de resistir **2** Capacidade de suportar a fadiga, as doenças etc. **3** Qualidade do que resiste a uma ação externa: *Roupa com resistência ao fogo.* **4** Força que se opõe ao movimento de um corpo que se desloca: *O paraquedas flutua devido à resistência do ar.* **5** Reação contra o agente de uma ação; obstáculo que uma coisa opõe a outra que atua sobre ela **6** *Fig.* Embaraço, dificuldade, oposição, recusa feita aos desígnios e vontades de outrem: *O ímpeto do adversário esmoreceu perante a resistência do seu ânimo.* **7** Defesa própria do que luta contra os elementos externos; luta sustentada contra uma ação enérgica de força armada ou contra um ataque: *A resistência heroica durante o cerco à cidade foi um fator crucial para a vitória.* **8** Força que anula os efeitos de uma ação destrutiva **9** *Fís.* Força que se opõe ao movimento; INÉRCIA **10** Propriedade que possui o condutor de uma corrente voltaica de diminuir a intensidade da corrente segundo a sua seção, natureza e temperatura **11** Dificuldade que um condutor opõe à passagem da corrente elétrica **12** *Elet.* Dispositivo que se interpõe em circuito elétrico para criar resistência (11) [NOTA: Termo impróprio para *resistor*.] **13** *Cons.* Propriedade de que são dotados os materiais de suportarem incólumes a aplicação de esforços externos (resistência dos materiais) **14** *Imun.* Imunidade natural de um organismo normal a agentes nocivos presentes no seu meio ambiente **15** *Psic.* Dificuldade de trazer elementos recalcados de volta ao nível da consciência **16** *Teat.* O ato de ir apagando ou acendendo gradualmente as luzes em cenários ou plateias de salas de espetáculo (teatro, cinema, concerto etc.) **17** *Cap.* Movimento defensivo em que o capoeirista se abaixa, apoiando uma das mãos no chão e resguardando a cabeça com a outra **18** *Bras. Mar. Merc.* O pessoal de terra incumbido de movimentar a carga até o costado da embarcação **19** *Mil. Pol.* Em um país sob ocupação militar estrangeira, organização que congrega militares e civis empenhados na luta contra o inimigo mediante ações de guerrilha, sabotagem etc. **20** *Pat.* A capacidade de um agente patogênico (parasita, vírus ou bactéria) de resistir à ação de uma droga [F.: Do lat. *resistentia, ae*.] ■ **~ do ar** Aquela que o ar oferece à passagem de corpos através dele (devido ao atrito com suas moléculas) **~ dos fluidos** Aquela que os fluidos oferecem ao movimento de corpos neles imersos **~ dos materiais** Ramo da engenharia que trata da resistência específica de materiais a esforços de tensão, compressão, cisalhamento etc., para determinar as dimensões que devem ter componentes feitos desses materiais para resistir às forças que agirão sobre eles **~ elétrica** *Elet.* Resistência (12) **~ específica** *Elet.* Resistividade **~ passiva** Resistência (a opressão, ofensa, provocação etc.) sem revide ou provocação

resistente (re.sis.*ten*.te) *a2g.* **1** Que resiste, que opõe resistência (grades resistentes) **2** Que não se estraga com facilidade (louça resistente, botas resistentes); DURÁVEL **3** Sólido, duro (piso resistente; concreto resistente) **4** Persistente, que não cede com facilidade (vírus resistente) *s2g.* **5** Participante de uma organização clandestina de combate à ocupação militar estrangeira [F.: Do lat *resistens, entis*.]

resistido (re.sis.*ti*.do) *a.* Diz-se de treinamento ou exercício realizado com peso para melhorar a resistência e restaurar o equilíbrio da força muscular, muito empregado em programas de condicionamento físico e de reabilitação [F.: Part. de *resistir*.]

resistir (re.sis.*tir*) *v.* **1** Opor resistência; não se submeter; não se dobrar [*td.*: "Crês tu que já não foram levantados/ Contra seu capitão, se os resistira, / Fazendo-se piratas..." (Luís de Camões, *Os Lusíadas*, Canto V (parte II))] [*tr.* + *a*: "Mas se a luz dos olhos teus/ Resiste aos olhos meus só pra me provocar..." (Vinícius de Moraes, *Pela luz dos olhos teus*)] [*int.*: "...o alienista resistiu..." (Machado de Assis, *O alienista*)] **2** Aguentar, sofrer, suportar [*tr.* + *a*: "Maria..., se Deus quer que seja pecado, não vive, não resiste... a esta afronta." (Almeida Garrett, *Frei Luís de Sousa*)] [*int.*: "A gente vai contra a corrente / Até não poder resistir..." (Chico Buarque, *Roda-viva*)] **3** Fazer face a uma força superior; conservar-se firme e inabalável; DEFENDER-SE; OPOR-SE [*tr.* + *a*: *Embora fosse um funcionário subalterno, ele resistiu firmemente à pressão dos seus superiores.*] [*int.*: *O monge resistiu.*] **4** Negar(-se), opor-se, recusar(-se) [*ti.* + *a*: "Ninguém mais tinha o direito de resistir-lhe..." (Machado de Assis, *O alienista*)] [*tr.* + *a*: *O réu resistiu a confessar o erro cometido.*] **5** Superar dificuldades; SOBREVIVER; SUBSISTIR [*tr.* + *a*: "A viúva que mal resistira ao golpe da perda do filho..." (José de Alencar, *Senhora*)] [*int.*: "Sobrou apenas a fortaleza de Monsegur... onde os cátaros resistiram..." (Paulo Coelho, *Brida*)] [▶ 3 resistir] [F.: Do v.lat. *resistere*. Ant.: *ceder*.]

resistível (re.sis.*tí*.vel) *a2g.* A que se pode resistir [Ant.: *irresistível*.] [Pl.: *-veis*.] [F.: *resistir* + *-vel*.]

resistividade (re.sis.ti.vi.*da*.de) *sf. Elet.* Resistência (12) de um condutor cuja longitude e seção são iguais à unidade; resistência específica [Opõe-se a condutibilidade ou condutividade.] [F.: *resistivo* + *-(i)dade*.]

resistivo (re.sis.*ti*.vo) *a. Elet.* Que tem resistência elétrica (fio resistivo, vela resistiva) [F.: Do ing. *resistive*.]

resistor (re.sis.*tor*) [ô] *sm. Elet.* Componente de um circuito elétrico projetado para apresentar resistência [F.: Do ing. *resistor*.]

reslumbrância (res.lum.*brân*.ci.a) *sf.* Qualidade ou característica do que é reslumbrante [F.: *reslumbrar* + *-ância*.]

reslumbrante (res.lum.*bran*.te) *a2g.* **1** Que reslumbra; que dá passagem à luz **2** *Fig.* Que deixa perceber um sentido oculto: "...o longo e tortuoso Egito, cheio de passado e reslumbrante de tristeza" (Aluísio de Azevedo, *Filomena Borges*) [F.: *reslumbrar* + *-nte*.]

reslumbrar (res.lum.*brar*) *v. int.* **1** Dar passagem à luz: *Os vidros da janela reslumbravam* **2** Vir ao conhecimento; TRANSPARECER: *Espero que essa história não reslumbre.* [▶ 1 reslumbrar] [F.: Do espn. *relumbrar*.]

resma (*res*.ma) [ê] *sf.* Conjunto de quinhentas folhas de papel do mesmo formato [F.: Do ár. *rizma*.]

resmar (res.*mar*) *v. td.* Juntar (folhas de papel) em resmas [▶ 1 resmar] [F.: *resma* + *-ar*[2]. Hom./Par.: *resma* (fl.), *resma* /ê/ (sf.); *resmas* (fl.), *resmas* /ê/ (pl. do sf.).]

resmungado (res.mun.*ga*.do) *a.* **1** Que é pronunciado de forma mal articulada ou em voz baixa, por aborrecimento ou rabugice *sm.* **2** O mesmo que *resmungo* [F.: Part. de *resmungar*.]

resmungão (res.mun.*gão*) *a.* **1** Que vive resmungando; RABUGENTO; RANZINZA [Pl.: *-gões*. Fem.: *-gona*] *sm.* **2** Aquele que vive resmungando; RABUGENTO; RANZINZA [Pl.: *-gões*.] [F.: *resmungar* + *-ão²*.]

resmungar (res.mun.*gar*) *v.* **1** Emitir (palavras) mal articuladas e que mal se ouvem, por aborrecimento ou rabugice [*td.*: "E nunca parecera tão fúnebre, tão reles, como resmungando estas cousas hipócritas..." (Eça de Queirós, *Os Maias*)] **2** Proferir palavras desconexas em tom baixo e lamentoso [*int.*: "O Mercador passava o dia inteiro resmungando atrás do balcão..." (Paulo Coelho, *O alquimista*)] [▶ 14 resmungar] [F.: Do v.lat. **remussicare*, 'rosnar'. Sin.: *gungunar, rezingar, rosnar*. Hom./Par.: *resmungo* (fl.), *resmungo* (sm.).]

resmungo (res.*mun*.go) *sm. Bras.* Ação ou resultado de resmungar [F.: Dev. de *resmungar*. Hom./Par.: *resmungo* (sm.), *resmungo* (fl. de *resmungar*).]

resmungona (res.mun.*go*.na) *a.* Fem. de *resmungão*

resmunguento (res.mun.*guen*.to) *a. sm. Pop.* O mesmo que *resmungão* [F.: *resmungar* + *-ento*.]

resmunguice (res.mun.*gui*.ce) *sf. Pop.* Característica de quem resmunga [F.: *resmungar* + *-ice*.]

resolubilidade (re.so.lu.bi.li.*da*.de) *sf.* Qualidade ou característica do que é resolúvel [F.: *resolúvel*, sob a f. *resolubil-*, + *-(i)dade*, seg. o mod. erudito.]

resolução (re.so.lu.*ção*) *sf.* **1** Ação ou resultado de resolver(-se), de solucionar; SOLUÇÃO: *A resolução desse problema é difícil.* **2** Capacidade e índole de resolver (situações, problemas), de tomar decisões; DECISÃO; EXPEDIENTE; FIRMEZA: *Ao adotar essas medidas, ele demonstrou muita resolução.* **3** Diretiva de ação após deliberação; DECISÃO **4** *Fot. Inf. Telv.* Grau de acuidade ou de qualidade da imagem registrada por instrumentos ópticos: *A imagem desse monitor é de baixa resolução.* **5** Desígnio, propósito: *Tomou a resolução de não mais comer carne vermelha.* **6** Coragem, firmeza de ânimo; ânimo forte **7** Soltura de ventre, relaxação, fluxo; relaxamento ou enfraquecimento de ventre **8** Conversão, transformação que opera a decomposição de uma substância nos seus elementos ou a volta ao seu estado ordinário **9** *Mús.* Passagem de um acorde para outro, ou de uma nota para outra **10** Mudança de constituição sem alteração da natureza: *Resolução da neve em água.* **11** *Pat.* Cessação insensível e sem supuração de uma inflamação; reabsorção de um líquido que extravasado em um tecido originava o seu ingurgitamento **12** *Fil.* O ato de passar do todo à parte, do composto ao simples, das consequências aos princípios, dos efeitos às causas; regressão **13** *Inf.* Nos meios de captação, registro e reprodução de imagens, a capacidade de detalhamento em função do nível de distinguibilidade [Pl.: *-ções*.] [F.: Do lat. *resolutio, onis*.]

resolutamente (re.so.lu.ta.*men*.te) *adv.* De modo resoluto; com firmeza: "... o boticário caminhou resolutamente ao palácio do governo..." (Machado de Assis, "O alienista" *in Papéis avulsos*) [F.: o fem. de *resoluto* + *-mente*.]

resoluteza (re.so.lu.*te*.za) *sf.* Qualidade ou atributo de resoluto [F.: *resoluto* + *-eza*.]

resolutivo (re.so.lu.*ti*.vo) *a.* **1** Que resolve, soluciona (esp. algum problema ou dificuldade): "Tornar o sistema público de saúde resolutivo, eficiente e de boa qualidade..." (*Folha de S.Paulo*, 27.10.1995) **2** *Farm.* Diz-se de medicamento que opera a resolução ou a cessação de uma inflamação ou de um ingurgitamento *sm.* **3** Medicamento que opera a resolução ou a cessação de uma inflamação ou de um ingurgitamento [F.: *resoluto* + *-ivo*. Sin. ger.: *resolvente*.]

resoluto (re.so.*lu*.to) *a.* **1** Que foi solucionado; RESOLVIDO **2** Que é determinado em seus propósitos; expedito, desembaraçado, de ânimo pronto; DECIDIDO; DETERMINADO: "A viúva era mulher enérgica e resoluta, enxugou as lágrimas com a manga do modesto vestido, olhou de frente para a situação e determinou-se à luta e à vitória." (Machado de Assis, *A mão e a luva*) **3** Desfeito, dissolvido [F.: Do lat. *resolutus, a, um*.]

resolúvel (re.so.*lú*.vel) *a2g.* Que tem solução; RESOLVÍVEL [Ant.: *irresolúvel*.] [Pl.: *-veis*.] [F.: Do lat. tard. *resolubilis, e*.]

resolvedor (re.sol.ve.*dor*) [ô] *sm.* **1** Aquele que resolve algum problema ou dificuldade: "O engenheiro é um resolvedor de problemas" (*Folha de S.Paulo*, 24.07.1997) **2** *Inf.* Programa cliente do sistema de nomes de domínios, ger. formado por uma biblioteca de funções que são compiladas e ligadas às aplicações que as utilizam para pesquisar o nome de um determinado domínio [F.: *resolver* + *-dor*.]

resolver (re.sol.*ver*) *v.* **1** Tomar a resolução de; DECIDIR; DELIBERAR; DETERMINAR [*td.*: "Resolvi ser freira!" (José de Alencar, *Senhora*)] [*tr.* + *a, de, sobre*: "...Leocádia... resolveu-se a ir visitar o seu homem no hospital." (Aluísio Azevedo, *O cortiço*): "...se o Luís... resolver de vir, que me mande dizer com tempo..." (Aluísio Azevedo, *O cortiço*): "Que resolver sobre o caso de Cassi e da carta?" (Lima Barreto, *Clara dos Anjos*)] **2** Passar a (determinada ação) [*td.*: "...a trilha alargou, e eles resolveram sentar juntos para descansar." (Paulo Coelho, *Brida*)] **3** Dar ou ter solução (para); SOLUCIONAR [*td.*: "Em outros braços tu resolves tuas crises, / Em outras bocas não consigo te esquecer." (Fagner, *Deslizes*)] [*int.*: "Vamos almoçar. Resolverei depois." (José de Alencar, *Senhora*)] **4** Trazer proveito ou vantagem; ter efeito; ADIANTAR [*int.*: *Discutir quase nunca resolve.*] **5** Causar mudança ou transformação em; MUDAR; TRANSFORMAR [*tdr.* + *em*: *Resolvia as dores em versos.*] **6** Fazer desaparecer ou desaparecer (tumor, inchação etc.); DESFAZER(-SE); EXTINGUIR(-SE) [*td.*: *A medicação resolveu o inchaço.*] [*int.*: *Com a medicação, o furúnculo resolveu.*] **7** Ter como fundamento; ASSENTAR; CONSISTIR; FUNDAMENTAR-SE [*tr.* + *em*: *A verdadeira moral resolve-se na prática da virtude.*] **8** Tornar nulo, sem préstimo; ANULAR; DESFAZER [*td.*: *Insatisfeito, decidiu resolver o contrato.*] **9** Dividir(-se), dissolver(-se) (um corpo) nos seus elementos constitutivos; DESAGREGAR(-SE); SEPARAR(-SE) [*td.*: *O ácido resolveu a medalha.*] [*int.*: *As nuvens resolveram-se.*] [▶ 2 resolver] [F.: Do v.lat. *resolvere*.]

resolvido (re.sol.*vi*.do) *a.* **1** Que teve resolução (problema resolvido); SOLUCIONADO **2** Que foi combinado, acertado **3** *Pop.* Disposto a tudo; DECIDIDO; PRONTO; PREPARADO **4** *Pop.* Que não traz problemas, que é tranquilo, sensato, equilibrado: *Agora namorava um homem resolvido.* [F.: Part. de *resolver*.]

resolvível (re.sol.*ví*.vel) *a2g.* Que se pode resolver; RESOLÚVEL [Ant.: *irresolvível*.] [Pl.: *-veis*.] [F.: *resolver* + *-ivel*.]

respaldado (res.pal.*da*.do) *a.* Que se respaldou, que tem apoio moral ou político: "...condições de implantar um plano respaldado no voto popular" (*Folha de S.Paulo*, 30.03.1994) [F.: Part. de *respaldar*.]

respaldar¹ (res.pal.*dar*) *sm.* A parte da cadeira, poltrona, sofá etc. na qual se apoiam as costas de quem se senta; ESPALDAR [F.: *re-* + *espaldar*.]

respaldar² (res.pal.*dar*) *v. td.* **1** Dar respaldo, apoio ou garantia a; APOIAR; GARANTIR: *Ele não vai respaldar as loucuras do amigo; Estes dados respaldam minha teoria.* **2** Alisar (qualquer porção de terreno, estrada, obra de arte etc.); APLANAR: *Os pedreiros respaldarão o muro.* [▶ 1 respaldar] [F.: *re-* + *espalda* + *-ar²*.]

respaldo (res.*pal*.do) *sm.* **1** Ação ou resultado de respaldar **2** Qualquer encosto para apoiar as costas; ESPALDAR; RESPALDAR: *Apoiou-se no respaldo da cadeira.* **3** *Fig.* Apoio e/ou proteção (econômicos, morais, políticos etc.): *Teve o respaldo de toda a família.* **4** *Mob.* Espécie de banqueta elevada, que se encontra logo atrás do altar e sobre a qual se coloca um crucifixo e castiçais **5** *Hip.* Defeito ou calosidade originada pelo atrito do arção traseiro da sela **6** O ato ou trabalho de alisar qualquer porção de terreno, estrada, ponte ou viaduto por meio da enxada, rodo, rolo, cilindro, colher etc. [F.: Dev. de *respaldar*. Hom./Par.: *respaldo* (sm.), *respaldo* (fl. de *respaldar*).]

respectivamente (res.pec.ti.va.*men*.te) *adv.* **1** Na devida ordem: "...composta de dois batalhões apenas, o 14º e o 30º, respectivamente comandados pelo capitão João Antunes Leite e tenente-coronel Antônio Tupi Ferreira Caldas..." (Euclides da Cunha, *Os sertões*) **2** De modo recíproco: *Chamaram-se respectivamente de ladrão.* **3** Com respeito a, de modo relativo a: *Tomaram uma resolução respectivamente ao atraso dos alunos.* [F.: o fem. de *respectivo* + *-mente*.]

respectivo (res.pec.*ti*.vo) *a.* **1** Ref. a cada um em particular; que diz respeito a cada um em separado; pertencente às partes interessadas: *Cada um assina a lista ao lado do respectivo nome.* **2** Que compete ou pertence a (quem ou o que foi citado antes); DEVIDO; PRÓPRIO: *Citaram o diretor e prestaram-lhe as respectivas homenagens.* [F.: Do lat. *respectus, a, um*, part. de *respicere* ('concernir'), + *-ivo*.]

respeitabilidade (res.pei.ta.bi.li.*da*.de) *sf.* Qualidade ou condição de quem ou do que é respeitável [Ant.: *irrespeitabilidade*.] [F.: *respeitável*, sob a f. *respeitabil-*, + *-(i)dade*, seg. o mod. erudito.]

respeitado (res.pei.*ta*.do) *a.* **1** Que se respeitou (acordo respeitado) [Ant.: *desrespeitado*.] **2** Que é digno de respeito, de consideração (marido respeitado; união respeitada) **3** Diz-se da pessoa que, por suas ações, seu trabalho e/ou por suas ideias tem o respeito, a admiração de outras (líder respeitado; escritor respeitado); REVERENCIADO **4** Diz-se daquilo a que se deve respeito, reverência religiosa ou quase religiosa (dogma respeitado) **5** Diz-se do objeto poupado, não tocado por mão alheia: *No pasto, restaram algumas árvores respeitadas pelos invasores.* [F.: Do lat. *respectatus, a, um*.]

respeitador (res.pei.ta.*dor*) [ô] *a.* **1** Que respeita; que trata com respeito: "Fora sempre um menino sossegado, metido consigo, respeitador dos mestres e dos preceitos estabelecidos." (Aluísio Azevedo, *Casa de pensão*) *sm.* **2** O que respeita, o que tem respeito a pessoa ou coisa; o que observa as leis ou costumes; o que cumpre com os seus deveres e obrigações: *Era um fervoroso respeitador dos direitos humanos.* [F.: *respeitar* + *-dor*. Ant. ger.: *desrespeitador*.]

respeitante (res.pei.*tan*.te) *a2g.* Que diz respeito a; que concerne a; CONCERNENTE; REFERENTE; RELATIVO; ATINENTE: *No respeitante à crise, preferiu calar-se.* [F.: *respeitar* + *-nte*.]

respeitar (res.pei.*tar*) *v.* **1** Ter respeito, deferência por; HONRAR; REVERENCIAR [*td.*: "Luisinha soube... respeitar os mais velhos e encomendar-se a Deus." (Franklin Távora, *O Cabeleira*)] [*tdr.* + *em*: "Não ousava fazer-lhe nenhuma queixa... porque respeitava nele o seu marido e senhor..." (Machado de Assis, *O alienista*): "Espero que respeite em sua noiva a sua futura mulher." (José de Alencar, *A viuvinha*)] **2** Levar em conta; atender a; CONSIDERAR [*td.*: "...respeitarei a vontade de meu pai..." (Joaquim Manuel de Macedo, *O moço loiro*): "Quem não respeita a religião não tem escrúpulos: mente, rouba, calunia." (Eça de Queirós, *O crime do padre Amaro*)] **3** Reconhecer o valor de; ADMITIR; SUPORTAR; TOLERAR [*td.*: *Sempre respeitou a opinião dos especialistas.*] **4** Obedecer ou cumprir (determinações, ordens etc.); ACATAR; OBSERVAR [*td.*: "Nas favelas, no Senado/ Sujeira pra todo lado/ Ninguém respeita a Constituição..." (Renato Russo, *Que país é este?*)] **5** Não estragar, não ofender; não causar dano a; POUPAR [*td.*: "...obrigando-o a respeitar a integridade territorial do vencido." (Euclides da Cunha, *Confrontos e contrastes*)] **6** Agir em respeito, em deferência ou consideração a (algo ou alguém), de modo a não incomodar, não perturbar etc. [*td.*: *Respeitou o sono do irmão e desligou a TV*; "...os habitantes da aldeia vizinha respeitavam e temiam o local." (Paulo Coelho, *Brida*)] **7** Dizer respeito a; ser relativo a; CONCERNIR; PERTENCER [*tr.* + *a*: "Aquela paixão... tornara-a estúpida e obtusa a tudo o que não respeitava ao senhor pároco ou ao seu amor." (Eça de Queirós, *O crime do padre Amaro*)] **8** Ter receio, medo; RECEAR; TEMER [*td.*: "No íntimo respeitava o capoeira; tinha-lhe medo." (Aluísio Azevedo, *O cortiço*)] **9** Estar na direção de; estar voltado para; APONTAR; DIRECIONAR [*td.*: *As terras respeitam o poente.*] [*ta.*: *Esta cidade respeita ao sul.*] **10** Manter a dignidade e o decoro que (lhe) convém [*td.*: *É preciso saber respeitar-se em qualquer situação.*] [▶ 1 respeitar] [F.: Do v.lat. *respectare*. Ant.: *desrespeitar, violar*. Hom./Par.: *respeito* (fl.), *respeito* (sm.); *respeitáveis* (fl.), *respeitáveis* (pl. de *respeitável* [a2g.]).]

respeitável (res.pei.*tá*.vel) *a2g.* **1** Que é merecedor de respeito (político respeitável) **2** De grande importância, de grande relevo; RELEVANTE: *Este livro é um exemplo respeitável das novas tendências.* **3** *Fig.* De grandes proporções; FORMIDÁVEL; NOTÁVEL; CONSIDERÁVEL: *A empresa teve um lucro respeitável.* [Ant.: *ínfimo, desprezível*.] [Pl.: *-veis*. Superl.: *respeitabilíssimo*.] [F.: *respeitar* + *-vel*. Ant. ger.: *irrespeitável*. Hom./Par.: *respeitáveis* (pl.), *respeitáveis* (fl. de *respeitar* [a2g.]).]

respeito (res.*pei*.to) *sm.* **1** Ação ou resultado de respeitar(-se) **2** Sentimento de reverência ou consideração; APREÇO; ATENÇÃO: *Tem muito respeito pelos mais velhos.* **3** Apreço que se tem por alguém ou alguma coisa; DEFERÊNCIA: *É pessoa merecedora de todo respeito.* **4** Sentimento de apreensão; TEMOR; MEDO: *Era uma tempestade de impor respeito.* **5** Atitude de deferência ou obediência em relação a outrem ou a algo (respeito às leis; respeito aos pais); ACATAMENTO; SUBMISSÃO **6** Lado, ponto de vista por onde se encara alguma questão; ASPECTO; MOTIVO: *Por todos estes respeitos não posso duvidar dele.* **7** Relação, referência: *Não foram capazes de garantir a segurança com respeito aos direitos humanos.* **8** Justiça, direito, razão: "E não acha que é justo e bom respeito, / Que se pague o suor da servil gente." (Luís de Camões, *Os lusíadas*) [F.: Do lat. *respectu*. Hom./Par.: *respeito* (fl. de *respeitar*). Ant. ger.: *desrespeito*.] ◼ **A ~ de** Sobre, relativamente a **Com ~ a** Ver *A respeito de* **De ~** **1** Respeitável, digno: *um cidadão de respeito.* **2** Forte, intenso: *Estava com uma tosse de respeito.* **3** Notável, considerável: *Seu poder de persuasão é de respeito.* **Dizer ~ a** Ter relação com; ser da conta de: *O relatório não dizia respeito às questões financeiras; Não se intrometa no assunto, ele não lhe diz respeito.* **Faltar ao ~** Ser descortês, desrespeitoso, inconveniente

respeitos (res.*pei*.tos) *smpl.* Cumprimentos, saudações: *Queira aceitar os meus respeitos.* [F.: Pl. de *respeito*.]

respeitosamente (res.pei.to.sa.*men*.te) *adv.* De modo respeitoso; com respeito: "E o sujeito, erguendo-se, tirou respeitosamente o chapéu..." (Eça de Queirós, *O mandarim*) [F.: o fem. de *respeitoso* + *-mente*.]

respeitoso (res.pei.*to*.so) [ô] *a.* **1** Concernente a respeito **2** Que tem ou manifesta respeito ou que o causa (velhice respeitosa) **3** Que guarda respeito, que venera; REVERENTE: "Aqui se curva o filho respeitoso/ Ante a lousa materna" (Luiz Gonzaga Pinto da Gama, *No cemitério S. Benedito da cidade de S. Paulo*) **4** Em que se observa a(s) regra(s) do respeito: *Estava a uma distância respeitosa do altar* [Pl.: [ó]. Fem.: [ó].] [F.: *respeito* + *-oso*. Ant. ger.: *desrespeitoso*.]

respiga (res.*pi*.ga) *sf.* **1** *Agr.* Ação ou resultado de respigar as searas **2** *Carp. Marc.* Encaixe feito em uma peça de madeira para que nela se ajuste ou insira outra peça; ESPIGA **3** Pedaço de alho, de cebola etc. [F.: Dev. de *respigar*. Sin. ger.: *respigo*. Hom./Par.: *respiga* (sf.), *respiga* (fl. de *respigar*).]

respigadeira (res.pi.ga.*dei*.ra) *sf.* **1** Mulher que apanha as espigas que restam após a sega **2** *Carp. Marc.* Máquina que faz o encaixe em uma peça de madeira [F.: *respigar* + *-deira*.]

respigador (res.pi.ga.*dor*) [ô] *a.* **1** Que respiga, que recolhe as espigas que ficaram por ceifar nas searas (máquina respigadora) **2** *Fig.* Que recolhe, que colige feitos e/ou ditos alheios: *É um grande respigador de provérbios populares.* *sm.* **3** Aquilo ou aquele que respiga: *É um verdadeiro respigador de indícios, de evidências obscuras.* [F.: *respigar* + *-dor*.]

respigão (res.pi.*gão*) *sm.* Espiga que nasce junto às unhas [Pl.: *-gões*.] [F.: *re-* + *espiga* + *-ão¹*.]

respigar (res.pi.*gar*) *v.* **1** Recolher as espigas que ficaram por ceifar em (terreno, campo, seara) [*td.*: *respigar um campo de trigo.*] [*ta.*: "Rute... disse a Noêmi: 'Peço-te que me deixes ir respigar nos campos de quem me quiser acolher favoravelmente.'" ("Livro de Rute" *in Bíblia Sagrada*)] [*int.*: "É preciso que os senhores nos deixem algumas espigas para respigar..." (Prosper Mérimée, "A Vênus de Ille" *in* Aurélio Buarque de Holanda Ferreira e Paulo Rónai, *Mar de histórias, 3*)] **2** *Fig.* Fazer a colheita ou seleção do que é importante de aproveitar-se em; COLIGIR; COMPILAR [*td.*: "...como não fica mal respigar exemplos do reformismo... informamos ter trocado... a láctea bacia de vidro... por uma lanterna..." (Marques Rebelo, "A árvore" *in Contos reuni-*

dos)] [*tda.*: "...respigando... tudo o que de melhor existe nos códigos orgânicos de outras nações, tornamos... mais fundo o contraste entre o nosso modo de viver e o daqueles rudes patrícios..." (Euclides da Cunha, *Os sertões*)] [*ta.*: "Respigando... nesses depoimentos, verifica-se que nada se sabe acerca de sua origem..." (Aurélio Buarque de Holanda Ferreira e Paulo Rónai, "Introdução a Rafael Barrett" *in Mar de histórias, 8*)] [▶ 14 respigar] [F.: *re-* + *espiga* + *-ar*². Hom./Par.: *respiga* (fl.), *respiga* (sf.); *respigas* (fl.), *respigas* (pl. do sf.); *respigo* (fl.), *respigo* (sm.). Cf.: *respingar*.]

respingador¹ (res.pin.ga.*dor*) [ô] ***a.*** **1** Que respinga ou que causa respingos ***sm.*** **2** Aquele ou aquilo que causa respingos (chuveiro respingador) [F.: *respingar*¹ + *-dor*.]

respingador² (res.pin.ga.*dor*) ***a.*** **1** Diz-se daquele que é dado a responder mal às pessoas ***sm.*** **2** Esse indivíduo [F.: *respingar*² + *-dor*.]

respingão (res.pin.*gão*) ***a.*** **1** Que respinga, que responde de modo grosseiro [Pl.: *-gões*.] ***sm.*** **2** Aquele que responde de modo grosseiro [Pl.: *-gões*.] [F.: *respingar*² + *-ão*². Sin. ger.: *respingador, respostão, repontão*.]

respingar¹ (res.pin.*gar*) ***v.*** **1** Lançar borrifos ou pingos (líquido) [*int.*: "Não sujarei nada... Vou usar rolo. Com rolo não respinga." (Marques Rebelo, *O simples coronel Madureira*)] **2** Molhar ou sujar com borrifos, com líquido salpicado [*td.*: "Mearim se levantou... o sangue respingara-o." (Guimarães Rosa, "Estoriinha" *in Tutameia*)] [*tda.*: "...vendo as latas da casa do ferido respingando água na poeira da estrada." (Oswaldo França Júnior, *Os dois irmãos*)] [*tdr.* + *de*: *O carro nos respingou de lama.*] **3** Lançar faíscas (fogo); CREPITAR; FAISCAR [*int.*: *Os gravetos respingavam e brilhavam na escuridão.*] **4** *Fig.* Atingir, manchando ou maculando o conceito de [*tr.* + *em*: "...a avaliação é de que a denúncia é muito grave e pode respingar na imagem do partido recém-criado." (*Página20 on-line*, 23.10.2005)] [▶ 14 respingar] [F.: *res-* + *pingo*¹ + *-ar*². Hom./Par.: *respingo* (fl.), *respingo* (sm.). Cf.: *respigar*.]

respingar² (res.pin.*gar*) ***v.*** **1** Responder mal; dar más respostas a alguém; RECALCITRAR; RESISTIR [*ti.* + *a*: "Diziam que era uma excelente escrava: tinha muito boas maneiras; não respingava aos brancos, não era respondona..." (Aluísio Azevedo, *Casa de pensão*)] [*int.*: "Conformava-se, sem respingar, e... até satisfeito, graças a seu bom humor." (Aluísio Azevedo, *O mulato*)] **2** *P. ext.* Dizer blasfêmias, insultos; BLASFEMAR; INSULTAR [*tr.* + *contra*: "Saiu o Barroso da venda fumando e a respingar contra o Chico Tinguá que lhe havia pregado um famoso logro..." (José de Alencar, *Til*)] **3** Dar coices (a besta); ESCOICINHAR [*td.*: *Assustada, a égua respingou o peão.*] [*int.*: *Preveniu-o de que o potro costumava respingar.*] [▶ 14 respingar] [F.: Do espn. *respingar*. Hom./Par.: *respingo* (fl.), *respingo* (sm.). Cf.: *respigar*.]

respingo (res.*pin*.go) ***sm.*** Ação ou efeito de respingar(-se); BORRIFO [F.: Dev. de *respingar*¹.]

respiração (res.pi.ra.*ção*) ***sf.*** **1** Ação ou resultado de respirar; RESPIRO **2** Movimento de inspiração e expiração realizado pelos pulmões **3** *Biol.* A troca de gás carbônico por oxigênio nos organismos vivos **4** O ar que se expira; BAFO; HÁLITO [Pl.: *-ções*.] [F.: Do lat. *respiratio, onis*.] ▪ **~ aeróbica** *Biol.* Aquela que se faz com a utilização do oxigênio da atmosfera para a transformação de compostos orgânicos em dióxido de carbono e água **~ anaeróbica** *Biol.* Aquela que se faz sem a utilização do oxigênio da atmosfera para a oxidação dos compostos orgânicos **~ artificial** A que se mantém com a intervenção de meios artificiais **~ boca a boca** Socorro a quem está com problemas respiratórios mediante ventilação de seus pulmões, quando quem socorre insufla intermitentemente pela boca o ar de seus próprios pulmões nos pulmões do socorrido **~ celular** *Biol.* Obtenção, pelas células, de energia acumulada em compostos orgânicos

📖 A função da respiração consiste em prover o organismo vivo de oxigênio, sem o qual as células morreriam, e eliminar o gás carbônico resultante do metabolismo das células. Isso se faz através dos aparelhos respiratório e circulatório. Na respiração, em processo normalmente automático, o aparelho respiratório primeiro inspira ar (rico em oxigênio) do exterior e o encaminha por vários dutos sequenciais para os pulmões, onde o oxigênio é transferido para o sangue, e o sangue transfere o gás carbônico para os pulmões; logo em seguida o ar com gás carbônico é expirado para o exterior, e o ciclo recomeça. O aparelho circulatório, através do sangue, leva o oxigênio a todas as células do corpo, delas retira o gás carbônico e o leva aos pulmões para ser expirado. (Ver achega e ilustr. no verbete pulmão.)

respirado (res.pi.*ra*.do) ***a.*** Que se respirou (ar respirado) [F.: Part. de *respirar*.]

respirador (res.pi.ra.*dor*) [ô] ***a.*** **1** Que serve para respirar ***sm.*** **2** *Med.* Aparelho destinado a processar ou auxiliar a respiração [F.: *respirar* + *-dor*.]

respiradouro (res.pi.ra.*dou*.ro) ***sm.*** Qualquer orifício ou abertura destinados à passagem de ar ou de outros gases; RESPIRO [F.: *respirar* + *-douro*¹.]

respirar (res.pi.*rar*) ***v.*** **1** Absorver (animais) oxigênio e expelir gás carbônico por meio da respiração; ASPIRAR [*int.*: "...Tivemos Monteiro Lobato, em cuja obra a passagem do real ao maravilhoso tinha a naturalidade de quem respira." (Ana Maria Machado, *Texturas*)] **2** Fazer o ar ou outra substância entrar nos pulmões; ASPIRAR; INALAR; INSPIRAR [*td.*: "Eu preciso respirar/ O mesmo ar que te rodeia..." (Tim Maia e Gal Costa, *Um dia de domingo*)] **3** Realizar (vegetais) trocas gasosas em seus processos de oxidação; absorver ar para essas trocas [*td.*: *Os vegetais também respiram*; "As flores respiram o ar da tarde com delícia." (Cecília Meirelles, "Natureza quase viva" *in Poemas italianos*)] **4** Exalar (cheiro ou aroma); ter o cheiro de; recender a; CHEIRAR [*td.*: "Tudo isto respirava um suave aroma de benjoim, que se tinha impregnado nos objetos..." (José de Alencar, *O guarani*)] **5** Soprar branda ou suavemente (brisa, vento); AGITAR-SE [*int.*: "Os ventos brandamente respiravam, / Das naus as velas côncavas inchando..." (Luís de Camões, *Os lusíadas* [Canto I])] **6** Deitar ou lançar fora; EXPELIR [*td.*: *A chaminé respira fumo.*: "...sentiu-se... ir... penetrando do ar morno... que respirava dela toda..." (Aluísio Azevedo, *Girândola de amores*)] **7** *Fig.* Estar vivo; ter vida; VIVER [*ta.*: "Que alegria, respirar num país onde ainda se pensa desse modo." (Cecília Meireles, "Um dia em Calcutá" *in Crônicas de viagem 2*)] [*ta.*: *Cuide desse gatinho; ele ainda respira.*] **8** *Fig.* Deixar-se conhecer; ter toda a aparência; ANUNCIAR(-SE); MANIFESTAR(-SE); TRANSPIRAR [*td.*: "...Elias voltava com a carteira recheada de boas dezenas de contos de réis, só respirando amor, esperança e felicidade." (Bernardo Guimarães, *O garimpeiro*): "...tudo nela respirava esse aspecto alegre e faceiro..." (José de Alencar, *A viuvinha*)] **9** *Fig.* Descansar de trabalho exaustivo, de grandes preocupações; tomar fôlego; REPOUSAR [*int.*: "Quando tudo acabou, respirei. Estava em paz com os homens." (Machado de Assis, "O enfermeiro" *in Contos reunidos*)] **10** *Fig.* Nutrir-se de; ALIMENTAR-SE; CONCEBER [*td.*: *Estudioso, vive a respirar boas leituras.*] **11** *Fig.* Desejar com ardor; denotar sentimentos ou desejos de [*td.*: "...logo ele cresceu sobre ela, respirando vingança." (Joseph Conrad, "Por causa dos dólares" *in* Aurélio Buarque de Holanda e Paulo Rónai, *Mar de histórias 9*)] **12** *Fig.* Usufruir, desfrutar, gozar (coisas boas) [*td.*: "Parou um momento para respirar e gozar a minha surpresa." (Prosper Mérimée, "A Vênus de Ille" *in* Aurélio Buarque de Holanda Ferreira e Paulo Rónai, *Mar de histórias 3*)] [▶ 1 respirar] ***sm.*** **13** Ato de respirar; a respiração; RESPIRO: "No respirar indolente de seu colo confundir um último suspiro!" (Álvares de Azevedo, *Macário*) [F.: Do v.lat. *respirare*. Hom./Par.: *respiro* (fl.), *respiro* (sm.); *respiráveis* (fl.), *respiráveis* (pl. de *respirável* [a2g.]).]

respiratório (res.pi.ra.*tó*.ri.o) ***a.*** **1** Que se refere a ou que tem relação com a respiração (doença respiratória) **2** Que serve para se efetuar a respiração (aparelho respiratório) [F.: *respirar* + *-tório*.]

respirável (res.pi.*rá*.vel) ***a2g.*** Que se pode respirar: "...a mãe passara mal a noite, inquieta, afrontada, como se lhe apertassem o peito ou não houvesse bastante ar respirável no estreito quarto" (Domingos Olímpio, *Luzia Homem*) [Ant.: *irrespirável*.] [Pl.: *-veis*.] [F.: *respirar* + *-vel*. Hom./Par.: *respiráveis* (pl.), *respiráveis* (fl. de *respirar*).]

respiro (res.*pi*.ro) ***sm.*** **1** Ação ou resultado de se respirar; RESPIRAÇÃO **2** *Fig.* Momento de trégua; FOLGA: *Não tive um minuto de respiro.* **3** Canal, orifício, abertura por onde se escoa um fluido **4** *P. us.* Emanação, exalação **5** Tolerância de prazo concedida por um credor [F.: Dev. de *respirar*. Hom./Par.: *respiro* (sm.), *respiro* (fl. de *respirar*).]

resplandecência (res.plan.de.*cên*.ci.a) ***sf.*** **1** Ação ou efeito de resplandecer **2** Claridade própria daquilo que resplandece **3** Qualidade ou característica do que resplandece [F.: *resplandecer* + *-ência*.]

resplandecente (res.plan.de.*cen*.te) ***a2g.*** **1** Que resplandece; BRILHANTE; LUZENTE **2** Cheio de luz, que emite luz (manhã resplandecente) **3** *Fig.* Que mostra luz, claridade, brilho (sorriso resplandecente) [F.: *resplandecer* + *-nte*.]

resplandecer (res.plan.de.*cer*) ***v.*** **1** Brilhar intensamente; dar claridade; emitir raios de luz; LUZIR; RUTILAR [*int.*: "...a imagem do Cruzeiro resplandece." (Joaquim Osório Duque Estrada, *Hino Nacional Brasileiro*)] **2** Ter o brilho ou a cor própria de alguma coisa [*tr.* + *de*: "Seu rosto moreno, cujas feições... resplandeciam... de um sangue rico e cheio de vida..." (Almeida Garrett, *O arco de Sant'ana*)] **3** *Fig.* Mostrar-se com brilho; manifestar-se com esplendor; BRILHAR; DISTINGUIR-SE; SOBRESSAIR [*int.*: "...vestido de casimiras de domingo, onde resplandecia a virtude..." (Eça de Queirós, *A relíquia*)] **4** *Fig.* Tornar-se notável por virtudes ou merecimentos próprios; AVANTAJAR-SE; ENGRANDECER-SE [*int.*: "Queria ver o papa restaurado nesse trono... em que resplandeceu Leão X..." (Eça de Queirós, *A relíquia*)] **5** *Fig.* Refletir o brilho ou resplendor de [*td.*: *Ao sorrir, resplandece o brilho das estrelas.*] **6** *Fig.* Fazer sobressair, fazer avultar [*td.*: *Suas ações resplandecem bondade e amor.*] [▶ 33 resplandecer] [F.: Do v.lat. *resplendescere*.]

resplendência (res.plen.*dên*.ci.a) ***sf.*** Qualidade de resplendente [F.: Do lat. *resplendentia, ae*.]

resplendente (res.plen.*den*.te) ***a2g.*** Que resplende, que é brilhante; RESPLANDECENTE: "O coronel respirou à larga o ar fresco, puro, da manhã resplendente" (Júlio Ribeiro, *A carne*); "Que cantamos? A glória resplendente" (Machado de Assis, "Camões" *in Ocidentais*) [F.: Do lat. *resplendens, entis*.]

resplender (res.plen.*der*) ***v.*** O mesmo que *resplandecer* [*td.*] [*int.*] [▶ 2 resplender] [F.: Do lat. *resplendere*.]

resplendor (res.plen.*dor*) [ô] ***sm.*** **1** Brilho forte (tb. *Fig.*); FULGOR: *O resplendor de seu olhar denunciava sua intensa felicidade.* **2** *Fig.* Reputação muito positiva; GLÓRIA **3** Auréola **4** *Etnog. Folc.* Adereço, ger. us. por integrantes das escolas de samba, preso nas costas e enfeitado com plumas e/ou penas [F.: Do lat. *resplendor, oris*.]

resplendoroso (res.plen.do.*ro*.so) [ô] ***a.*** Que tem resplendor, luz intensa; RESPLANDECENTE; LUZENTE; BRILHANTE [Pl.: [ó]. Fem.: [ó].] [F.: *resplendor* + *-oso*.]

respondão (res.pon.*dão*) *Pej.* ***a.*** **1** Que responde a tudo, que tem respostas para tudo **2** Que responde de modo grosseiro ***sm.*** **3** *Pej.* Aquele que tem resposta para tudo **4** *Pej.* Aquele que responde de modo grosseiro [Pl.: *-dões*. Fem.: *-dona*.] [F.: *responder* + *-ão*².]

respondente (res.pon.*den*.te) ***a2g.*** **1** Que responde ***s2g.*** **2** *Jur.* Pessoa que responde ou depõe em inquirição [F.: Do lat. *respondens, entis*.]

responder (res.pon.*der*) ***v.*** **1** Dizer ou escrever (algo) em resposta ou como réplica; REPLICAR; RETRUCAR [*td.*: *Respondeu que não queria sair.*] [*ti.* + *a*: *Calma, vou lhe responder, agora.*] [*ta.*: "Piedade...chamara-o, várias vezes para se recolherem; ele respondeu com um resmungo..." (Aluísio Azevedo, *O cortiço*)] [*tdi.* + *a*, *para*: *O réu respondeu ao promotor que agira em legítima defesa.*] **2** Dar resposta a [*int.*: "A menina não respondeu." (José de Alencar, *A viuvinha*)] **3** Ser respondão ou sempre questionar [*int.*: *É um bom ajudante, mas vive a responder.*] **4** Estar de acordo; CORRESPONDER; SEGUIR-SE [*tr.* + *a*: "A ruptura do ajuste do casamento, que... responderia a um oculto desejo, naquele instante o acabrunhou." (José de Alencar, *Senhora*)] **5** Ser equivalente ou igual; EQUIVALER; IGUALAR-SE [*tr.* + *a*: *As obras de arte respondem ao valor pedido.*] **6** Fazer o mesmo ou outro tanto; RETRIBUIR [*tr.* + *a*: *Indiferente, não respondia aos meus apelos.*] **7** Manifestar reação; REAGIR; REVIDAR [*tr.* + *a*: "...os lutadores... se revezavam das trincheiras, de onde respondiam aos ataques..." (Euclides da Cunha, *Os sertões*)] **8** Ser responsável; RESPONSABILIZAR-SE [*tr.* + *por*: "Eu respondo pela sua vida." (Júlio Ribeiro, *A carne*)] **9** Estar em oposição a; CONTRAPOR-SE; OPOR-SE [*tr.* + *a*: *Às agressividades da plateia respondem as suaves palavras do orador*; *Ao grande pátio respondem as janelas do prédio.*] **10** Ficar fronteiro, defronte **11** Repetir voz ou som [*int.*: "Ó de casa! gritou Manuel. Só o eco respondeu." (Aluísio Azevedo, *O mulato*)] **12** *Jur.* Ser submetido a (processo) [*tr.* + *por*: "...aquele que o aconselhou e instigou à prática desses crimes... lá está para responder pelo que fez..." (Franklin Távora, *O Cabeleira*)] [▶ 2 responder] [F.: Do v.lat. *respondere*.]

respondido (res.pon.*di*.do) ***a.*** Diz-se daquilo a que se respondeu ou deu resposta; que teve resposta [F.: Part. de *responder*.]

respondona (res.pon.*do*.na) ***sf.*** Fem. de *respondão*

responsa (res.*pon*.sa) ***sf.*** **1** *Pop.* F. red. de *responsabilidade*: "Saiba que quem bebe pode perder a responsa..." (*Folha de S.Paulo*, 11.10.1999) **2** *Gír.* Coisa ou pessoa bacana, legal: "A massa acha responsa quando encontra um negão/ Zoando, rebolando, suado no salão" (Claudinho e Buchecha, *Rap do salgueiro*) [F.: F. red. de *responsabilidade*. Hom./Par.: *responsa* (sf.), *responsa* (fl. de *responsar*).]

responsabilidade (res.pon.sa.bi.li.*da*.de) ***sf.*** **1** Incumbência ou tarefa que cabe a alguém: *Esta parte do trabalho é de responsabilidade do contador.* **2** Condição de quem tem obrigação de responder pelos efeitos dos próprios atos ou pelos de outros: *É grande a responsabilidade da escola na formação das crianças e dos adolescentes.* **3** Autoria e/ou culpa por ato danoso ou criminoso: *Nenhum grupo assumiu a responsabilidade pelo atentado.* **4** Capacidade de agir de forma sensata: *Pode confiar nele, é um homem de responsabilidade.* [F.: *responsável*, sob a f. *responsabil-*, + *-(i)dade*. Ant. ger.: *irresponsabilidade*.]

responsabilização (res.pon.sa.bi.li.za.*ção*) ***sf.*** Ação ou resultado de responsabilizar(-se) [Pl.: *-ções*.] [F.: *responsabilizar* + *-ção*.]

responsabilizador (res.pon.sa.bi.li.za.*dor*) [ô] ***a.*** **1** Que se responsabiliza ***sm.*** **2** Aquele que se responsabiliza [F.: *responsabilizar* + *-dor*.]

responsabilizar (res.pon.sa.bi.li.*zar*) ***v.*** **1** Atribuir ou imputar responsabilidade a [*td.*: "Violou uma donzela, é verdade! Mas deveriam responsabilizá-lo por isso?" (Aluísio Azevedo, *Casa de pensão*)] **2** Tornar(-se) ou considerar(-se) responsável pelos seus atos ou pelos de outrem; ficar sujeito às consequências dos seus atos ou dos de outrem [*tdr.* + *por*: *Não descartou a possibilidade de responsabilizá-lo por irregularidades na administração.*] **3** Atribuir qualidade a; QUALIFICAR; TACHAR [*tdp.*: *Responsabilizou como [de] indiferentes os amigos.*] [▶ 1 responsabilizar] [F.: *responsável*, sob a f. lat. *responsabil-*, + *-izar*, seg. o mod. erudito. Hom./Par.: *responsabilizáveis* (fl.), *responsabilizáveis* (pl. de *responsabilizável* [a2g.]).]

responsabilizável (res.pon.sa.bi.li.*zá*.vel) ***a2g.*** Que se pode responsabilizar [Pl.: *-veis*.] [F.: *responsabilizar* + *-vel*. Hom./Par.: *responsabilizáveis* (pl.), *responsabilizáveis* (fl. de *responsabilizar*).]

responsar (res.pon.*sar*) ***v.*** **1** Entoar ou rezar responsos por [*td.*: *Responsar pessoa muito doente.*] [*ti.*: *Responsar a um santo.*] **2** Confiar, recomendar [*td.*] [*tdi.* + *a*: *Responsou-a a Santa Teresa.*] **3** *Pop.* Caluniar, difamar (alguém) [*td.*: *Responsa toda a parentalha.*] [▶ 1 responsar] [F.: *responso* + *-ar*². Hom./Par.: *responso* (fl.), *responso* (sm.); *responsáveis* (fl.), *responsáveis* (pl. de *responsável* [a2g. s2g.]).]

responsável (res.pon.*sá*.vel) ***a2g.*** **1** Incumbido, encarregado de determinada tarefa ou obrigação: *Fiquei responsável pela venda das rifas.* **2** Que responde pelos próprios atos ou pelos de outros com relação a algo **3** Causador, culpado **4** Que cumpre suas obrigações, que é sério, confiável: *É uma mulher responsável.* [Pl.: *-veis.*] *s2g.* **5** Aquele ou aquela que se incumbiu de determinada tarefa **6** Aquele ou aquela que responde pelos seus atos ou atos alheios **7** Aquele que é autor de algum ato, ger. nocivo [Pl.: *-veis.*] [F.: Do fr. *responsable.* Ant. ger.: *irresponsável.*]

responsivo (res.pon.*si*.vo) *a.* Que contém uma resposta (folheto responsivo) [F.: Do lat. *responsivus, a, um.*]

responso (res.*pon*.so) *sm.* **1** *Litu.* Série de palavras cantadas ou proferidas em rituais da Igreja católica pelo coro e/ou por um solista **2** *Rel.* Oração dirigida a santo Antônio para recuperar objetos perdidos **3** *Pop.* Advertência feita a alguém; DESCOMPOSTURA **4** Boato sem fundamento e/ou maldoso [F.: Do lat. *responsum, i.* Hom./Par.: *responso* (sm.), *responso* (fl. de *responsar*).]

responsorial (res.pon.so.ri.*al*) *a2g.* **1** Ref. a responsório (salmo responsorial, canto responsorial) [Pl.: *-ais.*] *sm.* **2** Livro ou coleção de responsos; RESPONSÓRIO [F.: *responsório* + *-al*¹.]

responsório (res.pon.*só*.ri.o) *sm.* Livro ou coleção de responsos; RESPONSORIAL [F.: Do lat. *responsorium, ii.*]

resposta (res.*pos*.ta) *sf.* **1** Ação ou resultado de responder a uma pergunta, por palavras ou por gestos: *Acenou-lhe um sim como resposta.* **2** Argumentação que contraria uma alegação; REFUTAÇÃO: *Não concordou com o artigo e publicou uma resposta.* **3** Qualquer ação desencadeada por um estímulo: *A indiferença foi minha resposta aos seus insultos.* **4** O que decide, o que explica alguma coisa; SOLUÇÃO **5** Carta, missiva que se manda a alguma pessoa de quem se havia recebido outra e sobre o mesmo assunto desta **6** *Esg.* Golpe ou bote em troco ao do adversário **7** *Pirot.* Cada uma das bombas que estouram num foguete: *Um foguete de três respostas.* **8** *Fís.* Qualquer alteração causada num instrumento por uma excitação **9** *Mús.* Apresentação temática que, nas fugas, se segue ao sujeito **10** *Litu.* A parte que compete ao coro no seu diálogo com o celebrante **11** *PE Etnog.* No auto dos caboclinhos, pequena vara ou pedaço de arame que serve para percutir o metal do surdo; BACALHAU **12** *Psi.* Qualquer reação a um estímulo, na teoria behaviorista **13** *Jur.* No decorrer de um processo, o conjunto de ações de defesa do réu, o que engloba a contestação, a reconvenção, as exceções processuais de impedimento, a suspeição e incompetência [F.: Do lat. *reposita* ou *reposta*, do fem. de *repositus, a, um*, part. pass. de *reponere.*] ■ **~ condicionada** *Psi.* Reação resultante de estímulo condicionado **~ imunológica** *Imun.* Reação de um organismo à ação de antígenos

respostada (res.pos.*ta*.da) *sf.* Resposta grosseira ou desabrida; REPOSTADA; REVIRETE [F.: *resposta* + *-ada*¹.]

respostar (res.pos.*tar*) *v. int. ti.* Responder de forma indelicada; dar respostada [▶ 1 respostar] [F.: *resposta* + *-ar*². Hom./Par.: *resposta* (fl.), *resposta* (sf.); *respostas* (fl.), *respostas* (pl. do sf.).]

resquício (res.*quí*.ci.o) *sm.* **1** Resíduo de algum material ou substância; RESTO: *Havia resquícios de madeira no quintal.* **2** Qualquer indício, traço ou sinal que indique a presença de alguém ou de algo; VESTÍGIO: *Seu discurso tem resquícios de rancor.* **3** Greta, abertura pequena e muito estreita; FRESTA [F.: Do espn. *resquicio.*]

ressabiado (res.sa.bi.*a*.do) *a.* **1** Assustadiço, desconfiado **2** Desgostoso, melindrado, ofendido: "E como nem daquele humano convívio tirava calor, parecia um bicho ressabiado a caminhar de casa para a loja e da loja para casa." (Miguel Torga, "Não venha mais..." *in Rua*) **3** Que ressabia, que se torna rançoso (manteiga ressabiada) [F.: Part. de *ressabiar.*]

ressabiamento (res.sa.bi.a.*men*.to) *sm.* **1** Ação ou resultado de ressabiar(-se) **2** *Fig.* Qualidade ou estado de quem se sente ressabiado [F.: *ressabiar* + *-mento.*]

ressabiar (res.sa.bi.*ar*) *v.* **1** Ganhar ranço; tomar ressaibo ou ressábio; ficar com mau sabor ou gosto [*int.*: *É preciso colocar sal na carne para não ressabiar.*] **2** Ter ou apresentar manhas; mostrar-se ou ser espantadiço (animais) [*int.*: *Quando nos aproximamos da jaula, a onça ressabiou.*] **3** *P. ext.* Causar ou provocar susto, espanto [*td.*: "Valesse-lhe..., andar escondida [rês] nos matos, ressabiando os descampados." (Guimarães Rosa, *Tutameia*)] **4** *Fig.* Ficar ressentido, desgostoso; DESGOSTAR-SE; MELINDRAR-SE; RESSENTIR-SE [*int.*: "Ele não ia ressabiar; conforme concordou, consultado." (Guimarães Rosa, "A benfazeja" *in Primeiras estórias*)] **5** *P. ext.* Causar mágoas, melindres; MAGOAR; MELINDRAR [*td.*: "As escaramuças chegaram a ressabiar o deputado..." (Homero Fonseca, *Mário Melo: a arte de viver teimosamente*)] [▶ 1 ressabiar] [F.: *ressábio* + *-ar*². Hom./Par.: *ressabio* (fl.), *ressábio* e *ressaibo* (sm.).]

ressabido (res.sa.*bi*.do) *a.* **1** Que é muito sabido em qualquer coisa; ERUDITO **2** Sagaz, esperto, atilado [F.: Part. de *ressaber.*]

ressábio (res.*sá*.bi.o) *sm.* O mesmo que *ressaibo* [F.: Do lat. vulg. **resapidus*, do lat. *re-* (pref.) + lat. clás. *sapidus, a, um.*]

ressaca (res.*sa*.ca) *sf.* **1** Refluxo da água do mar depois da arrebentação de uma onda **2** *Bras.* Forte movimento das ondas do mar ao se chocarem contra o litoral **3** Inconstância, versatilidade **4** *Bras. Fig. Pop.* Mal-estar causado por ingestão exagerada de bebida alcoólica **5** *Bras. Fig. Pop.* Incômodo, fadiga causados por uma noite insone [F.: Do espn. *resaca*, 'retrocesso de ondas'.]

ressaco (res.*sa*.co) *MG GO sm.* **1** Funda clareira de campo na orla de um mato ou capão **2** Ilha de campo ou clareira no meio do campo [F.: *re-* + *saco.* Hom./Par.: *ressaco* (sm.), *ressaco* (fl. de *ressacar*).] ■ **~ do campo** *MG GO* Ressaco (2)

ressaibo (res.*sai*.bo) *sm.* **1** Sabor ruim, ranço **2** Sensação de desagrado; RESSENTIMENTO; RESERVA **3** Indício, sinal, vestígio: *Era uma sogra diplomática, que soube elogiar tudo sem demonstrar o menor ressaibo de despeito.* **4** *Enol.* Sensação ruim deixada por um vinho [F.: De *ressábio*, com metátese, ou dev. de *ressaber.*]

ressaído (res.sa.*í*.do) *a.* O mesmo que *ressaltante* [F.: Part. de *ressair.*]

ressair (res.sa.*ir*) *v.* **1** Sair novamente [*ta.*: *Ressaiu da casa dos pais.*] [*int.*: *Entrou no cinema, mas logo ressaiu.*] **2** Ter destaque; ressaltar [*ta.*: *Ressaíam os ornamentos da fachada.*] [▶ 43 ressair] [F.: *re-* + *sair.* Hom./Par.: *ressaio* (fl.), *ressaio* (sm.).]

ressaliente (res.sa.li.*en*.te) *a2g.* O mesmo que *ressaltante* [F.: *re-* + *saliente.*]

ressaltado (res.sal.*ta*.do) *a.* **1** O mesmo que *ressaltante* **2** Diz-se de olhos realçados [F.: Part. de *ressaltar.*]

ressaltante (res.sal.*tan*.te) *a2g.* Que ressalta; RESSAÍDO; RESSALIENTE; RESSALTADO [F.: *ressaltar* + *-nte.*]

ressaltar (res.sal.*tar*) *v.* **1** Fazer sobressair; dar vulto a; tornar saliente ou ressaltado; DESTACAR; RELEVAR [*td.*: "O vestido escuro, abotoado até o queixo, fazia-lhe ressaltar a palidez do rosto..." (Júlia Lopes de Almeida, *A intrusa*)] **2** Estar elevado ou saliente; estar proeminente; SOBRESSAIR [*int.*: "De magreza extrema, ressaltavam os ossos..." (José de Alencar, *Til*)] **3** Dar contínuos saltos; REPINCHAR [*int.*: *A bola ressaltou ao ser pisada.*] [▶ 1 ressaltar] [F.: *re-* + *saltar.* Hom./Par.: *ressalto* (fl.), *ressalto* (sm.).]

ressalto (res.*sal*.to) *sm.* **1** Ação ou resultado de ressaltar **2** Parte que sobressai de um plano; RELEVO; SALIÊNCIA: *O piloto perdeu a direção devido a um ressalto na pista.* **3** Salto súbito para trás; RECUO **4** Salto do corpo elástico quando volta ao estado primitivo **5** Reflexo de um corpo após seu choque contra uma superfície; RICOCHETE: *O jogador aproveitou o ressalto da bola na trave e chutou para o gol.* [F.: Dev. de *ressaltar.* Hom./Par.: *ressalto* (sm.), *ressalto* (fl. de *ressaltar*).]

ressalva (res.*sal*.va) *sf.* **1** Consideração com que se corrige ou retifica alguma coisa: *Queria fazer uma ressalva ao que você disse; Basta escrever uma ressalva no verso do cheque.* **2** Aquilo que restringe; EXCEÇÃO; RESERVA: *Gostei de sua interpretação, com algumas ressalvas.* **3** Qualquer observação por escrito com o fito de corrigir ou emendar algo ou para validar o que anteriormente se registrou **4** *Jur.* Cláusula que altera os termos de um contrato **5** Documento que atesta a isenção de deveres militares e eleitorais **6** Declaração por escrito para segurança de alguma pessoa [F.: Dev. de *ressalvar.* Hom./Par.: *ressalva* (sf.), *ressalva* (fl. de *ressalvar*).]

ressalvar (res.sal.*var*) *v.* **1** Prevenir com ressalva; passar ressalva a; ADVERTIR [*td.*: "Ressalvo que a palavra diálogo não me parece a mais apropriada." (João Cabral de Melo Neto, *A diversidade cultural no diálogo Norte-Sul*)] **2** Fazer ressalvas em; EXCETUAR; EXCLUIR [*td.*: *Apresentou duras críticas ao governo, ressalvando a sua opinião.*] **3** Livrar de responsabilidade ou culpa, de perigo ou dano; ACAUTELAR; PROTEGER; RESGUARDAR [*td.*: "Gould Shurmann, embora ressalvando os interesses da sua terra, declara-se... advogado da independência Filipina." (Euclides da Cunha, *Confrontos e contrastes*)] **4** Tornar isento, livre de; DESOBRIGAR; ISENTAR; LIVRAR; DESCULPAR [*tdr.* + *de*: *A decisão ressalvou-os de pagar a multa.*] **5** Fazer correções ou emendas; CORRIGIR; EMENDAR [*td.*: *Não foi preciso ressalvar todo o texto.*] **6** Dar permissão; CONCEDER; PERMITIR; RESERVAR [*tdi.* + *a*: "...a autoridade competente... ouvirá... a Secretaria de Finanças, ressalvando ao interessado o direito de apresentar Certidão Negativa de Débito..." (*Decreto nº 126/99 da Prefeitura de Florianópolis*)] [▶ 1 ressalvar] [F.: *re-* + *salvar.* Hom./Par.: *ressalva* (fl.), *ressalva* (sf.); *ressalvas* (fl.), *ressalvas* (pl. do sf.).]

ressangrar (res.san.*grar*) *v. td.* Sangrar outra vez; tirar muito sangue a: *ressangrar um animal.* [▶ 1 sangrar] [F.: *re-* + *sangrar.*]

ressarcido (res.sar.*ci*.do) *a.* Indenizado, compensado, reparado (prejuízo ressarcido) [F.: Part. de *ressarcir.*]

ressarcimento (res.sar.ci.*men*.to) *sm.* Ação ou resultado de ressarcir(-se); INDENIZAÇÃO; REPARAÇÃO [F.: *ressarcir* + *-mento.*]

ressarcir (res.sar.*cir*) *v.* **1** Reparar dano ou prejuízo; COMPENSAR; INDENIZAR; REPARAR [*td.*: *A empresa vai ressarcir o que foi cobrado a mais.*: "A empresa alega que as casas estão em área irregular, mas estuda a possibilidade de ressarcir as famílias atingidas." (Marcela Canavarro e Camila Pereira, "Blecaute afeta estação da Cedae" *in JB*, 03.01.2005)] [*tdr.* + *de*: "Mas se faço as minhas contas, encontro um saldo que me ressarce de todas as agruras." (Manuel Bandeira, "Discurso de agradecimento a homenagem de alunos do Colégio Santo Inácio, em 25 ago. 1947")] **2** *Jur.* Dar de volta valores indevidamente recebidos; DEVOLVER; RESTITUIR [*tdr.* + *a*: "... sob pena de ressarcir aos cofres públicos os valores recebidos, devidamente corrigidos" (*Lei n. º 851/2005 de 15 jun. 2005 da Prefeitura de S. Pedro da Serra, RS*)] **3** Abastecer, prover [*tdr.* + *de*: *Depois da cheia, foi necessário ressarcir de víveres a população.*] [▶ 3 ressarcir Com *ç* em vez de *c* antes de *a* e de *o*. Alguns o classificam como defec., conjugado como o paradigma **59**.] [F.: Do v.lat. *resarcire.*]

ressecado (res.se.*ca*.do) *a.* Que se ressecou, que está muito seco (pele ressecada); RESSEQUIDO [F.: Part. de *ressecar.*]

ressecamento (res.se.ca.*men*.to) *sm.* Ação ou resultado de ressecar(-se); RESSECAÇÃO [F.: *ressecar* + *-mento.*]

resseção (res.se.*ção*) *sf.* *Cir.* Remoção, total ou parcial, de um órgão ou parte de um corpo [Pl.: *-ções.*] [F.: Do lat. *resectio, onis*, 'poda'. Hom./Par.: *resseção* (sf.), *recessão* (sf.). Tb. *ressecção.*]

ressecar¹ (res.se.*car*) *v.* **1** Tornar(-se) muito seco; expor(-se) muitas vezes à ação do calor; RESSEQUIR(-SE) [*td.*: "ardia... uma porção de madeira... ressecando o travejamento, favorecendo a propagação do fogo." (Raul Pompeia, *O Ateneu*)] [*int.*: "...possuem uns poucos ribeiros ou riachinhos, que ressecam finda a curta estação das chuvas..." (Alberto da Costa e Silva, *A manilha e o libambo*)] **2** Secar de novo [*td.*: "E a febre continuava a ressecar a pele branca de Maria..." (João do Rio, *Dentro da noite*)] **3** Submeter à evaporação [*td.*: *Sem chuvas, o calor ressecava os poços rapidamente.*] [▶ **11** ressecar NOTA: Nas formas rizotônicas, apresenta o segundo *e* do radical aberto [*é*] (*ressecas, resseque*).] [F.: *re-* + *secar.* Hom./Par.: *resseca* (fl.), *resseca* [ê] (fem. de *resseco*); *ressecas* (fl.), *ressecas* (pl. do fem.); *ressecado* (fl.), *ressecado* (a.); *resseco* (fl.), *resseco* [ô] (a.).]

ressecar² (res.se.*car*) *v. td.* *Cir.* Realizar a resseção ou ressecção de [▶ **11** ressecar] [F.: Do v.lat. *resecare.*]

ressecção (res.sec.*ção*) *sf.* Ver *recessão* [Pl.: *-ções.*]

resseco (res.*se*.co) [ê] *a.* Muito seco [F.: Dev. de *ressecar.* Hom./Par.: *resseco* (a.), *resseco* (fl. de *ressecar*); *resseca* (fem.), *resseca* (fl. de *ressecar*); *ressecas* (pl. do fem.), *ressecas* (fl. de *ressecar*).]

ressegurador (res.se.gu.ra.*dor*) [ô] *a.* **1** Que ressegura (mercado ressegurador) *sm.* **2** Pessoa jurídica que aceita, em resseguro, as responsabilidades repassadas pela seguradora direta ou por outra resseguradora [F.: *ressegurar* + *-dor.*]

resseguradora (res.se.gu.ra.*do*.ra) *sf.* Companhia de resseguros [F.: Fem. substv. de *ressegurador.*]

ressegurar (res.se.gu.*rar*) *v.* Garantir a cobertura de riscos securitários que estão além da capacidade técnica das empresas seguradoras; segurar o seguro [*td.*: "...ressegurar riscos de previdência complementar e de seguro-saúde são experiências novas no Brasil..." ("Como trilhar os novos rumos?" *in Revista do IRB*, ed. *on-line*, jul./set. 2003)] [*tdr.* + *em*: "As sociedades seguradoras ficaram obrigadas... a ressegurar no IRB as responsabilidades que excedessem sua capacidade de retenção própria..." ("História do seguro" *in Anuário Estatístico da SUSEP*, 1997)] [▶ 1 ressegurar] [F.: *re-* + *segurar.* Hom./Par.: *resseguro* (fl.), *resseguro* (sm.).]

resseguro (res.se.*gu*.ro) *sm.* Seguro feito por companhia seguradora para aliviar o risco assumido por ela como indenizadora em outro seguro [F.: Dev. de *ressegurar.* Hom./Par.: *resseguro* (sm.), *resseguro* (fl. de *ressegurar*).]

ressentido (res.sen.*ti*.do) *a.* **1** Que se ressentiu; MAGOADO; OFENDIDO: *Ficou ressentido com a sua frieza.* **2** Melindroso, suscetível: *Essa moça é muito ressentida.* **3** *Pop.* Diz-se do fruto que está quase podre [F.: Part. de *ressentir.*]

ressentimento (res.sen.ti.*men*.to) *sm.* **1** Ação ou resultado de ressentir(-se) **2** Sentimento de mágoa causado por agravo ou indelicadeza; RANCOR: *Não guardou ressentimento contra os seus detratores.* [F.: *ressentir* + *-mento.*]

ressentir (res.sen.*tir*) *v.* **1** Tornar a sentir [*td.*: "...referia-se à possibilidade de fixar... as horas Mais belas da nossa vida... e assim poder vê-las, ressenti-las." (Mário de Sá-Carneiro, *A confissão de Lúcio*)] **2** Ficar magoado (com); mostrar-se ressentido; sentir bastante; MAGOAR-SE; OFENDER-SE [*td.*: "...a generosidade juvenil ficara intacta e com ela a faculdade de ressentir as dores alheias" (Machado de Assis, *Iaiá Garcia*)] [*tr.* + *de*: "...creio que também é infeliz... e que se ressente da minha indiferença..." (Joaquim Manuel de Macedo, *O moço loiro*)] **3** Dar fé; prestar atenção; reparar em; ADVERTIR; NOTAR [*tr.* + *de*: *Distraído, não se ressentia dos humores do amigo.*] **4** Sentir os efeitos de algo; ser afetado por [*tr.* + *de*: "O seu estudo... ressente-se da falta de um mapa..." (Lima Barreto, *Marginália*)] **5** Tornar-se ativo; AVIVAR-SE; DESPERTAR [*int.*: *Ao encontrá-lo, ressentiu-se a velha amizade.*] [▶ **50** ressentir] [F.: *re-* + *sentir.* Hom./Par.: *ressente* (fl.), *recente* (a2g.); *ressentes* (fl.), *recentes* (pl. do a2g.); *ressinto* (fl.), *recinto* (sm.); *ressentido* (fl.), *ressentido* (a. sm.).]

ressequido (res.se.*qui*.do) *a.* **1** Desprovido de suco ou de umidade; SECO: "...levavam grandes cabaças para colherem o precioso líquido, ainda nas entranhas da terra ressequida e flagelada" (Domingos Olímpio, *Luzia Homem*) **2** *P. ext.* Que perdeu o viço pela ação do calor; QUEIMADO; ADUSTO: "...o velame ressequido pelo tremendo verão de dois anos..." (Manoel de Oliveira Paiva, *Dona Guidinha do Poço*) **3** Muito magro; MIRRADO; ESCAVEIRADO: "...a mão ressequida de uma criancinha morta sem batismo..." (Júlio Ribeiro, *A carne*) [F.: Part. de *ressequir.*]

ressequir (res.se.*quir*) *v.* O mesmo que *ressecar* [▶ **59** ressequir] [F.: *re-* + *seco* (c = qu) + *-ir.* Hom./Par.: *ressequido* (fl.), *ressequido* (a.).]

ressintetização (res.sin.te.ti.za.*ção*) *sf.* Ação ou resultado de ressintetizar [Pl.: *-ções.*] [F.: *ressintetizar* + *-ção.*]

ressintetizar (res.sin.te.ti.*zar*) *v. td.* Sintetizar novamente [▶ 1 ressintetizar] [F.: *re-* + *sintetizar.*]

ressituar (res.si.tu.*ar*) *v. td.* Situar outra vez [▶ 1 ressituar] [F.: *re-* + *situar.*]

ressoador (res.so:a.*dor*) [ô] *a.* **1** Que ressoa; que faz eco ou retumba; RESSOANTE; RESSONADOR; RESSONANTE *sm.* **2** Aquilo que ressoa **3** *Mús.* Peça que amplifica a sonoridade de um instrumento musical **4** *Fís.* Tubo ou câmara oca com dimensões apropriadas para permitir a oscilação ressonante de ondas eletromagnéticas ou acústicas **5** *Fís.* Corpo que vibra a uma frequência semelhante à de outro em estado vibratório [F.: *ressoar* + *-dor.*]

ressoante (res.so.*an*.te) *a2g.* **1** Que ressoa; que faz eco ou retumba; RESSOADOR; RESSONADOR; RESSONANTE: "Meteram direitos à igreja de S. Pedro... e já a encontraram invadida de devotos, ressoante de murmúrios, atulhada de penitentes" (Sousa Costa, *Ressurreição dos mortos*) **2** *Fig.* Que reforça um sentimento, uma ideia: "Na exaustão causada pelo sentimentalismo, a alma ainda tremia e ressoante da febre do sangue..." (Álvares de Azevedo, Prefácio" *in Poemas malditos*): "Mudo e sereno, um anjo a harpa dourada, / Ressoante de súplicas, feria..." (Olavo Bilac, *Via-Láctea*) [F.: Do lat. *resonans, antis.*]

ressoar (res.so.*ar*) *v.* **1** Produzir som; SOAR [*td.*: *A flauta ressoava suas doces notas.*] [*int.*: "Quando o segundo pio da inhuma ressoou, Iracema corria na mata." (José de Alencar, *Iracema*)] **2** Tornar a soar; ECOAR; REPERCUTIR [*td.*: *A casa vazia ressoava nossas vozes.*] [*int.*: "...as suas estreitas ruas desertas, onde os passos ressoam" (Lima Barreto, *Triste fim de Policarpo Quaresma*)] **3** Produzir sons cadenciados; CANTAR; MODULAR [*td.*: *O coro ressoava delicadas canções de ninar.*] **4** Soar com estrondo; RETUMBAR [*int.*: *Ressoaram trovões durante o forte temporal.*] [▶ **16 ressoar**] [F.: Do v.lat. *resonare*, por via pop.]

ressocialização (res.so.ci:a.li.za.*ção*) *sf.* Ação ou resultado de ressocializar(-se): *Há instituições que adotam um programa de ressocialização de presos.* [Pl.: *-ções.*] [F.: *ressocializar* + *-ção.*]

ressocializar (res.so.ci:a.li.*zar*) *v. td.* Socializar (-se) de novo [▶ **1 ressocializar**] [F.: *re-* + *socializar.*]

ressolhador (res.so.lha.*dor*) [ô] *RS a.* **1** Diz-se do cavalo cuja vista se ressente da soalheira **2** Diz-se de cavalo que, ao galopar, emite um som parecido com o do ressonar; SONADOR: "...ele, na frente, montado num tordilho salino, ressolhador." (João Simões Lopes Neto, "O anjo da vitória" *in Contos gauchescos*) [F.: *ressolhar* + *-dor.*]

ressolhar (res.so.*lhar*) *RS v. int.* **1** Sentir (o cavalo) os efeitos do sol forte nos olhos **2** Respirar (o animal) com dificuldade, emitindo som rouco [▶ **1 ressolhar**] [F.: Do espn. *ressollar.*]

ressonância (res.so.*nân*.ci:a) *sf.* **1** Repercussão sonora **2** Propriedade ou qualidade de ressonante: *a ressonância de uma sala.* **3** *Fig.* Repercussão, consequência: *um discurso de grande ressonância.* **4** *Fís.* Vibração de um sistema numa frequência própria, com maior amplitude, como resultado do estímulo de uma onda sonora de igual frequência **5** *Fís.* Nome dado a certas partículas elementares de vida muito curta **6** *Fon.* Reforço ou atenuação produzidos pelas cavidades do aparelho fonador nas vibrações do ar emitido e que resultam no timbre [F.: Do lat. *resonantia, ae.*] ■ **~ magnética** **1** *Med.* Técnica de determinar a estrutura de moléculas observando sua absorção de radiação eletromagnética [Muito us. em medicina como exame para diagnóstico. F. red. de *espectroscopia de ressonância magnética nuclear.*] **2** O fenômeno da revelação da estrutura molecular pela absorção pelas moléculas de radiação eletromagnética **~ magnética nuclear** *Quím. Med.* Ver *Ressonância magnética* [Sigla: *RMN.*] **~ nuclear magnética** *Med.* Ver *Ressonância magnética*

ressonante (res.so.*nan*.te) *a2g.* Que ressoa, que reforça o som, que produz eco; RESSOANTE [F.: Do lat. *resonans, antis*, por via erudita.]

ressonar (res.so.*nar*) *v.* **1** Respirar com ruído(s) durante o sono; RONCAR [*int.*: "...o pescador dormia na proa, e ressonava como um boto." (José de Alencar, *Cinco minutos*)] **2** Respirar com suavidade durante o sono [*int.*: *Ressonava como um bebê.*] **3** *P. ext.* Repousar no sono; DORMIR [*int.*: "...meteram-se em suas redes e pouco depois estavam ressonando profundamente." (Franklin Távora, *O matuto*)] **4** Produzir som; RESSOAR; SOAR [*td.*: *A orquestra ressonou os instrumentos.*] [*int.*] **5** *Fig.* Estar desanimado, letárgico [*int.*: "A caça e as excursões..., as carícias da terna esposa..., o doce carbeto..., já não acordavam nele as emoções de outrora. Seu coração ressonava." (José de Alencar, *Iracema*)] [▶ **1 ressonar**] *sm.* **6** Ruído produzido ao dormir; RONCO: "Ouvia-se um ressonar alto, igual." (Júlio Ribeiro, *A carne*); "Ouvi o ressonar de mais de um indigente que dormia nos degraus do alpendre de uma igreja..." (Joaquim Manuel de Macedo, *Luneta mágica*) [F.: Do v.lat. *resonare*, por via erudita. Hom./Par.: *ressono* (fl.), *ressono* (sm.).]

ressonhar (res.so.*nhar*) *v.* Sonhar de novo [*td.*: *Dizia só ressonhar os bons sonhos.*] [*int.*: *Sonhava muito, e ressonhava.*] [*tr.* + *com*] [▶ **1 sonhar**] [F.: *re-* + *sonhar.*]

ressoo (res.*so*.o) *sm.* Ação ou resultado de ressoar [F.: Dev. de *ressoar.* Hom./Par.: *ressoo* (sm.), *ressoo* (fl. de *ressoar*).]

ressoprar (res.so.*prar*) *v. td.* Soprar outra vez: *Soprou e ressoprou os flocos de algodão.* [▶ **1 ressoprar**] [F.: *re-* + *soprar.*]

ressublimar (res.su.bli.*mar*) *v. td.* Sublimar novamente [▶ **1 ressublimar**] [F.: *re-* + *sublimar.*]

ressudar (res.su.*dar*) *v.* **1** Eliminar suor ou suar de novo; TRANSPIRAR [*int.*: *Nervoso, ressudava sem parar.*] **2** Coar-se pelos poros (sangue ou suor); TRANSUDAR [*td.*: *Acidentou-se e ressudou sangue.*] **3** Deixar cair gota a gota (líquido); RESSUMAR; RESSUMBRAR; VERTER [*td.*: *Depois da chuva, as paredes ressudaram água.*] **4** *Fig.* Dar-se a conhecer; COAR-SE; REVELAR-SE; TRANSPARECER [*td.*: "Era um retrato d'espanhola... pondo... uma faze gasta de velha garça..., ressudando vício..." (Eça de Queirós, *Os Maias*)] [*ta.*: "...do seio amplíssimo da outra [igreja], ressudava o salmear merencório das rezas." (Euclides da Cunha, *Os sertões*)] [▶ **1 ressudar**] [F.: Do v.lat. *resudare.*]

ressumação (res.su.ma.*ção*) *sf.* **1** Ação ou resultado de ressumar **2** Água que emerge do solo e umedece a superfície sem apresentar escoamento perceptível; EXSUDAÇÃO [Pl.: *-ções.*] [F.: *ressumar* + *-ção.*]

ressumante (res.su.*man*.te) *a2g.* **1** Que ressuma **2** Que verte pelos poros ou deixa cair um líquido gota a gota: "Não dispensava agora, todos os dias, carne fresca e ressumante" (Henrique Galvão, *Curica*) **3** *Fig.* Que se deixa transparecer: "...remorso de haver provocado a separação com o excesso de brio, ressumante nas palavras cruéis..." (Domingos Olímpio, *Luzia Homem*) [F.: *ressumar* + *-nte.*]

ressumar (res.su.*mar*) *v.* **1** Deixar sair ou cair (líquido) em pouca quantidade ou gota a gota; gotejar, destilar [*td.*: *A parede ressumava um líquido esverdeado.*] **2** *Fig.* Deixar transparecer; mostrar-se, revelar-se [*td.*: *Seu olhar ressumava arrependimento.*] **3** Coar, filtrar [*int. ta. tr.* + *de*] [▶ **1 ressumar**] [F.: *re-* + *sumo* + *-ar*[2].]

ressumbrar (res.sum.*brar*) *v. td. int.* O mesmo que *ressumar* [▶ **1 ressumbrar**] [F.: De or. contrv.]

ressupinado (res.su.pi.*na*.do) *sm. Bot.* O mesmo que *ressupinado* (2) [F.: *ressupino* + *-ado*[1].]

ressupino (res.su.*pi*.no) *a.* **1** Deitado de costas: "Espiando o meu cadáver ressupino" (Augusto dos Anjos, "Vox victimae" *in Outras poesias*) **2** *Bot.* Diz-se de órgão que se encontra em posição invertida (em relação a que é tida como natural); RESSUPINADO [F.: Do lat. *ressupinus, a, um.* Hom./Par.: *ressupino* (a.), *ressupino* (fl. de *ressupinar*).]

ressurgência (res.sur.*gên*.ci:a) *sf.* **1** Ação ou resultado de ressurgir; RESSURGIMENTO **2** *Oc.* Fenômeno em que as águas profundas sobem à superfície **3** Qualidade ou característica de ressurgente [F.: *ressurgir* + *-ência.*]

ressurgente (res.sur.*gen*.te) *a2g.* **1** Que ressurge; que surge novamente **2** Diz-se das águas de um rio que, após se tornarem subterrâneas, despontam novamente [F.: Do lat. *resurgens, entis.*]

ressurgido (res.sur.*gi*.do) *a.* Que ressurgiu: "Descompassadas vozes de mortos ressurgidos na hora aziaga" (Almeida Garrett, *Dona Branca*) [F.: Part. de *ressurgir.*]

ressurgimento (res.sur.gi.*men*.to) *sm.* Ação ou resultado de ressurgir; REAPARECIMENTO; RESSURGÊNCIA [F.: *ressurgir* + *-mento.*]

ressurgir (res.sur.*gir*) *v.* **1** Surgir novamente; tornar-se novamente visível; REAPARECER [*int.*: "...um hino misterioso parecia levantar-se da natureza ao astro fecundante que ressurgia com o seu esplendor..." (Adolfo Caminha, *Tentação*)] [*ta.*: "Sobre o solo... ressurge triunfalmente a flora tropical." (Euclides da Cunha, *Os sertões*)] **2** Voltar a ter vida; erguer-se vivo entre os mortos; RESSUSCITAR; REVIVER [*int.*: "Aqui ressurjam todos os Antigos, / a ver o nobre ardor que aqui se aprende..." (Luís de Camões, *Os Lusíadas*, canto X)] [*ta.*: "Mendonça parecia... ressurgir de um túmulo..." (Machado de Assis, "Miss Dollar" *in Contos fluminenses*)] **3** Aparecer ou manifestar-se de novo; RENASCER [*int.*: "...era a minha infância que ressurgia, fresca, travessa e loura..." (Machado de Assis, *Memórias póstumas de Brás Cubas*)] [*tr.* + *em*: "Com a tornada do dia, ressurgiu em todos a confiança..." (Franklin Távora, *O cabeleira*)] [*ta.*: "...a imagem da santa... ressurgiu inteira e lúcida à memória dele." (Aluísio Azevedo, *Casa de pensão*)] [*td.*: *fazer ressurgir os mortos.*] [▶ **46 ressurgir**] [F.: Do v.lat. *resurgere.*]

ressurrecto (res.sur.*rec*.to) *a.* **1** Que ressurgiu ou ressuscitou: "...os argumentos contra a privatização da Vale do Rio Doce são os mesmos aventados por esse fantasma ressurrecto – Artur Bernardes" (Folha de S.Paulo, 27.04.1997) *sm.* **2** Aquele que ressurgiu ou ressuscitou [F.: Do lat. *resurrectus, a, um.* Tb. *ressurreto.*]

ressurreição[1] (res.sur.rei.*ção*) *sf.* **1** Retorno à vida após a morte **2** *Fig.* Ressurgimento de algo ou alguém: *Esse novo trabalho foi a sua ressurreição como artista.* **3** *Pop.* Cura surpreendente e inesperada [Pl.: *-ções.*] [F.: Do lat. *resurrectio, onis.*]

Ressurreição[2] (Res.sur.rei.*ção*) *sf.* **1** *Rel.* Festa católica em que se comemora a ressurreição de Jesus **2** *Pint.* Quadro que representa essa ressurreição [Pl.: *-ções.*] [F.: Do lat. *resurrectio-onis.*]

ressurreto (res.sur.*re*.to) *a. sm.* Ver *ressurrecto*: "Nas alturas, o Homem-Deus, sob o encanto da vinda do filho ressurreto e despeado..." (Euclides da Cunha, *À margem da história*)

ressurtir (res.sur.*tir*) *v. int.* **1** Erguer-se ou saltar com ímpeto para o alto **2** Passar a ser perceptível; APARECER; SURGIR: "Toda sua existência e seu passado esquecidos ressurtem." (Fagundes Varela, *Obras, III*) **3** Aparecer de maneira clara, evidente: *Suas lembranças ressurtiam.* [▶ **3 ressurtir**] [F.: *re-* + *surtir.*]

ressuscitação (res.sus.ci.ta.*ção*) *sf.* **1** Ação ou resultado de ressuscitar; RESSURREIÇÃO **2** *Med.* Conjunto de meios us. para restabelecer as funções vitais de um paciente [Pl.: *-ções.*] [F.: Do lat. *resuscitatio, onis.* Sin. ger.: *ressuscitamento.*]

ressuscitado (res.sus.ci.*ta*.do) *a.* **1** Que ressuscitou (Cristo ressuscitado) **2** *Fig.* Que tem novo vigor, nova frescura: *As flores ressuscitadas com o orvalho matutino.* **3** *Fig.* Que reaparece: "...essas palavras ressuscitadas eram de efeito seguro" (Lima Barreto, *Recordações do escrivão Isaías Caminha*) *sm.* **4** Aquele que ressuscitou: "...o ressuscitado colocara na cabeça o chapéu do outro, que apanhara do chão..." (Aluísio de Azevedo, *Mattos, Malta ou Matta?*) [F.: Do l at. *resuscitatus, a, um.*]

ressuscitador (res.sus.ci.ta.*dor*) [ô] *a.* **1** Que ressuscita, faz voltar à vida **2** *Med.* Diz-se de aparelho us. para restaurar a vida ou a consciência de uma pessoa **3** *Fig.* Que restaura ou renova *sm.* **4** Aquele que ressuscita, faz voltar à vida **5** *Med.* Aparelho us. para restaurar a vida ou a consciência de uma pessoa **6** *Fig.* Aquele que restaura ou renova [F.: *ressuscitar* + *-dor.*]

ressuscitamento (res.sus.ci.ta.*men*.to) *sm.* O mesmo que *ressuscitação.* [F.: *ressuscitar* + *-mento.*]

ressuscitar (res.sus.ci.*tar*) *v.* **1** Fazer voltar à vida; fazer que renasça; RESSURGIR; REVIVER [*td.*: "Ela é tão bela que por certo hão de ressuscitá-la." (Vladimir Maiakóvski, *O amor*)] **2** Tornar a viver; voltar à vida;; RESSURGIR; REVIVER [*int.*: "Um bom cristão não pode fazer de tristeza o dia em que o Senhor descansou... nem... o dia em que Jesus Cristo ressuscitou." (Inglês de Sousa, *O missionário*); "...e um deus agora ressuscita dentro de mim." (Paulo Coelho, *O diário de um mago*)] [*tr.* + *de*: "Jesus pede aos apóstolos que não cotem esta visão, até que o Filho do homem ressuscite dos mortos..." (Paulo Coelho, *O Monte Cinco*)] **3** *Fig.* Tornar existente novamente; fazer reaparecer ou reviver; RENOVAR; RESTABELECER [*td.*: "Uma vez casados, ressuscitariam a antiga casa de pensão." (Aluísio Azevedo, *Casa de pensão*)] **4** *Fig.* Tornar a aparecer, a existir; REAPARECER; RESSURGIR [*int.*: *A cantora brilhou nos anos de 1980, sumiu, e agora ressuscitou.*] **5** *Fig.* Trazer à memória; IMITAR; REPRODUZIR [*td.*: "A minha intenção não é ressuscitar o passado unicamente..." (Machado de Assis, "A mulher de preto" *in Contos fluminenses*)] **6** *Fig.* Pôr de novo em prática ou em costume; RESTAURAR [*td.*: "Com a violência dos antigos processos do governo dos reis absolutos, eles ressuscitaram o crime de lesa-majestade..." (Lima Barreto, *Marginália*)] **7** Escapar de grande perigo ou de grave doença; REANIMAR [*int.*: *Após longa internação, ressuscitou.*] [▶ **1 ressuscitar**] [F.: Do v.lat. *resuscitare.*]

restabelecer (res.ta.be.le.*cer*) *v.* **1** Tornar a estabelecer; fazer voltar ao antigo estado; RECUPERAR; REPOR [*td.*: "Nisto entrou na vila uma força mandada pelo vice-rei e restabeleceu a ordem." (Machado de Assis, *O alienista*)] **2** Fazer que volte a funcionar bem; REPARAR; RESTAURAR [*td.*: "Esfregou por algum tempo a pele, restabelecendo a circulação..." (Júlio Ribeiro, *A carne*)] **3** Instituir de novo; REFORMAR [*td.*: *Há quem pense em restabelecer o império.*] **4** Colocar no lugar ou na posição primitiva; REINTEGRAR [*tda.*: *Restabeleceu o empregado no seu antigo lugar*; "Depois desse primeiro desvelo, o índio restabeleceu a ordem no aposento..." (José de Alencar, *O guarani*)] **5** Recuperar a saúde de; tornar são; CURAR; SARAR [*td.*: "O caso é que Nini não consegue melhorar... O casamento talvez a restabelecesse!" (Aluísio Azevedo, *Casa de pensão*)] [*tr.* + *de*: *Ainda não se restabeleceu completamente do resfriado.*] [▶ **33 restabelecer**] [F.: *re-* + *estabelecer.*]

restabelecido (res.ta.be.le.*ci*.do) *a.* **1** Que se restabeleceu; que voltou ao estado primitivo ou normal (ordem restabelecida) **2** Que recuperou a saúde ou a força [F.: Part. de *restabelecer.*]

restabelecimento (res.ta.be.le.ci.*men*.to) *sm.* **1** Ação ou resultado de restabelecer(-se) **2** Recuperação, restauração **3** Recuperação da saúde; CURA [F.: *restabelecer* + *-imento.*]

restante (res.*tan*.te) *a2g.* **1** Que resta, que sobeja *sm.* **2** Aquilo que resta ou sobeja; RESTO [F.: Do lat. *restans, antis.* Sin. ger.: *remanescente.*]

restar (res.*tar*) *v.* **1** Ficar, subsistir como resto ou remanescente; SOBEJAR; SOBRAR [*ti.* + *a*: "Só resta o guerreiro Caubi ao velho pajé, para suster seu corpo vergado..." (José de Alencar, *Iracema*)] [*tr.* + *de*: "...apenas seis hóspedes restavam dos quatorze primitivos." (Aluísio Azevedo, *Casa de pensão*)] [*int.*: "...restava uma última emoção." (José de Alencar, *Lucíola*)] **2** *Fig.* Ficar vivo após desaparecimento de outras pessoas [*int.*: "Já restam bem pouco dos teus, qu'inda possam / dos seus... os nossos levar." (Gonçalves Dias, *Deprecação*)] **3** Faltar para fazer [*ti.* + *a*: "Sei que devo partir/Só me resta dizer adeus..." (Tom Jobim e Vinícius de Moraes, *É preciso dizer adeus*)] [*int.*: "Emancipado o preto, resta emancipar o branco..." (Machado de Assis, *Esaú e Jacó*)] **4** Faltar para completar um todo, para chegar a uma medida, para concluir ou satisfazer [*ti.* + *a*] [*int.*] **5** Subsistir como única opção, escolha [*ti.* + *a*: "Não lhe restava senão matá-la a ela, ou matar-se a si." (José de Alencar, *Senhora*)] **6** Estar em dívida ou em falta de; DEVER [*tdi.* + *a*: *O meu cliente ainda me resta mil reais.*] [▶ **1 restar**] [F.: Do v.lat. *restare.* Hom./Par.: *resto* (fl.), *resto* (sm.).] NOTA: Nos exs. da acp. 3, 'dizer adeus' e 'emancipar branco' são sujeitos, e não complementos de 'resta'.]

restauração (res.tau.ra.*ção*) *sf.* **1** Ação ou resultado de restaurar(-se); RESTAURO **2** Recuperação, reparo, conserto **3** Trabalho feito em prédio, monumento, obra de arte etc., para restabelecer-lhes as partes destruídas **4** Restabelecimento de um regime político, uma dinastia etc., ou da independência de uma nação **5** Restabelecimento de forças depois de fadiga ou doença [Pl.: *-ções.*] [F.: Do lat. *restauratio, onis.*]

restaurado (res.tau.*ra*.do) *a.* Que se restaurou; RECUPERADO; RESTABELECIDO [F.: Part. de *restaurar.*]

restaurador (res.tau.ra.*dor*) [ô] *a.* **1** Que restaura, que restabelece *sm.* **2** Aquele que restaura, que restabelece **3**

Aquele que realiza ou defende a restauração de um país [F.: Do lat. *restaurator, oris.*]

restaurante (res.tau.*ran*.te) *sm.* 1 Estabelecimento comercial em que se preparam e servem refeições 2 Refeitório [F.: Do fr. *restaurant.*]

restaurar (res.tau.*rar*) *v.* 1 Pôr em bom estado (algo quebrado, estragado, gasto pelo tempo); CONSERTAR; REFAZER; REPARAR [*td.:* "...contratou um empreiteiro para restaurar o seu velho prédio da rua do Resende..." (Aluísio Azevedo, *Casa de pensão*)] 2 Repor em vigor ou vigência; RESTABELECER; REVIGORAR [*td.:* "...não vos peço senão... que me auxilieis em restaurar a paz e a fazenda pública, tão desbaratada pela Câmara..." (Machado de Assis, *O alienista*)] [*tda.:* "O meu fim evidente era atar as duas pontas da vida, e restaurar na velhice a adolescência." (Machado de Assis, *Dom Casmurro*)] 3 Restituir ao poder (regime político, governo etc.); RESTABELECER [*td.:* "... logrou restaurar a suserania imperial sobre amplas áreas de Amara e do Xoa..." (Alberto da Costa e Silva, *A manilha e o libambo*)] 4 Recobrar (saúde, força, ânimo); RECUPERAR(-SE); REVIGORAR(-SE) [*td.:* "Aqui vos trago provisão: tomai-as, / As vossas forças restaurai perdidas..." (Gonçalves Dias, *I-Juca Pirama*)] 5 Começar mais uma vez; retomar após interrupção; RECOMEÇAR; REINICIAR [*td.:* "Nada lhes impedia restaurar... a situação anterior..." (Machado de Assis, *Iaiá Garcia*)] 6 Dar ou devolver o que é devido; INDENIZAR; PAGAR [*td.: Restaurou as contas vencidas.*] [▶ 1 restaurar] [F.: Do v.lat. *restaurare.* Ant.: *estragar, deteriorar; enfraquecer, debilitar.* Hom./Par.: *restauráveis* (fl.), *restauráveis* (pl. de restaurável [a. 2g.]); *restauro* (fl.), *restauro* (sm.).]

restaurativo (res.tau.ra.*ti*.vo) *a.* Que restaura; RESTAURADOR; RESTAURANTE [F.: *restaurar* + *-tivo.*]

restaurável (res.tau.*rá*.vel) *a2g.* Que se pode restaurar [Pl.: *-veis.*] [F.: *restaurar* + *-vel.* Hom./Par.: *restauráveis* (a2g. [pl.]), *restauráveis* (fl. de *restaurar*).]

restauro (res.*tau*.ro) *sm.* 1 Ação ou resultado de restaurar 2 Reparação ou conserto de algo: *O restauro de um monumento.* 3 Restabelecimento de forças depois de fadiga ou doença [F.: Dev. de *restaurar.* Sin. ger.: *restauração.* Hom./Par.: *restauro* (sm.), *restauro* (fl. de *restaurar*).]

resteva (res.*te*.va) *sf.* Terreno em que há restolho; RESTOLHAL: "Na fazenda de Mary Ann, os ovinos fazem a segunda colheita na resteva do milho" (*Folha de S.Paulo*, 29.11.1994) [F.: Do lat. vulg. **restipa*, do lat. *stipa, ae.*]

réstia (*rés*.ti:a) *sf.* 1 Corda feita de palha ou de hastes trançadas (réstia de alho) 2 Feixe ou raio de luz: "...Largas réstias de sol caíam das janelas laterais..." (Eça de Queirós, *O crime do padre Amaro*) [F.: Do lat. *restis, is.*]

restilação (res.ti.la.*ção*) *sf. Fís-quím.* Ação ou resultado de restilar; nova destilação; RESTILO; REDESTILAÇÃO [Pl.: *-ções.*] [F.: *restilar* + *-ção.*]

restilo (res.*ti*.lo) *sm.* 1 *Fís-quím.* Ação ou resultado de restilar; RESTILAÇÃO; REDESTILAÇÃO 2 *MA MG MT SP* Cachaça, aguardente: "Jerônimo não precisou de mais nada para beber de um trago os dois dedos de restilo que havia no copo" (Aluísio de Azevedo, *O cortiço*) [F.: Dev. de *restilar.* Hom./Par.: *restilo* (sm.), *restilo* (fl. de *restilar*).]

restinga (res.*tin*.ga) *sf.* 1 *Geog.* Segmento de areia ou de pedra que se prolonga do litoral para o mar 2 Terreno arenoso e salino, próximo ao litoral, com vegetação característica 3 Recife, escolho 4 *RJ* Denominação comum a depressões rasas, longas e retas, que se estendem paralelas à linha do litoral 5 *S* Língua de terra arenosa entre uma lagoa e o mar 6 *PA* Faixa de mato à beira de um rio, a qual emerge durante as cheias 7 *PR* Faixa de mato à beira de um rio, a qual emerge durante as cheias 8 *RS* Porção de mato à margem de um arroio [F.: De or. obsc.]

restingal (res.tin.*gal*) *sm. RS* Grande extensão de restingas [Pl.: *-gais.*] [F.: *restinga* + *-al*¹.]

restituição (res.ti.tu:i.*ção*) *sf.* 1 Ação ou resultado de restituir(-se) 2 Devolução de alguma coisa a alguém 3 Pagamento de dívida contraída 4 Ato de repor no mesmo estado ou condição; RECUPERAÇÃO [Pl.: *-ções.*] [F.: Do lat. *restitutio, onis.*]

restituído (res.ti.tu.*í*.do) *a.* Que se restituiu (valor restituído); DEVOLVIDO [F.: Part. de *restituir.*]

restituidor (res.ti.tu:i.*dor*) [ô] *a.* 1 Que restitui *sm.* 2 Aquele que restitui [F.: Do lat. *restitutor, oris.*]

restituir (res.ti.tu.*ir*) *v.* 1 Dar de volta (o que se tomou emprestado); DEVOLVER [*td.:* "O velhinho copiou as indicações que havia no cartão e o restituiu." (José de Alencar, *Senhora*)] [*tdi.* + *a:* "...a quase todos emprestei dinheiro, que não me restituíram..." (Joaquim Manuel de Macedo, *A luneta mágica*)] 2 Dar de volta ou fazer recuperar (o que foi perdido, tomado indevidamente ou usurpado); DEVOLVER [*tdi.* + *a: Restituiu a carteira de dinheiro ao dono;* "Tecei-me a coroa sacra/ que perdi. Restituí-ma!" (Cecília Meireles, *Metal rosicler*): "...como uma rima relembrada nos restitui... um verso inteiro que perdêramos." (Antônio Callado, "A véspera" *in Reflexos do baile*)] 3 Mandar de volta; tornar a enviar; REENVIAR [*tda.:* "O rei restituiu a Luanda duzentos fugitivos, mas somente velhos e crianças." (Alberto da Costa e Silva, *A manilha e o libambo*)] 4 Trazer de volta o estado anterior;; RECUPERAR; RESTAURAR [*td.: Apesar dos esforços, era impossível restituir a mocidade perdida.*] [*tdi.* + *a: Os exercícios restituíram-lhe os movimentos.*] [*tdr.* + *a:* "Tardei alguns meses para restituir à casa de minha infância a limpeza, a ordem, o bom gosto com que fui criado." (Josué Montello, *Sempre serás lembrada*)] 5 Dar ou devolver o que é devido [*td.: restituir prejuízos.*] [*tdr.* + *de: Restituiu o vizinho dos danos que ocasionou.*] 6 Colocar de novo em vigência [*td.: restituir a ordem política.*] 7 Colocar (alguém) no lugar que antes ocupava; RECONDUZIR [*tda.: Restituíram o diretor no controle da fábrica.*] [▶ 56 restituir] [F.: Do v.lat. *restituere.*]

restituível (res.ti.tu.*í*.vel) *a2g.* Que se pode ou deve restituir [Pl.: *-veis.*] [F.: *restituir* + *-vel.*]

resto (*res*.to) *sm.* 1 O que fica ou resta de um todo; o restante; o mais: *Vendeu os produtos em bom estado e mandou o resto para o depósito.* 2 Parte que sobra do que se usou, consumiu etc.: *Havia na lata um resto de tinta.* 3 *Arit.* Na divisão, a diferença entre o dividendo e o produto do divisor pelo quociente [F.: Dev. de *restar.* Hom./Par.: *resto* (sm.), *resto* (fl. de *restar*). Ver tb. *restos.*] ▪ **De ~** 1 Quanto ao mais: *O problema mais urgente foi solucionado; de resto, ainda temos tempo.* 2 Além do mais, aliás: *Não vamos precisar de você amanhã; de resto, estamos suspendendo todo o projeto.* **Tratar de ~** Minimizar, não fazer caso de, menoscabar

restolhal (res.to.*lhal*) *sm.* Terreno em que há restolho; RESTEVA [Pl.: *-lhais.*] [F.: *restolho* + *-al*¹. Hom./Par.: *restolhais* (pl. do sm.), *restolhais* (fl. de *restolhar*).]

restolhar (res.to.*lhar*) *v.* 1 Catar, procurar nos restos, nas sobras [*int.: Os mendigos restolhavam no lixo.*] 2 Fazer busca minuciosa em [*td.: Restolhava menções a si mesma no livro de memórias do avô.*] 3 Produzir ruído ao andar pelo restolho [*int.*] 4 *Fig.* Fazer bulha, barulho, ruído [*int.: Os gatos corriam pelo jardim restolhando.*] [▶ 1 restolhar] [F.: *restolho* + *-ar*². Hom./Par.: *restolhais* (fl.), *restolhais* (pl. de *restolhal* [sm.]); *restolho* (fl.), *restolho* /ô/ (sm.).]

restolho (res.*to*.lho) [ô] *sm.* 1 Parte da gramínea que continua enraizada no solo após a ceifa 2 *Bras.* Resíduo que permanece depois que algo é retirado 3 Restolhal [Pl.: [ó].] [F.: De or. obsc.]

restos (*res*.tos) *smpl.* 1 Aquilo que sobrou; SOBRAS: *os restos de um jantar.* 2 Ruínas, destroços: *os restos de um templo.* 3 Os despojos mortais do homem [F.: Pl. de *resto.*] ▪ **~ a pagar** *Cont.* Em Contabilidade Pública, despesas empenhadas mas não pagas no exercício financeiro a que se referem **~ mortais** Corpo morto de uma pessoa, ou aquilo que dele restou com a passagem do tempo (ger. mantido em caixão, urna etc.); restos

restrição (res.tri.*ção*) *sf.* 1 Ação ou resultado de restringir 2 Limitação atribuída ou imposta a algo; RESSALVA: *Gostei do trabalho dele, mas com restrições.* 3 Imposição de uma condição para que algo seja aceito ou realizado: *Pode ir, com uma restrição: volte antes das dez.* [Pl.: *-ções.*] [F.: Do lat. *restrictio, onis.*]

restricionista (res.tri.ci:o.*nis*.ta) *a.* Que é restritivo, que faz restrição (insinuação restricionista) [F.: *restrição* (*restricion-*) + *-ista.*]

restringido (res.trin.*gi*.do) *a.* Restrito, limitado, coarctado (acesso restringido) [F.: Part. de *restringir.*]

restringir (res.trin.*gir*) *v.* 1 Diminuir a extensão, a abrangência de; LIMITAR; REDUZIR [*td.:* "Tudo isso restrinjo só para não enfadar a leitura curiosa de ver os meus meninos homens e acabados." (Machado de Assis, *Esaú e Jacó*)] [*tdr.* + *a:* "...[os jagunços] restringem as desordens às minúsculas batalhas em que entram... arregimentados." (Euclides da Cunha, *Os sertões*)] 2 Tornar mais apertado, mais estreito; APERTAR; ESTREITAR [*td.: A queda da barreira restringiu o acesso à ponte.*] 3 Tornar mais curto, menor; DIMINUIR; ENCURTAR [*td.: O metrô restringiu a distância entre os bairros.*] 4 Refrear(-se), conter(-se) [*td.: restringir os instintos.*] [▶ 46 restringir NOTA: Apresenta duplo part.: *restringido* e *restrito.*] [F.: Do v.lat. *restringere.* Ant. ger.: *ampliar.* Hom./Par.: *restrito* (fl.), *restrito* (a.).]

restringível (res.trin.*gí*.vel) *a2g.* Que se pode restringir [Ant.: *irrestringível.*] [Pl.: *-veis.*] [F.: *restringir* + *-vel.*]

restritamente (res.tri.ta.*men*.te) *adv.* De modo restrito; com restrição; em sentido restrito: "...Lúcia cumpriu restritamente a ameaça que fizera de não voltar mais à fonte..." (Bernardo Guimarães, *O garimpeiro*) [F.: Fem. de *restrito* + *-mente.*]

restritivamente (res.tri.ti.va.*men*.te) *adv.* De modo restritivo, taxativo: "O aborto é criminalizado, restritivamente, pelo Código Penal..." (*Folha de S.Paulo*, 07.12.1996) [F.: O fem. de *restritivo* + *-mente.*]

restritivo (res.tri.*ti*.vo) *a.* Que envolve restrição, que restringe, que limita (cláusula restritiva); RESTRINGENTE [F.: *restrito* + *-ivo.*]

restrito (res.*tri*.to) *a.* 1 Que está contido dentro de determinados limites: *Esta instrução é restrita ao nosso departamento.* 2 Que tem pequenas proporções; REDUZIDO: *Sua capacidade raciocínio é restrita.* [F.: Do lat. *restrictus, a, um.* Ant. ger.: *irrestrito.*]

resultado (re.sul.*ta*.do) *sm.* 1 O que resulta de alguma coisa; consequência ou efeito de uma ação, fato ou princípio: *A briga foi resultado de sua intolerância; Qual foi o resultado do jogo?* 2 *Arit.* O produto de uma operação matemática ou da resolução de um problema 3 O saldo final, lucro (em valor) de um negócio, empreendimento etc. 4 Bom termo, solução: *Essa medida não deu resultado.* [F.: Part. de *resultar.*]

resultância (re.sul.*tân*.ci:a) *sf. P. us.* Efeito, consequência, resultado [F.: *resultar* + *-ância.*]

resultante (re.sul.*tan*.te) *a2g.* 1 Que resulta, que é consequência: *o lucro resultante de uma venda.* *sf.* 2 O que resulta da ação combinada de diversos fatores: *o desemprego foi uma das resultantes da recessão econômica.* 3 *Fís.* Força, ou a linha reta que a representa, correspondente à soma vetorial de todas as forças aplicadas a um corpo 4 *Álg.* Condição que deve ser satisfeita pelos coeficientes de um sistema de equações para garantir que ele tenha solução; ELIMINANTE [F.: Do lat. *resultans, antis.*]

resultar (re.sul.*tar*) *v.* 1 Ser o resultado, a consequência lógica, o efeito natural [*tr.* + *de:* "A mais doce embriaguez é a que resulta da mistura dos vinhos." (Domingos Olímpio, *Luzia Homem*)] 2 Ter origem (em); NASCER; ORIGINAR-SE [*tr.* + *de:* "Era o acanhamento que resulta da emoção que sente toda moça ao ver perto de si um homem..." (Bernardo Guimarães, *O garimpeiro*): "...do consórcio de Leão Vermelho com a filha Helena, resultou o nascimento de Gregório." (Aluísio Azevedo, *Girândola de amores*)] [*tir.* + *a, para/de:* "...desse exame e do fato estatístico, resultara para ele a convicção de que a verdadeira doutrina não era aquela..." (Machado de Assis, *O alienista*)] 3 Adquirir nova forma, novo jeito; ACABAR; TRANSFORMAR-SE [*tr.* + *em:* "...esta cousa banal, um jantar com atrizes, resultou em o Tarquínio... levar uma facada." (Eça de Queirós, *Os Maias*)] 4 Dar em resultado; SER; TORNAR-SE [*tr.* + *em: Essa discussão ainda vai resultar numa briga feia.*] [*tp.:* "Tempo em que não se diz mais: meu amor. /Porque o amor resultou inútil." (Carlos Drummond de Andrade, "Os ombros suportam o mundo" *in Sentimento do mundo*)] [▶ 1 resultar] [F.: Do lat. *resultare.* Hom./Par.: *resultado* (fl.), *resultado* (sm.).]

resumidamente (re.su.mi.da.*men*.te) *adv.* De modo resumido; em resumo [F.: o fem. de *resumido* + *-mente.*]

resumido (re.su.*mi*.do) *a.* 1 Que se resumiu; reduzido a menores proporções (versão resumida); ABREVIADO [Ant.: *ampliado.*] 2 Que é curto, breve; SUCINTO: *Fez uma descrição resumida do problema.* [F.: Part. de *resumir.*]

resumir (re.su.*mir*) *v.* 1 Fazer um resumo, uma sinopse de; ABREVIAR; EPILOGAR [*td.:* "Ega... resumiu a sua longa história." (Eça de Queirós, *Os Maias*): "Ega... resumiu a sua longa história." (Eça de Queirós, *Os Maias*)] 2 Conter o essencial; conter em resumo [*td.:* "...uns poucos rabiscos resumiam o motivo das estrelas continuarem nos céus e dos homens caminharem pela terra" (Paulo Coelho, *O Monte Cinco*); "...uns poucos rabiscos resumiam o motivo das estrelas continuarem nos céus e os homens caminharem pela terra." (Paulo Coelho, *O Monte Cinco*)] 3 Representar em proporção menor; SIMBOLIZAR [*td.: A evolução de um ser vivente resume a evolução da espécie a que ele pertence.*] 4 Reduzir a abrangência, os limites; LIMITAR; RESTRINGIR [*tdr.* + *a, em: Resumira a complexa questão a termos simples.*] 5 Fazer consistir; fazer convergir; CONCENTRAR; CONSUBSTANCIAR [*tdr.* + *em:* "O pai era bem tudo, resumia todos os amores na sua permanente carícia..." (João do Rio, *Dentro da noite*)] 6 Tornar mais breve, menor; REDUZIR [*td.:* "Uma das razões, que o levaram a resumir sua visita, foi o parecer-lhe ter ouvido o rumor de altercação..." (Júlio Dinis, *As pupilas do senhor reitor*)] 7 *Bras. BA* Executar a tarefa precedente ao amontoamento do cascalho [*td.: Precisava resumir o alúvio.*] 8 Transformar em; CONVERTER [*tdr.* + *a: A tempestade resumira a cidade a uma grande poça.*] [▶ 3 resumir] [F.: Do lat. *resumere.* Ant.: *ampliar, desenvolver.* Hom./Par.: *resumo* (fl.), *resumo* (sm.), *resumido* (fl.), *resumido* (a.).]

resumo (re.*su*.mo) *sm.* 1 Ação ou resultado de resumir(-se) 2 Exposição breve de um fato, acontecimento ou texto, em que apenas os aspectos mais relevantes são apresentados; SÍNTESE: *Pediu aos alunos que fizessem um resumo do romance.* 3 Repetição em poucas palavras; RECAPITULAÇÃO: *No final de cada capítulo há um resumo da matéria.* 4 Compêndio [F.: Dev. de *resumir.* Hom./Par.: *resumo* (sm.), *resumo* (fl. de *resumir*).] ▪ **Em ~** Resumidamente, em poucas palavras

⊕ **resurfacing** (*Ing.: /rissûrfas/*) *sm. Cir.* Abrasão a laser para eliminar ou atenuar rugas, cicatrizes e manchas

resvaladeiro (res.va.la.*dei*.ro) *sm.* O mesmo que *resvaladouro.* [F.: *resvalar* + *-deiro.*]

resvaladiço (res.va.la.*di*.ço) *a.* 1 Diz-se do que é escorregadio (piso resvaladiço) 2 Íngreme, escarpado 3 *Fig.* Que representa algum tipo de perigo *sm.* 4 O mesmo que *resvaladouro* [F.: *resvalado*, part. de *resvalar*, + *-iço.*]

resvaladio (res.va.la.*di*:o) *a.* 1 O mesmo que *resvaladiço*: "...vacilava ao deparar o álveo resvaladio e fundo da sanga..." (Euclides da Cunha, *Os sertões*) *sm.* 2 O mesmo que *resvaladouro.* [F.: *resvalar* + *-io*².]

resvaladoiro (res.va.la.*doi*.ro) *sm.* Ver *resvaladouro*

resvaladouro (res.va.la.*dou*.ro) *sm.* 1 Local ou terreno onde se escorrega com facilidade; DESLIZADEIRO 2 Encosta de difícil acesso 3 Despenhadeiro, precipício 4 *Fig.* Ação ou coisa que põe em perigo a dignidade ou a reputação de alguém [F.: *r esvalar* + *douro*². Sin. ger.: *resvaladeiro, resvaladiço, resvaladio.* Tb. *resvaladoiro.*]

resvalante (res.va.*lan*.te) *a2g. P. us.* Que resvala [F.: *resvalar* + *-nte.*]

resvalar (res.va.*lar*) *v.* 1 Escorregar ou rolar por declive; descer escorregando [*ta.: O menino resvalou pela encosta.*] [*int.: Aproximou-se do precipício e acabou resvalando.*] 2 Cair ou descer escorregando ou deslizando [*ta.: Estava triste e lágrimas resvalavam em seu rosto.*] [*int.: Adormeceu e nem sentiu o livro a resvalar.*] 3 Passar ligeiramente sobre uma superfície; CORRER; DESLIZAR [*ta.:* "A canoa resvalou sobre as ondas..." (José de Alencar, *Cinco minutos*)] 4 Tocar de leve; ROÇAR [*ta.:* "Fiz um movimento e a lâmina resvalou-me no ombro." (Álvares de Azevedo, *Noite na taverna*)] 5 Passar insensivelmente o tempo; DECORRER [*int.: Ao lado da família nem sentiu que os momentos felizes resvalavam.*] 6 Apresentar transformações, mudanças;

MUDAR-SE; TRANSFORMAR-SE [*tr. + em: As dores resvalavam em poesia.*] **7** *Fig.* Realizar movimentos intensos ou não; MEXER-SE; MOVIMENTAR-SE [*ta.*: "...a mulata ofegante a resvalar voluptuosamente nos braços do Firmo." (Aluísio Azevedo, *O cortiço*)] **8** *Fig.* Incorrer (em falta ou crime) [*tr. + em: O político resvalou na corrupção.*] **9** *Poét.* Fazer cair ou incidir; LANÇAR [*ta.*: "Resvala em fogo o sol dos montes sobre a espalda..." (Castro Alves, *Immensis orbibus anguis*)] **10** Escapar, fugir [*td.: Ele deixou resvalar a chance de viajar.*] [*int.: Muitas pessoas permitem que as oportunidades resvalem.*] [▶ 1 resvalar] [F.: Do espn. *resbalar*. Hom./Par.: *resvalo* (fl.), *resvalo* (sm.).]

resvalo (res.*va*.lo) *sm.* **1** Ação ou resultado de resvalar; RESVALADURA; RESVALAMENTO **2** Lugar por onde se resvala; DECLIVE [F.: Dev. de *resvalar.* Hom./Par.: *resvalo* (sm.), *resvalo* (fl. de *resvalar*).]

resveratrol (res.ve.ra.*trol*) *sm. Quím.* Composto natural encontrado em uvas, amoras, amendoim etc. e em produtos alimentícios, como, p. ex., no vinho tinto (cuja ação antioxidante e anti-inflamatória está cientificamente comprovada) [F.: *res* (*orcinol*) + lat. cient. *Veratrum*, 'heléboro', + *-ol*[2].]

reta (*re*.ta) [é] *sf.* **1** Traço ou caminho sem desvios ou curvas: *Traçou uma reta perfeita, sem usar a régua; Depois desta cidade pode acelerar, é uma reta de 20 km.* **2** *Geom.* Conceito básico de geometria, determinado por dois pontos, constituindo a menor distância entre eles; linha reta [F.: Fem. substv. de *reto*.] ■ **~ de chegada** *Turfe* Reta final, entre a última curva e o espelho de chegada **~ de simetria** *Geom.* Eixo de simetria **~ final 1** *Turfe* Ver *Reta de chegada* **2** *Fig.* A fase final de um percurso, de um projeto, uma tarefa etc. **3** *Fig. Pop.* A fase final da vida humana, ou terminal de uma doença, na proximidade da morte **~ focal** *Ópt.* Num sistema óptico astigmático, segmento de reta que representa um ponto **~ ideal** *Geom.* Ver *Reta imprópria* **~ imprópria** *Geom.* Reta formada apenas por pontos impróprios; reta ideal, reta no infinito **~ material** *Fís.* Linha reta que apresenta uma distribuição uniforme de massa ao longo dela **~ no infinito** *Geom.* Ver *Reta imprópria* **~ oposta** *Autom. Turfe* Parte reta da pista de corridas de cavalos ou de automóveis que fica oposta à reta de chegada **~ orientada** *Geom. an.* Aquela à qual se atribui um sentido positivo **~ secante** *Geom.* Aquela que intercepta uma curva [Tb. apenas *secante*.] **~ tangente** *Geom.* Aquela que tangencia uma curva [Tb. apenas *tangente*.]

retabulado (re.ta.bu.*la*.do) *a.* Diz-se do que foi novamente tabulado [F.: Part. de *retabular*.]

retabular (re.ta.bu.*lar*) *v. td.* Voltar a tabular ou procurar fazê-lo perfeitamente [▶ 1 retabular] [F.: *re-* + *tabular*[2].]

retábulo (re.*tá*.bu.lo) *sm.* Numa igreja, construção ornamental, feita de madeira ou de mármore, na parte posterior de um altar [F.: Do espn. *retablo*.]

retacado (re.ta.*ca*.do) *a. S. GO* O mesmo que *retaco*. [F.: *retaco* + *-ado*[1].]

retaco (re.*ta*.co) *a. S. GO* Diz-se de pessoa ou animal de baixa estatura, entroncado e forte; ATARRACADO; RETACADO: "O velho Lessa era um homem assinzinho... nanico, retaco, ruivote, corado..." (João Simões Lopes Neto, "Deve um queijo!..." *in Contos gauchescos*) [F.: Do espn. plat. *retaco*.]

retado (re.*ta*.do) *a. BA* F. red. de *arretado* (calor retado, baiano retado) [F.: F. red. de *arretado*.]

retaguarda (re.ta.*guar*.da) *sf.* **1** A parte de trás de qualquer lugar **2** O que fica para trás em qualquer movimentação, movimento etc.: *a retaguarda do desfile.* **3** *Mil.* Nas unidades do exército, parte da tropa que fica como último elemento em campanha [F.: Do it. *retroguardia*. Ant. acps. 2 e 3: *vanguarda*.]

retal (re.*tal*) *a2g. Anat.* Do ou ref. ao reto (toque retal) [Pl.: *-tais*.] [F.: *reto* + *-al*[1].]

retalgia (re.tal.*gi*.a) *sf. Pat.* Dor no reto; PROCTALGIA [F.: *reto* + *-algia*.]

retalhação (re.ta.lha.*ção*) *sf.* Ação ou resultado de retalhar; RETALHADURA [Pl.: *-ções*.] [F.: *retalhar* + *-ção*. Hom./Par.: *retalhação* (sf.), *retaliação* (sf.).]

retalhado (re.ta.*lha*.do) *a.* **1** Que se retalhou **2** Feito em retalhos **3** Ferido com instrumento cortante: "Convergiram-lhe em cima os golpes; e ele tombou, retalhado a foiçadas..." (Euclides da Cunha, *Os sertões*) **4** Dividido, separado, fragmentado: "...o seu rosto de pergaminho, retalhado de rugas e dobras, se dilatava em meigo sorriso" (Domingos Olímpio, *Luzia Homem*) **5** Que está magoado, ressentido (coração retalhado): "A alma de suspiros retalhada, / Cumpre o infeliz seu triste fado" (Cruz e Sousa, "Soneto" *in O livro derradeiro*) **6** *Bras. S.* Diz-se do garanhão que não pode fecundar éguas por efeito de uma operação *sm.* **7** Recorte ornamental em trabalhos de olaria **8** *Bras. S.* Garanhão que não pode fecundar éguas por efeito de uma operação [F.: Part. de *retalhar.* Hom./Par.: *retalhado* (a. sm.), *retaliado* (a. sm.).]

retalhadura (re.ta.lha.*du*.ra) *sf.* O mesmo que *retalhação* [F.: *retalhar* + *-dura*.]

retalhar (re.ta.*lhar*) *v. td.* **1** Cortar em retalhos ou em pedaços; DESPEDAÇAR: *retalhar um tecido*; "...os porcos ou eram vendidos por bom dinheiro na vila, ou ela os retalhava..." (Franklin Távora, *O matuto*) **2** Fazer sulcos para plantar; preparar para o plantio; ARAR; LAVRAR: *Retalharam a terra com arado.* **3** Ferir, golpear com instrumento cortante **4** Ir de um extremo a outro; CRUZAR; RASGAR: "Na margem direita do rio, que... passava... por um dos vales que retalham as montanhas das Astúrias..." (Alexandre Herculano, *Eurico, o presbítero*); "As correntes de águas perenes... formaram os rios que hoje retalham a planície." (Júlio Ribeiro, *A carne*) **5** Causar divisão, separação; DIVIDIR; FRACIONAR: *As grandes potências retalharam a Alemanha.* **6** *Fig.* Causar dor, mágoa, mal a; AFLIGIR; MAGOAR: "A sua agonia retalha-me o coração." (Aluísio Azevedo, *Livro de uma sogra*) **7** Vender no varejo; vender a retalho: "Iam os flamengos a Lisboa aquirir asdrogas e gêneros exóticos... e retalhavam-nos pela vasta clientela do Norte e Ocidente da Europa..." (Capistrano de Abreu, *Capítulos de história colonial*) **8** *Bras. S. Vet.* Esterilizar (cavalo) para o impedir de fecundar éguas [▶ 1 retalhar] [F.: *re-* + *talhar*. Hom./Par.: *retalho* (fl.), *retalho* (sm.); *retalhado* (fl.), *retalhado* (a.). Cf. *retaliar*.]

retalhista (re.ta.*lhis*.ta) *a2g.* **1** Que vende a retalho **2** Ref. ao comércio a retalho *s2g.* **3** Aquele ou aquela que vende a retalho [F.: *retalho* + *-ista*. Sin. ger.: *varejista*. Ant. ger.: *atacadista*.]

retalho (re.*ta*.lho) *sm.* **1** Pedaço que se retira de um tecido (manta de retalhos) **2** Parte de alguma coisa que foi retalhada **3** Aquilo que sobra de um tecido ou de uma peça de tecido **4** *Med.* Porção de um órgão que se retira para realizar enxerto [F.: Dev. de *retalhar*. Hom./Par.: *retalho* (sm.), *retalho* (fl. de *retalhar*).] ■ **A ~** A varejo, em quantidades pequenas [Cf.: *Em grosso*.] **Ser ~ da mesma peça** Ser do mesmo tipo, da mesma natureza; ser farinha do mesmo saco

retaliação (re.ta.li:a.*ção*) *sf.* **1** Ação ou resultado de retaliar **2** Represália, desforra **3** Imposição da pena de talião [Pl.: *-ções*.] [F.: *retaliar* + *-ção*. Hom./Par.: *retaliação* (sf.), *retalhação* (sf.).]

retaliado (re.ta.li.*a*.do) *a.* Que se retaliou; que sofreu retaliação [F.: Part. de *retaliar*. Hom./Par.: *retaliado* (a.), *retalhado* (a.).]

retaliamento (re.ta.li.a.*men*.to) *sm.* O mesmo que *retaliação*. [F.: *retaliar* + *-mento*.]

retaliar (re.ta.li.*ar*) *v.* **1** Pagar (mal ou dano) com mal ou dano; aplicar a pena de talião [*td.: Não retaliou os agressores.*] [*int.: Foi duro o golpe, mas preferiu não retaliar.*] **2** Desafrontar, pagando ofensa com ofensa; DESAGRAVAR; VINGAR [*td.: Retaliava todas as ofensas recebidas.*] [▶ 1 retaliar] [F.: Do v.lat. *retaliare*. Hom./Par.: *retaliado* (fl.), *retaliado* (a.). Cf. *retalhar*.]

retaliativo (re.ta.li:a.*ti*.vo) *a.* **1** Que retalia ou que envolve retaliação; RETALIATÓRIO **2** Ref. a retaliação [F.: *retaliar* + *-tivo*.]

retaliatório (re.ta.li:a.*tó*.ri:o) *a.* O mesmo que *retaliativo*: "...a bomba pode ser um ataque retaliatório dos extremistas pró-Reino Unido" (*Folha de S.Paulo*, 23.12.1996) [F.: *retaliar* + *-tório*.]

retamente (re.ta.*men*.te) *adv.* **1** De modo reto, direto: "Qualquer tentativa acadêmica de acabar com a miséria leva retamente à ideia de genocídio" (*Folha de S.Paulo*, 19.09.1995) **2** Com justiça; com imparcialidade: *Administrou sempre a justiça retamente.* [F.: o fem. de *reto* + *-mente*.]

retangular (re.tan.gu.*lar*) *a2g.* **1** Que tem a forma de retângulo **2** Que tem por base um retângulo (pirâmide retangular) [F.: *retângulo* + *-ar*[1].]

retangularidade (re.tan.gu.la.ri.*da*.de) *sf.* Qualidade ou característica do que é retangular [F.: *retangular* + *-(i)dade*.]

retângulo (re.*tân*.gu.lo) *a.* **1** Que tem um ou mais ângulos retos (triângulo retângulo) *sm.* **2** *Geom.* Quadrilátero de ângulos retos [F.: Do lat. medv. *rectangulus, a, um*.]

retardado (re.tar.*da*.do) *a.* **1** Que se retardou ou demorou; DEMORADO **2** Que foi adiado; PROTELADO **3** *Pej. Med.* Que apresenta desenvolvimento mental inferior ao normal *sm.* **4** *Pej. Med.* Indivíduo com retardo mental [F.: Part. de *retardar*.]

retardador (re.tar.da.*dor*) [ô] *a.* **1** Que retarda; RETARDANTE; RETARDATIVO **2** Diz-se de dispositivo que retarda uma ação **3** *Quím.* Diz-se de substância capaz de retardar reações químicas ou inibir a ação de outra(s) substância(s) **4** *Mil.* Diz-se de ação na qual uma tropa, com menos soldados que o oponente, faz um movimento para a retaguarda, mas com resistência para ganhar tempo *sm.* **5** Aquilo ou aquele que retarda **6** Dispositivo que retarda uma ação: "A bomba pesaria cerca de 4 kg e teria sido detonada por um retardador..." (*Folha de S.Paulo*, 26.07.1995) **7** *Quím.* Substância capaz de retardar reações químicas ou inibir a ação de outra(s) substância(s) **8** *Astron.* Aparelho que compensa os diferentes tempos de chegada de sinais para que, correlacionados, possam produzir medidas de visibilidade [F.: *retardar* + *-dor*.]

retardamento (re.tar.da.*men*.to) *sm.* **1** Ação ou resultado de retardar; RETARDAÇÃO **2** Estado do indivíduo mentalmente retardado; RETARDO [F.: *retardar* + *-mento*.]

retardante (re.tar.*dan*.te) *a2g.* Que retarda; RETARDADOR; RETARDATIVO [F.: Do lat. *retardans, antis*.]

retardar (re.tar.*dar*) *v.* **1** Transferir para depois; deixar para mais tarde; ADIAR; DIFERIR; POSTEGAR [*td.*: "Se a 1ª Brigada... retardasse por mais oito dias a vinda – nem este restaria." (Euclides da Cunha, *Os sertões*)] [*int.*: "... retardou tanto para começar a dizer, que pensei fosse ficar para sempre calado." (Guimarães Rosa, *Grande sertão: veredas*)] **2** Fazer atrasar; ocasionar demora a; DEMORAR [*td.*: "Desejava... que alguma catástrofe, sem lhe fazer mal, o retardasse meses!..." (Eça de Queirós, *O primo Basílio*)] **3** Tornar vagaroso, menos rápido; enfraquecer a marcha de; DESACELERAR [*td.*: "Quem estivesse muito atento havia de notar que algumas vezes o Leonardo parecia... apressar o passo, que outras vezes o retardava..." (Manuel Antônio de Almeida, *Memórias de um sargento de milícias*)] **4** Causar atraso no desenvolvimento; ATRASAR [*td.: A carência alimentar retarda as crianças.*] **5** Caminhar ou mover-se lentamente [*int.: A bela paisagem fez os viajantes retardarem.*] [▶ 1 retardar] [F.: Do v.lat. *retardare*. Hom./Par.: *retardo* (fl.), *retardo* (sm.); *retardado* (fl.), *retardado* (a. sm.).]

retardatário (re.tar.da.*tá*.ri:o) *a.* **1** Que está atrasado ou que chega atrasado *sm.* **2** Aquele que está atrasado ou que chega atrasado: *Os retardatários não puderam entrar.* [F.: *retardar* + *-tário*.]

retardativo (re.tar.da.*ti*.vo) *a.* **1** O mesmo que *retardante*. **2** O mesmo que *retardio* [F.: *retardar* + *-tivo*.]

retardio (re.tar.*di*:o) *a.* **1** Que chega ou acontece depois do momento apropriado; ATRASADO; DEMORADO: "...cruzavam-se na rua os libertinos retardios com os operários que se levantavam para a obrigação..." (Aluísio Azevedo, *Casa de pensão*) **2** Que faz tudo sem pressa; VAGAROSO; PACHORRENTO [F.: *re-* + *tardio*, ou de *retardar* + *-io*[1]. Sin. ger.: *retardativo*.]

retardo (re.*tar*.do) *sm.* **1** Estado do indivíduo que apresenta desenvolvimento mental inferior ao normal; RETARDAMENTO **2** Atraso, demora, retenção: "Enquanto algumas pessoas reagem com uma diarreia às situações de estresse, outras vão ter um retardo da função intestinal..." (*Folha de S.Paulo*, 23.04.1995) **3** *Mús.* Prolongamento da nota de um acorde sobre o seguinte; SUSPENSÃO **4** *Arm.* Dispositivo que permite a explosão retardada de uma granada armada **5** Tempo de atraso de um sinal em reverberação, eco, ou em equipamentos eletrônicos **6** Dispositivo que obriga a espera de um determinado tempo para a abertura de um cofre ou porta-forte [F.: Dev. de *retardar*. Hom./Par.: *retardo* (sm.), *retardo* (fl. de *retardar*).]

retém (re.*tém*) *sm.* **1** Ação ou resultado de reter; RETENÇÃO **2** Aquilo que fica de sobressalente **3** *Mil.* Nos presídios, soldado de piquete **4** Local em que se guarda algo; DEPÓSITO **5** Peça que impede o funcionamento de um mecanismo (retém do tambor) **6** Dispositivo que fixa uma peça em outra (retém do carregador) *s2g.* **7** Pessoa que está de reserva para reforçar uma equipe ou substituir alguém [Pl.: *-téns*.] [F.: Dev. de *reter*, ou do espn. *retén*. Hom./Par.: *retém* (sm.), *retém* (fl. de *reter*); *reténs* (pl. do sm.), *reténs* (fl. de *reter*).]

retemperador (re.tem.pe.ra.*dor*) [ô] *a.* **1** Que retempera; RETEMPERANTE *sm.* **2** Aquilo que retempera [F.: *retemperar* + *-dor*.]

retemperante (re.tem.pe.*ran*.te) *a2g.* Que retempera; RETEMPERADOR [F.: *retemperar* + *-nte*.]

retemperar (re.tem.pe.*rar*) *v.* **1** Dar nova têmpera a (metal, esp. o aço) [*td.: Precisou retemperar o ferro para criar a escultura.*] **2** *Fig.* Dar ânimo, força a [*td.*: "Antes do banho emborcava um copo de *mocororó* 'para retemperar o sangue', dizia ele." (Adolfo Caminha, *A normalista*)] [*tda.*: "...descer ao Egito a retemperar-nos no sagrado Nilo..." (Eça de Queirós, *Os Maias*) Ant.: *debilitar*.] **3** *Fig.* Tornar melhor; APERFEIÇOAR; APURAR; MELHORAR [*td.*: "O hospício me retemperava." (Lima Barreto, *O cemitério dos vivos*)] [*tdr. + em: Retemperou o trabalho nas boas leituras.*: "...fui retemperar minha vacilante fé na contemplação das eternas verdades..." (Almeida Garrett, *Viagens na minha terra*)] **4** Criar novas forças físicas ou morais, recuperar(-se); AVIGORAR(-SE) [*tr. + em*: "Retemperou-se no fogo do sentimento..." (Álvares de Azevedo, *Noite na taverna*)] [*tdr. + de: Precisei viajar para retemperar-me dos grandes esforços realizados.*] **5** Pôr novo tempero em (comida, alimentos) [*td.: A cozinheira retemperou a carne após o cozimento.*] [▶ 1 retemperar] [F.: *re-* + *temperar*. NOTA: Nas formas rizotônicas, o radical apresenta o último *e* aberto [é] [*retempero*].]

retenção (re.ten.*ção*) *sf.* **1** Ação ou resultado de reter (retenção urinária; retenção de documentos) **2** Delonga, demora, permanência **3** Prisão provisória; DETENÇÃO **4** Capacidade reter na memória; RETENTIVA [Pl.: *-ções*.] [F.: Do lat. *retentio, onis*. Hom./Par.: *retenção* (sf.), *retensão* (sf.).] ■ **~ urinária** *Urol.* Acúmulo de urina na bexiga, que pode ter várias causas

retensão (re.ten.*são*) *sf.* Tensão muito forte [Pl.: *-sões*.] [F.: *re-* + *-tensão*. Hom./Par.: *retensão* (sf.), *retenção* (sf.).]

retentiva (re.ten.*ti*.va) *sf.* Faculdade humana de reter durante algum tempo na memória as impressões recebidas; REMINISCÊNCIA: "Apenas de retentiva, pela memória das nomenclaturas geográficas e históricas" (Afrânio Peixoto, *Ensinar a ensinar*) [F.: Fem. substv. de *retentivo*.]

retentivo (re.ten.*ti*.vo) *a.* Que retém ou sustém (capacidade retentiva); RETENDOR: "Retratos há que estão na nossa memória retentiva tão ligados à vida das personagens que representam..." (Sabugosa, *Donas de tempos idos*) [F.: Do lat. *retentus*, part. pass. de *retinere* + *-ivo*.]

retentor (re.ten.*tor*) [ô] *a.* **1** Que retém ou sustém; RETENTIVO **2** *Emec.* Diz-se de dispositivo que impede a saída de líquidos, gases etc. (retentor de óleo) **3** Que conserva em seu poder coisa alheia ou pessoa presa *sm.* **4** Aquilo que retém **5** *Emec.* Dispositivo retentor (2) **6** Aquele que conserva em seu poder coisa alheia ou pessoa presa [F.: Do lat. *retentor, oris*.]

reter (re.*ter*) *v.* **1** Manter firme nas mãos; conservar firme e retesado; SEGURAR [*td.: reter uma corda.*] **2** Manter em seu poder o que não lhe pertence [*td.: O Detran reteve sua carteira de motorista.*] **3** Não perder; não mudar; não se desfazer de; CONSERVAR; GUARDAR; MANTER [*td.*: "...sem reservar ou reter porção alguma das ditas terras..." (Capistrano de Abreu, *Capítulos de história colonial*)] [*tdp.*: "É o temor de que Ubirajara lhe recuse uma morte gloriosa e o retenha cativo..." (José de Alencar, *Ubirajara*)] **4** Guardar na memória; saber de cor [*td.*: "Com afinco estudava, lia os compêndios; mas não compreendia, nada retinha." (Lima Barreto, "O filho da Gabriela" *in O homem que sabia javanês e outros contos*)] **5** Impedir que saia ou prossiga; obrigar a permanecer; DETER [*tda.*: "Este fato reteve-me fora da Corte uns quatro meses." (Machado de Assis, "A desejada das gentes" *in Várias histórias*)] **6** Não deixar que sentimentos, emoções sejam expostos; CONTER; REFREAR; REPRIMIR [*td.*: "Daniel não pôde reter um suspiro de impaciência." (Júlio Dinis, *As pupilas do senhor reitor*)] **7** Ter em cárcere privado ou em prisão; APRISIONAR; PRENDER [*td.*: "Não há grades que me prendam, nem muros que me retenham." (Martins Pena, *O noviço*)] **8** Agarrar com firmeza, impedindo que caia; SEGURAR; SUSTER [*td.*: "Arbusto que me retiveste um instante, a minha mão desfalecida abandonou-te, e eu despenhei-me." (Machado de Assis, *Iaiá Garcia*)] **9** Impedir que saia; fazer parar; DETER [*td.*: "Lenita impaciente... quis sair. Barbosa a reteve." (Júlio Ribeiro, *A carne*)] **10** *Fig.* Tirar proveito de; especular com; EXPLORAR [*td.*: *Retendo relevantes informações, conquistou a fama.*] [▶ 7 **reter** NOTA: Acento agudo no *e* na 2ª e na 3ª pess. sing. do pres. ind. e na 2.ª pess. sing. do imper. afirm.] [F.: Do lat. *retinere*. Ant.: *abandonar, largar, soltar*. Hom./Par.: *retido* (fl.), *retido* (a.).]

retesado (re.te.*sa*.do) *a.* Que se retesou; bem teso, esticado (corda retesada) [F.: Part. de *retesar*.]

retesamento (re.te.sa.*men*.to) *sm.* Ação ou resultado de retesar(-se) [F.: *retesar* + *-mento*.]

retesar (re.te.*sar*) *v.* **1** Tornar(se) teso, esticado; ESTICAR; ESTIRAR: "Ergueu a mão, mas não chegou a retesar a seta." (José de Alencar, *Ubirajara*) [*td.*: "Ergueu a mão, mas não chegou a retesar a seta." (José de Alencar, *Ubirajara*)] [*int.*: *A corda rebentaria caso se retesasse um pouco mais.*] **2** Tornar contraído, rijo, tenso; pôr a direito; CONTRAIR; ENRIJAR [*td.*: "...começou a espreguiçar-se, retesando os braços." (Aluísio Azevedo, *Casa de pensão*); "Mas reagiu, retesou a vontade, entrou, pôs-se a esperar." (Eça de Queirós, *O primo Basílio*)] [▶ 1 **retesar** Nota: Apresenta duplo part.: *retesado* e *reteso*.] [F.: *reteso* + *-ar*[2]. Ant.: *afrouxar*. Hom./Par.: *reteso* (fl.), *reteso* (a.). NOTA: Nas formas rizotônicas, apresenta o segundo *e* do radical aberto [é] (*reteso, retesam*).]

reteso (re.*te*.so) [ê] *a.* Muito teso ou tenso; ESTICADO; HIRTO: "Airoso, livre o busto, e o seio reteso e túmido..." (Abel Botelho, *Barão de Lavos*) [F.: Do lat. *retensus, a, um*. Hom./Par.: *reteso* (a.), *reteso* (fl. de *retesar*); *retesa* (a. fem.), *retesa* (fl. de *retesar*).]

◎ **ret(i)-** *el. comp.* = 'reto'; 'direito': *retificar, retígrado, retilíneo* [F.: Do lat. *rectus, a, um*.]

reticência (re.ti.*cên*.ci:a) *sf.* **1** Supressão ou omissão voluntária de algo que se deveria ou se poderia informar; a própria coisa omitida: *um depoimento cheio de reticências.* **2** *Ret.* Figura pela qual o orador, interrompendo-se, faz perceber o que ele não quer dizer expressamente; APOSIOPESE [F.: Do lat. *reticentia, ae*. Hom./Par.: *reticência* (sf.), *reticencia* (fl. de *reticenciar*). Ver tb. *reticências*.]

reticências (re.ti.*cên*.ci:as) *sfpl. Gram.* Sinal (...) us. na escrita para marcar interrupção do raciocínio, supressão de informações, insinuação etc. [Tb. *pontos de reticência*.] [F.: Pl. de *reticência*. Hom./par.: *reticências* (sfpl.), *reticencias* (fl. de *reticenciar*).]

reticencioso (re.ti.cen.ci.*o*.so) [ô] *a.* Que faz ou em que há reticência ou reserva [Pl.: [ó]. Fem.: [ó].] [F.: *reticência* + *-oso*.]

reticente (re.ti.*cen*.te) *a2g.* Em que há ou que manifesta reticência; RETICENCIOSO: *Mostrou-se reticente durante a entrevista.* [F.: Do lat. *reticens, entis*.]

rético (*ré*.ti.co) *sm.* **1** Aquele que nasceu ou viveu na antiga Récia, província romana localizada nos Alpes (em região correspondente às atuais Suíça, Áustria e Itália) **2** A língua falada nesta região, no período pré-romano *a.* **3** Da antiga Récia; ref. ou pertencente a esta antiga província, ao seu povo e à sua cultura **4** Ref. ou próprio da língua outrora falada na antiga Récia [F.: Do lat. *rhaeticus* ou *raeticus, a, um*.]

retícula (re.*tí*.cu.la) *sf.* **1** *Edit.* Recurso de impressão pelo qual, a partir de uma malha de pequenos pontos, se obtêm gradações de tonalidade de uma cor **2** *P. ext.* Essa rede **3** *P. ext.* Cada um dos pontos dessa malha **4** Pequena rede [F.: Do lat. *reticulum, i*. Hom./Par. *retícula* (sf.), *reticula* (fl. de *reticular*).]

reticulação (re.ti.cu.la.*ção*) *sf.* **1** Ação ou resultado de dar forma de retícula a algo, ou de tomar essa forma; RETICULAGEM **2** Característica ou condição do que é reticulado [Pl.: *-ções*.] [F.: *reticular*[2] + *-ção*.]

reticulado (re.ti.cu.*la*.do) *a.* **1** Que apresenta forma de rede ou malha; RETICULAR **2** *Edit.* Que contém retícula ou foi impresso com retícula **3** *Bot.* Diz-se das partes que têm nervuras semelhantes a uma rede (folha reticulada); RETICULAR **4** *Arq.* Diz-se de adorno arquitetônico feito de pedrinhas retangulares *sm.* **5** Aquilo que apresenta forma de rede ou malha [F.: Do lat. *reticulatus, a, um*.]

reticular[1] (re.ti.cu.*lar*) *a2g.* O mesmo que *reticulado* (1 e 3) [F.: Do lat. cient. *reticularis*.]

reticular[2] (re.ti.cu.*lar*) *v. td.* **1** *Edit. Fot.* Dar forma de retículo: *Reticulava as imagens, separando-as em vários tons, célula por célula.* **2** *Edit. Fot.* Fazer retículo; QUADRICULAR: *reticular ilustração.* **3** *Fot.* Prover de retículo: *reticular a luneta.* [▶ 1 **reticular**] [F.: *retículo* + *-ar*[2]. Hom./Par.: *reticula* (fl.), *retícula* (sf.); *reticulas* (fl.), *retículas* (sf.); *reticulo* (fl.), *retículo* (sm.).]

retículo (re.*tí*.cu.lo) *sm.* **1** Pequena rede **2** *Ópt.* Disco com abertura circular ao centro, cortada por dois fios muito tênues dispostos em ângulo reto, que serve como mira nas lunetas astronômicas e outros instrumentos ópticos **3** *Ópt.* Rede de difração formada por um grande número de retas muito finas, traçadas sobre superfícies de vidro, com emprego em vários aparelhos ópticos **4** *Art. gr.* O mesmo que *retícula* **5** *Anat. Zool.* Segunda cavidade do estômago dos ruminantes; BARRETE; CRESPINA **6** *Histl.* Estrutura em forma de rede **7** *Bot.* Nervura que cerca a base das folhas [F.: Do lat. *reticulum* ou *reticulus, i*.]

retidão (re.ti.*dão*) *sf.* **1** Característica ou qualidade do que é reto: *a retidão de uma linha.* **2** *Fig.* Virtude de quem tem caráter íntegro e age com lisura; INTEGRIDADE: *Sua retidão é inquestionável.* **3** *Fig.* Correção e integridade no modo de agir ou em ação específica: *Agiu com retidão e discernimento.* **4** *Fig.* Conformidade com a justiça, com a lei; LEGALIDADE [Pl.: *-dões*.] [F.: Do lat. *rectitudo, inis*. Sin. ger.: *retitude*.]

retido (re.*ti*.do) *a.* **1** Que se reteve; DETIDO **2** Refreado, contido (pranto retido) [F.: Part. de *reter*.]

retífica (re.*tí*.fi.ca) *Bras. sf.* **1** *Mec.* Restauração de motores (ger. de automóveis), com ajuste de peças **2** Oficina onde se faz esse tipo de serviço [F.: Do it. *rettifica*. Hom./Par.: *retífica* (sf.), *retifica* (fl. de *retificar*).]

retificação (re.ti.fi.ca.*ção*) *sf.* **1** Ação de corrigir, de emendar o que não está certo: *retificação de uma notícia/de um cálculo.* **2** Ação ou resultado de retificar, de tornar reto: *retificação de uma estrada.* **3** *Quím.* Redestilação pela qual se purificam líquidos **4** *Geom.* Operação pela qual se acha o comprimento de um arco de curva **5** *Elet.* Transformação de uma corrente alternada em contínua [Pl.: *-ções*.] [F.: *retificar* + *-ção*. Hom./Par.: *retificação* (sf.), *ratificação* (sf.).] ▪ **~ de uma curva** *Geom.* Cálculo da grandeza linear de uma curva

retificado (re.ti.fi.*ca*.do) *a.* **1** Expurgado de erros ou defeitos; CORRIGIDO; EMENDADO **2** *Bras.* Submetido a retífica (diz-se de motor de automóvel) **3** Redestilado, purificado (álcool retificado) [F.: Part. de *retificar*. Hom./Par.: *retificado* (a.), *ratificado* (a.).]

retificador (re.ti.fi.ca.*dor*) [ô] *a.* **1** Que retifica, corrige (edital retificador, declaração retificadora); RETIFICATIVO *sm.* **2** Aquele ou aquilo que retifica, corrige **3** *Bras.* Indivíduo que se especializou em retificação de motores de veículos **4** *Elet.* Equipamento ou dispositivo que converte corrente elétrica alternada em contínua **5** *Quím.* Aparelho que serve para purificar líquidos por meio de sucessivas destilações [F.: *retifica(r)* + *-dor*. Hom./Par.: *retificadora* (fem.), *retificadora* (sf.).]

retificadora (re.ti.fi.ca.*do*.ra) [ô] *sf. Bras.* Aparelho us. para retificar motores; RETÍFICA [F.: Fem. substv. de *retificador*. Hom./Par.: *retificadora* (sf.), *retificadora* (fem.).]

retificar (re.ti.fi.*car*) *v. td.* **1** Eliminar ou reparar erros ou defeitos de; CORRIGIR; EMENDAR: "Chegou a pensar em retificar o que dissera..." (Machado de Assis, *Quincas Borba*) **2** Tornar reto ou direito (o que é curvo, torto etc.); ALINHAR: *Retificara o traçado da estrada*: "...ele retificou a posição de um vaso..." (Machado de Assis, *Memorial de Aires*) **3** Pôr em ordem; ARRUMAR; ENDIREITAR: "Cármen era de Sevilha. O ex-rapaz...recordava a cantiga popular que lhe ouvia... depois de retificar as ligas, compor as saias..." (Machado de Assis, *Esaú e Jacó*) **4** *Elet.* Tornar contínua (corrente alternada) [*td.*: *Em geradores alternadores é possível retificar a corrente.*] **5** *Geom.* Achar a grandeza linear de um arco de curva [*td.*: *retificar uma linha curva.*] **6** *Mec.* Desmontar, limpar e remontar (motor), ajustando ou substituindo peças [*td.*: *Não precisou retificar o motor de seu carro.*] **7** *Quím.* Sujeitar um líquido a nova destilação para torná-lo mais puro [*td.*: *retificar álcool/cachaça.*] [▶ 11 **retificar**] [F.: Do lat. *rectus, a, um*, 'direito', 'reto', 'bom', 'justo' + *-ificar*. Ant.: *entortar*. Hom./Par.: *retifica* (fl.), *retífica* (sf.); *retificas* (fl.), *retíficas* (pl. do sf.); *retificado* (fl.), *retificado* (a.); *retificáveis* (fl.), *retificáveis* (pl. de *retificável* [a2g.]). Cf.: *ratificar*.]

retificativo (re.ti.fi.ca.*ti*.vo) *a.* Que retifica, corrige (edital retificativo, orçamento retificativo); RETIFICADOR [F.: *retifica(r)* + *-tivo*.]

retificável (re.ti.fi.*cá*.vel) *a2g.* Que se pode retificar [Pl.: *-veis*.] [F.: *retificar* + *-vel*. Hom./Par.: *retificável* (a2g.), *ratificável* (a2g.); *retificáveis* (pl.), *retificáveis* (fl. de *retificar*).]

retígrado (re.*tí*.gra.do) *a. Zool.* Que anda em linha reta [F.: *reti-* + *-grado*[1].]

retilineidade (re.ti.li.nei.*da*.de) *sf.* Qualidade do que é retilíneo [F.: *retilíne(o)* + *-i-* + *-dade*.]

retilíneo (re.ti.*lí*.ne:o) *a.* **1** Que se estende, se desenvolve em linha reta (estrada retilínea, movimento retilíneo) **2** Formado por linha(s) reta(s) (nariz retilíneo) **3** Que demonstra retidão, integridade (pessoa retilínea); CORRETO; HONESTO [F.: Do lat. tard. *rectilineus, a, um*.] ▪ **~ de um diedro** *Mat.* Ângulo plano resultante da interseção de um diedro por um plano perpendicular à sua aresta

retilinização (re.ti.li.ni.za.*ção*) *sf.* Ação ou resultado de se tornar retilíneo; RETILIZAÇÃO [Pl.: *-ões*.] [F.: *retiliniza(r)* + *-ação*.]

retilização (re.ti.li.za.*ção*) *sf.* Ação ou processo de tornar (algo) reto; RETILINIZAÇÃO [Pl.: *-ões*.] [F.: *retiliza(r)* + *-ação*.]

retina (re.*ti*.na) *sf. Anat.* Membrana interna do olho, formada de células sensíveis à luminosidade, que capta sinais visuais [F.: Do lat. medv. **retina*.]

retiniano (re.ti.ni.*a*.no) *a. Anat.* Ref. a retina; RETÍNICO [F.: *retina* + *-iano*.]

retininte (re.ti.*nin*.te) *a2g.* Que retine; que produz ou ecoa um som forte, ger. metálico e agudo: "... o retininte martelar de ferro" (Eça de Queirós, *A cidade e as serras*) [F.: *retinir* + *-nte*.]

retinir (re.ti.*nir*) *v.* **1** Tinir ou soar repetidas vezes ou por muito tempo, produzindo som agudo; REPENICAR; VIBRAR [*ta.*] [*int.*: *A explosão fez retinirem os metais.*] **2** Produzir grande som; ECOAR; RESSOAR [*int.*: "...ouvia-se retinir distante a picareta dos homens da pedreira..." (Aluísio Azevedo, *O cortiço*)] **3** Fazer soar; ENTOAR [*td.*: "Os ferros retiniam... a música sinistra." (João do Rio, *A alma encantadora das ruas*)] **4** *Fig.* Causar viva impressão; ECOAR; REPERCUTIR [*tr.* + *em*: "...essa moça, cuja voz tinha um não sei quê de tão subtil... que retinia no âmago do coração..." (Joaquim Manuel de Macedo, *O moço loiro*)] [▶ **3 retinir**] *sm.* **5** Som do corpo que retine; som estrídulo e metálico: "Era... o retinir da araponga..." (Júlio Ribeiro, *A carne*) [F.: Do v.lat. *retinnire* ou *re-* + *tinir*.]

retinite (re.ti.*ni*.te) *sf. Oft.* Inflamação da retina [F.: *retina* + *-ite*[1].]

retinoblastoma (re.ti.no.blas.*to*.ma) *sm. Oft. Pat.* Tumor intraocular maligno derivado dos retinoblastos [F.: *retinoblast(o)* + *-oma*.]

retinoico (re.ti.*noi*.co) *a.* **1** *Bioq.* Diz-se de ácido ($C_{20}H_{28}O_2$) derivado da vitamina A *sm.* **2** *Bioq.* Ácido ($C_{20}H_{28}O_2$) derivado da vitamina A **3** Creme à base de ácido retinoico us. para tratar acne ou regenerar a pele [F.: *retin(o)* + *-oico*[2].]

retinol (re.ti.*nol*) *sm. Bioq.* O mesmo que *vitamina A*. [Pl.: *-nóis*.] [F.: Do lat. **retina* < dim. de *rete* + *-ol*[2].]

retinopatia (re.ti.no.pa.*ti*.a) *sf. Oft. Pat.* Qualquer afecção degenerativa não inflamatória da retina, freq. associada a doenças sistêmicas (retinopatia diabética) [F.: *retin(o)-* + *-patia*.]

retinose (re.ti.*no*.se) *sf. Oft. Pat.* Red. de *retinose pigmentar* ou *retinose pigmentária* [Doença que causa a degeneração dos cones e bastonetes da retina. Entre os sintomas estão: a dificuldade de enxergar em ambientes de pouca luminosidade ou claridade excessiva, a perda da visão noturna, e a perda progressiva da visão periférica.] [F.: *retin(o)-* + *-ose*[2].]

retintamente (re.tin.ta.*men*.te) *adv.* **1** De modo retinto **2** *Fig.* De maneira bem acentuada: "Na opinião do agente da Regência, retintamente chamorro" (Vitorino Nemésio, *Exilados*) [F.: Fem. de *retinto* + *-mente*.]

retintim (re.tin.*tim*) *sm.* **1** Ação ou resultado de retinir **2** Ruído agudo e metálico que ferros ou cristais emitem quando se tocam: "...chegou aos ouvidos do mancebo um retintim de espadas e facões..." (Franklin Távora, *O cabeleira*) **3** Som de instrumentos metálicos (retintim de trombetas) **4** *P. ext.* Voz imitativa do som de instrumentos metálicos quando retinem [Pl.: *-tins*.] [F.: *re-* + *-tim-tim*.]

retinto (re.*tin*.to) *a.* **1** Que tem cor carregada (ger. escura) **2** Que se tingiu novamente **3** *Fig.* Cheio de certeza(s), de verdade(s), de convicção; CONVICTO **4** Que tem o pelo negro e lustroso (diz-se de touro) *sm.* **5** Cor carregada e escura **6** *Bras.* Indivíduo de cor muito escura [F.: Do lat. *retinctus, a, um*.]

retirada (re.ti.*ra*.da) *sf.* **1** Ação ou resultado de retirar(-se): *a retirada de um tumor* **2** Saque de uma quantia de dinheiro **3** *Mil.* Recuo de tropas para longe do inimigo após combate desfavorável ou abandonando terreno onde não se podem manter **4** *N. E.* Transferência do gado para lugares menos castigados pela seca **5** *N. E.* Emigração de retirante(s) para outras regiões do país **6** *Esp.* Em determinados esportes, recuo de jogador ou de jogadores como reação estratégica após ataque ou jogada de adversário [F.: *retirar* + *-ada*[1].] ▪ **Bater em ~** Fugir, debandar **~ estratégica** **1** *Mil.* Retirada (3) que visa a evitar derrota iminente ou abandonamento das tropas pelo inimigo **2** *Fig. Irôn. Joc.* Recuo ou desistência de algo que se fazia e que começa a dar errado ou a fracassar

retirado (re.ti.*ra*.do) *a.* **1** Que se retirou **2** Movido para fora de um lugar **3** Cuja validade foi anulada (cláusula retirada; abono retirado) **4** Que fica isolado ou longe de um ponto de referência (lugar retirado); AFASTADO; ERMO **5** Afastado da vida social; RECOLHIDO; SOLITÁRIO **6** Diz-se de expressão, palavra, dito etc., ger. ofensivo, que se retira logo após ser proferido (calúnias retiradas) [F.: Part. de *retirar*.]

retirante (re.ti.*ran*.te) *s2g.* **1** *Bras.* Pessoa que, sozinha ou em grupos, se retira da região onde mora (ger. no Nordeste brasileiro) para uma região aparentemente mais promissora *sf.* **2** *Bras. Bot.* Planta leguminosa (*Acanthospermum hispidum*) da fam. das compostas, nativa da região central do Brasil, de caule ereto, folhas oblongas, flores amarelas e aquênios cumeados que se prendem em pelos e roupas, e cuja raiz é us. em medicamentos contra tosse e bronquite; CARRAPICHO-RASTEIRO *a2g.* **3** Que retira ou se retira [F.: *retirar* + *-nte*.]

retirar (re.ti.*rar*) *v.* **1** Tirar de onde está [*td.*: "Toda pedra no caminho / Você pode retirar..." (Erasmo e Roberto Carlos, *É preciso saber viver*)] [*tda.*: "Retirou do manto uma pequena ametista..." (Paulo Coelho, *Brida*)] **2** Fazer sair; TIRAR [*td.*: "...entrou... na câmara do doente; fez retirar todas as pessoas que aí se achavam." (Joaquim Manuel de Macedo, *A moreninha*)] [*tda.*: *O médico mandou retirar as crianças do quarto.*] **3** Tornar livre; salvar de; LIBERTAR [*tda.*: "...pôde arranjar rábulas sem escrúpulos, que... conseguiram retirá-lo das grades da detenção." (Lima Barreto, *Clara dos Anjos*)] 4 Ir-se embora ou afastar-se; abandonar (atividade, forma de vida, etc.) [*ta.*: "...fez-se provinciano e retirou-se da sociedade..." (José de Alencar, *Cinco minutos*): "Não retirava, fugia." (Euclides da Cunha, *Os sertões*); "...acabou-se a festa, o povo retirou -se." (Joaquim Manuel de Macedo, *Memórias de um sargento de milícias*)] [*int.*] 5 Recuar, retroceder [*int.*: *Acuadas pelo inimigo, as tropas retiraram-se.*] 6 Ir por algum tempo para algum lugar; ficar a sós num lugar por pouco tempo; AUSENTAR-SE; RECOLHER-SE [*ta.*: "...quando se retiravam os estudantes para o dormitório..." (Raul Pompeia, *O Ateneu*)] 7 Puxar para trás; trazer para si; RETRAIR [*td.*: "A moça retirou a mão, que ele tinha presa na sua..." (Machado de Assis, *A mão e a luva*); "Aurélia... retirara a mão do braço de Seixas..." (José de Alencar, *Senhora*)] [*tda.*] 8 Voltar atrás em; DESDIZER; RETRATAR-SE [*td.*: "...cada um declarou retirar as palavras ofensivas que tinham dito..." (Eça de Queirós, *O crime do padre Amaro*)] 9 Deixar de dar ou conceder (o que até certo momento dava ou concedia); privar de; CASSAR [*tdi.* + *a*, *de*: "...publicou a lei retirando aos missionários a administração temporal das aldeias..." (Capistrano de Abreu, *Capítulos de história colonial*); "Não me retires a graça e a bênção que me deste!" (José de Alencar, *Lucíola*)] 10 Fazer deixar de existir ou desaparecer; APAGAR [*td.*: "A selvageria é uma máscara que ele põe e retira à vontade." (Eça de Queirós, *À margem da história*); "Ele não retira seu amor da esposa que habita, senão quando ela já não sabe alegrar sua alma." (José de Alencar, *Ubirajara*)] [*tdr.* + *de*] 11 Sacar, tirar (quantia) de conta bancária [*td.*: "...pegou da caderneta da Caixa Econômica e foi retirar o dinheiro preciso para comprar um piano." (Machado de Assis, *Iaiá Garcia*)] 12 Auferir, obter (qualquer ganho econômico); LUCRAR [*tdr.* + *com*, *de*: "E o capitalista... poderia retirar da operação um lucro prodigioso." (José de Alencar, *Sonhos d'ouro*)] 13 *Tip.* Imprimir o branco ou verso de (folha ou p.), estando já impresso o outro lado [*int.*: *A gráfica não precisou retirar todas as páginas.*] [▶ 1 retirar] [F.: *re-* + *tirar*. Hom./Par.: *retiráveis* (fl.), *retiráveis* (pl. de *retirável*); *retiro* (fl.), *retiro* (sm.).]

retirável (re.ti.*rá*.vel) *a2g.* Que se pode retirar [Pl.: *-veis*.] [F.: *retirar* + *-vel*. Hom./Par.: *retiráveis* (pl.), *retiráveis* (fl. de *retirar*).]

retireiro (re.ti.*rei*.ro) *sm.* 1 *SP MT MS* Aquele que, num retiro, guarda certa porção de gado 2 *Bras. S. E.* Indivíduo que retira leite de animais; ORDENHADOR [F.: *retir(o)* + *-eiro*.]

retiro (re.*ti*.ro) *sm.* 1 Ação ou resultado de retirar-se, recolher-se, isolar-se; RECOLHIMENTO; ISOLAMENTO 2 Lugar isolado e/ou tranquilo, propício a descanso, meditação etc.: *Nas minhas férias, vou para um retiro qualquer.* 3 *Rel.* Recolhimento para exercícios espirituais: *Foi para o convento e deu início a seu retiro.* 4 *P. ext. Fig. Rel.* Local onde é feito o retiro espiritual 5 *Bras.* Fazenda onde há gado só numa parte do ano 6 *PA* Rancho em lugar retirado e onde há plantações 7 *MA* Choça para guarda de gado invernado 8 *RS* Fundo de campo, onde não se transita 9 *MG* Palhoça de mangabeiro ou borracheiro 10 *MG* Lugar distante da fazenda, onde se solta o gado para engorda 11 *MG MT* Casa nos fundos de uma fazenda, onde moram os que a vigiam [F.: Dev. de *retirar*. Hom./Par.: *retiro* (sm.), *retiro* (fl. de *retirar*).] ■ ~ **espiritual** *Rel.* Retiro (3)

retite (re.*ti*.te) *sf. Pat.* Inflamação do reto; PROCTITE [F.: *ret(i)-* + *-ite*.]

retitude (re.ti.*tu*.de) *sf. P. us.* O mesmo que *retidão*: "Num dissipar improdutivo de valor e de balas, sem a retitude de um plano, sem uniformidade na marcha" (Euclides da Cunha, *Os sertões*) [F.: Do lat. tard. *rectitudo, inis*.]

reto (*re*.to) [é] *a.* 1 Sem curva (linha reta; estrada reta) 2 Que não está torto: *O quadro está reto?* 3 *Fig.* Honesto, direito (pessoa reta) 4 Que é equânime, justo (procedimento reto) 5 *Gram.* Diz-se do pron. pess. na função de sujeito, predicativo do sujeito ou vocativo (p. ex.: *eu*, *nós*, *eles* etc.) [Opõe-se a *oblíquo*.] 6 *Geom.* Que tem 90°; formado por retas perpendiculares (diz-se de ângulo) *adv.* 7 Em linha reta, sem fazer desvio: *Siga reto até a praça.* *sm.* 8 *Anat.* A parte final do intestino grosso 9 *Edit.* Página que fica à direita, quando o livro está aberto; ANVERSO [F.: Do lat. *rectus-a -um*. Ideia de 'reto': *ort(o)-* (*ortogonal*); *ret(i)-* (*retilíneo*).]

retocador (re.to.ca.*dor*) [ô] *a.* 1 Que retoca; RETOQUISTA *sm.* 2 Aquele que retoca; RETOQUISTA 3 Indivíduo que retoca quadros, imagens digitais, fotolitos etc. 4 *Our.* Instrumento que serve para tirar a rebarba do ouro [F.: *retoca(r)* + *-dor*.]

retocar (re.to.*car*) *v. td.* 1 Dar retoque em (algo) para aperfeiçoar ou corrigir falhas; AJEITAR; CORRIGIR: "...aproximando-se do espelho a retocar... o nó da gravata branca." (Eça de Queirós, *Os Maias*); "O reverendíssimo autor veio retocar a obra do Barreto, com as suas narrativas de iluminado terrífico." (Raul Pompeia, *O Ateneu*) 2 Tocar de novo; tornar a tocar: *Os ouvintes pediram para retocar a música.* 3 *Min.* Trabalhar com o retocador; LIMAR: *retocar o ouro.* [▶ 11 retocar] [F.: *re-* + *tocar*. Hom./Par.: *retoque* (fl.), *retoque* (sm.); *retoques* (fl.), *retoques* (pl. do sm.); *retocáveis* (fl.), *retocáveis* (pl. de *retocável* [a2g.]).]

retocável (re.to.*cá*.vel) *a2g.* Que se pode retocar [Ant.: *irretocável*.] [Pl.: *-veis*.] [F.: *retocar* + *-vel*. Hom./Par.: *retocáveis* (pl.), *retocáveis* (fl. de *retocar*).]

retocele (re.to.*ce*.le) *sf. Pat.* Prolapso da parede vaginal posterior, causado por hérnia do reto; PROCTOCELE [F.: *reto* + *-cele*[1].]

retocolite (re.to.co.*li*.te) *sf. Pat.* Inflamação do cólon e do reto [F.: *reto* + *colite*.]

retomada (re.to.*ma*.da) *sf.* 1 Ação ou resultado de retomar 2 *Jur.* Ação judicial que garante ao proprietário de um imóvel alugado a possibilidade de sua devolução, antes do término do contrato com o inquilino, em razão de alguma necessidade, como moradia própria etc. [F.: *retomar* + *-ada*[1].]

retomado (re.to.*ma*.do) *a.* Que se retomou; a que se retornou para efetuar trabalho de desenvolvimento ou conclusão: *Depois de retomado, o livro se desenvolveu bem.* [F.: Part. de *retomar*.]

retomar (re.to.*mar*) *v. td.* 1 Tomar de volta; tornar a tomar; REAVER; RECUPERAR: "Tratou... de retomar Porto Calvo." (Capistrano de Abreu, *Capítulos de história*); "...retomou o papel de atacante, estreitou a moça nos braços..." (Júlio Ribeiro, *A carne*) 2 Dar seguimento ao que se interrompeu: "Foi o mago quem retomou a conversa..." (Paulo Coelho, *Brida*); "...retomava... a saia branca que havia semanas andava bainhando." (Eça de Queirós, *O crime do padre Amaro*) 3 Tornar à posição anterior; RECOBRAR: "...o Purus despedaça a frágil barreira do istmo; e retoma... o primitivo curso..." (Euclides da Cunha, *À margem da história*) [▶ 1 retomar] [F.: *re-* + *tomar*.]

retoque (re.*to*.que) *sm.* 1 Ação ou resultado de retocar 2 Ajuste final de uma obra (artística, científica, intelectual), que corresponde ao seu acabamento: *O artista fazia agora o retoque da pintura em seu ateliê; A editora lhe propusera o último retoque no romance.* 3 Última correção ou modificação de qualquer ação: *Precisava fazer o retoque da maquilagem antes de sair.* [F.: Dev. de *retocar*. Hom./Par.: *retoque* (sm.), *retoque* (fl. de *retocar*).]

rétor (*ré*.tor) [ô] *sm.* Mestre de retórica; RETÓRICO: *O comunicador empresarial é um retor.* [F.: Do lat. *rhetor, oris* < gr. *rhétor, oros*.]

retorção (re.tor.*ção*) *sf.* 1 Ação ou resultado de retorcer; RETORCEDURA; RETORCE 2 Estado de uma coisa retorcida 3 *Têxt.* Processo de acabamento no qual se retorcem fios e linhas 4 *Jur.* Legislação aplicada a estrangeiros como forma de retaliação de legislação análoga do país de origem desses imigrantes; RETORSÃO 5 *Ret.* Refutação pela qual o argumento do adversário se volta contra ele mesmo; OBJEÇÃO; RÉPLICA [Pl.: *-ções*.] [F.: *re-* + *torção*. Hom./Par.: *retorção* (sf.), *retorsão* (sf.).]

retorcer (re.tor.*cer*) *v.* 1 Tornar a torcer ou torcer novamente [*td.*: "...retorcendo o reluzente bigode." (Aluísio Azevedo, *O cortiço*)] 2 Contrair o corpo convulsivamente; CONTORCER(-SE) [*tdp.*: "Ele soltou um mugido rouco, sufocado, retorceu-se frenético..." (Júlio Ribeiro, *A carne*)] [*td.*: "Assim que, sem atender... à dor que a [Capitu] retorcia,... repeti as palavras..." (Machado de Assis, *Dom Casmurro*)] 3 *Fig.* Usar de rodeios; torcer o caminho lógico; TERGIVERSAR [*td.*: "...retorce, emaranha, desengonça a sua pobre frase até descambar no delirante e no burlesco." (Eça de Queirós, *Os Maias*)] 4 Voltar para trás; RECUAR [*td.*: *retorcer o caminho.*] 5 Mover (olhos) em suas órbitas, quase escondendo-os sob a pálpebra [*td.*: "...respirava com dificuldade, a abrir a boca e a retorcer os olhos." (Aluísio Azevedo, *Casa de pensão*)] 6 Mover os lábios convulsivamente para a direita ou esquerda [*td.*: "A boca e os olhos negros retorcendo /... / me respondeu com voz pesada..." (Luís de Camões, *Os Lusíadas*, canto 5)] [▶ 33 retorcer] [F.: Do lat. **retorcere*. Hom./Par.: *retorce* (fl.), *retorce* (sm.); *retorces* (fl.), *retorces* (sm.).]

retorcida (re.tor.*ci*.da) *sf.* 1 Curva de estrada 2 *RS Dnç. Mús.* Dança sapateada do fandango gaúcho [F.: Fem. substv. de *retorcido*. Hom./Par.: *retorcida* (sf.), *retorcida* (fem. de *retorcido*).]

retorcido (re.tor.*ci*.do) *a.* 1 Que se retorceu 2 Muito torto ou enroscado (bigodes retorcidos) 3 *Fig.* Arrevesado, empolado (diz-se de discurso) [F.: Part. de *retorcer*.]

retórica (re.*tó*.ri.ca) *sf.* 1 *Fil.* Arte ou qualidade de se expressar bem por palavras, esp. em discurso; ELOQUÊNCIA; ORATÓRIA 2 *Ling.* Conjunto de regras e recursos dessa arte 3 Tratado que contém essas regras 4 *Hist.* Uma das três disciplinas do *trivium*, ensinadas nas universidades durante a Idade Média 5 *Pej.* Excesso de ornamentos em expressão verbal 6 *Pej.* Discurso brilhante na forma, mas pobre de ideias: "(...) o manifesto não foi uma tirada de retórica futilmente lançada aos ares, mas o anúncio, ao governo, de um programa de trabalho (...)." (Cecília Meireles, "Manifesto da nova educação" *in Obra em prosa*) [F.: Do lat. *rhetorica*, ae, do gr. *rhetoriké*. Hom./Par.: *retórica* (sf.), *retorica* (fl. de *retoricar*).]

retoricamente (re.to.ri.ca.*men*.te) *adv.* De maneira retórica [F.: o fem. de *retórico* + *-mente*.]

retoricismo (re.to.ri.*cis*.mo) *sm.* 1 Abuso no uso da retórica 2 Entusiasmo pela arte retórica [F.: *retórica* + *-ismo*. Sin. ger.: *retorismo*.]

retoricista (re.to.ri.*cis*.ta) *s2g.* Aquele ou aquela que faz uso da retórica [F.: *retórica* + *-ista*.]

retoricização (re.to.ri.za.*ção*) *sf.* Tratamento retórico que se dá a algo (fato, discurso etc.) [Pl.: *-ções*.] [F.: **retoricizar* (< retórica) + *-ção*.]

retórico (re.*tó*.ri.co) *a.* 1 Ref. ou pertencente a retórica, ou dela próprio 2 *Pej.* Que fala muito e superficialmente; PALAVROSO *sm.* 3 O especialista em retórica 4 *Pej.* Orador ou escritor enfático e empolado [F.: Do lat. *rhetoricus, a, um*, do gr. *rhetorikós, é, ón*. Hom./Par.: *retórico* (a. sm.), *retorico* (fl. de *retoricar*); *retórica* (fem.), *retorica* (fl. de *retoricar*).]

retorismo (re.to.*ris*.mo) *sm.* O mesmo que *retoricismo* [F.: *rétor* + *-ismo*.]

retornado (re.tor.*na*.do) *a.* 1 Que retornou, voltou para o lugar de onde partiu *sm.* 2 Aquele que retornou, voltou para o lugar de onde partiu [F.: Part. de *retornar*.]

retornante (re.tor.*nan*.te) *a2g.* Que regressa ou pode retornar; em vias de retornar: "O Plano Real está naquele momento em que todos percebem que é preciso fazer uma intervenção enérgica para protegê-lo da inflação retornante..." (*Folha de S.Paulo*, 19.10.1994) [F.: *retornar* + *-nte*.]

retornar (re.tor.*nar*) *v.* 1 Voltar ao ponto de partida; REGRESSAR [*int.*: "...dizem que isto só acontecerá quando Elias retornar." (Paulo Coelho, *O Monte Cinco*)] [*ta.*: "... os srs. duques... sem retornar aqui ao palácio, mandam... as melhores joias." (Raul Pompeia, *As joias da Coroa*)] 2 Voltar a ocupar-se de (atividade, assunto etc.) [*tr.* + *a*: "... João Romão... retornou à sua primitiva preocupação com o Miranda..." (Aluísio Azevedo, *O cortiço*)] 3 Comunicar-se em resposta [*td.*: *Ela não retornou a minha ligação.*] 4 Trazer ou levar de volta; DEVOLVER; RESTITUIR [*tda.*: *Retornou os livros à estante.*] 5 Ir de novo a; VOLVER [*tr.* + *a*: *Retornara ao médico.*] 6 Manifestar-se de novo [*int.*: "...a insegurança retornou..." (Paulo Coelho, *O Monte Cinco*)] 7 *Inf.* Apresentar como resposta [*td.*: *O programa retornou uma mensagem de erro.*] [▶ 1 retornar] [F.: *re-* + *tornar*. Ant.: *partir*. Hom./Par.: *retorno* (fl.), *retorno* (sm.); *retornáveis* (fl.), *retornáveis* (pl. de *retornável* [a2g.]).]

retornável (re.tor.*ná*.vel) *a2g.* 1 Que se pode retornar 2 Diz-se de recipiente (esp. de bebida), embalagem ou sacola que depois de us. pode ser aproveitado para o mesmo fim ou utilizado indefinidamente [Pl.: *-veis*.] [F.: *retornar* + *-vel*. Hom./Par.: *retornáveis* (pl.), *retornáveis* (fl. de *retornar*).]

retornista (re.tor.*nis*.ta) *a2g.* Referente a retorno; que defende alguma forma de retorno; saudosista: *Falava de política em tom tipicamente retornista.* [F.: *retorno* + *-ista*.]

retorno (re.*tor*.no) [ô] *sm.* 1 Ação ou resultado de retornar; REGRESSO; VOLTA 2 Regresso de alguém ou algo ao ponto de partida, após deslocamento anterior no espaço: *O retorno dos astronautas à base espacial foi um sucesso; O retorno das caravelas aos países de origem nem sempre acontecia, devido aos naufrágios.* 3 *Bras.* Numa rodovia ou avenida, rua etc., curva ou caminho que leva a uma pista de sentido inverso àquele no qual se segue 4 Regresso, volta que se processa no tempo (retorno à juventude): "(...) numa casa em que a gente pensa, quando entra, que pegou, distraído, um desvio de retorno no tempo e caiu de quatro no século passado." (Antônio Callado, *Reflexos do baile*) 5 Repetição de fato, acontecimento etc. já ocorrido: *Os telejornais anunciavam o retorno de uma frente fria.* 6 Envio de algo que se recebeu, de volta ao remetente; DEVOLUÇÃO: *A empresa promoveu o retorno de brindes promocionais.* 7 Consequência ou resultado de uma ação, de um investimento etc.; RESULTADO: *Tentei, sem retorno, ensinar-lhe matemática; Obteve um alto retorno sobre o seu capital.* 8 Opinião emitida a respeito de algo por solicitação de alguém: *Consultei a Receita e obtive retorno.* 9 Comportamento de alguém em resposta a empreendimento, iniciativa etc.; REAÇÃO: *O retorno do público ao comercial foi decepcionante.* 10 Contato decorrente de outro anterior; RESPOSTA: "(...) ele não deu retorno aos recados da reportagem." (*FolhaSP*, 25.12.1999) 11 Oferta em recompensa de favor ou dádiva recebidos [F.: Dev. de *retornar*. Hom./Par.: *retorno* [ô] (sm.), *retorno* [ó] (fl. de *retornar*).] ■ **Eterno** ~ 1 *Fil.* Conceito filosófico da Antiguidade, segundo o qual há uma ciclicidade dos processos da natureza e da vida humana, que sempre voltariam ao ponto de partida 2 *Rel.* Doutrina que afirma a sucessiva encarnação da alma em corpos diversos, numa ascese cujo ponto de chegada seria a volta a seu estado original de pureza 3 *Fil.* Conceito filosófico da Antiguidade segundo o qual há um retorno cíclico do Universo a seu início e à retomada de seu desenvolvimento, que sempre se repete 4 *Fil.* Para Nietzsche, essa mesma ciclicidade aplicada ao homem, que deseja repetir cíclica e eternamente sua existência

retorquir (re.tor.*quir*) *v.* 1 Declarar em resposta; REPLICAR; RESPONDER [*td.*: "Rubião retorquiu que a demora era curta..." (Machado de Assis, *Quincas Borba*)] [*tdi.* + *a*: "...a mãe retorquia-lhe que as velhas foram algum dia moças e bonitas..." (Machado de Assis, *Quincas Borba*)] [*int.*: *Ao ser questionado sobre o incidente, ele não retorquiu.*] 2 Opor (algum argumento ou objeção); contrapor (argumento a argumento); OBJETAR; RETRUCAR [*ti.* + *a*: "O senhor sabe que por mais cruel que seja a sua zombaria, não sei retorquir-lhe!" (José de Alencar, *Lucíola*)] [*int.*: "Os de lá não retorquiam." (Franklin Távora, *O matuto*)] [▶ 58 retorquir] [F.: Do v.lat. *retorquere*.]

retorsão (re.tor.*são*) *sf.* 1 Ação ou resultado de retorquir 2 Contestação, objeção, refutação, replicação: "...no caso de retorsão imediata, que consista em outra injúria" (*Folha de S.Paulo*, 25. 03. 1998) 3 *Jur.* Legislação aplicada a estrangeiros como forma de retaliação de legislação análoga do país de origem desses imigrantes; RETORÇÃO [Pl.: *-sões*.] [F.: Do lat. *retortio, onis*. Hom./Par.: *retorsão* (sf.), *retorção* (sf.).]

retorta (re.*tor*.ta) *sf.* 1 *Quím.* Recipiente com gargalo estreito e arqueado, ger. us. em laboratórios para destilações 2 A parte curva do báculo dos bispos 3 *Dnç. Hist.* Dança portuguesa medieval de origem árabe [F.: Do fr. *retorte*, do b. -lat. *retorta*.]

retorto (re.*tor*.to) [ô] *a.* 1 Muito torto 2 Muito torcido; RETORCIDO 3 Curvo para a parte inferior [F.: Do lat. *retortus, a, um*.]

retoscopia (re.tos.co.*pi*.a) *sf. Med.* Exame que permite visualizar a região interna do reto, feito por meio de retoscópio; PROCTOSCOPIA [F.: *reto* + *-scopia*.]
retoscópico (re.tos.*có*.pi.co) *a.* Ref. a retoscopia; PROCTOSCÓPICO [F.: *retocospia* + *-ico*[2].]
retoscópio (re.tos.*có*.pi:o) *sm. Med.* Aparelho provido de um tubo curto com iluminação, que dilata o reto para a realização de retoscopia [F.: *reto* + *-scópio*.]
retossigmoidectomia (re.tos.sig.mo:i.dec.to.*mi*.a) *sf. Med.* Operação para a retirada de tumores do sigmoide, na qual se faz a excisão desse segmento do intestino e dos linfonodos regionais e se une o cólon descendente ao reto [F.: *reto* + *sigmoide* + *-ectomia*.]
retossigmoidoscopia (re.tos.sig.mo:i.dos.co.*pi*.a) *sf. Med.* Exame que permite visualizar a região interna do reto e parte do cólon, feito por meio de retossigmoidoscópio [F.: *reto* + *sigmoide* + *-o-* + *-scopia*.]
retossigmoidoscópico (re.tos.sig.mo:i.dos.*có*.pi.co) *a.* Ref. a retossigmoidoscopia [F.: *retossigmoidoscopia* + *-ico*[2].]
retossigmoidoscópio (re.tos.sig.mo:i.dos.*có*.pi:o) *sm. Med.* Aparelho provido de tubo flexível ou de fibra ótica, iluminação e câmara objetiva, que é introduzido pelo ânus para a realização de retossigmoidoscopia [F.: *reto* + *sigmoide* + *-o-* + *-scópio*.]
retotomia (re.to.to.*mi*.a) *sf. Cir.* Incisão no, ou extração parcial do reto [F.: *reto* + *-tomia*.]
retoucar (re.tou.*car*) *v. td.* **1** Toucar novamente: *Retoucou as crianças.* **2** *Fig.* Revestir à maneira de um adorno: *As folhas secas retoucaram a encosta.* [▶ 11 retou**car**] [F.: *re-* + *toucar*. Hom./Par.: *retocar* (vários tempos do v.).]
retouçar (re.tou.*çar*) *v.* **1** Brincar fazendo movimentos como pular, rolar pelo chão [*td.*] [*int.*: "Debaixo de um itapicuru, eu fumava, pensava, e apreciava a tropilha de cavalos, que retouçavam no gramado vasto." (João Guimarães Rosa, "Minha gente" *in Sagarana*)] **2** Fazer travessuras; redouçar [*td. int.*] **3** Brincar na retouça, no balanço [*int.*] **4** Comer (o animal) vegetação rasteira, pastar [*td.*] [▶ **12** retou**çar**] [F.: Do espn. *retozar*.]
retouço (re.*tou*.ço) *sm.* Ação ou resultado de retouçar; BRINCADEIRA; TRAQUINADA [F.: Dev. de *retouçar.* Hom./Par.: *retouço* (sm.), *retouço* (fl. de *retouçar*).]
retovado (re.to.*va*.do) *RS a.* **1** Coberto, forrado de retovo: "Restituída ao rebanho a rês, ei-lo de novo caldo sobre o lombilho retovado" (Euclides da Cunha, *Os sertões*) **2** Diz-se do bezerro ou potro coberto com o couro tirado de uma cria morta, para que a mãe desta o amamente **3** *Fig.* Disfarçado, dissimulado, sonso, fingido [F.: Part. de *retovar*.]
retovar (re.to.*var*) *v. td. Bras. RS* Usar retovo para forrar ou revestir (um objeto) [▶ 1 retov**ar**] [F.: *retovo* + *-ar*[2].]
retovesical (re.to.ve.si.*cal*) *a2g.* Ref. ou pertencente ao reto e à bexiga (fístula retrovesical) [Pl.: *-cais*.] [F.: *reto* + *vesical*.]
retovo (re.*to*.vo) [ô] *RS sm.* **1** Forro de couro com que se forra qualquer objeto (cabo de relho, bengala, lombilho etc.): "... uma velha, que já tinha os olhos como retovo de bola" (João Simões Lopes Neto, "Chasque do imperador" *in Contos gauchescos*) **2** Couro de cria morta com que se cobre outro bezerro ou potro, para que a mãe do que morreu aceite amamentá-lo [F.: Do espn. *retobo.* Hom./Par.: *retovo* (sm.), *retovo* (fl. de *retovar*).]
retrabalhado (re.tra.ba.*lha*.do) *a.* Em que se trabalhou novamente para melhorar o desempenho ou corrigir um defeito (motor retrabalhado, texto retrabalhado) [F.: Part. de *retrabalhar*.]
retrabalhar (re.tra.ba.*lhar*) *v. td.* Retocar (algo) para torná-lo melhor: *O redator precisa retrabalhar esse texto.* [▶ 1 retrabalh**ar**] [F.: *re-* + *trabalhar*.]
retrabalho (re.tra.*ba*.lho) *sm.* **1** Trabalho feito em um produto pronto para melhorar o seu desempenho: "Para melhorar o torque em baixas rotações, ou seja, a força de arrancada, o ideal é o retrabalho do corpo de borboletas do sistema de injeção eletrônica de combustível" (*Folha de S.Paulo*, 13.07.1998) **2** *Adm.* Processo pelo qual um material, item ou produto defeituoso passa novamente pelas etapas de produção necessárias para sua correção: *O custo do retrabalho é um desperdício para empresas.* [F.: *re-* + *trabalho*.]
retração (re.tra.*ção*) *sf.* **1** Ação ou resultado de retrair(-se); ENCOLHIMENTO; RETRAIMENTO **2** Retorno ou retrocesso a uma condição anterior; RECUO: *retração da indústria; retração do consumo.* **3** *Fís.* Contração na matéria de certos corpos em consequência de calcinação, resfriamento etc.; RETRAIMENTO **4** *Pat.* Encolhimento de órgão ou tecido [Pl.: *-ções*.] [F.: Do lat. *retractio, onis*.]
retraçar (re.tra.*çar*) *v. td.* **1** Tornar a traçar **2** Cortar de maneira miúda; reproduzir a retraço [▶ **12** retra**çar**] [F.: *re-* + *traçar.* Hom./Par.: *retraço* (fl.), *retraço* (sm.).]
retráctil (re.*trác*.til) *a2g.* Ver *retrátil* [Pl.: *-teis*.]
retractilidade (re.trac.ti.li.*da*.de) *sf.* Ver *retratilidade* [F.: *retráctil* + *-(i)dade*.]
retraduzir (re.tra.du.*zir*) *v. td.* **1** Traduzir outra vez **2** Traduzir a partir de tradução já realizada [▶ **57** retradu**zir**] [F.: *re-* + *traduzir*.]
retraído (re.tra.*í*.do) *a.* **1** Que se retraiu **2** Puxado para trás (braços retraídos) **3** *Fís.* Submetido à retração (corpo retraído) **4** *Fig.* Isolado da convivência social; RECOLHIDO **5** *Fig.* Que demonstra acanhamento; TÍMIDO [Ant.: *expansivo*.] [F.: Part. de *retrair*.]
retraimento (re.tra:i.*men*.to) *sm.* **1** Ação ou resultado de retrair(-se), de encolher(-se); ENCOLHIMENTO; RETRAÇÃO [Ant.: *expansão*.] **2** *Fig.* Comportamento de quem se isola ou se torna introvertido **3** *Fig.* Acanhamento, timidez **4** *Fís.* Ver *retração* **5** *Mil.* Ver *retirada* [F.: *retrair* + *-mento*.]
retrair (re.tra.*ir*) *v.* **1** Puxar para trás; trazer para si; RECOLHER [*td.*: *A tartaruga retraía a cabeça quando a tocavam;* "Retraiu o Bugre o pé esquerdo..." (José de Alencar, *Til*)] **2** Fazer voltar atrás; fazer retroceder; RECUAR; RETIRAR [*td.*: "A virgem retraiu... o avanço que tomara, e vibrou o arco." (José de Alencar, *Iracema*)] **3** Voltar atrás; abandonar o campo; RETIRAR-SE; RECUAR [*int.*: "...os godos... se retraíram ante as espadas do Islame." (Alexandre Herculano, *Eurico, o presbítero*)] **4** Realizar(-se) a contração de; CONTRAIR(-SE); ENCOLHER(-SE) [*td.*: "A rapariga aproximou-se cheia de receio, retraindo o corpo..." (Júlio Ribeiro, *A carne*)] [*int.*: "Ela tinha-se erguido trêmula; e foi-se... retraindo até cair de joelhos." (José de Alencar, *Lucíola*)] **5** Buscar o isolamento; AFASTAR-SE; ISOLAR-SE [*ta.*: *Retraiu-se do mundo*.] [*tr.* + *para*] **6** Tornar(-se) acanhado, introvertido, retraído; ACANHAR(-SE) [*int.*: "A moça... retraía-se; tornava-se cada vez mais reservada..." (José de Alencar, *Sonhos d'ouro*)] [*td.*: *O olhar do rapaz retraía a moça*.] **7** Reduzir(-se) ou não (se) desenvolver [*td.*: *Essas mudanças tendem a retrair os investimentos*.] [*int.*: *O comércio retrai nessa época*.] **8** Fazer escapar; LIVRAR; SALVAR [*tdr.* + *a, de*: *Seu pedido de perdão retraiu-o à (da) ira do inimigo*] **9** Recolher no íntimo; ESCONDER; OCULTAR [*td.*: "Vem uma onda bonançosa, / que impiedosa / a flor consigo retrai." (Gonçalves Dias, "Rosa no mar" *in Segundos cantos*)] **10** Não deixar (alguém) fazer ou executar algo; IMPEDIR; PROIBIR [*tdr.* + *de*: "O que me podia retrair de pregar sobre esta matéria, era não dizer a doutrina com o lugar." (Pe. Antônio Vieira, *Sermão do bom ladrão*)] **11** *Fig.* Não manifestar; não revelar; REFREAR; REPRIMIR [*td.*: "Se uma vez a palavra delatora lhe rompeu dos lábios, ela a retraiu logo..." (Machado de Assis, *Helena*)] **12** Deixar de ter a mesma intensidade; perder a força [*int.*: *Felizmente com a medicação as dores retraíram*.] [▶ 43 retra**ir**] [F.: Do v.lat. *retrahere*. Hom./Par.: *retraído* (fl.), *retraído* (a.).]
retranca (re.*tran*.ca) *sf.* **1** Correia que vai da sela à cauda, nos arreios de cavalgadura; RABICHO **2** *Edit.* Marca deixada em originais de publicações para facilitar a paginação e registrar outras informações editoriais **3** *Fut.* Tática de manter o time na defesa, à espera de uma chance de contra-ataque **4** *Bras. Pop.* Economia, contenção de despesas **5** *N. E.* Tranca de porta ou janela **6** *N. E.* Vara de abrir a vela da jangada **7** *Mar.* Verga do pano das pequenas embarcações *sm.* **8** *Tip.* Gráfico que desfaz composição paginada, depois de sua estereotipagem **9** *Pop.* Pessoa reservada, pouco comunicativa [F.: De or. incerta. Hom./Par.: *retranca* (sf., sm.), *retranca* (fl. de *retrancar*).] ■ **Aguentar a ~** *Pop.* Resistir (a situações difíceis, penosas, cansativas etc.) **Fazer a ~ de** *Art. gr.* Desfazer paginação de **Ficar/estar na ~** Ficar numa atitude de cautelosa desconfiança, reserva **Jogar na ~** *Fut.* Adotar tática exageradamente defensiva
retrancado (re.tran.*ca*.do) *a.* **1** Que se fechou com retranca: "... mas a porta, se assim podemos chamar ao coração, essa estava trancada e retrancada..." (Machado de Assis, *Quincas Borba*) **2** *Bras. Fut.* Diz-se de time que mantém a maioria dos jogadores na defesa **3** *Bras. P. ext.* Que age ou fica na defensiva diante de uma situação difícil **4** *Art. gr.* Marcado com retranca [F.: Part. de *retrancar*.]
retrancar (re.tran.*car*) *v. td.* **1** Trancar novamente **2** *Art. gr.* Marcar usando retrancas **3** *Fut.* Tornar difícil de ser transposto; fechar [*td.*: *O técnico mandou o time retrancar a defesa*.] **4** *Esp.* Jogar de modo defensivo, atuando em bloco ou posicionando-se de modo a não dar espaço para os avanços do adversário [*int.*: *O time se retrancou para garantir o resultado*.] [▶ 11 retran**car**] [F.: *re-* + *trancar*. Hom./Par.: *retranca* (fl.), *retranca* (sf., s2g., sm.); *retrancas* (fl.), *retrancas* (pl. do sf., s2g., sm.).]
retranqueiro (re.tran.*quei*.ro) *a.* **1** *Fut.* Que arma um time com o objetivo preponderante de se defender, e não de atacar *sm.* **2** *Fut.* Treinador que organiza o jogo na defesa e não no ataque [F.: *retranca* (*c* = *qu*) + *-eiro*.]
retransformar (re.trans.for.*mar*) *v. td.* Transformar novamente [▶ 1 retransform**ar**] [F.: *re-* + *transformar*.]
retransmissão (re.trans.mis.*são*) *sf.* Ação ou resultado de retransmitir, fazer nova transmissão [Pl.: *-sões*.] [F.: *re-* + *transmissão*.]
retransmissor (re.trans.mis.*sor*) [ô] *a.* **1** *Eletrôn.* Diz-se de aparelho que retransmite os sinais recebidos (de rádio, televisão) *sm.* **2** Aparelho que tem essa capacidade [F.: *re-* + *transmissor*.]
retransmissora (re.trans.mis.*so*.ra) [ô] *sf.* **1** *Eletrôn.* Estação que recebe e retransmite ondas radioelétricas **2** *Rád. Telv.* Emissora que retransmite os sinais recebidos de outras [F.: Fem. substv. de *retransmissor*.]
retransmitido (re.trans.mi.*ti*.do) *a.* Que se transmitiu novamente (sinal retransmitido) [F.: Part. de *retransmitir*.]
retransmitir (re.trans.mi.*tir*) *v. td.* **1** Transmitir de novo: *A ligação caiu e precisou retransmitir a mensagem.* **2** *Rád. Telv.* Transmitir sinais ou programas gerados por outra estação difusora [*td.*: *Este canal retransmitirá o jogo*.] [▶ 3 retransmit**ir**] [F.: Do v.lat. *retransmittere*.]
retrasado (re.tra.*sa*.do) *a.* **1** *Bras.* Imediatamente anterior a algo passado (ano retrasado); ATRASADO **2** Imediatamente anterior; PASSADO [F.: Part. de *retrasar*.]
retraspassar (re.tras.pas.*sar*) *v. td.* Traspassar, transpor [▶ 1 pass**ar**] [F.: *re-* + *traspassar*.]
retratabilidade[1] (re.tra.ta.bi.li.*da*.de) *sf.* Qualidade do que é retratável[1]: *a retratabilidade de uma paisagem.* [Ant.: *irretratabilidade*.] [F.: *retratável*[1], sob a f. *retratabil-*, + *-(i)dade*, seg. o mod. erudito.]
retratabilidade[2] (re.tra.ta.bi.li.*da*.de) *sf.* Qualidade do que é retratável[2] (juízo de retratabilidade) [Ant.: *irretratabilidade*.] [F.: *retratável*[2], sob a f. *retratabil-*, + *-(i)dade*, seg. o mod. erudito.]
retratação (re.tra.ta.*ção*) *sf.* **1** Ação ou resultado de retratar-se, de retirar o que se disse anteriormente **2** Pedido de desculpas **3** Confissão ou reconhecimento de erro [Pl.: *-ções*.] [F.: Do lat. *retractatio, onis*.]
retratado[1] (re.tra.*ta*.do) *a.* **1** Que se retratou (ver retratar[1]) **2** Reproduzido por meio de retrato: "...os velhos mestres retratados o fizeram sangrar de remorsos" (Machado de Assis, "Um homem célebre" *in Várias histórias*) **3** Espelhado, refletido: "Dessem-me a mim somente ver teu rosto / Nas águas, como a lua, retratado" (Gonçalves Dias, "O canto do índio" *in Primeiros cantos*) **4** *P. ext.* Descrito com exatidão [F.: Part. de *retratar*[1].]
retratado[2] (re.tra.*ta*.do) *a.* Que se retratou (ver retratar[2]) ou desdisse [F.: Part. de *retratar*[2].]
retratamento (re.tra.ta.*men*.to) *sf.* Ação ou resultado de tratar(-se) novamente (retratamento endodôntico) [F.: *re-* + *tratamento*.]
retratar[1] (re.tra.*tar*) *v.* **1** Desenhar ou pintar o retrato de (alguém ou si próprio), ou fotografar(-se) [*td.*: *O robô retratou a superfície de Marte;* "Eu já tinha me perguntado por que sempre retratavam a Virgem desta maneira." (Paulo Coelho, *Veronika decide morrer*)] **2** Refletir a imagem de; ESPELHAR [*td.*: "Não, que os seus olhos bem dizem / O que diz seu coração; / Terríveis, como um espelho, / Que retratasse um vulcão." (Gonçalves Dias, "O pirata" *in Primeiros cantos*)] [*ta.*: "E de noite se retrata / Da fonte na lisa prata, / Quando o céu de luz se arreia." (Gonçalves Dias, "Mimosa e bela" *in Segundos cantos*)] **3** Descrever ou mostrar com exatidão; apresentar como é [*td.*: "Li este seu livro, em que Nestor tão bem retrata o seu íntimo amigo..." (Lima Barreto, *Marginália*)] **4** Dar sinal ou indício de; deixar perceber, transparecer; MANIFESTAR; MOSTRAR [*td.*: "Ó Cristos de ouro, de marfim, de prata /... / Ensanguentados Cristos dolorosos / Cuja cabeça a Dor e a Luz retrata." (Cruz e Sousa, "Cristo de bronze" *in Broquéis*)] [*tda.*: "...as florestas mascaram vastos territórios estéreis, retratando nas áreas desnudas as inclemências de um clima..." (Euclides da Cunha, *Os sertões*)] **5** Pôr em relevo, em destaque; ESTAMPAR [*td.*: "Os seus livros... retratam uma intervenção brilhante e imaginosa, mas inútil." (Euclides da Cunha, *Confrontos e contrastes*)] [*tdr.* + *em*: "Mem Moniz é, que em si o valor retrata, / Que o sepulcro do pai com os ossos cerra..." (Luís de Camões, *Os lusíadas*, canto 8)] **6** Formar ou exprimir conceito ou imagem de; CONCEITUAR; DESCREVER [*tdp.*: *Os jornais retratam o candidato como justo e honesto*.] **7** Voltar a lembrar; RECUPERAR; RELEMBRAR [*tda.*: "E Maria do Carmo passava noites sem dormir, a pensar no futuro bacharel, retratando-o na imaginação, amando-o de longe." (Adolfo Caminha, *A normalista*)] [▶ 1 retrat**ar**] [F.: *retrato* + *-ar*[2]. Hom./Par.: *retratado* (fl.), *retratado* (a.); *retratáveis* (fl.), *retratáveis* (pl. de *retratável* [a2g.]); *retrateis* (fl.), *retráteis* (pl. de *retrátil* [a2g.]), *retrato* (fl.), *retrato* (sm.).]
retratar[2] (re.tra.*tar*) *v.* **1** Retirar (o que disse); DESDIZER(-SE) [*td.*: *Retratou o pedido de casamento*.] [*tr.* + *de*: *Retratara-se da resposta incorreta*.] **2** Tornar a tratar (algum assunto) [*td.*: *Precisou retratar todas as matérias discutidas*.] **3** Admitir que agiu mal; confessar o erro [*tr.* + *de*: *O aluno retratou-se do que fez.*: "...Lísia lembrou-se de tomar uma desforra obrigando-a... a retratar-se de sua esquisitice..." (José de Alencar, *Senhora*)] [*int.*: *Enfim, retratou-se*.] **4** Entregar (algo) a; CONSIGNAR; DETERMINAR [*tdr.* + *a*: "O jornal... expirou à míngua de subscritores, porque os afrontados por ele iam, de porta em porta, mandar uns e pedir a outros que retratassem as moedas de cobre à receita do escritor, que as não queria para si." (Camilo Castelo Branco, *Coração, cabeça e estômago*)] [▶ 1 retrat**ar**] [F.: Do v.lat. *retractare*. Hom./Par.: Ver em *retratar*[1].]
retratável[1] (re.tra.*tá*.vel) *a2g.* Que se pode retratar[1] ou representar por meio de retrato [Ant.: *irretratável*.] [Pl.: *-veis*.] [F.: *retratar*[1] + *-vel*. Hom./Par.: *retratáveis* (pl.), *retratáveis* (fl. de *retratar*).]
retratável[2] (re.tra.*tá*.vel) *a2g.* Que se pode retratar[2] ou retirar o que foi dito: *Queixa retratável até a sentença.* [Ant.: *irretratável*.] [F.: *retratar*[2] + *-vel*. Hom./Par.: *retratáveis* (pl.), *retratáveis* (fl. de *retratar*).]
retrátil (re.*trá*.til) *a2g.* **1** Que se pode retrair: *Quase todos os felídeos têm as unhas retráteis.* **2** Que produz retração (força retrátil) [Pl.: *-teis*.] [F.: Do fr. *rétractile*. Tb. *retráctil*.]
retratilidade (re.tra.ti.li.*da*.de) *sf.* Qualidade, atributo ou característica do que é retrátil [F.: *retrátil* + *-(i)dade*. Tb. *retractilidade*.]
retratismo (re.tra.*tis*.mo) *sm.* Qualidade daquilo que se atém às características de um simples retrato da realidade: *Quer ser um pintor moderno, mas cai sempre no retratismo.* [F.: *retrato* + *-ismo*.]
retratista (re.tra.*tis*.ta) *s2g.* **1** *Pint.* Artista especializado em pintar figuras humanas: "Se eu tivesse talento de retratista reproduziria suas feições..." (José de Alencar, *Sonhos de ouro*) **2** *Fot.* Pessoa que tira retratos profissionalmente; FOTÓGRAFO **3** *Fig. Liter.* Romancista que descreve a realidade com exatidão [F.: *retrato* + *-ista*.]
retratista (re.tra.*tis*.ta) *s2g.* **1** *Pint.* Artista especializado em pintar figuras humanas: "Se eu tivesse talento de retratista reproduziria suas feições..." (José de Alencar, *Sonhos de ouro*) **2** *Fot.* Pessoa que tira retratos profissionalmente;

FOTÓGRAFO 3 *Fig. Liter.* Romancista que descreve a realidade com exatidão [F.: *retrato* + *-ista.*]

retrato (re.*tra*.to) *sm.* 1 Registro da imagem de uma pessoa por meio de pintura, desenho, gravura ou fotografia: *Admirável é o Retrato do Artista Idoso, de Rembrandt; Apareceu com um retrato dele, quando era menino.* 2 Obra de arte (ou não) em que se registra essa imagem 3 *Bras.* Imagem obtida por uma máquina fotográfica; FOTOGRAFIA; FOTO 4 *Fig.* Aquele que é fisicamente muito parecido com outra pessoa: *O pilantra era o retrato do pai.* 5 *Fig.* Aquilo ou aquele que constitui um bom exemplo de algo: *É o retrato da perseverança.* 6 *Fig.* Descrição mais ou menos fiel de uma pessoa, época, ambiente: *Seu romance é um retrato da vida no campo.* [F.: Do it. *ritratto.* Hom./Par.: *retrato* (fl. de *retratar*).] ▪ ~ **falado** *Pop.* Suposto retrato de um suspeito, montado por técnicas e equipamentos especiais, ou por simples desenho, a partir da descrição de testemunhas, us. pela polícia na tentativa de identificá-lo e localizá-lo

retreinamento (re.trei.na.*men*.to) *sm.* Processo que retoma e complementa as instruções já dadas ao mesmo funcionário ou esportista [F.: *re-* + *treinamento.*]

retreinar (re.trei.*nar*) *v. td. int.* Voltar a treinar, treinar mais uma vez [▶ 1 retreinar] [F.: *re-* + *treinar.*]

retremer (re.tre.*mer*) *v.* 1 Tremer de novo [*int.*] 2 Tremer em excesso [*td.*] [*int.*] [▶ 2 retremer] [F.: *re-* + *tremer.*]

retreta (re.*tre*.ta) [ê] *sf.* 1 *Bras.* Exibição de uma banda de música, ger. em lugar público 2 *Mil.* Toque de corneta ou clarim que reúne os soldados em formatura, antes da hora de recolher 3 *Mil.* Formatura dos soldados antes do toque de recolher [F.: Do fr. *retraite.*]

retretar (re.tre.*tar*) *v. int.* Produzir som semelhante ao de retreta [▶ 1 retretar] [F.: *retreta* + *-ar*[2].]

retrete (re.*tre*.te) [ê ou é] *sf.* Privada, latrina [F.: Do fr. ant. *retrete.*]

retribalização (re.tri.ba.li.za.*ção*) *sf.* Ação ou resultado de retribalizar, de retornar a um estado tribal [Pl.: *-ções.*] [F.: *retribalizar* + *-ção.*]

retribalizar (re.tri.ba.li.*zar*) *v.* Tornar a tribalizar(-se), dar ou assumir aspecto ou valores de tribo [*td.*] [▶ 1 retribalizar] [F.: *re-* + *tribalizar.*]

retribuição (re.tri.bu:i.*ção*) *sf.* 1 Ação ou resultado de retribuir 2 Remuneração por trabalho ou serviço prestado; SALÁRIO 3 Prêmio, recompensa: *Sua maior retribuição foi o beijo da Uiara.* 4 Agradecimento por favor ou serviço recebido [Pl.: *-ções.*] [F.: Do lat. *retributio, onis.*]

retribuído (re.tri.bu.*í*.do) *a.* Que se retribuiu (amor retribuído) [F.: Part. de *retribuir.*]

retribuir (re.tri.bu.*ir*) *v.* 1 Dar em troca, em retribuição; RECOMPENSAR [*tdr.* + *com*: "Resolveste retribuir o amor com o ódio." (Paulo Coelho, *Veronika decide morrer*)] 2 Compensar de maneira equivalente; CORRESPONDER [*td.*: "Não aceito um favor que não posso retribuir." (José de Alencar, *A viuvinha*) No exemplo, o complemento do verbo é o pronome relativo **que**.] [*tdi.* + *a*: *Apressou-se em retribuir ao velho amigo os votos de Boas-Festas.*] 3 Remunerar com paga, com ordenado; PAGAR [*td.*: *retribuir trabalhos prestados.*] [▶ 56 retribuir] [F.: Do v.lat. *retribuere.*]

retributivo (re.tri.bu.*ti*.vo) *a.* Ref. a retribuição, ou que retribui [F.: *retribu(ir)* + *-tivo.*]

retrilha (re.*tri*.lha) *Agr. sf.* 1 Processo no qual os grãos de cereais que não foram limpos são encaminhados novamente para a trilha 2 Mecanismo de colheitadeira que realiza esse processo [F.: *re-* + *trilha.*]

retrincar (re.trin.*car*) *v.* 1 Trincar novamente [*td.*] 2 Interpretar (algo) de maneira tida como maliciosa [*td.*] [*int.*] 3 Falar baixinho; MURMURAR; SUSSURRAR [*td.*] 4 *Lus.* Em Trás-os-Montes, cerrar os dentes com força [*td.*] [▶ 11 retrincar] [F.: *re-* + *trincar.*]

retriz (re.*triz*) *sf. Zool.* Cada uma das penas grandes e rígidas da cauda das aves, cuja função é orientar o voo [F.: Do lat. *rectrix, icis.*]

◎ **retr(o)-** *pref.* = 'para trás'; 'posição anterior ou posterior a (algo)'; 'oposição'; 'reversão': *retroalimentação, retroceder, retrogredir, retrovírus.* [F.: Do lat. *retro.*]

retro (*re*.tro) *sm.* 1 Primeira página de uma folha; página oposta ao verso *adv.* 2 Às costas; na retaguarda 3 Em tempo anterior: "Meu retro coração inda inocente, / Iam ganhando as plácidas Camenas" (Bocage, *Das faixas infantis despido apenas*) 4 Em seguida, depois de *interj.* 5 Exprime ordem para que outrem se afaste ou dê uns passos para trás [F.: Do lat. *retro.* Sin. nas acps. 2 a 4: *atrás.* Hom./Par.: *retro* (sm. adv.), *retrô* (a2g2n.).]

retrô (re.*trô*) *a2g2n. Pop.* Diz-se de quem ou daquilo que busca inspiração no passado: "O tema retrô em visual modernoso atraiu muita gente nas plateias..." (*Folha de S.Paulo*, 27.12.1999) [F.: F. red. de *retrocesso.* Hom./Par.: *retrô* (a2g2n.), *retro* (sm. adv.).]

retroação (re.tro:a.*ção*) *sf.* Ação ou resultado de retroagir [Pl.: *-ções.*] [F.: *retr(o)-* + *ação.*]

retroagir (re.tro.a.*gir*) *v.* 1 Fazer ter validade ou passar a ter validade a partir de (data anterior); retrair sua ação ao passado [*tdr.* + *a*: *A lei 543 retroagiu seus efeitos ao primeiro dia deste ano.*] [*tr.* + *a*: *A aposentadoria retroagiu a 1998.*] [*int.*: *A lei retroagiu para beneficiar os aposentados.*] 2 Voltar a apresentar situação semelhante a (época passada) [*tr.* + *a*: *A censura retroagiu à época da ditadura.*] [*int.*: "...o que efetivamente não ocorreria caso pudesse uma norma retroagir." (Dênerson Dias Rosa, "Inconstitucionalidade da retroatividade de leis" in *Revista Dataveni@ – Opinião Jurídica*)] [▶ 46 retroagir] [F.: Do v.lat. *retroagere.*]

retroalimentação (re.tro:a.li.men.ta.*ção*) *sf.* 1 *Eletrôn.* Ação ou resultado de retroalimentar(-se), encaminhar elementos da saída de um sistema (inclusive de informática) para a sua entrada, como forma de reforço ou de controle 2 Qualquer processo de controle da ação de um sistema, com base no reconhecimento e análise das respostas possíveis a cada estímulo 3 *P. ext.* Cada resposta resultante desse processo de controle [Pl.: *-ções.*] [F.: *retr(o)-* + *alimentação.* Sin. ger.: *realimentação, feed-back.*]

retroar (re.tro.*ar*) *v. int.* 1 Troar de novo 2 Troar de maneira muito forte; RETUMBAR [▶ 16 retroar] [F.: *re-* + *troar.*]

retroativamente (re.tro:a.ti.va.*men*.te) *adv.* De modo retroativo: "...a mudança estava sendo feita retroativamente, ou seja, estava voltando no tempo" (*Folha de S.Paulo*, 05.12.1999) [F.: Fem. de *retroativo* + *-mente.*]

retroatividade (re.tro:a.ti.vi.*da*.de) *sf.* 1 Qualidade ou característica do que é retroativo: "Era o tipo completo do lutador primitivo [...] um belo caso de retroatividade atávica, forma retardatária de troglodita sanhudo..." (Euclides da Cunha, *Os sertões*) 2 *Jur.* Possibilidade de extensão de uma lei a fatos ocorridos antes de sua vigência [F.: *retroativo* + *-(i)dade.* Ant. ger.: *irretroatividade.*]

retroativo (re.tro:a.*ti*.vo) *a.* 1 Ref. ao passado, ou próprio dele 2 Que tem efeito sobre o passado; que retroage: *O aumento é retroativo a março de 2005.* 3 *Jur.* Que influi em fatos anteriores à ocorrência (decisão retroativa) [F.: Adaptç. do fr. *rétroactif.*]

retrocavidade (re.tro.ca.vi.*da*.de) *sf. Anat.* Cavidade posterior a outra ou parte posterior de uma cavidade [F.: *retr(o)-* + *cavidade.*]

retrocedência (re.tro.ce.*dên*.ci:a) *sf.* 1 Qualidade ou estado do que é retrocedente 2 O mesmo que *retrocesso.* [F.: *retroceder* + *-ência.*]

retroceder (re.tro.ce.*der*) *v.* 1 Voltar (no espaço ou no tempo); tornar para trás [*ta.*: "...retrocedeu ao lugar onde tinha deixado o Brás." (José de Alencar, *Til*)] [*int.*: "...moderou o andar, pensando em retroceder..." (José de Alencar, *Sonhos d'ouro*): "Os viajantes...pararam de repente, ...retrocederam apressados" (José de Alencar, *Til*)] 2 Voltar a estágio anterior; regredir no processo de evolução; DECAIR; INVOLUIR [*tr.* + *a*] [*int.*: *Essa lei fez a questão do meio ambiente retroceder.*] 3 Voltar atrás; ABANDONAR; DESISTIR [*td.*] [*int.*] [*tr.* + *em*: *Retrocedi em minha ideia fixa.*] 4 *Inf.* Fazer voltar (página, trecho, documento etc.) [*td.*: *Este botão avança e retrocede as páginas do texto.*] [*int.*: *Tecle F7 para retroceder.*] 5 *Jur.* Ceder a outrem um direito obtido por cessão; fazer retrocessão de [*td.*: *O juiz o fez retroceder o terreno.*] [*tdi.* + *a*: *Retrocedeu os bens aos irmãos.*] [▶ 2 retroceder] [F.: Do v.lat. *retrocedere.* Ant.: *avançar, progredir.*]

retrocedimento (re.tro.ce.di.*men*.to) *sm.* O mesmo que *retrocesso* [F.: *retroceder* + *-imento.*]

retrocessão (re.tro.ces.*são*) *sf.* 1 Ação ou resultado de retroceder; RETROCESSO; RETROCEDIMENTO 2 *Jur.* Ação pela qual alguém cede a outrem um direito obtido por cessão 3 *P. ext.* Operação na qual o ressegurador faz a cessão de parte das responsabilidades do resseguro aceito por ele para outros resseguradores 4 *Jur.* Restituição de um domínio ou bem ao dono anterior; DEVOLUÇÃO; REVERSÃO: "...a retrocessão de Hong Kong propiciará à China um lugar vigoroso" (*Folha de S.Paulo*, 30.06.1997) 5 *Jur.* Devolução de um domínio expropriado para o patrimônio daquele de quem foi tirado, mediante a restituição do mesmo valor da desapropriação, caso o poder público desista de utilizá-lo para a alegada necessidade ou utilidade social 6 *Med.* Posicionamento de um órgão para trás, esp. o útero 7 *Med.* Interrupção dos sintomas externos de uma doença, seguida de indícios de comprometimento de algum órgão interno 8 *Obst.* Cessação momentânea que pode ocorrer durante o trabalho de parto, quando este se dá antes do tempo previsto [Pl.: *-sões.*] [F.: Do lat. tard. *retrocessio, onis.*]

retrocessionário (re.tro.ces.si:o.*ná*.ri:o) *sm. Jur.* Aquele que adquire um bem por retrocessão [F.: *retrocessão*, sob a f. *retrocession-*, + *-ário*, seg. o mod. erudito.]

retrocesso (re.tro.*ces*.so) *sm.* 1 Ação ou resultado de retroceder, de mover-se para trás; RECUO 2 *P. ext.* Recuo no tempo, retorno ao passado: *Essa política não representa o séc. XXI, porém um retrocesso às práticas ditatoriais do século passado.* 3 Transformação para um nível menor de intensidade, desenvolvimento etc.; REGRESSÃO: *retrocesso da economia de um país.* 4 Regresso ao estado anterior; RETROGRADAÇÃO 5 Tecla que faz retroceder o carro da máquina de escrever 6 Reversão da contagem regressiva, abortando o lançamento de um veículo espacial [F.: Do lat. *retrocessus.* Ant. nas acps. 1, 3 e 4: *progresso.*]

retroescavadeira (re.tro.es.ca.va.*dei*.ra) *sf.* Tipo de escavadeira que executa a abertura de valas através de um sistema de braços articulados com uma caçamba voltada para baixo, e à medida que a escavação prossegue o trator se desloca em marcha a ré [F.: *retr(o)-* + *escavadeira.*]

retroescavadora (re.tro.es.ca.va.*do*.ra) [ô] *sf.* O mesmo que *retroescavadeira.* [F.: *retr(o)-* + *escavadora.*]

retroesternalmente (re.tro.es.ter.nal.*men*.te) *adv.* Por trás do esterno [F.: *retr(o)-* + *esternal-* + *-mente.*]

retroflexão (re.tro.fle.*xão*) [cs] *sf.* Inflexão operada para trás [Pl.: *-xões.*] [F.: *retroflexo* + *-ão*[3].]

retroflexo (re.tro.*fle*.xo) [cs] *a.* 1 Que se pode dobrar ou curvar para trás 2 *Fon.* Diz-se de fonema articulado com a ponta da língua dobrada para trás e em direção ao palato; CACUMINAL [F.: Do lat. *retroflexus, a, um.* Sin. ger.: *retroflectido.*]

retrofoguete (re.tro.fo.*gue*.te) [ê] *sm. Arm. Astnáut. Avi.* Foguete de retropropulsão us. para retardar, prender ou inverter o movimento de um avião, míssil, ou nave espacial [F.: *retr(o)-* + *foguete.*]

retrognatismo (re.trog.na.*tis*.mo) *sm. Med.* Alteração mandibular causada por mento pequeno ou posicionado muito para trás [F.: *retr(o)-* + *-gnat(o)-* + *-ismo.* Cf.: *prognatismo.*]

retrogradar (re.tro.gra.*dar*) *v.* 1 Fazer voltar ou voltar a estágio anterior no processo de evolução [*td.*: *O golpe militar retrogradou a ordem política.*] [*int.*: "...o povoamento, iniciado desde os tempos coloniais, se entorpeceu ou retrogradou, retratando-se na ruinaria dos vilarejos..." (Euclides da Cunha, *À margem da história*)] 2 Fazer andar ou andar para trás (no espaço ou no tempo) [*td.*: *As novas tendências retrogradaram a moda.*] [*ta.*: *O exército retrogradou até as trincheiras.*] [*int.*: *Impossibilitada de prosseguir, a tropa retrogradou.*] 3 *Astron.* Mover-se (astro) em sentido retrógrado [*int.*: *Alguns astros retrogradam.*] [▶ 1 retrogradar] [F.: Do v.lat. *retrogradare.* Sin.: *recuar, retroceder.* Ant.: *avançar, progredir.* Hom./Par.: *retrogrado* (fl.), *retrógrado* (a. sm.); *retrogradas* (fl.), *retrógradas* (pl. do fem. de *retrógrado*).]

retrógrado (re.*tró*.gra.do) *a.* 1 Que retrograda, que caminha para trás 2 Que é contrário ao progresso [Ant.: *progressista.*] *sm.* 3 Aquele que é retrógrado ou que assim se mostra [F.: Do lat. *retrogradus, a, um.*]

retrogressão (re.tro.gres.*são*) *sm.* O mesmo que *retrocesso* [Pl.: *-sões.*] [F.: Do lat. *retrogressio, onis.*]

retroinibição (re.tro.i.ni.bi.*ção*) *sf. Bioq.* Inibição de uma enzima que catalisa uma etapa inicial de uma rota metabólica pelo produto da mesma rota [Pl.: *-ções.*] [F.: *retr(o)-* + *inibição.*]

retromencionado (re.tro.men.ci:o.*na*.do) *a.* Que foi mencionado anteriormente [F.: *retr(o)-* + *mencionado.*]

retroo (re.*tro*.o) *sm.* Ação ou resultado de retroar [F.: Dev. de *retroar.* Hom./Par.: *retroo* (sm.), *retroo* (fl. de *retroar*).]

retroperitoneal (re.tro.pe.ri.to.ne.*al*) *a2g.* Que está situado atrás do peritônio [Pl.: *-ais.*] [F.: *retr(o)-* + *peritoneal.* Tb. *retroperitonial.*]

retroperitonial (re.tro.pe.ri.to.ni.*al*) *a2g.* Ver *retroperitoneal*

retroperitônio (re.tro.pe.ri.*tô*.ni:o) *sm. Anat.* Região localizada entre a cavidade peritoneal e a parede abdominal posterior, que se estende do diafragma até o assoalho pélvico [F.: *retr(o)-* + *peritônio.*]

retroprojetor (re.tro.pro.je.*tor*) [ô] *sm.* Aparelho ótico que projeta numa tela imagens ampliadas de figuras, gráficos ou textos colocados sobre uma chapa transparente [F.: *retr(o)-* + *projetor.*]

retropropulsão (re.tro.pro.pul.*são*) *sf.* 1 *Arm. Astnáut. Avi.* Conversão de uma forma de energia em outra pela combustão, na qual resulta um gás sob alta pressão que provoca o empuxo de um foguete na mesma intensidade e em sentido contrário do movimento de um avião, míssil, ou nave espacial 2 *Fisl.* Movimento retrógrado do quimo causado pela contração do antro com o piloro fechado [Pl.: *-sões.*] [F.: *retr(o)-* + *propulsão.*]

retrós (re.*trós*) *sm.* 1 Fio de seda ou lã us. em costura ou bordado e que ger. se enrola num cilindro de madeira, plástico, papelão 2 Esse cilindro, de que o fio se vai desenrolando 3 *Bras. Pop.* Cachaça [Pl.: *-troses.*] [F.: Do fr. *retors.*]

retrospeção (re.tros.pe.*ção*) *sf.* Ver *retrospecção* [Pl.: *-ções.*]

retrospecção (re.tros.pec.*ção*) *sf.* Análise ou observação de acontecimentos passados; RETROSPECTO: "A sua conformação topográfica intensa esta retrospecção geológica" (Euclides da Cunha, *Os sertões*) [Pl.: *-ções.*] [F.: Der. culto do v.lat. *retrospicere*, sob a forma *-spectio, onis*, seg. o mod. lat., como em *circumspectio, onis* (> *circunspecção*). Tb. *retrospeção.*]

retrospectiva (re.tros.pec.*ti*.va) *sf.* 1 Relato ou análise de acontecimentos que ocorreram durante determinado período do passado recente; RETROSPECTO 2 Exposição dedicada a um artista, escola ou movimento, reunindo obras historicamente representativas de suas fases e tendências: *Organizou-se uma retrospectiva de Pancetti.* [F.: Fem. substv. de *retrospectivo.*]

retrospectivamente (re.tros.pec.ti.va.*men*.te) *adv.* De modo retrospectivo [F.: o fem. de *retrospectivo* + *-mente.*]

retrospectivo (re.tros.pec.*ti*.vo) *a.* Ref. a fatos passados (exame retrospectivo) [F.: *retrospecto* + *-ivo.* Tb. *retrospetivo.*]

retrospecto (re.tros.*pec*.to) *sm.* 1 O mesmo que retrospectiva (1) 2 *Esp.* Conjunto dos resultados obtidos por determinado atleta ou equipe durante uma série de competições esportivas; CAMPANHA [F.: Do lat. *retrospectus.* Tb. *retrospeto.*]

retrospetivo (re.tros.pe.*ti*.vo) *a.* Ver *retrospectivo*

retrospeto (re.tros.*pe*.to) *sm.* Ver *retrospecto*

retrovenda (re.tro.*ven*.da) *sf.* 1 Ação ou resultado de retrovender 2 *Jur.* Cláusula no contrato de compra e venda segundo a qual o vendedor pode reaver, em determinado prazo, o imóvel que vendeu, mediante a restituição do valor pago na compra e ressarcimento de todas as despesas feitas pelo comprador [F.: *retr(o)-* + *venda.* Hom./Par.: *retrovenda* (sf.), *retrovenda* (fl. de *retrovender*).]

retrovender (re.tro.ven.*der*) *v. Jur.* Fazer venda com cláusula de retrovenda [*td.*: *Retrovender um carro.*] [*tdi.* + *a*: *Retrovendeu o barco ao amigo.*] [▶ 2 retrovender] [F.:

retr(o)- + *vender.* Hom./Par.: *retrovenda* (fl.), *retrovenda* (sf.); *retrovendas* (fl.), *retrovendas* (pl. do sf.).]

retroviral (re.tro.vi.*ral*) ***a2g.*** O mesmo que *retrovirótico* [Pl.: *-rais.*] [F.: *retroví(rus)* + *-al*[1].]

retrovirótico (re.tro.vi.*ró*.ti.co) ***a.*** Ref. ou pertencente ao retrovírus; RETROVIRAL [F.: *retrovír(us)* + *-ótico.*]

retrovírus (re.tro.*ví*.rus) ***sm2n.*** *Vir.* Espécie de vírus que tem como material genético o ARN, se multiplica com o concurso da enzima transcriptase reversa e pode causar doenças como linfomas e leucemias [F.: *retr(o)-* + *vírus.*]

retrovisor (re.tro.vi.*sor*) [ô] ***sm.*** **1** Cada um dos espelhos fixados nas laterais externas e no centro do para-brisa de um veículo, por meio dos quais o motorista acompanha o que acontece à sua retaguarda ***a.*** **2** Ref. a um desses acessórios (espelho retrovisor) [F.: *retr(o)-* + *visor.*]

retrucar (re.tru.*car*) ***v.*** **1** Dizer em resposta; REPLICAR; RESPONDER [***td.:*** "– O senhor perde seu tempo e seu latim! retrucou o amigo de Bertoleza." (Aluísio Azevedo, *O cortiço*)] [***ti.*** + *a*: "...Alexandre... contentou-se em fazer com a mão um cumprimento à mulata, ao qual retrucou esta com uma continência militar..." (Aluísio Azevedo, *O cortiço*)] [***tdi.*** + *a*: "Não me retrucou sim, nem não..." (Machado de Assis, *Memorial de Aires*)] [***int.:*** "Aires Gomes quis retrucar, mas a dama impôs-lhe silêncio com um gesto." (José de Alencar, *O guarani*)] **2** Revidar ao jogador que nos trucou, que blefou [***ti.*** + *a*: *Embora perdendo, retrucou aos parceiros.*] [***int.:*** *Era ousado no jogo, sempre retrucava.*] [▶ **11** retrucar] [F.: *re-* + *trucar*. Hom./Par.: *retruque* (fl.), *retruque* (sm.); *retruques* (fl.), *retruques* (pl. do sm.).]

retruco (re.*tru*.co) ***sm.*** *Bras. Lud.* Manobra do jogo do truco cego [F.: *re-* + *truco.* Hom./Par.: *retruco* (sm.), *retruco* (fl. de *retrucar*).]

retumbância (re.tum.*bân*.ci:a) ***sf.*** Caráter ou qualidade de retumbante; RESSONÂNCIA [F.: *retumbar* + *-ância.*]

retumbante (re.tum.*ban*.te) ***a2g.*** Que retumba, que faz ruído intenso (brado retumbante) [F.: *retumbar* + *-nte.*]

retumbantemente (re.tum.ban.te.*men*.te) ***adv.*** De maneira retumbante: "Esse silêncio diz ainda mais claramente e retumbantemente que as palavras..." (Eça de Queirós, *Os Maias*) [F.: *retumbante* + *-mente.*]

retumbar (re.tum.*bar*) ***v.*** **1** Refletir o som com estrondo; produzir som cavernoso e profundo; RIBOMBAR [***int.:*** "Aqui outrora retumbaram hinos..." (Raimundo Correia, "Saudade" *in Versos e versões*)] **2** Reproduzir(-se), refletir(-se) causando impacto ou viva impressão; ECOAR; RESSOAR [***ta.:*** "As severas e enérgicas palavras do cacique retumbaram naquelas almas exaltadas como os trovões da cólera celeste..." (Bernardo Guimarães, *O ermitão de Muquém*)] [***int.:*** "Quanto mais retumbarem os baldões, mais se firmarão meus passos na rota..." (Rui Barbosa, *Obras completas*)] [***td.:*** *O lançamento desse disco está retumbando o sucesso do primeiro.*] [▶ **1** retumbar] [F.: De or. onom. (cf. f. cast. *retumbar*). Hom./Par.: *retumbo* (fl.), *retumbo* (sm.).]

returno (re.*tur*.no) ***sm.*** *Bras. Esp.* Nas competições, uma segunda série de disputas entre adversários que já se enfrentaram no primeiro turno; segundo turno [F.: *re-* + *turno.*]

réu ***sm.*** **1** *Jur.* Aquele que foi ou está sendo julgado por um crime ou processado em ação cível **2** *Jur.* Autor ou corréu de crime ou delito; CULPADO; CRIMINOSO **3** *Fig.* Responsável por ação praticada contra o interesse geral: *É réu perante a história.* ***a.*** **4** Que é culpado, responsável: *é réu de muitos crimes... contra a gramática.* [Fem.: *ré*] [F.: Do lat. *reus, rei.*] ■ **~ primário** *Jur.* O que nunca fora antes réu condenado

reuma (*reu*.ma) *Pat.* ***sf.*** **1** Fluxo ou corrimento de humores crassos: "Esta mulher tem reuma no sangue... dizia ele – e o menino pode vir a sofrer no futuro" (Aluísio de Azevedo, *Casa de pensão*) **2** Secreção viscosa produzida pela mucosa; CATARRO [F.: Do gr. *rheûma, atos*, pelo lat. *rheuma, atis.*]

reumanização (reu.ma.ni.za.*ção*) ***sf.*** Ação ou resultado de reumanizar: "...um esforço racional de reumanização e amadurecimento cultural paulatino" (*Folha de S.Paulo*, 19.03.1995) [Pl.: *-ções.*] [F.: *reumanizar* + *-ção.*]

reumanizar (re:u.ma.ni.*zar*) ***v.*** Humanizar de novo [***td.:*** *Ali, a Igreja reumanizou um segmento das classes médias.*] [***int.:*** *Tinham esperança de que o burguesão se reumanizasse.*] [▶ **1** reumanizar] [F.: *re-* + *humanizar.*]

reumático (reu.*má*.ti.co) ***a.*** **1** Ref. a reuma, e a reumatismo (dor reumática); REUMATISMAL **2** Que sofre de reumatismo ***sm.*** **3** *Reum.* Aquele que sofre de reumatismo [F.: Do lat. tard. *rheumaticus, a, um*, do gr. *rheumatikós, é, on.*]

reumatismo (reu.ma.*tis*.mo) ***sm.*** *Med.* Denominação de várias enfermidades, ger. crônicas, que causam inflamação e dores nas articulações e nos músculos, nos tendões [F.: Do lat. *rheumatismus, i*, do gr. *rheumatismós, oû.*] ■ **~ articular agudo** *Reum.* Ver *Reumatismo poliarticular agudo* **~ poliarticular agudo** *Reum.* Doença generalizada do tecido colágeno, que ataca o sistema nervoso, o coração, articulações, etc.; reumatismo articular agudo, febre reumática

◎ **reumat(o)-** ***el. comp.*** = 'fluxo'; 'reumatismo': *reumatoide, reumatologia* [F.: Do gr. *rheûma, atos*, 'fluxo'; 'escoamento'.]

reumatoide (reu.ma.*toi*.de) ***a2g.*** **1** *Ort. Pat. Reum.* Diz-se de artrite ou doença reumática crônica, persistente e debilitante [De causa desconhecida, a artrite reumatoide e a doença reumática reumatoide se caracterizam pela inflamação da membrana que reveste e protege as articulações; entre os sintomas estão a dor, o inchaço, a rigidez, a limitação de movimentos e, em casos mais graves, as deformidades progressivas que provocam a invalidez.] **2** *Imun.* Diz-se de fator que engloba um grupo de autoanticorpos que ajuda no diagnóstico de artrite reumatoide [Em geral quanto maior a concentração desse fator no sangue mais intensa é a doença.] [F.: *reumat(o)-* + *-oide.*]

reumatologia (reu.ma.to.lo.*gi*.a) ***sf.*** *Med.* Especialidade da medicina que se dedica ao tratamento das doenças reumáticas [F.: *reumat(o)-* + *-logia.*]

reumatológico (reu.ma.to.*ló*.gi.co) ***a.*** Ref. a reumatologia e a reumatologista [F.: *reumatologia* + *-ico*[2]. >]

reumatologista (reu.ma.to.lo.*gis*.ta) ***s2g.*** **1** Médico especializado em reumatologia ***a2g.*** **2** Diz-se desse médico [F.: *reumatologia* + *-ista.*]

reunião (re:u.ni:*ão*) ***sf.*** **1** Ação ou resultado de reunir(-se) **2** Encontro de pessoas com um fim qualquer (reunião política; reunião familiar) **3** Agrupamento, junção de coisas quaisquer: *Providenciou a reunião de todos os dados.* **4** *Mat.* Conjunto resultante da união dos elementos de dois outros conjuntos [Pl.: *-ões.*] [F.: *re-* + *união.* Ideia de 'reunião': *sin-* (*sincretismo*); *-légio* (*colégio*); *-ama* (*dinheirama*); *-edo* (*passaredo*).] ■ **~ de cúpula** Reunião dos mais altos dirigentes de Estados [Sin.: *Lus. cimeira.*]

reunido (re:u.*ni*.do) ***a.*** **1** Que se reuniu **2** Diz-se de grupo de pessoas agrupadas em um mesmo local: "Tinha a baia parado a alguma distância e vibrava o olhar cintilante sobre a gente reunida então perto do alpendre" (José de Alencar, *O gaúcho*) **3** Unido ao mesmo tempo para atingir um objetivo comum: "Com o esforço reunido de todos, conseguiram içá-la e logo se desamarraram, fugindo." (Lima Barreto, *Triste fim de Policarpo Quaresma*) **4** Que se juntou a outra(s) coisa(s) para formar um conjunto (contos reunidos) [F.: Part. de *reunir.*]

reunificação (re.u.ni.fi.ca.*ção*) ***sf.*** Ação ou resultado de reunificar(-se): *A queda do muro de Berlim marcou o processo de reunificação da Alemanha.* [Pl.: *-ções.*] [F.: *reunificar* + *-ção.*]

reunificar (re.u.ni.fi.*car*) [e-u] ***v. td.*** Tornar a unificar (-se): *Um grande processo de mudança reunificou o país.* [▶ **11** reunificar] [F.: *re-* + *unificar.*]

reunir (re.u.*nir*) ***v.*** **1** Juntar(-se) em reunião (para um objetivo); CONGREGAR(-SE) [***td.:*** "D. Antônio reunia sua família para dar uma certa solenidade ao ato que ia praticar." (José de Alencar, *O guarani*)] [***int.:*** *A comissão reuniu-se esta manhã;* "Quando a turma reunia / Alguém sempre pedia: / Ah, Dinorah, Dinorah..." (Ivan Lins, *Dinorah*)] [***tr.*** + *com*: "Vou reunir-me com os outros que lá estão fazendo uma das suas." (Franklin Távora, *O Cabeleira*)] **2** Pôr junto (o que estava espalhado); AGRUPAR; JUNTAR [***td.:*** "...quando o... hóspede saía para o emprego, ela corria a lhe arrumar a mesa... reunindo os papéis esparsos..." (Aluísio Azevedo, *Casa de pensão*)] **3** Unir com linha e agulha; COSER; COSTURAR [***td.:*** *A costureira reuniu os retalhos da velha colcha.*] **4** *P. ext.* Tornar a unir (o que estava ligado e se separou) [***td.:*** *Conseguiu reunir as partes quebradas da jarra.*] **5** Fazer coexistir; estabelecer combinação; ALIAR; COMBINAR [***td.:*** "Simão Bacamarte explicou-lhe que D. Evarista reunia condições fisiológicas e anatômicas de primeira ordem." (Machado de Assis, *O alienista*)] [***tdr.*** + *a*: "A sutileza do réptil venenoso, reunia a sagacidade do guará." (José de Alencar, *Til*)] **6** Fazer ficar em harmonia; estabelecer a paz; CONCILIAR; HARMONIZAR [***td.:*** "Não comiam juntos, e mal trocavam entre si uma ou outra palavra..., quando qualquer inesperado acaso os reunia..." (Aluísio Azevedo, *O cortiço*)] **7** Ter ou possuir (condições, qualidades, virtudes, dons) [***td.:*** "Lúcia, que reunia todas aquelas condições em grau eminente, estava fascinadora." (Bernardo Guimarães, *O garimpeiro*)] **8** Fazer vir muitas pessoas (por meio de gesto, som etc.); CHAMAR; CONVOCAR [***td.:*** "...uma voz reuniu todas as senhoras e senhores em um só ponto..." (Joaquim Manuel de Macedo, *A moreninha*)] [***int.:*** "De quando em quando, um sinal de clarim. Tocava-se a reunir e fazia-se a distribuição das gulodices." (Raul Pompeia, *O Ateneu*)] **9** Estabelecer conexão entre partes; COMUNICAR; LIGAR [***td.:*** *A velha ponte reúne as cidades.*] **10** Incorporar a outro (país, território etc.); ANEXAR [***tdr.*** + *a*: "...ao vedar... que se aceitassem 'proposições de quaisquer colônias para se reunirem ao Império do Brasil'." (Alberto da Costa e Silva, *Um rio chamado Atlântico*)] [▶ **3** reunir NOTA: Apresenta o 'u' acentuado conforme o paradigma 18.] [F.: De *re-* + *unir*. Ant.: *desligar, desunir, dispersar, separar.*]

reurbanização (re.ur.ba.ni.za.*ção*) ***sf.*** Ação ou resultado de reurbanizar: *obras de reurbanização do centro da cidade.* [Pl.: *-ções.*] [F.: *reurbanizar* + *-ção.*]

reurbanizar (re.ur.ba.ni.*zar*) ***v. td.*** Fazer nova urbanização de: *A prefeitura reurbanizou dois bairros.* [▶ **1** reurbanizar] [F.: *re-* + *urbanizar.*]

reutilização (re.u.ti.li.za.*ção*) ***sf.*** Ação ou resultado de reutilizar [Pl.: *-ções.*] [F.: *reutilizar* + *-ção.*]

reutilizado (re.u.ti.li.*za*.do) ***a.*** Que se reutilizou; REAPROVEITADO; REUSADO [F.: Part. de *reutilizar.*]

reutilizar (re.u.ti.li.*zar*) ***v. td.*** **1** Utilizar novamente: *Reutilizou a água do preparo do cozimento dos legumes.* **2** Utilizar de outra forma: *A reciclagem reutiliza objetos descartáveis.* [▶ **1** reutilizar] [F.: *re-* + *utilizar*. Hom./Par.: *reutilizáveis* (fl.), *reutilizáveis* (pl. de *reutilizável* [a2g.]).]

reutilizável (re.u.ti.li.*zá*.vel) ***a2g.*** Que se pode reutilizar [Pl.: *-veis.*] [F.: *reutilizar* + *-vel*. Hom./Par.: *reutilizáveis* (pl.), *reutilizáveis* (fl. de *reutilizar* [v.]).]

revacinação (re.va.ci.na.*ção*) ***sf.*** Ação ou resultado de revacinar(-se) [Pl.: *-ções.*] [F.: *revacinar* + *-ção.*]

revacinar (re.va.ci.*nar*) ***v. td. int.*** Tornar a vacinar(-se) [▶ **1** revacinar] [F.: *re-* + *vacinar.*]

revalidação (re.va.li.da.*ção*) ***sf.*** Ação ou resultado de revalidar [Pl.: *-ções.*] [F.: *revalidar* + *-ção.*]

revalidado (re.va.li.*da*.do) ***a.*** Que se revalidou (diploma revalidado) [F.: Part. de *revalidar.*]

revalidador (re.va.li.da.*dor*) [ô] ***a.*** **1** Que revalida ***sm.*** **2** Aquele ou aquilo que revalida [F.: *revalidar* + *-dor.*]

revalidar (re.va.li.*dar*) ***v. td.*** **1** Tornar válido novamente; CONFIRMAR; CONVALIDAR: *revalidar passaporte/documentos.* **2** Dar mais força e jus a qualquer ato; RATIFICAR: *Os pares revalidaram a sua decisão.* [▶ **1** revalidar] [F.: *re-* + *validar.*]

revalorar (re.va.lo.*rar*) ***v. td.*** Valorar de novo, atribuir novo valor a [▶ **1** revalorar] [F.: *re-* + *valorar.*]

revalorização (re.va.lo.ri.za.*ção*) ***sf.*** Ação ou resultado de revalorizar(-se) (revalorização da moeda) [Pl.: *-ções.*] [F.: *revalorizar* + *-ção.*]

revalorizado (re.va.lo.ri.*za*.do) ***a.*** Que se revalorizou; que teve nova valorização [F.: Part. de *revalorizar.*]

revalorizar (re.va.lo.ri.*zar*) ***v.*** Valorizar novamente; dar novo valor a [***td.:*** *Revalorizou o lugar de Lima Barreto na crítica social; Os frequentadores revalorizam os cinemas de rua.*] [***int.:*** *A moeda revalorizou-se rapidamente.*] [▶ **1** revalorizar] [F.: *re-* + *valorizar.*]

revanche (re.*van*.che) ***sf.*** **1** Reparação, às vezes violenta, de ofensa ou prejuízo causado por outrem; DESFORRA; VINGANÇA **2** *Esp.* Competição entre adversários que já se enfrentaram e na qual o derrotado tem nova oportunidade [F.: Do fr. *revanche.*]

revanchismo (re.van.*chis*.mo) ***sm.*** Atitude ou tendência a procurar a revanche (1), esp. no terreno político [F.: *revanche* + *-ismo.*]

revanchista (re.van.*chis*.ta) ***a2g.*** **1** Ref. a revanchismo ou que o implica ***s2g.*** **2** Pessoa revanchista [F.: *revanche* + *-ista.*]

revascularização (re.vas.cu.la.ri.za.*ção*) ***sf.*** **1** Ação ou resultado de revascularizar **2** *Cir.* Cirurgia que recompõe a irrigação sanguínea de um determinado órgão ou membro do corpo humano [Pl.: *-ções.*] [F.: *revascularizar* + *-ção.*]

revascularizar (re.vas.cu.la.ri.*zar*) ***v. td.*** *Cir.* Vascularizar novamente, proceder a uma nova irrigação sanguínea de determinado órgão ou parte do corpo [▶ **1** revascularizar] [F.: *re-* + *vascularizar.*]

⊕ **réveillon** (*Fr.: /reveiõn/*) ***sm.*** **1** Reunião e ceia festiva na passagem do ano **2** *Fig.* A passagem do ano (por vezes em referência tb. à[s] véspera[s] do Ano-novo)

revel (re.*vel*) ***a2g.*** **1** Que se revolta contra algo (ger. poder constituído); REBELDE **2** *Jur.* Diz-se de réu que não comparece a juízo ou não contesta a ação proposta contra ele **3** Que se mostra arredio, esquivo ***s2g.*** **4** *Jur.* Réu que não comparece a juízo ou não contesta a ação proposta contra ele [Pl.: *-véis.*] [F.: Do lat. *rebellis, e.*]

revelação (re.ve.la.*ção*) ***sf.*** **1** Ação ou resultado de revelar(-se), de tornar(-se) conhecido, visível, ou patente: *O jornalista evitou a revelação de suas fontes.* [Ant.: *ocultação.*] **2** *Fot.* Ação ou resultado de revelar filme fotográfico ou cinematográfico **3** Descoberta e/ou divulgação de uma informação importante: *Era a revelação de novos esquemas de corrupção na empresa.* **4** Essa informação **5** Descoberta de pessoa com grande talento artístico: *Abriram um concurso para a revelação de novos talentos.* **6** Pessoa, ger. com dons artísticos e habilidades notáveis, que se inicia na carreira artística com caráter de novidade: *Essa pianista é uma verdadeira revelação.* **7** Descoberta repentina: *De repente, a revelação: viu que estava apaixonado.* **8** *Rel.* Em várias religiões, manifestação pela qual Deus esclarece alguns de seus objetivos e/ou mistérios **9** *Rel.* A doutrina religiosa revelada desse modo **10** Conhecimento que se obtém subitamente, ger. brilhante ou divino, proveniente de intuição ou inspiração; ILUMINAÇÃO; *INSIGHT* **11** Aquilo que se declara com o intuito de incriminar alguém ou algo; DENÚNCIA [Pl.: *-ções.*] [F.: Do lat. *revelatio, onis.*]

revelado (re.ve.*la*.do) ***a.*** **1** Que se revelou **2** Manifestado, exprimido por palavras, gestos ou atitudes: "...os flagelos revelados mal rebrilham e repontam, fogacíssimos, rompentes da linguagem perra e nebulosa dos roteiros..." (Euclides da Cunha, *Contrastes e confrontos*) **3** Que se tornou público (segredo revelado; idade revelada); DIVULGADO **4** Que foi denunciado, delatado (esconderijo revelado) **5** *Fot.* Em que se fez revelação fotográfica (foto revelada) **6** *Rel. Teol.* Conhecido por inspiração divina (religião revelada; verdades reveladas) [F.: Do lat. *revelatus, a, um.*]

revelador (re.ve.la.*dor*) [ô] ***a.*** **1** Que revela **2** Diz-se da solução química us. na revelação fotográfica ***sm.*** **3** Essa solução química [F.: Do lat. *revelator, oris.*]

revelar (re.ve.*lar*) ***v.*** **1** Tornar público; DIVULGAR [***td.:*** "Quando for tempo, eu mesmo o [segredo] revelarei." (José de Alencar, *A viuvinha*)] [***tdi.*** + *a*: "...o que se realizaria logo que revelasse ao pai o segredo do casamento." (José de Alencar, *Senhora*)] [***int.:*** "...até que ponto a baronesa conjecturava ou revelava? Bem podia ser que ela tivesse lido mais fundo no coração da moça." (Machado de Assis, *A mão e a luva*)] **2** Tornar conhecido no meio artístico; DESCOBRIR [***td.:*** *A exposição revelará novos talentos.*] **3** Fazer ver ou perceber claramente; INDICAR; MOSTRAR [***td.:*** "O aspecto da casa revelava... pobreza..." (José de Alencar, *Senhora*)] **4** Fazer denúncia de; DELATAR; DENUNCIAR [*td.*: *Pressionado, revelou a planejada fraude.*] [*tdi.* + *a*: "...revelou ao Ministério Público e à polícia... a existência de um esquema de cobrança de propinas..." (*O Estado de São Paulo*, 01.10.2005)] **5** Dar(-se) a conhecer de maneira sobrenatural [*td.*: *Deus revelou seu nome: 'Eu sou o que sou'*; "...o futuro pertence a Deus, e Ele só o revela em circunstâncias extraordinárias." (Paulo Coelho, *O alquimista*)] [*tdi.* + *a*: *Deus revelou os dez mandamentos a Moisés.*] **6** *Cin. Fot.* Tornar visível a imagem de (um filme) ou dele reproduzir (fotografia) [*td.*: *Aprendemos a revelar os negativos no laboratório.*] **7** Mostrar ser; dar-se a conhecer [*tp.*: "Foi pelo andar que ela revelou-se deusa..." (José de Alencar, *A pata da gazela*)] [*ti.* + *a*: "A cortesã revelava-se a mim, sem rebuços..." (José de Alencar, *Lucíola*)] [▶ **1 revelar**] [F.: Do v.lat. *revelare*. Ant.: *esconder*, *ocultar*. Hom./Par.: *reveláveis* (fl.), *reveláveis* (pl. de *revelável* [a2g.]).]

revelatório (re.ve.la.*tó*.ri:o) *a.* Que tem poder de revelar algo a alguém (processo revelatório) [F.: *revelar* + *-tório.*]

revelável (re.ve.*lá*.vel) *a2g.* Que se pode revelar [Pl.: *-veis.*] [F.: *revelar* + *-vel*. Hom./Par.: *reveláveis* (pl.), *reveláveis* (fl. de *revelar*).]

revelia (re.ve.*li*.a) *sf.* **1** Atitude de revel; REBELDIA **2** *Jur.* Situação do réu que não comparece ao próprio julgamento **3** *Jur.* Situação em que o réu não contesta a acusação proposta contra ele [F.: *revel* + *-ia*[1].] ■ **À ~ 1** *Jur.* Sem a presença ou conhecimento do principal interessado: *Foi julgado à revelia.* **2** Sem o conhecimento (de): *Marcou a prova à revelia dos alunos.* **3** Ao acaso; à toa, sem cuidado: *Deixou o caso correr à revelia.*

revelir (re.ve.*lir*) *v. td.* **1** *Med.* Transferir (humores do organismo) de uma parte para outra do corpo **2** Transpirar, suar [▶ **50 revelir**] [F.: Do lat. *revellere.*]

revenda (re.*ven*.da) *sf.* Ação ou resultado de revender, de vender algo que se comprou; REVENDIÇÃO [F.: Dev. de *revender*. Hom./Par.: *revenda* (sf.), *revenda* (fl. de *revender*).]

revendedor (re.ven.de.*dor*) [ô] *a.* **1** Que trabalha fazendo revenda de produtos *sm.* **2** Aquele que trabalha fazendo revenda de produtos **3** O mesmo que *revendedora* (1) [F.: *revender* + *-dor.*]

revendedora (re.ven.de.*do*.ra) [ô] *sf.* **1** Estabelecimento comercial, ou empresa, que revende produtos, esp. automóveis **2** Aquela que revende produtos para uma empresa ou fabricante (revendedora de uma famosa marca de cosméticos) [F.: *revender* + *-dora.*]

revender (re.ven.*der*) *v.* Vender (algo que lhe foi vendido); vender pela segunda vez [*td.*: *Ele compra e revende carros.*] [*tdi.* + *a*: *O comerciante revendeu as antiguidades ao colecionador.*] [▶ **2 revender**] [F.: Do v.lat. *revendere*. Hom./Par.: *revenda* (fl.), *revenda* (sf.); *revendas* (fl.), *revendas* (sf.).]

revendido (re.ven.*di*.do) *a.* Que se revendeu [F.: Part. de *revender.*]

rever[1] (re.*ver*) *v.* **1** Pensar melhor a respeito de; RECONSIDERAR [*td.*: "...num momento em que a própria esquerda revia suas posições, o leque de questões politizadas pelo feminismo se ampliou." (Verônica C. Ferreira, "Entre emancipados e quimeras – Imagens do feminismo no Brasil" *in Cadernos AEL*, n.º 3/4, 1995/1996): "A alma do velho entrou a ramalhar... e a rever essa hipótese..." (Machado de Assis, *Esaú e Jacó*)] **2** Examinar ou reexaminar com atenção, para corrigir erros ou descuidos [*td.*: "Erra na ortografia... e a sintaxe é um Deus nos acuda. Obriga-me a rever os seus escritos." (Lima Barreto, *O cemitério dos vivos*)] **3** Tornar a analisar e alterar o cálculo de (seguido de indicação de posição, movimento ou quantidade) [*tda.*: "...os cem analistas ouvidos... pelo Banco Central... reviram para baixo... a projeção para o IPCA (Índice de Preços ao Consumidor Amplo)." (Vicente Nunes, "Ambiente é favorável à queda dos juros" *in Correio Braziliense*, 11.07.2006)] **4** Voltar a ver; ver de novo [*td.*: "Voltei, pra rever os amigos, que um dia / eu deixei a chorar de alegria..." (Adelino Moreira, *A volta do boêmio*)] **5** Tornar a ver-se; ver-se de novo [*tdr.* + *em*: "E Lenita entusiasmava-se por essa mulher... compreendia-a, ..., revia-se nela." (Júlio Ribeiro, *A carne*)] **6** Trazer à lembrança; RECORDAR; RELEMBRAR [*td.*: "Minha primeira lembrança, que posso rever... fechando os olhos..." (João Ubaldo Ribeiro, *Diário do farol*)] **7** Experimentar, sentir grande prazer; COMPRAZER-SE; DELEITAR-SE [*tdr.* + *em*: "E eu espraiava todo o meu ser na contemplação daquele ato, revia-me nele, achava-me bom, talvez grande." (Machado de Assis, *Memórias póstumas de Brás Cubas*)] **8** Mirar(-se), refletir(-se) em espelho ou em algo semelhante [*tda.*: "...debruçava-se sobre as águas... para rever a sua imagem nesse espelho vacilante." (José de Alencar, *O guarani*)] [*tda.*: "...foi rever-se no espelho..." (José de Alencar, *Senhora*)] **9** *Tip.* Fazer a revisão de (provas de impressão) [*td.*: "Publicado este livro em 1857, se disse ser aquela primeira edição uma prova tipográfica, que algum dia talvez o autor se dispusesse a rever." (José de Alencar, *O guarani*)] [▶ **32 rever**] [F.: De *re-* + *ver*. Hom./Par.: *revisto* (fl.), *revisto* (a.).]

rever[2] (re.*ver*) *v.* **1** Derramar, verter (líquido) [*td.*: "...à primeira chuvinha o pilão entrou a rever água. Fora escavado em madeira ventada. Não prestava." (Monteiro Lobato, *Urupês*): "Os lábios como que reviam sangue, de tão rubros..." (Visconde de Taunay, "Pobre menino!" *in Ao entardecer: contos vários*)] [*tda.*: "As matas alegres, viçosas, muito lavadas reviam água pela fronde." (Júlio Ribeiro, *A carne*)] [*int.*: *Após o temporal, as paredes reveem.*] **2** *Fig.* Tornar(-se) conhecido, notório; DIVULGAR(-SE); REVELAR(-SE) [*td.*: *As lágrimas reviam todo o seu sofrimento.*] [*int.*: *Calou-se para que a sua situação não revisse.*] [▶ **32 rever**] [F.: Do v.lat. *repere.*]

reverberação (re.ver.be.ra.*ção*) *sf.* **1** Ação ou efeito de reverberar; REVÉRBERO **2** *Fís.* Repercussão de som em ambiente fechado mesmo depois de interrompida sua emissão [Pl.: *-ções.*] [F.: Do lat. *reverberatio, onis.*]

reverberante (re.ver.be.*ran*.te) *a2g.* Que reverbera ou causa reverberação; REVERBERATÓRIO: "...a cuja reverberante luz (...) não tem querido abrir os olhos." (José Agostinho de Macedo, *Obras inéditas*) [F.: Do lat. *reverberans, antis.*]

reverberar (re.ver.be.*rar*) *v.* **1** Refletir(-se), repetir(-se) (luz, calor som); REPERCUTIR [*td.*: "...a terra nua reverbera os ardores da canícula, multiplicando-os." (Euclides da Cunha, *Os sertões*)] [*int.*: "...as paredes reverberavam... ofuscando a vista." (Aluísio Azevedo, *O cortiço*)] **2** Emitir luz; BRILHAR; LUZIR [*int.*: "Reverberam as infiltrações de quartzo pelo cerros calcários..." (Euclides da Cunha, *Os sertões*)] **3** *Fig.* Tornar-se notado, percebido; EVIDENCIAR-SE [*tr.* + *em*: "...nos filhos reverbera a luz do vigilante cuidado, como as do Sol nos mais astros..." (Teresa Margarida da Silva e Orta, *Aventuras de Diófanes*)] [▶ **1 reverberar**] [F.: Do v.lat. *reverberare*. Hom./Par.: *reverbero* (fl.), *revérbero* (sm.).]

revérbero (re.*vér*.be.ro) *sm.* **1** Ação ou efeito de reverberar; REVERBERAÇÃO **2** Os efeitos desse evento (calor, clarão, eco etc.) **3** Intensa luminosidade; BRILHO; RESPLENDOR: "Quando encontra sobre a terra ingrata um revérbero do clarão celeste." (Castro Alves, *Espumas flutuantes*) **4** Lâmina de metal que serve para aumentar ou tornar mais intensa a luz, concentrando numa certa área os raios luminosos **5** Lampião us. na iluminação de rua [F.: Dev. de *reverberar*. Hom./Par.: *revérbero* (sm.), *reverbero* (fl. de *reverberar*).]

reverdecer (re.ver.de.*cer*) *v.* **1** Cobrir de verde; fazer ficar verde ou viçoso [*td.*: *A mudança reverdeceu o vale.*] [*int.*: *O pomar reverdeceu.*] **2** *P. ext.* Dar nova força, novo vigor; REVIGORAR; REJUVENESCER [*td.*: *O passeio reverdeceu-lhe aqueles sonhos.*] [*int.*: *Reverdeceu ao entrar de férias.*] **3** *Fig.* Lembrar, relembrar [*td.*: *Reverdecia, no espírito, as cenas da infância.*] [▶ **33 reverdecer**] [F.: *re-* + *verdecer.*]

reverdecido (re.ver.de.*ci*.do) *a.* Que se reverdeceu; que se tornou verde ou esverdeado (campo reverdecido) [F.: Part. de *reverdecer.*]

reverdecimento (re.ver.de.ci.*men*.to) *sm.* **1** Ação ou resultado de reverdecer **2** Tratamento que reidrata o couro cru; REMOLHO [F.: *reverdecer* + *-imento.*]

reverdejante (re.ver.de.*jan*.te) *a2g.* Que reverdeja [F.: *reverdejar* + *-nte.*]

reverdejar (re.ver.de.*jar*) *v. int.* Apresentar verde intenso, viçoso: *Os morros reverdejavam.* [▶ **1 reverdejar**] [F.: *re-* + *verdejar.*]

reverência (re.ve.*rên*.ci:a) *sf.* **1** Atitude de respeito profundo por algo ou alguém; VENERAÇÃO **2** Sentimento profundamente respeitoso e temeroso pelas coisas sagradas **3** Saudação respeitosa acompanhada por ligeira inclinação do tronco para frente, às vezes flexionando-se também o joelho; MESURA; VÊNIA **4** Tratamento us. para se dirigir a autoridades religiosas [F.: Do lat. *reverentia, ae.*]

reverenciador (re.ve.ren.ci:a.*dor*) [ô] *a.* **1** Que reverencia *sm.* **2** Aquele que reverencia [F.: *reverenciar* + *-dor.*]

reverencial (re.ve.ren.ci.*al*) *a2g.* **1** Ref. a reverência **2** Que exprime ou é inspirado pela reverência: *Manteve uma atitude reverencial diante do mestre.* [Pl.: *-ais.*] [F.: *reverência* + *-al*[1]. Hom./Par.: *reverenciais* (pl.), *reverenciais* (fl. de *reverenciar*).]

reverencialmente (re.ve.ren.ci.al.*men*.te) *adv.* De maneira reverencial; de modo que exibe reverência: *Aproximou-se do soberano e, reverencialmente, fez seu pedido.* [F.: *reverencial* + *-mente.*]

reverenciar (re.ve.ren.ci.*ar*) *v.* **1** Prestar culto a; ADORAR; VENERAR [*td.*: "As gentes respiravam já aliviadas, e me reverenciavam, tendo as minhas reflexões por predições infalíveis." (Teresa Margarida da Silva Orta, *Aventuras de Diófanes*)] **2** Tratar com respeito; fazer reverência a; HONRAR; RESPEITAR [*td.*: "Há sociedades que reverenciam os idosos..." (*Folha SP*, 10.12.1999)] **3** Fazer gestos de reverência a; cumprimentar respeitosamente [*td.*: "...chega a reverenciar o monarca..." (Eça de Queirós, *Os Maias*)] [*int.*: *No Japão, as crianças aprendem cedo a reverenciar.*] [▶ **1 reverenciar**] [F.: *reverência* + *-ar*[2]. Hom./Par.: *reverencia* (fl.), *reverência* (sf.); *reverencias* (fl.), *reverências* (pl. do sf.).]

reverencioso (re.ve.ren.ci.*o*.so) [ô] *a.* **1** Que faz reverência (saudação reverenciosa); REVERENCIADOR **2** Que é cheio de reverência; que é humilde e cerimonioso [Pl.: [ó]. Fem.: [ó].] [F.: *reverência* + *-oso*. Sin. ger.: *reverente.*]

reverendíssima (re.ve.ren.*dís*.si.ma) *sf.* Tratamento us. para se dirigir a autoridades religiosas de posição hierarquicamente elevada (bispos, monsenhores, cardeais etc.) [F.: Fem. de *reverendíssimo.*]

reverendíssimo (re.ve.ren.*dís*.si.mo) *a.* **1** Muitíssimo venerável **2** Tratamento dado aos arcebispos, bispos, cardeais, cônegos, frades, freiras, irmãs, monsenhores, padres, e patriarcas [Abrev.: *Revmo.*] **3** *Pop.* Excessivo em quantidade ou em intensidade: *Fez uma reverendíssima asneira. sm.* **4** Título de honra que se dá aos dignitários eclesiásticos e aos padres em geral: "Faz o reverendíssimo muito bem em voltar para a sua paróquia" (Inglês de Sousa, *O missionário*) [F.: Do lat. *reverendissimus, a, um.*]

reverendo (re.ve.*ren*.do) *sm.* **1** Forma de tratamento us. para se dirigir a sacerdotes, prelados, padres e madre superiora *a.* **2** Que merece reverência [Superl.: *reverendíssimo.*] [F.: Do lat. *reverendus, a, um.*]

reverente (re.ve.*ren*.te) *a2g.* **1** Que tem reverência por algo ou por alguém (discípulo reverente) **2** Que expressa reverência, respeito (palavras reverentes) [F.: Do lat. *reverens, entis*. Ant. ger.: *irreverente.*]

reverentemente (re.ve.ren.te.*men*.te) *adv.* De modo reverente; com acatamento ou respeito: "Ao princípio, enleado de emoção beata, pisei a areia reverentemente como se fosse o tapete de um altar-mor." (Eça de Queirós, *A relíquia*) [F.: *reverente* + *-mente.*]

reverificação (re.ve.ri.fi.ca.*ção*) *sf.* Ação ou resultado de reverificar [Pl.: *-ções.*] [F.: *reverificar* + *-ção.*]

reverificar (re.ve.ri.fi.*car*) *v. td.* Verificar novamente [▶ **11 reverificar**] [F.: *re-* + *verificar.*]

reversamente (re.ver.sa.*men*.te) *adv.* De maneira reversa; ao contrário: *Quanto mais rico, mais poderoso, e, reversamente, quanto mais pobre, menos poderoso.* [F.: Fem. de *reverso* + *-mente.*]

reversão (re.ver.*são*) *sf.* **1** Ação ou resultado de reverter(-se), de desfazer uma ação, voltando ou fazendo algo voltar à condição anterior; RETROCESSO **2** Retorno ao ponto de partida; RETROCESSO [Sin. (nas acps. 1 e 2): *retrocesso.*] **3** Devolução, restituição de algo a seu dono **4** Mudança de sentido (de movimento, rotação de motor etc.) **5** *Jur.* Situação em que o servidor público aposentado por invalidez é obrigado a retornar ao serviço, após constatar-se, por junta médica oficial, de que ele é apto para o trabalho; ou no interesse da administração segundo critérios previstos em lei **6** *Jur.* Ação de restituir os bens ao patrimônio do doador [Pl.: *-sões.*] [F.: Do lat. *reversio, onis.*]

reversibilidade (re.ver.si.bi.li.*da*.de) *sf.* **1** Característica do que é ou pode ser revertido **2** *Jur.* O que pode sofrer reversão [F.: *reversível*, sob a f. *reversibil-*, + *-(i)dade*, seg. o mod. erudito.]

reversível (re.ver.*sí*.vel) *a2g.* **1** Que se pode reverter **2** Diz-se de fenômeno de que se pode inverter o efeito e a causa **3** Diz-se de cômodo, objeto etc. que pode ter outra função, diferente da que se planejou originalmente; que se pode dar nova utilização (quarto reversível) **4** Que é passível de observação ou utilização tanto pelo anverso como pelo reverso **5** Que se pode usar do lado direito ou do avesso (diz-se de tecido, roupa) **6** *Jur.* Diz-se de conjunto de bens que devem retornar ao proprietário **7** *Fot.* Diz-se de negativo que possibilita a obtenção de imagens positivas ou diapositivas [Pl.: *-veis.*] [F.: *reverso* + *-ível*. Ant. ger.: *irreversível.*]

reverso (re.*ver*.so) *a.* **1** Que se revirou; REVIRADO **2** Que é o contrário de outra coisa (posição reversa); OPOSTO: *Na volta, faça o trajeto reverso ao da vinda.* **3** Que voltou ao ponto de partida **4** Ref. ao tipo de madeira que não apresenta fibras retas **5** *Arq.* Ref. a um tipo de moldura convexa **6** *Geom.* Aquilo que não está circunscrito num plano (diz-se de curva) **7** *Fig.* Que tem má índole *sm.* **8** O lado oposto ao que se vê, ou que se tem como principal; REVÉS **9** *Fig.* O contrário, o outro lado de algo ou de uma questão; REVÉS: *Analisaram o reverso do problema.* [F.: Do lat. *reversus, a, um*. Ant. ger.: *anverso.*] ■ **~ da medalha** *Fig.* Aspecto oposto àquele que antes se apresentou, ou que se imaginou, mencionou etc.

reversor (re.ver.*sor*) [ô] *a.* **1** Que reverte **2** Diz-se de comando, alavanca, botão etc. que aciona a reversão de um motor, de uma turbina, de um sistema hidráulico etc. *sm.* **3** Aquilo que reverte (reversor de voltagem) **4** *Náut.* Instrumento que permite o controle da velocidade e da direção de uma embarcação **5** *Aer.* Mecanismo acionado na aterrissagem que faz com que os gases expelidos pelas turbinas sejam jogados na frente para frear a aeronave [F.: *reverso* + *-or.*]

revertátur (re.ver.*tá*.tur) *sm.* *Art. gr.* Sinal de revisão us. para indicar a necessidade de virar uma letra impressa [Pl.: *revertátures.*] [F.: Do lat. *revertatur*, do v.lat. *reverti*, 'voltar', 'virar'.]

reverter (re.ver.*ter*) *v.* **1** Modificar para o contrário [*td.*: "...tinha conseguido reverter totalmente o quadro dos ataques cardíacos." (Paulo Coelho, *Veronika decide morrer*)] [*tr.* + *em*: "O amor não pode se reverter em ódio?" (Marques Rebelo, *O simples coronel Madureira*)] **2** Voltar (ao ponto ou lugar de onde partiu); REGRESSAR; RETROCEDER [*tr.* + *a, para*: *O programa pergunta se você quer reverter para o arquivo gravado.*] **3** Ter como resultado; REDUNDAR; RESULTAR [*tr.* + *em, para*: "Os resultados pecuniários de semelhante festança... reverteriam em favor de crianças pobres..." (Alexandre Herculano, *O bispo negro*): "...cujos donos recebiam exígua quota-parte, revertendo o resto para a companhia." (Euclides da Cunha, *Os sertões*)] **4** Transformar algo em outra coisa; CONVERTER [*tdr.* + *em*: *Reverteu o quarto em sala de TV.*] **5** *Jur.* Ser entregue novamente (ao dono anterior); voltar para a posse de alguém [*tr.* + *a, para*: *A empresa reverteu aos antigos donos.*] [▶ **2 reverter**] [F.: Do v.lat. *revertere.*]

revertério (re.ver.*té*.ri:o) *sm.* *Bras. Pop.* Acontecimento imprevisto que muda algo completamente, ger. tornando ruins situações boas; REVÉS; REVIRAVOLTA: *Deu um revertério na operação e ele teve que ser operado de novo.* [F.: Substv. do v.lat. *revertere*, posv.]

revertido (re.ver.*ti*.do) *a.* Que se reverteu; REVERSO [F.: Part. de *reverter.*]

revés (re.*vés*) *sm.* **1** Ver *reverso* **2** Situação adversa; INFORTÚNIO; REVERTÉRIO; VICISSITUDE: "Quando, porém, sofriam reveses, muitos dos aliados negros os abandonavam." (Alberto da Costa e Silva, *A manilha e o libambo*)

3 O lado desfavorável de algo: *A poluição é o revés do progresso.* 4 Golpe dado com as costas da mão 5 Pancada que se dá obliquamente, esp. em esportes como o tênis [Pl.: *-veses.*] [F.: Do lat. *reversus, a, um*, com apócope. Hom./Par.: *reveses* (pl.), *revezes* (fl. de *revezar*).] ■ **Ao ~** Ao contrário, ao invés; em sentido inverso **De ~** Obliquamente, de soslaio: *Olhou-o de revés, desconfiado.*

revessa (re.*ves*.sa) [ê] *sf.* 1 Correnteza que, ger. próxima à margem de um rio, tem movimento contrário ao da principal 2 Corrente marítima que se volta em direção diferente da que seguia 3 Interseção de duas vertentes do telhado que formam um ângulo reentrante [F.: Fem. substv. de *revesso*. Hom./Par.: *revessa* (sf.), *revessa* (fem. de *revesso*), *revessa* (fl. de *revessar*); *revessas* (pl. do sf.), *revessas* (pl. do fem. [a.]), *revessas* (fl. [v.]).]

revesso (re.*ves*.so) [ê] *a.* 1 Voltado para o avesso; REVIRADO; REVERSO 2 Adverso, contrário, hostil, reverso: "A vida acidentada e revessa, a que condenara sempre o seu espírito irrequieto, não conseguira alterar-lhe em nada o bom humor" (Aluísio Azevedo, *O Coruja*) 3 *Carp. Marc.* Diz-se de grã ou fio com fibras torcidas alternadamente para um lado e para o outro em camadas de crescimento sucessivas; REVERSO 4 *Fig.* Malcriado, mal-educado 5 *Fig.* Que oculta ou encobre a verdade; DISSIMULADO: "Ângelo saudou-os com um amável movimento de cabeça. Mas os espectros mediram-no com um revesso olhar de desconfiança" (Aluísio Azevedo, *A mortalha de Alzira*) 6 *Fig.* Que não está reto; RETORCIDO; TORTO: "Assim permaneceu com o corpo lançado, a fronte abatida, e a mão fechada a calcar o peito revesso." (José de Alencar, *Til*) *sm.* 7 Face ou lado oposto ao dianteiro; AVESSO; REVERSO 8 Trecho no qual um terreno, rio etc. faz um ângulo relativamente fechado: "Outras vezes ante um grupo de famintos aparecia, num revesso de colina, uma magueira fechada." (Euclides da Cunha, *Os sertões*) [F.: Do lat. *reversus, a, um*. Hom./Par.: *revesso* (a. sm.), *revesso* (fl. de *revessar*); *revessa* (fem.), *revessa* (sf.), *revessa* (fl. de *revessar*); *revessas* (pl. do fem. [a.]), *revessas* (pl. do sf.), *revessas* (fl. [v.]).]

revestido (re.ves.*ti*.do) *a.* 1 Que se revestiu; COBERTO; RECOBERTO: *parede revestida de azulejos.* 2 Ornado com enfeites; ADORNADO; ENFEITADO: *coroa de ouro revestida de pedras preciosas.* 3 *Fig.* Que se preparou para um enfrentamento; ARMADO; MUNIDO: *Revestido de coragem, encarou a turba furiosa.* 4 *Fig.* A que se atribuiu determinada característica, certo realce: *frase revestida de ironia.* [F.: Do lat. *revestitus, a, um.*]

revestimento (re.ves.ti.*men*.to) *sm.* 1 Ação ou resultado de revestir, cobrir (algo) para proteger, dar acabamento, enfeitar etc.: *telha com revestimento de amianto.* 2 Tudo que se usa para revestir: *Comprou revestimento novo para o sofá.* 3 *Cons.* Obra com que se reveste um bastião, fosso ou terraço etc., para consolidar ou ornar 4 *Pap.* Camada que recobre cada uma das faces de um papel [F.: *revestir* + *-mento.*]

revestir (re.ves.*tir*) *v.* 1 Tornar a vestir [*td.*: *Revestiu o menino que caíra no rio.*] 2 Vestir roupas próprias de atos ou solenidades religiosas, de poder, etc. [*tdr.* + *de*] 3 Estender-se pela superfície de; COBRIR; RECOBRIR [*td.*: "...a poeira, que lhe entope os estomas e reveste as folhas, asfixia-a..." (Euclides da Cunha, *Confrontos e contrastes*)] 4 Fazer um revestimento em; cobrir com revestimento [*tdr.* + *de*: "Estas preciosidades... foram acondicionadas num... caixote, que a minha prudência fez revestir de chapas de ferro." (Eça de Queirós, *A relíquia*)] 5 Pôr adornos ou enfeites em; ADORNAR; ENFEITAR [*td.*: *Bandeiras verde-amarelas revestiam as ruas da cidade.*] [*tdr.* + *com, de*: *Revestiram os salões com [de] muitas flores.*] 6 Tornar pleno de; ENCHER; IMPREGNAR [*td.*: "Curioso esplendor revestia aquele espetáculo." (Raul Pompeia, *O Ateneu*)] [*tdr.* + *de*: "...revesti-me de coragem, e quebrei de uma vez com essas relações." (José de Alencar, *Lucíola*)] 7 Dar aparência de (algo) a [*tdr.* + *de*: "...a mantilha espanhola... é uma coisa poética que reveste as mulheres de um certo mistério, e que lhes realça a beleza..." (Manuel Antônio de Almeida, *Memórias de um sargento de milícias*)] 8 Apresentar características de outrem ou que não possui; AFETAR [*td.*: "E saiu da saleta, revestindo logo o seu pachorrento e estudado ar de santarrão." (Aluísio Azevedo, *O mulato*)] [*tdr.* + *de*: *Revestiu-se das ideias do amigo para impressionar a todos.*] 9 *P. ext.* Fundamentar, conferir credibilidade a, justificar [*td.*: *Revestiu seus argumentos com exemplos práticos.*] [▶ 50 revestir] [F.: Do v.lat. tard. *revestire.*]

revestrés (re.ves.*trés*) *sm.* Obliquidade, esguelha, revés, soslaio, través. [Us. somente na loc. *de revestrés.*] [F.: Posv. de *revés.*]

revezado (re.ve.*za*.do) *a.* 1 Que se revezou 2 Que serve ou exerce qualquer função por turno ou vez; ALTERNADO [F.: Part. de *revezar.*]

revezador (re.ve.za.*dor*) [ô] *a.* 1 Que reveza *sm.* 2 Aquele que reveza [F.: *revezar* + *-dor.*]

revezamento (re.ve.za.*men*.to) *sm.* 1 Alternância de pessoas ou coisas em lugar, posto etc.: "O avião trazia tripulação dupla, com turno de revezamento..." (Guimarães Rosa, "História de fadas" *in Ave, palavra*) 2 *Atl.* Uma das provas de corrida: *A equipe brasileira de revezamento conquistou medalha na prova 4 x 50 m livre.* [F.: *revezar* + *-mento.*]

revezar (re.ve.*zar*) *v.* 1 Ocupar a função, a posição de; substituir de forma alternada [*td.*: "Os dois aventureiros saíram para ir revezar os outros, que era costume ficarem de sentinela à noite." (José de Alencar, *O guarani*)] [*int.*: "Duas bandas militares revezavam-se ativamente..." (Raul Pompeia, *O Ateneu*)] 2 Trocar lugares ou funções de; substituir (pessoa ou coisa) por outra; entrar no lugar de outrem [*tr.* + *em, com*: *Revezávamos com os reservas; Eles revezam nesta função.*] [▶ 1 revezar] [F.: *re-* + *vez* + *-ar*[2]. Hom./Par.: *revezes* [é] (fl.), *revezes* [ê] (pl. de *revez* [ê] [sm.]) e *reveses* [é] (pl. de *revés* [sm.]); *revezo* [é] (fl.), *revezo* [ê] (sm.).]

revezes (re.*ve*.zes) [ê] *sfpl.* Us. nas locs. *a revezes* e *às revezes.* [F.: *re-* + pl. de *vez.*] ■ **A ~** De vez em quando, uma vez ou outra **Às ~** Ver *A revezes*

revezo (re.*ve*.zo) [ê] *sm.* 1 Pasto para onde se transfere o gado para que a relva ou capim do terreno de onde o gado saiu cresça novamente 2 O mesmo que *revezamento*: "...o viajante trotava o baio, solto, mas de todo arreado e pronto para o revezo." (José de Alencar, *Til*) [F.: Dev. de *revezar.* Hom./Par.: *revezo* (sm.), *revezo* (fl. de *revezar*).]

reviçar (re.vi.*çar*) *v.* 1 Dar ou adquirir viço [*td.*: *A primavera reviçou as flores.*] [*int.*: *Afinal, as flores reviçaram.*] 2 *Fig.* Tornar(-se) novamente vivo, fresco, mais cheio de vida [*td.*: *A nova paixão reviçou o rapaz.*] [*int.*: *Com o casamento, a moça reviçou.*] [▶ 12 reviçar] [F.: *re-* + *viçar*. Hom./Par.: Hom./Par.: *reviço* (fl.), *reviço* (sm.); *reviçar, revessar* (em várias fl.).]

revidância (re.vi.*dân*.ci:a) *sf.* O mesmo que *revide* [F.: *revidar* + *-ância.*]

revidar (re.vi.*dar*) *v.* 1 Pagar ofensa recebida com outra; reagir a algo (agressão) de forma semelhante; REENVIDAR [*td.*: *Pedro revidou o soco; O jogador revidava as ofensas com gestos obscenos.*] [*tr.* + *a*] [*int.*: "...mais de oitocentos homens... iniciavam o ataque..., revidando aos tiros dos antagonistas." (Euclides da Cunha, *Os sertões*)] 2 Apresentar argumentos contra; OBJETAR; RESPONDER [*td.*: *O advogado de defesa revidou o promotor.*] [*tr.* + *a*: "Sabia que o adversário revidaria à provocação mais ligeira." (Euclides da Cunha, *Os sertões*)] [*int.*: "Esperava [...] que me descompusessem e eu, por isso, tendo o dever de revidar, cobraria novas forças..." (Lima Barreto, *O cemitério dos vivos*)] [▶ 1 revidar] [F.: De or. incerta; posv. de *re-* + *(en)vidar*. Hom./Par.: *revide* (fl.), *revide* (sm.); *revides* (fl.), *revides* (pl. do sm.).]

revide (re.*vi*.de) *sm.* 1 Ação ou resultado de revidar, de tornar a envidar: "Perdera-se esterilmente o tempo – que o adversário aproveitara, aparelhando-se a um revide enérgico." (Euclides da Cunha, *Os sertões*) 2 Resposta a uma crítica; RÉPLICA: "A presunção de que desejo fazer denúncias chega a ser insultuosa. Isto é uma atividade menor, de quem busca revide ou notoriedade." (João Ubaldo Ribeiro, *Diário do farol*) [F.: Dev. de *revidar.*]

revigorado (re.vi.go.*ra*.do) *a.* 1 Que recuperou as forças, o vigor 2 *Jur.* Que está vigendo novamente (diz-se de lei, norma etc.) [F.: Part. de *revigorar.*]

revigorador (re.vi.go.ra.*dor*) [ô] *a.* 1 Que revigora, fortalece ou reanima *sm.* 2 Aquele ou aquilo que revigora, fortalece ou reanima [F.: *revigorar* + *-dor.*]

revigoramento (re.vi.go.ra.*men*.to) *sm.* Ação ou resultado de revigorar(-se) [F.: *revigorar* + *-mento.*]

revigorante (re.vi.go.*ran*.te) *a2g.* 1 Que revigora: *ar puro e revigorante.* 2 Diz-se de substância ou medicamento que faz recobrar as forças *sm.* 3 Esse medicamento; TÔNICO: *revigorante para os nervos e músculos.* [F.: *revigorar* + *-nte.* Sin. ger.: *tônico.*]

revigorar (re.vi.go.*rar*) *v.* 1 Dar nova força a; fazer adquirir novo vigor, energia ou ânimo [*td.*: "...um belo laço de solidariedade... revigorando uma integração étnica comprometida." (Euclides da Cunha, *Confrontos e contrastes*)] 2 Adquirir novas forças, novo vigor, energia ou ânimo [*int.*: "O útero revigorava, funcionando com a regularidade precisa..." (Adolfo Caminha, *A normalista*)] [▶ 1 revigorar] [F.: *re-* + *vigor* + *-ar*[2]. Sin.: *fortalecer*. Ant.: *debilitar, enfraquecer*. NOTA: Nas formas rizotônicas, apresenta o *o* aberto [*ó*] no radical (*revigoras*).]

revigorativo (re.vi.go.ra.*ti*.vo) *a.* Que revigora, que traz novo vigor (xarope revigorativo); REVIGORANTE [F.: *revigorar* + *-tivo.*]

revinculação (re.vin.cu.la.*ção*) *sf.* Ação ou resultado de vincular(-se) novamente: "...o fato é que uma eventual revinculação de verbas para educação e habitação seria um percalço menor..." (*Folha de S.Paulo*, 20. 02. 1994) [Pl.: *-ções.*] [F.: *re-* + *vinculação.*]

revindita (re.vin.*di*.ta) *sf.* Vingança praticada como desforra de uma vingança, injúria ou ofensa [F.: *re-* + *vindita.*]

revir (re.*vir*) *v. int.* Vir de novo [▶ 40 revir] [F.: Do v.lat. *revenire.*]

revirado (re.vi.*ra*.do) *a.* 1 Que se revirou; REVERSO 2 Que está do avesso, virado para o lado contrário (bainha revirada) 3 Que está torto, curvado; TORCIDO 4 Mexido, movido de baixo para cima (terra revirada; quarto revirado); REVOLVIDO 5 Que se esquadrinhou atentamente: *cofre revirado em busca de joias. sm.* 6 *Bras. Cul.* Iguaria composta de farinha de mandioca ou milho, com feijão, carne ou peixe; PANOMÃ [F.: Part. de *revirar.*]

reviramento (re.vi.ra.*men*.to) *sm.* 1 Ação ou resultado de revirar(-se) 2 *Fig.* Mudança ger. brusca de opiniões, procedimentos ou sentimentos: *A separação por que passou provocou-lhe um reviramento de emoções.* 3 *Fig.* Mudança profunda de uma situação ou de um estado de coisas: *Teve de enfrentar um reviramento súbito e desagradável em sua carreira;* "Este necessário e inevitável reviramento por que vai passando o mundo, há de levar muito tempo..." (Almeida Garrett, *Viagens na minha terra.*) [F.: *revirar* + *-mento.*]

revira-olho (re.vi.ra-o.lho) *sm. Bras. Pop.* Namoro tímido, acanhado [Pl.: *revira-olhos.*] [F.: *revirar* (na 3ª pess. pres. ind.) + *olho.*]

revirar (re.vi.*rar*) *v.* 1 Tornar a virar; voltar do avesso [*td.*: *Revirou a roupa antes de vesti-la.*] 2 Virar outra vez ou várias vezes [*td.*: "E batia-lhe no ombro, revirando os olhos, em que o álcool pusera faíscas." (Aluísio Azevedo, *O mulato*)] 3 Virar para, voltar em direção de [*tdi.* + *para*: "...cantou revirando para mim os seus olhos rebrilhantes e úmidos..." (Eça de Queirós, *O mandarim*)] 4 Procurar algo em; REMEXER; REVOLVER [*td.*: "Sentaram-se num banco, enquanto ela revirava a bolsa em busca de moedas." (Paulo Coelho, *Brida*)] 5 Fazer enjoar; causar náusea; EMBRULHAR [*td.*: *A comida revirou meu estômago.*] 6 Voltar(-se); virar(-se) do outro lado [*int.*: "O jacu... revirou, despencou, veio bater no chão..." (Júlio Ribeiro, *A carne*)] 7 Alterar, mudar o caminho estabelecido [*td.*: *Os marinheiros reviraram o rumo traçado.*] 8 Mudar a direção; fazer voltar; DESVIAR [*td.*: *Errou o caminho e revirou o carro.*] 9 Vir outra vez; REGRESSAR; TORNAR [*ta.*: *Os escoteiros reviraram ao acampamento.*] 10 Voltar-se contra alguém; RECALCITRAR; REBELAR-SE [*tr.* + *sobre*: *A miséria revirou sobre a população.*] 11 Analisar atentamente; EXAMINAR; EXPLORAR [*td.*: *O médico revirou o paciente para fazer o diagnóstico.*] 12 Desequilibrar, transtornar [*td.*: *O escândalo político revirou o perfil moral do partido.*] [▶ 1 revirar] [F.: *re-* + *virar.*]

reviravolta (re.vi.ra.*vol*.ta) *sf.* 1 Ação ou resultado de desfazer uma volta 2 Volta repentina em torno de si mesmo, firmando-se só sobre um dos calcanhares; PIRUETA 3 Modificação súbita de uma condição; REVERTÉRIO; REVÉS: "A moldura do mundo de Rufino, de que o jardim é um símbolo, se expõe a essa reviravolta trágica." (Antônio Callado, *Reflexo do baile*) 4 *SP Pop.* Curva numa estrada ou numa rua [F.: *revirar* + *volta.*]

revisado (re.vi.*sa*.do) *a.* 1 Que foi visado novamente; que recebeu novo visto (passaporte revisado) 2 Submetido a novo exame (proposta revisada) 3 Que sofreu revisão (texto revisado) [F.: Part. de *revisar.*]

revisão (re.vi.*são*) *sf.* 1 Ação ou resultado de rever ou revisar, de analisar ou conferir uma informação, decisão, atitude etc. 2 *Jur.* Análise de lei, decreto, para identificar erros ou inconsistências 3 *Edit.* Leitura de um texto para conferência do seu conteúdo, correção gramatical, detalhes editoriais etc. 4 Departamento de uma empresa onde se faz esse serviço 5 Equipe responsável por esse serviço 6 *Jur.* Recurso privativo do réu, visando obter a anulação da sentença, a redução ou a anulação da pena 7 *Jur.* Atualização de texto jurídico 8 Inspeção em motor ou máquina para prevenir ou corrigir defeitos [Pl.: *-sões.*] [F.: Do lat. *revisio, onis.*]

revisar (re.vi.*sar*) *v. td.* 1 Examinar para consertar ou atualizar; REVER: *revisar carro.* 2 Dar aula sobre assunto já estudado, ou estudá-lo; RECORDAR; RECAPITULAR: *A professora revisou a matéria hoje.* 3 Estudar (trabalho científico) para ampliar, reafirmar ou negar suas conclusões: *revisar teses/monografias.* 4 Tornar a visar: *Depois de errar, revisou o gol.* 5 Pôr mais uma vez o visto em: *revisar cheque/passaporte.* 6 *Edit.* Ler (originais) para corrigir-lhes os erros; REVER: *Não foi preciso revisar a última prova do livro.* [▶ 1 revisar] [F.: De or. contrv; do espn. *revisar*, ou do fr. *réviser*, ou de *re-* + *visar.*]

revisional (re.vi.si:o.*nal*) *a2g.* 1 Que se refere à revisão 2 *Jur.* Diz-se de ação que estabelece judicialmente um novo valor de aluguel, de pensão alimentícia, de uma dívida etc., quando as partes envolvidas se encontram em litígio [Pl.: *-nais.*] [F.: *revisão*, sob a f. *revision-*, + *-al*[1].]

revisionamento (re.vi.si.o.na.*men*.to) *sm.* O mesmo que *revisão* [F.: *revisionar* + *-mento.*]

revisionismo (re.vi.si:o.*nis*.mo) *sm.* 1 *Fil.* Doutrina que propõe a revisão das bases de uma teoria, crença etc. 2 Posicionamento intelectual em que se propõe a revisão de antigos valores artísticos e literários [F.: *revisão*, sob a f. *revision-*, + *-ismo.*]

revisionista (re.vi.si:o.*nis*.ta) *a2g.* 1 Ref. a revisionismo 2 Diz-se de pessoa partidária do revisionismo *s2g.* 3 Aquele ou aquela que segue o revisionismo [F.: *revisionismo* + *-ista*, seg. o mod. gr.]

revisitação (re.vi.si.ta.*ção*) *sf.* Ação ou resultado de revisitar, de se fazer nova visita a alguém ou algo [Pl.: *-ções.*] [F.: *revisitar* + *-ção.*]

revisitado (re.vi.si.*ta*.do) *a.* 1 Que se tornou a visitar (cidade revisitada) 2 Visto ou examinado novamente (escândalo revisitado; romances revisitados) 3 Que se configura em uma nova apresentação de coisas antigas, tradicionais, já conhecidas: "(...) um crochê totalmente revisitado, moderno, meio rasgado." (*Folha de S.Paulo*, 24.05.1998) [F.: Part. de *revisitar.*]

revisitar (re.vi.si.*tar*) *v. td.* Tornar a visitar; visitar mais uma vez: *Revisitou várias vezes a casa de sua infância.* [▶ 1 revisitar] [F.: *re-* + *visitar.*]

revisor (re.vi.*sor*) [ô] *sm.* 1 Profissional que faz revisão de texto original ou de prova tipográfica 2 *Inf.* Programa que corrige o texto; CORRETOR 3 *Jur.* Juiz encarregado de rever processo a ser julgado em grau de recurso 4 Contador responsável pela revisão dos livros de escrituração e das contas comerciais *a.* 5 Que revê, que faz revisão, estudo ou exame [F.: De or. contrv; de *revisar* + *-or*, ou adaptç. do fr. *reviseur.*]

revisório (re.vi.*só*.ri:o) *a.* Ref. a ou próprio de revisão (processo revisório) [F.: Do lat. *revisus, a, um* + *-ório.*]

revista[1] (re.*vis*.ta) *sf.* **1** Ação ou resultado de revistar, inspecionar; VISTORIA: *dia de revista no presídio.* **2** Exame ainda mais acurado; REEXAME **3** *Jur.* Recurso que se interpõe perante um tribunal de justiça superior, quando há divergência de interpretação do direito em tese entre turmas ou câmaras **4** *Mil.* Inspeção de tropas [F.: *re-* + *vista.* Hom./Par.: *revista* (sf.), *revista* (fl. de *revistar*).] ▪ **Passar em ~** Inspecionar, ou rever atentamente

revista[2] (re.*vis*.ta) *sf.* Publicação periódica, ger. ilustrada, com artigos sobre assuntos diversos [F.: De *re-* + *vista*, para trad. o ing. *review.*]

revista[3] (re.*vis*.ta) *sf. Teat.* F. red. de *teatro de revista*

revistado (re.vis.*ta*.do) *a.* **1** Que sofreu revista, que foi examinado atentamente: *malas revistadas pela polícia; passageiro revistado antes do embarque.* **2** Que foi inspecionado (batalhão revistado) [F.: Part. de *revistar.*]

revistador (re.vis.ta.*dor*) [ô] *a.* **1** Que revista *sm.* **2** Aquele que revista [F.: *revistar* + *-dor.*]

revistar (re.vis.*tar*) *v. td.* **1** Examinar fisicamente (pessoa, lugar etc.) para constatar presença ou ausência de indícios, material suspeito ou proibido etc.: "Precisamos revistá-los para ver se não levam armas..." (Paulo Coelho, *O Alquimista*) **2** Observar ou examinar atentamente: "Percorreu todos os aposentos revistando os móveis, admirando a qualidade fina dos objetos..." (Adolfo Caminha, *A normalista*) **3** Fazer inspeção; passar revista[1] a: *revistar uma tropa.* [▶ **1 revistar**] [F.: *re-* + *vista* + *-ar*[2]. Hom./Par.: *revista* (fl.), *revista* (a. sf.); *revistas* (fl.), *revistas* (pl. do a. sf.); *revisto* (fl.), *revisto* (a.).]

revisteca[1] (re.vis.*te*.ca) *sf.* Local em que há uma coleção de revistas: *A biblioteca inaugura uma revisteca.* [F.: *revista*[2] + *-eca.*]

revisteca[2] (re.vis.*te*.ca) *sf. Pej.* Revista ou teatro de revista sem valor ou importância: "Juntem a isto as revistecas, os teatros, as casas suspeitas." (Raul Brandão, *Memórias*) [F.: *revista*[3] + *-eca.*]

revisteiro[1] (re.vis.*tei*.ro) *sm.* Mobília ou caixa onde se colocam revistas, catálogos, jornais etc.; PORTA-REVISTAS [F.: *revista*[2] + *-eiro.*]

revisteiro[2] (re.vis.*tei*.ro) *sm. Teat.* Indivíduo que escreve esquetes, peças etc. para teatro de revista; REVISTÓGRAFO [F.: *revista*[3] + *-eiro.*]

revisto (re.*vis*.to) *a.* **1** Que se reviu, se reexaminou: *Dos projetos revistos, só um foi aprovado.* **2** Que sofreu revisão; CORRIGIDO: *O texto revisto ainda tem erros.* [F.: Part. de *rever.*]

revistógrafo (re.vis.*tó*.gra.fo) *sm.* O mesmo que *revisteiro*[2]. [F.: *revista*[3] + *-grafo.*]

revitalização (re.vi.ta.li.za.*ção*) *sf.* **1** Ação ou resultado de revitalizar **2** Conjunto de atos ou processos que visam a dar vida nova a algo: *O governo liberou verba para a revitalização das rodovias federais.* [Pl.: *-ções.*] [F.: *revitalizar* + *-ção.*]

revitalizado (re.vi.ta.li.*za*.do) *a.* Que passou por um processo de revitalização (bairro revitalizado) [F.: Part. de *revitalizar.*]

revitalizador (re.vi.ta.li.za.*dor*) [ô] *a. sm.* O mesmo que *revitalizante.* [F.: *revitalizar* + *-dor.*]

revitalizante (re.vi.ta.li.*zan*.te) *a2g.* **1** Que revitaliza (creme revitalizante) *sm.* **2** Aquilo que revitaliza [F.: *revitalizar* + *-nte.* Sin. ger.: *reigorante; revitalizador.*]

revitalizar (re.vi.ta.li.*zar*) *v. td.* **1** Tornar a dar vitalidade, vigor a; REVIGORAR: "Para quem necessita revitalizar as energias murchas..., nada melhor do que um *raid* pelo mar interno da Rubiácea." (Monteiro Lobato, *A onda verde*) **2** Tornar (estrutura, lugar etc.) novamente eficiente, vivo; realizar a revitalização de: *Apresentou-se um programa para revitalizar a região da Estação da Luz.* [▶ **1 revitalizar**] [F.: *re-* + *vitalizar.*]

⊕ **revival** (*Ing. /riváivel/*) *sm.* **1** Interesse renovado por ou ressurgimento de coisas antigas (jogos, filmes, peças de teatro, veículos etc.) após um longo período de esquecimento **2** *Rel.* No cristianismo, despertar da fé religiosa pregada em reuniões fervorosas caracterizadas por sermões, testemunhos públicos e cantos

revivalismo (re.vi.va.*lis*.mo) *sm.* **1** *Pop.* Conduta daqueles que têm interesse por coisas antigas **2** *Rel.* Movimento cristão, que surgiu nos Estados Unidos, que prega o despertar da fé religiosa com palavras e emoções em reuniões fervorosas caracterizadas por sermões, testemunhos públicos e cantos [F.: *revival* + *-ismo.*]

revivalista (re.vi.va.*lis*.ta) *a2g.* **1** Que pratica o revivalismo (arquitetura revivalista) **2** Que é sectário do revivalismo *s2g.* **3** *Pop.* Aquele que pratica o revivalismo **4** Indivíduo que é sectário do revivalismo [F.: *revival* + *-ista.*]

revivência (re.vi.*vên*.ci:a) *sf.* Caráter ou qualidade de revivente; REVIVESCÊNCIA: "Dava-se então a revivência de José Alves, o seu amado saía do sepulcro, e transportava-a nas suas asas de anjo ao paraíso de Prazins." (Camilo Castelo Branco, *A brasileira de Prazins*) [F.: *reviver* + *-ência.*]

revivenciar (re.vi.ven.ci.*ar*) *v. td.* Vivenciar novamente (alguma experiência já vivenciada) [▶ **1 revivenciar**] [F.: *re-* + *vivenciar.*]

revivente (re.vi.*ven*.te) *a2g.* Que revive; REVIVESCENTE: "...onde a vinda recente das chuvas ainda não estendera a vestimenta efêmera da flora revivente..." (Euclides da Cunha, *Os sertões*) [F.: Do lat. *revivens, entis.*]

reviver (re.vi.*ver*) *v.* **1** Voltar a viver; RESSUSCITAR [*int.*: "...Talvez diga o Senhor ao pobre Lázaro: / Ergue-te aí do lupanar da morte, / Revive ao fresco do viver mais puro!" (Álvares de Azevedo, *Noite na taverna*)] [*tr.* + *em*: "Parecia-lhe que Besita revivia na pessoa da filha, e que assim podia ele assassiná-la outra vez..." (José de Alencar, *Til*)] **2** Voltar a sentir ou a existir; RESSURGIR [*td.*: *Camila reviveu o prazer de nadar.*] [*int.*: "...a possibilidade de que sua paixão pela moça revivesse..." (José de Alencar, *A pata da gazela*)] **3** Voltar a ter disposição, energia, frescor; REVIGORAR(-SE) [*int.*: "Ela ergueu-se quando o viu, e pareceu reviver ao contemplar o gesto... com que ele lhe falou." (Machado de Assis, *Helena*)] **4** Trazer mais ânimo, vigor a; REVIGORAR; REVIVIFICAR [*td.*: *O trabalho reviveu-o.*] **5** Voltar a lembrar; trazer de volta à memória; RECORDAR; RELEMBRAR [*td.*: "Reviveu os dias passados melhor do que os tinha vivido..." (José de Alencar, *Iracema*)] [*tdr.* + *em*: "...educar lá a criança como sobrinho, revivendo nele... todas as emoções daquele romance de dois anos..." (Eça de Queirós, *O crime do pe. Amaro*)] **6** Pôr novamente em uso; REVIVIFICAR [*td.*: "Lembrara-se... de fazer reviver a ideia do prof. Aníbal Americano." (Inglês de Sousa, *O missionário*)] [▶ **2 reviver**] [F.: Do v.lat. *revivere.* Sin. ger.: *revivescer.*]

revivescência (re.vi.ves.*cên*.ci:a) *sf.* Ação ou resultado de revivescer, reviver; REVIVESCIMENTO [F.: *revivescer* + *-ência.*]

revivescente (re.vi.ves.*cen*.te) *a2g.* Que revivesce, revive; REVIVENTE: "...alteia-se, mais profundo, ante o expandir revivescente da terra." (Euclides da Cunha, *Os sertões*) [F.: Do lat. *revivescens, entis.*]

revivescer (re.vi.ves.*cer*) *v.* O mesmo que *reviver* [▶ 33 **revivescer**] [F.: Do v.lat. *reviviscere.*]

revivescimento (re.vi.ves.ci.*men*.to) *sm.* O mesmo que *revivescência.* [F.: *revivescer* + *-imento.*]

revivificação (re.vi.vi.fi.ca.*ção*) *sf.* **1** Ação ou resultado de revivificar, reanimar **2** Transmissão de novas forças, de novo vigor (revivificação religiosa); REVIGORAMENTO [Pl.: *-ções.*] [F.: *revivificar* + *-ção.*]

revivificado (re.vi.vi.fi.*ca*.do) *a.* Que se revivificou; que se tornou mais cheio de vida [F.: Part. de *revivificar.*]

revivificante (re.vi.vi.fi.*can*.te) *a2g.* Que revivifica; que torna mais cheio de vida; REVIVIFICADOR [F.: *revivificar* + *-ante.*]

revivificar (re.vi.vi.fi.*car*) *v. td.* **1** Dar nova vida a ou novo vigor a; REVIGORAR: *Os banhos termais revivificaram-no.* **2** Pôr de novo em uso; adequar a novas tendências; ATUALIZAR; REVIVER: "...ele adotou gêneros convencionais..., valendo-se de seu vocabulário moderno para... revivificar esses temas acadêmicos tradicionais." (Lisa Philips, "Roy Lichtenstein – Vida animada" *in Catálogo da exposição no MAM*, 21.05.2006) **3** *Teol.* Dar nova vida espiritual a: *Os antigos faziam sacrifícios para revivificar a fé* [▶ **11 revivificar**] [F.: *re-* + *vivificar.*]

revivo (re.*vi*.vo) *a.* **1** Que voltou à vida **2** Cheio de vida [F.: *re-* + *vivo.* Sin. ger.: *redivivo.* Hom./Par.: *revivo* (a.), *revivo* (fl. de *reviver*).]

revoada (re.vo.*a*.da) *sf.* **1** Voo conjunto, simultâneo: *a revoada das garças.* **2** Bando de aves a voar **3** *Bras. P. ext.* Voo de um conjunto de aviões, ger. com propósito festivo ou comemorativo **4** *Fig.* Grupo alegre e ruidoso (revoada de estudantes) **5** *Fig.* Grande quantidade; PROFUSÃO: "Os sonhos, que em revoada lhe acudiram..." (Marques Rebelo, *O simples coronel Madureira*) **6** *Fig.* Oportunidade, ensejo [F.: Fem. substv. de *revoado*, part. de *revoar.*] ▪ **De ~** Apressadamente

revoar (re.vo.*ar*) *v.* **1** Manter-se voando acima ou em redor de (um lugar); ESVOAÇAR; VOEJAR [*int.*: "onde chiam e revoam... centenas de morcegos tontos." (Euclides da Cunha, *Confrontos e contrastes*)] [*ta.*: "Na velhice, o homem... é o pó, que, depois de revoar no espaço, deposita-se outra vez no chão." (José de Alencar, *A pata da gazela*)] **2** Levantar voo subitamente ou passar voando, ger. em bando [*int.*] **3** *Fig.* Estar em um plano elevado, sobranceiro, predominante; PAIRAR [*ta.*: "Esquecia-me a ver os dragões dourados revoando sobre o Ateneu..." (Raul Pompeia, *O Ateneu*)] **4** *Fig.* Vir à memória; ACUDIR; NASCER [*ta.*] **5** *Fig.* Atravessar ou cruzar espaços; PROPAGAR-SE [*ta.*: "um só e infernal estampido encheu o âmbito da sala, e foi revoando pelos aposentos e salas imediatas." (Franklin Távora, *O matuto*)] [▶ **16 revoar**] [F.: Do v.lat. *revolare.*]

revocação (re.vo.ca.*ção*) *sf.* **1** Ação ou resultado de revocar **2** O mesmo que *revogação.* [Pl.: *-ções.*] [F.: Do lat. *revocatio, onis.*]

revocar (re.vo.*car*) *v.* **1** Fazer voltar, retornar [*td.*: *Revocou o filho que viajara.*] **2** Chamar novamente [*td.*: *Revocou a menina, que se afastava.*] **3** Trazer ao presente, evocar [*td.*: *Revocava a adolescência, maravilhado.*] **4** Tornar sem validade; revogar [*td.*: *Revocou a medida judicial.*] **5** Livrar, tirar [*tdr.* + *de*: *A arte revoca o homem da banalidade.*] **6** Restituir, trazer de volta [*tdr.* + *a*: *O incidente revocou o rapaz à sensatez.*] [▶ **11 revocar**] [F.: Do lat. *revocare.* Hom./Par.: *revocáveis* (fl.), *revocáveis* (pl. de *revocável* [a2g.]).]

revocatória (re.vo.ca.*tó*.ri:a) *sf.* O mesmo que *revogatória.* [F.: Fem. substv. de *revocatório.* Hom./Par.: *revocatória* (sf.), *revocatória* (a.).]

revocatório (re.vo.ca.*tó*.ri:o) *a.* O mesmo que *revogatório.* [F.: Do lat. *revocatorius, a, um.* Hom./Par.: *revocatória* (a.), *revocatória* (sf.).]

revogabilidade (re.vo.ga.bi.li.*da*.de) *sf.* Qualidade do que é revogável; REVOCABILIDADE [Ant.: *irrevogabilidade.*] [F.: *revogável* + *-(i)dade*, segundo o modelo erudito.]

revogação (re.vo.ga.*ção*) *sf.* **1** Ação ou resultado de revogar, de tornar sem efeito; ANULAÇÃO; EXTINÇÃO **2** *Jur.* Invalidação total (ab-rogação) ou parcial (derrogação) de uma lei: "...que fugiam da perseguição religiosa (...) após a revogação do Edito de Nantes..." (Alberto da Costa e Silva, *A manilha e o libambo*) [Pl.: *-ções.*] [F.: Do lat. *revocatio, onis.*]

revogado (re.vo.*ga*.do) *a.* Que se revogou, que ficou sem efeito; ANULADO [F.: Part. de *revogar.*]

revogante (re.vo.*gan*.te) *a2g.* Que revoga; REVOGADOR [F.: Do lat. *revocans, antis.*]

revogar (re.vo.*gar*) *v. td.* Tornar sem efeito; fazer que deixe de vigorar; ANULAR: "O presidente... tomou a decisão política de revogar o decreto... que permitia preservar em sigilo... documentos... ultrassecretos." (*O Globo*, 07.12.2004) [▶ **14 revogar**] [F.: Do v.lat. *revocare.* Ant.: *confirmar, validar.* Hom./Par.: *revogáveis* (fl.), *revogáveis* (pl. de *revogável* [a2g.]).]

revogatória (re.vo.ga.*tó*.ri:a) *sf. Jur.* Documento que cancela poderes concedidos anteriormente [F.: Fem. substv. de *revogatório.*]

revogatório (re.vo.ga.*tó*.ri:o) *a.* **1** Que revoga, que anula, que torna sem efeito (instrumento revogatório) **2** Ref. a revogação [F.: Do lat. *revocatoriu s, a, um.*]

revogável (re.vo.*gá*.vel) *a2g.* **1** Que se pode revogar; passível de revogação (decisão/medida revogável) **2** *Jur.* Que é passível de ser anulado; anulável; REVOCÁVEL [Pl.: *-veis.*] [F.: Do lat. *revocabĭlis, e* 'que se pode fazer voltar; reparável'. Ant. ger.: *irrevogável.* Hom./Par.: *revogáveis* (pl.); *revogáveis* (fl. de *revogar*).]

revolta (re.*vol*.ta) *sf.* **1** Ação ou resultado de revoltar(-se) [Ant.: *resignação; submissão.*] **2** Manifestação coletiva contra algo ou alguém; MOTIM; REBELIÃO: *A revolta popular tomou as ruas.* **3** Rebelião armada; REVOLUÇÃO **4** Atitude de rebelde; REBELDIA **5** *P. ext.* Alvoroço, tumulto: "Assim que cheguei, senti que se tinha agravado o ambiente de inquietação e revolta." (Josué Montello, *O Juscelino Kubitschek de minhas recordações*) **6** Forte sentimento de indignação: *Guardou no peito sua revolta.* [F.: Fem. substv. de *revolto.* Hom./Par.: *revolta* (sf), *revolta* (fl. de *revoltar*).]

revoltado (re.vol.*ta*.do) *a.* **1** Que se revoltou, se rebelou contra algo ou alguém; INSURRETO; REBELDE: *Foram punidos os marinheiros revoltados.* **2** Que se indignou: *Ficou revoltado com tamanha injustiça.* **3** Que é amargo ou está inconformado com tudo *sm.* **4** Aquele que se revoltou contra algo ou alguém **5** Aquele que é propenso a demonstrar revolta, ressentimento etc. [F.: Part. de *revoltar.*]

revoltante (re.vol.*tan*.te) *a2g.* Que causa revolta, repulsa ou indignação (mentira revoltante; ato revoltante); ENOJANTE; REPULSIVO [F.: *revoltar* + *-nte.*]

revoltar (re.vol.*tar*) *v.* **1** Levar à revolta; provocar revolta; AMOTINAR; INSURGIR; SUBLEVAR [*td.*: *revoltar as tropas de um país.*] [*tdr.* + *contra*: "Aquele perpétuo obstáculo do pobre, falta de dinheiro, dependência do patrão, ..., revoltou-os contra a sociedade." (Eça de Queirós, *O crime do padre Amaro*)] **2** Causar grande perturbação; repugnar a; INDIGNAR [*td.*: "...faziam-no... confidente dos seus amores e das suas infidelidades, com uma franqueza que o não revoltava..." (Aluísio Azevedo, *O cortiço*)] [*int.*: *A miséria revolta;* "O homem se revolta jogando sua esperança para além da barreira escura da morte..." (Rubem Braga, "O motorista do 8-100" *in O homem rouco*)] [*tr.* + *com*: "Pataca revoltou-se, não com o procedimento de Jerônimo, mas com o dela." (José de Alencar, *A viuvinha*)] **3** Movimentar energicamente; AGITAR; REVIRAR [*td.*: "O amor é como um raio/Galopando em desafio/Abre fendas, cobre vales/Revolta as águas dos rios..." (Djavan, *Faltando pedaço*)] [▶ **1 revoltar**] [F.: *revolta* + *-ar*[2]. Hom./Par.: *revolta* (fl.), *revolta* (sf.), *revolta* (fem. de *revolto* [a.]); *revoltas* (fl.), *revoltas* (pl. do sf.), *revoltas* (pl. do fem. do a.); *revolto* (fl.), *revolto* (a.).]

revoltear (re.vol.te.*ar*) *v.* **1** Voltear(-se) muito ou frequentemente; REVOLVER(-SE) [*td.*: *A bruxa revolteava o tacho com a vassoura; A matrona revolteava sem parar.*] **2** Dançar freneticamente, remexendo os quadris [*td.*: *Revoltearam os quadris a noite toda.*] [*int*: *No terreiro, as madames revolteavam.*] [▶ **13 revoltear**] [F.: *re-* + *volt(a)* + *-ear*[2].]

revolto (re.*vol*.to) [ô] *a.* **1** Que está agitado, turbulento (diz-se de mar) **2** Que está desarrumado, em desalinho (cabelos revoltos; quarto revolto) **3** Que foi revolvido, remexido: *O solo revolto da horta era um vestígio do tatu.* **4** Que está torcido, revirado **5** Extremamente agitado, tumultuado (tempos revoltos) **6** Furioso, irado, revoltado: "Foi, como jamais o víramos, desesperado, revolto." (Marques Rebelo, "Vejo a lua no céu" *in Contos reunidos*) **7** *S.* Diz-se de cavalo recém-domado que já começa a obedecer às rédeas [F.: Do lat. vulg. **revoltus*, do lat. *revolutus, a, um.*]

revoltoso (re.vol.*to*.so) [ô] *a.* **1** Diz-se de quem participa de revolta, insurreição *sm.* **2** Esse alguém [Pl.: [ó]. Fem.: [ó].] [F.: *revolto* + *-oso.* Sin. ger.: *insurrecto, rebelde.*]

revolução (re.vo.lu.*ção*) *sf.* **1** Ação ou resultado de revolucionar(-se) ou revolver(-se) **2** Ato de realizar ou sofrer grande mudança ou alteração **3** Movimento de curva fechada **4** Levante armado; INSURREIÇÃO; REBELIÃO: *Uma revolução derrubou o presidente.* **5** *Pol.* Qualquer transformação social através de meios radicais **6** Transformação brusca e radical (revolução tecnológica; revolução sexual): "Se o Brasil quisesse mostrar bem a sua revolução mais verdadeira, nos campos educacionais é que a teria de ir procurar." (Cecília Meireles, "Considerações" *in Diário de Notícias*, 19.10.1932) **7** *Geol.* Série de fenômenos naturais que podem mudar a estrutura da Terra **8** *Geom.* Rotação de um corpo em volta de um eixo real ou imaginário **9** *Astron.* Giro completo de um astro em sua órbita **10** *Fig.* Agitação, efervescência [Pl.: *-ções.*] [F.: Do lat. *revolutione(m).*] ∎∎ **~ anomalística** *Astron.* Tempo que leva um astro (esp. a Lua) para percorrer uma órbita completa a partir do periastro **~ cardíaca** *Fisl.* Um ciclo da atividade cardíaca, formado por uma sístole e uma diástole **~ draconítica** *Astron.* Tempo decorrido entre duas passagens consecutivas da Lua pelo mesmo nodo de sua órbita; mês draconítico, revolução nódica, período draconítico, período nódico **~ industrial** *Econ. Hist.* Conjunto de grandes mudanças ocorridas na indústria da Inglaterra em c. 1760 (introdução do tear mecânico e da máquina a vapor, substituição crescente da mão de obra manual por máquinas cada vez mais aperfeiçoadas, fabricação em série, automação etc.) e suas consequências socioeconômicas **~ nódica** *Astron.* Ver *Revolução draconítica.* **~ sinódica** **1** *Astron.* Período de tempo entre duas aparências (vistas da Terra) idênticas consecutivas de um astro **2** Revolução sinódica da Lua; mês lunar, lunação [Equivalente a 29,53059 dias.]

revolucionado (re.vo.lu.ci:o.*na*.do) *a.* Diz-se do que se revolucionou; que passou por processo de revolução [F.: Part. de *revolucionar.*]

revolucionamento (re.vo.lu.ci.o.na.*men*.to) *sm.* **1** Ação, processo ou resultado de revolucionar(-se); REVOLUÇÃO; REVOLTA **2** Instigação à revolta [F.: *revolucionar* + *-mento.*]

revolucionar (re.vo.lu.ci:o.*nar*) *v.* **1** Provocar profundas transformações em; TRANSFORMAR [*td.*: "Os inventos mecânicos, que no século XVIII revolucionaram a indústria dos tecidos..., levaram o plantio aos terrenos mais afastados..." (Capistrano de Abreu, *Capítulos de história colonial*)] **2** Dar início a uma revolução ou revolta; instigar ou mover à revolução; REVOLTAR [*td.*: *Os republicanos revolucionaram o país.*] **3** Causar perturbação; PERTURBAR [*td.*: "Há loucuras transitórias que por tal modo revolucionam o espírito do homem, que o tornam capaz... de grandes baixezas..." (Franklin Távora, *O cabeleira*)] **4** Provocar agitação; AGITAR [*td.*: "Um acontecimento... veio revolucionar alegremente toda aquela confederação da estalagem. Foi a chegada da Rita Baiana..." (Aluísio Azevedo, *O cortiço*)] [*int.*: "Um desejo enorme/De revolucionar!" (Guilherme Arantes, *Cheia de charme*)] **5** Mexer de baixo para cima; REVIRAR; REVOLVER [*td.*: *revolucionar a terra dos canteiros.*] [▶ 1 revolucion**ar**] [F.: *revolução* (sob a f. *revolucion*) + *-ar*[2]. Hom./Par.: *revolucionaria* (fl.), *revolucionária* (fem. de *revolucionário* [a. sm.]); *revolucionárias* (fl.), *revolucionárias* (pl. do fem. de *revolucionário*).]

revolucionariamente (re.vo.lu.ci:o.na.ri.a.*men*.te) *adv.* **1** De modo revolucionário: *Alterou revolucionariamente a ideia vigente.* **2** Em revolução: *A região encontra-se revolucionariamente conturbada.* [F.: Fem. de *revolucionário* + *-mente.*]

revolucionário (re.vo.lu.ci:o.*ná*.ri:o) *a.* **1** Ref. a revolução (partido revolucionário; teoria revolucionária) **2** Diz-se de quem lidera ou participa de uma revolução **3** Diz-se do que é progressista, que provoca mudanças radicais **4** Ref. ao que é responsável pela renovação de novos processos artísticos, científicos etc. *sm.* **5** Aquele que lidera ou toma parte em uma revolução, em uma revolta: *Os revolucionários tomaram o poder.* **6** Indivíduo progressista, que provoca mudanças radicais: *Foi um revolucionário da literatura.* **7** O responsável pela renovação de novos processos artísticos, científicos etc.; RENOVADOR: *Paulo Freire foi um revolucionário da pedagogia.* [F.: Do fr. *revolutionnaire.*]

revolucionarismo (re.vo.lu.ci.o.na.*ris*.mo) *sf.* **1** Qualidade de, estado de ou pensamento revolucionário **2** Ação de revolucionário (revolucionarismo de costumes/científico) **3** *Pol.* Doutrina ou postura de fazer da ação revolucionária um fim em si mesma [F.: *revolucionário* + *-ismo.*]

revolutear (re.vo.lu.te.*ar*) *v. int.* **1** Dar voltas ou agitar-se em várias direções; REVOLVER-SE: "Um cabra... ralha na viola. Revoluteia... o sertanejo moço." (Euclides da Cunha, *Os sertões*); "O vento largo... revoluteia pela planície..." (Júlio Ribeiro, *A carne*) **2** Bater as asas com energia; ESVOAÇAR; VOEJAR: "Insetos... revoluteavam em sussurros..." (Júlio Ribeiro, *A carne*) [▶ 13 revolut**ear**] [F.: *re-* + *volutear.* Hom./Par.: *revoluteio* (fl.), *revoluteio* (sm.).]

revoluto (re.vo.*lu*.to) *a.* **1** Agitado, revolto, revolvido (mar revoluto) **2** *Fig.* Enrolado, confuso, bagunçado (cabeleira revoluta) **3** *Bot.* Diz-se de folha que tem as margens enroladas em direção à face inferior ou para trás [F.: Do lat. *revolutus, a, um* 'que voltou; repelido, rechaçado etc.', part. pas. de *revolvere* 'rolar para trás; enrolar'.]

revolvedor (re.vol.ve.*dor*) [ô] *a.* **1** Diz-se de que ou quem revolve **2** *Fig.* Que revoluciona *sm.* **3** Aquele ou aquilo que revolve (revolvedor de expectativas/de poeira): "...uma roda de profanos dançantes... e no centro o revolvedor de todos, Lúcifer." (Manuel Bernardes, *Nova floresta*) **4** *Fig.* Indivíduo revolucionário, agitador [F.: *revolver* + *-dor.*]

revolver (re.vol.*ver*) *v.* **1** Examinar ou esquadrinhar, mexendo; procurar algo em; REVIRAR [*td.*] [*tr.* + *em*] **2** Sujeitar a exame demorado; passar em revista [*td.*: "... revolveram [os jornais] a vida de Cassi; contaram-lhe as proezas..." (Lima Barreto, *Clara dos Anjos*)] **3** Cavar para misturar a terra [*td.*: *Revolvia o canteiro para plantar begônias.*] **4** Mover em giro; REVOLUTEAR [*td.*: "Redemoinhos... revolviam o pó..., que se elevava em espirais..." (Domingos Olímpio, *Luzia Homem*)] **5** Fazer dar voltas a, ou virar para todos os lados; RETORCER; REVIRAR [*td.*: "Revolvia-me na cama..." (Joaquim Manuel de Macedo, *Luneta mágica*)] **6** Mexer muitas vezes; REMEXER [*td.*: "O matuto... revolvia com um ferro de cova... os paus e a terra abrasada." (Franklin Távora, *O matuto*)] **7** Pensar muito sobre algo; meditar profundamente, fazendo cogitações [*td.*: "...diante do papel branco e vazio, ficou pensando, revolvendo esta ideia – não tinha mais família" (Eça de Queirós, *Alves e Cia*).] [*tda.*: "...foi andar..., revolvendo na memória as duras palavras que lhe disse." (Machado de Assis, *Casa velha*)] **8** Causar agitação; AGITAR; REVOLTAR [*td.*: "Esta desolada amargura do nunca mais revolveu-o todo..." (Eça de Queirós, *Os Maias*)] **9** Provocar conflito, revolta; AMOTINAR; INDISPOR [*td.*: *A crueldade do líder revolveu os subalternos.*] **10** Voltar a lembrar; RECORDAR; RELEMBRAR [*td.*: "Deleitas-te em revolver saudades..." (Júlia Lopes de Almeida, *A intrusa*)] [▶ 2 revolv**er** NOTA: Apresenta duplo part.: *revolvido* e *revolto.*] [F.: Do v.lat. *revolvere.* Hom./Par.: *revolver* (v.), *revólver* (sm.); *revolveres* (fl.), *revólveres* (pl. do sm.).]

revólver (re.*vól*.ver) *sm.* Arma de fogo portátil, com tambor giratório, que ger. tem capacidade para seis cartuchos [F.: Do ing. *revolver.* Hom./Par.: *revólver* (sm.), *revolver* (v.).]

revolvido (re.vol.*vi*.do) *a.* **1** Que se revolveu (mar revolvido); REVOLTO **2** Volvido mais de uma vez ou várias vezes (feno revolvido); MEXIDO; REMEXIDO [F.: Part. de *revolver.* Sin. ger.: *revoluto.*]

revolvimento (re.vol.vi.*men*.to) *sm.* **1** Ação, processo ou resultado de revolver(-se); REVOLUÇÃO; AGITAÇÃO **2** Enchimento da maré depois de ter espraiado o mar **3** *Agr.* Operação de revolver a terra, como preparação para a semeadura [F.: *revolver* + *-imento.*]

revoo (re.*vo*.o) *sm.* **1** Ação ou resultado de revoar (revoo de pássaros); REVOADA **2** *S. Pop.* A primeira luta de um galo de briga [F.: *re-* + *voo.*]

revulsão (re.vul.*são*) *sf.* **1** *Med.* Irritação local derivada da ação anti-inflamatória de medicamento us. para curar inflamação em outra parte do corpo; ANTÍSPASE **2** Efeito de medicamento revulsivo [Pl.: *-sões.*] [F.: Do lat. *revulsio, onis.*]

revulsivo (re.vul.*si*.vo) *a.* **1** Ref. a revulsão **2** Diz-se de medicamento que provoca revulsão, que faz uma inflamação derivar de uma parte para outra no organismo *sm.* **3** Esse medicamento [F.: *revuls(o)-* + *-ivo.*]

◎ **revuls(o)-** *el. comp.* = 'revulsão': *revulsar, revulsivo, revulsório* [F.: Do lat. *revulsus, a, um*, part. pass. do v.lat. *revellere*, 'puxar com força para si'.]

reza (re.za) *sf.* **1** Ação ou resultado de rezar (hora da reza) **2** Súplica feita à divindade; ORAÇÃO; PRECE: *Fazia rezas ardentes em busca da cura.* **3** *Fig.* Murmúrio, resmungo: "O coqueiral tem seu idioma... é em curvas sua reza longa... aprendida das ondas..." (João Cabral de Melo Neto, *A voz do coqueiral*) **4** *Bras.* Ação de benzer, dizendo frases que supostamente afastam o mal ou curam doenças: *A curandeira fez-lhe uma reza com folhas.* [F.: Dev. de *rezar.*] ∎∎ **~ de capoeira** *Bras. Ant. Cap.* Ladainha, música cantada no início de roda de capoeira

reza-brava (re.za-*bra*.va) *sf.* *Bras. Pop.* Reza forte, oração para pedir graça a si próprio, ou para fazer ou desfazer malefícios [Pl.: *rezas-bravas.*] [F.: *reza-* + *-brava.*]

rezadeira (re.za.*dei*.ra) *Bras. Pop. a.* **1** Diz-se de mulher que faz rezas, ger. para afugentar males **2** Diz-se de mulher que reza em demasia *sf.* **3** Mulher rezadeira **4** Mulher que reza em demasia, grande beata [F.: *rezar* + *-deira.*]

rezado (re.*za*.do) *a.* **1** Que se rezou **2** Próprio de reza, feito ou dito com rezas **3** *Litu.* Diz-se de culto religioso, feito de rezas e não cantado **4** *Bras.* Diz-se de que ou de quem recebeu rezas para afastar os males **5** Murmurado, muito comentado em voz baixa ou em segredo (caso rezado) [F.: Part. de *rezar.*]

rezador (re.za.*dor*) [ô] *a.* **1** Diz-se daquele que reza muito ou que é dado a rezar *sm.* **2** Aquele que reza muito, que é devoto **3** *Bras.* Aquele a quem se atribui o poder da cura fazendo rezas; BENZEDEIRO; CURANDEIRO [F.: *rezar* + *-dor.*]

rezar (re.*zar*) *v.* **1** *Rel.* Proferir ou dizer (orações ou rezas); ORAR [*td.*: "...rezou em silêncio sua oração..." (Franklin Távora, *O matuto*)] [*ti.* + *a, para*: "...estava a rezar a S. Francisco Xavier..." (Eça de Queirós, *O crime do padre Amaro*)] [*tr.* + *por*: "Se a alma de João de Melo os visse de cima, alegrar-se-ia do apuro em que eles foram rezar por um pobre escrivão." (Machado de Assis, *Esaú e Jacó*)] [*tdi.* + *a, para*: "Amaro... rezava-lhe [à Virgem] a Salve-Rainha..." (Eça de Queirós, *O crime do padre Amaro*)] [*tdr.* + *por*: "...não deixava de rezar... uma Salve-Rainha pelas melhoras da Totó." (Eça de Queirós, *O crime do padre Amaro*)] [*int.*: "Qualquer pessoa no mundo sabe rezar." (Paulo Coelho, *Brida*)] **2** Dizer ou celebrar (missa) [*td.*: "Foi ele [Ratzinger] que rezou... a última missa antes do conclave..." (*O Globo*, 20. 04. 2005)] **3** Ler (livros de orações, devocionais) [*td.*: *Muitos rezam a Bíblia diariamente.*] **4** Submeter (alguém) a benzeduras; BENZER [*td.*: *Há benzedores que rezam um doente à distância.*] **5** *Fig.* Proferir ou dizer por entre dentes; MURMURAR [*td.*: *Com medo de ser castigado, rezava algumas palavras em resposta.*] **6** *Fig.* Mandar que se faça; DETERMINAR; PRECEITUAR [*td.*: *O contrato reza isto.*] **7** Conter escrito; CONTAR; MENCIONAR; REFERIR [*td.*] [*int.*: "No dia da festa da educação física, como rezava o programa (programa de arromba porque o secretário do diretor tinha o talento dos programas)..." (Raul Pompeia, *O Ateneu*)] **8** Ter por assunto; DISCORRER; TRATAR [*tr.* + *de*: *Não se sabia de quem rezava a notícia.*] [▶ 1 rez**ar**] [F.: Do v.lat. *recitare.* Hom./Par.: *reza* (fl.), *reza* (sf.); *rezaria, rezaria* (sf.); *rezas* (fl.), *rezas* (pl. do sf.); *rezarias, rezarias* (pl. do sf.); *rezes* (fl.), *reses* (pl. de *rês* [sf.]).]

rezinga (re.*zin*.ga) *sf.* **1** Ação ou resultado de rezingar **2** *Bras. Pop.* Rixa, desavença, altercação, discórdia: "E a questão reapareceu à noite, reapareceu na manhã seguinte, tomando um caráter de rezinga permanente" (Aluísio de Azevedo, *Casa de pensão*) [F.: Dev. de *rezingar.* Hom./Par.: *rezinga* (sf.), *rezinga* (fl. de rezingar).]

rezingar (re.zin.*gar*) *v.* **1** Falar entre dentes e mal-humorado; RESMUNGAR [*td.*: *Rezingou algumas queixas e foi dormir.*] [*int.*: *Vivia rezingando.*] **2** Passar reprimenda em; REPREENDER [*tr.* + *com*: *Rezingava sempre com o marido.*] **3** Discutir em tom polêmico; CONTENDER; ALTERCAR [*int.*: *Rezingavam por qualquer besteira.*] **4** Emitir a voz (a arara, a coruja, a cigarra); GRAZINAR [*int.*] [▶ 14 rezing**ar**] [F.: Posv. de or. onom. Hom./Par.: *rezinga(s)* (fl.), *rezinga* (sf. [e pl.]).]

rezinguento (re.zin.*guen*.to) *a.* O mesmo que *rezingão*: "... nunca o vira assim tão áspero e seco, mas receou importuná-lo. Era naturalmente a moléstia que o deixava rezinguento." (Aloísio Azevedo, *O cortiço*) [F.: De or. obsc.]

rezoneamento (re.zo.ne:a.*men*.to) *sm.* Ação ou resultado de rezonear [F.: *rezonear* + *-mento.*]

⊠ **Rf** *sm.* *Quím.* Símb. do *rutherfórdio*, elemento transférmico de número atômico 104 [Cf.: *RF.*]

⊠ **RGB** *sm.* *Telv.* Acrônimo do ing. *'red, green and blue'* (vermelho, verde e azul), processo de geração de imagem em cores utilizando variação de intensidade do vermelho, verde e azul

⊠ **Rh** *sm.* **1** Abrev. de fator Rh **2** *Quím.* Símb. do *ródio*

⊠ **rhe** *sf.* *P. us.* *Fís. Metrol.* Unidade de medida de fluidez no sistema c. g. s., igual ao inverso de 1 poise [F.: Do ing. *rhe*; gr. *rhein* 'fluir, correr'.]

ria (*ri*:a) *sf.* **1** *Hidrog.* Pequeno braço de rio ou mar, ger. propício à navegação **2** Foz, embocadura ou pequeno afluente por onde o rio vai desaguar no mar *sfpl.* **3** *Lus. Hidrog.* Costa muito recortada e onde o mar é pouco profundo [F.: Do espn. *ria.*]

riachão (ri.a.*chão*) *sm.* *Bras. Hidrog.* Riacho grande [Ant.: *riachinho.*] [Pl.: *-chões.*] [F.: *riacho* + *-ão.*]

riacho (ri.*a*.cho) *sm.* Rio pequeno; REGATO; RIBEIRO [Aum.: *riachão* Dim. irreg. de *rio.*] [F.: *rio* + *-acho.*]

rial (ri.*al*) *sm.* *Econ.* Unidade monetária e moeda, divisível em cem unidades menores, da Arábia Saudita, Catar, Iêmen, Irã e Oman [F.: Do ár. *riyal.*]

riamba (ri.*am*.ba) *sf.* **1** *Bras.* O mesmo que *maconha*; DIAMBA; LIAMBA **2** *Lus. Bot.* O mesmo que *cânhamo* (*Cannabis sativa*) [F.: Var. de *liamba.*]

riba (*ri*.ba) *sf.* **1** Margem alta de rio; RIBANCEIRA **2** Parte superior; CIMA: "Kalu, Kalu, tira o verde desses oios di riba d'eu..." (Humberto Teixeira, *Kalu*) **3** *Bras.* Espécie de mó movida por animal e us. para descascar café [F.: Do lat. *ripa, ae.*] ∎∎ **Em ~ de** Na parte superior de; em cima de: *Escondeu o dinheiro em riba do teto.* **Pra ~ de** Para cima de: *Enfurecido, partiu pra riba do desafeto.*

ribalta (ri.*bal*.ta) *Teat.* *sf.* **1** Fileira de luzes na frente do palco **2** *P. ext.* A parte frontal do palco; PROSCÊNIO **3** *Fig.* A atividade teatral: *A ribalta sempre a encantou.* [F.: Do it. *ribalta.*]

ribamar (ri.ba.*mar*) *s2g.* **1** Beira-mar, litoral **2** Lugar na beira do mar [F.: *riba* + *mar.*]

ribanceira (ri.ban.*cei*.ra) *sf.* **1** Conjunto de penedos à beira de um rio; BARRANCO *sf.* **2** Margem alta de rio; RIBA **3** Despenhadeiro, precipício natural: *A bola rolou ribanceira abaixo.* **4** Rampa com forte declive [F.: *ribança* + *-eira.*]

ribatejano (ri.ba.te.*ja*.no) *sm.* **1** Aquele que nasceu ou que vive no Ribatejo; RIBATEJENSE **2** *Agr.* Variedade de trigo *a.* **3** De Ribatejo; típico dessa cidade ou de seu povo; RIBATEJENSE **4** Diz-se de variedade cultivada de trigo [F.: Do top. *Ribatejo* + *-ano*[1].]

ribeira (ri.*bei*.ra) *sf.* **1** Rio estreito e raso; RIACHO **2** Terreno às margens de um rio **3** Alagadiço formado pelas águas de um rio ou do mar **4** *N. E.* Zona rural com fazendas para criação de gado **5** *Lus.* Mercado de peixe nas proximidades de um rio ou cais [F.: Do lat. vulg. *riparia.*]

ribeirão (ri.bei.*rão*) *Bras.* *sm.* **1** Curso de água maior que o riacho e menor que o rio **2** Terreno adequado à mineração de diamantes [Pl.: *-rões.*] [F.: *ribeiro* + *-ão*[1].]

ribeirinha (ri.bei.*ri*.nha) *sf.* Ribeira pequena [Dim. de *ribeira.*] [F.: *ribeira* + *-inha.*]

ribeirinho (ri.bei.*ri*.nho) *a.* **1** Que está situado à margem de uma ribeira **2** Diz-se do que vive ou se encontra às margens de um rio (população/vegetação ribeirinha); JUSTAFLUVIAL *sm.* **3** Habitante das margens dos rios ou ribeiras: *Os ribeirinhos vivem de peixe e açaí.* **4** Moleque de recados **5** Indivíduo que faz transporte de areia, entulho em lombo de animais [F.: *ribeira* + *-inho.*]

ribeiro (ri.*bei*.ro) *sm.* O mesmo que *riacho.* [F.: Do lat. medv. *ripariu s, i.]

◎ **ribo-** (ri.*bo*-) *pref.* *Biol. Quím.* = 'ribose': *riboflavina, ribonucleico, ribossomo* [F.: De *ribose.*]

riboflavina (ri.bo.fla.*vi*.na) *sf.* *Bioq.* Pigmento amarelo cristalino de flavina, membro do complexo de vitaminas B, que ocorre em cereais, leite, fígado, clara do ovo, levedo de cerveja, legumes etc., us. como elemento nutricional em preparados vitamínicos, no enriquecimento de farinhas e de pão, no tratamento medicinal de lesões da língua, lábios e face [Fórm.: $C_{17}H_{20}N_4O_6$] [F.: Do ing. *riboflavin.*]

ribombante (ri.bom.*ban*.te) *a2g.* *Acús.* Diz-se do que ribomba, que produz estrondo (ruídos ribombantes): "Horroroso tumulto de mugidos, e sibilos, e choques ribombantes." (Eça de Queirós, *Contos*) [F.: *ribombar* + *-ante*. Sin. ger.: *rimbombante, rebombante*.]

ribombar (ri.bom.*bar*) *v. int.* Produzir som retumbante (esp. o trovão); causar grande estrondo: *Trovões ribombaram, anunciando a tempestade;* "Os estampidos das cargas fortíssimas ribombaram pela mata..." (Júlio Ribeiro, *A carne*); "...gritaria de 'fora! fora! fora!' ribombou... no teatro." (Joaquim Manuel de Macedo, *Luneta mágica*) [▶ 1 ribombar] [F.: Do it. *rimbombare*. Hom./Par.: *ribombo* (fl.), *ribombo* (sm.). Tb. *rimbombar*.]

ribombo (ri.*bom*.bo) *sm.* **1** Ato ou resultado de ribombar; RIBOMBÂNCIA **2** Barulho forte, surdo e longo; ESTRONDO: *O ribombo da explosão soou longe.* [F.: Voc. expressivo. Tb. *rimbombo*.]

ribonucleico (ri.bo.nu.*clei*.co) *a. Bioq. Gen.* Diz-se de ácido encontrado no núcleo e no citoplasma das células (sigla ARN, em ing. RNA), de importante função na transmissão de informações genéticas [F.: *ribo-* + (*ácido*) *nucleico*.]

ribose (ri.*bo*.se) *sf. Biol. Quím.* Aldose presente no ácido ribonucleico [Fórm.: $C_5H_{10}O_5$.] [F.: Do al. *Ribose*.]

ribossoma (ri.bos.*so*.ma) *sm. Cit. Gen.* Ver *ribossomo* [F.: *ribo-* + *-soma*.]

ribossômico (ri.bos.*sô*.mi.co) *a.* **1** *Cit. Gen.* Referente a, ou próprio de ribossomo **2** Diz-se de ácido ribonucleico integrante da estrutura dos ribossomos [F.: *ribossoma* + *-ico*². Sin. ger.: *ribossomático*.]

ribossomo (ri.bos.*so*.mo) [ô] *sm. Cit. Gen.* Organela celular constituída de ácido ribonucleico e proteínas, em que se verifica a síntese da cadeia polipeptídica; RIBOSSOMA [F.: *ribo-* + *-somo*.]

ribostamicina (ri.bos.ta.mi.*ci*.na) *sf. Quím.* Aminoglicosídeo para tratamento de infecções urinárias [F.: *ribo-* + *estamicina*.]

ricaço (ri.*ca*.ço) *a.* **1** Diz-se daquele que é muito rico *sm.* **2** Indivíduo muito rico [F.: *rico* + *-aço*. Sin. ger.: *milionário*.]

riçado (ri.*ça*.do) *a.* **1** Que se riçou **2** Eriçado, encrespado: "Região... fortemente riçada de serranias." (Euclides da Cunha, *Os sertões*) **3** Diz-se de cabelo muito crespo; ENCARAPINHADO **4** Frisado (vestido riçado) [F.: Part. de *riçar*.]

ricamente (ri.ca.*men*.te) *adv.* **1** De modo rico, com riqueza: *Vive ricamente com mulher e filhos.* **2** Com ostentação, com fausto ou pompa (ricamente vestido/decorado) [F.: *rica* + *-mente*.]

riçar (ri.*çar*) *v.* **1** Encaracolar (os cabelos) em forma de riço; frisar [*td.*: *Riçou os cabelos e ficou com outra cara.*] [*int.*: *Seus cabelos riçavam facilmente.*] **2** Pôr em pé, arrepiar, eriçar [*td.*: *A forte ventania riçou seus cabelos.*] **3** Eriçar (os cabelos) passando o pente de suas pontas para a raiz [*td.*] [▶ **12 riçar**] [F.: De or. incerta; posv. de *riço* + *-ar*², ou de *arriçar*, com aférese. Hom./Par.: *riça* (fl.), *riça* (sf.); *riças* (fl.), *riças* (pl. do sf.); *riço* (fl.), *riço* (a. [sm.]).]

ricardão (ri.car.*dão*) *sm. Bras. Pop.* Designação para amante do sexo masculino [Pl.: *-dões*.] [F.: Aum. do antr. *Ricardo*.]

ricina (ri.*ci*.na) *sf. Bioq.* Alcaloide tóxico extraído das sementes e das folhas do rícino e encontrado no óleo de rícino [Fórm.: $C_8H_8N_2O_2$.] [F.: Do lat. *ricinus, i*.]

◎ **ricin(o)-** *el. comp.* = 'mamona'; 'óleo de rícino': *ricinocultura, ricinoleico* [F.: Do lat. *ricinus, i*.]

rícino (*rí*.ci.no) *sm.* **1** Planta da fam. das euforbiáceas (gên. *Ricinus*), de cujas sementes se extrai óleo laxante; MAMONA **2** O óleo que se extrai dessa planta [F.: Do lat. cient. *Ricinus*.]

ricinocultor (ri.ci.no.cul.*tor*) [ô] *sm. Agr.* Aquele que se dedica à ricinocultura [F.: *ricin(o)-* + *-cultor*.]

ricinocultura (ri.ci.no.cul.*tu*.ra) *sf. Agr.* Cultivo de mamona [F.: *ricin(o)-* + *-cultura*.]

ricinoleato (ri.ci.no.le:*a*.to) *sm. Quím.* Sal ou éster do ácido ricinoleico [F.: *ricinolé(ico)* + *-ato*².]

ricinoleico (ri.ci.no.*lei*.co) *Quím. a.* **1** Diz-se de ácido graxo insaturado ($C_{18}H_{34}O_3$) encontrado nas sementes da mamoneira e de outros arbustos do gên. *Ricinus* *sm.* **2** Esse ácido [F.: *ricin(o)-* + *oleico*.]

rickéttsia (ric.*két*.tsia) *sf. Bac.* Denominação comum aos microrganismos não filtráveis, pleomórficos, do gên. *Rickettsia*, típicos da fam. das *rickettsiáceas*, ger. parasitos intracelulares do tubo intestinal de artrópodes, transmissores de doenças infecciosas, como rickettsiose e tifo [F.: Do lat. cient. *Rickettsia*, do antr. (Howard T.) *Rickets* (patologista norte-americano, 1871-1910) + *-ia*.]

rickettsiose (ric.ket.tsi:*o*.se) [ó] *sf. Med. Pat.* Qualquer moléstia provocada por microrganismos do gên. *Rickéttsia*, como o tifo e a febre Q; RICKETTSÍASE [F.: *rickéttsia* + *-ose*².]

rico (*ri*.co) *sm.* **1** Indivíduo abastado, endinheirado *a.* **2** Que possui riquezas (muito dinheiro, bens etc.); ABASTADO; ENDINHEIRADO **3** Que tem fartura de algo (concreto ou abstrato); ABUNDANTE [+ *em*: *Comprou uma verdura rica em vitamina C; Era um país rico em heróis.* Ant.: *carente, falto*.] **4** Que tem valor; que é valioso (tb. fig.): *Trouxe ricos vestidos de Paris; Que educação! É uma rica menina.* [*Nesta acp., costuma-se antepor o adj. ao subst.*] **5** Muito produtivo; FECUNDO; FÉRTIL [+ *em*: *Comprou um terreno rico em minérios de ferro.*] **6** *Fig.* Que se mostra fértil, criativo [+ *em*: *Escreveu um romance rico em metáforas.*] **7** Intensamente prazeroso (rico sabor); DELEITÁVEL; DELICIOSO **8** *Poét.* Diz-se de rima feita com palavras de classes gramaticais diferentes (p. ex.: vejo e *lampejo*) **9** Muito positivo, gratificante: *Educar um filho é uma rica experiência.* **10** Que se mostra favorável, propício, benéfico: *Chegou a primavera, estação rica para o cultivo das flores.* **11** *Fig.* Que mostra satisfação, felicidade **12** *Fig.* Variado, abundante: *Era um quadro de cores ricas e vivas.* [*Us. ger. no pl.*] **13** Que é de muito boa qualidade (rica baixela) [Aum.: *ricaço*. Superl.: *riquíssimo*.] [F.: Do gót. *reiks* 'poderoso'. Ideia de 'rico', usar pref. *ric-* e *uber-*; suf. *-bundo* e *-cundo*. Ant. ger.: *pobre*.]

ricochetar (ri.co.che.*tar*) *v.* Ver *ricochetear* [▶ 1 ricochetar]

ricochete (ri.co.*che*.te) [ê] *sm.* **1** Desvio de direção de um projétil ao atingir um obstáculo **2** *Fig.* Ação em resposta a outra; REFLEXO; RESPOSTA: "A raiva... indignação em ricochete..." (Guimarães Rosa, *Estas estórias*) **3** *Fig.* Motejo, zombaria **4** *Mús.* Técnica do uso do arco em instrumentos de corda (violino, violoncelo) para produzir vários sons com um único grande toque do arco [F.: Do fr. *ricochet*.] ∎ **De ~ 1** Após ricochete: *A bala pegou-o de ricochete.* **2** *Fig.* Indiretamente: *As críticas não eram para ele, mas atingiram-no de ricochete.*

ricochetear (ri.co.che.te.*ar*) *v.* **1** Ser impulsionado em sentido contrário ao chocar-se com um obstáculo [*int.*: "...granadas e lanternetas, ricocheteando, confundiam nos ares as balas... com o lastro... das encostas." (Euclides da Cunha, *Os sertões*)] **2** *Fig.* Provocar comentários; REPERCUTIR [*ta.*: "...uma pilhéria ricocheteava nos quatro ângulos da mesa." (Adolfo Caminha, *A normalista*)] **3** *Fig.* Atingir (alguém) de forma equivocada ou indireta [*tr.* + *em*: "...a situação de seu padrinho político pode ricochetear também nele." (*Diário Vermelho*, 09.09.2005); "...a situação de seu padrinho político pode ricochetear também nele." (*Diário Vermelho*, 09.09.2005)] [▶ **13 ricochetear**] [F.: *ricochete* + *-ear*². Sin. ger.: *ricochetar*.]

ricocheteio (ri.co.che.*tei*:o) *sm.* Ricochete; desvio de direção principal: *ricocheteio da bala; As investigações sofreram drástico ricocheteio.* [F.: Do fr. *ricochet*.]

ricota (ri.*co*.ta) *sf.* Queijo branco feito do soro do leite desnatado e sem maturação, us. em pastas, recheios etc. [F.: Do it. *ricotta*.]

ricto (*ric*.to) *sm.* **1** Contração dos músculos da face ou da boca; RÍCTUS: *Tinha o rosto crispado num ricto de choro.* **2** Abertura da boca [F.: Do lat. *rictus, us*.]

rictus *sm2n.* Ver *ricto*

ridente (ri.*den*.te) *a2g.* **1** Que se ri, risonho, alegre, satisfeito [Ant.: *triste*.] **2** *Fig. Poét.* Que viceja; vivaz, fértil, viçoso (prados ridentes) **3** Aprazível, agradável (noite ridente) [F.: Do lat. *ridens, entis*. part. pres. de *ridēre* 'rir, rir-se de; sorrir, gracejar; zombar'. Hom./Par.: *ridente* (a2g.), *redente* (sm.).]

ridico (ri.*di*.co) *a.* **1** *MG SP Fam.* Avaro, sovina, mesquinho **2** Parco, escasso: "Quando o velho ficava assim de pouca prosa, ridico de palavras, é que estava turvo de ideias, preocupado..." (Mário Palmério, *Chapadão do bugre*) [F.: De or. duv., talvez f. sincopada de *ridículo*.]

ridiculamente (ri.di.cu.la.*men*.te) *adv.* **1** De modo ridículo: *Comportou-se ridiculamente.* **2** Com ares ridículos: *Apresentou-se ridiculamente em cena.* [F.: *ridículo* + *-mente*.]

ridicularia (ri.di.cu.la.*ri*.a) *sf.* **1** Ação, dito, coisa, expressão ridícula; RIDICULEZ **2** Insignificância, quantia ou coisa mínima; BAGATELA; NINHARIA: *Comprou a casa por uma ridicularia.* **3** Caráter mesquinho; gênio avarento [F.: *ridículo* + *-aria*.]

ridicularização (ri.di.cu.la.ri.za.*ção*) *sf.* Ação ou resultado de ridicularizar(-se), de expor(-se) ao ridículo; RIDICULIZAÇÃO [Pl.: *-ções*.] [F.: *ridicularizar* + *-ção*.]

ridicularizado (ri.di.cu.la.ri.*za*.do) *a.* **1** Tornado ridículo **2** Diz-se de que ou de quem é posto em ridículo (competição ridicularizada) **3** Escarnecido, zombado (ridicularizado em público) [F.: Part. de *ridicularizar*. Sin. ger.: *ridiculado*.]

ridicularizante (ri.di.cu.la.ri.*zan*.te) *a2g.* Diz-se de que ou quem ridiculariza (gesto ridicularizante); RIDICULARIZADOR [F.: *ridiculariza(r)* + *-nte*.]

ridicularizar (ri.di.cu.la.ri.*zar*) *v. td.* **1** Expor ao ridículo; fazer escárnio de alguém, tornando-o ridículo; DEBOCHAR; ESCARNECER: "...escreveu sátiras, ridicularizando os professores antipatizados..." (Aluísio Azevedo, *O mulato*) **2** Fazer com que (algo ou alguém) se torne ridículo: *A roupa exageradamente curta ridicularizava-a.* [▶ **1 ridicularizar**] [F.: *ridicularia* + *-izar*.]

ridículo (ri.*dí*.cu.lo) *a.* **1** Que é digno de zombaria ou desprezo: *Sua maquiagem estava exagerada, ridícula.* **2** Que desperta o riso; CÔMICO; RISÍVEL **3** De pouco ou nenhum valor: *Ofereceu-lhe um salário ridículo.* **4** Que revela mau gosto ou exagero; ESPALHAFATOSO *sm.* **5** Conceito ou condição de ridículo; ato pelo qual alguém coloca a si ou a outrem em situação cômica ou constrangedora: *Não tinha noção do ridículo a que se expunha.* **6** Indivíduo ou coisa ridícula, risível [F.: Do lat. *ridiculus, a, um*.]

ridiqueza (ri.di.*que*.za) [ê] *sf. Bras. Pop.* Avareza, sovinice

rifa (*ri*.fa) *sf.* **1** Sorteio de objeto a partir da venda de bilhetes numerados: *Participava até de rifa de fogão velho.* **2** Cada um dos bilhetes numerados que se vendem para o sorteio de algo: *Comprou uma rifa para ajudar um orfanato.* [F.: Do espn. *rifa*.]

rifão (ri.*fão*) *sm.* Dito popular, conceituoso e de cunho moral, ger. rimado, repetido de boca em boca [Pl.: *-fões, -fães*.] [F.: f. dissimilada de *refrão*. Sin. ger.: *máxima*.] ∎ **Andar em ~** *Pop.* Ser alvo de comentários, de fofoca

rifar (ri.*far*) *v. td.* **1** Fazer rifa ou sorteio de; pôr a prêmio (algo) por meio de rifa: *Precisava de dinheiro e rifou até a aliança de casamento.* **2** *Pop.* Pôr ou deixar de lado (pessoa ou coisa importuna ou que já não interessa); ABANDONAR; DESCARTAR: *Rifou o namorado para começar novo romance.* **3** *Pop. ant.* Praticar roubo; ROUBAR: *Na viagem, rifaram suas malas.* [▶ **1 rifar**] [F.: Do espn. *rifar*. Hom./Par.: *rifa* (fl.), *rifa* (sf.); *rifas* (fl.), *rifas* (pl. do sf.).]

rifenho (ri.*fe*.nho) *sm.* **1** Aquele que nasceu ou que vive na região do Rife (Marrocos) *a.* **2** Da região do Rife; típico dessa região ou de seu povo [F.: Do top. *Rife* + *-enho*.]

rififi (ri.fi.*fi*) *sm. Bras. Pop.* Confusão, tumulto, briga; ROLO [F.: Do fr. *rififi* 'combate, disputa violenta, tumulto'.]

rifle (*ri*.fle) *sm.* Espingarda de cano longo; CARABINA; FUZIL [F.: Do ing. *rifle*.] ∎ **~ do papo amarelo** *N.E.* Tipo de rifle popular entre sertanejos, e que tem uma placa amarela na parte inferior

rifo (*ri*.fo) *sm.* Instrumento us. para martelar [F.: Adaptação do espn. *rifa*, de *rif* 'pelejar', 'lutar'.]

rigidamente (ri.gi.da.*men*.te) *adv.* **1** De modo rígido, com rigidez **2** Severamente; RIGOROSAMENTE: *Foi rigidamente repreendido.* [F.: *rígida* + *-mente*.]

rigidez (ri.gi.*dez*) *sf.* **1** Característica, qualidade ou condição do que é ou está rígido **2** Falta de flexibilidade (rigidez do aço; rigidez no horário) [Ant.: *maleabilidade, flexibilidade*.] **3** Excesso de rigor; AUSTERIDADE; SEVERIDADE: "...uma tirania que desgraçadamente se supõe apoiada na rigidez das virtudes..." (Cecília Meireles, "Elas" in *Diário de Notícias*, 13.06.1931) **4** Rudeza no trato; RISPIDEZ [Ant.: *brandura*.] **5** Falta de elegância, de leveza: "E numa rigidez de corpos absoluta..." (Luís Guimarães Filho, *Soneto número XI*) **6** *Med.* Tensão no colo do útero durante o parto, que prejudica a expulsão da criança [F.: *rígido* + *-ez*.]

rígido (*rí*.gi.do) *a.* **1** Que é resistente a pressão, flexão, torção; DURO; RIJO; HIRTO; TESO: *rígido como o aço;* [Ant.: *mole*.] **2** Concebido e/ou feito com exatidão e rigor (1) (controle rígido; horários rígidos); PRECISO; RIGOROSO [Ant.: *flexível*.] **3** Que é muito severo e inflexível em suas opiniões, decisões etc.; INTOLERANTE; INTRANSIGENTE; DURO [Ant.: *tolerante, transigente*.] **4** Que não é flexível, maleável, que é exato (horário rígido) [F.: Do lat. *rigidu* s, *a, um*, por via culta.]

rigor (ri.*gor*) [ô] *sm.* **1** Falta de flexibilidade, de maleabilidade; DUREZA; RIGIDEZ: *o alto rigor do ferro.* [Ant.: *flexibilidade, maleabilidade*.] *sm.* **2** Exatidão, precisão (rigor científico) [Ant.: *imprecisão, inexatidão*.] **3** Severidade, austeridade, inflexibilidade: *Tratava as filhas com rigor exagerado.* [Ant.: *brandura*.] **4** Intolerância, intransigência: *O diretor demonstrou rigor no episódio da greve.* [Ant.: *tolerância*.] **5** Crueldade, rudeza no trato: "... aplicavam-se com maior rigor os castigos..." (Alberto da Costa e Silva, *A manilha e o libambo*) **6** Tenacidade, aplicação, persistência (rigor nos estudos) **7** Precisão, exatidão em ação ou atitude; PONTUALIDADE: *rigor nos compromissos.* [Ant.: *impontualidade*.] **8** Grau de intensidade de um fenômeno: *o rigor do inverno passado.*: "...as magras cédulas que me restavam..., precisamente no rigor do inverno." (Josué Montelo, *Sempre serás lembrada*) [F.: Do lat. *rigor, oris*.] ∎ **Conhecer o ~ da mandaçaia** *SP Pop.* Receber castigo severo; sofrer muito, como consequência dos próprios atos

rigorismo (ri.go.*ris*.mo) *sm.* **1** Característica de quem ou do que é rigoroso; RIGOROSIDADE: "Atirava-se à literatura, mas os verdadeiros mestres o entreturbavam com os rigorismos da forma." (Aloísio Azevedo, *Casa de pensão*) **2** Excesso de severidade **3** Precisão rigorosa ao cumprir compromissos **4** Atitude moral muito rígida, rigorosa, severa **5** Inclinação a ser severo, rígido em seus julgamentos, opiniões, atos etc. [Ant.: *laxismo*.] [F.: *rigor* + *-ismo*.]

rigorista (ri.go.*ris*.ta) *a2g.* **1** Ref. a rigorismo **2** Diz-se de pessoa que usa de rigor excessivo *s2g.* **3** Essa pessoa [F.: *rigorismo* + *-ista*, com troca de sufixo.]

rigorosamente (ri.go.ro.sa.*men*.te) *adv.* **1** De modo rigoroso, com todo o rigor: *Cumpriu rigorosamente as obrigações.* **2** Com severidade; RIGIDAMENTE **3** Pontualmente, exatamente, em termos exatos: *Contas rigorosamente corretas.* [F.: Fem. de *rigoroso* + *-mente*.]

rigorosidade (ri.go.ro.si.*da*.de) *sf.* Característica do que é rigoroso; SEVERIDADE [F.: *rigoroso* + *-(i)dade*.]

rigoroso (ri.go.*ro*.so) [ô] *a.* **1** Que tem ou manifesta rigor, que não admite erro, deslize etc.; EXIGENTE; INFLEXÍVEL; SEVERO: "A educação rigorosa que me dera minha mãe..." (José de Alencar, *Cinco minutos*) **2** Que prima pela exatidão; MINUCIOSO; PRECISO: *Exigiu um exame rigoroso do caso.* **3** Diz-se de clima ou temperatura muito intensos: *Não suportou a seca rigorosa do sertão.* **4** Que é cruel, desumano (repressão rigorosa); IMPIEDOSO [Pl.: [ó]. Fem.: [ó].] [F.: Do lat. *rigorosus, a, um*.]

rijamente (ri.ja.*men*.te) *adv.* **1** De modo rijo, com rijeza **2** Com força, fortemente; a valer: *Lutou rijamente contra as adversidades.* **3** *Lus.* Em voz alta, com veemência, em tom imperativo: *Falou rijamente com os alunos.*

rijeza (ri.*je*.za) [ê] *sf.* **1** Característica, qualidade ou estado de rijo; RIGIDEZ **2** *Fig.* Rudeza, aspereza, força (rijeza de palavras) [F.: *rijo* + *-eza*. Sin. ger.: *vigor*. Ant. ger.: *frouxidão, moleza, prostração*.]

rijo (*ri*.jo) *a.* **1** Caracterizado pela rigidez, pela falta de flexibilidade ou maleabilidade; DURO; RÍGIDO; FORTE **2** Que resiste a flexão, penetração etc.; DURO; RÍGIDO: *árvore de madeira rija.* **3** Muito forte, intenso (vento rijo) **4** Caracterizado pela violência (rijo castigo); BRUTAL **5** Cheio de saúde e com boa musculatura; ROBUSTO: *Aos setenta anos, continua rijo.* **6** Que é pertinaz, tenaz (vontade rija) **7** Que é severo, rigoroso (pais rígidos) [F.: Do lat. *rigidus, a, um*, por via pop.] ∎ **De ~** De modo áspero, duro: *Cortou de rijo minhas esperanças.*

ril (*ril*) *sm. Dnç.* Antiga dança da Irlanda, popular no Brasil como dança de roda, em voga na primeira metade do século XIX, na qual os pares dão passos de passeio e de dança valsada, formando, numa das evoluções, o número oito; RILO [F.: Do ing. *reel.*]

rilhado (ri.*lha*.do) *a.* **1** Diz-se de objeto roído: *madeira rilhada pelos ratos* **2** Diz-se de dentes rangidos, trincados **3** Rangido com ruído áspero (janela rilhada) **4** *Fig.* Muito refletido; ruminado (ideia/decisão rilhada) **5** *Fig.* Despedaçado, esfacelado, destroçado: "O país está calhau de todo, rilhado pelos sóis e os ventos." (Aquilino Ribeiro, *Camões, Camilo, Eça*) [F.: Part. de *rilhar.*]

rilhar (ri.*lhar*) *v.* **1** Fazer ruído áspero ao atritar(-se); CHIAR [*td.: O professor rilhava o giz no quadro.*] [*int.: A fechadura rilhou.*] **2** Comer roendo [*td.: O cão rilhara toda a ração.*] **3** Atritar (os dentes), causando ruídos; RANGER [*td.: rilhar os dentes*] **4** *Pop.* Comer ou roer, murmurando ao mesmo tempo [*td.*: "...quando se considere que lá fora há quem regele, e quem rilhe, a um canto triste, uma côdea de dois dias." (Eça de Queirós, "O Natal" *in Cartas de Inglaterra*)] **5** *Fig.* Meditar profundamente; RUMINAR [*td.: Rilhava pensamentos inimagináveis.*] [▶ 1 rilhar] [F.: Do lat. vulg. **ringulare* (do lat. *ringi*, 'ranger os dentes').]

rim *sm.* **1** *Anat.* Cada um dos dois órgãos que filtram o sangue e secretam urina, situando-se em cada um dos dois lados da região lombar **2** *Cul.* Cada um desses órgãos encontrados em animais (p. ex. o boi) e utilizados na preparação de pratos e iguarias **3** *P. Ext. Cul.* O prato preparado à base desse órgão [Pl.: *rins.*] ■ **~ artificial** *Med. Nefr.* Máquina que faz hemodiálise

> 📖 Os dois rins funcionam como um filtro, retirando do sangue, e eliminando pela urina, substâncias tóxicas prejudiciais. No homem, os rins situam-se um de cada lado da coluna vertebral, na região das costas, um pouco acima da cintura. Têm a forma de um grão de feijão, medindo cada um, no homem adulto c. 10x6,5 cm. O sangue é levado a cada rim pela artéria renal, onde é filtrado de suas substâncias tóxicas e onde deixa o excesso de massa líquida. O sangue purificado e equilibrado em sua massa volta à circulação pela veia renal. O líquido acumulado, com as substâncias tóxicas, é levado dos rins à bexiga pelos ureteres, e da bexiga eliminado para o exterior pela uretra. A função dos rins é vital, e em caso de insuficiência renal, por qualquer motivo, a filtragem do sangue deve ser feita artificialmente, num processo chamado hemodiálise: o sangue é retirado de uma artéria, purificado num aparelho através de membranas especiais, e devolvido a uma veia do corpo. (Ver ilustr.)

rima[1] (*ri*.ma) *sf.* **1** *Poét.* Repetição de sons ao fim de dois ou mais versos *sf.* **2** *Poét.* Identidade de sons nas sílabas finais de duas ou mais palavras **3** Palavra que apresenta rima (1, 2) com outra(s): *'Amor' é rima de 'dor'.* [F.: Do gr. *rhythmós, oû*, pelo lat. *rythmus, i.* Hom./Par.: *rima* (fl. *rimar*).] ■ **~ aguda** *Poét.* A que ocorre entre palavras oxítonas, entre monossílabos tônicos ou átonos acentuados; rima masculina **~ alternada** *Poét.* A que ocorre entre versos alternados, ou seja, entre o primeiro e o terceiro, o segundo e o quarto, o quinto e o sétimo etc.; rima cruzada **~ consoante** *Poét.* Consonância total entre palavras a partir da vogal tônica ou ditongo até o fim da palavra [Ex.: *brasileiro* e *inzoneiro*; *falam* e *exalam*; *retumbante* e *instante.*] **~ coroada** *Poét.* Aquela que ocorre entre palavras de um mesmo verso: "...Donzela bela, que me inspira a lira..." (João Roiz de Castel-Branco, *Partindo-se*) **~ cruzada** *Poét.* Ver *Rima alternada* **~ emparelhada** *Poét.* A que ocorre entre dois ou mais versos consecutivos; rima paralela **~ encadeada** *Poét.* A que ocorre entre palavra final de um verso e palavra do início ou do meio do verso seguinte **~ esdrúxula** *Poét.* Aquela entre palavras proparoxítonas **~ feminina** *Poét.* Aquela entre palavras paroxítonas **~ interpolada** *Poét.* A que ocorre em dois versos intercalados por um ou mais versos de rima diferente **~ masculina** *Poét.* Ver *Rima aguda* **~ paralela** *Poét.* Ver *Rima emparelhada* **~ pobre** *Poét.* Aquela entre palavras cuja terminação é muito comum (em *-ão, -oso, -ar, -ado* etc.) ou entre antônimos (*perfeito* e *imperfeito*, *superior* e *inferior* etc.) **~ rica** *Poét.* Rimas entre palavras cuja terminação é rara (como *pauta, flauta* e *nauta, ávido* e *impávido*) ou entre palavras de classes gramaticais distintas (como *veja* e *cereja*) **~ toante** Aquela que só se verifica em relação à vogal tônica, sem outras semelhanças [Ex.: *deserta* e *festa.*]

rima[2] (*ri*.ma) *sf.* **1** Ação ou resultado de arrimar(-se) **2** Amontoado, pilha, monte [F.: Do ár. *rizma* 'pacote'.]

rima[3] (*ri*.ma) *sf.* **1** Abertura estreita, fenda, greta **2** *Anat.* Fissura estreita entre partes anatômicas simétricas [F.: Do lat. *rima* 'fenda'.]

rima[4] (*ri*.ma) *sf.* O mesmo que *fruta-pão* [F.: De or. obsc.]

rimado (ri.*ma*.do) *a.* Que se rimou; em que há rima (versos rimados; poema rimado) [F.: Part. de *rimar.*]

rimalho (ri.*ma*.lho) *sm. Ling. Liter. Poét.* Conjunto ou sistema de rimas[1] de uma língua; RIMÁRIO: *Rimalho parnasiano brasileiro.* [F.: *rima* + *-alho.*]

rimalina (ri.ma.*li*.na) *sf.* Em tira de formulários para impressão em impressora matricial, margem perfurada (geralmente picotada para depois destacá-la do documento) que encaixa no condutor denteado dos formulários [F.: De or. obsc.]

rimar (ri.*mar*) *v.* **1** Escrever em versos rimados; VERSEJAR [*td.*: "Pois acabou, não vou rimar coisa nenhuma, agora vai como sair..." (Paulo Ricardo, *Olhar 43*): "...gosta mesmo de rimar sandices..." (João do Rio, *A alma encantadora das ruas*)] **2** Fazer ou formar rima [*tdr.* + *com*: "Não rimarei a palavra sono / com a incorrespondente palavra outono. / Rimarei com a palavra carne..." (Carlos Drummond de Andrade, "Consideração do poema" *in Poesias*)] [*int.*: "As ocasiões fazem as revoluções, disse ele, sem intenção de rimar, mas gostou que rimasse..." (Machado de Assis, *Esaú e Jacó*)] **3** *Fig.* Ser ou estar em coerência ou em harmonia; COMBINAR; CONCORDAR [*tr.* + *com*: *Chuva não rima com praia.*] [*int.: Suas ideias não rimam*: "Quantas vezes se leu só nesta semana/ Esta história contada assim por cima/ A verdade não rima." (Fátima Guedes, *Onze fitas*)] [▶ 1 rimar] [F.: *rima*[1] + *-ar*[2]. Hom./Par.: *rima* (fl.), *rima* (sf.); *rimeis* (fl.), *rímeis* (pl. de *rímel* [sm.]).]

rimário (ri.*má*.ri.o) *sm.* **1** *Liter. Poét.* Conjunto de rimas; RIMALHO **2** Glossário, dicionário, livro de rimas **3** Estudo crítico das rimas us. por um poeta: *Rimário de Carlos Drummond de Andrade.* [F.: *rima* + *-ário.*]

rimbombar (rim.bom.*bar*) *v.* Ver *ribombar* [▶ 1 rimbombar]

rimbombo (rim.*bom*.bo) *sm.* Ver *ribombo*

rímel (*rí*.mel) *sm.* Cosmético que dá cor e volume aos cílios [Pl.: *-meis.*] [F.: Do fr. *rimmel*, de *Rimmel®*, marca registrada.]

rimoso (ri.*mo*.so) [ô] *a.* **1** Diz-se de que tem rimas[3] ou fendas; GRETADO **2** *Bot.* Que se abre por meio de fenda (deiscência rimosa) [Pl.: [ó]. Fem.: [ó].] [F.: Do lat. *rimosus, a, um*, 'cheio de fendas, gretado, fendido'.]

rinçagem (rin.*ça*.gem) *sf.* Procedimento estético que consiste em enxaguar os cabelos com produto que lhes dá ou altera brilho e/ou cor [Pl.: *-gens.*] [F.: Do fr. *rinçage.*]

rincão (rin.*cão*) *sm.* **1** Lugar longínquo, afastado; RECANTO; REFÚGIO **2** *Bras.* Lugar abrigado, cercado naturalmente por mato ou rio **3** *RS* Na campanha gaúcha, qualquer porção de campo onde haja arroio ou capões **4** Sulco ou estria na parte de dentro das armas de fogo **5** *Arq.* Ângulo formado pelo encontro de duas paredes **6** Profundidade ou parte cavada que se faz nos ornatos em obras de cantaria **7** *Carp.* Cepo para fazer caneluras **8** *Cons.* Cada uma das arestas salientes, segundo as quais se interceptam as águas-mestras e as tacaniças do telhado [Pl.: *-cões.*] [F.: Do espn. *rincón.*]

rinçar (rin.*çar*) *v. td.* Fazer rinçagem: *rinçar os cabelos.* [▶ 12 rinçar] [F.: Do fr. *rincer*, 'enxaguar'.]

rinchador (rin.cha.*dor*) [ô] *a.* **1** Que rincha muito (diz-se de equídeo); RINCHÃO **2** Que produz ruído áspero ou estridente *sm.* **3** Cavalo ou égua que rincha muito **4** O que produz ruído áspero ou estridente [F.: *rincha(r)* + *-dor.*]

rinchante (rin.*chan*.te) *a2g.* **1** Que solta relinchos (égua rinchante) **2** Que range (portão rinchante) [F.: *rinchar* + *-nte.*]

rinchar (rin.*char*) *v.* **1** Soltar relincho (equídeos); RELINCHAR [*int.*: "...Lustra co'o Sol o arnês, a lança, a espada; /Vão rinchando os cavalos jaezados..." (Luís de Camões, *Os lusíadas*)] **2** Produzir ruído por atrito; RANGER; RINGIR [*int.: A porteira da fazenda rinchava ao abrir*; "...nem ouviu o riso de escárnio que rincharam os lábios do assassino..." (José de Alencar, *Til*)] [▶ 1 rinchar] *sm.* **3** Ação ou resultado de rinchar ou relinchar; RELINCHO; RINCHO: *Ouvia-se o rinchar do cavalo.* [F.: F. red. de *relinchar*, possív. Hom./Par.: *rincho* (fl.), *rincho* (sm.).]

rinchavelhada (rin.cha.ve.*lha*.da) *sf. Joc.* Risada destemperada, gargalhada desentoada: "Sobre a tragédia anônima... cascalhavam rinchavelhadas lúgubres e os matadores volviam para o acampamento." (Euclides da Cunha, *Os sertões*) [F.: fem. substv. de *rinchavelhado*; *rinchavelhar* + *-ada*[1].]

rincho (*rin*.cho) *sm.* **1** A voz do cavalo *sm.* **2** Ação ou resultado de rinchar ou relinchar; RELINCHO [F.: Dev. de *rinchar.*]

◎ **-rinco** *el. comp.* Ver *rinc(o)-*

◎ **rinc(o)-** (rin.*co*) *el. comp.* = 'rostro', 'bico'; '(de) rostro com dada característica': *rincocéfalo* (lat. cient.), *rincóforo, rincóspora* (lat. cient.); *calorrinquídeo* (lat. cient.); *amblirrinco, equinorrinco, macrorrinco, oxirrinco* [F.: Do gr. *rhýnkhos, eos-ous.*]

rincóforo (rin.*có*.fo.ro) *a.* **1** *Ent.* Que tem bico grande **2** Ref. ou inerente a, ou próprio de rincóforo *sm.* **3** *Ent.* Espécime do grupo dos rincóforos *smpl.* **4** *Ent.* Fam. de insetos da ordem dos coleópteros, a que pertence o gorgulho, que têm cabeça prolongada em rostro e palpos curtos e direitos [F.: *rinc(o)-* + *-foro.*]

ringir (rin.*gir*) *v.* **1** Ranger os dentes [*td.*] **2** Produzir ruído agudo e áspero [*td. int.*] [▶ 46 ringir] [F.: Do lat. **ringere.*]

ringue (*rin*.gue) *sm.* Espaço quadrado, cercado por cordas, próprio para luta de boxe, luta livre etc. [F.: Do ing. *ring.*]

rinha (*ri*.nha) *sf.* **1** Briga de galos (rinha de galos) **2** Local onde os galos são postos para brigar; RINHADEIRO; RINHEDEIRO **3** *SP P. ext.* Qualquer briga; RIXA; PELEJA; DISPUTA [F.: Do espn. *riña.*]

rinhador (ri.nha.*dor*) [ô] *a.* **1** Diz-se de espécie animal que rinha (galo rinhador) **2** *P. ext.* Diz-se de que ou de quem gosta de brigar *sm.* **3** Aquele ou aquilo que vive brigando **4** *S.* Brigão, rixento, rixoso [F.: *rinha(r)* + *-dor.*]

rinhar (ri.*nhar*) *v.* **1** *Bras.* Organizar brigas de galo; pôr galos para brigar [*int.: Gostava de rinhar.*] **2** *Bras.* Brigar (galos) [*int.: Observou que nem todos os galos rinhavam.*] **3** *Bras. S. P. ext.* Brigar, renhir (pessoas) [*int.*] **4** *Bras. S. P. ext.* Travar (luta, combate) [*td.: Os soldados rinharam sangrentas batalhas.*] [▶ 1 rinhar] [F.: *rinha* + *-ar*[2]. Hom./Par.: *rinha* (fl.), *rinha* (sf.); *rinhas* (fl.), *rinhas* (pl. do sf.).]

rinheiro (ri.*nhei*.ro) *a.* **1** Ref. ou inerente a rinha (pugna rinheira) **2** *Bras. Pop.* Diz-se de pessoa dada a confusões, tumultos, brigas; BRIGUENTO; VALENTÃO *sm.* **3** O que é de rinha **4** *Bras. Pop.* Pessoa que cria confusões, tumultos, brigas; BRIGUENTO; VALENTÃO [F.: *rinh(a)* + *-eiro.*]

rinite (ri.*ni*.te) *sf. Med.* Inflamação da mucosa nasal [F.: *rin(o)-* + *-ite*[1].]

◎ **-rin(o)-** *el. comp.* Ver *rin(o)-*

◎ **-rino** *el. comp.* Ver *rin(o)-*

◎ **rin(o)-** *el. comp.* = 'nariz'; 'focinho': *rinite, rinoceronte* (lat. gr.), *rinofaringe, rinofonia, rinoplastia, rinorragia; otorrinolaringologista; platirrino* [F.: Do gr. *rhís, rhinós.*]

rinoceronte (ri.no.ce.*ron*.te) *sm. Zool.* Denominação comum a diversos mamíferos de grande porte e pele grossa da fam. dos rinocerotídeos, com cabeça grande, com um ou dois chifres na testa, com patas com cascos e três dedos cada; encontrados na Ásia e África [Espécie ameaçada de extinção.] [F.: Do gr. *rhinókeros, otos*, pelo lat. *rhinoceros, otis.*]

rinocerotídeo (ri.no.ce.ro.*tí*.de:o) *Zool. sm.* **1** Espécime dos rinocerotídeos, fam. de grandes mamíferos a que pertencem os rinocerontes *a.* **2** Ref. ou pertencente aos rinocerotídeos [F.: Adaptç. do lat. cient. *Rhinocerotidae.*]

rinofaringe (ri.no.fa.*rin*.ge) *sf. Anat.* Parte da faringe que fica atrás do nariz; faringe nasal; NASOFARINGE [F.: *rin(o)-* + *faringe.*]

rinofaringite (ri.no.fa.rin.*gi*.te) *sf. Otor.* Inflamação da rinofaringe; NASOFARINGITE [F.: *rinofaringe* + *-ite*[1].]

rinofonia (ri.no.fo.*ni*.a) *sf.* **1** *Otor.* Distúrbio da fonação caracterizado por ressonância da voz nas fossas nasais **2** Voz fanhosa ou nasal [F.: *rin(o)-* + *-fonia.*]

rinofônico (ri.no.*fô*.ni.co) *a. Otor.* Ref. ou inerente a rinofonia (distúrbio rinofônico; cirurgia rinofônica) [F.: *rinofonia* + *-ico*[2].]

rinologia (ri.no.lo.*gi*.a) *sf. Med.* Ramo da medicina que estuda o nariz, sua anatomia e suas doenças [F.: *rin(o)-* + *-logia.*]

rinológico (ri.no.*ló*.gi.co) *a. Med.* Ref. a rinologia [F.: *rinologia* + *-ico*[2].]

rinologista (ri.no.lo.*gis*.ta) *s2g. Med.* Especialista em rinologia [F.: *rinologia* + *-ista.*]

rinoplastia (ri.no.plas.*ti*.a) *sf. Med.* Cirurgia plástica ou restauradora do nariz [F.: *r in(o)-* + *-plastia.*]

rinoptia (ri.nop.*ti*:a) *sf. Oft.* Estrabismo convergente da pupila, a qual desvia-se do eixo visual e aproxima-se do nariz [F.: *rin(o)-* + *-opt(o)-* + *-ia*[1], ou do ing. *rhinoptia.* Cf.: *vesguice.*]

rinorragia (ri.nor.ra.*gi*.a) *sf. Med.* Forte hemorragia nasal [F.: *rin(o)-* + *-rragia.*]

rinorrágico (ri.nor.*rá*.gi.co) *a. Med.* Ref. ou inerente a rinorragia (surto rinorrágico) [F.: *rinorragia* + *-ico*[2].]

rinorreia (ri.nor.*rei*:a) *sf. Otor.* Fluxo de mucosidades e de matéria fluida do nariz, sem inflamação [F.: *rin(o)-* + *-rreia*. Cf.: *coriza.*] ■ **~ cefalorraqui(di)ana** *Neur.* Corrimento pelo nariz de líquido do encéfalo ou da medula espinhal

rinoscopia (ri.nos.co.*pi*:a) *sf. Otor.* Exame das fossas nasais através das narinas, ou pela nasofaringe [F.: *rin(o)-* + *-scopia.*]

rinossinusite (ri.nos.si.nu.*si*.te) *sf. Otor.* Inflamação do nariz que tb. afeta os seios paranasais [F.: *rin(o)-* + *sinusite.*]

rinotraqueíte (ri.no.tra.que.*í*.te) *sf. Vet.* Doença do aparelho respiratório dos bovinos, caracterizada por febre elevada, inflamação aguda e alteração nas mucosas respiratórias [F.: *rin(o)-* + *traqueia* + *-ite*[1].]

rinque (*rin*.que) *sm.* **1** Pista para patinação **2** *P. Ext.* Local com pista(s) de patinação; local onde se pode patinar [F.: Aport. do ing. *rink.*]

◎ **-rinqu(i)-** *el. comp.* Ver *rinc(o)-*

rins *smpl. Pop.* Região lombar inferior [Cf. *rim.*]

rinsado (rin.*sa*.do) *a. Estét. Têxt.* Tingido (cabelos rinsados; roupa rinsada) [F.: *rinse-* + *-ado*[2].]

rinsagem (rin.*sa*.gem) *sf. Estét. Têxt.* O mesmo que *tingimento* [Pl.: *-gens.*] [F.: *rinse-* + *-agem.*]

rinse (*rin*.se) *a2g2n.* Produto cosmético us. para tratar, embelezar, amaciar o cabelo (creme rinse) [F.: De or. contrv.]

rio (*ri*:o) *sm.* **1** Curso natural de água-doce: *Acampamos na beira de um rio.* **2** *Fig.* Grande quantidade de água: *um rio de lágrimas.* **3** *Fig.* Grande quantidade de qualquer coisa: *Ganhou rios de dinheiro com sua invenção.* [Mais us. no pl.] **4** *Fig.* Aquilo que se assemelha a um rio (rio de lavas; rio de lama) [F.: Do lat. vulg. *rivus, i.* Hom./Par.: *rio* (fl. de *rir*).] ■ **Correr ~s de tinta** Produzir-se muita matéria escrita (sobre um tema ou com determinado propósito **Fazer correr ~ de tinta** Ser assunto ou matéria sobre o que muito se escreve; provocar grande interesse ou controvérsia na imprensa, na opinião pública, ou entre literatos, especialistas etc. **O ~ da unidade nacional** *Bras.* Antonomásia do rio São Francisco **~ antecedente** *Hidrog.* Rio de formação anterior à do relevo do terreno no qual corre e no qual mantém seu antigo curso **~ obsequente** *Hidrog.* Rio que corre em direção contrária à da elevação das camadas do terreno **~ pelágico** Corrente de água no mar **~ tapado** *RN PB PE AL Hidrog.* Curso de água que tem a foz totalmente fechada por praia cujos materiais são carregados por ondas em situação de tempestade (tb. chamada *praia de tempestade*) **~ temporário** *Hidrog.* Rio cujo leito fica completamente seco em determinadas épocas do ano

📖 Os maiores rios do mundo em comprimento são: o Nilo, na África (6.650 km), o Amazonas, na América do Sul (6.571 km, e o maior em volume de água), o Iangtsé (Yangzi), na Ásia (6.300 km), o Mississippi-Missouri, na América do Norte (6.210 km). Entre os 20 maiores rios em comprimento, além do Amazonas e do Paraná (4.880 km), três ficam no Brasil, na bacia Amazônica: o Madeira (3.370 km), o Juruá (3.283 km) e o Purus (3.210 km).

rio-grandense (ri:o-gran.*den*.se) *s2g.* **1** Aquele ou aquela que nasceu ou que vive no estado do Rio Grande do Sul [Pl.: *rio-grandenses.*] *a2g.* **2** Do Rio Grande do Sul; típico desse estado ou de seu povo [Pl.: *rio-grandenses.*] [F.: Do top. *Rio Grande (do Sul)* + *-ense.*]

rio-grandense-do-norte (ri:o-gran.den.se-do.*nor*.te) *s2g.* **1** Aquele ou aquela que nasceu ou que vive no Rio Grande do Norte [Pl.: *rio-grandenses-do-norte.*] *a2g.* **2** Do Rio Grande do Norte; típico desse estado ou de seu povo [Pl.: *rio-grandenses-do-norte.*] [F.: Do top. *Rio Grande* (+ *-ense*) *do Norte.*]

rio-grandense-do-sul (ri:o-gran.den.se-do-*sul*) *s2g.* **1** Aquele ou aquela que nasceu ou que vive no Rio Grande do Sul [Pl.: *rio-grandenses-do-sul.*] *a2g.* **2** Do Rio Grande do Sul; típico desse estado ou de seu povo [Pl.: *rio-grandenses-do-sul.*] [F.: Do top. *Rio Grande* (+ *-ense*) *do Sul.* Sin. ger.: *sul-rio-grandense, gaúcho.*]

riólito (ri:*ó*.li.to) *sm. Geol. Pet.* Rocha efusiva correspondente ao magma dos granitos, mas de textura porfirítica ou felsítica; LIPARITO [F.: Do gr. *rhyax, akos*, 'derrame de lava' + *-lito.*]

rio-platense (ri:o-pla.*ten*.se) *s2g.* **1** Aquele ou aquela que nasceu ou que vive na região do Rio da Prata (América do Sul) [Pl.: *rio-platenses.*] *a2g.* **2** Da região do Rio da Prata (América do Sul); típico dessa região ou de seu povo [Pl.: *rio-platenses.*] [F.: Do espn. *rioplatense.* Sin. ger.: *platino.*]

ripa (*ri*.pa) *sf.* **1** Pedaço de madeira comprido e estreito; SARRAFO **2** *Cons.* Tira de madeira comprida, delgada, que se coloca sobre os caibros do telhado para formar uma estrutura na forma de um gradeamento (ripado) sobre a qual se assentam as telhas **3** *Bras. Pop.* Cachaça [F.: Prov. do gót. **ribjô*, 'costela'. Hom./Par.: *ripa* (sf.), *ripa* (fl. de *ripar*).] ■ **Meter a ~ em** **1** *Bras. Pop.* Surrar, espancar **2** Criticar, falar mal de, desancar **~ na chulipa** **1** *Gír. Fut.* Chute na bola **2** *P. ext.* Pancada, soco, chute (em alguém)

ripada (ri.*pa*.da) *sf.* **1** Golpe dado com ripa, cacete etc.; BORDOADA **2** *Fig.* Crítica agressiva: *Levou uma ripada do chefe.* **3** *Bras. Pop.* Bicada, golada (de cachaça) [F.: *ripa* + *-ada*[1].]

ripado (ri.*pa*.do) *a.* **1** Que se ripou (telhado ripado) **2** Separado por meio de ripanço *sm.* **3** *Cons.* Espécie de gradeamento formado pelas ripas pregadas nos caibros, sobre o qual se assentam as telhas; RIPAMENTO **4** *Cons.* Pavilhão de ripas, esp. para viveiro de plantas [F.: Part. de *ripar.*]

ripamento (ri.pa.*men*.to) *sm.* **1** Ação ou resultado de ripar; RIPADURA; RIPAGEM **2** *Carp.* O mesmo que *ripado*[3] [F.: *ripar* + *-mento.*]

ripar (ri.*par*) *v. td.* **1** Colocar ripas em ou fazer grade com ripas em: *Ripou a janela da cozinha.* **2** Serrar formando ripas; fazer ripas em: *Ripara o tronco da árvore.* **3** *Agr.* Separar a baganha do linho por meio de ripanço: *ripar o caule do linho.* **4** *Agr.* Ajuntar (pedras) ou raspar (terra) usando o ripanço: *O hortelão ripou todo o terreno para o plantio.* **5** *Bras. BA* Cortar rente (crinas do cavalo): *Ripou o cavalo para o desfile.* **6** *Bras.* Bater, espancar com ripas: *Ripou o invasor até afugentá-lo.* **7** *Bras. Fig.* Falar mal de (alguém ou algo); CRITICAR: *O crítico ripou o livro sem contemplação.* **8** *Bras. S. Agr.* Retirar (folhas, frutos) deslizando a mão, quase fechada, pelos ramos: *O ajudante ripou as folhas de mate.* [▶ 1 ripar] [F.: *ripa* + *-ar*[2]. Hom./Par.: *ripa* (fl.), *ripa* (sf.); *ripas* (fl.), *ripas* (pl. do sf.).]

ripícola (ri.*pí*.co.la) *a2g.* Que vive nas margens ou proximidades dos rios (vegetação ripícola; animais ripícolas); RIPÁRIO [F.: Do lat. *ripa* 'margem' + *-i-* + *-cola.*]

ripieno (ri.pi.*e*.no) [ê] *Mús. sm.* **1** Na música instrumental barroca dos sécs. XVII e XVIII, o concerto grosso em opos. ao concertino **2** O *tutti* orquestral **3** Utilização de todos os registros do órgão **4** O coro, na música polifônica [F.: Do it. *ripieno.*]

rípio (*rí*.pio) *sm.* **1** *Cons.* Pedrinha com que se enchem os vãos que as pedras grandes ou os seixos deixam entre si numa parede; CASCALHO; REBO **2** *Poét.* Palavra que entra no verso somente para completar a medida ou número de sílabas; CUNHA [F.: Do espn. *ripio.*]

riponga (ri.*pon*.ga) *s2g. Bras. Joc. Pej.* Forma jocosa ou depreciativa de denominar o *hippie* [F.: Adaptç. do ing. *hippie* + suf. express. *-ongo.*]

ripostar (ri.pos.*tar*) *v.* **1** *Esp.* Rebater a estocada (na esgrima) [*int.*: *Logo aprendeu a ripostar.*] **2** *Fig.* Dizer como resposta; RESPONDER; RETRUCAR [*int.*: "Sara ia ripostar, mas calou-se." (Pepetela, "A casa" *in A geração da utopia*)] [*td.*: *O namorado ripostou que não iria à festa*] [▶ 1 ripostar] [F.: Do fr. *riposter.*]

riquétsia (ri.*qué*.tsia) *sf. Bac.* O mesmo que *rickéttsia*

riquetsiose (ri.que.tsi.*o*:se) *a. Pat.* O mesmo que *rickettsiose*; RIQUETISÍASE [F.: *riquétsia* + *-ose.*]

riqueza (ri.*que*.za) *sf.* **1** Qualidade ou condição de quem é rico: *Gastava muito, ostentando sua riqueza.* **2** Conjunto de bens, posses etc., de pessoa, empresa ou país, passível de gerar renda; FORTUNA; PATRIMÔNIO: "...perdeu suas fazendas e riquezas..." (Guimarães Rosa, *Sagarana*) **3** Conjunto de produtos ou coisas valiosas (riquezas minerais) **4** A classe das pessoas ricas: *No Terceiro-Mundo, a riqueza ignora a probreza.* **5** Qualidade do que é abundante, variado etc.; SUNTUOSIDADE: *Seus textos refletiam a riqueza de sua cultura.* **6** Qualidade do que tem luxo, imponência; SUNTUOSIDADE; FAUSTO: *A riqueza do desfile impressiona.* **7** Capacidade produtiva; fertilidade, fecundidade: *A riqueza de nossas terras ajuda a agricultura.* **8** Abundância em recursos (esp. minerais): *A riqueza do solo brasileiro é fundamental para o desenvolvimento.* [F.: *rico* + *-eza.* Ant. ger.: *pobreza.*]

riquifife (ri.qui.*fi*.fe) *Bras. Pop. sm.* **1** Riqueza de detalhes: *Contou o caso com muito riquifife.* **2** Preciosismo, capricho: *Sua fala é cheia de riquifife.* **3** Veleidade, vontade, capricho: *Sujeito cheio de riquififes.* [F.: Do fr. *riquifi.*]

riquinho (ri.*qui*.nho) *a. Lus. Fig. Pop.* Diz-se de quem é formoso, bonito [F.: Dim. de *rico.*]

riquixá (ri.qui.*xá*) [ch] *sm.* Forma abreviada de jinriquixá, veículo pequeno e leve, de duas rodas, para um só passageiro, puxado por um homem a pé, us. nos países do Extremo Oriente [F.: f. afer. do jap. *jinriquixá.*]

rir *v.* **1** Sorrir com ou sem ruído, por alegria, nervoso, satisfação ou achando graça de algo [*int.*: "O velho tinha já declarado, a rir, que os pilhara em flagrante..." (Aluísio Azevedo, *O cortiço*)] [*tr.* + *de*: *Sempre ria das velhas piadas.*] **2** Ter um ar alegre; causar alegria [*int.*: "Quando a sorte ri, toda a natureza ri também, e o coração ri como tudo o mais." (Machado de Assis, *Esaú e Jacó*)] **3** Caçoar de; ESCARNECER; GRACEJAR; ZOMBAR [*tr.* + *de*: "Eu sei, você vai rir da minha cara." (Ana Carolina, *Quem de nós dois?*)] [*int.*: "Eles começaram a rir e espancaram o velho índio..." (Gabriel, o Pensador, *Cachimbo da paz*)] **4** Expressar, manifestar riso [*td.*: "E rir meu riso e derramar meu pranto..." (Vinícius de Moraes, "Soneto de fidelidade" *in Antologia poética*)] **5** Tomar a expressão particular do riso [*int.*: *Há olhos que riem.*] [▶ 41 rir] [F.: Do v.lat. *ridere.* Ant. ger.: *chorar.* Hom./Par.: *rio* (fl.), *rio* (sm.).] ■ **~ amarelo** Rir ou sorrir de modo que parece forçado, não espontâneo, como reação ou expressão de constrangimento, embaraço etc.

risada (ri.*sa*.da) *sf.* **1** Ação ou efeito de rir: "...quero ver Irene dar sua risada." (Caetano Veloso, *Irene*) **2** Riso aberto e ruidoso; GARGALHADA **3** Riso de muita gente ao mesmo tempo: *O desfecho da peça provocou uma grande risada da plateia.* [Dim.: *risota*] [F.: *riso* + *-ada*[1].]

risadaria (ri.sa.da.*ri*:a) *sf.* Sucessão de risadas; risadas em grupo; RISADAGEM [F.: *risada* + *-aria.*]

risador (ri.sa.*dor*) [ô] *a.* **1** Diz-se de quem dá muita risada *sm.* **2** Aquele que costuma dar muitas risadas [F.: *risad(a)* + *-or.*]

risão (ri.*são*) *a.* Diz-se de quem ri muito ou por qualquer motivo [Pl.: *-sões.* Fem.: *-sona.*] [F.: *riso* + *-ão.* Hom./Par.: *risão* (a.), *rezão* (sm.).]

risca (*ris*.ca) *sf.* **1** Ação ou resultado de riscar **2** Qualquer traço de cor diferente daquela da superfície onde se encontra; ESTRIA; LINHA; LISTRA: *saia branca de riscas pretas.* **3** Qualquer sulco feito em uma superfície **4** Linha que demarca, separa, divide: *Pintou riscas no chão da garagem.* **5** Carreira aberta por entre os cabelos da cabeça com o pente para dividi-los: *A risca dos cabelos está torta.* [F.: Dev. de *riscar.*] ■ **À ~** De maneira exata e total, ao pé da letra: *Seguiu à risca as instruções do médico e se deu bem.* **Às ~s** *Lus.* Listrado: *fato às riscas.* **Fazer ~** *Pop.* Resistir, opor-se a algo

risca de giz (ris.ca de*giz*) *a2g2n. Têxt. Vest.* Diz-se de padrão de tecido com riscas finas pouco distantes umas das outras sobre fundo escuro (paletós risca de giz; calça risca de giz) [F.: *risca* + *de* + *giz.*]

riscadinho (ris.ca.*di*.nho) *sm.* **1** Listra, risca, tira: "Viam-se as canelas magras com meias de riscadinho cor-de-rosa e as chinelas de tapete." (Eça de Queirós, *O primo Basílio*) **2** *Bras. Têxt. Vest.* O mesmo que *riscado* (tecido) **3** *Agr.* Variedade de pêro [Nesta acp. usa-se tb. apositivamente.] [F.: *riscado* + *-inho.*]

riscado (ris.*ca*.do) *a.* **1** Que se riscou, que tem risco, traço (parede riscada) **2** Cortado ou sublinhado com risco, para marcar exclusão ou realce: *texto riscado pelo autor.* **3** Que contém riscas (tecido riscado); LISTRADO: *Vestia um terno riscado.* **4** *Pop. N. E.* Um pouco embriagado; ÉBRIO; BICADO; TOCADO *sm.* **5** Tecido de algodão com listras coloridas (terno de riscado) **6** Conjunto dos traços verticais do papel pautado [F.: Part. de *riscar.*] ■ **Entender do ~** *Bras. Pop.* Entender do assunto, ser competente no assunto

riscador (ris.ca.*dor*) [ô] *a.* **1** Diz-se de que ou de quem risca *sm.* **2** Aquele ou aquilo que risca **3** Instrumento para riscar, us. pelos artífices **4** *Art. gr. Enc.* Faca de dois gumes própria para riscar e cortar papelão **5** *Agr.* Artefato com duas réguas dispostas paralelamente e unidas entre si, us. para o traçado de plantações **6** *Bras. Ict.* Carapicu, peixe do gên. Eucinostomus [F.: *riscar* + *-dor.*]

riscar (ris.*car*) *v.* **1** Fazer marcas, riscas ou traços (em) [*td.*: "Amélia... começou a riscar a areia com a sombrinha." (Eça de Queirós, *O crime do padre Amaro*)] [*int.*: "Capitu estava ao pé do muro fronteiro... riscando com um prego." (Machado de Assis, *Dom Casmurro*)] **2** Aplicar riscos sobre texto, desenho etc., para excluí-los [*td.*: "Capitu riscava sobre o riscado, para apagar bem o escrito." (Machado de Assis, *Dom Casmurro*)] **3** Fazer riscos como esboço de (desenho, texto etc.); ESBOÇAR [*td.*: "...riscando com proficiência grave mapas e tabelas." (Domingos Olímpio, *Luzia Homem*)] [*int.*: "Ficou o dia inteiro... a riscar, a emendar e, ao fim..., tinha feito algumas quadras..." (Lima Barreto, *Clara dos Anjos*)] **4** Apagar, eliminar definitivamente o que estava escrito [*td.*: "Riscaria os dous capítulos, ou os faria mui diversos..." (Machado de Assis, *Memorial de Aires*)] [*tdr.* + *de*: "Risque meu nome do seu caderno..." (Ari Barroso, *Risque*)] **5** Acender (fósforo) [*td.*: "...foi fazer fogo para o café dos trabalhadores, riscando fósforos..." (Aluísio Azevedo, *O cortiço*)] **6** Banir, excluir (algo ou alguém) de [*tdr.* + *de*: "...esse tempo de loucura que eu desejava riscar da minha vida." (José de Alencar, *A viuvinha*); "...tinha... uma lista das principais casas de pensão... e, à medida que servia de cada uma, riscava-a da coleção." (Aluísio Azevedo, *Casa de pensão*)] **7** Fazer movimentos com a navalha e com o corpo, antes de dar o golpe [*int.*: "Chegou a riscar... riscar só, porque o chiru velho... foi mais ligeiro: mandou-lhe o facão..." (João Simões Lopes Neto, "Os cabelos da china" *in Contos gauchescos*)] **8** Sacar (instrumento cortante) com intenção de ferir [*tr.* + *de*: "Ao riscar da faca não dá um golpe em falso." (Euclides da Cunha, *Os sertões*)] **9** *Bras. S.* Fazer parar (cavalo) subitamente, deixando risco ou sulco no chão [*td.*: "O tenente... a frente... riscava o cavalo em corcovo e piruetas." (Afrânio Peixoto, *Bugrinha*)] [*int.*: *Com medo de cair do cavalo empinado, precisou riscar.*] **10** *Bras. S.* Correr (cavalo) bastante; DESEMBESTAR [*int.*: "... iam num trotão... e depois riscavam campo fora..." (João Simões Lopes Neto, "Correr eguada" *in Contos gauchescos*)] **11** *Fig.* Deixar marcas, traços luminosos etc. em [*td.*: "...os beija-flores passavam... riscando no ar um trilho de faíscas coloridas..." (Raul Pompeia, *As joias da Coroa*); "... bandos de gaivotas riscavam o azul do céu..." (João do Rio, *A alma encantadora das ruas*)] **12** Privar-se do emprego, da função; DEMITIR-SE [*tr.* + *de*: *Riscou-se de sócio.*] **13** *Bras. N. E.* Chegar ou surgir inesperadamente [*int.*: *Todos já dormiam quando ele riscou.*] **14** Assinalar, colocar marca em [*td.*: *riscar um cartão de loteria.*] [▶ 11 riscar] [F.: Do v.lat. *resecare.* Hom./Par.: *risca* (fl.), *risca* (sf.); *riscas* (fl.), *riscas* (pl. do sf.); *risco* (fl.), *risco* (sm.).]

risco[1] (*ris*.co) *sm.* **1** Traço ou sulco feito numa superfície; RISCA: *A mesa está cheia de riscos.* **2** Esboço de desenho de um quadro, um bordado etc. **3** Esboço de desenho de planta arquitetônica **4** Cada traço de uma folha pautada **5** *Pop.* Golpe com arma cortante (faca, navalha etc.) **6** *BA* Linha do horizonte visual [F.: De or. contrv. Hom./Par.: *risco* (sm.), *risco* (fl. de *riscar*).]

risco[2] (*ris*.co) *sm.* **1** Possibilidade de passar por perigo ger. físico à saúde ou à integridade: *Sair à noite é sempre um risco.* **2** Possibilidade de insucesso; condição em que se pode perder ou ganhar (por ex.: em um jogo de azar): *Apostar dinheiro é sempre um risco.* **3** Situação que gera indenização por parte de uma seguradora (risco de roubo) **4** *Jur.* Responsabilidade pela perda ou dano ocasionado em uma situação de risco que se assumiu [F.: Do fr. *risque.* Hom./Par.: *risco* (fl. de *riscar*).] ■ **~ cirúrgico** **1** *Cir. Med.* Avaliação do risco que corre um paciente que deve submeter-se a uma cirurgia, em função de seu estado geral de saúde ou de algum problema específico **2** O exame ou bateria de exames para essa avaliação **~ de câmbio** *Econ.* Risco de prejuízo em operações de câmbio devido a oscilações das moedas [O nome técnico do índice é, em inglês, *Emerging Markets Bond Index Plus* (EMBI+).] **~ marítimo** Acidente imprevisível de que pode resultar perda de navio ou de sua carga **~ país** *Econ.* Indicador que tem por objetivo estabelecer o grau de instabilidade econômica de um determinado país emergente, criado por agentes econômicos internacionais para servir de medida de risco para o investidor

risível (ri.*sí*.vel) *a2g.* Que é digno de riso ou zombaria; RIDÍCULO; CÔMICO; GROTESCO: *Saiu-se com risíveis desculpas.* [Pl.: *-veis.*] [F.: Do lat. *risibilis, e.*]

riso (*ri*.so) *sm.* **1** Ação, resultado ou modo de rir: *Risos de alegria saudaram a boa notícia.* **2** Demonstração de contentamento, de alegria **3** Escárnio, zombaria, deboche, desprezo: *Desafiava a todos com um ar de riso.* [F.: Do lat. *risus, us.*] ■ **~ amarelo** Riso ou sorriso forçado, motivado por sentimento de vergonha, embaraço, constrangimento, ou que é uma tentativa de amenizar esse sentimento **~ sardônico** **1** *Med.* Expressão facial resultante de espasmo muscular, semelhante a um sorriso forçado **2** *P. ext.* Riso sarcástico, semelhante a essa expressão **Perdido de ~** Que ri incontrolavelmente; que não consegue reprimir o riso

risonho (ri.*so*.nho) *a.* **1** Que ri ou sorri; SORRIDENTE: *Era uma mulher sempre risonha e afável.* **2** Que demonstra contentamento, felicidade; ALEGRE; CONTENTE: *Tinha um ar muito risonho.* **3** Que traz satisfação, que dá prazer (manhã risonha); AGRADÁVEL; APRAZÍVEL **4** Esperançoso, promissor: *Desejou-lhe um futuro risonho.* [F.: *riso* + *-onho.*]

risota (ri.*so*.ta) *sf.* **1** Riso zombeteiro [Dim. irreg. de *riso.*] **2** Zombaria, deboche [F.: *riso* + *-ota.*]

risoto (ri.*so*.to) [ô] *Cul. sm.* **1** Prato da cozinha italiana à base de arroz, ger. colorido com açafrão, e ao qual se acrescentam manteiga e queijo parmesão ralado **2** *P. ext.* Prato de arroz acrescido de ingredientes como ervilha, legumes, carne, camarão, frango desfiado, queijo ralado etc. [F.: Do it. *risotto.*]

rispidamente (ris.pi.da.*men*.te) ***adv.*** **1** De modo ríspido; com rispidez: *Tratou-o rispidamente.* **2** Asperamente: *Repreendeu-o rispidamente.* [F.: *ríspida* + *-mente.*]

rispidez (ris.pi.*dez*) ***sf.*** **1** Qualidade ou característica do que é ríspido; RUDEZA; ASPEREZA **2** Rigidez, severidade nas atitudes **3** Falta de delicadeza no trato pessoal; RUDEZA; ASPEREZA: *Sua habitual rispidez o tornava insuportável.* [F.: *ríspido* + *-ez.* Ant. ger.: *brandura, delicadeza.*]

ríspido (*rís*.pi.do) ***a.*** **1** Áspero na maneira de tratar; GROSSEIRO; RUDE; INTRATÁVEL: *Foi ríspido com a irmã mas arrependeu-se.* **2** Próprio de quem é assim; GROSSEIRO; RUDE **3** Que tem som áspero e cortante [F.: De or. incerta; poss. do lat. *hispidus, a, um*, com reforço de *re-* (como intensificador).]

rissole (ris.*so*.le) ***sm.*** *Cul.* Pastel recheado de carne, frango, queijo, camarão etc., feito com massa cozida que se passa no ovo e na farinha de rosca antes de fritar [F.: Do fr. *rissole.*]

riste (*ris*.te) ***sm.*** Peça de metal em que os cavaleiros medievais apoiavam o conto da lança ao atacar [F.: Do espn. *ristre.*] ■ **Em ~** Erguido, levantado: *Irado, dedo em riste, protestou com veemência.*

⊠ **rit** *Mús.* Em notação musical, abrev. de *ritardando*, indicando andamento progressivamente mais lento

ritardando (ri.tar.*dan*.do) *Mús.* ***adv.*** **1** Que vai diminuindo progressivamente o movimento do compasso ou a intensidade do movimento ***sm.*** **2** Andamento musical progressivamente retardado **3** Trecho de uma composição musical que se torna gradativamente mais lento [F.: Do it. *ritardando.*]

ritidectomia (ri.ti.dec.to.*mi*:a) ***sf.*** *Cir. Derm.* Eliminação cirúrgica de rugas da pele [F.: *ritid(o)-* + *-ectomia.*]

◎ **ritid(o)-** (ri.ti.*do*-) ***el. comp.*** = 'ruga': *ritidectomia, ritidoma* < (gr.), *ritidoplastia* [F.: Do gr. *rhytís, ídos.*]

ritidoma (ri.ti.*do*.ma) ***sm.*** *Bot.* Camada seca de tecidos mortos, ger. rugosa, que reveste os troncos grossos e constitui a casca externa; espessura do tecido celular na periferia do líber, fora do felógeno ativo [F.: Do gr. *rhytídoma, atos*, 'rugosidade'.]

ritidoplastia (ri.ti.do.plas.*ti*:a) ***sf.*** *Cir.* Cirurgia plástica para estirar a pele e tecido subcutâneo [F.: *ritid(o)-* + *-plastia.* Cf.: *lifting.*]

ritmação (rit.ma.*ção*) ***sf.*** **1** Ação ou resultado de ritmar **2** Movimento rítmico [Pl.: *-ções.*] [F.: *ritma(r)-* + *-ção.*]

ritmadamente (rit.ma.da.*men*.te) ***adv.*** **1** Com ritmo (batucar/correr ritmadamente): *Batia ritmadamente no tambor; O maratonista corria ritmadamente.* **2** De modo cadenciado [F.: *ritmada-* + *-mente.*]

ritmado (rit.*ma*.do) ***a.*** **1** Que segue determinado ritmo; CADENCIADO; COMPASSADO: "...na cadência da dança ritmada e religiosa da macumba." (Jorge Amado, *Jubiabá*) **2** Que tem ritmo [F.: Part. de *ritmar.*]

ritmar (rit.*mar*) ***v. td.*** **1** Dar ritmo ou cadência a: *Ritmou os passos, acompanhando a marchinha.* **2** Marcar ritmo, acompanhar ritmo de: "Um negro baixote ritmava os berros com palmadas nos joelhos." (Jorge Amado, *Jubiabá*) [▶ **1** ritmar] [F.: *ritmo* + *-ar*^{2}. Hom./Par.: *ritmo* (fl.), *ritmo* (sm.).]

rítmica (*rít*.mi.ca) ***sf.*** **1** *Gram. Ling.* Parte da antiga gramática, que estudava o ritmo dos versos gregos e latinos [Cf.: *métrica.*] **2** Ciência ou arte dos ritmos aplicada à música, à prosa literária e esp. à poesia **3** *Mús.* Estudo das leis do ritmo e da expressão musical em suas relações com o tempo (rítmica clássica/renascentista) **4** Característica do ritmo (rítmica do samba) [F.: Fem. subst. de *rítmico.*]

rítmico (*rít*.mi.co) ***a.*** **1** Ref. a ritmo **2** Em que há ritmo (ginástica rítmica; movimentos rítmicos) **3** Que ocorre em intervalos regulares, periódicos: *Causa assombro a atividade rítmica da natureza.* [F.: Do gr. *rhythmikós, é, ón*, pelo lat. *rhythmicus, a, um.*]

ritmista (rit.*mis*.ta) ***s2g.*** **1** Aquele ou aquela que marca o ritmo da música ***s2g.*** **2** Pessoa que toca instrumento(s) de percussão; PERCUSSIONISTA **3** Pessoa que marca o ritmo da batucada nas escolas de samba (ala dos ritmistas) [F.: *ritmo* + *-ista.*]

ritmo (*rit*.mo) ***sm.*** **1** Sucessão de sons ou movimentos que se repetem regularmente, com acentos fortes e fracos: *o ritmo da música.* **2** Sucessão regular dos mesmos tempos, do mesmo pé; CADÊNCIA; METRO **3** Variação periódica e regular na sucessão de ações ou fatos: *o ritmo das estações do ano.* **4** Velocidade em que sucede alguma coisa: *É preciso aumentar o ritmo do trabalho.* **5** *Mús.* Maneira harmoniosa de combinar os tempos entre um movimento e outro **6** *Mús.* Padrão de marcação do tempo próprio de um gênero musical **7** *Mús.* Conjunto de instrumentos de percussão **8** *Bras. Mús.* Conjunto de ritmistas **9** Movimento periódico realizado de modo regular (ritmo do coração) [F.: Do gr. *rhytmós, oû* através do lat. *rhythmus, i.*] ■ **~ cardíaco** *Card.* A sucessão dos batimentos cardíacos (sístoles e diástoles) e sua frequência **~ circadiano** *Biol.* Ritmo espontâneo da atividade orgânica de animais ou vegetais, próprio da espécie e independente de fatores ambientais **~ de galope** *Card.* Desdobramento da revolução cardíaca, com o surgimento, na auscultação, de um terceiro tempo, além da sístole e da diástole

rito (*ri*.to) ***sm.*** **1** Conjunto de regras e cerimônias que devem ser cumpridas em uma religião; LITURGIA: *o rito grego ortodoxo.* **2** *P. Ext.* Religião, seita: *Embora irmãos, seguem ritos diferentes.* **3** Qualquer cerimônia de cunho sagrado ou simbólico (ritos fúnebres) [Tb. us. no pl.] **4** Conjunto de normas estabelecidos por uma sociedade (ritos de passagem) [Mais us. no pl.] **5** *P. ext.* Conjunto de procedimentos habituais (ritos escolares); COSTUME **6** *Jur.* Conjunto de formalidades a serem observadas para a validade de um ato jurídico (rito processual) [F.: Do lat. *ritus, us.* Hom./Par.: *ricto* (sm.).] ■ **~ de passagem** *Antr.* Em certas sociedades primitivas, ritual que marca a passagem de um indivíduo de um grupo, um estágio ou condição social, a outro

ritornelo (ri.tor.*ne*.lo) ***sm.*** **1** *Mús.* Espécie de prelúdio pouco extenso que se repete algumas vezes no fim ou mesmo no meio de uma composição musical, e que lhe fixa o caráter, servindo para o tornar lembrado **2** *Poét.* Verso ou versos, que se repetem no fim ou no início de cada estrofe, ou no corpo da mesma estrofe, de uma composição, gerando certa base rítmica para o poema; REFRÃO **3** *Mús.* Estribilho que nos madrigais dos sécs. XIV a XVI aparecia com a mesma letra e música, após cada estrofe **4** Tipo de canção popular italiana, com estrofes de três versos, o primeiro rimando com o terceiro **5** No concerto clássico, retorno da orquestra completa depois da parte do solista ou de um concertino **6** Repetição de um trecho musical, ger. indicada por um travessão duplo e pontuado; RÉPLICA **7** *Fig.* Coisa que se repete ou se reproduz interminavelmente [F.: Do it. *ritornello.* Sin.: *retornelo.*]

ritual (ri.tu:*al*) ***a2g.*** **1** Ref. a rito **2** Regular, habitual como um rito (cuidados rituais) ***sm.*** **3** *Rel.* Culto de caráter religioso (rituais pagãos) **4** *Rel.* Conjunto de ritos de uma religião ou de uma igreja **5** Livro que contém os ritos, ou a forma das cerimônias a observar na prática de algum culto ou na prática do serviço divino, com as palavras e orações que devem acompanhar essas cerimônia etc. [Inicial freq. maiúsc.] **6** Etiqueta, cerimonial [Pl.: *-ais.*] [F.: Do lat. *ritualis, e.*]

ritualismo (ri.tu:a.*lis*.mo) ***sm.*** **1** Conjunto de ritos de uma religião; prática seguida em um dado rito **2** Apego ao ritual, às cerimônias [F.: *ritual* + *-ismo.*]

ritualista (ri.tu:a.*lis*.ta) ***s2g.*** **1** Pessoa responsável por um ritual **2** Aquele ou aquela que tem apego às cerimônias, às etiquetas [Tb. us. como. adj.] ***a2g.*** **3** Ref. a ritual ou ritualismo [F.: *ritual* + *-ista.*]

ritualístico (ri.tu:a.*lís*.ti.co) ***a.*** Ref. a ritualismo ou ritualista [F.: *ritualista* + *-ico*^{2}.]

ritualização (ri.tu:a.li.za.*ção*) ***sf.*** **1** Ação ou resultado de ritualizar **2** Prática de ritualismo **3** *Zool. Etol.* Processo evolutivo de alteração de um padrão de comportamento de maneira que este novo padrão tb. tenha a função de comunicação [Pl.: *-ções.*] [F.: *ritualizar* + *-ção.*]

ritualizado (ri.tu:a.li.*za*.do) ***a.*** Diz-se do que se ritualizou, que sofreu ritualização (procedimento ritualizado) [F.: Part. de *ritualizar.*]

ritualizar (ri.tu:a.li.*zar*) ***v. td.*** Transformar em ritual: *A família ritualizou velhos costumes de seus ascendentes.* [▶ **1** ritualizar] [F.: *ritual* + *-izar.*]

rival (ri.*val*) ***a2g.*** **1** Diz-se de pessoa que compete com outra pela mesma coisa; ADVERSÁRIO; CONCORRENTE; ÊMULO **2** Diz-se de pessoa ou entidade que disputa com outra a primazia (nações rivais) **3** Diz-se de pessoa que é comparável a outra em mérito ou merecimento (poetas rivais) [Pl.: *-vais.*] ***s2g.*** **4** Pessoa ou entidade rival de outra [Pl.: *-vais.*] [F.: Do lat. *rivalis, is.*]

rivalidade (ri.va.li.*da*.de) ***sf.*** **1** Qualidade, característica ou condição de rival ou do que rivaliza **2** Relação entre os que competem pela mesma coisa; COMPETIÇÃO; CONCORRÊNCIA **3** Disputa acirrada causada por discordância política, religiosa, cultural etc., em geral caracterizada por extrema animosidade e intolerância; CONFLITO; LUTA: *rivalidade entre árabes e judeus.* **4** Hostilidade entre pessoas, grupos ou instituições, que é muitas vezes de caráter lúdico e sem maiores consequências (rivalidade entre torcidas de algum esporte; rivalidade entre brasileiros e argentinos) **5** Excesso de ciúmes [F.: Do lat. *rivalitas, atis.*]

rivalizar (ri.va.li.*zar*) ***v.*** **1** Estar em rivalidade, competição ou disputa com; COMPETIR; DISPUTAR [***tr.*** + *com*: "Entre os comparsas de Gonçalo havia um que (...) era o único que ousava rivalizar com ele em força e destreza." (Bernardo Guimarães, *O ermitão de Muquém*)] [***int.***: "As gangues (...) rivalizavam entre si..." (*Folha SP*, 12.05.1999)] **2** Disputar primazias [***int.***: "Dizem que a Mugnai e a Bocomini rivalizarão..." (Martins Pena, *As casadas solteiras*)] **3** Ter semelhança (de características, qualidades) em relação a (competidor); IGUALAR(-SE) [***tr.*** + *com, em*: "Seria o melhor passeio público que o Porto podia ter, e rivalizaria com os primeiros do mundo..." (Almeida Garrett, *O arco de Sant'ana*); "Uma dúzia das principais famílias abriam (...) os seus salões e rivalizavam na profusão do serviço." (Camilo Castelo Branco, *Coração, cabeça e estômago*)] **4** Tornar rival; pôr em disputa [***td.***: *A competição pelo cargo rivalizou os amigos.*] [***tr.*** + *com*: *A ambição fê-lo rivalizar com antigos colegas.*] [▶ **1** rivalizar] [F.: *rival* + *-izar.*]

rixa (*ri*.xa) ***sf.*** **1** Desavença ou disputa entre duas pessoas ou grupos **2** Briga, querela (rixa entre vizinhos) **3** Grande desordem; TUMULTO: *A polícia precisou intervir na rixa de rua.* **4** *Jur.* Desentendimento entre mais de duas pessoas, sucedido por vias de fato ou contravenção penal [F.: Do lat. *rixa, ae.*]

rixar (ri.*xar*) ***v. int.*** Ter rixa(s) com alguém; provocar desordens; BRIGAR: "...não raro rixavam e se engalfinhavam mulheres..." (Domingos Olímpio, *Luzia Homem*) [▶ **1** rixar] [F.: Do v.lat. *rixare.* Hom./Par.: *rixa* (fl.), *rixa* (sf.); *rixas* (fl.), *rixas* (pl. do sf.).]

rixento (ri.*xen*.to) ***a.*** Que procura rixas, que é dado a brigas e confusões; BRIGUENTO [F.: *rixa* + *-ento.*]

rixoso (ri.*xo*.so) [ch; ô] ***a.*** **1** Caracterizado por rixa(s) (competição rixosa) **2** Diz-se de que ou de quem se envolve em rixa(s); BRIGÃO; RIXADOR [Pl.: [ó]. Fem.: [ó].] [F.: Do lat. *rixosus.*]

◎ **-riza** ***el. comp.*** Ver *riz(o)-*

◎ **rizi-** ***el. comp.*** = 'arroz': *rizícola, rizicultor, rizicultura* [F.: Do fr. *riz*, do lat. *oryza, ae*, do gr. *óryza, es*, 'arroz'. Ver *oriz(o)-.*]

rizícola (ri.*zí*.co.la) ***a2g.*** *Agr.* Ref. ou inerente à cultura do arroz (plantio/colheita rizícola); ORIZÍCOLA [F.: *rizi-* + *-cola*^{1}.]

rizicultor (ri.zi.cul.*tor*) [ô] ***sm.*** **1** Aquele que cultiva ou tem plantação de arroz; ORIZICULTOR ***a.*** **2** Que cultiva ou produz arroz (setor rizicultor); ORIZICULTOR [F.: *rizi-* + *-cultor.*]

rizicultura (ri.zi.cul.*tu*.ra) ***sf.*** Cultura de arroz; ORIZICULTURA [F.: *rizi-* + *-cultura.*]

◎ **-riz(o)-** ***el. comp.*** Ver *riz(o)-*

◎ **-rizo** ***el. comp.*** Ver *riz(o)-*

◎ **riz(o)-** ***el. comp.*** = 'raiz'; 'radícula'; '(de) raiz com dada característica'; (p. ext.) 'rizoma': *rizanto, rizófago* (< gr.), *rizoflagelado, rizoide, rizoma* (< gr.), *rizomorfo, rizotomia, rizotônico*; *arrizófito*; *arrizo, endorrizo, macrorrizo, microrrizo, xantorrizo*; *coleorriza, micorriza, pilorriza* [F.: Do gr. *rhíza, ês.*]

rizófago (ri.*zó*.fa.go) ***a.*** Que se nutre de raízes (cupim rizófago) [F.: Do gr. *rhizophágos, os, on.*]

rizoflagelado (ri.zo.fla.ge.*la*.do) *Zool.* ***a.*** Que apresenta flagelos em forma de raiz [F.: *riz(o)-* + *flagelado*^{2}.]

rizoide (ri.*zoi*.de) ***a2g.*** **1** *Bot.* Que se assemelha a uma raiz na forma e na função ***sm.*** **2** Estrutura filamentosa semelhante a raiz, que serve para a implantação ou absorção de nutrientes por certos fungos **3** Denominação dos pólipos dos briozoários que formam as espécies de raízes que ligam a colônia ao solo e que funcionam como órgãos absortivos, como nas pteridófitas, briófitas, algas e líquens [F.: *riz(o)-* + *-oide.*]

rizoma (ri.*zo*.ma) ***sm.*** **1** *Bot.* Caule em formato de raiz, freq. subterrâneo, rico em reservas nutrientes e que se caracteriza pela capacidade de emitir novos ramos, presente em numerosas plantas, como, p. ex., a bananeira e o gengibre **2** *Fig.* Fundamento, raiz de algo [F.: Do gr. *rhizóma, atos.*]

rizomático (ri.zo.*má*.ti.co) ***a.*** *Bot.* Ref. ou inerente a rizoma (filamento rizomático) [F.: *rizoma* + *-ático.*]

rizomatoso (ri.zo.ma.*to*.so) [ô] ***a.*** **1** *Bot.* Que é provido de rizoma (espécie rizomatosa) **2** Semelhante ao rizoma [Pl.: [ó]. Fem.: [ó].] [F.: *rizoma* (sob a f. *rizomat-*) + *-oso.*]

rizomorfo (ri.zo.*mor*.fo) ***a.*** **1** *Bot.* Que tem aspecto ou forma de raiz ou de rizoma ***sm.*** **2** *Bot.* Cordão do micélio do cogumelo, que tem aspecto exterior de raiz [F.: *riz(o)-* + *-morfo.*]

rizópode (ri.*zó*.po.de) ***a2g.*** **1** *Zool.* Diz-se dos animais cujos pés se assemelham a raízes **2** Ref. aos rizópodes ***sm.*** **3** *Zool.* Espécime dos rizópodes, filo de seres unicelulares do reino dos protistas, disseminados na água-doce ou salgada, com pseudópodes us. na locomoção e na alimentação [F.: *riz(o)-* + *-pode.*]

rizotomia (ri.zo.to.*mi*:a) *Cir.* ***sf.*** **1** Corte cirúrgico de qualquer raiz do nervo espinhal, ger. para aliviar dores; RADICOTOMIA; RADICULECTOMIA **2** Resseção de uma raiz medular [F.: *riz(o)-* + *-tomia.*]

rizotônico (ri.zo.*tô*.ni.co) ***a.*** Diz-se de palavra cujo acento tônico cai no radical (p. ex.: *mereço*) [F.: *riz(o)-* + *tônico.* Ant. ger.: *arrizotônico.*]

⊠ **RJ** Sigla do *estado do Rio de Janeiro*

⊠ **RMN** ***sf.*** *Quím. Med.* Sigla de *ressonância magnética nuclear*

⊠ **Rn** ***sm.*** *Quím.* Símb. de *radônio* [Cf.: *RN*]

⊠ **RNA** *Bioq.* Sigla, em inglês, de *ribonucleic acid* (ácido ribonucleico) [Ver *ARN*]

⊠ **RO** ***sf.*** Sigla do *estado de Rondônia*

rô ***sm.*** A 17ª letra do alfabeto grego (*r*, *P*). Corresponde ao *r* latino [F.: Do gr. *rhô*, pelo lat. *rho.*]

⊕ **roaming** (*Ing.: /róumin'/*) ***sm.*** *Telc.* Termo us. em telefonia móvel e outras formas de comunicação sem fio, que designa a capacidade e a efetiva ação de um dispositivo móvel se contactar, como visitante, a uma rede fora do âmbito da rede em que está registrado; isso é possível quando há acordo de interconectividade entre essas redes

roaz (ro.*az*) ***a2g.*** **1** Que rói; ROEDOR **2** *Fig.* Que destrói, que consome; DESTRUIDOR; DEVASTADOR ***sm.*** **3** *Lus. Zool.* Golfinho [F.: Do lat. vulg. **rodacem.*]

robalete (ro.ba.*le*.te) [ê] ***sm.*** **1** *Zool.* Robalo pequeno **2** *Bras.* Variedade de robalo (*Centropamus ensiferus*), peixe actinopterígio, perciforme, centropomídeo da costa atlântica, com menos de 50cm de comprimento; CAMURIM-SOVELA; CAMURIPEBA **3** *Náut.* Peças de madeira, pregadas pelas bordas, para atenuarem o balanço de bombordo a estibordo [F.: *robalo* + *-ete.*]

robalo (ro.*ba*.lo) *Zool.* ***sm.*** **1** Denominação comum aos peixes ósseos da fam. dos centropomídeos, gên. *Centropomus*, cujas spp. se diferenciam pelo número de escamas na linha lateral e pelos espinhos da nadadeira anal **2** Peixe da fam. dos centropomídeos (*Centropomus undecimalis*) que ocorre do EUA até o sul do Brasil, penetrando por estuários, rios, baías e manguezais, de cor prateada, que atinge até 1,20 m e peso de 15 kg, e apresenta carne de ótima qualidade [F.: De * *lobarro* (aumentativo de *lobo*), com metátese.]

robe (ro.be) [ó] *sm.* 1 Roupão 2 Penhoar [F.: Do fr. *robe.*]

roble (*ro*.ble) *sm. Bot.* Carvalho: "Há em frente ao meu quarto um roble, uma floresta num tronco só." (Guerra Junqueiro, *Musa em férias*) [F.: Do lat. *robur, oris.*]

robledo (ro.*ble*.do) [ê] *sm. Bot.* Floresta de robles; CARVALHAL [F.: *roble* + *-edo.*]

robô (ro.*bô*) *sm.* 1 Máquina que, mediante instruções nela introduzidas, é capaz de executar ações e movimentos semelhantes aos humanos e, em certos casos, de identificar estímulos e reagir a eles 2 *Fig.* Pessoa que cumpre ordens sem pensar, como se fosse um robô [F.: Do fr. *robot,* do tcheco *robota.*]

roborar (ro.bo.*rar*) *v. td.* 1 Dar mais vigor ou força a: *Roboraram suas relações de amizade.* 2 *Fig.* Confirmar, corroborar: *Roborou com entusiasmo as sugestões do sócio.* [▶ 1 roborar] [F.: Do v.lat. *roborare.* Hom./Par.: *robora* (fl.), *robora* (sf.); *roboras* (fl.), *roboras* (pl. do sf.).]

robótica (ro.*bó*.ti.ca) *sf.* Ciência e técnica da construção e do emprego de robôs (na indústria, na medicina etc.) [F.: Substv. do fem. de *robótico.*]

robótico (ro.*bó*.ti.co) *a.* Ref. a robô ou a robótica [F.: Do ing. *robotic.*]

robotização (ro.bo.ti.za.*ção*) *sf.* Ação ou resultado de robotizar(-se) [Pl.: *-ções.*] [F.: *robotizar* + *-ção.*]

robotizado (ro.bo.ti.*za*.do) *a.* 1 Que se robotizou; transformado em robô: *Robotizado pelo excesso de automação.* 2 Maquinal, mecanizado (trabalho robotizado) [F.: Part. de *robotizar.*]

robotizar (ro.bo.ti.*zar*) *v. td.* 1 Adotar o uso de robôs (nas indústrias): *robotizar a fábrica.* 2 Transformar(-se) em robô, ou como se o fosse; AUTOMATIZAR: *robotizar trabalhadores.* [▶ 1 robotizar] [F.: Do fr. *robot* + *-izar.*]

robustecer (ro.bus.te.*cer*) *v.* 1 Tornar ou ficar robusto; FORTALECER [*td.: O aleitamento materno robustece o bebê.*] [*int.*: "...aquela vestidura bizarra... parece que robustece e enrija." (Euclides da Cunha, *Os sertões*)] 2 *Fig.* Tornar mais fortalecido em dignidade; ENGRANDECER [*td.*: "Os sertanejos invertiam toda a psicologia da guerra: ...robustecia-os a fome..." (Euclides da Cunha, *Os sertões*)] [*int.*: *Com os estudos, robusteceu.*] 3 *Fig.* Reafirmar com certeza; tornar válido; CONFIRMAR; RATIFICAR [*td.*: "...a presença dos colegas o robustecia com um vago espírito de coletividade." (Aluísio Azevedo, *Casa de pensão*)] [▶ 33 robustecer] [F.: *robusto* + *-ecer.* Ant. ger.: *enfraquecer.*]

robustecido (ro.bus.te.*ci*.do) *a.* 1 Que se robusteceu 2 Fortalecido, revigorado 3 *Fig.* Confirmado, corroborado (argumento robustecido) [F.: Part. de *robustecer.* Ant.: *afracado.*]

robustecimento (ro.bus.te.ci.*men*.to) *sm.* Ação ou resultado de robustecer(-se); FORTALECIMENTO [F.: *robustecer* + *-imento.*]

robustez (ro.bus.*tez*) *sf.* 1 Qualidade ou caráter do que é robusto; FORÇA; VIGOR 2 Dureza, solidez [F.: *robusto* + *-ez.*]

robusto (ro.*bus*.to) *a.* 1 Que é forte, vigoroso (rapaz robusto; cavalgadura robusta) *a.* 2 Que tem saúde ou aspecto saudável; SADIO: "...mal pôde reconhecer Afonso da Maia naquele velho de barba de neve, mas tão robusto e corado..." (Eça de Queirós, *Os Maias*) [Ant.: *doentio.*] 3 Rijo, duro, sólido, potente (estrutura robusta; motor robusto) [Ant.: *frágil.*] 4 *Fig.* Enérgico, firme, inabalável (fé robusta) 5 Poderoso, influente [F.: Do lat. *robustus, a, um.*]

roca[1] (*ro*.ca) *sf.* 1 Vara de madeira que tem numa das extremidades uma peça bojuda, na qual se coloca o algodão, o linho etc. para ser fiado 2 O fio enrolado nessa vara para fiar 3 Tiras estreitas que se usavam ao comprido nas mangas dos vestidos e separadas umas das outras para deixarem ver o estofo subjacente 4 Armação de madeira de certas imagens de santos [F.: De or. contrv. Hom./Par.: *roca* (sf.), *roca* (fl. de *rocar*).]

roca[2] (*ro*.ca) *sf.* Penhasco no mar ou em terra; ROCHA; ROCHEDO [F.: Do lat. vulg. ** rocca*, posv.]

roça (*ro*.ça) *sf.* 1 Ação ou resultado de roçar; ROÇADURA 2 Terreno cujo mato foi cortado e/ou queimado, pronto para ser cultivado; ROÇADO 3 *Bras.* Pequena lavoura de mandioca, feijão, milho etc.: *Cuidava de sua roça de sol a sol.* 4 *Bras.* O campo, a zona rural, p. opos. à cidade 5 *Bras.* Pequena propriedade rural para cultivo de frutas e hortaliças [F.: Dev. de *roçar.* Hom./Par.: *roça* (sf.), *roça* (fl. de *roçar*).] ■ **Fazer ~** 1 *Bras. Pop.* Fazer corpo mole, negligenciar tarefa, trabalho, função etc. 2 Fazer serviço remunerado desnecessário, para ganhar mais dinheiro

roçada (ro.*ça*.da) *sf.* 1 *Agr.* Corte a foice de vegetação arbustiva e das pequenas plantas em terrenos destinados ao cultivo ou à pastagem 2 *Bras.* Terreno desbastado das árvores nativas que, depois de preparado, se transforma em roça, pronto para a sementeira [F.: *roçar* + *-ada*[1].]

roçadeira (ro.ça.*dei*.ra) *sf. Agr. Mec.* Implemento agrícola, às vezes puxado por um trator, us. na limpeza de terreno de cultivo, pastagem, na poda de soqueiras etc.; ROÇADOURA [F.: *roçar* + *-deira.*]

roçado (ro.*ça*.do) *sm.* 1 Roça (2) 2 Clareira em bosque ou mata 3 *Bras. N. E.* Plantação de mandioca 4 *CE* Terreno plantado de culturas próprias do inverno (arroz, feijão, algodão, mandioca etc.) 5 *Bras. Tabu.* Prática sexual que conduz ao orgasmo pelo mero roçar das partes erógenas *a.* 6 Diz-se de terreno que foi roçado ou queimado para tornar-se área de cultivo [F.: Part. de *roçar.*]

roçador (ro.ça.*dor*) [ô] *a.* 1 Que roça ou que é próprio para roçar *sm.* 2 Aquele ou aquilo que roça [F.: *roçar* + *-dor.*]

roçadura (ro.ça.*du*.ra) *sf.* 1 Ação ou resultado de roçar(-se); ROÇA 2 Atrito leve; ROÇADELA 3 O atrito de duas de duas coisas ou superfícies que se roçam 4 O ruído que resulta desse atrito [F.: *roçar* + *-dura.*]

roçagar (ro.ça.*gar*) *v.* 1 Roçar ou arrastar-se no chão [*td.*: *Foi roçagando a saia pela escada acima.*] [*int.*: *O vestido ia roçagando no lodo.*] 2 Tocar ligeiramente em; ROÇAR [*td.*: *Roçagou-lhe os cabelos com os dedos.*] 3 Fazer leve ruído, como o de um vestido de seda; FARFALHAR [*int.*] [▶ 14 roçagar] [F.: Do espn. ant. *rozagar.*]

roçagem (ro.ça.*gem*) *sf. N. E.* Ação ou resultado de roçar; ROÇADA [Pl.: *-gens.*] [F.: *roçar* + *-agem.*]

rocal (ro.*cal*) *a2g.* 1 Que se mostra sólido, duro como uma rocha [Pl.: *-cais.*] *sm.* 2 Colar de contas ou de pérolas para adorno das mulheres; ROCALHA [Pl.: *-cais.*] [F.: *roc(a)* + *-al.*]

rocalha (ro.*ca*.lha) *sf.* 1 *Artesn.* Avelório de vidro resistente lavrado de que se fazem rosários 2 *P. ext. Fig.* Colar de contas ou de pérolas; ROCAL 3 *Art. pl. Decor.* Estilo artístico e decorativo, encontrado na França na primeira metade do séc. XVIII, que se caracteriza pela imitação estilizada de rochas, conchas, grutas etc., exibindo volutas e formas de traçado assimétrico [Cf.: *rococó.*] 4 *Arq. Decor.* Obra, ger. em jardins, construída com pedras, conchas etc., imitando rochedos e grutas 5 *Art. pl. Decor. Mob.* Obra artística ou mobiliário feito ou decorado em estilo rocalha *a2g.* 6 *Arq. Art. pl. Decor. Mob.* Ref. a ou próprio de rocalha 7 *Art. pl. Decor.* Diz-se do estilo artístico e decorativo, que se caracteriza pelo uso de volutas e formas assimétricas [F.: Do cast. *rocalla* < fr. *rocaille.*]

rocambole (ro.cam.*bo*.le) [ó] *Bras. sm.* 1 *Cul.* Bolo fino, salgado ou doce, enrolado com recheio 2 Espécie de fandango em que há influência coreográfica da valsa [F.: Do fr. *rocambole.*]

rocambolesco (ro.cam.bo.*les*.co) [ê] *a.* Cheio de aventuras, peripécias e imprevistos (como as histórias de Rocambole, personagem de um romance do francês Ponson du Terrail): "Tudo que ouviu contar de grande e rocambolesco julgava logo que o pai fizera a mesma coisa." (Jorge Amado, *Jubiabá*) [F.: Do fr. *rocambolesque.*]

rocar (ro.*car*) *v. int.* No jogo de xadrez, fazer roque: *Rocar é proibido quando a torre já tiver sido movimentada.* [▶ 11 rocar] [F.: *roque* + *-ar*[2]. Hom./Par.: *roca* (fl.), *roca* (sf.); *rocas* (fl.), *rocas* (pl. do sf.); *roque* (fl.), *roque* (sm.); *roques* (fl.) *roques* (pl. do sm.).]

roçar (ro.*çar*) *v.* 1 Tocar de raspão, de leve; deslizar por cima de; ROÇAGAR [*td.*: "Que bom poder tá contigo de novo, / Roçando o teu corpo e beijando você." (Dominguinhos, Nando Cordel e Elba Ramalho, *De volta ao meu aconchego*)] [*tr. + a, em, por*: "Duas rosas... inclinam de leve o cálix e frisam-se roçando às pétalas." (José de Alencar, *Senhora*); "...eu senti que se roçava em mim... um bebê de tarlatana rosa." (João do Rio, "O bebê de tarlatana rosa" *in Dentro da noite*); "...o seu vestido roçara por mim..." (José de Alencar, *Lucíola*)] [*tdr. + contra, em, por*: "...punha os pesados pés sobre os de Porfiro, roçando as pernas contra as dele..." (Aluísio Azevedo, *O cortiço*); "...o pai roçava os dedos na viola..." (Machado de Assis, *Esaú e Jacó*): "...Seixas... roçava um beijo hirto por aquela face aveludada..." (José de Alencar, *Senhora*)] 2 Passar muito rente de ou arrastando-se sobre [*td.*: *Em seu voo, os passarinhos roçavam as águas do lago.*] 3 Friccionar uma superfície sobre outra; ATRITAR; ESFREGAR [*tr. + com, contra, em*: "...numa conspiração sombria em que as suas barbas roçavam umas contra as outras." (Aluísio Azevedo, *O cortiço*)] [*tdr. + em, contra*: *Ali espremidos, roçavam-se uns nos outros.*] 4 Cortar, derrubar (com foice ou outro instrumento); deitar abaixo (vegetação) [*td.*: "...lançou-se na direção do inimigo, atufando-se nas macegas, ..., roçando-as a baioneta." (Euclides da Cunha, *Os sertões*)] 5 Desgastar pelo uso ou atrito [*td.*: *De tanto esfregá-lo, roçou o tecido.*] 6 Ter cerca de; aproximar-se de; BEIRAR [*tr. + em, por*: "...devia andar roçando pelos seus cinquenta anos..." (Joaquim Manuel de Macedo, *O moço loiro*)] [*td.*: *Roçava seus quarenta anos.*] 7 *Fig.* Ficar próximo de; aproximar-se de; parecer-se com [*tr. + por*: "...a linguagem dele... roçava pela justiça." (Machado de Assis, *Esaú e Jacó*)] [▶ 12 roçar] *sm.* 8 Ação ou resultado de roçar; ROÇADURA: "Sua mão está sentindo o roçar dos cabelos da virgem formosa." (José de Alencar, *Ubirajara*) [F.: Do v.lat. **ruptiare.* Hom./Par.: *roça* (fl.), *roça* (sf.); *roças* (fl.), *roças* (pl. do sf.); *roçado* (fl.), *roçado* (a. sm.); *roçar, ruçar* (em várias fl.).]

rocaz (ro.*caz*) *a2g.* Que se cria nas rochas; que habita as rochas; ROCHAZ [F.: *roca* + *-az.*]

rocega (ro.*ce*.ga) [é] *sf.* 1 *Mar.* Ação ou resultado de rocegar 2 *Mar.* Busca, procura de âncoras depositadas no fundo do mar 3 *Mar.* Cabo forte que se arrasta no fundo do mar, us. para procurar objetos perdidos 4 *RN PB Lud.* Fragmento de vidro afiado, que se prende ao rabo das pipas, us. para cortar o rabo ou a linha de outras pipas, quando estão em movimento 5 *Bras.* Navalha ruim [F.: Dev. de *rocegar.* Hom./Par.: *rocega* (fl. de *rocegar*).]

roceirama (ro.cei.*ra*.ma) *sf. Bras. Pop.* Multidão de roceiros; os roceiros: "...Mas José de Arimateia não ligava para falação e fuxico; desse tento ao disse me disse da roceirama invejosa, e acabaria tal qual acabavam..." (Mário Palmério, *Chapadão do Bugre*) [F.: *roceiro* + *-ama.*]

roceirão (ro.cei.*rão*) *sm. Bras. Joc. Pej.* Indivíduo da roça [Pl.: *-rões.*] [F.: Aum. substv. de *roceiro.*]

roceiro (ro.*cei*.ro) *a.* 1 Ref. a roça ou roçado 2 Que mora na roça (4) 3 Diz-se do animal que penetra nas roças e as devasta *sm.* 4 Homem que roça ou planta roçados 5 *Bras.* Caipira, matuto [F.: *roça* + *-eiro.*]

rocha (*ro*.cha) *sf.* 1 Massa grande e compacta de pedra: *Uma grande rocha despencou e bloqueou a estrada.* 2 *Geol.* Aglomerado de matérias minerais e orgânicas que se formou ao longo das eras e que constitui boa parte da crosta terrestre 3 Roca, rochedo, penhasco 4 *Fig.* Coisa firme, inabalável [F.: Do fr. *roche.*]

rochedo (ro.*che*.do) [ê] *sm.* 1 Rocha grande e elevada; PENHASCO 2 *Anat.* Parte inferior do osso temporal que contém o ouvido interno 3 *Fig.* O que é firme, rígido, inabalável [F.: *rocha* + *-edo.*]

rochoso (ro.*cho*.so) [ô] *a.* 1 Coberto ou formado de rochas (terreno rochoso) 2 Ref. a rocha ou que tem a natureza da rocha: *Escalou uma vertente de consistência rochosa.* [Pl.: [ó]. Fem.: [ó].] [F.: *rocha* + *-oso.*]

rociar (ro.ci.*ar*) *v.* 1 Cair rocio, orvalho [*int.*] 2 Aspergir (algo) com pequenas gotas; BORRIFAR; ORVALHAR [*td.*] 3 Cobrir espalhando, dispersando [*int.*] [▶ 1 rociar] [F.: Do lat. **roscidare.* Hom./Par.: *rocio* (fl.), *rossio* (sm.), *Rossio* (top.), *rócio* (sm.), *Róscio* (antr.), *rocio* (sm.).]

rocim (ro.*cim*) *sm.* Cavalo fraco e de má aparência; ROCINANTE: "O maioral (...) guiava a comprida fila de hécticos rocins." (Silveira da Mota, *Viagens*) [Pl.: *-cins.*] [F.: De or. contrv.]

rocinante (ro.ci.*nan*.te) *sm.* *Pop. Hip.* Cavalo reles; PILECA; ROCIM [F.: Do espn. *Rocinante*, nome do cavalo de D. Quixote de la Mancha, personagem do escritor espanhol Miguel de Cervantes Saavedra (1547-1616)]

rocinha (ro.*ci*.nha) *sf.* 1 *Gram.* Pequena roça 2 *AM PA* Chácara ou sítio com pomar [F.: *roça* + *-inha.*]

rocio (ro.*ci*:o) *sm.* Orvalho, orvalhada [F.: Dev. de *rociar.* Hom./Par.: *rocio* (sm.), *rocio* (fl. de *rociar*), *rossio* (sm.).]

rócio (*ró*.cio) *sm. N. E. Pop.* Orgulho, vaidade, empáfia, prosápia; ROÇO [F.: De or. obsc. Hom./Par.: *rocio* (sm.), *rossio* (sm.), *Róscio* (antr.), *Rossio* (top.).]

⊕ **rock** (*Ing. /róc/*) *sm. Mús.* Música popular de origem norte-americana surgida nos anos de 1950, de ritmo marcado, e tocada com instrumentos eletrônicos; ROQUE ■ **~ pesado/pauleira** *Mús.* Rock com muita batida e muita amplificação do som [Em ing.: *heavy metal.*] **~ progressivo** Música, ou estilo musical (surgido nos anos 1970), que combina elementos de música clássica ou folclórica com os do *rock*, não raro em composições mais longas ou elaboradas

⊕ **rock and roll** *sm.* 1 Lit. do ing. 'balançar e rolar' 2 *Mús.* Música popular de origem norte-america, surgida na década de 1950, tendo por base a música de jazz, do blues e do country, tocada em guitarra elétrica, contrabaixo e bateria e em instrumentos de amplificação eletrônica [Sin. ger.: *rock; roque.* Tb. *rock'n roll.*]

⊕ **rocker** (*Ing. /róquer/*) *sm. Mús.* Instrumentista, cantor ou compositor de *rock*; ROQUEIRO

rococó (ro.co.*có*) *a2g.* 1 Diz-se do estilo artístico originado na corte francesa de Luís XV, caracterizado pela elegância afetada e pelo excesso de elementos decorativos 2 *Pej.* Que abusa de enfeites 3 *Pej.* Que é anacrônico, que está fora de moda *sm.* 4 O estilo rococó 5 Período em que esse estilo predominou 6 *Pej.* Exuberância de ornatos [F.: Do fr. *rococo.*]

roda (*ro*.da) *sf.* 1 Peça circular que gira ao redor de um eixo (roda gigante) 2 Objeto circular; CÍRCULO; DISCO; RODELA: *Recortou uma roda de papelão.* 3 *Aut.* A roda (1) de um veículo 4 Círculo formado por pessoas ou coisas: "...o pião entrou na roda, o pião..." (Cantiga infantil) 5 Agrupamento de pessoas (roda de samba/de capoeira); GRUPO 6 Círculo de amizades: "Nunca andava cá, na roda chique..." (Eça de Queirós, *A relíquia*) 7 Toda a volta da barra de vestido ou saia: "A roda da saia, a mulata, não quer mais rodar..." (Chico Buarque, *Roda-viva*) 8 Brincadeira em que as crianças cantam, dançam e se movimentam, de mãos dadas, formando um círculo: "...entre dentro desta roda, diga um verso bem bonito..." (Cantiga infantil) 9 Giro feito por pessoa ou coisa; VOLTA 10 Espaço, duração de um período de tempo: *a roda dos séculos.* 11 Espécie de armário existente na portaria dos conventos, asilos etc. e onde se colocam os objetos que se querem passar de fora para dentro ou de dentro para fora 12 *Pop. Anat.* Patela 13 Quantidade considerável, grande número: *dar uma roda de pontapés.* 14 *Ant.* Suplício medieval que consistia em amarrar a vítima a uma armação em forma de cruz, a qual se fazia girar após partirem-se os membros do supliciado; suplício da roda [Dim.: *rodela, rodeta, rodete.*] [F.: Do lat. *rota, ae.* Hom./Par.: *roda* (sf.), *roda* (f. de *rodar*). Ideia de 'roda': *cicl(o)-* (*ciclismo*); *rod-* (*rodoviário*); *-ciclo* (*triciclo*).] ■ **Alta ~** A alta burguesia, ou aristocracia, ou grupo de pessoas de alta classe social ou dos círculos dirigentes **Andar à ~** *Bras.* Correr ou fazer correr a loteria **À ~ de** 1 Por volta de, aproximadamente 2 Em volta de, ao redor de **Botar na ~** *Fut.* Trocar passes entre jogadores de forma a impedir que (outros jogadores) a alcancem **Brincar de ~** Brincar brincadeiras infantis nas quais as crianças formam uma roda **Fazer a ~ a** Tentar conquistar a afeição de (alguém); cortejar **Meter/pôr na ~** Abandonar, enjeitar (uma criança) **Pôr na ~** Ver *Meter/pôr na roda* **~ da fortuna** 1 Roda oca e cilíndrica onde ficavam os números a serem sorteados, nas antigas loterias 2 *Fig.* A sequência aleatória e imprevista dos fatos da vida; destino; sorte **~ de ângulo** *Mec.* Roda de engrenagem com dentes oblíquos que engatam em outra roda dentada em ângulo com a primeira **~ dentada** *Mec.* Roda cuja circunferência é provida de dentes, para funcionar como engrenagem ~

de palhetas *Cnav.* Grande roda em embarcação, munida de palhetas as quais, quando ela gira, impulsionam a água e movimentam a embarcação **~ do leme** *Cnav.* Grande volante que por meio da máquina do leme transmite movimento ao leme de embarcação **~ dos expostos** Nos asilos e orfanatos, roda (11) onde se colocavam crianças enjeitadas, para que fossem recolhidas pela instituição **~ hidráulica** *Mec.* Roda movida pelo movimento de água que cai em suas palhetas, e que pode transformar esse movimento em trabalho mecânico ou em outra forma de energia **~ mestra** *Mec.* A engrenagem principal num sistema de engrenagens **Ser ~ dura** *MG* Ser mau motorista, guiar mal **Virar em ~** *Mar.* Ultrapassar (veleiro) a linha do vento com a popa

rodada (ro.*da*.da) *sf.* **1** O giro completo de uma roda **2** *Bras. Esp.* Cada etapa de jogos de um campeonato esportivo **3** *Bras.* Cada uma das vezes em que se serve bebida às pessoas que bebem juntas em um bar **4** *Bras.* Ato de receber mal, de escorraçar alguém **5** *Bras. Lud.* Em certos jogos de baralho, cada uma das sequências de lances que perfazem um ciclo completo; MÃO **6** *Bras. S. S.E.* Queda do cavalo para a frente **7** *Bras. S.* Descida de um rio, em pesca de canoa [F.: *rodar + -ada*[1].]

rodado (ro.*da*.do) *a.* **1** Que possui roda(s) **2** *Bras.* Diz-se da distância já percorrida por um veículo automóvel: *carro novo, com 2.000 km rodados.* **3** *S. E. Fig. Pop.* Muito usado; GASTO **4** *Fig.* Que transcorreu; DECORRIDO; PASSADO **5** Diz-se do cavalo que tem manchas arredondadas **6** Diz-se de saia ou vestido com muita roda *sm.* **7** Essa saia ou vestido **8** A roda da saia ou do vestido **9** Conjunto das rodas de um carro; RODAGEM [F.: Part. de *rodar.*]

rodagem (ro.*da*.gem) *sf.* **1** Ação ou resultado de rodar **2** Conjunto das rodas de um automóvel ou de qualquer maquinismo **3** *Bras.* Raio da roda de automóvel, que serve como medida de pneu **4** Fábrica de rodas [Pl.: *-gens.*] [F.: Do fr. *rodage* ou de *rodar + -agem*[2].]

roda-gigante (ro.da-gi.*gan*.te) *sf. Bras.* Brinquedo de parque de diversões composto de duas rodas grandes, verticais e paralelas, que giram em torno de um eixo e sustentam, entre seus perímetros, bancos articulados [Pl.: *rodas-gigantes.*]

rodamoinho (ro.da.mo.*i*.nho) *sm. Bras.* O mesmo que *redemoinho* [F.: *roda + moinho.*]

rodante (ro.*dan*.te) *a2g.* **1** Que roda, gira ou se revolve em volta de *sm.* **2** Cambão a que se junge o animal nos mecanismos para tirar água das cisternas **3** *Bras. Gír.* Qualquer veículo [F.: Do lat. *rotans, antis.*]

rodapé (ro.da.*pé*) *sm.* **1** *Cons.* Barra de madeira ou outro material que se coloca na parte inferior das paredes, para evitar que os pés dos móveis ou a vassoura lhes estraguem a pintura e para lhes dar acabamento; alizar, guarda-vassouras **2** *Edit.* A parte inferior da página de um livro, jornal ou revista: "As notas de rodapé visam primordialmente a indicação das fontes..." (Othon M. Garcia, *Comunicação em prosa moderna*) **3** *Jorn.* Matéria publicada no rodapé (2) **4** Espécie de cortina que cobre a cama desde a borda do colchão até o piso **5** Tira de madeira ao longo da parte inferior das grades de uma janela de sacada [F.: *roda + pé.*]

rodaque (ro.*da*.que) *sm.* Tipo de casaco de homem, espécie de sobrecasaca já em desuso: "...Olhou para as calças de brim surrado e o rodaque cerzido..." (Machado de Assis, *Quincas Borba*) [F.: De or. obsc; de *roda*, posv.]

rodar[1] (ro.*dar*) *v.* **1** Girar ou fazer girar [*td.*: "E [Antônio Bento] rodava lentamente o gorro nas mãos..." (Euclides da Cunha, *Os sertões*)] [*int.*: "...só o anemômetro continuava... a rodar, a rodar, já sem fio, no algo do mastro..." (Lima Barreto, *Triste fim de Policarpo Quaresma*)] **2** Andar em roda, em torno de; RODEAR [*td.*: *As bicicletas rodavam a lagoa.*] **3** Mover-se sobre si sem se deslocar [*ta.*: "...e rodou nos calcanhares." (Adolfo Caminha, *A normalista*); "...rodou sobre os tacões, saiu, bufando..." (Eça de Queirós, *Os Maias*)] **4** Viajar por [*td.*: *Os turistas rodaram o Brasil de ponta a ponta.*] **5** Andar ou passar ao longo; PERCORRER [*td.*: "...vendo-a um dia a pé a rodar um bistrô..." (João do Rio, *Dentro da noite*)] **6** Percorrer (veículo) (certa distância) [*td.*: *O carro já rodara 30 mil quilômetros.*] **7** Andar ou mover-se sobre rodas [*int.*: "...o carro rodava e eu tinha perdido a minha visão." (José de Alencar, *Cinco minutos*): "...o cabriolé rodava... pela estrada..." (Eça de Queirós, *O crime do pe. Amaro*)] **8** Tomar certo rumo; dirigir-se (num veículo) [*ta.*: "O carro do particular parecia rodar para um hospital... do que para uma repartição de polícia..." (Raul Pompeia, *As joias da Coroa*)] **9** Ir-se; pôr-se em marcha; PARTIR; SAIR [*int.*: "Embarcaram todos, e o enterro rodou." (Lima Barreto, *O triste fim de Policarpo Quaresma*)] **10** Rolar como uma bola; REBOLAR-SE [*ta.*: *Com o temporal, pedras rodaram dos morros.*] **11** Correr, decorrer (tempo) [*ta.*: "Os anos que rodaram dessa época até os dias da nossa narrativa..." (Raul Pompeia, *As joias da Coroa*)] **12** Agitar-se, mover-se como um sopro; SOPRAR [*int.*: "...os ventos rodam outra vez... para leste..." (Euclides da Cunha, *Os sertões*)] **13** Punir ou castigar com o suplício da roda [*td.*: *Na antiguidade, era comum rodar os condenados.*] **14** *Tip.* Imprimir ou ser impresso [*td.*: *A gráfica rodou a revista de madrugada.*] [*int.*: *O jornal não rodou.*] **15** *Cin. Telv.* Fazer ou registrar em filme [*td.*: *Rodaram o filme em 30 dias.*] **16** *Bras. Pop.* Ser demitido, reprovado ou excluído [*int.*: *Chegou tarde à entrevista e rodou.*] **17** *Bras. Pop.* Cair fora; ir embora [*int.*: "Quem não quiser, roda. Eh lá! Fora!" (João do Rio, *A alma encantadora das ruas*)] **18** *Pop.* Andar ou passear sem destino [*int.*: *Saíram à noite para rodar um pouco;* "...ordenei ao boleeiro que rodasse pelas ruas fora." (Machado de Assis, *Memórias póstumas de Brás Cubas*)] **19** *Bras. S. MT* Cair para a frente (cavalo e/ou cavaleiro) [*int.*: "O cavalo de um deles empinou-se e rodou morto por cima do cavaleiro..." (Domingos Olímpio, *Luzia Homem*)] **20** *Inf.* Processar (programa), cumprindo toda a rotina [*td.*: *Não conseguiu rodar o aplicativo.*] [*int.*: *Enfim, o novo programa rodou.*] [▶ 1 rodar] *sm.* **21** Estrépito ou ruído de veículo ou objeto que roda: "...o rodar monótono dos bondes." (Aluísio Azevedo, *Casa de pensão*) **22** *Fig.* Andamento, caminho, disposição de (negócios): *É preciso analisar o rodar da empresa.* **23** Passagem do tempo; DECURSO: "A epopeia agonizava ao rodar do século..." (Raul Pompeia, *O Ateneu*) **24** Movimento giratório; GIRO: "Foi então um rodar convulso, frenético: a casa, os móveis, as paredes, tudo girava em torno deles." (Aluísio Azevedo, *Casa de pensão*) [F.: Do lat. *rotare.* Hom./Par.: *roda(s)* (fl.), *roda(s)* (sf. [pl.]); *rodado* (fl.), *rodado* (a.); *rodo* (fl.), *rodo* [ô] (sm.).]

rodar[2] (ro.*dar*) *v.* **1** Reunir (quaisquer coisas) com o rodo; fazer a rodura [*td.*: *O empregado rodava toda a grama.*] **2** Executar tarefa com o rodo; trabalhar com o rodo [*int.*] [▶ 1 rodar] [F.: *rodo + -ar*[2].]

roda-roda (ro.da-ro.da) *sm.* Movimento circular: *A aeronave fez um roda-roda no ar antes de pousar.* [Pl.: *roda-rodas.*] [F.: *roda- + -roda.*]

roda-viva (ro.da-*vi*.va) *sf.* **1** Movimento incessante; AZÁFAMA **2** Confusão, desordem [Pl.: *rodas-vivas.*]

rodeado (ro.de:*a*.do) *a.* **1** Que andou em torno de; RONDADO **2** Girado em volta de; CIRCUNDADO **3** Que tem a sua volta; CERCADO [+ *de, por*: *rodeado de livros; casa rodeada de varandas; rodeado por gatos.*] [F.: Part. de *rodear.*]

rodear (ro.de.*ar*) *v.* **1** Andar em volta de; dar voltas em torno de; CONTORNAR [*td.*: "Partira Filipe com sua malta... e rodeou a floresta." (José de Alencar, *Til*)] **2** Mover-se descrevendo órbita ou em círculo; GIRAR [*td.*: *Os planetas rodeiam o Sol.*] [*ta.*: "E os pares que rodeavam entre nós..." (Lamartine Babo e Francisco Matoso, *Eu sonhei que tu estavas tão linda*)] **3** Estar ou ficar em volta de; CERCAR; CIRCUNDAR [*td.*: "...os tabuleiros de violetas de Parma, que rodeavam os pedestais das estátuas de bronze." (José de Alencar, *Senhora*)] **4** Formar roda em torno de (alguém ou algo) [*td.*: "...uns meninos descalços... rodeavam Saturnino..." (Franklin Távora, *O matuto*)] **5** Acompanhar(-se), ser companhia de ou cercar-se de companhia [*td.*: "Não havia conta para aqueles que o rodeavam..., cada qual mais emprenhado em causar-lhe alegria." (Raul Pompeia, *As joias da Coroa*)] [*tr.* + *de*: "Gostava de rodear-se dessa corte de belezas." (José de Alencar, *Senhora*)] **6** Ornar em círculo; ENGRINALDAR [*td.*: *Pequenas flores rodeavam sua cabeça.*] **7** *Fig.* Lançar mão de rodeios, de subterfúgios; não ir direto a; TERGIVERSAR [*td.*: *rodear a questão.*] **8** *Fig.* Conceder em grande quantidade; COBRIR; CUMULAR [*tdr.* + *de*: "Rodeia-me de cuidados e carinhos." (Martins Pena, *O noviço*)] [▶ 13 rodear] [F.: *roda + -ear*[2]. Hom./Par.: *rodeio* (fl.), *rodeio* (sm.).]

rodeio (ro.*dei*.o) *sm.* **1** Ação ou resultado de rodear(-se) **2** Caminho mais longo ou desvio do caminho direto **3** Uso exagerado de palavras para introduzir um assunto que não chega a se manifestar claramente; CIRCUNLÓQUIO **4** Argumento us. para desviar da questão principal; DESCULPA; EVASIVA [Nesta acp., mais us. no pl.] **5** *Bras.* Reunião do gado para contá-lo, marcá-lo etc.: "...e mal que cerrou o rodeio a gente mudou de cavalos, churrasqueou..." (Simões Lopes Neto, "Juca Guerra" *in Contos gauchescos & lendas do Sul*) **6** *Bras.* Competição que consiste em montar cavalo ou touro, etc. não domesticados e permanecer montado o maior tempo possível [F.: Dev. de *rodear.* Hom./Par.: *rodeio* (sm.), *rodeio* (fl. de *rodear*).] **∎ Parar ~** *RS* Reunir o gado, trazendo-o de várias distâncias ao lugar determinado **Pedir ~** Pedir ajuda (a estancieiro vizinho) para localizar gado extraviado

rodeira (ro.*dei*.ra) *sf.* **1** Mulher encarregada do serviço de integração entre as pessoas nos asilos, conventos e hospícios **2** Sulco deixado pelas rodas do carro; RELHEIRA; RELHEIRO **3** Caminho próprio para o trânsito de carros **4** *AL* Roda de carro **5** *Bras.* Espécie de barco us. para transportar cana-de-açúcar [F.: *roda + -eira.*]

rodeiro (ro.*dei*.ro) *a.* **1** Diz-se de maços ou malhos com que os segeiros ou carpinteiros encaixam, ajuntam e batem as rodas dos carros *sm.* **2** *Mec.* Maço grande com que os segeiros e carpinteiros ajustam as rodas e acunham as cabeças dos eixos, etc. **3** Conjunto ou jogo das duas rodas presas ao seu eixo **4** Eixo de um carro ou de uma máquina; CHAVEIRO **5** *Lus.* Barco pequeno do rio Douro **6** *GO Folc.* Tipo de arraia gigante na crendice popular, que provoca tremores de terra e engole embarcações, pescadores e barqueiros [F.: *roda + -eiro.*]

rodel (ro.*del*) *sm. Bras. Pop. Joc.* Ver *parafuso*: *Parece ter rodéis soltos na cabeça.* [Pl.: *-déis.*] [F.: De or. obsc.]

rodela (ro.*de*.la) *sf.* **1** Pedaço circular de um alimento: *rodelas de banana.* **2** *Pop. Anat.* Patela **3** Roda pequena **4** *Arm.* Escudo redondo **5** *Bras.* Mentira: *contar rodelas. sm.* **6** O soldado munido de rodela (4) [F.: Do lat. tard. *rotella, ae.*] **∎ Contar ~s 1** *Bras.* Contar vantagem sobre si mesmo, gabar-se **2** Mentir

rodenticida (ro.den.ti.*ci*.da) *a2g.* **1** *Quím.* Diz-se de substância us. para o extermínio, repelência ou controle da população de roedores *sm.* **2** *Quím.* Substância que mata, repele ou controla a população de roedores [F.: Do ing. *rodenticide.*]

rodesiano (ro.de.si:*a*.no) *a.* **1** Ref. ou inerente a, ou pertencente à antiga Rodésia (África), atualmente dividida entre Zâmbia (Norte) e Zimbabué (Sul) **2** Típico da antiga Rodésia ou de seu povo (governo rodesiano; cultura rodesiana) *sm.* **3** *Etnog.* Natural de ou que vive na antiga Rodésia [F.: Do top. *Rodésia + -ano.*]

rodete[1] (ro.*de*.te) [ê] *sm.* **1** *Têxt.* Carrinho de madeira onde se doba o fio da meada da seda **2** Roda pequena, rodela **3** Cilindro denticulado para ralar a mandioca; CAITITU [Dim. irreg. de roda.] [F.: *rodo + -ete.*]

rodete[2] (ro.de.te.) [ê] *sm.* Pequeno rodo [F.: *rodo + -ete.*]

rodilha (ro.*di*.lha) *sf.* **1** Pedaço de pano velho us. para limpeza; ESFREGÃO **2** Pano enrolado que se põe entre a cabeça e a carga que se quer transportar **3** *Fig.* Pessoa desprezível, que se presta a qualquer serviço **4** *RS* Voltas feitas junto à armada do laço que se vai manejar [F.: Do espn. *rodilla.* Hom./Par.: *rodilha* (sf.), *rodilha* (fl. de *rodilhar*).]

rodinha (ro.*di*.nha) *sf.* **1** Pequena roda **2** Igrejinha, panelinha **3** *Bras. Pirot.* Peça pirotécnica que gira quando acesa [F.: *roda + -inha.*] **∎ Queimar ~** *PE Chulo* Ser pederasta passivo

ródio[1] (*ró*.di:o) *a.* **1** Ref. ou inerente a, ou pertencente a Rodes, ilha grega no mar Egeu **2** Típico da ilha de Rodes ou de seu povo **3** *Ret.* Diz-se do estilo moderado, pouco palavroso, que teve origem na Ilha de Rodes *sm.* **4** Natural ou que vive em Rodes **5** *Ret.* Estilo moderado de falar e se pronunciar, originário de Rodes [F.: Do lat. *rhodii, iorum.* Sin. ger.: *rodiense.*]

ródio[2] (*ró*.di:o) *sm. Quím.* Elemento metálico, duro e branco, peso atômico 102,91, número atômico 45; us. em ligas com platina, instrumentos de óptica, contatos elétricos etc. [Símb.: *Rh.*] [F.: Do lat. cient. *Rhodium.*]

rodízio (ro.*dí*.zi:o) *sm.* **1** Rodinha colocada nos pés de alguns móveis para movimentá-los com facilidade **2** Revezamento de pessoas em trabalhos ou atividades; ROTATIVIDADE **3** *Bras.* Sistema de serviço us. em restaurantes no qual são oferecidos sucessivamente diversos pratos, que podem ser consumidos à vontade **4** Haste de madeira grossa e cônica presa ao chão e que se comunica à roda do moinho **5** Borboleta, roleta, catraca **6** *Pop.* Intriga, fofoca **7** Cambalacho [F.: Alter. do lat. *rodício*, este do lat. vulg. *roticinus.*]

◎ **rod(o)-**[1] *el. comp.* = 'rosa'; 'de ou em tom róseo': *rodocrosita* (< al.), *rododáctilo* (< gr.), *rododendro* (< gr.), *rodologia, rodonita, rodopsina* [F.: Do gr. *rhódon, ou.*]

◎ **rod(o)-**[2] *el. comp.* = 'estrada de rodagem'; 'do ou conexo com o transporte feito por veículos': *rodovia, rodoviária, rodoviário, rodoferroviário, rodomoça* [F.: De *rod(agem)* (de *rodar* ou do fr. *rodage*, ambos conexos com o lat. *rota, ae*, 'roda') + *-o-*, ou de *rodo(via)*, seu derivado.]

rodo (ro.do) [ô] *sm.* **1** Utensílio composto de um cabo longo com borracha na base, us. para puxar água de lugares molhados **2** Tipo de enxada de madeira us. para juntar os cereais nas eiras e o sal nas marinhas **3** Utensílio de madeira com que se retira a cinza do forno **4** Utensílio análogo, para recolher as fichas em certas mesas de jogo **5** *Mec.* Cambolo dos cilindros das máquinas a vapor [F.: Do lat. *rutrum, i.* Hom./Par.: *rodo* (sm.), *rodo* (fl. de *rodar*).] **∎ A ~** Em grande quantidade (diz-se ger. de dinheiro): *Ganhou dinheiro a rodo.*

rodoanel (ro.do:a.*nel*) *sm. Rod.* Rodovia de grande extensão, de forma circular, que ger. circunda as grandes cidades; MARGINAL [Pl.: *-néis.*] [F.: *rod(o)-*[2] *+ anel.*]

rodocrosita (ro.do.cro.*si*.ta) *sf. Min.* Mineral de cor rósea, essencialmente carbonato de manganês, isomorfo com calcita e siderita, us. na indústria química e na fabricação de objetos ornamentais; DIALOGITA; ESPATO DE MANGANÊS [F.: Do al. *Rhodochrosit.*]

rododáctilo (ro.do.*dác*.ti.lo) *a.* **1** *Ent.* Diz-se do inseto de asas digitiformes e cor-de-rosa **2** *Poét.* De tom róseo (aurora rododáctila) [F.: Do gr. *rhodadáktilos, os, on.*]

rododendro (ro.do.*den*.dro) *sm. Bot.* Nome comum às árvores e arbustos do gên. *Rhododendron*, da fam. das ericáceas, originários do hemisfério norte, com centenas de espécies, variedades e híbridos cultivados para ornamentação, mais conhecidos como azaléa, como, p. ex., *Rhododendron indicum*, natural do Japão; AZALEIA: "...um jardim que no verão teria sido amável, com seus (...) maciços de tuias e rododendros..." (Guimarães Rosa, *Ave, palavra!*) [F.: Do lat. cient. *Rhododendron*, do gr. *rhodódendron, ou.*]

rodoferroviário (ro.do.fer.ro.vi.*á*.rio) *a.* Diz-se dos serviços de transportes conjugados de ferrovia e rodovia, utilizando trens, cargueiros e caminhões [F.: *rod(o)-*[2] *+ ferroviário.*]

rodofícea (ro.do.*fí*.ce:a) *sf. Bot.* Espécime das rodofíceas, classe de algas multicelulares, na maioria marinhas, de coloração rosada e violácea, importantes na formação dos recifes [F.: Adapt. do lat. cient. *Rhodophyceae.*]

rodofíceo (ro.do.*fí*.ce:o) *a. Bot.* Ref. ou pertencente às rodofíceas [F.: De *rodofícea*, com var. do suf; ver *-áceo.*]

rodoleiro (ro.do.*lei*.ro) *a.* **1** *Ent.* Diz-se de um tipo de carrapato *sm.* **2** *Ent.* Espécie de carrapato, do gên. *Amblyomma*, provido de um escudo dorsal; CARRAPATO-ESTRELA [F.: *rodol- + -eiro.*]

rodolfino (ro.dol.*fi*.no) *a. Astron.* Diz-se das tabelas de cálculo astronômico que o astrônomo alemão Johann Kepler (1571-1630) dedicou ao imperador Rodolfo II da Áustria [F.: Do antr. *Rodolfo + -ino.*]

rodologia (ro.do.lo.*gi*.a) *sf. Bot.* Parte da botânica que estuda as rosas [F.: *rod(o)-*[1] *+ -logia.*]

rodológico (ro.do.*ló*.gi.co) *a. Bot.* Ref. a rodologia [F.: *rodologia + -ico*[2].]

rodomoça (ro.do.*mo*.ça) [ô] *sf. Bras.* Funcionária que atende os passageiros dos ônibus, esp. nas viagens interestaduais [F.: *rod(o)-*[2] + *moça*.]

rodomoço (ro.do.*mo*.ço) [ô] *sm. Bras.* Comissário de bordo para passageiros de ônibus, ger. nas linhas de grandes distâncias [F.: *rod(o)-*[2] + *moço*. Cf.: *rodomoça*.]

rodonita (ro.do.*ni*.ta) *sf. Min.* Silicato de manganês com ferro, magnésio e cálcio triclínico, cristalino e cor-de-rosa, us. como pedra ornamental e na obtenção de manganês; MANGANOLITA [F.: Do al. *Rhodonit*.]

rodopelo (ro.do.*pe*.lo) [ê] *sm.* Remoinho de pelo nos animais; REDOPELO; RODOPIO [F.: *roda-* + *pelo*.]

rodopiante (ro.do.pi.*an*.te) *a2g.* Que rodopia (energia rodopiante): "Rojou-se em cheio no chão, rebolando-se no pó... num furor rodopiante." (Virgílio Várzea, *Histórias rústicas*) [F.: *rodopiar* + *-nte*.]

rodopiar (ro.do.pi.*ar*) *v. int.* **1** Dar muitos giros; GIRAR: "Ouvia-se tocar uma valsa... Totonho Bernardino e a Milu passavam... rodopiando." (Inglês de Sousa, *O missionário*) **2** Movimentar-se em círculos, como um redemoinho: "A peteca não divertia mais... caindo a rodopiar sobre o cocar de penas?" (Raul Pompeia, *O Ateneu*) [▶ **1 rodopiar**] [F.: *corrupio* + *-ar*[2], com influência de *roda*. Hom./Par.: *rodopio* (fl.), *rodopio* (sm.).]

rodopio (ro.do.*pi*:o) *sm.* **1** Ação ou resultado de rodopiar **2** Rodopelo [F.: Dev. de *rodopiar*. Hom./Par.: *rodopio* (sm.), *rodopio* (fl. de *rodopiar*).]

rodopsina (ro.dop.*si*.na) *sf. Fisl.* Cromoproteína presente nos bastonetes retinianos, essencial na adaptação da visão ao ambiente escuro [F.: *rod(o)-*[1] + *-ops(i)-* + *-ina*[2].]

rodotrem (ro.do.*trem*) *sm. Rod.* Tipo de veículo rodoviário, de grande extensão, semelhante a um trem (rodotrem graneleiro/basculante) [Pl.: *-trens*.] [F.: *rod(o)-*[2] + *trem*.]

rodovalho (ro.do.*va*.lho) *sm.* **1** *Ict.* Denominação a vários peixes, aparentados aos linguados, da família dos botídeos, entre eles o *Scophthalmus maximus*, o *Scophthalmus rhombus*, o *Rhombus punctatuae*, e da família dos pleuronectos, como o *Paralichthys brasiliensis* **2** *Lus. Pop.* Homem grosso e baixo [F.: De or. duvidosa, provavelmente do cast. *rodoballo*.]

rodovia (ro.do.*vi*.a) *sf. Bras.* Via ou estrada para tráfego de automóveis; estrada de rodagem [F.: *rod(o)-*[2] + *via*.]

rodoviária (ro.do.vi:*á*.ri:a) *sf.* Terminal para embarque e desembarque em ônibus interurbanos, interestaduais ou internacionais; estação rodoviária [F.: Fem. substv. de *rodoviário*.]

rodoviário (ro.do.vi:*á*.ri:o) *a.* **1** Ref. a rodovia (mapa rodoviário) *sm.* **2** Empregado de empresa rodoviária [F.: *rodovia* + *-ário*.]

rodriguiano (ro.dri.gui:*a*.no) *Liter. Teat. a.* **1** Que diz respeito ao dramaturgo brasileiro Nélson Rodrigues (1912-1980) ou a sua obra (estilo/personagem rodriguiano) **2** Diz-se de quem é admirador de Nélson Rodrigues, estudioso ou grande conhecedor de sua obra *sm.* **3** Admirador e/ou profundo conhecedor da obra de Nélson Rodrigues [F.: Do antr. (Nelson) *Rodrigues* + *-ano*.]

roeção (ro.e.*ção*) *sf. Bras. Pop.* Ação de roer (roeção de paredes/de migalhas/de unhas); ROEDURA [Pl.: *-ções*.] [F.: *roer-* + *-ção*.]

roedeira (ro:e.*dei*.ra) *sf.* **1** *N. E. Vet.* Epizontia do gado bovino, que causa a queda dos chifres; MAL DOS CHIFRES **2** *Bras. Pop.* Ciúme ou desejo de posse [F.: *roer* + *-deira*.]

roedor (ro.e.*dor*) [ô] *a.* **1** Que rói, que tem o hábito de roer **2** *Fig.* Que atormenta ou inquieta: "A mesma curiosidade roedora, baixa, vil, torturava-o sem cessar." (Eça de Queirós, *O primo Basílio*) **3** Que corrói, que destrói progressivamente (tempo roedor) **4** *Zool.* Ref. aos roedores, ordem (*Rodentia*) de mamíferos à qual pertencem os ratos, os esquilos, os castores etc. **5** *Zool.* Espécime da ordem dos roedores **6** *PE Pop.* Beberrão [F.: *roer* + *-dor*.]

roedura (ro:e.*du*.ra) *sf.* **1** Ação ou resultado de roer **2** Ferida ou escoriação causada por atrito [F.: *roer* + *-dura*.]

roentgen (ro.*ent*.gen) *sm. Fís. Metrol.* Unidade internacional dos raios Roentgen ou raios X, que mede exposição a uma radiação eletromagnética equivalente a 2,58003 x 10-4 C/kg [Símb.: *R*.] [F.: Do ing. *roentgen*, deriv. do antr. (Wilhelm Conrad) *Roentgen* (físico alemão, 1845-1923).]

roer (ro.*er*) *v.* **1** Cortar, triturar com os dentes [*td.*: "...e não largava o mau vezo de roer o canto das unhas." (Adolfo Caminha, *A normalista*)] [*int.*: "...antes fosse ele rato que só roesse..." (Almeida Garrett, *O arco de Sant'ana*)] **2** Devorar ou desbastar aos poucos [*td.*: "Alguns cães rosnavam à porta, roendo os ossos que traziam lá de dentro." (Aluísio Azevedo, *O cortiço*)] **3** Atacar e destruir sucessivamente; CORROER [*td.*: "Serás como essas harpas abandonadas cujas cordas roem a umidade e a ferrugem..." (Álvares de Azevedo, *Macário*)] **4** Causar ferimento por atrito continuado; MACHUCAR; ULCERAR [*td.*: *A sandália nova roeu seu calcanhar.*] **5** Dar cabo de; pôr fim a; DESTRUIR; GASTAR [*td.*: "...um rapaz de 24 anos, que roía as primeiras aparas dos bens da mãe..." (Machado de Assis, *Quincas Borba*)] [*int.*: "...gastando o pouco que tem... ele tem alguma coisinha para roer..." (Aluísio Azevedo, *O mulato*)] **6** Fazer perder a intensidade de; CONSUMIR; ENFRAQUECER; MINAR [*td.*: "São tantas coisinhas miúdas / Roendo, comendo / Arrasando... o nosso ideal..." (Gonzaguinha, *Grito de alerta*)] **7** *Fig.* Causar ou sentir angústia, inquietação, sofrimento; ATORMENTAR(-SE); INQUIETAR(-SE) [*td.*: "Um desânimo... começou a roer-lhe a alma..." (Miguel Torga, *Senhor Ventura*)] [*tr.* + *de*: "O Carlos vai-se roer de inveja!" (Eça de Queirós, *Os Maias*)] [*int.*: "Certas dúvidas... entravam-lhe agora a roer por dentro." (Aluísio Azevedo, *O cortiço*)] **8** *Fig.* Falar mal de alguém; MURMURAR [*td.*: *Maldoso, gosta de roer quaisquer pessoas.*] [*int.*: *Difamador, diverte-se a roer.*] **9** *Bras. N.E. Pop.* Ficar embriagado; EMBRIAGAR-SE [*int.*: *Está sempre nos bares roendo.*] [▶ **36 roer**] [F.: Do v.lat. *rodere*. Hom./Par.: *roído* (fl.), *roído* (a.), *ruído* (sm.); *roía* (fl.), *ruía* (fl. de *ruir*); *roías* (fl.), *ruías* (fl. de *ruir*).] ▪ **Duro de ~** *Fam.* Difícil de fazer (tarefa etc.) ou de suportar (algo ou alguém): *Que exame duro de roer!; Esse meu time é duro de roer, cada jogo é um sofrimento.*

rofo (*ro*.fo) [ô] *a.* **1** Diz-se de que é áspero, rugoso **2** Cheio de rugas; ENGELHADO **3** Sem brilho, despolido ou de aspecto embaciado (vidro rofo); FOSCO: "Olha estes fartos troncos/ luzidios uns, rofos outros..." (Alberto de Oliveira, *Poesias*) *sm.* **4** Aspereza, prega ou ruga numa superfície [F.: Do lat. *rujus, a, um*.]

rogação (ro.ga.*ção*) *sf.* **1** Ação de rogar; ROGO; SÚPLICA **2** Na Roma antiga, projeto de lei que se apresentava ao povo, pedindo-se-lhe que o aprovasse **3** *Litu.* Preces públicas e ladainhas a todos os santos durante os três dias que precedem a Ascensão para pedir boa colheita e proteção contra calamidades [Pl.: *-ções*.] [F.: Do lat. *rogatio, onis*.]

rogado (ro.*ga*.do) *a.* **1** Que se rogou; INSTADO **2** A quem se dirigem rogos **3** *Jur.* Diz-se da autoridade judicial a quem se encaminhou carta rogatória [F.: Do lat. *rogatus, a, um*.]

rogar (ro.*gar*) *v.* **1** Pedir com insistência e humildade; fazer súplica(s); IMPLORAR; SUPLICAR [*td.*: "Eu fui o culpado, rogo o seu perdão." (Tim Maia, *Réu confesso*)] [*tdi.* + *a*: *Rogou a Deus que o curasse.*] [*tr.* + *por*: "Ave-maria / Dos seus andores / Rogai por nós..." (Vicente Paiva e Jaime Redondo, *Ave-Maria*)] [*int.*: "E todos os meus nervos estão a rogar..." (Chico Buarque, *O que será (À flor da pele)*)] **2** Pedir com urgência e de forma insistente; CLAMAR; EXORTAR [*tdi.* + *a*: *Roguemos aos governantes que cuidem do nosso povo.*] [*tr.* + *por*: *A assembleia rogou por paz e concórdia.*] [▶ **14 rogar**] [F.: Do v.lat. *rogare*. Hom./Par.: *rogo* (fl.), *rogo* [ô] (sm.). NOTA: Nas f. rizotônicas, apresenta o *o* aberto [ó] no radical [*rogas*].]

rogativa (ro.ga.*ti*.va) *sf.* Rogo, súplica, rogatória [F.: Fem. substv. de *rogativo*.]

rogativo (ro.ga.*ti*.vo) *a.* Que roga; SUPLICANTE [F.: *rogar* + *-tivo*.]

rogatória (ro.ga.*tó*.ri:a) *sf.* **1** Rogativa **2** *Jur.* Ato pelo qual a autoridade judiciária de um país solicita à de outro país o cumprimento de ato processual no território deste **3** Documento que formaliza tal solicitação; carta rogatória [F.: Fem. substv. de *rogatório*.]

rogo (*ro*.go) [ô] *sm.* **1** Ação ou resultado de rogar; SÚPLICA; ROGATIVA **2** Prece, oração, reza **3** *Ant.* Antigo tributo equivalente à jeira [Pl.: [ó].] [F.: Dev. de *rogar*. Hom./Par.: *rogo* (sm.), *rogo* (fl. de *rogar*).]

roído (ro.*í*.do) *a.* **1** Que se roeu (queijo roído) *a.* **2** Corroído, sulcado: "Nádegas roídas pelo azorrague." (Júlio Ribeiro, *Cartas sertanejas*) **3** *PE Pop.* Bêbado, embriagado [F.: Part. de *roer*. Hom./Par.: *roído* (a.), *ruído* (sm.).]

rojão (ro.*jão*) *sm.* **1** *Pirot.* Fogo de artifício formado por tubo de papelão com pólvora, pavio e punho; FOGUETE **2** *Fig.* Ritmo de vida intenso e agitado: "...é no rojão de inverno a verão." (José Américo de Almeida, *A bagaceira*) **3** *Bras. N. E. Mús.* Tipo de baião **4** Rojo: "E a rojões, rolantes pelos pendores, subindo, descendo, atacando, fugindo..." (Euclides da Cunha, *Os sertões*) **5** *Pop. Mús.* Toque arrastado ou rasgado de viola **6** *Bras.* Passo de cavalo (ou outro animal) quando cavalgado **7** Marcha mais ou menos forçada [Pl.: *-jões*.] [F.: *rojar* + *-ão*[3].] ▪ **Aguentar/segurar o ~** *Bras. Pop.* Resistir com firmeza e determinação numa situação difícil ou penosa; aguentar a barra

rojar (ro.*jar*) *v.* **1** Movimentar (algo) arrastando [*td.*: *Os presos rojavam as correntes, exaustos.*] **2** Jogar com força à distância; ARREMESSAR; LANÇAR [*td.*: *Os garotos rojavam pedras.*] [*tdi.* + *em*: *Rojaram-lhes [nos mendigos] paus.*] **3** Deslizar rastejando; RASTEJAR [*int.*: *Cobras rojavam entre os arbustos; Os soldados rojavam com cuidado.*] **4** Caminhar com passos incertos, com dificuldade [*int.*: *A neve fazia-o rojar.*] **5** Tocar de raspão, de leve; ROÇAR [*ta.*: *O longo véu da noiva rojava pelo chão da capela.*] [▶ **1 rojar**] [F.: De *arrojar*, com aférese. Hom./Par.: *rojo* (fl.), *rojo* [ô] (sm.).]

rojo (*ro*.jo) [ô] *sm.* **1** Ação ou resultado de rojar(-se); ROJÃO **2** Som produzido por um corpo que se arrasta ou se arremessa **3** Movimento do que anda de rastos; ROJÃO; ARRASTÃO **4** O som produzido pelo que roja ou se roja [F.: Dev. de *rojar*. Hom./Par.: *rojo* (sm.), *rojo* (fl. de *rojar*).] ▪ **De ~** **1** De rastos **2** Subitamente, repentinamente

rol [ó] *sm.* **1** Lista, relação, listagem de coisas ou pessoas (rol de roupas/de testemunhas) **2** Certo número ou série de pessoas ou de coisas: *o rol dos ignorantes.* [Pl.: *róis*.] [F.: Do fr. *rôle*.] ▪ **A ~** Com todos os detalhes (do que está escrito numa lista) **Cair no ~ do esquecimento** Ser esquecido, sumir da memória **Cair no ~ dos esquecidos** Ver *Cair no rol do esquecimento*

rola (*ro*.la) [ô] *sf.* **1** *Ornit.* Nome comum a várias aves da fam. dos columbídeos, semelhantes a uma pomba pequena **2** *Bras. N. N.E. MG RJ Tabu.* O pênis [F.: De or. onom. Hom./Par.: *rola* (sf.), *rola* (fl. de *rolar*).]

rola-bosta (ro.la-*bos*.ta) *sm. Bras. Zool.* Ver *escaravelho* [Pl.: *rola-bostas*.] [F.: Fl. de *rolar* + *bosta*.]

rolado (ro.*la*.do) *a.* **1** Que (se) rolou **2** Diz-se do mar encrespado, encarneirado, com grandes ondas; ENCAPELADO [F.: Part. de *rolar*.]

rolagem (ro.*la*.gem) *sf.* **1** Ação ou resultado de rolar **2** *Bras. Fig.* Negociação para adiar um pagamento atrasado: *rolagem de uma dívida.* **3** *Agr.* Operação de triturar os torrões que a grade do arado não partiu, comprimindo-se o terreno para lhe conservar a umidade [Pl.: *-gens*.] [F.: *rolar*[1] + *-agem*[2].]

rolamento (ro.la.*men*.to) *sm.* **1** Ação ou resultado de rolar[1] **2** *Mec.* Mecanismo para facilitar a rotação de uma peça e reduzir o atrito; ROLIMÃ **3** Tráfego de veículos (faixa de rolamento) [F.: *rolar*[1] + *-mento*.]

rolândico (ro.*lân*.di.co) *a. Anat.* Diz-se do sulco que separa as circunvoluções parietal ascendente e parietal descendente e ao longo de cuja borda anterior estão os principais centros motores (região rolândica) [F.: Do antr. (Luigi) *Rolando* (anatomista italiano, 1773-1831) + *-ico*[2].]

rolante (ro.lan.te) *a2g.* Que rola, que se move girando sobre si mesmo (esteira/escada rolante) [F.: *rolar*[1] + *-nte*.]

rolão[1] (ro.*lão*) *sm.* **1** Rolo grande **2** Grande onda ou vagalhão **3** Rolo de madeira que se coloca sob grandes fardos ou pedras, a fim de rolá-los mais facilmente **4** A parte mais grossa da farinha de trigo que se separa do trigo moído por meio de peneira e com a qual se faz o pão **5** *Lus. Cul.* Papa feita com farinha de milho moído grosso, cozida em água e sal, que acompanha o guisado de carneiro ou galinha **6** *Bras. Ict.* Robalo (*Centropomus undecimalis*) [Pl.: *-lões*.] [F.: *rolo* + *-ão*.]

rolão[2] (ro.*lão*) *sm. Zool.* Grande rola acinzentada, de carne saborosa [Pl.: *-lões*.] [F.: *rola* + *-ão*[1].]

rolar[1] (ro.*lar*) *v.* **1** Fazer girar [*td.*: "...um homem ventrudo que... rolava o chapéu nas mãos." (João do Rio, *Dentro da noite*)] **2** Movimentar (algo) ou movimentar-se, dando voltas ou giros sobre si mesmo [*td.*: "...as mulheres... rolavam as tinas..." (Aluísio Azevedo, *O cortiço*)] [*ta.*: "José chorou, gritou, esperneou, rolou pelo chão com raiva." (Franklin Távora, *O Cabeleira*)] **3** Cair do alto, revolteando ou dando voltas [*ta.*: "Dir-se-ia que alguma rocha... tinha-se desprendido... e... rolava surdamente pelas encostas." (José de Alencar, *Cinco minutos*)] [*int.*: "João Numa, ..., ao descer a escada, rolou, partindo os óculos na pedra." (Raul Pompeia, *O ateneu*)] [*td.*: "Rolara vinte degraus e partira a cabeça em dois lugares." (Aluísio Azevedo, *Casa de pensão*)] **4** Brotar ou correr (líquido); FLUIR [*ta.*: "Pelas faces dela, ..., rolavam fios de lágrimas." (Álvares de Azevedo, *Noite na taverna*): "Antes da derradeira lágrima rolar..." (Eduardo Gudin e Paulo César Pinheiro, *Chorei*)] [*int.*] **5** Mover-se sobre rodas; RODAR [*ta.*: "...tílburi que rolava... na terra úmida da praia." (Machado de Assis, *A mão e a luva*); "...uma carroça passava rolando..." (Eça de Queirós, *O crime do pe. Amaro*)] [*int.*] **6** Produzir som; ECOAR; RESSOAR [*ta.*: "...o surdo trovão crescia e vinha rolando das profundezas da floresta..." (José de Alencar, *Til*); "A sua voz cava e larga rolava infindavelmente." (Eça de Queirós, *A relíquia*); "...uma gargalhada estrepitosa rolou pelas quebradas da serra..." (José de Alencar, *Sonhos d'ouro*)] [*int.*] **7** Virar(-se) muitas vezes; REVOLVER(-SE) [*ta.*: "...eu rolava na cama sobre um tormento de lascas cortantes." (Raul Pompeia, *O Ateneu*); "...eu atirava-me à cama, e rolava comigo..." (Machado de Assis, *Dom Casmurro*)] [*tr.* + *com*] **8** Mexer de um lado para outro; REBOLAR; REQUEBRAR [*int.*] **9** Atracar-se em luta corporal; ENGALFINHAR-SE [*int.*: *Discutiram e rolaram como duas crianças.*] [*tr.* + *com*: *Ofendido, rolou com o vizinho.*] **10** *Bras. Fig.* Adiar pagamento prometido ou comprometido [*td.*: "Os juros são elevados porque lá na base tem uma coisa chamada setor público que precisa rolar uma dívida monstruosa." ("Todos os ônus do presidente", *Jornal da Unicamp*, 19 a 25. 08. 2002)] **11** *Bras. Gír.* Acontecer, ocorrer, realizar-se (fato, evento) [*int.*: "Avisou... / Que vai rolar a festa / ... Vai rolar." (Ivete Sangalo, *Festa*)] **12** *Bras. Pop.* Ser oferecido ou ingerido bastante [*int.*: *Na festa, só rolou vinho.*] **13** Decorrer (período de tempo); PASSAR; TRANSCORRER [*int.*: *Um ano rolou desde que o conheci.*] **14** Tornar(-se) público; ESPALHAR(-SE); PROPALAR(-SE) [*td.*: *A moça rolava toda a sua dor para amenizá-la.*] [*tdr.* + *a, para*: *Precisava rolar suas intenções aos presentes.*] [*int.*: "Cascatas de ideias, de invenções, de concessões rolavam todos os dias... para se fazerem contos de réis..." (Machado de Assis, *Esaú e Jacó*)] **15** Andar, caminhar sem rumo; PERAMBULAR [*ta.*: "Muito tempo rolei assim pela cidade..." (Eça de Queirós, *O mandarim*)] **16** Mover-se (águas de mar, rio) para frente [*int.*: "Rolam as águas num sentido oposto à costa." (Euclides da Cunha, *Os sertões*)] **17** Vir à lembrança; elaborar raciocínios; OCORRER; SURGIR [*int.*: "Que ideia rola no teu cérebro inflamado, meu poeta...?" (Álvares de Azevedo, *Macário*)] [▶ **1 rolar** NOTA: Nas formas rizotônicas, apresenta o *o* aberto [ó] no radical (*rolas, rolem*).] [F.: Do fr. *rouler*. Hom./Par.: *rola(s)*, *rola(s)* [ô] (sf. [pl.]); *rolo* (fl.), *rolo* [ô] (sm.).] ▪ **~ de rir** Rir muito, intensamente, com gosto ou por muito tempo, esp. dando gargalhadas

rolar[2] (ro.*lar*) *v. td. int.* Ver *arrulhar* [▶ **1 rolar** Ver *rolar*[1].] [F.: *rola* + *-ar*[2].]

roldana (rol.*da*.na) *sf. Mec.* Maquinismo us. para erguer pesos, formado por um anel que gira em torno de um eixo central, e por cuja circunferência canelada passa uma corda, uma correia etc. [F.: Do ant. cat. *rotlana*.]

roldão (rol.*dão*) *sm.* **1** Bagunça, confusão: "Trecheio, aquilo rodou, encarniçados, roldão de tal, dobravam para fora e para dentro..." (Guimarães Rosa, *Grande sertão: veredas*) **2** Atiramento, precipitação [Pl.: *-dões*.] [F.: Do fr. ant. *rondon*.] ▪ **De ~** **1** Com ímpeto e tumulto; com agressividade, energia e agitação, superando obstáculos ou resistência; num só movimento ou ação que afeta muitas coisas ou pessoas de uma vez **2** (Arrastado, abalado, desfeito) por ação de algo impetuoso (como fortes ondas, ventos, enxurrada) ou, *fig.*, como resultado de uma sucessão de acontecimentos ou transformações **Levar de ~** Derrubar, destruir, desfazer, abalar, arrastar ou atropelar (várias coisas ou pessoas, de uma vez), num movimento enérgico e impetuoso [Tb. *Fig.*: *A crise econômica levou de roldão a paz e a fortuna da antiga família.*]

rolé (ro.*lé*) *sm. Bras. Gír.* Pequeno passeio; VOLTA [Us. apenas na loc. 'dar um rolé'.] [F.: De or. obsc., provavelmente de *rolê*.] ■ **Dar um ~** *Bras. Gír.* Fazer um passeio curto, dar uma volta

rolê (ro.*lê*) *a.* **1** Diz-se de qualquer coisa em forma de rolo; ENROLADO **2** *Cul.* Diz-se de bife enrolado (bife rolê) *sm.* **3** *Bras. Cap.* Movimento que o capoeirista executa agachado, de costas para o adversário, com o apoio das mãos e dos pés, para deslocar-se pelo chão **4** *Cul.* Bife enrolado [F.: Do fr. *roulé*.] ■ **~ de mergulho** *Cap.* Rolê (3) com o corpo junto ao chão

roleira (ro.*lei*.ra) *sf.* Palmatória ou castiçal pequeno e com alça onde se põe o rolo ou pavio de cera para acender [F.: *rolo* + *-eira*.]

roleta (ro.*le*.ta) [ê] *sf.* **1** *Lud.* Jogo de azar no qual o número sorteado é mostrado por uma bolinha que para em uma das casas numeradas de uma roda que gira **2** Essa roda **3** Mecanismo us. em ônibus, estádios etc., para contagem do número de pessoas que entram; CATRACA; BORBOLETA **4** *Pop.* Rumor, boato **5** *Grav.* Instrumento provido de um disco de metal dentado com o qual os gravadores dão um efeito de relevo aos seus trabalhos [F.: Do fr. *roulette*. Hom./Par.: *roleta* (sf.), *roleta* (fl. de *roletar*).]

roleta-paulista (ro.le.ta-pau.*lis*.ta) *sf. Bras.* Bravata ou disputa ilícita que consiste em dirigir automóvel em alta velocidade, atravessando os cruzamentos sem atender aos sinais de trânsito e à sinalização das ruas [Pl.: *roletas-paulistas*.] [F.: *roleta* + *paulista*.]

roletar¹ (ro.le.*tar*) *v. td.* Fazer roletes a partir do corte de (caule, tronco) [▶ 1 roletar] [F.: *rolete* + *-ar²*. Hom./Par.: *roleta(s)* (fl.), *roleta* /ê/ (sf. [e pl.]), *rolete(s)* (fl.), *rolete* /ê/ (sm. [e pl.]).]

roletar² (ro.le.*tar*) *v.* **1** Disputar prova de roleta-paulista [*int.*: *É um perigo, essa turma que roleta nas ruas de madrugada.*] **2** Avançar (sinal) em alta velocidade, em disputa de roleta-paulista, ou como se nela estando [*td.*: *Numa corrida louca, roletava sinais e fazia curvas derrapando nas quatro rodas.*] [F.: *roleta (-paulista)* + *-ar²*.]

roleta-russa (ro.le.ta-*rus*.sa) *sf.* Fanfarrice suicida ou exibição insensata e inconsequente de coragem, que consiste em girar o tambor de um revólver com apenas uma bala, posicionar a arma contra si e puxar o gatilho, correndo o risco de ser atingido [Pl.: *roletas-russas*.] [F.: *roleta* + *russa*.]

rolete (ro.*le*.te) [ê] *sm.* **1** Rolo pequeno **2** A parte da cana compreendida entre dois nós consecutivos; ENTRENÓ **3** *Bras.* Rodela de cana-de-açúcar descascada **4** Instrumento us. pelos chapeleiros para dar forma ao fundo dos chapéus **5** Peça que serve como suporte do rolo de papel higiênico [F.: *rolo* + *-ete*. Hom./Par.: *rolete* (sm.), *rolete* (fl. de *roletar*).]

rolha (*ro*.lha) [ô] *sf.* **1** Aquilo que serve para tampar algo **2** Peça cilíndrica de cortiça, vidro, plástico etc. us. para tapar o gargalo de garrafas, frascos **3** *Fig.* Imposição de silêncio; CENSURA: "Disse-lho na cara, porque a lei das rolhas já lá vai..." (Eça de Queirós, *O crime do padre Amaro*) **4** *Pop.* Pessoa astuta, ardilosa **5** *Pop.* Sujeito de má fama; PATIFE [F.: Do lat. *rotula, ae*. Hom./Par.: *rolha* (sf.), *rolha* (fl. de *rolhar*).]

roliço (ro.*li*.ço) *a.* **1** Que tem forma de rolo; REDONDO; CILÍNDRICO **2** Carnudo, gordo, arredondado (corpo roliço; cintura roliça) [F.: *rolo* + *-iço*.]

rolimã (ro.li.*mã*) *sm.* **1** *Bras.* O mesmo que *rolamento* (2) **2** Carrinho de madeira, formado por uma tábua sobre rodinhas com bilhas [F.: Do fr. *roulement*.]

rolinha (ro.*li*.nha) *sf.* **1** *Bras. Zool.* Rola-pequena **2** *Zool.* Ver *rola* **3** *PE* Certa dança popular, cantada [F.: *rola* + *-inha*.]

rolinha-cascavel (ro.li.nha-cas.ca.*vel*) *sf. Bras. Zool.* Fogo-apagou (*Scardafella squammata*) [Pl.: *rolinhas-cascavéis* e *rolinhas-cascavel*.] [F.: *rolinha* + *cascavel*.]

rolo (*ro*.lo) [ô] *sm.* **1** Qualquer objeto cilíndrico e alongado **2** O mesmo que *rolo compressor*. **3** Cilindro pequeno com cabo, revestido de lã, próprio para pintar superfícies planas **4** Almofada de forma cilíndrica **5** Papel, embrulho, volume etc., em forma de rolo (1) **6** Grande onda; VAGALHÃO **7** Massa de fumaça ou pó que aparenta a forma cilíndrica **8** *Bras. Pop.* Confusão, tumulto, bagunça **9** *Fig.* Aglomeração, multidão **10** *Bras. Gír.* Situação complicada e perigosa; ENCRENCA **11** Cilindro de madeira usado para dar forma à massa de pastel **12** Bóbi **13** *Bras. Pop.* Transação comercial ou de troca **14** *Bras. Gír.* Barra de ferro usada em arrombamentos (esp. de cofres) por ladrões **15** Cilindro de borracha dura que serve para prender e apoiar o papel nas máquinas de escrever **16** *Tip.* Cilindro com uma composição especial para receber a tinta e que depois se aplica sobre os tipos rolando-o sobre eles [F.: Do lat. *rotulus, i*. Hom./Par.: *rolo* (sm.), *rolo* (fl. de *rolar*).] ■ **~ compressor 1** Máquina rebocada ou automotiva que não se desloca sobre rodas, mas sobre grandes e pesados rolos, us. para comprimir e compactar solos e revestimento de ruas, estradas etc. **2** *Fig.* Aquilo ou aquele que avança ou progride sem ser detido, como que anulando por igual tudo que se lhe interpõe, qualquer resistência ou competidor ou adversário: *O ataque desse time é um rolo compressor; Ela é um rolo compressor, trabalha em ritmo alucinante e faz os outros trabalharem também.* **3** *Fig.* (Ação de) pessoa ou grupo que anula sistematicamente a oposição de outros, especialmente como forma de preparar o avanço ou atuação de alguém: *O rolo compressor do governo no Congresso.* [i. e., os deputados governistas, que garantem aprovação das medidas governamentais com um mínimo de concessões ou negociação com a oposição.] **~ de pastel** Utensílio cilíndrico de madeira, us. para estender massa (5)

rolo-faca (ro.lo-*fa*.ca) *sm.* Instrumento us. para cortar ou picar plantas: *Desbastou o mato com rolo-faca.* [Pl.: *rolos-facas*.] [F.: *rolo* + *faca*.]

⊠ **ROM** *Inf.* Sigla do ing. *Read-Only Memory*, memória só para leitura, que não pode ser modificada pelo usuário (não volátil)

romã (ro.*mã*) *sf.* **1** *Bot.* Fruto da romãzeira, cujo interior é dividido em muitas cavidades contendo sementes, cada uma envolta em polpa agridoce comestível **2** *Bot.* Romãzeira **3** *Náut.* A parte mais encorpada do mastro ou mastaréu, onde assentam os suportes do cesto da gávea [F.: Do lat. *romana*.]

romagem (ro.*ma*.gem) *sf.* **1** Peregrinação devota a ermida, igreja, capela ou a algum lugar santo; ROMARIA **2** *Fig.* Passeio ou viagem feita para recreio ou instrução **3** *Fig.* Caminho percorrido ao longo do tempo; passagem dos anos [Pl.: *-gens*.] [F.: Do provç. *romeatge*, 'peregrinação a Roma'.]

romança (ro.*man*.ça) *sf.* **1** *Mús.* Pequena canção ger. curta, para canto e piano, em tom sentimental e melodioso, típica do séc. XIX **2** *Liter. Poét.* Nos sécs. XII e XIII, poema em língua românica, em oposição aos escritos em latim, narrando feitos históricos ou aventuras galantes, ou por vezes em tom de sátira; ROMANCE [F.: Do it. *romanza*.]

romance (ro.*man*.ce) *sm.* **1** *Liter.* Gênero literário em prosa, mais extenso que o conto e a novela, no qual se contam histórias fictícias ou inspiradas na vida real e centradas em um enredo, na análise das personagens ou no exame de situações: "...passava os seus dias lendo romances..." (Eça de Queirós, *O crime do padre Amaro*) [Col.: romançaria, romançada.] **2** *P. ext.* Descrição fantasiosa ou exagerada de um acontecimento: *Conte-me o que houve, mas sem fazer romance.* **3** *Bras.* Caso de amor; NAMORO: *Iniciaram um romance assim que se conheceram.* **4** *Bras. N. E. Liter.* Folheto em versos da literatura de cordel **5** *Gloss.* Língua românica; ROMÂNICO [F.: Do lat. tardio *romanice* (adv.).] ■ **Fazer ~** *Bras. Irôn.* Exagerar numa história, ao relatar situações ou problemas etc. **~ de capa e espada** *Liter.* Aquele que conta as aventuras de espadachins **~ de cavalaria** *Liter.* Aquele que narra histórias de cavaleiros andantes e suas proezas **~ de costumes** *Liter.* Aquele que descreve os hábitos, os interesses, a cultura, a mentalidade de uma época, de um grupo social etc. **~ de folhetim 1** *Liter.* Romance que narra aventuras, histórias de amor etc., em episódios publicados na imprensa **2** *P. ext. Pej.* Romance de poucas pretensões literárias, sobre tema banal **~ epistolar** *Liter.* Aquele cujos eventos são narrados em cartas trocadas entre personagens **~ gótico** *Liter.* Romance sobre temas e ambientes misteriosos, envolvendo crime, terror, o sobrenatural e o fantástico etc. [Esp., gênero de romance inglês do séc. XVIII.] **~ histórico** *Liter.* Aquele cujos personagens, ambientes e temas se referem a uma época histórica **~ negro** *Liter.* Romance de temática sombria, no qual personagens, ambientes e eventos apresentam-se dominados por vícios, loucura e crimes **~ pastoril** *Liter.* Gênero de romance antigo, ambientado no campo, e no qual os protagonistas são pastores **~ policial** *Liter.* Romance cujo tema é um ou mais crimes cometidos e as investigações que levam a sua solução **~ psicológico** *Liter.* Aquele centrado nas características psicológicas e emocionais de seus personagens e na complexidade das situações que vivem

romanceado (ro.man.ce.*a*.do) *a.* **1** Escrito à maneira de romance (biografia romanceada) **2** Inventado como romance [F.: Part. de *romancear*.]

romancear (ro.man.ce.*ar*) *v.* **1** Narrar em forma de romance [*td.*: "...vasculhou e romanceou o passado de Lilly Wust..." (*FolhaSP*, 01.11.1999)] **2** Escrever romance(s) [*int.*: *Era um mestre em romancear.*] **3** Fantasiar ao contar fatos, circunstâncias de [*td.*: *Romanceou tanto sua viagem que ninguém acreditou.*] **4** Despertar o interesse, chamar a atenção para fatos comuns [*td.*: *O repórter precisa, de vez em quando, romancear as ocorrências.*] **5** Inventar fatos inacreditáveis [*int.*: *Era conhecido por gostar de romancear.*] **6** Adaptar à estrutura de uma língua românica (português, francês, italiano) palavras ou expressões de outras línguas; ROMANIZAR [*td.*: *Ampliaram o vocabulário português romanceando palavras árabes.*] [▶ 13 romancear] [F.: *romance* + *-ear²*.]

romanceiro (ro.man.*cei*.ro) *sm.* **1** Conjunto de poesias e músicas que representam a literatura poética de um povo; CANCIONEIRO **2** Conjunto de romances filiados a diversas escolas literárias *a.* **3** Ref. a romance; ROMÂNTICO [F.: Do espn. *romancero* ou de *romance* + *-eiro*.]

romanche (ro.*man*.che) *Gloss. a.* **1** Do ou ref. ao dialeto suíço falado no cantão dos Grisões e que se tornou a quarta língua oficial da Suíça a partir de 1938 *sm.* **2** *Gloss.* Esse dialeto [F.: Do fr. *romanche*.]

romancista (ro.man.*cis*.ta) *s2g.* Aquele ou aquela que escreve romances [F.: *romance* + *-ista*.]

romanço (ro.*man*.ço) *sm.* **1** *Ant. Gloss. Ling.* Conjunto das línguas neolatinas; ROMANCE **2** *Liter. Poét.* Conto medieval, ger. em versos, sobre amores e aventuras heroicas de cavalaria *a.* **3** *Gloss.* Neolatino, românico (texto romanço; escrita romança) [F.: Do lat. *romanice*. Hom./Par.: *romanço* (a. sm.), *romança* (sf.).]

romando (ro.*man*.do) *sm.* **1** Aquele que nasceu ou que vive na Suíça francesa *a.* **2** Da Suíça francesa; típico desse país ou de seu povo [F.: Do fr. *romand*.]

romanear (ro.ma.ne.*ar*) *v. td.* **1** Aferir o peso com a balança dita romana **2** *P. ext.* Aferir o peso com qualquer balança [▶ 13 romanear] [F.: *roman(a)* + *-ear²*. Hom./Par.: *romaneio* (fl.), *romaneio* (sm.).]

romaneio (ro.ma.*nei*:o) *sm.* **1** *Com.* Lista da qual consta o peso, a qualidade e a quantidade de mercadorias embarcadas ou vendidas **2** *P. ext.* Qualquer relação miúda, pormenorizada de algo: "Quando chegou a hora, dei o romaneio completo: a besta, altona duns sete palmos, a pelagem cor de gema de ovo..." (Mário Palmério, *Chapadão do bugre*) [F.: Dev. de *romanear*.]

romanês (ro.ma.*nês*) *sm. Gloss. Ling.* Idioma falado pelos ciganos [F.: De or. obsc. Cf.: *romani*.]

romanesco (ro.ma.*nes*.co) [ê] *a.* **1** Que tem caráter de romance, ou do que é romântico: "Rosa Catraia é, pois, baronesa de Vilar d'Amores, título um tanto lírico e romanesco, bem ajustado às escarlates bochechas e túrgidos seios que ressumbram bestidade, saúde, alegria e lubricidade serôdia" (Camilo Castelo Branco, *Os brilhantes do brasileiro*) **2** Apaixonado, sonhador à semelhança dos heróis de romances (atitude romanesca) **3** Que é repleto de aventuras próprias do romance (história romanesca); AVENTUROSO; MARAVILHOSO **4** Que não existe realmente; FICTÍCIO; QUIMÉRICO; FABULOSO *sm.* **5** O gênero ou o caráter romântico; ROMANCISMO **6** *Lit.* Forma de criação literária direcionada, sem levar em conta a verossimilhança, para o aventuroso e o sentimental **7** Aquilo que é cativante, lírico, original [F.: Do fr. *romanesque*.]

romani (ro.*ma*.ni) *sm.* **1** *Gloss.* Língua dos ciganos da Europa Oriental, com dialetos espalhados por diversos países do mundo; ROMÂNI **2** *Ling.* Vocábulo do romani *a.* **3** Ref. ou inerente a, ou próprio do idioma romani [F.: Do cigano *romani*, 'cigano'. Sin. ger.: *cigano*; *tzigano*.]

românico (ro.*mâ*.ni.co) *sm.* **1** *Art. pl.* Estilo arquitetônico que floresceu na Europa, nos séculos XI e XII, oriundo da adaptação de formas romanas e bizantinas, e que aparece sobretudo em construções religiosas **2** *Gloss.* Família de línguas derivadas do latim (português, francês, espanhol, italiano, catalão, provençal etc.); NEOLATINO **3** *Gloss.* Qualquer variedade linguística oriunda do latim vulgar falado nas diversas regiões ocupadas pelo Império Romano em um estágio intermediário entre o latim e a língua a partir dele desenvolvida; ROMANCE **4** *Gloss.* O mesmo que *romeno* *a.* **5** *Art. pl.* Diz-se da arquitetura religiosa ou do estilo arquitetônico e ornamental predominante entre os séculos XI e XII (catedral românica; arco românico) **6** *Gloss.* Relativo às línguas neolatinas (filologia românica) **7** *Lit.* Diz-se da literatura ou obra literária de língua neolatina **8** Relativo a Roma, esp. a Roma antiga, e ao seu natural ou habitante [F.: Do lat. *romanicus, a, um*.]

romanidade (ro.ma.ni.*da*.de) *sf.* Conjunto de tudo quanto diz respeito aos antigos romanos, ao seu império e/ou a Roma antiga; LATINIDADE [F.: *roman(o)* + *-(i)dade*.]

romanista (ro.ma.*nis*.ta) *a2g.* **1** Ref. ou inerente a Roma e ao romanismo **2** Que estuda o direito, a história e as instituições da Roma antiga **3** *Ling. Liter.* Que se dedica ao estudo das línguas e literaturas românicas **4** Que se mostra partidário do papa; PAPISTA *s2g.* **5** Pessoa que estuda direito, história, filologia e outras matérias relativas à antiga civilização romana **6** *Ling.* Especialista no estudo das línguas românicas ou neolatinas **7** Partidário do papa; PAPISTA [F.: *roman(o)* + *-ista*.]

romanístico (ro.ma.*nís*.ti.co) *a.* Ref., inerente ou pertencente a romanística ou romanista (estudo romanístico) [F.: *romanist(a)* + *-ico*.]

romanizado (ro.ma.ni.*za*.do) *a.* **1** Que se romanizou; que foi objeto de romanização (povo romanizado) **2** Que se originou a partir da romanização (escrita romanizada; costumes romanizados) [F.: Part. de *romanizar*.]

romanizar (ro.ma.ni.*zar*) *v. td.* **1** Tornar semelhante a Roma, conferir ou adquirir características da civilização romana: *Nunca chegaram a romanizar toda a península.* **2** Escrever com caracteres romanos ou latinos **3** Adaptar à feição das línguas românicas; ROMANCEAR **4** Converter(-se) ao catolicismo romano [▶ 1 romanizar] [F.: *roman(o)* + *-izar*.]

romano (ro.*ma*.no) *a.* **1** De Roma, cidade da Península Itálica, sede de um dos principais Estados da Antiguidade, e a atual capital da Itália **2** Diz-se de cada um dos símbolos representativos dos números no sistema romano de numeração **3** *P. us. Gloss.* Diz-se dos idiomas derivados do latim vulgar; ROMÂNICO **4** *Arq. Art. pl.* Diz-se do estilo derivado da arte grega e helenística do séc. V ao XII, caracterizado pelas construções monumentais e pela introdução do arco na arquitetura e pelo realismo das esculturas **5** Relativo à Igreja Católica (missa romana) **6** *Tip.* Diz-se da família de tipos usados nos textos, com remates e serifas, e de formas arredondadas que o diferenciam do gótico *sm.* **7** O natural ou habitante de Roma (moderna ou antiga) **8** Algarismo romano [São os símbolos I, V, X, L, C, D e M, correspondentes, respectivamente, a 1, 5, 10, 50, 100, 500 e 1.000.] **9** *Tip.* O tipo romano **10** *P. ext.* Redondo

romanticamente (ro.man.ti.ca.*men*.te) *adv.* 1 De modo apaixonado, com lirismo 2 De uma forma irrealista ou idealista; de modo fantasioso ou sonhador: *Imaginou-se romanticamente vencedor.* 3 De uma forma que suscita ou manifesta afeto, ternura entre duas pessoas: *Jantaram romanticamente à luz de velas.* 4 De acordo com os preceitos românticos, corteses, gentis [F.: *romântica* (fem. de *romântico*) + *-mente*.]

romanticismo (ro.man.ti.*cis*.mo) *sm.* 1 Característica ou qualidade de romanesco ou romântico 2 *Liter.* Característica da literatura própria do Romantismo 3 O mesmo que *romantismo*. [F.: *romântico* + *-ismo*.]

romântico (ro.*mân*.ti.co) *a.* 1 Relativo a romance; ROMANCEIRO 2 Que tem alguma coisa de fantástico como o que se descreve nos poemas e nos romances; ROMANESCO 3 Próprio para as cenas amorosas ou romanescas (filme romântico); APAIXONADO; POÉTICO 4 Sonhador, devaneador, fantasioso 5 Diz-se de pessoa de modos cavalheirescos ou poéticos, que se eleva acima da realidade prosaica: *Embora romântico, não conseguia conquistar a moça.* 6 Diz-se dos escritores ou artistas cujas obras se afastam do estilo clássico 7 Diz-se das obras desses escritores ou artistas 8 Diz-se do que evoca o estilo ou os temas característicos do romantismo (linguagem romântica) 9 *Pej.* Piegas, excessivamente sentimental *sm.* 10 Gênero artístico ou literário do final do séc. XVIII que prega a independência das regras convencionais e o predomínio da imaginação e da sensibilidade sobre a razão 11 Partidário do romantismo 12 O que é cavalheiro ou tem caráter poético

romantismo (ro.man.*tis*.mo) *sm.* 1 Movimento artístico, literário e filosófico que se originou na Europa no séc. XVIII, caracterizado por ser uma reação ao neoclassicismo, e por dar livre curso à imaginação e às emoções 2 Qualidade de romântico ou romanesco 3 *Pej.* Comportamento do que não tem senso prático ou de realidade porque se deixa levar pelo devaneio e pela imaginação: *Seu romantismo o fazia sofrer constantes decepções.* [F.: *romântico* + *-ismo*, seg. o mod. gr. F. paral.: *romanticismo*.]

romantização (ro.man.ti.za.*ção*) *sf.* Ação ou resultado de romantizar [Pl.: *-ções*.] [F.: *romantizar* + *-ção*.]

romantizado (ro.man.ti.*za*.do) *a.* 1 Tornado romântico 2 Escrito, descrito, contado ou narrado como romance, sob forma imaginosa, ficcional 3 *Fig.* Poetizado, idealizado, fantasiado [F.: Part. de *romantizar*.]

romantizar (ro.man.ti.*zar*) *v.* 1 Dar aspecto romântico ou fantasioso a [*td.*: *Romantizava suas narrativas.*] 2 Criar narrativa romântica ou fantasiosa [*int.*: *Desprezava os fatos, preferia romantizar.*] 3 Assumir ares românticos [*int.*: *Apaixonado, sempre romantizava.*] [▶ 1 romantizar] [F.: *romântico* + *-izar*, seg. o mod. gr.]

romaria (ro.ma.*ri*:a) *sf.* 1 Peregrinação de caráter religioso a um santuário 2 Festa religiosa realizada próximo ao santuário aonde os devotos vão em peregrinação 3 Visita a local merecedor de adoração, de recordação afetiva: *Iam em romaria ao túmulo de seu ídolo.* 4 *Fig.* Ajuntamento de pessoas em jornada: *Uma romaria foi às ruas protestar.* 5 *Fig.* Multidão [F.: Do top. *Roma* + *-aria*. Hom./Par.: *romaria* (sf.), *rumaria* (fl. de *rumar*).]

romãzeira (ro.mã.*zei*.ra) *sf. Bot.* Arvoreta ou arbusto da fam. das punicáceas (*Punica granatum*), nativa da Europa e da Ásia, cultivada esp. pelo fruto, a romã, de polpa comestível; ROMÃ; ROMEIRA [F.: *romã* + *-zeira*.]

◎ **romb(i)-** *el. comp.* = 'losango, rombo': *rombifoliado, rombiforme; romboedro, rombododecaedro* [F.: Do gr. *rhómbos, ou*.]

rômbico (*rôm*.bi.co) *a.* 1 *Geom.* Que tem forma de rombo, de losango; ROMBIFORME 2 *Crist.* O mesmo que *ortorrômbico* [F.: *romb(i)-* + *-ico*².]

rombiforme (rom.bi.*for*.me) *a2g.* Que tem a forma de rombo² (3); RÔMBICO [F.: *romb(i)-* + *-forme*.]

◎**rombo-** *elcomp.* = 'losango': romboide, rômbico

rombo¹ (*rom*.bo) *sm.* 1 Grande furo, abertura ou buraco 2 Abertura forçada e violenta 3 *Fig.* Desfalque; prejuízo pecuniário: *Devido a dívidas, fez um rombo em sua conta bancária.* 4 *Fig.* Déficit: *rombo no orçamento público.* [F.: De or. obsc.]

rombo² (*rom*.bo) *a.* 1 Cuja ponta é arredondada e não perfura; obtuso [Ant.: *agudo*.] 2 *Fig.* Estúpido, imbecil, rombudo *sm.* 3 *Geom.* Losango [F.: Do gr. *rhómbos, ou*, 'losango', pelo lat. *rhombus, i*.]

rombododecaédrico (rom.bo.do.de.ca.*é*.dri.co) *a. Geom.* Que tem forma de rombododecaedro (figura rombododecaédrica) [F.: *rombododecaedro* + *-ico*².]

rombododecaedro (rom.bo.do.de.ca.*e*.dro) *sm. Geom.* Prisma de 12 faces, cujas bases são paralelogramos [F.: *rombo-* + *dodecaedro*.]

romboédrico (rom.bo.*é*.dri.co) *a.* 1 Ref. ou inerente ao romboedro 2 *Geom.* Que tem forma de romboedro 3 *Min.* Diz-se do sistema cristalino caracterizado por um eixo de simetria ternária, que se refere a três eixos iguais e oblíquos entre si; TRIGONAL [F.: *romboedro* + *-ico*².]

romboedro (rom.bo.*e*.dro) *sm.* 1 *Geom.* Sólido cujas faces são paralelogramos 2 *Geom.* Paralelepípedo que tem como faces seis losangos idênticos 3 *Crist.* Cristal cujas faces se assemelham a losangos [F.: *rombo-* + *-edro*.]

romboidal (rom.boi.*dal*) *a2g.* 1 *Geom.* Ref., inerente ou pertencente ao romboide 2 *Geom.* Que tem a figura de romboide 3 *Anat.* Diz-se de um músculo da região dorsal [Pl.: *-dais*.] *sm.* 4 *Anat.* Músculo encontrado na região dorsal [Pl.: *-dais*.] [F.: *romboide* + *-al*¹.]

romboide (rom.*boi*.de) *sm.* 1 *Geom.* Paralelogramo cuja forma se assemelha à do losango por ter ângulos não retos e lados opostos iguais, mas que dele se diferencia por ter lados contíguos diferentes *a2g.* 2 Que tem a forma desse quadrilátero [F.: Do gr. *rhomboeidés, és, és*.]

rombudez (rom.bu.*dez*) [ê] *sf.* 1 Característica ou atributo do que é rombudo, do que não é aguçado 2 *Fig.* Rudeza, estupidez, grosseria [Ant.: *delicadeza, cortesia*.] [F.: *rombudo* + *-ez*.]

rombudo (rom.*bu*.do) *a.* 1 Muito mal aguçado; que penetra dificilmente [Ant.: *pontudo*.] 2 *Fig.* Estúpido, rombo 3 *Fig.* Mal-humorado; CARRANCUDO 4 *CE Pop.* Diz-se de namoro com muito intimidade [F.: *rombo*¹ + *-udo*.]

romeiro (ro.*mei*.ro) *sm.* 1 Aquele que toma parte em romaria; PEREGRINO 2 Andarilho, viandante 3 *Fig.* Defensor de novas e grandiosas ideias 4 *Bras. Zool.* O mesmo que *peixe-piloto* [F.: Do top. *Roma* + *-eiro*.]

romeliota (ro.me.li.o.ta) *s2g.* 1 Aquele ou aquela que nasceu ou que vive em Romélia (antiga província balcânica) *a2g.* 2 De Romélia; típico dessa província ou de seu povo [F.: Do top. *Romélia* + *-ota*.]

romeno (ro.*me*.no) *a.* 1 Relativo ou pertencente à Romênia (Europa), ou seu natural ou habitante *sm.* 2 O natural ou habitante da Romênia 3 *Gloss.* Língua neolatina falada na Romênia e em parte da Macedônia; ROMÂNICO [F.: Do romeno *romîn*.]

romeu e julieta (ro.meu e ju.li.*e*.ta) *sm. RJ Pop.* Goiabada com queijo [Pl.: *romeus e julietas*.]

rompância (rom.*pân*.ci.a) *sf.* 1 Qualidade ou atributo do que é rompante 2 Altivez, orgulho, arrogância: *Chegou cheio de rompância.* 3 Ausência de reflexão, impetuosidade, irreflexão: *Investiu com rompância.* 4 Fúria, exaltação: *Encontra-se em estado de rompância.* [F.: De *rompante*.]

rompante (rom.*pan*.te) *sm.* 1 Arrogância, altivez 2 Reação impetuosa e/ou violenta ger. provocada por fúria: *Acostumado à meiguice da esposa, assustou-se com seu rompante.* 3 *Arq.* Primeira aduela de um arco sobre o capitel *a2g.* 4 Que denota orgulho ou altivez; ARROGANTE 5 Precipitado, impetuoso, arrebatado (decisões rompantes) [F.: Do lat. *rupens, entis*, 'que rompe, que rasga'.]

rompão (rom.*pão*) *sm. Hip.* Cada um dos dois rebordos salientes na face posteroinferior da ferradura, formando um pequeno salto para facilitar o apoio das patas traseiras do animal [Pl.: *-pões*.] [F.: *romp(er)* + *-ão*¹.]

rompedor (rom.pe.*dor*) [ô] *a.* 1 Ref. ao que rompe ou dilacera *sm.* 2 O que rompe [F.: *romper* + *-dor*.]

rompente (rom.*pen*.te) *a2g.* 1 Que rompe, rasga, dilacera 2 Que denota orgulho, altivez, arrogância; ROMPANTE 3 Que é impensado, irrefletido; ROMPANTE 4 Diz-se de animal que investe, que assalta; que está pronto a investir com ar ameaçador 5 *Her.* Diz-se do leão que, nos escudos, se representa de perfil e apoiado sobre as patas traseiras em atitude de arremeter [F.: Do lat. *rumpente*.]

romper (rom.*per*) *v.* 1 Dividir(-se) em partes; separar(-se) em pedaços; PARTIR(-SE); QUEBRAR(-SE) [*td.*: "...como um homem que dum arranco extremo rompe as cadeias que o prendem." (José de Alencar, *Til*)] [*int.*: "...o seixo... podia... com o peso romper -se..." (José de Alencar, *Til*)] 2 Dar fim a compromisso (com) ou ter este fim [*td.*: "...celebrando um contrato, que ele só não podia romper." (Machado de Assis, *Helena*)] [*tr.* + *com*: "Amélia estava... resolvida a romper com Horácio." (José de Alencar, *A pata da gazela*)] [*int.*: *Depois de anos de amizade, romperam.*] 3 Fazer rasgo em; causar estrago com rasgão em; RASGAR [*td.*: "Uma noite assistira à representação de *Otelo*, palmeando até romper as luvas..." (Machado de Assis, *A mão e a luva*)] 4 Rasgar despedaçando; passar para o interior de, causando ferimentos; DILACERAR; FERIR [*td.*: *Ao fugir, nem sentiu os espinhos rompendo sua carne.*] 5 Sulcar (a terra) com instrumentos agrícolas; ARAR; LAVRAR [*td.*: *A lâmina do arado rompia a terra.*] 6 Avançar com ímpeto, abrindo passagem ou arrombando [*td.*: "A soldadesca rompeu por entre a multidão." (Franklin Távora, *O Cabeleira*); "...não conseguiu romper os muros do forte que protegia a cidade." (Alberto da Costa e Silva, *A manilha e o libambo*)] [*int.*: "Isso é uma multidão; é preciso força de cotovelos para romper." (Raul Pompeia, *O Ateneu*)] 7 Singrar (mar, rio etc.); NAVEGAR [*td.*: "Levaram... um quarto de hora a romper o vasto mar..." (Franklin Távora, *O matuto*)] 8 Passar por dentro de; ATRAVESSAR; PERCORRER [*td.*: "Ele vem como o tapir, rompendo a floresta." (José de Alencar, *Iracema*)] 9 Fazer cessar; INTERROMPER; SUSPENDER [*td.*: "Guiomar foi a primeira que rompeu o silêncio..." (Machado de Assis, *A mão e a luva*)] [*tr.* + *com*: "...só impelidos por alguma forte paixão, rompem com a rotina." (José de Alencar, *Senhora*)] 10 Dar começo a ou ter início; COMEÇAR; INICIAR [*td.*: "Aristarco rompia a marcha, ..., animando a desfilada..." (Raul Pompeia, *O Ateneu*)] [*int.*: "Antes que o dia rompesse, começaram a chegar..." (Josué Montello, *Um rosto de menina*)] 11 Conquistar ou obter vitória sobre; DERROTAR; VENCER [*td.*: "...o imame Nur, após ter conseguido romper o cerco oromo, morreu..." (Alberto da Costa e Silva, *A manilha e o libambo*)] 12 Refletir som com estrondo; ECOAR; RETUMBAR [*td.*: "A trombeta, que, em paz no pensamento / Imagem faz de guerra, rompe os ares..." (Luís de Camões, *Os lusíadas*, Canto 7, parte 2)] 13 Fazer desaparecer ou afastar; DISSIPAR [*td.*: "...rompendo... as barreiras da moral comum..." (Euclides da Cunha, *Confrontos e contrastes*)] 14 Surgir de repente; BROTAR [*ta.*: *Uma fonte rompeu das pedras*; "Veio o mau gênio da vida, / Rompeu em meu coração, / Levou tudo de vencida..." (Manuel Bandeira, "Epígrafe" *in A cinza das horas*)] [*int.*: *O Sol rompeu radioso naquela manhã.*] 15 Passar de dentro para fora [*ta.*: "Rompiam das gargantas os fados portugueses e as modinhas brasileiras." (Aluísio Azevedo, *O cortiço*); "Estas palavras romperam dos lábios de Seixas..." (José de Alencar, *Senhora*)] 16 Manifestar de súbito [*tr.* + *em*: "...rompeu num choro histérico..." (Eça de Queirós, *O crime do pe. Amaro*)] 17 Ser ou manifestar-se contra; opor-se a [*tr.* + *com*: *Alguns políticos romperam com antigas teorias partidárias.*] 18 Investir contra; ATACAR [*tr.* + *contra*: "...as invectivas rompiam contra Proudhon." (Eça de Queirós, *O crime do pe. Amaro*)] 19 Divulgar, revelar [*td.*: *romper o segredo/o sigilo bancário.*] [▶ 2 romper NOTA: Part.: *rompido* e *roto*.] [F.: Do lat. *rumpere*. Hom./Par.: *rompido* (fl.), *rompido* (a.).]

rompida (rom.*pi*.da) *sf.* 1 *RS* Ação de começar a correr; ARRANCO; DISPARADA 2 *RS* A largada, em corrida de animais 3 *Lus.* Ação de romper, esp. de desbravar terreno [F.: Fem. substv. de *rompido*.] ■ **~ na cola** *S.* Na partida de corrida de montarias, vantagem que uma delas dá a outra ao se colocar atrás dela, em sua cola, ou cauda

rompido (rom.*pi*.do) *a.* 1 Que se rompeu (barragem rompida) 2 Que apresenta rombo, buraco (embalagem rompida); ARROMBADO 3 Que perdeu disputa; DERROTADO; VENCIDO; DESBARATADO 4 Que sofreu interrupção, corte (contrato rompido; transmissão rompida; relações rompidas); INTERROMPIDO; SUSPENSO [Us. tb. de modo figurativo.] [F.: Part. de *romper*.]

rompimento (rom.pi.*men*.to) *sm.* 1 Ação ou efeito de romper(-se); ROTURA; RUPTURA 2 Perda, esp. de batalha 3 Abertura, corte (de canal, istmo etc.): *O rompimento do canal de Suez deu-se no séc. XIX.* 4 *P. ext.* Fenda formada naquilo que se rasgou ou rachou; ABERTURA: *rompimento dos tubos de esgoto; rompimento de uma costura.* 5 Interrupção, quebra (de relações pessoais, diplomáticas, políticas etc.): *rompimento de um namoro.* 6 *Teat.* Parte do cenário formada a partir da junção de dois bastidores por meio de uma bambolina [F.: *romper* + *-imento*.]

rom-rom (rom-*rom*) *sm.* Rumor contínuo provocado pela traqueia do gato, ger. quando descansa ou quando é acariciado [Pl.: *rom-rons*.] [F.: Voc. onom.]

ronca (*ron*.ca) *sf.* 1 Ato ou efeito de roncar; RONCADURA; RONCO 2 *Fig.* Intimidação ou ameaça arrogante, de fanfarrão; BRAVATA; RONCO 3 *Bras. Pop.* Repreensão, descompostura 4 Peça em forma de âncora ou gancho, formada por três ou quatro anzóis, us. para a pesca de peixe grosso 5 Bexiga cheia de ar que faz um grande barulho ao estourar 6 *Mús.* Cuíca 7 *Mús.* Som monótono e uniforme de gaita de foles que serve de acompanhamento aos agudos deste instrumento 8 *Lus.* Ver *roncadeira* [F. (de *ronca*): Dev. de *roncar*. Hom./Par.: *ronca* (sf.), *ronca* (fl. de *roncar*).] ■ **Meter a ~ em** Descompor, criticar ou admoestar duramente

roncado (ron.*ca*.do) *a.* Que roncou: "A certa hora da noite, depois de ceados, rezados, adormecidos e roncados, os reverendos padres iam pelos dormitórios (...)." (Almeida Garrett, *D. Branca, Notas*) [F.: Part. de *roncar*.]

roncador (ron.ca.*dor*) [ô] *a.* 1 Que ronca 2 *SP RS Fig.* Que ameaça muito e nada faz; FANFARRÃO; GARGANTA *sm.* 3 O que ronca 4 *SP RS Fig.* Indivíduo fanfarrão, alardeador; GABOLA 5 *N. Pop.* Cachoeira 6 *MA PA* Cuíca 7 *Mús.* Instrumento de percussão de som grave que se usa no batuque maranhense 8 *Bras. Zool.* Peixe actinopterígio, pomadasídeo (*Conodon nobilis*), de cerca de 30 cm de comprimento, pouco valor comercial e que emite roncos quando capturado; CORÓ; COROQUE; FERREIRO; PARGO-BRANCO 9 *Bras. Zool.* Peixe actinopterígio, cienídeo (*Bairdiella ronchus*), do Atlântico, comum entre RN e RJ; BORORÓ; CANGUÁ; PESCADO-ARATANHA; ROBALO-MIRAGUAIA; TICOPÁ [F.: *roncar* + *-dor*.]

roncadura (ron.ca.*du*.ra) *sf.* 1 O mesmo que *ronca* (1) 2 Balão inflado de ar que estoura ruidosamente [F.: *roncar* + *-dura*.]

roncante (ron.*can*.te) *a2g.* Diz-se do que ou de quem ronca; RONCADOR [F.: *roncar* + *-nte*.]

roncar (ron.*car*) *v.* 1 Respirar pelo nariz e pela boca durante o sono, produzindo som áspero [*int.*: "...as pessoas dormiam, algumas roncavam forte." (Paulo Coelho, *Veronika decide morrer*)] 2 Emitir sons graves e barulhentos [*int.*: "O pé no acelerador, fazendo roncar mais forte o motor do carro..." (Josué Montello, "O noivo" *in Um rosto de menina*)] 3 Produzir estrondos [*int.*: "...quando ouvia roncar no céu a trovoada..." (Manuel Bandeira, "Discurso-poema" *in Andorinha, andorinha*)] 4 Produzir barulho que indica fome [*int.*: *O almoço demorava; a barriga começou a roncar.*] 5 *Fig.* Expressar-se de forma arrogante e com voz forte [*td.*: *O chefe roncara severas advertências.*] 6 Dizer bravatas, roncas; exibir qualidades, mesmo não as possuindo [*tr.* + *de*: *Roncava de competente.*] [▶ 11 roncar] [F.: Do lat. tard. *rhonchare*. Hom./Par.: *ronca* (fl.), *ronca* (sf.); *roncas* (fl.), *roncas* (pl. do sf.); *ronco* (fl.), *ronco* (sm.).]

ronceirice (ron.cei.*ri*.ce) *sf.* O mesmo que *ronceirismo* [F.: *ronceiro* + *-ice*.]

ronceirismo (ron.cei.*ris*.mo) *sm.* 1 Qualidade ou modos de ronceiro; INDOLÊNCIA; LENTIDÃO 2 Posicionamento contrário às ideias de progresso e de desenvolvimento [F.: *ronceiro* + *-ismo*.]

ronceiro (ron.*cei*.ro) *a.* 1 Vagaroso, lento 2 Que se nega a andar ou que só se move à custa de pancada (jegue ronceiro) 3 Sem atividade ou energia; INDOLENTE; MOLENGA

4 *Mar.* Diz-se do navio ou barco de pouco veleiro ou marcha [F.: *roncear* + *-eiro.*]

roncha (*ron.*cha) *sf. N. E.* Mancha arroxeada na pele [F.: De or. duvidosa, talvez do espn. *rocha*, com nasalização.]

ronco (*ron.*co) *sm.* **1** Som áspero de quem ronca ou dorme respirando mal **2** Ato ou efeito de roncar; RONCADURA **3** Ruído contínuo e cavernoso, semelhante ao ronco: *ronco de uma máquina.* **4** Som de motor em funcionamento **5** *Bras. Pop.* Trovão **6** O grunhir dos porcos **7** Som ou ruído feito pelo gato, ger. enquanto descansa ou é acariciado; RONROM **8** *Med.* Respiração difícil dos apopléticos ou agonizantes **9** *Med.* Ruído brônquico seco e grave, perceptível à auscultação do tórax **10** *Fig. Pop.* Fanfarrice, gabolice, bravata; RONCA [F.: Do lat. tardio *rhonchus, i.*] ■ **Tirar um ~** *Pop.* Dormir por pouco tempo, tirar uma soneca

roncó (ron.*có*) *sm. Bras. Rel.* Nos candomblés, lugar reservado aos iniciados para receberem lições de culto e praticar sacrifícios, a fim de receberem a confiança do orixá; CAMARINHA [F.: Do ior. *run'có.* Hom./Par.: *roncó* (sm.), *ronco* (sm.), *ronco* (fl. de *roncar*).]

roncolho (ron.*co.*lho) [ô] *a.* **1** Diz-se de animal que tem um só testículo; MONÓRQUIDO **2** Diz-se de animal que foi mal castrado [F.: De or. incerta; posv. de *renco*, 'aleijado', + *colho*, por *colhão.*]

roncor (ron.*cor*) [ô] *sm. N. E.* Ronco, ronqueira, ronquido [F.: De *ronco.* Hom./Par.: *roncor* (sm.), *roncó* (sm.).]

ronda (*ron.*da) *sf.* **1** Ato ou efeito de rondar **2** Visita a algum posto, ou volta feita para inspecionar, vigiar, ou zelar pela tranquilidade pública **3** Inspeção feita a algum lugar para verificar se está tudo em ordem; PATRULHA **4** Visita feita com o objetivo de descobrir qualquer coisa ou prevenir algum perigo que se teme; DILIGÊNCIA **5** Serviço de vigilância noturna nos grandes espaços físicos das cidades **6** Grupo de soldados ou de guardas que fazem a ronda: *A ronda dormiu a noite toda.* **7** *Bras.* Fiscal de linhas de estrada de ferro que previne ou remove obstáculos à circulação dos trens **8** *Mar.* Grumete auxiliar do oficial de serviço, que atua como mensageiro no navio ou em estabelecimento naval **9** Brinquedo infantil em que os participantes dançam de mãos dadas, cantando e movimentando-se em círculos; RODA **10** *RS* Lugar onde pasta o gado, vigiado pelos tropeiros **11** *Bras. S.* Jogo de azar, de um só baralho, e do qual pode participar qualquer número de parceiros **12** Dança em grupo em que os participantes, de mãos dadas, giram em redor de um centro **13** *Lus.* Grupo de jovens que se põem, à noite, a caminhar pela cidade ou povoação, tocando e cantando (esp. para as moças), **14** *Lus.* Procissão [F.: Do espn. *ronda.* Hom./Par.: *ronda* (sf), *ronda* (fl. de *rondar*).]

rondado (ron.*da.*do) *a.* **1** Que sofreu ronda, visita, inspeção; PATRULHADO: *O bairro foi todo rondado pela guarda.* **2** Perseguido, procurado (fugitivo rondado) **3** *Fig.* Observado, espreitado [F.: Part. de *rondar.*]

rondante (ron.*dan.*te) *a2g.* **1** Que ronda *s2g.* **2** Aquele ou aquela ou aquilo que ronda *sm.* **3** *PE* Pequena peça de madeira com que se aperta qualquer amarra por torcedura; ARROCHO [F.: *rondar* + *-nte.*]

rondar (ron.*dar*) *v.* **1** Andar em torno ou por perto; RODEAR [*td.:* "E o secretário rondava a mesa, de um lado para o outro, indo e vindo..." (Adolfo Caminha, *Tentação*)] [*int.:* "...entrou a acompanhá-la... e a rondar... pela vizinhança da casinha velha..." (Domingos Olímpio, *Luzia Homem*)] **2** Fazer ronda a (em) [*td.:* "...ergueu-se Pedro... para ir rondar um pinhal... onde... se tinham... praticado alguns roubos de pinheiros." (Júlio Dinis, *As pupilas do senhor reitor*)] [*int.:* "O centurião... rondava... junto à cruz do Rabi..." (Eça de Queirós, *A relíquia*)] **3** Tomar conta de; OBSERVAR; VIGIAR [*td.:* "...todos o rondavam; todos o traziam 'num cortado'." (Aluísio Azevedo, *Casa de pensão*)] **4** *Fig.* Aproximar-se, avizinhar-se de [*td.:* "A tua mão no pescoço, / as tuas costas macias, / por quanto tempo rondaram / as minhas noites vazias." (João Bosco e Aldir Blanc, *Dois pra lá, dois pra cá*)] **5** *Náut.* Mudar de direção (vento) [*ta.:* *Sabe-se que o vento Norte ronda para o Oeste.*] [*int.:* *Quando o vento ronda, pode perder-se o rumo.*] **6** Perambular sem destino, vaguear [*ta.:* *Depois da morte do filho, passou a rondar pelas ruas de madrugada.*] [*int.:* *Não consegue dormir e fica a rondar sem destino.*] **7** *Náut.* Dar voltas em (algum cabo) ao redor de qualquer peça de manobra [*td.:* "...fica a cargo do Patrão de pesca... folgar e rondar os cabos, conforme as variações da maré." (*Instrução normativa SEAP n. º 13*, 17.08.2005)] [▶ 1 rondar] [F.: *ronda* + *-ar*[2]. Hom./Par.: *ronda* (fl.), *ronda* (sf.); *rondas* (fl.), *rondas* (pl. do sf.); *rondo* (fl.), *rondó* (sm.).]

rondel (ron.*del*) *sm. Poét.* Composição de forma fixa, com apenas duas rimas, formada de duas quadras e uma quintilha, sendo os dois últimos versos da segunda quadra iguais aos dois primeiros da primeira, e o primeiro desta o último da quintilha [Pl.: *-déis.*] [F.: Do fr. ant. *rondel*, atual *rondeau.* Hom./Par.: *rondéis* (pl.), *rondeis* (fl. de *rondar*).]

rondó (ron.*dó*) *sm.* **1** *Mús.* Composição em que há duas ou mais repetições de um tema fixo a que se alternam motivos variados **2** *Mús.* Forma musical usada no último movimento da sonata e da sinfonia clássicas **3** *Mús.* Forma da música medieval francesa, do séc. XIII, acompanhada ger. de dança, e que passou à música intrumental, esp. na Itália e Alemanha **4** *Poét.* Composição poética com refrão constante **5** *Poét.* Poema de forma fixa, com duas rimas apenas e quinze versos dispostos em três estrofes (uma quintilha, um terceto e uma quintilha, nesta ordem), no qual se repetem, como refrão, as primeiras palavras das segunda e terceira estrofes [F.: Do fr. *rondeau.*] ■ **~ dobrado** *Poét.* Rondó (5) formado de seis quadras sobre duas rimas **~ simples** *Poét.* Rondó (5)

rondoniano (ron.do.ni.*a.*no) *sm.* **1** Aquele que nasceu ou que vive em Rondônia *a.* **2** De Rondônia; típico desse estado ou de seu povo [F.: Do top. *Rondônia* + *-ano.* Sin. ger.: *rondoniense.*]

rondoniense (ron.do.ni.*en.*se) *a2g. s2g.* Ver *rondoniano* [F.: Do top. *Rondon* + *-iense.*]

rongo-rongo (ron.go-*ron.*go) *sm. Gloss.* Idioma falado antigamente na Ilha de Páscoa, possessão chilena no oceano Pacífico

ronha (*ro.*nha) *sf.* **1** Sarna que ataca ovelhas e cavalos **2** *P. ext.* Doença ou mal de plantas **3** *P. ext.* Doença das salinas, que torna a água gordurenta **4** *Pop.* Habilidade para enganar; MALÍCIA; ARDIL [F.: Do lat. vulg. **ronea.*]

ronhento (ro.*nhen.*to) *a.* Ver *ronhoso* [F.: *ronha* + *-ento.*]

ronhoso (ro.*nho.*so) *a.* **1** Que tem ronha **2** Malicioso, astuto, velhaco [Pl.: [ó]. Fem.: [ó].] [F.: *ronha* + *-oso.* Sin. ger.: *ronhento.*]

ronqueira[1] (ron.*quei.*ra) *sf.* **1** O ruído da respiração difícil de pessoa que está com as vias respiratórias obstruídas **2** Moléstia que ataca o pulmão do gado [F.: *ronco* (*c* = *qu*) + *-eira.*]

ronqueira[2] (ron.*quei.*ra) *sf. Bras.* Cano de ferro cheio de pólvora, que detona com estrondo; ROQUEIRA [F.: Alter. de *roqueira.*]

ronqueira (ron.*quei.*ra) *sf.* **1** Ruído próprio da respiração difícil de uma pessoa doente; RONCOR; PIEIRA; ESTERTOR **2** *Vet.* Moléstia que ataca os pulmões do gado [F.: *ronc(o)* + *-eira.*]

ronronado (ron.ro.*na.*do) *a.* **1** Que ronronou, que fez ronrom (fala ronronada) *sm.* **2** Som gutural, como o feito por gatos; RONROM **3** Som similar ao ronrom dos gatos, reproduzido por uma pessoa: *A fala da moça era carregada de ronronado.* [F.: Part. de *ronronar.*]

ronronante (ron.ro.*nan.*te) *a2g.* Que ronrona; que faz ronrom (gato ronronante; voz ronronante) [Us. tb. de modo fig.] [F.: *ronronar* + *-nte.*]

ronronar (ron.ro.*nar*) *v. int.* Fazer ronrom: "Ronronando ao lume, dorme o cão e o gato." (Guerra Junqueiro, *Os simples*) [▶ 1 ronronar] [F.: *ronrom* + *-ar*[2].]

ronroneiro (ron.ro.*nei.*ro) *a.* Que tem som semelhante a ronrom; RONRONANTE [F.: *ronrom* (*ronron-*) + *-eiro.*]

ropalócero (ro.pa.*ló.*ce.ro) *a.* **1** *Ent.* Ref. ou inerente a, ou pertencente aos ropalóceros *sm.* **2** *Ent.* Espécime dos ropalóceros, subordem de insetos lepidópteros, que compreende as principais fam. de borboletas ger. diurnas, como papilionídeos, satirídeos etc. [Cf.: *heterócero.*] [F.: Do tax. *Rhopalocera.*]

roque[1] (*ro.*que) *sm.* **1** *Ant.* A torre do jogo de xadrez **2** Nesse jogo, ação de fazer o rei andar duas casas para o lado de uma das torres, e a torre se posicionar ao lado do rei, a fim de dar mais segurança a esta peça [Tal movimento só é permitido se ambas as peças ainda não tiverem sido movimentadas, se não houver nenhuma peça obstruindo-lhes o caminho, e se o rei não estiver em xeque.] [F.: De or. contrv.]

roque[2] (*ro.*que) *sm.* Aport. de *rock* [F.: Do ing. *rock('n'roll).*] ■ **~ pauleira** Rock de ritmo acentuado, com destaque na percussão, executado com vigor e em alto volume de som

roqueira (ro.*quei.*ra) *sf.* **1** Antigo canhão de ferro para lançar pedras **2** *Bras.* Ver *ronqueira*[2] [F.: *roca* (*c* = *qu*) + *-eira.* Hom./Par.: *roqueira* (sf.), *rouqueira* (sf.), *roqueira* (fem. de *roqueiro*, sm. a.).]

roqueiro (ro.*quei.*ro) *sm.* **1** Instrumentista, cantor e/ou compositor de roque[2] **2** Aquele que gosta ou é grande apreciador deste tipo de música e do estilo de seus cantores [F.: *roque*[2] + *-eiro.*]

roquete[1] (ro.*que.*te) [ê] *sm. Vest.* Sobrepeliz de pregas miúdas encrespadas, com mangas estreitas e largos bordados de renda, us. pelos eclesiásticos [F.: Do provç. *roquet.*]

roquete[2] (ro.*que.*te) [ê] *sm. Her.* O triângulo do escudo heráldico, com a posição de três peças em forma de aspa, formando um triângulo, duas embaixo e uma em cima, ou, caso sejam enfeixadas, em disposição análoga [F.: De or. obsc.]

roquete[3] (ro.*que.*te) [ê] *sm. Mec.* Aparelho que imprime rotação a uma broca [F.: *roc(a)* *c>qu* + *-ete.*]

ror [ô] *Pop. sm.* **1** Grande quantidade, abundância: "Era um pobre-diabo de terceira classe, moreno cor de jenipapo, cabelo rente, à escovinha, olhos negros, nariz acaçapado, cara magra, e cujo nome lá estava no livro de castigos um ror de vezes" (Adolfo Caminha, *Bom crioulo*) [Ant.: *escassez.*] **2** Multidão [F.: De *horror*, com aférese.]

roraimense (ro.rai.*men.*se) *s2g.* **1** Aquele ou aquela que nasceu ou que vive em Roraima *a2g.* **2** De Roraima; típico desse estado ou de seu povo [F.: Do top. *Roraima* + *-ense.*]

rorar (ro.*rar*) *v. td. int.* O mesmo que *rorejar* [▶ 1 rorar] [F.: Do lat. *rorare.*]

rorejado (ro.re.*ja.*do) *a.* Coberto de orvalho; que tem orvalho (flor rorejada); ALJOFRADO; ORVALHADO [F.: Part. de *rorejar.*]

rorejante (ro.re.*jan.*te) *a2g. Poét.* Diz-se do que roreja [F.: *rorejar* + *-nte.*]

rorejar (ro.re.*jar*) *v.* **1** Molhar com gotas; BANHAR; REGAR [*td.:* *O orvalho rorejou as pétalas; O pranto rorejara as faces.*] **2** Borbotar (líquido) levemente; brotar gota a gota [*int.:* "Aqui, sob esta pedra, onde o orvalho roreja, / Repousa, embalsamado em óleos vegetais, / O alvo corpo..." (Manuel Bandeira, "Inscrição" *in A cinza das horas*); "...rorejam do espato as lágrimas da chuva..." (José de Alencar, *Iracema*)] **3** *P. ext.* Aparecer, nascer, surgir (algo intenso) [*tr.* + *de:* "Ele só viu a luz, o brilho d'alma, rorejando do sorriso." (José de Alencar, *A pata da gazela*)] [▶ 1 rorejar] [F.: Do lat. *ros, roris*, 'orvalho', + *-ejar.* Hom./Par.: *rorejo* (fl.), *rorejo* (sm.).]

rosa (*ro.*sa) *sf.* **1** *Bot.* Nome comum às espécies do gên. *Rosa*, da fam. das rosáceas, nativas de regiões de clima temperado e de clima tropical de altitude, a maioria de arbustos, ger. com espinhos e flores belas e aromáticas, com milhares de variedades cultivadas em todo o mundo; ROSEIRA **2** *Bot.* A flor dessas plantas, cultivada para o comércio de flores e para a extração de óleos essenciais us. em perfumes etc. **3** Região mais ou menos avermelhada nas faces **4** *Fig.* Mulher bonita **5** *Arq.* Pequeno ornato de folhas, de forma circular, colocado nos forros do teto, nas cornijas; ROSÁCEA **6** *Enc.* Peça de latão, ornada de lavores, us. para dourar os livros **7** *Geom.* Estrutura que lembra uma rosa desabrochada; ROSÁCEA **8** *Mús.* Abertura circular e ornamentada no tampo dos instrumentos de cordas dedilháveis; ROSÁCEA; ROSETA **9** *Bras. MG Tabu.* Ânus *sm.* **10** A cor de um tom de vermelho muito claro, esmaecido; COR-DE-ROSA **11** Por metonímia, roupa dessa cor; COR-DE-ROSA: *A menina costumava vestir-se de rosa.* *a2g2n.* **12** Cuja cor é o rosa (10) (fitas rosa, sapato rosa); COR-DE-ROSA **13** Diz-se dessa cor [F.: Do lat. *rosa, ae.*] ■ **~ de ouro** *Rel.* Representação de uma rosa, feita de ouro e benzida pelo papa, ofertada como homenagem a uma princesa católica

rosa-bebê (ro.sa-be.*bê*) *sm.* **1** Cor-de-rosa suave, us. ger. no enxoval de bebês do sexo feminino *a2g2n.* **2** Que é da cor rosa-bebê (roupinhas rosa-bebê) **3** Diz-se dessa cor

rosácea (ro.*sá.*ce:a) *sf.* **1** Ornato arquitetônico, ger. de forma circular, representando folhas ou flores estilizados, ger. colocado em teto, cornija etc. **2** Vitral colorido, em geral circular, que orig. adornava as catedrais góticas. Posteriormente, embora em proporções menores e menos esplendorosas, tornou-se ornamento comum à maioria das igrejas **3** *Derm.* Dermopatia crônica cujos casos mais graves predominam no sexo masculino, caracterizada por surtos agudos de pápulas e pústulas; ACNE ROSÁCEA **4** *Geom.* Figura simétrica, terminada em circunferência e semelhante a uma rosa desabrochada **5** *Mús.* O mesmo que *rosa* (8) **6** *Bot.* Espécime das rosáceas, fam. (*Rosaceae*) de árvores, arbustos e ervas, a maioria nativa de regiões de clima ameno, muito cultivadas como ornamentais e esp. pelos frutos, como a ameixa, a maçã, o morango, a cereja etc. [F.: Do lat. *rosaceus, a, um.* Hom./Par.: *rosácea* (sf.), *rosácea* (fem.).]

rosáceo (ro.*sá.*ce:o) *a.* **1** Relativo a rosa **2** Que tem a forma, a cor, a disposição ou as qualidades da rosa **3** *Bot.* Relativo às rosáceas [Form.: *rosa* + *-áceo.* Hom./Par.: *rosácea* (fem.), *rosácea* (sf.).]

rosa-chá (ro.sa-*chá*) *sf. Angios.* Arbusto (*Rosa indica*) da fam. das rosáceas, nativo da Índia à China, de flores róseas ou amarelas, folhas de aroma análogo ao do chá, com propriedades medicinais e us. em perfumaria [Pl.: *rosas-chás, rosas-chá.*]

rosa-choque (ro.sa-*cho.*que) *a2g.* **1** Que apresenta cor num tom de rosa escuro e vibrante **2** Diz-se dessa cor [Pl.: *rosas-choque.*] *sm.* **3** A cor rosa-choque: *O rosa-choque de seu batom chamava atenção.*

rosacruciano (ro.sa.cru.ci:*a.*no) *a.* **1** Ref. a ou próprio do rosacrucianismo **2** Que é membro e/ou simpatizante do rosacrucianismo *sm.* **3** Indivíduo pertencente à ordem rosa-cruz [F.: *rosa-cruz* > *z/c* + *-i-* + *-ano.*]

rosa-cruz (ro.sa-*cruz*) *sf.* **1** *Maçon.* O sétimo e último grau do rito francês, que tem por símbolos principais o pelicano (filantropia), a cruz (justiça e imortalidade) e a rosa (segredo) **2** Confraria de iluminados na Alemanha, no séc. XVII **3** Nome de várias fraternidades que usam o emblema da rosa e da cruz e esposam certas doutrinas espirituais e esotéricas *sm.* **4** *Maçon.* Maçom com o grau de rosa-cruz **5** Seguidor de uma dessas fraternidades esotéricas [Pl.: *rosa-cruzes.*]

rosa-de-cão (ro.sa-de-*cão*) *sf. Angios.* Arbusto da fam. das rosáceas (*Rubus canina*), nativo da Eurásia e Mediterrâneo, de flores róseas ou brancas, receptáculos grandes e ger. lisos, tendo sido uma das primeiras espécies cultivadas; SILVÃO; SILVA-MACHA; ROSA-CANINA [Pl.: *rosas-de-cão.*]

rosado (ro.*sa.*do) *a.* **1** Que apresenta cor num tom de rosa ou quase rosa **2** Diz-se dessa cor **3** Em cuja composição entra a essência de rosas **4** *Enol.* Diz-se de vinho de cor rosada, em cuja obtenção do mosto as uvas são menos maceradas que no do vinho tinto, impedindo assim que o processo de fermentação se complete *sm.* **5** A cor rosada: *o rosado da aurora.* **6** *Enol.* O vinho rosado [F.: Do lat. *rosadus, a, um.*]

rosa dos ventos (ro.sa dos *ven.*tos) *sf.* Figura circular que indica os pontos cardeais, os intermediários a estes (colaterais) e os intermediários aos colaterais (subcolaterais) [Pl.: *rosas dos ventos.*]

rosal (ro.*sal*) *sm.* O mesmo que *roseiral* [Pl.: *-sais.*] [F.: *rosa* + *-al*[1].]

rosário (ro.*sá.*ri:o) *sm.* **1** Enfiada de 165 contas: 15 dezenas de ave-marias e 15 padre-nossos, para serem rezados como prática religiosa **2** O conjunto dessas orações: *orar um rosário* **3** *Fig.* Sucessão, série: *um rosário de queixas* **4** *Bras. Bot.* Capim da fam. das gramíneas de cujos frutos se fazem rosários, colares, etc.; BIURÁ

rosa-rubra (ro.sa-*ru*.bra) *sf. Angios.* Arbusto pequeno escandente (*Rosa gallica*) da fam. das rosáceas, nativo da Europa e da Ásia, de folhas com folíolos ovados e flores grandes, em tom vermelho vivo, cultivado como ornamental e como medicinal; ROSA-FRANCESA; ROSA-VERMELHA; ROSEIRA-FRANCESA; ROSEIRA-RUBRA [Pl.: *rosas-rubras.*]

rosas (*ro*.sas) *sfpl. Fig.* Alegrias; bem-estar; prazer; venturas, contentamento; bem-aventurança: *Nem tudo são rosas neste mundo; rosas do passado; mar de rosas.* [F.: Pl. de *rosa.*] ∎ **De ~** Calmo, sereno (mar de rosas, tempo de rosas)

rosbife (ros.*bi*.fe) *sm. Cul.* Peça de carne bovina alongada, ger. cortada do filé ou da alcatra, preparada de modo que fique tostada por fora e mais ou menos sangrenta no interior [F.: Do ing. *roast beef.*]

rosca (*ros*.ca) [ô] *sf.* **1** A linha ou espiral descrita por algo que se enrosca ou se move tortuosamente **2** Espiral do parafuso ou de peças análogas a ele, como verrumas, saca-rolhas etc. **3** *Cul.* Pão, bolo ou biscoito retorcido ou em forma de argola **4** Cada uma das voltas da serpente quando se enrola **5** *Pop.* Bebedeira **6** *Bras. Gír.* Coisa reles, de má qualidade: *Esse carro é uma rosca.* **7** *Bras. Tabu.* Ânus **8** *Ent.* Tubo suplementar que os instrumentistas intercalavam no circuito sonoro da trompa lisa e do trompete simples; TOM **9** *Bras. Zool.* Designação comum às lagartas dos insetos lepidópteros, noctuídeos, que atacam o coleto das plantas durante a noite e, quando tocadas, enroscam-se como mortas; LAGARTA-ROSCA *s2g.* **10** *Pej.* Pessoa astuciosa, velhaca [F.: De or. pré-romana, posv.]

roscado (ros.*ca*.do) *a.* **1** Provido de roscas; em que se fizeram roscas; ROSQUEADO **2** Apertado com parafuso [F.: Part. de *roscar.*]

roscar (ros.*car*) *v. td.* **1** Fazer roscas em: *Roscou todas as peças gastas.* **2** Fixar com parafusos ou roscas; APARAFUSAR; APERTAR: *Usou a chave para roscar a cerca.* [▶ 11 roscar] [F.: *rosca* + *-ar*².. Sin. ger.: *rosquear.* Hom./Par.: *rosca* (fl.), *rosca* [ô] (sf.); *roscas* (fl.), *roscas* (pl. do sf.).]

róscido (*rós*.ci.do) *a.* Coberto de rocio, de orvalho; RÓRIDO; ORVALHADO [F.: Do lat. *roscidus, a, um* 'de orvalho; molhado de orvalho'.]

roscofe (ros.*co*.fe) *a2g. Bras. Pop.* Que é de má qualidade (relógio roscofe); RUIM [F.: Adapt. do russo *roskoff.*] ∎ **Dar o ~** *AL PE Tabu.* Ser pederasta passivo

⊕ **rosé** (*Fr. /rosê/*) *a2g.* **1** *Enol.* Diz-se de vinho rosado *sm.* **2** *Enol.* Vinho rosado, com tonalidade entre o rosa e o vermelho claro e com aroma das rosas: *Comprou um rosé para comemorar o aniversário de casamento.*

rosear (ro.se.*ar*) *v. td.* O mesmo que *rosar* [▶ 13 rosear] [F.: *rosa* + *-ear*².]

roseira (ro.*sei*.ra) *sf. Bot.* O mesmo que *rosa* (1) [F.: *rosa* + *-eira.*] ∎ **Balançar a ~** *Fut.* Marcar gol com chute forte

roseiral (ro.sei.*ral*) *sm.* Plantação ou concentração de roseiras; ROSAL [Pl.: *-rais.*] [F.: *roseira* + *-al*¹.]

róseo (*ró*.se:o) *a.* **1** Da, ou relativo à rosa **2** Que tem perfume semelhante ao da rosa **3** O mesmo que *rosado* (1) **4** Diz-se dessa cor *sm.* **5** A cor rósea: *o róseo da boca* [F.: Do lat. *roseus, a, um.*]

roséola (ro.*sé*.o.la) *sf.* **1** *Derm.* Tipo de erupção cutânea eritematosa, que surge em vários estados mórbidos, como sífilis, febre tifoide, rubéola etc., formada por manchas rosadas numulares ou lenticulares (roséola epidêmica; roséola sifilítica) **2** Bico do seio; MAMILO [F.: Do lat. cien. *roseola*, deriv. do lat. *roseus, a, um* 'de rosa'.]

roseta (ro.*se*.ta) [ê] *sf.* **1** Pequena rosa, rosinha **2** Pequena roda móvel da espora, dotada de pontas, que o cavaleiro usa para picar a barriga da montaria e assim fazê-la apressar o passo: "Soropita... não esporeava o cavalo: tenteava-lhe leve e leve o fundo do flanco, sem premir a roseta." (Guimarães Rosa, "Lão-Dalalão" *in Noites do sertão*) **3** Pequena bola dotada de puas pontiagudas colocada na extremidade do látego para vergastar o supliciado; RODÍCIO **4** Nó ou laço com remate em forma de uma pequena rosa, usado como distintivo de comenda **5** Sinal ou mancha vermelha no corpo **6** Coloração especial das faces por efeito de doença: "Não gosto de lhe ver aquelas rosetas nas faces!" (Bulhão Pato, *Sob os ciprestes*) **7** Rodela de crochê **8** *Bot.* Doença provocada por vírus que ataca certas plantas e lhes reduz os entrenós **9** *S. Bot.* Espécie de gramarasteira e espinhosa **10** O espinho dessa grama **11** Pontas de capim seco depois de muito tosado pelos animais **12** Dispositivo dos compassos em forma de roda dentada, que serve para graduar a abertura **13** Instrumento dotado de uma pequena roda dentada usado para marcar superfícies de pouca resistência: *As costureiras marcam o tecido com a roseta.* **14** *Arq.* Ornato em forma de flor, composto de um círculo, que figura o botão, e semicírculos a sua volta, que sugerem pétalas ou folhas **15** *Tip.* Peça giratória do linotipo, que tem a função de empurrar as matrizes à medida que vão sendo compostas; ESTRELA [F.: *rosa* + *eta.* Hom./Par.: *roseta* (sf.), *roseta* (fl. de *rosetar*).] ∎ **Em ~** *Bot.* Em forma circular (diz-se das folhas que brotam em raiz, na ponta do rizoma, ou das folhas que brotam na extremidade de um caule)

roseta-de-espora (ro.se.ta-de-es.*po*.ra) *sf. Bot.* Capim-roseta [Pl.: *rosetas-de-espora.*] [F.: *roseta-* + *-de-* + *-espora.*]

rosetar (ro.se.*tar*) *Bras. v.* **1** *MG S.* Esporear ou picar com as rosetas das esporas [*td.*: *rosetar o cavalo.*] **2** *Pop.* Brincar muito; divertir-se; FOLGAR [*int.*: "Não me importa que a mula manque, eu quero é rosetar." (Haroldo Lobo e Milton de Oliveira, *Eu quero é rosetar*)] **3** *Pop.* Divertir-se de forma libidinosa [*tr.* + *com*: *Sem pudor, rosetava com várias mulheres.*] [▶ 1 rosetar] [F.: *roseta* + *-ar*². Hom./Par.: *roseta* (fl.), *roseta* (sf.); *rosetas* (fl.), *rosetas* (pl. do sf.).]

rosetear (ro.se.te.*ar*) *Bras. v.* **1** *Pop.* O mesmo que *rosetar* [*tr.*] [*int.*] **2** *MG* Esporear, estimular (o cavalo) com roseta [*td.*] [▶ 13 rosetear] [F.: *roseta* + *-ear*².]

rosiano (ro.si:*a*.no) *Liter. a.* **1** Ref. a, inerente a, ou próprio de João Guimarães Rosa (1908-1967), romancista e contista brasileiro **2** Diz-se da obra e do estilo de João Guimarães Rosa **3** De ou sobre João Guimarães Rosa: *Escreveu um admirável ensaio rosiano.* **4** Que é admirador e/ou especialista da obra de João Guimarães Rosa *sm.* **5** *Liter.* Admirador e/ou especialista a obra de João Guimarães Rosa [F.: Do antr. (João Guimarães) *Rosa* + *-ano.*]

rosicler (ro.si.*cler*) *Poét. sm.* **1** A cor róseo-clara, da tonalidade da rosa e da açucena, de tom róseo-pálido **2** *P. ext. Fig.* Colar cujas contas têm essa tonalidade (rosicler de pérolas) *a2g2n.* **3** Que é da cor rosicler (aurora rosicler): *céus de rosicler.* **4** Diz-se dessa cor [F.: Do fr. *rose claire* 'rosa-claro'.]

rosilho (ro.*si*.lho) *a.* **1** Diz-se do animal, esp. cavalo, de pelo avermelhado e branco, como que rosado *sm.* **2** Equídeo cujos pelos apresentam tais características [F.: Do espn. *rosillo.* Cf.: *rucilho.*]

rosismo (ro.*sis*.mo) *sm.* **1** *Pol.* Pensamento ou ação política de Juan Manuel de Rosas (1793-1877), duas vezes governante argentino, no período de 1829-1832 e no de 1835-1840 **2** Fidelidade, adesão ou admiração à política de Juan Manuel Rosas [F.: Do antr. (Juan Manuel de) *Rosas* + *-ismo.*]

⊕ **roskoff** *sm.* Relógio de bolso russo, compacto e pesado [Com inicial maiúsc.]

rosmaninho (ros.ma.*ni*.nho) *sm. Bot.* Planta aromática da fam. das labiadas (*Lavandula stoechas*), nativa da Europa mediterrânea, muito cultivada por suas folhas e flores aromáticas, das quais se extrai óleo essencial, us. em perfumaria; ALFAZEMA [F.: Do lat. *rosmarinus, rorismarini*, posv.]

rosmarinho (ros.ma.*ri*.nho) *Angios. sm.* **1** Designação comum às plantas do gênero *Rosmarinus*, arbustos e plantas herbáceas aromáticos da fam. das labiadas, nativos da Europa e da Ásia **2** Qualquer espécie desse gênero, p. ex. o alecrim (*Rosmarinus officinalis*) [F.: Do lat. cient. *Rosmarinus.*]

rosnada (ros.*na*.da) *sf.* **1** Ação ou resultado de rosnar: *Ao encontrar estranhos, o cão manifestava-se com uma terrível rosnada.* **2** *P. ext.* O que se diz por entre os dentes, ger. em voz baixa [F.: Fem. substv. de *rosnado.* Sin. ger.: *rosnado, rosnadela, rosnadura.*]

rosnadela (ros.na.*de*.la) *sf.* Ver *rosnada* [F.: *rosna(r)* + *-dela.*]

rosnado (ros.*na*.do) *a.* **1** Que se rosnou; que foi pronunciado entre os dentes *sm.* **2** Ação ou resultado de rosnar; ROSNADELA; ROSNADURA; ROSNADA [F.: Part. de *rosnar.*]

rosnador (ros.na.*dor*) [ô] *a.* **1** Diz-se de que ou de quem rosna **2** Que murmura; que resmunga *sm.* **3** Aquele ou aquilo que rosna **4** Indivíduo que resmunga, reclamando algo ger. em tom baixo [F.: *rosna(r)* + *-dor.*]

rosnar (ros.*nar*) *v.* **1** Emitir (animal) som rouco e ger. ameaçador, mostrando os dentes [*int.*: "Alguns cães rosnavam à porta, roendo os ossos que traziam lá de dentro." (Aluísio Azevedo, *O cortiço*)] **2** Dizer ou falar em voz baixa e rouca, ger. de mau humor; MURMURAR; RESMUNGAR [*td.*: "Paulo rosnou uma palavra que nenhum deles entendeu..." (Machado de Assis, *Esaú e Jacó*)] [*int.*: "O Ruivo rosnou por baixo da venda que tinha na boca..." (Aluísio Azevedo, *Girândola de amores*)] **3** Dizer (alguma coisa) para desacreditar alguém [*td.*: "E rosnou: beata e ladra!" (Eça de Queirós, *O crime do padre Amaro*)] **4** Fazer crer-se estar à socapa ou como em segredo; COMENTAR [*td.*: "Ouvi rosnar que se tratava de um tesouro fabuloso que contava oferecer a Filipe II..." (José de Alencar, *Til*)] [*tr.* + *de, sobre*: "...rosnavam... sobre os planos, os cálculos, as armadilhas tramadas ao dinheiro do rapaz!" (Aluísio de Azevedo, *Casa de pensão*)] [*tdr.* + *de, sobre*: "Acha pouco o que já rosnam de nós?..." (Domingos Olímpio, *Luzia Homem*)] **5** *Fig.* Demonstrar claramente antagonismo a [*tr.* + *contra*: "Os jornais da oposição rosnaram contra a moralidade dos governistas..." (Adolfo Caminha, *A normalista*); "...e rosnando contra o Domingão, a quem ameaçava de longe com murros ao vento." (José de Alencar, *Til*)] [▶ 1 rosnar] [F.: De or. incerta; posv. de or. onom.]

rosnido (ros.*ni*.do) *sm.* Som gutural e rascante, diferente de latido, como do cão ou do lobo; ROSNO [F.: De *rosnado.*]

rosno (*ros*.no) [ô] *sm.* Rosnado, rosnar; ROSNIDO [F.: Dev. de *rosnar.* Hom./Par.: *rosno* (sm.), *rosno* (fl. de *rosnar*).]

rososo (ro.*so*.so) [ô] *a. P. us.* De cor rosada (vinho rososo) [Pl.: [ó]. Fem.: [ó].] [F.: *ros(a)* + *-oso.*]

rosqueado (ros.que.*a*.do) *a.* Provido de roscas, que se rosqueou; ROSCADO [F.: Part. de *rosquear.*]

rosqueadora (ros.que:a.*do*.ra) [ô] *sf. Tec.* Máquina de fazer rosca [F.: *rosquea(r)* + *-dora.*]

rosqueamento (ros.que:a.*men*.to) *sm.* Ação ou resultado de rosquear [F.: *rosquea(r)* + *-mento.*]

rosquear (ros.que.*ar*) *v.* **1** *Bras.* Colocar roscas, abrir espirais em (parafuso, pino, porca etc.); ROSCAR [*td.*: *Precisou rosquear várias tarraxas.*] **2** Fechar peças que possuem roscas [*td.*: "Use apenas as mãos para rosquear a borboleta do regulador; nunca utilize ferramentas." ("Dicas de prevenção de botijões de gás")] [*int.*: *A tampa era de rosquear.*] **3** *Lus.* Cair (formando roscas ou rolando) [*int.*: *Rosqueou ladeira abaixo.*] **4** *Lus.* Bater em; aplicar castigo corporal; CASTIGAR [*td.*: *Agressivo, rosqueou o primo.*] [▶ 13 rosquear] [F.: *rosca* (*c* = *qu*) + *-ear*².]

rosqueável (ros.que:*á*.vel) *a2g.* Que se pode rosquear; que pode ser rosqueado (parafuso rosqueável; porca rosqueável) [Pl.: *-veis.*] [F.: *rosquea(r)* + *-vel.*]

rosquilha (ros.*qui*.lha) *Cul. sf.* **1** Pequena rosca feita de massa cozida **2** Biscoito retorcido; ROSQUILHO [F.: Do cast. *rosquilla.*]

rosquinha (ros.*qui*.nha) *sf.* **1** Rosca de pequenas dimensões **2** *Bras.* Pequeno biscoito, retorcido ou em forma de anel, salgado e amanteigado **3** *SC* Remendo de um rasgão costurado por uma linha que, puxada, forma um bolinho ou emaranhado **4** *Zool.* Molusco troquídeo (*Neomphalius viridulus*) [F.: *rosca* (*c* = *qu*) + *-inha.*]

rossiniano (ros.si.ni:*a*.no) *Mús. a.* **1** Ref., inerente ou pertencente a Gioacchino Antonio Rossini, compositor italiano (1792-1868) **2** Diz-se de estilo ou modo de compor de Rossini, ou de sua música (ópera rossiniana) **3** Diz-se de quem é admirador, estudioso ou conhecedor da obra de Rossini *sm.* **4** *Mús.* Admirador, estudioso ou conhecedor da obra de Rossini [F.: Do antr. (Gioacchino Antonio) *Rossini* + *-iano.*]

rossio (ros.*si*:o) *sm.* **1** Praça larga, espaçosa **2** Terreno que antigamente era roçado para o uso comum; logradouro público **3** Terreno junto a uma casa; TERREIRO; RESSAIO [F.: De or. contrv. Hom./Par.: *rossio* (sm.), *rocio* (fl. de *rociar*), *rócio* (sm.), *Róscio* (antrop.).]

rosto (*ros*.to) [ô] *sm.* **1** Parte anterior da cabeça, limitada pelo couro cabeludo, as orelhas e o queixo; CARA; FACE **2** Semblante, fisionomia: *mulher de rosto triste.* **3** *Fig.* Atitude diante de uma situação adversa: *Mas Jó teve rosto para encarar a perda dos filhos e de todos os seus bens.* **4** Frente, fronte, a parte fronteira (em rel. ao observador): *o rosto de um edifício.* **5** A primeira página do livro, em que se encontram o título e o nome do autor; FOLHA DE ROSTO **6** *Num.* A parte da medalha oposta ao reverso [Pl.: *ô.*] [F.: Do lat. *rostrum, i.*] ∎ **Dar de ~ com** Deparar com, dar de cara com **De ~** Ver *Rosto a rosto* **Fazer bom ~** Demonstrar boa vontade no que faz **Fazer ~ a** **1** Estar em frente a, ou de frente para: *Meu apartamento faz rosto ao mar.* **2** Enfrentar, resistir a: *Fazia rosto a todos os infortúnios.* **Lançar em ~ a** Dirigir (censura, acusação) a, censurar, acusar etc.: *Lançou-lhe em rosto sua irresponsabilidade.* **~ a ~** Diretamente em frente, em presença (uma pessoa de outra); face a face **~ gravado** *Art. gr.* Página de rosto ornamental **Torcer o ~ a** Demonstrar insatisfação, desdém, rejeição a

rostolho (ros.*to*.lho) [ô] *sm.* Uma das pequenas peças do rosto da fechadura que faz parte das guardas [F.: *rost(o)* + *-olho.*]

rostrado (ros.*tra*.do) *a.* **1** Que tem rostro **2** *Zool.* Diz-se de animal que tem focinho alongado em forma de bico **3** *Angios.* Diz-se de órgão com prolongamento pontiagudo, que tem esporão ou bico; ROSTRIFORME [F.: Do lat. *rostratus, a, um,* 'encurvado como um bico'.]

◎ **rostr(i)-** *el. comp.* = 'rostro', 'bico'; 'focinho'; '(de) bico ou focinho com dada característica': *rostricórneo, rostriforme; recurvirrostrídeo* (< lat. cient.); *acutirrostro, aduncirrostro, albirrostro, altirrostro, cianirrostro, cuneirrostro, platirrostro* [F.: Do lat. *rostrum, i.*]

rostricórneo (ros.tri.*cór*.ne.o) *a. Ent.* Diz-se de qualquer inseto coleóptero, cuja antena seja disposta sob uma espécie de bico que lhe prolonga a cabeça [F.: *rostr(i)-* + *córneo.*]

rostriforme (ros.tri.*for*.me) *a2g.* Que tem aspecto ou forma de bico ou de rostro; ROSTRADO [F.: *rostr(i)-* + *-forme.*]

◎ **-rostro** *el. comp.* Ver *rostr(i)-*

rostro (*ros*.tro) [ô] *sm.* **1** *Ent.* Apêndice rígido existente na região frontal dos insetos picadores, do gorgulho e do percevejo **2** *Ent.* Aparelho sugador dos insetos hemípteros **3** *Zool.* Ponta denteada de algumas espécies de camarão **4** *Ornit.* Prolongamento rígido e pontiagudo no bico de certas aves: "(A galinhola) deve ter assestado o rostro por entre os juncos." (Guimarães Rosa, *Sagarana*) **5** *Ant. Mar.* Esporão colocado na proa do navio para com ele perfurar o casco de outros nas batalhas navais: "O voo das naus do Gama, de rostros feitos ao sul." (Olavo Bilac, *Sagres*) **6** *Hist.* Na Roma antiga, tribuna formada de proas de navios conquistados ao inimigo **7** Ornato que representa uma proa de navio antigo **8** Prolongamento da casca da semente **9** *Ant.* O mesmo que rosto, face [Hom./Par.: *rosto*; F.: Do lat. *rostrum, i.*]

rosulado (ro.su.*la*.do) *a. Angios.* Diz-se de planta de folhas muito juntas, com entrenós muito curtos, dispostas em forma de roseta; ARROSETADO [F.: *rosa* + *-ula-* + *-ado.*]

rota¹ (*ro*.ta) [ó] *sf.* **1** *Mar.* Caminho, trajeto de uma embarcação; DERROTA: *Desviar-se da rota.* **2** *Astron.* Caminho, real ou aparente, percorrido pelos astros **3** *Geog.* Curso de um rio **4** Rumo, trajeto que se segue para chegar a um lugar; PERCURSO: "(...) tufando nos descampados limpos, (...) balizando a rota das bandeiras" (Euclides da Cunha, *Contrastes e confrontos*) [F.: Do fr. *route.*] ∎ **De/em ~ batida** Diretamente (ref. a percurso), sem parar; velozmente: *Acelerou o carro e, de rota batida, rumou para o sítio.*

rota² (*ro*.ta) [ó] *sf.* **1** *Mús.* Instrumento medieval de corda, assemelhado à lira *sf.* **2** *Mús.* Na Idade Média, vários instrumentos de corda de forma abaulada (saltérios, crotas, cítaras etc.) **3** Instrumentos de corda friccionáveis que deram origem aos vários tipos de viola [F.: Do germ. *hrôta.*]

rota³ (ro.ta) [ó] *sf.* **1** *Rel.* Tribunal do Vaticano formado por representantes de quatro países católicos para decidir sobre contestações relativas a benefícios **2** Tribunal pontifício que decide especialmente sobre anulações de casamentos [F.: Do lat. ecles. *rota, ae.*]

◎ **rot(a)-** *el. comp.* = 'roda': *rotáceo, rotavírus* (< ing.); *rotífero, rotiforme; rotogravura* [F.: Do lat. *rota, ae.*]

rota⁴ (*ro*.ta) [ó] *sf. Bot.* Espécie de cipó ou junco (*Calamus rotang*) de cujas fibras são feitas esteiras e velas de barcos; RATÃ [F.: Do mal. *rotan.*]

rota⁵ (*ro*.ta) [ó] *sf.* **1** Contenda, com ou sem armas; CONFLITO; CONFRONTO; LUTA **2** *Mil.* Combate militar **3** *Mil.* Derrota em confronto bélico [F.: Do lat. *rupta*, fem. subst. de *ruptus, a, um.*]

rotação (ro.ta.*ção*) *sf.* **1** Ação ou resultado de rotar; movimento circular de um corpo que gira sobre si mesmo em volta de um eixo **2** Repetição dos mesmos fatos ou circunstâncias; retornos sucessivos; CICLO **3** Renovação de capital, mão de obra etc.; GIRO **4** *Agr.* Divisão de um terreno em porções grandes, para submetê-las a um ciclo ou alternação de culturas; AFOLHAMENTO **5** *Fís.* Revolução de um corpo rígido em volta de um eixo de modo que as trajetórias de todos os seus constituintes sejam circulares, simultâneas e centradas sobre uma mesma reta **6** *Hip.* Volta que se faz o cavalo dar sobre as patas dianteiras ou traseiras; PIRUETA; PIÃO [Pl.: *-ções.*] [F.: Do lat. *rotatio, onis.*] ■ **~ por minuto 1** *Fís.* Unidade de medida de velocidade angular [Abrev.: *rpm*] **2** *Mec.* Essa unidade como medida da aceleração de um motor de veículo

rotacional (ro.ta.ci:o.*nal*) *a2g.* **1** Ref. ou inerente à rotação (movimento rotacional; força rotacional) **2** *Fís.* Diz-se de uma onda que provoca variação de forma de elementos de um meio elástico, sem alterar o volume desses elementos **3** *Cálc. vet.* Diz-se de vetor resultante do produto vetorial do operador nabla com uma função vetorial [Pl.: *-nais.*] *sm.* **4** *Cálc. vet.* Produto vetorial do operador nabla com uma função vetorial [Símb.: *rot*] [F.: *rotação*, sob o rad. *rotacion-* + *-al*, segundo o padrão erudito.]

rotacionar (ro.ta.ci:o.*nar*) *v. td. int.* Imprimir rotações a (um objeto) [▶ 1 rotacionar] [F.: *rotação* na f. do rad. *rotacion-* + *-ar.*]

rotacismo (ro.ta.*cis*.mo) *sm.* **1** *Gram.* Vício de pronúncia ou de escrita da consoante *r* em lugar de outra letra, p. ex. *arma* por *alma* **2** *Fon.* Mudança fonética com a substituição de uma sibilante sonora, como, p. ex., o *s* pelo *r*, na raiz lat. *flos* para *flosem / florem* na posição intervocálica [F.: Do lat. cient. *rhotacismus* < gr. *rhotakismós.*]

rotador¹ (ro.ta.*dor*) [ô] *a.* **1** Que roda; que faz rodar, voltar ou girar (mecanismo rotador) **2** *Anat.* Diz-se de músculo que tem a propriedade de fazer girar sobre o seu eixo as partes a que se acha ligado *sm.* **3** *Anat.* O músculo rotador [F.: Do lat. *rotator, oris.*]

rotador² (ro.ta.*dor*) [ô] *sm.* **1** *Hist. nt.* Animal microscópico e aquático caracterizado por cílios vibráteis dispostos em círculos em redor da boca, e cujo aspecto é o de duas rodas de engrenagem girando rapidamente em sentido inverso *smpl.* **2** *Hist. nt.* Classe de animais infusórios que compreende os gêneros a que pertencem os rotadores; rotíferos; ROTÍFEROS [F.: Do lat. *rotator, oris.*]

rotar (ro.*tar*) *v. td. int.* Girar, desenvolver movimento circular [▶ 1 rotar] [F.: Do lat. *rotare.* Hom./Par.: *rota(s)* (fl.), *rota* /ô/ (f. *roto* /ô/ [e pl.]; *roto* (fl.) *roto* /ô/ (a. sm.), *rotaria(s)* (fl.), *rotária* (f. *rotário* [a. e pl.]).]

rotariano (ro.ta.ri:*a*.no) *a.* **1** Ref., inerente ou pertencente ao *Rotary Club*, entidade filantrópica internacional, fundada nos EUA em 1905, que tem por fim prestar serviços à comunidade e estabelecer laços de compreensão entre os povos **2** Diz-se de membro do *Rotary Club*, que usa como emblema, na lapela, uma roda dourada *sm.* **3** Membro do Rotary Club [F.: Do ing. *rotarian.* Sin. ger.: *rotário.*]

rotário (ro.*tá*.ri:o) *a. sm.* Ver *rotariano* [F.: Do espn. *rotario.* Hom./Par.: *rotária* (fem.), *rotaria* (fl. de *rotar*).]

rotativa (ro.ta.*ti*.va) *sf.* Máquina de impressão e em que a pressão se faz entre duas superfícies cilíndricas [F.: F. red. de *prensa rotativa.* Hom./Par.: *rotativa* (sf.), *rotativa* (fem. de *rotativo*, a.).]

rotativamente (ro.ta.ti.va.*men*.te) *adv.* De um modo rotativo; alternadamente: *As folgas dos membros da equipe aconteciam rotativamente no fim do mês.* [F.: *rotativa* (fem. de *rotativo*) + *-mente.*]

rotatividade (ro.ta.ti.vi.*da*.de) *sf.* **1** Característica ou qualidade do que é rotativo **2** Alternância, rodízio entre dois ou mais elementos (rotatividade do poder) **3** Intensidade de rotação; rodízio frequente, intenso: *Nunca vira tamanha rotatividade de pessoal numa empresa!* [F.: *rotativ(o)* + *-(i)dade.*]

rotativismo (ro.ta.ti.*vis*.mo) *sm.* **1** Alternância constante; ROTATIVIDADE **2** *Pol.* Predomínio, em um país, de dois partidos políticos, que se alternam no governo **3** *Agr.* A prática da rotação de culturas; RODÍZIO [F.: *rotativ(o)* + *-ismo.*]

rotativo (ro.ta.*ti*.vo) *a.* **1** Que atua fazendo girar; ROTANTE; ROTATÓRIO **2** Que se cumpre em rodízio (horário rotativo) **3** *Econ.* Diz-se do crédito cujo montante corresponde a uma importância máxima em giro **4** *Min.* Diz-se da técnica de perfuração em que a broca obedece a movimento rotatório [F.: *rotar* + *-tivo.* Hom./Par.: *rotativa* (fem.), *rotativa* (sf.).]

rotator (ro.ta.*tor*) [ô] *sm. Astron.* Na base dos tubos de telescópios, o flange de rotação dos instrumentos, que se utiliza para orientar o instrumento em relação a qualquer ângulo do campo de observação do telescópio, e no qual se ajustam outros instrumentos científicos necessários à observação, como câmeras, espectrógrafos, fotômetros etc. [F.: Aport. do lat. *rotator, oris.*]

rotatória (ro.ta.*tó*.ri.a) *sf. Eci.* Obra de engenharia de estradas, feita para facilitar o trânsito nos cruzamentos de duas ou mais rodovias; TREVO [F.: Fem. subst. de *rotatório.*]

rotatório (ro.ta.*tó*.ri:o) *a.* **1** Ref. ao movimento de rotação (aparelho rotatório) **2** Que gira em torno de um eixo; ROTATIVO; CIRCULAR; GIRATÓRIO **3** *Zool.* Espécie dos rotatórios, ou rotíferos [F.: *rotar* + *-tório.*]

rotavírus (ro.ta.*ví*.rus) *sm2n. Micbiol.* Cada unidade de um grupo de vírus de RNA, com aparência de roda, causadores da gastrenterite infantil aguda e de diarreia em crianças e animais; ROTAVIRO [F.: Do lat. cient. *rotavirus*, pelo ing. *rotavirus.*]

roteador (ro.te:a.*dor*) [ô] *a.* **1** *Mar. Náut.* Que roteia; que abre caminho; que explora regiões desconhecidas, esp. através dos mares (embarcação roteadora; marinheiro roteador) **2** *Inf.* Diz-se de computador ou equipamento us. para roteamento *sm.* **3** *Mar. Náut.* Aquele ou aquilo que roteia, abrindo caminho; ARROTEADOR **4** *Inf.* Dispositivo de comunicação que conecta duas ou mais LAN's, recebendo dados num protocolo específico e os transmitindo ao destino correto pela rota mais eficiente entre redes [F.: *rotea(r)* + *-dor.*]

roteamento (ro.te:a.*men*.to) *sm.* **1** Ação ou resultado de rotear; MAREAR; NAVEGAR **2** *Mar. Náut.* Condução de embarcação por entre os mares, abrindo caminhos **3** *Mar. Náut.* Processo de criação de novas rotas, de novos caminhos **4** *Inf.* Determinação da rota apropriada ou de caminho mais curto ou mais confiável para uma mensagem, um conjunto de dados ou bloco de informações, através de uma rede de computadores [F.: *rotea(r)* + *-mento.*]

rotear¹ (ro.te.*ar*) *v. td. Agr.* Ver *arrotear.* [▶ 13 rotear] [F.: *rot(o)* + *-ear.*]

rotear² (ro.te.*ar*) *v.* **1** Comandar, dirigir, orientar (embarcação) [*td.*: *Rotear um veleiro.*] [*int.*: *Sua especialidade náutica era rotear.*] **2** Estabelecer como rota [*td.*] **3** *Inf.* Numa rede de computadores, determinar a rota a ser percorrida por (blocos de informação) [*td.*] [▶ 13 rotear] [F.: *rota* + *-ear*². Hom./par.: *roteария(s)* (fl.), *roteаria* (sf. [e pl.]).]

roteirista (ro.tei.*ris*.ta) *s2g.* **1** *Cin. Rád. Telv.* Profissional que escreve roteiros para filmes, novelas etc. **2** *Mar.* Autor de roteiro marítimo [F.: *roteiro* + *-ista.*]

roteirização (ro.tei.ri.za.*ção*) *sf. Cin.* Ação ou resultado de roteirizar, de criar roteiros, esp. para o cinema, esp. a partir de outros textos produzidos, como romances, contos etc.: *Foi perfeita a roteirização do Dom Casmurro para o cinema.* [Pl.: *-ções.*] [F.: *roteiriza(r)* + *-ção.*]

roteirizar (ro.tei.ri.*zar*) *v. td. Bras. Cin.* Transformar em roteiro (argumento, romance, narrativa) [▶ 1 roteirizar] [F.: *roteir(o)* + *-izar.*]

roteiro (ro.*tei*.ro) *sm.* **1** *Cin. Rád. Telv.* Texto desenvolvido a partir do argumento de um filme ou novela no qual se indicam os planos, sequências e cenas com respectivas rubricas técnicas, descrição de cenários, diálogos e sons de fundo **2** *Mar.* Itinerário de viagem marítima com indicação de pontos e acidentes cujo conhecimento é fundamental para a viagem **3** *Tur.* Itinerário de viagem, com descrição dos pontos de maior atração ou importância **4** *Tur.* Publicação com mapas e texto indicando as ruas e logradouros de uma cidade **5** Relação dos tópicos a serem abordados em sequência em um trabalho escrito ou exposto oralmente: *Roteiro da dissertação; roteiro de uma conferência.* [F.: *rota* + *-eiro.*]

rotenoide (ro.te.*noi*.de) *sm.* Substância que, encontrada em algumas leguminosas, é us. como inseticida

rotenona (ro.te.*no*.na) *sf. Quím.* Substância encontrada em plantas do gên. *Lonchocarpus*, da fam. das leguminosas, de fórm. $C_{23}H_{23}O_6$, us. como pesticida e em veterinária, como ectoparasiticida e acaricida [F.: Do ing. *rotenone.*]

roti (ro.*ti*) *sm. Cul.* Pão natural da Índia, de massa fina

rotífero (ro.*tí*.fe.ro) *sm.* **1** Espécime dos rotíferos, filo de animais asquelmintos, que compreende vermes, muito encontrados em água-doce, ger. de corpo alongado, com glândulas adesivas para fixação e parte posterior em forma de cauda *a.* **2** Ref. ou pertencente aos rotíferos [F.: Adapt. do lat. cient. *Rotifera.*]

rotina (ro.*ti*.na) *sf.* **1** Caminho utilizado normalmente; itinerário habitual **2** Sequência mais ou menos repetitiva de atos e procedimentos habituais: *Seguia sempre a mesma rotina.* **3** *Fig.* Apego a hábitos tradicionais, aversão ao progresso: "E diante da novidade, do intruso que vinha forçar as portas trancadas da rotina, os rurais conspiravam, reagiam." (Souza Costa, *Ressurreição dos mortos*) **4** *Inf.* Conjunto de instruções sequenciadas em um programa de computador; SUBPROGRAMA **5** *Adm.* Conjunto das etapas necessárias à realização de uma tarefa **6** *Mar.* Quadro cronológico das atividades realizadas diariamente no navio [F.: Do fr. *routine.* Hom./Par.: *rotina* (sf.), *rutina* (sf.).]

rotineiramente (ro.ti.nei.ra.*men*.te) *adv.* De modo rotineiro: *Ele faz essas caminhadas rotineiramente.* [F.: Fem. de *rotineiro* + *-mente.*]

rotineiro (ro.ti.*nei*.ro) *a.* **1** Próprio da rotina: *Basta efetuar os procedimentos rotineiros.* *a.* **2** Que segue a rotina: "É aos maus livros e métodos rotineiros que deve atribuir-se, em grande parte, a responsabilidade do atraso mental..." (Simões Dias, *Teoria da linguagem*) *sm.* **3** Aquele que segue rigorosamente a mesma sequência de atos para cada atividade: *Os rotineiros têm grande dificuldade em aceitar qualquer mudança.* [F.: *rotina* + *-eiro.*]

rotinização (ro.ti.ni.za.*ção*) *sf.* Ação ou resultado de rotinizar(-se), de criar rotina ou de entrar na rotina [Pl.: *-ções.*] [F.: *rotinizar* + *-ção.*]

rotinizado (ro.ti.ni.*za*.do) *a.* Que (se) rotinizou; que passou por processo de rotinização (manhãs rotinizadas) [F.: Part. de *rotinizar.*]

rotinizar (ro.ti.ni.*zar*) *v.* Converter(-se) em rotina, em acontecimento frequente, do dia a dia [*td.*: *Rotinizou sua bebedeira noturna.*] [*int.*: *As execuções, na favela, se rotinizaram.*] [▶ 1 rotinizar] [F.: *rotina* + *-izar.*]

rotisseria (ro.tis.se.*ri*:a) *sf.* **1** Loja onde se vendem frios, queijos, carnes e outros produtos do gênero **2** Em supermercados e outros estabelecimentos comerciais, seção em que se vendem presunto, queijo, viandas etc. [F.: Do fr. *rôtisserie.*]

⊕ **rôtisserie** (*Fr.* /rotisrí/) *sf.* Ver *rotisseria*

roto (*ro*.to) [ô] *a.* **1** Que se rompeu **2** Esburacado, rasgado, danificado (camisa rota) **3** Maltrapilho, esmolambado **4** *Fig.* Que se infringiu, foi desrespeitado: *O contrato foi roto.* **5** Que padece de hérnia *sm.* **6** Indivíduo que anda malvestido; maltrapilho [F.: Do lat. *ruptus, a, um.* Hom./Par.: *roto* (a.), *roto* (fl. de *rotar*), *Roto* (antropônimo); *rota* (fem.), *rota* (sf.), *rota* (fl. de *rotar*).] ■ **Rir(-se) o ~ do esfarrapado** Criticar ou ridicularizar algo ou alguém quando o próprio crítico pode ser alvo da mesma crítica ou ridicularização

◎ **roto-** *el. comp.* Ver *rot(a)-*

rotogravar (ro.to.gra.*var*) *v. td. Art. gr.* Fazer (reprodução) pelo processo de rotogravura [▶ 1 rotogra**var**] [F.: *roto-* + *gravar.*]

rotogravura (ro.to.gra.*vu*.ra) *sf.* **1** Processo de heliogravura no qual a gravação se faz em forma cilíndrica de cobre para a tiragem em prensa rotativa **2** Estampa obtida por esse processo [F.: *roto-* + *gravura.*]

rotoimpressão (ro.to.im.pres.*são*) *sf. Art. gr.* Impressão rotativa [Cf.: *plani-impressão.*] [Pl.: *-sões.*] [F.: *roto-* + *impressão.*]

rotor (ro.*tor*) [ô] *sm.* **1** Parte giratória de certas máquinas e motores **2** *Aer.* Conjunto formado pela peça central e suas partes giratórias que proporcionam a sustentação dos helicópteros [F.: Do lat. *rotator, is*, pelo ing. *rotor.*]

rótula (*ró*.tu.la) *sf.* **1** *Arq.* Janela de treliça que permite a entrada de luz **2** *Anat.* Osso arredondado móvel localizado acima da articulação do fêmur com a tíbia; PATELA **3** *Mec.* Peça esférica usada como articulação em aparelhos que necessitam orientar-se em várias direções [F.: Do lat. *rotula, ae.* Hom./Par.: *rótula* (sf.), *rotula* (fl. de *rotular*).]

rotulação (ro.tu.la.*ção*) *sf.* **1** Ação ou resultado de rotular(-se); ROTULAGEM **2** Fixação de rótulo, etiqueta etc. em um objeto ou produto, a fim de divulgar informações importantes sobre o mesmo **3** *Fig.* Atribuição de qualidades negativas ou positivas sobre alguém ou algo, ger. com simplismo e inadequação [Pl.: *-ções.*] [F.: *rotula(r)* + *-ção.* Sin. ger.: *rotulagem.*]

rotulado¹ (ro.tu.*la*.do) *a.* **1** Que se rotulou: "... no meu artigo anterior a esse e rotulado com mesmo título desse." (Sampaio Bruno, *Ditadura*) **2** A que se após um rótulo: *Todas as embalagens devem ser rotuladas.* **3** A quem se atribuiu determinada qualidade: *Esse é o aluno João, rotulado como o mais rebelde da turma.* [F.: *Part. de rotular.*]

rotulado² (ro.tu.*la*.do) *a.* **1** Que tem rótula, que se assemelha a uma pequena roda: *Janela rotulada.* *sm.* **2** *Her.* Bandas e barras entressachadas no escudo, deixando espaços entre si [F.: *rótula* + *-ado*¹.]

rotulador (ro.tu.la.*dor*) [ô] *a.* **1** Que rotula, que fixa rótulos, etiquetas etc. em algo **2** Nos grandes departamentos e estabelecimentos comerciais, diz-se de funcionário encarregado de fixar rótulos, etiquetas etc. *sm.* **3** Aquele ou aquilo que rotula **4** Aquele que rotula **5** Funcionário encarregado da rotulação de produtos nos grandes departamentos e estabelecimentos comerciais [F.: *rotulado* + *-or.*]

rotuladora (ro.tu.la.*do*.ra) [ô] *sf.* Dispositivo pelo qual se fixam rótulos e etiquetas [F.: Fem. de *rotulador.*]

rotulagem (ro.tu.*la*.gem) *sf.* Ação ou resultado de rotular(-se); ROTULAÇÃO [Pl.: *-gens.*] [F.: *rotula(r)* + *-agem.*]

rotular (ro.tu.*lar*) *v.* **1** Colocar rótulo ou adesivo em [*td.*: *Rotulou todas as pastas do arquivo.*] **2** Fazer as vezes de rótulo ou adesivo em [*td.*: *Utilizou papéis coloridos para rotular as embalagens.*] **3** *Fig.* Classificar ou definir de modo simplista ou impróprio; pôr rótulo em [*td.*: "Somos obrigados a rotular todos os fenômenos que surgem das relações observadas..." (João Ubaldo Ribeiro, "Ideologias e a vida de todo dia" *in Política: quem manda, por que manda, como manda*)] [*tdp.*: "Trata-se do que posso rotular de tremelicação documental." (João Ubaldo Ribeiro, "Maluquices variadas" *in O conselheiro come*)] [*int.*: "Porque rotulamos..., acabamos por dar a parecer que as coisas são os nomes que lhes damos." (João Ubaldo Ribeiro, "Ideologias e a vida de todo dia" *in Política: quem manda, por que manda, como manda*)] [▶ 1 rotular] [F.: *rótulo* + *-ar*². Hom./Par.: *rotula* (fl.), *rótula* (sf.); *rotulas* (fl.), *rótulas* (pl. do sf.);; *rotulo* (fl.), *rótulo* (sm.); *rotuláveis* (fl.), *rotuláveis* (pl. de *rotulável* [a2g.]).]

rotulável (ro.tu.*lá*.vel) *a2g.* Que pode ser rotulado (produto rotulável: comportamento rotulável) [Pl.: *-veis.*] [F.: *rotula(r)* + *-vel.*]

rótulo (*ró*.tu.lo) *sm.* **1** Etiqueta com informações sobre o produto (nome, marca, fabricante, prazo de validade, componentes etc.) que se afixa na embalagem **2** Essa mesma etiqueta com informações elogiosas sobre o fabricante e o produto que se coloca nas garrafas de vinho, uísque etc.

3 Dístico na lombada dos livros 4 *Rel.* Grade das janelas e portas dos confessionários, clausuras etc. 5 *Fig.* Classificação, em geral superficial e preconceituosa, que se atribui a alguém; PECHA: *Deram-lhe logo o rótulo de namorador e preguiçoso.* [F.: Do lat. *rotulus, i.* Hom./Par.: *rótulo* (sm.), *rotulo* (fl. de *rotular*).]

rotunda (ro.*tun*.da) *sf.* 1 *Arq.* Edifício de planta circular encimado por cúpula quase esférica 2 *Urb.* Praça circular 3 *Teat.* Cortina, ger. de cor escura, que cobre o fundo do palco [F.: Substv. do fem. de *rotundo*.]

rotundamente (ro.tun.da.*men*.te) *adv.* De maneira categórica; DECISIVAMENTE: *O escritor fracassou rotundamente em seu segundo livro.* [F.: *rotunda* (fem. de *rotundo*) + *-mente*.]

rotundidade (ro.tun.di.*da*.de) *sf.* 1 Qualidade do que é rotundo, redondo 2 *P. ext.* Característica de quem tem excesso de peso; CORPULÊNCIA; OBESIDADE [F.: Do lat. *rotunditas, atis*.]

rotundo (ro.*tun*.do) *a.* 1 Que tem forma esférica, circular; REDONDO; GLOBULAR 2 Que é gordo, obeso; RECHONCHUDO: *Aos quarenta já era calvo e rotundo.* [Ant.: *magro*.] 3 Que não dá espaço a contestações; CATEGÓRICO; REDONDO: *Ouviu a proposta e respondeu com um rotundo não.* [F.: Do lat. *rotundus, a, um*.]

rotura (ro.*tu*.ra) *sf.* Ver *ruptura* [F.: *rot(o)* + *-ura*.]

roubada (rou.*ba*.da) *Bras. Gír. sf.* 1 Situação inesperadamente difícil que se presumia boa: *De repente, entrou numa roubada* 2 Logro, engano; mau negócio [F.: Fem. substv. de *roubado.* Sin. ger.: *fria, furada*.]

roubado (rou.*ba*.do) *a.* 1 Em que houve ou que sofreu roubo; FURTADO; AFANADO: *Teve a loja roubada* 2 Que foi objeto de roubo (ideia roubada); IMITADO; COPIADO 3 Que foi vítima de sequestro ou rapto: *O recém-nascido roubado foi encontrado.* [F.: Part. de *roubar*.]

roubador (rou.ba.*dor*) [ô] *a.* 1 Que rouba *sm.* 2 Aquele que rouba [F.: *roubado* + *-or.* Sin. ger.: *larápio, ladrão*.]

roubalheira (rou.ba.*lhei*.ra) *sf.* 1 Roubo de grandes proporções; roubo importante e escandaloso 2 Roubo que envolve bens públicos ou de empresa, instituição etc.; roubo de bens ou de valores pertencentes ao Estado 3 *Bras. Pop.* Preços exorbitantes; ROUBO [F.: *roubo* + *-alheira.* Sin. ger.: *ladroeira*.]

rouba-monte (rou.ba-*mon*.te) *sm. Lud.* Variedade de jogo carteado [Pl.: *rouba-montes*.]

roubar (rou.*bar*) *v.* 1 Praticar roubo; FURTAR [*td.*: "Ia pra igreja só pra roubar o dinheiro / que as velhinhas colocavam na caixinha do altar..." (Renato Russo, *Faroeste caboclo*)] [*tdi.* + *a*: "...certo sertanejo, a quem roubara objetos de valor..." (Franklin Távora, *O matuto*)] [*tdr.* + *com, de*: *Roubou do rapaz a bicicleta*; "...cachimbo que o sumítico roubara de um pobre cego decrépito." (Aluísio Azevedo, *O cortiço*); "...onde ele depositava o que roubava com o pai e... com o Teodósio..." (Franklin Távora, *O Cabeleira*); "...cachimbo que o sumítico roubara de um pobre cego decrépito." (Aluísio Azevedo, *O cortiço*)] [*int.*: "Sob uma má influência dos boyzinhos da cidade / começou a roubar..." (Renato Russo, *Faroeste caboclo*)] 2 Cometer rapto, sequestro contra (alguém); RAPTAR; SEQUESTRAR [*tda.*: *Roubou a criança do berçário.*] [*tdi.*: "Chorava o rei e a rainha / há dez anos sem cessar, / que lhe roubaram a filha / numa noite de luar..." (Júlio Dinis, *As pupilas do senhor reitor*)] 3 Conquistar por sedução (parceiro amoroso de outrem) [*tdi.* + *a*: "...não consentirei que me roube meu marido..." (José de Alencar, *Senhora*)] 4 Prejudicar (competidor), desrespeitando as regras de jogo [*td.*] [*int.*: *Ele rouba muito no carteado.*] 5 Apresentar como seu (obra, ideia de outrem); PLAGIAR [*td.*: *Foi acusado de roubar a antiga modinha.*] [*tdr.* + *a, de*: *Disse que não roubara do conhecido poeta a composição.*] 6 Desgastar-se com o tempo; CONSUMIR; GASTAR [*tdr.* + *a*: "Apenas o tempo empalideceu as decorações, roubando-lhes a pureza e o brilho das coisas novas e virgens..." (José de Alencar, *A viuvinha*)] 7 Alterar (algo) de maneira desonesta; ADULTERAR; FALSIFICAR [*tr.* + *em*: "...enganando os fregueses, roubando nos pesos e nas medidas..." (Aluísio Azevedo, *O cortiço*)] 8 Fazer (carinho, agrado) em alguém sem a sua permissão [*tdi.* + *a*: "Quando te roubei um beijo bem roubado..." (Ari Barroso, *Três lágrimas*)] 9 Privar de; tirar algo (de alguém) [*tdi.* + *a, de*: "...vinha-lhe... roubar... o sossego." (Aluísio Azevedo, *Casa de pensão*)] [*td.*: "...roubavam... honra e vida." (Franklin Távora, *O Cabeleira*)] 10 Livrar (alguém) de (dano, perigo); SALVAR [*tdr.* + *de*: *Roubara a população da fome.*] 11 *Fig.* Esquivar-se de; furtar-se a; EVITAR; FUGIR [*tr.* + *a*: *Tímido, rouba-se aos carinhos dos amigos.*] [▶ 1 roubar] [F.: Do germ. *rauben* [ou raubon?]. Hom./Par.: *roubo* (fl.), *roubo* (sm.); *roubado* (fl.), *roubado* (a.).]

roubo (*rou*.bo) *sm.* 1 Ação ou resultado de roubar, de apropriar-se de algo que pertence a outra pessoa, sem seu consentimento 2 Furto acompanhado de violência; ASSALTO 3 A própria coisa ou coisas roubadas: *Fugiu com o roubo* 4 Uso indevido de propriedade intelectual alheia; CÓPIA; PLÁGIO 5 *Fig.* Preço exorbitante, considerado extorsivo; ROUBALHEIRA [F.: Dev. de *roubar*.]

roucamente (rou.ca.*men*.te) *adv.* De maneira rouca, demonstrando rouquidão: *Falava roucamente, de maneira ameaçadora.* [F.: o fem. de *rouco* + *-mente*.]

rouco (*rou*.co) *a.* 1 Que tem rouquidão, que enrouqueceu 2 Que está com a voz falha, áspera 3 Diz-se de voz que é áspera ou falha; ROUFENHO 4 De som grave [F.: Do lat. *raucus, a, um*.]

roufenho (rou.*fe*.nho) *a.* 1 Que tem a voz fanhosa ou rouca; que fala pelo nariz 2 Diz-se de voz que é fanhosa ou rouca, anasalada 3 Que tem um som áspero e cavo; que tem som estridente, baixo ou grave e ao mesmo tempo áspero (tuba roufenha): "Mas, roufenho, o berrante trombeteou de novo, mais forte, na frente." (Guimarães Rosa, "O burrinho pedrês" *in Sagarana*) [F.: De or. onom., posv.]

⊕ ***rouge*** (*Fr. /rúge/*) *sm.* Ver *ruge*

⊕ ***round*** (*Ing. /ráund*) *Esp. sm.* 1 Cada uma das divisões de uma luta (de boxe, judô, jiu-jítsu etc.), entre as quais há um breve descanso; ASSALTO 2 *Fig.* Etapa difícil de uma negociação; embate entre pontos de vista discordantes

roupa (*rou*.pa) *sf.* 1 *Vest.* Qualquer peça (ou conjunto de peças) com a qual se cobre o corpo para protegê-lo, ocultá-lo e/ou enfeitá-lo; TRAJE 2 *Vest.* Cada uma ou conjunto das peças que compõe o vestuário de uma pessoa, de um país, de uma época, de uma estação etc. (roupa íntima; roupa japonesa; roupa medieval; roupa de inverno); INDUMENTÁRIA 3 *Vest.* Peça ou conjunto de peças us. em determinada ocasião (roupa de festa; roupa de praia); TRAJE 4 Peça ou conjunto de peças de pano, para uso doméstico (roupa de banho; roupa de mesa) [F.: Do gót. *raupa*.] ■ **Bater ~** *Bras. Fut.* Defender, mas não segurar (goleiro) chute do adversário **Lavar a ~ (suja)** *Bras.* Discutir abertamente, tentando resolver, problemas familiares ou de natureza íntima, particular **~ de baixo** Roupa (2) íntima, usada sob a roupa (1), como cueca, camiseta, calcinha, sutiã etc. **~ de ver a Deus** *N. E. Pop.* Roupa nova, roupa domingueira **~ interior** *Lus.* Ver *Roupa de baixo* **~ íntima** Ver *Roupa de baixo*

roupagem (rou.*pa*.gem) *sf.* 1 *Vest.* Conjunto de roupas; VESTES: "Pressurosa, das mais finas roupagens se reveste, adorna-se de joias." (Fagundes Varela, *Obras*, v. III) 2 *Fig.* Aspecto exterior de algo ou alguém, ger. enganoso; APARÊNCIA: *Para impressionar a comissão, exibiu sua roupagem de bom caráter.* 3 Roupas representadas em pinturas ou esculturas 4 O mesmo que *rouparia* [Pl.: *-gens*.] [F.: *roupa* + *-agem²*.]

roupão (rou.*pão*) *Vest. sm.* 1 Roupa comprida, ger. de seda ou tecido fino, us. em casa, por cima de outras; ROBE 2 Roupa comprida, ger. de seda ou tecido fino, us. sobre a roupa de dormir 3 Roupa comprida feita de tecido próprio para absorver a água (roupão de banho) 4 *Lus.* Saída (9) que se usa sobre o biquíni, o maiô etc. [Pl.: *-pões*.] [F.: *roupa* + *-ão¹*.] ■ **~ de banho** Roupão de tecido atoalhado, felpudo, próprio vestir sobre o corpo molhado, após o banho

rouparia (rou.pa.*ri*.a) *sf.* 1 Local apropriado para se guardar roupas 2 Local onde se vendem roupas 3 Grande quantidade de roupas; ROUPAGEM 4 *Lus.* Local onde se fabricam queijos; QUEIJARIA [F.: *roupa* + *-aria*.]

roupeiro (rou.*pei*.ro) *sm.* 1 Aquele que trabalha em rouparia ou cuidando das roupas de uma família, grupo, uma instituição etc.: *roupeiro de um time de futebol.* 2 *Vest.* Aquele que faz roupas 3 *Bras. Mob.* Móvel us. para guardar roupas, semelhante à cômoda 4 *Bras. Pop.* Comparsa de um punguista que age encobrindo o parceiro na hora do furto [F.: *roupa* + *-eiro*.]

roupeta (rou.*pe*.ta) [ê] *sf.* 1 Batina de padre [Dim. de *roupa*.] *sm.* 2 *Pej.* Padre, sacerdote [F.: *roup(a)* + *-eta*.]

rouquejar (rou.que.*jar*) *v.* 1 Emitir sons roucos; ter som rouco; ter rouquidão [*int.*: "E o tísico rouquejava sempre, agitando os braços." (Aluísio Azevedo, *Casa de pensão*)] 2 Expressar-se ou falar com voz áspera, rouca [*td.*: "O sr. Ventura [...] apertou-a fortemente ao peito e rouquejou: _ A Lucy... Um oficial chinês..." (Miguel Torga, *O senhor Ventura*)] [*int.*: "Bate [...] palmas aos saltimbancos que [...] rouquejam com fome para alegrá-la e para comer" (João do Rio, *A alma encantadora das ruas*)] 3 Fazer ou produzir grande ruído; BRAMIR; FREMIR; RUGIR [*int.*: "Mas também a flor brincada /.../Logo sente / Vir a enchente / Longe, longe a rouquejar..." (Gonçalves Dias, "Mimosa e bela" *in Segundos cantos*)] 4 Produzir som com estrondo; ESTRONDEAR; TROAR [*int.*: "Eis o brônzeo canhão que rouqueja..." (Gonçalves Dias, "A vila maldita, cidade de Deus" *in Primeiros cantos*)] [▶ 1 rouquejar] [F.: *rouco* + *-ejar*.]

rouquenho (rou.*que*.nho) *a.* 1 Que demonstra rouquidão 2 Que parece falar pelo nariz; FANHOSO; ROUFENHO [F.: *rouc(o)* > *c/qu* + *-enho*.]

rouquice (rou.*qui*.ce) *sf.* O mesmo que *rouquidão*

rouquidão (rou.qui.*dão*) *Otor. sf.* 1 Alteração na voz que a torna falha e áspera, ger. causada por inflamação da garganta ou laringe 2 Som rouco, rouquenho: "E os dois órgãos ao fundo, que rouquidões! Grunhindo trovões por entre os cantochões." (Guerra Junqueiro, *Pátria*) [Pl.: *-dões*.] [F.: *rouco* + *-idão.* Tb. *rouquice*.]

rousseauiano (rous.seau.ni.*a*.no) [ussô] *Fil. a.* 1 Ref. ao filósofo francês Jean-Jacques Rousseau (1712-1778) e/ou à sua obra 2 Diz-se de admirador ou seguidor das ideias desse filósofo ou especialista em sua obra *sm.* 3 *Fil.* Admirador, seguidor e/ou especialista das ideias e das obras do filósofo francês [F.: Do antr. (Jean-Jacques) *Rousseau* + *-n-* + *-iano*.]

rouxinol (rou.xi.*nol*) *sm.* 1 *Zool.* Pássaro, da fam. dos turdídeos (*Erythacus megarhynchos*), encontrado na Europa, África e Ásia, avermelhado no dorso e nas asas e esbranquiçado no pescoço e no ventre, bico quase negro e amarelo, cujo canto suave e variado é muito apreciado 2 *Fig.* Pessoa que canta muito bem [Pl.: *-nóis*.] [F.: Do provç. ant. *rossinhol*, este do lat. vulg. **lusciniolus.* Na acp. 1 é epiceno.]

roxa (*ro*.xa) [ô] *sf.* 1 Mancha de cor arroxeada na pele 2 *Bras. Pop.* Mulher jovem e muito morena; ROXINHA [F.: Fem. de *roxo.* Hom./Par.: *roxa* (sf.), *rocha* (sf.).]

roxear (ro.xe.*ar*) *v. td. int.* Ver *arroxear* [▶ 13 roxear] [F.: *roxo* + *-ear²*.]

roxo (*ro*.xo) [ô] *sm.* 1 Cor entre o vermelho e o azul, com predominância deste; cor tirante a rubro e violáceo; a cor da ametista e do açaí 2 Por metonímia, roupa dessa cor: *Saiu vestida de roxo parecendo uma bruxa.* *a.* 3 Cuja cor é o roxo (1): *A bruxa usava sapatos roxos.* *a.* 4 Diz-se dessa cor: *Os adornos do altar eram de cor roxa.* [Sin. (de 1 a 4): *violáceo, violeta*.] 5 *Bras. Pop.* Excessivo, intenso, desmedido (flamenguista roxo, fome roxa) 6 *Bras. Pop.* Ávido, desejoso, ansioso: *Está roxo para ir embora.* 7 *Bras. Pop.* Muito interessado; apaixonado, louco (roxo de amor) 8 *Bras. Fam.* Muito difícil, trabalhoso, árduo (tarefa roxa) 9 Com mancha, equimose ou contusão arroxeada, violácea: *Levou uma surra e estava todo roxo.* 10 *CE Pop.* Diz-se de namoro com intimidades amorosas; ROMBUDO [F.: Do lat. *russeus, a, um*.]

roxonho (ro.*xo*.nho) [ô] *a.* De tom arroxeado

⊕ ***royal straight flush*** (*Ing. /roial streit flash/*) *loc. subst. Lud.* No pôquer, cinco cartas do mesmo naipe em sequência máxima, o maior jogo que o parceiro pode ter nas mãos

⊕ ***royalty*** (*Ing. /roialti*) *Jur. sm.* Parcela do valor de um produto ou serviço que é paga quando se vende ao detentor da patente, da concessão, do direito autoral etc., ger. em forma de percentagem sobre o lucro ou sobre o preço de venda no mercado (royalties do petróleo; royalty editorial) [Us. ger. no pl.: *royalties*.]

rô-zero (rô-*ze*.ro) *sm. Fís.* Méson constituído de uma mistura de pares *quark-antiquark u* e *d*, paridade negativa e carga elétrica nula. [Símb.:P⁰.] [Pl.: *rôs-zero*.]

⊠ **RPG¹** *Med. sf.* Sigla de *Reeducação Postural Global*, sistema de exercícios que levam em conta as funções específicas individuais de ossos e músculos, e que visam corrigir hábitos errados de postura corporal

⊠ **RPG²** *Lud. sm.* Sigla do ing. *Role-Playing Game*, jogo em grupo em que cada participante, seguindo regras preestabelecidas, assume um papel determinado e o representa de acordo com sua imaginação, interagindo com os papéis representados pelos demais e, eventualmente, com situações definidas pela sorte (lançamento de dados), construindo assim uma história

⊠ **rpm** *Fís.* Abrev. de *rotação por minuto*

⊠ **RR** Sigla do *Estado de Roraima*

◎ **-rrafia** *el. comp.* = 'sutura'; 'costura': *blefarorrafia, gastrorrafia* (< gr.) [F.: Do gr. *-rraphía, as*, do v. gr. *rháptо*, 'coser'; 'costurar'. F. conexas: *rafid(o)-, rafi-*.]

◎ **-rragia** *el. comp.* = 'derramamento', 'escoamento'; 'fluxo ou corrimento anormal (de líquido orgânico)'; 'fluxo excessivo de algo': *hemorragia, uretrorragia, verborragia* [F.: Do gr. *-rrhagía, as*, do v. *rhégnymi*, 'escoar'; 'jorrar'.]

◎ **-rreia** *el. comp.* = 'corrimento'; 'secreção (ger. patológica)': *diarreia* (< gr.), *gonorreia* (< gr.), *otorreia, piorreia, uretrorreia* [F.: Do gr. *-rrhoía, as*, do v. gr. *rhéo*, 'fluir'. Para os adjetivos referentes a palavras com este elemento, ver *-rreico.* F. conexa: *reo-*.]

◎ **-rreico** *el. comp.* Formador de adjetivos em *-reia*: *diarreico, galactorreico, gonorreico* (< gr.), *otorreico, piorreico, uretrorreico.* [F.: Do gr. *-rhoikós, é, ón*, do gr. *-rhoia, as* (< v. gr. *rhéo*, 'fluir') + suf. gr. *-ikós, é, on*, formador de adjetivos.]

⊠ **RS** Sigla do *Estado do Rio Grande do Sul*

⊠ **RTV** *Publ.* Abrev. de *Rádio e Televisão* [Ver *RTVC*]

⊠ **RTVC** *Publ.* Abrev. de *Rádio, Televisão e Cinema* [Ver *RTV*.]

⊠ **Ru** *Quím.* Símb. de *rutênio*

rua (*ru*.a) *sf.* 1 *Urb.* Parte do espaço público de uma cidade onde trafegam veículos, delimitada por calçadas onde circulam pedestres, e margeada à direita e à esquerda por casas, prédios etc.; VIA 2 *P. ext. Urb.* O caminho central deste espaço, ladeado pelas calçadas: *Pare na calçada e não atravesse a rua, antes de verificar se o sinal está aberto para os pedestres.* 3 Qualquer logradouro público, em recinto aberto ou fechado, por oposição à residência, local de trabalho etc. 4 *P. ext. Fig.* Conjunto das pessoas que trabalham ou moram numa rua (1): *Toda a rua festejou a vitória da seleção.* 5 *Bras. Agr.* Espaço entre as filas de uma plantação (ruas de bananeiras; ruas do jardim) 6 *Art. gr.* Erro na composição, caracterizado pelo aparecimento de riscas brancas irregulares formadas pelos espaços coincidentes de várias linhas contíguas *interj.* 7 Expressão irada de quem expulsa alguém de um recinto: *Ponha-se para fora! Rua!* [F.: Do lat. *ruga*, com provável influência do fr. *rue*.] ■ **Arrastar pela ~ da amargura** Desacreditar (alguém), humilhando-o, ao atacar sua reputação, sua honra etc. **Do meio da ~** *Pop.* De muito longe. Acertou um chute do meio da rua **Encher a ~ de pernas** *Bras. Fam.* Caminhar sem rumo, perambular, vagar, vagabundear **Levar à ~ da amargura** Ver *Arrastar pela rua da amargura* **~ da amargura** 1 *Rel.* O caminho que Jesus percorreu rumo ao Calvário 2 *Fig.* Angústia, aflição, sofrimento, sentimento de infelicidade e desamparo **Viver na ~** Sair muito de casa, ficar pouco tempo em casa, e mais em atividades e programas fora dela

ruandense (ru:an.*den*.se) *a2g.* 1 Ref. ou inerente a, ou pertencente a Ruanda, república da África Central 2 Típico de Ruanda ou de seu povo (culinária ruandense; linguajar ruandense) *s2g.* 3 Aquele ou aquela que nasceu ou que vive em Ruanda [F.: Do top. *Ruanda* + *-ense.* Tb. *ruandês*.]

ruandês (ru:an.*dês*) *sm.* ***a.*** Ver *ruandense* [F.: Do top. *Ruanda* + *-ês*.]

ruano (ru.*a*.no) ***a.*** **1** *Zool.* Que tem pelo branco ou esbranquiçado com manchas escuras ***sm.*** **2** *Zool.* Cavalo cujo corpo apresenta pelo branco ou esbranquiçado com manchas escuras [F.: Do espn. *roano.* Sin. ger.: *ruão.*]

ruão[1] (ru.*ão*) *sm.* **1** Homem do povo, da rua; PLEBEU **2** Habitante de cidade [Pl.: *-ões.* Fem.: *-ona.* Aum. de *rua.*] [F.: *rua* + *-ão.*]

ruão[2] (ru.*ão*) *sm. Têxt.* Tecido de linho ou algodão que se fabricava em Ruão (Rouen), França, no séc. XIV [F.: Do top. *Ruão,* adapt. do fr. *Rouen.*]

ruão[3] (ru.*ão*) *Zool.* ***a.*** **1** Ver *ruano* **2** *Bras.* Diz-se de cavalo de pelagem clara com crinas amareladas [Pl.: *-ões.* Fem.: *-ã*] ***sm.*** **3** *Zool.* Ver *ruano* **4** Cavalo de pelagem clara, provido de crinas amarelas [Pl.: *-ões.* Fem.: *-ã.*] [F.: Do lat. **ravidanum,* de *ravidus.*]

⊕ **rubato** (*It.* /rubáto/) ***a.*** **1** *Mús.* Diz-se de execução musical em que o instrumentista emprega certas liberdades rítmicas, estendendo algumas notas e encurtando outras, com intuito de demonstrar maior expressividade [Pl.: *rubati.* (*it.*).] ***sm.*** **2** *Mús.* Composição musical assim executada [Pl.: *rubati.* (*it.*).]

rubefação (ru.be.fa.*ção*) *sf.* **1** *Derm. Med.* Coloração avermelhada na pele, resultante de processo inflamatório **2** *Geol.* Formação de leve camada ferruginosa em superfície de rocha ou em depósito de sedimentos, resultante da oxidação do ferro contido nos minerais da rocha [Pl.: *-ções.*] [F.: Do lat. *rubefactio, onis.*]

rubefaciente (ru.be.fa.ci.*en*.te) ***a2g.*** **1** Que provoca vermelhidão **2** Diz-se de substância que provoca rubefação ***sm.*** **3** Substância capaz de provocar rubefação [F.: Do lat. *rubefaciens, entis.*]

rubejante (ru.be.*jan*.te) ***a2g.*** Que rubeja; que apresenta cor rubra, vermelha ou vermelhidão [F.: *rubeja(r)* + *-nte.*]

rubejar (ru.be.*jar*) *v.* ***int.*** Mostrar-se rubro ou vermelho: *Suas faces rubejavam.* [▶ 1 rubejar] [F.: *rub(e/i)-* + *-ejar.*]

rubelita (ru.be.*li*.ta) *sf. Gem.* Tipo de turmalina rosa ou vermelha, muito us. como gema [F.: Do lat. *rubellus* 'avermelhado' + *-ita.*]

rúbeo (*rú*.be:o) ***a.*** De cor vermelha forte (crepúsculo rúbeo); RUBRO [F.: Do lat. *rubeus, a, um.*]

rubéola (ru.*bé*:o.la) *Pat. sf.* Doença infecciosa e contagiosa, causada por vírus, que provoca febre, faringite, artralgia, etc., e erupções na pele, deixando-a avermelhada; SARAMPO-ALEMÃO [Sua ocorrência em gestantes pode causar aborto ou deformações no feto.] [F.: Do lat. cient. *rubeola,* do lat. *rubeolus, a, um.*]

rubéolo (ru.*bé*.o.lo) ***a.*** Que tem cor avermelhada [F.: Do lat. vulg. **rubeolu.*]

rubeose (ru.be.*o*.se) [ó] *sf. Pat.* Doença ocular que apresenta semelhança com a rubéola

rubescente (ru.bes.*cen*.te) ***a2g.*** **1** Que rubesce, que se torna avermelhado **2** *P. ext.* Corado, ruborizado, esp. por sentimento de vergonha ou timidez [F.: Do lat. *rubescens, entis.*]

rubescer (ru.bes.*cer*) *v. td. int.* Ver *enrubescer* [▶ 33 rubescer NOTA: Nas formas rizotônicas do pres. ind., apresenta o *e* aberto [*é*] no radical, exceto na 1ª pes. do sing. (*rubesces*).] [F.: Do lat. *rubescere.*]

rubi (ru.*bi*) *sm.* **1** *Min.* Pedra preciosa de cor vermelha, variante do coríndon, de alto valor gemológico **2** Tom de vermelho intenso, semelhante à cor do rubi ***a2g2n.*** **3** Que tem cor avermelhada muito pronunciada (olhos rubi; pele rubi) [F.: Do cat. *robí,* do lat. medv. *rubinus.*]

rubiácea (ru.bi.*á*.ce:a) *Bot. sf.* **1** Espécime das rubiáceas, fam. de plantas formada por árvores, arbustos, trepadeiras e ervas, a maioria nativa de regiões tropicais e subtropicais, que tem entre as espécies mais conhecidas e cultivadas, o café, a quina, a ipecacuanha, o jenipapo, a gardênia e o jasmim-do-cabo **2** Us. como designação do café (a planta, o fruto ou produto deste obtido), esp. quando considerado como mercadoria [F.: Do lat. cient. *Rubiaceae.*]

rubiáceo (ru.bi:*á*.ce:o) *Bot.* ***a.*** Ref. ou pertencente às rubiáceas (fruto rubiáceo) [F.: De *rubiácea,* com mud. de suf.]

rubicano (ru.bi.*ca*.no) ***a.*** *Zool.* Diz-se de cavalo negro, baio ou alazão cujos pelos do corpo são mesclados de branco; RUBICÃO [F.: Do espn. lat. *rubicán.*]

rubicão (ru.bi.*cão*) ***a.*** **1** *Zool.* Ver *rubicano* **2** Antigo nome de um rio no norte da Itália, que separava Roma da Gália [Com inicial maiúscula.] [Pl.: *-cões.*] [F.: Do espn. lat. *rubicán.*] ■ **Atravessar o ~** *Fig.* Tomar decisão drástica e temerária, arrostando qualquer consequência [Como fez Júlio César em 49 a.C., para perseguir Pompeu, violando a lei; daí a expressão.]

rubicundo (ru.bi.*cun*.do) ***a.*** **1** Que tem cor avermelhada, rubra; RUBENTE: "Abre a romã mostrando a rubicunda / Cor com que tu, rubi, teu preço perdes." (Luís de Camões, *Os lusíadas*) **2** Diz-se de pessoa muito corada [F.: Do lat. *rubicundus, a, um.*]

rubídio (ru.*bí*.di.o) *sm. Quím.* Elemento de número atômico 37, pertencente à família dos metais alcalinos, de tom branco-prateado, us. em semicondutores, células fotelétricas etc. [Símb.: *Rb*] [F.: Do lat. cient. *rubidium.*]

rubilite (ru.bi.*li*.te) *sf.* Material us. no fabrico de joias

rublo (ru.blo) *sm.* **1** Denominação do dinheiro us. na Federação Russa e no Tadjiquistão: *Pagou a conta do hotel em rublos.* **2** Unidade dos valores em rublo, us. em notas e moedas [1 rublo = 100 copeques.]: *uma nota de 100 rublos.* [F.: Do fr. *rouble,* do russo *rubl'.*]

rubor (ru.*bor*) [ô] *sm.* **1** Característica ou qualidade do rubro, do que tem a cor vermelha; VERMELHIDÃO [Ant.: *palidez.*] **2** *Fig.* Cor avermelhada do rosto, causada por sentimento de vergonha, pudor, recato, raiva etc.; ENRUBESCIMENTO: *Veio-lhe um rubor na face.* [F.: Do lat. *rubor, oris.*]

ruborização (ru.bo.ri.za.*ção*) *sf.* Ação ou resultado de ruborizar (-se); RUBOR [Pl.: *-ções.*] [F.: *ruborizar* + *-ção.*]

ruborizado (ru.bo.ri.*za*.do) ***a.*** Que se ruborizou; AVERMELHADO; CORADO; ENRUBESCIDO [F.: Part. de *ruborizar.*]

ruborizar (ru.bo.ri.*zar*) *v.* **1** Tornar rubro, avermelhado [***td.:*** "...quando os primeiros raios do sol ruborizavam as torres de Nossa Senhora da Guarda [...] pus a proa ao Oriente." (Eça de Queirós, *O mandarim*)] **2** Ficar rubro, coberto de rubor ou vermelhidão [***int.:*** *As águas do lago ruborizaram ao sol nascente.*] **3** Tornar corado ou corar, por timidez, vergonha; envergonhar(-se) [***td.:*** *A piada ruborizou as senhoras presentes.*] [***int.:*** *Admitiu a culpa sem sequer ruborizar; Ruboriza-se sempre que falam de sua beleza.*] [▶ 1 ruborizar] [F.: *rubor* + *-izar.* Sin.: *avermelhar, enrubescer.* Ant. ger.: *empalidecer.*]

◎ **rubri-** ***el. comp.*** = 'vermelho'; 'rubro': *rubifloro, rubirrostro, rubrissandálico* [F.: Do lat. *ruber, bra, brum.*]

rubrica (ru.*bri*.ca) *sf.* **1** Assinatura abreviada de alguém **2** Título dos livros do direito civil ou canônico, orig. grafados com tinta vermelha **3** *Bibl. Hist.* Nos manuscritos antigos, letra ou linha inicial de um capítulo escrita em vermelho **4** *Bibl.* Marca ou notação que, numa lista, num conjunto de dados etc., identifica um de seus elementos como pertencente a uma das categorias, tipos, classes etc. em que se podem classificar esses elementos **5** Apontamento para fazer lembrar; LEMBRETE; NOTA **6** *Teat.* Indicação escrita do modo de execução de um trecho musical, cenário, um movimento cênico, uma fala, um gesto do ator etc. **7** *Art. gr. Tip.* Alteração feita na chapa tipográfica, depois de impressa, para imprimir os títulos em vermelho nos livros religiosos e de direito **8** *Litu.* Nota, ger. em letras vermelhas, nos missais, breviários ou outros livros litúrgicos, que indica o modo de recitar ou celebrar o ofício **9** O mesmo que *almagre* **10** *Lus.* Programa [F.: Do lat. *rubrica.*]

rubricado (ru.bri.*ca*.do) ***a.*** **1** Que se rubricou; em que se apôs rubrica ou firma (documentos rubricados); ASSINADO; SUBSCRITO **2** Anotado, assinalado, marcado (partes rubricadas; locais rubricados); APONTADO [F.: Part. de *rubricar.*]

rubricar (ru.bri.*car*) *v. td.* **1** Assinalar com rubrica; pôr assinatura abreviada em: *rubricar as páginas.* **2** Marcar ou assinalar com algum destaque: "Não tremas assim, leitora pálida; descansa, que não hei de rubricar esta lauda com um pingo de sangue." (Machado de Assis, *Memórias póstumas de Brás Cubas*) **3** Marcar com almagre: *Rubricou os espelhos.* [▶ 11 rubricar] [F.: *rubrica* + *-ar*[2]. Hom./Par.: *rubrica* (fl.), *rubrica* (sf.); *rubricas* (fl.), *rubricas* (pl. do sf.).]

rubrifloro (ru.bri.*flo*.ro) ***a.*** *Bot.* De folhas vermelhas, rubras [F.: *rubri-* + *-floro.*]

rubrirrostro (ru.brir.*ros*.tro) [ô] ***a.*** *Zool.* Que possui bico vermelho [F.: *rubri-* + *-rostro.*]

rubrissandálico (ru.bris.san.*dá*.li.co) ***a.*** Que apresenta cor rubra e aroma de sândalo [F.: *rubri-* + *sândalo* + *-ico*[2].]

rubro (*ru*.bro) ***a.*** **1** De cor vermelha viva, da cor de sangue; ESCARLATE; ENCARNADO: *a camisa rubra do time.* **2** Corado, afogueado (rubro de raiva); RUBORIZADO **3** *Fig.* Exagerado (nas opiniões, preferências, prazeres etc.): *rubro por futebol.* ***sm.*** **4** A cor rubra: *o rubro da bandeira.* **5** *Bras.* Torcedor do América Futebol Clube (RJ ou MG) [F.: Do lat. *ruber, rubra, rubrum.*]

rubro-negro (ru.bro-*ne*.gro) ***a.*** **1** Que apresenta as cores vermelho e preto **2** *Pop. Fut.* Diz-se do torcedor do time de futebol do Clube de Regatas do Flamengo, do Estado do Rio, cuja bandeira é de cor vermelha e preta (torcida rubro-negra); FLAMENGUISTA [Pl.: *rubros-negros* e *rubro-negros.*] ***sm.*** **3** *Fut.* Torcedor do time de futebol do Clube de Regatas do Flamengo: *a paixão dos rubro-negros.* [Pl.: *rubros-negros* e *rubro-negros.*]

ruçar (ru.*çar*) *v.* **1** Tornar(-se) ruço ou pardacento [***td.:*** "A chuva de Douai, o sol de Nîmes, o vento salino de Biarritz esverdearam ou ruçaram esses lamentáveis mantôs de *tournée*..." (Sidonie Gabrielle Colette, "A parada" *in* Aurélio Buarque de Holanda Ferreira e Paulo Rónai, *Mar de histórias*)] [***int.:*** *As roupas ruçaram com a exposição ao sol.*] **2** Tornar grisalho ou ruço; EMBRANQUECER; ENCANECER [***td.:*** *O estresse ruçou seus cabelos.*] **3** Começar a encanecer ou envelhecer [***int.:*** *Ruçara ainda jovem.*] [▶ 12 ruçar] [F.: *ruço* + *-ar*[2]. Hom./Par.: *ruça* (fl.), *ruça* (fem. de *ruço*), *russa* (fem. de *russo* [a. sm.]); *ruças* (fl.), *ruças* (pl. do fem. [a.]), *russas* (pl. do fem. [a. sm.]); *ruço* (fl.), *ruço* (a. sm.), *russo* (a. sm.); *ruçar, roçar* (em várias fl.).]

rucilho (ru.*ci*.lho) ***a.*** *Zool.* Diz-se do cavalo que apresenta pelagem mesclada de branco, vermelho e preto [F.: De *rosilho* posv., com infl. de *ruço.* Hom./Par.: rosilho (adj. sm.).]

ruço (*ru*.ço) ***a.*** **1** Que tem cor marrom avermelhada (águas ruças); PARDACENTO **2** Que, além dos cabelos de cor original, tem outros que ficaram brancos (barba ruça); GRISALHO **3** *Bras.* Que ficou gasto pelo uso (chapéu ruço); SURRADO **4** *Bras. Pop.* Que é difícil, adverso; COMPLICADO: *A situação está ruça!* **5** Que tem cabelos louros ou castanhos claros ***sm.*** **6** Aquele que tem cabelos louros ou castanhos claros **7** *RJ* Nevoeiro denso comum na Serra do Mar [F.: Do lat. *roscidus, a, um.* Hom./Par.: *ruço* (fl. de *ruçar*); *russo* (a. sm.).]

rúcula (*rú*.cu.la) *Bot. sf.* Erva da fam. das crucíferas (*Eruca sativa*), nativa da Europa, Ásia e África, de folhas comestíveis, de sabor ligeiramente picante, muito us. em saladas e em outros pratos [F.: Do it. *rùcola,* dim. do it. ant. *ruca,* deriv. do lat. *(e)ruca.*]

rude (*ru*.de) ***a2g.*** **1** *Agr.* Que não foi cultivado; inculto, baldio (descampado rude); AGRESTE **2** De superfície desigual e áspera; ESCABROSO **3** Feito sem acabamento ou aprimoramento (cadeiras rudes); RÚSTICO **4** Em que não existe beleza ou leveza, que é carregado ou sem arte (moradias rudes) **5** *Fig.* Que é indelicado, grosseiro **6** *Fig.* Que expressa rudeza, severidade etc. (palavras rudes) **7** Desastrado, desajeitado, estabanado **8** Rigoroso, severo, intransigente **9** Primitivo, tosco (povo rude) [F.: Do lat. *rudis, e.*]

rudemente (ru.de.*men*.te) ***adv.*** De maneira rude, grosseira: *Tratava as mulheres rudemente.* [Ant.: *educadamente, gentilmente.*] [F.: *rude* + *-mente.*]

ruderal (ru.de.*ral*) ***a2g.*** *Bot.* Diz-se de vegetal que medra de maneira espontânea em terrenos baldios, em volta das casas etc. [Pl.: *-rais.*] [F.: Do fr. *rudéral,* deriv. do lat. *rudus, eris.*]

rudez (ru.*dez*) [ê] *sf.* Ver *rudeza*: "(...) faltava-lhes certa rudez ingênua de pensamento e de expressão, que devia ser a linguagem dos indígenas." (José de Alencar, *Posfácio de Iracema*) [F.: *rude* + *-ez.*]

rudeza (ru.*de*.za) *sf.* **1** Característica ou qualidade do que é rude (rudeza do solo); ASPEREZA; RISPIDEZ **2** Maus modos; GROSSERIA; INDELICADEZA; ESTUPIDEZ **3** Maldade, crueldade, desumanidade **4** Severidade, rigidez, inflexibilidade **5** Ignorância, desinformação, boçalidade [F.: *rude* + *-eza.* Sin. ger.: *rudez.*]

rudimentar (ru.di.men.*tar*) ***a2g.*** **1** Ref. ou inerente aos rudimentos, às primeiras etapas do desenvolvimento de algo (conceitos rudimentares) **2** Pouco desenvolvido (produto rudimentar; sociedade rudimentar); INCIPIENTE; NASCENTE; RUDE **3** Pouco aprimorado; TOSCO **4** Em que não há refinamento, sem arte, grosseiro (pintura rudimentar) [F.: *rudimento* + *-ar*[1].]

rudimentarismo (ru.di.men.ta.*ris*.mo) *sm.* Qualidade, característica ou atributo do que é rudimentar; PRIMITIVISMO [F.: *rudimentar* + *-ismo.*]

rudimentarmente (ru.di.men.tar.*men*.te) ***adv.*** De maneira rudimentar: *Conhecia rudimentarmente as quatro operações matemáticas.* [F.: *rudimentar* + *-mente.*]

rudimento (ru.di.*men*.to) *sm.* **1** Princípio de algo; ESBOÇO: *Montara o rudimento de um projeto para apresentar à comissão.* **2** *P. ext.* Órgão imperfeito ou que não se desenvolveu completamente [F.: Do lat. *rudimentum.*]

rudimentos (ru.di.*men*.tos) *smpl.* **1** Noções elementares; FUNDAMENTOS: *Aprendeu rudimentos de latim.* **2** Conhecimento genérico e superficial ou elementar de uma arte, ciência, esporte etc. (rudimentos do iatismo; rudimentos de pintura) [F.: Pl. de *rudimento.*]

rueiro (ru.*ei*.ro) ***a.*** **1** Ref. ou inerente a rua **2** Que gosta muito de sair e está sempre fora de casa ***sm.*** **3** Indivíduo rueiro; RUADOR [F.: *rua* + *-eiro.*]

ruela (ru.*e*.la) [é] *sf.* Rua curta e/ou estreita; BECO; VIELA [F.: *rua* + *-ela.*]

rufado (ru.*fa*.do) ***a.*** Que se rufou; ritmado ao toque do rufo (tambor rufado) [F.: Part. de *rufar.*]

rufar[1] (ru.*far*) *v.* **1** *Mús.* Tocar ou soar (tambor), fazendo som de rufos [***td.:*** *A bateira rufou os tambores.*] [***int.:*** *Os taróis rufaram, abrindo o desfile.*] **2** Produzir sons semelhantes a rufos [***int.:*** "Grossos pingos de chuva começavam a rufar nas árvores." (Machado de Assis, *Helena*)] [▶ 1 rufar] ***sm.*** **3** O som produzido pelo tambor: "Todo mundo te conhece ao longe / pelo som do teu tamborim / e o rufar do teu tambor." (Enéas Brittes da Silva e Aloísio Augusto da Costa, *Exaltação à Mangueira*) [F.: *rufo*[1] + *-ar*[2]. Hom./Par.: *rufo* (fl.), *rufo* (sm.).]

rufar[2] (ru.*far*) *v.* **1** Fazer rufos ou pregas em [***td.:*** *A costureira rufou a saia.*] **2** Encrespar(-se), arrepiar(-se) [***td.:*** *O gato rufou os pelos*] [***int.:*** *Os pelos do gato rufaram(-se).*] **3** Inquietar-se (a cavalgadura), esp. pela aproximação de outro animal [***int.***] [▶ 1 rufar] [F.: *rufo*[2] + *-ar*[2].]

◎ **rufi-** ***el. comp.*** = 'avermelhado'; 'vermelho': *ruficarpo, ruficórneo, rufinérveo* [F.: Do lat. *rufus, a, um.*]

rufianismo (ru.fi.a.*nis*.mo) *sm. Jur.* Tipo de lenocínio em que se explora a prostituição de outros [F.: *rufião,* sob o rad. *rufian* + *-ismo.*]

rufião (ru.fi.*ão*) *sm.* **1** Indivíduo que se envolve em brigas facilmente; BRIGÃO **2** Indivíduo que briga por causa de mulheres de má reputação **3** Indivíduo que vive à custas de prostituta [Ver *cafetão.*] **4** *S.* Namorador, galanteador **5** Alcoviteiro **6** *S.* O cavalo destinado à reprodução [Pl.: *-ães; -ões.* Fem.: *-ona.*] [F.: De or. incerta, prov. do fr. *rufian.*]

rufiar (ru.fi.*ar*) *v.* **1** Praticar atos ou fazer ofício de rufião; promover rixas por mulheres [***int.:*** *Vive a rufiar.*] **2** *Bras. S.* Procurar (garanhão ou rufião) éguas para acasalar [***td.:*** "...o ideal é rufiar as éguas e cobri-las em dias alternados..." ("Estação de monta bate na porta" *in Marchador on-line,* 02.09.2004)] [***int.:*** "Quando o potrilho foi-se enfeitando para repontar, o pastor velho meteu-lhe os cascos e mais [...] botou-o campo fora: fosse rufiar lá longe!..." (João Simões Lopes Neto, "Batendo orelha!..." *in Contos gauchescos*)] [▶ 1 rufiar] ***sm.*** **3** Ação ou ato de rufiar: "A multidão atraída pela audiência não sabia como se dividisse entre o debate judiciário e o rufiar dos bordeleiros com as messalinas." (Rui Barbosa, "Porneia" *in Obras Completas de Rui Barbosa*) [F.: *rufi(ão)* + *-ar*².]

ruficarpo (ru.fi.*car*.po) *a. Bot.* Que produz frutos vermelhos; ERITROCARPO [F.: *rufi-* + *-carpo.*]

ruficórneo (ru.fi.*cór*.ne:o) *a. Zool.* Provido de antenas vermelhas; RUBRICÓRNEO [F.: *rufi-* + *-corn(i)-* + *-eo.*]

rufinérveo (ru.fi.*nér*.ve:o) *a.* Que possui nervuras ou nervos vermelhos [F.: *rufi-* + *-nerv(i)-* + *-eo.*]

ruflar (ru.*flar*) *v.* **1** Balançar (as asas) para erguer-se em voo [*td.*] [*int.*] **2** Agitar(-se), produzindo som semelhante ao de asas rufladas [*td.*: "O nordeste soprando rijo ruflava as bandeiras ondulantes..." (Euclides da Cunha, *Os sertões*)] [*int.*: "A primeira bandeira [...] foi o pala do general Flores, desdobrado e ruflando nas correrias vertiginosas." (Euclides da Cunha, *Confrontos e contrastes*)] **3** Fazer ruge-ruge, como de saias compridas que roçam pelo chão; RUGIR [*int.*: *No baile, ruflavam sedas pelo salão.*] [▶ 1 ruflar] *sm.* **4** Ação ou resultado de ruflar; RUFLO: "...o pavoroso ruflar de asas..." (Antônio Callado, *Bar Don Juan*): "...como um ruflar de asas incontíveis / numa escuridão." (Cecília Meireles, "Aquele cordeirinho que eu vi nascer" *in Dispersos*) [F.: Voc. onom. Hom./Par.: *ruflo* (fl.), *ruflo* (sm.).]

ruflo (*ru*.flo) *sm.* Ação ou resultado de ruflar (ruflo das bandeiras; ruflo de asas) [F.: Dev. de *ruflar.* Hom./Par.: *ruflo* (sm.), *ruflo* (fl. de *ruflar*).]

rufo¹ (*ru*.fo) *sm.* **1** Som, com ritmo regular, cadenciado e acelerado, produzido por baquetas em um tambor ou bumbo, ou pelo florear dos dedos sobre pandeiros **2** Som semelhante a esse: *Ouvia-se de longe o rufo das britadeiras.* **3** *Mús.* Cadência, batida de viola brasileira [F.: De or. onom.]

rufo² (*ru*.fo) *sm.* **1** *Vest.* Guarnição que consiste numa tira de pano franzida ou pregueada, que se usa como adorno em vestidos **2** Cada prega e franzido dessa guarnição [F.: Do ing. *ruff* 'espécie de colarinho'.]

ruga (*ru*.ga) *sf.* **1** Dobra na pele produzida pelo envelhecimento, pela ação do sol etc. **2** Dobra em tecido ou outra superfície qualquer; PREGA; VINCO: *ruga da roupa; rugas na toalha de mesa.* [F.: Do lat. *ruga, ae.*]

rugado (ru.*ga*.do) *a.* O mesmo que *enrugado.* [F.: Part. de *rugar.*]

rugame (ru.*ga*.me) *sm.* Abundância de rugas [F.: *ruga* + *-ame.*]

rúgbi (*rúg*.bi) *Esp. sm.* Jogo, de or. inglesa (inventado em 1823 no Colégio Rugby), praticado por dois times de 15 jogadores, que, usando pés e mãos, tentam conduzir uma bola oval pelo campo adversário, passando pelo bloqueio corporal dos oponentes, até atingir uma meta em forma de H, ou chutando-a por cima da barra horizontal [F.: Do ing. *rugby.*]

ruge (*ru*.ge) *sm. P. us.* Cosmético em pó, avermelhado, que se aplica no rosto para deixá-lo corado [F.: Do fr. *rouge.* Hom./Par.: *ruge* (sm.), *ruge* (fl. de *rugir*).]

rugento (ru.*gen*.to) *a.* Que solta ou emite rugidos (animal rugento) [F.: *rugir* + *-ento.*]

ruge-ruge (*ru*.ge-*ru*.ge) *sm.* **1** Barulho de saias roçando no chão; FRUFRU **2** Som semelhante a esse; ruído produzido por qualquer coisa que range ou roça: *o ruge-ruge de cortinas ao vento.* **3** *Bras.* Situação tumultuosa, desordem, barulho, confusão [Pl.: *ruge-ruges; ruges-ruges.*]

rugido (ru.*gi*.do) *sm.* **1** Voz de felinos selvagens como o tigre, o leão etc.; BRAMIDO; URRO **2** *Fig.* Som grave e áspero, semelhante a esse; ESTRONDO: *o rugido da tempestade.* **3** *Fig.* Soma de gritos humanos em atitude de protesto ou fúria: *Das ruas provinha um rugido produzido pelos manifestantes.* **4** O mesmo que *ruge-ruge* [F.: Do lat. *rugitus, us.*]

rugidor (ru.gi.*dor*) [ô] *a.* **1** Que ruge (animal rugidor) **2** *P. ext. Fig.* Que emite som similar ao rugido de um animal (automóvel rugidor) *sm.* **3** Aquele que ruge [F.: *rugir* + *-dor.*]

rugir (ru.*gir*) *v.* **1** Emitir rugido ou urro (feras); BRAMIR; FREMIR; URRAR [*int.*] **2** Produzir som semelhante a rugido [*int.*: "O vento rugia cada vez com mais violência..." (Bernardo Guimarães, *O ermitão de Muquém*)] **3** Produzir ruído suave; sussurrar brandamente; MURMURAR; RUMOREJAR [*int.*: "...Ao menos passo / Colar d'alvo marfim.../ Que lhe orna o colo e o peito ruge e freme..." (Gonçalves Dias, *I-Juca-Pirama*)] **4** Soar fortemente, com estrondo; ECOAR; RETUMBAR [*int.*: "...o silêncio era [...] interrompido pelo estertor do moribundo e pelo trovão que rugia..." (José de Alencar, *O guarani*)] **5** Arrastar ou roçar pelo chão fazendo ruído; fazer ruge-ruge [*td.*: *Pajens enfeitados rugindo sedas.*] [*int.*: "...enquanto a mão ligeira roçagava os amplos folhos da seda que rugia arrastando." (José de Alencar, *Lucíola*)] **6** Dizer aos gritos, de maneira áspera, com rugidos; BRADAR; GRITAR [*td.*: "Eu rugi: 'bruto!' Ele ciciou: 'silêncio!'" (Eça de Queirós, *A relíquia*)] [*int.*: "O tapuia rugiu..." (José de Alencar, *Ubirajara*)] [*tdr.* + *contra*: "Rugem [os guerreiros tabajaras] vingança contra o estrangeiro audaz..." (José de Alencar, *Iracema*)] [▶ 46 rugir] *sm.* **7** Som de felinos selvagens: "...ouvindo o rugir das feras..." (Franklin Távora, *O Cabeleira*) **8** Som forte como o das feras: *o rugir dos trovões.* **9** Som de saias roçando no chão; RUGE-RUGE: "...supunha ouvir o rugir da seda de seu vestido." (José de Alencar, *Lucíola*) [F.: Do lat. *rugire.* Hom./Par.: *ruge* (fl.), *ruge* (sm.); *ruges* (fl.), *ruges* (pl. do sm.).]

rugitar (ru.gi.*tar*) *v. int. Bras.* Emitir ruído; RUGIR; SUSSURRAR [▶ 1 rugitar] [F.: Do lat. *rugitus* (ver *rugido*) + *-ar*².]

rugosidade (ru.go.si.*da*.de) *sf.* Característica ou qualidade de rugoso (rugosidade da pele; rugosidade do papel) [F.: Do lat. tard. *rugositas, atis.*]

rugoso (ru.*go*.so) [ô] *a.* **1** Que tem rugas (pele rugosa; tecido rugoso); ENRUGADO; ENCARQUILHADO; ENGELHADO [Ant.: *liso.*] **2** Áspero; escabroso [Pl.: [ó]. Fem.: [ó].] [F.: Do lat. *rugosus, a, um.*]

ruibarbo (rui.*bar*.bo) *Bot. sm.* Nome comum às ervas do gên. *Rheum*, da fam. das poligonáceas, nativas da Europa e da Ásia, algumas cultivadas pela raiz de uso medicinal, outras pelos pecíolos comestíveis e tb. como ornamentais: "Ditosa a criatura que no ruibarbo encontra o sabor da ambrosia." (Guerra Junqueiro, *Velhice do Padre Eterno*) [F.: Do fr. ant. *reubarbe*, deriv. do lat. *rheu barbarum, i.*]

ruibarbosismo (rui.bar.bo.*sis*.mo) *sm.* Estilo oratório do estadista e jurisconsulto brasileiro Rui Barbosa (1849-1923) e/ou o de seus imitadores [F.: Do antr. *Rui Barbosa* + *-ismo.*]

ruído (ru.*í*.do) *sm.* **1** *Acús.* Som produzido pela queda de um corpo **2** *Acús.* Barulho provocado pelo choque ou atrito de objetos, pelo funcionamento de máquinas etc.; BARULHO **3** *Acús.* Qualquer som, esp. os prolongados e/ou indistintos; rumor contínuo e intermitente, bulício **4** *Eletrôn. Telc.* Qualquer interferência que prejudica a comunicação: *A transmissão estava cheia de ruídos.* **5** *Fís.* Som com grande número de vibrações acústicas e amplitude e fase distribuídas ao acaso **6** *Fig.* Grandiosidade, fausto, ostentação, pompa **7** *Fig.* Fama, popularidade, glória; notícia de ação notável praticada por pessoa ilustre; RENOME: *o ruído de suas proezas; o ruído do seu nome.* **8** *Fig.* Ver *boato.* **9** *Fig.* Escândalo, escarcéu, alvoroço, alarido **10** *Med.* Som oriundo de certos órgãos, percebido por meio de ausculta [F.: Do lat. *rugitus.* Hom./Par.: *roído* (a., fl. de *roer*).] ■ **~ cósmico** *Astron.* Radiação difusa oriunda de áreas não específicas do espaço **~ de dátilo** *Med.* Na auscultação, ruído semelhante ao som de um dáctilo (2) [Pode ser normal ou sintoma de patologia.] **~ de fundo** *Eletrôn.* Num sistema, ruído que não faz parte nem depende do sinal **~ de galope** *Card.* Ver *Ritmo de galope* no verbete *ritmo*

ruidosamente (ru:i.do.sa.*men*.te) *adv.* De maneira ruidosa, barulhenta: *Atravessou o corredor ruidosamente.* [Ant.: *silenciosamente.*] [F.: Fem. de *ruidoso* + *-mente.*]

ruidoso (ru:i.*do*.so) [u-i...ô] *a.* **1** *Acús.* Que produz muito ruído (motor ruidoso) **2** Onde há ou se faz muito barulho (festa ruidosa) **3** *Fig.* Escandaloso; rumoroso (fato ruidoso) **4** *Fig.* Grandioso, pomposo, faustoso (núpcias ruidosas) [Pl.: [ó]. Fem.: [ó].] [F.: *ruído* + *-oso.* Sin. ger.: *barulhento.* Ant. ger.: *silencioso.*]

ruim (ru:*im*) *a2g.* **1** Que não tem bons sentimentos, que pratica atos maus; PERVERSO: *Ele é um homem ruim e perigoso.* **2** Que traz ou encerra dificuldades, desvantagem; PREJUDICIAL: *período ruim para os agricultores.* **3** Que não produz os resultados esperados; INADEQUADO: *solução ruim para um problema.* **4** De má qualidade; que não funciona bem: "(...) com seus vestidos de pano grosso e ruim." (França Júnior, *Os dois irmãos*) **5** Que está doente, ferido etc.: *Meu joelho continua ruim.* **6** Imprestável para o consumo (ger. na alimentação); ESTRAGADO: *A comida fora da geladeira ficou ruim.* **7** Desagradável (cheiro ruim) **8** Incorreto, impróprio **9** Fraco, pobre (colheita ruim) **10** Que não é favorável (repercussão ruim) **11** Difícil, tortuoso (trajeto ruim) [Pl.: *-ins.*] [F.: De or. contrv. Ant. ger.: *bom.*] ■ **Comer ~** *N.E. Pop.* Ver *Comer da banda podre* no verbete *banda*

ruína (ru.*í*.na) *sf.* **1** Ação ou resultado de ruir, de desmoronar: *O casarão rapidamente entrou em ruína.* **2** Restos do que desmoronou ou foi destruído; DESTROÇOS: *Visitar as ruínas da Acrópole é uma experiência inesquecível.* **3** Destruição profunda; DEVASTAÇÃO: *A geada causou a ruína da plantação.* **4** O que provoca grandes perdas ou destruição: *O precário investimento em educação é a ruína da sociedade brasileira.* **5** *Fig.* Decadência, perda material ou moral: *a corrupção foi a ruína de muitos impérios.* [F.: Do lat. *ruina.*]

ruindade (ru:in.*da*.de) *sf.* **1** Qualidade, atributo de quem ou do que é ruim **2** Qualquer ação maldosa contra outrem ou contra algo; MALDADE; PERVERSIDADE: *O homem fez uma ruindade com o garoto.* [F.: ruim > m/n + *-dade.* Ant. ger.: *bondade.*]

ruinosamente (ru:i.no.sa.*men*.te) *adv.* De maneira ruinosa; de modo que acarreta prejuízo, dano, ruína: *Administrou ruinosamente a herança do pai.* [F.: Fem. de *ruinoso* + *-mente.*]

ruinoso (ru:i.*no*.so) [u-i...ô] *a.* **1** Que está em ruína; velho, arruinado (casarão ruinoso) **2** Que ameaça ruir (ponte ruinosa) **3** Nocivo, maléfico, prejudicial (hábitos ruinosos) [Pl.: [ó]. Fem.: [ó].] [F.: Do lat. *ruinosus, a, um.*]

ruir (ru.*ir*) *v. int.* **1** Cair ou correr precipitadamente de algum lugar; DESMORONAR; DESPENHAR; PRECIPITAR-SE: *O edifício ruiu em poucos minutos;* "...até de novo ruir [rio] e despedaçar-se no próximo despenhadeiro..." (Alexandre Herculano, *Eurico, o presbítero*) **2** Deixar de existir; DESAPARECER: "Como é fácil na vida tudo ruir!" (Lima Barreto, *O triste fim de Policarpo Quaresma*) **3** *Fig.* Decorrer (período de tempo); PASSAR; TRANSCORRER: "Lá no mar alto da paixão / Dava pra ver o tempo ruir..." (Djavan, *Oceano*) [▶ 56 ruir NOTA: Verbo defec., us. apenas nas formas que conservam o 'i' após o 'u'.] [F.: Do v.lat. *ruere.* Hom./Par.: *ruía* (fl.), *roía* (fl. de *roer*); *ruías* (fl.), *roías* (fl. de *roer*).]

ruivo (*rui*.vo) *a.* **1** Que tem cor avermelhada; louro-avermelhado (cabelos ruivos) **2** Diz-se de quem tem os cabelos dessa cor (moça ruiva) *sm.* **3** Aquele ou aquilo que tem cor avermelhada, ou os cabelos ruivos **4** *Bot.* Planta (*Aristida capillacea*) da fam. das gramíneas, própria para pasto **5** *Zool.* O mesmo que *bugio* [F.: Do lat. *rubeus, a, um.*]

ruivote (rui.*vo*.te) *a2g.* Um tanto ruivo (garoto ruivote) [Dim. de *ruivo.*] [F.: *ruivo* + *-ote.*]

rular (ru.*lar*) *v.* Ver *arrulhar.* [*td.*] [*int.*] [▶ 1 rular]

rulê (ru.*lê*) *a2g. Vest.* Diz-se de gola de blusa, ger. de malha, que se dobra ou enrola ao pescoço [F.: Do fr. *roulé, ée,* do v. *rouler.*]

rum *sm.* Bebida alcoólica feita a partir da fermentação e destilação do melaço de cana-de-açúcar [Pl.: *runs.*] [F.: Do ing. *rum.*]

ruma (*ru*.ma) *sf.* Grande quantidade de coisas, ger. amontoadas; MONTE; PILHA [F.: Do ár. Hom./Par.: *ruma* (sf.), *ruma* (fl. de *rumar*).]

rumar (ru.*mar*) *v.* **1** *Náut.* Seguir ou fazer seguir (embarcação) determinado rumo [*tda.*: *Rumou a canoa para o norte.*] [*ta.*: *O barco rumou para o sul.*] **2** Tomar uma direção; orientar-se para; ENCAMINHAR-SE; IR [*ta.*: "... em vez de se refugiar no Passeio Público, rumara para a igreja da Lapa..." (Josué Montello, "O monstro" *in Um rosto de menina*)] **3** Acertar (algo) com violência em; DESFECHAR; DESFERIR [*tdr.* + *em*: "Querem rumar o machado nele..." (Guimarães Rosa, "Buriti" *in Noites do sertão*)] [▶ 1 rumar] [F.: *rumo* + *-ar*². Hom./Par.: *ruma* (fl.), *ruma* (sf.); *rumas* (fl.), *rumas* (pl. do sf.); *rumo* (fl.), *rumo* (sm.).]

rumba (*rum*.ba) *sf.* **1** *Dnç.* Dança de pares originária de Cuba **2** *Mús.* Gênero de música que acompanha essa dança, em compasso binário, ritmo sincopado e variado, e melodia que se repete incansavelmente [F.: Do espn. *rumba.*]

rumbeiro (rum.*bei*.ro) *sm. Dnç. Mús.* Aquele que dança, toca e/ou canta rumbas [F.: *rumba* + *-eiro.*]

rume (*ru*.me) *a2g.* **1** *Hist.* Ref. aos rumes, nome que os europeus davam aos turcos no período compreendido entre os sécs. XV e XVIII *s2g.* **2** *Hist.* Indivíduo dos rumes [F.: Do persa-árabe *rumî.*]

rúmen (*rú*.men) *sm. Anat. Zool.* A primeira cavidade do duplo estômago dos ruminantes [Pl.: *rumens e rúmenes.*] [F.: Do lat. *rumen, inis.*]

ruminação (ru.mi.na.*ção*) *sf.* **1** Ação ou resultado de ruminar (ruminação do boi) **2** *Fig.* Ação ou resultado de remoer, matutar; REFLEXÃO; RECONSIDERAÇÃO: *Há dias está em ruminação desse problema.* **3** *Med.* Mericismo [Pl.: *-ções.*] [F.: Do lat. *ruminatio, onis.*]

ruminado (ru.mi.*na*.do) *a.* **1** Que se ruminou; que passou por ruminação **2** Diz-se de alimento que foi mastigado e depois remoído **3** *Fig.* Diz-se de ideia ou assunto que foi pensado cuidadosamente; MEDITADO; REFLETIDO [F.: Part. de *ruminar.*]

ruminante (ru.mi.*nan*.te) *a2g.* **1** Diz-se de animal, como boi, antílope etc. que rumina, que traz o alimento já engolido de volta à boca e o mastiga novamente **2** Ref. aos ruminantes *s2g.* **3** Espécime dos ruminantes, subordem de mamíferos artiodáctilos que inclui os veados, girafas e bovídeos, cujo estômago complexo mantém uma forma de ruminação no processo de digestão; animal ruminante [F.: *ruminar-* + *-nte;* adapt. do lat. cient. *Ruminantia.*]

ruminar (ru.mi.*nar*) *v.* **1** Tornar (animal ruminante) a mastigar os alimentos que voltaram do estômago para a boca; sujeitar pela segunda vez à mastigação; REMASCAR; REMASTIGAR [*td.*: *Os camelos ruminam os alimentos.*] [*int.*: "Bois truculentos e médias novilhas... ruminavam tranquilamente à sombra de altos troncos." (Bernardo Guimarães, *A escrava Isaura*)] **2** Remoer com os dentes; MASCAR; MASTIGAR [*td.*] [*int.*] **3** *Fig.* Refletir longamente sobre; pensar com insistência em; MATUTAR; REMOER [*td.*: "...há muito ruminava aquele mesmo plano." (Joaquim Manuel de Macedo, *Memórias de um sargento de milícias*)] [*int.*: "O cônego ficou ainda ao pé do lume, ruminando." (Eça de Queirós, *O crime do padre Amaro*)] [▶ 1 ruminar] [F.: Do v.lat. *ruminare.*]

ruminativo (ru.mi.na.*ti*.vo) *a.* Que pensa cuidadosamente; que reflete (indivíduo ruminativo) [F.: *ruminar* + *-tivo.*]

rumo (*ru*.mo) *sm.* **1** *Mar.* Cada uma das direções indicadas na rosa dos ventos: *O navio tomou o rumo norte.* **2** *Mar.* Direção em que segue uma embarcação **3** *Mar.* A direção em que segue uma embarcação em relação ao ângulo que faz com o norte verdadeiro, o norte magnético da Terra e o norte indicado pela agulha da bússola (respectivamente *rumo verdadeiro, rumo magnético* e *rumo da agulha*) **4** *Fig.* A orientação que se dá a ou que toma um acontecimento, uma conduta, um modo de agir etc.: *Observava o rumo dos acontecimentos; Era a hora de dar um rumo a sua vida* ***sm.*** **5** Percurso, direção ou orientação que leva a determinado lugar, ou circunstância: *Pegou a estrada e seguiu o rumo da fazenda; Do jeito que estavam as coisas, íamos rumo a um desastre total.* [F.: Do espn. *rumbo.*] ■ **~ a** **1** No caminho ou direção que leva a (algo, ou um lugar); em direção a, para o lado de: *Partiu rumo à cidade; O rio desce rumo ao mar.* [Us. para dar ideia de deslocamento ou viagem até certo lugar.] **2** *Fig.* Us. para dar ideia de destino, de consequência futura de fatos e atos: *primeiros passos rumo ao sucesso; ecossistemas rumo ao desastre, devido à poluição.* **~ da agulha** *Náut.* Rumo (3) **~ bem-ordenado** *Mat.* Conjunto ordenado no qual qualquer subconjunto tem um primeiro elemento menor que elementos os demais daquele subconjunto **~ compacto** *Mat.* Conjunto infinito no qual qualquer subconjunto que ele contenha tem pelo menos um ponto de acumulação que também lhe pertence **~ complementar** *Mat.* Aquele que deve-se unir a outro para se obter um terceiro conjunto; complemento **~ conexo** *Mat.* Conjunto que não pode ser dividido em dois subconjuntos fechado sem qualquer ponto em comum **~**

contínuo *Mat.* Conjunto que é ao mesmo tempo compacto e conexo ~ **denso** Ver *Conjunto denso em um espaço.* ~ **denso em si mesmo** *Mat.* Conjunto no qual a vizinhança de qualquer de seus pontos contém no mínimo um outro ponto que lhe pertence também ~ **denso em um espaço** *Mat.* Conjunto tal que todas as vizinhanças dos pontos de um espaço contêm no mínimo um ponto que lhe pertença ~ **de partes** *Mat.* Ver *Conjunto potência*

rumor (ru.*mor*) [ô] *sm.* **1** Som produzido pelo deslocamento das coisas **2** Barulho surdo, abafado ou indistinto; som confuso (rumor de brisa; rumores da folhagem); RUÍDO **3** Som de vozes e/ou de agitação de pessoas (rumor da feira); BURBURINHO **4** *Fig.* Informação não confirmada, ou enganosa; BOATO: *Há rumores de queda de preço.* **5** *Fig.* Movimento de insatisfação social, de revolta **6** *Fig.* Vestígio de algo; sinal [F.: Do lat. *rumor, oris.*]

rumoração (ru.mo.ra.*ção*) *sf.* **1** Ruído provocado por movimentos, vozes, deslocamentos etc.; BURBURINHO **2** Ruído contínho e indistinto provocado ger. por vozes **3** Manifestação rumorosa, ruidosa, forte [Pl.: *-ções.*] [F.: *rumora(r)* + *-ção.* Sin. ger.: *rumor.*]

rumorejante (ru.mo.re.*jan*.te) *a2g.* Que rumoreja (tempestade rumorejante; coro rumorejante) [F.: *rumorejar* + *-nte.*]

rumorejar (ru.mo.re.*jar*) *v.* **1** Produzir rumor, sussurro; SUSSURRAR [*td.*: "A aragem rumorejava em cima a trama das grandes mangueiras..., dos tamarindeiros e dos *flamboyants*..." (João do Rio, *A alma encantadora das ruas*)] [*int.*: "...as árvores rumorejavam..." (Aluísio Azevedo, *Casa de Pensão*); "...apinhava-se uma confusão de barracas, ..., onde rumorejava uma multidão..." (Eça de Queirós, *O mandarim*)] **2** *Fig.* Correr ou espalhar rumor, notícia ou boato; SEGREDAR [*td.*: *Rumorejaram inverdades de sua vida.*] [*int.*: *Fofoqueiros de plantão viviam a rumorejar.*] [▶ **1** rumorejar] *sm.* **3** Ruído produzido por algo ou alguém: "Tremia no ambiente o vozear frouxo... do rumorejar dos leques..." (Aluísio Azevedo, *O mulato*); "...parece estar-se ouvindo o rumorejar de beijos." (Raul Pompeia, *As joias da Coroa*) [F.: *rumor* + *-ejar.*]

rumorejo (ru.mo.*re*.jo) [ê] *sm.* **1** Ação ou resultado de rumorejar; MÚRMURIO; SUSSURO: *o rumorejo do vento nas árvores.* **2** Cochicho, burburinho: *Dava para ouvir o rumorejo das estudantes no pátio.* [F.: Dev. de *rumorejar.*]

rumoroso (ru.mo.*ro*.so) [ô] *a.* **1** Em que há rumor (bosque rumoroso): "E o dia é verde, azul, chamejante, como no Brasil, com mangueiras e bananeiras, rumoroso, povoado, colorido." (Cecília Meireles, *Crônicas de viagem*) **2** Em que há barulho, ruído ger. alto, forte; RUIDOSO **3** *Fig.* Que causa pasmo, escândalo, sensação: *Foi um caso de amor rumoroso.* [Pl.: [ó]. Fem.: [ó].] [F.: *rumor* + *-oso.*]

runa (*ru*.na) *Hist. sf.* **1** Cada um dos caracteres que compunham a escrita alfabética dos antigos povos germânicos, que foi us. entre os sécs. III e XIV **2** A escrita rúnica [F.: Do fr. *rune*, deriv. do norueguês *rune.*]

rúnico (*rú*.ni.co) *a.* **1** *Hist.* Que se refere a runas ou foi escrito em runas **2** Ref. à Escandinávia [F.: *run(a)* + *-ico.*]

rupestre (ru.*pes*.tre) *a2g.* **1** Ref. a rocha *a2g.* **2** Que cresce em rochedos (vegetação rupestre) **3** *P. ext. Ecol.* Diz-se de organismo que vive sobre rochedos ou afloramento rochosos (naturais ou artificiais); RUPÍCOLA **4** Construído sobre rocha (casa rupestre) **5** Inscrito ou gravado numa rocha **6** *Arq.* Diz-se de pintura ou sinais grafados deixados por povos pré-históricos nas cavernas **7** Litófilo [F.: Do fr. *rupestre*, do lat. *rupes, is*, 'rocha'.]

◎ **rup(i)-** *el. comp.* = 'rocha': *rupestre* (< fr.), *rupícola* [F.: Do lat. *rupes, is.*]

rúpia (*rú*.pi:a) *sf.* **1** Denominação do dinheiro us. na Índia, Paquistão, Nepal, Indonésia, Sri Lanka, República das Maldivas e Maurício, Butão, Mascate, Omã: *Pagou a conta do hotel em rúpias.* **2** *Econ.* Unidade dos valores em rúpia, us. em notas e moedas [1 rúpia = 100 centavos]: *nota de 100 rúpias.* [F.: Do hind. *rupiyah*, deriv. do sânscr. *rûpya*. Tb. *rupia.*]

rupícola¹ (ru.*pí*.co.la) *a2g. Ecol.* O mesmo que *rupestre* (3) [F.: *rup(i)-* + *-cola¹.*]

rupícola² (ru.*pí*.co.la) *sm. Zool.* Nome comum às aves do gên. *Rupicola*, sul-americanas, conhecidas popularmente como galos-da-serra [F.: Do lat. cient. *Rupicola.*]

◎ **rupt(i)-** *el. comp.* = 'quebrado'; 'roto': *rúptil, ruptório, ruptura* (< lat.) [F.: Do lat. *ruptus, a, um*, part. pass. do v.lat. *rumpere*, 'romper', 'quebrar'.]

rúptil (*rúp*.til) *a2g.* **1** Que se rompe com facilidade, de fácil ruptura; FRÁGIL **2** *Bot.* Diz-se de órgão ou fruto que se abre fendendo-se ou rompendo-se de modo irregular [Pl.: *-teis.*] [F.: *rupt(i)-* + *-il¹.*]

ruptlidade (rup.ti.li.*da*.de) *sf.* Qualidade, característica ou atributo do que é rúptil; FRAGILIDADE [F.: *rúptil* + *-(i)dade.*]

ruptura (rup.*tu*.ra) *sf.* **1** Ação ou resultado de romper(-se), de rebentar(-se) **2** Interrupção de um processo, um relacionamento etc.: *a ruptura de uma amizade.* **3** Violação (de contrato ou acordo), infração **4** Interrupção, corte, suspensão (ruptura do contato) **5** *Med.* Solução de continuidade em um órgão, formada espontaneamente ou produzida por contração ou dilaceramento muscular, fratura óssea etc. **6** Abertura, buraco, fenda [F.: Do lat. tard. *ruptura, ae.* Sin. ger.: *rompimento.*]

rupturista (rup.tu.*ris*.ta) *a2g.* **1** Que provoca, que causa ruptura(s) **2** Que suspende ou interrompe acordos, relações (de compromisso, políticas etc.) [F.: *ruptura* + *-ista.*]

rural (ru.*ral*) *a2g.* **1** Ref. ou inerente ao, próprio do ou localizado no campo (paisagem/população rural); CAMPESTRE [Ant.: *urbano.*] **2** Que leva a vida no campo ou faz dele seu meio de subsistência (produtor/trabalhador rural); AGRÍCOLA [Pl.: *-rais.*] *sf.* **3** Antiga caminhonete da marca Willys, usada em regiões rurais: *A rural do meu pai tinha tração nas quatro rodas.* [Pl.: *-rais.*] [F.: Do lat. tard. *ruralis, e*, do lat. *rus, ruris*, 'campo'; ver *rur(i)-.*]

ruralidade (ru.ra.li.*da*.de) *sf.* Qualidade ou característica do que é rural, campestre [F.: *rural* + *-(i)dade.*]

ruralismo (ru.ra.*lis*.mo) *sm.* **1** Conjunto dos princípios e modo de agir dos ruralistas, que visam implantar um sistema para a melhoria da vida no campo (doutrina ruralista) **2** Predomínio da vida no campo e das atividades agrícolas, em relação à cidade, à indústria: "(...) Estas são expressões gradativas da propriedade rural; essa é a agremiação humana do ruralismo" (Afrânio Peixoto, *Viagens na minha terra*) **3** Valorização, preferência ou encanto pela vida rural **4** *Art. pl.* Uso de cenas rurais na arte (ger. pintura) [F.: *rural* + *-ismo.* Nota: *urbanismo* não se aplica como antônimo.]

ruralista (ru.ra.*lis*.ta) *a2g.* **1** Ref. ou inerente ao, ou próprio do ruralismo **2** Diz-se de quem é dono de uma propriedade rural ou defende seus interesses (empresário ruralista; entidade ruralista) **3** *Pol.* Diz-se de que ou quem segue o ruralismo como orientação política (bancada ruralista) **4** *Art. pl.* Diz-se do artista que prioriza temas rurais em suas obras (pintor ruralista; poeta ruralista); BUCÓLICO *s2g.* **5** Aquele ou aquela que possui propriedade rural **6** Aquele ou aquela que defende os interesses rurais; aquele que se preocupa com os problemas rurais **7** *Pol.* Aquele ou aquela que segue o ruralismo como orientação política: *os ruralistas do Congresso.* [F.: *rural* + *-ista.* NOTA: *urbanista* não se aplica como antônimo.]

ruralização (ru.ra.li.za.*ção*) *sf.* **1** Processo de transformação de zona urbana em zona rural [Cf. *urbanização.*] **2** Adoção pela zona urbana de características das áreas rurais [Pl.: *-ções.*] [F.: *ruralizar* + *-ção.*]

ruralizar (ru.ra.li.*zar*) *v. td.* Tornar(-se) rural; fazer passar ou passar por processo de ruralização [▶ **1** ruralizar] [F.: *rural* + *-izar.* Hom./Par.: *ruralizáveis* (fl. de *ruralizar*), *ruralizáveis* (pl. de *ruralizável* [a2g.]).]

ruralizável (ru.ra.li.*zá*.vel) *a2g.* Que se pode ruralizar [Pl.: *-veis.*] [F.: *ruralizar* + *-vel.* Hom./Par.: *ruralizáveis* (pl.), *ruralizáveis* (fl. de *ruralizar* [v.]).]

ruralmente (ru.ral.*men*.te) *adv.* De acordo com os costumes e hábitos rurais [F.: *rural* + *-mente.*]

◎ **rur(i)-** *el. comp.* = 'campo': *rural* (< lat.), *rurícola* (< lat.); *rurografia, rurógrafo* [F.: Do lat. *rus, ruris*, 'campo (em opos. à cidade)'.]

rurícola (ru.*rí*.co.la) *a2g.* **1** Que vive no campo; CAMPONÊS **2** Que trabalha a terra, nos campos; AGRICULTOR; LAVRADOR *s2g.* **3** Camponês **4** Indivíduo que trabalha a terra nas zonas rurais; AGRICULTOR; LAVRADOR [F.: Do lat. *ruricola, ae*; ver *rur(i)-* e *-cola¹.*]

◎ **ruro-** *el. comp.* Ver *rur(i)-*

rusga (*rus*.ga) *sf.* **1** Pequena desavença entre duas ou mais pessoas; DESENTENDIMENTO; DESAVENÇA; QUESTÃO: "... para evitar encontros com os criados, com os quais andava em rusgas constantes" (Coelho Neto, *Inverno em flor*) **2** Briga, desordem, tumulto **3** *Lus. Pop.* Caça a vadios, gatunos ou malfeitores; batida policial [F.: De or. obsc.]

rusgar (rus.*gar*) *v.* Cometer ou fazer rusgas; BRIGAR; DISCUTIR [*tr.* + *com*: "...os próprios esquadrões já iam rusgando uns com os outros..." (João Simões Lopes, "O anjo da vitória" *in Contos gauchescos*)] [*int.*: *Belicosos, viviam a rusgar.*] [▶ **14** rusgar] [F.: *rusga* + *-ar².* Hom./Par.: *rusga* (fl.), *rusga* (sf.); *rusgas* (fl.), *rusgas* (pl. do sf.).]

rusguento (rus.*guen*.to) *Bras. a.* **1** Que vive metido em rusgas; BRIGUENTO **2** Resmungador, rabugento; IMPLICANTE [F.: *rusga* + *-ento.*]

⊕ **rush** (*Ing.* /*râch*) *sm.* **1** Nas grandes cidades, movimento intenso de veículos que ger. ocorre em horários de entrada e saída do trabalho (horário de rush) **2** *P. ext.* Movimento coletivo intenso para uma determinada finalidade (rush de acessos a internet) **3** *Esp.* Esforço impetuoso de um competidor, jogador etc. para ultrapassar os adversários, correr em direção à meta etc.: *Seu rush nos quilômetros finais foi inacreditável.*

russificação (rus.si.fi.ca.*ção*) *sf.* Ação, processo ou resultado de russificar(-se), de absorver ou adotar usos e costumes russos [Pl.: *-ções.*] [F.: *russificar* + *-ção.*]

russificado (rus.si.fi.*ca*.do) *a.* Que se russificou; que adotou usos e costumes russos [F.: Part. de *russificar.*]

russilhona (rus.si.*lho*.na) *sf. S. Vest.* Bota de cano alto, própria para montaria [Mais us. no pl.] [F.: Do top. *Rússia*, posv.]

russo (*rus*.so) *a.* **1** Ref. ou inerente a, ou pertencente a Federação Russa, ou Rússia (Europa e Ásia), antiga União das Repúblicas Socialistas Soviéticas (U.R.S.S) **2** Típico da Rússia ou de seu povo (governo russo; literatura russa) **3** *Gloss.* Ref. à língua falada na Rússia e em países da antiga U.R.S.S **4** *Ant.* Soviético *sm.* **5** Indivíduo natural da, ou que vive na Rússia **6** *Gloss.* A língua indo-europeia falada na Rússia e em países da antiga U.R.S.S., escrita em alfabeto cirílico [F.: Do lat. medv. *russi*, poss. Hom./Par.: *ruço* (a., sm.), *ruço* (fl. de *ruçar*); *russa* (fem.), *ruça* (fem. de *ruço*), *ruça* (fl. de *ruçar*); *russos* (pl.), *ruços* (pl. de *ruço*), *ruças* (fl. de *ruçar*).]

russófilo (rus.*só*.fi.lo) *a.* **1** Diz-se de indivíduo que tem admiração pelos russos, por sua cultura, seus hábitos etc. **2** Diz-se de indivíduo que, durante o período da Guerra Fria, desejava ver triunfar os ideais e pretensões russas *sm.* **3** Admirador, estudioso do povo russo, dos seus costumes, sua cultura etc. **4** Simpatizante dos ideais defendidos pela Rússia, a mais representativa República da antiga União das Repúblicas Socialistas Soviéticas (URSS), durante o período da Guerra Fria [F.: *russo* + *-filo¹.*]

ruste (*rus*.te) *sm. Bras. Gír.* Ladrão que, na divisão do produto roubado, furta os companheiros de roubo [F.: Regress. de *rustir*. Hom./Par.: *ruste* (fl. de *rustir*).]

rusticamente (rus.ti.ca.*men*.te) *adv.* De maneira rústica; PRIMITIVAMENTE [F.: Fem. de *rústico* + *-mente.*]

rusticano (rus.ti.*ca*.no) *a.* Ver *rústico* [F.: *rústico* + *-ano¹.*]

rusticar (rus.ti.*car*) *v.* **1** Morar ou trabalhar no campo [*int.*] **2** Talhar (pedra) entre ornatos em relevo [*td.*] [▶ **11** rusticar] [F.: Do lat. **rusticare*, por *rusticari*. Hom./Par.: *rusticaria(s)* (fl.), *rusticaria(s)* (fl.), *rustica(s)* (fl.), *rústica* (f. *rústico* [a e pl.]); *rustico* (fl.), *rústico* (a. e sm.).]

rusticidade (rus.ti.ci.*da*.de) *sf.* **1** Característica ou qualidade de rústico: *a rusticidade dos móveis da varanda; rusticidade do vaqueiro.* **2** Grosseria, indelicadeza, descortesia **3** Extrema simplicidade que chega às raias da grosseria, sem que necessariamente haja estupidez [F.: Do lat. *rusticitas, atis.*]

rústico (*rús*.ti.co) *a.* **1** Ref. ao campo ou à vida no campo (paisagem rústica); CAMPESTRE; CAMPESINO **2** Diz-se de objeto que é simples, feito sem preocupações de acabamento, aprimoramento etc. (utensílio rústico); TOSCO **3** Diz-se ger. de planta que se desenvolve sem ser cultivada (espécie rústica) **4** *Fig. Pej.* Cujo comportamento é grosseiro, indelicado (pessoa rústica) **5** *Fig. Pej.* Sem formação ou erudição *sm.* **6** *Pej.* O homem do campo, camponês: "Houve nos tempos passados um rústico que vivia da sua fazenda, com sua mulher e filhas" (Manuel Bernardes, *Sermões*, I) **7** Aquele ou aquilo que é inculto e sem arte **8** *Arq.* O estilo rústico [Superl.: *rusticíssimo.*] [F.: Do lat. *rusticus, a, um.*]

rustir (rus.*tir*) *v. td.* **1** Iludir, ludibriar **2** *Bras. Pop.* Ver *enrustir.* [▶ **3** rustir] [F.: Do fr. *roustir*. Hom./Par.: *rusto* (fl.), *rusto* (sm.), *rostir* (vários tempos do v.).]

rutácea (ru.*tá*.ce:a) *Bot. sf.* Espécime das rutáceas, fam. de plantas com numerosas espécies e ampla distribuição geográfica, a maioria de árvores e arbustos, ger. com óleos aromáticos, várias são cultivadas para a produção de aromatizantes e esp. pelos frutos, como o limão, a laranja, a cidra, a tangerina etc. [F.: Adapt. do lat. cient. *Rutaceae.*]

rutênio (ru.*tê*.ni.o) *sm. Quím.* Elemento de número atômico 44, do grupo da platina, us. em catalisadores, ligas de titânio etc. [Símb.: *Ru.*] [F.: Do lat. cient. *ruthenium.*]

rutherford (ru.ther.*ford*) *sm. Ant. Fís. nu.* Unidade de medida de radiatividade, que se define como a quantidade de material radiativo em que ocorre um milhão de desintegrações por segundo [Símb.: *Rd.*] [F.: Do antr. Ernest *Rutherford* (1871-1937), físico neozelandês.]

rutilação (ru.ti.la.*ção*) *sf.* **1** Ação ou resultado de rutilar **2** Brilho intenso, fulgor, resplendor, clarão **3** Rutilo, lançamento, emissão [Pl.: *-ções.*] [F.: *rutilar* + *-ção.*]

rutilado (ru.ti.*la*.do) *a.* Que se tornou rútilo; que brilhou de maneira viva, intensa [F.: Part. de *rutilar.*]

rutilância (ru.ti.*lân*.ci:a) *sf.* Qualidade ou característica do que é rutilante, brilhante; RESPLANDECÊNCIA [F.: *rutilar* + *-ância.*]

rutilante (ru.ti.*lan*.te) *a2g.* **1** Que rutila **2** Que tem brilho forte, resplandecente, esplendoroso (estrela rutilante); CINTILANTE; RÚTILO [F.: Do lat. *rutilans, antis.* Sin. ger.: *rútilo.*]

rutilar (ru.ti.*lar*) *v.* **1** Fazer brilhar vivamente; tornar rutilante [*td.*: "Rompia a fresca aurora, rutilando / Sinais de um dia límpido e sereno." (Gonçalves Dias, *Os timbiras*, canto 3)] **2** Emitir brilho forte; BRILHAR; RESPLANDECER [*int.*: "Não podia ver as estrelas, que já então rutilavam, livres de nuvens." (Machado de Assis, *Quincas Borba*)] **3** *Fig.* Emitir, lançar (na forma de brilho) [*td.*: *Seus olhos rutilam esperança.*] **4** *Fig.* Dar-se a conhecer; REVELAR-SE; TRANSPARECER [*int.*: "...em suas faces [de Iracema] rutilava o primeiro sorriso da esposa, autora de fruído amor." (José de Alencar, *Iracema*)] [▶ **1** rutilar] [F.: Do v.lat. *rutilare*. Hom./Par.: *rutilo* (fl.), *rútilo* (a.); *rutila* (fl.), *rútila* (fem. de *rútilo*); *rutilas* (fl.), *rútilas* (pl. do fem.).]

rutílio (ru.*tí*.li.o) *sm. Min.* Mineral tetragonal, us. como fonte de titânio em corantes, cerâmica e tb. como gema; RUTILO [F.: Do al. *Rutil*, deriv. do lat. *rutilus, a, um.*]

rútilo (*rú*.ti.lo) *a.* O mesmo que *rutilante* (luz rútila; minério rútilo) [F.: Do lat. *rutilus, a, um*. Hom./Par.: *rútilo* (a.), *rutilo* (fl. de *rutilar*).]

rutina (ru.*ti*.na) *sf. Quím.* Substância encontrada em diversas plantas, como arruda, tomate e tabaco, us. em medicina como hipotensor [Fórm.: $C_{27}H_{30}O_{16}$] [F.: Do lat. *ruta*, 'arruda', + *-ina²*. Hom./Par.: *rutina* (sf.), *rotina* (sf.).]

rutura (ru.*tu*.ra) *sf.* Ver *ruptura.*

ruvinhoso (ru.vi.*nho*.so) [ô] *a.* **1** Que tem ferrugem; FERRUGENTO; FERRUGINOSO **2** Que tem caruncho; CARUNCHENTO **3** *Fig.* Que é mal-humorado, exigente, difícil de se satisfazer [Pl.: [ó]. Fem.: [ó].] [F.: Do lat. *rubiginosus* ou *robiginosus, a, um.*]

ruzagá (ru.za.*gá*) *a2g.* **1** *N.E. Pop.* Diz-se de pessoa loura ou ruiva; ROSALGAR *s2g.* **2** *N.E. Pop.* Pessoa loura ou muito ruiva; ROSALGAR [F.: De or. ár., posv.]

s¹ **1** A décima nona letra do alfabeto **2** A décima quinta consoante do alfabeto
⊠ **s²** = Símb. de *segundo* (medida de tempo)
⊠ **S.** **1** Abrev. de *sul* **3** Abrev. de são²
⊠ **S** **1** Abrev. de *sul* **2** Abrev. de *são*
sá (sá) *sf. Bras.* Expressão popular de tratamento equivalente a senhora, mesmo que *sinhá*: "Sa – Maria Andreza, minha santa e meio passada mulher..." (Guimarães Rosa, "Luas de mel" *in Primeiras estórias*) [Cf.: *Sêo* e *Sô* (formas correspondentes no masculino).]
sã (sã) *a2g. s2g. Etnôn. Gloss.* O mesmo que boxímane [F.: Do hotentote *san*.]
saami (sa.*a*.mi) *sm.* **1** Ref. à etnia saami, povo nativo da Escandinávia, mesmo que *lapão* **2** Uma das línguas faladas por essa etnia
saara (sa.*a*.ra) *sf. Pop.* Qualquer região desértica muito grande: *Teve que atravessar um saara para chegar ao vilarejo* [F.: Do top. *Saara* (África).]
saariano (sa.a.ri.*a*.no) *a.* **1** Ref. ao deserto do Saara (Norte da África) **2** Do Saara, típico dessa região ou de seu povo *sm.* **3** Pessoa nascida ou que vive no Saara [F.: *saara* (do top. *Saara*) + *-i-* + *-ano*.]
◎ **sab-** *el. comp.* = sabor: *saborear, saboroso*
sabá (sa.*bá*) *sm.* **1** *Rel.* Descanso que os judeus devem observar no sábado, como prescrito na religião judaica **2** Segundo crença medieval, reunião de bruxos à meia-noite de sábado sob a direção de Satanás [F.: Do hebr. *xabbát*.]
sabadão (sa.ba.*dão*) *sm. Bras. Pop.* Sábado cheio de atrações, de muitos acontecimentos prazerosos [Pl.: *-dões*.] [F.: *sábado* + *-ão*.]
sabadear (sa.ba.de.*ar*) *v. int.* **1** Descansar do trabalho no sábado **2** Guardar o sábado à maneira dos judeus [▶ **13** sabadear] [F.: *sábado* + *-ear*.]
sábado (*sá*.ba.do) *sm.* **1** Sétimo e último dia da semana **2** Entre os judeus e em algumas seitas cristãs, dia de descanso [F.: Do lat. ecles. *sabbatum, i*, do hebr. *xabbat*, 'dia de descanso'.] ▪ **~ de Aleluia** O sábado da Semana Santa, dia seguinte à Sexta-feira Santa; Sábado-Santo **~ gordo** O imediatamente anterior ao domingo de carnaval **~ magro** O que precede em uma semana o sábado-gordo **~ Santo** Ver *Sábado de Aleluia* **~ seco** *Lus.* Véspera de dia santificado
sabão (sa.*bão*) *sm.* **1** Produto para limpeza preparado com sais de sódio e de potássio **2** Pedaço sólido desse produto, em formatos diversos **3** *Bras. Pop.* Repreensão, descompostura: *Levou um sabão do professor por estar falando alto.* **4** Superfície escorregadia, ger. o solo **5** *Bras.* Rocha mais ou menos decomposta, que constitui o subsolo de alguns lugares do Nordeste **6** Variedade de fandango muito em voga no Pernambuco do séc. XIX **7** *Bot.* Saboeiro [Pl.: *-bões*.] [F.: Do lat. *sapo, onis*.] ▪ **Como/igual a ~ na mão da lavadeira** *N. E.* Us. para dar ideia de dissolução ou diminuição rápidas: "Eu já não posso mais/a minha vida não é brincadeira/É, estou me desmilinguindo/igual a sabão na mão da lavadeira" (Wilson Batista e Germano Augusto, *Inimigo do batente*) **Fazer ~** **1** *AL* Encostar-se em alguém para bolinar **2** *MA* Praticarem (lésbicas) ato amoroso a sexual **~ de coco** *Quím.* Sabão feito à base de óleo de coco **~ de pedra** Sabão muito duro, por conter base mineral **~ dos filósofos** Para os alquimistas, o mercúrio **~ em pó** Sabão sólido pulverizado **~ líquido** *Quím.* Sabão de consistência líquida, solúvel em água **Vá lamber ~** *Pop.* Forma desrespeitosa, grosseira, de se mandar alguém embora, ou de rejeitar comentário ou crítica de alguém
sabão-de-macaco (sa.bão-de-ma.*ca*.co) *sm. Angios.* Árvore (*Sapindus saponária*) cujas sementes pretas eram antigamente usadas como bolas de gude ou como sabão, mesmo que *sabonete* [Pl.: *sabões-de-macaco*.]
sabaque (sa.*ba*.que) *sm.* Camada de solo rica em material orgânico decomposto, comum na região do Alto Nilo e usado como fertilizante
◎ **sabat(i)-** *el. comp.* = 'sábado': *sabático* (< lat. < gr.), *sabatino* [F.: Do lat. ecles. *sabbatum, i*, do hebr. *xabbat*, 'dia de repouso'.]
sabática (sa.*bá*.ti.ca) *sf.* Licença que se concede a professores universitários para viagem de pesquisa [F.: Do gr. *sabbatikós* (ref. ao repouso do sábado).]
sabático (sa.*bá*.ti.co) *a.* **1** Ref. ao ou próprio do sábado (jejum sabático); SABATINO **2** Ref. ao sabá (rituais sabáticos) **3** Que diz respeito ao período de interrupção de certas atividades regulares: *Período de descanso sabático.* [F.: Do gr. *sabbatikós, é, ón*.]
sabatina (sa.ba.*ti*.na) *sf.* **1** Recapitulação, no sábado, das aulas ministradas durante a semana **2** Recapitulação oral das lições da semana por meio de perguntas e respostas **3** *Fig.* Matéria a ser discutida; QUESTÃO; TESE **4** *Rel.* Reza que se faz aos sábados **5** *Bras. Turfe* Reunião turfística realizada aos sábados **6** *Ant.* Tese que os estudantes de filosofia defendiam ao final do primeiro ano do curso [F.: Fem. substv. de *sabatino*. Hom.: *sabatina* (sf.), *sabatina* (fl. de *sabatinar*).]
sabatinador (sa.ba.ti.na.*dor*) [ô] *a.* **1** Que sabatina *sm.* **2** Aquele que sabatina [F.: *sabatina* + *-dor*.]
sabatinar (sa.ba.ti.*nar*) *v.* **1** Submeter (alguém) a uma sabatina [*td.*: *O professor sabatinou a aluna.*] **2** Rever (matéria) dada em aula, em sabatina [*td.*: *Os alunos solicitaram que o professor sabatinasse a matéria antes da avaliação.*] **3** Resumir ou condensar (texto etc.) [*td.*: *Sabatinou a matéria ao estudar para a prova.*] **4** Debater (assunto) de maneira minuciosa [*int.*: *Os alunos da turma do quinto período são os que mais gostam de sabatinar.*] [▶ **1** sabatinar] [F.: *sabatina* + *-ar²*. Hom./Par.: *sabatina(s)* (fl.); *sabatina(s)* (sf. [pl.]).]

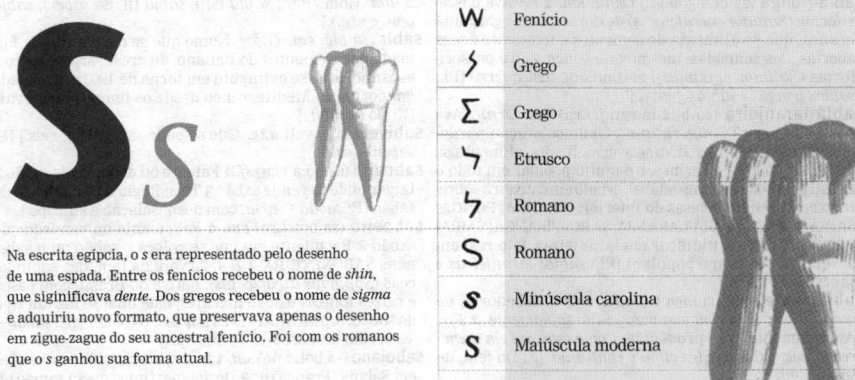

Na escrita egípcia, o *s* era representado pelo desenho de uma espada. Entre os fenícios recebeu o nome de *shin*, que siginificava *dente*. Dos gregos recebeu o nome de *sigma* e adquiriu novo formato, que preservava apenas o desenho em zigue-zague do seu ancestral fenício. Foi com os romanos que o *s* ganhou sua forma atual.

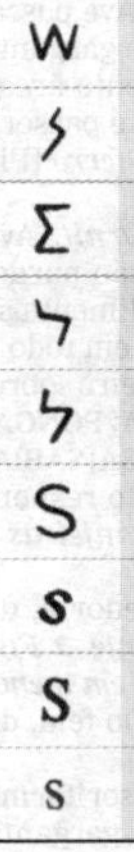

Fenício
Grego
Grego
Etrusco
Romano
Romano
Minúscula carolina
Maiúscula moderna
Minúscula moderna

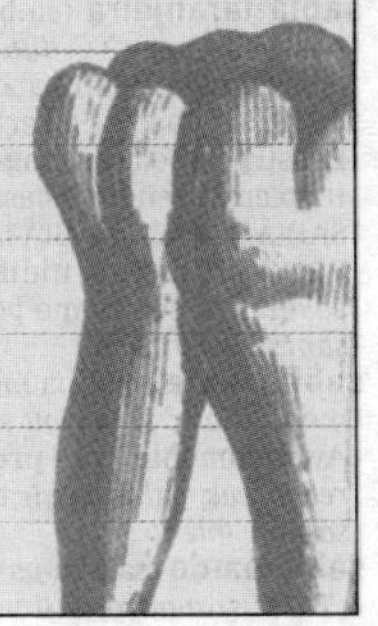

sabável (sa.*bá*.vel) *a2g.* Que agrada ao paladar; GOSTOSO; SABOROSO [Pl.: *-veis*.] [F.: *sab* (or) + *-ável*.]
sabedeus (sa.be.*deus*) *Interj.* Exprime dúvida; só Deus sabe: *Sabedeus onde foi parar esse rapaz!* [F.: *sabe* + *Deus*.]
sabedor (sa.be.*dor*) [ô] *a.* **1** Que sabe alguma coisa; CIENTE **2** Que tem grande conhecimento a respeito de algo; CONHECEDOR *sm.* **3** Aquele que sabe alguma coisa de algo: *Os sabedores da história preferiram calar a boca.* **4** Aquele que tem grande conhecimento de algo; CONHECEDOR [F.: *saber* + *-dor*.]
sabedoria (sa.be.do.*ri*:a) *sf.* **1** Qualidade de sábio **2** Caráter do que é expresso de maneira sábia: *Ouviu palavras de pura sabedoria.* **3** Conjunto de grandes conhecimentos; ERUDIÇÃO; SABER: *Era um professor dotado de grande sabedoria.* **4** Conhecimento justo e correto das coisas: *Ele tinha sabedoria para educar os filhos*: "A demonstração prática da excelência e sabedoria deste acordo, foi Matias Vidal o primeiro que a teve, pelo que fica escrito" (Franklin Távora, *O matuto*) **5** Moderação, prudência, sensatez: *A experiência da vida deu-lhe muita sabedoria.* **6** Qualidade de quem é esperto, manhoso, sabido: *Era impressionante a sabedoria daquele punguista.* **7** *Rel.* Conhecimento que se baseia nas coisas e revelações divinas: *A sabedoria do papa* [F.: *sabedor* + *-ia¹*. Ant. ger.: *ignorância*. Ideia de 'sabedoria': *gnoseo-* (*gnoseologia*).] ▪ **~ das nações** Moral, sistema de critérios éticos etc., expressos em provérbios, aforismos etc; sabedoria popular **~ popular** Sabedoria das nações
sabeísmo (sa.be.*ís*.mo) *sm.* **1** Nome comum às seitas sabeístas **2** Religião dos saberes, que tem base na adoração dos astros **3** Seita judaico-cristã originada do gnosticismo [F.: *sabeu* + *-ismo*.]
sabeísta (sa.be.*ís*.ta) *a2g.* **1** De Sabá, antigo reino no Sudoeste da Arábia, típico desse reino ou de seu povo; SABEU **2** Ref. às seitas do sabeísmo e a seus adeptos *s2g.* **3** Pessoa que nasceu ou viveu no reino de Sabá; SABEU **4** Seguidor do sabeísmo [F.: *sabeu* + *-ista*. Sin. geral: *sabeu*.]
sabença (sa.*ben*.ça) *sf.* **1** *Bras. Pop.* Sabedoria, conhecimento **2** Notícia, ciência [F.: Do lat. *sapientia, ae*.]
sabendas (sa.*ben*.das) *sfpl.* Notícia, conhecimento: "Antes, tivera sabendas de que Mearim contrito a largara." (Guimarães Rosa, "Estoriinha", *in Tutameia*) [F.: Da loc. lat. *ad sapiendas*.] ▪ **A ~** *Antq.* Com intenção; de modo consciente e proposital; de propósito; de caso pensado
saber (sa.*ber*) *v.* **1** Ter conhecimento, informação ou notícia de, estar informado sobre [*td.*: *Sabe o que aconteceu?; Eu sei tudo sobre o caso.*] [*tr.* + *de, sobre*: *Só ontem soube da viagem do amigo; O que você sabe sobre ele?*] [*int.*: *Noivaram em segredo, ninguém sabia.*] **2** Conhecer especificamente uma técnica, uma matéria, uma ciência etc. [*td.*: *Ela sabe matemática como poucos.*] **3** Ter certeza ou convicção de; pressentir [*td.*: *Você pode ter dúvidas, mas eu sei que agimos certo; Eu sabia que ele ia chegar atrasado...*] **4** Ter a capacidade, a habilidade ou os meios de (fazer, realizar algo) [*td.*: *Ele sabe jogar bilhar como ninguém; Não soube realizar a tarefa a contento.*] **5** Ter condição ou capacidade de compreender ou de explicar algo [*td.*: *Não sei o que deu nela, é inexplicável.*] **6** Ter na memória, de cor [*td.*: *Ela sabe toda a Bíblia, capítulo por capítulo, versículo a versículo.*] **7** Obter ou tentar obter informação, indagar [*td.*: *Telefonou para agência para saber o horário do voo.*] [*tr.* + *de, sobre*: *Vou até a clínica, quero saber do estado de saúde da titia.*] **8** Ter como, considerar [*tdp.*] **9** Ter sabor; ter sabor de ou parecido com o sabor de [*int.*: *Experimente este vinho, veja como ele sabe!*] [*tr.* + *a*: *Seus beijos sabiam a mel e canela.*] [▶ **29** saber] *sm.* **10** Conjunto de conhecimento que se adquire; CULTURA; ERUDIÇÃO; SABEDORIA **11** Discernimento e prudência nas ações, no comportamento **12** Capacidade que se adquire com a experiência **13** *RJ* O anel de grau das professoras primárias [F.: Do lat. *sapere*.] ▪ **A ~** **1** Us. para introduzir uma enumeração dos componentes de uma série ou conjunto **2** Us. para designar diretamente algo ou alguém a que se fez menção **Dar a ~** Comunicar, fazer saber, tornar ciente (fato, ideia etc.) **Não ~ a quantas anda** Estar desinformado ou desorientado quanto a algo, ou a muita coisa **Não ~ de si** Estar confuso, perdido, por problemas mentais ou psicológicos, ou por excesso de tarefas ou responsabilidades **Não ~ o que possui/tem** **1** Ter um bem ou bens afetivos de grande valor subjetivo **2** Ser muito rico **~ a** **1** Ter sabor de: *Esta geleia sabe a rosas.* **2** *Fig.* Lembrar, evocar a ideia de: *Esta história sabe a um folhetim.* **~ bem** Ter bom sabor; ser agradável ao sentido do paladar **~ entrar e sair** Ter bons modos, saber se comportar, ser bem-educado **~ mal** Ter sabor desagradável, ruim
saberé (sa.be.*ré*) *sm. Ict.* Peixe teleósteo (*Abudefduf saxatilis*), de coloração esverdeada com listras negras e nadadeiras azuladas, mesmo que *sargento* [F.: or. obsc. Forma paral.: *saberê*.]
sabe-tudo (sa.be-*tu*.do) *s2g2n. Pop. Irôn.* O mesmo que sabichão
sabeu (sa.*beu*) *a.* **1** De Sabá, típico desse antigo reino ou de seu povo; SABEÍSTA **2** Ref. ao conjunto de antigas seitas do sabeísmo [Pl.: *-beia*.] *sm.* **3** O membro dessa seita **4** Pessoa que nasceu ou viveu em Sabá, antigo reino da Arábia; SABEÍSTA [F.: Do lat. *sabaeus, a, um*. Sin. geral: *sabeísta*.]
sabiá (sa.bi:*á*) *s2g.* **1** *Bras. Zool.* Denominação comum aos pássaros da fam. dos turdídeos, cosmopolitas, de coloração simples, ger. cinza, preta ou marrom, com canto muito melodioso; PIO: "Sua voz era límpida e sonora como o gorjeio do sabiá, quando se deleita com o calor do sol." (José de Alencar, *Ubirajara*) **2** *Zool.* Espécie de peixe (*Oostethus lineatus*) comum no litoral brasileiro. Tb. *peixe-cachimbo* **3** *Vet.* O mesmo que *boqueira* [F.: Do tupi *sawi'a*. Hom./Par.: *sabiá* (sm.), *sábia* (fem. *sábio* [a. sm.]), *sabia* (fl. de *saber*). Na acp. 1 é epiceno.]
sabiacica (sa.bi.a.*ci*.ca) [i-à] *sm. Zool.* Ave da fam. dos psitacídeos (*Triclaria malachitacea*), nativa do sudeste brasileiro, de bico branco, corpo verde-claro e, nos machos, ventre azul-purpúreo; ARAÇUAIAVA; ARAÇAIAVA; ARAÇUIAVA; CICA; MÃE-DE-SABIÁ
sabiá-coleira (sa.bi.á-co.*lei*.ra) *sm. Ornit.* Sabiá (*Turdus albicollis*) de plumagem pardacenta, garganta com manchas negras, abdome branco, de até 22 cm de comprimento, encontrado em florestas do Brasil [Pl.: *sabiás-coleiras* e *sabiás-coleira*.]
sabiá-da-lapa (sa.bi.á-da-*la*.pa) *sm. Ornit.* Sabiá (*Turdus albicollis*) encontrado nas florestas do Brasil, mesmo que *sabiá-coleira* [Pl.: *sabiás-da-lapa*.]
sabiá-da-mata (sa.bi.á-da-*ma*.ta) *sm.* **1** *Bras. Ornit.* Ave passeriforme (*Turdus fumigatus*) de coloração avermelhada com tons oliváceos, garganta esbranquiçada com manchas pardas, encontrada em muitas regiões do Brasil **2** Sabiá das florestas brasileiras (*Platycichla flavipes*), mesmo que *sabiúna* [Pl.: *sabiás-da-mata*.]
sabiá-da-mata-virgem (sa.bi.á-da-ma.ta-*vir*.gem) *sm.* Ave passeriforme (*Lipaugus lanioides*) de coloração cinzenta em todo o corpo, mais clara em parte do abdome, difícil de ser observado por ter a capacidade de disfarçar-se em meio a matas cerradas, onde vive, mesmo que *tropeiro-da-serra* [Pl.: *sabiás-da-mata-virgem*.]
sabiá-da-praia (sa.bi.á-da-*prai*.a) *sm. Bras. Ornit.* Ave passeriforme (*Mimus gilvus*) de dorso cinzento, abdome branco, encontrado do Pará ao Rio de Janeiro, onde vive em restingas, alimentando-se de artrópodes e frutas, muito cobiçado em cativeiro devido ao belo canto; SABIÁ-DA-RESTINGA; SABIAPIRI [Pl.: *sabiás-da-praia*.]
sabiá-do-campo (sa.bi.á-do-*cam*.po) *sm. Bras. Ornit.* Ave passeriforme (*Mimus saturninus*) de dorso cinzento, abdome esbranquiçado, cauda negra com penas de extremidades brancas, considerado bom cantor e encontrado esp. em cerrados e matas ralas por todo o Brasil; ARREBITA-RABO; CALHANDRA; GALO-DO-CAMPO; SABIAPOCA; TEJO [Pl.: *sabiás-do-campo*.]
sabiá-ferreiro (sa.bi.á-fer.*rei*.ro) *sm. Ornit.* Ave passeriforme (*Turdus sublaris*) cor de chumbo, de abdome e garganta de cor branca raiada de negro, encontrado nas matas do Brasil meridional, mesmo que *ferreirinho* [Pl.: *sabiás-ferreiros*.]

sabiá-gongá (sa.bi.á-gon.*gá*) *Ornit. sm.* **1** *PE* Ave passeriforme (*Saltator coerulescens*) de dorso cinza e garganta branca, que se alimenta de sementes e frequenta áreas abertas, descampadas, mesmo que *gongá* **2** Ave passeriforme (*Saltator maximus*), mesmo que *trinca-ferro* [Pl.: *sabiás-gongás e sabiás-gongá*.]

sabiá-laranjeira (sa.bi.á-la.ran.*jei*.ra) ***sm.*** *Ornit.* Ave passeriforme (*Turdus rufiventris*) de coloração pardo-acinzentada, peito e abdodme avermelhados, alimenta-se de frutas, insetos e vermes, e é muito popular em todo o Brasil pelo seu canto agradável, criado em cativeiro sobretudo em fazendas e casas do interior; PIRANGA; PONGA; SABIÁ-CAVALO; SABIÁ-LARANJA; SABIÁ-PIRANGA; SABIAPONGA [Gosta de nidificar em laranjeiras, fato responsável pelo seu nome popular.] [Pl.: *sabiás-laranjeiras e sabiás-laranjeira*.]

sabiamente (sa.bi:a.*men*.te) ***adv.*** **1** Com sabedoria, de modo sábio: *Planejou sua vida muito sabiamente.* **2** *Fig.* Avisadamente, com prudência: *Como estavam em menores forças, sabiamente evitou o confronto.* [F.: Do fem. de *sábio* + *-mente*.]

sabiá-pardo (sa.bi.á-*par*.do) ***sm.*** *Ornit.* Ave passeriforme (*Turdus amaurochalinus*) de dorso acinzentado, garganta branca com estrias negras, encontrado no Brasil central e oriental, de hábitos idênticos aos do sabiá-laranjeira, mas de canto não tão apreciado quanto o deste; SABIÁ-BRANCO; SABIAPOCA [Pl.: *sabiás-pardos*.]

sabichão (sa.bi.*chão*) ***a.*** **1** *Pop.* Que é muito sábio **2** *Irôn.* Que gosta de ostentar sabedoria ou julga possuir sabedoria; SABE-TUDO ***sm.*** **3** Indivíduo muito sábio **4** *Irôn.* Indivíduo que procura ostentar sabedoria; SABE-TUDO [Pl.: *-chões*. Fem.: *-chã*, *-chona*] [F.: *sab(er)* + *-ichão*.]

sabichar (sa.bi.*char*) ***v. td.*** *Lus.* Procurar saber, investigar, indagar: "Ao acaso que topassem com a qualquer veia de cacimbas, fundo de várzea, rego ou restar de córrego, e sabichar ainda aonde algum verde, de boi se avir." (Guimarães Rosa, "A estória do homem do pinguelo" *in Estas estórias*) [▶ 1 sabichar] [F.: *saber* + *-ichar*.]

sabichona (sa.bi.*cho*.na) ***sf.*** *Irôn.* Mulher que se dedica ao estudo, que afeta saber muitas coisas [F.: f em. de *sabichão*. Forma paral. *sabichã*.]

sabichoso (sa.bi.*cho*.so) ***a.*** **1** Diz-se de indivíduo que afeta saber muito ou que usa mal seu saber ger. com intuito de aproveitar-se de alguém ***sm.*** **2** Esse indivíduo, mesmo que *sabichão* [F.: *sab* + *ichoso*.]

sabidamente (sa.bi.da.*men*.te) ***adv.*** De modo sabido ou conhecido de todos; NOTORIAMENTE: *Ele era sabidamente um antifeminista ferrenho.* [F.: Do fem. de *sabido* + *-mente*.]

sabidão (sa.bi.*dão*) ***a.*** **1** *Irôn.* Diz-se de quem sabe muitas coisas ou tem a pretensão de ser muito sabido, mesmo que *sabichão* [Pl.: *-dões*. Fem.: *-dona*] ***sm.*** **2** *Pop.* Indivíduo que usa de esperteza para com os outros [F.: *sabido* + *-ão*.]

sabidas (sa.*bi*.das) ***smpl.*** Us. nas locs. *Às não sabidas* e *Às sabidas* [F.: Part. de *saber*, posto no fem. pl.] ■ **Às não ~** Sem que outros saibam, secretamente; em segredo; às ocultas **Às ~** Abertamente, às claras

sabido (sa.*bi*.do) ***a.*** **1** Que se conhece, que se sabe; que é do conhecimento público; CONHECIDO: *fato sabido por todos.* **2** Que é conhecedor, versado, habilidoso em alguma atividade: *Era um centro-avante corajoso e sabido.* **3** *Fig.* Que demonstra prudência, cautela; CAUTELOSO **4** *Fig.* Que é astuto, trapaceiro, velhaco (vigarista sabido) ***sm.*** **5** Indivíduo inteligente, esperto: *O sabido logo conquistou a garota.* **6** Indivíduo que conhece bem alguma coisa **7** Indivíduo trapaceiro, esperto: *Os sabidos ficaram com a maior parte do dinheiro.* [F.: Part. de *saber*.]

sabidona (sa.bi.*do*.na) ***sf.*** **1** Mulher que sabe muito ou afeta sabedoria, mesmo que *sabichona* **2** *Pop.* Mulher que usa de artifícios para levar vantagem [F.: Fem. de *sabidão* = *sabido* + *-ona*.]

sabidos (sa.*bi*.dos) ***smpl.*** Gratificações ou pagamentos legítimos [F.: Pl. substv. de *sabido*.]

sabin¹ (sa.*bin*) ***sm.*** *Ant. Fís.* Unidade de medida de absorção acústica, que equivale a um pé quadrado de superfície absorvente [F.: Do ing. *sabin*, do antr. Wallace C. W. *Sabine*, físico norte-americano.]

⊕ **sabin²** (*Ing. /seibin/*) ***sf.*** Vacina contra a poliomielite criada pelo médico Albert Bruce Sabin (Rússia, 1906; EUA 1993) [F.: Do antr. Albert *Sabin*.]

sabinada (sa.bi.*na*.da) ***sf.*** *Hist.* Revolução separatista ocorrida na Bahia entre 1837 e 1838, que tinha a finalidade de desligar o governo provincial do governo da Regência e instaurar uma república provisória: "...filho de um legalista combatente na revolução da Sabinada..." (Xavier Marques, *Feiticeiro*) [Inicial maiúscula.] [F.: Do antr. *Sabino* (Francisco Sabino Álvares da Rocha Vieira, que chefiou essa revolta) + *-ada*.]

sabino (sa.*bi*.no) ***a.*** **1** Ref. aos ou próprio dos sabinos, antigo povo da Itália central **2** Diz-se de indivíduo desse povo **3** *Ling.* Diz-se da língua falada pelos sabinos ***sm.*** **4** Indivíduo do povo sabino **5** *Gloss.* A língua falada pelos sabinos [F.: Do lat. *sabinus, a, um*.]

sábio (*sá*.bi:o) ***a.*** **1** Que sabe muito; que tem profundos conhecimentos (homem sábio); ERUDITO **2** Que é conhecedor profundo de um assunto ou tema; PERITO: *Era um dos sábios da filosofia.* **3** *Fig.* Que demonstra prudência, sensatez, sabedoria (atitude sábia) [Superl.: *sapientíssimo*.] ***sm.*** **4** Pessoa que sabe muito: *Ficou admirando o sábio por longo tempo.* **5** Pessoa sensata, prudente, cautelosa [Superl.: *sapientíssimo*] [F.: Do lat. *sapidus, a, um*. Hom./Par.: *sábia* (sf.), *sabia* (fl. de *saber*), *sabiá* (sm. e s2g.).]

sabir (sa.*bir*) ***sm.*** *Gloss.* Nome que se dava à língua formada por elementos do italiano, do grego, árabe, turco e espanhol, que se extinguiu em torno de 1900 e era falada em portos do Mediterrâneo desde os tempos medievais [F.: Do fr. *sabir*.]

sabível (sa.*bí*.vel) ***a2g.*** Que se pode saber [Pl.: *-veis*.] [F.: *saber* + *-vel*.]

saboaria (sa.bo:a.*ri*.a) ***sf.*** **1** Fábrica ou depósito de sabão **2** Lugar onde se vende sabão **3** Tecnologia us. no fabrico do sabão [F.: *sabão* + *-aria*, com desnasalação e síncope.]

saboeiro (sa.bo:*ei*.ro) ***sm.*** **1** Fabricante ou vendedor de sabão **2** Recipiente em que se coloca o sabão ou o sabonete; SABONETEIRA **3** *Bot.* Árvore da fam. das sapindáceas (*Sapindus divaricatus*), nativa do Brasil, com casca e raízes tônicas e adstringentes, e da qual se faz um tipo de sabão; SABÃO; SABONETE **4** *Bot.* Sabonete [F.: *sabão* + *-eiro*, com desnasalação e síncope.]

saboiano (sa.boi:*a*.no) ***sm.*** **1** Indivíduo nascido ou que vive em Saboia (França) ***a.*** **2** De Saboia; típico dessa região ou de seu povo [F.: Do top. *Saboia* + *-ano¹*.]

◎ **sab(on)-** ***el. comp.*** = sabão: *saboneteira, saponáceo*

sabonetão (sa.bo.ne.*tão*) ***sm.*** **1** Sabonete grande **2** *Gír. P. us.* Homossexual masculino [Pl.: *-tões*.] [F.: *sabonete* + *-ão*.]

sabonete (sa.bo.*ne*.te) [ê] ***sm.*** **1** Sabão ger. perfumado para a limpeza do corpo **2** *Fig.* Reprimenda, repreensão; SABÃO **3** *Bot.* Nome comum às árvores da fam. das sapindáceas que contêm frutos ricos em saponina **4** *Bot.* Árvore dessa família (*Sapindus saponaria*), originária da América tropical, cuja casca e frutos produzem espuma abundante em contato com a água **5** *Bot.* Saboeiro [F.: sabão (rad. *sabon-*) + *-ete* (ê), seg. o mod. erudito.]

saboneteira (sa.bo.ne.*tei*.ra) ***sf.*** **1** Lugar ou recipiente próprio para se colocar ou guardar sabonete; SABOEIRO **2** *Pop. Anat.* Cada uma das duas depressões que se forma entre o pescoço e os ombros de algumas pessoas: *Era uma mulher magra, com belas saboneteiras.* **3** *Bot.* Sabonete [F.: *sabonete* + *-eira*.]

sabor (sa.*bor*) [ô] ***sm.*** **1** Impressão que certas substâncias (ger. alimentícias) causam nos órgãos do paladar; GOSTO **2** Propriedade que têm essas substâncias de impressionar o paladar; GOSTO: *É uma fruta de excelente sabor.* **3** O sentido responsável pela sensação de gosto **4** Qualidade que pode ser comparada ao que é agradável ao paladar: *Caminhar pela praia trouxe novo sabor à sua vida.* **5** *Fig.* Graça, leveza, bom humor: *Seus textos eram divertidos, tinham muito sabor.* **6** Caráter, qualidade: *Era um filme de sabor surrealista.* **7** Capricho, vontade própria: *Faz-tudo a seu sabor.* **8** *Fís.* Número quântico que corresponde a propriedade que tem cada tipo de *quark* [F.: Do lat. *sapor, oris*.] ■ **Ao ~ da maré** Ao acaso, sujeito aos caprichos da sorte **Ao ~ de** Sujeito a, de acordo com (a vontade de): *Flutuava no rio ao sabor da correnteza; Apaixonado, vivia ao sabor dos desejos dela.*

saborear (sa.bo.re.*ar*) ***v. td.*** **1** *P. us.* Dar sabor a, ou tornar saboroso: *O tempero saboreou a carne.* **2** Degustar lenta e prazerosamente: *saborear um vinho/um licor.* **3** Causar bom sabor ao paladar de: *A sobremesa saboreou os convidados.* **4** *Fig.* Regozijar-se com; DELEITAR-SE: *saborear um livro/um filme.* **5** *Fig.* Causar satisfação a: *O boletim repleto de boas notas saboreou a mãe.* **6** Entregar-se com prazer a; DELEITAR-SE: *Saboreava com calma aquela praia ensolarada.* **7** Entregar-se a uma sensação gloriosa; REGOZIJAR-SE: *Saboreou aquela vitória até a hora de dormir.* **8** Experimentar prazer sexual: *Saboreou a noite de amor.* **9** Apetecer-se de (algo) constantemente: *Saboreava ver televisão diariamente.* **10** *Irôn.* Sofrer lentamente: *Saboreava aquele fracasso com suave tristeza.* [▶ 13 saborear] [F.: *sabor* + *-ear²*. Ant. ger.: *dessaborear*. Hom./Par.: *saboreáveis* (fl.), *saboreáveis* (pl. *saboreável* [a2g.]).]

saboreável (sa.bo.re.*á*.vel) ***a2g.*** Que pode ser saboreado [Pl.: *-veis*.] [F.: *saborear* + *-vel*. Hom./Par.: *saboreáveis* (pl.), *saboreáveis* (fl. de *saborear*).]

saborido (sa.bo.*ri*.do) ***a.*** **1** Que tem sabor agradável, *saboroso* **2** *Fig.* Agradável, deleitoso [F.: *sabor* + *-ido*.]

saboró (sa.bo.*ró*) ***sm.*** *Bras.* Tipo especial de milho, branco e mole, muito apreciado pelos indígenas, que o cultivavam e usavam em seus rituais [F.: or. desc.]

saborosamente (sa.bo.ro.sa.*men*.te) ***adv.*** De modo saboroso ou prazeroso; como se degustando, apreciando algo; gostosamente, deliciosamente: *Exercia saborosamente uma ironia fina e cruel.* [F.: Do fem. de *saboroso* + *-mente*.]

saboroso (sa.bo.*ro*.so) [ô] ***a.*** **1** Que tem sabor, que tem gosto agradável (iguaria saborosa); DELICIOSO; GOSTOSO; SÁPIDO **2** *Fig.* Agradável, delicioso, deleitoso (história saborosa) **3** *Fig.* Engraçado, jovial [Pl.: [ó]. Fem.: [ó].] [F.: Do lat. *saporosus, a, um*. Ant. ger.: *insulso, dessaboroso*.]

saborra (sa.*bor*.ra) [ô] ***sf.*** *Mar.* Areia usada como lastro nos navios, mesmo que *saburra* [F.: Do lat. *saburra, ae*.]

sabotador (sa.bo.ta.*dor*) [ô] ***a.*** **1** Que faz sabotagem **2** Próprio de quem faz sabotagem ***sm.*** **3** Indivíduo que faz sabotagem: *Os sabotadores foram presos.* [F.: *sabotar* + *-dor*.]

sabotagem (sa.bo.*ta*.gem) ***sf.*** **1** Ação ou resultado de sabotar **2** Ação de causar danos ou impedir o funcionamento de empresas, serviços, instituições etc.: *Ato de sabotagem paralisou o transporte ferroviário.* **3** *Fig.* Qualquer ação com o intuito de prejudicar outrem [Pl.: *-gens*.] [F.: Do fr. *sabotage*.]

sabotante (sa.bo.*tan*.te) ***a2g.*** Que faz sabotagem, *sabotador* [F.: *sabotar* + *-nte*.]

sabotar (sa.bo.*tar*) ***v.*** **1** Causar dano propositado e criminoso a [***td.***: *Usou dinamite para sabotar a via férrea.*] **2** Minar clandestinamente; solapar sorrateiramente; PREJUDICAR [***td.***: *Datilografava devagar para sabotar o trabalho.*] **3** Fazer patifaria com (alguém) [***td.***: *O mau-caráter sempre sabotava os amigos.*] **4** Fazer entalhe em (travessa de linha férrea) para dar inclinação ao carril [***td.***: *sabotar a travessa da linha férrea.*] **5** *Ang.* Apropriar-se de objetos alheios; FURTAR; ROUBAR [***td.***: *Sabotaram sua bolsa na rua.*] **6** Cometer crime de sabotagem [***int.***: *Foi preso por sabotar.*] [▶ 1 sabotar] [F.: Do fr. *saboter*.]

sabra (*sa*.bra) ***a2g.*** **1** Diz-se de pessoa nascida no Estado de Israel ***s2g.*** **2** Pessoa nascida em Israel; ISRAELENSE ***sf.*** **3** *Angios.* Espécie de cacto arbustivo, mesmo que *figueira-da-barbária*; ISRAELENSE ***sf.*** **4** *Bot.* Variedade de uva-branca temporã [F.: Do hebr. novo *sabrath*.]

sabre (*sa*.bre) ***sm.*** **1** Arma branca, reta ou curva, afiada em um lado apenas de sua lâmina **2** Espada curta; TERÇADO: "O Mattos, aquele animal, só na véspera lhe dera o costume para o baile: e, qual é o seu horror, ao ver que lhe arranjara, em lugar de uma espada artística, um sabre da guarda municipal!" (Eça de Queirós, *Os Maias*) [F.: Do fr. *sabre*.]

sabugar (sa.bu.*gar*) *CE Pop.* ***v. td.*** **1** Bater ou surrar com chicote **2** Surrar (alguém) com violência [▶ **14 sabugar**] [F.: *sabugo* + *-ar*. Hom./Par.: *sabugais* (fl.), *sabugais* (*sabugal* sm. [pl.]); *sabugo* (fl.), *sabugo* (sm.).]

sabugo (sa.*bu*.go) ***sm.*** **1** Parte do dedo onde se prende a unha **2** *Agr.* Espiga de milho sem os grãos **3** *Bot.* Medula dos caules e ramos de certas árvores, esp. do sabugueiro **4** *Zool.* Parte interior, pouco resistente, dos chifres dos animais **5** *Zool.* Base em que se assenta a cauda dos animais **6** *Art. gr.* O eixo central dos rolos de impressão **7** *Bot.* O mesmo que *sabugueiro* [F.: Do lat. *sabucus, i*.] ■ **Não valer um ~** *RS* Não ter valor, préstimo ou importância

sabugueiro (sa.bu.*guei*.ro) *Bot.* ***sm.*** Nome comum a arbustos e árvores pequenas do gên. *Sambucus*, da fam. das caprifoliáceas, nativas de regiões de clima temperado ou subtropical, algumas cultivadas por seus frutos comestíveis, outras para usos ornamentais ou medicinais; SABUGO [F.: *sabugo* + *-eiro*.]

sabujar (sa.bu.*jar*) ***v.*** **1** Bajular (alguém) de maneira exagerada; ADULAR [***td.***: *Vivia sabujando o chefe.*] [***int.***: *Sabujava constantemente.*] **2** Comportar-se como sabujo [***int.***: *Era dado a sabujar.*] [▶ 1 sabujar] [F.: *sabujo* + *-ar²*. Hom./Par.: *sabujo* (fl.), *sabujo* (a. sm.).]

sabujice (sa.bu.*ji*.ce) ***sf.*** **1** Ação ou comportamento de sabujo **2** Qualidade de quem é sabujo, bajulador, subserviente; SABUJISMO; SEVANDIJISMO; PUXA-SAQUISMO [F.: *sabujo* + *-ice*.]

sabujismo (sa.bu.*jis*.mo) ***sm.*** Qualidade ou caráter de quem é sabujo, mesmo que *sabujice* [F.: *sabujo* + *-ismo*.]

sabujo (sa.*bu*.jo) ***sm.*** **1** *Cinol.* Grande cão de caça **2** *Fig.* Indivíduo servil, bajulador; PUXA-SACO ***a.*** **3** *Fig.* Que bajula; PUXA-SACO [F.: Do lat. *segusius (canis)*. Hom./Par.: *sabujo* (sm. a.), *sabujo* (fl. de *sabujar*).]

saburra (sa.*bur*.ra) ***sf.*** **1** Crosta esbranquiçada que cobre a parte superior da língua, em consequência de alguma doença ou afecção; SARRO **2** Areia ou saibro us. como lastro de embarcações **3** *P. ext. Fig.* Camada, casca, revestimento **4** *Ant.* Matéria mucosa que, conforme se acreditava antigamente, formava-se no estômago em razão da má digestão [F.: Do lat. *saburra, ae*. Hom./Par.: *saburra* (sf.), *saburra* (fl. de *saburrar*).]

saburrento (sa.bur.*ren*.to) ***a.*** Que é cheio de saburra (língua saburrenta); SABURROSO [F.: *saburra* + *-ento*.]

saburroso (sa.bur.*ro*.so) [ô] ***a.*** Que tem saburra, mesmo que *saburrento* [Pl.: [ó]. Fem.: *ó*] [F.: *saburra* + *-oso*.]

saca¹ (*sa*.ca) ***sf.*** **1** Saco de grande tamanho **2** Sacola com alças para transportar compras **3** Conteúdo de uma saca (falando-se de alguns produtos) (saca de arroz; saca de açúcar) [F.: De *saco*. Hom./Par.: *saca* (sf.), *saca* (fl. de *sacar*).]

saca² (*sa*.ca) ***a2g.*** **1** Ref. aos sacas, antigo povo da Cítia, norte do mar Negro ***s2g.*** **2** Indivíduo desse povo [F.: Do lat. *sacae, arum*.]

sacação (sa.ca.*ção*) ***sf.*** *Bras. Gír.* Ação ou resultado de perceber, pensar, descobrir ou inventar algo inusitado, excelente, ou de grande valor; LAMPEJO; DESCOBERTA; INSPIRAÇÃO [Pl.: *-ções*.] [F.: *sacar* + *-ção*.]

sacada (sa.*ca*.da) ***sf.*** **1** Varanda que vai além da fachada de um edifício **2** *Gír.* Olhadela, espiada: *Deu uma sacada para ver se a polícia estava por perto.* **3** *Gír.* Ideia original ou genial: *Foi uma boa sacada fazer a capa da revista em branco.* [F.: Fem. substv. de *sacado*.]

sacado (sa.*ca*.do) ***a.*** **1** Diz-se do que se sacou, se extraiu, do que foi tirado para fora: *Punhal sacado, avançou sobre o adversário.* **2** *Econ.* Diz-se de título, cheque, duplicata, letra de câmbio etc., que se sacou: *O cheque ainda não fora sacado.* **3** *Econ.* Diz-se de pessoa física ou jurídica contra a qual se emite um título de crédito [F.: Part. de *sacar*.]

sacador (sa.ca.*dor*) [ô] ***a.*** **1** Que saca **2** *Econ.* Diz-se de pessoa física ou jurídica que emite contra alguém um título de crédito **3** *Ant.* Diz-se daquele que se encarrega da cobrança de impostos **4** *Jur.* O mesmo que *emitente* **5** *Pop. Bras.* Diz-se daquele que mente ou afirma coisas sobre as quais não tem real conhecimento **6** *Esp.* Diz-se daquele que, em certas modalidades esportivas, faz o saque da bola ***sm.*** **7** Indivíduo sacador [F.: *sacar* + *-dor*.]

sacal (sa.*cal*) ***a2g.*** Que causa enfado; CHATO; MAÇANTE [Da loc. pop *encher o saco*.] [Pl.: *-cais*.] [F.: *saco* + *-al*.]

sacalão (sa.ca.*lão*) *sm.* **1** Puxão para sacar algo, mesmo que *sacadela* **2** *RS* Ação de sofrear subitamente a cavalgadura [Pl.: *-lões*.] [F.: *sacar* + *-l-* + *-ão*.]
sacana (sa.*ca*.na) *Vulg.* *a2g.* **1** Diz-se de pessoa sem caráter, capaz de cometer atos reprováveis, indignos; CANALHA; PATIFE **2** Malandro, espertalhão **3** *Tabu.* Devasso, libertino, sensual **4** Que gosta de brincar, debochar, caçoar *s2g.* **5** Indivíduo sacana *s2g.* **6** Qualquer pessoa: *Chama aquele sacana ali, por favor!* *sm.* **7** *Tabu.* Indivíduo que masturba outro **8** *Tabu.* Homossexual passivo [F.: De or. incerta.]
sacanagem (sa.ca.*na*.gem) *sf.* **1** *Bras. Tabu.* Ação ou comportamento de sacana, seja devasso, trocista ou brincalhão **2** Ato praticado contra alguém como deboche, gracejo ou ludíbrio; BANDALHEIRA; SACANICE: *Esse cara vive fazendo sacanagem com todo mundo!* **3** Ato libidinoso **4** Ato libidinoso que fere os padrões do procedimento sexual comum **5** Ato de deslealdade ou de maldade: *Fez uma sacanagem com o próprio irmão, levando-o à falência.* **6** *Tabu.* Ação ou resultado de masturbar(-se) **7** *Bras. Cul.* Salgadinho que inclui salsicha, queijo, azeitona e outros ingredientes, todos espetados num palito [Pl.: *-gens*.] [F.: *sacana* + *-agem*[2].]
sacanamente (sa.ca.na.*men*.te) *adv.* **1** De maneira safada ou libidinosa: *Ele se comportou sacanamente com aquela garota.* **2** Com deslealdade: *Agiu sacanamente com os colegas, denunciando-os ao diretor.* [F.: *sacana* + *-mente*.]
sacaneada (sa.ca.ne.*a*.da) *sf.* Brincadeira, troça, ger. de mau gosto, desrespeitosa ou ofensiva: *Dar uma sacaneada em alguém.* [F.: *sacana* + *-ada*.]
sacaneado (sa.ca.ne.*a*.do) *a.* **1** Que foi enganado, ludibriado **2** Que foi ofendido **3** Que foi vítima de brincadeira ou troça de mau gosto **4** Que foi vítima de ação desleal ou traiçoeira **5** Que foi traído amorosa ou sexualmente (pelo cônjuge) [F.: Part. de *sacanear*.]
sacanear (sa.ca.ne.*ar*) *Tabu.* *v.* **1** Praticar ato de sacanagem, safadeza ou canalhice [*td.*: *Sacaneou todos os companheiros.*] **2** Comportar-se como pessoa esperta, devassa [*int.*: *Muitos são amigos, outros sacaneiam.*] **3** Tirar o sossego de; AMOLAR; APOQUENTAR [*td.*: *Sacaneava o irmão.*] **4** Debochar, troçar de (alguém) [*td.*: *Sacaneava a irmã porque ela não arranjava namorado.*] [*int.*: *Ele veio aqui só para sacanear!*] [▶ 13 sacanear] [F.: *sacana* + *-ear*[2].]
sacaneta (sa.ca.*ne*.ta) [ê] *a2g.* *Tabu.* Pequeno sacana ou simplesmente sacana [F.: *sacana* + *-eta*.]
sacão (sa.*cão*) *sm.* **1** Saco grande: *Colocou tudo em um sacão de lixo.* *sm.* **2** Salto que dá o animal montado, para sacudir o cavaleiro; CORCOVO; GALÃO **3** Empuxão, safanão, tranco: "Para o obrigar a largar a presa, deitei-lhe a mão aos cabelos e com tal violência o fiz que a cabeça, aos sacões, batia no sobrado como uma botelha vazia." (Aquilino Ribeiro, *Luz ao longe*) [F.: *saco* + *-ão* (para 1) e *sacar* + *ão* para 2 e 3.] ■ **Aos sacões** Aos arrancos, aos trancos; nervosamente, sem tranquilidade: *Aos sacões, em meio a soluços, tentava explicar.*
sacar (sa.*car*) *v.* **1** Tirar brusca ou violentamente (algo) de onde estava guardado ou encerrado [*tda.*: *Sacou o documento do bolso.*] [*int.*: *Nos faroestes, o mocinho sempre saca mais rápido.*] [*tr.* + *de*: *Sacou do punhal e feriu o agressor.*] **2** Tirar (dinheiro) de conta bancária [*td.*: *Fui ao banco para sacar dinheiro da poupança.*] [*tr.* + *de, sobre*: *Sacou sobre o cheque especial.*] [*int.*: *Foi ao banco e não conseguiu sacar.*] **3** *Esp.* Dar saque no (tênis, voleibol etc.) [*int.*: *O jogador sacou de forma errada.*] **4** *Bras. Gír.* Olhar ocultamente; ESPREITAR; VIGIAR [*td.*: *Ficava sacando a vizinha o tempo todo.*] **5** *Gír.* Captar pela inteligência, entender [*td.*: *Ele não sacou nada.*] [*tdr.* + *de*: *Ele não saca nada de cinema.*] **6** Obter com esforço ou dificuldade [*tdr.* + *de*: *O advogado sacou do acusado a confissão do crime.*] **7** Ter como resultado; OBTER [*tdr.* + *de*: *O aluno sacou das aulas excelentes informações.*] **8** *Bras. Pop.* Dar palpites; MENTIR [*int.*: *Agora, doente, vovô tem o hábito de sacar.*] **9** *Econ.* Expedir, enviar (contra uma pessoa ou instituição) um título de crédito [*td.*: *Sacou uma duplicata.*] [*tdr.* + *contra*: *O banco sacou contra o empresário um título de crédito.*] [▶ 11 sacar] [F.: Do lat. *sacare*, posv. do gót. *sakan*. Hom./Par.: *saca(s)* (fl.), *saca(s)* (sf. [pl.]); *sacaria(s)* (fl.), *sacaria(s)* (sf. [pl.]); *saco* (fl.), *saco* (sm.); *saque(s)* (fl.), *saque(s)* (a. sm. [pl.]); *sacai(s)* (fl.), *sacaí(s)* (sm. [pl.]).] ■ **~ a descoberto** Sacar (2) dinheiro sem dispor da quantia sacada na conta
◎ **sacar(i)-** *el. comp.* = 'açúcar': *sacarífero, sacarimetria, sacarímetro, sacarobiose, sacarose* [F.: Do gr. *sákkhar, aros*, ou *sákkharon, ou*, pelo lat. *saccharum, i.*]
sacaria (sa.ca.*ri*.a) *sf.* **1** Grande número de sacos ou sacas **2** Fábrica de sacos [F.: *saca* + *-aria*. Hom./Par.: *sacaria* (sf.), *sacaria* (fl. de *sacar*).]
saçaricante (sa.ça.ri.*can*.te) *Bras. Pop.* *a2g.* **1** Que sacode o corpo ou rebola (corista saçaricante) **2** Que parece não ter rumo certo: *Bêbedo, fez um percurso saçaricante para descobrir a própria casa.* [F.: *saçaricar* + *-ante*.]
saçaricar (sa.ça.ri.*car*) *Bras. Pop. P. us.* *v. int.* **1** Requebrar os quadris ao dançar; SARACOTEAR: *Saçaricava freneticamente no meio do salão.* **2** Divertir-se com grande entusiasmo: *Ela adora saçaricar.* [▶ 11 saçaricar] [F.: Posv. de *sassar*, 'peneirar', + *-icar*. NOTA: A grafia com *ç* pressupõe um bras., posv. com base em uma marchinha carnavalesca, *Saçaricando*, datada de 1952. Há tb. registro de *sassaricar*, com *s* (f. não adotada pelo VOLP). Hom./Par.: *saçarico* (fl.), *saçarico* (sm.).]
saçarico (sa.ça.*ri*.co) *Bras. Joc. Pop.* *sm.* **1** Ação ou resultado de saçaricar **2** Pessoa com quem se saçarica [F.: Dev. de *saçaricar*. Hom./Par.: *saçarico* (sm.), *saçarico* (fl. de *saçaricar*).]
sacarídeo (sa.ca.*rí*.de:o) *a.* **1** Que é semelhante ao açúcar *sm.* **2** *Quím.* Composto orgânico, mesmo que *glicídio* [F.: *sacar(i)-* + *-ídeo*.]
sacarífero (sa.ca.*rí*.fe.ro) *a.* Que contém ou produz açúcar; GLICÍFERO [F.: *sacar(i)-* + *-fero*.]
sacarificar (sa.ca.ri.fi.*car*) *v. td.* *Quím.* Converter (o amido) em açúcar, em substância açucarada, pela ação de fermentos ou do ácido sulfúrico [▶ 11 sacarificar] [F.: *sacar(i)-* + *-ficar*. Hom./Par.: *sacarificáveis* (fl.), *sacarificáveis* (pl. de *sacarificável* [a2g.]).]
sacarimetria (sa.ca.ri.me.*tri*.a) *sf.* *Quím.* Técnica pela qual se determina o teor de açúcar de uma solução [F.: *sacar(i)-* + *-metria*[1].]
sacarímetro (sa.ca.*rí*.me.tro) *sm.* *Quím.* Aparelho para medir o açúcar numa solução [F.: *sacar (i)-* + *-metro*.]
sacarina (sa.ca.*ri*.na) *sf.* *Quím.* Substância branca, sintética ($C_7H_5O_3NS$), cujo poder de adoçar é maior que o do açúcar comum, e us. como seu substituto em dietas [F.: *sacar(i)-* + *-ina*[2].]
sacarino (sa.ca.*ri*.no) *a.* **1** Ref. ao açúcar, a seu cultivo, à sua fabricação **2** Da natureza do açúcar **3** Que tem açúcar ou é doce como o açúcar; AÇUCARADO; DOCE **4** *Biol.* Que se alimenta de açúcar [F.: *sacar(i)-* + *-ino*[1].]
sacarinoso (sa.ca.ri.*no*.so) [ô] *a.* *Fig. Depr.* Que é açucarado, piegas, sentimentalista [Pl.: [ó]. Fem.: [ó].] [F.: *sacarina* + *-oso*.]
saçariqueiro (sa.ça.ri.*quei*.ro) *a.* **1** *Pop. Ant.* Diz-se de indivíduo que gosta de saçaricar *sm.* **2** Esse indivíduo [F.: *saçarico* + *-eiro*.]
◎ **sacaro-** *el. comp.* Ver *sacar(i)-*
saca-rolhas (sa.ca-*ro*.lhas) *sm2n.* **1** Instrumento us. para retirar rolhas de cortiça do gargalo de garrafas **2** *Bot.* Nome comum a arbustos e árvores do gên. *Helicteres*, da fam. esterculiáceas, cujos frutos são cápsulas helicoidais **3** *Bot.* Arbusto dessa família, *Helicteres sacarolha*, de flores alaranjadas, do qual se extraem fibras us. em cordoaria, cuja raiz tem uso medicinal como depurativo e é tb. cultivado como ornamental *sf2n.* **4** Doce que reúne tapioca, ovos, coco e queijo ralado [F.: *sacar* (na 3ª pess. sing. pres. ind.) + o pl. de *rolha*.]
sacarose (sa.ca.*ro*.se) [ó] *sf.* *Quím.* Substância ($C_{12}H_{22}O_{11}$) que se extrai da cana-de-açúcar e da beterraba, us. como adoçante, em produtos farmacêuticos etc. [F.: *sacar(i)-* + *-ose*[2].]
sacaroso (sa.ca.*ro*.so) [ô] *a.* Da natureza do açúcar [Pl.: [ó]. Fem.: [ó].] [F.: *sacar(i)-* + *-oso*.]
saca-saia (sa.ca-*sai*.a) *sf.* *AM Ent.* Nome comum às espécies de formiga carnívora da subfam. dos dorilíneos, extremamente vorazes, mesmo que *formiga-correição* [Pl.: *saca-saias*.]
saca-trapo (sa.ca-*tra*.po) *sm.* **1** *Ant. Mil.* Instrumento para limpar os resíduos que permaneciam nas bocas de fogo depois do tiro; SACA-BUCHA **2** *Fig.* Expediente astucioso que se usa para a obtenção de algo **3** *Angios.* Arbusto (*Helicteres pentandra*) da Amazônia, mesmo que *saca-rolhas* [Pl.: *saca-trapos*.]
sacável (sa.*cá*.vel) *a2g.* Que se pode sacar (dinheiro sacável) [Pl.: *-veis*.] [F.: *sacar* + *-vel*.]
sacaveno (sa.ca.*ve*.no) *sm.* **1** Indivíduo nascido ou que vive em Sacavém (Portugal) *a.* **2** De Sacavém; típico dessa cidade ou de seu povo [F.: Do top. *Sacav(ém)* + *-eno*[1].]
sacerdócio (sa.cer.*dó*.ci:o) *sm.* **1** *Ecles.* Estado e dignidade de sacerdote **2** *Ecles.* O ofício do sacerdote: "Mas logo o festivo Pote me explicou que esses homens sérios, de cachimbo, eram soldados muçulmanos policiando os altares cristãos, para impedir que em torno ao mausoléu de Jesus se dilacerem, por superstição, por fanatismo, por inveja de alfaias, os sacerdócios rivais que ali celebram os seus ritos..." (Eça de Queirós, *A relíquia*) **3** *Ecles.* O poder espiritual representado pelos sacerdotes **4** *Ecles.* A carreira eclesiástica **5** *Fig.* Missão ou função nobre que exige grande dedicação: *A profissão de professor é um sacerdócio.* **6** *Fig.* Qualidade do que é nobre, superior [F.: Do lat. *sacerdotium, ii*.]
sacerdotal (sa.cer.do.*tal*) *a2g.* Ref. ao sacerdócio ou a sacerdote, ou deles próprio (indumentária sacerdotal; vocação sacerdotal) [Pl.: *-tais*.] [F.: Do lat. *sacerdotalis, e*.]
sacerdote (sa.cer.*do*.te) *sm.* **1** *Ecles.* Homem ordenado para celebrar a missa; PADRE; PRESBÍTERO; REVERENDO **2** *Rel.* Aquele que oferecia vítimas às divindades, entre os povos antigos **3** *Fig.* Pessoa que se dedica a tarefa ou função honrosa [Fem.: *sacerdotisa*] [F.: Do lat. *sacerdos, otis*.] ■ **Sumo ~** O sacerdote de mais alta posição eclesiástica
sacerdotisa (sa.cer.do.*ti*.sa) *sf.* **1** Mulher que, nas antigas religiões pagãs, se encarregava dos sacrifícios **2** Mulher que se consagra ao culto de uma divindade [F.: *sacerdote* + *-isa*.]
sachar (sa.*char*) *v. td.* **1** Escavar (a terra) com o sacho **2** Mondar (a terra) com o sacho [▶ 1 sachar] [F.: Do lat. *sarcare*. Hom./Par.: *sacha* (fl.), *sachas* (fl.), *sacha* (sf. [pl.]); *sacho* (fl.), *sacho* (sm.).]
sacharina (sa.cha.*ri*.na) *sf.* *Quím. Agr.* Produto da fermentação aeróbica da cana-de-açúcar, rico em proteínas e sais minerais, usado como ração de ruminantes e não ruminantes [F.: Do lat. *saccha* (de *saccharum*, açúcar de cana) + *-ina*.]
sachê (sa.*chê*) *sm.* Saquinho de pano com conteúdo perfumado, us. em gavetas, armários de roupas, malas, carros etc. [F.: Do fr. *sachet*.]
sacho (*sa*.cho) *sm.* Ferramenta semelhante a uma pequena enxada [F.: Do lat. *sarculum, i*. Hom./Par.: *sacho* (sm.), *sacho* (fl. de *sachar*).]
sachola (sa.*cho*.la) *sf.* Espécie de enxada com uma lâmina mais estreita oposta à folha, usada por hortelões e jardineiros para escavar a terra [F.: *sacho* + *-ola*. Hom./Par.: *sachola* (fl. de *sacholar*).]
◎ **sac(i/o)-** *el. comp.* = saco: *saciforme* [F.: Do lat. *saccus, i*.]
saci (sa.*ci*) *sm.* **1** *Bras. Folc.* Entidade fantástica brasileira: menino negro de uma perna só, que pita um cachimbo e usa um barrete vermelho, e que faz travessuras tais como amedrontar os viajantes nas matas; SACI-PERERÊ **2** *Ornit.* Ave da família dos cuculídeos (*Tapera naevia*), de topete marrom-escuro e cauda longa, encontrada em brejos e matas secas de regiões que vão do México à Argentina; MARTIM-PERERÊ; MATIMPERERÊ; MATINTAPEREIRA; MATINTAPERERA [F.: Do tupi *sa'si.]
saciado (sa.ci.*a*.do) *a.* **1** Que se saciou; que comeu ou bebeu satisfatoriamente; FARTO; SATISFEITO **2** Que obteve plena realização (desejo saciado) [F.: Do lat. *satiatus, a, um*.]
saciamento (sa.ci:a.*men*.to) *sm.* Ação ou resultado de saciar(-se); satisfação completa [F.: *saciar* + *-mento*.]
saciar (sa.ci:*ar*) *v. td.* **1** Aplacar (a fome ou a sede): *Saciou a fome com um prato de comida.* **2** *Fig.* Satisfazer(-se) completamente: *Não há nada que sacie a ambição desse homem.* [▶ 1 saciar] [F.: Do lat. *satiare*. Hom./Par.: *saciáveis* (fl.), *saciáveis* (a2g. pl.).]
saciável (sa.ci:*á*.vel) *a2g.* Que se pode saciar [Pl.: *-veis*.] [F.: Do lat. *satiabilis, e*. Hom./Par.: *saciáveis* (pl.), *saciáveis* (fl. de *saciar*)]
saciedade (sa.ci.e.*da*.de) *sf.* **1** Estado de satisfação completa **2** Plena satisfação do apetite, de comer ou beber até fartar-se **3** Sensação de indiferença que decorre da plena satisfação dos desejos: "uma saciedade enervante mantém-me semanas inteiras num sofá, mudo e soturno, pensando na felicidade do não ser" (Eça de Queirós, *O Mandarim*) [F.: Do lat. *satietas, atis*.] ■ **À ~** Ao fartar, até estar completamente satisfeito **Até à ~** Ver *À saciedade*
saciforme (sa.ci.*for*.me) *a2g.* Que tem a forma de um saco [F.: *sac(i)-* + *-forme*.]
saci-pererê (sa.ci-pe.re.*rê*) *sm.* **1** *Bras. Folc.* O mesmo que *saci* (1) **2** *PE Dnç.* Um dos passos do frevo [Pl.: *sacis-pererês* e *saci-pererês*.]
saco (*sa*.co) *sm.* **1** Recipiente de papel, pano, couro ou material plástico, aberto em um dos lados, us. para transportar ou acondicionar coisas **2** O conteúdo de um saco: *Comeu um saco de pipocas.* **3** Pequena mala; MALETA **4** *Text.* Tecido tosco, ger. us. na fabricação de sacos; ANIAGEM **5** *Anat.* Órgão ou parte do corpo em forma de bolsa (saco uterino) **6** *Bras. Tabu.* Os testículos (saco escrotal) **7** *Bras. Gír.* Amolação, chateação: *Mas que saco! Esse ônibus não sai do lugar!* **8** *Bras. Gír.* Paciência: *Não tive saco para ouvir o discurso do ministro!* **9** Parte que sobra em roupa malfeita: *A camisa está com um saco debaixo do braço.* **10** Pequena enseada: *O saco de São Francisco, em Niterói.* **11** Parte larga da chaminé sobre a lareira **12** *GO* Linha circular formada por um rio **13** *Pes.* Rede de pesca de forma cônica **14** *Pej.* Pessoa gorda e de formas desajeitadas **15** *BA* Entre os garimpeiros, provisão semanal de gêneros **16** Nos rebordos escarpados das serras, corte de forma circular ou em meia-lua **17** Antiga peça de vestuário que se usava em casos de luto ou penitência [F.: Do lat. *saccus, i*, do gr. *sákkos, ou*. Hom./Par.: *saco* (sm.), *saco* (fl. de *sacar*). Ideia de 'saco': *sac(i)-* (*saciforme*).] ■ **Dar no ~** *Bras. Chulo* Aborrecer, importunar; encher o saco de **De ~ cheio** *Bras. Chulo* Aborrecido, entediado, sem mais paciência **Despejar o ~** Desabafar, contar tudo que sente; contar tudo que sabe **Encher/torrar o saco (de)** **1** *Bras. Chulo* Aborrecer-se, irritar-se, perder a paciência; ficar de saco cheio **2** Aborrecer, irritar (alguém), importunar até o limite da paciência alheia **Estar sem ~** *Bras. Chulo Gír.* Estar sem paciência, sem vontade, sem disposição para algo **Puxar o ~ de** *Vulg.* Adular, bajular **~ amniótico** *Emb.* Saco membranoso que envolve o embrião, depois o feto, e que contém o líquido amniótico; *Pop.* bolsa-d'água **~ coriônico** *Emb.* Membrana que envolve o embrião dos mamíferos e que, em certos mamíferos, forma a placenta **~ de água quente** Saco de borracha, que, depois de se encher de água quente, pode-se fechar hermeticamente aparafusando uma rolha, para aplicar em áreas corporais doloridas, para aquecer etc. **~ de café** Pequeno saco de algodão ou papel us. para coar café **~ de dormir** Saco comprido, de tecido resistente, impermeável e quente, dentro do qual uma pessoa pode dormir, isolada da umidade do solo e protegida do frio [Ger. us. em acampamentos. Sin. (*Lus.*): *saco-cama*.] **~ de pancada** **1** *Bras.* Pessoa que costuma apanhar muito, ger. por ser visada (num grupo) **2** *P. ext. Joc.* Em um campeonato esportivo, equipe ou competidor que perde frequentemente **3** *Fig.* Pessoa que, num grupo, costuma levar a culpa pelas faltas de outrem **~ de viagem** Mala em forma de saco, us. em viagens **~ embrionário** *Bot.* Célula muito grande, no interior da nucela, em uma de cujas extremidades estão o gameta feminino, ou oosfera, e as células vegetativas, ou sinérgides, e, na outra extremidade, três antípodas e no centro, o núcleo secundário da célula **~ escrotal** *Anat.* Bolsa que contém os testículos e os epidídimos **~ herniário** *Med.* Numa hérnia, bolsa formada por membrana (peritônio), contendo as

formações anatômicas que pressionaram a membrana para formar a hérnia **~ lacrimal** *Anat.* A parte mais dilatada do canal lacrimal, que contém a lágrima **~ pericárdico** *Anat. Card.* O pericárdio **~ sem fundo** 1 *Pop.* Quem não é capaz de guardar segredo; boquirroto 2 Quem come demais, ou gasta demais 3 Aquilo (obra, empresa, atividade etc.) que dá muitas despesas, ou que exige gastos recorrentes, sem retorno financeiro **~ vitelínico** *Emb.* O mesmo que *saco vitelino* **~ vitelino** *Emb.* Membrana de proteção do embrião de vertebrados, e que armazena substâncias nutritivas. Nos mamíferos placentários se atrofia, tendo função até a formação da placenta; saco vitelínico **Ser (um) ~ furado** *Bras.* Não saber guardar segredo, ser boquirroto **Torrar o ~ Bras** *Chulo* Ver *Encher/torrar o saco (de)*

sacoca (sa.*co*.ca) *sf.* Pequena rede de pesca com formato de saco [F.: *saco* + *-oca.*]

saco de serra (sa.co de *ser*.ra) *sm.* Extenso corte circular nos rebordos escarpados das serras [Pl.: *sacos de serra.*]

sacóforo (sa.*có*.fo.ro) *a.* 1 Que tem órgão saculiforme *sm.* 2 Penitente que utilizava um saco para cobrir o corpo [F.: *sac* (*i* /o)- + *-foro.*]

sacola (sa.*co*.la) *sf.* 1 Saco com dois fundos; ALFORJE 2 Saco com alças us. para carregar compras (sacola de feira) 3 *P. ext.* O mesmo que *algibeira* 4 Tipo de bolsa que se carrega a tiracolo (sacola de praia) [F.: *saco* + *-ola*¹.]

sacolada (sa.co.*la*.da) *sf.* 1 Compra que se faz com utilização de sacola(s) 2 Conteúdo de uma sacola (uma sacolada de legumes) 3 Pancada com uma sacola cheia de alguma coisa 4 *Fig.* Vitória por grande número de gols, goleada [F.: *sacola* + *-ada.*]

sacolagem (sa.co.*la*.gem) *sf.* 1 *Bras. Pop.* Atividade de sacoleiro 2 Compra de produtos no exterior, livre de impostos, para revenda no Brasil 3 Compra de produtos, sobretudo de confecção, por preço de atacado, para venda no varejo em outra praça, sem pagamento de impostos [F.: *sacola* + *-agem.*]

sacolão (sa.co.*lão*) *sm. Bras. Pop.* Mercado (às vezes instalado em caminhões) de frutas, verduras, hortaliças e legumes [Pl.: *-lões.*] [F.: *sacola* + *-ão*¹.]

sacolar (sa.co.*lar*) *v. int. Irôn. Pop.* Fazer compras, esp. no exterior [Alusão a pessoas que fazem compras, enchendo sacolas.] [▶ 1 sacolar] [F.: *sacola* + *-ar.*]

sacolé (sa.co.*lé*) *sm.* 1 *Bras. Pop.* Picolé em saquinho plástico 2 *Gír Drog.* Pequeno saco plástico com droga entorpecente [F.: Cruz. de *saco* e *picolé.*]

sacoleiro (sa.co.*lei*.ro) *sm. Bras. Pop.* Pessoa que compra mercadorias em quantidade para revender (em escritórios, de porta em porta etc.) [F.: *sacola* + *-eiro.*]

sacolejante (sa.co.le.*jan*.te) *a2g.* Que sacoleja; que balança (velho ônibus sacolejante) [F.: *sacolejar* + *-nte.*]

sacolejão (sa.co.le.*jão*) *sm.* 1 Movimento brusco com o corpo 2 Sacudida forte: *Deu um sacolejão no marido para ele ficar mais atento.* 3 Trepidação brusca; solavanco: *O ônibus avançava aos sacolejões.* [F.: *sacolejar* + *-ão.*]

sacolejar (sa.co.le.*jar*) [ê] *v.* 1 Agitar(-se) ou sacudir(-se) seguidamente [*td.*: *Sacolejou-a para despertá-la do pesadelo; Os foliões se sacolejavam no bloco.*] [*int.*: *Os pacotes sacolejavam na carroceria do caminhão.*] 2 Remexer o corpo; BAMBOLEAR(-SE); REBOLAR(-SE) [*td.*: *A cabrocha sacoleja as cadeiras.*] [*int.*: *Adora sacolejar.*] 3 *Fig.* Causar impacto, viva impressão ou comoção [*td.*: *A notícia do rombo sacolejou o mercado de capitais.*] [▶ 1 sacolejar] [F.: *sacola* + *-ejar.* Hom./Par.: *sacolejo* [ê] (fl.), *sacolejo* [ê] (sm.).]

sacolejo (sa.co.*le*.jo) [ê] *sm.* Ação ou resultado de sacolejar [F.: Dev. de *sacolejar.* Hom./Par: *sacolejo* (sm.), *sacolejo* (fl. de *sacolejar*).]

sacolinha (sa.co.*li*.nha) *sf.* 1 Sacola pequena 2 Em algumas igrejas, pequeno saco em que se recolhem as contribuições dos fiéis [F.: *sacola* + *-inha.*]

sacra (sa.cra) *Rel. sf.* 1 Pequeno quadro com as palavras do credo e da consagração e outras orações, colocado sobre o altar para ajudar a memória do celebrante; CÂNONE; CARTELA 2 A parte da missa em que se celebra o mistério da consagração [F.: Do lat. ecles. *sacra.*]

sacral¹ (sa.*cral*) *a2g. Ort.* Ref. ao osso sacro [Pl.: *-ais.*] [F.: *sacro* + *-al.*]

sacral² (sa.*cral*) *a2g.* Que é sagrado; SACRO [Pl.: *-ais.*] [F.: *sacro* + *al.*]

sacralgia (sa.cral.*gi*.a) *sf. Pat. Ort.* Dor no osso sacro [F.: *sacro* + *-algia.*]

sacrálgico (sa.*crál*.gi.co) *a. Ort.* Rel. a sacralgia [F.: *sacralgia* + *-ico.*]

sacralidade (sa.cra.li.*da*.de) *sf.* Qualidade do que é sagrado (a sacralidade do altar); SACRABILIDADE [F.: *sacral* + *-idade.*]

sacralização (sa.cra.li.za.*ção*) *sf.* 1 Ação ou resultado de sacralizar 2 *Med.* Ligação anormal da quinta vértebra lombar com a primeira vértebra sacra [Pl.: *-ções.*] [F.: *sacralizar* + *-ção.*]

sacralizado (sa.cra.li.*za*.do) *a.* Que se sacralizou; que se tornou sagrado: *Com a consagração, o pão e o vinho da comunhão ficam sacralizados.* [F.: Part. de *sacralizar.*]

sacralizante (sa.cra.li.*zan*.te) *a2g.* Que sacraliza; que torna sagrado [F.: *sacralizar* + *-nte.*]

sacralizar (sa.cra.li.*zar*) *v. td.* Fazer com que alguém (ou si mesmo) adquira caráter sagrado [▶ 1 sacralizar] [F.: *sacro* + *-al-* + *-izar.*]

sacramentação (sa.cra.men.ta.*ção*) *sf.* 1 Ação ou resultado de sacramentar *sf.* 2 Aceitação formal 3 Ação de oficializar; oficialização: *A sacramentação do contrato foi feita com rapidez.* [F.: *sacramentar* + *-ção.*]

sacramentado (sa.cra.*men*.to) *a.* 1 Que recebeu sacramento *a.* 2 *Jur.* Diz-se de ato ou documento legalizado (inventário sacramentado) 3 *Bras. Pop.* Diz-se de compromisso que foi assumido (noivado sacramentado) 4 Que recebeu os últimos sacramentos *sm.* 5 Aquele que recebeu os últimos sacramentos [F.: Part. de *sacramentar.*]

sacramental (sa.cra.men.*tal*) *a2g.* 1 Ref. ao sacramento 2 Dito na consagração de um sacramento (diz-se de palavra, termo) 3 *P. ext.* Que foi pronunciado em solenidades (elogios sacramentais) 4 *Fig.* Que se tornou habitual, costumeiro (horário sacramental) *sm.* 5 *Rel.* Ritual sacro realizado pela Igreja Católica com finalidade espiritual [Pl.: *-tais.*] [F.: *sacramento* + *-al*¹. Hom./Par.: *sacramentais* (pl.), *sacramentais* (fl. de *sacramentar*).]

sacramentar (sa.cra.men.*tar*) *v. td.* 1 Ministrar sacramento cristão a, ou receber sacramento: *O bispo sacramentou os novos padres; Sacramentaram-se de manhã cedo.* 2 *Rel.* Dar caráter sagrado a; CONSAGRAR: *Sacramentar um santuário.* 3 *Rel.* Conceder extrema-unção a: *O padre sacramentou o homem que dava seus últimos suspiros.* 4 *Rel.* Consagrar (a hóstia) 5 *Bras.* Firmar ou registrar legalmente (acordo, contrato, documento etc.) [F.: *sacramento* + *-ar*².]

sacramentário (sa.cra.men.*tá*.ri.o) *Rel. sm.* 1 Na religião católica, livro onde estão descritas as fórmulas eucológicas das cerimônias litúrgicas, especialmente às relativas à eucaristia e à administração dos sacramentos 2 Nome que os luteranos davam aos calvinistas e a todos os dissidentes que não aceitavam a eucaristia 3 Nome que os católicos davam aos reformados ou protestantes [F.: Do lat. tard. *sacramentarium, ii.*]

sacramento (sa.cra.*men*.to) *sm.* 1 *Rel.* Ato ou sinal sagrado pelo qual se recebe uma graça divina (o batismo, o casamento, a comunhão etc.) 2 *Rel.* A custódia em que fica encerrada a hóstia 3 *Rel.* Ato instituído por Deus que tem por finalidade santificar aquilo ou aquele que é objeto desse ato: "lembrou-me que ele costumava acompanhar o Santíssimo Sacramento aos moribundos, levando uma tocha, mas que a última vez conseguira uma vara do pálio. A distinção especial do pálio vinha de cobrir o vigário e o sacramento" (Machado de Assis, *Dom Casmurro*) 4 *Rel.* A Eucaristia 5 *Ant.* Juramento [F.: Do lat. ecles. *sacramentum, i.* Hom./Par: *sacramento* (sm.), *sacramento* (fl. de *sacramentar*).] ▪ **~ de iniciação** *Rel.* No cristianismo, batismo, confirmação ou crisma e Eucaristia **~ do altar** *Rel.* Eucaristia **~ dos enfermos** *Rel.* O mesmo que *extrema-unção* **Ligar-se pelos ~s** *Rel.* Casar-se em cerimônia religiosa **santo ~** *Rel.* No catolicismo, a Eucaristia, a hóstia consagrada **Últimos ~s** *Rel.* No catolicismo, a confissão, a comunhão e a extrema-unção

sacrário (sa.*crá*.ri:o) *sm.* 1 *Rel.* Lugar onde são guardadas coisas sagradas 2 Lugar onde são guardadas as hóstias consagradas 3 *Fig.* Lugar em se que encontram os sentimentos mais profundos do coração 4 *Fig.* Local onde alguém encontra completa privacidade 5 *Fig.* Vida íntima, particular; INTIMIDADE [F.: Do lat. *sacrarium, ii.*]

sacrificado (sa.cri.fi.*ca*.do) *a.* 1 Que foi oferecido em sacrifício ou holocausto 2 Que sofre necessidades ou passa por dificuldades 3 Diz-se de quem se sacrificou por alguém ou por alguma coisa [F.: Do lat. *sacrificatus, a, um.*]

sacrificador (sa.cri.fi.ca.*dor*) [ô] *a.* 1 Que sacrifica *sm.* 2 Aquele que sacrifica 3 *Rel.* Pessoa encarregada de realizar o sacrifício das vítimas [F.: Do lat. *sacrificator, oris.* Sin. ger.: *sacrificante.*]

sacrifical (sa.cri.fi.*cal*) *a2g.* Que se refere ao sacrifício [Pl.: *-cais.*] [F.: Do lat. *sacrificalis, e.* Hom./Par.: *sacrificais* (pl.), *sacrificais* (fl. de *sacrificar*).]

sacrificante (sa.cri.fi.*can*.te) *a2g.* 1 O mesmo que *sacrificador s2g.* 2 *Rel.* No catolicismo, oficiante encarregado de rezar a missa [F.: Do lat. *sacrificans, antis.*]

sacrificar (sa.cri.fi.*car*) *v.* 1 Oferecer(-se) em sacrifício (a uma divindade, como expiação) [*td.*: *Os astecas sacrificavam crianças; Jesus sacrificou-se pela humanidade.*] [*tdi.* + *a*: *Povos antigos sacrificavam animais às divindades.*] [*ti.* + *a*: *Sacrificava aos deuses.*] [*int.*: *Entre os antigos judeus, só os sacerdotes podiam sacrificar.*] 2 Entregar-se inteiramente a; CONSAGRAR(-SE); DEVOTAR(-SE) [*tdi.* + *a*: *Sacrificou a vida à medicina.*] [*tdr.* + *a, por*: *Sacrificou a vida aos / pelos filhos.*] 3 Renunciar a, ou desprezar (algo) (em benefício de outra coisa) [*td.*: *O místico sacrifica os prazeres carnais.*] [*tdr.* + *a, por*: *Há pessoas que sacrificam o trabalho ao lazer.*: "...tenho de sacrificar meu tempo livre pela pátria." (Kurban Said, *Ali e Nino*)] 4 Submeter a sacrifício, a sofrimento; SUJEITAR [*tdr.* + *a*: *Sacrificava o marido a seus desejos.*] 5 Matar (animal) por razão especial [*td.*: *sacrificar um cão raivoso.*] 6 Causar prejuízo ou dano a; LESAR; PREJUDICAR [*td.*: *A inflação sacrifica o povo; A guerra sacrifica muitas vidas.*] [▶ 11 sacrificar] [F.: Do lat. *sacrificare.* Hom./Par.: *sacrificais* (fl.), *sacrificais* (pl. *sacrifical* [a2g.]).]

sacrificável (sa.cri.fi.*cá*.vel) *a2g.* Que pode ou deve ser sacrificado (cordeiro sacrificável) [Pl.: *-veis.*] [F.: *sacrificar* + *-vel.* Hom./Par.: *sacrificáveis* (pl.), *sacrificáveis* (fl. de *sacrificar*).]

sacrificial (sa.cri.fi.ci.*al*) *a2g.* Que impõe sacrifício, mesmo que *sacrificatório*: "...tem sido interpretada de mil maneiras: ara de terma, altar sacrificial, mesa de libações..." (Aquilino Ribeiro, *Avós dos nossos avós*) [F.: Do lat. *sacrifitialis, e.*]

sacrificialmente (sa.cri.fi.ci.al.*men*.te) *adv.* De modo sacrificial, com sacrifício [F.: *sacrificial* + *-mente.*]

sacrifício (sa.cri.*fí*.ci:o) *sm.* 1 Ação ou resultado de sacrificar(-se) 2 Oferenda que se faz aos deuses 3 *Rel.* A missa: *O padre sempre iniciava o sacrifício com um sorriso beatífico.* 4 *Rel.* Pessoa ou coisa oferecida em sacrifício; IMOLAÇÃO 5 Renúncia voluntária em favor de um ideal ou de uma pessoa: *Fez um sacrifício para ajudar o rapaz; Fazia sacrifícios pela família.* 6 Tarefa desagradável que se deve realizar: *É um sacrifício lavar toda essa roupa!* 7 A morte de Jesus Cristo [F.: Do lat. *sacrificium, ii.*] ▪ **Ir para o ~** 1 *Bras. Turfe* Conduzir (jóquei) cavalo num páreo de modo a, sacrificando suas próprias possibilidades de vitória, beneficiar um cavalo da mesma escuderia 2 Iniciar esforço exagerado ou total para atingir algum objetivo, mesmo às custas do bem-estar pessoal, da dedicação a outras atividades etc. **Partir para o ~** Ver *Ir para o sacrifício* (2) **Santo ~** *Rel.* No catolicismo, o sacrifício da missa

sacrilegamente (sa.cri.le.ga.*men*.te) *adv.* De maneira sacrílega [F.: Do fem. de *sacrílego* + *-mente.*]

sacrilégio (sa.cri.*lé*.gi:o) *sm.* 1 *Rel.* Pecado grave contra a religião e as coisas sagradas: *É um sacrilégio dizer que Cristo não é filho de Deus. sm.* 2 Ultraje feito a uma pessoa sagrada ou digna de veneração: *Era um sacrilégio ofender a própria mãe:* "Neste ponto Iaiá estremeceu e fitou na madrasta uns olhos que não eram os de pouco antes. Parecia-lhe sacrilégio evocar o nome do pai." (Machado de Assis, *Iaiá Garcia*) 3 *P. ext.* Qualquer ato condenável, extremamente reprovável: *Riscar as paredes do metrô é um sacrilégio.* 4 Ação que revela falta de piedade; IMPIEDADE; PROFANAÇÃO: *Rasgar a imagem sagrada foi um sacrilégio.* [F.: Do lat. *sacrilegium, ii.*]

sacrílego (sa.*crí*.le.go) *a.* 1 Que tem o caráter de sacrilégio: *Cometeu um ato sacrílego.* 2 Que comete sacrilégio: *Só uma pessoa sacrílega destruiria um crucifixo. sm.* 3 Aquele que comete sacrilégio [F.: Do lat. *sacrilegus, a, um.*]

sacripanta (sa.cri.*pan*.ta) *a2g.* 1 Diz-se de pessoa infame, desprezível; INDIGNO; PATIFE *s2g.* 2 Essa pessoa 3 Pessoa falsamente religiosa [F.: Do it. *sacripante. Tb. sacripante.*]

sacripante (sa.cri.*pan*.te) *a2g.* Pessoa desonesta, desprezível, mesmo que *sacripanta*: "...não se vai ver mais um qualquer chefe encomendar para as eleições as turmas de sacripantes..." (Guimarães Rosa, *Grande sertão: veredas*) [F.: Do ital. *sacripante.*]

sacrista (sa.*cris*.ta) *sm. Depr.* Empregado de igreja, mesmo que *sacristão* [F.: regr. de *sacristão.*]

sacristão (sa.cris.*tão*) *sm.* 1 Empregado encarregado de cuidar de uma igreja e dos objetos do culto 2 Aquele que ajuda o padre nos ofícios divinos 3 *Pej.* Pessoa hipócrita ou falso beato [Pl.: *-tães, -tões.* Fem.: *-tã*] [F.: Do lat. medv. *sacristanus, i.*]

sacristia (sa.cris.*ti*.a) *sf.* 1 Local dentro da igreja (ou anexa a ela) onde são guardados os paramentos e objetos us. na missa 2 *P. ext.* Rendimento da Igreja Católica [F.: Do lat. medv. *sacristia, ae.*]

sacro (*sa*.cro) *a.* 1 Que é sagrado 2 Ref. à religião e aos seus cultos (sacros mandamentos); SAGRADO; SANTO 3 *Fig.* Digno de respeito, de veneração 4 *Anat.* Diz-se de osso que forma a parte de trás da bacia (osso sacro) *sm.* 5 *Anat.* Esse osso [F.: Do lat. *sacer, cra, crum.*]

sacrococcígeo (sa.cro.coc.*cí*.ge.o) *a. Anat.* Rel. simultaneamente ao sacro e ao cóccix [F.: *sacro* + *coccígeo.*]

sacroespinhal (sa.cro.es.pi.*nhal*) *a2g. Anat.* Que se refere ao mesmo tempo ao sacro e à espinha dorsal [F.: *sacro* + *espinhal.*]

sacroilíaco (sa.cro.i.*lí*.a.co) *a. Anat.* Que se refere ao mesmo tempo ao sacro e ao ílio [F.: *sacro* + *ilíaco.*]

sacrossanto (sa.cros.*san*.to) *a.* 1 Sagrado e santo: *Estudava a história sacrossanta do martírio divino.* 2 Que não se pode violar; INVIOLÁVEL: *Referia-se à própria casa como lar sacrossanto.* [F.: Do lat. *sacrosanctus, a, um.*]

sacudida (sa.cu.*di*.da) *sf.* Ação ou resultado de sacudir(-se); SACUDIMENTO; SACUDIDURA; TRANCO [F.: Fem. subst. de *sacudido.*]

sacudidela (sa.cu.di.*de*.la) *sf.* 1 Sacudida leve e/ou rápida: *Deu uma sacudidela no menino, para acordá-lo.* 2 *Fam.* Ação ou resultado de bater em alguém, ou num animal, de maneira leve 3 *Bras. Fig. Pop.* Estímulo ou admoestação: *Precisou de umas sacudidelas para estudar mais.* [F.: *sacudir* + *-dela.*]

sacudido (sa.cu.*di*.do) *a.* 1 Que se sacudiu (martíni sacudido); AGITADO; SACOLEJADO 2 Que é cheio de desembaraço, de desenvoltura (modos sacudidos) 3 *Bras. Pop.* Que é forte, robusto, saudável (homenzarrão sacudido) 4 Que se encontra agitado, tumultuado 5 *Bras. S Pop.* Que é valente, decidido: *Era um jogador sacudido.* 6 *S* Diz-se de indivíduo que domina uma atividade: *Era um lutador técnico e sacudido.* [F.: Part. de *sacudir.*]

sacudimento (sa.cu.di.*men*.to) *sm.* 1 Ação ou resultado de sacudir(-se) 2 Agitação ou tremor repentino [F.: *sacudir* + *-mento.* Sin. ger.: *sacudida, sacudidura.*]

sacudir (sa.cu.*dir*) *v.* 1 Agitar(-se) fortemente, ou abalar(-se) [*td.*: *No transe, ela se sacudia toda:* "...despertei a Hortênsia, sacudindo-a pelo ombro." (Josué Montello, *Sempre serás lembrada*)] 2 Abanar, menear de um lado para o outro [*td.*: *sacudir a cabeça/o lenço.*] 3 Balançar o corpo; REQUEBRAR(-SE); SARACOTEAR [*td.*: *A passista sacudia-se ao som da batucada.*] 4 Limpar (de poeira, de sujeira miúda etc.) agitando [*td.*: *sacudir uma toalha.*] [*tdr.* + *de*: *Sacudiu a poeira da roupa.*] 5 Lançar fora; livrar-se de [*td.*: *Sacudiu os restos de lixo.*] [*tdr.* + *de*: *Sacudiu o lixo* da lata para dentro do saco.] 6 Retirar de si; REPELIR [tdr. + de: Sacudiu do coração as más intenções.] 7 Retirar por meio de movimentos repetidos; BALANÇAR [td.: Sacudiu o arbusto para espantar o pássaro.] 8 Fig. Provocar ou causar excitação, estímulo; DESPERTAR; ESTIMULAR [td.: O grito da torcida sacudiu o time.] 9 Causar abalo, comoção; COMOVER; IMPRESSIONAR [td.: A morte do Papa João Paulo II sacudiu a sociedade.] 10 Fazer levantar; ACORDAR [td.: Sacudiu a filha cedo para o colégio.] [▶ 53 sacudir] [F.: Do lat. succutere.]

sáculo (sá.cu.lo) sm. 1 Saco de pequeno tamanho 2 Cit. Cada uma das cisternas em forma de disco que constituem o dictiossomo 3 Anat. Pequena depressão no labirinto membranoso da orelha interna 4 Bot. Espécie de pequeno saco que envolve a radícula de certos embriões [F.: Do lat. sacculus, i.]

sádico (sá.di.co) a. 1 Ref. a sadismo (comportamento sádico) 2 Diz-se de indivíduo que demonstra sadismo (lutador sádico) 3 Que sente prazer em fazer alguém sofrer (torturador sádico); CRUEL; TIRANO sm. 4 Aquele que se aplica em fazer o mal, de infligir sofrimento: Empunhando um chicote, o sádico invadiu o quarto. 5 P. ext. Aquele que gosta de fazer o mal, que sente prazer em ver ou saber do sofrimento alheio [F.: Do fr. sadique.]

sadio (sa.di:o) a. 1 Que é bom para a saúde (bebida sadia) 2 Que goza de boa saúde (menino sadio) 3 Diz-se de ambiente saudável (recanto sadio) 4 P. ext. Que é bom para o intelecto e para o espírito: Filme instrutivo, sadio. [F.: Do lat. sanativus, a, um.]

sadismo (sa.dis.mo) sm. 1 Pat. Psiq. Prática sexual que consiste em obter prazer com a dor e o sofrimento de outra pessoa [Cf.: masoquismo, sadomasoquismo.] 2 P. ext. Prazer experimentado com o sofrimento alheio 3 P. ext. Crueldade extrema: O espancamento do preso foi um ato de sadismo. [F.: Do fr. sadisme.]

sadista (sa.dis.ta) a2g. Que sente prazer com o sofrimento alheio, mesmo que sádico [F.: sád (ico) + -ista.]

sadomasoquismo (sa.do.ma.so.quis.mo) sm. Pat. Psiq. Prática sexual que combina sadismo e masoquismo [Cf.: masoquismo e sadismo.] [F.: sad (ismo) + -o- + masoquismo. Cf.: masoquismo e sadismo.]

sadomasoquista (sa.do.ma.so.quis.ta) a2g. 1 Ref. ao ou próprio do sadomasoquismo (relação sadomasoquista) 2 Que é dado ao sadomasoquismo (indivíduo sadomasoquista) s2g. 3 Indivíduo sadomasoquista [F.: sadomasoquismo + -ista, seg. o mod. grego.]

sadrá (sa.drá) sf. Variedade de camisa fina ou veste sagrada us. pelos persas [F.: Do persa sudrah ou sadreh.]

saduceu (sa.du.ceu) sm. Rel. Membro de uma seita e partido político no judaísmo do século II a.C. até à queda de Jerusalém, em 70 d.C., com forte representação no Sinédrio, que reunia representantes das poderosas famílias sacerdotais, não cria na ressurreição dos mortos nem em anjos, colaborava com o poder romano e tendia a assimilar a cultura helênica [Fem.: -ceia.] [F.: Do lat. sadducaeus, a, um.]

saeliano (sa.e.li:a.no) sm. 1 Indivíduo nascido ou que vive em Sael, região de estepes no deserto de Saara a. 2 De Sael; típico dessa região ou de seu povo [F.: Do top. Sael + -iano.]

safa (sa.fa) interj. Expressão de espanto, admiração ou sentimento de repulsa: "Safas – que eu podia dar tamanho um pulo, enorme, sustirado, repentemente." (Guimarães Rosa, Grande sertão: veredas) [F.: imp. do v. safar. Hom./Par.: safa (fl. safar).]

safadagem (sa.fa.da.gem) sf. 1 Qualidade do que ou de quem é safado; safadeza sf. 2 Ato desonesto ou imoral [F.: safado + -agem.]

safadeza (sa.fa.de.za) [ê] sf. 1 Qualidade do que ou de quem é safado; SAFADICE; SAFADISMO; BAIXEZA; VILEZA 2 Ação, comportamento ou dito pornográfico: Sentia prazer em dizer safadezas. 3 Ação ou procedimento desleal, incorreto, indigno, cometido ger. contra alguém que não merece 4 Bras. Molecagem, traquinagem; brincadeira ou troça inconsequente, ger. tola [F.: safado + -eza.]

safado (sa.fa.do) a. 1 Que demonstra cinismo, descaramento; que não se envergonha das coisas ruins que faz 2 Que se revela imoral, indecente, pornográfico: "Olhe! eles hão de dar-se perfeitamente, porque, tanto cara de safado tem um, como o outro!" (Aluísio de Azevedo, O mulato) 3 Bras. Que é dado a molecagens, travessuras, troças (garotinho safado) 4 Bras. Que está cheio de raiva, de indignação: Ficou safado quando lhe criticaram. 5 Desleal, leviano ou incorreto no agir, no proceder 6 Gasto pelo uso (chinelos safados) sm. 7 Indivíduo safado [F.: Part. de safar.] ∎∎ **Comer** ~ Bras. Pop. Ver Comer da banda podre no verbete banda

safanão (sa.fa.não) sm. 1 Puxão para arrancar algo 2 Tapa, bofetada 3 Empurrão forte, casual ou proposital [Pl.: -nões.] [F.: safar + -n- + -ão².]

safa-onça (sa.fa-on.ça) sm. Expediente ou recurso de emergência, que resolve, pelo menos parcialmente, um problema [Pl.: safa-onças.]

safar (sa.far) v. 1 Livrar(-se) de situação desagradável, incômoda; ESCAPAR; ESQUIVAR-SE [tdr. + de: O advogado safou-o da condenação; Saiu cedo e safou a criança da multidão.] 2 Fazer sair, puxando [td.: safar as botas/as roupas.] 3 Apropriar-se de (algo) que pertence a outrem; AFANAR; ROUBAR [td.: Os ladrões safaram as joias.] [tdr. + de: Safaram a bolsa da mulher.] 4 Salvar(-se) de perigo, de situação de risco [td.: A confusão era grande, mas ele conseguiu safar os filhos.] [tdr. + de: Safou a mulher do perigo.] 5 Ficar ou fazer ficar livre; LIBERTAR [tdr. + de: Safaram o homem inocente da prisão injusta.] 6 Tornar-se velho ou gasto pelo uso constante [int.: Com o uso diário, o uniforme se safou.] 7 Livrar(-se) de obstruções; DESEMBARAÇAR; DESOBSTRUIR [td.: Safou a rua principal.] 8 Mar. Livrar (embarcação) daquilo que possa impedir atividades de bordo [td.: safar a embarcação.] [▶ 1 safar] [F.: Do espn. zafar. Hom./Par.: safa (fl.), safa(s) (interj.); safado (part.), safado (a. sm.); safaria(s) (fl.), safaria(s) (a. [pl.]); safo (fl.), safo (a.); Sáfar (antr.); sáfar (sm.); safara(s) (fl.), sáfara(s) (a. sf. [pl.]).]

safardana (sa.far.da.na) sm. Homem safado, sem-vergonha; CANALHA; SAFADO; SALAFRÁRIO: "Ah! Mas descansa que hás de pagar com a língua de palmo! para não seres cão, meu safardana!" (Aluísio Azevedo, Casa de pensão) [F.: Alter. de sefardin, posv.]

safardanagem (sa.far.da.na.gem) sf. Qualidade ou procedimento de safardana, de abjeto, de salafrário [F.: safardana + -agem.]

safári (sa.fá.ri) sm. 1 Excursão ou expedição de caça, esp. em regiões africanas 2 O conjunto formado por expedição: Via de longe o avanço do safári. 3 Qualquer expedição aventureira [F.: Do ing. safari, do suaíli safari, e este do ár. safara. Hom./Par.: safáris (pl.), safares (fl. de safar).]

sáfaro (sá.fa.ro) a. 1 Rude, agreste, árido 2 Que não tem fertilidade; que não produz; ESTÉRIL 3 Fig. Que é esquivo, intratável 4 Fig Que se mantém à distância; AFASTADO; ALHEIO 5 Diz-se de animal selvagem, bravo, difícil de ser domado [F.: De or. ár., mas de étimo incerto.]

safarrascada (sa.far.ras.ca.da) sf. Ant. Situação de conflito; encrenca, problema [F.: safar + rascada.]

safena (sa.fe.na) sf. Veia subcutânea que leva o sangue dos membros inferiores para o coração [F.: Do lat. medv. saphena.]

safenado (sa.fe.na.do) a. 1 Que se submeteu à cirurgia de ponte de safena sm. 2 Pessoa safenada [F.: safena + -ado¹.]

safenar (sa.fe.nar) v. 1 Submeter(-se) a cirurgia de ponte de safena [td.: O cirurgião safenou o paciente.] [int.: O médico informou que o paciente safenou(-se) pela manhã.] 2 Bras. Solucionar (problema) por meio de emendas, correções [td.] [▶ 1 safenar] [F.: safena + -ar².]

safenectomizado (sa.fe.nec.to.mi.za.do) Med. a. 1 Que sofreu implante de ponte de safena 2 Que teve retirada a veia safena para tratamento de varizes ou edemas [F.: safena + ectomizado.]

sáfico (sá.fi.co) a. 1 Liter. Ref. a poetisa grega Safo, que viveu entre os sécs. VII e VI a. C 2 Rel. ao safismo, ao lesbianismo 3 Liter. Diz-se do verso greco-latino de cinco pés (três versos dactílicos e um adônio), ou decassílabo com icto nas sílabas quarta e oitava [F.: Do gr. sapphikos, e, on.]

safira (sa.fi.ra) sf. 1 Min. Pedra preciosa azul, variedade transparente de coríndon 2 P. ext. A cor azul 3 Agulha de eletrola produzida com esse material [F.: Do ár. safir, posv.] ∎∎ **Tocar** ~ PB Chulo Masturbar-se

safirento (sa.fi.ren.to) a. Bras. Pop. Alvoroçado, excitado, ansioso: "Mas não quis passar por atormentado nem safirento; guardou seu calado." (Guimarães Rosa, "A estória de Lélio e Lina" in No Urubuquaquá, no Pinhém) [F.: or. obsc.]

safismo (sa.fis.mo) sm. O mesmo que lesbianismo [F.: Do antr. Safo, do gr. Sapphó, ous, de uma poetisa da ilha de Lesbos (600 a.C.), que dizem ter sido lésbica.]

safista (sa.fis.ta) a2g. 1 Ref. a safismo sf. 2 Mulher que pratica o safismo, lésbica [F.: Do antr. Safo (do gr. Sapho, poetisa grega da Antiguidade) + -ista.]

safo (sa.fo) a. 1 Que foi gasto pelo uso 2 Que se safou, que escapou (ladrão safo) 3 Bras. Gír. Diz-se de indivíduo esperto, inteligente, vivo: Era um centro-avante rápido, safo. [F.: Regress. de safar. Hom./Par.: safo (a.), safo (fl. de safar).]

safra (sa.fra) sf. 1 Produção agrícola anual; COLHEITA: A safra de trigo não foi boa. 2 Pesc. Período em que se realiza a pesca; PISCATÓRIA 3 Fig. O resultado de um trabalho, de um processo, de uma ação de que resultem produtos; produção: Esse ano houve uma boa safra de livros. 4 Fig. Qualquer trabalho árduo, de difícil realização, que se estende por um bom tempo; FAINA 5 N. E. Época da passagem de grandes cardumes de tainha, peixes voadores, peixe-agulha etc. 6 RS Época em que habitualmente se negocia o gado gordo e tb. os diversos produtos da indústria pastoril [F.: De or. incerta; posv. do ár. sufrat, 'provisões'.]

safreiro (sa.frei.ro) sm. Bras. Trabalhador temporário, que só encontra ocupação em períodos de safra; BOIA-FRIA [F.: safra + -eiro.]

safrejar (sa.fre.jar) Bras. v. int. Ter como comércio um engenho de açúcar ou de aguardente [▶ 1 safrejar] [F.: safra + -ejar.]

safrinha (sa.fri.nha) sf. Agr. Plantio, esp. de grãos, efetuado fora de época [F.: Dim. de safra.]

safrista (sa.fris.ta) a2g. 1 Diz-se de produtor de leite que concentra sua produção em épocas chuvosas s2g. 2 Esse produtor [F.: safra + -ista.]

safrol (sa.frol) sm. Quím. Substância (C10H11O2) contida no óleo de sassafrás e similares, muito us. em perfumaria [F.: Do al. Safran + -ol.]

saga (sa.ga) sf. 1 Narrativa histórica, mitológica ou lendária da literatura medieval escandinava, escrita esp. nos séc. XIII e XIV 2 Canção popular cujo tema é uma saga (1) 3 Narração ficcional ou histórica com muitas aventuras 4 História, ger. romanceada, de uma família 5 P. ext. Narrativa cheia de incidentes [F.: Do fr. saga, do escandinavo ant. saga.]

sagacidade (sa.ga.ci.da.de) sf. 1 Qualidade de sagaz 2 Agudeza de inteligência, de percepção, de compreensão; ARGÚCIA; PERSPICÁCIA: "Não obstante a confiança na sagacidade do Aljuba e sobretudo em sua avareza" (José de Alencar, Sonhos d'ouro) [F.: Do lat. sagacitas, atis. Ant. ger.: estupidez.]

sagaz (sa.gaz) a2g. 1 De inteligência e percepção muito aguçadas; que é inteligente, perspicaz, arguto; dotado de sagacidade (2): "Era mulher inteligente e sagaz, dotada de boa índole e serviçal." (Machado de Assis, A mão e a luva) 2 Que não se deixa iludir ou enganar, por ser esperto 3 SP Diz-se de animal que é veloz, rápido, vivo 4 Bras. Gír. Diz-de tudo aquilo que é muito bom, muito legal, muito especial 5 Bras. Gír. Diz-se de pessoa muito especial, cheia de qualidades [Superl.: sagacíssimo] [F.: Do lat. sagax, acis.]

sagazmente (sa.gaz.men.te) adv. De maneira sagaz, com sagacidade: Sagazmente, levou o comerciante na conversa. [F.: sagaz + -mente.]

sagitado (sa.gi.ta.do) a. 1 Que tem ou adquiriu forma de seta, de flecha; SAGITAL 2 Bot. Diz-se de folha com ponta semelhante a de uma flecha [F.: Do lat. sagittatus, a, um.]

sagital (sa.gi.tal) a2g. 1 Que tem forma de seta; SAGITADO; SAGITIFORME 2 Anat. Ref. à sutura dos ossos parietais 3 Anat. Ref. ao plano paralelo ao medial do corpo (corte sagital) [Pl.: -tais.] [F.: sagit(i)- + -al¹.]

sagitária (sa.gi.tá.ri:a) Bot. sf. 1 Nome comum a plantas aquáticas da fam. das alismatáceas, de regiões temperadas e tropicais, algumas cultivadas como ornamentais 2 Qualquer espécie desse gênero [F.: Do lat. cient. Saggitaria. Hom./Par.: sagitaria (fl. sagitar).]

sagitariano (sa.gi.ta.ri:a.no) Astrol. a. 1 Que nasceu sob o signo de Sagitário 2 Ref. a esse signo, ou às qualidades ou influências a ele atribuídas, segundo a astrologia sm. 3 Aquele que nasceu sob o signo de Sagitário [F.: sagitário + -ano¹.]

sagitário (sa.gi.tá.ri:o) Astrol. sm. 1 Signo (do Zodíaco) das pessoas nascidas entre 22 de novembro e 21 de dezembro [Com maiúsc. inic.] 2 Nona constelação zodiacal, situada entre Escorpião e Capricórnio [Com maiúsc. inic.] 3 Antq. Hist. Nas tropas do exército romano, o arqueiro 4 Her. Imagem representativa de um centauro disparando flechas [F.: Do lat. sagittarius, ii. Hom./Par.: sagitária (fem.), sagitaria (fl. de sagitar); sagitárias (fem. [pl.]), sagitarias (fl. de sagitar).]

◎ **sagit(i)-** el. comp. = 'seta', 'flecha': sagitado (< lat.), sagital, sagitífero (< lat.), sagitifoliado, sagitiforme [F.: Do lat. sagitta, ae.]

sagitífero (sa.gi.tí.fe.ro) a. Que está carregado ou armado de setas [F.: Do lat. sagittifer, a, um.]

sagitifoliado (sa.gi.ti.fo.li.a.do) a. Bot. Que tem folhas sagitais, em forma de setas [F.: sagit(i)- + foliado.]

sagitiforme (sa.gi.ti.for.me) a2g. Que tem a forma de uma seta; SAGITADO; SAGITAL [F.: sagit(i)- + -forme.]

sagração (sa.gra.ção) sf. 1 Ação ou resultado de sagrar (padre, bispo, rei etc.) em cerimônia religiosa 2 Essa cerimônia religiosa 3 Ato de atribuir a alguma coisa um caráter sagrado [Pl.: -ções.] [F.: Do lat. sacratio, onis.]

sagradamente (sa.gra.da.men.te) adv. Segundo o rito sagrado: O sacramento foi sagradamente administrado ao doente. [F.: De sagrado + -mente.]

sagrado (sa.gra.do) a. 1 Que se sagrou; que foi alvo de consagração 2 Que se refere às coisas divinas, aos cultos religiosos etc; SANTO; SACRO 3 Fig. Que é divino, puro, imaculado; que está acima das necessidades e dos valores terrenos 4 Que não deve ser tocado, mexido; SACROSSANTO: Cuidado, para minha avó esse camafeu é sagrado! 5 Que deve ser respeitado de maneira profunda; VENERÁVEL 6 Que não se pode infringir ou desrespeitar: Os direitos do cidadão são sagrados. 7 Que se deve cumprir (deveres sagrados; obrigações sagradas) sm. 8 Aquilo que foi sagrado ou consagrado em cerimônias de culto [Superl.: sacratíssimo.] [F.: Do lat. sacratus, a, um. Ant. ger.: profano. Ideia de 'sagrado': hier (o)- (hierônimo).]

sagrar (sa.grar) v. 1 Dedicar(-se) a Deus ou a culto de um santo; CONSAGRAR(-SE) [td.: sagrar uma igreja.] [tdi. + a: Sagrou a capela à Virgem Maria.] [tdr. + a: Sagrou-se ao sacerdócio.] 2 Investir em certa dignidade, mediante determinada cerimônia [td.: sagrar um rei.] [tdp.: Sagrou-o bispo.] 3 Tornar(-se) devoto, dedicado a; DEDICAR(-SE) [tdr. + a: Sagrou horas aos estudos.] 4 Dar ou obter consagração; conquistar ou conferir vitória, título etc. [tdp.: Sagrou-o campeão; Sagrou insuperável o novo pintor.] 5 Tornar(-se) consagrado, respeitado [td.: Sagrou o nome do compositor.] [▶ 1 sagrar] [F.: Do lat. sacrare. Hom./Par.: sagrado (part.), sagrado (a. sm.).]

sagu (sa.gu) sm. 1 Bot. Nome comum a diversas palmeiras, esp. às do gên. Metroxylon, das quais se extrai do caule substância alimentícia muito us. no preparo de mingaus, papas etc; SAGUEIRO; SAGUZEIRO 2 P. ext. Cul. Essa substância [F.: Do malaio sagu.]

saguão (sa.guão) sm. 1 Pátio pequeno e descoberto no interior de um edifício 2 Salão entre a porta principal e as escadarias em uma grande construção 3 Área coberta à entrada de um convento, de uma casa etc., através da qual se chega a pátios, escadas e outros cômodos [Pl.: -guões.] [F.: Do espn. zaguán.]

saguaraji (sa.gua.ra.*ji*) *sf.* Pequena árvore pouco frondosa (*Colubrina glandulosa*), de caule reto, folhas pequenas e grandes flores amarelas ou avermelhadas; CAÇOCA; COLUBRINA; SOBRASIL; SUCURUJUBA [F.: or. obsc.]

sagueiro (sa.*guei*.ro) *sm. Bot.* Sagu [F.: *sagu* + *-eiro*.]

sagui (sa.*gui*) *sm.* **1** *Bras. Zool.* Denominação comum dado a pequenos primatas florestais da fam. dos calitriquídeos, espécie de macaco pequeno, encontrados nas Américas Central e do Sul, com até 37 cm, de cauda longa e unhas em forma de garras, que vive em grupos e se alimenta de frutas, insetos etc; MASSAU; MICO: "do fundo tenebroso da floresta vinham de espaço a espaço o gargalhar das raposas e os gritos sensuais dos macacos e saguis" (Aluísio de Azevedo, *O mulato*) **2** *Fig. Pej.* Pessoa muito pequena e feia [F.: Do tupi *sa'gwui*.]

saguim (sa.*guim*) *sm.* Ver *sagui* [Pl.: *-guins*.]

saguipiranga (sa.gui.pi.*ran*.ga) *sm. Bras. Zool.* Ver *mico-leão* (*Leontopithecus rosalia*) [F.: *sagui* + *-piranga*.]

saguntino (sa.gun.*ti*.no) *sm.* **1** Indivíduo nascido ou que vive em Sagunto (Espanha) *a.* **2** De Sagunto; típico dessa cidade ou de seu povo [F.: Do top. *Sagunt(o)* + *-ino*¹.]

saí (sa.*í*) *sm. Rel.* Monge budista; bonzo [F.: Do vietnamita *sãi*. Hom./Par.: *saí* (fl. sair); *saís* (pl.)/ *saís* (fl. *sair*).]

saia (*sai*:a) *sf.* **1** *Vest.* Roupa de comprimento variável, us. esp. pelas mulheres, e em algumas culturas tb. por homens, que vai da cintura às pernas, envolvendo a ambas **2** *P. ext.* A mulher: *Era muito esperto para lidar com saias.* **3** *P. ext.* Toalha grande de mesa, cujos lados, compridos, caem até o chão **4** *Antq. Vest.* Antiga vestimenta masculina de guerra **5** Parte da caixa de mesas ou cômodas que encostam nas paredes **6** *Vest.* Antiga veste com abas; SAIO **7** *Aut.* Chapa de metal que se coloca no para-lama traseiro do veículo para diminuir a resistência do ar ou apenas como peça ornamental **8** *N. E. Zool.* A cauda das reses **9** *SP Bot.* Ramo inferior ou secundário dos cafeeiros **10** *Vest.* Mesmo que combinação, vestimenta íntima feminina, que a um só tempo é saia e corpinho, e que as mulheres us. sob um vestido; ANÁGUA [Dim.: *saiote*] [F.: Do lat. medv. *sagia*, do lat. medv. *sagium, i*.] ■ **~ curta** *Bras. Gír.* Ver *Saia justa* **~ da cama** Tecido que circunda a cama abaixo do estrado, ocultando os pés, molas etc. **~ de baixo** *Bras.* Anágua **~ justa** *Bras. Gír.* Situação que causa constrangimento, ou que é difícil de contornar, esp. a que é causada por indiscrição, desentendimento, animosidade: *As perguntas do deputado criaram uma saia justa na comissão.*

saia-balão (*sai*.a-ba.lão) *sf.* Saia de roda sustentada por anágua ou enfunada por arcos horizontais, us. desde o Renascimento em variações diversas; saia de balão; CRINOLINA; MERINAQUE [Pl.: *saias-balões e saias-balão*.]

saia-blusa (sai.a-*blu*.sa) *sf.* Ver *saia e blusa* [Pl.: *saias-blusas*.]

saia-calça (sa.i:a-*cal*.ça) *sf.* Calça feminina larga, com aparência de saia, que, por vezes, tem a entreperna disfarçada por prega funda [Pl.: *saias-calças*.]

saia e blusa (sai.a e *blu*.sa) *sf. Vest.* Roupa feminina composta de saia e blusa em um conjunto homogêneo [Pl.: *saias e blusas*.] [Tb. *saia-blusa*.]

saião (sa.i:*ão*) *Bot. sm.* Erva da fam. das crassuláceas (*Kalanchoe brasiliensis*), natural do Brasil, cujas folhas suculentas são us. como medicamento tópico cicatrizante; COIRAMA; FOLHA-DA-COSTA; FOLHA-DA-FORTUNA; ORELHA-DE-MONGE [Pl.: *-ões*.] [F.: De or. incerta.]

saibo (*sai*.bo) *sm.* Gosto, ger. o desagradável [F.: regr. de *saber* por meio da f. **saibo*, do lat. *sapio*, do verbo *sapere*.]

saibrar (sai.*brar*) *v. td.* **1** Cobrir com saibro; BALASTRAR **2** *Agr.* Preparar a terra para plantio de mudas [F.: *saibro* + *-ar*. Hom./Par.: *saibro* (1ªp. s.)/ *saibro* (sm.). [Conjug. 1 sabichar].]

saibro (*sai*.bro) *sm.* **1** Mistura de argila e areia us. para preparar argamassa **2** *Petrol.* Rocha que resulta da decomposição de granitos ou gnaisses **3** Areia grossa encontrada em rios [F.: Do lat. *sabulum, i*, pelo port. ant. *sabro*.]

saicanga (sai.*can*.ga) *sf.* **1** Peixe teleósteo da fam. dos caracídeos (*Acestrorhamphus jenynsii*), de coloração prateada, boca de grande tamanho, dentes fortes e nadadeira avermelhada, encontrado em rios do Brasil; BOCARRA **2** Peixe fluvial (*Acestrorhynchus falcatus*) brasileiro, prateado com dorso verde; CIGARRA; ICANGA; MATRINXÃ; PEIXE-CACHORRO [F.: posv. do *tupi*.]

saída (sa.*í*.da) *sf.* **1** Ação ou resultado de sair; SAIMENTO **2** Lugar por onde se pode sair: *Encontrou uma saída para escapar do incêndio.* **3** Momento em que se sai do trabalho, da escola, de um hospital etc.: *Na hora da saída encontrei minha mãe.* **4** Ação de deixar ou renunciar a um cargo, um posto, ou de deixar uma equipe (esportiva, governamental), um time, uma empresa, firma, um partido, uma corporação etc. de que fazia parte **5** *Fig.* Jeito de resolver um problema, ou alternativa ou solução para uma situação difícil, complicada ou perigosa (sem saída); EXPEDIENTE; RECURSO: *Afinal, encontrara uma saída para o conflito.* **6** *Fig.* Venda, comercialização: *Esses novos televisores não têm saída.* **7** Arranco ou partida de pessoas ou animais, esp. em competições; LARGADA: *Foi dada a saída para o último páreo!* **8** Resposta adequada ou ação feliz diante de situação que encerra dificuldades: *Encontrou uma boa saída para justificar sua ausência.* **9** *Bras. Vet.* Peça do vestuário feminino que se coloca sobre maiô, biquíni etc., e que é retirada quando se chega ao local de destino (praia, piscina etc.) **10** *Elet.* Terminal de um circuito que fornece energia elétrica **11** *Inf.* Ato de transferir uma informação da memória do computador para um dispositivo ou meio de armazenamento externo **12** *Inf.* Ato de transferir uma informação da memória do computador para um dispositivo ou meio de armazenamento externo **13** *Bras. S* Dito inesperado, ger. pilhérico ou controverso; DISPARATE [F.: Fem. substv. de *saído*.] ■ **De ~ 1** *Bras.* De início, inicialmente; para começo de conversa; de cara: *Foi bancar o boêmio, e de saída se meteu numa briga feia.* **2** Diz-se de quem está indo embora, saindo de um lugar, ou de quem se prepara para fazê-lo: *Quando cheguei ele estava de saída, mal pudemos nos falar.* **Não dar nem para a ~ 1** *Bras. Pop.* Não ser suficiente; estar muito aquém da quantidade ou medida necessária para algo; não servir bem, não ter utilidade (diz-se de coisas) **2** Realizar muito mal, ou insatisfatoriamente, uma tarefa; ter mau desempenho; não estar preparado ou em condições para um trabalho, uma função etc. **3** Não conseguir manter disputa com outros; ter desempenho muito pior que o de outro(s)

saída-bangu (saí.da-ban.*gu*) *sf. Bras. Pop. Fut.* Modo de começar ou recomeçar um jogo com um chute dado pelo goleiro, o que ocorre em disputas ou peladas travadas em terrenos baldios, praias, quintais etc. [Pl.: *saídas-bangus, saídas-bangu*.]

saída de banho (sa:í.da de *ba*.nho) *sf. Vest.* Roupão de tecido atoalhado, us. para sair do banho [Pl.: *saídas de banho*.]

saída de praia (sa:í.da de *prai*.a) *sf. Vest.* Peça de vestuário de tecido leve que as mulheres usam por cima do maiô ou do biquíni para ir ou vir da praia, da piscina etc. [Pl.: *saídas de praia*.]

saideira (sa:i.*dei*.ra) *Bras. Pop. sf.* **1** O último copo ou a última garrafa de bebida alcoólica que se toma antes de sair de um bar, festa etc.: *Tomou uma saideira antes de voltar para casa.* **2** Última dança de um baile: *Dançou a saideira com a moça mais bonita do baile.* [F.: *saída* + *-eira*.]

saidinha (sa:i.*di*.nha) *sf.* Saída rápida, escapadela: *Vou dar uma saidinha e já volto!* [F.: *saída* + *-inha*.]

saidinho (sa.i.*di*.nho) *a.* **1** *Bras.* Que é muito saído, esperto, intrometido: *Esse seu filho é bem saidinho, hem?* **2** Que acabou de sair [F.: *saído* + *-inho*.]

saído (sa:*í*.do) *a.* **1** Que está fora; AUSENTE **2** Que se projeta para fora (dentes saídos); SALIENTE **3** Que está no cio (diz-se de fêmea de animal) **4** Que foi publicado: *Foi o único livro saído esta semana.* **5** *Pop.* Que é vivo, esperto, envolvente; ATREVIDO; PETULANTE; SALIENTE: *Um rapaz muito saído com as garotas.* **6** *Bras. Pop.* Que está quase sempre na rua; que não para em casa **7** *Bras. Pop.* Que se mostra muito à vontade nos modos, na maneira de agir etc.: *É uma mulher muito atirada, muito saída.* **8** *Bras. Pop.* Que se mete onde não é chamado; ABELHUDO; INTROMETIDO; METIDIÇO [F.: Part. de *sair*. Hom./Par.: *saída* (fem.), *saída* (sf.).]

saidor (sa.i.*dor*) [a-i. ô] *a.* **1** Que sai *sm.* **2** Aquele que sai *sm.* **3** *RS* Cavaleiro que consegue manter-se de pé quando a montaria roda e cai **4** Lugar propício para o gado atravessar o rio a nado **5** *RS* Na pista de cavalos, ponto onde se inicia a corrida [F.: *saído* + *-or*.]

saimel (sai.*mel*) *Arq. sm.* **1** A primeira pedra, em arco ou abóbada de cantaria, que forma a volta do arco e assenta sobre capitel, cimalha ou ombreira **2** No capitel jônico, a parte do lado das volutas [F.: De or. obsc.]

saimento (sa:i.*men*.to) *sm.* **1** Ação ou resultado de sair; SAÍDA **2** O mesmo que *funeral* **3** *Bras.* Qualidade de indivíduo atirado, saído, atrevido [F.: *sair* + *-mento*.]

sainete (sai.*ne*.te) [ê] *sm.* **1** Isca que era dada esp. a falcões, para amansá-los *sm.* **2** Qualquer coisa que diminui uma impressão desagradável **3** Qualidade agradável de alguma coisa; GRAÇA; GOSTO; SABOR **4** *Teat.* Comédia curta de que ger. participam poucos personagens **5** *Mús.* Tipo de ópera-cômica espanhola que aborda assuntos banais, corriqueiros [F.: Do espn. *sainete*.]

saiote (sai.*o*.te) [ó] *sm.* **1** Saia curta **2** Saia interior curta, de tecido grosso, às vezes engomada, us. sob outras saias **3** *BA* Tanga us. por remadores do rio S. Francisco [F.: *saia* + *-ote*.]

sair (sa.*ir*) *v.* **1** Passar de dentro para fora, ir para fora, ou deixar um lugar [*tda.*: *Está saindo fumaça do carburador.*] [*ta.*: *O avião ainda não saiu do México.*] **2** Deixar um corpo ou volume depois de tê-lo traspassado [*int.*: *A bala saiu pelo outro lado da parede.*] **3** Desunir-se ou desencaixar-se [*ta.*: *O trem saiu dos trilhos.*] **4** Deixar de fazer parte de, ou de exercer determinado cargo em [*ta.*: *O economista sairá do Ministério.*] **5** Proceder, provir, ou emanar [*ta.*: *Esse grande cientista saiu do povo.*] **6** Livrar-se ou desvencilhar-se [*tr.* + *de*: *Saiu da situação difícil.*] **7** Chegar ao fim de, ou concluir [*ta.*: *Mal saiu da faculdade e já se empregou.*] **8** Desabrochar ou surgir [*int.*: *O sol está para sair.*] [*tp.*: *Hoje a lua saiu minguante.*] **9** Ocorrer, suceder [*int.*: *Saiu uma discussão no jantar.*] **10** Ser publicado, ou lançado [*int.*: *Seu livro acaba de sair.*] **11** Ter saída ou venda [*int.*: *Esse produto é o que sai mais.*] **12** Desaparecer, desfazer-se [*int.*: *Esta mancha não quer sair.*] **13** Caber por escolha, ou por sorte [*tr.* + *para*: *A Palma de Ouro não saiu para o filme brasileiro.*] [*int.*: *Seu número saiu na rifa.*] **14** Assumir uma aparência; FICAR; RESULTAR [*tp.*: *Ela sempre sai bonita nas fotos.*] **15** Apresentar desempenho [*ta.*: *Saiu-se mal no vestibular.*] [*tp.*: *Você está (se) saindo um grande administrador.*] **16** Parecer-se física mente ou espiritualmente com antepassado [*tr.* + *a*: *Saíram ao avô.*] **17** Passear, caminhar, ou ir divertir-se [*int.*: *Esses amigos saem juntos todo sábado.*] **18** *Bras. Pop.* Manter relação amorosa ger. sem compromisso [*ta.*: *Ele já sai com Renata há dois meses.*] [*Int.*: *Disseram-me que eles estão saindo.*] **19** Dizer ou fazer algo inesperado [*tr.* + *com*: *De repente, ele se saiu com essa história.*] **20** Seguir um caminho, um trajeto [*int.*: *Saiu em busca de isolamento.*] [*ta.*: *Saiu pela rua para refletir.*] **21** Deslocar-se de um ponto para outro utilizando veículo [*int.*: *Saiu de bicicleta para ir à praia.*] **22** Abandonar (o lugar em que se encontrava) [*ta.*: *Não saiu do bar enquanto não o expulsaram.*] **23** Livrar-se de (condição, situação etc.) [*tr.* + *de*: *Saiu de uma doença perigosa; Saiu daquele trabalho horrível.*] **24** Ficar em determinado estado [*tp.*: *As roupas saíram manchadas da lavagem.*] **25** Deixar de pertencer a; escapar a [*tr.* + *de*: *Essa tarefa já sai da minha função.*] **26** Iniciar nova fase, novo período [*tr.* + *de*: *Saiu da infância já com cara de adulto.*] **27** Ser publicado, tornar-se público [*int.*: *As piores notícias saíram ontem; Seu livro sai na semana que vem.*] **28** Ficar, resultar [*tp.*: *O filme que você estava fazendo saiu ótimo.*] **29** Alcançar certo resultado [*ta.*: *O time saiu-se mal na competição.*] **30** Decorrer, transcorrer [*tp.*: *A festa não saiu como ele queria.*] **31** Ocorrer de maneira inesperada [*int.*: *Ontem saiu uma pancadaria no clube.*] **32** Afastar-se, desviar-se [*tr.* + *de*: *O candidato saiu do tema proposto.*] **33** Tornar-se distante; ser esquecido [*ta.*: *O rosto da menina nunca saiu de suas lembranças.*] **34** Desaparecer, extinguir-se, sumir [*int.*: *A sujeira dessa calça não sai nunca.*] **35** Ter boa vendagem [*int.*: *Esse disco é o que sai mais.*] **36** *Bras.* Tomar parte em; desfilar [*int.*: *Esse ano ela vai sair na escola de samba.*] **37** Dizer (algo) inesperado, imprevisível, estúpido ou tolo [*tr.* + *com*: *Falava direitinho, mas de repente saiu com uma besteira.*] [*tr.* + *com*: *Saiu-se com uma tolice que deixou todo mundo constrangido.*] **38** *Pop.* Transformar-se em [*tp.*: *Sua filha saiu uma garota linda.*] [▶ 43 sair] [F.: Do lat. *salire*.] ■ **Sai de baixo** Loc. interjetiva que exorta alguém a não se expor, ou se arriscar com algo, ou a não se opor a algo, e que se proteja de algo ou alguém **~ à francesa** Sair discretamente, sem se despedir, procurando não ser notado, para evitar algum embaraço; sair de fininho **~ apagando** *RS* Sair em disparada **~ de atravessado 1** *RS* Sair (cavalo) atravessado na raia **2** *Fig.* Receber mal alguém, não ser hospitaleiro **~ de em pé 1** *RS* Ficar em pé (o cavaleiro) quando lançado do cavalo **2** *Fig.* Sair de um problema ou de um negócio complicado mantendo a reputação ilibada **~ de fininho 1** Sair ou tentar sair sem ser notado; sair à francesa **2** *Fig.* Evitar discretamente envolver-se em conflito ou situação difícil, problemática **~ de si** Irritar-se, perder o autocontrole **~ limpo 1** Sair de um jogo tendo nele perdido todo o dinheiro que tinha **2** *RS* Livrar-se (o cavaleiro) de montaria que rodou **~ ventando** *Bras.* Sair à toda pressa

saíra (sa.*í*.ra) *Ornit. sf.* **1** *Bras.* Nome comum às aves passeriformes da fam. dos emberizídeos, de plumagem colorida, com cerca de 50 spp. encontradas em toda a América do Sul; SAÍ; TEM-TEM **2** Ave falconiforme (*Micrastor semitorquatus*), mesmo que *gavião-relógio* [F.: Do tupi *sa'ira*. Hom./Par.: *saíra* (fl. *sair*).]

sairé (sa.i.*ré*) [a-i] *PA sm.* **1** *AM Etnol.* Dança e canto dos tapuias **2** Espécie de andor formado por três semicírculos de madeira encimados por uma cruz, carregado por índias em festividades religiosas **3** *P. ext.* Festa popular em que os participantes carregam esse andor [F.: Do tupi *sai're*.]

sairu (*sai*.ru) *sm. Ict.* Peixe teleósteo (*Curimata elegans*), mesmo que *saguiru* [F.: orig. obsc.]

sais *smpl.* **1** Substâncias voláteis dadas a uma pessoa desmaiada para fazer com que ela acorde **2** Pós perfumados que se colocam na água do banho (banho de sais) [F.: Pl. de *sal*.]

sajica (sa.*ji*.ca) *a2g. AM* Que é resistente, rijo, robusto [F.: Do tupi *sai'ika*.]

saju (sa.ju) *sm. Zool.* Denominação comum a algumas espécies de pequenos macacos da fam. dos cebídeos: "O saju ou sapaju, um macaquinho apenas..." (Guimarães Rosa, "Zoo" *in Ave, Palavra*.) [F.: or. desc. Forma paral.: *sajum*.]

◎ **sal-** *el. comp.* = sal: *saliculura* [F.: Do lat. *sal, salis*.]

sal *sm.* **1** *Quím.* Composto derivado da reação de um ácido com uma base **2** Cloreto de sódio us. como tempero; sal de cozinha [Fórm.: *NaCl*.] **3** *Fig.* A água do mar **4** *Fig.* Graça, finura de espírito, desenvoltura: *Essa mulher sem graça precisava de uma pitada de sal.* **5** *Fig.* Qualidade de espírito, chiste (conversa sem sal); PICANTE **6** *Bibl.* O sal da Terra, nome bíblico dado aos apóstolos por Jesus Cristo [Pl.: *sais*.] [F.: Do lat. *sal, salis*. Hom./Par.: *sais* (pl.), *sais* (fl. de *sair*).] ■ **~ ácido** *Quím.* Sal que contém em sua molécula pelo menos um hidrogênio ácido **~ amargo** *Quím.* Sulfato de magnésio heptaidratado [Fórm.: $Mg_2SO_47H_2O$] **~ amoníaco** *Quím.* Cloreto de amônia, que se usa como eletrólito em pilhas secas e como medicamento expectorante [Fórm.: NH_4Cl] **~ ático 1** *Fig* O estilo refinado dos atenienses clássicos **2** *P. ext.* Agudeza, finura, sagacidade na expressão escrita ou oral **~ básico** *Quím.* Sal que contém hidroxilas **~ curado 1** Sal marinho desidratado **2** *Fig.* Modo sutil e delicado de pensar, de agir, de expressar-se **~ de cozinha** Sal (2) **~ duplo** *Quím.* Sal que contém pelo menos dois cátions ou dois ânions **~ fino** Sal moído e refinado (esp. para o consumo doméstico) **~ grosso** O sal marinho, na forma de agregados sólidos cristalinos, tal como é obtido nas salinas, e antes de moído e refinado para consumo **~ interno** *Quím.* Íon dipolar em substância que contém grupos ácido e básico na mesma molécula

~ marinho O sal (cloreto de sódio) retirado da água dos mares para consumo culinário

📖 A importância do sal (no caso, o chamado sal comum, o cloreto de sódio) como alimento e como conservante de alimentos fez com que ele fosse usado como moeda em longo período da história (a palavra salário daí deriva). Além de importante e necessário como alimento e condimento, tem muitos usos industriais (refrigeração, plásticos, inseticidas etc. e, através da soda cáustica – resultante de um processo chamado eletrólise -, na produção de óleos, sabões, celulose etc.). Ele existe em abundância na natureza, esp. na água do mar, lagos e depósitos de sal-gema. No Brasil, as principais salinas (nas quais se extrai o sal marinho da água do mar por evaporação e tratamento) ficam no Rio Grande do Norte e no Rio de Janeiro.

sala (*sa*.la) *sf.* **1** Parte da casa onde se recebem as visitas ou se fazem as refeições (sala de visitas; sala de jantar) **2** Qualquer compartimento de uma casa, própria ou muito us. para certa atividade (sala de leitura) **3** O conjunto formado pelos móveis e a decoração de uma sala: *Encontrava-se numa sala colonial.* **4** Dependência de um prédio onde se desenvolve alguma atividade (sala da diretoria; sala de projeção) **5** Recinto próprio para apresentação pública de um pianista, uma orquestra etc. (sala de concerto) **6** *P. ext. Fig.* O público presente num desses recintos **7** *Bras.* Sala de aula **8** *P. ext. Fig.* O conjunto dos alunos que ocupam essa sala; CLASSE; TURMA: *A aluna ruiva pertencia àquela sala.* **9** *Bras. P. ext.* Grupo de alunos de determinado ano acadêmico **10** *NE.* Parte da caiçara em que se guarda o gado **11** *N. E.* O primeiro compartimento de um curral de peixes; SALETA [F.: Do germ. *sal.*] ■ **Fazer ~ (a)** **1** Entreter (hóspede ou visita) **2** *Fig.* Dar atenção especial a (alguém) ou tentar agradá-lo, cativá-lo **~ de armas** **1** Em quartel, base militar, antigos castelos etc., sala onde se guardam as armas **2** Em quartéis, antigos castelos etc., sala adornada com armaduras, panóplias, armas etc., na qual se realizam recepções e atos solenes **3** Sala para exercícios de esgrima **~ de espera** Aposento (p. ex., em consultórios médicos, em escritórios etc.) a ser ocupado ou utilizado por pessoas que aguardam atendimento **~ de estar/visitas** Numa residência, aposento onde os moradores podem se reunir, dedicar-se a atividades individuais ou em grupo, e receber amigos ou visitas [Sin. ing.: *living room.*] **~ de fora** *SP* Sala de estar que dá para a rua **~ de jantar** Cômodo com mesa e cadeiras, às vezes aparador, onde se fazem refeições, diariamente ou em ocasiões especiais [Sin. *Lus.*: *casa de jantar.*] **~ de recursos** *Pedag.* Local com equipamento e recursos pedagógicos específicos para atendimento a alunos com necessidades especiais **~ dos milagres** *Bras.* Nas igrejas católicas, o local em que são guardados e expostos os ex-votos; casa dos milagres **~ íntima** Aposento menos espaçoso ou menos exposto que uma sala, de uso reservado ou privado **~ vip** Sala de espera reservada a clientes de prestígio, preferenciais, ou, em aeroportos, a passageiros da primeira classe ou classe executiva

salá (sa.*lá*) *sf.* **1** *Rel.* Nome dado às orações públicas dos muçulmanos, que ocorrem cinco vezes ao dia **2** *Bras. P. ext.* Saudação, bênção ou cumprimento, entre os malês e os alufás [F.: Do ár. *Salá.*]

salabórdia (sa.la.*bór*.di:a) *Vulg. sf.* **1** Conversa sobre coisas fúteis e sem interesse **2** Prática de vulgaridades [F.: Voc. expressivo.]

salacidade (sa.la.ci.*da*.de) *sf.* Qualidade de salaz; DEVASSIDÃO; LIBERTINAGEM: "...literatura pitoresca e esquemática com condimentos suplementares de salacidade..." (Wilson Martins, "Jorge Amado o escritor, o político, o baiano") [F.: Do lat. *salacitas, atis.*]

salada (sa.*la*.da) *sf.* **1** *Cul.* Prato composto esp. de verduras e legumes, temperado com diversos tipos de molho, como azeite, vinagre, sal etc., e ger. servido frio **2** *Fig.* Qualquer tipo de hortaliça us. nesse prato, esp. a alface **3** *Fig.* Estado do que encontra moído, pisado **4** *Fig. Pop.* Mistura de coisas diferentes em estado de confusão: *Sua mesa de trabalho era a maior salada.* [F.: Do fr. *salade.*] ■ **~ Caesar** Salada preparada com verduras (alface etc.), molho picante, queijo parmesão ralado e *croutons* **~ caprese** A que é preparada com fatias de muçarela de leite de búfala e tomates **~ de frutas** Mistura de frutas cortadas em pequenos pedaços ger. embebidos em suco de laranjas ou outras frutas, ou servidos com calda, licor etc. **~ mista** A que é preparada com verduras, legumes e outros ingredientes diversos **~ russa** **1** Salada de batatas e outros legumes cozidos, temperada com maionese **2** *Fig.* Mistura de muitas coisas de tipo diferente **3** *Fig.* Confusão, trapalhada, barafunda **4** *Fig.* Mistura de coisas ou pessoas de origens ou naturezas muito diversas **5** A expressão pode ter conotação positiva, de algo harmônico, interessante, variado, ou negativa, de algo confuso, feito sem critério **~ verde** Salada preparada com verduras variadas **~ waldorf** Salada preparada com verduras (alface etc.), aipo, fatias de maçãs e nozes picadas

saladeira (sa.la.*dei*.ra) *sf.* Travessa ou prato grande em que se serve a salada [F.: *salada* + *-eira.*]

sala e dois quartos (sa.la e dois *quar*.tos) *sm2n. Bras.* Apartamento que tem sala e dois quartos, com ou sem dependências de empregados: *Moro num sala e dois quartos.*

sala e quarto (sa.la e *quar*.to) *sm. Bras.* Apartamento que tem apenas sala e um quarto: *Meu irmão comprou um sala e quarto.* [Pl.: *salas e quartos e sala e quartos.*]

sala e três quartos (sa.la e três *quar*.tos) *sm2n. Bras.* Apartamento de sala e três quartos, mais dependências de empregados: *Mudaram-se para um sala e três quartos.*

salafismo (sa.la.*fis*.mo) *sm. Rel.* Ramo do islamismo sunita que exige pureza e rejeição de qualquer Islã salvo o dos primórdios, e que inspira ações violentas de vários grupos terroristas islâmicos [F. Do ár. *salafi*, 'ref. aos primeiros muçulmanos', + *-ismo.*]

salafista (sa.la.*fis*.ta) *a2g.* **1** Que é adepto do salafismo *s2g.* **2** Adepto do salafismo [F.: *salafismo* + *-ista*, seg. o mod. grego.]

salafra (sa.*la*.fra) *s2g. Pop.* Pessoa sem escrúpulos, desonesta [F.: red. de *salafrário.*]

salafrarice (sa.la.fra.*ri*.ce) *Pop. sf.* **1** Qualidade de salafrário **2** Comportamento, ato de salafrário [F.: *salafrário* + *-ice.*]

salafrário (sa.la.*frá*.ri.o) *sm. Pej. Pop.* Homem safado, ordinário, sem caráter; CANALHA; PATIFE; PULHA [Tb. se diz apenas *salafra.*] [F.: De or. obsc. F. red.: *salafra.*]

salamaleque (sa.la.ma.*le*.que) [ê] *sm.* **1** Saudação muçulmana **2** *Fig.* Mesura afetada, exagerada; RAPAPÉ [F.: Do ár. *salamHalayk*, 'A Paz esteja convosco'.]

◎ **salamandr-** *pref.* = salamandra: *salamandrídeo, salamandroide.*

salamandra (sa.la.*man*.dra) *sf.* **1** *Zool.* Nome comum dado aos anfíbios da ordem dos caudados, encontrado em regiões temperadas, de corpo alongado, semelhante a um lagarto, dotado de cauda comprida e dois pares de membros curtos *sm.* **2** O operário que entra nas caldeiras de fundições e oficinas, para consertá-las, e combater o fogo nos incêndios de poços de petróleo [F.: Do lat. *salamandra, ae.*]

salamandrídeo (sa.la.man.*drí*.de:o) *Zool. sm.* **1** Espécime dos salamandrídeos, fam. de salamandras dotadas de pulmões, com pernas e cauda bem desenvolvidas; na maioria são terrestres, mas reproduzem-se na água *a.* **2** Rel. a salamandrídeo(s) [F.: *salamandr-* + *-ídeo*; tax. *Salamandridae.*]

salamandrídeos (sa.la.man.*drí*.de.os) *Zool. smpl. Herp.* Fam. de salamandras com cerca de 50 spp., que se reproduzem na água tendo na fase adulta pulmão, pernas e rabo bem desenvolvidos, e são encontradas na América do Norte, Europa, Norte da África e Ásia [F.: Do lat. cient. *Salamandridae.*]

salamanquense (sa.la.man.*quen*.se) *s2g.* **1** Aquele ou aquela que nasceu ou que vive em Salamanca (Espanha) *a2g.* **2** De Salamanca; típico dessa cidade ou de seu povo [F.: Do top. *Salamanca* + *-ense.*]

salame (sa.*la*.me) *sm. Cul.* Embutido grosso, feito de pedaços de carne picada, de porco ou de boi, entremeados com lascas de toucinho e grãos de pimenta [F.: Do it. *salame.*]

salamim (sa.la.*mim*) *sm.* Antiga medida de capacidade para secos, mesmo que *celamim* [F.: orig. controv.]

salaminho (sa.la.*mi*.nho) *sm. Cul.* Tipo de salame mais fino, acondicionado em tripas delgadas e curtas [F.: *salame* + *-inho*[1].]

salão (sa.*lão*) *sm.* **1** Sala muito grande **2** Sala grande destinada a reuniões e recepções sociais **3** *Bras.* Barbearia ou cabeleireiro (salão de beleza): *Foi ao salão cortar o cabelo.* **4** Exposição periódica, ger. de grande porte, de novos produtos, ou das novidades de uma determinada área cultural, econômica, científica ou tecnológica, ou ainda de obras de artes etc. **5** Reunião de pessoas de sociedade, de gente do meio artístico, personalidades famosas etc. **6** Estabelecimento comercial, ger. de grande dimensão, para determinada finalidade (salão de bilhar) [Pl.: *-lões.*] [F.: *sala* + *-ão*[1].] ■ **~ de beleza** Local em que se oferecem serviços como corte e tratamento de cabelos, manicure e pedicure, limpeza de pele, massagens e outros cuidados corporais ou técnicas de embelezamento **~ de chá** Lugar especializado em servir lanches, esp. chá de vários tipos e com vários acompanhamentos **~ nobre** Salão (em uma instituição de qualquer tipo) onde se realizam solenidades, bailes, festas etc. **Abrir os salões** *Fig.* Oferecer recepção, banquete, festa etc. a muitos convidados **De ~** Que não transgride convenção ou padrão moral social etc. (piada de salão) [Ger. de conotação irônica.] **Limpar o ~** *Bras. Fam. Pop.* Limpar com dedo o interior das narinas

salariaço (sa.la.ri.*a*.ço) *sm. Pop.* Aumento geral de salários: "...Menem chegou propondo um 'salariaço' e recuperar as Malvinas a 'ferro e fogo'." (*O Estado de São Paulo*, 07.06.2001) [F.: *salário* + *-aço.*]

salariado (sa.la.ri.*a*.do) *a.* **1** Diz-se do trabalhador que recebe salário, mesmo que *assalariado sm.* **2** Esse trabalhador [F.: *salário* + *-ado.*]

salarial (sa.la.ri.*al*) *a2g. Bras.* De, ou ref. a salário (aumento salarial; descalabro salarial) [Pl.: *-ais.*] [F.: *salário* + *-al.*]

salarialmente (sa.la.ri:al.*men*.te) *adv.* De modo salarial, por meio de salário: *É preciso fazer cursos, estimular salarialmente.* [F.: *salarial* + *-mente.*]

salário (sa.*lá*.ri:o) *sm.* **1** Remuneração paga ao empregado em troca do seu trabalho; ORDENADO **2** Salário-mínimo **3** Recompensa prestada em troca de serviço encomendado [F.: Do lat. *salarium, i*, por via erudita.] ■ **~ mínimo** Valor mínimo, estabelecido por lei, como remuneração do trabalho [Cf. *salário-mínimo*. Tb. se diz apenas *salário.*] **~ mínimo profissional** Valor mínimo, estabelecido em lei, para trabalhadores de determinadas categorias profissionais **Décimo terceiro ~** Salário extra anual, determinado por lei, de valor equivalente a 1/12 do total de salários pagos a um empregado no ano [Tb. apenas *décimo terceiro* (substantivação do numeral).]

salário-base (sa.lá.ri:o-*ba*.se) *Bras. sm.* **1** O menor salário pago a uma categoria profissional (salário-base dos eletricitários) **2** Valor estipulado como base para cálculo de pagamento de benefícios previdenciários [Pl.: *salários-bases e salários-base.*]

salário-desemprego (sa.lá.ri:o-de.sem.*pre*.go) [ê] *sm.* Importância que o governo paga ao trabalhador em caso de perda de emprego para que este possa manter-se enquanto procura nova ocupação [Pl.: *salários-desemprego.*] [Cf. *seguro-desemprego.*]

salário-educação (sa.lá.ri:o-e.du.ca.*ção*) *Bras. sm.* **1** Importância que as empresas destinam a seus empregados e/ou dependentes para pagamento de seus estudos **2** *Jur.* Contribuição obrigatória para todas as empresas, destinada a aplicação em programas educacionais [Pl.: *salários-educação.*]

salário-família (sa.lá.ri:o-fa.*mí*.li:a) *sm.* **1** Complementação salarial paga por número de filhos de um empregado **2** *Jur.* Importância que se adiciona aos proventos mensais de um trabalhador, e que corresponde ao número de filhos inválidos ou menores de 14 anos que esse trabalhador tem [Pl.: *salários-famílias e salários-família.*]

salário-hora (sa.lá.ri:o-*ho*.ra) *sm.* Importância que o empregado recebe por cada hora de trabalho [Pl.: *salário-horas e salários-hora.*]

salário-mínimo (sa.lá.ri:o-*mí*.ni.mo) *sm.* **1** Trabalhador que recebe o salário-mínimo **2** *P. ext.* Trabalhador mal pago [Pl.: *salários-mínimos.*] [Cf.: *salário-mínimo.*]

salário-prêmio (sa.lá.ri:o-*prê*.mi:o) *sm.* Salário adicional que o empregador paga para premiar a produção do empregado [Pl.: *salários-prêmios e salários-prêmio.*]

salário-teto (sa.lá.ri:o-*te*.to) *sm. Bras.* No funcionalismo público, o salário máximo permitido por lei para cada categoria profissional [Pl.: *salários-tetos e salários-teto.*]

salaz (sa.*laz*) *a2g.* Que tem propensão para a luxúria, para a vida dissoluta; LASCIVO; LIBERTINO; DEVASSO [Superl.: *salacíssimo*] [F.: Do lat. *salax, acis.*]

salazarismo (sa.la.za.*ris*.mo) *Pol. sm.* **1** Conjunto de doutrinas políticas e econômicas do ditador português Antônio de Oliveira Salazar (1889-1970) **2** Regime ditatorial por ele implantado e dirigido em Portugal entre 1932 e 1968 **3** Apoio ou admiração por esse regime [F.: Do antr. Antônio Oliveira *Salazar* + *-ismo.*]

salazarista (sa.la.za.*ris*.ta) *Pol. a2g.* **1** Ref. ao salazarismo (regime salazarista) **2** Que é partidário do salazarismo *s2g.* **3** Aquele que é partidário do salazarismo [F.: Do antr. Antônio Oliveira *Salazar* + *-ista.*]

saldado (sal.*da*.do) *a.* Que se saldou (débito saldado); LIQUIDADO; PAGO; QUITADO [F.: Part. de *saldar.*]

saldão (sal.*dão*) *sm. Bras. Pop.* Grande liquidação (saldão do Natal) [Pl.: *-dões.*] [F.: *saldo* + *-ão*[1].]

saldar (sal.*dar*) *v. td.* **1** Pagar o saldo de ou liquidar (conta, dívida etc.): *O devedor saldou suas dívidas.* **2** *Fig.* Desforrar (alguém) de (ofensa moral, crime cometido etc.): *O coronel saldou a honra da família.* [▶ **1 saldar** Apresenta duplo part.: *saldado* e *saldo.*] [F.: *saldo* + *-ar*[2]. Hom./Par.: *saldo* (fl.), *saldo* (sm.).]

saldo (*sal*.do) *sm.* **1** Numa conta bancária, diferença entre o crédito e o débito; total de dinheiro disponível **2** O restante de uma quantia que se paga ou se recebe em prestações **3** A diferença estabelecida entre o ativo e o passivo de um patrimônio **4** Mercadoria em final de estoque vendida com desconto; LIQUIDAÇÃO **5** *Fig.* Resultado ou consequência de um fato: *A enchente deixou um saldo de 35 barracos destruídos.* **6** Diferença entre o número de pontos (a favor ou contra) concedidos a duas ou mais pessoas, grupos, equipes esportivas etc. (saldo de vitórias) **7** *Fig.* Desforra, vingança [F.: Do it. *saldo.* Hom./Par.: *saldo* (sm.), *saldo* (fl. de *saldar*).] ■ **~ credor** *Cont.* A diferença entre o total dos créditos e o total dos débitos de uma conta, quando aquele é maior do que este **~ devedor** *Cont.* A diferença entre débitos e créditos, quando aqueles são superiores a estes **~ médio** *Econ.* Média dos saldos diários de uma conta bancária

saleiro (sa.*lei*.ro) *a.* **1** Ref. a sal **2** *RS* Diz-se do gado que come sal *sm.* **3** Recipiente em que se guarda o sal **4** Pequeno recipiente em que se põe sal à mesa para servir **5** Produtor ou comerciante de sal **6** Lugar em que se coloca o sal para o gado **7** Terreno em que se encontram produtos salinos em abundância **8** Ponta dos cornos dos veados quando começa a aparecer [F.: Do lat. *salarius, a, um*, por via popular.]

salernitano (sa.ler.ni.*ta*.no) *sm.* **1** Indivíduo nascido ou que vive em Salerno (Itália) *a.* **2** De Salerno; típico dessa cidade ou de seu povo [F.: Do lat. *salernitanus, a, um.*]

salesiano (sa.le.si:*a*.no) *Rel. a.* **1** Ref. a Congregação de São Francisco de Sales, fundada por S. João Bosco em 1859, para educação da juventude (colégio salesiano) **2** Diz-se de padre ou freira dessa Congregação *sm.* **3** Integrante dessa Congregação: *Os salesianos foram premiados pelo seu trabalho na educação.* [F.: S. Francisco de *Sales* + *-iano.*]

saleta (sa.*le*.ta) [ê] *sf.* Sala pequena [F.: *sala* + *-eta.*]

salga (*sal*.ga) *sf.* **1** Ato de salgar o peixe ou a carne; SALGAÇÃO; SALGADURA **2** *RS* Lugar onde se faz a salga, nas charqueadas [F.: Dev. de *salgar*. Hom./Par.: *salga(s)* (sf. [pl.]), *salga(s)* (fl. de *salgar*).]

salgação (sal.ga.*ção*) *sf.* **1** O mesmo que *salga* **2** *Antq.* Feitiço ou bruxaria que consiste em espalhar sal à porta de uma pessoa para causar-lhe algum mal [Pl.: *-ções*.] [F.: *salgar* + *-ção*.]

salgadeira (sal.ga.*dei*.ra) *sf.* **1** Lugar ou recipiente onde se faz a salga do peixe, carne etc. **2** *Bot.* Arbusto da fam. das quenopodiáceas (*Atriplex halimus*) de folhagem acinzentada, flores amarelas dispostas em espigas paniculadas e frutos reniformes, nativo do Mediterrâneo e da África do Sul [F.: *salgar* + *-deira*.]

salgadinho (sal.ga.*di*.nho) *sm. Bras. Cul.* Petisco salgado, de pequeno tamanho (empada, canapé, camarão recheado, bolinho de bacalhau etc.), servido em festas, coquetéis, reuniões etc. [F.: *salgado* + *-inho*[1].]

salgado (sal.*ga*.do) *a.* **1** Que leva ou contém ou é feito com sal (biscoito salgado; prato salgado) **2** Que contém sal além do devido ou em excesso (ensopado salgado) **3** Que é temperado ou conservado em sal (carne salgada) **4** *Fig.* Que tem o falar malicioso: *Esse cara tem uma língua salgada*. **5** *Pop.* Que é muito caro (preço salgado) *sm.* **6** Nome comum dado a certas partes da carne do porco ou do boi (lombo, pernil etc.) que foram salgadas ou defumadas **7** Conjunto de salinas em um determinado local ou região **8** *Bras. Cul.* Mesmo que salgadinho: *Comeu uns salgados antes de ir para casa*. **9** *Bras. Cul.* Petisco (empada, pastel, croquete etc.) semelhante ao salgadinho, mas de tamanho maior, servido, ger. em bares, lanchonetes etc. [F.: Part. de *salgar*.]

salgadura (sal.ga.*du*.ra) *sf.* Ação ou resultado de salgar; SALGA [F.: *salgar* + *-dura*.]

salgamento (sal.ga.*men*.to) *sm.* **1** Ação ou resultado de salgar; SALGAÇÃO **2** *Bras. Mar.* Contaminação da água destilada das caldeiras ou da água potável de uma embarcação pela água salgada do mar, em decorrência de vazamento ou problema no sistema de destilação [F.: *salgar* + *-mento*.]

salgar (sal.*gar*) *v.* **1** Temperar (comida) com sal [*td.*: *Salgou o peixe*.] **2** Pôr sal sobre (esp. carnes) para conservar [*td.*: *Salgue a carne-seca para conservá-la melhor*.] **3** Pôr demasiado sal em (comida) [*td.*: *Salguei a feijoada*.] [*int.*: *O ovo salgou-se*.] **4** Espalhar sal à porta de (alguém) em manifestação de feitiçaria [*td.*: *Salgou a porta do amante para fazê-lo voltar*.] **5** Jogar sal em terreno onde se cometeu algum crime para torná-lo estéril [*td.*: *salgar um terreno*.] **6** *Pop.* Vender a preço muito alto [*td.*: *Desta vez os comerciantes salgaram demais os preços*.] **7** *Fig.* Fazer ficar (assunto, conversa etc.) picante, irônico, mordaz [*td.*: *Quando estava entre amigos, salgava todos os assuntos*.] **8** *Fig.* Tornar mais forte, intenso [*td.*: *O tempo salgou o amor entre marido e mulher*.] [▶ 14 salgar] [F.: Do lat. vulg. **salicare*. Hom./Par.: *salga(s)* (fl.), *salga(s)* (sf. [pl.]); *salgo* (fl.), *salgo* (a. sm.); *salgado* (part.), *salgado* (a. sm.).]

sal-gema (sal-*ge*.ma) *sm.* **1** *Min.* Cloreto de sódio, que pode ser us. como tempero e no fabrico de carbonato de sódio **2** *Min.* Variedade de sulfato de alumínio da Saxônia, também denominada *halita* [Pl.: *sais-gemas*.]

salgueirense (sal.guei.*ren*.se) *RJ a2g.* **1** Ref. a Escola de Samba Acadêmicos do Salgueiro (Rio de Janeiro) **2** Que é membro ou torcedor dessa escola de samba [F.: *Salgueiro* + *-ense*.]

salgueiro (sal.*guei*.ro) *Bot. sm.* **1** Nome comum às árvores e arbustos do gên. *Salix*, da fam. das salicáceas, cultivadas para a extração de madeira e de vime ou como ornamental; VIME; VIMEIRO **2** Pequena árvore (*Salix chilensis*), de casca brilhante esverdeada ou avermelhada, de folhas lineares, originária da América do Sul e cultivada como ornamental; CHORÃO; SALGUEIRO-DO-RIO **3** O mesmo que *salgueiro-chorão* [F.: Do lat. vulg **salicarius*.]

salgueiro-chorão (sal.guei.ro-cho.*rão*) *sm. Bot.* Árvore da fam. das salicáceas (*Salix babylonica*), de prov. origem chinesa, cultivada como ornamental, pela madeira e pelos galhos compridos e pêndulos, dos quais se extrai o vime de melhor qualidade; CHORÃO; CHORÃO-SALGUEIRO; SALGUEIRO; SALGUEIRO-DA-BABILÔNIA [Pl.: *salgueiros-chorões*.]

◎ **sali-** *el. comp.* = sal: *salicultura, salífero, salificar*

◎ **salic(i)-** *el. comp.* = salgueiro: *salicilicato, salicílico*

salicilato (sa.li.ci.*la*.to) *sm. Quím.* Sal ou éster do ácido salicílico [F.: *salicílico* + *-ato*[2].]

salicílico (sa.li.*cí*.li.co) *a. Quím.* Diz-se de ácido carboxílico (C7H6O3) encontrado em certas plantas, us. na indústria farmacêutica, alimentícia e de corantes [F.: *salic(i)-* + *-il-* + *-ico*[2].]

salicultura (sa.li.cul.*tu*.ra) *sf.* Fabricação de sal em salinas [F.: *sal(i)-* + *-cultura*.]

saliência (sa.li:*ên*.ci.a) *sf.* **1** Caráter do que é saliente *sf.* **2** Numa superfície, parte que se projeta; PROTUBERÂNCIA; RESSALTO **3** *Bras. Pop.* Tratamento íntimo desrespeitoso dispensado a alguém; ASSANHAMENTO; ATREVIMENTO: *Esse rapaz precisa conter suas saliências na casa dos outros*. **4** *Bras. P. ext. Pop.* Ação ou dito libidinoso [F.: Do lat. *salientia, ae*.]

salientar (sa.li.en.*tar*) *v. td.* **1** Tornar(-se) saliente, destacado, ou notável; DESTACAR(-SE): *O crítico salientou a bela fotografia do filme; Salientou-se como hábil cenógrafo*. **2** Tornar(-se) visível: *Salientou a varanda com lindos toques de iluminação; O azul salientava-se na decoração*. [▶ 1 salientar] [F.: *saliente* + *-ar*[2]. Hom./Par.: *saliente(s)* (fl.), *saliente(s)* (a2g. [pl.]).]

saliente (sa.li.*en*.te) *a2g.* **1** Que se projeta para fora (dentes salientes); PROTUBERANTE **2** *Fig.* Que se sobressai, que se destaca (nádegas salientes) **3** *Bras.* Que tem comportamento atrevido, desrespeitoso **4** *Bras. P. ext. Pop.* Que é dado a fazer gestos ou a dizer coisas (gracejos, pilhérias etc.) de conotação sexual **5** *Fig.* Que chama a atenção; que é logo percebido por ser evidente, manifesto; NOTÁVEL: *Logo ressaltam aos olhos as características mais salientes de sua obra*. *sm.* **6** Parte avançada de uma linha de entrincheiramento *s2g.* **7** Pessoa saliente: *A saliente foi logo convidada a se retirar*. [F.: Do lat. *saliens, entis*. Hom./Par.: *saliente* (a2g. s2g.), *saliente* (fl. de *salientar*).]

salífero (sa.*lí*.fe.ro) *a.* Que tem ou produz sal (material salífero) [F.: *sali-* + *-fero*.]

salificar (sa.li.fi.*car*) *v. td.* **1** Transformar (substância) em sal **2** *Quím.* Impregnar (algo) de sal [▶ 11 salificar] [F.: *sali-* + *-ficar*. Hom./Par.: *salificáveis(s)* (fl.), *salificáveis* (pl. salificável, a2g.).]

salimancia (sa.li.man.*ci*.a) *sf. Oc.* Método de adivinhação que consiste na interpretação das figuras formadas e da direção tomada pelo sal espalhado sobre uma mesa [F.: *sali-* + *-mancia*.]

salimante (sa.li.*man*.te) *a2g. Oc.* Indivíduo que pratica a salimancia [F.: *sali-* + *-mante*.]

salina (sa.*li*.na) *sf.* **1** Terreno em que é represada a água de lagoa, ou de mar, para que, ao se evaporar, permita a produção de sal **2** *P. ext.* Empresa salineira **3** Monte de sal **4** *Fig.* Coisa muito salgada [F.: Do lat. ** salina, ae*. Hom./Par.: *salina* (sf.), *salina* (fl. de *salinar*).]

salinação (sa.li.na.*ção*) *sf.* **1** *Quím.* Processo pelo qual se obtém o sal cristalizado, o que ocorre pela concentração da água salgada **2** Formação natural do sal [Pl.: *-ções*.] [F.: *salinar* + *-ção*. Sin. ger.: *salinagem*.]

salinagem (sa.li.*na*.gem) *sf.* O mesmo que *salinação* [Pl.: *-gens*.] [F.: *salina* + *-agem*[2].]

salinar (sa.li.*nar*) *v. td.* Efetuar a salinação de [▶ 1 salinar] [F.: *salino* + *-ar*. Hom./Par.: *salina(s)* (fl.), salina (sf. e pl.); *salináveis* (fl.), *salináveis* (pl. salinável, a2g.); *salino* (fl.), *salino* (a.).]

salineiro (sa.li.*nei*.ro) *a.* **1** Ref. a sal ou a salina *sm.* **2** Empregado de empresa salineira **3** Proprietário de salina **4** Vendedor de sal [F.: Do lat. *salinarius, a, um*, por via popular.]

salinidade (sa.li.ni.*da*.de) *sf.* **1** Qualidade de salino **2** Concentração de sal num determinado meio (salinidade do solo) **3** Concentração de sais minerais nas águas do mar (salinidade oceânica) [F.: *salino* + *-(i)dade*.]

salinismo (sa.li.*nis*.mo) *Pol. sm.* **1** Regime político-econômico e social implantado pelo político mexicano Carlos Salinas de Gortari, presidente do México de 1988 a 1994 **2** Adesão ou simpatia pelo salinismo [F.: Carlos *Salinas* de Gortari (1948) + *-ismo*.]

salinização (sa.li.ni.za.*ção*) *sf.* Ação ou resultado de salinizar(-se): "A lagoa já tinha uma ligação com o mar e o aumento da salinização contribuirá para o fim das algas, que são de água-doce." (*Jornal O Globo*, 04.05.2003) [Pl.: *-ções*.] [F.: *salinizar* + *-ção*.]

salinizar (sa.li.ni.*zar*) *v. td. int.* Tornar(-se) salino [▶ 1 salinizar] [F.: *salino* + *-izar*.]

salino (sa.*li*.no) *a.* **1** *Quím.* Que contém sal; de sal (solução salina) **2** Que é da natureza do sal (purgante salino) **3** Que nasce na beira do mar **4** *RS* Diz-se de equídeo ou bovídeo que tem o pelo cheio de manchas brancas, pretas ou vermelhas [F.: Do lat. *salinus, a, um*. Hom./Par.: *salino* (a.), *salino* (fl. de *salinar*).]

salinômetro (sa.li.*nô*.me.tro) *sm.* Instrumento que permite determinar o grau de concentração de soluções salinas [F.: *salino* + *-metro*.]

sálio[1] (*sá*.li:o) *sm.* **1** Cada um dos sacerdotes de Marte, deus da guerra, na Roma antiga *a.* **2** Ref. a esses sacerdotes [F.: Do lat. *salius, -a, -um*.]

sálio[2] (*sá*.li:o) *a.* **1** Ref. aos sálios *sm.* **2** Indivíduo dos sálios, uma das duas confederações dos antigos francos, que viviam de modo primitivo às margens do rio Issel [F.: Do lat. *salli, orum*.]

salitração (sa.li.tra.*ção*) *sf.* **1** Ação ou resultado de salitrar **2** Formação natural ou artificial do salitre [Pl.: *-ções*.] [F.: *salitrar* + *-ção*. Sin. ger.: *salitragem*.]

salitrado (sa.li.*tra*.do) *a.* **1** Que tem salitre ou foi tratado ou combinado com salitre **2** Que foi reduzido a salitre (nitrato de potássio) [F.: Part. de *salitrar*.]

salitragem (sa.li.*tra*.gem) *sf.* Ver *salitração* [Pl.: *-gens*.]

salitrar (sa.li.*trar*) *v. td.* **1** *Quím.* Reduzir a salitre; combinar(-se) com salitro ou nitrato **2** Temperar ou preparar com salitre [▶ 1 salitrar] [F.: *salitre* + *-ar*. Hom./Par.: *salitrais* (fl.), *salitrais* (pl. salitral[s. m.]); *salitraria* (fl.), *salitrarias* / *salitraria* (sf.) *salitre(s)* (fl.), *salitre* (sm. e pl.).]

salitre (sa.*li*.tre) *sm. Quím.* Substância (nitrato de potássio) us. em fertilizantes, explosivos etc. [F.: Do cat. *salnitre*, da loc. lat. *sal nitrum*.] ▪▪ **~ do Chile** O nitrato de sódio das jazidas naturais dos Andes (Chile) adubo facilmente assimilável pelas plantas

salitreira (sa.li.*trei*.ra) *sf.* Jazida de salitre [F.: *salitre* + *-eira*.]

salitreiro (sa.li.*trei*.ro) *a.* **1** Que extrai salitre *sm.* **2** Aquele que extrai salitre [F.: *salitre* + *-eiro*.]

salitroso (sa.li.*tro*.so) [ô] *a.* Que contém salitre em quantidade (paredão salitroso) [Pl.: [ó.] Fem.: [ó].] [F.: *salitre* + *-oso*.]

saliva (sa.*li*.va) *sf.* Líquido que, segregado pelas glândulas da boca, auxilia a digestão; CUSPE [F.: Do lat. *saliva, ae*. Hom./Par.: *saliva* (sf.), *saliva* (fl. de *salivar*). Ideia de: 'saliva': *ptial (o)-* (*ptialagogo*) e *sial (o)-* (*sialofagia*).]

salivação (sa.li.va.*ção*) *sf.* **1** Ação ou resultado de salivar **2** Secreção de saliva [Pl.: *-ções*.] [F.: Do lat. *salivatio, onis*.]

salivado (sa.li.*va*.do) *a.* Que se salivou; que produziu ou expeliu saliva: *bolo alimentar mastigado e salivado*. [F.: Part. de *salivar*.]

salivar[1] (sa.li.*var*) *a2g.* **1** Concernente a saliva; SALIVAL **2** Que segrega saliva; SALIVANTE [F.: *saliva* + *-ar*[1].]

salivar[2] (sa.li.*var*) *v.* **1** Expelir ou produzir saliva [*int.*: *Esse menino saliva muito*.] **2** Tornar úmido com saliva [*td.*: *Com a ponta da língua, salivou o lábio inferior*.] **3** Expelir (algo) como saliva [*td.*: *O ferimento saliva pus*.] [▶ 1 salivar] [F.: Do lat. *salivare*. Hom./Par.: *saliva(s)* (fl.), *saliva(s)* (sf. [pl.]); *salivais* (fl.), *salivais* (pl. *salival* [a2g.]); *salivar* (v.), *salivar* (a.).] ▪▪ **Estar/ficar salivando** **1** *Bras. Fam.* Estar/ficar com raiva, possesso **2** Estar/ficar aguado

salivoso (sa.li.*vo*.so) [ô] *a.* **1** Cheio de saliva **2** Que se assemelha à saliva ou tem as suas propriedades [Pl.: [ó.] Fem.: [ó].] [F.: Do lat. *salivosus, -a, -um*.]

salmão (sal.*mão*) *sm.* **1** *Zool.* Denominação comum aos peixes da fam. dos salmonídeos, do gên. *Salmo* e *Oncorhynchus* **2** *Zool.* Grande peixe da fam. dos salmonídeos (*Salmo salar*), de ocorrência nos mares do Atlântico Norte, cuja carne de tom rosado é muito apreciada e possui alto valor comercial **3** *P. ext.* A cor rosada semelhante à desse peixe [Pl.: *-mões*.] *a2g2n.* **4** Que é da cor do salmão (luvas salmão) **5** Diz-se dessa cor [F.: Do lat. *salmo, onis*.]

salmear (sal.me.*ar*) *v.* O mesmo que *salmodiar* [*td.*] [*int.*] [▶ 13 salmear] [F.: *salmo* + *-ear*.]

salmista (sal.*mis*.ta) *s2g.* **1** Aquele que compõe salmos *a2g.* **2** Diz-se daquele que compõe salmos, esp. do rei Davi, principal autor do livro bíblico dos salmos [F.: *salmo* + *-ista*.]

salmo (*sal*.mo) *Rel. sm.* **1** Cada um dos 150 poemas bíblicos reunidos no Livro dos Salmos, cuja autoria é atribuída, em grande parte, ao rei Davi **2** O cântico sagrado dos hebreus **3** Oração em forma de poesia que era acompanhada pelo saltério, cuja característica é ter ritmo duplo, o das palavras e o das ideias [F.: Do lat. ecles. *psalmus, i*.]

salmodia (sal.mo.*di*.a) *sf.* **1** *Litu.* Modo de cantar, de recitar os salmos **2** *P. ext.* Maneira monótona de ler, de declamar, de recitar **3** *Fig.* Estilo literário sempre uniforme e enfadonho [F.: Do lat. *psalmodia*, deriv. do gr. *psalmo (i)día*. Hom./Par.: *salmodia* (sf.), *salmodia* (fl. de *salmodiar*).]

salmodiar (sal.mo.di.*ar*) *v.* **1** Cantar salmos com a mesma inflexão de voz, em tom uniforme [*int.*] **2** *Fig.* Cantar ou recitar em tom monótono, que parece repetitivo [*td.*] [*int.*] **3** *Fig.* Escrever em estilo enfadonho [*int.*] **4** *Fig.* Recitar em tom uniforme [*td.*] [*int.*] **5** Ter estilo monótono [*int.*] [▶ 1 salmodiar] [F.: *salmodia* + *-ar*. Hom./Par.: *salmodia(s)* (fl.), *salmodia* (sf. e pl); *salmodia(s)* (fl.), salmódia (sf. e pl.).]

salmonado (sal.mo.*na*.do) *a.* Que tem a carne vermelha como a do salmão (truta salmonada) [F.: *salmão* (sob a f. *salmon-*) + *-ado*[2].]

salmonela (sal.mo.*ne*.la) *sf.* **1** *Bac.* Gênero de bactérias gram-positivas, imóveis, patogênicas, presentes em certos alimentos, que atacam tanto homens como animais, e são capazes de promover desde intoxicações alimentares até febre tifoide **2** *P. ext.* Qualquer espécie desse gênero [F.: Do lat. cient. *Salmonella*.]

salmonelose (sal.mo.ne.*lo*.se) *sf. Med.* Infecção causada por bactérias do gên. *Salmonella*, que provoca distúrbios esp. do aparelho digestivo [F.: *salmonela* + *-ose*[1].]

salmonete (sal.mo.*ne*.te) [ê] *sm.* **1** Pequeno salmão **2** *Ict.* Peixe perciforme da fam. dos mulídeos (*Mullus surmuletus*), caracteriza-se pelos dois barbilhões táteis no queixo; apresenta corpo longitudinal, cabeça aplanada, grandes escamas e a coloração varia entre tons de laranja, amarelo e castanho; tem entre 20 e 25 cm e habita as profundezas do Atlântico tropical [Dim. irreg. de *salmão*.] [F.: *salmão* (sob a f. *salmon-*) + *-ete*.]

salmonídeo (sal.mo.*ní*.de:o) *a.* **1** Ref. ao salmão ou aos salmonídeos *sm.* **2** *Ict.* Espécime dos salmonídeos, fam. de peixes teleósteos salmoniformes de água-doce. Originários dos lagos e rios do hemisfério norte, atualmente diversos países produzem espécies introduzidas artificialmente; destacam-se pela importância na pesca comercial e esportiva [F.: Do lat. cient. fam. *Salmonidae*.]

salmoniforme (sal.mo.ni.*for*.me) *Ict. a.* **1** Ref. aos salmoniformes *sm.* **2** Espécime dos salmoniformes, ordem de peixes teleósteos que apresenta uma única família, a dos salmões e trutas, de grande importância comercial [F.: Do lat. cient. *Salmon* (Ver *salmonídeo*) + *-iforme*.]

salmos (*sal*.mos) *smpl.* O conjunto dos 150 poemas líricos do Livro dos Salmos, no Antigo Testamento, cuja autoria é atribuída ao rei Davi (1015 a.C. – 975 a.C.), e que foram musicados para uso litúrgico [F.: Pl. de *salmo*.]

salmoura (sal.*mou*.ra) *sf.* **1** Água salgada us. para conservar alimentos (azeitonas, peixes etc.) **2** Vasilha onde se prepara essa conserva **3** O sal úmido que escorre da carne ou do peixe que se salgou [F.: Do lat. medv. *salimuria, ae*.]

salmouragem (sal.mou.*ra*.gem) *sf.* Ação, processo ou resultado de salmourar [Pl.: *-gens*.] [F.: *salmourar* + *-gem*.]

salmourar (sal.mou.*rar*) *v. td.* **1** Botar de molho em salmoura; SALGAR **2** *Fig.* Tratar (alguém) de maneira áspera, grosseira [▶ 1 salmourar] [F.: *salmoura* ou *salmoira* + *-ar*. Hom./Par.: *salmoura(s)* (fl.), *salmoura* (sf. e pl.).]

salobre (sa.*lo*.bre) [ô] *a2g.* Ver *salobro*

salobro (sa.*lo*.bro) [ô] *a.* **1** Que apresenta um certo gosto de sal **2** Diz-se da água que em dissolução apresenta alguns sais que tornam o seu gosto repugnante [F.: Do espn. *salobre*, posv. Tb. *salobre*.]

saloio (sa.*loi*.o) *sm.* **1** Aldeão dos arredores de Lisboa (Portugal) **2** *Pej.* Indivíduo rústico, grosseiro **3** *Pej.* Indivíduo matreiro, velhaco *a.* **4** Dos arredores de Lisboa; típico dessa área ou dos seus habitantes (queijo saloio) **5** Que é aldeão **6** *Pej.* Que é rústico, grosseiro **7** *Pej.* Que é matreiro, velhaco **8** *Cul.* Diz-se de certo pão feito de uma variedade de trigo-durázio que se cultiva nos arredores de Lisboa [F.: Do ár. *sahrauii*, através do ár. vulg. *sahroi* 'homem habitante do deserto'.]

salomônico (sa.lo.*mô*.ni.co) *a.* **1** Ref. ao rei Salomão (1032-975 a.C.), terceiro rei dos judeus, conhecido pela sua sabedoria e justiça **2** Diz-se daquele que pretende espelhar-se nas qualidades do rei Salomão, esp. em seus critérios de justiça **3** Das ilhas Salomão (Pacífico Sul); típico dessas ilhas ou de seu povo *sm.* **4** Pessoa nascida nas ilhas Salomão [F.: Do antr. *Salomão* + *-ico*[2], seg. o mod. erudito.]

salonicense (sa.lo.ni.*cen*.se) *s2g.* **1** Aquele ou aquela que nasceu ou que vive em Salonica (Grécia) *a2g.* **2** De Salonica; típico dessa cidade ou de seu povo [F.: Do top. *Salonica* + *-ense*.]

salonismo (sa.lo.*nis*.mo) *sm. MS SP S Fut.* Prática de futebol de salão ou futsal: "Reunindo os vencedores das principais competições do salonismo estadual, a Copa dos Campeões de Futsal define hoje seu título..." (*Correio do Estado (MS)*, 17.12.2005) [F.: futebol de *salão* + *-ismo*, seg. o mod. erudito.]

salonista (sa.lo.*nis*.ta) *MS SP S a2g.* **1** Ref. ao salonismo (representação salonista) *s2g.* **2** Jogador de futebol de salão [F.: *salonismo* + *-ista*.]

salopete (sa.lo.*pe*.te) [é] *Vest. sf.* **1** Espécie de macacão com alças, ger. us. por trabalhadores sobre a roupa **2** Macacão de alças para crianças pequenas, ger. acompanhado de casaquinho [F.: Do fr. *salopette*.]

salpa (*sal*.pa) *sf. Zool.* Denominação comum dos animais urocordados, pelágicos, da classe dos taliáceos, de corpo transparente, em forma de barril, com aberturas nas extremidades opostas, numerosos em mares quentes [F.: Do lat. *salpa, -ae*, deriv. do gr. *sálpe, -es*.]

salpicado (sal.pi.*ca*.do) *a.* **1** Pintado com pequenos pingos, pontos **2** Que está disposto alternadamente; ENTREMEADO **3** Em que há elementos dispostos alternadamente, como pequenos pingos espaçados: *céu salpicado de estrelas* [F.: Part. de *salpicar*.]

salpicão (sal.pi.*cão*) *Cul. sm.* **1** *Bras.* Variedade de salada à base de galinha desfiada, peixe ou crustáceos, com batatas, pimentões, pequenos pedaços de maçã, aipo etc. bem temperados, misturados com maionese ou creme de leite **2** Mistura de carnes de porco, paio, chouriço, presunto fatiadas e temperadas com alho e vinho [Pl.: *-cões*.] [F.: Do espn. *salpicón*.]

salpicar (sal.pi.*car*) *v.* **1** Salgar (alimento) espargindo sobre ele gotas ou pedras de sal [*td.*: *Gostava de salpicar as carnes.*] **2** Manchar(-se), colorir(-se), ou cobrir(-se) com pingos ou salpicos [*td.*: *A lama salpicou minha calça; Salpicou o quadro de azuis e vermelhos.*] [*tdr.* + *de*: *Salpicou a calça de tinta.*] [*tr.* + *de*: *Salpicou-se de talco.*] **3** *Fig.* Pôr de espaço a espaço; ENTREMEAR [*tdr.* + *com, de*: *Salpicou de regionalismos seus primeiros romances.*] **4** *Fig.* Comprometer (algo ou alguém) com calúnia, por meio de algo infame; MACULAR(-SE); MANCHAR [*td.*: *O patrão salpicou a honra do empregado.*] [▶ **11 salpicar**] [F.: *sal-* + *picar*. Hom./Par.: *salpico* (fl.), *salpico* (sm.).]

salpico (sal.*pi*.co) *sm.* **1** Ação ou resultado de salpicar; SALPICADURA; SALPICAMENTO **2** Pequena mancha; PINGO **3** Pedra de sal us. para salgar carnes [F.: Dev. de *salpicar*.]

salpinge (sal.*pin*.ge) *sf.* **1** *Anat.* Tuba uterina ou trompa de Falópio **2** *Anat.* Tuba auditiva ou trompa de Eustáquio **3** *Mús.* Antiga trombeta grega, us. pelos militares e em cerimônias religiosas [F.: Do gr. *sálpinks, ingos*, pelo lat. *salpinx, ingis*.]

salpingectomia (sal.pin.gec.to.*mi*.a) *sf. Cir. Ginec.* Extirpação unilateral ou bilateral da salpinge ou tuba uterina [F.: *salping(o)-* + *-ectomia*.]

salpingite (sal.pin.*gi*.te) *sf. Ginec. Otor.* Inflamação da tuba uterina ou da tuba auditiva [F.: *salping(o)-* + *-ite*[1].]

◎ **-salping(o)-** *el. comp.* Ver *salping(o)-*

◎ **salping(o)-** *el. comp.* = 'trombeta'; 'trompa'; 'trompa de Falópio'; 'trompa de Eustáquio': *salpingectomia, salpingite, salpingociese, salpingoscopia; ooforossalpingectomia* [F.: Do gr. *sálpinks, ingos*, 'trombeta'; 'trompa'.]

salpingociese (sal.pin.go.ci.*e*.se) *sf. Obst.* Gravidez tubária [F.: *salping(o)-* + *-ciese*.]

salpingoscopia (sal.pin.gos.co.*pi*.a) *sf. Otor.* Exame da tuba auditiva realizado com o salpingoscópio [F.: *salping(o)-* + *-scopia*.]

salpingoscópio (sal.pin.gos.*có*.pi:o) *sm. Otor.* Aparelho próprio para realizar a salpingoscopia [F.: *salping(o)-* + *-scópio*.]

salpintado (sal.pin.*ta*.do) *a.* Que se salpintou; coberto com pingos ou salpicos; SALPICADO: "...as interessantes formações calcárias do rio das Velhas, salpintadas de lagos..." (Euclides da Cunha, *Os sertões*) [F.: Part. de *salpintar*.]

salpintar (sal.pin.*tar*) *v. td. Bras.* Encher de pintas, salpicos; SALPICAR; SARAPINTAR [▶ **1 sarapintar**] [F.: *sal* + *pintar*.]

salpreso (sal.*pre*.so) [ê] *a.* **1** Ligeiramente salgado **2** Diz-se de carne, esp. suína, conservada em sal [F.: Do lat. *salpersus* 'coberto de sal'. Hom./Par.: *salpresa* [ê] (a.), *salpresa* [ê] (fl. de *salpresar*).]

salsa[1] (*sal*.sa) *sf.* **1** *Bot.* Erva da fam. das umbelíferas (*Petroselinum crispum*), de origem euro-asiática, rica em vitamina C, bastante cultivada em hortas e amplamente empregada como tempero culinário; SALSA-HORTENSE; SALSA-VULGAR; SALSINHA **2** *Geog.* Vulcão de lama salgada, que expele gases inflamáveis [F.: Do lat. *salsa. ae*.]

salsa[2] (*sal*.sa) *sf. Mús.* Gênero de música cubana resultante do *son* cubano e da mistura de vários outros gêneros (merengue dominicano, jazz norte-americano, cumbia colombiana e samba brasileiro), com ritmo em dois compassos [F.: Do espn. *salsa*, 'mistura de várias coisas comestíveis diluídas, para condimentar a comida'.]

salsão (sal.*são*) *sm. Bot.* Aipo (*Apium graveolens*) [Pl.: *-sões*.] [F.: *salsa* + *-ão*[1].]

salsaparrilha (sal.sa.par.*ri*.lha) *sf. Bot.* Nome comum às trepadeiras do gên. *Smilax*, da fam. das esmilacáceas, cujas raízes aromáticas prestam-se ao uso medicinal e ao culinário; SALSA-AMERICANA; JAPECANGA [F.: Do espn. *zalzaparrilla*.]

salseiro (sal.*sei*.ro) *sm.* **1** *Bras. Fig.* Situação de confusão, desordem **2** Temporal repentino e passageiro; AGUACEIRO **3** *Bot.* O mesmo que *salgueiro* (*Salix chilensis*) [F.: *salsa* + *-eiro*.]

salsicha (sal.*si*.cha) *sf.* **1** Embutido recheado de carne temperada triturada **2** *Bras. Pop.* O cachorro da raça bassê [F.: Do it. *salsiccia*.]

salsichão (sal.si.*chão*) *sm.* Embutido semelhante à salsicha, porém mais grosso e maior [Pl.: *-chões*.] [F.: *salsicha* + *-ão*[1].]

salsicharia (sal.si.cha.*ri*.a) *sf.* **1** Loja ou fábrica de salsichas **2** *Cul.* Técnica do salsicheiro [F.: *salsicha* + *-aria*.]

salsicheiro (sal.si.*chei*.ro) *sm.* Aquele que faz ou vende produtos da salsicharia [F.: *salsicha* + *-eiro*.]

salsinha (sal.*si*.nha) *sf.* **1** *Bot.* Salsa (*Petroselinum crispum*) pequena **2** *Pop.* Homem efeminado [F.: *salsa* + *-inha*.]

salso (*sal*.so) *a. Poét.* Que contém ou em que há sal; SALGADO [F.: Do lat. *salsus, a, um*.]

salsugem (sal.*su*.gem) *sf.* **1** Lodo em que existem substâncias salinas **2** Detritos que boiam nas águas do mar próximas às praias e aos portos **3** Qualidade do que é salso **4** Propriedade inerente às águas do mar **5** *Med.* O mesmo que *impetigo* [Pl.: *-gens*.] [F.: Do lat. *salsugo, inis*.]

salsuginoso (sal.su.gi.*no*.so) [ô] *a.* Cheio de, ou em que há excesso de salsugem [Pl.: [ó]. Fem.: [ó].] [F.: *salsugem* (rad. *salsugin-*) + *-oso*, seg. o mod. erudito.]

salta-caminho (sal.ta-ca.*mi*.nho) *sm. CE Ornit.* Ver *tico-tico-do-mato* [Pl.: *salta-caminhos*.]

saltada (sal.*ta*.da) *sf.* **1** Ação ou resultado de saltar; ímpeto no salto; salto grande **2** Ação ou atitude violenta contra algo ou alguém; ATAQUE; INVESTIDA **3** Roubo ou assalto **4** Visita rápida e imprevista [F.: Fem. subst. de *saltado*.]

saltado (sal.*ta*.do) *a.* Que está acima de um nível ou fora de um plano (olhos saltados); RESSALTADO; SALIENTE [F.: Part. de *saltar*.]

saltador (sal.ta.*dor*) [ô] *a.* **1** Que dá saltos, pulos **2** Que aprecia saltar **3** *Esp.* Diz-se de atleta especializado em saltos **4** *Hip.* Diz-se de montaria (cavalo ou égua) treinada para saltar sobre obstáculos *sm.* **5** Aquele que salta [F.: Do lat. *saltator, oris*.]

saltante (sal.*tan*.te) *a2g.* **1** Que salta **2** *Her.* Diz-se de animal no brasão que está representado em posição de salto [F.: *saltar* + *-nte*.]

salta-pocinhas (sal.ta-po.*ci*.nhas) *sm2n. Pop.* Homem afetado no andar e um tanto efeminado [F.: *saltar* + *pocinha* (dim. de *poça*).]

saltar (sal.*tar*) *v.* **1** Elevar-se do solo, dar saltos, ou lançar-se de um lugar para outro; PULAR [*int.*: *Saltou e caiu de cabeça.*] [*ta.*: *Saltaram para o barco.*] **2** Quicar (esp. bola) [*int.*: *A bola de pingue-pongue saltava.*] **3** Desembarcar [*int.*: *Saltou no ponto seguinte.*] **4** Lançar-se sobre ou investir contra [*ta.*: *O cão saltou sobre o ladrão.*] **5** Brotar, jorrar, irromper [*ta.*: *Saltaram lágrimas de seus olhos.*] **6** Bater, palpitar aceleradamente (o coração, o pulso) [*int.*: *Seu coraçãozinho saltava na expectativa do presente.*] **7** Ser saliente, ou evidente; RESSAIR; SOBRESSAIR [*ta.*: *Seus olhos saltavam das órbitas; Aquele erro saltava aos olhos.*] **8** Não levar em conta, ou passar por cima de; DESPREZAR; OMITIR [*td.*: *Saltou trechos na leitura do livro.*] **9** *Fig.* Passar sem transição, ou não passar por etapas intermediárias [*tr.* + *de – para/a*: *Ele salta muito rápido de um assunto para outro.*] **10** Desprender-se [*ta.*: *De repente o botão saltou da camisa.*] **11** Lançar-se contra [*ta.*: *A cobra saltou em seu pescoço.*] **12** Passar de condição inferior a superior [*tr.* + *de – para*: *Saltou de estagiário para chefe.*] **13** *Bras.* Cobrir (a égua) [*td.*] **14** *Bras. Pop.* Fazer chegar, vir [*td.*: *Garçom, salta um chope geladinho!*] **15** Mudar subitamente de direção (o vento) [*ta.*: *O vento acalmava para, em seguida, saltar ao sul.*] [▶ **1 saltar**] [F.: Do lat. *saltare*. Hom./Par.: *salto* (fl.), *salto* (sm.).] ■ **~ fora 1** *Bras. Pop.* Ir embora; sair de um lugar **2** Fugir; abandonar um lugar para escapar de perigo **3** *Fig.* Deixar um grupo, uma organização etc; desfazer compromisso com outras pessoas, interromper participação numa atividade etc.

saltatriz (sal.ta.*triz*) *sf.* **1** Mulher que salta **2** Mulher que dança, ger. profissionalmente [Tb. us. como adj.: cadência saltatriz.] [Fem. irreg. de *saltador*.] [F.: Do lat. *saltatrix, -icis*.]

salteado (sal.te.*a*.do) *a.* **1** Exposto de forma intercalada; ALTERNADO; ENTREMEADO **2** Que foi apanhado de improviso **3** Que foi assaltado **4** *Cul.* Que se cozeu em fogo forte, com muita gordura e com o cuidado de não deixar pegar, agarrar no fundo da panela, frigideira etc. [F.: Part. de *saltear*.]

salteador (sal.te.a.*dor*) [ô] *a.* **1** Que assalta em estradas **2** Que ataca de improviso; ASSALTANTE *sm.* **3** Ladrão de estradas; BANDOLEIRO [F.: *saltear* + *-dor*.]

salteamento (sal.te.a.*men*.to) *sm.* Ação ou resultado de saltear; SALTEADA [F.: *saltear* + *-mento*.]

saltear (sal.te.*ar*) *v.* **1** Efetuar ataque de surpresa, para roubar ou matar; ASSALTAR [*td.*: *Saltearam o posto de gasolina.*] **2** Acometer ou atacar subitamente [*td.*: *As primeiras dores da operação saltearam o paciente.*] **3** Surgir de maneira surpreendente; aparecer de repente [*td.*: *Fortes chuvas saltearam o caminho dos excursionistas.*] **4** Percorrer aos pulos, aos saltos [*td.*: *Apressado, salteava as páginas da revista.*] **5** Tomar(-se) de pavor; APAVORAR(-SE); ATERRORIZAR(-SE) [*td.*: *A visão da imagem monstruosa salteou a menina.*] [*int.*: *Durante o assalto, salteou-se.*] **6** Viver do roubo, andar a salto [*int.*: *Por causa do vício, começou a saltear.*] **7** Cozinhar ou fritar (alimento) agitando a panela ou frigideira sem parar [*td.*: *Salteava os bolinhos para fritá-los por igual.*] [▶ **13 saltear**] [F.: *salto* + *-ear*[2]. Hom./Par.: *salteio* (fl.), *salteio* (sm.).]

saltério (sal.*té*.ri:o) *sm.* **1** *Mús.* Instrumento musical moderno de forma triangular, com treze ordens de corda dedilháveis **2** Instrumento musical medieval, semelhante a esse, mas tocado com palheta **3** O conjunto dos 150 salmos do Velho Testamento **4** O livro bíblico onde constam esses salmos **5** *Vet.* O terceiro compartimento do estômago de um ruminante; FOLHOSO; OMASO [F.: Do gr. *psaltérion, ou*.]

◎ **salti-** *el. comp.* salto: *saltígrado*

saltígrado (sal.*tí*.gra.do) *a. Zool.* Que se locomove aos saltos (animal saltígrado) [F.: *salti-* + *-grado*[1].]

saltimbanco (sal.tim.*ban*.co) *sm.* **1** Artista popular itinerante, que integra grupos de circo, teatro que fazem exibições em praças e em pequenas cidades do interior **2** Charlatão de feira que exibe suas habilidades em pequenos palcos improvisados **3** *Fig.* Aquele que não é digno de confiança por estar sempre mudando de opinião [F.: Do it. *saltimbanco*.]

saltinho (sal.*ti*.nho) *sm.* Salto de sapato, ger. feminino, não muito alto [F.: *salto* + *-inho*[1].] ■ **Dar um ~ a** *N. E.* Fazer visita rápida a lugar; dar um pulo

saltitação (sal.ti.ta.*ção*) *sf.* Ação ou resultado de saltitar; SALTITAMENTO: *transporte de sedimentos por saltitação.* [Pl.: *-ções*.] [F.: *saltitar* + *-ção*.]

saltitamento (sal.ti.ta.*men*.to) *sm.* Ação ou resultado de saltitar [F.: *saltitar* + *-mento*.]

saltitante (sal.ti.*tan*.te) *a2g.* **1** Que dá pequenos pulos **2** *Fig.* Que está agitado; BULIÇOSO **3** *Fig.* Que está muito alegre, bastante contente, feliz da vida [F.: *saltitar* + *-nte*.]

saltitar (sal.ti.*tar*) *v. int.* **1** Dar pequenos e repetidos saltos, ou caminhar com esses saltos: *O passarinho saltitava de galho em galho; O rapaz vinha saltitando pela rua.* **2** Revelar-se inconstante, volúvel **3** Pular rapidamente de um assunto para outro: *Saltitava do esporte para a filosofia quase sem transição.* [▶ **1 saltitar**] [F.: Do lat. *saltitare*.]

salto (*sal*.to) *sm.* **1** Ação ou resultado de saltar, lançar-se; PULO **2** Movimento brusco com o qual um corpo se eleva do solo para cair verticalmente ou para vencer um espaço mais ou menos extenso numa direção qualquer **3** Movimento rápido com elevação acima de uma superfície por efeito de queda ou de reflexão: *A bola deu três saltos.* **4** Mudança brusca de situação, de condição (para algo muito superior ou para algo muito inferior) **5** Movimento de ricochete **6** Queda d'água que existe na corrente de um rio; CATARATA **7** Passagem brusca sem graus intermediários: "...A anotação seguinte dava um novo salto no tempo..." (Ana Maria Machado, *A audácia dessa mulher*) **8** Porção saliente na sola dos calçados sob o calcanhar; TACÃO **9** *Art. gr.* Trecho, lacuna que se suprimiu, omitiu por erro na composição **10** *Mús.* Subida repentina de voz fora do mesmo compasso **11** Rede para apanhar certos peixes, como a tainha, que saltam para fora da água **12** Em jogos de cartas, parada em que se joga três cartas contra uma **13** Padreação (do touro ou do cavalo) **14** Ato de roubar; ASSALTO; PILHAGEM [F.: Do lat. *saltus, us*.] ■ **A ~** *Lus.* Ilegalmente (diz-se do ato de cruzar fronteiras sem autorização) **Dar o ~** *Lus.* Fugir a serviço militar **Dar um ~ a/em** *Bras.* Ir a algum lugar por pouco tempo; dar um pulo a: *Vou dar um salto na farmácia.* **Dar um ~ em** *Mar.* Arriar ou soltar um pouco (cabo, vela etc.) **De ~ 1** Num pulo **2** De repente **De ~ alto** *Fig. Pop.* Us. para dar ideia de atitude ou comportamento de quem é vaidoso, orgulhoso, autossuficiente, e que por isso deixa de estar atento e de se esforçar, o que leva ou pode levar a um 'tropeço', um fracasso, uma decepção etc. **Jogar de ~ alto** *Bras. Gír. Fut.* Jogar displicentemente, por acreditar-se superior, por superestimar suposta superioridade **~ à vara** *Lus. Atl.* Ver *Salto com vara* **~ com queda livre** *Esp.* Salto de paraquedas no qual na maior parte da descida o paraquedas não é aberto, só o sendo a certa altura do chão **~ com vara** *Atl.* Prova de atletismo que consiste em ultrapassar, sem derrubar, um leve sarrafo horizontal apoiado, na maior altura possível, em duas hastes verticais, correndo e saltando, com técnica própria, com o impulso de uma longa vara flexível que o atleta finca no chão [Sin. *Lus*: *salto à vara*.] **~ de prateleira** Salto de calçado com borda saliente **~ de pulga** *Fam.* Distância muito curta: *Daqui até a esquina é um salto de pulga.* **~ em altura** *Atl.* Prova de atletismo que consiste em ultrapassar, sem derrubar, um leve sarrafo horizontal apoiado, na maior altura possível, em duas hastes verticais, saltando sobre ele com técnica própria, depois de tomar impulso numa corrida

~ **em comprimento** *Lus. Atl.* Ver *Salto em distância* ~ **em distância** *Atl.* Prova de atletismo que consiste em saltar a maior distância possível depois de correr para tomar impulso e impulsionar o corpo pisando numa tábua de madeira (sem ultrapassá-la), para cair numa caixa de areia [Sin. *Lus.*: *salto em comprimento*.] ~ **ornamental** **1** *Esp.* Salto de trampolim ou de plataforma, ger. em piscina, durante o qual se realizam acrobacias [Sin. *Lus.*: *salto para a água*.] **2** Modalidade esportiva na qual o atleta pratica salto ornamental (1), marcando pontos pela qualidade das acrobacias e pela postura ao mergulhar na água. [Nesta acp., mais us. no pl.] ~ **para a água** *Lus. Esp.* Ver *Salto ornamental* ~ **triplo** *Atl.* Prova de atletismo semelhante ao salto em distância, mas na qual o atleta dá três saltos em sequência, sem interrupção: o primeiro partindo da tábua, caindo sobre o pé que deu o impulso; o segundo, caindo sobre o outro pé; o terceiro caindo sobre qualquer dos pés, ou os dois, na caixa de areia [Sin. *Lus.*: *triplo salto*.] **Triplo** ~ *Lus. Atl.* Ver *Salto triplo*

salto do palhaço (sal.to do pa.*lha*.ço) *sm. Bras. Cap.* Golpe em que o capoeirista, com uma das mãos apoiada no chão, lança os dois pés para cima a fim de atingir o adversário [Pl.: *saltos do palhaço*.]

salto-mortal (*sal*.to-mor.*tal*) *sm.* **1** Salto acrobático que consiste em fazer o corpo girar uma volta completa sem que as mãos toquem no chão **2** *Cap.* Golpe de capoeira que consiste em atingir o adversário com os pés ao finalizar esse tipo de salto [Pl.: *saltos-mortais*.]

salubérrimo (sa.lu.*bér*.ri.mo) *a.* Muito salubre; SALUBRÍSSIMO: "...está instalado no salubérrimo bairro de Terra Santa..." (*Jornal do Brasil*, 27.01.2003) [Superl. abs. sint. *salubre*.] [F.: Do lat. *saluberrimus, -a, -um*.]

salubre (sa.*lu*.bre) *a2g.* **1** Que contribui para ou é favorável a saúde; HIGIÊNICO; SADIO; SAUDÁVEL **2** Fácil de ser curado [Superl.: *salubérrimo, salubríssimo*.] [F.: Do lat. *saluber* ou *salubris, bris, bre.* Ant. ger.: *insalubre*.]

salubridade (sa.lu.bri.*da*.de) *sf.* **1** Qualidade ou estado do que é salubre **2** Conjunto de condições favoráveis à saúde pública [F.: *salubre* + *-(i)dade*.]

salubrificar (sa.lu.bri.fi.*car*) *v. td.* Tornar salubre; LIMPAR; SANEAR: *salubrificar a caixa-d'água.* [F.: *salubre* + *-i-* + *-ficar*.]

saluço (sa.*lu*.ço) *sm. Ant. Pop.* Ver *soluço*

saludar (sa.lu.*dar*) *v. td.* Efetuar curas por meio de rezas ou pelo ato de benzer [▶ **1 saludar**] [F.: Do espn. *saludar*.]

salurese (sa.lu.*re*.se) *sf. Med.* Eliminação de sódio e íons de cálcio pela urina

salurético (sa.lu.*ré*.ti.co) *a.* **1** Ref. a salurese **2** Que estimula a salurese *sm.* **3** *Farm.* Medicamento que estimula a salurese [F.: *salurese* + *-ético*.]

salutar (sa.lu.*tar*) *a2g.* **1** Que é bom para a saúde; SAUDÁVEL: *Banho matinal é salutar.* **2** Que fortifica: *Halterofilismo pode ser salutar.* **3** *Fig.* Que busca melhorar, aperfeiçoar, resolver problemas; construtivo, edificante: *Gostaria de um trabalho mais salutar.* [Superl.: *salubérrimo e salubríssimo*.] [F.: Do lat. *salutaris*.]

salva¹ (*sal*.va) *sf.* **1** Descarga simultânea ou sucessiva de tiros em honra de alguém, por ocasião de regozijo, por motivo de exercício ou combate **2** *P. ext.* Ação de homenagear algo ou alguém com o lançamento de dispositivos pirotécnicos, ruidosos ou não, que produzam efeito luminoso e colorido, ou de algo que produza efeito semelhante (balões coloridos etc.), de modo simultâneo e sucessivo: *O boi-bumbá sempre é recebido com uma salva de fogos de artifícios.* **3** Espécie de bandeja ou prato sobre o qual se serve uma taça, copo ou qualquer objeto (salva de prata) **4** Cumprimento oficial manifestado por uma salva de artilharia; SAUDAÇÃO **5** Ato de recusar; CONDIÇÃO; RESSALVA **6** *P. ext.* Grande número ou repetição de sons, palavras ou ditos [F.: Dev. de *salvar*.]

salva² (*sal*.va) *sf. Bot.* Subarbusto da fam. das labiadas (*Salva officinalis*), nativo da Europa, com folhas oblongas ou lanceoladas que contêm óleo us. em perfumaria, e belas flores azuis; é cultivado também como tempero e por suas propriedades medicinais; SÁLVIA [F.: Do lat. *salvia, ae*.]

salvabilidade (sal.va.bi.li.*da*.de) *sf.* Caráter ou qualidade do que é salvável [F.: *salvável* + *-(i)dade*, seg. o modo erudito.]

salvação (sal.va.*ção*) *sf.* **1** Ação ou resultado de salvar(-se) **2** Ação ou resultado de saudar **3** Aquilo que salva **4** *Ecl.* A felicidade eterna **5** Redenção **6** *Fig.* O que resolve ou dá solução a uma situação adversa, difícil, embaraçosa, problemática [Pl.: *-ções*.] [F.: Do lat. ecles. *salvatio, onis*.] ■ ~ **da lavoura** *Bras. Gír.* Pessoa, coisa, fato, medida etc. oportunos para remediar uma situação, solucionar um problema etc.

salvacionismo (sal.va.ci:o.*nis*.mo) *sm.* **1** Doutrina que prega a salvação da alma: "Ou o salvacionismo seletivo, que concentra a indignação e as bombas num demônio providencial..." (Luis Fernando Verissimo, "Depois do cinismo" *in O Globo*, 11.05.1999) **2** Conjunto dos princípios de doutrinas do Exército da Salvação (instituição evangélica e filantrópica, fundada na Inglaterra, em 1865, por William Booth) **3** Movimento social seguido e pregado por essa instituição [F.: Do ing. *salvationism*.]

salvacionista (sal.va.ci:o.*nis*.ta) *a.* **1** Ref. a salvacionismo **2** Que é seguidor do salvacionismo *sm.* **3** Membro do Exército da Salvação [F.: Do ing. *salvationist*.]

salvador (sal.va.*dor*) [ô] *a.* **1** Que salva ou que salvou **2** Que protege ou ampara **3** Aquele que salva, protege ou ampara *sm.* **4** *Rel.* Epíteto de Jesus Cristo [Com inic. maiúsc. nesta acp.] [F.: Do lat. tard. *salvator, oris*.] ■ ~ **da pátria** *Bras. Joc.* Quem pode, ou quem se apresenta para resolver problema difícil, situação complicada etc.

salvador da pátria (sal.va.dor da *pá*.tri:a) *sm. Irôn.* Pessoa que se julga capaz de resolver qualquer coisa: "..., basta examinar como colocamos fora de nós, sempre no aparelho estatal e em algum salvador da pátria, a solução de nossos problemas." (Roberto Da Matta, "Recomeços?" *in O Globo*, 28.09.2005) [Pl.: *salvadores da pátria*.]

salvadorenho¹ (sal.va.do.*re*.nho) *sm.* **1** Indivíduo nascido na República de El Salvador ou em sua capital San Salvador *a.* **2** Da República de El Salvador ou de sua capital San Salvador (América Central); típico desse país, de sua capital ou de seu povo [F.: Do top. *El Salvador* (ou *San Salvador*) + *-enho*.]

salvadorenho² (sal.va.do.*re*.nho) *sm.* **1** Indivíduo nascido ou que vive em San Salvador (capital de El Salvador) *a.* **2** De San Salvador; típico dessa cidade ou de seu povo [F.: Do top. (San) *Salvador* + *-enho*.]

salvados (sal.*va*.dos) *smpl.* Restos de mercadorias ou quaisquer outras coisas que escaparam de naufrágio, catástrofe ou incêndio [F.: Pl. de *salvado*.]

salvagem¹ (sal.*va*.gem) *sf.* **1** Peça antiga de artilharia **2** *Jur.* Direito sobre o que se salvou de um naufrágio [Pl.: *-gens*.] [F.: *salvar* + *-agem²*.]

salvagem² (sal.*va*.gem) *a2g.* **1** *Antq. Pop.* Rel. a selva, mesmo que *selvagem s2g.* **2** Indivíduo que vive nas selvas, mesmo que *selvagem* [F.: *salva* (selva) + *-agem*.]

salvaguarda (sal.va.*guar*.da) *sf.* **1** Proteção dada por escrito por autoridade para alguém não sofrer perseguição **2** *Fig.* Privilégio que distingue alguns indivíduos; IMUNIDADE; SALVO-CONDUTO **3** Medida de proteção ou garantia; PROTEÇÃO **4** *Enc.* Cada uma das folhas presas ao fim e ao início do livro a fim de que o original não se suje, enquanto são feitas as operações para sua encadernação [F.: Do fr. *sauveguarde*.]

salvaguardado (sal.va.guar.*da*.do) *a.* Que se salvaguardou (interesses salvaguardados); DEFENDIDO; PROTEGIDO [F.: Part. de *salvaguardar*.]

salvaguardar (sal.va.guar.*dar*) *v.* **1** Tomar medidas defensivas ou de proteção (em benefício de algo ou alguém) [*td.*: *salvaguardar os descamisados.*] [*tdr.* + *de*: *Salvaguardamos das enchentes os desprotegidos.*] **2** Dar garantias a; ASSEGURAR [*td.*: *A Constituição salvaguarda os direitos dos cidadãos.*] **3** Agir para evitar danos, prejuízos, inconvenientes; PREVENIR [*td.*: *salvaguardar os imprevistos.*] [▶ **1 salvaguardar**] [F.: *salvaguarda* + *-ar²*. Hom./Par.: *salvaguarda(s)* (fl.), *salvaguarda(s)* (sf. [pl.]).]

salvamento (sal.va.*men*.to) *sm.* **1** Ação ou resultado de salvar(-se) **2** Lugar onde alguém ou alguma coisa está segura ou sem risco; SEGURANÇA **3** *Fig.* Bom êxito **4** *Fig.* Grupo ou equipe que realiza salvamentos [F.: *salvar* + *-mento*.]

salvante (sal.*van*.te) *a2g.* **1** Que salva; que livra *Prep.* **2** Exceto, tirante, salvo: *Resolvi todas as questões, salvante a última.* [F.: Do lat. *salvans, -antis*.]

salvar (sal.*var*) *v.* **1** Livrar de perigo, dano ou morte [*td.*: *Essas chuvas vão salvar a colheita.*] [*tdr.* + *de*: *A polícia a salvou dos ladrões.*] [*tr.* + *de*: *Alguns livros se salvaram do fogo.*] **2** Conservar(-se) a salvo; PRESERVAR(-SE); RESGUARDAR(-SE) [*td.*: *salvar a honra.*] [*tdr.*: *Salvou a filha daquela relação equivocada.*] **3** *Rel.* Livrar do pecado e conduzir à glória eterna [*td.*: *Jesus veio ao mundo para salvar a humanidade.*] [*int.*: *Os que praticam o bem se salvam.*] **4** *Mil.* Saudar (alguém, algo) com salva de artilharia [*td.*: *Os cadetes salvaram a cerimônia com tiros.*] [*int.*: *A fortaleza salvou.*] **5** *Inf.* Gravar ou armazenar (dados ou arquivos) [*td.*: *Depois de digitado o trabalho, salvei-o.*] **6** Justificar equívoco, erro cometido; EXPLICAR; REMEDIAR [*td.*: *Tentou salvar o erro que cometera.*] **7** Recuperar (dinheiro apostado ou investido) [*td.*: *Sua preocupação agora é salvar os 5 mil depositados em poupança.*] **8** Fazer uma saudação; CUMPRIMENTAR; SAUDAR [*td.*: *De longe, salvou seu professor predileto.*] **9** *Mús.* Eliminar (dissonância); ABONAR [*td.*: *salvar a música.*] [▶ **1 salvar**] [F.: Do lat. *salvare*. Hom./Par.: *salva(s)* (fl.), *salva(s)* (sf. [pl.]); *salváveis* (fl.), *salváveis* (a2g. pl.); *salve* (fl.), *salve* (interj.); *salvo* (fl.), *salvo* (a. sm. prep.).]

salvatagem (sal.va.*ta*.gem) *sf.* Resgate, salvamento de navio, seus equipamentos, carga ou passageiros [Pl.: *-gens*.] [F.: Do fr. *sauvetage*.]

salvatério (sal.va.*té*.ri:o) *sm.* **1** Salvação oportuna, providencial **2** Expediente para escapar; DESCULPA; ESCAPATÓRIA [F.: *salvar* (sob. a f. *salvat-*) + *-ério*.]

salvatoriano (sal.va.to.ri:*a*.no) *sm. a.* O mesmo que *salvadorenho¹*

salvável (sal.*vá*.vel) *a2g.* Que se pode salvar [Pl.: *-veis*.] [F.: *salvar* + *-vel*. Hom./Par.: *salváveis* (a2g. pl.), *salváveis* (fl. de *salvar*).]

salva-vidas (*sal*.va-*vi*.das) *s2g2n.* **1** Nas praias próprias para o banho de mar, aquele que é encarregado de socorrer os afogados *a2g2n.* **2** Diz-se de equipamento próprio para salvar náufragos, evitar afogamentos etc., como coletes, boias, flutuadores [F.: *salvar* (na 3ª pess. sing. pres. ind.) + pl. de *vida*.]

salve (*sal*.ve) *interj.* Us. como saudação ou cumprimento [F.: *salvar* (na 3ª pess. sing. imper. afirm.). Hom./Par.: *salve* (interj.), *salve* (fl. de *salvar*).]

salve-rainha (sal.ve-ra.*i*.nha) *sf. Rel.* Oração católica dedicada à Virgem Maria e assim denominada por começar por essas duas palavras [Pl.: *salve-rainhas*.] [F.: *salvar* (na 3ª pess. imper. afirm.) + *rainha*.]

salve-se quem puder (sal.ve-se quem pu.*der*) *sm2n.* **1** Situação ou acontecimento em que o risco de grande perigo ou essa suposição provoca pânico, correria, confusão; CORRE-CORRE; DEBANDADA **2** Briga generalizada ou quebra-quebra, dos quais os não envolvidos tentam fugir em pânico **3** Qualquer situação de risco físico, patrimonial ou moral de que um indivíduo precisa se livrar, ger. a custo [F.: *salvar-se* (na 3ª pess. sing. pres. ind.) + *quem* + *puder*.]

sálvia (*sál*.vi:a) *sf. Bot.* Nome comum às plantas do gên. *Salvia*, da fam. das labiadas, de ampla distribuição geográfica, esp. comuns no Mediterrâneo, no sudoeste da Ásia e nas Américas, cultivadas pela suas qualidades medicinais, para us. culinário e como ornamental [F.: Do lat. cient. gên. *Salvia*.]

salvina (sal.*vi*.na) *sf. Bot.* Erva da fam. das labiadas (*Hyptis recurvata*), de folhas aromáticas e flores amarelo-claro, nativa das regiões tropicais das Américas, esp. do Brasil [F.: *salva²* + *-ina*.]

salvo (*sal*.vo) *a.* **1** Que se salvou **2** Que está livre de risco ou perigo; INTACTO; PRESERVADO: *Livre da cassação, teve seu mandato salvo.* **3** *Inf.* Que foi registrado, armazenado na memória ou em dispositivo próprio; GRAVADO **4** Livre de dissabores, de incômodos ou de contratempos; RESGUARDADO: "Ora, as crianças e os adolescentes não estão a salvo desses atentados contra a sua formação." (Cecília Meireles, "Cinema deseducativo" *in Obra em prosa*) **5** Que é propício ou favorável **6** Que foi deixado de fora; EXCLUÍDO; OMITIDO: *Detalhes sórdidos salvos do conhecimentos dos demais.* **7** *Rel.* Que obteve a redenção divina (pecadores salvos) *prep.* **8** À exceção de; AFORA; EXCETO; SALVANTE [F.: Do lat. *salvu*. Hom./Par.: *salvo* (fl. de *salvar*).] ■ **A/em** ~ Em segurança numa situação perigosa, em lugar seguro

salvo-conduto (sal.vo-con.*du*.to) *sm.* **1** *Jur.* Permissão por escrito que autoriza alguém a viajar ou transitar livremente, com segurança de que não será preso ou retido **2** *Fig.* Prerrogativa disponível apenas para alguns eleitos; IMUNIDADE; PRIVILÉGIO **3** *Mil.* Licença em que uma autoridade militar concede a alguém a livre circulação pelo postos militares [Pl.: *salvos-condutos* e *salvo-condutos*.]

samambaia (sa.mam.*bai*.a) *sf. Bras. Bot.* Nome comum à maioria das plantas pteridófitas, muitas das quais de valor ornamental [Col.: *samambaial*.] [F.: Do tupi, mas de étimo indeterminado. Tb. *sambambaia*.]

samambaiaçu (sa.mam.bai.a.*çu*) *sf. Bras. Bot.* Ver *xaxim*

samangar (sa.man.*gar*) *Bras. v. int. N N. E.* Viver no ócio; PREGUIÇAR [▶ **14 samangar**] [F.: *samango* + *-ar*. Hom./Par.: *samango* (fl.), *samango* (sm.).]

samango (sa.*man*.go) *sm.* **1** *N. N. E.* Indivíduo preguiçoso, indolente **2** *N. N. E.* Indivíduo esfarrapado, maltrapilho **3** *Bras. Pop.* Agente de polícia civil; TIRA [F.: Posv. de or. africana.]

sâmara (*sâ*.ma.ra) *sf. Bot.* Fruto simples, seco e indeiscente, dotado de um prolongamento em forma de asa, que facilita a sua condução pelo vento e consequente disseminação, como p. ex. o fruto do olmo [F.: Do lat. *samara*.]

◎ **samar(i)-** *el. comp.* = 'semente de olmo': *samarídeo, samariforme* [F.: Do lat. *samara, ae*.]

samariforme (sa.ma.ri.*for*.me) *a2g.* Que se assemelha a uma sâmara [F.: *samar(i)-* + *-forme*.]

samarinês (sa.ma.ri.*nês*) *sm.* **1** Indivíduo nascido ou que vive na República de San Marino (Europa)[Pl.: *-neses* [ê]. Fem.: *-nesa* [ê].] *a.* **2** Da República de San Marino; típico dessa república ou de seu povo [F.: Do top. (República de) *San Marin(o)* + *-ês*.]

samário (sa.*má*.ri:o) *sm. Quím.* Elemento químico de número atômico 62, metálico, encontrado em terras-raras, de cor e brilho semelhantes aos da prata; us. em eletrodos de carbono para iluminação, produção de ímãs etc. [Símb.: Sm] [Ger. não se usa no pl.] [F.: Do lat. cient. *samarium*, de *samarskita*.]

samaritano (sa.ma.ri.*ta*.no) *sm.* **1** Pessoa nascida na Samaria, capital do antigo reino de Israel ou região da Palestina **2** *Fig.* Pessoa caridosa *a.* **3** Da Samaria; típico dessa cidade ou região, ou de seu povo **4** *Fig.* Que tem bom coração [F.: Do lat. *samaritanus*.] ■ **O bom** ~ Modelo de caridade, segundo uma parábola de Jesus

samarra (sa.*mar*.ra) *sf.* **1** *Vest.* Espécie de túnica ou batina us. pelos clérigos **2** *Vest.* Vestimenta feita de pele e/ou lã de ovelhas **3** Pele de ovelha ou carneiro que conserva a lã **4** *P. ext.* Pele de outros animais com a qual também se pode fazer vestimentas [F.: Do cast. *zamarra*.]

samba (*sam*.ba) *Bras. sm.* **1** *Dnç.* Dança de roda cantada, de or. africana, em compasso binário e acompanhamento sincopado, acompanhada ou não de umbigada e difundida pelo país com variantes coreográficas [O samba carioca, tal como hoje se apresenta, é já uma versão modificada deste samba de roda.] **2** *Mús.* A música dessa dança, surgida no Brasil no início do séc. XX **3** Baile popular no qual há presença do samba (2); ARRASTA-PÉ **4** *P. ext.* Qualquer reunião ou encontro para ouvir e dançar essa música: *Hoje vai ter samba na quadra.* **5** *Bras. Pop.* Aguardente de cana; CACHAÇA [F.: Prov. de or. africana. Hom./Par.: *samba* (fl. de *sambar*).] ■ **Dar** ~ Ter continuidade, gerar um fato novo, ter sucesso **batido**~ **batido** *Bras. Pop. Mús.* Batuque ~ **corrido** *Bras. Pop. Mús.* Samba sem introdução, ou sem refrão ~ **de breque** *Bras. Pop. Mús.* Tipo de samba criado no Rio de Janeiro, no qual o cantor interrompe a música (mas não o ritmo) para introduzir falas, ger. cômicas **~ de enredo** *Bras. Pop. Mús.* Samba-enredo **~ de partido-alto** 1 *Bras. Pop. Mús. Ant.* Música e dança de roda, do ciclo da umbigada 2 Tipo de samba modernamente praticado na Bahia e depois no Rio de Janeiro, no qual um ou mais cantores improvisam ou cantam de memória, entre as repetições do estribilho, versos alusivos ao tema do samba ou a outros temas [Tb. apenas *partido-alto*.] **~ de roda** *Bras. Pop. Mús.* Tipo de samba de ritmo marcado com palmas ou percussão, com os sambistas dispostos em roda, dançando um deles no centro e escolhendo seu sucessor com uma umbigada **~ no pé** *RJ. Pop.* Samba dançado segundo o padrão tradicional, com movimentos rápidos dos pés e do corpo, sem coreografia ou estilização, esp. nas escolas de samba **~ raiado** *Bras. Pop. Mús.* Samba de roda, com acompanhamento do som de pratos de louça arranhados com facas de metal

📖 O samba, dança e música, é característico do Brasil, mas originou-se na África negra, descendente que é do batuque e do lundu. Foi como arte popular urbana que o samba ganhou a forma e a projeção de que hoje desfruta, esp. no Rio de Janeiro, seu berço, São Paulo, Minas Gerais, Bahia e Maranhão. Seu ritmo marcou-se pela utilização de instrumentos de percussão característicos, como os vários tambores, o pandeiro, a cuíca, o tamborim, o agogô, o chocalho e o reco-reco (ganzá), entre outros, enquanto a melodia tem expressão variada, sob múltiplas influências (canto, instrumentos de sopro, violão, bandolim, cavaquinho etc.). Ganhou várias formas variantes, como samba-choro, samba-canção, samba de breque, partido-alto, pagode, samba-enredo (das escolas de samba), sambalanço, bossa-nova etc. O primeiro samba gravado foi o famoso Pelo telefone, de Donga, em 1917.

samba-canção (*sam.*ba-can.*ção*) *Bras. sm.* 1 *Mús.* Modalidade de samba em que o caráter melódico sobrepuja o sincopado, que esteve bastante em voga na déc. de 1940, e cujas letras são de cunho sentimental, amoroso 2 *Pop.* Cueca folgada de tecido, cujo comprimento vai até a altura das coxas e sua braguilha sobe até a cintura [Tb. é us. como adj.: cueca *samba-canção*.] [Pl.: *sambas-canções* e *samba-canções*.]

sambada (sam.*ba*.da) *sf.* 1 *PE Folc.* No maracatu, momento em que dois grupos se encontram e se enfrentam *sf.* 2 *Pop.* Reunião festiva na qual se canta e/ou dança esp. samba [F.: Fem. substv. de *sambado*.]

samba de breque (sam.ba de *bre*.que) *sm. Pop. Mús.* Tipo de samba do Rio de Janeiro, caracterizado por interrupções repentinas durante as quais o cantor comenta humoristicamente o tema [Pl.: *sambas de breque*.]

samba de matuto (samba de ma.*tu*.to) *sm. AL Dnç.* Variante do pastoril encontrado no litoral norte de Alagoas; BAIANAL; BAIANAS [Pl.: *sambas de matuto*.]

samba de roda (sam.ba de *ro*.da) *sf. BA Dnç. Mús.* Variedade de samba da Bahia com o ritmo bem marcado por palmas ou instrumentos, dançado em roda [Pl.: *sambas de roda*.]

sambadinha (sam.ba.*di*.nha) *sf. Pop.* Ato de sambar por pouco tempo [F.: *sambar* + *-inha*.]

sambado (sam.*ba*.do) *a.* 1 Muito usado, gasto pelo uso (casaco sambado); SURRADO 2 Que tem aparência cansada, envelhecida: *Apesar dos cuidados está bem sambado.* [F.: Part. de *sambar*.]

samba em berlim (sam.ba em ber.*lim*) *sm. Bras. Pop.* Bebida feita da mistura de cachaça com refrigerantes à base de cola [Pl.: *sambas em berlim*.]

samba-enredo (sam.ba-en.re.do) *sm. Bras. Mús.* Samba com letra de caráter narrativo, composto para ser cantado pelos integrantes de uma escola de samba durante o desfile carnavalesco [Pl.: *sambas-enredos* e *sambas-enredo*.]

sambaíba (sam.ba.*í*.ba) *Bot. sf.* 1 Arbusto sarmentoso (*Davilla latifolia*) da fam. das dileniáceas que apresenta folhas elípticas, coriáceas e flores em racemos, nativo do Brasil 2 *BA* Ver *cajueiro-bravo* 3 *BA* Ver *cipó-caboclo* [F.: Do tupi.]

sambambaia (sam.bam.*bai*.a) *sf. Bot.* Ver *samambaia*

sambanga (sam.*ban*.ga) *SP Pop. a2g.* 1 Que é tolo, imbecil *s2g.* 2 Indivíduo tolo, imbecil [F.: Posv. de or. africana. Sin. ger.: *palerma*.]

sambão (sam.*bão*) *Pop. sm.* 1 *Mús.* Samba urbano tradicional 2 Festa popular na qual se canta e dança samba [Pl.: *-bões*.] [F.: *samba* + *-ão*[1].]

sambaqui (sam.ba.*qui*) *sm. Bras. Arqueol.* Depósito de conchas e cascas de ostras junto à costa ou a rios e lagoas do litoral, onde, por vezes, encontram-se ossos humanos, objetos líticos e cerâmicos que foram acumulados em período pré-histórico por povos primitivos [F.: Do tupi, mas de étimo indeterminado.]

sambaquieiro (sam.ba.qui:*ei*.ro) *sm. SP* Indivíduo que explora um sambaqui comercialmente [F.: *sambaqui* + *-eiro*.]

sambar[1] (sam.*bar*) *v. int.* 1 Dançar ao ritmo do samba: *Foram todos sambar.* 2 Frequentar e/ou desfilar em escola de samba: *Antes do Carnaval, sambava muito na Imperatriz Leopoldinense.* 3 *Fig.* Estar demasiado folgado (traje, estofamento etc.): *A calça estava sambando na cintura.* 4 *Pop.* Dar errado; GORAR: *A pesquisa ser produzida, mas sambou.* 5 *Pop.* Ser detido ou preso: *Os dois delinquentes sambaram.* 6 *Pop.* Não acontecer por motivos inesperados: *Suas férias na praia sambaram.* 7 Ser eliminado: *O último parágrafo sambou por falta de espaço.* [► 1 sambar] [F.: *samba* + *-ar*[2]. Hom./Par.: *samba(s)* (fl.), *samba(s)* (sm. [pl.]); *sambá(s)* (sm. [pl.]).]

sambar[2] (sam.*bar*) *sm. Zool.* Grande veado de florestas montanhosas (*Cervus unicolor*), comum na Ásia e nos Estados Unidos [Tb. *veado-sambar*.] [Do sânsc. *sambara*, pelo hindi *sambar*.]

sambarca (sam.*bar*.ca) *sf.* 1 Faixa peitoral colocada nas cavalgaduras para evitar que os tirantes firam o peito dos animais 2 Faixa ou cinta larga us. pelas mulheres para sustentar os seios 3 *Ant.* Travessa que a autoridade mandava colocar na porta das casas penhoradas [F.: Dev. de *sambarcar*. Hom./Par.: *sambarca(s)* (sf. [pl.]), *sambarca(s)* (fl. de *sambarcar*).]

sambaré (sam.ba.*ré*) *sm. Etnol.* Tipo de samburá que se carrega nas costas, us. em algumas partes da Amazônia [F.: Do tupi.]

sambeiro (sam.*bei*.ro) *Bras. a. sm.* 1 *Dnç.* Ver *sambista* 2 Indivíduo que não é músico, compositor ou dançarino, mas que participa do mundo do samba [Pode ter conotação pej.] [F.: *samba* + *-eiro*.]

sambenito (sam.be.*ni*.to) *sm. Hist. Vest.* Hábito, de um tecido grosso de lã amarelo e vermelho, que os penitentes vestiam pela cabeça quando caminhavam para a execução dos autos de fé [F.: Do cast. *sambenito*.] ■ **Fazer do ~ glória** Orgulhar-se (alguém) daquilo que pretende humilhá-lo

sambista (sam.*bis*.ta) *Bras. s2g.* 1 Compositor ou cantor de sambas 2 Aquele que dança bem o samba 3 *P. ext.* Indivíduo que realiza trabalhos numa escola de samba *a2g.* 4 Que compõe ou canta sambas 5 Que samba muito bem 6 *P. ext.* Que faz trabalhos em escola de samba [F.: *samba* + *-ista*.]

sambístico (sam.*bís*.ti.co) *a2g.* Relativo a, ou próprio de samba (repertório sambístico; batuque sambístico) [F.: *sambista* + *-ico*[2].]

sambódromo (sam.*bó*.dro.mo) *sm. Bras.* Pista para desfile de escolas de samba [F.: *samba* + *-o-* + *-dromo*.]

sambuca (sam.*bu*.ca) *sf. Mús.* Antigo instrumento grego de cordas dedilháveis [F.: Do gr. *sambuke*, pelo lat. *sambuca*.]

sambuco (sam.*bu*.co) *sm.* Pequena embarcação costeira da Índia [F.: Do ár. *sanbuq* ou *sunbuq*.]

sambudo (sam.*bu*.do) *a. N. E.* Que tem a barriga grande, inchada; BARRIGUDO: "Porém João Grilo criou-se, / pequeno, magro e sambudo / as pernas tortas e finas..." (João Martins de Athayde, "As proezas de João Grilo" *in Alguns cordéis clássicos*) [F.: De or. obsc.]

samburá (sam.bu.*rá*) *sm. Bras.* Cesto de cipó ou de taquara de bojo largo e boca estreita, us. pelos pescadores para guardar iscas, petrechos de pesca e o que foi pescado; COFO [F.: Do tupi *samu'ra*.] ■ **Pescar para o seu ~** *Bras.* Cuidar dos próprios interesses

sâmio (sâ.mi:o) *sm.* 1 Indivíduo nascido ou que vive na ilha de Samós (Grécia) *a.* 2 Da ilha de Samós; típico dessa ilha ou de seu povo [F.: Do top. (ilha de) *Sam(ós)* + *-io*[3].]

samisén (sa.mi.*sén*) *sm. Mús.* Tipo de alaúde japonês com três cordas, braço longo, corpo quadrado e fundo chato, tangido com plectro de osso [Pl.: *-séns*.] [F.: Do jap. *samisen*, pelo chin. *san hsien*, 'três cordas'.]

samoano[1] (sa.mo.*a*.no) *sm.* 1 Pessoa nascida no Estado Independente de Samoa Ocidental ou da Samoa Americana (arquipélago do Pacífico Sul); SAMOENSE 2 *Gloss.* Língua falada nesse estado e nesse arquipélago *a.* 3 Do Estado Independente de Samoa Ocidental ou da Samoa Americana; típico dessas ilhas ou de seus povos; SAMOENSE [F.: Do top. *Samoa* + *-ano*.]

samoano[2] (sa.mo:*a*.no) *sm.* 1 Indivíduo nascido ou que vive em Samoa Oriental (Oceania) *a.* 2 De Samoa Oriental; típico desse arquipélago ou de seu povo [F.: Do top. *Samo(a)* (Oriental) + *-ano*[1].]

samoense (sa.mo.*en*.se) *a2g. s2g.* Ver *samoano*

samovar (sa.mo.*var*) *sm.* Utensílio russo assemelhado a uma chaleira aquecida por um tubo central, com uma grade na parte inferior sobre a qual se põem brasas, para ferver água para a preparação do chá ou para outros usos domésticos [F.: Do fr. *samovar*.]

sampadjudo (sam.pad.*ju*.do) *sm.* 1 Indivíduo nascido ou que vive nas ilhas de Barlavento (Cabo-Verde) *a.* 2 Das ilhas de Barlavento; típico dessas ilhas ou de seu povo

sampana (sam.*pa*.na) *sf.* No Extremo Oriente, pequena embarcação de boca aberta, impelida a vela ou a remo, us. para transportar passageiros e carga em águas abrigadas, ou para a pesca [F.: Do fr. *sampan*, deriv. do chin. *san -pan* 'três tábuas'.]

samplear (sam.ple.*ar*) *v. td.* 1 Gravar (sons) utilizando um *sampler* 2 *Mús.* Estruturar (arranjo, composição) por meio desse instrumento [► 13 samplear] [F.: Do ing. *to sample*.]

⊕ **sampler** (*Ing. /sâpler/*) *sm. Eletrôn. Mús.* Dispositivo eletrônico que grava e armazena digitalmente sons de vozes ou instrumentos, podendo alterá-los de diversas maneiras, como um sintetizador

⊕ **sampling** (*Ing. /semplin/*) *sm.* Divulgação de um produto por meio da distribuição de amostras para o público-alvo

samurai (sa.mu.*rai*) *sm. Hist.* No Japão feudal, integrante da classe dos guerreiros, vassalos de um chefe tribal [F.: Do jap. *samurai*.]

◎ **san-** *el. comp.* Pref. = são: *sanear, sanidade*

sanado (sa.*na*.do) *a.* 1 Que se sanou; CURADO; SARADO 2 *Fig.* Que se corrigiu (defeito sanado); REPARADO [F.: Part. de *sanar*.]

sanador (sa.na.*dor*) [ô] *a. sm.* Ver *sanativo*

sanar (sa.*nar*) *v. td.* 1 Promover a cura de; sarar: *Sanar os doentes.* 2 Consertar, remediar, reparar (erro, equívoco etc.): *Sanou aquele equívoco com facilidade.* 3 Colocar obstáculo a (um mal, uma dificuldade etc.): *O governo sanou a crise inflacionária.* [► 1 sanar] [F.: Do lat. *sanare*. Sin. ger.: *sanear*. Hom./Par.: *sanáveis* (fl.), *sanáveis* (a2g. pl.).]

sanativo (sa.na.*ti*.vo) *a.* 1 Que sana (elixir sanativo) *sm.* 2 Aquele ou aquilo que sana [F.: *sanar* + *-tivo*. Sin. ger.: *sanador*.]

sanatório (sa.na.*tó*.ri:o) *sm.* Estabelecimento próprio para o repouso ou restabelecimento de doentes mentais ou para tratamento de tuberculosos [F.: Adap. do fr. *sanatorium*.]

sanável (sa.*ná*.vel) *a2g.* 1 Que se pode sanar, corrigir (problema sanável); REPARÁVEL 2 Que se pode curar (doença sanável); CURÁVEL [Pl.: *-veis*.] [F.: *sanar* + *-vel*. Hom./Par. *sanáveis* (a2g. pl.), *sanáveis* (fl. de *sanar*).]

sanca (*san*.ca) *Arq. sf.* 1 Cimalha ou superfície convexa que firma e liga as paredes de uma galeria, sala ou casa aos tetos que as cobrem 2 Parte do telhado que se assenta sobre a espessura da parede 3 *Bras.* Moldura na parede em que ger. se dissimula as lâmpadas que iluminam indiretamente o ambiente [F.: Do lat. tard. *zanca*.]

sanção (san.*ção*) *sf.* 1 *Pol.* Ato pelo qual num regime constitucional o soberano ou chefe aprova e confirma uma lei 2 *Jur.* A parte da lei em que se estabelece a pena contra os infratores da mesma 3 *Jur.* Cláusula, condição ou circunstância que impede ou pune a violação e assegura a execução 4 *Jur.* Aprovação sem a qual a lei não seria exequível 5 *Fig.* Aprovação a alguma coisa que se introduz na prática 6 *P. ext.* Aprovação por parte de alguma autoridade 7 *P. ext.* Medida punitiva aplicada por autoridade: "(...), pois a rádio já fora tirada do ar e a próxima sanção seria a perda da concessão." (Ana Maria Machado, *Piscando como um farol*) 8 *P. ext.* Reconhecimento público de algo; APROVAÇÃO [Pl.: *-ções*.] [F.: Do lat. *sanctionis*.] ■ **~ social** *Soc.* Nome genericamente dado aos diversos tipos de ação de indivíduos ou da coletividade, entendidos como forma de manifestar aprovação ou reprovação, ou como reforço ou inibição, de um comportamento individual ou de determinado grupo

sancionado (san.ci:o.*na*.do) *a.* 1 Que recebeu sanção (projeto sancionado) 2 A que se aplicou sanção: *O jogador foi sancionado por indisciplina.* 3 *Fig.* Que se aprovou; ADMITIDO; APROVADO [F.: Part. de *sancionar*.]

sancionador (san.ci:o.na.*dor*) [ô] *a.* 1 Que sanciona, que confirma (preceito sancionador) *sm.* 2 Aquele ou aquilo que sanciona, que confirma [F.: *sancionar* + *-dor*.]

sancionar (san.ci:o.*nar*) *v. td.* 1 *Jur.* Dar sanção a, ou aprovar; RATIFICAR: *sancionar a nova legislação.* 2 Ter como aceitável; concordar com; CONFIRMAR: *Sancionou sua decisão da véspera.* [► 1 sancionar] [F.: *sanção* sob a f. *sancion-* + *-ar*[2].]

sancionatório (san.ci:o.na.*tó*.ri:o) *a.* Que tem a capacidade para, ou a prerrogativa de sancionar (competência sancionatória) [F.: *sancionar* + *-tório*.]

sancionável (san.ci:o.*ná*.vel) *a2g.* Que se pode sancionar; a que se pode aplicar sanção (falta sancionável) [F.: *sancionar* + *-vel*. Hom./Par.: *sancionáveis* (a2g. pl.), *sancionáveis* (fl. de *sancionar*).]

sanco (*san*.co) *sm.* 1 *Zool.* Perna de ave desde o pé até a junta da coxa 2 *Fig. Pop.* Perna fina [F.: De *sanca*.]

⊕ **sanctus** (*Lat. /sanktus/*) *Litu. sm.* 1 Hino de louvor em latim, próprio da liturgia cristã, que começa com a tripla repetição da palavra *sanctus* 2 Na liturgia católica romana, uma das partes da missa na qual esse hino é cantado

sandália (san.*dá*.li:a) *sf.* Calçado com solado preso ao pé por meio de tiras [F.: Do lat. *sandalia*.]

sândalo (*sân*.da.lo) *sm.* 1 *Bot.* Árvore da fam. das santaláceas que fornece madeira clara e perfumada e que de suas raízes extrai-se óleo essencial 2 Qualquer espécime desse gên. ou dessas fam., nativo da Índia, de cuja madeira se extrai a essência us. na perfumaria 3 O perfume, o óleo essencial ou o pigmento extraído da madeira dessa árvore [F.: Do lat. medv. *sandalum*.]

sandeu (*san*.deu) *Pej. sm.* 1 Indivíduo que diz e/ou faz sandices 2 Indivíduo ingênuo, parvo, simplório [Fem.: *sandia*] *a.* 3 Que age fazendo ou dizendo sandices; TOLO; ESTÚPIDO; PATETA 4 Que se mostra simplório, ingênuo em suas ações e/ou ditos 5 Que denota ou envolve sandice (atitude sandia; comportamento sandeu) [Fem.: *sandia*.] [F.: De or. obsc.]

sândi (*sân*.di) *sm.* 1 *Filol.* No sânscrito, conjunto das regras eufônicas relativas ao encontro de palavras 2 *Fon.* Alteração fonética que ocorre entre palavras ou no interior delas em razão de combinações sonoras, como p. ex. em *moças e rapazes*, que soa como *moçazerapazes* [O sândi diz-se *externo* quando ocorre entre palavras, e *interno* quando ocorre no interior de uma palavra.] [F.: Do sânsc. *sandhi* (ligação).]

sandice (san.*di*.ce) *sf.* 1 Qualidade ou característica de quem age ou fala como um tolo 2 Característica ou condição de quem se mostra simplório, ingênuo 3 Afirmação sem lógica que demonstra ignorância ou parvoíce; DISPARATE; NECEDADE; TOLICE [F.: *sand-* + *-ice*.]

sandinismo (san.di.*nis*.mo) *sm. Pol.* Doutrina política nacionalista e anti-imperialista baseada na ação do líder revolucionário nicaraguense Cesar Augusto Sandino (1893 -1934) [F.: *César Augusto Sandino* + *-ismo*.]

sandinista (san.di.*nis*.ta) *Pol. a2g.* **1** Ref. a sandinismo **2** Simpatizante ou integrante do movimento revolucionário que assumiu o governo da Nicarágua em 1979 [Frente de Libertação Sandinista, organização militar que lutou pela derrubada do regime do ditador Ernesto Somosa Debayle 1925 -1980] *s2g.* **3** Indivíduo sandinista [F.: César Augusto *Sandino* + *-ista*.]

sanduba (san.*du*.ba) *sm. Gír.* Sanduíche de qualquer tipo [F.: *sandu-* (regress. de *sanduíche*) + *-ba*.]

sanduichado (san.du:i.*cha*.do) *a.* Ver *ensanduichado*

sanduíche (san.du.*í*.che) *sm.* **1** Alimento composto de duas ou mais fatias de pão entremeadas de queijo, presunto, salame etc. **2** *Bras. Fig. Pop.* Situação em que duas pessoas ou coisas imprensam uma terceira que está entre elas [F.: Do ing. *sandwich*.] ■■ **~ aberto** Aquele que não tem uma segunda fatia de pão a cobrir os demais ingredientes

sanduicheira (san.du:i.*chei*.ra) *sf.* Aparelho eletrodoméstico próprio para preparar sanduíches quentes [F.: *sanduíche* + *-eira*.]

sanduicheiro (san.dui.*chei*.ro) *sm.* Indivíduo encarregado de preparar sanduíches em bares, confeitarias etc. [F.: *sanduíche* + *-eiro*.]

sanduicheria (san.du:i.che.*ri*.a) *sf.* Estabelecimento comercial cuja especialidade é preparar, vender e servir sanduíches

saneado (sa.ne.*a*.do) *a.* **1** Que se saneou; a que se deu condições higiênicas ou salutares adequadas (área saneada) **2** *Fig.* Corrigido, reparado (contabilidade saneada) **3** *Lus.* Que foi afastado de emprego ou cargo por razões políticas, religiosas, morais etc. *sm.* **4** *Lus.* Indivíduo saneado [F.: Part. de *sanear*.]

saneador (sa.ne.a.*dor*) [ô] *a.* **1** Que saneia **2** *Jur.* Diz-se de despacho no qual o juiz limpa um processo dos seus vícios formais; não visa ao mérito do pleito e sim aos seus aspectos processuais **3** Aquele ou aquilo que saneia [F.: *sanear* + *-dor*.]

saneamento (sa.ne.a.*men*.to) *sm.* **1** Ação ou resultado de sanear **2** *Urb.* Conjunto de procedimentos que tem por objetivo garantir as condições sanitárias básicas, esp. através da canalização e do tratamento de esgotos **3** *Fig.* Conjunto de medidas que pretende estabelecer ou recuperar princípios morais e éticos: *Saneamento da máquina administrativa*. [F.: *sanear* + *-mento*.] ■■ **~ básico** *Urb.* Obras sem as quais um local não apresenta condições de salubridade consideradas aceitáveis para a população que aí reside (p. ex. drenagem de áreas pantanosas e, esp., esgoto urbano)

saneante (sa.ne.*an*.te) *a2g.* **1** Que saneia; SANEADOR **2** Diz-se de produto cuja função é acabar com sujeiras, germes e bactérias, evitando o aparecimento de doenças causadas pela falta de limpeza dos ambientes *s2g.* **3** Produto saneante [F.: *sanear* + *-nte*.]

sanear (sa.ne.*ar*) *v.* **1** Dar a (ambiente, atmosfera etc.) condições higiênicas ou salutares necessárias [*td.: sanear um bairro*.] **2** Promover a cura de; CURAR; SANAR [*td.: O governo saneou o grupo atingido pela epidemia*.] **3** Preparar para utilização agrícola [*td.: sanear terras*.] **4** Reparar uma falha, um mal que foi praticado [*td.: Era preciso sanear os atos iníquos que praticara*.] **5** Estabelecer princípios morais com rigor [*td.: A oposição queria sanear a vida política do país*.] **6** Impedir que (algo) tenha continuidade, prosseguimento; COIBIR; PROIBIR [*td.: Sanear os desmandos da administração*.] **7** *Ant.* Promover reconciliação com; RECONCILIAR(-SE) [*td.: Saneou uma antiga amizade*.] [*tdr. + com: Saneou as relações de amizade com o velho companheiro*.] **8** *Jur.* Reparar o que foi feito com falhas, defeitos, omissões etc. [*td.: sanear um processo*.] [▶ **13 sanear**] [F.: Do lat. *sanus* + *-ear*². Hom./Par.: *saneáveis* (fl.), *saneáveis* (a2g. pl.).]

saneatório (sa.ne.a.*tó*.ri:o) *a. Jur.* Relativo a despacho saneador (Ver *saneador*): *O processo apresenta um defeito saneatório*. [F.: *sanear* + *-tório*.]

sanefa (sa.*ne*.fa) *sf.* **1** Tira larga de pano que se estende sobre a parte superior de uma cortina **2** Espécie de cortinado **3** *Mar.* Espécie de cortina us. para resguardar do mau tempo ou do sol forte determinadas partes de uma embarcação **4** Tábua assentada na diagonal sobre a qual outras perpendiculares a ela se prendem [F.: Do ár. *sanifa*.]

sanfona (san.*fo*.na) *sf.* **1** *Bras. Pop. Mús.* Ver *acordeão* **2** *Bras. Mús.* Ver *concertina* **3** *Bras.* Acabamento feito com um ponto para a frente e outro para trás, us. em malhas de tricô **4** *Bras. P. ext.* A malha onde se fez tal acabamento **5** Utensílio de ferreiro *s2g.* **6** Pessoa impertinente **7** *Pop.* Indivíduo insignificante, desprezível *a2g.* **8** Diz-se de efeito que ocasiona perda e ganho de peso repetidas vezes e de modo consecutivo (efeito sanfona) [F.: Deriv. regress. de *sanfonina*.]

sanfonado (san.fo.*na*.do) *a.* **1** Cantado com acompanhamento de sanfona (*reggae* sanfonado) **2** *Bras.* Que, pela forma, se assemelha ao fole de sanfona (varal sanfonado) [F.: Part. de *sanfornar*.]

sanfonar (san.fo.*nar*) *v.* **1** *Mús.* Tocar sanfona [*int.*] **2** Cantar acompanhado de sanfona [*td.*] **3** Vincar, preguear (algo) em forma de sanfona [*td.: Vou sanfonar o papel colorido para a decoração da festa*.] [▶ **1 sanfonar**] [F.: *sanfona* + *-ar*.]

sanfoneiro (san.fo.*nei*.ro) *sm.* Músico que toca sanfona [F.: *sanfona* + *-eiro*.]

sanfonina (san.fo.*ni*.na) *sf.* **1** *Bras. Mús.* Pequeno acordeão **2** Cantiga sem afinação ou harmonia *s2g.* **3** *Mús.* Aquele que toca sanfona; SANFONISTA [F.: *sanfona* + *-ina*².]

sanfonizar (san.fo.ni.*zar*) *v. td.* **1** Abrir ou alargar no sentido horizontal, como se abrisse uma sanfona **2** Vincar, preguear (algo) dando a forma de uma sanfona [▶ **1 sanfonizar**] [F.: *sanfona* + *-izar*.]

sanforizado (san.fo.ri.*za*.do) *a.* Diz-se de tecido tratado para não esticar nem encolher depois da lavagem (algodão sanforizado) [F.: Part. de *sanforizar*.]

sanforizar (san.fo.ri.*zar*) *v. td. Têxt.* Submeter (tecido) a processo que o impeça de encolher-se ou distender-se [▶ **1 sanforizar**] [F.: Deduz. de *sanforizado*.]

sanga¹ (*san*.ga) *sf.* **1** *RS SC* Abertura de armadilha de caça ou pesca; ALGIRÃO **2** *Bras.* Escavação funda produzida num terreno por chuvas ou correntes subterrâneas: "O álveo resvaladio e fundo da sanga que naquele ponto corre de norte a sul." (Euclides da Cunha, *Os sertões*) **3** *S.* Córrego que seca facilmente **4** Arroz quebrado; quirera do beneficiamento do arroz [F.: Prov. do cast. *zanja*.]

sanga² (*san*.ga) *sf. Angol.* Grande talha de barro para transportar ou guardar água e outros líquidos [F.: Do quimb. *sanga*.]

sangração (san.gra.*ção*) *sf.* Ação ou resultado de sangrar; SANGRAMENTO [Pl.: *-ções*.] [F.: *sangrar* + *-ção*.]

sangrado (san.*gra*.do) *a.* **1** A que se aplicou sangria **2** Que verte sangue pelas feridas; FERIDO **3** Que não tem forças; DEBILITADO; EXAUSTO **4** Que foi escoado (reservatório sangrado); DRENADO **5** *Art. gr.* Diz-se da impressão que ultrapassa a margem de um ou mais lados da página, alcançando a linha de corte ou a dobra (formato sangrado) [F.: Part. de *sangrar*.]

sangrador¹ (san.gra.*dor*) [ô] *a.* **1** Que sangra *sm.* **2** Aquele que sangra [F.: *sangrar* + *-dor*.]

sangrador² (san.gra.*dor*) [ô] *sm. Bras.* Canal pelo qual se desvia o excesso de água de um rio, açude etc., mesmo que *sangradouro* [F.: *sangrado* + *or*.]

sangradouro (san.gra.*dou*.ro) *sm.* **1** *Med.* Parte do braço oposta ao cotovelo onde outrora se praticava a sangria **2** *Bras.* Local por onde escorrem os dejetos; BUEIRO; ESCOADOURO **3** *Bras.* O lugar no pescoço junto ao peito dos animais onde é dado o golpe para matá-los **4** *Bras. P. ext. Fig.* Peça de carne que se tira deste lugar **5** Local aonde a água de um rio ou de uma fonte se desvia para outra direção **6** Garganta entre serras onde, durante as enchentes, as águas se acumulam **7** Canal natural que liga dois rios, dois lagos ou um rio e uma lagoa [F.: *sangrar* + *-douro*.]

sangradura (san.gra.*du*.ra) *sf.* Ação ou resultado de sangrar; SANGRAMENTO; SANGRIA [F.: Do espn. *sangradura*.]

sangramento (san.gra.*men*.to) *sm.* **1** Ação ou resultado de sangrar **2** *Med.* Quantidade de sangue que se perde resultante de qualquer lesão vascular [F.: *sangrar* + *-mento*. Sin. ger.: *sangradura*.]

sangrante (san.*gran*.te) *a2g.* Que sangra; que verte sangue (ferimento sangrante) [F.: *sangra* + *-nte*.]

sangrar (san.*grar*) *v.* **1** Verter ou perder sangue [*int.: O ferido sangrava*.] **2** Abrir veia de, com objetivo curativo [*td.: Era preciso sangrar o doente*.] **3** Ferir (animal) no sangradouro ou ferir (um ser humano) [*td.: Sangrar o boi no matadouro; Lampião sangrava os inimigos sem piedade*.] **4** Extrair produtos naturais (látex, resina, minério etc.) de [*td.: Sangrou a mina de ouro até a última pepita*.] **5** *Fig.* Causar tormento, tristeza em; ATORMENTAR(-SE); DILACERAR; FERIR [*td.: Aquele desgosto sangrou seu coração*.] [*int.: A viuvez o fez sangrar*.] **6** *Fig.* Defraudar, extorquir, ou depauperar(-se) [*td.: A carga tributária sangra a população; O filho sangrou o pai com gastos descontrolados*.] **7** Tornar(-se) fraco, debilitado [*td.: O patrão sangrava o escravo com carga de trabalho insuportável*.] **8** Fazer perder os bens, os valores [*td.: Sangrou a economia dos pais*.] **9** *P. ext.* Ser dominado por aflição moral, por agonia [*int.: Aquela lembrança o fazia sangrar*.] **10** *N. E. P. ext.* Fazer sulco (em madeira) com diversos fins [*td.: sangrar um tronco de cerejeira*.] **11** *Art. Gr.* Em artes gráficas, preparar a ilustração de modo que sua margem coincida com o corte da página [*td.: sangrar um anúncio*.] **12** *Bras. Pop.* Pedir dinheiro emprestado às pessoas sem intenção de pagar [*td.: Vivia sangrando os amigos com pedidos de dinheiro*.] [*tdr. + em: Sangrou em cem reais o amigo*.] **13** *Bras. S* Atender a um pedido de dinheiro [*int.: Sendo bondoso, deixava-se sangrar*.] **14** Cair gota a gota (qualquer líquido) [*int.: Depois da chuva, os arbustos sangravam*.] [▶ **1 sangrar**] [F.: Do espn. *sangrar*. Hom./Par.: *sangra(s)* (fl.), *sangra* (sf. [pl.]).]

sangreira (san.*grei*.ra) *sf.* **1** Violência com muito sangue: "Aventou-se ainda (...), que o automóvel conduziria fugitivos trágicos à Bonnot, fugitivos de qualquer sangreira." (Mario de Sá-Carneiro, "A estranha morte do Prof. Antena" *in Céu em fogo*) **2** *P. ext. Cin.* Cena violenta com muito sangue: "..., o contraste entre a elegância formal do todo e a sangreira desatada que jorra pela tela em dados momentos." (*O Globo*, 17.06.2000) [F.: *sangrar* + *-eira*.]

sangrentamente (san.gren.ta.*men*.te) *adv.* De modo sangrento; com muita violência: *A rebelião reprimia sangrentamente*. [F.: *sangrento* (o/a) + *-mente*.]

sangrento (san.*gren*.to) *a.* **1** Que está sangrando; SANGUINOLENTO **2** Coberto de sangue (punhal sangrento); ENSANGUENTADO **3** Que envolve derramamento de sangue (cena sangrenta); CRUENTO; VIOLENTO **4** *Fig.* Tirante ao carmim, tirante à cor de sangue: *Usava um vestido de noite vermelho sangrento*. **5** *Bras.* Malpassado, pouco frito ou assado (diz-se de carne): *Só come bife sangrento*. [F.: Do espn. *sangriento*.]

sangria (san.*gri*.a) *sf.* **1** Ação ou resultado de sangrar; SANGRADURA; SANGRAMENTO **2** Perda de sangue, provocada por acidente, doença etc; SANGRAMENTO **3** *Med.* Retirada de sangue para fins terapêuticos; FLEBECTOMIA **4** *Hist. Med.* Sucção do sangue feita por sanguessugas ou ventosas **5** *Fig.* Extorsão fraudulenta de valores: *Fez-se uma verdadeira sangria nos cofres públicos*. **6** Extração de produtos naturais, como o látex da seringueira **7** Vazão de água represada **8** Bebida feita de vinho diluído em água, a qual se adiciona açúcar e frutas picadas [F.: Do espn. *sangría*.] ■■ **~ desatada** Situação que está a ponto de sair do controle, que é grave e urgente: *Corrija o relatório, mas vá com calma, não é uma sangria desatada*.

sangue (*san*.gue) *sm.* **1** *Hem.* Líquido viscoso, vermelho, que circula pelo organismo animal, através de artérias e vasos, impulsionado pelo coração **2** *P. ext. Fig.* Seiva que circula no interior de certos organismos vegetais **3** *Fig.* A existência, o viver: *Muitos deram o sangue por seu país*. **4** *Fig.* Família, linhagem ou parentesco (sangue nobre) **5** *Fig.* A origem ou a hereditariedade comum a um conjunto de indivíduos não necessariamente ligados por laços de parentesco: *Culturas de sangue latino*. **6** *Fig.* Vigor, ânimo: *Sua contratação deu sangue novo ao negócio*. **7** *Fig.* Violência, morticínio: *Não gostou do filme, era só sangue*. **8** Menstruação **9** *Teol.* A natureza, opondo-se à graça [F.: Do lat. *sanguen*.] ■■ **Afogar/banhar em ~** *Fig.* Matar em massa, exterminar, chacinar **Ferver o ~ a** *Fig.* Ficar indignado, furioso, revoltadíssimo: *Ante tal ofensa ferveu-lhe o sangue*. **~ arterial** *Fisl.* O sangue que corre nas artérias após ter vindo, oxigenado, dos pulmões ao coração (neste caso pela veia pulmonar), e que transporta oxigênio aos tecidos do corpo **~ azul** **1** *Fig.* Ascendência aristocrática, pertinência a família considerada nobre e, esp., uma família de príncipes, reis e rainhas **2** Distinção social ou valor pessoal; nobreza, fidalguia **~ de cordeiro/Cristo** **1** *Rel.* No cristianismo, o sangue derramado por Jesus para salvar a humanidade **2** *Litu.* O vinho, que na eucaristia representa o sangue de Jesus (esp. em uso ou contexto litúrgico) **~ frio** O sangue de certos animais (peixes, reptis e invertebrados), cuja temperatura regula-se pela do ambiente em que estão [Cf. *sangue-frio*.] **~ quente** O dos vertebrados superiores, de temperatura uniforme e que não depende da temperatura do ambiente **~ venoso** *Fisl.* O sangue que, depois de passar pelos vasos capilares, fornecendo oxigênio às células, retorna pelas veias ao coração transportando o gás carbônico, e daí até os pulmões, pela artéria pulmonar **Suar ~** *Fig.* Esforçar-se muitíssimo; trabalhar arduamente, até a exaustão **Subir o ~ à cabeça** Enfurecer-se, encolerizar-se, perder o controle **Ter o ~ quente** Não ter autocontrole quando irritado, ser facilmente irritável, ser agressivo e impetuoso **Ter ~ de barata** *Depr.* Por índole, fraqueza ou covardia, não ser capaz de reagir a ou revidar agressão, ofensa ou humilhação **Ter ~ na guelra** *Bras. Pop.* Ver *Ter sangue nas veias* **Ter ~ nas veias** *Bras. Pop.* Ser genioso, irritadiço, ser propenso a reação exaltada; ter o sangue quente, ter sangue na guelra

📖 O sangue desempenha várias funções vitais para o organismo, como o transporte para as células do corpo do oxigênio dos pulmões (e do gás carbônico destas para o pulmão), dos hormônios secretados pelas glândulas e de nutrientes extraídos dos alimentos no aparelho digestivo, além de ser o responsável pela defesa imunológica contra agentes externos nocivos e pelo equilíbrio térmico do corpo. Os principais componentes do sangue, além do plasma, seu meio líquido, são as hemácias, ou glóbulos vermelhos, que carregam o oxigênio, os leucócitos, ou glóbulos brancos, responsáveis pelo combate aos elementos estranhos, como nas infecções, e as plaquetas, que controlam a coagulação. Há vários tipos de sangue (determinados por substâncias chamadas antígenos), dos quais os principais se denominam A, B, AB e O, cada qual com variantes positiva e negativa. Nesse grupo, o sangue O só pode receber em transfusão sangue O, AB pode receber A, B, AB e O, A pode receber A e O, B pode receber B e O.

sangue-de-boi (san.gue-de-*boi*) *sm. Bras. Ornit.* Ave passeriforme da fam. dos emberizídeos (*Ramphocelus bresilius*) nativa do Brasil oriental, frequenta matas, capoeiras, restingas, plantações etc; com até 19 cm de comprimento, o macho apresenta bela plumagem vermelha, com asas, cauda e pernas pretas e base da mandíbula branca; enquanto a fêmea e os filhotes imaturos são pardacentos; alimentam-se de frutas e insetos; TIÊ-SANGUE [Pl.: *sangues-de-boi*.]

sangue-frio (san.gue-*fri*.o) *sm.* Autocontrole, presença de espírito em momentos de crise, perigo etc.: *Em seu depoimento à justiça, manteve o sangue-frio mesmo quando provocado*. [Pl.: *sangues-frios*.] [Cf.: *sangue frio* em *sangue*.]

sangueira (san.*guei*.ra) *sf.* **1** Grande volume de sangue derramado **2** Sangue que sai de animal abatido **3** Morticínio, chacina: "(...) acabou em sangueira, em novembro de 1861 (...)." (Alberto Costa e Silva, *A manilha e o libambo*) [F.: *sangue* + *-eira*.]

sangue-novo (san.gue-*no*.vo) *sm. Bras. Pop.* Qualquer erupção cutânea similar à urticária [Pl.: *sangues-novos*.]

sanguento (san.*guen*.to) *a.* **1** Coberto de sangue; ENSANGUENTADO; SANGRENTO: "E as pragas do vencido, / Do vencedor o insulto. / E a palidez do morto, / Nu, sanguento, insepulto." (Alexandre Herculano, "O soldado" *in A harpa do crente*) **2** *Fig.* Cruel, feroz, sanguinário [F.: Do lat. *sanguinentus*.]

sanguessuga (san.gues.*su*.ga) *sf.* **1** *Zool.* Denominação comum aos anelídeos da classe dos hirudíneos marinhos, terrestres e da água-doce, sugadores de sangue de vertebrados, com corpo achatado, segmentado e dotado de uma ventosa anterior e outra posterior utilizada para fixação [Algumas espécies eram us. em sangrias terapêuticas. Cf.: *sangria* (Hist. Med.).] **2** *Pej. Joc.* Pessoa que parasita outra(s), sugando-lhe(s) a energia e/ou os bens [F.: Do lat. *sanguisuga*. Ideia de 'sanguessuga': *bdel(o)-* e *hirud(in)-*.]

◎ **sangu(i/e)** *el. comp. Pref.* = sangue: *sanguinário, sanguinolento*

sanguinário (san.gui.*ná*.ri:o) *a.* **1** Ref. à sangue **2** Que é cruel, feroz (animal sanguinário) **3** Que se compraz em derramar ou ver derramar sangue (bandido sanguinário) **4** Que age de modo violento, que se mostra impiedoso, cruel (déspota sanguinário) *sm.* **5** Indivíduo sanguinário (3 e 4) [F.: Do lat. *sanguinariu(m)*.]

sanguíneo (san.*guí*.ne:o) *a.* **1** Ref. a ou próprio do sangue (circulação sanguínea) **2** Que está no sangue (glicose sanguínea) **3** Que indica parentesco (laços sanguíneos) **4** Da cor do sangue (vermelho sanguíneo) **5** Diz-se de pessoa que tem aumentado o volume de sangue no organismo; PLETÓRICO: "O outro, Ardogênio Ferreira, sanguíneo e retaco (...)." (Marques Rebelo, "A árvore" *in Contos reunidos*) *sm.* **6** Indivíduo cujo organismo adquiriu um volume maior de sangue [F.: Do lat. *sanguineu(m)*.]

sanguinho (san.*gui*.nho) *sm.* **1** *Litu.* Pano com que o padre limpa o cálice depois de comungar; PURIFICADOR; SANGUÍNEO **2** *Bot.* Arbusto ornamental da fam. das cornáceas (*Cornus sanguinea*), originário da Europa, de flores-brancas e cuja madeira é us. na confecção de espetos e bobinas [F.: F. divergente pop. de *sanguíneo*.]

sanguinolência (san.gui.no.*lên*.ci:a) *sf.* **1** Qualidade do que é sanguinolento **2** *Fig.* Crueldade, ferocidade: "...capaz de lembrar com precisão os casos que tornaram famosa a sanguinolência de Gondim." (*Correio da Bahia*, 19.12.2004) [F.: *sanguinolento* + *-ência*.]

sanguinolento (san.gui.no.*len*.to) *a.* **1** Ref. a ou próprio de sangue **2** Em que há derramamento de sangue; CRUENTO; SANGRENTO **3** Sujo de sangue: "Eu já estava meio sanguinolento, meio arvoado (...)." (João Guimarães Rosa, *Primeiras Estórias*) **4** Misturado com sangue [F.: Do lat. *sanguinolentu(m)*.]

sanha (*sa*.nha) *sf.* **1** Acesso irrefreável de fúria que toma e cega um indivíduo; IRA; RAIVA **2** *P. ext.* Vontade, desejo irrefreável: "Num cortador de cana o que se vê é a sanha de quem derruba um bosque (...)." (João Cabral de Melo Neto, *A cana dos outros*) [F.: Talvez do lat. *insania* 'loucura furiosa'.]

sanhaço (sa.*nha*.ço) *sm. Zool.* Nome comum dado a diversos pássaros emberizídeos, frugívoros, esp. aqueles do gên. *Thraupis*, de plumagem azulada ou esverdeada e canto melodioso [F.: Do tupi *saya'su*.]

sanharó (sa.nha.*ró*) *sm. Ent.* Abelha social meliponídea (*Trigona silvestriana*), nativa do Brasil, de 9 a 11 cm de comprimento, preta e brilhante [F.: Do tupi.]

sanhudo (sa.*nhu*.do) *a.* **1** Ver *sanhoso* **2** *Fig.* Que causa medo; TEMÍVEL; TERRÍVEL: "Eras feliz demais, demais formosa; / A sanhuda cobiça dos tiranos / Veio enlutar teus venturosos dias." (Machado de Assis, "Polônias" *in Crisálidas*) [F.: *sanha* + *-udo*.]

sanidade (sa.ni.*da*.de) *sf.* **1** Estado ou condição de quem ou do que está física ou mentalmente são **2** Higiene, salubridade [F.: Do lat. *sanitate(m)*.]

sânie (*sâ*.ni:e) *sf.* **1** *Med.* Líquido contendo pus e sangue, produzido por ferimento ou úlcera não cicatrizados: "(...) de abrir um tumor, espalhando-lhe a sânie no são da carne (...)." (João Guimarães Rosa, *Ave, Palavra*) **2** *P. ext.* Podridão [F.: Do lat. *sanie(m)*.]

sanificação (sa.ni.fi.ca.*ção*) *sf.* Ação ou resultado de sanificar [Pl.: *-ções*.] [F.: *sanificar* + *-ção*.]

sanificante (sa.ni.fi.*can*.te) *a2g.* **1** Que sanifica (ação sanificante) *s2g.* **2** Produto sanificante [F.: *sanificar* + *-nte*. Sin. ger.: *sanificador*.]

sanificar (sa.ni.fi.*car*) *v. td.* Fazer com que se torne são, salubre; LIMPAR; DESINFETAR; SANEAR [▶ **11** sanificar] [F.: *san-* + *-i-* + *-ficar*.]

sanioso (sa.ni:*o*.so) [ô] *a.* Que contém sânie (ferida saniosa) [F.: Do lat. imp. *saniosu(m)*.]

sanitário (sa.ni.*tá*.ri:o) *a.* **1** Que se refere a ou é próprio da saúde ou da higiene (medidas sanitárias) **2** Que é apropriado para a higiene (vaso sanitário) **3** Ref. a ou próprio de banheiro *sm.* **4** Cômodo de uma residência ou de um estabelecimento onde se encontram a louça us. para higiene como o vaso, a pia, o bidê etc; BANHEIRO; TOALETE: "Madureira levantou-se para ir ao sanitário." (Marques Rebelo, *O simples coronel Madureira*) **5** O vaso de louça que, neste cômodo, é us. para expelir urina e fezes [F.: Do fr. *sanitaire*.]

sanitarismo (sa.ni.ta.*ris*.mo) *sm.* Conjunto de políticas e ações que visam à implementação da saúde pública [F.: *sanitário* + *-ismo*.]

sanitarista (sa.ni.ta.*ris*.ta) *a2g.* **1** Ref. à saúde, à higiene (medidas sanitaristas) *a2g.* **2** Especializado em saúde pública *s2g.* **3** *Med.* Médico que se especializou em saúde pública [F.: *sanitário* + *-ista*.]

sanitarização (sa.ni.ta.ri.za.*ção*) *sf.* Ação ou resultado de sanitarizar [F.: *sanitarizar* + *-ção*.]

sanitarizar (sa.ni.ta.ri.*zar*) *v. td.* Submeter (algo, lugar) a operação sanitária, de higienização [▶ **1** sanitarizar] [F.: *sanitário* + *-izar*.]

sanitização (sa.ni.ti.za.*ção*) *sf.* Conjunto de procedimentos adotados na indústria de alimentos para preparação de produtos dentro das condições de higiene recomendáveis [Pl.: *-ções*.] [F.: *sanitizar* + *-ção* (do ing. *sanitization*).]

sanitizado (sa.ni.ti.*za*.do) *a.* Que passou por processo de sanitização [F.: Part. de *sanitizar*.]

san-marinense (san-mari.*nen*.se) *s2g.* **1** Aquele ou aquela que nasceu ou que vive na República de San Marino (Península Itálica, Europa) *a2g.* **2** Da República de San Marino; típico desse país ou de seu povo [Pl.: *san-marinenses*.] [F.: Do top. *San Marino* + *-ense*.]

sanscrítico (sans.*crí*.ti.co) *a.* Ref. ao sânscrito (símbolo sanscrítico); SÂNSCRITO [F.: *sânscrito* + *-ico*².]

sânscrito (*sâns*.cri.to) *sm. Gloss.* Grupo de línguas indo-europeias da Índia, em uso desde 1200 a.C., esp. na religião e na literatura clássica hindus [Tb. us. como adj.] [F.: Do sânsc. *samskrta* 'aperfeiçoado'.]

sanscritologia (sans.cri.to.lo.*gi*.a) *sf.* Tratado da língua e literatura sanscríticas [F.: *sânscrito* + *-logia*.]

sanscritologista (sans.cri.to.lo.*gis*.ta) *s2g.* Indivíduo especializado em sanscritologia [F.: *sanscritologia* + *-ista*.]

⊕ ***sans-cullote*** (*Fra.* /sã kylót /) *Hist. a2g.* **1** Diz-se de partidário fervoroso da Revolução Francesa. (Nome que os aristocratas deram a esses revolucionários que substituíram os calções [cullotes] por calças compridas.) (líder sans-cullote) *s2g.* **2** Revolucionário sans-cullote (governo dos sans-cullotes)

sansei (san.*sei*) *s2g.* Neto de imigrantes japoneses, nascido fora do Japão [Tb. us. como adj. Cf.: *issei* e *nisei*.] [F.: Do jap. *san-sei* 'terceira geração'.]

santa (*san*.ta) *sf.* **1** Mulher que foi canonizada (Santa Luzia). [Abrev.: *S.*] **2** *Fig.* Mulher virtuosa, generosa, pura **3** Imagem de mulher canonizada **4** Forma de tratamento carinhoso dado a uma mulher: *Obrigada por tudo, minha santa.* [Superl.: *santona, santilona, santarrona*.] [F.: Fem. de *santo*.]

santalácea (san.ta.*lá*.ce:a) *Bot. sf.* Espécime das santaláceas, fam. de plantas da ordem das *santales* composta de árvores, arbustos e ervas que ger. parasitam raízes de outras plantas; apresentam folhas simples, ger. opostas, flores pequenas esverdeadas e frutos nuciformes ou drupáceos. Ocorrem em áreas subtropicais secas e tropicais, são us. para extração de madeiras (como o sândalo), óleos e tanino, ou pelos frutos e raízes comestíveis [F.: Do lat. cient. fam. *Santalaceae*, do lat. cient. gên. *Santalum*.]

santaláceo (san.ta.*lá*.ce:o) *a. Bot.* Ref. às santaláceas [F.: *santalácea* (*a* /*o*).]

santa-lucense (san.ta-lu.*cen*.se) *s2g.* **1** Indivíduo nascido ou que vive em Santa Lúcia (Caribe) *a2g.* **2** De Santa Lúcia; típico dessa cidade ou de seu povo [Pl.: *santa-lucenses*.]

santantônio (san.tan.*tô*.ni:o) *sm.* **1** *Bras. Aut.* Barra que, em carros de corrida e picapes, protege o piloto em caso de capotagem **2** *Bras. Hip.* Dianteira saliente da sela, na qual o montador pode se apoiar **3** *Lus.* Nas bicicletas, parte dianteira do selim [F.: Do antr. *santo Antônio*. Tb. *santo-antônio*.]

santão (san.*tão*) *a. sm. Pej. Pop.* Ver *santarrão* [Pl.: *-tões*. Fem.: *santona*.] [F.: *santo* + *-ão*.]

santareno (san.ta.*re*.no) *sm.* **1** Indivíduo nascido ou que vive em Santarém (Portugal) *a.* **2** De Santarém; típico dessa cidade ou de seu povo [F.: Do top. *Santar(ém)* + *-eno*¹.]

santarrão (san.tar.*rão*) *sm. Pej. Pop.* Indivíduo que hipocritamente aparenta santidade, devoção, fervor religioso; SANTÃO [Tb. us. como adj.] [Pl.: *-rões*. Fem.: *santarrona, santilona, santona*.] [F.: *santo* + *-arrão*; aum. deprec. de *santo*.]

santarrona (san.tar.*ro*.na) [ô] *sf. Pej. Pop.* Falsa devota; SANTILONA; SANTONA [Aum. irreg. de *santa*.] [F.: *santarrão* (*-ão*/ *-ona*).]

santeiro (san.*tei*.ro) *a.* **1** Que mostra grande fervor religioso, grande devoção; BEATO; DEVOTO **2** Que faz imagens sacras, esculpindo-as, modelando-as **3** *Bras. Pop.* Que indica ser um local propício a furtos **4** *Esc.* Artista que esculpe ou modela imagens sacras [F.: *santo* + *-eiro*.]

santelmo (san.*tel*.mo) *sm.* Chama na ponta de um mastro causada por descarga elétrica em tempestades; FOGO DE SANTELMO [F.: *santo* + *Elmo*, alter. de *Erasmo*.]

santeria (san.te.*ri*.a) *sf.* Culto popular dos santos (orixás), esp. dos cultos afro-americanos e afro-brasileiros [F.: Do espn. *santería*.]

santiaguês (san.ti:a.*guês*) *sm.* **1** Indivíduo nascido ou que vive em Santiago de Compostela (Espanha) *a.* **2** De Santiago de Compostela; típico dessa cidade ou de seu povo [Pl.: *-gueses* [ê]. Fem.: *-guesa* [ê].] [F.: Do top. *Santiago* (de Compostela) + *-ês*.]

santiaguino (san.ti:a.*gui*.no) *sm.* **1** Indivíduo nascido ou que vive em Santiago (capital do Chile) *a.* **2** De Santiago; típico dessa cidade ou de seu povo [F.: Do top. *Santiago* + *-ino*¹.]

santidade (san.ti.*da*.de) *sf.* **1** *Rel.* Qualidade ou condição de santo **2** *Rel.* Estado de santificação; RELIGIOSIDADE **3** *P. ext.* Pureza, virtude: "D. Diogo (...) preferiu pagar o alto preço de não ferir a santidade do asilo." (Alberto da Costa e Silva, *A manilha e o libambo*) [Us. tb. como tratamento dispensado ao papa, precedido de pr. pss., ger. grafado com letra maiúsc. Ex.: *Sua* Santidade, o Papa, vai presidir a cerimônia.] [F.: Do lat. *sanctitate(m)*.] ■ **Vossa Santidade** Tratamento dado ao Papa **Sua ~** F. de tratamento e forma respeitosa de se referir ao Papa

santificação (san.ti.fi.ca.*ção*) *sf.* **1** Ação ou resultado de santificar(-se), de tornar(-se) santo **2** Inscrição no rol dos santos; CANONIZAÇÃO **3** Ação de tornar alguém ou algo digno de veneração e respeito: "(...) e que os ascetas buscavam como meio de santificação (...)." (João Guimarães Rosa, *Ave, Palavra*) **4** *Rel.* Celebração religiosa segundo os preceitos cristãos: *Santificação de alguns dias.* **5** Educação religiosa: *Santificação de povos pagãos.* [Pl.: *-ções*.] [F.: Do lat. ecles. *sanctificatione(m)*.]

santificado (san.ti.fi.*ca*.do) *a.* **1** Que se tornou santo **2** Diz-se de dia consagrado ao culto pela Igreja [F.: Do lat. ecles. *sanctificatione(m)*.]

santificador (san.ti.fi.ca.*dor*) [ô] *a.* **1** Que santifica (poder santificador); SANTIFICANTE *sm.* **2** Aquele que santifica [F.: Do lat. *santificator, -oris*.]

santificante (san.ti.fi.*can*.te) *a2g.* Que santifica (graça santificante); SANTIFICADOR [F.: *santificar* + *-nte*.]

santificar (san.ti.fi.*car*) *v.* **1** Tornar(-se) santo; MORALIZAR-SE [*td.*: *Só a graça santifica o homem.*] [*int.*: *As virtudes sobrenaturais santificam; O eremita santificou-se no deserto.*] **2** Declarar santo; CANONIZAR [*td.*: *A Igreja santificou a madre Tereza.*] **3** Tornar digno de respeito ou veneração [*td.*: *Santificava as pessoas que amava.*] **4** Dar caráter moralizador por meio da religião [*td.*: *Os religiosos queriam santificar os selvagens.*] **5** Celebrar de acordo com a lei da Igreja [*td.*: *santificar os domingos.*] [▶ **11** santificar] [F.: Do lat. tardio *sanctificare*. Hom./Par.: *santificáveis* (fl.), *santificáveis* (a2g. pl.).]

santificável (san.ti.fi.*cá*.vel) *a2g.* Que deve ou pode ser santificado [Pl.: *-eis*.] [F.: *santificar* + *-vel*. Hom./Par.: *santificáveis* (a2g. pl.), *santificáveis* (fl. *santificar*).]

santigar (san.ti.*gar*) *v. td.* Benzer (alguém ou a si mesmo); fazer o sinal da cruz; SANTIGUAR [▶ **14** santigar] [F.: Do lat. tard. *sanctificare*.]

santimônia (san.ti.*mô*.ni:a) *sf.* **1** Modo ou comportamento próprio de santo **2** *Irôn.* Excesso de devoção religiosa [F.: Do lat. *sanctimonia*.]

santimonial (san.ti.mo.ni.*al*) *a.* **1** Referente a santimônia **2** Que finge ser puro; SANTANÁRIO [Pl.: *-ais*.] [F.: Do lat. *sanctimoniālis, -e*.]

santinho (san.*ti*.nho) *sm.* **1** Pequena estampa com figura sagrada **2** *P. ext. Irôn.* Pessoa virtuosa, ajuizada ou que finge ser assim **3** *Bras. Pop. Pol.* Estampa com foto e identificação de um candidato, distribuída aos eleitores em época de eleição [Dim. de *santo*.] [F.: *santo* + *-inho*.] ■ **~ do pau oco** *Fam.* Ver *Santo de pau oco*.

santíssimo (san.*tís*.si.mo) *a.* **1** Muitíssimo santo (Santíssima Trindade) [Us. como tratamento dispensado ao Papa: Santíssimo Padre. Nesta acp., com inicial ger. maiúsc.] [Superl. abs. sint. de *santo*.] *sm.* **2** *Litu.* A hóstia consagrada exposta para adoração **3** *Litu.* O sacramento da Eucaristia [F.: Do lat. *sanctissimu(m)*.]

santo (*san*.to) *a.* **1** Que diz respeito ao que é divino; SAGRADO: *As igrejas são locais santos.* [Ant.: *profano*.] **2** Diz-se de pessoa canonizada pela Igreja (santo Antônio; santa Rita) [Com raras exceções, quando o nome do santo começa por consoante, diz-se são (são Pedro).] **3** Que vive conforme a lei de Deus, cumprindo os deveres religiosos; BONDOSO; VIRTUOSO: *Uma santa mulher distribui todos os anos roupas aos pobres.* **4** Que tem caráter religioso (santa obra) [Ant.: *profano*.] **5** Diz-se de cada um dos dias que a Igreja manda consagrar ao culto religioso: *Em dia santo, não se trabalha.* **6** Diz-se de cada um dos dias da semana que precedem o domingo de Páscoa (Quinta-Feira Santa) [Com inicial ger. maiúsc., nesta acp.] **7** Que é puro, isento de culpas ou imperfeições (santo matrimônio) **8** Que não deve ser infringido, desrespeitado; INVIOLÁVEL: *Santo direito à liberdade.* **9** Que produz o efeito desejado (santo remédio); EFICAZ; ÚTIL [Ant.: *ineficaz, inútil*.] **10** Que não faz mal a ninguém; INGÊNUO; INOCENTE [Superl.: *abs. sint. santíssimo*] *sm.* **11** *Rel.* A pessoa que foi canonizada: *Pediu a todos os santos que o protegessem.* **12** A imagem dessa pessoa: *Olhou para a santa com devoção, agradecendo a graça alcançada.* **13** Indivíduo extremamente bondoso ou paciente e, por vezes, ingênuo: *Não sei como aguenta aquela mulher, ele é um santo!* **14** *Bras. Rel.* Ver *orixá*: *No terreiro, recebeu um santo.* [Aum. pej.: *santão, santarrão*.] [F.: Do lat. *sanctu(m)*. Ideia de 'santo': *hagio-*.] ■ **~ de pau oco** **1** *Fam. Ant. Bras.* Imagem de santo, de madeira e oca por dentro, us. para contrabandear ouro e diamantes **2** *Fam.* Pessoa sonsa, que se faz hipocritamente de inocente; santarrão; santinho de pau oco **3** Menino travesso mas com jeito de inocente, que se faz de santinho (2); santinho do pau oco **~(s) óleo(s)** *Litu. Rel.* Nos sacramentos católicos, óleo(s) abençoado(s) por bispo na Quinta-feira Santa **Assentar o ~ Bras** *Rel.* Passar por iniciação em culto afro-brasileiro **Bolar no ~** *Bras. Rel.* Ver *cair no santo* **Cair no ~** *Bras. Rel.* Ficar em transe, ao ser possuído por orixá, em culto afro-brasileiro; bolar no santo **Descobrir um ~ para cobrir outro** *Fam.* Ver *Despir um santo para vestir outro* **Despir um ~ para vestir outro** *Fam.* Ao beneficiar um ou alguém, prejudicar outra coisa ou outrem; descobrir um santo para cobrir outro **Não ser ~ da devoção de** **1** *Irôn.* Não ter a admiração, o respeito ou a simpatia de alguém **2** *P. ext.* Não ter afinidade ou identificação com; ter opiniões, métodos ou modo de agir bem distintos dos de (outra pessoa) **Ter ~ forte** **1** *Bras. Pop.* Parecer estar protegido contra má sorte, sortilégios, infortúnios etc. **2**

Parecer estar sob a proteção de alguém, ser apadrinhado de alguém; ter as costas largas
santo-antônio (san.to-an.*tô*.ni:o) **sm.** Ver *santantônio* [Pl.: *santo-antônios*.]
santo-daime (san.to-*dai*.me) **sm.** **1** *Rel.* Seita amazônica, fundada no Acre pelo seringueiro maranhense Raimundo Irineu Serra, cujos ritos trazem influência da cultura cristã e ameríndia **2** *P. ext.* Bebida alucinógena ingerida durante as cerimônias desta seita [Tb. se diz apenas *daime*.] [Pl.: *santo-daimes*.]
santomense (san.to.*men*.se) **a2g. s2g.** Ver *são-tomense* [F.: Do top. *São Tom(é)* e Príncipe + *-ense*.]
santomerino (san.to.me.*ri*.no) **sm. a.** O mesmo que *são-tomeense*[1]
santonina (san.to.*ni*.na) **sf.** *Quím.* Substância ($C_{15}H_{18}O_3$) encontrada em algumas ssp. do gênero Artemisia, como, entre outras, a erva sêmen [F.: Do lat. *(herba) Santon (ica), artemisia*, + *-ina*.]
santoral (san.*to*.ral) **sm.** **1** Livro que relata a vida dos santos; HAGIOLÓGIO **2** Que reúne os hinos dos santos; HINÁRIO [Pl.: *-rais*.] [F.: Do lat. *(flos) sanctorum* + *-al*.]
santuário (san.tu:*á*.ri:o) **sm.** **1** *Rel.* Lugar considerado sagrado por alguma religião **2** *Rel.* Templo a que se fazem romarias: *Visitou o santuário de Nossa Senhora, em Fátima.* **3** *Rel.* Oratório com imagens religiosas **4** *Rel.* Local proibido ao público, em que se guardam objetos sacros **5** *Fig.* Reserva ecológica preservada da presença humana, assim como de atividades, como a caça e a pesca, muito prejudiciais à perpetuação de algumas espécies **6** *Fig.* O âmago, o interior de uma pessoa: *Guarda em seu santuário uma grande paixão.* [F.: Do lat. *sanctuariu(m)*.]
sanzala (san.*za*.la) **sf.** *Hist.* Ver *senzala* [F.: Do quimb. *san'zala* 'habitação'.]
◎ **-são** *suf. nom.* Terminação de nomes de ação, em geral de formação erudita, já no próprio latim: *excursão, repercussão* etc. [F.: Do lat. *-(s)sio, onis*, de *-sus* (de supinos e particípios de verbos) + o suf. *-io, -onis* (ver *-ão*[3]).]
são[1] **a.** **1** Que goza de saúde física e mental; SADIO [Ant.: *doente, enfermo*.] **2** Que é benéfico à saúde (ambiente são); SAUDÁVEL; SALUTAR **3** Que readquiriu a saúde, que está curado **4** Diz-se de fruto que não está podre ou não está completamente podre: *Aproveite a banda sã da laranja.* **5** Diz-se de objeto sem quebra ou defeito **6** Que não apresenta ferimento (são e salvo); ILESO; INCÓLUME **7** Que não tem defeito, que mostra sensatez, equilíbrio (ideia sã); JUSTO; RETO [Superl.: *saníssimo*] **sm.** **8** Pessoa que goza de saúde: *Acolhe a todos, os sãos e os doentes.* **9** Qualidade do que é saudável **10** A parte sã de algo **11** Estado perfeito, acabado de algo [Pl.: *sãos*. Fem.: *sã*.] [F.: Do lat. *sanu(m)*. Hom./Par.: *são* (a. sm.)/*são* (fl. de *ser*). Ideia de 'são': *san-*.]
são[2] **sm.** Santo canonizado (são João) [abr.: *S.*] [Esta forma se emprega antes de nomes masculinos iniciados por consoante: *são Nicolau, são Francisco, são Pedro* etc.] [F.: Do lat. sam. Hom./Par.: *são* (sm.)/*são* (fl. de *ser*).]
são-bernardo (são-ber.*nar*.do) **sm.** **1** *Cinol.* Cão de raça originário dos Alpes Suíços, de grande porte, muito peludo, de cauda longa e orelhas caídas, utilizado no socorro a vítimas de tempestades e avalanches de neve **2** *P. ext. Cinol.* Essa raça de cão **3** *Agr.* Certo tipo de pera portuguesa [Pl.: *são-bernardos*.] [F.: Do hagiônimo *São Bernardo*.]
são-cristovense (são-cris.to.*ven*.se) **s2g.** **1** Aquele ou aquela que nasceu ou que vive na federação de São Cristóvão e Névis (Mar das Antilhas) [Pl.: *são-cristovenses*.] **a2g.** **2** De São Cristóvão e Névis; típico dessa federação ou de seu povo [Pl.: *são-cristovenses*.] [F.: Do top. *São Cristóv(ão) (e Névis)* + *-ense*. Tb. *cristovense*.]
são-marinense (são-ma.ri.*nen*.se) **s2g.** **1** Aquele ou aquela que nasceu ou que vive em República de São Marino (Europa) [Pl.: *são-marinenses*.] **a2g.** **2** De República de São Marino; típico dessa república ou de seu povo [Pl.: *são-marinenses*.] [F.: Do top. *(República de) São Marino* + *-ense*.]
são-paulino (são-pau.*li*.no) *Bras. Fut.* **a.** **1** Que se refere ao São Paulo Futebol Clube (SP) **a.** **2** Referente a indivíduo que é associado, jogador ou torcedor desse clube **sm.** **3** Esse indivíduo [Pl.: *são-paulinos*.] [F.: *São Paulo (Futebol Clube)* + *-ino*.]
são-vicente (são-vi.*cen*.te) **sm.** Antiga moeda de ouro portuguesa, cunhada à época de D. João III (1521-1557) [F.: Do hagiônimo *São Vicente*. Tb.: vicente.]
são-vicentino (são-vi.cen.*ti*.no) **sm.** **1** Aquele que nasceu ou que vive em São Vicente e Granadinas (América Central) [Pl.: *são-vicentinos*.] **a.** **2** De São Vicente e Granadinas; típico desse país ou de seu povo [Pl.: *são-vicentinos*.] [F.: Do top. *São Vicente (e Granadinas)* + *-ino*[1].]
⊠ **SAP** Sigla do ing. Second Audio Program ('programa de segundo áudio'), função de certos televisores qu permite ouvir os programas dublados na língua em que originalmente foram gravados
sapa[1] (*sa*.pa) **sf.** **1** Abertura de fossos, trincheiras, galerias subterrâneas etc. **2** Pá us. para escavar tais fossos, trincheiras etc. [F.: Do fr. *sape*. Hom./Par.: *sapa* (sf.), *sapa* (fl. de *sapar*).]
sapa[2] (*sa*.pa) **sf.** *Zool.* A fêmea do sapo [F.: De *sapo*, com alter. da vogal temática. Hom./Par.: ver *sapa*[1].]
sapador (sa.pa.*dor*) [ô] **a.** **1** Diz-se de soldado ou outra pessoa que faz trabalhos de sapa **sm.** **2** Indivíduo que faz trabalhos de sapa [F.: *sapar* + *-dor*.]
sapar (sa.*par*) **v. int.** **1** Cuidar da terra utilizando sapa ou pá: *O camponês sapava todas as manhãs.* **2** Fazer trabalhos de sapa (abrir fossos, buracos etc.): *O homem queria sapar em sua terra.* [F.: *sapa* + *-ar*[2]. Hom./Par.: *sapa(s)* (fl.), *sapa(s)* (sf. [pl.]); *sapais* (fl.), *sapais* (sm. pl.); *saparia(s)* (fl.), *saparia(s)* (sf. [pl.]); *sape* (fl.), *sape* (interj.); *sape(s)* (fl.), *sapé(s)* (sm. [pl.]), *sapê(s)* (sm. [pl.]); *sapo* (fl.), *sapo* (sm.); *sapará(s)* (fl.), *sapará(s)* (a2g. s2g. sm. [pl.]); *sapa(s)* (fl.), *sapá* (sf. [pl.]).]
saparia (sa.pa.*ri*.a) **sf.** **1** Uma porção de sapos **2** *SP Pop.* Grupo de indivíduos rudes; CAMBADA; CORJA [F.: *sapo* + *-aria*.]
sapata (sa.*pa*.ta) **sf.** **1** *Cons.* Ampla superfície de concreto na base do alicerce **2** Calçado largo e grosseiro sem salto **3** *Cons.* Porção de madeira grossa posta sobre o pilar para reforçar a trave que aí assenta **4** Base de apoio a trilho de estrada de ferro **5** *Aut.* Peça do freio de automóveis que se atrita contra os tambores na frenagem **6** *Mec.* Peça de borracha que absorve o excesso de força de um mecanismo ao atritar sobre uma superfície **7** *Mar.* Pequena peça de madeira circular, com um só furo no meio, e que tem a figura de um sapato **8** Antigo estribo de metal fechado, como um chinelo **9** *Mús.* Ver *sapatilha* **10** *Bras. Vulg.* Mulher homossexual; SAPATÃO [Denota preconceito.] **11** *Amaz.* Látex coagulado que fica no chão após a sangria da seringueira **12** *RS Lud.* Jogo de amarelinha [F.: De *sapato*.]
sapatada (sa.pa.*ta*.da) **sf.** **1** Golpe desferido com sapato ou sapata **2** *P. ext.* Golpe forte desferido com a mão **3** Pancada que animais dão com a pata, esp. felinos **4** *AL* Pontapé deferido dentro d' água; CANGAPÉ **5** *Mar.* Pancada súbita dada pela escota na vela, por ação do vento [F.: *sapato* + *-ada*.]
sapatão (sa.pa.*tão*) **sm.** **1** Sapato grande e grosseiro **2** *SP Pej.* Alcunha dada aos portugueses na época da Independência **3** *Bras. Vulg.* Mulher homossexual; LÉSBICA *Vulg.*; SAPATA [Denota preconceito.] [Pl.: *-tões*.] [F.: *sapato* + *-ão*.]
sapataria (sa.pa.ta.*ri*.a) **sf.** **1** Estabelecimento em que se vendem diversos tipos de calçados e bolsas **2** Técnica de fabricar calçados **3** Ofício de sapateiro [F.: *sapato* + *-aria*.]
sapateado (sa.pa.te.*a*.do) **sm.** **1** *Dnç.* Dança de origem norte-americana em que os bailarinos usam sapatos especiais dotados de chapas metálicas no solado com as quais marcam o ritmo **2** *Dnç.* Dança popular espanhola, ger. sem acompanhamento musical **3** *Mús.* Ritmo musical marcado com o uso dos pés **a.** **4** Que se faz batendo no chão com os pés calçados (ritmo sapateado) [F.: Part. de *sapatear*.]
sapateador (sa.pa.te:a.*dor*) [ô] **a.** **1** *Dnç.* Diz-se de pessoa que sapateia ou que dança o sapateado **sm.** **2** *Dnç.* Dançarino que sapateia [F.: *sapateado* + *-or*.]
sapatear (sa.pa.te.*ar*) **v.** **1** Dançar utilizando as técnicas do sapateado [**td.**: *Sapateou uma música de Cole Porter.*] [**int.**: *O dançarino começou a sapatear cedo.*] **2** Bater os pés no chão com movimentos fortes e rápidos [**int.**: *O menino sapateava de raiva.*] **3** Dar sapatadas em [**td.**: *A mãe sapateia os filhos.*] [▶ 13 sapat**ear**] [F.: *sapato* + *-ear*[2]. Hom./Par.: *sapateio* (fl.), *sapateio* (sm.).]
sapateio (sa.pa.*tei*.o) **sm.** Ação ou resultado de sapatear [F.: Dev. de *sapatear*. Hom./Par.: *sapateio* (sm.), *sapateio* (fl. de *sapatear*).]
sapateira (sa.pa.*tei*.ra) **sf.** **1** Mulher que faz ou conserta sapatos **2** *Mob.* Móvel destinado a guardar sapatos **3** Espécie de cortina de pano grosso, provida de pequenos bolsos nos quais se guardam sapatos [F.: *sapato* + *-eira*.]
sapateiro (sa.pa.*tei*.ro) **sm.** **1** Pessoa que se dedica a fazer, consertar ou vender sapatos **2** *Bras. Joc.* Caçador sem caça ou pescador sem peixe **3** *Bras. Pej.* Artífice inapto e intrujão [F.: *sapato* + *-eiro*.]
sapatice (sa.pa.*ti*.ce) **sf.** *Bras. Pop.* Modo, atitude ou comportamento próprio de lésbica (mulher masculinizada ou homossexual) [F.: *sapato* + *-ice*.]
sapatilha (sa.pa.*ti*.lha) **sf.** **1** Espécie de calçado leve e flexível, us. esp. por bailarinos **2** *P. ext.* Qualquer sapato flexível e macio **3** Peça de metal com que o preparador de feltro molda um chapéu **4** *Mús.* Pequena almofada de pelica, feltro etc. que recobre as chaves dos instrumentos de sopro para tapar-lhes os orifícios; SAPATA **5** Botão de couro que se coloca na ponta da espada para evitar acidentes na esgrima [F.: *sapato* + *-ilha*.]
sapato (sa.*pa*.to) **sm.** *Vest.* Calçado ger. com solado duro e a parte traseira ligeiramente mais elevada, que protege os pés do contato externo [F.: De or. obsc.] ∎ **Esperar por ~(s) de defunto** Esperar por algo incerto, demorado ou impossível **Saber onde o ~ aperta** Conhecer a causa ou a natureza de problema(s), dificuldade(s) etc. **~ cara de gato** *Bras.* Sapato trançado, com o desenho de uma cara de gato **~ de defunto** *Pop.* Promessa ou expectativa que não se realiza ou que demora a se realizar **~ de ferro** Calçado pesado de metal que se usa em exercícios de musculação da perna ou do abdome **~ de quarto** *Lus.* Chinelo
sapatona (sa.pa.*to*.na) **sf.** Mulher masculinizada ou homossexual; LÉSBICA; SAPATÃO [F.: *sapato* + *-ona*[1].]
sapatorra (sa.pa.*tor*.ra) [ô] **sf.** *Vest.* Sapato grosseiro, tosco; tb. *sapatranca* [F.: *sapato* + *-orra*.]
sapê (sa.*pê*) **sm.** **1** *Bot.* Nome comum a certas plantas da fam. das gramíneas, cujos caules muito compridos, quando secos, são us. como cobertura de casas rústicas **2** Os caules secos dessas plantas **3** *PE* Espécie de cesto ou balaio, para vários usos **4** *PR* Ramo seco de pinheiro [F.: Do tupi *yasa'pe*. Tb. *sapé*.]
sapeada (sa.pe:*a*.da) **sf.** *Bras. Pop.* Espiada, olhadela: *Deu uma sapeada pela janela antes de entrar.* [F.: Part. de *sapear*.]
sapear (sa.pe.*ar*) **v. td.** *Bras. Pop.* Olhar às ocultas, às escondidas: *Ficou sapeando o casal por um bom tempo.* [▶ 13 sape**ar**] [F.: *sapo* + *-ear*[2].]
sapeca (sa.*pe*.ca) [é] **a2g.** **1** Diz-se de pessoa, esp. criança, arteira, travessa (menino sapeca) **2** Diz-se de pessoa assanhada, saliente, namoradeira (moça sapeca) **s2g.** **3** Criança travessa, levada **4** Pessoa que se mostra assanhada, saliente [F.: Poso ligado ao tupi *sa'peka* 'chamuscado'.]
sapecação (sa.pe.ca.*ção*) **sf.** Ação ou resultado de sapecar, de chamuscar as folhas do mate, a fim de conservá-las; CHAMUSCA; CHAMUSCO [Pl.: *-ções*.] [F.: *sapecar*[1] + *-ção*.]
sapecado (sa.pe.*ca*.do) **a.** **1** Diz-se do que está chamuscado, ligeiramente queimado ou ressecado pelo fogo: *Ficou com cabelo sapecado ao pular a fogueira.* **2** Diz-se do que assou fora do ponto (carne, peixe etc.) **3** *S* Diz-se de cavalo que tem pelo vermelho-tostado **sm.** **4** Esse cavalo [F.: Part. de *sapecar*.]
sapecar[1] (sa.pe.*car*) *Bras.* **v.** **1** *S Pop.* Bater ou dar golpe em (alguém) [**td.**: *Sapecara o garoto atrevido.*] **2** *Bras.* Secar para conservar [**td.**: *Depois de sapecar alguns alimentos, foi dormir.*] **3** Queimar(-se) superficialmente [**td.**: *O fogo sapecou seus cabelos.*] [**int.**: *Sapecou-se ao pular a fogueira.*] **4** Atirar, disparar [**tdi.** + *em*: *Sapecou vários tiros nos ladrões.*] **5** *N. E.* Fazer (um trabalho) de maneira incompleta ou imperfeitamente [**tda.**: *O pintor sapecou uma pintura grosseira nas paredes e foi logo embora.*] [▶ 11 sape**car**] [F.: Do tupi *sa'pek*. Hom./Par.: *sapeca(s)* (fl.), *sapeca(s)* (a2g. s2g. sf. [pl.]).]
sapecar[2] (sa.pe.*car*) **v.** **1** *Bras.* Aplicar de forma ágil e inesperada [**tdi.** + *em*: *sapecar um beijo na colega.*] **2** Fazer travessuras [**int.**: *As crianças sapecavam no quintal.*] **3** *Bras.* Namorar muito [**int.**: *Só o que ela queria era sapecar.*] **4** Farrear, folgar, divertir-se [**int.**: *Todos os finais de semana, os amigos saíam para sapecar.*] **5** Dizer prontamente, de chofre; dizer de maneira incisiva e rápida [**td.**: *Sapecou alguns argumentos brilhantes e calou-se.*] [**tdr.** + *em*: *Não deu aula, mas sapecou alguns conselhos na criançada.*] [▶ 11 sape**car**] [F.: *sapeca* + *-ar*[2]. Hom./Par.: ver *sapecar*[1].]
sapequice (sa.pe.*qui*.ce) **sf.** *Bras. Pop.* Qualidade ou ato de sapeca: *Mande a menina acabar com essa sapequice!* [F.: *sapeca* + *-ice*.]
sapezal (sa.pe.*zal*) **sm.** Plantação de sapês; SAPEZEIRO [Pl.: *-zais*.] [F.: *sapê* + *-z-* + *-al*.]
sapicão (sa.pi.*cão*) **sm.** *Cul.* Chouriço de grosso formato, preparado com porco ou presunto [Pl.: *-cões*.]
sápido (*sá*.pi.do) **a.** **1** Que é dotado de sabor; SABOROSO [Ant.: *insípido*.] **2** Agradável ao paladar [Ant.: *insípido*.] [F.: Do lat. *sapidu(m)*.]
sapiência (sa.pi:*ên*.ci:a) **sf.** **1** Qualidade ou característica de sapiente **2** Acervo de cultura e erudição: "(...) mas o silêncio de Martinez lhe conferia uma espécie de sapiência absoluta (...)." (Antônio Callado, *Bar Don Juan*) **3** A infinita sabedoria de Deus; sabedoria divina [F.: Do lat. *sapientia*.] ∎ **Vossa/Sua ~** *Irôn. Joc.* Us. como tratamento ou referência a alguém, aludindo-se a sua (falta de) inteligência ou sabedoria
sapiente (sa.pi:*en*.te) **a2g.** **1** Ref. à sapiência (atitude sapiente); SÁBIO **2** Que denota sapiência, que demonstra grande sabedoria [Superl.: *sapientíssimo*] **s2g.** **3** Indivíduo que demonstra saber, que se mostra conhecedor das coisas divinas e humanas [F.: Do lat. *sapiente(m)*.]
sapientização (sa.pi.en.ti.za.*ção*) **sf.** Aquisição de sapiência, de sabedoria
sapindácea (sa.pin.*dá*.ce:a) **sf.** *Angios.* Espécime das sapindáceas, fam. da ordem das *sapindales*, que compreende arbustos, árvores, lianas e trepadeiras herbáceas, de flores pequenas e frutos carnosos ou secos, algumas cultivadas pelos frutos, pela madeira e pelo óleo que se extrai de suas sementes, e tb. para a produção de certas bebidas e como ornamentais [F.: Do lat. cient. *Sapindaceae*.]
sapindáceo (sa.pin.*dá*.ce:o) **a.** Que se refere às sapindáceas [F.: *sapindo* + *-áceo*.]
sapinho (sa.*pi*.nho) **sm.** **1** *Med.* Inflamação causada por fungo e que provoca o surgimento de placas brancas na boca [Mais us. no pl.] **2** Sapo pequeno **3** *Vet.* Inflamação nos lados do freio da língua dos cavalos [F.: *sapo* + *-inho*.]
sapiranga (sa.pi.*ran*.ga) *Bras.* **sf.** *N. E. Pop. Oft.* Mesmo que *blefarite* [Fem.: *sapiroca (no Sul)*] [F.: Do tupi. Tb. *sarapiranga*.]
sapituca (sa.pi.*tu*.ca) *SP Pop.* **sf.** **1** Embriaguez passageira, rápida **2** Perda passageira das forças físicas; DESFALECIMENTO; DESMAIO [F.: Posv. de or. *indígena*.]
sapo (*sa*.po) **sm.** **1** *Zool.* Denominação comum aos anfíbios anuros do gên. *Bufo*, da fam. dos bufonídeos, de hábitos terrestres e pele rugosa [Nesta acp., col.: *saparia*.] **2** *Vet.* Inflamação dos cascos do cavalo **3** Pessoa que fica olhando o jogo dos outros; PERU [F.: Prov. de or. pré-romana.] ∎ **Engolir ~(s)** *Bras.* Ser obrigado a aturar algo ou alguém; suportar coisa, fato ou pessoa desagradável por necessidade ou conveniência
sapo-boi (sa.po-*boi*) **sm.** *Bras. Zool.* Denominação comum aos anfíbios anuros do gên. *Ceratophrys*, da fam. dos leptodatilídeos, de corpo arredondado, boca muito grande e pequenos cornos carnosos situados sobre os olhos; INTANHA; SAPO-DE-CHIFRE; UNTANHA [Pl.: *sapos-bois e sapos-boi*.]
sapo-cururu (sa.po-cu.ru.*ru*) **sm.** *Bras. Zool.* Nome comum dado aos sapos do gên. *Bufo*, da fam. dos bufonídeos, esp. aqueles da sp. *Bufo marinus*, de grande porte e coloração amarelada com manchas marrons, encontrados dos Estados Unidos ao Brasil; CURURU [Pl.: *sapos-cururus*.]
sapo-do-mar (sa.po-do-*mar*) **sm.** *Bras. Ict.* Mesmo que *baiacu* [Pl.: *sapos-do-mar*.]

sapo-ferreiro (sa.po-fer.*rei*.ro) *sm. Bras. Herp.* Mesmo que *sapo-martelo* (*Hyla faber*) [Pl.: *sapos-ferreiros*.]

sapólio (sa.*pó*.li.o) *sm.* Produto de limpeza que contém substância abrasiva e detergente [F.: Marca registrada.]

◎ **sapon-** *el. comp.* Ver *sab(on)-*

saponáceo (sa.po.*ná*.ce:o) *a.* **1** Diz-se de produto similar ao sabão **2** Diz-se de produto que se pode usar como sabão **3** Esse produto [F.: *sabão* (f. rad. *sapon-*) + *-áceo*.]

◎ **sapon(i)-** *el. comp. Pref.* = ver *sab(on)-*

saponificação (sa.po.ni.fi.ca.*ção*) *sf.* **1** Ação ou resultado de saponificar **2** Processo ou técnica de fabricar sabão [F.: *saponificar* + *-ção*.]

saponificado (sa.po.ni.fi.*ca*.do) *a.* Que passou por processo de saponificação [F.: Part. de *saponificar*.]

saponificar (sa.po.ni.fi.*car*) *v. td. Quím.* Transformar(-se) em sabão por meio de processos químicos [▶ 1 saponificar] [F.: *sapon (i)-* + *-ficar*. Hom./Par.: *saponificáveis* (fl.), *saponificáveis* (a2g. pl.).]

saponina (sa.po.*ni*.na) *sf. Quím.* Substância ($C_{32}H_{52}O_{17}$) extraída de plantas saponárias, muita us. como sabão por sua espuma abundante e pelo seu poder detergente [F.: *sapon (i)-* + *-ina*, do fr. *saponine*.]

sapopema (sa.po.*pe*.ma) *sf.* **1** *Bot.* Conjunto de raízes que formam estrutura tubular em torno da base do tronco de certas árvores de floresta pluvial, muito comum na Amazônia **2** *Angios.* Árvore da fam. das apocináceas (*Aspidosperma excelsum*), que tem flores em glomérulos, madeira de boa qualidade e cuja base emite prolongamentos que formam cavidades; originária das Guianas e da Amazônia **3** *Angios.* Árvore da fam. das eleocarpáceas (*Sloanea alnifolia*), que fornece madeira de boa qualidade para a construção civil e pode ser encontrada nos Estados do RJ e SP; OURIÇO **4** *Angios.* Árvore de grande porte da mesma família (*Sloanea fernando-costai*), de folhas coriáceas e flores claras [F.: Do tupi **sapo'pema*. Tb. *sapopemba*.]

sapopemba (sa.po.*pem*.ba) *sf. Bot.* Grande raiz em volta do tronco das árvores ribeirinhas: "...no lugar onde o rio estreita, estão sempre amarradas nas sapopembas das gameleiras três boas canoas..." (Guimarães Rosa, "Buriti" *in Noites do sertão*) [F.: Do tupi *sau'pema*. Forma paral.: *sapopema*.]

saporizante (sa.po.ri.*zan*.te) *sm.* Qualquer substância que dá sabor; SAPORÍFICO [F.: *sapor(i)-* + *-z-* + *-ante*.]

sapota (sa.*po*.ta) *Bot. sf.* **1** Ver *sapotizeiro* **2** Ver *sapoti* [F.: Do espn. *zapote*.]

sapoti (sa.po.*ti*) *sm. Bot.* Fruto do sapotizeiro, uma baga carnosa, doce e suculenta com sementes grandes e pretas e casca de coloração parda; SAPOTA [F.: Do náuatle *zapotl*.]

sapotilheira (sa.po.ti.*lhei*.ra) *sf.* Mesmo que *sapotizeiro*

sapotizeiro (sa.po.ti.*zei*.ro) *sm. Bot.* Árvore da fam. das sapotáceas (*Manilkara zapota*), nativa da América Central, de fruto comestível, o sapoti, e de cujo látex se fabrica goma de mascar; SAPOTA [F.: *sapoti* + *-z-* + *-eiro*.]

◎ **sapr(o)-** *el. comp.* = 'podre', 'estragado'; 'deteriorado': *saprófito, saprófago, saprofilia*. [F.: Do gr. *saprós, á, ón*.]

saprófago (sa.*pró*.fa.go) *Biol. a.* **1** Diz-se de organismo que se alimenta de restos orgânicos putrefatos *sm.* **2** Esse organismo [F.: *sapr(o)-* + *-fago*.]

saprofítico (sa.pro.*fí*.ti.co) *a.* Referente a saprófito [F.: *saprófito* + *-ico*².]

saprófito (sa.*pró*.fi.to) *sm. Bot.* Vegetal desprovido de clorofila, como certas orquidáceas, que obtém nutrientes vitais a partir de animais e plantas em decomposição [F.: *sapr(o)-* + *-fito*.]

saprolégnia (sa.pro.*lég*.ni:a) *sf.* Fungo que se espalha na água, esp. em vegetais e animais em decomposição

saproparasita (sa.pro.pa.ra.*si*.ta) *sm.* Parasita que se encontra em matérias em decomposição [F.: *sapr(o)-* + *parasita*.]

sapróvoro (sa.*pró*.vo.ro) *a.* **1** Diz-se de animal que se alimenta de restos orgânicos em decomposição *sm.* **2** Esse animal [F.: *sapr(o)-* + *-voro*.]

sapucaia (sa.pu.*cai*.a) *Bras. Bot. sf.* **1** Nome comum a várias espécies do gên. *Lecythis*, da fam. das lecitidáceas, nativas do Brasil, de madeira resistente e cujos frutos têm sementes oleaginosas e comestíveis e são us. como cuias; CASTANHA-DO-MATO; CASTANHA-SAPUCAIA; CUMBUCA-DE-MACACO; QUATETÊ SAPUCAIEIRA; SAPUCAIEIRO **2** Árvore dessa fam. (*Lecythis pisonis*), nativa da Mata Atlântica, muito cultivada como ornamental, de madeira nobre e frutos grandes, com sementes doces e saborosas [F.: Do tupi *yasapu'kaya*.]

sapucaio (sa.pu.*cai*:o) *sm. CE Pop.* O líder dos demônios; o diabo [F.: Posv. de *sapucaia*.]

saquará (sa.qua.*rá*) *sf. RS Agr.* Cavadeira feita de madeira, empregada no plantio do milho [F.: Posv. do tupi.]

saquarema (sa.qua.*re*.ma) *s2g.* **1** *Hist.* Membro do partido conservador brasileiro, durante o Império **2** *RJ* Indivíduo que habita áreas fora do período urbano; CAIPIRA; ROCEIRO **3** *RJ Pej.* Morador de subúrbio; SUBURBANO [F.: Do top. *Saquarema* RJ.]

saque¹ (*sa*.que) *sm.* **1** Ação ou resultado de sacar dinheiro; RETIRADA **2** *Econ.* Título de crédito **3** Jogada inicial em vôlei, tênis, pingue-pongue etc. **4** *Bras.* Dito mentiroso; PETA **5** *Bras.* Opinião não solicitada; comentário de quem nada entende ou não foi consultado; PALPITE [F.: Dev. de *sacar*. Hom./Par.: *saque* (sm.), *saque* (fl. de *sacar*) e *saquê* (sm.).]

saque² (*sa*.que) *sm.* Ação ou resultado de saquear; ROUBO; PILHAGEM [F.: Alter. do arcaico *saco*. Hom./Par.: Ver *saque*¹.]

saquê (sa.*quê*) *sm.* Bebida alcoólica japonesa, feita a partir do arroz, e submetida a processo de fermentação [F.: Do jap. *sake*. Hom./Par.: *saquê* (sm.), *saque* (fl. de *sacar*), *saque* (sm.).]

saqueado (sa.que:*a*.do) *a.* Que foi vítima de saque; que foi despojado de seus bens; ROUBADO [F.: *saquear* + *-ado*¹.]

saqueador (sa.que:a.*dor*) [ô] *a.* **1** Diz-se de pessoa que faz saque, que rouba outrem *sm.* **2** Indivíduo que saqueia, que rouba outrem [F.: Rad. de *saqueado* (part. *saquear*) + *-or*.]

saquear (sa.que.*ar*) *v.* **1** Cometer saque ou pilhagem; PILHAR [*td.*: *Os vândalos saquearam a vila.*] [*int.*: *O comandante proibiu as tropas de saquear.*] **2** Cometer furto; FURTAR [*td.*: *O menino saqueou a carteira de dinheiro do pai.*] **3** Pôr por terra; ASSOLAR [*td.*: *As fortes chuvas saquearam o vilarejo.*] [▶ 13 saquear] [F.: *sacar* + *-ear*². Hom./Par.: *saqueio* (fl.), *saqueio* (sm.).]

saquitel (sa.*qui*.tel) *sm.* Saco de pequeno tamanho [Pl.: *saquitéis*. Dim. irreg. de *saco*.]

sará (sa.*rá*) *Bras. s2g.* **1** *Ent.* Fêmea alada do cupim; tb *sarassará* **2** *BA Rel.* Missa dos malês, rezada em público

sarabanda (sa.ra.*ban*.da) *sf.* **1** *Dnç.* Dança espanhola da época renascentista **2** *Mús.* A música que acompanha os movimentos desta dança **3** Grande movimento de pessoas; AGITAÇÃO; RODA-VIVA **4** Atitude repreensora; REPREENSÃO; REPRIMENDA *Pop;* PITO [F.: Prov. do espn. *zarabanda*.]

sarabatana (sa.ra.ba.*ta*.na) *sf.* O mesmo que *zarabatana*, canudo fino pelo qual se lançam pequenas setas, grãos etc. [F.: Do ár. vulg. *zarbatana*.]

sarabulho (sa.ra.*bu*.lho) *sm.* **1** Aspereza ou pequena saliência formada na superfície da louça **2** *P. ext.* Pequena ferida que apresenta crosta; BOSTELA [F.: De or. obsc.]

saracotear (sa.ra.co.te.*ar*) *v.* **1** Movimentar o corpo; REBOLAR(-SE); REQUEBRAR(-SE) [*td.*: *saracotear as cadeiras; Saracoteou-se a noite toda.*] [*int.*: *Saracoteou até o dia clarear.*] **2** Não ficar quieto [*int.*: *Esse menino não para de saracotear!*] **3** Andar de um lugar para o outro; PERAMBULAR [*int.*: *Sem trabalho, vive saracoteando por aí.*] [▶ 13 saracotear] [F.: *saracote* + *-ear*². Hom./Par.: *saracoteio* (fl.), *saracoteio* (sm.).]

saracoteio (sa.ra.co.*tei*.o) *sm.* Ação ou resultado de saracotear(-se); BAMBOLEIO; REBOLADO [F.: Dev. de *saracotear*.]

saracura (sa.ra.*cu*.ra) *sf. Zool.* Nome comum a diversas esp. de aves, da fam. dos ralídeos, de pernas e bico longos, asas curtas e dedos livres, que vivem ger. próximo à água e se alimentam tanto de vegetais quanto de pequenos animais [F.: Do tupi *sara'kura*.] ■ **Pintar a ~** *Bras. Pop.* Divertir-se fazendo travessuras; pintar o sete

sarado (sa.*ra*.do) *a.* **1** Que recuperou a saúde; CURADO [Ant.: *enfermo*.] **2** *Bras. Gír.* Que mostra vigor, que revela boa saúde física e/ou mental; SAUDÁVEL **3** *Bras. Gír.* Que tem força, que é resistente **4** *Bras. Gír.* Que se mostra valente, corajoso; VALENTÃO **5** *Bras. Gír. Pej.* Inconveniente, abusado **6** *Bras. Gír.* Que não se engana, que mostra esperteza, vivacidade; ESPERTO; VIVO: "Você é um cara sarado. Ninguém o embrulha!" (Marques Rebelo, *O simples coronel Madureira*) **7** *Bras. Gír.* Que busca enganar, ludibriar outrem; ESPERTALHÃO; TRAPACEIRO **8** *RJ Gír.* Que tem o corpo modelado pela ginástica [F.: Part. de *sarar*.]

saraiva (sa.*rai*.va) *sf. Met.* Ver *granizo* [F.: De or. obsc. Hom./Par.: *saraiva* (sf.), *saraiva* (fl. de *saraivar*).]

saraivada (sa.rai.*va*.da) *sf.* **1** Queda de saraiva ou granizo **2** Arremesso em série de algo (*saraivada de pedras*) [F.: *saraiva* + *-ada*.]

saraivar (sa.rai.*var*) *v.* **1** Cair de chuva de pedra, saraiva [*int.*: *Saraivou o dia inteiro.*] **2** Lançar-se em saraivada [*int.*: *As pedras saraivaram sobre os agitadores.*] **3** Assolar, castigar com saraiva, com granizo [*td.*: *A chuva de gelo saraivou a cidade.*] [▶ 1 saraivar] [F.: *saraiva* + *-ar*². Hom./Par.: *saraiva(s)* (fl.), *saraiva(s)* (sf. [pl.]).]

saramanta (sa.ra.*man*.ta) *sf.* Mesmo que *salamandra*

sarambeque (sa.ram.*be*.que) *sm.* **1** *Lus.* Dança de origem moura, sensual e exótica, dançada por negros no séc. XVII, mas tb. por pessoas nobres no séc. XVIII **2** *Bras.* Espécie de fandango, dançado em geral por negros; tb. *saramba* **3** *BA Dnç.* Dança de origem africana; tb. *sarambu* **4** *MG Mús.* Antiga dança negra, de batuque [F.: Do espn. *zarambeque*.]

sarampão (sa.ram.*pão*) *sm. Pop. Med.* Sarampo forte [F.: Do lat. ibérico *sirimpione*.]

sarampento (sa.ram.*pen*.to) *a.* **1** *Med.* Infectado por sarampo *sm.* **2** *Med.* Pessoa que se infectou por sarampo [F.: *sarampo* + *-ento*.]

sarampo (sa.*ram*.po) *sm.* **1** *Med.* Infecção contagiosa causada por vírus, que provoca erupção cutânea **2** *AL Gír.* Relógio vagabundo [F.: Do lat. ibérico *sirimpio*.] ■ **~ alemão** *Med.* Rubéola

saranda (sa.*ran*.da) *Bras. a2g.* **1** Diz-se de pessoa que não gosta de trabalhar; VADIO *s2g.* **2** Essa pessoa [F.: De or. obsc.]

sarandagem (sa.ran.*da*.gem) *sf. Bras.* Vida de quem não trabalha, de quem não faz nada; VADIAGEM [F.: *saranda* + *-agem*¹.]

sarandi (sa.*ran*.di) *sf.* **1** *Angios.* Nome comum de diversas plantas da fam. das euforbiáceas **2** *Angios.* Pequena árvore (*Phyllanthus emblica*), nativa da Ásia tropical, cultivada pela madeira e pelos frutos, ricos em minerais e vitamina C **3** *Angios.* O fruto dessa árvore **4** *RS Angios.* Arbusto grande (*P. sellowianus*), natural do Brasil **5** *Angios.* Arbusto (*Sebastiana angustifolia*) natural do Brasil, de folhas lineares e flores em espiga, e cuja madeira é us. como cerca viva ou lenha; salgueiro-bravo **6** *PA* Pequena ilha cheia de pedras **7** *S* Terra estéril; maninha [F.: Do tupi.]

sarandizal (sa.ran.di.*zal*) *sm. Bras.* Plantação de sarandis [Pl.: *-zais*.] [F.: *sarandi* + *-z-* + *-al*.]

sarapantado (sa.ra.pan.*ta*.do) *a.* Diz-se de indivíduo atordoado, atrapalhado [F.: Part. de *sarapantar*.]

sarapantar (sa.ra.pan.*tar*) *v.* **1** Pasmar(-se), espantar(-se) [*td.*] [*int.*] **2** Tornar(-se) perturbado, confundir(-se) [*td.*] [*int.*] **3** Causar admiração, pasmo [*int.*] [▶ 1 sarapantar] [F.: Posv. de *espantar*.]

sarapatel (sa.ra.pa.*tel*) *sm.* **1** *Cul.* Iguaria feita com sangue, miúdos de porco ou carneiro e tempero forte: "Negras vendiam arroz-doce, mungunzá, sarapatel, acarajé, nas ruas tortuosas da cidade." (Jorge Amado, *Jubiabá*) **2** *Bras. Pop.* Balbúrdia, confusão [Pl.: *-téis*.] [F.: De or. obsc.]

sarapinga (sa.ra.*pin*.ga) *sf. N. E.* Mesmo que *blefarite*

sarapintado (sa.ra.pin.*ta*.do) *a.* Coberto de pintas (corpo sarapintado); PINTALGADO [F.: Part. de *sarapintar*.]

sarapintar (sa.ra.pin.*tar*) *v. td.* **1** Colocar pintas variadas em: *Sarapintou o quadro com bolinhas azuis.* **2** Pintar de cores diversas: *Sempre sarapintava o rosto nos dias de carnaval.* [▶ 1 sarapintar] [F.: Posv. de *pintar*.]

sarapiranga (sa.ra.pi.*ran*.ga.) *sf.* Ver *sapiranga*

sarapular (sa.ra.pu.*lar*) *v. int.* Pular por estar assustado [▶ 1 sarapular]

sarar (sa.*rar*.) *v.* **1** Tornar ou ficar são, curado, ou extinguir (doença); recobrar a saúde; CURAR(-SE) [*td.*: *sarar um doente.*] [*tdr.* + *de*: *Sarou o idoso de forte gripe.*] [*int.*: *O doente sarou em pouco tempo.*] **2** Cicatrizar-se [*int.*: *A ferida demorou para sarar.*] **3** *Fig.* Eliminar (defeitos, males etc.); CORRIGIR [*td.*: *Não era mais possível sarar aquele sofrimento.*] [▶ 1 sarar] [F.: Do lat. *sanare*. Hom./Par.: *sarará(s)* (fl.), *sarará(s)* (a2g. s2g. [pl.]); *sare(s)* (fl.), *sári(s)* (sm. [pl.]).]

sarará (sa.ra.*rá*) *a2g.* **1** *Bras.* Diz-se de pessoa cuja pele se caracteriza pela ausência total ou parcial de pigmentação; ALBINO **2** Diz-se de cabelo crespo alourado ou arruivado **3** Diz-se de pessoa que tem esse tipo de cabelo **4** Que fala excessivamente; FALADOR *s2g.* **5** Indivíduo cuja pele é desprovida total ou parcialmente de pigmentação; ALBINO **6** Mulato arruivado **7** Indivíduo cujo cabelo é crespo alourado ou arruivado [F.: Do tupi *sara'ra* 'inseto noturno arruivado'.]

sarau (sa.*rau*) *sm.* **1** Reunião noturna, de caráter musical ou literário: "(...) por entre as sessões de teatro, os saraus e tertúlias nas diversas casas elegantes (...)." (Ana Maria Machado, *A audácia dessa mulher*) **2** Concerto musical à noite [F.: Do galego *serao*.]

saravá (sa.ra.*vá*) *interj. Rel.* Saudação us. nos cultos afro-brasileiros; SALVE: "Iemanjá encarnou! Ela encarnou, saravá!" (Antônio Callado, *Bar Don Juan*) [F.: Alter. de *salvar*.]

saravar (sa.ra.*var*) *v. Bras. Pop. Rel.* Saudar ou louvar, dizendo 'saravá' [*td.*: *saravar os santos.*] [*int.*: *Vamos saravar, pessoal!*] [F.: *saravá* + *-ar*².]

saravecas (sa.ra.*ve*.cas) *smpl.* Povo indígena que vivia na região das nascentes do Rio Guaporé

◎ **-sarca** *el. comp.* Ver *sarc(o)-*

sarça (*sar*.ça) *sf.* **1** Mata espessa; MATAGAL **2** *Fig.* Junção de muitas pessoas ou muitas coisas; PROFUSÃO; REUNIÃO **3** *Bot.* O mesmo que *silva* [F.: Prov. de or. pré-romana.] ■ **~ ardente** *Rel.* No relato bíblico do Antigo Testamento, arbusto que ardia sem se consumir, forma com que Deus se apresentou a Moisés para encarregá-lo de libertar os hebreus da escravidão no Egito

sarcasmo (sar.*cas*.mo) *sm.* Zombaria amarga e insultuosa: "Saído de uma página de Eça, volta a ela como objeto de sarcasmo." (Antônio Callado, *Reflexos do baile*) [F.: Do gr. *sarkasmós* 'riso amargo'.]

sarcasta (sar.*cas*.ta) *s2g.* Indivíduo sarcástico

sarcástico (sar.*cás*.ti.co) *a.* Que demonstra sarcasmo (observação sarcástica); IRÔNICO; ZOMBETEIRO [F.: *sarcasmo* (f. rad. irreg. *sarcast-*) + *-ico*.]

◎ **-sarc(o)-** *el. comp.* Ver *sarc(o)-*

◎ **-sarco** *el. comp.* Ver *sarc(o)-*

◎ **sarc(o)-** *el. comp.* = 'carne'; 'carnoso'; 'tecido muscular': *sarcoide, sarcolema, sarcologia, sarcoma* (< gr.), *sarcoplasma, sarcoplasmático, sarcose; hipersarcose; anasarco; anasarca* [F.: Do gr. *sárks, sarkós*.]

sarcocele (sar.co.*ce*.le) *sf. Urol.* Qualquer tipo de tumor carnoso nos testículos [F.: Do gr. *sarkokéle*.]

sarcofagídeo (sar.co.fa.*gí*.de:o) *a.* **1** Que se refere aos sarcofagídeos, fam. de insetos dípteros que compreende moscas de tamanho médio com coloração cinza ou negra *sm.* **2** *Ent.* Espécime dos sarcofagídeos [F.: Do lat. cient. *Sarkophagidae*.]

sarcófago (sar.*có*.fa.go) *sm.* **1** Urna funerária; ATAÚDE; CAIXÃO; TÚMULO **2** Túmulo de pedra calcária em que os antigos punham os corpos que não queriam queimar: "(...) sarcófagos milenares das múmias faraônicas." (Coelho Neto, *Inverno em flor*) **3** *P. ext.* Substância us. para queimar a carne **4** *Fig.* Túmulo de recordações *a.* **5** Que corrói a carne [F.: Do lat. *sacophagu(m)*.]

sarcoide (sar.*coi*.de) *Ant. a2g.* **1** Que é semelhante ao tecido muscular; SARCÓIDEO **2** Que tem nódulos de etiologia desconhecida que aparecem em quase todos os órgãos e tecido *sm.* **3** *Pat.* Tumor que se assemelha a um sarcoma [F.: *sarc(o)-* + *-oide*.]

sarcoidose (sar.coi.*do*.se) *sf. Med.* Enfermidade crônica, de caráter progressivo e causa ignorada, caracterizada por lesão especifica, o granuloma tuberculoide, que pode comprometer quase todos os órgãos do corpo [F.: *sarcoide* + *-ose*[1].]

sarcolema (sar.co.*le*.ma) *sm. Cit.* Camada de tecido conjuntivo que envolve a fibra muscular [F.: *sarc(o)-* + *-lema*.]

sarcologia (sar.co.lo.*gi*:a) *sf.* **1** Estudo anatômico do tecido muscular ou das partes carnudas do corpo **2** Tratado que aborda esse assunto [F.: *sarc(o)-* + *-logia*.]

sarcológico (sar.co.*ló*.gi.co) *a.* Ref. ou pertencente a sarcologia [F.: *sarcologia* + *-ico*[2].]

sarcoma (sar.*co*.ma) *sm. Pat.* Tumor canceroso em músculo, osso etc. [F.: Do gr. *sárkoma*.] ■ **~ de Kaposi** *Pat.* Sarcoma hemorrágico na pele, mais raramente nos gânglios linfáticos ou vísceras [É uma das patologias oportunistas que acometem soropositivos de HIV.]

sarcomatoso (sar.co.ma.*to*.so) [ô] *a.* **1** Que se assemelha a um sarcoma **2** Que tem a natureza do sarcoma *a.* **3** Que tem sarcoma *sm.* **4** Aquele que tem sarcoma [F.: *sarcomat-* + *-oso*.]

sarcoplasma (sar.co.*plas*.ma) *sm. Histl.* Citoplasma das fibras musculares [F.: *sarc(o)-* + *-plasma*.]

sarcoplasmático (sar.co.plas.*má*.ti.co) *a. Histl.* Referente a sarcoplasma [F.: *sarcoplasma* + *-ático*.]

sarcóptico (sar.*cóp*.ti.co) *a.* **1** Referente aos ácaros do gên. *Sarcoptes*. **2** *Pat.* Referente à sarna causada por esse ácaro, quando ele se entranha na pele, esp. do pescoço para cima [F.: *sarcopta* + *-ico*[2].]

sarcose (sar.*co*.se) *sf.* **1** *Bot.* Fenômeno que se manifesta quando tecidos vegetais se tornam carnosos **2** *Bot.* Inchaço anormal da casca por acúmulo de substâncias nutritivas **3** *Med.* Aumento anormal da massa muscular [F.: *sarc(o)-* + *-ose*[1].]

sarcosteose (sar.cos.te.*o*.se) *sf. Pat.* Ossificação do tecido muscular [F.: *sarc (o)-* + *osteose*.]

sarda[1] (*sar*.da) *sf. Derm.* Cada uma das pequenas manchas acastanhadas que surge esp. na pele de pessoas claras expostas à luz solar; EFÉLIDE [F.: Or. obsc.]

sarda[2] (*sar*.da) *sf. Pop. Derm.* Cada uma das manchas de coloração castanho-clara que surgem na pele de certas pessoas, esp. as muito brancas, o que se deve ao aumento da deposição de melanina; EFÉLIDE; LENTIGEM; LENTIGO [F.: De or. obsc.]

sardana (sar.*da*.na) *sf. Dnç.* Dança de roda da Catalunha (Espanha), na qual os participantes acompanham seus passos com flauta e tamboril [F.: Do espn. *sardana*.]

sardela (sar.*de*.la) *sf. Cul.* Patê em cuja receita entram sardinha, alho e tomate

sardento (sar.*den*.to) *a.* **1** Provido de sardas *sm.* **2** Indivíduo cuja pele é coberta de sardas [F.: *sarda* + *-ento*.]

sardinha (sar.*di*.nha) *sf.* **1** *Zool.* Denominação comum a diversas spp. de pequenos peixes, da fam. dos clupeídeos, marinhos, de corpo prateado, encontrados em grandes cardumes, de carne muito apreciada, o que lhes confere grande valor comercial **2** *Bras. Lud.* Brincadeira em que uma pessoa evita que outra consiga bater-lhe nas mãos **3** *Bras. Gír.* Ver *navalha* [F.: Do lat. *sardina*. Na acp. 1 é epiceno.] ■ **Como ~(s) em lata** Espremidos (passageiros, grupos compactos de pessoas) a ponto de quase não poderem se mexer: *Espremiam-se nos vagões como sardinhas em lata*. **Tirar a ~** *Bras.* De brincadeira, bater fortemente e de raspão com o indicador e o médio nas nádegas de alguém **Tirar a ~ com a mão do gato** Obter para si mesmo algo vantajoso ou proveitoso valendo-se do esforço ou do risco de outrem **Tirar ~** *Lud.* Brincadeira entre duas pessoas, na qual uma estende uma ou as duas mãos com a(s) palma(s) para cima e a outra nela(s) repousa uma ou as duas mãos com a(s) palma(s) para baixo, devendo a primeira retirar rapidamente uma ou duas mãos e bater no dorso de uma ou das duas mãos do adversário antes que este consiga retirá-las. Se não conseguir, trocam de posição

sardinhada (sar.di.*nha*.da) *sf. Cul.* Iguaria feita basicamente de sardinhas [F.: *sarinha* + *-ada*[2].]

sardo (*sar*.do) *a.* **1** Da Sardenha (Itália); típico dessa ilha ou de seu povo **2** Da ou ref. à língua falada nessa ilha *sm.* **3** Pessoa nascida ou que vive na Sardenha **4** *Gloss.* Língua românica falada nessa ilha italiana [F.: Do lat. *sardu(m)*.]

sardônica (sar.*dô*.ni.ca) *sf. Min.* Variedade de calcedônia, espécie de quartzo-ágata, de cor pardacenta alaranjada [Tb. *sárdonix*.] [F.: Do gr. *sardónyx*, pelo lat. tardio. *sardonycha*.]

sardônico (sar.*dô*.ni.co) *a.* Que se caracteriza por escárnio ou desdém (riso sardônico); SARCÁSTICO [F.: Do lat. científico *sardonicus (risus)*.]

sargaço (sar.*ga*.ço) *sm. Bot.* Nome comum às espécies de algas pardas do gên. *Sargassum*, de talo foliáceo com vesículas aéreas características, que se desenvolvem fixas às rochas do litoral ou flutuantes, e impelidas para alto-mar podem cobrir grandes superfícies [Col.: *sargaçal*.] [F.: De or. duvidosa.]

sargental (sar.gen.*tal*) *a2g.* Relativo ou pertencente a sargento [F.: *sargento* + *-al*.]

sargento (sar.*gen*.to) *Mil. s2g.* **1** Patente militar acima de cabo **2** Militar que tem essa patente *sm.* **3** *RJ Lud.* Variedade do jogo de bilhar [F.: Do fr. *sergent*.]

sari (sa.*ri*) *sm. Vest.* Vestimenta feminina indiana consistindo de uma longa faixa de tecido que se enrola em torno do corpo [F.: Do neo-árico *sari*. Tb. *sári*.]

sariguê (sa.ri.*guê*) (*ü*) *sm. N. E. Zool.* O mesmo que *gambá* [F.: Do tupi *sari'gwe*.]

sarilho (sa.*ri*.lho) *sm.* **1** *Mec.* Peça em que se enrolam cabos, cordas ou correntes **2** *Mec.* Dispositivo cilíndrico que se aciona por meio de manivela ou motor e em torno do qual se enrolam cordas de aço capazes de levantar grandes pesos **3** *Mec.* Qualquer mecanismo rotativo, us. para enrolar e desenrolar fios, cordas, cabos etc. **4** *Fig.* Movimento de rotação **5** Peça de moinho **6** *Bras.* Dispositivo próprio para tirar água de poços ou cisternas; NORA **7** *AL* Pau em que se enrola o fumo de rolo **8** *Mil.* Peça em cruz que ancora mosquetão, fuzil, espingarda etc. **9** *Mil.* Disposição de três ou mais fuzis apoiados pelas coronhas no chão e cruzados entre si pelos canos **10** *Pop.* Briga, confusão, rolo: "Com a mania de esperteza e só arranjava sarilhos." (Miguel Torga, *Rua*) **11** *Gír.* Situação difícil, complicada [F.: Do lat. vulg. **sericulu*, dim. de *sera* 'tranca'. Hom./Par.: *sarilho* (fl. de *sarilhar*).]

sarin (sa.*rin*) *sm. Quím.* Substância de efeito tóxico ($C_4H_{10}FO_2P$) que atua diretamente sobre o sistema nervoso, e que pode ser us. em guerra química [F.: Do ing. *sarin*.]

sarja[1] (*sar*.ja) *sf.* Pano entretecido de lã, seda ou algodão us. para fazer roupas: "(...) calçava alpercatas, sua roupa era de sarja fusca, formato antigo (...)." (João Guimarães Rosa, *No urubuquaquá, no pinhém*) [F.: Do fr. antigo *sarge*.]

sarja[2] (*sar*.ja) *sf.* Pequeno corte superficial na pele, feito para dar vazão a sangue ou pus [F.: De or. obsc.]

sarjado (sar.*ja*.do) *a. Têxt.* Diz-se de tecido entrançado (de seda, linho ou algodão) [F.: *sarjar* + *-ado*[1].]

sarjão (sar.*jão*) *sm. Bras. Têxt.* Tecido grosseiro de lã; tb. *sarjel* [F.: *sarja* + *-ão*[1].]

sarjar (sar.*jar*) *v. td.* Fazer sarjas ou fazer incisões em [▶ 1 sarjar] [F.: *sarja* + *-ar*[2]. Hom./Par.: *sarja(s)* (fl.), *sarja(s)* (sf. [pl.]); *sarjeis* [ê] (fl.), *sarjéis* (sm. pl.).]

sarjeta (sar.*je*.ta) [ê] *sf.* **1** Canaleta junto ao meio-fio das ruas por onde escoa a água da chuva; VALETA **2** *P. ext.* O meio-fio das ruas; a beira das estradas: "(...) outro baque: demoningenhado veículo por fino não me colhe na sarjeta." (João Guimarães Rosa, *Tutameia*) **3** *Fig.* Estado de degradação, de indigência [F.: *sarja* + *-eta*.]

sarmento (sar.*men*.to) *Bot. sm.* **1** Ramo de videira; VERGÔNTEA **2** Qualquer ramo semelhante ao de videira, lenhoso, longo, fino, flexível e com os nós ger. bem demarcados [F.: Do lat. *sarmentu(m)*.]

sarmentoso (sar.men.*to*.so) [ô] *Bot. a.* **1** Ref. a ou da natureza do sarmento **2** Que produz sarmentos [Pl.: [ó]. Fem.: [ó].] [F.: Do lat. *sarmentosu(m)*.]

sarna (*sar*.na) *sf.* **1** *Derm.* Ver *escabiose* **2** *P. ext.* Nome comum a diversas doenças causadas por fungos em tubérculos, como a batata, e em frutos, como a maçã e tb. frutos cítricos *s2g.* **3** *Pop. Fig.* Pessoa importuna que vive grudada nos outros **4** Pessoa comilona; GLUTÃO [F.: Do lat. tardio *sarna*.] ■ **~ para se coçar** *Pop.* Aquilo que traz problemas, aborrecimento, cansaço, sofrimento etc., mas que pode ser evitado mediante uma atitude sensata **Ser uma ~** **1** *Bras.* Ser muito guloso **2** Ser importuno, chato, maçante (diz-se de pessoa)

sarnento (sar.*nen*.to) *a.* **1** Que tem sarna (cão sarnento) **2** *Fig.* Rançoso, apodrecido (peixe sarnento) **3** Abatido, combalido nas forças *sm.* **4** Aquele que está com sarna **5** *Bras. Pop.* O diabo [F.: *sarna* + *-ento*.]

saroba (sa.*ro*.ba) *sf. Ornit.* Ave de carne amarga, também denominada *pomba-amargosa* (*Columba plumbea*) [F.: De or. indíg. Hom./Par.: *saroba* (sf.), *sarobá* (sm.).]

⊕ ***sarong*** (*ing.*) *sm. Vest.* Mesmo que *sarongue*

sarongue (sa.*ron*.gue) *sm. Vest.* Vestimenta da Malásia (Ásia) e Oceania, us. por homens e mulheres, que consiste numa peça de pano enrolada na parte do corpo que vai dos quadris até as coxas [F.: Do malaio *sarung*.]

sarrabalho (sar.ra.*ba*.lho) *sm. SP Dnç.* Variedade de fandango que inclui palmas, sapateado e castanholas; SARRABAIO [F.: De or. obsc.]

sarrabulhada (sar.ra.bu.*lha*.da) *sf.* **1** Farta refeição à base de sarrabulho **2** Grande quantidade de sarrabulho (1) **3** *Fig.* Profusão de sangue derramado; MATANÇA **4** *Fig.* Desordem, confusão [F.: *sarrabulho* + *-ada*.]

sarrabulho (sar.ra.*bu*.lho) *sm.* **1** *Cul.* Iguaria tipicamente portuguesa, feita à base de sangue e miúdos de porco [Nesta acp., col.: *sarrabulhada*.] **2** O sangue coagulado do porco **3** *Lus.* Matança de porcos **4** *Fig.* Conflito, briga **5** *S.* Discussão, bate-boca [F.: De or. obsc.]

sarraceno (sar.ra.*ce*.no) *sm.* **1** *Hist.* Membro das tribos nômades da península Arábica pré-islâmica **2** Árabe, mouro *a.* **3** Ref. aos árabes ou à sua cultura [F.: Do lat. tardio *sarraceni*.]

sarrafada (sar.ra.*fa*.da) *sf.* **1** Paulada dada com sarrafo (1) **2** *Bras. Pop. Fut.* Pontapé violento no jogador do time adversário; SARRAFO [F.: *sarrafo* + *-ada*[2].]

sarrafear (sar.ra.fe.*ar*) *v. td.* **1** Cortar ou separar em sarrafos, em ripas **2** *Bras. Gír. Fut.* Jogar cometendo faltas violentas (nos adversários); baixar o sarrafo [▶ 13 sarrafear] [F.: *sarrafo* + *-ear*[2].]

sarrafo (sar.*ra*.fo) *sm.* **1** Tira estreita e comprida de madeira; RIPA: "(...) o circo da rua da Passagem era um monte de trapos e sarrafos." (Marques Rebelo, *"Onofre, o terrível" in Contos reunidos*) **2** Qualquer pedaço de pau alongado e fino; CACETE **3** *Bras. Pop. Fut.* Ver *sarrafada* [F.: Dev. de *sarrafar*.] ■ **Baixar o ~ (em)** **1** *Bras. Pop.* Dar surra ou pancadas (em alguém) **2** *Gír. Fut.* Cometer falta violenta, ou jogar com violência, cometendo muitas faltas (no adversário)

sarrento (sar.*ren*.to) *a.* Que está cheio ou coberto de sarro [F.: *sarro* + *-ento*.]

sarrido (sar.*ri*.do) *sm.* Respiração rouca, característica de moribundo; ESTERTOR: "A morte pôde mais. Rolou os olhos; que ralava, no sarrido." (João Guimarães Rosa, *Grande sertão: veredas*) [F.: De or. obsc.]

sarro (*sar*.ro) *sm.* **1** Sedimento que o vinho e outros líquidos deixam no fundo do recipiente que os contém; BORRA **2** Nicotina residual nos cachimbos **3** Mancha de nicotina: "(...) parece um defunto – sarro de amarelo na cara chupada, olhos sujos (...)." (João Guimarães Rosa, *Sagarana*) **4** Mancha esbranquiçada na língua, em decorrência de doença; SABURRA **5** Crosta de imundície em dentes não limpos **6** Fuligem que a pólvora queimada deixa nas armas de fogo **7** *Bras. Fig. Gír.* Pessoa ou coisa engraçada, divertida **8** *Bras. Vulg.* Contato físico libidinoso e rápido, ger. em locais públicos; AMASSO; AGARRAMENTO; ESFREGAÇÃO; BOLINAGEM [F.: De or. pré-romana.] ■ **Tirar um ~** *Bras. Tabu.* Bolinar, encostar-se libidinosamente em alguém aproveitando aglomeração, ou vizinhança de lugares em cinema, condução etc. **Tirar ~ com a cara (de alguém)** *Gír.* Zombar (de), divertir-se debochando (de)

sartório (sar.*tó*.ri:o) *Anat. a.* **1** Diz-se de músculo sartório *sm.* **2** Esse músculo [F.: Do lat. cient. *sartorius*, do lat. *sartor, -oris*.]

sartriano (sar.tri:*a*.no) *a.* **1** Que se refere a Jean-Paul Sartre (1905-1980), escritor francês, ou à sua obra (estilo sartriano) *a.* **2** Diz-se de estudioso ou admirador da obra de Jean-Paul Sartre (crítico sartriano) *sm.* **3** Esse estudioso ou admirador: *Os sartrianos continuam fiéis a seu mestre*. [F.: Do antr. Jean-Paul *Sartre* + *-iano*.]

saruê (sa.ru:*ê*) *sm.* **1** *N. E. Zool.* Mesmo que *gambá* **2** *N. E.* Espiga de milho quase sem grãos **3** *Bras. Mús.* Dança que combina elementos da quadrilha francesa com danças sertanejas, e cuja marcação é feita por uma espécie de mestre de cerimônias que faz uso de um linguajar que mistura francês com português *a2g.* **4** *Bras.* Diz-se de quem é albino *s2g.* **5** Aquele que é albino [F.: Do tupi.]

⊕ ***sashimi*** (*Jap.* /sachimí/) *sm. Cul.* Prato de origem japonesa, composto de fatias finas de peixe cru, que se come com molho de soja e raiz-forte

sassafrás (sas.sa.*frás*) *Angios. sm.* **1** Nome comum às plantas do gên. *Sassafrás*, da fam. das lauráceas, originárias da Ásia e da América do Norte **2** Árvore laurácea, também denominada *casca-preciosa* (*Ocotea odorifera*) [F.: Do lat. cient. *Sassafras*.]

sassânida (sas.*sâ*.ni.da) *a2g.* **1** Diz-se de membro da dinastia persa que, entre cerca de 224 e 652, criou um império do mesmo nome em torno do planalto da Pérsia, hoje Irã (soberano sassânida) *a2g.* **2** Que é referente ou concernente a essa dinastia, a esse império (cultura sassânida) *s2g.* **3** Membro dessa dinastia (o apogeu dos sassânidas) [F.: Do lat. medv. *sassanida*, do antr. persa *Sassan*, avô do primeiro rei dessa dinastia.]

sassaricar (sas.sa.ri.*car*) *v. int. Bras. Pop.* Ver *saçaricar* [▶ 11 sassaricar]

◎ ***sat-*** *el. comp. Pref.* = 'farto', 'abundante': *saturação*.

satã (sa.*tã*) *sm.* O demônio [Com inicial ger. maiúsc.] [F.: Do lat. *satan*. Tb. *satanás*.]

satanás (sa.ta.*nás*) *sm. Rel.* Mesmo que *diabo* [Por vezes com inic. maiúsc.] [F.: Do lat. *satanas, -ae*. Tb. *satã*.]

satânico (sa.*tâ*.ni.co) *a.* **1** Ref. a ou próprio de satã **2** Digno de satã ou a que ele se assemelha; DIABÓLICO; INFERNAL: "(...) ele me olhava com aqueles seus olhos satânicos (...)." (Cecília Meireles, "A aposta" *in Obra em prosa*) [F.: *satã* (f. rad. *satan*) + *-ico*.]

satanismo (sa.ta.*nis*.mo) *sm.* **1** Característica ou condição do que é satânico **2** Culto a Satanás **3** Prática ritualística de profanação do sagrado [F.: *satã* (f. rad. *satan*) + *-ismo*.]

satanista (sa.ta.*nis*.ta) *a2g.* **1** Que se refere ao satanismo, ao culto de Satanás *a2g.* **2** Que é seguidor do satanismo *s2g.* **3** O seguidor desse culto [F.: *satanismo* + *-ista*.]

satanização (sa.ta.ni.za.*ção*) *sf.* Ação ou resultado de satanizar [Pl.: *-ções*.] [F.: *satanizar* + *-ção*.]

satanizado (sa.ta.ni.*za*.do) *a.* Que passou por processo de satanização [F.: *satanizar* + *-ado*[1].]

satanizador (sa.ta.ni.za.*dor*) [ô] *a.* **1** Que sataniza *sm.* **2** Aquele que sataniza [F.: *satanizado* + *-or*.]

satanizar (sa.ta.ni.*zar*) *v.* Dar caráter satânico a [**td.**: *Já foi moda satanizar os comunistas*.] [▶ 1 satanizar] [F.: *satã* sob a f. *satan-* + *-izar*.]

satélite (sa.*té*.li.te) *sm.* **1** *Astron.* Astro que se move ao redor de outro considerado de maior importância: *A Lua é o satélite da Terra*. **2** Pessoa que acompanha ou vive sob a proteção de outrem **3** Indivíduo que faz a segurança de outro; GUARDA-COSTAS **4** *Bras. Pop. Min.* Mineral que ocorre junto ao diamante **5** *Mec.* Dispositivo pequeno e secundário que se associa ao principal em uma engrenagem *a2g.* **6** Dependente administrativa, financeira e/ou politicamente de outro(a) (diz-se de país ou cidade) **7** *Anat.* Diz-se de qualquer estrutura anatômica ligada ou controlada por outra principal [F.: Do lat. *satellite(m)*.] ■ **~ artificial** *Astron.* Engenho espacial posto em órbita em volta do Sol, de um planeta ou de um satélite, com equipamentos para diferentes finalidades **~ de comunicações** *Astron.* Satélite artificial com equipamentos que servem de estação intermediária para comunicações por ondas eletromagnéticas entre vários pontos da Terra, ou entre uma nave espacial e a Terra **~ de 24 horas** *Astron.* Satélite artificial que perfaz uma órbita completa em 24 horas [Assim, se sua órbita se projeta sobre o equador terrestre, ele configura-se como *Satélite estacionário*] **~ estacionário** ~ *estacionário* Satélite artificial que, pelas características de sua órbita, permanece parado em relação a determinado ponto do equador terrestre; satélite geoestacionário [Os satélites estacionários têm a mesma velocidade angular que a Terra e 'acompanham' o seu movimento de rotação] ~ **geoestacionário** *Astron.* Ver *Satélite estacionário* ~ **galileano** *Astron.* Dos 61 satélites conhecidos de Júpiter, cada um dos quatro descobertos em 1610 por Galileu (Io, Europa, Ganimedes, Calisto) ~ **natural** *Astron.* Satélite não artificial, ou seja, não criado pelo homem

📖 No sistema solar, quase todos os planetas têm satélites conhecidos (as exceções são Mercúrio e Vênus). Muitos desses satélites foram recentemente descobertos, graças às sondas espaciais, principalmente as Voyager, lançadas em 1977. A Terra tem apenas um satélite, a Lua; Marte tem dois satélites; Júpiter tem 19 satélites, três deles recentemente descobertos. Saturno tem 18, oito descobertos a partir de 1980; Urano tem 15, 10 descobertos a partir de 1980; Netuno tem oito, dos quais seis foram descobertos em 1989; E Plutão tem um satélite. Os satélites artificiais são postos em órbita (a grande maioria em volta da Terra) para colher informações ou para servir como estações de retransmissão. Quando lançados além do campo gravitacional da Terra, chamam-se sondas espaciais. Já forma lançadas sondas até mesmo para Júpiter e Saturno.

satelização (sa.te.li.za.*ção*) *sf.* Mesmo que *satelitização* [Pl.: *-ções.*] [F.: *satelitizar + -ção.*]

sátira (*sá*.ti.ra) *sf.* **1** *Liter.* Composição poética jocosa de intuito crítico (sátira social) **2** *Liter.* Composição poética destinada a ridicularizar, por vezes com sarcasmo e agressividade, certos vícios e/ou atitudes reprováveis de homens comuns ou nobres: *A sátira medieval em Portugal se divide em cantigas de escárnio e cantigas de maldizer.* **3** Crítica rigorosa e contundente, feita de modo irônico e zombeteiro **4** Caçoada, chacota, ironia [F.: Do lat. *satira.*]

satiríase (sa.ti.ra.*rí*:a.se) *sf. Psic.* Desejo sexual masculino muito forte; GINECOMANIA; SATIRISMO; SATIROMANIA [F.: Do lat. cient. *satyriasis.* Cf.: *afrodisia, hipersexualismo* e *ninfomania.*]

satírico (sa.*tí*.ri.co) *a.* **1** *Liter.* Ref. a ou que contém sátira (1 e 2) (sonetos satíricos) **2** Irônico, zombeteiro, mordaz (crítica satírica) **3** Que é picante, malicioso (dito satírico; jovem satírico) **4** *Liter.* Que produz ou compõe sátira(s) (1 e 2) *sm.* **5** *Liter.* Aquele que compõe sátira (1 e 2) [F.: Do gr. *saturikós.* Sin. ger.: *satirista.*]

satirídeo (sa.ti.*rí*.de:o) *Zool. a.* **1** Ref. aos satirídeos, fam. de insetos lepidópteros (que são borboletas diurnas) *sm.* **2** Espécime dos satirídeos

satirista (sa.ti.*ris*.ta) *s2g.* **1** *Liter.* Autor de sátiras (1 e 2) **2** Pessoa de temperamento cáustico, mordaz **3** Pessoa cujos comentários são maliciosos, irônicos *a2g.* **4** *Liter.* Que escreve ou compõe sátiras **5** Que se mostra cáustico, mordaz, irônico **6** Maledicente, malicioso [F.: *sátira + -ista.* Sin. ger.: *satírico.*]

satirização (sa.ti.ri.za.*ção*) *sf.* Ação ou resultado de satirizar; ESCARNECIMENTO; RIDICULARIZAÇÃO [Pl.: *-ções.*] [F.: *satirizar + -ção.*]

satirizado (sa.ti.ri.za.*do*) *a.* Que sofreu satirização; que foi motivo de sátira [F.: *satirizar + -ado*[1].]

satirizar (sa.ti.ri.*zar*) *v.* **1** Criticar por meio de sátira [*td.*: *O filme satiriza a nobreza britânica.*] **2** Ironizar, ridicularizar por meio de críticas ou observações satíricas [*td.*: *O comentarista sempre satirizava os políticos.*] **3** Escrever sátiras [*int.*: *Arnaldo Jabor satiriza muito bem.*] [▶ **1** satirizar] [F.: *sátira + -izar.*]

sátiro (*sá*.ti.ro) *sm.* **1** *Mit.* Divindade campestre com chifres e pernas de bode que vivia nas florestas **2** *Mit.* Semideus companheiro de Dioniso **3** *Fig.* Homem depravado, libertino [F.: Do gr. *sátyros.*]

satisfação (sa.tis.fa.*ção*) *sf.* **1** Ação ou resultado de satisfazer(-se); CONTENTAMENTO **2** Prazer que se tem ao realizar algo desejado: *Foi grande a sua satisfação de vencer o campeonato.* **3** *Rel.* Reparação, expiação de mal causado a outrem ou a Deus **4** Pagamento devido a outrem; RETRIBUIÇÃO **5** Razão, explicação de algo; JUSTIFICATIVA: *Saiu sem dar satisfação a ninguém.* **6** Conta que se dá a outrem de uma incumbência: *Esperou-o para cobrar satisfação do mandado.* [Pl.: *-ções.*] [F.: Do lat. *satisfactione(m).* Ant. ger.: *insatisfação.*]

satisfatório (sa.tis.fa.*tó*.ri:o) *a.* **1** Que pode satisfazer **2** Que causa satisfação, tranquilidade: *As notícias da economia são bem satisfatórias.* **3** Passível de ser aceito (justificativa satisfatória) **4** Suficiente, sofrível (desempenho satisfatório) [F.: Do lat. ecles. *satisfactoriu(m).* Ant. ger.: *insatisfatório.*]

satisfazer (sa.tis.fa.*zer*) *v.* **1** Ser suficiente ou conveniente; ser o bastante; AGRADAR; ATENDER; BASTAR [*td.*: *Sua explicação satisfez o público.*] [*ti.* + *a*: *O filme não satisfaz a ninguém.*] [*int.*: *Seu trabalho satisfaz.*] [*tr.* + *com*: *O humilde se satisfaz com pouco.*] **2** Comer ou beber até ficar satisfeito; FARTAR(-SE); SACIAR(-SE) [*td.*: *O refrigerante satisfez sua sede; Satisfez-se com a macarronada.*] **3** Dar cumprimento, realização; CUMPRIR; REALIZAR [*td.*: *satisfazer um compromisso.*] [*tr.* + *a*: *A mãe satisfez às necessidades do filho.*] **4** Atender, contentar, convencer [*td.*: *satisfazer a curiosidade; A explicação não satisfez o marido.*] **5** Saldar ou liquidar (uma dívida) [*td.*: *Maria foi ao banco satisfazer o empréstimo.*] **6** Cumprir (exigência) de maneira satisfatória [*td.*: *Satisfez todas as exigências legais.*] [*tr.* + *a*: *Para ter o emprego, tinha que satisfazer a certas exigências.*] **7** *Mat.* Tornar verdadeira (equação, igualdade, relação) [*td.*: *O professor mostrou como satisfazer a equação.*] [▶ **22** satisfazer] [F.: Do lat. *satisfacere.* Ant. ger.: *desagradar.*]

satisfeito (sa.tis.*fei*.to) *a.* **1** Que se satisfez; CONTENTE: *O resultado do trabalho deixou-os satisfeitos.* [Ant.: *aborrecido, descontente, insatisfeito.*] **2** Que se saciou; FARTO; SACIADO: *Obrigado, já comemos bem, estamos satisfeitos.* **3** Que se cumpriu, realizou (promessa satisfeita); EXECUTADO **4** Cujo pagamento foi feito (obrigações satisfeitas); QUITADO [F.: Do lat. *satisfactu(m).* Ant. ger.: *insatisfeito.*]

sativo (sa.*ti*.vo) *a.* Que se desenvolve a partir de semente; CULTIVADO [F.: Do lat. *sativus, -a, -um.*]

sátrapa (*sá*.tra.pa) *sm.* **1** *Hist.* Título de governador de província entre os antigos persas **2** *Fig.* Homem que domina; DÉSPOTA; TIRANO **3** *Fig.* Ver *sibarita* [F.: Do gr. *satrápes.*]

satrapia (sa.tra.*pi*:a) *sf.* **1** Governo de sátrapa, governador na antiga Pérsia **2** Território sob a autoridade de um sátrapa [F.: Do gr. *satrapeia, -as.*]

saturação (sa.tu.ra.*ção*) *sf.* **1** Ação ou resultado de saturar(-se) **2** Estado do que ou de quem está saturado: *Houve saturação das linhas telefônicas por excesso de ligação; Seu grau de saturação era imenso! Já não aguentava mais viver daquele jeito.* **3** *Fís.* Estado de equilíbrio obtido entre o vapor e seu líquido **4** *Fot.* Intensificação de uma cor **5** *Ópt.* Grau de intensidade de uma cor, capaz de determinar sua pureza **6** *Quím.* Condição de uma solução que atinge o máximo de substância dissolvida em dada temperatura **7** *Quím.* Característica de um composto orgânico que não contém ligações múltiplas (duplas e triplas) entre carbonos [Pl.: *-ões.*] [F.: Do lat. *saturatione(m).*]

saturado (sa.tu.*ra*.do) *a.* **1** Que sofreu saturação; inteiramente impregnado (ar saturado) **2** Que não pode conter mais nada; CHEIO; REPLETO: *Tinha um aquário saturado de peixes.* **3** Que não suporta mais; CANSADO; FARTO: *A mãe estava saturada de tantas queixas.* **4** *Quím.* Diz-se de composto orgânico que só possui ligações simples **5** *Quím.* Diz-se de solução que atingiu o máximo de saturação possível [F.: Do lat. *saturatu(m).*]

saturar (sa.tu.*rar*) *v.* **1** Tomar completamente; IMPREGNAR [*td.*: *Nas metrópoles a poluição satura a atmosfera.*] [*tdr.* + *de*: *As frituras saturaram de gordura as paredes.*] **2** Aplacar a fome, a sede; SACIAR(-SE) [*td.*: *Nada satura esse guloso!*] **3** *Fig.* Ficar ou fazer ficar enfadado; ENFASTIAR(-SE) [*td.*: *Suas queixas me saturam.*] [*tr.* + *com, de*: *Saturaram-se das reclamações dos vizinhos.*] **4** Ocupar as valências de (um átomo) [*td.*: *A ligação química saturou o átomo de oxigênio.*] **5** Neutralizar (ácido) por meio da ação de uma base [*td.*: *saturar um ácido.*] [▶ **1** saturar] [F.: Do lat. *saturare.* Hom./Par.: *saturáveis* (fl.), *saturáveis* (a2g. pl.).]

saturnais (sa.tur.*na*.is) *sfpl.* Festas que homenageavam o deus Saturno, na antiga Roma [F.: Do lat. *saturnalia, -ium.*]

saturnal (sa.tur.*nal*) *a2g.* **1** Referente ao planeta Saturno **2** Relativo ao deus Saturno e às festividades que o honravam **3** *P. us.* Relativo a orgia; ORGÍACO *sf.* **4** Festa caracterizada pela libertinagem, pelo comportamento orgiástico *sf.* **5** Devassidão, licenciosidade [F.: Do lat. *saturnális, -e.* Sin. como adj.: *saturnino, saturno.*]

◎ **saturn(i/o)-** *el. comp. Pref.* = Saturno: *saturnino, saturnismo*

saturniano (sa.tur.ni:*a*.no) *a.* **1** *Rel.* Diz-se do herege de uma seita que, extinta no séc. II, negava o livre-arbítrio do homem *sm.* **2** Esse herege [F.: Do lat. *saturnianus, -a, -um.*]

saturnino (sa.tur.*ni*.no) *a.* **1** Ref. ao deus mitológico Saturno ou ao planeta de mesmo nome; SATURNAL **2** *Fig.* Sombrio, triste, melancólico (espírito saturnino) **3** *Quím.* Ref. ao chumbo e seus compostos **4** *Med.* Causado pelo chumbo (diz-se de doença) **5** *Astrol.* Que nasceu sob a influência do planeta Saturno *sm.* **6** *Astrol.* Pessoa nascida sob a influência do planeta Saturno [F.: Do lat. *saturninu(m).*]

saturnismo (sa.tur.*nis*.mo) *sm. Med.* Intoxicação por chumbo ou seus compostos; PLUMBISMO [F.: *saturn(i/o) + -ismo.*]

saturno (sa.*tur*.no) *sm.* **1** *Astron.* O segundo maior planeta do sistema solar e o sexto a partir do Sol, conhecido tb. por seus anéis [Inicial maiúsc.] **2** Grande calor, sem aragem; tempo quente e abafadiço [F.: Do mitônimo lat. *Saturnu(m).*]

sauá (sa:u.*á*) *sm.* **1** *Zool.* Denominação comum aos primatas da fam. dos Cebídeos, do gên. *Callicebus*, de pelagem macia e coloração avermelhada, amarelada ou negra, de cauda longa, com comprimento que chega a 60 cm, que vivem em bandos nas florestas Amazônica e no Leste do Brasil e se alimentam de frutos e folhas; SAÁ; BIZOGUE; BOCA-D'ÁGUA; GUICÓ; GUIGÓ **2** *Zool.* Peixe lambari (*Tetragonopterus argenteus*) que vive em rios amazônicos, de Goiás e Mato Grosso, prateado com uma mancha arredondada preta na cauda; CUBÉ; CUBIÚ; LAMBARI-PRATA [F.: Posv. do tupi *sa'gwa.*]

saudação (sa:u.da.*ção*) *sf.* **1** Ação ou resultado de saudar **2** Gesto(s) ou palavra(s) de cumprimento: *O presidente fez uma saudação ao povo.* **3** Mostra de cortesia, respeito: "Só a saudação reverencial: – Meu pai, a sua bênção (...)." (João Guimarães Rosa, *Tutameia*) [Pl.: *-ções.*] [F.: Do lat. *salutatione(m).*] ▪▪ ~ **ao berimbau** *Bras.* Gesto quase obrigatório de capoeiristas, antes do início e após o fim do jogo, de se agacharem ante um dos tocadores de berimbau

saudade (sa:u.*da*.de) *sf.* **1** Sentimento evocatório, provocado pela lembrança de algo bom vivido ou pela ausência de pessoas queridas ou de coisas estimadas [Tb. us. no pl.] **2** *Bras. Mús.* Cantiga entoada em alto-mar por marinheiros **3** *Bot.* Nome comum a diversas ervas do gên. *Scabiosa*, da fam. das dipsacáceas, nativas da Europa, Mediterrâneo, Ásia e África, muito cultivadas como ornamentais; SAUDADES; SUSPIRO; SUSPIROS [F.: Do lat. *solitate(m).*] ▪▪ **Deixar na** ~ *Bras. Joc.* Sobrepujar (adversário) ultrapassando-o, driblando-o, desbancando-o em competição etc. **Morrer de** ~**(s)** *Fig.* Sentir muitas saudades **Rebenqueado das ~s** *RS* Diz-se de quem sofre por ter se separado de alguém, por sentir falta ou saudades de alguém ou de algo

saudades (sa:u.*da*.des) *sfpl.* Cumprimentos carinhosos às pessoas cuja ausência é sentida: *Envio minhas saudades aos amigos.* [F.: Ver em *saudade.*]

saudado (sa:u.*da*.do) *a.* Diz-se de quem recebeu saudação ou de quem é elogiado, considerado [F.: Part. de *saudar.*]

saudador (sa:u.da.*dor*) [ô a-u] *a.* **1** Que saúda *sm.* **2** Aquele que saúda [F.: Do lat. *salutator, -oris.*]

saudar (sa:u.*dar*) [a-u] *v.* *td.* **1** Dirigir saudação ou cumprimento a (alguém) ou entre (si); CUMPRIMENTAR(-SE): *Saudei-a no aeroporto; Os dois grupos se saudaram.* **2** Manifestar adesão ou respeito a; ACLAMAR: *A multidão saudou o presidente reeleito.* **3** Manifestar alegria ou satisfação diante de (algo): *Saudou a chegada da primavera.* [▶ **18** saudar] [F.: Do lat. *salutare.* Hom./Par.: *saudáveis* (fl.), *saudáveis* (a2g. pl.); *saúde(s)* (fl.), *saúde* (sf. [pl.] interj.).]

saudável (sa:u.*dá*.vel) *a2g.* **1** Que tem saúde (criança saudável); SADIO [Ant.: *doente, enfermo.*] **2** Que faz bem à saúde; SALUTAR; BENÉFICO: *Só come alimentos saudáveis.* [Ant.: *insalubre.*] **3** *Fig.* Que traz benefício físico e/ou espiritual (influência saudável; atitude saudável); BENÉFICO; FAVORÁVEL [Ant.: *maléfico.*] [Pl.: *-veis.*] [F.: *saudar + -vel.* Ideia de 'saudável': *san-.*]

saúde (sa.*ú*.de) *sf.* **1** Estado de equilíbrio e autorregulação do organismo de um ser vivo [Ant.: *doença, enfermidade.*] **2** Boa disposição física e mental **3** Força, vigor físico: *É preciso muita saúde para aguentar esse peso!* **4** Brinde, voto ou saudação que se faz a alguém: *À saúde do aniversariante!* *interj.* **5** Expressão dirigida a quem acabou de espirrar [F.: Do lat. *salute(m).* Hom./Par.: *saúde* (sf. e interj.), *saude* (fl. de *saudar*).] ▪▪ ~ **de ferro** Boa saúde, resistência excepcional a doenças; robustez ~ **mental** Equilíbrio emocional, facilidade de adaptação à realidade e ao meio, capacidade de enfrentar positivamente desafios e situações aflitivas ~ **pública** *Med.* Ramo da medicina dedicado ao estudo de (e combate a) doenças que têm efeito pernicioso à sociedade como um todo, como endemias e pandemias, toxicomania, doenças mentais etc. **Ter ~ para** *Bras. Pop.* Ser tenacidade e energia para (suportar, tolerar coisas ou situações difíceis, tediosas etc.); ter paciência para: *Não tenho saúde para ler estes relatórios todos.* **Vender ~** Ser muito saudável, forte, vigoroso

saudi-arábico (sau.di-a.*rá*.bi.co) *a. sm.* Ver *árabe-saudita* [Pl.: *saudi-arábicos.*]

saudita (sau.*di*.ta) *a2g. s2g.* Ver *árabe-saudita* [F.: Do antr. *Ibn Saud*, de certo rei da Arábia, + *-ita.*]

saudosismo (sa:u.do.*sis*.mo) *sm.* **1** Gosto excessivo e, por vezes, melancólico por coisas do passado **2** Persistência em ideais, princípios e costumes ultrapassados **3** *Liter.* Movimento poético português do fim do séc. XIX até a metade do séc. XX, que valorizava a saudade como expressão típica da alma lusitana [Com inicial maiúsc., nesta acp.] [F.: *saudoso + -ismo.*]

saudosista (sa:u.do.*sis*.ta) *a2g.* **1** Ref. a ou próprio do saudosismo **2** Diz-se de pessoa que cultiva ou segue o saudosismo *s2g.* **3** Indivíduo que cultiva ou segue o saudosimo [F.: *saudoso + -ista.*]

saudoso (sa:u.*do*.so) [ô] *a.* **1** Que sente saudade(s); NOSTÁLGICO: *Anda saudoso dos tempos de rapaz.* **2** Que é lembrado com saudade: "Saudosa maloca, maloca querida (...)." (Adoniran Barbosa, *Saudosa maloca*) **3** Que demonstra saudade (abraço saudoso) [Pl.: *[ó].* Fem.: *[ó].*] [F.: *saudade + -oso*, por haplologia.]

sauna (*sau*.na) *sf.* **1** Banho a vapor a uma temperatura muito elevada **2** Lugar onde se toma esse tipo de banho **3** *Fig.* Qualquer lugar muito quente, abafado: *Aquela sala de aula era uma verdadeira sauna.* [F.: Do finlandês *sauna* 'casa de banho'.]

sáurio (*sáu*.ri:o) *Zool. a.* **1** Ref. aos sáurios *sm.* **2** Espécime dos sáurios, subordem de répteis, que compreende os lagartos [F.: Do lat. cient. *Sauria.*]

sáurios (*sáu*.ri.os) *smpl. Herp.* Subordem de répteis escamados, que são os lagartos, encontrados em regiões tropicais e temperadas de todas as partes do mundo, compreendendo cerca de 3.700 espécies [F.: Do lat. cient. *Sauria.*]

◎ **-sauri(o)-** *el. comp.* Ver *saur(o)-*

◎ **-sauro** *el. comp.* = '(espécie de) dinossauro': *alossauro, brontossauro, braquiossauro, supersauro, tiranossauro; celurossauro* [F.: Do lat. cient. *-saurus*, como em *Elasmosaurus* e *Stegosaurus*, ou Adaptação do lat. cient. *-sauria*, como em *Dinosauria*, em que o lat. cient. advém do gr. *saúra, as*, 'lagarto', 'salamandra', ou do gr. *saûros, ou*, 'lagarto'. Tb.: *saur(o)-* (q. v.).]

◎ **saur(o)-** *el. comp.* = 'lagarto'; '(espécie de) dinossauro': *saurófago, saurografia, saurologia, saurólogo; rincossau-*

rídeo (< lat. cient.) [F.: Do gr. *saúra, as*, 'lagarto', 'salamandra', ou gr. *saûros, ou*, 'lagarto'. Tb.: *-sauro* (q. v.).]

saurófago (sa:u.*ró*.fa.go) *a. Zool.* Diz-se de animal que se alimenta de lagartos [F.: *saur(o)-* + *-fago*.]

saurografia (sa:u.ro.gra.*fi*:a) *sf. Zool.* Estudo sobre lagartos [F.: *saur(o)-* + *-grafia*.]

saurologia (sa:u.ro.lo.*gi*:a) *sf.* Ramo da zoologia que estuda os lagartos [F.: *saur(o)-* + *-logia*.]

saurológico (sa:u.ro.*ló*.gi.co) *a. Zool.* Ref. à saurologia [F.: *saurologia* + *-ico*^{2}.]

saurólogo (sa:u.*ró*.lo.go) *sm. Zool.* Aquele que se especializou em saurologia [F.: *saur(o)-* + *-logo*.]

saurópode (sa:u.*ró*.po.de) *Zool. sm.* **1** Espécime dos saurópodes, subordem que compreende grandes dinossauros tetrápodes que viveram nos períodos Jurássico e Cretáceo, reunindo alguns dos maiores animais que já habitaram a Terra (brontossauros, braquiossauros etc.) *a2g. a.* **2** Ref. ou pertencente aos saurópodes [F.: Adaptação. do lat. cient. *Sauropoda*; ver *saur(o)-* e *-pode*. Tb. *saurópodo*.]

sauropterígio (sa:u.rop.te.*rí*.gi:o) *Zool. sm.* **1** Espécime dos sauropterígios, ordem de répteis, extinta, que compreende os plesiossauros e notossauros *a.* **2** Ref. ou pertencente aos sauropterígios [F.: Adaptação do lat. cient. *Sauropterygia*.]

⊕ **sauté** (*fr.*) *sm. Cul.* Ver *salteado*

saúva (sa.*ú*.va) *sf. Zool.* Denominação comum às formigas do gên. *Atta*, encontradas nas Américas, que cortam pedaços de folhas para carregarem para os ninhos, podendo com isso causar grandes estragos às plantações [F.: Do tupi *isa'uwa*.]

sauval (sa:u.*val*) *sm.* Formigueiro de saúvas [Pl.: *-vais*.] [F.: *saúva* + *-al*.]

sauveiro (sa:u.*vei*.ro) *sm.* Mesmo que *sauval* [F.: *saúva* + *-eiro*.]

savana (sa.*va*.na) *sf.* **1** *Bot.* Tipo de vegetação composta por gramíneas rasteiras e pequenos arbustos e poucas árvores, tb. pequenas, isoladas **2** *Geog.* Planície de regiões quentes e secas, recoberta com essa vegetação [F.: Do espn. *sabana*.]

savanícola (sa.va.*ní*.co.la) *a2g. Ecol.* Que vive na savana [F.: *savan-* + *-i-* + *-cola*.]

savart (sa.*vart*) *sm. Acús.* Intervalo entre dois sons musicais quando se multiplica por mil o logarítmo decimal do quociente no meio das frequências de sons [F.: Do fr. *savart*.]

saveirista (sa.vei.*ris*.ta) *s2g.* Dono ou tripulante de saveiro [F.: *saveiro* + *-ista*.]

saveiro (sa.*vei*.ro) *sm.* Barco com mastro(s) e vela(s) us. para transporte, pesca e turismo [F.: Do port. ant. *savaleiro*.]

sável (*sá*.vel) *sm. Ict.* Peixe (*Clupea alosa*) da fam. dos clupeídeos, que se reproduz em águas doces só é encontrado em certas épocas do ano [Pl.: *-veis*.]

savelha (sa.*ve*.lha) [ê] *Bras. Ict. sf.* **1** Sardinha (*Brevoortia aurea*) de corpo prateado e com comprimento que pode chegar a 30 cm, encontrada, ger. em cardumes de outros peixes, nos E.U.A. e no Sul do Brasil; SABOGA **2** Sardinha (*Brevoortia pectinata*) de corpo prateado, com até 35 cm de comprimento, us. na fabricação de óleo e em ração de animais e fertilizantes, encontrada de São Paulo até a Argentina, em águas próximas do litoral [F.: *sável* + *-elha*.]

savigniano (sa.vig.ni:*a*.no) *a.* **1** Que diz respeito a Friedrich Karl von Savigny (1779-1861, jurista alemão), ou a sua obra **2** Que é simpatizante ou seguidor das doutrinas de Savigny *sm.* **3** Entusiasta ou apreciador dos ensinamentos de Savigny [F.: Do antr. Friedrich Karl von *Savigny* + *-iano*.]

⊕ **savoir-faire** (*Fr. /savuár-fér/*) *sm.* Habilidade para executar algo; TATO

sax [cs] *sm.* **1** *Mús.* Red. de *saxofone*. **2** Mesmo que saxofonista (somente o subst.) [Pl.: *sax e saxes*.]

saxã (sa.*xã*) [cs] *a.* Fem. de *saxão* (tb. subst.)

saxão (sa.*xão*) [cs] *sm.* **1** Pessoa nascida ou que vive na Saxônia (região e estado da Alemanha) ou na Inglaterra *a.* **2** Da Saxônia (Alemanha); típico dessa região ou de seu povo **3** Da Inglaterra (devido à invasão saxônica); típico desse país ou de seu povo [Pl.: *-xões*. Fem.: *-xã*] [F.: Do lat. *saxone(m)*. Sin. ger.: *saxônico, saxônio*.]

sáxeo (*sá*.xe:o) [cs] *a.* Que é de pedra; PÉTREO [F.: Do lat. *saxeus, -a, -um*.]

saxícola (sa.*xí*.co.la) [cs] *a2g.* **1** *Ecol.* Diz-se de organismo que vive entre rochas e pedras; SAXÁTIL *s2g.* **2** Aquele que gosta de pedras [F.: *sax-* + *-i-* + *-cola*.]

saxífraga (sa.*xí*.fra.ga) [cs] *sf.* **1** *Bot.* Nome comum às plantas do gên. *Saxifraga*, da fam. das saxifragáceas, encontradas em regiões temperadas do Norte, algumas cultivadas como ornamentais, outras us. como comestíveis, em saladas ou para fabricação de licores **2** Qualquer espécime desse gênero **3** *Bras.* Planta bianual (*Saxifraga granulata*) de flores-brancas e uso farmacológico; ARREBENTA-PEDRA; QUEBRA-PEDRA [F.: Do lat. cient. *Saxifraga*.]

saxifragácea (sa.xi.fra.*gá*.ce:a) [cs] *sf.* **1** *Bot.* Espécime das saxifragáceas *sfpl.* **2** Fam. da ordem das rosales, com folhas simples em espiral, flores ger. hermafroditas, algumas cultivadas como ornamentais, encontradas em regiões temperadas e frias do hemisfério norte [F.: Do lat. cient. *Saxifragaceae*.]

saxifragáceo (sa.xi.fra.*gá*.ce:o) [cs.] *a.* Ref. às saxifragáceas [F.: *saxifraga* + *-áceo*.]

saxofone (sa.xo.*fo*.ne) [cs] *sm. Mús.* Cada um dos instrumentos de uma família de instrumentos metálicos de sopro, dos quais os mais comuns são o saxofone alto e o tenor [Tb. se diz apenas *sax*.] [F.: Do fr. *saxophone*.]

saxofonista (sa.xo.fo.*nis*.ta) [cs] *s2g.* **1** *Mús.* Pessoa que toca o saxofone *a2g.* **2** *Mús.* Diz-se de músico que toca saxofone [F.: *saxofone* + *-ista*.]

saxônico (sa.*xô*.ni.co) *a. sm.* Ver *saxão* [F.: Do lat. *saxonicu(m)*.]

saxônio (sa.*xô*.ni:o) *a. sm.* Ver *saxão* [F.: *saxão* (f. rad. *saxon-*) + *-io*.]

saxorne (sa.*xor*.ne) [cs] *sm. Mús.* Instrumento de sopro formado por um longo tubo cônico de metal com embocadura de bocal e pistões [F.: Do ing. *saxhorne*, deriv. do antr. Adolphe *Sax*, fabricante de instrumentos no séc. XIX + al. *horn* (trompa).]

sax-tenor (sax-*te*.nor) [cs.] *sm.* **1** Abrev. de *saxofone tenor.* **2** O instrumentista que toca sax-tenor; tenorista

sazão (sa.*zão*) *sf.* **1** Cada uma das estações do ano **2** Tempo propício para colher os frutos **3** *Fig.* Ocasião oportuna, propícia para a realização de algo [Pl.: *-zões*.] [F.: Do lat. *satione(m)*. Hom./Par.: *sazão* (sf.), *sezão* (sf.).]

sazonado (sa.zo.*na*.do) *a.* **1** Maduro, pronto para se colher: "Quanto fui louco, ó Deus! – Em vez do fruto/ Sazonado e maduro, que eu podia/ Como em jardim colher, mordi no fruto/ Pútrido e amargo e rebuçado em cinzas" (Gonçalves Dias, *Minha Vida e Meus Amores*) **2** *Fig.* Experimentado, versado; pensado, refletido: *Já havia toda uma legislação tradicionalmente assentada e sazonada a respeito.* [F.: Part. de *sazonar*. Ant. ger.: *desassazonado*.]

sazonal (sa.zo.*nal*) *a2g.* Ref. a uma estação ou época (fenômeno sazonal); ESTACIONAL [Pl.: *-nais*.] [F.: *sazão* + *-al*.]

sazonalidade (sa.zo.na.li.*da*.de) *sf.* Qualidade de sazonal [F.: *sazonal* + *-idade*.]

sazonalmente (sa.zo.nal.*men*.te) *adv.* De acordo com a época do ano: *Os bronzeadores e protetores solares têm pico de vendas sazonalmente no verão.* [F.: *sazonal* + *-mente*.]

sazonamento (sa.zo.na.*men*.to) *sm.* **1** Ação ou resultado de sazonar(-se) **2** Tratamento que se dá ao concreto depois de alguns dias de aplicado, com o fim de impedir a evaporação da água de amassamento; mesmo que *cura* [F.: *sazonar* + *-mento*.]

sazonar (sa.zo.*nar*) *v.* **1** Tornar(-se) maduro; AMADURAR [*td.*: *A estação fresca sazonou os frutos.*] [*int.*: *As goiabas (se) sazonaram rápido.*] **2** Condimentar (um alimento) para lhe dar melhor sabor; TEMPERAR [*td.*: *Sazonou o peixe e o colocou na travessa.*] **3** Tornar interessante [*td.*: *Sazonou o discurso com ditos espirituosos.*] [▶ 1 sazonar] [F.: *sazão* + *-ar*. Hom./Par.: *sazonáveis* (2ªp. pl.)/ *sazonáveis* (pl. *sazonável* [a2g.]); *sazonais* (2ªp. pl.)/ *sazonais* (pl. *sazonal* [a2g.]).]

⊠ **Sb** *Quím.* Simb. de *antimônio*

⊠ **SBPC** Sigla de *Sociedade Brasileira para o Progresso da Ciência*

⊠ **SBR** *Quím.* Sigla de *Buna-S* [F.: Do ing. *styrene + butadiene*. Cf.: *borracha*.]

⊠ **Sc**^{1} *Quím.* Símbolo de *escândio*

⊠ **SC**^{2} Sigla do Estado de Santa Catarina

◎ **-scafo** *el. comp.* Ver *escaf(o)-*

⊕ **scanner** (*Ing. /scâner/*) *Inf. sm.* **1** Qualquer dispositivo capaz de converter imagens impressas em sinais elétricos **2** Aparelho que varre textos, imagens etc. impressos com um feixe de luz e os registra como uma matriz de pontos em arquivo eletrônico [Ver tb. *OCR*.]

⊕ **scherzo** (*It. /squêrtzo/*) *Mús. sm.* **1** Canção de caráter ligeiro do séc. XVII **2** Composição viva e alegre com passagens rápidas que, com Beethoven, passou a integrar a sinfonia, a sonata e o quarteto, substituindo o minueto [Ver *beethoveniano*.] **3** No séc. XIX, peça orquestral autônoma, de caráter dramático

schopenhaueriano *a.* **1** *Fil.* Ref. ao filósofo alemão Arthur Schopenhauer (1788-1860), ou a suas ideias **2** Admirador ou estudioso desse filósofo [F.: Do antr. *Schopenhauer* + *-ano*.]

schubertiano *Mús. a.* **1** Ref. ao compositor austríaco Franz Schubert (1797-1828) ou a sua obra *sm.* **2** Estudioso ou admirador da obra desse compositor [F.: Do antr. Franz *Schubert* + *-iano*.]

⊠ **SCID** *Biol. Bioq. a.* **1** Diz-se de estado a que ratos de laboratório são submetidos para a investigação de diversas doenças e para a análise da ação de vacinas ou drogas contra essas doenças *sm.* **2** Essa investigação [F.: Do ing. Sigla de S(evere) C(ombined) I(mmune) D(eficiency).]

◎ **-sclero** *el. comp.* Ver *escler(o)-*

◎ **-scopia** *el. comp.* = 'observação atenta'; 'estudo'; '(tipo de) exame'; 'visualização'; 'busca', 'procura': *artroscopia, astroscopia, eletroscopia, endoscopia, embrioscopia, helioscopia, hidroscopia* (< gr.), *radioscopia* [F.: Do gr. *-scopía, as*, do v. gr. *skopéo*, 'ver'; 'observar atentamente'; 'examinar' (ver *-ia*^{1}). F. conexa: *-scópio*.]

◎ **-scópio** *el. comp.* = 'instrumento ou aparelho us. para ver, visualizar, ou para analisar pela visão, examinar, ou ainda para detectar ou registrar ou medir algo': *colposcópio, crioscópio, endoscópio, estetoscópio, periscópio, telescópio* [F.: Do lat. cient. *-scopium*, do gr. *skopéo*, 'ver', 'observar'. F. conexa: *-scopia*.]

⊠ **SCR** *sm. Eletrôn.* Retificador controlado de silício; TIRISTOR [F.: Abrev. do ing. *silicon-controlled rectifier*.]

⊕ **script** (*Ing. /script/*) *sm.* **1** *Cin. Rád. Teat. Telv.* Texto de filmes, novelas, programas (rádio, TV) com falas, informações sobre a cena, o som, a imagem etc; ROTEIRO **2** *Inf.* Série de instruções, em linguagem de informática, para a execução de uma função ou de todo um programa para computador, determinado aplicativo etc. ∎∎ **fora do ~** Diz-se do que não é planejado ou previsto, do que não é levado em conta como possibilidade **Não estar no ~** **1** *Bras. Pop.* Não estar previsto ou planejado **2** Ocorrer de modo inesperado (ger. causando transtorno ou exigindo improvisação): *A chuva não estava no script do passeio.*

⊠ **s.d.** *Bibl.* Abrev. de *sem data* [Us. quando não há data de publicação.]

⊠ **s.e.** *Bibl.* Sigla de *sem editor*

S.E.^{1} Símb. de *sudeste* (região)

⊠ **S.E.**^{2} Abrev. de *sudeste* (região)

se^{1} *pr. pess.* **1** Indica que a ação do verbo afeta o sujeito da frase: *Maria vestiu-se em dois minutos; As ondas se espalhavam pela praia.* **2** Indica que a ação do verbo tem efeito mútuo entre pessoas ou coisas: *O professor e o aluno se desentenderam; As pedras se chocaram.* **3** Us. com verbos pronominais que expressam mudança de estado, sentimento, ou movimento: *O abajur espatifou-se no chão; Ângela alegrou-se com as visitas; Encaminhou-se à diretoria para fazer a queixa.* **4** Us. como parte integrante de certos verbos (p. ex., *arrepender-se, suicidar-se, queixar-se*) **5** Us. para formar a voz passiva: *Aqui ainda se veem crianças brincando na rua.* **6** Indica que o sujeito é indeterminado: *Precisa-se de eletricistas.* **7** Us. como elemento de realce: *Foi-se pela escada abaixo.* a) O pr. se é um pr. pess. de 3ª. pess., caso oblíquo, átono; b) Em certas construções, como em Deixou-se levar *por uma mentira*, o pr. encontra-se com dupla função, segundo a gramática tradicional, pois o se assume o lugar de sujeito, em relação a levar e de objeto, em relação a deixar.] [F.: Do lat. *se*. Hom./Par.: *sé* (s. f.).]

se^{2} *conj.* **1** Introduz uma oração que é complemento da oração principal: *Não disse se chegaria cedo. conj. condic.* **2** Na condição de; caso: *Se você explicar o caminho, vou sozinha. conj. caus.* **3** Já que, visto que: *Se alguns têm dúvidas, é melhor adiarmos a prova. conj. temp.* **4** Quando, enquanto: *Se nada fala, todos reclamam sua opinião.* [F.: Do lat. *si*. Hom./Par.: *sé* (s. f.).]

sé *sf.* **1** Igreja episcopal **2** Bispado conjuntamente com a sua jurisdição **3** Igreja metropolitana **4** A Santa Sé, a Igreja Romana, o Vaticano [F.: Do lat. *sede*. Hom./Par.: *se* (pron. e conj.).] ∎∎ **~ patriarcal** Igreja que é dirigida por um patriarca **A Santa ~** O Vaticano; o poder pontifício **Velho como a ~ de Braga** Muito velho

seara (se:*a*.ra) *sf.* **1** *Agr.* Campo de cultivo de cereais **2** *Agr.* Terra que se semeia depois de lavrada; MESSE **3** *Agr.* Pequena extensão de terra cultivada **4** *Fig.* Certo número de pessoas que adere a algum princípio benéfico; AGREMIAÇÃO **5** *Fig.* Área de interesse, conhecimento e/ou atuação profissional de uma pessoa: *Não conheço estes autores, eles não pertencem a minha seara.* [F.: Do lat. vulg. *senara*.] ∎∎ **~ alheia** O que diz respeito a atividades, interesses, assuntos etc. de outrem: *Intrometido, vivia dando palpite em seara alheia.*

seareiro (se.a.*rei*.ro) *sm.* **1** Indivíduo que cultiva seara **2** Lavrador que paga o uso da terra com parte da colheita **3** *P. ext.* Indivíduo que propaga ideias, doutrinas [F.: *seara* + *-eiro*.]

sebaça (se.*ba*.ça) *BA GO sf.* **1** Roubo à mão armada **2** Invasão de propriedade para roubar os pertences, às vezes como ação punitiva: "Posso até livrar de sebaça, às vezes, mas não posso perdoar isso não..." (Guimarães Rosa, "A hora e vez de Augusto Matraga" *in Sagarana*) [F.: posv. de *sebo*. Hom./Par.: *sebácea* (f. *sebáceo* [adj.]).]

sebáceo (se.*bá*.ce:o) *a.* **1** Que tem a natureza do sebo; ensebado, sebento **2** *Hist.* Que produz ou contém matérias sebosas **3** *Anat.* Diz-se de pequenas glândulas existentes na espessura da pele (glândulas sebáceas) [F.: Do lat. *sebaceus, a, um*. Hom./Par.: *sebácea* (f.), *sebaça* (sf.).]

sebastianismo (se.bas.ti.a.*nis*.mo) *sm.* **1** *Lus. Rel.* Crença existente em Portugal de que o rei D. Sebastião (1554-1578) voltaria um dia como uma espécie de messias para conduzir o país a novas glórias [Inicial ger. maiúscula.] **2** *Bras. Depr.* Fidelidade aos ideais da monarquia após a consolidação da República **3** Sistema de ideias ou doutrina ultrapassada, não mais aceitável; obscurantismo **4** Qualquer esperança messiânica da volta ao poder de um dirigente carismático [F.: Do antr. Dom *Sebastião*, sob a forma *sebastian-* + *-ismo*.]

sebastianista (se.bas.ti:a.*nis*.ta) *a.* **1** Ref. ao Sebastianismo *a2g.* **2** Diz-se de seguidor do Sebastianismo **3** Que é retrógrado, reacionário *s2g.* **4** Pessoa sebastianista [F.: Do antr. Dom *Sebastião*, sob a forma *sebastian-* + *-ista*.]

sebe (*se*.be) [é] *sf.* **1** Cerca feita de plantas, arbustos etc., para separar e vedar terrenos: "(...) jardim, horta, pomar, pastagens, e plantios circunvizinhos eram divididos por viçosas e verdejantes sebes de bambus, piteiras, espinheiros e gravatás." (Bernardo Guimarães, *A Escrava Isaura*) **2** Série de estacas de madeira com esteio feito de ripas e varas, cujos intervalos se enchem de barro amassado e com que se fazem casas; parede de taipa [F.: Do lat. *sepe*.] ∎∎ **~ viva** Cerca formada por plantas vivas

sebeiro (se.*bei*.ro) *sm.* **1** Quem prepara ou vende sebo **2** Pedaço de madeira us. por calafates para pôr sebo em brocas, verrumões etc. **3** *RS* Apelido que os rio-grandenses (de Rio Grande, RS) dão aos pelotenses [F.: *sebo* + *-eiro*.]

sebenta (se.*ben*.ta) *sf.* **1** Mulher suja, sem higiene **2** *Lus.* Nome que dão em Coimbra à apostila que contém lições revisadas para uso dos alunos: "Cópias litográficas se fizeram, que, de ensebadas, se chamaram sebentas." (Afrânio Peixoto, *Ensinar a ensinar*) [F.: Do fem. substv. *sebento*.]

sebento (se.*ben*.to) *a.* 1 Que é feito ou coberto de sebo (livro sebento; mãos sebentas); ENGORDURADO; SEBÁCEO; SEBOSO 2 Diz-se de quem ou do que é sujo, porco, desasseado *sm.* 3 Aquele que é sujo, porco, desasseado [F.: *sebo* + *-ento*.]

sebinho (se.*bi*.nho) *sm.* 1 Pequena loja de livros usados 2 *S Ornit.* Designação comum a diversas espécies de pássaros de proporções diminutas; CAGA-SEBINHO; CAGA-SEBO; SEBITE; SEBITO 3 *S Ornit.* Ave passeriforme (*Polioptila dumicola*), mesmo que *balança-rabo-de-máscara* [F.: *sebo* + *-inho*.]

◎ **seb(i/o)-** *el. comp. Pref.* = sebo: *sebento, seborreia, seboso*

sebite (se.*bi*.te) *Bras. a2g.* 1 *N Pop.* Diz-se de indivíduo intrometido *a2g.* 2 *N Pop.* Diz-se de indivíduo inquieto *a2g.* 3 Que é orgulhoso, mesmo que *metido a sebo sm.* 4 *N Ornit.* Designação pop. de pássaro de pequeno tamanho *s2g.* 5 *N Pop.* Aquele que é intrometido, irriquieto [F.: *sebo* + *-ite*.]

sebo (*se*.bo) [ê] *sm.* 1 Gordura sólida presente nas vísceras abdominais dos ruminantes, e que serve esp. para o fabrico das velas de iluminação [Difere da gordura em esta ficar sempre mole, enquanto que aquela endurece pelo resfriamento. Cf.: *banha*.] 2 *Histl.* Secreção das glândulas sebáceas que protegem a pele 3 *Bras.* Livraria onde se vendem livros usados; ALFARRABISTA 4 *Bras. Pop.* Pessoa convencida, que se acha importante 5 *Bras. Vulg.* Namoro, flerte *interj.* 6 *Gír.* Expressão que significa desagrado, desprezo; BOLAS: "Não é por mim, nem por ti, nem tampouco pela Lúcia; mas é por ela, sebo! por – minha irmã! – a quem sirvo de pai!" (Aloísio Azevedo, *Casa de pensão*) [F.: Do lat. *sebu*.] ■ **Metido a ~** *Bras. Pop.* Diz-se de pessoa cheia de pose, que ostenta importância que na verdade não tem **Ora ~** *Pop.* Us. interjetivamente, manifesta desagrado, irritação, frustração, impaciência **Passar/pôr ~ nas canelas** *Bras. Pop.* Correr, fugir correndo **~ nas canelas** *Bras. Pop.* Us. para dar ideia de fuga rápida: *Vamos embora! Sebo nas canelas!*

seborreia (se.bor.*rei*.a) *sf. Derm.* Secreção excessiva das glândulas sebáceas, esp. no couro cabeludo; ESTEATORREIA; HIPERESTEATOSE [F.: *sebo* + *-rreia*.]

seborreico (se.bor.*rei*.co) *a.* 1 Rel. a seborreia *sm.* 2 Aquele que tem seborreia [F.: *seborreia* + *-ico*[2].]

seboso (se.*bo*.so) [ô] *a.* 1 Que tem ou produz sebo; GORDUROSO 2 Que está sujo de sebo; ENSEBADO; SEBENTO 3 *Bras. Pop.* Que se acha importante; CONVENCIDO; METIDO *sm.* 4 Pessoa suja, porca; SEBENTO [Pl.: [ó]. Fem.: [ó].] [F.: Do lat. *sebosu*.]

⊠ **Sebrae** Sigla de Serviço Brasileiro de Apoio às Micro e Pequenas Empresas

⊠ **sec** *Geom. Trig. Símb.* de secante[2]

seca[1] (*se*.ca) [é] *sf.* 1 Ação ou resultado de secar (seca rápida; seca lenta) 2 *Pop.* Aborrecimento, chateação: "Que seca, estar ali tão sozinha!" (Eça de Queirós, *O Primo Basílio*) 3 *Bras. Pop.* Conversa comprida: *Ela me deu uma seca pelo telefone.* 4 *Bras. Pop.* Má sorte; AZAR 5 *MG* Cerimônia, luxo 6 *RS* Conversa, prosa *s2g.* 7 *Bras. Pop.* Pessoa maçante, importuna [F.: Dev. de *secar*. Hom./Par.: *seca* (ê) (sf.) e *seca* (fl. de *secar*).]

seca[2] (*se*.ca) [ê] *sf.* 1 Falta de chuva; ESTIAGEM 2 *N. E. Pop.* Tuberculose [F.: De *secar*. Hom./Par.: *seca* (é) (sf.) e *seca* (fl. de *secar*).]

secador (se.ca.*dor*) [ô] *a.* 1 Que seca, que retira a umidade 2 *Bras. Pop.* Que provoca seca; ABORRECIDO; CHATO 3 *Bras. Pop.* Que causa seca; que dá azar; AZARENTO *sm.* 4 Máquina, aparelho ou dispositivo que é us. para secar (cabelo, louça, roupa, grãos etc.) 5 *Bras.* Espécie de estufa para a secagem dos grãos de café, amêndoas do cacau etc. 6 Fio, corda ou armação de metal, madeira ou outro material onde se dispõe a louça ou a roupa para secar 7 *Bras. Pop.* Indivíduo que causa seca, aborrecimento; CHATO 8 *Bras. Pop.* Indivíduo que traz azar 9 *Pap.* Sistema de cilindros para secagem do papel [F.: *secar* + *-dor*.]

secadora (se.ca.*do*.ra) [ô] *sf.* Máquina us. para secar esp. roupas e louças [F.: *secar* + *-dora*.]

secador de café (se.ca.dor de ca.*fé*) *sm.* Lugar em que se espalham os grãos de café colhidos para a secagem [Pl.: *secadores de café*.]

secagem (se.*ca*.gem) *sf.* 1 Ação ou resultado de secar(-se) (secagem rápida) 2 Operação que se faz ao grão de cevada destinado ao fabrico da cerveja, para lhe dar uma cor loura e sabor amargo [Pl.: *-gens*.] [F.: *secar* + *-agem*.]

secamente (se.ca.*men*.te) *adv.* De modo seco, friamente objetivo: *Respondeu secamente à minha pergunta.* [F.: o fem. de *seco* + *-mente*.]

secamento (se.ca.*men*.to) *sm.* 1 Ação ou resultado de secar 2 Perda de umidade [F.: *secar* + *-mento*.]

secante[1] (se.*can*.te) *a2g.* 1 Que seca, que apressa o processo de secagem (óleo secante) 2 Que seca, que aborrece; IMPORTUNO; MAÇADOR; ENFADONHO: "Perdoa-me, leitor amigo, uma reflexão última no fim deste capítulo já tão secante." (Almeida Garrett, *Viagens na Minha Terra*) *s2g.* 3 Indivíduo maçador, enfadonho, importuno *sm.* 4 Substância us. em pintura para acelerar a secagem da tinta [F.: Do lat. *siccante*.]

secante[2] (se.*can*.te) *a2g.* 1 Que intercepta, que corta *sf.* 2 *Geom.* Reta que intercepta uma curva 3 *Trig.* Função que é o inverso do cosseno [Símb.: *sec*] [F.: Do lat. *secante*.]

seção (se.*ção*) *sf.* 1 Ação ou resultado de cortar(-se), de seccionar(-se) 2 O corte em si 3 Porção, parte, divisão de um todo; PARCELA; SEGMENTO 4 Divisão ou subdivisão de (estabelecimento, repartição pública etc.) com objetivos de organização administrativa, comercial etc.: *seção de laticínios do supermercado; seção de ciências exatas da academia; seção de recursos humanos da empresa; seção de protocolo da repartição.* 5 Divisão ou subdivisão de uma obra ger. de cunho científico como estudo, tratado, ensaio etc., feita com o propósito de facilitar o seu entendimento 6 Representação em desenho técnico do corte de algo, num plano vertical ou horizontal, para apresentar os detalhes 7 *Geom.* Linha determinada sobre uma superfície por uma outra que encontra a primeira 8 *Geom.* Em geometria descritiva, corte vertical 9 *Mil.* A quarta parte de um esquadrão 10 *Bot.* Tipo de vegetação composta por gramíneas rasteiras e pequenos arbustos e poucas árvores, tb. pequenas, isoladas 11 *Mil.* Subdivisão de baterias em um número limitado de soldados e bocas de fogo 12 *Hist.* Em história natural, divisão de um gênero; divisão secundária; SUBDIVISÃO 13 *Farm.* Operação por meio da qual se dividem as substâncias medicinais com o auxílio de instrumentos cortantes 14 Cada um dos trechos em que se divide o percurso de uma linha de transporte coletivo, e em que se cobra uma nova passagem [Pl.: *-ções*.] [F.: Do lat. *sectione*. Hom./Par.: *seção* (sf.), *cessão* (sf.), *sessão* (sf.). Tb. *secção*.]

secar (se.*car*) *v.* 1 Tirar, ou ficar sem, a umidade, a água ou qualquer líquido; EVAPORAR(-SE) [*td.: Secar a roupa / os pratos / o chão.*] [*int.: A fonte secou(-se).*] 2 Tornar(-se) murcho; MURCHAR(-SE) [*td.: O calor secou os lírios.*] [*int.: As folhas secaram.*] 3 Fazer que emagreça, ou emagrecer; MIRRAR(-SE) [*td.: A doença o secou.*] [*int.: Depois da doença, ele secou; Eles secaram(-se) com tanto sofrimento.*] 4 *Fig.* Tornar(-se) insensível; fazer cessar [*td.: A violência urbana seca os corações.*] [*int.: Seu talento secou.*] 5 Causar aborrecimento; ABORRECER(-SE); ENFASTIAR(-SE) [*td.: A ociosidade seca-o.*] 6 *Gír.* Provocar azar ou má sorte a/em [*td.: Sua inveja secou meu projeto.*] [*int.: Secou tanto que o projeto não se realizou.*] 7 Ficar sem voz, mudo; EMUDECER(-SE) [*int.: Sua voz secou na hora da conferência.*] 8 Ter inveja de [*td.: Esse invejoso vive secando os outros com os olhos.*] 9 *Bras. Pop.* Levar ao fim; ESGOTAR; ZERAR [*int.: Sua fonte de dinheiro secou.*] 10 *Mar.* Pôr em seco (a embarcação) [*td.: Secaram a canoa para os pesquisadores entrarem.*] [▶ 11 secar] [F.: Do lat. *siccare*. Hom./Par.: *seca(s)* (fl.), *seca(s)* [ê] (sf. s2g. [pl.]); *secaria(s)* (fl.), *secaria(s)* (sf. [pl.]); *secáveis* (fl.), *secáveis* (pl. *secável* [a2g.]); *seco* (fl.), *seco* [ê] (a. sm.); *seca(s)* (fl.), *seca(s)* [ê] (sf. s2g. [pl.]), *ceca(s)* (sf. [pl.]); *seco* (fl.), *ceco* (sm.).]

secarrão (se.car.*rão*) *a.* 1 Que é muito sério, calado, que é pouco expansivo ou carinhoso [Ant.: *afetuoso, carinhoso*] *sm.* 2 Aquele que é muito sério, calado, pouco expansivo ou carinhoso [Pl.: *-rões*. Fem.: *-rona*.] [F.: *seco* + *-arrão*.]

secarrona (se.car.*ro*.na) *sf.* Mulher de modos frios e duros [F.: fem. de *secarrão*.]

secativo (se.ca.*ti*.vo) *a.* 1 *Farm.* Diz-se dos medicamentos que se empregam externamente para produzirem a adstringência de todos os tecidos vivos *sm.* 2 *Farm.* Qualquer medicamento com essa função [F.: Do lat. tardio *siccativu*.]

secção (sec.*ção*) *sf.* Ação ou resultado de seccionar, de cortar algo, mesmo que *seção* [F.: Do lat. *sectio, onis*.]

seccionado (sec.ci:o.*na*.do) *a.* Que se seccionou, mesmo que *secionado* [F.: part. de *seccionar*.]

seccional (sec.ci:o.*nal*) *a2g.* Rel. a secção, mesmo que *secional* [F.: *seccion* + *al*[1].]

seccionamento (sec.ci:o.na.*men*.to) *sm.* Ver *secionamento*

seccionar (sec.ci:o.*nar*) *v.* O mesmo que *secionar* [▶ 1 seccionar]

secessão (se.ces.*são*) *sf.* 1 Ação ou resultado de separar, de afastar algo daquilo a que estava ligado 2 Separação de parte de uma unidade política para formar outra independente [Pl.: *-sões*.] [F.: Do lat. *secessione*.]

secessionismo (se.ces.si:o.*nis*.mo) *sm.* Apoio ou defesa do direito de secessão; SEPARATISMO [F.: *secessão* + *-ismo*.]

secessionista (se.ces.si:o.*nis*.ta) *a.* 1 Ref. a secessão *a2g.* 2 Que é adepto da secessão *s2g.* 3 Partidário da secessão [F.: *secessão* + *-ista*.]

⊠ **sech** *Trig.* Símbolo de *secante hiperbólica*

sécia (*sé*.ci:a) *sf.* 1 Sestro, capricho, veneta: "Mas, o homem, o nominoso, não tardou em aparecer, sempre no malfazer, naquela sécia." (Guimarães Rosa, "Fatalidade" *in Primeiras estórias*) 2 Prenda, predicado 3 Mulher de postura elegante, mas superficial, presumida 4 *Vest.* Tipo de roupão feminino 5 A moda do momento 6 *Bot.* Erva (*Callistephus chinensis*), nativa da China, com flores coloridas; MALMEQUER-DA-SÉCIA; RAINHA-MARGARIDA [F.: De or. duv.]

sécio (*sé*.ci:o) *a.* 1 Diz-se de quem se veste com afetação; CASQUILHO; DÂNDI; JANOTA 2 Diz-se de quem não para quieto, que está sempre a saracotear *sm.* 3 Aquele que se veste de maneira afetada 4 Indivíduo irrequieto, buliçoso [F.: De or. obsc.]

secional (se.ci:o.*nal*) *a2g.* Ref. a se(c)ção [Pl.: *-nais*.] [F.: *se(c)ção* + *-al*. Tb. *seccional*.]

secionamento (se.ci:o.na.*men*.to) *sm.* Ação ou resultado de se(c)cionar, de dividir algo em partes [F.: *se(c)cionar* + *-mento*. Tb. *seccionamento*.]

secionar (se.ci:o.*nar*) *v. td.* Dividir(-se) em seções ou em partes, ou cortar: *secionar um músculo/um capítulo; Os tendões se secionaram.* [▶ 1 secionar] [F.: *seção* + *-ar*[2], seg. mod. erudito. Hom./Par.: *secionais* (fl.), *secionais* (a2g. pl.); *secionáveis* (fl.), *secionáveis* (a2g. pl.). Tb. *seccionar*.]

seclusão (se.clu.*são*) *sf.* Isolamento [Pl.: *-ões*.]

seco (*se*.co) [ê] *a.* 1 Que não está molhado (roupas secas) [Ant.: *molhado*.] 2 Destituído da umidade natural (figos secos; boca seca) 3 Que está magro, descarnado: "Seca mão de um espectro" (Almeida Garrett, *Dona Branca*) [Ant.: *carnudo*.] 4 Diz-se de ruído que não ressoa: *Ouviram-se golpes secos de machado na mata.* 5 Diz-se dos alimentos que foram submetidos a certos processos para se extrair a umidade visando à sua conservação (carne-seca; bacalhau seco) 6 Diz-se do tempo sem umidade e sem chuva (tempo seco; estação seca) [Ant.: *úmido, chuvoso*.] 7 Falta de vegetação (paisagem seca); ÁRIDO 8 *Fig.* Desprovido de ornatos e pompas, rude, severo (estilo seco) [Ant.: *pomposo*.] 9 *Fig.* Pouco expansivo; SEVERO: *O chefe era seco com todos.* 10 *Fig.* Incivil, descortês, severo, ríspido, grosseiro; que não tem sentimentos delicados: "(...) limitou-se a dar-lhe uma resposta seca e decisiva, um "Não, meu caro Senhor" capaz de desanimar o namorado mais decidido." (Artur Azevedo, *A filha do patrão*) [Ant.: *amável, delicado*.] 11 *Fig.* Insensível aos afetos, frio, destituído de ternura 12 *Bras. Pop.* Que tem muita vontade; ÁVIDO; SEQUIOSO; DESEJOSO: *Estava seco por um banho.* 13 *Pop.* Vazio, escorrido, despejado (algibeiras secas) 14 *Fig.* Sem rodeios, claro, franco, direto (exposição seca; conclusões secas) *sm.* 15 Local ou terreno enxuto, sem água 16 *N* Baixio de areia, que a vazante descobre [F.: Do lat. *siccu*. Hom./Par.: *seco* [ê] (adj.) e *seco* [é] (fl. de *secar*).] ■ **A ~** 1 Sem ter ou ingerir qualquer bebida: *Passaram a reunião a seco.* 2 *Restr* Sem ter ou ingerir qualquer bebida alcoólica 3 Sem qualquer rendimento ou remuneração 4 Apenas com o ordenado, sem comida; à seca 5 *Mús.* Sem acompanhamento instrumental (diz-se de canto) 6 Sem usar água, só produtos químicos (diz-se de lavagem de roupa) **Em ~** 1 *Mar.* Fora da água (diz-se de embarcação) 2 *Fig.* Sem ajuda da saliva (o ato de engolir), como reação de constrangimento, de contenção, de surpresa desagradável etc. **Estampar a ~** Gofrar (3) **Mariscar no ~** *Bras.* Bicar (ave) na terra, em busca de alimento **Nadar em ~** *Pop.* Esforçar-se muito por algo, sem resultado

secos (*se*.cos) [ê] *smpl.* Gêneros secos que se vendem por medida, como trigo, feijão, grão etc. [Cf.: *molhados*.] [F.: Pl. de *seco*.]

secreção (se.cre.*ção*) *sf.* 1 *Fisl.* Ação de (uma glândula, um órgão) produzir e expelir uma substância: *estimular a secreção de hormônio* 2 *Fisl.* Substância produzida por secreção (1): *O fígado abastece de bílis a vesícula, que despeja essa secreção no intestino.* 3 *Geol.* Estrutura mineral secundária oriunda de infiltração de substâncias minerais que se depositam nas paredes da cavidade de uma rocha [Pl.: *-ções*.] [F.: Do lat. *secretione*.] ■ **~ externa** *Fisl.* Secreção de glândulas vertida em superfície externa ou interna do corpo, ou em canal excretor **~ interna** *Fisl.* Secreção de glândulas vertida no sangue ou na linfa

secreta (se.*cre*.ta) *sf.* 1 Em certas universidades, defesa de tese feita somente na presença de doutores 2 *Litu.* Oração que o padre diz em voz baixa, antes do prefácio da missa 3 *Pop.* Latrina, cloaca *sm.* 4 Integrante de polícia secreta [F.: Fem. substv. do adj. *secreto*. Hom./Par.: *secreta* (fl. de *secretar*).]

secretado (se.cre.*ta*.do) *a.* Que foi expelido, excretado [F.: Part. de *secretar*.]

secretamente (se.cre.ta.*men*.te) *adv.* De maneira secreta, sigilosa: *Penetrou na casa secretamente* [F.: o fem. de *secreto* + *-mente*.]

secretar (se.cre.*tar*) *v. td.* Produzir ou expelir (secreção); EXCRETAR; SEGREGAR: *O fígado secreta bílis.* [▶ 1 secretar] [F.: *secreção* sob a f. *secret-* + *-ar*[2]. Hom./Par.: *secreta(s)* (fl.), *secreta(s)* (sf. [pl.]); *secretaria(s)* (fl.), *secretaria(s)* (fl. *secretariar*), *secretaria(s)* (sf. [pl.]); *secreto* (fl.), *secreto* (a. sm.); *secretaria(s)* (fl.), *secretária(s)* (fem. de *secretário* (a.) [pl.]).]

secretaria (se.cre.ta.*ri*.a) *sf.* 1 Em repartições públicas ou privadas, seção que centraliza o expediente administrativo e onde se guarda ou arquiva a documentação relevante 2 *P. ext.* Local onde se encontra esta seção: *Você terá maiores informações sobre o curso na secretaria.* 3 Cada uma das subdivisões da administração municipal, estadual e federal: *Secretaria de Educação; Secretaria de Saúde; Secretaria de Fazenda.* [NOTA: Nesta acp., ger. us. com inicial maiúsc.] [F.: *secretário* + *-ia*[1]. Hom./Par.: *secretária* (sf.) e *secretaria* (fl. de *secretariar*).]

secretária (se.cre.*tá*.ri:a) *sf.* 1 Mulher com funções de secretário 2 Mesa de trabalho para guardar ou redigir documentos; ESCRIVANINHA 3 *P. us.* Mulher que guarda os segredos de outrem, ger. de homens [F.: Fem. de *secretário*. Hom./Par.: *secretaria* (sf.) e *secretaria* (fl. de *secretariar*).] ■ **~ eletrônica** Dispositivo que, ligado a uma linha ou aparelho telefônicos, atende automaticamente as ligações para gravar e posteriormente reproduzir mensagens faladas

secretariado (se.cre.ta.ri:*a*.do) *sm.* 1 Emprego, função ou dignidade de secretário 2 Lugar onde o secretário faz o expediente e conserva os registros e arquivos, cuja guarda lhe está confiada 3 Tempo em que duram as funções de secretário 4 O conjunto dos secretários de Estado; MINISTÉRIO 5 *Bras.* Curso de especialização que forma secretários [F.: *secretário* + *-ado*.]

secretarial (se.cre.ta.ri:*al*) *a2g.* Ref. a secretário ou a secretaria (funções secretariais) [Pl.: *-ais*.] [F.: *secretário* + *-al*.]

secretariar (se.cre.ta.ri.*ar*) *v.* Ser secretário(a) de, ou exercer as funções de secretário(a) [*td.: O jovem secretaria o presidente da Assembleia.*] [*int.: Ele não serve para secre-*

tariar.] [▶ 1 secretariar] [F.: *secretario* + *-ar²*. Hom./Par.: *secretaria(s)* (fl.), *secretária(s)* (fem. *secretário* (a.) [pl.]); *secretaria(s)* (fl.), *secretaria(s)* (sf. [pl.]); *secretario* (fl.), *secretário* (sm.).]

secretariável (se.cre.ta.ri.*á*.vel) *a2g.* Que pode ser indicado para cargo de secretário [Pl.: *-eis.*] [F.: *secretária* (fem. de secretário) + *-ável.*]

secretário (se.cre.*tá*.ri:o) *sm.* **1** Responsável por secretaria **2** Responsável por secretarias governamentais: *secretário de Educação; secretário da Saúde* **3** Redator das atas em reuniões **4** Funcionário que assessora alguém, ou órgão, departamento etc., com serviços de datilografia, arquivamento, correspondência, organização, assuntos pessoais etc. [NOTA: Nesta acp., col.: *secretariado.*] **5** *Ornit.* Ave de rapina africana (*Sagittarius serpentarius*), da fam. dos gipogeranídas, conhecida tb. por serpentário **6** *Bras. Gír.* Ajudante de cocheiro, de motorista etc. **7** *Antq.* Pessoa a quem se confiava algum segredo; CONFIDENTE **8** Livro que contém modelos de cartas para uso de pessoas que não têm prática de as escrever **9** *Dipl.* Aquele encarregado de lavrar os despachos da embaixada; o que dirige a secretaria da embaixada sob as ordens do embaixador [F.: Do lat. medv. *secretariu.* Hom./Par.: *secretario* (fl. de *secretariar*).] ■ **~ de Estado 1** Título e função do ministro das Relações Exteriores dos E.U.A **2** Título e função do cardeal responsável pelas Relações Exteriores no Vaticano

secretividade (se.cre.ti.vi.*da*.de) *sf.* **1** Qualidade do que é secreto: "...como diziam os romanos, a rosa símbolo da secretividade absoluta." (Guimarães Rosa, "Fantasmas dos vivos" *in Ave, Palavra*) *sf.* **2** *Psic.* Tendência narcisística para a dissimulação, o disfarce [F.: *secreto* + *-ivo-* + *-idade.*]

secreto (se.*cre*.to) *a.* **1** Que não pode ser revelado (lugar secreto; acordo secreto); OCULTO: "Só uma coisa me entristece/ O beijo de amor que não roubei/ A jura secreta que não fiz/ A briga de amor que eu não causei" (Sueli Costa e Abel Silva, *Jura secreta*) **2** Que foi dito ou escrito em segredo; CONFIDENCIAL: *Encontrou cartas secretas do amigo.* **3** Que não se pode manifestar; ÍNTIMO; RECÔNDITO: *Sofria de um mal secreto.* [Ant.: *declarado, público, revelado.*] **4** Diz-se de pessoa que dissimula as suas intenções, os seus sentimentos, os seus pensamentos **5** Discreto, que sabe guardar segredo **6** Que não é aparente, que não é visível (mecanismo secreto) **7** Que está dissimulado, colocado de propósito para não ser visto (escada secreta; passagem secreta) *sm.* **8** *Antq.* Segredo [F.: Do lat. *secretu.* Ideia de 'secreto', usar o antepos. *latr(o)-.*]

secretor (se.cre.*tor*) [ô] *a.* **1** Que produz secreção (células secretoras; órgãos secretores) *sm.* **2** *Fisl.* Órgão ou organismo que produz secreção: *O suor tem como secretores as glândulas sudoríparas.* [F.: Do lat. *secretus* + *-or.*]

secretório (se.cre.*tó*.ri:o) *a.* **1** Ref. a secreção **2** Que segrega, que elabora os produtos da secreção; SECRETOR **3** *Fisl.* Diz-se dos vasos ou glândulas em que se realizam as secreções [F.: Do lat. *secretus* + *-ório.*]

sectário (sec.*tá*.ri:o) *a.* **1** *Rel.* Ref. ou pertencente a seita **2** Que não tolera, que não admite opinião divergente (ideias sectárias) *sm.* **3** *Rel.* O que professa uma seita **4** *Rel.* Partidário fanático de uma seita religiosa **5** *Fig.* O que segue outro no seu modo de pensar, o que obedece cegamente **6** *P. ext.* Partidário obstinado de um sistema qualquer [F.: Do lat. *secta* + *-ário.*]

sectarismo (sec.ta.*ris*.mo) *sm.* **1** Condição ou característica do que é sectário **2** Atitude, gesto sectário para com outrem; INTOLERÂNCIA; INTRANSIGÊNCIA [F.: *sectário* + *-ismo.*]

séctil (*séc*.til) *a2g.* Que pode ser cortado; SÉTIL [F.: Do lat. *sectilis, e.*]

sector (sec.*tor*) [ô] *sm.* Ver *setor*

secular (se.cu.*lar*) *a2g.* **1** Referente a século **2** Que acontece de século em século (festa secular) **3** Que existe há séculos (costume secular) **4** *P. ext.* Que tem muito tempo, que é muito antigo (palácio secular) **5** *Fig.* Que subsiste durante muito tempo; que é antigo (amizade secular) [Ant.: *recente*] **6** Que não é próprio da Igreja; que não pertence à Igreja; leigo, profano (educação secular) **7** Diz-se daquele que participa do século, da vida civil, que não pertence a uma ordem religiosa (freira secular) *s2g.* **8** Aquele que vive no século, no mundo, que não fez votos religiosos: *Foram ordenados muitos seculares.* [F.: Do lat. *saecularis, -e.*]

secularidade (se.cu.la.ri.*da*.de) *sf.* **1** Qualidade do que é secular; estado secular **2** A jurisdição secular de uma igreja **3** Dito ou ação própria de leigo ou não religioso [F.: Do lat. medv. *saecularitate.*]

secularista (se.cu.la.*ris*.ta) *a.* **1** Que se refere ao secularismo *a2g.* **2** Que é adepto do secularismo *s2g.* **3** O adepto do secularismo [F.: *secular* + *-ista.*]

secularização (se.cu.la.ri.za.*ção*) *sf.* **1** Ação ou efeito de secularizar(-se) **2** Conversão dos bens do clero em bens nacionais **3** Conversão de crenças, determinadas ações e instituições religiosas em doutrinas filosóficas, ações e instituições seculares: *secularização do ensino.* **4** *Rel.* Desobrigação dos votos monásticos e/ou de clausura **5** *Jur.* Subordinação de princípios do direito canônico pelo direito civil [Pl.: *-ções.*] [F.: *secularizar* + *-ção.*]

secularizado (se.cu.la.ri.*za*.do) *Rel. a.* **1** Diz-se do que perdeu o caráter religioso **2** Que passou de eclesiástico a leigo **3** Que deixou de ter caráter teocrático *sm.* **4** Aquele que se tornou leigo [F.: Part. de *secularizar.*]

secularizador (se.cu.la.ri.za.*dor*) [ô] *a.* **1** Que seculariza: *A moda de dançar na igreja tem um efeito secularizador sobre o culto. sm.* **2** Aquele que seculariza [F.: *secularizar* + *-dor.*]

secularizar (se.cu.lia.ri.*zar*) *v. td.* **1** Fazer que volte ou voltar ao século, à vida leiga: *A Revolução Francesa secularizou muitos padres; Aquele monge secularizou-se.* **2** Subordinar à legislação civil (o que estava sob o direito canônico) **3** Tomar (bens da Igreja): *Secularizaram os terrenos da paróquia.* [▶ 1 secularizar] [F.: *secular* + *-izar.*]

secularmente (se.cu.lar.*men*.te) *adv.* **1** Ao correr dos séculos **2** De cem em cem anos [F.: *secular* + *-mente.*]

século (*sé*.cu.lo) *sm.* **1** *Cron.* Período de cem anos seguidos **2** *Cron.* Divisão do tempo histórico que consiste numa sequência de cem anos (a partir do primeiro dia do primeiro ano de uma centena, até o último dia do último ano dessa centena) **3** *Cron.* Espaço de cem anos contados a partir da era do nascimento de Cristo **4** *P. ext.* Espaço de tempo indeterminado; um espaço de tempo muito longo: *A sua ausência durou um século; Faz séculos que não o vejo.* **5** *P. ext.* Tempo ou época que ficou célebre ou notável por alguma personagem de grande influência social, ou por algum fato extraordinário: *O século XVI foi o século de Camões; o século da invenção da imprensa.* **6** Espaço de tempo considerado em relação aos costumes desse tempo: *Vivemos o século da corrupção!* **7** *P. ext.* A época presente: *Ela comprou o vestido na maior liquidação do século.* **8** O tempo, considerado de modo indeterminado: *Não é homem do seu século.* **9** O mundo, a vida secular, mundana, em oposição à vida religiosa [F.: Do lat. *saeculu.*] ■ **Do ~** Diz-se de qualquer pessoa, obra, evento ou manifestação que, por ser muito marcante, é o mais expressivo de uma era, de uma época (o atleta do século, o romance do século) [No mesmo modelo semântico, pode-se conceber o 'destaque no ano', o 'filme do mês', o 'herói do dia' etc.] **Por (todos os)~s dos ~s/ por todos os ~s de ~s** Eternamente (no futuro); para sempre

📖 Os séculos da história são contados, pelo calendário universal, a partir do que se presume seja o ano de nascimento de Jesus. Nessa contagem, o século 1, ou I, é a sequência de 100 anos que começa no início do primeiro dia do primeiro ano (ano 1) e vai até o fim do último dia do ano 100. O século 2, ou II, começa no início do primeiro dia do ano 101 e vai até o fim do último dia do ano 200, e assim por diante.

secundado (se.cun.*da*.do) *a.* **1** Que foi ajudado, auxiliado (em alguma tarefa): *Os trabalhadores foram secundados por suas mulheres.* **2** Que foi repetido, reforçado **3** Que foi acompanhado: *A orquestra foi secundada por um coro.* [F.: Part. de *secundar.*]

secundar (se.cun.*dar*) *v. td.* **1** Auxiliar (em funções, tarefas); coadjuvar: *A atriz principiante secundou muito bem o ator principal.* **2** Fazer ou dizer pela segunda vez: *Secundou o pedido do amigo com novo pedido.* **3** *Bras.* Dar como resposta; REPLICAR: *Secundou que não poderia atendê-lo hoje.* [▶ 1 secundar] [F.: Do lat. *secundare.* Hom./Par.: *secundaria(s)* (fl.), *secundária(s)* (fem. *secundário* (a. sm.) [pl.]).]

secundário (se.cun.*dá*.ri:o) *a.* **1** Que é de segunda ordem; que ocupa o segundo lugar em ordem, graduação ou qualidade **2** Que está num segundo estágio (após o primário) de desenvolvimento: *setor secundário da economia.* **3** Que é de menor importância: *Desempenhou um papel secundário na novela.* [Ant.: *principal.*] **4** Acessório, inferior; de pouco valor (questão secundária) [Ant.: *principal.*] **5** *Pedag.* Ref. ao ensino médio, grau de instrução posterior ao primário e anterior ao superior (curso secundário; professor secundário; escola secundária) **6** *Bot. Ecol.* Diz-se da vegetação (mata ou floresta, p. ex.) que substitui a vegetação primária depois da interferência humana no ambiente **7** *Ling.* Diz-se de qualquer forma linguística composta ou derivada [Ant.: *primário.*] **8** *Min.* Diz-se de mineral derivado de outro mineral preexistente **9** *Pat.* Diz-se de fenômeno patológico subsequente ou subordinado a outro **10** *Psi.* Diz-se da pessoa em quem os processos psíquicos repercutem de modo lento, duradouro e profundo *sm.* **11** *Pedag.* O ensino médio **12** *Astron.* Satélite [Com inicial maiúsc., nesta acp.] **13** *Geol.* O período mesozoico **14** *Elet.* Num transformador, indutância através da qual passa o fluxo magnético variável gerado pela corrente elétrica fornecida ao aparelho, e de onde se retira a tensão ou a corrente transformada; enrolamento secundário [F.: Do lat. *secundariu.*]

secundarizado (se.cun.da.ri.*za*.do) *a.* Que se secundarizou; que foi posto em plano secundário [F.: Part. de *secundarizar.*]

◎ **secund(i/o)-** *el. comp.* Pref. = segundo: *secundário, secundina* [F.: Do lat. *secundus, a, um.*]

secundifloro (se.cun.di.*flo*.ro) *a. Bot.* Diz-se de planta que tem flores de um só lado do eixo florífero [F.: *secund(i)-* + *-floro.*]

secundina (se.cun.*di*.na) *sf. Bot.* Revestimento interno do óvulo de plantas que dão flor(es) [F.: *secund(i)-* + *-ina.*]

secundinas (se.cun.*di*.nas) *sfpl. Biol.* Placenta e membranas que são expulsas do útero depois do parto [F.: Pl. de *secundina.*]

secura (se.*cu*.ra) *sf.* **1** Qualidade do que é seco; SEQUIDÃO [Ant.: *umidade.*] **2** Falta de água ou de umidade: *No inverno, sofre com a secura do ar.* [Ant.: *umidade.*] **3** Sensação de sede **4** *Fig.* Aspereza no trato com outrem; falta de afabilidade; FRIEZA; SEQUIDÃO: *A sua secura afastava as pessoas.* **5** *Fig.* Aridez, esterilidade: *Foram meses de secura mental, em que não escrevi nada que prestasse.* **6** *Bras. Fig.* Desejo excessivo por algo; AVIDEZ: *O menino tem secura por bola.* [F.: *seco* + *-ura.*]

securidade (se.cu.ri.*da*.de) *sf.* Segurança, mesmo que *seguridade* [F.: Do lat. *securitas, atis.*]

securitário (se.cu.ri.*tá*.ri:o) *a.* **1** Que diz respeito a seguro(s) (apólice securitária) **2** Que trabalha em empresa de seguros *sm.* **3** Pessoa que trabalha em empresa de seguros [F.: Do ing. *securit(y)* + *-ário.*]

securitização (se.cu.ri.ti.za.*ção*) *Econ. sf.* **1** Operação de crédito em que entram títulos como garantia de pagamento **2** Conversão de empréstimos e outros ativos em títulos ou obrigações que podem ser vendidos a investidores [F.: *securitizar* + *-ção.*]

securitizado (se.cu.ri.ti.*za*.do) *a.* Que passou por processo de securitização [F.: Part. de *securitizar.*]

securitizador (se.cu.ri.ti.za.*dor*) [ô] *a.* **1** Que efetua securitização *sm.* **2** Aquele que efetua securitização [F.: *securitizar* + *-dor.*]

securitizadora (se.cu.ri.ti.za.*do*.ra) [ô] *sf.* Empresa que efetua o processo de securitização [F.: fem. de *securitizador.*]

securitizar (se.cu.ri.ti.*zar*) *v. td.* Fazer a securitização de (dívida) [▶ 1 securitizar] [F.: Do ing. *securit(y)* + *-izar.*]

◎ **sed-¹** *el. comp. Pref.* = sede: *sedento* [F.: Do lat. *sitis.*]

◎ **sed-²** *el. comp. Pref.* = seda: *sedoso* [F.: Do lat. *saeta.*]

seda (*se*.da) [ê] *sf.* **1** Substância filamentosa segregada pela larva do bicho-da-seda **2** O fio feito com essa substância **3** O tecido fabricado com esse fio **4** Qualquer tecido feito com fibra vegetal, ou sintética, com aparência e textura da seda (3); seda artificial **5** *Bras. Fig.* Pessoa muito amável ou delicada: *Depois da bronca, ficou uma seda.* **6** *Irôn.* Pessoa demasiadamente sensível, cheia de não me-toques **7** *Bras. Gír.* Papel fino us. para enrolar cigarro de maconha **8** *Tec.* Rachadura ou falha nos instrumentos por onde normalmente quebram **9** Fenda ou risco na superfície de certas placas de metal **10** *Bot.* Pelo rijo que se vê no invólucro floral das gramíneas **11** *Zool.* Proteína elástica excretada pelas glândulas abdominais que toma a forma de um fio delgado e constitui a teia de algumas aranhas [F.: Do lat. *saeta.*] ■ **Rasgar ~** *Bras.* Elogiar-se mutuamente (duas ou mais pessoas); manifestar admiração recíproca; dirigir-se mutuamente palavras amáveis **~ artificial** Seda (4) **~ bruta** Ver *Seda crua* **~ cirúrgica** *Cir.* Fio de seda, achatado, torcido ou trançado, de diferentes calibres, us. em suturas cirúrgicas **~ crua** Seda (2) fiada ou torcida, preparada para tecer; seda bruta **~ selvagem** Seda (1) extraída do casulo de lagartas, não do bicho-da-seda

sedã (se.*dã*) *sm. Aut.* Carro de passeio, ger. para quatro ou cinco passageiros [F.: Do ing. *sedan.* Tb. *sedan.*]

sedação (se.da.*ção*) *sf.* **1** Ação ou resultado de sedar **2** Aplicação de medicamento sedativo em alguém, com fito de aliviar a dor, o sofrimento físico e/ou emocional etc. [Pl.: *-ções.*] [F.: Do lat. *sedatione.*]

sedado (se.*da*.do) *a.* Que sofreu sedação; que tomou sedativo ou acalmou-se, relaxou-se [F.: Part. de *sedar.*]

sedan (se.*dan*) *sm.* Ver *sedã*

sedante (se.*dan*.te) *a.* Que é capaz de sedar, de produzir sedação (medicamento sedante) [F.: *sedar* + *-nte.*]

seda-palha (se.da-*pa*.lha) *sf. Têxt.* Tecido de seda natural, mesmo que *palha de seda* [Pl.: *sedas-palha* ou *sedas-palhas.*]

sedar¹ (se.*dar*) *v. td.* **1** Acalmar ou moderar (aquele ou aquilo que estava agitado): *Ao chegar ao hospital, imediatamente sedaram o menino.* **2** *Med.* Ministrar sedativo a: *Sedaram o prisioneiro após a tortura.* [▶ 1 sedar] [F.: Do lat. *sedare.* Hom./Par.: *seda(s)* (fl.), *seda(s)* [ê] (sf. [pl.]), *ceda(s)* [ê] (fl. *ceder*); *sedais* (fl.), *sedais* (a2g. pl.), *cedais* (fl. *ceder*); *sedamos* (fl.), *cedamos* (fl. *ceder*); *sede(s)* (fl.), *cede(s)* (fl. *ceder*), *sede* [ê] (fl. *ser*), *sede(s)* [ê] (sf. [pl.]); *sedeis* (fl.), *cedeis* (fl. *ceder*); *sedemos* (fl.), *cedemos* (fl. *ceder*); *sedo* (fl.), *cedo* [ê] (adv. fl. *ceder*); *sedam* [é] (fl.), *cedam* [ê] (fl. *ceder*); *sedem* (fl.), *cedem* (fl. *ceder*), *sedém* (sm.).]

sedar² (se.*dar*) *v.* O mesmo que *assedar* [▶ 1 sedar] [F.: *seda* + *-ar²*.]

sedativo (se.da.*ti*.vo) *a.* **1** Que seda, que aplaca ou acalma uma irritação ou dor; CALMANTE; RELAXANTE: *Esta música tem um efeito sedativo. sm.* **2** Medicamento que aplaca ou acalma uma irritação ou dor: *Só dorme à base de sedativos.* [F.: *sedar* + *-tivo.*]

sedeca (se.*de*.ca) *sf. N Pop.* Desarranjo intestinal, mesmo que *diarreia*: "De melhorar, nem de traspassar-se, a sedeca, aquela espatifação." (Guimarães Rosa, "O porco e seu espírito" *in Ave, Palavra*)

sede (é) (*se*.de) [é] *sf.* **1** Localização central de uma instituição, empresa, firma etc.: *Reuniram-se na sede do partido.* **2** Local em que se realiza evento: *O Rio de Janeiro será a sede dos próximos jogos pan-americanos.* **3** Assento, cadeira **4** Dignidade de bispo, arcebispo ou pontífice que exercem jurisdição nalgum ponto **5** *Jur.* Lugar onde funciona um governo, um tribunal, uma administração; centro de atividade de pessoa física ou jurídica **6** *Fig.* Centro, ponto escolhido para nele se estabelecer alguma coisa: *Meca é a sede da religião muçulmana.* **7** *Cons.* O assento de pedra junto a algumas janelas **8** *Anat.* Ponto central ou região onde se realiza uma certa ordem de fenômenos fisiológicos **9** *Bras.* A casa principal de uma fazenda de lavoura ou de gado: *O capataz juntou os peões para defender a sede.* **10** *Tec.* Parte do corpo de uma válvula contra a qual se aperta ou se justapõe o tampão [F.: Do lat. *sede.* Hom./Par.: *sede* (ê) (sf.).] ▪▪ **~ gestatória** A cadeira do papa num andor, us. em procissões **~ social** Lugar de estabelecimento principal de uma sociedade, como consta do ato oficial de sua constituição

sede (ê) (*se*.de) [ê] *sf.* **1** Sensação causada pela necessidade de beber algum líquido, esp. água **2** *Fig.* Desejo ardente, vivo e imoderado (sede de justiça); AVIDEZ; COBIÇA **3** Ânsia, aflição, impaciência, sofreguidão (sede de viver) **4** *Pop.* Desejo de vingança **5** *P. ext. Fig.* Secura, falta de água ou de umidade (falando de campos ou terrenos): *Aqui, no inverno, os pastos têm sede.* [F.: Do lat. *site.* Hom./Par.: *sede* (é) (sf.).] ▪▪ **~ de água** *Pop.* A quantidade de água necessária para matar a sede **~ de sangue** *Fig.* Sanha assassina, vontade de matar **Ir com muita ~ ao pote** Ser pressuroso, afobado e imprudente ao ir buscar o que parece ser vantajoso

sedém (se.*dém*) *sm.* **1** *Bras. Pop.* Cauda ou traseiro de reses, mesmo que *sedenho* **2** Corda feita com os pelos da crina ou da cauda do boi: "...foi fiar seda de vaca, no canzil, para fazer sedém." (Guimarães Rosa, "A estória de Lélio e Lina" *in No Urubuquaquá, no Pinhém*) [F.: var. de *sedenho.* Hom./Par.: *cedem* (fl. *ceder*). Cf.: *sedem,* do v. *sedar,* e *cedem,* do v. *ceder.*]

sedenho (se.*de*.nho) *sm.* **1** *Med.* Mecha de fios que se introduz na pele para produzir irritação local e assim cessar um estado congestivo ou inflamatório; sedal **2** *P. ext. Med.* A ferida supurada assim produzida **3** *Ant.* Cilício de sedas ásperas usada como instrumento de mortificação **4** *Bras.* A cauda ou o traseiro das reses; SEDÉM **5** *Bras.* O traseiro, as nádegas **6** *MG Pop.* Crina cortada que se usa para fazer corda **7** *N Pop.* Essa corda; SEDÉM: "Atrás, o carro estava sem tampo: só com uns sedenhos, esticados a diferentes alturas, para impedir que, a cada tranco, a carga se fosse derramando." (Guimarães Rosa, "Conversa de bois" *in Sagarana*) [F.: *seda* + *-enho.*]

sedentariedade (se.den.ta.ri:e.*da*.de) *sf.* **1** Qualidade ou caráter de sedentário; SEDENTARISMO **2** Modo de vida sedentário [F.: *sedentário* + *-edade.*]

sedentário (se.den.*tá*.ri:o) *a.* **1** Que está quase sempre sentado; que não exercita o corpo e o conserva inativo: *Caminhar é bom para as pessoas sedentárias.* **2** Que está quase sempre em sua casa **3** Fixo, preso a um lugar (população sedentária) [Ant.: *nômade*] **4** Diz-se de um indivíduo cujo emprego ou ocupação o obriga a estar quase sempre parado ou sentado: *A televisão deixou as crianças muito sedentárias.* *sm.* **5** Indivíduo cujo emprego ou ocupação o obriga a estar quase sempre parado ou sentado [F.: Do lat. *sedentariu.*]

sedentarismo (se.den.ta.*ris*.mo) *sm.* Qualidade de quem tem vida ou hábitos sedentários; SEDENTARIEDADE: "... um partido composto sobretudo de pequenos burgueses da capital, adstritos ao sedentarismo crônico..." (Guerra Junqueiro, *Pátria*) [F.: *sedentário* + *-ismo.*]

sedento (se.*den*.to) *a.* **1** Que tem sede; SEQUIOSO: *Estava sedento e faminto.* **2** *Fig.* Ávido, que deseja ardentemente satisfazer paixão ou desejo [+ *de, por*: *sedento de glória; sedento por chegar à presidência.*] [F.: *sede* + *-ento.*]

sedex (se.*dex*) [cs] *sm.* Serviço de entrega rápida oferecido pelos correios: *Envie essa encomenda por sedex.*

sediado (se.di.*a*.do) *a.* *Bras.* Situado; que tem sede (é) em algum lugar: *as empresas sediadas no estado.* [F.: *sede* + *-iado.*]

sediador (se.di:a.*dor*) [ô] *a.* **1** Que sedia; que serve de sede *sm.* **2** O que serve de sede [F.: *sediar* + *-dor.*]

sediar (se.di.*ar*) *v. td.* Servir de sede a: *A cidade vai sediar os jogos olímpicos.* [▶ 1 sediar] [F.: *sede* + *-iar.*]

sedição (se.di.*ção*) *sf.* **1** Levantamento em massa contra a autoridade instituída; SUBLEVAÇÃO; INSURREIÇÃO; MOTIM: *Os líderes da sedição foram exilados.* **2** *Fig.* Desobediência civil; REAÇÃO; REBOLIÇO [Pl.: *-ções.*] [F.: Do lat. *seditione.*]

sedicioso (se.di.ci.*o*.so) [ô] *a.* **1** Que se rebela contra seus superiores ou contra o governo e a constituição do país; INDISCIPLINADO; INSUBORDINADO; REVOLTOSO **2** Que tem o caráter de sedição, que incita à insubordinação (movimento sedicioso) **3** Que demonstra indisciplina *sm.* **4** Aquele que é sedicioso, que provoca ou incita à sedição ou dela participa; INSURGENTE; REBELDE: "Não desertaram nessa noite os sediciosos, mas fizeram-no na noite seguinte." (Aquilino Ribeiro, *Constantino de Bragança*) [F.: Do lat. *seditiosus, a, um.*]

sediço (se.*di*.ço) *a.* Que está gasto, desgastado, fora de moda [A forma mais correta é *cediço.*]

sedimentação (se.di.men.ta.*ção*) *sf.* **1** Ação ou resultado de sedimentar **2** Formação de sedimentos **3** *Geol.* Processo de depósito ou acumulação de substâncias minerais ou rochosas, ou de substâncias de origem orgânica, em ambiente aquoso ou aéreo [Pl.: *-ções.*] [F.: *sedimentar* + *-ção.*]

sedimentado (se.di.men.*ta*.do) *a.* **1** Que sedimentou **2** *Fig.* Que está bem estabelecido, arraigado, sólido (saber sedimentado) [F.: Part. de *sedimentar.*]

sedimentador (se.di.men.ta.*dor*) [ô] *a.* **1** Que sedimenta **2** *Tec.* Diz-se de recipiente ou tanque de sedimentação, destinado a fazer a separação de uma mistura por diferença de densidade *sm.* **3** Esse recipiente ou tanque **4** Aquilo que sedimenta [F.: *sedimentar* + *-dor.* Cf.: *clarificador.*]

sedimentar¹ (se.di.men.*tar*) *a2g.* **1** Ref. a ou que contém sedimento(s) **2** *Geol.* Formado ou produzido por sedimento(s) (terrenos sedimentares): *A rocha tem uma origem sedimentar* [F.: *sedimento* + *-ar.*]

sedimentar² (se.di.men.*tar*) *v.* **1** Criar sedimento [*int.*: *A pasta sedimentou(-se).*] **2** *Fig.* Tornar(-se) sólido, firme; CONSOLIDAR(-SE); SOLIDIFICAR(-SE) [*td.*: *O passar dos anos sedimentou aquela amizade.*] [*int.*: *Nossa amizade sedimentou-se rapidamente.*] [▶ 1 sedimentar] [F.: *sedimento* + *-ar²*. Hom./Par.: *sedimentares* (fl.), *sedimentares* (a2g. pl.); *sedimento* (fl.), *sedimento* (sm.); *sedimentaria(s)* (fl.), *sedimentária* (fem. *sedimentário* (a.) [pl.]).]

sedimentário (se.di.men.*tá*.ri:o) *a.* Que resulta de processo de sedimentação, mesmo que *sedimentar* [F.: *sedimento* + *-ário.* Hom./Par.: *sedimentária* (f.), *sedimentárias* (f. pl.)/ *sedimentaria, sedimentarias* (fl. *sedimentar*).]

sedimento (se.di.*men*.to) *sm.* **1** Depósito produzido pela precipitação de matérias dissolvidas ou suspensas num líquido **2** Borra, fezes **3** O resquício sólido que as urinas depositam no fundo do vaso que as contêm **4** *Geol.* Depósitos de matérias sólidas por camadas deixadas pelas águas ao retirarem-se ou acumuladas por ação do vento **5** *Petrg.* Sólido arenoso que, com a água, origina-se da separação por decantação do petróleo estocado [F.: Do lat. *sedimentu.* Hom./Par.: *cedimento* (sm.), *sedimento* (sm.) *sedimento* (fl. de *sedimentar*).]

sedimentologia (se.di.men.to.lo.*gi*:a) *sf.* *Geol.* Parte da geologia que estuda a gênese dos sedimentos e a formação das rochas [F.: *sedimento* + *-logia.*]

sedimentológico (se.di.men.to.*ló*.gi.co) *a.* *Geol.* Ref. à sedimentologia [F.: *sedimentologia* + *-ico.*]

sedosidade (se.do.si.*da*.de) *sf.* Qualidade de sedoso [F.: *sedoso* + *-(i)dade.*]

sedoso (se.*do*.so) [ô] *a.* **1** Que tem sedas **2** Que tem o aspecto ou a constituição da seda (mãos sedosas; cabelos sedosos) **3** *P. us.* Que tem pelos [Pl.: [ó]. Fem.: [ó].] [F.: Do lat. *saetosu.*]

sedução (se.du.*ção*) *sf.* **1** Ação ou resultado de seduzir ou de ser seduzido **2** Poder ou ação de seduzir; ATRAÇÃO; CHARME: *Não resistiu à sedução do prêmio.* **3** *Bras. Jur.* Crime que consiste em iludir mulher virgem, acima de 14 e abaixo de 18 anos, valendo-se da sua falta de experiência ou da sua confiança para manter com ela conjunção carnal [Pl.: *-ções.*] [F.: Do lat. *seductione.*]

sédulo (*sé*.du.lo) *a.* Diz-se de quem é ativo, diligente, zeloso [Fem.: *sédula.*] [F.: Do lat. *sedulus, a, um.* Hom./Par.: *sédula* (f.)/ *cédula* (sf.). Cf.: *cédula.*]

sedutor (se.du.*tor*) [ô] *a.* **1** Que seduz; que leva à sedução **2** *Fig.* Atraente, cativante (palavras sedutoras) *sm.* **3** Indivíduo que usa de sedução para conseguir o que deseja **4** Homem que seduz, que leva à sedução, que corrompe as mulheres, esp. as ainda virgens e novas, ou as desonra por meio de palavras e/ou gestos envolventes, cativantes [F.: Do lat. *seductore.*]

sedutoramente (se.du.to.ra.*men*.te) *adv.* De maneira sedutora: *Apresentou-se sedutoramente vestida.* [F.: o fem. de *sedutor* + *-mente.*]

seduzido (se.du.*zi*.do) *a.* **1** Que se seduziu **2** Que cedeu às seduções *sm.* **3** Aquele que sucumbiu à sedução [F.: Part. de *seduzir.*]

seduzir (se.du.*zir*) *v.* **1** Causar admiração ou atração a; ENCANTAR; FASCINAR [*td.*: *O cantor seduziu a plateia.*] **2** Persuadir ardilosamente inclinando ao erro [*td.*: *O delinquente seduzia os meninos incautos.*] **3** Ter grande influência sobre [*td.*: *Era um escritor que seduzia a juventude.*] [*tdr.* + *a*: *Com sua lábia, seduziu-o a romper o contrato.*] **4** Desonrar ou deflorar (mulher jovem) valendo-se de promessas de casamento ou palavras amáveis [*td.*: *Foi preso por seduzir menores.*] **5** Conduzir à rebelião, à revolta; SUBLEVAR [*td.*: *O militante seduziu os colegas.*] **6** Dar suborno a (alguém) com fins ilícitos [*td.*: *O motorista embriagado tentou seduzir o policial com dinheiro.*] [▶ 57 seduzir] [F.: Do lat. *seducere.*]

seduzível (se.du.*zí*.vel) *a2g.* Que se pode seduzir (rapariga seduzível) [Pl.: *-eis.*] [F.: *seduzir* + *-vel.*]

sefaradi (se.fa.ra.*di*) *a.* **1** Ref a sefardi, ou a sua cultura, ritos etc. *sm.* **2** Indivíduo sefardi, ou sefardi (1) [F.: Do heb. *sefaradi* 'de Sefarad' (a Espanha, a península Ibérica).]

sefaradita (se.fa.ra.*di*.ta) *a. s2g.* Ver *sefardita*

sefardi (se.*far*.di) *a2g.* **1** Diz-se de judeu ou descendente dos judeus que foram expulsos da Espanha, em 1492, ou de Portugal, em 1496 **2** Diz-se de membro de comunidade cultural-religiosa que sofreu influência do judaísmo ibérico *a2g.* **3** Ref. aos sefardis, seus hábitos, tradições e costumes, esp. os ligados à religião *s2g.* **4** Judeu ou descendente dos primeiros judeus de Portugal e da Espanha [F.: Do hebr. tardio *sephardi* ou *sepharadi.* Formas paral.: *sefaradi, sefardim, sefardita, sefaradita.* Cf.: *asquenaze.*]

sefardita (se.far.*di*.ta) *a2g.* Judeu que descende dos primeiros judeus da península Ibérica, mesmo que *sefardi, sefaradi* [F.: *sefardi* + *-ita.*]

sega¹ (*se*.ga) *sf.* **1** Ação ou resultado de segar; SEGADURA; CEIFA **2** O tempo que dura a ceifa [F.: De *segar.* Hom./Par.: *sega(s)* (sf. [pl.]), *sega(s)* (fl. de *segar*), *cega(s)* (fl. de *cegar*) e *cega(s)* (fem. de *cego*).]

sega² (*se*.ga) [ê] *sf.* Ferro que se adapta ao timão da charrua, adiante da relha, e serve para fender a terra e cortar raízes [Pl.: *segas* [ê].] [F.: Do ár. *sikka(t).* Hom./Par.: *sega(s)* (sf. [pl.]), *sega(s)* (fl. de *segar*), *cega(s)* (fl. de *cegar*), *cega(s)* (fem. de *cego*).]

segadeira (se.ga.*dei*.ra) *sf.* Espécie de foice grande, us. em sega (1) [F.: *segar* + *-deira.*]

segador (se.ga.*dor*) [ô] *a.* **1** Que sega, mesmo que *ceifador* *sm.* **2** Aquele que sega [F.: *segado* + *-or.*]

segadura (se.ga.*du*.ra) *sf.* O mesmo que *sega¹* [F.: *segado* (part. de *segar*) + *-ura.*]

segar (se.*gar*) *v.* **1** Cortar, colher (esp. cereais) com foice ou outro instrumento; CEIFAR [*td.*: *segar o trigo/a relva.*] [*int.*: *Acorda cedo para segar.*] **2** *P. ext.* Cortar em fatias finas [*td.*: *Segou o pepino em rodelas fininhas.*] **3** *Fig.* Dar fim a [*td.*: *segar um velho amor.*] [▶ 14 segar] [F.: Do lat. *secare.* Hom. Par.: *segar, cegar* (em todas as fl.); *sega(s)* (fl.), *sega(s)* (sf. [pl.]), *sega(s)* [ê] (sf. [pl.]), *cega(s)* (fem. *cego* (a.) [pl.]); *sego* (fl.), *cego* (a. sm.); *segue(s)* (fl.), *segue(s)* (fl. *seguir*).]

sege (*se*.ge) [é] *sf.* **1** Antiga carruagem, puxada por dois cavalos, com um único assento, duas rodas e frente fechada por cortinas e/ou vidro **2** Qualquer tipo de carruagem [F.: Do fr. *siège.*]

segmentação (seg.men.ta.*ção*) *sf.* **1** Ação ou resultado de segmentar; FRACIONAMENTO **2** *Mkt.* Divisão do mercado em grupos de consumidores com características afins, visando desenvolver estratégias de *marketing* específicas a cada grupo **3** *Biol.* Divisão de um organismo em várias partes mais ou menos similares **4** *Inf.* Divisão da memória virtual principal em blocos (segmentos) de dimensões variadas, segundo critérios lógicos [Pl.: *-ções.*] [F.: *segmentar* + *-ção.* Sin. ger.: *fracionamento, divisão.*]

segmentado (seg.men.*ta*.do) *a.* **1** Dividido em segmentos, partes **2** Formado por vários segmentos; SEGMENTAR **3** *Mkt.* Ref. a segmentação (2); voltado para determinado segmento de mercado [F.: Part. de *segmentar²*.]

segmentador (seg.men.ta.*dor*) [ô] *a.* **1** Que segmenta, que divide em segmentos *sm.* **2** Aquele ou aquilo que divide em segmentos [F.: *segmentar* + *-dor.*]

segmental (seg.*men*.tal) *a2g.* **1** Rel. a segmento *a2g.* **2** *Ling.* Diz-se da análise fonológica que se faz por segmentos (fonemas e fones) [F.: *segmento* + *-al.* Hom./Par.: *segmentais* (pl.)/ *segmentais* (fl. *segmentar*).]

segmentar¹ (seg.men.*tar*) *a2g.* Constituído ou organizado por segmentos (trabalho segmentar); SEGMENTADO [F.: *segment(o)* + *-ar¹*. Hom./Par.: *segmentares* (pl.), *segmentares* (fl. de *segmentar*).]

segmentar² (seg.men.*tar*) *a2g.* **1** Ref. a segmento **2** Formado por segmentos; SEGMENTADO [F.: *segmento* + *-ar.*]

segmento (seg.*men*.to) *sm.* **1** Cada uma das partes que compõe um todo; SEÇÃO: *Seu projeto tinha vários segmentos.* **2** *Geom.* Porção delimitada de uma reta ou curva **3** *Mkt.* Cada grupo consumidor com características afins [Tb. *segmento de mercado.*] **4** *Telv.* Cada uma das partes de um programa de TV; BLOCO **5** *Anat. Biol.* Cada uma das partes distintas de um mesmo órgão [F.: Do lat. *segmentum, -i.* Hom./Par.: *segmento* (sm.), *segmento* (fl. de *segmentar*), *seguimento* (sm.).] ▪▪ **~ circular** *Geom.* Sendo um círculo cortado por uma secante, qualquer das duas superfícies planas limitadas pela secante e por cada arco de circunferência por ela formado **~ de mercado** *Econ.* Cada um dos grupos de consumidores nos quais, segundo padrões de consumo, se divide o mercado **~ dirigido** *Mat.* O mesmo que *vetor* **~ esférico** *Geom.* Sendo uma esfera cortada por dois planos paralelos, sólido limitado pela zona esférica entre as interseções dos dois planos e pelas seções circulares criadas por essas interseções

segnícia (seg.*ní*.ci:a) *sf.* Ausência de ânimo, de disposição; APATIA; INDOLÊNCIA [F.: Do lat. *segnitia, ae.*]

segredar (se.gre.*dar*) *v.* Dizer em segredo, ger. em voz baixa, murmurando [*td.*: *segredar uma novidade.*] [*tdi.* + *a*: *Segredou intimidades à moça.*] [*int.*: *Passou toda a festa a segredar.*] [▶ 1 segredar] [F.: *segredo* + *-ar²*. Hom./Par.: *segredo* (fl.) *segredo* [ê] (sm.).]

segredinho (se.gre.*di*.nho) *sm.* **1** Pequeno segredo **2** *Bras. Pop.* Segredo que não merece muito sigilo, por não ter muita importância ou já ser do conhecimento de muita gente [F.: *segredo* + *-inho.*]

segredo (se.*gre*.do) [ê] *sm.* **1** O que ninguém deve saber ou não pode ser divulgado; SIGILO: *Todos queriam conhecer o segredo da fórmula.* **2** O que é sabido por poucos (segredo de Estado); SIGILO **3** Silêncio, discrição; SIGILO **4** Causa desconhecida de algo (segredos da vida); ENIGMA; MISTÉRIO: *Nem a ciência consegue entender todos os segredos do universo.* [Nesta acp., mais us. no pl.] **5** Confidência, confissão que se faz a alguém: *Vou te contar um segredo!* **6** Artimanha, técnica para se conseguir ou ter bom êxito em algo: *Queria conhecer os segredos da boa forma.* **7** A parte mais difícil e essencial de uma arte, ciência etc.: *os segredos da astronomia/ da física quântica.* [Nesta acp., mais us. no pl.] **8** Dispositivo us. para fechar, por meio de um código: *Comprou uma maleta com segredo.* **9** *P. ext.* Esse código, ger. secreto: *Queria saber o segredo do cofre.* **10** Lugar oculto ou esconderijo [F.: Do lat. *secretum-i.* Hom./Par.: *segredo* (sm.), *segredo* (fl. de *segredar*).] ▪▪ **Em ~** Secretamente, confidencialmente **~ de abelha** *PE* Algo misterioso, oculto, ignorado **~ de Estado** **1** Informação cuja divulgação é proibida pelo Estado, por ser potencialmente prejudicial a seus interesses ou à sua segurança **2** *Fig.* Qualquer coisa ou assunto sobre os quais se faz grande mistério **~ de Justiça** *Jur.* Fato de processo que, por interesse público ou privado, a justiça determina que só seja conhecido pelas partes **~ de polichinelo** Aquele que, já conhecido por todos, deixou de ser segredo **~ profissional** Sigilo profissional, ger. quanto a técnicas, métodos etc. que não se deseja sejam conhecidos por concorrentes

segredoso (se.gre.*do*.so) [ô] *a.* Que contém segredos: *Vivia sob o peso de convicções segredosas.* [F.: *segredo* + *-oso.*]

segregação (se.gre.ga.*ção*) *sf.* **1** Ação ou resultado de segregar(-se); SEPARAÇÃO **2** Isolamento voluntário ou forçado de um indivíduo ou de um grupo de indivíduos frente a outro de maior número ou considerado mais forte socialmente (segregação racial); DISCRIMINAÇÃO **3** *Quím.* Processo de repartição não uniforme dos elementos de um todo **4** *Soc.* Numa comunidade, organização de pessoas com características comuns entre si ou atividades similares em áreas próximas [Pl.: *-ções.*] [F.: Do lat. *segregatio, -onis.*] **■ ~ racial** Prática coletiva ou socialmente disseminada, ou ação político-administrativa, que trata de modo diferenciado os diferentes grupos raciais ou étnicos de um país ou sociedade (geralmente isolando fisicamente indivíduos ou grupos e restringindo, oficialmente ou na prática, direitos de minorias); discriminação racial

segregacionismo (se.gre.ga.ci.o.*nis*.mo) *sm.* Atitude política de segregação racial [F.: *segregação* + *-ismo.*]

segregacionista (se.gre.ga.ci:o.*nis*.ta) *a2g.* **1** Que diz respeito à segregação ou ao segregacionismo **2** Ref. à segregação racial **3** Diz-se de indivíduo que aprova ou simpatiza com a segregação racial *s2g.* **4** Indivíduo que é partidário da segregação ou do segregacionismo, esp. o racial [F.: *segregacionis(mo)* + *-ista.*]

segregado (se.gre.*ga*.do) *a.* **1** Que se segregou (pobres segregados); SEPARADO **2** Que se expeliu (diz-se de secreção); SECRETADO [F.: Do lat. *segregatus-a -um.*]

segregador (se.gre.ga.*dor*) [ô] *a.* Que segrega (alguém ou a si mesmo) [F.: *segrega* + *-dor.*]

segregante (se.gre.*gan*.te) *a2g.* Que segrega; que contribui para um processo de segregação: *Uma injusta distribuição de renda já tem em si um efeito segregante.* [F.: *segregar* + *-nte.*]

segregar (se.gre.*gar*) *v.* **1** Separar (alguém ou si mesmo), a fim de isolar; APARTAR(-SE); MARGINALIZAR(-SE) [*td.*: *segregar um grupo por preconceito.*] [*tdr.* + *de*: *Segregou os bons dos maus elementos; Segregou-se da família.*] **2** Afastar-se (de algo ou alguém); APARTAR(-SE); SEPARAR(-SE) [*td.*: *A mãe segregou os irmãos que brigavam.*] [*tdr.* + *de*: *Segregou a mulher do marido.*] **3** Expelir ou produzir (secreção); SECRETAR [*td.*: *A ferida segregava pus incessantemente.*] [▶ 14 segre**gar**] [F.: Do lat. *segregare.*]

segregativo (se.gre.ga.*ti*.vo) *a.* **1** Que segrega; SEGREGANTE; SEGREGADOR **2** *Ling.* Palavra que põe limite à significação de outra; partitivo [F.: Do part. *segregatu* + *ivo.*]

seguida (se.*gui*.da) *sf.* Ação ou resultado de seguir; SEGUIMENTO; CONTINUAÇÃO [F.: *seguir* + *-ida*[2].] **■ De ~** Seguidamente, continuamente **Em ~** Logo depois

seguidamente (se.gui.da.*men*.te) *adv.* De modo seguido: *Pediu seguidamente que o deixassem entrar.* [F.: o fem. de *seguido* + *-mente.*]

seguidilha (se.gui.*di*.lha) *sf.* **1** *Liter.* Composição poética que ger. compreende três versos de seis sílabas e dois de quatro, com final que contém um estribilho de três versos **2** Dança e música popular espanhola, tocada ao violão, com participação de castanholas: "Marcela franziu a testa, cantarolou uma seguidilha, entre dentes..." (Machado de Assis, *Memórias póstumas de Brás Cubas*) **3** Sequência máxima ou mínima em jogo de pôquer; SEGUIDA [F.: Do espn. *seguidilla.*] **■ ~ bolera** Seguidilha (2) cadenciada, porém não muito rápida **~ gitana** Seguidilha (2) lenta, lírica ou introspectiva **~ manchega** Seguidilha (2) que se executa de modo rápido e ritmado

seguido (se.*gui*.do) *a.* **1** Que ocorre num determinado período de tempo, sem intervalo; CONTÍNUO: *Falou duas horas seguidas ao telefone.* **2** Que se segue ou põe em prática; ADOTADO [+ *por*: *Era uma regra seguida por todos.*] **3** Que tem outro(s) depois de si; ACOMPANHADO [+ *de, por*: *Na oração, localizou o substantivo seguido de adjetivo; Do dia para a noite, tornou-se uma celebridade seguida por uma legião de pessoas.*] *adv.* **4** Seguidamente, continuamente: "Contar seguido, alinhavado, só mesmo sendo as coisas de rasa importância." (João Guimarães Rosa, *Grande sertão: veredas*) [F.: Part. de *seguir.*]

seguidor (se.gui.*dor*) [ô] *a.* **1** Que segue; CONTINUADOR **2** Que segue uma ideia, uma organização, um partido etc; PARTIDÁRIO; SECTÁRIO [Ant.: *adversário.*] **3** Que segue alguém; PERSEGUIDOR *sm.* **4** Aquele que segue alguém ou algo; CONTINUADOR **5** Partidário, sectário de uma organização, um partido político etc. [Ant.: *adversário.*] **6** Aquele que segue alguém; PERSEGUIDOR [F.: *seguir* + *-dor.*]

seguimento (se.gui.*men*.to) *sm.* **1** Ação ou resultado de seguir; CONTINUAÇÃO; SEGUIDA **2** Consequência, resultado de algo já realizado **3** *RS* Traição, cilada [F.: *seguir* + *-mento.* Hom./Par.: *seguimento* (sm.), *segmento* (sm. e fl. de *segmentar*).]

seguinte (se.*guin*.te) *a2g.* **1** Que (se) segue, que vem logo após outro; SUBSEQUENTE: *O primeiro ônibus e o seguinte vêm vazios.* [Ant.: *antecedente, precedente.*] **2** Que se faz, diz ou cita logo depois: *Dei-lhe a seguinte resposta: Não!* *sm.* **3** O que vem depois de outro; o próximo **4** Aquilo que se faz ou diz logo depois: *Façamos o seguinte: vamos embora.* [F.: *seguir* + *-nte.*]

seguir (se.*guir*) *v.* **1** Ir ou caminhar atrás ou em companhia de (alguém), ou ir tão depressa quanto [*td.*: *O detetive seguiu o suspeito; Quando correu, o amigo o seguiu.*] **2** Ir no encalço ou correr no alcance de; PERSEGUIR [*td.*: *seguir um foragido/uma presa.*] **3** Espiar, observar atentamente com o olhar [*td.*: *Seguiu a bela moça que ia pelo outro lado da rua.*] **4** Acompanhar com o pensamento [*td.*: *Seguia passo a passo o desenvolvimento da crise.*] **5** Acompanhar com atenção [*td.*: *Seguia atentamente as palavras do orador.*] **6** Ir ou vir atrás ou depois de; acontecer depois de [*td.*: *A bonança segue a tempestade.*] [*int.*: *Depois da explosão seguiu-se o silêncio.*] [*tr.* + *a*: *Ao concerto seguiu-se o aplauso.*] **7** Ir ao longo de, ou em certa direção [*td.*: *Seguiu o caminho que levava à praia.* **8** Andar ou prosseguir em; PERCORRER; TRILHAR [*td.*: *seguir uma estrada / o bom caminho.*] **9** Redundar, resultar de; ter como consequência [*tr.* + *de*: *Segue-se dessa revelação que ela é inocente.*] **10** Tomar como modelo, imitar ou levar em conta [*td.*: *seguir um desenho / uma intuição:* "Quer fiar-se em mim, seguir meus conselhos?" (Martins Pena, *O noviço*)] **11** Ser partidário ou fiel de [*td.*: *seguir um líder político / uma religião.*] **12** Deixar-se levar por, corresponder a uma orientação [*td.*: *O homem sensato não segue todos os seus impulsos.*] **13** Exercer ou escolher a carreira de [*td.*: "...enquanto o outro seguiu medicina..." (Machado de Assis, *Dom Casmurro*)] **14** Dar seguimento a; CONTINUAR; PROSSEGUIR [*int.*: *A matéria segue na próxima página.*] **15** Continuar a fazer o que se estava fazendo; PROSSEGUIR [*td.*: *Mesmo com as constantes interrupções, a secretária seguia seu trabalho.*] [*int.*: *Depois de ter sido censurado, seguiu mais cautelosamente.*] **16** Deixar um local; PARTIR [*int.*: *O caminhão da mudança já seguiu.*] **17** Cumprir orientações de [*td.*: *Os atores seguiam o diretor.*] **18** Estar em acordo com; obedecer, cumprir; CUMPRIR [*td.*: *Seguiu as regras da empresa.*] **19** Localizar-se próximo a; estar perto de [*ta.*: *A loja de doces segue à padaria.*] **20** Analisar a evolução de [*td.*: *O gerente seguia o crescimento da loja.*] **21** Localizar-se um ao lado ou atrás do outro [*tr.* + *a*: *Os cds de rock seguem-se aos de pop.*] **22** Dar início a; COMEÇAR [*tr.* + *a*: *Com uma forte inspiração, o músico seguiu-se logo a compor.*] [▶ 55 se**guir**] [F.: Do lat. vulg. *sequere. Hom./Par.: *segue(s)* (fl.), *segue(s)* (fl. segar), *cegue(s)* (fl. *cegar*); *seguem* (fl.), *seguem* (fl. *segar*), *ceguem* (fl. *cegar*).]

segunda (se.*gun*.da) *sf.* **1** *Aut.* A segunda marcha do motor de um veículo **2** *Tip.* Prova tipográfica de folha já corrigida **3** *Mús.* Intervalo de um grau a outro imediato na escala diatônica **4** *Mús.* Corda de instrumento imediatamente superior à prima [F.: Fem. substv. de *segundo*[1]. Hom./Par.: *segunda*[1] (sf.), *segunda* (fl. de *segundar*).] **■ De ~** *Bras. Depr.* De má qualidade, de segunda categoria

segunda-feira (se.gun.da-*fei*.ra) *sf.* Segundo dia da semana; segue-se ao domingo [Pl.: *segundas-feiras.*] [F.: Do fem. de *segundo*[1] + *feira.*]

segundamente (se.gun.da.*men*.te) *adv.* Em segundo lugar: *Em primeiro lugar, uma convocação; segundamente, a deflagração da greve.* [F.: o fem. de *segundo* + *-mente.*]

segundanista (se.gun.da.*nis*.ta) *a.* **1** Diz-se de aluno que cursa o segundo ano de um curso; secundanista *sm.* **2** Esse aluno [F.: *segundo* + *ano* + *-ista.* Cf. *secundarista.*]

segundo[1] (se.*gun*.do) *num.* **1** Ordinal que, em uma sequência, corresponde ao número dois: *Chegou em segundo lugar.* *a.* **2** Que, numa sequência, vem ou ocupa a posição de número dois, o segundo lugar (segundo parágrafo; segunda semana) **3** Que, numa dinastia ou sucessão, ocupa a segunda posição (João II) [Nesta acp., utilizam-se algarismos romanos para designar a numeração.] **4** Inferior: *Era um hotel de segunda categoria.* **5** Substituto: *A tia é sua segunda mãe.* **6** Outro, novo: *Resolveram fazer uma segunda tentativa.* **7** *Mús.* Que canta ou executa a parte mais baixa (segundo tenor) *sm.* **8** *Cron. Fís. Metrol.* Sexagésima parte de um minuto; unidade básica de medida do tempo no Sistema Internacional de Unidades [Símb.: *s* e "] **9** O que ocupa o lugar imediatamente após o primeiro: *Na classificação geral, ela é a segunda.* **10** Momento, instante: *Espere um segundo, que já volto.* **11** *Pug.* Auxiliar de boxeador **12** *S* Pessoa que auxilia ou é da confiança de alguém *adv.* **13** Em segundo lugar [F.: Do lat. *secundus.*]

segundo[2] (se.*gun*.do) *prep.* **1** De acordo com: *Segundo a receita, são duas colheres de açúcar apenas.* *conj. conf.* **2** Conforme, como: *Ela se veste segundo dita a moda.* *conj. conf.* **3** À medida que: *Recebe os convidados segundo vão chegando.* [F.: Do lat. *secundum.*]

segundona (se.gun.*do*.na) *sf.* **1** Segunda-feira em que há muito trabalho a fazer **2** *Joc. Esp.* Em futebol, a segunda divisão de times em um campeonato [F.: *segunda* + *-ona.*]

segundo-sargento (se.gun.do-sar.*gen*.to) *Bras. Mil.* *sm.* **1** Na hierarquia militar das três armas, posição superior à de terceiro-sargento e inferior à de primeiro-sargento **2** No exército colonial, posição na hierarquia superior à de furriel e inferior à de primeiro-sargento **3** Na Marinha de Guerra colonial, posição hierárquica superior à de quartel-mestre e inferior à de primeiro-sargento **4** Militar que ocupa o posto de segundo-sargento [Pl.: *segundos-sargentos.*]

segundo-tenente (se.gun.do-te.*nen*.te) *Bras. Mil.* *sm.* **1** Na hierarquia do Exército e da Aeronáutica, posição superior à de aspirante a oficial e inferior à de primeiro-tenente **2** Na Marinha de Guerra, posição hierárquica superior à de guarda-marinha e inferior à de primeiro-tenente **3** Militar que tem o posto de segundo-tenente [Pl.: *segundos-tenentes.*]

segurado (se.gu.*ra*.do) *a.* **1** Que tem ou está no seguro (11) (carro segurado) *sm.* **2** Pessoa que está garantida pelo seguro (11) **3** *Jur.* Indivíduo que paga o prêmio do seguro (11), obtendo assim o valor assegurado pelo contrato [F.: Part. de *segurar.*] **■ ~ social** Pessoa que contribui para a previdência social, tendo assim direito a seus benefícios

segurador (se.gu.ra.*dor*) [ô] *a.* **1** *Jur.* Que se obriga, por contrato, a indenizar o segurado **2** Que segura, prende, agarra *sm.* **3** *Jur.* Aquele que se obriga, por contrato, a indenizar o segurado em caso de morte, acidente, prejuízo etc. **4** O que segura, prende, agarra alguém ou algo [F.: *segurar* + *-dor.*]

seguradora (se.gu.ra.*do*.ra) [ô] *sf.* **1** *Bras. Jur.* Companhia que vende seguros (11) a pessoas, mediante contrato em que são estipuladas as bases para o ressarcimento do valor pago pelo segurado em caso de morte, invalidez, perda de bens etc. **2** *P. ext. Fig.* Estabelecimento onde se localiza a companhia de seguros: *Foi à seguradora solicitar seu novo carro.* [F.: *segurar* + *-dora.*]

seguramente (se.gu.ra.*men*.te) *adv.* Com toda a certeza; sem dúvida: *Este é, seguramente, o homem que vi ontem!* [F.: o fem. de *seguro* + *-mente.*]

segurança (se.gu.*ran*.ça) *sf.* **1** Ação ou resultado de segurar **2** Qualidade ou condição do que é seguro, livre de risco: *Viaja-se com mais segurança hoje.* [Ant.: *insegurança.*] **3** Certeza, convicção com que se realiza ou diz algo: *Respondeu com segurança.* [Ant.: *insegurança.*] **4** Firmeza emocional e intelectual; CONFIANÇA; TRANQUILIDADE: *Transmite segurança aos companheiros.* [Ant.: *insegurança.*] **5** Força ou firmeza nos movimentos: *Caminhava com segurança, ainda que apoiado pela bengala.* [Ant.: *insegurança.*] **6** Garantia, caução de algo: *Precisava de uma segurança para fechar o negócio.* **7** Certificação, protesto, afirmação **8** Prenhez de fêmea de quadrúpede *s2g.* **9** Pessoa encarregada de proteger alguém ou algo: *Contratou dez seguranças para a festa.* [F.: *segurar* + *-ança.*] **■ ~ do trabalho** Disposições e medidas para tornar seguras (minimizando o risco de acidentes) para o trabalhador as condições de trabalho **~ nacional** **1** Conceito, política e medidas de garantir a integridade das instituições políticas e sociais do Estado e da sociedade **2** O conjunto de instituições que zela por essa integridade, pela soberania do Estado, pela ordem vigente e suas leis [Com iniciais maiúsculas.] **~ pública** *Jur.* As disposições, as medidas e as instituições que visam a garantir aos indivíduos e à sociedade uma vida livre de crimes, de ameaças, de violência etc.

segurar (se.gu.*rar*) *v.* **1** Tornar(-se) seguro ou firme; agarrar(-se); FIRMAR(-SE); SUSTER(-SE) [*td.*: *Segurou a criança que caía; Segurou-se para não cair.*] **2** Ter nas mãos [*td.*: *Segurou a xícara pela asa; Segurava a bengala com muito charme.*] **3** Impedir (algo ou alguém ou si mesmo) (de prosseguir ou começar ação); CONTER(-SE); DETER(-SE) [*td.*: *Segurou a raiva para não brigar; Não conseguiu segurar-se e acabou brigando.*] **4** Manter-se contido, sob controle ou estável [*td.*: *Segurar o jogo/a inflação.*] [*ta.*: *Ele não vai se segurar nesse emprego por muito tempo.*] **5** Não revelar [*td.*: *Segurou a notícia para não chocar o público.*] **6** Fazer contrato de seguro para (algo, alguém ou si mesmo) [*td.*: *Segurou a casa e o automóvel; Segurou-se para não cair em desgraça.*] **7** Guardar por certo tempo; não soltar [*td.*: *O produtor resolveu segurar o lançamento do filme.*] **8** Assegurar, afiançar [*tdi.* + *a*: *Segurou à mulher a jura que lhe fizera.*] **9** Conduzir nas mãos [*td.*: *Os corredores seguravam tochas.*] **10** Ter controle ou domínio sobre [*td.*: *No galope, segurava as rédeas com força.*] **11** Manter, conservar [*td.*: *Conseguiu segurar o namorado por seis meses.*] [▶ 1 segu**rar**] [F.: *seguro* + *-ar.* Hom./Par.: *segura* (3ªp.s.), (2ªp.s.)/ *segura* (sf.) e pl; *segure* (1ª3ªp.s.), *segures* (2ªp.s.)/ *segure* (sf.) e pl; *seguráveis* (2ªp.pl.)/ *seguráveis* (pl. segurável [a2g.]); *seguro* (1ªp.s.)/ *seguro* (a.s.m.).]

seguridade (se.gu.ri.*da*.de) *sf.* *Bras.* Previdência social [Tb. *seguridade social.*] [F.: Do lat. *securitas-atis*, por infl. do ing. *security.*]

seguro (se.*gu*.ro) *a.* **1** Livre de risco (local seguro; investimento seguro); PROTEGIDO; GARANTIDO; RESGUARDADO **2** Que não vacila nem hesita (profissional seguro); FIRME; CONFIANTE **3** Certo, incontestável (informação segura) **4** Prudente, cauteloso **5** Preso, fixo: *O lustre está bem seguro.* **6** Que não cede (ponte segura; tablado seguro); RIJO; SÓLIDO **7** Em que se pode confiar (negócio seguro; amizade segura) **8** *Pop.* Econômico, avarento **9** Diz-se do tempo bom, quando não há probabilidade de chuva **10** Diz-se de animal prenhe *sm.* **11** *Jur.* Contrato em que uma das partes se obriga, mediante cobrança regular de uma quantia, a indenizar a outra em caso de morte, prejuízo etc. **12** A indenização recebida num seguro **13** *Fig.* Companhia de seguros; SEGURADORA *adv.* **14** Com segurança: *viajar seguro* [F.: Do lat. *securus.* Como adj., ant. ger.: *inseguro.* Hom./Par.: *seguro* (a. sm), *seguro* (fl. de *segurar*).] **■ ~ de responsabilidade civil** *Jur.* Modalidade de seguro (11) pela qual o segurador deve ressarcir o segurado de prejuízo que lhe possa advir por ter causado danos materiais ou corporais a terceiros **~ de vida** Seguro (11) que garante o pagamento pela seguradora de valor estipulado a pessoas determinadas quando da morte do segurado

seguro-desemprego (se.gu.ro-de.sem.*pre*.go) *sm.* *Adm. Jur.* Benefício temporário pago pelo governo a trabalhador desempregado [Pl.: *seguros-desemprego.*]

seguro-saúde (se.gu.ro-sa.*ú*.de) *sm.* Contrato de seguro, pago mensalmente, que cobre despesas com assistência médica [Pl.: *seguros-saúdes.*]

seichelense (sei.che.*len*.se) *s2g.* **1** Aquele ou aquela que nasceu ou que vive na República de Seicheles (arquipélago do oceano Índico) *a2g.* **2** Da República de Seicheles; típico desse país ou de seu povo [F.: Do top. *Seychel(es)* + *-ense.*]

seicho-no-iê (sei.cho-no-*iê*) *sm.* Seita de origem oriental que oferece a paz espiritual por meio de exercícios mentais [Inicial maiúsc.]

seio (sei:o) *sm.* **1** *Anat.* O peito da mulher; MAMA: *Aconchegou o filho em seu seio.* [Tb. se usa no pl.: *seios*.] **2** *P. ext.* Parte do colo feminino que pode ficar exposto **3** Meio, ambiente (seio da família) **4** Parte central (seio da floresta); INTERIOR **5** *Fig.* A parte mais íntima; ALMA; CORAÇÃO; ÂMAGO **6** *Fig.* Intimidade, familiaridade, privança **7** *Anat.* Cavidade existente em certos ossos **8** Curvatura, volta, sinuosidade **9** Golfo, enseada **10** *Mar.* Parte média de um cabo náutico [F.: Do lat. *sinus -us*. Hom./Par.: *seio* (sm.), *ceio* (fl. de *cear*). Ideia de 'seio': *mast(o)-* (mastologia).] ■ **~ da face** *Anat.* Ver *Seio paranasal* **~ maxilar** *Anat.* Cada um de dois seios paranasais, um em cada lado da maxila, que se comunica com a cavidade nasal do mesmo lado **~ paranasal** *Anat.* Em ossos da cabeça, toda cavidade cheia de ar que se comunica com a cavidade nasal; seio da face; seio perinasal **~ perinasal** *Anat.* Ver *Seio paranasal*

seis *num.* **1** Quantidade correspondente a cinco unidades mais uma **2** Número que representa essa quantidade (arábico: 6; romano: VI) [F.: Do lat. *sex*. Ideia de 'seis': *hex(a)-* (*hexacampeão*); *sex-* (*sexênio*).]

seiscentismo (seis.cen.*tis*.mo) *Art. pl. Liter. sm.* **1** Estilo ou escola artística ou literária do séc. XVII que compreende, ger., o Maneirismo e o Barroco **2** Conjunto das obras artísticas ou literárias produzidas nesse período sob a influência desse estilo ou escola [F.: *seiscent(os)* + *-ismo*.]

seiscentista (seis.cen.*tis*.ta) *a2g.* **1** *Art. pl. Liter.* Ref. ao séc. XVII ou ao seiscentismo (arte seiscentista) **2** Diz-se do escritor ou artista do séc. XVII *s2g.* **3** *Art. pl. Liter.* Escritor ou artista do séc. XVII: *Entre os seiscentistas mais virtuosos do Barroco, destaca-se Rubens.* [F.: *seiscentos* + *-ista*.]

seiscentos (seis.*cen*.tos) *num.* **1** Quantidade correspondente a 599 unidades mais uma **2** Número que representa essa quantidade (arábico: 600; romano: DC) *sm.* **3** O século XVII caracterizado esp. pelas manifestações artísticas e culturais que tiveram lugar nesse período [NOTA: Com inicial maiúsc.] [F.: Do lat. *sexcenti*.] ■ **Como os ~** *Bras. Pop.* Em grande quantidade ou intensidade, em alto grau: *Caía uma chuva como os seiscentos.* **Dos ~** *Bras.* Muito grande, forte ou intenso: *Foi uma chuva dos seiscentos.*

seita (*sei*.ta) *sf.* **1** *Rel.* Grupo de seguidores de uma crença (seita religiosa) **2** *Fig. Rel.* Conjunto de pessoas que professam a mesma doutrina religiosa **3** *P. ext.* Grupo de pessoas que seguem qualquer doutrina, princípio, sistema etc. **4** *P. ext.* Qualquer organização social cujos componentes defendam os mesmos princípios; PARTIDO; FACÇÃO **5** Doutrina de um mestre seguida por diversos discípulos **6** *Soc.* Grupo de indivíduos que se organiza voluntariamente e se fixa em lugar afastado do convívio social [F.: Do lat. *secta, -ae*.]

seiuda (sei.*u*.da) *a.* Diz-se de mulher que tem seios grandes: "Maria da Glória ela era cadeiruda e seiuda, com olhos brilhantes..." (Guimarães Rosa, "Buriti" *in Noites do sertão*) [F.: *seio* + *uda*.]

seiva (*sei*.va) *sf.* **1** *Bot.* Líquido nutritivo que circula nos vegetais **2** *P. ext.* Qualquer líquido orgânico, aquoso (p. ex.: sangue, linfa etc.) **3** *Fig.* Vigor, energia, disposição: "Se Alice não tivesse uma natureza forte e vivace, se a vida no campo, o ar livre, não lhe dessem firmeza de caráter e seiva ao coração, houvera sem dúvida cedido (...)." (José de Alencar, *O tronco do Ipê*) [F.: Do fr. *sève*, deriv. do lat. *sapa*.] ■ **~ ascendente** *Bot.* Seiva (1) que sobre da raiz aos tecidos vegetais levando nutrientes do solo; seiva mineral **~ descendente** *Bot.* Seiva (1) que circula pelo líber, levando a seiva enriquecida com os produtos da fotossíntese; seiva orgânica **~ mineral** *Bot.* Ver *Seiva ascendente.* **~ orgânica** *Bot.* Ver *Seiva descendente.*

seivoso (sei.*vo*.so) [ô] *a.* **1** Que contém seiva **2** Que torna mais fácil a circulação da seiva [F.: *seiva* + *-oso*.]

seixal (sei.*xal*) *sm.* Lugar onde há muitos seixos [Pl.: *-xais*.] [F.: *seixo* + *-al*.]

seixo (*sei*.xo) *sm.* **1** *Geol.* Pedra lisa e pequena dos rios com arestas arredondadas pelas águas; CASCALHO; CALHAU **2** *Geol.* Qualquer pedra solta, pequena e arredondada; CASCALHO; CALHAU **3** *N. E. Pop.* Calote, esp. quando passado em prostituta [F.: Do lat. *saxum -i*.] ■ **~ rolado** Seixo (1) arredondado pelo desgaste do atrito ao ser rolado pela água do mar ou de rios caudalosos **Passar ~** *N. E. Pop.* Não pagar dívida, passar calote

seja (*se*.ja) [ê] *conj. alter.* **1** Ou, quer: *Seja neste mês, seja no próximo, iremos pagar todas as dívidas.* [Usa-se ger. repetida.] *interj.* **2** De acordo: *Você quer assim? Seja!* [Us. em construções para indicar consentimento, aquiescência, concordância.] [F.: Da 3ª pess. sing. do pres. subj. do v. *ser*.] ■ **Ou ~** Us. antes de se dar uma explicação, antes de manifestar com outras palavras, ou de modo mais exato, a mesma ideia antes expressa: *Ele é do tipo longilíneo, ou seja, é bem alto e magro.*

sela (*se*.la) [é] *sf.* Assento de couro que se coloca sobre o lombo de um animal de montaria [F.: Do lat. *sella*. Hom./Par.: *sela* (sf.), *sela* (fl. de *selar*), *cela* (sf.); *selas* (pl.), *selas* (fl. de *selar*), *celas* (pl.).] ■ **Andar na ~** **1** *Fig.* Estar em posição superior, ou de mando, em relação a outras pessoas **2** Ter (alguém) a convicção de que obterá sucesso no que deseja ou planeja **Correr com a ~** *CE* Sair do jogo para não perder o dinheiro já ganho **De/com a ~ na barriga** *Pop.* Na miséria, em estado ou situação de penúria **~ turca/túrcica** *Anat.* Cavidade no osso esfenoide onde se localiza a glândula pituitária, ou hipófise

selado[1] (se.*la*.do) *a.* **1** Que tem sela ou em que se pôs a sela (cavalo selado) **2** *Fig.* Que apresenta curvatura semelhante à de uma sela; ARQUEADO **3** Que tem o dorso curvado (diz-se de pessoa ou animal) *sm.* **4** A curva das ilhargas [F.: Part. de *selar*[1]. Hom./Par.: *selada* (fem.), *celada* (sf.).]

selado[2] (se.*la*.do) *a.* **1** Que tem selo ou estampilha **2** Cerrado, lacrado **3** *Fig.* Que se acordou, que se acertou (contrato selado; acordo selado); FIRMADO; FECHADO; CONCLUÍDO [F.: Part. de *selar*[2]. Hom./Par.: *selada* (fem.), *celada* (sf.).]

seladora (se.la.*do*.ra) [ô] *sf. Bras.* Aparelho para selar, esp. sacos plásticos que contêm material congelado [F.: *selar* + *-dora*.]

seladouro (se.la.*dou*.ro) *sm.* **1** Região do corpo do animal em que se coloca a sela **2** *Fig.* Talhe em roupa para acentuar os flancos de quem a veste [F.: *selado* + *-douro*.]

selagem[1] (se.*la*.gem) *sf.* Ação ou resultado de selar (1), de pôr sela ou selim [Pl.: *-gens*.] [F.: *selar*[1] + *-agem*[1]. Hom./Par. *selagem*[1] (sf.), *celagem* (sf.), *silagem* (sf.).]

selagem[2] (se.*la*.gem) *sf.* Ação ou resultado de selar[2], de pôr selo, carimbo etc. [Pl.: *-gens*.] [F.: *selar*[2] + *-agem*[1]. Hom./Par. *selagem*[2] (sf.), *celagem* (sf.), *silagem* (sf.).]

selamento (se.la.*men*.to) *sm.* Ação ou resultado de selar, mesmo que *selagem* [F.: *selar* + *-mento*.]

selante (se.*lan*.te) *a.* **1** Que sela, põe marca, selo *sm.* **2** Aquilo que sela [Sin. nas acp. 1 e 2: *selador*.] **3** *Elet.* Produto us. para preservar baterias secas, condensadores, transformadores etc. do ar e da umidade [F.: *selar*[2] (5) + *-nte*.]

seláquio (se.*lá*.qui:o) *a.* **1** *Ict.* Ref. aos seláquios, ordem de peixes elasmobrânquios como tubarões e raias, em antigas classificações **2** Espécime dos seláquios [F.: Do lat cient. *Selachii*.]

selar[1] (se.*lar*) *v.* **1** Pôr a sela em (cavalgadura) [*td.*: *selar os cavalos.*] **2** Arquear com o peso, ceder [*int.*: *Colocaram livros demais e a estante selou*] [▶ 1 selar] [F.: *sela* + *-ar*.]

selar[2] (se.*lar*) *v. td.* **1** Pôr selo, carimbo, estampilha em: *selar um envelope.* **2** Pôr sinete, chancela em (papel, documento etc., ger. para autenticar) **3** *P. ext.* Confirmar, ratificar, chancelar (acordo, pacto, percepção, sentimento etc.): *Seu desempenho no concerto selou sua fama de grande intérprete de Bach.* **4** Fechar, manter fechado: *Quanto a esse assunto, recomenda-se selar os lábios.* **5** Fechar hermeticamente, trancando, vedando etc. **6** Terminar, pôr fim a, encerrar, concluir: *Aquele belo discurso selou sua participação no congresso.* [F.: Do lat. *sigillare*.]

selaria (se.la.*ri*.a) *sf.* **1** Fábrica ou loja de selas **2** Conjunto de selas e outros arreios **3** Lugar onde se guardam selas e arreios [F.: *sel(a)* + *-aria*. Hom./Par.: *selaria* (sf.), *selaria* (fl. de *selar*).]

seleção (se.le.*ção*) *sf.* **1** Ação ou resultado de selecionar, de escolher **2** Escolha criteriosa e fundamentada (seleção de candidatos) **3** *Esp.* Equipe formada pelos melhores atletas em uma modalidade de esporte (seleção de vôlei; seleção de basquete) *P. us*; SELECIONADO **4** *Esp.* Equipe de jogadores de qualquer modalidade de esporte, ger. futebol, que defendam um país (seleção brasileira; seleção alemã) *P. us*; SELECIONADO **5** *Biol.* Processo natural ou artificial de produção de genótipos em gerações sucessivas **6** Reunião de fragmentos ou textos literários, agrupados segundo algum critério (seleção de contos modernistas); SELETA; ANTOLOGIA [Pl.: *-ções*.] [F.: Do lat. *selectio, -onis*.] ■ **~ de cores** *Art. gr.* A partir de um original em cores, tendo em vista sua impressão também em cores, separação de todos os matizes como tonalidades (expressas por reticulados, ou pontos) de três cores básicas (amarelo, ciano, magenta) e do preto **~ natural** *Biol.* Sobrevivência das espécie e dos grupos animais e vegetais que se adaptam ao meio ambiente e às mudanças que nele ocorrem, em detrimento dos menos capazes de se adaptar, que desaparecem

selecionado (se.le.ci:o.*na*.do) *a.* **1** Escolhido, seleto (frutas selecionadas) **2** Escolhido por qualidades especiais; DISTINTO; ESPECIAL: *Comprou um vinho raro, feito com uvas selecionadas.* *sm.* **3** *Bras. P. us. Esp.* Ver *seleção* (3 e 4) [F.: Part. de *selecionar*.]

selecionador (se.le.ci:o.na.*dor*) [ô] *a.* **1** Que seleciona (psicólogo selecionador, selecionador de canais); SELETOR: *aparelho selecionador de impurezas no arroz.* *sm.* **2** Aquele que seleciona: *É um selecionador de talentos humanos para altas colocações.* [F.: *selecionar* + *-dor*.]

selecionar (se.le.ci.o.*nar*) *v. td.* **1** Fazer seleção de: *Selecionou o grupo de dançarinas.* **2** Escolher e separar (algo) de outra coisa: *Selecionou os melhores livros.* **3** *Inf.* Determinar (uma) dentre várias opções, geralmente através de destaque gráfico ou fragmento de texto [▶ 1 selecionar] [F.: *seleção* + *-ar*. Hom./Par.: *selecionáveis* (fl.), *selecionáveis* (pl. de *selecionável* [a2g.]).]

selecionável (se.le.ci:o.*ná*.vel) *a2g.* Que se pode selecionar [Pl.: *-veis*.] [F.: *selecionar* + *-vel*. Hom./Par.: *selecionáveis* (pl.), *selecionáveis* (fl. de *selecionar*).]

seleiro (se.*lei*.ro) *sm.* **1** Fabricante ou vendedor de selas **2** Cavaleiro experiente *a.* **3** Que vende ou fabrica selas **4** Que monta com experiência; que é bom cavaleiro **5** Que já experimentou sela (diz-se de cavalo) [F.: *sel(a)* + *-eiro*. Hom./Par.: *seleiro* (a. sm.), *celeiro* (sm.).]

◎ **selen(i/o)-** *el. comp.* = Lua, selênio: *selenita* [F.: Do gr. *selene*.]

selênio (se.*lê*.ni:o) *sm. Quím.* Elemento químico de número atômico 34, us. em fotômetros, xerografia, câmaras de televisão etc. [Símb.: *Se*.] [F.: Do lat. cient. *selenium*.]

selenita (se.le.*ni*.ta) *s2g.* **1** Fictício habitante da Lua *sf.* **2** *Min.* Variedade de gipsita, com ocorrência em cristais monoclínicos transparentes *a2g.* **3** Ref. à Lua [F.: Do gr. *selenítes*.]

selenografia (se.le.no.gra.*fi*.a) *sf. Astr.* Parte da astronomia que se dedica ao estudo da Lua, esp. de seus aspectos físicos [F.: *selen(i/o)-* + *-grafia*.]

selenográfico (se.le.no.*grá*.fi.co) *a.* **1** Ref. a selenografia ou a selenógrafo **2** *Astr.* Ref. ao disco aparente da Lua [F.: *selenografia* + *-ico*[2].]

selenógrafo (se.le.*nó*.gra.fo) *sm.* Estudioso de ou especialista em selenografia [F.: *selen(i/o)-* + *-grafo*.]

selenose (se.le.*no*.se) *sf.* **1** *Derm.* Descoloração total ou parcial da unha; manchas brancas na unha; tb. *leuconiquia* **2** *Med.* Intoxicação causada por selênio, ger. proveniente da ingestão de vegetais que absorveram selênio do solo [F.: *selen (i/o)-* + *-ose*.]

seleta (se.*le*.ta) [é] *sf.* **1** Reunião de textos ou fragmentos literários; ANTOLOGIA; COLETÂNEA; SELEÇÃO **2** *Agr.* Variedade de laranja e de pera [F.: Do lat. *selecta-orum*. Hom./Par.: *seleta* (sf.), *seleta* (fl. de *seletar*).]

seletividade (se.le.ti.vi.*da*.de) *sf.* **1** Qualidade de seletivo: *seletividade e eficiência de produtos inseticidas.* **2** *Eletrôn.* Capacidade que tem o receptor de rádio de selecionar, em uma determinada frequência, os sinais desejados, ignorando os demais [F.: *seletivo* + *-i-* + *-dade*.]

seletivo (se.le.*ti*.vo) *a.* **1** Ref. a seleção; que faz seleção (exame seletivo) **2** *Eletrôn.* Que tem a capacidade de responder melhor a uma frequência do que a outras (canais seletivos) [F.: *selet(o)* + *-ivo*.]

seleto (se.*le*.to) [é] *a.* **1** Que se selecionou, que foi objeto de seleção (textos seletos); SELECIONADO; ESCOLHIDO **2** De primeira qualidade, especial (público seleto) [F.: Do lat. *selectus-a -um*. Hom./Par.: *seleto* (fl. de *seletar*).]

seletor (se.le.*tor*) [ô] *sm.* **1** Qualquer mecanismo dotado do poder de selecionar (seletor de cores; seletor de imagens) **2** *Elet.* Dispositivo us. para estabelecer conexões dentro de circuitos **3** *Elet.* Dispositivo que faz acender e apagar sinais públicos luminosos **4** *Inf.* Num computador, dispositivo que inicia qualquer operação comandada pelo usuário *a.* **5** Que seleciona; SELECIONADOR [F.: Do lat. tard. *selector, oris*.]

selêucida (se.*lêu*.ci.da) *s2g.* **1** Membro da dinastia helenística fundada por Seleuco (c. 350-280 a.C.), general de Alexandre Magno, que reinou na Ásia de 305 a 64 a.C. *a2g.* **2** Ref. a esse membro ou a essa dinastia [F.: Do gr. *seleukidai, on*.]

⊕ ***self-made-man*** (*Ing.* /*self-mêid men*) *loc. subst.* Aquele que consegue sucesso por si mesmo, por meio de seus talentos e/ou esforços

⊕ ***self-service*** (*Ing.* /*self-sêrvis*/) *a.* **1** *Com.* Diz-se de sistema adotado em restaurantes, lojas, postos de gasolina etc., em que o cliente se serve sozinho *sm.* **2** *Com.* Estabelecimento, ger. restaurante, que trabalha com esse tipo de serviço [Sin. ger.: *autosserviço*.]

selim (se.*lim*) *sm.* **1** Assento de bicicleta ou motocicleta **2** Sela pequena e rasa [Pl.: *-lins*. Dim. irreg. de sela.] [F.: *sela* + *-im*.]

selinho (se.*li*.nho) *sm.* **1** Selo pequeno **2** *Pop.* Beijo rápido na boca com os lábios projetados para frente; BITOCA [F.: Dim. de *selo*.]

selo (*se*.lo) [ê] *sm.* **1** Pequeno impresso que se cola em cartas ou pacotes enviados pelo correio; ESTAMPILHA **2** Peça, ger. de metal, em que estão gravados a assinatura, a divisa, o brasão etc. de um Estado, uma comunidade ou um particular, e que se imprime em certos objetos ou documentos para autenticá-los; SINETE **3** O sinal, marca etc. assim estampados **4** Carimbo, marca, rótulo: *Sempre verificava se no produto havia selo de qualidade/de fábrica.* **5** Tudo o que fecha ou serve para selar **6** *Fig.* Distintivo, marca, sinal: "Tudo fogoso e ruinforme: do que nas ruínas é repouso, mas sem seu selo de alguma morte." (João Guimarães Rosa, *Ave, Palavra*) **7** *Bras.* Gravadora fonográfica [F.: Do lat. *sigillum -i*. Hom./Par.: *selo* (sm.), *selo* (fl. de *selar*).] ■ **~ comemorativo** *Filat.* Selo postal emitido em comemoração a evento ou data especial **~ estampado** *Bras.* Selo aplicado por máquina de franquear **~ postal** Selo (1)

selva (*sel*.va) *sf.* **1** Floresta, mata **2** *Fig.* Lugar, ambiente onde se travam disputas acirradas: *O mundo dos negócios é uma selva.* **3** *Fig.* Grande quantidade de coisas: *Há uma selva de edifícios no centro de São Paulo.* [F.: Do lat. *silva-ae*. Ideia de 'selva': *selv-*, *silv(i)-* (*selvícola*, *silvícola*).]

selvagem (sel.*va*.gem) *a2g.* **1** Que é próprio das selvas; silvestre, selvático (planta selvagem) **2** Que habita as selvas (tribo selvagem); SILVÍCOLA [Ant.: *civilizado*.] **3** Feroz, cruel (competição selvagem) **4** Que não foi domesticado (cavalo selvagem; ganso selvagem) **5** *P. ext.* Inculto, agreste, estéril (diz-se de terreno) **6** Despovoado, deserto, ermo (praia selvagem) **7** Que se mostra descortês, mal-educado no trato com os demais (modos selvagens); BRUTO; GROSSEIRO [Ant.: *civilizado*.] **8** *Soc.* Que pertence à civilização considerada primitiva ou que não foi civilizado (povos selvagens); BÁRBARO [Ant.: *civilizado*. Esta caracterização não é mais us. pela moderna sociologia, devido à imprecisão do termo e a seu caráter etnocêntrico.] [Pl.: *-gens*.] *s2g.* **9** Indivíduo que habita a selva; SILVÍCOLA **10** Pessoa bruta, grosseira **11** *Soc.* Indivíduo não civilizado ou de civilização considerada primitiva [Esta caracterização não é mais us. pela moderna sociologia, devido à imprecisão do termo e a seu caráter etnocêntrico.] [Pl.: *-gens*.] [F.: Do provç. *salvatge*, deriv. do lat. *silvaticus*.] ■ **Bom ~** *Fil.* Pessoa de boa índole, resultante de uma vida próxima à natureza, não contaminada por vícios e tensões comuns do homem civilizado

selvageria (sel.va.ge.*ri*.a) *sf.* **1** Condição ou característica do que é feroz, cruel; FEROCIDADE; CRUELDADE: *A selvageria das guerras o impressionava.* **2** Ato ou dito rude, grosseiro; GROSSERIA; RUSTICIDADE **3** Característica própria de animal feroz [F.: *selvag(em)* + *-eria*. Tb. *selvajaria*.]

selvajaria (sel.va.ja.*ri*.a) *sf.* Ver *selvageria*

selvático (sel.*vá*.ti.co) *a.* **1** Ref. a ou próprio das selvas; SELVAGEM; SILVESTRE **2** Rude, grosseiro **3** Que se encontra distante da civilização, que não é povoado (praia selvática) **4** De difícil domesticação (diz-se de animal) [F.: Do lat. *silvaticus*.]

selvícola (sel.*ví*.co.la) *a2g. s2g.* Ver *silvícola*

sem *prep.* **1** Indica privação, ausência: *O terremoto deixou muitos sem comida; Não vou sem você.* [Ant.: *com*.] **2** Indica exceção: *Todos os funcionários do banco, sem o gerente, foram à festa.* **3** Seguido de v. no infinitivo, expressa modo: *Chegou sem avisar.* [NOTA: Quando precedida da *conj.* e, pode substituir-se por *nem*: *sem eira nem beira*.] [F.: Do lat. *sine*. Hom./Par.: *sem* (prep.), *cem* (num. sm.).] **∎ ~ mais** Introduz frase final de carta, requerimento etc.: *Sem mais, despeço-me com um cordial abraço.* **~ mais nem menos** De repente, sem motivo aparente: *Então, sem mais nem menos, deixou de falar comigo.* **~ que 1** Indica modo: "Não permita Deus que eu morra, / Sem que eu volte para lá" (Gonçalves Dias, *Canção do exílio*) **2** Indica condição: *O problema não será resolvido sem que os dois lados cedam.*

◎ **sem(a/i)-** *el. comp.* = sinal, significado: *semântica, semiologia.* [F.: Do gr. *sêma-atos*.]

semáfora (se.*má*.fo.ra) *sf. Mar.* Pequena bandeira colorida (ger. us. aos pares) com que se transmitem sinais [F.: Fem. de *semáforo*.]

semafórico (se.ma.*fó*.ri.co) *a.* **1** Ref. a semáfora ou a semáforo **2** Transmitido por meio de sinais, símbolos etc. **3** *Mar.* Telégrafo aéreo estabelecido em pontos elevados da costa ou junto a portos para anunciar a passagem ou chegada de navios [F.: *semáfor(o)* + *-ico*[2].]

semaforizado (se.ma.fo.ri.*za*.do) *a.* Que está equipado com semáforos (encruzilhada semaforizada) [F.: *semáfor(o)* + *-izar* + *-ado*[1].]

semáforo (se.*má*.fo.ro) *sm.* **1** Sinal luminoso us. sobretudo no trânsito **2** *Mar.* Tipo de telégrafo aéreo encontrado em costas ou próximos a portos, cujo fim é sinalizar a passagem ou a entrada de navios [F.: Do fr. *sémaphore*.]

semana (se.*ma*.na) *sf.* **1** Período de sete dias seguidos, ger. contados a partir de domingo **2** O conjunto dos dias úteis nos quais as pessoas trabalham: *Trabalhou durante toda a semana e no sábado já estava de férias.* **3** *P. ext. Fig.* Trabalho que se faz durante estes dias **4** *Fig.* Ver *semanada* (1) [F.: Do lat. *septimana*. Ideia de 'semana': *hebdo-* (*hebdomadário*).] **∎ ~ donzela** Ver *Semana solteira* **~ furada** Aquela que tem um ou mais feriados **~ inglesa** Termo que designa uma semana de trabalho de cinco dias ou de cinco dias e meio (com descanso no sábado, ou na tarde de sábado, e no domingo) **~ Santa** *Rel. Litu.* A última semana da quaresma, que vai do domingo de Ramos ao domingo da Páscoa [Com inicial maiúscula.] **~ solteira** Aquela na qual todos os dias são de trabalho; a que não tem dia santo; semana donzela

semanada (se.ma.*na*.da) *sf.* **1** Quantia que se paga ou se recebe por semana; SEMANA **2** O que se faz numa semana [F.: *seman(a)* + *-ada*[2].]

semanal (se.ma.*nal*) *a2g.* **1** Ref. a semana **2** Que ocorre uma vez por semana (folga semanal) **3** *Jorn. Publ.* Publicado uma vez por semana (periódico semanal; jornal semanal) [Pl.: *-nais*.] [F.: *seman(a)* + *-al*. Sin. ger.: *semanário*.]

semanário (se.ma.*ná*.ri:o) *sm.* **1** *Jorn. Publ.* Jornal ou revista semanal *a.* **2** Ver *semanal* [F.: *seman(a)* + *-ário*.]

semancol (se.man.*col*) *sm. Bras. Gír. Joc.* Capacidade de perceber as próprias limitações, inconveniências etc., e de se pautar por isso; DESCONFIÔMETRO; SEMANCÔMETRO [Pl.: *-cóis*.] [F.: *se*[1] + *mancar* + *-ol*[1].]

semancômetro (se.man.*cô*.me.tro) *sm. Joc. Pop.* O mesmo que *semancol* [F.: *se*[1] + *manc(ar)* + *-o-* + *-metro*.]

semantema (se.man.*te*.ma) *sm. Ling.* Parte da palavra que contém um significado de caráter lexical como substância, qualidade, processo, modalidade da ação ou da qualidade [F.: Do fr. *sémantème*.]

semântica (se.*mân*.ti.ca) *Ling. sf.* **1** Estudo do significado das palavras numa língua, o qual pode ser feito de modo sincrônico ou diacrônico **2** Estudo da relação dos signos com aquilo que eles significam [F.: Do fr. *sémantique*. Cf.: *semiologia*.]

semântico (se.*mân*.ti.co) *a. Ling.* Ref. a semântica [F.: *semântic(a)* + *-o*.]

◎ **semasio-** *el. comp.* = 'sinal'; 'símbolo'; 'significação': *semasiologia* (< fr. < al.), *semasiologista* [F.: Do gr. *semasía, as*, 'sinal'; 'marca'; 'significação', + *-o-*.]

semasiologia (se.ma.si:o.lo.*gi*.a) *sf.* **1** *Ling.* Estudo dos sinais e símbolos, das relações que mantêm entre si e do que representam; SEMATOLOGIA **2** *Ling.* Estudo do sentido das palavras, que parte do significante para o significado [Por opos. a *onomasiologia*.] **3** *Antq. Ling.* O mesmo que *semântica* **4** *Espt.* Linguagem empregada na comunicação dos espíritos por meio do movimento de corpos inertes; SEMATOLOGIA [F.: Do fr. *sémasiologie*.]

semasiológico (se.ma.si:o.*ló*.gi.co) *a.* Ref. a semasiologia [F.: *semasiologia* + *-ico*[2].]

semasiologista (se.ma.si:o.lo.*gis*.ta) *a2g.* **1** Diz-se de pessoa que se especializou em semasiologia *s2g.* **2** Essa pessoa [F.: *semasiologia* + *-ista*.]

◎ **semat(o)-** *el. comp.* = 'signo'; 'símbolo'; 'significação': *sematologia* [F.: Do gr. *sêma, atos*, 'sinal'; 'caráter distintivo'; 'marca'.]

sematologia (se.ma.to.lo.*gi*.a) *sf.* **1** *Ling.* O mesmo que *semântica* **2** O mesmo que *semasiologia* (1 e 4) [F.: *semat(o)-* + *-logia*.]

sematológico (se.ma.to.*ló*.gi.co) *a.* Ref. a sematologia [F.: *sematologia* + *-ico*[2].]

semblante (sem.*blan*.te) *sm.* **1** Rosto de uma pessoa; CARA; FACE **2** *Fig.* Imagem física exterior; ASPECTO; APARÊNCIA: *As coisas mudaram de semblante.* [F.: Do provç. *semblant*.]

sem-cerimônia (sem-ce.ri.*mô*.ni:a) *sf.* **1** Falta de cerimônia, de educação **2** Ato, gesto, dito informal; INFORMALIDADE; NATURALIDADE [Pl.: *sem-cerimônias*.]

◎ **seme-** *el. comp.* = semente: *sementeira, seminário* [F.: Do lat. *semen -inis*. Ver tb. *semin(i)-*.]

semeação (se.me:a.*ção*) *sf.* Ação ou resultado de semear; SEMEADURA [Pl.: *-ções*.] [F.: Do lat. *seminatio-onis*.]

semeada (se.me:*a*.da) *sf.* **1** Ação ou resultado de semear; PLANTIO; SEMEAÇÃO **2** Terreno semeado; GLEBA; SEMENTEIRA; SEMEADURA **3** Quantidade de grãos que dá para semear um terreno [F.: Fem. substv. de *semeado*.]

semeadeira (se.me:a.*dei*.ra) *a2g.* **1** Diz-se de máquina que faz a semeadura *sf.* **2** Essa máquina [F.: *semear* + *-deira*. Sin. ger.: *semeadora*.]

semeado (se.me:*a*.do) *a.* **1** Em que se lançaram sementes (terreno semeado) **2** Cheio, coberto: *Os campos ficaram semeados de flores.* **3** Disposto a intervalos de espaço ou tempo: *Suas ponderações semeadas ao longo da reunião influenciaram a decisão final.* [F.: Part. de *semear*.]

semeador (se.me:a.*dor*) [ô] *a.* **1** Que semeia (vento semeador; ideias semeadoras) [Tb. fig.] *sm.* **2** Aquele ou aquilo que semeia **3** Máquina própria para semear cereais [F.: *semear* + *-dor*.]

semeadora (se.me.a.*do*.ra) [ô] *a.* O mesmo que *semeadeira* [F.: *semeador* + *-a*.]

semeadura (se.me:a.*du*.ra) *sf.* **1** Ação ou resultado de semear; SEMEAÇÃO **2** *P. ext.* Terra ou campo semeado; SEMEADA **3** Quantidade de grão suficiente para semear uma extensão de terra [F.: *semear* + *-dura*.]

semear (se.me.*ar*) *v.* **1** Deitar (sementes) para que germinem [*td.*: *semear o trigo*: "Come os frutos que semeia" (Castilho)] [*int.*: *Começou a semear no sábado.*] **2** Espalhar semente em [*td.*: *Passou a manhã semeando a terra.*] **3** Fazer (algo) para obter resultados no futuro [*int.*: *Semeia muito trabalhando, mas depois só vai colher.*] **4** *Fig.* Pôr de entremeio; entremear [*tdr.* + *com*: *Semeava sua revista com fotos de belas mulheres.*] **5** Disseminar, difundir, espalhar [*td.*: *Em todos os lugares semeava seus ideais anarquistas.*] **6** Divulgar, propalar [*td.*: *Semeava boatos o dia todo.*] **7** Fomentar, promover [*td.*: *O incêndio semeou o pânico na multidão.*] **8** Encher, juncar, alastrar [*tdr.* + *de*: *O ataque terrorista semeou a rua de cadáveres.*] [▶ 13 semear] [F.: Do lat. *seminare*. Hom./Par.: *semeáveis* (fl.), *semeáveis* (pl. de *semeável* [a2g.]).]

semeável (se.me.*á*.vel) *a2g.* Que se pode semear [Pl.: *-veis*.] [F.: *semear* + *-vel*. Hom./Par.: (pl.) *semeáveis, semeáveis* (fl. de *semear*).]

se me dão *sm2n. Bras. Pop.* Us. na loc. *fumar se me dão* **∎ Fumar ~** *Bras. Joc.* Filar cigarro ou charuto para fumar

semelhança (se.me.*lhan*.ça) *sf.* **1** Atributo ou qualidade de semelhante **2** Relação entre pessoas, coisas ou ideias que se parecem, que têm aspectos comuns; ANALOGIA **3** Feição exterior; APARÊNCIA; ASPECTO **4** Cotejo entre dois seres ou duas coisas; COMPARAÇÃO: *Parece impossível traçar uma semelhança entre as duas candidatas entrevistadas.* [F.: *semelhar* + *-ança*. Sin. ger.: *similitude*. Ideia de 'semelhança': *par(a)-* (*paradidático*). Ant. nas acps. 1 e 2: *dessemelhança*.] **∎ À ~ de** De maneira semelhante a, à imitação de

semelhante (se.me.*lhan*.te) *a2g.* **1** Quase igual, parecido (rostos semelhantes) **2** Idêntico a outro; SIMILAR **3** Próximo ao modelo de que se originou *sm.* **4** O próximo: *Não despreze o seu semelhante.* **5** O que é parecido ou igual a outra pessoa ou coisa *pr. dem.* **6** Esse, aquele, tal: *Nunca disse semelhante absurdo.* [F.: *semelhar* + *-nte*. Ideia de 'semelhante': *hom(o)-* (*homônimo*); *homeo-* (*homeopatia*); *-rana* (*cajarana*). Ant. nas acps. 1 e 2: *dessemelhante*.] **∎ De ~** *P. us.* Desta maneira, assim

semelhar (se.me.*lhar*) *v.* **1** Parecer-se com, lembrar, assemelhar(-se) [*tp.*: *O menino semelha o pai*; "És tão secreto, / reticente e ardiloso, que semelhas / uma casa fugindo ao arquiteto." (Carlos Drummond de Andrade, "Véspera" *in A vida passada a limpo*)] [*ti.* + *a*: *A sobrinha semelha-se muito à tia.*] **2** Fazer ser semelhante a, dar a impressão de [*tdr.* + *a*: *Suas roupas semelhavam-no a um palhaço.*] [▶ 1 semelhar] [F.: Do lat. *similare*. Hom./Par.: *semelháveis* (2ª pl.)/ *semelháveis* (pl. *semelhável* [a2g.]).]

semelhável (se.me.*lhá*.vel) *a2g.* **1** Que é passível de ser semelhante: *Agressividade semelhável à das abelhas africanas.* **2** Que é semelhante (cor semelhável) [Pl.: *-veis*.] [F.: *semelhar* + *-vel*. Hom./Par.: (pl.) *semelháveis, semelháveis* (fl. de *semelhar*).]

sêmen (*sê*.men) *sm.* **1** *Biol.* Ver *esperma* **2** *Fig.* Ver *semente* (2) [Pl.: *semens* e (*p. us. no Brasil*) *sêmenes*.] [F.: Do lat. *semens -inis*. Ideia de 'sêmen': *espermat(o)-* (*espermatogênese*); *-sperma, -spermo* (*gimnosperma, angiospermo*).]

semente (se.*men*.te) *sf.* **1** *Bot.* Estrutura do fruto que contém o embrião de uma nova planta **2** *P. ext.* Tudo que se lança à terra a fim de que germine **3** *Fig.* Origem de um sentimento; SÊMEN: *O preconceito é uma semente do ódio.* **4** *Fig.* Qualquer coisa embrionária que pode originar frutos, resultados **5** Sêmen, esperma **6** *Bras.* Pedaço de cana-de-açúcar ou de mandioca que se planta em pequenas covas **7** *P. ext.* Tubérculo de qualquer planta [F.: Do lat. *sementis -is*. Hom./Par.: *semente* (sf.), *cemente* (fl. de *cementar*). Ideia de 'semente': *espermat(o)-* (*espermatozoide*); *seme-, semin(i)-* (*sementeira, seminário*); *-sperma, -spermo* (*angiosperma, gimnospermo*).] **∎ Ficar para ~ 1** Ser selecionado para reprodução, visando a preservar e continuar uma espécie **2** *P. ext.* Ser último ou único sobrevivente de um grupo **3** Viver além da média de idade

sementeira (se.men.*tei*.ra) *sf.* **1** Ação ou resultado de semear; SEMEADURA **2** Terra esp. preparada, onde se põem as sementes para germinar **3** Conjunto das sementes que se lança à terra **4** Mulher que semeia **5** *Fig.* Origem, causa de algo **6** *Fig.* Difusão, propaganda: *A revista produzia uma sementeira de futilidades.* [F.: *sement(e)* + *-eira*.]

sementeiro (se.men.*tei*.ro) *a.* **1** Que semeia; SEMEADOR **2** Diz-se do saco onde se levam as sementes para fazer a semeadura *sm.* **3** Aquele que semeia; SEMEADOR **4** Saco onde se levam as sementes para fazer a semeadura [F.: *sement(e)* + *-eiro*. Hom./Par.: *sementeiro* (a. sm.), *cimenteiro* (a.).]

semeostoma (se.me.os.*to*.ma) *a2g.* **1** Ref. às semeostomas, ordem de cifozoários que compreende medusas de boca central com cantos prolongados em lóbulos, encontradas em todos os oceanos; SEMEÓSTOMA *sf.* **2** Espécime das semeostomas; SEMEÓSTOMA [F.: Do lat. cient. ordem *Semaeostomae*.]

semestral (se.mes.*tral*) *a2g.* **1** Ref. a semestre; SEMESTRE **2** Que ocorre a cada semestre (cursos semestrais) [Pl.: *-trais*.] [F.: *semestre* + *-al*.]

semestralidade (se.mes.tra.li.*da*.de) *sf.* **1** Pagamento que se faz por semestre **2** Qualidade do que é semestral [F.: *semestral* + *-(i)dade*.]

semestralmente (se.mes.tral.*men*.te) *adv.* Que se dá de seis em seis meses: *Relatório publicado semestralmente.* [F.: *semestral* + *-mente*.]

semestre (se.*mes*.tre) *sm.* **1** Período de seis meses seguidos **2** Pagamento feito por semestre; SEMESTRALIDADE **3** Ver *semestral* [F.: Do lat. *semestris -e*.]

sem-fim (sem-*fim*) *sm.* **1** Infinidade, sem-número: *Receberam um sem-fim de pedidos.* **2** Amplidão, vastidão: *Nos sem-fins da planície, deixava os pensamentos seguirem desordenados.* [Pl.: *sem-fins*.]

sem-gracice (sem-gra.*ci*.ce) *sf.* **1** Característica daquilo que não tem a menor graça **2** Qualidade daquilo que não provoca atenção, interesse **3** Condição de quem se mostra desconcertado, perturbado **4** Condição de quem é muito tímido, fechado [Pl.: *sem-gracices*.] [F.: *sem-graça* + *-ice*.]

◎ **semi-** *pref.* = 'metade'; 'em parte'; 'um tanto': *semianalfabeto, semibreve, semideus* [Segundo o AOLP, antes de *i* e *h*, usa-se com hífen: *semi-inconsciente, semi-hidratado*; antes de voc. iniciado por *r* ou *s*, estes são duplicados: *semirreal, semissecular*.] [F.: Do lat. *semi*, equivalente ao pref. gr. *hemi-*.]

◎ **-semia** *el. comp.* = 'sinal'; (*p. ext.*) 'significação'; 'expressão': *acrossemia, assemia, hipersemia* [F.: Do gr. *-semía, as*, do gr. *sêma, atos*, 'sinal'; 'marca'. F. conexa: *semat(o)-*.]

semianalfabeto (se.mi.a.nal.fa.*be*.to) [é] *a.* **1** Diz-se de quem é meio analfabeto, mal alfabetizado *sm.* **2** Indivíduo semianalfabeto [F.: *semi-* + *analfabeto*.]

semiárido (se.mi.*á*.ri.do) *Geog. a.* **1** Diz-se de região ou clima meio árido *sm.* **2** Região cujo clima, solo etc. apresenta características semiáridas por sua proximidade com a região árida [F.: *semi-* + *árido*.]

semibreve (se.mi.*bre*.ve) [é] *sf.* **1** *Mús.* Duração de tempo correspondente a duas mínimas, ou quatro semínimas **2** A representação gráfica desse tempo [Ver na ilustração do verbete *figura* (5).] [F.: *semi-* + *breve*.]

semicerrado (se.mi.cer.*ra*.do) *a.* Parcialmente cerrado (janelas semicerradas; olhos semicerrados); ENTREABERTO [F.: *semi-* + *cerrado*.]

semicerrar (se.mi.cer.*rar*) *v.* Cerrar(-se) só parcialmente [*td.*: *Semicerrou a cortina/os olhos.*] [*int.*: *Seus olhos semicerraram-se.*] [▶ 1 semicerrar] [F.: *semi-* + *cerrar*.]

semicircular (se.mi.cir.cu.*lar*) *a2g.* Ref. a ou em forma de semicírculo; SEMICÍRCULO [F.: *semi-* + *circular*.]

semicírculo (se.mi.*cír*.cu.lo) *sm.* **1** *Geom.* Metade de um círculo delimitada por um diâmetro *a.* **2** Ver *semicircular* [F.: *semi-* + *círculo*.]

semicircunferência (se.mi.cir.cun.fe.*rên*.ci:a) *sf. Geom.* Metade de uma circunferência demarcada por um diâmetro [F.: *semi-* + *circunferência*.]

semicolcheia (se.mi.col.*chei*.a) *sf.* **1** *Mús.* Duração de tempo correspondente à metade de uma colcheia, ou 1/4 de uma semínima **2** A representação gráfica desse tempo [Ver na ilustração do verbete *figura* (5).] [F.: *semi-* + *colcheia*.]

semicoma (se.mi.*co*.ma) *sm. Med.* Estado, condição em que um indivíduo se encontra no limiar do coma, está quase em coma: *Paciente com ausência de resposta a estímulos, em estado de semicoma.* [F.: *semi-* + *coma*.]

semicondutor (se.mi.con.du.*tor*) [ô] *sm.* **1** *Fís.* Substância com resistência entre a de um condutor e a de um isolante e que pode variar de acordo com as condições (p. ex., diminui com a elevação da temperatura) *a.* **2** *Fís.* Diz-se de substância cuja resistência situa-se entre a de um condutor e a de um isolante [F.: *semi-* + *condutor*.]

semiconsciência (se.mi.cons.ci.*ên*.ci:a) *sf.* Estado intermediário entre a consciência e a inconsciência: "Lembro-me da visita que fiz a Nelson Rodrigues, recém-operado e ainda mergulhado nos abismos da semiconsciência." (Gustavo Corção, "E o mundo!" *in O Globo*, 22.04.1976) [F.: *semi-* + *consciência*.]

semideus (se.mi.*deus*) *sm.* **1** *Mit.* Ser mitológico, filho de uma divindade e de um mortal **2** *Mit.* Ser de natureza superior à dos homens e inferior à dos deuses (p. ex.: ninfas e faunos) **3** Herói divinizado **4** *Fig.* Homem cujas qualidades excepcionais (beleza, inteligência, força etc.) o distingue dos demais [Fem.: *semideusa e semideia.*] [F.: *semi-* + *deus.*]

semieixo (se.mi.*ei*.xo) *sm. Mec.* Cada um dos eixos que transmite força às rodas motrizes de um veículo automotivo [F.: *semi-* + *eixo.*] ■ **~ maior** *Astron.* Considerando a órbita elíptica de um astro em torno de outro, a distância de seu ponto mais afastado a este, que corresponde à metade do eixo maior da elipse **~ menor** *Astron.* Considerando a órbita elíptica de um astro em torno de outro, a metade do eixo menor da elipse

semifinalista (se.mi.fi.na.*lis*.ta) *a2g.* **1** *Bras. Esp.* Diz-se de pessoa ou equipe que, em competições esportivas, musicais, culturais etc., se classificou para disputar a etapa semifinal de um torneio, campeonato, concurso etc. *s2g.* **2** Essa pessoa ou equipe [F.: *semifinal* + *-ista.*]

semifusa (se.mi.*fu*.sa) *sf.* **1** *Mús.* Duração de tempo correspondente à metade de uma fusa, ou 1/16 de uma semínima **2** A representação gráfica desse tempo [Ver na ilustração do verbete *figura* (5).] [F.: *semi-* + *fusa.*]

semi-hidratado (se.mi-hi.dra.*ta*.do) *a.* Que se encontra parcialmente hidratado: *sulfato de cálcio semi-hidratado.* [Pl.: *semi-hidratados.*] [F.: *semi-* + *hidratado.*]

semi-histérico (se.mi-his.*té*.ri.co) *a.* Um tanto histérico (tom semi-histérico) [Pl.: *semi-histéricos.*] [F.: *semi-* + *histérico.*]

semi-humano (se.mi-hu.*ma*.no) *a.* **1** Que só em parte é humano (gigante semi-humano) [Pl.: *semi-humanos.*] *sm.* **2** Aquele que não é totalmente humano: *O homem excluído da sociedade torna-se um semi-humano.* [Pl.: *semi-humanos.*] [F.: *semi-* + *humano.*]

semi-internato (se.mi-in.ter.*na*.to) *sm.* **1** Estado ou condição de aluno semi-interno **2** Estabelecimento escolar cujos alunos são semi-internos [Pl.: *semi-internatos.*] [F.: *semi-* + *internato.*]

semi-interno (se.mi-in.*ter*.no) *a.* **1** Diz-se do aluno que permanece a maior parte do dia na escola e volta a casa para dormir [Pl.: *semi-internos.*] *sm.* **2** Aluno semi-interno [Pl.: *semi-internos.*] [F.: *semi-* + *interno.*]

semilunar (se.mi.*lu*.nar) *a2g.* **1** O mesmo que *luniforme*; que tem a forma de crescente, em meia-lua. tb. *lunulado* *a2g.* **2** *Anat.* Diz-se de um dos ossos do carpo (tb. sm.) [F.: *semi-* + *lunar.*]

semilúnio (se.mi.*lú*.ni:o) *sm.* Meia-lua [F.: *semi-* + *-lun(i)-* + *-io*^{3}.]

semimorto (se.mi.*mor*.to) [ô] *a.* **1** Quase morto; SEMIVIVO **2** *Fig.* Extremamente cansado; EXAUSTO; ESGOTADO **3** *Fig.* Amortecido, apagado [F.: *semi-* + *morto.*]

seminal (se.mi.*nal*) *a2g.* **1** Ref. a sêmen ou a semente **2** Que produz sêmen (vesícula seminal) **3** *Fig.* Fértil, inventivo (ideia seminal; trabalho seminal) [Pl.: *-nais.*] [F.: Do lat. *seminalis -e.*]

seminário (se.mi.*ná*.ri:o) *sm.* **1** Debate público; SIMPÓSIO; CONGRESSO **2** Grupo de estudos em que os alunos expõem e discutem algum tema **3** Aula ou exposição feita por um ou mais alunos sobre tema estudado: *Mesmo nervosa, apresentou bem o seminário.* **4** *Ecles.* Instituição de ensino onde se formam padres **5** *Ecles.* O grupo composto por educadores e alunos dessa instituição **6** *Fig.* Centro de criação e propagação de algo: *As ruas cariocas tornaram-se um seminário da miséria.* **7** Viveiro de plantas [F.: Do lat. *seminarium -ii.*]

seminarista (se.mi.na.*ris*.ta) *a2g.* **1** Ref. a ou próprio de seminário **2** Que estuda ou integra um seminário (4) (jovem seminarista) *s2g.* **3** Aluno de seminário (4) [F.: *seminári(o)* + *-ista.*]

seminarístico (se.mi.na.*rís*.ti.co) *a.* Que diz respeito a seminarista ou a seminário [F.: *seminarista* + *-ico*^{2}.]

◎ **semin(i)-** *el. comp.* = 'germe, semente'; 'causa'; 'princípio': *seminífero* [F.: Do lat. *semen, inis.* Ver tb. *seme-*.]

seminífero (se.mi.*ní*.fe.ro) *a.* Que produz ou conduz sêmen ou sementes [F.: *semin(i)-* + *-fero.*]

semínima (se.*mí*.ni.ma) *sf.* **1** *Mús.* Duração de tempo correspondente à metade de uma mínima, e que vale um tempo nos compassos cuja notação tem denominador 4 (2/4, 3/4, 4/4 etc.) **2** A representação gráfica desse tempo [Ver na ilustração do verbete *figura* (5).] [F.: *semi-* + *(mí)nima.*]

seminole (se.mi.*no*.le) *s2g.* **1** Pessoa pertencente a uma tribo indígena americana que habitava o sudoeste do Mississippi (EUA) **2** Técnica de corte de tecidos em tiras que depois são reunidas em uma ordem predeterminada, costuradas, cortadas e recosturadas, formando desenhos geométricos [Denominação originada do artesanato seminole e us. na arte de *patchwork* (trabalho feito com retalhos).] *sm.* **3** *Gloss.* A língua falada por essa tribo *a2g.* **4** De ou ref. a seminole [F.: Do top. ing. *Seminole.*]

seminovo (se.mi.*no*.vo) [ô] *a.* Termo que, apesar de sua impossibilidade conceitual, tem sido us. em anúncios de produtos (esp. automóveis) para qualificar como usado mas em estado de novo [F.: *semi-* + *novo.*]

seminu (se.mi.*nu*) *a.* **1** Quase nu **2** Andrajoso, esfarrapado [Fem.: *seminua.*] [F.: Do lat. *semi-nudus-a -um.*]

seminudez (se.mi.nu.*dez*) [ê] *sf.* Estado de seminu; quase nudez [F.: *semi-* + *nudez.*]

semínula (se.*mí*.nu.la) *sf.* **1** Pequena semente **2** *Ant. Biol.* O mesmo que *esporo* [F.: *semin(i)-* + *-ula.*]

◎ **semio-** *suf.* = 'sinal': *semiografia, semiologia*

semiografia (se.mi:o.gra.*fi*.a) *sf.* Notação por sinais [F.: *semio-* + *-grafia.*]

semiográfico (se.mi:o.*grá*.fi.co) *a.* Ref. a semiografia [F.: *semiografia* + *-ico*^{2}.]

semiologia (se.mi:o.lo.*gi*.a) *sf.* **1** *Ling.* Estudo dos signos linguísticos, ou não linguísticos (p. ex.: gestos, rituais religiosos, vestuário etc.), que funcionam para a comunicação; SEMIÓTICA **2** *Med.* Ver *sintomatologia* [F.: Do fr. *sémiologie.*]

semiológico (se.mi:o.*ló*.gi.co) *a. Ling.* Ref. a ou próprio da semiologia [F.: *semiologi(a)* + *-ico*^{2}.]

semiólogo (se.mi:*ó*.lo.go) *sm. Ling.* Pessoa que se especializou em semiologia [F.: *semio(logia)* + *-logo.*]

semiose (se.mi.*o*.se) *sf.* Na semiologia ou na semiótica, a produção de significados, que procura relacionar a linguagem com outros sistemas de signos de natureza humana ou não: *O processo de criação é um processo de semiose ilimitada.* [Termo criado por Charles Sanders Peirce (1839-1914), filósofo, cientista e matemático americano] [F.: *semio-* + *-ose.*]

semiotécnica (se.mi:o.*téc*.ni.ca) *sf. Med.* Parte da semiologia que estuda as técnicas do exame clínico e a interpretação que se dá a determinado sintoma ou a um conjunto deles (semiotécnica de enfermagem) [F.: *semio-* + *técnica.*]

semiótica (se.mi:*ó*.ti.ca) *sf. Ling.* Ver *semiologia* [F.: Do fr. *sémiotique.*]

semioticista (se.mi:o.ti.*cis*.ta) *a2g.* **1** Que aplica as teorias da semiótica (tradição semioticista) *s2g.* **2** O seguidor dos fundamentos da semiótica; especialista em semiótica [F.: *semiótica* + *-ista.*]

semiótico (se.mi:*ó*.ti.co) *a. Ling.* Ref. a ou próprio da semiótica [F.: *semiótic(a)* + *o.*]

semiotização (se.mi:o.ti.za.*ção*) *sf.* Ação ou resultado de semiotizar [Pl.: *-ções.*] [F.: *semiotizar* + *-ção.*]

semipermeabilidade (se.mi.per.me:a.bi.li.*da*.de) *sf.* Qualidade de semipermeável [F.: *semi-* + *permeabilidade.*]

semipermeável (se.mi.per.me:*á*.vel) *a2g.* **1** Que é um pouco permeável **2** *Bioq.* Diz-se de membrana que, ao separar duas soluções, deixa passar moléculas das substâncias solventes, mas não das substâncias dissolvidas [Pl.: *-veis.*] [F.: *semi-* + *permeável.*]

semiplano (se.mi.*pla*.no) *sm. Geom.* Parte de um plano, limitado por uma reta [F.: *semi-* + *plano.*]

semiplégico (se.mi.*plé*.gi.co) *a.* **1** Que diz respeito a semiplegia **2** Diz-se de indivíduo que sofre de semiplegia *sm.* **3** Esse indivíduo [F.: *semiplegia* + *-ico*^{2}.]

semiprecioso (se.mi.pre.ci:*o*.so) [ô] *a.* Diz-se de pedra, ou gema, cujo valor é menor que o de uma pedra preciosa [Pl.: [ó]. Fem.: [ó].] [F.: *semi-* + *precioso.*]

semirreta (se.mir.*re*.ta) *sf. Geom.* Parte de uma reta, limitada por um ponto [F.: *semi-* + *reta.*]

semissoma (se.mis.*so*.ma) *sf. Mat.* A metade de uma soma; soma parcial [F.: *semi-* + *soma.*]

semita (se.*mi*.ta) *a2g.* **1** Ref. aos semitas, grupo étnico e linguístico a que pertenciam os hebreus (hoje, judeus), assírios, fenícios, árabes etc. **2** *Rest.* Ref. a ou próprio dos judeus *s2g.* **3** Indivíduo pertencente a este grupo étnico e linguístico [F.: Do antr. bíblico *Sem*, um dos filhos de Noé. Hom./Par.: *sêmita* (sf.).]

semítico (se.*mí*.ti.co) *a.* **1** Ref. aos semitas ou ao semítico (3) **2** *Rest.* Ref. aos judeus *sm.* **3** *Gloss.* Grupo linguístico da fam. camito-semítica, de que fazem parte, entre outros, o hebraico, o aramaico e o árabe [F.: *semita* + *-ico*^{2}.]

semitismo (se.mi.*tis*.mo) *sm.* **1** Caráter do que é semita; civilização e influência dos semitas **2** *Rest.* Caráter do que é judeu; civilização e influência dos judeus **3** *Ling.* Palavra ou construção próprias das línguas semíticas [F.: *semita* + *-ismo.*]

semitizado (se.mi.ti.*za*.do) *a.* **1** Que se semitizou; tornado semita (grego semitizado) **2** Voltado ao semitismo (civilização semitizada) [F.: Part. de *semitizar.*]

semitom (se.mi.*tom*) *sm. Mús.* Metade de um tom; MEIO-TOM [Pl.: *-tons.*] [F.: *semi-* + *tom.*]

semitonado (se.mi.to.*na*.do) *a. Mús.* Que desafinou ou desafina para baixo (som semitonado) [F.: Part. de *semitonar.*]

semitonar (se.mi.to.*nar*) *v. td. int.* **1** *Mús.* Cantar em semitom **2** Desafinar [▶ **1** semitonar] [F.: *semitom* + *-ar.*]

semitransparente (se.mi.trans.pa.*ren*.te) *a2g.* Quase transparente [F.: *semi-* + *transparente.*]

semiúmido (se.mi.*ú*.mi.do) *a.* Meio úmido, quase úmido: *clima tropical semiúmido.* [F.: *semi-* + *úmido.*]

semivivo (se.mi.*vi*.vo) *a.* Que se encontra quase sem vida; SEMIMORTO [F.: Do lat. *semi-vivus-a -um.*]

semivogal (se.mi.vo.*gal*) *sf. Gram.* Vogal situada no início ou no final de um ditongo (p. ex., a vogal [i] de pai; a vogal [u] de quarto) [Pl.: *-gais.*] [F.: *semi-* + *vogal.*]

sem-nome (sem-*no*.me) *a2g2n.* **1** Diz-se de atitude, gesto etc. inominável, inqualificável: *Praticou baixezas sem-nome.* **2** Que não tem nome; ANÔNIMO; INOMINADO [F.: *sem* + *nome.*]

sem-número (sem.*nú*.me.ro) *sm2n.* O que é inumerável; INFINIDADE; SEM-FIM: *Pediu-lhe um sem-número de vezes que não viajasse por aquelas estradas.* [F.: *sem* + *número.*]

sêmola (*sê*.mo.la) *sf.* **1** Espécie de farinha granulada feita de trigo ou de outros grãos, us. para fazer massas e sopas **2** Ver *semolina* [F.: Do it. *semola.*]

semolina (se.mo.*li*.na) *sf.* Farinha feita de arroz, us. no engrossamento de mingaus etc; SÊMOLA [F.: Do it. *semolino.*]

semostrador (se.mos.tra.*dor*) [ô] *a.* **1** *S. E.* Que pratica a semostração, que gosta de se exibir *sm.* **2** *S. E.* Aquele que tem o hábito da semostração, da ostentação [F.: **semostrar* (< *se*^{1} + *mostrar*) + *-dor.*]

semovente (se.mo.*ven*.te) *a2g.* **1** Que se move por si mesmo **2** *Jur.* Que tem vida própria, podendo ausentar-se de algum lugar (bens semoventes) *s2g.* **3** Aquilo que se move por si próprio [F.: Do lat. *semovens, entis.*]

sem-palavra (sem-pa.*la*.vra) *a2g2n.* **1** Diz-se de pessoa que não cumpre o que prometeu *s2g2n.* **2** Essa pessoa [F.: *sem* + *palavra.*]

sem-par (sem-*par*) *a2g2n.* Sem igual; ÚNICO; ÍMPAR: *Era uma mulher de qualidade sem-par.* [F.: *sem* + *par.*]

sempiternidade (sem.pi.ter.ni.*da*.de) *sf. Fil.* Qualidade ou estado do que é sempiterno: "Ela dorme. /E eu velo seu sono com tanto afago/Que as minhas carícias e gestos/Parecem o eco de uma cantiga de ninar/Que se ouve longe, na sempiternidade do amor." (Solange Rech, *Dorme, amor!*) [F.: Do lat. *sempiternitas, atis.*]

sempiterno (sem.pi.*ter*.no) [é] *a.* **1** Cuja duração é infinita; ETERNO; PERPÉTUO [Ant.: *efêmero, transitório.*] **2** Que é muito antigo [F.: Do lat. *sempiternus.*]

sempre (*sem*.pre) *adv.* **1** Em todo momento ou hora: *Isso sempre acontece quando ligo o computador:* "Quero a vida sempre assim/ com você perto de mim (...)" (Tom Jobim, Corcovado) [Ant.: *nunca, jamais.*] **2** Continuamente, sem cessar, constantemente: *Está sempre gripado.* **3** Habitualmente, geralmente: *Janta sempre em casa.* [Ant.: *nunca, jamais.*] **4** Afinal, enfim: *Propôs estudo em grupo, o que é sempre uma boa ideia.* *conj. advers.* **5** No entanto, todavia *sm.* **6** Todo o tempo (o passado ou o futuro) [F.: Do lat. *semper.*] ■ **Até ~** Us. como despedida, esp. quando se espera rever brevemente a pessoa [Equivalentes: até à vista; até mais ver; até logo.] **2** Us. como fórmula de cortesia, com a qual se afirma estar sempre à disposição de alguém **De ~** De todos os dias, habitual: *Pediu o sanduíche de sempre.* **Para ~** Definitivamente, eternamente; definitivo, eterno: *Estou de mal para sempre; Nosso amor é para sempre.* **Para todo o ~** Ver *Para sempre* **~ não** *Angol.* Nunca **~ que** Toda vez que: *Sempre que está na cidade, vem nos visitar.*

sempre-viva (sem.pre-*vi*.va) *sf. Bot.* Nome comum a diferentes plantas, cujas flores, depois de secas, não murcham nem perdem a cor, como, p. ex., *Bracteantha bracteata*, da fam. das compostas, nativa da Austrália, de flores amarelas ou alaranjadas, muito cultivada como ornamental, assim como suas variedades de coloração muito diversa

sem-sal (sem-*sal*) *a2g2n.* **1** Que não tem sal; INSOSSO; SENSABOR [Ant.: *saboroso, salgado.*] **2** *Fig.* Que não desperta o menor entusiasmo ou interesse, por ser sem graça, sem brilho, sem vivacidade; INSÍPIDO; SENSABORÃO [Ant.: *espirituoso, divertido, vivo.*] [F.: *sem* + *sal.*]

sem-terra (sem-*ter*.ra) *a2g2n.* **1** *Bras.* Que não possui terra (diz-se de trabalhador rural) *s2g2n.* **2** *Bras.* Trabalhador rural que não possui terra [F.: *sem* + *terra.*]

sem-teto (sem-*te*.to) *a2g2n.* **1** *Bras.* Diz-se de quem, por falta de condição econômica, não tem moradia e vive nas ruas ou em abrigos públicos *s2g2n.* **2** *Bras.* Aquele ou aquela que mora nas ruas ou em abrigos públicos [F.: *sem* + *teto.*]

sem-vergonha (sem-ver.*go*.nha) *a2g.* **1** *Bras.* Que é desavergonhado ou malicioso **2** *SP* Diz-se da planta que pega facilmente *s2g2n.* **3** *Bras.* Pessoa desprovida de moral ou extremamente maliciosa [F.: *sem* + *vergonha.*]

sem-vergonhice (sem-ver.go.*nhi*.ce) *sf.* **1** *Bras.* Ato, dito ou procedimento de sem-vergonha **2** Despudor, indecência [Pl.: *sem-vergonhices.*] [F.: *sem-vergonha* + *-ice.*]

sem-vergonhismo (sem-ver.go.*nhis*.mo) *sm. Bras.* O mesmo que *sem-vergonhice* [Pl.: *sem-vergonhismos.*] [F.: *sem-vergonha* + *-ismo.*]

⊠ **sen** *Mat.* Símb. de *seno*

sena (*se*.na) *sf.* **1** *Bot.* Nome comum às espécies do gên. *Senna*, da fam. das leguminosas, subfam. cesalpinioídea, originárias da África, Ásia, Indomalásia e das Américas, muitas são cultivadas para ornamentação ou uso terapêutico e são tb. conhecidas como sene, cássia ou acácia **2** *Bras.* Loteria oficial em que se sorteiam seis dezenas **3** *Lud.* Peça de dominó, carta de jogar ou face do dado que tem seis pintas [F.: Na acp. 1 Do lat. cient. gênero *Senna.* Nas acps. 2 e 3 Do lat. *sena.*]

⊠ **Senac** Sigla de *Serviço Nacional de Aprendizagem Comercial*

senado (se.*na*.do) *sm.* **1** Câmara alta do Poder Legislativo no sistema de duas câmaras **2** *Hist.* Assembleia de patrícios que constituíam o conselho supremo da antiga Roma **3** *Fig.* Lugar onde se reúnem os membros do Senado [Com inicial ger. maiúsc. nas três acp.] [F.: Do lat. *senatus -us.*] ■ **~ da Câmara** *Ant.* Câmara Municipal [Com inicial maiúscula.]

senador (se.na.*dor*) [ô] *sm.* **1** Membro do Senado **2** *RS Fig.* Cavalo muito velho [Fem.: *senadora, senatriz.*] [F.: Do lat. *senator-oris.*]

senadoria (se.na.do.*ri*.a) *Pol. sf.* **1** Mandato de senador **2** Cargo ou ofício de senador [F.: *senador* + *-ia*^{1}, do lat. *senator* + *-ia*^{1}. Tb. *senatoria.*]

⊠ **Senai** Sigla de *Serviço Nacional de Aprendizagem Industrial*

senão (se.*não*) *prep.* **1** Salvo, exceto: *Dali nada viam, senão o telhado das casas. conj. alter.* **2** Caso contrário: *Tenho de terminar o trabalho hoje, senão vai haver cobrança. conj. advers.* **3** Mas, porém: *Não se dizia escritor, senão um rabiscador de palavras. conj. condic.* **4** A não ser: *Não há mais nada a dizer, senão adeus. sm.* **5** Problema, falha: *Não houve um só senão nessas férias.* [Pl.: *-nões* (*subst.*).] [F.: se² + não.] ■ **~ quando** Subitamente, inesperadamente; eis que: *Já ia deitar, senão quando chegaram-lhe visitas.* **~ que** Us. para afirmar algo com ênfase, e por contraste, depois de ter negado algo oposto, ou bem diferente: *Não faça a guerra, senão que o amor.* [Equivale a: *mas sim*; *e sim*; *mas antes*; *senão*.]

senatoria (se.na.to.*ri*:a) *sf. Bras.* Ver *senadoria*; SENADORIA [F.: Do lat. *senator, oris* + *-ia*. Hom./Par.: *senatória* (fem. de *senatório* [a.]), *cenatória* (fem. de *cenatório* [a.]) Tb. *senadoria*.]

senatorial (se.na.to.ri:*al*) *a2g. Pol.* Ref. a Senado ou a senadores [Pl.: *-ais*.] [F.: Do lat. *senator-oris* + *-al*.]

sencilha (sen.*ci*.lha) *sf. Bras. RS* Em jogos de cartas, dinheiro que alguém que não participa do jogo empresta a um jogador, lucrando uma porcentagem predeterminada sobre o valor emprestado [F.: Do cast. *sencilla*.]

senda (*sen*.da) *sf.* **1** Passagem estreita; ATALHO; VEREDA **2** *Fig.* Caminho, rumo, direção: *Logo mostrou propensão para seguir as sendas do crime.* [F.: Do lat. *semita-ae*.]

sendeiro (sen.*dei*.ro) *a.* **1** Diz-se do cavalo ou burro velho e ruim **2** *Bras.* Diz-se do cavalo pequeno, mas robusto **3** *Pop.* Diz-se de quem é desprezível, servil **4** *N. E. Pop.* De grandes dimensões *sm.* **5** Cavalo ou burro muito velho e ruim **6** *Bras.* Cavalo de pequenas proporções, mas robusto **7** *Pop.* Indivíduo servil [F.: *semitarius-a -um*.]

senderismo (sen.de.*ris*.mo) *sm.* Tendência de apoio à ideologia ou às atividades do grupo guerrilheiro peruano Sendero Luminoso [F.: *Sendero* Luminoso + *-ismo*.]

senderista (sen.de.*ris*.ta) *a2g.* **1** Diz-se de indivíduo que é simpatizante ou membro do movimento revolucionário peruano denominado Sendero Luminoso *s2g.* **2** Esse indivíduo [F.: *Sendero* Luminoso + *-ista*.]

sene (*se*.ne) *Bot. sm.* **1** Nome comum a várias plantas (esp. gên. *Senna* e *Chamaecrista*) da fam. das leguminosas, cujas folhas e cascas, chamadas folículos de sene, têm propriedades purgativas [Sua introdução na fitoterapia foi feita por médicos árabes no séc. IX.] **2** Arbusto (*Chamaecrista desvauxii*) nativo das praias dos lagos e campos alagados, em terrenos arenosos da região amazônica, Pará e Mato Grosso **3** Arbusto (*Senna uniflora*) com flores solitárias e vistosas, que ocorre em lugares úmidos e arenosos do Brasil (BA, MG, RJ, SP, GO) **4** Planta leguminosa (*Senna desvauxii*), tb. chamada *sene-verdadeiro* **5** Árvore das leguminosas (*Enterolobium ellipticum*), nativa do Brasil, sua casca tem uso medicinal. Tb. chamada *favela-branca* **6** Espécie de planta do gênero cássia (*Chamaecrista obovata* e *C. acutifolia*) **7** Arbusto das leguminosas (*Senna italica*), cujas folhas e vagens têm uso como purgante. Tb. chamada *sene-de-purga* [F.: Do lat. *sene* e este do ár. *sana*.]

senécio (se.*né*.ci:o) *Bot. sm.* **1** Nome comum a árvores, arbustos, trepadeiras e ervas do gênero *Senecio*, com cerca de 1.250 espécies, algumas cultivadas como ornamentais, caso do *não-me-deixes*, e outras contendo alcaloides e daninhas **2** O mesmo que *tasneirinha* (*Senecio brasiliensis*) [F.: Do lat. cient. gên. *Senecio*.]

senecto (se.*nec*.to) *a. Ant.* Idoso, senil, velho [Ant.: *jovem, moço*.] [F.: Do lat. *senectus, a, um*.]

senectude (se.nec.*tu*.de) *sf.* Velhice, senilidade [F.: Do lat. *senectus -utis*.]

senegalense (se.ne.ga.*len*.se) *a2g. s2g.* Ver *senegalês* [F.: Do top. *Senegal* + *-ense*.]

senegalês (se.ne.ga.*lês*) *sm.* **1** Aquele que nasceu ou que vive no Senegal (África) *a.* **2** Do Senegal; típico desse país ou de seu povo [Pl.: *-leses*. Fem.: *-lesa*.] [F.: Do top. *Senegal* + *-ês*. Sin. ger.: *senegalense, senegaliano*.]

senegalesco (se.ne.ga.*les*.co) [ê] *a.* Que é próprio do Senegal (África) (calor senegalesco) [F.: *Senegal* + *-esco*.]

senegaliano (se.ne.ga.li:*a*.no) *a. sm.* Ver *senegalês* [F.: *Senegal* + *-i-* + *-ano*.]

senescência (se.nes.*cên*.ci:a) *sf.* **1** Caráter ou qualidade de senescente; SENILIDADE, VELHICE **2** Processo de envelhecimento [F.: *Do lat. senescentia, ae*.]

senescente (se.nes.*cen*.te) *a2g.* Que passa por processo de envelhecimento; que está ficando velho [F.: Do lat. *senescens, entis*.]

sengar (sen.*gar*) *Bras. v. td.* **1** Separar, com peneira, o mais leve do mais pesado; JOEIRAR **2** Separar o café da casca, com sacudidelas da peneira [▶ 14 sengar] [F.: Do quimb. *kusenga*. Hom./Par.: *senga(s)* (fl.), senga (sf. e pl.); *sengo* (fl.), *sengo* (a.).]

sengraceza (sen.gra.*ce*.za) [ê] *sf.* Acanhamento, embaraço, inibição: "Ela, numa sengraceza danada, gungunou algo ininteligível, sempre de cabeça baixa." (Liberato Póvoa, *Fogo cruzado*) [F.: loc. a. *sem graça* + *-eza*.]

senha (*se*.nha) *sf.* **1** Bilhete numerado que se distribui entre os usuários de um serviço para que sejam atendidos por ordem de chegada **2** *Inf.* Combinação de caracteres que permite o acesso a operações por computador **3** Sinal, gesto ou frase combinados em segredo para serem us. como sinal de identificação entre pessoas ou grupos **4** Bilhete que possibilita a readmissão de alguém numa sala de espetáculos **5** Recibo de pagamento [F.: Do lat. *signa*.]

senhor (se.*nhor*) [ô] *sm.* **1** Homem idoso **2** Na linguagem corrente, tratamento de respeito e/ou cortesia us. para homens [Abrev. ger. us. em endereçamento postal: Sr.] **3** Homem não determinado; qualquer pessoa adulta do sexo masculino: *Passou por aqui um senhor que procurava por você.* **4** Dono, proprietário (senhor feudal; senhor de engenho) **5** Amo, patrão **6** Soberano, chefe **7** *Fig.* Aquele que tem pleno controle sobre alguma coisa: *Ele é senhor das suas ações.* **8** Indivíduo de alta consideração **9** O ser supremo, o criador, Deus [Nesta acp., com inicial maiúsc.] **10** O mesmo que *senhorio* (1) *a.* **11** *Bras.* Excelente, ótimo: *Ele é um senhor cozinheiro.* **12** Elegante, senhoril [F.: Do lat. *senior, oris*.] ■ **Adormecer/descansar no ~** Morrer **Nosso Senhor** *Rel.* No cristianismo, Jesus Cristo **O senhor** Us. como tratamento mais ou menos formal ou respeitoso, por quem se dirige (na fala ou na escrita) a homem (ger. adulto, ou mais velho) **~ da situação** Diz-se de quem está informado ou consciente de certas dificuldades ou perigos, e tem poder ou capacidade para superá-los **~ de baraço e cutelo** Chefe, líder ou governante cujo poder sobre seus seguidores, subordinados, dependentes, servos ou súditos é quase total, incluindo a aplicação de castigos corporais ou punição com a morte **P. ext.** Aquele que exerce seu poder de modo violento, impiedoso, ou opressivo **~ de engenho** *Bras.* Proprietário de engenho de açúcar **~ de si** **1** Diz-se de quem tem equilíbrio do raciocínio e dos sentimentos, que tem capacidade de agir sensatamente **2** Diz-se de quem tem autocontrole e enfrenta serenamente ou de modo confiante as dificuldades **Ser ~ do seu nariz** Ter autonomia, independência; agir (ou poder agir) conforme a própria decisão ou vontade **Sim ~** *Irôn.* Loc. interjetiva de espanto, ger. sinal irônico de desaprovação a algo que se vê ou ouve, ou de que se toma conhecimento [Não confundir com a frase"sim, senhor", de aquiescência, obediência, concordância (mera resposta afirmativa) respeitosas]

senhora (se.*nho*.ra) [ó] *sf.* **1** Mulher idosa **2** Esposa **3** Na linguagem corrente, tratamento de respeito e/ou cortesia us. para mulheres [Abrev. ger. us. em endereçamento postal: Sra.] **4** Mulher não determinada; qualquer pessoa adulta do sexo feminino: *Uma senhora pediu que lhe desse informações sobre o concurso de que participaria.* **5** Dona, proprietária **6** Ama, patroa **7** Mulher que exerce influência, autoridade, poder **8** Mulher de alta consideração **9** Ver *senhoria* (2) *a.* **10** *Bras.* Excelente, ótima: *O presidente do clube mora numa senhora casa.* [F.: Fem. de *senhor*.] ■ **A ~** Us. como tratamento mais ou menos formal ou respeitoso, por quem se dirige (na fala ou na escrita) a mulher (ger. adulta, ou mais velha) **Minha Nossa ~** Ver *Nossa Senhora* (2) **Nossa ~** **1** No cristianismo, Maria, mãe de Jesus **2** Us. como interjeição de admiração ou espanto; minha Nossa Senhora [Tb. apenas, nesta acp., *Nossa*.]

senhoragem (se.nho.*ra*.gem) *sf.* O mesmo que *senhoriagem* [Pl.: *-gens*.] [F.: *senhor* + *-agem*.]

senhorear (se.nho.re.*ar*) *v.* **1** Tomar posse de, assenhorear(-se) (de); CONQUISTAR [*td.*: *Os invasores senhorearam a fazenda.*] [*td.*] **2** Ter domínio sobre, predominar [*td.*: *O deputado senhoreia seu curral eleitoral.*] [*int.*: *O catolicismo aqui senhoreia.*] **3** Captar o interesse de, atrair, granjear [*td.*: *senhorear as atenções/os ouvintes.*] **4** Conter, refrear [*td.*: *senhorear os ânimos.*] [▶ 13 senhorear] [F.: *senhor* + *-ear*.]

senhoria (se.*nho*.ri.a) *sf.* **1** Qualidade de senhor ou senhora **2** Proprietária de imóvel alugado **3** *Hist.* Domínio de um Estado ou senhor sobre uma terra **4** *Fig. Hist.* Essa mesma terra [F.: *senhor* + *-ia*¹.] ■ **Vossa ~** F. de tratamento cerimonioso para a segunda pessoa

senhoriagem (se.nho.ri.*a*.gem) *sf.* **1** Contribuição que se pagava em reconhecimento de um senhorio **2** Taxa que o rei recebia dos nobres pela concessão da fabricação de moedas em seus feudos **3** Diferença entre o valor real e o valor nominal da moeda, no antigo sistema monetário **4** *Jur.* Renda devida ao senhorio direto pelo enfiteuta ou arrendatário [Pl.: *-gens*.] [F.: *senhorio* + *-agem*.]

senhorial (se.nho.ri:*al*) *a2g.* **1** Ref. ou pertencente a senhor, senhora ou a senhorio **2** Ver *senhoril* (2) [Pl.: *-ais*.] [F.: *senhori(o)* + *-al*.]

senhoriato (se.nho.ri.*a*.to) *sm.* **1** Domínio territorial exercido por um senhorio, um grupo de pessoas ou pelo Estado, que recebem pagamento pelo uso da área concedida: *encargos fiscais extraídos do senhoriato feudal*; "Uma das tarefas mais difíceis e complexas é a ligação do senhoriato de Paranaguá do século XVIII com os fundadores da vila em 1648..." (Ricardo Costa de Oliveira, *Famílias históricas do litoral paranaense: A família Miranda Coutinho*) **2** *P. ext.* O poder de uma classe dominante sobre outra ou sobre os menos favorecidos [F.: *senhorio* + *-ato*.]

senhoril (se.*nho*.ril) *a2g.* **1** Próprio de senhor, de nobre **2** *P. ext.* Diz-se de indivíduo ou comportamento que revela nobreza, fineza, distinção: *Pessoa de garbo senhoril e altivo.* [Pl.: *-is*.] [F.: *senhor* + *-il*.]

senhorinha (se.nho.*ri*.nha) *sf.* **1** Senhora jovem **2** *Bras.* Moça solteira, o mesmo que senhorita: "Seu contrato de casamento com a senhorinha Regina..." (Afrânio Peixoto, *Razões do coração*) [F.: *senhora* + *-inha*.]

senhorio (se.nho.*ri*.o) *sm.* **1** Direito do senhor sobre alguma coisa; AUTORIDADE; MANDO: *senhorio sobre as terras produtivas.* **2** *Jur.* Domínio, posse, propriedade: *Tinha o senhorio da casa e de toda a fazenda.* **3** Extensão de terra ou quaisquer outras coisas sob jurisdição do senhor; POSSESSÃO **4** Dono, proprietário de prédio, loja, casa, apartamento a quem se paga aluguel ou foro: *Pago o aluguel diretamente ao senhorio.* [F.: *senhor* + *-io*.] ■ **~ direto** *Jur.* A entidade que recebe o foro de um imóvel herdado por enfiteuse **~ útil** A entidade que detém imóvel enfitêutico e paga seu foro

senhorita (se.nho.*ri*.ta) *sf.* **1** *Antq.* Mulher pequena, de baixa estatura **2** *Irôn.* Senhora de classe média com pretensões a dama **3** *Irôn.* Mulher de classe baixa que demonstra ares de senhora **4** *Bras.* Moça solteira, senhorinha **5** *Bras.* Tratamento respeitoso e cerimonioso que se dá a moça solteira [F.: *senhor(a)* + *-ita*.]

senhorzinho (se.nhor.*zi*.nho) *sm.* **1** *Bras.* Denominação muito us. no interior para designar o filho ou herdeiro do senhorio ou do dono da fazenda: *O coronel era ríspido e agressivo, mas o senhorzinho era dócil com os empregados.* **2** *Fig.* Homem idoso de estatura mediana para baixa [F.: *senhor* + *-zinho*.]

senil (se.*nil*) *a2g.* **1** Ref. à velhice ou aos velhos; IDOSO; VELHO: *O cansaço estava estampado em seu rosto senil.* [Ant.: *jovem, juvenil*.] **2** Que resulta da velhice (fraqueza senil) **3** Próprio de pessoas de idade muito avançada: *Evidenciava seu estado senil.* **4** Que sofre de demência senil [Pl.: *-nis*.] [F.: Do lat. *senilis, e*.]

senilidade (se.ni.li.*da*.de) *sf.* **1** Qualidade de senil **2** Estado de velhice; DECREPITUDE [Ant.: *juventude, mocidade*.] **3** Enfraquecimento das faculdades intelectuais originado ou determinado pela velhice [F.: *senil* + *-(i)dade*.]

senilitude (se.ni.li.*tu*.de) *sf.* **1** Estado, qualidade ou característica de senil; SENILIDADE, VELHICE [Ant.: *juventude, mocidade*.] **2** Enfraquecimento das faculdades intelectuais determinado pela idade avançada [F.: *senil* + *-i-* + *-tude*.]

senilizar (se.ni.li.*zar*) *v. td.* **1** Tornar senil, velho **2** Envelhecer (madeira, pintura) artificialmente, com fins comerciais ou artísticos [▶ 1 senilizar] [F.: *senil* + *-izar*.]

sênior (*sê*.ni:or) *a2g.* **1** Que é o mais velho [Junta-se ger. aos nomes de pessoas que têm parentes mais novos com nomes e apelidos iguais aos seus, assim como a palavra *júnior* se acrescenta aos nomes de indivíduos que têm parentes mais velhos no mesmo caso.] **2** Diz-se de desportistas que já ganharam primeiros prêmios: *um piloto sênior.* **3** *P. ext.* Diz-se de profissionais experientes que já exercem, há algum tempo, determinada atividade: *Precisa-se de engenheiro sênior.* [Por oposição a *júnior*.] *sm.* **4** Parente mais velho que outros da mesma família **5** Desportista que já ganhou primeiros prêmios **6** *P. ext.* Desportista ou profissional veterano de qualquer atividade [Pl.: *seniores* (*ô*). Por oposição a *júnior*.] [F.: Do lat. *senior, oris*.]

senioridade (se.ni:o.ri.*da*.de) *sf.* **1** Estado, característica ou qualidade de sênior **2** Conjunto de conhecimentos e experiência adquiridos durante o exercício da atividade profissional, que capacita alguém para exercer cargos ou funções de fundamental importância em uma organização: "A relação negativa entre senioridade na firma e probabilidade de mudança de emprego e entre mudanças de emprego e salários..." (FIPE, *O custo salarial das mudanças de emprego no Brasil*.) [F.: *sênior* + *-i-* + *-dade*.]

seno (*se*.no) *sm.* **1** *Trig.* A perpendicular que da extremidade de um arco se abaixa sobre o raio que passa pela outra extremidade **2** A relação entre esta perpendicular e o mesmo raio [F.: Do lat. *sinus, us*, 'curvatura'.] ■ **~ hiperbólico** *Mat.* Considerando dois exponenciais a^x e a^{x-1}, função igual à metade da diferença entre ambos [Simb.: *senh*.] **~ hiperbólico inverso** *Mat.* Arco seno hiperbólico **~ inverso** *Mat.* Arco seno **~ verso** *Mat.* Em relação a *x*, diferença entre a unidade e cos *x* [Simb.: *senv* e *vers*.]

senografia (se.no.gra.*fi*.a) *sf.* *Rlog.* O mesmo que *mamografia* [F.: *sen(o)-* + *-grafia*. Hom./Par.: *cenografia* (sf.).]

senográfico (se.no.*grá*.fi.co) *a.* Que diz respeito à senografia [F.: *senografia* + *-ico*². Hom./Par.: *cenográfico* (a.).]

senoidal (se.noi.*dal*) *a2g. Mat.* Ref. a seno e/ou a senoide; SINUSOIDAL [Pl.: *-dais*.] [F.: *senoide* + *-al*¹.]

senoide (se.*noi*.de) *sf. Geom.* Curva cuja ordenada é o seno geométrico do arco tomado sobre um círculo cujo raio é igual à abscissa; SINUSOIDE [A equação é: $y = \text{sen } x$] [F.: *seno* + *-oide*.]

sensabor (sen.sa.*bor*) [ô] *a2g.* **1** Que não tem sabor ou gosto (comida sensabor); DESENXABIDO; INSÍPIDO **2** *Fig.* Diz-se de pessoa sem graça; INSULSO; SEM-SAL **3** *Fig.* Diz-se de tudo que não causa interesse ou é maçante, desinteressante (filme sensabor) *s2g.* **4** Pessoa desengraçada e insípida [F.: *sem* + *sabor*.]

sensaborão (sen.sa.bo.*rão*) *a.* **1** Diz-se de quem ou do que é insípido, sem graça, sem sabor; INSOSSO: *Fora do Brasil assiste-se sempre a um Carnaval sensaborão. sm.* **2** Indivíduo ou coisa sem graça, desenxabido [Pl.: *-rões*. Fem.: *-rona*.] [F.: *sensabor* + *-ão*.]

sensaboria (sen.sa.bo.*ri*.a) *sf.* **1** Qualidade do que é sem sabor; INSIPIDEZ **2** *P. ext.* Comida sem gosto e desenxabida **3** *Fig.* Conversa sem graça e enfadonha **4** *Fig.* Característica do que não tem interesse, que é maçante, enfadonho: "mas ao pô-las em ação, ao colori-las, ao fazê-las falar [...] boas-noites! era sensaboria irremediável." (Almeida Garret, *Viagens na minha terra*) **5** *Fig.* Fato ou acontecimento desagradável, que causa certo desgosto e pode trazer consequências funestas; DESAGUISADO **6** *Fig.* Desentendimento ou troca de insultos, de injúrias que podem levar às vias de fato: *Houve sensaboria entre os políticos envolvidos.* [F.: *sensabor* + *-ia*¹.]

sensaborona (sen.sa.bo.*ro*.na) *a.* **1** Que não tem sabor, insípida: "...tornou-se tão séria e tão sensaborona como o Saraiva, e, sozinha em casa, sem filhos, sem amigas, porque o marido não queria visitas, aborrecia-se muito."

(Artur Azevedo, *O palhaço – História triste para um dia alegre*) *sf.* **2** Aquela que não tem sabor nem graça [F.: Fem. de *sensaborão.*]

sensação (sen.sa.*ção*) *sf.* **1** Processo de natureza física e/ ou psíquica em que um estímulo ou um fator externo ou interno provoca uma reação física ou emocional em um indivíduo ou em um grupo; impressão física ou psíquica: *sensação de frio; sensação de medo; Teve a sensação de que alguém havia entrado.* **2** Percepção intuitiva ou fundamentada em indícios: *sensação de que algo mudou na relação.* **3** Percepção (premonitória) de que algo está acontecendo ou de que pode vir a acontecer: *sensação de acidente com parentes.* **4** *Fig.* Impressão moral, emoção **5** Admiração ou alegria resultante de fato ou acontecimento inesperado **6** *Fig.* Coisa ou pessoa que desperta grande interesse ou entusiasmo: *Os palhaços são a sensação do circo.* [Pl.: *-ções.*] [F.: Do lat. *sensatio, onis.*] ■ **~ de membro fantasma** Ilusão, de natureza psicológica, de sentir dor em membro que foi amputado **~ térmica** Percepção subjetiva de frio ou calor que sempre corresponde à temperatura real do ambiente [Ger. influenciada por outros fatores, como o vento.]

sensacional (sen.sa.ci:o.*nal*) *a2g.* **1** Ref. a sensação **2** Que produz grande sensação ou impacto (revelações sensacionais) **3** Que é espetacular, maravilhoso, fora de série: *um jogo sensacional.* [Pl.: *-nais.*] [F.: *sensação* (rad. *sensacion-*) + *-al*, seg. o mod. erudito.]

sensacionalismo (sen.sa.ci:o.na.*lis*.mo) *sm.* **1** Caráter ou qualidade de sensacional **2** Interesse em buscar ou explorar assuntos sobre fatos ou pessoas, que possam provocar escândalo, impacto e chocar a opinião pública **3** A divulgação dessa matéria em jornais, revistas, rádio, televisão etc. [F.: *sensacional* + *-ismo.*]

sensacionalista (sen.sa.ci:o.na.*lis*.ta) *a2g.* **1** Ref. a sensacionalismo **2** Em que há sensacionalismo (matéria sensacionalista) **3** Que é dado a fazer sensacionalismo (jornal sensacionalista; repórter sensacionalista) *s2g.* **4** Pessoa que busca o sensacionalismo na divulgação de notícias, fatos etc.: *Um sensacionalista que invadia a privacidade dos artistas famosos.* [F.: *sensacional* + *-ista.*]

sensatamente (sen.sa.ta.*men*.te) *adv.* De modo sensato, com sensatez; PRUDENTEMENTE: "Não lembro se chegamos a nos aventurar em algum restaurante da Ginza. Acho que comemos algo sensatamente ocidental no hotel mesmo, para o qual voltamos guiados pelo meu apurado senso de direção." (Luis Fernando Veríssimo, *San*) [F.: o fem. de *sensato* + *-mente.*]

sensatez (sen.sa.*tez*) [ê] *sf.* **1** Qualidade do que é sensato; BOM-SENSO; JUÍZO **2** Atitude cautelosa, prudente: *Teve sensatez ao falar sobre a separação.* **3** Comportamento coerente, discreto, reservado [F.: *sensato* + *-ez.*]

sensato (sen.*sa*.to) *a.* **1** Que tem ou revela bom-senso (jovem sensato; atitude sensata) **2** Que é cauteloso, prudente **3** Que age com coerência e discrição [F.: Do lat. *sensatus, a, um.*]

sensibilidade (sen.si.bi.li.*da*.de) *sf.* **1** Característica do que é sensível **2** Capacidade de experimentar sensações físicas, de reagir a estímulos físicos: *Ela tem sensibilidade à dor.* **3** Capacidade de ou tendência a sentir, se emocionar, se comover: *É de uma sensibilidade muito delicada.* **4** Suscetibilidade, disposição para ofender-se, melindrar-se, ou magoar-se **5** Predisposição que um organismo tem de sofrer mais com a ação de certo agente físico: *Algumas plantas têm sensibilidade ao frio.* **6** *Med.* Reatividade, maior ou menor, a algum fator ou a alguma substância (sensibilidade à penicilina) **7** Facilidade que certos mecanismos têm de apresentar algum dano ou desequilíbrio em razão de certos agentes físicos: *Esta aparelhagem tem muita sensibilidade ao calor.* **8** Grande precisão em aparelhos ou instrumentos de medida **9** Capacidade de reagir a qualquer tipo de alteração ambiental: *alarme de alta sensibilidade.* **10** *Fot.* Reação de um equipamento fotográfico à luz incidente: *O diafragma da câmera controlava com grande sensibilidade a passagem de luz.* **11** Nível de reação de um instrumento a quaisquer impulsos externos: *a sensibilidade de um termômetro; a sensibilidade de um velocímetro.* [F.: Do lat. *sensibilitas, atis.*]

sensibilização (sen.si.bi.li.za.*ção*) *sf.* **1** Ação ou resultado de sensibilizar(-se): *Em seus sermões, o padre visava à sensibilização dos fiéis.* **2** *Med.* Preparação de um tecido ou órgão através do contato com um antígeno definido, de forma a torná-los capazes de responder funcionalmente, potencializando reações imunológicas **3** Ação de revestir chapas fotográficas de uma substância específica que se altera por ação da luz branca [Pl.: *-ções.*] [F.: *sensibilizar* + *-ção.*]

sensibilizado (sen.si.bi.li.*za*.do) *a.* **1** Que se tornou sensível, se sensibilizou *a.* **2** Comovido, apiedado, contristado: *Estava sensibilizado com a penúria do amigo.* **3** Fortemente abalado, impressionado **4** Convencido, convicto: *Sensibilizado pelas justas reivindicações dos grevistas.* **5** Que se tornou sensível a um agente qualquer [F.: Part. de *sensibilizar.*]

sensibilizador (sen.si.bi.li.za.*dor*) [ô] *a.* **1** Que sensibiliza; SENSIBILIZANTE **2** *Fot.* Diz-se do banho de imersão aplicado nas chapas fotográficas, para se tornarem sensíveis à ação da luz *sm.* **3** Objeto, instrumento, produto utilizado com a finalidade de estimular, sensibilizar algo; SENSIBILIZANTE: *O sensibilizador de insulina provoca um aumento do HDL.* [F.: *sensibilizar* + *-dor.*]

sensibilizante (sen.si.bi.li.*zan*.te) *a2g.* **1** Que sensibiliza *s2g.* **2** O mesmo que *sensibilizador* [F.: *sensibilizar* + *-nte.*]

sensibilizar (sen.si.bi.li.*zar*) *v.* **1** Tornar(-se) sensível ou comovido; COMOVER(-SE); EMOCIONAR(-SE) [**td.**: *O carinho do amigo o sensibiliza.*] [**int.**: *As recordações da infância sensibilizam; Sensibilizou-se quando reencontrou o irmão.*] **2** *Fot.* Tornar (filme) sensível à luz [**td.**] **3** Tornar brando ou mais brando; tocar o coração de [**td.**: *O choro do bebê não sensibiliza os duros de coração.*] **4** Impressionar intensamente, trazer à consciência o sentimento ou compreensão de [**td.**: *A situação das populações africanas não sensibiliza os países mais ricos.*] [▶ **1** sensibilizar] [F.: *sensível* + *-izar.*]

sensibilizatório (sen.si.bi.li.za.*tó*.ri:o) *a.* Que sensibiliza; SENSIBILIZADOR, SENSIBILIZANTE: *Com o seu poder sensibilizatório, conseguia convencer rapidamente as pessoas.* [F.: *sensibilizar* + *-tório.*]

sensitiva (sen.si.*ti*.va) *sf.* **1** *Bot.* O mesmo que *dormideira* (1); DORMIDEIRA; ERVA-VIVA; JUQUIRI-RASTEIRO; MALÍCIA; VERGONHA; VERGONHOSA **2** *Fig.* Pessoa que facilmente se melindra, que é muito suscetível [F.: Fem. substv. de *sensitivo.*]

sensitividade (sen.si.ti.vi.*da*.de) *sf.* Qualidade ou característica de sensitivo [F.: *sensitivo* + *-i-* + *-dade.*]

sensitivo (sen.si.*ti*.vo) *a.* **1** Que pertence ou diz respeito aos sentidos **2** Que tem a capacidade de sentir (órgão sensitivo) **3** *Fig.* Diz-se de indivíduo muito suscetível **4** Que tem poderes parapsicológicos **5** Que causa sentimento ou estímulo; PUNGENTE *sm.* **6** *Fig.* Indivíduo que se deixa abater ao ser atingido moralmente; IMPRESSIONÁVEL; SENSÍVEL **7** Aquele que tem poderes paranormais **8** *Bot.* Diz-se de planta que reage a um estímulo externo, como p. ex., a dormideira ou a apanha-mosca cujas folhas se movimentam quando tocadas [F.: Do lat. medv. *sensitivus, a, um.*]

sensitivo-motor (sen.si.ti.vo-mo.*tor*) [ô] *a.* *Fisl.* Diz-se de nervo que serve ao movimento e à sensibilidade, pois contém fibras motoras e sensitivas: *A mão é um órgão sensitivo-motor.* [Pl.: *sensitivo-motores.*]

sensível (sen.*sí*.vel) *a2g.* **1** Que tem sentidos; que é dotado de sensibilidade **2** Que sente; que reage a estímulos físicos: *sensível à luz.* **3** Que se sensibiliza, se emociona ou se impressiona com facilidade; EMOTIVO **4** Humano, compassivo, propenso a participar das dores alheias [Ant.: *desalmado.*] **5** Que causa ou produz dor; DOLOROSO **6** Que pode ser sentido; que faz impressão sobre os sentidos: *um frio sensível.* **7** Que cai sob a ação dos nossos sentidos; que é percebido pelos sentidos: *as coisas sensíveis.* **8** Que produz impressão moral: *de sensível caráter.* **9** Que tem sensibilidade em alto grau: *um ouvido muito sensível para a música.* **10** Que se faz perceber claramente; EVIDENTE; MANIFESTO; VISÍVEL: *É sensível a falta de livros nas bibliotecas escolares.* **11** Apreciável (diferenças sensíveis) **12** *Bot.* Diz-se da planta que se retrai ou que fecha as folhas quando é tocada: *A dormideira é uma planta sensível.* **13** *Mús.* Diz-se da nota que está meio-tom abaixo da tônica **14** Diz-se de instrumento que acusa pequeníssimas diferenças e causas de erro [Pl.: *-veis.*] *sf.* **15** *Mús.* O sétimo grau de uma escala diatônica que está a um semitom da tônica e pode ser atraída por ela [F.: Do lat. *sensibilis, e.*]

sensivelmente (sen.si.vel.*men*.te) *adv.* **1** De modo sensível: *A derrota abalou-o sensivelmente.* **2** Claramente, evidentemente, manifestamente: *O custo de vida tem aumentado sensivelmente no país.* [F.: *sensível* + *-mente.*]

senso (*sen*.so) *sm.* **1** Característica de raciocínio sensato; SISO: *É um indivíduo sem senso.* **2** Capacidade de julgar, entender; JUÍZO; PERCEPÇÃO: *Tinha senso de ridículo.* **3** Faculdade de sentir, apreciar: *Tem o senso da boa música.* **4** *P. us.* Direção, sentido [F.: Do lat. *sensus, us.* Hom./Par.: *senso* (sm.), *censo* (sm.).] ■ **~ comum** Modo de ver (conceitos, situações etc.) e agir de um grupo, sociedade etc., de acordo com experiência coletiva, costumes, padrões comuns etc., aceito como natural e por isso tomado *a priori* como válido, sem questionamento **~ crítico** Capacidade de avaliar e julgar com equilíbrio e discernimento **~ estético** Capacidade de apreender, apreciar e julgar o valor estético de algo, de perceber a beleza e discernir, de acordo com certos padrões, o que é e o que não é belo **~ moral** Capacidade de discernir o bem do mal, de acordo com os padrões vigentes **~ prático** Capacidade de avaliar ideias e situações de acordo com sua aplicação prática e sua utilidade **Bom ~ 1** *Filos.* Em questões correntes e habituais, aptidão intuitiva de discernir entre o verdadeiro e o falso, o certo e o errado, o bom e o mau etc. [Cf. *senso comum.*] **2** Uso adequado do raciocínio e da razão na avaliação de situações e tomada de decisões **3** Capacidade de avaliar e de resolver problemas e situações de acordo com o senso comum [Tb. *bom-senso.*]

sensor (sen.*sor*) [ô] *sm.* Dispositivo que detecta dados ou modificações do meio exterior: *sensor de movimento.* [F.: Do ing. *sensor*, do lat. *sensus.* Hom./Par.: *sensor* (sm.), *censor* (sm.).]

sensorial (sen.so.ri:*al*) *a2g.* **1** Ref. a sensório (3 a 5): *uma estimulação sensorial.* **2** Ref. à sensação [Pl.: *-ais.*] [F.: Do fr. *sensoriel.*]

sensorialidade (sen.so.ri:a.li.*da*.de) *sf.* Qualidade, caráter de sensorial; SENSORIALISMO [F.: *sensorial* + *-(i)dade.*]

sensorialismo (sen.so.ri:a.*lis*.mo) *sm.* O mesmo que *sensorialidade* [F.: *sensorial* + *-ismo.*]

sensorialista (sen.so.ri:a.*lis*.ta) *a2g.* Ref. a sensorial ou a sensório: *opção sensorialista no ritmo e nas imagens.* [F.: *sensorial* + *-ista.*]

sensoriamento (sen.so.ri:a.*men*.to) *sm.* *Geol.* Observação e registro das condições geológicas e climáticas da Terra por meio de satélites equipados com sensores, visando utilizar as informações recebidas para controle de acidentes geológicos, mapeamento, pesquisa de estrutura de solo etc. [F.: **sensoriar* (< *sensor* + *-i-* + *-ar*) + *-mento.*]

sensório (sen.*só*.ri:o) *a.* **1** Ref. à sensibilidade **2** Que serve para transmitir sensações *sm.* **3** A parte do cérebro considerada por alguns como o centro comum de todas as sensações **4** *P. ext.* Qualquer centro nervoso sensitivo **5** Capacidade de um paciente em relação à percepção das coisas e pessoas no tempo e no espaço [F.: Do b-lat. *sensorium.* Hom./Par.: *sensório* (a. sm.), *censório* (a.).]

sensório-motor (sen.só.ri:o-mo.*tor*) [ô] *a.* *Fisl.* Ref. ao impulso sensorial e à atividade motora, ao mesmo tempo: *Na criança, o estágio sensório-motor desenvolve-se desde o nascimento até, aproximadamente, os dois anos de idade.* [Pl.: *sensório-motores.*]

sensual (sen.su:*al*) *a2g.* **1** Ref. aos sentidos ou aos seus órgãos **2** Que tem ou revela sensualidade; que desperta o desejo, que excita, ou que atrai sexualmente (mulher sensual; sorriso sensual; jeito sensual; roupa sensual) **3** Que procura os prazeres dos sentidos **4** De grande sensualidade ou de sensualidade exagerada; LASCIVO; LÚBRICO; VOLUPTUOSO *s2g.* **5** Pessoa sensual [Pl.: *-ais.*] [F.: Do lat. tard. *sensualis, e.*]

sensualidade (sen.su:a.li.*da*.de) *sf.* **1** Qualidade ou caráter do que ou de quem é sensual **2** Ação de se dedicar aos prazeres sensuais, ou de vivenciá-los **3** Gosto pelos prazeres sexuais **4** Atração sexual que um corpo exerce sobre outro(s) **5** *P. ext. Fig.* Certo charme característico de pessoa cujo modo de agir, falar, andar atrai a atenção, o interesse amoroso das outras pessoas, esp. das do sexo oposto [F.: Do lat. *sensualitas, atis.*]

sensualismo (sen.su:a.*lis*.mo) *sm.* **1** Característica do que é sensual ou tem sensualidade **2** Conduta dos que se entregam aos prazeres dos sentidos; SENSUALIDADE **3** *Fil.* Doutrina filosófica que prega que todas as nossas ideias têm origem exclusivamente nos sentidos e que admite, além disso, que os gozos sensuais constituem o único fim da existência humana; SENSACIONISMO [F.: *sensual* + *-ismo.*]

sensualista (sen.su:a.*lis*.ta) *a2g.* **1** Ref. a sensualismo: *A poesia lírica é essencialmente sensualista.* **2** Diz-se de pessoa que segue a doutrina ou o comportamento próprio do sensualismo *s2g.* **3** Essa pessoa [F.: *sensual* + *-ista.*]

sensualizar (sen.su:a.li.*zar*) *v.* Atribuir características sensuais a, ou tornar-se sensual [**td.**: *O pintor foi acusado de sensualizar personagens bíblicos.*] [**int.**: *A cantora sensualizou-se, mudando seu estilo.*]

sentada (sen.*ta*.da) *sf.* **1** Ação de sentar-se por pouco tempo: *Deu uma sentada enquanto o trem não chegava.* **2** *RS* O mesmo que *assentado* **3** *RS* Parada súbita do cavalo ao galopar **4** *Tip.* Remuneração mínima garantida ao linotipista que recebe por tarefa [F.: Fem. substv. de *sentado.*]

sentado (sen.*ta*.do) *a.* **1** Que se sentou **2** *Bras.* Diz-se de refeição em que as pessoas se sentam à mesa (jantar sentado) **3** *Bras.* Diz-se de local onde há bancos ou cadeiras para que as pessoas possam fazer, sentadas, as refeições (bar sentado; café sentado) **4** *Hip.* Diz-se de cavalo que descansa apoiado sobre os quartos traseiros, com as patas dianteiras fixadas no solo [F.: Part. de *sentar.*]

sentar (sen.*tar*) *v.* **1** Fazer tomar ou tomar assento; ASSENTAR(-SE) [**td.**: *A mãe sentou o filho perto de si.*] [**int.**: *Puxou uma cadeira e sentou.*] [**tda.**: *Convidado, sentou-se à mesa;* "Foi escorregando por ela (a parede), de costas, sentou-se na calçada..." (Dalton Trevisan, *Uma vela para Dario*)] [**ta.**: *Preferiram sentar no chão.*] **2** *Bras. Pop.* Aplicar, desferir (golpe violento) [**tdr.** + *em*: *Sentou a mão no desaforado.*] **3** *Bras. Pop.* Atirar, jogar [**tda.**: *Sentaram várias pedras na casa do vizinho.*] **4** *Bras. Pop.* Atear (fogo) [**tda.**: *Sentaram fogo na mercearia.*] **5** *S* Fazer parar subitamente (um cavalo que vinha a galope) [**td.**] **6** Estabelecer-se de maneira mais definitiva [**tdr.** + *em*: *Demorou, mas acabou por sentar-se num trabalho decente.*] [▶ **1** sentar] [F.: De *assentar*, com aférese. Hom./Par.: *sento* (fl.), *cento* (num. sm.).]

sentença (sen.*ten*.ça) *sf.* **1** Máxima, frase ou palavra que encerra um pensamento moral ou um julgamento de grande alcance **2** Pensamento sucinto que traduz um sentido geral ou um preceito de moral; ANEXIM; PROVÉRBIO; RIFÃO **3** Julgamento ou decisão final de qualquer juiz ou tribunal: *Foi libertado por sentença.* [A sentença dos tribunais de segunda instância dá-se o nome de acórdão.] **4** *P. ext.* Qualquer despacho ou decisão **5** *Teol.* Julgamento de Deus acerca dos homens **6** *Fig.* Protesto, juramento, palavra ou frase que encerra uma resolução inabalável: *Quando disse que não o amava, foi para ele uma sentença fatal.* **7** *Lóg.* Qualquer proposição declarativa, verdadeira ou não **8** *Antq. Gram.* Frase, oração [F.: Do lat. *sententia, ae.*]

sentenciação (sen.ten.ci.a.*ção*) *sf.* Método de ensinar e aprender a ler sentença por sentença [Pl.: *-ções.*] [F.: *sentenciar* + *-ção.*]

sentenciado (sen.ten.ci.*a*.do) *a.* **1** Que é objeto de uma sentença *sm.* **2** Aquele que sofre sentença condenatória; CONDENADO: *O sentenciado foi recolhido à prisão.* [F.: Part. de *sentenciar.*]

sentencial (sen.ten.ci.*al*) *a2g.* **1** *P. us.* Que diz respeito a sentença **2** *Lóg.* Que envolve uma proposição [Pl.: *-ais.*] [F.: Posv. de *sentença* + *-i-* + *-al.*]

sentenciamento (sen.ten.ci.a.*men*.to) *sm.* Ação ou resultado de sentenciar, de emitir uma sentença: *defensores* *da reforma da política de sentenciamento.* [F.: *sentenciar + -mento.*]

sentenciar (sen.ten.ci.*ar*) *v.* **1** *Jur.* Julgar, decidir ou condenar, por meio de sentença [*td.*: *Sentenciar um litígio.*] [*tdr.* + *a*: *O juiz sentenciou o réu a vinte anos de prisão.*] **2** Manifestar julgamento, parecer ou opinião [*tr.* + *sobre*: *Sentenciei sobre a guerra no Iraque.*] [*int.*: *Ele sentenciou, e todos concordaram.*] **3** Julgar acerca do valor ou da falta de valor de [*td.*: *O futuro vai sentenciar essa medida do governo.*] [▶ 1 sentenciar] [F.: *sentença + -i- + -ar²*.]

sentencioso (sen.ten.ci.o.so) [ô] *a.* **1** Que tem qualidade ou forma de sentença: *em tom sentencioso.* **2** Que fala por sentenças **3** *P. ext.* Que fala de modo breve dando decisões **4** Que envolve máximas **5** Grave, que afeta a gravidade da sentença **6** Que traduz uma opinião sensata **7** Que encerra moralidade [Pl.: [ó]. Fem.: [ó].] [F.: Do lat. *sententiosus, a, um.*]

sentido (sen.*ti*.do) *a.* **1** Magoado, melindrado, ressentido: *Ficou sentido com as acusações do amigo.* **2** Que se ofende com qualquer coisa; SENSÍVEL; SUSCETÍVEL **3** Contristado, pesaroso, triste **4** Que é acusado pelos sentidos; PRESSENTIDO **5** Lamentoso, plangente: *um pranto sentido.* **6** Repassado de mágoa ou de sentimento: *Estava com o peito sentido pela separação.* **7** Meio podre, que está em começo de decomposição, um tanto estragado (alimento sentido; fruta sentida); CEDIÇO; COMBALIDO **8** *Hip.* Diz-se do cavalo muito sensível às ajudas e solicitações do cavaleiro *sm.* **9** A faculdade que tem o homem e os animais de receberem as impressões externas por meio de certos órgãos: *Os sentidos são cinco: a visão, a audição, o olfato, o paladar e o tato.* **10** Sentimento, faculdade de gostar, de apreciar **11** Faculdade de julgar; razão, bom-senso, entendimento **12** *Fil.* Ideia, ponto de vista; direção, pensamento; mira, intento; tema: *O sentido principal da obra resume-se no princípio da livre concorrência.* **13** Atenção, cuidado; ideia fixa: *O menino está com o sentido na brincadeira.* **14** *P. ext.* Significação de uma palavra ou de um discurso; espírito, pensamento oculto; interpretação que se pode dar a uma proposição: *o sentido da lei.* **15** Explicação: *Qual o sentido do seu comportamento?* **16** Acepção, definição: *Cada palavra tem o seu sentido próprio.* **17** Maneira especial segundo a qual uma ação se produz ou o caminho particular que ela toma; DIREÇÃO: *O sentido em que atua uma força.* **18** Modo de distinguir ou de separar um objeto de outro pelos acessórios que o rodeiam **19** Modo, aspecto, ponto de vista; maneira de considerar: *Encarou a situação pelo sentido que lhe favorecia.* ***interj.*** **20** Manifesta cautela, atenção, tento, cuidado: *Sentido, meninos! Senão caem!* **21** *Mil.* Voz de comando para que as tropas ouçam as diversas vozes das manobras [F.: Part. de *sentir.*] ■■ **Duplo ~** Propriedade que tem uma palavra, frase, expressão, um texto etc. de ser interpretado de mais de uma maneira **Fazer/ter ~** **1** Ser (fato, declaração, atitude, texto etc.) compreensível ou aceitável, comparado com regras, fatos, conceitos, padrões etc. anteriormente aceitos **2** *P. ext.* Ser plausível, viável, aceitável **Segundo ~** Intenção subjacente de uma palavra, frase, expressão, texto etc. **~ absoluto** *Lex.* Significado específico que se atribui, em certo contexto, a termo que abrange outros significados [P. ex., na frase (em jornal brasileiro) *Foi uma medida significativa para a economia do país*, 'país', us. em sentido absoluto, significa 'Brasil'.] **~ anti-horário** *Geom. an.* Ver *Sentido trigonométrico* **~ antitrigonométrico** *Geom. an.* Sentido oposto ao trigonométrico; sentido inverso, sentido horário, sentido negativo **~ direto** *Geom. an.* Ver *Sentido trigonométrico* **~ figurado** *Ling.* Sentido de uma palavra, frase, parágrafo etc. que não corresponde a seu significado exato, e sim representa uma metáfora, um símbolo, uma comparação com coisas análogas à que se quer expressar [P. ex., *Viver num mar de rosas* não remete ao sentido comum de 'mar' ou de 'rosas', mas representa a sensação de bem-estar que é o sentido figurado de *mar de rosas.* P. op. a *Sentido literal.*] **~ horário** *Geom. an.* Ver *Sentido antitrigonométrico* [O sentido no qual avançam os ponteiros de um relógio.] **~ inverso** *Geom. an.* Ver. *Sentido antitrigonométrico* **~ literal** *Ling.* Aquele expresso por palavras, frases etc. em seu significado primordial, real; sentido próprio [P. ex., na frase *Ele estava perdido*, o sentido literal é de que a pessoa perdera-se, não sabia onde estava, ou não sabiam onde ela estava. P. op. a *Sentido figurado*, que, nesta frase, significa que a pessoa estava irremediavelmente condenada a algo que não mais poderia evitar.] **~ negativo** **1** *Geom. an.* Sentido oposto ao positivo **2** *Restr.* Ver. *Sentido antitrigonométrico* **~ positivo** **1** *Geom. an.* Ao se percorrer uma curva, sentido ao qual se atribui o sinal positivo **2** *Restr.* Ver *sentido trigonométrico* **~ proibido** *Lus.* O sentido oposto ao da mão de rua ou estrada; contramão **~ próprio** *Ling.* Ver *Sentido literal* **~ trigonométrico** *Geom. an.* Ao percorrer uma curva plana e fechada, o sentido convencionado como positivo, contrário ao do avanço dos ponteiros de um relógio; sentido direto, sentido positivo, sentido anti-horário **Sexto ~** Capacidade de perceber intuitivamente fatos, situações, significados etc. não evidentes, independentemente dos cinco sentidos orgânicos; intuição **Ter ~** Ver *Fazer/ter sentido*

sentidos (sen.*ti*.dos) ***smpl.*** **1** Faculdade de experimentar o prazer, paixão física; concupiscência, sensualidade **2** O raciocínio, as faculdades intelectuais, a consciência: *Caiu e perdeu os sentidos.* [F.: Pl. de *sentido.*]

sentimental (sen.ti.men.*tal*) ***a2g.*** **1** Ref. ao sentimento ou aos sentimentos **2** Que se comove facilmente; que é bastante sensível: *uma mulher sentimental.* **3** Que demonstra sentimentos extremos com o próximo: *uma ajuda sentimental aos desabrigados pelas enchentes.* **4** Que afeta a sensibilidade **5** Em que predomina ou tem como base o sentimentalismo (gênero sentimental; escola sentimental) ***s2g.*** **6** Pessoa de muita sensibilidade **7** Aquele que se comove facilmente com os problemas dos outros: *O sentimental não raro sofre mais do que aqueles que precisam de ajuda.* [Pl.: *-tais.*] [F.: Do fr. *sentimental*, do ing. *sentimental.*]

sentimentalidade (sen.ti.men.ta.li.*da*.de) ***sf.*** **1** Caráter ou qualidade de sentimental; SENTIMENTALISMO **2** Tudo aquilo que encerra ou está imbuído ou repleto de sentimentos; expressão de sentimento(s), de afetividade: "E Luísa tinha suspirado, tinha beijado o papel devotamente! Era a primeira vez que lhe escreviam aquelas sentimentalidades." (Eça de Queirós, *O primo Basílio*) [F.: *sentimental + -(i) dade.*]

sentimentalismo (sen.ti.men.ta.*lis*.mo) ***sm.*** **1** Caráter ou qualidade do que é sentimental; SENTIMENTALIDADE **2** Exacerbação ou afetação do sentimento: *Discurso carregado de sentimentalismo para convencer os eleitores.* **3** Afetação da pessoa que se mostra demasiadamente sentimental: *Abusava do seu sentimentalismo em todas as ocasiões.* **4** O gênero em que predomina o sentimento ou o exagero sentimental: *O sentimentalismo imperou nas artes dos séculos XVIII e XIX.* [F.: *sentimental + -ismo.*]

sentimentalista (sen.ti.men.ta.*lis*.ta) ***a2g.*** **1** Que diz respeito a sentimentalismo: *um discurso sentimentalista.* **2** Diz-se de artista ou autor em cujas produções predomina o estilo sentimental (escritor sentimentalista) **3** Diz-se de quem ou do que é sentimental, dado ao sentimento, ao sentimentalismo: *uma comunidade sentimentalista.* ***s2g.*** **4** Pessoa sentimental: "Um sentimentalista é simplesmente alguém que deseja ter o luxo de uma emoção sem ter que pagar por isso." (Oscar Wilde) [F.: *sentimental + -ista.*]

sentimentalmente (sen.ti.men.tal.*men*.te) ***adv.*** **1** De modo sentimental; com sentimento ou sentimentalismo: *envolveram-se sentimentalmente sem perceber.* **2** Em termos sentimentais, do ponto de vista sentimental: *Ficaram sentimentalmente abalados.* [F.: *sentimental + -mente.*]

sentimentaloide (sen.ti.men.ta.*loi*.de) ***a2g.*** **1** Que apela a todo momento para o sentimentalismo, tornando-o corriqueiro e vulgar: "Como letrista, Miltinho Edilberto também fica além do rame-rame sentimentaloide que contagia muitos dos novos grupos de forró." (Tárik de Souza, "Programação") ***s2g.*** **2** Aquele que abusa do sentimentalismo, transformando-o em coisa banal: *A partir de determinado momento, o sentimentaloide não consegue mais ser convincente, e torna-se maçante.* [F.: *sentimental + -oide.*]

sentimento (sen.ti.*men*.to) ***sm.*** **1** Ação ou resultado de sentir **2** Capacidade ou aptidão para receber as impressões do mundo externo; faculdade de sentir **3** Senso, noção, sentido (sentimento de honra; sentimento do dever) **4** Disposição para ser facilmente tocado, impressionado ou comovido; SENSIBILIDADE; EMOÇÃO **5** Manifestação do que se sente: *Lia-se em seu gesto um sentimento de generosidade para com os pobres.* **6** Faculdade de compreender ou de apreciar qualquer obra artística; COMPREENSÃO; INTUIÇÃO: *Tem um grande sentimento do belo.* **7** Percepção que a alma tem dos objetos por meio dos sentidos; sensação íntima **8** Tudo o que se refere ao coração em contraposição à razão; afecção, paixão, emoção: *Encara as coisas pelo lado do sentimento.* **9** Toda afecção benévola ou delicada: *É preciso dar atenção aos sentimentos do coração.* **10** Dor, pena, pesar, mágoa, desgosto: *Teve um grande sentimento pelos desastres de que o pai foi vítima.* **11** Pressentimento, suspeita, presunção: *Era a única na casa a ter um sentimento da morte próxima.* **12** *Art. pl.* Expressão viva, suave e animada: *Era uma pintura cheia de sentimento.* ***smpl.*** **13** Pêsames [F.: *sentir + -mento.*]

sentimentos (sen.ti.*men*.tos) ***smpl.*** **1** O conjunto das qualidades morais que no indivíduo constituem a honra, a probidade, a nobreza da alma etc.: *É um cavalheiro dotado de grandes sentimentos; Tem bons sentimentos* **2** Boas qualidades morais, bons instintos: *É um homem de sentimentos; Ela é uma mulher sem sentimentos.* **3** Pêsames: *Deu-lhe os sentimentos pela morte do filho.* [F.: Pl. de *sentimento.*]

sentina (sen.*ti*.na) ***sf.*** **1** *Náut.* Arca de bomba ou a parte inferior do navio (porão) onde a água se acumula, se contamina ou destrói o fundo da embarcação se não for retirada com frequência **2** Cloaca, latrina, vaso sanitário **3** Lugar que serve de depósito de coisas imundas ou podres **4** *Fig.* Lugar hediondo, de ambiente impuro, corrompido; foco de vícios e torpezas **5** *Fig.* Pessoa cheia de vícios [F.: Do lat. *sentina, ae.*]

sentinela (sen.ti.*ne*.la) ***sf.*** **1** *Mil.* Soldado armado que se coloca próximo de um posto para guardá-lo, para descobrir o inimigo, para prevenir surpresas e para executar tudo o que lhe foi determinado por seus superiores hierárquicos: *a sentinela do quartel.* **2** Indivíduo isolado que está de vigia: *Uma sentinela deve estar sempre alerta.* **3** O que guarda, o que preserva **4** *Fig.* O que vigia, o que espia, o que vela sobre alguma coisa: *Por insegurança, tornou-se a sentinela da mulher.* **5** *Fig.* Qualquer coisa ou construção colocadas em lugar alto, elevado como uma árvore, uma coluna, uma torre, principalmente quando posicionadas em local ermo **6** *Bras. Bot.* Planta gramínea (*Paspalum parviflorum*), considerada forragem de boa qualidade para animais **7** *N. E. Pop.* Velório ***sm.*** **8** Sentinela (1 e 2) [F.: Do it. *sentinella.*] ■■ **~ perdida** A de posto avançado e perigoso

sentir (sen.*tir*) *v.* **1** Perceber pelos sentidos do tato, paladar, olfato ou audição [*td.*: *sentir um toque/um gosto/calor/passos/cheiro.*] **2** Experimentar (sensação física ou expressão psicológica) [*td.*: *sentir frio/saudade.*] [*ta.*: *Não estou me sentindo bem.*] [*int.*: *As pedras não sentem.*] **3** Ser sensível a, ou afligir-se, ter pesar por [*td.*: *Sentiu a perda do amigo.*] [*tr.* + *por*: *Sinto tanto por eles.*] **4** Adivinhar, pressentir [*td.*: *Sentiu o perigo; Sentiu que aquele livro não prestava.*] **5** Perceber, reconhecer, ver [*td.*: *Sentiu que o amigo estava triste.*] [*tdr.* + *em*: *Sinto nele um bom companheiro.*] **6** Compreender, ou experimentar um sentimento estético [*td.*: *sentir a literatura; Esse barítono sente o que canta.*] **7** Ressentir-se ou ofender-se com [*td.*: *Sentiu dolorosamente aquela crítica.*] **8** Ter a compreensão de [*td.*: *Logo sentiu a importância do discurso.*] **9** Experimentar [*td.*: *Muitas mulheres logo sentem as injustiças do casamento.*] **10** Perceber ou conhecer pela presença de indícios [*tdr.* + *por*: *Sentiu a presença do marido pelo barulhinho na porta.*] **11** Descobrir, identificar [*td.*: *Procurava sentir a verdadeira intenção do companheiro.*] **12** Considerar estranho, suspeito, duvidoso [*td.*: *Arrependeu-se de ter falado ao ver que o menino sentiu o que dissera.*] **13** Estar convencido de [*td.*: *Sabia que agira mal, mas sentia que estava com a razão.*] **14** Reconhecer-se, considerar-se [*td.*: *Sentia-se um príncipe, morando naquela mansão.*] **15** Magoar-se, ofender-se, ressentir-se [*tr.* + *de*: *A moça sentiu-se das críticas do pai.*] **16** Manifestar arrependimento [*int.*: *Sentiu muito por ter ofendido a moça.*] **17** Perder ânimo, alegria, disposição ou vitalidade [*td.*: *O menino sentiu a mudança de casa.*] [▶ 50 sentir] ***sm.*** **18** Maneira de perceber, captar pessoa, coisa ou acontecimento, atitude em relação a (alguém, algo) [F.: Do lat. *sentire.* Hom./Par.: *sinta(s)* (fl.), *cinta(s)* (sf. [pl.]), *cinta(s)* (fl. *cintar*); *sinto* (fl.), *cinto* (sm.); *sintamos* (fl.), *cintamos* (fl. *cintar*); *sintais* (fl.), *cintais* (fl. *cintar*); *sintam* (fl.), *cintam* (fl. *cintar*).]

⊠ **senv** *Mat.* Símb. de *seno verso*

senzala (sen.*za*.la) ***sf.*** **1** *Bras.* Conjunto dos alojamentos destinados aos escravos, na época do Brasil colonial e imperial **2** *Angol.* Aldeia da África [Nesta acp. mais us. *sanzala.*] **3** Agrupamento de moradias para empregados na roça, nas ilhas de São Tomé e Príncipe [Nesta acp. mais us. *sanzala.*] [F.: Do quimb. *san'zala.* Na acp. 1, mais us: *senzala*; nas acps. 2 e 3: *sanzala.*]

sépala (*sé*.pa.la) ***sf.*** *Bot.* Cada uma das partes que formam o cálice das flores [F.: Do fr. *sépale*, do lat. cient. *sepalum.*]

◎ **sepal(i)-** ***el. comp.*** = 'sépala'; 'que tem x sépalas ou cujas sépalas têm dada característica': *sepalino, sepaloide; alternissépalo, assépalo, dialissépalo, dissépalo, eneassépalo, epissépalo, hexassépalo, monossépalo, tetrassépalo* [F.: Do lat. cient. *sepalum*, forjado por N. J. Hecker (1723-1793), botânico alemão, em 1790 a partir do gr. *sképe, es*, 'proteção'; 'cobertura'; 'envelope', e do gr. *pétalon, ou*, 'folha de planta ou de flor'; 'pétala'; 'placa ou lâmina de metal'.]

◎ **-sépalo** ***el. comp.*** Ver *sepal(i)-*

separação (se.pa.ra.*ção*) ***sf.*** **1** Ação ou efeito de separar(-se); DESUNIÃO; DIVISÃO; PARTIÇÃO **2** Afastamento; ato de afastar-se ou deixar as pessoas amigas ou os parentes: *Custou-lhe muito a separação do filho.* **3** A própria coisa que separa ou que serve para este fim como um valado, uma sebe, um muro, um fosso etc.: *Aquelas montanhas constituem a separação natural entre os dois povos.* **4** Cessação de amizade, de concórdia, de harmonia **5** Quebra, ruptura, término de união conjugal: *Para aquele casal só resta a separação.* [Pl.: *-ções.*] [F.: Do lat. *separatio, onis.*] ■■ **~ de bens** *Jur.* Regime matrimonial segundo o qual os bens dos cônjuges não se comunicam num patrimônio comum **~ de corpos** *Jur.* Medida judicial (ger. no correr de ação de anulação de casamento, desquite ou divórcio), que afasta um dos cônjuges do domicílio conjugal **~ de poderes** Princípio básico do Estado de Direito, segundo o qual os poderes (executivo, legislativo, judiciário) têm atuações independentes, mas harmônicas

separacionismo (se.pa.ra.ci.o.*nis*.mo) ***sm.*** Caráter ou qualidade de quem é favorável à separação de coisas, crenças ou pessoas: *O separacionismo racial ou religioso é uma forma de pensar que se deve banir definitivamente.* [F.: *separação* (f. rad. *separacion-*) + *-ismo.*]

separado (se.pa.*ra*.do) *a.* **1** Que se separou; isolado, que está à parte **2** Diz-se dos cônjuges cujo matrimônio foi dissolvido **3** Afastado, apartado [F.: Do lat. *separatus, a, um.*] ■■ **Em ~** Separadamente, individualmente, isoladamente

separador (se.pa.ra.*dor*) [ô] *a.* **1** Que separa ou aparta **2** Que serve para separar; DIVISOR ***sm.*** **3** Aquilo que é usado para separar, dividir ou desmembrar **4** Espécie de desnatadeira que separa líquidos classificando-os por densidades decrescentes [F.: Do lat. *separator, oris.*]

separar (se.pa.*rar*) *v.* **1** Desunir(-se) o que estava junto, mesclado ou agregado; AFASTAR(-SE); APARTAR(-SE); ISOLAR(-SE) [*td.*: *separar os elementos de um composto.*] [*tdr.* + *de*: *separar o joio do trigo; O ermitão se separa do mundo.*] **2** Reservar, guardar [*td.*: *separar o dinheiro das compras.*] [*tdi.* + *para*: *Separou um pedaço de bolo para o marido.*] **3** Selecionar, escolher [*td.*: *Separou os vestidos que considerava mais belos.*] **4** Impedir que briguem ou sigam brigando; APARTAR [*td.*: *Separou os garotos que trocavam socos.*] **5** Ser o pomo da discórdia entre; DESAVIR; DESUNIR [*td.*: *A disputa pela garota acabou por separar os amigos.* Ant.: *juntar, unir.*] **6** Impedir a comunicação entre [*td.*: *Diferenças não devem separar os povos.*] **7** Desunir (cônjuges), ou divorciar(-se) [*td.*:

O ciúme separou o casal. Ant.: *juntar, unir.*] [*int.: Eles separaram-se legalmente.*] **8** Constituir o limite, ou situar-se entre [*td.: Um rio separa as duas cidades.*] [*tdr. + de: O muro separa a fábrica das casas.*] **9** Seguir em direções diferentes, dividir-se ou dispersar-se [*tr. + em: Esta estrada se separa em duas outras.*] [*int.: O grupo separou-se ao chegar à encruzilhada.*] [▶ **1 separar**] [F.: Do lat. *separare.* Hom./Par.: *separáveis* (fl.), *separáveis* (a2g. pl.). Ideia de 'separar': usar antepos. *diali (o)-* e *sec-*; pospos. *-tomo.*]

separata (se.pa.*ra*.ta) *sf. Art. gr.* Edição à parte de artigo já publicado em revista ou jornal, empregando-se a mesma composição tipográfica [F.: Do lat. *separata*, neutro pl. de *separatum* (lat. *separatus, a, um*).]

separatismo (se.pa.ra.*tis*.mo) *sm.* **1** Movimento político ou religioso que prega separação ou independência **2** Propensão que tem determinado território de um Estado de separar-se deste para estabelecer um Estado independente [F.: Do fr. *séparatisme* ou do rad. lat. *separat-* por *separado* (< lat. *separatus, a, um*) + *-ismo.*]

separatista (se.pa.ra.*tis*.ta) *a2g.* **1** Ref. à separação ou independência de algum estado ou indivíduo: *Suas opiniões revelavam uma tendência separatista.* **2** Que tende a separar-se e tornar-se independente de outrem **3** Que professa ideias separatistas *s2g.* **4** Partidário do separatismo [F.: Do fr. *séparatiste* ou do rad. lat. *separat-* por *separado* (< lat. *separatus, a, um*) + *-ista.*]

separatividade (se.pa.ra.ti.vi.*da*.de) *sf.* Qualidade ou condição de separativo [F.: *separativo* + *-i-* + *-dade.*]

separativismo (se.pa.ra.ti.*vis*.mo) *sm.* Sistema, doutrina ou partido dos separatistas: "Nacionalistas consideram que o separativismo seria um retrocesso, 13 anos após a Ucrânia ter conquistado a independência da União Soviética." (*Estado de S. Paulo*, 29.11.2004) [F.: *separativo* + *-ismo.*]

separatório (se.pa.ra.*tó*.ri.o) *a.* **1** Que tem o poder ou a virtude de separar; tb. *separativo sm.* **2** *Quím.* Vaso destinado a separar substâncias líquidas [F.: *separar* + *-tório.*]

separável (se.pa.*rá*.vel) *a2g.* Que se pode separar, desunir [Pl.: *-veis.*] [F.: *separar* + *-vel.* Hom./Par.: (pl.) *separáveis, separáveis* (fl. de *separar*).]

sépia (*sé*.pi.a) *sf.* **1** *Zool.* Denominação comum aos moluscos cefalópodes do gên. *Sepia*, também conhecidos como sibas; produzem um líquido escuro, a sépia, que eliminam para fugir de seus predadores **2** Matéria que se extrai dos chocos ou sibas e de que se faz uma espécie de tinta muito usada na pintura **3** O pigmento escuro que contém essa matéria **4** A tinta de coloração escura que é produzida por esse molusco ou dele extraída **5** *P. ext.* O desenho feito com ela *sm.* **6** A cor do pigmento obtido da sépia (2), que atinge tonalidades entre o acinzentado e o amarronzado *a2g2n.* **7** Que tem essa cor (fotos sépia) **8** Diz-se dessa cor: *uma variação de tonalidade sépia.* [F.: Do lat. *sepia, ae.*]

◎ **seps(i)-** *el. comp.* = Podridão, putrefação: *sepsia, sepsioquimial* [F.: Do gr. *sêpsis, eos.*]

◎ **-sepsia** *el. comp.* = putrefação: *assepsia, antissepsia* [F.: De *seps(i)-* + *-ia*[1].]

◎ **sepsio-** *el. comp.* Ver *seps(i)-*

sépsis (*sép*.sis) *sf2n. Med.* Existência de microrganismos patogênicos, ou suas toxinas, no sangue ou nos tecidos; SEPSE, SEPSIA [F.: Do gr. *sepsis, eos* 'podridão'.]

septado (sep.*ta*.do) *a.* Que possui septo(s); SEPTÍFERO, SEPTOSO [F.: *septo* + *-ado*[1].]

septal (sep.*tal*) *a2g.* Que diz respeito a septo: *Foi diagnosticada perfuração septal em virtude de constantes cauterizações químicas.* [Pl.: *-tais.*] [F.: *septo* + *-al.*]

◎ **sept(e/i)-** *el. comp.* = '(em) sete'; 'por sete vezes':

septenal (sep.te.*nal*) *a2g.* Que se faz ou sucede de sete em sete anos (festividades septenais); SETENAL [Pl.: *-nais.*] [F.: Do baixo-lat. *septennalis, e.*]

septênio (sep.*tê*.ni.o) *sm.* Espaço ou duração de sete anos; SEPTENÁRIO, SETÊNIO: *Divulgação de resultados referentes ao septênio* (1999-2005). [F.: Do lat. *septennium* ou *septuenium, ium.*]

septibrânquio (sep.ti.*brân*.qui.o) *a.* **1** Ref. aos septibrânquios *sm.* **2** *Zool.* Espécime dos septibrânquios, classe de moluscos bivalves [F.: Do lat. cient. classe *Septibranchia.*]

septicemia (sep.ti.ce.*mi*.a) *sf. Pat.* Infecção generalizada em que microrganismos patogênicos e suas toxinas invadem a corrente sanguínea e nela se multiplicam [F.: *septic(o)-* + *-emia.*]

septicêmico (sep.ti.*cê*.mi.co) *a.* **1** Ref. a ou da natureza da septicemia **2** Que revela septicemia [F.: *septicemia* + *-ico*[2].]

◎ **septic(o)-** *el. comp.* = que faz apodrecer; putrígeno: *septicemia, septicêmico, septicoflebite, septiconevrite* [F.: Do gr. *septikós, é, ón*, de *sêpsis, eos*; ver *seps(i)-.*]

septifoliado (sep.ti.fo.li.*a*.do) *a.* Que tem sete folhas ou fólios; SEPTENFOLIADO, SEPTIFÓLIO, SETENFOLIADO [F.: *sept(e/i)-* + *foliado.*]

septo (*sep*.to) *sm.* **1** *Anat.* Cartilagem que divide duas cavidades (septo nasal) **2** *Bot.* Parede divisória de duas cavidades que separa, p. ex., os lóculos de um fruto composto ou as lojas de um ovário composto [F.: Do lat. *septum, i.*] ▪▪ **~ auriculoventricular** *Anat.* A parte do septo interventricular que se estende entre a aurícula direita e o ventrículo esquerdo **~ escrotal** *Anat.* Formação que divide o escroto em duas metades quase iguais **~ interauricular** *Anat.* Aquele que separa a aurícula direita (ou átrio direito) da esquerda **~ interventricular** *Anat.* Aquele que separa o ventrículo direito do esquerdo **~ nasal** *Anat.* Aquele que separa as duas cavidades nasais

septometria (sep.to.me.*tri*.a) *sf.* Emprego do septômetro [F.: *septo-* + *-metria.*]

septômetro (sep.*tô*.me.tro) *sm.* Instrumento utilizado para se determinar a quantidade de matérias orgânicas que poluem o ar [F.: *septo-* + *-metro.*]

septuagenário (sep.tu.a.ge.*ná*.ri.o) *a.* **1** Que está na faixa de setenta anos de idade; SETENTÃO *sm.* **2** Indivíduo que tem de setenta a setenta e nove anos de idade [F.: Do lat. *septuagenarius, a, um.* Tb. *setuagenário.*]

septuagésimo (sep.tu.a.*gé*.si.mo) *num.* **1** Ordinal que, em uma sequência, corresponde ao número setenta (70º): *Classificou-se em septuagésimo lugar.* **2** Fracionário que corresponde a cada uma das setenta partes iguais em que se pode dividir um todo *a.* **3** Que é setenta vezes menor do que a unidade ou um todo (diz-se de parte): *Entrevistou-se a septuagésima parte da população. sm.* **4** A septuagésima parte **5** O que ocupa o septuagésimo lugar: *O septuagésimo não conseguiu o emprego.* [F.: Do lat. *septuagesimus, a, um.* Tb. *setuagésimo.*]

séptuor (*sép*.tu.or) *Mús. sm.* **1** Trecho musical para ser executado por sete vozes ou por sete instrumentos; SEPTETO; SETIMINO **2** O conjunto vocal ou instrumental formado por sete cantores ou sete músicos [Pl.: *septúores.*] [F.: Do lat. *septuor.*]

septuplicar (sep.tu.pli.*car*) *v.* **1** Fazer ficar ou ficar sete vezes maior [*td.: A loteria septuplicou sua fortuna.*] [*int.: Com a desistência dos demais herdeiros, seu patrimônio (se) septuplicou.*] **2** Fazer aumentar ou aumentar grandemente [*td. int.*] [▶ **11 septuplicar**] [F.: Do lat. * *septuplex, icis* + *-ar*[2]. Tb. *setuplicar.*]

séptuplo (*sép*.tu.plo) *num.* **1** Que é sete vezes a quantidade ou o tamanho de um *a.* **2** Que tem sete partes ou elementos: *Deu um salto séptuplo, para então abrir o paraquedas e descer suavemente. sm.* **3** O número que equivale a sete vezes outro: *21 é o séptuplo de 3.* **4** Quantidade ou tamanho sete vezes maior: *Comprou por 2 reais mas vale o séptuplo disso.* [F.: Do lat. *septuplus, a, um.* Tb. *sétuplo.*]

sepulcral (se.pul.*cral*) *a2g.* **1** Ref. ou pertencente a sepultura: *inscrições na pedra sepulcral.* **2** Que contém sepulcros (capela sepulcral) **3** Que serve de ornamento aos sepulcros (coluna sepulcral; estátua sepulcral) **4** *Fig.* Que tem a aparência da morte; que parece ter saído do sepulcro; MEDONHO; PÁLIDO; SOMBRIO; TRISTE: *uma figura sepulcral.* **5** *Fig.* Próprio de sepulcro; MISTERIOSO; SINISTRO; TRÁGICO: *Tudo que falava tinha um mistério sepulcral.* **6** *Fig.* Que emite um som cavernoso, grave, rouco: *um canto sepulcral.* [Pl.: *-crais.*] [F.: Do lat. *sepulcralis, e.*]

sepulcrário (se.pul.*crá*.ri.o) *sm.* Terreno ou lugar próprio para enterros; CEMITÉRIO: "O papa, em Avinhão, benze as águas do Ródano, para servirem de sepulcrário aos corpos, que nos cemitérios já não cabem." (Rui Barbosa, *Elogios acadêmicos*) [F.: *sepulcro* + *-ário.*]

sepulcro (se.*pul*.cro) *sm.* **1** Monumento destinado para a sepultura de um ou de muitos mortos; CATACUMBA; JAZIGO; MAUSOLÉU; SEPULTURA; TUMBA; TÚMULO **2** *Fig.* O que cobre ou encerra como um túmulo **3** *Fig.* Lugar onde morre muita gente; SEPULTURA [F.: Do lat. *sepulcrum, i.*] ▪▪ **~s caiados** *Fig.* Na linguagem bíblica, os hipócritas, os fariseus **O Santo ~** *Rel.* O sepulcro em que Jesus foi inumado

sepultado (se.pul.*ta*.do) *a.* Que se sepultou, enterrou; ENTERRADO: *soldado sepultado com honras militares.* [F.: Part. de *sepultar.*]

sepultamento (se.pul.ta.*men*.to) *sm.* Ação ou resultado de sepultar(-se), ou a cerimônia, o processo em que isso se dá; ENTERRO: *O sepultamento acontecerá às 14h.* [F.: *sepultar* + *-mento.*]

sepultar (se.pul.*tar*) *v.* **1** Pôr em sepultura; ENTERRAR [*td.: sepultar os mortos.*] **2** Fazer desaparecer sob [*td.: As lavas do Vesúvio sepultaram Pompeia.*] **3** *Fig.* Isolar(-se), enclausurar(-se) [*tda.: A tristeza o sepultou em sua casa; Em busca da paz, sepultou-se num mosteiro.*] **4** *Fig.* Dar fim a [*td.: Aquela negativa sepultou suas esperanças.*] **5** Pôr no fundo da água; afundar [*td.: O mar sepultou para sempre o Titanic.*] **6** Colocar, meter [*tdr. + em: A inflação sepultou o país no horror.*] **7** Não revelar, calar, esconder [*td.: sepultar um segredo.*] **8** Ser ou estar sepultado [*ta.: O velho general sepultou-se na cidade em que nascera.*] [▶ **1 sepultar**] [F.: Do lat. tard. *sepultare.* Hom./Par.: *sepulto* (fl.), *sepulto* (a.).]

sepulto (se.*pul*.to) *a.* **1** Que se sepultou, enterrado: "Cingi-lo, dos homens, o primeiro, / Na praia ao longe por fim sepulto." (Fernando Pessoa, *Mensagem*) **2** *Fig.* Que se acabou, encerrado, extinto: "Fico sepulto sob círios, / Escureço-me em delírios/ Mas ressurjo de Ideais" (Mário de Sá-Carneiro, *Nossa Senhora de Paris*) [F.: Do lat. *sepultus, a, um.* Hom./Par.: *sepulto* (a.), *sepulto* (fl. de *sepultar*).]

sepultura (se.pul.*tu*.ra) *sf.* **1** Ação ou efeito de sepultar um cadáver **2** Lugar onde se sepultam os cadáveres; COVA; JAZIGO; SEPULCRO; TÚMULO **3** *Fig.* Morte, fim da existência **4** *Fig.* Lugar onde morre muita gente **5** *AL PE Mar.* Nome dado à escotilha por onde são carregadas as barcaças e canoas de embono [F.: Do lat. *sepultura, ae.*]

sequaz (se.*quaz*) *a2g.* **1** Que segue, que acompanha com assiduidade alguém ou algo; PARTIDÁRIO *s2g.* **2** Aquele que é ferrenho seguidor de alguém, de uma seita, de um partido; SECTÁRIO **3** Membro de um bando ou partido; CAPANGA; COMPARSA; CÚMPLICE: *A sala foi invadida pelo líder e seus sequazes.* [F.: Do lat. *sequax, acis.*]

sequeiro (se.*quei*.ro) *a.* **1** Seco, falto de água [Ant.: *molhado, úmido.*] *sm.* **2** Lugar seco; terreno não regado pelas águas **3** Lugar onde se põem para enxugar ou desidratar roupas, artefatos cerâmicos, frutas etc.: "Uma dona de Portugal antigo, enrugada como um pêssego de sequeiro..." (Júlio Dantas, *Amor em Portugal*) **4** *Bras. BA* Trecho de rio raso e pedregoso **5** *Lus.* Monte de lenha (de carvalho etc.) à porta do lavrador **6** *Lus.* Conjunto de tabuleiros em que se secam frutas **7** *Lus.* Espécie de espigueiro, armado no ar, em que se secam espigas de milho [F.: *seco* (-c- > -qu-) + *-eiro.*]

sequela (se.*que*.la) *sf.* **1** Ação de seguir **2** Conjunto de pessoas seguidoras de algo ou alguém; PARTIDO **3** Acompanhamento de pessoas desprezíveis; BANDO; SÚCIA: *Lá vai com os da sua sequela.* **4** Longa série de coisas **5** Continuação, sequência **6** Efeito, resultado ou consequência de um acontecimento, de um fato etc.: *O acidente deixou-lhe algumas sequelas; O tempo desfez as sequelas da separação.* **7** *Med.* Anomalia resultante de uma moléstia [F.: Do lat. *sequela, ae.*]

sequência (se.*quên*.ci.a) *sf.* **1** Ação ou efeito de seguir; SEGUIMENTO **2** Continuação, parte de um objeto que se segue a outro **3** Parte de um escrito começado em outro lugar ou em outro documento: *Este livro dá sequência ao primeiro.* **4** Ordem, série, sucessão: *uma sequência de números.* **5** *Ling.* A ordem das palavras em uma frase **6** *Liter.* Sucessão ordenada de funções narrativas **7** *Cin. Telv.* Conjunto de planos de ação que se desenrolam no mesmo local ou que formam uma unidade **8** Cartas seguidas de valores ascendentes contíguos, que podem ser de um naipe, formando uma continuidade de quantidades específicas para cada jogo [No pôquer, tem cinco cartas; no buraco, um mínimo de três.] **9** *Litu.* Trecho lírico em versos rimados que em algumas missas solenes se reza depois da epístola, em seguida ao trato ou às aleluias **10** *Mús.* Réplica de um tema melódico na harmonia ou no contraponto, utilizando os graus ascendentes e descendentes de uma escala rítmica [F.: Do lat. *sequentia, ae.*] ▪▪ **~ alternada** *Mat.* Aquelas cujos termos têm, alternadamente, sinal positivo e negativo **~ convergente** *Mat.* Sequência infinita que tem um limite **~ de Fibonacci** Sequência de números tal que, a partir do terceiro, cada um é a soma dos dois precedentes. [1, 2, 3, 5, 8, 13, 21... etc.] **~ divergente 1** *Mat.* Sequência não convergente **2** Sequência que não tem limite **~ finita** *Mat.* Aquela que tem número finito de termos **~ infinita** *Mat.* Aquela que tem número infinito de termos **~ limitada** *Mat.* A que tem um supremo (termo além do qual não há mais termos) e um ínfimo (termo antes do qual não há outros termos) **~ máxima** *Lud.* No pôquer, sequência do 10 ao ás **~ mínima** *Lud.* No pôquer, aquela em que a carta de menor valor é também a de menor valor em jogo

sequenciado (se.quen.ci.*a*.do) *a.* **1** Que se sequenciou **2** Em que se nota sequência [F.: Part. de *sequenciar.*]

sequenciador (se.quen.ci.a.*dor*) [ô] *a.* **1** Que sequencia *sm.* **2** Aquele que sequencia **3** *Inf.* Dispositivo para captura e execução de sequências de eventos gravados em arquivos MIDI **4** *Bioq.* Dispositivo utilizado para determinar a sequência de nucleotídeos em um fragmento de DNA ou de aminoácidos em uma proteína [Tb. us como adjetivo.] [F.: *sequenciar* + *-dor.*]

sequencial (se.quen.ci.*al*) *a2g.* **1** Em que ocorre sequência **2** Ref. a acontecimentos constantes, frequentes, sucessivos: *um crime sequencial.* **3** *Litu.* Livro com as sequências cantadas na missa, após a Epístola [F.: *sequênci(a)* + *-al.*]

sequenciamento (se.quen.ci.a.*men*.to) *sm.* Ação ou resultado de sequenciar [F.: *sequencia(r)* + *-mento.*]

sequenciar (se.quen.ci.*ar*) *v. td.* Ordenar (algo) em sequência [▶ **1 sequênciar**] [F.: *sequência* + *-ar*[2].]

sequente (se.*quen*.te) *a2g.* **1** Que se segue, que vem ou se dá logo após; SEGUINTE **2** *Álg.* Diz-se de um natural que vem depois do outro; SUCESSOR [F.: Do lat. *sequens, entis.*]

sequer (se.*quer*) *adv.* **1** Ao menos, pelo menos: *Não deixou cair uma lágrima sequer.* **2** Nem mesmo: *Sequer um parente o visitou.* [F.: *se*[2] + *quer* (fl. de *querer*).] ▪▪ **Nem ~** Nem ao menos; nem mesmo: *Aceitou minha ajuda, e nem sequer agradeceu.* [Us. de modo equivalente a *sequer*, ou a *não... sequer*, em frases negativas ou afirmativas.]

sequestração (se.ques.tra.*ção*) *sf.* **1** Ação ou efeito de sequestrar **2** Estado do que foi sequestrado **3** Isolamento forçado e ilegal de alguém; SEQUESTRO: *a sequestração de crianças.* **4** Isolamento como medida preventiva de polícia sanitária: *O diretor do hospital mandou proceder à sequestração dos variolosos.* **5** Ação de tirar algo de alguém ilegalmente (sequestração de bens) [Pl.: *-ções.*] [F.: Do lat. *sequestratio, onis.*]

sequestrado (se.ques.*tra*.do) *a.* **1** Que se sequestrou, que sofreu sequestro (comerciante sequestrado; bens sequestrados) *sm.* **2** Aquele que foi vítima de um sequestro: *O sequestrado foi libertado no dia seguinte.* [F.: Part. de *sequestrar.*]

sequestrador (se.ques.tra.*dor*) [ô] *a.* **1** Que sequestra (bandido sequestrador) *sm.* **2** Aquele que realiza um sequestro; SEQUESTRANTE: *O sequestrador foi condenado à prisão perpétua.* [F.: *sequestrad(o)* + *-or.*]

sequestrar (se.ques.*trar*) *v.* **1** Praticar sequestro; raptar [*td.: Sequestraram o empresário.*] **2** Apoderar-se de (meio de transporte) fazendo reféns os passageiros [*td.: Os terroristas sequestraram o avião.*] **3** *Jur.* Colocar (bens) em sequestro ou apreensão legal [*td.*] **4** Tomar à força ou de maneira oculta [*td.: Os espiões sequestraram o microfilme.*] **5** Pôr de lado; separar [*td.: O fazendeiro sequestrou a parte contaminada da boiada.*] **6** Afastar de lugares ou coisas consideradas prejudiciais [*tda.*: *Sequestrou o filho do clube mal-afamado.*] [*tdr.* + *de*: *Sequestrou o menor do convívio com maus elementos.*] [▶ 1 sequestrar] [F.: Do lat. *sequestrare*. Hom./Par.: *sequestráveis* (fl.), *sequestráveis* (a2g. pl.); *sequestro* (fl.), *sequestro* (sm.).]

sequestrável (se.ques.*trá*.vel) *a2g.* Que se pode sequestrar; passível de ser sequestrado [Pl.: *-veis*.] [F.: *sequestrar* + *-vel*.]

sequestro (se.*ques*.tro) *sm.* **1** Ação ou resultado de sequestrar **2** *Jur.* Crime de reter à força um bem ou pessoa com intenção de cobrar dinheiro, vantagens ou providências imediatas para a concessão do resgate **3** *Jur.* Estado de um bem expropriado e entregue em mãos de terceiro por ordem da justiça ou por acordo entre as partes; ARRESTO; DEPÓSITO; PENHORA: *O juiz determinou o sequestro de seus bens.* **4** *Med.* A parte necrosada que, em osso afetado de necrose, se separa da porção não mortificada [F.: Do lat. *sequestrum*.]

sequestro-relâmpago (se.ques.tro-re.*lâm*.pa.go) *sm.* Sequestro de curta duração, esp. com o objetivo de fazer com que a vítima faça saques em caixas eletrônicos [Pl.: *sequestros-relâmpagos*.]

sequidão (se.qui.*dão*) *sf.* **1** Ver *secura*. **2** Processo ou efeito de emagrecimento **3** *Fig.* Frieza, indiferença: *Sentiu a sequidão de sua alma.* [Ant.: *carinho; doçura; meiguice; ternura*.] [Pl.: *-dões*.] [F.: Rad. de *sec(o)*, com alter. do *c* em *qu* + *-i-* + *-dão*.]

sequilho (se.*qui*.lho) *sm.* **1** *Cul.* Bolo seco, ger. de araruta **2** *Cul.* Biscoito ou rosca de polvilho ou equivalente [F.: *sec(o)* com alter. do *c* em *qu* + *-ilho*.]

sequioso (se.qui.*o*.so) [ô] *a.* **1** Que tem sede; SEDENTO **2** *Fig.* Que demonstra sofreguidão, avidez [+ *de*, *por*: *pessoa sequiosa de/por justiça*.] [F.: *sec(o)* com alt. do *c* em *qu*+ *-i-* + *-oso*.]

séquito (*sé*.qui.to) *sm.* Grupo de pessoas que acompanham uma figura importante; COMITIVA; CORTEJO: *Chegou com o séquito habitual de bajuladores.* [F.: Do lat. *sequitum* (de *secutus, a, um*) por alt., por infl. de *sequere*, por *sequi*.]

sequoia (se.*quoi*.a) *sf. Bot.* Nome comum às duas espécies de árvores consideradas as maiores da Terra, *Sequoia sempervirens* e *Sequoiadendron giganteus*, da fam. das taxodiáceas, nativas da costa Oeste dos EUA [F.: Do ing. *sequoia*, do antr. *Sequoiah*, índio cheroqui que inventou um silabário para seu idioma nativo.]

ser *sm.* **1** *Fil.* Tudo o que existe ou supomos existir, tanto na natureza como nos mitos, tanto para os sentidos como para a razão, ou a imaginação (seres vivos; seres inanimados; seres imaginários); ENTE **2** Indivíduo humano, pessoa: *Não tinha consciência de que era um ser extraordinário.* **3** O mais íntimo e essencial do humano: *A perda atingiu-lhe o âmago do ser.* **4** *Fil.* O que julgamos cotidianamente real: *Sucumbiu entre o ser e o parecer.* **5** *Fil.* Na ontologia clássica, tudo o que existe ou pode vir a existir **6** *Fil.* Para o cartesianismo, o que é real e verdadeiro na percepção ou na inteligência, provindo sempre de uma entidade perfeita e infinita **7** *Fil.* Na dialética hegeliana, é a relação entre um momento do devir e sua totalidade **8** Para o existencialismo de Heidegger, é tudo o que se manifesta como "sendo" no plano particular e transitório, com suas diferenças e possibilidades *v.* **9** Liga o sujeito a uma qualidade ou característica a ele inerentes [*tp.*: *Todos somos mortais; Esta flor é linda; Já foi cabeludo, hoje é careca.*] **10** Apresentar certa condição, aspecto, característica, semelhança (inclusive em sentido figurado, metafórico), que podem ser ocasionais, com coisas, fatos, valores, circunstâncias etc. [*tp.*: *Esta história seria cômica se não fosse trágica; Amar é o paraíso; Ela é uma flor de pessoa; Pode falar, sou todo ouvidos; Esse menino é a cara do pai*, "...a ruazinha modesta/ é uma paisagem de festa/ é uma cascata de luz." (Sílvio Caldas, *A deusa da minha rua*)] **11** Ter relação de pertinência com categoria a que pertence, ou com situação ou categoria definida por certos parâmetros, regras etc. [*tp.*: *O leão é um mamífero; Pedro é o caçula da família; Triângulo retângulo é o que tem um ângulo reto; Ele sempre foi um liberal; Disse que era flamengo desde criancinha; Esta crítica é de quem não entende do assunto.*] **12** Verbo auxiliar na formação da voz passiva, conjugado em todos os tempos, com o verbo principal no particípio [*tp.*: *Ela foi eleita representante da turma; Se não tivesse recuado a tempo, teria sido atropelado; A medida será anunciada amanhã*: "Seja um pálio de luz desdobrado/ Sob a larga amplidão destes céus..." (Medeiros de Albuquerque, Leopoldo Miguez, *Hino da proclamação da República*)] **13** Ter certo valor ou preço; CUSTAR; VALER [*tp.*: *Quanto é este livro?; Se levar os dois, são vinte reais somente.*] **14** Ter existência, haver, acontecer [*int.*: *O que será, será; Algo aconteceu, mas não consigo lembrar o que foi; Não interessa o que parece, interessa o que é; O concerto será amanhã*; "Eram duas caveiras que se amavam..." (Alvarenga e Ranchinho, Chiquinho Sales, *Romance de uma caveira*)] **15** Ter lugar, estar (em certo lugar), localizar-se [*ta.*: *Onde será a sede do clube?*] **16** Constituir-se em grupo, em certa quantidade [*tp.*: *Somos a equipe de salvamento*; "*Éramos seis* (título)" (Maria José Dupré, *Éramos seis*)] **17** Us. impessoalmente indica tempo, ocasião, condição de tempo [*tp.*: *É cedo ainda; Era primavera, sentia-se no ar; São seis horas, estamos atrasados.*] **18** Us. como auxiliar, reforça a circunstancialidade da ação do verbo principal [*tp.*: *Teria sido gol, se não fosse o zagueiro ter-se antecipado.* (= *...se o zagueiro não se antecipasse*)] **19** Adquirir certa condição ou qualidade, tornar-se, ficar [*tp.*: *Não exija demais do menino, quando ele for adulto entenderá melhor; Só quando eu for bem velhinho vou-me aposentar.*] **20** Us. com sentido enfático [*tp.*: *Ela é que sabe das coisas; É que eu preciso viajar amanhã.*] **21** Consistir em [*tp.*: *Educar é fazer adquirir valores; O melhor de uma viagem é voltar para casa.*] **22** Ter como consequência, causar [*tp.*: *Conhecê-la foi um prazer.*] **23** Ter origem em, ser proveniente de [*tr.* + *de*: "Eu não sou daqui, não sou/ Eu sou de lá" (Romildo e Toninho, *Senhora das Candeias*)] **24** Ter como dono ou responsável ou causador, pertencer (a) [*tr.* + *de*: *Este terreno é da prefeitura; O sucesso foi da equipe toda.*] **25** Estar, achar-se em certo lugar, certa situação, certo momento [*int.*: *Eram dois pássaros em seu ninho quando cruel caçador os abateu.*] **26** Ter como objetivo, tendência, inclinação etc. [*tr.* + *para*: *Esta ferramenta é para desencapar fios; Seu talento não é para a música.*] **27** Manifestar apoio a, ter atitude ou posição favorável a [*tr.* + *por*: *Somos todos pela paz.*] **28** Us. na 3ª pess. do presente ou passado do subjuntivo ou do futuro do presente do indicativo, indica aceitação (de uma situação, de uma afirmação), ou dúvida quanto a uma hipótese [*int.*: *Não é justo o que pede, mas que seja; Amanhã nosso time ganha fácil. Será?*] **29** Us. na 3ª pess. sing. do pres. do indicativo expressa aceitação de um fato situação, ou confirmação (substituindo o 'sim') [*int.*: *É, está difícil, acho que vou desistir; Hoje está muito quente, não? É, está mesmo.*] **30** Pode substituir oração ou afirmação feita anteriormente [*tp.*: *Não fui eu quem escreveu este texto, foi ele; Se um dia eu casar, será com você.*] **31** Us. na 3ª pess. do pres. do subjuntivo, na definição de existência ou circunstância hipotéticas, esp. em matemática ou em lógica [*tp.*: *Seja R um segmento de reta que vai do ponto A ao ponto B...*] [F.: Do lat. *sedere* 'estar sentado', que se funde com formas do lat. *esse* 'ser'.] ■ **Assim seja** Amém **Em ~** **1** Que ainda não foi vendido (artigo, mercadoria) **2** Realmente, efetivamente **É por aí** É mais ou menos isso; é o rumo que se deve seguir (tb. numa análise, método etc.) **Era uma vez** Expr. introdutória de narrativa [Mesmo quando ref. a sujeito plural: *Era uma vez duas princesas...*] **Isto é** **1** Expr. introdutória de uma explicação ou desenvolvimento adicional do que foi dito; ou seja; a saber **2** Expr. introdutória de uma retificação do que foi dito; ou seja; quer dizer; digo [Abrev. lat.: *i. e.*] **Já era** *Bras. Pop.* Diz-se referindo-se a alguém ou algo que deixou de ser/existir ou saiu de moda, ou de algo ou alguém que perdeu a possibilidade de vir a ser/existir: *O jato supersônico Concorde já era, por ser muito caro; Com esse orçamento, nosso projeto já era, não dá para realizá-lo.* **Não é?** Interrogação que marca num relato a exposição de uma ideia ou fato, e não necessariamente esperando uma resposta: *Isso é um absurdo, não é? Foi o que eu disse ao chefe, mas nem sempre os chefes nos ouvem, não é?* **Não é que** Expletivo que introduz oração interrogativa que expressa surpresa com o fato que descreve: *E não é que ele conseguiu passar no exame?* **Não ~ de nada** *Bras. Pop. Depr.* Exprime várias formas de incompetência ou incapacidade, como inaptidão, impotência, ausência de talento, covardia etc.: *Ele fala demais, mas no trabalho não é de nada; Tem fama de conquistador, mas não é de nada; Este picape, na lama, não é de nada.* **Não ~ lá para que digamos/se diga** *Fam.* Não ser especialmente bom ou importante, não ser tão bom assim **Não ~ mole** **1** *Bras. Gír.* Não ser fácil; ser penoso, difícil, trabalhoso etc. **2** Precedido de *que* tem função adjetiva; difícil, duro, penoso, trabalhoso etc.: *Vou fazer uma viagem que não será mole.* **Não ~ nada** Ver *Ser nada* **Não ~ para menos** *Fam.* Ser, nas circunstâncias, compreensível, lógico, aceitável: *Está cansadíssima; não é para menos, depois de um dia tão atarefado.* **O que é, o que é?** *Bras.* Fórmula introdutória de adivinhação [Sin. *Lus.*: qual a coisa, qual é ela...?.] **Ou seja** Ver *Isto é* **Pois é** **1** *Bras.* Expressa reforço a afirmação um tanto surpreendente: *Pois é, é inacreditável, mas aconteceu.* [Pode ter conotação de resignação: *Pois é, tentou de tudo mas não conseguiu o contrato.*] **2** Expressa confirmação do que foi dito, ou concordância: *Pois é, afinal você tinha razão.* **Qual é?** *Bras.* Indica estranheza, surpresa, num tom um tanto desafiador ou provocador: *Qual é, vai querer furar a fila?* **Que é/era bom** *Bras. Pop. Irôn.* Indica que aquilo a que se refere é bom, necessário, adequado, recomendável etc.: *Jogam com raça, mas vitória, que é bom, ainda não conseguiram.* **Salvo seja** **1** Como exclamação, expressa o desejo que o mal, dano etc. de que se fala não acometa o locutor ou o interlocutor; Deus não permita **2** Ver *Seja (lá) como for* **Seja (lá) como for** Independentemente do que vai ou pode acontecer; aconteça o que acontecer; seja o que for **Seja o que for** Ver *Seja (lá) como for* **~ ali** Ser característico de; estar presente de forma marcante em (pessoa, situação, lugar etc.): *Pode deixar por conta dele, responsabilidade é ali.* **~ assim (com)** Ser muito ligado com, ser íntimo de: *Vai conseguir a promoção, ele é assim com o diretor; Os dois se entendem, ele são assim.* [Expr. ger. acompanhada do gesto de esfregar um dedo indicador no outro.] **~ bem** Ser conveniente, bom, aceitável, louvável: *É bem que ele tire férias agora.* **~ bom de** *Bras.* Ser eficiente, competente, habilidoso em (atividade, arte etc. ger. mencionada figuradamente): *Ele é bom de bola.* **~ breve** Expressar, comunicar, explicar algo sucintamente, concisamente, em pouco tempo: *O relator foi breve, e a comissão passou logo à votação do relatório.* **~ com** **1** Ser da competência de, da atribuição de; dizer respeito a: *Este problema é com o gerente.* **2** Ser do interesse, do agrado, da índole ou do hábito de (alguém): *Palavras cruzadas é com ela mesma; Brigar não era com ele, argumentar sim.* **~ daqui/da pontinha** Ser muito bom, gostoso, bonito, agradável etc.: *Este romance é daqui.* [Expr. ger acompanhada do gesto de segurar e mover ligeiramente o lobo de uma orelha.] **~ de** **1** Ser propenso a, dado a: *Este jogador não é de dar chutões.* **2** Ser originário de, procedente de: *Eles são do Amazonas.* **3** Ter como destino, acontecer com: *O que seria dele sem o apoio da mulher?* **4** Ter inclinação para, anseio por (valor, ideia, atitude etc. expressos por substantivo): *Ele é de paz.* **5** Ter como consequência (ação, situação etc. expressas por verbo no infinitivo): *Essa foi de doer; O show vai ser de arrepiar.* **~ de crer** Ser digno de fé, verossímil, plausível: *Era mesmo de crer que esse plano não daria certo.* **~ isso aí** Expressa confirmação, aceitação de um fato ou situação, concordância com algo **~ maior e vacinado** *Bras.* Ser independente, não ter de dar explicações ou satisfações por seus atos **~ morto e vivo em** *Fam.* Ir assiduamente a (um lugar): *Marcos é morto e vivo no botequim da esquina.* **~ nada** **1** Ser de pouca ou nenhuma importância ou valor; ser desprezível **2** Ser, supostamente, de pouca ou nenhuma dificuldade: *Escalar o Everest? Isso é nada para mim* **~ quando** No mesmo momento em que (acontece algo relatado), nesse momento: *Era quando a noite caía que ele ficava melancólico.* **~ ruim de** Ser ineficiente, incompetente, canhestro em (atividade, arte etc. ger. mencionada figuradamente): *Ele é ruim de taco* (*joga mal sinuca ou bilhar*).

seráfico (se.*rá*.fi.co) *a.* **1** Ref. aos serafins ou próprio deles **2** Que se assemelha aos serafins **3** *Fig.* Que vive experiência mística ou beatífica **4** *Fig.* Que é sublime ou elevado [F.: Do fr. *séraphique*, deriv. do lat. ecles. *seraphicus*.]

serafim (se.ra.*fim*) *sm.* **1** *Rel.* Na teologia cristã, anjo da hierarquia mais alta **2** *Fig.* Qualquer dos anjos a que a Bíblia se refere; QUERUBIM **3** *Fig.* Pessoa de grande elevação mística, ou de extrema beleza [Pl.: *-fins*.] [F.: Do lat. *seraphim*, deriv. do hebr. *seraphim*.]

seral (se.*ral*) *a2g. Ecol.* Diz-se da ocorrência de evolução de comunidade animal ou vegetal em um ecossistema [Pl.: *-rais*.] [F.: *sere* + *-al*.]

serão (se.*rão*) *sm.* **1** Trabalho, ger. noturno, realizado após o horário do expediente **2** Remuneração recebida por esse trabalho **3** Tempo entre o jantar e a hora de dormir **4** Ver *sarau* [Pl.: *-rões*.] [F.: Do lat. *seranum, i*.]

serapilheira (se.ra.pi.*lhei*.ra) *sf.* **1** Pano de estopa grosseira destinado a envolver fardos; ANIAGEM **2** Pano com que se enxuga o chão, na lavagem das casas **3** Tecido grosseiro com que as camponesas fabricam os seus vestidos **4** *Bras.* Camada que recobre o solo de florestas e bosques, feita de folhas, ramos etc. em decomposição misturados a terra **5** Planta que nasce em terrenos de baixa qualidade **6** Vegetação rala e rasteira, na mata virgem **7** *Bras.* Designação das radículas que surgem à flor da terra [F.: Posv. de um lat. **s(c)irpicularia* < lat. vulg. **sirpicularia* 'cesto'.]

⊕ **serata** (*It.* /serata/) *sf.* Evento vespertino ou noturno

sereia (se.*rei*.a) *sf.* **1** *Mit.* Entidade feminina com metade do corpo em forma de pássaro ou de peixe e que, com canto mavioso, mobilizaria a atenção dos marinheiros até largarem o barco e sua rota, naufragando **2** *Fig.* Mulher de canto sedutor **3** *Fig.* Mulher muito atraente **4** Em veículos terrestres, aquáticos ou aéreos, instrumento que emite som intenso e agudo, com o fim de alertar as pessoas ou enfraquecê-las emocionalmente (aviões em picada); SIRENE; SIRENA **5** Nas fábricas, instrumento que emite som agudo para indicar começo ou término do horário de trabalho; SIRENE; SIRENA **6** *Zool.* Gênero de répteis da família dos sirenídeos, semelhantes às salamandras [F.: Do lat. *sirena-ae*, deriv. do gr. *seiren, enos*.] ■ **~ do Mar** *Bras. Rel.* Antonomásia de Iemanjá [Com iniciais maiúsculas.]

serelepe (se.re.*le*.pe) *a2g.* **1** *Fig.* Que é irrequieto, buliçoso (vizinha serelepe) **2** Que é esperto, ardiloso *s2g.* **3** Aquele que é muito irrequieto, buliçoso *sm.* **4** *Zool.* Ver *caxinguelê* [F.: contrv.]

serenado (se.re.*na*.do) *a.* **1** Que se acalmou, se aquietou; TRANQUILIZADO: *Tinha o ânimo serenado depois da discussão.* [Ant.: *agitado, intranquilo*.] **2** Que foi exposto ao sereno: *Dormiram na areia serenada da praia.* [F.: Part. de *serenar*.]

serenamente (se.re.na.*men*.te) *adv.* De modo sereno, com serenidade: *A ré aguardava serenamente a decisão do júri.* [F.: o fem. de *sereno* + *-mente*.]

serenar (se.re.*nar*) *v.* **1** Tornar(-se) sereno, calmo; ABRANDAR(-SE) [*td.*: *Conseguiram serenar os manifestantes*] [*int.*: *O vento serenou.*] **2** *N. E.* Deixar exposto ao sereno [*int.*: *Deixou as toalhas serenando no quintal.*] **3** Expor-se ao relento; ficar do lado de fora [*td.*: *Ficaram serenando os dançarinos em volta da fogueira.*] [*int.*: *Gostavam de serenar nos fins de tarde.*] **4** *N. E.* Chover fino; chuviscar [*int.*: *Serenou um pouco à noitinha.*] **5** Passear durante a noite [*int.*: *O casal sempre serenava antes de dormir.*] **6** *Bras.* Dançar suavemente, com languidez [*int.*] [▶ 1 serenar] [F.: Do lat. *serenare*. Hom./Par.: *serena(s)* (fl.), *serena(s)* (sf. pl.); *sereno* (fl.), *sereno* (sm.).]

serenata (se.re.*na*.ta) *Mús. sf.* **1** Execução instrumental ou vocal que se apresenta à noite, em passeio ou sob a janela de alguém; SERESTA **2** Composição simples e melodiosa, feita de maneira a poder ser tocada numa serenata (1) [F.: Do it. *serenata*.]

serenateiro (se.re.na.*tei*.ro) *a.* **1** Que toca ou canta em serenatas (boêmio serenateiro) *sm.* **2** Indivíduo que faz ou participa de serenatas: *lembrado em sua terra como* *grande serenateiro.* [F.: *serenata* + *-eiro.* Sin. ger.: *serenatista, seresteiro.*]

serendipidade (se.ren.di.pi.*da*.de) *sf.* **1** Descoberta feliz ou proveitosa, feita por acaso, muitas vezes quando se buscavam outras coisas, outros resultados **2** Circunstância favorável, capacidade ou tendência a fazer descobertas importantes ou felizes por acaso [F.: Do ing. *serendipity,* cunhado pelo escritor Horace Walpole em 1754, inspirado no conto de fadas persa intitulado em inglês *The three princes of Serendip.*]

◎ **seren(i)-** *pref.* = claro, límpido, sereno: *serenidade, sereníssimo*

serenidade (se.re.ni.*da*.de) *sf.* Estado ou condição do que é, ou está, sereno [F.: Do lat. *serenitas, atis.*]

sereníssimo (se.re.*nís*.si.mo) *a.* **1** Muitíssimo sereno **2** Antigo título de honra dos monarcas e dos infantes: *O sereníssimo infante D. Afonso.* **3** Título de honra da Casa de Bragança, em Portugal [Superl. abs. sint. de *sereno.*] [F.: Do lat. *serenissimus, a, um.*]

sereno (se.*re*.no) *a.* **1** Que é tranquilo, manso, sem agitação (amigo sereno; mar sereno); SOSSEGADO **2** Que expressa ou denota tranquilidade (semblante sereno); CALMO; TRANQUILO **3** Sem nuvens (voo sereno); LÍMPIDO *sm.* **4** Vapor da atmosfera, ger. noturno; ORVALHO; RELENTO **5** *Bras. Pop.* O ar fresco da noite **6** As ruas e as calçadas durante a noite: *Não vá ficar no sereno.* **7** *Bras.* Chuvisco, chuva muito leve [F.: Do lat. *serenus, a, um.*] ■ **Ficar no ~ 1** *Fig. Bras.* Não dormir, passar a noite divertindo-se **2** *MG* Assistir, presenciar ou apreciar uma festa, cerimônia etc. de longe, sem participar [Cf. *serenar* (5).]

serenoso (se.re.*no*.so) [ô] *a.* Diz-se de clima que tem como característica uma umidade fina, penetrante e pouco abundante que cai depois do pôr do sol [Pl.: [ó]. Fem.: [ó].] [F.: *sereno* + *-oso.*]

seres (*se*.res) [ê] *smpl.* Toda a criação, todas as criaturas, tudo que existe: *Excetuando-se os vírus, todos os seres vivos são formados por células.* [F.: Pl. de *ser.*]

seresma (se.*res*.ma) [ê] *sf.* **1** Mulher indolente, preguiçosa **2** Mulher asquerosa, repulsiva; BRUXA **3** *Fig.* Coisa mole e nojenta *a2g. s2g.* **4** O mesmo que *paspalhão* [F.: De or. obsc.]

seresta (se.*res*.ta) *sf.* Ver serenata (1) [F.: obsc.]

seresteiro (se.res.*tei*.ro) *a.* **1** Ref. a seresta (prática seresteira) *sm.* **2** Pessoa que toma parte em serestas, em serenatas [F.: *serest(a)* + *-eiro.*]

sergipano (ser.gi.*pa*.no) *sm.* **1** Aquele que nasceu ou que vive no Estado de Sergipe *a.* **2** De Sergipe; típico desse estado ou de seu povo [F.: Do top. *Sergipe* + *-ano.* Sin. ger.: *sergipense.*]

sergipense (ser.gi.*pen*.se) *s2g.* Ver *sergipano*

◎ **seri- = seric(i)-** *Pref.* = de seda, sedoso: *sericultor, sérico, serículo*

seriação (se.ri.a.*ção*) *sf.* Ato de seriar; colocação ou disposição em série: *concurso na fase de publicação da seriação das candidaturas.* "Sirvam estas indicações para lhe dar exata seriação na obra do Poeta." (Afrânio Peixoto, *Castro Alves, o poeta e o poema*) [Pl.: *-ções.*] [F.: *seriar* + *-ção.*]

seriado (se.ri.*a*.do) *a.* **1** Que está disposto em série (números seriados) **2** Que é realizado em séries (ensino seriado) *sm.* **3** *Cin. Telv.* Filme que se exibe em partes ou capítulos separados: *Toda matinê de cinema incluía um seriado.* [F.: Part. de *seriar.*]

serial (se.ri.*al*) *a2g.* **1** Ref. a série **2** Que pratica determinados atos numa série ou sequência **3** *Inf.* Ref. à transmissão sequencial de um conjunto de informações **4** *Mús.* Ref. a música composta na série de 12 sons da escala temperada; DODECAFÔNICO [Pl.: *-ais.*] [F.: *séri(e)* + *-al.*]

serialidade (se.ri.a.li.*da*.de) *sf.* Característica ou qualidade do que é serial: "Na segunda metade do século, o melodrama e a serialidade passaram à televisão na forma da telenovela." (Joachim Michael, "A cultura é fundamentalmente texto ou imagem" *in Dubito ergo sum – Páginas de teoria*) [F.: *serial* + *-(i)dade.*]

serialismo (se.ri.a.*lis*.mo) *sm. Mús.* Método de composição surgido no séc. XX como desenvolvimento do dodecafonismo, em que as 12 notas da série, que funciona como base da música dodecafônica, são tocadas isoladamente, intercaladas por pausas, e organizadas em pequenos grupos, executados por diversos instrumentos [F.: *serial* + *-ismo.*]

serialista (se.ri.a.*lis*.ta) *a2g.* **1** Que diz respeito ao serialismo: *sistema serialista de composição.* **2** Que escreve em séries **3** Que é adepto do serialismo *s2g.* **4** Escritor de séries **5** *Mús.* Músico que usa o serialismo em suas composições: *novo romântico de maior destaque, que evoluiu de uma posição de serialista ferrenho.* [F.: *serial* + *-ista.*]

serialização (se.ri.a.li.za.*ção*) *sf.* Ação ou resultado de serializar [Pl.: *-ções.*] [F.: *serializa(r)* + *-ção.*]

serializado (se.ri.a.li.*za*.do) *a.* **1** Que foi ordenado em série (arquivo serializado) **2** *Mús.* Submetido à organização serial: *música serializada em escalas gigantescas.* [F.: Part. de *serializar.*]

serializar (se.ri.a.li.*zar*) *v. td.* Dispor em série [▶ 1 serializar] [F.: *serial* + *-izar.*]

seriar (se.ri.*ar*) *v. td.* Ordenar em série ou fazer a classificação de [▶ 1 seriar] [F.: *série* + *-ar*². Hom./Par.: *seria(s)* (fl.), *seria(s)* (fl. ser); *seriam* (fl.), *seriam* (fl. ser).]

seríceo (se.*rí*.ce.o) *a.* **1** Que se assemelha à seda; SEDOSO; ACETINADO **2** *Bot.* Diz-se de órgão ou parte vegetal coberta por pelos cujo brilho lembre a seda [F.: Do lat. *sericeus, a, um.*]

sericícola (se.ri.*cí*.co.la) *a2g.* **1** Ref. à cultura da seda (estação sericícola) **2** Diz-se de indivíduo que se ocupa da cultura da seda; SERICICULTOR; SERICULTOR *s2g.* **3** Esse indivíduo; SERICICULTOR; SERICULTOR [F.: *seric(i/o)-* + *-cola.*]

sericicultor (se.ri.ci.cul.*tor*) [ô] *sm.* **1** Aquele que se ocupa da produção de seda, que faz cultura de bicho-da-seda **2** Aquele que promove a indústria da seda [F.: *serici-* + *-cultor.* Sin. ger.: *sericícola.* Tb. *sericultor.*]

sericicultura (se.ri.ci.cul.*tu*.ra) *sf.* **1** Criação do bicho-da-seda **2** Fabricação da seda [F.: *serici-* + *-cultura.* Tb. *sericultura.*]

sérico¹ (*sé*.ri.co) *a.* Ref. a seda; de seda; SERÍCEO: "Sobre as flores dos séricos tapetes... ela volteia, a doida bailadeira." (Fagundes Varela, *Obras*) [F.: Do lat. *sericus, a, um.*]

sérico² (*sé*.ri.co) *a. Histl.* Ref. a soro (2) [F.: *ser(o)-* + *-ico*².]

sericoia (se.ri.*coi*.a) *sf. Bras. Ornit.* Certa ave ribeirinha que é uma espécie de saracura (*Aramides cajanea*), muito popular; SERICORA: "O canto das sericoias nos alagados." (Viriato Correia, *Contos do sertão*) [F.: Posv. de or. tupi. Tb. *siricora.*]

sericultor (se.ri.cul.*tor*) [ô] *sm.* Ver *sericicultor*

sericultura (se.ri.cul.*tu*.ra) *sf.* Ver *sericicultura*

seridó¹ (se.ri.*dó*) *sm. Bras.* Variedade de algodão cultivada na região nordestina entre o Rio Grande do Norte e a Paraíba [F.: Do top. *Seridó.*]

Seridó² (Se.ri.*dó*) *sm. Bras.* Região nordestina que abrange parte do Rio Grande do Norte e da Paraíba

série (*sé*.ri.e) *sf.* **1** Ordem de certo número de coisas ligadas por um vínculo de sucessão; SEQUÊNCIA: *O país foi abalado por uma série de escândalos.* **2** Conjunto de acontecimentos sucessivos; SEQUÊNCIA: *Teve uma série de alucinações.* **3** Cada uma das divisões de uma sequência de objetos classificados **4** Grande número de qualquer coisa; QUANTIDADE; PORÇÃO: *O equipamento apresentou uma série de defeitos.* **5** Conjunto de objetos semelhantes ou análogos; COLEÇÃO: *série de livros/de moedas.* **6** *Bras.* Ano letivo correspondente a uma etapa de ensino: *Concluiu a oitava série.* **7** *Telv.* Filme exibido em episódios **8** *Telv.* Conjunto de filmes com os mesmos personagens, apresentados ger. em mesmo horário e dia da semana **9** *Edit.* Conjunto constituído por livros de autores diferentes, mas publicados por um mesmo editor em função de certa identidade temática ou disciplinar; COLEÇÃO: *O livro aparecerá na série sobre cultura popular.* **10** *Elet.* Determinado número de pilhas, bobinas, condensadores ligados de maneira tal que a corrente circule em sequência por essas diversas partes **11** *Mat.* Sequência crescente ou decrescente, de acordo com uma relação predefinida **12** *Mús.* No serialismo ou dodecafonismo, o conjunto das 12 alturas da escala temperada [F.: Do lat. *series, ei.*] ■ **~ alternada** *Mat.* Série infinita cujos termos têm, alternadamente, sinal positivo e negativo **~ binomial** *Mat.* Série desenvolvida a partir de uma potência real do binômio $1 + x$, em torno de $x = 0$ **~ convergente** *Mat.* Aquela em que a sequência das somas parciais é convergente [Ver *Sequência convergente.*] **~ divergente** *Mat.* Série infinita não convergente **~ espectral** *Fís. nu.* Conjunto de raias espectrais das emissões de energia de um elemento identificáveis por regra numérica **~ harmônica 1** *Mat.* Série formada pela soma dos inversos dos números naturais. $[1 + \frac{1}{2} + 1/3...]$ **2** *Mús.* O número indeterminado de sons harmônicos gerados por um som gerador som fundamental **~ infinita** *Mat.* Soma com um número infinito de termos **~ radioativa** *Fís. nu* Série de nuclídeos radioativos na qual cada um é produto do decaimento radioativo do precedente **Em ~** Em grande escala, segundo um padrão igual para todos: *Produção em série de computadores.* **Fora de ~ 1** Com padrões próprios, fora dos padrões adotados em produção em série **2** *Fig.* Excelente, muito acima do padrão; incomum, singular

📖 Série de Fibonacci Série de números na qual, a partir do terceiro, cada um é a soma dos dois que o antecedem (1, 2, 3, 5, 8, 13, 21, 34, 55, 89...). Foi concebida, no séc. XIII, pelo matemático italiano Leonardo Fibonacci, ou Leonardo de Pisa.

seriedade (se.ri.e.*da*.de) *sf.* **1** Qualidade ou característica do que é sério **2** Caráter do que envolve preocupação, e riscos: *Sabia da seriedade da crise.* **3** Inteireza e coerência de propósito; SENSATEZ **4** Atitude honesta e que inspira confiança: *O instituto era de uma seriedade irrepreensível.* **5** Comportamento, postura de pessoa que pouco ri [F.: Do lat. *serietas, atis.*]

seriema (se.ri.*e*.ma) *sf. Bras. Zool.* Grande ave da fam. dos cariamídeos (*Cariama cristata*), encontrada em áreas campestres da América do Sul, como o Cerrado brasileiro, de pernas muito longas, plumagem cinzenta e um feixe de penas eriçadas na base do bico; passam a maior parte do tempo no solo, a procura de pequenos animais [F.: Do tupi *sari'ama.*]

serifa (se.*ri*.fa) *sf. Tip.* Pequeno traço ou barra que arremata as hastes de determinadas letras; cerifa [F.: Do ing. *serif.*]

serifado (se.ri.*fa*.do) *Tip. a.* **1** Diz-se de letra ou tipo cuja fonte possui serifa(s): *Na tela do computador, o texto sem serifas é mais legível que o serifado.* *sm.* **2** Traço semelhante a serifa: *O serifado é melhor aplicado em títulos.* [F.: *serifa* + *-ado.*]

serigote (se.ri.*go*.te) [ó] *sm. Bras. RS* Peça de arreamento, espécie de lomilho: "Banzavam (os tropeiros) apoiadas as cabeças nos serigotes com o rosto voltado para o céu." (Afonso Arinos, *Pelo sertão*) [F.: Posv. corruptela do al. *sehr gut* 'muito bom'.]

serigrafado (se.ri.gra.*fa*.do) *a.* Que foi impresso ou reproduzido utilizando a técnica da serigrafia (vidro serigrafado) [F.: Part. de *serigrafar.*]

serigrafar (se.ri.gra.*far*) *v. td. Art. gr.* Reproduzir por meio da serigrafia [▶ 1 serigrafar] [F.: *seri-* + *graf(o)-* + *-ar.* Hom./Par.: *serigrafa(s)* (fl.), serígrafa (f. serígrafo, sm. e pl.); *serigrafo* (fl.), *serígrafo* (sm.).]

serigrafia (se.ri.gra.*fi*.a) *sf.* **1** *Art. gr.* Técnica de imprimir desenhos (feitos em papel, tecido, metal etc.) por meio de um caixilho com tela de seda ou náilon, que tem partes impermeáveis e permeáveis à tinta, capazes assim de lhe permitir ou não a passagem **2** Impressão obtida por meio desse processo [F.: *seri-* + *-grafia.*]

serigráfico (se.ri.*grá*.fi.co) *a.* Que diz respeito a serigrafia: *Utiliza-se o processo serigráfico para estampar camisetas.* [F.: *serigrafia* + *-ico*².]

serigrafista (se.ri.gra.*fis*.ta) *a2g.* **1** Que trabalha com serigrafia (impressor serigrafista) *s2g.* **2** Profissional que faz impressões por meio da serigrafia; SERÍGRAFO: "A base de impressão é um dos assuntos técnicos que exige atenção do serigrafista..." (Figuera de Novaes, "Serigrafia – Aspectos básicos" *in* (jornal) *O Serigráfico* 17.01.2006) [F.: *serigrafia* + *-ista.*]

seriguela (se.ri.*gue*.la) *Bras. Bot. sf.* **1** Árvore da fam. das anacardiáceas (*Spondias purpurea*), originária da América Central, dispersa em vários países da América do Sul e comum no Nordeste do Brasil, apreciada pelo fruto ovoide e avermelhado, de polpa amarela, doce e suculenta **2** Esse fruto, us. na fabricação de sucos, sorvetes, licores, vinho, geleia, compotas e refrigerantes [F.: Do espn. *ciruela.* Sin. ger.: *ciriguela, ciruela, umbu.*]

seringa (se.*rin*.ga) *sf.* **1** *Med.* Instrumento de vidro ou plástico, com êmbolo e tambor a que se adapta uma agulha de aço perfurada, us. para aplicar injeções ou aspirar líquidos **2** *AM* A goma-elástica que se extrai de várias espécies de seringueira [F.: Do gr. *surigks, iggos,* pelo lat. *syrinx, ingis.*]

seringal (se.rin.*gal*) *sm.* **1** Conjunto ou plantação de seringueiras reunidas em determinada extensão de terra **2** *Amaz.* Fazenda ger. próxima à margem dos rios [Pl.: *-gais.*] [F.: *sering(a)* + *-al.*]

seringalista (se.rin.ga.*lis*.ta) *s2g.* **1** *Amaz.* Proprietário de seringal; SERINGUEIRO *a2g.* **2** Ref. a seringalista¹ ou à exploração de seringais (empresa seringalista) [F.: *seringal* + *-ista.*]

seringão (se.rin.*gão*) *a.* **1** *Pop.* Que seringa, aborrece, chateia, importuna; SERINGADOR *sm.* **2** Grande seringa **3** *Pop.* Indivíduo maçante, aborrecedor, importuno [Pl.: *-gões.* Fem.: *-gona.*] [F.: *seringa* + *-ão.*]

seringar (se.rin.*gar*) *v. td.* **1** Injetar em alguma cavidade o líquido contido em uma seringa **2** Molhar ou borrifar (algo ou alguém) com o líquido de uma seringa **3** *Fig.* Incomodar (alguém) com conversa enfadonha, inconveniente; IMPORTUNAR; MAÇAR: "Já ninguém hoje me seringa, levantando questões dum cafre ou de uma aringa" (Guerra Junqueiro, *Pátria*) [▶ 14 seringar] [F.: *seringa* + *-ar.* Hom./Par.: *seringa(s)* (fl.), *seringa* (sf. e pl.); *seringais* (fl.), *seringais* (pl. seringal[s. m.]).]

seringueira (se.rin.*guei*.ra) *sf. Bras. Bot.* Árvore da fam. das euforbiáceas (*Hevea brasiliensis*), nativa da Amazônia, da qual se extrai o látex us. para fazer a borracha; ÁRVORE-DA-BORRACHA; CAUCHO [F.: *sering(a)* + *-u-* + *-eira.*]

seringueiro (se.rin.*guei*.ro) *sm.* **1** *Bras.* Trabalhador que extrai o látex da seringueira; APANHADOR; MACHADINHO **2** Proprietário de seringal; SERINGALISTA [F.: *sering(a)* + *-u-* + *-eiro.*]

sério (*sé*.ri.o) *a.* **1** Diz-se de pessoa que não ri, ou quase não ri; SISUDO: *Seu namorado é muito sério.* **2** Que, por causa de sua importância, merece atenção especial: *Tinha um assunto sério para tratar com ele.* **3** Que representa perigo, preocupação (doença séria); GRAVE **4** Que realiza suas tarefas com cuidado e aplicação (profissional sério); ZELOSO; DEDICADO **5** Que é digno de toda confiança, honesto (contador sério) **6** Que aborda questões importantes de maneira responsável (filme sério) **7** Que é sincero, verdadeiro: *Fez um sério juramento de lealdade.* **8** Que é sóbrio, austero: *Veste-se de maneira séria demais.* **9** Que é de grandes proporções ou consequências (acidente sério) **10** *Pop.* Que tem um comportamento sexual recatado (moça séria) [Superl.: *seriíssimo, seríssimo.*] *adv.* **11** De maneira séria; SERIAMENTE: *Falou sério com a filha.* **12** Palavra us. para expressar espanto ou dúvida: *Sério? Você realmente quer ir à Índia?* *sm.* **13** *Lud.* Brincadeira infantil em que duas crianças ficam encarando-se com o semblante fechado e perde o jogo a que ri primeiro [F.: Do lat. *serius, a, um.*] ■ **A ~** Com seriedade, com responsabilidade **Levar/tomar a ~ 1** Dar importância a, considerar com seriedade: *Ele levou/tomou a sério as ameaças e pediu proteção.* **2** Considerar seriamente, a ponto de ofender-se, o que foi feito ou dito como brincadeira: *Não se ofenda, não precisa me levar/tomar tão a sério.* **Sair do ~ 1** Tornar-se menos grave ou circunspecto; rir, folgar, divertir-se **2** *P. ext.* Fazer algo a que não se está habituado; sair da rotina **3** *Restr.* Exceder-se, comportar-se de modo exagerado; permitir-se certos excessos: *Saiu do sério e bebeu até embriagar-se.* **Tomar a ~** Ver *Levar/tomar a sério*

serioso (se.ri.*o*.so) [ô] *a.* Diz-se de quem ou daquilo que assume um caráter austero, circunspecto, sério, sisudo: "Às vezes d. Augusta tomava a direção das conversas dando-lhe um aspecto serioso de quem já viveu muito e fala em nome de uma longa e bem formada experiência." (Pardal Mallet, *O hóspede*) [Pl.: [ó]. Fem.: [ó].] [F.: *sério* + *-oso*.]

sermão (ser.*mão*) *sm.* **1** *Rel.* Discurso de natureza religiosa feito num púlpito, em igrejas católicas, protestantes etc; PRÉDICA; PREGAÇÃO **2** *Fig.* Censura ou repreensão verbal: *Passou um sermão nos filhos* **3** *Fig.* Qualquer discurso longo e enfadonho [Pl.: *-mões.*] [F.: Do lat. *sermo, onis.*]

sermoa (ser.*mo*.a) [ô] *sf. Pop. Pej.* Sermão que pouco vale: "Que lhe parecia impossível um senhor bispo sair-se com tão fraca sermoa, não contava com tanto vazio." (Joaquim Lagoeiro, *Searas de alienação*) [F.: *sermão* (f. lat. *sermon*-desnasalizada) + *-a.*]

sermonário (ser.mo.*ná*.ri.o) *a.* **1** Que diz respeito a sermão ou que é próprio dele: *um clérigo sermonário. sm.* **2** Coleção de sermões: *o sermonário de padre Antônio Vieira.* **3** Autor de sermões [F.: *sermão* (f. rad. lat. *sermon-*) + *-ário.*]

sermoneiro (ser.mo.*nei*.ro) *a.* **1** Que escreve ou faz sermões *sm.* **2** Aquele que faz ou escreve sermões: "...em todas as futuras Copas do Mundo, como faz o velho sermoneiro desencantado..." (Carlos Drummond de Andrade, *Sermão da planície*) [F.: *sermão* (f. rad. lat. *sermon-*) + *-eiro.* Sin. ger.: *sermonista.*]

sermonista (ser.mo.*nis*.ta) *a2g. s2g.* O mesmo que *sermoneiro*: "...palácio construído pelo maior sermonista da língua portuguesa." (Jean M. Carvalho França, *Histórias do Brasil – Um sonho de palácios*) [F.: *sermão* (f. rad. lat. *sermon-*) + *-ista.*]

sernambi (ser.nam.*bi*) *Bras. Zool. sm.* **1** Molusco bivalve (*Tivela mactroides*) da fam. dos venerídeos, encontrado no litoral brasileiro; MOÇAMBIQUE; SAMANGUAIÁ **2** Ver *amêijoa* [F.: Do tupi *sarina'mbi.*]

◎ **ser(o)-** *Pref.* = soro: *serosidade, seroso, seroterapia, serotérápico* [F.: Do lat. *serum, i.*]

seroar (se.ro.*ar*) *v. int.* Fazer serão; trabalhar no turno da noite [▶ **16** ser**oar**] [F.: *serão* na f. do rad. *sero(n)-* + *-ar.*]

seroconversão (se.ro.con.ver.*são*) *sf.* Em imunologia, ocorrência de surgimento ou aumento de anticorpos no soro humano, como reação a infecção ou vacina [Pl.: *-sões.*] [F.: *ser(o)-* + *conversão.*]

serôdio (se.*rô*.di.o) *a. P. us.* Que vem fora do tempo; TARDIO; EXTEMPORÂNEO [F.: Do lat. *serotinus, a, um.*]

seroimunologia (se.ro.i.mu.no.lo.*gi*.a) [o-i] *sf. Bioq.* Especialidade que estuda os mecanismos de atuação imunológica de soros antígenos no organismo [F.: *ser(o)-* + *imunologia.*]

serologia (se.ro.lo.*gi*.a) *sf. Med.* O mesmo que *sorologia* [F.: *ser(o)-* + *-logia.*]

serosa (se.*ro*.sa) *sf.* **1** *Anat.* Cada uma das membranas que internamente segregam serosidade, revestindo as cavidades do corpo, esp. as pleuras, o pericárdio e o peritônio **2** Revestimento desse tipo de membrana em órgãos como o esôfago e o cólon [F.: Fem. substv. de *seroso.* Hom./Par.: *ceroso* (a.).]

serosidade (se.ro.si.*da*.de) *sf.* **1** Característica do que é seroso **2** *Anat.* Líquido orgânico existente nas serosas **3** *Pat.* Líquido que se forma em edemas, hidropisias etc. [F.: *seros(o)* + *-idade.*]

seroso (se.*ro*.so) [ô] *a.* **1** Ref. ou semelhante a soro **2** Que contém soro ou serosidade [Pl.: [ó]. Fem.: [ó].] [F.: *ser(o)* + *-oso.* Hom./Par.: *ceroso* (a.).]

seroterapia (se.ro.te.ra.*pi*.a) *sf. Ter.* Tratamento medicinal pelo soro obtido de organismo imunizado; IMUNOTERAPIA, SOROTERAPIA [F.: *ser(o)-* + *-terapia.*]

serotonina (se.ro.to.*ni*.na) *sf. Quím.* Substância cristalina existente no cérebro dos vertebrados e invertebrados, de importante ação tanto neurotransmissora (responsável pelas reações de prazer e bem-estar) como vasoconstritora, com propriedades que lembram as de algumas drogas alucinógenas [F.: Voc. farmacopeico.]

serpe (*ser*.pe) *sf.* **1** *Poét.* O mesmo que *serpente* **2** *Fig. Pop.* Mulher velha e muito feia **3** *Mil.* Antiga peça de artilharia **4** *Arq.* Linha ornamental em forma de serpente **5** *Poét.* Corrente de água que corre serpeando (serpes de cristal) [F.: Do lat. vulg. *serpes.*] ■ **Velho como a ~** Idoso, muito velho

serpeante (ser.pe.*an*.te) *a2g.* **1** Que serpeia; SERPEJANTE, SERPENTANTE, SERPENTEANTE **2** Que faz curvas ao se deslocar, como a serpente (rio serpeante); COLEANTE; ONDULADO [F.: *serpear* + *-nte.*]

serpear (ser.pe.*ar*) *v.* **1** Mover-se sinuosamente, arrastando-se pelo chão (cobra, serpente) [*int.*] **2** *Fig.* Deslocar-se de maneira sinuosa, como a serpente; ONDULAR [*int.*: *Os rios serpeiam pelo vale.*] **3** Envolver ou apertar como a serpente [*td.*] [▶ **13** serp**ear**] [F.: *serp(e)* + *-ear.* Sin. ger.: *serpejar, serpentar, serpentear.*]

serpentária (ser.pen.*tá*.ri.a) *sf. Bot.* Erva da fam. das aristoloquiáceas (*Aristolochia serpentaria*), nativa da América do Norte, tida como eficaz contra mordedura de cobra; SERPENTINA

serpentário (ser.pen.*tá*.ri.o) *sm.* **1** *Ornit.* Ave africana de rapina da família das sagitariídeas, *Sagitarius serpentarius*, que se alimenta de cobras e outro répteis, sendo tb. conhecida como secretário **2** *Bras.* Lugar onde se criam serpentes para estudo ou para extração de veneno [F.: *serpent(e)* + *-ário.*]

serpente (ser.*pen*.te) *sf.* **1** *Zool.* Termo geral us. para fazer referência às cobras, em especial às venenosas; SERPE; ÁSPIDE; VÍBORA **2** *Zool.* Espécime das serpentes, subordem de répteis conhecidos popularmente como cobras **3** *Fig.* Pessoa que se mostra maligna, traiçoeira; VÍBORA: *Aquele seu primo é uma serpente.* **4** *Fig.* De acordo com a tradição bíblica do Velho Testamento, presença do mal na Terra, ardiloso, imprevisível **5** *Fig.* Megera, mulher horrenda e rabugenta; BRUXA [F.: Do lat. cient. *Serpentes*, termo criado por Lineu em 1758.] ■ **~ Infernal** O diabo **~ Maldita** O diabo

serpenteado (ser.pen.te.*a*.do) *a.* **1** Cujo movimento ou traçado têm semelhança com os da serpente: *um rio serpenteado entre as serras. sm.* **2** Esse traçado: *o serpenteado dos pneus de um carro que derrapou.* **3** *Art. pl.* Modo de dispor a figura humana no Maneirismo; SERPENTINO: *o serpenteado nas figuras de Michelangelo.* [F.: Part. de *serpentear.*]

serpenteante (ser.pen.te.*an*.te) *a2g.* Que serpenteia, que se move sinuosamente; serpeante; COLEANTE [F.: *serpentea(r)* + *-nte.*]

serpentear (ser.pen.te.*ar*) *v. int.* **1** Arrastar-se como a serpente: *O ladrão serpenteou pelo lado da casa e entrou pela janela.* **2** Ter curso ou traçado sinuoso: *A estrada serpenteava na montanha.* [▶ **13** serpent**ear**] [F.: *serpente* + *-ear*[2]. Tb. *serpear.*]

serpenteio (ser.pen.*tei*.o) *sm.* Ação ou resultado de serpentear; SERPEIO: *O serpenteio da dançarina.* [F.: Dev. de *serpentear.* Hom./Par.: *serpenteio* (fl. de *serpentear*).]

serpentiforme (ser.pen.ti.*for*.me) *a2g.* Que tem forma de serpente; SERPENTINO; VIPERINO [F.: Do lat. tardio *serpentiformis, e.*]

serpentina (ser.pen.*ti*.na) *sf.* **1** Fita de papel colorido que se atira de uma das pontas no carnaval e se desenrola por cima das ruas, veículos, grupos de pessoas **2** Tubo metálico retorcido em muitas espirais, us. para aquecer ou esfriar líquidos, mantendo mais gelada, p. ex., a cerveja de barril (ou chope) entre o reservatório e a extração **3** Castiçal de braços tortuosos, em cujas extremidades se põem velas **4** Castiçal de três ramos e três lumes que se acende no Sábado de Aleluia **5** *Med.* Instrumento contraceptivo sinuoso, que se introduz no útero; dispositivo intrauterino **6** *Bot.* Serpentária **7** *Ant. Mil.* Peça de artilharia parecida com a colubrina **8** *Min.* Nome que se dá a vários silicatos hidratados de magnésio e ferro [F.: Do fr. *serpentine.*]

serpentinado (ser.pen.ti.*na*.do) *a.* Que tem forma de serpentina: *um tubo serpentinado.* [F.: *serpentina* + *-ado*[1].]

serpentino (ser.pen.*ti*.no) *a.* Ver *serpentiforme* [F.: Do lat. *serpentinus, a, um.*]

⊠ **Serpro** Sigla de *Serviço Federal de Processamento de Dados*

serra (*ser*.ra) *sf.* **1** Ferramenta cortante provida de lâmina ou disco de aço dentado, com que se corta madeira, metal, plástico etc. **2** A lâmina ou disco dessa ferramenta **3** *Fig.* Cadeia de montanhas **4** Lugar (cidade, sítio, casa) que se situa em região serrana: *Passou as férias na serra.* **5** *Fig.* Montão, pilha muito grande **6** *Ict.* Nome de vários peixes perciformes da família dos escombrídeos, de espinhos nas nadadeiras que lembram os dentes de uma serra [F.: Do lat. *serra, ae.*] ■ **Ir à ~** *Fam.* Irritar-se, zangar-se; subir à serra **~ tico-tico** Lâmina de serra muito estreita, montada num arco, com que se serram madeiras finas, papelão etc. num movimento de vaivém, e que, por sua estreiteza, pode acompanhar linhas de corte curvas **Subir à ~** *Bras. Fam.* Ver *Ir à serra* **Velho como a ~** Idoso, muito velho

serrã (ser.*rã*) *a. sf.* Fem. de *serrão*

serração (ser.ra.*ção*) *sf.* **1** Ação ou resultado de serrar **2** Oficina onde a madeira é serrada [Pl.: *-ções.*] [F.: *serrar* + *-ção.* Hom./Par.: *serração* (sf.), *cerração* (sf.).] ■ **~ da velha** **1** *Pop.* O meio da quaresma **2** Brincadeira de origem portuguesa, em desuso, na qual, num dos dias da Semana Santa, se serrava uma tábua pretendendo que fosse uma velha

serradela[1] (ser.ra.*de*.la) *sf. Bot.* Nome de duas plantas da família das leguminosas, serradela-estreita (*Ornythopus compressus*) e serradela-larga (*Biserrula pelecinus*): "As primeiras ervas são tenras. A serradela e a língua-de-ovelha crescem com a umidade." (Raul Brandão, *Memórias*) [F.: Do lat. * *serratella*, do lat. *serratula, ae*, 'betônica', posv.]

serradela[2] (ser.ra.*de*.la) *sf.* **1** Ação ou resultado de serrar: *É preciso dar uma serradela nos pés da mesa para nivelá-la.* **2** Cada um dos movimentos da serra: *Às vezes, entre uma serradela e outra, parava para descansar.* **3** Corte rápido dado com a serra: *Havia marcas de serradelas no tronco da árvore.* [F.: *serrar* + *-dela.*]

serrado[1] (ser.*ra*.do) *a.* **1** Que foi cortado com serra ou serrote **2** O mesmo que *serrátil* (1) **3** *Bot.* Diz-se de folha ou flor com contorno serreado (folha serrada) [F.: Do lat. *serratus, a, um*, do v.lat. *serrare*, 'serrar'. Hom./Par.: *serrado* (a.), *cerrado* (a. sm.).]

serrado[2] (ser.*ra*.do) *a.* Que tem aspecto semelhante ao dos dentes da serra [F.: *serra* + *-ado*[1].]

serrador (ser.ra.*dor*) *a.* **1** Que serra (instrumento serrador) *sm.* **2** Aquele ou aquilo que serra (serrador de chifres) **3** Serrote recurvado com que se corta palha para animais **4** *Bras. Ornit.* Pássaro escuro (*Volatinia jacarina*), da fam. dos emberizídeos, que se levanta e pousa com pequenos intervalos, tb. chamado *alfaiate* e *tiziu* **5** Pequena jangada dirigida por um homem e puxada por uma jangada maior **6** O homem que comanda essa pequena jangada [Tb. us. como adjetivo.] **7** *Ornit.* Nome comum de vários besouros que cortam galhos de árvores; tb. *serra-pau* **8** *Ornit.* Ave passeriforme da família dos emberizídeos (*Euphonia pectoralis*), com hábitat em floresta, presente no Brasil; tb. *ferro-velho* **9** *Bras. SP PR Dnç. Mús.* Dança em que os casais imitam o gesto de serrar como se estivessem com um serrote em uma das mãos e o outro braço fosse a madeira [F.: *serrar* + *-dor.*]

serradura (ser.ra.*du*.ra) *sf.* Ver serração [F.: *serra(r)* + *-dura.*]

serragem (ser.*ra*.gem) *sf.* **1** Material composto de pó e resíduos, fragmentos que se desprendem da madeira serrada **2** Ver *serração* [Pl.: *-gens.*] [F.: *serra(r)* + *-agem.*]

serra-leonense (ser.ra-le.o.*nen*.se) *s2g.* **1** Pessoa nascida ou que vive em Serra Leoa (oeste da África) [Pl.: *serra-leonenses.*] *a2g.* **2** De Serra Leoa; típico desse país ou de seu povo [Pl.: *serra-leonenses.*] [Tb. *serra-leonês.*]

serra-leonês (ser.ra-le.o.*nês*) *sm.* **1** Indivíduo nascido ou que vive em Serra Leoa (África) [Pl.: *serra-leoneses* [ê]. Fem.: *serra-leonesa* [ê].] *a.* **2** De Serra Leoa; típico dessa república ou de seu povo [Pl.: *serra-leoneses* [ê]. Fem.: *serra-leonesa* [ê].] [F.: Do top. *Serra Leoa* (sob. a f. *leon* -) + *-ês*, seg. o mod. erudito. Tb. *serra-leonense.*]

serralha (ser.*ra*.lha) *sf. Bot.* Nome de várias espécies de ervas da família das compostas, esp. *Sonchus arvensis*, hortaliça, originária da Europa e do Norte da Ásia, de folhas compridas e muito recortadas [F.: Do lat. tar. *sarralia, ae.*]

serralharia (ser.ra.lha.*ri*.a) *sf.* O mesmo que *serralheria* [F.: De *serralh-*, como em *serralheiro* (q.v.), + *-aria.*]

serralheiro (ser.ra.*lhei*.ro) *sm.* Aquele que conserta ou fabrica objetos de ferro [F.: De um der. do lat. vulg. *serraculum*, 'fechadura' (do v.lat. *serrare*, 'serrar'), + *-eiro*, posv. O voc. tem registro no vernáculo desde o séc. XV, enquanto seus derivados *serralheria* e *serralharia*, datam de 1858 e 1795, respectivamente.]

serralheria (ser.ra.lhe.*ri*.a) *sf.* **1** Arte ou técnica de fabrico ou conserto de objetos de ferro; SERRALHARIA **2** Oficina onde se fazem trabalhos de ferro batido ou forjado; SERRALHARIA [F.: De *serralh* -, como em *serralheiro* (qv.), + *-eria.*]

serralho (ser.*ra*.lho) *sm.* **1** Palácio do imperador, de príncipes ou dignitários do Estado otomano maometano **2** Em tal palácio, lugar onde vivem as mulheres; HARÉM **3** Conjunto dessas mulheres **4** *Fig.* Lugar onde prostitutas moram e recebem os homens; PROSTÍBULO; BORDEL; ALCOUCE; PUTEIRO [F.: Do it. *serraglio.*]

serrana (ser.*ra*.na) *sf.* **1** Mulher rústica, camponesa que habita as serras ou os matos: "As flores do silvedo verás inda nas tranças da serrana." (Castro Alves, *Espumas flutuantes*) **2** *Lus.* Espécie de canção popular da Beira **3** *Bras. RS* Bailado campestre, espécie de fandango [F.: Fem. substv. de *serrano.*]

serrania (ser.ra.*ni*.a) *sf.* Cadeia de serras ou montanhas; CORDILHEIRA; SERRARIA [F.: *serrano* + *-ia*[1].]

serranídeo (ser.ra.*ní*.de.o) *a.* **1** Ref. aos serranídeos *sm.* **2** *Zool.* Espécime dos serranídeos, fam. de peixes ger. marinhos encontrados nas áreas tropicais e temperadas, com mais de 400 spp., representados por badejos e garoupas [F.: Do lat. cient. fam. *Serranidae.*]

serrano (ser.*ra*.no) *a.* **1** Ref. a serras ou próprio delas **2** Originário das serras (queijo serrano) **3** Que nasceu ou vive nas serras (parente serrano) **4** *Fig.* Diz-se de indivíduo um tanto rústico **5** Diz-se de um certo tipo de linho *sm.* **6** Aquele que nasceu nas serras **7** *Fig.* Indivíduo rústico [F.: *serra* + *-ano*[1].]

serra-osso (ser.ra-*os*.so) *sm. Bras. AM Pop.* Arrasta-pé, baile popular [Pl.: *serra-ossos.*] [F.: *serra(r)* + *osso.*]

serrar (ser.*rar*) *v.* **1** Cortar com serra ou serrote [*td.*: *serrar madeira.*] **2** *Bras. Gír.* Conseguir (algo) de modo gratuito [*td.*: *Sem dinheiro, serrou um almoço.*] **3** Trabalhar com serra ou serrote [*int.*: *Passou a manhã serrando.*] **4** Produzir sonoridade parecida com o ruído de uma serra ou serrote [*int.*: *O pássaro serrava ao crepúsculo.*] [▶ **1** serr**ar**] [F.: Do v.lat. *serrare*, do lat. *serra, ae.* Hom./Par.: *serrar* (todas as fl.), *cerrar* (todas as fl.); *serra* (fl.), *serra* (sm. sf.); *serras* (fl.), *serras* (pl. do sm. e sf.); *serraria* (fl.), *serraria* (sf.); *serrarias* (fl.), *serrarias* (pl. do sf.); *serro* (fl.), *serro* [ê] (a. sm.), *cerro* [ê] (sm.), *Cerro* [ê] (top.).] ■ **~ de cima** Estar ou ficar em posição ou situação vantajosa; controlar, dominar

serraria[1] (ser.ra.*ri*.a) *sf.* **1** Estabelecimento onde se serram madeiras **2** Armação feita de esteios, travessas e outras peças, sobre a qual se colocam os toros da madeira que se quer serrar [F.: De *serr-*, como em *serrar*, + *-ia*[1].]

serraria[2] (ser.ra.*ri*.a) *sf.* O mesmo que *serrania* [F.: *serra* + *-aria.*]

serrariense (ser.ra.ri.*en*.se) *s2g.* **1** Aquele ou aquela que nasceu ou que vive em Serraria (RN) *a2g.* **2** De Serraria; típico dessa cidade ou de seu povo [F.: Do top. *Serraria* + *-ense.*]

serrátil (ser.*rá*.til) *a2g.* **1** Que tem o feitio recortado, como os dentes de uma serra; disposto em forma de serra; SERRADO, SERREADO **2** *Med.* Diz-se de pulso em que, quando aplicados os dedos sobre uma certa extensão da artéria, se sentem pulsações em diferentes pontos ao mesmo tempo **3** *Geom.* Diz-se de um prisma triangular oblíquo [Pl.: *-teis.*] [F.: Do lat. *serratus, a, um*, 'em forma de serra', 'serrado', + *-il.*]

serreado (ser.re.*a*.do) *a.* **1** Que se serreou **2** Que tem o feitio recortado, como os dentes de uma serra; SERRADO, SERRÁTIL: "Grimpas serreadas contrastam com os terrenos achanados em roda." (Euclides da Cunha, *Os sertões*) [F.: Part. de *serrear.*]

serrear (ser.re.*ar*) *v. td.* **1** Dar formato de serra a **2** Recortar no formato de uma serra denteada [▶ **13** serr**ear**] [F.: *serra* + *-ear.*]

◎ **serr(i)-** *el. comp.* = 'serra' (montanha ou instrumento denteado cortante): *serrano*[1], *serrar* (< lat.), *serrátil, serridênteo, serrirrostro* [F.: Do lat. *serra, ae.*]

serridênteo (ser.ri.*dên*.te.o) *a. Zool.* Que tem dentes serreados [F.: *serr(i)-* + *dente* + *-eo.*]

serrilha (ser.*ri*.lha) *sf.* **1** Sucessão de pontas angulosas (como as dos dentes de uma serra) no acabamento de um objeto industrial ou utilizada como adorno **2** Recorte denteado nas bordas de moeda ou no contorno de qualquer outro objeto **3** Barbela de ferro com pontas agudas, que serve para domar ou sofrear os animais de montaria **4** Moeda espanhola de prata [F.: *serra* + *-ilha.*]

serrilhado (ser.ri.*lha*.do) *a.* **1** Que tem serrilha(s) **2** Denteado como uma serra **3** Diz-se de papel, imagem etc. com bordas denteadas; PICOTADO **4** *Bot.* Diz-se de folha que tem as bordas muito recortadas [F.: Part. de *serrilhar.*]

serrilhar (ser.ri.*lhar*) *v.* **1** Abrir serrilhas em [*td.*] **2** Puxar as rédeas do cavalo quando o animal toma o freio nos dentes [*int.*] [▶ 1 serrilhar] [F.: *serrilha* + *-ar*[2]. Hom./Par.: *serrilha(s)* (fl.), *serrilha(s)* (sf. [pl.]; *serrilho* (fl.), *serrilho* (sm.).]

serrirrostro (ser.rir.*ros*.tro) *a. Zool.* Que tem o bico em forma de serra [F.: *serr(i)-* + *-rostro.*]

serro (*ser*.ro) [ê] *sm.* Aresta de um monte; ESPINHAÇO [F.: De *cerro*, com *s* por infl. de *serra*. Hom./Par.: *cerro* (sm.).]

serrote (ser.*ro*.te) *sm.* **1** Ferramenta de serra portátil instalada num cabo quase sempre de madeira, pelo qual é empunhada para o trabalho de cortar pequenas peças de madeira **2** *RN Dnç.* Tipo de dança popular, semelhante ao xote **3** *Mús.* Instrumento musical us. para acompanhar essa dança, que tem a forma de um serrote (1) e cuja lâmina é friccionada por um arco ou percutida por uma baqueta **4** Monte ou serra pequenos [F.: *serra* + *-ote.*]

sertanejo (ser.ta.*ne*.jo) [ê] *a.* **1** Ref. ao sertão ou próprio dele **2** Que nasceu ou vive no sertão: *Recrutaram soldados sertanejos.* **3** *Pej.* Que tem maneiras muito rudes **4** Ver *caipira* *sm.* **5** Aquele que nasceu ou vive no sertão **6** Aquele que tem maneiras muito rudes **7** Ver *caipira* [F.: *sertão* na f. *sertan-* + *-ejo.*]

sertanismo (ser.ta.*nis*.mo) *sm.* Simpatia pelas coisas do sertão: o homem, a região em que vive, seus costumes, seu folclore etc.: "...mostrar como o verdadeiro regionalismo, mais do que isso, o verdadeiro sertanismo, pode subir à categoria..." (*Jornal do Brasil*, 02.07.1981) [F.: *sertão* (f. rad. *sertan-*) + *-ismo.*]

sertanista (ser.ta.*nis*.ta) *a2g.* **1** *Bras.* Ref. a sertão ou próprio dele; sertanejo **2** Que é especialista em sertão, sua geografia física e humana **3** Que desbrava os sertões *s2g.* **4** Aquele ou aquela que é especialista em sertão **5** Aquele ou aquela que desbrava sertões [F.: *sertão* na f. *sertan-* + *-ista.*]

sertão (ser.*tão*) *sm.* **1** Região agreste e árida, longe dos centros urbanos e das zonas agrícolas: "O sertão está em toda parte." (Guimarães Rosa, *Grande sertão: veredas*) **2** A população que vive em tal área: *O sertão se levantou contra o governo.* **3** *Bras.* Toda a região árida do interior do Brasil, esp. a caatinga nordestina [Pl.: *-tões.*] [F.: obsc.] ▪▪ **~ bruto** *Bras.* Parte desabitada do sertão **~ de gravatá** *BA* Designação popular de uma área de terra coberta de gravatás **~ de pedra** *RN* O solo muito pedregoso situado além do vale do Ceará-Mirim

serva (*ser*.va) [é] *sf.* **1** Mulher que vive em estado de servidão; ESCRAVA **2** *P. ext.* Criada, empregada [F.: Do lat. *serva, ae.*] ▪▪ **~ de Deus** Mulher que pertence a comunidade religiosa; freira (1)

servente (ser.*ven*.te) *a2g.* **1** Que serve, que presta serviços; servidor *s2g.* **2** Empregado que presta serviços auxiliares de limpeza, arrumação, entrega de material e correspondência, em repartições, empresas, jornais, escritórios; CONTÍNUO **3** Na construção civil, trabalhador que auxilia o mestre (servente de pedreiro) [F.: Do lat. *serviens, entis.*]

serventia (ser.ven.*ti*.a) *sf.* **1** Qualidade ou característica do que serve, do que é útil; UTILIDADE; PRÉSTIMO: *Não encontrei nenhuma serventia para essa máquina.* **2** Condição de servo; SERVIDÃO **3** Passagem pública em terreno ou área particular **4** Função exercida pelo servente (2) **5** *Bras.* Desempenho do trabalho de serventuário [F.: *servent(e)* + *-ia.*]

serventuário (ser.ven.tu.*á*.ri.o) *sm.* **1** Funcionário que trabalha em órgão público, mas não recebe do Estado, sendo remunerado pelos emolumentos cobrados por seu serviço (oficial de justiça, escrivão e outros) **2** Funcionário público em geral [F.: *servent(e)* + *-uário.*]

serviçal (ser.vi.*çal*) *a2g.* **1** Ref. a criados, servidores **2** Que gosta e tem o hábito de prestar serviços ou favores, de ser útil, ajudar; PRESTATIVO [Pl.: *-çais.*] *s2g.* **3** Aquele ou aquela que presta serviço assalariado; EMPREGADO; CRIADO [F.: *serviç(o)* + *-al.*]

servicinho (ser.vi.*ci*.nho) *sm.* **1** Pequeno serviço: *Doente, só fazia servicinhos leves.* **2** *Pop. Pej.* Serviço rápido, ger. de pouco valor: *Fez um servicinho muito do chinfrim.* **3** Tarefa ilegal, ilícita, por vezes criminosa: "Tenho um servicinho... Sei que o senhor é capaz..." (Luiz Wanderley Torres, *O trabuqueiro piedoso*) [F.: *serviço* + *-inho.*]

serviço (ser.*vi*.ço) *sm.* **1** Ação ou resultado de servir **2** Desempenho de alguma tarefa, trabalho ou atividade (serviço doméstico) **3** Realização de trabalho remunerado; EMPREGO; OCUPAÇÃO: *Está sem serviço há cinco meses.* **4** Local onde se realiza esse trabalho: *Há dias não aparece no serviço.* **5** Condição ou estado de quem serve a outrem **6** Algo que se faz a alguém sem esperar pagamento ou retribuição; FAVOR; OBSÉQUIO **7** Forma de atender, de providenciar as coisas (serviço rápido) **8** Conjunto de peças (pratos, talheres, guardanapos) us. numa refeição **9** Conjunto dos acepipes servidos em recepção ou reunião, e o modo como se apresentam (serviço de *buffet*) **10** Percentagem de uma conta de hotel, restaurante etc. destinada ao pagamento dos funcionários **11** *Bras.* Oferecimento de pães, pastas, azeitonas e outros petiscos consumidos num restaurante enquanto se esperam os pratos principais: *Vou dispensar o serviço* **12** *Rel.* Celebração dos ritos que constituem uma cerimônia religiosa (serviço da missa) **13** Local de passagem para empregados e trabalhadores subalternos (porta/elevador de serviço) **14** Vaso sanitário, latrina; PRIVADA; SENTINA **15** *Econ.* Terceiro setor de produção, aquele cujo produto não assume a forma de mercadoria (como os da agricultura e da indústria), mas satisfaz necessidades indispensáveis como, p. ex., o transporte, as comunicações, a educação, a saúde **16** *Econ.* Pagamento de qualquer tipo de dívida, incluindo a amortização do montante principal, os juros, as comissões etc. (serviço da dívida) **17** *Esp.* Jogada inicial no vôlei, tênis, tênis de mesa, em que um jogador, com as mãos ou com a raquete, arremessa a bola para o lado adversário da quadra ou da mesa; SAQUE **18** *Bras. Rel.* Em religiões afro-brasileiras, oferenda que se faz a Exu; DESPACHO: *Fizeram um serviço com muitos alguidares.* **19** *Gír.* Assassínio encomendado: *Contratou o pistoleiro para o serviço.* **20** No artesanato das rendeiras, denominação do lavor **21** *Mil.* Nas forças armadas, setor ou corpo de combatentes paralelo ao das "armas" e incumbido de prover necessidades gerais como as de administração, suprimentos, material (serviço de intendência) [F.: Do lat. *servitium, ii.*] ▪▪ **~ ativo** O tempo e a atividade de servidor (civil ou militar) no período em que efetivamente exerce suas funções **~ de carregação** *Bras* Serviço feito se capricho ou cuidado, ger. às pressas **~ de gancho** *N. E. Fam.* Serviço, tarefa etc. de difícil execução **~ de informações** **1** *Bras.* Aquele, ger. do Estado, que trata de obter e processar informações, ger. de caráter secreto **2** O pessoal, as instituições, os equipamentos, instalações e métodos etc. mobilizados nessa atividade [Sin. ger.: *serviço secreto, inteligência.*] **~ de utilidade pública** Serviço útil prestado pelo Estado à sociedade mediante pagamento pelos que o utilizam **~ militar** A formação e o treinamento militar obrigatórios aos cidadãos designados para isso pelo Estado, ou que se alistaram voluntariamente **~ secreto** *Antq.* Ver *Serviço de informações* **~ social** Serviço público ou privado de assistência a pessoas ou famílias visando à melhora de suas condições de vida **Dar o ~** *Bras. Gír.* Num interrogatório, contar o que sabe, confessar, denunciar outros etc. **De ~** **1** Em prédios comerciais ou residenciais, diz-se de acesso (porta, elevador etc.) para mercadorias ou determinados funcionários ou empregados [P. op. nesta acp., a *social.*] **2** Em serviço, trabalhando ou escalado para trabalhar em turno ou plantão **Fazer um ~** *N. E. Pop.* Assassinar alguém por encomenda, ger. mediante pagamento combinado **Não brincar em ~** **1** *Bras.* Estar atento para executar corretamente tarefa ou função, ou fazê-lo: *Aquele zagueiro não brinca em serviço, marca a bola e o adversário.* **2** Não deixar escapar oportunidade **Ser ~** *Bras. Fam.* Ser penoso, difícil, desagradável: *Trabalhar com aquele sujeito é serviço!*

servidão (ser.vi.*dão*) *sf.* **1** Condição de servo, de escravo; ESCRAVIDÃO; CATIVEIRO: *A servidão dos negros durou séculos.* **2** Condição de quem é totalmente dominado por algo ou alguém; SUJEIÇÃO; SUBMISSÃO **3** *P. us. Jur.* Numa propriedade particular, área que pode ser utilizada como passagem, sem necessidade de consentimento do proprietário; SERVENTIA: *Há uma servidão para a casa dos fundos.* **4** *Soc.* Relação de dependência econômica e cultural entre uma classe social (dominada) e outra (dominante), esp. no sistema feudal [Pl.: *-dões.*] [F.: Do lat. *servitudo, inis.*]

servido (ser.*vi*.do) *a.* **1** Que se serviu **2** Provido, abastecido [F.: Part. de *servir.*]

servidor (ser.vi.*dor*) [ô] *sm.* **1** Pessoa que trabalha em instituição pública ou empresa; FUNCIONÁRIO: *A fundação despediu quinhentos servidores.* **2** Qualquer trabalhador remunerado; CRIADO; DOMÉSTICO **3** *Inf.* Computador que centraliza e compartilha os dados e serviços de uma rede [F.: Do lat. *servitor, oris.*] ▪▪ **~ público** *Jur.* Aquele que exerce função pública, permanente ou temporária, pertencendo ou não ao quadro do funcionalismo

servil (ser.*vil*) *a2g.* **1** Ref. a servo ou próprio deste (trabalho servil) **2** *Fig.* Que se mostra submisso, subserviente; CAPACHO; PUXA-SACO **3** *Fig.* De caráter frouxo, vil; BAIXO; CALHORDA **4** *Fig.* Que segue estritamente o original ou modelo (tradução servil) [Pl.: *-vis.*] [F.: Do lat. *servilis, e.*]

servilidade (ser.vi.li.*da*.de) *sf.* **1** Caráter de servil, espírito de servidão; SERVILISMO **2** *Pej.* Falta de dignidade ante aqueles de quem se depende: *servilidade a modelos e modas importados e rentáveis.* **3** Adulação, bajulação, puxa-saquismo: *a servilidade da maioria ao acatar as indicações errôneas dos dirigentes.* [F.: *servil* + *-i-* + *-dade.*]

servilismo (ser.vi.*lis*.mo) *sm.* Característica ou comportamento de quem é servil, subserviente [F.: *servil* + *-ismo.*]

servilizado (ser.vi.li.*za*.do) *a.* Que se tornou servil [F.: Part. de *servilizar.*]

sérvio (*sér*.vi.o) *sm.* **1** Pessoa nascida ou que vive na Sérvia, uma das repúblicas que resultaram do desmembramento da antiga Iugoslávia (Europa oriental) **2** *Gloss.* A língua falada na Sérvia *a.* **3** Da Sérvia; típico desse país ou de seu povo **4** Do ou ref. ao sérvio (2)

servir (ser.*vir*) *v.* **1** Estar a serviço de (alguém) como servo, escravo ou criado, ou sê-lo [*td.*: *Servir um senhor/um amo.*] [*ti.* + *a.*: *Ele serve a bons patrões; Servia como mucama a um barão do café.*] [*ta.*: *Ambos serviam na corte.*] **2** Trabalhar para (alguém ou instituição) como funcionário, ou sê-lo [*td.*: *servir um hospital/um tribunal.*] [*ti.* + *a*: *Servir (de secretário) a um parlamentar.*] [*ta.*: *servir num ministério.*] **3** Prestar o serviço militar, ou ser militar (em arma) [*td.*: *servir a infantaria.*] [*tr.* + *a*: *Ele vai servir ao Exército.*] [*int.*: *Serviu toda a vida e agora está reformado.*] **4** Prestar assistência; CUIDAR [*td.*: *servir os filhos/um enfermo.*] [*ti.* + *a*: *servir (de guia) a um cego.*] [*int.*: *A nova babá não serve bem.*] **5** Consagrar-se ou prestar bons serviços, a [*td.*: *servir a pátria/um rei.*] [*ti.* + *a*: *servir de conselheiro a um presidente.*] [*int.*: *Não pensa em si, vive para servir.*] [*tr.* + *a*: *Servir a uma justa causa.*] **6** Pôr sobre (a mesa); oferecer (comida, bebida etc.); ou atender em restaurante, loja etc. [*td.*: *servir uma bacalhoada/um charuto.*] [*tdi.* + *a*: *Serviu aos convidados um vinho tinto.*] [*int.*: *Esse garçom serve muito bem.*] **7** Utilizar-se ou valer-se de, ou tomar para si (comida, bebida etc.) [*tr.* + *de*: *Servir-se de uma ferramenta/um licor/um cigarro; Serviram-se de todos os argumentos para convencê-lo.*] **8** Fazer as vezes de [*ti.* + *a, para*: *Que isso lhe sirva de exemplo; Estes dados serviram de base para a pesquisa.*] [*tp.*: *A tenda de campanha servia de enfermaria.*] **9** Ser conveniente ou adequado a, ou útil ou proveitoso para [*ti.* + *a, para*: *Este emprego não lhe serve; Suas observações serviram a todos de alerta.*] [*int.*: *Conta outra, que essa não serviu.*] [*tr.* + *para*: *Ele não serve para lidar com o público.*] **10** Ajustar-se em [*tr.* + *em*: *A roupa serviu no menino; A toalha não serviu na mesa.*] [*int.*: *A calça serviu.*] **11** Tirar partido de [*tr.* + *de*: *Serviu-se de todos os meios para enriquecer.*] **12** Ser proveitoso [*tr.* + *de*: *Achava que ser muito educado não servia de nada.*] **13** Ser apropriado [*tir.* + *de, para/a*: *O conselho não serviu de estímulo para o aluno.*] [*tr.* + *para*: *Essa ferramenta não serve para abrir o motor.*] **14** Ser útil ou prestimoso a [*ti.* + *a*: *Não faz outra coisa senão servir à mulher.*] **15** *Esp.* Em certos jogos com bola, fazer o saque [*int.*: *Aquele jogador é o melhor em servir.*] **16** Trabalhar como criado, como empregado [*td.*: *Aquele mordomo é que serve a casa de seu patrão; Esse rapaz serve a empresa há quase dez anos.*] **17** Ter utilidade, serventia [*int.*: *Esse martelo velho não serve mais.*] **18** Haver bor bem, achar oportuno, dignar(-se) [*td.* *tr.* + *de*: *Vossa Excelência sirva-se (de) fazer o que foi prometido durante a campanha eleitoral.*] [▶ **50** servir] [F.: Do lat. *servire*. Hom./Par.: *servia(s)* (fl.), *sérvia(s)* (a. substv. fem. *sérvio* [pl.]).]

servo (*ser*.vo) [é] *sm.* **1** Pessoa que não dispõe de liberdade e é, juridicamente, propriedade de outra; ESCRAVO; CATIVO **2** Empregado doméstico; CRIADO; SERVIÇAL **3** *Hist.* Na sociedade feudal, pessoa que prestava serviços a seu senhor em troca de suprimentos e proteção *a.* **4** Que se encontra em condições de escravo **5** Que desempenha a função de criado [F.: Do lat. *servus, i*. Hom./Par.: *cervo* (sm.).]

servo-croata (ser.vo-cro.*a*.ta) *sm.* **1** *Gloss.* Língua falada na Croácia (Europa oriental) *a2g.* **2** Que pertence ou se refere simultaneamente à Sérvia e à Croácia, ou à sua língua [Pl.: *servo-croatas.*]

servofreio (ser.vo.*frei*.o) *sm. Mec.* Nos automóveis, dispositivo que só atua com o motor em funcionamento e auxilia o freio hidráulico utilizando o vácuo produzido dentro de um reservatório (cuíca) e reduzindo sensivelmente o esforço do motorista ao pisar no pedal do freio para parar o carro ou diminuir a velocidade [F.: *servo-* + *freio.*]

servomecanismo (ser.vo.me.ca.*nis*.mo) *sm. Mec.* Dispositivo que controla automaticamente movimentos mecânicos; SERVOSSISTEMA [F.: *servo-* + *mecanismo.*]

servomotor (ser.vo.mo.*tor*) [ô] *sm.* **1** *Mec.* Aparelho regulador dos motores **2** Motor elétrico, hidráulico ou de outro tipo que transmite a outro a energia que recebe, us. esp. para movimentar mecanismos difíceis de manobrar, como peças de artilharia pesada, lemes de grandes navios, arranque de máquinas de vapor etc. [F.: *servo-* + *motor.*]

servossistema (ser.vos.sis.*te*.ma) *sm.* O mesmo que *servomecanismo* [F.: *servo-* + *sistema.*]

sésamo (*sé*.sa.mo) *sm. Bot.* Ver *gergelim* [F.: Do lat. *sesamum, i.*]

⊠ **Sesc** Sigla de *Serviço Social do Comércio*

sesgo (*ses*.go) [ê] *a.* **1** Que tende para o lado; OBLÍQUO; SERPEANTE; TORCIDO [Ant.: *reto.*] **2** *Ant.* Tranquilo, sossegado [Ant.: *agitado, movimentado.*] [F.: Do cast. *sesgo.*]

⊠ **Sesi** Sigla de *Serviço Social da Indústria*

sesmaria (ses.ma.*ri*.a) *sf.* **1** Terra não cultivada ou abandonada **2** *Hist.* Terras que o rei de Portugal doava aos novos colonizadores, com a promessa de cultivo **3** *RS* Medida agrária equivalente a 6.600 m [F.: *sesm(a)* + *-aria.*]

sesmarial (ses.ma.ri.*al*) *a2g.* Ref. a sesmaria: "A partir da suspensão do regime sesmarial, em 1822, até a edição da Lei n° 601, de 1850, o acesso à terra passou a ser feito através da posse." (Antônio José de Mattos Neto, *A questão agrária no Brasil*) [Pl.: *-ais.*] [F.: *sesmaria* + *-al.*]

sesmeiro (ses.*mei*.ro) *sm.* **1** *Hist.* Magistrado português que dividia e distribuía as sesmarias **2** Aquele a quem era doada uma sesmaria [F.: *sesm(a)* + *-eiro.*]

◎ **sesqui-** *Pref.* = um e meio: *sesquicentenário, sesquicloreto, sesquilinear*

sesquicentenário (ses.qui.cen.te.*ná*.ri.o) ***sm.*** **1** O 150º aniversário ou sua comemoração ***a.*** **2** Que tem 150 anos (cidade sesquicentenária) [F.: *sesqui-* + *centenário*.]

sesquipedal (ses.qui.pe.*dal*) ***a2g.*** **1** Que tem um pé e meio de comprimento **2** Diz-se de palavra ou verso de muitas sílabas: *Inconstitucionalissimamente é uma palavra sesquipedal.* **3** *Joc. P. ext.* Extremamente grande; DESCOMUNAL; ENORME; IMENSO: "...entrar nessa sociedade portentosa, universal e sesquipedal, onde se aprendem os verdadeiros direitos do homem." (Martins Pena, *Os irmãos das almas – ato único*) [Ant.: *diminuto, mínimo*.] [Pl.: *-dais*.] [F.: Do lat. *sesquipedalis, e*.]

sessão (ses.*são*) ***sf.*** **1** Tempo em que uma assembleia se mantém em reunião **2** Essa reunião **3** Cada apresentação de um espetáculo musical, teatral ou cinematográfico, no mesmo dia: *Só conseguiu entrar na sessão das oito.* **4** Tempo durante o qual se realiza uma atividade específica (sessão de fotos/de psicoterapia/de ginástica) [Pl.: *-sões*.] [F.: Do lat. *sessio, onis*. Hom./Par.: *cessão* (sf.), *seção* (sf.).]

sessar (ses.*sar*) ***v. td.*** *Bras.* Passar pela urupema; PENEIRAR [▶ 1 sessar] [F.: Do quimb. *kusesa*. Hom./Par.: *cessar* (todos os tempos do v.); *sesses* (fl.), *Séssis* (top.); *sesso* (fl.), *sesso* /ê/ (sm.).]

sessenta (ses.*sen*.ta) ***num.*** **1** Quantidade correspondente a 59 unidades mais uma **2** Número que representa essa quantidade (arábico: 60; romano: LX) **3** Diz-se do elemento sexagésimo de uma série qualquer: *Está na mesma rua, mas na casa sessenta.* [F.: Do lat. *sexaginta*.]

sessentão (ses.sen.*tão*) ***a. sm.*** *Pop.* O mesmo que *sexagenário* [Fem.: *-tona*.] [F.: *sessenta* + *-ão*.]

sessentenário (ses.sen.te.*ná*.ri.o) ***sm.*** Sexagésimo aniversário de alguém ou de algum fato importante (sessentenário sacerdotal) [F.: *sessenta* + *-enário*.]

sessentista (ses.sen.*tis*.ta) ***a2g.*** Ref. aos anos de 1960: *a música sessentista; o estilo sessentista.* [F.: *sessenta* + *-ista*.]

sessentona (ses.sen.*to*.na) ***sf.*** Mulher sexagenária [F.: Fem. de *sessentão*.]

séssil (*sés*.sil) ***a2g.*** **1** Que não possui suporte **2** *Biol.* Diz-se de órgão diretamente fixado à parte principal do corpo de um ser vivo **3** *Bot.* Diz-se de folha, flor ou fruto sem suporte (haste, pecíolo, pedúnculo), diretamente preso ao tronco ou a um ramo da planta [Pl.: *-seis*.] [F.: Do lat. *sessilis, e*, 'que serve de assento'; 'de base larga'; 'rente'; 'sem pé'.]

◎ **sessil(i)-** ***el. comp.*** = 'sem suporte ou pedúnculo'; 'séssil'; 'rente': *sessilifloro, sessilifoliado* [F.: Do lat. *sessilis, e*, 'que serve de assento'; 'de base larga'; 'rente'; 'sem pé'.]

sessilifloro (ses.si.li.*flo*.ro) ***a.*** *Bot.* Que tem flores sésseis [F.: *sessil(i)-* + *-floro*.]

sessilifoliado (ses.si.li.fo.li.*a*.do) ***a.*** *Bot.* Que tem folhas sésseis [F.: *sessil(i)-* + *foliado*.]

sesso (*ses*.so) [ê] ***sm.*** *Pop.* Par de nádegas; ASSENTO; TRASEIRO [F.: Do lat. *sessus, us*. Hom./Par.: *sesso* (fl. de *sessar*), *cesso* (fl. de *cessar*).]

⊠ **Sest** Sigla de *Secretaria de Coordenação e Controle das Empresas Estatais*

sesta (*ses*.ta) [ê] ***sf.*** **1** Período de tempo, após o almoço, em que se dorme ou se descansa **2** O sono ou o descanso após o almoço [F.: Do lat. *sexta, ae*. Hom./Par.: *cesta* (sf.), *sexta* (sf.).] ∎ **Fazer a ~** Dormitar ou descansar depois do almoço

sesteada (ses.te.*a*.da) *RS* ***sf.*** **1** Ação de sestear **2** Lugar no campo em que se almoça e dorme a sesta: "Volta ao lugar da sesteada e já não encontra o cinto com as moedas." (Augusto Meyer, *Prosa dos pagos*) [F.: Fem. substv. de *sesteado*.]

sestear (ses.te.*ar*) ***v.*** **1** Dormir a sesta [***int.***: *Sesteou a tarde toda.*] **2** Abrigar (o gado) do calor [***td.***] [▶ 13 sestear] [F.: *sesta* + *-ear*[2].]

sesteiro (ses.*tei*.ro) ***sm.*** **1** Medida equivalente a três ou quatro alqueires **2** *Ant.* Peso de arrátel e meio **3** *Ant.* Medida de capacidade para líquidos equivalente a um sexto do côngio [F.: Do lat. *sextarius, ii*. Hom./Par.: *cesteiro* (sm.).]

sestércio (ses.*tér*.ci.o) ***sm.*** *Ant. Num.* Moeda de cobre, entre os romanos: "A pérola com que conquistou a Servília, mãe de Bruto, lhe custou seiscentos sestércios." (Francisco Rodrigues Lobo, *Corte na aldeia*) [F.: Do lat. *sestertius, ii*.]

sestro (*ses*.tro) [ê] ***a.*** **1** Que está à esquerda; ESQUERDO **2** *Fig.* Que traz infortúnio; AGOURENTO; SINISTRO ***sm.*** **3** Gesto ou comportamento que uma pessoa repete involuntariamente; MANIA; CACOETE **4** Força a que se atribui a determinação dos acontecimentos da vida; DESTINO; SINA **5** Manha para se evitar algo desagradável; MARANHA; RONHA [F.: Do lat. *sinister, tra, trum*. Hom./Par.: *sestro* (sm.), *cestro* (sm.).]

sestroso (ses.*tro*.so) [ô] ***a.*** **1** Que tem manha **2** Que é esperto, sagaz; MALANDRO [Pl.: [ó]. Fem.: [ó].] [F.: *sestr(o)* + *-oso*.]

⊕ **set** (*Ing.* /*sét*/) ***sm.*** **1** *Esp.* Conjunto de pontos que constitui uma etapa em jogo de tênis ou voleibol **2** *Cin. Telv.* Local preparado para a realização de filmagens

seta[1] (*se*.ta) ***sf.*** **1** Arma que se compõe de uma haste com uma extremidade pontiaguda e a outra dotada de penas, para ser arremessada com arco ou besta; FLECHA **2** Sinal gráfico em forma de flecha (1), que se usa para indicar uma direção **3** Ponteiro do relógio **4** Pelo duro e longo; cerda **5** *Fig.* Palavra ou dito que se emprega para ferir ou magoar alguém; FARPA; FERROADA: *Não há proteção contra as setas da calúnia.* **6** *Fig.* Tudo o que tem poder de penetração: *As setas de seu olhar quase o fulminam.* [F.: Do lat. *sagitta, ae*.]

seta[2] (*se*.ta) ***s2g.*** **1** Pessoa pertencente a um povo indiano de entre os rios Ganges e Indo ***a2g.*** **2** Dos ou ref. aos setas [F.: Do lat. *setae, arum*.]

seta[3] (*se*.ta) ***sf.*** **1** *Bot.* Pelo longo e teso; CERDA **2** Haste que sustenta a cápsula de várias briófitas; CERDA [F.: Do lat. *seta, ae*.]

seta[4] (*se*.ta) ***sf.*** *Lus.* Variedade de cogumelo comestível [F.: De or. obsc.]

setáceo (se.*tá*.ce.o) ***a.*** **1** Que é da natureza das sedas ou dos pelos do porco **2** Que tem cerdas; provido de cerdas; CERDOSO **3** *Bot.* Diz-se de órgão provido de setas[2] [F.: *seta*[2] + *-áceo*. Hom./Par.: *cetáceo* (a. sm.).]

sete (*se*.te) ***num.*** **1** Quantidade correspondente a seis unidades mais uma **2** Número que representa essa quantidade (arábico: 7; romano: VII) ***sm.*** **3** Representação do número sete, em algarismos: *Gravou um sete no poste, com o estilete.* **4** Carta ou peça de jogo com esse número: *Só tinha um sete de paus.* **5** Nota sete, em avaliação ou exame: *Com aquele sete, estava aprovado.* [F.: Do lat. *septem*.] ∎ **Pintar o ~ 1** Fazer travessuras, diabruras, artes: *Durante a aula eles são uns anjinhos; no recreio, pintam o sete.* **2** Divertir-se muito, cair na farra. **3** Desempenhar-se muito bem, fazer coisas extraordinárias [(+ *com, em*): *Ele pinta o sete com o/no clarinete.*] **4** Atormentar, maltratar (alguém) [+ *com*: *Os sequestradores pintaram o sete com o refém até serem presos.*]

sete-casacas (se.te-ca.*sa*.cas) ***sf2n.*** **1** *MG SP PR SC RS Bot.* Planta da família das mirtáceas (*Britoa selloviana*) **2** *Bot.* Planta leguminosa-papilionácea (*Machaerium angustifolium*) **3** *Bot.* Árvore da fam. das leguminosas, de caule grosso, nativa do Brasil e cujo suco é antídoto contra picadas de cobra; tb. *camboatã-mosquiteiro* (*Machaerium aculeatum*) **4** *Bot.* Arbusto ou árvore nativa do Brasil, Paraguai e Argentina, de frutos amarelos, carnosos e comestíveis; tb. *guabiroba-de-são-paulo* (*Campomanesia guazumifolia*)

setecentista (se.te.cen.*tis*.ta) ***a2g.*** **1** Ref. ao séc. XVII ou ao que aconteceu nesse século **2** Ref. ao setecentismo **3** Diz-se de escritor, artista ou pensador do séc. XVII ***s2g.*** **4** Artista, escritor ou pensador desse século [F.: *setecent(os)* + *-ista*.]

setecentos (se.te.*cen*.tos) ***num.*** **1** Quantidade correspondente a 699 unidades mais uma **2** Número que representa essa quantidade (arábico: 700; romano: DCC) ***sm2n.*** **3** O séc. XVIII: *Nasceu nos setecentos a maior parte da modernidade.* [F.: *sete* + pl. de *cento*.]

sete-cores (se.te-*co*.res) ***sm2n.*** *Bras. Ornit.* Espécie de saíra variegada; tb. *saíra-de-sete-cores* (*Tangara seledon*)

sete-couros (se.te-*cou*.ros) ***sm2n.*** *N. E.* Designação de uma espécie de tumor, formado no calcanhar, sob a planta do pé; SETE-COIROS

sete e meio (se.te e *mei*.o) ***sm2n.*** *Lud.* Jogo de cartas em que, inicialmente, se retiram do baralho os coringas e as cartas com os números oito, nove e dez, e em que cada participante tenta fazer sete pontos e meio ou aproximar-se dessa pontuação

sete em porta (se.te em *por*.ta) ***sm2n.*** *RS Lud.* Jogo de cartas, espécie de bacará, com 21 ou mais baralhos numa caixa da qual o banqueiro tira duas cartas e nestas recebe as apostas, pagando a metade delas quando a carta é a primeira a ser tirada, ou a *sair em porta*, e ganhando, quando isto acontece, o total apostado na outra carta

seteira (se.*tei*.ra) ***sf.*** **1** *Hist.* Cada uma das aberturas estreitas no alto de uma muralha, por onde os arqueiros e besteiros atiravam suas setas contra os sitiantes ou inimigos **2** Fresta para iluminação na parede de um edifício [F.: *set(a)* + *-eira*.]

setembrista (se.tem.*bris*.ta) ***s2g.*** **1** *Hist. Pol.* Aquele que foi partidário da revolução de setembro de 1836, em Portugal: "Capitaneava então uma guerrilha patuleia estreme, no Bom Jesus do Monte, um Bento José Gomes, esturrado setembrista." (Camilo Castelo Branco, *Maria da Fonte*) [Por opos. a *cartista*.] ***a2g.*** **2** Ref. àquela revolução ou à doutrina da ala esquerda do liberalismo português (movimento setembrista; ministério setembrista) **3** Que foi partidário daquela revolução [F.: *setembro* + *-ista*.]

setembro (se.*tem*.bro) ***sm.*** *Cron.* O nono mês do ano (Com 30 dias.) [F.: Do lat. *september, bris*.]

setemesinho (se.te.me.*si*.nho) ***a.*** **1** Diz-se de criança nascida ao completar apenas sete meses de vida intrauterina ***sm.*** **2** Essa criança [F.: *sete* + *mês* + *-inho*.]

setenal (se.te.*nal*) ***a2g.*** Que se dá ou sucede de sete em sete anos; SEPTENAL [Pl.: *-nais*.] [F.: *seten-* + *-al*.]

setenário (se.te.*ná*.ri.o) ***a.*** **1** Diz-se do que se constitui de sete unidades ou de número de sete algarismos ***sm.*** **2** Período de sete dias ou sete anos **3** *Rel.* Festa de sete dias [F.: Do lat. *septenarius, a, um*.]

setenato (se.te.*na*.to) ***sm.*** **1** *Hist.* Governo instituído na França em 1873, assim chamado por ter tido uma duração de sete anos **2** *P. ext.* Governo ou poder político exercido durante um setênio; SEPTENATO [F.: *seten-* + *-ato*.]

setênfluo (se.*tên*.flu.o) *Poét.* ***a.*** **1** Que flui por sete embocaduras; SEPTÊNFLUO: "Da setênflua corrente eram prata os caudais." (Antônio Feliciano de Castilho, *Os fastos, de Ovídio*) **2** Que emana de sete fontes [F.: Do lat. *septemfluus, um*.]

setenial (se.te.ni.*al*) ***a2g.*** Que dura um setênio; SEPTENIAL [Pl.: *-ais*.] [F.: *setênio* + *-al*.]

setênio (se.*tê*.ni.o) ***sm.*** Período de sete anos; setenário [F.: Do lat. *septennium*.]

setenta (se.*ten*.ta) ***num.*** **1** Quantidade correspondente a 69 unidades mais uma **2** Número que representa essa quantidade (arábico: 70; romano: LXX) **3** Setuagésimo de uma série ***sm.*** **4** Representação do número setenta, em algarismos: *Trazia um setenta gravado na pulseira.* [F.: Do lat. *septuaginta*.]

setentano (se.ten.*ta*.no) ***a.*** Diz-se de data em que se comemoram setenta anos: *festa do seu aniversário setentano.* [F.: *setenta* + *-ano*.]

setentão (se.ten.*tão*) ***a.*** **1** Que tem setenta anos de idade ***sm.*** **2** Aquele que completou setenta anos de idade [Pl.: *-tões*. Fem.: *-tona*.] [F.: *setenta* + *-ão*. Sin. ger.: *septuagenário, setuagenário*.]

setentista (se.ten.*tis*.ta) ***a2g.*** **1** Que é admirador dos fatos ou movimentos acontecidos nos anos setenta, esp. em relação às artes, à música, aos esportes etc.: *um artista setentista.* **2** Que aconteceu ou se revelou nos anos setenta (música setentista) ***s2g.*** **3** Aquele que aprecia os acontecimentos dos anos setenta: *Grande parte dos setentistas é apaixonada pelo rock.* [F.: *setenta* + *-ista*.]

setentona (se.ten.*to*.na) ***sf.*** Mulher que completou setenta anos de idade; SEPTUAGENÁRIA; SETUAGENÁRIA [F.: Fem. de *setentão*.]

setentrião (se.ten.tri.*ão*) ***sm.*** **1** Polo norte **2** Regiões que ficam no norte **3** *Ant.* Vento norte [Pl.: *-ões*.] [F.: Do lat. *septentrio, onis*.]

setentrional (se.ten.tri.o.*nal*) ***a2g.*** **1** Ref. ao setentrião, ao norte **2** Que está localizado no norte; BOREAL **3** Que é natural do norte ou nele habita (populações setentrionais) [Pl.: *-nais*.] [F.: Do lat. *septentrionalis, e*.]

setenviral (se.ten.vi.*ral*) ***a2g.*** Que diz respeito a setênviro; SEPTENVIRAL [Pl.: *-rais*.] [F.: Do lat. *septemviralis, e*.]

setênviro (se.*tên*.vi.ro) ***sm.*** *Hist.* Nome de cada um dos sacerdotes que tinham a seu cargo a fiscalização dos banquetes oferecidos aos deuses e dos que se davam em seguida aos jogos públicos; SEPTÊNVIRO [F.: Do lat. *septemvir, i*.]

sete-oitavos (se.te-oi.*ta*.vos) ***a2g2n.*** **1** Diz-se de peça do vestuário que cobre quase que totalmente a parte do corpo a que se destina, como p. ex., a meia sete-oitavos (cobre a perna até acima do joelho e ger. é us. com cinta-liga), o casaco sete-oitavos (de mangas compridas que vai até a altura dos joelhos) etc. ***s2g2n.*** **2** Essa peça do vestuário: *O 'sete-oitavos' é uma peça coringa, toda mulher tem que ter um.*

sete-sangrias (se.te-san.*gri*.as) *Bot.* ***sf2n.*** **1** *Bras.* Planta da família das salicíneas (*Cuphea ingrata*); MATA-CANA **2** *Bras.* Planta estirácea (*Barbarama tetranda*) **3** Erva rasteira da família das borragináceas (*Heliotropium clausenii*); SETE-SANGRIAS-AMARELA **4** Planta vivaz, tb. da família das boragináceas (*Lithospermum officinale*); ALJÔFAR; ERVA-PÉROLA; MILHO-DO-SOL **5** *Bras.* Árvore da família das simplocáceas (*Symplocos pubescens*); SABOEIRO **6** Pequeno arbusto nativo do Mediterrâneo e usado para ornamentação; tb. *alcar* (*Helianthemum tuberaria*) **7** Planta nativa da África; tb. *erva-das-sete-sangrias* (*Heliotropium undulatum*) **8** Árvore nativa do Brasil da qual se extrai tinta amarela e cujas folhas serreadas são usadas em chás; tb. *pau-de-cangalha* (*Symplocos parviflora*)

◎ **set(i)-** ***Pref.*** = cerda, seda: *sedado, sedar, sedeiro, sedenho, setiforme*

setífero (se.*tí*.fe.ro) ***a.*** **1** Ref. a seda **2** Que produz seda; SEDÍGERO; SEPTÍFERO **3** *Bot.* Que tem uma ou muitas sedas [F.: *set(i)-* + *-fero*. Sin. ger.: *septífero*.]

setiforme (se.ti.*for*.me) ***a2g.*** Que parece seta (3), cerda, ou tem aspecto de cerda [F.: *set(i)-* + *-forme*.]

setilha (se.*ti*.lha) ***sf.*** *Poét.* Estrofe de sete versos; septena [F.: *set(i)-* + *-ilha*.]

setilhão (se.ti.*lhão*) ***num.*** Mil sextilhões [Pl.: *-lhões*.] [F.: *set(i)-* + *-ilhão*.]

sétima (*sé*.ti.ma) ***sf.*** **1** *Lud.* No jogo dos centos, sete cartas do mesmo naipe **2** *Mús.* Intervalo de dois sons que distam um do outro sete graus, compreendidos nestes os dois extremos **3** *Mús.* Intervalo de sete semitons da escala maior (sétima maior) **4** *Mús.* Intervalo de sete semitons da escala menor (sétima menor) **5** *Poét.* Estrofe de sete versos; HEPTETO [F.: Fem. substv. de *sétimo*.]

setimestre (se.ti.*mes*.tre) ***a2g.*** **1** Que tem sete meses ***sm.*** **2** Espaço de sete meses ininterruptos [F.: Do lat. *septemmestris, e*. Sin. ger.: *septimestre*.]

sétimo (*sé*.ti.mo) ***num.*** **1** Ordinal que, numa sequência, corresponde ao número sete (sétima fileira) ***a.*** **2** Que é sete vezes menor do que a unidade ou um todo: *Só o sétimo lote estava disponível.* ***sm.*** **3** A sétima parte: *Coube-lhe um sétimo da herança.* [F.: Do lat. *septimus, a, um*.]

setingentésimo (se.tin.gen.*té*.si.mo) ***num.*** **1** Ordinal que, numa sequência, corresponde ao número setecentos ***a.*** **2** Que é setecentas vezes menor do que a unidade ou um todo: *Contou a setingentésima parcela do dinheiro.* ***sm.*** **3** A setingentésima parte [F.: Do lat. *septingentesimus, a, um*.]

setissílabo (se.tis.*sí*.la.bo) ***a.*** **1** Que tem sete sílabas; heptassílabo (verso setissílabo) ***sm.*** **2** Palavra ou verso com sete sílabas [F.: *sept-* + *-i-* + *-sílabo*.]

setor (se.*tor*) [ô] ***sm.*** **1** Campo de atividade, interesse ou especialização (setor esportivo/de história/de pediatria); RAMO **2** Divisão ou subdivisão de território, região, cidade: *Vasculharam o setor noroeste do território.* **3** Divisão ou subdivisão no interior de instituição, empresa, loja; SEÇÃO: *Foram apenas ao setor de brinquedos.* **4** *Mil.* Parte do teatro de operações confiada a uma determinada unidade de combatentes **5** *Geom.* Num círculo, superfície compreendida entre dois raios e o arco que eles limitam **6** *Geom.* Volume, dentro de um cone, limitado por uma superfície curva **7** *Astron.* Instrumento formado por um arco de

20 a 30 graus e um óculo, us. na observação das estrelas **8** *Econ.* Cada uma das grandes subdivisões do sistema econômico (setor agrícola/industrial/de serviços) [F.: Do lat. *sector, oris.* Tb. *sector.*] ■ **~ circular** *Geom.* Figura geométrica plana limitada por dois raios de uma circunferência e pelo arco de circunferência que eles delimitam [Tb. apenas *setor.*] **~ esférico** *Geom.* Sólido gerado pela rotação de um setor circular em torno de um diâmetro situado no mesmo plano (pode ser externo ao setor circular, ou ser suporte de um de seus raios) **~ informal** *Econ.* Ver *Economia informal* **~ poligonal** *Geom.* Superfície plana limitada por uma linha poligonal e dois segmentos de reta que unem os pontos extremos desta linha a um mesmo ponto externo a ela **~ primário** *Econ.* Conjunto de atividades econômicas atinentes à produção de mercadorias não transformadas [Ex.: extrativismo vegetal e mineral.] **~ secundário** *Econ.* Conjunto de atividades econômicas produtivas atinentes à transformação de matérias-primas em produtos acabados [Ex.: indústria de transformação.] **~ terciário** *Econ.* Conjunto de atividades produtivas (serviços em geral) de que não resultam bens materiais, ou tangíveis [Ex.: indústria do turismo, comércio.]

setorial (se.to.ri.*al*) ***a2g.*** Ref. a setor (documentação/avaliação setorial) [Pl.: *-ais.*] [F.: *setor* + *-i-* + *-al.*]

setorialista (se.to.ri.a.*lis*.ta) ***a2g.*** **1** Ref. a setor ou a setorial ***a2g. s2g.*** **2** *Jorn.* O mesmo que *setorista* [F.: *setorial* + *-ista.*]

setorialização (se.to.ri.a.li.za.*ção*) ***sf.*** Ato ou efeito de setorializar(-se) [Pl.: *-ções.*] [F.: *setorializar* + *-ção.*]

setorializado (se.to.ri.a.li.*za*.do) ***a.*** Que se setorializou; dividido em setores [F.: Part. de *setorializar.*]

setorialmente (se.to.ri.al.*men*.te) ***adv.*** De modo setorial, por setor: *As providências foram tomadas setorialmente.* [F.: *setorial* + *-mente.*]

setorista (se.to.*ris*.ta) *Jorn.* ***a2g.*** **1** Diz-se de repórter que é escalado para cobrir os assuntos relacionados a determinados eventos ou a associações, entidades governamentais, delegacias policiais, hospitais etc; SETORIALISTA: *repórter setorista de clubes esportivos.* ***s2g.*** **2** Esse profissional (setorista de polícia) [F.: *setor* + *-ista.*]

setorização (se.to.ri.za.*ção*) ***sf.*** Ação ou resultado de setorizar; divisão em setores [Pl.: *-ções.*] [F.: *setorizar* + *-ção.*]

setorizado (se.to.ri.*za*.do) ***a.*** Que se setorizou, se dividiu em setores (1 a 3) [F.: Part. de *setorizar.*]

setorizar (se.to.ri.*zar*) ***v. td.*** Atribuir a, ou distribuir por setores [▶ 1 setorizar] [F.: *setor* + *-izar.*]

setoso (se.*to*.so) [ô] ***a.*** *Bot.* Que tem seta[2] (1) [Pl.: [ó]. Fem.: [ó].]

⊕ ***set-point*** (*Ing.* /sét-point/) ***sm.*** *Esp.* Nos jogos de tênis ou vôlei, o ponto final e decisivo de um set

setuagenário (se.tu.a.ge.*ná*.ri.o) ***a.*** **1** Ver *septuagenário* ***sm.*** **2** Ver *septuagenário* [F.: Do lat. *septuagenarius, a, um.*]

setuagésimo (se.tu.a.*gé*.si.mo) ***a.*** **1** Ver *septuagésimo* ***sm.*** **2** Ver *septuagésimo* [F.: Do lat. *septuagesimus, a, um.*]

setubalense (se.tu.ba.*len*.se) ***s2g.*** **1** Aquele ou aquela que nasceu ou que vive em Setúbal (Portugal) ***a2g.*** **2** De Setúbal; típico dessa cidade ou de seu povo [F.: Do top. *Setúbal* + *-ense.*]

setuplicar (se.tu.pli.*car*) ***v.*** Ver *septuplicar* [▶ 11 setuplicar]

sétuplo (*sé*.tu.plo) ***num.*** **1** Que é sete vezes maior ou tem sete vezes uma quantidade: *A distância é o sétuplo da que esperávamos.* ***sm.*** **2** Quantidade ou tamanho sete vezes maior: *O sétuplo de 2 é 14.* [F.: Do lat. *septuplus, a, um.* Tb. *séptuplo.*]

seu ***pr. poss.*** **1** Que pertence ou diz respeito à(s) pessoa(s) com quem se fala (você(s)): *Leve o seu carro para lavar.* **2** Que pertence ou diz respeito à(s) pessoa(s) ou coisa(s) de que se fala (ele(s), ela(s)); DELE; DELA: *Ela me deu seu telefone.* **3** Que convém a essa(s) pessoa(s), lhe(s) interessa, lhe(s) serve, lhe(s) cabe, lhe(s) é devido etc.: *Tomou seu chá à mesma hora; Terá enfim seu merecido prêmio; Erra o seu compositor.* **4** Certo, algum: *O lugar tem seu atrativo.* ***pr. pess.*** **5** Na linguagem corrente, tratamento de respeito ou cortesia equivalente a Sr. (Seu Juca; seu Maneco), ou de intenção agressiva, às vezes jocosa, ger. antes de a: *Vai-me pagar, seu safado.* ***sm.*** **6** O que pertence à pessoa de que se fala: *Defende o seu (dinheiro); Não mistura o seu com os deles.* [F.: Do lat. *suus, sua, suum.*] ■ **Ter de ~ 1** Ter bens de fortuna; não ser pobre: *É um homem que tem de seu.* **2** Possuir de fato e de direito; ser dono de (algo) e poder contar com isso **3** Dispor de: *Trabalha demais, não tem de seu um minuto.*

seus ***pr. indef.*** **1** Expressão de dúvida ou indefinição sobre um valor qualquer; CERCA DE; APROXIMADAMENTE: *Tinha já seus quarenta anos; A relação tem os seus problemas.* **2** Conjunto dos parentes de uma pessoa; FAMÍLIA: *Quem sai aos seus não degenera.* [F.: Pl. de *seu.*] ■ **Os ~ s 1** A família, os familiares (daquele de quem se fala ou daquele com quem se fala) **2** Os amigos, as pessoas ligadas por interesses comuns, os aliados

seu-vizinho (seu-vi.*zi*.nho) ***sm.*** *Fam.* O dedo da mão que fica entre o médio e o mínimo; ANULAR [Pl.: *seus-vizinhos.*]

seva[1] (*se*.va) ***sf.*** *Bras.* Ação de sevar a mandioca [F.: Dev. de *sevar*. Hom./Par.: *seva* (fl. de *sevar*), *ceva* (sf. e fl. de *cevar*).]

seva[2] (*se*.va) ***sf.*** *Bras.* Cipó ou corda horizontal, em que se penduram as folhas do tabaco para secar [F.: De or. obsc. Hom./Par.: Ver *seva*[1].]

sevadeira (se.va.*dei*.ra) ***sf.*** **1** *Bras.* Mulher empregada na seva da mandioca **2** A roda us. para sevar a mandioca **3** Aparelho us. para ralar a mandioca no preparo da farinha; SEVADOR [F.: *sevar* + *-deira.*]

sevandija (se.van.*di*.ja) ***sf.*** **1** *Zool.* Denominação comum a todos os insetos parasitas ou vermes: "Entre as suas energúmenas teve ela a dita de limpar uma das sujidades da sevandija infernal." (Camilo Castelo Branco, *Vinte horas*) ***s2g.*** **2** *Fig.* Pessoa que vive à custa alheia; PARASITA: "Nós, os ingleses, somos um povo de livres que é ao mesmo tempo um povo de sevandijas." (Eça de Queirós, *Notas contemporâneas*) **3** *Fig.* Aquele que sofre todas as humilhações sem mostrar ressentimento [F.: Do cast. *sabandija.*]

sevar (se.*var*) ***v. td.*** *Bras.* Colocar (as raízes da mandioca) no caititu para fazer a massa da qual se produz a farinha [▶ 1 sevar] [F.: prov. alt. de *sovar.* Hom./Par.: *cevar* (todos os tempos do v.); *seva(s)* (fl.), *ceva* (s. f. e pl.) e *seva* (sf., f. de sevo[adj.] e pl.); *sevada* (f. sevado[part.]), *cevada* (sf.); *sevado* (part.), *cevado* (a. s. m.); *sevo* (fl.), *sevo* (a.).]

severidade (se.ve.ri.*da*.de) ***sf.*** **1** Qualidade ou característica de severo **2** Atitude ou comportamento rigoroso, de rara transigência e pouca, ou nula, concessão: *A severidade de sua arte o engrandeceu.* **3** Inflexibilidade de caráter, rigidez moral: *Sua severidade inibia os jovens.* **4** Característica própria de clima rigoroso, que apresenta condições extremas [F.: Do lat *severitas, atis.*]

severinense (se.ve.ri.*nen*.se) ***s2g.*** **1** Aquele ou aquela que nasceu ou que vive em Severínia (SP) ***a2g.*** **2** De Severínia; típico dessa cidade ou de seu povo [F.: Do top. *Severín(ia)* + *-ense.*]

severo (se.*ve*.ro) ***a.*** **1** Concebido ou aplicado com rigor (punição severa) **2** Que não é indulgente, brando ou flexível (juiz severo); INFLEXÍVEL; RIGOROSO; RÍGIDO **3** Que é sério, grave (lesão severa) **4** Que é ríspido, áspero (palavras severas) **5** Que exige seriedade, circunspecção: *Dedicou-se a severos estudos de geografia.* **6** Que realiza suas atividades, tarefas ou obrigações com aplicação e correção (profissional severo) **7** *Fig.* Diz-se do que é expresso com sobriedade e firmeza: *Sua música sinfônica é severa e de fundo folclórico.* **8** Acentuado, bem definido: *A fronteira, ali, tem uma demarcação severa.* [F.: Do lat. *severus, a, um.*]

seviciador (se.vi.ci:a.*dor*) [ô] ***a.*** **1** Que sevicia, que fez ou faz sevícias ***sm.*** **2** Aquele que sevicia, que fez ou faz sevícias [F.: *sevicia(r)* + *-dor.*]

seviciar (se.vi.ci.*ar*) ***v. td.*** Submeter (alguém) a sevícias; maltratar fisicamente: *Prenderam o homem e o seviciaram.* [▶ 1 seviciar] [F.: *sevícia* + *-ar*[2]. Hom./Par.: *sevicia(s)* (fl.), *sevícia(s)* (sf. [pl.]).]

sevícias (se.*ví*.ci:as) ***sfpl.*** Prática da crueldade física e psíquica; ESPANCAMENTO; TORTURA; MAUS-TRATOS [F.: Pl. de *sevícia.*]

sevilhana (se.vi.*lha*.na) ***sf.*** **1** Navalha grande, de folha curva: "Ainda hoje existem produtos industriais conhecidos pela proveniência local, tais como o cordovão, a damasquina, a sevilhana." (Teófilo Braga, *Sistema de sociologia*) **2** Variedade de azeitona; LONGAL **3** *Mús.* Canto popular de Sevilha **4** *Ant. Têxt.* Tecido de origem sevilhana [F.: Fem. substv. de *sevilhano.*]

sevilhano (se.vi.*lha*.no) ***a.*** **1** Que diz respeito a Sevilha (Espanha); HISPALENSE **2** Diz-se da cutelaria fabricada nessa cidade: "Puxei o meu navalhão sevilhano, decepei um dos galhos." (Eça de Queirós, *A relíquia*) **3** De Sevilha (Espanha); típico dessa cidade ou de seu povo ***sm.*** **4** Pessoa nascida ou que mora em Sevilha (Espanha) [F.: Do top. *Sevilha* + *-ano.*]

◎ **sex-** ***el. comp.*** = 'seis': *sexagenário, sexagésimo, sexênio, sextilha.*

sexagem (se.*xa*.gem) [cs] ***sf.*** *Gen.* Método us. para a identificação do sexo, esp. de aves, pel a análise de material genético ou exame das gônadas [Pl.: *-gens.*] [F.: *sexar* + *-agem.*]

sexagenário (se.xa.ge.*ná*.ri:o) [cs] ***a.*** **1** Que se encontra na faixa dos 60 anos de idade (namorado sexagenário); SESSENTÃO ***sm.*** **2** Aquele que se encontra na faixa dos 60 anos de idade [F.: Do lat. *sexagenarius, a, um.*]

sexagesimal (se.xa.ge.si.*mal*) [cs] ***a2g.*** **1** Ref. a sessenta **2** *Mat.* Diz-se de fração cujo denominador é potência de sessenta **3** Que se divide em sessenta ou se baseia em divisão desse tipo (sistema sexagesimal) [Pl.: *-mais.*] [F.: *sexagésim(o)* + *-al.*]

sexagésimo (se.xa.*gé*.si.mo) [cs] ***num.*** **1** Ordinal que, numa sequência, corresponde ao número sessenta ***a.*** **2** Diz-se de parte que é sessenta vezes menor do que a unidade ou do que um todo: *Só recebeu a sexagésima parte da herança.* ***sm.*** **3** A sexagésima parte de algo: *um sexagésimo da fazenda.* [F.: Do lat. *sexagesimus, a, um.*]

sexangular (se.xan.gu.*lar*) [cs] ***a2g.*** *Geom.* Que tem seis ângulos; HEXANGULAR; SEXANGULADO; SEXÂNGULO [F.: *sex-* + *angular.*]

sexângulo (se.*xân*.gu.lo) [cs] ***a.*** *Geom.* O mesmo que *sexangular* [F.: *sex-* + *ângulo.*]

⊕ ***sex appeal*** (*Ing.* /sécs apil/) ***loc. subst.*** Encanto, sensualidade que produz forte atração e desejo no sexo oposto

sexcentésimo (sex.cen.*té*.si.mo) [cs] ***num.*** **1** Ordinal que, numa sequência, corresponde ao número seiscentos ***a.*** **2** Diz-se de parte que é seiscentas vezes menor do que a unidade ou do que um todo: *Só recenseou a sexcentésima parte da população.* ***sm.*** **3** A sexcentésima parte de algo: *um sexcentésimo do município.* [F.: Do lat. *sexcentesimus, a, um.*]

sexenal (se.xe.*nal*) [cs] ***a2g.*** **1** Que se refere a sexênio **2** Que sucede de seis em seis anos [Pl.: *-nais.*] [F.: Do rad. *sexen-* (< lat. *sexennis, e* 'que tem seis anos') + *-al.*]

sexênio (se.*xê*.ni:o) [cs] ***sm.*** Período de seis anos [F.: Do lat. *sexennium, ii.*]

◎ **sex(i)-** ***el. comp.*** = 'sexo': *sexífero, sexismo, sexista, sexofobia, sexologia, sexólogo, sexomania, sexuado* [F.: Do lat. *sexus, i* ou *us.*]

sexismo (se.*xis*.mo) [cs] ***sm.*** Atitude ou comportamento que envolva preconceito ou discriminação sexual: *Há sexismo em certas manifestações do machismo e do feminismo.* [F.: *sex(i)-* + *-ismo.*]

sexista (se.*xis*.ta) [cs] ***a2g.*** **1** Que manifesta discriminação sexual (dirigente sexista) ***s2g.*** **2** Pessoa sexista [F.: *sex(i)-* + *-ista.*]

◎ **sexo-** ***el. comp.*** Ver *sex(i)-*

sexo (*se*.xo) [cs] ***sm.*** **1** Conjunto de características que, nos seres humanos, nos animais e nas plantas, distinguem o sistema reprodutor, seus contrastes e suas interações (sexo feminino/masculino) **2** Conjunto de pessoas que pertencem ao mesmo sexo: *Só vendia roupa íntima para o belo sexo.* **3** *Bras.* Órgão sexual, masculino ou feminino; GENITÁLIA: *Deixou o sexo à mostra.* **4** Ato ou prática sexual: *Fez sexo com a colega.* **5** *Psi.* Comportamento humano com relação à libido; SEXUALIDADE **6** *Psi.* Tendência a realçar a vida e experiência sexual; SENSUALIDADE; EROTISMO; LASCÍVIA; LUXÚRIA: *Só pensa em sexo.* [F.: Do lat. *sexus, us.*] ■ **Fazer ~** Ter relações sexuais

🕮 As características sexuais de um ser humano, cujo conjunto chamamos de 'sexo', são, na reprodução, transmitidas geneticamente pelo resultado da combinação do par de cromossomos que determina o sexo. Toda mulher tem um par de cromossomos X, e todo homem tem um cromossomo X e um Y. Assim, se na combinações de cromossomos do feto resultar um par XX, este será do sexo feminino; se resultar um par XY, será do sexo masculino. Os órgãos do sistema reprodutor da mulher são o ovário, as trompas e o útero (e a vagina como receptáculo do pênis e do sêmen na relação sexual); os do homem são os testículos e a próstata (e o pênis como penetrador na vagina e ejaculador do sêmen na relação sexual). Os caracteres sexuais secundários são determinados pelos hormônios feminino (o estrogênio) ou masculino (a testosterona). Há casos em que não há prevalência determinante de elementos determinadores da sexualidade, o que pode levar à existência no mesmo indivíduo de órgãos reprodutores de um sexo e caracteres secundários de outro (como no hermafroditismo, homossexualismo etc.).

sexofobia (se.xo.fo.*bi*.a) [cs] ***sf.*** Temor ou aversão ao sexo ou a relações sexuais [F.: *sexo-* + *fobia.*]

sexofóbico (se.xo.*fó*.bi.co) [cs] *Psiq.* ***a.*** **1** Ref. ou pertencente à sexofobia **2** Diz-se de indivíduo que sofre se sexofobia, que é avesso a relações sexuais; SEXÓFOBO ***sm.*** **3** *Psiq.* Esse indivíduo; SEXÓFOBO [F.: *sexofobia* + *-ico*[2].]

sexófobo (se.*xó*.fo.bo) [cs] ***a. sm.*** O mesmo que *sexofóbico* (2 e 3) [F.: *sexo-* + *-fobo.*]

sexofone (se.xo.*fo*.ne) [cs] ***sm.*** *Vulg.* Circunstância em que duas ou mais pessoas trocam simultaneamente, ao telefone, palavras sensuais e de forte apelo erótico, chegando, por vezes, ao clímax fisiológico [F.: *sexo-* + *-fone.* Hom; / Par.: *sexofone* (sm.), *saxofone* (sm.).]

sexologia (se.xo.lo.*gi*.a) [cs] ***sf.*** Estudo científico da sexualidade [F.: *sexo-* + *-logia.*]

sexológico (se.xo.*ló*.gi.co) [cs] ***a.*** Ref. à sexologia [F.: *sexologia* + *-ico*[2].]

sexologista (se.xo.lo.*gis*.ta) [cs] ***s2g.*** Aquele ou aquela que é especialista em sexologia [F.: *sexologia* + *-ista.*]

sexólogo (se.*xó*.lo.go) [cs] ***sm.*** Especialista em sexologia; SEXOLOGISTA [F.: *sexo-* + *-logo.*]

sexomania (se.xo.ma.*ni*.a) [cs] ***sf.*** *Psiq.* Distúrbio psíquico que leva o indivíduo a pensar exclusivamente em sexo, transformando um sentimento natural em obsessão [F.: *sexo-* + *-mania.*]

sexomaníaco (se.xo.ma.*ní*.a.co) [cs] ***a.*** **1** Diz-se daquele que tem obsessão por sexo ou por relações sexuais ***sm.*** **2** Esse alguém [F.: *sexoman(ia)* + *-íaco*, segundo o mod. gr.]

⊕ ***sex shop*** (*Ing.* /secschóp/) ***loc. subst.*** Comércio de artigos eróticos, estimuladores do apetite sexual

⊕ ***sex symbol*** (*Ing.* /sécs símbal/) ***loc. subst.*** Homem ou mulher que simbolizam o ideal da beleza física e, por este motivo, despertam admiração e/ou desejo

sexta[1] (*sex*.ta) [ê] ***sf.*** *Mús.* Intervalo de seis notas na escala diatônica [F.: Fem. substv. de *sexto.* Hom./Par.: *sexta* (sf.), *cesta* (sf.), *sesta* (sf.).]

sexta[2] (*sex*.ta) [ê] ***sf.*** Ver sexta-feira [F.: F. red. de *sexta-feira.* Hom./Par.: *sexta* (sf.), *cesta* (sf.), *sesta* (sf.).]

sexta[3] (*sex*.ta) ***sf.*** **1** Entre os romanos, parte do dia entre o meio-dia e as três da tarde **2** *Litu.* Na Igreja católica, hora canônica equivalente ao meio-dia **3** *Litu.* O ofício religioso que se realiza nessa hora [F.: Do lat. *sexta.* Hom./Par.: *sexta* (sf.), *cesta* (sf.), *sesta* (sf.).]

sexta-doença (sex.ta-do.*en*.ça) ***sf.*** *Pat.* Virose aguda que evolui lentamente e se manifesta em crianças; exantema súbito; ROSÉOLA [Pl.: *sextas-doenças.*]

sexta-feira (sex.ta-*fei*.ra) ***sf.*** Sexto dia da semana, que se segue à quinta-feira e precede o sábado [Pl.: *sextas-feiras.*] ■ **~ da Paixão** *Rel.* A sexta-feira da Semana Santa, dia em que se relembra a crucifixão e morte de Jesus; Sexta-feira Maior, Sexta-feira Santa **~ Maior** Ver *Sexta-feira da Paixão* **~ Santa** Ver *Sexta-feira da Paixão*

sextante (sex.*tan*.te) ***sm.*** **1** A sexta parte do círculo, arco de 60 graus **2** *Náut.* Instrumento ótico com disco graduado que toma a sexta parte do círculo e serve para medir a altura dos astros, a fim de orientar a navegação marítima ou aérea [F.: Do lat. *sextans, antis.*] ⁘ **~ de bolha** Sextante, muito us. na navegação aérea, no qual um nível que serve de referência substitui a visada ao horizonte

sextavado (sex.ta.*va*.do) ***a.*** Que tem seis faces (parafuso sextavado); HEXAGONAL [F.: Part. de *sextavar.*]

sextavar (sex.ta.*var*) ***v. td.*** Dar forma de seis ângulos, ou dar seis faces a [▶ 1 sextavar] [F.: *sex-* + *-tavar.*]

sexteto (sex.*te*.to) [ê] *Mús.* ***sm.*** **1** Composição para seis executantes (vozes ou instrumentos); sêxtuor **2** Conjunto formado por seis músicos ou cantores; sêxtuor **3** *Poét.* Estrofe de seis versos; SEXTILHA [F.: Do it. *sestetto.*]

◎ **sext(i)-** ***el. comp.*** = 'sexto', 'seis': *sextanista, sextil, sextilha, sextilhão, sextina* [F.: Do lat. *sextus, a, um.*]

sextil[1] (sex.*til*) [sês] ***a2g.*** **1** *Astrol.* Diz-se do posicionamento de dois astros afastados um do outro por 60° (aspecto sextil) **2** *Est.* Diz-se de qualquer separatriz que divide a área de uma distribuição de frequência em domínios cujas áreas são múltiplos inteiros de um sexto da área primitiva ***sm.*** **3** *Est.* Essa separatriz **4** *Astrol.* A configuração formada por dois astros separados por uma distância angular de 60°: *O sextil reflete a dinâmica de planetas separados por 60°, e suas influências em um Mapa aparecem, principalmente, no mundo intelectual do indivíduo.* [F.: *sexto* + *-il.*]

sextil[2] (sex.*til*) [sês] ***a2g.*** **1** Que diz respeito ao mês de agosto, o 6º mês dos romanos **2** Dizia-se, no calendário da 1ª República Francesa, do ano que tinha 6º dia complementar [F.: Do lat. *sextilis, e.*]

sextilha (sex.*ti*.lha) *Poét.* ***sf.*** **1** Estrofe de seis versos; SEXTETO **2** *Bras.* Estrofe de seis versos de sete sílabas, de rimas simples só nos versos pares, ou de rimas livres [F.: Do cast. *sextilla.*]

sextilhão (sex.ti.*lhão*) ***num.*** Mil quintilhões; sextilião [Pl.: *-lhões.*] [F.: Do fr. *sextillion.*]

sexto (*sex*.to) [ê] ***num.*** **1** Ordinal que, numa sequência, corresponde ao número seis (sexto andar) ***a.*** **2** Diz-se de parte que é seis vezes menor do que a unidade ou do que um todo: *A empresa só pagou a sexta parte dos salários.* ***sm.*** **3** A sexta parte de algo: *um sexto do bolo.* [F.: Do lat. *sextus, a, um.* Hom./Par.: *sexto* (num., a. e sm.), *cesto* (sm.).]

sextoanista (sex.to:a.*nis*.ta) [sês] ***a2g.*** **1** Diz-se de estudante do sexto ano de um curso escolar (aluno sextoanista) ***s2g.*** **2** Esse aluno ou aluna: *Namora um sextoanista de medicina.* [F.: *sexto* + *ano* + *-ista.*]

sêxtulo (*sêx*.tu.lo) [sês] ***sm.*** **1** Peso de quatro escrópulos, equivalente a cinco gramas e dez centigramas **2** A sexta parte da onça (1) [F.: Do lat. *sextula, ae*, com troca de gên.]

sextuplicado (sex.tu.pli.*ca*.do) [ês] ***a.*** **1** Que foi multiplicado por seis: *Com o aumento de servidores, o atendimento foi sextuplicado.* **2** Reproduzido em seis cópias: *Seu requerimento foi sextuplicado, conforme instruções, mas não foi atendido.* **3** Tornado seis vezes maior (prazo sextuplicado) [F.: Part. de *sextuplicar.*]

sextuplicar (sex.tu.pli.*car*) ***v. td. int.*** **1** Fazer seis vezes maior **2** Aumentar grandemente [▶ 11 sextuplicar] [F.: *sextúplice* + *-ar*[2].]

sêxtuplo (*sêx*.tu.plo) ***num.*** **1** Que é seis vezes maior que algo ou tem seis vezes sua quantidade: *Sua biblioteca é o sêxtuplo da minha.* ***sm.*** **2** Quantidade ou tamanho seis vezes maior: *Trinta é o sêxtuplo de cinco.* [F.: Do lat. medv. *sextuplus, a, um.*]

sêxtuplos (*sêx*.tu.plos) ***smpl.*** Gêmeos em número de seis [F.: Pl. de *sêxtuplo.*]

sexuadamente (se.xu:a.da.*men*.te) [cs] ***adv.*** De modo sexuado; por meio do sexo: *Os seres humanos reproduzem-se sexuadamente.* [F.: o fem. de *sexuado* + *-mente.*]

sexuado (se.xu:*a*.do) [cs] ***a.*** **1** Que envolve sexo (reprodução sexuada) **2** *Biol.* Diz-se de organismo vivo que tem células diferençadas para a reprodução [F.: *sexu-* na f. *sexu-* + *-ado.*]

sexual (se.xu:*al*) [cs] ***a2g.*** **1** Ref. a sexo (desejo sexual) **2** Que tem sexo **3** Que caracteriza os sexos (órgãos sexuais) [Pl.: *-ais.*] [F.: Do lat. tardio *sexualis.*]

sexualidade (se.xu:a.li.*da*.de) [cs] ***sf.*** **1** Qualidade ou característica do que é sexual **2** Caracteres que determinam o sexo (1) dos seres vivos **3** *Psic.* Comportamento humano com relação à libido e suas manifestações; SEXO (5) **4** Ver sexo (6) [F.: *sexual* + *-i-* + *-dade.*]

sexualismo (se.xu:a.*lis*.mo) [cs] ***sm.*** **1** Condição de quem tem sexo **2** Valorização excessiva da sexualidade (3 e 4) **3** Grande influência da sexualidade (3 e 4) no comportamento [F.: *sexual* + *-ismo.*]

sexualização (se.xu:a.li.za.*ção*) [cs] ***sf.*** **1** Ação ou resultado de sexualizar(-se), de dar ou tomar aspecto sexual **2** Ação ou resultado de obter energia e desenvolver tendência sexual: *Uma das consequências da sexualização precoce é a gravidez adolescente.* [Pl.: *-ções.*] [F.: *sexualizar* + *-ção.*]

sexualmente (se.xu:al.*men*.te) [cs] ***adv.*** **1** De modo sexual: *Abusaram sexualmente da adolescente.* **2** Por meio ou em razão do sexo: *doenças sexualmente transmissíveis.* [F.: *sexual* + *-mente.*]

⊕ ***sexy*** (*Ing. /sécsi/*) ***a2g2n.*** Que é sexualmente atraente ou excitante (atriz/ator/traje sexy); SENSUAL; ERÓTICO

sezão (se.*zão*) ***sf.*** **1** *Pat.* Febre periódica ou intermitente **2** V. *maleita* [Pl.: *-zões.*] [F.: contrv.]

sezonático (se.zo.*ná*.ti.co) ***a.*** **1** Diz-se de lugar em que habitualmente acontecem sezões (país sezonático) **2** Que provoca sezões (doença sezonática) **3** Que padece de sezões, que tem sezões, atacado de sezões; MALEITOSO: "Emergindo de uma espécie de letargia de leão sezonático, o barão urrava como dantes." (Camilo Castelo Branco, *O que fazem mulheres*) [F.: *sezão* sob a f. rad. *sezon* + *-ático.*]

sezonismo (se.zo.*nis*.mo) ***sm.*** *Pat.* O mesmo que *malária, impaludismo* [F.: *sezão* sob a f. rad. *sezon* + *-ismo.*]

⊠ **SF** *Mús.* Abrev. de *sforzando.*

◎ **-sfera** ***el. comp.*** = 'esfera'; 'globo': *atmosfera, barisfera, estratosfera* [F.: Do gr. *sphaîra, as*, pelo lat. *sphaera* ou *sphera, ae.* Outras formas: *esfer(i)-, esfero-* e *-sfério.*]

◎ **-sfério** ***el. comp.*** Ver -sfera: *hemisfério, planisfério* [F.: Do lat. cient. *spherium* ou *sphaerum.*]

⊕ **sforzando** (*It. /sfortsando/*) ***adv.*** *Mús.* Palavra italiana que nas partituras ou nos trechos musicais indica que se deve reforçar o som, passando gradualmente do piano ao forte [Abrev.: *SF.*]

shakespeariano (sha.kes.pea.ri:*a*.no) [xeiquispi] ***a.*** **1** Ref. ao poeta e dramaturgo inglês William Shakespeare (1564-1616), às suas obras, ao seu estilo, ao seu teatro **2** Que admira a obra de Shakespeare ou dela é conhecedor ***sm.*** **3** Admirador ou conhecedor da obra de Shakespeare [F.: Do antr. William *Shakespeare* + *-iano.*]

⊕ **shalom** (*Hebr. /xalom/*) ***interj.*** Cumprimento us. na chegada a algum lugar ou na saída dele, significando paz

⊕ ***shantung*** (*Chin. /chantung/*) ***sm.*** **1** *Têxt.* Tecido de aspecto irregular feito com fios de seda grossos e levemente torcidos, apresentando uma textura denominada *"flamê"*, muito usado em estofados, cadeiras e na decoração interna de ambientes **2** *P. ext.* Qualquer tecido com as mesmas características [F.: Do top. *Chan-Tung*, cidade da China.]

⊕ ***shape*** (*Ing. /chêip/*) ***sm.*** *Esp.* O formato das pranchas de esqueite ou surfe

⊕ ***share-of-market*** (*Ing. /chér ov márkit/*) ***sm.*** *Com.* Porção de investimento feito por consumidores em determinada marca, comparando-se com os valores gastos com as outras marcas concorrentes

⊕ ***sheik*** (*Ing. /chêic/*) ***sm.*** Chefe árabe; XEQUE [F.: Do ár. *xayh.*]

⊕ ***shekel*** (*Hebr. /chéquel/*) ***sm.*** **1** *Ant. Num.* Principal moeda de prata dos judeus em tempos bíblicos, originalmente igual em peso à 3ª milésima parte de um talento **2** *Ant. Num.* Denominação das moedas da Pérsia e Ásia Menor dos 5º e 4º séculos a. C; SIGLO **3** *Econ.* Unidade monetária de Israel [Cada *shekel* divide-se em 100 *agorot.* Há moedas de 1, 5 e 10 *agorot*; 1/2 *shekel*; 1, 5 e 10 *shekel*; cédulas de 1, 5, 10, 50 e 100 *shekel*]

sherloquiano (sher.lo.qui:*a*.no) ***a.*** Que diz respeito ao personagem investigador Sherlock Holmes, criado pelo médico e escritor britânico Sir Arthur Conan Doyle, ou que tem o seu estilo [Este personagem notabilizou-se por utilizar a lógica e métodos científicos na investigação e resolução de casos misteriosos]: "Quem faria o fatídico ato?/– Quem??? perguntava o delegado. / E com um ar sherloquiano / pegou o morto nas mãos." (Ricardo França, *O Poema que Morreu*) [F.: Do antr. *Sherlock* Holmes (com alter. de *ck* para *qu*) + *-iano.*]

⊕ ***shiatsu*** (*Jap. /chiátsu/*) ***sm.*** **1** Técnica japonesa (com base na medicina tradicional da China) em que se usam as pontas dos dedos para massagear os pontos acupunturais e os "meridianos" da energia vital **2** Massagem com essa técnica

⊕ ***shimmy*** (*Ing. /chími/*) ***sm.*** **1** *Dnç. Mús.* Dança de origem americana, surgida no início do séc. XX, em que os dançarinos sacudiam todo o corpo numa espécie de tremor **2** *P. ext. Autom.* Desequilíbrio ou falta de alinhamento das rodas dianteiras de um automóvel, trazendo, em consequência, uma trepidação excessiva que é transmitida ao volante, ao atingir-se determinada velocidade [Pl.: *shimmies.*] [F.: Red. de *shimmy-shake.*]

⊕ ***shopping*** (*Ing. /chópin/*) ***sm.*** *Com.* Red. de *shopping center.*

⊕ ***shopping center*** (*Ing. /chópin cênter/*) ***sm.*** Mesma coisa que "centro comercial": grande edifício com numerosas lojas, restaurantes, cinemas, tudo o que possa atrair o consumidor

⊕ ***short*** (*Ing. /chórt/*) ***sm. smpl.*** Calção esportivo para homem ou mulher de todas as idades

⊕ ***show*** (*Ing. /chôu/*) ***sm.*** Espetáculo mais ou menos artístico de música popular, humorismo, variedades etc., apresentado em teatro, rádio, televisão, casa noturna ou praça pública ⁘ **Dar (um) ~** **1** *Bras. Fig.* Desempenhar-se muitíssimo bem [+ *de* seguido de especificação da ação ou particularidade: *Aquela cantora deu um show (de afinação).*] **2** Fazer escândalo, uma cena: *Toda vez que a contrariam ela dá um show.* **Ser (um) show** *Bras. Pop.* Ser ótimo [Us. tb. como interj. que expressa forte aprovação.] **Show de bola** *Bras. Pop.* Diz-se do que é ótimo, que desperta forte aprovação ou entusiasmo

showmício (show.*mí*.ci:o) [ou] ***sm.*** *Bras. Pol.* Comício com apresentação de *show* musical, cantores populares etc. [F.: *show* + *(co)mício.*]

⊕ ***show-room*** (*Ing. /chôu-rum/*) ***sm.*** *Com.* Exposição para demonstração e venda de produtos comerciais e industriais a clientes revendedores ou consumidores finais

⊕ ***shoyo*** (*Jap. /chôio/*) ***sm.*** *Cul.* Molho de origem japonesa feito à base de soja, e muito us. nas culinárias japonesa e chinesa; SHOYU

⊕ ***shunt*** (*Ing. /chant/*) ***sm.*** **1** *Elet.* Palavra inglesa de uso internacional com a qual se designa uma derivação colocada entre os bornes de um galvanômetro, a fim de aumentar os limites da sua utilização por redução da intensidade da corrente que passa no instrumento, para uma fração da corrente principal **2** *Med.* Desvio de líquidos de um órgão, cavidade ou qualquer outra parte do corpo, realizado por meio de uma fístula ou dispositivo mecânico (shunt arteriovenoso, shunt ventriculoatrial) **3** *Pat.* Passagem indevida de sangue de uma cavidade do corpo para outra

si[1] ***pr. pess.*** **1** Reflete o sujeito da oração e equivale a 'ele', 'ela', 'eles', 'elas', na função de complemento antecedido de preposição: *Atribuiu a si mesmo a culpa pelo acidente.* **2** Se a preposição que o antecede é 'com', assume a forma '-sigo', ocorrendo contração (consigo): *Leva consigo boas recordações.* **3** Com a preposição 'entre', indica reciprocidade: *Acertaram entre si o melhor pagamento.* **4** Para realçar o sentido reflexivo, é ger. seguido de *mesmo* ou *próprio*: *Exigiu demasiadamente de si mesmo.* [F.: Do lat. *si* (f. red. de *sihi*), por analogia com *mi*, de *mihi.*] ⁘ **Cheio de ~** Cheio de empáfia, pretensioso **De per ~** Considerado isoladamente de outros ou de fatores externos, em si mesmo: *O time é tão bom porque cada jogador, de per si, é um craque.* **De ~ consigo** Ver *De si para consigo* **De ~ para consigo** De si para si mesmo; consigo mesmo **De ~ para ~** Ver *De si para consigo* **Em ~** **1** Ver *De per si*: *O tema do livro é oportuno, e o texto, em si, é muito bom* **2** Independentemente das circunstâncias: *Desconsiderando a repercussão, o incidente em si não tem a menor importância.* **3** *Fil.* Independentemente do conhecimento **4** *Fil.* Em sua verdade absoluta, independente da realidade [Nesta acp., tb. o lat. *in se.*] **Entre ~** **1** Um ou uns com outro(s) ou para com outro(s): *Resolveram entre si desfazer a sociedade* **2** Ver *De si para consigo*: *Magoado, resolveu, entre si, que não mais sofreria por amor.* **Fora de ~** Sem controle sobre si mesmo, por raiva, indignação etc. **Para ~** *Fil.* Caráter próprio do conhecimento que o ser consciente tem de si [Cf. *em si* (5) e *por si* (3).] **Por ~ (mesmo)** **1** Sem auxílio, sem causa externa; espontaneamente: *Resolveu investigar por si (mesmo) a causa do apagão.* **2** *Fil.* Dependentemente apenas da natureza de um ser, e não das circunstâncias [Tb. o equiv. lat. *per se.* P. op., nesta acp., a *por acidente.*] **3** *Fil.* Independentemente de outro (sob aspecto específico) [P. opos., nesta acp., a *por outro.*] **4** *Fil.* Independentemente de outro (sob qualquer aspecto, esp. a procedência) [Condição de Deus. Tb. o lat. *a se.* Por opos., nesta acp., a *por outro.*]

⊠ **SI[2]** *Metrol.* Sigla de *Sistema Internacional de Unidades*

si[3] *Mús.* ***sm.*** **1** Sétima nota da escala de dó, no sistema tonal **2** Sinal que a representa na pauta [F.: Formado a partir das letras iniciais de *Sancte Iohannes*, verso final de uma estrofe em que Guido d'Arezzo (995-1050) nomeava as notas musicais.]

sia (*si*.a) ***sf.*** O mesmo que *sinhá.* [F.: F. deriv. da feminização de *sinhô.* Tb. *siá, sá.*]

siá (si:*á*) ***sf.*** O mesmo que *sinhá*

◎ **siag-** ***el. comp.*** = 'maxila', 'mandíbula': *siagantrite, siagonagra* [F.: Do gr. *siagón, ónos.*]

siagantrite (si:a.gan.*tri*.te) ***sf.*** *Otor.* Inflamação da mucosa do antro maxilar [F.: *siag-* + *antro* + *-ite*[1].]

◎ **siagon-** ***el. comp.*** Ver *siag-*.

siagonagra (si:a.go.*na*.gra) ***sf.*** *Reum.* Reumatismo na articulação maxilar [F.: *siagon-* + *-agra.*]

sial (si:*al*) ***sm.*** *Geol.* Camada da crosta terrestre formada de rochas ricas em silício e alumínio [Pl.: *-ais.*] [F.: *si(lício)* + *al(umínio).*]

sialadenite (si:a.la.de.*ni*.te) ***sf.*** *Med.* Inflamação de glândula salivar [F.: *sial(o)-* + *adenite.*]

◎ **-sialia** ***el. comp.*** = 'secreção salivar (distúrbio ou disfunção)': *assialia, hipersialia, oligossialia, polissialia* [F.: Do gr. *sίalon, ou*, 'saliva'. F. conexa: *sial(o)-.*]

siálico (si.*á*.li.co) ***a.*** **1** *Geol.* Diz-se de mineral de rocha formado de sílica e alumina **2** *Pet.* Diz-se de rocha ígnea constituída de mineral rico em sílica e alumina [F.: *sial* + *-ico.*]

◎ **sial(o)-** ***el. comp.*** = 'saliva': *sialadenite, sialofagia, sialomania, sialorreia* [F.: Do gr. *sίalon, ou.* F. conexa: *-sialia.*]

sialofagia (si:a.lo.fa.*gi*.a) ***sf.*** *Med.* Deglutição excessiva da saliva [F.: *sial(o)-* + *-fagia.*]

sialomania (si:a.lo.ma.*ni*.a) ***sf.*** *Psiq.* Hábito de provocar a salivação e cuspir constantemente [F.: *sial(o)-* + *-mania.*]

sialomaníaco (si:a.lo.ma.*ní*.a.co) ***a.*** **1** Ref. a sialomania **2** Que tem sialomania; SIALÔMANO ***sm.*** **3** Indivíduo sialomaníaco (2); SIALÔMANO [F.: *sialomania* + *-íaco.*]

sialômano (si:a.*lô*.ma.no) ***a. sm.*** O mesmo que sialomaníaco (2 e 3) [F.: *sial(o)* + *-mano*[1].]

sialorreia (si:a.lor.*rei*.a) ***sf.*** **1** *Med.* Exagero mórbido da secreção salivar; POLISSIALIA; PTIALISMO **2** *Pat.* Corrimento da saliva, formando uma baba, ger. provocado por problemas neurológicos: "Trago em volta das plantas uma corda de sapos de todos os tamanhos, numa sialorreia de baba." (Ricardo Jorge, *Em verdade*) [F.: *sial(o)-* + *-rreia.*]

sialorreico (si:a.lor.*rei*.co) ***a.*** Que diz respeito a sialorreia [F.: *sialorreia* + *-ico*[2]; ver *-rreico.*]

siamês (si:a.*mês*) ***a.*** **1** Diz-se de uma raça de gatos originária do Sião (atual Tailândia), que tem olhos azuis e pelo curto **2** *Trt.* Diz-se do gêmeo que nasceu ligado ao outro; XIFÓPAGO: *A separação dos irmãos siameses foi bem-sucedida.* [Pl.: *-meses.* Fem.: *-mesa.*] [F.: Do top. *Sião*, sob a forma *Siam(e)* + *-ês.*]

sianinha (si.a.*ni*.nha) ***sf.*** *Vest.* Fita de tecido em formato ondulado ou de zigue-zague que se usa como adorno em contornos e bainhas; SINHANINHA [F.: De or. obsc.]

siar (si.*ar*) ***v. td.*** Fechar as asas (o pássaro) para descer mais rápido [▶ 1 siar] [F.: orig. obsc. Hom./Par.: *sio* (fl.), *cio* (sm.); *cear* (vários tempos do v.); *ciar* (todos os tempos do v.).]

⊕ **sib** (*Ing.* /sib/) *sm. Antr. Etnol.* Confraria, associação de cidadãos, ou grupo de uma mesma etnia; CLÃ

siba (*si*.ba) *Zool. sf.* **1** Nome comum aos aos moluscos cefalópodes do gên. *Sepia*, de corpo achatado e concha interna reduzida, providos de bolsa pela qual segregam e ejetam substância que escurece a água para confundir os inimigos **2** Concha interna das sibas, us. como pó para fazer polimento [F.: poso. do gr. *sepia, as.* Ideia de 'siba': usar antepos. *sepi(o)*-.]

sibarismo (si.ba.*ris*.mo) *sm.* **1** Desejo imoderado de luxo e prazeres; sibaritismo **2** Qualidade ou condição de sibarita; sibaritismo [F.: *sibar(ita)* + *-ismo*.]

sibarita (si.ba.*ri*.ta) *s2g.* **1** Ref. à antiga cidade grega de Síbaris, entre os rios Síbaris e Crátis, ou que ali nasceu ou morou **2** Pessoa que leva vida exclusivamente ociosa e sensual, como o fariam os habitantes de Síbaris *a2g.* **3** De Síbaris; típico dessa cidade ou de seu povo **4** Que leva vida exclusivamente ociosa e sensual, como o fariam os habitantes de Síbaris [F.: Do lat. *sybarita, ae*, pelo fr. *sybarite*.]

sibarítico (si.ba.*rí*.ti.co) *a.* **1** Ref. ao sibarita **2** Que tem os usos e costumes dos sibaritas; SIBARITANO [F.: Do lat. *sybariticus, a, um*.]

sibaritismo (si.ba.ri.*tis*.mo) *sm.* **1** Estado ou qualidade de sibarita **2** Desejo imoderado de luxo e prazeres **3** Vida de sibarita: "Era o palácio encantado do sibaritismo, que só de longe e nas horas mortas da noite, abria suas portas à chave de ouro para alguns adeptos do seu culto ou para algum profano que desejasse iniciar-se nos lúbricos mistérios." (José de Alencar, *Lucíola*) [F.: *sibarit(a)* + *-ismo*.]

siberiano (si.be.ri:*a*.no) *sm.* **1** Pessoa nascida ou que vive na Sibéria, imensa região russa que vai dos montes Urais ao oceano Pacífico *a.* **2** Da Sibéria; típico dessa região ou de seus povos [F.: Do top. *Sibéri(a)* + *-ano*.]

sibila (si.*bi*.la) *sf.* **1** *Hist.* Na Antiguidade greco-romana, mulher a que se atribuía o dom da profecia **2** Bruxa, feiticeira **3** *Fig. Pop.* Mulher velha e má [F.: Do lat. *sibylla, ae*.]

sibilação (si.bi.la.*ção*) *sf.* Ação ou resultado de sibilar; SIBILO; SILVO [Pl.: *-ções*.] [F.: *sibila(r)* + *-ção*.]

sibilado (si.bi.*la*.do) *a.* **1** Que produziu um som agudo e prolongado; ASSOBIADO: *As jiboias acuadas emitem um sopro sibilado semelhante ao assobio. sm.* **2** Som prolongado como um assobio ou um chiado; SIBILO; SILVO: *o sibilado da panela de pressão a cozer a carne em fogo alto.* [F.: Do lat. *sibilatus, a, um*.]

sibilante (si.bi.*lan*.te) *a2g.* **1** Que sibila **2** *Ling.* Diz-se de cada uma das consoantes fricativas cuja corrente expiratória passa por uma abertura estreita de algum ponto da boca, gerando um ruído que lembra a fricção *sf.* **3** *Ling.* Consoante sibilante [F.: Do lat. *sibilans, -antis*.]

sibilar (si.bi.*lar*) *v.* **1** Assoprar, emitindo som agudo e contínuo [*int.*: *A cobra se arrastava, sibilando.*] **2** Produzir (som agudo como um assobio); ASSOBIAR; CICIAR; SILVAR [*td.*: *Sibilou a canção, acompanhado pelo violão.*] [*int.*: *O vento sibilava sobre nossas cabeças*: "O ruído desta frase (...) sibilou bem forte." (Raul Pompéia, *O Ateneu*)] **3** Ao falar, dar destaque às (consoantes sibilantes) [*td.*] [▶ **1** sibilar] [F.: Do lat. *sibilare*. Hom./Par.: *sibila(s)* (fl.), *sibila(s)* (sf. [pl.]); *sibilo* (fl.), *sibilo* (sm.).]

sibilino (si.bi.*li*.no) *a.* **1** Ref. a sibila **2** Que é enigmático, obscuro (frase sibilina) [Ant.: *claro, preciso*.] [F.: Do lat. *sibyllinus, a, um*.]

sibilo (si.*bi*.lo) *sm.* **1** Ação ou resultado de sibilar; SILVO; ASSOBIO **2** *Pneumo.* Ruído desse tipo que se detecta na ausculta respiratória e denota constrição dos brônquios, como na asma [F.: Do lat. *sibilus, i*.]

sibipira (si.bi.*pi*.ra) *Bot. sm.* **1** Árvore (*Caesalpinia peltophoroides*) da fam. das leguminosas, mesmo que *sibipiruna* **2** Árvore (*Bowdichia virgilioides*) da fam. das leguminosas, mesmo que *sucupiraçu* **3** Árvore (*Diplotropis purpurea*) da fam. das leguminosas, mesmo que *sucupira-da-terra-firme* [F.: Do tupi *sewi'pira*.]

sibipiruna (si.bi.pi.*ru*.na) *sf. RJ Bot.* Árvore leguminosa-cesalpinácea (*Caesalpinia peltophoroides*), de flores amarelas, muito cultivada em jardins e tb. para arborização urbana; SEPIPIRUNA; SIBIPIRA [F.: *sibipir(a)* + *-una*.]

⊕ **sibling** (*Ing.* /siblin/) *a2g.* **1** *Antr. Etnol.* Diz-se de cada um dos irmãos que descendem do mesmo pai e da mesma mãe *s2g.* **2** *Antr. Etnol.* Cada um dos irmãos que têm a mesma mãe e o mesmo pai

⊕ **sic** (*Lat.* /sic/) *adv.* Assim [Us. ger. entre parênteses para indicar que uma citação é assim mesmo, embora se nos afigure estranha e seja ou pareça errada.]

sica (*si*.ca) *sf.* Punhal dos antigos romanos [F.: Do lat. *sica, ae*. Hom./Par.: *cica* (sf.).]

sicário (si.*cá*.ri:o) *sm.* Assassino contratado; PISTOLEIRO; MALFEITOR: "...voltar ao rio e descer pela margem esquerda na direção do norte, foi obra de um instante para o destemido sicário." (Franklin Távora, *O Cabeleira*) [F.: Do lat. *sicarius, a, um*.]

siciliana (si.ci.li:*a*.na) *sf.* **1** *Mús.* Ária originária da Sicília de compasso 6/4 ou 6/8 e cujo movimento é muito moderado **2** *Dnç.* Dança sobre esta ária [F.: Fem. substv. de *siciliano*.]

sicilianidade (si.ci.li:a.ni.*da*.de) *sf.* **1** Qualidade, caráter de quem é siciliano ou tem admiração por tudo que diz respeito a Sicília **2** Qualidade que é própria dessa cidade ou inerente a ela (*sicilianità*) [F.: *sicilian(o)* + *-i-* + *-dade*.]

siciliano (si.ci.li.*a*.no) *sm.* **1** Pessoa nascida em ou que vive na Sicília, ilha no sul da Itália **2** *Gloss.* Dialeto falado na Sicília *a.* **3** Da Sicília; típico dessa ilha ou de seu povo **4** *Gloss.* Do ou ref. ao siciliano (2) [F.: *Sicíli(a)* + *-ano*. Sin. ger.: *síсulo*.]

siclemia (si.cle.*mi*.a) *sf. Pat.* Anomalia que ocorre na espécie humana, tb. denominada de anemia falciforme, provocada por um gene letal em dose dupla, determinador da formação de moléculas anormais de hemoglobina que têm pouca capacidade de transportar oxigênio, e, por este motivo, as hemácias que contém essas hemoglobinas adquirem o formato de foice (*sickle* em ing.) [F.: Do ing. *sicklemia*.]

siclo (*si*.clo) *sm.* **1** Unidade de peso us. no antigo Egito e na Judeia (de 6 a 12g): "O peso da couraça era perto de cinco mil siclos de cobre." (Rui Barbosa, *Coletânea literária*) **2** Entre os hebreus, moeda de prata com peso equivalente a seis gramas [F.: Do lat. *siclus, i*. Hom./Par.: *ciclo* (sm.).]

sicófago (si.*có*.fa.go) *a.* **1** Que se alimenta de figos *sm.* **2** Indivíduo que se alimenta de figos [F.: *sic(o)-* + *-fago*.]

sicofanta (si.co.*fan*.ta) *s2g.* **1** Entre os gregos antigos, o delator daqueles que exportavam figos irregularmente ou dos que os roubavam de figueiras nobres **2** *P. ext.* Delator, caluniador **3** *P. ext.* Impostor, patife [F.: Do gr. *sukophántes, ou*.]

sicômoro (si.*cô*.mo.ro) *sm.* **1** *Bot.* Árvore da fam. das moráceas (*Ficus sycomorus*) originária da África, de grande porte, cultivada pela madeira compacta e pelos frutos comestíveis **2** A madeira dessa árvore [F.: Do lat. tard. *sycomorus, i*.]

sicose (si.*co*.se) *sf. Derm.* Doença dos folículos pilosos, caracterizada pela erupção de pequenas pústulas espalhadas ou dispostas em grupos pela barba, pelo lábio superior ou por todo o rosto [F.: Do lat. cient. *sykosis*.]

sicrano (si.*cra*.no) *sm.* Segunda de três pessoas mencionadas com indeterminação intencional: *fulano, sicrano e beltrano*. [F.: contrv.]

sículo (*sí*.cu.la) *a.* **1** Diz-se de habitante ou natural da Sicília, ilha do sul da Itália *sm.* **2** Habitante ou natural da Sicília [F.: Do lat. *siculus, a, um*. Sin. ger.: *siciliota, siciliano, siciliense*.]

sicupira (si.cu.*pi*.ra) *sf. Bot.* O mesmo que *sucupira*; tb. *sucupira-da-terra-firme*: "Dáme um plectro bizarro e majestoso, alto como os ramais da sicupira." (Castro Alves, "Coup d'Étrier" *in* Espumas flutuantes)

sicuriju (si.cu.ri.*ju*) *sf.* Ver *sucuri, sucuriju*

⊠ **SIDA** *Med.* Sigla correta, em português, da *Síndrome de Imunodeficiência Adquirida* [Ver *AIDS*.]

sidagã (si.da.*gã*) *sf. Bras. Rel.* Filha de santo que, no padê de Exu, auxilia a ialorixá ou o babalorixá; ASSIDAGÃ; CIDAGÃ; OSSIDAGÃ [Contrapõe-se a *dagã*] [F.: Do ior.]

sidático (si.*dá*.ti.co) *a. sm. Lus. Pat.* O mesmo que *aidético*. [F.: *Sida* (sigla de Síndrome de Imunodeficiência Adquirida) + *-ático*.]

sideração (si.de.ra.*ção*) *sf.* **1** Ação ou resultado de siderar; FULMINAÇÃO **2** Suposta influência dos astros sobre o destino das pessoas **3** *Antq. Med.* Abatimento súbito das forças do organismo, ger. como consequência de um acidente [Pl.: *-ções*.] [F.: Do lat. *sideratio, onis*.]

siderado (si.de.*ra*.do) *a.* **1** Abatido, abalado, fulminado: *Ficou siderado com a perda do irmão.* **2** Admirado, espantado, atordoado: *A explosão deixou-o siderado.* [F.: Part. de *siderar*.]

sideral (si.de.*ral*) *a2g.* **1** Ref. aos astros (espaço sideral); SIDÉRICO; SIDÉREO **2** Ref. ao céu; CELESTE; CELESTIAL [Pl.: *-rais*.] [F.: Do lat. *sideralis, e*.]

siderar (si.de.*rar*) *v. td.* **1** Provocar sideração; FULMINAR **2** *Fig.* Deixar perplexo, atordoado, atônito: *O novo filme de Godard siderou o cinéfilo.* [▶ **1** siderar] [F.: Do lat. **siderare*. Hom./Par.: *siderais* (fl.), *siderais* (pl. sideral, a2g.).]

sidéreo (si.*dé*.re:o) *a. Poét.* Ref. aos astros ou ao céu; ETÉREO; CELESTE; SIDERAL: "E o celeste enviado, abrindo as asas, volta, entre nuvens, à sidérea mansão." (Fagundes Varela, *Obras*) [F.: Do lat. *sidereus, a, um*.]

◎ **sider(i/o)-** *Pref.* = astro: *sideração, siderado, sideral, sidéreo*.

sidérico (si.*dé*.ri.co) *a.* Relativo ao ferro; FÉRREO [F.: *sider(o)-* + *-ico*.]

siderografia (si.de.ro.gra.*fi*.a) *sf. Grav.* Arte de gravar em aço ou ferro [F.: *sidero-* + *-grafia*.]

siderográfico (si.de.ro.*grá*.fi.co) *a.* Ref. a siderografia [F.: *siderograf(ia)* + *-ico*.]

siderógrafo (si.de.*ró*.gra.fo) *a.* **1** *Grav.* Que executa trabalhos de siderografia (artista siderógrafo) *sm.* **2** *Grav.* Profissional que trabalha com siderografia **3** *Grav.* Instrumento us. para gravar em ferro ou aço [F.: *sidero* + *-grafo*.]

siderose (si.de.*ro*.se) *sf.* **1** *Med.* Cor ferruginosa de qualquer parte de corpo **2** *Pneumo. Pat.* Infiltração ou depósito de ferro nos tecidos, esp. nos pulmões **3** *Pat.* Excesso de ferro no sangue [F.: Do lat. cient. *siderosis*.]

sídero-silicose (sí.de.ro-si.li.*co*.se) *sf. Med.* Doença crônica dos pulmões causada pela inalação de partículas minúsculas de ferro e sílica [F.: *sidero-* + *silic(a)* + *-ose*.]

siderurgia (si.de.rur.*gi*.a) *sf.* **1** Metalurgia do ferro e do aço; teoria e prática da produção desses materiais **2** Arte de trabalhar com o ferro [F.: Do fr. *sidérurgie*.]

siderúrgica (si.de.*rúr*.gi.ca) *sf. Bras.* Empresa e usina de siderurgia [F.: Fem. substv. de *siderúrgico*.]

siderúrgico (si.de.*rúr*.gi.co) *a.* Ref. a siderurgia (processo siderúrgico); SIDEROTÉCNICO [F.: Do fr. *sidérurgique*.]

sidônio (si.*dô*.ni:o) *a.* **1** De Sídon (antiga cidade da Fenícia); típico dessa cidade ou de seu povo **2** *Fig.* Que tem a pele de cor semelhante à dos naturais de Sídon; EBÚRNEO *sm.* **3** Pessoa nascida em ou habitante de Sídon [F.: Do lat. *sidonius, a, um*.]

sidra (*si*.dra) *sf.* Bebida alcoólica adocicada e obtida do suco fermentado da maçã [F.: Do cast. *sidra*. Hom./Par.: *cidra* (sf.).]

siemens (*sie*.mens) *sm. Elet.* No Sistema Internacional de Unidades, unidade de medida de condutância, igual ao inverso de 1 ohm [Símb.: *S*] [F.: Do antr. Werner von *Siemens* (1816-1892), engenheiro alemão.]

sievert (*sie*.vert) [sí] *sm. Rlog.* Unidade do Sistema Internacional (SI) de dosagem de radiação que equivale à energia absorvida, em joules por quilograma (J/Kg), multiplicada por um fator relacionado ao tipo de radiação presente na dose. O valor de um sievert é igual a cem rem [Símb.: *Sv*] [F.: Do antr. Rolf M. *Sievert* (1896-1966), radiologista sueco]

sifão (si.*fão*) *sm.* **1** Tubo em forma de S para passar líquido de um recipiente para outro **2** Garrafa dotada de dispositivo que faz jorrar o líquido com gás carbônico que ela contém **3** Tubo duplamente recurvado que se adapta a vasos sanitários, pias etc., para evitar o mau cheiro **4** *Zool.* Órgão tubular externo comum em moluscos e outros invertebrados, ligado às funções respiratórias **5** *Antq. Med.* Tubo recurvo para drenar feridas e lavagem estomacal, nasal etc. [Pl.: *-fões*.] [F.: Do lat. *sipho, onis*, pelo fr. *siphon*. Ideia de 'sifão': *sifon(o)-* (*sifonóforo*).]

◎ **sifil(i)-** *el. comp.* = 'sífilis': *sifilicômio* ou *sifilocômio, sifílide, sifilítico, sifilografia* ou *sifilografia, sifilismo, sifiloma, sifiloterapia* [F.: Do lat. cient. *syphilis* (gênero *Syphilidis*), criado em 1530 a partir do título de um poema em latim *Syphilis sive morbus gallicus* ("Sífilis ou mal gálico") de Girolamo Frascatoro (1478-1553), médico, poeta e geólogo veronês.]

sífilis (*sí*.fi.lis) *sf2n. Med.* Doença infecciosa e sexualmente transmissível causada pela bactéria *Treponema pallidum* e que causa graves lesões em diversos órgãos, nas mucosas e na pele; GÁLICO; LUES [F.: Do lat. cient. *Syphilis*.]

sifilítico (si.fi.*lí*.ti.co) *a.* **1** Ref. a sífilis **2** Que sofre de sífilis; LUÉTICO *sm.* **3** Indivíduo que sofre de sífilis; LUÉTICO [F.: Do lat. cient. *syphiliticus*; ver *sifil(i)-* e *-ítico*.]

◎ **sifilo-** *el. comp.* Ver *sifil(i)-*

sifiloma (si.fi.*lo*.ma) *sm. Pat.* Tumor decorrente da sífilis [F.: *sifil(i)-* + *-oma*[1].] ▪ **~ primário** *Pat.* Cancro sifilítico

sifonado (si.fo.*na*.do) *a.* Provido de sifão [F.: De *sifão* (sob o rad. *sifon-*) + *-ado*[1], segundo o mod. erudito; ver *sifon(o)-*.]

sifonagem (si.fo.*na*.gem) *sf.* Ação ou efeito do sifão nos aparelhos higiênicos, em aquários etc. [Pl.: *-gens*.] [F.: *sifão*, sob a f. rad. *sifon-*, + *-agem*[2], segundo o mod. erudito; ver *sifon(i)-*.]

◎ **sifon(o)-** *el. comp.* = 'tubo', 'sifão': *sifonado, sifonogamia, sifonóforo* (< lat. cient.), *sifonópode* (< lat. cient.) [F.: Do gr. *síphon, onos*.]

sifonóforo (si.fo.*nó*.fo.ro) *sm.* **1** *Zool.* Espécime dos sifonóforos, ordem de hidrozoários coloniais e pelágicos que inclui as caravelas dentre outros, tanto polipoides quanto medusoides *a.* **2** *Zool.* Ref. ou pertencente aos sifonóforos [F.: Adaptação do lat. cient. *Siphonophora*; ver *sifon(o)-* e *-foro*.]

sifonogamia (si.fo.no.ga.*mi*.a) *sf. Bot.* Fecundação que se dá com formação de tubo polínico, através do qual os espermatozoides chegam à célula-ovo [Contrapõe-se a *assifonogamia*.] [F.: *sifon(o)-* + *-gamia*.]

sifonópode (si.fo.*nó*.po.de) *sm. a2g. Zool.* O mesmo que *cefalópode* [F.: Adaptação do lat. cient. *Siphonopoda*.]

sigilismo (si.gi.*lis*.mo) *sm.* Cisma religioso que vingou em meados do séc. XVIII, em Portugal, e que advogava a violação do sigilo da confissão [F.: *sigil(o)* + *-ismo*.]

sigilo (si.*gi*.lo) *sm.* **1** Aquilo que se não pode revelar ou divulgar; SEGREDO: *Comprometeram-se com o sigilo da experiência.* **2** Aquilo que se deve manter totalmente privativo, sem o alheio conhecimento (sigilo telefônico/ bancário) **3** Assunto, negócio ou problema cujo conhecimento é restrito a poucos; SEGREDO: *O nome dos acusados foi mantido em sigilo, por questão de segurança.* **4** Discrição no falar; SILÊNCIO; SEGREDO: *Pediu sigilo sobre o papo.* **5** *Antg.* Sinete de selar; SELO; TIMBRE [F.: Do lat. *sigillum, i*.] ▪ **~ bancário** *Jur.* Conceito (e procedimento legal nele baseado) de que as informações referentes às operações bancárias (de pessoa, instituição etc.) pertencem à área da intimidade pessoal defendida constitucionalmente **~ confessional** *Rel.* Dever (a que se obriga um sacerdote) de manter em sigilo o que ouve em confissão **~ profissional** Dever ético de não revelar segredos (métodos, planos, tecnologias etc.) da profissão ou da empresa em que se trabalha

sigiloso (si.gi.*lo*.so) [ô] *a.* Que envolve sigilo ou é realizado em sigilo (negócio sigiloso) [Ant.: *ostensivo*.] [Pl.: [ó]. Fem.: [ó].] [F.: *sigil(o)* + *-oso*.]

sigla (*si*.gla) *sf.* **1** Conjunto das letras iniciais de uma denominação composta de duas ou mais palavras, formando ou não uma palavra (p. ex.: MAM – Museu de Arte Moderna; FAB – Força Aérea Brasileira) **2** Letra inicial ou conjunto de letras iniciais de um nome empregadas como sua abreviatura; MONOGRAMA **3** Sinal convencional; RUBRICA **4** Letra inicial simples ou repetida, us. como abreviatura em monumentos, medalhas e manuscritos antigos [F.: Do lat. tardio *sigla, orum*.]

siglado (si.*gla*.do) *a.* Que se siglou, provido de sigla: *O Índice Geral de Preços foi siglado como IGP.* [F.: Part. de *siglar.*]

siglatura (si.gla.*tu*.ra) *sf.* **1** Ato ou efeito de siglar ou dar forma de sigla **2** Método lógico de composição de siglas [F.: *sigla(r)* + *-tura.*]

siglema (si.*gle*.ma) *sm. Gram.* Sigla com formação semelhante a uma palavra, estruturada com base na língua em que é usada, p. ex., Companhia de Limpeza Urbana: COMLURB; Superintendência do Desenvolvimento da Amazônia: SUDAM [Quando não tem caráter de palavra, p. ex., IPTU, IPVA, denomina-se *sigloide.*] [F.: *sigl(a)* + *-ema.*]

siglística (si.*glís*.ti.ca) *sf.* Estudo que consiste em investigar formas siglares como determinantes de fenômenos linguísticos [F.: *sigla* + *(lingu)ística.*]

siglístico (si.*glís*.ti.co) *a.* Que diz respeito à siglística [F.: *siglística* com alter. do suf. *-ica* > *-ico.*]

◎ **sigl(o)-** *el. comp.* = 'sinais de abreviação'; 'sigla': *siglado, siglar, siglatura, siglema, siglista, siglístico, siglógrafo, siglologia, siglomania, siglônimo* [F.: Do lat. *sigla, orum.*]

sigma (*sig*.ma) *sm.* Letra 18ª do alfabeto grego, correspondente ao s latino (1) [F.: Do lat. *sigma, atis.* Ideia de 'sigma': *sigm(at)-* (*sigmático, sigmatismo*).]

sigmatismo (sig.ma.*tis*.mo) *sm.* Repetição viciosa da letra *s* ou de outras sibilantes [F.: *sigma* sob a f. rad. *sigmat-* + *-ismo.*]

sigmoide (sig.*moi*.de) *a2g.* **1** *Anat.* Que tem mais ou menos a forma do sigma grego: *as cavidades sigmoides do cúbito.* **2** *Anat.* Válvula existente no interior da aorta e das artérias pulmonares logo à saída dos ventrículos (válvulas sigmoides) **3** *Anat.* Diz-se de um segmento do intestino que tem curvatura em forma de gancho (cólon sigmoide) [F.: Do gr. *sigmoeidés, es.*]

sigmoidite (sig.moi.*di*.te) *sf. Pat. Gast.* Processo inflamatório localizado no cólon sigmoide [F.: *sigmoid(e)* + *-ite.*]

sigmoidostomia (sig.moi.dos.to.*mi*.a) *sf. Cir.* Procedimento cirúrgico que tem por finalidade criar um ânus artificial no cólon sigmoide; colostomia sigmoidea [F.: *sigmoid(e)* + *-o-* + *-stomia.*]

signa (*sig*.na) *sf.* Bandeira, estandarte, insígnia, pendão [F.: Do lat. *signa.*]

signatário (sig.na.*tá*.ri:o) *a.* **1** Que assina um documento, uma carta, manifesto (país signatário) *sm.* **2** Aquele que assina um documento, carta, manifesto (signatário da mensagem) [F.: Adaptação do fr. *signataire.*]

significação (sig.ni.fi.ca.*ção*) *sf.* **1** O sentido de uma palavra, de uma reação, de um acontecimento ou coisa qualquer; SIGNIFICADO: "Chefe: o capitão Roberto (...) não consegue emprestar significação maior às panes, segundo alega." (Antônio Callado, *Reflexos no baile*) **2** Importância, valor: *Jogou fora os objetos sem significação.* **3** Aquilo que uma palavra quer dizer; ACEPÇÃO; SENTIDO; SIGNIFICADO [Pl.: *-ções.*] [F.: Do lat. *significatio, onis.*]

significado (sig.ni.fi.*ca*.do) *sm.* **1** Sentido que se dá a um termo, palavra, frase, texto, sinal, signo, obra artística ou científica etc; significação: *O significado dessa frase é óbvio; O significado desse sinal é de difícil compreensão.* **2** Importância que se atribui a algo: *Foi um discurso de grande significado.* **3** *Ling.* Carga semântica de um signo linguístico; conceito, noção [F.: Do lat. *significatus, a, um.*]

significador (sig.ni.fi.ca.*dor*) [ô] *a.* **1** Que significa; SIGNIFICATIVO: "...Deixando os animais significadores de força, braveza e velocidade..." (Rodrigues Lobo, *Corte na aldeia*) *sm.* **2** O que significa [F.: *significa(r)* + *-dor.*]

significância (sig.ni.fi.*cân*.ci:a) *sf.* Ver *significação*

significante (sig.ni.fi.*can*.te) *a2g.* **1** Que significa, que adquire importância; SIGNIFICATIVO: *Um aumento significante dos preços elevou a inflação. sm.* **2** *Ling.* Sucessão de fonemas que, numa língua, se associa a determinado significado [F.: Do lat. *significans, antis.*]

significar (sig.ni.fi.*car*) *v.* **1** Ter ou representar determinado significado [*td.: Aquele sinal significava proibição.*] **2** Ser indício de [*td.: Aquele equívoco significou a derrota de Napoleão.*] **3** Querer dizer, ter significado de [*td.: Amar significa partilhar todos os pensamentos com o outro.*] **4** Dar a entender [*td.: Fez um sinal para significar que não queria sair.*] **5** Formar, constituir [*td.: O trabalho continuado significa a certeza da vitória.*] **6** Traduzir-se por [*td.: 'Love' significa 'amor'.*] **7** *Ling.* Ser dotado de significado específico, designar ou denotar [*td.*] [*int.*] [▶ 11 **significar**] [F.: Do lat. *significare.*]

significatividade (sig.ni.fi.ca.ti.vi.*da*.de) *sf.* Caráter ou qualidade do que é significativo [F.: *significativ(o)* + *-idade.*]

significativo (sig.ni.fi.ca.*ti*.vo) *a.* **1** Que significa, que exprime algo claramente: *Houve aumento significativo da violência urbana.* **2** *Mat.* Diz-se de algarismo que tem seu próprio valor (por oposição ao zero) **3** Que tem expressão, relevo numa dada circunstância: *Enviou-me, então, uma mensagem significativa.* [F.: Do lat. *significativus, a, um.*]

signo (*sig*.no) *sm.* **1** Símbolo, marca, sinal: "O véu do luar nos céus revoltos/ Cheios de signos de desgraça..." (Cecília Meireles, "Agitato" *in Espectros*) **2** *Astron.* Cada uma das doze partes em que se divide o zodíaco, ou as constelações que a elas correspondem: *o signo de Leão/de Touro.* **3** *Astrol.* Suposta influência atribuída a cada uma dessas constelações zodiacais na vida das pessoas **4** *Ling.* Associação de um significante e um significado (signo linguístico) **5** Qualquer coisa ou fenômeno que designe algo distinto de si mesmo ou us. em seu lugar, p. ex., um cigarro atravessado por uma linha oblíqua significa 'é proibido fumar', a cor verde no trânsito representa 'siga', a cruz simboliza o cristianismo [F.: Do lat. *signum, i.*] ■ **~ arbitrário** *Comun.* Signo associado a um significado, o qual representa, e o qual evoca com sua simples presença **~ de duração** *Mús.* Cada sinal da notação musical que representa a duração de uma nota [São eles: *breve, semibreve, mínima, semínima, colcheia, semicolcheia, fusa, semifusa.*] **~ do zodíaco** *Astr.* Cada signo associado a cada uma das 12 regiões do Zodíaco em que se divide a eclíptica que o Sol aparentemente percorre durante um ano **~ linguístico** *Ling.* Unidade de uma língua que compreende relação entre um significante (palavra, som da palavra, locução, sintagma etc.) e um significado **Sob o ~ de** Sob a influência de, com a marca de: *Weimar é uma cidade que vive sob o signo de Goethe.*

signo de salomão (sig.no de sa.lo.*mão*) *sm.* O conjunto de dois triângulos de metal entrelaçados e dispostos em forma de estrela, que se traz como enfeite ou, por superstição, como talismã contra qualquer influência funesta; ESTRELA DE DAVI [Pl.: *signos de salomão.*] [F.: Do lat. *signum Salomonis.* Tb. *signo-salomão.*]

signográfico (sig.no.*grá*.fi.co) *a.* Diz-se do conjunto de sinais impressos: "A Grafia Braille para a Língua Portuguesa consiste no conjunto do material signográfico e das instruções/recomendações orientadoras da sua utilização na escrita." (Ministério da Educação, *1ª Edição Brasileira da Grafia Braille para a Língua Portuguesa – Braille Integral*) [F.: *signo* + *gráfico.*]

signo-salomão (sig.no-sa.lo.*mão*) *sm.* O mesmo que *signo de salomão* [Pl.: *signos-salomão.*]

◎ **silab-** *Pref.* = 'sílaba': *silabada, silabar, silabável, silábico.*

sílaba (*sí*.la.ba) *sf.* **1** *Ling.* Unidade constituída de vogal (p. ex.: 'a' em *á.gua*) ou grupo de consoante(s) e vogal ou vogais (p. ex.: 'pra' e 'to' em *pra.to*) pronunciadas numa única emissão de voz **2** *Fig.* Qualquer som articulado: *Não me disse sequer uma sílaba.* [F.: Do lat. *syllaba, ae.*] ■ **~ aberta** *Ling.* A que termina em vogal **~ átona** *Ling* Aquela na qual não recai acento tônico **~ breve** *Ling.* Aquela de pronúncia rápida, quase instantânea **~ fechada** *Ling.* A que termina em consoante; sílaba travada **~ longa** *Ling.* Aquela que se pronuncia por certo tempo, e que equivale a duas breves **~ tônica** *Ling.* Aquela na qual recai acento tônico **~ travada** *Ling.* Ver *Sílaba fechada*

silabação (si.la.ba.*ção*) *sf.* **1** Ação ou resultado de silabar **2** *Pedag.* Método de ensino da leitura que parte do reconhecimento das sílabas para, a partir delas, transmitir a formação de palavras e frases **3** *Gram.* Separação de sílabas, na escrita [Pl.: *-ções.*] [F.: *silaba (r)* + *-ção.*]

silabada (si.la.*ba*.da) *sf. Ling.* Alteração indevida no acento tônico da palavra, no seu número de sílabas, seus fonemas constitutivos etc., ocasionando erro de pronúncia, como em 'réfem' por 'refém', 'opição' por 'opção', 'pobrema' por 'problema', 'gratuíto' por 'gratuito' [F.: *silab(a)* + *-ada.*]

silabar (si.la.*bar*) *v.* Dividir ou pronunciar (uma palavra) sílaba por sílaba [*td. int.*] [▶ 1 **silabar**] [F.: *sílaba* + *-ar*[2]. Hom./Par.: *silaba(s)* (fl.), *sílaba(s)* (sf. [pl.]); *silabo* (fl.), *sílabo* (sm.).]

silabário (si.la.*bá*.ri:o) *sm.* **1** Conjunto de sinais que formam uma escrita silábica **2** Disposição mais ou menos metódica de sílabas para se aprender a ler **3** Pequeno livro com sílabas para as crianças aprenderem a ler; CARTILHA [F.: *sílab(a)* + *-ário.*]

silábico (si.*lá*.bi.co) *a.* **1** Ref. a sílaba (sistema silábico) **2** Em sílabas (divisão silábica) [F.: Do fr. *syllabique.*]

◎ **-sílabo** *el. comp.* = que tem x sílabas: *polissílabo, trissílabo* [F.: Do gr. *-syllabós, os, on.*]

silagem (si.*la*.gem) *sf.* **1** O mesmo que *ensilagem* **2** Forragem que se tira dos silos, para alimentar os animais [F.: *sil(o)* + *-agem.* Hom./Par.: *selagem* (sf.).]

silaque (si.*la*.que) *sm. Bras. N. E. Vest.* Elegante blusão de algodão [F.: De or. obsc.]

silástico (si.*lás*.ti.co) *sm.* Plástico flexível e macio, semelhante a borracha, muito utilizado em cirurgias de implantes

silcado (sil.*ca*.do) *a.* Que foi impresso ou estampado pelo processo de *silk-screen*; SILKADO: *boné com logotipo frontal silcado.* [F.: Part. de *silcar.*]

silenciado (si.len.ci.*a*.do) *a.* **1** Que silenciou, que se calou: "Então que pensar de uma educação que admite o escândalo de um povo silenciado, marginalizado e imerso na passividade?" (Pierre Furter, na apresentação do livro de Paulo Freire, *Educação como prática da liberdade*) **2** *Fig.* Que se matou ou foi morto: *O sequestrador foi silenciado a tiros pelos policiais.* [F.: Part. de *silenciar.*]

silenciador (si.len.ci:a.*dor*) [ô] *a.* **1** Que silencia, que é capaz de silenciar *sm.* **2** Aquilo que silencia, que é capaz de silenciar **3** *Tec.* Peça que se adapta ao cano de uma arma de fogo para lhe abafar o ruído do tiro **4** *Aut.* Ver silencioso [F.: *silencia (r)* + *-dor.*]

silenciamento (si.len.ci:a.*men*.to) *sm.* Ato ou efeito de silenciar: *No Brasil, durante o regime da ditadura militar, houve uma tentativa de silenciamento da imprensa, em todas as suas formas de manifestação.* [F.: *silencia(r)* + *-mento.*]

silenciar (si.len.ci.*ar*) *v.* **1** Fazer calar ou calar-se [*td.: Aquele argumento silenciou a plateia.*] [*tr. + sobre: Os jornais silenciaram sobre o fato.*] [*int.: O réu foi questionado e silenciou.*] **2** Fazer ficar em silêncio [*td.: Com um só gesto silenciou os alunos.*] **3** Acabar com a vida de; MATAR [*td.: Um golpe na nuca silenciou para sempre o prisioneiro.*] [▶ 1 **silenciar**] [F.: *silêncio* + *-ar*[2]. Hom./Par.: *silencio* (fl.), *silêncio* (sm.).]

silêncio (si.*lên*.ci:o) *sm.* **1** Ausência de som ou barulho [Ant.: *ruído, barulho.*] **2** Estado de quem permanece calado: *O artista rompeu o silêncio e deu uma entrevista.* **3** Privação, voluntária ou não, de qualquer tipo de comunicação escrita ou oral: *Fizeram um pacto de silêncio.* **4** Abstenção de publicar ou de comentar o que é geralmente sabido [+ *sobre*: *A imprensa manteve silêncio sobre a vida privada dos dirigentes.*] **5** Mutismo, taciturnidade **6** Estado de tranquilidade, calma, paz **7** Mistério, sigilo, segredo: *Prepararam o golpe em silêncio.* **8** *Mil.* Toque de silêncio, em corneta ou clarim, no final do dia ou como homenagem fúnebre *interj.* **9** Expressa ordem de calar ou de fazer cessar o barulho [F.: Do lat. *silentium, ii.*]

silencioso (si.len.ci:*o*.so) [ô] *a.* **1** Que está em silêncio, que se mantém sem barulho (rua silenciosa) **2** Que permanece calado (parceiro silencioso) **3** Que não faz barulho (motor silencioso) [Pl.: [ó]. Fem.: [ó].] *sm.* **4** *Aut.* Peça que reduz o ruído do escape (3) dos veículos; SILENCIADOR **5** Pessoa taciturna, calada [Pl.: [ó].] [F.: Adaptação do fr. *silencieux.*]

silente (si.*len*.te) *a2g. Poét.* Que é calado, silencioso (1 a 3): "As estrelas dirão – 'Ai nada somos/ Pois ela se morreu silente e fria...'" (Alphonsus Guimaraens, "A morte da amada" *in Obra completa*) [F.: Do lat. *silens, entis.*]

silepse (si.*lep*.se) *sf.* **1** *Gram.* Figura de linguagem em que as regras tradicionais da concordância sintática são contrariadas, usando-se em seu lugar a concordância de acordo com o sentido mais próximo, como na frase *Vossa Excelência* está enganado (com ref. a um homem), ou na afirmação 'a maioria dos garotos fugiram', ou ainda em 'Os três ali presentes a amávamos' **2** *Ret.* Emprego de uma palavra no sentido próprio e no figurado simultaneamente (p. ex., ele é fraco de corpo e de caráter) [F.: Do lat. tardio *syllepsis.*]

silesiano (si.le.si:*a*.no) *a.* **1** Que diz respeito à Silésia, região da Alemanha *sm.* **2** Natural ou habitante da Silésia [F.: Do top. *Silési(a)* + *-ano.*]

sílex (*sí*.lex) [cs] *sm2n.* **1** *Pet.* Variedade grosseira de quartzo, de cor ruiva ou parda e algumas vezes negra; SÍLICE: "...lutando (o homem) contra os grandes monstros com achas de sílex lascado." (Teófilo Braga, *Sistema de Sociologia, cap. 3, p. 167*) [Nos tempos pré-históricos, servia para a fabricação de machados e outros instrumentos cortantes.] **2** *Pet.* Nome comum a várias pedras cuja base é a sílica; PEDERNEIRA **3** *Arqueol.* Artefato (instrumento ou arma) pré-histórico de sílex [F.: Do lat. *silex, icis.*]

sílfide (*síl*.fi.de) *sf.* **1** *Mit.* Na Idade Média, gênio feminino do ar nas mitologias céltica e germânica [Fem. de *silfo.*] **2** *Fig.* Mulher muito leve, esbelta, de cintura muito fina **3** *Fig.* Mulher de aparência extremamente delicada, sutil, vaporosa [F.: Do fr. *sylphide.*]

silfídico (sil.*fí*.di.co) *a.* Que diz respeito à sílfide: "...Achei-a bela e triste, poética, silfídica..." (Camilo Castelo Branco, *Mistérios de Lisboa*) [F.: *silfid(e)* + *-ico.*]

silfo (*sil*.fo) *sm.* **1** Nome que os cabalistas davam aos gênios elementares do ar **2** *Mit.* Na Idade Média, gênio do ar nas mitologias céltica e germânica [Fem.: *sílfide.*] [F.: Do fr. *sylphe.*]

silha (*si*.lha) *sf.* **1** *Apic.* Pedra em que assenta o cortiço das abelhas; SILHAR **2** *Apic.* Série de cortiços de abelhas dispostos para a procriação delas e fabrico do mel **3** *Ant.* Cadeira **4** Um dos muros que separam os compartimentos nas marinhas de sal **5** *Lus. Fig.* Lugar certo, paradeiro, pouso, estância [silhal.] [F.: Do cast. *silla.* Hom./Par.: *cilha* (fl. de *cilhar* e sf.).]

silhão[1] (si.*lhão*) *sm. Cons. Mil.* Obra feita no meio do fosso, ao redor de toda a praça [Pl.: *-lhões.*] [F.: De or. contrv.]

silhão[2] (si.*lhão*) *sm.* Silha grande ou sela com estribo em que montam mulheres vestindo saia; SILHAL [Pl.: *-lhões.*] [F.: *silh(a)* + *-ão.* Hom./Par.: *cilhão* (a. sm.).]

silhão[3] (si.*lhão*) *sm.* **1** Cadeira grande com braços, poltrona **2** O mesmo e talvez melhor que *cilhão* [Pl.: *-lhões.*] [F.: Do cast. *sillón.*]

silhueta (si.lhu:*e*.ta) [ê] *sf.* **1** Desenho que representa só o contorno de algo ou alguém **2** Desenho uniforme produzido pela sombra de algo ou alguém **3** Figura de pessoa, animal, veículo etc. conseguida com o recorte de papel preto para ser colado sobre fundo claro [F.: Do fr. *silhouette.*]

silhuetar (si.lhu.e.*tar*) *v. td.* **1** Reproduzir a silhueta de **2** Mostrar-se ou ser representado de perfil, como em silhueta [▶ 1 **silhuetar**] [F.: *silhuet(a)* + *-ar.* Hom./Par.: *silhueta(s)* (fl.), silhueta /ê/ (sf. e pl.).]

sílica (*sí*.li.ca) *sf. Quím.* Composto oxigenado do silício (SiO_2) encontrado na crosta terrestre e us. para fazer vidro, sílica-gel e outros produtos importantes [F.: Do lat. cient. *silica.* Hom./Par.: *silíqua* (sf.).]

silicato (si.li.*ca*.to) *sm. Quím.* Grupo de substâncias minerais que combinam sílica, água e óxidos metálicos, entrando na composição de muitas rochas da crosta terrestre [F.: *silic (a)* + *-ato.*]

sílice (*sí*.li.ce) *sm. Pet.* O mesmo que *sílex.*

◎ **silic(i)-** *el. comp.* = 'pedra'; 'silício'; 'sílica'; 'ácido silícico': *silicatar, silicícola, silicificar, silicoargiloso, silicose* [F.: Do lat. *silex, icis,* 'seixo'; 'pedra'; 'lava us. outrora na construção de casas, pavimentação de ruas etc.'.]

silícico (si.*lí*.ci.co) *a.* Que contém silício ou apresenta a sua natureza [F.: *silic(io)* + *-ico.*]

silicificação (si.li.ci.fi.ca.*ção*) *sf.* **1** Petrificação por incrustações de silício, como as que se verificam nos gêiseres **2**

Min. Processo de decomposição das rochas em virtude de alterações na temperatura da água **3** *Bot.* Absorção de sílica pelas paredes celulares [Pl.: *-ções.*] [F.: *silicificar + -ção.*]

silicificado (si.li.ci.fi.*ca*.do) *a.* Que se silicificou [F.: Part. de *silicificar.*]

silicificar (si.li.ci.fi.*car*) *v. td. int.* Converter(-se) em fóssil por meio da sílica [▶ **11 silicificar**] [F.: *silic(i)- + -ficar.*]

silício (si.*lí*.ci:o) *sm. Quím.* Elemento químico cinzento e duro, não metálico, muito abundante na natureza, de uso fundamental na eletrônica e no fabrico do aço de grande resistência. [Símb.: Si] [F.: Do lat. cient. *silicium.* Hom./Par.: *cilício* (sm.).]

silicioso (si.li.ci.*o*.so) [ô] *a.* **1** Que diz respeito a sílica ou que a contém **2** Que tem as propriedades do sílex ou é da sua natureza [Pl.: *[ó].* Fem.: *[ó].*] [F.: *silic(i)- + -oso.*]

◎ **silico-** *el. comp.* Ver *silic(i)-*

siliconado (si.li.co.*na*.do) *a.* Diz-se do que foi composto com silicone ou foi submetido a aplicação de silicone (material siliconado, seios siliconados) [F.: Part. de *siliconar.*]

silicone (si.li.*co*.ne) *sm. Quím.* Designação genérica dos polímeros (R_2SiO) que contêm silício, de amplo emprego na indústria química, nos lubrificantes e cosméticos, na dermatologia, cirurgia plástica etc. [F.: Do ing. *silicon.*]

siliconizado (si.li.co.ni.*za*.do) *a.* Que se siliconizou [F.: *silicon(e) + -izar.*]

siliconoma (si.li.co.*no*.ma) *sm. Pat.* Tumor ou cisto causado por injeção de silicone líquido, esp. nas mamas [F.: *silicon(e) + -oma.*]

silicose (si.li.*co*.se) *sf. Pat. Pneumo.* Fixação de partículas de sílica nos pulmões, observada principalmente em indivíduos trabalhadores em minas, provocada pela inalação de dióxido de silício [F.: *silic(a) + -ose.*]

silicoso (si.li.*co*.so) [ô] *a.* **1** Que é constituído de sílica **2** Que é da natureza da sílica [Pl.: *[ó].* Fem.: *[ó].*] [F.: *silic(a) + -oso.*]

⊕ ***silk-screen*** (*Ing. /silk-scrin/*) *sm. Art. gr.* Ver *serigrafia*

silo (*si*.lo) *sm.* **1** Galpão ou grande celeiro moderno para a armazenagem de grãos e cereais **2** Construção desmontável e de material resistente à intempérie, para a armazenagem de cereais e de forragem em estabelecimentos agrícolas **3** *Mil.* Espécie de fosso subterrâneo, revestido de concreto e aço, onde são estocados mísseis balísticos intercontinentais, prontos para lançamento **4** *Antq.* Grande cova para armazenar e conservar cereais, forragens etc. [F.: Do cast. *silo.*]

silogeu (si.lo.*geu*) *sm. Bras.* Casa onde se reúnem associações literárias ou científicas [F.: Do gr. *syllogeús, eos.*]

silogismo (si.lo.*gis*.mo) *sm. Fil.* Na lógica aristotélica, raciocínio em que se fazem duas proposições (premissas) para delas deduzir uma terceira (conclusão) [F.: Do lat. *syllogismus, i.*]

silogística (si.lo.*gís*.ti.ca) *sf.* Doutrina ou fundamento sobre os silogismos [F.: Fem. substv. de *silogístico.*]

silogístico (si.lo.*gís*.ti.co) *a.* Relativo ao silogismo: "Era preciso pedir a verdade, não à arte silogística, aos textos de Aristóteles, Avicena... mas perguntá-la ao telescópio." (Latino Coelho, *Literatura e história*) [F.: Do gr. *sullogistikós, é, ón.*]

silo-graneleiro (si.lo-gra.ne.*lei*.ro) *sm.* Grande reservatório fechado para armazenamento de vários tipos de mercadorias a granel como milho, soja, açúcar, cimento, minério etc. provido de equipamento para carga e descarga [Pl.: *silos-graneleiros.*]

silte (*sil*.te) *sm. Geol.* Fragmentos de mineral ou rocha menores do que um grão de areia (entre 0,002 mm e 0,06 mm de diâmetro), que geralmente formam camadas sedimentares sobre o solo ou nos leitos dos rios [F.: Do ing. *silt.*]

silures (si.*lu*.res) *smpl.* **1** Antiga tribo céltica que habitava a região que atualmente constitui a fronteira do País de Gales (Grã-Bretanha) **2** Os indivíduos dessa tribo [F.: Do lat. *silures, um.*]

siluriano (si.lu.ri:*a*.no) *a.* **1** *Geol.* Diz-se do mais antigo dos terrenos paleozoicos, formado em geral por xistos cristalinos, por quartzitos, por calcários etc. *sm.* **2** O sistema siluriano [Como subst., inicial maiúscula.] [F.: Do ing. *Silurian.*]

siluriforme (si.lu.ri.*for*.me) *a2g.* **1** Que diz respeito aos siluriformes *sm.* **2** *Ict.* Espécime dos siluriformes [F.: Do lat. cient. ordem *Siluriformes.*]

silva (*sil*.va) *sf.* **1** *Bot.* Nome comum a vários arbustos da fam. das rosáceas, do gênero *Rubus*; SARÇA; ESPINHEIRO **2** *Antq.* Selva **3** *Poét.* Composição de origem ibérica em que se podem combinar versos de dez e de seis sílabas, rimados à vontade, ou sem nenhuma rima **4** *Liter.* Junção de partes literárias ou científicas sem qualquer ordem ou método **5** Cilício (1) de arame, dos mais apreciados pelos penitentes **6** *Hip.* Mancha estreita e alongada nas ventas dos cavalos **7** Bordado da gola, do peito ou do canhão (3) das mangas de farda, cuja forma lembra folhas e flores [F.: Do lat. *silva, ae.* Hom./Par.: *silva* (fl. de *silvar*).] ■ **Da ~** *Bras. Fam.* Us. para dar ênfase a certa condição ou qualidade de alguém (ger. junto de um adjetivo no diminutivo): *Ao final do jogo, estava mortinho da silva.* [i. e., 'cansadíssimo'.]

silva-macha (sil.va-*ma*.cha) *sf. Lus. Bot.* Arbusto da família das rosáceas, de flores róseas ou brancas; tb. *silvão* ou *rosa-canina* [Pl.: *silvas-machas.*]

silvar (sil.*var*) *v.* **1** Emitir silvos; SIBILAR [*int.*] **2** Emitir à maneira de silvo ou assobio [*td.*] **3** Produzir silvo ou som semelhante ao aspirar [*td.*] [▶ **1 silvar**] [F.: Do lat. *sibilare.* Hom./Par.: *silva(s)* (fl.), *silva(s)* (sf. [pl.]); *silvo* (fl.), *silvo* (a. sm.).]

silveiro (sil.*vei*.ro) *a.* Diz-se do touro que tem a cabeça escura com pequenas manchas brancas [F.: *silv(a) + -eiro.*]

silvestre (sil.*ves*.tre) *a2g.* **1** Que é próprio das selvas ou do mato (animal silvestre); SELVAGEM **2** Que dá sem ter sido cultivado (flores silvestres) **3** Agreste, inculto, sáfaro (terreno silvestre) [F.: Do lat. *silvestris, e.*]

◎ **silv(i)-** *el. comp.* = 'floresta'; 'mata'; 'selva': *silvícola, silvicultor, silvicultura* [F.: Do lat. *silva, ae.*]

silvícola (sil.*ví*.co.la) *a2g.* **1** Que habita as selvas *s2g.* **2** Aquele que habita as selvas [F.: Do lat. *silvicola, ae*, por via erudita. Tb. *selvícola*, mesma or., por via pop.]

silvicultor (sil.vi.cul.*tor*) [ô] *a.* **1** Que se dedica a silvicultura (agrônomo silvicultor) *sm.* **2** Aquele que se dedica a silvicultura [F.: *silv(i)- + -cultor.*]

silvicultura (sil.vi.cul.*tu*.ra) *sf.* **1** Ciência que estuda as florestas, suas árvores e plantas em geral, procurando o aproveitamento ecologicamente bem fundamentado **2** Cultivo de árvores florestais [F.: *silv(i)- + -cultura.*]

silviídeo (sil.vi.*í*.de:o) *sm.* **1** *Zool.* Espécime dos silviídeos, fam. de aves passeriformes neotropicais, de pequeno porte, plumagem marrom ou cinza e bico pontudo, tb. conhecidas como *balança-rabos* e *bicos assovelados.* *a.* **2** *Zool.* Ref. ou pertencente aos silviídeos [F.: Adaptação do lat. cient. *Sylviidae.*]

silvo (*sil*.vo) *sm.* **1** Som agudo e prolongado; ASSOBIO; SIBILO **2** Apito **3** Assobio emitido pelas cobras [F.: Dev. de *silvar.* Hom./Par.: *silvo* (fl. de *silvar*).]

sim *adv.* **1** Us. em resposta afirmativa: *– Você vem comigo? – Vou sim.* **2** Expressa concordância, aprovação: *– Vista bonita, não é? – Sim, é muito bonita.* **3** Substitui, e antecipa, oração iniciada pela conjunção 'que': *Perguntei se ele ia, e ele disse que sim.* **4** Expressa certo enfado, quando repetido: *Sim, sim, já vou, não precisa chamar outra vez.* **5** Equivale a 'bem' ou 'ora', quando empregado para retomar um assunto: *Sim, ela não é linda, mas também não é feia como você diz.* [Pl.: *sins.*] *sm.* **6** Consentimento: *Quando ouviu o sim, acalmou-se.* [F.: Do lat. *sic.* Ant. ger.: *não.*] ■ **Dar o ~** Concordar em casar, esp. na cerimônia de casamento **Pelo ~, pelo não** Por segurança; na dúvida sobre o que irá acontecer; por via das dúvidas **Pois ~** **1** Indica anuência ou concordância; vá, vá lá, seja: *Pois sim, aceito.* **2** Us. para reforçar uma afirmação; perfeitamente **3** *Irôn.* Indica descrédito ou dúvida daquilo que se ouviu: *Pois sim que vai haver aumento de salário este mês.* **4** *Irôn.* Us. como negativa enfática ou expressão de forte discordância; de forma alguma, não mesmo: *–Hoje vamos fazer hora extra. –Pois sim! Tenho compromisso.* [Estas duas conotações opostas ao sentido literal distinguem-se pela entonação e pelo contexto.]

sima¹ (*si*.ma) *sm. Geof.* Camada hipotética existente abaixo da capa superior da crosta terrestre, constituída principalmente por silicatos, com predominância de magnésio e ferro [F.: De *si(lício) + ma(gnésio).* Hom./Par.: *cima* (sf.).]

sima² (*si*.ma) *sf. Ornit.* Gênero de pássaros levirrostros alcedinídeos da Austrália

simão¹ (si.*mão*) *sm. Pop.* Qualquer macaco [F.: De or. duvidosa.]

simão² (si.*mão*) *sm. Bras. AL* Nome dado pelos pescadores ao vento sul, que sopra rijo e frio no litoral do estado [F.: or. obsc.]

simbiônica (sim.bi:*ô*.ni.ca) *sf.* Interação entre o homem e a máquina [F.: *sim- + biônica.*]

simbionte (sim.bi:*on*.te) *Ecol. a2g.* **1** Diz-se de organismo que vive em simbiose *sm.* **2** Organismo que vive em simbiose [F.: Do gr. *sumbion, ontos.*]

simbiôntico (sim.bi:*ôn*.ti.co) *a.* **1** Que diz respeito a simbiose; SIMBIÓTICO **2** Diz-se de organismo em que ocorre simbiose [F.: *simbiont(e) + -ico.*]

simbiose (sim.bi:*o*.se) *sf.* **1** *Ecol.* Associação de dois seres vivos, em benefício mútuo **2** *Ecol.* Influência ou ação recíproca entre duas espécies que vivem juntas [+ *com*: "...a semente do cacau, cuja árvore estabelece relações de simbiose com outras espécies." (*O Globo*, 06.06.2005)] **3** *Fig.* Ligação muito íntima e interativa de duas pessoas [+ *entre*: "Sem ter a pretensão de ter a genialidade de Castro Alves, existe uma simbiose entre biografado e biógrafo." (*Jornal do Brasil*, 16.02.1998)] [F.: Do fr. *symbiose.*]

simbiótico (sim.bi:*ó*.ti.co) *a.* **1** Que se refere a simbiose **2** Diz-se de organismo que vive em simbiose [F.: Do gr. *sumbiotikós, é, ón.*]

simbólica (sim.*bó*.li.ca) *sf.* **1** O conjunto dos símbolos próprios de uma religião, de um povo ou de uma época **2** A ciência que expõe esses símbolos e que pretende explicar o sentido deles **3** A obra que trata dessa ciência: "O material de erudição aumentou no nosso século com a Etnologia, com a Pré-história, com a Mitografia... com a Simbólica." (Teófilo Braga, *Sistema de Sociologia, parte X*) **4** Sistema de interpretação dos mitos politeístas que considera estes como símbolos dos fatos naturais ou históricos e dos princípios morais [F.: Fem. substv. de *simbólico.*]

simbolicamente (sim.bo.li.ca.*men*.te) *adv.* De modo simbólico; por símbolos: *Expressou simbolicamente suas ideias.* [F.: Do fem. de *simbólico + -mente.*]

simbólico (sim.*bó*.li.co) *a.* **1** Ref. a símbolo: "...as paredes nuas, nada que lembrasse mistério ou incutisse pavor, nenhum petrecho simbólico..." (Machado de Assis, *Esaú e Jacó*) **2** Expresso mediante símbolos (linguagem simbólica) **3** Que se baseia em símbolos ou funciona por meio deles; METAFÓRICO; ALEGÓRICO [F.: Do fr. *symbolique.*]

simbolismo (sim.bo.*lis*.mo) *sm.* **1** Qualidade do que é simbólico, do que se exprime por meio de símbolo: *o simbolismo da bandeira/da reverência ao Sol.* **2** Qualquer sistema de símbolos ou convenções simbólicas, como o da lógica, o da matemática, o da linguística **3** *Liter.* Movimento literário surgido na França do final do séc. XIX como reação ao parnasianismo e ao naturalismo, distinguindo-se pela visão de mundo subjetiva, simbólica e espiritual, pela atitude entre reflexiva e afetiva, pela valorização da musicalidade verbal, da sugestividade e sutileza estética **4** *Psic.* Modo pelo qual os desejos, conflitos e tendências inconscientes adquirem representação indireta e figurada, tanto no indivíduo como na cultura (na linguagem, nos mitos, costumes etc.) [F.: Do fr. *symbolisme.*]

simbolista (sim.bo.*lis*.ta) *a2g.* **1** Ref. ao simbolismo (todas as acps.) **2** Que é adepto do simbolismo (3) *s2g.* **3** O que é adepto do simbolismo (3) [F.: Do fr. *symboliste.*]

simbolização (sim.bo.li.za.*ção*) *sf.* Ação ou resultado de simbolizar: "Enganam-se os que pensam que o vermelho iniciou sua simbolização com o comunismo, pois ele já pode ser encontrado (...) na Revolução Francesa." (*O Globo*, 04.01.2003) [Pl.: *-ções.*] [F.: *simboliza(r) + -ção.*]

simbolizado (sim.bo.li.*za*.do) *a.* **1** Expresso por meio de símbolo(s); EMBLEMATIZADO **2** Representado por desenho, figura, uma forma etc. **3** Expresso simbolicamente por palavras, signos etc. em estilo figurado: *a realidade simbolizada pelos poetas.* [F.: Part. de *simbolizar.*]

simbolizador (sim.bo.li.za.*dor*) *a.* **1** Diz-se de que ou de quem simboliza (traço simbolizador, expressão simbolizadora) *sm.* **2** Aquele ou aquilo que simboliza [F.: *simboliza(r) + -dor.*]

simbolizar (sim.bo.li.*zar*) *v.* **1** Ser símbolo de [*td.*: *A pomba branca simboliza a paz.*] **2** Representar, exprimir através de símbolo; EMBLEMAR [*td.*] **3** Falar ou escrever de maneira simbólica [*int.*] [▶ **1 simbolizar**] [F.: Do fr. *symboliser.*]

símbolo (*sím*.bo.lo) *sm.* **1** Tudo o que, de maneira arbitrária ou convencional, representa uma outra coisa: *A bandeira é um dos símbolos nacionais.* **2** Sinal, signo, figura que representa um conceito ou sugestão: *A imagem da caveira é o símbolo do perigo.* **3** Objeto, adereço, peça de vestuário que designa dignidade, posição, função; INSÍGNIA; EMBLEMA: *O anel de pescador é o símbolo do papado.* **4** Tudo o que, por sua forma ou natureza, em certas situações, toma o lugar de algo abstrato e indispensável: *A pomba branca é o símbolo da paz.* **5** Aquilo que revela um valor evocativo, mágico ou místico: *O pão e o vinho são símbolos do corpo e sangue de Jesus Cristo.* **6** *Estét.* Elemento descritivo ou narrativo a que se pode atribuir um valor não expresso e essencial: *A arte muitas vezes vale-se de símbolos.* **7** Pessoa ou personagem que se torna emblemática de certa atividade ou comportamento: *Midas é o símbolo da riqueza.* **8** *Liter.* Palavra ou imagem us. para designar outro objeto ou qualidade, por analogia com estes; ALEGORIA; METÁFORA; COMPARAÇÃO **9** *Psic.* Manifestação ou comportamento exterior que representa desejo ou conflito inconsciente **10** *Rel.* Formulário que contém os principais artigos de fé das igrejas cristãs, us. pelos fiéis **11** *Quím.* Letra ou abreviatura que representa um elemento químico: *Ni é o símbolo do níquel.* **12** *Ling.* Na semiologia, todo símbolo que, diversamente do ícone e do índice, se baseia em convenção social (como o símbolo linguístico), com uma relação estabelecida com o referente; SIGNO ARBITRÁRIO [F.: Do lat. *symbolum, i.*]

simbologia (sim.bo.lo.*gi*.a) *sf.* **1** Representação por meio de símbolo **2** Estudo dos símbolos [F.: Haplologia de *simbolologia.*]

simbológico (sim.bo.*ló*.gi.co) *a.* Ref. a simbologia [F.: *simbologi(a) + -ico.*]

simetria (si.me.*tri*.a) *sf.* **1** Correspondência em forma, grandeza e localização entre as partes existentes de um lado e do outro de determinada linha, plano ou eixo: *Procurou o máximo de simetria entre os murais.* **2** Grande semelhança entre duas metades de algo **3** *P. ext.* Semelhança entre dois fenômenos, situações etc. (simetria histórica) **4** *Geom.* Transformação geométrica que mantém inalteradas a forma, as dimensões ou quaisquer outras propriedades de uma figura **5** *Fig.* Harmonia resultante de determinadas combinações regulares ou da visualização de determinadas proporções [F.: Do lat. *symmetria, ae.*] ■ **~ axial** *Geom.* Aquela que se verifica em relação a um eixo fixo; simetria cilíndrica **~ bilateral** *Biol.* Aquela em que as partes de um organismo formam um todo divisível por um plano médio em duas metades similares [Ocorre na maioria dos animais.] **~ central** *Geom.* Aquela que existe em relação à reflexão em um ponto; simetria polar **~ especular** *Geom.* A que se verifica por reflexão em um plano fixo **~ polar** *Geom.* Ver *Simetria central* **~ radial** *Biol.* Aquela na qual partes de um organismo estão ordenadamente dispostas em torno de um ponto ou de um eixo, de modo que qualquer corte através do centro resulta em duas partes similares

simétrico (si.*mé*.tri.co) *a.* **1** Ref. a simetria (princípio simétrico) **2** Que apresenta simetria (projeção simétrica) [F.: Do fr. *symétrique.*]

simiesco (si.mi:*es*.co) [ê] *a. Pej.* Ref. a símio, macaco: *Reagiu com esgares simiescos.* [F.: Do fr. *simiesque.*]

símil (*sí*.mil) *a2g. Poét.* Que é análogo, semelhante; SIMILAR; PARECIDO [Pl.: *-meis.* Superl.: *simílimo, similíssimo.*] [F.: Do lat. *similis, e.*]

similar (si.mi.*lar*) ***a2g.*** 1 Muito parecido, igual em muitos aspectos (produto similar); SEMELHANTE ***sm.*** 2 Produto ou objeto similar: *Este é o similar nacional.* [F.: Adaptação do fr. *similaire.*]

similaridade (si.mi.la.ri.*da*.de) ***sf.*** Qualidade ou condição de similar; SEMELHANÇA; SIMILITUDE [F.: *similar + -idade.*]

símile (*sí*.mi.le) ***a2g.*** 1 Que tem semelhança, similar ***sm.*** 2 Qualidade do que se mostra semelhante, similar ***sm.*** 3 Comparação entre coisas parecidas: *Seus símiles tornam a narrativa ainda mais convincente.* 4 *Liter. Gram.* Figura de linguagem por meio da qual uma coisa é ostensivamente equiparada a outra, em geral mediante o uso da conjunção 'como' ou equivalente; COMPARAÇÃO: *Caiu trêmulo, destroçado, como uma ave.* [F.: Do lat. *simile, is.*]

simílimo (si.*mí*.li.mo) ***a.*** 1 *Gram.* Superl. abs. sint. de símil; muito símil; similíssimo 2 Muito semelhante [F.: Do lat. *simillimus, a, um.*]

similitude (si.mi.li.*tu*.de) ***sf.*** Qualidade ou condição de similar; SEMELHANÇA; ANALOGIA; SIMILARIDADE [Ant.: *diferença, dessemelhança.*] [F.: Do lat. *similitudo, inis.*]

símio (*sí*.mi:o) ***sm.*** 1 *Zool.* Ver *macaco* (1) ***a.*** 2 Ver *simiesco* [F.: Do lat. *simius, ii.*]

simiolo (si.*mí*:o.lo) ***sm.*** Pequeno macaco; macaquinho [F.: De *símio.*]

simioto (si.mi:*o*.to) [ô] ***sm.*** *Pat.* Doença que acomete crianças, causada por desnutrição e gerando aparência de símio [F.: De *símio.*]

simonia (si.mo.*ni*.a) ***sf.*** Comercialização ilegal de coisas sagradas (sacramentos, indulgências) ou de cargos e benefícios eclesiásticos [F.: Do lat. ecles. *simonia.*]

simoníaco (si.mo.*ní*.a.co) ***a.*** 1 Ref. ou inerente a, ou próprio de simonia 2 Em que há simonia 3 *Rel.* Que cometeu o crime de simonia ***sm.*** 4 Aquele que praticou simonia; SIMONIANO [F.: Do lat. medv. *simoniacus, a, um.*]

simonista (si.mo.*nis*.ta) ***a2g.*** 1 Diz-se de que ou de quem faz simonia; que faz comércio ilegal ou tráfico de objetos sagrados ***s2g.*** 2 Aquele ou aquilo que negocia ilegalmente objetos sagrados [F.: *simon(ia) + -ista.*]

simonte (si.*mon*.te) ***a.*** 1 Diz-se do fumo da primeira folha, us. para cheirar ger. como rapé ***sm.*** 2 Esse tabaco [F.: De or. obsc., posv. do espn. *somonte.* Sin. ger.: *somonte.*]

simpatia (sim.pa.*ti*.a) ***sf.*** 1 Atração que pessoa, ideia, objeto etc. exerce sobre alguém: *Teve sempre simpatia pela Itália.* [Ant.: *antipatia.*] 2 Afinidade que une duas ou mais pessoas: *Há grande simpatia entre os moradores.* 3 Solidariedade que se manifesta com relação a algo ou alguém [+ *por*: *Sentia forte simpatia por aquela causa.* Ant.: *antipatia.*] 4 Pessoa que provoca forte impressão: *A secretária era uma simpatia.* [Ant.: *antipatia.*] 5 Sentimento de aprovação que se desperta em alguém: *Ganhou a simpatia do professor.* [Ant.: *antipatia.*] 6 *Bras. Pop.* Ritual supersticioso para conseguir o que se deseja: *Fez uma simpatia para fazer o namorado voltar.* 7 Capacidade de compartilhar as experiências de outrem: *Nossa visita foi um gesto de simpatia.* 8 Começo de envolvimento amoroso: *No início, foi uma enorme simpatia por ela.* 9 *Bras.* Empenho demonstrado em atender as pretensões de alguém: *O chefe prometeu analisar o pedido com simpatia.* 10 *Bras. Pop.* Modo amistoso de tratar alguém: *Conseguiu resolver meu problema, simpatia?* 11 *Med.* Influência que uma doença produz sobre qualquer órgão 12 *Med.* Relação mútua, fisiológica ou patológica, entre dois órgãos, sistemas ou partes do corpo [F.: Do lat. *sympathia, ae.*]

simpático (sim.*pá*.ti.co) ***a.*** 1 Ref. a simpatia [Ant.: *antipático.*] 2 Que inspira simpatia (indivíduo simpático; lugar simpático); AGRADÁVEL [Ant.: *antipático.*] 3 Que revela simpatia (comentário simpático) [Ant.: *antipático.*] 4 *Anat.* Diz-se do sistema nervoso autônomo [Superl.: *simpaticíssimo, simpatiquíssimo.*] ***sm.*** 5 *Anat.* O sistema nervoso autônomo [F.: Do fr. *sympathique.*]

simpatizante (sim.pa.ti.*zan*.te) ***a2g.*** 1 Que simpatiza com algo ou alguém ***s2g.*** 2 Pessoa que tem simpatia por uma religião, doutrina, partido (simpatizante do anarquismo) [F.: *simpatiza (r) + -nte.*]

simpatizar (sim.pa.ti.*zar*) ***v.*** Ter simpatia por [***tr.*** + *com*: *Simpatizou logo com a moça.*] [***int.:*** *Eles não se simpatizam muito.*] [▶ 1 simpatizar] [F.: *simpatia + -izar.*]

simpatomimético (sim.pa.to.mi.*mé*.ti.co) ***a.*** Diz-se de substância que reproduz os efeitos da estimulação dos nervos simpáticos; SIMPATICOMIMÉTICO [F.: *simpát(ico) + -o- + mimético.*]

simpatria (sim.pa.*tri*.a) ***sf.*** *Ecol. Gen.* Existência simultânea em uma mesma região geográfica de duas ou mais populações sem que haja cruzamento entre seus indivíduos [F.: *sin-* (na f. *sim-*) + *patr* (do gr. *pátra*) + *ia*[1].]

simples[1] (*sim*.ples) ***a2g2n.*** 1 Que só se constitui de um componente, ou de poucos (substância simples) 2 Que não tem luxo ou acréscimos aparatosos (casa simples); SINGELO 3 Que não é complicado, que é fácil de compreender ou utilizar (método simples); ELEMENTAR: *A questão era simples, qualquer idiota a resolvia.* [Ant.: *complexo.*] 4 Que não é elaborado, ou que tem poucos ornamentos (arquitetura simples) 5 Que não apresenta outros sentidos ou conotações; MERO; PURO: *Fez um simples comentário.* [Us. antes do subst.] 6 Que não é acompanhado ou ajudado por outro(s); SÓ; ÚNICO: *Uma simples secretária atende a todos os diretores.* 7 Sem excessos; NORMAL; COMUM: *Leva uma vida simples.* 8 Sem luxo ou ostentação; MODESTO: *A solenidade foi simples.* 9 Que se encontra em nível baixo de uma hierarquia: *um simples soldado/peão/operário.* [Us. antes do subst.] 10 Que não tem malícia; INGÊNUO; CRÉDULO: *É uma mulher simples, que acredita em tudo.* 11 De pouca instrução: *É simples mas não é bobo: defende-se.* 12 Que é pobre, sem recursos materiais (origem simples) [Ant.: *rico.* De uso frequentemente eufemístico.] 13 *Gram.* Diz-se de período constituído por uma única oração 14 *Bot.* Diz-se de flor ou corola que tem apenas uma série de pétalas [Superl.: *simplíssimo, simplicíssimo, (pop.) simpléririmo.*] ***s2g2n.*** 15 *Bot.* Diz-se de folha que tem o limbo inteiro, que não se subdivide 16 Pessoa simples 17 *Ant. Farm.* Qualquer erva com efeito medicamentoso [Pl.: *simplicíssimo e simplíssimo.*] ***adv.*** 18 De modo simples ou despretensioso; com simplicidade: *Apesar da erudição, escreve simples.* [F.: Do lat. *simplex, icis.* Ideia de 'simples': *hapl(o)-* (*haplologia*).]

simples[2] (*sim*.ples) ***sm2n.*** *Cons.* Ver *cimbre*

simpleza (sim.*ple*.za) [ê] ***sf.*** 1 Característica ou qualidade do que é simples 2 Ingenuidade acompanhada de doçura, de bondade; inocência 3 Simplicidade devida a ignorância; ingenuidade parva [F.: *simpl(es) + -eza.*]

simplicidade (sim.pli.ci.*da*.de) ***sf.*** 1 Característica do que é simples, sem complicação ou complexidade: *a simplicidade dos primeiros aviões.* 2 Modo de agir espontâneo, natural: *A simplicidade da moça os encantou.* [Ant.: *afetação.*] 3 Caráter próprio e não modificado por influências estranhas: *A missão era de extrema simplicidade.* 4 Elegância e naturalidade no modo de falar ou escrever (simplicidade de estilo) 5 Qualidade de quem é sincero e franco: *Confessou-se com simplicidade.* 6 Falta de luxo, pompa ou ostentação: *Era um rito de grande simplicidade.* [F.: Do lat. *simplicitas, atis.*]

simplificação (sim.pli.fi.ca.*ção*) ***sf.*** 1 Ação ou resultado de simplificar 2 *Ling.* No aprendizado de uma língua, erro decorrente de tornar regulares aspectos que não o são, esp. a ampliação do alcance de uma regra ou a transferência de um modelo existente na língua materna [Pl.: *-ções.*] [F.: Do fr. *simplification.*]

simplificadamente (sim.pli.fi.ca.da.*men*.te) ***adv.*** 1 De modo simplificado: *Resolve tudo simplificadamente.* 2 De forma a tornar simples ou fácil ou claro [F.: Fem. de *simplificado + -mente.*]

simplificado (sim.pli.fi.*ca*.do) ***a.*** 1 Que se simplificou (formulário simplificado) 2 Que se tornou mais fácil, menos complexo [F.: Part. de *simplificar*. Ant. ger.: *complicado.*]

simplificador (sim.pli.fi.ca.*dor*) [ô] ***a.*** 1 Que simplifica (recurso simplificador) ***sm.*** 2 Aquele ou aquilo que simplifica [Fem.: *-dora*] [F.: Rad. do part. *simplificado + -or.*]

simplificar (sim.pli.fi.*car*) ***v. td.*** 1 Tornar simples ou mais simples: *simplificar um texto complexo/uma explicação.* [Ant.: *complicar.*] 2 Fazer com que (algo) fique mais fácil ou claro [***td.***] 3 *Mat.* Reduzir (fração) a termos menores [▶ 11 simplificar] [F.: Posv. do fr. *simplifier.* Hom./Par.: *simplificáveis* (fl.), *simplificáveis* (a2g. pl.).]

simplificativo (sim.pli.fi.ca.*ti*.vo) ***a.*** Que tem a propriedade de simplificar; que serve para simplificar (variável simplificativa) [F.: *simplifica(r) + -tivo.*]

simplismo (sim.*plis*.mo) ***sm.*** 1 Uso de meio ou métodos simples demais 2 Simplificação exagerada na avaliação ou expressão de qualquer coisa, com desprezo pelos elementos mais complexos: "...mas daí a concluir-se que a obesidade é o oposto de desnutrição beira o absurdo do simplismo." (*O Globo*, 23.12.2004) [F.: *Simples* sob a f. rad. *simpl- + -ismo.*]

simplista (sim.*plis*.ta) ***a2g.*** 1 Ref. a simplismo 2 Que age ou pensa com simplismo ou que o demonstra (visão simplista) ***s2g.*** 3 Indivíduo de raciocínios simples [F.: *Simples* sob a f. rad. *simpl- + -ista.*]

simplistamente (sim.plis.ta.*men*.te) ***adv.*** De uma maneira simplista [F.: *simplista + -mente.*]

simploriedade (sim.plo.ri:e.*da*.de) ***sf.*** Característica, qualidade ou comportamento de simplório, de ingênuo [F.: *simplóri(o) + -edade.*]

simplório (sim.*pló*.ri:o) ***a.*** 1 Que não possui penetração de raciocínio ou malícia; CRÉDULO; INGÊNUO [Ant.: *sabido, esperto.*] ***sm.*** 2 Indivíduo ignorante, ingênuo, tolo [F.: *Simples* sob a f. rad. *simpl- + -ório*[2].]

simpósio (sim.*pó*.si:o) ***sm.*** 1 Reunião de intelectuais, cientistas etc. para a discussão de determinado assunto 2 Na Grécia antiga, a segunda parte de um banquete ou festim em que os convivas bebiam, conversavam e dedicavam-se a vários jogos e outros divertimentos 3 Qualquer banquete ou festim [F.: Do gr. *sympósion, -ou* 'banquete, festim' pelo lat. *symposion* ou *symposium, ii.*]

simposista (sim.po.*sis*.ta) ***s2g.*** 1 Diz-se de quem participa de simpósio ***s2g.*** 2 Participante de simpósio [F.: *simpós(io) + -ista.* Sin. ger.: *congressista, seminarista.*]

simulação (si.mu.la.*ção*) ***sf.*** 1 Ação ou resultado de simular 2 Ato de fazer parecer verdadeiro aquilo que não é (simulação de empréstimo); DISFARCE; SIMULACRO 3 Comportamento enganoso; FINGIMENTO; FALSIDADE: *A felicidade do casal era pura simulação.* 4 Representação do funcionamento de um sistema, processo ou fenômeno para treinamento (esp. para enfrentar situações de perigo) ou diversão (simulação de voo/incêndio) 5 Ensaio, teste ou experiência (simulação eleitoral/de vestibular) 6 *Jur.* Falsa declaração para escapar de determinada imposição legal 7 *Psiq.* Manifestação exagerada de perturbação somática ou psíquica [Pl.: *-ções.*] [F.: Do lat. *simulatio, onis.*]

simulacro (si.mu.*la*.cro) ***sm.*** 1 Coisa que é uma simulação, representação de outra: *simulacro de uma batalha/de um julgamento.* 2 Aparência enganosa (simulacro de escritor) 3 Reprodução ou cópia malfeita; ARREMEDO: *Essa estatueta é um simulacro da original.* 4 Suposta aparição de pessoa morta; ESPECTRO; FANTASMA: *o simulacro do rei persa Dario.* 5 *Ant.* Representação de uma personagem ou divindade pagã; ESTÁTUA; ÍDOLO [F.: Do lat. *simulacrum, i.*]

simuladamente (si.mu.la.da.*men*.te) ***adv.*** 1 De modo simulado 2 Com simulação, fingimento ou disfarce [F.: O fem. de *simulado + -mente.*]

simulado (si.mu.*la*.do) ***a.*** 1 Que é falso, fingido (ataque simulado; contusão simulada) 2 Feito com simulação, como imitação de algo verdadeiro (corrida simulada) 3 Que é feito de modo fraudulento, com aparência de verdade (venda simulada) ***sm.*** 4 Exame para avaliar alguém ou alguma coisa, feito com simulação: *O simulado será no domingo.* [F.: Part. de *simular.*]

simulador (si.mu.la.*dor*) [ô] ***a.*** 1 Que simula (aparelho simulador) ***sm.*** 2 O que simula: *simulador de corridas de automóveis.* [Fem.: *-dora*] [F.: Do lat *simulator, oris* 'o que imita, finge, ardiloso'.] ■ **~ espacial** *Astnáut.* Dispositivo que simula as condições existentes no espaço, us. para treinamento de astronautas e testes de equipamentos destinados a viagens espaciais **~ de voo** *Aer.* Equipamento destinado ao treinamento de pilotos de aeronaves, que reproduz as condições e o instrumental da cabine de comando de um avião, com projeção de um cenário externo de voo, e cuja operação provoca reações que simulam as que o piloto teria num voo real (movimentos e inclinações da aeronave, ruídos, visão da pista e do céu, sinais de alerta, condições meteorológicas programáveis etc.)

simular (si.mu.*lar*) ***v.*** 1 Tentar fazer que pareça real o que não é [***td.:*** *simular alegria/tristeza/simpatia.*] 2 Fazer imitação de [***td.:*** *simular uma briga/o canto de um pássaro.*] 3 Proceder de maneira dissimulada; não deixar perceber a verdadeira intenção; FINGIR [***int.:*** *Tinha a certeza de que o rapaz estava simulando.*] 4 *Inf.* Produzir ou representar, por meio de um sistema de informática, as características ou a evolução de (fenômeno, situação ou processos concretos) [***td.***] [▶ 1 simular] [F.: Do lat. *simulare.*]

simultaneamente (si.mul.ta.ne:a.*men*.te) ***adv.*** De modo simultâneo, juntamente, ao mesmo tempo: *Recebeu simultaneamente duas cartas; Três jogos realizaram-se simultaneamente.* [F.: O fem. de *simultâneo + -mente.*]

simultaneidade (si.mul.ta.nei.*da*.de) ***sf.*** 1 Qualidade do que é simultâneo [+ *com*: "Essa quase simultaneidade com a vida real sempre foi calculada..." (*O Globo*, 11.06.2005)] 2 Existência ao mesmo tempo de duas ou mais coisas: *a simultaneidade das eleições estaduais e federais.* [F.: Adaptação do fr. *simultaneité.* Ideia de 'simultaneidade': *sin-* (*sincronia, sinergia, sinfonia, sinônimo*).]

simultâneo (si.mul.*tâ*.ne:o) ***a.*** Que ocorre ou é feito ao mesmo tempo ou quase ao mesmo tempo (que outra coisa) (explosões simultâneas); CONCOMITANTE [F.: Do lat. tard. *simultaneus, a, um.*]

sin (*sin*) ***a2g2n.*** 1 *Quím.* Diz-se de um dos dois isômeros, correspondente ao isômero Z de um alceno em certos compostos, com ligação dupla entre dois átomos de nitrogênio, ou entre um de carbono e um de nitrogênio ***sm2n.*** 2 *Quím.* Cada um dos isômeros que fazem a ligação dupla entre dois átomos de nitrogênio, ou entre um de carbono e um de nitrogênio [F.: Do gr. *syn.*]

◎ **sin-** ***pref.*** = 'associação'; 'ação conjunta': *síntese, síncrônico*

sina (*si*.na) ***sf.*** 1 *Pop.* Fatalidade ou predestinação a que qualquer pessoa está supostamente sujeita; SORTE; DESTINO; FADO: "Esse amor foi uma desgraça. Foi uma sina terrível." (Álvares de Azevedo, *Macário*): "É assim, só ilusão/ A sina de quem ama/ E se entrega à paixão..." (Ivete Sangalo, *Desperdiçou*) 2 *Ant.* Bandeira, estandarte ou insígnia militar [F.: F. divergente semierudita do pop. *senha* e do erudito *signa.* Hom./Par.: *Cina* (antr. e top.).]

sinafia (si.na.*fi*:a) ***sf.*** *Poét.* Regularidade métrica contínua de um verso em outro seguinte, de forma a que sílabas no fim de uma linha formem parte de um pé, completado por sílabas no começo da linha seguinte, us. para restabelecer o ritmo num poema; *enjambement* [F.: Do gr. *sunápheia, as.*]

sinagoga (si.na.*go*.ga) ***sf.*** 1 Templo onde se pratica o culto religioso judaico; ESNOGA 2 Assembleia de fiéis na religião judaica; ESNOGA 3 Local para reuniões e/ou culto dos judeus; ESNOGA: *Os judeus não tiram os chapéus nas sinagogas.* 4 Falta de ordem; CONFUSÃO; TUMULTO 5 *Bras. Pop.* Confusão, barulho, desordem 6 *Bras. Pop.* Festa barulhenta; PÂNDEGA; PAGODE 7 *Bras. Pop.* Reunião tumultuada, casa onde ninguém se entende: *A casa da sogra é uma genuína sinagoga.* 8 *Bras. Pop.* Cabeça humana 9 *Bras.* Multidão que se aglomera em torno do prédio da Bolsa de Valores, durante o pregão [F.: Do lat. ecles. *synagoga*, deriv. do gr. *synagogé, ês* 'ação de reunir, reunião, assembleia'.]

sinagogal (si.na.go.*gal*) ***a2g.*** 1 Ref. a sinagoga 2 Ref. a liturgia judaica [Pl.: *-gais.*] [F.: *sinagog(a) + -al.*]

sinal (si.*nal*) ***sm.*** 1 Vestígio, marca que se inscreve em alguém ou em algo (concreto ou abstrato), simbolizando alguma coisa: *Aquelas ruínas eram sinais da guerra; Não conseguia apagar de seu rosto os sinais do tempo.* [NOTA: Nesta acp., mais us. no pl.] 2 Mancha, cicatriz, pinta: *Tinha um sinal na face direita.* 3 Gesto que permite reconhecer ou prever algo: *Fez um sinal para que o pedestre passasse.* 4 Recurso (visual, sonoro etc.) que se usa para transmitir avisos, ordens etc.: *Ouvimos o sinal de alerta.*

5 Prenúncio, presságio: *Era um sinal de que as coisas não iam bem.* 6 Importância que se adianta numa negociação: *Deu um sinal de cinco mil na compra do carro.* 7 *Fig.* Ato ou gesto que serve como demonstração clara de algum sentimento; PROVA: *Ofereceu-lhe flores como sinal de carinho; Não dava sinal de arrependimento.* 8 *Mat.* Símbolo de operação matemática 9 *Med.* Sintoma de uma doença: *O doente apresentava sinais de diabetes.* [Cf.: *sintoma.*] 10 *Telc.* Ruído próprio dos aparelhos de telecomunicação, indicativo de que estão prontos para uso: *Depois do sinal deixe o seu recado; O telefone custou a dar sinal.* 11 Nos colégios, som da sineta ou sirene que anuncia o início ou o fim de alguma atividade: *Tocou o sinal do final do recreio.* 12 Representação gráfica que tem um sentido convencional (sinais fonéticos; sinais algébricos) 13 O que se escreve sobre uma etiqueta, placa; RÓTULO; MARCA; LETREIRO 14 *Jur.* Assinatura ou rubrica firmada em tabelião 15 *Elet.* Num circuito, impulso elétrico que entra ou sai 16 *Ling.* Objeto, forma ou fenômeno que se associa a algo diferente de si mesmo, passando a substituí-lo em determinadas situações; SIGNO 17 *Radt.* Oscilação de uma onda modulada que modula outra 18 *Comun.* Suporte físico da mensagem (gesto, fonema, *bit*, caráter tipográfico, impulso elétrico etc.) 19 *Bras.* Sinal de trânsito; SINALEIRA 20 *Bras.* Ponto de parada de transportes coletivos 21 *S.* Corte de diversas formas feito na orelha dos animais para marcá-los [Pl.: *-nais.*] [F.: Do lat. *signalis, e.* Hom./Par.: *senal* (a2g. sm.). Ideia de 'sinal': *sem (a / i) (semáforo, semântica); sign-(signatário, significado, signo); -semia (poliessemia).*] ■ ~ **aberto** Ver *Sinal verde.* ~ **amarelo** 1 Indicação de alerta, ou seja, de que é iminente a passagem de sinal de trânsito (ou farol, ou semáforo, ou sinaleira) de verde para vermelho, ao se acender nele a luz amarela 2 *P. ext. Fig.* Indicação de um estado de alerta em relação ao desenvolvimento de uma situação: *O último relatório de vendas já foi um sinal amarelo para a empresa.* ~ **de adição** *Arit.* Sinal (+) da operação de soma ~ **de Babinski** *Fisl.* Reflexo anômalo do músculo da planta do pé ao ser estimulado, que se estende ao invés de contrair-se, como indicação de lesão no sistema nervoso central ~ **de divisão** *Arit.* Sinal (÷) da operação de divisão ~ **de excitação** *Eletrôn.* Tensão aplicada aos terminais de entrada de um circuito ou de um dispositivo ~ **de multiplicação** *Arit.* Sinal (·) da operação de multiplicação ~ **de pontuação** *Gram. Ling.* Cada um dos sinais que formam um sistema de pontuação [No português, *vírgula, ponto e vírgula, dois-pontos* (:) e *ponto* (.) relacionam elementos do texto. O *ponto de interrogação* (?) marca o encerramento de uma pergunta; o *ponto de exclamação* ou de *admiração* (!), o de uma exclamação. As *reticências* (...) sinalizam a suspensão da sentença; os *parênteses* [(...)] interrompem o desenrolar da sentença para intercalar comentário; os *colchetes* ([...]) servem para introduzir digressões ao curso das ideias, ou para evitar que parênteses se abram dentro de parênteses. O *travessão* – precede a fala de um locutor.] ~ **de revisão** *Art. gr.* Sinal us. por revisores de texto, convencionado para representar determinada ação de emenda, a ser seguida pelos operadores do texto ~ **de supressão** *Art. gr.* Sinal de revisão que significa que o texto marcado deve ser eliminado; *deleatur* ~ **de trânsito** Aparelho instalado em ruas (ger. em cruzamentos) ou estradas, destinado a sinalizar aos motoristas se podem seguir ou se devem parar, permitindo a passagem de outros veículos no cruzamento; farol; semáforo; sinaleira [Consiste, ger. de três luzes coloridas que se alternam: a verde (embaixo se a disposição for vertical e à esquerda se for horizontal) libera a passagem; a vermelha (em cima ou à direita) sinaliza a parada obrigatória; a amarela (entre as duas) sinaliza atenção à mudança iminente da luz verde para a vermelha.] ~ **de vídeo** *Eletrôn. Telv.* Sinal ou conjunto de sinais que portam, em forma de ondas, informações (cor, luminância, sincronismo etc.) sobre a imagem que está sendo transmitida para que sejam decodificadas no aparelho receptor e retransformadas em imagem na tela ~ **diacrítico** *Art. gr.* Sinal que se apõe a uma letra ou a um símbolo fonético para modificar-lhe o som, indicar sua duração etc. [Ex.: cedilha, acento agudo, acento circunflexo, til, macro etc. Tb. apenas *diacrítico.*] ~ **fechado** Ver *Sinal vermelho* ~ **luminoso** Ver *Sinal de trânsito* ~ **modulador** *Eletrôn.* Sinal (17), ger. de audiofrequência, interfere numa onda portadora de alta frequência, modificando-lhe a amplitude, ou frequência, de modo que esta reproduz o perfil daquela, que vai ser reconhecido no aparelho receptor ~ **negativo** *Mat.* O que indica número ou grandeza negativos. [-] ~ **patognômico** *Med.* Sintoma típico de uma doença, cuja presença é suficiente para fazer o diagnóstico ~ **positivo** *Mat.* O que indica número ou grandeza positivos ~ **verde** 1 Permissão de prosseguir indicada por sinal luminoso de trânsito (ou farol, ou semáforo, ou sinaleira), ao nele se acender a luz verde; sinal verde; sinal aberto; luz verde 2 *P. ext. Fig.* Permissão, ou situação favorável para o prosseguimento de algo, ou início de algo: *Está tudo preparado, sinal verde para dar início ao projeto.* 3 *Aut.* Conjunto das luzes verdes que, ao se acenderam todas sequencialmente, autoriza a partida dos carros numa corrida de automóveis ~ **vermelho** 1 Indicação de que não é permitida a passagem (em rua, estrada etc.), esp. em sinal de trânsito, ao nele se acender luz vermelha; sinal fechado 2 *P. ext. Fig.* Indicação de que não se deve começar ou prosseguir com algo, ou situação desfavorável para que se comece ou se prossiga com algo; sinal fechado; luz vermelha: *A inflação alta do mês foi um sinal vermelho para os planos de expansão da firma.* **Abrir o** ~ Passar (sinal de trânsito) de vermelho a verde **Avançar o** ~ 1 *Bras.* Não obedecer ao sinal de parar o veículo (esp. o sinal luminoso vermelho) 2 *Fig.* Não respeitar determinada convenção ou regra, passando do limite daquilo que é permitido ou considerado aceitável; esp. intervir em esfera que não é da sua competência ou atribuição 3 *Fig.* Comportar-se de modo abusivo ou ousado, atrevido; esp. forçar situação de intimidade ou exceder-se nas carícias sexuais 4 *Restr.* Ter relações sexuais antes do casamento (us. esp. em relação ao casal) **Dar sinal de si/de vida** Depois de um tempo de ausência, dar (alguém) notícias de si, ou fazer contato, ou finalmente aparecer **Por** ~ A propósito; aliás

sinal da cruz (si.nal da *cruz*) *sm. Rel.* Gesto religioso com que o cristão se benze, traçando com os dedos uma cruz que toca a testa, cada ombro e o peito, ao mesmo tempo em que pronuncia "em nome do Padre (ou Pai), do Filho, do Espírito Santo" *Pop;* NOME DO PADRE [Pl.: *sinais da cruz.*]

sinalefa (si.na.*le*.fa) *sf.* 1 *Fon.* Reunião, transformação ou junção de duas ou mais sílabas em uma só, quer por sinérese ou crase, quer por elisão 2 *Gram.* Supressão de vogal final átona de um vocábulo diante da vogal inicial do vocábulo seguinte [Cf.: *apócope.*] 3 *Enc.* Pequena ferramenta de ferro com que os encadernadores douram os filetes nas capas e na lombada dos livros 4 *Lus. Art. gr. Edit.* Sinal gráfico ou ortográfico de marcação de textos 5 *Lus. Pop.* Sinal ou gesto expressivo feito com os dedos ou com as mãos [F.: Do gr. *synaloiphé.*]

sinaleira (si.na.*lei*.ra) *sf. Bras.* Aparelho de sinalização instalado nas ruas, rodovias ou ferrovias para orientar o tráfego; SEMÁFORO; SINALEIRO; SINAL; SINAL LUMINOSO *SP;* FAROL [F.: *sinal* + *-eira.*]

sinaleiro (si.na.*lei*.ro) *sm.* 1 Funcionário encarregado de sinalizar em aeroportos, ferrovias, navios, ruas etc. 2 *Bras.* Ver *sinaleira* *a.* 3 Que dá sinais 4 Diz-se de indivíduo com o encargo de dar ou fazer sinais nos diferentes meios de transportes [F.: *sinal* + *-eiro.*]

sinalética (si.na.*lé*.ti.ca) *sf.* 1 Processo de identificar criminosos por marcas ou cicatrizes, ou por quaisquer outros sinais; SIGNALÉTICA 2 *Cont.* Sistema de fichário reunindo em uma só ficha indicações de uma conta [F.: *sinal* + fem. de *-ético.*]

sinalização (si.na.li.za.*ção*) *sf.* 1 Ação ou resultado de sinalizar 2 O conjunto de sinais instalados em vias de comunicação, portos, aeroportos etc. para facilitar o trânsito e oferecer mais segurança: *Uma boa sinalização evita acidentes.* 3 O conjunto de sinais (luminosos, gráficos, sonoros) us. como meio de comunicação [Pl.: *-ções.*] [F.: *sinaliza (r)* + *-ção.*]

sinalizado (si.na.li.*za*.do) *a.* Marcado com sinais (postes, letreiros, luzes etc.) para informar transeuntes, condutores de veículos etc. (estrada sinalizada) [F.: Part. de *sinalizar.*]

sinalizador (si.na.li.za.*dor*) [ô] *a.* 1 Diz-se de que serve para transmitir sinais ou avisos (lanterna sinalizadora) 2 Que assinala; indicador (policial sinalizador) *sm.* 3 Indício, sinal: *O fato é um sinalizador de bons tempos.* 4 Instrumento ou aparelho que emite sinal luminoso ou sonoro (sinalizador de frequência, sinalizador de tráfego) 5 Transmissor de mensagens ou avisos por meio de sinais (sinalizador marítimo) 6 *Lus.* Indivíduo que se encontra em determinado ponto com a função de transmitir e receber sinais; SINALEIRO [F.: *sinaliza(r)* + *-dor.*]

sinalizar (si.na.li.*zar*) *v.* 1 Pôr sinalização em [*td.: sinalizar uma rua.*] 2 Comunicar por meio de sinais [*td.: Tentava sinalizar o perigo fazendo gestos.*] 3 *Fig.* Assinalar, apontar, indicar [*td.: O fim desse conflito sinaliza uma nova época.*] 4 Desempenhar as tarefas de sinaleiro [*int.: Seu trabalho é sinalizar.*] [▶ 1 sinalizar] [F.: *sinal* + *-izar.*]

sinandria (si.nan.*dri*:a) *sf.* 1 *Bot.* Característica, qualidade ou estado do que é sinandro 2 Coesão das anteras das flores masculinas nas plantas labiadas [F.: *sinandr(o)* + *-ia*¹.]

sinandro (si.*nan*.dro) *a.* 1 *Bot.* Que apresenta sinandria 2 *Bot.* Diz-se de androceu que tem estames totalmente soldados entre si, formando uma peça única *sm.* 3 *Bot.* Androceu concrescente, típico das campanuláceas [F.: *sin-* + *-andro.*]

sinantrópico (si.nan.*tró*.pi.co) *a.* Diz-se de que é propenso a ou consegue conviver com o homem (espécie sinantrópica, animal sinantrópico) [F.: *sinantrop(o)* + *-ico*².]

sinapismo (si.na.*pis*.mo) *sm. Ter.* Papa medicamentosa, feita de pó de mostarda, us. para provocar revulsão: "..., na ocasião em que ficou fraca do peito e precisou de punção e sinapismo." (Otto Lara Resende, "Mater Dolorosa" *in O Elo Partido e Outras Histórias*) [F.: Do gr. *sinapismós, -oû,* pelo lat. tardio *sinapismus, i* 'cataplasma de mostarda'.]

sinapse (si.*nap*.se) *sf.* 1 *Biol. Cit.* Processo da associação, alinhamento ou emparelhamento de dois cromossomos homólogos dos pronúcleos masculino e feminino do óvulo durante a meiose 2 *Fisl.* Relação anatômica entre dois neurônios vizinhos, com transmissão de impulsos nervosos de uma célula para outra [F.: Do lat. cient. *synapsis,* do gr. *synapsis, eos.*]

sináptico (si.*náp*.ti.co) *a.* 1 *Biol. Cit.* Ref. ou inerente a, ou próprio de sinapse (processo sináptico) 2 *Fisl. Histl.* Unido ou conectado por sinapse [F.: Do gr. *synaptikós, e, on.*]

sinarquia (si.nar.*qui*:a) *sf.* 1 *Pol.* Governo simultâneo de vários chefes que administram diversas partes de um Estado 2 Poder coletivo 3 *Biol.* Fusão de duas células sexuais [F.: Do gr. *synarkhía.*]

sinartrose (si.nar.*tro*.se) [ó] *sf. Anat.* Denominação genérica de todas as articulações que se fazem por continuidade das superfícies ósseas, em que os ossos são unidos por tecido conjuntivo fibroso, e sem mobilidade possível no estado normal [F.: Do lat. cient. *synarthrosis,* do gr. *sunarthrosis, eos.*]

sinastria (si.nas.*tri*:a) *sf.* Realização de parcerias (sinastria comercial, sinastria conjugal) [F.: *sinastr(a)* + *-ia*¹.]

sincanto (sin.*can*.to) *sm. Anat. Oft.* Aderência do globo ocular aos tecidos da órbita [F.: *sin-* + gr. *kanthós.*]

sincaridos (sin.ca.*ri*.dos) *smpl.* Grupo de crustáceos, da ordem dos anaspidáceos, hab. de águas de temperatura baixa e regular [F.: Do tax. *Syncarida.*]

sincarpo (sin.*car*.po) *sm. Bot.* Fruto resultante de um gineceu sincárpico, composto de muitos utrículos reunidos e soldados numa massa única, como na amora; SINCÁRPIO [F.: *sin-* + *-carpo.*]

sinceridade (sin.ce.ri.*da*.de) *sf.* 1 Qualidade, estado ou condição do que é sincero; FRANQUEZA; LISURA: *Sinceridade é uma de suas virtudes.* 2 Conduta franca, leal: *Agiu com toda sinceridade.* 3 Palavra ou expressão sincera: *Perdoe-me a sinceridade, mas não aprovo seu comportamento.* [F.: Do lat. *sinceritas, -atis.* Ant. ger.: *fingimento, hipocrisia.*]

sincero (sin.*ce*.ro) *a.* 1 Que é verdadeiro, autêntico, puro: "E o muito e muito que te quero/ E como é sincero o meu amor..." (Pixinguinha e João de Barro, *Carinhoso*) 2 Que se diz ou se faz de modo franco, sem dissimulação (remorso sincero) 3 Em quem se pode ter confiança (companheiro sincero); LEAL; VERDADEIRO 4 Que revela afeição (saudação sincera) [F.: Do lat. *sincerus, -a, -um.* Ant. ger: *falso, fingido, hipócrita.*]

sincicial (sin.ci.ci.*al*) *a2g. Biol.* Ref. ou inerente a, ou pertencente ao sincício (massa sincicial, citoplasma sincicial) [F.: *sincíci(o)* + *-al.*]

sincício (sin.*cí*.cio) *sm.* 1 *Biol.* Massa protoplásmica que contém numerosos núcleos, formada pela fusão de células 2 Camada externa do trofoblasto do ovo dos mamíferos [F.: Do lat. cient. *syncytium.*]

síncito (*sín*.ci.to) *sm. Cit.* Célula gerada pela fusão de duas ou mais células, provocada pelo desaparecimento das paredes de células contíguas [F.: *sin-* + *-cito.*]

sinclinal (sin.cli.*nal*) *a2g.* 1 *Geol.* Ref. ou inerente à dobra de camada geológica cuja concavidade se volta para cima [Esse tipo de dobra chama-se *sinclínio*] 2 *Geol.* Diz-se da formação geológica que apresenta uma estrutura rochosa dobrada, com a concavidade voltada para cima e em que as estratificações se conservam horizontais [Pl.: *-nais.*] *sm.* 3 Essa estrutura rochosa [Pl.: *-nais.*] [F.: *sin-* + *-clin(o)-* + *-al.* Cf.: *anticlinal.*]

sínclise (*sín*.cli.se) *sf.* 1 *Gram.* Emprego de pronome oblíquo átono em relação ao verbo [Cf.: ênclise, mesóclise, próclise.] 2 Emprego de pronome sinclítico [F.: Do gr. *sugklisis, eós.* Hom./Par.: *cínclise* (sf.) *síncrise* (sf.).]

sinclítica (sin.*clí*.ti.ca) *a.* 1 *Gram.* Ref. ou inerente a, ou próprio de sínclise 2 *Gram. Ling.* Diz-se de pronome átono que se coloca junto a um verbo 3 *Gram. Ling.* Diz-se de palavra que se junta a outra, perdendo o acento próprio *sf.* 4 *Gram. Ling.* Palavra que se intercala, antepõe, pospõe a outra, perdendo o acento próprio [F.: Fem. subst. de *sinclítico.*]

sinclitismo (sin.cli.*tis*.mo) *sm.* 1 *Gram.* Teoria de colocação dos pronomes oblíquos e dos pronomes átonos na frase 2 *Med. Obst.* Paralelismo entre o plano biparietal da cabeça do feto e os planos dos estreitos superior e inferior da pelve 3 *Geol.* Modo de formação em feitio de bacia, das dobras sinclíneas [F.: Do gr. *sugklisis, eós* + *-ismo.*]

sincondrose (sin.con.*dro*.se) [ó] *sf. Anat.* União de dois ossos por meio de cartilagem; articulação [F.: *sin-* + *-condr(o)-* + *-ose*².]

sincondrotomia (sin.con.dro.to.*mi*:a) *sf.* 1 *Cir.* Incisão de sincondrose 2 Seção da sínfise pubiana [F.: *sin-* + *-condr(o)-* + *-tom(o)-* + *-ia.*]

sincopado (sin.co.*pa*.do) *a.* 1 Que se sincopou *a.* 2 *Gram.* Diz-se de vocábulo em que ocorreu síncope (2) 3 *Mús.* Em que há síncopes (3); fortemente marcado [F.: Part. de *sincopar.*]

sincopar (sin.co.*par*) *v. td.* 1 *Ling.* Eliminar por síncope (fonema, sílaba dentro de uma palavra); SINCOPIZAR 2 *Mús.* Inserir síncopes em [▶ 1 sincopar] [F.: *síncop(e)* + *-ar.* Hom./Par.: *sincopais* (fl.), *sincopais* (pl. de *sincopal* [a2g.]); *sincopa(s)* (fl.), *síncopa(s)* (sf. [pl.]); *sincope(s)* (fl.), *síncope(s)* (sf. [pl.]).]

síncope (*sín*.co.pe) *sf.* 1 *Med.* Perda dos sentidos por má irrigação do sangue no cérebro; DESMAIO *Pop;* CHILIQUE 2 *Ling.* Eliminação de fonemas no interior de uma palavra (p. ex.: *pra* em vez de *para*) [Cf.: *haplologia.*] 3 *Mús.* Som emitido em tempo fraco de um compasso, e prolongado no tempo forte que se segue [Cf. *contratempo.*] [F.: Do gr. *synkopé, ês,* pelo lat. tardio *syncopa, ae.* Hom./Par.: *síncope* (sf.), *sincope* (fl. de *sincopar*).]

sincópico (sin.*có*.pi.co) *a. Gram. Med. Mús.* Ref. ou inerente a, ou pertencente à síncope (surto sincópico, elisão sincópica, compasso sincópico) [F.: *síncop(e)* + *-ico*².]

sincrético (sin.*cré*.ti.co) *a.* 1 Ref. a sincretismo 2 Que resulta da união de diferentes filosofias, religiões, seitas etc.: *A umbanda é um culto sincrético.* 3 Que focaliza o conjunto, a totalidade; GLOBAL: *Ele fez uma pesquisa sincrética acerca da violência.* 4 Estabelecido sobre uma percepção global do mundo exterior (pensamento sincrético) [F.: Do fr. *syncrétique.*]

sincretismo (sin.cre.*tis*.mo) *sm.* **1** Fusão de cultos religiosos ou de elementos culturais diferentes com acomodação entre seus elementos: *O sincretismo religioso é uma tônica em países católicos da América Latina.* **2** Fusão de filosofias ou ideologias diversificadas **3** *Fil.* Tendência a fundir ideias ou doutrinas diferentes e até mesmo antagônicas [Cf.: *ecletismo.*] **4** Encontro ou concorrência casual de pontos de vista ou ações **5** *Fig.* Ser ou coisa resultante desse encontro **6** *Psic.* Percepção global e imprecisa a partir da qual aparecem, depois, objetos claramente perceptíveis **7** *Ling.* Identidade morfológica entre duas unidades linguísticas funcionalmente diferentes [F.: Do gr. *synkretismós, ou* 'união de cretenses', donde 'união de antigos inimigos contra um terceiro'.]
sincretista (sin.cre.*tis*.ta) *a2g.* **1** Ref. ou inerente a sincretismo; sincrético **2** *Fil. Rel.* Diz-se de que ou de quem é partidário do sincretismo *s2g.* **3** *Fil. Rel.* Pessoa partidária do sincretismo [F.: Do fr. *syncrétiste.*]
sincretístico (sin.cre.*tis*.ti.co) *a.* **1** *Fil. Rel.* Ref. ou inerente a sincretismo e a sincretista **2** Que envolve ou constitui sincretismo [F.: *sincretist(a)* + *-ico*^{2}.]
sincretização (sin.cre.ti.za.*ção*) *sf.* Ação ou resultado de sincretizar, de tornar sincrético (sincretização política, sincretização de costumes) [Pl.: *-ções.*] [F.: *sincretiza(r)* + *-ção.*]
sincretizar (sin.cre.ti.*zar*) *v.* Tornar sincrético; integrar componentes distintos numa síntese [*tdr.* + *com*: *Sincretizou suas observações com toda a pesquisa de seus antecessores.*] [*td.*: *Sincretizava em seu texto a contribuição de várias vanguardas.*] [▶ 1 sincretizar] [F.: *sincret(ismo)* + *-izar.*]
sincrocíclotron (sin.cro.ci.*clo*.tron) *sm. Fís. nu.* Aparelho acelerador de partículas pesadas, sincronizando a frequência do campo elétrico aplicado com a velocidade das partículas [Pl.: *sincrociclótrones, sincrocíclotrons.*] [F.: Do ing. *synchrocyclotron.*]
sincromecanismo (sin.cro.me.ca.*nis*.mo) *sm. Mec.* Ajuste sincrônico de um mecanismo
sincronia (sin.cro.*ni*.a) *sf.* **1** Ação ou resultado de sincronizar [+ *com*: "A literatura a levou a encontrar a própria voz, em sincronia com a experiência de sua personagem..." (*Revista Bravo*, janeiro 2003)] **2** Relação entre fatos sincrônicos (1) **3** *Ling.* O estado de uma língua num determinado momento, independentemente de sua evolução histórica [Cf.: *diacronia.*] [F.: *síncrono* + *-ia*^{1}.]
sincronicidade (sin.cro.ni.ci.*da*.de) *sf.* **1** Característica, qualidade ou estado de sincrônico (1, 2) **2** *Psi.* Na teoria junguiana, coincidência de um estado psíquico com um acontecimento exterior não percebido pelo observador, com um acontecimento futuro ou com um acontecimento objetivo simultâneo embora sem relação causal aparente [F.: *sincrônico* + *-(i)dade.*]
sincrônico (sin.*crô*.ni.co) *a.* **1** Diz-se de fatos ou circunstâncias que ocorrem exatamente ao mesmo tempo; SÍNCRONO: *movimentos ritmados e sincrônicos.* **2** Ref. a fatos, condições etc. que existem num mesmo momento ou época, independentemente de sua evolução histórica; SÍNCRONO **3** Diz-se de quadro, tabela etc. que apresenta eventos históricos simultâneos em lugares diferentes **4** *Ling.* Ref. a sincronia (2, 3) [F.: *síncron(o)* + *-ico*^{2}.]
sincronismo (sin.cro.*nis*.mo) *sm.* **1** Qualidade ou condição de sincrônico; simultaneidade de dois ou mais fenômenos ou acontecimentos: *Faziam movimentos de ginástica num sincronismo absoluto.* **2** Ajuste de dois eventos, processos etc., de modo que ocorram exatamente ao mesmo tempo; SINCRONIZAÇÃO: *Há um funcionário encarregado do sincronismo dos relógios da empresa.* **3** *Cin. Telv.* Ver *sincronização* (2) [F.: Do gr. *synchronismós, oû* 'acontecimento ou narrativa da mesma época', posv. pelo fr. *syncronisme.*]
sincronização (sin.cro.ni.za.*ção*) *sf.* **1** Ação ou resultado de sincronizar **2** *Cin. Telv.* Entrosamento perfeito entre os componentes visuais e sonoros na produção ou na exibição de um filme, programa de televisão etc; SINCRONISMO **3** *Cin. Telv.* Conjunto de técnicas e serviços exigidos para a obtenção desse entrosamento **4** *Eletrôn.* Manutenção do entrosamento ou da conjugação de uma operação com outra [Pl.: *-ções.*] [F.: *sincroniza (r)* + *-ção.* Ant. ger.: *dessincronização.*]
sincronizado (sin.cro.ni.*za*.do) *a.* Que se sincronizou; que é sincrônico ou simultâneo (nado sincronizado) [F.: Part. de *sincronizar.* Ant. ger.: *dessincronizado.*]
sincronizador (sin.cro.ni.za.*dor*) [ô] *a.* **1** *Mec. Tec.* Diz-se de que ou de quem sincroniza *sm.* **2** *Mec. Tec.* Aquilo ou aquele que sincroniza **3** Dispositivo para indicar, produzir ou manter um movimento síncrono **4** Dispositivo para ligar automaticamente duas instalações em sincronismo **5** *Fot.* Dispositivo para sincronizar o flash e a abertura do obturador **6** *Tec.* Parte fundamental do radar que regula a duração e ordem das fases de um ciclo **7** *Tec.* Regulador para um sistema de relógios [F.: *sincroniza(r)* + *-dor.*]
sincronizar (sin.cro.ni.*zar*) *v. td.* **1** Tornar sincrônicos ou simultâneos (eventos, gestos, movimentos etc.): *sincronizar exercícios/os passos de um grupo de dança/sinais de trânsito.* **2** Narrar ou expor (os fatos) em sua sincronia **3** *Cin. Telv.* Fazer a sincronização de (filme, vídeo etc.); fazer com que (diálogos, ruídos, música etc.) se tornem simultâneos com a ação mostrada nas imagens [▶ 1 sincronizar] [F.: *síncrono* + *-izar.*]
síncrono (*sín*.cro.no) *a.* **1** Que ocorre ao mesmo tempo; SINCRÔNICO **2** Ref. a fatos, condições etc. que coexistem ou coincidem; SINCRÔNICO **3** Que tem sua realização ou duração regulada por um mecanismo de sincronismo (2) (motor síncrono) **4** *Inf.* Diz-se de programa, processo etc. controlado por dispositivo que mantém o sincronismo (2) [F.: Do gr. *sýnkronos, os, on* 'contemporâneo', pelo lat. *synchronus.* Ant. ger.: *assíncrono.*]
síncroton (*sín*.cro.ton) *sm. Fís.* Acelerador de partículas carregadas (elétrons, prótons, p. ex.) pela combinação de campos magnéticos variáveis de alta e baixa frequência [Pl.: *sincrótones, síncrotrons.*] [F.: Do ing. *synchroton.*]
sindáctilo (sin.*dác*.ti.lo) *a. sm. Med. Zool.* Que ou o que tem dois ou mais dedos total ou parcialmente unidos entre si [F.: *sin-* + *-dá(c)tilo.* Var.: *sindátilo.*]
sindectomia (sin.dec.to.*mi*.a) *sf. Cir. Oft.* Excisão de uma parte da conjuntiva, para a cura do pano (8) [F.: Do gr. *syndéo* + *-ectomia.*]
sindérese (sin.*dé*.re.se) *sf.* **1** Faculdade inata de julgar com retidão **2** Discrição, juízo, bom-senso, ponderação, circunspeção **3** *Rel. Teol.* Estado de contrição e de moralidade, inerente a toda ação humana consciente **4** *Fil.* Segundo a escolástica, aptidão natural e inata para a apreensão imediata dos princípios morais e éticos que devem orientar o comportamento humano [F.: Do fr. *syndérèse.*]
síndese (*sín*.de.se) *sf. Gram.* Ver *síndeto* [F.: Do gr. *sýndesis.*]
sindesmite (sin.des.*mi*.te) *sf. Pat.* Inflamação dos ligamentos [F.: *sindesm(o)-* + *-ite*^{1}.]
⊛ **sindesm(o)-** *el. comp.* = 'ligamento': *sindesmologia, sindesmite, sindesmologia, sindesmose, sindesmotomia.* [F.: Do gr. *sýndesmos, ou,* 'elo'; 'ligamento'.]
sindesmologia (sin.des.mo.lo.*gi*:a) *sf. Anat.* Estudo dos ligamentos e articulações [F.: *sindesm(o)-* + *-logia.*]
sindesmológico (sin.des.mo.*ló*.gi.co) *a. Anat.* Ref. ou inerente a, ou pertencente à sindesmologia (estudo sindesmológico) [F.: *sindesmologia* + *-ico*^{2}.]
sindesmose (sin.des.*mo*.se) *sf. Anat.* Articulação móvel dos ossos por meio de tecido conjuntivo fibroso que constitui membrana ou ligamento interósseo [F.: *sindesm(o)-* + *-ose*^{1}.]
sindesmotomia (sin.des.mo.to.*mi*:a) *sf. Cir.* Dissecação ou corte de ligamentos [F.: *sindesm(o)-* + *-tomia.*]
sindético (sin.*dé*.ti.co) *a. Gram.* Diz-se da oração coordenada introduzida por conjunção coordenativa (p. ex.: *Lutou muito e alcançou o sucesso.*) [F.: Do gr. *syndetikós, é, ón* 'que serve para ligar'. Cf.: *assindético* e *polissindético.*]
síndeto (*sín*.de.to) *sm. Gram.* Emprego de conjunção coordenativa aditiva entre palavras, entre termos de uma oração ou entre orações coordenadas; SÍNDESE [F.: Do gr. *sýndetos.*]
sindical (sin.di.*cal*) *a2g.* Ref. a, de ou próprio de sindicato (dirigente sindical) [Pl.: *-cais.*] [F.: *síndico* + *-al.* Hom./Par.: *sindicais* (pl.), *sindicais* (fl. *sindicar*).]
sindicaleiro (sin.di.ca.*lei*.ro) *sm. Bras. Pej.* Sindicalista [F.: *sindical* + *-eiro.*]
sindicalismo (sin.di.ca.*lis*.mo) *sm.* **1** Movimento ou doutrina política que defende a organização dos profissionais e trabalhadores em sindicatos, para que trabalhem juntos na defesa de seus interesses **2** Doutrina ou movimento que visa a fortalecer o sindicato dentro da organização econômica e social **3** Atividade social, política ou reivindicatória dos sindicatos **4** Conjunto constituído pelos sindicatos e sindicalistas **5** Trabalho exercido dentro do sindicato [F.: *sindical* + *-ismo.*]
sindicalista (sin.di.ca.*lis*.ta) *a2g.* **1** Ref. a sindicalismo ou a sindicatos **2** Que é partidário do sindicalismo *s2g.* **3** Partidário do sindicalismo; líder sindical [F.: *sindical* + *-ista.*]
sindicalização (sin.di.ca.li.za.*ção*) *sf.* Ação ou resultado de sindicalizar(-se): *Houve a sindicalização de muitas categorias profissionais.* [Pl.: *-ções.*] [F.: *sindicaliza(r)* + *-ção.*]
sindicalizado (sin.di.ca.li.*za*.do) *a.* **1** Que se sindicalizou; que se associou a um sindicato *sm.* **2** Aquele que se sindicalizou; que se entregou a um sindicato [F.: Part. de *sindicalizar.*]
sindicalizar (sin.di.ca.li.*zar*) *v. td.* Organizar(-se) em, ou associar(-se) a sindicato: *Sindicalizaram mil trabalhadores; Os motoristas sindicalizaram-se.* [▶ 1 sindicalizar] [F.: *sindical* + *-izar.*]
sindicância (sin.di.*cân*.ci:a) *sf.* **1** Busca minuciosa que visa a apurar a verdade dos fatos alegados; INQUÉRITO; INVESTIGAÇÃO: *O governo fez sindicâncias para apurar irregularidades.* **2** *Bras.* O cargo de síndico; SINDICATO **3** *Bras.* O desempenho de quem é síndico; SINDICATO [F.: *sindic (ar)* + *-ância.*]
sindicante (sin.di.*can*.te) *a2g.* **1** Que sindica, que faz sindicância *s2g.* **2** Aquele que sindica; síndico [F.: *sindica(r)* + *-nte.*]
sindicar (sin.di.*car*) *v.* **1** Realizar sindicância de, ou investigar, colher informações; inquirir [*td.*: *sindicar um desfalque financeiro.*] [*tr.* + *de*: *A chefia mandou sindicar de seu relacionamento com os bancos.*] [*int.*: *A comissão começou a sindicar desde cedo.*] **2** Organizar(-se) em sindicato; sindicalizar(-se) [*td.*] [▶ 11 sindicar] [F.: Por infl. do fr. *syndiquer.* Hom./Par.: *sindicais* (fl.), *sindicais* (a2g. pl.); *síndico* (fl.), *síndico* (sm.).]
sindicato (sin.di.*ca*.to) *sm.* **1** Associação de profissionais que defende os interesses trabalhistas dos seus membros (sindicato dos professores) **2** Associação que tem como objetivo a defesa dos interesses dos seus integrantes **3** Companhia ou associação de capitalistas interessados na mesma empresa, que colocam seus títulos à venda em comum para que não haja alteração de preço **4** *Pej.* Especulação financeira ilícita **5** *Bras.* Cargo de síndico; SINDICÂNCIA **6** *Bras.* O exercício desse cargo; SINDICÂNCIA [F.: *síndico* + *-ato*^{2}, pelo fr. *syndicat.*]
síndico (*sín*.di.co) *sm.* **1** Administrador de associação, condomínio etc. **2** *Bras.* Em condomínio residencial, pessoa que cuida da sua administração, ger. um condômino eleito pelos demais **3** *Jur.* Pessoa designada pelo juiz para administrar massa falida (ger. o maior de seus credores) **4** Pessoa responsável por uma sindicância (1); SINDICANTE **5** Advogado de uma corporação administrativa **6** *Ant.* Antigo magistrado ou procurador de cortes, comunidades etc. [F.: Do gr. *sýndikos, os, on* 'o que dá assistência a alguém na justiça', pelo lat. tardio *syndicus, -i* 'advogado ou delegado de uma cidade'. Hom./Par.: *síndico* (sm.), *sindico* (fl. de *sindicar*).]
síndrome (*sín*.dro.me) *sf.* **1** *Psic.* Estado mórbido que apresenta um conjunto de sintomas e pode ser resultado de mais de uma causa (síndrome de abstinência; síndrome de pânico) **2** *P. ext. Fig.* Associação de uma situação crítica a um conjunto de sinais e características, capaz de gerar medo e insegurança (síndrome da violência urbana; síndrome da instabilidade econômica) [F.: Do fr. *syndrome*, deriv. do gr. *syndromé.*] ▪▪ **~ de Cushing** *End. Pat.* Distúrbio causado pelo aumento descontrolado de secreção de cortisol pelo córtex da suprarrenal (por lesão nessa glândula, ou na hipófise, ou em outro órgão), caracterizado por obesidade, esp. no rosto e no tronco, problemas na pele, nos músculos e nos ossos, perturbação psíquica e, nas mulheres, suspensão do fluxo menstrual **~ de Down** *Pat.* Distúrbio genético, caracterizado por deficiência mental, crescimento retardado e anormalidade física bem-definida: crânio e faces pequenos e achatados, traços semelhantes aos dos mongóis; mongolismo **~ de Estocolmo** Sentimento de simpatia que desenvolve um sequestrado em relação a seu(s) sequestrador(es), por identificação (espontânea ou induzida) com sua causa, ou por pressão psicológica para se tornar a ele(s) simpático **~ de imunodeficiência adquirida** *Med.* Ver *AIDS* [Abrev.: *SIDA.*] **~ de tensão pré-menstrual** Ver *Tensão pré-menstrual* no verbete *tensão* **~ do Golfo** *Med.* Série de sintomas surgidos entre soldados (esp. norte-americanos) que participaram na Guerra do Golfo Pérsico (1990-1991), aparentemente de origem química, manifestando-se em articulações e tórax doloridos, erupções cutâneas, dificuldade de respirar, insônia, diarreia, alopecia, problemas psicológicos etc.
sinecologia (si.ne.co.lo.*gi*:a) *sf.* **1** *Ecol.* Divisão da ecologia que estuda as relações entre comunidades animais ou vegetais e o meio ambiente **2** Fitossociologia [F.: *sin-* + *ecologia.*]
sinecológico (si.ne.co.*ló*.gi.co) *a. Ecol.* Ref. ou inerente à sinecologia (pesquisa sinecológica) [F.: *sinecolog(ia)* + *-ico*^{2}.]
sinecura (si.ne.*cu*.ra) *sf.* Cargo que não exige quase trabalho algum de quem o exerce; PREBENDA; VENIAGA: "Verdade é que tal cargo até agora parece simples sinecura." (Machado de Assis, *Iaiá Garcia*) [F.: Do ing. *sinecure* (posv. pelo fr. *sinécure*), deriv. do lat medv. *sine cura* 'sem cuidado'.]
⊕ ***sine die*** (*Lat. /sine die/*) *loc. adv.* Sem data marcada: *Adiou o casamento sine die.* [F.: Prep. *sine* de abl. 'sem' + *die*, abl. sing. de *dies, ei* 'dia'.]
sinédoque (si.*né*.do.que) *sf. Gram.* Figura de linguagem que consiste na substituição de uma palavra que significa um todo por outra que significa uma parte e vice-versa (p. ex.: em *Há muitas cabeças no pasto*, usou-se cabeça [parte] em lugar de animal [todo]; em *A cidade mobilizou-se para ajudar os desabrigados*, usou-se cidade [todo] em lugar de habitantes [parte]) [F.: Do gr. *synekdokhé, ês*, pelo lat. *synecdoche, es.* Cf.: *metonímia.*]
sinédrio (si.*né*.dri:o) *sm. Antq.* Antigo tribunal superior judaico formado por anciãos, escribas e sacerdotes onde se decidiam os negócios de estado e da religião; SINEDRIM; SANEDRIM [F.: Do gr. *synédrion, ou*, pelo lat. tardio *synedrium.*]
sinedrita (si.ne.*dri*.ta) *sm.* Membro de sinédrio: *Jesus foi interrogado por sinedritas.* [F.: *sinédr(io)* + *-ita*^{2}.]
sineiro (si.*nei*.ro) *sm.* **1** O que tem por ofício ou obrigação tocar os sinos: "Inteligentemente, o padre convenceu o sineiro da seguinte história:." (Eça de Queirós, *O crime do padre Amaro*) **2** Indivíduo que fabrica sinos *a.* **3** Que tem sinos (torre sineira) [F.: *sin(o)* + *-eiro.*]
⊕ ***sine qua non*** *loc. a.* **1** Literalmente 'sem a qual não' **2** Expressão que designa uma condição obrigatória para que um ato se complete **3** Indispensável, essencial: *Um contrato é sine qua non para a locação de um imóvel.* [Pl.: *sine quibus non.*]
sinequia (si.ne.*qui*:a) *sf.* **1** *Oft.* Aderência da íris com a córnea ou com o cristalino **2** *Pat.* Aderência por meio de tecido fibroso de partes de um órgão normalmente separadas [F.: Do lat. cient. *synechia.*]
sinérese (si.*né*.re.se) *sf.* **1** *Gram. Ling.* Contração de duas vogais em um ditongo **2** Espécie de crase, que consiste na reunião de duas sílabas numa só, mas sem mudança alguma de letras e conservando os sons distintos; SINECFONESE [F.: Do gr. *synaíresis.* Ant. ger.: *diérese, ditongação.*]
sinergético (si.ner.*gé*.ti.co) *a. Fisl.* Ref. ou inerente a, ou próprio de sinergia (esforço sinergético); SINÉRGICO [F.: Do gr. *sunergétikós, e, ón.*]
sinergia (si.ner.*gi*.a) *sf.* **1** *Fisl.* Associação de vários órgãos para a realização de determinada função orgânica **2** *Econ.* Ação conjunta de vários agentes visando a um resultado

melhor que o de ações isoladas: *É preciso promover a sinergia entre empresários, trabalhadores, empregados e consumidores para ampliar a competitividade da indústria nacional.* **3** Coesão e solidariedade de um grupo, sociedade etc. em torno de objetivos comuns: "Se não há sinergia entre líderes e seus subordinados (...) o clima de trabalho será sempre ruim." (*O Globo*, 10.07.2005) [F.: Do gr. *synergía, -as* 'cooperação, ajuda'.]

sinérgico (si.*nér*.gi.co) *a.* **1** *Fisl.* Sinergético **2** Que é produzido por sinergia (estado sinérgico) [F.: *sinerg(ia)* + *-ico²*.]

sinergismo (si.ner.*gis*.mo) *sm.* **1** Ação cooperativa de forças concorrentes, sendo o efeito resultante maior que a soma dos efeitos individuais **2** *Teol.* Doutrina protestante que, ao contrário do ensino de Calvino, sustenta que o homem, apesar do pecado original, pode interferir na sua salvação mediante a colaboração da graça divina com a vontade humana [F.: *sinerg(ia)* + *-ismo*.]

sinergista (si.ner.*gis*.ta) *a2g.* **1** *Fisl. Teol.* Ref. ou inerente ao sinergismo (processo sinergista, doutrina sinergista), **2** *Teol.* Diz-se de que ou de quem é adepto e partidário do sinergismo *s2g.* **3** *Teol.* Adepto e partidário do sinergismo [F.: *sinerg(ia)* + *-ista*.]

sinestesia (si.nes.te.*si*.a) *sf.* **1** *Psic.* Associação (de natureza psicológica) de sensações de caráter distinto, como a de um som com uma cor, de um sabor com uma textura etc. **2** *Gram.* Figura de linguagem que consiste em misturar duas imagens ou sensações de natureza distinta (p. ex.: *voz escura/voz líquida/voz áspera.*) [F.: Do gr. *synaísthesis, -eos* 'sensação ou percepção simultânea' pelo fr. *synesthésie*. Hom./Par.: *sinestesia* (sf.), *cinestesia* (sf.); *sinestesia* (sf.), *cenestesia* (sf.).]

sinestésico (si.nes.*té*.si.co) *a. Psi.* Relativo a sinestesia; SINESTÉTICO [F.: *sinestes(ia)* + *-ico²*.]

sineta (si.*ne*.ta) [ê] *sf.* Sino pequeno [F.: *sino* + *-eta*. Hom./Par.: *sineta* (fl. de *sinetar*).]

sinete (si.*ne*.te) [ê] *sm.* **1** Espécie de carimbo que pode conter, em alto-relevo, assinatura, brasão etc. para autenticar um lacre **2** Assinatura, brasão etc. assim estampados **3** Ver *carimbo* (1) **4** *Fig.* Marca, sinal **5** *Art. Gr.* Ver *timbre* (1) [F.: Do fr. *signet*. Hom./Par.: *sinete* (fl. de *sinetar*). Ideia de 'sinete': *sigil-* (*sigilismo, sigilo, sigiloso*).]

sinfásico (sin.*fá*.si.co) *a.* **1** *Astron.* Ref. ou inerente a sinfase, aparecimento de vários astros ao mesmo **2** *Ling.* Diz-se de uniformidade no estilo ou na expressão linguística [Ant.: *diafásico*.] [F.: *sinfas(e)* + *-ico*.]

sínfise (*sín*.fi.se) *sf.* **1** *Anat.* Conjunto dos meios que asseguram as relações mútuas dos ossos, que compõem certas articulações, como as da bacia (sínfise sacrilíaca) **2** Articulação imóvel entre os dois ramos do osso púbico, na parte inferoanterior do abdome (sínfise pubiana) **3** *Med.* Aderência patológica de dois folhetos do pericárdio, causada por inflamação (sínfise cardíaca) [F.: Do lat. cient. *symphysis*.] ■ **~ mandibular** *Anat.* Junção das metades direita e esquerda da mandíbula **~ sacrococcígea** *Anat.* Articulação entre o sacro e o cóccix

sinfisiotomia (sin.fi.sio.to.*mi*:a) *sf. Obst.* Incisão da fibrocartilagem que une os dois ossos púbicos, para aumentar o diâmetro da pelve e facilitar um parto [F.: *sinfísio* + *-tomia*.]

sinfonia (sin.fo.*ni*.a) *sf.* **1** *Mús.* Composição orquestral de certa grandiosidade, ger. de longa duração, que tomou forma a partir da sonata e é executada por orquestras sinfônicas **2** *Fig.* Conjunto variado de imagens, sons, execuções etc.: "...sinfonia de pardais anunciando o anoitecer..." (Herivelto Martins, *Ave-Maria no morro*) **3** *Mús.* Peça instrumental que serve de introdução a uma ópera, cantata ou a um oratório **4** *Mús.* Conjunto de sinfonistas **5** Conjunto de sons **6** *Mús.* No séc. XV, qualquer composição instrumental **7** Canto harmonioso; MELODIA: *sinfonia de pássaros.* **8** *Mús.* Entre os gregos, a consonância perfeita que só seria produzida pelos intervalos de oitava, quinta e quarta juntas [F.: Do gr. *symphonia, as*, pelo lat. *symphonia*. Hom./Par.: *sinfonia* (sf.), *sinfônia* (sf.).] ■ **~ concertante** *Mús.* Composição musical com estrutura de sinfonia e de concerto para mais de um solista

sinfônica (sin.*fô*.ni.ca) *sf. Mús.* Orquestra sinfônica [F.: Fem. substv. de *sinfônico*.]

sinfônico (sin.*fô*.ni.co) *a.* **1** Ref. a sinfonia (repertório sinfônico) **2** Próprio para obras com vários instrumentos (orquestra sinfônica) **3** Próprio para orquestra (música sinfônica) **4** Em que há harmonia: *Canto sinfônico dos pássaros.* [F.: *sinfonia* + *-ico²*, posv. adaptação do fr. *symphonique*.]

sinfonismo (sin.fo.*nis*.mo) *sm.* Característica ou qualidade de sinfônico: *Suas composições têm um sinfonismo marcante.* [F.: *sinfon(ia)* + *-ismo*.]

sinfonista (sin.fo.*nis*.ta) *a2g.* **1** *Mús.* Diz-se de quem compõe sinfonias **2** Diz-se de instrumentista de sinfonias *s2g.* **3** *Mús.* Aquele que compõe sinfonias **4** Instrumentista de sinfonias [F.: *sinfon(ia)* + *-ista*.]

singalês (sin.ga.*lês*) *a. sm.* O mesmo que *cingalês* [F.: Do sânsc. *singhalas*.]

singeleza (sin.ge.*le*.za) [ê] *sf.* **1** Qualidade do que é singelo (singeleza de formas) **2** Ver *simplicidade* [F.: *singel(o)* + *-eza*.]

singelo (sin.*ge*.lo) *a.* **1** Que é muito simples (explicação singela) **2** Desprovido de enfeites, de ornatos (decoração singela); DESATAVIADO **3** Que é fácil, sem complexidade (problema singelo) **4** Que não revela dissimulação ou reserva (franqueza singela) **5** Inocente, inofensivo (brincadeiras singelas) **6** Que não é constituído de partes; SIMPLES **7** *Bot.* Diz-se de flor que tem apenas uma série de pétalas; SIMPLES: "Há rosas dobradas e há-as singelas; mas são todas elas azuis, amarelas." (Guerra Junqueiro, *Musa em férias*) [F.: Do lat. *singellus*, dim. do lat *singulus, a, um* 'um só', sing. de *singuli, ae, a* 'um a um, todos separadamente'.]

singênese (sin.*gê*.ne.se) *sf. Biol. Cosm.* Teoria cosmológica segundo a qual todos os seres vivos teriam por origem seres semelhantes remontando a uma criação única [F.: Do gr. *suggénesis, eos*.]

⊕ **single** (*Ing. /síngoul/*) *sm. Mús.* Disco com uma só faixa (4)

singleto (sin.*gle*.to) *sm. Fís.* Estado atômico de *spin* zero em que o número quântico do *spin* do átomo é igual a zero e cuja multiplicidade é igual a um [F.: Do ing. *singlet*.]

singnatídeo (sin.gna.*tí*.deo) *a.* **1** *Ict.* Ref. ou inerente a, ou pertencente aos singnatídeos *sm.* **2** *Ict.* Espécime dos singnatídeos **3** Peixe actinopterígio, solenicte, da fam. dos singnatídeos, a que pertence o cavalo-marinho (gên. Hippocampus), de corpo revestido por anéis ósseos articulados e fendas branquiais reduzidas, mandíbulas unidas, formando com a boca um tubo na extremidade [F.: Do lat. cient. *Syngnathidae*.]

singrado (sin.*gra*.do) *a. Mar. Náut.* Percorrido por embarcações; navegado, velejado [F.: Part. de *singrar*.]

singradura (sin.gra.*du*.ra) *Náut. sf.* **1** Ação ou resultado de singrar **2** Rota percorrida por um navio num tempo determinado **3** Tempo de navegação desde a partida até a chegada da embarcação [F.: Rad. do part. *singrado* (do v. *singrar*) + *-ura*.]

singrar (sin.*grar*) *v.* **1** Cruzar (águas); NAVEGAR [*td.*: *O navio singrava os mares.*] **2** *Fig.* Abrir caminho, passagem [*int.*: *Singraram por entre os banhistas até chegar na água.*] [▶ 1 singrar] [F.: Do fr. ant. *singler*.]

singular (sin.gu.*lar*) *a2g.* **1** Único na sua espécie (objeto singular) [Ant.: *comum*.] **2** Especial, raro: *Possui um talento singular.* [Ant.: *comum*.] **3** Fora do comum (acontecimento singular); EXCEPCIONAL [Ant.: *comum*.] **4** Que difere de outros (comportamento singular); INUSITADO; ESTRANHO **5** Expressivo, significativo (homenagem singular) **6** Que surpreende, espanta: *Presenciamos uma cena singular.* *sm.* **7** *Gram.* Categoria que designa um só indivíduo (*estudante, boi, navio* etc.) ou vários indivíduos constituindo um todo (*rebanho, frota* etc.) [Ant.: *plural*. Us. tb. como adj.: *substantivo singular*.] [F.: Do lat. *singularis, e*. Hom./Par.: *singular* (a2g.), *cingular* (a.).]

singularidade (sin.gu.la.ri.*da*.de) *sf.* **1** Qualidade do que é relativo a um só, do que é singular: *a singularidade de um fato.* **2** O que torna alguma coisa singular; peculiaridade distintiva essencial; PARTICULARIDADE: *Seus desenhos tinham uma singularidade poética.* **3** Coisa, ação ou palavra singular: *Foi um gesto de rara singularidade.* **4** Modo extraordinário de pensar, falar ou proceder; EXCENTRICIDADE: *A singularidade do seu comportamento era chocante.* **5** Qualidade do que não é comum; ORIGINALIDADE: *A singularidade dos gregos na democracia foi notável.* **6** *Mat.* Ponto singular **7** *Cosm.* Região do espaço-tempo em que as leis da física conhecidas deixam de vigorar e a curvatura do espaço se torna infinita [F.: Do lat. *singularitas, atis* 'individualidade, unidade'.]

singularização (sin.gu.la.ri.za.*ção*) *sf.* Ação ou resultado de singularizar [Pl.: *-ções*.] [F.: *singulariza (r)* + *-ção*.]

singularizado (sin.gu.la.ri.*za*.do) *a.* **1** Que se singularizou **2** Específico, especial; diferenciado (peça singularizada); PARTICULARIZADO **3** Tornado saliente, distinto (estilo singularizado); DISTINGUIDO [F.: Part. de *singularizar*. Ant. ger.: *generalizado*.]

singularizar (sin.gu.la.ri.*zar*) *v. td.* **1** Tornar(-se) singular, particular, ou distinto: *As figuras alongadas singularizam a pintura de El Greco; Ele singulariza-se por sua abnegação.* **2** Distinguir dos demais; particularizar: *A rapidez singulariza esse pianista.* **3** Tornar-se conhecido pelas suas ações, pelas maneiras: "Essa maneira de se ofuscar era, no fundo, um processo seguro de se enaltecer e singularizar" (Aquino Ribeiro, *Constantino de Bragança*) **4** Explicar em detalhes **5** Excetuar [▶ 1 singularizar] [F.: *singular* + *-izar*.]

singularmente (sin.gu.lar.*men*.te) *adv.* **1** De modo singular: *Tinha hábitos singularmente estranhos.* **2** Particularmente, especialmente, fortemente: *Destacou-se singularmente entre os candidatos.* **3** Extraordinário: *Era singularmente talentoso.* [F.: *singular* + *-mente*.]

sinhá (si.*nhá*) *sf. Bras. Fam.* Forma de tratamento usada pelos escravos para designar a senhora ou patroa; SIÁ; SÁ; SINHARA; SINHA: "Está, sinhá, respondia a mucama de cócoras no chão" (Machado de Assis, *O alienista*) [F.: contrv., prov. o fem. de sinhô, senhor.]

sinhaninha (si.nha.*ni*.nha) *sf.* **1** *Bras.* Espiguilha em forma de zigue-zague **2** *CE Pop.* Cachaça [F.: De or. obsc., posv. *sinhá* + antr. *Aninha*, dim. de Ana. Sin. ger.: *sianinha*.]

sinhô (si.*nhô*) *sm. Bras. Pop.* Tratamento que os escravos davam ao senhor; SIÔ: "Cadê meu frasco de cheiro/ que teu sinhô me mandou?" (Jorge de Lima, "Essa negra fulô" *in Obras completas*) [Fem.: *sinhá*.] [F.: F. red. de *senhor*.]

sinhô-moço (si.*nhô*-mo.ço) *sm. Bras. Pop.* Tratamento que os escravos davam ao filho do senhor; SINHOZINHO [Pl.: *sinhôs-moços*. Fem.: *sinhá-moça*.]

sinhozinho (si.nho.*zi*.nho) *sm. Bras. Pop.* Ver *sinhô-moço* [Fem.: *sinhazinha*.] [F.: *sinhô* + *-zinho*.]

sínico (*sí*.ni.co) *a.* **1** Ref. ou inerente a, ou próprio da China e a chineses em território português: *negócios sínicos em Macau.* **2** *Gloss.* Diz-se de grupo de línguas da família sino-tibetana faladas na China e em Taiwan *sm.* **3** *Gloss.* Vocábulo do sínico [F.: Do lat. medv. *Sin(a)* + *-ico²*. Hom./Par.: *cínico* (adj. sm.).]

sinimbu (si.nim.*bu*) *sm. Bras. Zool.* Ver *camaleão* [F.: Alteração de *senembi*, do tupi *sene'mi*.]

sinistra (si.*nis*.tra) *sf.* Mão esquerda; CANHOTA [F.: Do lat. *sinistra* (subentendido *manus*). Ant. ger.: *destra*.]

sinistrado (si.nis.*tra*.do) *a.* **1** Que foi vítima de um sinistro, que sofreu sinistro (casa sinistrada) *sm.* **2** Aquilo ou aquele que foi vítima de um sinistro, que sofreu perdas materiais [F.: Part. de *sinistrar*.]

sinistralidade (si.nis.tra.li.*da*.de) *sf.* **1** Característica de maior aptidão, eficiência, capacidade motora etc. nas partes e órgãos do lado esquerdo do corpo **2** *Lus.* Cômputo de ocorrência de sinistros [F.: Do ing. *sinistrality*.]

sinistrismo (si.nis.*tris*.mo) *sm.* **1** Característica, qualidade ou estado de canhoto; CANHOTISMO; MANCINISMO **2** Uso da mão esquerda com preterição da direita [F.: *sinistr(a)* + *-ismo*.]

sinistro (si.*nis*.tro) *a.* **1** Que provoca temor, que pressagia uma desgraça (ambiente sinistro, ameaça sinistra, silêncio sinistro); ASSUSTADOR **2** Que usa a mão esquerda; CANHOTO [Ant.: *destro*.] **3** Que indica perversidade; que causa mal (projetos sinistros) **4** Que inspira receio (olhar sinistro); ASSUSTADOR **5** *Gír.* Muito bom, bonito, interessante, excitante, moderno etc; IRADO *sm.* **6** Desastre, acidente: *No sinistro morreram cinco pessoas.* **7** Grande prejuízo material: *A inundação não causou vítimas, mas o sinistro foi considerável.* **8** Dano em qualquer bem segurado (pagamento do sinistro) [F.: Do lat. *sinistrum*, de *sinister, tra, trum* 'esquerdo, canhoto'.]

sinistrógrado (si.nis.*tró*.gra.do) *a. Pal.* Diz-se da escrita cuja orientação vai da direita para a esquerda [F.: *sinistro* + *-grado*.]

sinistrose (si.nis.*tro*.se) [ó] *sf.* **1** *Pat.* Estado do doente, vítima de sinistro, que se considera muito mais grave do que é na realidade **2** *Psi.* Inquietação causada por riscos e perigos sinistros **3** *Bras.* Série de insucessos, malogros, desastres financeiros etc. **4** *Bras. Pop.* Sentimento extremamente negativo de descrença com relação à situação do país, às instituições, aos dirigentes etc. [F.: *sinistr(o)* + *-ose*.]

⊠ **Sinmetro** Sigla de Sistema Nacional de Metrologia, Normalização e Qualidade Industrial

sino (*si*.no) *sm.* **1** Instrumento cônico, ger. de bronze, percutido na face interna por um badalo ou na externa por um martelo, que produz sons mais ou menos fortes, agudos ou graves [Col.: *carrilhão*.] **2** Espécie de cabine em forma de pirâmide truncada us. por mergulhadores em grandes profundidades **3** *Mús.* Instrumento orquestral constituído por um conjunto de tubos metálicos, de número e diâmetro variáveis, que produz sons similares aos do sino (1) [F.: Do lat. *signum, i* 'sinal, marca'. Ideia de 'sino': *campan(i/o)-* (*campainha, campana, campânula*).] ■ **~ de correr** *Ant.* Toque de sino que sinalizava ter chegado a hora de as tabernas fecharem e de judeus e mouros recolherem-se a suas casas **~ de mergulhador** Cabine estanque em forma de campânula que desce ao fundo da água, em cujo interior, onde o ar se mantém, mergulhador(es) fazem suas tarefas

◎ **sino-** *el. comp.* = 'da China', 'chinês': *sino-americano, sino-brasileiro, sino-tibetano, sinologia, sinólogo* [F.: Do lat. medv. *Sina*, 'China', do gr. *Sína*, posv. do ár. *Sin*.]

sino-americano (si.no-a:me.ri.ca.no) *a.* **1** Diz-se de que existe, ou que é feito entre a China e os Estados Unidos (acordo sino-americano) **2** Diz-se de que ou de quem é de nacionalidade chinesa e norte-americana (ator sino-americano) **3** Que é promovido ou produzido pela China e pelos EUA (filme sino-americano) [Pl.: *sino-americanos*.]

sinoatrial (si.no:a.tri.*al*) *a2g.* **1** *Anat.* Ref. ou inerente a, ou próprio do seio venoso e do átrio direito do coração **2** *Pat.* Diz-se de pequena saliência de tecido, como uma tumefação; nodo (2) [Pl.: *-ais*.] [F.: Do ing. *sinoatrial* ou *sinuatrial*.]

sino-brasileiro (si.no-bra.si.*lei*.ro) *a.* **1** Diz-se de que existe, ou que é feito entre a China e o Brasil (relações sino-brasileiras, tratado sino-brasileiro) **2** Diz-se de que ou de quem é de nacionalidade chinesa e brasileira **3** Que é promovido ou produzido pela China e pelo Brasil (evento sino-brasileiro) [Pl.: *sino-brasileiros*.]

sínodo (*sí*.no.do) *Rel. sm.* **1** Assembleia periódica de bispos do mundo todo, presidida pelo papa, que se reúne para tratar dos problemas que concernem à Igreja **2** Assembleia regular de párocos e outros padres, convocada pelo bispo da área **3** Órgão colegiado e permanente do governo eclesiástico das igrejas do Oriente **4** *P. ext.* Qualquer agrupamento ou assembleia: *sínodo dos grevistas.* [F.: Do gr. *sýnodos, -ou*, 'reunião, assembleia, conselho', de *sýn*, 'com, conjuntamente' + *hodós, -ou*, 'caminho, via'.]

sinologia (si.no.lo.*gi*:a) *sf.* Estudo da língua, escrita, literatura, história, costumes, instituições da China e dos chineses [F.: *sino-* + *-logia*. Hom./Par.: *cenologia* (sf.), *cinologia* (sf.).]

sinólogo (si.*nó*.lo.go) *a.* **1** Diz-se de que ou de quem que se dedica à sinologia, que é especialista em sinologia *sm.* **2** Especialista na sinologia; indivíduo versado nesta ciência [F.: *sino-* + *-logo*.]

sinomônio (si.no.*mô*.ni.o) *sm. Quím.* Substância beneficiadora do organismo emissor e do organismo receptor [F.: *sin-* + *(fer)omônio*.]

sinonímia (si.no.*ní*.mi:a) *Ling. sf.* **1** Relação de sentido entre dois vocábulos que têm significação própria **2** Lista de sinônimos referentes a uma palavra ou noção **3** Estudo ou teoria acerca dos sinônimos **4** Qualidade das palavras sinônimas [F.: Do gr. *synonymía, -as,* 'semelhança de sentidos', pelo lat. tardio *synonymia.* Ant. ger.: *antonímia.*]

sinônimo (si.*nô*.ni.mo) *sm.* **1** *Ling.* Palavra ou expressão, que possui sentido parecido com o de outra palavra, ou expressão (p. ex.: *fraco/débil, à toa/ao acaso*) [Ant.: *antônimo.* Col.: *sinonímia.* Cf. *parônimo* e *homônimo.*] **2** *Bot.* Nome não oficial dado a uma espécie vegetal, seja por ser errôneo, seja por não ter sido acompanhado de descrição científica *a.* **3** *Ling.* Diz-se de palavra ou expressão de sentido semelhante **4** *Bot.* Diz-se de nome não oficial atribuído a uma espécie vegetal, seja por ser errôneo, seja por não ter sido acompanhado de descrição científica [F.: Do gr. *synonymos, -os, -on,* 'de mesmo significado que', pelo lat. tardio *synonymon, -i.*] ■ **~ absoluto** *Ling.* Termo que pode substituir outro exatamente com o mesmo significado, em qualquer contexto

sinopense (si.no.*pen*.se) *a2g.* **1** Ref. ou inerente a, ou pertencente a Sinope, cidade grega, pátria de Diógenes; SINOPEU **2** Ref. ou inerente a, ou pertencente a Sinope, antigo porto do mar Negro (Ásia); SINOPEU **3** Típico de Sinope ou de seu povo; SINOPEU *s2g.* **4** *Etnog.* Natural de, ou que vive em Sinope; SINOPEU [F.: Do top. *Sinope* + *-ense.*]

sinopla (si.*no*.pla) *sf.* **1** *Her.* A cor verde do esmalte dos escudos representada por hachuras oblíquas que sobem da direita para a esquerda; SINOPLE **2** *Min.* Variedade de quartzo ferruginoso, cor de sangue ou vermelho-acastanhado [F.: Do gr. *sinopís.*]

sinopse (si.*nop*.se) *sf.* **1** Resumo, ger. escrito, de uma obra (sinopse do filme); SÍNTESE; SUMÁRIO **2** Apresentação resumida de uma teoria, doutrina, ciência etc. (sinopse legislativa) **3** Em publicação científica, resumo de um artigo, comunicado etc., inserido depois do título, que visa a oferecer ao leitor uma ideia geral do trabalho **4** Visão geral lançada sobre o todo de uma ciência, de uma pesquisa ou objeto de ensinamento (sinopse legislativa) [F.: Do gr. *sýnopsis, -eos,* 'vista de conjunto, sumário, índice', pelo lat tardio *synopsis, -is,* 'inventário, plano'.]

sinóptico (si.*nóp*.ti.co) *a.* **1** Ref. à sinopse **2** Que se apresenta em forma de resumo (quadro sinóptico); RESUMIDO [F.: Do gr. *synoptikós, -é, -ón,* 'que permite ver o conjunto em um só golpe de vista'. Tb. *sinótico.*]

sinópticos (si.*nóp*.ti.cos) *smpl. Teol.* Designação dada aos Evangelhos de S. Mateus, S. Marcos e S. Lucas, por permitirem uma visão de conjunto devido a grandes semelhanças quanto aos fatos narrados; SINÓTICOS [F.: Pl. de *sinóptico,* do gr. *sunoptikós, é, ón.*]

sinosteografia (si.nos.teo.gra.*fi*.a) *sf. Anat.* Estudo e descrição das articulações [F.: *sin-* + *-oste(o)-* + *-grafia.*]

sinosteográfico (si.nos.te:o.*grá*.fi.co) *a. Anat.* Ref., inerente, ou pertencente à sinosteografia [F.: *sinosteografia* + *-ico*[2].]

sinosteose (si.nos.te.*o*.se) [ó] *sf.* **1** *Anat.* União de ossos adjacentes, por cartilagem ou tecido fibroso **2** Soldadura de dois ossos normalmente separados [F.: *sin-* + *-oste(o)-* + *-ose*[1].]

sinosteotomia (si.nos.te:o.to.*mi*:a) *sf. Cir.* Dissecação e preparação anatômica das articulações [F.: *sin-* + *-oste(o)-* + *-tomia.*]

sino-tibetano (si.no-ti.be.*ta*.no) *a.* **1** De ou ref. à China e ao Tibete **2** *Gloss.* De ou ref. ao sino-tibetano (3) [Pl.: *sino-tibetanos.*] *sm.* **3** *Gloss.* Família linguística que abrange as línguas chinesas e as tibetano-birmanesas

sinótico (si.*nó*.ti.co) *a.* Ver *sinóptico*

sinóvia (si.*nó*.vi:a) *sf. Fisl.* Líquido viscoso e incolor que lubrifica as articulações secretado pela membrana sinovial [F.: Do fr. *synovie,* deriv. do lat. medv. *synovia.*]

sinovial (si.no.vi:*al*) *a2g.* **1** Ref. à sinóvia (líquido sinovial) **2** Que secreta sinóvia (membrana sinovial) [Pl.: *-viais.*] [F.: Do fr. *synovial.*]

sínquise (*sín*.qui.se) *sf.* **1** *Gram.* Inversão da ordem natural das palavras, que torna confuso o sentido de uma frase e impossibilita a clara compreensão; hipérbato abusivo **2** *Oft.* Liquefação do humor vítreo do olho, por lesão traumática das membranas ou ruptura espontânea [F.: Do lat. tard. *synchyse,* deriv. do gr. *súgkhusis, eós.*] ■ **~ cintilante** *Oft.* Visão de aparentes pontos brilhantes e móveis, causada pela flutuação de cristais de colesterol no humor vítreo

sinstrático (sins.*trá*.ti.co) *a. Ling.* Diz-se de elemento linguístico uniforme em todas as camadas socioculturais; SINESTRÁTICO [Ant.: *diastrático.*] [F.: *sin-* + *(e)strático.*]

sintagma (sin.*tag*.ma) *sm.* **1** *Ling.* Unidade sintática que, na hierarquia da estrutura gramatical de uma língua, se situa entre a palavra e a oração (p. ex.: *as rosas brancas*) **2** Tratado de algum assunto dividido em classes, números etc. **3** Na antiga Macedônia, divisão da falange constituída por 256 homens [F.: Do gr. *sýntagma, -atos.*]

sintagmático (sin.tag.*má*.ti.co) *a. Ling.* Ref. a sintagma (eixo sintagmático) [F.: Do fr. *syntagmatique.*]

sintático (sin.*tá*.ti.co) *a.* **1** Ref. a ou próprio da sintaxe (regras sintáticas) **2** Que segue as regras da sintaxe: *Seu texto apresenta perfeição sintática.* [F.: Do gr. *syntaktikós, -é, -ón,* 'que põe em ordem, ordenado'.]

sintaxe (sin.ta.xe) [ss ou cs] *Gram. sf.* **1** Conjunto de regras que determinam a ordem e as relações das palavras na frase **2** Essa ordem e as relações das palavras na frase **3** Estudo da estrutura gramatical das frases **4** Conjunto de regras sintáticas que caracterizam uma época, escola, autor etc.: *A obra aborda a sintaxe do modernismo.* **5** *P. ext. Fig.* Livro que apresenta essa parte da gramática **6** Conjunto de regras que ordenam qualquer tipo de linguagem: *Estudava a sintaxe da linguagem computacional.* [F.: Do lat. *syntaxis,* deriv. do gr. *sýntaxis.*]

sintáxico (sin.*tá*.xi.co) [cs] *a. Gram. Ling.* Ref. ou inerente a, ou próprio da sintaxe (construção sintáxica); SINTÁTICO [F.: *sintax(e)* + *-ico*[2].]

sintecar (sin.te.*car*) *v. td. Bras.* Passar sinteco em (assoalho) [▶ **11** sinte**car**] [F.: *sinteco* + *-ar.* Hom./Par.: *sinteco* (fl.), *sinteco* (sm.).]

sinteco (sin.*te*.co) [é] *sm.* Verniz transparente e durável próprio para revestir assoalhos de madeira [F.: Nome de marca comercial. Hom./Par.: *sinteco* (sm.), *sinteco* (fl. de *sintecar*).]

sinterização (sin.te.ri.za.*ção*) *sf. Quím.* Ação ou resultado de sinterizar, processo de aglutinação de partículas sólidas sob temperatura inferior à de fusão, mas que possibilita a difusão dos átomos das duas redes cristalinas [Pl.: *-ções.*] [F.: *sinteriza(r)* + *-ção.*]

síntese (*sín*.te.se) *sf.* **1** Exposição geral e resumida (síntese do projeto) **2** Reunião de diversos elementos num todo coerente: *Esta proposta é uma síntese de todas as propostas feitas.* **3** *Bioq.* Elaboração de hormônios, proteínas, vitaminas etc. pelas células e organismos vivos; BIOGÊNESE **4** Qualquer método, processo ou operação que reúna elementos diferentes, fundindo-os num todo harmônico **5** O resultado dessa reunião: *síntese de artes com arquitetura.* **6** Operação ou método que parte do simples para o complexo **7** *Mat.* Demonstração das proposições pela única dedução daquelas que já estão provadas até chegar àquela que se quer estabelecer **8** *Ling.* Figura que consiste na reunião de duas palavras para formar uma só **9** *Lóg.* Formação de um todo, concreto ou abstrato, partindo de elementos mais simples **10** *Lóg.* Definição de proposições que resultam de proposições consideradas corretas **11** *Lóg.* No aristotelismo, ato intelectual que representa uma proposição, consistindo na união de um sujeito e de um predicado **12** *Cir.* Reunião de partes divididas ou separadas (p. ex.: as bordas de uma ferida ou as partes de um osso fraturado) **13** *Fil.* Fusão de uma tese e de uma antítese cujo resultado é uma noção ou proposição nova que guarda o que elas possuem de verdadeiro, combinando-as pela introdução de um ponto de vista mais elevado **14** *Farm.* Arte, ação ou processo de produzir medicamentos **15** *Quím.* Operação pela qual se reúnem elementos simples para formar os compostos complexos, ou se obtêm compostos mais complexos reunindo compostos mais simples **16** *P. ext. Quím.* Produção artificial de substância elaborada naturalmente por células ou organismos vivos: *a síntese da adrenalina.* [F.: Do lat. *synthesis, is,* deriv. do gr. *sýnthesis, -eos* 'composição, mistura, síntese'.] ■ **~ digital** *Eletrôn.* Transformação de sinais sonoros em dígitos binários, fundamento dos equipamentos digitais de gravação e reprodução de som

sinteticidade (sin.te.ti.ci.*da*.de) *sf.* **1** Característica ou qualidade de sintético **2** Característica ou qualidade do que é feito de forma abreviada (sinteticidade do texto) **3** Capacidade de exprimir-se resumidamente (sinteticidade do discurso) **4** *Quím.* Característica ou qualidade do que é produzido por síntese química [F.: *sintetico* + *-(i)dade,* pelo padrão erudito. Sin. ger.: *sintetismo.*]

sintético (sin.*té*.ti.co) *a.* **1** Referente à síntese **2** Feito de modo resumido (relato sintético) **3** *Quím.* Que é feito (em laboratório, indústria etc.) artificialmente de uma síntese (4) de componentes, para ser similar ao natural (couro sintético; hormônio sintético) **4** Diz-se daquilo que foi produzido por uma síntese: *Aquele tecido é sintético.* **5** Que se inclina para a síntese: *um escritor naturalmente sintético.* [Ant.: *analítico.*] **6** *Fís.* Que é produzido esp. por meios eletrônicos ou computacionais (som sintético) **7** *Ling.* Diz-se de uma forma linguística ou língua cujas relações gramaticais se apresentam por meio de alterações estruturais na palavra ou pela união de morfemas numa única palavra (comparativo sintético) **8** *Pej.* Diz-se de produto artificial, criado com base em substância sintética (roupa sintética) [F.: Do fr. *synthétique,* deriv. do gr. *synthetikós.*]

sintetismo (sin.te.*tis*.mo) *sm.* **1** Característica ou qualidade de sintético; SINTETICIDADE **2** Capacidade de exprimir-se resumidamente; SINTETICIDADE **3** *Cir.* Conjunto das operações e processos necessários para reduzir uma fratura e a manter reduzida **4** *Pint.* Estética e técnica francesa elaborada pelo pintor Paul Gauguin (1848-1903) [F.: Do gr. *synthetós* + *-ismo.*]

sintetização (sin.te.ti.za.*ção*) *sf.* **1** Ação ou resultado de sintetizar **2** *Inf.* Geração de uma imagem gráfica, a partir de um modelo matemático ou de elemento tridimensional [Pl.: *-ções.*] [F.: *sintetiza(r)* + *-ção.*]

sintetizado (sin.te.ti.*za*.do) *a.* **1** Que (se) sintetizou **2** Em que foi feita síntese; tornado sintético **3** Reunido por síntese; resumido, substanciado [F.: Part. de *sintetizar.*]

sintetizador (sin.te.ti.za.*dor*) [ô] *sm.* **1** *Mús.* Instrumento eletrônico com teclado que produz o som de outros instrumentos, ritmos, ruídos etc. (sintetizador de voz) *a.* **2** Que sintetiza, que é capaz de sintetizar (poder sintetizador) [F.: Part. *sintetizado* + *-or.*]

sintetizar (sin.te.ti.*zar*) *v.* **1** Fazer síntese, ou resumo de [*td.*: *Sintetizava facilmente sua filosofia.*] [*tda.*: *Sintetizou numa frase única e breve o que pensava do país.*] **2** Ser a síntese ou a suma de [*td.*: *Para muitos, Bach sintetiza a arte da música.*] **3** Combinar (elementos dispersos) para formar um todo [*td.*: *Sintetizou todos os dados em apenas três parágrafos.*] **4** Criar (um som) por meio de síntese [*td.*: *O aparelho sintetizava o canto de um pássaro.*] **5** *Quím.* Produzir (substância) por meio de síntese [*td.*: *Especializara-se em sintetizar vitaminas.*] [▶ **1** sintetiz**ar**] [F.: Do gr. *synthetos, -os, -on.*]

sintetizável (sin.te.ti.*zá*.vel) *a2g.* Que se pode sintetizar; que pode ser sintetizado [Pl.: *-veis.*] [F.: *sintetiza(r)* + *-vel.* Hom./Par.: *sintetizáveis* (pl.), *sintatizáveis* (fl. de *sintetizar*).]

sintoma (sin.*to*.ma) *sm.* **1** *Med.* Cada uma das manifestações apresentadas por uma doença (dor, febre, enjoo, desarranjo etc.), tomada como ponto de partida de seu diagnóstico **2** *Psic.* Exteriorização de problema emocional ou mental: *Freud estudou os sintomas do histerismo.* **3** *Fig.* Qualquer indício, sinal de alguma coisa, ger. considerada grave ou ruim: *A quantidade de estabelecimentos de crédito que atuavam no mercado era um claro sintoma da crise financeira da população.* **4** Pressentimento, presságio **5** *SP Pop.* Aparência, semelhança: *Era uma mulher cujas feições apresentavam sintoma de pessoa astuta.* [F.: Do gr. *sýmptoma, atos.* Ideia de 'sintoma': *sintom-* (*sintomatologia*).]

sintomático (sin.to.*má*.ti.co) *a.* **1** Ref. ou inerente a, ou próprio de sintoma **2** Que constitui ou caracteriza um sintoma **3** *Med.* Que é o efeito ou o sintoma de alguma outra afecção (doença sintomática) [Ant.: *idiopático.*] **4** De acordo com sintoma (tratamento sintomático) [F.: Do gr. *symptomatikós, é, ón.*]

◎ **sintomat(o)-** *el. comp.* = 'sintoma': *sintomático, sintomalogia, sintomatologista.* [F.: Do gr. *symptôma, atos,* 'coincidência'; 'acontecimento'; 'sintoma'.]

sintomatologia (sin.to.ma.to.lo.*gi*:a) *sf. Med.* Estudo dos sintomas e seus significados [F.: *sintomat(o)-* + *-logia.*]

sintomatológico (sin.to.ma.to.*ló*.gi.co) *a. Med.* Ref. a ou próprio da sintomatologia [F.: *sintomatologia* + *-ico*[2].]

sintomatologista (sin.to.ma.to.lo.*gis*.ta) *a2g.* **1** *Med.* Que se especializou em sintomatologia *s2g.* **2** *Med.* Médico especialista em sintomatologia [F.: *sintomatologia* + *-ista.*]

sintomia (sin.to.*mi*:a) *sf. Ling. Ret.* Exposição abreviada e rápida, que não mostra a relação entre as coisas comparadas; bosquejo, esboço, resumo [F.: Do gr. *syntomía.* Cf.: *sintonia.*]

sintonia (sin.to.*ni*.a) *sf.* **1** Ação ou resultado de sintonizar(-se) **2** *Elet.* Característica de um circuito cuja frequência de oscilação é igual à de um outro ou à de um campo oscilante externo **3** *Rád.* Correspondência de um meio receptor de oscilações radioelétricas da mesma frequência com o seu emissor, e vice-versa **4** *Fig.* Reciprocidade, harmonia entre seres, entre coisas ou entre seres e coisas; SINTONIZAÇÃO: *A casa mostrava a sintonia da artista com cada detalhe da construção.* [F.: Do gr. *syntonia.* Ant. ger.: *dessintonia.*]

sintônico (sin.*tô*.ni.co) *a.* **1** Que está em sintonia **2** *Elet. Rád.* Diz-se de que está ajustado à mesma frequência (receptores sintônicos) **3** *Psi.* Diz-se de temperamento equilibrado e da pessoa de fácil ajustamento **4** *Mús.* Entre os gregos antigos, ref. a um gênero diatônico, resultante da divisão do tetracorde num meio-tom e dois tons iguais [F.: *sinton(ia)* + *-ico*[2].]

sintonização (sin.to.ni.za.*ção*) *sf.* **1** Ação ou resultado de sintonizar(-se) **2** *Fig.* O mesmo que *sintonia* (4) [Pl.: *-ções.*] [F.: *sintonizar* + *-ção.*]

sintonizado (sin.to.ni.*za*.do) *a.* **1** Que se sintonizou **2** *Fig.* Que se acha em sintonia com: *Logo após as apresentações, o casal parecia sintonizado.* [F.: Part. de *sintonizar.*]

sintonizador (sin.to.ni.za.*dor*) [ô] *a.* **1** Que (se) sintoniza, que é capaz de sintonizar *sm.* **2** Aquilo que é capaz de sintonizar(-se) **3** *Eletrôn.* Componente de aparelho receptor (3) que converte sinais de rádio em som ou sinais de vídeo em imagens [F.: *sintonizar* + *-dor.*]

sintonizar (sin.to.ni.*zar*) *v.* **1** Ajustar (aparelho receptor) a (frequência de um transmissor) [*td.*: *Sintonizar o rádio.*] [*tr.* + *em*: *Sintonizou na rádio Nacional.*] [*int.*: *Aquele rádio sintonizava muito mal.*] **2** *Fig.* Combinar, harmonizar-se (com algo ou alguém) ou reciprocamente [*tr.* + *com*: *Sintonizava com ela porque pensavam do mesmo modo.*] [*int.*: *Os dois sintonizavam-se à perfeição.*] [▶ **1** sintoniz**ar**] [F.: *sintonia* + *-izar.* Hom./Par.: *sintonizáveis* (fl.), *sintonizáveis* (pl. de *sintonizável* [a2g.]).]

sintonizável (sin.to.ni.*zá*.vel) *a2g.* Que se pode sintonizar; que pode ser sintonizado [Pl.: *-veis.*] [F.: *sintonizar* + *-vel.* Hom./Par.: *sintonizáveis* (pl.), *sintonizáveis* (fl. de *sintonizar*).]

sintópico (sin.*tó*.pi.co) *a. Ling.* Diz-se de relativa uniformidade de dialetos dentro de um mesmo espaço ou região geográfica [Ant.: *diatópico.*] [F.: *sin-* + *tópico.*]

sintrão (sin.*trão*) *sm.* **1** Indivíduo nascido ou que vive em Sintra (Portugal) *a.* **2** De Sintra; típico dessa cidade ou de seu povo [F.: Do top. *Sintra* + *-ão*[2].]

sinuca (si.*nu*.ca) *sf.* **1** *Lud.* Bilhar jogado com oito bolas coloridas em mesa de seis caçapas, atirando-se por meio do taco a jogadeira (bola branca ou amarela) contra as outras sete, para encaçapá-las; BILHAR INGLÊS **2** *P. ext.* Mesa própria para o jogo de sinuca, forrada com feltro e composta de seis caçapas **3** *P. ext. Fig.* Estabelecimento onde se joga sinuca **4** *Fig. Lud.* Situação em que uma ou mais bolas ficam na frente da jogadeira, atrapalhando a jogada **5** *Fig. Pop.* Embaraço, circunstância difícil: *Acabou numa sinuca danada, sem saber o que fazer.* [F.: Do ing. *snooker.*] ■ **~ de bico** **1** *Bras. Lud.* No jogo de sinuca, situação na qual o bico da caçapa impede uma linha direta entre a bola branca e a bola da vez **2** *Fig. Pop.* Situação especialmente problemática ou difícil, praticamente sem solução ou saída

sinuosidade (si.nu:o.si.*da*.de) *sf.* **1** Característica ou condição de sinuoso; TORTUOSIDADE **2** Extensão plena de curvas, de movimentos tortuosos (sinuosidade das estradas) **3** Movimento cheio de volteios, de rodeios (sinuosidade da dança) **4** *Fig.* Conversa escorregadia, cheia de rodeios *Pop;* ENROLAÇÃO; TERGIVERSAÇÃO [F.: *sinuos(o)* + *-i-* + *-dade.*]

sinuoso (si.nu:o.so) [ô] *a.* **1** Que faz curvas como seios; que ondula (estrada sinuosa; trajeto sinuoso) **2** *Rest. Fig.* Diz-se de corpo, esp. o feminino, cheio de curvas, curvilíneo **3** *Fig.* Cujo caráter é duvidoso; que carece de retidão, de clareza; TORTUOSO; ARDILOSO: *Anda sempre com intenções sinuosas.* [Pl.: [ó]. Fem.: [ó].] [F.: Do lat. *sinuosus.*]

sinuqueiro (si.nu.*quei*.ro) *sm. Bras. Lud.* Jogador de sinuca (1) [F.: *sinuca* + *-eiro.*]

sinuquinha (si.nu.*qui*.nha) *sf. Bras. Lud.* Variedade exclusivamente de lazer de jogo de sinuca (1) [F.: Dim. de *sinuca.*]

◎ **sinu(s)-** *el. comp.* = 'sínus'; 'seio'; 'curvatura'; 'curvo': *sinuoso* (< lat.), *sinusite, sinusoide* [F.: Do lat. *sinus, us,* 'cuvartura'; 'seio'.]

sinusite (si.nu.*si*.te) *sf. Otor.* Inflamação das mucosas dos seios paranasais, provocada por infecção viral ou bacteriana [F.: *sinu(s)-* + *-ite*[1].]

sinusoide (si.nu.*soi*.de) *a2g.* **1** *Anat.* Que é semelhante a seio (forma sinusoide, contornos sinusoides) *sf.* **2** *Geom.* Curva cuja ordenada é o seno geométrico do arco tomado sobre um círculo cujo raio é igual à abscissa [fórmula: *y - sen. x.*]; SENOIDE **3** *Fís.* Representação gráfica do movimento vibratório **4** *Biol.* Passagem estreita para o sangue, forrada de endotélio, nos tecidos de um órgão [F.: *sinu(s)-* + *-oide.*]

siô (si.*ô*) *sm. Bras. Pop.* Tratamento que os escravos davam ao senhor; SINHÔ [F.: De *sinhô*, regress. de *senhor.* Hom./Par.: *cio* (sm.), *sio* (sm.). Tb. *sô.*]

sionismo (si:o.*nis*.mo) *sm.* **1** Ideia e conceito de que Sion, monte onde ficava o Templo de Salomão, em Jerusalém, é o centro histórico do povo judeu e patrimônio histórico do Ocidente **2** *Hist.* Movimento nacionalista judaico do fim do séc. XIX, visando estabelecer um Estado judaico na Palestina, o que se concretizou em maio de 1948 [F.: Do top. *Sion* + *-ismo.*]

sionista (si:o.*nis*.ta) *a2g.* **1** Ref. ao sionismo **2** Que é adepto ou simpatizante do sionismo *s2g.* **3** Aquele que é adepto ou simpatizante do sionismo [F.: *sion(ismo)* + *-ista.*]

siparuna (si.pa.*ru*.na) *sf.* **1** *Bras. Bot.* Gênero de arbustos rutáceos, monimiáceos, da fam. das monimiáceas, nativos de regiões tropicais da América do Sul, a maioria do Brasil, alguns de boa madeira e folhas ger. com óleo essencial e usos medicinais **2** Espécie desse gênero, p. ex., a *Siparuna brasiliensis* (limoeiro-bravo), a *Siparuna guyanensis.* [F.: De or. indígena, do lat. cient. *Siparuna.*]

⊕ **sir** *sm.* **1** Tratamento dado a cavalheiros pertencentes à nobreza, sempre seguido de prenome ou nome completo **2** Tratamento formal ou respeitoso dispensado a homens e personalidades notáveis [us. com cap. nas duas acps.]

siracusano (si.ra.cu.*sa*.no) *a.* **1** Ref. ou inerente a, ou pertencente à Siracusa, cidade principal da Sicília (Itália), fundada pelos gregos, pátria de Arquimedes; SIRACÚSIO **2** Típico de Siracusa ou de seu povo (costumes siracusanos, música siracusana) *sm.* **3** *Etnog.* Natural de, ou que vive em Siracusa; SIRACÚSIO [F.: Do lat. *syracusanus, a, um.*]

sirena (si.*re*.na) *sf.* Ver *sirene*

sirene (si.*re*.ne) *sf.* Dispositivo elétrico de diversos tipos que emite som agudo, estridente e prolongado, para pedir passagem, dar alarme, marcar horário de fábrica etc. [F.: Do fr. *sirène.* Tb. *sirena.*]

sirênio (si.*rê*.ni.o) *a.* **1** *Zool.* Ref. aos sirênios *sm.* **2** *Zool.* Espécime dos sirênios, ordem de mamíferos aquáticos e herbívoros, que inclui os peixes-boi e os dugongos, com cerca de 750 kg e 4,5 m de comprimento, membros anteriores modificados em forma de remo, cauda modificada em nadadeira achatada, com poucos pelos e membros posteriores e ouvido externo ausentes [F.: Do lat. cient. *Sirenia.*]

sirga (*sir*.ga) *sf.* **1** *Náut.* Ação ou resultado de sirgar, de puxar embarcação ao longo da margem de rio por meio de cabo ou corda; SIRGAGEM **2** Cabo ou corda para puxar um barco ao longo da margem de rio [sirgaria.] [F.: De orig. obsc., talvez do cast. *sirga.* Hom./Par.: *sirga* (fl. de *sirgar*).] ▪ **À ~ 1** *Lus. Pop.* Sem impedimento **2** *Fig.* Dependente, vinculado, agarrado

sirgar (sir.*gar*) *v. td.* **1** Conduzir (barco) por meio de sirga; REBOCAR: *Sirgaram o barco durante horas, debaixo do temporal.* **2** Prover de sirgas ou prender com elas [▶ **14 sirgar**] [F.: *sirg(a)* + *-ar.* Hom./Par.: *sirga(s)* (fl.), *sirga(s)* (sf. [pl.]); *sirgaria(s)* (fl.), *sirgaria(s)* (sf. [pl.]); *sirgo* (fl.), *sirgo* (sm.).]

siri (si.*ri*) *sm. Bras. Zool.* Nome comum de numerosas spp. de crustáceos braquiuros, marinhos, da fam. dos portunídeos, cujo último par de pernas tem a forma de remos, us. para natação [F.: Do tupi *siri.*]

siríaco (si.*rí*.a.co) *a.* **1** Ver *sírio sm.* **2** Ver *sírio* **3** *Ling.* Língua semítica ainda us. na liturgia de igrejas sírias e também conhecida como aramaico clássico [F.: Do lat. *syriacus.*]

siriaçu (si.ri:a.*çu*) *sm. Bras. Zool.* Crustáceo decápode, grande siri da fam. dos portunídeos (*Callinectes exasperatus*), de carapaça com quase um palmo de largura, encontrado da Flórida ao sul do Brasil; SIRI-DO-MANGUE; SIRI-CHITA [F.: *siri-* + *-açu.*]

siricaia (si.ri.*cai*:a) *sf. Bras. N. Cul.* Comida feita de ovos, leite fervido e açúcar; creme de leite, com ou sem farinha, formando uma massa de pouca consistência: "Precisa ir lá em casa provar uma especialidade minha... um doce de terra... uma siricaia" (Afrânio Peixoto, *Bugrinha*) [F.: Do malaio *serikaya.*]

siricoia (si.ri.*có*.ia) *sf. Bras. Pop.* Grito estridente [F.: De or. obsc. Hom./Par.: *sericoia* (sf.).]

siricora (si.ri.*co*.ra) *sf. Bras. Ornit.* Ave gruiforme, ralídea (*Aramides cajanea*), distribuída em todo o Brasil; de dorso superior oliváceo-esverdeado, dorso inferior e cauda enegrecidos, peito inferior e abdome vermelhos; SARACURA-DO-BREJO; SARACURA-TRÊS-POTES; TRÊS-POTES; SERICOIA; SERICORA; TRÊS-POTES [F.: De or. tupi, possv. Tb. *sericoia.*]

sirigaita (si.ri.*gai*.ta) *sf. Bras. Pop.* Mulher vulgar, assanhada e intrometida *Pop;* LAMBISGOIA [F.: De or. contrv.]

siri-mole (si.ri-*mo*.le) *sm. Bras. Pop. Zool.* Denominação dada aos siris, por ocasião da mudança de carapaça, muito us. como isca ou alimento [Pl.: *siris-moles.*]

siringe (si.*rin*.ge) *sf.* **1** *Mús.* Flauta campestre feita de pequenos tubos de caniço atados uns aos outros e de tamanhos vários, cada qual para uma nota [Tb. conhecida como *flauta de Pã.*] **2** *Ornit.* Órgão vocal das aves, atrás da traqueia [F.: Do lat. cien. *syrinx.*]

◎ **siringo-** *el. comp.* = 'fístula', 'canal': *siringocele, siringomielia, siringotomia* [F.: Do gr. *sýrinks, sýringos,* 'caniço talhado'; 'Flauta de pã'; 'fístula'.]

siringotomia (si.rin.go.to.*mi*:a) *sf. Cir.* Incisão de uma fístula, esp. de fístula anal [F.: *siringo-* + *-tomia.*]

sírio[1] (*sí*.ri:o) *sm.* **1** Pessoa nascida ou que vive na Síria, país da Ásia Menor; SIRÍACO *a.* **2** Da Síria (Ásia Menor), típico desse país ou de seu povo; SIRÍACO [F.: Do gr. *Seírios.* Hom./Par.: *círio* (sm.).]

Sírio[2] (*Sí*.ri:o) *sm.* A maior e mais brilhante estrela da constelação do Cão Maior; SIRO; SÍRIUS

sírio[3] (*sí*.ri:o) *sm. Bras.* Espécie de saco para transporte de farinha de mandioca [F.: De or. obsc.]

sírio-libanês (sí.ri:o-li.ba.*nês*) *sm.* **1** Indivíduo oriundo ou descendente de oriundo da região geográfica compreendida pela Síria e pelo Líbano [Pl.: *sírio-libaneses* [ê]. Fem.: *sírio-libanesa* [ê]] *a.* **2** Ref. a essa região, seus habitantes, sua cultura etc. [Pl.: *sírio-libaneses* [ê]. Fem.: *sírio-libanesa* [ê]]

sirionós (si.ri:o.*nós*) *smpl. Bras. Etnog.* Povo indígena, do grupo dos guaranis, hab. das regiões entre Rio Branco e Guaporé, na Amazônia [F.: De or. tupi.]

siri-patola (si.ri-pa.*to*.la) *sm. N. E. Zool.* Denominação comum aos crustáceos pequenos, do gên. *Uca,* da fam. dos ocipodídeos, habitante dos manguezais no Atlântico, com cerca de 3 cm de comprimento, com uma das pinças bem maior que a outra; CARANGUEJO-VIOLINISTA; CATANHÃO-TESOURA; CHORA-MARÉ; CIECIÉ; MARACAUIM; TESOURA [Pl.: *siris-patolas, siris-patola.*]

siriri (si.ri.*ri*) *sm.* **1** *Zool.* Denominação dada às formas aladas de cupins, que por ocasião da revoada, largam as asas pelo chão **2** *Bras. Zool.* Denominação de dois pássaros da fam. dos tiranídeos (*Tyrannus melancholicus* e *Tyrannus albogularis*), de coloração dorsal cinzento-esverdeada e ventral amarelada; TIRIRI; SURIRIGUAÇU; SUIRIRI **3** *Bras. Zool.* Molusco bivalve da fam. dos mitilídeos (*Mytilus falcatus*), habitante do litoral nordeste do Brasil, onde é us. como alimento em grande escala, de concha com camada nacarada, verde e violácea, escura em sua maior parte; SURURU; SURURU-DE-ALAGOAS; ALASTRIM **4** *MT N. E. Folc.* Brinquedo de roda e dança popular; SIRIRIA [F.: De orig. onom.]

siririca (si.ri.*ri*.ca) *a2g.* **1** *SP Pop.* Doidivanas, tonto; semmodos; piririca *sf.* **2** *Bras.* Espécie de anzol **3** *RJ Ornit.* Denominação dada à fêmea do bem-te-vi **4** *Bras. Vulg.* Masturbação no órgão sexual feminino **5** *Ict.* Peixe de grande importância comercial, geralmente encontrado na costa ocidental do Atlântico; tb. *betara* [F.: Do tupi *siri 'rika.* Hom./Par.: *siririca* (fl. de *siriricar*).] ▪ **Tocar ~** *Bras. Tabu.* Masturbar(-se) (mulher) usando o dedo

siriúba (si.ri:*ú*.ba) *sf.* **1** *Bras. Bot.* Árvore (*Avicennia nitida*) da fam. das aviceniáceas, típica da vegetação de mangue, delgada, de madeira dura, flores-brancas ou amarelas, e frutos ovoides; SARAÍBA; SEREÍBA; SERIÚBA; GUAPIRÁ; SERUTINGA; SIRIÚBA-PEQUENA **2** *Bras. Bot.* Arbusto ou árvore (*Avicennia officinalis*) da fam. das aviceniáceas, de flores de coloração clara, e madeira dura usada na construção de embarcações; CANOÉ; ERVA-CHUMBO; SEREIBATINGA [siriubal.] [F.: Do tupi *si'ri 'iwa.* Sin. ger.: *mangue-amarelo, mangue-branco.*]

siroco (si.*ro*.co) [ô] *sm.* **1** Vento quente que sai do Norte da África e sopra no mar Mediterrâneo **2** *Mar.* Grande ventilador que, através de tubos de lona, leva ar fresco a compartimentos internos de uma embarcação [F.: Do fr. *siroco.*]

sisal (si.*sal*) *sm.* **1** *Bot.* Nome comum a algumas plantas do gên. *Agave,* da fam. das agaváceas, fornecedoras de fibra de boa qualidade, rígida e resistente, como p. ex., *Agave sisalana* e *Agave fourcroydes;* AGAVE **2** Fibra extraída das folhas destas plantas, us. para fabricar barbantes, cordas, tapetes etc; HENEQUÉM [As fibras são exportadas pelo porto de Sisal (México), topônimo que dá nome à fibra.] **3** *P. ext.* Tecido fabricado com essa fibra [Pl.: *-sais.*] [F.: Do top. *Sisal,* porto mexicano.]

sisífico (si.*sí*.fi.co) *a.* **1** Constante, ininterrupto (esforço sisífico) **2** Persistente (dor sisífica) [F.: Do lat. *sisyphius-* + *-ico*[2].]

sisifista (si.si.*fis*.ta) *a2g.* **1** Ref. ou inerente a sisifismo *a2g.* **2** Diz-se de quem se extenua, que se entrega a tarefa contínua e cansativa *s2g.* **3** Pessoa que se emprega em tarefa contínua ou extenuante [F.: *sisif(ismo)-* + *-ista.*]

sismicidade (sis.mi.ci.*da*.de) *sf.* **1** *Geof.* Característica ou qualidade de sísmico **2** *Geof. Metrol.* Medida da frequência e intensidade dos fenômenos sísmicos de uma região [F.: *sísmic(o)-* + *-i-* + *-dade.*]

sísmico (*sís*.mi.co) *a.* **1** Ref. a sismo (abalo sísmico) **2** Sujeito a sismo(s); em que pode ocorrer sismo(s) (terra sísmica) **3** *Fig.* Da natureza do terremoto, ou que a este se assemelha: *Uma convulsão sísmica iria modificar a estrutura da empresa.* [F.: *sism(o)* + *-ico.*]

◎ **-sismo** *el. comp.* Ver *sism(o)-*

◎ **sism(o)-** *el. comp.* = 'abalo'; 'terremoto'; 'tremor': *sísmico, sismografia, sismógrafo, sismologia, sismólogo, sismômetro, sismoterapia; macrossismo, megassismo, microssismo* [F.: Do gr. *seismós, oû,* 'comoção'; 'abalo'; 'tremor de terra, terremoto'.]

sismo (*sis*.mo) *sm. Geof.* Movimento no interior da Terra, causado pela liberação de esforços acumulados ao longo do tempo e capaz de causar transtornos ou até catástrofes na superfície, conforme a intensidade; TERREMOTO [F.: Do gr. *seismós.* Hom./Par.: *cismo* (fl. de *cismar*). Ideia de 'sismo': *sism(o)-* (*sísmico, sismografia*).]

sismografia (sis.mo.gra.*fi*:a) *sf.* **1** *Fís. Geof.* Descrição científica dos terremotos **2** Registro dos abalos e movimentos ondulatórios dos terremotos, com emprego do sismógrafo; SISMOLOGIA [F.: *sism(o)-* + *-grafia.*]

sismográfico (sis.mo.*grá*.fi.co) *a.* Ref. à sismografia ou a sismógrafo [F.: *sismografia* + *-ico*[2].]

sismógrafo (sis.*mó*.gra.fo) *sm. Geof.* Aparelho que detecta e registra os tremores e movimentos da Terra, provocados pelo homem ou por processos naturais; SISMÔMETRO [F.: *sism(o)-* + *-grafo.*]

sismologia (sis.mo.lo.*gi*:a) *sf. Geof.* Estudo sistemático dos tremores de terra, de suas causas e efeitos [F.: *sism(o)-* + *-logia.*]

sismológico (sis.mo.*ló*.gi.co) *a. Geof.* Ref. à sismologia [F.: *sismologia* + *-ico*[2].]

sismologista (sis.mo.lo.*gis*.ta) *s2g. Geof.* O mesmo que *sismólogo* [F.: *sismologia* + *-ista.*]

sismólogo (sis.*mó*.lo.go) *sm. Geof.* Cientista geofísico que tem por especialidade a sismologia; SISMOLOGISTA [F.: *sism(o)-* + *-logo.*]

sismômetro (sis.*mô*.me.tro) *sm. Geof. Metrol.* Instrumento que registra e mede os períodos e as amplitudes dos movimentos do solo e abalos de terra; SISMÓGRAFO [F.: *sism(o)-* + *-metro.*]

sismoterapia (sis.mo.te.ra.*pi*:a) *sf. Med.* Tratamento de doença por meio de vibrações mecânicas rápidas aplicadas na parte afetada [F.: *sism(o)-* + *-terapia.*]

siso (*si*.so) *sm.* **1** Bom-senso, prudência, juízo: *Muito riso, pouco siso.* **2** *Anat.* Cada um dos últimos dentes molares, um em cada extremidade das arcadas dentárias [NOTA: O nome destes dentes deriva do fato de eles romperem por volta dos 17 aos 21 anos, idade que marca a passagem para a vida adulta] [F.: Do lat. *sensus.*] ▪ **De ~ 1** *P. us.* Com sensatez, com prudência: *Ela desistiu, de siso, de candidatar-se a miss.* **2** Muito, efetivamente, deveras: *Preparou-se de siso para o exame.*

sissomia (sis.so.*mi*.a) *sf. Trt.* Anormalidade fetal que consiste em dois corpos unidos e entrelaçados e duas cabeças [F.: Do gr. *syssomos, os, on,* 'de corpos unidos', + *-ia*[1].]

sistema (sis.*te*.ma) *sm.* **1** Conjunto de elementos (concretos ou abstratos) interligados e que funciona como um todo estruturalmente constituído (sistema digestivo; sistema eleitoral) **2** Conjunto de ideias que configuram uma concepção do mundo e da condição humana (sistema filosófico); DOUTRINA; TEORIA **3** Complexo de normas e padrões de organização da economia, do exercício do poder e da sociedade (sistema econômico; sistema político; sistema social) **4** Conjunto de estabelecimentos e instalações de um determinado setor de atividade ou de serviço (sistema de comunicações; sistema bancário; sistema penitenciário) **5** Reunião bem ordenada de ideias e meios aplicados a certos fins; MÉTODO; PLANO: "...a minha impunidade era um caso especial do afamado sistema das punições morais..." (Raul Pompeia, *O Ateneu*) **6** Qualquer forma específica de classificação ou esquematização (sistema métrico) **7** Equipamento composto de diversos integrantes interdependentes (sistema de som; sistema de computadores) **8** *Soc.* Complexo de estruturas políticas, éticas e estéticas preponderantes numa dada ordem social: *O sistema é repressivo; Eles desafiaram o sistema.* **9** Procedimento, técnica utilizada por uma pessoa para organização de atividades profissionais, pessoais, domésticas etc.: *Na firma, havia dois chefes e cada um tinha um sistema próprio para lidar com os empregados.* **10** *Mús.* Conjunto de pautas musicais [F.: Do lat. *systema.* Ideia de 'sistema': *oma-* (*genoma*), *-taxia* (*ataxia*), *-tonia* (*distonia*).] ▪ **Por ~** De caso pensado **~ aberto** *Fís.* Sistema de natureza física no qual se podem trocar energia e massa com o exterior **~ afocal** *Ópt.* Sistema óptico no qual um objeto no infinito forma imagem apenas no infinito **~ anastigmático** *Ópt.* Aquele no qual não há astigmatismo **~ aplanético** *Ópt.* Sistema óptico corrigido quanto à aberração esférica e o coma[1] (7) ~ **astigmático** *Ópt.* Sistema óptico no qual há astigmatismo ~ **binário** 1 *Mat.* Sistema de numeração de base dois, no qual só se usam dois dígitos, um e zero [É o sistema us. em linguagem de computadores, correspondendo o dígito 1 à passagem de sinal, o dígito zero à não passagem de sinal.] 2 Qualquer sistema formado por dois elementos ~ **Braille** Sistema de escrita para deficientes visuais, que consiste numa sequência de matrizes formadas, cada uma, de pontos em relevo, cuja disposição na matriz representa um signo, percebido pelo leitor ao nela passar a polpa dos dedos [Inventado pelo francês Louis Braille] ~ **cardiovascular** *Anat.* Sistema circulatório do corpo, formado pelo coração e pelos vasos sanguíneos ~ **cartesiano** *Geom. an.* Sistema de coordenadas cartesianas (ver no verbete *coordenada*) ~ **cgs** *Fís. Metrol.* Sistema de unidades de medida que tem como unidades fundamentais o centímetro (comprimento, *cm*), o grama (massa, *g*) e o segundo (tempo, *s*) ~ **cgs eletromagnético** *Fís. Metrol.* Sistema de unidades de medida em que às três unidades do sistema c. g. s. acrescenta-se a da permeabilidade do vácuo ~ **cgs eletrostático** *Fís. Metrol.* Sistema de unidades de medida em que às três unidades do sistema c.g.s. acrescenta-se a da permissividade do vácuo ~ **cilíndrico** *Geom. an.* Sistema de coordenadas cilíndricas ~ **compatível** *Álg.* Sistema de equações para o qual há pelo menos uma solução determinada ~ **conjugado** *Fís.* Sistema de duas forças paralelas, em suportes diferentes e em sentidos opostos, que atuam sobre um corpo ~ **conservativo** *Fís.* Aquele no qual não há dissipação térmica da energia ~ **cristalino** *Crist.* Grupo de cristais que apresentam eixos cristalográficos com as mesas relações angulares constantes [Subdividem-se em sistemas cúbico, tetragonal, hexagonal, trigonal, ortorrômbico, monoclínico e triclínico.] ~ **cromático** *Mús.* Aquele no qual a oitava divide-se em 12 intervalos iguais ~ **cúbico** *Crist.* Ver *Sistema isométrico* ~ **de barracão** *Bras.* Sistema de pagamento de fazendeiros a empregados rurais (ainda em uso em certos locais do interior do Brasil) por meio de vales que só têm valor no barracão da fazenda, onde se vendem mantimentos e outros produtos, muitas vezes a preços arbitrados e acima do valor de mercado ~ **decimal** *Mat.* Sistema de números de base dez, em que um algarismo numa certa ordem vale dez vezes o que valeira na ordem imediatamente anterior (escrita à direita) [Assim, 777 equivale a 7 + (10 x 7) + (100 x 7).] ~ **de computação** *Inf.* Ver *Sistema de processamento (de dados)* ~ **de comunicação** *Comun.* Conjunto de elementos e processos que formam o fenômeno complexo da comunicação, assim esquematizado: um *emissor* usa um *código* para transformar o conteúdo de uma *mensagem* em uma série de *sinais* ou *signos* convencionados, transmitindo-os de uma *fonte* e através de um *canal*; os sinais chegam a um receptor, que utiliza o mesmo código para converter os sinais na mensagem original, e fazê-la alcançar o destinatário (se este não é o mesmo que o receptor) ~ **de coordenadas** *Geom. an.* Conjunto de *n* números que determinam univocamente a posição de um ponto (em relação a *n* eixos, ou planos, ou outras referências) num espaço n-dimensional ~ **de equações** *Mat.* Conjunto de equações que estabelecem simultaneamente relações diversas variáveis, e que admite ao menos uma solução que as satisfaça ~ **de informações** *Inf.* Sistema que registra, processa, organiza e recupera informações por meio de banco de dados ~ **de numeração** *Mat.* Sistema coerente de notação de números ~ **de preços** *Econ.* Conjunto de critérios e mecanismos que atuam na formação de preços numa economia de mercado em função das condições de oferta e de demanda e de outros fatores inerentes ao mercado ~ **de processamento (de dados)** *Inf.* Conjunto de equipamentos (ger. eletrônicos), métodos, procedimentos e programas capaz de registrar, processar, organizar, guardar e recuperar dados segundo critérios determinados ~ **de referência** *Fís.* Referencial (6); sistema referencial ~ **Didot** *Tip.* Sistema de medidas tipográficas cuja unidade é o *ponto* (0,3759 cm) [Criado pelo francês François-Ambroise Didot] ~ **digestório** *Fisl.* Conjunto de órgãos responsável pela digestão dos alimentos, com assimilação dos nutrientes e eliminação das sobras [Na antiga nomenclatura anatômica, *aparelho digestivo*] ~ **dissipativo** *Fís.* Aquele em há perda de energia (como temperatura), mesmo sem que seja realizado trabalho ~ **duodecimal** *Mat.* Sistema de numeração de base doze (no qual um algarismo numa ordem tem doze vezes o valor que teria na ordem imediatamente anterior) [Us. dos dez algarismos e as letras A e B.] ~ **endócrino** *Fisl.* O conjunto das glândulas endócrinas (tireoide, hipófise ou pituitária, timo, suprarrenais, pâncreas, testículos, ovários etc.) ~ **especialista** *Inf.* Sistema de computação capaz de obter inferências a partir do processamento de dados e das regras que os relacionam ~ **fechado** 1 *Fís.* Aquele que não troca massa com o exterior, embora possa trocar formas de energia 2 *Lóg.* Sistema lógico bem definido, no qual toda proposição pode ser demonstrada como falsa ou como verdadeira ~ **filogenético** *Bot.* Sistema de classificação vegetal que tem como base de seus critérios a teoria da evolução ~ **geocêntrico** *Astron.* Sistema segundo o qual a Terra era considerada o centro do Universo, e em torno da qual giravam todos os astros ~ **Giorgi** *Metrol.* Sistema de unidades de medidas que tem como unidades fundamentais o metro (comprimento, *m*), o quilograma (massa, *kg*) e o segundo (tempo, *s*), e no qual a permeabilidade do vácuo é igual a 10^{-7} ~ **heliocêntrico** *Astron* Sistema segundo o qual o Sol é o centro do Universo, e em torno do qual giram os astros do sistema solar ~ **heterogêneo** *Fís-quím.* Aquele que apresenta mais de uma fase ~ **hexadecimal** *Mat.* Sistema de numeração de base dezesseis, no qual um algarismo numa ordem tem dezesseis vezes o valor que teria na ordem anterior [Usa os dez algarismos numéricos e as letras A, B, C, D, E e F.] ~ **hexagonal** *Crist.* O sistema cristalino que apresenta três eixos cristalográficos horizontais iguais, formando ângulos de 120º, e um eixo vertical perpendicular a estes ~ **homogêneo** *Fís-quím.* Aquele que apresenta uma só fase ~ **imunológico** *Fisl.* Conjunto de componentes orgânicos (o sistema linfoide e as formações de defesa, como a epiderme, o muco, certas secreções etc.) que defendem o organismo contra a ação de agentes patogênicos e de corpos estranhos ~ **indeterminado** *Álg.* Sistema de equações que admite uma infinidade de soluções ~ **internacional de unidades** *Fís. Metrol.* Sistema de unidades us. internacionalmente, que tem sete unidades fundamentais: o metro (comprimento, *m*), o quilograma (massa, *kg*), o segundo (tempo, *s*), o ampère (corrente elétrica, *A*), o kelvin (temperatura termodinâmica, *K*), o mol (quantidade de matéria, *mol*); e a candela (intensidade luminosa, *cd*) [Sigla: *SI.*] ~ **isolado** *Fís.* Aquele que não troca nem massa nem energia com o exterior ~ **isométrico** *Crist.* Sistema cristalino que apresenta três eixos cristalográficos iguais e retangulares, e cujos cristais têm quatro eixos de simetria ternários; sistema cúbico ~ **límbico** *Anat. Fisl.* Região cerebral formada por estruturas que atuam em várias funções, como o metabolismo, o funcionamento das vísceras e, esp. a emoção, a memória e o comportamento ~ **linfoide** *Fisl.* Conjunto de estrutura orgânicas que pertence ao sistema imunológico, e que compreende a medula óssea, as amígdalas, os gânglios linfáticos, o timo, o sangue, o baço etc. ~ **locomotor** *Fisl.* Conjunto de membros e órgãos que aciona o deslocamento e a movimentação, e que compreende, nos vertebrados, os ossos, os músculos, os tendões, as articulações, os ligamentos etc. ~ **métrico decimal** *Metrol.* Sistema de unidades de medida baseado no metro (comprimento, *m*) e em seus múltiplos e frações decimais, e que tinha ainda como unidades o litro (volume, *l*) e o quilograma (massa, *kg*) ~ **MKS** *Fís. Metrol.* Sistema de unidades de medida que tem como unidades fundamentais: o metro, (comprimento, *m*), o quilograma (massa, *kg*) e o segundo (tempo, *s*) ~ **monoclínico** *Crist.* Sistema cristalino que apresenta três eixos cristalográficos desiguais, dois deles perpendiculares (um vertical, outro horizontal), e o terceiro perpendicular ao eixo horizontal, mas oblíquo em relação ao vertical ~ **MTS** *Fís.* Sistema de unidades de medida que tem como unidades fundamentais: o metro, (comprimento, *m*), a tonelada (massa, *t*) e o segundo (tempo, *s*) ~ **nervoso** *Anat. Fisl.* Nos vertebrados, conjunto das células (neurônios), tecidos e órgãos que formam centros nervosos (encéfalo, medula e gânglios) e nervos que comandam todas as funções orgânicas e sua coordenação, a recepção e percepção de estímulos e a atividade psíquica, intelectual e emocional ~ **nervoso autônomo** *Anat. Fisl.* Parte do sistema nervoso que coordena funções não voluntárias, como a cardíaca, a respiratória, a digestiva, a glandular etc. Divide-se em dois grandes setores que se complementam: o *simpático* e o *parassimpático*; sistema nervoso vegetativo ~ **nervoso central** *Anat.* Parte do sistema nervoso formada pelo encéfalo e a medula espinhal ~ **nervoso da vida vegetativa** *Anat.* Ver *Sistema nervoso autônomo* ~ **nervoso parassimpático** *Anat. Fisl.* A parte do sistema nervoso autônomo responsável pelas funções do repouso, com retardamento do ritmo cardíaco e regulação das funções digestivas e a dos esfíncteres ~ **nervoso periférico** *Anat. Fisl.* Conjunto dos nervos raquidianos e cranianos, e dos gânglios nervosos, que são prolongamento do sistema nervoso central, fora do crânio e da coluna vertebral ~ **nervoso simpático** *Anat. Fisl.* A parte do sistema nervoso autônomo que atua para alertar o corpo nos momentos de ação, elevando as atividade cardíaca e respiratória, acionando neurotransmissores (como a adrenalina), contraindo artérias e dilatando brônquios etc. ~ **nervoso somático** *Anat. Fisl.* A parte do sistema nervoso que controla as percepções corporais, como as sensações de frio e calor, o tato, a visão, o olfato, a audição, o paladar, a dor etc. ~ **nervoso vegetativo** *Anat.* Ver *Sistema nervoso autônomo* ~ **octal** *Mat.* Sistema de numeração de base oito ~ **operacional** *Inf.* Conjunto de programas (*softwares*) básicos que gerenciam e controlam o funcionamento de outros programas de computador, o armazenamento na memória e recuperação de dados, a entrada e saída de dados etc. ~ **ortorrômbico** *Crist.* Sistema cristalino que apresenta três eixos cristalográficos de tamanhos diferentes, em ângulo reto, e com um eixo de simetria dupla ~ **planetário** *Astron.* O conjunto dos planetas do sistema solar ~ **polar** *Geom. an.* Sistema de coordenadas polares ~ **porta** *Anat. Fisl.* Aquele formado por capilares e veias oriundos do sistema digestório, que convergem para a veia porta e para o fígado ~ **presidencial** O mesmo que *presidencialismo* ~ **ptolemaico** *Astron.* Sistema cosmológico concebido pelo astrônomo grego Ptolomeu, segundo o qual os astros giram em movimentos circulares em volta da Terra ~ **quadrático** *Crist.* Sistema cristalino que apresenta três eixos retangulares, sendo dois do mesmo tamanho, e um eixo de simetria quádrupla; sistema tetragonal ~ **referencial** *Fís.* Referência (6); sistema de referência ~ **representativo** *Jur.* O sistema, definido em constituição, pelo qual a nação se faz representar nas assembleias e órgãos políticos ~ **reprodutor** *Anat. Fisl.* Conjuntos de órgãos responsáveis pela reprodução ~ **respiratório** *Anat. Fisl.* Conjunto de órgãos e dutos que permitem e que realizam a respiração [Nos vertebrados compreende ger. as vias aéreas e os pulmões. Na antiga nomenclatura anatômica, *aparelho respiratório*] ~ **reticuloendotelial** *Anat. Fisl.* Complexo de células distribuídas por todo o corpo que têm funções imunológicas, metabólicas, hematopoéticas etc. [No fígado, na medula óssea, no baço, nos gânglios linfáticos etc.] ~ **sexagesimal** *Mat.* Sistema de numeração de base sessenta ~ **sexual** *Bot.* Sistema de classificação vegetal baseado somente nas características dos órgãos de reprodução [De autoria do naturalista Lineu.] ~ **solar** *Astron.* Sistema que tem como centro o Sol, em torno do qual giram planetas (e seus satélites), asteroides, cometas, meteoritos e poeira cósmica ~ **temperado** *Mús.* A divisão da oitava em 12 semitons iguais, para afinação de instrumentos que produzem sons fixos [Ver achega enciclopédica.] ~ **tetragonal** *Crist.* Ver *Sistema quadrático* ~ **triclínico** *Crist.* Sistema cristalino que apresenta três eixos desiguais oblíquos ~ **trigonal** *Crist.* Sistema cristalino que apresenta três eixos cristalográficos de mesmo tamanho e simétricos em relação a um eixo de simetria ternária, com o qual fazem ângulo diferentes de 90º ~ **urinário** *Anat. Fisl.* Conjunto de órgãos e dutos responsáveis pela elaboração e eliminação da urina [Composto de rins, ureteres, bexiga, uretra. Na antiga nomenclatura anatômica, *aparelho urinário*.]

📖 Pela nova nomenclatura médica, os antes chamados aparelhos de funções fisiológicas (aparelhos digestivo, circulatório, respiratório etc.) passaram a chamar-se sistemas (sistema digestório etc.).

sistemática (sis.te.*má*.ti.ca) ***sf.*** **1** Ação ou resultado de sistematizar; SISTEMATIZAÇÃO **2** *Biol.* Ciência que tem por objetivo classificar os seres vivos **3** *Fig.* Conjunto de critérios e métodos empregados por uma pessoa ou grupo de pessoas: *Acabou contrariando a sistemática do partido; Os pesquisadores usavam a mesma sistemática empregada na primeira pesquisa feita na área.* [F.: Fem. substv. de *sistemático*.]

sistematicamente (sis.te.ma.ti.ca.*men*.te) ***adv.*** **1** De modo sistemático, por sistema **2** Segundo as regras preestabelecidas e coordenadas: *Cumpre sistematicamente os compromissos.* [F.: Fem. de *sistemático* + *-mente*.]

sistematicidade (sis.te.ma.ti.ci.*da*.de) ***sf.*** **1** Característica ou qualidade de sistemático **2** Relação, vinculação e interação entre os elementos de um sistema (sistematicidade físico-química) **3** Organicidade (sistematicidade de trabalho) [F.: *sistemático* + *-(i)dade*.]

sistemático (sis.te.*má*.ti.co) ***a.*** **1** Ref. a, ou próprio de um sistema; SISTÊMICO **2** *Biol.* Ref. à sistemática; SISTÊMICO **3** Que revela método, organização intelectual (conhecimento sistemático) **4** Coerente com uma linha de princípios ou pressupostos; METICULOSO **5** *Bras.* Diz-se de quem tem vida obsessivamente regrada, sem se permitir maior flexibilidade [F.: Do gr. *systematikós, é, ón*, pelo lat. *systematicus, a, um*.]

sistematização (sis.te.ma.ti.za.*ção*) ***sf.*** Ação ou resultado de sistematizar; SISTEMÁTICA [Pl.: *-ções*.] [F.: *sistematizar* + *-ção*.]

sistematizado (sis.te.ma.ti.*za*.do) ***a.*** **1** Que se sistematizou; que foi objeto de sistematização **2** Reduzido a sistema (tarefas sistematizadas); METÓDICO; ORDENADO; SISTEMÁTICO [F.: Part. de *sistematizar*.]

sistematizador (sis.te.ma.ti.za.*dor*) [ô] ***a.*** **1** Diz-se do que ou de quem sistematiza; SISTEMATIZANTE ***sm.*** **2** Aquele ou aquilo que sistematiza [F.: *sistematizar* + *-dor*.]

sistematizar (sis.te.ma.ti.*zar*) ***v. td.*** **1** Reunir (elementos) em um sistema; dar ordem ou estrutura de sistema a: *Sistematizou as normas sugeridas pela chefia.* **2** Fazer um apanhado de (ideias, conceitos etc.) transformando-os num corpo doutrinário coerente: "O seu livro não é a história dialética da razão de um homem, sistematizando ou codificando a natureza." (prefácio de Guerra Junqueiro *in* Raul Brandão, *Pobres*) **3** Fazer com que (algo ou si mesmo) se torne sistemático, metódico: *A direção do museu sistematizou a entrada e saída dos visitantes; Sistematizaram-se vários procedimentos hospitalares.* [▶ **1** sistematizar] [F.: *sistemático* + *-izar*, seg. o mod. gr; ver *sistemat(o)-*.]

◎ **sistemat(o)-** ***el. comp.*** = 'sistema': *sistemático* (< lat. < gr.), *sistematizar, sistematologia* [F.: Do gr. *systêma, atos*, 'conjunto'; 'multidão'; 'grupo de tropas'; 'conjunto de doutrinas'; 'sistema filosófico'.]

sistematologia (sis.te.ma.to.lo.*gi*:a) ***sf.*** Ciência, estudo, história ou tratado dos sistemas [F.: *sistemat(o)-* + *-logia*.]

sistematológico (sis.te.ma.to.*ló*.gi.co) ***a.*** Ref., inerente ou pertencente à sistematologia (ensaio sistematológico) [F.: *sistematologia* + *-ico*[2].]

sistemicamente (sis.te.mi.ca.*men*.te) ***adv.*** **1** De modo sistêmico: *processo sistemicamente desenvolvido.* **2** Segundo a lógica, a dinâmica e os elementos de um sistema (sistemicamente disposto) **3** Do ponto de vista do sistema, organicamente (sistemicamente desequilibrado) [F.: Fem. de *sistêmico* + *-mente*.]

sistêmico[1] (sis.*tê*.mi.co) ***a.*** **1** O mesmo que *sistemático* **2** Ref. à lógica, à organicidade de um sistema **3** Disposto de forma ordenada; organizado segundo algum método, critério [F.: *sistema* + *-ico*[2].]

sistêmico[2] (sis.*tê*.mi.co) ***a.*** **1** *Med.* Que afeta o organismo inteiro (doença sistêmica); GENERALIZADO **2** *Med.* Que diz respeito à circulação sanguínea **3** *Rest.* Diz-se do pesticida que, mesmo benigno, quando absorvido pela seiva ou pela corrente sanguínea, torna-se tóxico para plantas ou animais [F.: Do ing. *systemic.*]

sistino (sis.*ti*.no) *a.* Ref. ou inerente a, ou próprio do papa Sisto IV (1414-1484) (papado sistino, encíclica sistina) [F.: Do antr. *Sisto-* + *-ino.* Hom./Par.: *sistina* (sf.).]

sístole (*sís*.to.le) *sf.* **1** *Fisl.* Contração rítmica do músculo cardíaco [Cf. *diástole.*] **2** *Ling.* Ver *hiperbibasmo* [F.: Do gr. *systole.* Sin. ger.: *sistolia.*]

sistolia (sis.to.*li*.a) *sf.* O mesmo que *sístole* [F.: Do gr. *systolé, ês,* 'estreitamento'; 'contração'; 'movimento de contração do coração', + *-ia*[1].]

sistólico (sis.*tó*.li.co) *a.* *Fisl.* Ref. à sístole; SISTÁLTICO [F.: *sistol(e)* + *-ico.*]

sistro (*sis*.tro) *sm.* **1** *Etnog.* Instrumento musical us. entre os índios cadiueus, na América do Sul, constituído por uma forquilha e um arco atravessado por hastes metálicas soltas que agitando-se produzem um som retininte **2** *Mús.* Qualquer instrumento musical tocado como matraca **3** *Mús.* Antigo instrumento egípcio de percussão, constituído de um cabo com aro oval ou caixilho metálico, no qual eram inseridas, transversalmente, varetas de metal, às vezes providas de chapinhas, que tilintavam quando se sacudia o instrumento [F.: Do lat. *sistru,* do gr. *seîstron.* Cf.: *sestro.*]

sisudez (si.su.*dez*) *sf.* **1** Característica de quem é ou se mostra sisudo, circunspecto; AUSTERIDADE **2** *P. ext.* Equilíbrio, sensatez, bom-senso [F.: *sisud(o)* + *-ez.* Sin. ger.: *sisudeza.*]

sisudeza (si.su.*de*.za) [ê] *sf.* Ver *sisudez* [F.: *sisudo* + *-eza.*]

sisudo (si.*su*.do) *a.* **1** Que tem muito siso, prudência; CIRCUNSPECTO **2** Que se irrita facilmente, que costuma ficar de cenho franzido, de cara fechada; CARRANCUDO [Ant.: *alegre, descontraído.*] *sm.* **3** Pessoa ajuizada, responsável, prudente **4** Pessoa séria demais, mal-humorada [F.: De or. contrv.]

◎ **-sita** *el. comp.* Ver *sit(o)-*

sitar (si.*tar*) *sm.* *Mús.* Instrumento originado da Índia, de braço longo, montado com três ou quatro cordas dedilháveis [F.: Do hindi *sitâr.* Hom./Par: *citar* (v.).]

⊕ ***sitcom*** (*Ing. /sítcom/*) *sm.* *Cin. Telv.* Do ing. 'situation comedy' ('comédia de situação'), série cômica para TV, criada nos EUA, ger. de roteiro e cenários simples, de forte apelo popular

⊕ ***site*** (*Ing. /sait/*) *sm.* *Int.* Endereço na Internet, identificado com um nome e que apresenta uma ou mais páginas de textos informativos, imagens, gráficos etc; SÍTIO

sitiado (si.ti.*a*.do) *a.* **1** Que se sitiou, que foi ou está cercado por forças militares **2** *Fig.* Em situação difícil, tensa; que se encontra sem saída **3** Que se abordou com insistência *sm.* **4** Aquele ou aquilo que se sitiou, que foi ou está cercado por forças militares **5** Aquele ou aquilo que se acha em situação difícil, sob tensão **6** Aquele que foi objeto de insistente abordagem [F.: Part. de *sitiar.*]

sitiante[1] (si.ti.*an*.te) *s2g.* *Bras. S* Morador ou proprietário de sítio, chácara, quinta; SITIEIRO [F.: *sitia(r)*+ *-nte.*]

sitiante[2] (si.ti.*an*.te) *a2g.* **1** Que sitia, que cerca (tropa sitiante); SITIADOR **2** *Fig.* Que assedia, pressiona *s2g.* **3** Aquele ou aquilo que sitia, que cerca; SITIADOR: *Os sitiantes se aproximavam do forte.* **4** Aquele que assedia, pressiona [F.: *sitia(r)* + *-nte.*]

sitiar (si.ti.*ar*) *v.* *td.* **1** Cercar (cidade, fortaleza etc.) para atacá-las e dominá-las; ASSEDIAR; COAGIR: *As tropas sitiaram a aldeia.* **2** *Fig.* Exercer grande tensão sobre (algo ou alguém), pressionar [*td.*] [▶ 1 sitiar] [F.: De or. obsc. Hom./Par.: *sitia(s)* (fl.), *setia(s)* (sf. [pl.]); *sitiais* (fl.), *setiais* (sm. pl.); *sitio* (fl.), *sítio* (sm.).]

sitieiro (si.ti.*ei*.ro) *sm.* **1** *SP* Aquele que sitia **2** Proprietário ou morador de sítio (5, 6) [F.: *síti(o)-* + *-eiro.* Sin. ger.: *sitiante.*]

◎ **sitio-** *el. comp.* = 'trigo'; 'alimento': *sitiofobia, sitiófobo, sitiologia* [F.: Do gr. *sitíon, ou,* 'trigo'; 'pão'; (*p. ext.*) 'alimento para os homens'; 'alimento sólido', do gr. *sitos, ou,* 'trigo (no estado natural)'. F. conexa: *sit(o)-.*]

sítio[1] (*sí*.ti:o) *sm.* **1** Lugar qualquer; LOCAL; LOCALIDADE: *Em sua viagem, visitou muitos sítios.* **2** Terreno, extensão de terra ainda sem construção **3** Lugar marcado por algum fato importante **4** Pequena localidade habitada; POVOADO; ALDEIA **5** *Bras.* Propriedade agrícola pequena; QUINTA; FAZENDOLA **6** *Bras.* Moradia rural não longe da cidade; CHÁCARA; FAZENDA **7** Lugar marcado por algum fato importante: *Brasília tornou-se um sítio das construções de Oscar Niemeyer.* **8** Espaço ocupado por qualquer corpo: "(...) oh! talento de alfarrabistas! a sua perspicácia infalível! – vai buscar num sítio misterioso um pequenino livro, que me traz na mão, com muito carinho (...)." (Cecília Meireles, *Crônicas de viagem 2*) **9** *Int.* Servidor da *Web,* ou o endereço em que é acessado; *site* **10** Conjunto de documentos disponibilizados na *Web* por indivíduo ou empresa e que pode ser acessado por computador, em endereço específico [F.: obsc. Hom./Par.: *sitio* (fl. de *sitiar*).]

sítio[2] (*sí*.ti:o) *sm.* **1** Ação ou resultado de sitiar; CERCO **2** *Fig.* Assédio contínuo; PERSEGUIÇÃO [F.: Dev. de *sitiar,* posv.]

sitioca (si.ti.*o*.ca) [ó] *sf.* *Bras.* Pequeno sítio, fazendola [F.: *sítio*[1] + *-oca.*]

sitiofobia (si.ti:o.fo.*bi*:a) *Psi.* *sf.* Aversão mórbida a qualquer alimento [F.: *sitio-* + *-fobia.*]

sitiofóbico (si.ti:o.*fó*.bi.co) *Psiq.* *a.* **1** Ref. à sitiofobia **2** Diz-se de indivíduo que sofre de sitiofobia; SITIÓFOBO *sm.* **3** Esse indivíduo; SITIÓFOBO [F.: *sitiofobia* + *-ico*[2].]

sitiófobo (si.ti.*ó*.fo.bo) *a.* *sm.* *Psiq.* O mesmo que *sitiofóbico* (2 e 3) [F.: *sitio-* + *-fobo.*]

sitiologia (si.ti:o.lo.*gi*.a) *sf.* Estudo ou tratado sobre alimentação e alimentos [F.: *sitio-* + *-logia.*]

sitiológico (si.ti:o.lo.*gi*.a) *a.* Ref. à sitiologia [F.: *sitiologia* + *-ico*[2].]

◎ **-sit(o)-** *el. comp.* Ver *sit(o)-*

◎ **-sito** *el. comp.* Ver *sit(o)-*

◎ **sit(o)-** *el. comp.* = 'alimento'; 'alimentação': *sitófago* (< gr.), *sitofobia, sitófobo; parasitose; autosito, onfalosito, parasito; parasita* (< fr. < lat. < gr.) [F.: Do gr. *sitos, ou,* 'trigo (no estado natural)'; 'alimento sólido'; 'comida, alimentação'. F. conexas: *sitio-* e *parasit(o)-.*]

sito (*si*.to) *a.* O mesmo que *situado* [F.: Do lat. *situs, a, um.* Hom./Par.: *sito* (a.), *cito* (fl. de *citar*).]

sitofobia (si.to.fo.*bi*:a) *Psiq.* *sf.* **1** O mesmo que *sitiofobia* **2** *Lus.* Aversão especialmente ao trigo, aos cereais, ao pão [F.: *sit(o)-* + *-fobia.*]

sitofóbico (si.to.*fó*.bi.co) *Psiq.* *a.* **1** Ref. ou inerente à sitofobia **2** Diz-se de indivíduo que sofre de sitofobia; SITÓFOBO; SITIÓFOBO *sm.* **3** Esse indivíduo; SITÓFOBO; SITIÓFOBO [F.: *sitofobia* + *-ico*[2]. Sin. ger.: *sitiofóbico.*]

sitófobo (si.*tó*.fo.bo) *a.* *sm.* *Psiq.* O mesmo que *sitofóbico* (2 e 3) [F.: *sit(o)-* + *-fobo.*]

situação (si.tu:a.*ção*) *sf.* **1** Ação ou resultado de situar(-se) **2** Posição de um corpo no espaço ou no tempo; LOCALIZAÇÃO: *Rastrearam no mapa a situação da aeronave.* **3** *P. ext.* Aspecto dos acontecimentos, dos fatos em determinado momento (situação difícil; situação propícia); CONJUNTURA: "(...) Precisamos encarar a situação de frente, não há outra saída." (Jorge Andrade, *A moratória*) **4** Característica ou condição econômica, social, profissional, emocional (boa/má situação); POSIÇÃO **5** Condição de saúde: *O médico disse que sua situação não era nada boa.* **6** *Fig. Liter. Teat. Cin. Telv.* Passagem ou motivo característico de uma narrativa: *O autor explorou uma situação de humor grotesco.* **7** *Pol.* Poder dominante entre outras forças políticas (político/estratagema da situação) [Ant.: *oposição.*] [Pl.: *-ções.*] [F.: *situa(r)* + *-ção.*]

situacional (si.tu:a.ci:o.*nal*) *a2g.* Ref. à situação [Pl.: *-nais.*] [F.: Do ing. *situational.*]

situacionismo (si.tu:a.ci:o.*nis*.mo) *sm.* **1** *Pol.* Facção que detém o poder, que exerce o governo num dado período [Ant.: *oposicionismo.*] **2** *P. ext.* Posição, ideologia ou atitude dos que detêm o poder [Ant.: *oposicionismo.*] [F.: *situação,* na f. *situacion-* + *-ismo.*]

situacionista (si.tu:a.ci:o.*nis*.ta) *a2g.* **1** Ref. a situacionismo **2** *Pol.* Que apoia o situacionismo ou é seu partidário *s2g.* **3** *Pol.* Aquele que apoia o situacionismo ou é seu partidário [F.: *situação,* na f. *situacion-* + *-ista.*]

situado (si.tu.*a*.do) *a.* **1** Que se situou, se localizou; LOCALIZADO; SITO **2** *Fig.* Que se insere lucidamente em seu contexto: *É uma mulher moderna, situada; Faz uma arte situada.* [F.: Part. de *situar.*]

situar (si.tu.*ar*) *v.* **1** Localizar ou estar localizado em [*td.*: *Precisava de um mapa para situar a cidade.*] [*tda.*: *A produção vai situar o filme na África.*] [*ta.*: *A história situa-se na Nigéria.*] **2** Assentar em determinado lugar [*tda.*: *Situou seu ateliê no centro da cidade.*] **3** Decidir-se por uma posição [*int.*: *Não sabia como se situar em face daquele conflito.*] **4** Indicar (lugar) a; posicionar [*tda.*: *Situou o novo jogador no meio de campo.*] [▶ 1 situar] [F.: Do lat. *situare.* Hom./Par.: *situáveis* (fl.), *situáveis* (a2g. pl.).]

situável (si.tu:*á*.vel) *a2g.* Que pode situar-se ou estabelecer-se; que se pode situar [Pl.: *-veis.*] [F.: *situa(r)-* + *-vel.* Hom./Par.: *situáveis* (pl.), *situáveis* (fl. de *situar*).]

sizígia (si.*zí*.gi:a) *sf.* *Astron.* Conjunção ou oposição de qualquer planeta (e da Lua) com o Sol [F.: Do fr. *syzygie.*]

⊕ ***skate*** (*Ing. /squêit/*) *sm.* **1** Prancha pequena e estreita, com rodinhas **2** *Esp.* Atividade esportiva que se disputa com exibição de deslocamentos e acrobacias com essa prancha

skatista (ska.*tis*.ta) *s2g.* *Esp.* Praticante do *skateboarding* [F.: *skat(e)-* + *-ista.*]

⊕ ***sketch*** (*Ing. /squétch/*) *sm.* *Cin. Rád. Teat. Telv.* Pequena cena, quase sempre cômica; ESQUETE

⊕ ***skinhead*** (*Ing. /skinréd/*) *s2g.* **1** Genericamente, designação de pessoa que tem cabelos raspados **2** Membro de gangue, ger. jovem e do sexo masculino, de cabelos raspados, roupas simples e comportamento agressivo, frequentemente xenófobo e racista, que pratica atos violentos contra negros, judeus, estrangeiros e outras minorias

skinneriano (skin.ne.ri.*a*.no) *a.* **1** *Psi.* Ref. ou inerente a, ou próprio de Burrhus Frederic Skinner (1904-1990), psicólogo americano equivocadamente tido como o fundador do Behaviorismo (conceitos skinnerianos, teoria skinneriana) **2** Diz-se de que ou de quem é estudioso, admirador ou grande conhecedor da obra de Skinner *sm.* **3** *Psi.* Especialista ou admirador da obra de Skinner [F.: Do antr. (Burrhus Frederic) *Skinner* + *-ano.*]

⊕ ***sky-surf*** (*Ing. /skai-serf/*) *sm.* *Esp.* Prática de paraquedismo com uma pequena prancha presa aos pés, evoluindo durante 30 segundos de queda livre

s-lépton (s-*lép*.ton) *sm.* *Fís.* S-partícula de lépton [Pl.: *s-léptons.*] [F.: *s* (de super) *lépton* (do ing. *lepton*). Forma paral.: *s-leptão.*]

⊕ ***slide*** (*Ing. /slaid/*) *sm.* *Fot.* Cromo de 35mm montado em moldura para projeção; DIAPOSITIVO

⊕ ***slip*** (*Ing. /slip/*) *sm.* *Lus. Vest.* Cueca semelhante a sunga (1, 2) [Pl.: *slips.*]

⊕ ***slivovitz*** *sm.* Conhaque de ameixa produzido nos países balcânicos e em vários da Europa central, tido como o drinque nacional da Iugoslávia

⊕ ***slogan*** (*Ing. /slôgan/*) *sm.* Frase curta e fácil de lembrar, us. em propaganda comercial, política e para outros fins; DIVISA; LEMA

⊠ **Sm** *sm.* *Quím.* Símb. do *samário.*

⊕ ***smartphone*** (*Ing. /smártfon/*) *sm.* Aparelho portátil que funciona como celular e tem funções avançadas, por meio de programas executáveis em seu sistema operacional, inclusive navegação pela internet, execução de aplicativos etc; seu sistema aberto permite o desenvolvimento externo de programas que funcionem nos *smartphones* [*Smartphone,* em português, significa 'telefone inteligente'.]

⊕ ***smoking*** (*Ing. /smôuquin/*) *sm.* Traje masculino para eventos formais ou semiformais, composto de terno preto com lapela de cetim, acrescido de gravata-borboleta igualmente negra; *black-tie*

⊠ **SMS** *sm.* Sigla do inglês *Short Message Service,* Serviço de Mensagens Curtas, protocolo de comunicação em GSM que permite o envio e recebimento de mensagens curtas por meio de telefones celulares

⊠ **s.n.** **1** Abrev. do lat. *sine nomine* (sem nome) **2** Grafado *s/n* é abrev. de *sem número* (ref. a casa, prédio etc.)

⊠ **Sn** *Quím.* Símb. de *estanho*

⊠ **S.O.** Símb. de *sudoeste*

◎ **so-** *pref.* = sob: *soerguer, sonegar, soterrar.*

só *a2g.* **1** Sem companhia; SOZINHO: *Chegou só na festa.* [Ant.: *acompanhado.*] **2** Em permanente solidão; ISOLADO; SOZINHO: *É um homem só; uma mulher só.* **3** Único: *Apareceu um só candidato para o concurso* [Ant.: *muito.*] **4** Não frequentado, não habitado (praia só; lugar só) [1) É us., muitas vezes, como reforço demonstrativo da referência feita por um pronome, com equivalência de mesmo, próprio. Ex.: *Foi ela só que organizou toda a festa.* 2) Muitas vezes, emprega-se com valor expletivo. Ex.: *Ele tinha só 20 anos* ou *Ele tinha 20 anos só.*] *sm.* **5** Solitário: "Sou o mais só / O mais só deste mundo..." (Joaquim Cardoso, *Um livro aceso e nove canções sombrias*) *adv.* **6** Somente, apenas, unicamente, exclusivamente: *Só respondeu à primeira pergunta.* [F.: Do lat. *solus.*] ⊞ **A ~s** Sem a presença ou a companhia de outras pessoas; desacompanhado, ou na companhia exclusiva de alguém: *Convidaram-na para a festa, mas ela preferiu ficar a sós; Conversaram a sós por várias horas. Não conseguiu estar a sós com a namorada.* **Que ~** **1** Tanto quanto; como; que nem: *É levado que só um capeta pode ser!* [Us. para comparar de modo exclusivo, dando ideia de que algo ou alguém não tem igual ou similar, exceto por aquela outra coisa ou pessoa que é mencionada a seguir.] **2** Us. para comparar de modo enfático ou exagerado **3** Us. de modo enfático, para dar ideia de intensidade, exagero: *Ele é desajeitado que só!* [Ver tb. a loc. *que só ele / que só ela.*] **Que ~ ele/ela** Us. para expressar que ninguém é tanto (ref. a característica, qualidade, defeito etc.) quanto a pessoa mencionada: *É prendada que só ela.* **~ com** Na companhia, na presença, com a participação, com a ação etc. exclusivos de alguém ou de algo de qualquer natureza: *Vive só com suas lembranças; Toca só com aquele acompanhado; Funciona só com gasolina.* **~ por ~** *Bras.* Um por um, um de cada vez **~ que** Introduz argumento, ideia, fato etc. que contradiz ou anula o que antes foi afirmado; mas porém: *Estava tudo pronto para o passeio, só que choveu; Fez tudo direitinho, só que não adiantou, a vaga tinha sido preenchida.*

sô (sô) *sm.* *Pop.* Corruptela de *senhor* e de *seu,* us. com próclise (Sô José) [F.: Alter. de *senhor.* Hom./Par.: *só* (a2g., sm., adv.).]

soabrir (so.a.*brir*) *v.* **1** Abrir(-se) um pouco; ENTREABRIR [*td.*: "...a triste esposa e mãe soabriu os olhos, ouvindo a voz amada" (José de Alencar, *Iracema*)] [*int.*: *Seus olhos soabriam-se quando a chamavam.*] **2** *Fig.* Tornar-se calmo; ter paz [*td.*: *Soabriu a fisionomia ao reencontrar o neto.*] [*int.*: *Depois da briga, o clima na casa soabriu-se.*] [▶ 3 soabrir] [F.: *so-* + *abrir.*]

soada (so:*a*.da) *sf.* **1** Ação ou resultado de soar **2** Toada de cantiga **3** Rumor confuso, proveniente de canção ou música longínqua **4** Rumor indistinto, ruído **5** Estrondo, barulho **6** O som agradável de quem fala **7** Fama, boato, notícia [F.: *soa(r)-* + *-ada*[1]. Hom./Par.: *suada* (sf.).]

soalha (so:a.lha) *sf.* **1** Ação ou resultado de soalhar **2** Efeito visual produzido pelo sol ou pelo luar: *Sob a trepadeira, a terra estava repleta de soalhas.* **3** Cada uma das rodelas metálicas do pandeiro, que produzem o som retinente ao agitá-lo **4** *P. ext.* O mesmo que *soalheira* **5** *Náut.* Vara com um buraco ou agulheiro quadrado no meio, que corre ao longo do virote da balestilha [F.: Regress. de *soalhar,* do lat vulg. *sonacula, ou.*] ⊞ **Pôr ~s a** Dar muita divulgação a, fazer muita publicidade de (fato, notícia)

soalhado (so.a.*lha*.do) *a.* **1** *Cons.* Assoalhado; SOBRADADO *sm.* **2** *Cons.* Soalho **3** Madeiramento para soalhar [F.: Part. de *soalhar.*]

soalhar (so.a.*lhar*) *sm.* *Bras. Pop.* O mesmo que *soalheiro* [F.: *soalh(o)-* + *-ar*[1] Hom./Par.: *soalhar* (v.).]

soalheira (so:a.*lhei*.ra) *sf.* **1** Hora e lugar em que o sol e o calor estão mais fortes **2** Exposição total aos raios solares [F.: Fem. substv. de *soalheiro.*]

soalheiro (so:a.*lhei*.ro) *a.* **1** Exposto ao sol: *uma casa soalheira.* *sm.* **2** Lugar exposto ao sol **3** Reunião de pessoas ociosas que falam da vida alheia, ger. sentadas ao sol: *intrigas do soalheiro.* **4** Hábito de falar mal dos outros; MALEDICÊNCIA **5** Terreno na aba das serras exposto ao nascente [P. opos. a *noruega.*] [F.: *soalh(o)*[2] + *-eiro.*]

soalho (so:a.lho) *sm.* Ver *assoalho* ■ **~ caveirado** *Arq.* Aquele cujas tábuas formam desenhos geométricos
soante (so.*an*.te) *a2g.* Que soa, que é sonante [F.: Do lat. *sonans.* Ideia de 'soante': *-ponga (araponga)* e *-tirica (jaguatirica).*]
soão (so:*ão*) *sm. Lus. Antq. Mar.* Vento que sopra do oriente [Pl.: *-ões.*] [F.: Do lat. *solanus.* Cf.: *suão.*]
⊕ **soap opera** (*Ing.* /sôup ópera/) *sf. Rád. Telv.* Novela de enredo ger. melodramático e com muitas personagens, originariamente patrocinada por fabricantes de sabonete
soar (so.*ar*) *v.* **1** Fazer que produza, ou produzir som [*td.: Sua tarefa era soar a campainha no final de cada aula.*] [*int.: Um sino soou no final da tarde.*] **2** Anunciar(-se) com som (horas) [*td.: O relógio soou meia-noite.*] [*int.: As sete horas soaram.*] **3** *Fig.* Dar determinada impressão; PARECER [*ti.* + *a*: *A história soou muito mal a meu pai.*] [*ta.: Aquela crítica soou mal.*] **4** Produzir ruído [*int.: A rádio-patrulha passou a soar.*] **5** Ser pronunciado [*tp.: A letra 'b' soa como 'bê'.*] **6** Emitir som ou voz [*int.: Aquele trombone soava como uma buzina.*] **7** Ser bem recebido pelo sentido da audição [*ta.: Sua voz soa muito bem.*] **8** Deixar marcas ou lembranças; persistir [*tr.* + *em*: *Os conselhos do pai ainda soavam em seu espírito.*] [*ti.* + *a*: *Soavam-lhe ainda as admoestações do avô.*] **9** Agradar, conquistar, seduzir [*ti.* + *a*: *A insinuação não soou bem aos ouvidos da moça.*] [*ta.: O convite suspeito soou muito mal.*] **10** Dar grandiosidade a; exaltar [*td.: As trombetas soavam o grande feito do herói.*] **11** Espalhar(-se), divulgar(-se) [*int.: Más notícias soam logo por todos os lados.*] [▶ **16 soar**] [F.: Do lat. *sonare.* Hom./Par.: *soemos* (fl.), *soemos* (fl. *soer*).] ■ **~ bem 1** Ser agradável (som ou sons), causar boa impressão ou sensação **2** Parecer aceitável (algo que se diz); ser aceito como bom, ou válido, verdadeiro, adequado, educado etc; cair bem **~ mal 1** Ser desagradável, inconveniente (som ou sons) **2** Parecer inaceitável; provocar desagrado; receber crítica ou oposição, desconfiança etc. (algo que se diz); cair mal
soarê (so:a.*rê*) *sf.* F. aport. de *soirée*
sob [ô] *prep.* **1** Indica posição abaixo de, debaixo de: *A caneta estava sob o jornal; Abrigou-se sob a marquise.* [Ant.: *sobre.*] **2** Abrigado por; protegido: *Vivia sob a luz divina.* **3** No tempo de: *A história se passa sob o império romano.* **4** Subordinado a; dependente de: *Servia num batalhão sob as ordens de um capitão severo.* **5** Comprometido, obrigado por: *Nem sob juramento contou tudo o que sabia.* **6** Indica meio, modo: *Seu uniforme foi feito sob medida.* **7** Em condição de, em estado de: *Com o nascimento do filho, estavam todos sob alegria intensa.* **8** Por efeito de, por ação de: *As rochas diminuem de tamanho sob influência da erosão.* **9** Por influência de: *A pintura sob os renascentistas ganhou importância nas artes.* **10** Designado por; indicado por: *Na lista de espera, está sob o número 204.* **11** Conforme; diante da; perante: *Sob a evidência dos fatos, foram obrigados a reconsiderar o que haviam dito.* **12** Durante a presidência, o governo, o reinado de: *Sob D. Pedro II a arte e as ciências foram valorizadas no Brasil.* [NOTA: Relaciona por subordinação (dois ou mais vocábulos, termos etc.).] [F.: Do lat. *sub.*]
◎ **sob-** *pref.* = embaixo de, por baixo de, em consequência de, durante: *sobestar, sobpor, sobsaia, socapa.* [Ver tb. *sub-.*]
soba (so.ba) [ó] *sm.* **1** Chefe de povo ou de tribo na África, esp. no sul de Angola **2** *P. ext.* Pessoa que, por sua posição política ou econômica, domina um grupo ou população [F.: Do quimb. *soba.*]
sobeira (so.*bei*.ra) *sf. Cons.* Segunda ordem de telhas colocadas debaixo da beira do telhado e que serve como sustentáculo da beira superior [F.: *so-* + *beira.*]
sobejante (so.be.*jan*.te) *a2g.* Que sobeja; EXCESSIVO [F.: *sobejar* + *-nte.*]
sobejar (so.be.*jar*) *v.* Ser em demasia; sobrar [*tr.* + *de*: *O menino esperava pelo que ia sobejar do banquete.*] [*int.: Sua riqueza sobejava.*] [▶ **1 sobejar**] [F.: *sobejo* + *-ar²*. Hom./Par.: *sobejo* (fl.), *sobejo* [ê] (a. sm. adv.).]
sobejo (so.*be*.jo) [ê] *a.* **1** Que sobeja, que sobra: *Naquele restaurante, a comida sobeja é enviada a instituições de caridade.* **2** Que é demasiado, excessivo: *As safras de soja sobeja foram incineradas pelos produtores.* **3** Vasto, imenso, amplo (oceano sobejo) **4** *Fig.* Que é intenso, vigoroso (verão sobejo; frio sobejo) **5** Com audácia, com ousadia *sm.* **6** Aquilo que sobra; RESTO; SOBRA: *Os sobejos das hortaliças podem ser aproveitados na sopa.* *adv.* **7** Em demasia, excessivamente: *Elogiou sobejo a sua nova casa.* [F.: De or. contrv.] ■ **De ~** Ver *De sobra* no verbete *sobra*
soberania (so.be.ra.*ni*:a) *sf.* **1** Característica do que ou quem é soberano: *Tinham a seu favor a soberania do eleitorado.* **2** Autoridade suprema de soberano: *Sua soberania se estendeu a todo o continente.* **3** *P. ext. Fig.* Domínio, território de um soberano **4** Autoridade moral, intelectual (soberania da razão; soberania da justiça) **5** Característica do que não tem nenhum superior ou apelação: *Não havia como reverter a soberania de sua decisão.* **6** *Pol.* Propriedade que tem um Estado de ser independente, senhor de seu território e imune aos interesses ou pretensões de qualquer potência estrangeira **7** Primazia, prioridade de algo **8** Arrogância, altivez [F.: *soberan(o)* + *-ia.*]
soberano (so.be.*ra*.no) *a.* **1** Que exerce o poder ou a autoridade sem restrições (governo soberano) **2** Que detém o poder (povo soberano) **3** Que encerra poder e infunde o máximo respeito (constituição soberana) **4** Que se destaca em primeiro lugar, que tem primazia: *O país ainda apresenta um futebol soberano.* **5** *Fig.* De qualidade indiscutível; SUPREMO; NOTÁVEL; EXCELENTE: *Na coleção, encontrava-se a arte soberana de Portinari.* **6** Que é decisivo, que impõe decisão (oportunidade soberana) **7** Arrogante, altivo: *Passou com um olhar soberano.* **8** *Rel.* Cujo poder, cujo desígnio é absoluto (Deus soberano; Virgem soberana) *sm.* **9** Governante de Estado monárquico; REI; MONARCA *num.* **10** Moeda inglesa de ouro, de uma libra esterlina [F.: Do lat. vulg. *superanus.*]
soberba (so.*ber*.ba) [ê] *sf.* **1** Orgulho desmedido; ARROGÂNCIA; PRESUNÇÃO: *Obturado pela soberba, passou pelos empregados sem cumprimentá-los.* **2** Elevação, altura de uma coisa em relação a outra: *Naquela avenida, a soberba da Catedral notabilizou-a como atração turística.* [F.: Do lat. *superbia.*]
soberbaço (so.ber.*ba*.ço) *a.* **1** Muito soberbo **2** Cheio de soberba, muito arrogante ou pretensioso **3** Tola e ridiculamente vaidoso *sm.* **4** Indivíduo soberbaço [F.: *soberbo* + *-aço.*]
soberbete (so.ber.*be*.te) [ê] *a.* **1** Que tem certos ares de soberba *sm.* **2** Indivíduo soberbete [F.: *soberbo* + *-ete.*]
soberbia (so.ber.*bi*.a) *sf.* **1** Característica do que é soberbo: "(...) brigaram de derradeira vez, com a soberbia de lágrimas por entre palavras, feriam-se (...)." (João Guimarães Rosa, *Estas estórias*) **2** *Pej.* Soberba ostensiva e sem limites [F.: *soberb(o)* + *-ia.*]
soberbo (so.*ber*.bo) [ê] *a.* **1** Que tem soberba, presunção; ARROGANTE: "Você foi um bispo indigno de minha igreja, mundano, autoritário, soberbo." (Ariano Suassuna, *Auto da compadecida*) [Ant.: *modesto, humilde.*] **2** Magnífico, grandioso (soberba construção; espetáculo soberbo) [Ant.: *modesto, acanhado.*] **3** Que demonstra ímpeto, audácia, rapidez (cavalos soberbos) **4** De grande valor; RARO; PRECIOSO **5** Que é muito elevado em relação a outro (montes soberbos) *sm.* **6** Aquele que tem soberba, presunção; ARROGANTE [Aum.: *soberbaço.* Dim.: *soberbete.* Superl.: *soberbíssimo, superbíssimo.*] [F.: Do lat. *superbus.*]
sobra (*so*.bra) [ó] *sf.* **1** Ação ou resultado de sobrar; RESTO; SOBEJO **2** Aquilo que fica, após utilizado ou consumido o necessário; RESTO; SOBEJO: *Fez um novo mural com a sobra da tinta.* [NOTA: *Us. tb. no pl.*] [F.: Dev. de *sobrar.* Hom./Par.: *sobra* (fl. de *sobrar*).] ■ **De ~** Mais do que é necessário, adequado ou tolerável; demais, em excesso: *Para evitar imprevistos, trouxe comida de sobra; Deixe-nos em paz; já temos problemas de sobra!* **Ficar com/levar as ~s** Ser castigado, admoestado, repreendido etc. tendo sido outrem o verdadeiro merecedor disso: *A turma fez bagunça, e João, que estava estudando, levou as sobras: foi suspenso.*
sobraçado (so.bra.*ça*.do) *a.* **1** Metido e preso debaixo do braço; seguro entre o braço e parte lateral do tórax (envelope sobraçado) **2** Firme nos braços de alguém; levado em braços [F.: Part. de *sobraçar.*]
sobraçal (so.bra.*çal*) *a2g.* Que pode ser colocado e preso debaixo do braço [Pl.: *-çais.*] [F.: *sobraçar* + *-al.*]
sobraçar (so.bra.*çar*) *v.* **1** Segurar debaixo do braço [*td.: Sobraçava uma revista.*] **2** Envolver com o braço [*td.: Sobraçou a namorada logo que ela chegou.*] [*tr.* + *com*: *Sobraçou-se com o namorado.*] **3** *Fig.* Servir moralmente de apoio, de sustentação [*td.: Sobraçava os inválidos.*] **4** Caminhar de braço dado com [*td.: Sobraçar-se enquanto desciam a escada.*] [▶ **12 sobraçar**] [F.: *so-* + *braço* + *-ar².*]
sobradar (so.bra.*dar*) *v. td.* **1** Construir sobrado(s) em; assobradar (casa, prédio) **2** Mesmo que *assoalhar* [▶ **1 sobradar**] [F.: *sobrado* + *-ar.* Hom./Par.: *sobrado* (fl.), *sobrado* (a. sm.).]
sobrado (so.*bra*.do) *sm.* **1** Andar de cima de uma casa casa de dois andares **2** *Bras. Ang. Cver.* Casa de dois ou mais pavimentos **3** *Bras. BA* Casa-grande, casa do senhor de engenho **4** Pavimento composto ger. com madeira [F.: Do lat. *superatus, a, um.*]
sobraji (so.bra.ji) *sm. Bras. Bot.* Árvore (*Colubrina rufa*) da fam. das ramnáceas, que fornece boa madeira de lei; SAGUARAJI [F.: De or. obsc; posv. do tupi.]
sobral (so.*bral*) *sm.* Mata de sobreiros ou sobros; lugar onde há sobreiros; SOBREIRAL [Pl.: *-brais.*] [F.: *sobr(o)* + *-al.* Hom./Par.: *sobrais* (pl.), *sobrais* (fl. de *sobrar*).]
sobrança (so.*bran*.ça) *sf.* **1** *Bras. Pop.* Característica ou qualidade de sobranceiro, que está acima de tudo que o rodeia **2** Condição ou estado de que ou de quem sobra, de que é o único restante de um conjunto [F.: *sobrar-* + *-ança.*]
sobrançaria (so.bran.ça.*ri*:a) *sf.* **1** Característica de sobranceiro; ALTIVEZ; IMODÉSTIA **2** Ver *soberba* [F.: *sobranc(eiro)* + *-aria.* Sin. ger.: *sobranceria.*]
sobrancear (so.bran.ce.*ar*) *v.* **1** Ficar sobranceiro a; ficar por cima [*td.: Uma coroa de ferro sobranceava o portão.*] **2** Ficar mais elevado do que (outra coisa); dominar pela altura [*int.:* "Por cima da casinha onde nascera, em um outeiro do Minho, sobranceava um alto monte" (Camilo Castelo Branco, *Aquela casa triste*)] [▶ **13 sobrancear**] [F.: *sobranc(eiro)* + *-ear.*]
sobranceiro (so.bran.*cei*.ro) *a.* **1** Que está no alto, que domina; PROEMINENTE: *A fortaleza, sobranceira, protegia a cidade* **2** *Fig.* Que olha do alto, vê de cima **3** Ver *soberbo* (1) **4** Ousado, corajoso: "Não havia homem mais (...) sobranceiro do que ele (...)." (José Lins do Rego, *Fogo morto*) **5** Que sobressai em seu ambiente: *Dominava a todos, sobranceiro, venerado.* *adv.* **6** Em plano elevado: *O casarão erguia-se sobranceiro no meio do casario.* **7** Com altivez, desdenhosamente: *Declinou sobranceiro o motivo da visita.* [F.: Do lat. tar. *superantia.*]
sobrancelha (so.bran.*ce*.lha) [ê] *sf. Anat.* Cada uma das duas faixas de pelos que se dispõem por sobre as órbitas oculares; SOBROLHO; SUPERCÍLIO: "Mandava primeiro, uma ruga nas sobrancelhas, sempre abespinhado." (João Antônio, *Malagueta, Perus e Bacanaço*) [Us. tb. no pl.] [F.: Do lat. *supercilia.*] ■ **Arranjar as ~s** *Lus.* Ver *Fazer as sobrancelhas* **Carregar as ~s** Ver *Franzir as sobrancelhas* **Fazer as ~s 1** *Bras.* Cuidar das sobrancelhas, desbastando-as com pinça, pintando-as etc. **2** *Lus.* arranjar as sobrancelhas **Franzir as ~** Contrair a testa na região das sobrancelhas, criando um vinco, sinal de preocupação, desagrado, desaprovação etc.
sobranceria (so.bran.ce.*ri*:a) *sf.* Ver *sobrançaria*
sobrante (so.*bran*.te) *a2g.* Que sobra; RESTANTE [F.: *sobrar* + *-nte.*]
sobrar (so.*brar*) *v.* **1** Ficar como resto; RESTAR [*ti.* + *a, para*: *Não sobrou nenhum pedaço para você.*] [*int.: Poucos doces sobraram.*] [*tr.* + *de*: *O que sobrou da cidade após o terremoto?*] **2** Existir em grande quantidade [*ti.* + *a, para*: *A ela sobravam motivos de queixa.*] [*int.: Sobram riquezas neste país.*] **3** Ser deixado de lado [*int.: Quase todos foram chamados: só ele sobrou.*] **4** Restar, subsistir [*ti.* + *a*: *Nos fins de semana sobrava-lhe tempo para o futebol com os amigos.*] [*int.: Eles aproveitam os minutinhos que sobram.*] **5** Ser esquecido ou relegado [*int.: Todos entraram, mas ele sobrou.*] **6** *Bras. Pop.* Caber (algo) de agradável ou danoso (para alguém) [*ti.* + *para*: *Na festa animada sobrou garota para todo mundo; Na briga, sobrou pancada para ele.*] **7** Exceder, restar [*tr.* + *para*: *Dívidas pagas, sobrou pouco para seu próprio gasto.*] [*int.: Feitos os pagamentos, não sobrou nada.*] [▶ **1 sobrar**] [F.: Do lat. *superare*, por via popular. Hom./Par.: *sobra(s)* (fl.), *sobra(s)* (sf. [pl.]); *sobrais* (fl.), *sobrais* (sm. pl.); *sobre* (l.), *sobre* [ô] (prep. sm.); *sobro* (fl.), *sobro* [ô] (sm.).]
sobrasil (so.bra.*sil*) *sm. Bras. Bot.* Árvore (*Rustia formosa*) da fam. das rubiáceas, nativa da mata atlântica [Pl.: *-sis.*] [F.: De or. obsc.]
◎ **sobr(e)-** *pref.* = 'em cima', 'acima', 'mais do que', 'além de': *sobrecasaca, sobrenatural* [Segundo o AOLP, antes de *h* e *e* usa-se com hífen: *sobre-humano, sobre-estimar.*] [F.: De *sobre* (prep.)]
sobre (*so*.bre) [ô] *prep.* **1** Indica posição acima de, por cima de, em cima de: "Carregam sobre a pobre caminhante, / Sobre a verdura rústica, abundante, / Duas frugais abóboras carneiras" (Cesário Verde, *O livro de Cesário Verde*) [Ant.: *sob.*] **2** Indica posição de encontro a: *A claridade da manhã reluzia sobre os talheres de prata postos à mesa.* **3** Indica posição ao longo de, na extensão de: *Sobre as areias da praia, via-se um mar de barracas coloridas.* **4** Indica posição próxima a, rente a: *Deixou a bicicleta sobre a mureta.* **5** A respeito de, acerca de: *Dissertou sobre a Amazônia.* **6** Mais que: *Amou aquela criatura sobre todas as demais.* **7** Com relação a: *Sobre a bebida, falamos depois.* **8** Indica causalidade: *Em todas as mercadorias, cobrava-se imposto sobre serviço.* **9** Por meio de: *Só conseguiu comprar a casa sobre fiança.* **10** Em relação de dominância: *Era um chefe de estado que agia sobre os demais.* **11** Em nome de: *Sobre o amor que compartilhavam, deixou-se levar por suas loucuras.* [F.: Do lat. *super.* Hom./Par.: *sobre* (fl. de *sobrar*).]
sobreavaliação (so.bre.a:va.li:a.*ção*) *sf.* Avaliação acima do razoável (*sobreavaliação* do imóvel); SUPERAVALIAÇÃO [Ant.: *subavaliação.*] [Pl.: *-ções.*] [F.: *sobr(e)-* + *avaliação.*]
sobreaviso (so.bre:a.*vi*.so) *sm.* **1** Precaução, prevenção, cautela *a.* **2** Avisado com antecedência; PREVENIDO [F.: *sobr(e)-* + *aviso.* Hom./Par.: *sobreaviso* (sm.), *sobreaviso* (fl. de *sobreavisar*).] ■ **De ~** Avisado previamente de alguma coisa; atento, alerta, preparado para agir se e quando for necessário
sobrebico (so.bre.*bi*.co) *sm. Anat. Zool.* O mesmo que *maxila* [F.: *sobr(e)-* + *bico.*]
sobrecapa (so.bre.*ca*.pa) *sf.* **1** Folha impressa que se sobrepõe à capa de um livro, ger. ilustrada, com material de propaganda e informações sobre a obra nas orelhas **2** *Ant. Vest.* Capa grande e larga que outrora se colocava sobre a roupa [F.: *sobr(e)-* + *capa.*]
sobrecarga (so.bre.*car*.ga) *sf.* **1** Excesso de carga que produz desequilíbrio num sistema: *A falta de luz foi efeito da sobrecarga na rede elétrica.* **2** Quantidade demasiada de carga, de peso: *O caminhão se movia lentamente em razão da sobrecarga.* **3** Tudo o que extrapola, excede o limite de algo (sobrecarga de trabalho; sobrecarga de preocupação) **4** Carimbo ou impressão que altera o valor ou a validade de um selo postal *sm.* **5** *Mar.* Indivíduo que, representando o armador, dirige o comércio da carga transportada no navio [F.: *sobr(e)-* + *carga.*]
sobrecarregado (so.bre.car.re.*ga*.do) *a.* **1** Que se sobrecarregou **2** Que tem excesso de carga, de peso: *Sobrecarregado, o caminhão quase tombou na pista.* **3** Cuja estrutura está saturada em razão do excesso de usuários (rede elétrica sobrecarregada; sistema telefônico sobrecarregado) **4** *Fig.* Que se encontra emocional e fisicamente saturado, cansado pelo excesso de responsabilidades, tarefas, compromissos etc.: *Ele trabalha demais, está sempre sobrecarregado.* **5** Demasiado cheio; SATURADO: *A sala estava sobrecarregada com todos aqueles móveis e ornatos.* [F.: Part. de *sobrecarregar.*]
sobrecarregamento (so.bre.car.re.ga.*men*.to) *sm.* Ação ou resultado de sobrecarregar [F.: *sobrecarregar* + *-mento.*]
sobrecarregar (so.bre.car.re.*gar*) *v.* **1** Pôr carga ou peso demasiados em [*td.: Este exercício sobrecarrega a coluna.*] **2** Impor trabalho, responsabilidades etc. demasiadas a [*td.: Estudar e trabalhar está sobrecarregando-a.*] [*tdr.* + *com, de*: *Os governos sobrecarregam a população de impostos.*] **3** Fazer aumentar em excesso [*td.: Sobrecarregaram o preço dos importados.*] **4** Oprimir, submeter [*td.: Os*

ditadores costumam sobrecarregar o povo.] **5** Submeter (alguém) a esforço ou trabalho em excesso [**td.**: *O treinador sobrecarregou os halterofilistas.*] [**tdr.** + *de*: *Os professores sobrecarregavam os alunos de trabalhos extras.*] **6** Imprimir sobrecarga em [**td.**] [▶ 14 sobrecarre**gar**] [F.: *sobr(e)-* + *carregar.*]

sobrecarta (so.bre.*car*.ta) **sf.** **1** Ver *envelope* **2** Carta que se envia logo após uma outra ou que acrescenta informações, dados etc. à primeira [F.: *sobr(e)-* + *carta.*]

sobrecasaca (so.bre.ca.*sa*.ca) **sf.** *Vest.* Casaco masculino abotoado até a cintura e com abas que envolvem o corpo até os joelhos [F.: *sobr(e)-* + *casaca.*]

sobrecenho (so.bre.*ce*.nho) **sm.** **1** O par de sobrancelhas **2** *Fig.* Fisionomia fechada, carrancuda **a.** **3** Que demonstra altivez, soberba [F.: *sobr(e)-* + *cenho.*]

sobrecéu (so.bre.*céu*) **sm.** Ver *baldaquino* [F.: *sobr(e)-* + *céu.*]

sobrecincha (so.bre.*cin*.cha) **sf.** *Bras. S* Tira comprida de couro que aperta os arreios por cima do coxinilho ou da badana [F.: Do espn. platino *sobrecincha.*]

sobrecomum (so.bre.co.*mum*) **a2g.** *Gram.* Diz-se do substantivo que tem somente um gênero gramatical, devendo ser empregado para os dois sexos (p. ex.: a criança, a testemunha) [Pl.: *-muns.*] [F.: *sobr(e)-* + *comum.* Cf.: *epiceno* e *comum de dois.*]

sobrecostura (so.bre.cos.*tu*.ra) **sf.** Costura sobreposta a outra [F.: *sobr(e)-* + *costura.*]

sobrecoxa (so.bre.*co*.xa) [ô] **sf.** *Bras. Pop.* A coxa das aves, do ponto de vista anatômico [F.: *sobr(e)-* + *coxa.*]

sobrecruzar (so.bre.cru.*zar*) **v. td.** Cruzar por cima [▶ 1 sobrecru**zar**] [F.: *sobr(e)-* + *cruzar.*]

sobrecu (so.bre.*cu*) **sm.** *Pop.* O mesmo que *uropígio* [F.: *sobr(e)-* + *cu.*]

sobredeterminação (so.bre.de.ter.mi.na.*ção*) **sf.** **1** *Psic.* Processo em que uma manifestação do inconsciente pode ser originada por distintos fatores heterogêneos, passível de receber diferentes interpretações, e uma mesma realidade pode ser gerada por uma multiplicidade de causas **2** *Fil.* Estado de acontecimento que é sobredeterminado **3** *Ling.* Determinação do sentido de um termo por meio do contexto em que se apresenta [Pl.: *-ções.*] [F.: *sobr(e)-* + *determinação.*]

sobredeterminar (so.bre.de.ter.mi.*nar*) **v. td.** Sobrepor(-se) como um dos diversos fatores determinantes [▶ 1 sobredetermi**nar**] [F.: *sobr(e)-* + *determinar.*]

sobredeterminista (so.bre.de.ter.mi.*nis*.ta) **a2g.** **1** Diz-se de que ou de quem exerce sobredeterminação **2** Que é capaz de sobrepor-se como fator ou elemento determinante [F.: *sobr(e)-* + *-determinista.*]

sobre-endividamento (so.bre-en.di.vi.da.*men*.to) **sm.** Ação ou resultado de sobre-endividar-se [F.: *sobr(e)-* + *endividamento.*]

sobre-endividar-se (so.bre-en.di.vi.*dar*-se) **v. td.** Endividar-se mais do que o previsto [▶ 1 sobre-endivi**dar**-se] [F.: *sobre-* + *endividar* + *se*[1].]

sobre-estimação (so.bre-es.ti.ma.*ção*) **sf.** Ação ou resultado de sobre-estimar; SUPERESTIMAÇÃO [Ant.: *subestimação.*] [Pl.: *-ções.*] [F.: *sobre-estimar* + *-ção.*]

sobre-estimado (so.bre-es.ti.*ma*.do) **a.** Que se sobre-estimou (receita sobre-estimada); SUPERESTIMADO [Ant.: *subestimado.*] [F.: Part. de *sobre-estimar.*]

sobre-estimar (so.bre-es.ti.*mar*) **v. td.** Estimar excessivamente; SUPERESTIMAR: *Os críticos sobre-estimaram a importância do filme.* [Ant.: *subestimar.*] [▶ 1 sobre-esti**mar**] [F.: *sobre-* + *estimar.* Tb. *sobrestimar.*]

sobre-estimativa (so.bre-es.ti.ma.*ti*.va) **sf.** Estimativa exagerada; SUPERESTIMATIVA [Ant.: *subestimativa.*] [F.: *sobr(e)-* + *estimativa.*]

sobre-exceder (so.bre-ex.ce.*der*) **v.** **1** Ir além de ou passar por cima de [**td.**] **2** Passar adiante de; ULTRAPASSAR [**td.**] **3** Ser superior; EXCEDER; SUPERAR [**td.**] [**ti.** + *a*] [**tdr.** + *em*: *Este ano a produção de soja sobre-excedeu a do ano passado em trinta por cento.*] [▶ 2 sobre-exce**der**] [F.: *sobre-* + *exceder.*]

sobre-existir (so.bre-e.xis.*tir*) **v.** Ter garantida a existência, a sobrevivência, sobreviver a [**ti.** + *a*: *Afirma que as ideias irão sobre-existir-lhe.*] [**int.**: *É cedo de indagar se estas versões do fato irão sobre-existir.*] [▶ 3 sobre-exis**tir**] [F.: *sobr(e)-* + *existir.*]

sobrefaturamento (so.bre.fa.tu.ra.*men*.to) **sm.** O mesmo que *superfaturamento* [Ant.: *subfaturamento.*] [F.: *sobrefaturar* + *-mento.*]

sobrefaturar (so.bre.fa.tu.*rar*) **v. td.** O mesmo que *superfaturar* [▶ 1 sobrefatu**rar**] [F.: *sobr(e)-* + *faturar.*]

sobre-humano (so.bre-hu.*ma*.no) **a.** **1** Acima das forças humanas ou de suas possibilidades (tarefa sobre-humana) **2** De mérito extraordinário, sublime: *Teve, como voluntário, uma dedicação sobre-humana.* **3** Sobrenatural: *Havia algo de sobre-humano naquela casa fechada.* [Pl.: *sobre-humanos.*] [F.: *sobr(e)-* + *humano.*]

sobreimposição (so.bre.im.po.si.*ção*) **sf.** **1** Ação ou resultado de sobreimpor **2** Sobredeterminação; primado: *sobreimposição do ideal sobre o real; sobreimposição do religioso sobre o científico.* [Pl.: *-ções.*] [F.: *sobr(e)-* + *imposição.*]

sobreiro (so.*brei*.ro) **sm.** **1** *Bot.* Árvore da fam. das fagáceas, (*Quercus suber*), nativa da Europa e do norte da África, de casca espessa de que se extrai a cortiça; CARVALHO-CORTIÇA; SOBREIRA **2** Árvore de grandes dimensões (*Pithecellobium luzorium*), da fam. das leguminosas, nativa do Brasil (MG, RJ, SP), de casca espessa, similar à cortiça, madeira nobre, folhas bipenadas e flores-brancas; SOBRO; CAJUEIRO-BRAVO [F.: Do lat. *suber, eris.*]

sobrejacente (so.bre.ja.*cen*.te) **a2g.** **1** Que é sobranceiro **2** Que se coloca ou assenta por cima (camada sobrejacente) [Ant.: *subjacente.*] **3** *Geol.* Diz-se de rocha vulcânica [F.: *sobr(e)-* + *jacente.*]

sobrejoanete (so.bre.jo:a.*ne*.te) [ê] *Mar.* **sm.** **1** Vela que fica sobre o joanete grande; sobrejoanete grande **2** Vela que fica sobre o joanete da proa; sobrejoanete da proa [F.: *sobr(e)-* + *joanete.*]

sobrejoanetinho (so.bre.jo:a.ne.*ti*.nho) *Mar.* **sm.** **1** Vela que fica acima do sobrejoanete grande **2** Vela que fica acima do sobrejoanete da proa [F.: *sobrejoanete* + *-inho.*]

sobrelanço (so.bre.*lan*.ço) **sm.** Lanço maior que outros, ou que se segue a outro: *Deu um sobrelanço e levou a peça; O sobrelanço garantiu-lhe a medalha de ouro.* [F.: *sobr(e)-* + *lanço.*]

sobrelevação (so.bre.le.va.*ção*) **sf.** Ação ou resultado de sobrelevar [Pl.: *-ções.*] [F.: *sobrelevar* + *-ção.*]

sobrelevar (so.bre.le.*var*) **v.** **1** Tornar mais elevado, mais alto; ELEVAR [**td.**: *sobrelevar um muro.*] **2** Superar, suplantar [**td.**: *Seus méritos sobrelevam seus erros.*] [**tr.** + *a*: *Como orador, sempre sobrelevou aos demais.*] [**int.**: *No cinema atual, esse diretor (se) sobreleva.*] **3** *Fig.* Suportar, resignar-se com [**td.**: *sobrelevar uma crise.*] **4** Dominar, sobrepujar [**td.**: *Sua persistência sobrelevava qualquer obstáculo.*] **5** Demonstrar resistência a; aguentar, suportar [**td.**: *Sobrelevava um trabalho insano.*] **6** Levantar(-se) do chão; erguer(-se) [**td.**: *Sobrelevou a estatueta que tombara; O ladrão sobrelevou-se à janela de cima.*] [**tda.** + *de*: *Sobrelevou do chão o garrafão que caíra.*] [▶ 1 sobrele**var**] [F.: *sobr(e)-* + *elevar.*]

sobreloja (so.bre.*lo*.ja) [ó] **sf.** Em edifícios de vários andares, pavimento de pé-direito baixo entre o rés do chão e o primeiro andar; ENTRESSOLHO [F.: *sobr(e)-* + *loja.*]

sobrelucro (so.bre.*lu*.cro) **sm.** *Econ.* Lucro extraordinário ou imprevisto [F.: *sobr(e)-* + *lucro.*]

sobremaneira (so.bre.ma.*nei*.ra) **adv.** Bastante, muito; SOBREMODO; DEMAIS: *O computador facilitou sobremaneira aquele trabalho.* [F.: *sobr(e)-* + *maneira.*]

sobremão (so.bre.*mão*) **sm.** *Vet.* Tumor duro que se forma em qualquer das patas anteriores das cavalgaduras [Pl.: *-mãos.*] [F.: *sobr(e)-* + *mão.*] ▪ **De ~** **1** Com capricho, com interesse, com empenho **2** Com fartura **3** Descansadamente, tranquilamente, vagarosamente

sobremesa (so.bre.*me*.sa) [ê] **sf.** **1** Alimento com que se encerra uma refeição, ger. constituído de fruta ou doce; SOBREPASTO **2** *P. ext.* Momento final da refeição: *Atrasou-se para o jantar e chegou apenas na sobremesa.* **3** *Fig.* Remate, conclusão: *De sobremesa, se despediu com uma insinuação ofensiva.* [F.: *sobr(e)-* + *mesa.*]

sobremodo (so.bre.*mo*.do) **adv.** O mesmo que *sobremaneira.* [F.: *sobr(e)-* + *modo.*]

sobrenadar (so.bre.na.*dar*) **v. int.** **1** Nadar na superfície da água; BOIAR: *Alguns náufragos ainda sobrenadavam.* **2** Mover-se à superfície da água: *O brinquedo do garoto sobrenadava nas águas da piscina.* [▶ 1 sobrena**dar**] [F.: *sobr(e)-* + *nadar.*]

sobrenatural (so.bre.na.tu.*ral*) **a2g.** **1** Diz-se de fenômeno supostamente extraterreno, que não se tem como comprovar cientificamente (forças sobrenaturais) **2** Que parece acima dos fatos naturais, fantástico, fora do comum; SOBRE-HUMANO: *Transmitiu-nos uma energia quase sobrenatural.* **3** *Teol.* Que só se pode conhecer pela fé [Pl.: *-rais.*] **sm.** **4** O que está ou parece estar além do natural: *Dedicou seus estudos ao sobrenatural.* [Pl.: *-rais.*] [F.: *sobr(e)-* + *natural.*]

sobrenaturalidade (so.bre.na.tu.ra.li.*da*.de) **sf.** **1** Qualidade do que é sobrenatural **2** Superioridade em relação a tudo que é natural [F.: *sobrenatural* + *-(i)dade.*]

sobrenaturalismo (so.bre.na.tu.ra.*lis*.mo) **sm.** **1** Crença no sobrenatural **2** Doutrina que admite uma intervenção do sobrenatural no mundo [F.: *sobrenatural* + *-ismo.* Sin. ger.: *supranaturalismo.*]

sobrenaturalista (so.bre.na.tu.ra.*lis*.mo) **a2g.** **1** Ref. ao sobrenaturalismo **2** Que é adepto do sobrenaturalismo **s2g.** **3** Adepto do sobrenaturalismo [F.: *sobrenatural* + *-ista.* Sin. ger.: *supranaturalista.*]

sobrenome (so.bre.*no*.me) **sm.** **1** Nome que se acrescenta ao de batismo ou prenome **2** Apelido, alcunha acrescentada ao nome próprio: *O infante D. Henrique teve o sobrenome de Navegador.* [F.: *sobr(e)-* + *nome.*]

sobrenxertia (so.bren.xer.*ti*.a) **sf.** *Agr.* Enxertia feita na parte superior de uma planta [F.: *sobr(e)-* + *enxertia.*]

sobrepaga (so.bre.*pa*.ga) **sf.** Aumento do pagamento estipulado; GRATIFICAÇÃO [F.: *sobr(e)-* + *paga.*]

sobrepairar (so.bre.pai.*rar*) **v.** Pairar acima ou distante de [**int.**: *Acima das montanhas sobrepairava a águia.*] [**tr.** + *a.*: *A águia sobrepairava às montanhas.*] [▶ 1 sobrepai**rar**] [F.: *sobr(e)-* + *pairar.*]

sobrepassar (so.bre.pas.*sar*) **v. td. int.** O mesmo que *ultrapassar.* [▶ 1 sobrepas**sar**] [F.: *sobr(e)-* + *passar.*]

sobrepasso (so.bre.*pas*.so) *Bras. Esp.* **sm.** **1** *Fut.* No futebol, infração que consistia em dar o goleiro mais de quatro passos, dentro da grande área, com a bola nas mãos **2** *Basq.* No basquete, infração que consiste em tirar do chão o pé de apoio, sem quicar a bola [F.: *sobr(e)-* + *passo.*]

sobrepeliz (so.bre.pe.*liz*) **sf.** *Litu.* Veste branca, rendada ou não, que os padres usam sobre a batina para rezar missa e em outras ocasiões [F.: Do lat. tard. **superpellicia (vestis).*]

sobrepesca (so.bre.*pes*.ca) **sf.** Pesca a mais ou excedente [F.: *sobr(e)-* + *pesca.*]

sobrepeso (so.bre.*pe*.so) [ê] **sm.** Excesso de peso; SOBRECARGA [F.: *sobr(e)-* + *peso.* Hom./Par.: *sobrepeso* (sm.), *sobrepeso* (fl. de *sobrepesar*).]

sobrepor (so.bre.*por*) **v.** **1** Colocar(-se) por cima ou acima de; SUPERPOR(-SE) [**td.**: *sobrepor tijolos.*] [**tdi.** + *a*: *Sobrepôs o mosquiteiro ao berço.*] **2** Apresentar vantagens, superar [**tr.** + *a*: *Sua nova descoberta se sobrepõe às outras.*] **3** Priorizar, antepor [**tdi.** + *a*: *Sobrepor os interesses da nação aos interesses individuais.*] **4** Acrescentar (alguma coisa a outra) [**tdi.** + *a*: *Sobrepôs novos delitos à sua lista de transgressões.*] **5** Sobrevir, suceder [**tr.** + *a*: *Ao crime sobrepõe-se, por vezes, o arrependimento.*] [▶ 60 sobre**por**] [F.: *sobr(e)-* + *pôr.*]

sobreposição (so.bre.po.si.*ção*) **sf.** **1** Ação ou resultado de sobrepor(-se) **2** Aposição, justaposição **3** Acrescentamento, acréscimo [Pl.: *-ções.*] [F.: *sobr(e)-* + *posição.* Sin. ger.: *superposição.*]

sobreposse (so.bre.*pos*.se) **adv.** **1** Excessivamente, de sobejo, por demais **sf.** **2** Trabalho excessivo [F.: *sobr(e)-* + *posse.*] ▪ **À ~** Constrangidamente, contra a vontade, cumpulsoriamente

sobreposto (so.bre.*pos*.to) [ô] **a.** **1** Posto em cima; JUSTAPOSTO; SUPERPOSTO **2** *Lus.* Diz-se do cavalo que sofre da falta de exercício [Pl.: [ó]. Fem.: [ó].] **sm.** **3** Adorno que se põe sobre os vestidos, os jaezes etc. [Pl.: [ó]. Mais us. no pl.] [F.: Part. de *sobrepor.*]

sobrepreço (so.bre.*pre*.ço) [ê] **sm.** *Econ.* Preço cobrado acima da tabela ou do normal [F.: *sobr(e)-* + *preço.*]

sobreprova (so.bre.*pro*.va) **sf.** *Jur.* Prova adicional [F.: *sobr(e)-* + *prova.*]

sobrepujamento (so.bre.pu.ja.*men*.to) **sm.** Ação ou resultado de sobrepujar; ABUNDÂNCIA; FARTURA; SOBREPUJANÇA [F.: *sobrepujar* + *-mento.*]

sobrepujança (so.bre.pu.*jan*.ça) **sf.** **1** O mesmo que *sobrepujamento* **2** Excelência, alta qualidade: *Na Antiguidade, era notória a sobrepujança da filosofia em relação aos outros campos do saber.* [F.: *sobrepujar* + *-ança.*]

sobrepujante (so.bre.pu.*jan*.te) **a2g.** Que sobrepuja; SUPERABUNDANTE [F.: *sobrepujar* + *-nte.*]

sobrepujar (so.bre.pu.*jar*) **v.** **1** Ser superior (em altura, capacidade, mérito, valor etc.) [**td.**] **2** Vencer, suplantar [**td.**: *As tropas de Napoleão não sobrepujaram as russas.*] [**tr.** + *a*: *Nenhum nadador sobrepujou a Tiago.*] **3** Ter vantagem sobre [**td.**: *Será que algum dia o amor vai sobrepujar o ódio?*] **4** Dominar, subjugar [**td.**: *O tenista sobrepujou facilmente seu desafiante.*] **5** Ter destaque [**tr.** + *a*: *O novo escritor sobrepuja a todos de sua geração.*] [**int.**: *A bela gaúcha sobrepujava entre suas colegas.*] [▶ 1 sobrepu**jar**] [F.: *sobr(e)-* + *pujar.* Hom./Par.: *sobrepujáveis* (fl.), *sobrepujáveis* (pl. de *sobrepujável* [a2g.]).]

sobrescritado (so.bres.cri.*ta*.do) **a.** Em que se pôs sobrescrito [F.: Part. de *sobrescritar.*]

sobrescritar (so.bres.cri.*tar*) **v.** **1** Pôr endereço em correspondência; SUBSCRITAR [**td.**] **2** Destinar uma correspondência, uma carta a [**tdi.** + *a*: *Sobrescritou uma carta ao diretor da empresa.*] [▶ 1 sobrescri**tar**] [F.: *sobrescrito* + *-ar*[2]. Hom./Par.: *sobrescrito* (fl.), *sobrescrito* (sm.).]

sobrescrito (so.bres.*cri*.to) **sm.** **1** Nome e endereço escritos em envelope **2** O mesmo que *envelope* **3** *Fig. P. ext.* O destinatário de uma correspondência **4** *Tip.* Número, letra ou outro sinal gráfico que se imprime acima do alinhamento do tipo para indicar, p. ex., uma letra abreviada, um expoente matemático etc. [Ant.: *subscrito.*] **a.** **5** *Tip.* Diz-se de sinal, número, letra etc. impresso acima do alinhamento do tipo [Ant.: *subscrito.*] [F.: *sobr(e)-* + *escrito.* Hom./Par.: *sobrescrito* (sm. a.), *sobrescrito* (fl. de *sobrescritar*).]

sobressaia (so.bres-*sai*.a) **sf.** *Vest.* Saia que se usa sobre outra [F.: *sobr(e)-* + *saia.* Hom./Par.: *sobressaia* (sf.), *sobressaia* (fl. de *sobressair*).]

sobressair (so.bres.sa.*ir*) **v.** **1** Distinguir-se, salientar-se [**ti.** + *a*: *Aleijadinho sobressai aos demais escultores do Brasil colônia.*] [**int.**: *Sua beleza sobressaía na festa; Ele (se) sobressaiu como violinista.*] **2** Destacar-se em altura e largura, ou por sua saliência ou ressalto [**int.**: *Aquele monumento sobressai neste lugar.*] **3** Ser facilmente perceptível no meio de outras coisas [**int.**: *O som do violino sobressaía em meio ao barulho do trânsito.*] **4** Destacar-se, salientar-se [**int.**: *Em campo, a técnica do novo jogador sobressaía.*] [▶ 43 sobressa**ir**] [F.: *sobr(e)-* + *sair.* Hom./Par.: *sobressaia* (fl.), *sobressaia* (sf.); *sobressaias* (fl.), *sobressaias* (pl. do sf.).]

sobressalência (so.bres.sa.*lên*.ci.a) **sf.** Qualidade ou característica do que é sobressalente, do que sobressai [F.: *sobressal(ente)* + *-ência.*]

sobressalente (so.bres.sa.*len*.te) **a2g.** **1** Diz-se de assessório de reserva com que se substitui outro já usado **sm.** **2** Assessório de reserva destinado a substituir o já gasto pelo uso; peça de reposição **3** *Rest.* Pneu de reserva; ESTEPE [F.: De or. contrv.]

sobressaltado (so.bres.sal.*ta*.do) **a.** **1** Que se sobressaltou **2** Fisicamente surpreendido **3** Agitado, sacudido: *Estava sobressaltado com os ruídos que vinham da rua.* **4** Muito assustado; TEMEROSO; ALARMADO: *Estava sobressaltado com as notícias.* **5** A que falta tranquilidade (noite sobressaltada) [F.: Part. de *sobressaltar.*]

sobressaltar (so.bres.sal.*tar*) **v.** **1** Assustar(-se) ou perturbar(-se) subitamente [**td.**: *O trovão sobressaltou a criança.*] [**int.**: *Sobressaltou-se quando o telefone tocou de madrugada.*] **2** Tomar de improviso; assaltar, surpreender [**td.**: *O gol no último instante sobressaltou a torcida.*] **3** Seguir adiante de; transpor [**td.**: *O cavalo sobressaltou todos os obstáculos.*] **4** *P. us.* Passar por cima; omitir [**td.**: *Na pressa, sobressaltou algumas páginas do livro.*] [▶ 1 sobressaltar] [F.: *sobr(e)-* + *saltar*. Hom./Par.: *sobressalto* (fl.), *sobressalto* (sm.).]

sobressalto (so.bres.*sal*.to) *sm.* **1** Ação ou resultado de sobressaltar(-se) **2** Movimento ger. brusco ou susto provocado por fato inesperado ou violento: "A ideia de ter filhos deu-me um sobressalto (...)." (Machado de Assis, *Memórias póstumas de Brás Cubas*) **3** Perturbação da ordem; DESORDEM; TUMULTO: *As medidas adotadas pelo governo causaram sobressalto na economia.* **4** Intranquilidade, medo: *Desde o sequestro, a família vive em sobressalto.* [F.: Dev. de *sobressaltar*. Hom./Par.: *sobressalto* (fl. de *sobressaltar*).] ▪▪ **De ~** De surpresa, subitamente **Em ~** Assustadamente, com inquietação **Sem ~** Calmamente, sem pressa, sem susto

sobrestar (so.bres.*tar*) *v.* **1** Não levar adiante, interromper [*td.*: *Sobresteve a investigação.*] [*int.*: *Sobresteve ao ser advertida.*] **2** Destacar-se, sobressair [*ti.* + *a.*: *O cimo sobrestava ao nevoeiro.*] **3** Mover perseguição a [*td.*] **4** *Jur.* Suspender o andamento de (ação, processo) [*td.*] **5** Adiar, retardar [*td.*] **6** Ameaçar ou parecer iminente [*int.*] [▶ 4 sobrestar] [F.: Do v.lat. *superstare*, por via pop.]

sobrestimação (so.bres.ti.ma.*ção*) *sf.* Ação ou resultado de sobrestimar; SUPERESTIMAÇÃO [Pl.: *-ções.*] [F.: *sobrestimar* + *-ção.*]

sobrestimar (so.bres.ti.*mar*) *v. td.* Estimar em excesso, avaliar exageradamente [▶ 1 sobrestimar] [F.: *sobr(e)-* + *estimar*. Tb. *sobre-estimar.*]

sobretarifa (so.bre.ta.*ri*.fa) *sf. Econ.* Tarifa adicional ou suplementar; SOBRETAXA [F.: *sobr(e)-* + *tarifa.*]

sobretaxa (so.bre.*ta*.xa) *sf.* **1** Taxa adicional em serviços públicos (correio, transporte etc.) **2** Taxa com que se grava algo já tributado [F.: *sobr(e)-* + *taxa*. Hom./Par.: *sobretaxa* (sf.), *sobretaxa* (fl. de *sobretaxar*).]

sobretaxação (so.bre.ta.xa.*ção*) *sf.* Ação ou resultado de sobretaxar [Pl.: *-ções.*] [F.: *sobretaxar* + *-ção.*]

sobretaxado (so.bre.ta.*xa*.do) *a.* Que se sobretaxou; que recebeu sobretaxa [F.: Part. de *sobretaxar.*]

sobretaxar (so.bre.ta.*xar*) *v. td.* Pôr sobretaxa a [▶ 1 sobretaxar] [F.: *sobr(e)-* + *taxar*. Hom./Par.: *sobretaxa* (fl.), *sobretaxa* (sf.); *sobretaxas* (fl.), *sobretaxas* (pl. do sf.).]

sobretensão (so.bre.ten.*são*) *sf.* **1** *Fís.-quím.* Diferença entre o potencial efetivo e o potencial de equilíbrio de um elétrodo **2** *Elet.* Aumento súbito da voltagem [Pl.: *-sões.*] [F.: *sobr(e)-* + *tensão.*]

sobretingir (so.bre.tin.*gir*) *v. td.* Tingir por cima da tintura anterior [▶ 46 sobretingir] [F.: *sobr(e)-* + *tingir.*]

sobretítulo (so.bre.*tí*.tu.lo) *sm.* **1** *Jorn.* Palavra ou expressão que antecede o título principal da matéria e o introduz ou complementa **2** *Edit.* O título principal de uma publicação, quando há título alternativo [F.: *sobr(e)-* + *título*. Cf.: *subtítulo.*]

sobretroar (so.bre.tro.*ar*) *v. int.* Troar por cima ou em plano mais alto [▶ 16 sobretroar] [F.: *sobr(e)-* + *troar.*]

sobretudo[1] (so.bre.*tu*.do) *sm. Vest.* Casacão de lã comprido us. pelos homens, próprio para se vestir sobre o paletó, em dias frios; CAPOTE; CAPOTÃO; SOBREVESTE: "Foi até o gabinete da entrada, onde estavam os sobretudos (...)." (Machado de Assis, *Quincas Borba*) [F.: *sobr(e)-* + *tudo.*]

sobretudo[2] (so.bre.*tu*.do) *adv.* Acima de tudo; PRINCIPALMENTE: "Quero que a febre queime os miolos da minha cabeça e, sobretudo, isto: não quero pensar" (Nélson Rodrigues, *Perdoa-me por me traíres*) [F.: *sobre* + *tudo.*]

sobrevalorização (so.bre.va.lo.ri.za.*ção*) *sf.* Ação ou resultado de sobrevalorizar; SUPERVALORIZAÇÃO [Pl.: *-ções.*] [F.: *sobrevalorizar* + *-ção.*]

sobrevalorizado (so.bre.va.lo.ri.*za*.do) *a.* Que se sobrevalorizou; SUPERVALORIZADO [F.: Part. de *sobrevalorizar.*]

sobrevalorizar (so.bre.va.lo.ri.*zar*) *v. td.* **1** O mesmo que *supervalorizar* **2** *Econ.* Estabelecer valor muito alto para (taxa de câmbio) [▶ 1 sobrevalorizar] [F.: *sobr(e)-* + *valorizar.*]

sobrevenda (so.bre.*ven*.da) *sf.* Venda superior à quantidade de produtos efetivamente disponíveis [F.: *sobr(e)-* + *venda.*]

sobreveniente (so.bre.ve.ni.*en*.te) *a2g.* **1** Que sobrevém, que vem depois de outra coisa *a2g.* **2** Que acontece de modo imprevisto (tempestade sobreveniente) [F.: Do lat. *superveniens, entis*, por via pop. Sin. ger.: *superveniente.*]

sobrevida (so.bre.*vi*.da) *sf.* **1** Prolongamento da vida além de algum fato crucial: *Depois do acidente, teve poucos anos de sobrevida.* **2** Lembrança contínua na vida de uma pessoa: *Mesmo idosa, a sobrevida de sua grande paixão a fazia sonhar.* [F.: *sobr(e)-* + *vida.*]

sobrevindo (so.bre.*vin*.do) *a.* Que sobreveio, que apareceu inesperadamente [F.: Part. de *sobrevir.*]

sobrevir (so.bre.*vir*) *v.* **1** Vir ou acontecer depois (de algo) [*tr.* + *a*: *A fome sobreveio à guerra.*] [*int.*: *Após o anúncio, sobreveio a insegurança.*] [*ti.* + *a*: *Depois do acidente sobreveio-lhe o choque.*] **2** Suceder subitamente [*int.*: *De repente, a desgraça sobreveio.*] [▶ 42 sobrevir] [F.: *sobr(e)-* + *vir.*]

sobrevivência (so.bre.vi.*vên*.ci:a) *sf.* **1** Ação ou efeito de sobreviver, de continuar a existir **2** Estado, condição ou capacidade de sobreviver; SUPERVIVÊNCIA **3** Duração ao longo do tempo e do espaço: *a sobrevivência da civilização grega.* **4** Continuação, persistência histórica: *Acreditavam na sobrevivência de seus feitos.* **5** Vida material; subsistência (luta pela sobrevivência) **6** Existência após a morte (sobrevivência do espírito) [F.: *sobreviver* + *-ência.*]

sobrevivente (so.bre.vi.*ven*.te) *a2g.* **1** Que sobreviveu ou sobrevive; que permanece vivo, após experiência traumática **2** Que continua vivo depois da morte de pessoa com quem tinha relação fundamental **3** *P. ext.* Que resistiu ou resiste a circunstâncias e lutas duras *s2g.* **4** Aquele ou aquela que sobrevive, que continua vivo **5** Aquele ou aquela que enfrenta situações difíceis na vida, e as supera; quem luta para sobreviver [F.: *sobreviver* + *-nte.*]

sobreviver (so.bre.vi.*ver*) *v.* **1** Permanecer vivo após desaparecimento de outros, ou após passar por perigo mortal, doença, dificuldades etc. [*tr.* + *a*: *Foi o único que sobreviveu à queda do helicóptero.*] [*int.*: *Em sua alma, uma esperança sobrevive; Isoladas no sertão, essas famílias sobrevivem com poucos recursos.*] **2** Superar situação aflitiva, dificuldades etc. [*tr.* + *a*: *A empresa sobreviveu às crises.*] [*int.*: *Apesar da crise, sobrevivemos.*] [▶ 2 sobreviver] [F.: Do v.lat. *supervivere*. Hom./Par.: *sobrevivo* (fl.), *sobrevivo* (a. sm.).]

sobrevoar (so.bre.vo.*ar*) *v.* Voar sobre, por cima de [*td.*: *O avião sobrevoou toda a região.*] [*int.*: *Pássaros sobrevoavam muito alto.*] [▶ 16 sobrevoar] [F.: *sobr(e)-* + *voar*. Hom./Par.: *sobrevoo* (fl.), *sobrevoo* (sm.).]

sobrevoo (so.bre.*vo*.o) *sm.* Ação ou resultado de sobrevoar, voar ou pairar por cima [F.: Dev. de *sobrevoar*. Hom./Par.: *sobrevoo* (sm.), *sobrevoo* (fl. de *sobrevoar*).]

sobriamente (so.bri:a.*men*.te) *adv.* **1** De modo sóbrio, com sobriedade **2** Com parcimônia, com temperança **3** Com circunspecção, moderação ou reserva; com discrição [F.: Fem. de *sóbrio* + *-mente.*]

sobriedade (so.bri:e.*da*.de) *sf.* **1** Característica ou condição do que ou quem é sóbrio, ou está sóbrio **2** Moderação quanto à comida e bebida; FRUGALIDADE [Ant.: *glutonaria, pantagruelismo.*] **3** Estado de quem não se acha alcoolizado [Ant.: *embriaguez.*] **4** Discrição nas paixões ou nos desejos; TEMPERANÇA [Ant.: *desregramento.*] **5** Gravidade nos gestos, na fala etc; SERIEDADE **6** Elegância, concisão na escrita, nas artes, na decoração etc. (sobriedade de estilo) [Ant.: *exagero, rebuscamento.*] [F.: Do lat. *sobrietas.*]

sobrinho (so.*bri*.nho) *sm.* Filho dos irmãos ou dos cunhados de uma pessoa, em relação a esta [F.: Do lat. *sobrinus.*]

sobrinho-neto (so.*bri*.nho-*ne*.to) *sm.* Neto dos irmãos [Pl.: *sobrinhos-netos.*]

sóbrio (*só*.bri:o) *a.* **1** Moderado quanto à comida e bebida; FRUGAL [Ant.: *intemperado, glutão.*] **2** Que não se acha alcoolizado [Ant.: *bêbedo, bêbado, ébrio, embriagado.*] **3** Discreto, comedido em suas manifestações afetivas [Ant.: *exuberante, exagerado.*] **4** Grave, sério, moderado, contido **5** Discreto e despojado nas artes, ou na decoração (estilo sóbrio; gosto sóbrio) [F.: Do lat. *sobrius.*]

sobrolho (so.*bro*.lho) [ô] *sm.* **1** Ver *sobrancelha* **2** *Ant. Fig.* Atitude de prudência, precaução [F.: *sobr-* + *olho.*] ▪▪ **Carregar o ~** Olhar com expressão sisuda, fechar a cara

sobrosso (so.*bros*.so) [ô] *sm.* **1** *Bras. N.E. Ant. Pop.* Medo, receio, temor **2** *Antq.* Dificuldade, embaraço, empecilho [Pl.: [ó].] [F.: De *sobreosso.*]

soca (so.ca) [ó] *sf.* **1** *Bot.* Caule subterrâneo; RIZOMA **2** *Bras.* Segunda produção da cana-de-açúcar, depois do corte da primeira **3** *Bras.* Touceira de capim **4** *Bras. N. E.* Segunda colheita do fumo **5** *Bras. ES* Segunda colheita do arroz **6** *Bras. RS* Para os ervateiros, a árvore do mate após podada **7** *Lus.* Ver *tamanco* [F.: De or. contrv. Hom./Par.: *soca* (fl. de *socar*).] ▪▪ **Ir na/levar uma ~** Ser arrastado por onda grande e violentamente sacudido, quando ela quebra na praia

socação (so.ca.*ção*) *sf.* Ação ou resultado de socar [Pl.: *-ções.*] [F.: *socar* + *-ção.*]

socado (so.*ca*.do) *a.* **1** Que se socou; SOQUEADO **2** Moído, amassado (alho socado) **3** *Pop.* Escondido, metido: *Vive socado dentro de casa.* **4** *Pop.* Baixo e gordo; ATARRACADO **5** *Bras.* Pilado, pisado com o pilão [F.: Part. de *socar.*]

socador (so.ca.*dor*) *a.* **1** Que soca **2** *Bras.* Diz-se do cavalo trotador *sm.* **3** Aquele que soca **4** *Bras.* Pequeno pilão para socar temperos; SOQUETE [F.: *socar* + *-dor.*]

socadura (so.ca.*du*.ra) *sf.* Ação ou resultado de socar [F.: Rad. de *socad(o)* + *-ura.*]

soçaite (so.*çai*.te) *sm. Bras. Pop.* A elite econômica em suas atividades mundanas; ALTA-RODA; GRÃ-FINAGEM; CAFÉ-SOÇAITE [F.: Do ing. *society.*]

socalco (so.*cal*.co) *sm.* **1** Área plana disposta a espaços em terreno elevado, à maneira de degraus; PLATAFORMA: "Descamba (o planalto) para a costa oriental em andares, ou repetidos socalcos." (Euclides da Cunha, *Os sertões*) **2** Porção de terreno relativamente plano em área montanhosa [F.: Dev. de *socalcar.*]

socapa (so.*ca*.pa) *sf.* **1** Disfarce, máscara **2** *Fig.* Manha, dissimulação: *Os fidalgos riram-se de socapa; os ladrões entraram à socapa.* [Usado ger. na locução adverbial *à* ou *de socapa*. F.: *so-* + *capa.*] ▪▪ **À ~** De modo dissimulado, discreto, disfarçado; furtivamente, ocultamente

socar[1] (so.*car*) *v.* **1** Dar soco(s) em (algo ou alguém) [*td.*: *socar a mesa/o adversário; Eles socaram-se até o esgotamento.*] **2** Esmagar no pilão [*td.*: *socar milho/café; Socou o alho para preparar o tempero.*] **3** Amassar, premer (massa, terra etc.) para achatar ou endurecer [*td.*: *O segredo é não socar o pão com muita força.*] **4** *Fig.* Guardar (algo) espremendo em espaço exíguo [*td.*: *socar roupas em uma gaveta.*] **5** Esconder-se ou refugiar-se [*ta.*: *Socou-se numa caverna para escapar da polícia.*] **6** Calcar (pólvora) pela boca de arma de fogo [*td.*] **7** *Mar.* Apertar com força (nó ou volta) [*td.*] [▶ 11 socar] [F.: *soco* [ô] + *-ar*[2]. Hom./Par.: *soca(s)* (fl.), *soca(s)* (sf. [pl.]); *soco* (fl.), *soco* [ô] (sm. interj.), *socó* (sm.); *socava* (fl.), *socava* (fl. *socavar*); *socavam* (fl.), *socavam* (fl. *socavar*).]

socar[2] (so.*car*) *v. int.* Tornar a brotar (a cana-de-açúcar depois de cortada) [▶ 11 socar] [F.: *soca* + *-ar*[2].]

socavado (so.ca.*va*.do) *a.* **1** Escavado ou minado por baixo *sm.* **2** Matérias extraídas das escavações; DESENTULHO [F.: Part. de *socavar.*]

socavão (so.ca.*vão*) *sm.* **1** Grande socava; FURNA; GRUTA **2** Lugar isolado, ermo: "Há doze anos que moro nestes socavões." (Visconde de Taunay, *Inocência*) [Pl.: *-vões.*] [F.: *socav(a)* + *-ão*[1].]

socavar (so.ca.*var*) *v.* Cavar por baixo, ou fazer escavação [*td.*: *socavar uma galeria subterrânea.*] [*int.*: *Os mineiros continuavam a socavar.*] [▶ 1 socavar] [F.: *so-* + *cavar*. Hom./Par.: *socava(s)* (fl.), *socava(s)* (sf. [pl.]); *socava* (fl.), *socava* (fl. *socar*); socavam (fl.), *socavam* (fl. *socar*).]

⊕ **soccer** (*Ing. /sóker/*) *sm. Esp.* Futebol (1)

sociabilidade (so.ci:a.bi.li.*da*.de) *sf.* **1** Qualidade do que é sociável **2** Aptidão ou disposição natural para viver em sociedade ou em comunidade; SOCIALIDADE **3** Urbanidade, civilidade [F.: *sociável* + *-(i) dade*, seg. o mod. erudito.]

sociabilização (so.ci:a.bi.li.za.*ção*) *sf.* Ação ou resultado de sociabilizar(-se) [Pl.: *-ções.*] [F.: *sociabilizar* + *-ção.*]

sociabilizante (so.ci:a.bi.li.*zan*.te) *a2g.* Que sociabiliza [F.: *sociabilizar* + *-nte.*]

sociabilizar (so.ci:a.bi.li.*zar*) *v.* **1** Tornar(-se) sociável, afeito à vida social [*td. int.*: *Fez tudo para sociabilizá-la; As meninas logo se sociabilizaram.*] **2** Passar a ter mais interação e convívio social [*int.*: *Na cidade pequena, nunca se sociabilizou.*] [▶ 1 sociabilizar] [F.: De *sociável*, sob o rad. *sociabil-*, + *-izar*, seg. o mod. erudito.]

social (so.ci:*al*) *a2g.* **1** Ref. à sociedade ou ao conjunto dos cidadãos a ela pertencentes (problemas/ciências sociais) **2** Ref. à posição dos indivíduos e seus grupos na sociedade como um todo (classe/organização social) **3** Ref. à firma, sociedade comercial constituída por duas ou mais pessoas (razão social) **4** Sociável, que gosta de estar com outros, de viver socialmente: *É uma pessoa extrovertida, muito social.* **5** Que interessa a toda a sociedade (integração/contrato/pacto social) **6** Relativo aos sócios de uma agremiação ou coisa semelhante (carteira social) **7** *Bras.* Em edifícios residenciais e de trabalho ou de lazer, diz-se do acesso que é proibido a operários, empregados, entregadores (elevador/entrada social) [Cf.: *de serviço.*] **8** Que constitui atividade de lazer visando a promover o encontro entre pessoas (evento social) **9** *Esp.* Área de estádio ou hipódromo reservada aos sócios [Ger. no plural.] [Pl.: *-ais.*] [F.: Do lat. *socialis.*]

social-democracia (so.ci:al-de.mo.cra.*ci*.a) *sf. Pol.* Conjunto de doutrinas que preconizam uma transição democrática e gradual do capitalismo para o socialismo ou que propõem um programa de reformas sociais dentro do sistema capitalista [Pl.: *social-democracias.*]

social-democrata (so.ci:al-de.mo.*cra*.ta) *Pol. a2g.* **1** Ref. a ou que é adepto da social-democracia [Pl.: *social-democratas.*] *s2g.* **2** Adepto da social-democracia ou membro de um partido social-democrata (1) [Pl.: *social-democratas.*]

socialidade (so.ci:a.li.*da*.de) *sf.* **1** Sociabilidade (2) **2** Instinto social [F.: *social* + *-(i)dade.*]

socialismo (soci:a.*lis*.mo) *sm.* **1** *Soc.* Nome de diversas ideologias e doutrinas que defendem, de um modo geral, tanto a propriedade coletiva dos meios de produção (a terra e o capital), como a organização de uma sociedade sem classes **2** *P. ext. Soc.* Modo de produção e sistema social concebidos de acordo com essas doutrinas, em que prevaleçam a coletivização equitativa da riqueza e a eliminação das contradições sociais [F.: Do fr. *socialisme*. Cf.: *capitalismo* e *comunismo.*] ▪▪ **~ científico** (Corrente ou doutrina que prega a) organização coletivista e igualitária da sociedade, concebendo-a com base no estudo das leis históricas da transformação social e, esp., nas análises econômicas e políticas [Us. não raro com referência aos marxistas, adeptos do materialismo histórico, e p. opos. a *socialismo utópico.*] **~ utópico** (Doutrina que prega a) organização coletivista da sociedade, concebida segundo algum ideal de perfeição social, e que não é resultante da compreensão e transformação da sociedade vigente [Us. não raro com conotação negativa, com conotação de inconsistência ou inviabilidade históricas, p. opos. ao *socialismo científico.*]

socialista (so.ci:a.*lis*.ta) *a2g.* **1** Ref. a socialismo **2** Que é partidário do socialismo ou se engaja em sua luta e perspectivas *s2g.* **3** Pessoa que é partidária do socialismo ou se engaja em sua luta e perspectivas [F.: Do fr. *socialiste.*]

⊕ **socialite** (*Ing. /sôuchialait/*) *s2g.* Pessoa que pertence à classe alta e que ger. figura nas colunas sociais

socialização (so.ci:a.li.za.*ção*) *sf.* **1** Ação ou resultado de socializar(-se) **2** *Soc.* Coletivização da riqueza, dos benefícios alcançados por uma sociedade, ou de alguns deles (socialização da cultura/da saúde/da educação): *A construção de metrôs contribui para a socialização do transporte.* **3** *Pedt. Psi.* Ajustamento de uma pessoa (esp. criança) ao grupo social em que se deve inserir (processo de socialização): *A escola, a igreja, o clube, qualquer atividade coletiva concorre para a socialização da criança.* [Pl.: *-ções.*] [F.: *socializar* + *-ção.*]

socializado (so.ci:a.li.*za*.do) *a.* **1** Que se socializou, que se tornou social ou coletivizado **2** Redistribuído por uma sociedade, ou por uma comunidade (medicina socializada) **3** Diz-se daquele (esp. criança) que se ajustou ao grupo, à sociedade em que tem de viver [F.: Part. de *socializar.*]

socializador (so.ci:a.li.za.*dor*) [ô] *a.* **1** Que socializa; capaz de socializar; SOCIALIZANTE *sm.* **2** O que socializa [F.: *socializar* + *-dor.*]

socializante (so.ci:a.li.*zan*.te) ***a2g.*** **1** Que socializa; SOCIALIZADOR **2** Que conduz ou tende ao socialismo [F.: *socializar* + *-nte.*]

socializar (so.ci:a.li.*zar*) ***v.*** **1** Adequar(-se) à vida em grupo, com percepção de direitos, limites, solidariedade etc. numa sociedade; agrupar(-se) ou integrar(-se) em sociedade [***td.:*** *A educação deve socializar as crianças.*] [***int.:*** *As crianças socializam-se cedo.*] **2** *Pol.* Transformar o privado em coletivo; coletivizar, estatizar, ou tornar(-se) socialista [***td.:*** *socializar a agricultura.*] [***int.:*** *A Rússia se socializou em 1917.*] **3** Estender (direitos, privilégios etc.) a todos os integrantes da (ou de uma) sociedade [***td.:*** *Pretendemos socializar as conquistas obtidas na negociação à todos os trabalhadores.*] [▶ **1** sociali**zar**] [F.: *social* + *-izar.* Hom./Par.: *socializáveis* (fl.), *socializáveis* (pl. de *socializáveis* [a2g.]).]

socializável (so.ci:a.li.*zá*.vel) ***a2g.*** Que se pode socializar (todas as aceps.) [Pl.: *-veis.*] [F.: *socializar* + *-vel.* Hom./Par.: *socializáveis* (pl.), *socializáveis* (fl. de *socializar*).]

social-liberal (so.ci:al-li.be.*ral*) ***a2g.*** **1** Ref. ao ou que é adepto do social-liberalismo; SOCIAL-LIBERALISTA [Pl.: *social-liberais.*] ***s2g.*** **2** Adepto do social-liberalismo; SOCIAL-LIBERALISTA [Pl.: *social-liberais.*]

social-liberalismo (so.ci.al-li.be.ra.*lis*.mo) ***sm.*** *Pol.* Doutrina político-ideológica e sistema político que reúne os princípios do socialismo com os do liberalismo e preconiza reformas sociais dentro de um regime representativo [Pl.: *social-liberalismos.*] [Cf.: *social-democracia.*]

social-liberalista (so.ci:al-li.be.ra.*lis*.ta) ***a2g. s2g.*** O mesmo que social-liberal [Pl.: *social-liberalistas.*]

socialmente (so.ci:al.*men*.te) ***adv.*** De modo social, em sociedade [F.: *social* + *-mente.*]

sociável (so.ci.*á*.vel) ***a2g.*** **1** Que se pode associar **2** Que aprecia o convívio social, a reunião com amigos e colegas; social [Ant.: *antissocial, insociável.*] **3** Cortês, urbano [Pl.: *-veis.* Superl.: *sociabilíssimo.*] [F.: Do lat. *sociabilis, e.*]

socieconômico (so.ci:e.co.*nô*.mi.co) ***a.*** Ver *socioeconômico*

sociedade (so.ci:e.*da*.de) ***sf.*** **1** Qualquer conjunto de seres vivos que mantêm uma organização coletiva (sociedade humana/de formigas) **2** Conjunto de pessoas que desfrutam o mesmo território e a mesma história, com costumes e leis comuns (sociedade russa/brasileira) **3** Conjunto de pessoas que vivem numa mesma época e contexto cultural (sociedade bizantina/moderna) **4** Agrupamento de pessoas que têm ideais e normas comuns (sociedade de frades/de *hippies*); COMUNIDADE **5** Vida gregária, de convivência, comunicação: *Mal ou bem, vai ter de viver em sociedade.* **6** Grupo de pessoas que se reúnem formalmente em torno de atividade ou interesse comum, como associação, agremiação, grêmio ou equivalente (sociedade de músicos/de comerciantes) **7** *Jur.* Participação, como sócio, do capital de uma empresa: *Ambos têm sociedade na Aires & Cia.* **8** Associação de pessoas com objetivos humanitários, filantrópicos, culturais (sociedade beneficente; sociedade protetora dos animais) **9** Companhia ou associação de pessoas sujeitas a um regulamento comum ou simplesmente a convenções, para fins literários, artísticos, científicos (sociedade de geografia, sociedade de astronomia) **10** O local onde se reúnem essas pessoas **11** Conjunto das pessoas de classe alta que se reúnem, se frequentam na vida mundana; SOÇAITE **12** Frequência, convivência habitual de pessoas de um mesmo lugar: *É um lugar pequeno, atrasado, há pouca sociedade.* **13** *Soc.* Reunião de indivíduos que vivem num determinado período num certo regime econômico (de produção e de consumo) e político, sob as mesmas leis e normas de conduta e que, mesmo estruturados em distintos níveis sociais, têm a percepção de formarem um grupo [F.: Do lat. *societas, atis.*] ■ **Alta ~** *Pop.* Designação da camada social das pessoas ricas, ou consideradas importantes no contexto social **Em ~** **1** Em parceria, em associação de interesses: *Montaram o quiosque em sociedade.* **2** No contexto da alta sociedade *Em sociedade, nenhum segredo se mantém por muito tempo.* **Grandes ~s** *Ant.* Antigas agremiações carnavalescas que organizavam desfile de carros alegóricos, esp. no Rio de Janeiro, ger. na terça-feira de carnaval **~ anônima** *Jur. Com.* Empresa que visa o lucro e cujo capital é dividido em ações, cabendo a cada proprietário de ações responsabilidade proporcional ao percentual de ações que possui **~ civil** **1** *Jur.* Aquela que não por objetivo atividade comercial, ou que vise a lucro **2** A sociedade considerada como conjunto de associações e interações entre os cidadãos organizados segundo valores ou ideias ou interesses, relativos aos vários aspectos da vida social (econômicos, políticos, religiosos, de trabalho etc.) e p. opos. à ação universalista do Estado **~ comercial** *Com. Jur.* Associação de pessoas num contrato social que visa a desenvolver atividade comercial, com rateio de investimento, custeio, lucro e perda **~ da informação** Estado ou condição de uma sociedade na qual é grande a importância social, política, econômica e cultural da produção e divulgação de informação **~ de capital e indústria** *Com. Jur.* A que é formada por dois tipos de sócios: o que investe os fundos (capital) para sua formação e o que conduz as operações necessárias a seu desempenho (indústria) **~ de consumo** *Soc.* Aquela que baseia grande parte de sua economia (com a consequente formação de uma cultura e um comportamento típicos) na produção e no consumo de grande variedade de bens materiais e serviços **~ de economia justa** *Jur. Com.* Empresa de economia mista (ver no verbete *empresa*) **~ de economia mista** *Jur. Com.* Empresa de economia mista (ver no verbete *empresa*) **~ por cotas** *Jur. Com.* Sociedade mercantil ou civil cujo capital é dividido em cotas que limitam, cada uma, a responsabilidade do sócio que a detém, e que tem a designação de *limitada* em sua razão social

societário (so.ci:e.*tá*.ri:o) ***a.*** **1** Ref. à sociedade (controle/levantamento societário) **2** Que pertence a uma determinada sociedade **3** *Zool.* Diz-se do animal que vive em sociedade, como a formiga ou a abelha ***sm.*** **4** Membro de uma sociedade comercial, sócio [F.: Do fr. *sociétaire.*]

societismo (so.ci:e.*tis*.mo) ***sm.*** *Econ. Pol.* Ver *societarismo*

🌐 **society** (*Ing. /soçáiti/*) ***sm.*** Ver *soçaite*

◎ **soci(o)-** ***el. comp.*** = 'social'; 'da ou referente à sociedade ou à vida em sociedade'; 'meio social': *sociocultural, socioeconômico, sociofamiliar, sociologia* [F.: Do fr. *socio-*, a partir de *social* e *societé.*]

sócio (*só*.ci:o) ***sm.*** Membro de sociedade, clube ou agremiação [F.: Do lat. *socius.*] ■ **~ correspondente** Sócio não efetivo **~ de indústria** Ver *Sociedade de capital e indústria* no verbete *sociedade*

sociocracia (so.ci:o.cra.*ci*.a) ***sf.*** Forma teórica de governo em que o poder é exercido pelo conjunto da sociedade [F.: Do fr. *sociocratie*; ver *soci(o)-* e *-cracia.*]

sociocrata (so.ci:o.*cra*.ta) ***s2g.*** Defensor ou adepto da sociocracia [F.: *soci(o)-* + *-crata.*]

sociocrático (so.ci:o.*crá*.ti.co) ***a.*** Ref. à sociocracia ou a sociocrata [F.: *sociocrata* + *-ico*[2].]

sociocultural (so.ci:o.cul.tu.*ral*) ***a2g.*** Ref. aos aspectos sociais e culturais de uma dada questão ou realidade [Pl.: *-rais.*] [F.: *soci(o)-* + *cultural.*]

socioeconômico (so.ci:o.e.co.*nô*.mi.co) ***a.*** Ref. aos aspectos ao mesmo tempo sociais e econômicos de uma dada questão ou realidade [F.: *soci(o)-* + *econômico.* Tb. *socieconômico.*]

sociofobia (so.ci:o.fo.*bi*.a) ***sf.*** *Psiq.* Aversão à sociedade, às pessoas ou a viver em sociedade [F.: *soci(o)-* + *-fobia.*]

sociofóbico (so.ci:o.*fó*.bi.co) *Psiq.* ***a.*** **1** Ref. à sociofobia **2** Que apresenta sociofobia; SOCIÓFOBO ***sm.*** **3** *Psiq.* Aquele que apresenta sociofobia; SOCIÓFOBO [F.: *sociofobia* + *-ico*[2].]

sociófobo (so.ci.*ó*.fo.bo) ***a. sm.*** *Psiq.* O mesmo que *sociofóbico* (2 e 3) [F.: *soci(o)-* + *-fobo.*]

sociogenia (so.ci:o.ge.*ni*.a) ***sf.*** Estudo ou tratado sobre a formação da sociedade [F.: *soci(o)-* + *-genia.*]

socioleto (so.ci:o.*le*.to) [é] ***sm.*** *Ling.* Variação dialetal us. por um grupo de pessoas que têm características sociais em comum (p. ex., profissão, faixa etária, atividades de lazer etc.); dialeto social: "Bater um papo numa mesa de economistas ou de médicos não costuma ser uma experiência agradável para quem não é do ramo. Quanto maior a habilidade para lidar com o socioleto melhor." (*Isto é*, 28.07.2004) [F.: *soci(o)-* + *-leto.* Cf.: *jargão.*]

sociolinguista (so.ci:o.lin.*guis*.ta) ***s2g.*** Linguista que se especializou em sociolinguística [F.: *soci(o)-* + *linguista.*]

sociolinguística (so.ci:o.lin.*guís*.ti.ca) *Ling.* ***sf.*** **1** Ramo da linguística que trata das relações entre língua e sociedade, esp. dos aspectos sociais do uso das línguas **2** *Restr.* Estudo das relações entre os fatos linguísticos e os fatos sociais, esp. das variações linguísticas no interior de uma comunidade e de como elas são condicionadas por fatores sociais, culturais e econômicos [F.: *soci(o)-* + *linguística.*]

sociolinguístico (so.ci:o.lin.*guís*.ti.co) ***a.*** Da ou ref. à sociolinguística [F.: *soci(o)-* + *linguístico.*]

sociologia (so.ci:o.lo.*gi*:a) ***sf.*** **1** Ciência que tem por objeto a organização das sociedades humanas, seus padrões culturais, suas relações de produção e de consumo, suas instituições, seu dinamismo interno e no convívio de umas com as outras **2** Estudo das relações, normas e instituições sociais que condicionam ou determinam certas atividades ou a produção de certo tipo de obras humanas: sociologia da arte; sociologia do direito [F.: Do fr. *sociologie.*] ■ **~ da arte** *Art. pl. Soc.* Campo interdisciplinar que trata das relações entre a arte e os fenômenos artísticos e a sociedade e os fenômenos sociais **~ do conhecimento** Estudo da produção de conhecimento como fenômeno social; estudo da relação entre a ideologia e as obras intelectuais e ideias científicas **~ vegetal** O mesmo que *fitossociologia*

sociologicamente (so.ci:o.lo.gi.ca.*men*.te) ***adv.*** De modo sociológico; do ponto de vista sociológico: "A casa-grande é sociologicamente a arquitetura da casa senhorial rural..." (José Paulo Bandeira da Silveira, *Gilberto Freyre*) [F.: fem. de *sociológico* + *-mente.*]

sociológico (so.ci:o.*ló*.gi.co) ***a.*** **1** Relativo à sociologia **2** Que usa conceitos, métodos e processos próprios da sociologia: *O professor fez uma abordagem sociológica da fome no Brasil.* [F.: *sociologia* + *-ico*[2].]

sociologismo (so.ci:o.lo.*gis*.mo) ***sm.*** **1** Teoria segundo a qual a sociologia é suficiente para explicar os fatos sociais, dispensando outras abordagens como, p. ex., a psicologia, a biologia etc. **2** *Pej.* Tendência a valorizar exageradamente os conhecimentos sociológicos [F.: *sociologia* + *-ismo.*]

sociologista (so.ci:o.lo.*gis*.ta) ***s2g.*** **1** O mesmo que *sociólogo* ***a2g.*** **2** Ref. a sociologismo (viés sociologista) [F.: *sociologia* + *-ista.*]

sociologizante (so.ci:o.lo.gi.*zan*.te) ***a2g.*** Que sociologiza [F.: *sociologizar* + *-nte.*]

sociologizar (soci:o.lo.gi.*zar*) ***v. td.*** **1** Conferir tratamento sociológico a; abordar sociologicamente **2** *Pej.* Falar em jargão sociológico [▶ **1** sociologi**zar**] [F.: *sociologia* + *-izar.*]

sociólogo (so.ci.*ó*.lo.go) ***sm.*** **1** *Soc.* Aquele que se dedica ao estudo da sociologia **2** Aquele que se formou em sociologia **3** Autor de trabalhos sobre sociologia [F.: Adaptação do fr. *sociologue*; ver *soci(o)-* + *-logo.*]

sociopata (so.ci:o.*pa*.ta) *Psiq.* ***a2g.*** **1** Que sofre de sociopatia ***s2g.*** **2** Aquele ou aquela que sofre de sociopatia [F.: *soci(o)-* + *-pata.*]

sociopatia (so.ci:o.pa.*ti*.a) ***sf.*** *Psiq.* Transtorno de personalidade que se caracteriza pelo desprezo das obrigações sociais e pela falta de empatia em relação aos outros [F.: *soci(o)-* + *-patia.*]

sociopolítico (so.ci:o.po.*lí*.ti.co) ***a.*** Que é ao mesmo tempo social e político; que envolve aspectos sociais e políticos [F.: *soci(o)-* + *político.*]

sociorreligioso (so.ci:or.re.li.gi.*o*.so) [ô] ***a.*** Que é ao mesmo tempo social e religioso; que reúne aspectos sociais e religiosos [Pl.: [ó]. Fem.: [ó].] [F.: *soci(o)-* + *religioso.*]

soco (*so*.co) [ô] ***sm.*** **1** Ação de socar **2** Golpe ou pancada forte desferida com a mão fechada; MURRO: "Uma mulher (...) afirmou que o menor tentou roubá-la na semana passada e que, ao tentar fugir, ela teria recebido um soco no queixo..." (Cláudio Mota, *O Globo*, 10.04.2006) **3** Cavidade que um pião faz em outro ao ser lançado com a ponta contra ele **4** *Fut.* Defesa que o goleiro faz com a mão fechada **5** *Mar.* Lugar do mastaréu imediatamente superior à pega [F.: Regress. de *socar*. Hom./Par.: *soco* [ô] (sm.), *soco* [ó] (fl. de *socar* e sm.), *socó* (sm.).] ■ **Tirar de ~** *Fut.* Rebater (goleiro) a bola com o punho fechado

socó (so.*có*) ***sm.*** **1** *Bras. Zool.* Nome comum dado a diversas aves ciconiiformes da fam. dos ardeídeos, esp. aquelas dos gên. *Tigrisoma* e *Botaurus*, semelhantes às garças e encontradas ger. próximo a lagoas, rios e alagadiços **2** *Etnog.* Armadilha em forma de cone para apanhar peixes, entre índios da região do Brasil central [F.: Do tupi *so'ko.* Hom./Par.: *socó* (sm.), *soco* [ó] (fl. de *socar* e sm.), *soco* [ô] (sm.).]

socó-boi (so.có-*boi*) *Bras. Zool.* ***sm.*** Nome comum aos socós do gên. *Tigrisoma*, de que existem duas espécies no Brasil [Pl.: *socós-bois, socós-boi.*]

soçobrante (so.ço.*bran*.te) ***a.*** Que soçobrou [F.: *soçobrar* + *-nte.*]

soçobrar (so.ço.*brar*) ***v.*** **1** *Mar.* Fazer que naufrague ou naufragar; AFUNDAR(-SE) [***td.:*** *A tormenta soçobrou a embarcação.*] [***int.:*** *O porta-aviões soçobrou.*] **2** *Fig.* Aniquilar(-se), extinguir(-se), pôr(-se) a perder [***td.:*** *Soçabraram a fortuna em viagens.*] [***int.:*** *Seu projeto soçobrou com a crise econômica.*] **3** Tornar(-se) perturbado, desvairado [***td.:*** *O acontecimento soçobrou a mulher.*] [***int.:*** *Soçobrou-se ao perder as esperanças.*] **4** Perder a coragem, o ânimo, esmorecer [***int.:*** *Não permita Deus que sua vontade soçobre!*] [▶ **1** soçob**rar**] [F.: Do espn. *zozobrar.* Hom./Par.: *soçobra(s)* (fl.), *soçobra* (sf. [pl.]); *soçobro* (fl.), *soçobro* [ô] (sm.).]

soçobro (so.*ço*.bro) [ô] ***sm.*** **1** Ação ou resultado de soçobrar; SOÇOBRA; SOÇOBRAMENTO **2** *Náut.* Ação de ir ao fundo, de naufragar: *O soçobro do navio ocorreu após uma forte tempestade.* **3** *Fig.* Estado de quem está sem forças para lutar; DESÂNIMO; DESALENTO **4** *P. ext.* Acidente que causa dano, ferimento, morte; DESASTRE **5** *P. ext.* Movimentação intensa e sem ordem por parte de grupos de pessoas; AGITAÇÃO; CONFUSÃO **6** *Fig.* Momento em que ocorrem grandes perigos [F.: Regress. de *soçobrar*. Hom./Par.: *soçobro* (sm.), *soçobro* (fl. de *soçobrar*). Ant. ger.: *dessoçobro.*]

socoí (so.co:*í*) [có] *Bras. Ornit.* ***sm.*** Nome comum a várias aves da fam. dos ardeídeos, esp. a *Zebrilus undulatus*, encontrada na Amazônia, e a *Ixobrychus involucris*, que ocorre em várias regiões do Brasil [F.: Do tupi *soko'i.*]

soco-inglês (so.co-in.*glês*) [sô] ***sm.*** Peça de metal com quatro anéis por onde se enfiam os dedos, menos o polegar, us. para dar maior violência ao soco [Pl.: *socos-ingleses.*]

socolor (so.co.*lor*) [ô] ***adv.*** Us. na loc. *socolor de* [F.: *so-* + *color.*] ■ **~ de** Com o pretexto de; sob cor de; sob color de: *Ajudava-o por interesse próprio, socolor de solidariedade.*

socoró (so.co.*có*) ***sm.*** *Bras. Bot.* Árvore (*Mouriri ulei*) da fam. das melastomatáceas; SOCOCÓ [F.: Do tupi *soko'ro.*]

socorrer (so.cor.*rer*) ***v.*** **1** Dar, ou valer-se de socorro, auxílio, recurso [***td.:*** *socorrer um acidentado/um necessitado/um amigo.*] [***tr.*** + *de*: *Socorria-se da poupança nas ocasiões de aperto; Sobreviveu no mar socorrendo-se de uma boia improvisada.*] **2** Empregar, utilizar [***tr.*** + *de*: *Socorreu-se de todos os meios para pagar a dívida.*] **3** *BA* Prover com o necessário (uma embarcação) para a pesca da baleia [***td.***] [▶ **2** socor**rer**] [F.: Do lat. *succurrere.* Hom./Par.: *socorro* [ô] (fl.), *socorro* [ô] (sm. interj.).]

socorrista (so.cor.*ris*.ta) ***a2g.*** **1** Que se profissionalizou para prestar os primeiros socorros em casos de acidentes, males súbitos etc. **2** Que se tornou membro de organização criada para tal finalidade ***s2g.*** **3** Indivíduo habilitado a prestar os primeiros socorros: *É um socorrista bem treinado.* **4** Pessoa que integra instituição criada para tal fim [F.: *socorro* + *-ista.*]

socorro (so.*cor*.ro) [ô] ***sm.*** **1** Ação ou resultado de socorrer **2** Auxílio ou assistência que se presta a alguém em caso de doença, perigo ou dificuldade de qualquer tipo: *Prestou socorro ao acidentado; O socorro do tio impediu-o de abrir falência.* **3** O meio ou conjunto de meios empregados para prestar esse auxílio ou assistência: *O socorro chegou para rebocar o doente; Cabia à instituição de caridade, dar socorro aos necessitados.* **4** *Mil.* Reforço de tropas, máquinas de guerra, munições etc.: *Com a munição esgotada, a infantaria esperava por socorro.* **5** *Bras.* O mesmo que *carro-guincho* [Pl.: [ó].] ***interj.*** **6** Us. para pedir auxílio em caso de grande emergência: *Socorro! Estamos nos afogando!* [F.: Regress. de *socorrer*. Hom./Par.: *socorro* (fl. de *socorrer*).] ■ **Primeiros ~s** *Med.* Atendimento de emergência a acidentados, doentes etc., enquanto se aguarda o atendimento médico, e que visa a não permitir que se agrave a condição do paciente

socovão (so.co.*vão*) *sm.* Subterrâneo por debaixo de uma casa [Pl.: *-vões.*] [F.: Alter. de *socavão.*]

socrático (so.*crá*.ti.co) *a.* 1 Relativo a Sócrates, filósofo da antiguidade grega (c. 470-c. 399), ou à sua filosofia 2 Relativo a movimentos filosóficos e escolas de pensamento influenciados por Sócrates 3 Diz-se de método de ensino desenvolvido por Sócrates, que se fundamentava entre um diálogo lógico entre o mestre e o discípulo; HAIÊUTICO 4 Diz-se de partidário das ideias ou dos métodos de Sócrates *sm.* 5 Partidário de Sócrates [F.: Do lat. *socraticus, -a, -um*, deriv. do gr. *sokratikós, -é, -ón.*]

soda (*so*.da) *sf.* 1 Água gaseificada artificialmente, us. como refrigerante 2 *Quím.* Carbonato de sódio (soda do comércio) ou hidróxido de sódio (soda cáustica) [F.: Do ing. *soda water.* Hom./Par.: *soda* (sf.), *soda* (fl. de *sodar*).] ■ ~ **cáustica** Hidróxido de sódio **Pedir** ~ *Bras. Gír.* Entregar os pontos, render-se, reconhecer-se vencido

sodalício (so.da.*lí*.ci.o) *sm.* 1 Grupo de pessoas que vivem em comunidade; CONFRARIA; IRMANDADE 2 Qualquer associação, irmandade, confraria etc. sem fins comerciais 3 Reunião ou sociedade secreta [F.: Do lat. *solalicium, -ii.*]

soda-limonada (so.da-li.mo.*na*.da) *sf.* Refrigerante feito de soda (1) com limão [Pl.: *sodas-limonadas.*]

sodalita (so.da.*li*.ta) *sf. Min.* Silicato de alumínio e sódio, que cristaliza no sistema cúbico, muito us. em joalheria [F.: *soda* (2) + *al(umínio)* + *-ita.*]

sódico (*só*.di.co) *a.* 1 Relativo à soda ou ao sódio 2 Que contém sódio ou soda [F.: *soda* + *-ico*².]

sódio (*só*.di:o) *sm. Quím.* Elemento químico metálico da fam. dos alcalinos, de núm. atômico 11, us. em ligas, lâmpadas, motores de avião etc; NÁTRIO [Símb.: *Na.*] [F.: Do ing. *sodium*, do lat. cient. *sodium.*]

sodomia (so.do.*mi*:a) *sf.* Relação sexual anal, entre um homem e uma mulher ou entre indivíduos do sexo masculino [F.: Do lat. medv. *sodomia.*]

sodômico (so.*dô*.mi.co) *a.* 1 Relativo a Sodoma, cidade situada na antiga Palestina, e à qual se atribuía um excesso de práticas luxuriantes 2 Relativo à sodomia [F.: *sodomia* + *-ico*².]

sodomita (so.do.*mi*.ta) *a2g.* 1 Que pratica a sodomia (indivíduo sodomita) 2 Relativo a Sodoma, cidade da antiga Palestina *s2g.* 3 Aquele que pratica a sodomia: *O velho casarão era um antro de sodomitas.* 4 Indivíduo natural ou habitante de Sodoma [F.: Do lat. ecles. *sodomitae, -arum*, do top. *Sodoma.*]

sodomítico (so.do.*mí*.ti.co) *a.* 1 Relativo à sodomia ou a sodomita 2 Relativo à antiga cidade palestina de Sodoma [F.: Do lat. *sodomiticus, -a, um.*]

sodomizar (so.do.mi.*zar*) *v. td.* Praticar sodomia (com alguém): *O sequestrador sodomizou o refém.* [▶ 1 sodomizar] [F.: *sodomia* + *-izar.*]

soer (so:*er*) *v. P. us.* Ter por hábito, ou ser costumeiro; COSTUMAR [*td.*: *O professor sói levantar cedo.*] [*int.*: *Naquela cidade soía nevar no inverno.*] [▶ 36 soer] [F.: Do lat. *solere.* Hom./Par.: *soem* (fl.), *soem* [ô] (fl. *soar*); *soemos* (fl.), *soemos* (fl. *soar*); *sóis* (fl.), *sóis* (sm. pl.).]

soerguer (so.er.*guer*) *v.* 1 Erguer(-se) um pouco ou com dificuldade [*td.*: *soerguer a taça/os braços/o corpo.*] [*tda.*: *Conseguiu soerguer-se da poltrona.*] 2 Reerguer(-se), revitalizar(-se) [*td.*: *soerguer a arte no país; O empresário nunca mais se soergueu.*] [▶ 21 soerguer] [F.: *so-* + *erguer.*]

soerguido (so:er.*gui*.do) *a.* Que se soergueu; que foi levantado ou novamente erguido [Ant.: *abaixado, descido.*] [F.: Part. de *soerguer.*]

soerguimento (so:er.gui.*men*.to) *sm.* 1 Ação ou resultado de soerguer(-se); ERGUIMENTO; SUBIDA [Ant.: *caída, descida.*] 2 Ação ou resultado de revitalizar(-se); REERGUIMENTO; REVITALIZAÇÃO: *Lutava pelo soerguimento da empresa.* [Ant.: *derrocada, enfraquecimento.*] [F.: *soerguer* (*-e-* > *-i-*) + *-mento.*]

soez (so.*ez*) [ê] *a2g.* 1 De pouca ou nenhuma importância ou valor; INSIGNIFICANTE; ORDINÁRIO [Ant.: *especial, superior.*] 2 *P. ext.* Que não tem caráter; ABJETO; DESPREZÍVEL; VIL [Ant.: *decente, digno.*] 3 *P. ext.* Que não tem educação; GROSSEIRO; IGNORANTE [Ant.: *educado, polido.*] [F.: Do espn. *soez.*]

sofá (so.*fá*) *sm. Mob.* Móvel estofado, ger. com encosto e braços, para duas ou mais pessoas sentarem; DIVÃ [F.: Do ár. *suffa*, 'esteira, coxim'.]

sofá-cama (so.fá-*ca*.ma) *sm. Mob.* Sofá que se pode transformar em cama de casal ou de solteiro [Pl.: *sofás-camas.*]

sofazeiro (so.fa.*zei*.ro) *a. SP Gír.* Que gosta de ficar sentado no sofá, esp. vendo televisão [F.: *sofá* + *-zeiro.*]

◎ **-sofia** *el. comp.* = 'sabedoria'; 'saber'; 'conhecimento'; 'ciência': *acrosofia, astrosofia, filosofia* (< gr.), *logosofia, teosofia* (< gr.) [F.: Do gr. *sophía, as.* F. conexas: *sof(o)-, -sofo.*]

sofisma (so.*fis*.ma) *sm.* 1 *Fil.* Argumento ou raciocínio aparentemente lógico, mas na verdade falso e enganoso; FALÁCIA 2 *Lóg.* Raciocínio aparentemente válido, mas na realidade não conclusivo 3 *P. ext.* Argumento falso para induzir alguém a erro ou logro: "Resta-lhe argumento: qualquer pessoa pode, a um tempo, ver o rosto de outra e sua reflexão no espelho. Sem sofisma, refuto-o" (João Guimarães Rosa, *Grande sertão: veredas*) 4 *Bras. Pop.* Burla, tapeação, mentira [+ *sobre*: *Emitia sofismas sobre a música de vanguarda*] [F.: Do gr. *sophisma, atos.* Hom./Par.: *sofisma* (fl. de *sofismar*).]

sofismar (so.fis.*mar*) *v.* 1 Empregar sofismas (1); raciocinar por sofismas [*int.*: *Ele só vive sofismando.*] 2 Alterar a significação de; distorcer (argumento, questão); dar aparências de verdade a (asserção falsa); encobrir (algo) com razões falsas [*td.*: *sofismar fatos/leis.*] 3 *Fig.* Enganar (alguém) por meio de sofismas (1) [*td.*: *Tentou sofismar a mulher, mas não conseguiu.*] [▶ 1 sofismar] [F.: *sofisma* + *-ar*². Hom./Par.: *sofisma(s)* (fl.), *sofisma(s)* (sf. [pl.]); *sofismáveis* (fl.), *sofismáveis* (pl. de *sofismável* [a2g.]); *sofismo* (fl.), *sufismo* (sm.).]

sofismático (so.fis.*má*.ti.co) *a.* O mesmo que *sofístico* [F.: *sofism(a)* + *-ático.*]

sofista (so.*fis*.ta) *a2g.* 1 Relativo a sofisma 2 Diz-se de quem faz uso de sofismas *sm.* 3 Aquele que argumenta com sofismas 4 *Fil.* Na antiga Grécia, mestre de retórica que ensinava aos gregos conhecimentos gerais, gramática, arte da eloquência etc., e que se notabilizou pela participação ativa nos debates filosóficos da época (séc. V a.C. e IV a.C.) [Os mais célebres sofistas foram Protágoras (480-410 a.C.) e Górgias (485-380 a.C.).] [F.: Do gr. *sophistes, ou.* Hom./Par.: *sufista* (a2g. s2g.).]

sofística (so.*fís*.ti.ca) *Fil. sf.* 1 A arte dos sofistas 2 A parte da lógica que trata da refutação dos sofismas [F.: Do gr. *sophistiké*, pelo lat. *sophistice, es.* Hom./Par.: *sofística* (sf.), *sofistica* (fl. de *sofisticar*).]

sofisticação (so.fis.ti.ca.*ção*) *sf.* 1 Ação ou resultado de sofisticar 2 *Bras.* Qualidade ou característica de sofisticado: *Era homem de grande sofisticação.* [Ant.: *simplicidade, singeleza.*] 3 Ação ou resultado de enganar, de fraudar; FALSIFICAÇÃO; FRAUDE 4 Excesso de sutileza: *alta sofisticação no trajar e no portar-se.* 5 Finura ou requinte excessivo: *Foi um banquete caracterizado por grande sofisticação.* [Ant.: *moderação, sobriedade.*] 6 Condição do que é muito avançado em termos tecnológicos, científicos: *A avaria foi reparada com todos os recursos da sofisticação tecnológica.* [Pl.: *-ções.*] [F.: *sofisticar* + *-ção.*]

sofisticado (so.fis.ti.*ca*.do) *a.* 1 Que se sofisticou 2 Que foi adulterado, falsificado; CONTRAFEITO [Ant.: *autêntico, legítimo.*] 3 Que foi iludido com sofismas 4 Que se revela afetado, artificial [Ant.: *espontâneo, natural.*] 5 Que é fino, requintado, de bom gosto (banquete sofisticado) [Ant.: *grosseiro, tosco.*] 6 Que tem conhecimentos profundos e complexos sobre alguma coisa (intelectual sofisticado); APRIMORADO 7 Que é moderno, bem equipado em tecnologia avançada: *Hospital de recursos sofisticados.* [F.: Part. de *sofisticar.*]

sofisticar (so.fis.ti.*car*) *v.* 1 Usar de gentileza ou requinte, ou tornar complicado [*td.*: *Sofisticou tanto a explicação que ninguém entendeu.*] [*int.*: *Em instrução não se deve sofisticar.*] 2 *Bras.* Aprimorar(-se) [*int.*: "...a cirurgia se sofistica e beneficia pacientes mais complexos..." (*Folha de S.Paulo*, 30.05.1999)] [*td.*: *Sofisticou sua técnica na pintura de porcelana.*] 3 Tornar(-se) mais moderno, avançado, pelo uso de recursos inovadores [*td.*: *Os fabricantes sofisticam cada vez mais os eletrodomésticos.*] [*int.*: *O celular sofistica-se mais a cada dia.*] 4 *Bras.* Tornar(-se) requintado, refinado [*td.*: *Sofisticou seu gosto pelo vinho.*] [*int.*: *Sofisticou-se depois que morou em Paris.*] [▶ 11 sofisticar] [F.: *sofístico* + *-ar*². Hom./Par.: *sofisticaria(s)* (fl.), *sofisticaria(s)* (sf. [pl.]); *sofistica(s)* (fl.), *sofística(s)* (a. fem. *sofístico* [pl.]); *sofistico* (fl.), *sofístico* (a.).]

sofístico (so.*fís*.ti.co) *a.* 1 Ref. a sofisma 2 Que é da natureza do sofisma ou que envolve sofisma (argumento sofístico) 3 Que é dado a sofismas [F.: Do gr. *sophistikós, é, ón*, pelo lat. *sophisticus, a, um.* Hom./Par.: *sofístico* (a.), *sofistico* (fl. de *sofisticar*).]

soflagrante (so.fla.*gran*.te) *sm. Pop.* Momento, instante, comenos: *Neste soflagrante apareceu um lobo.* [F.: *so-* + *flagrante.*] ■ **No** ~ *Bras. Pop.* No exato momento, no ato: "Aqui, o Nadico manoteou e no soflagrante sopesou a troxinha e sampou com ela na cara do muçum." (Simões Lopes Neto, *Contos gauchescos*)

◎ **-sofo** *el. comp.* Ver *sof(o)-*

◎ **sof(o)-** *el. comp.* = 'sábio (sabedoria)'; 'que sabe ou pensa (sobre algo)'; 'que estuda algo': *sofômano; filósofo* (< gr.), *logósofo, teósofo* (< gr.) [F.: Do gr. *sophós, é, ón*, 'hábil (esp. em técnicas mecânicas)'; 'hábil na poesia, na adivinhação'; 'sábio'; 'prudente'; 'instruído', e de seu derivado *-sophos, -os, -on.* F. conexa: *-sofia.*]

sofocliano (so.fo.cli:*a*.no) *a.* 1 De ou próprio do teatrólogo grego Sófocles (496-405 a.C.) *sm.* 2 Admirador ou estudioso da obra de Sófocles [F.: Do antr. *Sófocles* + *-iano.*]

sofomania (so.fo.ma.*ni*.a) *sf.* Afetação de sabedoria; mania de passar por sábio [F.: *sof(o)-* + *-mania.*]

sofômano (so.*fô*.ma.no) *a.* 1 Que tem sofomania *sm.* 2 Aquele que tem sofomania [F.: *sof(o)-* + *-mano*¹. Sin. ger.: *sofomaníaco.*]

sofrê (so.*frê*) *sm. Bras. Zool.* Ver *corrupião* [F.: De or. onom.]

sofreada (so.fre.*a*.da) *sf.* Ver *sofreamento* [F.: Fem. substv. de *sofreado*, part. de *sofrear.*]

sofreamento (so.fre:a.*men*.to) *sm.* 1 Ação ou resultado de sofrear; FREIO [Ant.: *estimulação.*] 2 *Fig.* Ação ou resultado de corrigir, reprimir; REPRESSÃO; REPRIMENDA [Ant.: *elogio, exaltação.*] [F.: *sofrear* + *-mento.* Sin. ger.: *sofreada.*]

sofrear (so.fre.*ar*) *v.* 1 Deter ou alterar com as rédeas a marcha de (cavalgadura) [*td.*] 2 Conter(-se), refrear(-se) [*td.*: "Sofreou-se para não cometer um desatino." (Machado de Assis, *Quincas Borba*)] [▶ 13 sofrear] [F.: Do lat. *suffrenare.* Hom./Par.: *sofreáveis* (fl.), *sofreáveis* (a2g. pl.).]

sofreável (so.fre:*á*.vel) *a2g.* Que se pode sofrear [Pl.: *-veis.*] [F.: *sofrear* + *-vel.* Hom./Par.: *sofreáveis* (pl.), *sofreáveis* (fl. de *sofrear*).]

sofredor (so.fre.*dor*) [ô] *a.* 1 Diz-se de pessoa que sofre (homem sofredor) *sm.* 2 Essa pessoa: *O sofredor retirou-se em prantos da enfermaria.* [F.: *sofrer* + *-dor.* Sin. ger.: *desgraçado, infeliz, padecedor.* Ant. ger.: bem-aventurado, feliz.]

sofregamente (so.fre.ga.*men*.te) *adv.* De modo sôfrego; com sofreguidão (beber sofregamente) [F.: Fem. de *sôfrego* + *-mente.*]

sôfrego (*sô*.fre.go) *a.* 1 Que come ou bebe vorazmente; ESFOMEADO; VORAZ: *Sôfrego, bebeu toda a garrafa de vinho.* [Ant.: *enfastiado, inapetente.*] 2 *P. ext.* Ávido pela posse ou realização de alguma coisa; ANSIOSO; COBIÇOSO; SEDENTO: "Avantajando-se no sertão, os sôfregos lutadores, à medida que se sentiam cada vez mais longe entre as chapadas ermas... tinham entre as fileiras aguerridas irrefreáveis frêmitos de espanto." (Euclides da Cunha, *Os sertões*) [Ant.: *desapegado, desprendido.*] 3 Que é insofrido, impaciente, carente; INSOFRIDO; IRREQUIETO [+ *de, por*: *sôfrego de/por riquezas, elogios.* Ant.: *calmo, paciente.*] [F.: De or. obsc.]

sofreguidão (so.fre.gui.*dão*) *sf.* 1 Caráter do que é sôfrego 2 Característica de quem come ou bebe apressadamente, com voracidade; AVIDEZ; GULA: *Comeu o pato assado com grande sofreguidão.* [Ant.: *anorexia, inapetência.*] 3 Ambição, desejo de conseguir riquezas, bens; COBIÇA; GANÂNCIA [+ *por*: *Sua sofreguidão por dinheiro levou-o à loucura.* Ant.: *desapego, desprendimento.*] 4 Desejo sexual imoderado: *Olhava com sofreguidão para a mulher despida.* [Ant.: *frigidez, inapetência.*] 5 Impaciência, inquietação, pressa [Ant.: *calma, paciência, placidez.*] [Pl.: *-dões.*] [F.: *sôfrego* + *-idão.*]

sofrenaço (so.fre.*na*.ço) *RS sm.* 1 Puxão nas rédeas do cavalo para que este pare ou recue: "...meio maneado no laço e ladeado por um sofrenaço de pulso, o bagual planchou-se..." (Simões Lopes Neto, "Juca Guerra" *in Contos gauchescos*) 2 *Fig.* Repreensão áspera; REPRIMENDA [F.: Do espn. platino *sofrenazo.*]

sofrenar (so.fre.*nar*) *Bras. v. td. RS* Frear (o cavalo) com puxão violento das rédeas; SOFREAR [▶ 1 sofrenar] [F.: Do plat. *sofrenar.*]

sofrente (so.*fren*.te) *a2g. P. us.* Que sofre; SOFREDOR: "Somos todos feitos da mesma carne sofrente." (José Saramago, *Cadernos de Lanzarote*) [F.: *sofrer* + *-nte.*]

sofrer (so.*frer*) *v.* 1 Experimentar mal físico, afetivo ou moral; PADECER [*td.*: *sofrer maus-tratos.*] [*tr.* + *de*: *Sofria do coração.*] [*int.*: *Sofria calada; A torcida sofreu até o último minuto de jogo.*] 2 Experimentar, passar por (dano, abalo) [*td.*: *O projeto sofreu um grande abalo.*] [*int.*: *A empresa sofreu (com a queda das vendas).*] 3 Passar por (alteração ou mudança) [*td.*: *Sua personalidade sofreu uma grande modificação; A empresa sofrerá uma profunda reestruturação.*] 4 Admitir, permitir [*td.*: *Apresentava-se de tal maneira que não sofria restrições.*] 5 Ter prejuízo ou experimentar percalços [*int.*: *Quando os telefones emudecem, a imprensa sofre.*] [▶ 2 sofrer] [F.: Do lat. **sufferere*, por *sufferre.* Hom./Par.: *sofreu* (fl.), *sofreu* (sm.).]

sofrido (so.*fri*.do) *a.* 1 Que sofreu muito; que passou por muitas experiências dolorosas (gente sofrida); DESDITOSO; INFELIZ [Ant.: *afortunado, bem-aventurado, feliz.*] 2 Que sofre com paciência, com resignação; CONFORMADO; RESIGNADO [Ant.: *inconformado, revoltado.*] 3 Que foi feito ou obtido com muito esforço (vitória sofrida); ÁRDUO; PENOSO [Ant.: *fácil, leve.*] 4 De que se foi alvo; EXPERIMENTADO; RECEBIDO: *Queria vingar-se da agressão sofrida.* [Ant.: *dado, feito.*] [F.: Part. de *sofrer.*]

sofrimento (so.fri.*men*.to) *sm.* 1 Ação ou resultado de sofrer 2 Dor física ou moral continuada; AFLIÇÃO; AMARGURA; DESGOSTO; PENAR [Ant.: *alegria, deleite, felicidade.*] 3 Dor causada por doença ou ferimento; PADECIMENTO: *A fratura provoca-lhe muito sofrimento.* [Ant.: *bem-estar, prazer.*] 4 Vida de pobreza, miséria, penúria; DIFICULDADE: *Os retirantes viviam no sofrimento.* [Ant.: *sorte, sucesso.*] [F.: *sofrer* + *-i-* + *-mento.* Ideia de 'sofrimento', usar suf. *-patia.*] ■ ~ **fetal** *Obst.* Baixa no nível de oxigenação e de nutrição do feto, durante a gravidez (crônico) ou durante o parto (agudo)

sofrível (so.*frí*.vel) *a2g.* 1 Que se pode tolerar ou suportar; SUPORTÁVEL; TOLERÁVEL [Ant.: *insuportável, intolerável.*] 2 Não muito bom, mas aceitável (filme sofrível); PASSÁVEL; RAZOÁVEL [Ant.: *inadmissível, insatisfatório.*] 3 Pouco expressivo; INSIGNIFICANTE: *Teve uma nota sofrível em matemática*: "Este maldito garimpo... tem-me devorado em pouco tempo todos os meus haveres, uma sofrível fortuna adquirida à custa de longos anos de trabalho na lavoura e no comércio..." (Bernardo Guimarães, *O garimpeiro*) [Ant.: *importante, significativo.*] [F.: *sofrer* (*-e-* > *-i-*) + *-vel.*]

sofrivelmente (so.fri.vel.*men*.te) *adv.* De modo sofrível, mal: "...o major conhecia bem sofrivelmente francês, inglês e alemão; e se não falava tais idiomas..." (Lima Barreto, *O triste fim de Policarpo Quaresma*) [F.: *sofrível* + *-mente.*]

⊕ **soft** (*Ing.* /*sóft*/) *sm2n. Inf.* F. red. de *software*

⊕ **software** (*Ing.* /*sóftuer*/) *Inf. sm.* 1 Em computador ou sistema de computação, os elementos não físicos de processamento de dados, como programas, sistemas operacionais etc. [Cf.: *hardware.*] 2 *P. ext.* Qualquer programa de computador

soga (*so*.ga) *sf.* 1 Corda grossa ou corda de esparto 2 Correia para prender bois pelos chifres 3 *RS* Corda us. para prender animais a um poste, estaca etc. 4 Sulco por onde escorre água; REGO; VALA; VALETA 5 *RS* Nas boleadeiras, conjunto de tiras de couro que ligam as esferas [F.: Do lat. tardio *soca*.] **■ Andar à ~** *RS* Estar apaixonado **Levar/ trazer à ~** *RS* Cativar, conquistar por afeto

sogra (*so*.gra) *sf.* A mãe de um dos cônjuges em relação ao outro [F.: Do lat. vulg. *socra*, de *socrus, us*.]

sogro (*so*.gro) [ô] *sm.* Pai de um dos cônjuges em relação ao outro [F.: De orig. contrv., posv. formada a partir de *sogra*.]

⊕ **soi-disant** (*Fr. /suá-dizã/*) *a2g2n.* Que se faz passar por (soi-disant poeta); PRETENSO

⊕ **soirée** (*Fr. /suarrê/*) *sf.* Sessão de filme, de teatro, festa etc. realizada à noite

soja (*so*.ja) *Bot. sf.* **1** Erva anual da fam. das leguminosas, subfam. papilionoídea (*Glycine max*), originária da China e do Japão, extensamente cultivada pelas sementes comestíveis e muito proteicas, das quais se extrai óleo e se fazem produtos alimentícios, como farinha, queijo, leite, bife etc. **2** A semente dessa planta [F.: Do jap. *shoyu*. Ideia de 'soja', usar pref. *soj (i)*-.]

📖 O uso da soja como fonte de proteínas e outras substâncias alimentícias cresceu muito em fins do século XX e, com isso, sua produção. Além do óleo dela extraído, sua farinha é usada na fabricação de massa, pães, bolos e bebidas, e, com a adição de aromas, substitui a carne, inclusive na preparação de hambúrgueres, salsichas etc. A produção brasileira tem crescido vertiginosamente, já ocupando o Brasil o segundo lugar mundial, com 57, 17 milhões de toneladas métricas em 2009 e com 68,7 milhões em 2010, atrás apenas dos EUA, com 91,5 milhões. Seguiam-se, em 2010, a Argentina, com 48 milhões, e a China, com 15,2 milhões. Os principais estados produtores no Brasil são o Mato Grosso e o Paraná.

◎ **soj(i)-** *el. comp.* = 'soja': *sojicultor, sojicultura* [F.: De *soja*, de uma grafia germanizante do manchu *soya*, 'erva anual (*Glycine max*) da fam. das leguminosas'; 'a semente dessa planta'.]

sojicultor (so.ji.cul.*tor*) [ô] *a.* **1** Que se dedica à sojicultura *sm.* **2** Aquele que se dedica à sojicultura [F.: *soj(i)-* + *-cultor*.]

sojicultura (so.ji.cul.*tu*.ra) *sf. Agr.* Cultura de soja [F.: *soj(i)-* + *-cultura*.]

sojigar (so.ji.*gar*) *v. Bras. Açor. Ant.* O mesmo que *subjugar* [▶ **14** sojigar] [F.: Alter. de *subjugar*.]

sol[1] *sm.* **1** *Astron.* Estrela da galáxia Via Láctea, em torno da qual giram a Terra e outros planetas do sistema solar: "Mansinho acordou com o sol alto no céu..." (Antônio Callado, *Bar Don Juan*) [Com inicial maiúsc.] **2** Luz e calor emitidos por essa estrela (sol do meio-dia) **3** *Astron.* Qualquer estrela que é centro de um sistema planetário **4** *P. ext. Astron.* Qualquer estrela do sistema planetário **5** Imagem que representa o Sol, constituída de um círculo do qual partem raios **6** Superfície ou local iluminado pela luz solar: *Pôs a roupa para secar ao sol.* **7** *Fig.* A luz do dia: *Prefere o sol à escuridão.* **8** *Fig.* Luz, brilho, esplendor **9** *Fig.* Alegria, esperança: *Afinal, o sol voltara ao seu lar.* **10** *Her.* Círculo com 12 raios, esmaltado em ouro **11** *Rel.* O que ilumina, orienta, indica caminhos a seguir: *Para os cristãos, Jesus Cristo é o sol.* **12** Grande talento ou gênio: *Os filósofos eram os sóis de Atenas.* [Pl.: *sóis*.] [F.: Do lat. *sol, solis*. Hom./ Par.: (pl.) *sóis, sois* (fl. de *ser*); *soes* (fl. de *soar*), *sóis* (fl. de *soer*). Ideia de 'sol', usar pref. *heli (o)-* e[1] *sol (i)-* e suf. *-élio*.] **■ Chova ou faça ~** Independentemente das circunstâncias, da situação [Us. para afirmar que algo acontece regularmente, ou que há certeza de que algo sucederá: *Chova ou faça sol, levanta-se às 6 da manhã; Viajaremos, chova ou faça sol.*] **De ~ a ~** O dia inteiro, do início da manhã até a noite, ou o anoitecer **Fazer ~** Estar o dia claro, com o Sol não coberto por nuvem **Partir o ~** Num duelo, posicionar os duelistas de modo que o sol não ofusque **Quer chova, quer faça ~** Ver *Chova ou faça sol* **~ da meia-noite** Nas regiões árticas ou antárticas, que devido à inclinação do eixo da Terra não penetram na região de sombra durante parte do verão, a permanência do Sol acima do horizonte durante as 24 horas do dia, ou a maior parte delas **~ médio** Astro fictício cujo movimento tem início, como o do Sol verdadeiro, no ponto vernal, percorrendo o equador em movimento uniforme durante um ano. Ver *Sol verdadeiro* **~ nascente** **1** O momento do dia em que o Sol surge no horizonte **2** A direção ou o ponto horizonte em que surge o Sol **3** *P. ext.* O Oriente, a Ásia **~ poente** **1** Pôr do sol, o momento do dia em que o Sol se põe no horizonte **2** A direção ou o ponto horizonte em que o Sol se põe **~ verdadeiro** Termo que designa o Sol real, que percorre a eclíptica em um ano num movimento variado, e não uniforme como o do Sol médio **Tapar o ~ com a peneira** Não querer ver ou saber, ou tentar ocultar ou ignorar o que é evidente **Ver o ~ nascer quadrado** *Bras. Gír.* Estar na prisão, como prisioneiro

📖 O Sol é uma estrela, centro do sistema solar. Tem especial importância para a Terra, fonte que é do calor e da luz que propiciam a vida neste planeta. É maior do que a Terra 109 vezes em volume e 330.000 vezes em massa, e está a quase 150.000.000 km de distância. O Sol é feito 90% de hidrogênio, quase 10% de hélio, 1% de oxigênio, carbono, nitrogênio, silício e ferro. É uma fonte permanente de energia, produzida em reações contínuas em sua massa, principalmente a transformação de hidrogênio em hélio. O Sol move-se no espaço em torno do centro da Via Láctea, 'carregando' com ele o sistema solar, a uma velocidade de 216 km/s, completando uma órbita a cada 225 milhões de anos. Também gira lentamente em torno de si mesmo, uma volta em 25 dias em seu equador, em 36 dias nos polos. A intensa atividade energética e magnética do Sol acarreta fenômenos visíveis da Terra, como as manchas solares, as protuberâncias (jatos de gás) e as erupções solares (libertação súbita de energia).

sol[2] *sm.* **1** *Mús.* A quinta nota da escala de dó [Corresponde ao *G* na notação alfabética.] **2** Sinal que representa essa nota na pauta [Pl.: *sóis*.] [F.: Do it. *sol*.]

sol[3] *sm.* *Econ.* Antiga moeda do Peru, substituída em janeiro de 1986 pelo inti, que por sua vez foi substituído pelo sol novo em 1991 [Pl.: *soles*.]

sol[4] *sm.* *Fís-quím.* Coloide em que a fase dispersora é um líquido e a fase dispersa é um sólido [Pl.: *sóis, soles*.] [F.: F. red. de hidrossol.] **■ ~ aquoso** *Fís-quím.* Hidrossol

sola (*so*.la) *sf.* **1** O pedaço de couro, borracha ou outro material que constitui a parte inferior do sapato, que se apoia no chão; SOLADO **2** Couro grosso curtido para a indústria **3** *P. ext.* Qualquer tipo de couro curtido de boi us. em bolsa, calçado etc. **4** *Fig.* Planta do pé **5** *Bras. Fut.* Infração que um jogador comete quando atinge o adversário com a sola da chuteira **6** *Fig.* Qualquer coisa que se assemelha a uma sola, esp. um bife de carne dura **7** *Agr.* Peça do carro de tração que serve para puxar o arado **8** *Bras. Gír.* Arma muito cortante, esp. a navalha **9** *RJ Cul.* Variedade de beiju de mandioca tostado no forno **10** *Lud.* Ponta do taco de sinuca, bilhar e jogos afins [F.: Do lat. vulg. **sola* < lat. cláss. *solea, ae*. Hom./ Par.: *sola* (fl. de *solar*).] **■ Dar à ~** Fugir às carreiras, abalar **De ~ e vira** *SP Pop.* Bem preparado para algo (diz-se de alguém) **Entrar de ~** **1** *Bras. Fut.* Acossar faltosamente adversário atingindo-o, ou com o risco de atingi-lo, com a sola da chuteira **2** *Fig.* Começar a fazer algo ou intervir em algo com brutalidade ou grosseria: *Entrou de sola na discussão, desconsiderando todos os argumentos já levantados.* **~ de plataforma** Sola de sapato muito grossa

solaço (so.*la*.ço) *sm. Bras. Pop.* O mesmo que *solão* [F.: *sol*[1] + *-aço*.]

solado (so.*la*.do) *a.* **1** Que se solou, que levou sola **2** *Bras.* Diz-se de massa que não cresceu nem assou de maneira uniforme e fica dura e pesada (bolo solado) **3** Diz-se de calçado que recebeu sola (sapato solado) *sm.* **4** Ver *sola* (1) **5** *Bras.* Sola velha do calçado substituída pelo sapateiro por outra nova [F.: Part. de *solar*.]

solagem (so.*la*.gem) *sf.* Ação ou resultado de solar[3], de prover de solas [Pl.: *-gens*.] [F.: *solar*[3] + *-agem*.]

solama (so.*la*.ma) *sf. Bras.* O mesmo que *solão* [F.: *sol*[1] + *-ama*.]

solanácea (so.la.*ná*.ce:a) *Bot. sf.* Espécime de família de plantas dicotiledôneas, a que pertencem a batata, o tabaco, o tomate, o pimentão etc. [F.: Do lat. cient. *Solanaceae*.]

solanáceo (so.la.*ná*.ce:o) *a. Bot.* Ref. às solanáceas [F.: *solan(ácea)* + *-áceo*.]

solancar (so.lan.*car*) *v. int. Bras. Pop.* Trabalhar em serviço pesado, duramente e com o maior afinco; MOUREJAR [▶ **11** solancar] [F.: *solanc(o)* + *-ar*. Hom./Par.: *solanco* (fl.), *solanco* (sm.).]

solão (so.*lão*) *sm. Bras.* Sol muito forte; calor intenso do sol; SOLAÇO; SOLAMA [Pl.: *-lões*.] [F.: *sol*[1] + *-ão*[1].]

solapa (so.*la*.pa) *sf.* **1** Escavação tapada de forma que não seja vista **2** *Pop.* Astúcia, manha, ardil **3** *Bras.* Orelha de livro **4** *RS Vest.* O mesmo que *lapela* [F.: *so* + *-lapa*. Hom./ Par.: *solapa* (sf.), *solapa* (fl. de *solapar*).] **■ À ~** Furtivamente, à socapa

solapado (so.la.*pa*.do) *a.* **1** Que se solapou; que teve os fundamentos abalados; ESCAVADO; MINADO; PERFURADO **2** *Fig.* Que foi sabotado, levado a fracassar; ARRUINADO; DESTRUÍDO: *Seu projeto foi solapado pelos rivais.* [Ant.: *beneficiado, favorecido*.] **3** *Fig.* Que se encobriu, disfarçou, dissimulou (opinião solapada); ESCONDIDO; OCULTO [Ant.: *mostrado, patenteado*.] [F.: Part. de *solapar*.]

solapador (so.la.pa.*dor*) [ô] *a.* **1** Diz-se de pessoa que solapa *sm.* **2** Essa pessoa [F.: Rad. de *solapar* + *-dor*.]

solapamento (so.la.pa.*men*.to) *sm.* Ação ou resultado de solapar [F.: *solapar* + *-mento*.]

solapar (so.la.*par*) *v. td.* **1** Abalar, minar (alicerces de construção): *A água da chuva solapou as estruturas da casa.* **2** *Fig.* Abalar, derrubar ou fazer fracassar: *Sua ação contribuiu para solapar o projeto.* **3** *Fig.* Esconder(-se), ocultar(-se) [*td.*: *Ele solapou seus sentimentos diante dos desconhecidos.*] [▶ **1** solapar] [F.: *solapa* + *-ar*[2]. Hom./Par.: *solapa(s)* (fl.), *solapa(s)* (sf. [pl.]); *solapo* (fl.), *solapo* (sm.).]

solar[1] (so.*lar*) *a.* **1** Relativo a casa, mansão ou palácio de família nobre *sm.* **2** Castelo ou terra pertencente a família nobre **3** *P. ext.* Qualquer palácio ou casa de aspecto majestoso; PALACETE [F.: *solo* + *-ar*.]

solar[2] (so.*lar*) *a2g.* **1** Relativo ao Sol (eclipse solar) **2** *Fig.* Cheio de luz, energia, vibração (personalidade solar) **3** Que utiliza a energia do Sol (aquecedor solar) **4** *Fig.* Que tem o som puro, límpido (canto solar); CLARO; DISTINTO [Ant.: *indistinto, vago*.] **5** *Fig.* Que parece ter a luminosidade do Sol; BRILHANTE: *O poeta tinha inspirações solares.* [F.: Do lat. *solaris, e*.]

📖 O sistema solar é um dos muitos sistemas da Via Láctea, e é formado pelo Sol e pelos corpos que gravitam em torno dele: planetas (e seus satélites), planetoides, meteoroides, poeira cósmica etc. Os planetas, na ordem de proximidade do Sol, são: Mercúrio, Vênus, Terra, Marte, Júpiter, Urano, Netuno, [Plutão, ver adiante nova classificação]. Em 2004 foi descoberto planeta-anão, chamado Sedna; e em 2006 Plutão deixou de ser considerado um planeta, passando à categoria de planeta-anão, e foi reclassificado em 2008 como plutoide). Em ordem de tamanho: Júpiter, Saturno, Urano, Netuno, Terra, Vênus, Marte, Mercúrio, [Plutão]. (Ver ach. no verbete satélite.) Entre as órbitas de Marte e de Júpiter ficam os planetoides, ou asteroides, alguns esféricos como os planetas, outros de forma irregular, como blocos de rocha. Os meteoroides são menores, variando suas medidas de dimensões micrométricas a quilômetros de extensão, e quando atingem a atmosfera da Terra podem incandescer-se com o atrito (são os meteoros e meteoritos, alguns deles atingindo a superfície terrestre). (Para os cometas, ver ach. no verbete cometa.)

solar[3] (so.*lar*) *v.* **1** Prover de sola(s) (um calçado) [*td.*] **2** *Bras. Cul.* Fazer ficar ou ficar duro como sola [*td.*: *Forno aberto pode solar o bolo.*] [*int.*: *Desta vez a massa não solou.*] **3** *Bras. Fut.* Desferir pancada com a sola da chuteira em; entrar de sola [*td.*: *Solou o atacante na entrada da área.*] [▶ **1** solar] [F.: *sola* + *-ar*[2].]

solar[4] (so.*lar*) *v. Mús.* Executar solo vocal ou instrumental (de composição musical) [*td.*: *Ele vai solar o concerto para violino de Mozart.*] [*int.*: *O violinista não vai solar.*] [▶ **1** solar] [F.: *solo* + *-ar*[2].]

solarengo[1] (so.la.*ren*.go) *a.* **1** Ref. ou pertencente a solar[1]: "...e eu atrás dele no burro Sancho, transpusemos o limiar solarengo..." (Eça de Queirós, "Civilização" *in Contos*) **2** Que se assemelha a um solar[1] (palácio solarengo) *sm.* **3** Proprietário de solar[1] [F.: *solar*[1] + *-engo*.]

solarengo[2] (so.la.*ren*.go) *a.* O mesmo que *ensolarado* [F.: *solar*[2] + *-engo*.]

solário (so.*lá*.ri:o) *sm.* **1** Lugar próprio para banhos de sol com fins terapêuticos ou estéticos **2** Relógio de sol, na Roma antiga **3** Terraço em casas e prédios reservado aos banhos de sol [F.: Do lat. *solarium, ii*.]

⊕ **solarium** (*Lat. /solárium/*) *sm.* Ver *solário*

solarização (so.la.ri.za.*ção*) *sf.* **1** Exposição à radiação solar **2** *Fot.* Superexposição de um negativo ou papel fotográfico durante o processo de revelação ou de copiagem, para produzir efeitos especiais; efeito Sabatier [Pl.: *-ções*.] [F.: Do ing. *solarization*.]

solavancar (so.la.van.*car*) *v. int.* Avançar aos solavancos [▶ **11** solavancar] [F.: *solavanco* + *-ar*. Hom./Par.: *solavanco* (fl.), *solavanco* (sm.).]

solavanco (so.la.*van*.co) *sm.* **1** Sacudida brusca, ger. de veículo em movimento; BALANÇO; TOMBO: *O carro deu um solavanco e parou:* "Os solavancos da viagem, a posição forçada, a vizinhança de uma senhora gorda que reclamava..." (Josué Montello, *Sempre serás lembrada*) **2** Abalamento ou sacudida brusca, inesperada; REPELÃO; SAFANÃO [F.: De or. obsc. Sin. ger.: *tranco*.]

solaz (so.*laz*) *sm.* **1** Recreio, distração, divertimento **2** Consolação *a.* **3** Que consola; CONSOLADOR [F.: Do provç. *solatz*, do lat. *solatium, ii*.]

solda (*sol*.da) *sf.* **1** Ação ou resultado de soldar **2** Material metálico que se funde para ligar peças tb. metálicas **3** Local de um objeto em que se aplicou tal material **4** Aderência de duas ou mais peças, formando um só corpo [F.: De or. contrv. Hom./Par.: *solda* (fl. de *soldar*).]

soldada (sol.*da*.da) *sf.* **1** Quantia que se paga a um trabalhador por um serviço; ESTIPÊNDIO; ORDENADO; SALÁRIO **2** *Mar.* Soldo que recebe o tripulante de um navio mercante **3** *Fig.* Prêmio, recompensa [Ant.: *castigo, punição*.] [F.: *soldo* + *-ada*.]

soldadeira (sol.da.*dei*.ra) *sf. Antq.* Mulher que trabalha por soldada [F.: *soldad(a)* + *-eira*.]

soldadesca (sol.da.*des*.ca) *sf.* **1** A classe militar; TROPA **2** *Pej.* Grupo de soldados indisciplinados: "Os abusos da soldadesca e dos funcionários escravos... podiam, por sua vez, provocar reações da aristocracia ou do povo." (Alberto da Costa e Silva, *A manilha e o libambo*) [F.: Do it. *soldatesca*.]

soldado[1] (sol.*da*.do) *sm.* **1** Pessoa alistada no exército ou nas forças policiais estaduais **2** *Mil.* Militar sem graduação; PRAÇA **3** *Mil.* Aquele que serve a soldo; ESTIPENDIÁRIO; MERCENÁRIO **4** *Mil.* Militar que serve em terra **5** *P. ext.* Indivíduo que luta por uma ideologia, um ideal etc. (soldado do socialismo); DEFENSOR; PARTIDÁRIO [Ant.: *adversário, opositor*.] **6** *Ornit.* Ave passeriforme (*Cacicus chrysopterus*) da subfam. dos icteríneos de plumagem negra, encontrada nas matas da América do Sul meridional **7** *Amaz. Ent.* Vespa (*Parachartergus apicalis*) muito agressiva **8** *BA MG* Ver *gafanhoto* (*Chrosis speciosa*) **9** *Ict.* Peixe teleósteo (*Holacanthus tricolor*) da fam. dos pomacantídeos, encontrado em recifes do Atlântico tropical **10** *Ict.* Peixe teleósteo (*Callichthys callichthys*) da família dos calictiídeos encontrado em vários rios da América do Sul; TAMBUATÁ [É capaz de respirar fora da água por longo tempo.] **11** *Ict.* Peixe teleósteo (*Myripristis jacobus*), da família dos holocentrídeos encontrado em fundos rochosos da Flórida ao Sudeste do Brasil; FOGUEIRA **12** *Ict.* Peixe teleósteo (Holocentrus ascensionis) da família dos holocentrídeos comum no Sudeste do Brasil; JAGUAREÇÁ [F.: Do it. *soldato*.]

soldado[2] (sol.*da*.do) *a.* **1** Que se soldou (osso soldado); COLADO; LIGADO **2** Unido, fechado, ligado com solda (ferro soldado) [F.: Part. de *soldar*. Ideia de 'soldado', usar pref. *ancil(o)-*.]

soldador (sol.da.*dor*) [ô] *a.* 1 Diz-se de pessoa que trabalha com solda *sm.* 2 Essa pessoa [F.: *soldar + -dor.*]

soldadura (sol.da.*du*.ra) *sf.* 1 Ação ou resultado de soldar 2 Ligação de duas ou mais peças por meio de solda; SOLDAGEM; SOLDA 3 Parte que foi soldada 4 *Vet.* Tumor subcutâneo nas costelas das cavalgaduras [F.: *soldar + -dura.*]

soldagem (sol.*da*.gem) *sf.* Ação ou resultado de soldar; SOLDA; SOLDADURA [Pl.: *-gens.*] [F.: *soldar + -agem.*]

soldar (sol.*dar*) *v. td.* 1 Ligar ou unir (duas ou mais coisas) com solda [*td.*: *Soldou os tubos de refrigeração.*] 2 Juntar(-se) (o que estava partido, separado) ou reparar(-se) com solda [*td.*: *Soldar uma grade.*] [*int.*: *A fratura soldou-se otimamente.*] 3 *Fig.* Unir(-se), juntar(-se) formando uma unidade [*tdr.* + *a*: *Soldou os dois adjetivos ao substantivo.*] [*int.*: *Os diálogos soldaram(-se) com naturalidade.*] 4 Fechar(-se) (um ferimento); CICATRIZAR [*int.*: *A ferida soldou(-se).*] 5 Pagar, saldar (dívida) [*td.*] [▶ 1 soldar] [F.: Do lat. *solidare*. Hom./Par.: *solda(s)* (fl.), *solda* (sf. e pl.); *soldo* (fl.), *soldo* /ô/ (sm.).]

soldo (*sol*.do) [ô] *sm.* 1 *Bras.* Salário de militar 2 Pagamento a quem presta qualquer serviço; ORDENADO; REMUNERAÇÃO 3 *Num.* Moeda de ouro na antiga Roma 4 *Num.* Nome comum dado a antigas moedas portuguesas 5 *Antq.* Obrigação que se contraía ao arrendar terra ou herdade [F.: Do lat. *solidus, a, um*. Hom./Par.: *soldo* (fl. de *soldar*).]

solecismo (so.le.*cis*.mo) *sm.* 1 *Gram.* Erro gramatical, esp. de sintaxe, cometido quase sempre por quem desconhece as regras da língua 2 *P. ext.* Erro, falha [F.: Do gr. *soloikismós, ou.*]

soledade (so.le.*da*.de) *sf.* 1 Estado da pessoa que se acha só; SOLIDÃO: "Sentia o absoluto da soledade. Todo os que eram meus... parentes, amigos, companheiros, conhecidos haviam ficado alhures..." (Guimarães Rosa, *Estas estórias*) 2 Tristeza que decorre dessa solidão; TACITURNIDADE 3 Lugar ermo ou solitário; RETIRO [F.: Do lat. *solitas, atis.*]

soleídeo (so.le.*í*.de:o) *sm.* 1 *Zool.* Espécime dos soleídeos, fam. de peixes marinhos de corpo achatado, cujo tipo é o linguado *a.* 2 *Zool.* Ref. ou pertencente aos soleídeos [F.: Adap. do lat. cient. *Soleidae.*]

soleira[1] (so.*lei*.ra) *sf.* 1 Peça de madeira ou pedra que forma a parte inferior do vão da porta, ao nível do piso 2 O vão ou o limiar da porta; UMBRAL 3 Estribo de carruagem; DEGRAU 4 Ferro sob as tesouras de uma carruagem 5 A correia da espora que passa sob a sola do calçado 6 *P. ext.* Peça do estribo em que o cavaleiro firma o pé 7 Cobertura que protege uma construção da ação das águas 8 Construção em que se apoiam os pilares de uma ponte, reclusa etc. 9 *Metal.* Em certos fornos, piso de tijolos refratários [F.: *solo*[1] + *-eira.*]

soleira[2] (so.*lei*.ra) *sf.* Hora de muito sol [F.: *sol*[1] + *-eira.*]

solene (so.*le*.ne) *a2g.* 1 Realizado com pompa e formalidade (reunião solene; visita solene); CERIMONIOSO; FORMAL; PROTOCOLAR: "– Esta é a única roupa direita que eu trouxe comigo – disse Karin. – É para as ocasiões solenes." (Antônio Callado, *Bar Don Juan*) [Ant.: *informal, íntimo.*] 2 Que indica seriedade, importância; AUSTERO; CIRCUNSPECTO; GRAVE: *Sua fisionomia tornou-se solene ao dar a notícia.* [Ant.: *risonho, sorridente.*] 3 Que é majestoso, pomposo (ritual solene); APARATOSO; MAJESTOSO [Ant.: *despojado, humilde, modesto.*] 4 Acompanhado de formalidades conforme as leis ou costumes (juramento solene); MANIFESTO; PÚBLICO 5 Enfático, afetado, pedante (tom solene) [Ant.: *natural, simples.*] [F.: Do lat. *sollemnis* ou *solennis, e.*]

solenidade (so.le.ni.*da*.de) *sf.* 1 Ocasião ou festa solene; COMEMORAÇÃO: *Na solenidade, os soldados se perfilaram.* 2 Cerimônia ou festividade formal com a presença de público; FESTA: *Todos compareceram à solenidade de entrega das medalhas.* 3 Cerimônia que cerca um ato oficial; ATO; CERIMONIAL: *Teve início a solenidade do hasteamento da bandeira nacional.* [F.: Do lat. *sollemnitas* ou *solennitas, atis.*]

solenização (so.le.ni.za.*ção*) *sf.* Ação ou resultado de solenizar; COMEMORAÇÃO [Pl.: *-ções.*] [F.: *solenizar + -ção.*]

solenizar (so.le.ni.*zar*) *v. td.* 1 Dar caráter solene a 2 Celebrar com solenidade ou cerimônia pública [▶ 1 solenizar] [F.: *solene + -izar.*]

solenoide (so.le.*noi*.de) *sm. Elet.* Fio enrolado em espiral que serve de indutor [F.: Do gr. *solenoeidés, é, és*, 'em forma de canal'.]

solércia (so.*lér*.ci:a) *sf.* Qualidade do que é solerte; ASTÚCIA; ESPERTEZA: "Por que é, então, que ela merecia tanto dó? Eu não tive solércia de contradizer." (Guimarães Rosa, *Grande sertão: veredas*) [F.: Do lat. *solertia, ae.*]

solerte (so.*ler*.te) *a2g.* 1 Que age com desembaraço, sabedoria, esperteza; ENGENHOSO; ESPERTO; SAGAZ: "Aprecio uns assim feito o senhor homem sagaz solerte." (Guimarães Rosa, *Grande sertão: veredas*) [Ant.: *apalermado, bobo.*] 2 Hábil em conseguir com astúcia o que quer; ARDILOSO; ARGUTO; ASTUCIOSO [Ant.: *simplório, tolo.*] [F.: Do lat. *sollers, ertis.*]

soletração (so.le.tra.*ção*) *sf.* 1 Ação ou resultado de soletrar 2 Método de ensino da leitura e da escrita por meio de exercícios que combinam as vogais e as consoantes de uma língua 3 Leitura vagarosa, letra a letra [Pl.: *-ções.*] [F.: *soletrar + -ção.*]

soletrado (so.le.*tra*.do) *a.* Que se soletrou; que foi lido letra por letra ou sílaba por sílaba, vagarosamente (palavra soletrada) [F.: Part. de *soletrar.*]

soletrador (so.le.tra.*dor*) [ô] *a.* 1 Que soletra *sm.* 2 Aquele que soletra [F.: *soletrar + -dor.*]

soletrar (so.le.*trar*) *v.* 1 Ler uma a uma as letras de (palavra, frase), reunindo-as ou não em sílabas [*td.*: *soletrar o próprio nome.*] [*int.*: *A menina ainda não aprendeu a soletrar.*] 2 Ler de modo pausado e/ou atento [*td.*: *Soletrou, com atenção, o bilhete do namorado.*] 3 Ler por partes, devagar [*td.*: *Soletrou o romance no longo feriado.*] [*int.*: *A criança não lia, soletrava.*] 4 Ler mal [*td.*: *Soletrou, com dificuldade, o texto.*] 5 *Fig.* Ler por sintomas ou certos sinais; ADIVINHAR; PERCEBER [*td.*: *Soletrei em seu rosto que decidira viajar só.*] 6 *Fig.* Tornar compreensível, por meio de pesquisas, estudos [*td.*: *Os cosmonautas procuram soletrar o universo.*] [▶ 1 soletrar] [F.: *só + letra + -ar*[2].]

solevamento (so.le.va.*men*.to) *sm.* Ação ou resultado de solevar(-se) [F.: *solevar + -mento.*]

solevantar (so.le.van.*tar*) *v. td.* 1 Erguer um pouco (inclusive si mesmo); SOERGUER 2 Erguer (inclusive si mesmo) com certa dificuldade [F.: *so- + levantar.*]

solevar (so.le.*var*) *v. td.* Erguer(-se) ou levantar(-se) um pouco ou com dificuldade; SOLEVANTAR [▶ 1 solevar] [F.: *so- + levar.*]

solfar[1] (sol.*far*) *v.* O mesmo que solfejar [▶ 1 solfar] [F.: Do it. *sodo fare.*]

solfar[2] (sol.*far*) *Enc. v. td.* 1 Endireitar as margens (de folhas de livro) que se amassaram ou soltaram 2 Aumentar as margens (de folhas de livro) por meio de recursos diversos, esp. adicionando-lhes tiras de papel [▶ 1 solfar] [F.: Ver *sofar*[1]. Hom./Par.: *solfa(s)* (fl.), solfa (sf., a2g., 2n. e pl.).]

solfejar (sol.fe.*jar*) *v. Mús.* Cantar ou entoar (trecho musical) lendo os nomes das notas e marcando o compasso [*td.*: *solfejar uma escala completa.*] [*int.*: *Ela não sabe solfejar.*] [▶ 1 solfejar] [F.: Do it. *solfeggiare*. Hom./Par.: *solfejo* (fl.), *solfejo* [ê] (sm.).]

solfejo (sol.*fe*.jo) [ê] *sm.* 1 Ação ou resultado de solfejar 2 Conjunto de exercícios para o aprendizado e leitura das notas musicais 3 Caderno que contém esses exercícios 4 Arte de solfejar 5 *Mús.* Leitura musical por notas, com vocalização, para o aprendizado de uma melodia [F.: Do it. *solfeggio*. Hom./Par.: *solfejo* (fl. de *solfejar*).]

solferino (sol.fe.*ri*.no) *sm.* 1 Cor escarlate próxima do roxo 2 Matéria corante própria para tingir tecidos, chapéus etc. e us. nas vestes episcopais; PÚRPURA: *O solferino do solidéu do cardeal. a.* 3 Diz-se dessa cor (a cor solferina) 4 Diz-se do que tem essa cor (blusa solferina) [Como adj., sin. ger.: *apurpurado, purpúreo, purpurino, violáceo.*] [F.: Do top. *Solferino* (Itália).]

solha (*so*.lha) [ô] *sf.* 1 *Zool.* O mesmo que *linguado* (1) 2 *Lus. Pop.* Bofetada [F.: Do lat. *solea, ae*. Hom./Par.: *solha(s)* (sf. [pl.]), *solha(s)* (fl. de *solhar*).]

◎ **sol(i)-**[1] *pref.* = só, único: *solista, solitário*

◎ **sol(i)-**[2] *pref.* = sol: *solário*

◎ **sol(i)-**[3] *pref.* = solo, chão: *soleira*

solicitação (so.li.ci.ta.*ção*) *sf.* 1 Ação ou resultado de solicitar 2 Pedido que se faz com insistência; ROGO; SÚPLICA: *Atendeu às solicitações dos funcionários.* 3 Aquilo que atrai, que representa uma tentação; APELO; CONVITE: *As solicitações da carne tornavam-se mais intensas quando via aquela mulher.* 4 *Fís.* Força exterior capaz de provocar deformação em um corpo ou alterar seu estado de tensão [Pl.: *-ções.*] [F.: Do lat. *sollicitatio, onis.*]

solicitado (so.li.ci.*ta*.do) *a.* 1 Que se solicitou (serviço solicitado); PEDIDO 2 Muito procurado; REQUISITADO: *Este médico é muito solicitado.* [F.: Part. de *solicitar.*]

solicitador (so.li.ci.ta.*dor*) [ô] *a.* 1 Que solicita ou pede com insistência; SOLICITANTE *sm.* 2 Aquele que solicita; SOLICITANTE 3 *Jur.* Procurador habilitado para auxiliar o advogado, acompanhando o andamento de ações, praticando atos cartoriais etc. 4 *Bras. Ant.* Aquele que exercia a função de advogado mesmo não o sendo [F.: Do lat. *sollicitator, oris.*] ▪ **~ acadêmico** Estudante de direito no penúltimo ou no último ano de faculdade, autorizado a exercer, com certas limitações, funções de procurador

solicitante (so.li.ci.*tan*.te) *a2g.* 1 Que solicita (advogado solicitante) *s2g.* 2 Aquele ou aquela que solicita: *O juiz recebeu os solicitantes* [F.: *solicitar + -nte*. Sin. ger.: *solicitador.*]

solicitar (so.li.ci.*tar*) *v.* 1 Pedir com respeito, insistência, ou seguindo os trâmites devidos [*td.*: *solicitar ajuda/uma solução.*] [*tdi.* + *a*: *Solicitaram providências à prefeitura.*] 2 Buscar a atenção, a ajuda, os serviços etc. de (alguém) [*td.*: *Sempre solicita a professora na hora dos exercícios.*] 3 Procurar (a atenção, o amor, a companhia etc. de alguém) [*td.*: *Solicita muito a presença do filho.*] 4 *Jur.* Requerer na qualidade de solicitador [*td.*: *Solicitou a reabertura do processo.*] [*tdi.* + *a*: *Solicitou ao juiz a revisão do processo.*] 5 Estimular ou provocar (alguém) para que aceite ou faça alguma coisa [*tdr.* + *a*: *Solicitou o irmão a aceitar aquela proposta.*] 6 Inquietar-se, preocupar-se [*tr.* + *de*: *Solicitava-se dos pedidos da irmã.*] 7 Arrastar, conduzir [*tdr.* + *a*: *O companheiro solicitou-o a uma aventura perigosa.*] [▶ 1 solicitar] [F.: Do v.lat. *sollicitare*. Hom./Par.: *solicitáveis* (fl.), *solicitáveis* (a2g); *solicita* (fl.), *solícita* (fem. de *solícito* [a.]); *solicitas* (fl.), *solícitas* (pl. do fem.); *solicito* (fl.), *solícito* (a.).]

solícito (so.*lí*.ci.to) *a.* 1 Atencioso e cuidadoso para com outrem (acompanhante solícito); RESPONSÁVEL; ZELOSO [Ant.: *descuidado, relapso.*] 2 Que não poupa esforços para servir, ajudar (vendedor solícito); ATENCIOSO; PRESTATIVO; PRESTIMOSO: "Outros, porque não tinham sido suficientemente solícitos com os poderosos ou haviam reagido a seus abusos." (Alberto da Costa e Silva, *A manilha e o libambo*) [Ant.: *indolente, preguiçoso.*] 3 Que demonstra solicitude: *Desdobrava-se em gestos solícitos para conquistar a cliente.* [+ *de, em, por, com*: *Solícito do (pelo) bem-estar dos pais; Solícito em ajudar os pobres; Era solícito (para) com todos.*] 4 Que age com rapidez e eficiência (funcionário solícito); ATIVO; DILIGENTE; EXPEDITO [Ant.: *indolente, desleixado.*] [F.: Do lat. *sollicitus, a, um*. Hom./Par.: *solícito* (a.), *solicito* (fl. de *solicitar*).]

solicitude (so.li.ci.*tu*.de) *sf.* 1 Qualidade do que é solícito 2 Disposição, boa vontade para atender a alguma solicitação ou para prestar qualquer tipo de ajuda ou socorro: *A solicitude dos bombeiros salvou muitas vítimas do desabamento.* 3 Cuidado ou zelo aliado a uma espécie de inquietação; atenção constante (solicitude maternal); DESVELO 4 Afã e diligência em alcançar algum objetivo; EMPENHO: *a solicitude dos navegadores portugueses em dilatar os horizontes do mundo desconhecido.* [F.: Do lat. *sollicitudo, inis.*]

solidamente (so.li.da.*men*.te) *adv.* De modo sólido; com solidez: *democracia solidamente estabelecida.* [F.: Fem. de *sólido + -mente.*]

solidão (so.li.*dão*) *sf.* 1 Estado ou condição de quem se sente ou está só: *Longe da esposa, sentia grande solidão* 2 Característica básica dos lugares isolados, ermos, pouco habitados ou desabitados (solidão da floresta) 3 Sensação de quem se sente sozinho, isolado, mesmo estando entre outras pessoas; ISOLAMENTO; SOLITUDE: *De repente, experimentou uma grande solidão no meio da festa animada.* [Ant.: *convivência.*] [Pl.: *-dões.*] [F.: Do lat. *solitudo, inis.*]

solidariedade (so.li.da.ri:e.*da*.de) *sf.* 1 Sentimento de identificação com os problemas de outrem, o que leva as pessoas a se ajudarem mutuamente: *O desabamento dos barracos provocou um movimento de solidariedade.* 2 Sentimento de simpatia, de identificação com os pobres, os desprotegidos etc. 3 A expressão desse sentimento; AJUDA; AMPARO; APOIO: *Demonstrou sua solidariedade aos desabrigados, oferecendo-lhes alimentos e roupas.* [Ant.: *abandono, desamparo.*] 4 Manifestação de identidade de sentimentos ou ideias (solidariedade política; solidariedade partidária); COOPERAÇÃO; COPARTICIPAÇÃO [Ant.: *indiferença.*] 5 Assistência moral, espiritual, que se concede a alguém, por simpatia, piedade ou senso de justiça: *Prestou solidariedade aos demitidos da empresa.* 6 Laço de união fraternal que une as pessoas pelos simples fato de serem semelhantes (solidariedade humana); AMIZADE; COMPANHEIRISMO; IRMANDADE [Ant.: *individualismo, inimizade.*] 7 *Jur.* Compromisso pelo qual as pessoas se sentem em obrigação umas em relação às outras; INTERDEPENDÊNCIA; RECIPROCIDADE [+ *a, (para) com, entre*: *Solidariedade ao chefe; solidariedade (para) com os amigos; solidariedade entre os funcionários.*] [F.: *solidário* (*-o- > -e-*) + *-dade.*]

solidário (so.li.*dá*.ri:o) *a.* 1 Que tem ou demonstra solidariedade; que está pronto a apoiar, defender ou acompanhar alguém em momento difícil: *Ele sempre foi solidário com os amigos* [+ *a, com, em*] 2 Que partilha ideias, interesses, opiniões etc. com outros 3 Que compreende o sofrimento alheio e procura torná-lo mais suportável; COMPASSIVO; HUMANITÁRIO: *Foi solidário com o vizinho quando este perdeu o filho.* [Ant.: *egoísta, indiferente.*] 4 Que aderiu a uma causa, opinião, posição política etc; IRMANADO: *Ficou solidário com o partido até o fim da crise política.* 5 *Jur.* Que responsabiliza cada um dos devedores pelo pagamento integral de uma dívida 6 *Jur.* Que concede ao credor, ou credores, o direito de receber a dívida em sua totalidade 7 *Jur.* Que está ligado por ato solidário (devedor solidário); COPARTICIPANTE; CORRESPONSÁVEL [+ *a, com, em*: *Solidário ao sócio; Solidário com os irmãos; Casal solidário no amor e no trabalho.*] [F.: *sólido + -ário*. Hom./Par.: (f.) solidária/*solidaria* (fl. *solidar*).]

solidarismo (so.li.da.*ris*.mo) *sm. Fil.* Doutrina social que se baseia na solidariedade [F.: *solid(r)(o) + -ismo.*]

solidarização (so.li.da.ri.za.*ção*) *sf.* Ação ou resultado de solidarizar(-se) [Pl.: *-ções.*] [F.: *solidarizar + -ção.*]

solidarizar (so.li.da.ri.*zar*) *v.* Fazer(-se) solidário a [*tr.* + *com*: "...atletas que se solidarizam com o drama do nosso campeão." (*O Globo* 31.08.03)] [*tdr.* + *com*: *A compaixão solidarizou-o com o desconhecido.*] [*td.*: *A dor solidariza as pessoas.*] [▶ 1 solidarizar] [F.: *solidário + -izar.*]

solidéu (so.li.*déu*) *sm.* 1 Pequeno barrete circular us. por bispos e padres 2 Pequeno barrete circular us. por judeus nos rituais religiosos ou, pelos mais religiosos, durante todo o dia 3 Pequeno barrete us. esp. por pessoas calvas 4 Pequeno chapéu feminino que cobre o topo da cabeça [F.: De *soli Deo*, 'só a Deus'.]

solidez (so.li.*dez*) [ê] *sf.* 1 Estado, condição ou qualidade do que é sólido 2 *Fís.* Propriedade dos corpos que têm como característica a permanência de formas e a resistência oferecida às forças que podem desagregar-lhes as moléculas 3 Qualidade do que possui resistência; DURABILIDADE; FIRMEZA: *A solidez de seu velho trator era impressionante.* [Ant.: *fragilidade.*] 4 Qualidade daquilo que não muda; ESTABILIDADE; PERMANÊNCIA; SEGURANÇA: *A solidez da empresa tranquilizava seus acionistas.* [Ant.: *instabilidade, precariedade.*] 5 *Fig.* Qualidade do que tem fundamento sólido, firme, difícil de dobrar, abater ou derrubar; FIRMEZA; FORÇA: *a solidez de um argumento.* [Ant.: *fragilidade, fraqueza.*] 6 *Fig.* Característica daquilo que demonstra garantia, segurança: *Convencia pela solidez de suas palavras.* [Ant.: *insegurança, instabilidade.*] [F.: *sólido + -ez.*]

solidificação (so.li.di.fi.ca.*ção*) *sf.* **1** Ação ou resultado de solidificar(-se) **2** Passagem da matéria do estado líquido ao sólido **3** *Fig.* Passagem de um estado de instabilidade a um estado sólido, firme, seguro: *Lutava pela solidificação das mudanças já conquistadas.* [Pl.: *-ções.*] [F.: *solidificar + -ção.*]

solidificado (so.li.di.fi.*ca*.do) *a.* **1** Que se tornou sólido (lava solidificada) **2** *Fig.* Que se tornou firme, que se fortaleceu (saber solidificado); CONSOLIDADO [F.: Part. de *solidificar.*]

solidificar (so.li.di.fi.*car*) *v.* **1** Fazer passar ou passar ao estado sólido (a água e outros líquidos) [*td.*: *Baixas temperaturas solidificam a água.*] [*int.*: *No inverno do hemisfério norte a água nos canos pode se solidificar.*] **2** *Fig.* Tornar(-se) sólido ou firme [*td.*: *Os lucros solidificaram seu negócio.*] [*int.*: *A democracia solidificou-se no país.*] **3** Dar mais firmeza, mais consistência a [*td.*: *Seu ato solidificou a admiração que lhe consagravam.*] [▶ 11 solidificar] [F.: *sólido + -i- + -ficar.*]

sólido (*só*.li.do) *a.* **1** Que tem consistência dura; que não é vazio nem oco; CHEIO; COMPACTO; MACIÇO: *Percebeu que a placa metálica era muito sólida.* [Ant.: *oco, poroso, vazio.*] **2** Que não é fluido nem pastoso (alimento sólido); CONSISTENTE; DENSO; ESPESSO: *Torre de sólida estrutura* [Ant.: *líquido, ralo.*] **3** Que tem consistência bastante para não ser abalado ou destruído por força externa [Ant.: *frágil, infirme, instável.*] **4** *Fig.* Que não se abala facilmente; que se mantém firme (ideais sólidos); ARRAIGADO; INDESTRUTÍVEL [Ant.: *alterável, instável, vacilante.*] **5** Que é verdadeiro, indiscutível; que não pode ser contestado; INCONTESTÁVEL; SUBSTANCIAL: *Em sua tese, só apresentou argumentos sólidos.* [Ant.: *infundado, insustentável.*] **6** Que oferece estabilidade, garantia (banco sólido; empresa sólida); SEGURO [Ant.: *precário.*] **7** Que revela durabilidade, resistência ao passar do tempo (casamento sólido; união sólida); DURADOURO; ESTÁVEL [Ant.: *efêmero, instável.*] **8** Que é forte, robusto; ROBUSTO; VIGOROSO: *Um senhor sólido nos recebeu na portaria.* **9** Que é aplicado com energia, força, firmeza; FIRME; FORTE: *Um sólido pontapé o atirou longe.* [Ant.: *débil, fraco.*] *sm.* **10** Qualquer corpo que se caracteriza pela solidez **11** Corpo que, apresentando três dimensões, é limitado por superfícies fechadas **12** *Fís.* Estado em que a matéria apresenta forma e volume definidos e tb. disposição espacial regular de seus átomos, moléculas ou íons **13** *Geom.* Figura geométrica em três dimensões [F.: Do lat. *solidus, a, um.*] ∎ **~ de revolução** *Geom.* Sólido gerado pela rotação de figura plana em torno de um eixo [P. ex., um cone reto é gerado pela rotação de triângulo retângulo em torno de um de seus catetos.] **~ regular** *Geom.* Qualquer dos cinco poliedros regulares: tetraedro, cubo ou hexaedro, octaedro, dodecaedro e icosaedro

solidônia (so.li.*dô*.ni:a) *sf. Bras. Bot.* Planta (*Boerhavia paniculata*) da fam. das nictagináceas, cuja raiz é us. como diurético e purgativo [F.: De or. obsc.]

soliloquiar (so.li.lo.qui.*ar*) *v. int.* Falar solitariamente consigo mesmo; MONOLOGAR: *Passava horas soliloquiando.* [▶ 1 soliloquiar] [F.: *solilóquio + -ar.* Hom./Par.: *soliloquio* (fl.), *solilóquio* (sm.).]

solilóquio (so.li.*ló*.qui:o) *sm.* **1** Ação ou resultado de alguém falar consigo mesmo; MONÓLOGO **2** *Liter. Teat.* Forma dramática ou literária em que o personagem fala sozinho, como que consigo mesmo, expressando de maneira lógica o que se passa em seu espírito, em sua consciência [Cf.: *monólogo*, esp. *monólogo interior.*] [F.: *soliloquium, ii.* Hom./Par.: *soliloquio* (fl. de *soliloquiar*).]

sólio (*só*.li:o) *sm.* **1** Cadeira de rei ou de pontífice; TRONO **2** *Fig.* Poder real [F.: *solium, ii.*] ∎ **~ pontifício 1** O trono papal **2** *Fig.* O poder papal

solípede (so.*lí*.pi.de) *a2g.* **1** Diz-se de mamífero que possui um só casco em cada pata *s2g.* **2** Esse animal: *Era um estudioso dos solípedes.* [F.: *sol(i)- + -pede.*]

solipista (so.li.*pis*.ta) *a2g. s2g.* Ver *solipsista*

solipsismo (so.lip.*sis*.mo) *sm.* **1** *Fil.* Doutrina segundo a qual o eu empírico é a única realidade **2** *P. ext.* Vida ou costumes de quem vive na solidão [F.: Do lat. *solus*, 'só', + *ipse*, 'mesmo', + *-ismo.*]

solipsista (so.lip.*sis*.ta) *a2g.* **1** Ref. a solipsismo **2** Que é adepto da doutrina do solipsismo *s2g.* **3** Adepto da doutrina do solipsismo [F.: *solips(ismo) + -ista.*]

solista (so.*lis*.ta) *a2g.* **1** Que executa um solo (vocal, instrumental, de dança) *s2g.* **2** Indivíduo que executa um desses tipos de solo **3** *Mús.* Instrumentista que executa solos ou partes de composição ou arranjo em que atua sozinho ou com grande destaque [F.: *solo + -ista.* Hom./Par.: *sulista* (a2g. s2g.).]

solitária (so.li.*tá*.ri:a) *sf.* **1** Nome comum dado aos vermes platelmintos da classe dos cestoides, que são parasitos dos intestinos dos vertebrados; BICHA; TÊNIA [As solitárias mais conhecidas popularmente são as grandes espécies do gên. *Taenia.*] **2** Verme cestoide (*Taenia solium*), da ordem dos ciclofilídios que vive no intestino delgado do homem **3** Colar ou gargantilha cujos anéis lembram os da tênia **4** *Bras.* Cela em que se isola detento rebelde ou violento **5** *Bras.* Pena cumprida em tal cela [F.: Fem. substv. de *solitário.*]

solitário (so.li.*tá*.ri:o) *a.* **1** Que está ou vive sozinho, ou gosta de estar só (navegador solitário); ISOLADO: *Nunca se vira um jovem tão solitário:* "Um passeador solitário seguia a pé e distraidamente por um dos muitos caminhos que se cruzam em várias direções pela encosta ocidental da montanha." (José de Alencar, *Sonhos d'ouro*) [Ant.: *acompanhado.*] **2** Que ocorre na solidão (existência solitária); RECLUSO; RETRAÍDO **3** Que não convive com seus pares ou semelhantes (caçador solitário); DESACOMPANHADO [Ant.: *acompanhado.*] **4** Que se encontra em lugar longínquo, afastado das concentrações humanas (cabana solitária) **5** Que foi abandonado por todos; que se encontra só; APARTADO: *Atirado ao deserto, era agora um animal solitário.* [Ant.: *congregado.*] **6** *Bot.* Que nasce e floresce de maneira isolada (arbusto solitário); SÓ **7** *Bot.* Que só tem um caule; UNICAULE *sm.* **8** Indivíduo que vive em solidão; EREMITA; ERMITÃO; MISANTROPO: *Era um solitário feliz.* **9** Monge que vive em isolamento; ANACORETA **10** Nome comum a certos religiosos que vivem isolados do mundo **11** Joia em que se coloca apenas uma pedra preciosa **12** *P. ext.* A pedra que se coloca nessa joia, esp. o diamante **13** Vaso longo e estreito no qual se colocam ger. uma ou duas flores de haste comprida [F.: Do lat. *solitarius, a, um.* Ideia de 'solitário', usar pref. *erem (o)-.*]

sólito (*só*.li.to) *a.* Usual, habitual, costumeiro [Ant.: *insólito.*] [F.: Do lat. *solitus, a, um.* Hom./Par.: *sólito* (a.), *solito* (a.).]

sóliton (*só*.li.ton) *sm. Fís.* Onda invariável quanto à estabilidade, que serve de módulo para resolver equações de propagação em física [F.: Do ing *soliton.*]

solitude (so.li.*tu*.de) *sf. Poét.* Ver *solidão* [F.: Do lat. *solitudo, inis.*]

solmização (sol.mi.za.*ção*) *Mús. sf.* Ação ou resultado de solmizar ou solfejar; SOLFEJO [Pl.: *-ções.*] [F.: *solmizar + -ção.*]

solmizar (sol.mi.*zar*) *P. us. Mús. v.* **1** Fazer corresponder as sílabas e os sons da escala musical [*td.*] **2** Ler linha melódica dizendo o nome de cada nota; SOLFEJAR [*td.*] [*int.*] [▶ 1 solmizar] [F.: *sol + m(i) + -izar.*]

solo[1] (*so*.lo) *sm.* **1** Superfície sólida da crosta terrestre; CHÃO; PISO; TERRA: *O avião tocou o solo ao meio-dia em ponto.* **2** Terreno considerado segundo suas qualidades produtivas (solo fértil); CAMPO; TERRA **3** Conjunto das partículas que constituem a crosta terrestre, desde os depósitos mais profundos até a camada de superfície **4** Parte superficial da terra arável, na qual as matérias orgânicas tornam possível a vida vegetal **5** *Esp.* Na ginástica artística, apresentação de um ginasta que, sem aparelhos, executa movimentos acrobáticos e graciosos, ger. ao som de música [F.: Do lat. *solum, i.* Hom./Par.: *solo* (fl. de *solar*). Ideia de 'solo', usar pref. *sol (i)-.*] ∎ **~ oceânico** O solo do fundo do oceano **~ orgânico** Solo formado pela decomposição de matéria orgânica vegetal

solo[2] (*so*.lo) *sm.* **1** *Mús.* Número musical executado por uma única voz ou um só instrumento **2** *Dnç.* Número de dança executado por um só dançarino **3** *Mús.* Em concertos e composições orquestrais em geral, as partes executadas por um só instrumentista **4** *Bras. Aer.* Primeiro voo que um aluno de pilotagem faz sozinho, sem a companhia do instrutor *a2g2n.* **5** Diz-se de cantor ou instrumento musical que se apresenta solando (piano solo) **6** Diz-se de opção de artista, esp. cantor, por apresentar-se sozinho, após ser membro de um conjunto: *A vocalista da orquestra vai começar uma carreira solo.* [F.: Do it. *solo* 'só'.] ∎ **A ~** Executado por um solista apenas **~ ao pregador** *Bras. Mús.* Peça sacra de canto dos sécs. XVIII e XIX, para solista e orquestra **~ inglês** *Bras.* Dança e sapateado em voga no Brasil no início do séc. XIX

solovox (so.lo.*vox*) [cs] *sm2n. Mús.* Pequeno teclado que era us. acoplado ao piano acústico, com função semelhante à dos atuais teclados eletrônicos [F.: Do lat. *solus*, 'só', + *vox*, 'voz'.]

solsticial (sols.ti.ci:*al*) *a2g.* **1** Relativo ao solstício **2** Que vem ou sucede no solstício [Pl.: *-ais.*] [F.: Do lat. *solstitialis, e.*]

solstício (sols.*tí*.ci:o) *sm.* Época do ano em que o Sol, em seu movimento aparente no céu, está mais afastado do equador, o que ocorre em 21 ou 23 de junho (solstício de inverno no hemisfério sul, e de verão no hemisfério norte) e em 21 ou 23 de dezembro (solstício de verão no hemisfério sul, e de inverno no hemisfério norte) [F.: Do lat. *solstitium, ii.*] ∎ **~ de inverno** Ver *solstício* **~ de verão** Ver *solstício*

solta (*sol*.ta) [ô] *sf.* **1** Ação ou resultado de soltar(-se); SOLTURA **2** Corda ou peça de ferro para prender a cavalgadura **3** *Bras.* Área de pastagem em que o gado é colocado para recuperar as forças **4** Ação de tirar a trela dos cães para que eles persigam a caça mato adentro **5** *Bras.* Manta, cobertor [F.: Dev. de *soltar.* Hom./par.: *solta* (fl. de *soltar*).] ∎ **À ~ 1** Sem entrave, sem peia, sem empecilho; livremente **2** Em liberdade, solto, livre **De ~** *Bras.* Diz-se do pássaro que, depois de libertado da gaiola e de voar livremente, volta, por hábito, à gaiola

soltação (sol.ta.*ção*) *sf. Bras. Pop.* Ação ou resultado de soltar; SOLTA [Pl.: *-ções.*] [F.: *soltar + -ção.*]

soltada (sol.*ta*.da) *sf. Bras.* Ação de soltar a matilha para perseguir a caça [F.: Fem. substv. de *soltado.*]

soltado (sol.*ta*.do) *a.* Que se soltou; SOLTO [F.: Part. de *soltar.*]

soltar (sol.*tar*) *v.* **1** Desprender(-se), desatar(-se) [*td.*: *soltar os cabelos/as velas do barco.*] [*tda.*: *O menino só sossegou quando soltou a pipa da árvore.*] [*int.*: *As cordas se soltaram.*] **2** Por(-se) em liberdade, ou livrar(-se) de **3** Deixar escapar das mãos [*tda.*: *soltar os reféns do cativeiro; O cão soltou-se da corrente.*] **4** Dar saída ou livre curso a [*td.*: *A criança soltou o balão de gás.*] **5** Perder a inibição [*td.*: *soltar o pranto/a imaginação.*] **6** Atirar, arremessar ou desferir; desfechar; DESINIBIR-SE [*int.*: *Vivia muito ensimesmado, calado, mas afinal soltou-se.*] **7** Exalar, expedir ou emitir [*td.*: *soltar uma granada/uma indireta.*] [*tdi.* + *em*: "O vendeiro soltou -lhe nova palmada..." (Aluísio de Azevedo, *O cortiço*)] **8** Tornar frouxo; fazer ficar mais largo e/ou comprido [*td.*: *soltar fumaça:* "Quando eu soltar a minha voz." (Gonzaguinha, *Sangrando*)] **9** *Pop.* Liberar ou dar (verba, dinheiro etc.); AFROUXAR [*td.*: *soltar as rédeas do cavalo; O alfaiate soltou a bainha da calça.*] **10** Desobrigar(-se) de compromisso, quitar(-se) [*td.*: *O governo, afinal, soltou a verba da cultura.*] **11** *Med.* Regularizar ou reativar (os intestinos) [*td.*: *Soltou os intestinos com poderoso laxante.*] **12** Exalar, espalhar [*td.*: *Essa flor solta um perfume maravilhoso.*] **13** Dizer, proferir [*td.*: *Deu um soco na mesa e soltou um sonoro palavrão.*] **14** Ter influxo involuntário de [*td.*: *Esse animal solta uma estranha baba pela boca.*] **15** Lançar, disparar, chutar [*td.*: *O centro-avante soltou uma bomba da entrada da área.*] **16** Desfraldar ou liberar (as velas ou outros apetrechos de uma embarcação) [*td.*: *Soltou as amarras e o barco partiu.*] **17** Deixar escapar (ventosidade anal) [*td.*] **18** Deslocar-se de um ponto a outro; ANDAR; PERAMBULAR; VAGAR [*ta.*: *Soltou-se por esse Brasil afora e nunca mais apareceu.*] **19** Afastar-se, separar-se [*tr.* + *de*: *O pequeno índio soltou-se do grupo e meteu-se na mata.*] **20** *Mar.* Jogar (a âncora) no mar para fundear embarcação [*td.*] [▶ 1 soltar] [F.: *solto + -ar*[2]. Hom./Par.: *solta(s)* (fl.), *solta(s)* [ô] (a. fem. *solto* [ô] sf. [pl.]); *solto* (fl.), *solto* [ô] (a.).]

solteirão (sol.tei.*rão*) *sm.* Homem já maduro, ger. de meia-idade, que ainda permanece solteiro; CELIBATÁRIO [Ant.: *casado.*] [Pl.: *-rões.* Fem.: *-rona*] [F.: *solteiro + -ão.*]

solteirice (sol.tei.*ri*.ce) *sf.* **1** *Bras.* Estado de solteiro: "... aí vai um aviso: o objetivo agora é exaltar as delícias da solteirice." (*Isto é*, 05.05.2004) **2** Ação ou dito próprio de quem é solteiro [F.: *solteir(o) + -ice.*]

solteiro (sol.*tei*.ro) *a.* **1** Diz-se de quem ainda não se casou: *Ela está solteira até hoje.* **2** Separado, divorciado: *Solteira de novo, caiu na farra.* **3** *Fig.* Que se encontra carente; que não tem algo (solteiro de felicidades); FALTO; NECESSITADO [Ant.: *suprido.*] **4** *Bras.* Diz-se de fêmea de animal que não gerou filhos (éguas solteiras) **5** *Náut.* Diz-se de cabo que, apesar de disponível, não está sendo usado **6** *Bras.* Diz-se de semana sem feriado(s) *sm.* **7** Homem que ainda não se casou: *Os solteiros ficaram até o fim da festa.* [F.: Do lat. *solitarius, a, um.*]

solteirona (sol.tei.*ro*.na) *a.* **1** Diz-se da mulher de meia-idade que ainda não se casou *sf.* **2** Mulher solteirona [F.: *solteir(a) + -ona*[1].]

solteironice (sol.tei.ro.*ni*.ce) *sf.* Estado ou condição de solteirão ou de solteirona [F.: *solteirão + -ice*, seg. o mod. erudito.]

solto (*sol*.to) *a.* **1** Que se soltou; que ficou livre; LIBERTO: *Os presos serão soltos amanhã.* [Ant.: *cativo, preso, prisioneiro.*] **2** Que está desatado ou despregado (cabelos soltos; folhas soltas); DESAMARRADO; ESPARSO [Ant. nas acps. 1 e 2: *preso.*] **3** Que não apresenta aderência (arroz solto); DESAGREGADO [Ant.: *agregado.*] **4** Que não está preso a outra coisa (pontas soltas); DESPRENDIDO; DESATADO [Ant.: *atado, preso.*] **5** Que não é justo ou apertado (vestido solto); FOLGADO; LARGO [Ant.: *apertado, justo.*] **6** Não reprimido (gestos soltos); FÁCIL; LIVRE [Ant.: *contido, reprimido.*] **7** Que não se contém (riso solto); FROUXO [Ant.: *contido*] **8** *Bras. Fig.* Que está sozinho, abandonado; DESAMPARADO; DESASSISTIDO; DESVALIDO: *O menino vive solto nas ruas.* [Ant.: *amparado, assistido.*] **9** *Fig.* Que tem muita liberdade; LIVRE: *Levava uma vida solta.* [Ant.: *preso, prisioneiro.*] **10** Que não está preso com prego, parafuso etc.: *Algumas peças do motor estavam soltas.* [Ant.: *preso.*] **11** Que se encontra espalhado, largado; DESORDENADO; DISPERSO: *Os papéis estavam soltos em cima da cama.* [Ant.: *ordenado, organizado, reunido.*] **12** Que está em qualquer lugar, livre, sem peias: *O diabo anda solto por aí!* **13** Que não respeita as normas de conveniência, os padrões convencionais da moral; DESREGRADO; DISSOLUTO: *Era uma mulher de vida solta.* [Ant.: *comedido, moderado, regrado.*] **14** *Fig.* Que não flui com regular continuidade; que sofre interrupções; ENTRECORTADO; INTERROMPIDO: *Ouvia apenas palavras soltas, sem sentido.* **15** Que está destacado de um todo a que pertence; AVULSO; ESPARSO: *Leu alguns trechos soltos da reportagem.* [Ant.: *coligido, reunido.*] **16** Que não se pode controlar; que se encontra desarranjado (intestino solto); FROUXO [Ant.: *constipado, preso.*] [F.: Do lat. **soltus, a, um.* Hom./par.: *solto* (fl. de *soltar*); solta (f.)/*solta* (fl. de soltar).]

soltura (sol.*tu*.ra) *sf.* **1** Ação ou resultado de soltar; SOLTA **2** Liberdade dada a um preso; LIBERTAÇÃO; LIVRAMENTO: *O juiz resolveu pela soltura do preso.* [Ant.: *captura, prisão.*] **3** *Fig.* Grande desembaraço, facilidade de comunicação; DESINIBIÇÃO; DESENVOLTURA; EXTROVERSÃO: *Andava pelo salão com muita soltura e simpatia.* [Ant.: *inibição, introversão, timidez.*] **4** *Fig.* Que revela atrevimento, ousadia (soltura de vocabulário); DESCOMEDIMENTO; INTEMPERANÇA [Ant.: *comedimento, decoro, recato.*] **5** *Fig.* Licenciosidade, libertinagem [Ant.: *castidade, pudor.*] **6** *Fig.* Ação de explicar, deslindar ou resolver algo (soltura de enigma); EXPLICAÇÃO; SOLUÇÃO: *A soltura de um mistério.* **7** Diarreia; DESARRANJO; DISENTERIA: *Precisava comprar um remédio para aquela soltura.* [F.: *solto + -ura.*] ∎ **~ de ventre** O mesmo que *diarreia*

solubilidade (so.lu.bi.li.*da*.de) *sf.* **1** Qualidade ou característica do que é solúvel **2** *Fís-quím.* Propriedade de substância que se pode dissolver em outra **3** *Fís. -quím.*

Concentração do soluto que está presente numa solução saturada [F.: *solúvel* (sob a f. lat. *-bil(i)-*) + *-dade*.]

solubilização (so.lu.bi.li.za.*ção*) *sf.* Ação ou resultado de solubilizar [Pl.: *-ções*.] [F.: *solubilizar* + *-ção*.]

solubilizar (so.lu.bi.*zar*) *v.* **1** Tornar (uma substância) solúvel [*td.*] **2** *Quím.* Separar-se as moléculas, as partículas de uma substância, e misturá-las com outras substâncias [*td.*] [*tdr.* + *em*] [▶ 1 solubilizar] [F.: *solúvel* + *-izar*.]

soluçante (so.lu.*çan*.te) *a2g.* **1** Que soluça; CHOROSO; TRISTE: *Acalmou a criança soluçante com afagos.* [Ant.: *alegre, animado*.] **2** *P. ext.* Que se expressa entre gemidos e soluços (voz soluçante); CONVULSIVO; ENTRECORTADO **3** Que apresenta semelhança com o soluço (motor soluçante) **4** *Fig.* Que geme ou uiva (vento soluçante); UIVANTE [F.: *soluçar* + *-nte*.]

solução (so.lu.*ção*) *sf.* **1** Ação ou resultado de solver; SOLVÊNCIA **2** Meio ou modo pelo qual se resolve um problema ou se vence uma dificuldade; RECURSO; SAÍDA: *A morte é a única coisa para a qual não há solução.* **3** Resposta certa a uma questão matemática, teste etc.: *Solução de problema/enigma/charada etc.* **4** *Quím. Farm.* Líquido em que estão diluídas substâncias solúveis: *solução de cloreto de sódio.* **5** Separação de partes de um todo (solução de continuidade); DISSOLUÇÃO; INTERRUPÇÃO **6** Aquilo que encerra um assunto; CONCLUSÃO; DESENLACE; DESFECHO: *Chegara, afinal, à solução do conflito.* [Ant.: *começo, início*.] **7** Última parcela do pagamento de um débito **8** *Fís-quím.* Sistema homogêneo em que estão contidos diversos componentes [Pl.: *-ções*.] [F.: Do lat. *solutio, onis.* Ideia de 'solução', usar suf. *-sol*.] ▪ **~ de continuidade** Interrupção, descontinuidade, separação entre as partes de um todo

soluçar (so.lu.*çar*) *v.* **1** Soltar soluços [*int.*: *Soluçou um pouco antes de falar.*] **2** Chorar em meio a soluços [*int.*: *Soluçava sem parar diante do corpo do marido.*] **3** Produzir som melancólico, triste [*td.*: *A viola soluçou uma canção.*] [*int.*: *As violas soluçavam.*] **4** *Fig.* Produzir som que ressoa como um gemido [*int.*: *O vento soluçava nos ciprestes.*] **5** Bruxulear [*int.*: *As últimas chamas da fogueira soluçavam.*] **6** Emitir som vocal (um animal) [*int.*: *Das profundezas da floresta ouvia-se um animal a soluçar.*] [▶ 12 soluçar] [F.: *soluço* + *-ar*[2]. Hom./Par.: *soluço* (fl.), soluço (sm.).]

solucionado (so.lu.ci:o.*na*.do) *a.* Que teve solução; que foi resolvido, explicado (problema solucionado) [F.: Part. de *solucionar*.]

solucionador (so.lu.ci:o.na.*dor*) [ô] *a.* **1** Que soluciona *sm.* **2** Aquele ou aquilo que soluciona [F.: *solucionar* + *-dor*.]

solucionamento (so.lu.ci:o.na.*men*.to) *sm.* Ação ou resultado de solucionar; SOLUÇÃO [F.: *solucionar* + *-mento*.]

solucionar (so.lu.ci:o.*nar*) *v. td.* Achar a solução de (problema, dificuldade, caso policial etc.); RESOLVER: *O detetive solucionou o crime; Nem o professor solucionou aquele problema de matemática; solucionar um crime/um roubo/um caso.* [▶ 1 solucionar] [F.: *solução* + *-ar*[2], seg. o mod. erudito.]

solucionável (so.lu.ci:o.*ná*.vel) *a2g.* Que pode ser solucionado, resolvido [Pl.: *-veis*.] [F.: *solucionado* + *-vel*. Hom./Par.: (pl.) solucionáveis (fl. de *solucionar*).]

soluço (so.*lu*.ço) *sm.* **1** *Fisl.* Contração espasmódica do diafragma, que produz um ruído característico ao passar o ar pela glote **2** Inspiração curta e espasmódica em meio a choro ou lamentação; GEMIDO **3** *Fig.* O arfar do mar, das ondas **4** *Fig.* Grande barulho; FRAGOR **5** *Fig.* Qualquer barulho que lembre um soluço (2): *Ouvia ao longe os soluços da ventania.* **6** O canto de algumas aves **7** O movimento irregular das chamas de um fogo, do clarão de uma lâmpada etc. [F.: Do lat. vulg. *sugglutium*. Hom./Par.: *soluço* (fl. de *soluçar*).]

soluçoso (so.lu.*ço*.so) [ô] *a.* Que soluça; SOLUÇANTE [Pl.: [ó]. Fem.: [ó].] [F.: *soluç(o)* + *-oso*.]

soluto (so.*lu*.to) *a.* **1** Que foi dissolvido **2** Diz-se de texto em prosa sem ritmo, sem harmonia *sm.* **3** *Quím.* O que se dissolve em outra substância que se apresenta em maior quantidade (o *solvente*) [Cf.: *solvente*.] [F.: Do lat. *solutus, a, um*.]

solúvel (so.*lú*.vel) *a2g.* **1** Que pode ser dissolvido (leite solúvel) **2** *Fig.* Que pode ser resolvido (problema solúvel) [Pl.: *-veis*.] [F.: Do lat. *solubilis, e.* Ant. ger.: *insolúvel*.]

solvabilidade (sol.va.bi.li.*da*.de) *sf.* **1** Qualidade do que é solvável ou solvível **2** Condição de quem pode pagar o que deve [F.: Do fr. *solvabilité*. Sin. ger.: *solvência*.]

solvável (sol.*vá*.vel) *a2g.* O mesmo que *solvível* [Pl.: *-veis*.] [F.: Do fr. *solvable*.]

solvência (sol.*vên*.ci:a) *sf.* **1** Ação ou resultado de solver; DILUIÇÃO; LIQUEFAÇÃO; SOLUÇÃO [Ant.: *indissolução*.] **2** Condição do que é solvente; LIQUIDEZ **3** Ver solvabilidade [F.: *solver* + *-ência*.]

solvente (sol.*ven*.te) *a2g.* **1** *Quím.* Diz-se de líquido capaz de dissolver outras substâncias (os *solutos*): *A acetona é um solvente poderoso.* [Cf.: *soluto*.] **2** Que pode pagar o que deve (devedor solvente) *s2g.* **3** Líquido solvente **4** Aquele que pode saldar suas dívidas; DISSOLVENTE [F.: Do lat. *solvens, entis*.]

solver (sol.*ver*) *v.* **1** Dissolver ou diluir [*td.*: *solver um comprimido efervescente; solver o açúcar no café.*] [*tdr.* + em: *solver a tinta em água.*] **2** Quitar, pagar (débito ou dívida) [*td.*: *Afinal, solvera suas dívidas.*] **3** Resolver, solucionar, explicar [*td.*: *solver uma charada.*] [▶ 2 solver] [F.: Do lat. *solvere*. Cf.: *sorver*.]

solvível (sol.*ví*.vel) *a2g.* **1** Que se pode solver, ou pagar **2** Que conta com recursos para solver, pagar, quitar uma dívida [Pl.: *-veis*.] [F.: *solver* + *-ível*.]

solvólise (sol.*vó*.li.se) *sf. Fís-quím.* Reação entre o soluto e o solvente para formar um novo composto [F.: Do ing. *solvolysis*.]

◎ **som-** *el. comp.* Ver *somat(o)-*

som *sm.* **1** *Fís.* Vibração que se propaga pelo ar e que pode ser percebida pela audição **2** Tudo o que é percebido pela audição, que se pode ouvir; BARULHO; RUÍDO [Ant.: *silêncio*.] **3** *Bras. Pop.* Qualquer música, esp. a popular, cantada ou instrumentada: *Ouvia um som em companhia do namorado.* **4** *Bras. Pop.* Equipamento de som: *Comprou um som de alto preço.* **5** *Fon.* Ruído característico produzido por uma fonte sonora (som do motor; som dos passos; som do apito) **6** *Mús.* A sonoridade peculiar a cada instrumento; TIMBRE **7** *Pop. Mús.* Estilo sonoro particular de um músico, orquestra etc.: *Admirava o som de Louis Armstrong; Gostava de ouvir o som da orquestra Tabajara.* **8** Emissão sonora produzida pelo aparelho fonador humano **9** A linguagem falada: *O rapaz passou toda a noite sem emitir um som.* [Pl.: *sons*.] [F.: Do lat. *sonus, i*. Ideia de 'som', usar antepos. *fon (o)-* e *son (o)-*; pospos. *-fone, -fonia, -fono* e *-sono*.] ▪ **Alto e bom ~** De maneira audível e compreensível, claramente, sem dissimulação **Ao ~ de** *Lus.* Com acompanhamento musical de **Em alto e bom ~** Ver *Alto e bom som*. **~ da fala** *Ling.* Unidade mínima de fonética, de que se compõem sílabas, vocábulos etc. **~ de guitarra** *Bras. Mús.* Uma das formas de afinar a viola caipira **~ de sossego** *Bras. Mús.* Uma das formas de afinar a viola caipira **~ diferencial** *Mús.* Impressão sonora de um terceiro som quando da execução simultânea de dois sons **~ fundamental** *Fís.* Numa sequência de sons harmônicos, o mais grave, cuja frequência é um divisor das frequências de todos os outros **~ musical** *Mús.* O que é produzido por vibrações periódicas [Caracterizado por sua altura, sua intensidade e seu timbre.] **~ natural** *Mús.* O que não é alterado por acidente (sustenidos ou bemóis) **~ óptico** **1** *Cin.* Som gravado em forma de sinal óptico (sobre faixa sensível à luz da projeção) na película de filmes cinematográficos sonoros **2** Som gravado em forma de sinais digitais que podem ser lidos por meio de dispositivos que empregam a luz, ou *laser* **~ simples** **1** *Acús.* Aquele sem harmônicos, constituído apenas do som fundamental **2** Aquele obtido pela percussão (4) de um local do corpo, como, p. ex., um setor do abdome, e determinado pela presença de gás no local percutido

📖 O som resulta da vibração de moléculas, transmitida através de um meio (ger. o ar) numa propagação em forma de ondas. Quando atinge o tímpano, membrana dentro da orelha, a onda sonora o faz vibrar, e essa vibração é transmitida ao cérebro, que reconhece o som. O número de vibrações (ou de ciclos completos da onda) por segundo chama-se frequência. Quanto maior a frequência, mais agudo é o som. A distância entre o pico da onda e a base chama-se amplitude; quanto maior, mais intenso é o som. E cada vibração produz vibrações derivadas, cujas frequências são múltiplos exatos da frequência básica (aquelas chamam-se harmônicas), e cuja constituição determina o timbre, a qualidade que permite distinguir sons de mesma altura e intensidade produzidos por fontes diferentes (a voz, uma flauta, um clarinete etc.). O ouvido humano percebe sons de uma frequência entre 20 e. 20.000 vibrações/s (20.000 hertz). Abaixo disso ficam as frequências subsônicas, e acima disso ficam os chamados ultrassons.

◎ **-soma** *el. comp.* Ver *-somo*

soma[1] (*so*.ma) *sf.* **1** *Arit.* Operação de adição ou o seu resultado: *Fez uma soma; A soma estava errada.* **2** Certa quantia em dinheiro: *Pagou boa soma pelo novo carro.* **3** Grande porção, quantidade: *Possui uma soma expressiva de propriedades.* **4** *Fig.* Aquilo que resume ou sintetiza alguma coisa: *a soma dos conhecimentos humanos.* **5** *Fig.* Ação ou resultado de unir, reunir, congregar: *Queria conhecer a soma de todas as suas energias.* **6** O conjunto das coisas consideradas em sua totalidade: *A soma de seus talentos resultava em algo admirável.* [F.: Do lat. *summa, ae*, 'a coisa mais alta'; 'o apogeu'; 'o resultado da adição ou da reunião das partes'. Hom./Par.: *soma* (sf.), *soma* (fl. de *somar*).] ▪ **~ algébrica** *Álg.* Soma na qual entram parcelas negativas e positivas **~ aritmética** *Arit.* Soma cujas parcelas são positivas **~ lógica** *Lóg.* Operação lógica entre duas proposições, na qual a conclusão é verdadeira se pelo menos uma das proposições for verdadeira

soma[2] (*so*.ma) *sm.* **1** *Biol.* O conjunto das células do corpo de um ser vivo (com exceção dos genoblastos em organismos gâmicos) **2** *Med.* O organismo considerado fisicamente, em oposição às funções psíquicas [F.: Do nom. do gr. *sôma, atos*, 'corpo (em opos. a espírito e a alma)'.]

soma[3] (*so*.ma) *sm.* Chefe de tribo ou povo africano, ao sul de Angola [F.: Do quimb., posv.]

soma[4] (*so*.ma) *sm.* Mistura alcoólica que os hindus védicos derramavam no fogo sacrifical [F.: Do sânscr. *soma*.]

somação (so.ma.*ção*) *sf. Gen.* Variação morfológica que não é determinada geneticamente; modificação somática; FLUTUAÇÃO [Pl.: *-ções*.] [F.: *soma*[(2)] + *-ar*[2] + *-ção*.]

somado (so.*ma*.do) *a.* Que se somou; ADICIONADO [F.: Part. de *somar*.]

somali (so.*ma*.li) *s2g.* **1** Pessoa nascida ou que vive na Somália (África oriental) **2** *Gloss.* A língua cuchítica *a2g.* **3** Da Somália (África oriental); típico desse país ou de seu povo **4** *Gloss.* Diz-se da língua cuchítica ali falada [F.: Etnônimo *somali* 'negro'.]

somaliano (so.ma.li:*a*.no) *a. sm.* O mesmo que *somali* [F.: *somali* + *-ano*.]

somante (so.*man*.te) *a2g.* Que soma [F.: *somar* + *-nte*.]

somar (so.*mar*) *v.* **1** Fazer a soma de, ou fazer adição [*td.*: *somar valores/quantidades.*] [*tdr.* + *a, com*: *somar dez com dez.*] [*int.*: *Meu filho já aprendeu a somar.*] **2** Perfazer o total de; TOTALIZAR [*td.*: *O público somou cerca de 2 mil pessoas.*] **3** Congregar (esforços) em busca de objetivos comuns, ou acrescentar(-se) [*td.*: *somar forças.*] [*int.*: *No combate à violência é preciso somar, e não dividir.*] [*ti.* + *a*: *Nesta obra, a profundidade soma-se à simplicidade.*] **4** Fazer o resumo de [*td.*: *Ao somar todos os seus erros, viu que não pecara tanto.*] [▶ 1 somar] [F.: *soma* + *-ar*[2]. Hom./Par.: *soma(s)* (fl.), *soma(s)* (sf. sm. [pl.]). Ideia de: somado a, usar pref. *ep(i)-*.]

somático (so.*má*.ti.co) *a. Biol.* Relativo ao corpo humano, em oposição ao psíquico (manifestação somática); CORPORAL; FÍSICO [F.: Do gr. *somatikós, é, ón*, 'corporal'; 'material'.]

somativo (so.ma.*ti*.vo) *a.* Que faz a avaliação final de um programa institucional (diz-se de processo) [F.: *somar* + *-tivo*.]

somatização (so.ma.ti.za.*ção*) *Psiq. sf.* Transformação de problemas psíquicos em males físicos ou problemas psicossomáticos [Pl.: *-ções*.] [F.: *somatizar* + *-ção*.]

somatizar (so.ma.ti.*zar*) *v.* Transformar (problemas emocionais) em mal somático ou físico [*td.*: *somatizar a melancolia/medos.*] [*int.*: *Se continuar a somatizar, acabará com uma úlcera.*] [▶ 1 somatizar] [F.: *somático* + *-izar*, seg. o mod. gr; ver *somat(o)-*.]

◎ **somat(o)-** *el. comp.* = 'corpo (humano)'; 'o corpo físico (em opos. à mente e ao espírito)'; 'matéria'; 'conjunto de células do corpo (exceto os gametas)': *somático* (< gr.), *somatizar, somatologia, somatometria, somatoscopia, somatoterapia, somatotonia, somatotópico, somatotrófico; somestesia, somito.* [F.: Do gr. *sôma, atos*, 'corpo físico (em opos. ao espírito, à alma)'. Outra forma: *-somo, -soma* (qv.).]

somatologia (so.ma.to.lo.*gi*.a) *sf.* **1** *Med.* Parte da medicina que trata do corpo humano, esp. do estudo dos ossos, músculos etc. **2** *Antr.* Parte da antropologia que estuda a variação biológica da espécie humana; antropologia física [F.: *somat(o)-* + *-logia*.]

somatológico (so.ma.to.*ló*.gi.co) *a. Med. Antr.* Ref. a somatologia [F.: *somatologia* + *-ico*[2].]

somatometria (so.ma.to.me.*tri*.a) *sf. Antr.* O mesmo que *antropometria* (1) [F.: *somat(o)-* + *-metria*[1].]

somatório (so.ma.*tó*.ri:o) *sm.* **1** *Mat.* Soma dos termos de uma sequência **2** *Mat.* Soma total de todos os resultados [Símb: *å*.] **3** Operação pela qual se faz essa soma *a.* **4** Relativo a soma **5** Que envolve soma [F.: *somar* + *-tório*.]

somatoscopia (so.ma.tos.co.*pi*.a) *sf. Med.* Exame das cavidades interiores, com o auxílio de tubos luminosos nelas introduzidos [F.: *somat(o)-* + *-scopia*.]

somatoscópico (so.ma.tos.*có*.pi.co) *a. Med.* Ref. à somatoscopia [F.: *somatoscopia* + *-ico*[2].]

somatoterapia (so.ma.to.te.ra.*pi*.a) *sf.* Tratamento de doenças mentais a partir de meios físicos, químicos e cirúrgicos [F.: *somat(o)-* + *-terapia*.]

somatotonia (so.ma.to.to.*ni*.a) *sf. Psi.* Personalidade que tem como traço predominante a necessidade de afirmação através da atividade corporal [F.: *somat(o)-* + *-tonia*.]

somatotônico (so.ma.to.*tô*.ni.co) *Psi. a.* **1** Ref. a somatotonia **2** Diz-se de indivíduo que apresenta somatotonia *sm.* **3** *Psi.* Esse indivíduo [F.: *somatotonia* + *-ico*[2].]

somatotópico (so.ma.to.*tó*.pi.co) *a. Fisl.* Ref. ao controle de movimentos das diversas partes do corpo, localizado em determinadas regiões do córtex cerebral [F.: *somat(o)-* + *-tópico*.]

somatotrófico (so.ma.to.*tró*.fi.co) *a. End.* Diz-se de hormônio que atua no crescimento, promovendo o alongamento dos ossos e estimulando a síntese de proteínas e o desenvolvimento muscular [F.: *somat(o)-* + *-trof(o)-* + *-ico*[2].]

sombra (*som*.bra) *sf.* **1** Área escurecida pela presença de um corpo opaco entre ela e uma fonte de luz **2** Falta de luz; ausência completa de luminosidade; ESCURIDÃO; TREVA: *Agora chegavam as sombras da noite:* "Toda história tem seu lado de sombra e o seu lado de sol..." (Alberto da Costa e Silva, *A manilha e o libambo*) [NOTA: *Tb. fig.*] **3** Local onde não bate sol: *Gostava de deitar à sombra da mangueira.* **4** *Art. pl.* Parte mais escura de uma pintura ou desenho **5** *Fig.* Algo indistinto; VULTO: *Assustou-se com uma sombra na janela.* **6** *Fig.* Indício, sinal, mostra (sombra de dúvida) **7** Pessoa ou animal que sempre acompanha, segue alguém: *Era uma mulher enjoada, uma sombra que me acompanhava aonde quer que eu fosse.* **8** Maquiagem de diversos tons us. para colorir pálpebras; PINTURA: *Lavou o rosto para retirar a sombra dos olhos.* **9** Parte escura que fica em lugar de onde se limpou sujidade; LAIVO; MANCHA; NÓDOA **10** Aquilo que prejudica ou mancha uma reputação, uma biografia etc; MÁCULA; SENÃO: *Sentia-se perseguido pela sombra do seu passado.* **11** *Fig.* Espírito, alma, fantasma: *Sentia a sombra dos parentes mortos.* **12** Pessoa ou coisa que perdeu sua importância, poder etc.: *Era uma sombra do que fora.* **13** *Fig.* Temor que persegue alguém; MEDO: *Vivia perseguido pela sombra do desemprego.* **14** *Fig.* O que entristece, preocupa, atemoriza; AMEAÇA: *A falência era uma sombra em seus negócios.* **15** *Antq. Fig.* Aspecto, fisionomia, semblante: *sombra agradável de uma pessoa simpática.* **16** Algo que há em pequena quantidade; RUDIMENTO; TRAÇO: *Percebeu uma sombra de rusga entre o casal.* **17** *Fig.* Isolamento, solidão: *Fugia do convívio humano, refugiava-se na sombra.* **18** *Fig.* Pessoa abatida, com aparência de tristeza: *Novamente a viu como uma sombra arrastando-se pela rua.* **19** *Fig.* Algo que representa um mistério, um enigma: *Pressentia-se uma sombra em seu passado.* **20** *Art. pl.* Parte escura de pintura, gravura, desenho: *efeito de luz e sombra.* **21** *Fig.* Pessoa que imita outra: *Esse novo cantor é a sombra do outro.* [F.: Posv. do lat. *umbra, ae.* Ideia de 'sombra', usar pref. *ciado-, ci(a/o)-* e *umbr(i/o)-*.] ■ **À ~ de** **1** *Fig.* Sob a proteção de: *Vivia à sombra do tio, que o adorava.* **2** Protegido do sol pela sombra de (algo): *Descansou à sombra de uma árvore.* **De boa/má ~** **1** De bom/mau aspecto, de bom/mau semblante **2** Com boa/má vontade, de bom/mau grado **Fazer ~ a** **1** Empanar o brilho, o sucesso, o prestígio de (alguém) ao fazer salientarem-se os próprios **2** Tentar desfazer de (alguém), prejudicar **Nem por ~(s)** De forma alguma, de jeito algum, absolutamente não **Ser uma ~ do que foi** Ter decaído muito em qualidade, em saúde, em aspecto etc. **~ e água fresca** Forma de vida confortável, sem trabalho duro, sem preocupações, sem dificuldades

sombração (som.bra.*ção*) *sf. Bras. Pop.* Ver *assombração*

sombras (*som*.bras) *smpl.* As trevas, a escuridão: "E perdeu-se nas fundas sombras do mangueiral a voz do sertanejo e o som da viola" (Aluísio de Azevedo, *O mulato*) [F.: Pl. de *sombra.*]

sombreado (som.bre:*a*.do) *a.* **1** Que é coberto de sombras (bosque sombreado); UMBROSO **2** Escurecido por sombra (figura sombreada) [Ant.: *clareado.*] **3** *Fig.* Dominado por amargura, preocupação, tristeza; AMARGURADO; ENTRISTECIDO: *Fisionomia sombreada pelo pesar.* [Ant.: *alegre, feliz.*] *sm.* **4** Ação ou resultado de sombrear; SOMBREAMENTO [+ *com, de, por*: *Rua sombreada de (com, por) árvores.*] **5** Gradação de tons escuros em desenho, pintura, gravura etc. **6** Técnica ou conjunto de técnicas que realizam essa gradação: *Aprendeu sombreado com um velho mestre.* [F.: Part. de *sombrear.*]

sombreador (som.bre:a.*dor*) [ô] *a.* Que sombreia; que faz sombreado [F.: *sombrear* + *-dor.*]

sombreamento (som.bre:a.*men*.to) *sm.* Ação ou efeito de sombrear; SOMBREADO [F.: *sombrear* + *-mento.*]

sombrear (som.bre.*ar*) *v.* **1** Dar sombra a, ou envolver em sombra [*td.*: *O boné sombreava seu rosto.*] [*int.*: *O campo sombreou-se sob o céu coberto de nuvens.*] **2** Escurecer como uma sombra [*td.*: *Os pelos sombreavam o corpo.*] **3** *Art. Pl.* Fazer sombreado em, ou distribuir os escuros em pintura [*td.*: *sombrear um desenho.*] [*int.*: *Sabia sombrear como ninguém.*] **4** Tornar mais sombrio ou triste [*td.*: *A fúnebre notícia sombreou seu rosto.*] [*int.*: *Ao ver a cena, seu rosto sombreou-se.*] **5** Tornar negativa a (imagem, caráter, reputação etc.) [*td.*: *Aquela revelação sombreou a história de sua vida.*] [▶ **13** sombr**ear**] [F.: *sombra* + *-ear*^{2}. Hom./Par.: *sombreia(s)* (fl.), *sombreia(s)* (sf. [pl.]).]

sombreiro (som.*brei*.ro) *a.* **1** Que dá ou faz sombra *sm.* **2** Chapéu de abas largas, ger. us. por mexicanos **3** *Lus.* Guarda-chuva ou guarda-sol **4** *Bot.* Erva anual da fam. das leguminosas, subfam. papilionóidea (*Glycine max*), originária da China e do Japão, extensamente cultivada pelas sementes comestíveis e muito proteicas, das quais se extrai óleo e se fazem produtos alimentícios, como farinha, queijo, leite, bife etc. [F.: *sombra* + *-eiro.*]

sombrinha (som.*bri*.nha) *sf.* **1** Pequena sombra **2** *Bras.* Guarda-chuva feminino **3** *Fot.* Dispositivo semelhante a um guarda-chuva aberto, us. em fotografia para obtenção de luz difusa [F.: *sombra* + *-inha.*]

sombrio (som.*bri*:o) *a.* **1** Que tem pouca luz (casa sombria); ESCURO; UMBROSO [Ant.: *claro, iluminado.*] **2** *Fig.* Que causa apreensão, receio ou tristeza (notícia sombria) **3** *Fig.* Tenebroso, lúgubre (filme sombrio) [Ant.: *alegre.*] **4** Que não tem alegria; que revela tristeza ou seriedade carrancuda (homem sombrio) **5** Carregado de nuvens escuras (céu sombrio); NEBULOSO; NUBLADO [Ant.: *claro, limpo.*] **6** Que tem tonalidades cinza ou escuras: *Usava um vestido de cores sombrias.* **7** Que revela intenções malévolas ou criminosas; CONDENÁVEL; SINISTRO: *Seus projetos para ganhar dinheiro eram sempre sombrios.* [Ant.: *elogiável, louvável.*] **8** Que tem desfecho angustiante, desanimador, desesperador: *História de final sombrio.* **9** Monótono, melancólico: *Ouvia, ao longe, um canto enfadonho e sombrio.* [Ant.: *agradável, interessante.*] **10** Em que predominam conflitos intensos, belicosos, sanguinolentos: *A história do país está cheia de momentos sombrios.* **11** Diz-se de lugar afastado, escondido (gruta sombria); ERMO; ISOLADO *sm.* **12** Lugar não exposto ao sol (plantas de sombrio); SOMBRA [F.: *sombra* + *-io*^{2}.]

sombrite (som.*bri*.te) *sm.* Espécie de tela de proteção contra o sol, feita de trama de fios que pode ter diferentes índices de filtragem, us. em estufas e viveiros de plantas, estacionamentos de automóveis etc. [F: *sombra* + *-ite*^{1}.]

sombroso (som.*bro*.so) [ô] *a.* **1** Em que há muita sombra, muitas zonas escuras (mata sombrosa); SOMBREADO; UMBROSO **2** Que projeta sombra; UMBRÍFERO: *Deitou-se sob uma árvore sombrosa.* **3** Que demonstra muita tristeza ou seriedade excessiva; MELANCÓLICO; SOMBRIO: *Inquietava os outros com sua fisionomia sombrosa.* [Pl.: [ó]. Fem.: [ó].] [F.: *sombra* + *-oso.*]

somenos (so.*me*.nos) *a2g2n.* De menos valor que outro; IRRELEVANTE; MENOR: *Eram questões de somenos importância.* [Ant.: *relevante, significativo.*] [F.: *so-* + *menos.*] ■ **De ~** Sem importância, irrelevante

somente (so.*men*.te) *adv.* Unicamente, apenas, só: *Era somente um estreante; Saía somente com mulheres mais velhas.* [F.: Do lat. *sola*, f. fem. de *solus, a, um*, 'só, único' + *-mente.*]

somestesia (so.mes.te.*si*.a) *sf. Fisl.* Conjunto de sensações corporais como tato, dor etc; consciência corporal [F.: *som-* + *-estesia.*]

somestésico (so.mes.*té*.si.co) *a. Fisl.* Ref. a somestesia [F.: *somestesia* + *-ico*^{2}.]

somiê (so.mi:*ê*) *Bras. Mob. sm.* **1** Sofá sem braços e sem encosto que pode ser us. como cama **2** Estrado sobre o qual se coloca o colchão [F.: Do fr. *sommier.*]

somítico (so.*mí*.ti.co) *a.* **1** Que é excessivamente apegado ao dinheiro; AVARENTO *sm.* **2** Indivíduo avarento: "...aqueles dentes sujos, aquela economia torpe e aqueles movimentos de homem sem vontade própria. – Um somítico! classificava Ana Rosa, franzindo o nariz." (Aluísio de Azevedo, *O mulato*) [F.: De or. obsc.]

somito (so.*mi*.to) *sm.* **1** *Emb.* Cada um dos segmentos do mesoderma embrionário que irão formar a coluna vertebral e a musculatura segmentar **2** *Anat. Zool.* O mesmo que *metâmero* (1) [F.: *som-* + *-ito*^{1}.]

⊕ ***sommelier*** (*Fr. /someliê/*) *sm.* Nos restaurantes, pessoa especializada em vinhos *Lus*; ESCANÇÃO

◎ **-somo** *el. comp.* = 'corpo'; 'matéria'; 'cujo corpo tem certa(s) característica(s)': *cromossomo, cromossoma; tripanossomo, tripanossoma; esquistossomo, esquistossoma* [F.: Do gr. *-somos, os, on*, do gr. *sôma, atos*, ver *somat(o)-*. Há, por vezes, flutuação entre as formas *-somo* e *-soma*, a primeira conforme com o padrão grego, e a segunda originária do lat. cient. (*-soma*: a maioria voc. da classificação cient., esp. gêneros)]

sonambúlico (so.nam.*bú*.li.co) *a.* Relativo a sonâmbulo ou próprio de sonâmbulo: "Às dez horas a rua cai em estado sonambúlico e é só gritos, clamores." (João do Rio, *A alma encantadora das ruas*) [F.: *sonâmbulo* + *-ico.*]

sonambulismo (so.nam.bu.*lis*.mo) *sm.* **1** *Psi. Pat.* Estado fisiológico em que a pessoa anda durante o sono e repete movimentos adquiridos pelo hábito, sem que disso guarde qualquer lembrança ao despertar; HIPNOFRENOSE; NOCTAMBULAÇÃO **2** *Psi.* Estado análogo ao sonambulismo natural, mas induzido por hipnose e caracterizado por insensibilidade exterior e obediência inconsciente aos comandos do hipnotizador **3** *Fig.* Maneira de ser e agir de pessoas que fazem as coisas maquinalmente, sem consciência crítica de seus atos [F.: *sonâmbul(o)* + *-ismo.*]

sonâmbulo (so.*nâm*.bu.lo) *a.* **1** Que sofre de sonambulismo; NOCTÂMBULO *sm.* **2** Indivíduo que sofre de sonambulismo [F.: Do fr. *somnambule.*]

sonância (so.*nân*.ci:a) *sf.* **1** Qualidade do que é sonante, que tem som; RESSONÂNCIA **2** Melodia sem acompanhamento de vozes **3** Música, melodia, som [F.: *som* + *-ância.*]

sonante (so.*nan*.te) *a2g.* **1** Diz-se do que produz som; SOANTE **2** Diz-se da moeda em metal, por oposição ao dinheiro em papel (moeda sonante) [F.: Do lat. *sonans, antis.*]

sonar (so.*nar*) *sm.* **1** *Mar.* Técnica e equipamento para localizar objetos submersos por meio da emissão de ondas e ultrassom e pela interpretação do eco que as ondas produzem ao alcançar o objeto *a2g.* **2** Referente a essa técnica ou a seu equipamento [F.: Do ing. *sonar*. Sigla de *sound navigation and ranging.*]

sonata (so.*na*.ta) *sf.* **1** *Mús.* Composição para um ou mais instrumentos, constituída de três movimentos: "...Que sabe a aranha a respeito de Mozart? Entretanto, ouve com prazer uma sonata do mestre..." (Machado de Assis, *Quincas Borba*) **2** No século XIV, designação genérica de composições instrumentais, para distingui-las das vocais **3** *P. ext.* Conjunto de melodias agradáveis ao ouvido, como o chilrear de pássaros **4** *Ant.* O mesmo que soneca [F.: Do it. *sonata.*]

sonda (*son*.da) *sf.* **1** Qualquer instrumento com que se fazem sondagens: "...O ouro é a sonda da consciência; o prumo que lhe sonda a profundidade..." (José de Alencar, *Sonhos d'ouro*) **2** *Fig.* Análise, introspecção, procura **3** *Náut.* Instrumento constante de um fio com um peso numa das extremidades, com o qual se mede a natureza e a profundidade das águas (de rio, mar etc.) **4** *Geol.* Tipo de broca que se introduz em terrenos para reconhecer-lhes a natureza **5** *Geol. Petr.* Aparelho empregado na exploração do subsolo, especialmente na prospecção de lençóis freáticos, veios de minérios e lençóis petrolíferos **6** *Met.* Balão ou instrumento análogo usado na verificação das condições físicas e meteorológicas da atmosfera a até grandes altitudes **7** *Med.* Instrumento cilíndrico em forma de haste ou tubo fino, que é introduzido em cavidade, natural ou não, do organismo com finalidades diagnósticas ou terapêuticas ou para extrair algum tipo de matéria **8** Haste graduada com que se mede a profundidade de tanques **9** Haste de ferro empregada por agentes aduaneiros para colher amostras de mercadorias ensacadas **10** *Vit.* Pipeta ou tubo de vidro com que se retira amostra de vinho de barrica ou tonel fechado, para degustação **11** *Min.* Máquina automotriz usada para perfuração e realização de sondagens **12** *Mar.* Algarismos que numa carta marítima indicam a profundidade das águas em determinados pontos [F.: Do fr. *sonde*. Hom./Par.: *sonda* (fl.), *sonda* (sf.); *sondas* (fl.), *sondas* (pl. do sf.).] ■ **~ espacial** *Astnáut.* Dispositivo utilizado em lançamentos ou voos espaciais para obter informações sobre o espaço exterior **~ lunar** *Astnáut.* Sonda espacial que visa especificamente a obter informações sobre a Lua **~ planetária** Sonda espacial que visa a obter imagens, recolher materiais e realizar experiências em planetas do sistema solar e seus satélites **~ de eco** O mesmo que *sonar* **~ endotraqueal** *Med.* Sonda (7) introduzida na traqueia de paciente em coma, ou durante cirurgia, ou em situações determinadas, para permitir a respiração enquanto mantém livres as vias aéreas superiores, aspirar secreções, evitar inalação de líquidos no sistema respiratório etc. **~ marítima** Sonda (3) para medir a profundidade do mar **~ nasogástrica** *Med.* Sonda (7) que se introduz no estômago a partir do nariz, para introduzir alimentos líquidos ou para sugar o conteúdo gástrico

sondada (son.*da*.da) *sf. Bras. Pop.* Averiguação, investigação rápida e discreta: *O empresário deu uma sondada no mercado.* [F.: Fem. substv. de *sondado.*]

sondado (son.*da*.do) *a.* **1** Que se sondou, que se examinou por meio de sonda **2** Inquirido, investigado: *O jogador foi sondado por um clube europeu.* [F.: Part. de *sondar.*]

sondador (son.da.*dor*) [ô] *a.* **1** Que sonda **2** Indagador, perscrutador, investigador *sm.* **3** Aquele que sonda [F.: *sondar* + *-dor.*]

sondagem (son.*da*.gem) *sf.* **1** Ação ou resultado de sondar **2** Qualquer investigação feita com sonda **3** *Fig.* Pesquisa, investigação cuidadosa dos fatos antes da tomada de resolução: "Mas, atrás do Barros, estava o onipotente D. Nicéforo Fernandes, que não permitia que se fizessem sondagens indiscretas..." (Aquilino Ribeiro, *Luz ao longe*) **4** Verificação, com aparelhos especiais, das condições do ar, da água, do solo e subsolo **5** *Est.* Método de pesquisa por amostragem para se verificar a tendência de determinado fenômeno **6** *Telv.* Método de pesquisa empregado para quantificar a audiência de um programa **7** *Med.* Introdução de sonda no organismo para diagnóstico [F.: *sondar* + *-agem.*]

sondar (son.*dar*) *v.* **1** Explorar ou medir por meio de sonda [*td.*: *sondar profundidades submarinas.*] **2** Investigar, averiguar, sem chamar a atenção [*td.*: *Sondou as intenções do rival.*] [*int.*: *Esse espião veio aqui para sondar.*] **3** Introduzir sonda em (alguma parte do corpo) [*td.*: *sondar o estômago.*] [▶ **1** sond**ar**] [F.: *sonda* + *-ar*^{2}. Hom./Par.: *sonda(s)* (fl.), *sonda(s)* (sf. [pl.]); sondáveis (fl.), *sondáveis* (a2g. pl.).] ■ **~ o terreno** *Fig.* Perscrutar as condições de algo, informar-se sobre algo antes de adotar uma atitude ou ação

sone (*so*.ne) *sm. Fís.* Unidade subjetiva de medida de intensidade sonora, igual à intensidade de um som de 1.000 Hz e 40 dB [F.: Do ing. *sone.*]

soneca (so.*ne*.ca) [é] *sf. Fam.* Breve tempo que se passa dormindo, pequeno sono, geralmente após as refeições; SONATA; PESTANA: *Tirar uma soneca*: "...o padre José, que sempre fazia a sua soneca debaixo da mangueira do sítio..." (Inglês de Sousa, *O Missionário*) [Mais usado com o verbo tirar.] [F.: *sono* + *-eca.*]

sonegação (so.ne.ga.*ção*) *sf.* **1** Ação ou resultado de sonegar; SONEGAMENTO **2** Crime decorrente da omissão, voluntária ou involuntária, do pagamento de um imposto **3** Ocultação deliberada de dados^2 (11) ou documentos [F.: *sonegar* + *-ção.*]

sonegado (so.ne.*ga*.do) *a.* **1** Que se sonegou, escondeu (informações sonegadas); OCULTADO **2** Que se deixou de pagar (tributos sonegados) **3** Tirado às ocultas; SURRUPIADO [F.: Part. de *sonegar.*]

sonegador (so.ne.ga.*dor*) [ô] *a.* **1** Que sonega, que oculta dados ou deixa de pagar o imposto devido *sm.* **2** Aquele que deixa de pagar o imposto devido [F.: *sonegado* + *-or.*]

sonegante (so.ne.*gan*.te) *a2g.* Que sonega; SONEGADOR [F.: *sonegar* + *-nte.*]

sonegar (so.ne.*gar*) *v.* **1** Ocultar (o que se deve mencionar legalmente) [*td.*: *Sonegou todas as informações.*] [*tdi.* + *a*: *Sonegou ao fisco o lucro da operação.*] **2** Ocultar (informações) [*td.*: *O técnico sonegou a escalação do time.*] [*tdi.* + *a*: *Sonegou ao chefe informações sobre o projeto; Sonegou a escalação à imprensa.*] **3** Deixar de pagar (impostos) [*td.*] **4** *P. us.* Afastar, esquivar [*td.*: *Sonegou a face para não ser esbofeteado.*] **5** Fugir ao cumprimento de dever, de obrigação [*tr.* + *a*: *Sonegava-se sempre às suas responsabilidades.*] [▶ **14** sone**gar**] [F.: Do lat. *subnegare*. Hom./Par.: *sonega(s)* (fl.), *sonega(s)* (sf. [pl.]).]

sonegatório (so.ne.ga.*tó*.ri:o) *a.* Ref. a ou em que há sonegação [F.: *sonegar* + *-tório.*]

sonegável (so.ne.*gá*.vel) *a2g.* Que se pode sonegar [Pl.: *-veis.*] [F.: *sonegar* + *-vel*. Hom./Par.: *sonegáveis* (pl.), *sonegáveis* (fl. de *sonegar*).]

soneira (so.*nei*.ra) *sf.* Sono muito forte, desejo ou necessidade de dormir grande número de horas seguidas; SONOLÊNCIA: "...produzia vagarosamente roncos de soneira da sesta de um tigre..." (Raul Pompeia, *O Ateneu*) [F.: *sono* + *-eira.*]

sonetear (so.ne.te.*ar*) *v.* **1** Escrever sonetos [*int.*: *Soneteou à inglesa, com o dístico final.*] **2** Cantar em soneto [*td.*: *Vinicius de Moraes soneteou a fidelidade.*] **3** Pôr na forma do soneto [*td.*: *Soneteou a aventura da filha.*] [▶ **13** sone**tear**] [F.: *sonet(o)* + *-ear.*]

sonetista (so.ne.*tis*.ta) *a2g.* **1** Diz-se da pessoa que escreve sonetos: *Os poetas sonetistas são cada vez mais raros.* *s2g.* **2** Pessoa que escreve sonetos: *Vinícius de Moraes foi um exímio sonetista.* [F.: *soneto* + *-ista.*]

soneto (so.*ne*.to) *sm. Poét.* Pequena composição poética de 14 versos divididos em quatro estrofes (dois quartetos e dois tercetos, ger. decassílabos) [F.: Do it. *sonetto.*] ■ **~ inglês** *Poét.* O que tem os versos divididos em três quartetos e um dístico final **~ italiano** *Poét.* O que tem os versos divididos em dois quartetos (ger. iniciais) e dois tercetos

songamonga (son.ga.*mon*.ga) *s2g.* **1** *Pop.* Pessoa sonsa e dissimulada **2** *Ant.* Mula de médico [F.: Or. obsc.]

⊕ ***songbook*** (*ing.* /*songbuc*) *sm. Mús.* Coletânea de canções, ger. de um mesmo compositor; CANCIONEIRO
sonhado (so.*nha*.do) *a.* **1** Havido ou imaginado em sonho **2** Que não é real (paraíso sonhado); FICTÍCIO **3** Ansiado, almejado (viagem sonhada) [F.: Part. de *sonhar*.]
sonhador (so.nha.*dor*) [ô] *a.* **1** Diz-se de quem sonha **2** Diz-se de quem sonha acordado, devaneia, fantasia, vive fora da realidade: "Um pequenino grão de areia/ que era um pobre sonhador / olhando o céu viu uma estrela/ imaginou coisas de amor." (Marino Pinto e Paulo Soledade, *Estrela do Mar*) **3** Atitude ou aspecto que sugere pessoa presa a fantasias: *Tinha um ar de eterno sonhador. sm.* **4** Aquele que vive de fantasias; DEVANEADOR; FANTASIADOR: *Os sonhadores evitam sempre encarar a realidade dos fatos.* [F.: *sonhar* + *-dor*.]
sonhar (so.*nhar*) *v.* **1** Ter sonho(s) enquanto dorme; visualizar, dormindo, cenas, pessoas etc. [*int.*: *A jovem sonha todas as noites.*] [*t. d.*: "Sonhou também José um sonho, que contou a seus irmãos..." (João Ferreira de Almeida (trad.), *Gênesis 37:5*)] **2** Visualizar em sonho, enquanto dorme [*td.*: *Sonhou que vivia na Idade Média; Sonhava sempre que casava com aquela moça.*] [*ti.* + *com*: *Sonhei com um cavalo.*] **3** *Fig.* Devanear, fantasiar, ou imaginar-se [*td.*: *Gosta de sonhar que é rico e famoso.*] [*ti.* + *com*: *Não sonhe com o impossível.*] [*int.*: *Esse rapaz sonha muito e faz pouco.*] **4** *Fig.* Ansiar por; ALMEJAR [*ti.* + *com, em*: *Sonha em ver o filho formado; Sonhamos com o fim da impunidade.*] **5** Imaginar supor [*td.*: *Nunca poderia sonhar tamanho absurdo.*] **6** Pensar com insistência, fixar a ideia em: "E depois de se deitar e adormecer, sonhava... Em quê? Nas combinações infinitas da matéria eterna." (Alexandre Herculano, *Lendas e narrativas*) [▶ 1 sonhar] *sm.* **7** Sonho: *Em meu sonhar vejo tudo em paz um dia nessa terra aflita.* [F.: Do lat. *somniare*. Hom./Par.: *sonháveis* (fl.), *sonháveis* (a2g. pl.); *sonho* (fl.), *sonho* (sm.).]
sonhice (so.*nhi*.ce) *sf. MG Pop.* Sonho agradável: "Noite essa, astúcia que tive uma sonhice: Diadorim passando debaixo de um arco-íris." (Guimarães Rosa, *Grande sertão: veredas*) [F.: *sonh(o)* + *-ice*.]
sonho (so.nho) *sm.* **1** Ação ou resultado de sonhar **2** Conjunto de imagens ou pensamentos, frequentemente disparatados e confusos, que se apresentam à mente durante o sono: "Dormiu mal; os sonhos não o deixavam em paz." (Aluísio Azevedo, *Casa de pensão*) **3** Utopia, imaginação sem fundamento, sequência de ideias vãs e incoerentes às quais o espírito se entrega; FANTASIA; DEVANEIO; ILUSÃO: *A crua realidade, inimiga dos sonhos, mostrou que já não havia lugar para a esperança.* **4** Ideia ou ideal defendidos com paixão: *O sonho da fraternidade entre os povos.* **5** Ideia inconsistente, sem duração ou alcance: "A vida é sonho tão leve, / que se desfaz como a neve..." (João de Deus, "A vida" *in Campos de flores*) **6** Desejo intenso e constante, aspiração: *O sonho da casa própria.* **7** Ideia absurda, sem fundamento; FANTASIA; UTOPIA; FICÇÃO: *Em seu sonho imaginou que era o rei da Inglaterra.* **8** Coisa ou pessoa muito bonita, visão: *Era uma deusa, um sonho de mulher.* **9** *Psi.* Conjunto de imagens, lembranças ou impulsos inconscientes, geralmente distorcidos, que se experimenta durante o sono e que pode ser parcialmente memorizado **10** *Psic.* Para Freud, cenário e enredo imaginados em estado de vigília, produzidos pelos desejos, e da mesma natureza do sonho noturno **11** *Liter.* Na literatura clássica, visão clara e precisa ordenada por potências sobrenaturais, e que proporciona aos mortais um bom ou mau conselho: *O sonho de D. Manuel, tal como está em Os Lusíadas, é uma premonição das descobertas.* **12** *Liter. Art. pl.* Composição literária ou artística um tanto vaga e caprichosa, com uma certa incoerência e desalinho de formas, que leva a uma ordem de sensações semelhantes às do sonho **13** *Cul.* Pequeno bolo muito fofo feito de farinha e ovos, passado em açúcar e quase sempre recheado de creme [F.: Do lat. *somnium, ii.*] ∎∎ **~ diurno** *Psic.* Figuração de um sonho em vigília **~ dourado** **1** Aspiração, desejo dominante de alguém: *Apontar-se era seu sonho dourado.* **2** Visão idílica, esperança de felicidade **Um ~** Muito bonito ou agradável, um encanto (diz-se de algo ou alguém que causou impressão muito favorável): *A festa foi um sonho, todos se divertiram muito.*
◎ **son(i)-** *pref.* = sono: *sonífero, sonolência*
sonial (so.ni.*al*) *a2g.* Ref. a sonhos, ou próprio deles [Pl.: *-ais*.] [F.: *sonho* + *-al*¹.]
sônico (*sô*.ni.co) *a.* **1** Relativo a som **2** Relativo ou pertencente às ondas acústicas audíveis pelo ouvido humano **3** Relativo à velocidade do som: *Avião supersônico.* **4** Que possui a mesma velocidade do som [F.: *som* + *-ico*.]
sonido (so.*ni*.do) *sm.* **1** Qualquer som; FRAGOR; RUÍDO; RUMOR: "...rima dos começos das palavras, em que basta a igualdade dos sonidos iniciais ou, em certas ocasiões, o regulado contraste entre eles..." (Manuel Bandeira, *Prosa*) **2** Som muito forte (sonido de trovoada); ESTRÉPITO; ESTRONDO [F.: Do lat. *sonitus, us*. Ant. ger.: *calada, silêncio*.]
sonífero (so.*ní*.fe.ro) *a.* **1** Diz-se de substância ou produto que provoca sono; HIPNÓTICO; NARCÓTICO; SOPORÍFERO *sm.* **2** *Farm.* Essa substância ou produto: *Tomou um sonífero antes de ir para a cama.* **3** *Fig.* Aquilo que causa tanto enfado que chega a dar sono: *O filme era um poderoso sonífero.* [F.: Do lat. *somnifer, era, erum*.]
sonificação (so.ni.fi.ca.*ção*) *sf. Tec.* Apresentação de dados sonoros (não falados) que complementam informações visuais e ajudam a compreensão do conjunto de dados em análise [Us. para substituir a percepção visual de cegos, auxiliar a monitoração de processos complexos etc.] [Pl.: *-ções*.] [F.: Do ing. *sonification*.]
soníloquo (so.*ní*.lo.quo) *a.* **1** Que fala dormindo *sm.* **2** Aquele que fala dormindo [F.: *son(i)-* + *-loquo*.]
◎ **-sono** *el. comp.* = som, ruído; que tem certo tipo de som, ou que soa de certo modo: *altíssono, uníssono, armíssono.* [F.: Do lat. *-sonus, a, um*, do lat. *sonus, i*.]
◎ **son(o)-** *el. comp.* = Emissão de som ou ruído: *soneto, sônico, sonoro, sonoroso.* [F.: Do lat. *sono, -as, -avi, -atum, -are* (soar).]
sono (so.no) *sm.* **1** *Fisl.* Estado de repouso natural e periódico com a suspensão da consciência e redução da sensibilidade: *Um bom sono é fundamental para a saúde.* **2** Vontade ou necessidade de dormir: *Estava morrendo de sono.* **3** Período em que se dorme: *Teve um sono agitado.* **4** *Fig.* Estado de quem está morto (sono eterno) [Ant.: *vida*.] **5** *Fig.* Estado que revela estagnação, paralisação (social, econômica etc.); INATIVIDADE; INÉRCIA: *O país continua mergulhado no sono.* [Ant.: *atividade, vigor.*] **6** *Fig.* Indolência, moleza, torpor: *Estava sempre com cara de sono.* [Ant.: *ânimo, vigor.*] [F.: Do lat. *somnus, i*. Ideia de 'sono', usar pref. *brizo-*, ¹ *hipn(o)-*, *narc(o)-*, *son(i)-* e *sopor(i)-*.] ∎∎ **Apanhar ~** *Moç.* Ver *Ferrar no sono* **Cair/ferrar/garrar/pegar no ~** Começar a dormir, adormecer **Com ~** Com vontade de dormir, sonolento **Dormir a ~ solto** Dormir profundamente **Ferrar no ~** Ver *Cair/ferrar/garrar/pegar no sono* **Garrar no ~** *N.E. Pop.* Ver *Cair/ferrar/garrar/pegar no sono* **O ~ eterno** A morte **O último ~** A morte **Passar pelo ~** Dormir um sono leve e rápido **Pegar no ~** Ver *Cair/ferrar/garrar/pegar no sono* **Perder o ~** Depois ter estado com sono, não ter mais vontade de dormir **~ artificial** *Med.* Aquele que se induz por meio de soporífero ou anestésico **Sono de ~** Ver *Sono de pedra* **~ de pedra** Sono profundo e pesado **~ dos justos** Diz-se de estado de quem teve uma morte serena; bem-aventurança **~ eterno** Condição de morto, a morte **~ hibernal** O mesmo que *hibernação* **~ leve** Sono do qual se desperta ao menor estímulo **~ pesado** Sono do qual não se desperta a não ser com estímulos muito fortes e insistentes
sonofletor (so.no.fle.*tor*) [ô] *sm.* Caixa que contém alto-falantes; caixa acústica [F.: *son(o)-* + (*re*)*fletor*.]
sonofonia (so.no.fo.*ni*.a) *sf. Rád.* Conjunto de efeitos musicais e sonoros us. em programas radiofônicos, esp. em radionovelas: *Os grandes êxitos da sonofonia da Rádio Nacional.* [F.: *son(o)-* + *fonia*.]
sonolência (so.no.*lên*.ci:a) *sf.* **1** Desejo incontrolável de dormir; MOLEZA; SONO: *O calor está me dando sonolência:* "O barulho da fonte, misturado com o dos coqueiros, derrama uma ligeira sonolência, quanto basta para não pensar; mas não tanto, que se deixe de sentir e gozar" (José de Alencar, *Sonhos d'ouro*) [Ant.: *ânimo, disposição*.] **2** Estado intermediário entre estar dormindo ou acordado; MADORNA; MODORRA: *Dominado por forte sonolência, perdeu parte da conversa.* **3** Estado de torpor [Ant.: *atividade*.] [F.: Do lat. *somnolentia, ae*.]
sonolentamente (so.no.len.ta.*men*.te) *adv.* De maneira sonolenta; com sonolência: "...essa noção repentina da minha individualidade verdadeira, dessa que andou viajando sempre sonolentamente entre o que sente e o que vê." (Fernando Pessoa (Bernardo Soares), *Livro do desassossego*) [F.: *sonolento* (*o* > *a*) + *-mente*.]
sonolento (so.no.*len*.to) *a.* **1** Relativo a sonolência **2** Que está meio adormecido; que tem sonolência; SONADO: *Estendeu-se no sofá, sonolento.* [Ant.: *acordado, desperto*.] **3** Que dá sono (livro sonolento); ENFADONHO; LENTO; MONÓTONO [Ant.: *deleitoso, interessante*.] **4** Que se move devagar; ARRASTADO; RONCEIRO; VAGAROSO [Ant.: *apressado, ligeiro*.] **5** Que parece imóvel; CALMO; SOSSEGADO; TRANQUILO [Ant.: *agitado, intranquilo*.] [F.: Do lat. *somnolentus* ou *somnulentus, a, um*.]
sonometria (so.no.me.*tri*.a) *sf.* **1** *Acús.* Medição das vibrações sonoras ger. us. em engenharia e laboratórios de acústica **2** *Otor.* Medição da capacidade auditiva [F.: *son(o)-* + *-metria*.]
sonométrico (so.no.*mé*.tri.co) *a.* Que diz respeito a sonometria (estudo sonométrico) [F.: *sonometria* + *-ico*².]
sonômetro (so.*nô*.me.tro) *Acús. sm.* **1** Instrumento próprio para medir as vibrações sonoras e os intervalos harmônicos **2** Qualquer equipamento para medição e análise de ruídos [F.: *son(o)-* + *-metro*.]
sonoplasta (so.no.*plas*.ta) *s2g.* **1** Profissional de sonoplastia; SONOTÉCNICO **2** *Cin. Rád. Teat. Telv.* Em cinema, rádio, televisão, teatro etc. pessoa que cuida da sonoplastia; CONTRARREGRA [F.: *son(o)-* + *plasta*.]
sonoplastia (so.no.plas.*ti*:a) *Cin. Rád. Teat. Telv. sf.* **1** Técnica de produção de efeitos sonoros e de sua aplicação em cinema, teatro, programas de rádio, televisão etc.: *Era um aprendiz de sonoplastia.* **2** O conjunto desses efeitos sonoros: *A sonoplastia do filme não ficou boa.* [F.: *son(o)-* + *-plastia*. Cf.: *sonorização*.]
sonora (so.*no*.ra) *sf.* **1** *Ling.* Red. de *consoante sonora* **2** *AL Mús.* Tom ou toada dos cantadores populares [F.: Fem. subst. de *sonoro*.]
sonoramente (so.no.ra.*men*.te) *adv.* De maneira sonora, com sonoridade [F.: *sonoro* (*o* > *a*) + *-mente*.]
sonoridade (so.no.ri.*da*.de) *sf.* **1** Qualidade do que é sonoro **2** Som harmonioso, agradável de se ouvir **3** Qualidade do som musical **4** Som nítido, claro, facilmente apreendido pelos órgãos da audição (sonoridade dos sinos) **5** Qualidade do texto que, pela escolha e combinação de palavras, soa de maneira harmoniosa à audição **6** Capacidade (de certos corpos e ambientes) de tornar os sons mais intensos e nítidos **7** *Cin.* Gravação de trilha sonora cinematográfica
sonorização (so.no.ri.za.*ção*) *sf.* **1** Ação ou resultado de sonorizar **2** Instalação de aparelhagem sonora para a reprodução do som em teatros, cinemas, comícios, concertos, *shows* etc. **3** Conjunto de técnicas para a gravação de sons em discos, filmes, programas de televisão etc.: *Precisavam de uma sonorização mais moderna.* **4** *Fon.* Passagem de um fonema ou de um som surdo a sonoro; ABRANDAMENTO [Pl.: *-ções*.] [F.: *sonorizar* + *-ção*.]
sonorizado (so.no.ri.*za*.do) *a.* **1** Que se tornou sonoro: *sistema de sinalização sonorizado.* **2** Equipado com sistema de som (auditório sonorizado) [F.: Part. de *sonorizar*.]
sonorizador (so.no.ri.za.*dor*) [ô] *a.* **1** Que sonoriza *sm.* **2** Aquilo que sonoriza **3** Redutor de velocidade em ruas e estradas, na forma de saliências que fazem os veículos trepidarem com ruído [F.: *sonorizar* + *-dor*.]
sonorizar (so.no.ri.*zar*) *v.* **1** Tornar sonoro (filme originalmente mudo) [*td.*: *Sonorizaram um clássico de Fritz Lang.*] **2** Instalar equipamento de som em (ambiente) [*td.*: *O clube sonorizou o salão.*] **3** Produzir um som; SOAR [*int.*] [▶ 1 sonorizar] [F.: *sonoro* + *-izar*.]
sonoro (so.*no*.ro) *a.* **1** Relativo a som (efeito sonoro) **2** Que emite som (alarme sonoro); BARULHENTO; ESTRONDOSO [Ant.: *silencioso*.] **3** *Gram.* Diz-se de consoante (p. ex.: *b, v*) articulada com a vibração das cordas vocais **4** *Fig.* Que é melodioso, agradável ao ouvido (voz sonora); HARMONIOSO; MUSICAL [Ant.: *desafinado, desarmonioso*.] **5** *Fís.* Que produz ou é capaz de produzir som (corpos sonoros) **6** Que tem som forte, ruidoso (gargalhada sonora); ALTO; INTENSO: "...precipita-se como uma bala de canhão, agarra-se ao pescoço do velho, e cobre-o de uma chuva de beijos sonoros e cheios, verdadeiros beijos de lei, pesando 24 quilates cada um." (José de Alencar, *Sonhos d'ouro*) [Ant.: *baixo, fraco*.] [F.: Do lat. *sonorus, a, um*.]
sonoroso (so.no.*ro*.so) [ô] *a.* **1** Que tem som harmonioso, melodioso (canto sonoroso) **2** Que tem som forte; que soa de maneira estrondosa (tambores sonorosos) [Pl.: [ó]. Fem.: [ó].] [F.: Do lat. *sonorosus, a, um*. Sin. ger.: *sonoro*.]
sonoterapia (so.no.te.ra.*pi*.a) *sf. Med. Ter.* Tratamento que consiste em fazer o paciente dormir por longo tempo sob a ação de soníferos; NARCOTERAPIA [F.: *son (o)-* + *terapia*.]
sonsa (*son*.sa) *sf.* **1** Caráter ou condição de sonso **2** Sagacidade disfarçada, dissimulação; SONSICE **3** Mulher manhosa, dissimulada [F.: Fem de *sonso*.] ∎∎ **Pela ~** De modo sonso; escondendo ou disfarçando maliciosamente as intenções; à sorrelfa
sonsear (son.se.*ar*) *v. int.* Comportar-se de maneira sonsa [▶ 13 sonsear] [F.: Do espn. *zonzo* + *-ear*.]
sonsice (son.*si*.ce) *sf.* **1** Qualidade de sonso **2** Capacidade de dissimular; FINGIMENTO; HIPOCRISIA [Ant.: *sinceridade*.] [F.: *sonso* + *-ice*.] ∎∎ **Pela ~** Ver *Pela sonsa*, no verbete *sonsa*
sonsidão (son.si.*dão*) *sf.* Esperteza dissimulada; SONSICE: "...é capaz de dizer que Deus não é Deus e não há ninguém mais manhosa debaixo daquela sonsidão de menina!" (Domingos Olímpio, *Luzia Homem*) [Pl.: *-dões*.] [F.: *sonso* + *-idão*.]
sonso (*son*.so) *a.* **1** Que se finge de bobo, mas é vivo, esperto (garotinho sonso); DISSIMULADO; ENGANADOR; FALSO [Ant.: *franco, leal*.] *sm.* **2** Aquele que é sonso; HIPÓCRITA: "– Isto é um sonso, minha afilhada! olhe em que estado ele traz as orelhas! Se tens a alma como tens o corpo, podes dá-la ao diabo..." (Aluísio de Azevedo, *O mulato*) [F.: Do espn. *zonzo*.]
sopa (*so*.pa) *sf.* **1** Alimento líquido que consta de um caldo de carne, frango, legumes, massas, cereais etc. que pode conter pedaços desses ou de outros ingredientes **2** Pedaço de pão molhado em líquido **3** Coisa muito molhada **4** *Fig.* Algo que se pode fazer, obter ou vencer facilmente; FACILIDADE: *Esse trabalho não é sopa; Esse jogo vai ser uma sopa.* [Ant.: *dificuldade*.] **5** *N. E.* Em mineração, cascalho que se consolida em rocha **6** *Bras.* Algo de segunda mão **7** *Lus.* Pessoa sem iniciativa, medrosa [F.: De or. contrv.] ∎∎ **Cair a ~ no mel** Ser ou acontecer algo muito oportuno ou conveniente no contexto **Dar ~** **1** Agir sem cautela, ou ingenuamente (dando oportunidade para que alguém tire proveito da situação e prejudique a pessoa); dar mole: *Deu sopa e roubaram-lhe a carteira.* **2** Facilitar, encorajar ou corresponder a iniciativa de flerte, de contato amoroso etc; dar mole; dar bola **3** Ser fácil de se obter, por haver em grande quantidade **4** *Lus.* Recusar namoro, dar um fora **Dar uma ~** Dar um número extra (músico, cantor) que não estava no programa; dar uma canja **Ser ~** *Bras. Pop.* Ser muito fácil de fazer, responder, executar etc; ser canja; ser pinto **~ paraguaia** *MS Cul.* Bolo de farinha de milho, queijo, cebola, manteiga, leite, ovos e sal **Tomar ~ com** *BA MG* Tomar confiança, tomar liberdades (com alguém)
sopapear (so.pa.pe.*ar*) *v. td.* Aplicar sopapos ou pancadas em (alguém): *Sopapeou o filho injustamente.* [▶ 13 sopapear] [F.: *sopapo* + *-ear*².]
sopapo (so.*pa*.po) *sm.* **1** Golpe desferido com o punho fechado; MURRO; SOCO **2** Bofetão, tapa forte [F.: *so-* + *papo* (3).] ∎∎ **A ~** *Bras.* Ver *De sopapo* (2) **De ~** **1** Subitamente, inesperadamente: *Chegou de sopapo, surpreendendo todos.* **2** *Bras.* Diz-se de habitação que foi entaipada com barro atirado com a mão (casinha de sopapo)
sopé (so.*pé*) *sm.* Base de uma montanha, serra, morro, encosta etc; FALDA: *Tinha uma casa no sopé da montanha.* [Ant.: *ápice, cimo, topo*] [F.: *so-* + *pé*.]

sopeira (so.*pei*.ra) *sf.* **1** Vasilha arredondada para servir sopa; TERRINA **2** *Lus.* Criada que trabalha em cozinha **3** *Lus. P. ext.* Qualquer criada [F.: *sopa* + *-eira*.]

sopeiro (so.*pei*.ro) *a.* **1** Que diz respeito a sopa **2** Que é próprio para servir sopas (prato sopeiro) **3** Que aprecia sopas *sm.* **4** Indivíduo que aprecia sopas **5** *Pej.* Indivíduo que vive ou se alimenta às custas de outros [F.: *sopa* + *-eiro*.]

sopesar (so.pe.*sar*) *v. td.* **1** Avaliar com a mão o peso aproximado de: *Sopesou a arma antes de examiná-la.* **2** Pôr contrapeso em **3** Dar sustentação a: *As seis colunas sopesavam a cobertura.* **4** Fazer a avaliação de; considerar: *Sopesou as possibilidades positivas e as negativas.* **5** Escapar aos saltos (a ave) diante de quem a caça **6** *P. us.* Distribuir (alguma coisa) de maneira equilibrada, justa: *sopesar as esmolas.* [▶ 1 sopesar] [F.: *so-* + *pesar*. Hom./Par.: *sopesáveis* (fl.), *sopesáveis* (a2g. pl.); *sopeso* (fl.), *sopeso* [ê] (sm.).]

sopitação (so.pi.ta.*ção*) *sf.* Ação ou resultado de sopitar; ADORMECIMENTO; ABRANDAMENTO [Pl.: *-ções*.] [F.: *sopitar* + *-ção*.]

sopitado (so.pi.*ta*.do) *a.* **1** Que se encontra em estado de sonolência **2** Que se tornou calmo, tranquilo (espírito sopitado); ACALMADO; SERENADO **3** Que perdeu o espírito de combate; que se tornou lânguido [Ant.: *combativo*.] **4** Que parece dominado por torpor; que perdeu a capacidade de ação; ENTORPECIDO **5** Que foi reprimido, sofreado (ódio sopitado)

sopitamento (so.pi.ta.*men*.to) *sm.* **1** Ação ou resultado de sopitar **2** Estado de sonolência, de entorpecimento; LETARGIA; TORPOR

sopitar (so.pi.*tar*) *v. td.* **1** Fazer (alguém) adormecer: *O cansaço sopitou o menino.* **2** *P. us.* Tirar o vigor a (alguém); DEBILITAR: *A excursão sopitou os alpinistas.* **3** Tornar brando ou mais brando; SERENAR: *sopitar os instintos agressivos.* **4** Criar esperanças em **5** Refrear, conter, reprimir: *sopitar as emoções.* [▶ 1 sopitar] [F.: Do lat. **sopitare*, calcado em *sopitus*, part. pass. de *sopire*. Hom./Par.: *sopitáveis* (fl.), *sopitáveis* (a2g. pl.); *sopito* (fl.), *sopito* (a.).]

sopitável (so.pi.*tá*.vel) *a2g.* Que se pode sopitar [Pl.: *-veis*.] [F.: *sopitar* + *-vel*. Hom./Par.: *sopitáveis* (pl.), *sopitáveis* (fl. de *sopitar*).]

sopor (so.*por*) [ô] *sm.* **1** Sonolência, prostração, torpor [Ant.: *atividade, movimento*.] **2** Sono profundo **3** Estado de coma **4** Característica de lugar calmo, tranquilo; QUIETUDE; TRANQUILIDADE [Ant.: *agitação, correria*.]

◎ **sopor(i)-** *el. comp.* = 'sono'; 'letargia': *soporífero* (< lat.), *soporífico, soporizar* [F.: Do lat. *sopor, oris*, 'sono'; 'o sono eterno, a morte'.]

soporífero (so.po.*rí*.fe.ro) *a.* **1** Diz-se de substância que sopita, faz dormir (remédio soporífero); NARCÓTICO; SONÍFERO **2** *P. ext.* Que é enfadonho, maçante (discurso soporífero); MAÇANTE; MONÓTONO *sm.* **3** Substância que faz dormir; SONÍFERO: *Tomou um soporífero e foi deitar.* **4** *P. ext.* Algo enfadonho, maçante: *O filme era um soporífero.* [F.: Do lat. *soporifer, era, erum*. Sin. ger.: *soporífico*.]

soporífico (so.po.*rí*.fi.co) *a. sm.* O mesmo que *soporífero* [F.: *sopor(i)-* + *-fico*.]

soporoso (so.po.*ro*.so) [ô] *a.* **1** Relativo a sopor **2** Que tem sopor; que se encontra em estado de sopor; SONOLENTO: "...o estado soporoso de Maria Bugra passou para coma, e o coma para a morte." (Júlio Ribeiro, *A carne*) [Pl.: [ó]. Fem.: [ó].] [F.: *sopor* + *-oso*.]

soprada (so.*pra*.da) *sf.* Ação ou resultado de soprar [F.: *soprar* + *-ada*[1].]

soprado (so.*pra*.do) *a.* **1** Que se soprou (ar soprado) **2** Moldado por meio de sopro (vidro soprado) **3** Sugerido ocultamente: *Argumentos soprados por correligionários políticos.* **4** Dito em voz baixa e disfarçadamente com o intuito de auxiliar numa arguição, teste, prova etc. (resposta soprada) [F.: Part. de *soprar*.]

soprador (so.pra.*dor*) [ô] *a.* **1** Que sopra *sm.* **2** Aquele que sopra **3** *Bras. P. ext.* Qualquer aparelho próprio para soprar **4** *Art. gr.* Cada uma das saídas de ar ligadas ao margeador automático que sopram o ar para separar as folhas de papel [Cf.: *sugador*.] [F.: *soprar* + *-dor*.] ■ **~ de apito** *Gír. Fut.* Juiz incompetente, que não apita bem

soprador de apito (so.pra.dor de a.*pi*.to) [ô] *sm. Gír. Pej. Fut.* Juiz de futebol com mal desempenho numa partida [Pl.: *sopradores de apito*.]

sopranino (so.pra.*ni*.no) *Mús. a2g.* **1** Diz-se do mais agudo dos instrumentos em algumas famílias de sopro como a dos saxofones, saxornes e oboés *s2g.* **2** Instrumento sopranino [F.: *soprano* + *-ino*.]

sopranista (so.pra.*nis*.ta) *sm. Mús.* Cantor do sexo masculino que pode interpretar partes de soprano, a mais aguda das vozes femininas [Atualmente usando o falsete, antigamente recorrendo à castração.] [F.: *soprano* + *-ista*.]

soprano (so.*pra*.no) *a2g.* **1** *Mús.* A mais aguda das vozes femininas, no canto lírico [Cf.: *contralto*.] **2** Cantora que possui essa voz **3** *Mús.* Em algumas famílias de instrumentos musicais, diz-se de instrumento de tom mais agudo ■ **~ coloratura** *Mús.* Soprano capaz de entoar notas agudas em andamento muito rápido **~ dramático** *Mús.* Soprano de voz cheia e potente **~ ligeiro** *Mús.* Soprano de voz leve que atinge notas agudas **~ lírico** *Mús.* Soprano ligeiro que canta operetas

soprar (so.*prar*) *v.* **1** Soltar sopro; exalar ar pela boca [*int.*: *O médico pediu-lhe que soprasse.*] **2** Soprar dirigindo o sopro para o interior de ou sobre (algo) [*td.*: *Soprar um machucado/a poeira/uma vela/bola de encher/apito.*] **3** Soltar junto com a expiração [*td.*: *Soprar a fumaça de um cachimbo.*] **4** Mover(-se), agitar(-se), como um sopro [*td.*: *A brisa soprava a relva.*] [*int.*: *O vento soprava forte.*] **5** *Fig.* Dizer em voz baixa [*td.*: *soprar segredos.*] **6** Sussurrar informação para uma pessoa, para que esta possa responder a questões que não sabe [*td.*: *Soprou a resposta bem baixinho.*] [*tdi.* + *a*: *Num exame vestibular, soprava a um colega (as respostas certas).*] [*int.*: *"Não é permitido soprar" – disse o professor.*] **7** Trazer bons auspícios, favorecer [*td.*: *A felicidade sopra quem precisa.*] [▶ 1 soprar] [F.: Do lat. *sufflare*, posv. pelo lat. vulg. **suplare*. Tb.: *assoprar*. Hom./Par.: *sopro* (fl.), *sopro* [ô] (sm.).]

sopresar (so.pre.*sar*) *v. td.* **1** Tomar (algo) de surpresa **2** *Fig.* Enganar com falsidades, com falsas aparências **3** Fazer presa; APRESAR [▶ 1 sopresar] [F.: *so-* + *presa* + *-ar*. Hom./Par.: *sopresa(s)* (fl.), *sopresa* /ê/ (sf. e pl.); *soprezar* (todos os tempos do v.).]

sopro (so.*pro*) *sm.* **1** Expulsão do ar aspirado com certa força **2** O ar expirado (sopro da respiração); BAFEJO; BAFO; HÁLITO **3** Agitação do ar; ARAGEM; BRISA: *o sopro quente da tarde.* **4** *Fig.* Ar carregado de odores, de emanações: *o sopro nauseante do pântano.* **5** Agitação do ar **6** *Fig.* Som produzido por instrumento musical (sopro do saxofone) **7** Ruído que lembra o da respiração **8** A onda de gases e de calor que sai da boca de uma arma de fogo no momento em que o tiro é disparado **9** *Med.* Ruído anormal que se percebe em diversos órgãos do corpo humano pelo processo de auscultação (sopro cardíaco) **10** Momento breve que logo se acaba; INSTANTE: *Estava em seu último sopro de vida.* **11** *Fig.* Aquilo que transmite energia, entusiasmo, força; ESTÍMULO; INCENTIVO: *Um sopro de ânimo levou-o a fazer todo o trabalho de uma só vez.* [F.: Dev. de *soprar*. Hom./Par.: *sopro* (fl. de *soprar*).] ■ **~ cardíaco** Ruído detectado na auscultação do coração, semelhante ao de um sopro, que sinaliza uma não vedação de uma válvula cardíaca ou uma comunicação (indevida) entre aurículas ou entre ventrículos **Últimos ~s de vida** Os estertores da morte

soqueado (so.que.*a*.do) *a.* Atingido por socos; SOCADO [F.: Part. de *soquear*.]

soquear (so.que.*ar*) *v. td.* Dar soco em; ESMURRAR: *Soqueou o adversário até derrubá-lo* [▶ 13 soquear] [F.: *soco* + *-ear*.]

soqueira[1] (so.*quei*.ra) *sf.* **1** Conjunto de raízes de cana e de outras plantas que ficam rente à terra depois do corte **2** *PE* Engenho que produz muita soca (2) [F.: *soca* + *-eira*.]

soqueira[2] (so.*quei*.ra) *sf. RS SP* O mesmo que *soco-inglês*

soquete (ê) (so.*que*.te) [ê] *Bras. sf.* **1** Meia de cano curto *a.* **2** Diz-se dessa meia

soquete (ê)[1] (so.*que*.te) [ê] *sm.* **1** *Bras.* Utensílio próprio para socar (tempero, terra, pólvora etc.); PILÃO; SOCADOR **2** *Arm.* Peça us. para socar pólvora para dentro do canhão **3** Soco desferido com pouca força [F.: *soco* + *-ete*. Hom./Par.: soquete (sf.).]

soquete (ê)[2] (so.*que*.te) [ê] *S Pop. sm.* **1** *Cul.* Sopa grossa feita com ossos e pouca carne **2** *S. P. ext.* Comida de má qualidade

◎ **-sor** [ô] **Suf. nom.** = agente: *agressor, assessor, conversor, emissor, precursor, professor, radiodifusor, supervisor*

soral (so.*ral*) *Bot. a2g.* **1** Que diz respeito a soro **2** Diz-se da parte do talo dos liquens onde os sorédios se formam, quando circunscritos [Pl.: *-rais*.] [F.: *soro* + *-al*[1]. Hom./Par.: *sorais* (pl.), *sorais* (fl. de *sorar*).]

sorbato (sor.*ba*.to) *sm. Quím.* Sal ou éster do ácido sórbico, muito us. na indústria alimentícia como conservante [F.: Do ing. *sorbate*.]

⊕ **sorbet** (*Fr.* /sorbé/) *sm. Cul.* Sorvete leve à base de suco de frutas, licor etc.

sorda (*sor*.da) [ô] *Cul. sf.* **1** *RS* Caldo de carne engrossado com farinha de mandioca ao qual se adicionam ovos **2** *Lus. Pop.* O mesmo que *açorda* [F.: De or. contrv., possivelmente de *açorda*.]

sordície (sor.*dí*.ci:e) *sf.* **1** *Ant.* Sujeira que se acumula nas partes internas do corpo ou das chagas **2** Ver *sordidez* [F.: Do lat. *sordities, ei*.]

sordidez (sor.di.*dez*) *sf.* **1** *Bras.* Imundície característica de locais miseráveis [Ant.: *limpeza*.] **2** *Fig.* Ação abjeta; INDIGNIDADE; TORPEZA [Ant.: *dignidade*.] **3** *Fig.* Comportamento vil; BAIXEZA; VILEZA [Ant.: *grandeza, nobreza*.] **4** *Fig.* Grande avareza; MESQUINHEZ [Ant.: *generosidade, liberalidade*.] [F.: *sordido* + *-ez*.]

sórdido (*sór*.di.do) *a.* **1** Que se apresenta sujo, emporcalhado; IMUNDO; SEBENTO: *Era um grupo de mendigos sórdidos.* [Ant.: *asseado, limpo*.] **2** *Fig.* Que se caracteriza pela indecência, pela imoralidade; CENSURÁVEL; CONDENÁVEL: *Os dois mantêm uma relação sórdida.* [Ant.: *decente, digno, nobre*.] **3** *Fig.* Que é abjeto, infame, vil (indivíduo sórdido); IGNÓBIL; TORPE [Ant.: *elevado, nobre*.] **4** Que repugna, que provoca nojo; ASQUEROSO; NOJENTO; REPUGNANTE: *Ficou horrorizada diante daquela cena sórdida.* [Ant.: *atraente, deleitável*.] **5** *Fig.* Que é avarento, miserável, sovina; USURÁRIO [Ant.: *generoso, pródigo*.] **6** *Fig.* Que foi dominado por sentimentos baixos, pela corrupção, pela indignidade (comerciante sórdido); CORROMPIDO; INFAME [Ant.: *incorruptível*.] [F. Do lat. *sordidus, a, um*.]

sorgo (*sor*.go) [ô] *Bot. sm.* **1** Designativo das plantas do gên. *Sorghum*, da fam. das gramíneas, que engloba várias espécies nativas da América Central e de regiões do Velho Mundo, cujas sementes são comestíveis **2** Planta dessa fam. (*Sorghum bicolor*) com espiguetas de grãos arredondados, brancos, amarelos ou vermelhos, semelhante ao milho, com numerosas variedades cultivadas us. na alimentação humana, como ração, como forragem verde e tb. para a extração de fibras **3** A espigueta dessas plantas **4** O grão dessas plantas [F.: Do lat. cient. gên. *Sorghum*.]

soriano (so.ri:*a*.no) *sm.* **1** Indivíduo nascido ou que vive em Sória (Espanha) *a.* **2** De Sória; típico dessa cidade ou de seu povo [F.: Do top. *Sória* + *-ano*[1].]

sorna (*sor*.na) [ô] *sf.* **1** Grande inércia, moleza; INDOLÊNCIA; PREGUIÇA **2** Sono, de um modo geral *s2g.* **3** Indivíduo preguiçoso, indolente **4** Indivíduo maçante, enfadonho *a2g.* **5** Diz-se de sorna (3 e 4) **6** Diz-se de pessoa preguiçosa ou vagarosa por manha [F.: Do cast. *sorna*.] ■ **Bater ~** *Pop.* Cochilar

soro (*so*.ro) [ô] *sm.* **1** Solução de substância orgânica ou mineral us. para hidratar ou alimentar enfermos, bem como veículo na administração de medicamento **2** *Histl.* Líquido amarelado que surge após a coagulação do sangue **3** Substância amarelada e líquida que se separa da parte sólida do leite coalhado **4** *Fisl.* Líquido contendo bactérias ou toxinas extraído do sangue de animais, esp. de cavalos, us. em terapias diversas **5** *Micbiol.* Aglomerado de esporângios, típico dos fungos causadores de ferrugem em vegetais [F.: Do lat. *serum, i.* Ideia de 'soro', usar pref. *ser(o)-*.] ■ **~ da verdade** *Med.* Designação imprópria de substância que reduz a censura de um indivíduo sobre si mesmo, levando-o a dizer a verdade, quando interrogado [É designação imprópria por não se tratar de um soro, e por não induzir necessariamente a se dizer a verdade.]

sorocisto (so.ro.*cis*.to) *sm. Pat.* Cisto cujo interior é preenchido com soro [F.: *soro* (2) + *cisto*.]

sorodiagnóstico (so.ro.di:ag.*nós*.ti.co) *sm. Imun.* Diagnóstico de doenças infecciosas, que detecta o agente causador da moléstia, baseando-se no exame do soro sanguíneo dos pacientes [F.: *soro* (2) + *diagnóstico*.]

sorologia (so.ro.lo.*gi*.a) *Med. sf.* **1** Área da imunologia que estuda os soros, suas reações e propriedades esp. relacionadas com antígenos, anticorpos, haptenos e complementos **2** Conhecimento sorológico de uma doença ou estado específico (sorologia da AIDS) **3** Teste sorológico: *A sorologia foi positiva.* [F.: *soro* (4) + *-logia*.]

sorológico (so.ro.*ló*.gi.co) *a.* Ref. a soro ou a sorologia; SEROLÓGICO [F.: *sorologia* + *-ico*.]

soronegativo (so.ro.ne.ga.*ti*.vo) *Imun. a.* **1** Diz-se de pessoa que não possui anticorpos contra determinado microrganismo, esp. o vírus da AIDS *sm.* **2** Essa pessoa [F.: *soro* + *negativo*.]

soropositividade (so.ro.po.si.ti.vi.*da*.de) *sf. Imun.* Qualidade ou condição de soropositivo [F.: *soropositivo* + *-(i)dade*.]

soropositivo (so.ro.po.si.*ti*.vo) *Imun. a.* **1** Diz-se de pessoa que possui anticorpos contra determinado microrganismo, esp. o vírus da AIDS *sm.* **2** Essa pessoa [F.: *soro* + *positivo*. Cf.: *aidético*.]

soroprevalência (so.ro.pre.va.*lên*.ci:a) *sf. Imun.* Frequência de indivíduos numa população que apresentam um determinado elemento no soro sanguíneo, p. ex. um anticorpo contra um agente patogênico [F.: *soro* + *prevalência*.]

soroproteína (so.ro.pro.te.*í*.na) *sf. Imun.* Qualquer proteína integrante do soro [F.: *soro* (2) + *proteína*.]

sóror (*só*.ror) *sf.* Forma de tratamento que se dá às freiras; IRMÃ; MADRE [Pl.: *sorores*.] [F.: Do lat. *soror, oris*.]

sororal (so.ro.*ral*) *a2g.* Ref. a sóror ou soror [Pl.: *-rais*.] [F.: *soror* + *-al*.]

sororó (so.ro.*ró*) *sm. Bras. Pop.* Perturbação da ordem que envolve várias pessoas; BRIGA; CONFLITO; ROLO; SURURU [F.: De or. obsc; posv. voc. expressivo.]

sororoca (so.ro.*ro*.ca) *Bras. sf.* **1** Emissão de voz ou ruído produzido pelo moribundo; ESTERTOR **2** *Zool.* Peixe teleósteo, perciforme, da fam. dos escombrídeos (*Scomberomus maculatus*), do Atlântico, com cerca de 70 cm de comprimento, dorso azulado, ventre prateado e nódoas laterais douradas. Nada em cardumes pequenos e é pescado com rede, espinhel e corrico; a carne é de boa qualidade; CAVALA-PINTADA; ESCALDA-DO-MAR; SARDA; SERRAPINTINA [F.: Do tupi.]

soroterapia (so.ro.te.ra.*pi*.a) *sf. Ter.* Tratamento de uma doença por meio de um soro específico obtido de um organismo imunizado, ger. de animais [F.: *soro* (4) + *terapia*.]

sorrate (sor.*ra*.te) *sm.* Ação ou resultado de sorratear [F.: Der. regress. de *sorrateiro*.] ■ **De ~** Às escondidas; sorrateiramente; sem chamar a atenção; à sorrelfa

sorrateiro (sor.ra.*tei*.ro) *a.* **1** Que age de maneira oculta, furtiva; FURTIVO; SIGILOSO: *Aproximou-se, sorrateiro, e roubou a bolsa.* [Ant.: *manifesto, patente*.] **2** Que oculta os verdadeiros sentimentos sob aparência ou comportamento dissimulado; DISFARÇADO; MANHOSO; MATREIRO: *Tinha um ar sonso, sorrateiro.* [Ant.: *franco, sincero*.] **3** Diz-se de olhar rápido e oblíquo: *Deu uma olhadinha sorrateira e fugiu.* [Ant.: *direto*.] [F.: Posv. do lat. *subreptus, a, um* > el. *sorrat-*.]

sorrelfa (sor.*rel*.fa) [ê] *s2g.* **1** Dissimulação silenciosa para ocultar os verdadeiros sentimentos e intenções; DISFARCE; MÁSCARA **2** Pessoa manhosa, dissimulada, sonsa **3** Pessoa avarenta, sovina [Ant.: *pródigo*.] *a2g.* **4** Diz-se dessas pessoas [F.: De or. obsc.] ■ **À ~** Furtivamente, sorrateiramente, à socapa

sorrelfo (sor.*rel*.fo) *a. Antq.* Que dissimula, que finge; SONSO; DISSIMULADO [F.: *sorrelfa* (*a* > *o*).]

sorridente (sor.ri.*den*.te) *a2g.* **1** Que sorri; RISONHO **2** Que demonstra alegria (rosto sorridente); ALEGRE; CONTENTE [Ant.: *acabrunhado, triste*.] **3** *Fig.* Que promete algo de bom para os dias que virão; AUSPICIOSO; FAVORÁVEL; PROMIS-

SOR: *Via à sua frente um futuro sorridente.* [Ant.: *adverso, desfavorável, sombrio.*] [F.: Do lat. *subridens, entis.*]

sorrir (sor.*rir*) *v.* **1** Fazer uma expressão risonha ou irônica pelo repuxar dos lábios [*int.*: *É muito simpática, vive sorrindo.*] [*ti.* + *para*: *Enfim, o menino sorriu para alguém.*] **2** Mostrar-se contente ou alegre; ALEGRAR-SE [*int.*: *Sorriu-se com a notícia; Sorria quando o comparavam a Frank Sinatra.*] **3** *Fig.* Expressar alegria, como um sorriso [*int.*: *Os lábios permaneciam imóveis, mas seu olhar sorria.*] **4** *Fig.* Ser favorável a; FAVORECER [*ti.* + *a, para*: "...a fortuna começava a sorrir para mim..." (Joaquim Manuel de Macedo, *O moço loiro*)] **5** Zombar discretamente [*tr.* + *de*: "Sorris da minha dor, mas eu te quero ainda..." (Paulo Medeiros, *Sorris da minha dor*)] **6** Apresentar-se de maneira promissora [*ti.* + *para*: *Aquela bela ocasião parecia sorrir para ela.*] **7** Ser a favor de [*ti.* + *para*: *A sorte nunca sorri para mim.*] **8** Transmitir sensação agradável, de prazer [*ti.* + *para*: *A paisagem ensolarada parecia sorrir para ele.*] [▶ 41 sorrir] [F.: Do lat. *subridere*. Ant. ger.: *chorar.*] ■ **~ amarelo** Sorrir para amenizar ou disfarçar constrangimento ou embaraço ou tensão diante de outras pessoas

sorriso (sor.*ri*.so) *sm.* **1** Ação de sorrir(-se) **2** Expressão de um rosto que sorri, que expressa alegria, satisfação, contentamento [Ant.: *choro, pranto.*] **3** Esboço de riso; riso discreto, em que os lábios se distendem ligeiramente (*sorriso* da Monalisa) **4** *Fig.* Expressão facial de amabilidade, de simpatia: *A vendedora era só sorrisos.* **5** *Fig.* Expressão sorridente que demonstra ou oculta outras formas de sentimento ou estados de espírito: "O mesmo sorriso de medo lhe escancara a boca e lá dentro há cochichos, vozes lívidas..." (João do Rio, *A alma encantadora das ruas*) [F.: Do lat. **subrisus, us* de *subrisum*, supn. de *subridere.*] ■ **~ amarelo** Sorriso sem graça, que expressa sentimento de desconforto, embaraço, constrangimento diante de outras pessoas; riso amarelo

sorro (*sor*.ro) [ô] *a. sm. RS* O mesmo que *zorro* ('astuto, matreiro') ■ **~ manso** *RS Fig.* Pessoa falsa, hipócrita, sonsa, dissimulada

sorte (*sor*.te) *sf.* **1** Força inexplicável a que se atribuem os acontecimentos e o seu desenrolar, esp. os que são difíceis ou impossíveis de compreender (acasos da *sorte*); DESTINO; FADO **2** Acontecimento casual e favorável; CASUALIDADE; COINCIDÊNCIA: *Achar uma nota de cem reais naquele momento foi realmente uma sorte.* **3** Felicidade, ventura, dita: *Ela teve a sorte de encontrar um marido maravilhoso.* [Ant.: *infelicidade, infortúnio.*] **4** Fatalidade, adversidade, infortúnio: *Deu tudo errado, assim é a minha sorte.* [Ant.: *êxito, felicidade.*] **5** Espécie, tipo: *objetos de toda sorte* **6** Condição de vida; condição social, material: *Queria melhorar a sorte dos pobres.* **7** *Fig.* Acaso, casualidade: *Foi à luta, enfrentou a sorte, e acabou vencendo.* **8** Resolução de algum problema por meio do acaso: *Naquela situação, a vitória dependia da sorte.* **9** Dinheiro ou algo que represente um prêmio em loteria, sorteio etc; GANHO; LUCRO: *Sonhava com a sorte grande na loteria.* **10** Porção que, numa divisão ou distribuição, cabe a alguém por sorteio: *Na partilha, coube-lhe a melhor sorte.* **11** Maneira, modo, jeito: *Sorriu-lhe de tal sorte que deu a impressão de querer conquistá-la.* **12** Destino, sina: *Sofrer parece ser a sorte de muitos.* **13** Em tauromaquia, movimento que faz o toureiro para iludir e farpear o touro **14** Suposta arte por meio da qual se pretende influir de maneira benéfica ou maléfica na vida de alguém; BRUXARIA; SORTILÉGIO: *A velha bruxa cobrava caro, mas entendia de sortes.* **15** Modo pelo qual algo ou alguém chega ao fim; DESTINO; TERMO: *Um morreu asfixiado, mas o outro teve pior sorte ao pular pela janela.* **16** *CE* Cada rês que cabe ao vaqueiro como pagamento [F.: Do lat. *sors, sortis*. Ideia de 'sorte', usar pref. *cler(i/o)-.*] ■ **À ~ 1** Ao acaso, a esmo, ao sabor dos acontecimentos **2** Por sorteio, ou qualquer forma aleatória de decisão ou determinação **Boa ~** Forma de desejar bom-sucesso, bom êxito, que tudo corra bem para alguém **Cair na ~** *Lus.* Em Portugal, ser sorteado para servir no exército **Dar ~ 1** *Bras.* Ter sucesso, bom êxito numa realização, empreendimento etc.: *Abriu uma loja na esquina e deu sorte, está tendo um bom lucro.* **2** Servir de talismã, (supostamente) fazer com que as coisas deem certo: *Muita gente acha que uma ferradura dá sorte.* **3** *Lus.* Em Portugal, reagir favoravelmente a paquera, dar bola **Deitar a ~** Ver *Ler a sorte de* **De ~ que** De modo que: *Vou sair, de sorte que é melhor você vir amanhã.* **Desta ~** Assim sendo **De tal ~** De tal modo, tão: *Ficou cansado de tal sorte que dormiu até o dia seguinte.* **Jogar a ~** Ver *Lançar a sorte* **Lançar a ~** Deixar que o acaso determine o rumo das coisas, qual a decisão a tomar etc. **Ler a ~ de** Prever o futuro de (alguém), interpretando algum fato ou objeto que é considerado um sinal do destino (p. ex., disposição das cartas do baralho, as linhas da mão, manchas de café no fundo de um copo etc.) **Má ~ 1** Revés, infortúnio **2** Azar **Por ~** Por um feliz acaso, felizmente **Rebenqueado da ~** *RS* Desenganado, decepcionado, desiludido **~ cotó** *Bras. Pop.* Pouca sorte ou má sorte **~ de campo** *RS* Medida agrária, equivale a 2.700 quadras quadradas **~ grande 1** Bilhete de loteria sorteado com o maior prêmio **2** *Fig.* Aquilo que é extremamente favorável **3** *Fig. Joc.* Pessoa jovem, solteira e muito rica (com quem muitos querem se casar) **Tentar a ~ 1** Arriscar, tentar algo na expectativa de ser bem-sucedido **2** Ser ger., e por sorte, bem-sucedido **3** Ganhar com alguma frequência prêmios em sorteios, loterias, jogos de azar etc. **Tirar a/à ~** Decidir algo ou escolher alguém por sorteio: *Resolveram tirar a sorte para ver quem ficava de plantão.* **Tirar a ~ grande 1** Ganhar o prêmio maior em loteria, sorteio etc. **2** *Fig.* Enriquecer de repente ou imprevisivelmente **3** *Fig.* Ser muito feliz ou afortunado com determinado fato ou circunstância: *Tirou a sorte grande com o emprego que arranjou.*

sorteado (sor.te.*a*.do) *a.* **1** Que foi escolhido por sorte ou sorteio: *Foi sorteado com um carro no fim da festa.* **2** Contemplado com prêmio em loteria ou sorteio (número sorteado): *O comerciante sorteado ficou rico.* **3** Diz-se de indivíduo que foi escolhido para o serviço militar *sm.* **4** Esse indivíduo [F.: Part. de *sortear.*]

sortear (sor.te.*ar*) *v.* **1** Escolher (algo) por sorte, em sorteio [*td.*: *sortear uma questão para a prova oral.*] **2** Distribuir ou dar (coisas, direitos, facilidades etc.) escolhendo os destinatários por sorteio [*td.*: *sortear uma passagem de avião.*] [*tdr.* + *entre*: *Sortearam ingressos para o jogo entre os alunos.*] [▶ 13 sortear] [F.: *sorte* + *-ear*[2]. Hom./Par.: *sorteio* (fl.), *sorteio* (sm.).]

sorteio (sor.*tei*.o) *sm.* **1** Ação ou resultado de sortear **2** Escolha que se dá por meio da sorte, do acaso, como nos casos dos números ou combinações numéricas das loterias, dos números e cartas de jogar dos cassinos, ou da concessão de prêmios por meio da escolha aleatória dos premiados [F.: Dev. de *sortear*. Hom./Par.: *sorteio* (fl. de *sortear*).]

sortida (sor.*ti*.da) *sf.* O mesmo que *surtida*

sortido (sor.*ti*.do) *a.* **1** Provido do necessário (armazém sortido); ABASTECIDO [Ant.: *desabastecido, desprovido.*] **2** Que tem grande sortimento, variedade (de modelos, artigos etc.): *Essa loja é muito sortida.* **3** De diversos tipos (comida sortida; sapatos sortidos); VARIADO [F.: Part. de *sortir*. Hom./Par.: *surtido* (part. de *surtir*).]

sortilégio (sor.ti.*lé*.gi:o) *sm.* **1** Feitiço obtido por meio de seres sobrenaturais; BRUXARIA; FEITIÇARIA **2** *P. ext.* Encantamento ou sedução que se exerce por meio de dons naturais ou de artifícios; FASCINAÇÃO: *Poucos resistiam aos sortilégios daquela mulher.* **3** *P. ext.* Maquinação ou trama que se engendra para satisfazer um desejo ou obter algo; CONSPIRAÇÃO: *Quando queria alguma coisa, recorria a qualquer sortilégio.* [F.: Do lat. medv. *sortilegium* 'adivinhação'.]

sortílego (sor.*tí*.le.go) *a.* **1** Ref. ou inerente a sortilégio *a.* **2** Que usa de sortilégios *sm.* **3** Indivíduo capaz de entreter, seduzir ou iludir por meio de sortilégios [F.: Do lat. *sortilegus, a, um.*]

sortimento (sor.ti.*men*.to) *sm.* **1** Ação ou resultado de sortir(-se) **2** Conjuntos de produtos do mesmo gênero (sortimento de calçados); ESTOQUE; RESERVA **3** Grande quantidade de produtos; ABUNDÂNCIA; FARTURA; PROFUSÃO: *Esse supermercado tem grande sortimento de verduras.* [Ant.: *carência, escassez, falta.*] **4** Provisão de artigos de vários gêneros ou de diferentes tipos; DIVERSIDADE; MULTIPLICIDADE; VARIEDADE: *Recebeu grande sortimento de enfeites e acessórios.* [F.: *sortir* + *-mento.*]

sortir (sor.*tir*) *v.* **1** Guarnecer(-se) do necessário; ABASTECER(-SE); PROVER(-SE) [*td.*: *Sortiu o depósito da loja.*] [*tdr.* + *com, de*: *Sortiu-se de lenha para o inverno*: "Sortiram a despensa de tudo mais que gostavam." (Aluísio Azevedo, *O cortiço*)] **2** Misturar variadas cores, combinar nuances [*td.*: *O pintor sortia as cores do quadro.*] [▶ 52 sortir] [F.: Do lat. *sortire*. Cf.: *surtir*.]

sortista (sor.*tis*.ta) *S s2g.* **1** Cartomante **2** Aquele que faz bruxarias; FEITICEIRO; BRUXO: *Consultemos cartomantes, videntes, sortistas: precisamos nos precaver!*

sortudo (sor.*tu*.do) *a.* **1** *Bras. Pop.* Diz-se de pessoa que tem muita sorte (sujeito sortudo) *sm.* **2** *Bras. Pop.* Essa pessoa: *O sortudo não conseguia conter o sorriso.* [F.: *sorte* + *-udo*. Sin. ger.: *afortunado, felizardo*. Ant. ger.: *azarado, desgraçado, infeliz.*]

sorumbático (so.rum.*bá*.ti.co) *a.* Diz-se de pessoa que é ou está triste, macambúzia; MELANCÓLICO; TRISTONHO: "E todas essas questões desafiavam a sua curiosidade, o seu desejo de saber, e também a sua piedade e simpatia por aqueles párias, maltrapilhos, mal alojados, talvez com fome, sorumbáticos!..." (Lima Barreto, *O triste fim de Policarpo Quaresma*) [Ant.: *alegre, bem-humorado, contente.*] [F.: *sombra* (f. ant. de *sombra*) + *-ático.*]

sorva (*sor*.va) [ô] *Bot. sf.* **1** Nome comum a algumas plantas do gên. *Couma*, da fam. das apocináceas, árvores ger. pequenas, de madeira útil, com látex branco e frutos comestíveis; SORVEIRA **2** *Bras. Bot.* Fruto dessas plantas [F.: Do lat. *sorba, ae*, pl. de *sorbum, i*. Hom./Par.: *sorva* (fl. de *sorvar* e de *sorver*).]

sorvar (sor.*var*) *v.* **1** Começar a dar sinais de apodrecimento (a fruta) [*td.*: *A umidade sorvou o abacate.*] [*int.*: *A manga sorvou.*] **2** Tornar mole (a fruta) pelo princípio de fermentação [*int.*] [*td.*] **3** *P. ext.* Ficar abatido, caído, alquebrado [*int.*: *Os operários se sorvaram no cumprimento da longa jornada de trabalho.*] [▶ 1 sorvar] [F.: *sorva* + *-ar*. Hom./Par.: *sorva(s)* (fl.), *sorva* /ô /, *sorvas* /ô / (sf. pl.) e *sorva* /ô / (sf. e pl.); *sorvo* (fl.), *sorvo* /ô / (sm. e fl. sorver).]

sorvedouro (sor.ve.*dou*.ro) *sm.* **1** Movimento violento em espiral das águas de rios ou mares; PÉLAGO; REDEMOINHO; TURBILHÃO **2** Cavidade vertical profunda; ABISMO; DESPENHADEIRO; PRECIPÍCIO: *O sítio era um sorvedouro de dinheiro.* **3** *Fig.* O que acarreta grandes gastos ou perdas; DESPERDÍCIO; DISSIPAÇÃO [Ant.: *economia, poupança.*] [F.: *sorver* + *-douro.*]

sorvedura (sor.ve.*du*.ra) *sf.* Ação ou resultado de sorver; GOLE; SORVO [F.: *sorver* + *-dura.*]

sorveira (sor.*vei*.ra) *sf. Bot.* O mesmo que *sorva* (1) [F.: *sorva* + *-eira.*]

sorver (sor.*ver*) *v. td.* **1** Beber aos sorvos ou aos poucos, em pequenos goles; beber vagarosamente: *Sorvia o uísque calmamente enquanto a esperava.* **2** Aspirar (líquido) para dentro da boca: *sorver ruidosamente um suco.* **3** Impregnar-se ou embeber-se de; absorver: *A terra sorve a água da chuva.* **4** Absorver por inalação; ASPIRAR; INSPIRAR: *No jardim, sorvia o perfume das flores.* **5** Atrair para o sorvedouro ou para o fundo; AFUNDAR; SUBVERTER: *O mar revolto sorveu o veleiro.* **6** *Fig.* Reter, captar com avidez: *Extasiado, sorvia as palavras da namorada.* **7** *Fig.* Recolher em si; dar abrigo a: *O prédio da escola sorveu os desabrigados.* **8** *Fig.* Pôr fim a; aniquilar, devastar: *A virose sorveu muitos indígenas da tribo.* **9** *Fig.* Correr com muita velocidade sobre; galgar, devorar: *O alazão sorveu a pista de areia como uma flecha.* **10** Puxar por efeito da rarefação do ar: *O aspirador sorveu toda a poeira da sala.* [▶ 2 sorver] [F.: Do lat. *sorbere*. Hom./Par.: *sorva(s)* /ô / (fl.), *sorva(s)* (fl. de sorvar) e *sorva(s)* /ô / (sf. [pl.]); *sorvo* (fl.), *sorvo* /ô / (fl. de sorvar e de sorver e sm.); *sorver, solver* (em várias fl.).]

sorvete (sor.*ve*.te) [ê] *sm.* **1** *Bras.* Iguaria congelada e cremosa, à base de leite ou de suco de frutas (sorvete de manga) **2** Bebida gelada feita à base de frutas, a que se pode acrescentar conhaque, rum, champanhe etc; REFRESCO **3** *BA Agr.* Variedade de manga **4** *Lus. Agr.* Certa variedade de pera; PEVIDE [F.: Do fr. *sorbet.*] ■ **Virar ~** Sumir, desaparecer

sorveteira (sor.ve.*tei*.ra) *sf.* Máquina ou dispositivo para fazer sorvete [F.: *sorvete* + *-eira.*]

sorveteiro (sor.ve.*tei*.ro) *a.* **1** Diz-se de pessoa que fabrica e/ou vende sorvete *sm.* **2** Essa pessoa [F.: *sorvete* + *-eiro.*]

sorveteria (sor.ve.te.*ri*:a) *sf. Bras.* Lugar em que se fabrica e/ou vende sorvete [F.: *sorvete* + *-ria.*]

sorvetone *sm. Cul.* Doce feito de panetone recheado com sorvete [F.: *sorvete* + (*pane*)*tone.*]

sorvido (sor.*vi*.do) *a.* **1** Que se sorveu; bebido aos goles: *O chimarrão é sorvido por uma espécie bomba*: "Bela / esta manhã sem carência de mito, / e mel sorvido sem blasfêmia." (Carlos Drummond de Andrade, "Canto esponjoso" in *Poesia completa*) [Tb. *Fig.*] **2** Que se embebeu; IMPREGNADO; ABSORVIDO [F.: Part. de *sorver.*]

sorvo (*sor*.vo) [ô] *sm.* **1** Ação ou resultado de sorver; SORVEDURA **2** Pequeno gole ou pequena quantidade de líquido que se ingere (sorvo de licor); GOLE; TRAGO **3** Aspiração profunda; HAUSTO; INALAÇÃO: *Tomou um sorvo de ar antes de jogar-se na água.* [F.: Dev. de *sorver*. Hom./Par.: *sorvo* (fl. de *sorver* e de *sorvar*).]

⊠ **S.O.S.** Pedido de socorro do código internacional de sinais: *Captou um S.O.S. pelo telégrafo.* [F.: Abrev. do ing. *save our souls.*]

sósia (*só*.si:a) *s2g.* Pessoa extremamente parecida com outra, a ponto de ser confundida com ela; MENECMA [F.: Do antr. lat. *Sosia, ae*, personagem do comediógrafo romano Plauto.]

soslaio (sos.*lai*:o) *sm.* De esguelha, de maneira oblíqua: *Olhou de soslaio para o rapaz que passava.* "De costas para o interior da venda, o Gonçalo, embora olhasse para fora, espreitava de soslaio o Tinguá..." (José de Alencar, *Til*) [F.: Do espn. *soslayo.*] ■ **De/em ~** Sem encarar, sem voltar o rosto na direção da pessoa ou coisa para a qual se olha; de esguelha: *Olhou-a de soslaio, disfarçadamente.*

sossegado (sos.se.*ga*.do) *a.* **1** Que é ou está calmo, tranquilo (criança sossegada); QUIETO [Ant.: *intranquilo.*] **2** Que não tem ou em que não há maiores preocupações; que revela paz, tranquilidade (vida sossegada); TRANQUILO; DESPREOCUPADO: "...e também porque tantas vezes te vi tão sossegado e cuidadoso comigo, e eu não podia imaginar que se pudesse ter esse rosto bom e tranquilo, tendo-se dentro do coração uma caninana..." (José de Alencar, *Til*) **3** Em que há sossego, em que não há agitação, barulho ou qualquer outra coisa (violência etc.) que possa perturbar ou causar apreensão, confusão, desassossego; TRANQUILO: *Vivia num bairro sossegado.* **4** Que não gosta de muito movimento, agitação, barulho; QUIETO [Ant.: *intranquilo.*] **5** Que tem índole pacífica; que demonstra calma, comedimento, quietude; PACATO; PACÍFICO; TRANQUILO **6** Que se mostra calmo, sereno, sem nenhuma agitação; CALMO; TRANQUILO: *Ontem o mar estava sossegado.* [Ant.: *agitado, revolto.*] [F.: Part. de *sossegar*. Ant. ger.: *desassossegado.*]

sossega-leão (sos.se.ga-le:*ão*) *Bras. sm.* **1** *CE* Espaço protegido por uma cerca onde se colocam crianças pequenas para que permaneçam em segurança; CERCADO **2** *BA Ant.* Bonde fechado: "Mas, em época de chuva, os bondes eram nosso refúgio. Tomávamos o sossega-leão, como era chamado o bonde, que por ser todo fechado, mas parecia um ônibus." (*Correio da Bahia*, 06.10.2002) **3** *Gír.* Qualquer tipo de calmante **4** *Gír.* Qualquer golpe que desmaia aquele que o recebe [Pl.: *sossega-leões.*] [F.: *sossegar* (na 3ª pess. sing. pres. ind.) + *leão.*]

sossegar (sos.se.*gar*) *v.* **1** Tranquilizar(-se), ou tornar(-se) sereno, calmo; AQUIETAR(-SE); SERENAR(-SE) [*td.*: *sossegar uma criança.*] [*int.*: *Com a idade, o homem foi sossegando; O mar (se) sossegou.*] **2** Descansar, repousar, ou dormir [*int.*: *Depois de muita agitação, sossegou(-se) afinal.*] **3** Dar tranquilidade a; tornar calmo [*td.*: *Conseguiu sossegar o rapaz que brigava.*] **4** Morrer, descansar [*int.*: *Esse doente sossegou depois de meses de sofrimento.*] **5** Deixar de causar briga, confusão, tumulto [*int.*: *Quando a polícia chegou, os desordeiros sossegaram.*] **6** Livrar (alguém ou a si mesmo) de certa preocupação, ou perdê-la; despreocupar(-se) [*td.*: *Sossegou a mãe quanto aos perigos que o filho estaria correndo.*] [*int.*: *Sossegou(-se) ao saber que fora aprovado.*] [▶ 14 sossegar] [F.: Do lat. vulg. **sessicare*. Hom./Par.: *sossega(s)* (fl.), *sossega(s)* (sf. [pl.]); *sossego* (fl.), *sossego* [ê] (sm.).]

sossego (sos.*se*.go) [ê] *sm.* **1** Ação ou resultado de sossegar **2** Calma, quietude, tranquilidade: *Gostava do sossego do campo* [Ant.: *agitação, alvoroço.*] **3** Aquilo que propicia alívio, descanso **4** Estado de repouso ou sensação de tranquilidade [F.: Dev. de *sossegar*. Hom./Par.: *sossego* (sm.), *sossego* (fl. de *sossegar*).]

◎ **sota-** *pref.* = debaixo: *sota-vento, soto-pôr*

sota (*so*.ta) *sf.* **1** *Lud.* Dama, nos baralhos de cartas (sota de espadas) **2** Descanso, pausa, folga **3** *Mar.* Situação favorável com boa visibilidade; ABERTA *sm.* **4** O cocheiro que monta cavalo selado **5** Aquele que ocupa posição hierárquica inferior à de outra pessoa; SUBORDINADO; SUBALTERNO [F.: Do cast. *sota*, deriv. do cat. *sota*.] ▪ **Dar ~ e às a** Ganhar em esperteza de (outrem), ser mais esperto que **Orelhar a ~ 1** Jogar cartas **2** Em jogo de cartas, ir descobrindo as suas lentamente; chorar, filar

sotaina (so.*tai*.na) *sf.* **1** Roupa de padre; BATINA; HÁBITO *sm.* **2** *P. ext.* Padre católico [F.: Do it. *sottana* 'saia de baixo, anágua'.]

sótão (*só*.tão) *Arq. sm.* **1** Compartimento habitável entre o telhado e o teto de uma casa; DESVÃO **2** Pavimento de pé-direito reduzido, situado logo abaixo da cobertura de um edifício **3** Pavimento oculto, ordinariamente sem janelas, construído na parte superior de um andar, ou só de uma parte dele, destinado ger. a armazenar objetos de pouco uso [Pl.: *-tãos.*] [F.: Do lat. medv. **súbtulum*, deriv. do adv. *subtus* 'debaixo'.]

sotaque (so.*ta*.que) *sm.* **1** *Ling.* Pronúncia típica de uma pessoa, grupo, região, país etc. (sotaque nordestino): "Ele pronunciava o nome da filha quase sem sotaque..." (Lima Barreto, *O triste fim de Policarpo Quaresma*) **2** *Pop.* Dito picante ou que tem a intenção de repreender alguém; MOTEJO; REMOQUE [F.: De or. obsc.] ▪ **De ~** Subitamente

sota-vento (so.ta-*ven*.to) *sm.* Lado para onde o vento sopra; lado contrário àquele de onde sopra o vento; BARLAVENTO [Pl.: *sota-ventos.*] [F.: Do espn. *sota-vento*.]

sotê (so.*tê*) *a. Cul.* Ver *salteado* [F.: Do fr. *sauté*.]

◎ **soterio-** *el. comp.* = 'salvação': *soteriologia* [F.: Do gr. *sotérion, ou*, 'salvação'. F. conexa: *sotero-*.]

soteriologia (so.te.ri:o.lo.*gi*.a) *Teol. sf.* **1** Estudo acerca da salvação do homem **2** Estudo da salvação do homem pelo Cristo; CRISTOLOGIA [F.: *soterio-* + *-logia*.]

◎ **sotero-** *el. comp.* = 'salvador': *soteropolitano* [F.: Do gr. *sotér, eros*, 'protetor', 'salvador'. F. conexa: *soterio-*.]

soteropolitano (so.te.ro.po.li.*ta*.no) *sm.* **1** Indivíduo nascido ou que vive em Salvador *a.* **2** De Salvador, capital do Estado da Bahia; típico dessa cidade ou de seu povo [F.: *sotero-* + *-politano*, seg. a helenização **Soterópolis*, 'cidade de Salvador'. Sin. ger.: *salvadorense*.]

soterrado (so.ter.*ra*.do) *a.* **1** Que se soterrou **2** Coberto de terra ou de escombros; ENTERRADO [F.: Part. de *soterrar*.]

soterramento (so.ter.ra.*men*.to) *sm.* Ação ou resultado de soterrar(-se) [Ant.: *dessoterramento*.] [F.: *soterrar* + *-mento*.]

soterrar (so.ter.*rar*) *v. td.* **1** Cobrir(-se) de terra ou escombros: *O deslizamento soterrou três carros; Soterraram-se no desabamento da mina.* **2** *P. ext.* Cobrir(-se) de chuva, neve etc.: *A neve soterrou a estrada.* **3** Tirar da mente, do espírito; não lembrar: *Procurava soterrar as más recordações.* [▶ 1 soterrar] [F.: *so-* + *terra* + *-ar*[2]. Ant. ger.: *dessoterrar*.]

◎ **soto-** *el. comp.* Ver *sota-*

soto-pôr (so.to-*pôr*) *v.* **1** Pôr(-se) por baixo de; SOBPOR; SUBPOR [*tdi.* + *a*: *Não soto-ponho minha assinatura a este texto.*] **2** *Fig.* Pôr à parte, deixar de lado (alguém ou algo) para favorecer (outra pessoa ou coisa); POSPOR; PRETERIR [*tdi.* + *a*: "Qual foi a instituição liberal que deixou ilesa? (...) O interesse do país que não sotopôs a uma vantagem do poder?" (Rui Barbosa, *A situação liberal*) Ant.: *antepor, preferir, privilegiar*.] [▶ 60 soto-pôr Part.: *soto-posto*.] [F.: *soto-* + *pôr*.]

soto-posto (so.to-*pos*.to) [ô] *a.* **1** Que se soto-pôs **2** Colocado por baixo [Ant.: *sobreposto*.] **3** Que foi deixado de lado; DESPREZADO; PRETERIDO; REJEITADO [Ant.: *anteposto, eleito, escolhido*.] [F.: Part. de *soto-pôr*.]

sotreta (so.*tre*.ta) [ê] *S a2g.* **1** Diz-se de pessoa ordinária, ruim, vil, sem-préstimo **2** Diz-se de objeto, ordinário, sem serventia **3** Diz-se de cavalgadura velha e ruim; SENDEIRO *s2g.* **4** Pessoa, objeto ou cavalgadura sotreta [F.: Do espn. plat. *sotreta* 'que tem muitos defeitos'.]

soturnez (so.tur.*nez*) [ê] *sf.* O mesmo que *soturnidade*

soturnidade (so.tur.ni.*da*.de) [ê] *sf.* Caráter ou qualidade do que é soturno: "Nas nossas ruas ao anoitecer, / Há tal soturnidade, há tal melancolia, / Que as sombras, o bulício, o Tejo, a maresia..." (Cesário Verde, "Ave-Marias" in *O sentimento dum ocidental*) [F.: *soturno* + *-(i)dade, soturno* + *-ez*.]

soturno (so.*tur*.no) *a.* **1** Que é melancólico, tristonho, sem alegria (fisionomia soturna); MACAMBÚZIO; TACITURNO **2** Que é medonho, lúgubre, infunde pavor; ASSUSTADOR; HORRIPILANTE: *Era um soturno museu de horrores.* **3** Que está envolto em trevas; ESCURO; SINISTRO; SOMBRIO: *Era um porão soturno, sem iluminação.* [Ant.: *claro, iluminado*.] **4** Diz-se de tempo quente, abafado; ASFIXIANTE; OPRESSIVO [Ant.: *ameno, brando*.] *sm.* **5** Ausência de claridade; ESCURIDÃO [F.: Alt. do nome do planeta *Saturno* (pela crença de que seriam melancólicas as pessoas nascidas sob o influxo desse signo).]

⊕ **souflé** (*Fr.* /suflê/) *sm. Cul.* Ver *suflê*

soul (*Ing.* /sôl/) *sm. Mús.* Tipo de música popular do início da década de 1950, originária do *rhythm and blues* e do gospel das igrejas protestantes dos negros norte-americanos, que se caracteriza pela expressividade e ritmo marcado; SOUL MUSIC

⊕ **soutien** (*Fr.* /sutiã/) *sm. Vest.* Ver *sutiã*

⊕ **souvenir** (*fr.* /suvenír/) *sm.* Ver *suvenir* [Pl.: *souvenirs*.] [F.: Do fr. *souvenir*.]

sova (*so*.va) *sf.* **1** Ação ou resultado de sovar; ESPANCAMENTO; SURRA; TUNDA: *O rapaz levou uma sova do pai.* **2** Reprimenda séria **3** *Bras.* Aquilo que se usa diariamente: *Precisava tirar aquela blusa da sova.* [F.: Dev. de *sovar*. Hom./Par.: *sova* (fl. de *sovar*).]

sovaco (so.*va*.co) *sm. Pop.* Cavidade embaixo do braço, na junção com o ombro; AXILA: "Seu instinto de mulher nova acordara agora, obscurecendo-lhe todas as outras faculdades, ao cheiro almiscarado que transudava dos sovacos de João da Mata." (Adolfo Caminha, *A normalista*) [F.: De or. obsc.] ▪ **Sofrer que só ~ de aleijado** *N. E. Pop.* Sofrer muito (como a axila de quem usa muletas) **~ de serra** Grota, cavidade em encosta de montanha

sovado (so.*va*.do) *a.* **1** Que se sovou; ESPANCADO; SURRADO: *Após a briga, o rapaz ficou sovado.* **2** Maltratado, pisado, esmurrado **3** Diz-se de massa batida e amassada repetidas vezes sobre a mesa **4** O alimento feito com essa massa (pão sovado) **5** Muito cansado; ESGOTADO; EXAUSTO: *Após a caminhada, ficou sovado.* [Ant.: *descansado*.] **6** *Bras.* Deteriorado pelo uso (blusa sovada); PUÍDO; SURRADO **7** Que se estragou; que sofreu dano (móvel sovado); DANIFICADO [Ant.: *conservado*.] [F.: Part. de *sovar*.]

sovaqueira (so.va.*quei*.ra) *Bras. sf.* **1** *Pop.* O mesmo que *axila*; SOVACO **2** A transpiração do sovaco **3** O odor dessa transpiração; SOVAQUINHO: "Sovaqueira de Rita, cheiro de carne, estimulante, irresistível." (Antônio Constantino, *Embrião*) **4** *S.* Ferida no sovaco do cavalo causada pela cincha; SOVAQUETE **5** Coldre transportado sob o sovaco [F.: *sovaco* + *-eira*.]

sovar (so.*var*) *v. td.* **1** Amassar, bater (massa) ou pisar, esmagar (uvas) **2** Dar uma sova ou surra em (alguém); SURRAR **3** Usar em excesso; surrar: *Sovou a calça de tanto vesti-la.* **4** Montar (o mesmo cavalo) durante muito tempo **5** *S.* Tornar flexível (p. ex., o couro) [▶ 1 sovar] [F.: De or. obsc. Hom./Par.: *sova(s)* (fl.), *sova(s)* (sf. [pl.]).]

sovela (so.*ve*.la) *sf.* **1** Instrumento de ferro ou de aço formado por uma espécie de agulha com cabo, com que os sapateiros e correeiros furam o couro para costurar **2** *Zool.* Ver *mosquito* [F.: Do lat. **subélla* por *subùla, ae*. Hom./Par.: *sovela* (fl. de *sovelar*).] ▪ **À ~** Empinado **Em cima da ~** No mesmo instante (em que algo ocorre), no ato

sovelar (so.ve.*lar*) *v. td.* **1** Abrir furo com sovela **2** *P. ext.* Furar, perfurar **3** *N. E.* Aborrecer, cacetear, chatear [▶ 1 sovelar] [F.: *sovela* + *-ar*. Hom./Par.: *sovela(s)* (fl.), *sovela* (sf. e pl.).]

soverter (so.ver.*ter*) *v. td.* **1** *Bras.* Fazer que desapareça ou desaparecer; SUMIR(-SE): *Soverteram o dinheiro do cofre; O suspeito soverteu-se.* **2** *Bras.* Soterrar: *A queda da torre soverteu duas casas.* **3** *Antq.* O mesmo que *subverter* [▶ 2 soverter] [F.: Var. de *subverter*.]

soviete (so.vi.*e*.te) *sm.* Designação comum a cada um dos conselhos de representantes distritais ou nacionais eleitos, surgidos na Rússia em 1905, e que passaram a ter função de órgão deliberativo com a Revolução de Outubro de 1917 [F.: Do rus. *sov'et* 'conselho'.]

soviético (so.vi.*é*.ti.co) *a.* **1** Do ou relativo a soviete **2** Da antiga União das Repúblicas Socialistas Soviéticas (U. R. S. S.), Estado formado em 1922 e extinto em 1991; típico desse Estado, ou de seu povo *sm.* **3** Pessoa nascida ou que vivia em qualquer das quinze repúblicas que constituíam a antiga U. R. S. S [F.: *soviete* + *-ico*.]

sovietização (so.vi:e.ti.za.*ção*) *sf.* **1** Ação ou resultado de sovietizar(-se) **2** Implantação de regime soviético **3** *P. ext.* Implantação do socialismo [Pl.: *-ções*.] [F.: *soviete* + *-izar*.]

sovina (so.*vi*.na) *sf.* **1** Torno de madeira; torno bifurcado de que se servem os marceneiros **2** Ferramenta perfurante, semelhante a uma lima *s2g.* **3** Indivíduo avaro, mesquinho; SOMÍTICO; AVARENTO; PÃO-DURO *a2g.* **4** Que é excessivamente apegado ao dinheiro; FORRETA; AVARENTO; PÃO-DURO [Antôn. das acps. 3 e 4: *pródigo*.]

sovinice (so.vi.*ni*.ce) *sf.* Qualidade ou ato de sovina (3); AVAREZA; MESQUINHARIA; PÃO-DURISMO; SOVINARIA [Ant.: *prodigalidade*.]

sozinho (so.*zi*.nho) [sò] *a.* **1** Inteiramente só, desacompanhado **2** Acompanhado por apenas uma pessoa: *Estava sozinha com o namorado.* **3** Consigo mesmo: *Falava sozinho todo o tempo.* **4** Privado de afeto; abandonado; SOLITÁRIO: *Viver sozinho o deprime.* **5** Sem qualquer ajuda; por conta própria: *Aprendeu a ler sozinho.* **6** Sem intervenção de ninguém; por si mesmo: *A casa desabou sozinha.* [Nesta acp., alguns consideram que *sozinho* é um adv. que se flexiona por atração.] **7** Apenas um, único: *Uma fruta sozinha já lhe matava a fome.* **8** Ermo, afastado, isolado, desabitado (aldeia sozinha)

SP Sigla do Estado de São Paulo

⊕ **spa** *sm.* **1** Estabelecimento, ger. situado em área campestre, onde as pessoas se hospedam para relaxar e combater o estresse e para receber cuidados referentes à estética (dieta alimentar, exercícios) e ao bem-estar físico e mental (massagens, banhos, relaxamento etc.) **2** Estância hidromineral

⊕ **spaghetti** (*It.* /spaguéti/) *sm. Cul.* Ver *espaguete*

⊕ **spam** (*Ing.* /spam/) *sm.* Mensagem eletrônica não solicitada, ger. indesejada, enviada em massa para muitos endereços eletrônicos (*e-mails*) ao mesmo tempo [F.: Abrev. em inglês de *spiced ham* 'presunto condimentado', alusão à carne enlatada que constava na ração mlitar de tropas americanas.]

s-partícula (s-par.*tí*.cu.la) *sf. Fís.* Nas teorias supersimétricas, partícula hipotética que se liga às partículas conhecidas, sendo diferentes destas no valor do *spin* e da massa [Pl.: *s-partículas*.] [F.: *s(uper)-* + *partícula*.]

⊕ **speaker** (*Ing.* / spíquer /) *s2g. Rád.* Locutor de rádio [Pl.: *speakers*.]

◎ **-sperma** *el. comp.* Ver *-spermo*

◎ **-spermia** *el. comp.* Registra-se em cientificismos, em geral com as noções de: **a)** '(ocorrência de) semente': *angiospermia, gimnospermia*; **b)** 'esperma'; 'sêmen': *aspermia*; **c)** 'presença de (algo) no esperma': *bacteriospermia, hemospermia*; **d)** 'x espermatozoide(s) no sêmen': *azoospermia, oligospermia*; **e)** 'penetração de x espermatozoide(s) num mesmo óvulo': *dispermia, monospermia, polispermia* [F.: Do gr. *-spermía, as*, como no gr. *panspermía, as*, 'mistura de todas as espécies de sementes'. F. conexas: *espermat(o)-, -spermo* e *-sperma*.]

◎ **-spermo** *el. comp.* = semente, germe, grão, sêmen: *acrospermo, angiospermo, aspermo* [F.: Do gr. *-spermos*.]

⊕ **spiccato** (*It.* /spicáto/) *Mús. sm.* **1** Técnica de execução em instrumentos de arco, em que este é rapidamente afastado da corda depois de cada nota, com um movimento alternativo de vai e vem, produzindo várias notas sucessivas e rápidas **2** *P. ext.* O trecho musical executado com essa técnica

⊕ **spin** *sm. Fís.* Número quântico, de valores inteiros ou semi-inteiros, associado a uma partícula e que lhe mede o momento angular intrínseco [O *spin* pode tomar apenas valores inteiros ou semi-inteiros.] [Pl.: *spins*.]

⊕ **spinning** [Ing. /spínin/] *sm.* Aula de ginástica feita inteiramente sobre uma bicicleta ergométrica

⊕ **spiritual** (*Ing.* /spiritchual/) *sm. Mús.* F. red. de *negro spiritual*

◎ **-sporo** = ver *espor(o)-*

⊕ **spot** *sm.* **1** Pequena luminária, de alta potência, com refletor que concentra a luz num feixe estreito; FOCO **2** *Teat. Rád. Telv.* Pequeno foco de luz orientável que ilumina o artista ou uma área delimitada do palco **3** Refletor ou projetor utilizado para produzir esse foco no palco **4** *Econ.* Negócios realizados com pagamento à vista e entrega imediata; *spot market* [Pl. *spots*.] ▪ **~ market** *Spot* (4)

◎ **spot-** El. de composição antepositivo que designa exatidão, prontidão, presteza (spotlight)

⊕ **spray** [sprei] *sm.* **1** Jato de substância gasosa ou líquida em gotículas, como o das embalagens de aerossol **2** Recipiente dotado de dispositivo que projeta esses jatos em gotículas como névoa **3** Líquido (inseticida, desodorante, perfume etc.) usado dessa maneira: *Uso sempre o mesmo spray para matar insetos.* [Pl.: *sprays*.]

⊕ **spread** (*Ing.* /spréd/) *Econ. sm.* **1** Diferença entre a taxa de juros cobrada a quem toma um empréstimo e a taxa de juros que remunera o investidor e que é destinada ao intermediário financeiro **2** Diferença existente entre o preço mais baixo de oferta e o maior preço de demanda de um bem ou ativo anunciado num mercado **3** Taxa de risco cobrada pelo emprestador, além dos juros, e que varia de acordo com o tomador **4** No mercado cambial, diferença entre as taxas de câmbio de compra e venda de moedas estrangeiras

⊕ **sprinkler** (*Ing.* /spríncler/) *sm. Cons.* Artefato dotado de um dispositivo sensível à elevação de temperatura e cuja função é espargir água sobre uma área incendiada; CHUVEIRO AUTOMÁTICO

⊕ **sprinter** (*Ing.* /sprínter/) *s2g. Esp. Turfe* Corredor, ciclista ou cavalo especialista em corridas de curta distância

⊠ **SQL** *Inf.* Sigla de uma linguagem padrão para programação, comunicação e operação interativa de sistemas de dados relacionais

⊠ **SQM** Sigla de *sensibilidade química múltipla*

s-quark *sm. Fís.* S-partícula de *quark* [Pl.: *s-quarks*.] [F.: *s(upersimétrico)* + *quark*.]

⊕ **squash** *sm. Esp.* Jogo semelhante ao tênis, praticado em recinto fechado, em que dois jogadores com uma raquete semelhante à de tênis tentam rebater uma bola de encontro a uma das paredes do recinto, depois de ela ter ricocheteado em alguma das paredes

⊕ **squid** (*Ing.* /sqwid/) *sm. Fís.* Instrumento próprio para detectar e medir campos magnéticos extremamente fracos [Pl.: *squids* (*ing.*).] [F.: Do ing. *superconducting quantum interference device*.]

⊠ **Sr** *Quím.* Símb. de *estrôncio* [Cf. *Sr.*, abr. de *senhor*.]

⊠ **S.S.E.** Abrev. de *su -sueste* ou *su-sudeste*

⊠ **S.S.O.** Abrev. de *su -sudoeste*, mesmo que *S.S.W.*

⊠ **S.S.W.** Abrev. de *su -sudoeste*, mesmo que *S.S.O.*

⊠ **St** *Fís.* Símb. de *stokes*

⊕ **staccato** (*It.* /stacáto/) *sm. Mús.* Modo de execução instrumental ou vocal no qual os sons de curta duração são separados uns dos outros por uma breve pausa; DESTACADO [Cf.: *legato*.] [Pl.: *staccati* (*it.*).]

⊕ **staff** *sm.* **1** Conjunto de pessoas que compõem o quadro de pessoal de uma empresa, firma, instituição etc.: *Um* *staff experiente pode melhorar as contas de uma empresa.* **2** Grupo que assiste a um dirigente, a um político etc.: *O staff do ministro pouco o ajudava.* [Pl.: *staffs*.]

stalinismo (sta.li.*nis*.mo) *Pol. sm.* **1** Conjunto de princípios e práticas econômicas, políticas e sociais de Iosif Vissarionovitch Djugatchvili, dito Stalin (1879-1953), chefe do Estado soviético, esp. a teoria e a prática do comunismo por ele desenvolvida a partir do marxismo-leninismo **2** Período em que Stalin predominou politicamente na antiga União Soviética (1925-1953) **3** Apoio prático ou simpatia pelo stalinismo [F.: Do antr. Joseph *Stalin* + *-ismo*. Tb. *estalinismo*.]

stalinista (sta.li.*nis*.ta) *a2g.* **1** Que diz respeito a Stalin ou ao stalinismo **2** Que é adepto ou seguidor do stalinismo *s2g.* **3** Indivíduo stalinista [F.: Do antr. Joseph *Stalin* + *-ista*. Tb. *estalinista*.]

⊕ ***stand*** (*Ing.* /*stend*/) *sm.* Ver *estande*

⊕ ***standard*** (*Ing.* /*sténderd*/) *sm.* **1** Padrão, modelo, norma *a2g2n.* **2** Que não apresenta qualquer característica especial; COMUM: *edição standard de um programa de informática.*

◎ **-stase** *el. comp.* = ação de dar estabilidade, fixidez: *hemóstase, metástase*

◎ **-stato** *el. comp.* = estacionário, estável, fixo: *aerostato, reostato, termostato.*

statu quo [Lat.] Estado em que se achava antes certa questão

status *sm.* **1** Situação ou circunstância de algo ou alguém em determinado momento; CONDIÇÃO; CONJUNTURA **2** *Antr. Soc.* Posição hierárquica em um grupo ou em uma organização, e que implica determinados direitos e obrigações **3** *Antr. Soc.* Essa distinção dos elementos de um grupo, concebida como uma das causas da estratificação social **4** *Jur.* Conjunto de direitos e deveres que caracterizam a condição de alguém aos olhos da lei **5** Prestígio ou distinção social; RENOME

⊕ ***steeple-chase*** (*Ing.* /*stipel-tchêize*/) *sm.* **1** *Turfe* Corrida de cavalos com obstáculos como cercas, muros, fossas etc. dispostos pela pista **2** *Atl.* Corrida de 3.000 m realizada numa pista com diversos tipos de obstáculos

◎ **-steg(o)-** *el. comp.* = cobertura, revestimento: *electrostegia, galvanostegia* [F.: Do gr. *stégos* < gr. *stegein*.]

◎ **-stem(o)-** *el. comp.* = 'urdidura'; 'fio'; 'estame'; 'filete': *ginostêmio; actinostemo, basistemo, calistemo, ginostemo, heterostemo, macrostemo, oncostemo, podestemo, pogostemo* [F.: Do gr. *stémon, onos*, 'urdidura', 'estambre', 'estame'; como pospositivo, a maioria dos voc. advém pelo lat. cient. *-stemon* ou *-stemum*, de gêneros de plantas (angiospermas).]

◎ **-stemo** *el. comp.* Ver *-stem(o)-*

◎ **-stêmone** *el. comp. Bot.* = 'filete'; 'estame'; 'diz-se de androceu (ou flor) com x estames ou cujos estames têm dada característica': *anisostêmone, diplostêmone, isostêmone, obdiplostêmone, octostêmone, oligostêmone, polistêmone, tetrastêmone, triplostêmone* [F.: Do gr. *stémon, onos*, 'urdidura', 'trama', 'estambre', 'estame', pelo lat. (cient.) *stemon, onis*. F. conexa: *stem(o)*-.]

◎ **-stenia¹** *el. comp.* = 'constrição ou estreitamento patológico de órgão ou estrutura do corpo': *aortostenia, histerostenia, metrostenia, uretrostenia.* [F.: Do gr. *sténos, é, ón*, 'estreito', 'apertado'; 'cerrado'; 'curto', + *-ia¹*. F. conexa: *esten(o)-¹*. Cf. *-astenia*.]

◎ **-stenia²** *el. comp.* = 'força': *anisostenia, calistenia, hipostenia* [F.: Do gr. *sthénos, eos-ous*, 'força física'; 'vigor'. F. conexa: *esten(o)-²*. Cf. *-astenia*.]

◎ **-sten(o)-** *el. comp.* Ver *sten (o)*-

⊕ ***stent*** (*Ing.* /*stênt*/) *Med. sm.* **1** Pequeno tubo plástico ou metálico, com a textura de rede, colocado no interior de um vaso anatômico (como uma artéria) para manter aberta uma passagem anteriormente bloqueada **2** Molde de material resinoso us. para manter um enxerto de tecido vivo em determinada posição [F.: Do antr. Charles Thomas *Stent* (1807-1885), dentista inglês, que criou um produto para moldes dentários registrado como *stents* (1899) e que, posteriormente, foi desenvolvido para outras aplicações.]

⊕ ***step*** (*Ing.* /*stép*/) *sm. Esp.* Segmento da ginástica que associa a subida e descida de um banquinho para reforçar os músculos da coxa (quadríceps) com movimentos de braços e pernas, estimulando tb. a atividade cardiovascular, fortalecendo a musculatura de pernas e braços, e desenvolvendo a coordenação motora e a noção espacial

◎ **-stern(o)-** *el. comp.* Ver *estern(o)*-

◎ **-sterno** *el. comp.* Ver *estern(o)*-

◎ **-sterol** *suf. Quím.* = 'esterol': *ergosterol, estigmosterol, lanosterol* [F.: De *(cole)sterol*.]

⊠ **STF** Sigla de Supremo Tribunal Federal

◎ **-stico** *suf.* = linha: *macróstico* [F.: Do gr. *stíchos, ou*.]

⊕ ***stilb*** (*Ing.* /*stilb*/) *sm. Fotm.* Unidade de medida de intensidade luminosa, equivalente a uma candela por centímetro quadrado [Símb.: *sb*.]

◎ **-stilo** *el. comp.* = coluna: *peristilo*

⊠ **STJ** Sigla de *Superior Tribunal de Justiça*

⊠ **STM** Sigla de *Superior Tribunal Militar*

⊕ ***stock-car*** (*Ing.* /*stóc-carr*/) *sm.* **1** *Aut.* Automóvel produzido em série e posteriormente equipado com motor, amortecedores, suspensão e outros dispositivos especiais para disputar corridas de grande competitividade *sf.* **2** *P. ext. Aut.* Categoria do automobilismo disputada por esse tipo de automóvel

⊕ ***stokes*** (*Ing.* /*stoucs*/) *sm2n. Antq. Fís.* Unidade c. g. s. de medida de viscosidade cinemática correspondente à de um líquido que apresenta a viscosidade de um poise e a densidade de uma grama por centímetro cúbico [Símb.: *St*.] [F.: Do antr. George G. *Stokes* (1819-1903), matemático e físico inglês.]

◎ **-stoma-** *el. comp.* Ver *estomat(o)*-.

◎ **-stomia** *el. comp.* = 'boca'; 'abertura'; 'orifício'; 'anomalia ou irregularidade referente à boca'; 'procedimento cirúrgico em que se cria uma abertura ou orifício artificial num dado órgão, estrutura ou em parte deles': *aglossostomia, cacostomia, ozistomia, xerostomia; cecostomia, cistostomia, colangiostomia, coledocostomia, duodenostomia, estenostomia, gastrostomia, hepatostomia, ileostomia, jejunostomia, laparostomia, nefrostomia, ooforostomia, peritoniostomia, sigmoidostomia, toracostomia, transversostomia, uretrostomia* [F.: Do gr. *-stomía, as*, do gr. *stóma, atos*, 'boca', + gr. *-ía, as* (ver *-ia¹*). F. conexa: *estomat(o)*-.]

◎ **-stom(o)-** *el. comp.* Ver *estomat(o)*-

◎ **-stomo** *el. comp.* Ver *estomat(o)*-

⊕ ***stop*** (*Ing.* /*stóp*/) **1** Palavra us. esp. em sinalização de trânsito para indicar *pare!* *sm.* **2** Ponto onde se para; PARADA

⊕ ***storyboard*** (*Ing.* /*storibórd*/) *sm. Cin. Publ. Telv.* Série de desenhos em ordem cronológica que mostram as principais ações e mudanças de cenas planejadas para um filme, anúncio ou programa de televisão

⊕ ***straight flush*** (*Ing.* /*strêit flâsh*/) *sm. Lud.* Ver *pôquer* [Pl.: *straight flushes* (*ing*.).]

⊕ ***strass*** (*Fr.* /*strass*/) *sm.* Vidro brilhante que contém muito chumbo us. para imitar diamantes ou certas pedras preciosas (brincos de strass)

◎ **-strato** *el. comp.* = camada, estrato: *estratosfera, estratificar, substrato*

⊕ ***streaming*** (*Ing.* /*strimin*/) *sm. Inf.* Este termo inglês ('fluxo') designa, no caso, o fluxo contínuo de informação de um pacote-fonte (ger. na internet) para o usuário, ger. sem ser gravado por ele e ger. sendo recebido na mesma fluência com que é transmitido (quando a largura da banda de transmissão é suficiente para isso)

⊕ ***stress*** *sm.* **1** Estado gerado pela reação do organismo à excitação emocional, com o aumento da secreção de adrenalina e a perturbação da homeostase **2** Esgotamento físico e/ou emocional causado por uma situação difícil, ger. prolongada (doença, problemas financeiros, profissionais ou afetivos, desilusões de toda sorte etc.) [Cf.: *estresse*.]

⊕ ***stretto*** (*It.* /*strêto*/) *Mús. sm.* **1** Parte final da fuga na qual ocorre a superposição de tema e de resposta **2** No contraponto, imitação que precede a completa exposição do tema **3** Parte final característica da ópera do séc. XIX em que o andamento é acelerado

⊕ ***stricto sensu*** (*Lat.* /*strictu sensu*/) *loc. adv.* Em sentido restrito, limitado (mestrado stricto sensu) [Ant.: *lato sensu*.]

⊕ ***stripper*** (*Ing.* /*striper*/) *s2g.* Artista que faz o *striptease*

⊕ ***striptease*** (*striptíse*) *sm.* **1** Ato de se despir lentamente e com gestos eróticos diante de outra(s) pessoa(s) **2** Gênero de espetáculos, ger. realizado em certas boates, em que uma pessoa, ger. uma mulher, se despe lentamente, ao som de música, com gestos eróticos **3** *P. ext.* Qualquer ação ou efeito de desnudamento público: *Alguns manifestantes fizeram stripteases como protesto.*

⊕ ***stud*** (*Ing.* /*stad*/) *sm. Turfe* Conjunto de cavalos de corrida, de raça, pertencentes a um dono ou a um grupo [Pl.: *studs* (*ing*.).]

◎ **su-** Elemento de composição antepositivo, formado pela apócope de sul nos nomes compostos su-sudeste, sudoeste e su-sueste

sua (*su*.a) *pr. pess.* **1** Feminino de *seu*; determina um subst. do gên. fem., que pertence a alguém ou algo de que se fala: *Ele se enfureceu quando roubaram sua carteira.* **2** Determina um subst. do gên. fem., que pertence ao interlocutor: *Senhor, onde é sua casa?* *sf.* **3** *Bras. Pop.* Seu objetivo, sua intenção: *Qual era a sua com aquela atitude?* **4** *Bras.* Senhora, dona: *Não fale comigo, sua chata!* [F.: Do lat. *sua*. Hom./Par.: *sua* (pron. sf.), *sua* (fl. de *suar*).] ■ **Em ~** Ver *in* (2) **Fazer das ~** Fazer artes, travessuras, ou agir mal (como costuma fazer) **Ficar na ~ 1** Não mudar de opinião, de modo de pensar, de maneira de agir (sem se deixar convencer ou influenciar por outrem, pelas circunstâncias etc.) **2** Ater-se aos seus assuntos, não interferir em assuntos alheios, não dar opinião **Levar a ~ avante** Alcançar seu objetivo, conseguir o que queria **Na ~ 1** Coerente e de acordo com sua ideia, sua opinião, sua maneira de ver algo: *A ideia parecia boa, mas ela, lá na sua, não concordava.* **2** *Bras. Gír.* Nas sua maneira peculiar de (alguém) pensar, ver as coisas, agir etc; na dele(s)/dela(s): *A festa foi animada, mas ele, na sua, num canto, permanecia calado.* [Equivale, na terceira pessoa, a *na minha* e *na tua*.]

suã (su.*ã*) *Bras. sf.* **1** Carne da parte inferior do lombo do porco; ASSUÃ **2** Conjunto dos ossos da espinha dorsal desse animal especialmente, ou, p. ext., de qualquer animal

suábio (su:*á*.bi:o) *sm.* **1** Pessoa nascida na Suábia, região da Alemanha, no Estado da Baviera *a.* **2** Da Suábia; típico dessa região ou de seu povo [F.: Do top. *Suábia*.]

suaçu (su:a.*çu*) *sm. Bras. Zool.* Ver *veado*

suaçuapara (su:a.çu:a.*pa*.ra) **1** *Zool.* Ver cervo-do-pantanal (*Blastocerus dichotomus*) *sf.* **2** *Bras. Zool.* Ver cariacu (*Odocoileus virginianus*) **3** Ver veado-campeiro (*Ozotoceros bezoarticus*) [Tb. *suçuapara*.]

suadeira (su:a.*dei*.ra) *sf.* **1** *Bras. Pop.* Ação de suar muito: *tratamento para aliviar a suadeira nas mãos e axilas.* **2** *RS* Rede que faz parte do saco (nos aparelhos da pesca da sardinha); tb. *bastos* [F.: *suar* + *-deira*.]

suado (su:*a*.do) *a.* **1** Coberto de suor (corpo suado) **2** Que tem suor ou sinais de suor (camiseta suada) **3** *Fig.* Que se obteve com muito trabalho ou esforço (economias suadas) **4** *Bras.* Cuja superfície está coberta de vapor de água condensado: *A jarra de água gelada está suada.* **5** *Fig.* Que se executa à custa de suor (trabalho suado) [F.: Part. de *suar*.]

suador (su:a.*dor*) [ô] *a.* **1** Que sua **2** Que faz suar *sm.* **3** Aquele que sua **4** Aquilo (remédio, bebida, agasalho) que faz suar **5** Peça de lã colocada entre o lombo do cavalo e a sela para proteger o animal; SUADOURO: "Antes, porém, de enfileiradas as cangalhas, (...), cumpre deixá-las ao sol para secarem os suadores,..." (Afonso Arinos, "Tropas e tropeiros" *in Histórias e paisagens*) [F.: *suar* + *-dor*.]

suadouro (su:a.*dou*.ro) *sm.* **1** Ato ou efeito de suar **2** O que faz suar; SUDORÍFERO **3** Medicação utilizada para provocar a transpiração; SUDORÍFICO; SUDORÍFERO **4** Lugar demasiadamente quente; SAUNA **5** Lavagem de potes ou vasilhas com água quente, sal etc. **6** Espécie de revestimento que se coloca sobre o dorso do cavalo para protegê-lo do atrito da sela; XAIREL **7** Parte do lombo da cavalgadura onde se coloca a sela **8** Peça de borracha ou plástico colocada na parte do guidom de bicicletas ou motocicletas em que se apoiam as mãos **9** *Bras. RJ SP Pop.* Tipo de golpe em que uma meretriz leva, sozinha ou com ajuda de comparsas, um cliente a determinado lugar com o fim de roubá-lo; SUADOR

suaíle (su:a.*í*.li) *sm.* **1** *Etnol.* Pessoa pertencente aos suaílis, povo banto que habita Zanzibar e a região costeira vizinha **2** *Gloss.* Língua banta falada pelos suaílis, us. como primeira língua na costa oriental da África e ilhas vizinhas e como língua comum entre os habitantes do Quênia, Tanzânia, República Democrática do Congo e Uganda, além dos do norte de Moçambique *a.* **3** Do ou ref. ao suaíli [F.: Do ing. *swahili* (ár. *suahil*).]

suão (su:*ão*) *a.* **1** *Met.* Diz-se de vento quente que sopra do sul [Pl.: *-ões*.] *sm.* **2** Vento suão: "...Ele te sopraria às moles fibras/ a raiva do suão / Quando agitando as crinas inflamadas/ Fustiga a solidão." (Fagundes Varela, "Escravos" *in Cantos meridionais*) **3** O que é do sul [F.: De *sulano*. Hom./Par.: *suão* (a. sm.), *soão* (sm.).]

suar (su.*ar*) *v.* **1** Expulsar (suor) através dos poros, ou molhar com suor [*td.*: *Suei a roupa toda.*] [*int.*: *Ele sua pouco.*] **2** Gotejar ou destilar umidade [*int.*: *O muro suava.*] **3** Afadigar-se, ou esforçar-se, batalhar por (algo) [*tr.* + *para, por*: *Teve de suar para vencer na vida.*] [*int.*: *Suando é que se vence.*] **4** Molhar de suor [*td.*: *Correu muito e suou a camisa.*] **5** Fazer brotar, destilar [*td.*: *O leito seco do rio suava umas gotinhas de água.*] **6** Pôr para fora; exteriorizar [*td.*: *Suava talento por todos os poros.*] **7** *P. us.* Experimentar sofrimento; sofrer [*td.*: *Durante aqueles dias, suou as piores angústias.*] [▶ **1 suar**] [F.: Do lat. *sudare*. Hom./Par.: *sua(s)* (fl.), *sua(s)* (sf. pron. [pl.]); *sues* (fl.), *suis* (a2g. sm. pl.); *suemos* (fl.), *soemos* (fl. *soer*); *sueis* (fl), *soeis* (fl. *soer*).] ■ **Fazer ~** Obrigar (alguém) a esforçar-se, dar trabalho, exigir esforço **~ frio** *Fig.* Ter medo, passar mal, ficar angustiado etc.

suarento (su:a.*ren*.to) *a.* **1** Coberto e pegajoso de suor: "O vaqueiro rude, vestido de couro, montando no 'campeão' suarento e resfolegante, empunhando ao modo de lança a 'guiada' longa, olhava surpreendido para tudo aquilo." (Euclides da Cunha, *Os sertões*) **2** Que provoca suor; muito quente (clima suarento)

suasório (su:a.*só*.ri:o) *a.* *P. us.* O m. q. *persuasivo*

suástica (su.*ás*.ti.ca) *sf.* **1** Símbolo religioso em forma de cruz, com hastes recurvas formando quatro ângulos retos (com a mesma forma da letra maiúscula gama, donde o nome de cruz *gamada*), que exprime, para os brâmanes e budistas, felicidade, saudação e salvação **2** Esta cruz, com as hastes voltadas para a direita, que se tornou símbolo do nazismo após ser adotada pelos hitleristas alemães como símbolo oficial do partido Nacional-Socialista e do Terceiro Reich; cruz gamada

suave (su.*a*.ve) *a2g.* **1** Que agrada ou dá prazer aos sentidos: "Mas a terra é verde: e a vista repousa-se nela, e não se cansa na variedade infinita de seus matizes tão suaves." (Almeida Garrett, *Viagens na minha terra*) **2** Que transmite paz ou inspira sentimentos delicados (palavras suaves) **3** Afetuoso, meigo, terno (sorriso suave) **4** Que revela moderação e/ou equilíbrio; não exagerado (porções suaves) **5** Que apresenta traços singelos e sutis (beleza suave) **6** De pouca atividade ou força; fraco (luz suave; dor suave) **7** Ameno, aprazível (temperatura suave) **8** Sem aspereza; macio, agradável ao tato (tapete suave) **9** Sem rispidez; benevolente, condescendente (castigo suave) **10** Que decorre ou se faz sem esforço; pouco exigente (exercício suave) **11** *Bras.* Diz-se de vinho de baixo teor alcoólico e adocicado [Antôn. (de 1, 2, 3): *acerbo*; (de 4): *exagerado*; (de 5): *desproporcionado, grosseiro*; (de 6, 7): *intenso*; (de 8, 9, 10): *duro*.]

suavemente (su:a.ve.*men*.te) *adv.* De modo suave; com suavidade; BRANDAMENTE; DOCEMENTE [F.: *suave* + *-mente*.]

suavidade (su.a.vi.*da*.de) *sf.* **1** Qualidade do que agrada aos sentidos: "A sua garganta é suavíssima, porque saem por ela as vozes, as respirações do peito, que é arquivo de amores e suavidades [...]" (Camilo Castelo Branco, *A brasileira de Prazins*) **2** Característica do que tem moderação ou equilíbrio; SUTILEZA; LEVEZA: *A suavidade de seus poemas encantava-nos.* **3** Delicadeza de traços; ELEGÂNCIA; GRAÇA: *A suavidade de seu belo rosto encantava a todos.* **4** Equilíbrio de caráter; AFETUOSIDADE; TERNURA: *Esquecera a suavidade dos carinhos maternos.* **5** Maciez: *A suavidade do travesseiro proporciona um bom sono.* **6** Pouca rispidez; MODERAÇÃO: *Tinha suavidade até quando punia os alunos.*

suaviloquência (su:a.vi.lo.*quên*ci:a) *sf.* Doçura, suavidade no falar, na linguagem [F.: Do lat. *suaviloquentia.*]

suaviloquente (su:a.vi.lo.*quen*.te) *a2g.* Que fala de modo suave; que se expressa com doçura [F.: Do lat. *suaviloquens, entis.*]

suavização (su.a.vi.za.*ção*) *sf.* Ação ou resultado de suavizar(-se) [Pl.: *-ções.*] [F.: *suavizar + -ção.*]

suavizado (su:a.vi.*za*.do) *a.* Que se tornou suave (sabor/calor suavizado); ABRANDADO; AMENIZADO [F.: Part. de *suavizar.*]

suavizador (su:a.vi.za.*dor*) [ô] *a.* **1** Que suaviza (efeito suavizador) *sm.* **2** O que suaviza: *suavizador da silhueta cansada.* [F.: *suavizar + -dor.*]

suavizante (su.a.vi.*zan*.te) *a2g.* **1** Que suaviza ou amacia (creme suavizante) **2** Que diminui a força; AMENIZANTE: *Compre um remédio suavizante de cólicas para mim.* [F.: *suavizar + -nte.*]

suavizar (su.a.vi.*zar*) *v.* **1** Fazer(-se) suave, brando ou mais brando; ABRANDAR(-SE); AMENIZAR(-SE) [*td.: suavizar um castigo*] [*int.: O calor suaviza-se com a brisa do mar.*] **2** Tornar(-se) mais ameno [*td.: Os ventos suavizaram a temperatura.*] [*int.: O tempo suavizou-se.*] **3** Tornar menos rigoroso, inflexível [*td.: O jornalista resolveu suavizar suas críticas.*] **4** Tornar menos marcado, menos contrastante [*td.: Suavizou o contorno dos olhos com nova maquiagem.*] [▶ 1 suavizar] [F.: *suave + -izar.*]

suazi (su:a.*zi*) *s2g.* **1** Pessoa nascida ou que vive na Suazilândia (Sul da África) *a2g.* **2** Da Suazilândia, típico desse país ou de seu povo **3** Relativo ou pertencente a suazi (4) *sm.* **4** *Gloss.* Língua banta da Suazilândia, também falada na África do Sul

suazilandês (su:a.zi.lan.*dês*) *a.* Ver *suazi.* [Pl.: *-deses.* Fem.: *-desa.*] [Do top. *Suazilândia + -dês.*]

◎ **sub-** Prefixo que designa 1) 'posição inferior': *subaquático, subjazer*; 2) 'movimento de baixo para cima': *sublime; sublevar*; 3) 'inferioridade': *subdelegado, submeter*; 4) 'substituição': *substituto*; 5) 'proximidade': *subsequente*; 6) 'transmissão': *sublocar*; 7) 'diminuição', 'insuficiência': *subnutrição*; 8) 'ação furtiva': *subornar, sub-reptício*; 9) 'quase': *subglabro* [Var.: so-, -so-, su-, sus-: *soborralho; assoreamento; sobpor; súcubo* (lat.); *suspensão* (lat.).]

subabdominal (sub.ab.do.mi.*nal*) *a2g.* Que fica ou é posto abaixo do abdome: *cinto de segurança subabdominal.* [Pl.: *-nais.*] [F.: *sub- + abdominal.*]

subabitar (su.ba.bi.*tar*) *v. int.* Habitar em condições subumanas [▶ 1 subabitar] [F.: *sub- + habitar.*]

subácido (sub.*á*.ci.do) *a.* Que é ácido ao paladar, mas de maneira moderada [F.: *sub- + ácido.*]

subaco (su.*ba*.co) *sm. Bras. Pop.* O mesmo que *sovaco*

subadutora (sub.a.du.*to*.ra) [ô] *sf.* Adutora secundária que distribui as águas de uma adutora central [F.: *sub- + adutora.*]

subaéreo (sub.a.*é*.re:o) *a.* **1** Que se localiza na camada inferior da atmosfera **2** Que cresce, medra ou vive imediatamente acima da superfície **3** Cuja ocorrência sucede no espaço subaéreo (diz-se de fenômeno etc.) [F.: *sub- + aéreo.*]

subafluente (sub.a.flu.*en*.te) *a2g.* **1** Diz-se de curso de água, de rio, que é afluente de outro afluente *sm.* **2** Esse curso de água [F.: *sub- + afluente.*]

subagência (sub.a.*gên*.ci:a) *sf.* Agência ligada a outra, mais importante ou central [F.: *sub- + agência.*]

subagente (sub.a.*gen*.te) *s2g.* **1** Aquele ou aquela que é responsável por uma subagência **2** Agente subordinado a outro agente de categoria superior [F.: *sub- + agente.*]

subagudo (sub.a.*gu*.do) *a.* **1** Ligeiramente agudo; intermediário ao agudo e ao crônico (laringite subaguda) **2** *Med.* Diz-se de infecção, de doença que apresenta sintomas de pouca intensidade, mas que só se tornam mais fracos gradativamente [F.: *sub- + agudo.*]

subalimentação (su.ba.li.men.ta.*ção*) *sf.* **1** Condição de quem se alimenta aquém do necessário para manter a saúde; fome **2** Alimentação insuficiente quantitativamente e pobre em calorias e outros elementos essenciais para a saúde (vitaminas, proteínas etc.) [Pl.: *-ções.*] [F.: *sub- + alimentação.* Sin. ger.: *subnutrição.* Cf. *superalimentação.*]

subalimentado (su.ba.li.men.*ta*.do) *a.* **1** Diz-se daquele que se encontra em estado de insuficiência alimentar prejudicial à saúde a ponto de, prolongando-se, resultar em morte *sm.* **2** Aquele que se encontra em estado de subalimentação [F.: Part. de *subalimentar.* Sin. ger.: *subnutrido.* Cf. *superalimentado.*]

subalimentar (sub.a.li.men.*tar*) *v. td.* **1** Alimentar(-se) mal **2** Alimentar(-se) sem ingerir os alimentos necessários à nutrição [▶ 1 subalimentar] [F.: *sub- + alimentar.*]

subalternidade (su.bal.ter.ni.*da*.de) *sf.* **1** Qualidade, estado ou situação de subalterno **2** *P. ext.* Sentimento de dependência, de sujeição [F.: *subalterno + -(i)dade.*]

subalternismo (su.bal.ter.*nis*.mo) *sm.* O mesmo que *subalternidade* [F.: *subalterno + -ismo.*]

subalternização (su.bal.ter.ni.za.*ção*) *sf.* Ação ou resultado de subalternizar(-se) [Pl.: *-ções.*] [F.: *subalternizar + -ção.*]

subalternizado (su.bal.ter.ni.*za*.do) *a.* Que se subalternizou; que se tornou subalterno [F.: Part. de *subalternizar.*]

subalternizar (su.bal.ter.ni.*zar*) *v. td.* Tornar(-se) subalterno; pôr(-se) em categoria ou posição inferior [▶ 1 subalternizar] [F.: *subalterno + -izar.*]

subalterno (su.bal.*ter*.no) *a.* **1** Diz-se de quem está sob as ordens de outro; SUBORDINADO **2** *P. ext.* Diz-se de quem se sente inferior a outrem; SUBMISSO **3** *Lóg.* Diz-se da proposição particular com relação à universal da mesma qualidade, na oposição por subalternação *sm.* **4** O que está subordinado a outro; o que tem graduação inferior ou autoridade inferior relativamente a outrem **5** Indivíduo que se sujeita ou obedece a outrem [F.: Do lat. *subalternus, a, um.* Hom./Par.: *subalterno* (a. sm.), *subalterno* (fl. de *subalternar*).]

subalugar (sub.a.lu.*gar*) *v. td.* O mesmo que *sublocar* [▶ 14 subalugar] [F.: *sub- + alugar.* Hom./Par.: *subalugueis* (fl.), *subaluguéis* (pl. de *subaluguel* [sm.]).]

subandino (sub.an.*di*.no) *a.* Que se situa nas fraldas dos Andes, cadeia de montanhas sul-americanas [F.: *sub- + andino.*]

subaproveitado (su.ba.pro.vei.*ta*.do) *a.* Diz-se do que ou de quem foi mal aproveitado (tema subaproveitado): *Artista de grande talento subaproveitada num show medíocre.* [F.: Part. de *subaproveitar.*]

subaproveitamento (su.ba.pro.vei.ta.*men*.to) *sm.* **1** Ação ou resultado de subaproveitar **2** Aproveitamento precário, insuficiente, de alguma coisa (subaproveitamento das terras) [F.: *subaproveitar + -mento* ou de *sub- + aproveitamento.*]

subaproveitar (su.ba.pro.vei.*tar*) *v. td.* Não extrair o melhor do potencial (de alguém ou alguma coisa); não tirar todo o proveito de: *O teatro subaproveitou os talentos de que dispunha.* [▶ 1 subaproveitar] [F.: *sub- + aproveitar.*]

subaquático (su.ba.*quá*.ti.co) *a.* Que se encontra ou vive sob a água (plantas subaquáticas) [F.: *sub- + aquático.*]

subaqueira (su.ba.*quei*.ra) *Bras. sf.* O mesmo que *sovaqueira*

subaracnoideo (sub.arac.*noi*.de:o) *a. Anat.* Que fica sob a membrana aracnoide [F.: *sub- + aracnoideo.*]

subaracnoidiano (sub.a.rac.noi.di.*a*.no) *a. Anat.* Que diz respeito ou que pertence à região subaracnoidea [F.: *sub- + aracnoidiano.*]

subarbustivo (su.bar.bus.*ti*.vo) *Bot. a.* **1** Referente a subarbusto **2** Que apresenta características de subarbusto **3** Diz-se de tronco cujos ramos secam uma vez por ano [F.: *subarbusto + -ivo.*]

subarbusto (su.bar.*bus*.to) *sm. Bot.* Planta lenhosa de altura inferior à do arbusto, cujo caule é lígneo na base, de onde nascem vários ramos, dentre os quais os mais altos morrem a cada período de crescimento [F.: *sub- + arbusto.*]

subárea (sub.*á*.re:a) *sf.* Parte de uma área que sofreu divisão, que se destaca ou foi destacada de um conjunto maior [F.: *sub- + área.*]

subarrendamento (sub.bar.ren.da.*men*.to) *sm.* **1** Ação ou resultado de subarrendar; ação de arrendar a um terceiro o que se recebeu por arrendamento **2** *Jur.* Ação de transferir um contrato de locação, sendo este total ou parcial [F.: *subarrendar + -mento.*]

subarrendar (sub.ar.ren.*dar*) *v. td.* Arrendar a um terceiro o que já se arrendara (esp. terras): *Subarrendou parte da fazenda.* [▶ 1 subarrendar] [F.: *sub- + arrendar.*]

subarrendatário (su.bar.ren.da.*tá*.ri:o) *a.* **1** Diz-se de indivíduo que subarrendou uma propriedade ou parte dela *sm.* **2** Esse indivíduo [F.: *subarrendar + -tário.* Sin. ger.: *subinquilino.* Cf.: *sublocatário.*]

subatividade (sub.a.ti.vi.*da*.de) *sf.* **1** Atividade que fica subordinada a uma outra **2** Atividade ou trabalho de pequena importância, ger. mal remunerada [F.: *sub- + atividade.*]

subatômico (su.ba.*tô*.mi.co) *a.* **1** *Fís.* Que se processa no interior de um átomo **2** *Fís. nu.* Ref. ou pertencente aos fenômenos próprios das *partículas elementares* **3** Que tem dimensões menores que um átomo [F.: *sub- + atômico.*]

subautoridade (sub.au.to.ri.*da*.de) *sf.* Pessoa que, numa escala de poder, esp. o público, atua como representante que se subordina a uma autoridade superior [F.: *sub- + autoridade.*]

subavaliação (su.ba.va.li.a.*ção*) *sf.* Ação de conceder a algo um valor abaixo de seu valor verdadeiro, ger. com intenções desonestas [Pl.: *-ções.*] [F.: *subavaliar + -ção* ou *sub- + avaliação.*]

subavaliado (su.ba.va.li.*a*.do) *a.* Diz-se do que foi avaliado abaixo de seu valor real [F.: Part. de *subavaliar* ou de *sub- + avaliado.*]

subavaliar (sub.a.va.*li*.ar) *v.* Atribuir (a algo ou alguém) um valor abaixo do verdadeiro [*td.: Subavaliar um terreno/uma amizade/um fato político.*] [*tdr. + em: Subavaliou em 30% a população da colmeia.*] [▶ 1 subavaliar] [F.: *sub- + avaliar.*]

subcapitalismo (sub.ca.pi.ta.*lis*.mo) *sm.* Forma de capitalismo incipiente, ou primitivo, que não chega realmente a constituir um sistema capitalista [F.: *sub- + capitalismo.*]

subcapitalista (sub.ca.pi.ta.*lis*.ta) *a2g.* Ref. ou pertencente a subcapitalismo (sistema subcapitalista) [F.: *sub- + capitalista.*]

subcapitalizado (sub.ca.pi.ta.li.*za*.do) *a.* Diz-se de país ou região que vive em regime econômico de subcapitalismo [F.: *sub- + capitalizado.*]

subcapítulo (sub.ca.*pí*.tu.lo) *sm.* Parte de capítulo que foi subdividido, que constitui pequeno capítulo à parte [F.: *sub- + capítulo.*]

subcapsular (sub.cap.su.*lar*) *a2g. Anat. Med.* Que se encontra sob uma cápsula [F.: *sub- + capsular.*]

subcategoria (sub.ca.te.go.*ri*:a) *sf.* **1** Divisão de uma categoria **2** Caráter ou condição do que pertence a uma categoria inferior [F.: *sub- + categoria.*]

subcentro (sub.*cen*.tro) *sm.* **1** Parte de um centro que foi dividido **2** Ponto secundário, afastado do verdadeiro centro de algo [F.: *sub- + centro.*]

subchefe (sub.*che*.fe) *s2g.* Funcionário que substitui o chefe na ausência deste e/ou realiza trabalhos específicos atribuídos à sub-chefia [F.: *sub- + chefe.*]

subchefia (sub.che.*fi*:a) *sf.* **1** Cargo ou função de subchefe **2** Local onde se exerce esse cargo ou função [F.: *subchefe + -ia*[1].]

subcidadania (sub.ci.da.da.*ni*:a) *sf.* Condição de quem, numa sociedade, não é considerado verdadeiramente um cidadão [F.: *sub- + cidadania.*]

subcidadão (sub.ci.da.*dão*) *sm.* **1** Aquele que não exerce seus direitos ou não cumpre seus deveres perante a sociedade de modo pleno **2** *P. ext. Jur.* Aquele que não tem poder político nem econômico e, embora possua deveres jurídicos, não tem acesso à justiça (elitizada) ou passa a valer-se, em inobservância da lei vigente, de princípios normativo-penais próprios, inerentes ao meio de que faz parte [Pl.: *-dãos.* Fem.: *-dã e -doa*] [F.: *sub- + cidadão.*]

subcingido (sub.cin.*gi*.do) *a.* Diz-se do que foi cingido, preso ou ligado por baixo de algo: *A carga foi amarrada ao caminhão e subcingida com uma corda sob a carroceria.* [F.: *sub- + cingido.*]

subcircular (sub.cir.cu.*lar*) *a2g.* Que está próximo a uma forma circular: *O aeroplano descreveu um movimento subcircular.* [F.: *sub- + circular.*]

subclã (sub.*clã*) *sm.* Grupo menor que se constitui, por meio de laços de ascendência comum, como subclasse de um grupo maior, o clã de que faz parte [F.: *sub- + clã.*]

subclasse (sub.*clas*.se) *sf.* **1** Subdivisão de uma classe **2** *Mat.* Subconjunto (2) **3** *Biol.* Categoria taxonômica situada entre a classe e a ordem [F.: *sub- + classe.*]

subclassificação (sub.clas.si.fi.ca.*ção*) *sf.* Subdivisão de uma classificação [Pl.: *-ções.*] [F.: *subclassificar + -ção.*]

subclassificar (sub.clas.si.fi.*car*) *v. td.* Subdividir (uma classificação) criando subclasses [▶ 11 subclassificar] [F.: *sub- + classificar.*]

subclávia (sub.*clá*.vi:a) *sf. Anat.* F. red. de *veia subclávia.*

subclávio (sub.*clá*.vi:o) *a. Anat.* Localizado ou situado abaixo das clavículas [F.: *sub- + -clávio.*]

subclínico (sub.*clí*.ni.co) *a.* Diz-se do que não é detectável por intermédio de exame clínico de rotina, feito por meio de tato e procedimentos similares [F.: *sub- + clínico.*]

subcomandante (sub.co.man.*dan*.te) *Mil. sm.* **1** Aquele que tem funções imediatamente inferiores às do comandante **2** Militar que, dentro de seu sistema hierárquico, desempenha funções de substituto legal do comandante [F.: *sub- + comandante.*]

subcomissão (sub.co.mis.*são*) *sf.* **1** Cada uma das comissões em que uma comissão se divide **2** Comissão formada por parte dos membros de uma comissão maior, para tratar pontos específicos de um assunto em questão [Pl.: *-sões.*] [F.: *sub- + comissão.*]

subcomissário (sub.co.mis.*sá*.ri:o) *sm.* Aquele que substitui o comissário ou que lhe é imediatamente inferior; VICE-COMISSÁRIO [F.: *sub- + comissário.*]

subcompacto (sub.com.*pac*.to) *sm.* Automóvel com carroceria de pequenas dimensões [F.: *sub- + compacto.*]

subcomposto (sub.com.*pos*.to) [ô] *sm.* Conjunto de estratégias de atuação pertencente a uma subárea do setor de *marketing* de uma empresa [Pl.: [ó]. Fem.: [ó].] [F.: *sub- + composto.*]

subconjuntival (sub.con.jun.*ti*.val) *a2g. Anat.* Que se localiza sob a conjuntiva [Pl.: *-vais.*] [F.: *sub- + conjuntival.*]

subconjunto (sub.con.*jun*.to) *sm.* **1** Parte separada de um conjunto que apresenta características próprias **2** *Mat.* Conjunto que está contido em outro conjunto; SUBCLASSE [F.: *sub- + conjunto.*]

subconsciência (sub.cons.ci.*ên*.ci:a) *sf.* **1** Consciência vaga, obscurecida ou incipiente **2** Estado intermediário entre a consciência e a inconsciência; SEMICONSCIÊNCIA **3** *Psic.* Zona da mente em que se situam fenômenos psíquicos latentes no indivíduo aos quais a consciência não tem acesso direto; SUBCONSCIENTE [F.: *sub- + consciência.*]

subconsciente (sub.cons.ci.*en*.te) *a2g.* **1** Relativo ou pertencente à subconsciência ou ao subconsciente (3) **2** Que está na mente, mas que não pode ser diretamente alcançado pela consciência *sm.* **3** *Psic.* Conjunto dos fenômenos psíquicos latentes no indivíduo, que influenciam sua conduta, mas que estão fora do alcance da consciência [F.: *sub- + consciente.*]

subconscientemente (sub.cons.ci.en.te.*men*.te) *adv.* De maneira subconsciente, caracterizada pela falta de conhecimento consciente, de reflexão [F.: *subconsciente + -mente.*]

subconsumo (sub.con.*su*.mo) *sm.* **1** *Econ.* Consumo parco, insuficiente, muito limitado pela falta de poder aquisitivo **2** Consumo inferior ao que seria necessário [F.: *sub- + consumo.*]

subcontador (sub.con.ta.*dor*) [ô] *sm.* Funcionário que substitui o contador ou que o auxilia [F.: *sub- + contador.*]

subcontinente (sub.con.ti.*nen*.te) *sm. Geog.* Grande extensão de terra ligada a um continente, porém de menor tamanho, e que, por certas particularidades geográficas, parece constituir uma região independente (p. ex. a África do

Sul); tal característica sobressai quando a configuração dessa extensão de terra assemelha-se a uma península (p. ex. a Índia) [F.: *sub-* + *continente.*]

subcontratação (sub.con.tra.ta.*ção*) *sf.* Ação ou resultado de subcontratar [Pl.: *-ções.*] [F.: *subcontratar* + *-ção.*]

subcontratado (sub.con.tra.*ta*.do) *a.* **1** Que trabalha por subcontrato **2** *Jur.* Diz-se de contratado submetido a exigências estabelecidas por contrato anterior, obrigado, portanto, a cumprir parte dos direitos ou obrigações previstas nas cláusulas originais *sm.* **3** Aquele que trabalha por subcontrato [F.: Part. de *subcontratar.*]

subcontratar (sub.con.tra.*tar*) *v. td.* Firmar contrato com (terceira pessoa ou empresa) para execução de um contrato que deriva de outro firmado anteriormente [▶ 1 subcontratar] [F.: *subcontrato* + *-ar*[2].]

subcontrato (sub.con.*tra*.to) *Jur. sm.* **1** Contrato derivado de outro firmado anteriormente, e a cujas exigências, obrigações e condições está sujeito **2** Contrato que se firma entre uma das partes de um contrato anterior e uma terceira parte, ger. relacionado ao fornecimento de serviços ou materiais enumerados no primeiro contrato [F.: *sub-* + *contrato.*]

subcoordenador (sub.co.or.de.na.*dor*) [ô] *sm.* Funcionário subordinado ao coordenador e que eventualmente o substitui [F.: *sub-* + *coordenador.*]

subcoriáceo (sub.co.ri.*á*.ce:o) *a. Bot.* Diz-se de órgão vegetal, esp. folha, que tem consistência que se assemelha à do couro [F.: *sub-* + *coriáceo.*]

subcórneo (sub.*cór*.ne:o) *a. Anat.* Que fica situado sob o corno [F.: *sub-* + *córneo.*]

subcorrente (sub.cor.*ren*.te) *sf. Oc.* Corrente marinha que flui sob outra corrente, mais superficial, algumas vezes em sentido contrário [F.: *sub-* + *corrente.*]

subcostal (sub.cos.*tal*) *Anat. a2g.* **1** Que se localiza abaixo das costelas (músculos subcostais) **2** Que está em contato com face interna das costelas (órgão subcostal) [Pl.: *-tais.*] [F.: *sub-* + *costal.*]

subcozido (sub.co.*zi*.do) *a. Cul.* Diz-se de alimento que não atingiu o ponto ideal de cozimento, que foi mal cozido [F.: *sub-* + *cozido.*]

subcozimento (sub.co.zi.*men*.to) *sm. Cul.* Cozimento que não atingiu seu ponto ideal [F.: *sub-* + *cozimento.*]

subcrustal (sub.crus.*tal*) *a2g.* **1** Situado sob uma crosta **2** *Geol.* Que se localiza abaixo da crosta terrestre [Pl.: *-tais.*] [F.: *sub-* + *crustal.*]

subcultura (sub.cul.*tu*.ra) *sf.* **1** Cultura que sofre influência de uma outra **2** *Bac.* Cultura bacteriana que se obtém a partir de outra cultura **3** Grupo ou minoria social que apresenta características de outras situações sociais, mas que possui padrão de comportamento capaz de torná-lo distinto, com identidade própria, formando uma espécie de segmento cultural próprio no âmbito de uma cultura ou culturas mais amplas, o que pode ocorrer com fenômenos religiosos, de caráter étnico etc. **4** Tipo de cultura considerada inferior ou primitiva em relação a outras mais ricas, complexas ou sofisticadas: *a subcultura do cinema de massa.* [F.: *sub-* + *cultura.*]

subcutâneo (sub.cu.*tâ*.ne:o) *a.* **1** Situado sob a pele (tecido subcutâneo) **2** Que se aplica sob a pele (injeção subcutânea) [F.: Do lat. *subcutaneus, a, um.*]

subdelegação (sub.de.le.ga.*ção*) *sf.* **1** Ação ou resultado de subdelegar **2** Qualidade, função ou repartição de subdelegado; SUBDELEGACIA **3** Sucursal de um estabelecimento [Pl.: *-ções.*] [F.: *subdelegar* + *-ção* ou *sub-* + *delegação.*]

subdelegacia (sub.de.le.ga.*ci*:a) *sf.* **1** Função de subdelegado **2** Local em que o subdelegado trabalha, exercendo seu cargo e suas funções [F.: *sub-* + *delegacia.*]

subdelegado (sub.de.le.*ga*.do) [ê] *sm.* Aquele que ocupa o cargo imediatamente abaixo ao do delegado e que o substitui em sua ausência [F.: *sub-* + *delegado.*]

subdelegar (sub.de.le.*gar*) *v.* **1** Transferir por delegação (encargo, ofício etc.) [*tdi.* + *a*: *subdelegar tarefas a subordinados.*] **2** Ter a função de subdelegado (na polícia) [*td.*] **3** Nomear (alguém) para exercer a função de subdelegado [▶ **14** subdelegar] [F.: *sub-* + *delegar.*]

subdemanda (sub.de.*man*.da) *sf. Econ.* Procura inferior, da parte dos consumidores, à que esperava o setor produtivo [F.: *sub-* + *demanda.*]

subdesenvolver (sub.de.sen.vol.*ver*) *v. td. Econ.* Tornar o (desenvolvimento econômico e social) mais lento e parcial do que seria desejado ou necessário [▶ **2** subdesenvolver] [F.: *sub-* + *desenvolver.*]

subdesenvolvido (sub.de.sen.vol.*vi*.do) *a.* **1** Diz-se de indivíduo, povo, economia etc., que se encontra em estado de subdesenvolvimento (2); ATRASADO **2** Grosseiro, ignorante, mal-educado *sm.* **3** País subdesenvolvido (1) ou aquele que aí vive **4** *Bras. Pej.* Indivíduo ignorante, maleducado ou desordeiro: *Um bando de subdesenvolvidos pichou o monumento.* [F.: Part. de *subdesenvolver.*]

subdesenvolvimento (sub.de.sen.vol.vi.*men*.to) *sm.* **1** Desenvolvimento incompleto **2** Situação de economias que, em comparação com os países industrializados da América do Norte, Europa e Ásia, mostram baixos níveis de produtividade, renda *per capita*, desenvolvimento tecnológico etc., e que apresentam condições de vida particularmente difíceis para a população, sobretudo no que se refere à saúde, à educação, à alimentação e ao poder aquisitivo; ATRASO **3** *Bras.* Estado de fome e pobreza; MISÉRIA [F.: *subdesenvolver* + *-imento* ou *sub-* + *desenvolvimento.*]

subdiaconado (sub.di:a.co.*na*.do) *sm.* Ver *subdiaconato*

subdiaconato (sub.di:a.co.*na*.to) *sm. Ecles.* Dignidade, função ou estado de subdiácono; SUBDIACONIA [F.: Do lat. ecles. *subdiaconatus, us*, por via erudita. Tb. *subdiaconado*, este por via semierudita.]

subdiácono (sub.di.*á*.co.no) *sm.* Clérigo que se coloca hierarquicamente abaixo do diácono e que tem a função, entre outras, de assistir o celebrante na missa cantada, atuando no preparo da epístola, do pão, do vinho e dos vasos para a missa, além de acrescentar água no cálice do ofertório [F.: Do lat. *subdiaconus, i.*]

subdiafragmático (sub.di:a.frag.*má*.ti.co) *a. Anat.* Que se situa sob o diafragma [F.: *sub-* + *diafragmático.*]

subdimensionado (sub.di.men.si.o.*na*.do) *a.* Diz-se do que foi pensado, projetado e/ou realizado com dimensões menores do que as exigidas [F.: *sub-* + *dimensionado.*]

subdimensionamento (sub.di.men.si:o.na.*men*.to) *sm.* Cálculo de proporções que se realiza a partir de índices inferiores daqueles que seriam normalmente esperados ou necessários [F.: *sub-* + *dimensionamento.*]

subdiretor (sub.di.re.*tor*) [ô] *sm.* Aquele que ocupa o cargo imediatamente abaixo ao de diretor e que, em sua ausência, o substitui [F.: *sub-* + *diretor.*]

subdiretoria (sub.di.re.to.*ri*:a) *sf.* **1** Cargo ou função de subdiretor **2** O local em que trabalha o subdiretor [F.: *subdiretor* + *-ia*[1].]

subdisciplina (sub.dis.ci.*pli*.na) *sf.* Cada uma das partes que resulta da divisão de uma disciplina [F.: *sub-* + *disciplina.*]

subdistrito (sub.dis.*tri*.to) *sm.* Parte de um distrito que foi dividido ou separado por necessidades administrativas, constituindo uma entidade própria mas subordinada ao conjunto inicial [F.: *sub-* + *distrito.*]

subdividido (sub.di.vi.*di*.do) *a.* **1** Que se subdividiu *a.* **2** Dividido depois de divisão anterior **3** Que foi separado de um todo [F.: Part. de *subdividir.*]

subdividir (sub.di.vi.*dir*) *v.* **1** Dividir(-se) um todo que já é produto de divisão [*td.*: *subdividir um estado da Federação.*] [*tr.* + *em*: *Todo distrito subdivide-se em bairros*] **2** Tornar a dividir(-se), ou repartir(-se) [*td.*: *subdividir uma circunferência (em quadrantes).*] [*tr.* + *em*: *Esta estrada subdivide-se em duas.*] [▶ **3** subdividir] [F.: Do v.lat. *subdividere.*]

subdivisão (sub.di.vi.*são*) *sf.* **1** Ação ou efeito de subdividir **2** Nova divisão do que já estava dividido **3** Divisão de algo inteiro em partes menores; CISÃO; RAMIFICAÇÃO [Pl.: *-sões.*] [F.: *sub-* + *divisão.*]

subdocumento (sub.do.cu.*men*.to) *sm.* Parte de um documento que foi dividido em um ou mais segmentos [F.: *sub-* + *documento.*]

subdominante (sub.do.mi.*nan*.te) *a2g.* **1** Que domina parcial e imperfeitamente **2** *Ecol.* Numa comunidade, diz-se de espécie importante em seu meio embora subordinada à espécie dominante *sf.* **3** *Mús.* O quarto grau da escala diatônica de qualquer tonalidade, imediatamente abaixo da dominante e acima da mediante **4** *Ecol.* Espécie subdominante (3) [F.: *sub-* + *dominante.*]

subdosagem (sub.do.*sa*.gem) *sf.* Dosagem menor que a necessária; dosagem insuficiente [Pl.: *-gens.*] [F.: *sub-* + *dosagem.*]

subducção (sub.duc.*ção*) *sf. Geol.* Convergência de placas tectônicas quando uma delas desliza para ficar debaixo de outra [Pl.: *-ções.*] [F.: Do ing. *subduction.*]

subdural (sub.du.*ral*) *Anat. a2g.* **1** Que está situado sob a dura-máter **2** Que ocorre sob a dura-máter [Pl.: *-rais.*] [F.: *sub-* + *dural.*]

subeconomia (sub.e.co.no.*mi*.a) *sf.* **1** Economia primitiva ou rudimentar, ainda não regulamentada por leis que lhe provejam deveres e obrigações e garantam a probidade em suas transações *sf.* **2** A economia ou o conjunto de transações econômicas à margem do controle governamental, em geral pertencentes ao domínio da *economia informal* [A despeito de sua irregularidade (não recolhimento de impostos, inobservância de leis trabalhistas, venda de mercadorias contrabandeadas etc.), movimentam vultuosas somas e representam uma real alternativa de emprego para um considerável número de trabalhadores] [F.: *sub-* + *economia.*]

subeditor (sub.e.di.*tor*) [ô] *sm.* Auxiliar do editor ou chefe de uma subeditoria [F.: *sub-* + *editor.*]

subemenda (su.be.*men*.da) *sf.* Emenda (a um projeto de lei) proposta a outra anteriormente feita [F.: *sub-* + *emenda.*]

subempregado (su.bem.pre.*ga*.do) *a.* **1** Que exerce subemprego *sm.* **2** Aquele que está em situação de subemprego [F.: *sub-* + *empregado.*]

subemprego (su.bem.*pre*.go) [ê] *sm.* Emprego, de remuneração insuficiente, e frequentemente informal, temporário, sem vínculo ou garantia [F.: *sub-* + *emprego.*]

subempreitada (sub.em.prei.*ta*.da) *sf.* Contratação de terceiros para a realização de empreitada que fora combinada anteriormente [F.: *sub-* + *empreitada.*]

subempreitar (sub.em.prei.*tar*) *v. td.* Contratar terceiros para a execução de (empreitada que fora combinada anteriormente) [▶ **1** subempreitar] [F.: *sub-* + *empreitar.*]

subempreiteira (sub.em.prei.*tei*.ra) *sf.* Caráter ou condição de empresa que realiza obra por subempreitada [F.: *sub-* + *empreiteira.*]

subenredo (sub.en.*re*.do) *sm.* Enredo secundário que transcorre paralelamente ao enredo principal (em romance, filme, telenovela etc.) [F.: *sub-* + *enredo.*]

subentender (sub.en.ten.*der*) *v. td.* Entender ou dar a entender (algo não explicado ou dito): *Subentendeu o significado da evasiva; Deixou subentender uma ameaça em sua insinuação.* [▶ **2** subentender] [F.: *sub-* + *entender.* Cf.: *subtender.*]

subentendido (su.ben.ten.*di*.do) *a.* **1** Que se subentendeu *a.* **2** Que se percebe, embora não seja exposto, explicitamente dito ou (bem) explicado (argumentos subentendidos) *sm.* **3** O que é suposto como conhecido e que, por isso mesmo, não é claramente dito ou escrito: *Os subentendidos dificultavam a compreensão do texto.* [F. Part. de *subentender.*]

subentendível (sub.en.ten.*dí*.vel) *a2g.* Que se pode subentender [Pl.: *-veis.*] [F.: *subentender* + *-ível.*]

subentrante (sub.en.*tran*.te) *a2g.* Cujo começo ocorre antes que termine o que se iniciou anteriormente (dor subentrante): *crise convulsiva contínua ou subentrante* [F.: *sub-* + *entrante.*]

subentroncamento (sub.en.tron.ca.*men*.to) *sm.* Aquilo que resulta da subdivisão de um entroncamento; entroncamento secundário [F.: *sub-* + *entroncamento.*]

súber (*sú*.ber) *sm. Bot.* Tecido constituído por células mortas pela impregnação de suberina, que reveste sobretudo caules e raízes velhos e lhes confere proteção e impermeabilidade; em certas árvores, como o sobreiro, é um tecido espesso, poroso e leve, tb. conhecido como cortiça; FELEMA [F.: Do lat. *suber, eris*, 'sobreiro'.]

suberificação (su.be.ri.fi.ca.*ção*) *sf.* Ação, processo ou resultado de suberificar-se [Pl.: *-ções.*] [F.: *suberificar-se* + *-ção.*]

suberificado (su.be.ri.fi.*ca*.do) *a.* O mesmo que *suberizado* [F.: Part. de *suberificar.*]

suberificar-se (su.be.ri.fi.*car*-se) *v. int.* O mesmo que *suberizar-se* [▶ **11** suberificar-se] [F.: *súber* + *-ificar* + *se*[1].]

suberina (su.be.*ri*.na) *sf. Bioq.* Substância formada esp. por ácidos graxos, presente nas paredes celulares dos vegetais lenhosos [F.: *súber* + *-ina*[2].]

suberização (su.be.ri.za.*ção*) *sf.* **1** Ação, processo ou resultado de suberizar-se **2** *Bot.* Impregnação da parede celular com suberina [Pl.: *-ções.*] [F.: *suberizar* + *-ção.* Sin.: *suberificação.*]

suberizado (su.be.ri.*za*.do) *a.* **1** Que adquiriu aspecto, forma ou textura semelhante aos da cortiça **2** Impregnado de suberina [F.: Part. de *suberizar-se.* Sin. ger.: *suberificado.*]

suberizar-se (su.be.ri.*zar*-se) *v. int.* **1** Adquirir o aspecto, a forma ou a textura da cortiça **2** Impregnar-se de suberina [▶ **1** suberizar-se] [F.: *súber* + *-izar* + *se*[1]. Sin. ger.: *suberificar-se.*]

suberoso (su.be.*ro*.so) [ô] *Bot. a.* **1** Que tem a natureza ou a consistência da cortiça **2** Referente a, ou próprio de súber [Pl.: [ó]. Fem.: ó] [F.: *súber* + *-oso.*]

subespaço (su.bes.*pa*.ço) *sm. Álg.* Subconjunto de um espaço que, tendo a mesma estrutura deste, tb. é um espaço [F.: *sub-* + *espaço.*]

subespecialidade (su.bes.pe.ci:a.li.*da*.de) *sf.* Divisão ou parte de uma especialidade [F.: *sub-* + *especialidade.*]

subespécie (su.bes.*pé*.ci:e) *sf.* **1** *Biol.* Divisão de uma espécie **2** *Hist. Nat.* Categoria taxonômica em que se divide a espécie quando esta compreende mais de um tipo bem definido **3** *Fig.* Variedade: *Considerava o pagode uma subespécie do samba.* [F.: *sub-* + *espécie.*]

subespontâneo (su.bes.pon.*tâ*.ne:o) *a. Biol.* Diz-se de espécie que, quando introduzida em nova região, se estabelece e desenvolve espontaneamente, espalhando-se com facilidade [F.: *sub-* + *espontâneo.* Cf.: *espontâneo.*]

subestação (sub.es.ta.*ção*) *sf.* **1** Estação secundária de uma rede elétrica que transforma a corrente recebida de uma central e faz a sua distribuição pelas linhas acessórias que dela dependem **2** Qualquer estação secundária, dependente de uma outra principal [Pl.: *-ções.*] [F.: *sub-* + *estação.*]

subestimação (su.bes.ti.ma.*ção*) *sf.* Ação ou resultado de subestimar; SUBESTIMA [Pl.: *-ções.*] [F.: *subestimar* + *-ção.*]

subestimado (sub.es.ti.*ma*.do) *a.* Que se subestimou; a que não se deu o devido apreço, o devido valor [F.: Part. de *subestimar.*]

subestimar (sub.es.ti.*mar*) *v. td.* **1** *Bras.* Não dar a estima ou o valor devidos a (alguém ou algo): *Subestimou o poder do adversário.* **2** Calcular ou prever insuficientemente: *subestimar os efeitos de um remédio.* [Ant.: *superestimar.*] [▶ **1** subestimar] [F.: *sub-* + *estimar.* Hom./Par.: *subestima* (fl.), *subestima* (sf.); *subestimas* (fl.), *subestimas* (pl. do sf.); *subestimáveis* (fl.), *subestimáveis* (pl. de *subestimável* [a2g.]).]

subestimativa (sub.es.ti.ma.*ti*.va) *sf.* Estimativa feita com base em quantidade insuficiente de dados, elementos ou fatores [F.: *sub-* + *estimativa.*]

subestimável (su.bes.ti.*má*.vel) *a2g.* Que é passível de subestimação [Pl.: *-veis.*] [F.: *subestimar* + *-vel* ou *sub-* + *estimável.* Hom./Par.: *subestimáveis* (pl.), *subestimáveis* (fl. de *subestimar*).]

subfascista (sub.fas.*cis*.ta) *Depr. a2g.* **1** Diz-se do fascista sem preparo ou fundamento ideológico ou intelectual *s2g.* **2** *Depr.* Esse tipo de fascista [F.: *sub-* + *fascista.*]

subfaturado (sub.fa.tu.*ra*.do) *a.* Diz-se do que se subfaturou [F.: Part. de *subfaturar.*]

subfaturamento (sub.fa.tu.ra.*men*.to) *sm.* **1** Ação ou resultado de subfaturar **2** Diferença para menos entre o preço ajustado e o que foi efetivamente cobrado na fatura, ger. em decorrência de ato desonesto [F.: *subfaturar* + *-mento.*]

subfaturar (sub.fa.tu.*rar*) *v. td.* Fazer fatura com preço inferior ao efetivamente cobrado: *Subfaturou os gastos da construção.* [▶ **1** subfaturar] [F.: *sub-* + *faturar.* Ant. ger.: *sobrefaturar.* Cf.: *superfaturar.*]

subfertilidade (sub.fer.ti.li.*da*.de) *sf.* Capacidade de fertilização inferior à média [F.: *sub-* + *fertilidade*.]
subfilial (sub.fi.li.*al*) *sf.* Filial que está subordinada a uma outra filial [Pl.: *-ais*.] [F.: *sub-* + *filial*.]
subfilme (sub.*fil*.me) *sm. Pej.* Filme sem nenhuma qualidade [F.: *sub-* + *filme*.]
subfilo (sub.*fi*.lo) *sm. Biol.* Categoria taxonômica que se situa entre o filo e a classe [F.: *sub-* + *filo*.]
subfilosofia (sub.fi.lo.so.*fi*.a) *sf. Depr.* Sistema de ideias de pouco valor que se pretende filosófico [F.: *sub-* + *filosofia*.]
subfluvial (sub.flu.vi.*al*) *a2g.* Que se situa abaixo de um leito fluvial [Pl.: *-ais*.] [F.: *sub-* + *fluvial*.]
subfração (sub.fra.*ção*) *sf.* Parte de uma fração [Pl.: *-ções*.] [F.: *sub-* + *fração*.]
subfrênico (sub.*frê*.ni.co) *a. Anat.* O mesmo que *subdiafragmático* (espaço/abscesso subfrênico) [F.: *sub-* + *frênico*.]
subfretar (sub.fre.*tar*) *v. td.* Fretar (meio de transporte que já se encontra fretado) [▶ 1 subfretar] [F.: *sub-* + *fretar*.]
subgato (sub.*ga*.to) *sm. Bras.* Preposto de gato, de agenciador, de intermediário em contratação ou recrutamento de mão de obra para fazendas [F.: *sub-* + *gato*.]
subgengival (sub.gen.gi.*val*) *a2g.* Que se localiza sob a gengiva [Pl.: *-vais*.] [F.: *sub-* + *gengival*.]
subgerência (sub.ge.*rên*.ci:a) *sf.* Função ou cargo de subgerente [F.: *sub-* + *gerência*.]
subgerente (sub.ge.*ren*.te) *s2g.* O encarregado dos serviços de subgerência, que, na ausência do gerente, o substitui [F.: *sub-* + *gerente*.]
subgloboso (sub.glo.*bo*.so) [ô] *a. Bot.* Constituído de formato quase globoso [Pl.: [ó]. Fem.: [ó].] [F.: *sub-* + *globoso*.]
subglotal (sub.glo.*tal*) *a2g. Anat.* Situado sob a glote [Pl.: *-tais*.] [F.: *sub-* + *glotal*.]
subgrupo (sub.*gru*.po) *sm.* **1** Cada uma das partes em que se divide um grupo *sm.* **2** Grupo que faz parte de outro **3** *Mat.* Subconjunto de um grupo que, contido neste e munido das mesmas operações, é também um grupo **4** *Ling.* Numa família linguística, subconjunto de línguas muito próximas [F.: *sub-* + *grupo*.]
sub-humano (sub-hu.*ma*.no) *a.* **1** Abaixo do que se considera humano: *Deu-lhe tratamento sub-humano.* **2** Desumano; bestial; bárbaro [F.: De *sub-* + *humano*. Var.: *subumano*.]
subida (su.*bi*.da) *sf.* **1** Ato ou efeito de subir: *A subida de elevador me deixou tonto.* **2** Elevação, aumento (subida dos juros, subida de preços); ALTA **3** Caminho para cima em um terreno inclinado; ACLIVE: *Morava em uma subida.*
subido (su.*bi*.do) *a.* **1** Que se subiu; ERGUIDO; LEVANTADO; ALTO: *A bainha do vestido estava subida.* **2** Que está em posição superior (talento subido); ELEVADO; EMINENTE **3** Caro, exorbitante **4** *Fig.* Nobre, célebre (subidos feitos) **5** *Fig.* Importante (subida ajuda); MARCANTE; MEMORÁVEL **6** *Fig.* Diz-se de estilo ou linguagem suntuosa ou pomposa [F.: Part. de *subir*.]
subinformação (su.bin.for.ma.*ção*) *sf.* Informação errônea, desqualificada, fora de contexto, falha, seja em consequência de erro ou intencionalmente [Pl.: *-ções*.] [F.: *sub-* + *informação*.]
subir (su.*bir*) *v.* **1** Mover-se ou estender-se para (lugar mais alto), ou elevar(-se) [*td.*: *Subiu o filho no muro.*] [*int.*: *O balão subiu rapidamente.*] **2** Fazer tomar ou tomar (veículo), ou montar em (cavalgadura) [*tda.*: *Subi a senhora no ônibus.*] [*ta.*: *subir num táxi.*] **3** Aumentar em grau ou altura [*int.*: *A febre do paciente voltou a subir.*] [*td.*: *A maré já subiu 30 centímetros.*] **4** Aumentar (o preço de); ENCARECER; VALORIZAR [*td.*: *Os agricultores subiram o preço do trigo.*] [*int.*: *Com a notícia, as ações subiram.*] **5** Ascender social ou profissionalmente, ou passar a (posto ou classificação mais altos) [*tdr.* + *a*: *O exército vai subir o sargento a tenente.*] [*int.*: *subir na vida.*] [*tr.* + *de...a*: *Subiu de arquivista a secretária.*] **6** Navegar (rio) contra a corrente [*td.*: *Subiu o Amazonas para descobrir suas nascentes.*] **7** *Mús.* Passar para tom mais agudo ou elevar-se em número de tons [*td.*: *subir um tom.*] [*int.*: *A ária sobe muito no final.*] **8** Despontar, nascer [*int.*: *O Sol subia em todo o seu esplendor.*] **9** Ir a um lugar na serra [*ta.*: *No domingo, subiu para Friburgo.*] **10** Passar a um lugar mais alto, proeminente [*ta.* + *a*: *O deputado subiu à tribuna.*] **11** Escalar, galgar [*td.*: *O grupo de alpinistas subiu o Corcovado.*] **12** Colocar (algo) de um nível inferior para um superior [*tda.*: *Subiram o fogão para o segundo andar.*] [*td.*: *Precisou subir o relógio de parede um pouco mais.*] **13** Elevar-se no espaço [*int.*: *O foguete subiu.*] **14** Passar a nível mais alto [*int.*: *O caminho começa a subir depois da curva.*] **15** Passar de tom grave a tom mais alto [*td.*: *Naquele trecho, o cantor sobe a voz.*] **16** Passar a ter volume maior [*int.*: *Com as chuvas, as águas do rio subiram.*] [*tr.* + *a*: *As águas subiram ao mesmo nível do último verão.*] **17** Afluir a nível mais elevado [*ta.* + *a*: *Quando ofendido, seu sangue sobe à cabeça.*] **18** Alastrar-se para cima [*ta.* + *de...para*: *A micose subiu da barriga para o rosto.*] **19** *Bras. Pop.* Deslocar-se do centro da cidade para um bairro da periferia [*int.*] [▶ 53 subir] [F.: Do lat. *subire*. Hom./Par.: *suba(s)* (fl.), *suba(s)* (sf. [pl.]). Ideia de 'subir': usar antepos. *anaben(o)-*.]
subitamente (su.bi.ta.*men*.te) *adv.* **1** De modo súbito; INSTANTANEAMENTE; REPENTINAMENTE **2** De modo imprevisto ou inesperado: "Começam de envergar subitamente por entre verdes ramos várias cores." (Camões, *Os Lusíadas*) [F.: O fem. de *súbito* + *-mente*.]
subitaneidade (su.bi.ta.nei.*da*.de) *sf.* Qualidade de subitâneo; REPENTINIDADE
subitâneo (su.bi.*tâ*.ne:o) *a.* Ver *súbito*
súbitas (*sú*.bi.tas) *sfpl.* Us. na loc. *a súbitas* [F.: Do pl. do fem. substv. de *súbito*.] ■ **A ~** Subitamente; de repente
subitem (sub.i.tem) *sm.* Item (de uma relação, documento, texto etc.) que está incluído no âmbito de outro, que lhe é hierarquicamente superior, sendo, assim, uma subdivisão daquele [Pl.: *-tens*.] [F.: *sub-* + *item*.]
súbito (*sú*.bi.to) *a.* **1** Que ocorre ou surge sem previsão (morte súbita); INESPERADO; REPENTINO *sm.* **2** Fato repentino; ÍMPETO; REPENTE: *Decidiu partir num súbito.* **3** Ataque inesperado; ASSALTO: *O súbito pegou os policiais desprevenidos.* *adv.* **4** Repentina e inesperadamente; de súbito; SUBITAMENTE: *Súbito a égua lhe deu um coice.* ■ **De ~** De modo inesperado, imprevisto (diz-se ger. de algo que acontece rapidamente, em instantes); súbito, subitamente; de repente
subjacência (sub.ja.*cên*.ci:a) *sf.* Qualidade, característica ou condição de subjacente [F.: *subjacente* + *-ia*[2], por anal. morfológica]
subjacente (sub.ja.*cen*.te) *a2g.* **1** Que jaz ou está por baixo [Ant.: *sobrejacente*.] **2** *Fig.* Que não se manifesta, mas está implícito (desejos subjacentes)
subjazer (sub.ja.*zer*) *v.* **1** Encontrar-se situado abaixo de [*tr.* + *a*: *Essa camada de terra subjaz a uma outra.*] [*int.*: *Neste terreno subjazem muitas pedras preciosas.*] **2** *Fig.* Estar subjacente, não manifesto [*tr.* + *a*: *Uma intenção perversa subjaz a essa atitude aparentemente bondosa.*] [▶ 23 subjazer] [F.: Do lat. *subjacere*.]
subjeção (sub.je.*ção*) *sf. Ret.* Figura em que o orador, ao dirigir-se ao adversário, prevê sua resposta ou consideração e dá logo uma resposta ou réplica [Pl.: *-ções*.] [F.: Do lat. *subjectione*.]
subjetivação (sub.je.ti.va.*ção*) *sf.* Ato ou efeito de subjetivar [Pl.: *-ções*.] [F.: De *subjetivar* + *-ção*.]
subjetivar (sub.je.ti.*var*) *v. td.* Tornar ou considerar subjetivo: *Subjetivava seus desejos por motivos morais.* [▶ 1 subjetivar] [F.: *subjetivo* + *-ar*[2]. Hom./Par.: *subjetivo* (fl.), *subjetivo* (a.).]
subjetividade (sub.je.ti.vi.*da*.de) *sf.* **1** Qualidade ou domínio do que é subjetivo **2** *Fil.* Condição psíquica e cognitiva do ser humano encontrável tanto no âmbito individual quanto no coletivo e que faz com que o conhecimento dos objetos externos ao sujeito se dê segundo os referenciais próprios deste
subjetivismo (sub.je.ti.*vis*.mo) *sm.* **1** Tendência a reduzir tudo a um ponto de vista pessoal: *A avaliação foi prejudicada pelo subjetivismo.* **2** Propensão para tudo o que é subjetivo: *É um poeta de subjetivismo acentuado.* **3** Doutrina que considera serem as avaliações estéticas resultados exclusivos do gosto **4** *Fil.* Doutrina filosófica segundo a qual a compreensão da realidade, da verdade e dos valores se dá com base nas características que lhes são atribuídas pelo sujeito cognoscente, cujos referenciais próprios têm, no processo cognitivo, um papel preponderante [F.: De *subjetivo* + *-ismo*.]
subjetivista (sub.je.ti.*vis*.ta) *a2g.* **1** Que se refere ao subjetivismo **2** Que é marcado por subjetivismo (filme subjetivista) *a2g.* **3** Que é adepto do subjetivismo (observador subjetivista) *a2g.* **4** Diz-se de quem é propenso ao subjetivismo: *Era muito subjetivista para ser convincente.* *s2g.* **5** Aquele que se caracteriza pelo subjetivismo: *Um subjetivista fácil de ser compreendido.* [F.: *subjetivo* + *-ista*]
subjetivo (sub.je.*ti*.vo) *a.* **1** Do, ou existente no sujeito **2** Individual, pessoal: *Fizera uma avaliação muito subjetiva.* **3** *Pej.* Que refere tudo ao próprio eu, suas atitudes, desejos etc; EGOCÊNTRICO: *Irritava, com sua personalidade tão subjetiva.* **4** Independente do que é concreto (pensamento subjetivo); ABSTRATO **5** Diz-se do que é válido para um único sujeito e que só a ele pertence, como os sonhos, os sentimentos, a vontade etc. **6** *Fil.* Que é oriundo do sujeito enquanto agente individual, ou coletivo que se apropria cognitivamente dos objetos da realidade exterior **7** *Gram.* Que se refere a, ou tem função de sujeito (oração subjetiva)
sub judice (*Lat.* /sub júdice/) *loc. a. Jur.* Que se encontra sob apreciação judicial
subjugação (sub.ju.ga.*ção*) *sf.* Ação ou resultado de subjugar(-se) [Pl.: *-ções*.] [F.: *subjugar* + *-ção*.]
subjugado (sub.ju.*ga*.do) *a.* Que se subjugou, dominou, conquistou (nação subjugada) [F.: Do lat. *subjugatus, a, um*.]
subjugador (sub.ju.ga.*dor*) [ô] *a.* **1** Que subjuga, que domina *sm.* **2** Aquele que subjuga [F.: Do lat. *subjugator, oris*. Sin. ger.: *dominador, conquistador, subjugante*.]
subjugamento (sub.ju.ga.*men*.to) *sm.* O mesmo que *subjugação* [F.: *subjugar* + *-mento*.]
subjugar (sub.ju.*gar*) *v.* **1** Submeter, dominar pela força [*td.*: *Os Estados Unidos subjugaram o Japão com a bomba atômica.*] **2** Segurar (alguém) para contê-lo [*td.*: *Subjugou o ladrão que fugia.*] **3** Exercer domínio sobre [*td.*: *Precisava subjugar aquele desejo perverso.*] **4** Ter influência profunda sobre [*td.*: *O marxismo-leninismo subjugou muitos intelectuais.*] **5** Amansar, domesticar [*td.*: *Subjugou o cavalo bravio.*] **6** Submeter-se ao desejo, ao capricho de outrem [*tr.* + *a*: *Subjugava-se à vontade do pai.*] **7** Meter (bois) ao jugo; JUNGIR [▶ 14 subjugar] [F.: Do v.lat. *subjugare*.]
subjuntivo (sub.jun.*ti*.vo) *a.* **1** Que é subordinado, dependente **2** *Gram.* Diz-se do modo verbal que enuncia o fato como subordinado a outro, sendo usado para expressar a ação irreal, um fato possível ou desejado, ou para emitir um juízo sobre um fato real *sm.* **3** *Gram.* Esse modo verbal
sublegenda (sub.le.*gen*.da) *sf.* **1** Prática eleitoral pela qual um eleitor pode votar, em sufrágio proporcional, em uma lista de candidatos apresentadas por um partido, computando-se esses votos para a legenda partidária **2** Legenda secundária de uma ilustração, tabela etc. [F.: *sub-* + *legenda*.]
sublevação (sub.le.va.*ção*) *sf.* **1** Ação ou resultado de sublevar(-se); LEVANTE; REVOLTA; MOTIM: *Esperava-se a sublevação dos espíritos questionadores.* **2** *Fig.* Falta de sossego; INDIGNAÇÃO; INQUIETAÇÃO **3** Saliência em uma superfície plana; ELEVAÇÃO; RELEVO: "A sublevação de rochas primitivas que se alteiam aos lados, para o norte e para leste, levanta-se como anteparo aos ventos regulares, que até lá progridem [...]" (Euclides da Cunha, *Os sertões*) [Pl.: *-ções*.] [F.: Do lat. *sublevatio, onis*.]
sublevado (sub.le.*va*.do) *a.* Que se sublevou; INSURGENTE; REVOLTADO; AMOTINADO [F.: Do lat. *sublevatus, a, um*.]
sublevador (sub.le.va.*dor*) [ô] *a.* **1** Que subleva *sm.* **2** O que provoca sublevação; AMOTINADOR; AGITADOR [F.: *sublevar* + *-dor*.]
sublevar (sub.le.*var*) *v. td.* **1** Levar a, ou entrar em revolta, rebelião ou motim; AMOTINAR(-SE); REVOLTAR(-SE): *A insatisfação sublevou as tropas russas; Os marinheiros sublevaram-se.* **2** Movimentar de baixo para cima; LEVANTAR **3** *Fig.* Agitar-se, conturbar-se: *Seus pensamentos sublevaram-se com sua chegada.* [▶ 1 sublevar] [F.: Do v.lat. *sublevare*.]
sublimação (su.bli.ma.*ção*) *sf.* **1** Ato ou efeito de sublimar(-se) **2** *Quím.* Transição do estado sólido diretamente para o gasoso **3** Purificação, por meio do aquecimento, de substâncias voláteis **4** *Fig.* Engrandecimento, enaltecimento **5** *Psic.* Processo inconsciente de reorientação da energia da libido para outros fins, considerados mais elevados pela sociedade [Pl.: *-ções*.]
sublimado (su.bli.*ma*.do) *a.* **1** Que passou do estado sólido ao gasoso **2** Tornado sublime; ENALTECIDO **3** *Psi.* Diz-se de desejo, impulso etc. reorientado para atividades mais bem aceitas socialmente *sm.* **4** *Quím.* Substância oriunda de sublimação (2) [F.: Part. de *sublimar*.]
sublimar (su.bli.*mar*) *v.* **1** Fazer(-se) sublime, nobre, elevado, ou sobressair-se [*td.*: *A artista sublimou sua arte no fim da vida; Ele sublimou-se com aquele ato heroico.*] **2** Exaltar(-se), enaltecer(-se) [*td.*: *sublimar personalidades históricas; Ele sublimou-se durante o discurso.*] **3** Idealizar, ou converter em algo espiritual (impulso físico ou carnal) [*td.*: *Sublimou seus desejos sexuais.*] **4** *Quím.* Fazer que passe ou passar do estado sólido ao gasoso [*td.*] [*int.*] **5** *Psic.* Transferir energia da libido para outro objetivo, interesse etc. [*td.*] [*int.*] **6** Elevar (a postos honoríficos, dignidades etc.) [*tdr.* + *a*: *O soberano sublimou o conde à condição de chefe do cerimonial.*] [▶ 1 sublimar] [F.: Do lat. *sublimare*. Hom./Par.: *sublimáveis* (fl.), *sublimáveis* (a2g. pl.); *sublime(s)* (fl.), *sublime(s)* (a2g. sm. [pl.]).]
sublimatério (su.bli.ma.*tó*.ri:o) *Quím. a.* **1** Ref. ou inerente a sublimação **2** Recipiente us. para recolher os produtos das sublimações [F.: *sublimat-* + *-erio*.]
sublime (su.*bli*.me) *a2g.* **1** Que atingiu altíssimo grau de excelência material, moral, estética ou intelectual; quase perfeito: "Aqui dormem sagradas esperanças, / Almas sublimes que o amor erguia.../ E gelaram tão cedo!" (Álvares de Azevedo, *Lágrimas de sangue*) **2** Cujos méritos transcendem o normal; INCOMPARÁVEL: *Camões foi sublime na epopeia.* **3** Digno de respeito por sua grandeza moral (devoção sublime) **4** Intelectualmente irretocável (reflexões sublimes) **5** De uma beleza resplandecente; esteticamente perfeito; DESLUMBRANTE: *A sublime música de Bach emociona aos ouvintes.* **6** Que está acima do humano; DIVINO; EXTRAORDINÁRIO: *Naquele momento de felicidade, senti um êxtase sublime!* **7** Que desperta ideias e sentimentos elevados por seu apuro (linguagem sublime); EXCELSO **8** Grandioso; magnífico; esplêndido: *Um sol sublime iluminava os dias naquela humilde cidade.* *sm.* **9** Aquilo que é sublime, que atingiu o máximo de excelência ou perfeição: *O sublime dessa canção é sua melodia.* [F.: Do lat. *sublimis, e*. Hom./Par.: *sublime* (a. sm.), *sublime* (fl. de *sublimar*).]
sublimidade (su.bli.mi.*da*.de) *sf.* **1** Qualidade ou estado do que é sublime **2** Condição do que é extraordinário, ou está acima do humano: *A sublimidade da poesia de Dante impressiona gerações.* **3** Perfeição, excelência: *A sublimidade de uma cena de Shakespeare é notável.* **4** A maior grandeza ou elevação
subliminar (sub.li.mi.*nar*) [sub-li] *a2g.* **1** Que é inferior, ou que não ultrapassa o limiar **2** Diz-se de estímulo que não é intenso a ponto de passar do limiar da consciência, mas que, repetido, faz com que se alcance o efeito esperado (mensagem subliminar) **3** Diz-se da mensagem que é transmitida sub-repticiamente, às escondidas, com o objetivo de influenciar o destinatário sem que esse tenha consciência da influência por ele sofrida
subliminaridade (su.bli.mi.na.ri.*da*.de) [sub-li] *sf.* Qualidade de subliminar [F.: *subliminar* + *-idade*.]
sublingual (sub.lin.*gual*) *a2g.* Situado ou posto sob a língua (medicamento sublingual) [Pl.: *-guais*.] [F.: *sub-* + *lingual*.]
sublinha (sub.*li*.nha) *sf.* Linha traçada por baixo de palavra, frase etc. [F.: *sub-* + *linha*. Hom./Par.: *sublinha* (sf.), *sublinha* (fl. de *sublinhar* [v.]); *sublinhas* (pl.), *sublinhas* (fl. do v.).]

sublinhado (sub.li.*nha*.do ou su.bli.*nha*.do) *a.* **1** Que se sublinhou; GRIFADO; MARCADO **2** *Fig.* Enfatizado (diz-se de ideia, gesto, palavra etc.): *Este era um conceito sempre sublinhado em seus discursos.* *sm.* **3** O mesmo que *sublinha* [F.: Part. de *sublinhar.*]
sublinhamento (su.bli.nha.*men*.to) *sm.* Ação ou resultado de sublinhar; destaque [F.: *sublinhar* + *-mento.*]
sublinhar (su.bli.*nhar*) *v. td.* **1** Pôr sublinha em, ou traço sob (palavra, frase etc.): *Sublinhou o parágrafo inteiro.* **2** *Fig.* Ressaltar, acentuar ou frisar: *Ao discursar, o ministro sublinhou a importância de seus auxiliares.* [▶ 1 sublinhar] [F.: *sublinha* + *-ar*[2]. Hom./Par.: *sublinha* (fl.), *sublinha* (sf.); *sublinhas* (fl.), *sublinhas* (pl. do sf.).]
subliterário (sub.li.te.*rá*.ri:o) *a.* **1** Ref. ou pertencente a subliteratura **2** Que tem o caráter de subliteratura (era um texto subliterário) *sf.* **3** Literatura reles; pretensa literatura [F.: *sub-* + *literário.*]
subliteratura (sub.li.te.ra.*tu*.ra) *sf.* Literatura de qualidade inferior, sem relevo artístico [F.: *sub-* + *literatura.*]
sublocação (sub.lo.ca.*ção*) [sub-lo] *sf.* **1** Ação ou resultado de sublocar; SUBALUGUEL **2** Contrato por meio do qual o locatário aluga a outrem imóveis ou dependências que ele alugara diretamente com o proprietário [Pl.: *-ções.*] [F.: *sublocar* + *-ção.*]
sublocar (sub.lo.*car*) *v. td.* Alugar a terceiro uma parte ou o todo do imóvel de que se é locatário; SUBALUGAR: *Sublocou o quarto dos fundos.* [▶ 11 sublocar] [F.: *sub-* + *locar.*]
sublocatário (sub.lo.ca.*tá*.ri:o) *sm.* Aquele que recebe um imóvel ou dependência por sublocação [F.: *sublocar* + *-tário.*]
sublunar (sub.lu.*nar*) *a2g.* Que se localiza abaixo da Lua ou entre a Terra e a Lua [F.: *sub-* + *lunar.*]
submarinista (sub.ma.ri.*nis*.ta) *s2g.* **1** Tripulante de submarino **2** *Bras.* Aquele ou aquela que se dedica à pesca submarina [F.: *submarino* + *-ista.*]
submarino (sub.ma.*ri*.no) *a.* **1** Que está ou vive sob as águas do mar (animal submarino); SUBMARINHO **2** Que se realiza sob as águas do mar (pesca submarina) *sm.* **3** Embarcação de guerra ou para fins de pesquisa que pode navegar e operar submersa [F.: *sub-* + *marino.*] ■ ~ **atômico/nuclear** Aquele movido a energia nuclear para acionar seus motores ~ **convencional** Submarino que não emprega energia nuclear [Os motores dos submarinos convencionais ger. empregam óleo diesel ou, quando em imersão, energia elétrica armazenada.] ~ **nuclear** Ver *Submarino atômico/nuclear*
submergência (sub.mer.*gên*.ci:a) *sf.* Ação de submergir; SUBMERSÃO [F.: *submergir* + *-ência.*]
submergente (sub.mer.*gen*.te) *a2g.* Que submerge ou afunda [F.: *submergir* + *-ente.*]
submergido (sub.mer.*gi*.do) *a.* Que submergiu; SUBMERSO [F.: Part. de *submergir.*]
submergir (sub.mer.*gir*) *v.* **1** Fazer ficar debaixo d'água; INUNDAR [*td.: O temporal submergiu a cidade.*] **2** Fazer que vá, ou ir, ao fundo da água; AFUNDAR [*td.: O maremoto submergiu o navio.*] [*int.: O barco submergiu; Na batalha, as fragatas submergiram-se.*] **3** Ocultar-se atrás de (algo) [*int.: A Lua submergiu na massa de nuvens.*] **4** Dominar, ocupar o espírito de (alguém) [*td.: O acúmulo de obrigações submergiu o rapaz.*] [▶ 58 submergir] [F.: Do v.lat. *submergere.* Possui dois particípios: *submergido*, para os tempos compostos, e *submerso*, para os demais empregos.]
submergível (sub.mer.*gí*.vel) *a2g.* Que se pode submergir; SUBMERSÍVEL [Pl.: *-veis.*] [F.: *submergir* + *-vel.*]
submersão (sub.mer.*são*) *sf.* **1** Ação ou resultado de submergir **2** Estado ou condição do que está submerso **3** *Fig.* Distração por alheamento; volta para si: *Estava em tal submersão que não ouvia nada do que diziam.* **4** Enfraquecimento do casco de uma cavalgadura devido a pancada [Pl.: *-sões.*] [F.: Do lat. *submersio, onis.*]
submersível (sub.mer.*sí*.vel) *a2g.* **1** Submergível **2** Diz-se da planta que submerge na água após florescer **3** *Mar.* Diz-se do equipamento adequado para funcionar submerso *sm.* **4** *P. us.* Submarino [Pl.: *-veis.*] [F.: *submerso* + *-ível.*]
submerso (sub.*mer*.so) *a.* **1** Que foi posto ou está coberto pela água; SUBMERGIDO **2** *Fig.* Oculto, escondido [+ *em*: *Sua chave estava submersa na bagunça.*] **3** *Fig.* De que não se tem notícia, sumido, esquecido **4** *Fig.* Totalmente tomado por sentimento ou sensação física [+ *em*: *submerso no cansaço/na dor/no medo/ na angústia.*] [F.: Do lat. *submersus, a, um.* Cf. *emerso.*]
submeter (sub.me.*ter*) *v.* **1** Fazer que se renda ou obedeça, ou render-se, obedecer [*td.: Os Aliados submeteram a Alemanha.*] [*tdr.* + *a*: *submeter os filhos à disciplina; submeter-se à lei.*] [*tdi.: Aquela escrava não se submetia ao feitor.*] **2** Tornar(-se) alvo ou objeto de [*tdr.* + *a*: *Submeteu sua tese à apreciação do orientador; submeter-se a um exame médico.*] [*tdi.: Submeteu ao diretor a minuta do relatório.*] [▶ 2 submeter] [F.: Do v.lat. *submittere.*]
submetido (sub.me.*ti*.do) *a.* Que se submeteu; SUJEITADO; SUJEITO [F.: Part. de *submeter.*]
submetralhadora (sub.me.tra.lha.*do*.ra) [ô] *sf.* Metralhadora de pequeno formato ger. us. em operações policiais [F.: *sub-* + *metralhadora.*]
submiséria (sub.mi.*sé*.ri:a) *sf.* Condição de miséria absoluta [F.: *sub-* + *miséria.*]
submissão (sub.mis.*são*) *sf.* **1** Ação ou resultado de submeter(-se); SUBMERDINAÇÃO; SUJEIÇÃO **2** Obediência irrestrita a uma autoridade, a uma lei, a uma orientação etc. **3** Aceitação de um estado de dependência; DOCILIDADE; OBEDIÊNCIA: *A submissão dos cachorros é bela.* **4** *Pej.* Humildade excessiva; SUBSERVIÊNCIA: *Era de uma desprezível submissão aos poderosos.* [Pl.: *-sões.*] [F.: Do lat. *submissio, onis.*]
submisso (sub.*mis*.so) *a.* **1** Que se submeteu ou se submete (animal submisso) **2** Que envolve ou manifesta submissão (modos submissos) **3** Que obedece facilmente; DÓCIL: *Meu cachorro é extremamente submisso.* **4** Que aceita de boa vontade se submeter a outrem; HUMILDE; RESPEITOSO: *Era um funcionário submisso e amável.* **5** Que serve sem opor resistência (escravo submisso); CONFORMADO; RESIGNADO; SUBSERVIENTE [F.: Do lat. *submissus, a, um.*]
submúltiplo (sub.*múl*.ti.plo) *a.* **1** *Mat.* Diz-se do número compreendido um certo número de vezes exatas em um outro: *3 é número submúltiplo de 9.* *sm.* **2** *Mat.* Número compreendido um certo número de vezes exatas em um outro *sm.* **3** Número inteiro que divide de maneira exata um outro número inteiro; DIVISOR [F.: *sub-* + *múltiplo.*]
submundo (sub.*mun*.do) *sm.* **1** Esfera (social, econômica ou cultural) considerada inferior (em relação a outras tidas como superiores): *O submundo do cinema ofende a nação.* **2** O mundo da delinquência ou do crime organizado (submundo do crime) **3** O conjunto dos marginais ou delinquentes que o constituem [F.: *sub-* + *mundo.*]
submúsica (sub.*mú*.si.ca) *sf.* Música de qualidade inferior, medíocre [F.: *sub-* + *música.*]
subnuclear (sub.nu.cle.*ar*) *a2g.* *Fís.* Relativo ou pertencente às partículas que se situam dentro do núcleo de um átomo [F.: *sub-* + *nuclear.*]
subnutrição (sub.nu.tri.*ção*) *sf.* *Med.* Estado ou condição de pessoa ou animal insuficientemente nutrido; SUBALIMENTAÇÃO [Se prolongado tal estado pode comprometer seriamente a saúde e até mesmo provocar a morte.] [Pl.: *-ções.*] [F.: *sub-* + *nutrição.* Cf. *superalimentação.*]
subnutrido (sub.nu.*tri*.do) *a.* **1** Que está em estado de subnutrição *sm.* **2** Aquele se acha nesse estado [F.: Part. de *subnutrir.* Sin. ger.: *subalimentado.* Cf. *superalimentado.*]
subnutrir (sub.nu.*trir*) *v. td.* **1** Alimentar(-se) de modo insuficiente (comer aquém do necessário) **2** Alimentar(-se) de modo indevido, i. e., sem ingerir as quantidades necessárias de nutrientes (proteínas, vitaminas, sais etc.), para o equilíbrio e manutenção da saúde do organismo [▶ 3 subnutrir] [F.: *sub-* + *nutrir.*]
subordem (sub.*or*.dem) *sf.* *Biol.* Categoria taxonômica entre a ordem e a família [Pl.: *-dens.*] [F.: *sub-* + *ordem.*]
subordinação (su.bor.di.na.*ção*) *sf.* **1** Ato ou efeito de subordinar(-se) **2** Hierarquia (de posição, funções ou valores) que determina a obediência e a dependência de indivíduos, grupos, nações etc.: *Devemos subordinação ao chefe.* **3** *Gram.* Tipo de construção sintática que estabelece a dependência de unidades linguísticas sem autonomia gramatical e com funções diferentes [Ex.: Em *Sei que não virás*, há relação de subordinação entre "sei", oração principal, e seu complemento verbal, "que não virás", e entre o adjunto adverbial "não" e o verbo "virás", p. ex.]; HIPOTAXE **4** *Lóg.* Relação estabelecida entre a espécie e o gênero [Pl.: *-ções.*]
subordinado (su.bor.di.*na*.do) *a.* **1** Hierarquicamente inferior (funcionário subordinado); SUBALTERNO **2** Que, comparado a outra coisa, tem posição secundária: *Não se preocupava com os detalhes subordinados do assunto.* **3** *Gram.* Diz-se da unidade linguística que depende de outra(s) *sm.* **4** Quem está ou trabalha sob as ordens de outrem; SUBALTERNO: *Mandou que seu subordinado lhes trouxesse um café.* [F.: Part. de *subordinar.*]
subordinante (su.bor.di.*nan*.te) *a2g.* **1** Que subordina; SUBORDINADOR **2** *Gram.* Diz-se de unidade linguística (termo ou oração) que exige ou aceita um complemento [A oração principal, p. ex., é subordinante em relação à(s) subordinada(s).] **3** Diz-se do termo que estabelece a relação entre um elemento subordinante (2) e seu dependente, p. ex., as conjunções subordinativas, os pronomes relativos, as preposições etc. *sm.* **4** *Gram.* Unidade linguística que exige ou aceita complemento
subordinar (su.bor.di.*nar*) *v.* **1** Pôr(-se) sob as ordens, o poder, os desejos, ou a orientação de; SUJEITAR(-SE) [*tdr.* + *a*: *subordinar alguém a uma autoridade; Subordina sua escrita aos cânones do simbolismo; O bom cidadão subordina-se à lei.*] [*td.: O comunismo subordinou vários povos.*] **2** *Gram.* Colocar(-se) na dependência de [*tr.* + *em*: *O objeto direto subordina-se a um verbo transitivo direto.*] [▶ 1 subordinar] [F.: Do lat. med. *subordinare.*]
subordinativo (su.bor.di.na.*ti*.vo) *a.* **1** Que denota ou estabelece subordinação **2** *Gram.* Diz-se de conjunção que liga duas orações, uma das quais completa ou determina o sentido da outra
subornado (su.bor.*na*.do) *a.* Que se deixou subornar; COMPRADO; CORROMPIDO [F.: Part. de *subornar.*]
subornador (su.bor.na.*dor*) [ô] *a.* **1** Que suborna *sm.* **2** Aquele que suborna [F.: Do lat. *subornator, oris.*]
subornar (su.bor.*nar*) *v. td.* Oferecer quantia em dinheiro ou presentes, bens, recompensas (a pessoa física ou jurídica), para obter lucro, vantagem ou qualquer tipo de compensação ilegal; CORROMPER; COMPRAR; PEITAR [▶ 1 subornar] [F.: Do v.lat. *subornare.* Hom./Par.: *suborno* (fl.), *suborno* /ô/ (sm.); *subornáveis* (fl.), *subornáveis* (pl. de *subornável* [a. 2g.]).]
subornável (su.bor.*ná*.vel) *a2g.* Que se pode subornar; COMPRÁVEL; VENAL [Pl.: *-veis.*] [F.: *subornar* + *-vel.* Hom./Par.: *subornáveis* (pl.), *subornáveis* (fl. de *subornar*).]
suborno (su.*bor*.no) [ô] *sm.* **1** Ação ou resultado de subornar, de levar alguém a praticar (ou concordar que se pratique) ato ilegal em troca de dinheiro, presentes, favorecimento etc; SUBORNAÇÃO; SUBORNAMENTO **2** O que se utiliza (valor em dinheiro, presentes etc.) para subornar alguém; PEITA: *Ele foi preso por ter recebido suborno.* **3** Aliciamento para atitude ilegais ou culpáveis; CORRUPÇÃO [F.: Dev. de *subornar.* Hom./Par.: *suborno* [ô] (sm.), *suborno* [ó] (fl. de *subornar*).]
subprocurador (sub.pro.cu.ra.*dor*) [ô] *sm.* *Bras. Jur.* Membro da procuradoria que se subordina ao procurador [F.: Do lat. *subprocurator, oris.*]
subproduto (sub.pro.*du*.to) *sm.* **1** Produto que se consegue como resultado secundário da produção de algo: *O plástico é subproduto do petróleo.* **2** *Fig.* Aquilo que resulta secundariamente de algo: *A irritação é subproduto da ressaca.* [F.: *sub-* + *produto.*]
sub-reino (sub-*rei*.no) *sm.* *Biol.* Na classificação de animais e vegetais, uma das categorias nas quais um determinado reino se subdivide e que se situa abaixo do reino e acima do filo [Pl.: *sub-reinos.*]
sub-reitor (sub-rei.*tor*) [ô] *sm.* **1** Indivíduo que ocupa o cargo imediatamente abaixo do de reitor e que o substitui em sua ausência; VICE-REITOR **2** Chefe de uma das divisões administrativas de uma reitoria: *Ele foi nomeado sub-reitor para assuntos acadêmicos.* [Pl.: *sub-reitores.*] [F.: De *sub-* + *reitor.*]
sub-reptício (sub-rep.*tí*.ci:o) *a.* **1** Que se obteve por sub-repção *a.* **2** Feito ou dito de forma disfarçada, escondida, dissimulada **3** Feito de forma ilegal; FRAUDULENTO [Pl.: *sub-reptícios.*] [Lat. *subrepticius, a, um.*]
sub-rogar (sub-ro.*gar*) *v.* **1** Pôr em lugar de ou assumir o lugar de; SUBSTITUIR [*td. tda.: Sub-rogou o primo (na gerência da empresa).*] [*tdr.: Sub-rogar um ministro por outro.*] [*tdi.* + *a*: *Sub-rogou-se ao amigo no comando do batalhão.*] **2** *Jur.* Passar para (outrem) (encargo ou direito recebidos); SUBESTABELECER [*tdi.* + *a*: *Sub-rogou-lhe a chefia.*] [▶ 14 sub-rogar] [F.: Do lat. *subrogare.*]
subsaariano (sub.sa.a.ri.*a*.no) *a.* **1** Ref. ou pertencente ao Sul do deserto do Saara, na África do Norte **2** Que se localiza nessa região ou é proveniente dela [F.: *sub-* + *saariano.*]
subscrevente (subs.cre.*ven*.te) *s2g.* Aquele ou aquela que subscreve o nome em um documento ou texto, mostrando-se de acordo com o que lá está escrito [F.: *subscrever* + *-nte.*]
subscrever (subs.cre.*ver*) *v.* **1** Pôr assinatura ou firma por baixo ou ao fim de; FIRMAR(-SE) [*td.: subscrever édito; Na carta, ele subscreve-se apenas com o sobrenome.*] **2** Dar sua aprovação ou anuência a; ANUIR; APROVAR [*ti.* + *a*: *Subscreveu à decisão do sócio.*] **3** Contribuir ou comprometer-se a contribuir financeiramente com [*tr.* + *para*: *Subscrever para um asilo de velhos.*] **4** Tornar-se assinante de (uma publicação), ou comprometer-se a adquiri-la [*tr.* + *para*: *subscrever para um jornal.*] **5** Participar de subscrição, comprometendo-se a fornecer algum valor para (obra de assistência etc.) [*tr.* + *para*: *Subscreveu para a construção de um asilo.*] [*tdr.* + *para*: *Subscreveu 10 mil reais para a reforma do orfanato.*] **6** Adquirir (cota, ações etc.) por subscrição [*td.*] [▶ 2 subscrever] [F.: Do v.lat. *subscribere.* Part. irreg.: *subscrito.*]
subscrição (subs.cri.*ção*) *sf.* **1** Ato ou efeito de subscrever(-se) **2** Assinatura posta em carta, documento ou ata, indicando a aprovação do conteúdo do texto **3** Compromisso de contribuir com certa quantia (para empresa, obra de beneficência, homenagem etc.), ger. firmado com assinatura em uma lista: *Construíram a biblioteca por meio de subscrição.* **4** A quantia angariada por subscrição (2): *A subscrição foi insuficiente para concretizar nosso objetivo.* **5** Lista com que se obtêm recursos para certo fim: *Faremos uma subscrição para ajudar as vítimas da fome.* **6** Contrato para obter, mediante pagamento e durante tempo determinado, algum serviço (receber publicação periódica, assistir a espetáculos etc.); ASSINATURA **7** *Edit.* Ver colofão [Pl.: *-ções.*] [F.: Do lat. *subscriptio, onis.*]
subscritado (subs.cri.*ta*.do) *a.* O mesmo que *subscrito* [F.: Part. de *subscritar.*]
subscritar (subs.cri.*tar*) *v. td.* Assinar, firmar: *Subscritou o abaixo-assinado.* [▶ 1 subscritar] [F.: *subscrito* + *-ar*[2]. Hom./Par.: *subscrito* (fl.), *subscrito* (a. sm.).]
subscrito (subs.*cri*.to) *a.* **1** Que está escrito sob: *A legenda está subscrita.* *a.* **2** Que foi assinado como prova de anuência (documento subscrito) **3** Que foi obtido por meio de subscrição (3) (quantia subscrita) *sm.* **4** O que se subscreveu: *Duvidou da autenticidade do subscrito.* [Hom./Par.: *subscrito* (a. sm.), *subscrito* (fl. de *subscritar*).]
subscritor (subs.cri.*tor*) [ô] *a.* **1** Que subscreve *sm.* **2** Quem subscreve; ASSINANTE **3** *Jur.* Aquele que cria e assina um título
subsequência (sub.se.*quên*.ci:a) *sf.* **1** Qualidade de subsequente **2** O que se segue; CONTINUAÇÃO; SEQUÊNCIA [F.: *sub-* + *sequência.*]
subsequente (sub.se.*quen*.te) *a2g.* Que segue imediatamente a outro no tempo ou no lugar; IMEDIATO; SEGUINTE; ULTERIOR; *Amnésia subsequente a uma batida com a cabeça.* [Ant.: *precedente.*] [F.: Do lat. *subsequens, entis.*]
subsequentemente (sub.se.quen.te.*men*.te) *adv.* De modo subsequente, indicando sequência imediata: *Antes chamou-se New Amsterdam, subsequentemente Nova York.* [F.: *subsequente* + *-mente.*]

subserviência (sub.ser.vi:*ên*.ci:a) *sf.* **1** Qualidade, condição ou comportamento de subserviente; SERVILISMO **2** Bajulação, adulação: *Era de uma subserviência vergonhosa ao chefe.*

subserviente (sub.ser.vi:*en*.te) *a2g.* **1** Que concorda em servir às ordens de outrem de maneira humilhante ou vexatória; SERVIL **2** Excessivamente condescendente [Do lat. *subserviens, entis.*]

subsidência (sub.si.*dên*.ci:a) [si] *sf.* **1** *Farm.* Reação natural de separação de um sólido em líquido, ou de um líquido em líquido, somente como consequência de um estado de repouso **2** *Geol.* Afundamento de um segmento da superfície da terra sem que se perceba movimento significativo no plano horizontal, que pode ser muito pequeno ou imperceptível **3** *Met.* Movimento lento, descendente, de uma massa de ar na atmosfera, do que resulta ger. na transferência de suas características para uma área maior [F.: Do lat. *subsidentia, ae.*]

subsidiado (sub.si.di.*a*.do) [si] *a.* **1** Que tem ou recebe amparo governamental na forma de subsídio (universidade subsidiada); SUBVENCIONADO **2** Que se sustenta por meio de auxílio ou subscrição: *Embora subsidiada, a creche enfrentava muitos problemas financeiros.* *sm.* **3** Aquele que recebe subsídio estatal ou particular: *O subsidiado não administrava bem as quantias recebidas.* [F.: Part. de *subsidiar.*]

subsidiar (sub.si.di.*ar*) [si] *v. td.* **1** Fornecer subsídio ou subvenção a; SUBVENCIONAR: *O governo subsidiará a produção do álcool.* **2** Contribuir financeiramente com: *O autor subsidiou a edição do romance.* [▶ 1 subsidiar] [F.: *subsídio* + *-ar*². Hom./Par.: *subsidiaria* (fl.), *subsidiária* (fem. de *subsidiário* [a.] e sf.); *subsidiarias* (fl.), *subsidiárias* (pl. do sf.); *subsidio* (fl.), *subsídio* (sm.).]

subsidiária (sub.si.di.*á*.ri:a) [si] *sf.* Empresa controlada por outra, detendo esta o total ou a maioria de suas ações [F.: Fem. substv. de *subsidiário*. Hom./Par.: *subsidiária* (sf.), *subsidiaria* (fl. de *subsidiar*).]

subsidiariedade (sub.si.di:a.ri:e.*da*.de) *sf.* Caráter ou condição de subsidiário [F.: *subsidiário* + *-edade.*]

subsidiário (sub.si.di:*á*.ri:o) [si] *a.* **1** Relativo a, ou que tem caráter de subsídio (reservas subsidiárias) **2** Que subsidia, auxilia: *Solicitavam mão de obra subsidiária para a instituição.* **3** Diz-se de um fator ou elemento secundário, que converge para um elemento de maior importância e o reforça (ferrovias subsidiárias) **4** *P. ext.* De menor importância; ACESSÓRIO: *Em vão, reforçava os aspectos subsidiários da questão.* **5** Que é controlado por, ou faz parte de empresa ou entidade maior e mais poderosa: *A biblioteca é subsidiária do centro cultural.* **6** Que reitera ou dá apoio a algo anteriormente estudado ou apresentado (informações subsidiárias, argumentos subsidiários) [F.: Do lat. *subsidiarius, a, um.* Hom./Par.: *subsidiária* (fem.), *subsidiaria* (fl. de *subsidiar*).]

subsídio (sub.*sí*.di:o) [si] *sm.* **1** Quantia que o Estado fixa ou subscreve para obras de interesse público ou a setores (como a indústria, agricultura etc.) de importância para a economia do país; SUBVENÇÃO: *subsídio ao teatro.* **2** Quantia dada por um Estado a outro devido a alguma aliança ou acordo **3** *Bras.* Vencimentos dos membros do legislativo **4** Informação ou elemento importante para a compreensão de um assunto, texto etc., ou para a realização de uma tarefa; DADO: *Buscava subsídios para a defesa da ré.* [M. us. no pl, nas acps. 4 e 5.] **5** Ajuda pecuniária ou de outra ordem, dada a pessoas ou instituições em dificuldades: *O governo estabeleceu um subsídio para as vítimas do terremoto.* [F.: Do lat. *subsidium, i.* Hom./Par.: *subsídio* (sm.), *subsidio* (fl. de *subsidiar*).]

subsistência (sub.sis.*tên*.ci:a) [sis] *sf.* **1** Estado ou qualidade do que subsiste **2** Característica do que se mantém; CONSERVAÇÃO; PERMANÊNCIA: *A subsistência de uma tradição é algo belo e raro.* **3** Conjunto dos recursos necessário para a manutenção da vida; SUSTENTO: *Biscates eram sua forma de subsistência.* [F.: Do lat. *subsistentia, ae.*]

subsistente (sub.sis.*ten*.te) [sis] *a2g.* **1** Que subsiste, ou continua a existir **2** Que dura, persiste [F.: Do lat. *subsistens, entis.*]

subsistir (sub.sis.*tir*) *v.* **1** Continuar a existir ou a viver; PERDURAR; SOBREVIVER [*int.*: "...as cabras (...) devoram a pouca vegetação que subsiste nas estepes" (*O Globo*, 04.09.2000)] **2** Seguir em vigor ou vigência [*int.*: *Um costume que subsiste.*] **3** Prover às próprias necessidades vitais; MANTER-SE [*int.*: *Desempregado, subsistia fazendo biscates.*] [*tr.* + *de*: *Ele subsiste de pequenos bicos.*] **4** *Fig.* Existir ou habitar em lugares impróprios, inadequados ou inóspitos [*ta.*: *Esses indígenas subsistem em regiões geladas.*] **5** Passar por (experiências difíceis) e continuar a viver; sobreviver [*tr.* + *a*: *Subsistiu a inúmeros tiroteios.*] [▶ 3 subsistir] [F.: Do lat. *subsistere.*]

subsolo (sub.*so*.lo) *sm.* **1** Camada mais profunda do solo, imediatamente abaixo da camada visível ou arável **2** Parte de uma construção abaixo do térreo: *Há lojas no subsolo.* [Hom./Par.: *subsolo* (sm.), *subsolo* (fl. de *subsolar*).]

subsônico (sub.*sô*.ni.co) *a.* **1** *Fís.* Diz-se da velocidade menor que a do som **2** Que possui velocidade menor que a do som (avião subsônico) [F.: *sub-* + *sônico*. Cf. *supersônico.*]

substabelecer (subs.ta.be.le.*cer*) *v.* **1** Transferir para outrem (encargo ou procuração recebidos); SUB-ROGAR [*tdi.* + *a*: *Substabeleci uma procuração a meu pai.*] [*int.*: *Deu a seu procurador poderes para substabelecer.*] **2** Nomear como substituto [*td.*] [▶ 33 substabelecer] [F.: *sub-* + *estabelecer.*]

substabelecido (subs.ta.be.le.*ci*.do) *a.* **1** Diz-se daquele a quem se substabeleceu encargo ou mandato previamente recebido *sm.* **2** Aquele a quem se substabeleceu algo; SUBMANDATÁRIO; SUB-ROGADO [F.: Part. de *substabelecer.*]

substabelecimento (subs.ta.be.le.ci.*men*.to) *sm.* **1** Ação ou resultado de substabelecer **2** O emprego de meios com que se substabelece [F.: *substabelecer* + *-imento.*]

substância (subs.*tân*.ci:a) *sf.* **1** Qualquer matéria caracterizada por suas propriedades específicas (substância sólida, líquida ou gasosa) **2** A matéria que forma um corpo e lhe define as características materiais; CONSTITUIÇÃO: *Estudava a substância dos metais.* **3** O que é necessário à permanência ou sustentação de algo; FORÇA; VIGOR: *Suas ideias não tinham substância.* **4** O que é necessário à vida; SUSTÂNCIA: *Refrigerantes não têm substância.* **5** Conteúdo: *a substância de um filme.* **6** O ponto fundamental de uma questão; o essencial: *As semelhanças nos detalhes escondiam as diferenças na substância de suas opiniões.* **7** A parte real, ou essencial, de algo: *Os efeitos especiais não escondiam a substância fútil do filme.* **8** Conjunto das experiências e qualidades intelectuais e emocionais que determinam o caráter de um indivíduo: *A timidez ocultava a substância da moça.* **9** O assunto ou ideia principal de um texto, obra, negócio etc.: *A substância de um conceito é o mais importante.* **10** *Fil.* Na doutrina realista, indica o que é apto a existir em si e não em outro e que se mantém permanente nas mudanças, lhes servindo de suporte. Opõe-se ao acidente e é a primeira das dez categorias (gêneros supremos do ser, compreendendo a substância e nove acidentes) estabelecidas por Aristóteles; HIPÓSTASE [Cf., nesta acp., *acidente* e *essência.*] **11** *Ling.* Nas concepções de Saussure e, posteriormente, Hjelmslev, um dos elementos sígnicos que não é focalizado como um sistema de interdependências [F.: Do lat. *substantia, ae.* Hom./Par.: *substância* (sf.), *substancia* (fl. de *substanciar*).] ▪▪ **~ ativa** *Fís-quím.* Substância radioativa **~ branca** *Histl.* Tecido nervoso condutor, do encéfalo e da medula espinhal **~ cinzenta** *Histl.* Tecido nervoso cinzento, que consiste de células nervosas, fibras nervosas não mielinizadas e tecido de sustentação **~ fundamental** *Histl.* Matriz (18) **~ intersticial** *Histl.* Matriz (18) **Em ~** Essencialmente, em suma

substancial (subs.tan.ci.*al*) *a2g.* **1** Que tem substância; SUBSTANCIOSO **2** Nutritivo, alimentício: *Sempre como saladas substanciais.* **3** Essencial, fundamental: *Aquela foi uma ajuda substancial.* **4** Considerável, vultuoso, grande: *Houve uma queda substancial nos preços.* **5** Que tem muitos ensinamentos ou conteúdo: *Assisti a um filme substancial.* **6** *Fil.* Na doutrina realista, designa o caráter próprio da substância e opõe-se, assim, ao que é acidental *sm.* **7** O que alimenta **8** O essencial, básico: *O substancial de uma exposição é a curadoria.* [Pl.: *-ais.*] [F.: Do lat. *substantialis, e.* Hom./Par.: *substanciais* (a2g. sm. pl.), *substanciais* (fl. de *substanciar*).]

substancialidade (subs.tan.ci:a.li.*da*.de) *sf.* Qualidade ou condição do que é substancial [F.: Do lat. *substantialitas, atis.*]

substancialismo (subs.tan.ci:a.*lis*.mo) *sm.* *Fil.* Doutrina que admite a existência de substância ou substâncias essenciais e permanentes no que há de eterno na existência dos seres naturais [F.: *substancial* + *-ismo.*]

substancialista (subs.tan.ci:a.*lis*.ta) *Fil.* *a2g.* **1** Ref. ou inerente ao substancialismo **2** Diz-se de sistema de ideias que admite o substancialismo **3** Diz-se de quem é adepto ou seguidor do substancialismo *s2g.* **4** Esse adepto ou seguidor [F.: *substancial* + *-ista.*]

substancializar (subs.tan.ci:a.li.*zar*) *v. td.* **1** Transformar(-se) (algo) em substância, fato, matéria concreta; CONCRETIZAR(-SE); MATERIALIZAR(-SE); CORPORIFICAR(-SE) **2** Considerar (algo) como substância [▶ 1 substancializar] [F.: *substancial* + *-izar.*]

substancioso (subs.tan.ci.*o*.so) [ô] *a.* **1** Em que há substância; SUBSTANCIAL; VIGOROSO: *Utilizou um argumento substancioso.* **2** Rico em doutrinas e ensinamentos: *Li um livro substancioso.* **3** Que alimenta, nutritivo [Pl.: *-osos* (ó).] [F.: De *substância* + *-oso.*]

substantivação (subs.tan.ti.va.*ção*) *sf.* Ação ou resultado de substantivar(-se) [Pl.: *-ções.*] [F.: *substantivar* + *-ção.*]

substantivamente (subs.tan.ti.va.*men*.te) *adv.* De maneira substantiva; em sua essência; em seu fundamento: *Essas novas hipóteses devem ser discutidas substantivamente.* [F.: *substantiva* + *-mente.*]

substantivar (subs.tan.ti.*var*) *v. td.* *Gram.* Empregar com o valor de substantivo: *Substantivar adjetivos/orações* [▶ 1 substantivar] [F.: *substantivo* + *-ar.* Hom./Par.: *substantivais* (fl.), *substantivais* (a2g. [pl.]); *substantivo* (fl.), *substantivo* (a. e sm.).]

substantividade (subs.tan.ti.vi.*da*.de) *sf.* Qualidade do que é substantivo, concreto, real [F.: *substantivar* + *-(i)dade.*]

substantivo (subs.tan.*ti*.vo) *sm.* **1** *Gram.* Classe de palavras que dá nome aos seres, objetos, qualidades, ações, sentimentos etc. (p. ex., *livro* e *saudade* são substantivos) *a.* **2** *Gram.* Que equivale a um substantivo (pronome substantivo) **3** Que designa a substância; ref. à substância (qualidades substantivas); SUBSTANCIAL; ESSENCIAL [F.: Do lat. *substantivus, a, um.* Hom./Par.: *substantivo* (a. sm.), *substantivo* (fl. de *substantivar*).] ▪▪ **~ abstrato** *Gram.* Substantivo comum que designa ação, estado ou qualidade, e não seres fisicamente existentes [P. op. a *Substantivo concreto.*] **~ coletivo** *Gram.* O que designa, no singular, um conjunto de elementos de mesma espécie [Ex.: *alcateia, cáfila, quadrilha.*] **~ composto** *Gram.* O que é formado por mais de um vocábulo, para designar apenas um objeto ou ideia [Ex.: *couve-flor, cara de pau.*] **~ comum** *Gram.* O que designa os seres de uma espécie que tem, para todos os seres, propriedades comuns [P. op. a *Substantivo* próprio. Ex.: *país, pessoa, sonho, cadeira, cavalo, menina.*] **~ comum de dois** *Gram.* O que forma invariável para os dois gêneros, que podem se distinguir pelo determinante [Ex.: *o/a pianista, este/esta estudante, ótimo/ótima guia.*] **~ concreto** *Gram.* O que designa seres que têm existência física concreta [P. op. a *Substantivo abstrato.*] **~ de dois gêneros** *Gram.* Ver *Substantivo comum de dois.* **~ de dois gêneros e de dois números** *E. Ling.* Aquele que tem uma só forma para os dois gêneros, tanto no singular como no plural [Ex.: *o/a/os/as desmancha-prazeres.*] **~ de dois números** Aquele (masculino ou feminino) que tem a mesma forma tanto no singular como no plural [Ex.: *o/os lápis*; *a/as práxis.*] **~ epiceno** *Gram.* Aquele que designa animal e que tem a mesma forma para macho e fêmea [Ex.: *cobra, avestruz, onça.*] **~ feminino** *Gram.* Aquele que designa seres do gênero feminino **~ masculino** *Gram.* Aquele que designa seres do gênero masculino **~ próprio** *Gram.* Aquele que designa um ser específico em toda uma espécie [P. op. a *Substantivo comum.* Ex.: *Brasil, João.*] **~ sobrecomum** *Gram.* Aquele que se refere a seres humanos e que só tem uma forma para ambos os sexos [Ex.: *criança, testemunha, pessoa, criatura, cônjuge.*]

substituição (subs.ti.tu:i.*ção*) *sf.* **1** Ação ou resultado de substituir(-se) **2** Colocação de uma pessoa ou de uma coisa no lugar de outra; TROCA [+ *a*, *por*: *Esse funcionário veio em substituição ao que foi demitido*; *substituição do açúcar por adoçantes.*] **3** *Esp.* Troca de um jogador por outro durante um jogo **4** *Jur.* Disposição testamentária pela qual se designa, além do herdeiro direto, o herdeiro ou herdeiros que devem suceder a este **5** *Quím.* Troca de um átomo ou de um radical por outro sem que ocorra modificação importante [Pl.: *-ções.*] [F.: Do lat. *substitutio, onis.*]

substituído (subs.ti.tu.*í*.do) *a.* **1** Que se substituiu; que foi trocado por outro [Ant.: *substituto.*] **2** *Quím.* Que contém substituinte *sm.* **3** O que foi substituído [Ant.: *substituto.*] [F.: Part. de *substituir.*]

substituidor (subs.ti.tu:i.*dor*) [ô] *a.* **1** Diz-se de algo ou alguém que foi colocado no lugar de outra coisa ou pessoa *sm.* **2** Esse algo ou esse alguém [F.: *substituir* + *-dor.* Sin. ger.: *substituto.*]

substituir (subs.ti.tu.*ir*) *v.* **1** Colocar(-se) em lugar de; TROCAR(-SE) [*td.*: *Um novo prédio substituiu o velho casarão.*] [*tdr.* + *a*, *por*: *Substituiu uma dieta a outra*; *Substituiu a velha máquina de escrever por um computador.*] [*tr.* + *a*: *Termos vernáculos substituíram-se aos anglicismos no futebol.*] **2** Existir ou fazer-se em lugar de [*td.*: *Uma reunião formal substituiu a festa.*] **3** Fazer as vezes de (outrem) [*td.*: "Rosalva jamais poderia substituir minha mãe..." (João Ubaldo Ribeiro, *Diário do farol*)] **4** Executar o trabalho ou as funções de (outrem) [*td.*: *Ele substituirá o chefe nas férias.*] [▶ 56 substituir] [F.: Do lat. *substituere.*]

substituível (subs.ti.tu.*í*.vel) *a2g.* Que se pode substituir [Pl.: *-íveis.*] [F.: *substituir* + *-vel.*]

substitutibilidade (subs.ti.tu.ti.bi.li.*da*.de) *sf.* Qualidade ou condição do que se pode substituir [F.: *substituível* + *-(i)dade*, seg. o padrão erudito]

substitutivo (subs.ti.tu.*ti*.vo) *a.* **1** Que substitui, capaz de substituir (proposta substitutiva); SUBSTITUTO *sm.* **2** *Jur.* Projeto de lei que substitui outro, alterando substancialmente o seu conteúdo [Cf.: *emenda.*] [F.: Do lat. *substitutivus, a, um.*]

substituto (subs.ti.*tu*.to) *a.* **1** Que substitui algo (produto substituto) **2** Diz-se da pessoa que substitui outra, exercendo a mesma função (professor substituto) *sm.* **3** Pessoa que substitui outra, exercendo a mesma função *sm.* **4** O que substitui algo [F.: Do lat. *substitutus, a, um.*]

substrato (subs.*tra*.to) *sm.* **1** A parte principal de algo; ESSÊNCIA **2** O que sustenta, fundamenta algo; BASE **3** *Fig.* O que causa ou dá origem a algo **4** *Biol.* Superfície ou meio em que um ser se desenvolve **5** *Fig.* Resíduo, resto **6** *Geol.* Subsolo (1) **7** *Ling.* Primeira língua falada em uma região e da qual subsistem traços na língua que a substituiu **8** *Bioq.* Substância sobre a qual age uma enzima **9** *Arqueol.* Cultura que, numa estratificação, se encontra situada embaixo de outra [F.: Do lat. *substratus, us.*]

subsumir (sub.su.*mir*) *v. td.* **1** Colocar (alguma coisa) em contexto mais amplo, integrando-a a um todo maior **2** *Fil.* Na lógica de Kant, situar o indivíduo numa espécie, a espécie num gênero, este numa família, e assim submeter uma ideia a outra mais geral, um fato a uma lei e assim sucessivamente [▶ 53 subsumir] [F.: Do v.lat. (ecles.) *subsumere.*]

subtenente (sub.te.*nen*.te) *s2g.* **1** *Mil.* Patente militar [Ver quadro *Hierarquia Militar Brasileira.*] **2** Militar que tem essa patente [F.: *sub-* + *tenente.*]

subterfúgio (sub.ter.*fú*.gi:o) *sm.* Desculpa ou artimanha que se usa para não cumprir uma obrigação ou livrar-se de dificuldades; PRETEXTO [F.: Do lat. tardio *subterfugium.*]

subterraneidade (sub.ter.ra.nei.*da*.de) *sf.* **1** Qualidade ou condição de subterrâneo, do que está sob a terra ou sob o chão **2** *Fig.* Condição de estar na clandestinidade ou ilegalidade [F.: *subterrân(eo)* + *-eidade.*]

subterrâneo (sub.ter.*râ*.ne:o) *a.* **1** Que fica abaixo do nível do chão (estacionamento subterrâneo) **2** Que acontece debaixo da terra (explosão subterrânea) **3** *Fig.* Que é ilegal ou não é oficial (comércio subterrâneo); CLANDESTINO *sm.* 4 Lugar construído ou natural que fica embaixo da terra: "como uma pessoa (...) que entra na frieza de um subterrâneo..." (Eça de Queirós, *O primo Basílio*) 5 *Lus.* Metrô [F.: Do lat. *subterraneus, a, um.*]

subtexto (sub.*tex*.to) [ê] *sm.* 1 *Teat.* Num texto dramático, sentido não explícito de um texto pronunciado pelo ator, mas perceptível a partir de gesto, entonação, trejeito, ou outro recurso de interpretação (como, por exemplo, numa afirmação em tom irônico, sarcástico, medroso etc.) 2 Sentido não explícito de um texto, mas perceptível pela compreensão do contexto, de alusões anteriores, de ilações com fatos ou sentidos conhecidos etc. [F.: *sub-* + *texto.*]

subtilizar (sub.ti.li.*zar*) *v.* Ver *sutilizar* [▶ 1 subtilizar]

subtítulo (sub.*tí*.tu.lo) *sm. Edit. Jorn.* Título complementar, que desenvolve e explica a ideia do título principal [Ant.: *sobretítulo.*] [F.: *sub-* + *título.*]

subtotal (sub.to.*tal*) *sm. Mat.* Resultado parcial de uma adição [Pl.: *-tais.*] [F.: *sub-* + *total.*]

subtração (sub.tra.*ção*) *sf.* 1 Ação ou resultado de subtrair(-se) 2 Furto: "Mas mentalmente estabeleceu que houvera uma subtração – e atribuiu-a ao beneficiado." (Eça de Queirós, "Singularidades de uma rapariga loura" *in Contos*) 3 *Arit.* Operação de subtrair quantidades; DIMINUIÇÃO [Ant.: *adição.*] [Pl.: *-ções.*] [F.: Do lat. *subtractio, onis.*]

subtraendo (sub.tra:*en*.do) *sm. Arit.* Número que se subtrai de outro numa subtração [F.: Do lat. *subtrahendus, a, um.*]

subtraído (sub.tra.*í*.do) *a.* 1 Que se subtraiu de um total [Ant.: *adicionado.*] 2 Furtado: "...e leu aquela célebre carta subtraída por Amélia..." (Aluísio Azevedo, *Casa de pensão*) [F.: Part. de *subtrair.*]

subtrair (sub.tra.*ir*) *v.* 1 Apossar-se de (algo) por fraude ou astúcia; FURTAR; SURRUPIAR [*td.*: *Subtraíram sua carteira no ônibus.*] [*tdi.* + *a*: *O associado subtraiu documentos ao sindicato.*] 2 *Arit.* Diminuir ou deduzir (quantia, tempo, número etc.) de (um todo ou outro número) [*tdi.* + *a, de*: *Subtraiu dez dias a suas férias.*] [*tdr.* + *de*: *Subtraiu cinco de dez.*] [*int.*: *Com cinco anos de idade, o menino já sabia subtrair.*] 3 Fazer que escape ou escapar, ou esquivar-se [*tdr.* + *a*: *A viagem o subtraiu ao encontro indesejado; Eles se subtraíram à obrigação de socorrer as vítimas.*] 4 Eliminar, retirar [*tdr.* + *de*: *Subtraiu da mente as ideias imprestáveis.*] 5 Não revelar; ocultar [*tdi.* + *a*: *Subtraiu informações ao seu chefe.*] 6 Deduzir, extrair, retirar [*tdi.* + *a*: *Subtrai o tempo de escrever às suas horas de descanso.*] [▶ 43 subtrair] [F.: Do lat. *subtrahere.*]

subtropical (sub.tro.pi.*cal*) *a2g.* 1 Que ger. apresenta temperatura média ligeiramente inferior a 20º C (diz-se de clima) 2 Que fica perto de um dos trópicos e onde há esse tipo de clima (diz-se ger. de região) 3 Próprio desse clima ou de uma dessas regiões (floresta subtropical) [Pl.: *-cais.*] [F.: *sub-* + *tropical.*]

subumano (su.bu.*ma*.no) *a.* 1 Que está abaixo do nível próprio dos ou adequado aos seres humanos: *condições de vida subumanas.* 2 Desumano, inumano [F.: *sub-* + *humano.*]

suburbano (su.bur.*ba*.no) *a.* 1 Ref. ao subúrbio ou a quem nele vive 2 Que vive no subúrbio 3 *Pej. Pop.* Que revela mau gosto, falta de refinamento; BREGA; CAFONA [Denota preconceito.] *sm.* 4 Aquele que vive no subúrbio 5 *Pej. Pop.* Indivíduo suburbano (3); BREGA; CAFONA [F.: Do lat. *suburbanus, a, um.*]

subúrbio (su.*búr*.bi:o) *sm.* Região que fica em torno de uma cidade, relativamente afastada do seu centro; PERIFERIA [Ant.: *centro.*] [F.: Do lat. *suburbium, ii.*]

subvalorizado (sub.va.lo.ri.*za*.do) *a.* Diz-se daquilo ou daquele que teve seu verdadeiro ou justo valor diminuído: *O preço do passe do jogador foi subvalorizado.* [F.: Part. de *subvalorizar.*]

subvalorizar (sub.va.lo.ri.*zar*) *v. td.* Conceder a (algo ou alguém) valor menor do que realmente tem: *Por desonestidade, subvalorizou o preço do jogador.* [▶ 1 subvalorizar] [F.: *sub-* + *valorizar.*]

subvenção (sub.ven.*ção*) *sf.* Ajuda ou incentivo, ger. em dinheiro, concedida em ger. pelo Estado a instituições, pessoas etc. [Pl.: *-ções.*] [F.: Do lat. *subventio, onis.*]

subvencionado (sub.ven.ci:o.*na*.do) *a.* Que recebe subvenção [F.: Part. de *subvencionar.*]

subvencionar (sub.ven.ci:o.*nar*) *v. td.* 1 Dar subvenção ou subsídio a; SUBSIDIAR: *A empresa subvencionou a produção do filme.* 2 Prestar ajuda, auxílio a: *Subvencionava crianças carentes.* [▶ 1 subvencionar] [F.: *subvenção* + *-ar*², seg. o mod. erudito]

subverbete (sub.ver.*be*.te) [ê] *sm.* Em um dicionário, enciclopédia etc., verbete secundário, apenso a outro, que desenvolve um aspecto do assunto tratado no verbete principal [F.: *sub-* + *verbete.*]

subversão (sub.ver.*são*) *sf.* 1 Ação ou resultado de subverter(-se) 2 Revolta contra uma autoridade, norma etc; INSUBORDINAÇÃO 3 Derrubada de coisas estabelecidas, estruturas, sistemas etc. [Pl.: *-sões.*] [F.: Do lat. *subversio, onis.*]

subversivo (sub.ver.*si*.vo) *a.* 1 Que derruba, destrói 2 Que promove subversão, revolta (panfleto subversivo) 3 Aquele que promove subversão, revolta [F.: Do lat. *subversus* + *-ivo.* Sin. ger.: *subversor.*]

subversor (sub.ver.*sor*) [ô] *a.* 1 Que subverte (panfleto subversor); SUBVERSIVO *sm.* 2 Aquele que subverte; SUBVERSIVO: *Conseguiu identificar o subversor.* [F.: Do lat. *subversore.*]

subverter (sub.ver.*ter*) *v.* 1 Promover a subversão ou a convulsão de; CONVULSIONAR [*td.*: *Subverter a sociedade/a ordem.*] 2 Corromper, perverter [*td.*: *Subverter a moral/os costumes.*] 3 Destruir de baixo para cima [*td.*: *Vários terremotos subverteram o Irã.*] 4 Cobrir de água, terra, lava, cinza etc; ARRUINAR; DESTRUIR [*td.*: *As enchentes subverteram milhares de pessoas.*] 5 Desaparecer [*int.*: *O fugitivo subverteu-se e ninguém mais o viu.*] 6 Causar transtorno, desordem a [*td.*: *A série de desabamentos subverteu os planos do arquiteto.*] 7 Afundar (uma embarcação), fazer naufragar [*td.*] [*int.*] [▶ 2 subverter] [F.: Do lat. *subvertere.*]

subvertido (sub.ver.*ti*.do) *a.* 1 Que se subverteu 2 Que foi aniquilado, arruinado, destruído ou dominado: *Com o império subvertido, instaurou-se a república; O inimigo subvertido foi mantido em cativeiro.*

sução (su.*ção*) *sf. P. us.* Ação ou resultado de sugar, mesmo que *sucção* [Pl.: *-ções.*]

sucarocracia (su.ca.ro.cra.*ci*:a) *sf.* Poder dos produtores de açúcar de cana

sucata (su.*ca*.ta) *sf.* 1 O mesmo que *ferro-velho* 2 Coisas (ger. de metal) rejeitadas ou jogadas no lixo que podem ser reaproveitadas em trabalhos artísticos, em atividades de reciclagem etc. 3 *Fig.* Coisas reles, sem valor [F.: Do ár. *suqât.*]

sucateado (su.ca.te.*a*.do) *Bras. a.* 1 Que foi transformado em sucata 2 *Fig.* Que está em mau estado ou foi arruinado por falta de cuidados ou por abandono: *frota de ônibus sucateada.* [F.: Part. de *sucatear.*]

sucateador (su.ca.te:a.*dor*) [ô] *a.* 1 Que transforma em sucata; que faz com que algo seja reduzido a sucata *sm.* 2 O que transforma em, ou reduz a sucata [F.: *sucatear* + *-dor.*]

sucateamento (su.ca.te:a.*men*.to) *sm.* 1 Ação ou resultado de sucatear 2 *Fig.* Destruição das coisas pelo abandono ou pela falta de renovação: *sucateamento da malha ferroviária.* [F.: *sucatear* + *-mento.*]

sucatear (su.ca.te.*ar*) *Bras. v. td.* 1 Converter ou deixar que se converta em sucata: *O uso descontrolado sucateou o carro.* 2 Vender (algo) como sucata: *O fazendeiro sucateou todos os tratores.* [▶ 13 sucatear] [F.: *sucata* + *-ear*².]

sucateiro (su.ca.*tei*.ro) *a.* 1 Que negocia com sucata 2 *Fig.* Que realiza seu trabalho de qualquer maneira, sem nenhum cuidado; LAMBÃO; MATÃO *sm.* 3 Aquele que compra e vende sucata [F.: *sucata* + *-eiro.*]

sucção (suc.*ção*) *sf.* Ação ou resultado de sugar [Pl.: *-ções.*] [F.: Do lat. tardio *suctio, onis.* Tb. *sução.*]

sucedâneo (su.ce.*dâ*.ne:o) *a.* 1 Diz-se de substância ou produto que pode substituir outro, por ter características análogas (medicamento sucedâneo) *sm.* 2 Essa substância ou esse produto: *A margarina é um sucedâneo à manteiga.* 3 *P. ext.* Qualquer coisa que substitui ou pode substituir outra [F.: Do lat. *succedaneus, a, um.* Sin. ger.: *substituto.*]

sucedente (su.ce.*den*.te) *a.* Que sucede; que vem em seguida (período/casa sucedente) [F.: *suceder* + *-nte.*]

suceder (su.ce.*der*) *v.* 1 Acontecer, produzir-se ou realizar-se [*ti.* + *a.*: *Sucederam a ele diversos infortúnios.* [*int.*: *Sucede que, apesar das provas de corrupção, o prefeito continua no cargo:* "Nos países (...) contra a guerra, as manifestações se sucederam" (*Jornal Extra*, 21.03.2003)] 2 Substituir (alguém) em um cargo ou no desempenho de uma função [*td.*: *O filho o sucedeu no trono da Inglaterra.*] [*tr.* + *a*: *Quem sucederá ao atual governador?*] 3 Ocorrer depois de (algo) ou de maneira sucessiva [*tr.* + *a*: *A calmaria sucede à tormenta.*] [*td.*: *As brigas sucediam-se de maneira vertiginosa.*] 4 Ser convidado por lei a uma herança [*tdr.* + *em*: *As irmãs me sucederam na herança.*] 5 Acarretar um resultado, bom ou mau [*ti.* + *a*: *A empreitada sucedeu muito mal ao rapaz.*] [▶ 2 suceder]

sucedido (su.ce.*di*.do) *a.* 1 Que sucedeu, que aconteceu *sm.* 2 O fato ou fatos acontecidos [F.: Part. de *suceder.*]

sucessão (su.ces.*são*) *sf.* 1 Ação ou resultado de suceder(-se), de se assumir a função de alguém que deixou de exercê-la (sucessão presidencial) 2 Série de elementos que se seguem uns aos outros ou que estão encadeados; SEQUÊNCIA: *sucessão de fatos* 3 Após a morte de alguém, transferência dos seus bens, direitos ou encargos a outra(s) pessoa(s); HERANÇA: "...As leis sobre sucessão hereditária, favoráveis à dispersão dos bens..." (Gilberto Freyre, *Casa grande & senzala*) 4 Os bens, direitos ou encargos transferidos por essa forma 5 *Fig.* Conjunto de pessoas (tb. em diferentes gerações) que se originaram de um determinado antepassado; DESCENDÊNCIA 6 Seguimento, continuação, perpetuação: *a sucessão dos tempos.* 7 *Ecol.* Processo gradual de mudança na população biológica de uma determinada área [Pl.: *-sões.*] [F.: Do lat. *successio, onis.*]

sucessividade (su.ces.si.vi.*da*.de) *sf.* Caráter ou condição do que é sucessivo [F.: *sucessivo* + *-(i)dade.*]

sucessivo (su.ces.*si*.vo) *a.* 1 Que vem depois de outro(s): *Cumpriu dois mandatos sucessivos.* 2 Que se repete em curto espaço de tempo (espirros sucessivos); CONSECUTIVO 3 Ref. à concessão de uma herança (direitos sucessivos); HEREDITÁRIO [F.: Do lat. tardio *successivus, a, um.*]

sucesso (su.*ces*.so) *sm.* 1 Resultado positivo, favorável; ÊXITO 2 *Bras.* Profissional, obra artística, evento etc. que é bem-sucedido: *A festa de aniversário foi um sucesso.* 3 Qualquer acontecimento: "...ao terminar a revolta, o governo civil (...) pediu contas de tais sucessos ao principal responsável..." (Euclides da Cunha, *Os sertões*) 4 *Bras. N. E. Pop.* Desastre 5 *Bras. N. E.* Parto [F.: Do lat. *successus, us.*] ■ **Bom** ~ Parto feliz **Mau** ~ *Bras. Pop.* Aborto **Ter** ~ Ter êxito, obter bons resultados

sucessomania (su.ces.so.ma.*ni*.a) *sf.* Obsessão pelo sucesso; mania de sucesso [F.: *sucesso* + *-mania.*]

sucessomaníaco (su.ces.so.ma.*ní*:a.co) *a.* 1 Próprio de sucessomania *sm.* 2 Indivíduo que tem mania de sucesso [F.: *sucesso* + *maníaco.*]

sucessor (su.ces.*sor*) [ô] *a.* 1 Que sucede, que vem depois *sm.* 2 Aquele que ocupa o cargo de outro, dando seguimento ao seu trabalho; SUBSTITUTO [Ant.: *antecessor.*] 3 Quem recebe uma herança; HERDEIRO 4 O que tem as mesmas qualidades e predicados que outro teve: *Esse torneio será o sucessor do campeonato mundial interclubes.* [F.: Do lat. *successor, oris.*]

sucessório (su.ces.*só*.ri:o) *a.* Ref. a sucessão (processo sucessório) [F.: Do lat. *successorius, a, um.*]

súcia (*sú*.ci:a) *sf.* 1 Grupo de pessoas de má reputação; BANDO; CORJA 2 *Bras.* Festança, farra: "Vamos levantar a súcia, minha gente, disse um dos convivas." (Manuel Antônio de Almeida, *Memórias de um sargento de milícias*) [F.: Regress., de caráter burlesco, de *sociedade.* Hom./Par.: *súcia* (sf.), *sucia* (fl. de *suciar*).]

suciar (su.ci.*ar*) *v. int.* 1 Participar de uma súcia, malta, bando de gente mal intencionada 2 Vagabundear, vadiar [▶ 1 suciar] [F.: *súci(a)* + *-ar.* Hom./Par.: *sucia* (3ªps.), *sucias* (2ªps.)/ *súcia* (s. f.) e pl; *sucio* (1ªps.)/ *súcio* (sm.).]

sucinto (su.*cin*.to) *a.* Que se diz com poucas palavras (explicação sucinta); CONCISO; RESUMIDO [Ant.: *prolixo.*] [F.: Do lat. *succintus, a, um.*]

súcio (*sú*.ci:o) *sm.* Indivíduo que faz parte de súcia; BILTRE; VADIO; VAGABUNDO [F.: Do espn. *sucio.* Hom./Par.: *sucio* (fl. *suciar*).]

suco (*su*.co) *sm.* 1 Líquido nutritivo extraído de frutas, carnes etc., espremidas, trituradas ou processadas; SUMO 2 *Med.* Líquido produzido por glândula, mucosa etc., que ger. tem uma função fisiológica (suco gástrico) 3 *Fig.* O que há de mais substancial em alguma coisa; ESSÊNCIA 4 *Pop.* Coisa muito boa: "...ela estava achando um suco aquela vesperal do Paulistano." (Antônio de Alcântara Machado, "A sociedade" *in Brás, Bexiga e Barra Funda*) [F.: Do lat. *succus, i.*] ■ ~ **gástrico** *Fisl.* Secreção ácida produzida no estômago, que age sobre os alimentos no processo da digestão

sucoso (su.*co*.so) [ô] *a.* 1 Que é suculento, que tem muito suco; SUMARENTO 2 *P. ext.* Que tem propriedades nutritivas [F.: Do lat. *sucosus, a, um.*]

◎ **sucro-** *el. comp.* = 'açúcar': *sucroalcooleiro, sucroquímica, sucroquímico* [F.: Do fr. *sucre.*]

suctório (suc.*tó*.ri:o) *a.* 1 *Ent.* Que se refere aos suctórios, classe de animais cilióforos que têm como característica, quando ainda são jovens, a presença de cílios *sm.* 2 *Ent.* Espécime dos suctórios [F.: Do lat. *suctus, a, um*, part. de *sugère.*]

suçuapara (su.çu:a.*pa*.ra) *sm.* 1 *Zool.* O mesmo que *cervo-do-pantanal* (*Blastocerus dichotomus*) 2 Veado de pelagem avermelhada, encontrado na América (do Canadá ao norte do Brasil); tb. *cariacu* (*Odocoileus virginianus*) [F.: Do tupi. Tb. *suaçuapara.*]

suçuarana (su.çu:a.*ra*.na) *sf.* 1 *Zool.* Felino selvagem de grande porte (*Felis concolor*), encontrado nas três Américas, de coloração uniforme, ger. amarronzada, sem manchas ou pintas; PUMA 2 *Fig.* Mulher de mau gênio [F.: Do tupi *siwasua' rana.*]

sucúbico (su.*cú*.bi.co) *a.* Que diz respeito a, ou é próprio de súcubo [F.: *súcubo* + *-ico.*]

súcubo (*sú*.cu.bo) *a.* 1 Diz-se do que se coloca por baixo 2 Que se coloca por baixo na cópula carnal 3 Que desperta desejos sexuais; LÚBRICO 4 Ref. ou inerente a súcubo (6): "A visão reaparecia de ímpeto... ele repelia-a, atordoando-se com outras ideias... a fim de que nele não mais entrasse essa alucinação súcuba." (Coelho Neto, *Inverno em flor*) 5 *Bot.* Diz-se das folhas das hepáticas que têm a margem recoberta pela margem da folha subsequente *sm.* 6 *Ant.* Demônio feminino que, segundo crendice popular, aparecia no meio da noite para ter relações sexuais com um homem, causando perturbações ao seu sono 7 *Fig.* Pessoa destituída de força de vontade que se deixa levar ou sugestionar por outra de personalidade mais forte, e que se deixa conduzir passivamente por essa pessoa [F.: Do lat. *succuba, ae.* Ant. ger.: *íncubo.*]

suculência (su.cu.*lên*.ci:a) *sf.* Qualidade de suculento [F.: *sucul-* (rad. de *suculento*) + *-ência.*]

suculento (su.cu.*len*.to) *a.* 1 Que tem muito suco (melancia suculenta); SUMARENTO 2 Que é substancial, alimentício (refeição suculenta); NUTRITIVO 3 Que tem bom aspecto e abre o apetite (bife suculento); APETITOSO 4 *Bot.* Diz-se de planta ou órgão vegetal sucoso e com consistência semelhante à da carne [F.: Do lat. *succulentus, a, um.*]

sucumbência (su.cum.*bên*.ci:a) *sf.* Ação ou resultado de sucumbir [F.: Do lat. *succumbentia ou do ing. *succumbence.*]

sucumbido (su.cum.*bi*.do) *a.* 1 Diz-se do que ou de quem sucumbiu 2 Que está sem alento, desanimado; DESALENTADO; DESCOROÇOADO [F.: Part. de *sucumbir.*]

sucumbir (su.cum.*bir*) *v.* 1 Ceder, render-se ou submeter-se [*tr.* + *a*: *Sucumbir à dor/ao inimigo.*] 2 *Fig.* Ser dominado pelo desânimo, abater-se [*int.*: *Depois de tantos esforços inglórios, acabou sucumbindo.*] 3 Sofrer derrota; ser vencido [*tr.* + *a*: *Sucumbiu a um golpe mais forte.*] [*int.*: *Diante de tantos talentos poderosos, o jovem artista sucumbiu.*] 4 Morrer [*int.*: *O estudante sucumbiu na luta das guerrilhas.*] 5 Deixar de ter existência [*int.*: *Os princípios democráticos não podem sucumbir.*] 6 Ceder ao que é evidente [*int.: O aparte foi tão incontestável que o orador sucumbiu.*] [▶ 3 sucumbir] [F.: Do lat. *succumbere.*]

sucupira (su.cu.*pi*.ra) *sf.* **1** *Bot.* Nome comum a diversas árvores da fam. das leguminosas, subfam. papilionoídea, de grande porte, cuja madeira resistente tem grande valor comercial **2** A madeira dessas árvores [F.: Do tupi *sewi' pira*. Tb. *sicupira.*]

sucuri (su.cu.*ri*) *sf. Bras. Zool.* Grande cobra da fam. dos boídeos (*Eunectes murinus*), encontrada em rios e lagos sul-americanos, com até 10 m de comprimento e corpo com grandes manchas pretas arredondadas: "Nesses brejos maiores de vereda, e nos corguinhos e lagoas muito limpas, sucuri mora." (Guimarães Rosa, "Dão-lalalão (O devente)" *in Noites do sertão*) [F.: Do tupi *suku'ri.*]

sucuriju (su.cu.*ri*.ju) *Bras. sm. Herp.* Mesmo que *sucuri* (*Eunectes murinus*) [Tb. *sicuriju.*]

sucursal (su.cur.*sal*) *sf.* **1** Instituição pública ou particular que funciona subordinada a uma matriz; FILIAL [Pl.: *-sais.*] *a.* **2** Diz-se dessa instituição; FILIAL [F.: Do fr. *succursale.*]

sudação (su.da.*ção*) *sf.* Ação ou resultado de suar, de expelir suor pelos poros da pele; TRANSPIRAÇÃO [Pl.: *-ções.*] [F.: Do lat. *sudatio, onis.*]

⊠ **Sudam** Sigla de *Superintendência do Desenvolvimento da Amazônia*

sudâmina (su.*dâ*.mi.na) *sf. Pat.* Erupção cutânea que se caracteriza pela formação de pequenas vesículas arredondadas e transparentes, que aparece depois da abundância de suores provocada por certas doenças [F.: Do ing. *sudamina.*]

sudanês (su.da.*nês*) *sm.* **1** Pessoa nascida ou que vive na República do Sudão (África) **2** *Gloss.* Língua falada na República do Sudão, variante do árabe [Pl.: *-neses*. Fem.: *-nesa.*] *a.* **3** Da República do Sudão; típico desse país ou de seu povo **4** Do ou ref. ao sudanês (2) [Pl.: *-neses*. Fem.: *-nesa.*] [F.: Do top. Sudão + *-ês.*]

sudário (su.*dá*.ri:o) *sm.* **1** Pano que era us. para enxugar o suor e que foi substituído pelo lenço **2** Tipo de lençol com o qual se envolvem cadáveres; MORTALHA **3** *Fig.* Exposição, quadro demonstrativo (de coisas repreensíveis): *o sudário dos crimes e vícios.* [F.: Do lat. *sudarium, ii.*] ∎ **O Santo ~** *Rel.* Peça de pano, conservada como relíquia católica, tida como a mortalha de Jesus e na qual a imagem deste ter-se-ia fixado

sudeste¹ (su.*des*.te) *sm.* **1** *Astr.* Direção a meio entre o sul e o leste: *74 km a sudeste de João Pessoa.* [Abrev.: *S.E.*] **2** Região ou conjunto de regiões a sudeste (1) *a2g2n.* **3** Ref. ao ou que vem do sudeste (vento sudeste) **4** Que se situa a sudeste: *Moçambique fica na região sudeste da África.* [F.: Do fr. *sud-est*. Sin. ger.: *sueste*. Cf.: *nordeste.*]

Sudeste² (Su.*des*.te) *sm. Bras. Geog.* Uma das cinco regiões em que é dividido o Brasil; compreende os Estados do Espírito Santo, Minas Gerais, Rio de Janeiro e São Paulo: *Aumentaram as enchentes no Sudeste.* [Inicial ger. maiúsc.] [F.: Do fr. *sud-est.*]

suditado (su.di.*ta*.do) *a.* Que foi tornado súdito; que se submeteu ao poder ou às ordens de outrem

súdito (*sú*.di.to) *a.* **1** Que está submetido à autoridade de um rei, rainha, ou outro soberano; VASSALO *sm.* **2** A pessoa nessa condição; VASSALO [F.: Do lat. *subditus, a, um.*]

sudoeste (su.do:*es*.te) *sm.* **1** *Astr.* Direção a meio entre o sul e o oeste [Abrev.: *S. O., S. W.*] **2** Região ou conjunto de regiões a sudoeste (1) *a2g2n.* **3** Ref. ao ou que vem do sudoeste **4** Que se situa a sudoeste [F.: Do fr. *sud-ouest*. Cf.: *noroeste.*]

🌐 **sudoku** (*Jap. /sudoku/*) *sm. Lud.* Jogo de raciocínio lógico formado por uma grade, dividida em grades menores (chamadas regiões) compostas de células, umas contendo números (chamadas pistas) e outras vazias, que devem ser preenchidas de modo que cada coluna, linha ou região contenha números de 1 a 9, sem repetição [F.: Abrev. do jap. *suuji wa dokushin ni kagir u* (os dígitos devem permanecer únicos).]

sudoração (su.do.ra.*ção*) *sf.* Transpiração abundante, além do normal [F.: **sudorar* + *-ção.*]

sudorese (su.do.*re*.se) *sf. Fisl.* Eliminação de suor pela pele; TRANSPIRAÇÃO [Ant.: *adiaforese.*] [F.: Do lat. cient. *sudoresis.*]

◎ **sudor(i)-** *el. comp.* = 'suor': *sudorese, sudorífero* (< lat.), *sudorífico, sudoríparo* [F.: Do lat. *sudor, oris.*]

sudorífero (su.do.*rí*.fe.ro) *a.* **1** Que faz suar *sm.* **2** Aquilo que faz suar: "O mal, entretanto, recalcitrava às chazadas e aos sudoríferos." (Monteiro Lobato, *Urupês*) [F.: Do lat. *sudorifer, era, erum*. Sin. ger.: *sudorífico.*]

sudorífico (su.do.*rí*.fi.co) *a. sm.* O mesmo que *sudorífero* [F.: *sudor(i)-* + *-fico.*]

sudoríparo (su.do.*rí*.pa.ro) *a.* **1** Relativo ao suor **2** Que produz ou segrega suor [F.: Do lat. *sudoripare.*]

sueco (su:*e*.co) *sm.* **1** Pessoa nascida ou que vive na Suécia (Europa) **2** *Gloss.* Língua falada na Suécia *sm.* **3** Da Suécia; típico desse país ou de seu povo **4** Do ou ref. ao sueco (2) [F.: Do ant. *suécio*, do top. *Suécia.*]

suede (su.*e*.de) *sm.* Couro acamurçado e macio, us. na confecção de sapatos e outras peças de indumentária [F.: Do fr. *suède.*]

suedine (su.e.*di*.ne) *sf.* Tecido de algodão que possui textura semelhante à do suede [F.: Do fr. *suèdine.*]

sueste (su.*es*.te) *sm.* **1** *Astr.* Ponto do horizonte que se situa a 45º do sul e do leste (símb.: *SE*) **2** Vento que sopra entre o sul e o leste ou cuja direção se afasta tanto do sul quanto do leste **3** A direção desse vento **4** *Mar.* Chapéu ou capa de oleado us. pelos marinheiros a bordo quando o mar se encontra tempestuoso, para se protegerem da umidade *a2g.* **5** Ref. à direção sueste **6** Diz-se do vento que sopra dessa direção [F.: *su-* + *este*. Hom./Par.: *sueste* (sm.), *soeste* /ê / (fl. *soer*).]

suéter (su:*é*.ter) *s2g. Bras.* Casaco fechado, ger. de lã, que se veste pela cabeça; PULÔVER *Lus;* CAMISOLA [F.: Do ing. *sweater.*]

sueto (su:*e*.to) [ê] *sm.* Intervalo de uma atividade para descanso; FOLGA: "Como é para bom fim, não me importa de dar-lhe um suetozinho..." (Domingos Olímpio, *Luzia-Homem*) [F.: Do lat. *suetus, a, um.*]

suevo (su.*e*.vo) *sm.* **1** Pessoa nascida ou que vivia na Suévia, antigo país germânico [No séc. V, os suevos ocuparam parte norte da península ibérica, sendo, assim, ancestrais de galegos e portugueses daquela região] *a.* **2** Da Suévia; típico desse país ou de seu povo: "Se fazeis de donzela tímida... desmentis a ousadia peninsular da vossa raça fenícia, cartaginesa, sueva e árabe." (Camilo Castelo Branco, *Mistério de Lisboa*) [F.: Do lat. *suevos, a, um.*]

sufi (su.*fi*) *sm.* **1** *Ant.* Título dado pelos ocidentais ao soberano da Pérsia **2** O seguidor do sufismo; SUFISTA [F.: Do ár. *sufii.*]

suficiência (su.fi.ci:*ên*.ci:a) *sf.* **1** Qualidade do que é suficiente [Ant.: *insuficiência.*] **2** Capacidade, aptidão, habilidade: "...contos e exemplos, com que cada um mostrasse aos outros sua suficiência..." (Rodrigues Lobo, *Corte na aldeia*) **3** Vaidade por consciência do próprio valor [F.: Do lat. *sufficientia, ae.*]

suficiente (su.fi.ci:*en*.te) *a2g.* **1** Que satisfaz, que basta ou é bastante; BASTANTE [Ant.: *insuficiente.*] **2** De qualidade melhor do que o mínimo aceitável, mas não inteiramente bom; RAZOÁVEL **3** Capaz de corresponder a expectativas, atribuições etc; APTO *sm.* **4** Aquilo que satisfaz, que basta ou é bastante: *tem o suficiente para viver bem por longos anos.* [F.: Do lat. *sufficiens, entis.*]

sufismo (su.*fis*.mo) *sm.* Forma de misticismo arábico-persa (que não se filia à ordotoxia islâmica) em que o espírito humano representa uma emanação do espírito divino, ao qual procura reintegrar-se, e que faz uso do canto e da dança como forma de comunhão com a divindade [Influenciado pelo hinduísmo, budismo e cristianismo, teve expressiva propagação entre os séc. IX e XII] [F.: *sufi* + *-ismo*. Hom./Par.: *sofismo* (fl. *sofismar*).]

sufista (su.*fis*.ta) *a2g.* **1** Ref. ou inerente a sufismo **2** Diz-se de pessoa adepta do sufismo *s2g.* **3** O adepto do sufismo [F.: *sufi* + *-ista*. Hom./Par.: *sufista* (a2g. s2g.) *sofista* (a2g. s2g.) e *surfista* (a2g. s2g.).]

sufixação (su.fi.xa.*ção*) *sf.* **1** Ação ou resultado de sufixar **2** *Ling.* Processo de formação de palavras por meio da utilização de sufixos [Pl.: *-ões.*] [F.: *sufixar* + *-ção.*]

sufixar (su.fi.*xar*) *v. td. tdi.* Acrescentar sufixo a (raiz, radical, palavra) [F.: *sufix(o)* + *-ar*. Hom./Par.: *sufixais* (2ªp. pl.)/ *sufixais* (pl. *sufixal* [a2g.]); *sufixo* (1ªp. s.)/ *sufixo* (sm.).]

sufixo (su.*fi*.xo) [cs] *sm. Gram.* Afixo que se junta ao final de uma palavra para formar derivadas (p. ex.: ferreiro; livraria; somente) [Ant.: *prefixo.*] [F.: Do lat. *suffixus. a, um*. Hom./Par.: *sufixo* (sm.), *sufixo* (fl. de *sufixar*).] ∎ **~ derivacional** *E. Ling.* Aquele que entra na formação de palavras por derivação **~ flexional** *Gram. Ling.* Aquele que forma as flexões gramaticais da palavra (gênero, número, grau)

suflê (su.*flê*) *sm. Cul.* Alimento feito à base de um creme, salgado ou doce, de farinha e ovos, a que se adicionam outros ingredientes (queijo, legumes, chocolate etc.) e leva-se ao forno [F.: Do fr. *soufflé.*]

sufocação (su.fo.ca.*ção*) *sf.* **1** Ação ou resultado de sufocar(-se) **2** Grande dificuldade de respirar; perda de respiração **3** Supressão da respiração; ASFIXIA **4** Morte por asfixia; ESTRANGULAMENTO **5** Sentimento de opressão ansiosa causada por supressão ou dificuldade da respiração **6** *Fig.* Repressão, censura: "...o país lembra-se ainda hoje de 1842, da sufocação da imprensa..." (Rui Barbosa, *Discursos e conferências*) [Pl.: *-ções.*] [F.: Do lat. *suffocatio, onis*. Sin. ger.: *sufocamento.*]

sufocado (su.fo.*ca*.do) *a.* **1** Que sofre ou sofreu sufocação; que não pode respirar **2** Que mal pode falar **3** Abafado, preso, reprimido [F.: Part. de *sufocar.*]

sufocador (su.fo.ca.*dor*) [ô] *a.* **1** Que sufoca; SUFOCANTE *sm.* **2** O que sufoca **3** Vaso de ferro em que se lança o carvão, depois de ser dos carbonizadores, para evitar que se inflame [F.: *sufocar* + *-dor.*]

sufocamento (su.fo.ca.*men*.to) *sm.* O mesmo que *sufocação* [F.: *sufocar* + *-mento.*]

sufocante (su.fo.*can*.te) *a2g.* **1** Que sufoca; SUFOCADOR; ASFIXIANTE **2** Que causa mal-estar físico ou emocional; OPRESSIVO [F.: Do lat. *suffocans, suffocantis.*]

sufocar (su.fo.*car*) *v.* **1** Impedir a respiração de, ou tê-la impedida; ASFIXIAR(-SE) [*td.: A fumaça invadiu a sala e sufocou as crianças.*] [*int.: As pessoas sempre se sufocam com o cheiro do amoníaco.*] **2** Matar ou morrer de asfixia; ASFIXIAR(-SE) [*td.: Sufocou o rapaz apertando-lhe o pescoço.*] [*int.: O casal dormia e sufocou(-se) com o gás.*] **3** Provocar mal-estar físico ou emocional [*td.: O abafamento do teatro o sufocou; Aquela rede de intrigas o sufocava.*] **4** *Fig.* Conter ou reprimir [*td.: A polícia militar sufocou a rebelião.*] **5** Causar forte emoção, abalar, comover [*td.: A visão daquela cena triste sufocou-o e não conseguiu dizer palavra.*] [▶ 11 sufocar] [F.: Do lat. *suffocare.*]

sufoco (su.*fo*.co) [ô] *sm.* **1** Dificuldade para respirar **2** *Bras. Pop.* Situação difícil, perigosa, angustiante etc; APERTO: *Passamos um sufoco: quase fomos assaltados.* **3** *Bras. Pop.* Situação de quem tem urgência em algo; PRESSA: *Fiquei num sufoco para terminar o trabalho a tempo.* [F.: Dev. de *sufocar*. Hom./Par.: *sufoco* (sm.), *sufoco* (fl. de *sufocar*).]

sufragado (su.fra.*ga*.do) *a.* **1** Que se sufragou **2** Que foi aprovado por sufrágio [F.: Part. de *sufragar.*]

sufragâneo (su.fra.*gâ*.ne:o) *a.* **1** Diz-se de país, território ou povo que se subordina a outro **2** Que não tem autonomia; DEPENDENTE **3** Que se subordina a autoridade eclesiástica superior *sm.* **4** Bispo ou bispado que se subordina a um metropolitano [F.: Do lat. ecles. *suffraganeus.*]

sufragante (su.fra.*gan*.te) *s2g.* **1** O que sufraga; a parte ativa no sufrágio (povo sufragante) [Opõe-se a *sufragado.*] **2** Us. na loc. *num sufragante* (levantar-se/reagir num sufragante); DE REPENTE *s2g.* **3** *P. us.* Instante, momento: *Foi apanhado no mesmo sufragante em que roubava.*

sufragar (su.fra.*gar*) *v. td.* **1** Apoiar com sufrágio ou voto: *Os eleitores sufragaram o melhor candidato.* **2** Orar dar esmolas ou fazer caridades em favor da alma de (um morto): *O padre sufragou o morto.* [▶ 14 sufragar] [F.: Do lat. *suffragare.*]

sufrágio (su.*frá*.gi:o) *sm.* **1** Processo de seleção dos indivíduos que terão o direito de votar; o direito de voto: *O voto é o exercício do sufrágio pelos eleitores.* **2** Adesão, aprovação **3** Ato de piedade ou oração pelos mortos: *proferir missa e orações em sufrágio das almas.* [F.: Do lat. *suffragium, ii.*] ∎ **~ direto** Aquele no qual o eleitor (todo cidadão legalmente capaz de exercer o direito de voto) vota diretamente em seus candidatos **~ indireto** Aquele no qual a eleição é feita pelos votos de um colégio eleitoral, e não pela totalidade dos eleitores **~ proporcional** Aquele no qual os mandatos parlamentares são obtidos pelo número de votos dados à legenda, divididos pelo número de votos necessários para conferir um mandato (que é o total de votos auferidos para todas as legendas dividido pelo número de cadeiras a serem preenchidas) **~ universal** **1** Processo de escolha por meio de eleição ou votação de que podem participar, diretamente e em igualdade, todos os cidadãos, ou a grande maioria deles (podendo haver exceções previstas constitucionalmente), sendo o resultado determinado pela contagem dos votos individuais **2** Princípio ou vigência do direito de voto de todos os cidadãos que preenchem as qualificações previstas na lei. ou de ampla parcela da população, sem hierarquias ou restrições por critérios de classe, renda, etnia etc.

sufragismo (su.fra.*gis*.mo) *sm.* Doutrina do sufrágio, do direito de participar da vida política do estado por exercício do voto [F.: *sufrágio* + *-ismo.*]

sufragista (su.fra.*gis*.ta) *a2g.* **1** Que diz respeito a sufrágio **2** Que é adepto do sufrágio universal; que defende a extensão do voto a todas as pessoas adultas, sem nenhum tipo de restrição **3** Diz-se da mulher que, em parte do séc. XIX e no começo do XX, lutava pelo direito de voto para o sexo feminino *sf.* **4** Mulher sufragista: *As sufragistas saíram vitoriosas.* [F.: *sufrágio* + *-ista.*]

sufragístico (su.fra.*gís*.ti.co) *a.* Relativo a sufrágio ou sufragista [F.: *sufragista* + *-ico.*]

⊠ **Suframa** *sf.* Sigla de *Superintendência da Zona Franca de Manaus*

sufumigação (su.fu.mi.ga.*ção*) *sf.* **1** Ação ou resultado de sufumigar **2** Fumigação feita embaixo de alguma coisa **3** *Ter.* Vaporização medicinal aplicada em qualquer parte de um corpo para debelar algum mal **4** Purificação do ar por meio da combustão de substância aromática (sufumigação de incenso) [Pl.: *-ões.*] [F.: Do lat. *suffumigatio, onis*. Sin. ger.: *sufumígio.*]

sufumigar (su.fu.mi.*gar*) *v. td.* **1** Fumigar (ou seja, defumar) por baixo **2** Fazer aplicação de vapor medicinal em **3** Queimar ou fazer queimar substância aromática para perfumar ambiente [▶ 14 sufumigar] [F.: Do lat. *sufumigare.*]

sufusão (su.fu.*são*) *sf.* **1** Derramamento ou extravasamento de um líquido com espalhamento do mesmo **2** *Med.* Extravasamento de um líquido orgânico para os tecidos vizinhos **3** Afluxo do sangue à pele em certas partes do corpo [F.: Do lat. *suffusio, onis.*]

sugação (su.ga.*ção*) *sf.* Ação ou resultado de sugar [Pl.: *-ções.*] [F.: *sugar* + *-ção.*]

sugado (su.*ga*.do) *a.* Que se sugou; que foi sorvido, chupado, extraído, explorado ou extorquido: *Leite sugado; Funcionário sugado pelo patrão.* [F.: Part. de *sugar.*]

sugador (su.ga.*dor*) [ô] *a.* **1** Que suga (insetos sugadores) *sm.* **2** Aquele ou aquilo que suga **3** *Anat. Zool.* Sugadouro [F.: *sugar* + *-dor.*]

sugadouro (su.ga.*dou*.ro) *sm. Anat. Zool.* Órgão alongado do aparelho bucal de alguns insetos, que o usam para sugar líquidos

sugar (su.*gar*) *v.* **1** Chupar ou sorver [*td.: Sugar o seio materno; Sugar o néctar das flores.*] **2** Extrair, ou absorver [*td.: O aspirador suga a poeira.*] [*tdr.* + *de: Os vegetais sugam da terra seus nutrientes.*] **3** Consumir as forças de; exaurir [*td.: O trabalho na fábrica estava sugando as operárias.*] **4** Submeter a, ou obter por, extorsão; EXTORQUIR [*td.: Sugava o dinheiro do pai por meio de ardis.*] [*tdi.* + *a: Sugou ao milionário boa parte de sua fortuna.*] [▶ 14 sugar] [F.: Talvez do lat. *sugere*. Hom./Par.: *sogar* (vários tempos do v.). Ideia de 'sugar': usar antepos. *miz (o)-.*]

sugatório (su.ga.*tó*.ri:o) *a.* Que suga, sugador [F.: *sugar* + *-tório.*]

sugeridor (su.ge.ri.*dor*) [ô] *a.* **1** Que sugere; que faz sugestões *sm.* **2** Aquele que sugere [F.: *sugerir* + *-dor.*]

sugerir (su.ge.*rir*) *v.* **1** Dar a entender de forma sutil; INSINUAR [*td.*: *Suas palavras sugeriam prudência.*] **2** Provocar a imaginação de; inspirar [*tdi.* + *a*: *Essa paisagem sugeriu inúmeros quadros ao pintor.*] **3** Fazer uma sugestão; aconselhar ou recomendar [*tdi.* + *a*: *Sugeriu à neta que estudasse letras.*] **4** Fazer com que uma ideia ou pensamento surja na mente, ger. por associação de ideias [*tdi.* + *a*: *Aquela família sugeria ao rapaz um inferno.*] **5** Ser indicação ou indício de [*td.*: *O comportamento desse rapaz sugere alguma forma de loucura.*] **6** Oferecer, ofertar [*tdi.* + *para*: *Esse gesto parece que está sugerindo alguma ajuda para nós.*] **7** Despertar, provocar [*td.*: *Essa atitude sugere reconhecimento e admiração.*] [▶ **50 sugerir**] [F.: Do lat. *suggerere.*]

sugestão (su.ges.*tão*) *sf.* **1** Ação de sugerir, de dar uma ideia a alguém: *Resolveu fazer o curso por sugestão do tio.* **2** Aquilo que é sugerido: *Minha sugestão é que voltemos antes que escureça.* **3** Ideia apresentada por insinuação: "Jorge se deixava ir, numa embriaguez muito mais das sugestões dos toques que do álcool ingerido..." (Paulo Hecker Filho, *Internato*) **4** *Psi.* Processo de persuasão em que uma ou mais pessoas mudam de opinião, atitude etc. sem perceber ou ter noção do porquê [Pl.: *-tões.*] [F.: Do lat. *suggestio, onis.*] ■ **~ hipnótica 1** Estado mental, ou ideia, sentimento etc. provocados em alguém sob hipnose, mas que parece surgir espontaneamente para a pessoa quando esta se encontra consciente **2** *P. ext.* ato ou processo de provocar tais ideias ou sentimentos

sugestionabilidade (su.ges.ti.o.na.bi.li.*da*.de) *sf.* **1** Caráter daquele que é sugestionável: "A sua fácil sugestionabilidade por todas as criaturas ignóbeis que o cercavam..." (Júlio Dantas, *Arte de amar*) **2** Tendência a ser influenciado por ideia, crendice etc. [F.: *sugestionável* (sob o rad. *sugestionabil-*) + *-(i)dade*, seg. o mod. erudito.]

sugestionado (su.ges.ti.o.*na*.do) *a.* **1** Que se deixou dominar por sugestão **2** *Pop.* Que está dominado por sensação desagradável [F.: Part. de *sugestionar.*]

sugestionamento (su.ges.ti:o.na.*men*.to) *sm.* Ação ou resultado de sugestionar [F.: *sugestionar* + *-mento.*]

sugestionar (su.ges.ti.o.*nar*) *v.* **1** Convencer(-se) mediante sugestão; INDUZIR [*td.*: *O hipnotizador não conseguiu sugestionar o rapaz.*] [*tdr.* + *a*: *O homem sugestionou o grupo a invadir o supermercado.*] **2** Fazer com que (alguém) aja, ou agir, por sugestão, por manipulação [*td.*: *Meu pai sempre procura me sugestionar.*] [*int.*: *Sugestionou-se vendo filme de horror e teve pesadelos.*] [▶ **1 sugestionar**] [F.: *sugestão* + *-ar*. Hom./Par.: *sugestionáveis* (fl.), *sugestionáveis* (a2g. [pl.]).]

sugestionável (su.ges.ti:o.*ná*.vel) *a2g.* Que se deixa facilmente sugestionar ou influenciar [Pl.: *-veis.*] [F.: *sugestionar* + *-vel*. Hom./Par.: *sugestionáveis* (pl.) *sugestionáveis* (fl. de *sugestionar*).]

sugestividade (su.ges.ti.vi.*da*.de) *sf.* **1** Caráter ou qualidade de sugestivo **2** Capacidade de sugestão [F.: *sugestivo* + *i* + *-dade.*]

sugestivo (su.ges.*ti*.vo) *a.* **1** Que sugere, insinua algo (imagem sugestiva) **2** Que busca seduzir (sorriso sugestivo) **3** Que inspira (ambiente sugestivo) [F.: Do fr. *suggestif.*]

suíças (su.*í*.ças) *sfpl.* Chumaços de barba que se deixa crescer nos lados da face, das orelhas até perto da boca [Tb. us. (pouco) no sing.] [F.: Fem. pl. substv. do a. *suíço.*]

suicida (su:i.*ci*.da) *a2g.* **1** Que se suicidou ou que se dispõe a isso (terrorista suicida) **2** Que tem tendência patológica para o suicídio (paciente suicida); SUICIDÁRIO **3** De ou ref. a suicídio (impulso suicida); SUICIDÁRIO **4** Que envolve grande risco de vida (missão suicida) *s2g.* **5** Pessoa suicida (1 e 2); SUICIDÁRIO [F.: Dev. de *suicidar.*]

suicidário (su.i.ci.*dá*.ri:o) *a.* **1** Diz-se de quem tira ou tenta tirar a própria vida; que tem tendência ao suicídio (paciente suicidário); SUICIDA **2** Diz-se do que leva ou tende ao suicídio; que causa predisposição ao suicídio (comportamento suicidário, isolamento suicidário) **3** *Fig.* Que leva ao fracasso, à falência (projeto suicidário): *um modelo econômico suicidário.* **4** De ou ref. a suicídio (risco suicidário); SUICIDA *sm.* **5** Pessoa suicidária (1); SUICIDA [F.: Provavelmente oriundo da tradução do fr. *suicidaire* para suicidário em vez de suicida.]

suicidar-se (su.i.ci.*dar*-se) *v. int.* **1** Acabar com a própria vida; matar-se **2** *Fig.* Ser responsável pelo próprio infortúnio, pela própria desgraça: *Ao fundar essa empresa, ele suicidou-se como homem de negócios.* **3** Em jogo de sinuca, deixar cair a bola do jogo (a branca) na caçapa [▶ **1 suicidar-se**] [F.: *suicida* + *-ar.*]

suicídio (su:i.*cí*.di:o) *sm.* **1** Ação ou resultado de suicidar-se: "Pergunto-me, disse o diretor, se o suicídio pode ser explicado..." (José Saramago, *Todos os nomes*) **2** *Fig.* Ato pelo qual se causa o próprio fracasso: *Contra esse time, é suicídio jogar só no ataque.* **3** *Bras. Lud.* No jogo da sinuca, ato de encaçapar a bola branca [F.: Do fr. *suicide.*]

suíço (su.*í*.ço) *sm.* **1** Pessoa nascida ou que vive na Suíça (Europa) *a.* **2** Da Suíça; típico desse país ou de seu povo [F.: Do top. *Suíça.*]

suídeo (su.*í*.de:o) *Zool. a.* **1** Ref. aos suídeos, mamíferos artiodátilos que compreendem porcos domésticos e selvagens *sm.* **2** Espécime dos suídeos [F.: Do lat. cient. *Suidae.*]

suiforme (su.i.*for*.me) *Zool. a2g.* **1** Ref. aos suiformes, subordem de mamíferos artiodátilos entre os quais estão os porcos e hipopótamos *sm.* **2** Espécime dos suiformes [F.: Do lat. cient. *Suiformes.*]

⊕ **sui-generis** (*Lat.* /sui *gê*neris/) *loc. a.* Que tem características únicas, que é original (sabor *sui generis*)

suinã (su.i.*nã*) *Bot. sf.* **1** Árvore da fam. das leguminosas (*Erythrina corallodendron*), mesmo que *corticeira*: "A suinã, grossa, com poucos espinhos..." (Guimarães Rosa, "São Marcos" *in Sagarana*) **2** Árvore da fam. das leguminosas (*Erythrina crista-galli*), mesmo que *coraleira* ou *corticeira* **3** Árvore de madeira branca (*Erythrina falcata*), mesmo que mulungu **4** Árvore da fam. das leguminosas (*Erythrina fusca*), mesmo que *sananduva* [F.: Posv. de or. indígena.]

suindara (su.in.*da*.ra) [u-i] *sf. Bras. Ornit.* Coruja de penugem branca e face em forma de coração, da fam. dos titonídeos (*Tyto alba*), encontrada em cavernas, telhados de igrejas, torres etc; CORUJA-BRANCA; CORUJA-CATÓLICA; CORUJA-DAS-TORRES; CORUJÃO-DE-IGREJA [F.: Do tupi *sui'ndara*. Ideia de 'suindara': usar antepos. *estrig -.*]

suingado (su.in.*ga*.do) *a.* Que tem ritmo bem balançado, como o do suingue [F.: Part. de *suingar.*]

suingante (su.in.*gan*.te) *a.* Cujo ritmo tem algo do balanço rítmico do suingue [F.: *suingar* + *-nte.*]

suingar (su.in.*gar*) *v. int.* **1** Dançar ou tocar o suingue **2** Dançar ou produzir música que tem balanço rítmico semelhante ao do suingue [▶ **14 suingar**] [F.: *suingue* + *-ar.*]

suingue (su:*in*.gue) *sm.* **1** *Mús.* No *jazz*, música de ritmo alegre, a partir da qual os solistas costumam improvisar **2** A dança correspondente a esse tipo de música **3** *P. ext.* Ritmo musical bem marcado; BALANÇO: *Essa música tem um suingue contagiante.* [F.: Do ing. *swing*. Ver tb. *swing.*]

suingueira (su.in.*guei*.ra) *sf. Bras. Pop. P. us.* Festa ou comemoração festiva em que predomina música com suingue [F.: *suingue* + *-eira.*]

suíno (su.*í*.no) *sm.* **1** Porco *a.* **2** Ref. a esse animal (carne suína) [F.: Do lat. *suinus.*]

suinocultor (su:i.no.cul.*tor*) [ô] *sm.* Criador de porcos [F.: *suíno* + *-cultor.*]

suinocultura (su:i.no.cul.*tu*.ra) *sf.* Criação de porcos [F.: *suíno* + *-cultura.*]

suíte (su.*í*.te) *sf.* **1** *Bras.* Quarto de residência com banheiro exclusivo anexo **2** *Bras.* Em hotel, hospital etc., quarto com banheiro privativo (e, às vezes, mais dependências anexas) **3** *Mús.* Composição instrumental dividida em partes **4** *Mús.* Versão orquestral de trechos selecionados de uma ópera, bailado etc. **5** *Jorn.* Desdobramento de uma matéria já publicada anteriormente por órgão de imprensa [F.: Do fr. *suite.*] ■ **Dar o ~** *Bras. Gír.* Ir embora; dar o fora

sujar (su.*jar*) *v.* **1** Fazer com que fique ou ficar sujo ou manchado; EMPORCALHAR(-SE); MANCHAR(-SE) [*td.*: *Sujar o chão; Sujar-se de gordura.*] [*int.*: *Roupas brancas sujam com muita facilidade.*] **2** Defecar, evacuar (em) [*td.*: *A diarreia o fez sujar as calças.*] [*int.*: *Não tinham qualquer educação; sujavam em qualquer lugar.*] **3** Tornar(-se) impuro ou conspurcado; CONSPURCAR(-SE); MACULAR(-SE) [*td.*: *A corrupção sujou seu nome; Aceitou propina e se sujou.*] **4** *Bras. Gír.* Ter impossibilitada a continuação de uma ação (excusa) devido à chegada de alguém [*int.*] [▶ **1 sujar**] [F.: *sujo* + *-ar*. Hom./Par.: *suja(s)* (fl.), *suja* (sf. [pl.]); *sujo* (fl.), *sujo* (a. sm.)] A forma *Sujou!* é uma interjeição empregada por quem é apanhado – ou está na iminência de ser apanhado – cometendo algum delito.]

sujeição (su.jei.*ção*) *sf.* **1** Ação ou resultado de sujeitar(-se); SUBJUGAÇÃO **2** Estado de pessoa ou coisa sujeita ou subordinada a outra por certas necessidades ou obrigações; DEPENDÊNCIA; SUBMISSÃO: *sujeição da política às conveniências partidárias.* [Pl.: *-ções.*] [F.: Do lat. *subjectio, subjectionis.*]

sujeira (su.*jei*.ra) *sf.* **1** Substância ou acúmulo de substâncias que tornam algo sujo: *Não consegui remover a sujeira do tapete.* [Ant.: *limpeza.*] **2** *Fig.* Ato desonesto e/ ou desleal: *Foi muita sujeira ter mentido daquele jeito.* [F.: *suj(o)* + *-eira.*]

sujeirada (su.jei.*ra*.da) *sf.* Procedimento incorreto, patifaria, mesmo que *sujeira (2)*: *Fez a maior sujeirada com o amigo, pediu o dinheiro e sumiu.* [F.: *sujeira* + *-ada.*]

sujeirama (su.jei.*ra*.ma) *sf.* Grande sujidade, mesmo que *sujeira (1)*

sujeita (su.*jei*.ta) *sf.* **1** *Pop. Pej.* Nome de mulher que não se quer pronunciar, fulana: *Não quero mais ver aquela sujeita.* **2** *Pop. Pej.* Mulher de má fama, prostituta [F.: Fem. de *sujeito.*]

sujeitado (su.jei.*ta*.do) *a.* Que se sujeitou, que se submeteu [F.: Part. de *sujeitar.*]

sujeitão (su.jei.*tão*) *sm. Pop.* Homem muito grande e/ou muito corpulento [Pl.: *-ões.*] [F.: *sujeito* + *-ão.*]

sujeitar (su.jei.*tar*) *v.* **1** Submeter(-se) a domínio ou obediência [*td.*: *Sujeitar uma tribo; Os rebeldes se sujeitaram após uma semana de luta.*] [*td.* + *a*: *Sujeita os funcionários a rígida disciplina*] **2** Conformar-se ou resignar-se a [*tr.* + *a*: "...não ia se sujeitar a ver um marido mulherengo" (Ana Maria Machado, *A audácia dessa mulher*)] **3** Fixar, prender ou imobilizar [*td.*: *Finalmente sujeitaram o cavalo xucro.*] **4** Prender ou fixar (algo), tornando-o imóvel [*tdr.* + *a*: *Sujeitou as tranças a um laçarote.*] [▶ **1 sujeitar**] [F.: Do lat. *subjectare*. Hom./Par.: *sujeita(s)* (fl.), *sujeita* (sf. [pl.]); *sujeitáveis* (fl.), *sujeitáveis* (a2g. [pl.]); *sujeito* (fl.), *sujeito* (a. sm.).]

sujeitinho (su.jei.*ti*.nho) *sm. Depr.* Indivíduo desprezível, reles, vil: *Você ainda olha para esse sujeitinho?* [F.: *sujeito* + *-inho.*]

sujeito (su.*jei*.to) *a.* **1** Dependente de algo ou alguém: *competição sujeita às condições climáticas.* **2** Submetido a algo ou alguém; SUBORDINADO: "Dera-se conta da vida das senhoras casadas, igual à da mãe. Sujeitas ao dono..." (Jorge Amado, *Gabriela, cravo e canela*) **3** Passível de algo: *viagem sujeita a contratempos.* **4** Obediente, dócil: *Está sujeito aos caprichos da filha.* **5** Que está naturalmente disposto, inclinado ou habituado a alguma coisa: *sujeito à melancolia. sm.* **6** Homem, indivíduo: "Três ou quatro sujeitos ouviram e se aproximaram da janela..." (José Conde, "Como se utilizou Salomão de sua oportunidade?" *in Pensão Riso da Noite*) **7** *Gram.* Termo sobre o qual se afirma uma coisa, e com o qual o verbo concorda (p. ex., em *As árvores estão desfolhando, as árvores* é o sujeito) **8** Vassalo, súdito **9** *Jur.* O titular de um direito **10** Assunto, matéria, tema **11** *Mús.* O tema de uma fuga **12** *Bras.* Nome outrora dado pelos sertanejos aos escravos [F.: Do lat. *subjectus, a, um*. Hom./Par.: *sujeito* (a. sm.), *sujeito* (fl. de *sujeitar*).] ■ **~ composto** *Gram.* O que tem mais de um núcleo [Ex.: *Eu e você temos que conversar; Cães e gatos em geral não se entendem.* P. op. a *Sujeito simples.*] **~ determinado** *Gram.* O que está explícito na oração **~ indeterminado** *Gram.* O que não está explícito na oração [Ex.: *Ela deu uma boa contribuição, mas não quer que se saiba* (na segunda oração, o sujeito *ela* não está explícito).] **~ oculto** *Gram.* O que, não representado por vocábulo, está implícito na oração pela desinência [Ex.: *Ontem eu e Luís fomos ao cinema, mas não gostei do filme* (o sujeito é *eu*); *Ontem eu e Luís fomos ao cinema, mas não gostamos do filme* (o sujeito é *nós*.).] **~ simples** *Gram.* O que só tem um núcleo [Ex.: *Mamãe saiu.* P. op. a *Sujeito composto.*] **~ zero** *Gram.* Sujeito inexistente, em verbos impessoais [Ex.: *Ontem choveu.*]

sujice (su.*ji*.ce) *sf.* Qualidade de sujo; *sujidade* [F.: *sujo* + *-ice.*]

sujidade (su.ji.*da*.de) *sf.* **1** Qualidade ou estado de sujo **2** Excremento, fezes [F.: *suj(o)* + *-(i)dade.*]

sujismundo (su.jis.*mun*.do) *a.* **1** *Pop. Pej.* Diz-se de indivíduo sem higiene, que anda sempre sujo *sm.* **2** Esse indivíduo [F.: Do nome de uma personagem de campanha de propaganda contra o hábito de jogar lixo nas ruas.]

sujo (*su*.jo) *a.* **1** Coberto de sujeira (1); manchado com sujeira (sala/roupa suja) **2** *Fig.* Desonesto, desleal (pessoa suja; jogo sujo) **3** *Fig.* Que tem má reputação: *Ficou com o nome sujo na praça por dar cheques sem fundos.* **4** *Fig.* Indecoroso, obsceno (boca suja) **5** Malfeito, mal-acabado *sm.* **6** *Bras. Pop.* O diabo **7** *Bras.* Folião que usa uma fantasia feita de trapos (bloco de sujos) **8** *MG* Vegetação que cresce após a derrubada de uma floresta [F.: Do lat. *sucidus*. Ant. nas acps. 1, 2 e 3: *limpo*. Hom./Par.: *sujo* (a. sm.), *sujo* (fl. de *sujar*).] ■ **Rir-se o ~ do mal lavado** *Bras.* Zombar alguém de outrem por ter este defeito que aquele também tem

sul¹ *sm.* **1** *Astr.* Direção, no globo terrestre, da extremidade do eixo de rotação da Terra, no sentido do equador para o hemisfério em que se localiza a América do Sul, a Oceania etc. [NOTA: Abrev.: *S.*] **2** Região do ponto situado ao sul (1), em relação ao equador ou a ponto, área etc. tomados como referência: *o sul da Europa; o sul do Brasil.* **3** *Geog.* O ponto cardeal que indica a direção sul (1) [NOTA: Abrev.: *S.*] [Pl.: *suis.*] *a2g2n.* **4** Ref. ao ou que vem do sul (latitude sul) **5** Que se situa ao sul ou na parte mais baixa: *na margem sul do rio Nilo.* [Pl.: *suis.*] [F.: Do anglo-saxão *suth*, pelo fr. *sud*. Hom./Par.: *suis* (pl.), *sues* (fl. de *suar*).]

Sul² *sm. Bras. Geog.* Uma das cinco regiões em que é dividido o Brasil; compreende os Estados do Paraná, Santa Catarina e Rio Grande do Sul: *Nevou no Sul.* [Ger. com inicial maiúsc.] [F.: Do anglo-saxão *suth*, pelo fr. *sud.*]

sul-africano (sul-a.fri.*ca*.no) *sm.* **1** Pessoa nascida ou que vive na República da África do Sul (África) [Pl.: *sul-africanos.*] *a.* **2** Da República da África do Sul; típico desse país ou de seu povo [Pl.: *sul-africanos.*]

sul-americanização (sul-a.me.ri.ca.ni.za.*ção*) *sf.* **1** Processo de dar (a algo ou alguém) características que são próprias da América do Sul: *Alguns críticos entenderam a ação de paz do Brasil como tentativa de sul-americanização do Haiti.* **2** *Pej. Pol.* Processo de deterioração de um país, capaz de torná-lo tão desorganizado e anômico quanto se crê que sejam os países sul-americanos: *Alguns políticos portugueses declararam temer a sul-americanização de seu país.* [F.: part. de *sul-americanizar.*]

sul-americano (sul-a.me.ri.*ca*.no) *sm.* **1** Pessoa nascida ou que vive na América do Sul [Pl.: *sul-americanos.*] *a.* **2** Da América do Sul; típico dessa região do continente americano ou de seu povo [Pl.: *sul-americanos.*]

sul-brasileiro (sul-bra.si.*lei*.ro) *a.* **1** Diz-se do que ou de quem é da região Sul do Brasil *sm.* **2** Aquilo ou aquele que é do Sul do Brasil [Pl.: *sul-brasileiros.*]

sulcado (sul.*ca*.do) *a.* **1** Que tem ou passou a ter sulcos: *O caminho estava todo sulcado.* **2** Que foi arado, lavrado **3** *Farm.* Diz-se do comprimido dotado de sulco que facilita sua divisão ao meio, de forma a obter-se duas partes exatas, cada uma representando meia dosagem [F.: Do lat. *sulcatus, a, um.*]

sulcador (sul.ca.*dor*) [ô] *a.* **1** Que sulca *sm.* **2** *Agr.* Instrumento agrícola us. para fazer sulcos na terra [F.: *sulcar* + *-dor.*]

sulcagem (sul.*ca*.gem) *sf.* Ação ou resultado de sulcar [Pl.: *-gens.*] [F.: *sulcar* + *-agem.*]

sulcar (sul.*car*) *v. td.* **1** Abrir sulcos em: *Sulcar a terra.* **2** Enrugar(-se), encarquilhar(-se): *O sol sulca a pele.* **3** Navegar, singrar (mar, rio etc.): *O navio sulcava o oceano.* **4** *Fig.* Atravessar, cortar: *Estradas de ferro deviam sulcar o país* *de ponta a ponta.* 5 *Fig.* Esboçar-se, desenhar-se à maneira de um sulco: *Um raio sulcou o horizonte.* [▶ 11 sulcar] [F.: Do lat. *sulcare.* Hom./Par.: *sulcáveis* (fl.), *sulcáveis* (a2g. [pl.]); *sulco* (fl.), *sulco* (sm.).]

sulco (*sul.*co) *sm.* 1 Cavidade ou depressão alongada, em qualquer superfície: *As imagens mostram sulcos formados por água; sulcos na pele decorrentes do envelhecimento.* 2 Rego aberto na terra pelo arado 3 Vinco ou esteira formada por uma embarcação que corta as águas [F.: Do lat. *sulcus, i.* Hom./Par.: *sulco* (sm.), *sulco* (fl. de *sulcar*).]

sul-coreano (sul-co.re:*a.*no) *sm.* 1 Indivíduo nascido ou que vive em Coreia do Sul [Pl.: *sul-coreanos.*] *a.* 2 De Coreia do Sul; típico desse país ou de seu povo [Pl.: *sul-coreanos.*] [F.: Do top. *Coreia do Sul* + *-ano*[1], com inversão de ordem e seg. o mod. erudito.]

sulfa (*sul.*fa) *sf. Quím.* F. red. de *sulfanilamida*

sulfamida (sul.fa.*mi.*da) *sf. Farm. Quím.* Composto ($H_2N_2O_2S$) que contém o grupo aminossulfona, usado como substituto da ureia [F.: *sulf(ur)-* + *amida.*]

sulfanilamida (sul.fa.ni.la.*mi.*da) *sf. Quím.* Substância ($C_6H_8N_2O_2S$) us. no tratamento de infecções causadas por bactérias; SULFA [F.: *sulf-* (abr. de *sulfúrico*) + *anil-* (abr. de *anilina*) + *amida.*]

sulfatagem (sul.fa.*ta.*gem) *sf.* Ação ou resultado de sulfatar [Pl.: *-gens.*] [F.: *sulfatar* + *-agem.*]

sulfatar (sul.fra.*tar*) *v. td. int.* 1 *Quím.* Embeber de sulfato de cobre ou de ferro; SULFATIZAR(-SE) 2 Aspergir solução de sulfato (em videiras e outras plantas), para prevenir doenças; sulfatizar; SULFATIZAR [▶ 1 sulfatar] [F.: *sulfato* + *-ar.* Hom./Par.: *sulfato* (fl.), *sulfato* (sm.); *sulfatara* (fl.), *sulfataras* (fl.), *solfatara* (sf. [pl.]).]

sulfato (sul.*fa.*to) *sm. Quím.* Sal produzido a partir do ácido sulfúrico [F.: Do fr. *sulfate.*]

sulfeto (sul.*fe.*to) [ê] *sm. Quím.* Nome genérico dos sais e esteres do ácido sulfídrico; sulfureto [F.: De *sulf(o)-* + *-eto.* Hom./Par.: *sulfeto* (fl. *sulfetar*).]

sulfídrico (sul.*fí.*dri.co) *a.* 1 *Quím.* Diz-se de ácido (H_2S) formado de enxofre e hidrogênio *sm.* 2 O ácido assim obtido, de largo emprego em metalurgia ou como reagente analítico [Denominações antigas: *vitríolo* (sm.) e *ácido vitriólico* (a.).] [F.: *sulf(ur)-* + *-idr(o)-* + *-ico.*]

sulfite (sul.*fi.*te) *a2g.* 1 *Quím.* Diz-se de papel que se obtém a partir da pasta de sulfito *sm.* 2 Esse papel [F.: Do fr. *sulfite.*]

sulfito (sul.*fi.*to) *sm. Quím.* Sal resultante da combinação do ácido sulfuroso com uma base [F.: *sulf(ur)-* + *-ito.*]

◎ **sulf(o)-** *el. comp.* = enxofre: *sulfato, sulfúrico, sulfuroso* [F.: Do lat. *sulphur, uris.*]

sulfuração (sul.fu.ra.*ção*) *sf. Quím.* Ação ou resultado de sulfurar; enxoframento [Pl.: *-ões.*] [F.: *sulfurar* + *-ção.*]

sulfurado (sul.fu.*ra.*do) *Quím. a.* 1 Que foi foi submetido a sulfuração 2 Que foi tratado ou combinado com enxofre [F.: Part. de *sulfurar.*]

sulfurar (sul.fu.*rar*) *v. td. Quím.* Misturar ou preparar com enxofre; enxofrar [▶ 1 sulfurar] [F.: *sulfur* + *-ar.* Hom./Par.: *sulfures* (2ªp. s.)/ *súlfures* (pl. *súlfur* [sm.]).]

sulfúreo (sul.*fú.*re:o) *a.* 1 *Quím.* Que se refere a enxofre; SULFURINO; SULFUROSO 2 Diz-se de composição em que entra o enxofre 3 Que tem aspecto, cor ou cheiro de enxofre: "E sulfúrea chama pelos ares lança." (Gonçalves Dias, "O trovador" *in Primeiros cantos*) [F.: Do lat. *sulfureus, a, um.*]

◎ **sulfur(i)-** *el. comp.* Ver *sulf(o)-*

sulfúrico (sul.*fú.*ri.co) *a.* 1 Ref. a enxofre 2 Diz-se de ácido (H_2SO_4) muito potente e corrosivo [F.: Do fr. *sulfurique.*]

sulfurino (sul.fu.*ri.*no) *a.* Que tem a cor amarelo-clara do enxofre: "Pelo rego desciam bolas de lã sulfurina. Eram os patinhos novos..." (Guimarães Rosa, "Minha gente" *in Sagarana*) [F.: *sulfur(i)-* + *-ino.*]

sulfuroso (sul.fu.*ro.*so) [ô] *a.* 1 Ref. a enxofre; composto de enxofre (água sulfurosa); SULFÚREO 2 Diz-se de ácido (H_2SO_3) formado ao se dissolver o dióxido de enxofre em água [Pl.: [ó]. Fem.: [ó].] [F.: Do lat. *sulfurosus, a, um.*]

sulídeo (su.*lí.*de:o) *Ornit. a.* 1 Ref. aos sulídeos *sm.* 2 Espécime dos sulídeos, fam. de aves pelicaniformes que vivem no litoral e em ilhas de mares tropicais, representadas no Brasil pelos atobás [F.: Do lat. cient. *Sulidae.*]

sulino (su.*li.*no) *Bras. sm.* 1 Pessoa que nasceu ou que vive no Sul do Brasil; SULISTA; SULEIRO *a.* 2 Do Sul do Brasil; típico dessa região ou de seu povo 3 Ref. à região Sul do Brasil [F.: *sul* + *-ino.* Sin. ger.: *sulista.*]

sulista (su.*lis.*ta) *s2g.* 1 Pessoa nascida ou que vive no Sul do Brasil 2 Pessoa nascida ou que vive no sul de país, região etc.: *a derrota dos sulistas na guerra de secessão dos EUA. a2g.* 3 Do Sul do Brasil; típico dessa região ou de seu povo 4 Ref. a ou que nasceu ou ocorre no sul de país, região etc. [F.: *sul* + *-ista.* Sin. ger.: *sulino.* Hom./Par.: *sulista* (a2g. s2g.), *solista* (a2g. s2g.).]

sul-mato-grossense (sul-ma.to-gros.*sen.*se) *s2g.* 1 Aquele ou aquela que nasceu ou que vive no Mato Grosso do Sul [Pl.: *sul-mato-grossenses.*] *a2g.* 2 Do Mato Grosso do Sul; típico desse estado ou de seu povo [Pl.: *sul-mato-grossenses.*] [F.: Do top. *Mato Grosso do Sul* + *-ense*, com inversão de ordem. Sin. ger.: *mato-grossense-do-sul.*]

sul-rio-grandense (sul-ri:o-gran.*den.*se) *s2g.* 1 Aquele ou aquela que nasceu ou que vive no Rio Grande do Sul [Pl.: *sul-rio-grandenses.*] *a2g.* 2 Do Rio Grande do Sul; típico desse estado ou de seu povo [Pl.: *sul-rio-grandenses.*] [F.: Do top. *Rio Grande (do) Sul* + *-ense*, com inversão de ordem. Sin. ger.: *rio-grandense-do-sul.*]

sul-saariano (sul-sa.a.ri.*a.*no) *a.* 1 Rel. a ou típico da região ao sul do deserto do Saara *sm.* 2 Pessoa nascida ou que vive nessa região [Pl.: *sul-saarianos.*]

sultana (sul.*ta.*na) *sf.* 1 Título de mulher ou filha de sultão 2 Concubina de sultão 3 *Bot.* O mesmo que *centáurea*, erva da família das compostas. 4 Fita us. como gargantilha por mulheres espanholas [F.: Fem. de *sultão.*]

sultanato (sul.ta.*na.*to) *sm.* 1 País governado por um sultão 2 O cargo de sultão [F.: *sultão* + *-ato*[1].]

sultanear (sul.ta.ne.*ar*) *v. int.* Ter vida de sultão; viver no luxo [▶ 13 sultanear] [F.: *sultão* com rad. *sultan-* + *-ear.*]

sultanesco (sul.ta.*nes.*co) [ê] *a.* 1 Ref. a sultão; sultânico (palácio sultanesco) 2 *P. ext.* Diz-se de quem é rico, de quem tem vida digna de sultão [F.: *sultão* + *-esco.*]

sultão (sul.*tão*) *sm.* 1 O soberano em alguns países muçulmanos 2 *Fig.* Homem que tem várias amantes 3 *Fig.* Príncipe poderoso; senhor absoluto [Pl.: *-tões.* Fem.: *-tana.*] [F.: Do ár. *sultan.*] ■ **Sultão das Matas** *Bras. Rel.* Nos candomblés de caboclo, nome dado a Oxoce

sul-vietnamita (sul-viet.na.*mi.*ta) *a2g.* 1 Rel. ao Vietnã do Sul, antiga divisão da República do Vietnã; típico desse país ou de seu povo [Pl.: *sul-vietnamitas.*] *s2g.* 2 Pessoa nascida ou que viveu no antigo Vietnã do Sul [Sin. ger.: *vietnamita-do-sul.* Pl.: *sul-vietnamitas.*]

suma (*su.*ma) *sf.* 1 Soma (1) 2 Resumo, epítome 3 A substância de alguma coisa; ESSÊNCIA [F.: Do lat. *summa.* Hom./Par.: *suma* (sf.), *suma* (fl. de *sumir*).] ■ **Em ~** Em resumo, em síntese

sumaré (su.ma.*ré*) *Bot. sm.* 1 Nome comum às plantas do gên. *Cyrtopodium*, da fam. das orquidáceas, muito cultivadas como ornamentais e pelo sumo cicatrizante que dela se extrai 2 Planta terrestre (*Cyrtopodium paranaensis*), de folhas lineares e flores amarelas, encontrada no Sul do Brasil, mesmo que *bisturi-do-mato, cola-de-sapateiro* ou *rabo-de-tatu* 3 Planta epífita (*Cyrtopodium punctatum*), mesmo que *sumaré-da-mata* ou *sumaré do pau* [F.: Do tupi *suma're.*]

sumarento (su.ma.*ren.*to) *a.* Que tem muito sumo[1] ou suco; SUCULENTO; SUCOSO [F.: *sumo*[1] + *-r-* + *-ento.*]

sumariado (su.ma.ri:*a.*do) *a.* Que se sumariou, que foi resumido; SINTETIZADO; SUMARIZADO [F.: Part. de *sumariar.*]

sumariamente (su.ma.ri:a.*men.*te) *adv.* 1 De modo sumário, resumidamente, brevemente: *Expôs sumariamente suas ideias.* 2 Sem maiores formalidades: *Despediu sumariamente o funcionário rebelde.* 3 Sem as formalidades ou as delongas do processo ordinário: *Foi julgado sumariamente e condenado.* [F.: O fem. de *sumário* + *-mente.*]

sumariar (su.ma.ri.*ar*) *v. td.* 1 Tornar sumário, resumido, ou fazer sumário de: *Sumariar um texto em poucas palavras* 2 *Jur.* Tratar (causa jurídica) de modo resumido, em tempo breve [▶ 1 sumariar] [F.: *sumário* + *-ar.* Hom./Par.: *sumaria(s)* (fl.), *sumária* (a. [pl.]); *sumario* (fl.), *sumário* (a. sm.).]

sumário (su.*má.*ri:o) *sm.* 1 Versão resumida de algo; SÍNTESE; EPÍTOME 2 *Edit.* Seção de um livro na qual se faz uma exposição sintética das ideias nele apresentadas 3 Lista organizada, com indicação dos números das páginas onde estão localizados os assuntos, seções etc. de uma publicação (livro, revista etc.); ÍNDICE *a.* 4 Resumido, sintético (descrição sumária): "...Não acompanho pois o sumário juízo do humorista..." (Gustavo Corção, *Três alqueires e uma vaca*) 5 Feito diretamente, sem formalidades: *aprovação sumária de uma proposta.* 6 Pequeno, reduzido (trajes sumários) 7 *Jur.* Diz-se da ação ou processo em que se dispensam algumas formalidades [F.: Do lat. *summarium, ii.* Hom./Par.: *sumário* (a. sm.), *sumario* (fl. de *sumariar*).] ■ **~ de culpa** *Jur.* Formação de culpa

sumarizado (su.ma.ri.*za.*do) *a.* Quer se sumarizou, mesmo que *sumariado* [F.: Part. de *sumarizar.*]

sumarizar (su.ma.ri.*zar*) *v. td. int.* Ver *sumariar* [F.: *sumár(io)* + *-izar.*]

sumaúma (su.ma:*ú.*ma) *Bras. Bot. sf.* 1 Árvore da fam. das bombacáceas (*Ceiba pentandra*), de grande tronco e raízes tubulares, folhas comestíveis e sementes de que se extrai óleo, originária posv. da América do Sul e da África 2 A paina dessa árvore, semelhante ao algodão e empregada pela indústria para diversos fins, inclusive como isolamento térmico e acústico 3 Árvore de pequeno porte (*Bombax carolinum*), mesmo que embiruçu 4 Árvore (*Bombax munguba*) da fam. das bombáceas, mesmo que *mungubeira* [F.: Do tupi *suma'uma.* Tb. *sumaúna.*]

sumaúna (su.ma.*ú.*na) *sf.* Ver *sumaúma*

sumauveira (su.ma:u.*vei.*ra) *sf. Bot.* Árvore da fam. das leguminosas (*Erythrina crista-galli*), cujas flores lembram corais, mesmo que *coraleira* ou *corticeira*: "E, de vez em quando, há uma sumauveira na puberdade, arvoreta de esteio fino..." (Guimarães Rosa, "São Marcos" *in Sagarana*) [F.: De or. obsc.]

sumeriano (su.me.ri:*a.*no) *a.* 1 Rel. ou pertencente a Suméria, antigo país da Ásia [Sin. geral: *sumério* ou *sumérico.*] *sm.* 2 Natural ou habitante desse país 3 Língua falada nesse país [F.: Do top. *Suméria* + *-ano.*]

sumérico (su.*mé.*ri.co) *a.* 1 Ref. à Suméria, antigo país da Ásia [Sin. geral: *sumério, sumeriano.*] 2 A língua desse país [F.: Do top. *Suméria* + *-ico.*]

sumério (su.*mé.*ri:o) *sm.* 1 Pessoa nascida na Suméria (antiga região na Ásia) *sm.* 2 *Gloss.* Língua que era falada na Suméria *a.* 3 Da Suméria; típico dessa região ou de seu povo 4 Do ou ref. ao sumério (2) [F.: Do top. *Suméria.*]

sumição (su.mi.*ção*) *sf. Pop.* Ação ou resultado de sumir; sumiço, desaparecimento [Pl.: *-ões.*] [F.: *sumir* + *-ção.*]

sumiço (su.*mi.*ço) *sm.* Fato de sumir; DESAPARECIMENTO; SUMIÇÃO: "Ora, o sumiço da peça, hem? Que brincadeira!" (Eça de Queirós, "Singularidades de uma rapariga loura" *in Contos*) [F.: *sumir* + *-iço.*] ■ **Dar ~ a/em** 1 Esconder, fazer sumir, desaparecer com: *Na arrumação, deu sumiço em todas as bugigangas.* 2 Dar fim a, acabar com, destruir

sumidade (su.mi.*da.*de) *sf.* 1 *Fig.* Pessoa de grande saber e experiência em determinado assunto ou atividade: *Ele é uma sumidade em química.* 2 A ponta, a extremidade mais alta; CUME; CIMO [F.: Do lat. *summitas, atis.*]

sumido (su.*mi.*do) *a.* 1 Que sumiu, desapareceu; DESAPARECIDO: *Procurava os livros sumidos.* 2 Que mal se vê; que parece escondido: "...boca sumida entre o nariz e o queixo..." (Raul Pompeia, *O Ateneu*) 3 Pouco audível (voz sumida) 4 Magro, descarnado, chupado (rosto sumido) [F.: Part. de *sumir.*]

sumidouro (su.mi.*dou.*ro) *sm.* 1 Lugar onde as coisas desaparecem frequentemente: *Este seu quarto bagunçado está um sumidouro.* 2 Escoadouro de águas; SARJETA 3 Curso subterrâneo de um rio, através de rochas calcárias; ITARARÉ: "...O sumidouro como que dormia, nas profundezas, um sono pesado..." (Mário Palmério, *Vila dos Confins*) 4 Coisa em que se gasta muito dinheiro; SORVEDOURO 5 Mictório, mijadouro [F.: *sumir* + *-douro.*]

sumir (su.*mir*) *v.* 1 Fazer que desapareça; dar ou levar sumiço; DESAPARECER [*td.*: *Ondas gigantescas sumiram o barco a dez quilômetros da costa.*] [*tr.* + com: *Mataram um homem e sumiram com o cadáver.*] [*int.*: *Deram o golpe e sumiram(-se); Guarde essas provas antes que sumam.*] 2 Tornar(-se) oculto ou invisível [*int.*: *A neblina fez o castelo no topo do monte sumir; A lancha sumiu(-se) na névoa; Ao olhar de novo para o horizonte, viu que a luz sumira.*] 3 Deixar de estar no lugar que ocupa por natureza ou por hábito [*int.*: *Entrou na garagem e viu que o carro sumira.*] 4 Acabar-se, extinguir-se [*int.*: *Muitas línguas faladas pelos nativos sumiram há séculos; Não se preocupe, essas manchas somem com o tempo.*] 5 Ausentar-se por algum ou muito tempo [*int.*: *Não se vê mais você, cara, você sumiu!*] 6 Colocar(-se) em algum ponto onde não pode ser visto ou encontrado [*td.*: *Está reclamando, mas foi ele mesmo que sumiu o relógio.*] [*int.*: *A mãe preocupava-se quando, brincando na praça, o menino às vezes sumia; O mágico fez um movimento imperceptível e a moeda sumiu.*] 7 Destruir, aniquilar [*td.*: *A guerra sumiu o pequeno vilarejo.*] [▶ 53 sumir] [F.: Do lat. *sumere.* Hom./Par.: *sumo* (fl.), *sumo* (sm.).]

sumo[1] (*su.*mo) *sm.* O mesmo que *suco* [F.: Do gr. *zomós.* Hom./Par.: *sumo* (sm.), *sumo* (fl. de *sumir*).]

sumo[2] (*su.*mo) *a.* 1 Mais importante ou proeminente (sumo sacerdote); SUPREMO 2 Extremado, máximo (sumo prazer) 3 Grande, extraordinário: "...A suma objetividade do outro tem agora o título de *próximo*, esse que amaremos..." (Gustavo Corção, *A descoberta do outro*) 4 O cume, o cimo 5 *Fig.* O ápice, o auge [F.: Do lat. *summus.*]

sumô (su.*mô*) *sm. Esp.* Modalidade de luta de or. japonesa, cujo objetivo é agarrar o adversário e derrubá-lo ou deslocá-lo para fora de um espaço determinado [F.: Do jap. *sumo.*]

súmula (*sú.*mu.la) *sf.* 1 Resumo, resenha, sinopse 2 *Esp.* Breve relatório apresentado pelo juiz ao final de uma partida [F.: Do lat. *summula.* Hom./Par.: *súmula* (sf.), *sumula* (fl. de *sumular*).]

⊠ **Sunab** Sigla de *Su*perintendência *N*acional de *Ab*astecimento

⊕ **sundae** (*Ing.* /*sândei*/) *sm.* Sorvete coberto com calda doce, castanhas moídas, granulados etc.

sundo (*sun.*do) *Bras. sm.* 1 *P. us. Vulg.* O ânus 2 A vulva [F.: Do quimb. *sundu.*]

suné (su.*né*) *sm. RN Tabu.* Pederasta passivo [F.: De or. obsc.]

sunga (*sun.*ga) *Bras. Vest. sf.* 1 Calção de banho pequeno e justo 2 Cueca similar à sunga (1) 3 Espécie de suspensório para os órgãos genitais masculinos [F.: Dev. de *sungar.* Hom./Par.: *sunga* (sf.), *sunga* (fl. de *sungar*).]

sungar (sun.*gar*) *v. td.* 1 Levantar, puxar (algo) para cima; assungar 2 Erguer alto o cós de saia, calça etc. 3 Aspirar fortemente o muco do nariz, para que não caia [▶ 14 sungar] [F.: Do quimb. *sunga.* Hom./Par.: *sunga* (3ªps.), *sungas* (2ªps.)/ sunga (sf.) e pl.]

sunismo (su.*nis.*mo) *Rel. sm.* 1 Seita muçulmana dos sunitas 2 Conjunto das doutrinas ou dos princípios dessa seita [F.: *suna* + *-ismo.*]

sunita (su.*ni.*ta) *a2g.* 1 *Rel.* Ref. a uma linha rígida e conservadora da religião muçulmana *s2g.* 2 *Rel.* Seguidor dessa linha religiosa; muçulmano ortodoxo [F.: Do ár. *sunni*, masc. de *sunna*, + *-ita*[2].]

suntuário (sun.tu:*á.*ri:o) *a.* 1 Ref. a luxo; SUNTUOSO 2 Ref. a despesas ou a gastos (leis suntuárias; consumo suntuário) [F.: Do lat. *sumptuarius, a, um.*]

suntuosidade (sun.tu.o.si.*da.*de) *sf.* 1 Qualidade do que é suntuoso 2 Luxo extraordinário; FAUSTO; MAGNIFICÊNCIA [F.: Do lat. tardio *sumptuositas, atis.*]

suntuoso (sun.tu:*o.*so) [ô] *a.* 1 Em que há muito luxo, ostentação (templos suntuosos); FAUSTOSO; MAGNIFICENTE 2 Que envolve grandes despesas (festa suntuosa) [Pl.: [ó]. Fem.: [ó].] [F.: Do lat. *sumptuosus, a, um.*]

sununga (su.*nun.*ga) *sf. Bras. Agr.* Plantação de mandioca que se realiza durante o verão [F.: Do tupi *su'nunga.*]

suor (su:*or*) [ó] *sm.* 1 Líquido incolor, de sabor um tanto salgado e de odor particular, eliminado pelos poros da pele 2 A saída ou emissão desse líquido; ação de suar; TRANSPIRAÇÃO 3 *Fig.* Esforço, dedicação [F.: Do lat. *sudor, oris.*

Ideia de 'suor': *sudor(i)- (sudorese).*] ▪▪ ~ **frio** Aquele que acompanha sentimento de medo, angústia etc. [Tb. *Fig.*]

super- *pref.* = excesso, posição superior: *superioridade, superdotado, supercílio, superposto* [F.: Do lat. *super.*]

superabundância (su.pe.ra.bun.*dân*.ci:a) *sf.* Quantidade muito maior do que a necessária; EXCESSO [F.: Do lat. *superabundantia, ae.*]

superabundar (su.pe.ra.bun.*dar*) *v.* **1** Existir em excesso; sobejar [*int.*: *Este ano o petróleo superabundou.*] **2** Ter em mais quantidade do que se necessita [*tr.* + *a*: *A produção de grãos superabundou às previsões do governo.*] **3** Estar cheio, lotado [*tr.* + *de*: *O estádio superabundava de gente.*] [▶ 1 superabundar] [F.: Do lat. *superabundare.*]

superação (su.pe.ra.*ção*) *sf.* Ação ou resultado de superar(-se) [Pl.: *-ções.*] [F.: Do lat. *superatio, onis.*]

superado (su.pe.*ra*.do) *a.* **1** Que se superou (desavença/dificuldade superada); RESOLVIDO **2** Não mais atualizado (estatística superada; recorde superado); ULTRAPASSADO **3** Que perdeu uma competição; DERROTADO: *equipe superada na corrida de revezamento.* [F.: Part. de *superar.*]

superador (su.pe.ra.*dor*) [ô] *a.* **1** Que supera *sm.* **2** Aquilo ou aquele que supera [F.: *superar* + *-dor.*]

superalimentação (su.pe.ra.li.men.ta.*ção*) *sf.* **1** Ação ou resultado de superalimentar(-se) [Ant.: *subalimentação.*] **2** *Med.* Tratamento terapêutico por meio de alimentação excessiva e/ou rica em nutrientes **3** *Mec.* Nos motores de explosão, aumento da quantidade de ar ou de mistura combustível a fim de elevar a potência do motor [Pl.: *-ções.*] [F.: *super-* + *alimentação.*]

superalimentado (su.pe.ra.li.men.*ta*.do) *a.* Que se superalimentou, que recebeu superalimentação [Ant.: *subalimentado.*] [F.: Part. de *superalimentar.*]

superalimentar (su.per.a.li.men.*tar*) *v. td.* **1** Fazer ingerir, ou ingerir, alimentos em excesso: *Superalimentava os porcos para que engordassem rápido; Superalimentou-se para ganhar peso.* **2** Ministrar ou fazer dieta rigorosa, baseada em alimentos supernutritivos [*td.*: *Superalimentou-se e ganhou muita massa muscular.*] **3** Alimentar com ar (motor de combustão) numa pressão maior que a pressão atmosférica [▶ 1 superalimentar] [F.: *super* + *alimentar.* Ant. ger.: *subalimentar.*]

superaquecer (su.pe.ra.que.*cer*) *v.* **1** Aquecer(-se) (algo) em excesso, em temperatura muito alta [*td.*: *A longa subida na serra superaqueceu o carro.*] [*int.*: *Desligou o carro algumas vezes para que o motor não superaquecesse.*] **2** Fazer aumentar a temperatura ou sofrer muito calor [*td.*: *No inverno, precisava superaquecer a chocadeira.*] [*int.*: *Superaqueciam-se ao redor da fogueira.*] [▶ 33 superaquecer] [F.: *super-* + *aquecer.* Sin. ger.: *sobreaquecer.*]

superaquecimento (su.pe.ra.que.ci.*men*.to) *sm.* **1** Ação ou resultado de superaquecer **2** *Mec.* Condição de um motor submetido a aquecimento excessivo em virtude de falha no sistema de arrefecimento **3** *Econ.* Condição de efeito inflacionário pelo aumento da demanda de bens de consumo em proporção superior ao montante da produção desses bens [F.: *superaquecer* + *-imento.*]

superar (su.pe.*rar*) *v. td.* **1** Obter vitória ou domínio sobre; DOMINAR; VENCER: *Superar tropas adversárias:* "...não sei se vou conseguir superar meu medo..." (Paulo Coelho, *Veronika decide morrer*) **2** Ser ou vir a ser superior a, ou ultrapassar(-se), exceder(-se): *Superou os colegas em matemática; O escritor superou-se no último livro.* **3** Ser mais alto que, ou transpor a altura de: *O novo edifício superará todos os outros.* **4** Livrar-se de; dar solução a; afastar, remover: *É um homem que não supera os próprios problemas.* **5** Ter como resultado mais do que se esperava; exceder, ultrapassar: *O resultado do trabalho superou todas as expectativas.* **6** Revelar mais qualidade ou importância; sobrepujar, avantajar-se a: *O jovem poeta supera o mestre com facilidade.* [▶ 1 superar] [F.: Do lat. *superare.* Hom./Par; *superáveis(s)* (fl.), *superáveis* (a2g. [pl.]); *supera(s)* (fl.), *súpera* (a. [pl.]); *supero* (fl.), *súpero* (a.).]

superavaliação (su.per.a.va.li.a.*ção*) *sf.* Avaliação de algo acima de seu valor real [Pl.: *-ões.*] [F.: *super-* + *avaliação.*]

superavaliar (su.per.a.va.li.*ar*) *v. td.* Avaliar (algo ou alguém), atribuindo-lhe valor superior a seu real valor: *Superavaliaram as terras e a paciência do governo.* [▶ 1 superavaliar] [F.: *super-* + *avaliar.*]

superável (su.pe.*rá*.vel) *a2g.* Que se pode superar [Ant.: *insuperável.*] [Pl.: *-veis.*] [F.: Do lat. *superabilis, e.* Hom./Par.: *superáveis* (pl.), *superáveis* (fl. de *superar*).]

superavit (*Lat.* /supeˊrawit/ supeˊravit) *sm. Econ.* Ver *superávit.* [F.: Substv. da 3ª pess. pret. perf. do v.lat. *superare,* 'elevar-se acima de'; 'passar por cima'; 'ultrapassar'.]

superávit (su.pe.*rá*.vit) *sm. Econ.* Resultado positivo da confrontação da receita (o que se ganhou) com a despesa [Ant.: *déficit.*] [F.: Do lat. *superavit.* A nova edição do Vocabulário Ortográfico da ABL, posterior ao Acordo Ortográfico de 1990, registra apenas a forma latina, *superavit*]

superavitário (su.pe.ra.vi.*tá*.ri:o) *a.* **1** Em que há *superavit* **2** Que produz *superavit* [F.: *superávit* + *-ário.* Ant. ger.: *deficitário.*]

superbíssimo (su.per.*bís*.si.mo) *a.* Muitíssimo soberbo [É superlativo sintético absoluto de *soberbo.*] [F.: Do lat. *superbissimus,* superlativo de *superbus* 'soberbo', 'orgulhoso'.]

supercampeão (su.per.cam.pe.*ão*) *sm.* **1** Vencedor de um supercampeonato **2** Aquele que foi muitas vezes campeão [Pl.: *-ões.*] [F.: *super-* + *campeão.*]

supercampeonato (su.per.cam.pe:o.*na*.to) *sm. Bras.* Disputa entre campeões ou entre competidores que terminaram o campeonato empatados em primeiro lugar [F.: *super-* + *campeonato.*]

supercílio (su.per.*cí*.li:o) *sm.* Ver *sobrancelha* [F.: Do lat. *supercilium, ii,* por via erudita.]

supercomputador (su.per.com.pu.ta.*dor*) [ô] *sm. Inf.* Computador ultrapotente e veloz, ger. us. em pesquisa científica [F.: *super-* + *computador.*]

supercondutividade (su.per.con.du.ti.vi.*da*.de) *sf. Fís.* Desaparecimento da resistividade elétrica de certas substâncias (metal, liga ou composto) quando resfriadas abaixo de determinadas temperaturas [F.: *super-* + *condutividade.*]

supercondutor (su.per.con.du.*tor*) [ô] *sm.* **1** *Fís.* Substância (metal, liga ou composto) que apresenta supercondutividade *a.* **2** Diz-se dessa substância [F.: *super-* + *condutor.*]

superdose (su.per.*do*.se) *sf.* Dose excessiva, ger. de tóxico, *overdose* [F.: *super-* + *dose.*]

superdotado (su.per.do.*ta*.do) *Bras. a.* **1** Que tem inteligência (ou qualquer outro atributo) bem acima da média *sm.* **2** *Bras.* Indivíduo superdotado [F.: *super-* + *dotado.*]

superendividado (su.per.en.di.vi.*da*.do) *a.* **1** Diz-se de quem tem muitas dívidas *sm.* **2** Aquele que ultrapassou sua capacidade de endividamento [F.: *super-* + *endividado.*]

superendividamento (su.per.en.di.vi.da.*men*.to) *sm.* Endividamento que totaliza valores monetários muito superiores à capacidade de pagá-los [F.: *super-* + *endividar* + *-mento.*]

superestima (su.pe.res.*ti*.ma) *sf.* Ação ou resultado de superestimar; SUPERESTIMAÇÃO [F.: Dev. de *superestimar.* Hom./Par.: *superestima* (sf.), *superestima* (fl. de *superestimar*).]

superestimação (su.pe.res.ti.ma.*ção*) *sf.* O mesmo que *superestima* [Ant.: *subestimação.*] [Pl.: *-ções.*] [F.: *superestimar* + *-ção.*]

superestimado (su.pe.res.ti.*ma*.do) *a.* A que se deu excessivo apreço ou valor (talento superestimado; despesa superestimada) [F.: Part. de *superestimar.*]

superestimar (su.pe.res.ti.*mar*) *v. td.* **1** Calcular ou valorizar acima da capacidade ou valor reais: *Superestimar as próprias forças/uma mercadoria.* **2** Estimar muito, ou ter excessiva afeição a: *O casal superestima o filho primogênito.* **3** *Bras.* Ter em altíssima conta (algo ou alguém); dar valor exagerado a: *Eles superestimam aquele pintor* [▶ 1 superestimar] [F.: *super-* + *estimar.* Sin. ger.: *subestimar.* Hom./Par.: *superestima(s)* (fl.), *superestima(s)* (sf. [pl.]).]

superestimativa (su.per.es.ti.ma.*ti*.va) *sf.* Estimativa exagerada, muito superior a que normalmente deveria ser feita [F.: *super-* + *estimativa.*]

superestrutura (su.pe.res.tru.*tu*.ra) *sf.* **1** Construção feita sobre outra **2** Parte de uma construção que fica visível, acima do nível do chão **3** *Fig.* Ideias, instituições, cultura etc. que predominam em uma sociedade, p. opos. à infraestrutura econômica [F.: *super-* + *estrutura.*]

superestrutural (su.per.es.tru.*tu*.ral) *a2g.* Que se refere a superestrutura [Pl.: *-ais.*] [F.: *superestrutura* + *-al.*]

superexposição (su.pe.rex.po.si.*ção*) *sf.* O mesmo que *hiperexposição* [Pl.: *-ções.*] [F.: *super-* + *exposição.*]

superfamília (su.per.fa.*mí*.li:a) *sf. Biol.* Categoria taxonômica que engloba duas ou mais famílias afins [F.: *super-* + *família.*]

superfaturado (su.per.fa.tu.*ra*.do) *a.* Que se superfaturou (obra superfaturada); HIPERFATURADO [Ant.: *subfaturado.*] [F.: Part. de *superfaturar.*]

superfaturamento (su.per.fa.tu.ra.*men*.to) *sm.* Ação ou resultado de superfaturar; faturamento excessivo (ger. indevido); SOBREFATURAMENTO; HIPERFATURAMENTO [Ant.: *subfaturamento.*] [F.: De *super-* + *faturamento* ou de *superfaturar* + *-mento.*]

superfaturar (su.per.fa.tu.*rar*) *v. td.* **1** *Econ.* Emitir (ger. de maneira fraudulenta) fatura(s) com valor acima do verdadeiro: *superfaturar serviços/obras.* **2** Cobrar preço exageradamente alto por: *superfaturar mercadorias.* [▶ 1 superfaturar] [F.: *super-* + *faturar.* Sin. ger.: *sobrefaturar, hiperfaturar.*]

superficial (su.per.fi.ci:*al*) *a2g.* **1** Ref. a superfície (camada superficial) **2** Cuja profundidade não ultrapassa a superfície (ferimento superficial) **3** *Fig.* Que não é profundo, que abrange apenas aspectos básicos de um assunto: *conhecimentos superficiais de informática.* **4** *Fig.* Que supervaloriza coisas pouco importantes; que julga por aparências; que age sem reflexão (pessoa superficial) [Pl.: *-ais.*] [F.: Do lat. *superficialis, e.* Ant. ger.: *profundo.*]

superficialidade (su.per.fi.ci:a.li.*da*.de) *sf.* Qualidade do que é superficial; SUPERFICIALISMO [F.: *superficial* + *-(i)dade.*]

superficialismo (su.per.fi.ci.a.*lis*.mo) *sm.* Qualidade do que é superficial, mesmo que *superficialidade* [F.: *superficial* + *-ismo.*]

superficializar (su.per.fi.ci.a.li.*zar*) *v. td.* Tornar superficial [▶ 1 superficializar] [F.: *superficial* + *-izar.*]

superfície (su.per.*fí*.ci:e) *sf.* **1** O exterior ou a parte exterior e visível de algo: *a superfície de um lago.* **2** Tamanho de uma área; EXTENSÃO: *a superfície de um campo de futebol.* **3** *Geom.* Medida geométrica em que só se consideram duas dimensões dos corpos: o comprimento e a largura; ÁREA **4** *Fig.* Conhecimento ligeiro e superficial das coisas [F.: Do lat. *superficies, ei.*] ▪▪ ~ **catacáustica** *Ópt.* Superfície cáustica formada por raios luminosos refletidos numa superfície ~ **cáustica** *Ópt.* Envoltória dos raios luminosos oriundos de uma fonte punctiforme e refletidos numa superfície ou refratados ~ **convexa** *Geom.* A que está sempre do mesmo lado em relação a qualquer plano a ela tangente ~ **de revolução** *Geom.* Superfície gerada pela rotação de uma curva qualquer em torno de um eixo, descrevendo cada um de seus pontos arco de circunferência que está num plano perpendicular àquele eixo; superfície de rotação ~ **de rotação** *Geom.* Ver *Superfície de revolução* ~ **desenvolvível** *Geom. an.* A que se obtém de um plano por deformação que lhe conserva as propriedades métricas [Tb. apenas *desenvolvível.*] ~ **de translação** *Geom.* Superfície gerada pela translação de uma curva no espaço ~ **diacáustica** *Geom.* Superfície cáustica formada por raios luminosos refratados [Tb. apenas *diacáustica.*] ~ **esférica** *Geom.* Lugar geométrico de pontos no espaço equidistantes de um mesmo ponto (que é o centro dessa superfície); esfera ~ **focal** *Ópt.* Lugar geométrico dos pontos focais de uma lente ~ **frontal** *Met.* Superfície que separa duas massas de ar; frente ~ **plana** *Geom.* Superfície da qual todos os pontos pertencem a um mesmo plano

superfluidade (su.per.flu:i.*da*.de) *sf.* **1** Qualidade do que é supérfluo **2** Coisa supérflua [F.: Do lat. *superfluita, atis.*]

supérfluo (su.*pér*.flu:o) *a.* **1** Que não é necessário, que é dispensável (luxo supérfluo) **2** Aquilo que é desnecessário ou dispensável [F.: Do lat. *superfluus.* Ant. ger.: *indispensável.*]

super-herói (su.per-he.*rói*) *sm.* **1** Personagem de histórias em quadrinhos, filmes etc. que usa de seus poderes sobre-humanos para defender o bem e combater o mal **2** *Fig.* Pessoa que por seus atos de bravura, desprendimento etc. assemelha-se a esse personagem [Pl.: *super-heróis.*]

super-heteródino (su.per-he.te.*ró*.di.no) *a.* *Eletrôn.* Diz-se de receptor radioelétrico em que as oscilações elétricas geradas na antena se superpõem a um oscilador de frequência diferente (heteródino), permitindo que as oscilações possam ser facilmente amplificadas e filtradas [Pl.: *super-heteródinos.*]

super-homem (su.per-*ho*.mem) *sm.* **1** Pessoa com força, inteligência, coragem etc. acima do comum **2** *Fil.* Para Nietzsche, ser vindouro, superior ao homem atual em suas condições físicas e mentais [Pl.: *super-homens.*]

superintendência (su.pe.rin.ten.*dên*.ci:a) *sf.* **1** Ação ou resultado de superintender **2** Cargo de superintendente **3** Local onde o superintendente exerce suas funções **4** *Adm.* Órgão público ou privado que tem a função de superintender as atividades de outros órgãos a ele subordinados [F.: *superintender* + *-ência.*]

superintendente (su.pe.rin.ten.*den*.te) *a2g.* **1** Que superintende, que dirige ou supervisiona (empresa, trabalhos, obras etc.) *s2g.* **2** Aquele que superintende [F.: Do lat. *superintendens, entis.*]

superintender (su.pe.rin.ten.*der*) *v. td.* **1** Dirigir ou gerir como chefe ou administrador; ADMINISTRAR **2** Supervisionar, inspecionar [▶ 2 superintender] [F.: Do lat. tard. *superintendere.*]

superintendimento (su.pe.rin.ten.di.*men*.to) *sm.* **1** Ação ou resultado de superintender, mesmo que *superintendência* **2** Direção ou supervisão geral de uma empresa, órgão etc. [F.: *super* + *intendimento.*]

superior (su.pe.ri:*or*) [ô] *a2g.* **1** Que está colocado mais alto, situado acima de outro(s) (pavimentos/dentes superiores) **2** Que ultrapassa outro em qualidade, quantidade etc.: *um escritor superior aos de sua época.* **3** Que provém de autoridade (determinações superiores) **4** Ref. à instrução universitária (curso superior) **5** Que tem direção ou jurisdição sobre outro; que tem maior graduação que outrem (oficial superior) **6** Situado mais ao norte (diz de parte de um país) **7** *Cron.* Mais próximo da época presente (Paleolítico superior) *s2g.* **8** Pessoa com posição de chefia ou comando [F.: Do lat. *superior, oris.* Ant. nas acps. 1 e 2: *inferior.* Ideia de 'superior': *hiper- (hipertensão).*]

superiora (su.pe.ri:*o*.ra) [ô] *sf.* Freira que coordena as atividades de um convento; PRIORA [F.: Fem. substv. de *superior.*]

superioridade (su.pe.ri:o.ri.*da*.de) *sf.* **1** Qualidade do que é superior **2** Posição mais elevada do que a dos demais **3** *Fig.* Situação vantajosa em relação às demais [F.: *superior* + *-(i)dade.* Ant. ger.: *inferioridade.* Ideia de 'superioridade': *sobre- (sobre-humano); super- (super-homem), supra- (suprapartidário).*]

superiorizar (su.pe.ri.o.ri.*zar*) *v. td.* Mostrar(-se) superior [▶ 1 superiorizar] [F.: *superior* + *-izar.*]

superlativo (su.per.la.*ti*.vo) *sm.* **1** *Gram.* Conjunto de recursos gramaticais com que se expressa o grau mais alto e intenso de uma qualidade (p. ex.: o suf. *-íssimo,* o adv. *muito* etc.); esse grau: *O superlativo de 'raro' é 'raríssimo'.* *a.* **2** Extremo, elevado ao mais alto ponto ou grau (virtudes superlativas); EXTRAORDINÁRIO [F.: Do lat. *superlativus, a, um.* Hom./Par.: *superlativo* (a. sm.), *superlativo* (fl. de *superlativar*).] ▪▪ ~ **absoluto** *Gram.* O que indica para um adjetivo o mais alto grau de uma qualidade, atributo, quantidade etc. sem fazer comparação [Pode ser *sintético,* quando expresso numa flexão do adjetivo (ex: *espertíssimo, magérrimo, enorme*), ou *analítico* (quando expresso com ajuda de uma palavra, ger. adv., que dá força ao adjetivo (*muito esperto, exageradamente magro, incrivelmente grande*). Aplica-se tb. a advérbios: *Trabalhou muitíssimo; Corre rapidíssimo.*] ~ **absoluto analítico** *Gram.* Ver *Superlativo absoluto* ~ **absoluto sintético** *Gram.* Ver *Superlativo absoluto* ~ **relativo** *Gram.* O que estabelece um grau de quantidade, qualidade etc. ao adjetivo, por comparação com entidades análogas [Pode ser *de superioridade* (*mais esperto que/o mais esperto dos; mais magro que/o mais magro dos; maior que/o maior dos*) ou *de inferioridade* (*menos esperto que/o menos esperto dos; mensos magro que/o menos magro dos; menor que/o menor dos*)]

superlotação (su.per.lo.ta.*ção*) *sf. Bras.* Ação ou resultado de superlotar; lotação excessiva [Pl.: *-ções.*] [F.: *superlotar + -ção.*]

superlotado (su.per.lo.*ta*.do) *a. Bras.* Cuja lotação foi excedida; excessivamente cheio (teatro/ônibus superlotado) [F.: Part. de *superlotar.*]

superlotar (su.per.lo.*tar*) *Bras. v. td.* Ultrapassar a lotação de: *Superlotar um teatro/um ônibus.* [▶ **1 superlotar**] [F.: *super- + lotar.*]

supermercadista (su.per.mer.ca.*dis*.ta) *a2g.* **1** Que se refere a supermercado **2** Diz-se de empresário que atua no ramo de supermercados *s2g.* **3** Esse empresário [F.: *supermercado + -ista.*]

supermercado (su.per.mer.*ca*.do) *sm.* Grande loja de autosserviço, onde se vendem muitas variedades de produtos [F.: *super- + mercado.* Cf.: *hipermercado.*]

superno (su.*per*.no) *a.* **1** Superior, supremo: *O soberano representa o poder superno.* **2** Mais elevado, em posição superior: "Nem ele, nem outro, aqui à esquerda, próximo, superno, morro em mama erguida e corcova de zebu." (Guimarães Rosa, "O recado do morro" *in No Urubuquaquá, no Pinhém*) **3** *P. ext.* Que é muito bom, excelente: *Uma realização superna.* [F.: Do lat. *supernus, a, um.*]

supernova (su.per.*no*.va) *sf. Astron.* Denominação imprópria de um tipo de estrela muito antiga que em determinada fase adquire brilho intenso e repentino (causado por explosões), para em seguida perdê-lo pouco a pouco [F.: *super- + nova.*]

◎ **super(o)-** *el. comp.* = 'que está em cima', 'superior': *superovariado; superorgânico.* [F.: Do lat. *superus, a, um.*]

super-oito (su.per-*oi*.to) *sm2n.* **1** *Cin.* Bitola de filme ger. us. por cinegrafistas amadores **2** *P. ext.* Filme feito nessa bitola [Pl.: *super-oitos.*] [Grafia alternativa: *super-8.*]

superolateral (su.pe.ro.la.*te*.ral) *a2g.* Situado na parte lateral superior [Pl.: *-rais.*] [F.: *supero + lateral.*]

superponível (su.per.po.*ní*.vel) *a.* Que se superpõe, ou que se pode superpor [Pl.: *-eis.*] [F.: *super + ponível.*]

superpopulação *sf.* **1** Excesso de população, relativamente ao espaço disponível; SUPERPOVOAMENTO **2** Excesso de indivíduos de uma espécie (animal ou vegetal) numa determinada área: *a superpopulação de pinguins.* [Pl.: *-ções.*] [F.: *super- + população.*]

superpor (su.per.*por*) *v.* O mesmo que *sobrepor* [▶ **60 superpor**] [F.: Do lat. *superponere.*]

superposição (su.per.po.si.*ção*) *sf.* **1** Ação ou resultado de superpor; SOBREPOSIÇÃO **2** *Cin. Fot.* Impressão de duas imagens diferentes num mesmo segmento de filme **3** Registro de dois ou mais canais de som num único trecho de gravação [Pl.: *-ções.*] [F.: *super- + posição.*]

superposto (su.per.*pos*.to) [ô] *a.* Diz-se do que foi sobreposto, colocado por cima [F.: Do lat. *superpositus, a, um.*]

superpotência (su.per.po.*tên*.ci:a) *sf.* País que sobressai, entre as outras potências, pelo seu poderio militar, esp. em relação às armas nucleares [F.: *super- + potência.*]

superpovoamento (su.per.po.vo:a.*men*.to) *sm.* Ação ou resultado de superpovoar; SUPERPOPULAÇÃO [F.: *superpovoar + -mento.*]

superpovoar (su.per.po.vo.*ar*) *v. td.* Povoar além do normal ou cabível: *A migração em massa superpovoou a cidade.* [▶ **16 superpovoar**] [F.: *super- + povoar.*]

superprodução (su.per.pro.du.*ção*) *sf.* **1** *Econ.* Produção maior do que o normal e excessiva em relação à demanda **2** *Cin. Teat. Telv.* Produção de cinema, teatro, televisão etc. aparatosa e cara [Pl.: *-ções.*] [F.: *super- + produção.*]

superproteção (su.per.pro.te.*ção*) *sf.* Ação ou resultado de superproteger [Pl.: *-ções.*] [F.: *super- + proteção.*]

superproteger (su.per.pro.te.*ger*) *v. td.* Proteger excessivamente (um filho, um amigo, um bem etc.) [▶ **35 superproteger**] [F.: *super- + proteger.*]

superquadra (su.per.*qua*.dra) *sf.* Área residencial urbana disposta de maneira especial, fora do tráfego principal, com blocos de apartamentos, escolas, espaço para recreação etc.: *as superquadras de Brasília.* [F.: *super- + quadra.*]

super-realismo (su.per-re.a.*lis*.mo) *sm.* Movimento artístico lançado na Europa em 1924, mesmo que *surrealismo* [Pl.: *super-realismos.*]

super-realista (su.per-re.a.*lis*.ta) *a2g.* **1** Diz-se do artista adepto do super-realismo, mesmo que *surrealista s2g.* **2** Esse artista [Pl.: *super-realistas.*]

supersafra (su.per.*sa*.fra) *sf. Econ.* Safra que apresenta quantidade bem superior à média [F.: *super- + safra.*]

supersensível (su.per.sen.*sí*.vel) *a2g.* **1** Excessivamente sensível; HIPERSENSÍVEL **2** Que não é acessível aos sentidos (sons supersensíveis); SUPRASSENSÍVEL [Pl.: *-veis.*] [F.: *super- + sensível.*]

supersônico (su.per.*sô*.ni.co) *a.* **1** Ref. a ou que tem velocidade superior à do som [P. opos. a *subsônico.*] *sm.* **2** *Aer.* Avião supersônico [F.: *super- + sônico.*]

superstição (su.pers.ti.*ção*) *sf.* **1** Crença não fundamentada na razão, que ger. leva em conta ideias místicas, presságios tirados de acontecimentos recorrentes ou coincidentes etc; CRENDICE: *Para alguns, a astrologia é mera superstição.* **2** Atribuição do poder de atrair a sorte ou o azar a determinados objetos ou atos: *Por superstição, nunca passa debaixo de uma escada.* **3** *Fig.* Dedicação exagerada ou não justificada [Pl.: *-ções.*] [F.: Do lat. *superstitio, onis.*]

supersticioso (su.pers.ti.ci:*o*.so) [ô] *a.* **1** Que tem superstição ou superstições **2** Que envolve superstição ou é fruto desta (prática supersticiosa) *sm.* **3** Pessoa supersticiosa (1) [Pl.: [ó]. Fem.: [ó].] [F.: Do lat. *superstitiosus, a, um.*]

supérstite (su.*pérs*.ti.te) *a2g.* Que sobreviveu; SOBREVIVENTE [F.: Do lat. *superstes, itis.*]

supertônico (su.per.*tô*.ni.co) *a. Mús.* Diz-se do segundo grau de uma escala diatônica [F.: *super- + tônico.*]

supervalorizado (su.per.va.lo.ri.*za*.do) *a.* Diz-se do que tem valor orçado muito acima da média [F.: Part. de *supervalorizar.*]

superveniência (su.per.ve.ni:*ên*.ci:a) *sf.* Fato ou efeito de sobrevir, de acontecer de modo imprevisto ou em seguida a outro evento; SUPERVENÇÃO: *A superveniência de filhos não pode anular as doações anteriores ao casamento.* [F.: Do lat. *superventientia.*]

superveniente (su.per.ve.ni:*en*.te) *a2g.* Que sobrevém, que vem ou acontece depois [F.: Do lat. *superveniens, entis.*]

supervisão (su.per.vi.*são*) *sf.* **1** Ação ou resultado de supervisionar **2** Cargo de supervisor [Pl.: *-sões.*] [F.: Do ing. *supervision.*]

supervisar (su.per.vi.*sar*) *v.* O mesmo que *supervisionar* [▶ **1 supervisar**] [F.: Do ing. *to supervise.*]

supervisionado (su.per.vi.si:o.*na*.do) *a.* Que se supervisionou; dirigido ou inspecionado superiormente [F.: Part. de *supervisionar.*]

supervisionar (su.per.vi.si:o.*nar*) *v. td. Bras.* Fazer supervisão, inspeção, controle de (um trabalho, obras etc.); SUPERVISAR; SUPERINTENDER [▶ **1 supervisionar**] [F.: *supervision- + -ar.*]

supervisor (su.per.vi.*sor*) [ô] *a.* **1** Que tem a função de supervisionar determinada atividade (comissão supervisora) *sm.* **2** Profissional incumbido dessa função (supervisor de ensino) [F.: Do ing. *supervisor.*]

supetão (su.pe.*tão*) *sm.* Ver de *supetão* ∎ **De ~ 1** De modo inesperado, repentino; de repente **2** *Restr.* Repentinamente e de modo brusco ou impulsivo; de uma só vez (e não aos poucos), num único e rápido movimento ou processo: "Quando a saudade maleva/ guasqueia forte o meu lombo/ de supetão dou-lhe tombo..." (Gaucus Saraiva, *Mateando*)

supimpa (su.*pim*.pa) *a2g. Bras. Gír.* Muito bom; ÓTIMO: "Que mulher, que corpo supimpa!" (José Lins do Rego, *Pedra Bonita*) [F.: De or. contrv.]

supinação (su.pi.na.*ção*) *Anat. sf.* **1** Movimento de rotação da palma da mão para cima **2** Posição em que a pessoa se encontra com a face e o abdome voltados para cima [Pl.: *-ões.*] [F.: Do lat. *supinatio, onis.*]

supinador (su.pi.na.*dor*) [ô] *a.* **1** Que é us. para fazer supinação **2** *Anat.* Diz-se de cada um dos dois músculos do antebraço que servem para fazer supinação [F.: *supinado + or.*]

supino (su.*pi*.no) *a.* **1** Que está a grande altura; ELEVADO **2** Deitado de costas: "Supinos jazem e jazendo roncam." (Garrett, *Dona Branca*) **3** Quer está no estado de supinação; voltado para cima (mãos supinas) **4** *Fig.* Excessivo, demasiado (supina arrogância) *sm.* **5** *Gram.* Forma nominal do verbo latino **6** Exercício físico que se faz deitado de costas, com barra ou halteres nas mãos [F.: Do lat. *supinus, a, um.*]

suplantação (su.plan.ta.*ção*) *sf.* Ação ou resultado de suplantar(-se); SUPERAÇÃO [Pl.: *-ções.*] [F.: Do lat. *supplantatio, onis.*]

suplantado (su.plan.*ta*.do) *a.* Que se suplantou; que foi ultrapassado, excedido, superado, vencido [F.: Part. de *suplantar.*]

suplantar (su.plan.*tar*) *v. td.* **1** Ser superior a, levar vantagem sobre, superar: *Suplantar um adversário.* **2** *P. ext.* Calcar sob os pés; pisar **3** Abater, derrubar, prostrar: *O boxeador suplantou o desafiante.* **4** Tomar o lugar ou posição de (outrem): *Suplantou o concorrente na disputa pela vaga.* **5** Obter vitória, domínio, controle sobre (alguém ou si mesmo): *Suplantou o time visitante.* **6** Exceder, superar: *O novo carro suplantou o anterior em potência.* **7** Superar, ultrapassar (um problema, um obstáculo etc.): *Suplantou suas próprias deficiências e vitoriou-se.* **8** Derrotar, vencer: *Ninguém poderia suplantar aqueles soldados.* [▶ **1 suplantar**] [F.: Do lat. *supplantare.*]

suplantável (su.plan.*tá*.vel) *a2g.* Que se pode suplantar [Pl.: *-veis.*] [F.: *suplantar + -vel.* Hom./Par.: *suplantáveis* (pl.), *suplantáveis* (fl. de *suplantar*).]

suplementar¹ (su.ple.men.*tar*) *v. td.* **1** Dar suplemento ou servir de suplemento a: *Suplementou suas refeições (com proteínas); As cápsulas suplementam sua dieta.* **2** Ampliar uma explicação ou exposição com (esclarecimentos, regras suplementares etc.): *Suplementou sua palestra (com alguns conselhos aos alunos).* **3** Tornar maior, acrescentar: *A comissão do orçamento queria suplementar algumas verbas.* [▶ **1 suplementar**] [F.: *suplemento + -ar²*.]

suplementar² (su.ple.men.*tar*) *a2g.* **1** Ref. a *suplemento* **2** Que suplementa, que se acrescenta a algo para cobrir lacuna, ou melhorar benefício **3** Que amplia, complementa, dá mais abrangência [F.: *suplemento + -ar¹*.]

suplemento (su.ple.*men*.to) *sm.* **1** O que supre; o que serve para suprir qualquer falta (suplemento salarial/ alimentar) **2** *Jorn.* Página ou caderno especial de jornal ou revista (suplemento literário) **3** Aditamento a um discurso, livro etc. no sentido de completá-lo **4** *Geom.* Ângulo que é preciso somar a outro para obter 180°; ângulo suplementar [F.: Do lat. *supplementum, i.* Hom./Par.: *suplemento* (sm.), *suplemento* (fl. de *suplementar*).]

suplência (su.*plên*.ci:a) *sf.* **1** Cargo de suplente **2** Lapso de tempo em que alguém exerceu esse cargo [F.: Do lat. *supplentia.*]

suplente (su.*plen*.te) *a2g.* **1** Que supre a falta de outro ou de outrem (goleiro suplente); SUBSTITUTO *s2g.* **2** Aquele que substitui o titular do cargo em sua ausência (suplente de senador) **3** *Esp.* Atleta ou jogador suplente (1); RESERVA: *Escalou todos os suplentes.* [F.: Do lat. *supplens, entis.*]

supletivo (su.ple.*ti*.vo) *a.* **1** Que completa, que serve de suplemento **2** Ref. a supletivo (3) (exames supletivos) *sm.* **3** *Bras.* Curso de curta duração que concede o diploma do ensino médio: *Fez em seis meses o supletivo.* [F.: Do lat. tardio *suppletivus, a, um.*]

súplica (*sú*.pli.ca) *sf.* Ação ou resultado de suplicar; ROGO; PRECE: "Hoje eram sons de súplica, vozes escravas pedindo socorro..." (Jorge Amado, *Jubiabá*) [F.: Dev. de *suplicar.* Hom./Par.: *súplica* (sf.), *suplica* (fl. de *suplicar*).]

suplicante (su.pli.*can*.te) *a2g.* **1** Que suplica (voz suplicante); SÚPLICE *s2g.* **2** Pessoa suplicante (1) **3** *Jur.* Requerente: *O juiz deu ganho de causa ao suplicante.* **4** *Bras. Pop.* Qualquer indivíduo; SUJEITO [F.: Do lat. *supplicans, antis.*]

suplicar (su.pli.*car*) *v.* Pedir com humildade e/ou com insistência; IMPLORAR; ROGAR [*td.*: *Suplicar esmolas/ajuda/clemência.*] [*tdi.* + *a*: *Suplicou ao chefe que o deixasse sair mais cedo:* "...para lhe suplicar que os liberasse daquele juramento" (Kurban Said, *Ali e Nino*)] [▶ **11 suplicar**] [F.: Do lat. *supplicare.* Hom./Par.: *suplica(s)* (fl.), *súplica* (sf. [pl.]).]

súplice (*sú*.pli.ce) *a2g.* **1** Que suplica; SUPLICANTE: *Dirigiu-se, súplice, ao mandachuva.* **2** Humilde, prostrado [F.: Do lat. *supplex, icis.*]

supliciado (su.pli.ci.*a*.do) *a.* **1** Que sofreu suplício ou foi justiçado **2** Quem sofreu suplício ou foi justiçado [F.: Part. de *supliciar.*]

supliciamento (su.pli.ci:a.*men*.to) *sm.* Ação de supliciar, de aplicar suplício em alguém: *A Inquisição obtinha confissões através do supliciamento atroz de suas vítimas.* [F.: *suplício + -mento.*]

supliciante (su.pli.ci.*an*.te) *a.* **1** Que suplicia; ANGUSTIANTE; TORTURANTE: "Despindo lentamente as roupas, com um vagar supliciante..." (Coelho Neto, *Inverno em flor*) *sm.* **2** Aquele que suplicia, torturador [F.: *supliciar + -nte.*]

supliciar (su.pli.ci.*ar*) *v. td.* **1** Castigar com suplício; MARTIRIZAR; TORTURAR: *O torturador supliciou o suspeito* **2** Castigar com pena de morte; JUSTIÇAR: *O carrasco supliciou o condenado.* **3** *Fig.* Causar sofrimento, aflição, agonia: *A notícia supliciou o pai do menino.* [▶ **1 supliciar**] [F.: *suplício + -ar.* Hom./Par.: *suplicio* (fl.), *suplício* (sm.).]

suplício (su.*plí*.ci:o) *sm.* **1** *Fig.* Coisa ou pessoa que causam sofrimento, aflição: *o suplício do vestibular:* "Atendimento médico para quem tem mais de 60 anos está se tornando um suplício mesmo para aqueles que pagam caro para fugir da rede pública de saúde." (Natanel Damasceno, *O Globo*, 25.01.2006) **2** Severa punição corporal; TORTURA **3** Pena de morte **4** Execução dessa pena **5** Dor física intensa e prolongada **6** *P. ext.* Grande dor moral [F.: Do lat. *supplicium, ii.* Hom./Par.: *suplício* (sm.), *suplicio* (fl. de *supliciar*).] ∎ **~ da roda** Tortura, us. na Idade Média, que consiste em amarrar alguém a uma grande roda (ger., após espancá-lo) e fazê-la girar até a morte da pessoa **~ de Tântalo 1** Na mitologia grega, a morte por sede e fome a que Tântalo foi condenado nos infernos, com a água e os frutos sempre se afastando quando ele estava a ponto de alcançá-los **2** *Fig.* O sofrimento de quem está sempre prestes a alcançar o que deseja, sendo frustrado antes de consegui-lo **~(s) eterno(s)** Os sofrimentos das almas condenadas à punição no inferno **Último ~** A morte infligida como punição por crime

supor (su.*por*) *v.* **1** Aceitar ou alegar como hipótese [*td.*: *Suponhamos que o réu seja inocente.*] **2** Ter como pressuposto; PRESSUPOR [*td.*: *Todo saber supõe grande esforço.*] **3** Considerar(-se), julgar(-se) [*td.*: *Supus que ele tivesse dito a verdade.*] [*tdp.*: *Supor-se inteligente; Ele me supunha capaz de desafiá-lo.*] **4** *P.* us. Imputar [*tdi.* + *a*: *Supôs a culpa ao aluno rebelde.*] [▶ **60 supor**] [F.: Do lat. *supponere.* Hom./Par.: *sopor* (todos os tempos do v.).]

suportabilidade (su.por.ta.bi.li.*da*.de) *sf.* **1** Qualidade de suportável [Ant.: *insuportabilidade.*] **2** Capacidade de suportar; RESISTÊNCIA; TOLERÂNCIA [Ant.: *intolerância.*] [F.: *suportável + -(i)dade*, segundo o modelo erudito.]

suportado (su.por.*ta*.do) *a.* Que se suporta ou suportou; TOLERADO [F.: Part. de *suportar.*]

suportar (su.por.*tar*) *v. td.* **1** Sustentar, levar sobre si ou resistir a (peso, carga, esforço etc.): *Esse cabo suporta dez toneladas* **2** Mostrar-se firme ou paciente diante de, ou tolerar(-se): *Suportar dor, miséria, traição; Não suporto pessoas mentirosas.* **3** *Fig.* Padecer, sofrer: "... suportava uma a uma todas as suas torturas..." (Joaquim Manuel de Macedo, *O moço loiro*) **4** Ser capaz de aguentar ou segurar (muito peso): *Esse animal suporta grandes cargas; Como esse atleta suporta erguer todo esse peso?* **5** Mostrar firmeza, força, esp. face a experiências dolorosas: *Suporta todo esse calor sem uma queixa.* **6** Demonstrar resignação diante de (sofrimentos morais): *Suportou os piores tratamentos no orfanato.* **7** Aturar, tolerar: *Não sei como essa moça suporta essas piadinhas do chefe?* [▶ **1 suportar**] [F.: Do lat. *supportare.* Hom./Par.: *suportáveis(s)* (fl.), *suportáveis* (a2g. [pl.]); *suporte(s)* (fl.), *suporte* (sm. [pl.]).]

suportável (su.por.*tá*.vel) ***a2g.*** Que se pode suportar; TOLERÁVEL: "...o estômago está doendo. Mas é suportável. A sede é que é ruim." (Jorge Amado, *Jubiabá*) [Ant.: *insuportável.*] [Pl.: *-veis.*] [F.: *suportar* + *-vel.* Hom./Par.: *suportáveis* (pl.), *suportáveis* (fl. de *suportar*).]

suporte (su.*por*.te) ***sm.*** **1** O que sustenta, o que suporta; o que serve de sustentáculo a alguma coisa: *suporte para TV e vídeo.* **2** Assistência, apoio (suporte técnico/financeiro) **3** *Art. pl.* Superfície (de papel, madeira, metal, tela etc.) sobre a qual se faz um desenho, gravura, pintura etc. **4** Qualquer material (papel, fita magnética, filme, CD etc.) em que se podem registrar diversos tipos de informação, como textos, sons, imagens etc. [F.: Dev. de *suportar.* Hom./Par.: *suporte* (sm.), *suporte* (fl. de *suportar*).] ▪ **~ atlético** Cinto com um saco que sustém e protege os testículos, us. por atletas ou por doentes de hérnia ou de varicocele

suposição (su.po.si.*ção*) ***sf.*** **1** Ação ou resultado de supor **2** Ideia ou opinião formada sem comprovação dos fatos; HIPÓTESE; CONJETURA **3** Alegação, afirmação de uma coisa que se sabe ser falsa e que se apresenta como verdadeira [Pl.: *-ções.*] [F.: Do lat. *suppositio, onis.*]

supositivo (su.po.si.*ti*.vo) ***sm.*** **1** Que é falsamente atribuído a uma pessoa, mesmo que *supositício* **2** Que tem caráter de suposição [F.: Do lat. *supositivus, a, um.*]

supositório (su.po.si.*tó*.ri:o) ***sm.*** Medicamento sólido, de forma compatível, que se administra por via anal ou vaginal [F.: Do lat. *suppositorius.*]

supostamente (su.pos.ta.*men*.te) ***adv.*** De modo suposto; pelo que se supõe: *Encontraram a arma supostamente usada pelo bandido.* [F.: O fem. de *suposto* + *-mente.*]

suposto (su.*pos*.to) [ô] ***a.*** **1** Admitido por hipótese; apresentado hipoteticamente; CONJETURADO **2** Que se atribui falsamente a alguém; SUPOSITIVO **3** Fictício, falso **4** *Bras. N. E.* Diz-se de dente postiço ***sm.*** **5** A coisa suposta ou conjeturada; SUPOSIÇÃO **6** *Fil.* O que pode subsistir por si; a substância [F.: Do lat. *suppositus, a, um.*] ▪ **~ que 1** Se for verdade que; na condição de que (algo ocorra); não havendo discordância em relação a (determinada afirmação ou informação); dado o caso que; dado que; admitido que. (Us. para mencionar uma hipótese, ou a base de um raciocínio ou de uma conclusão.) **2** Embora; ainda que

◎**supra-** ***pref.*** = 'acima de'; 'em posição acima ou superior'; 'que está ou vai além de': *supraestadual, supracitar, supraclavicular, suprafederativo, supranacional, supranatural, supraóptico, suprapartidário, suprarrealista, suprarrenal, suprassegmental, suprassensível, suprassumo, supratemporal* [Antes de *a* ou *h*, usa-se com hífen: *supra-axilar, supra-hepático*; antes de palavra iniciada por *r* ou *s*, estes são duplicados: *suprarreal, suprassumo.*] [F.: Do prep. e adv. lat. *supra*, 'por cima'; 'sobre', 'acima de'; '(mais) acima'; 'além'; 'antes (de)' etc.]

supracitado (su.pra.ci.*ta*.do) ***a.*** Citado acima ou antes; que se mencionou mais acima ou anteriormente [F.: *supra-* + *citado.*]

supraclavicular (su.pra.cla.vi.cu.*lar*) ***a2g.*** Situado acima da clavícula [Ant.: *infraclavicular.*] [F.: *supra-* + *clavícula* + *-ar*[1].]

supracoroidiano (su.pra.co.roi.di:*a*.no) *P. us.* ***a.*** *Med.* Situado sobre a membrana coroide; SUPRACOROIDE [Ant.: *infracoroide, infracoroidiano.*] [F.: *supra-* + *coroidiano.*]

supraestadual (su.pra.es.ta.du.*al*) ***a2g.*** Ref. a ou próprio de instância superior à de um estado da federação (autoridade supraestadual; órgãos supraestaduais) [Pl.: *-ais.*] [F.: *supra-* + *estadual.*]

suprafederativo (su.pra.fe.de.ra.*ti*.vo) ***a.*** **1** Que está acima ou além da instância federal: *A integração dos países ao Mercosul tem de ser suprafederativa.* **2** Que está acima de uma federação ou das federações (órgãos desportivos suprafederativos) [F.: *supra-* + *federativo.*]

supranacional (su.pra.na.ci:o.*nal*) ***a2g.*** Que está acima ou além da nação ou da ideia de nação (organismo supranacional) [Pl.: *-nais.*] [F.: *supra-* + *nacional.*]

supranacionalidade (su.pra.na.ci:o.na.li.*da*.de) ***a.*** **1** Qualidade ou caráter de supranacional **2** *Jur.* Poder autônomo a serviço de objetivos e interesses comuns a diversas nações e cujas decisões e normas são diretamente aplicáveis e plenamente eficazes na ordem jurídica interna dessas nações [F.: *supra-* + *nacionalidade.*]

supranatural (su.pra.na.tu.*ral*) ***a2g.*** Que ultrapassa o natural, mesmo que *sobrenatural* [Pl.: *-rais.*] [F.: *supra-* + *natural.*]

supranormativo (su.pra.nor.ma.*ti*.vo) ***a.*** Que está acima de normas ou regras [F.: *supra-* + *normativo.*]

supraóptico (su.pra.*óp*.ti.co) ***a.*** Localizado acima do nervo óptico (núcleo supraóptico) [F.: *supra-* + *óptico.*]

suprapartidário (su.pra.par.ti.*dá*.ri:o) ***a.*** Que está acima dos partidos (ou dos seus interesses): *Empreendeu-se um esforço suprapartidário pelas reformas.* [F.: *supra-* + *partidário.*]

suprarreal (su.prar.re.*al*) ***a2g. sm.*** *P. us.* O mesmo que *surreal* [F.: *supra-* + *real.*]

suprarrealismo (su.prar.re.a.*lis*.mo) ***sm.*** O mesmo que *surrealismo* [F.: *supra-* + *realismo.*]

suprarrealista (su.prar.re:a.*lis*.ta) *P. us.* ***a2g.*** Ref. ao suprarrealismo, mesmo que *surrealista* [F.: *suprarreal* + *-ista.*]

suprarrenal (su.prar.re.*nal*) ***a2g.*** **1** Que se situa acima dos rins ***sf.*** **2** *Anat.* Glândula suprarrenal [Pl.: *-nais.*] [F.: *supra-* + *renal.*]

suprassegmental (su.pras.seg.men.*tal*) ***a2g.*** **1** *Ling.* Ref. ou pertencente a uma característica do som da fala que se estende sobre mais de um segmento de som e inclui todos os aspectos prosódicos **2** Situado acima de um segmento **3** Que dá continuação a um segmento [Pl.: *-tais.*] [F.: *supra-* + *segmental.* Ant. ger.: *segmental.*]

suprassensível (su.pras.sen.*sí*.vel) ***a2g.*** **1** Que não pode ser percebido pelos sentidos; que não é acessível aos sentidos (realidade suprassensível) [Ant.: *sensível.*] **2** Sensível em demasia; HIPERSENSÍVEL; SUPERSENSÍVEL [Ant.: *insensível.*] [Pl.: *-veis.*] [Sin. ger.: *supersensível.*]

suprassumo (su.pras.*su*.mo) ***sm.*** O ponto mais elevado, o auge, a culminância: *Mozart é o suprassumo da arte musical.*

supratemporal (su.pra.tem.po.*ral*) ***a2g.*** **1** *Anat.* Situado acima do osso temporal ou da fossa temporal [Ant.: *infratemporal.*] **2** Situado numa esfera superior às temporalidades, às coisas mundanas; ESPIRITUAL: *A igreja é uma instituição supratemporal e espiritual.* [Ant.: *secular, temporal.*] **3** Superior ao tempo cronológico; ATEMPORAL [Ant.: *temporal.*] [Pl.: *-rais.*] ***sm.*** **4** *Anat.* Osso supratemporal (1) [Pl.: *-rais.*] [F.: *supra-* + *temporal.*]

supremacia (su.pre.ma.*ci*:a) ***sf.*** **1** Superioridade absoluta; HEGEMONIA: *A supremacia dos gregos na filosofia ocidental.* **2** Poder ou autoridade suprema [F.: Do fr. *suprématie.*]

supremacista (su.pre.ma.*cis*.ta) ***a.*** **1** Ref. a supremacia **2** Que acredita na supremacia de um grupo racial, social etc. sobre os outros: "...ostentavam um cipoal de tatuagens racistas, com símbolos nazistas, da Ku Klux Klan e de um outro grupo supremacista branco..." (*IstoÉ*, 03.03.1999) ***s2g.*** **3** Pessoa supremacista (3): *Os supremacistas em relação à condição masculina são os que chamamos "machões".* [F.: Do ing. *supremacist.*]

supremamente (su.pre.ma.*men*.te) ***adv.*** **1** Acima de tudo e de todos: *Deus é considerado um ser supremamente perfeito.* **2** No grau ou limite máximo: *É um profissional supremamente qualificado.* **3** Com a máxima solenidade ou circunspeção: "E quando fecho sobre mim a portinhola, gravemente, supremamente como se cerra a grade de uma sepultura, eu quase solucei – com saudades minhas." (Eça de Queirós, *A cidade e as serras*) [F.: *supremo* + *-mente.*]

suprematismo (su.pre.ma.*tis*.mo) *Art. pl.* ***sm.*** Movimento de pintura abstracionista geométrica iniciado na Rússia por Kasimir Malevitch (1878-1935) e que influenciou o construtivismo [F.: Do fr. *suprématisme.*]

suprematista (su.pre.ma.*tis*.mo) *Art. pl.* ***a2g.*** **1** Ref. ao suprematismo **2** Diz-se do artista que é adepto ou praticante do suprematismo ***s2g.*** **3** Esse artista [F.: *suprematismo* + *-ista.*]

supremo[1] (su.*pre*.mo) ***a.*** **1** Que está acima de todos ou tudo; MÁXIMO: *O papa é o chefe supremo da Igreja Católica.* **2** Extremo, muito grande (felicidade suprema) **3** Ref. ou pertencente a Deus; DIVINO: *a sabedoria suprema.* **4** Último, derradeiro (hora suprema; esforço supremo) [F.: Do lat. *supremus, a, um.*]

Supremo[2] (Su.*pre*.mo) ***sm.*** O Supremo Tribunal Federal, tribunal de alçada máxima no Brasil

supressão (su.pres.*são*) ***sf.*** **1** Ação ou resultado de suprimir; EXTINÇÃO; ELIMINAÇÃO: *supressão de direitos adquiridos.* **2** Retirada, corte: *supressão de parágrafos de um texto.* [Pl.: *-sões.*] [F.: Do lat. *suppressio, onis.*]

supressivo (su.pres.*si*.vo) ***a.*** Que suprime, que causa a supressão de alguma coisa; SUPRESSOR; SUPRESSÓRIO [F.: Do lat. *suppressivus.*]

supresso (su.*pres*.so) *P. us.* ***a.*** Que se suprimiu, mesmo que *suprimido*: "Por ter conseguido eliminar o primeiro mal, o regime monárquico foi supresso." (Afrânio Peixoto, *Ensinar a ensinar*) [F.: Do lat. *supressus, a, um.*]

supressor (su.pres.*sor*) [ô] ***a.*** **1** Que suprime; SUPRESSIVO ***sm.*** **2** O que suprime [F.: Do lat. *suppressor, oris.*]

supressório (su.pres.*só*.ri:o) ***a.*** O mesmo que *supressivo* [F.: Do lat. *supressorius.*]

suprido (su.*pri*.do) ***a.*** Que se supriu [F.: Part. de *suprir.*]

supridor (su.pri.*dor*) [ô] ***a.*** **1** Que supre ou serve para suprir: *país supridor de produtos agrícolas.* ***sm.*** **2** O que supre ou serve para suprir [F.: *suprir* + *-dor.*]

suprimento (su.pri.*men*.to) ***sm.*** **1** Ação ou resultado de suprir **2** *Bras.* Fornecimento, provisão (suprimento de petróleo/de remédios) **3** Ajuda, auxílio **4** Empréstimo [F.: *suprir* + *-mento.*]

suprimido (su.pri.*mi*.do) ***a.*** **1** Que se suprimiu; EXTINTO **2** Cortado, retirado, eliminado (parágrafo suprimido) [F.: Part. de *suprimir.*]

suprimir (su.pri.*mir*) ***v.*** **1** Impedir que aconteça ou apareça; dar fim, sumiço a; ELIMINAR; EXTINGUIR: *O editor suprimiu essa reportagem.* **2** Retirar, eliminar (de um todo); CORTAR: *Suprimiu dois capítulos do livro.* **3** Ocultar, afastar: *É preciso suprimir os sinais de nossa passagem por aqui.* **4** Eliminar, matar: *O gângster suprimiu seus dois maiores rivais.* **5** Abolir, anular: *A ditadura suprimiu todas as formas de liberdade.* [▶ 3 suprimir] [F.: Do lat. *supprimere.*]

suprir (su.*prir*) ***v.*** **1** Preencher, completar, ou substituir [***td.:*** *Supre o orçamento com o dinheiro de bicos:* "...ele suprirá a falta que tenho de um filho..." (Franklin Távora, *O matuto*)] **2** Arcar com, ou prover(-se) de; ABASTECER [***ti.*** + *a*: *Sua renda supriria aos filhos.*] [***tdr.*** + *com, de*: *Supriu a loja com novos estoques; A escola deveria suprir os alunos do material básico; Supriu-se de lenha para o frio.*] **3** Fornecer o básico para a subsistência de [***ti.*** + *a*: *Ele supre aos que dele dependem.*] **4** Acudir, remediar [***td.:*** *Sua presença forte supria a falta de liderança do grupo.*] **5** *P. us.* Colocar algo no lugar de; trocar [***tdr.*** + *por*: *Supriu os sucos por leite.*] [▶ 3 suprir] [F.: Do lat. *supplere.*]

suprível (su.*prí*.vel) ***a2g.*** Que se pode suprir [Pl.: *-veis.*] [F.: *suprir* + *-vel.*]

supuração (su.pu.ra.*ção*) ***sf.*** *Med.* Formação e acumulação de pus [Pl.: *-ções.*] [F.: Do lat. *suppuratio, onis.*]

supurado (su.pu.*ra*.do) ***a.*** Que está ou entrou em supuração (tumor supurado) [F.: Do lat. *suppuratus, a, um.* Hom./Par.: *supurado* (a.), *soporado* (a.).]

supurar (su.pu.*rar*) *Med.* ***v.*** **1** Produzir ou expelir pus [***td.:*** *A ferida supurava uma secreção fétida.*] [***int.:*** *O abcesso supurou.*] **2** Converter-se em pus [***int.***] **3** *Fig.* Colocar(-se) para fora, exteriorizar(-se) [***td.:*** *A invejosa supurava maledicências.*] [***int.:*** *Conteve-se por dias até que, enfim, aquela raiva toda supurou.*] [▶ 1 supurar] [F.: Do lat. *suppurare.*]

supurativo (su.pu.ra.*ti*.vo) *Med.* ***a.*** **1** Que produz ou facilita a supuração ***sm.*** **2** Medicamento com essa finalidade [F.: *supurar* + *-tivo.*]

suputar (su.pu.*tar*) ***v. td.*** **1** Estabelecer (um valor) por meio de cálculos, de contas **2** Calcular (uma quantidade) a partir de rápidas avaliações, indícios, sinais etc. [▶ 1 suputar] [F.: Do lat. *supputare.* Hom./Par.: *suputáveis(s)* (fl.), *suputáveis* (pl. suputável, a2g.).]

surata (su.*ra*.ta) *Rel.* ***sf.*** *Rel.* Cada um dos 114 capítulos ou seções do Corão; SURA [F.: Do ár. *surat.*]

surdas (*sur*.das) ***sfpl.*** Loc. adv. *às surdas* ▪ **Às ~ 1** Sem ruído ou com sons fracos, (quase) imperceptíveis **2** *P. ext.* Disfarçadamente ou furtivamente; em surdina

surdez (sur.*dez*) [ê] ***sf.*** **1** *Pat.* Ausência ou diminuição considerável do sentido da audição **2** Qualidade de surdo [F.: *surd(o)* + *-ez.*] ▪ **~ de condução** *Otor.* A causada por lesão de conduto auditivo externo ou da orelha média **~ neurossensorial** *Otor.* A causada por lesão de orelha interna ou de nervo auditivo

surdina (sur.*di*.na) *Mús.* ***sf.*** **1** Peça que se coloca no pavilhão de instrumentos de sopro, ou no cavalete de instrumentos de corda, para lhes enfraquecer ou abafar o som **2** Pedal esquerdo do piano [F.: Do it. *sordina.* Hom./Par.: *surdina* (sf.), *surdina* (fl. de *surdinar*).] ▪ **À/em ~ 1** Em voz muito baixa, ou quase sem ruído (esp. para não chamar atenção) **2** *P. ext* De modo disfarçado, dissimulado, furtivo; ocultamente, escondendo os atos ou intenções **Na ~** Ver *À surdina.*

surdir (sur.*dir*) ***v.*** **1** Brotar, jorrar ou emergir da água [***ta.:*** *A água voltou a surdir da fonte.*] [***int.:*** *Cavou um pouco, esperando que a água surdisse em profusão.*] **2** Aparecer, surgir [***int.:*** *A moça surdiu por entre as cortinas.*] **3** Romper, irromper, manifestar-se [***int.:*** *No fim do espetáculo, os aplausos surdiram.*] **4** Surgir como consequência; resultar [***tr.*** + *de*: *Algo de benéfico surdiu daquela missão.*] **5** *P. us.* Tornar-se público [***int.:*** *Afinal, as novas decisões do governo surdiram.*] **6** Avançar navegando [***int.:*** *Por mares desconhecidos, destemidas, as caravelas surdiam.*] [▶ 3 surdir] [F.: Do fr. ant. *sourdre.* Hom./Par.: *surdo* (fl.), *surdo* (a. sm.).]

surdo (*sur*.do) ***a.*** **1** Que não ouve ou ouve mal, por ter deficiência auditiva; MOUCO **2** Que produz som fraco, abafado, indistinto (rumor surdo) **3** Escondido, secreto, oculto (ódio surdo) **4** Insensível, indiferente: *Permaneceu surdo aos rogos da criança.* **5** *Fon.* Que é articulado sem vibração das cordas vocais (diz-se de consoante, p. ex.: [p], [f]) [P. opos. a *sonoro.*] ***sm.*** **6** Pessoa surda (1); MOUCO **7** *Mús.* Tambor alto e de som abafado; tambor-surdo; caixa-surda [F.: Do lat. *surdus, a, um.* Hom./Par.: *surdo* (a. sm.), *surdo* (fl. de *surdir*).]

surdo-mudez (*sur*.do-mu.dez) ***sf.*** Estado ou qualidade de surdo-mudo [Pl.: *surdo-mudezes.*]

surdo-mudo (*sur*.do-mu.do) ***a.*** **1** Diz-se de quem é ao mesmo tempo surdo e mudo ***sm.*** **2** Aquele que é surdo e mudo [Pl.: *surdos-mudos.*]

surfada (sur.*fa*.da) ***sf.*** **1** *Esp.* Ação de surfar **2** Passagem por onda, surfando [F.: *surfar* + *-ada*[1].]

surfar (sur.*far*) ***v. int.*** **1** *Bras. Esp.* Praticar o surfe **2** *Gír. Inf.* Navegar na internet [▶ 1 surfar] [F.: *surfe* + *-ar.*]

surfe (*sur*.fe) ***sm.*** *Esp.* Esporte em que se desliza sobre as ondas do mar, com os pés apoiados sobre uma prancha; SURFISMO [F.: Do ing. *surf.*]

surfista (sur.*fis*.ta) ***a2g.*** **1** Ref. ao surfe ou surfismo **2** Que pratica o surfe ou surfismo ***s2g.*** **3** Aquele que pratica o surfe ou surfismo **4** *Bras. Fig.* Aquele que se equilibra sobre o teto de um meio de transporte público (trem, ônibus) em movimento (surfista ferroviário) [F.: *surf(e)* + *-ista.*]

surfístico (sur.*fís*.ti.co) ***a.*** Ref. a surfe ou a surfista [F.: *surfista* + *-ico*[2].]

surgido (sur.*gi*.do) ***a.*** Que surgiu, apareceu, mostrou-se: *O surrealismo foi um movimento artístico surgido na Europa na década de 1920.* [F.: Part. de *surgir.*]

surgimento (sur.gi.*men*.to) ***sm.*** Ação ou resultado de surgir, aparecer; APARECIMENTO [F.: *surgi(r)* + *-mento.*]

surgir (sur.*gir*) ***v.*** **1** Tornar-se visível [***int.:*** *O submarino voltou a surgir (em alto-mar).*] **2** Aparecer, produzir-se, ou chegar [***int.:*** *Um grande compositor surgia; Surgiram novos problemas em minha tese.*] **3** Vir do fundo para a superfície [***int.:*** *Os destroços do navio naufragado surgiram na manhã seguinte.*] **4** *Fig.* Nascer, raiar [***int.:*** *O sol surgia por trás das montanhas.*] **5** Aparecer de repente; romper [***ta.:*** *O ladrão surgiu na janela, armado.*] **6** Elevar-se, levantar-se, aparecer [***tr.*** + *de*: *O submarino surgiu das águas escuras; O assaltante surgiu da escuridão.*] **7** Acudir à mente; ocorrer [***int.:*** *Surgiu de repente a suspeita de que tudo estava perdido.*] [***ti.*** + *a*: *Uma nova alternativa* surgiu a ele.] 8 Aparecer, chegar [**int.**: *Jamais surgiria o tempo em que tal coisa fosse possível.*] 9 Passar, transcorrer [**int.**: *Três anos surgiram antes que pudesse rever o filho.*] 10 Passar a ter existência; aparecer, ocorrer [**tr.** + *de*: *Daquela discussão surgiram novas ideias.*] [**int.**: *Surgiram novos costumes em nosso meio.*] 11 Lançar âncora; ancorar, aportar [**int.**: *O navio surgiu pela manhã.*] 12 Acordar, despertar [**tr.** + *de*: *surgir do sono.*] [▶ 46 surgir] [F.: Do lat. *surgere.*]

◎ **-súrico** *el. comp.* = 'que elimina, expele': *uricosúrico* [F.: Do v. gr. *sýro*, 'arrastar'; 'carrear', + *-ico*^{2}.]

surinamense (su.ri.na.*men*.se) *s2g.* 1 O mesmo que *surinamês* *a2g.* 2 O mesmo que *surinamês* [F.: Do top. *Suriname* + *-ense.*]

surinamês (su.ri.na.*mês*) *sm.* 1 Pessoa nascida no Suriname (América do Sul) ou que tem a nacionalidade desse país; SURINAMENSE 2 *Gloss.* A língua crioula falada no Suriname *a.* 3 Do Suriname; típico desse país ou de seu povo; SURINAMENSE 4 *Gloss.* Ref. à língua crioula falada no Suriname [Pl.: *-meses.* Fem.: *-mesa.*] [F.: Do top. *Suriname* + *-ês.*]

surpreendente (sur.pre.en.*den*.te) *a2g.* 1 Que surpreende, causa surpresa, que toma de improviso; SURPREENDEDOR: *A nova testemunha trouxe uma versão surpreendente.* 2 Admirável, magnífico: *uma récita surpreendente, excepcional.* [F.: *surpreende(r)* + *-nte.*]

surpreender (sur.pre.en.*der*) *v.* 1 Apanhar (alguém) em flagrante; FLAGRAR [**td.**: *Surpreendeu os meninos fumando no banheiro.*] 2 Atacar ou assaltar de surpresa [**td.**: *Pretendia surpreender o inimigo (pela retaguarda).*] 3 Fazer uma surpresa a [**td.**: *Surpreendeu os fãs com um show em praça pública.*] 4 Pegar ou atingir (alguém) subitamente [**td.**: *O temporal surpreendeu-me quando saí.*] 5 Causar assombro, admiração [**td.**: *A habilidade da jovem surpreendeu os juízes; Vindo dele, nada me surpreende.*] [**tr.** + *com*: *Surpreendeu-se com a própria ideia que lhe ocorreu.*] 6 Aparecer de maneira inesperada [**td.**: *Surpreendeu o amigo com aquela visita; O ladrão o surpreendeu atrás da casa.*] 7 Causar espanto, abalo ou admiração [**td.**: *O espetáculo pirotécnico surpreendeu todo mundo.*] [**int.**: *Sua decisão de viajar sozinho não surpreende.*] 8 Praticar um ato que representa uma surpresa para (alguém) [**td.**: *Surpreendeu a namorada com um presente maravilhoso.*] 9 Conseguir, obter (algo) de maneira furtiva [**td.**: *Surpreendeu a carta do amante de sua mulher.*] 10 Entrever, vislumbrar [**td.**: *Surpreendeu um olhar de dúvida no rosto da esposa.*] [▶ 2 surpreender] [F.: Do fr. *surprendre.*]

surpreendido (sur.pre.en.*di*.do) *a.* 1 Que se surpreendeu, apanhado por algo inesperado; SURPRESO; ADMIRADO; ESPANTADO: *Estava perplexo, surpreendido pela natureza.* 2 Apanhado em flagrante: *Acabou preso, depois de surpreendido pela polícia.* 3 Espantado, estupefacto: *O piloto mostrou-se surpreendido com a velocidade do aparelho.* [F.: Part. de *surpreender.*]

surpresa (sur.*pre*.sa) [ê] *sf.* 1 Ação ou resultado de surpreender(-se): "Dá a surpresa de ser. / É alta, de um louro escuro." (Fernando Pessoa, *Cancioneiro*) 2 Aquilo ou aquele que surpreende: *Ela foi a surpresa da noite.* 3 Presente oferecido sem que o destinatário soubesse que ia recebê-lo ou qual seria seu conteúdo: *Preparamos-lhe uma surpresa.* 4 Fato que ocorre de maneira imprevista 5 Espanto provocado pelo acontecimento de algo inesperado: *A chegada ela foi uma surpresa para todos.* [F.: Do fr. *surprise.*] ∎ **De ~** Inesperadamente

surpreso (sur.*pre*.so) [ê] *a.* 1 Que se surpreendeu 2 Atônito, desfavoravelmente surpreendido; PERPLEXO: *Surpreso ante a fúria do temporal, suspendeu a viagem.* 3 Admirado, favoravelmente surpreendido: *Surpreso com o presente, agradeceu-o emocionado.* [F.: Part. irregular de *surpreender.*]

surra (*sur*.ra) *sf.* 1 Ação ou resultado de surrar, bater violentamente; SOVA; COÇA; ESPANCAMENTO: "Porém paciência se esgota um dia, e quando se esgotava era cada surra no irmão!" (Mário de Andrade, *Contos de Belazarte*) 2 *Fig.* Derrota estrondosa, impressionante: *O time brasileiro deu uma surra no Paraguai.* [F.: Dev. de *surrar.*] ∎ **Dar uma ~ (em)** 1 Surrar, espancar 2 *Fig.* Derrotar (adversário) de forma estrondosa **Levar uma ~** 1 Ser surrado, apanhar 2 *Fig.* Ser fragorosamente derrotado 3 *Fig.* Enfrentar muitas dificuldades em trabalho, tarefa etc.: *Ele tenta consertar a televisão, mas está levando uma surra.*

surrado (sur.*ra*.do) *a.* 1 Que se surrou, que levou surra; SOVADO; ESPANCADO 2 Usado demais, gasto (terno surrado); COÇADO; VELHO; BATIDO 3 *Fig.* Diz-se de coisa abstrata gasta, repetida em demasia (solução surrada; expressão surrada); BATIDO; GASTO 4 *P. ext.* Antiquado, ultrapassado [F.: Part. de *surrar.*]

surrador (sur.ra.*dor*) [ô] *a.* 1 Que surra; SURRADOR 2 Diz-se do operário que trabalha na preparação de peles e couros; CURTIDOR *sm.* 3 Aquele que aplica surras; ESPANCADOR 4 Pessoa que tem como ofício surrar peles ou couros para amaciá-los; CURTIDOR [F.: *surrado* + *-or.*]

surrão (sur.*rão*) *sm.* 1 Bolsa ou sacola de couro para levar mantimentos; BORNAL 2 Saco de couro para resguardar da chuva os objetos (esp. cereais) 3 Roupa grosseira e suja: "Um lenhador, um servo, de surrão de estamenha..." (Eça de Queirós, "S. Cristóvão" *in Últimas páginas*) 4 *P. ext.* Pessoa suja, porca 5 Prostituta reles, rampeira, miserável; MARAFONA [Pl.: *-rões.*] [F.: De or. contrv.] ∎ **Arrastar ~** *SP Pop.* Contar vantagem, gabar-se

surrar (sur.*rar*) *v.* **td.** 1 Aplicar surra em (pessoa ou animal); BATER; ESPANCAR 2 Gastar-se (roupa, sapato etc.) por muito uso: *Surrou tanto o paletó que não pôde mais usá-lo.* 3 Bater ou pisar (peles) para torná-las macias [▶ 1 surrar] [F.: De or. duv. Hom./Par.: *surra(s)* (fl.), *surra* (sf. [pl.]); *surro* (fl.), *surro* (sm.).]

surreal (sur.re.*al*) *a2g.* 1 Que não corresponde à realidade objetiva; que não condiz com a razão, de tão estranho, incongruente ou absurdo; que tem o caráter ou a natureza do sonho 2 Que tem características próprias do surrealismo *sm.* 3 Aquilo que está além da realidade sensível: *Na dimensão cósmica, o surreal é perfeitamente esperável.* [F.: Do fr. *surreél.*]

surrealidade (sur.re:a.li.*da*.de) *sf.* Qualidade ou caráter de surreal [F.: *surreal* + *-(i)dade.*]

surrealismo (sur.re:a.*lis*.mo) *sm. Art. pl. Cin. Liter.* Movimento artístico e literário iniciado na Europa da década de 1920, tendo como projeto valorizar ao máximo o irracionalismo, a incoerência, a expressão do inconsciente e, por isso, o instinto, o sonho, as imagens e valores nascidos dessa atitude [F.: Do fr. *surréalisme.*]

surrealista (sur.re:a.*lis*.ta) *a2g.* 1 Ref. ao surrealismo ou a seus seguidores 2 Diz-se de artista plástico, escritor ou cineasta seguidor do surrealismo e que se identifica com seu projeto 3 *Fig.* Fantástico, delirante: "...para que açafatas e marqueses/ surrealistas de uma noite/ deslumbrassem turistas-privilégio..." (Carlos Drummond de Andrade, *Discurso de primavera e algumas sombras*) 4 *Fig.* Irreal, espantoso, inacreditável; que causa assombro: *A situação política atual é surrealista.* *s2g.* 5 Aquele que, nas artes plásticas, na literatura ou cinema, segue os princípios do surrealismo ou se identifica com sua doutrina [F.: Do fr. *surréaliste.*]

surriada (sur.ri:*a*.da) *sf.* 1 Descarga de artilharia ou espingarda; TIROTEIO 2 Respingos das ondas que rebentam 3 *Fig.* Assuada, vaia; APUPO [F.: De or. obsc.]

surripiar (sur.ri.pi.*ar*) *v.* Ver *surrupiar* [▶ 1 surripiar]

surro (*sur*.ro) *sm.* 1 Sujidade no corpo, esp. a proveniente do suor 2 Acúmulo ou mancha de sujeira [F.: De or. incerta.]

surrupiação (sur.ru.pi:a.*ção*) *P. us. sf.* Ação ou resultado de surripiar, mesmo que *surrupio*; FURTO; LADROEIRA [Pl.: *-ções.*] [F.: *surrupiar* + *-ção.*]

surrupiar (sur.ru.pi.*ar*) *v. Bras. Pop.* Subtrair furtivamente; afanar, furtar [**td.**: *O punguista surrupiou minha carteira.*] [**tda.**: *Surripiou os dólares da gaveta.*] [▶ 1 surrupiar] [F.: Do lat. *surripio* ou *subripere.* Tb. *surripiar.*]

surrupio (sur.ru.*pi*.o) *sm.* Ação ou resultado de surrupiar; DESVIO; ESCAMOTEAÇÃO; FURTO; ROUBO; SURRUPIAÇÃO: *Ninguém percebeu o surrupio da bolsa dela.*: "...a espionagem é mal necessário para detectar, comprovar e delatar casos de surrupio de recursos públicos escassos para fins privados escusos." (*O Globo*, 22.03.2002) [F.: F. reg. de *surrupiar.*]

⊕ **sursis** (*Fr.* /sursis/) *sm2n. Jur.* Suspensão condicional de uma pena no todo ou em parte

sursitário (sur.si.*tá*.ri:o) *a. Jur.* Que obteve *sursis* (réu sursitário) [F.: *sursis* + *-tário.*]

surtar (sur.*tar*) *v. int. Bras. Fam.* Entrar em surto psicótico, ou em crise psicológica [▶ 1 surtar] [F.: *surto* + *-ar.*]

surtida (sur.*ti*.da) *sf.* 1 Ataque, ger. de surpresa, de sitiados contra sitiantes 2 *P. ext.* Qualquer investida, ataque; ARREMETIDA 3 Lugar adequado à saída contra o inimigo 4 Pequena porta ou postigo na muralha [F.: Do it. *sortita.*]

surtido (sur.*ti*.do) *a.* Que surtiu; CAUSADO; PROVOCADO; RESULTANTE [+ *de, em, por*: *Eis os resultados surtidos da tentativa de emagrecer; cefaleia e tonteira são efeitos surtidos no organismo pelo álcool; a colerina é uma doença surtida por ingestão de frutas verdes.*] [F.: Part. de *surtir.* Hom./Par.: *sortido* (a.), *surtido* (a.).]

surtir (sur.*tir*) *v.* 1 Ter por resultado ou consequência [**td.**: *Tememos que essas medidas não surtam qualquer efeito.*] 2 Apresentar bom ou mau resultado (para algo ou alguém) [**ti.** + *a*: *A publicidade intensa não surtiu-lhe bem.*] [**int.**: *Seu plano não surtiu como ele esperava.*] 3 Vir para fora; sair [**ta.**: *Um jato de água fervente surtiu do chão.*] [▶ 3 surtir] [F.: Talvez do fr. *sortir.* Hom./Par.: *sortir* (vários tempos do v.).]

surto (*sur*.to) *sm.* 1 Aparecimento inesperado de algo (surto de hepatite; surto de criatividade); IRRUPÇÃO 2 *P. ext.* Crise, manifestação intensa de um fenômeno favorável ou desfavorável; ACESSO 3 *Psic.* Crise psicótica 4 Originalmente, elevação, voo alto 5 Impulso, arrancada 6 Desejo intenso, ambição 7 *Elet.* Alteração de corrente ou tensão elétrica [F.: Do lat. arcaico *sortus* (=*surrectus*).]

surtum (sur.*tum*) *SP sm.* 1 Espécie de jaleco de baeta, us. antigamente 2 *Lus.* Colete fem. ou masc., mesmo que *sertum* [Pl.: *-tuns.*] [F.: Posv. do fr. *surtour* 'sobretudo'.]

suru (su.*ru*) *a2g.* Diz-se de animal sem cauda ou que tem apenas um resto dela; COTÓ; PITOCO; RABICÓ; SURA; SURI; SURO [F.: De or. obsc.]

suruba (su.*ru*.ba) *sf.* 1 *Bras. Pop.* Bengala, cacete 2 *P. ext.* Órgão sexual masculino *sf.* 3 *Bras. Tabu.* Orgia sexual que reúne três ou mais pessoas; sexo grupal; BACANAL; SURUBADA 4 *P. ext.* Situação em que há uma grande desordem, bagunça, confusão: *Estava a maior suruba lá na biblioteca.* [F.: Do tupi *suru' ba.*]

surubi (su.ru.*bi*) *sm.* Ver *surubim*

surubim (su.ru.*bim*) *Bras. Zool. sm.* 1 Nome comum aplicado a diversas spp. de bagres pimelodídeos sul-americanos 2 Grande bagre de água-doce (*Pseudoplatystoma coruscans*), da fam. dos pimelodídeos, pardo com manchas negras e com até três metros ou mais de comprimento, muito apreciado na culinária; BAGRE-RAJADO; CAÇONETE; PINTADO 3 Bagre de água-doce (*Pseudoplatystoma fasciatus*), da fam. dos pimelodídeos, com até 1 m ou mais comprimento e corpo cpm manchas e faixas brancas transversais; BAGRE-RAJADO; CACHARA; SURUBIM-RAJADO [Pl.: *-bins.*] [F.: Do tupi *suruwi.* Tb. *surubi.*]

surucuá (su.ru.cu.*á*) *sf. Bras. Ornit.* Nome comum a diversas aves trogoniformes, dos gên. *Trogon* e *Trogonurus*, insetívoras, de cores vivas e plumagem vistosa, pele muito fina e cauda longa, encontradas em matas virgens [F.: Do tupi *suruku'a.*]

surucucu (su.ru.cu.*cu*) *sf. Bras. Zool.* Grande cobra venenosa da fam. dos viperídeos (*Lachesis muta*), das Américas Central e do Sul, de coloração marrom-amarelada com manchas triangulares pretas; SURUCUCUTINGA; SURUCUTINGA [F.: Do tupi *surukuku.*]

surucucu-tapete (su.ru.cu.cu-ta.*pe*.te) *sf. Zool.* Ver *jararacuçu* [Pl.: *surucucus-tapetes e surucucus-tapete.*]

sururu (su.ru.*ru*) *sm.* 1 *Bras. Zool.* Molusco bivalve mitilídeo da costa brasileira, *Mitylus falcatus*, tb. conhecido pelo nome genérico de mexilhão e de alto valor nutritivo; SURURU-DE-ALAGOAS 2 *MA* Festa de estudantes 3 *Bras. Gír.* Tumulto, rolo, briga, confusão; FUZUÊ: *A festa de casamento acabou no maior sururu.* 4 *S.* Levante, revolta 5 *Tabu.* Vulva, bacorinha [F.: Do tupi *seruru.*] ∎ **~ da vasa** *AL* Sururu (1) criado no lodo do fundo de lagoas **~ de capote** *AL.* O sururu (1) que se vende sem separá-lo das valvas **~ despinicado** *AL* Sururu (1) retirado da concha e limpo, para ser vendido

sururucar (su.ru.ru.*car*) *v.* 1 Passar na sururuca ou urupema, afinar em peneira grossa [**td.**: *Sururucou a farinha.*] 2 *P. ext.* Remexer, menear o corpo; REBOLAR [**int.**: *A garota só andava sururucando.*] [▶ 11 sururucar] [F.: *sururuca* + *-ar.* Hom./Par.: *sururuca(s)* (fl.), *sururuca* (sf. e pl.); *sororocar* (vários tempos do v.).]

◎ **sus-** *pref.* = *sub-*: *suspender, suspenso* (do lat. *subpendere, subpensus*)

Sus^{1} *interj.* Us. para transmitir ânimo, como eia, coragem [F.: Or. contrv.]

⊠ **SUS**^{2} Sigla de *Sistema Único de Saúde*

susceptibilidade (sus.cep.ti.bi.li.*da*.de) *sf.* Ver *suscetibilidade*: "Minha ama, então hipócrita, afetava / Susceptibilidades de menina" (Augusto dos Anjos, *Eu e outras poesias*)

susceptibilizante (sus.cep.ti.bi.li.*zan*.te) *a2g.* Ver *suscetibilizante*

susceptibilizar (sus.cep.ti.bi.l.*zar*) *v.* Ver *suscetibilizar* [▶ 1 susceptibilizar]

susceptível (sus.cep.*tí*.vel) *a2g.* Ver *suscetível* [Pl.: *-veis.*]

suscetibilidade (sus.ce.ti.bi.li.*da*.de) *sf.* 1 Qualidade do que é suscetível, inclinado a reagir facilmente a quaisquer estímulos, impressões 2 *P. ext.* Propensão para se amuar, se ressentir; MELINDRE 3 Tendência a ser alvo de achaques, doenças [F.: *suscetível* na f. latina + *-idade.* Tb. *susceptibilidade.*]

suscetibilizante (sus.ce.ti.bi.li.*zan*.te) *a2g.* Que suscetibiliza; que fere a suscetibilidade; MAGOANTE [F.: *suscetibilizar* + *-nte.* Tb. *susceptibilizante.*]

suscetibilizar (sus.ce.ti.bi.li.*zar*) *v.* Causar ou sentir leve ofensa; MELINDRAR(-SE) [**td.**: *Suscetibilizou a secretária com palavras ásperas.*] [**int. tr.** + *com*: *Não se susceptibiliza (com ironias).*] [▶ 1 suscetibilizar] [F.: *suscetível*, na f. latina, + *-izar.* Tb. *susceptibilizar.*]

suscetível (sus.ce.*tí*.vel) *a2g.* 1 Propenso a reagir facilmente a estímulos, impressões [Ant.: *imperturbável.*] 2 Que se chateia, se ressente à toa; MELINDROSO 3 Que tem facilidade ou tendência a contrair doenças [Pl.: *-veis.*] [F.: Do lat. *susceptibilis, e.* Tb. *susceptível.*]

suscitação (sus.ci.ta.*ção*) *sf.* Ação ou resultado de suscitar, provocar; OCASIONAMENTO [Pl.: *-ções.*] [F.: Do lat. *suscitatio, onis.*]

suscitado (sus.ci.*ta*.do) *a.* 1 Que se suscitou; CAUSADO; INSTIGADO; ORIGINADO; PROVOCADO [+ *em, por*: *Ideia suscitada em plena revolta; reação suscitada pelos apelos populares.*] 2 *Jur.* Diz-se daquele contra quem se suscitou impedimento ou conflito de competência, de jurisdição ou de atribuição 3 *Jur.* Diz-se do *réu* de causa trabalhista *sm.* 4 *Jur.* Aquele contra quem se suscitou tal impedimento ou conflito 5 *Jur.* O mesmo que *réu*, na justiça do trabalho [F.: Part. de *suscitar.*]

suscitador (sus.ci.ta.*dor*) [ô] *a.* 1 Que suscita, capaz de suscitar, provocar; SUSCITANTE *sm.* 2 Aquele ou aquilo que suscita, que é capaz de suscitar, provocar; SUSCITANTE [F.: Do lat. *suscitator, oris.*]

suscitar (sus.ci.*tar*) *v.* 1 Fazer aparecer; PROVOCAR; ORIGINAR [**td.**: *O espetáculo suscitou polêmicas; Seu comportamento suscitou dúvidas.*] [**tdi.** + *a*: *Sua situação suscitou compaixão a todos.*] 2 Fazer nascer, aparecer [**td.**: *O novo adubo suscitou plantas mais bonitas.*] 3 Motivar, provocar [**td.**: *Dentre seus talentos, tocar piano é o que suscita maior admiração.*] [**tdi.** + *em*: *Seu sucesso suscitou inveja em toda a família.*] 4 Lembrar, sugerir (por associação de ideias) [**td.**: *A pose do presidente suscitava a majestade de um faraó.*] [**tdi.** + *em*: *A imagem suscitou-lhe lembranças dolorosas.*] 5 *Jur.* Alegar impedimento ou incompetência de alguém para o exercício de determinada função [**td.**] [▶ 1 suscitar] [F.: Do lat. *suscitare.* Hom./Par.: *suscitáveis* (fl.), *suscitáveis* (a2g. [pl.]).]

suscitável (sus.ci.*tá*.vel) *a2g.* Que se pode suscitar; ACARRETÁVEL; OCASIONÁVEL; PROVOCÁVEL: *Ele está apto* *a responder às questões suscitáveis.* [Pl.: *-veis.*] [F.: *suscitar + -vel.* Hom./Par.: *suscitáveis* (pl.), *suscitáveis* (fl. de *suscitar*).]

Susep *sm.* Sigla de *Superintendência de Seguros Privados*

suserania (su.se.ra.*ni*:a) *sf.* **1** *Hist.* Qualidade ou autoridade de suserano; conjunto de funções exercidas pelo suserano **2** Território em que o suserano exerce seu domínio e sua autoridade [F.: *suseran(o) + -ia.*]

suserano (su.se.*ra*.no) *a.* **1** *Hist.* Relativo ou próprio da suserania *sm.* **2** Aquele que, no feudalismo, tinha o domínio de um feudo de que dependiam outros feudos e a cujos vassalos outros tributavam vassalagem; SENHOR FEUDAL [F.: Do fr. *suzérain.*]

sushi (*Jap.* /*suchi*/) *sm. Cul.* Comida japonesa que consiste em bolinhos de arroz com peixe cru, ovas etc., temperados com saquê e vinagre e enrolados por uma folha de alga

suspeição (sus.pei.*ção*) *sf.* **1** Ação ou resultado de suspeitar, suspeita; DESCONFIANÇA; SUSPEITA **2** *Jur.* Situação em que advogado, juiz, representante do Ministério Público ou serventuário tem afinidade com uma das partes ou tem um interesse qualquer no processo judicial, o que lhe impede de poder participar do mesmo com a devida isenção exigida pela justiça [Pl.: *-ções.*] [F.: Do lat. *suspectio, onis.*]

suspeita (sus.*pei*.ta) *sf.* **1** Ação ou resultado de suspeitar, supor com alguma base; suspeição; DESCONFIANÇA: "Temi-os, desde menino, por instintiva suspeita." (Guimarães Rosa, *Primeiras estórias*) **2** Pressentimento [F.: Dev. de *suspeitar.*]

suspeitar (sus.pei.*tar*) *v.* **1** Crer, imaginar ou considerar a partir de sinais ou indícios; ter suspeita de [*td.*: "...chegava a suspeitar que Horácio não lhe tinha amor..." (José de Alencar, *A pata da gazela*)] [*tr.* + *de*: *Não suspeita da gravidade de sua doença.*] **2** Não confiar em, ou supor a culpa de; DESCONFIAR [*tr.* + *de*: *Não suspeito de você, sei que é inocente.*] **3** Supor, ou acreditar na ocorrência de (alguma coisa) [*td.*: *Suspeitava que desabaria um temporal naquela noite.*] **4** Pressentir [*td.*: *O doente suspeitava a morte em sua cabeceira.*] **5** Considerar por suspeita [*tdp.*: *Suspeita o rapaz de responsável pelo crime.*] [▶ **1 suspeitar**] [F.: Do lat. *suspectare.* Hom./Par.: *suspeita(s)* (fl.), *suspeita* (sf. [pl.]); *suspeitáveis(s)*, *suspeitáveis* (a2g. [pl.]); *suspeito* (fl.), *suspeito* (a. sm.).]

suspeitável (sus.pei.*tá*.vel) *a2g.* De que se pode suspeitar [Pl.: *-veis.*] [F.: *suspeita(r) + -vel.*]

suspeito (sus.*pei*.to) *a.* **1** Que desperta suspeita, de que se desconfia (atitude suspeita); DUVIDOSO; SUSPEITOSO: *Havia um homem suspeito no portão; A embalagem do remédio era suspeita.* **2** De cuja verdade ou existência não se pode ter certeza **3** *Fig.* Que não inspira confiança, que não é de boa qualidade: *A comida nesse restaurante está muito suspeita.* **4** Que se supõe ser falso *sm.* **5** Pessoa suspeita (1) **6** Indivíduo que é tido como possível autor de um crime, de um ato etc.: *Os principais suspeitos foram presos.* [F.: Do lat. *suspectus, a, um.*] **■ Ser ~ para** Não ser imparcial em (decisão, julgamento etc.) por ter interesse próprio na questão

suspeitosamente (sus.pei.to.sa.*men*.te) *adv.* De modo suspeitoso; de modo que denota ou desperta suspeita; SUSPEITAMENTE; SUSPICAZMENTE: "Antes, pelo contrário, mui suspeitosamente, juízes o protegem, quando o papel da Justiça deveria ser averiguar, esclarecer e punir." (*Correio Braziliense*, 03.11.2002) [Ant.: *insuspeitamente, insuspeitosamente.*] [F.: *suspeitoso + mente.*]

suspeitoso (sus.pei.*to*.so) [ô] *a.* **1** O mesmo que *suspeito* (1 a 4) **2** Que suspeita, que tende a suspeitar; APREENSIVO; DESCONFIADO [Pl.: [ó]. Fem.: [ó].] [F.: *suspeit(a) + -oso.*]

suspender (sus.pen.*der*) *v.* **1** Prender(-se) no alto (a alguma coisa); PENDURAR(-SE) [*td.*: *Suspender o lustre no teto; O menino suspendeu-se com a corda.*] **2** Levantar, erguer [*td.*: *Suspender a âncora; O vento suspendeu sua saia.*] **3** *Fig.* Interromper (uma ação) [*td.*: "Era já tarde, o pintor suspendera o trabalho" (Machado de Assis, *Esaú e Jacó*)] **4** *Fig.* Retirar por certo tempo de (cargo, posto, função etc.) [*td. tdr.* + *de*: *Suspendeu o funcionário de suas funções.*] **5** *Fig.* Castigar com suspensão da frequência [*td.*: *Suspendeu os alunos por alguns dias.*] **6** Estar colocado ou situado em lugar alto, elevado [*ta.*: *A casinha suspendia-se de um rochedo.*] **7** Arrebatar, extasiar [*td.*: *O magistral solo de violino suspendeu a plateia.*] **8** Não realizar (o que fora planejado); cancelar [*td.*: *Por falta de dinheiro o produtor suspendeu as filmagens.*] **9** Conter, deter [*td.*: *A presença da polícia suspendeu a ação dos manifestantes.*] **10** Sustar a realização de (pedido, encomenda, ordem etc.) de (alguma coisa) [*td.*: *Pode suspender o bife, porque acabei de quebrar um dente.*] **11** *Bras. Mar.* Levantar (âncora) para que a embarcação possa partir [*int.*] [▶ **2 suspender**] [F.: Do lat. *suspendere.* Ideia de '*suspender*': usar pospos. *-stase* e *-stato.*]

suspensão (sus.pen.*são*) *sf.* **1** Ação ou resultado de suspender(-se) **2** Interrupção, temporária ou não, de atividade ou trabalho **3** Pena disciplinar imposta a aluno, empregado, funcionário, desportista, pela qual é impedido por algum tempo de assistir às aulas, exercer sua atividade, jogar etc., podendo haver concomitantemente a privação de pagamento pela atividade que não pode exercer **4** *Emec.* Conjunto de peças que se destina a amortecer as oscilações bruscas de um veículo e as trepidações nas rodas do mesmo **5** *Fís. Quím.* Sistema constituído de fase líquida ou gasosa em que se acha dispersa uma fase sólida com partículas maiores do que um coloide e que sedimentam sob a ação da gravidade **6** *Mús.* Fermata sobre pausa [Pl.: *-sões.*] [F.: Do lat. *suspensio.*] **■ ~ Cardan** Dispositivo mecânico que permite a rotação de uma peça em torno de três eixos ortogonais

suspense (sus.*pen*.se) *sm.* **1** Momento de maior tensão em obra literária, de teatro, cinema ou televisão **2** Técnica pela qual a ação, nesses casos, é levada a se retardar ou parar em momentos cruciais, para suscitar a ansiedade do leitor ou espectador (narrativa de suspense) **3** Toda situação cujo desenlace provoca a ansiedade das pessoas ou a explora intencionalmente: *O suspense daquela perseguição manteve-os acordados até de madrugada.* [F.: Do ing. *suspense.*]

suspensivo (sus.pen.*si*.vo) *a.* **1** Que tem a capacidade de suspender, interromper **2** *Jur.* Que impede temporariamente a execução de um ato ou uma medida (efeito suspensivo) [F.: *suspens(o) + -ivo.*]

suspenso (sus.*pen*.so) *a.* **1** Que se suspendeu, colocado no alto; ELEVADO **2** Pendurado, dependurado; PENDENTE **3** Interrompido, sustado temporariamente **4** Que paira ou flutua no alto: "...e levitações quase imperceptíveis/ têm suspenso no ar um fio invisível..." (Jorge de Lima, *Anunciação e encontro de Mira-Celi*) **5** Impedido momentaneamente de exercer sua atividade ou de participar de aprendizado (funcionário suspenso; jogador suspenso; aluno suspenso) **6** Que ameaça cair sobre; iminente **7** Cujo estado incompleto fica como em suspensão: *frase suspensa.* [F.: Do lat. *suspensus, a, um.* Ideia de 'suspenso': *crem(o)-* (*cremalheira*).] **■ Em ~** Interrompido, não concluído: *As negociações ficaram em suspenso.*

suspensor (sus.pen.*sor*) [ô] *a.* **1** Diz-se de algo que serve para suspender; SUSPENSIVO; SUSPENSÓRIO *sm.* **2** *Bot.* Nas plantas com semente, filamento multicelular que sustenta o embrião e o desloca em direção ao endosperma **3** Objeto ou utensílio que serve para suspender [F.: *suspenso + -or.*]

suspensório (sus.pen.*só*.ri:o) *a.* **1** Que suspende, destinado a suspender (braço suspensório, movimento suspensório) *sm.* **2** *Cir.* Ligadura destinada a sustentar o escroto em certas doenças **3** Dispositivo das máquinas a vapor com que se obtém a inversão da marcha e a variação da expansão **4** Cada uma das duas fitas ou tiras de qualquer tecido com ou sem elástico e com casas nas pontas, usadas para segurar as calças pelo cós, passando pelos ombros [Tb. us. no sing.] [F.: Rad. de *suspens(o) + -órios.*]

suspicácia (sus.pi.*cá*.ci:a) *sf.* Característica do que ou quem é suspicaz, suspeito [F.: *suspicaz* na f. lat. *-aci(s) + -ia.*]

suspicacíssimo (sus.pi.ca.*cís*.si.mo) *a.* Superlativo absoluto sintético de *suspicaz* [F.: *suspicaz + -íssimo*, segundo o modelo erudito.]

suspicaz (sus.pi.*caz*) *a2g.* **1** Que provoca suspeitas; SUSPEITO **2** Que suspeita, que tende a suspeitar; DESCONFIADO; SUSPEITOSO [Superl.: *suspicacíssimo.*] [F.: Do lat. *suspicax.*]

suspiração (sus.pi.ra.*ção*) *sf.* **1** Ação ou resultado de suspirar, suspiro **2** *Pop.* Entrada e saída de ar nos pulmões, mesmo que *respiração* [Pl.: *-ções.*] [F.: *suspirar + -ção.*]

suspirado (sus.pi.*ra*.do) *a.* **1** Que se suspirou, que é acompanhado de suspiros **2** Semelhante a um suspiro; LAMENTOSO; MURMURADO; QUEIXOSO: "A sua voz saiu suspirada, cobarde, queixosa, cheia de súplica e de lágrimas." (Viriato Correia, *Contos do sertão*) **3** Que se deseja ardentemente; ANSIADO; ASPIRADO; DESEJADO; PERSEGUIDO: "Liberdade querida e suspirada, / Que o Despotismo acérrimo condena;..." (Manuel Maria Barbosa du Bocage, *Liberdade querida e suspirada*) [Ant.: *desdenhado, desprezado.*] [F.: Part. de *suspirar.*]

suspirante (sus.pi.*ran*.te) *a2g.* **1** Que suspira (donzela suspirante); SUSPIRADOR; SUSPIROSO **2** Próprio de quem suspira (voz suspirante): "Numa atitude extática e suspirante o tenor invocava as estrelas." (Eça de Queirós, *O primo Basílio*) [F.: Do lat. *suspirans, antis.* Sin. ger.: *suspirador, suspiroso.*]

suspirar (sus.pi.*rar*) *v.* **1** Soltar suspiro(s) [*int.*] **2** *Fig.* Sentir saudade ou nostalgia de [*td.*: *O velho suspirava seus melhores momentos.*] [*tr.* + *por*: *O desterrado suspira pela pátria.*] **3** *Fig.* Anelar, ansiar [*td.*: *Suspirar o amor de uma mulher.*] [*tr.* + *por*: *Suspira pelo retorno da família.*] **4** Deslumbrar-se com, reagindo como se suspirasse [*int.*: *Suspirou ao ver aquela bela e inatingível mulher.*] **5** *Bras.* Soltar a voz (a ema) [*int.*] **6** Produzir sonoridades delicadas, suaves [*int.*: *A brisa suspirava nas folhagens.*] **7** Exprimir-se de modo tristonho, melancólico [*td.*: *Suspirou uma história de arrancar lágrimas.*] [▶ **1 suspirar**] [F.: Do lat. *suspirare.* Hom./Par.: *suspiro* (fl.), *suspiro* (sm.).] **■ ~ de** Suspirar motivado por: *suspirar de amor/de saudade.* **~ por** Ansiar por, querer muito, almejar

suspiro (sus.*pi*.ro) *sm.* **1** Inspiração funda, com expiração bem audível, causada por desgosto, cansaço, tristeza, como expressão de alívio e outras emoções **2** Espécie de lamento ou queixume (de tristeza, de amor, desejo, saudade etc.): "– Mimosa, indolente, resvalo no prado, / – Como um soluçado suspiro de amor –" (Gonçalves Dias, *Poesias americanas*) **3** Som doce e melancólico: *Solta da guitarra suspiros de amor e saudade.* **4** Pequeno orifício no tampo de um barril ou de uma pipa por onde se tiram pequenas quantidades do líquido e que se tapa com um espicho **5** Qualquer pequeno orifício para respirar; abertura para se respirar em mina, túnel; RESPIRADOURO; RESPIRÁCULO **6** *Cul.* Doce muito leve feito de clara de ovo batida com açúcar e que vai ao forno brando **7** O mesmo que *merengue*[1] (2) **8** *Bot.* O mesmo que *saudade* (3) [F.: Dev. de *suspirar.*] **■ Último ~** O momento derradeiro de vida, o exalar da última respiração, ao morrer

suspiroso (sus.pi.*ro*.so) [ô] *a.* **1** Ref. a suspiro **2** Que dá muitos suspiros; LAMENTOSO **3** Seguido ou entrecortado de suspiros [Pl.: [ó]. Fem.: [ó].] [F.: *suspir(o) + -oso.*]

sussurrado (sus.sur.*ra*.do) *a.* Que se sussurrou, que foi dito a meia-voz; COCHICHADO; MURMURADO: *Deu um bom-dia quase sussurrado.* [Ant.: *berrado, clamado, gritado.*] [F.: Part. de *sussurrar.*]

sussurrante (sus.sur.*ran*.te) *a2g.* **1** Que sussurra, que emite sussurro; RUMOREJANTE **2** Que murmura, que tem um som um tanto baixo e vago [F.: Do lat. *sussurrans.*]

sussurrar (sus.sur.*rar*) *v.* **1** Expressar com sussurro(s) ou murmúrio(s) [*td.*: *Sussurrar confidências.*] [*tdi.* + *a, para*: *Sussurrou para o amigo íntimo um segredo.*] **2** Produzir sussurro ou murmúrio; MURMURAR [*int.*: *O riacho sussurra suavemente.*] **3** Soltar a voz (a coruja) [*int.*] [▶ **1 sussurrar**] [F.: Do lat. *susurrare.* Hom./Par.: *sussurro* (fl.), *sussurro* (sm.).]

sussurro (sus.*sur*.ro) *sm.* **1** Fala em tom muito baixo; ruído de pessoas que falam baixo; COCHICHO; MURMÚRIO: *Vivem aos sussurros pelos corredores.* **2** Som leve, indistinto: *O suave sussurro do vento.* [F.: Do lat. *susurrus, i.*]

sustação (sus.ta.*ção*) *sf.* Ação ou resultado de sustar, fazer parar, interromper; INTERRUPÇÃO [Pl.: *-ções.*] [F.: *susta(r) + -ção.*]

sustado (sus.*ta*.do) *a.* Que se sustou; INTERROMPIDO; SUSPENSO; PARADO [F.: Part. de *sustar.*]

sustança (sus.*tan*.ça) *sf.* O mesmo que *sustância* [F.: Do lat. *substantia*, por via popular.]

sustância (sus.*tân*.ci:a) *sf.* **1** O que alimenta, robustece; que sacia a fome; SUBSTÂNCIA **2** *P. ext.* Força, vigor, energia física [F.: Do lat. *substantia, ae.*] **■ Puxado à ~ 1** Substancioso, com muito conteúdo: *texto puxado à sustância.* **2** Substancioso, nutritivo: *lanche puxado à sustância.* **3** Pomposo, cheio de luxo e fausto: *solenidade puxada à sustância.* **4** *Pop.* De boa aparência, bem-vestido, elegante

sustante (sus.*tan*.te) *a2g.* **1** Cheio de substância, força, vigor; FORTE; VIGOROSO: "Sabe o que o moço me disse? Que era assunto de valor, para se compor uma estória em livro. Mas que precisava de um final sustante, caprichado." (João Guimarães Rosa, *Grande sertão: veredas*): "Dizem que já estava mordido de barbeiro mesmo, morria assim ou assado qualquer dia, mas parecia cevado e sustante." (João Ubaldo Ribeiro, *Sargento Getúlio*) [Ant.: *débil, fraco, tíbio.*] **2** Que dá sustância, energia, vigor; que alimenta; NUTRITIVO; SUBSTANCIOSO: *Gosto de milho porque é sustante.* [Ant.: *desnutritivo, pobre.*]

sustar (sus.*tar*) *v.* **1** *Jur.* Interromper(-se), suspender(-se) ou deter(-se) [*td.*: *Sustar uma causa na justiça.*] **2** Parar [*int.*: *O cavalo sustou de repente.*] [▶ **1 sustar**] [F.: Do lat. *substare.* Hom./Par.: *susto* (fl.), *susto* (sm.).]

sustenção (sus.ten.*ção*) *sf.* **1** Ação ou resultado de suster: *O bebê adquiriu sustenção da cabeça.* **2** Escoramento, suporte, sustentação, apoio (pilares de sustenção; estruturas de sustenção) **3** Manutenção, subsistência, provimento (sustenção financeira; sustenção alimentar): *A reserva garante a sustenção da comunidade indígena.* [Ant.: *desamparo, desassistência.*] **4** Apoio, assistência, respaldo, suporte (sustenção espiritual): *sustenção oral da defesa; o salário como base de sustenção do plano econômico.* [Ant.: *abandono, desamparo.*] **5** Manutenção, continuidade, conservação: *recursos para a sustenção do programa.* [Ant.: *cessação, extinção, interrupção.*] [Pl.: *-ções.*] [F.: *sustentio, onis.* Sin. ger.: *sustentação.*]

sustenido (sus.te.*ni*.do) *sm.* **1** *Mús.* Sinal de notação musical (#) que se coloca à esquerda de uma nota e que indica a elevação de sua altura em meio-tom **2** *Bras. Pop.* Longa cantoria, cantaria realizado por várias pessoas ao mesmo tempo *a.* **3** Diz-se da nota que é alterada pelo sinal de sustenido (dó sustenido) [F.: De or. contrv. Cf.: *bemol.*]

sustentabilidade (sus.ten.ta.bi.li.*da*.de) *sf.* **1** Qualidade ou condição de sustentável **2** *Ecol. Econ.* Modelo de desenvolvimento que busca conciliar as necessidades econômicas, sociais e ambientais de modo a garantir seu atendimento por tempo indeterminado e a promover a inclusão social, o bem-estar econômico e a preservação dos recursos naturais; DESENVOLVIMENTO SUSTENTÁVEL [F.: *sustentável + -(i)dade*, segundo o modelo erudito.]

sustentação (sus.ten.ta.*ção*) *sf.* **1** Ação ou resultado de sustentar(-se), apoiar(-se) **2** O mesmo que *sustentáculo* **3** Sustento, alimento: *Só o feijão daqueles dias lhe deu sustentação.* **4** Conservação, manutenção **5** Apoio, sustentáculo: *Estando em dificuldades, ele precisava da sustentação de seus familiares.* **6** Ato ou efeito de defender: *Sustentação de defesa.* **7** Ratificação, confirmação: *Precisavam da sustentação do que ele tinha dito.* **8** *Publ.* Fase que se segue à do lançamento, numa campanha publicitária [Pl.: *-ções.*] [F.: Do lat. *sustentatio, onis.*]

sustentáculo (sus.ten.*tá*.cu.lo) *sm.* **1** Aquilo que sustém algo ou alguém; APOIO; SUPORTE; ESCORA **2** Aquilo que sustenta, defende, ampara; ARRIMO: *Ela é o sustentáculo da família.* **3** Fundamento, alicerce, base: *Tinha a ponte, naquela viga, um sustentáculo duvidoso.* [F.: Do lat. *sustentaculum.*]

sustentadamente (sus.ten.ta.da.*men*.te) *adv.* De maneira duradoura, perdurável; em condições de se desenvolver e manter; CONSISTENTEMENTE; CONTINUAMENTE: "Não há mágica que faça o país crescer sustentadamente sem pessoas capacitadas para produzir e usufruir suas riquezas." (*Folha de S.Paulo*, 07.01.2005) [F.: *sustentado* + *-mente*.]

sustentado (sus.ten.*ta*.do) *a.* **1** Que se sustentou ou foi sustentado **2** Apoiado em bases sólidas, que garantam duração; SUSTENTÁVEL: "Segundo os dois estudiosos, o país está conseguindo recuperar a poupança dos indivíduos, um dos pilares para o crescimento econômico sustentado." (*O Globo*, 13.12.2005) **3** Que alia desenvolvimento econômico, ou aumento da produção, e preservação ambiental; SUSTENTÁVEL: *manejo sustentado de florestas; uso sustentado de recursos naturais.* **4** Amparado, mantido, financiado: *Reclama da sua condição de mulher sustentada.* **5** *Mús.* Que se mantém por mais tempo que o normal; SOSTENUTO [F.: Part. de *sustentar*.]

sustentador (sus.ten.ta.*dor*) [ô] *a.* **1** Que sustenta; SUSTENTANTE **2** *Astron.* Diz-se de motor que dá impulso prolongado a um veículo espacial *sm.* **3** O que sustenta; SUSTENTÁCULO; SUSTENTANTE **4** *Astron.* Motor sustentador (2) [F.: *sustentado* + *-or*.]

sustentar (sus.ten.*tar*) *v.* **1** Manter(-se) firme, para não cair, equilibrar(-se) [*td.*: *Fortes vigas sustentam o teto; O planador sustenta-se sem o motor.*] **2** Resistir a ou diante de; SUPORTAR [*td.*: *Sustentou os golpes sem ir à lona.*] **3** Travar ou manter [*td.*: *Sustentar um combate.*] [*tdr.* + *com*: *Sustentou polêmicas com o adversário.*] **4** Dar apoio a, ou ter o apoio de; APOIAR(-SE) [*td.*: "Guiomar sustentava a resolução da madrinha..." (Machado de Assis, *A mão e a luva*)] [*tdr.* + *em*: *Sustentava-se na fé.*] **5** Prover(-se) dos recursos necessários, ou socorrer, auxiliar [*td.*] **6** Alimentar(-se), nutrir(-se) [*td.*: *Os animais sustentam seus filhotes:* "Já não dormia, sustentava-me com uma xícara de café" (José de Alencar, *Lucíola*)] [*int.*: *Esta sopa sustenta.*] **7** *Fig.* Alimentar moral ou intelectualmente [*td.*: *A arte sempre sustentou o espírito.*] **8** Defender ou reafirmar ou confirmar (ideia, teoria etc.) [*td.*: *Sustentar inocência/ uma declaração.*] **9** Conduzir nas mãos; levar [*td.*: *No desfile, os atletas da frente sustentavam as bandeiras.*] **10** Manter(-se) no ar, evitando a queda [*td.*: *Sustentou pelas mãos a atleta que ameaçava cair do trapézio; Sustentava-se com uma das mãos no trapézio.*] **11** Demonstrar resistência a [*td.*: *A tropa sustentou o ataque durante horas; A tropa sustentou-se bravamente.*] **12** Fornecer ou obter recursos necessários para manter-se ou sobreviver [*td.*: *Uma empresa sustenta esse hospital; Sustentava-se com os recursos fornecidos pelo pai.*] **13** Produzir os recursos que mantém (um grupo, uma classe etc.) em situação confortável [*td.*: *Os escravos sustentavam os regimes escravocratas.*] **14** Fornecer os meios para a realização de (uma atividade) [*td.*: *Um rico produtor sustentou a continuação do filme.*] **15** *Fig.* Dar conhecimento, instrução, capacidade [*td.*: *A grande literatura sustenta alguns espíritos superiores.*] **16** Conceder dignidade, elevação espiritual ou moral a (alguém ou si mesmo) [*td.*: *Procurou sustentar, em sua vida, a reputação do pai; Sustentava-se com o exemplo dos grandes homens.*] **17** Defender (algo) com ideias, pensamentos, arrazoados etc. [*td.*: *Sustentava seus pontos de vista com argumentos lógicos.*] **18** Conseguir manter-se em (discussão, polêmica etc.) [*tdr.* + *com*: *Sustentou brilhantes debates com intelectuais conservadores.*] **19** Manter com inabalável convicção (opinião, crença etc.) [*td.*: *Sustentou suas ideias liberais mesmo sob ameaça de morte.*] **20** *Mús.* Manter por longo tempo (nota, voz, agudo etc.) [*td.*] **21** Manter(-se) forte, firme, inabalável; fortalecer(-se) [*td.*: *A coragem inquebrantável o sustentou a vida inteira.*] **22** Reafirmar, confirmar, insistir [*td.*: *Sustentou o dia inteiro o que dissera na véspera.*] [▶ 1 sustentar] [F.: Do lat. *sustentare*. Hom./Par.: *sustentáveis* (fl.), *sustentáveis* (a2g. [pl.]); *sustento* (fl.), *sustento* (sm.).]

sustentável (sus.ten.*tá*.vel) *a2g.* **1** Que se pode sustentar, manter [Ant.: *insustentável*.] **2** Que se pode defender **3** *Restr.* Que se tem como realizar com recursos que não envolvam riscos ambientais (desenvolvimento sustentável) [Pl.: *-veis.* Superl.: *sustentabilíssimo*.] [F.: *sustenta(r)* + *-vel*.]

sustento (sus.*ten*.to) *sm.* **1** Ação ou resultado de sustentar(-se); SUSTENTAÇÃO **2** O que mantém ou alimenta fisicamente; ALIMENTAÇÃO; NUTRIÇÃO; SUSTENTAÇÃO **3** Amparo financeiro ou moral: *Tirava seu sustento dos bordados.* [F.: Dev. de *sustentar*.]

suster (sus.*ter*) *v. td.* **1** O mesmo que *sustentar* **2** Parar, deter(-se), ou conter(-se): *Susteve-o pelo braço; Suster golpes/gastos.* **3** Opor-se a: *Susteve o avanço inimigo.* **4** Fazer parar ou estacar: *Susteve o animal pelas rédeas.* **5** Anular ação ou movimento de (algo, alguém ou si mesmo): *Susteve o avanço das tropas; Susteve o choro; Susteve-se para não brigar.* **6** Moderar, restringir: *Sentiu que deveria suster seus gastos excessivos.* **7** Alimentar, nutrir, fortalecer: *Dieta e exercícios físicos sustinham sua saúde.* **8** Permanecer em pé: *Estava tão cansado que mal conseguia suster-se.* [▶ 7 suster] [F.: Do lat. *sustinere*.]

sustido (sus.*ti*.do) *a.* Que se susteve; seguro, contido, refreado [F.: part. de *suster*.]

susto (sus.to) *sm.* **1** Sobressalto provocado por acontecimento súbito e inesperado *sm.* **2** Abalo emocional causado por um problema repentino ou notícia desfavorável; SOBRESSALTO: "...levei aquele bruto susto e fiquei sem ação por algum tempo." (José J. Veiga, *Sombras de reis barbudos*) **3** Temor motivado por ameaça ou perigo real: *Estavam cheios de susto e aflição.* [F.: De or. obsc.] ■ **Sem ~** Sem medo, sem preocupação: *Pode tomar esse remédio sem susto, não tem efeitos colaterais.*

su-sueste (su-su:*es*.te) *sm.* **1** *Geog.* Ponto do horizonte situado a meia distância do sul e do sueste [Abrev.: *S. S. E.*] **2** *Met.* Vento que sopra a partir desse ponto *a2g.* **3** Ref. ao su-sueste (rumo su-sueste) **4** Localizado no su-sueste **5** *Met.* Diz-se do vento que sopra entre o sul e o sueste [Pl.: *su-suestes*.] [Sin. ger.: *su-sudeste*.]

sutache (su.*ta*.che) *sf.* Trança de seda, lã ou algodão com que se adornam peças de vestuário (vestidos, chapéus, uniformes militares etc.) [F.: Do fr. *soutache*.]

sutado (su.*ta*.do) *a.* Ajustado ou marcado por meio da suta (esquadro) [F.: Part. de *sutar*.]

sutiã (su.ti:*ã*) *sm.* **1** *Vest.* Peça do vestuário feminino us. para sustentar, modelar e cobrir os seios **2** *Jorn.* Frase colocada depois do título e que serve para complementar o mesmo; subtítulo [F.: Do fr. *soutien*.]

sutil (su.*til*) *a2g.* **1** Fino, delgado, quase imperceptível; subtil; TÊNUE **2** Penetrante, agudo, que se insinua muito facilmente (observação sutil; humor sutil): "...enquanto o tempo, e suas formas breves/ ou longas, que sutil interpretavas..." (Carlos Drummond de Andrade, *Claro enigma*) [Tb. us. como adv.] **3** Penetrante, que se infiltra por todas as partes (veneno sutil) **4** Miúdo, pequenino **5** Agudo, delicado, apurado, penetrante (ouvido sutil, vista sutil) **6** De delicadeza extrema (rendilhado sutil) **7** De leveza excepcional **8** Silencioso, quase inaudível: *O gato se aproximou, a passos mais que sutis.* **9** Engenhoso, perspicaz, destro, hábil **10** Industrioso, caviloso, sagaz, ardiloso **11** Estranho, enigmático: *Teve alguma intenção sutil no presente que lhe deu.* [Pl.: *-tis*.] [F.: Do lat. *subtilis*, e. Hom./Par.: *sutil* (a2g.), *sútil* (a2g.).]

sútil (*sú*.til) *a2g.* **1** Cosido, composto de várias partes costuradas; CONSÚTIL [Ant.: *inconsútil, inteiriço*.] **2** Coroa de flores dos antigos romanos, feita de flores cosidas em uma tira de fazenda **3** Cabana feita de peças de couro cosidas em que habitavam os citas *sm.* **4** Entre os antigos, escudo feito de couro cosido [F.: Do fr. *sutilis*. Hom./Par.: *sútil* (a2g.), *sutil* (a2g.). Pl.: *súteis*.]

sutileza (su.ti.*le*.za) [ê] *sf.* **1** Qualidade do que ou de quem é sutil; SUTILIDADE; SUBTILEZA **2** Penetração, agudeza de espírito; ACUIDADE; SAGACIDADE **3** Delicadeza, finura extrema **4** Ato ou procedimento sutil (qualquer das acps.) [F.: *sutil* + *-eza*.]

sutilizado (su.ti.li.*za*.do) *a.* **1** Que se sutilizou ou se tornou sutil **2** Que é rarefeito, leve (vibração sutilizada; fluido sutilizado) **3** Que é imaterial ou quase destituído de matéria (corpos sutilizados; vestes sutilizadas) **4** Aprimorado, refinado, evoluído, requintado (conhecimentos sutilizados; ferramentas sutilizadas) **5** Que é menos afeito ou ligado ao mundo: *Pessoas mais sutilizadas deixam os grandes centros urbanos em busca de paz.* [F.: Part. de *sutilizar*.]

sutilizar (su.ti.li.*zar*) *v.* **1** Tornar-se sutil, volátil, e evaporar-se; volatilizar-se [*int.*: *O perfume sutilizou-se.*] **2** Tornar(-se) mais leve ou rarefeito [*td.*: *O novo processo sutilizava o pó com melhor resultado.*] [*int.*: *O talco sutilizou-se.*] **3** Tornar(-se) incorpóreo, sem materialidade [*td.*] [*int.*] **4** Aprimorar(-se), refinar(-se) [*td.*: *Procurava sutilizar sua mente.*] [*tr.* + *em*: *Sutilizava-se em pensamentos abstratos.*] **5** Discorrer com argúcia, com perspicácia [*int.*: *Ele sutilizava com grande finura.*] **6** Furtar (algo) com sutileza, com argúcia [*td.*: *O ladrão sutilizou o colar sem que ninguém percebesse.*] [▶ 1 sutilizar] [F.: *sutil* + *-izar* Tb. *subtilizar*.]

sutilmente (su.til.*men*.te) *adv.* De modo sutil; com sutileza; DELICADAMENTE; DISCRETAMENTE; HABILMENTE [Ant.: *desastradamente, espalhafatosamente, indiscretamente*.] [F.: *sutil* + *-mente*.]

sutra (*su*.tra) *Liter. sm.* Na literatura da Índia, tratado que encerra, em breves aforismos, as regras do rito, da moral e da vida cotidiana [F.: Do sânsc. *sutra*.]

sutura (su.*tu*.ra) *sf.* **1** Costura feita para unir ou juntar as partes de um objeto *sf.* **2** *Cir.* Ação ou resultado de suturar; SUTURAÇÃO **3** Operação que consiste em costurar as bordas de um corte ou ferimento, para fechá-lo **4** *Anat.* Articulação de dois ossos que se engranzam **5** *Bot.* Linha que aparece nos bordos das folhas que se convertem no gineceu e que crescem conjuntamente [F.: Do lat. *sutura, ae*.] ■ **~ lambdoide** *Anat* A da junção do osso occipital com os dois parietais **~ sagital** *Anat* A da junção dos dois ossos parietais

suturado (su.tu.*ra*.do) *a.* Que se suturou, que recebeu sutura (corte suturado) [F.: Part. de *suturar*.]

suturar (su.tu.*rar*) *v. td.* *Cir.* Fazer a sutura ou costura de; COSTURAR: *Suturar um ferimento.* [▶ 1 suturar] [F.: *sutur(a)* + *-ar.* Hom./Par.: *sutura(s)* (fl.), *sutura* (sf. [pl.]); *suturais* (fl.), *suturais* (a2g. [pl.]).]

suvenir (su.ve.*nir*) *sm.* **1** Objeto, ger. característico do lugar visitado, que se vende aos turistas como lembrança da viagem e estada naquele lugar **2** *P. ext.* Lembrança, presente [F.: Do fr. *souvenir*.]

suxar (su.*xar*) *v. td.* Fazer ficar frouxo; AFROUXAR: *Ao chegar à porteira, o cavalheiro suxou as rédeas.* [▶ 1 suxar] [F.: orig. obsc. Hom./Par.: *suxo* (fl.), *suxo* (a.).]

⊠ **svedberg** (sved.*berg*) *sm.* *Fís-quím. Metrol.* Unidade de medida de coeficiente de sedimentação equivalente a 10^{-13} segundos [Símb. *S.*] [F.: Do antrop. Theodor *Svedberg* (1884-1971), químico sueco.]

⊠ **S.W.** Símb. de *sudoeste* [F.: Do ing. *southwest*.]

swap (*Ing.* /*suóp*/) *Econ. sm.* **1** Troca de um valor mobiliário por outro, seja para mudar as datas de vencimento de um portfólio ou a qualidade de suas emissões, seja para efetuar alterações nos objetivos de investimento *sm.* **2** Operação que tem o efeito de uma compra de dólares no mercado futuro, por meio de contratos negociados pelo Banco Central, e em que o investidor ganha com a diferença entre a variação do câmbio e os juros **3** Acordo entre bancos centrais em que cada um empresta sua moeda ao outro **4** Nos mercados de câmbio, venda simultânea de moeda no disponível e compra da mesma quantia no mercado futuro, uma vez que as duas transações combinadas reduzem os custos [F.: Do ing. *to swap* 'permutar'.]

⊕ ***sweepstake*** (*Ing.* /*suipsteic*/) *sm.* *Turfe* Loteria ligada ao resultado de uma corrida de cavalos

swell (*Ing.* /*suél*/) *sm.* Onda de longa duração, contínua, formada em alto-mar

⊕ ***swing*** (*Ing.* /*suíngue*/) *sm.* **1** *Mús.* Componente rítmico da música de *jazz*, caracterizado pelo caráter sincopado **2** Estilo de *jazz* surgido nas décadas de 1930 e 1940, ger. de maior viveza e mais simplicidade **3** Prática sexual baseada na troca de parceiros e de que participam dois ou mais casais

Entre os fenícios, o *tau* servia para designar o som de *t* e para representar a assinatura dos que não sabiam escrever. Quando adotado pelos gregos, o *tau* foi ligeiramente alterado e tornou-se muito parecido com o nosso *t*. Esta letra conservou sua forma praticamente inalterada até os dias de hoje.

+	Fenício
X	Grego
T	Grego
T	Etrusco
T	Romano
T	Romano
τ	Minúscula carolina
T	Maiúscula moderna
t	Minúscula moderna

t[1] [tê] *sm.* **1** A vigésima letra do alfabeto **2** A décima sexta consoante do alfabeto **3** A forma dessa letra **4** *Art. gr.* Tipo que imprime essa letra **5** Formato de certa régua, a régua-tê *num.* **6** O 20° em uma série (portão T)

⊠ **t**[2] **1** *Metrol.* Símb. de *tonelada* **2** Abrev. de *tempo* **3** Abrev. de *tomo*

⊠ **T**[3] **1** *Fís.* Símb. de *tesla* **2** *Fís.* Símb. de *temperatura* **3** Símb. de *tera-*

tá[1] *Pop. interj.* Us. para interromper o que outrem diz ou faz; ALTO LÁ!; BASTA!; CHEGA!: *Tá, já sei de tudo;* "Antônio de Faria, dando a isto um grande grito a modo de espanto disse: Tá, tá, tá, não quero saber mais. " (Fernão Mendes Pinto, *Peregrinação*)

tá[2] *Pop. interj.* Está combinado; concordo; aceito: *Vamos ver o filme hoje? – Tá, na sessão das oito.* [F.: Aférese de *está.*]

taba (*ta*.ba) *sf.* Aldeia indígena [F.: Do tupi *'tawa'.*]

tabaca (ta.*ba*.ca) *sf.* **1** *N.E. Vulg.* A vulva *s2g.* **2** *N.E. Gír.* Aparvalhado, abobalhado, apalermado, lerdo [F.: Posv. de *babaca.*]

tabacada (ta.ba.*ca*.da) *Bras. Pop. sf.* **1** Pancada: *Deu uma tabacada com o carro, amassou a frente.* **2** Bofetada, tapa **3** *Vulg.* Relação sexual; CÓPULA *Vulg.;* TREPADA [F.: *tabaca* (genitália fem.) + *-ada.*]

tabacal (ta.ba.*cal*) *sm.* **1** Plantação de tabaco *a.* **2** Ref. a tabaco; TABAQUEIRO [Pl.: *-cais.*] [F.: *tabaco* + *-al*[1].]

tabacaria (ta.ba.ca.*ri*:a) *sf.* Loja em que se vendem produtos para fumantes (cigarros, charutos, cachimbos, isqueiros etc.); CHARUTARIA; CIGARRARIA [F.: *tabaco* + *-aria.*]

tabaco (ta.*ba*.co) *sm.* **1** *Bot.* Nome comum a diversas espécies e variedades cultivadas do gen. *Nicotiana*, da fam. das solanáceas, us. como ornamentais, medicinais, inseticidas, e esp. para a confecção de fumo de rolo, cigarros, charutos, rapé etc.; FUMO: "A boceta de rapé era a caixinha, geralmente redonda ou oval, onde se guardava o rapé – tabaco em pó – que, aspirado em pequeníssimas quantidades, as pitadas de rapé, provocava espirros e, segundo se acreditava, servia de estimulante." (Lima Barreto, *O Triste Fim de Policarpo Quaresma*) **2** Preparado feito com as folhas secas dessas plantas, para fumar; FUMO **3** *N. E.* Ver *rapé* **4** *N. E. Tabu.* Genitália da mulher; VULVA [F.: De or. contrv., posv. do espn. *tabaco.* Col.: *tabacal.*] ∎ **Apanhar/levar (para o seu) ~** Receber castigo por ter praticado imprudência ou falta **Não ganhar para o ~** *Pop.* Não ganhar o suficiente para o sustento, ganhar pouco

tabacudo (ta.ba.*cu*.do) *N. E. Pej. Pop. a.* **1** Bronco, ignorante, tapado **2** Abestalhado, lerdo, abobalhado, tabaca [F.: *tabaca* + *-udo.*]

tabagismo (ta.ba.*gis*.mo) *sm.* **1** Hábito de fumar: *Era adepto do tabagismo.* **2** Dependência psicológica do consumo de tabaco, do fumo: *Queria livrar-se do tabagismo.* **3** *Med.* Intoxicação causada pela ingestão excessiva de tabaco; NICOTINISMO: *O médico diagnosticou um caso grave de tabagismo.* [F.: Do fr. *tabagisme.* Sin. ger. p.us.: *tabaquismo.*] ∎ **~ passivo** Inalação da fumaça de cigarros, charutos etc. fumados por outrem

tabagista (ta.ba.*gis*.ta) *a2g.* **1** Que diz respeito ao tabagismo **2** Diz-se de pessoa que abusa do tabaco *P. us.;* TABAQUISTA *s2g.* **3** Pessoa tabagista *P. us.;* TABAQUISTA: *O tabagista é ignorante ou autodestrutivo?* [F.: *tabag(ismo)* + *-ista.*]

tabagístico (ta.ba.*gís*.ti.co) *a.* Ref. a ou próprio de tabagismo ou tabagista (hábitos tabagísticos) [F.: *tabagista* + *-ico*[2].]

tabaqueação (ta.ba.que.a.*ção*) *sf.* Ação ou resultado de tabaquear [Pl.: *-ções.*] [F.: *tabaquear* + *-ção.*]

tabaqueado (ta.ba.que.*a*.do) *a.* Que tabaqueou: "Cada dia que Deus dava, invariavelmente às oito horas de inverno e sete de verão, escanhoado, almoçado e tabaqueado, sentava-se o Sebastião Freire à carteira..." (José de Alencar, *O Garatuja*)

tabaquear (ta.ba.que.*ar*) *v.* **1** Aspirar o fumo de (cigarro, charuto etc.) [*td.*] [*int.*] **2** Introduzir pitada de (rapé, tabaco) nas narinas [*td.*] [*int.*] **3** *Bras.* Usar mistura que contém tabaco para eliminar do gado carrapatos, bernes [*td.*] [▶ 13 tabaquear] [F.: *tabac(o)* + *-ear*[2].]

tabaqueira (ta.ba.*quei*.ra) *sf.* **1** Recipiente para guardar tabaco (caixa, bolsa, cigarreira etc.) **2** Oficina onde se preparam cigarros, charutos, cigarrilhas etc. [F.: *tabaco* + *-eira.*] ∎ **~ anatômica** *Anat.* Depressão na mão junto à base do polegar, entre tendões, cujo nome se deve a ser o local onde se costumava pôr o rapé para ser inalado

tabaqueiras (ta.ba.*quei*.ras) *Joc. Pop. sfpl.* O nariz; NARINAS; VENTAS [F.: *tabaco* + *-eira* + *-s.*] ∎ **Ir às ~ de** Esbofetear, socar

tabaqueiro (ta.ba.*quei*.ro) *a.* **1** Ref. a tabaco (indústria tabaqueira); TABACAL **2** *Ant.* Diz-se de lenço ordinário us. para enxugar o nariz após aspirar rapé: "O tal mariola também por aqui deixou rasto, disse-me o velho Luciano, assoando-se de raspão a um lenço tabaqueiro – lenço anacrônico na cidadezinha pretensiosa. " (João de Araújo Correia, *Contos Durienses*) *sm.* **3** Operário da indústria de fumo **4** Aquele que tem o vício do tabagismo **5** Estojo para guardar rapé; TABAQUEIRA: "Tem fumo, tem tabaqueiro,/ Tem peixeira e tem boi-zebu, / Caneco, alcoviteiro, peneira/ Boa e mel de urucu..." (Onildo Almeida, *A Feira de Caruaru*) [F.: *tabaco* + *-eiro.*]

tabaquista (ta.ba.*quis*.ta) *a2g.* **1** Diz-se da pessoa viciada em tabaco, como fumante ou cheirador de rapé; RAPEZISTA; TABAGISTA *s2g.* **2** Essa pessoa: "Ah, só, a mò de coisa que ela é tabaquista, e ficou com aquela pintinha preta de rapé na cara..." (Guimarães Rosa, "O Recado do Morro" *in No Urubuquaquá, no Pinhém*) [F.: *tabaco* + *-ista.*]

tabarana (ta.ba.*ra*.na) *sf.* **1** *Bras. Ict.* Peixe teleósteo caraciforme, da fam. dos caracídeos (*Salminus hilarii*), de até 40cm de comprimento, encontrado nas bacias do Araguaia-Tocantins, Prata e São Francisco, de coloração cinza-esverdeada, nadadeiras avermelhadas, faixas escuras longitudinais e duas fileiras de dentes cônicos; DOURADO-BRANCO; JUTUBARANA **2** Facão chato [F.: Do tupi *taiwa'rana.* Tb. *tubarana.*]

tabardilho (ta.bar.*di*.lho) *sm.* **1** *Pat.* Tifo exantemático: "Cavalos mormosos, cabras com perneira, porcos com tabardilho." (Antero de Figueiredo, *Espanha*) **2** *Bot.* Doença das videiras causada pelo fungo *Sphaceloma ampelinum*, que afeta todas as partes verdes da planta; ANTRACNOSE *Bras.;* CARVÃO; NEGRÃO; OLHO DE PASSARINHO; VAROLA [F.: Do espn. *tabardillo*, 'tifo'.]

tabardo (ta.*bar*.do) *sm.* **1** Antigo capote com capuz e mangas compridas: "E os arneses dourados fulgiam no melo das plumas de cores e dos tabardos bordados." (Rebelo da Silva, *Fastos da Igreja*) **2** Antigo casaco feminino **3** Hábito us. pelos donatos da ordem carmelitas [F.: Posv. do fr. ant. *tabart.*]

tabaréu (ta.ba.*réu*) *sm.* **1** *Bras.* Caipira, roceiro **2** *Pej.* Pessoa acanhada, ingênua **3** *Pej.* Soldado bisonho, incompetente **4** *P. ext.* Indivíduo sem capacidade para exercer suas funções [Fem.: *tabaroa.*] [F.: De or. tupi, mas de étimo indeterminado.]

tabasco (ta.*bas*.co) *sm.* Molho de pimentas vermelhas muito picante, com vinagre e condimentos [Nome comercial com letra maiúscula.] [F.: Do top. *Tabasco*, estado do México.]

tabatinga (ta.ba.*tin*.ga) *sf.* **1** *Bras.* Argila mole, branca ou esbranquiçada **2** *P. ext.* Argamassa, feita com essa argila, para caiar e revestir paredes, muros etc. de construções populares **3** *GO* Terra argilosa de cores variegadas [F.: Do tupi *toua'tina.* Var.: *tauatinga, tobatinga.*]

tabatingal (ta.ba.tin.*gal*) *sm.* Terreno onde há muita tabatinga [Pl.: *-gais.*] [F.: *tabatinga* + *-al*[1].]

tabe (*ta*.be) *sf. Med.* Ver *tabes*

tabefe (ta.*be*.fe) *sm.* **1** Bofetada ou pancada leve; SOPAPO: "O cão atirou-se fora. Que alegria! que entusiasmo! que saltos em volta do amo! chega a lamber-lhe a mão de contente, mas Rubião dá-lhe um tabefe, que lhe dói; ele recua um pouco, triste, com a cauda entre as pernas..." (Machado de Assis, *Quincas Borba*) **2** *Cul.* Caldo grosso feito com gemas batidas, açúcar e leite fervido **3** Soro de leite coalhado para fazer queijos [F.: Do ár. *tabih*, 'cozido'.]

tabela (ta.*be*.la) *sf.* **1** Quadro em que se registram nomes de pessoas ou coisas **2** Lista com horário de trabalho ou de serviço **3** Relação de preços de produtos **4** *Esp.* Relação de jogos de um campeonato ou torneio com as datas de sua realização **5** *Art. gr.* Qualquer quadro constituído de linhas e colunas em que se acham inscritos nomes ou algarismos **6** *Basq.* Placa de vidro ou madeira em que se fixa a cesta **7** *Fut.* Troca rápida de passes entre dois ou mais jogadores **8** Quadro que contém arames distendidos em linhas horizontais, por onde deslizam sólidas bolinhas que marcam os pontos obtidos pelos jogadores, em jogos como bilhar, sinuca etc. **9** Bordo interno, relativamente macio, das mesas de bilhar e sinuca, nos quais as bolas do jogo batem e rebatem **10** *P. ext.* Em sinuca e bilhar, jogada em que se usa essa tabela para jogadas calculadas e de efeito: *O jogador fez uma linda tabela.* **11** Registro em que constam cálculos antecipadamente feitos, para indicar determinados resultados; ÍNDICE [F.: Do lat. *tabella, ae.* Hom./Par.: *tabela* (sf.), *tabela* (fl. de *tabelar*). Ideia de 'tabela': *pinaco-.*] ∎ **~ periódica** *Quím.* Organização dos elementos químicos num quadro de linhas horizontais e colunas verticais, em ordem crescente de seus números atômicos, ficando na mesma linha elementos com mesmo nível energético (períodos) e na mesma coluna elementos com propriedades químicas similares (grupos) **~ price** *Econ. Mat.* Tabela que apresenta, em forma de parcelas iguais ao longo de um certo tempo, as prestações a serem pagas por uma dívida, incluindo o principal, juros e outros encargos que incidem no prazo de financiamento considerado **Cair pelas ~s** **1** Estar muito cansado, ou enfraquecido, ou doente **2** Estar (algo ou alguém, ou situação) em condições difíceis, estar periclitando **Por ~** **1** *Fam.* De forma indireta: *Ao criticar o chefe, criticava por tabela toda a equipe.* **2** Como uma das consequências secundárias, derivadas ou indiretas de algo: *O carro, desgovernado, destruiu a cerca, e por tabela arruinou o jardim.*

tabelaço (ta.be.*la*.ço) *Irôn. sm.* Amplo tabelamento de preços, tarifas, juros etc. [F.: *tabela* + *-aço.*]

tabelado (ta.be.*la*.do) *a.* **1** Que se tabelou **2** Que foi inscrito em tabela (preço tabelado) **3** *Fut.* Em que houve troca de passes: *O gol saiu depois de uma jogada tabelada.* [F.: Part. de *tabelar.*]

tabelamento (ta.be.la.*men*.to) *sm.* **1** Ação ou resultado de tabelar **2** Controle de preços pelo governo: "As tentativas de estabilização de preços pelo seu tabelamento deram sempre, e por toda parte, os mesmos resultados..." (Armando Marques Guedes, *Para uma Nova Economia*) [F.: *tabelar* + *-mento.*]

tabelar[1] (ta.be.*lar*) *v.* **1** Estipular o preço máximo de [*td.*: *O governo tabelou os remédios.*] **2** Fazer a organização de (algo) por meio de uma tabela (5) [*td.*: *Se tabelar os dados, será mais fácil analisá-los.*] **3** *Bras. Fut.* Passar a bola para outro e recebê-la de volta [*tr.* + *com*: *O atacante tabelou com o companheiro antes de chutar.*] [*int.*: *O time precisa tabelar mais.*] [▶ 1 tabelar] [F.: *tabela* + *-ar*[2]. Hom./Par.: *tabela(s)* (fl.), *tabela(s)* (sf. [pl.]).]

tabelar[2] (ta.be.*lar*) *a2g.* **1** Ref. a tabela **2** Que tem forma ou aspecto de tabela [F.: *tabela* + *-ar*[1].]

tabelião (ta.be.li.*ão*) *Jur. sm.* **1** Escrivão público que reconhece assinaturas, autentica documentos, faz escrituras etc.; NOTÁRIO: "O coronel estava pior, fez testamento, descompondo o tabelião, quase tanto como a mim. " (Machado de Assis, *Memórias Póstumas de Brás Cubas*) *a.* **2** Que é característico da linguagem us. nos cartórios e nos documentos notariais (linguagem tabelioa) [Pl.: *-ães.* Fem.: *-oa e ã (este só para o subst.)*] [F.: Do lat. *tabellio, onis.*]

tabelinha (ta.be.*li*.nha) *sf.* **1** Pequena tabela *sf.* **2** *Fut.* Troca de passes curtos e rápidos entre dois jogadores, de modo a confundir os marcadores adversários; TABELA **3** *Ginec.* Método contraceptivo que consiste em abstinência durante os períodos férteis segundo tabela previamente preparada para esse fim; TABELA [F.: *tabela* + *-inha.*]

tabelioa (ta.be.li:o.a) [ô] *sf.* Mulher que exerce funções de tabelião ou é sua esposa [Tb. se diz *tabeliã.*] [F.: Fem. de *tabelião.*]

tabelional (ta.be.li.o.*nal*) *a2g.* Ref. a tabelião ou a tabelionato (questões tabelionais; documentos tabelionais), mesmo que *tabelionar* ou *tabelionatário* [Pl.: *-nais.*] [F.: *tabelião* + *-al*[1], segundo o mod. vern.]

tabelionatário (ta.be.li.o.na.*tá*.ri:o) *a.* Rel. a tabelião, mesmo que *tabelional* ou *tabelionar* [F.: *tabelionato* + *-ário.*]

tabelionato (ta.be.li:o.*na*.to) *Jur. sm.* **1** Ofício exercido pelo tabelião **2** Cartório de tabelião [F.: *tabelião* + *-ato*[1], seg. o mod. erudito. Sin. ger.: *tabelionado, tabeliado.*]

tabelionesco (ta.be.li.o.*nes*.co) *Pej. a.* Diz-se do texto rebuscado, semelhante ao da redação tabelional [F.: *tabelião* + *-esco*, segundo o mod. vern.]

taberna (ta.*ber*.na) *sf.* **1** Estabelecimento comercial onde se vendem vinho e outras bebidas alcoólicas **2** Restaurante barato, casa de pasto ordinária **3** *Pej.* Casa suja, sem ordem [F.: Do lat. *taberna, ae.* Sin ger.: *baiuca, bodega, locanda, tasca, tasco.* Tb. *taverna.*]

tabernáculo (ta.ber.*ná*.cu.lo) *sm.* **1** *Rel.* Santuário portátil dos hebreus durante sua peregrinação pelo deserto **2** Parte do templo judaico onde só entravam os sacerdotes **3** *Rel.* Pequeno armário ou caixa com tampa, ger. colocado no meio do altar, us. para guardar as hóstias consagradas; SACRÁRIO **4** Lugar onde se guardam objetos sagrados; SACRÁRIO **5** *P. ext.* Qualquer lugar sagrado **6** *P. ext.* Morada, residência, lar **7** Mesa em que o ourives trabalha e tem seus utensílios; TABULÃO [F.: Do lat. *tabernaculum, i.*]

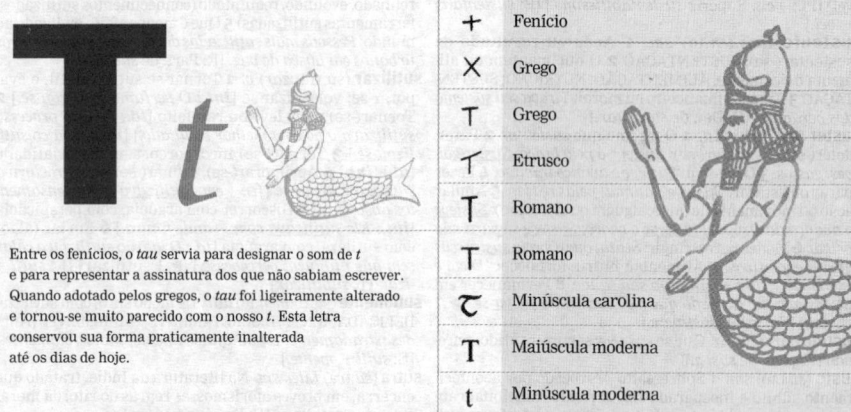

tabernal (ta.ber.*nal*) *a2g.* **1** Ref. a taberna ou a taberneiro; TABERNÁRIO **2** *Pej.* Imundo, sujo [Pl.: *-nais.*] [F.: *taberna + -al*[1].]

taberneiro (ta.ber.*nei*.ro) *a.* **1** Ref. a taberna **2** Que é proprietário ou trabalha numa taberna **3** *Pej.* Que é mal-educado, grosseiro *sm.* **4** Dono de taberna **5** *Pej.* Indivíduo grosseiro [Sin. nas acps. 4 e 5: *bodegão, bodegueiro, locandeiro, tascante, tasqueiro.*] [F.: Do lat. *tabernarius, ii.* Tb. *taverneiro.*]

tabernoca (ta.ber.*no*.ca) *sf. Pop.* Pequena taberna [F.: *taberna + -oca.* Cf. *tabernola.*]

tabes (*ta*.bes) *sf2n. sf. Med.* Debilitação ou emaciamento progressivo de todo o corpo, ou parte dele, com dores e distúrbios funcionais, devido a lesão na medula espinhal e em troncos nervosos [F.: Do lat. *tabes, is.* Tb. *tabe.*] ■ **~ dorsal** *Neur.* Distúrbio da coordenação motora causado por lesão degenerativa da medula espinhal, sequela da sífilis

tabescente (ta.bes.*cen*.te) *a2g.* **1** Que sofre de tabes **2** Corrupto, podre; TÁBIDO [F.: Do lat. *tabes, entis.*]

tabético (ta.*bé*.ti.co) *a.* Que sofre de tabes; TÁBIDO [F.: *tabe(s) + -ético.*]

tabica (ta.*bi*.ca) *sf.* **1** *Bras.* Haste fina e flexível de planta lenhosa e que se pode usar como chicote **2** *Carp.* Peça que se encaixa na extremidade da madeira, ao serrá-la, para impedir que rache **3** *Carp.* Pequena ripa de espessura regular que se interpõe entre madeiras postas para secar ou impregnar **4** *Náut.* A última peça da borda do navio, que cobre o topo das aposturas **5** *Fig.* Pessoa muito magra *Bras. Pop.;* VARAPAU *a.* **6** *N. E.* Diz-se do pão francês de formato alongado *SP;* BENGALA *RJ;* BISNAGA [F.: Do ár. *tatbiqâ.*]

tabicada (ta.bi.*ca*.da) *Bras. sf.* Golpe de tabica; CIPOADA [F.: *tabica + -ada.*]

tabidez (ta.bi.*dez*) [ê] *sf.* Estado ou condição de tábido [F.: *tábido + -ez.*]

tábido (*tá*.bi.do) *a.* **1** Em estado de putrefação; CORRUPTO; PODRE: "...vi corpos seminus e tábidas caveiras suspensas sobre o ar como vermelhos frutos." (Guerra Junqueiro, *A Morte de D. João*); "Quando me avistei com eles na mesma zona, senti-me corrompido, escorria-me do coração o pus tábido das chagas; ..." (Camilo Castelo Branco, *Coração, Cabeça e Estômago*) **2** Em que há podridão: "Os tábidos sepulcros..." (Almeida Garrett, *Lírica de João Mínimo*) **3** Que sofre de tabe; TABESCENTE *sm.* **4** Indivíduo que sofre de tabe [F.: Do lat. *tabidus, a, um.*]

tabífico (ta.*bí*.fi.co) *a.* **1** Que faz apodrecer **2** Que corrompe **3** Que pode causar tabes [F.: Do lat. *tabe- + -i- + -fico.*]

tabique (ta.*bi*.que) *sm.* **1** Parede fina, ger. de madeira, que separa cômodos ou ambientes **2** O mesmo que *taipa* **3** Tijolo que serve para calçar o telhado **4** *Anat.* Membrana que divide uma cavidade; SEPTO [F.: Do ár. *taxbîk.* Hom./Par.: *tabique* (sm.), *tabique* (fl. de *tabicar*).]

tabla[1] (*ta*.bla) *sf.* **1** Chapa, lâmina, placa *a.* **2** Diz-se do diamante chato e lapidado [F.: Do lat. *tabula, ae.*]

tabla[2] (*ta*.bla) *sm. Mús.* Espécie de tambor de or. bengali, que se toca aos pares, com as mãos [F.: Do ár. *tabi* 'espécie de tambor', pelo hindu *tabla.*]

tablado (ta.*bla*.do) *sm.* **1** Estrutura de madeira sobre a qual se apresentam espetáculos (como peças de teatro, de dança e de música), discursos etc.; PALCO **2** Qualquer estrado de madeira **3** Palanque construído em local aberto para um ato público qualquer **4** Estrado feito de tábuas **5** A parte mais elevada e plana de um lugar **6** *RS* Assoalho de pontes; TABUADO [F.: Do lat. *tabulátum, i.* Hom./Par.: *tablado* (sm.), *tablada* (sf.).]

tablatura (ta.bla.*tu*.ra) *Ant. Mús. sf.* Sistema de notação us. na Idade Média e no Renascimento, aplicável sobretudo aos instrumentos de corda, que indica por certo número de linhas igual ao das cordas o nome dos dedos que o tocador deve apoiar entre os tastos; TAVOLATURA [F.: Do fr. *tablature.*] ■ **~ de alaúde** *Mús.* Indicação gráfica da posição dos dedos da mão esquerda (aqueles que pressionam as cordas do alaúde, do violão e outros instrumentos semelhantes), com figuras que representam o braço do instrumento, e números, letras ou outros sinais para indicar os dedos e os acordes convencionais

⊕ ***tablet*** (*Ing. /táblet/*) *sm.* Dispositivo eletrônico portátil, com tela sensível ao toque, capaz de se conectar à internet, arquivar e processar programas (editores de texto, planilhas etc.) e arquivos (imagem, som etc.)

tablete (ta.*ble*.te) *sm. Bras.* Produto alimentar ou medicinal sólido, em forma de pequena placa ger. retangular (tablete de chocolate; tablete de vitamina) [F.: Do fr. *tablette.*]

tablita (ta.*bli*.ta) *Bras. Econ. sf.* Tabela de conversão para pagamento de dívidas ou obrigações contraídas antes do Plano Cruzado, quando a inflação era muito elevada, e que expurgava a inflação projetada durante o congelamento de preços que se seguiu [F.: *tabla + -ita*[1].]

tabloide (ta.*bloi*.de) *a2g.* **1** *Bras.* Que tem forma de pastilha **2** *Jorn.* Diz-se de jornal de tamanho menor que o jornal padrão, ger. dedicado a assuntos restritos (esporte, política, humor, vida dos bairros etc.) e às vezes de tendências sensacionalistas *sm.* **3** Esse jornal: *Comprou um tabloide de esportes pela manhã.* [F.: Do ing. *tabloid.*]

tabloidização (ta.bloi.di.za.*ção*) *sf. Jorn.* Tendência observada a partir do séc. XXI nos meios de comunicação de massa, de minimizar os temas políticos e econômicos e voltar-se para o entretenimento, a exploração sensacionalista de escândalos, matérias sobre estilo de vida ou entrevistas com celebridades reais ou momentâneas, de modo muitas vezes frívolo e grosseiro [Pl.: *-ções.*] [F.: Do ing. *tabloidization.*]

taboa (ta.*bo*.a) *sf.* Ver *tabua*

taboca (ta.*bo*.ca) [ó] *sf.* **1** *Bras. Bot.* Taquara **2** *N. E.* Vara de bambu com a qual se estende a rede sobre os ombros, para transportar pessoas **3** *N. E. P. ext.* Vara de bambu us. em pescaria **4** *N. E. Pirot.* Gomo de bambu que se enche de pólvora para ser us. como foguete caseiro; PISTOLÃO **5** *BA Cul.* Biscoito fino e doce, de forma cilíndrica ou cônica **6** *Ent.* Inseto himenóptero (*Camponotus abdominalis*), formicídeo, de ampla distribuição no Brasil **7** *BA* Obreia feita com açúcar, em forma de cone **8** *BA* Pequeno bazar ou mercearia onde se vendem quinquilharias [F.: Do tupi *ta'uoka.*] ■ **Dar ~ (em)** *Bras. Pop.* Lograr, ludibriar (alguém), para levar vantagem **Levar ~** **1** *Bras. Gír.* Receber um não como resposta ao convidar alguém para dançar **2** Receber recusa de um pedido de casamento **3** Ser logrado, passado para trás **Passar ~** **1** *Bras. Gír.* Desmanchar noivado para casar com outra pessoa **2** Recusar convite para dançar **3** Rejeitar pedido de casamento

tabocal (ta.bo.*cal*) *sf.* Terreno com grande número de tabocas; TAQUARAL [Pl.: *-cais.*] [F.: *taboca + -al*[1].]

taboquear (ta.bo.que.*ar*) *Bras. v.* **1** Passar a taboca em (alguém); LUDIBRIAR; ENGANAR [*td.*] **2** Causar decepção a [*td.: Taboqueou os torcedores.*] **3** Provocar sentimento de decepção amorosa em [*td.: Taboqueou a mulher, cortejando-lhe a amiga.*] **4** Vender por alto preço [*int.*] (▶ 13 taboquear) [F.: *taboca + -ear*[2].]

taboqueiro (ta.bo.*quei*.ro) *a.* **1** *Bras.* Que vende muito caro; CAREIRO **2** Que não paga dívidas; CALOTEIRO *sm.* **3** *BA* Dono de taboca (8) *Bras. Pop.;* BODEGUEIRO; VENDEIRO **4** *BA* Aquele que faz ou vende taboca (5) [F.: *taboca + -eiro.*]

taboquinha (ta.bo.*qui*.nha) *sf.* **1** Pequena taboca **2** *Bot.* Planta forrageira de até 7m, da fam. das gramíneas (*Lasiacis sorghoidea*), nativa da Amazônia e tb. us. na confecção de esteiras, cestos etc.; CANA-DE-PASSARINHO; CAPIMGORDO [F.: *taboca + -inha.* Sin. ger.: *taquarinha.*]

tabu (ta.*bu*) *a2g.* **1** Que tem caráter sagrado **2** Que é proibido: *Sexo já foi assunto tabu.* **3** Que não pode ser feito ou pronunciado por ferir o pudor, a moral, os costumes *sm.* **4** *Antr.* Entre certos povos, proibição ger. de inspiração religiosa, de atos ou comportamentos considerados impuros, danosos etc., e que, quando praticados, podem resultar em castigos de origem sobrenatural **5** Forte restrição a certos tipos de comportamento ou expressão: *Era uma sociedade repressora, cheia de tabus.* **6** O objeto dessas restrições (p. ex.: o homossexualismo) **7** Proibição de tocar numa pessoa, animal ou coisa por temor do sobrenatural **8** Escrúpulo que não se justifica, que não tem fundamento que o legitime **9** *Bot.* Tabua [F.: Do ing. *taboo,* deriv. do tongá *ta'bu.*]

tabua (ta.*bu*.a) *sf. Bot.* Nome comum a ervas do gên. *Typha,* da fam. das tifáceas, que se encontram em brejos e rios, como *Typha dominguensis,* natural da Ásia e disseminada por quase todo o mundo e da qual se extraem fibras e celuloses muito apreciadas por sua qualidade; TABU [F.: De or. obsc. Hom./Par.: *tabua* (sf.), *tábua* (sf.) e *Tábua* (top.). Tb. *taboa.*]

tábua (*tá*.bu:a) *sf.* **1** *Carp.* Peça de madeira plana, de largura variável **2** *P. ext.* Qualquer placa, seja de madeira ou de outro material **3** Peça plana de madeira us. em cozinha como acessório para preparo de ingredientes culinários, servindo de base para se cortar carnes, legumes etc. **4** Mesa de refeições ou de jogo **5** Quadro de consultas de dados; CATÁLOGO; TABELA **6** Quadro, tela **7** *Anat.* Camada interna ou externa do osso craniano, cada uma delas composta de tecido ósseo e separadas por tecido esponjoso **8** *Mat.* Quadro de números racionalmente ordenados que permite a obtenção do valor numérico de um resultado que se deseja, como, p. ex., a tábua de multiplicar **9** Mapa, estampa **10** *Bras.* Recusa a pedido de casamento **11** Logro, engano **12** Tronco feminino com seios pouco desenvolvidos **13** *Bras. Ict.* Peixe teleósteo, perciforme (*Oligoplites saurus*), presente no litoral atlântico da América do Norte e da América do Sul; tb. *guaivira* [Dim.: *tabuinha, tabuleta.* tabuado, tabuame.] [F.: Do lat. *tabùla, ae.* Hom./Par.: *tábua* (sf.), *tabua* (sf.).] ■ **Dar ~** **1** *Fig. Pop.* Ludibriar (alguém), lograr. **2** Rejeitar pedido de casamento **3** Recusar convite para dançar **Fazer ~ rasa (de)** **1** Desfazer (algo) para começar novamente do zero **2** Desconsiderar algo ou alguém inteiramente; ignorar (ou agir como se se ignorasse) a existência de algo ou alguém; cancelar ou anular a ação, os efeitos ou influência de algo ou alguém: *Fez tábua rasa dos conselhos do amigo.* **Levar ~** **1** *Bras. Pop.* Ser rejeitado, ou ter pedido rejeitado **2** Ser logrado, enganado **3** *Lus.* Ser expulso com desonra **Na ~ das ventas** *Bras. Pop.* Na presença de, nas fuças de **Ser uma ~** *Bras. Depr. Joc.* Não ter seios ou nádegas desenvolvidos **~ corrida** *Arq.* Material us. em pisos, feito de tábuas de madeira longas **~ de bater roupa** *N.E. Depr. Pop.* Mulher com seios muito pouco desenvolvidos **~ de frios** Fatias ou pedaços de vários tipos de frios (presunto, patê etc.), servidos na tábua em que foram cortados, ou em bandeja **~ de queijos** Pedaços de vários tipos de queijo, servidos sobre a tábua em que foram cortados **~ de logaritmos** *Mat.* Quadro que exibe os logaritmos dos números numa certa base **~ de matéria** Sumário **~ de Pitágoras** *Mat.* Quadro de linhas e colunas com o resultado da multiplicação de dois algarismos de um a nove, em qualquer ordem de fatores **~ de ressonância** *Mús.* Aquela que, nos pianos, amplia a ressonância dos sons da cordas **~ de salvação** O último recurso para salvar situação aflitiva (esp. quando tem êxito): *Aquele empréstimo foi sua tábua de salvação.* **~ rasa** **1** Superfície plana preparada para nela se escrever, desenhar etc. **2** Tela, madeira etc. antes de receber as tintas de uma pintura **3** *Fig. Pop.* Pessoa que, por não ter conhecimentos sobre certo assunto, precisa ser instruída desde o início **~s da Lei** *Hist. Rel.* As duas peças de pedra nas quais, segundo a Bíblia, Moisés apresentou aos hebreus os Dez Mandamentos ditados por Deus

tabuada (ta.bu:*a*.da) *sf.* **1** Tabela que contém as operações aritméticas elementares (entre números de um a dez): "E, desde o começo do segundo ano, ele me determinou de ajudar no corrido da instrução, eu explicava aos meninos menores as letras e a tabuada." (João Guimarães Rosa, *Grande Sertão: Veredas*) **2** Livro que contém essa tabela: *Estudava na tabuada do irmão.* **3** Índice de livro **4** Compilação, repertório, série **5** Golpe que se desfecha com tábua [F.: *tábua + -ada*[1].]

tabuado (ta.bu:*a*.do) *sm.* **1** Conjunto de peças de madeira colocadas lado a lado, para formar, p. ex., um assoalho ou um revestimento de parede **2** Porção de tábuas; TABULADO [F.: Do lat. *tabulatu.* Sin. ger.: *tabuame.*]

tabuão (ta.bu.*ão*) *sm.* **1** Tábua grande e grossa; PRANCHA **2** Estiva, ponte de madeira bruta us. para travessia sobre pequenos cursos de água ou terrenos encharcados: "Os iberos serviram-se de odres, de escudos embricados em escudos, de tabuões, e passaram assim com suas armas, o que foi muito admirado." (Aquilino Ribeiro, *Avós dos Nossos Avós*) [Pl.: *-ões.*] [F.: *tábua + -ão.*]

◎ **tabul-** *el. comp.* Ocorre em numerosos vocábulos: *tabulador, tabuleiro, tabuleta, tabuado, tabuão, tabulário etc.* [F.: Do lat. *tabula, ae,* 'tábua, mesa'.]

tábula (*tá*.bu.la) *sf.* **1** Pequena peça redonda us. em certos jogos de tabuleiro (tábula de gamão); PEDRA **2** *Bibl. Hist.* Placa encerada us. pelos antigos romanos para nela escrever; CÓDICE **3** *Ant.* Mesa; PRANCHA; TABUÃO **4** *Antq.* Na Roma antiga, placa de madeira, marfim ou metal, revestida de cera para nela escrever com um estilo [F.: Do lat. *tabula, ae.* Hom./Par.: *tábula* (sf), *tabula* (fl. de *tabular*).] ■ **~ rasa** *Fil.* No empirismo mais radical, o estado de absoluto vazio mental anterior a toda experiência **Fazer ~ rasa de** Ver *Fazer tábua rasa (de)* no verbete *tábua.*

tábula (*tá*.bu.la) *sf.* **1** Pequena peça redonda us. em certos jogos de tabuleiro (tábula de gamão); PEDRA **2** *Bibl. Hist.* Placa encerada us. pelos antigos romanos para nela escrever; CÓDICE [Conforme o número de unidades usadas, compunham os chamados díptico, tríptico, pentáptico, políptico] **3** *Ant.* Mesa [F.: Do lat. *tabula, ae,* 'tábua, mesa'. Muito us. a var. *távola.* Hom./Par.: *tábula* (sf.), *tabula* (fl. de *tabular*).]

tabulação (ta.bu.la.*ção*) *sf.* Ação ou resultado de tabular [Pl.: *-ções.*] [F.: *tabular*[2] + *-ção.*]

tabulado (ta.bu.*la*.do) *sm.* **1** O mesmo que *tabuado* **2** Palanque, tablado [F.: Do lat. *tabulatum, i.*]

tabulador (ta.bu.la.*dor*) [ô] *a.* **1** Diz-se de mecanismo que, em máquinas de escrever, permite tabular automaticamente o texto que está sendo escrito *sm.* **2** Tecla que faz funcionar esse mecanismo **3** *Inf.* Nos computadores, a tecla que permite passar de um campo a outro na mesma interface, sem usar o *mouse,* ou possibilita fazer alinhamento, tabulações etc. [F.: *tabulad(o) + -or.*]

tabular[1] (ta.bu.*lar*) *a2g.* **1** Ref. a tábua, ou a tabela **2** Que tem forma de tábua, ou de tabela [F.: Do lat. *tabularis.*]

tabular[2] (ta.bu.*lar*) *v.td.* **1** Dar forma de tabela a (informações, dados) **2** Em máquina de escrever, marcar (texto) com pontos de referência de início ou parada de texto, usando o tabulador **3** *Inf.* Em computador, marcar (texto) com pontos de início ou fim de linha, usando a tecla *tab* [F.: Do ing. *tabulate.*]

tabule (ta.bu.*le*) *sm. Cul.* Iguaria árabe feita com trigo-sarraceno, cebola, hortelã, tomate, pepino, azeite e outros condimentos [F.: Do ár. sírio-libanês *tabbula.*]

tabuleiro (ta.bu.*lei*.ro) *sm.* **1** Recipiente retangular e raso us. para assar alimentos no forno; ASSADEIRA **2** Quadro subdividido em 64 quadrados iguais, onde se jogam xadrez, damas etc. **3** Espécie de mesa ou bancada us. para colocar roupas, comidas e ger. us. por feirantes para expor seus produtos: "...escutava com atenção ao Brás, ajoelhado ao outro lado do balaio, na esteira de tábua, que servia de tapete, ou antes de tabuleiro para a roupa já consertada, a fim de não misturar-se com a outra da cesta." (José de Alencar, *Til*) **4** Parte plana que fica no alto da escada; PATAMAR **5** Terreno de limites bem-definidos em que se plantam flores e hortaliças; CANTEIRO; TALHÃO **6** *AM* Ninho de tartarugas **7** Parte em que está assentado o teclado do piano **8** A parte traseira dos caminhões em que se coloca a carga **9** *Bras.* Planalto pouco elevado e de vegetação rasteira **10** *Bras.* Banco de areia que se forma no meio da corrente e é descoberto pela água durante a vazante **11** *N. E.* Terreno que apresenta poucas árvores e quantidade muito pequena de arbustos **12** Soalho de carros, carroças etc. **13** Parte plana em torno de um edifício **14** Parte de ponte e viaduto que se apoia nas colunas ou arcos e que sustenta a superestrutura das estradas **15** Canteiro entre dois regos, por onde corre a água; LEIRA **16** *MG* Planalto de nível irregular em que se encontram escarpas abruptas **17** Compartimento nas salinas; TALHO [F.: *tabul- + -eiro.*]

tabuleta (ta.bu.*le*.ta) [ê] *sf.* **1** Pequena tábua **2** Placa em que se escrevem anúncios, avisos etc., ger. colocada em locais de fácil visibilidade: "Nos dois cantos viam-se as rimas de autos velhos, que o moço pedira aos escrivães a pretexto de estudar certas questões; mas realmente para dar à sua banca o aspecto forense. Esses cartapácios faziam as vezes de uma tabuleta." (Euclides da Cunha, *Os Sertões*) **3** Letreiro que enumera os horários de chegada e saída de veículos coletivos **4** Mostrador em que se exibem artefatos, amostras, diversos objetos **5** *Fig.* Indicador, sinal **6** *Fig.* O rosto, a fisionomia **7** *RS* Pedaço de tábua que se pendura no focinho do bezerro para impedi-lo de mamar; DESTELADEIRA [F.: *tabul-* + *-eta*.]

tabulista (ta.bu.*lis*.ta) *a2g.* **1** Diz-se de pessoa que fabrica tábuas (5) geométricas, astronômicas, logarítmicas etc. *s2g.* **2** Essa pessoa [F.: *tábula* + *-ista*.]

taca[1] (*ta*.ca) *sf.* **1** *N. E.* Correia de couro; CHICOTE; MANGUAL; MANJOLA; RELHO: "O capitão está parado na porta do quarto, pendente do pulso no braço direito a larga taca de couro cru..." (Jorge Amado, *Teresa Batista Cansada de Guerra*) **2** *Ant.* Cacete com alça para prender no pulso, us. para castigar escravos ou animais **3** Pancada, bordoada, lambada [F.: De or. contrv. Hom./Par.: *taca* (sf.), *taca* (fl. de *tacar*).] **⁂ Meter a ~ em** *Bras. Fam.* Falar muito mal de; criticar fortemente; meter o pau em

taca[2] (*ta*.ca) *sf. Bot.* Denominação geral das plantas do gên. *Tacca*, da fam. das tacáceas, que reúne dez espécies herbáceas, tropicais e rizomatosas ou tuberosas [F.: Do malaio *takah*; do lat. cient. gên. *Tacca*. Hom./Par.: *taca* (sf.), *taca* (fl. de *tacar*).]

taça (*ta*.ça) *sf.* **1** Copo provido de pé, us. para beber champanhe, vinho etc. **2** O conteúdo desse recipiente; TAÇADA: *Tomou uma taça de vinho.* **3** Troféu quase sempre de metal, dourado ou prateado, com formato de uma grande taça de beber, ger. us. para premiar vencedores em competições esportivas; COPA **4** Qualquer copo **5** Guarda da mão em espada e similares; COPO **6** *Fig.* Fonte de bens ou de males [F.: Do ár. *tasa*. Ideia de 'taça': *ciat(o)-* e *cif(i/o)-*.]

tacaca (ta.ca.*ca*) **1** *Zool.* Ver *gambá* (denominação comum) *sf.* **2** *Zool.* Ver jaritataca (*Conepatus semistriatus*) **3** *P. ext.* Suor humano fétido *Bras. Pej.*; BODUM; CATINGA *Bras. Pej.*; INHACA [F.: Aférese de *maritacaca*. Hom./Par.: *tacaca* (sf.), *tacacá* (sm.).]

tacacá (ta.ca.*cá*) *sm. AM PA Cul.* Mingau feito da goma da mandioca, temperado com tucupi, camarão, alho, sal, pimenta etc. [F.: De or. contrv. Hom./Par.: *tacacá* (sm.), *tacaca* (sf.).]

tacada (ta.*ca*.da) *sf.* **1** Golpe desferido com taco **2** Golpe que se dá na bola com o taco, no jogo de bilhar, sinuca, golfe etc. **3** Agressão física; PANCADA **4** Pedido de dinheiro emprestado ou dado; FACADA **5** *Pop.* Grande lucro: *Num só negócio, deu uma tacada de dois milhões.* **6** *Pop.* Golpe de sorte, ger. inesperado, envolvendo significativa soma de dinheiro: *Deu uma tacada nas corridas.* [F.: *taco* + *-ada*[2].] **⁂ ~ de cego** *N. E.* Pancada forte **De (uma) (só) ~** *Bras.* Com um só movimento, esforço ou ação; sem interrupção da ação, sem necessidade de reinício, de nova tentativa ou de realização de outra atividade ou tarefa; de modo rápido ou eficiente; de uma só vez; duma assentada [Us. para dar ideia de que algo é feito do início ao fim, ou de que há menos de um resultado é obtido. *Resolveu o problema de uma (só) tacada; De uma tacada, preservou sua reputação e desmoralizou o adversário.*]

tacanharia (ta.ca.nha.*ri*.a) *P. us. sf.* Qualidade de tacanho; TACANHARIA; TACANHICE [F.: *tacanho* + *-ria*.]

tacanhez (ta.ca.*nhez*) [ê] *sf.* Qualidade ou procedimento de tacanho *P. us.* TACANHARIA; TACANHICE: "Não compreendia (tacanhez de espírito embora) como pudesse instruir-se na prática indispensável da vida social uma criatura educada a toques de sineta, ..." (Adolfo Caminha, *A normalista*) [F.: *tacanho* + *-ez*. Tb. *tacanheza*.]

tacanheza (ta.ca.*nhe*.za) [ê] *sf.* O mesmo que *tacanhez*: "E a odisseia dos navegadores, dos desbravadores de África e colonizadores do Brasil, em vez de tacanheza não traduz um arrojo e alento desproporcionados?" (Aquilino Ribeiro, *Os avós dos nossos avós*) [F.: *tacanho* + *-eza*.]

tacanhice (ta.ca.*nhi*.ce) *P. us. sf.* Atitude ou comportamento próprio de tacanho; TACANHEZ; TACANHARIA [F.: *tacanho* + *-ice*.]

tacanhismo (ta.ca.*nhis*.mo) *P. us. sm.* **1** Característica de *tacanho*; TACANHARIA; TACANHEZ; TACANHICE [+ *de, em, para com*: *tacanhismo de ideias; tacanhismo na mesada do filho; tacanhismo para com os empregados.*] **2** Mesquinhez, pobreza de espírito [F.: *tacanho* + *-ismo*.]

tacanho (ta.*ca*.nho) *a.* **1** De pequena estatura; BAIXO **2** Que se caracteriza pela mesquinhez; AVARO; MESQUINHO **3** *Pop.* Sem importância; INSIGNIFICANTE **4** *Bras. Pop.* Que revela mentalidade estreita; ESTÚPIDO; INHENHO **5** Que é astucioso, manhoso; ASTUTO; VELHACO **6** *Fig.* Que não tem riqueza material; PARCO; POBRE [F.: Do hebr. *taqanáh*, posv.]

tacão (ta.*cão*) *sm.* **1** Salto de sapato **2** Pedaço de madeira, sola, cortiça, que se emprega em sua fabricação **3** *Antq.* Rolha de garrafão **4** *Teat.* Batida de pés no chão em sinal de desagrado, desaprovação; PATEADA **5** *Fig.* Domínio ou autoridade tirânica: *Conhecera o tacão da ditadura.* [Pl.: *-cões*.] [F.: Do it. *taccone*, posv.]

tacape (ta.*ca*.pe) *sm.* Espécie de clava us. como arma, ger. por indígenas americanos; BORDUNA; ACANGAPEMA; IVIRAPEMA; TANGAPEMA: "Pondo em vaso d' argila cuidoso Arco e frecha e tacape a teus pés!" (Gonçalves Dias, *I-Juca Pirama*) [Aum.: *tacapaço*.] [F.: Do tupi *taca'pe*.]

tacar[1] (ta.*car*) *Bras. v.* **1** *Pop.* Dar golpe com o taco (em jogos de bilhar, sinuca, golfe etc.) [*td.*: *Tacava as bolas e quase sempre acertava.*] **2** *Pop.* Rebater com o taco (1) [*td.*: *Meu irmão era sempre o primeiro a tacar a bola no jogo de beisebol.*] [*int.*: *O que mais gostava de fazer no jogo era tacar.*] **3** *Ant.* Colocar taco ('rolha') em; ROLHAR [*td.*: *tacar uma garrafa de cerveja.*] **4** *Bras. Pop.* Bater (com algo) em (algo ou alguém) [*tdr.* + *em*: *Taquei a mão no menino rebelde; Irritada com as malcriações do filho, tacou-lhe a mão.*] [*tda.*: *Taquei o copo na parede.*] [▶ **11 tacar**] [F.: *taco* + *-ar*[2]. Hom./Par.: *taca(s)* (fl.), *taca(s)* (sf. [pl.]); *taco* (fl.), *taco* (sm.).]

tacar[2] (ta.*car*) *Bras. Pop. v.* **1** Lançar (alguma coisa) a distância [*td.*: *Tacou a pedra bem alto.*] [*tdi.* + *em*: *Tacou o tijolo no patrão.*] **2** Provocar incêndio em [*tdr.* + *em*: *Tacaram fogo no prédio.*] **3** Atirar, disparar [*tdi.* + *em*: *Os malfeitores tacaram bala no empresário.*] [▶ **11 tacar**] [F.: Red. afer. de *atacar*.]

tacar[3] (ta.*car*) *v. td.* **1** Bater com taca, correia em **2** Maltratar, surrar [▶ **1 tacar**] [F.: *tac(a)*[1] + *-ar*[2].]

tacha[1] (*ta*.cha) *sf.* Pequeno prego de cabeça chata para fixar peças de tecido, couro etc.; TACHINHA [F.: Do espn. *tacha*, posv. Hom./Par.: *tacha* (sf.), *tacha* (fl. de tachar) e *taxa* (fl. de *taxar* e sf.).]

tacha[2] (*ta*.cha) *sf.* **1** Mancha, nódoa **2** *Fig.* Defeito de caráter; MÁCULA [F.: Do fr. *tache*. Hom./Par.: *tacha* (sf.), *tacha* (fl. de *tachar*) e *taxa* (fl. de *taxar* e sf.).] **⁂ Pôr ~** Atribuir defeito, culpa, falha de caráter ou de personalidade etc.

tacha[3] (*ta*.cha) *sf. Bras.* Tacho grande us. nos engenhos de açúcar [F.: De *tacho*.]

tachã (ta.*chã*) *Bras. Ornit. sf.* Ave anseriforme da fam. dos anhimídeos (*Chauna torquata*), encontrada no centro-oeste até o sul do Brasil e da Argentina ao Paraguai, de plumagem cinzenta com partes inferiores brancas, faixas branca e preta no pescoço, margem vermelha em torno do bico e dos olhos e pequena poupa; ANHUMAPOCA; TAJÁ; XAIÁ [Pl.: *-chãs*.] [F.: De or. onom.]

tachão (ta.*chão*) *sm.* **1** Grande tacha (1); TACHONA **2** Grande tacho (1, 2) **3** *Enc.* Prego de cabeça chata us. em encadernações **4** Pequeno bloco de resina bem resistente, de dimensões variáveis, de cor viva e com pontos luminosos para ser visto durante o dia e a noite, us. nas estradas como redutor de velocidade, na demarcação de faixas de rodagem etc. [Pl.: *-chões*.] [F.: *tacha/tacho* + *-ão*[1].]

tachar (ta.*char*) *v.* **1** Qualificar (algo, alguém ou si mesmo) de (atributo negativo) [*tdp.*: *Tacharam seu Alberto de pão-duro.* Cf.: *taxar*.] **2** Criticar (algo, alguém ou si mesmo) censurando; DESAPROVAR [*td.*: *O crítico tachou todas as peças de teatro em cartaz.*] **3** *Art. gr.* Fazer traço sobre (palavra, texto) [*td.*: *Tachou as expressões que sobravam no texto.*] [▶ **1 tachar**] [F.: *tacha*[2] + *-ar*[2]. Hom./Par.: *tachar*, *taxar* (em todas as fl.); *tacha(s)* (fl.), *tacha(s)* (sf. [pl.]), *taxa(s)* (sf. [pl.]); *tacho* (fl.), *tacho* (sm.), *taxo* (sm.); *tacha(s)* (fl.), *tachã(s)* (sm. [pl.]); *tacha(s)* (fl.), *tachã(s)* (sf. [pl.]); *tache(s)* (fl.), *taxe(s)* (sf. [pl.]).]

tacheado (ta.che.*a*.do) *a.* Cravado com tachas(1): *Comprou um blusão de couro tacheado.* [F.: Part. de *tachear*. Forma paral.: *tachado*.]

tachear (ta.che.*ar*) *v. td. Bras.* Fixar tachas (1) ou enfeites metálicos em (para enfeitar ou não): *tachear uma calça jeans; tachear fotos em um mural.* [▶ **13 tachear**] [F.: *tacha*[1] + *-ear*[2].]

tacheiro (ta.*chei*.ro) *N. E. sm.* **1** *Ant.* Ajudante do mestre de açúcar encarregado dos tachos, nos engenhos **2** Indivíduo que faz e/ou vende tachos [F.: *tacho* + *-eiro*.]

tachismo (ta.*chis*.mo) *Art. pl. sm.* Corrente de pintura expressionista abstrata surgida na França na década de 1950 e caracterizada pela aplicação da tinta de modo a formar manchas imprecisas na tela [F.: Do fr. *tachisme*, de *tache* 'mancha'.]

tachista (ta.*chis*.ta) *a2g.* **1** Ref. ao tachismo **2** Que é adepto do tachismo *s2g.* **3** Adepto do tachismo [F.: Do fr. *tachiste*.]

tacho (*ta*.cho) *sm.* **1** Panela grande e redonda, larga e de pouca fundura, com alças, us. ger. para cozinhar maior quantidade de comida **2** *N.E.* Vasilha grande, de cobre ou de ferro, com alças, us. em engenhos para o cozimento da calda da cana-de-açúcar **3** Aquilo que se come; COMIDA **4** *N.E.* Relógio de má qualidade **5** *Bras. Pop.* Piano que produz som de má qualidade, por ser velho ou estar desafinado **6** *Fam.* Cozinheira **7** *Gír.* Ver *dinheiro* (1) **8** *Fig.* Emprego bem-remunerado **9** *Lus. Pop.* A cabeça humana **10** Antiga medida portuguesa equivalente a 25 litros [F.: De or. obsc. Hom./Par.: *tacho* (sm.), *tacho* (fl. de *tachar*) e *taxo* (fl. de *taxar*).] **⁂ ~ areado** *CE Pop.* Pessoa ruiva, avermelhada

tachonado[1] (ta.cho.*na*.do) *a.* **1** Cravado de tachões (1) **2** Preso por tachões [F.: Part. de *tachonar*.]

tachonado[2] (ta.cho.*na*.do) *a.* Que foi manchado ou mesclado [F.: Part. de *tachonar*.]

tachonar (ta.cho.*nar*) *v.* **1** Cravar de tachões ou tachas [*td.*: *Tachonou todo o revestimento de couro.*] **2** Cobrir de manchas ou pintas; MALHAR; MATIZAR; MOSQUEAR; PINTALGAR [*td.*: *Tachonara o tecido como pele de onça.*] **3** *Fig.* Espalhar aqui e ali; distribuir a espaços [*tdr.* + *com, de*: *tachonar o filme de/com cenas de bombardeio.*] [▶ **1 tachonar**] [F.: *tachão* com a f. rad. *tachon-* + *-ar*[2].]

tácito (*tá*.ci.to) *a.* **1** Que se entende sem que seja preciso exprimir por palavras (acordo tácito): "E fizemo-nos amigos para sempre, unificamo-nos em espírito, tornamo-nos moralmente inseparáveis por um tácito consórcio de absoluta confiança um pelo outro..." (Aluísio Azevedo, *Livro de uma Sogra*) **2** Em que não há barulho, rumor; SILENCIOSO **3** Que não se revela; OCULTO; SECRETO [F.: Do lat. *tacitus, a, um*.]

taciturnidade (ta.ci.tur.ni.*da*.de) *sf.* **1** Qualidade de taciturno: "Cruzaram os braços e, abaixando a cabeça, guardaram a mesma taciturnidade. " (Xavier Marques, *Sargento Pedro*) **2** Misantropia, melancolia: "Isso, entretanto, não lhe retirou a taciturnidade e a reserva; ao contrário, fechou-se em si e nunca mais teve crises de alegria." (Lima Barreto, *O homem que Sabia Javanês e Outros Contos*) **3** Hábito de manter-se silencioso; MUTISMO; SILÊNCIO [Ant.: *loquacidade, tagarelice*.] **4** Isolamento, soledade, solidão: *A taciturnidade dos conventos.* [F.: *taciturno* + *-(i)dade*.]

taciturno (ta.ci.*tur*.no) *a.* **1** Que fala pouco; CALADO **2** Que demonstra tristeza, melancolia; SOMBRIO: "Um pesar, um martírio ao mesmo tempo, Do velho pai a moribunda imagem Quase bradar-lhe ouvia: – Ingrato! ingrato! Curvado o colo, taciturno e frio. " (Gonçalves Dias, *I-Juca Pirama*) **3** Que é mal-humorado, grave, carrancudo [F.: Do lat. *taciturnus, a, um*. Ant. ger.: *alegre*.]

◎ **tac(o)-** *el. comp.* = 'velocidade'; 'rapidez': *tacometria; taqueografia, taqueógrafo, taqueometria; taquicardia, taquigrafia.* [F.: Do gr. *tákhos, eos, ous*, 'velocidade, rapidez', do gr. *takhýs, eîa, ý*, 'rápido; 'veloz'.]

taco (*ta*.co) *sm.* **1** Bastão de madeira com que se toca ou rebate a bola em jogos como bilhar, sinuca, polo, beisebol etc., variando seu tamanho e espessura de acordo com cada um desses esportes **2** *Lud.* O jogo de bilhar **3** Jogador de bilhar ou de sinuca: *O rapaz era um bom taco.* **4** Qualquer pedaço de madeira roliço, comprido ou curto **5** *Carp.* Pedaço de madeira curto e retangular us. no revestimento de pisos **6** *Antq.* Bucha que se emprega na lubrificação das bocas de fogo **7** Pedaço de madeira embutido em parede para receber pregos ou parafusos; BUCHA; TARUGO **8** *Grav.* Bloco de madeira que constitui a forma (ô) da xilogravura **9** *RS* Pessoa valente, corajosa **10** *RS* Adversário de respeito **11** *Lus.* Ver *dinheiro* (1) [F.: De or. contrv., posv. onom. Hom./Par.: *taco* (sm.), *taco* (fl. de *tacar*).] **⁂ ~ a ~** *Pop.* Equilibradamente, pau a pau: *O dois times disputam a liderança taco a taco.* **Confiar no (próprio) ~** Ter autoconfiança, ser seguro de si

tacógrafo (ta.*có*.gra.fo) *sm.* Aparelho que serve para registrar a velocidade de um veículo; tacômetro registrador [F.: *tac(o)-* + *-grafo*.]

tacômetro (ta.*cô*.me.tro) *sm.* **1** Instrumento para medir a velocidade, esp. a de rotação de um motor; CONTA-GIROS; CONTA-VOLTAS; TAQUÍMETRO **2** *Cin.* Dispositivo que regula o número de fotogramas registrados por segundo numa câmara [F.: *tac(o)-* + *-metro*.]

táctil (*tác*.til) *a2g.* Ver *tátil*. [Pl.: *-teis*.] [F.: Do lat. *tactile*.]

tactilidade (tac.ti.li.*da*.de) *sf.* **1** Qualidade ou condição de táctil **2** Sensação característica que algo exerce sobre o tato (tactilidade da seda) **3** Capacidade de sentir por meio do tato **4** Capacidade de ser sentido por meio do tato; TATEABILIDADE [F.: *táctil* + *-(i)dade*. Forma paral.: *tatilidade*.]

tactismo (tac.*tis*.mo) *sm.* Ver *tatismo*

tacto (*tac*.to) *sm.* Ver *tato* [F.: Do lat. *tactu, us*, 'toque', 'ação de tocar'.]

tacuru (ta.cu.*ru*) *sm.* **1** *MT S.* O ninho dos cupins; CUPINZEIRO; TERMITEIRO **2** *Bras.* Trempe, formada por três pedras soltas, em que se assenta a panela sobre o fogo; ITACURUBA; TACURUBA [F.: acp. 1: do tupi; acp. 2: apócope de *tacuruba*.]

tadarida (ta.da.*ri*.da) *Zool. sm.* **1** Gênero de mamíferos da ordem dos quirópteros, da fam. dos molossídeos, que reúne oito espécies de morcegos divididos em dois subgêneros, um deles com sete espécies encontradas no Velho Mundo e o outro com uma espécie (*T. braziliensis*) com diversas subespécies amplamente distribuídas pelas Américas **2** Espécie desse gênero [F.: Do lat. cient. *tadarida*.]

◎ **-tade** *suf.* F. assumida pelo suf. nom. *-(i)dade* em vocábulos como: *majestade, metade, tempestade, vontade* etc. [F.: Do lat. *-(i)tas, -(i)tatis*.]

tadjique (tad.*ji*.que) *a2g.* **1** Do Tadjiquistão; típico desse país ou de seu povo **2** Do ou ref. à língua tadjique *s2g.* **3** Pessoa que nasceu ou habita no Tadjiquistão (Centro-Oeste da Ásia) **4** *Gloss.* Língua indo-europeia do ramo iraniano falada no Tadjiquistão e por tadjiques do Uzbequistão, Cazaquistão, Quirguizistão, Turcomenistão e Afeganistão [F.: Do persa *tadjik*.]

⊕ **tae kwon do** (*Cor. /tai cuan dou/*) *sm. Esp.* Luta sem armas, de origem coreana, baseada no caratê e no *kung-fu*

tael (ta.*el*) *sm.* **1** Unidade monetária outrora us. na China, de valor equivalente a seu peso no padrão da prata **2** Na Ásia ocidental, uma das várias unidades de peso, equivalente a cerca de 38 g [F.: Do malaio *tahil*.]

tafetá (ta.fe.*tá*) *sm. Têxt.* Tecido de seda, armado e brilhoso, de trama extremamente fina [F.: Do fr. *taffetas* < persa *taftah*, 'tecido, pano de seda'.]

◎ **tafo-** *el. comp.* = 'funeral'; 'sepultura': *tafofobia, tafófobo* [F.: Do gr. *táphos, ou*.]

tafofobia (ta.fo.fo.*bi*.a) *sf. Psiq.* Medo mórbido de ser enterrado vivo [F.: *tafo-* + *-fobia*.]

tafofóbico (ta.fo.*fó*.bi.co) *Psiq. a.* **1** Ref. a tafofobia **2** Diz-se de indivíduo que sofre de tafofobia; TAFÓFOBO *sm.* **3** Esse indivíduo; TAFÓFOBO [F.: *tafofobia* + *-ico*[2].]

tafófobo (ta.*fó*.fo.bo) *a. sm. Psiq.* O mesmo que *tafofóbico* (2 e 3) [F.: *tafo-* + *-fobo*.]

taful (ta.*ful*) *a.* **1** Que se veste e arruma com exagerado esmero; CASQUILHO; JANOTA; PERALTA; PERALVILHO: "Contava este Diogo que, uma feita, no Rio de Janeiro, saíra num domingo todo taful, de branco, calças bem engomadas, (...), chapéu de palha novo..." (Visconde de Taunay, *Memórias*) **2** Luxuoso, elegante **3** Alegre, festivo **4** Jovial, folgazão: "Pergunto ao luar travesso e tão taful/ De noite a chorar na onda toda azul/ (...) Qual o mistério que há na dor de uma paixão/..." (Catulo da Paixão Cearense, *Ontem ao Luar*) *sm.* **5** Jogador, por ofício ou por vício **6** Aquele que conhece bem seu ofício: "Nuno, valente e guapo borda de água, taful de escaramuças e ciladas. " (Almeida Garrett, *D. Branca*) [Pl.: *-fuis*. Fem.: *tafula, tafuleira* Aum.: *-fulão*] [F.: De or. obsc., posv. do armênio *thaphur* 'abandonado, nu, vagabundo'.]

tafulão (ta.fu.*lão*) *sm.* **1** Sedutor de mulheres; CONQUISTADOR **2** Grande taful [Pl.: *-lões*. Fem.: *tafulona*] [F.: *taful* + *-ão*[1].]

tafularia (ta.fu.la.*ri*.a) *sf.* **1** Vida ou comportamento de taful **2** Qualidade de coisa ou pessoa taful; luxo ou esmero exagerado, ger. de mau gosto: "Mas onde foste tu, belo boêmio excêntrico e aborrecido, descobrir todas essas tafularias do gosto; (...) a esquisitice da tua mobília, (...) e de todo esse luxo em que se atufam os teus aposentos?" (Aluízio Azevedo, *O Coruja*) **3** Coisa taful: "Livrou-se das joias, do chapéu de plumas, das tafularias de gala. " (Paulo Setúbal, *A Marquesa de Santos*) **4** Grupo de tafuis [F.: *taful* + *-aria*.]

tafulhado (ta.fu.*lha*.do) *a.* **1** Que recebeu tafulho; TAPADO; VEDADO *a.* **2** Que se tafulhou (ônibus tafulhados); ABARROTADO; ATULHADO; ENTULHADO [Ant.: *desempachado, esvaziado.*] [F.: Part. de *tafulhar*. Forma paral.: *atafulhado.*]

tafulhar (ta.fu.*lhar*) *v. td.* Ver *atafulhar.* [▶ 1 tafulhar] [Hom./Par.: *tafulho* (fl.), *tafulho* (sm.); *tafulho* (fl.), *tafulo* (a. sm.).]

tafulo (ta.*fu*.lo) *a. sm.* **1** Janota, mesmo que *taful*: "A orla crespa e bem franjada de tafulo vestido. " (Almeida Garrett, *D. Branca*) *sm.* **2** *S. Pop.* Amante, namorado [F.: Ver *taful.*]

tagarela (ta.ga.*re*.la) *a2g.* **1** Que fala muito; que fala sem parar **2** Que faz fofoca, mexerico **3** Que faz ruído constante *s2g.* **4** Pessoa que fala muito ou faz mexericos *sf.* **5** Alvoroço, balbúrdia, gritaria **6** *Bras.* Nos moinhos de fubá, peça que regula a velocidade das mós [Sin. nas acps. 1, 2 e 4: *boca-rota, boquirroto, chocalheiro, falador, grazina. linguaraz, loquaz, palavroso, palrador, taramela, tarameleiro, tramela, verboso.*] [F.: De or. contrv. Hom./Par.: *tagarela* (a2g. s2g. e sf.), *tagarela* (fl. de *tagarelar*).]

tagarelante (ta.ga.re.*lan*.te) *a.* **1** Que tagarela: *As crianças, tagarelantes na rua, silenciaram.* **2** Próprio de tagarela (conversa tagarelante) [F.: *tagarelar* + *-nte.*]

tagarelar (ta.ga.re.*lar*) *v.* **1** Falar em excesso (com alguém), sem assunto específico; PAPAGUEAR [*tr.* + *com*: *Adora tagarelar com a irmã.*] [*int.*: "...ele não para de tagarelar..." (Antônio Callado, *Pedro Mico*)] **2** Ser indiscreto; revelar (segredos); FOFOCAR [*td.*: *Tagarelava todos os segredos de que tomava conhecimento.*] [*tr.* + *de, sobre*: *Tagarelava de todos os amigos; Tagarela sobre tudo o que lhe contam.*] **3** Fazer barulho permanentemente [*int.*: *Ao entardecer, os pássaros tagarelam nas árvores, sem parar.*] [▶ 1 tagarelar] [F.: *tagarela* + *-ar*[2]. Hom./Par.: *tagarela(s)* (fl.), *tagarela(s)* (a2g. s2g. sf. [pl.]).]

tagarelice (ta.ga.re.*li*.ce) *sf.* **1** Hábito de tagarelar: *Adorava uma tagarelice em mesa de bar*: "Fechei os ouvidos à tagarelice do embaixador português..." (Antonio Callado, *Bar Don Juan*) **2** Dito de pouca importância, a que não se deve dar atenção: *Não dê atenção, isso é pura tagarelice.* **3** Conversa longa, esp. para passar o tempo **4** Rumor de conversação: *Ouvia, ao longe, a tagarelice dos vizinhos.* **5** Indiscrição, intrometimento [F.: *tagarela* + *-ice.*]

tagaté (ta.ga.*té*) *Fam. sm.* **1** Afago feito com a mão; CAFUNÉ; CARÍCIA: "Ela acanhava-se de ter os brandos trejeitos e ledos tagatés que sempre usara com ele. " (Aquilino Ribeiro, *Mônica*) **2** *Fig.* Lisonja, galanteio: "O doutor Godinho (na expressão do cirurgião da Câmara) fazia tagatés ao governo civil e ao clero diocesano..." (Eça de Queirós, *O Crime do Padre Amaro*) [F.: De or. incerta.]

tagetes (ta.*ge*.tes) *Bot. sf2n.* **1** Denominação comum às plantas do gên. *Tagetes*, com cerca de 50 espécies, encontradas do México até a América do Sul, herbáceas, de flores alaranjadas, amarelas ou vermelhas, a maioria com odor muito forte, e algumas espécies com propriedades medicinais **2** Espécime desse gênero, como o cravo-de-defunto (*Tagetes patula*) [F.: Do lat. cient. gên. *Tagetes*.]

tágico (*tá*.gi.co) *Poét. a.* Ref. ou pertencente ao Tejo, rio de Portugal; TAGANO; TAGINO [F.: Do lat. *Tagus, i* 'Tejo'.]

tágide (*tá*.gi.de) *sf.* Ninfa do Tejo, rio de Portugal: "E vós, Tágides minhas, pois criado/ Tendes em mim um novo engenho ardente..." (Luís de Camões, *Os Lusíadas*) [F.: Do top. lat. *Tagus* 'Tejo'+ *-ide*. NOTA: vocábulo criado pelo humanista e arqueólogo André de Resende (1500- 1573), e que se firmou na língua por meio de Camões]

taguá (ta.*guá*) *Bras. sf.* **1** Argila amarela, tingida por óxido de ferro, encontrada em terrenos aluvionais; TAUÁ **2** Tinta amarela que se extrai dessa argila **3** *Ornit.* Papagaio de até 35 cm de comprimento (*Amazona festiva*), nativo da região setentrional do Brasil, de plumagem verde, dorso e loro vermelhos, occipício e mancha azuis sobre os olhos; TAUÁ; TAVUÁ *a.* **4** De cor amarela [F.: Do tupi *ta'gwa* 'argila amarela'.]

taguara (ta.*gua*.ra) *Bras. Ict. sm.* Peixe fluvial, teleósteo, caraciforme, da fam. dos anostomídeos (*Schizodon nasutus*) da América do Sul; TIMBORÉ; XIMBURÉ [F.: Do tupi *tawa'ra*.]

tahine (*Ár.* /tarreini/) *Cul. sm.* Pasta espessa feita de sementes de gergelim [F.: Do ár. *tahine* 'gergelim'. Forma paral.: *taíne*.]

tai *s2g.* **1** Pessoa pertencente aos tais, povo originário da China que se estabeleceu na Tailândia, onde é o grupo étnico majoritário, no Laos, em Myanmar, no Vietnã e no sul da China **2** *Gloss.* Família de línguas monossilábicas do grupo tibeto-birmano faladas por esse povo *a2g.* **3** Do ou ref. ao tai (1 e 2) [F.: De or. obsc.]

taiaçuídeo (tai:a.çu.*í*.de:o) *Zool. a.* Ref. aos taiaçuídeos, fam. de mamíferos artiodáctilos, que inclui o caititu e o queixada, não ruminantes, sem cauda, dotados de glândula dorsal que secreta uma substância almiscarada, encontrados desde os Estados Unidos até a Argentina [F.: Do lat. cient. fam. *Tayassuidae*. NOTA: *taiassuídeo* é f. não preferível.]

⊕ ***tai chi chuan*** (*Chi.* /tai chi chuã/) *sm.* Arte marcial de origem chinesa constituída de exercícios físicos relaxantes e meditação [Tb. se diz apenas *tai chi*.]

taieira (tai.*ei*.ra) *SE Folc. Rel. sf.* Dança de origem africana em que um grupo de mulheres sai em cortejo nas festas de Nossa Senhora do Rosário, São Benedito e dia de Reis, em Lagarto, Sergipe: "De Nossa Senhora do Rosário o formoso séquito eram as taieiras. " (Melo Morais Filho, "A procissão de São Benedito no Lagarto" *in Festas e Tradições Populares no Brasil*) [F.: De or. obsc.]

taifa (*tai*.fa) *Mar. sf.* **1** *Bras.* A criadagem de bordo a serviço dos oficiais e da tripulação (auxiliar de cozinheiro, camaroteiro, copeiro etc.) **2** *Bras.* Grupo de taifeiros ou marinheiros **3** *Antq.* Conjunto dos homens que, num navio de guerra, cuidava da defesa da embarcação em caso de abordagem **4** *Hist.* Cada uma das unidades políticas autônomas surgidas na Espanha muçulmana após a fragmentação do califado de Córdova, no séc. XI [F.: Do ár. *ta'ifa*, 'nação', 'grupo de pessoas com a mesma ocupação'.]

taifeiro (ta:i.*fei*.ro) *sm.* **1** *Mar.* Aquele que é encarregado de prestar certos serviços aos oficiais, como servir a mesa, limpar salões etc. **2** *Mar.* Criado de bordo **3** *Antq. Mar.* Qualquer homem que fazia parte da taifa nos navios de guerra [F.: *taifa* + *-eiro*.]

taiga (*tai*.ga) *sf. Geog.* Floresta subártica de coníferas, em que predominam árvores da fam. das pináceas, que se estende do norte da Europa à Ásia e à América Setentrional, entre a região mais fria da tundra e a mais quente, temperada, do sul [F.: Der. de uma língua da fam. turcotártara; do russo *taigá*; do fr. *taïga*.]

tailandense (tai.lan.*den*.se) *s2g.* **1** Aquele ou aquela que nasceu ou que vive em Tailândia (PA) *a2g.* **2** De Tailândia; típico dessa cidade ou de seu povo [F.: Do top. *Tailând(ia)* + *-ense*.]

tailandês (tai.lan.*dês*) *sm.* **1** Pessoa nascida ou que vive na Tailândia (Ásia) **2** *Gloss.* Língua sino-tibetana falada na Tailândia *a.* **3** Da Tailândia; típico desse país ou de seu povo [Pl.: *-deses*. Fem.: *-desa*] [F.: Do top. *Tailândia* + *-ês*.]

⊕ ***tailleur*** (*Fr.* /taiér/) *sm. Vest.* Roupa feminina composta de casaco ajustado na cintura e saia, ger. do mesmo tecido

taíne (ta.*í*.ne) *Cul. sm.* Pasta de gergelim, mesmo que *tahine* [F.: Do ár. *tahine*.]

tainha (ta.*i*.nha) *sf.* **1** *Zool.* Nome comum que se dá a várias espécies de peixes teleósteos do gênero *Mugil*, encontradas no Atlântico; CURIMÃ **2** *Art. gr.* Barra alongada de chumbo que, nas máquinas de composição, serve para reabastecer o crisol [Dim.: *tainhota*.] [F.: Prov. do lat. **tagenia* (**taginia*, por metafonia), deriv. do gr. *tagenías*, 'bom para frigir'.]

tainheiro (ta.i.*nhei*.ro) [a-i] *sm.* **1** Pescador de tainhas **2** Barco para a pesca de tainhas; TAINHEIRA [F.: *tainha* + *-eiro*.]

tainhota (ta.i.*nho*.ta) [a-i, ó] *sf.* **1** Filhote de tainha **2** Denominação comum a três espécies de peixes perciformes, actinopterígios, da fam. dos mugilídeos: *Mugil liza, M. cephalus* e *M. platanus* **3** Nome comum do peixe actinopterígio da fam. dos exocetídeos (*Hirundichthys speculiger*), encontrado em águas tropicais do mundo inteiro, de coloração escura, dorso azul-iridescente, ventre branco-prateado, nadadeiras dorsal e caudal acinzentadas; PEIXE-VOADOR **4** Nome comum do peixe da mesma fam. (*Exocoetus volitans*), encontrado em águas tropicais e subtropicais de todos os oceanos, inclusive no Mediterrâneo, de coloração escura, dorso azul-iridescente, ventre branco-prateado, nadadeiras dorsal e caudal cinza; CAJALEÓ [F.: *tainha* + *-ota*[1].]

taino (*tai*.no) *sm.* **1** *Antr.* Pessoa pertencente aos tainos, povo indígena das Antilhas, hoje extinto **2** *Gloss.* Língua falada por esse povo *a.* **3** Do ou ref. a esse povo ou a essa língua [F.: Do taino *taino* 'homem'.]

taioba (tai.*o*.ba) *sf.* **1** *Bot.* Erva da fam. das aráceas (*Xanthosoma violaceum*), originária das regiões tropicais das Américas, de folhas grandes e sagitadas que, quando picadas e cozidas, servem como verdura e tubérculos tb. comestíveis [Sin.: *arão, aro, bezerro, jarro, pé-de-bezerro, taiá, taiuva, taiova, tajá, talo, tarro*.] **2** *Bras. Bot.* O mesmo que *inhame* (2) **3** *N.E. Tabu.* As nádegas **4** *N* Cadeia, prisão *sm.* **5** *RJ Antq.* Bonde fechado, sem balaústres, us. tb. como bagageiro [F.: Do tupi *taia' owa*.]

taiobal (tai.o.*bal*) *sm.* Terreno com grande abundância de taiobas [F.: *taioba* + *-al*[1].]

taiobeira (tai.o.*bei*.ra) *Bot. sf.* Erva (*Xanthosoma violaceum*) da fam. das aráceas, mesmo que *taioba* (1) [F.: *taioba* + *-eira*.]

taioca (tai.*o*.ca) [ó] *Bras. sf.* **1** *Ent.* Qualquer espécie de formiga da subfam. dos dorilíneos, carnívoras, e que migram aos milhares em correição pelo solo da floresta; FORMIGA-CORREIÇÃO; GUAIÚ; MORUPETECA; SACA-SAIA *s2g.* **2** Mestiço de negro e índia; CAFUZO [F.: Do tupi *ta'oka* 'variedade de formiga'.]

taipa (*tai*.pa) *sf.* **1** Parede de barro aplicado sobre uma espécie de gradeamento feito com lascas de madeira, varas ou taquaras; ESTUQUE; TABIQUE; PAU A PIQUE: "A casa, em que predominava a pesada alvenaria daqueles tempos, estremeceu, não obstante, como se fora de taipa de sebe, desde os fundamentos até ao teto, de cujo estuque se desagregaram partículas calcinadas." (Franklin Távora, *O Matuto*) **2** Esse barro us. como argamassa **3** *Fig.* Aquilo que serve de anteparo ou proteção **4** Pancada, sopapo [F.: De or. duvidosa, posv. do ár. -hisp. *tabyya*. Hom./Par.: *taipa* (sf.), *taipa* (fl. de *taipar*).] **■ ~ de mão** *Bras.* Taipa feita com barro atirado com a mão **~ de pilão** Argamassa de terra preparada em forma [ô] de madeira e socada com pilão **~ de sebe** Pau a pique

taipais (tai.*pais*) *smpl.* **1** Portas ou anteparos removíveis que protegem as vitrines de estabelecimentos comerciais: "Havia no Rossio um quiosque conhecido pelo quiosque do tio Pedro – que pendurava à noite nos taipais uma lanterna com dois vidros de cores." (Raul Brandão, *Memórias*) **2** Anteparos que formam as paredes de carroça ou carroceria [F.: Pl. de *taipal*.]

taipal (tai.*pal*) *sm.* **1** O mesmo que *taipa* **2** *Bras.* Estrutura de paus entrecruzados que serve de suporte para o barro, nas construções de taipa **3** O mesmo que *tapume* **4** *Lus.* Cada uma das tábuas entre as quais se calca o barro na construção de paredes de taipa **5** Tampo traseiro do carroção: "O preto desaferrolha o taipal da traseira, e a terra vai caindo para o barranco. " (Guimarães Rosa, "A Volta do Marido Pródigo" *in Sagarana*) [Pl.: *-pais*.] [F.: *taipa* + *-al*[1].]

taipar (tai.*par*) *v.* **1** Construir (casa, muro) de taipa, fazer taipa [*td.*: *Organizaram um mutirão para taipar as casas.*] [*int.*: *Dançavam amassando o barro para taipar.*] **2** Dividir ou cercar parede, muro de taipa [*td.*: *O vizinho taipou o quintal.*] [▶ 1 taipar] [F.: *taip(a)* + *-ar*[2]. Hom./Par.: *taipa(s)* (sf. e pl), *taipa, taipas* (fl. de *taipar*).]

taipeiro (tai.*pei*.ro) *sm.* **1** Profissional que faz construções de taipa **2** *N. E.* Prato de comidas variadas cheio em demasia *a.* **3** Que faz taipa (mestre taipeiro) [F.: *taipa* + *-eiro*.]

taitiano (ta:i.ti:*a*.no) *sm.* **1** Pessoa nascida ou que vive no Taiti (Polinésia Francesa) **2** *Gloss.* Língua falada no Taiti e nas outras ilhas da Polinésia Francesa *a.* **3** Diz-se dessa língua **4** Do Taiti; típico dessa ilha ou de seu povo [F.: Do top. *Taiti* + *-ano*.]

taiuanês (tai:ua.*nês*) *sm.* **1** Pessoa nascida ou que vive em Taiuan ou Taiwan (Ásia) *a.* **2** De Taiuan ou Taiwan; típico desse país ou de seu povo [Pl.: *-neses*. Fem.: *-nesa*.] [F.: Do top. *Taiwan* + *-ês*. Tb. *taiwanês*.]

taiuiá (tai.ui.*á*) *sf.* **1** Denominação comum a várias plantas da fam. das cucurbitáceas **2** Trepadeira lenhosa da fam. das cucurbitáceas (*Cayaponia tayuya*), nativa da Amazônia, cuja raiz tuberosa tem propriedades medicinais, us. em tratamentos caseiros e na indústria farmacêutica; ABOBRINHA-DO-MATO; CAIAPÓ; PURGA-DE-GENTIO; RAIZ-DE-BUGRE **3** Planta herbácea da fam. das cucurbitáceas (*Wilbrandia verticillata*), nativa do Sudeste brasileiro, cujas raízes e pepônio têm uso medicinal; ANA-PINTA; AZOUGUE-DO-BRASIL; CABACINHA; CIPÓ-AZOUGUE [F.: Do tupi *taiu'ia*.]

taiuva (tai.*u*.va) *Bot. sf.* **1** Árvore de grande porte da fam. das moráceas (*Bagassa guianensis*), nativa da Amazônia e Guianas, de madeira amarela e resistente us. na fabricação de canoas e na construção civil, produz grandes drupas alaranjadas comestíveis e folhas cordiformes, inteiras ou lobadas; AMAPARANA; BAGACEIRA; TATAJUBA; TATAREMA; TATAÚBA **2** Árvore de grande porte da fam. das moráceas (*Maclura tinctoria*), nativa do Brasil, de madeira amarela da qual se extrai tintura, espinescente e de frutos doces, comestíveis; AMARELINHO; AMOREIRA-DE-ÁRVORE; AMOREIRA-DE-ESPINHO; PAU-AMARELO [F.: Do tupi *tai'iua*.]

taiuveira (tai.u.*vei*.ra) *Bot. sf.* Árvore, mesmo que *taiuva* [F.: *taiuva* + *-eira*.]

taiwanês (tai.wa.*nês*) *a. sm.* Ver *taiuanês*

⊕ ***take*** (*Ing.* /têique/) *Cin. Telv. sm.* Filmagem ininterrupta de uma cena ou de parte dela; TOMADA [F.: Do ing. take 'cena gravada ininterruptamente'.]

tal *pr. dem.* **1** Este, aquele: *Ele não tinha tal qualidade.* **2** Isso, aquilo: *Nem por tal perdi minha paciência.* **3** Empregado depois de um substantivo, substitui um nome ou uma informação que não se quer ou não se pode mencionar, ou que se pretende generalizar (rua tal, marca tal) *pr. indef.* **4** Tão grande, tão intenso; SEMELHANTE: *Nunca tive tal problema. adv.* **5** Assim; desse modo: *Ele é tal como o pai.* **6** Em tão alto grau; TANTO: *Amava de tal modo, que se exauriu. s2g.* **7** Aquele de quem se fala e cujo nome não se menciona: *Encontrei o tal que você procurava.* **8** *Fig.* Pessoa extraordinária: *Você é a tal, meu amor!* [Pl.: *tais*.] [F.: Do lat. *talis, e*. Hom./Par.: *tais* (pl.), *tais* (pl. de *tai* [s2g.]).] **■ Como ~** Nessa qualidade, nesse papel ou função: *Lembrou que era o mais velho e que, como tal, cabiam-lhe prerrogativas e responsabilidades.* **De ~** Substitui o sobrenome esquecido de alguém, ou parte de um topônimo ou do nome de algo que se esqueceu: *Joana de tal.* **E ~ 1** Us. para interromper ou substituir uma enumeração, ou mesmo uma descrição ou narração) [Tem ger. conotação deprec., dando a entender que o ouvinte pode depreender a continuação, e que não se trata de algo muito importante: *Elogiou-o, paparicou-o e tal, mas não conseguiu demovê-lo.*] **2** *Lus.* E tantos (substitui os quebrados de uma quantidade): *Ganha uns dois mil e tal euros.* **Qual/~ (...), ~ (...)** Estabelece uma comparação: *Qual/tal pai, tal filho* **Que ~ 1** Semelhante a esse(s) ou essa(s); do mesmo tipo, da mesma espécie;

parecido; quejando: *Serviu canapés, salgadinhos e outras coisas que tal.* **2** Us. interrogativamente, para pedir opinião de alguém sobre algo, para dar uma sugestão, fazer um convite etc.: *Que tal (você achou) o filme? (i.e.: qual a sua opinião?); Que tal um passeio? (i.e.: 'quer passear?')* **Ser o ~** *Bras. Pop.* Ser o melhor, o líder, o maioral, o bamba etc. **~ como 1** Us. (ger. no pl.) para introduzir exemplificação, ou enumeração: *É proibido trazer instrumentos cortantes, tais como canivetes, tesouras, giletes etc.* **2** Introduz comparação, assim como, da mesma maneira que: *Ele é excelente esportista, tal como o irmão; Dança tal como a mãe, maravilhosamente.* **~ (e) qual 1** Da mesma maneira que, semelhantemente a: *Tal qual meu irmão, ele sempre se atrasa.* **2** Muito parecido com, quase igual a: *Vestida assim, ela é tal e qual a irmã.* **Um(a) ~ de** *Depr.* Us. antes do nome de alguém (ou de algo) que não é conhecido, ou de quem só se sabe por ouvir dizer [Por vezes, tem conotação de desdém, ou de atribuição de pouca importância à pessoa, de falta de interesse por ela. Pode tb. ser us. de modo irônico (sem desdém) para falar de alguém ou algo muito conhecido ou famoso.]

tala (*ta*.la) *sf.* **1** Objeto (pedaço de madeira, papelão etc.) us. como calço para fins diversos **2** *Med.* Dispositivo para imobilizar parte do corpo que sofreu fratura: *Pôs uma tala no braço quebrado.* **3** *Bras.* Tira de couro comprida us. como chicote **4** Peça us. para tornar maior a circunferência de um chapéu **5** Peça em que sapateiros prendem o couro ou o solado para neles trabalhar com maior facilidade **6** Peça de sabugueiro us. na castração de solípedes **7** *S.* Fibra da folha de algumas palmeiras, como o jerivá **8** Galho de jerivá **9** Vara flexível us. como chicote **10** *AM* Sarrafo de palmeira que se emprega em certo tipo de construção [F.: Do lat. *tabula, ae*, pelas f. *tabla* > *talla* > *tala*, por via popular. Hom./Par.: *tala* (sf.), *tala* (fl. de *talar*).] **■ ~ de junção** *N. E.* Chapa metálica que une as extremidades de dois segmentos de trilho em ferrovia **Ganhar na ~** *S.* Vencer corrida de (ou aposta num) cavalo valendo-se de chicoteá-lo

talabartaria (ta.la.bar.ta.*ri*.a) *RS sf.* **1** Loja ou oficina de talabarteiro; SELARIA **2** Ofício do talabarteiro [F.: *talabarte* + *-aria*.]

talabarte (ta.la.*bar*.te) *sm.* Correia us. a tiracolo para prender a arma; BOLDRIÉ; TALIM [F.: Do provç. *talabart*, deriv. do fr. ant. *talevart*, posv. pelo cast. *talabarte*.]

talabarteiro (ta.la.bar.*tei*.ro) *RS sm.* Indivíduo que faz talabartes, selas, correias, arreios, malas e outros artigos de couro; CORREEIRO; SELEIRO [F.: *talabarte* + *-eiro*.]

talácua (ta.*lá*.cu:a) *Moç. Ent. sf.* Formiga carnívora que se desloca em grandes grupos [F.: Do macua *etalakho*.]

talado (ta.*la*.do) *sm.* **1** *Our.* Arco da broca do ourives *a.* **2** Arrasado, devastado (campos talados) **3** Sulcado para desalagar (terreno talado) [F.: acp. 1: posv. do lat. *taratrum, -i* 'broca, verruma'; demais acp.: part. de *talar*.]

talagada (ta.la.*ga*.da) *sf. Bras. Pop.* Dose de bebida alcoólica que se toma de uma só vez; GOLE: "...em busca de algum café de balcão vazio onde pudesse tomar uma talagada do áspero rum brasileiro..." (Antonio Callado, *Bar Don Juan*) [F.: De or. contrv.]

talagarça (ta.la.*gar*.ça) *sf.* **1** Tecido de fios espaçados, us. como base para tecer bordados: "Sarita (...) levara para o salão o seu bastidor e as suas talagarças..." (Coelho Neto, *Inverno em Flor*) **2** *Têxt.* Tecido que encadernadores colam nas capas de livros, cadernos etc., para torná-las mais fortes e resistentes [F.: Var. de *telagarça* (*tela* + *-garça*[2].]

tala-larga (ta.la-*lar*.ga) *Autom. a.* Diz-se de pneu com banda de rodagem mais larga, que garante mais estabilidade [Pl.: *talas-largas*.]

talalgia (ta.lal.*gi*.a) *Med. sf.* Dor no calcanhar [F.: *tal(o)*-[2] + *-algia*.]

találgico (ta.*lál*.gi.co) *Med. a.* Ref. a talalgia [F.: *talalgia* + *-ico*[2].]

talambor (ta.lam.*bor*) [ô] *sm.* Fechadura de segredo, que por fora tem apenas o orifício por onde entra uma chave especial [F.: De or. incerta.]

talâmico (ta.*lâ*.mi.co) *Anat. Bot. a.* **1** Ref. a tálamo (1, 2) **2** *Bot.* Que se insere sobre o receptáculo [F.: *tálamo* + *-ico*[2].]

◎ **talam(o)-** *el. comp.* = 'leito nupcial'; 'tálamo (*anat.*)': *talamocelo, talamencéfalo; epitálamo, metatálamo* [F.: Do gr. *thálamos, ou*, 'quarto de dormir', 'alcova', pelo lat. *thalamus, i*.]

◎ **-tálamo** *el. comp.* Ver *talam(o)-*.

tálamo (*tá*.la.mo) *sm.* **1** Leito nupcial, conjugal **2** Bodas, núpcias, casamento **3** *Bot.* Alargamento do pedúnculo de certas plantas; RECEPTÁCULO **4** *Anat.* Cada um dos volumosos núcleos de substância cinzenta que limitam de cada lado o ventrículo médio, formam o pavimento dos ventrículos laterais e estão situados acima dos pedúnculos cerebrais [F.: Do gr. *thálamus*, pelo lat. *thalamu*. Hom./Par.: *tálamos* (pl.), *talamos* (fl. de *talar*).] **■ ~s da aurora/do sol** *Fig.* Figura literária para o leste, o oriente

talante (ta.*lan*.te) *sm.* **1** Vontade, desejo, arbítrio: "...capaz de se apossar de qualquer desabusada mulher e dobrá-la a seu talante?" (João Guimarães Rosa, *Noites do Sertão*) **2** Empenho, esforço, diligência [F.: Do lat. *talentum*, com infl. do provç. ant. *talant* (*talan, talen*).] **■ A ~ de** De acordo com a vontade de

talão (ta.*lão*) *sm.* **1** Bloco de folhas com uma parte destacável (talão de cheques); TALONÁRIO [Col.: *carnê*.] **2** *Anat.* A parte posterior do pé; CALCANHAR **3** A parte traseira de um calçado **4** *Arq.* Gola, moldura **5** *P. ext.* Instrumento apropriado para fazer essa moldura **6** *Agr.* Na poda das vinhas, galho que é deixado mais próximo da terra **7** *Agr.* Ramo podado; ATARRAQUE **8** *Mús.* Parte inferior do arco de violino, viola etc., onde se situa o parafuso que regula o estiramento das cordas **9** *Autom.* Aro maciço que se encontra na parte interior dos pneus de automóveis **10** *Mar.* Extremidade da parte traseira da quilha de um navio **11** Extremidade da ferradura **12** Cada uma das partes que compõem a inclinação de uma muralha; TALUDE [Pl.: *-lões*.] [F.: Do lat. vulg. *talo, onis* (< lat. clássico *talus, i*), pelo fr. *talon*.]

talar[1] (ta.*lar*) *a2g.* **1** Ref. a talão ou calcanhar; CALCÂNEO **2** *Vest.* Que se estende até o calcanhar (veste talar) *sm.* **3** Vestido, bata ou batina talar [F.: Do lat. *talaris, e*. Hom./Par.: *talares* (pl.), *talares* (fl. de *talar*).]

talar[2] (ta.*lar*) *v. td.* **1** Fazer sulcos (em terreno, campo) para o desalagar; SULCAR: *talar um terreno.* **2** Causar grandes perdas a; DESTRUIR; DEVASTAR: *As capivaras talaram o arrozal.* **3** Fazer cair (algo ou alguém); DERRUBAR: *O menino talava tudo o que via pela frente.* [▶ 1 talar] [F.: Do germ. **talon*, pelo espn. *talar*. Hom./Par.: *tala(s)* (fl.), *tala(s)* (sf. [pl.]); *talo* (fl.), *talo* (sm.); *talares* (fl.), *talares* (pl. de *talar* [a2g. s2g. sm.]); *talamos* (fl.), *tálamos* (pl. de *tálamo* [sm.]).]

talares (ta.*la*.res) *smpl. Mit.* Na iconografia clássica, as asas nos pés com que se representa o deus Mercúrio [F.: Pl. de *talar*.]

talassa[1] (ta.*las*.sa) *Lus. Ant. Pej. a.* **1** Diz-se de pessoa contrária à república *s2g.* **2** Membro do partido franquista, monarquista **3** *P. ext.* Indivíduo reacionário [F.: Do gr. *thálassa* 'mar', palavra que encabeçava um documento enviado do Brasil ao conselheiro português João Franco (1855-1929), chefe do partido monárquico no reinado de D. Carlos I.]

talassa[2] (ta.*las*.sa) *Astron. sf.* Uma das luas de Netuno, que orbita a 50.070 km do planeta e tem cerca de 80 km de diâmetro [F.: Do gr. *thálassa* 'mar'. (Com maiúscula nesta acep.) Descoberta pela sonda Voyager 2, em 1989.]

talassemia (ta.las.se.*mi*.a) *Hem. sf.* Forma de anemia hereditária causada por uma irregularidade na síntese de hemoglobina; ANEMIA MEDITERRÂNEA [F.: *talass(o)-* + *-emia*.]

talassêmico (ta.las.*sê*.mi.co) *Hem. a.* **1** Ref. a talassemia (traço talassêmico) **2** Que sofre de talassemia (diz-se de indivíduo) *sm.* **3** Esse indivíduo [F.: *talassemia* + *-ico*[2].]

talassia (ta.las.*si*.a) *sf.* Enjoo do mar [F.: *talass(o)-* + *-ia*[1].]

talássico (ta.*lás*.si.co) *a.* **1** Ref. ao mar, às profundezas do mar **2** Da cor do mar [F.: Do lat. *thalassicus, a, um*.]

◎ **talass(o)-** *el. comp.* = 'mar'; 'do mar', 'marítimo'; 'de região marítima', 'água do mar', 'água salgada': *talassemia, talassia, talássico* (< lat.), *talassocracia* (< gr.), *talassofilia, talassofobia, talassometria, talassoterapia* [F.: Do gr. *thalasso-*, de *thálassa, thalásses*, 'mar'.]

talassocracia (ta.las.so.cra.*ci*.a) *sf.* **1** Poderio político e econômico de uma nação baseado em seu domínio das rotas do comércio marítimo **2** Política expansionista dessa nação: *talassocracia britânica no Mediterrâneo.* **3** Governo de uma potência marítima [F.: Do gr. *thalassokratía, as*.]

talassocrático (ta.las.so.*crá*.ti.co) *a.* **1** Ref. a talassocracia **2** Ref. a talassocrata [F.: *talassocrata* + *-ico*[2].]

talassofilia (ta.las.so.fi.*li*.a) *sf.* Atração intensa pelo mar [Ant.: *talassofobia*.] [F.: *talass(o)-* + *-filia*[1].]

talassofílico (ta.las.so.*fí*.li.co) *a.* **1** Ref. a talassofilia **2** Diz-se de indivíduo que tem talassofilia; TALASSÓFILO *sm.* **3** Esse indivíduo; TALASSÓFILO [F.: *talassofilia* + *-ico*[2].]

talassofobia (ta.las.so.fo.*bi*.a) *sf. Psiq.* Medo mórbido do mar [F.: *talass(o)-* + *-fobia*.]

talassofóbico (ta.las.so.*fó*.bi.co) *Psiq. a.* **1** Ref. a talassofobia **2** Diz-se de indivíduo que sofre de talassofobia; TALASSÓFOBO *sm.* **3** Esse indivíduo; TALASSÓFOBO [F.: *talassofobia* + *-ico*[2].]

talassometria (ta.las.so.me.*tri*.a) *sf.* Sondagem e medição da profundidade do mar com o uso do talassômetro [F.: *talass(o)-* + *-metria*[1].]

talassômetro (ta.las.*sô*.me.tro) *sm. Mar.* Sonda marítima destinada a medir a profundidade do mar [F.: *talass(o)-* + *-metro*.]

talassoterapeuta (ta.las.so.te.ra.*peu*.ta) *s2g. Ter.* Especialista em talassoterapia [F.: *talass(o)-* + *terapeuta*.]

talassoterapia (ta.las.so.te.ra.*pi*.a) *Ter. sf.* Uso de banhos de mar, do ar e do clima marítimo para tratar doenças [F.: *talass(o)-* + *-terapia*.]

talassoterápico (ta.las.so.te.*rá*.pi.co) *Ter. a.* Ref. a talassoterapia (tratamento talassoterápico) [F.: *talassoterapia* + *-ico*[2].]

talaveira (ta.la.*vei*.ra) *sm.* **1** *RS Ant. Joc.* Indivíduo de nacionalidade portuguesa; GALEGO **2** *RS Ant.* Aquele que não sabe montar a cavalo; MATURRANGO **3** *Bras. Ant. Joc.* Criado do paço **4** *RS Ant.* Soldado de uma legião portuguesa do general Lécor. [Dessa alcunha, atribuída pelos brasileiros, supõe-se terem derivado as outras acepções, dada a inabilidade e inexperiência dos soldados.] [F.: Posv. do top. *Talavera* (cidade da Espanha).]

talaveirada (ta.la.vei.*ra*.da) *RS Ant. sf.* **1** *Joc.* Grupo de talaveiras; GALEGADA; PORTUGUESADA **2** Falha ou erro de pessoa que não sabe montar a cavalo ou executar as lides campeiras; MATURRANGADA **3** Um grupo dessas pessoas [F.: *talaveira* + *-ada*[2].]

talcado (tal.*ca*.do) *a.* **1** Coberto de talco **2** Que foi untado com talco (luvas talcadas) [F.: *talco* + *-ado*[1].]

tálcico (*tál*.ci.co) *a.* Composto de talco [F.: *talco* + *-ico*[2].]

talco (*tal*.co) *sm.* **1** *Min.* Metassilicato ácido de magnésio que se divide em lâminas transparentes e delgadas **2** Designação deste metassilicato, pulverizado, branco e untuoso ao tato, us. como veículo de medicamentos e cosméticos **3** *Fig.* Pedra falsa ou de falso brilho; OUROPEL **4** *Fig.* Aparência falsa [F.: Do it. *talco*, deriv. do ár. *talq*. Ideia de: *talc(i/o)-*.]

talcoso (tal.*co*.so) [ô] *a.* **1** Que contém talco **2** Da natureza do talco (rochas talcosas) **3** De aspecto semelhante ao do talco (substância talcosa) [Pl.: [ó]. Fem.: [ó].] [F.: *talco* + *-oso*.]

talento (ta.*len*.to) *sm.* **1** Capacidade inata para a realização de certas coisas: *talento para pintar; talento para escrever; talento para dançar.* **2** Pessoa que possui essa capacidade: *um ator de talento.* **3** *P. ext.* Pessoa que se revela muito habilidosa ou que tem uma aptidão natural para algo: *Esse rapaz é um talento.* **4** Inteligência notável; ENGENHO **5** *Bras. Lus. Pop.* Força física, vigor **6** *Hist.* Moeda e medida de peso na antiguidade greco-romana **7** *Antq.* O mesmo que *talante* [plêiade.] [F.: Do lat. *talentum, i*. Ideia de: *talent-*.]

talentoso (ta.len.*to*.so) [ô] *a.* Que tem muito talento; CAPACITADO; COMPETENTE; CRIATIVO; ENGENHOSO; INTELIGENTE: "Tertuliano és um rapaz formoso!/ És simpático, és rico, és talentoso!" (Artur Azevedo, "Velha anedota" *in Sonetos*) [Ant.: *incompetente, inepto, obtuso*.] [Pl.: [ó]. Fem.: [ó].] [F.: *talento* + *-oso*.]

táler (*tá*.ler) *sm.* **1** *Num.* Antiga moeda alemã de prata **2** *Econ.* Meio através do qual se realizam operações monetárias na Bielo-Rússia **3** *P. ext. Econ.* A cédula e a moeda usados nessas operações [Pl.: *táleres*.] [F.: Do al. *Taler*, f. red. de *Joachimsthal*, cidade da Boêmia de cujas minas se extraía a prata.]

talha[1] (*ta*.lha) *sf.* **1** Recipiente bojudo, de cerâmica ou louça, semelhante a um vaso, para armazenar líquidos, cereais etc. **2** Recipiente de metal para armazenar azeites e cereais; POTE **3** *P. ext.* Filtro para armazenar água, dotado de torneira **4** *Bras. P. ext.* Ver *moringa* **5** *Cons.* Concavidade que tem semelhança com a parte interna de uma talha **6** *Lus.* Série de uma dezena de cabaças de vinho ou de outro líquido [Aum.: *talhão*. Col.: *talharia*.] [F.: Do lat. **tenacula*, por *tinacula*, de *tina*. Ideia de: *talh-*.]

talha[2] (*ta*.lha) *sf.* **1** Ação ou resultado de talhar ou entalhar; ENTALHADURA; TALHO; TALHADURA; TALHAMENTO **2** *Grav.* Entalhe que se faz em madeira, metal, vidro etc.; CORTE; SULCO **3** *Grav.* Trabalho artístico feito com talhadeira, buriz ou cinzel **4** Filete ou filamento desprendido pela ação desses instrumentos; ENTALHE **5** Aparelho que se destina a erguer objetos pesados **6** Certa quantidade de achas ou feixes de lenha **7** Determinada quantidade de sal acumulada nas salinas **8** *Ant. Hist.* Antigo tributo medieval que os vassalos pagavam para a manutenção do feudo **9** *Ant.* Remuneração que se recebia por dia de trabalho; JORNAL; SALÁRIO **10** *Ant.* Pedaço de madeira em que se escrevia letras ou sinais indicadores de uma dívida ou de sua quitação **11** *Lud.* No jogo de banca, momento em que o banqueiro faz voltar todas as cartas do baralho; CARTADA; MÃO **12** Peça que, no jogo de voltarete e similares, representa o valor de uma entrada **13** *Náut.* Corda que se ata à cana do leme, nas embarcações, para melhor governá-las durante tempestades **14** *Mar.* Barco asiático de pequeno porte **15** *Urol.* Cistotomia [F.: Regress. de *talhar*. Hom./Par.: *talha* (sf.), *talha* (fl. de *talhar*). Ideia de: *talh-*.]

talhada (ta.*lha*.da) *sf.* **1** Porção que se corta de alguma coisa (talhada de queijo); FATIA; LASCA; NACO **2** *Pop.* Descompostura, reprovação **3** *Pop.* Castigo, repreensão **4** *Bras. S Cul.* Doce feito de rapadura, farinha de mandioca e gengibre [F.: Fem. substv. de *talhado*. Ideia de: *talh-*.]

talhadeira (ta.lha.*dei*.ra) *Bras. sf.* **1** *Carp.* Instrumento metálico us. para talhar (em madeira, metal etc.) **2** *Metal.* Instrumento us. por ferreiro para cortar metal a quente **3** Instrumento us. por ourives [F.: *talhar* + *-deira*. Ideia de: *talh-*.]

talhado (ta.*lha*.do) *a.* **1** Que foi cortado, dividido: *O pedaço de carne foi talhado.* **2** Que é próprio ou adequado: *Esse ator é talhado para esse papel.* **3** Diz-se de peça de roupa que é ajustada e costurada depois de cortada **4** Que coagulou ou coalhou (sangue talhado; leite talhado) **5** *P. us.* Que foi ajustado, combinado: *Pagou o preço talhado.* **6** Escarpado ou em rampa; ALCANTILADO *sm.* **7** *Bras.* Trecho de rio que corre entre ribanceiras íngremes; TALHADÃO **8** *MA* Nome que se dá às barrancas de um rio que constituem uma pequena garganta **9** *Bras.* Lugar escarpado, íngreme; ABISMO; DESPENHADEIRO; PRECIPÍCIO [F.: Part. de *talhar*. Ideia de: *talh-*.] **■ Bem ~** Elegante (diz-se de roupa), que cai bem, que tem bom corte

talhador (ta.lha.*dor*) [ô] *a.* **1** Que talha **2** Diz-se de qualquer instrumento ou máquina us. para cortar **3** *P. ext.* Diz-se de mesa em que se corta carne, frios etc. *sm.* **4** *P. ext.* O mesmo que *açougueiro*; CORTADOR **5** Pessoa que talha algo **6** Aquilo que é us. para talhar, como o cutelo de cortar carne; CORTADOR **7** Mesa ou prato us. para cortar a carne [F.: *talhado* + *-or*. Ideia de: *talh-*.]

talha-mar (ta.lha-*mar*) *sm.* **1** Ver *quebra-mar* **2** *Ornit.* Ave caradriiforme da família dos rincopídeos, *Rynchops nigra*, que pesca voando perto da água e é comum em grandes rios e lagos do Brasil, com c. 50 cm de comprimento, bico longo e vermelho mas de ponta preta, asas grandes e estreitas, plumagem negra no dorso e branca no abdome **3** *Mar.* Parte vertical, ou quase vertical, do patilhão **4** *Mar.* Aresta externa da roda de proa de uma embarcação [Pl.: *talha-mares*.]

talhante (ta.*lhan*.te) *a2g.* **1** Que talha ou corta; AFIADO; CORTANTE [Ant.: *rombudo*.] **2** Que é armada de talha-mar (diz-se de proa) *sm.* **3** Ver *quebra-mar* **4** *Cons.* Ver *talha-mar* **5** *Lus.* Aquele que trabalha em açougue; AÇOUGUEIRO; MAGAREFE [F.: *talhar* + *-nte*. Ideia de: *talh-*.]

talhão (ta.*lhão*) *sm.* **1** Porção de terreno entre dois regos ou sulcos destinado a cultivo; COURELA; LEIRA; TABULEIRO: "Ele nos contou que poda os seus vinhedos e cultiva os talhões das suas hortaliças..." (Camilo Castelo Branco, *Maria da Fonte.*) **2** Cada uma das áreas de sepultamento nos cemitérios: "O seu corpo fora enterrado então no 'talhão para suicidas e pagãos' do cemitério local..." (*Folha Online Ciência*, 13.10.2004) **3** *Lus.* Porção de terreno destinado a construção imobiliária **4** Cada um dos tabuleiros nos quais se represa a água nas salinas; MARMOTA; TALHO **5** *BA Ant.* Posta de baleia esquartejada **6** Grande talha **7** *Lus.* Pote para água **8** *Ict.* Peixe teleósteo bericiforme da fam. dos holocentrídeos (*Corniger spinosus*), encontrado no Atlântico, de coloração vermelha brilhante, ventre mais claro, pré-opérculo com longas espinhas; MARNOTA [Pl.: *-lhões.*] [F.: Acp. 1 a 4: *talho* + *-ão*; acp. 5 e 6: *talha* + *-ão*; acp. 7: or. obsc.]

talhar (ta.*lhar*) *v.* **1** Fazer talho ou corte em [*td.*: *Antes de assar, talhe o peixe.*] **2** Cortar ou esculpir, dando uma forma [*td.*: *talhar uma estátua.*] **3** Cortar tecido (para roupa) à feição do corpo ou em peças que depois se ajustam e costuram para fazer roupa [*td.*: *Ela examina o corpo da freguesa e talha o vestido com precisão.*] [*int.*: *Se o alfaiate não sabe talhar, estraga o tecido.*] **4** *P. ext.* Fazer o corte em couro, à feição do pé, para fazer sapatos [*td.*: *talhar uma sandália franciscana.*] **5** *P. ext.* Fazer corte ou dar forma à feição de (algo) [*td.*: *Olhava-o com os olhos que Deus talhou com perfeição.*] **6** Cortar ou fazer (algo) à feição ou à maneira de; MOLDAR [*td.*: *Talhou o mármore de acordo com a mesa.*] [*tdr.* + *por*: *Talhava suas decisões pelas dos pais.*] **7** Dividir em partes iguais ou proporcionais [*td.*: *Talhou a pizza em poucos segundos.*] **8** Ficar (leite, sangue etc.) granulado e com partes solidificadas; COALHAR [*td.*: *O tempo quente talhou o leite.*] [*int.*: *O leite ficou muito tempo fora da geladeira e talhou.*] **9** Abrir cortes, sulcos em; FENDER(-SE); RACHAR(-SE) [*td.*: *Foi preciso talhar a parede para consertar o encanamento.*] [*int.*: *O terreno cedeu e as paredes talharam-se.*] **10** *Fig.* Preparar (alguém ou algo) para (uma função); PREDISPOR [*tdr.* + *para*: *Recebeu uma educação que o talhou para a liderança.*] [*int.*: *O casamento e a mortalha no céu se talham.*] **11** Preparar (algo); DISPOR [*td.*: *Talhava sempre todos os assuntos da aula.*] **12** Traçar antecipadamente; PREDETERMINAR [*td.*: *A menina sonhava em ser veterinária e talhou toda sua vida para realizar seu sonho.*] **13** Estabelecer ou ajustar o preço de [*td.*: *O dono da padaria talhou o preço do pão.*] [*tdr.* + *em*: *O sitiante talhou a venda em cem mil reais.*] **14** *Fig.* Ser a causa de; CAUSAR; ORIGINAR; PROVOCAR [*td.*: *Talhou revoltas com suas decisões.*] [*tdi.* + *a*, *para*: *O quebra-quebra talhou prejuízos para o dono da boate.*] **15** Cortar galhos; PODAR [*td.*: *A prefeitura mandou talhar as árvores do bairro.*] **16** Cortar (o pão) e arrumá-lo no forno de modo determinado [*td.*: *O padeiro talha os pães para colocá-los no forno.*] **17** Fazer entrar ou entrar em decomposição; DECOMPOR(-SE); ESTRAGAR(-SE) [*td.*: *O calor talhou as frutas.*] [*int.*: *Com o passar dos dias, as flores talham.*] **18** *Lud.* Dividir (baralho de cartas) em maços; CORTAR [*td.*: *Talhou o baralho em quatro partes.*] **19** Ser banqueiro (no jogo de banca ou monte) [*int.*: *Nos jogos de azar, talhava sempre.*] **20** *Pop.* Tentar curar (algo) por meio de rezas [*td.*: *Mandou chamar uma curandeira para talhar sua doença com uma reza forte.*] **21** *Mar.* Ficar ou fazer ficar cheio (carga, navio etc.) [*td.*: *Talhou o navio.*] [*int.*: *Com tanta carga, o navio talhou.*] [▶ 1 talhar] [F.: Do lat. *taleare*. Hom./Par.: *talha(s)* (fl.), *talha(s)* (sf. [pl.]); *talhe(s)* (fl.), *talhe(s)* (sm. [pl.]); *talho* (fl.), *talho* (sm.); *talharia(s)* (fl.), *talharia(s)* (sf. [pl.]).]

talharim (ta.lha.*rim*) *sm.* **1** Espécie de macarrão cortado em tiras menos roliças que o espaguete **2** *Cul.* Iguaria preparada com esse tipo de macarrão depois de cozido, servida com molhos variados e salpicada de queijo, ger. parmesão [Pl.: *-rins.*] [F.: Do it. *tagliarini*, pl. de *tagliarino.* Ideia de: *talh-*.]

talhe (*ta*.lhe) *sm.* **1** Feitio do corpo ou de um objeto; ASPECTO; FEITIO; FORMA: *corpo de talhe sinuoso.* **2** *P. ext.* O tronco humano; TORSO **3** Modo de talhar ou cortar uma roupa; TALHO: *O paletó tinha um talhe perfeito.* **4** Maneira de talhar ou esculpir uma obra de arte; TALHO: *os talhes de uma xilogravura.* **5** Maneira particular de se traçar a caligrafia: *letra de talhe gracioso.* **6** *Mar.* Registro de embarque ou desembarque de carga na marinha mercante [F.: Dev. de *talhar*. Hom./Par.: *talhe* (sm.), *talhe* (fl. de *talhar*). Ideia de: *talh-*.]

talher (ta.*lher*) *sm.* **1** Cada um dos utensílios (garfo, faca, colher etc.) us. para comer ou servir alimento **2** Conjunto formado por esses talheres **3** *Fig.* Lugar destinado a cada comensal em jantar ou banquete: *Foi um jantar de trinta talheres.* [Col.: *faqueiro, serviço*.] [F.: De or. obsc. Ideia de: *talh-*.] ■ **~ de galhetas** Galheteiro **Ser bom ~** Comer bem, ou comer muito **Ter o seu ~ na sociedade** Ter boa situação social; conviver com pessoas de prestígio ou de alta posição

talho (*ta*.lho) *sm.* **1** Corte (talho no rosto); SULCO; VERGÃO **2** Ver *talhe* (4) **3** Poda de árvores **4** Corte de carne no açougue **5** Cepo onde se faz o corte das carnes **6** Ver *açougue.* **7** *Grav.* Em xilogravura e xilografia, sulco feito em madeira ou metal; TALHA **8** *Grav.* O que foi entalhado em madeira, metal etc. **9** Qualquer rasgo ou corte feito com instrumento cortante **10** *Lus.* Banco pequeno e rústico **11** Cada um dos compartimentos das salinas; TABULEIRO **12** *Bras. N.E. Tabu.* Vulva **13** Terreno que se limita para plantio; TABULEIRO; TALHÃO **14** Poda de árvores; TALHADIA **15** *Ant.* Cepo em que se apoiava a cabeça de alguém que ia ser degolado **16** Ação de suspender, reprimir ou fazer algo cessar **17** Fase da vida **18** Ação ou resultado de reduzir (talho nos gastos); DIMINUIÇÃO; REDUÇÃO [Col.: *talharia.*] [F.: Dev. de *talhar*. Hom./Par.: *talho* (sm.), *talho* (fl. de *talhar*). Ideia de: *talh-*.] ■ **A ~ (de foice)** A jeito, à feição **Dar ~s a/em** Concluir, pôr termo a, resolver **Não ter ~ nem maravalho** *Lus.* Ser de mau acabamento, estar malfeito **~ da vida** Profissão, emprego, modo de vida **~ de capataz** *Bras.* Grande pedaço de carne preparado para churrasco **~ de mato** Mato cortado para lenha **~ de peixe** Lugar (barraca, ou prancha, mesa etc.) onde se corta e vende peixe

talho-doce (ta.lho-*do*.ce) *Grav. sm.* **1** Processo de gravura em côncavo sobre metal, us. para impressão de papéis de segurança (p. ex.: cédulas, cautelas, selos, *traveler's checks*), que dá efeito tridimensional à imagem devido ao claro-escuro resultante do conjunto de linhas que a compõe **2** Gravura em talho-doce (1) [Pl.: *talhos-doces*.]

talian (ta.li.*an*) *sm.* Variante da língua italiana, falada sobretudo nas regiões vinícolas do estado do Rio Grande do Sul [É muitas vezes chamado de vêneto.]

talião (ta.li.*ão*) *Jur. sm.* **1** Pena antiga pela qual se vingava a injúria ou delito fazendo sofrer ao criminoso o mesmo dano ou mal que ele praticara; LEI DO TALIÃO; PENA DO TALIÃO **2** Revide na mesma proporção a uma agressão ou sofrimento; RETALIAÇÃO: "...praticara o decreto de despejo que me lançava fora de casa em Lisboa, e desta vida há de executar-se pelo santo direito do talião divino contra os vergonhosos autores." (Camilo Castelo Branco, *Noites de Insônia*) [F.: Do lat. *talio, onis*.]

talibã (ta.li.*bã*) *sm.* **1** Milícia fundamentalista islâmica que governou o Afeganistão de 1996 a 2001 [Inic. maiúscula]: "O Talibã, que proibiu a educação de mulheres em seu regime..." (*O Globo*, 18.12.2005) *s2g.* **2** Membro dessa milícia: "No Paquistão, foi preso o principal porta-voz dos talibãs, ..." (*Idem*, 05.10.2005) *a2g.* **3** Ref. a talibã (1 e 2) (ataque talibã; rebeldes talibãs) [Pl.: *-bãs*.] [F.: Do pachto 'estudante'.]

talidomida (ta.li.do.*mi*.da) *Farm. sf.* Substância sedativa e hipnótica ($C_{13}H_{10}N_2O_4$) que, se tomada durante a gravidez, tem efeito teratogênico, como, p. ex., bebês com malformação ou completa ausência de membros [F.: Do ing. *thalidomide*, formado a partir de *(ph)thal(ic acid)* 'ácido ftálico' + *(im)id(e)* 'imida' + *(i)mide* 'imida'.]

talim (ta.*lim*) *sm.* **1** Correia a tiracolo a que se prende espada ou outra arma, ou que serve de apoio para bandeira ou estandarte; BOLDRIÉ **2** *Bras. Mar.* Cinto de couro ou de tecido bordado com fios dourados do qual pendem duas tiras com gato de escape para prender a espada: "... deselegantemente revestido de uma sobrecasaca militar folgada, cingida de um talim frouxo de onde pendia tristemente urna espada, olhava para tudo aquilo com uma serenidade imperturbável." (Euclides da Cunha, *Confrontos e Contrastes*) **3** Faixa ou cinto com que os eclesiásticos prendem o hábito; BÁLTEO [Variação: tali.] [F.: Do ár. *tahlil* 'ato de pronunciar uma fórmula religiosa'.]

tálio (*tá*.li:o) *Quím. sm.* Elemento químico de número atômico 81, metal branco-azulado, mole como o chumbo [Símb.: Tl.] [F.: Do lat. cient. *thallium*.]

talipe (ta.*li*.pe) *Ort. sm.* Deformidade congênita do pé, que ger. se apresenta torcido para dentro (pé valgo) ou para fora (pé varo) [Var.: *tálipe*.] [F.: Do lat. cient. *talipes, talipedes*, de *talus* 'tornozelo' + *pes, pedis* 'pé'.]

talisca (ta.*lis*.ca) *sf.* **1** Pequena lasca; ESTILHA **2** Abertura estreita e alongada; FENDA; GRETA **3** *Bras. Carp.* Peça estreita e fina de madeira, que se embebe nos encaixes longitudinais de portas e janelas **4** *Bras.* Sarrafo de pouca espessura **5** Fatia ou pedaço bem fino ou diminuto **6** *N. E. Joc.* Pessoa muito magra: *Ela ficou uma talisca com a dieta.* [F.: De or. contrv.]

talismã (ta.lis.*mã*) *sm.* **1** Objeto supostamente dotado de certos poderes, us. para dar sorte: *Usava um colar peruano como talismã.* [Cf.: *amuleto*.] **2** *Fig.* O efeito produzido pelo poder mágico desse objeto; ENCANTO; ENCANTAMENTO **3** *P. ext.* Tudo que tem efeito repentino e fantástico [F.: Do fr. *talisman*.]

talismânico (ta.lis.*mâ*.ni.co) *a.* **1** Ref. a talismã **2** Que tem os supostos poderes de um talismã [F.: *talismã* + *-ico*^{2}.]

tálitro (*tá*.li.tro) *sm.* **1** Nó formado pela articulação dos dedos **2** *P. us.* Pancada com a cabeça do dedo indicador ou médio, quando se distende com força, estando antes preso pelo polegar; PIPAROTE **3** *P. us.* Pancada na cabeça com os nós dos dedos; CASCUDO; COCOROTE **4** *Bot.* Planta ranunculácea (*Thalictrum flavium*), mesmo que *talictro-ordinário* [F.: Do lat. *talitrum, i*.]

⊕ **talk show** (*Ing.* /*tóc chôu*/) *sm. Telv.* Programa de televisão que combina entrevistas com números de entretenimento

Talmude (Tal.*mu*.de) *sm. Rel.* Conjunto de antigas leis e tradições do povo judeu, a Torá e comentários a ela [F.: Do hebr. *talmúd*.]

talmúdico (tal.*mú*.di.co) *a. Rel.* Ref. ou pertencente ao Talmude [F.: *Talmude* + *-ico*^{2}.]

talmudista (tal.mu.*dis*.ta) *Rel. a2g.* **1** Ref. ao talmudismo **2** Que é seguidor, compilador ou exegeta do Talmude *s2g.* **3** Aquele que segue e/ou estuda o Talmude [F.: *Talmude* + *-ista*.]

◎ **tal(o)-^{1}** *el. comp.* = 'ramo verde'; 'haste', 'talo'; *talófito, taloide, taloso* [F.: Do lat. *thallus, i*, do gr. *thallós, oû*.]

◎ **tal(o)-^{2}** *el. comp.* = 'tálus'; *talalgia, talocalcâneo* [F.: Do lat. *talus, i*.]

talo (*ta*.lo) *sm.* **1** *Micol.* Corpo vegetativo constituído de células pouco diferenciadas, sem caule, raiz e folhas legítimas, dos quais são exemplos as algas, as briófitas, os líquens e os fungos [P. opos. a *cormo*. Cf. *caule*.] **2** Tronco genealógico **3** *Anat.* Parte do pelo que aparece na parte externa da pele **4** *RS P. ext.* Ver *calote.* **5** *Bras. Bot.* O mesmo que *taioba* **6** *Arq.* Fuste de coluna a que faltam base e capitel **7** Nos fungos, estrutura de crescimento vegetativo [F.: Do lat. *thallus, i*. Hom./Par.: *talo* (sm.), *talo* (fl. de *talar*). Cf. *tálus*. Ideia de: *tal(o)-*^{1}.]

talofibular (ta.lo.fi.bu.*lar*) *Anat. a.* Ref. ao tálus e à fíbula ao mesmo tempo (ligamentos talofibulares) [F.: *tal(o)-*^{2} + *fibular*.]

talófito (ta.*ló*.fi.to) *Bot. a.* **1** Diz-se de vegetal com talo; TALOFÍTICO *sm.* **2** Vegetal com talo [F.: *tal(o)-*^{1} + *-fito*. Cf. *cormófito*.]

talonadora (ta.lo.na.*do*.ra) *sf.* **1** Máquina automática que confecciona talões de cheque em terminais de autoatendimento bancário **2** *Ind.* Máquina de fabricar talões e carnês [F.: *talonar* + *-dora*.]

talonário (ta.lo.*ná*.ri:o) *a.* **1** Diz-se de bloco em que parte das folhas são destacáveis; TALONADO *sm.* **2** Esse tipo de bloco; TALÃO: *Recebeu novo talonário do banco.* [F.: *talão* + *-ário*. Ideia de: *tal(o)-*^{1}.]

talonear (ta.lo.ne.*ar*) *v.* **1** *RS* Bater com tala; AÇOITAR; CHICOTEAR [*td.*] **2** Participar de corrida (ger. de cavalos), açoitando o animal [*int.*] [▶ 13 talonear] [F.: Do espn. plat. *talonear*.]

taloso (ta.*lo*.so) [ô] *a.* **1** Ref. a talo **2** Que possui talo [Pl.: [ó]. Fem.: [ó].] [F.: *talo* + *-oso*.]

talpídeo (tal.*pí*.de:o) *Zool. a.* **1** Ref. aos talpídeos, fam. de mamíferos insetívoros com várias espécies na Eurásia e América do Norte e que tem como tipo a toupeira *sm.* **2** Espécime dos talpídeos [F.: Do lat. cient. *Talpidae*.]

talude (ta.*lu*.de) *sm.* **1** Terreno com inclinação; ESCARPA; RAMPA **2** *Cons.* Inclinação que se dá à superfície lateral de um muro, de um terreno, de uma obra qualquer de cantaria ou de alvenaria; RAMPA **3** *Cons.* Posição em que se acomoda um terreno depois sua terraplenagem **4** *Art. gr.* Ver *rebarba* [F.: Do cast. *talud*, deriv. do fr. *talus*. Hom./Par.: *talude* (sm.), *talude* (fl. de *taludar*), *taludo* (sm. a.).] ■ **~ continental** *Oc. Geol.* Escarpa submarina que leva da plataforma continental à zona abissal (de 200 até 1.000 m de profundidade)

taludo (ta.*lu*.do) *a.* **1** Que tem talo forte, resistente (planta taluda) **2** *Fig.* Que é corpulento, forte, bem-constituído fisicamente **3** *Fig.* Diz-se ger. de criança ou adolescente que está se desenvolvendo fisicamente, que está ficando forte (garoto taludo) **4** *Fig.* Que avultado, considerável (problema taludo) *sm.* **5** *Fig.* Indivíduo fisicamente forte **6** *Fig.* Criança ou adolescente que está revelando bom desenvolvimento físico [Dim.: *taludote*.] [F.: *talo* + *-udo*. Hom./Par.: *taludo* (a. sm.), *taludo* (fl. de *taludar*), *talude* (sm.). Ideia de: *tal(o)-*^{1}.]

tálus (*tá*.lus) *sm.* **1** *Anat.* Pela nova nomenclatura anatômica, nome do osso do tarso que se articula com a tíbia no tornozelo *Ant.*; ASTRÁGALO **2** *Geol.* Depósito de fragmentos soltos de rocha inclinado ao pé de uma montanha ou encosta [F.: Do fr. *talus*; acp. 2: do lat. *talus, i*. Ideia de tálus (2): *tal(o)-*^{2}.]

talvegue (tal.*ve*.gue) *Geog. sm.* **1** Linha mais ou menos sinuosa no fundo de um vale por onde corre a água **2** Ponto mais profundo do leito de um rio [Ant.: *crista*.] [F.: Do al. *Talweg*.]

talvez (tal.*vez*) [ê] *adv.* **1** Palavra que indica possibilidade ou dúvida, mas nunca certeza; ACASO; PORVENTURA; QUIÇÁ: *Não sei dizer ao certo, mas talvez ele venha amanhã.* [Usa-se ger. com o verbo no subjuntivo e, raramente, com o verbo no indicativo.] **2** *P. us.* Às vezes, por vezes: *Talvez, em dia de festa, ele come demais.* **3** *P. us.* Eventualmente, ocasionalmente, alguma vez: *Uma ou outra espécie talvez sobrevive nessas condições.* [F.: *tal* + *vez*.] ■ **~ (...) ~** *P. us.* Us. com ideia de alternância. Equivale a: *ora... ora* e a *umas vezes... outras vezes.*

tamanca (ta.*man*.ca) *sf.* **1** *Emec.* Peça metálica que, ao acionar-se o freio, comprime-se contra os tambores das rodas, provocando a frenagem; SAPATA **2** *Mar.* Peça de metal com roldana, presa à borda ou amurada da embarcação, para passagem dos cabos de amarração ou da âncora; GALOCHA **3** *BA Mar.* Barco esportivo, de casco raso, provido de motor de popa, que desenvolve grande velocidade **4** Tamanco feminino baixo, de boca muito aberta **5** *P. us.* Pancada com o tamanco, mesmo que *tamancada* [F.: De *tamanco* com alt. vocálica *o*/*a*.] ■ **Cair das ~s** *Fig.* Perder a arrogância, a pose, a presunção de superioridade etc. **Fincar-se nas ~s** *Fig.* Assumir atitude de arrogância, superioridade etc. **Pisar/subir/trepar-se nas ~s** *Bras. Gír.* Irritar-se, ficar zangado

tamancada (ta.man.*ca*.da) *sf.* Pancada com tamanco; TAMANCA [F.: *tamanco* + *-ada*^{2}.]

tamancar (ta.man.*car*) *v.* **1** Fazer barulho ao andar de tamancos; TAMANQUEAR; TAROUCAR [*td.*] **2** Ver *atamancar.* [*td.*] [*int.*] [▶ 11 tamancar] [F.: *tamanc(o)* + *-ar*^{2}. Hom./Par.: *tamanca(s)* (fl.), *tamanca* (sf.) e pl; *tamancaria(s)* (fl.), *tamancaria* (sf.) e pl; *tamanco* (fl.), *tamanco* (sm.).]

tamanco (ta.*man*.co) *sm.* **1** *Vest.* Calçado grosseiro de madeira que deixa a descoberto grande parte do pé, excetuando-se os dedos *MA*; CHAMATÓ *Lus.*; SOCA; SOCO

PE; SULIPA; TAMANCA **2** *Vest.* Calçado semelhante a esse, porém mais sofisticado, com revestimento de couro, ger. us. por mulheres **3** *P. ext. Vest.* Tipo de calçado us. por marnotos; PÉ DE PAU; TAROUCO **4** *Bras. N. E.* Nas jangadas, tábua dos bordos em que se fixam os pés do banco do mastro **5** *Bras. N. E.* Em carros de bois, peça sobre a qual giram os eixos **6** *Mec.* Sapata do freio; CEPO; TAMANCA; TRAVÃO **7** *Bras.* Ver *cepo* (3) [F.: De or. incerta. Hom./Par.: *tamanco* (sm.), *tamanco* (fl. de *tamancar*).] ■ **Pisar/trepar-se nos ~s** *Bras. RJ* Ficar muito irritado ou zangado; sair do sério

tamanduá (ta.man.du:*á*) *sm.* **1** *Bras. Zool.* Denominação comum aos mamíferos da fam. dos mirmecofagídeos, com 4 spp., encontradas do México à Argentina, de focinho longo, língua comprida pegajosa, dentes ausentes e grandes garras nas patas anteriores, com as quais escava em formigueiros e cupinzeiros; PAPA-FORMIGAS **2** *Bras. S Pop.* Avarento, sovina **3** Questão moral de solução muito difícil **4** Mentira exagerada; CARAPETÃO; MARANHÃO [F.: Do tupi *tamandu'a.*]

tamanduá-açu (ta.man.du:á-a.*çu*) *sm. Zool.* Ver *tamanduá-bandeira* (*Myrmecophaga tridactyla*) [Pl.: *tamanduás-açus.*]

tamanduá-bandeira (ta.man.du:á-ban.*dei*.ra) *sm. Bras. Zool.* Mamífero da fam. dos mirmecofagídeos (*Myrmecophaga tridactyla*) maior que o tamanduá comum, de coloração cinza, com uma banda negra que se estende do peito até o dorso, provido de cauda longa e peluda, focinho comprido, mãos com três grandes garras e pés com cinco garras pequenas, encontrado nas regiões tropicais e subtropicais da América Central e do Sul; IURUMI; JURUMIM; TAMANDUÁ-AÇU; TAMANDUÁ-CAVALO *Lus.*; URSO-FORMIGUEIRO [Pl.: *tamanduás-bandeiras e tamanduás-bandeira.*]

tamanduá-cavalo (ta.man.du:á-ca.*va*.lo) *sm. Zool.* Ver *tamanduá-bandeira* (*Myrmecophaga tridactyla*) [Pl.: *tamanduás-cavalos e tamanduás-cavalo.*]

tamanduaí (ta.man.du:a.*í*) *sm. Bras. Zool.* Pequeno tamanduá arborícola da fam. dos mirmecofagídeos (*Cyclopes didactylus*), de pelo amarelado, cauda preênsil, dois dedos em cada mão e quatro nos pés, com cerca de 50 cm da cabeça à ponta da cauda; encontrado do sul do México ao norte do Brasil [F.: *tamanduá* + *-í.* Ideia de: *-mirim.*]

tamanduá-mirim (ta.man.du.á-mi.*rim*) *Zool. sm.* Mamífero xenartro da fam. dos mirmecofagídeos (*Tamandua tetradactyla*), insetívoro, de cauda preênsil, que usa para escalar árvores, garras nas quatro patas, pelagem amarelada na cabeça, pernas e parte do dorso e negra no restante do corpo; COLETE; JALECO; MAMBIRA; MIXILA; TAMANDUÁ-COLETE [Pl.: *-rins.*]

tamanho (ta.*ma*.nho) *a.* **1** Que é muito grande, extenso ou volumoso: *Estava com tamanha saudade, que voltou à terra natal.* **2** Que é muito distinto, notável: *Tamanho lutador não poderia ter perdido a luta.* **3** Que tem grande porte; ALTO; ENORME; GRANDALHÃO: *Tamanho homem impressiona qualquer mulher.* **4** Que é muito forte ou violento: *Levou tamanho tapa que nunca mais apareceu no bar.* *sm.* **5** Estatura, envergadura física: *Um homem daquele tamanho devia estar trabalhando.* **6** Grandeza de área, dimensão, volume etc.: *Ficou encantado com o tamanho da sala.* **7** *Vest.* Medida de roupa ou calçado, conforme padrões estabelecidos pela indústria: *Pequena e magra, ela vestia tamanho 38 e calçava tamanho 37.* [F.: Do lat. *tam magnu.* Ideia de: *mag-.*] ■ **Do ~ de um bonde** *Bras. Pop.* Muito grande, ou alto etc.; enorme **Em ~ real** Diz-se de obra de arte, fotografia, reprodução etc. de dimensões iguais à do objeto ou pessoa reproduzidos

tamanho-família (ta.ma.nho-fa.*mí*.li:a) *Bras. a2g2n.* **1** De tamanho ou quantidade maior do que o habitual: *geladeira/pizza/embalagem/refrigerante tamanho-família.* **2** *Fig.* Diz-se de qualquer ser ou coisa maior que o habitual: *crédito/sorriso/vantagem/humildade/problema tamanho-família.*

tamanqueira (ta.man.*quei*.ra) *sf.* **1** *Bras. Angios.* Árvore da fam. das lauráceas (*Ocotea guyanensis*), de até 20 m de comprimento, nativa da Amazônia, de folhas coriáceas e flores marrom-amareladas agrupadas em panículas, frutos bacáceos oblongos, casca aromática com propriedades medicinais e madeira us. em construção civil e naval; CUJUMARIRANA; LOURO-BRANCO; LOURO-TAMANCO; UMARIRANA **2** *Bras. Angios.* Árvore da fam. das bignoniáceas (*Tabebuia cassinoides*), encontrada em terrenos alagadiços, de folhas oblongas e coriáceas, flores brancas e amarelas com estrias roxas e frutos capsulares negros; as raízes brancas e esponjosas são us. para fabricação de boias, palmilhas, afiadores de navalha; da madeira, também branca e porosa, se fazem brinquedos, tamancos, caixotaria etc.; CAIXETA; CORTICEIRA; PAU-DE-VIOLA; TABEBUIA **3** *Bras. Angios.* Árvore da fam. das rutáceas (*Zanthoxylum rhoifolium*), de até 8 m, nativa do Brasil, de casca grossa e com grandes espinhos, caule reto, folhas compostas, flores esverdeadas, frutos globosos, boa madeira e raiz amarga e aromática, de uso medicinal **4** *Bras. Pej.* Prostituta pobre [F.: *tamanco* + *-eira.*]

tamanqueiro (ta.man.*quei*.ro) *sm.* **1** *Angios.* Árvore da fam. das verbenáceas (*Aegiphila sellowiana*), encontrada na floresta pluvial brasileira, de grandes folhas oblongas, flores pálidas, frutos drupáceos vermelhos e cuja madeira branca e leve é us. para caixotaria, tamancos, brinquedos, lápis etc. **2** Indivíduo que fabrica e/ou vende tamancos [F.: *tamanco* + *-eiro.*]

tamaquaré (ta.ma.qua.*ré*) *Bras. sm.* **1** *Angios.* Denominação comum a várias espécies de árvores do gên. *Caraipa*, da fam. das gutíferas, de madeira durável e resistente, us. em carpintaria e das quais se extrai seiva vermelho-escura **2** Óleo medicinal feito com a seiva dessas árvores **3** *Zool.* Lagarto de até 30 cm encontrado na Amazônia, do gên. *Enyalius*, verde e com machas escuras, que se alimenta de artrópodes e vive em troncos de árvores [F.: Do tupi **tamakua're.* Sin. ger.: *taquaré.*]

tâmara (*tâ*.ma.ra) *sf. Bot.* Fruto comestível da tamareira, de cor marrom, polpa doce e forma alongada; DATIL [F.: Do ár. *támar hindi.*]

tamareira (ta.ma.*rei*.ra) *sf. Bot.* Palmeira (*Phoenix dactylifera*) nativa do Norte da África e da Ásia ocidental, de folhas verde-azulado, cultivada pelos frutos de delicioso paladar, as tâmaras, dos quais se extrai açúcar, e tb. como ornamental [Col.: *tamaral.*] [F.: *tâmara* + *-eira.*]

tamarga (ta.*mar*.ga) *Angios. sf.* Arbusto ou pequena árvore da fam. das tamaricáceas (*Tamarix africana*), nativa da região do Mediterrâneo, de folhas brancas, ovadas, acuminadas e decíduas, flores em curtos racemos e cápsulas com pequenas e numerosas sementes com um tufo de pelos; TAMARISCO; TAMARIZ; TAMARGUEIRA [F.: Do lat. *tamarica.*]

tamaricácea (ta.ma.ri.*cá*.ce:a) *Angios. sf.* Espécime das tamaricáceas, fam. de plantas da ordem das violales, nativas de regiões temperadas da Europa, da bacia mediterrânea e do centro e leste da Ásia, e que reúne arbustos e árvores de folhas pequeninas, alternas, aculeiformes ou escamiformes, pequenas flores hermafroditas, solitárias ou em racemos e frutos capsulares com sementes pilosas, raras vezes aladas. Muitas espécies suportam as condições de grande aridez e salinidade dos litorais [F.: Do lat. cient. *Tamaricaceae.*]

tamaricáceo (ta.ma.ri.*cá*.ce:o) *a.* Que diz respeito a *tamaricácea* [F.: *tamárice* + *-áceo.*]

tamárice (ta.*má*.ri.ce) *Angios. sf.* Denominação comum às árvores e arbustos do gên. *Tamarix*, típico da fam. das tamaricáceas [Var.: *tamárix.*] [F.: Do lat. cient. gên. *Tamarix.*]

tamarindeiro (ta.ma.rin.*dei*.ro) *sm. Bot.* Ver *tamarindo.* [F.: *tamarindo* + *-eiro.* Tb. *tamarineiro, tamarinheiro.*]

tamarindo (ta.ma.*rin*.do) *sm. Bot.* **1** *Bot.* Árvore da fam. das leguminosas, subfam. cesalpinioídea (*Tamarindus indica*), nativa da África tropical, muito cultivada pelas vagens de polpa comestível; TAMARINDEIRA; TAMARINDEIRO; TAMARINEIRO; TAMARINHEIRO **2** O fruto dessa planta, de cor marrom e polpa escura muito ácida, us. em farmácia e na confecção de muitos produtos, como sorvetes, refrescos, doces etc. [F.: Do lat. medv. *tamarindus.*]

tamarineira (ta.ma.ri.*nei*.ra) *Angios. sf.* O mesmo que *tamarindeiro* (*Tamarindus indica*) [F.: *tamarin(d)o* + *-eira.*]

tamarineiro (ta.ma.ri.*nei*.ro) *sm.* Ver *tamarindo*

tamarinheiro (ta.ma.ri.*nhei*.ro) *sm.* Ver *tamarindo*

tamba (*tam*.ba) *Bras. sf.* Bebida fermentada dos indígenas, feita de beiju cozido e diluído em água [F.: Do tupi.]

tambaca (tam.*ba*.ca) *Ant. sf.* **1** Metal composto de cobre e zinco **2** Mistura fundida de ouro e prata [F.: Do sânscrito *tammraka*; do malaio *tambaga.* Sin. ger.: *tambaque.* Hom./Par.: *tambaca* (sf.), *tambaco* (sm.).]

tambacu (tam.ba.*cu*) *Bras. Ict. sm.* Peixe híbrido, resultante do cruzamento induzido entre a fêmea de tambaqui (*Colossoma macropomum*) e o macho de pacu (*Piaractus mesopotamicus*), muito us. em piscicultura e muito apreciado por frequentadores de pesque-pagues [F.: *tamba(qui)* + *(pa)cu.* Hom./Par.: *tambacu* (sf.), *tambaco* (sm.).]

tambaqui (tam.ba.*qui*) *Bras. Zool. sm.* **1** Peixe teleósteo da fam. dos caracídeos (*Colossoma macropomum*), de dorso cinza e ventre claro, com comprimento que pode chegar a 90 cm e cerca de 13 kg de peso, encontrado no rio Amazonas e seus afluentes; CURUPETÉ **2** Ver *pacumirim* [F.: Do tupi **tama'ki.* Hom./Par.: *tambaqui* (sm.), *tambaque* (sm.).]

tambeiro (tam.*bei*.ro) *a.* **1** *MT S* Diz-se do gado manso, que vive perto das habitações *sm.* **2** *S* Bezerro de vaca que esteve algum tempo na ordenha **3** *S* Potro filho da madrinha ou guia das tropas **4** *MT S* Bovino habituado ao tambo **5** *MT S* Gado manso [F.: *tambo*[1] + *-eiro.*]

também (tam.*bém*) *adv.* **1** Do mesmo modo; IGUALMENTE: *Queria viajar logo, e o irmão também.* **2** Ainda, junto: *Serviu suco, e também uns bolinhos.* **3** Por outro lado: *Havia quem aplaudisse, mas havia também quem vaiasse.* **4** Us. como reforço explicativo: *Está cansadíssima. Também, ficou no baile até de manhã.* **5** Participa da correlação 'não só..., mas também': *Não só bebeu muito, mas também comeu tudo o que havia na mesa.* **6** Em compensação: *Bonito não é, mas também não é feio.* **7** Da mesma forma: *Minhas mãos tremiam, e as dela também.* ***interj.*** **8** Indica descontentamento, estranheza: *Também! O que eu podia fazer?* [F.: Contr. de *tão bem.*]

tambetá (tam.be.*tá*) *Bras. sm.* Vaso de cerâmica fabricado por indígenas [F.: Posv. do tupi.]

tambiú (tam.bi.*ú*) *Bras. Ict. sm.* Peixe teleósteo, caraciforme da fam. dos caracídeos (*Astyanax bimaculatus lacustris*), encontrado na bacia do Amazonas, São Francisco e Prata, de coloração prateada e nadadeira caudal amarelo-ouro [F.: *tambi* + *-u(na).*]

tambo[1] (*tam*.bo) *sm.* **1** Local coberto para o recolhimento do gado; ESTÁBULO **2** *RS* Estábulo para a ordenha de vacas e, às vezes, venda do leite **3** *Amaz.* Espécie de palhoça: "Atingindo qualquer trecho onde os pés de caucho se descubram, levantam à beira de uma quebrada o primeiro tambo de paxiúba..." (Euclides da Cunha, *À Margem da História*) **4** Casa de comércio de secos e molhados em local afastado; ARMAZÉM; BARRACÃO; VENDA: "Chegávamos às imediações do tambo, ou armazém de abastecimento." (Gastão Cruls, *Amazônia Misteriosa*) [F.: Do quíchua *támpu* 'pousada', através do cast. Hom./Par.: *tambo* (sm), *tambó* (sm).]

tambo[2] (*tam*.bo) *sm.* **1** *Ant.* Festa de casamento **2** Leito nupcial; TÁLAMO **3** *Des.* Banquinho baixo no qual frades de castigo sentavam-se para comer [F.: Forma divergente de *tálamo*, passando a bilabial *m* a *mb.*]

tamboeira (tam.bo.*ei*.ra) *sf.* **1** *N.E.* Raiz mirrada de mandioca ou macaxeira que não se aproveita na colheita; POROROM; TABOEIRA **2** *N.E.* Cana-de-açúcar que cresceu pouco **3** *N.E.* Espiga peca, mirrada, não desenvolvida **4** *AL* Nome dado aos aguaceiros e trovoadas de outubro [Var: *taboeira, tabueira.*] [F.: Do tupi *tambo'era* 'sabugo de milho'.]

tambor (tam.*bor*) [ô] *sm.* **1** *Mús.* Designativo de instrumentos de percussão cilíndricos, fechados por couro ou plástico, que, quando vibrados por baquetas ou pelas mãos, produzem sons semelhantes, mas de tons e intensidades que dependem de seu tamanho, como o tarol, o surdo, a zabumba etc. **2** Indivíduo que toca um desses instrumentos; TAMBORILEIRO: *Ele é o tambor da banda.* **3** *Arm.* No revólver, peça cilíndrica com perfurações onde se alojam as balas **4** Tipo de tonel metálico próprio para guardar ou transportar combustíveis líquidos **5** *Aut.* Nos automóveis, recipiente em que se põe o combustível; TANQUE **6** O cilindro das fechaduras, no interior do qual gira a chave **7** Porta giratória, com bordos forrados a fim de impedir a circulação do ar **8** Nome comum que se dá a diversos objetos de formato cilíndrico **9** No guindaste e outros aparelhos de força, o cilindro em que o cabo é enrolado **10** *Aut.* Cubo das rodas **11** Recipiente cilíndrico, dotado de um engenho em espiral pelo qual sobe a água de um depósito ou de uma corrente **12** *Tip.* Cilindro de grande diâmetro que faz parte da prensa de rotação simples; BOMBO **13** Cilindro em que se coloca a mola real do relógio **14** Caixa de forma circular que rodeia as mós dos moinhos e por onde cai a farinha que vai sendo moída **15** Recipiente das betoneiras em que o concreto é misturado **16** *Arq.* Fiada de pedras redondas mais largas e grossas que altas, que formam o fuste ou tronco das colunas **17** *Arq.* Parte central de um capitel coríntio onde é apoiada a folhagem do acanto **18** *Arq. Cons.* Obra de fortificação para defesa e proteção de edifícios, de lugares estratégicos etc., ger. cercada por fosso **19** *RS Gír.* Bacia de rinhadeiro **20** *Anat.* Tímpano **21** Nas escadas em caracol, maciço ou fuso [F.: Do ár. *at-tanbúr.* Ideia de: *timpan(o)-.*] ■ **~ de guerra** Tambor (1) de tamanho médio e de som vibrante; caixa-clara **~ de Mina** *MA* Ritual afro-brasileiro dos negros minas, com cantos, tambores e dança **~ militar** Caixa de rufo (ver no verbete *caixa*) **~ surdo** Tambor mais alto que o tambor de guerra e de sonoridade mais abafada [Tb. apenas *surdo.*]

tamboreiro (tam.bo.*rei*.ro) *sm.* Tocador de tambor (tambor de regimento): *atuar com tamboreiro na Festa do Divino.* [F.: *tambor* + *-eiro.*]

tamborejar (tam.bo.re.*jar*) *v.* Tocar tambor ou produzir ruído semelhante; TAMBORILAR [*int. ta.* + *em*: *A chuva tamboreja (no telhado).*] [▶ 1 tamborejar] [F.: *tambor* + *-ejar.*]

tamborete (tam.bo.*re*.te) [ê] *sm.* **1** *Mob.* Cadeira de braços sem espaldar; BANQUETA **2** *P. ext.* Assento para uma pessoa, sem espaldar, de tampo redondo ou quadrado, de quatro ou três pés e de alturas variadas **3** *Bras. Pop.* Em tribunais, banco de réu **4** *Bras.* Espécie de pandeiro com o qual se joga o tamboréu **5** *Bras. Lud.* Ver *tamboréu* **6** *Bras. N.E. Pop.* Pessoa de baixa estatura **7** *Tip.* Bloco de madeira de face lisa que, colocado sobre a forma (ô), é golpeado com o maço para nivelar os tipos; APLANADOR; ASSENTADOR **8** *Mar.* Conjunto de peças que garante a verticalidade dos mastros [Ger. us. no pl.] **9** *Mar.* Em embarcações pequenas, tábua larga, fixada às amuradas e à ponta da proa, onde são fincados o pau da flâmula e o ferro do toldo [F.: Por infl. do fr. *tabouret.*]

tambori (tam.bo.*ri*) *sm. Bras. Angios.* Árvore da família das leguminosas (*Enterolobium contortisiliquum*), da mata atlântica, com tronco bem muito grosso, copa avantajada, madeira avermelhada, macia, us. na fabricação de canoas; ORELHA-DE-NEGRO; TAMBURI; TIMBOÚVA [F.: Do tupi *tamborĩ.*]

tamboril (tam.bo.*ril*) *sm.* **1** *Mús.* Instrumento de cordas percutidas com baqueta, espécie de pequena cítara, que um só executante toca simultaneamente com o galubé **2** *Mús.* Dança em compasso binário e andamento mais ou menos moderado executada com esses instrumentos **3** Aquele que toca esses instrumentos; TAMBORILEIRO **4** *Mús.* Pequeno tambor; TAMBORIM; TAMBORINO **5** *Ict.* Peixe (*Lophius piscatorius*) comum em águas europeias, de grande cabeça achatada, grande boca semicircular e que vive enterrado na areia, camuflado com as pedras; PEIXE-SAPO; TAMBORIL [Pl.: *-ris.*] [F.: Alt. de *tamborim.* Tb. *tamburil.*]

tamborilar (tam.bo.ri.*lar*) *v.* **1** Bater com os dedos em uma superfície de forma ritmada [***td.***: *O compositor tamborilou um samba no balcão do bar.*] [***ta.***: *Nervoso, o motorista tamborilava no volante.*] [***int.***: *Enquanto aguardava o médico, a moça tamborilava.*] **2** Produzir som semelhante ao do tambor [***int.***: *A criança tamborilava com os talheres.*] **3** *Fig.* Incomodar (alguém) com (fala ou barulho); MARTELAR [*td.*: *Os jovens tamborilam os vizinhos com suas músicas.*] [▶ 1 tamboril**ar**] *sm.* **4** Som semelhante ao do tambor [F.: *tamboril* + *-ar*[2].]

tamborim (tam.bo.*rim*) *Mús. sm.* **1** Tambor pequeno; TAMBORINO **2** Instrumento de percussão leve, facilmente manuseável, semelhante a um tambor pequeno e de baixa altura, forrado com uma pele na boca superior, e que, seguro com uma das mãos, é tocado com a outra, por meio dos dedos e da palma das mãos, ou com auxílio de baqueta ger. fina; TAMBORIL [Muito us. em festas populares, esp. nas carnavalescas.] **3** *RJ SP P. ext.* Instrumento com características semelhantes, só que menor e metálico ou de material sintético, us. normalmente em baterias de escolas de samba [Pl.: *-rins.*] [F.: *tambor* + *-im.*]

tamborineiro (tam.bo.ri.*nei*.ro) *Mús. sm.* **1** Tocador de tamborim *a.* **2** Que toca tamborim [F.: *tamborim* + *-eiro.* Sin. ger.: *tamborim.*]

tambor-mor (tam.bor-*mor*) *sm.* **1** Chefe dos tambores de um regimento **2** *P. ext.* Mestre de banda, fanfarra, orquestra etc. **3** Baliza, nas bandas militares [Pl.: *tambores-mores.*]

tambuatá (tam.bu.a.*tá*) *Bras. Ict. sm.* **1** Peixe actinopterígio, siluriforme, da fam. dos calictiídeos (*Callichthys callichthys*), encontrado em rios da América do Sul, corpo revestido por placas ósseas. Durante a reprodução, o ventre do macho torna-se alaranjado e os espinhos peitorais alongam-se e engrossam; durante a estiagem, desloca-se por terra para áreas alagadas; CASCARUDO **2** Peixe de até 40cm de comprimento, teleósteo, perciforme, da fam. dos pomacantídeos (*Holacanthus tricolor*), que vive nos arrecifes na região tropical do Atlântico, do coloração amarela na parte anterior do corpo e negra na parte posterior e nadadeiras dorsal e anal contornadas de vermelho; AUARAÚNA; PARU-DOURADO; SOLDADO [Var: *tamboatá, tamuatá.*] [F.: Do tupi *tambu'ata.*]

tamburil (tam bu.*ril*) *sm.* Ver *tamboril*

tâmil (*tâ*.mil) *s2g.* **1** Pessoa pertencente aos tâmeis, povo que habita o sul da Índia e o Nordeste e Oeste do Sri Lanka **2** *Gloss.* Língua dravídica falada pelos tâmeis [Pl.: *tâmeis, tâmiles.*] *a2g.* **3** Do ou ref. ao tâmil (1 e 2) [F.: Do tâmil *tamil* 'melodiosidade'.]

tamina (ta.*mi*.na) *Bras. Ant. sf.* **1** Recipiente com que se media a ração diária de farinha de mandioca dos escravos **2** Essa ração **3** Quantidade de água que cada pessoa podia tirar das fontes públicas durante as secas **4** Fornecimento periódico de roupa aos escravos **5** Na colheita de café e cereais, tarefa exigida dos escravos **6** Pequena quantidade [F.: Do quimb. *tamina* 'tigela'.] ■ **Por ~** Aos poucos

tamis (ta.*mis*) *sm.* **1** Peneira de seda us. em farmácias e laboratórios **2** *Fig.* O que retém, seleciona ou filtra; CRIVO; FILTRO; SELETOR: "Faziam gala em escalpelizar as podridões sociais sem rebuço nem tamis." (Aquilino Ribeiro, *Camões, Camilo, Eça*) **3** *Têxt.* Certo tecido de lã inglês [Pl.: *-ses.*] [F.: Do lat. pop. *tamisium*, de or. gaulesa.]

tamisação (ta.mi.sa.*ção*) *sf.* Ação ou resultado de tamisar [F.: *tamisar* + *-ção.*]

tamisar (ta.mi.*sar*) *v.* **1** Passar substância pelo tamis, peneira de farmácia; DEPURAR; PENEIRAR; COAR [*td.*: *tamisar a suspensão.*] **2** Coar(-se) de modo a deixar mais tênue; ATENUAR; ESMAECER; SUAVIZAR [*td.*: *A tela retém e tamisa as tintas.*] **3** *P. ext.* Escolher e separar com cuidado; JOEIRAR; SELECIONAR [*td.*: *tamisar os assuntos/os candidatos.*] [▶ 1 tamis**ar**] [F.: *tamis* + *-ar*[2]. Hom./Par.: *Tâmisa* (top., sm), *tamisa* (fl. de *tamisar*).]

tamoeiro (ta.mo.*ei*.ro) *sm.* **1** Peça de madeira que no carro de bois fica entre os animais **2** Correia que prende a canga ao cabeçalho do carro, charrua, arado etc.; APEIRO [Var.: *temoeiro.*] [F.: Alt. de *temoeiro.*]

tamoio (ta.*moi*.o) *Bras. Etnol. s2g.* **1** Indivíduo dos tamoios, povo indígena tupi que habitava a costa brasileira do Norte de São Paulo a Cabo Frio, e o vale do Paraíba (RJ) *a2g.* **2** Ref. ou pertencente aos tamoios

tampa (*tam*.pa) *sf.* **1** Peça móvel destinada a fechar recipientes como caixas, garrafas, panelas etc.; TAPADOR; TAPADOURO; TAPA; TAPADURA **2** Prensa de fabricante de pentes **3** Laje de sepultura **4** *Pop.* Ver *tampo* **5** *Fig. Pop.* Fracasso em qualquer iniciativa **6** *Bras. Joc.* Chapéu **7** *Bras. Joc.* Cabeça [F.: Do gótico **tappa.* Hom./Par.: *tampa* (sf.), *tampa* (fl. de *tampar*). Ideia de: *opercul(i)-.*] ■ **Amassar a ~ da binga** *GO Fig. Pop.* Dar-se mal, sofrer derrota ou revés **Apanhar/levar ~** *Lus.* Ter (o homem) rejeitada tentativa ou pedido de namoro, convite para dançar; levar tábua **Dar com a ~** *Fig. Pop.* Rejeitar (mulher) tentativa ou pedido de namoro ou convite para dançar; dar tábua **Roer ~ de penico** *Bras. Gír.* Passar por grandes dificuldades, privações, falta de dinheiro; estar na pior; matar cachorro a grito

tampado (tam.*pa*.do) *a.* **1** Que se tampou; que recebeu uma tampa (caixa tampada) **2** *Bras.* Que é espesso, cerrado, denso (mata tampada) **3** *Bras.* Diz-se de tempo encoberto, enevoado, carregado de nuvens [F.: Part. de *tampar.*] ■ **Comer ~** *N. E. Pop.* Comer da banda podre (ver no verbete *banda*[1])

tampadora (tam.pa.*do*.ra) *Ind. sf.* Máquina de tampar garrafas, potes, vidros etc., us. na indústria de bebidas, alimentos, farmacêutica etc. [F.: *tampar* + *-dora.*]

tampão (tam.*pão*) *sm.* **1** Tampa ou tampo de tamanho grande **2** Tampa de esgoto, tanque, pia etc. **3** *Med.* Bucha de espuma, gaze ou algodão para impedir a saída de líquidos de algum lugar, absorver secreções, estancar hemorragias etc. **4** Absorvente cilíndrico us. internamente para reter e absorver o fluxo menstrual **5** Pedaço de madeira ou outro material que tapa rombos, orifícios, fendas etc.; BUCHA **6** Pequeno cilindro que se introduz na parede para firmar pregos ou parafusos e não deixá-los sair; BUCHA **7** *Grav.* Chumaço de algodão coberto de pano com o qual se entinta a placa de metal ou a pedra litográfica [Cf. *boneca* (3).] **8** *Lus.* Calota de veículos motorizados, de automóveis **9** *Quím.* Red. de solução-tampão [Pl.: *-pões.*] [F.: Do fr. *tampon.*] ■ **~ hemostático** *Biol.* Aglomerado de plaquetas, unidas por fibrina, que, na coagulação do sangue, bloqueia lesão hemorrágica **~ higiênico/vaginal** *Bras.* Tampão cilíndrico absorvente introduzido na vagina durante a menstruação, ou em caso de corrimento, ou após certas cirurgias, para absorver sangue menstrual, secreções etc.

tampar (tam.*par*) *v. td.* Pôr cobertura sobre (algo) para fechá-lo; TAPAR; VEDAR: *Você tampou o frasco de perfume.* [Ant.: *destampar.*] [▶ 1 tamp**ar**] [F.: *tampa* ou *tampo* + *-ar*[2]. Hom./Par.: *tampa(s)* (fl.), *tampa(s)* (sf. [pl.]); *tampo* (fl.), *tampo* (sm.).]

tampinha (tam.*pi*.nha) *sf.* **1** Tampa pequena *sf.* **2** *Bras. Lud.* Jogo de crianças em que os participantes usam tampinhas, ger. metálicas, de refrigerantes, cervejas etc.; CHAPINHA *s2g.* **3** *Bras. Pop. Pej.* Pessoa de pouca estatura; BAIXINHO; BAIXOTE [F.: *tampa* + *-inha.*]

tampo (*tam*.po) *sm.* **1** Peça com que se tampa vasos, tinas, tonéis; TAMPA; TAMPÃO **2** *Mús.* A cobertura da caixa de ressonância em instrumentos de corda: *o tampo do bandolim.* **3** *Carp.* Peça circular em que são entalhadas as aduelas de cubas, tinas etc. **4** *Carp.* Face horizontal dos degraus de madeira **5** *Tabu.* Hímen [Us. ger. no pl.] **6** A cobertura móvel do teclado dos pianos **7** *Mob.* A superfície das mesas **8** *Mil.* Tubo de aço aparafusado em projéteis de artilharia **9** *Mob.* Tampa de caixas, arcas etc. **10** *Bras.* Chapéu [F.: Var. de *tampa.* Hom./Par.: *tampo* (sm.), *tampo* (fl. de *tampar*).] ■ **~ harmônico** *Mús.* Tampo (2) de instrumento de corda **Meter os ~s** *Bras. Pop.* Dar cabeçada(s) **Tirar os ~s** *Bras. Tabu.* Deflorar, desvirginar (mulher)

tampografia (tam.po.gra.*fi*.a) *Art. gr. sf.* Processo de impressão em superfícies irregulares, podendo ser usada sobre qualquer objeto (máquina de tampografia): *tampografia para impressão em pequenas peças.* [F.: *tampo* + *-grafia.*]

tamponado (tam.po.*na*.do) *a.* **1** Que se tamponou **2** *Farm.* Diz-se de medicamento que contém um antiácido que cria um ambiente alcalino e facilita sua dissolução, reduzindo o período de contato com a parede do estômago (aspirina tamponada) [F.: Part. de *tamponar.*]

tamponamento (tam.po.na.*men*.to) *sm.* **1** Ação ou resultado de tamponar **2** Gasolina vaporizada nos dutos de combustível de um veículo, e consequente impedimento de seu fluxo [F.: *tamponar* + *-mento.*]

tamponar (tam.po.*nar*) *v. td.* **1** Vedar (passagem) com tampão: *tamponar um duto.* **2** *Quím.* Estabilizar o PH de (solução) por meio de tampão adequado **3** *Cir.* Introduzir tampões de gaze, algodão etc. em (ferida, cavidade) para estancar o sangue, absorver secreção: *tamponar um vaso sanguíneo.* [▶ 1 tampon**ar**] [F.: *tampão*, sob a f. *tampon-* + *-ar*[2].]

tampouco (tam.*pou*.co) [ô] *adv.* Nem, também não: *O que você fez não é certo e tampouco justo.* [Em Portugal usa-se tão-pouco.] [F.: Contr. de *tão pouco.*]

⊠ **tan** *Trig.* Símb. de *tangente*

tânagra (*tâ*.na.gra) *sf.* **1** *Art. pl.* Estatueta de terracota delicada e elegante encontrada em grande número na necrópole de Tânagra, antiga cidade da Beócia **2** Qualquer estatueta feminina delicada e elegante **3** *Fig.* Mulher de corpo perfeito, esbelta, flexível, de postura elegante, como a tânagra (1) [F.: Do top. *Tânagra.*]

tanagriano (ta.na.gri:a.*no*) *sm.* **1** Indivíduo nascido ou que vive em Tânagra (antiga cidade grega) *a.* **2** De Tânagra; típico dessa cidade ou de seu povo [F.: Do top. *Tânagr(a)* + *-iano.*]

tanajura (ta.na.*ju*.ra) *sf.* **1** *Zool.* Denominação comum que se dá às fêmeas aladas das diversas espécies de saúvas; IÇÁ [Existem em menor número que os machos alados e têm muita gordura no abdome.] **2** *Bras. Fig. Pop.* Mulher de cintura fina e quadris ou nádegas volumosos [F.: Do tupi *tanayu'ra.*]

◎ **-tanásia** *el. comp.* = 'morte': *cacotanásia, cacotanasia, eutanásia, eutanasia* [O étimo grego determina como melhor forma *-tanasia*, mas o uso vem consagrando as formas em *-tanásia.*] [F.: Do gr. *-thanasía.* Tb. *-tanasia.*]

◎ **-tanat(o)-** *el. comp.* Ver *tanat(o)-*

◎ **tanat(o)-** *el. comp.* = 'morte': *tanatofilia, tanatofobia, tanatognose, tanatologia, tanatomania*; *atanatismo* [F.: Do gr. *thánatos, ou*, 'morte'.]

tanatofilia (ta.na.to.fi.*li*.a) *Psiq. sf.* Interesse mórbido ou atração doentia pela morte e por temas análogos [F.: *tanat(o)-* + *-filia*[1]. Cf.: *tanatomania.*]

tanatofílico (ta.na.to.*fí*.li.co) *Psiq. a.* **1** Que diz respeito a tanatofilia **2** Que apresenta tanatofilia; TANATÓFILO *sm.* **3** *Psiq.* Aquele que apresenta tanatofilia; TANATÓFILO [F.: *tanatofilia* + *-ico*[2].]

tanatófilo (ta.na.*tó*.fi.lo) *a. sm. Psiq.* O mesmo que *tanatofílico* (2 e 3) [F.: *tanat(o)-* + *-filo*[1].]

tanatofobia (ta.na.to.fo.*bi*.a) *Psiq. sf.* Temor mórbido da morte [F.: *tanat(o)-* + *-fobia.*]

tanatofóbico (ta.na.to.*fó*.bi.co) *Psiq. a.* **1** Que diz respeito a tanatofobia **2** Que tem tanatofobia; TANATÓFOBO *sm.* **3** *Psiq.* Aquele que tem tanatofobia; TANATÓFOBO [F.: *tanatofobia* + *-ico*[2].]

tanatófobo (ta.na.*tó*.fo.bo) *a. sm. Psiq.* O mesmo que *tanatofóbico* (2 e 3) [F.: *tanat(o)-* + *-fobo.*]

tanatognose (ta.na.tog.*no*.se) *Med. leg. sf.* Diagnóstico da morte [F.: *tanat(o)-* + *-gnose.*]

tanatologia (ta.na.to.lo.*gi*.a) *sf.* **1** *Med. Psi.* Conjunto multidisciplinar de conhecimentos que visa prover ajuda profissional ao paciente terminal, para que tenha uma morte digna; a seus entes queridos, para que superem o luto e a perda sem grandes traumas; e a pessoas em geral que sofreram perdas significativas de qualquer natureza **2** *Med. leg.* Ramo da medicina legal que trata das questões relacionadas com a morte, e que envolve a atuação do médico-legista e do perito criminal **3** *Med. leg.* Realização de necrópsias **4** Tratado acerca da morte [F.: *tanat(o)-* + *-logia.*]

tanatológico (ta.na.to.*ló*.gi.co) *a.* Que diz respeito a tanatologia [F.: *tanatologia* + *-ico*[2].]

tanatólogo (ta.na.*tó*.lo.go) *sm.* **1** Especialista em qualquer área da tanatologia *a.* **2** Diz-se desse profissional (médico tanatólogo; enfermeira tanatóloga) [F.: *tanat(o)-* + *-logo.*]

tanatomania (ta.na.to.ma.*ni*.a) *Psiq. sf.* **1** Interesse exacerbado pela morte ou por assuntos correlatos **2** Tendência ao suicídio ou ao assassinato [F.: *tanat(o)-* + *-mania.* Cf.: *tanatofilia.*]

tanatomaníaco (ta.na.to.ma.*ní*:a.co) *Psiq. a.* **1** Ref. ou inerente a tanatomania **2** Que padece de tanatomania; TANATÔMANO *sm.* **3** Aquele que padece de tanatomania; TANATÔMANO [F.: *tanatoman(ia)* + *-iaco*, seg. o mod. gr.]

tanatômano (ta.na.*tô*.ma.no) *a. sm. Psiq.* O mesmo que *tanatomaníaco* (2 e 3) [F.: *tanat(o)-* + *-mano*[1].]

tânatos (*tâ*.na.tos) *sm.* **1** Pulsão de morte, segundo Sigmund Freud [No freudismo opõe-se a *eros* (com inic. maiúsc.).] **2** *Mit.* Deus da morte, na mitologia grega [Nesta acp., com inic. maiúsc.] [F.: Do gr. *thánatos* 'morte'.]

tancagem (tan.*ca*.gem) *sf.* **1** Armazenamento de fluidos em tanque **2** Capacidade de armazenamento desse tanque [F.: *tanque* + *-agem*[2].]

tancredense (tan.cre.*den*.se) *s2g.* **1** Aquele ou aquela que nasceu ou que vive em Presidente Tancredo Neves (BA) *a2g.* **2** De Presidente Tancredo Neves; típico dessa cidade ou de seu povo [F.: Do top. (*Presidente*) *Tancredo* (*Neves*) + *-ense.*]

tandem (*tan*.dem) *sm.* **1** Bicicleta de dois selins enfileirados e dois pares de pedais **2** Um tipo de cabriolé descoberto puxado por dois cavalos em fila indiana **3** Conjunto de duas unidades em que uma fica atrás da outra **4** *Mec.* Máquina em que dois ou mais cilindros se colocam um atrás do outro **5** No circo, cavalos que correm em dupla, mas um na frente do outro, ambos executando os mesmos movimentos **6** *Telc.* Centro de comutação para o tráfego entre centrais telefônicas [Pl.: *-dens.*] [F.: Do ing. *tandem.*]

tanga (*tan*.ga) *sf.* **1** *Vest.* Peça vegetal, de couro, penas etc. com que certos povos primitivos cobrem a área do sexo e os quadris; TANGUEIRO; TAPA-SEXO **2** *Vest.* Calcinha, especialmente de biquíni, de dimensões mínimas **3** *Ant. Num.* Moeda asiática, us. tb. na Índia portuguesa, de valor ínfimo e com a forma de uma fava **4** Estado de uma sociedade de grupos selvagens; PRIMITIVISMO; RUSTICIDADE **5** *Bras.* Ver *varanda* [F.: Do quimb. *tanga.* Hom./Par.: *tanga* (sf.), *tanga* (fl. de *tangar*).] ■ **De ~** *Gír.* Em situação financeira ruim, na miséria **De ~, pote e esteira** *AL Gír.* Em grande penúria, em extrema miséria

tangado *a.* **1** *Mús.* Acompanhamento para dobrados feito nas tubas, de forte influência negra; típico do Recôncavo Baiano e acentuadamente distinto do estilo tradicional de marcha **2** Vestido de tanga: "Viu-o, depois, crescido, aos sete anos, já tangado, aprendendo a usar as armas da tribo..." (Lima Barreto, *Diário íntimo*) [F.: Part. de *tangar*[1].]

tangão (tan.*gão*) *sm.* **1** *Fot. Teat.* Conjunto de refletores dispostos num suporte vertical us. nas laterais do palco **2** *Telv.* Luz montada na própria câmara, us. esp. na iluminação de reportagens externas **3** *Teat.* Viga ou grade suspensa a que se prendem os bastidores [Pl.: *-gões.*] [F.: Do fr. *tangon.*]

tangar[1] (tan.*gar*) *v. td.* Cobrir(-se) com tanga [▶ 14 tan**gar**] [F.: *tanga* + *-ar*[2]. Hom./Par.: *tanga(s)* (fl.), *tanga(s)* (sf. [pl.]); *tango* (fl.), *tango* (sm.); *tangará(s)* (fl.), *tangará(s)* (sm. [pl.]).]

tangar[2] (tan.*gar*) *v.* Dançar o tango; TANGUEAR [*tr.* + *com*: *Tangou duas vezes com a morena.*] [*int.*: *Há casas noturnas só para tangar.*] [▶ 14 tan**gar**] [F.: *tango* + *-ar*[2].]

tangará (tan.ga.*rá*) *Bras. sm.* **1** *Zool.* Nome comum que se dá a várias espécies de pássaros da fam. dos piprídeos, cujos machos são coloridos e fêmeas verdes, encontradas em várias regiões da América do Sul, e que têm como costume uma dança pré-nupcial dançada unicamente pelo macho; ATANGARÁ **2** *Bras. Zool.* O mesmo que *cardeal* (*Paroaria gularis*) **3** *Zool.* Pássaro da fam. dos piprídeos (*Chiroxiphia caudata*), com cerca de 15 cm de comprimento, cujo macho possui corpo azul, asas e cabeça pretas, e cabeça vermelha, encontrada no Brasil, Paraguai e Argentina; DANÇADOR **4** *SP Dnç. Mús.* Dança do fandango valsado [F.: Do tupi *tanga'ra.* Hom./Par.: *tangará* (sm.), *tangará* (fl. de *tangar*).]

tangedor (tan.ge.*dor*) [ô] *a.* **1** Que tange ou toca instrumentos **2** Que tange ou toca animais *sm.* **3** Aquele que toca instrumentos **4** Aquele que toca animais [F.: *tanger* + *-dor.* Hom./Par.: *tangedor(a)* (fem. do sm.), *tangedoura* (sf.). Ideia de: *tact-.*]

tangência (tan.*gên*.ci:a) *Geom. sf.* **1** Contato pontual entre duas linhas ou duas superfícies **2** O ponto desse contato

[F.: *tangente* + *-ia*². Hom./Par.: *tangência* (sf.), *tangencia* (fl. de *tangenciar*). Ideia de: *tact-*.]

tangencial (tan.gen.ci:*al*) *a2g.* **1** Ref. a tangência ou a tangente **2** *Fig.* Diz-se daquilo que é feito de maneira superficial, pouco aprofundada: *Fez apenas uma análise tangencial, sem tocar fundo no problema.* [Pl.: *-ais.*] [F.: *tangência* + *-al*¹. Hom./Par.: *tangenciais* (pl. do a2g.), *tangenciais* (fl. de *tangenciar*). Ideia de: *tact-*.]

tangencialmente (tan.gen.ci.al.*men*.te) *adv.* **1** Na direção da tangente: *Num deslizamento, a força atua paralelamente ou tangencialmente à superfície.* **2** De maneira indireta ou superficial; BREVEMENTE; INDIRETAMENTE; RESUMIDAMENTE; SUPERFICIALMENTE: "...as 'novas tecnologias' atingiram só tangencialmente as principais atividades produtivas e de serviços, com a importante exceção do setor bancário. " (*O Globo*, 21.04.1997) [Ant.: *profundamente, significativamente.*] [F.: *tangencial* + *-mente.*]

tangenciamento (tan.gen.ci:a.*men*.to) *sm.* **1** Ação ou resultado de tangenciar **2** Passagem muito rente a alguém ou algo: *O motociclista já havia iniciado o tangenciamento da curva.* **3** Proximidade, semelhança, aproximação: *tangenciamento entre música popular e erudita.* **4** Abordagem superficial ou indireta: *Não permitiremos tangenciamento ou fuga ao tema.* [F.: *tangenciar* + *-mento.*]

tangenciar (tan.gen.ci.*ar*) *v. td.* **1** *Fig.* Tratar (algo) superficialmente: *O discurso do diretor apenas tangenciou questões importantes.* **2** Passar perto de: *A ferrovia tangencia a cidade; Seu medo tangencia o pânico.* **3** Traçar uma tangente com: *A luz do poste tangenciava os telhados.* [▶ 1 tangenciar] [F.: *tangência* + *-ar*². Hom./Par.: *tangenciais* (fl.), *tangenciais* (pl. de *tangencial*); *tangencia(s)* (fl.), *tangência(s)* (sf. [pl.]).]

tangente (tan.*gen*.te) *a2g.* **1** *Geom.* Diz-se de linha ou superfície que toca num só ponto outra linha ou superfície, sem cortá-la **2** Que tange ou toca **3** Que tangencia *sf.* **4** *Geom.* Linha ou superfície que toca num só ponto outra linha ou superfície, sem cortá-la **5** *Trig.* Razão entre o cateto oposto a um ângulo agudo e o cateto adjacente de um triângulo retângulo; função que se define pela razão entre seno e cosseno de um ângulo [NOTA: Símb.: *tg* e *tan.*] **6** *Mús.* A peça de metal que faz vibrar a corda do clavicórdio **7** *Bras.* Trecho reto de uma estrada, que tangencia curvas nas extremidades [F.: Do lat. *tangens, entis.* Ideia de: *tact-*.] ■ **Passar na ~ 1** *Fig. Pop.* Passar em prova, teste, exame etc. com a nota mínima **2** Tratar superficialmente de um assunto, ou passar por ele sem se deter **Pela ~** Quase sem conseguir, raspando: *Escapou pela tangente de ser reprovado.* **Sair pela ~** Evitar lidar diretamente com algo difícil; evadir-se ou recorrer a evasivas: *Na hora de assumir a missão, saiu pela tangente.* **~ hiperbólica** *Trig.* Função definida pela razão entre o seno hiperbólico e o cosseno hiperbólico [Símb.: *tanh* e *tgh.*] **~ hiperbólica inversa** *Trig.* Arco tangente hiperbólica **~ inversa** *Trig.* Arco tangente

tanger (tan.*ger*) *v.* **1** Tocar (instrumento musical) [*td.*: "... sem cantarmos bonito nem tangermos guitarra..." (Cecília Meireles, *Crônicas de viagem*)] [*int.*: *O grupo dançava e tangia ao mesmo tempo.*] **2** *P. ext.* Fazer soar ou soar [*int.*: *Sinos tangiam ao longe.*] **3** Produzir, repercutir (som) por; RESSOAR [*td.*: *A voz do general tangia todas as fileiras.*] [*int.*: *Com esta acústica, a percussão tange muito.*] **4** Referir-se a [*tr.i.* + *a*: *No que tange à contabilidade, estamos tranquilos.*] **5** Tocar, roçar, encostar em [*td.*: *As árvores eram tão altas que pareciam tanger as nuvens.*] **6** Chamar, convidar (alguém), fazendo soar um instrumento (sino, trombeta etc.) [*td.*: *Na escola, o sinal tange os alunos para o recreio; O sino da igreja tangia os fiéis.*] [*int.*: *Às seis horas, os sinos tangem.*] **7** Tocar, acionar (fole de ferreiro) [*td.*: *O ferreiro tangia sua fole sem parar.*] **8** Apressar (animal ou ser humano) para estimular na marcha; TOCAR [*td.*: *O peão tange rapidamente a boiada.*] **9** Pôr em fuga com violência ou energia; EXPULSAR [*td.*: *Tangiam os invasores.*] [*tda.*: *Os policiais tangeram da fazenda os sem-teto.*] [▶ 35 tanger] *sm.* **10** Som ou toque de instrumentos; MÚSICA [F.: Do lat. *tangere.*]

tangerina (tan.ge.*ri*.na) *sf.* **1** *Bot.* O fruto da tangerineira; fruta cítrica, pouco ácida, cuja casca se solta facilmente dos gomos; MANDARINA; MEXERICA; MIMOSA; BERGAMOTA] **2** *Bot.* O mesmo que *tangerineira* (*Citrus reticulata*) **3** *CE Ent.* Ver *libélula* [F.: Substv. do adj. fem. *tangerina* na expr. *tangerina de Tânger*, do top. *Tânger.*]

tangerineira (tan.ge.ri.*nei*.ra) *sf. Bot.* Árvore da fam. das rutáceas (*Citrus reticulata*), originária do Sudeste da Ásia, de ramos espinhosos, flores brancas e aromáticas, muito cultivada em regiões tropicais pelo fruto subgloboso e sucoso, a tangerina, e para a extração de óleo us. na indústria cosmética; MEXERICA; MEXERIQUEIRA; TANGERINA [F.: *tangerina* + *-eira.*]

tangerino (tan.ge.*ri*.no) *sm. N.E.* Tangedor de gado, ger. a pé; TOCADOR; VAQUEIRO: "...os vaqueiros olhavam as águas trágicas onde os peixes burburinhavam e um tangerino moço, condoído do velho boi, suspirou: Coitado!" (Coelho Neto, *Vesperal*) [F.: *tanger* + *-ino.*]

tangibilidade (tan.gi.bi.li.*da*.de) *sf.* Qualidade do que é tangível [F.: *tangível* + *-(i)dade.* Ideia de: *tact-*.]

tangimento (tan.gi.*men*.to) *sm.* **1** Ação ou resultado de tanger, tocar; TANGIDA **2** *Antq.* Ação ou resultado de tatear **3** Ação ou resultado de tocar, afagar, acariciar [F.: *tanger* + *-i-* + *-mento.* Ideia de: *tact-*.]

tangível (tan.*gí*.vel) *a2g.* **1** Que se pode tocar, apalpar; CORPÓREO; PALPÁVEL **2** Que pode ser tangido, tocado; TOCÁVEL **3** *Fig.* Diz-se de bens materiais, econômicos etc., que têm existência concreta, física [Ant.: *intangível.*] **4** *Fig.* Que é bem claro ou definido e portanto pode ser percebido ou entendido [Pl.: *-veis.*] [F.: Do lat. *tangibilis, e.* Ideia de: *tact-*.]

tanglomanglo (tan.glo.*man*.go) *sm.* **1** *Bras.* Doença supostamente causada por magia, feitiço etc.; BRUXEDO; MALEFÍCIO; SORTILÉGIO **2** *Pop.* Qualquer doença ou mazela: *Estava muito bem, de repente deu-lhe um tangolomango.* **3** Azar constante, má sorte; CAIPORISMO; URUCUBACA [F.: De or. obsc. Sin. ger.: *tangolomango, tangoromângaro, tangromangro.*]

tango (*tan*.go) *sm.* **1** *Dnç. Mús.* Dança e música sincopada, originada dos subúrbios de Buenos Aires (Argentina), em fins do séc. XIX, sob influências diversas, esp. da milonga e da habanera **2** *Mús.* Tambor africano pequeno **3** *P. ext. Dnç.* Dança executada ao som desse tambor [F.: Do espn. platino *tango.* Hom./Par.: *tango* (sm.), *tango* (fl. de *tangar*).] ■ **~ argentino** *Dnç. Mús.* Tango (1) **~ brasileiro** *Dnç. Mús.* Fusão de *habanera* com polca (séc. XIX)

tangolomango (tan.go.lo.*man*.go) *sm.* Ver *tanglomanglo*

tangomania (tan.go.ma.*ni*.a) *Mús. Dnç. sf.* Interesse excessivo ou atração extraordinária pelo tango e tudo o que se relaciona a essa música e dança [F.: *tango* + *-mania.*]

tangômano (tan.*gô*.ma.no) *sm.* **1** Indivíduo que tem tangomania; aficionado do tango *a.* **2** Ref. ou inerente a tangomania **3** Que diz respeito ao aficionado pelo tango [F.: *tango* + *-mano.* Sin. ger.: *tangomaníaco.*]

tangomau (tan.go.*mau*) *sm.* **1** *Hist.* Indivíduo que viajava à África para negociar escravos; POMBEIRO; TAGANHÃO; TANGOMÃO **2** *Ant.* Aquele que morre ausente ou desterrado da pátria [F.: De or. obsc, posv. afr.]

tangueiro (tan.*guei*.ro) *sm.* **1** O mesmo que *tanga* *a.* **2** Ref. a tanga **3** Diz-se do tecido próprio para a confecção de tangas [F.: *tanga* + *-eiro.*]

tangueria (tan.gue.*ri*.a) *sf.* Casa noturna ou clube especializado em tango [F.: Do espn. plat. *tanguería.*]

tanguista (tan.*guis*.ta) *a2g.* **1** *Dnç.* Que dança o tango *s2g.* **2** *Dnç.* Dançarino de tango [F.: *tango* + *-ista.*]

⊠ **tanh** *Trig.* Símb. de *tangente hiperbólica*

tanífero (ta.*ní*.fe.ro) *a.* Que contém ou produz tanino [F.: *tanino* + *-fero*, com haplologia.]

tanino (ta.*ni*.no) *Quím. sm.* Ácido adstringente ($C_{76}H_{52}O_{46}$) extraído de vegetais, us. para tratar queimaduras, curtir couro, produzir corantes, tintas, bebidas etc.; TÂNICO [F.: Do fr. *tanin* ou *tannin.*]

taninoso (ta.ni.*no*.so) [ô] *a.* **1** Que contém tanino; TANÍFERO **2** Rico em tanino e ger. muito adstringente (vinho/caqui taninoso) [Pl.: [ó]. Fem.: [ó].] [F.: *tanino* + *-oso.* Sin. ger.: *tânico.*]

tanoaria (ta.no:a.*ri*.a) *sf.* **1** Ofício, oficina ou obra de tanoeiro; TANOA; TONELARIA **2** Bairro ou rua em que trabalham ou vivem tanoeiros [F.: *tanoa* + *-aria.* Hom./Par.: *tanoaria* (sf.), *tanoaria* (fl. de *tanoar*). Ideia de: *ton(a)-*.]

tanoeiro (ta.no:*ei*.ro) *sm.* **1** Pessoa que fabrica ou conserta tonéis, barris, pipas etc.; TONELEIRO **2** *Bras. Gír.* Cão, cachorro **3** *Herp.* Ver *sapo-martelo.* **4** *Herp.* Ver *perereca* [F.: *tanoa* (= *tanoaria*) + *-eiro.* Ideia de: *ton(a)-*.]

tanque¹ (*tan*.que) *sm.* **1** Reservatório para líquidos *Lus.*; DEPÓSITO: *tanque de gasolina.* **2** Cuba, ger. de cimento, metal ou plástico, onde se lava roupa à mão: *tanque de lavar roupas.* **3** Construção de pedra ou alvenaria, com bicas por onde jorra água; CHAFARIZ; FONTE **4** Construção que represa a água destinada a irrigação, abastecimento etc.; AÇUDE; BARRAGEM **5** Depósito natural de águas vindas da chuva ou de um rio; CISTERNA; POÇO **6** Cuba onde é feita a salmoura de carne ou peixe **7** Cada canteiro de um arrozal **8** *Fig.* O mar **9** *Mar. Merc.* Qualquer compartimento de um navio destinado ao armazenamento de líquidos (água, gasolina, petróleo etc.) [F.: De or. obsc. Nota: Posposto a outro subst. a que se liga por hífen é um especificador, invariável ou não, indicando que algo tem a função ou é capaz de transportar ou armazenar líquidos ou fluidos em geral (ex.: *caminhão-tanque, aviões-tanques*).] ■ **~ de lastro 1** *Cnav.* Tanque que se enche de água para, como lastro, equilibrar embarcação **2** Num submarino, tanque que se enche ou se esvazia de água para que o submarino mergulhe ou vá à tona **3** Reservatório em navio-petroleiro **~ de prova** *Bras. Cnav.* Piscina longa para testes hidrodinâmicos com protótipos de embarcações

tanque² (*tan*.que) *sm.* **1** *Mil.* Carro de guerra blindado, equipado com armas pesadas, us. desde a Primeira Guerra Mundial; CARRO DE COMBATE **2** *Inf. Fut.* Jogador de ataque sem muita técnica, mas valente e às vezes com qualidades de goleador [F.: Do ing. *tank.*]

tanque-anfíbio (tan.que-an.*fí*.bi:o) *Arm. sm.* Tanque de guerra capaz de se locomover em terra e na água [Pl.: *tanques-anfíbios.*]

tanqueiro (tan.*quei*.ro) *sm.* **1** Veículo (caminhão, navio) provido de tanque para transporte de líquidos **2** *P. ext.* Motorista de caminhão-tanque **3** *Mil.* Membro da divisão de tanques *a.* **4** Provido de tanque **5** Que dirige caminhão-tanque **6** Ref. ou pertencente a tanque [F.: *tanque* + *-eiro.*]

tanso (*tan*.so) *sm.* **1** *Pop.* Indivíduo parvo, tolo, idiota, palerma: "A toda volta caranguejavam: Cá está o novo! – Tem cara de tanso! – É mesmo um gorila." (Aquilino Ribeiro, *Luz ao longe*) **2** Diz-se de indivíduo parvo, estúpido [F.: De or. obsc.]

tantã (tan.*tã*) *Bras. Fam. a2g.* **1** Que é amalucado *s2g.* **2** Indivíduo amalucado **3** Espécie de gongo, ou tambor de bronze [Pl.: *-tãs.*] [F.: Posv. de *tonto.* Sin. ger.: *louco, tonto, desequilibrado.*]

tantalesco (tan.ta.*les*.co) [ê] *a.* **1** Que lembra, pelo sofrimento, o suplício de Tântalo, personagem da mitologia grega que, castigado por roubar os manjares dos deuses e entregá-los aos homens, não podia mais beber água nem se alimentar, já que as fontes e os rios se retraíam, as árvores frutíferas encolhiam os galhos à sua aproximação e qualquer outro alimento se lhe escapulia da boca; TANTÁLICO **2** *P. ext.* De sofrimento penoso (submissão tantalesca) [F.: Do mitônimo *Tântalo* + *-esco.*]

tantálico (tan.*tá*.li.co) *a.* **1** *Quím.* Diz-se dos compostos do tântalo em que este metal funciona com as suas valências inferiores (ácido tantálico) **2** Ref. a tântalo [F.: *tântalo* + *-ico*².]

tantalita (tan.ta.*li*.ta) *sf. Min.* Mineral ortorrômbico, tantalato natural de ferro e nióbio; minério de tântalo [F.: *tântalo* + *-ita.*]

tantalização (tan.ta.li.za.*ção*) *sf.* **1** Ação ou resultado de tantalizar **2** *P. us.* Ação de incitar desejos impossíveis de realizar **3** Ação ou resultado de atrair as atenções de uma ou mais pessoas [Pl.: *-ções.*] [F.: *tantalizar* + *-ção.*]

tantalizante (tan.ta.li.*zan*.te) *a2g.* **1** Que tantaliza **2** Que provoca sofrimento por ser impossível de conseguir ou realizar **3** Que atrai a atenção; que encanta ou seduz: *Os movimentos tantalizantes da dançarina.* [F.: *tantalizar* + *-nte.*]

tantalizar (tan.ta.li.*zar*) *v.* **1** Ser terrível (para alguém) [*td.*: *Há pessoas que tantalizam os filhos.*] [*int.*: *A humilhação tantaliza.*] **2** Submeter a castigo, a suplício como o de Tântalo [*td.*: *Tantalizaram os prisioneiros.*] *v. td.* **3** Causar tormento; ATORMENTAR [*td.*: *O desejo de ter tudo tantaliza alguns homens.*] **4** Provocar interesse em [*td.*: *Escândalos com artistas tantalizam o público.*] [▶ 1 tantalizar] [F.: *Tântalo* (mitônimo) + *-izar.*]

tântalo (*tân*.ta.lo) *sm. Quím.* Elemento químico branco-acinzentado, muito duro, de número atômico 73, peso atômico 181,4, descoberto em 1801 nos Estados Unidos; acompanha-se ger. de nióbio ou colômbio, e encontra-se na natureza no estado de tantalitas ferrosas ou manganosas. Usa-se em aços, aviões, filamento de lâmpadas incandescentes, ligas com tungstênio, molibdênio e ferro, instrumentos cirúrgicos e dentários etc. [Símb.: *Ta.*] [F.: Do mitônimo gr. *Tántalos*, pelo lat. *Tantălus, i.*]

tantantã (tan.tan.*tã*) *sm.* Som emitido por meio de batida em instrumento de percussão como um tantã: "Por vezes, no seu passo firme pela calçada deserta, deixava de ouvir o tantantã dos tambores, calados de repente no silêncio da noite, com o vento que amainava ou mudava de direção" (Josué Montello, *Os tambores de São Luís*) [F.: tantã sob a f. rad. *tantan-* + *-tã.*]

tantas (*tan*.tas) *sfpl.* Determinado momento [F.: Fem. pl. de *tanto.*] ■ **Às/ Pelas ~ 1** Em certo momento (indeterminado); em certa hora do dia (não informada): *Estavam conversando e às tantas / lá pelas tantas quis saber onde ela morava.* **2** Em hora ou momento tardios: *Chegou às tantas / pelas tantas da madrugada.* **Das ~** A partir de uma hora tardia porém não informada ou não sabida com exatidão: *Teve insônia e ficou acordado das tantas em diante.* **Para as ~ 1** Us. para se referir de modo vago, impreciso, a certa hora do dia, a certo momento ou ocasião (numa narração): *Lá para as tantas já estava por dentro do assunto.* **2** Us. para se referir a alguma hora tardia, porém não informada ou não sabida com exatidão: *Só foi adormecer lá para as tantas.*

tanto (*tan*.to) *pr. indef.* **1** Tão grande: *Tanto esforço para nada!* **2** Tal quantidade de (algo); tão numeroso: *Foram tantos os elogios, que chegou a suspeitar.* *sm.* **3** Porção, quantidade incerta: *Bebeu um tanto de vinho.* **4** Quantidade ou qualidade que se igualam a uma outra: *Esse reserva vale uns três tantos do titular.* **5** Quantidade igual a um certo número de vezes de uma outra; VEZ: *Comeu dois tantos mais que o irmão.* *adv.* **6** Em tão alto grau; TAL: *A fome era tanta que podia comer um boi inteiro.* **7** Com tanta frequência; em tal quantidade; de tal maneira: *Falou tanto que perdeu a voz.* **8** Participar de construção comparativa: *Gostava tanto do pai quanto da mãe.* *a.* **9** Tão grande: *Tanto entusiasmo não encontrava paralelo.* **10** Tão numeroso (us. no pl.): *Tantos pedidos acabaram por fazê-la ceder.* **11** Quantidade ou qualidade que se igualam a uma outra *smpl.* **12** Muitos, vários: *Entre os tantos escolhidos, esqueceram logo do melhor.* [F.: Do lat. *tantus, a, um.* Ideia de: *semi-, sob-, sub-*.] ■ **E ~ 1** Us. como reforço de qualificação: *Ele é um amigo e tanto.* **2** Us. para se referir a quantidade, medida etc. quebradas e indeterminadas: *Correu dois quilômetros e tanto; Tem vinte e tantos anos de idade.* **Outro ~** A mesma quantidade, medida, tamanho etc.: *Ganhou do pai cem reais, e o irmão, outro tanto.* **Se ~** No máximo: *Tem uns vinte anos de idade, se tanto.* **~ assim que** Us. como introdução à menção de fato, circunstância etc. que demonstram o que foi anteriormente afirmado: *Ela não treinou para a prova, tanto assim que chegou em último.* **~ mais quanto** Com a razão a mais que, ainda mais porque: *Ele aprovou o vinho, tanto mais quanto era da melhor safra.* **~ melhor** Será melhor ainda: *Estudei para a prova, mas se for adiada, tanto melhor, estudarei mais.* **~ quanto** Na mesma medida em que: *Gosta de rock tanto quanto de MPB.* **~ que** Ver *Tanto assim que*: *Adora sambar, tanto que não perde ensaio da escola de samba.* **Um ~ 1** Quantia, quantidade, porção etc. (determinados): *Toda semana depositava um tanto no cofrinho.* **2** Quantia, quantidade, porção etc. indeterminados: *Desse prêmio, doou um tanto para a caridade; Com o dinheiro que recebeu, comprou um tanto de livros e um tanto de discos.* **Um ~ (ou quanto)** Um pouco, em certa medida: *Ela é um tanto ou quanto autoritária.*

tantos (*tan*.tos) *pr. indef.* Muitos, vários, diversos (que não se mencionam por não haver interesse ou não ter importância) [F.: Pl. de *tanto*.]

tantra (*tan*.tra) *sm.* Grupo de livros anônimos sagrados da Índia, escritos c. dos sécs. VII d.C. e XV d.C., posteriores aos vedas, que colocam energia ativa muito antes da natureza contemplativa dos deuses [A partir do século XV d.C. contribuíram para a formação do tantrismo.] [F.: Do sânsc. *tantra* 'uso; trama (de tecido)'.]

tantrismo (tan.*tris*.mo) *sm. Fil.* Movimento filosófico e ritua-lístico que influenciou seitas hinduístas, budistas e jainistas, fundamentado nas prescrições e ensinamentos dos tantras. Surgido por volta do séc. XV d.C., caracteriza-se pela magia e ocultismo, associados a complexo simbolismo, à iconolatria e à prática iogue [F.: *tantra* + *-ismo*.]

tanzaniano (tan.za.ni:*a*.no) *sm.* **1** Pessoa nascida ou que vive na República Unida da Tanzânia (África) *a.* **2** Da Tanzânia; típico desse país ou de seu povo [F.: Do top. *Tânzania* + *-ano*[1].]

tão *adv.* **1** Em tal grau, modo, extensão, quantidade: *Ela dança tão bem!; Ficou tão irritado que desistiu do jogo.* **2** Participa de construção comparativa: *É tão feio quanto o irmão.* [Cf.: *tampouco* e *tão sòmente*.] [F.: Do lat. *tantu*. Nota: termo us. para modificar apenas adj. e adv.] **~ logo** Assim que, logo que: *Começaremos a reunião tão logo ela chegue.*

taoísmo (ta.o:*ís*.mo) *sm. Fil. Rel.* Doutrina filosófico-religiosa desenvolvida sobretudo pelos filósofos chineses Lao Tse, no séc. VI a.C., e Tchuang Tseu, no séc. IV a.C., e que tem como noção fundamental o grande princípio de ordem universal, o Tao (Caminho), sintetizador e harmonizador do Yin e do Yang, e que é alcançado ou que se tenta alcançar pela meditação e prática de exercícios físicos e respiratórios; TAUÍSMO [F.: *tao* + *-ismo*.]

taoísta (ta:o.*ís*.ta) *a2g.* **1** Ref. a taoísmo **2** Que é adepto do taoísmo (monge taoísta) *s2g.* **3** Aquele que é adepto dessa doutrina: *Os taoístas repousaram durante toda a noite.* [F.: *tao* + *-ista*. Sin. ger.: *tauísta*.]

tão pouco (tão *pou*.co) *adv. Lus.* O mesmo que *tampouco*

tão só (tão *só*) *adv.* O mesmo que *tão somente*

tão somente (tão so.*men*.te) *adv.* Unicamente, apenas, somente: *Você é tão somente o meu amor!* [Tb. *tão só*.]

tapa[1] (*ta*.pa) *sf.* **1** Ação ou resultado de tapar; TAPAÇÃO; TAPADURA; TAPAMENTO **2** Qualquer peça que sirva para tapar ou cobrir algo; TAMPA **3** *Pop.* Porta **4** *Hip.* Parede circular que define a forma exterior do casco da besta; CINTA; MURALHA; PAREDE; TAIPA **5** *Arm.* Tampa us. em artilharia, esp. na boca do canhão, para protegê-lo da umidade **6** *Bras.* Pedaço de pano, com que se vendam os olhos do burro pouco manso, para se deixar arrear **7** Pedaço triangular de couro que se amarra à testa do animal, para limitar seu campo visual, a fim de que não se espantem com facilidade; ANTOLHOS **8** *Bras.* Poncho pequeno feito com seda ou vicunha **9** *Bras. Ict.* Linguado da costa atlântica (Achirus achirus), que penetra nos rios, esp. o Amazonas; LINGUADO-LIXA **10** *Mar.* Peça de madeira us. para a vedação das toleteiras de barcos a remo **11** *Cul.* Nome genérico para vários tipos de aperitivos ou 'beliscos', às vezes consumidos como refeição, originários da Espanha e comuns nos países hispânicos; podem ser frios ou quentes [F.: Dev. de *tapar*. Hom./Par.: *tapa* (sf.), *tapa* (sm.), *tapa* (fl. de *tapar*).]

tapa[2] (*ta*.pa) *sm.* **1** Pancada dada em outra pessoa com a mão aberta **2** Pancada dada no rosto de outrem com a mão espalmada; BOFETADA **3** Comportamento que desagrada ou fere moralmente outrem: *Sua resposta sarcástica foi um verdadeiro tapa no infeliz.* **4** *Fig.* Argumento sem réplica; coisa que faz calar **5** *Gír.* Tragada dada em um cigarro de maconha; BARRUFADA; BARRUFO; BRASA; PEGA; TAPINHA [F.: F. red. de *tapa-boca*. Hom./Par.: *tapa* (sm.), *tapa* (sf.), *tapa* (fl. de *tapar*).]

tapa[3] (*ta*.pa) *sm.* **1** Ver *nupé s2g.* **2** *Etnol. Hist.* Modo como os nagôs se referiam aos nupés (povo africano), corrente no Brasil no início do séc. XIX *a2g.* **3** Ver *nupé* [F.: Do ior. Hom./Par.: *tapa* (sm. s2g. a2g.), *tapa* (sf.), *tapa* (sm.), *tapa* (fl. de *tapar*).]

tapa-boca (ta.pa-*bo*.ca) *sm.* **1** Tapa dado na boca de alguém para fazê-lo calar; BOFETADA **2** Espécie de manta de lã para agasalhar a boca [Pl.: *tapa-bocas*.] [F.: Fl. de *tapar* + *boca*.]

tapa-buraco (ta.pa-bu.*ra*.co) *s2g2n. Pop.* Pessoa ou coisa sem função definida posta emergencialmente no lugar de outra: *Na falta do ator, usou-me como tapa-buraco.* [F.: Dev. de *tapar* + *buraco*.]

tapada (ta.*pa*.da) *sf.* **1** Área de mata cercada e protegida destinada à criação e preservação da caça: "Mal entramos na sombra augusta da tapada... levantaram os cães, duma balsa florida... um veado gentil, de altos, torcidos galhos" (Eugénio de Castro, *Obras poéticas*) **2** *P. ext.* Qualquer terreno murado ou protegido por cerca [F.: Fem. substv. de *tapado*.]

tapadeira (ta.pa.*dei*.ra) *sf.* **1** *Teat.* Tecido pintado para tapar porta ou janela **2** Disco de cortiça com que se tapam boiões (recipiente) [F.: *tapar* + *-eira*.]

tapado (ta.*pa*.do) *a.* **1** Que se tapou, que está ou foi encoberto; FECHADO; TAMPADO; VEDADO **2** *Fig.* Estúpido, bronco; IGNORANTE **3** *Bras. Pop.* Cerrado, fechado; FIRME **4** *SP* Contínuo, ininterrupto, cerrado (discurso tapado) **5** Que teve sua foz obstruída naturalmente e passou a desaguar em lagoas (diz-se de rio) **6** Que está envolto, coberto, vestido ou enrolado em agasalho: *Tinha os pés bem tapados por causa do frio; As mulheres estavam com a cabeça tapada.* **7** *RS* Diz-se do animal com pelo escuro, sem qualquer mancha branca **8** *Lus.* Diz-se de estudante que não pode faltar mais aulas, porque atingiu o máximo de faltas permitidas *sm.* **9** *RS Vest.* Casacão de inverno para mulheres **10** Indivíduo estúpido, bronco, ignorante **11** O mesmo que *tapada* [Dim.: *tapadote*.] [F.: Part. de *tapar*.]

tapador (ta.pa.*dor*) [ô] *sm.* **1** Cobertura de recipientes; peça para tapar; TAMPA **2** Que ou o que cobre; peça dos antigos coches que fica na ponta do eixo e excede a largura das rodas; tb. *tapadouro* *a.* **3** Que cobre, tapa [F.: *tapar* + *-dor*.]

tapagem (ta.*pa*.gem) *sf.* **1** Ver *tapamento* **2** Ver *tapume* **3** Espécie de tapume ou tabique feito de varinhas que se arma nos rios para apanhar o peixe **4** Barreira ou tapume levantado como meio de defesa militar **5** O ato de rodear de sebe, de murar uma fazenda, um quintal, uma horta etc. **6** Excremento **7** *Bras.* Barragem de terra, para represar rios, riachos ou igarapés a fim de reter o peixe ou fazer açudagem **8** *Bras. Lud.* Em jogos de cartas, a gaza ganha [Pl.: *-gens*.] [F.: *tapar* + *-agem*.]

tapaiús (ta.pai.*us*) *smpl.* **1** *Bras. Etnog.* Povo indígena que habitava a foz do rio Tapajós no séc. XVII, e que produziu belas peças de cerâmica *a2g2n.* **2** *Bras. Etnog.* Diz-se desse povo indígena (costume tapaiús) **3** Ref. a ou próprio desse povo (cerâmica tapaiús) [F.: Alt. de *tapajós*. O termo corresponde ao atual *tapajós*.]

tapajônica (ta.pa.*jô*.ni.ca) *sf.* **1** *Bras. AM* Região banhada pelo rio Tapajós e seus afluentes **2** *Bras. PA Arqueol.* Cerâmica dos indígenas que habitavam a área entre o rio Tapajós e o Xingu decorada com figuras e animais [F.: Do top. *Tapajó* + *-n-* de ligação + *-ica*. Sin. ger.: *tapajônia*.]

tapajônico (ta.pa.*jô*.ni.co) *a.* **1** *Bras.* Ref. ou pertencente à região Tapajônia ou Tapajônica **2** Relativo à cultura dos tapajós [F.: tapajônia + *-ico*[2].]

tapajós (ta.pa.*jós*) *smpl. Bras. Etnol.* Povo indígena que habitava nas proximidades dos baixos rios Madeira (AM) e Tapajós (PA), no séc. XVII [F.: Do top. *Tapajós*.]

tapamento (ta.pa.*men*.to) *sm.* **1** Ação ou resultado de tapar; TAPA; TAPAÇÃO; TAPADURA; TAPAGEM [Ant.: *destapamento*.] **2** Tapume, cerca [F.: *tapar* + *-mento*.]

tapa-nariz (ta.pa-na.*riz*) *sm.* Espécie de cachecol com que se agasalham o pescoço e o nariz; TAPA-VENTAS [Pl.: *tapa-narizes*.] [F.: Fl. de *tapar* + *nariz*.]

tapa-olho (ta.pa-*o*.lho) [ô] *sm.* **1** Venda para um olho, presa com tira de pano, couro etc. **2** *Bras. Pop.* Ver *tapa-olhos* [Pl.: *tapa-olhos* [ó].] [F.: Dev. de *tapar* + *olho*.]

tapa-olhos (ta.pa-o.lhos) [ó] *sm2n. Bras. Pop.* Soco no olho; TAPA-OLHO: *Deu-lhe um tapa-olhos que o derrubou.* [F.: Dev. de *tapar* + pl. de *olho*.]

tapar (ta.*par*) *v. td.* **1** Pôr cobertura ou tampa sobre; TAMPAR: *Tape o pote de geleia para não entrar formiga!* **2** Tornar (algo) encoberto; COBRIR; OCULTAR: *As nuvens tapavam o Sol.* **3** Encher (buraco) até a superfície: *tapar a cova.* **4** Cerrar a abertura de; FECHAR: *tapar a garrafa/a boca.* [Ant.: *abrir*.] **5** Tornar-se estreito, sem passagem: *A infecção tapou sua garganta.* **6** Cobrir, resguardar, abrigar (partes do corpo de alguém ou de si mesmo): *Tape bem o rosto por causa do frio.* **7** *Fig.* Suprir uma falta, remediar uma situação: *Com a falta dos professores, os estagiários taparam os buracos.* [▶ 1 tapar] [F.: *tapa*[1] + *-ar*[2]. Ant. ger.: *destampar*. Hom./Par.: *tapa(s)* (fl.), *tapa(s)* (sf. [pl.]).]

tapa-sexo (ta.pa-*se*.xo) *sm. Vest.* Pequena peça de vestuário, de tecido ou outro material, que cobre apenas os órgãos genitais [Pl.: *tapa-sexos*.] [F.: Fl. de *tapar* + *sexo*.]

🌐 **tape** (*Ing.* /*têip*/) *sm.* Ver *teipe*

tapeação (ta.pe:a.*ção*) *sf. Bras. Pop.* Ação ou resultado de tapear, de enganar; DISFARCE; LUDÍBRIO: "Eles não querem tapeação. Querem que as suas propostas sejam aceitas como estão e não pela metade." (Jorge Amado, *Jubiabá*) [Pl.: *-ções*.] [F.: *tapear* + *-ção*.]

tapeador (ta.pe:a.*dor*) [ô] *a.* **1** *Bras. Pop.* Que engana, ilude, ludibria *sm.* **2** Aquele que tapeia; MENTIROSO; FARSANTE: *Ele é astuto e tapeador, mas seus truques já são conhecidos.* [F.: *tapear* + *-dor*.]

tapear[1] (ta.pe.*ar*) *v. td. Bras. Pop.* Causar ilusão a; ENGANAR; ILUDIR; TRAPACEAR: *O jogador cometeu a falta, mas tentou tapear o juiz.* [▶ 13 tapear] [F.: *tapa*[1] + *-ear*[2]. Hom./Par.: *tapeara(s)* (fl.), *tapiara(s)* (a2g. s2g. sf. [pl.]).]

tapear[2] (ta.pe.*ar*) *v. td.* Bater com a mão aberta em; dar tapa em [▶ 13 tapear] [F.: *tapa*[2] + *-ear*[2].]

tapeba (ta.*pe*.ba) *s2g.* **1** *Etnol.* Grupo indígena que habita a região fronteiriça ao município de Caucaia, situado a 16km de Fortaleza (Área Indígena Tapeba) *a2g.* **2** Ref. ou pertencente a esse povo [F.: Do top. *Tapeba*.]

tapeçaria (ta.pe.ça.*ri:a*) *sf.* **1** *Decor.* Tecido grosso, lavrado ou bordado, com que se forram paredes, móveis etc.; ALCATIFA; ESTOFO; TAPETE **2** *Bras.* Local onde são feitos ou vendidos tapetes **3** Arte ou ofício de tapeceiro **4** *Fig.* As flores e a relva dos prados; terreno coberto por um gramado muito verde **5** *SP* Estabelecimento que reforma, restaura e/ou fabrica móveis estofados ou estofamentos em geral [F.: Do espn. *tapicería*. Hom./Par.: *tapeçaria* (sf.), *tapeçaria* (fl. de *tapeçar*).]

tapeceiro (ta.pe.*cei*.ro) *sm.* **1** Pessoa que faz ou vende tapetes ou tapeçarias; TAPETEIRO **2** *SP* Profissional que reforma, restaura ou fabrica móveis estofados ou estofamentos em geral; ESTOFADOR [F.: Do espn. *tapicero*.]

🌐 ***tape deck*** (*Ing.* /*teip déc*/) *sm. Eletrôn.* Componente de sistema de áudio que, equipado de amplificador externo e caixas acústicas, é us. para tocar fitas; TOCA-FITAS [F.: Do ing. *tape* 'pedaço estreito de tecido; corda ou fita esticada acima da linha final de uma corrida; tira estreita flexível (fita adesiva; fita magnética etc.)'.]

tapejara (ta.pe.*ja*.ra) *s2g.* **1** *Bras.* Indivíduo que conhece bem uma região e seus caminhos; BAQUIANO; VAQUIANO **2** *RS* Bom timoneiro **3** Pessoa hábil ou expedita *a2g.* **4** *RS* Valente, corajoso, destemido; TAPIJARA [F.: Do tupi *tapi'yara* 'morador do lugar, conhecedor da região; guia'.]

tapera (ta.*pe*.ra) [ê] *sf.* **1** *Bras.* Habitação abandonada: "Hoje que o engenho caiu, o gado dos vizinhos rebentou as porteiras, as casas são taperas, o Mendonça vai passando as unhas nos babados." (Graciliano Ramos, *São Bernardo*) **2** Lugar feio, desolado, destruído **3** Fazenda abandonada, coberta de mato, em ruínas *a2g.* **4** *Bras.* Diz-se da pessoa sem um olho ou sem os dois **5** *SP* Tonto, atoleimado; AMALUCADO; APALERMADO; BOBO [F.: Do tupi *ta'pera*. Hom./Par.: *tapera* (sf. a2g.), *taperá* (sm.).]

taperê (ta.pe.*rê*) *sm. Bras. Mit.* O mesmo que *saci-pererê*; SACI-CERERÊ; MATIMPERERÊ; MATINTAPERERA [F.: Do tupi 'entidade fantástica'. Tb. *tapererê*.]

taperebá (ta.pe.re.*bá*) *Bras. Bot. sm.* **1** Fruta pequena, amarela, cheirosa e azeda, comum na região amazônica; CAJÁ; CAJÁ-MIRIM; CAJAZINHA **2** Ver *cajazeira* **3** Ver *umbu* **4** Ver *umbuzeiro* [F.: Var. de *tapiriba*.]

tapererê (ta.pe.re.*rê*) *sm.* Ver *taperê*

taperi (ta.pe.*ri*) *sm. AM* Palhoça provisória, em que se abrigam seringueiros, lavradores etc.; tb. *tapiri*; ITAPIRI; PAPERI; CHOÇA: "Fazem taperi, que são duas folhas de ubim em cima de quatro paus, nas margens dos igarapés, e ali dormem e comem." (Ferreira de Castro, *A selva*) [F.: Do tupi **tapi'ri* 'choupana, choça'.]

taperização (ta.pe.ri.za.*ção*) *sf. Bras.* Ação de taperizar, de transformar em tapera: *A taperização da fazenda abandonada invadida pelas ervas daninhas.* [Pl.: *-ções*.] [F.: Do tupi *ta'pera* 'aldeia indígena abandonada, habitação em ruínas'.]

tapetado (ta.pe.*ta*.do) *a.* **1** Forrado com tapete (piso tapetado) **2** *Fig.* Coberto a modo de tapete: *solo tapetado da mais variada vegetação rasteira:* "Sonhara-te eu na veiga de Granada tapetada de flores e verdura." (Gonçalves Dias, *Leito de folhas verdes*) [F.: Part. de *tapetar*. Sin. ger.: *atapetado*.]

tapetão (ta.pe.*tão*) *sm.* **1** Grande tapete **2** *Bras. Gír. Fut.* Tribunal onde são resolvidas as questões jurídicas referentes ao futebol, esp. em última instância: *Recorreu ao tapetão e ganhou a classificação no campeonato.* [Pl.: *-tões*.] [F.: *tapete* + *-ão*[1].]

tapete (ta.*pe*.te) [ê] *sm.* **1** Peça de estofo para cobrir soalhos, escadas, pisos etc.; ALCATIFA; ALFOMBRA; TAPEÇARIA **2** *P. ext.* Peça us. também como revestimento, mas feita com outros materiais, tais como borracha, cortiça, linóleo etc. **3** Cobertura de mesa **4** Peça móvel de estofo, com que se cobre uma só parte de um aposento (tapete persa; tapete de banheiro) **5** *Fig.* Aquilo que, como um tapete, cobre uma certa área: *O aventureiro embrenhou-se pela trilha cercada por árvores e por um tapete de folhas secas.* **6** *Bras. gír. Fut.* O gramado ou campo onde se joga **7** *Bot.* Em um esporângio, camada mais interna de tecido nutritivo; TAPETUM [F.: Do lat. *tapes, etis*. Hom./Par.: *tapete* (sm.), *tapete* (fl. de *tapetar*).] **~ mágico** Tapete que, nas histórias das *Mil e uma noites* tinha a faculdade de voar, transportando as pessoas que estivessem sobre ele **~ verde** **1** *Bras. Fig.* Gramado bem cuidado **2** *Fut.* Campo de futebol

tapiara (ta.pi.*a*.ra) *a2g.* **1** *SP Pop.* Que trapaceia *s2g.* **2** Espertalhão, velhaco [F.: Provavelmente alter. de *tapejara*. Hom./Par.: *tapiara* (a2g. s2g.), *tapeara* (fl. de *tapear*).]

tapicuri (ta.pi.cu.*ri*) *sm. Bras.* Vinho feito de mandioca [F.: Provavelmente do tupi. Cf.: *cauim*.]

tapioca (ta.pi:*o*.ca) [ó] *Bras. sf.* **1** Farinha fina, branca e úmida extraída da raiz da mandioca; GOMA **2** *Cul.* Iguaria feita com essa farinha peneirada, assada e recheada, ger. com coco ou manteiga; BEIJU **3** *CE Cul.* Pão caseiro feito com a goma da mandioca, água e sal **4** *Bot.* Ver *mandioca* **5** *BA Agr.* Variedade de manga cultivada em Itaparica (BA) **6** *Bras. N.E. Lud.* Papagaio de papel; CAFIFA; PANDORGA; PIPA **7** *MA Ict.* Nome de um peixe do litoral, semelhante à sardinha [F.: Do tupi *tipi'og*.] **~ molhada** *Bras. N.E.* Quitute feito com goma de mandioca assada, molhada no leite de coco e pulverizada com canela

tapir (ta.*pir*) *Zool. sm.* **1** Denominação comum aos mamíferos da fam. dos tapirídeos, de corpo pesado, membros e rabo curtos e pequena tromba **2** Ver *anta* (*Tapirus terrestris*) [F.: Do tupi *tapi'ira*.]

tapira (ta.*pi*.ra) *sm. Bras. Zool.* O mesmo que *anta* (*Tapirus terrestris*) [F.: Do tupi *tapi'ira* 'anta', designa, p. ext., animais de porte semelhante, boi, vaca.]

tapiragem (ta.pi.*ra*.gem) *sf. Etnog.* Processo empregado por diversas tribos indígenas brasileiras para alterar a coloração das penas de aves vivas [Pl.: *-gens*.] [F.: De or. obsc.]

tapirapé (ta.pi.ra.*pé*) *s2g.* **1** *Bras. Etnol.* Indígena pertencente ao grupo dos tapirapés que habita o Nordeste de Mato Grosso (Áreas Indígenas Tapirapé/Karajá e Urubu Branco) e a ilha do Bananal TO (Parque do Araguaia) *sm.* 2 *Gloss.* Língua da família tupi-guarani, falada pelos tapirapés ***a2g.*** 3 Ref. ou pertencente a tapirapé ou aos tapirapés [F.: Do tupi.]

tapiri (ta.pi.*ri*) ***sm.*** 1 *Bras. AM* Palhoça provisória, em que se abrigam caminhoneiros, lavradores etc.; ITAPIRI; PAPERI 2 Ribanceira na margem de um rio [F.: Do tupi **tapi'ri* 'choupana, choça'. Tb. *taperi.*]

tapirídeo (ta.pi.*rí*.de:o) ***sm.*** 1 *Zool.* Espécime dos tapirídeos, fam. de grandes mamíferos, representada pelas antas e os tapires, com um único gên. (*Tapirus*) e quatro espécies, encontradas nas Américas Central e do Sul, na península Malaia e na Sumatra ***a.*** 2 Ref. aos tapirídeos [F.: Do lat. cient. fam. *Tapiridae.*]

tapiro (ta.*pi*.ro) ***a.*** 1 Que diz respeito aos tápiros, povo antigo da Média, próximo ao mar Cáspio ***sm.*** 2 Indivíduo desse povo ***smpl.*** 3 Esse povo [F.: Do lat. *tapþri, órum* 'id.'.]

tapiti[1] (ta.pi.*ti*) ***sm.*** *Zool.* Mamífero noturno da família dos leporídeos (*Sylvilagus brasiliensis*), comum no Brasil, encontrado do México à Argentina, com cerca de 35 cm de comprimento, dorso pardo com manchas marrons, ventre claro e orelhas não muito longas; COELHO-DO-MATO [Por não cavar buracos, prefere viver escondido na vegetação. Alimenta-se de plantas tenras.] [F.: Do tupi *tapi'ti* 'espécie de coelho'.]

tapiti[2] (ta.pi.*ti*) ***sm.*** *Bras. BA* O mesmo que *tipiti*

tapiz (ta.*piz*) ***sm.*** 1 *Ant.* O mesmo que *tapete*: "O aposento de Sua Alteza (...) pelo inverno tinha de mais os tapizes." (Antônio Vieira, *Sermões*) 2 *Fig.* Coberto de relva ou de flores: "Eu sob a copa da mangueira altiva nosso leito gentil cobri zeloso com mimoso tapiz de folhas brandas, onde o frouxo luar brinca entre flores." (Gonçalves Dias, *Leito de folhas verdes*) [F.: Do fr. ant. *tapiz* (c1160) 'pedaço de tecido destinado a cobrir o solo'.]

tapizar (ta.pi.*zar*) ***v. td.*** Ver *atapetar.* [▶ 1 tapizar] [F.: *tapiz* + *-ar*[2].]

tapona (ta.*po*.na) ***sf.*** 1 *Gír.* Pancada ou sopapo que se dá em alguém: "Quando a Camila fugira com o Macário, fora esperá-la à beira do caminho, quebrando-lhe a cara à tapona." (Viriato Correia, *Contos do sertão*) 2 *Bras. Cap.* Na capoeira, golpe de mão com que o capoeirista, para atingir o rosto do adversário, gira o corpo com o braço estendido e a mão espalmada [F.: *tapa* + *-ona.*]

tapuia (ta.*pui*.a) ***s2g.*** 1 *Hist.* Modo como os portugueses denominavam os indígenas brasileiros que não falavam o tupi 2 *Etnol.* Indivíduo dos tapuias, grupo indígena que habita no Noroeste de Goiás 3 Filho de branco e índia; MAMELUCO; MESTIÇO 4 Indígena aculturado por ter sido subjugado ao branco 5 *Pej.* Caboclo ignorante 6 *Amaz.* Barco a vela de carga e pesca, com casco de tábuas e fundo achatado ***a2g.*** 7 Ref. a tapuia [F.: Do nheengatu. Sin. nas acps. 2, 3 e 7: *tapuio.*]

tapuio (ta.*pui*.o) *Bras.* ***sm.*** 1 *Hist.* Ver *tapuia* 2 Índio bravio 3 *AM* Índio manso 4 Mestiço de índio 5 Filho de branco e índia; TAPUIA 6 *BA* Designação dada a qualquer mestiço de cabelos lisos e pretos e pele trigueira ***a.*** 7 Ref. a *tapuio* [F.: Var. de *tapuia.*]

tapuísa (ta.pu.*í*.sa) ***sm.*** *PA MA* Choça ou rancho improvisado por caçadores ou exploradores [F.: Posv. do tupi.]

tapume (ta.*pu*.me) ***sm.*** 1 Resguardo ou barreira, ordinariamente de tábuas, com que se fecha ou circunscreve uma porção qualquer de terreno; CERCA; TAPADURA; TAPAGEM; TAPAMENTO; TAPIGO; VEDO 2 Parede fina, ger. de tábuas, que divide os cômodos numa casa; TABIQUE 3 Peça, ger. de madeira, us. para vedar a entrada numa área, numa construção etc. 4 *P. ext.* Tudo que é capaz de tapar ou esconder [F.: *tapar* + *-ume.*]

tapuru (ta.pu.*ru*) ***sm.*** 1 *Bras. Bot.* Nome de duas euforbiáceas da Amazônia e Maranhão (*Sapium biglandulosum*, Müll. e *S. poeppigii*, Hems.) 2 *Bras. N. E.* Larva de certas moscas que se desenvolve nas chagas dos animais, produzindo as chamadas bicheiras; tb. *taperu* 3 *Bras. N. E.* Nome comum de larvas dos gêneros *Anastrepha*, *Caratites* e *Lonchaea* [F.: Do tupi *tapu'ru* 'larva e árvore'.]

taquara (ta.*qua*.ra) ***sf.*** *Bot.* Nome comum a várias plantas altas da fam. das gramíneas, cujo caule é ger. oco, como o bambu; TABOCA [F.: Do tupi *ta'kwara.*]

taquaral (ta.qua.*ral*) ***sm.*** 1 *Bras.* Terreno onde crescem taquaras; BAMBUAL; BAMBUZAL; TABOCAL 2 Fileira, rua de taquaras [Pl.: *-rais.*] [F.: *taquara* + *-al*[1].]

taquari (ta.qua.*ri*) ***sm.*** 1 *Bras. Angios.* Árvore de até 7 m da família das euforbiáceas (*Mabea angustifolia*), das capoeiras secas, de flores apétalas, inconspícuas e unissexuais, madeira mole e leve, sementes oleaginosas, e cujos ramos novos são fistulosos e servem para fazer canudos de cachimbo, contendo o seu látex alguma borracha 2 Árvore flacurtiácea (*Carpotroche brasiliensis*, produz óleo us. no tratamento de afecções cutâneas 3 Dim. de *taquara* 4 *Bras.* Cachimbo de bambu ***a2g.*** 5 *Arm.* De pequeno calibre (diz-se de espingarda) [F.: Do tupi *takwa'ri* < *ta'kwara* 'taquara' + *'i* 'pequeno'.]

taquariço (ta.qua.ri.ço) ***a.*** *Bras.* Magro, fino, delgado como o taquari [F.: *taquari* + *-iço.*]

taqueador (ta.que:a.*dor*) [ô] ***a.*** 1 Que taqueia ***sm.*** 2 *Bras.* Indivíduo especializado em assentar assoalhos de tacos [F.: *taquear* + *-dor.*]

taqueamento (ta.que:a.*men*.to) ***sm.*** *Bras.* Ação ou resultado de taquear; assoalhamento com tacos [F.: *taquear* + *-mento.*]

taquear (ta.que.*ar*) ***v.*** 1 Revestir (piso) com tacos [***td.:*** *Taqueou todo o apartamento.*] 2 Acertar bola com taco [***int.:*** *Treina todos os dias, mas não consegue taquear.*] [▶ 13 taquear] [F.: *taco* (*c* = *qu*) + *-ear*[2].]

taqueira (ta.*quei*.ra) ***sf.*** Utensílio de madeira onde se guardam os tacos de bilhar; TAQUILHA [F.: *taco* (*c* = *qu*) + *-eira.*]

◎ **-taque(o)-** ***el. comp.*** Ver *taque-*

◎ **taqueo-** ***el. comp.*** = velocidade, rapidez: *taquicardia; taquigrafia* [F.: Do gr. *tákhos, eos.*]

taqueografia (ta.que:o.gra.*fi*.a) ***sf.*** 1 Emprego do taqueógrafo 2 Técnica de desenhar cartas geográficas com a ajuda de um taqueógrafo [F.: *taqueo-* + *-grafia.*]

taqueógrafo (ta.que.*ó*.gra.fo) ***sm.*** Aparelho empregado no desenho de cartas geográficas [F.: *taqueo-* + *-grafo.*]

taqueometria (ta.que:o.me.*tri*.a) ***sf.*** Série de operações e princípios, que constituem o processo mais rápido e econômico para se obter o relevo de um terreno por meio de um taqueômetro [F.: *taqueo-* + *-metria*[1].]

taqueométrico (ta.que:o.*mé*.tri.co) ***a.*** Ref. ou inerente a taqueometria [F.: *taqueometria* + *-ico*[2].]

taqueômetro (ta.que.*ô*.me.tro) ***sm.*** Aparelho ótico para medir distâncias indiretamente, proporcionando assim maior agilidade nos levantamentos topográficos [F.: *taqueo-* + *-metro*[1].]

taquera (ta.*que*.ra) ***sf.*** 1 *Angios.* Trepadeira da fam. das cucurbitáceas, de flores brancas, nativa da África e Madagascar, cultivada pelo fruto comestível *cabaceiro-amargoso* (*Lagenaria vulgaris*) 2 O mesmo que *cabaça* [F.: De or. obsc; posv. do tupi *ta'kira* 'abóbora pequena'.]

◎ **taqu(i)-** ***el. comp.*** Ver *tac(o)-*

◎ **taqui-** ***el. comp.*** Ver *tac(o)-*

taquiantese (ta.qui.an.*te*.se) ***sf.*** *Bot.* Antecipação da floração em plantas adaptadas a um clima diferente do seu habitat natural [F.: *taqui-* + *-antese.*]

taquicardia (ta.qui.car.*di*.a) ***sf.*** *Med.* Aceleração do ritmo das pulsações cardíacas; TAQUIRRITMIA [Ant.: *bradicardia.*] [F.: *taqui-* + *-cardia.*]

taquicardíaco (ta.qui.car.*dí*.a.co) ***a. sm.*** *Med.* O mesmo que *taquicárdico* [F.: *taquicard(ia)* + *-íaco.*]

taquicárdico (ta.qui.*cár*.di.co) *Med.* ***a.*** 1 Ref. à taquicardia 2 Que apresenta taquicardia ***sm.*** 3 *Med.* Aquele que apresenta taquicardia [F.: *taquicardia* + *-ico*[2]. Sin. ger.: *taquicardíaco.*]

taquifagia (ta.qui.fa.*gi*.a) ***sf.*** *Med.* Ação ou hábito de comer com rapidez excessiva, sem mastigar nem ensalivar bem os alimentos [F.: *taqui-* + *-fagia.*]

taquifágico (ta.qui.*fá*.gi.co) ***a.*** Que diz respeito à taquifagia [F.: *taquifagia* + *-ico*[2].]

taquífago (ta.*quí*.fa.go) ***sm.*** Quem tem o hábito de comer muito depressa [Ant.: *bradifágico*] [F.: *taqui-* + *-fago.*]

taquifilaxia (ta.qui.fi.la.*xi*.a) [cs] ***sf.*** *Imun.* Fenômeno pelo qual se obtém rápida imunização contra efeitos tóxicos de uma substância pela injeção de doses consecutivas dessa mesma substância, debelando-lhe aos poucos seu efeito [F.: *taqui-* + *-filax-* + *-ia*[1].]

taquiglossídeo (ta.qui.glos.*sí*.de:o) *Zool.* ***a.*** 1 Ref. aos taquiglossídeos ***sm.*** 2 Espécime dos taquiglossídeos, fam. de mamíferos monotremados que compreende as equidnas [F.: Do lat cient. fam. *Tachyglossidae* (1872, Gill); ver *taqui-* e *-glosso.*]

taquigrafar (ta.qui.gra.*far*) ***v.*** Transcrever (fala, ditado) usando abreviações especiais; ESTENOGRAFAR [***td.:*** *Taquigrafar aquela conferência foi duro.*] [***int.:*** *Hoje em dia, poucas pessoas sabem taquigrafar.*] [▶ 1 taquigrafar] [F.: *taquígrafo* + *-ar*[2]. Hom./Par.: *taquigrafa* (fl.), *taquígrafa* (fem. de *taquígrafo* [sm.]); *taquigrafas* (fl.), *taquígrafas* (pl. do fem.); *taquigrafo* (fl.), *taquígrafo* (sm.).]

taquigrafia (ta.qui.gra.*fi*.a) ***sf.*** Arte de escrever tão depressa como se fala por meio de caracteres especiais; ESTENOGRAFIA [F.: *taqui-* + *-grafia.*]

taquigráfico (ta.qui.*grá*.fi.co) ***a.*** Relativo ou pertencente à taquigrafia; ESTENOGRÁFICO: *um caderno com muitas anotações taquigráficas.* [F.: *taquigrafia* + *-ico*[2].]

taquígrafo (ta.*quí*.gra.fo) ***sm.*** Aquele que escreve empregando sinais taquigráficos; ESTENÓGRAFO [F.: *taqui-* + *-grafo.* Hom./Par.: *taquígrafo* (sm.), *taquigrafo* (fl. de *taquigrafar*); *taquígrafa* (fem. do sm.), *taquigrafa* (fl. do v.); *taquígrafas* (pl. do fem.), *taquigrafas* (fl. do v.).]

taquimetria (ta.qui.me.*tri*.a) ***sf.*** 1 Medida de velocidades por meio do taquímetro; TACOMETRIA 2 *Mat.* Verificação de teoremas de geometria, materializando, por meio de figuras planas ou sólidas, a sequência das operações que conduz à demonstração [F.: *taqui-* + *-metria*[1].]

taquímetro (ta.*quí*.me.tro) ***sm.*** *Fís.* O mesmo que *tacômetro* [F.: *taqui-* + *-metro.*]

táquion (*tá*.qui.on) ***sm.*** *Fís.* Partícula hipotética, cuja velocidade ultrapassa à da luz, e cuja energia, segundo a teoria da relatividade, seria representada por um número imaginário [Pl.: *-ons.*] [F.: *taqui-* + *-on.*]

taquipneia (ta.quip.*nei*.a) ***sf.*** *Med.* Grande aceleração do ritmo respiratório [Ant.: *bradipneia.*] [F.: *taqui-* + *-pneia.*]

taquipneico (ta.quip.*nei*.co) ***a.*** 1 *Med.* Que diz respeito a taquipneia [Ant.: *bradipneico*] ***sm.*** 2 Aquele que sofre de taquipneia [F.: *taquipneia* + *-ico*[2]; ver *pneico-.*]

taquiri (ta.qui.*ri*) *Ornit.* ***sm.*** *Zool.* Ver savacu (*Nycticorax nycticorax*) [F.: Do tupi *takwa'ri* < *ta'kwara* 'taquara' + *'i* 'pequeno'.]

taquisfigmia (ta.quis.fig.*mi*.a) ***sf.*** *Med.* Aceleração do número de pulsações por minuto [F.: *taqui-* + *-sfigmia.* Cf.: *taquicardia.*]

taquisfígmico (ta.quis.*fíg*.mi.co) ***a.*** *Med.* Ref. ou inerente a taquisfigmia [F.: *taquisfigmia* + *-ico*[2].]

taquisurídeo (ta.qui.su.*rí*.de:o) *Zool.* ***a.*** 1 Ref. aos taquisurídeos ***sm.*** 2 Espécime dos taquisurídeos, fam. de peixes siluriformes, formada por bagres marinhos ou semimarinhos que na época da desova sobem os rios periodicamente como, por ex., o bagre-bandeira e a guarijuba [F.: Do lat. cient. fam. *Tachysuridae.*]

tara (*ta*.ra) ***sf.*** 1 Perversão, esp. sexual; DEPRAVAÇÃO: *Foi acusado de ter tara por adolescentes.* 2 Interesse exagerado; OBSESSÃO: "...meu sangue basco, minha tara poética me tornam, mais que o comum dos mortais, sensível, medieval..." (Antonio Callado, *Reflexos do baile*) 3 Defeito: *as taras da natureza humana.* 4 Desequilíbrio mental, falha intelectual 5 Falha de fabricação, defeito: *a tara da moeda.* 6 Abatimento que se dá por estimativa ao peso de qualquer gênero por causa da caixa ou saco em que vai embalado: *a tara dos barris de manteiga; a tara dos sacos de café.* 7 *Pop.* Defeito (físico ou mental) hereditário 8 Peso de um veículo, sem carga 9 *Hip.* Defeito ou vício aparente numa cavalgadura, que reduz o seu valor [F.: Do it. *tara.*]

taraceio (ta.ra.*cei*.o) *Cir.* ***sm.*** Cirurgia destinada a eliminar a opacidade da córnea ou alterar-lhe a cor [F.: De or. obsc.]

tarado (ta.*ra*.do) ***a.*** 1 *Bras.* Que apresenta perversão, esp. sexual; DEPRAVADO; DEVASSO 2 *Bras. Pop.* Que tem interesse exagerado por algo; OBCECADO: *É tarado por carro antigo.* 3 Que tem falhas; DESEQUILIBRADO 4 *Fig.* Que apresenta falhas ou defeitos 5 Que é marcado com o peso da tara ***sm.*** 6 Aquele que apresenta perversão, esp. sexual: *O tarado do parque foi preso e condenado.* 7 Aquele que tem interesse exagerado por algo [F.: *tara* + *-ado.*]

taraguira (ta.ra.*gui*.ra) ***sf.*** *Zool.* Lagarto da fam. dos iguanídeos (*Tropidurus torquatus*), encontrado da Venezuela ao Paraguai; com cerca de 15 cm de comprimento, com duas faixas escuras longitudinais no dorso, além de manchas escuras; vive e nidifica em lugares quentes, arenosos ou pedregosos; CALANGO; CAMALEÃO-DE-PEDREIRA; TARAUÍRA; TERAÍRA [F.: Do tupi *tara'gwïra* 'lagarta'.]

taralhão (ta.ra.*lhão*) ***sm.*** 1 *Zool.* Molusco bivalve da fam. dos foladídeos (*Pholas dactylus*), de coloração branca e até 3 cm de comprimento; possui a concha provida de dentes abrasivos, us. para escavar as rochas e a cavidade criada serve de abrigo ao animal adulto 2 *Fig.* Indivíduo intrometido, metediço 3 *Pop.* Jovem homem, adolescente grandalhão [F.: De or. contrv; posv. do lat. *hortulánus, a, um* 'relativo a horta' ou à f. substv. lat. *hortulánus, i* 'hortelão'.]

tarambola (ta.ram.*bo*.la) ***sf.*** *Zool.* Denominação comum a algumas aves da fam. dos caradriídeos do gên. *Pluvialis* [F.: De or. obsc.]

taramela (ta.ra.*me*.la) ***sf.*** 1 Pequena peça de madeira ou metal que gira em um prego cravado em porta, cancela, postigo ou armário para os fechar atravessando os batentes; CRAVELHA; CRAVELHO: "Fechou a taramela da porta do quarto." (Afrânio Peixoto, *Bugrinha*) 2 Peça de madeira que bate sobre a roda dos moinhos enquanto esta gira; CÍTOLA 3 *Ant. Náut.* Pedaço de madeira que se prega pela parte superior da retranca e lhe serve de cunha para que ela se conserve na situação devida 4 Mulher palradora 5 *Joc.* Língua: *Quem dá muito a taramela, não sabe nunca o que diz.* 6 Falação, boataria ***s2g.*** 7 Palrador, tagarela; TARAMBELA [F.: De *tramela.* Hom./Par.: *taramela* (sf., s2g.), *taramela* (fl. de *taramelar*). Ideia de: *taramel-.*] ■ **Dar ~** Falar muito, tagarelar **Fechar a ~** Não falar, calar-se, calar a boca **Soltar a ~** Começar a falar

taramelagem (ta.ra.me.*la*.gem) ***sf.*** *Bras.* Ato ou hábito de taramelar; FALATÓRIO; TAGARELICE; TARAMELICE: *a taramelagem das más línguas nos serões familiares.* [Pl.: *-gens.*] [F.: *taramelar* + *-agem*; ver *taramelar.*]

taramelar (ta.ra.me.*lar*) ***v.*** 1 Trancar com taramela [***td.:*** *Taramelou a porteira.*] 2 Falar em demasia; TRAMELAR; TAGARELAR [***int.:*** *As alcoviteiras taramelaram a tarde toda.*] 3 Arremedar alguém, copiar [***td.:*** *Taramelava palavras que nem conhecia.*] 4 Emitir a voz (o papagaio) [***int.***] [▶ 1 taramelar] [F. *taramel(a)* + *-ar*[2]. Hom./Par.: *taramela(s)* (fl.), *taramela* (sf., a2g. s2g.) e pl; *taramelo* (fl.), *taramelo* /ê / (sm.).]

tarantela (ta.ran.*te*.la) ***sf.*** 1 *Dnç. Mús.* Dança típica de Nápoles (Itália), acompanhada pelo som de pandeiro e castanholas, e cuja movimentação rápida e convulsiva é associada pela tradição popular à possibilidade de cura do envenenamento pela picada da tarântula 2 Composição musical viva, rápida e ritmada, em compasso de 3 por 8 e 6 por 8 que acompanha essa dança 3 *P. ext.* Composição instrumental e erudita que tem características dessa música [F.: Do it. *tarantella.*]

tarântula (ta.*rân*.tu.la) ***sf.*** 1 *Zool.* Denominação comum à diversas spp. de aranhas da fam. dos licosídeos, que se movem com rapidez e possuem coloração marrom ou negra 2 *Med.* Medicamento popular preparado com o veneno dessa aranha 3 *Med.* Ver *tarantulismo* [F.: Do it. *tarantola.* Sin. ger.: *tarântula.*]

tarapé (ta.ra.*pé*) ***sf.*** *Bras. AM Zool.* Formiga amazônica de cabeça chata. Não pode ser correlacionada com denominação científica, apesar de já existir uma proposta que se trate da formiga *Cephalotes atratus*; TARAPEMA; CURUPÉ [Na crendice dos indígenas habitantes das margens do Solimões e do Japurá, a cabeça da tarapé enfiada na ponta de uma flecha tornava-a certeira, incapaz de errar o alvo.] [F.: Posv. do tupi amazônico *tara'pewa* 'formiga chata'; ver *-peba.*]

taraqueta (ta.ra.*que*.ta) [ê] *sf.* Ver *tarraqueta*

tarar (ta.*rar*) *v.* 1 Pesar (algo) para descontar a tara [*td.*: *Tarou a caixa de frutas.*] 2 Marcar em (embalagem, recipiente, carroceria etc.) o peso da tara [*td.*: *tarar uma lata de azeite.*] 3 *Bras. Gír.* Apaixonar-se loucamente por (pessoa ou coisa) [*tr.* + *por*: *Tarou pela cunhada.*] 4 *Bras. Gír.* Proceder como tarado; tomar-se subitamente por um impulso quase mórbido [*int.*: *Ele tarou totalmente.*] [▶ 1 tarar] [F.: *tara*¹ + *-ar*². Hom./Par.: *tara(s)* (fl.), *tara(s)* (sf. [pl.]); *tarará(s)* (fl.), *tarará(s)* (sm. [pl.]); *tarara(s)* (fl.), *tarara(s)* (sf. [pl.]).]

tarará (ta.ra.*rá*) *sm. Bras.* Som de trombeta, corneta ou batidas de tambor [F.: De or. onom. Hom./Par.: *tarará* (sm.), *tarará* (fl. de *tarar*), *tarara* (sf.).]

tararaca (ta.ra.*ra*.ca) *sf.* 1 *Bras. Etnog.* Antigo instrumento indígena, posv. de percussão *a2g.* 2 *Bras. RS* Desajeitado, confuso, amalucado 3 *Pej.* Desastrado por enxergar com dificuldade; MÍOPE [F.: Posv. voc. guarani.]

tarasca (ta.*ras*.ca) *sf.* 1 *Mit.* Boneco que representa um animal monstruoso, e que era exibido no Pentecostes em Tarascon e noutras cidades do Sul da França 2 *Pop.* Mulher de mau gênio e muito feia 3 Espada velha e enferrujada; CHANFALHO [F.: Do fr. *tarasque* (1655) pelo provç. *tarasco* (1369) 'animal fabuloso, espécie de dragão das lendas provençais, do top. *Tarascon*, cidade do Sul da França.]

taraxaco (ta.ra.*xa*.co) [cs] *sm.* 1 *Angios.* Nome comum de várias plantas herbáceas do gên. *Taraxacum*, da fam. das compostas, de regiões temperadas, incluindo a América do Sul; várias cosmopolitas, algumas cultivadas como ornamentais ou para consumo em saladas, poucas para extração de borracha. São us. como ornamentais, ou em saladas 2 Qualquer espécie desse gênero (ex.: o dente-de-leão, *Taraxacum officinale*) 3 A raiz desidratada de uma dessa plantas, us. como diurético ou medicamento para certas doenças (do fígado e dos rins) [F.: Do lat. cient. gênero *Taraxacum* (1760), deriv. do ár. *trahxaqun* 'chicória selvagem'.]

tardança (tar.*dan*.ça) *sf.* Ação ou resultado de tardar, de demorar; ATRASO; DELONGA; DEMORA; TARDADA; TARDAMENTO; VAGAR: "Lembrai-vos que uma hora, um minuto de tardança talvez tenha de ser contado ansiosamente por aqueles que vão esperar-vos." (José de Alencar, *O guarani*) [Ant.: *pressa, presteza.*] [F.: *tardar* + *-ança.* Ideia de: *tard(i)-*.]

tardar (tar.*dar*) *v.* 1 Chegar tarde; DEMORAR [*int.*: *O noivo tardou um pouco, e a moça ficou preocupada:* "*Tardo* mas ardo." (Paulo Mendes Campos, "O pombo enigmático" *in Quadrante I*)] 2 Passar (algo) para uma data posterior; ADIAR; RETARDAR [*td.*: *tardar uma decisão.*] 3 Ficar por um tempo longo (em algum lugar ou alguma posição) [*int.*: *Quando vinha em nossa casa, sempre tardava.*] 4 Fazer (algo) vagarosamente; DEMORAR-SE [*tr.* + *em*: *Era sempre o último, porque tardava no banho.* Ant.: *apressar-se.*] [▶ 1 tardar Us. seguido de *a* + infinit., é v. aux. e indica a demora no início da ação, equivalendo a custar: *Hoje tardou a escurecer.*] [F.: Do lat. *tardare.* Hom./Par.: *tarde(s)* (fl.), *tarde(s)* (sf. [pl.]); *tardo* (fl.), *tardo* (a. sm.).] ■ **O mais ~** No máximo (ref. a tempo a decorrer): *Eles devem chegar às três horas, o mais tardar.* **Sem mais ~** Sem mais demora, sem mais delongas

tarde (*tar*.de) *sf.* 1 O tempo que vai do meio-dia até anoitecer: "... cai a tarde / E a sombra vem andando pelo chão..." (Tom Jobim, *Cai a tarde*) [Dim.: *tardezinha, tardinha.*] *adv.* 2 Depois da hora marcada ou do tempo adequado: *Saiu tarde para o encontro; Agora é tarde para arrepender-se.* 3 Em hora avançada, esp. da noite: *Chega sempre tarde em casa.* [Ant.: *cedo.*] [F.: Do lat. *tarde.* Hom./Par.: *tarde* (sf, adv.), *tarde* (fl. de *tardar*). Ideia de: *tard(i)-* e *vesper-*.] ■ **À/de ~** Entre o meio-dia e o anoitecer **Mais ~** Em outra ocasião (ulterior à presente) **Ser ~** Já ter-se perdido oportunidade ou possibilidade de algo: *Agora é tarde, já fechamos as inscrições.* **~ e a/às más horas** Muito tarde; em hora imprópria (por tardia)

tardego (tar.*de*.go) [ê] *a.* 1 *Lus.* Tardio, serôdio; extemporâneo [Ant.: *antecipado; precoce.*] 2 Atrasado; retardatário 3 Lerdo, vagaroso: *Tardego em exaspera-se, calmo diante das dificuldades da vida.* [F.: *tardo* + *-ego.*]

tardezinha (tar.de.*zi*.nha) *sf.* O fim da tarde; TARDINHA [F.: *tarde* + *-zinha.*] ■ **De ~** No fim da tarde; antes de anoitecer; à tardinha

tardiamente (tar.di.a.*men*.te) *adv.* De modo tardio, vagarosamente, com tardança [F.: Fem. *tardio* + *-mente.*]

tardígrado (tar.*dí*.gra.do) *a.* 1 *Poét.* Que anda devagar, que caminha lentamente; lentígrado; LENTÍGRADO [Ant.: *citígrado*] 2 *Zool.* Filo de animais invertebrados microcópicos com corpo cilíndrico, não segmentado, quatro patas curtas e com garras, que vivem nas goteiras e no musgo dos telhados [F.: Do lat. *tardigradus, a, um,* 'que anda, caminha ou flui devagar'; na acp. Zool. do lat. cient. *Tardigrada.*]

tardinha (tar.*di*.nha) *sf. Pop.* O final da tarde; TARDEZINHA: "Não te esqueças de mim, quando à tardinha/ Se cobrirem de névoa as serranias" (Fagundes Varela, *Não te esqueças de mim!*) [F.: *tarde* + *-inha.* Hom./Par.: *tardinha* (sf.), *tardinha* (fl. de *tardinhar*). Ideia de: *tard(i)-*.] ■ **À/de ~** No fim da tarde

tardio (tar.*di*:o) *a.* 1 Que ocorre depois do tempo devido ou quando já não se esperava; EXTEMPORÂNEO: *Foi um pai tardio, aos 50 anos.* [Ant.: *precoce.*] 2 *Bot.* Que floresce ou frutifica depois do período habitual; SERÔDIO 3 Que ocorre lentamente (crescimento tardio); LENTO; MOROSO; TARDO; VAGAROSO [Ant.: *acelerado.*] 4 Que ocorre tarde (horário tardio) 5 Que é lento, que se move, flui ou procede com pouca velocidade ou com velocidade menor do que é habitual (rio tardio); TARDO [F.: Do lat. *tardivus, a, um.* Ideia de: *tard(i)-* e *opsi-*.]

tardo (*tar*.do) *a.* 1 Que faz-tudo devagar; TARDINHEIRO; TARDONHO 2 Lento, vagaroso; MOROSO: "Um gato negro, de olhos fulvos, veio lentamente, a passos tardos e preguiçosos, encolher-se perto do banco." (Domingos Olímpio, *Luzia Homem*) [Ant.: *ágil, rápido.*] 3 Preguiçoso, indolente 4 Inerte, pouco ativo 5 Que tem dificuldade de compreender 6 Que tem dificuldade de falar, é lento, gaguejante 7 Extemporâneo, tardio (amores tardos) 8 *Taur.* Diz-se de touro que não reage a incitações [F.: Do lat. *tardus, a, um.* Hom./Par.: *tardo* (a.), *tardo* (fl. de tardar), *tardo* (s. m.). Ideia de: *tard(i)-*.]

tardonho (tar.*do*.nho) *a.* 1 O mesmo que *tardio* ou *tardo* 2 Lento, demorado, vagaroso (passos tardonhos) [F.: *tardo* + *-onho.*]

tardoz (tar.*doz*) *sf.* 1 Face tosca da pedra da cantaria que fica voltada para dentro da parede; TRASDÓS 2 *P. ext. Cons.* Num edifício, a fachada posterior, oposta à fachada principal 3 *Teat.* A parte de trás dos panos, bastidores, cortinas etc. [F.: De or. obsc.]

tarear (ta.re.*ar*) *v. td.* 1 Ver *tarar.* 2 Dar equilíbrio a (carga) em embarcação, veículo etc. 3 *Bras. P. ext.* Acomodar (o que se transporta) sobre animal de carga [▶ 13 tarear] [F.: *tar(a)* + *-ear*².]

tarecada (ta.re.*ca*.da) *sf.* 1 *Bras. S.* Grande quantidade de tarecos, de trastes velhos; CACARIA; TARECAGEM; TARECAMA: *Acumulou uma tarecada inútil no sótão da casa.* 2 Ruído, atroada, algazarra [F.: *tareco* + *-ada.*]

tareco (ta.*re*.co) [é] *sm.* 1 Coisa velha, sem serventia; CACARECO; TRALHA: "E o vendeiro, cada vez mais excitado, foi buscar dois homens e ordenou que esvaziassem o número 12. – Os tarecos fora! e já!" (Aluízio Azevedo, *O cortiço*) [Ger. no pl.] 2 Indivíduo desassossegado ou buliçoso (esp. criança) 3 *AL PE Cul.* Espécie de pão de ló em rodelas 4 *GO Cul.* Bolo frito 5 *MG* Trajeto, percurso ou caminho ruim *a.* 6 Que é irrequieto, desassossegado, agitado [Col.: *cacaria, tarecada, tarecagem, tarecama.*] [F.: Do ár. *tarayk.*]

tarefa (ta.*re*.fa) *sf.* 1 Obra ou porção de trabalho que se deve terminar num determinado prazo (tarefa escolar); INCUMBÊNCIA 2 Trabalho cuja remuneração é calculada por execução de serviço; EMPREITADA 3 *P. ext.* Qualquer ato empreendedor ou iniciativa 4 *Bras. N. E.* Porção de cana moída em um dia de trabalho em engenhos de açúcar 5 *Lus.* Vaso para onde corre o azeite nos lagares e a água das seiras, separando-se lá um do outro 6 *Inf.* Programa em processo de execução 7 *Bras.* Medida agrária equivalente a 4.356 m² (na Bahia), a 3.052 m² em (Sergipe e Alagoas) e a 3.630 m² (no Ceará) 8 *Pirot.* Mistura de carvão e enxofre ou de carvão e salitre, que se tritura de uma só vez [F.: Do ár. *tariha.* Hom./Par.: *tarefa* (sf.), *tarefa* (fl. de *tarefar*).] ■ **~ de rego** *N. E.* Trabalho de empreitada em canavial replantado **~ de soca** *N. E.* Tarefa que envolve cana-de-açúcar que é cortada mais de uma vez **~ redonda** *N.E.* Quantidade de cana moída em 24 horas, que produz no mínimo oito meladuras

tarefar (ta.re.*far*) *v.* 1 Distribuir, dividir tarefa; atarefar [*td.*] 2 Executar (algo) como tarefa [*td.*] [*int.*] [▶ 1 tarefar] [F.: *tarefa* F. afer. de *atarefar*. Hom./Par.: *tarefa* (fl), *tarefa* (sf.); *tarefas* (fl.), *tarefas* (pl. do sf.).]

tarefeiro (ta.re.*fei*.ro) *sm.* 1 Aquele que se encarrega de uma tarefa; EMPREITEIRO 2 Trabalhador remunerado por cada tarefa que cumpre 3 *Pej.* Aquele que cumpre tarefa sem maior envolvimento com a atividade [F.: *tarefa* + *-eiro.*]

tarentino (ta.ren.*ti*.no) *sm.* 1 Aquele que nasceu ou que vive em Tarento (Itália) *a.* 2 De Tarento; típico dessa cidade ou de seu povo [F.: Do top. *Tarento* + *-ino*¹.]

targum (tar.*gum*) *sm.* Conjunto de traduções e comentários do Antigo Testamento em aramaico, feito durante o cativeiro na Babilônia, para os judeus que já não mais conheciam o hebraico [F.: Do aramaico, pelo hebr. *targum* 'tradução, versão'.]

tariano (ta.ri.*a*.no) *s2g.* 1 *Bras. Etnol.* Indivíduo dos tarianas, grupo indígena que habita o Noroeste do Amazonas (Áreas Indígenas Alto Rio Negro, Médio Rio Negro I, Médio Rio Negro II, Taracuá e Yauareté I) e a Colômbia; TARIO; TANA *sm.* 2 *Gloss.* Língua da família linguística aruaque, falada por esse grupo *a2g.* 3 Ref. ou pertencente a esse povo [F.: Do tupi.]

tarifa (ta.*ri*.fa) *sf.* 1 *Econ.* Preço de serviço, esp. público e alfandegário 2 *Econ. Jur.* Valor fixado pelo Estado relativo à cobrança de serviços públicos (água e esgoto, correios, energia elétrica etc.); TAXA 3 *Econ.* Tabela de valores a pagar sobre qualquer tipo de transporte 4 *Econ.* Porcentagem que se estabelece para cálculo de um tributo 5 *Econ.* Tabela do valor em curso de uma unidade monetária 6 *Com. Econ.* Listagem de preços, catálogo de produtos com preços por unidade ou gênero 7 *Bras. Pop.* Documento que não é considerado importante em expediente burocrático 8 *Ant. Fig.* Aquilo que se guia pelo uso ou por normas preestabelecidas [Aum.: *tarifaço.*] [F.: Do ár. Hom./Par.: *tarifa* (sf.), *tarifa* (fl. de *tarifar*); *tarifas* (pl. do sf.), *tarifas* (fl. do v.).] ■ **~ aduaneira** *Econ.* Aquela que pagam produtos importados/exportados ou entrar/sair do país **~ alfandegária** *Econ.* Ver *Tarifa aduaneira* **~ pública** *Econ.* Tarifa cobrada por serviço de responsabilidade de governo

tarifação (ta.ri.fa.*ção*) *sf.* Ação ou resultado de tarifar, emprego de tarifa; TABELAMENTO [Pl.: *-ções.*] [F.: *tarifar* + *-ção.*]

tarifaço (ta.ri.*fa*.ço) *sm. Bras. Pop.* Aumento substancial das taxas dos serviços públicos (luz, gás, telefone etc.), impostos e de outros itens como, p. ex., produtos agrícolas: "O tarifaço nos serviços públicos irá se refletir diretamente no bolso do consumidor a partir do próximo mês." (Silvia Pinter, *A Notícia*, 29.06.2001) [F.: *tarifa* + *-aço.*]

tarifado (ta.ri.*fa*.do) *a.* Que tem, ou em que foi aplicada determinada tarifa [F.: Part. de *tarifar.*]

tarifamento (ta.ri.fa.*men*.to) *sm.* Ação ou efeito de tarifar: *tarifamento de passagens aéreas.* [F.: *tarifar* + *-mento.*]

tarifar (ta.ri.*far*) *v. td.* 1 Aplicar a tarifa a (produto, serviço etc.): *A companhia tarifou as passagens aéreas.* 2 Reduzir a tarifa, o preço de (produto, serviço etc.): *O governo tarifou a carne.* [▶ 1 tarifar] [F.: *tarifa* + *-ar*². Hom./Par.: *tarifa* (fl.), *tarifa* (sf.); *tarifas* (fl.), *tarifas* (pl. do sf.); *tarifaria* (fl.), *tarifária* (fem. de *tarifário* [a.]); *tarifarias* (fl.), *tarifárias* (pl. do fem. do a.).]

tarifário (ta.ri.*fá*.ri:o) *a.* Ref. a tarifa [F.: *tarifa* + *-ário.* Hom./Par.: *tarifária* (fem.), *tarifaria* (fl. de *tarifar*); *tarifárias* (pl. do fem.), *tarifarias* (fl. do v.).]

tarimba (ta.*rim*.ba) *sf.* 1 *Bras.* Experiência, longa prática: *A tarimba dos atores salvou o espetáculo.* 2 *Mil.* Estrado de madeira onde dormem os soldados nos quartéis e corpos de guarda; TARIMA 3 *P. ext.* Qualquer cama ruim, dura, desconfortável, rudimentar: "Sobraram os caixotes onde ela espalha, arruma seus santos, a tarimba com o colchão de crina coberto mal com uma manta encardida" (João Antônio, *Casa de loucos*) 4 *Fig.* Vida de soldado, vida de caserna 5 *P. ext.* A caserna, o exército [F.: Do ár. *taríma.* Hom./Par.: *tarimba* (sf.), *tarimba* (fl. de *tarimbar*); *tarimbas* (pl.), *tarimbas* (fl.).]

tarimbado (ta.rim.*ba*.do) *a.* Que tem tarimba (político tarimbado); EXPERIENTE [F.: *tarimba* + *-ado*¹.]

tarimbeiro (ta.rim.*bei*.ro) *a.* 1 Que dorme em tarimba; SOLDADO 2 *Mil.* Diz-se do militar que chegou ao oficialato sem ter estudado, pelo mérito da prática 3 *Fig.* Diz-se de pessoa mal-educada, grosseira, incivil 4 *S* Malicioso, prático, experimentado *sm.* 5 Aquele que dorme em tarimba [F.: *tarimba* + *-eiro.*]

◎ **-tário** *suf. nom.* Forma vocábulos a partir de radicais verbais, ger. com sentido de 'que tem a responsabilidade, o benefício ou o gozo de'; e tb., menos comum, de 'agente': *arrendatário, locatário, signatário etc.* [F.: Do lat. *-tarius.* Ver *-ário.*]

tarja (*tar*.ja) *sf.* 1 Listra escura que cobre, ger. por censura, parte de texto ou imagem 2 Listra escura us. sobre objeto ou imagem como expressão de luto 3 *Art. pl.* Pintura ou escultura que cerca algum claro, onde vai um escudo de armas, alguma inscrição etc. 4 Certo broquel antigo 5 Borda, orla [Dim.: *tarjeta.*] [F.: Do fr. *targe*, do frânc. **targa*, 'escudo'.]

tarjado (tar.*ja*.do) *a.* 1 Guarnecido com tarja; ORLADO: *folha tarjada de negro.* 2 *Fig.* Gravado: "Inda a vejo pendente, sobre as páginas da pátria história, onde gravou seu nome tarjado em letras d'oiro." (Gonçalves Dias, *Segundos cantos*) 3 *Fig.* Distinguido, marcado: *carreira tarjada de êxitos.* [F.: Part. de *tarjar.*]

tarjar (tar.*jar*) *v.* Pôr tarja em; guarnecer de tarja; DEBRUAR; ORLAR [*td.*: *tarjar envelopes; É preciso tarjar as fotos das crianças; A censura tarjou as partes íntimas da modelo.*] [*tr.* + *de*: *O jornal tarjou de luto sua primeira página.*] [▶ 1 tarjar] [F.: *tarja* + *-ar*². Hom./Par.: *tarja* (fl. de *tarjar*), *tarja.* (sf.); *tarjas* (fl.), *tarjas* (pl. do sf.).]

tarjeta (tar.*je*.ta) [ê] *sf.* 1 Tarja pequena ou estreita 2 Pequeno ferrolho de ferro, montado sobre uma placa metálica, us. para trancar portas, janelas etc. 3 *Ant.* Cartão-postal [Dim. irregular de tarja.] [F.: Do fr. *targette.*]

tarlatana (tar.la.*ta*.na) *sf.* 1 *Têxt.* Tecido muito fino e engomado, us. em forros de vestidos, saias, aparelhos de gesso etc.; BOCASSIM; BOCAXIM: "Apenas, como o grupo parara diante dos dançarinos, eu senti que se roçava em mim, gordinho e apetecível, um bebê de tarlatana rosa." (João do Rio, "O bebê de tarlatana rosa" *in Dentro da noite*) 2 Tecido de fios de algodão grossos, que se usa em aparelhos ortopédicos [F.: Do fr. *tarlatane.*]

tarô (ta.*rô*) *sm.* 1 Baralho de 78 cartas, com figuras simbólicas, us. em jogos divinatórios 2 Jogo feito com essas cartas [F.: Do fr. *tarot*. Sin. ger.: *taró.*]

tarol (ta.*rol*) *sm. Mús.* Tambor médio, de som vibrante, tocado com duas baquetas; CAIXA CHATA; CAIXA DE GUERRA *Bras. N. E.*; TARÓ; TAROLA [Pl.: *-róis.*] [F.: De or. obsc. Cf. *caixa clara.*]

tarologia (ta.ro.lo.*gi*.a) *sf.* Estudo das interpretações e previsões sobre o futuro, que utiliza as cartas do tarô [F.: *tarô* + *-logia.*]

tarólogo (ta.*ró*.lo.go) *sm.* 1 Estudioso ou versado em tarologia 2 Aquele que pratica o tarô [F.: *tarô* + *-logo.*]

tarouco (ta.*rou*.co) *a.* 1 *Lus. Pop.* Atoleimado, apatetado, idiota 2 Desmemoriado por efeito da idade; CADUCO *sm.* 3 Pedaço, bocado, naco (tarouco de pão) [F.: De or. obsc. Hom./Par.: *tarouco* (a. sm.), *tarouco* (fl. de *taroucar*).]

tarouquice (ta.rou.*qui*.ce) *sf.* 1 Parvoíce, idiotice 2 Ação inconsiderada e estúpida 3 Comportamento de tarouco [F.: *tarouco* (c = qu) + *-ice.*]

tarrabufado (tar.ra.bu.*fa*.do) *a.* 1 *N. E.* Diz-se do modo apressado de tocar sanfona, imprimindo movimentos rápidos ao fole *sm.* 2 Modo de dançar que acompanha esse ritmo 3 *CE* Palavreado enfático; BAZÓFIA 4 *PB* Comida ruim ou malfeita [F.: De or. expres., posv.]

tarraco (tar.*ra*.co) *sm.* **1** *Lus.* Indivíduo gordo e baixo; ATARRACADO *a.* **2** Diz-se de indivíduo atarracado [F.: De or. contrv; posv. regress. de *atarracar.* Sin. ger.: *tarracho*.]

tarraconense (tar.ra.co.*nen*.se) *s2g.* **1** Aquele ou aquela que nasceu ou que vive em Tarragona (Espanha) *a2g.* **2** De Tarragona; típico dessa cidade ou de seu povo [F.: Do lat. *Tarraconensis, e.*]

tarrada (tar.*ra*.da) *sf.* O conteúdo de um tarro cheio [F.: *tarro* + *-ada*[1].]

tarrafa (tar.*ra*.fa) *sf.* **1** Pequena rede de pescar de forma circular, de malha estreita, que se lança com as mãos [Cf. *chumbeira* (1).] **2** *Bras. N. E. Pop.* Rede com que as mulheres prendem os cabelos **3** *Pej. Pop.* Capote velho e roto **4** *Bras. N.N.E.* Espécie de renda **5** Barco para pescaria [F.: Do ár. Hom./Par.: *tarrafa* (sf.), *tarrafa* (fl. de *tarrafar*); *tarrafas* (pl.), *tarrafas* (fl. do v.).]

tarrafada (tar.ra.*fa*.da) *sf.* **1** Lance de tarrafa **2** O que se colhe na tarrafa **3** *Lus.* Grande porção [F.: *tarrafa* + *-ada*[1].]

tarrafar (tar.ra.*far*) *v.* Pescar com tarrafa; TARRAFEAR [*td.:* "O Isidro (...) também viu a mãe-d'água de uma feita que estava tarrafando curimatãs." (Domingos Olímpio, *Luzia Homem*)] [*int.: Foi no rio tarrafar.*] [▶ **1 tarrafar**] [F.: *tarrafa* + *-ar*[2]. Hom./Par.: *tarrafa* (fl.), *tarrafa* (sf.); *tarrafas* (fl.), *tarrafas* (pl. do sf.).]

tarrafeação (tar.ra.fe.a.*ção*) *sf.* Ação ou resultado de tarrafear [Pl.: *-ções.*] [F.: *tarrafear* + *-ção.*]

tarrafear (tar.ra.fe.*ar*) *v. td. int.* **1** O mesmo que *tarrafar* **2** *N. E.* Derrubar o boi, puxando-o pelo rabo [▶ **13 tarrafear**] [F.: *tarrafa* + *-ear*[2].]

tarrafeiro (tar.ra.*fei*.ro) *sm.* Aquele que pesca com tarrafa, que tarrafeia; TARRAFEADOR [F.: *tarrafar* + *-eiro.*]

tarraqueta (tar.ra.*que*.ta) *sf.* **1** Situação difícil **2** *Vulg.* Ânus ■ **Apertar a ~** *Bras. Vulg.* Sentir muito medo em situação complicada ou difícil **Levar/ tomar na ~** **1** *Bras. Vulg.* Ser a parte passiva no coito anal **2** *Bras. Vulg.* Dar-se mal, estrepar-se **Ser bom na ~** *Bras. Vulg.* Ser valente, firme, destemido

tarraxa (tar.*ra*.xa) *sf.* **1** Rosca externa de cano, parafuso, rebite etc. **2** Ferramenta que faz essas roscas [Cf. *macho.*] **3** Peça, ger. de madeira ou metal, us. para apertar; CAVILHA; CUNHA **4** *Fig.* Algo que é imposto à força ou que cria alguma dificuldade **5** *Bras. Fam.* Empenho, cunha, pistolão [F.: De or. incerta. Sin. ger.: *tarraxo.* Hom./Par.: *tarraxa* (sf.), *tarraxa* (fl. de *tarraxar*).]

tarro (*tar*.ro) *sm.* **1** Vasilha onde se apara o leite ordenhado **2** *P. ext.* Qualquer vaso ou vasilha **3** *Lus. P. ext.* Qualquer vasilha us. para guardar ou transportar alimentos **4** *Bras. Bot.* Ver *taioba* [Aum.: *tarraço.*] [F.: De or. incerta. Ideia de: *atarrac-.*]

tarsalgia (tar.sal.*gi*.a) *sf. Med.* Dor no tarso ou na região tarsal [F.: *tarso* + *-algia.*]

tarsectomia (tar.sec.to.*mi*.a) *sf. Cir.* Resseção total ou parcial dos ossos do tarso [F.: *tarso* + *-ectomia.*]

tarsiano (tar.si.*a*.no) *a. Anat.* Ref. ou pertencente ao tarso; TARSAL; TÁRSICO [F.: *tarso* + *-iano.*]

tarso (*tar*.so) *sm.* **1** *Anat.* A parte posterior do pé dos animais vertebrados (que no homem consta de sete ossos); TONDINHO **2** *Anat.* A planta do pé **3** *Zool.* O terceiro artículo ou segmento nos membros posteriores das aves; METATARSO **4** *Zool.* Sexta peça da pata simples dos crustáceos **5** *Zool.* Parte inferior articulada da pata dos insetos **6** *Anat.* Cada formação de tecido conjuntivo, que configura as pálpebras, e onde nascem os cílios; CARTILAGEM CILIAR; CARTILAGEM PALPEBRAL; TÁRSIO [F.: Do gr. *tarsós, oû.*]

tartamudeante (tar.ta.mu.de.*an*.te) *a2g.* **1** Que possui imperfeições na fala, não articula bem as palavras; ENTARAMELADO **2** Próprio de quem tartamudeia: *Contou com voz tartamudeante o acidente de carro.* [F.: *tartamudear* + *-nte.*]

tartamudear (tar.ta.mu.de.*ar*) *v.* **1** Falar repetindo sílabas, de modo hesitante; GAGUEJAR; TARTAREAR [*int.:* "Parece que em pequeno se lhe pegava a voz e tartamudeava." (Aquilino Ribeiro, *Camões, Camilo, Eça*)] [*td.: Tartamudeou um cumprimento e sentou-se.*] **2** Falar com voz trêmula, por susto ou medo; ENTARAMELAR-SE; TREMELEAR [*td.:* "Às vezes consentia em receber algum velho de título histórico: -- ele adiantava-se pela sala, quase roçando o tapete com os cabelos brancos, tartamudeando adulações" (Eça de Queirós, *O mandarim*)] [*int.: Tartamudeava de tão nervoso.*] [▶ **13 tartamudear**] [F.: *tartamudo* + *-ear*[2].]

tartamudeio (tar.ta.mu.*dei*:o) *sm.* **1** Ação ou resultado de tartamudear **2** Caráter ou condição de tartamudo; TARTAMUDEZ [F.: Dev. de *tartamudear.*]

tartamudez (tar.ta.mu.*dez*) [ê] *sf.* **1** Estado ou condição de tartamudo **2** Embaraço ou dificuldade de falar; GAGUEIRA; GAGUEZ [F.: *tartamudo* + *-ez.*]

tartamudo (tar.ta.*mu*.do) *a.* **1** Diz-se daquele que tartamudeia, tem problemas ou dificuldade de articulação das palavras; ENTARAMELADO; GAGO **2** Diz-se daquele que fala com voz trêmula, entaramelada, resultante de medo, susto ou surpresa *sm.* **3** Aquele que tartamudeia; ENTARAMELADO; GAGO **4** Aquele que fala com voz trêmula, entaramelada, quando leva susto, quando está com medo ou surpreso [F.: *tarta-*, por *tártaro* ('gago'), + *mudo.*]

tartarato (tar.ta.*ra*.to) *sm. Quím.* Sal ou éster do ácido tartárico, ou ânion dele derivado [F.: *tártaro* + *-ato*[2].]

tartarear (tar.ta.re.*ar*) *v. int.* **1** Exibir a voz (uma ave, uma criança), chalrar **2** Falar muito; PAROLAR; TAGARELAR **3** O mesmo que *tartamudear* [▶ **13 tartarear**] [F.: *tártaro* + *-ear*[2].]

tartáreo (tar.*tá*.re:o) *a.* **1** *Mit. Poét.* Ref. ou pertencente ao tártaro, ao inferno; INFERNAL; TARTÁRICO: "Ao vórtice tartáreo o olhar volvendo, quis/ Regressar à geena" (Olavo Bilac, *Dante no paraíso*) **2** Ref. à Tartária (Sibéria), aos tártaros ou à sua língua [F.: Do lat. *tartareus, a, um.* Ideia de: *tartar(o)-.*]

tartárico (tar.*tá*.ri.co) *a.* **1** Ver *tartáreo.* **2** Ref. a tártaro **3** *Quím.* Diz-se de ou ácido ($C_4H_6O_6$) que se usa em bebidas e alimentos como acidificante, e em cerâmica, fotografia, galvanoplastia etc. [F.: *tártaro* + *-ico*[2].]

tártaro[1] (*tár*.ta.ro) *sm. Mit. Poét.* O lugar mais profundo do inferno, para onde iam os réprobos [Us. normalmente com inicial maiúsc.] [F.: Do lat. *tartaru.* Ideia de: *tartar(o)-.*]

tártaro[2] (*tár*.ta.ro) *sm.* **1** Depósito ou sedimento que se forma no vinho e que adere às paredes das pipas e das garrafas; BORRA; SARRO [Compõe-se principalmente de bitartarato de potássio.] **2** Depósito ou sedimento formado dentro das caldeiras **3** *P. ext.* Qualquer sedimento que adere às vasilhas; BORRA; VESTÍGIO **4** *Od.* Sarro que se forma junto às gengivas constituído por uma secreção calcária amarelada; ODONTÓLITO [F.: Do lat. tardio (dos alquimistas) *tartarum, i.* Ideia de: *tartar(i)-.*]

tártaro[3] (*tár*.ta.ro) *sm.* **1** Pessoa nascida ou que viveu na antiga Tartária (Sibéria) **2** Pessoa nascida ou que vive na Tartária ou em outras regiões da mesma federação e de ex-repúblicas soviéticas [Os tártaros de hoje em dia resultam de cruzamentos de diversas tribos altaicas.] **3** *Gloss.* A língua falada na Tartária *a.* **4** *Cul.* Diz-se de um molho cremoso, branco e picante, feito à base de azeite, ovo e conservas **5** Da Tartária; típico dessa região ou de seu povo **6** Diz-se de uma raça de cavalos dessa região **7** *Gloss.* Ref. ou pertencente à língua tártara; TARTÁREO; TARTÁRICO [F.: Do lat. medv. *tartarus.* Ideia de: *tartar(o)-.*]

tartaruga (tar.ta.*ru*.ga) *sf.* **1** *Zool.* Denominação comum aos répteis da ordem dos quelônios, terrestre (ger. chamado jabuti) ou de água-doce ou salgada, com quatro patas, cauda curta e cabeça grande, caracterizado por dois escudos ósseos que lhe cobrem todo o corpo, unidos pelos lados, sendo o superior dito carapaça ou casco, e o inferior, plastrão, dentes ausentes, mas com lâmina córnea utilizadas para esmagar os alimentos; encontrados em quase todo o mundo **2** Material da concha da tartaruga, de que se fazem pentes, caixas, adornos etc.: *Só tocava com palhetas de tartarugas.* **3** *Bras.* Iguaria feita com a carne da tartaruga; TARTARUGADA [F.: Do it. *tartaruga.*] ■ **~ marinha** Designação de grandes quelônios marinhos, da fam. dos queloniídeos e dos dermoquelídeos, cuja patas anteriores, modificadas, são us. como remos

tartarugada (tar.ta.ru.*ga*.da) *sf. AM Cul.* Comida que se prepara com carne da tartaruga [F.: *tartaruga* + *-ada*[1].]

tartaruga-de-couro (tar.ta.ru.ga-de-*cou*.ro) *sf. Bras. Zool.* Tartaruga da fam. dos dermoquelídeos (*Dermochelys coriacea*), que ocorre esp. nos mares tropicais, de coloração pardo-escura, é a maior das espécies existentes, chegando até 2,30 m de comprimento e 800 kg de peso, possui carapaça que não se encontra soldada às costelas e vértebras, sendo formada por um mosaico de ossículos dérmicos [Pl.: *tartarugas-de-couro.*]

tartaruga-de-pente (tar.ta.ru.ga-de-*pen*.te) *sf. Bras. Zool.* Tartaruga da fam. dos queloniídeos (*Eretmochelys imbricata*), encontrada em mares tropicais e subtropicais, com carapaça castanha tirante ao pardo-escuro medindo cerca de 60cm, coberta por placas córneas imbricadas que fornecem o material conhecido como tartaruga, us. na confecção de diversos utensílios como bolsas, plectros, pentes, aros para óculos etc. [Espécie ameaçada de extinção em razão da caça indiscriminada.] [Pl.: *tartarugas-de-pente.*]

tartaruga-do-amazonas (tar.ta.ru.ga-do-a.ma.*zo*.nas) *sf. Bras. Zool.* Tartaruga fluvial da fam. dos pelomedusídeos (*Podocnemis expansa*) encontrada na bacia do Amazonas e afluentes. De grande porte, os maiores exemplares chegam a alcançar cerca de 1 m de comprimento; possui casco preto acinzentado no dorso e amarelo com manchas escuras na parte ventral. Aos machos se dá o nome de capitari. A carne e os ovos desta espécie, atualmente protegidos por lei, são muito apreciados pelos habitantes da região, constituindo a base de diversos pratos da culinária amazônica [Pl.: *tartarugas-do-amazonas.*]

tartaruga-do-mar (tar.ta.ru.ga-do-*mar*) *sf. Zool.* Tartaruga da fam. dos queloniídeos (*Chelonia mydas*), encontrada em todos os oceanos, nas zonas tropicais, com cerca de 1,2 m de comprimento no casco, plastrão de 13 escudos ou carapaça sem escudos, dedos imóveis, inteiramente soldados por membranas [Pl.: *tartarugas-do-mar.*]

tartufo (tar.*tu*.fo) *sm.* **1** Indivíduo hipócrita: "Ele disse que ainda existem no país muitos 'tartufos' (hipócritas e falsos) querendo o poder para praticar mais corrupção." (*O Estado de São Paulo*, 13.08.1992) **2** Falso beato [F.: Do antr. *Tartuffe*, personagem que dá nome a uma peça de Molière.]

tarturfice (tar.tu.*fi*.ce) *sf.* **1** Ação, dito ou modos de tartufo; TARTUFARIA; TARTUFISMO **2** Encobrimento da intenção verdadeira; DISFARCE; DISSIMULAÇÃO; FINGIMENTO; HIPOCRISIA [F.: *tartufo* + *-ice.*]

tarugar (ta.ru.*gar*) *Carp. v. td.* Unir ou pregar com tarugo [▶ **14 tarugar**] [F.: *tarugo* + *-ar*[2].]

tarugo (ta.*ru*.go) *sm.* **1** Torno com que se ligam ou prendem uma à outra duas peças de madeira, duas tábuas etc. **2** Espécie de pino de madeira ou metal que se crava para fixar duas vigas **3** Bucha de madeira que, embutida na parede, recebe e fixa prego ou parafuso; BUCHA; CAPUZ; TACO **4** Peça transversal de madeira, que se segura entre os barrotes de madeira, para evitar o deslocamento lateral **5** *Pap.* O eixo das bobinas de papel; CANUDO; ESTANGA; SABUGO **6** *Bras. Pop.* Homem atarracado [F.: De or. obsc. Hom./Par.: *tarugo* (sm.), *tarugo* (fl. de *tarugar*), *taruga* (sf.).]

tarumã (ta.ru.*mã*) *s2g.* **1** *Bras. Etnol.* Indivíduo dos tamurás, grupo indígena, hoje considerado extinto, de língua isolada, que no séc. XVII habitava a margem esquerda do rio Amazonas, da foz do rio Negro até o rio Urubu (AM) *a2g.* **2** Pertencente ou relativo a esse povo [F.: Do tupi.]

tarumã (ta.ru.*mã*) *Angios. sm.* **1** Nome de várias árvores e arbustos do gên. *Vitex*, da família das labiadas; TARUMAZEIRO **2** *AM* Árvore (*Vitex orinocensis*) da fam. das verbenáceas, comum em áreas florestais (esp. às margens de rios); por isso sua madeira é us. em estruturas em lugares úmidos **3** Árvore (*Vitex montevidensis*) nativa do Brasil, de drupas comestíveis, cuja madeira é us. em construção civil, e cujo óleo tem fins medicinais; AZEITONA-DA-TERRA; AZEITONA-DO-MATO; TURUMÃ [F.: Do tupi *taru'mã.*]

tarzânico (tar.*zâ*.ni.co) *a.* **1** Ref. ao personagem Tarzan surgido em 1912 na novela *Tarzan dos macacos*, de Edgar Rice Burroughs: *O universo tarzânico das histórias em quadrinhos.* **2** *Bras. Pej.* Que é falado ou escrito de modo tosco, com erros gramaticais, de estilo etc. (inglês tarzânico) [F.: Do antr. *Tarzan* + *-ico*[2].]

tasca[1] (*tas*.ca) *sf.* **1** Ação ou resultado de tascar **2** *RJ Pop.* Agressão por meio de pancadas; SOVA; SURRA [F.: Dev. de *tascar.* Hom./Par.: *tasca* (sf.), *tasca* (fl. de *tascar*), *tascas* (pl.), *tascas* (fl. do v.).]

tasca[2] (*tas*.ca) *sf.* **1** Casa de pasto muito ordinária; BAIUCA; BODEGA; BOTEQUIM; TABERNA **2** *Lus. P. ext.* Restaurante ordinário, onde são servidos cafés, lanches e refeições nas mesas **3** *Bras.* O mesmo que *tasco* (2); NACO [F.: De or. incerta. Hom./Par.: *tasca* (sf.), *tasca* (fl. de *tascar*), *tascas* (sf.), *tascas* (fl. do v.).]

tascar (tas.*car*) *v.* **1** *Gír.* Aplicar ou lançar (algo) inesperadamente (em alguém) [*tdr.* + *em: Quando menos esperava, tasquei-lhe um beijo; Juliana tascou um tapa no irmão.*] **2** *Gír.* Botar (fogo) em [*tda.: Tascaram fogo no canavial.*] [*tdr.* + *em: O criminoso tascou fogo nas provas.*] **3** *Bras. Pop.* Agredir fisicamente; BATER; SURRAR [*td.: No fim da partida, tascou o juiz.*] **4** *Pop.* Destruir (objeto feito de tecido ou papel), desmantelar, rasgar [*td.: A criançada tascou o judas com paus e pedras; tascar um balão.*] **5** *Pop.* Tirar pedaços (de alimento) com pequenas mordidas; MORDISCAR [*td.: Tascava com vontade uma fatia de pizza.*] **6** Morder [*td.: Enquanto conversávamos, o cavalo tascava o freio.*] **7** *Bras. Pop.* Lançar-se sobre (algo ou alguém); PEGAR; TIRAR [*td.: Famintas, as crianças tascaram toda a comida.*] [*int.: Este prêmio é meu e ninguém tasca!*] **8** *Bras. Pop. Fig.* Falar mal de; arrasar com [*td.: Tascaram o professor.*] [▶ **11 tascar**] [F.: De or. incerta. Hom./Par.: *tasca* (fl.), *tasca* (sf.), *tascas* (fl.), *tascas* (pl. do sf.); *tasco* (fl.), *tasco* (sm.).]

tasco (*tas*.co) *sm.* **1** A casca do linho quebrada em pequenos bocados; BOICEIRA; BOUCEIRA; TOMENTO **2** *Bras. Pop.* Pequeno pedaço de alimento; BOCADO; NACO **3** O mesmo que *tasca* (1) [F.: Dev. de *tascar.* Hom./Par.: *tasco* (sm.), *tasco* (fl. de *tascar*).]

tasmaniano (tas.ma.ni.*a*.no) *sm.* **1** Aquele que nasceu ou que vive na Tasmânia (Oceania), ilha ao sul da Austrália *a.* **2** Da Tasmânia; típico dessa ilha ou de seu povo [F.: Do top. *Tasmânia* + *-ano*[1].]

tasneirinha (tas.ne:i.*ri*.nha) *Bot. sf.* **1** Planta (*Senecio vulgaris*) da fam. das compostas, nativa de regiões temperadas e que se hibridiza naturalmente com outras espécies do gênero; JACOBEIA; CARDO-MORTO **2** Erva grande, da fam. das compostas (*Senecio brasiliensis*), muito difundida no Brasil, de folhas recortadas e herbáceas, e cujos capítulos, numerosos, são amarelos. Contém alcaloides que envenenam o gado [F.: *tasneira* + *-inha.*]

tasquinha (tas.*qui*.nha) *sf.* **1** Espadela de madeira com que se separa o tasco do linho **2** *Bras.* Quantidade pequena de comida; BOCADINHO *s2g.* **3** *Bras.* Pessoa que come com pouco apetite; DEBIQUEIRO [F.: *tasca*[2] + *-inha.* Hom./Par.: *tasquinha* (sf. e s2g.), *tasquinha* (fl. de *tasquinhar*).]

tasquinhar (tas.qui.*nhar*) *v.* **1** Retirar os tomentos a (o linho) por meio de batidas com a espadela [*td.: tasquinhar linho.*] **2** *Pop.* Comer (algum alimento) [*td.: tasquinhar biscoito.*] **3** Comer aos pouquinhos; BELISCAR [*td.: Tasquinhava lentamente as batatinhas.*] [*int.: Contentava-se em tasquinhar; Tinha mania de tasquinhar nas panelas.*] **4** *P. ext.* Gastar em excesso; ESBANJAR [*td.: Tasquinhou o salário em três dias.*] **5** *P. ext.* Falar mal de (algo, alguém); MALDIZER [*td.: Tasquinhava o genro sem parar.*] [*int.: Perdia tempo em difamar, tasquinhar.*] [▶ **1 tasquinhar**] [F.: *tascar* + *-inhar.* Hom./Par.: *tasquinha(s)* (fl.), *tasquinha(s)* (sf. s2g. [pl.]).]

tassalho (tas.*sa*.lho) *sm.* **1** Grande fatia ou pedaço; NACO: "Seu cadáver, encontrado em tassalhos, de mistura com as peças da máquina (...) veio em carro fúnebre." (Coelho Neto, *Inverno em flor*) **2** *Açor.* Toicinho *s2g.* **3** *Lus. Pop.* Aquele que é desavergonhado **4** *Lus. Pop.* Aquele que é malcomportado **5** *Lus. P. ext.* Pessoa inquieta, que está sempre andando de um lado para outro *interj.* **6** *Lus. Pop.* Termo que expressa calúnia, insulto, ofensa [F.: De or. obsc. Hom./Par.: *tassalho* (sm. s2g. interj.), *tassalho* (fl. de *tassalhar*).]

tassofobia (tas.so.fo.*bi*.a) *sf. Psiq.* Horror mórbido a permanecer no ócio, sem fazer nada [F.: Do rad. do v. gr. *thássein*, 'sentar-se', + *-o-* + *-fobia*.]

tataíra (ta.ta.*í*.ra) *sf. Bras. Ent.* Espécie de abelha (*Oxytrigona tataira*), da subfamília dos meliponíneos, com cerca de 5,5 mm de comprimento, cabeça e abdome ferrugíneos e o restante do corpo preto; ABELHA-CAGA-FOGO; ABELHA-DE-FOGO; BARRA-FOGO; BOTA-FOGO; CAGA-FOGO; MIJA-FOGO [É muito agressiva e quando pica, segrega um líquido cáustico. Nidifica em troncos ocos.] [F.: Do tupi *tatae'ira*, 'espécie de abelha', de *ta'ta*, 'fogo' + *e'ira*, 'mel'.]

tatajuba (ta.ta.*ju*.ba) *sf. Bot.* Grande árvore (*Bagassa guianensis*) da família das moráceas, nativa das Guianas e da Amazônia, de folhas cordadas, trilobadas ou inteiras, flores femininas sésseis, em receptáculo esférico, e frutos drupáceos grandes, alaranjados, rugosos, comestíveis e adstringentes, com muitas sementes. A madeira, amarela, dura e resistente, serve para a construção civil e naval, marcenaria e tinturaria. Fornece casca para a indústria de curtumes e uma resina de valor medicinal [F.: Do tupi *tata'yïwa*.]

tatalante (ta.ta.*lan*.te) *a2g. Bras.* Que tatala, produz som seco e abafado como o de ossos entrechocando-se, e ruído semelhante ao do ar vibrado por asas [F.: *tatalar* + *-nte*.]

tatalar (ta.ta.*lar*) *v.* **1** *Bras.* Produzir som seco (como de ossos batendo uns no outros) [*int.*] **2** Produzir rumor brando; RUMORAR; RUMOREJAR; SUSSURRAR [*int.*: "As gáveas enfunadas tufavam-se tatalando." (Coelho Neto, *Miragem*)] **3** *Bras.* Bater, agitar (asas), produzindo ruído característico; RUFLAR [*td.*: *tatalar as asas.*] [▶ **1 tatalar**] *sm.* **4** *Bras.* Ruído característico do bater de asas; RUFLAR [F.: Voc. onom.]

tatame (ta.*ta*.me) *sm.* **1** Tipo de esteira feita com materiais orgânicos como a palha de arroz (internamente) e junco (externamente), us. como tapete, base para *futon* etc. **2** *P. ext. Esp.* Tipo de esteira feita com palha de arroz prensada e acabamento ger. em lona, sobre a qual se pratica judô, jiujítsu, *kung fu* etc. [F.: Do jap. *tatami*. Sin. ger.: *tatâmi*.]

tatâmi (ta.*tâ*.mi) *sm.* O mesmo que *tatame*

tatarana (ta.ta.*ra*.na) *sf. Bras. Ent.* O mesmo que *taturana*

tataraneto (ta.ta.ra.*ne*.to) *sm.* **1** Filho de trineto ou trineta de uma pessoa em relação a essa pessoa **2** Descendente muito remoto: *O livro alcançará seus tataranetos.* [F.: De or. incerta. Ideia de: *tetr(a)-*. Tb. *tetraneto*.]

tataranha (ta.ta.*ra*.nha) *a2g.* **1** *Pop.* Diz-se de pessoa acanhada, tímida, sem expediente; TATARANHO *s2g.* **2** Pessoa encabulada, canhestra, ressabiada [Ant.: *extrovertido*] [F.: Posv. de *tátaro*, 'gago', + term. pej. *-anha*. Hom./Par.: *tataranha* (a2g. s2g.), *tataranha* (fl. de *tataranhar*).]

tataranhar (ta.ta.ra.*nhar*) *v.* **1** Falar com dificuldade; GAGUEJAR; TARTAMUDEAR [*td. int.*] **2** Tornar embaraçado (alguém ou a si mesmo); ACANHAR(-SE) [*td.*] **3** Tatear, andar às apalpadelas em busca de algo ou alguém [*td. int.*] [▶ **1 tataranhar**] [F.: *tataranha* + *-ar*[2]. Hom./Par.: *tataranha* (fl.), *tataranha* (a. s2g.); tataranhas (fl.), tataranhas (pl. do a. s2g.); *tataranho* (fl.), *tataranho* (a. sm.).]

tataravó (ta.ta.ra.*vó*) *sf.* **1** Mãe da trisavó ou do trisavô de uma pessoa em relação a essa pessoa **2** Ascendente muito remota: *Essa saia é do tempo da minha tataravó.* [F.: *tatar(a)-* (depreendido de tataraneto) + *avó*. Tb. *tetravó*.]

tataravô (ta.ta.ra.*vô*) *sm.* **1** Pai do trisavô ou da trisavó de uma pessoa em relação a essa pessoa **2** Ascendente muito remoto: *Esse paletó parece até que foi do seu tataravô.* [Pl.: *-vôs* e *-vós*. Pl. para *tataravô* e *tataravó* juntos: *tataravós*.] [F.: *tatar(a)-* (depreendido de tataraneto) + *avô*. Tb. *tetravô*.]

tátaro (*tá*.ta.ro) *a.* **1** Que pronuncia ou articula mal as palavras; GAGO; TARTAMUDO; TÁRTARO; TATAMBA *sm.* **2** Aquele que pronuncia ou articular mal as palavras; GAGO; TARTAMUDO; TÁRTARO; TATAMBA [F.: De or. onom.]

tateamento (ta.te:a.*men*.to) *sm.* Ato ou resultado de tatear: "...se ensinava correntemente que o pai da economia política, aquele antes do qual pouco mais havia do que erros e tateamentos, era Adam Smith" (M. B. Amzalac, *História das doutrinas econômicas*) [F.: *tatear* + *-mento*.]

tateante (ta.te.*an*.te) *a2g.* Que tateia: "Percorriam-nos, tateantes, em busca de uma moringa d'água ou um cabaz de farinha. " (Euclides da Cunha, *Os sertões*) [F.: *tatear* + *-nte*.]

tatear (ta.te.*ar*) *v.* **1** Apalpar atentamente (com mãos, pés, bengala etc.) para conhecer pelo tato [*int. td. tdr. tr.*: *Desceu a escada tateando (os degraus) (com os pés)*; "...E com mão trêmula, incerta / Procura o filho, tateando as trevas / Da sua noite lúgubre e medonha." (Gonçalves Dias, *I-Juca Pirama*)] [*int.*: "No corredor escuro onde entrei e onde tateio como um cego. " (Raul Brandão, *Memórias*)] **2** Indagar, sondar com cautela para saber [*td.*: "O restaurante abre somente para almoço, como que tateando o público que come fora compulsoriamente..." (*Folha de S.Paulo*, 01.05.2003)] [*int.*: "Acredito que o mercado esteja tateando em busca de um ponto de equilíbrio. " (*Folha Online, Dinheiro*, 08.04.2003)] **3** Dar os primeiros passos (em); ENGATINHAR; EXPERIMENTAR [*td.*: "Quando, no início da década de 90, voltou a Portugal, o novo milionário – que então tateava o ramo hoteleiro, (...) – já tinha um importante acervo. " (*O Globo*, 25.08.2001)] [*int.*: "Já o governo Lula seria uma incógnita – o PT teria que tatear." (*O Globo*, 28.09.1997)] [▶ **13 tatear**] [F.: *tato* + *-ear*[2]. Hom./Par.: *tateáveis* (fl.), *tateáveis* (pl. de *tateável* [a2g.]).]

tateável (ta.te.*á*.vel) *a2g.* Que se pode tatear, apalpar; PALPÁVEL; TÁTIL: *A ficção científica leva-nos para além do mundo tateável e cotidiano.* [Pl.: *-veis*.] [F.: *tatear* + *-vel*. Hom./Par.: *tateáveis* (pl.), *tateáveis* (fl. de *tatear*).]

tatibitate (ta.ti.bi.*ta*.te) *a2g.* **1** Diz-se de quem fala trocando certas consoantes: "O símbolo duma fidalguia degenerada e imbecil, consanguínea e devota, loira e tatibitate." (Júlio Dantas, *Amor em Portugal*) [Cf. *tátaro*.] **2** *P. ext.* Diz-se de quem gagueja; GAGO; TARTAMUDO **3** *Fig.* Diz-se de pessoa acanhada, apatetada, indecisa; PALERMA; TÍMIDO; TONTO [Ant.: *decidido; esperto*.] *s2g.* **4** Aquele ou aquela que fala trocando consoantes **5** *P. ext.* Gago, tartamudo **6** Idiota, pateta, tolo [F.: De or. onom.]

tatibitatear (ta.ti.bi.ta.te.*ar*) *v.* Falar como tatibitate, de maneira embaraçada, gaguejante [*td.*: *Tatibitateou umas palavras e se retirou.*] [*int.*: *Ficou parado na porta, a tatibitatear.*] [▶ **13 tatibitatear**] [F.: *tatibitate* + *-ear*[2].]

tática (*tá*.ti.ca) *sf.* **1** *Mil.* Arte de combater ou de ordenar as tropas no campo de batalha, procurando obter o máximo de eficácia possível (tática naval) **2** Maneira hábil de conduzir, encaminhar ou ajustar um negócio, uma empresa, uma discussão etc.: *Tática da aliança com partidos de esquerda para ganhar a eleição.* [F.: Do fr. *tactique*, deriv. do gr. *taktikós, ê, ón* 'relativo a arranjo, organização, alinhamento, hábil em manobras'. Ver *tactic(o)-* ou *tatic(o)-* e *tax(i/o)-*.]

tático (*tá*.ti.co) *a.* **1** Ref. ou inerente a tática (planejamento tático) **2** Que é executado com tática; que é resultado de tática (exercício tático; ação tática) **3** *Esp. Mil. Pedag.* Que é especialista em tática *sm.* **4** *Esp. Mil. Pedag.* Indivíduo especialista em tática: "...professores e alunos, aprendizes e instrutores, que não só aprendem mas ensinam, mas segundo as normas e as direções dos seus técnicos, seus táticos e estrategos..." (Afrânio Peixoto, *Ensinar a ensinar*) [F.: Do gr. *taktikós*. Ideia de: *tactic(o)-* ou *tatic(o)-*, *tax(i/o)*[1]*-*.]

taticografia (ta.ti.co.gra.*fi*.a) *Mil. sf.* **1** Delineamento ou representação gráfica de manobras militares **2** Representação em mapa do posicionamento tático de outros exércitos [F.: *tátic(o)-* + *-grafia*. Ver *tático* e *tax(i/o)-*.]

tático-móvel (tá.ti.co-*mó*.vel) *a2g.* Que possui mobilidade para desenvolver ações táticas de forma dinâmica: *Especialização técnica para efetuar patrulhamento tático-móvel.* [Pl.: *tático-móveis*.]

tátil (*tá*.til) *a2g.* **1** Ref. ou inerente a tato **2** Que serve ao tato: *O focinho dos insetos serve mais como órgão tátil do que olfativo.* **3** Que pode ser percebido pelo tato; que é ou pode ser apalpado ou tateado (sensação tátil); TATEÁVEL [Pl.: *-teis*.] [F.: Do lat. *tactilis, e*. Ant. ger.: *intátil; intangível*. Ideia de: *tat-* ou *tact-*. Tb. *táctil*.]

tatilidade (ta.ti.li.*da*.de) *sf.* **1** *Derm. Med. Neur.* Característica ou qualidade de tátil **2** *Derm. Med. Neur.* Capacidade de sentir ou de ser sentido pelo tato; TATEABILIDADE: *tatilidade das pontas dos dedos.* **3** *Fís.* Resistência tátil; características de substâncias e elementos percebidas pelo tato: *a tatilidade do algodão.* [F.: *tátil* + *-(i)dade*. Ideia de: *tat-* ou *tact-*. Tb. *tactilidade*.]

tatismo (ta.*tis*.mo) *sm. Biol.* Fenômeno que consiste na ação de estímulos externos (luz, eletricidade, substâncias etc.) sobre células ou organismos vivos livres em certo meio, fazendo-os se orientar na direção do estímulo; TAXIA [F.: Do lat. *ta(c)t(us)* + *-ismo*. Tb. *tactismo*.]

tato (*ta*.to) *sm.* **1** Ação ou resultado de apalpar, de tatear; TATEIO **2** *Derm. Med. Neur.* Sentido que permite perceber forma, extensão, consistência, aspereza, peso e temperatura de algo por meio do contato com a pele **3** *P. ext.* Toda e qualquer sensação que esse sentido pode provocar **4** *Fig.* Modo cauteloso de agir; DISCRIÇÃO; PRUDÊNCIA; TINO: *Com muito tato, convenceu-o a render-se.* [Ant.: *indiscrição*.] **5** *P. ext.* Demonstração de sutileza e sensibilidade no modo de se expressar: *Abordou o problema com muito tato.* **6** Conhecimento, capacidade, vocação; EXPERIÊNCIA: *Tem grande tato político.* [Ant.: *inexperiência*.] [F.: Do lat. *tactus, us*. Ideia de: *tat-* ou *tact-*. Tb. *tacto*.]

tatu (ta.*tu*) *sm.* **1** *Zool.* Denominação comum aos mamíferos, da fam. dos dasipodídeos, cujo corpo é coberto por uma forte carapaça de placas articuladas, vivem em galerias subterrâneas; encontrados do sul dos EUA à Argentina **2** *Bras. Zool.* Variedade de porco doméstico **3** *Bras. Cul.* Iguaria feita com a carne do tatu **4** *Bras. Bot.* Árvore pequena da fam. das opiliáceas (*Agonandra brasiliensis*), nativa do Brasil, de madeira amarelada, dura, de boa qualidade, e de cujas sementes se extrai óleo-amarelo; PAU-MARFIM **5** *AM.* Coberta, abrigo contra a chuva feito de palmas e folhas **6** *RS* Tipo de abrigo onde se deposita a erva-mate para secagem **7** *RS. GO. MG. Dnç.* Bailado campestre, espécie de fandango dançado e cantado em que um dançarino cantador narra e imita em versos uma caçada de tatu [F.: Do tupi *ta'tu*. *Na acp. 1 é epiceno*.] ■ **Arrancar um ~** *S. Pop.* Ficar (pessoa, veículo) preso na lama; atolar-se **Levar/pegar um ~** *Bras. Pop.* Ser derrubado, levar rasteira

tatuado (ta.tu.*a*.do) *a.* **1** Que apresenta tatuagens (corpo tatuado) **2** *Fig.* Estigmatizado, marcado; MACULADO: *tatuado como mentiroso.* [F.: Part. de *tatuar*.]

tatuador (ta.tu:a.*dor*) [ô] *sm.* **1** Aquele que faz tatuagem em outrem, aquele que tatua **2** *Bras. Etnol.* Instrumento cortante, feito por indígenas brasileiros com diversos materiais (como lascas de pedras, unhas e dentes de animais etc.), e us. para fazer incisões decorativas permanentes na pele *a.* **3** Diz-se de quem tatua, profissionalmente ou não [F.: *tatuar* + *-dor*.]

tatuagem (ta.tu.*a*.gem) *sf.* **1** Ação ou resultado de tatuar; técnica de gravar desenhos na pele, introduzindo pigmentos por meio de agulhas **2** *P. ext. Des.* Desenho feito com essa técnica **3** *P. ext.* Marca visível, duradoura ou permanente; CICATRIZ; SINAL **4** *Fig.* Estigma, marca, sinal; MÁCULA: *a tatuagem da vergonha.* [Pl.: *-gens*.] [F.: *tatuar* + *-agem*[2].]

tatuar (ta.tu.*ar*) *v.* **1** Fazer tatuagem de (algo) em (algo, alguém ou si mesmo) [*tdi.*: *Passava o tempo tatuando figuras horripilantes; Ao se tatuar, repare se as agulhas são descartáveis.*] [*tda.*: *Tatuou um dragão no braço esquerdo.*] **2** *P. ext.* Pôr marca, sinal em; ASSINALAR [*td.*: *Tatuou os bois com ferro.*] [▶ **1 tatuar**] [F.: Adaptç. do ing. *(to) tattoo*.]

tatu-bola (ta.tu-*bo*.la) *Zool. sm.* Denominação comum a duas espécies de tatus da fam. dos dasipodídeos (gên. *Tolypeutes*), com apenas três cintas de placas móveis que as tornam capazes de se enrolar como uma bola na própria carapaça [Pl.: *tatus-bolas e tatus-bola*.] [F.: *tatu* + *bola*.]

tatu-canastra (ta.tu-ca.*nas*.tra) *sm. Zool.* Tatu de grande porte da fam. dos dasipodídeos (*Priodontes maximus*), encontrado na maior parte da América do Sul cisandina, com até 1m de comprimento, corpo coberto por poucos pelos e patas anteriores dotadas de garras enormes, que auxiliam na escavação de buracos; TATUAÇU [Espécie ameaçada de extinção, esp. em razão da caça para obtenção de carne.] [Pl.: *tatus-canastras e tatus-canastra*.]

tatu-de-rabo-mole (ta.tu-de-ra.bo-*mo*.le) *sm. Bras. Zool.* Denominação comum aos tatus do gên. *Cabassous*, encontrados nas Américas Central e do Sul, sendo três das 4 spp. do gên. encontradas no Brasil; com até 49 cm de comprimento, coloração dorsal marrom-escura, patas dianteiras providas de cinco grandes garras e cauda praticamente nua, coberta por poucas e espaçadas placas; CABAÇU; CABUÇU; TATUAÍVA; TATUXIMA [Pl.: *tatus-de-rabo-mole*.]

tatu-galinha (ta.tu-ga.*li*.nha) *sm. Bras. Zool.* Tatu (*Dasypus novemcinctus*) de carapaça convexa e lateralmente comprida, com oito cintas de placas móveis, cabeça alongada, olhos pequenos, orelhas grandes, cauda comprida e apenas quatro dedos em cada mão; encontrado dos EUA à Argentina; sua carne é semelhante à da galinha, daí o nome do animal; TATU-DE-FOLHA; TATUATÉ; TATU-VEADO; TATUVERDADEIRO [Pl.: *tatus-galinhas e tatus-galinha*.]

tatuí (ta.tu.*í*) *sm.* **1** *Zool.* Denominação comum aos pequenos crustáceos da fam. dos hipídeos, esp. os do gên. *Emerita* de coloração branca, com cerca de 3 cm de comprimento, que vivem enterrados na areia a pouca profundidade na zona de arrebentação das praias, somente as antenas ficam expostas para filtrar o plâncton, do qual se alimentam; TATUÍRA **2** *Zool.* Espécie de tatu (*Dasypus septemcinctus*) encontrado na Argentina, na Bolívia, no Brasil e no Paraguai, parecido com o tatu-galinha, só que menor e com a carapaça dividida em apenas seis ou sete cintas de placas móveis **3** *Agr.* Certo tipo de amendoim (*Arachis hypogaea*) [Empr. tb. apositivamente.] [F.: Do tupi *tatu'i*.]

tatuíra (ta.tu.*í*.ra) *sm. Zool.* O mesmo que *tatuí* (1) [F.: Do tupi.]

tatupeba (ta.tu.*pe*.ba) *sm. Bras. Zool.* Tatu (*Euphractus sexcinctus*), de coloração amarronzada, carapaça provida de poucos pelos, com seis ou oito cintas de placas móveis e cabeça cônica e achatada, encontrado do Suriname ao Norte da Argentina [F.: Do tupi *tatu'pewa*, de *ta'tu*, 'tatu', + *'pewa*, 'chato'.]

taturana (ta.tu.*ra*.na) *sf.* **1** *Zool.* Denominação comum às lagartas urticantes de diversas spp. de mariposas, da fam. dos megalopigídeos, revestida de uma felpa peluda que, ao ser tocada, causa queimaduras e até náuseas, reação ganglionar e febre; BICHO-CABELUDO; LAGARTA-DE-FOGO **2** Espécie de vespídeo *s2g.* **3** *Pej.* Pessoa albina [F.: Do tupi *tata'rana*. Sin. ger.: *tatarana, tatauã, tatauarana, tatorana*.]

tatuzinho (ta.tu.*zi*.nho) *Zool. sm.* Crustáceo isópode, terrestre, da fam. dos armadilídeos (*Armadillidium vulgare*), que se protege enrolando completamente o corpo achatado em forma de bola (daí a denominação popular), e quando em grande número pode causar dano às plantas; BARATINHA [F.: *tatu* + *-zinho*.]

tau *sm.* **1** A 19ª letra do alfabeto grego, correspondente ao t latino **2** Marca ou sinal em forma de T **3** *Ecles.* Cruz branca em forma de tau hebraico, us. antigamente no hábito pelos cônegos de Santo Antão **4** *Fís.* Lépton de massa 1777,1 MeV/c2, spin 1/2, carga elétrica igual à do elétron e número leptônico + 1 [Símb.: *t*.] *interj.* **5** Imitação do barulho de tiro ou de pancada com a voz [F.: Do lat. tard. *tau*, do gr. *tau*.]

tauari (tau:a.*ri*) *sm.* **1** *Bras. Bot.* Nome comum de diversas árvores de grande porte da fam. das lecitidáceas (*Cariniana excelsa*, Casar; *C. micrantha*, Ducke; *C. rubra*, Miers; *Coutari macrosperma*, Schum; *C. tauary*, Berg); a madeira é considerada de boa qualidade **2** Fibra têxtil de algumas dessas árvores, tb. us. para enrolar cigarros **3** *P. ext.* O cigarro enrolado com essa fibra **4** *AM* Pequena palhoça encontrada nas roças, seringais e feitorias [F.: Do tupi *tawa'ri*, 'planta cuja casca é us. para enrolar fumo'.]

tau-mais (tau-mais) *sm. Fís.* Antipartícula do tau [Símb.: t^+] [Pl.: *taus-mais*.]

◎ **taumat(o)-** *el. comp.* = 'milagre', 'prodígio': *taumaturgia, taumaturgo* [F.: Do gr. *thaûma, thaúmatos*.]

taumaturgia (tau.ma.tur.*gi*.a) *sf.* **1** Capacidade ou ação de fazer milagres **2** Aptidão, obra de taumaturgo [F.: Do gr. *thaumatourgía, as*.]

taumatúrgico (tau.ma.*túr*.gi.co) ***a.*** Ref., inerente a, ou próprio da taumaturgia ou de taumaturgo (talento taumatúrgico; ação taumatúrgica) [F.: *taumaturgia* + *-ico*[2].]

taumaturgo (tau.ma.*tur*.go) ***sm.*** **1** Aquele que supostamente faz milagres; autor de milagres: "Vinham os taumaturgos, com as maravilhas da sua vida: Santo Antônio à frente." (Júlio Brandão, *Perfis suaves*) **2** Aquele que tem o suposto poder da adivinhação ***a.*** **3** *Rel.* Diz-se de que ou quem supostamente faz milagres (santo taumaturgo); MILAGREIRO **4** *Fig.* Diz-se de que ou quem tem o suposto poder da adivinhação; VISIONÁRIO [F.: Do gr. *thaumatourgós, ós, ón.*]

◎ **taur(i)-** ***el. comp.*** = 'touro': *tauriforme* (< lat.), *taurofilia, taurófilo, taurofobia, taurófobo, tauromaquia* (< gr.) [F.: Do lat. *taurus, i.*]

tauriano (tau.ri.*a*.no) *Astrol.* ***a. sm.*** O mesmo que *taurino* (acps. 3, 4 e 5) [F.: *taur(i)-* + *-ano*[1].]

tauriforme (tau.ri.*for*.me) ***a2g.*** Que tem forma de touro; semelhante a um touro (estátua tauriforme; símbolo tauriforme) [F.: Do lat. *tauriformis, e.*]

taurina (tau.*ri*.na) ***sf.*** *Quím.* Substância da bílis, que se apresenta em cristais monoclínicos, incolores e insolúveis, resultante da decomposição do ácido taurocólico. [Fórm.: $C_2H_7NO_3S$] [Encontra-se nos tecidos de vários animais e desempenha importante papel nutricional no período de crescimento dos mamíferos, incluindo os seres humanos.] [F.: *taur(i)-* (por ter sido descoberta no fel do touro) + *-ina*[2].]

taurino (tau.*ri*.no) ***a.*** **1** Ref. a touro (gado taurino); TÁUREO; TAURO **2** *Fig.* Próprio de ou semelhante a touro, ou a qualidade ou comportamento desse animal (perfil taurino; força taurina, braveza taurina); TÁUREO **3** *Astrol.* Que nasceu sob o signo de Touro; TAURIANO **4** *Astrol.* Ref. a esse signo ou às qualidades ou influências a ele atribuídas, segundo a astrologia; TAURIANO ***sm.*** **5** *Astrol.* Aquele que nasceu sob o signo de Touro; TAURIANO [F.: Do lat. *taurinus, a, um.*]

◎ **tauro-** ***el. comp.*** Ver *taur(i)-*

taurofilia (tau.ro.fi.*li*.a) ***sf.*** Grande entusiasmo por touradas, pela tauromaquia [F.: *tauro-* + *-filia*[1].]

taurófilo (tau.*ró*.fi.lo) ***a.*** **1** Diz-se do indivíduo apaixonado por touradas ou assuntos correlatos ***sm.*** **2** Esse indivíduo [F.: *tauro-* + *-filo*[1].]

taurofobia (tau.ro.fo.*bi*.a) ***sf.*** *Psiq.* Aversão, medo mórbido de touros [F.: *tauro-* + *-fobia.*]

taurofóbico (tau.ro.*fó*.bi.co) ***a.*** **1** *Psiq.* Ref. à taurofobia **2** Diz-se de indivíduo que tem taurofobia; TAURÓFOBO ***sm.*** **3** *Psiq.* Esse indivíduo; TAURÓFOBO [F.: *taurofobia* + *-ico*[2].]

taurófobo (tau.*ró*.fo.bo) *Psiq.* ***a. sm.*** O mesmo que *taurofóbico* (2 e 3) [F.: *tauro-* + *-fobo.*]

tauromaquia (tau.ro.ma.*qui*.a) ***sf.*** Arte de tourear [Cf. *toureiro.*] [F.: Do gr. *tauromakhía, as*; ver *tauro-* e *-maquia.*]

◎ **taut(o)-** ***el. comp.*** = 'mesmo': *tautofonia, tautograma, tautologia, tautomeria, tautometria, tautossilabismo* [F.: Do gr. *tautó*, 'o mesmo' (crase de *tó autó*).]

tautofonia (tau.to.fo.*ni*.a) ***sf.*** Repetição excessiva do mesmo som; TAUTACISMO [F.: *taut(o)-* + *-fonia.*]

tautofônico (tau.to.*fô*.ni.co) ***a.*** Ref. ou inerente a tautofonia [F.: *tautofonia* + *-ico*[2].]

tautograma (tau.to.*gra*.ma) ***sm.*** Espécie de poema em que todas as palavras começam pela mesma letra [F.: *taut(o)-* + *-grama.*]

tautologia (tau.to.lo.*gi*.a) ***sf.*** **1** *Ling. Ret.* Vício de linguagem em que se repete a mesma ideia de maneiras diferentes; PLEONASMO; REDUNDÂNCIA **2** *Lóg.* Processo de raciocínio que consiste em repetir com outras palavras o que se pretende demonstrar; TRUÍSMO **3** *Lóg.* Função lógica que é sempre convertida em uma proposição verdadeira independentemente dos valores assumidos por suas variáveis [F.: Do gr. *tautología, as.*]

tautológico (tau.to.*ló*.gi.co) ***a.*** Ref., inerente a, ou próprio da tautologia; que tem caráter de tautologia (estilo tautológico; oratória tautológica) [F.: *tautologia* + *-ico*[2].]

tautomeria (tau.to.me.*ri*.a) ***sf.*** *Quím.* Isomerismo no qual os compostos (tautômeros) apresentam formas estruturais distintas e coexistem em equilíbrio químico; TAUTOMERISMO [F.: *taut(o)-* + *-meria*[1].]

tautomérico (tau.to.*mé*.ri.co) ***a.*** **1** Que diz respeito a tautomeria **2** Em que há tautomeria; TAUTÔMERO [F.: *tautomeria* + *-ico*[2].]

tautomerismo (tau.to.me.*ris*.mo) ***sm.*** *Quím.* O mesmo que *tautomeria* [F.: *tautômero* + *-ismo.*]

tautômero (tau.*tô*.me.ro) *Quím.* ***a.*** **1** Diz-se de composto químico que apresenta tautomeria ***sm.*** **2** *Quím.* Esse isômero [F.: *taut(o)-* + *-mero*[1].]

tautometria (tau.to.me.*tri*.a) ***sf.*** Simetria excessiva que origina monotonia [F.: *taut(o)-* + *-metria*[1].]

tautométrico (tau.to.*mé*.tri.co) ***a.*** **1** Que diz respeito a tautometria **2** Em que há tautometria; MONÓTONO [F.: *tautometria* + *-ico*[2].]

tautossilabismo (tau.tos.si.la.*bis*.mo) ***sm.*** Duplicação de sílabas idênticas (ger. de antr.) na formação de vocábulos informais, ger. de caráter familiar (Didi, Lili, Dedé, Mimi, Cacá, Lulu, Lelé, Dudu, Pepê etc.) [F.: *taut(o)-* + *silabismo.*]

tauxia (tau.*xi*.a) [cs] ***sf.*** **1** *Our.* Ação ou resultado de tauxiar; incrustação de metais preciosos, como ouro, prata etc. em peça de ferro ou aço; DAMASQUINAGEM; DAMASQUINARIA: "...Num pequeno armário Renascença, de grandes lavores e tauxias de bronze e prata fosca..." (Coelho Neto, *Inverno em flor*) **2** *P. ext.* Qualquer trabalho de incrustação ou marchetaria **3** *Fig.* Enrubescimento, ruborização (rostinho de tauxia); RUBOR [Ant.: *palidez.*] [F.: Do ár. ou dev. de *tauxiar*. Sin. ger.: *atauxia*. Hom./Par.: *tauxia* (sf.), *tauxia* (fl. de *tauxiar*); *tauxias* (pl.), *tauxias* (fl. do v.).]

tauxiado (tau.*xi*.a.do) [cs] ***a.*** **1** Ornado ou lavrado com tauxia: *Caixa de joias tauxiada de ouro.* **2** *Fig.* Diz-se de estilo floreado: *Discurso pedante tauxiado de citações eruditas.* **3** *Her.* Peças que têm incrustações e lavores em esmalte [F.: Part. de *tauxiar.*]

tauxiar (tau.xi.*ar*) ***v. td.*** **1** Incrustar metais preciosos, como ouro, prata etc. em (peça de ferro ou aço): *tauxiar a espada com ouro.* **2** *Fig.* Tornar rosado, corado; CORAR; ENRUBESCER: *O rubor tauxiava as faces da donzela.* [▶ 1 tauxiar] [F.: *tauxia* + *-ar*[2]. Hom./Par.: *tauxia* (fl.), *tauxia* (sf.); *tauxias* (fl.), *tauxias* (pl. do sf.).]

tava (*ta*.va) ***sf.*** **1** *RS Lud.* Jogo gaúcho que consiste em atirar ao solo convenientemente preparado (a cancha) um osso de jarrete de gado bovino (o astrágalo) com uma parte lisa (a sorte) e outra côncava (o culo), ganhando quem o faça cair com a sorte para cima; JOGO DO OSSO; TABA **2** Esse osso [F.: Do espn. *taba.*]

taverna (ta.*ver*.na) ***sf.*** Ver *taberna.*

taverneiro (ta.ver.*nei*.ro) ***sm.*** Ver *taberneiro*

távola (*tá*.vo.la) ***sf.*** **1** *Lud.* Peça pequena de formato circular, ger. de marfim ou osso, que se usa em diversos jogos de tabuleiro (távola de gamão) **2** *P. ext.* Mesa de jogo: "Experimentou todos os vícios, ganhando tédio em pouco tempo, às távolas, aos bastidores e às mulheres" (Coelho Neto, *Inverno em flor*) **3** O mesmo que *códice* (4) [F.: Do lat. *tabula, ae*, 'tábua', 'mesa', 'tabuleiro', posv. com infl. do it. *tavola*. Tb.: *tábula.*]

tavolagem (ta.vo.*la*.gem) *Lud.* ***sf.*** **1** Vício do jogo; JOGATINA **2** Casa destinada aos jogos de azar; BAIUCA; CASSINO; GARITO; JEBIMBA; TABULAGEM **3** *Ant.* Casa destinada aos jogos de tabuleiro [Pl.: *-gens.*] [F.: *tavolar* + *-agem*[2].]

taxa (*ta*.xa) ***sf.*** **1** *Econ.* Contribuição monetária devida ao Estado; IMPOSTO: *A taxa de incêndio aumentou.* **2** *Econ.* Preço fixado por regulamento (taxa alfandegária); TARIFA **3** *Est.* Índice, proporção (taxa de natalidade) **4** *Econ.* Porcentagem, razão (taxa de juros) **5** *Mat.* Razão entre as variações de duas grandezas, das quais a primeira é dependente da segunda [F.: Dev. de *taxar*. Hom./Par.: *taxa* (sf.), *tacha* (sf. e fl. de *tachar*), *taxa* (fl. de *taxar*). Ver *tax(i/o)-*[2].] ■ **~ bruta de mortalidade** *Dem.* Num certo âmbito e num certo período (ger. um ano), relação entre o número de óbitos e a população média **~ bruta de natalidade** *Dem.* Num certo âmbito e num certo período (ger. um ano), relação entre o número de nascidos vivos e a população média **~ de câmbio 1** *Econ.* Relação de valores de troca entre duas moedas **2** Num certo país, valor(es) de moeda(s) estrangeira(s) em unidades da moeda nacional **~ de fecundidade geral** *Dem.* Num certo âmbito, num certo período (ger. um ano), relação entre o número de nascidos vivos e o número médio de mulheres em idade fértil (15-49 anos) **~ de fecundidade total** *Dem.* Num certo âmbito, número médio de filhos das mulheres durante todo seu período de fertilidade **~ de juros** *Econ.* Num certo âmbito, relação percentual entre os juros cobrados por certo período e o capital que os gerou **~ de mortalidade infantil** *Dem.* Num certo âmbito, num certo período (ger. um ano), relação entre o número de óbitos de crianças com menos de um ano de idade, e de nascidos vivos **~ de risco** *Econ.* Além dos juros, aquela cobrada pelo emprestador como remuneração pelo risco de inadimplência

taxação (ta.xa.*ção*) ***sf.*** **1** *Econ. Jur.* Ação ou resultado de taxar; TRIBUTAÇÃO [+ *de, sobre*: *taxação de artigos de luxo; taxação sobre rendimentos tributáveis.*] **2** *Econ.* Antigo tributo recolhido pelos cobradores de rendas reais para a realeza [Pl.: *-ções.*] [F.: Do lat. *taxatio, onis*. Ideia de: *tax(i/o)*[2]*-.*]

taxado (ta.*xa*.do) ***a.*** **1** Que se taxou **2** *Fig.* Que se encontra submetido a uma disciplina, a um conjunto de regras, de normas **3** *Bras.* A que se impôs taxa (importação taxada) **4** Que teve o preço fixado **5** Que foi considerado como: *Durante a ditadura, foi taxado de fascista.* **6** A que se impôs (importação taxada) [F.: Do lat. *taxátus, a, um* (part. passado de *taxare*). Hom./Par.: *tachado* (a.); *taxada* (f.), *tachada* (sf.).]

taxador (ta.xa.*dor*) [ô] ***a.*** **1** Que taxa ***sm.*** **2** Aquele que taxa [F.: Do lat. *taxátor, óris* 'o que avalia, põe preço, tributa'; ver *tax(i/o)*-[2]. Hom./Par.: *tachador* (a. sm.).]

taxar (ta.*xar*) ***v.*** **1** Instituir imposto a ser pago por (produto, serviço etc.) [***td.***: *A alfândega taxa os importados.*] **2** Avaliar, classificar, rotular (alguém, algo ou a si mesmo) como; ter(-se) na conta de [***tdp.***: *A crítica taxou o ator de canastrão; Taxa-se de esperto, mas vive sendo enganado.* Cf. *tachar.*] **3** Impor (limites, regras restrições) a; LIMITAR; MODERAR; REGRAR [***td.***: *taxar as despesas.*] **4** Fixar, estabelecer (valor ou quantia a ser cobrado como taxa) [***tdr.*** + *em*: *Taxaram os ingressos no museu em dez reais.*] [▶ 1 taxar] [F.: Do lat. *taxare*. Hom./Par.: *taxar, tachar* (em todas as fl.); *taxa(s)* (fl.), *taxa(s)* (sf. [pl.]); *taxa(s)* (fl.), *tacha(s)* (sf. [pl.]); *taxe(s)* (fl.), *taxe(s)* [cs] (sf. [pl.]); *taxe(s)* (fl.), *taxi(s)* (sm. sf. [pl.]); *taxo* (fl.), *tacho* (sm.).]

taxativamente (ta.xa.ti.va.*men*.te) ***adv.*** **1** De modo taxativo; restritivamente **2** De modo a não dar margem a objeção, contestação ou a réplica (àquilo que se disse ou afirmou) [F.: Fem. de *taxativo* + *-mente.*]

taxatividade (ta.xa.ti.vi.*da*.de) ***sf.*** **1** *Jur.* No Direito administrativo, a aplicação de sanções a transgressões disciplinares: *princípio da taxatividade administrativa militar.* **2** Tributação sobre serviços, preços etc.: *taxatividade dos valores mobiliários.* [F.: *taxativo* + *-(i)dade.*]

taxativo (ta.xa.*ti*.vo) ***a.*** **1** *Jur.* Que taxa, que obedece a regulamento ou é a ele restrito [Ant.: *amplo.*] **2** Que cria ou impõe limites ou restrições; LIMITANTE; RESTRITIVO **3** *Fig.* Que não aceita contestação ou réplica, que não dá espaço para objeções; CATEGÓRICO; DECISIVO; DETERMINANTE: *Sua resposta foi taxativa.* [Ant.: *impreciso; incerto.*] **4** Que fixa preço, valor ou taxa para algo [F.: *taxar* + *-tivo.*]

◎ **-taxe** [cs] ***el. comp.*** Vocábulos, como *sintaxe* e *parataxe*, formados em *-taxe* têm sentido restrito de 'disposição das unidades linguísticas'; já aqueles em *-taxia*, possuem sentido geral de 'ordenação, classificação', e ocorrem ger. em vocábulos científicos formados a partir do séc. XIX, como *quimiotaxia, zootaxia* etc. Conexos com os subst. em *-taxia*, como tb. em *-taxe*, há os adj. em *-tá(c)tico*, como *sintá(c)tico, quimiotá(c)tico, zootá(c)tico* etc. [F.: Ambos do gr. *táksis, eos*, 'ordenação, orientação, classificação'; em *-taxia*, há o acréscimo do suf. *-ia.*]

taxeiro (ta.*xei*.ro) [cs] ***sm.*** Ver *taxista* [F.: *táxi* + *-eiro.*]

◎ **tax(i/o)-**[1] [cs] ***pref.*** = ordem, classificação: *taxidermia; taxidérmico; taxinomia; taxonomia* [F.: Do gr. *táksis, eôs.*]

◎ **tax(i/o)-**[2] [cs] ***pref.*** = taxar: *taxa; taxação; taxímetro* [F.: Do lat. *taxo, as, avi, atum, are.*]

táxi (*tá*.xi) [cs] ***sm.*** **1** Automóvel com taxímetro que marca o preço a ser pago pela corrida feita pelo passageiro transportado; AUTOMÓVEL DE PRAÇA; CARRO DE PRAÇA: "O doutor Gustavo Barreiros salta do táxi e sobe de dois em dois os degraus do sindicato." (Jorge Amado, *Jubiabá*) [Col.: *frota.*] **2** *Bras. Aer.* Ação de fazer o avião taxiar, deslizar sobre as rodas antes de decolar [F.: Abrev. do fr. *taximétre*. Hom./Par.: *táxi* (sm.), *taxe* [cs] (sf.), *taxi* (sm. e sf.), *taxe* (fl. de *taxar*), *tache* (fl. de *tachar*).] ■ **~ aéreo** *Bras.* Avião de aluguel **Fazer ~** *Aer.* Taxiar (o avião), deslocar-se em terra, sobre suas rodas

◎ **-taxia** ***el. comp.*** = 'ordenação, classificação': *quimiotaxia, zootaxia* [F.: Do gr. *táksis, eos.*]

taxiamento (ta.xi:a.*men*.to) [cs] ***sm.*** **1** Ação, procedimento ou resultado de taxiar **2** *Aer.* Saídas de alta e baixa velocidades, constituindo percurso entre as pistas de decolagem ou pouso, sendo a aeronave conduzida pelo piloto, com orientação da torre, sem a necessidade de tratores (*pushback*), exceto em casos de necessidade de manutenção [F.: *taxiar* + *-mento.*]

taxiar (ta.xi.*ar*) [cs] ***v. int.*** *Aer.* Correr (o avião) na pista, para decolar ou (esp.) após o pouso [▶ 1 taxiar] [F.: Adaptç. do ing. (*to*) *taxi*. Hom./Par.: *taxia* (fl.), taxia (sf.); *taxias* (fl.), *taxias* (pl. do sf.).]

taxidermia (ta.xi.der.*mi*.a) [cs] ***sf.*** Arte ou processo de empalhar animais para conservação de suas características; EMPALHAMENTO [F.: *tax(i/o)-*[1] + *-dermia.*]

taxidérmico (ta.xi.*dér*.mi.co) [cs] ***a.*** Ref. ou inerente a taxidermia (processo taxidérmico) [F.: *taxidermia* + *-ico*[2].]

taxidermista (ta.xi.der.*mis*.ta) [cs] ***s2g.*** Pessoa que se dedica à taxidermia; especialista em taxidermia [F.: *taxidermia* + *-ista.*]

taxidermizado (ta.xi.der.mi.*za*.do) [cs] ***a.*** Que passou por taxidermia (diz-se de animal); EMPALHADO [F.: Part. de *taxidermizar.*]

taxidermizar (ta.xi.der.mi.*zar*) [cs] ***v. td.*** Fazer taxidermia, antiga prática de empalhar animais [▶ 1 taxidermizar] [F.: *taxidermia* + *-izar.*]

taxiforme (ta.xi.*for*.me) ***a2g.*** *Bot.* Diz-se de planta cujas folhas são semelhantes às do teixo [F.: *tax(i/o)-*[1] + *-forme.*]

⊕ ***taxi girl*** [cs] (*Ing. /teksi gerl/*) ***sf.*** Jovem que dança com os fregueses por dinheiro, em bar, cabaré ou *dancing* [Pl.: *taxi girls.*]

taximétrico (ta.xi.*mé*.tri.co) [cs] ***a.*** Que diz respeito a taxímetro [F.: *taxímetro* + *-ico*[2].]

taxímetro (ta.*xí*.me.tro) [cs] *Metrol.* ***sm.*** Aparelho que marca o preço a se pagar pelo percurso efetuado por um carro de aluguel [Cf. *hodômetro, velocímetro.*] [F.: Do fr. *taximètre.*]

taxionomia (ta.xi:o.no.*mi*.a) [cs] ***sf.*** Ver *taxonomia* [F.: *taxio-* + *-nomia.*]

taxionômico (ta.xi:o.*nô*.mi.co) [cs] ***a.*** Ver *taxonômico* [F.: *taxionomia* + *-ico*[2].]

taxista (ta.*xis*.ta) [cs] ***s2g.*** Aquele ou aquela que dirige um táxi [F.: *táxi* + *-ista*. Hom./Par.: *taxista* (s2g.), *tachista* (a2g. e s2g.).]

taxodiácea (ta.xo.di.*á*.ce:a) [cs] ***sf.*** *Bot.* Espécime das taxodiáceas, fam. de plantas gimnospermas da ordem das coníferas, que são árvores de ramos verticilados, flores monoicas e sementes bialadas, e têm por tipo o gên. *Taxodium*; possui pólen sem câmara aerífera. Inclui as grandes árvores do gên. *Sequoia*, da América do Norte [F.: Adaptç. do lat. cient. *Taxodiaceae.*]

taxodiáceo (ta.xo.di.*á*.ce:o) [cs] ***a.*** *Bot.* Ref. ou pertencente às taxodiáceas [F.: De *taxodiácea*, com troca de suf; ver *-áceo.*]

taxologia (ta.xo.lo.*gi*.a) [cs] ***sf.*** **1** Ciência das classificações sistemáticas **2** Estudo da taxonomia [F.: *tax(i/o)-*[1] + *-logia.*]

taxológico (ta.xo.*ló*.gi.co) [cs] ***a.*** Ref. ou pertencente a taxologia [F.: *taxologia* + *-ico*[2].]

taxônimo (ta.*xô*.ni.mo) [cs] ***s2g.*** *Biol.* Palavra designadora de cada um dos agrupamentos taxonômicos [F.: *tax(i/o)-*[1] + *-ônimo.*]

taxonomia (ta.xo.no.*mi*.a) [cs] ***sf.*** **1** Ciência da classificação **2** *Biol.* Ramo da biologia que cuida de descrever, identificar e classificar os seres vivos [Cf. *sistemática.*] **3** *Bot.*

Parte da botânica que trata das classificações dos elementos vegetais **4** *Gram. Ling.* Parte da gramática que trata da classificação das palavras [F.: *tax(i/o)*-^{1} + *-nomia*. Var.: *taxinomia, taxionomia* (esta menos pref.).]

taxonômico (ta.xo.*nô*.mi.co) [cs] ***a.*** **1** Ref. ou inerente a taxonomia (estudo taxonômico); TAXIONÔMICO **2** *Biol.* Diz-se da biologia ou de áreas da biologia que sejam relacionadas com a sistemática [P. opos. a *ataxonômico*.] [F.: *taxonomia* + *-ico*^{2}.]

taxonomista (ta.xo.no.*mis*.ta) [cs] ***s2g.*** **1** Especialista em taxonomia ***a2g.*** **2** Que se especializou em taxonomia [F.: *taxonomia* + *-ista*. Tb. *taxônomo*.]

taxônomo (ta.*xô*.no.mo) [cs] ***sm.*** O mesmo que *taxonomista* [F.: *tax(i/o)*-^{1}+ *-nomo*.]

taylorismo (tay.lo.*ris*.mo) [têi] ***sm.*** Sistema de otimização da produção baseado na organização racional do trabalho, concebido pelo engenheiro norte-americano Frederick Winslow Taylor (1856-1915): "Já ouviste falar do taylorismo, isto é, essa prodigiosa invenção americana que estuda cada indústria e cada trabalho, suprimindo-lhe as operações inúteis ou nocivas, dispondo tudo, movimentos, ações, orientação prática e intelectual para obter, com a maior economia de tempo e esforço, o máximo de produção e rendimento" (Afrânio Peixoto, *Ensinar a ensinar*) [F.: Do antr. *(Frederick Winslow) Taylor* + *-ismo*.]

taylorização (tay.lo.ri.za.*ção*) [têi] ***sf.*** *Econ.* Ação ou resultado de taylorizar [Pl.: *-ções*.] [F.: *taylorizar* + *-ção*.]

taylorizado (tay.lo.ri.*za*.do) [têi] ***a.*** Que passou por processo de taylorização [F.: Part. de *taylorizar*.]

taylorizar (tay.lo.ri.*zar*) [têi] ***v. td.*** Empregar o taylorismo em (fábrica, produção) [▶ 1 **taylorizar**] [F.: Do antr. (Frederick Winslow) *Taylor* (1856-1915), engenheiro norte-americano, + *-izar*.]

⊠ **Tb** (Tb) **1** *Quím.* Símb. de *térbio*. **2** *Inf.* Símb. de *terabit*

⊠ **Tc** (Tc) *Quím.* Símb. de *tecnécio*

⊠ **TCE** Sigla de *Tribunal de Contas do Estado*

tchã ***sm.*** **1** *Bras. Pop.* Graça pessoal; CHARME: *Não era bonito, mas tinha um tchã.* **2** Toque a mais de requinte, beleza, elegância etc.: *A pintura deu um tchã na casa.* [F.: De or. onom.]

tchau ***interj.*** **1** Até logo ***sm.*** **2** Gesto de despedida feito com a mão; ADEUS; ADEUSINHO: *Acenou-me um tchau discreto.* [F.: Do it. *ciao*.]

tcheco (*tche*.co) ***sm.*** **1** *Etnog.* Pessoa nascida ou que vive na República Tcheca (Europa) **2** *Gloss.* A língua eslava falada na República Tcheca; BOÊMIO ***a.*** **3** Da República Tcheca; típico desse país ou de seu povo (futebol tcheco; música tcheca) **4** *Gloss.* Ref. à língua falada na República Tcheca [F.: Do fr. *tchèque*, deriv. do tcheco *cech*. Sin. ger.: *tcheque*.]

tchecoslovaco (tche.cos.lo.*va*.co) ***sm.*** **1** Pessoa nascida ou que vivia na antiga Tchecoslováquia (Europa), país que, em 1993, foi desmembrado em República Tcheca e República Eslovaca ***a.*** **2** Da Tchecoslováquia; típico desse país ou de seu povo (comércio tchecoslovaco; tradição tchecoslovaca) [F.: *tcheco* + *eslovaco*.]

tchutchuca (tchu.*tchu*.ca) ***sf.*** *Gír.* Moça ou mulher bonita, de corpo bem-feito, meiga e carinhosa: "Vem tchutchuca linda / Senta aqui com seu pretinho / Vou te pegar no colo / E fazer muito carinho..." (Bonde do Tigrão, *Tchutchuca*) [F.: Posv. de or. onom.]

⊠ **TCM** Sigla de *Tribunal de Contas do Município*

⊠ **TCP/IP** *Inf.* Acrônimo de *Transmission Control Protocol/ Internet Protocol*, 'protocolo de controle de transmissão/ protocolo de Internet'. Protocolo desenvolvido pelo Departamento de Defesa dos EUA para a comunicação entre computadores [O TCP/IP tornou-se o padrão para transmissão de dados através de redes, inclusive a Internet.]

⊠ **TCU** Sigla de *Tribunal de Contas da União*

te ***pr. pess.*** **1** Equivale a "você", "a você" ou "para você", na função de complemento: *Eu te vi atravessando a rua; Eu te telefono assim que puder.* **2** Substitui o possessivo "teu(s)", "tua(s)": *Como ele conseguiu prender-te as mãos?; Viu-te os olhos e logo te reconheceu.* **3** Exprime "a ti": *Nós te chamamos.* **4** Exprime "em ti": *Quem te bateu assim?* **5** Equivale a "para ti": *Vou dar-te um presente.* **6** Substitui "de ti": *Eu te sinto falta.* **7** Equivale a "diante de ti": *Como te surgiu essa imagem?* **8** Exprime reflexividade da ação, e pode ser substituído por "a ti mesmo": *Tu te penteaste; Tu te arrogaste certas qualidades.* **9** Tem sentido passivo, com alguns verbos: *Tu te tratas sempre com o mesmo remédio?* **10** Pode desempenhar a função de dativo ético, ou de interesse, quando expressa aquele em detrimento ou benefício de quem algo é feito: *Este emprego te saiu uma verdadeira arapuca.* [NOTA.: Seguindo-se-lhe dos pron. *o, a, os, as*, perde o *e* e assume as formas *to, ta, tos, tas*: *As joias, deu-tas todas.*] [F.: Do lat. *te*. Cf.: *ti; me; lhe; se; nos; vos*. Hom./Par.: *te* (pr. pess.), *ti* (pr. pess.), *tê* (prep.), *tê* (sm.).]

té (*tê*) ***prep. adv.*** Aférese de *até*: "...arrastando a lazeira dos anos té à palestra da tia Rita." (Fialho de Almeida, *País das uvas*) [F.: Hom./Par.: te (pron.) e *tê* (s.m.).]

tê (*tê*) ***sm.*** **1** Nome da letra t **2** O mesmo que régua-tê [Pl.: *tês* e *tt*.] ***a.*** **3** Em forma de t [F.: Hom./Par.: te (pron); tês (pl.); *tez* (sf.); té (prep.).]

teácea (te.*á*.ce:a) ***sf.*** *Bot.* Espécime das teáceas, família da ordem das teales, composta de arbustos e árvores nativas de regiões tropicais e subtropicais; apresenta folhas simples ou denteadas e flores grandes, são cultivadas como plantas ornamentais, pelas madeiras e algumas pelo óleo e pelas folhas (ex.: o gên. *Camelia*), com as quais se prepara chá [F.: Do lat. cient. *Theaceae*.]

teáceo (te.á.ce:o) ***a.*** **1** *Bot.* Que diz respeito às teáceas **2** Relativo ou semelhante ao chá [F.: De *teácea*.]

teândrico (te.*ân*.dri.co) ***a.*** **1** Que é simultaneamente deus e homem **2** Referente às ações divino-humanas de Jesus Cristo [F.: *te(o)-* + *-andr(o)-* + *-ico*^{2}.]

teantropia (te.an.tro.*pi*.a) ***sf.*** **1** Parte da teologia que se ocupa de Deus como homem **2** Estudo acerca desse tema **3** Caráter ou condição de teantropo [F.: *te(o)-* + *-antropia*.]

teantrópico (te.an.*tró*.pi.co) ***a.*** Que diz respeito a teantropia ou a teantropo [F.: *teantropia* + *-ico*^{2}.]

teantropo (te.an.*tro*.po) [ô] ***sm.*** *Teol.* Deus e homem [Diz-se da pessoa de Jesus Cristo] [F.: *te(o)-* + *-antropo*.]

tear (te.*ar*) ***sm.*** **1** Artefato manual ou máquina com que se tecem ou fabricam tecidos (tear manual) **2** *Enc.* Instrumento de encadernador, próprio para coser livros; COSEDOR **3** Conjunto das engrenagens de um relógio (tear do relógio) **4** *Bras. Emec.* Artefato us. para partir o mármore em blocos [F.: *teia*^{1} + *-ar*^{1}.]

⊕ ***teaser*** (*Ing.* / *tízer*) ***sm.*** **1** *Publ.* Mensagem publicitária curta em que não se explicitam os nomes do anunciante ou do produto e com a qual se desperta a curiosidade do público para um anúncio a ser lançado em seguida **2** *Telv.* Retalho de programa que se insere em intervalo comercial, para chamar a atenção do telespectador **3** *Telv. Jorn.* Breve antecipação sobre fato que será noticiado detalhadamente um pouco mais tarde

teatinar (te.a.ti.*nar*) *Bras.* ***v. int.*** *RS* Viver como vagabundo, gaudério, soqueteiro, sem parar em estância [▶ 1 teatinar] [F.: *teatino* + *-ar*^{2}.]

teatino (te:a.*ti*.no) ***sm.*** **1** Membro de uma ordem religiosa fundada em 1524 por Caetano de Tiena e por Pedro Caraffa, bispo de Teate, futuro papa Paulo IV (1476-1559): "Os marianos com o bravo de Santa Teresa, os dominicanos com a Senhora do Rosarío, os teatinos com o Senhor dos Passos" (Júlio Dantas, *Amor em Portugal*) **2** Forasteiro, estrangeiro ***a.*** **3** *Bras. RS* Que não tem dono ou de que não se conhece o dono (diz-se esp. de cavalos e bois) **4** *Bras. RS* Diz-se de quem ou do que vem de outras terras; FORASTEIRO; ESTRANGEIRO [F.: Do it. *teatino*. Hom./Par.: *teatino* (sm. a.), *teatino* (fl. de *teatinar*); *teatina* (fem. do sm. a.), *teatina* (fl. do v.).]

teatral (te:a.*tral*) ***a2g.*** **1** *Teat.* Ref., inerente a, ou próprio da arte dramática (produção teatral; representação teatral) **2** *Fig.* Que causa efeito espetacular; EXAGERADO; POMPOSO: *A atuação do promotor foi teatral; Sua oratória é francamente teatral.* [Ant.: *discreto, sóbrio.*] **3** *Fig. Pej.* Sem naturalidade; ARTIFICIAL; DRAMÁTICO; FALSO; FINGIDO; FORÇADO: *Aquela moça tem um jeito muito teatral.* [Ant.: *natural.*] ***sm.*** **4** Aquilo que é ou parece ostentoso, pomposo, eloquente, enfático: *O teatral está incorporado nele.* [Pl.: *-trais*.] [F.: Do lat. *theatralis*. Sin. das acps. 1, 2 e 3: *teátrico*.]

teatralidade (te:a.tra.li.*da*.de) ***sf.*** **1** *Teat.* Característica ou qualidade de teatral **2** *Teat.* Tom, estilo teatral: *Sua teatralidade em cena é exemplar.* **3** Aquilo que se caracteriza por ser espetaculoso: *Era um espetáculo de grande teatralidade.* **4** *Fig. Pej.* Caráter de teatral, de espetaculoso, de artificial; TEATRALISMO: *A teatralidade de seus gestos é cansativa.* [F.: *teatral* + *-(i)dade*.]

teatralismo (te:a.tra.*lis*.mo) ***sm.*** *Bras.* Conjunto de efeitos cênicos; TEATRALIDADE [F.: *teatral* + *-ismo*.]

teatralização (te:a.tra.li.za.*ção*) ***sf.*** **1** *Teat.* Ação ou resultado de teatralizar: *teatralização do romance original.* **2** *Fig. Pej.* Representação forçada, afetada, espalhafatosa: *O que ele fez foi pura teatralização.* [Pl.: *-ções*.] [F.: *teatralizar* + *-ção*.]

teatralizado (te:a.tra.li.*za*.do) ***a.*** **1** Que se teatralizou **2** Que se adaptou ao teatro ou à cena [F.: Part. de *teatralizar*.]

teatralizante (te.a.tra.li.*zan*.te) ***a2g.*** Que teatraliza; que é capaz de tornar teatral ou cênico: *Uma visão teatralizante da imagem contemporânea.* [F.: *teatralizar* + *-nte*.]

teatralizar (te:a.tra.li.*zar*) ***v. td.*** **1** Adaptar (um texto) para ser representado no teatro: *teatralizar um conto de Machado de Assis.* **2** *Fig.* Dar caráter teatral a, tornando mais emocionante, mais dramático: *O jornal ganha mais leitores teatralizando os casos.* [▶ 1 **teatralizar**] [F.: *teatral* + *-izar*.]

teatrelho (te:a.*tre*.lho) [ê] *Depr.* ***sm.*** **1** Teatro ordinário, de qualidade ruim; TEATRECO **2** Teatro pequeno, insignificante; TEATRÍCULO [Dim. irregular de *teatro*.] [F.: *teatro* + *-elho*.]

teatro (te:*a*.tro) ***sm.*** **1** *Teat.* Local com palco próprio para encenação de peças, óperas, recitais etc. **2** *Hist. Teat.* Grande anfiteatro onde eram realizados jogos e espetáculos públicos na antiga Roma; ANFITEATRO; CIRCO **3** *Teat.* A arte de representar: *O teatro é tudo na vida do ator.* **4** Profissão da pessoa que representa peças teatrais: *Deixou o teatro e virou tradutor.* **5** *Liter.* A literatura escrita para ser encenada; coleção das obras dramáticas de um autor, ou dos atores de um país; DRAMATURGIA: *Seu teatro é melhor que sua poesia; o teatro de Vitor Hugo; o teatro italiano.* **6** *Fig.* Obra, documento ou tipo de manual escrito para instruir sobre certos princípios; exemplo, modelo; regra: *teatro de educação; teatro de bons costumes.* **7** *Fig.* Lugar onde se passa um acontecimento importante, notável; CENÁRIO; PALCO: *A França foi o teatro da guerra.* **8** *Fig.* Aparência vã, miragem, ilusão: *Todas as coisas deste mundo são um teatro.* **9** Atitude falsa; FINGIMENTO: *Aquele choro foi puro teatro.* [Dim.: *teatreco, teatrelho, teatrículo*.] [F.: Do lat. *theatrum*, i, deriv. do gr. *théatron, ou*. Ideia de: *teatr(o)-*.] ■ **~ de arena** *Bras. Teat.* Aquele cujo palco fica no centro, circundado pela plateia e ger. no nível de suas filas inferiores **~ de bolso** *Teat.* Teatro pequeno **~ de bulevar** **1** *Teat.* O *vaudeville* **2** *P. ext.* Repertório de comédias ligeiras, de situações, típicas do *vaudeville* **~ de fantoches** *Teat.* Aquele em que os personagens são representados por fantoches (bonecos de pano com que se vestem as mãos dos manipuladores) **~ de marionetes** *Teat.* Aquele em que os personagens são representados por marionetes, bonecos articulados cujas partes são presas a cordéis manipulados pelos titereiros **~ de operações** *Mil.* Área geográfica definida quanto às operações militares que nela podem ou vão se desenvolver, sob a responsabilidade de um comando específico de um exército **~ de rebolado** *Bras Teat.* Ver *Teatro rebolado* **~ de revista** *Bras. Teat.* Gênero teatral de peças musicadas e dançadas, leves, cheias de esquetes e anedotas muitas vezes satíricos e picantes, sobre temas do dia a dia e assuntos em voga **~ do absurdo** *Teat.* Termo (us. pelo crítico inglês Martin Esslin) que designa a dramaturgia pós-Segunda Guerra Mundial que tem como tema o absurdo existencial **~ do oprimido** *Teat.* Termo (criado pelo dramaturgo brasileiro Augusto Boal) para englobar diversas técnicas teatrais que visam a libertar o indivíduo de várias formas de opressão, abrindo-lhe o caminho de uma interação com seu entorno e a sociedade **~ experimental** *Teat.* Teatro que busca novas formas de expressão e novas técnicas, em detrimento das tradicionais **~ kabuki** *Teat.* Ver *kabuki* **~ nô** *Teat.* Gênero de teatro japonês com início no séc. XIX, originário de cerimônias religiosas xintoístas, cujas peças, representadas apenas por homens, são cheias de lirismo e simbolismo, em sua apresentação e em seus movimentos **~ rebolado** *Bras.* Teatro de revista cujos diálogos, canções e danças são ger. maliciosos e picantes, e cujas vedetes apresentam-se em geral com pouca roupa; teatro de rebolado **Fazer ~** *Fig.* Fingir, exagerando ou dramatizando (sentimento, dor, reação etc.)

teatrófilo (te:a.*tró*.fi.lo) ***sm.*** Aquele que admira o teatro: *Teatrófilo inveterado, não perde as peças em cartaz.* [F.: *teatro* + *-filo*^{1}.]

teatrologia (te:a.tro.lo.*gi*.a) ***sf.*** *Teat.* Conjunto de obras teatrais: *A teatrologia dos amores frustrados do escritor português Manuel de Oliveira.* [F.: *teatro* + *-logia*.]

teatrólogo (te:a.*tró*.lo.go) ***sm.*** **1** *Teat.* Aquele que escreve peças teatrais; DRAMATURGO: *Martins Pena foi um dos primeiros teatrólogos brasileiros; Plínio Marcos é um teatrólogo de temas urbanos e modernos.* [Cf. *comediógrafo*.] **2** Indivíduo que se ocupa de teatro [F.: *teatro* + *-logo*.]

teatro-revista (te.*a*.tro-re.*vis*.ta) ***sm.*** *Bras. Teat.* Espetáculo de música e dança, com anedotas, esquetes etc., no qual se fazia uma crítica bem-humorada de fatos cotidianos; TEATRO DE REVISTA [Pl.: *teatros-revistas* e *teatros-revista*.]

tebaína (te.ba.*í*.na) ***sf.*** *Quím.* Um dos mais potentes alcaloides ($C_{19}H_{21}O_3N$) do ópio, cristalino, incolor e muito venenoso; PARAMORFINA [F.: Do fr. *thébaïne*.]

tebaísmo (te.ba.*ís*.mo) ***sm.*** *Med.* Intoxicação provocada pelo ópio [F.: Do fr. *thébaïsme*.]

tebano (te.*ba*.no) ***sm.*** **1** Aquele que nasceu ou que viveu em Tebas, antiga cidade da Grécia, ou em Tebas, antiga cidade do Egito: "...o Dr. Lacerda... tudo perdoava ao filho, ao Epaminondas, menos falir à verdade; por isso lhe dera o nome do famoso general tebano, que nem brincando mentia." (Artur Azevedo, *Epaminondas*) ***a.*** **2** Pertencente ou relativo a Tebas [F.: Do lat. *thebanus, a, um*.]

◎ **-teca** ***el. comp.*** = 'local em que se abriga ou se guarda algo (ger. em demasia)'; 'coleção'; 'carapaça ou placa córnea': *biblioteca, brioteca, discoteca, filmoteca, pinacoteca, podoteca, sonoteca* [F.: Do gr. *thekē, es*, 'caixa', 'cofre', 'receptáculo'. Outra f.: *tec(o)-*.]

teca (*te*.ca) ***sf.*** *Bot.* Árvore de grande porte (*Tectona grandis*), da família das verbenáceas, nativa da Índia, de folhas amplas e arredondadas, flores pequenas, caule fornecedor de madeira clara e resistente, muito us. em carpintaria, marcenaria e na construção naval [F.: Do malaiala-temul *tekku*. Hom./Par.: *teca* (sf.), *teca* (fl. de *tecar*).] ■ **~ folicular** *Biol.* Cápsula de tecido conjuntivo que envolve folículo em crescimento, atuando na nutrição folicular e na formação de corpo amarelo

tecar (te.*car*) ***v. td.*** **1** Em jogos de bolinha de gude ou sinuca, dar um teco (ou tacada), acertar em cheio uma bola na outra **2** Acertar (qualquer coisa) com objeto arremessado ou tiro [▶ **11 tecar**] [F.: *tec(o)* + *-ar*^{2}.]

tecedura (te.ce.*du*.ra) ***sf.*** **1** *Artesn. Têxt.* Ação ou resultado de tecer; TECELAGEM **2** *Artesn. Têxt.* Conjunto de fios que atravessam a urdidura de um tecido, cruzando-o **3** *Artesn. Têxt.* Quantidade de fio que tapa a trama; TAPADURA **4** *Fig. Pop.* Intriga, mexerico, fofoca [F.: *tecer* + *-dura*.]

tecelã (te.ce.*lã*) ***sf.*** Artesã que trabalha em tear, na confecção de panos (exímia tecelã); TECELOA; TECEDEIRA [F.: fem. de *tecelão*.]

tecelagem (te.ce.*la*.gem) ***sf.*** **1** *Têxt.* Fabricação de tecidos; ação ou resultado de tecer; TECEDURA; TECELARIA **2** *Têxt.* Fábrica ou indústria de tecidos **3** *Têxt.* Na indústria têxtil, seção onde ficam os teares **4** O ofício de tecelão **5** *P. ext.* Qualquer cosedura **6** Enlace, urdidura de ideias, temas etc.; COORDENAÇÃO; ENTRETECEDURA [Pl.: *-gens*.] [F.: *tecel(ão)* + *-agem*^{2}.]

tecelão (te.ce.*lão*) ***sm.*** **1** *Artesn. Têxt.* Aquele que tece fios ou tecidos, ou trabalha em teares; TECEDOR **2** *Ornit.* Nome comum a diversas aves africanas, da fam. dos ploceídeos, que tecem ninhos bastante elaborados 3 *Ornit.* Ver *soldado*[1] (6) [Pl.: *-lões.* Fem.: *-lã e-loa.*] [F.: *tecer* + *-l-* + *-ão*[2].]

tecelaria (te.ce.la.*ri*.a) *sf.* 1 O ofício de tecelão; TECELAGEM 2 Ato ou efeito de tecer; TECEDURA 3 *Têxt.* Fábrica que produz tecidos 4 Seção onde se encontram os teares numa tecelagem [F.: *tecel(ão)* + *-aria.* Sin. ger.: *tecelagem.*]

tecer (te.*cer*) *v.* 1 Fabricar (tecido, teia etc.) entrelaçando fios, linhas, palha, vime etc. [*td.*: *tecer cestos/mantas.*] [*int.*: *Vovó só gosta de tecer à tarde.*] 2 Fabricar (algo) enredando ou entrelaçando partes, fios, talos etc. utilizando agulha ou tear [*td.*: *Os cipós tecem desenhos nos troncos; tecer grinaldas/uma corda.*] [*int.*: *Ele não sabe tecer.*] 3 Produzir sua habitação utilizando materiais feitos no próprio corpo ou encontrados na natureza [*td.*: *A aranha tece sua teia em pouquíssimo tempo.*] 4 *Fig.* Fazer (críticas, elogios etc.) [*tdr.* + *de, sobre*: *Teceu bons comentários da nova professora; Os críticos teceram comentários maldosos sobre os livros.*] [*tdi.* + *a*: *Teceu elogios aos alunos.*] 5 Fazer, coordenar, compor (obra que demande trabalho e atenção) [*td.*: *tecer um minucioso plano/uma novela.*] 6 Armar, preparar (discórdia, intriga, plano etc.); ARMAR; TRAMAR [*td.*: *tecer traições.*] [*int.*: *Não tinha coragem de tecer.*] 7 *Fig.* Colocar-se no meio; ENTRECORTAR; INTERCALAR [*td.*: *Erros teceram sua vida.*] [*tdr.* + *de*: *Teceu de cores o quadro preto e branco.*] 8 Formar estruturas; organizar de certa maneira; DISPOR [*int.*: *As flores teciam-se harmoniosamente no jardim.*] 9 Tornar-se (mais) espesso; CONDENSAR-SE [*int.*: *Nuvens carregadas teciam-se no céu, anunciando o temporal.*] 10 Colocar ornamento, enfeite; ENFEITAR; ORNAMENTAR [*td.*: *Teceu o corpo ao vestir a mais bela roupa.*] [*tdr.* + *de*: *Teceu a boca de um delicado batom.*] 11 *Fig.* Criar na fantasia, na imaginação; IMAGINAR [*td.*: *Tecia ideias para seu futuro.*] [▶ 33 tecer] [F.: Do lat. *texere.* Hom./Par.: *tecera(s)* (fl.), *téssera(s)* (sf. [pl.]); *tecido* (part.), *tecido* (sm.).]

⊕ **techno** (*Ing.* /*téchno*/) *sm. Mús.* Estilo de música popular eletrônica que surgiu em Detroit, EUA, na década de 1980, com influência alemã, e que ganhou importância mundial

tecido (te.*ci*.do) *sm.* 1 *Artesn. Têxt.* Produto têxtil feito de fios cruzados artesanal ou industrialmente; FAZENDA; PANO [Col.: *fanca.*] 2 *Têxt.* Trama feita com um conjunto de fios entrelaçados; TELA 3 *P. ext.* Urdidura, trama, textura: *o tecido daquele livro de suspense.* 4 *P. ext. Econ. Soc.* Contexto, conjunto, série, sequência de acontecimentos (tecido social): *A história das guerras é um tecido de atrocidades.* 5 *Biol. Histl.* Conjunto de células da mesma origem, estrutura e função (tecido ósseo; tecido muscular) 6 Falta de luminosidade; CERRAÇÃO; ESCURIDÃO *a.* 7 *Artesn. Têxt.* Que se teceu; que é ou foi feito no tear ou por tecelagem (roupas tecidas) 8 *Fig.* Urdido, engendrado, preparado: *uma anedota bem tecida.* [+ *com, de*: *uma resposta tecida com precisão; coroa tecida de flores; vida tecida de alegrias.*] [F.: Part. de *tecer.* Ideia de: *text-, histi(o)-* e *hist(o)-, epitel(i/o)-, hif(o)-, sarc(o)-, -ênquima, gleo-* e *gli(a)-.*] ■ ~ **adiposo** *Histl.* Espécie de tecido conjuntivo cujas células armazenam gordura ~ **areolar frouxo** *Histl.* Tecido conjuntivo cuja fibras são frouxas e entrelaçadas ~ **cartilaginoso** *Histl.* Tecido conjuntivo que forma cartilagem ~ **conjuntivo** *Histl.* Tecido que liga e sustenta várias estruturas do corpo, formado por fibras, e presente em vários tecidos, como o ósseo, o nervoso, o cartilaginoso etc. ~ **conjuntivo frouxo** *Histl.* Ver *Tecido areolar frouxo* ~ **de granulação** *Pat.* Aquele que se forma nas cicatrizes, composto de granulações ~ **epitelial** *Histl.* Aquele formado por células justapostas que formam as camadas de revestimento externo e interno do corpo ~ **fibroso** *Histl.* Aquele formado por fibras colágenas entremeadas de tecido conjuntivo [É o tecido de tendões e ligamentos.] ~ **muscular** *Histl.* Aquele formado por longas fibras, capazes de se estenderem e de se contraírem, que constituem os músculos ~ **nervoso** *Histl.* Aquele formado por neurônios e células gliais, e que constitui os nervos ~ **ósseo** *Histl.* Tecido conjuntivo de sustentação, que inclui uma parte não orgânica (fosfato e cálcio) e uma parte orgânica (fibras colágenas) ~ **social** *Soc.* A sociedade, considerada como uma rede, um conjunto mais ou menos numeroso ou denso de relações de diversos tipos ~ **urbano** *Urb.* A cidade, como uma rede de sistemas entrelaçados; malha urbana

tecidual (te.ci.du.*al*) *a2g. Biol. Histl. Soc. Têxt.* Ref. ou inerente a tecido: *a consistência tecidual do organismo; o elemento tecidual da narrativa.* [Pl.: *-ais.*] [F.: *tecido* + *-ual.*]

◎ **-técio** *el. comp.* = 'caixa, receptáculo': *anfitécio, hipotécio, peritécio* [F.: Do gr. *thékion*, dim. de *théke, és*; do lat. cient. *-thecium.*]

tecla (*te*.cla) *sf.* 1 *Mús.* Peça de marfim ou de madeira, funcionando como alavanca, botão etc. em certos instrumentos, que acionada com o dedo emite ou modifica o som (tecla do piano; tecla do acordeão) 2 *Mús.* Parte dessa peça que é pressionada pela pessoa que executa a música 3 *P. ext. Mús.* Chaves ou botões de alguns instrumentos 4 *Tec.* Peça móvel, de feitio e material diversos que, pressionada com o dedo, aciona o caractere ou o comando correspondente em máquinas de escrever, teclado de computador, aparelhos de som, gravador etc. 5 *Art. gr. Tip.* Peça de máquinas compositoras e fotocompositoras que ao ser premida coloca a matriz na posição de compor ou indica a correspondente perfuração da bobina de papel [Col.: *teclado.*] [F.: De or. incerta. Hom./Par.: *tecla* (sf.), *tecla* (fl. de *teclar*).] ■ **Bater/insistir/tocar na mesma** ~ Insistir no mesmo ponto ou no mesmo assunto

tecladista (te.cla.*dis*.ta) *s2g.* 1 *Mús.* Músico que toca teclado de instrumento musical, esp. eletrônico 2 *Art. gr. Tip.* Operador do teclado de máquina compositora ou fotocompositora [Cf. *monotipista.*] *a2g.* 3 *Mús.* Que toca teclado 4 *Art. gr. Tip.* Que opera o teclado de máquinas compositoras ou fotocompositoras [F.: *teclado* + *-ista.*]

teclado (te.*cla*.do) *sm.* 1 *Tec.* Conjunto de teclas em instrumento musical, aparelho, máquina, computador etc. 2 *Mús.* Instrumento musical cujos sons são acionados eletronicamente por teclas semelhantes às do piano: *Dizem que ele é um virtuose no teclado eletrônico.* 3 *Art. gr. Tip.* Unidade compositora de uma máquina monotipo [F.: *tecla* + *-ado*[1].]

teclar (te.*clar*) *v.* 1 Pressionar teclas de (piano, computador etc.) [*td.*: *Tecle ENTER para pular uma linha.*] [*int.*: *Antes de ensaiar, o pianista teclava um pouco.*] 2 *Pop. Inf.* Conversar com (alguém) por meio de bate-papo virtual [*tr.* + *com*: *Teclo com meus amigos pela internet.*] [*int.*: *Vamos teclar?*] [▶ 1 teclar] [F.: *tecla* + *-ar*[2]. Hom./Par.: *tecla* (fl.), *tecla* (sf.); *teclas* (fl.), *teclas* (pl. do sf.).]

tecnécio (tec.*né*.ci:o) *sm. Quím.* Elemento químico sintético de número atômico 43 (símb.: *Tc*), de peso atômico 99, radioativo, metálico, branco-prateado e denso; não se encontra livre na natureza e são conhecidos doze isótopos artificiais radioativos [F.: Do lat. cient. *technetium* (< gr. *tekhnê tós, ê, ón* 'artificial'); ver *tecn(o)-.*]

◎ **-tecnia** *el. comp.* = 'arte de fazer algo'; 'técnica'; 'organização ou aplicação de métodos'; 'ciência (com aplicação de dada técnica ou certo conhecimento)'; 'tratado (sobre dado tema, esp. técnica)'; 'preparação ou elaboração': *aerotecnia, antropotecnia, bibliotecnia, biotecnia, bovinotecnia, cristalotecnia, enotecnia, farmacotecnia, fitotecnia, geotecnia, grafotecnia, halotecnia, hialotecnia, hidrotecnia, hipotecnia, logotecnia, mnemotecnia, ototecnia, pirotecnia* (< fr.), *sociotecnia, timiatecnia, zimotecnia* [F.: Do gr. *tékhne, es*, 'arte manual', 'habilidade', 'indústria', + *-ia*[1].]

técnica (*téc*.ni.ca) *sf.* 1 *Tec.* Conjunto de processos, métodos e procedimentos de uma arte, ciência ou ofício: *uma nova técnica para tratamento dentário.* 2 Jeito próprio de se fazer algo: *Tenho uma técnica para memorizar.* 3 *P. ext.* Prática, perícia, habilidade especial para fazer algo [Ant.: *teoria.*] [F.: Fem. substv. de *técnico.* Ideia de: *tecn(o)-* e *-tecnia.*]

tecnicalidade (tec.ni.ca.li.*da*.de) *sf.* O mesmo que *tecnicidade* [F.: Do ingl. *technicality.*]

tecnicamente (tec.ni.ca.men.te) *adv.* Segundo o ponto de vista técnico; em termos técnicos [F.: Fem. de *técnico* + *-mente.*]

tecnicidade (tec.ni.ci.*da*.de) *sf.* 1 Caráter ou qualidade do que é técnico; TECNICISMO: *a tecnicidade informática.* 2 Especialização de sentido típica de certa área do conhecimento; jargão técnico 3 Ponto, atributo, elemento ou fator técnico: "De combinação com os meus sócios, o honrado prefeito Maj. Brazão e o nosso impoluto cel. Vacariano, inventei uma tecnicidade que pôs logo essa companhia fora de combate..." (Érico Veríssimo, *Incidente em Antares*) 4 *P. ext.* Detalhe técnico (ger. sem importância real) [F.: *técnico* + *-(i)dade.* Sin. ger.: *tecnicalidade* (< ingl.).]

tecnicismo (tec.ni.*cis*.mo) *sm.* 1 Ver *tecnicidade* 2 *Pej.* Tecnicidade exagerada; abuso da tecnicidade, de jargão técnico; TECNÔNIMO: *o tecnicismo da linguagem jurídica.* [F.: *técnico* + *-ismo.* Ideia de: *tecn(o)-* e *-tecnia.*]

tecnicista (tec.ni.*cis*.ta) *s2g.* 1 Pessoa adepta ou praticante do tecnicismo; que tende ao uso de excessiva tecnicidade *a2g.* 2 Ref., inerente a, ou próprio do tecnicismo (postura tecnicista; modelo tecnicista) [F.: *tecnicismo* + *-ista.* Ideia de: *tecn(o)-* e *-tecnia.*]

técnico (*téc*.ni.co) *a.* 1 Específico ou ref. a certa arte, ciência, ofício, profissão (conhecimento técnico; termo técnico; relatório técnico) 2 Diz-se de pessoa possuidora de certa técnica: *ator muito técnico.* 3 *Pedag.* Diz-se de escola, curso etc. de formação de profissionais de nível médio (ensino técnico) *sm.* 4 Profissional que domina uma técnica (técnico eletrônico); ESPECIALISTA; EXPERTO; PERITO [+ *de, em*: *técnico de voleibol; técnico em meteorologia.* Cf. *tecnologista.*] 5 *Esp.* Treinador esportivo: *O técnico da seleção foi vaiado após a derrota.* [Col.: *equipe, quadro.*] [F.: Do fr. *technique*, deriv. do lat. *technicus.* Ideia de: *tecn(o)-* e *-tecnia.*]

tecnicolor (tec.ni.co.*lor*) *sm.* 1 *Cin.* Processo de filmagem em cores *a2g.* 2 *Cin.* Diz-se desse tipo de filmagem [F.: Do ing. *technicolor.* Tb. *tecnicolor* [ô].] ■ **Em** ~ *Antq. Pop.* Com variedade de cores, multicolorido

◎ **tecn(o)-** *el. comp.* = 'arte manual'; 'indústria'; 'técnica'; 'tecnologia'; 'tecnológico': *técnico* (< gr.), *tecnocientífico, tecnocracia* (< ingl.), *tecnocrata, tecnoestrutura, tecnofobia, tecnoindustrial, tecnomilitar, tecnônimo*[1], *tecnópole, tecnoterror* [F.: Do gr. *tékhne, és*, 'arte manual'; 'indústria'.]

tecnocêntrico (tec.no.*cên*.tri.co) *a.* 1 Ref. a tecnocentrismo 2 Que tem a tecnologia como base ou centro, ou como principal característica, elemento ou componente (sociedade tecnocêntrica) [F.: *tecn(o)-* + *cêntrico.*]

tecnocentrismo (tec.no.cen.*tris*.mo) *sm.* Conceito, visão e atitude em relação à tecnologia, que a coloca como centro de reflexão e nela polariza, positiva ou negativamente, as principais questões da sociedade, de seu desenvolvimento, das relações humanas etc. [F.: *tecn(o)-* + *-centr(o)-* + *-ismo.*]

tecnocientífico (tec.no.cien.*tí*.fi.co) *a.* Ref. à ciência e à tecnologia, simultaneamente, ou ao saber tecnológico: *campo tecnocientífico relacionado à temática ambiental.* [F.: *tecn(o)-* + *científico.*]

tecnocracia (tec.no.cra.*ci*.a) *sf. Pol.* Sistema político, econômico e social regido sobretudo por técnicos e tecnocratas [F.: Do ingl. *technocracy*; ver *tecn(o)-* e *-cracia.*]

tecnocrata (tec.no.*cra*.ta) *s2g.* 1 Partidário e praticante da tecnocracia 2 Aquele que governa, administra ou executa funções valorizando apenas soluções técnicas para os problemas, sem levar em conta aspectos humanos e sociais [F.: *tecn(o)-* + *-crata.*]

tecnocrático (tec.no.*crá*.ti.co) *a.* Ref., inerente a, ou próprio da tecnocracia e dos tecnocratas [F.: *tecnocrata* + *-ico*[2].]

tecnocratismo (tec.no.cra.*tis*.mo) *sm.* Predominância da tecnocracia ou ação e poder dos tecnocratas: "O tecnocratismo, em vez de reprogramar, destrói as raízes liberais. O mandarinato acadêmico... investiu na formação de quadros tão fechadamente burocráticos quanto socialmente desfibrados." (Eduardo Portella, *As curvas da modernidade*) [F.: *tecnocrata* + *-ismo.*]

tecnocratização (tec.no.cra.ti.za.*ção*) *sf.* Ação ou resultado de tecnocratizar: *excessiva tecnocratização nas negociações diplomáticas.* [Pl.: *-ções.*] [F.: *tecnocratizar* + *-ção.*]

tecnocratizado (tec.no.cra.ti.*za*.do) *a.* Que se tecnocratizou; que recebeu caráter tecnocrático: *formação acadêmica tecnocratizada.* [F.: Part. de *tecnocratizar.*]

tecnocratizar (tec.no.cra.ti.*zar*) *v. td.* Dar orientação ou padrão tecnocrata a: *Tecnocratizou o ministério.* [▶ 1 tecnocratizar] [F.: *tecnocrata* + *-izar.*]

tecnoestrutura (tec.no.es.tru.*tu*.ra) *sf. Econ. Pol.* Equipe de técnicos que dirige conglomerados empresariais [F.: *tecn(o)-* + *estrutura.*]

tecnofobia (tec.no.fo.*bi*.a) *sf.* Aversão às novas tecnologias [F.: *tecn(o)-* + *-fobia.*]

tecnófobo (tec.*nó*.fo.bo) *a.* 1 Que tem aversão a novas tecnologias *sm.* 2 O que tem aversão a novas tecnologias [F.: *tecn(o)-* + *-fobo.*]

tecnoindustrial (tec.no.in.dus.tri.*al*) *a2g.* Relativo à tecnologia e à indústria; ref. ao desenvolvimento tecnológico e industrial (sociedade tecnoindustrial) [Pl.: *-ais.*] [F.: *tecn(o)-* + *industrial.*]

tecnolês (tec.no.*lês*) *sm.* Emprego excessivo de termos técnicos ou jargões; TECNIQUÊS [F.: *tecn(o)-* + *-lês*; ver *tecn(o)*.]

tecnologia (tec.no.lo.*gi*.a) *Tec. sf.* 1 Conjunto das técnicas, processos e métodos específicos de uma ciência, ofício, indústria etc.; ciência que trata dos métodos e do desenvolvimento das artes industriais: *a tecnologia das telecomunicações.* 2 Explicação dos termos próprios das artes, ofícios; linguagem especial das ciências, indústrias, artes etc. 3 O estado de desenvolvimento das tecnologias como um todo: *A tecnologia é fator fundamental do desenvolvimento econômico.* [F.: Do fr. *technologie*, deriv. do gr. *technología.* Cf.: *técnica.* Ideia de: *tecn(o)-, -tecnia, -logia.*] ■ ~ **alternativa** Aquela que se destina a obter energia sem agredir o meio ambiente ~ **de ponta** Última palavra em tecnologia; tecnologia de última geração; o que existe de mais avançado em tecnologia

tecnológico (tec.no.*ló*.gi.co) *a.* Ref., pertencente ou inerente à tecnologia (desenvolvimento tecnológico; criação tecnológica) [F.: *tecnologia* + *-ico*[2].]

tecnologista (tec.no.lo.*gis*.ta) *s2g. a2g.* O mesmo que *tecnólogo.* [F.: *tecnologia* + *-ista.*]

tecnologização (tec.no.lo.gi.za.*ção*) *sf.* Ação ou resultado de tecnologizar, de tornar tecnológico: *a crescente tecnologização da sociedade.* [Pl.: *-ções.*] [F.: *tecnologizar* + *-ção.*]

tecnologizar (tec.no.lo.gi.*zar*) *v. td.* Tornar(-se) tecnológico; efetuar melhoria ou avanço tecnológico em [▶ 1 tecnologizar] [F.: *tecnologia* + *-izar.*]

tecnólogo (tec.*nó*.lo.go) *sm.* 1 Aquele que é perito em tecnologia; TECNOLOGISTA *a.* 2 Que é perito ou versado em tecnologia; TECNOLOGISTA [F.: *tecn(o)-* + *-logo.*]

tecnomilitar (tec.no.mi.li.*tar*) *a2g.* De caráter técnico e militar ao mesmo tempo: *Seu governo fez grande investimento tecnomilitar (em helicópteros, carros de combate etc.).* [F.: *tecn(o)-* + *militar.*]

tecnonímia (tec.no.*ní*.mi:a) *sf.* 1 Estudo, etimologia e emprego dos tecnônimos 2 Relação, listagem de tecnônimos 3 *P. ext.* Livro, fichário etc. que contém essa relação [F.: *tecnônimo* + *-ia*[2].]

tecnônimo[1] (tec.*nô*.ni.mo) *sm.* Termo, expressão ou frase pertencente ao campo semântico da técnica ou tecnologia; TECNICISMO [F.: *tecn(o)-* + *-ônimo.*]

tecnônimo[2] (tec.*nô*.ni.mo) *sm. Antr.* Em certas culturas, designação de um indivíduo na qual se faz referência ao nome de seu filho ou filha [Dependendo do costume, o tecnônimo, após o nascimento do primeiro filho, vem a substituir o nome do pai ou da mãe, tomando a forma 'o pai de fulano' ou 'a mãe de beltrana'.] [F.: Do gr. *téknon, ou*, 'criança'; 'filho' + *-ônimo.*]

tecnópole (tec.*nó*.po.le) *sf.* Cidade com grande capacidade de ensino e pesquisa que favorece o desenvolvimento de empresas de alta tecnologia [F.: *tecn(o)-* + *-pole.*]

tecnoterror (tec.no.ter.*ror*) [ô] *sm.* Terrorismo cuja eficácia dos atentados é garantida pelo uso de recursos tecnológicos altamente desenvolvidos [F.: *tecn(o)-* + *terror.*]

◎ **tec(o)-** *el. comp.* = 'receptáculo'; 'local em que se abriga ou se guarda algo'; 'carapaça': *tecodonte, tecóforo, tecomorfo* [F.: Do gr. *théke, es.* F. conexa: *-teca.*]

teco (*te*.co) *sm.* 1 *Lud.* O encontro de uma bola de gude com outra 2 *Pop.* O mesmo que *peteleco* 3 *Gír.* Tiro de revólver ou pistola: *Mexeu com o dono do morro e tomou um teco.* [F.: Orig. onom.] ■ **Dar o** ~ 1 *Fig. Pop.* Reclamar, mostrar aborrecimento ou contrariedade **2** Morrer, ter fim, acabar **Dar ~** *Pop.* Atingir em cheio, tecar

tecodonte (te.co.*don*.te) *a2g.* **1** *Zool.* Diz-se do animal que possui os dentes inseridos em alvéolos *sm.* **2** Este animal *a2g.* **3** *Pal.* Espécime dos *tecodontes*, ordem de répteis ancestrais dos dinossauros, dos crocodilos e das aves, que viveram do Permiano ao Triássico, e cujos dentes eram inseridos em alvéolos *sm.* **4** Ref. aos *tecodontes*

tecóforo (te.*có*.fo.ro) *sm.* **1** *Zool.* Espécime dos tecóforos, répteis quelônios cujas vértebras estão soldadas à carapaça, como as tartarugas, cágados e jabutis *a2g.* **2** *Zool.* Ref. ou pertencente aos tecóforos [Adaptç. do lat. cient. *Thecophora.*]

tecomorfo (te.co.*mor*.fo) *a2g.* **1** *Zool.* Diz-se do animal cujo corpo é protegido por carapaça *sm.* **2** *Zool.* Esse animal [F.: *tec(o)-* + *-morfo.*]

teco-teco (te.co-*te*.co) *Bras. Aer. sm.* Pequeno avião monomotor, de pouca potência, us. em trajetos curtos ou para treinamento [Pl.: *teco-tecos.*] [F.: De or. onom.]

tectônica (tec.*tô*.ni.ca) *sf.* **1** *Cons.* Arte da construção de edifícios **2** *Geol.* Parte da geologia que estuda a estrutura da crosta terrestre e suas formas de estratificação, bem como a ação das forças internas que agem sobre ela; GEOTECTÔNICA; GEODINÂMICA [F.: Do fr. *tectonique*, deriv. do gr. *tektoniké*. Sin. ger.: *tetônica*. Ideia de 'arte', 'técnica', 'ciência': *-ica* (*física, informática, linguística*).]

tectônico (tec.*tô*.ni.co) *a.* **1** *Cons.* Ref. ou inerente, ou pertencente à tectônica; que diz respeito a edifícios (projeto tectônico) **2** *Geol.* Ref. ou inerente a, ou pertencente à tectônica; relativo ao estrato geológico (camadas tectônicas) [F.: Do gr. *tektonikós*. Sin. ger.: *tetônico*. Ideia de 'referência', 'pertinência': *-ico*[2] (*aeróbico, astrológico*).]

tectonismo (tec.to.*nis*.mo) *sm. Geol.* Qualquer dos movimentos da crosta terrestre formadores das bacias oceânicas, dos continentes, das cadeias montanhosas etc.; DIASTROFISMO

tectonito (tec.to.*ni*.to) *sm. Geol.* Rocha cuja modificação de textura denota a história de sua deformação, causada por movimentos tectônicos

tectrice (tec.*tri*.ce) *sf.* **1** *Zool.* Cada uma das pequenas penas que cobrem a base das grandes penas das asas (rêmiges) e da cauda (retrizes) das aves; COBERTEIRAS **2** *Anat.* Cada uma das lâminas que constituem a parte posterior do osso frontal [Do lat. cient. *tectrix, icis*. Tb. *tectriz.*]

tectriz (tec.*triz*) *sf.* Ver *tectrice*

tedesco (te.*des*.co) *a. sm.* Que pertence aos antigos germanos; diz-se da, ou a língua alemã; alemão; tb. *tudesco*

te-déum (te-*dé*:um) *Rel. sm.* **1** *Mús.* Cântico católico em ação de graças iniciado pela expressão "*Te Deum laudamus*"; HINO AMBROSIANO **2** Ritual que acompanha esse cântico: *assistir a um te-déum.* [Pl.: *te-déuns.*] [F.: Do lat. *te-* + *-Deum*. Sin. ger.: *tedéu*. Ideia de: *dei-*.]

tediento (te.di.*en*.to) *a.* Que causa tédio (voz tedienta); TEDIOSO

tédio (*té*.di:o) *sm.* Sensação de enfado, aborrecimento, desgosto, ou vazio, com ou sem causa conhecida; FASTIO [+ *a, de, por*: *tédio à controvérsia; tédio da vida; tédio por trabalho.* Ant.: *diversão.*] [F.: Do lat. *taedium.*]

tedioso (te.di:*o*.so) [ô] *a.* **1** Que causa ou inspira tédio (existência tediosa); FASTIDIOSO; ABORRECIDO **2** Cheio de tédio; ENTEDIADO; MAÇADO: "As árvores nem gratos frutos (...) ostentavam à vista tediosa dos viandantes." (Fagundes Varela, *Obras*, III) [Pl.: [ó]. Fem.: [ó].] [F.: Do lat. tardio *taediosus.*]

⊕ **teenager** (*Ing. /tinéidger/*) *s2g.* Jovem de 13 a 19 anos; ADOLESCENTE [Ref. ao que está na idade dos números terminados, em ing., em *-teen*, entre *thirteen* (treze) e *nineteen* (dezenove).] [Pl.: *teenagers (ing.)*.]

⊕ **tefilin** (*Heb. /tefilin/*) *smpl. Rel.* Filactérios (par de caixinhas sagradas com trechos bíblicos) us. pelos judeus durante as orações diárias

⊠ **teflon(r)** (te*flon*) *sm.* **1** Nome comercial de material (politetrafluoroetileno) us., entre outros fins, como antiaderente em panelas, chapas etc. e para revestir tecidos e telas garantindo resistência térmica, impermeabilização etc. [A marca registrada, com inicial maiúsc.] **2** *Bras. Pop. Hidr.* Fita branca e flexível usada por bombeiros hidráulicos na vedação de juntas de encanamentos [F.: Do ing. *Teflon.*]

◎ **tefro-** *el. comp.* = 'cinza', 'pó ou resíduos de combustão': *tefromancia, tefromante* [F.: Do gr. *téphra, as.*]

tefromancia (te.fro.man.*ci*:a) *sf. Oct.* Adivinhação feita com as cinzas de sacrifícios [F.: *tefro-* + *-mancia.*]

tefromante (te.fro.*man*.te) *s2g. Oct.* Praticante de tefromancia [F.: *tefro-* + *-mante.*]

tegme (*teg*.me) *sm. Bot.* Nas sementes com tegumento duplo, o tegumento interno; TÉGMEN; BAGANHA [F.: Do lat. *tegmen*, 'envoltório', 'cobertura'.]

tegular (te.gu.*lar*) *a2g.* **1** Diz-se de rocha ou mineral que se fende em lâminas finas e longas, como a ardósia; FÍSSIL **2** *Zool.* Ref. a ou disposto como tégula [F.: *tégul(a)* + *ar*[1].]

tegumentar (te.gu.men.*tar*) *a2g.* Ref. a tegumento (glândulas tegumentares); TEGUMENTÁRIO [F.: *tegumento* + *-ar*[1].]

tegumento (te.gu.*men*.to) *sm.* **1** *Anat.* Tudo o que reveste o corpo humano e animal (pele, pelos, escamas, unhas etc.): "O fio de cabelo era delgadíssimo (...) e a sua raiz branca parecia prender-se aos tegumentos cranianos por uma ligação tênue..." (Eça de Queirós, Ramalho Ortigão, *Mistério da estrada de Sintra*) **2** *Bot.* Camada de tecido que envolve a nucela do óvulo das plantas com flores e que após a fertilização dá origem ao envoltório da semente [F.: Do lat. *tegumentum, i.*]

teia[1] (*tei*.a) *sf.* **1** Emaranhado ou trama de fios **2** Rede de fios que as aranhas segregam e tecem como armadilha para insetos **3** *Fig.* Rede de fatos encadeados; ENREDO; SEQUÊNCIA; CADEIA; TRAMA: *Caí numa teia de intrigas.* **4** *Fig.* Estrutura, organismo, sistema: *a teia do universo.* **5** Divisória existente em algumas igrejas, tribunais e salas de sessão pública para a separação das pessoas **6** *Agr.* Espécie de lanugem que cresce em volta dos cachos de uva, botões e brotos de árvores, e que lhes prejudica o desenvolvimento **7** *Ant.* Círculo, cerco, liça: *Teia das justas.* [F.: Do lat. *tela.*] ▪ **Cortar a ~ da vida de** *Fig.* Matar **~ alimentar** *Ecol.* Entrelaçamento de cadeias alimentares num diagrama que apresenta as relações entre organismos de um ecossistema **~ de aranha** Teia de finos fios de seda, tecida por algumas espécies de aranhas para capturar insetos com que se alimentam **~ de Penélope** Trabalho interminável [Como foi, na mitologia grega, a tela que Penélope, mulher de Ulisses, tecia de dia e desfazia de noite, enganando os pretendentes que tentaram convencê-la de que Ulisses morrera, e aos quais prometera que casaria com um deles quando terminasse a tecedura.] **~s de aranha** *Fig.* Fantasias, ilusões, sonhos **~ trófica** *Ecol.* Ver *Teia alimentar*

teia[2] (*tei*.a) *sf.* Facho coberto de breu que se acende para iluminar um lugar ou um caminho [F.: Do lat. *taeda* ou *teda, ae*, por via pop.]

teiforme (te.i.*for*.me) *a2g.* **1** *Farm.* Diz-se de qualquer bebida preparada ao modo do chá (infusão teiforme) **2** Semelhante ao chá

teiídeo (te.i.*í*.de.o) *Zool. sm.* **1** Espécime dos teiídeos, fam. de lagartos de língua bífida e escamas ventrais quadradas, que inclui o teiú e vários tipos de calangos encontrados nas Américas *a.* **2** Ref. aos teiídeos

teima (*tei*.ma) *sf.* **1** Ação ou resultado de teimar; insistência em fazer algo, apesar dos obstáculos; PERSEVERANÇA; OBSTINAÇÃO: *A teima em ver o ídolo acabou dando resultado.* **2** Insistência excessiva e insensata; CAPRICHO; TEIMOSIA: *Não lugue pra isso, é pura teima dela.* [+ *de, em*: *Sua teima de buscar a verdade; a teima dela em não ouvir os conselhos.*] [F.: Do lat. *thema*, deriv. do gr. *théma*. Hom./Par.: *teima* (sf.), *teima* (fl. de *teimar*).]

teimar (tei.*mar*) *v.* Falar ou fazer (algo) com persistência; EMBIRRAR; INSISTIR [*td.*: *Ele teima que vai chover.*] [*tr.* + *em*: *Mesmo doente, ele teimou em não ir ao médico.*] [*int.*: *Pare de teimar, você não vai sair.*] [▶ **1** teimar] [F.: *teima* + *-ar*[2]. Hom./Par.: *teima(s)* (fl.), *teima(s)* (sf. [pl.]).]

teimosia (tei.mo.*si*.a) *sf.* **1** Característica, qualidade ou procedimento de teimoso; TEIMA **2** Obstinação, persistência exagerada [F.: *teimoso-* + *-ia*[1]. Sin. ger.: *teimosice*. Ideia de 'condição ou estado': *-ia*[1] (*alegria, euforia*).]

teimoso (tei.*mo*.so) [ô] *a.* **1** Que não desiste facilmente; PERSEVERANTE; OBSTINADO **2** Que insiste excessivamente (garoto teimoso); TURRÃO; CABEÇA-DURA; PERSISTENTE **3** Que se prolonga (ruído teimoso; garoa teimosa) *sm.* **4** Aquele que não desiste facilmente **5** Aquele que insiste excessivamente [F.: *teima* + *-oso*. Ideia de 'qualidade, estado': *-oso* (*afetuoso, cauteloso, choroso*).]

teína (te.*í*.na) *sf. Quím.* Substância alcaloide da folha do chá idêntica à cafeína; princípio ativo do chá [F.: Do lat. cient. *theina*. Cf.: *teiforme.*]

teipe (*tei*.pe) [é] *sm.* **1** *Telv.* F. red. de *videoteipe*: *Assistimos ao teipe do jogo.* **2** *Eletrôn.* Fita magnética ou digital (teipe de vídeo; teipe de áudio) [F.: Do ing. *tape*. Sin. ger.: *tape.*]

teiró (tei.*ró*) *s2g.* **1** *Agr.* Peça da rabiça do arado que tem mão no dente e corta a terra; ATEIRÓ **2** Parte do fecho de certas armas de fogo **3** *Fig.* Demonstração de antipatia, teima, birra: *Detesto criança cheia de teiró.* **4** *Pop.* Discussão violenta; RIXA; CONTENDA: *Vivia de teiró com toda a vizinhança.* **5** *RS* Falta de confiança; DÚVIDA; SUSPEITA

teísmo[1] (te.*ís*.mo) *sm. Fil. Rel.* Doutrina que afirma a existência de um Deus único, pessoal e transcendente, soberano do Universo [Ant.: *ateísmo*] [F.: *te(o)-* + *-ismo*. Cf.: *deísmo; panteísmo.*]

teísmo[2] (te.*ís*.mo) *sm. Med.* Intoxicação causada por consumo excessivo de chá [F.: Do fr. *théisme.*]

teísta (te.*ís*.ta) *a2g.* **1** *Fil. Rel.* Diz-se da pessoa que reconhece Deus e crê na sua existência; que é sectária do teísmo **2** *P. ext.* Diz-se de pessoa que admite publicamente uma religião e um culto, reconhecendo um Deus *s2g.* **3** Aquele que professa e pratica o teísmo [F.: *teísmo-* + *-ista*. Ant. ger.: *ateísta; herege*. Cf.: *deísta; panteísta*. Ideia de 'partidário de doutrina, religião, escola, movimento': *-ista* (*positivista, socialista*).]

teiú (tei.*u*) *sm.* **1** *Bras. Zool.* Lagarto terrestre da fam. dos teiídeos(*Tupinambis teguixin*), com corpo de 50 cm de comprimento, de coloração cinzenta manchada de preto com fitas transversais amarelo-escuro, vive em tocas e é onívoro; encontrado do Norte do Brasil ao norte da Argentina; TEJU; TEJO **2** *Bot.* Árvore da fam. das flacourtiáceas (*Casearia sylvestris*), originária da América tropical e cujas sementes encerram óleo [F.: Do tupi *teiuua'su.*]

teixo (*tei*.xo) *Bot. sm.* Árvore ou arbusto da fam. das taxáceas (*Taxus baccata*), nativa da Europa e região mediterrânea, de folhas e sementes venenosas, cultivada como planta ornamental e muito us. como cerca viva [F.: Do lat. *taxus.*]

tejadilho (te.ja.*di*.lho) *sm.* Teto de carruagem, coche, liteira etc. [F.: Do espn. *tejadillo.*]

tejano (te.*ja*.no) *a.* **1** Relativo ao rio Tejo, em Portugal (maré tejana); TÁGICO; TAGANO **2** Diz-se do que é natural da região banhada por esse rio *sm.* **3** Aquele que é natural da região banhada pelo Tejo

tejo[1] (*te*.jo) [ê] *sm.* **1** *N.E. Zool.* Ver *teiú* (*Tupinambis teguixin*) **2** *S. Lud.* Jogo em que se atiram moedas sobre um facão cravado no solo [F.: Do cast. *tejo.*]

tejo[2] (*te*.jo) [é] *Zool. sm.* **1** *CE* Outro nome do lagarto mais conhecido como *teiú* **2** *PR* O mesmo que *sabiá-do-campo* **3** O mesmo que *carretão* (pássaro) [F.: Ver em *teiú.*]

teju (te.*ju*) *sm.* **1** *Zool.* O mesmo que *teiú* (lagarto) **2** *Bot.* O mesmo que *gafanhoto* (planta) [F.: Ver em *teiú.*]

tela (*te*.la) [é] *sf.* **1** *Art. pl. Pint.* Tecido grosso preso num chassis, sobre o qual se pinta um quadro: *Preparou a tela para pintar.* **2** *Art. pl. Pint.* Quadro pintado na tela: *Em suas telas predominam as paisagens.* **3** *Art. gr.* Matriz de serigrafia **4** Tecido ger. de arame ou náilon us. para cercar ou isolar uma área, em janelas etc. **5** *Cin. Fot.* Painel sobre o qual se projetam imagens, slides, filmes **6** *P. ext.* O cinema, a arte cinematográfica [Nesta acp. usa-se também 'telona', para se referir ao cinema, em oposição a 'telinha', referindo-se à televisão, em alusão às telas de grande e pequena dimensão do cinema e da televisão.] **7** *Inf. Telv.* Em monitor de computador, aparelho de televisão etc., superfície onde são visualizadas as imagens **8** *Pap.* Tira de malha metálica, estendida horizontalmente, que constitui a parte essencial da mesa de fabricação da máquina de papel. [Cf.: *tear*] **9** *Fig.* Objeto de discussão; pauta; PAUTA **10** *Lus.* Pano, estofo; vestido, trajo: *Vestia a mendiga esfarrapadas telas.* **11** *Ant.* Teia de justas ou torneios, liça [F.: Do lat. *tela.*] ▪ **~ coroide** *Anat.* Prega da pia-máter que entra na formação do terceiro ventrículo do encéfalo; tela coroidea **~ coroidea** *Anat.* Ver *Tela coroide* **~ de Penélope** Ver *Teia de Penélope* no verbete *teia* **~ panorâmica** *Cin.* Tela de projeção em cinema, curva e de grande largura, para projeções por processos especiais **~ subcutânea** *Anat.* Tecido gorduroso localizado entre a derme e o tecido subcutâneo [Atual denom. de *hipoderme.*]

telada (te.*la*.da) *sf.* Movimento de pesca feito com tela, ger. por baixo da vegetação aquática, estando o pescador com o corpo todo dentro do rio, lago ou igarapé

telado (te.*la*.do) *a.* **1** Em forma de tela (arame telado) **2** Forrado, guarnecido ou coberto com tela: *Todas as janelas e portas foram teladas para evitar a entrada de insetos.*

telalgia[1] (te.lal.*gi*:a) *sf. Med.* Dor no mamilo [F.: *tel(o)-*[2] + *-algia.*]

telalgia[2] (te.lal.*gi*.a) *sf. Med.* Dor que reflete em outra região que não a em que se situa a sua causa [F.: *tel(e)-*[1] + *-algia.*]

telamão (te.la.*mão*) *sm. Arq.* Figura de homem à maneira de cariátide, us. como coluna ou pilastra para sustentar entablamentos, brasões, cornijas etc.; TÉLAMON; ATLANTE [Pl.: *-mões.*]

telão (te.*lão*) *sm.* **1** *Cin. Telv.* Tela grande **2** Essa tela us. em espaços amplos como estádios, casas de show, em instalações de home-theater etc. **3** *Bras. Teat.* Pano de boca, ger. com anúncios: "Era o sombreado do quadro, abrangendo-o de extremo a extremo e velando-o de todo, às vezes, como o telão descido sobre um ato de tragédia." (Euclides da Cunha, *Os sertões*) [Pl.: *-lões.*] [F.: *tela-* + *-ão*[1]. Ideia de 'televisão': *tel(e)*[2]- (*telejornal, teleteatro*). Ideia de 'aumento': *-ão*[1] (*boqueirão*).]

telar (te.*lar*) *Bras. v. td.* **1** Prover de tela (janela, porta etc.), para que não entrem insetos **2** Colar (gravuras, estampas, mapas etc.) sobre tecido fino, para reforçá-los [▶ **1** telar] [F.: *tela* + *-ar*[2]. Sin. ger.: *entelar.*]

◎ **tel(e)-**[1] *pref.* = 'longe'; 'a distância': *telefone, telemarketing* (ingl.), *telemetria, telepatia, telescópio, televisão* [F.: Do gr. *tele-*, do adv. *téle*, 'longe'; 'ao longe'.]

◎ **tel(e)-**[2] *el. comp.* = 'televisão': *telejornal, teleteatro, telespectador* [F.: F. red. de *televisão.*]

◎ **tele-** *el. comp.* = 'telefone'; 'dado serviço por telefone': *telebanco, telecentro, teledespertador* [F.: F. red. de *telefone.*]

tele (*te*.le) *sf. Fot.* F. red. de *teleobjetiva*

teleadaptador (te.le:a.dap.ta.*dor*) [ô] *sm. Inf.* Câmera acoplada ao computador [F.: *tel(e)-*[2] + *adaptador.*]

teleangiectasia (te.le.an.gi.ec.ta.*si*:a) *sf. Med.* Dilatação permanente de vaso sanguíneo localizado sob a derme, ocasionando manchas no local [F.: *tel(e)-*[1] + *-angi(o)-* + *-ectasia.*]

teleator (te.le:a.*tor*) [ô] *sm. Bras. Telv.* Ator de programas de televisão, esp. de telenovela e teleteatro [Fem.: *-triz.*] [F.: *tel(e)-*[2] + *ator.*]

telebanco (te.le.*ban*.co) *sm.* Sistema de serviços bancários disponibilizados via telefone [F.: *tele-* + *banco.*]

telecentro (te.le.*cen*.tro) *sm.* Central de atendimento telefônico destinada a solucionar problemas relacionados a serviços em geral, tais como pagamento de contas, solicitação de consertos etc. [F.: *tele-* + *centro.*]

telecine (te.le.*ci*.ne) *sm. Telv.* Aparelho que possibilita transmitir, pela televisão, filmes feitos para cinema e *slides* [F.: *tel(e)-*[2] + *cine.*]

telecinesia (te.le.ci.ne.*si*:a) *sf. Espt. Oct. Parap.* Para a parapsicologia e o espiritismo, movimentação de um objeto por força paranormal, sem que haja, portanto, contato físico direto ou intervenção eletrônica ou mecânica [F.: *tel(e)-*[1] + *-cinesia.*]

telecinético (te.le.ci.*né*.ti.co) *a. Espt. Oct. Parap.* Ref., inerente a, ou próprio de telecinesia (dom telecinético) [F.: *telecin(esia)-* + *-ético*, seg. o mod. gr.]

telecomandado (te.le.co.man.*da*.do) *a.* **1** Comandado ou controlado a distância (nave telecomandada); TELECON-

DUZIDO; TELEGUIADO; TELEDIRIGIDO **2** *Fig.* Que fala ou age segundo a vontade de outrem; TELEGUIADO **3** *P. ext. Fig.* Que não tem vontade própria; TELEGUIADO [F.: Part. de *telecomandar*.]

telecomandar (te.le.co.man.*dar*) *v. td.* **1** Comandar (mecanismo, míssil, navio, aeronave etc.) a distância, por meio de sinais por linha de comunicação **2** *Fig.* Exercer poder, domínio ou controle sobre alguém mesmo que a distância [▶ 1 telecomandar] [F.: *tel(e)-*¹ + *comandar*.]

telecomando (te.le.co.*man*.do) *sm.* **1** Comando a distância de aeronaves, navios, maquinismos, projetis, foguetes balísticos, satélites artificiais etc., realizado por meio da emissão de sinais eletromagnéticos; CONTROLE REMOTO **2** Ação ou resultado de telecomandar [F.: *tel(e)-*¹ + *comando*. Hom./Par.: *telecomando* (sm.), *telecomando* (fl. de *telecomandar*).]

telecompra (te.le.*com*.pra) *sf.* **1** Compra feita a distância por meio de telefone ou internet **2** O sistema que viabiliza esse tipo de procedimento [F.: *tel(e)-*¹ + *compra*.]

telecomputador (te.le.com.pu.ta.*dor*) [ô] *sm.* Aparelho que reúne computador, televisão e telefonia [F.: *tele-*, como em *televisão* e *telefone*, + *computador*.]

telecomunicação (te.le.co.mu.ni.ca.*ção*) *sf. Telc.* Comunicação a longa distância que compreende a emissão, recepção ou transmissão de sinais, sons, mensagens etc. por qualquer meio eletromagnético [Pl.: *-ções*.] [F.: *tel(e)-*¹ + *comunicação*.]

telecomunicações (te.le.co.mu.ni.ca.*ções*) *sfpl. Telc.* **1** Denom. genérica das comunicações a distância, que abrange a telegrafia, a telefonia, a televisão **2** Meios técnicos que possibilitam a telecomunicação [F.: Pl. de *telecomunicação*.]

telecomunicador (te.le.co.mu.ni.ca.*dor*) [ô] *a.* **1** Que realiza ou opera telecomunicação (satélite telecomunicador) *sm.* **2** Aparelho que opera telecomunicação: *Instalou telecomunicadores de última geração.* [F.: *tel(e)-*¹ + *comunicador*.]

teleconferência (te.le.con.fe.*rên*.ci:a) *sf. Inf. Telc. Telv.* Conferência, debate ou entrevista a distância [Numa teleconferência, os participantes se comunicam por meio de telefone, televisão, computador, radiofonia etc.] [F.: *tel(e)-*¹ + *conferência*.]

teleconversor (te.le.con.ver.*sor*) [ô] *Fot. sm.* Lente suplementar que permite maior distância focal, aumentando (em dobro ou mais) a da lente principal; CONVERSOR [F.: *tel(e)-*¹ + *conversor*.]

telecurso (te.le.*cur*.so) *sm. Pedag. Telv.* Curso (1) para teleducação, ministrado a distância, por intermédio da televisão [F.: *tel(e)-*² + *curso*.]

teledebate (te.le.de.*ba*.te) *sm.* Debate produzido e transmitido pela televisão [F.: *tel(e)-*² + *debate*.]

teledespertador (te.le.des.per.ta.*dor*) [ô] *sm.* Serviço de despertador por meio do telefone [F.: *tele-* + *despertador*.]

teledetecção (te.le.de.tec.*ção*) *sf.* Análise da atmosfera e da superfície da Terra a partir de imagens fornecidas por avião ou satélite [Pl.: *-ções*.] [F.: *tel(e)-*¹ + *detecção*.]

teledifusão (te.le.di.fu.*são*) *sf.* **1** *Telc. Telv.* Transmissão livre de sons ou imagens, por meio de ondas eletromagnéticas, cujo receptor é o aparelho de televisão **2** Transmissão de qualquer programação por meio da televisão [Pl.: *-sões*.] [F.: *tel(e)-*¹ + *difusão*.]

teledrama (te.le.*dra*.ma) *sm. Telv.* **1** Adaptação de obra literária (peça teatral, romance, conto etc.) para a televisão **2** Filme produzido para ser veiculado na televisão [F.: *tel(e)-*² + *drama*.]

teledramaturgia (te.le.dra.ma.tur.*gi*:a) *sf.* **1** *Teat. Telv.* Dramaturgia produzida e veiculada pela televisão **2** Conjunto de peças, novelas, minisséries produzidas e veiculadas pela televisão [F.: *tel(e)-*² + *dramaturgia*.]

teleducação (te.le.du.ca.*ção*) *sf. Pedag. Telc. Telv.* Educação à distância baseada no uso das tecnologias da informática e da comunicação (televisão, rádio, correio etc.); ENSINO À DISTÂNCIA; EDUCAÇÃO À DISTÂNCIA [Caracteriza-se pela não contiguidade do professor.] [Pl.: *-ções*.] [F.: *tel(e)-*¹ + *educação*.]

teleférico (te.le.*fé*.ri.co) *a.* **1** Que transporta ao longe (cabos teleféricos) *sm.* **2** Cabine que, suspensa por cabos, carrega carga ou pessoas de um ponto alto a outro; BONDINHO: *o teleférico do Pão de Açúcar, no Rio de Janeiro; os teleféricos dos Alpes.* [F.: Do fr. *téléphérique*.]

telefonada (te.le.fo.*na*.da) *sf. Telc.* Ação de telefonar; conversa, comunicação telefônica; TELEFONEMA: "... ordem (...) enviada a polícia por uma violenta telefonada." (Rui Barbosa, *Ruínas de um governo*) [F.: *telefonar* + *-ada*¹.]

telefonar (te.le.fo.*nar*) *v.* Comunicar(-se) pelo telefone [*ti. + a, para: Telefonou para a mãe.*] [*int.: Fica telefonando quando se sente só.*] [*ta.: O sogro telefonou de Manaus/para Brasília.*] [*td.: Seu marido telefonou que já está chegando.*] [*tr. + para: Minha mãe telefonou para nos convidar.*] [▶ 1 telefonar] [F.: *telefone* + *-ar*². Hom./Par.: *telefone* (fl.), *telefone* (sm.); *telefones* (fl.), *telefones* (pl. do sm.).]

telefone (te.le.*fo*.ne) *sm.* **1** *Telc.* Aparelho (conectado por sistemas, redes centrais etc. a outros aparelhos similares) por meio do qual, através de correntes magnéticas, se pode conversar a distância (telefone fixo; telefone celular) **2** *Telc.* Sequência de números que, discados, fazem a conexão entre dois desses aparelhos: *Anote meu telefone.* **3** *Bras. Pop.* Golpe aplicado aos ouvidos com as mãos em concha **4** *Lus. Pop.* Esguicho manual, acoplado a um tubo ou a um chuveiro, us. para dar ou tomar banho [F.: Do fr. *téléphone*; ver *tel(e)-*¹ e *-fone*.] ■ **~ celular** Telefone móvel, portátil, que usa ondas de rádio e que se comunica com outros através de estações centralizadoras que recebem e retransmitem os sinais [Tb. apenas *celular*.]

📖 O telefone foi inventado pelo inglês Alexander Graham Bell, que registrou a patente em 1876. A invenção dos transmissores de carvão pelo americano Thomas A. Edison, em 1878, aperfeiçoando a acústica do sinal sonoro transmitido, viabilizou o uso prático do telefone. O princípio de seu funcionamento é a captação das ondas sonoras num diafragma (lâmina fina e flexível) do microfone, que vibra e transmite as vibrações ao carvão (ou outro material), que as retransmite a uma placa de metal na forma de corrente elétrica correspondente ao sinal sonoro. Essa corrente é transmitida por fios ou pelo ar ao receptor, onde um eletroímã traduz a corrente elétrica em energia mecânica, que faz vibrar uma membrana que reproduz o som original. Nos telefones portáteis e celulares, o portador da onda elétrica é uma onda de rádio (ou micro-onda) transmitida pelo ar, captada pelo aparelho receptor por meio de uma antena.

telefonema (te.le.fo.*ne*.ma) *sm.* **1** *Telc.* Comunicação por meio de telefone; ligação telefônica; TELEFONADA; LIGADA **2** *Gír.* Tapa que se aplica, com as mãos em concha, simultaneamente nas duas orelhas de alguém [F.: *telefone* + *-ema*.]

telefone sem fio (te.le.fo.ne sem *fi*.o) *sm. Lud.* Brincadeira infantil em que se sussurra no ouvido do companheiro ao lado o que se ouviu antes, de modo que, quando o último contar em voz alta o que ouviu, a palavra ou frase possa ser comparada com a que foi dita inicialmente; TELEGRAMA SEM FIO [Pl.: *telefones sem fio*.]

telefonia (te.le.fo.*ni*.a) *sf.* **1** *Telc.* Sistema de transmissão de sons a distância por meio de fios, cabos ou ondas eletromagnéticas, tendo como receptor um telefone **2** *Lus. Telc.* Denom. comum do aparelho de radiotelefonia; RÁDIO [F.: *tel(e)-*¹ + *-fonia*.] ■ **~ celular** Sistema de comunicações telefônicas entre telefones celulares **~ sem fio** Radiotelefonia

telefônica (te.le.*fô*.ni.ca) *sf.* Central dos serviços de telefonia de uma cidade ou região [F.: Fem. subst. de *telefônica*.]

telefonicamente (te.le.fo.ni.ca.*men*.te) *adv.* Por meio de telefone: *Farei a entrevista telefonicamente.* [F.: Fem. de *telefônico* + *-mente*.]

telefônico (te.le.*fô*.ni.co) *a.* **1** Ref. ou inerente à telefonia e ao telefone (sinais telefônicos; lista/rede telefônica): "A greve é dos condutores de bondes, dos operários das oficinas de força e luz, da companhia telefônica." (Jorge Amado, *Jubiabá*) **2** Que se faz por meio de telefone, que usa telefone (ligação telefônica; contato telefônico) *sm.* **3** Empregado ou técnico de companhia telefônica [F.: *telefone* + *-ico*².]

telefonismo (te.le.fo.*nis*.mo) *sm. Bras. Pop.* Mania de usar telefone, esp. telefone celular: *Com o celular criou-se o telefonismo mal-educado.* [F.: *telefone* + *-ismo*.]

telefonista (te.le.fo.*nis*.ta) *s2g.* **1** *Telc.* Aquele ou aquela cujo ofício é dar, receber e retransmitir telefonemas **2** *Telc.* Profissional, ger. empregado de companhia telefônica ou de posto telefônico, cuja função é receber, fazer ou repassar ligações telefônicas [F.: *telefone* + *-ista*.]

telefoto (te.le.*fo*.to) *Fot. Telc. sf.* **1** Fotografia obtida ou transmitida por ondas radioelétricas ou por telefotografia; RADIOFOTO **2** Aparelhagem us. para enviar e receber esse tipo de fotografia [F.: *tel(e)*¹- + *-foto*.]

telefotografar (te.le.fo.to.gra.*far*) *v.* Fotografar a grande distância; fazer telefotografia de [*td. int.*] [▶ 1 telefotografar] [F.: *telefotograf(ia)* + *-ar*².]

telefotografia (te.le.fo.to.gra.*fi*.a) *sf.* **1** *Fot.* Arte e/ou técnica de fotografar a grande distância por meio de teleobjetiva **2** *Fot.* Fotografia tirada a grande distância **3** *Fot. Telc.* Transmissão de fotografias por meio das ondas radioelétricas; RADIOFOTOGRAFIA; TELEFOTO [F.: *tel(e)-*¹ + *fotografia*.]

🌐 **telegame** (*Ingl. /telegueime/*) *sm. Lud.* Jogo precursor do videogame (e com menos recursos que esse), em que se manipulam imagens a partir de um equipamento acoplado ao aparelho de televisão; TELEJOGO [Pl.: *telegames*.]

telegenia (te.le.ge.*ni*.a) *sf.* Capacidade de aparecer bem numa filmagem de televisão: "(...) enfoca a relação entre televisão e política e mostra como (...) a TV alterou a prática política no mundo com o surgimento da ideia de telegenia. " (*O Globo*, 12.05.2000) [F.: *tel(e)-*² + *-genia*. Cf.: *fotogenia*.]

telegrafado (te.le.gra.*fa*.do) *a.* Comunicado por telegrama ou telégrafo [F.: Part. de *telegrafar*.]

telegrafar (te.le.gra.*far*) *v.* Comunicar (algo) por meio de telegrama [*td.: Em vez de telefonar, telegrafei a mensagem.*] [*ti. + a, para: Telegrafamos ao chefe pedindo ajuda.*] [*tdi. + a, para: Telegrafei a notícia à família.*] [*int.: Telegrafe assim que puder.*] [▶ 1 telegrafar] [F.: *telégrafo* + *-ar*². Hom./Par.: *telegrafo* (fl.), *telégrafo* (sm.).]

telegrafia (te.le.gra.*fi*.a) *sf.* **1** *Telc.* Processo de transmissão de mensagens e textos escritos (telegramas) a grandes distâncias por meio de um código de sinais (código Morse), através do telégrafo, de fios condutores ou sem estes (radiotelegrafia) **2** Arte de construir ou empregar os telégrafos [F.: *telégrafo* + *-ia*¹.] ■ **~ sem fio** Radiotelegrafia

telegráfico (te.le.*grá*.fi.co) *a.* **1** Ref. a telégrafo ou telegrafia (sinal telegráfico) **2** Que é enviado pelo telégrafo, que é executado pelo telégrafo (mensagem telegráfica; despacho telegráfico) **3** *Fig.* Curto, resumido, condensado, como as notícias transmitidas por telégrafo; lacônico, sintético, conciso (estilo telegráfico; diálogos telegráficos): "Donde vinha tanta reserva? Por que aqueles bilhetes tão apressados, quase telegráficos?" (Aluísio Azevedo, *Casa de pensão*) [Ant.: *prolixo*.] [F.: *telégrafo* + *-ico*².]

telegrafista (te.le.gra.*fis*.ta) *s2g. Telc.* Profissional que trabalha no telégrafo, enviando e recebendo mensagens telegráficas e telegramas [F.: *telégrafo* + *-ista*.]

telégrafo (te.*lé*.gra.fo) *Telc. sm.* **1** Sistema de envio de mensagens por meio de sinais convencionados (telégrafo elétrico; telégrafo submarino; telégrafo aéreo) **2** O aparelho us. para transmitir esses sinais **3** Administração do sistema telegráfico (agência de correios e telégrafos) **4** Lugar onde funciona o telégrafo (2) [F.: Do fr. *télégraphe*. Hom./Par.: *telégrafo* (sm.), *telegrafo* (fl. de *telegrafar*).] ■ **~ Morse** Sistema telegráfico inventado pelo norte-americano Samuel F. B. Morse, no qual letras e símbolos são representados por combinações de pontos (sinais de rádio muito curtos) e traços (sinais de rádio um pouco mais longos) **~ sem fio** Transmissão de sinais telegráficos por ondas hertzianas **~ submarino** Aquele no qual os sinais telegráficos são transmitidos por um cabo submarino

telegrama (te.le.*gra*.ma) *sm.* **1** *Telc.* Comunicação feita por meio do telégrafo: "O Paiva era agora requestado pelos colegas, como um boletim sanitário que traz os últimos telegramas da guerra." (Aluísio Azevedo, *Casa de pensão*) **2** *Telc.* Mensagem escrita transmitida por telégrafo **3** *Bras. Pop.* Pedaço de papel, com orifício, introduzido no fio de um papagaio (4) suspenso no ar **4** *Bras. Gír.* Entre ladrões, designa tira de papel colada no fecho de uma porta, para verificar se esta foi ou não aberta depois de selada [F.: Do fr. *télégramme*.] ■ **~ fonado** Telegrama transmitido à agência telegráfica ou dela recebido por telefone; fonograma **~ retido** *MA Fig. Pop.* Algo contado como se fosse novidade, quando já se o sabia **Passar ~ 1** *Bras.* Em certos jogos de cartas, sinalizar (um jogador) ao parceiro (dentro das regras do jogo) as cartas que tem na mão **2** *Pop.* O mesmo que *defecar*

telegrama sem fio (te.le.gra.ma sem *fi*.o) *sm. Lud.* O mesmo que *telefone sem fio* [Pl.: *telefones sem fio*.]

teleguiado (te.le.gui.*a*.do) *a.* **1** *Aer. Mil.* Diz-se dos engenhos guiados a distância por meio de ondas radioelétricas, e, esp., dos mísseis balísticos intercontinentais (míssil teleguiado); TELECONDUZIDO; TELEDIRIGIDO **2** *Bras. P. ext.* Diz-se do que ou de quem é dirigido, orientado por outra pessoa ou outro agente **3** *Bras. Fig.* Diz-se do que ou de quem não tem orientação própria; que age por mando ou por influência de alguém *sm.* **4** *Aer. Mil.* Engenho teleguiado, esp. de caráter bélico; foguete ou projétil teleconduzido; TELEPROJÉTIL; TELEPROJETIL [F.: Part. de *teleguiar*.]

teleguiar (te.le.gui.*ar*) *v. td.* Controlar ou dirigir a distância: *A Nasa teleguiou a nave que foi para Marte.* [▶ 1 teleguiar] [F.: *tel(e)-*¹ + *guiar*.]

teleimpressora (te.le.im.pres.*so*.ra) [ô] *sf.* Máquina que imprime telex; TELEIMPRESSOR; TELETIPO: *receber e transmitir imagens por teleimpressora.* [F.: *tel(e)-*¹ + *impressora*.]

teleinformação (te.le.in.for.ma.*ção*) *sf.* Informação a distância, por meio de televisão ou telefonia [Pl.: *-ções*.] [F.: *tel(e)-*¹ + *informação*.]

teleinformática (te.le.in.for.*má*.ti.ca) *sf. Inf.* O mesmo que *telemática* [F.: *tel(e)-*¹ + *informática*.]

teleinformatizado (te.le.in.for.ma.ti.*za*.do) *a.* **1** *Inf.* De ou referente a teleinformática (rede teleinformatizada) **2** Que conhece e usa a teleinformática (geração teleinformatizada) [F.: *tel(e)-*¹ + *informatizado*.]

telejogo (te.le.*jo*.go) [ô] *sm.* **1** *Lud.* O mesmo que *telegame* **2** Espécie de loteria promovida e veiculada pelos canais de televisão [Pl.: [ó].] [F.: *tel(e)-*² + *jogo*.]

telejornal (te.le.jor.*nal*) *sm. Jorn. Telv.* Noticiário jornalístico transmitido pela televisão [Pl.: *-nais*.] [F.: *tel(e)-*² + *jornal*.]

telejornalismo (te.le.jor.na.*lis*.mo) *sm. Bras. Jorn. Telv.* Jornalismo, trabalho jornalístico exercido em telejornal [F.: *telejornal* + *-ismo*.]

telejornalista (te.le.jor.na.*lis*.ta) *Bras. s2g.* Profissional que exerce o telejornalismo. [F.: *telejornal* + *-ista*.]

telejornalístico (te.le.jor.na.*lís*.ti.co) *a. Bras.* Que diz respeito a telejornalismo ou telejornalista: *cobertura telejornalística da Copa do Mundo.* [F.: *telejornalista* + *-ico*².]

🌐 **telemarketing** (*Ing. /télemarctin/*) *sm. Com.* Modalidade de *marketing* direto que utiliza o telefone, de modo sistemático e interativo, para os trabalhos de atendimento, promoções, vendas, pesquisas de mercado etc.

telemática (te.le.*má*.ti.ca) *sf.* **1** Ciência que trata da transmissão de informação a longa distância, utilizando-se da combinação entre computador e meios de comunicação: "É um programa de computador com funções de telemática (a palavra quer dizer telecomunicações + informática). " (*O Globo*, 08.08.2005) **2** Esse tipo de transmissão [F.: Do fr. *télématique*.]

telemensagem (te.le.men.*sa*.gem) *sf.* Mensagem veiculada por meio da televisão ou do telefone: "Antigamente, as pessoas mandavam rosas. Mas hoje, nem as flores emocionam tanto quanto uma telemensagem (...). " (*O Globo*, 06.12.1998) [Pl.: *-gens*.] [F.: *tel(e)-*¹ + *mensagem*.]

telemetria (te.le.me.*tri*.a) *sf.* **1** *Telc.* Técnica de processamento e transmissão de dados a distância **2** Arte de medir distâncias por meio do telêmetro [F.: *tel(e)-*[1] + *-metria*[1].]
telemétrico (te.le.*mé*.tri.co) *a.* Ref. ou inerente a telemetria (comunicação telemétrica) [F.: *telemetria* + *-ico*[2].]
telêmetro (te.*lê*.me.tro) *sm. Ópt.* Instrumento de óptica que mede a distância entre um observador e um ponto muito distante; DISTANCIÔMETRO [F.: *tel(e)-*[1] + *-metro*.]
telemicroscópio (te.le.mi.cros.*có*.pi:o) *sm. Ópt.* Luneta de grande aumento, para observação a curta distância [F.: *tel(e)-*[1] + *microscópio*.]
telemoça (te.le.*mo*.ça) *sf.* Atendente feminina que transmite telemensagens [F.: *tele-*, por *telemensagem*, + *moça*.]
telencéfalo (te.len.*cé*.fa.lo) *sm. Anat.* No embrião, estrutura a partir da qual se originam os hemisférios cerebrais; NEOENCÉFALO [F.: *tel(e)-*[1] + *-encéfalo*.]
telenotícia (te.le.no.*tí*.ci:a) *sf.* Notícia veiculada em telejornal [F.: *tel(e)-*[1] + *notícia*.]
telenovela (te.le.no.*ve*.la) *sf. Bras. Telv.* Novela transmitida em capítulos pela televisão [F.: *tel(e)-*[2] + *novela*. Cf.: *teleteatro*.]
telenovelista (te.le.no.ve.*lis*.ta) *s2g. Telv.* Autor ou autora de telenovelas [F.: *telenovela* + *-ista*.]
tele(o)- *el. comp.* = 'completo'; 'perfeito': *teleologia, teleonomia* [F.: Do gr. *téleios, a, ou*, *téleios, os, on*.]
teleobjetiva (te.le:ob.je.*ti*.va) *sf. Fot. Ópt.* Lente fotográfica de grande distância focal, us. para fotografar ou filmar coisas distantes [F.: *tel(e)-*[1] + *objetiva*.]
teleologia (te.le:o.lo.*gi*.a) *sf. Fil.* **1** Ciência das causas finais, que se baseia na ideia de finalidade; ciência que admite a existência de uma causa primordial preestabelecida de todos os fenômenos, e a tendência deles para um fim necessário [No *aristotelismo*, essa finalidade para qual todo o universo se dirige, incluindo todos os seres existentes, é inalcançável de maneira plena ou permanente, posto que ela transcende à vida material. Já para o *hegelianismo*, essa busca de uma finalidade pela humanidade, seja ela vista como um todo em seu processo histórico, ou em cada realidade particular, é a realização plena e factível do espírito humano.] **2** Doutrina que defende a ideia de que o mundo, a existência, é constituído de um sistema de relações entre meios e fins [P. opos. a *positivismo*.] [F.: Do fr. *téléologie*; ver *tele(o)-* e *-logia*.]
teleológico (te.le:o.*ló*.gi.co) *Fil. a.* **1** Ref. ou inerente a teleologia, ou a finalidade (teoria teleológica; ensaio teleológico) **2** Diz-se de argumento, conhecimento ou explicação que relaciona um fato com sua causa final [F.: *teleologia* + *-ico*[2].]
teleonomia (te.le:o.no.*mi*.a) *sf.* **1** *Fil.* Doutrina que interpreta as causas finais como o resultado regido por um conjunto de princípios **2** *Biol.* Teoria segundo a qual as estruturas ou funções dos organismos existem devido às vantagens seletivas que são capazes de proporcionar [F.: *tele(o)-* + *-nomia*.]
teleonômico (te.le:o.*nô*.mi.co) *a.* **1** *Fil. Biol.* Que diz respeito a teleonomia **2** Que se ajustam ou regulam com vistas a um fim (organismo teleonômico) [F.: *teleonomia* + *-ico*[2].]
teleósteo (te.le.*ós*.te:o) *Zool. sm.* **1** Espécime dos teleósteos, subdivisão dos actinopterígios que abrange a maioria absoluta dos peixes, com mais de 23.000 espécies; são os peixes ósseos propriamente ditos *a.* **2** Ref. ou pertencente aos teleósteos [F.: Adaptç. do lat. cient. *Teleostei*; ver *tele(o)-* e *-ósteo*.]
telepastor (te.le.pas.*tor*) [ô] *sm.* Pastor evangélico que faz suas pregações em programa de televisão [F.: *tel(e)-*[2] + *pastor*.]
telepata (te.le.*pa*.ta) **1** *Parap. a2g.* Diz-se de pessoa que pratica a telepatia *s2g.* **2** Aquele ou aquela que pratica a telepatia [F.: *tel(e)-*[1] + *-pata*.]
telepatia (te.le.pa.*ti*.a) *sf. Parap.* **1** Comunicação extrassensorial de pensamentos, feita a distância, entre pessoas **2** Faculdade mediúnica de perceber o estado, situação, sensações etc. de outras pessoas sem intervenção das sensações normais do ouvido, da vista ou do tato [F.: *tel(e)-*[1] + *-patia*.]
telepático (te.le.*pá*.ti.co) *a.* Ref., inerente a, ou próprio da telepatia (dom telepático; sensação telepática) [F.: *telepatia* + *-ico*[2].]
telepiada (te.le.pi.*a*.da) *sf.* Serviço telefônico que oferece um repertório de piadas gravadas [F.: *tele-* + *piada*.]
teleplastia (te.le.plas.*ti*.a) *sf.* **1** *Rel. Espt.* Materialização corporal de alguém que está ausente **2** *Med. Cir.* Visualização computadorizada daquele que deverá ser o resultado aproximado de uma cirurgia plástica [F.: *tel(e)-*[1] + *-plastia*.]
teleplástico (te.le.*plás*.ti.co) *a.* Que diz respeito a teleplastia (fenômeno teleplástico) [F.: *teleplastia* + *-ico*[2].]
teleporto (te.le.*por*.to) [ô] *sm. Tec.* Construção equipada com os mais modernos recursos de comunicação a distância, destinada a abrigar grandes empresas [Pl.: [ó].] [F.: *tel(e)-*[1] + *porto*.]
teleposto (te.le.*pos*.to) *sm.* Posto[1] de educação a distância [Pl.: [ó].] [F.: *tel(e)-*[1] + *posto*[1].]
teleprocessamento (te.le.pro.ces.sa.*men*.to) *sm. Inf.* Tipo de tratamento de informação em que um sistema de processamento de dados utiliza recursos de telecomunicação, transmitindo os dados para um computador central que retransmite os resultados ao ponto de origem: "O delegado pediu ao juiz a quebra do sigilo bancário, fiscal e de teleprocessamento de informações dos empresários (...)" (*O Globo*, 28.10.1997) [F.: *tel(e)-*[1] + *processamento*.]
teleprojeção (te.le.pro.je.*ção*) *sf.* Projeção a distância de imagens geradas em televisão, computador, tocadores de dvd, fita etc. [Pl.: *-ções*.] [F.: *tel(e)-*[1] + *projeção*.]
teleprompter (*Ing. /teleprômpter/*) *sm. Cin. Telv.* Dispositivo que consiste numa tela ou num rolo de papel rotativo acoplável à câmera, e que exibe em letras grandes o texto a ser lido por apresentadores em programas de televisão, esp. noticiários e telejornais, ou atores; PROMPTER
telerradiografia (te.ler.ra.di.o.gra.*fi*.a) *sf. Rlog.* Radiografia em que a distância (de 2 a 3 metros) entre a máquina e o indivíduo a ser radiografado permite a obtenção de imagem em tamanho natural [F.: *tel(e)-*[1] + *radiografia*.]
telescopado (te.les.co.*pa*.do) *a.* De estrutura semelhante à dos tubos de um telescópio (tubo telescopado) [F.: *telescóp(io)* + *-ado*[1].]
telescopia (te.les.co.*pi*.a) *sf.* Aplicação, emprego do telescópio [F.: *tel(e)-*[1] + *-scopia*.]
telescópico (te.les.*có*.pi.co) *a.* **1** *Astron. Ópt.* Ref. ou inerente ao telescópio (observação telescópica) **2** *Astron. Ópt.* Executado com telescópio; que se vê com o auxílio do telescópio (estudo/mapeamento telescópico) **3** Que discerne objetos distantes (alcance telescópico; capacidade telescópica) [F.: *telescópio* + *-ico*[2].]
telescópio (te.les.*có*.pi:o) *sm.* **1** *Astron. Ópt.* Instrumento óptico para a observação de objetos longínquos (esp. na astronomia), constituído por um tubo com uma objetiva de espelho côncavo de grande raio em uma das extremidades e uma lente ocular na outra **2** *Astron.* Constelação ao sul de Sagitário e da Coroa Austral [Us. com inicial maiúsc.] **3** *Bras. Ict.* Designação comum aos peixes (*Carassius auratus*) actinopterígios, cipriniformes, de olhos muito grandes e salientes situados bem na frente da cabeça [F.: *tel(e)-*[1] + *-scópio*; it. *telescopio*.] ■ **~ equatorial** *Astron.* Aquele que, por ter eixo paralelo ao da Terra, permite acompanhar os astros em seu movimento aparente diurno **~ refletor** *Astron.* Aquele que tem como objetiva um espelho côncavo **~ refrator** *Astron.* Aquele que tem como objetiva uma lente ou um sistema de lentes

O primeiro telescópio foi construído por Galileu, no início do século XVII, e foi aperfeiçoado por Kepler. Baseava-se na captação dos raios luminosos por um par de lentes (objetiva) e sua condução a uma lente ocular, que ampliava a imagem da objetiva. Este modelo (chamado refrator) foi substituído pelo modelo de Newton, refletor, onde os raios luminosos são captados por um espelho no fundo do tubo, que os envia a um segundo espelho, que os redireciona à ocular. Os telescópios refletores dominaram a astronomia durante muito tempo. Entre os mais potentes, estão o do monte Palomar, Califórnia, EUA (cinco metros), o dos montes Pastukhov, Rússia (seis metros) e o de Mauna Kea, no Havaí (dez metros). No modelo de Shmidt (1930), um grande espelho esférico capta os raios através de uma lente corretora, e os concentra numa chapa fotográfica. O telescópio espacial Hubble foi lançado em 1990, e tem um espelho de 2,40 m.

telespectador (te.les.pec.ta.*dor*) [ô] *Bras. Telv. a.* **1** Diz-se de quem é espectador de televisão (público telespectador) *sm.* **2** Espectador de televisão; TEVENTE [F.: *tel(e)-*[2] + *espectador*.]
teleteatro (te.le.te.*a*.tro) *sm. Bras. Teat. Telv.* Texto teatral para representação em televisão; peça teatral gravada em estúdio e transmitida pela televisão [F.: *tel(e)-*[2] + *teatro*. Cf.: *telenovela*.]
teletema (te.le.*te*.ma) *sm. Telv.* Tema ou música-tema de programa de televisão [F.: *tel(e)-*[2] + *tema*.]
teletexto (te.le.*tex*.to) *sm.* Sistema de telecomunicação não interativo em que o aparelho comum de TV, equipado com decodificador apropriado, recebe informação em forma de texto [F.: *tel(e)-*[2] + *texto*.]
teletipista (te.le.ti.*pis*.ta) *s2g.* Quem opera teletipo; TELEIMPRESSOR [F.: *teletipo* + *-ista*.]
teletipo (te.le.*ti*.po) *sm. Telc.* Aparelho telegráfico us. pela imprensa, centrais de polícia etc., dotado de teclado semelhante ao de máquina de escrever, que envia textos a distância, e cujo receptor imprime diretamente, sem auxílio do código morse, mensagens escritas, prontas para leitura imediata; TELEIMPRESSOR [F.: Do ingl. *teletype*, do ingl. *teletypewriter*. Cf.: *telex*.]
teletransportar (te.le.trans.por.*tar*) *v.* Transportar pelo espaço, a longas distâncias [*td. int.* Muito usado em ficção científica com o sentido de transportar instantaneamente a grandes distâncias objetos e corpos por meio de desmaterialização atômica das estruturas e posterior rematerialização. Não se trata de transporte físico do objeto inteiro através do espaço.] [▶ **1** teletransportar] [F.: *tel(e)-*[1] + *transportar*.]
teletransporte (te.le.trans.*por*.te) *sm.* Na ficção científica, transporte a longa distância, que consiste na desmaterialização do corpo no lugar de origem, seguida da rematerialização no lugar de destino: "Como ainda não inventaram o teletransporte, ir para os EUA ver a exposição não é fácil." (*O Globo*, 10.02.2003) [F.: *tel(e)-*[1] + *transporte*.]
televenda (te.le.*ven*.da) *sf. Com.* Sistema de vendas em que a operação de compra e venda se faz pelo telefone [F.: *tel(e)-*[2] + *venda*.]
televisado (te.le.vi.*sa*.do) *a. Telv.* Transmitido pela televisão (evento televisado); TELEVISIONADO [F.: Part. de *televisar*.]
televisamento (te.le.vi.sa.*men*.to) *sm. Telv.* Ação de televisar, de transmitir dado programa, jogo, filme etc. pela televisão; TELEVISIONAMENTO [F.: *televisar* + *-mento*.]
televisão (te.le.vi.*são*) *sf.* **1** *Telc.* Sistema de telecomunicação que converte imagens e sons em sinais eletromagnéticos e os transmite por ondas hertzianas ou via cabo coaxial **2** *Telc. Telv.* Emissora que transmite atividades e programas artísticos, informativos e educativos, espetáculos etc., gerados ao vivo ou gravados em videoteipe, por meio desse sistema; TELEVISORA **3** *Telv.* Aparelho receptor de imagens e sons televisionados; TELEVISOR [Tb. se diz apenas tevê. Abrev.: TV.] [Pl.: *-sões*.] [F.: Do fr. *télévision*, pelo ingl. *television*; ver *tel(e)-*[1] e *visão*.] ■ **~ aberta** *Telv.* Sistema, e conjunto das emissoras que o usam, cujos sinais de transmissão não são codificados, o que permite sua recepção livre pelo público em geral **~ a cabo** *Telv.* Sistema de transmissão de sinais de televisão (e conjunto das emissoras que o usam) através de um meio físico, um cabo (ger. subterrâneo), ger. para assinantes **~ de alta-definição** *Telv.* Sistema de televisão que usa tecnologia (e essa tecnologia) que aumenta a resolução da imagem recebida, melhorando a sua qualidade **~ fechada** *Telv.* Sistema, e conjunto das emissoras que o usam, cujos sinais de transmissão são codificados, o que torna necessário um decodificador para se obter dos sinais imagem e som, ger. disponível apenas para assinantes **~ pay-per-view** *Telv.* Sistema de transmissão e recepção de sinais de televisão fechada no qual o assinante paga para assistir a determinado(s) programa(s), à sua escolha; televisão por demanda **~ por assinatura** *Telv.* Serviço de televisão fechada (e o conjunto de emissoras que o usam) cujos sinais só são transmitidos (por cabo por transmissão aérea, ger. por satélite), codificados, para assinantes que dispõem do dispositivo decodificador **~ por demanda** *Telv.* Ver *Televisão* pay-per-view

A transmissão instantânea de imagens baseia-se no princípio (descoberto em 1817, com o elemento selênio) de que é possível transformar energia luminosa em elétrica e vice-versa. Várias experiências bem-sucedidas levaram à televisão, que, como a conhecemos hoje, tem início na década de 1920. Basicamente, consiste na captação da imagem numa tela luminosa dentro da câmera, atrás da qual uma placa sensível lê a imagem como milhões de pontos de luz, cada qual com sua intensidade e cor (na TV a cores, cada uma das três cores que compõem em todas as variações cromáticas – vermelho, azul e verde – tem sua própria captação). Essa placa é varrida por um feixe eletrônico, como na leitura das linhas de um texto, da esquerda para a direita, pulando uma linha e voltando à esquerda etc., voltando para ler as linhas 'puladas' ao fim da primeira varredura. Assim, em duas varreduras (a cada segundo são 60 varreduras, ou seja, 30 varreduras completas) toda a imagem é captada e transformada em um feixe eletrônico cujo sinal varia sucessivamente de acordo com os pontos de imagem que ele 'traduz'. Este sinal, amplificado e filtrado, é transmitido ao aparelho receptor, que o capta com uma antena, e separa o sinal sonoro do óptico. Este é encaminhado a um cinescópio, ger. um tubo eletrônico revestido de material fosforescente, e a varredura se repete, o feixe reproduzindo a variação de sinal captada na câmera e transformando a tela fluorescente em milhões de pontos de luz que reproduzem os da câmera. São, portanto, 30 imagens por segundo, sincronizadas com as imagens que vão sendo captadas pela câmera.

televisar (te.le.vi.*sar*) *v. td.* O mesmo que *televisionar*: *Emissoras do mundo inteiro televisarão o evento*. [▶ **1** televisar] [F.: *tel(e)-*[1] + *visar*.]
televisionado (te.le.vi.si:o.*na*.do) *a. Telv.* Que se televisionou, se transmitiu pela televisão; TELEVISADO: *A festa será televisionada*. [+ *para*: *televisionado para o mundo todo*.] [F.: Part. de *televisionar*.]
televisionamento (te.le.vi.si:o.na.*men*.to) *sm. Telv.* Ação ou resultado de televisionar (televisionamento do jogo); TELEVISAMENTO [F.: *televisionar* + *-mento*.]
televisionar (te.le.vi.si:o.*nar*) *v. td.* Transmitir pela televisão; TELEVISAR: *Apenas duas emissoras televisionarão as Olimpíadas; A emissora estatal televisionava os discursos do ditador para todo o país*. [▶ **1** televisionar] [F.: *televisão* + *-ar*[2], seg. o mod. erudito. Hom./Par.: *televisionáveis* (fl.), *televisionáveis* (pl. de *televisionável* [a2g.]).]
televisionável (te.le.vi.si.o.*ná*.vel) *a2g.* Que pode ser transmitido pelos canais de televisão: *Certos julgamentos não são televisionáveis*. [Pl.: *-veis*.] [F.: *televisionar* + *-vel*. Hom./Par.: *televisionáveis* (pl.), *televisionáveis* (fl. de *televisionar*).]
televisível (te.le.vi.*sí*.vel) *a2g.* **1** Próprio ou feito para ser transmitido pela televisão (material televisível; *marketing* televisível) **2** Passível de ser transmitido pela televisão ou de aparecer nela **3** De televisão (canal televisível) **4** Diz-se de pessoa (celebridade, artista etc.) que costuma aparecer nos programas de tevê [Pl.: *-veis*.] *s2g.* **5** Essa pessoa [Pl.: *-veis*.] [F.: *tel(e)-*[2] + *visível*.]
televisivo (te.le.vi.*si*.vo) *Telv. a.* **1** Ref., inerente a, ou próprio da televisão (mercado televisivo); TELEVISUAL **2** Apresentado na televisão (noticiário televisivo) **3** Que atua na televisão (galã televisivo) **4** Que tem condições para ser televisionado; propício para televisionar (evento televisivo) [F.: *televis(ão)* + *-ivo*.]

televisor (te.le.vi.*sor*) [ô] *Telv.* ***sm.*** **1** O aparelho de televisão ***a.*** **2** Que diz respeito à televisão; em que se faz televisão (estação televisora; aparelho televisor); TELEVISIVO [F.: *tel(e)-*[2] + *visor.*]

televisual (te.le.vi.su.*al*) *Telv.* ***a2g.*** Ref., inerente a, ou pertencente à televisão (programa televisual; emissora televisual); TELEVISIVO; TELEVISOR [Pl.: *-ais.*] [F.: *tel(e)-*[2] + *visual.*]

televizinho (te.le.vi.*zi*.nho) ***sm.*** *Irôn.* Indivíduo que, por não possuir televisor, assiste na casa do vizinho aos programas de TV [F.: *tel(e)-*[2] + *vizinho.*]

telex (te.*lex*) [cs] ***sm2n.*** **1** *Telc.* Sistema telegráfico de comunicação bilateral em que se usam máquinas teleimpressoras **2** Mensagem emitida ou recebida por telex [F.: Do fr. *tèlex.* Cf.: *teletipo.*]

telexar (te.le.*xar*) [cs] ***v. tdi. ti.*** Comunicar ou enviar mensagem por meio de telex [▶ 1 telexar] [F.: *telex* + *-ar*[2].]

telha (*te*.lha) [ê] ***sf.*** **1** *Cer. Cons.* Peça de barro cozido us. para cobrir a parte superior dos prédios, casas etc. **2** *Náut.* Fasquia de madeira na parte de ré da verga, pela qual se encosta ao mastro **3** *Bras. Fam.* Mania, veneta, capricho: *Deu-lhe a telha de casar logo.* **4** *Bras. Fam.* Cabeça, mente [F.: Do lat. *tegula.*] ▪ **Até as ~s** Totalmente cheio **Dar na ~** Ocorrer (ideia, lembrança etc.); dar na veneta: *De repente deu-me na telha telefonar para você.* **Estar com a ~** *Lus.* Estar de mau humor, zangado ou irritado **~ colonial** Telha em calha, no formato de meio tronco de cone **~ francesa** Telha retangular e plana, com pequeno ressalto para sua fixação **Ter uma ~ a mais/menos** Não ser muito equilibrado mentalmente

telhado (te.*lha*.do) ***sm.*** **1** Parte superior e exterior que cobre uma casa **2** *Cons.* Conjunto de telhas, encaixadas umas nas outras e simetricamente colocadas, que cobrem um prédio, uma casa etc. **3** *Bras. Fam.* Grande mania ou telha; MALUQUEIRA **4** Prego de arame ***a.*** **5** Diz-se do que se telhou (casebre telhado) [F.: Part. de *telhar.*] ▪ **~ de vidro** *Fig.* Condição de quem é atacável em sua reputação, de quem comete ou cometeu erros, faltas mais ou menos graves

telhadura (te.lha.*du*.ra) ***sf.*** **1** Local onde se fabricam telhas **2** Ação ou resultado de cobrir com telhas [F.: *telhar* + *-dura.*]

telhamento (te.lha.*men*.to) ***sm.*** Ação ou resultado de telhar; operação de cobrir com telhas; TELHADURA [F.: *telhar* + *-mento.*]

telhar (te.*lhar*) ***v. td.*** Cobrir (esp. edificação) com telhas: *Preciso telhar a varanda de minha casa.* [Ant.: *destelhar.*] [▶ 1 telhar] [F.: *telha* + *-ar*[2]. Hom./Par.: *telha* (fl.), *telha* [ê] (sf.); *telhas* (fl.), *telhas* [ê] (pl. do sf.); *telhais* (fl.), *telhais* (pl. de *telhal* [sm.]); *telho* (fl.), *telho* [ê] (sm.).]

telha-vã (te.lha-*vã*) *Cons.* ***sf.*** **1** Telhado sem forro **2** Telhado sem argamassa, feito apenas sobre ripas ou caniços [Pl.: *telhas-vãs.*]

telheiro (te.*lhei*.ro) [ê] ***sm.*** **1** Fabricante de telhas **2** Cobertura total ou parcialmente aberta dos lados e assentada sobre pilares **3** Alpendre (1) [F.: *telha* + *-eiro.*]

telhudo (te.*lhu*.do) ***a.*** *Pop.* Tonto, que tem telhas, manias; MANÍACO: "Que homem não é telhudo! Seis senhores!, mas não me dirão em que anda a parafusar o Teles, aquele telhudo?" (Trindade Coelho, *Meus amores*) [F.: *telha* + *-udo.*]

télico (*té*.li.co) ***a.*** *Ling.* Diz-se de verbo que denota uma ação a ser atingida (como, p. ex.: consertar, adormecer, entrar etc.), ação que cessará tão logo se a conclua (verbo télico)

teligonácea (te.li.go.*ná*.ce.a) *Angios.* ***sf.*** **1** Espécime das teligonáceas **2** Ver *rubiácea* [F.: Do lat. cient. *Theligonaceae.*]

telinha (te.*li*.nha) *Pop.* ***sf.*** **1** Tela de televisão **2** *P. ext.* A televisão como veículo de transmissão e comunicação: *Assista ao filme na telinha.* [F.: *tela* (*de televisão* em opos. a tela de cinema) + *-inha.*]

telite (te.*li*.te) ***sf.*** *Pat.* Inflamação do bico do peito [F.: *tel(o)-* + *-ite*[1]. Cf.: *telalgia.*]

◎ **tel(o)-** ***el. comp.*** = 'mamilo': *telalgia, telite, telodermite; atelia* [F.: Do gr. *thelé, ês,* 'bico do seio'.]

◎ **telo-** ***el. comp.*** = 'conclusão', 'última fase': *telófase*

telófase (te.*ló*.fa.se) ***sf.*** *Cit.* Última fase de cariocinese em que o citoplasma se divide em duas novas células [F.: *telo-* + *-fase.*]

telógeno (te.*ló*.ge.no) ***a.*** *Fisl.* Diz-se da terceira fase de crescimento dos cabelos, que dura de três a quatro meses [F.: *telo-* + *-geno.*]

telolécito (te.lo.*lé*.ci.to) ***a.*** *Emb.* Diz-se do ovo em que o vitelo, abundante, fica acumulado em um de seus hemisférios [F.: *telo-* + *-lécito.*]

telomerase (te.lo.me.*ra*.se) ***sf.*** *Bioq.* Qualquer das enzimas envolvidas na síntese dos telômeros, e que estão provavelmente associadas à reprodução descontrolada das células cancerosas [F.: *telômero* + *-ase.*]

telômero (te.*lô*.me.ro) ***sm.*** *Bioq.* Extremidade livre do cromossomo, essencial para sua manutenção por garantir que a replicação de ADN seja completada [F.: *tel(o)-* + *-mero*[1].]

telorragia (te.lor.ra.*gi*.a) ***sf.*** *Med.* Hemorragia de um mamilo [F.: *tel(o)-* + *-rragia.*]

telosporídio (te.los.po.*rí*.di.o) *Biol.* ***sm.*** **1** Espécime dos telosporídios, classe de protozoários que parasitam as células de seus hospedeiros e cujos esporos não possuem cápsulas polares ***a.*** **2** Ref. ou pertencente aos telosporídios [F.: Adaptç. do lat. cient. *Telosporidia.*]

◎ **telur(i)-** ***el. comp.*** = 'terra': *telúrico, telúrio, telurismo* [F.: Do lat. *tellus, uris.*]

telúrico (te.*lú*.ri.co) ***a.*** **1** Ref. ao orbe terrestre (camadas telúricas); TELURIANO **2** Ref. ao solo (abalo telúrico) **3** *Astron.* Diz-se do planeta do tipo da Terra **4** *Quím.* Ref. ao não metal telúrio **5** *Quím.* Diz-se do anidrido TeO_2 e do ácido a ele correspondente H_2TeO_4 [F.: *telur(i)-* + *-ico*[2].]

telúrio (te.*lú*.ri:o) ***sm.*** *Quím.* Elemento químico de número atômico 52 preto-acinzentado, us. em semicondutores [Símb.: *Te*]

telurismo (te.lu.*ris*.mo) ***sm.*** **1** O magnetismo terrestre e seus efeitos **2** Influência da natureza do solo no homem que o habita, em sua índole, seus costumes etc. **3** Suposta origem de certas doenças devido a características do solo [F.: *telúrio-* + *-ismo.*]

tema (*te*.ma) ***sm.*** **1** Assunto ou tópico de uma palestra, exposição, filme etc.: "...a escravidão ...constitui um assunto, mas o seu aproveitamento no romance de Bernardo Guimarães (*A escrava Isaura*) e no de Harriet Beecher Stowe (*A cabana de Pai Tomás*) transforma-o em tema..." (Othon M. Garcia, *Comunicação em prosa moderna*) **2** *P. ext.* Objeto, assunto, matéria: *O tema sorteado para a dissertação foi a democracia.* [Col. *temário, temática.*] **3** *Gram.* Numa palavra, o radical seguido da vogal temática (p. ex.: em *cantava* o tema é *canta-*) **4** *Gram.* Elemento da frase, do sujeito, ou do objeto, sobre o qual se diz alguma coisa através do predicado **5** *Mús.* Ideia musical, rítmica, harmônica ou melódica em que se baseia uma composição musical **6** Trecho das Escrituras em que o pregador baseia seu sermão: *O tema da pregação será a mansidão e a humildade, tal como estão no Evangelho segundo Mateus 11:29.* **7** *Astrol.* Aspecto do mapa celeste quando ocorre um determinado fato, como o nascimento de alguém [F.: Do lat. *thema, atis,* deriv. do gr. *théma, átos.* Hom./Par.: *tema* (sm.), *tema* (fl. de *temer*); *temas* (pl.), *temas* (fl. de *temer*).] ▪ **~ astral/celeste** *Astrol.* Figura desenhada por astrólogo ao pesquisar horóscopo, representando certa disposição de astros; mapa astral

temário (te.*má*.ri:o) ***sm.*** *Bras.* Conjunto de temas tratados em congressos, seminários etc. [F.: *tema* + *-ário.*]

temática (te.*má*.ti.ca) ***sf.*** Conjunto de temas que constituem o material básico para a composição de obra literária ou artística [F.: Fem. substv. de *temático.*]

temático (te.*má*.ti.co) ***a.*** **1** Que se refere a ou se baseia em um tema (1) (parque temático) **2** *Gram.* Diz-se da vogal que se junta ao radical de um verbo para determinar a conjugação a que pertence (p. ex.: cant-*a*-r, part-*i* -r) [F.: Do gr. *thémaatikós,* por infl. do fr. *thématique.*]

tematização (te.ma.ti.za.*ção*) ***sf.*** Ação ou resultado de tematizar [Pl.: *-ções.*]

tematizado (te.ma.ti.*za*.do) ***a.*** **1** Que se tematizou: *Mesmo tematizados, os estereótipos motivam preconceitos.* **2** Posto como tema: *questão exaustivamente tematizada pelas mídias.* **3** Classificado a partir de um ou mais temas [F.: Part. de *tematizar.*]

tematizar (te.ma.ti.*zar*) ***v. td.*** Colocar, instituir ou abordar como tema (para dissertação, discussão etc.): *tematizar a situação social.* [▶ 1 tematizar] [F.: *tema* + *-t-* + *-izar.*]

tematologia (te.ma.to.lo.*gi*:a) ***sf.*** *Gram.* Parte da morfologia que estuda a formação dos temas (ou formas específicas) de cada uma das classes gramaticais classificadas na lexilogia

tembé[1] (tem.*bé*) *Etnol* ***a2g.*** **1.** Ref. ou pertencente aos tembés, povo indígena do tronco linguístico tupi, que habita o nordeste do Pará, noroeste do Maranhão e parte de Minas Gerais ***s2g.*** **2** Indígena dos tembés

tembé[2] (tem.*bé*) ***sm.*** *Bras.* Beira de precipício, de abismo; TEMBEZEIRA [F.: Do tupi *tembe* 'beira'.]

tembetá (tem.be.*tá*) ***sm.*** *Etnog.* Adorno indígena de forma ger. alongada, feito de pedra, concha, osso, madeira etc., us. em orifício no lábio inferior [Cf. *botoque, labrete.*]

temente (te.*men*.te) ***a2g.*** Que teme [+ *a, de*: "Judite era temente a Deus." (Pe. Antônio Vieira, *Sermões*): "Se já não há tementes de Deus! Já poucos são os que rezam!" (Aluísio Azevedo, *O mulato*)] [F.: *temer* + *-nte.*]

temer (te.*mer*) ***v.*** **1** Ter medo ou receio (de); RECEAR [***td.:*** *As crianças temem o bicho-papão.*] [***int.:*** *Se você não tem culpa, não tema.* Ant.: *destemer.*] **2** Ter preocupação com; PREOCUPAR-SE [***tr.*** + *por*: *A mãe temia pela saúde do filho.*] **3** Ter respeito e obediência por [***td.:*** *Temem a lei dos homens.*] [***tr.*** + *a*: *Os piedosos temem a Deus.*] **4** Estar quase convencido de; DESCONFIAR; SUSPEITAR [***td.:*** *Temo que o gelo não será suficiente.*] [▶ 2 temer] [F.: Do lat. *timere.* Hom./Par.: *tema(s)* (fl.), *tema(s)* (sf. [pl.]); *temes* (fl.), *Têmis* (antr. e mitônimo fem.).]

temerário (te.me.*rá*.ri:o) ***a.*** **1** Arriscado, imprudente, perigoso: *Nunca quis arriscar-se nessas temerárias escaladas aos picos nevados.* **2** Arrojado, audacioso: *Os incas opuseram uma resistência brava e temerária ao invasor espanhol.* **3** Que não tem fundamento: *fazer um juízo temerário.* **4** Que indica temeridade, ousadia excessiva e demasiadamente arriscada: *Sua gestão temerária provocou a falência da empresa.* [F.: Do lat. *temerarius, a, um.*]

temeridade (te.me.ri.*da*.de) ***sf.*** **1** Ato temerário: *Indispor contra si toda a Europa foi uma das temeridades de Napoleão Bonaparte.* **2** Qualidade do que é temerário **3** Excessiva ousadia, audácia ou imprudência [F.: Do lat. *temeritas, atis.*]

temero (te.*me*.ro) ***a.*** **1** *N. N. E. Pop.* Que se pode ou deve temer; TEMÍVEL **2** Que contém risco; PERIGOSO; ARRISCADO; TEMERÁRIO ***sm.*** **3** *N. N. E. Pop.* Indivíduo valente, destemido, audacioso

temeroso (te.me.*ro*.so) [ô] ***a.*** **1** Que sente temor; RECEOSO: *Temeroso de novos acidentes, preferiu não viajar.* [Ant.: *confiante*] **2** Que causa temor; ASSUSTADOR; TEMÍVEL: *Tivemos de enfrentar as temerosas corredeiras do rio.* [Pl.: [ó]. Fem.: [ó].] [F.: *temor* + *-oso*, com assimilação, por infl. de *temer.*]

temido (te.*mi*.do) ***a.*** **1** Que infunde medo ou temor; ASSUSTADOR: *Lampião foi o mais temido cangaceiro do seu tempo.* **2** Destemido, valente: *Como era um sujeito temido, não hesitou em enfrentar os dois inimigos.* **3** *P. us.* Medroso, tímido: *Se não fosse tão temido, teria encarado o sujeito de frente.* [F.: Part. de *temer.*]

temível (te.*mí*.vel) ***a2g.*** Que se deve temer; que causa medo: "Sim, este vagabundo... foi o meu temível professor de Dúvida." (Aquilino Ribeiro, *Luz ao longe*) [Pl.: *-veis.* Superl.: *temibilíssimo.*] [F.: *temer* + *-ível.*]

temor (te.*mor*) [ô] ***sm.*** **1** Medo, pavor; receio [Ant.: *destemor.*] **2** Sentimento de reverência ou respeito: *temor a Deus.* **3** *Fig.* Pessoa ou coisa que infunde medo: "Vós, ó novo temor da maura lança." (Luís de Camões, *Os Lusíadas*) **4** *P. us.* Rigor, zelo, escrúpulo: *Tem grande temor por suas obrigações.* [F.: Do lat. *timor, oris.* Hom./Par.: *temor* (sm.), *timor* [ô] (*a2g. s2g.*), *Timor* (top.).]

tempão (tem.*pão*) ***sm.*** Longo período de tempo: *Estou aqui faz um tempão.* [Pl.: *-pões.*]

têmpera (*têm*.pe.ra) ***sf.*** **1** Ação ou resultado de *temperar*, de dar consistência; TEMPERAMENTO **2** Tratamento térmico dado a metais, esp. ao aço, para torná-los mais duros e resistentes **3** *Eng. ind.* Tratamento térmico ou químico dado ao vidro para aumentar sua resistência mecânica **4** *Pint.* Técnica de pintura em que se usam pigmentos, gema de ovo e cola: *Aprendeu a fazer pintura a têmpera.* **5** *Pint.* Quadro pintado com essa técnica **6** *Fig.* Caráter, índole, temperamento: *Era um homem de boa têmpera.* **7** *Fig.* Integridade, austeridade de princípios **8** Cunha us. entre as chumaceiras e cabeças das pontes ou nas moendas dos engenhos para fazer chegar os mancais superiores ao eixo **9** Na caça de altanaria, tratamento dado aos falcões na véspera das caçadas [F.: Posv. do it. *tempera.* Hom./Par.: *têmpera* (sf.), *tempera* (fl. de *temperar*) e *tempera* (sf.).]

temperado (tem.pe.*ra*.do) ***a.*** **1** Que tem tempero (diz-se de comida); CONDIMENTADO **2** Cuja temperatura é amena (diz-se de clima) **3** Diz-se do metal que foi submetido à têmpera **4** *Eng. ind.* Diz-se do vidro submetido à têmpera **5** *Mús.* Diz-se do sistema us. na afinação de instrumentos no qual a oitava é dividida em 12 semitons iguais **6** *Mús.* Diz-se do instrumento assim afinado: *Foi o sistema de 12 semitons que permitiu a Bach compor o "Cravo bem temperado".* **7** Comedido, moderado **8** Suavizado, atenuado: *severidade temperada pela indulgência.* [F.: Do lat. *temperatus, a, um.*]

temperamental (tem.pe.ra.men.*tal*) ***a2g.*** **1** Ref. a temperamento **2** Que tem temperamento instável e explosivo **3** Que age sempre segundo seu temperamento ***s2g.*** **4** Pessoa temperamental [Pl.: *-tais.*] [F.: *temperamento* + *-al.*]

temperamentalismo (tem.pe.ra.men.ta.*lis*.mo) ***sm.*** Qualidade de quem é temperamental, instável emocionalmente: *Seu temperamentalismo inviabilizou a convivência.*

temperamento (tem.pe.ra.*men*.to) ***sm.*** **1** Conjunto de traços que determinam o modo de ser, agir e reagir de uma pessoa (temperamento nervoso) **2** Índole, gênio, têmpera: *ter um bom temperamento.* **3** Moderação, comedimento, temperança **4** Mistura, combinação **5** *Mús.* Sistema temperado **6** *Hom.* Conjunto das reações que diferenciam um indivíduo de outros com a mesma constituição física **7** *Psi.* Interação de traços psíquicos e fisiológicos de uma pessoa **8** Ação ou resultado de temperar, de dar têmpera a; TÊMPERA [F.: Do lat. *temperamentum, i.*] ▪ **~ desigual** *Mús.* Divisão da oitava em intervalos de quintas naturais (nas quais as notas extremas do intervalo não são alteradas por acidentes musicais) [P. opos. a *temperamento igual.* Cf. *Sistema temperado* no verbete *sistema.*] **~ igual** *Mús.* Ver *Sistema temperado* no verbete *sistema*

temperança (tem.pe.*ran*.ça) ***sf.*** **1** Qualidade de quem sabe dominar e equilibrar seus desejos, paixões etc. **2** Moderação no comer e no beber; SOBRIEDADE; MODERAÇÃO **3** Economia, parcimônia [F.: Do lat. *temperantia, ae.*]

temperante (tem.pe.*ran*.te) ***a2g.*** **1** Dotado de temperança, moderação **2** Que é sóbrio no consumo de alimentos e bebidas; MODERADO; SÓBRIO **3** *Med.* Diz-se da substância com propriedades calmantes [F.: Do lat. *temperans, antis.*]

temperar (tem.pe.*rar*) ***v.*** **1** Adicionar (tempero, condimento etc.) em [***td.:*** *Temperou a salada.*] [***int.:*** *Agora só faltava temperar.*] **2** Tornar (o gosto) mais forte ou mais suave [***td.:*** *Temperou a bebida com um pouco de absinto.*] **3** Misturar para chegar a um meio-termo [***td.:*** *Temperou a água do banho, tornando-a mais morna.*] **4** Incluir (comentário, dito etc.) para dar mais graça, sabor [***td.:*** *Temperou o discurso com tiradas humorísticas.*] **5** Dar consistência a (um metal) [***td.***] **6** *Fig.* Fortalecer, avigorar (algo ou a si mesmo) [***td.:*** *Temperou o ânimo para não brigar; Temperava-se sempre em situações de risco.*] **7** *Fig.* Tornar (algo) menos intenso, suavizar, amenizar [***td.:*** *Precisava temperar suas tendências agressivas; Temperava a luz com um cortinado.*] **8** *Fig.* Juntar (algo) a (outra coisa) [***tdr.*** + *de*: *Temperava de bom humor suas jornadas de trabalho.*] **9** Dar equilíbrio, harmonia a (algo ou si mesmo); conciliar(-se) [***td.:*** *Sempre procurava temperar as sugestões antagônicas; Um diante do outro, os lutadores temperavam-se.*] [***tdr.*** + *com*: *Seu estilo de jogo temperava agressividade com cautela.*] **10** Colocar-se de acordo [***tdr.*** + *com*: *Não temperava com* *o estilo de jogo de seu companheiro.* **11** Tratar (algo) com fogo ou calor, para obter maior resistência [*td.*: *Temperar metais/vidros.*] **12** Moderar o modo de se expressar; não ofender [*td.*: *Ao falar, ainda que zangado, temperava as palavras.*] **13** *Mús.* Tornar afinado (instrumento musical) [*td.*] **14** *Lus.* Consertar roupa. [*td.*] **15** *Lus.* Dar caça aos zangões; controlar a colmeia [*td.*] [▶ 1 temperar] [F.: Do lat. *temperare*. Hom./Par.: *tempero(s)* (fl), *tempero* /ê/ (sm.); *tempera(s)* (fl).) *têmpera* (sf. e pl.).]

temperatura (tem.pe.ra.*tu*.ra) *sf.* **1** Quantidade de calor em um ambiente, em um corpo etc. **2** *Clim.* Grau de calor na atmosfera: *A temperatura hoje chegou a 40 graus.* **3** *Med.* Grau de calor em um corpo humano: *O médico tomou-lhe a temperatura.* **4** *Pop.* Febre: *Ele está com temperatura.* **5** *Termod.* Grandeza empírica que descreve os fenômenos associados à sensação de calor ou frio em um sistema **6** *Fig.* Estado ou situação em um dado momento de uma atividade (temperatura política) [F.: Do lat. *temperatura, ae.*] ■ **~ absoluta** *Fís.* A que é medida na escala Kelvin, na qual a temperatura da água no ponto de equilíbrio (entre seus estados sólido, líquido e gasoso) é de 273,16 °K [Símb.: *T*] **~ basal** *Fisl.* A temperatura do corpo quando em absoluto repouso **~ Celsius** *Fís.* Ver *Temperatura centígrada.* **~ centesimal** *Fís.* Ver *Temperatura centígrada.* **~ centígrada** *Fís.* A que é medida na escala Celsius, ou centígrada, na qual a temperatura de fusão do gelo em água é 0 °C e a de ebulição da água 100 °C **~ crítica** *Fís.* Aquela acima da qual não é possível liquefazer um gás real por compressão isotérmica **~ de cor** *Fís.* Temperatura que se determina pela relação entre a energia irradiada por um corpo num certo comprimento (ou faixa de comprimentos) de onda e aquela irradiada por um corpo negro no mesmo comprimento (ou faixa de comprimentos) de onda **~ internacional** *Fís.* Temperatura medida na escala internacional de temperatura **~ Kelvin** *Fís.* Temperatura absoluta, medida na escala Kelvin

tempérie (tem.*pé*.rie) *sf. Ant.* Condição atmosférica levando em conta o calor e a umidade do ar; TEMPERATURA [F.: Do lat. *temperies, ei.*]

temperilho (tem.pe.*ri*.lho) *sm.* **1** Destreza no manejo das rédeas **2** Tempero grosseiro ou de pouca qualidade **3** *Vet.* Mistura equilibrada de alimentos com medicamentos para ser ministrada a animais doentes [F.: *tempero* + *-ilho.*]

tempero (tem.*pe*.ro) [ê] *sm.* **1** O que se adiciona à comida para aprimorar-lhe o gosto; CONDIMENTO **2** Estado da comida temperada **3** *Fig.* Caráter, sabor, tom: *Todos esses detalhes deram ao assunto um tempero sensacionalista.* **4** *Pop.* Meio de ajustar e concluir um negócio **5** Remédio, cura **6** *Med.* Efeito de um medicamento temperante [F.: Dev. de *temperar*. Hom./Par.: *tempero* (sm.), *tempero* (fl. de *temperar*).] ■ **Virado no ~ 1** *PB Pop.* Muito irritado, colérico **2** Levado, travesso

tempestade (tem.pes.*ta*.de) *sf.* **1** Fenômeno atmosférico que produz chuva muito forte, ou nevasca (tempestade de neve); TEMPORAL [Ant.: *bonança*.] **2** *Fig.* Perturbação, desordem, agitação **3** Grande estrondo (tempestade de artilharia) **4** Grande agitação moral: *Que tempestade lhe vai na alma!* **5** *Fig.* Grande desordem, agitação: *Levantou-se no plenário uma violenta tempestade.* [F.: Do lat. *tempestas, atis.*] ■ **~ em copo de água** Reação negativa exagerada a uma causa não tão grave **~ magnética** *Geof.* Intensa e repentina perturbação no campo magnético da Terra, ger. devido a atividade solar

tempestear (tem.pes.te.*ar*) *v.* **1** Maltratar, perseguir [*td.*] **2** Fazer barulho como o de tempestade [*int.*] [▶ 13 tempestear] [F.: rad. *tempest-* + *-ear*².]

tempestivamente (tem.pes.ti.va.*men*.te) *adv.* De modo tempestivo, no momento certo, no tempo oportuno: "O mais grave é que tudo poderia ter sido evitado (...) adotando tempestivamente medidas eficazes (...)." (*O Globo*, 05.06.2001) [F.: Fem. de *tempestivo* + *-mente.*]

tempestividade (tem.pes.ti.vi.*da*.de) *sf.* Caráter ou qualidade de tempestivo; OPORTUNIDADE [F.: Do lat. *tempestivitas, atis.*]

tempestivo (tem.pes.*ti*.vo) *a.* Que ocorre na ocasião certa; OPORTUNO [Ant.: *intempestivo.*] [F.: Do lat. *tempestivus, a, um*, 'oportuno'.]

tempestuosamente (tem.pes.tu.o.sa.men.te) *adv.* **1** De modo tempestuoso **2** *Fig.* De maneira agitada ou violenta: *Avançou tempestuosamente para cima do entrevistador.* [F.: Fem. de *tempestuoso* + *-mente.*]

tempestuosidade (tem.pes.tu:o.si.*da*.de) *sf.* Qualidade ou característica do que é tempestuoso [F.: *tempestuoso* + *-(i)dade.*]

tempestuoso (tem.pes.tu.*o*.so) [ô] *a.* **1** Em que há tempestade (mar tempestuoso) **2** Que causa tempestade (vento tempestuoso) **3** Que é suscetível a tempestades (região tempestuosa) **4** *Fig.* Agitado, violento: "Mas a gritaria tempestuosa continuava..." (Joaquim Manuel de Macedo, *Luneta mágica*) [Pl.: [ó]. Fem.: [ó].] [F.: Do lat. *tempestuosus, a, um.*]

templário (tem.*plá*.ri.o) *sm. Rel.* Cavaleiro do Templo (ordem militar e religiosa fundada por Hugues de Payn em 1118, em Jerusalém, e extinta pelo papa São Clemente em 1317) [F.: Do lat. medv. *templarius.*]

templo (*tem*.plo) *sm.* **1** Edifício público consagrado a divindade(s) e ao culto religioso **2** Igreja, entre os cristãos **3** Lugar onde se reúnem os membros da maçonaria **4** *Fig.* Lugar onde se pratica uma arte, um esporte etc.: *O maracanã é o templo do futebol.* **5** *Hist.* Lugar descoberto e sagrado, entre os romanos [F.: Do lat. *templum, i.*]

tempo (*tem*.po) *sm.* **1** Aquilo que é medido em horas, dias, meses ou anos; período; duração: *Quanto tempo leva daqui até lá?; Essa camisa durou muito tempo.* **2** Época, lapso de tempo futuro ou passado: *Naquele tempo, íamos a mais festas; Quando me chegar o tempo da velhice.* **3** Oportunidade ou circunstância disponível para a realização de algo: *Era tempo de safar-me daquele incômodo, saí.* **4** Condição atmosférica numa região em certo período: *O tempo anda muito chuvoso.* **5** A época atual: *Vivemos tempos bem difíceis.* **6** Estação, quadra do ano própria de certas atividades, de certos fenômenos: *Chegou o tempo da colheita das uvas; No Nordeste do Brasil, julho é tempo de chuva.* **7** Estado meteorológico da atmosfera: *No Rio de Janeiro, tempo instável, sujeito a chuvas.* **8** *Fut.* Cada uma das duas etapas em que se divide uma partida: *O primeiro tempo terminou empate; vamos ver se no segundo tempo desempatam.* **9** *Geol.* Épocas correspondentes à formação de um certo número de camadas da crosta terrestre: *Nos últimos tempos do Triássico, as águas cobriam a crosta terrestre.* **10** *Hist.* Época determinada em que ocorreu um fato ou existiu um personagem marcante: *No tempo das invasões bárbaras; Armaduras do tempo de Carlos Magno.* **11** *Esp.* Na ginástica, a duração de certos movimentos regulares, com pausas distintas **12** *Cron.* O tempo contado e regulado segundo algum critério cronológico: *tempo astronômico, civil, sideral ou solar é o tempo regulado segundo o dia respectivamente astronômico, civil, sideral ou solar.* **13** *Gram.* Flexão que determina o momento (passado, presente ou futuro) em que se realiza a ação verbal **14** *Mús.* Duração de cada unidade do compasso: *Tempo forte; tempo fraco.* **15** *Mús.* Movimento com que deve ser executado um trecho de música e que se indica por expressões técnicas: moderato, alegreto, marcha etc. **16** *Fig.* A atmosfera, o ar livre a céu descoberto: *A estátua estragou-se porque ficava no tempo.* [F.: Do lat. *tempus, oris*. Ideia de 'tempo': *cron(o)-* (*cronômetro*); *-cronia* (*sincronia*); *-crono* (*síncrono*); *-evo* (*longevo*).] ■ **A seu ~** No momento oportuno, na ocasião adequada: *Não se apresse, tudo a seu tempo.* **A ~ 1** No momento adequado ou oportuno; a tempo e a hora **2** Ainda no prazo para alcançar ou realizar algo: *Chegou a tempo (de tomar o trem das 10h).* **A ~ e a hora(s)** Ver *A tempo* (1) **A todo ~** *Pop.* Sempre, a/em qualquer momento **A um só ~** Ao mesmo tempo, simultaneamente **A um ~ só** Ver *A um só tempo* **Com ~ 1** Sem estar ocupado com algo: *Podemos conversar, estou com tempo agora.* **2** Sem se apressar ou precipitar; sem necessidade de se apressar **Dar ~ ao ~** Aguardar que as coisas se resolvam no decorrer do tempo **Dar um ~ 1** *Bras.* Interromper por algum tempo o que se está fazendo (esp. namoro, relação pessoal) **2** Esperar durante algum tempo **Desabar o ~** *Bras. Pop.* Chover torrencialmente **De ~(s) a/em ~(s)** De vez em quando, ocasionalmente **Em dois ~s** Rapidamente, num instante: *Ninguém conseguira, mas ele resolveu o problema em dois tempos.* **Em ~ de** Incorrendo em risco de, arriscando-se a: *Não usou protetor solar, em tempo de ter queimadura de sol.* **Em ~ recorde** *Bras.* Muito rapidamente, o mais rápido possível **Esquentar o ~** Ver *Fechar o tempo* (2) **Fechar o ~ 1** *Bras.* Tornar-se o céu nublado, ameaçando chuva **2** Iniciar-se ou desenvolver-se uma situação de conflito, briga etc. **Ganhar ~** Prolongar, delongar ou adiar a execução de algo, ou alguma medida, tomada de providência etc., na expectativa de um momento melhor, ou para preservar uma situação até que se esgote seu tempo de duração **Haver ~(s)** Ter decorrido certo tempo, ou muito tempo: *Encontrei-me com ele já há algum tempo; Há tempos que não nos falamos.* **Lutar contra o ~** Esforçar-se por terminar um trabalho, uma tarefa etc., dentro de um prazo predeterminado **Matar o ~** Distrair-se com algo enquanto o tempo passa **Não ter ~ nem para se coçar** Estar muito ocupado com algo, sem tempo para outras coisas **Nesse meio ~** Enquanto isso, nesse interim **Passar o ~ 1** Ocupar-se de algo, ter certa atividade durante um período: *Passa o tempo escrevendo crônicas.* **2** Ver *Matar o tempo* **Perder o ~ e o latim** Tentar, inutilmente, explicar, ensinar, aconselhar algo **Perder ~** Desperdiçar tempo tentando fazer algo sem resultado, ou por ter sido atrapalhado pelas circunstâncias, por falhas de terceiros ou de equipamentos etc. **Pisar no ~** *Bras. Pop.* Fugir **Ser ~ de** Ter chegado o momento ou a ocasião de, a estação de etc.: *O outono é tempo de plantar, a primavera, de colher.* **~ absoluto** *Gram.* Tempo verbal que se refere ao momento da enunciação do fato [P. ex., o presente, o imperfeito, o futuro do presente etc.] **~ astronômico 1** *Astron.* O tempo medido segundo referências e padrões astronômicos **2** O tempo solar, considerando-se que o dia começa ao meio-dia; pode ser aparente ou médio **~ compartilhado** *Inf.* Modalidade de uso de um computador que é simultaneamente compartilhado por vários usuários [O tempo para execução das múltiplas tarefas é dividido em pacotes, alternadamente à disposição de cada usuário. Cf.: *multitarefa.*] **~ composto** *Gram.* O que se conjuga com um verbo auxiliar e uma forma nominal (infinitivo, particípio, gerúndio) do verbo principal **~ da salga** *AM* Época em que se pescam e se salgam os peixes **~ das efemérides** *Astron.* Tempo que tem como referência a duração do ano trópico de 1900, e que não se baseia na duração da rotação terrestre **~ das vacas gordas** Época de prosperidade, riqueza, fartura **~ das vacas magras** Época de escassez, pobreza, penúria **~ de aberração** *Astron.* O que é gasto pela luz para vir de um corpo celeste à Terra; tempo de luz **~ de casa** Tempo decorrido desde a admissão de empregado, funcionário etc. (em relação à firma, empresa, casa etc. que o admitiu); tempo de serviço **~ de D. João Charuto** *Bras.* Ver *Tempo do Onça* **~ de geração** *Fís. nu.* Tempo médio que decorre num reator nuclear entre a formação de nêutrons (numa fissão nuclear) e o momento em que estes dão início a novas fissões **~ de luz** *Astron.* Ver *Tempo de aberração* **~ de serviço** Ver *Tempo de casa* **~ de vida 1** *Quím.* Tempo necessário que a concentração de uma substância ou a intensidade de um fenômeno químico se reduza a um certo nível (36,79% do original) **2** Tempo no qual um dispositivo, maquinismo etc. mantém suas especificações, sem se tornar inútil ou obsoleto **~ do Onça** *Bras.* Tempo muito antigo, remoto; tempo de D. João Charuto **~ do rei velho** Ver *Tempo do Onça* **~ do ronca** *Bras.* Ver *Tempo do Onça* **~ dos Afonsinhos** Ver *Tempo do Onça* **~ dos Afonsinos** Ver *Tempo do Onça* **~ em que se amarrava cachorro com linguiça** *Pop. Joc.* Tempo antigo (em alusão ao tempo em que tudo era mais barato) **~ geológico** *Geol.* Tempo decorrido entre o fim da formação da Terra como planeta e o início da era da escrita **~ hábil** Lapso de tempo disponível para execução de algo, ou previsto em regulamento, acordo etc. como tempo de vigência de medida, condição etc. **~ integral** Duração de um expediente completo segundo a lei; horário integral **~ local** O tempo (hora, minutos e segundos) vigente no fuso horário local **~ morto 1** Em automação, num transdutor, intervalo de tempo entre o início de um sinal de entrada e o do sinal de saída a ele correspondente **2** Intervalo de tempo entre uma tomada de decisão e o efeito da ação dela decorrente **~ real 1** *Inf.* Termo que designa o tipo de processamento de resultado imediato, quase simultâneo às ações que o acionam **2** *Jorn.* Diz-se do tipo de cobertura jornalística simultânea ao evento focado **~ relativo** *Gram.* Todo tempo verbal que se refere a um futuro ou passado constante em relação à enunciação [P. ex., o mais-que-perfeito, o futuro do pretérito etc.] **~s fabulosos** Tempos muito antigos, referidos na mitologia pagã **~ sideral** *Astron.* Tempo medido pela rotação da Terra, tendo como referência o que decorre entre duas passagens sucessivas do ponto vernal pelo meridiano superior local **~ simples** *Gram.* Tempo verbal que se conjuga sem verbo auxiliar **~ solar verdadeiro** *Astron.* Tempo medido pelo ângulo horário aparente do Sol em dado momento, em relação a um dado lugar **Ter ~ (para) 1** Dispor de tempo (para algo, tarefa, lazer etc.): *Não tinha tempo para atender os clientes.* **2** Haver tempo suficiente até que algo aconteça ou comece: *Não se apresse para a sessão, ainda tem tempo.*

tempo-quente (tem.po-*quen*.te) *sm.* **1** *Bras.* Discussão, briga **2** Desordem, tumulto **3** *RJ* Ave (Tapera naevia) da fam. dos cuculídeos; SACI [Pl.: *tempos-quentes.*]

têmpora (*têm*.po.ra) *sf.* **1** *Anat.* Cada uma das partes laterais e superiores da cabeça; FONTE **2** *Rel.* Na liturgia católica, os três dias de jejum que correspondem a cada uma das estações do ano [F.: Do lat. *tempus, oris.*]

temporada (tem.po.*ra*.da) *sf.* **1** Determinado espaço de tempo (curta temporada) **2** Época própria para certas atividades (temporada de caça) **3** Estação do ano [F.: *tempo* + *-r-* + *-ada.*]

temporal[1] (tem.po.*ral*) *a2g.* **1** Ref. ao tempo; TEMPORÁRIO **2** Que dura só algum tempo ou que não dura por muito tempo; TEMPORÁRIO **3** Que se refere a coisas materiais; MUNDANO [Ant.: *espiritual.*] **4** Leigo, civil, secular (autoridade temporal) **5** *Gram.* Diz-se da conjunção subordinativa que expressa o tempo (p. ex.: *quando*) [Pl.: *-rais.*] *sm.* **6** Tempestade, com chuva e vento fortes [Pl.: *-rais.*] *sf.* **7** *Gram.* Conjunção temporal [Pl.: *-rais.*] [F.: Do lat. *temporalis, e*, 'do ou relativo ao tempo'.]

temporal[2] (tem.po.*ral*) *a2g.* **1** *Anat.* Ref. a têmpora (1) [Pl.: *-rais.*] *sm.* **2** Osso par da região lateral e inferior do crânio [Pl.: *-rais.*] [F.: Do lat. *temporalis, e*, 'de ou relativo à têmpora ou às têmporas'.]

temporalidade (tem.po.ra.li.*da*.de) *sf.* **1** Qualidade do que é temporal **2** Estado do que é temporário; INTERINIDADE **3** Bens temporais, coisas mundanas [F.: Do lat. *temporalitas, atis.*]

temporalização (tem.po.ra.li.za.*ção*) *sf.* **1** Ato ou efeito de tornar transitório, temporário **2** Ato ou efeito de tornar não religioso, secular, leigo [Pl.: *-ções.*] [F.: *temporalizar* + *-ção.*]

temporalizar (tem.po.ra.li.*zar*) *v. td.* **1** Tornar temporal ou transitório **2** Tornar leigo, secular [▶ 1 temporalizar] [F.: *temporal* + *-izar.*]

temporalmente (tem.po.ral.*men*.te) *adv.* **1** De modo que fique adequado à passagem do tempo: "Os esquemas de proteção devem ser seletivos e temporalmente estabelecidos (...)." (*O Globo*, 19.09.1998) **2** De maneira não religiosa, espiritual ou clerical; MUNDANAMENTE; SECULARMENTE [F.: *temporal* + *-mente.*]

temporão (tem.po.*rão*) *a.* **1** Que vem ou que acontece fora da época apropriada (fruta/chuva temporã); EXTEMPORÂNEO; SERÔDIO; TARDIO **2** Diz-se do filho que nasce bem depois do irmão que o antecede imediatamente ou bem depois do casamento dos pais *sm.* **3** Filho temporão [Pl.: *-rãos*. Fem.: *-rã.*] [F.: Do lat. vulg. *temporanus.*]

temporariamente (tem.po.ra.ri:a.*men*.te) *adv.* Durante um certo tempo; PROVISORIAMENTE; MOMENTANEAMENTE; TRANSITORIAMENTE [F.: o fem. de *temporário* + *-mente.*]

temporariedade (tem.po.ra.ri.e.*da*.de) *sf.* Qualidade ou condição do que é temporário, momentâneo; TRANSITO-

RIEDADE: *A temporariedade dos empregos gera insegurança nos jovens.* [F.: *temporário* + *-dade.*]

temporário (tem.po.*rá*.ri:o) ***a.*** **1** Que não é definitivo (trabalho temporário); PROVISÓRIO **2** Temporal, que se refere ao tempo [F.: Do lat. *temporarius, a, um,* 'variável, temporário'.]

temporizado (tem.po.ri.*za*.do) ***a.*** **1** Que é controlado por tempo: *Minuteria é um sistema temporizado para economizar energia.* **2** O mesmo que *contemporizado*; MODERADO [F.: Part. de *temporizar.*]

temporizador (tem.po.ri.za.*dor*) [ô] ***a.*** **1** Que temporiza **2** *Elet.* Diz-se de dispositivo que liga e desliga um circuito em tempo predeterminado ***sm.*** **3** Aquele que contemporiza **4** Dispositivo que emite um sinal sonoro após decorrido o intervalo de tempo predeterminado pelo usuário [F.: *temporizar* + *-dor.*]

temporizar (tem.po.ri.*zar*) ***v.*** **1** Transferir para outra ocasião; ADIAR; PROTELAR [***td.***: *Temporizou o pagamento o máximo possível.*] **2** Esperar ocasião mais favorável, propícia [***int.***: "Mas transigem com as circunstâncias e adotam o arbítrio de temporizar." (Camilo Castelo Branco, *Maria da Fonte*)] **3** Fazer acordo, acomodação das coisas; CONTEMPORIZAR; TRANSIGIR [***ti.*** + *com*: *Preferiu temporizar com o irmão.*] [▶ 1 temporizar] [F.: *tempo* na f. do rad. *tempor* + *-izar.*]

temporomandibular (tem.po.ro.man.di.bu.*lar*) ***a2g.*** Referente a articulação da têmpora com a mandíbula (tensão temporomandibular) [F.: *têmpora* (na f. *temporo*) + *mandibular.*]

tempo-será (tem.po-se.*rá*) ***sm2n.*** *Bras. Lud.* Brincadeira de crianças que consiste em esconderem-se até que uma delas as encontre; o mesmo que *esconde-esconde* [F.: *tempo* + 3ª pess. sing. do fut. ind. de *ser.*]

tempurá (tem.pu.*rá*) ***sm.*** *Cul.* Prato japonês feito com camarões e/ou legumes empanados e fritos

tem-tem[1] (tem-*tem*) *Ornit.* ***sm.*** **1** Tipo de falcão (*Micrastur semitorquatus*) comum no Brasil, de face, coleira e lateral do ventre brancos, dorso escuro e asas curtas; GAVIÃO-RELÓGIO; SAÍRA **2** Pássaro ornamental frugívoro, colorido, com até 12 cm de comprimento; GATURAMO [Pl.: *tem-tens.*]

tem-tem[2] (tem-*tem*) ***sm.*** *Fam.* O equilíbrio precário de uma criança que começa a andar [F.: Posv. da expressão '*tente,* não caias', que se diz à criança que começa a andar.]

tenácia (te.*ná*.ci.a) ***sf.*** *P. us.* Ver *tenacidade*

tenacidade (te.na.ci.*da*.de) ***sf.*** **1** Qualidade do que é tenaz, persistente; OBSTINAÇÃO; PERSEVERANÇA **2** Qualidade do que é resistente ou difícil de quebrar: *a tenacidade de uma rocha.* **3** Capacidade de um material de absorver energia até seu rompimento **4** Qualidade de forte aderência **5** *Fig.* Apego, aferro: *tenacidade às coisas materiais.* [F.: Do lat. *tenacitas, atis.*]

tenacíssimo (te.na.*cís*.si.mo) ***a.*** Superl. abs. sint. de *tenaz*

tenalgia (te.nal.*gi*:a) ***sf.*** *Med.* Dor num tendão [F.: *ten(o)-* + *-algia.*]

tenálgico (te.*nál*.gi.co) ***a.*** *Med.* Ref. a ou próprio de tenalgia [F.: *tenalgia* + *-ico[2]*.]

tenaz (te.*naz*) ***a2g.*** **1** Que é persistente, obstinado: *Por ser tenaz, consegue tudo que quer.* **2** Difícil de debelar, extinguir ou destruir (dor/hábito tenaz) **3** Muito aderente (cola tenaz) **4** Firme, constante, vigoroso: *Renderam-se após tenaz resistência.* **5** Que prende e agarra com força (mão tenaz) **6** Diz-se de substância com grande capacidade de aderência [Superl.: *tenacíssimo.*] ***sf.*** **7** Ferramenta para segurar carvão, ferro em brasa etc., similar a uma tesoura **8** Pinça **9** A pata preênsil do caranguejo [F.: Do lat. *tenax, acis.*]

tenazmente (te.naz.*men*.te) ***adv.*** De maneira tenaz: *objetivo tenazmente perseguido.* [F.: *tenaz* + *-mente.*]

tenção (ten.*ção*) ***sf.*** **1** Intenção, propósito, desígnio: *Nossa tenção é ajudá-lo.* **2** Assunto, tema: *a tenção de um poema.* **3** *Her.* Divisa do escudo alusiva a algum feito memorável **4** Devoção, adoração **5** *Jur.* Voto fundamentado que os juízes dão em separado nos julgamentos de segunda instância [Pl.: *-ções.*] [F.: Do lat. *tentio, onis.* Hom./Par.: *tenção* (sf.), *tensão* (sf.).] ▪ **Tenções dobradas** Trocadilho, jogo de palavras

tencionar (ten.ci:o.*nar*) ***v.*** **1** Ter a intenção de; PLANEJAR; PRETENDER [***td.***: *Meus pais tencionam mudar de cidade.*] **2** *Jur.* Escrever (o juiz) nos autos o seu voto ou tenção [***int.***: *O juiz negou-se a tencionar.*] [▶ 1 tencionar] [F.: *tenção* + *-ar[2]*, seg. o mod. erudito. Hom./Par.: *tensionar* (v.).]

tenda (*ten*.da) ***sf.*** **1** Barraca us. em acampamento civil ou militar: "As tendas estavam alinhadas sem ordem, ao acaso, todos procurando a maior proximidade do rio." (Eça de Queirós, *Últimas páginas*) **2** *Med.* Cobertura de material transparente destinada a isolar o paciente do ambiente externo para ministrar-lhe oxigênio **3** Barraca de feirante **4** Venda, mercearia **5** *Bras.* Pequena oficina de ferreiro, sapateiro, marceneiro etc. **6** Lugar onde ficam os tachos, nos engenhos de açúcar **7** Conjunto dos copos de folha em que se recolhe o látex da mangabeira **8** Caixa em que o vendedor ambulante carrega suas mercadorias **9** *Rel.* Local em que se realizam as sessões umbandistas e espíritas [Dim.: *tendilha, tendola.*] [F.: Or. contrv.] ▪ **~ de oxigênio** *Med.* Cobertura de matéria plástica que isola paciente em seu leito da atmosfera exterior, e em cujo interior se ministra oxigênio

tendal (ten.*dal*) ***sm.*** **1** Local onde se assentam as formas nos engenhos de açúcar **2** Nos carros de boi, peça de madeira que se encaixa na parte superior da estaca que segura a carga e a esteira **3** *Mar.* Toldo fixo na primeira coberta da embarcação **4** *P. ext.* Toldo, tenda [Pl.: *-dais.*] [F.: *tenda* + *-al[1]*. Hom./Par.: *tendais* (pl.), *tendais* (fl. de *tender*).]

tendão (ten.*dão*) ***sm.*** *Anat.* Tecido fibroso que une os músculos aos ossos (tendão de Aquiles) [Pl.: *-dões.*] [F.: Do lat. cient. *tendo, inis.*] ▪ **~ calcâneo** *Anat.* Aquele que insere os músculos posteriores da perna no calcâneo [Na nomenclatura anatômica antiga, *tendão de Aquiles.*] **~ de Aquiles** *Anat.* Ver *Tendão calcâneo* **~ patelar** *Anat.* Aquele que se estende da patela (rótula) à tíbia

tendeiro (ten.*dei*.ro) ***sm.*** **1** Que possui tenda **2** Comerciante que vende suas mercadorias em tenda **3** *Pop.* O diabo [F.: *tenda* + *-eiro.*]

tendência (ten.*dên*.ci:a) ***sf.*** **1** Característica temperamental ou orgânica que se manifesta com frequência; PROPENSÃO [+ *a, de, em, para*: *Tendência à depressão; Tendência de engordar; Tendência das crianças em discordar dos mais velhos; Tendência para evitar confrontos diretos.*] **2** Vocação, inclinação, pendor: *Nunca teve tendência para as ciências exatas.* **3** Direção ou forma que algo toma em determinada época: *as tendências da moda atual.* **4** Disposição, intenção: *Este livro tem tendências revolucionárias.* **5** Ação, força pela qual um corpo é levado a mover-se: *Todo corpo tem tendência para a terra, atraído pela gravidade.* [F.: *tend* (rad. de *tendente*) + *-ência.*]

tendencial (ten.den.ci.*al*) ***a2g.*** Que apresenta ou em que há tendência(s) (grupo tendencial) [Pl.: *-ais.*] [F.: *tendência* + *-al.*]

tendenciosamente (ten.den.ci.o.sa.*men*.te) ***adv.*** De maneira tendenciosa, parcial: "O juiz (...) foi acusado de atuar tendenciosamente em seis processos." (*O Globo*, 02.07.2004) [F.: o fem. de *tendencioso* + *-mente.*]

tendenciosidade (ten.den.ci.o.si.*da*.de) ***sf.*** Caráter ou qualidade do que ou de quem é tendencioso: *Estava clara a tendenciosidade das pesquisas de intenção de voto.* [F.: *tendencioso* + *-(i)dade.*]

tendencioso (ten.den.ci.*o*.so) [ô] ***a.*** Que indica ou que tem segundas intenções, parcialidade ou preconceito (opinião tendenciosa) [Pl.: [ó]. Fem.: [ó].] [F.: *tendência* + *-oso.*]

tendente (ten.*den*.te) ***a.*** **1** Que tende, que se encaminha para algum fim: *medidas tendentes a reduzir os gastos.* **2** Inclinado, propenso: *O novo prefeito mostrou-se tendente a atualizar os impostos municipais.* [F.: *tender* + *ente.*]

tendepá (ten.de.*pá*) ***sm.*** *Bras. Pop.* Briga, rixa, gritaria, confusão

tender (ten.*der*) ***v.*** **1** Ter inclinação ou propensão a [***tr.*** + *a*: *Problemas de saúde tendem a se agravar com o tempo.*] **2** Ter vocação para [***tr.*** + *para*: *Meus irmãos tendem para as artes.*] **3** Ter (algo) por fim; ter em vista [***tr.*** + *para*: *Seus esforços tendiam para manter a firma aberta.*] **4** Inclinar-se [***ta.***: *A roda da moto tendia para a direita.*] **5** Aproximar-se de [***tr.*** + *para*: *Seus cabelos tendem para o castanho.*] **6** Aspirar a (alguma coisa), esforçar-se por alcançá-la [***tr.*** + *para*: *O homem tende para a perfeição.*] **7** Encher, desfraldar [***td.***: *O vento tende as velas.*] **8** Dirigir-se, encaminhar-se [***ti.*** + *para*: *Todo o seu comportamento tende para a autodestruição.*] **9** Aproximar-se de [***ti.*** + *para*: *Suas roupas sempre tendiam para o bege.*] **10** Ter como aspiração [***ti.*** + *para*: *O bom profissional tende para o perfeccionismo.*] [▶ 2 tender] [F.: Do lat. *tendere.* Hom./Par.: *tendais* (fl.), *tendais* (pl. de *tendal*); *tênder* (a2g2n. sm.); *tenderes* (fl.), *tênderes* (pl. de *tênder*).]

tênder[1] (*tên*.der) ***a2g.*** **1** Diz-se de tipo de presunto defumado industrialmente ***sm.*** **2** Esse presunto [F.: Substv. do a. ing. *tender,* 'tenro', 'macio'. Hom./Par.: *tênder* (sm.), *tender* (v.); *tênderes* (pl.), *tenderes* (fl. de *tender*).]

tênder[2] (*tên*.der) ***sm.*** *Fer.* Vagão engatado às antigas locomotivas a vapor, com o fim de levar a água e o carvão (ou a lenha) necessários à alimentação da máquina [F.: Do ing. *tender.* Hom./Par.: Ver *tênder[1]*.]

tendíneo (ten.*dí*.ne.o) ***a.*** O mesmo que *tendinoso*

tendinha (ten.*di*.nha) *Bras.* ***sf.*** **1** Mercadinho humilde; BIROSCA **2** Pequeno restaurante para refeições rápidas; BOTEQUIM [F.: *tend(a)* + *-inha.*]

tendinite (ten.di.*ni*.te) ***sf.*** *Med.* Inflamação de um tendão [F.: *tendin* (rad. do lat. *tendo, inis*) + *ite.*]

tendinoso (ten.di.*no*.so) [ô] ***a.*** **1** *Anat.* Ref. ou pertencente a tendão (ligamento tendinoso); TENDÍNEO **2** Que é da natureza dos tendões (tecido tendinoso) [Pl.: [ó]. Fem.: [ó].]

tênebra (*tê*.ne.bra) ***sf.*** *Ant.* Escuridão profunda; TREVA [F.: Do lat. *tenebra, ae.*]

◎ **tenebr(i)-** ***el. comp.*** = 'trevas': *tenebrário* (< lat.), *tenebrífero, tenebroso* (< lat.) [F.: Do lat. *tenebra, ae,* 'treva'.]

tenebricoso (te.ne.bri.*co*.so) [ô] *P. us.* ***a.*** **1** Com perturbação visual ou de entendimento **2** Sem clareza, confuso; OBSCURO [Pl.: [ó]. Fem.: [ó].] [F.: Do lat. *tenebricosus, a, um.*]

tenebrosidade (te.ne.bro.si.*da*.de) ***sf.*** Qualidade ou característica do que é tenebroso [F.: Do lat. *tenebrositas, atis.*]

tenebroso (te.ne.*bro*.so) [ô] ***a.*** **1** *Fig.* Que causa medo (história tenebrosa); MEDONHO; TERRÍVEL **2** Cheio de trevas; ESCURO; SOMBRIO: *um longo e tenebroso inverno.* **3** *Fig.* Magoado, aflito: *O frade trazia a alma tenebrosa e cansada.* **4** Malévolo, perverso: *Deu-lhe uns conselhos tenebrosos.* **5** *Fig.* Obscuro, difícil de entender (livro tenebroso) [Pl.: [ó]. Fem.: [ó].] [F.: Do lat. *tenebrosus, a, um,* 'cheio de trevas'.]

tenedura (te.ne.*du*.ra) ***sf.*** *S.* Excremento de animais selvagens

tenência (te.*nên*.ci:a) ***sf.*** **1** *Bras. Pop.* Prudência, cuidado: *É necessário tomar tenência.* **2** *Bras. Pop.* Vigor, firmeza: "De ver Diadorim, um agrado, minha tenência pegava a se enfraquecer." (Guimarães Rosa, *Grande sertão: veredas*) **3** *S* Costume, hábito, jeito **4** *Mil.* Posto de tenente **5** *Mil.* A casa em que habita o tenente **6** Tença, posse: "...durante os oito anos de tenência, nunca mais pôs os pés em Cartago." (Aquilino Ribeiro, *Avós de nossos avós*) [F.: Do lat. vulg. *tenentia, ae.*] ▪ **Tomar ~ de** *Bras. Pop.* Observar, examinar com prudência

tenente (te.*nen*.te) ***sm.*** **1** *Mil.* Patente militar acima de sargento e abaixo de capitão **2** Militar que tem essa patente **3** *Bras. Mil.* Patente de primeiro e segundo-tenente **4** O que supre o lugar de um chefe e comanda na sua ausência **5** *Lus.* Homem cuja esposa é adúltera [F.: Do lat. *tenens, entis,* pelo fr. *(lieu)tenant.*]

tenente-brigadeiro (te.nen.te-bri.ga.*dei*.ro) ***sm.*** **1** *Mil.* Patente militar (Ver quadro *Hierarquia Militar Brasileira*) **2** Militar que tem essa patente [Pl.: *tenentes-brigadeiros.*] [Tb. se diz apenas *brigadeiro.*]

tenente-coronel (te.nen.te-co.ro.*nel*) ***sm.*** **1** *Mil.* Patente militar (Ver quadro *Hierarquia Militar Brasileira*) **2** Militar que tem essa patente **3** *Aer.* Red. de *tenente-coronel aviador* [Pl.: *tenentes-coronéis.*] [Tb. se diz apenas *coronel.*]

tenente-coronel aviador (te.nen.te-co.ro.nel a.vi.a.*dor*) [ô] ***sm.*** **1** *Mil.* Patente militar (Ver quadro *Hierarquia Militar Brasileira*) **2** Militar que tinha essa patente [Pl.: *tenentes-coronéis aviadores.*] [Tb. se diz apenas *coronel.*]

tenente-general (te.nen.te-ge.ne.*ral*) ***sm.*** **1** *Ant. Mil.* Patente militar (Ver quadro *Hierarquia Militar Brasileira*) **2** Militar que tinha essa patente [Pl.: *tenentes-generais.*]

tenentismo (te.nen.*tis*.mo) ***sm.*** **1** *Hist.* Conjunto de movimentos militares que, liderados por tenentes das Forças Armadas, culminaram com a Revolução de 1930, levando ao fim a Primeira República: "(...) no auge do Tenentismo, movimento de jovens oficiais do Exército contra a corrupção política da República Velha." (*O Globo*, 25.06.2005) **2** A ideologia desses movimentos [F.: *tenente* + *-ismo.*]

tenentista (te.nen.*tis*.ta) ***a2g.*** **1** Que diz respeito ao tenentismo (ciclo tenentista) **2** Diz-se do participante ou seguidor do tenentismo (militares tenentistas) ***s2g.*** **3** O simpatizante ou partícipe do tenentismo [F.: *tenente* + *-ista.*]

tenesmo (te.*nes*.mo) [ê] ***sm.*** *Med.* Espasmo doloroso do esfíncter da bexiga ou do ânus, acompanhado de forte vontade de urinar ou defecar, com eliminação mínima (ou nenhuma) de urina ou fezes: "...e um sentimento de opressão nos brônquios, sufocações, estases de pulso, dores lombares, tenesmos." (Abel Botelho, *Barão de Lavos*) [F.: *tenesmus, i.*]

tengo-tengo (ten.go-*ten*.go) ***adv.*** *N. E. Pop.* Bem devagarinho, sem fazer esforço, descansadamente

tênia (*tê*.ni:a) ***sf.*** *Med.* Nome comum aos vermes do gên. *Taenia*, que compreende parasitas intestinais, achatados e compridos; SOLITÁRIA [F.: Do lat. cient. *taenia.*]

teníase (te.*ní*.a.se) ***sf.*** *Med.* Infecção provocada por verme do gênero *Taenia* [F.: *teni(o)-* + *-íase.*]

tenífugo (te.*ní*.fu.go) ***a.*** **1** Diz-se de agente ou medicamento capaz de expulsar do corpo vermes do gênero *Taenia*; próprio desse agente ou medicamento: *É uma planta com propriedades tenífugas.* ***sm.*** **2** Este agente ou medicamento [F.: *teni(o)-* + *-fugo[2]*.]

teniídeo (te.ni.*í*.de:o) *Zool.* ***sm.*** **1** Espécime dos teniídeos, fam. de platelmintos parasitas cujo gênero-tipo é a tênia, também conhecida como solitária ***a.*** **2** Ref. ou pertencente aos teniídeos [F.: Adaptç. do lat. cient. *Taeniidae.*]

◎ **teni(o)-** ***el. comp.*** = 'fita'; 'tira'; 'tênia': *teníase, tenífugo, teniossomo* [F.: Do gr. *tainía, as.*]

tenioide (te.ni.*oi*.de) ***a2g.*** **1** Que tem forma de ou é semelhante a uma fita; TENIFORME **2** *Zool.* Semelhante a tênia [F.: *teni(o)-* + *-oide.*]

tenioideo (te.ni.*oi*.de:o) *Zool.* ***sm.*** **1** Espécime dos tenioideos, ordem de platelmintos na qual se incluem parasitas de vertebrados, inclusive do homem ***a.*** **2** Ref. ou pertencente aos tenioideos [F.: Adaptç. do lat. cient. *Taeniodea.*]

teniossomo (te.ni.os.*so*.mo) ***a.*** *Zool.* Cujo corpo tem a forma de fita (vermes teniossomos) [F.: *teni(o)-* + *-somo.*]

tênis (*tê*.nis) ***sm2n.*** **1** *Esp.* Jogo individual ou em dupla, em quadra retangular dividida por uma rede, por cima da qual os jogadores devem arremessar a bola usando uma raquete oval de cordas **2** Calçado leve e de sola flexível, próprio para a prática de esportes [F.: Do ing. *tennis.*] ▪ **~ de mesa** Esporte no qual um jogador ou dupla de jogadores se defronta com outro jogador ou dupla, cada qual numa das cabeceiras de uma mesa dividida ao meio por uma rede baixa, e que consiste em rebater com raquetes uma bola de celuloide por sobre a rede para o campo adversário de modo a tocar na mesa pelo menos uma vez, e a devolver por sobre a rede, nas mesmas condições, a bola arremessada por adversário, depois de ela tocar uma vez e apenas uma vez na mesa; pingue-pongue (versão não oficial do jogo)

📖 O tênis moderno foi inventado em 1873, e consiste em jogo disputado em uma quadra (com piso de grama, saibro ou material sintético) dividida em dois campos, separados por uma rede. O objetivo do jogo é lançar, com uma raquete, a bola para a quadra adversária, de modo a que toque o solo dentro dos limites marcados, sem que o competidor consiga devolvê-la nas mesmas condições, antes ou depois de tocar o solo uma vez. Jogam-se 3 ou 5 sets, sendo vencedor aquele que conquista 2 ou 3 sets, respectivamente. Cada set é dividido em jogos, ou games, cada um vencido pelo jogador que primeiro marcar 4 pontos, se houver um mínimo de 2 pontos de diferença. Se não, a disputa continua até um jogador abrir os dois pontos. As partidas podem ser simples, um jogador contra outro, ou de duplas, dois contra dois. Os principais torneios internacionais são os da chamada master series, promovidos pela Associação de Tenistas Profissionais (ATP), e a Taça Davis, disputada entre seleções nacionais. O Brasil já teve dois grandes vencedores nos torneios da ATP: Maria Ester Bueno e Gustavo Kuerten (Guga).

tenista (te.*nis*.ta) ***s2g.*** Pessoa que joga tênis [F.: *tênis* + *-ista*.]

tenístico (te.*nís*.ti.co) ***a.*** *Esp.* Que diz respeito a tênis (técnica tenística) [F.: *tenista* + *-ico*[2].]

◎ **ten(o)-** ***el. comp.*** = 'tendão': *tenalgia, tenotomia, tenótomo* [F.: Do gr. *ténon, ontos*.]

tenor[1] (te.*nor*) [ô] ***sm.*** **1** *Mús.* A voz mais aguda entre as vozes masculinas **2** Cantor que possui esse timbre de voz ***a2g.*** **3** Diz-se de instrumento cuja gama de notas musicais corresponde à de sons produzidos pelo tenor (1) (saxofone tenor) [F.: Do it. *tenore*.] ■ **~ de banheiro** *Joc.* Mau cantor; cantor de banheiro

tenor[2] (te.*nor*) [ô] ***sm.*** *Lus.* Na região do Alentejo, recipiente de barro para guardar banha, açúcar, azeitonas etc. [F.: De or. obsc.]

tenorino (te.no.*ri*.no) ***sm.*** **1** *Mús.* Tenor[1] (2) que canta em falsete **2** Tenor de poucos recursos [F.: Do it. *tenorino*.]

tenotomia (te.no.to.*mi*.a) ***sf.*** *Med. Cir.* Corte ou secção de tendão [F.: *ten(o)-* + *-tomia*.]

tenótomo (te.*nó*.to.mo) ***sm.*** *Cir.* Instrumento cirúrgico para realização de tenotomia [F.: *ten(o)-* + *-tomia*.]

tenro (*ten*.ro) ***a.*** **1** Que é mole, macio (filé tenro) [Ant.: *duro*.] **2** Delicado, fino (flor tenra) **3** Recente (tenra amizade) **4** Fresco, viçoso [Superl.: *tenríssimo*.] [F.: Do lat. *tener, tenera, tenerum*.]

tenrura (ten.*ru*.ra) ***sf.*** *P. us.* Qualidade ou estado de tenro [F.: *tenro* + *-ura*.]

tensão (ten.*são*) ***sf.*** **1** Estado ou qualidade do que é tenso **2** Estado de muita ansiedade e preocupação: *Ela anda sob muita tensão.* **3** Situação em que há grande possibilidade de violência ou conflito súbitos: *A tensão na área era grande, com policiais por todo lado.* **4** Estado do que está muito esticado, retesado: *a tensão de uma corda.* **5** *Fisl.* Estado de rigidez que se manifesta em certas partes do corpo (tensão muscular) **6** Força exercida por uma mola que se acha esticada **7** *Elet.* Diferença de potencial elétrico entre dois pontos de um circuito; VOLTAGEM **8** *Fon.* Esforço dos órgãos fonadores para articular os fonemas tensos **9** *Mec.* Força necessária para esticar um fio **10** *Liter.* O mesmo que *tense* [Pl.: *-ções*.] [F.: Do lat. *tensio, onis*. Hom./Par.: *tensão* (sf.), *tenção* (sf.). Ideia de 'tensão': *ton(i/o)-* (*tonificar*).] ■ **~ arterial** *P. us. Med.* Pressão arterial **~ elétrica** Num circuito elétrico, diferença de potencial entre dois pontos, capaz de originar corrente elétrica entre eles; tensão (6) **~ emocional** Estado psicológico de angústia, incerteza, nervosismo etc.; tensão nervosa **~ nervosa** *Med.* Ver *Tensão emocional* **~ normal** *Fís.* Força normal a uma superfície, por unidade de área da superfície **~ pré-menstrual** *Ginec.* Síndrome que ocorre em grau variável nas mulheres em período imediatamente anterior ao da menstruação, e que pode se manifestar em perturbações psíquicas (irritação, nervosismo, ansiedade) ou físicas (dor de cabeça e/ou nos seios, distensão do abdome etc.) [Sigla: *TPM*] **~ superficial** *Fís.* Na superfície de um líquido, tensão gerada pela atração, por unidade de superfície, exercida pelas moléculas do interior do líquido sobre as moléculas da superfície (que, por estarem na superfície, não são equilibradas pela atração de moléculas acima delas)

tense (*ten*.se) ***sf.*** *Liter.* Na poesia provençal, diálogo ou controvérsia entre dois trovadores que sustentavam um tema cada um, tendo que manter, obrigatoriamente, as rimas propostas pelo adversário; TENSÃO

tensional (ten.si.o.*nal*) ***a2g.*** Referente a, ou próprio de tensão (cefaleia tensional) [Pl.: *-nais*.]

tensionamento (ten.si.o.na.*men*.to) ***sm.*** **1** Ação ou resultado de tensionar **2** Estado de tensão ou retesamento [F.: *tensionar* + *-mento*.]

tensionante (ten.si.o.*nan*.te) ***a2g.*** Que causa tensão (mecanismo tensionante); TENSIVO [F.: *tensionar* + *-nte*.]

tensionar (ten.si.o.*nar*) ***v.*** Produzir tensão, tornar tenso [***td.:*** *Tensionou o arco para a flechada.*] [***int.:*** *Tensionaram-se muito, na disputa.*] [▶ **1 tensionar**] [F.: *tensão* (sob o rad. *tension-*) + *-ar*[2]. Hom./Par.: *tensionar* (v.), *tencionar* (v.).]

tensivo (ten.*si*.vo) ***a.*** O mesmo que *tensionante* [F.: Do lat. *tensivus, a, um*.]

tenso (*ten*.so) ***a.*** **1** Em estado de tensão; ANSIOSO; PREOCUPADO **2** Dominado por tensão (ambiente tenso) **3** Esticado, retesado **4** *Fon.* Diz-se dos fonemas emitidos com forte tensão articulatória [F.: Do lat. *tensus, a, um*, 'esticado, estendido'. Hom./Par.: *tensa* (fem.), *tença* (sf.).]

tensoativo (ten.so.a.*ti*.vo) ***a.*** *Quím.* Diz-se de substância ou composto que modifica a tensão superficial do líquido no qual está dissolvido(a); TENSIOATIVO [F.: *tens(o)-* + *ativo*.]

tensor (ten.*sor*) [ô] ***a.*** **1** Que (se) estende, estica (músculo tensor) **2** *Anat.* Diz-se de músculo que tem a função de estender órgão ou membro ***sm.*** **3** O que (se) estende, estica **4** *Anat.* Músculo tensor **5** *Mat.* Grandeza direcional físico-matemática **6** Aparelho de ginástica formado por uma série de molas terminadas em ambas as extremidades por manoplas, com as quais o praticante procura estender o aparelho em exercícios de musculação [F.: *tens(o)-* + *-or*.]

tentação (ten.ta.*ção*) ***sf.*** **1** Ação ou resultado de tentar **2** Aquilo a que é difícil resistir, por provocar grande desejo: *Chocolate é uma tentação.* **3** Forte vontade, desejo: *Sentiu a tentação de confessar tudo.* **4** Desejo que leva a ato condenável ou a pecado: *livrar-se das tentações.* ***sm.*** **5** *Bras. Pop.* O diabo [Pl.: *-ções*.] [F.: Do lat. *tentatio, onis*.]

tentacular (ten.ta.cu.*lar*) ***a2g.*** **1** Relativo a tentáculo (apêndices tentaculares) **2** Provido de tentáculo (animal tentacular) **3** *Fig.* Que se estende por todas as direções: *O crescimento tentacular da impunidade assusta os cidadãos.* [Pl.: *-res*.] [F.: *tentáculo* + *-ar*[1].]

tentaculiforme (ten.ta.cu.li.*for*.me) ***a2g.*** Em forma de tentáculo [F.: *tentáculo-* + *-forme*.]

tentáculo (ten.*tá*.cu.lo) ***sm.*** **1** *Anat. Zool.* Cada um dos apêndices delgados e móveis que certos animais invertebrados, como as águas-vivas e os polvos, usam principalmente na obtenção de alimento **2** *Zool.* Em certas espécies animais, como os corais e a anêmona, cada uma das extensões musculares dispostas na boca **3** *Fig.* Meio(s) de que se vale a ambição ou astúcia para obter aquilo que se deseja possuir [Mais us. no pl.] [F.: Do fr. *tentacule*, deriv. do lat. cient. *tentaculum*.]

tentado (ten.*ta*.do) ***a.*** **1** Que se tentou **2** Que tende ou está próximo a ceder à tentação; ATRAÍDO; SEDUZIDO [F.: Part. de *tentar*.]

tentador (ten.ta.dor) [ô] ***a.*** ***sm.*** **1** Que tenta, atrai, seduz (proposta tentadora) ***sm.*** **2** Aquele ou aquilo que tenta **3** *Fig.* O diabo [F.: Do lat. *tentator, oris*.]

tentame (ten.*ta*.me) ***sm.*** Ação ou resultado de tentar, tentativa, ensaio: *Essas passeatas foram tentames do povo em busca da liberdade; O conto foi seu primeiro tentame literário.* [F.: Do lat. *tentamen, inis*. Tb. *tentâmen*.]

tentâmen (ten.*tâ*.men) ***sm.*** Ver *tentame* [Pl.: *-mens* e (p. us.) *-menes*.]

tentar (ten.*tar*) ***v.*** **1** Empenhar-se para (fazer ou conseguir algo); INTENTAR [***td.:*** "...tentei firmar a atenção na leitura." (Josué Montello, *Um rosto de menina*)] [***int.:*** *Se tentasse, acabaria alcançando seu objetivo.*] **2** Experimentar; pôr em prática; EMPREENDER [***td.:*** *O pintor vai tentar novas técnicas.*] **3** Arriscar [***td.:*** *Ernesto sempre tenta a sorte na loteria.*] **4** Seduzir; criar desejo em (alguém) [***td.:*** *A proposta de trabalho no exterior a tentava.* Ant.: *repugnar*.] **5** Induzir para o mal [***td.:*** *Maus pensamentos tentam os fracos.*] **6** Procurar saber detalhes de; SONDAR; TENTEAR [***td.:*** *Contratou olheiros para tentar o negócio do turco.*] **7** Deixar-se seduzir; estar próximo a ceder à tentação; SUCUMBIR; RENDER-SE [***int.:*** *Como não tentar-se diante da vitrine de doces?*] **8** *Jur.* Colocar em juízo, instaurar [***td.:*** *tentar uma ação.*] [▶ **1 tentar**] [F.: Do lat. *tentare*. Hom./Par.: *tenta(s)* (fl.), *tenta(s)* (sf. [pl.]); *tento* (fl.), *tento* (sm.).]

tentativa (ten.ta.*ti*.va) ***sf.*** **1** Ação ou resultado de tentar, de procurar conseguir ou realizar algo [+ *contra, de, para, para com*: "A tentativa de morticínio contra outro comício..." (Rui Barbosa, *Queda do Império*); "A tentativa de enobrecer a existência na terra..." (Euclides da Cunha, *Os sertões*); "Numerosas tentativas hão sido feitas... para legislar em tal matéria." (Rui Barbosa, *Réplica*); "...nenhuma fina tentativa para com os elementos tradicionais." (Fialho de Almeida, *Os gatos*)] **2** Ensaio, prova, experiência: *Fez duas tentativas, mas falhou em ambas.* [F.: Fem. substv. de *tentativo*.]

tentativo (ten.ta.*ti*.vo) ***a.*** **1** Que se pode tentar, experimentar; EXPERIMENTAL; TENTÁVEL **2** Que é tentador; ATRAENTE; SEDUTOR

tenteador (ten.te.a.*dor*) [ô] ***a.*** **1** Que tenteia, sonda ***sm.*** **2** Aquele que tenteia, sonda

tenteante (ten.te.*an*.te) ***a2g.*** O mesmo que *tenteador*

tentear[1] (ten.te.*ar*) ***v. td.*** **1** Apalpar, tatear: "...E entregava-lhe as mãos, que ele tenteava frouxamente..." (Aluísio Azevedo, *O mulato*) **2** Pesquisar com cuidado, com precaução: *O compositor tenteava ritmos.* **3** Sondar, examinar, experimentar: *Tenteava maneiras de cativar o velho.* **4** *Cir.* Sondar (ferida) com um estilete, chamado *tenta* [▶ **13 tentear**] [F.: *tenta* + *-ear*[2]. Hom./Par.: *tenteio* (fl.), *tenteio* (sm.).]

tentear[2] (ten.te.*ar*) ***v. td.*** **1** Dar atenção, cuidado a: *Tentear os filhos.* **2** Calcular, dirigir com tento; PESAR: *Tentear a vida.* **3** Empregar ou gastar com parcimônia; ECONOMIZAR: *Tentear os ganhos.* **4** Tratar com paliativo; REMEDIAR; ALIVIAR; PALIAR: *Com este remédio, irá tenteando o doente.* [▶ **13 tentear**] [F.: *tento*[1] + *-ear*[2]. Hom./Par.: Ver *tentear*[1].]

tenteio[1] (ten.*tei*.o) ***sm.*** **1** Ação ou resultado de sondar com a tenta **2** *Fig.* Observação intensa, exame acurado: *O tenteio do rapaz deixava a moça encabulada.* [F.: Dev. de *tentear*. Hom./Par.: *tenteio* (sm.), *tenteio* (fl. de *tentear*).]

tenteio[2] (ten.*tei*.o) ***sm.*** *Bras. RS* Domínio das rédeas do cavalo [F.: Dev. de *tentear*.]

tentilhão (ten.ti.*lhão*) *Ornit.* ***sm.*** **1** O mesmo que *pintassilgo* **2** Pequeno pássaro de belo canto, da fam. dos fringilídeos, com dorso amarronzado, alto da cabeça cinzento e cauda verde, encontrado na Europa, África e Ásia [Pl.: *-lhões*.]

tento[1] (*ten*.to) ***sm.*** **1** Juízo, tino: *Agiu com tento e circunspeção.* **2** Sentido, precaução, cuidado, atenção: *É necessário proceder com muito tento.* **3** *Fig.* Cômputo, cálculo **4** *Pint.* Varinha terminada por uma pequena bola em que se apoia a mão para pintar com firmeza **5** *Gír.* Na capoeira, ação de gingar, ginga, manobra [F.: Do lat. *tentus, a, um*. Hom./Par. *tento* (sm.), *tento* (fl. de *tentar*).] ■ **A ~** Com cuidado, com cautela **Dar ~ (a)** Prestar atenção, considerar, dar fé **Sem ~ ou propósito** Sem motivo algum, sem razão alguma **Tomar ~** Prestar toda a atenção

tento[2] (*ten*.to) ***sm.*** **1** *Lud.* Peça de marfim, osso, metal etc. com que se marcam pontos no jogo **2** *Lud.* Cada ponto marcado no jogo: *Cada partida do truco deve ser jogada em 18 tentos.* **3** *P. ext. Fut.* Cada gol: *O campeão venceu pela contagem de cinco tentos a zero.* [F.: Do lat. *talentum, i* 'material de moeda, penhor'. Hom./Par.: Ver *tento*[1].]

tento[3] (*ten*.to) *S.* ***sm.*** **1** Pequena tira de couro presa na parte posterior do lombilho onde se prende, de um e outro lado, o laço ou qualquer outra coisa que se queira trazer na garupa **2** Tira fina de guasca (couro cru), lona ou plástico us. para costura, laços etc.: "...da roupa os apetrechos são rústicos: facas, esmeril para amolar, martelo com vazador (...), compasso e isqueiro para queimar as pontas dos tentos..." (*O Globo*, 22.10.2005) [F.: Do espn. platino *tiento*. Hom./Par.: Ver *tento*[1].]

tênue (*tê*.nu:e) ***a2g.*** **1** Que é delgado, frágil: *Um tênue fio de cabelo.* **2** Pouco espesso: *Um tênue vapor cobria tudo.* **3** Muito pequeno: *As partes mais tênues da matéria.* **4** Que é de pouco valor, de pouca importância: *Apresentou argumentos muito tênues.* **5** Sutil: *Há uma tênue distinção entre um e outro.* **6** Leve, ligeiro: *Mostrou apenas um tênue rubor nas faces.* **7** Fraco, débil: *Restava-lhe apenas um tênue fio de vida.* [F.: Do lat. *tenuis, e* 'delgado, fino, tênue'.]

tenuidade (te.nu.i.*da*.de) [u-i] ***sf.*** Qualidade, condição ou estado de tênue; DELICADEZA; SUAVIDADE; FRAGILIDADE: "...vislumbrou ao longe as agulhas góticas de uma catedral, que dir-se-ia voarem para um céu de glória, na tenuidade e na formosura alada dos seus rendilhados..." (João Grave, *Jornada romântica*) [F.: Do lat. *tenuitas, atis*.]

tenuirrostro (te.nu.ir.*ros*.tro) [u-i...ô] *Ornit.* ***a.*** **1** Que tem bico muito fino e longo **2** *Ant.* Relativo aos tenuirrostros, classificação antiga que incluía pássaros como os beija-flores e os pássaros-sol ***sm.*** **3** *Ant.* Espécime dos tenuirrostros

tenuta (te.*nu*.ta) *Mús.* ***sf.*** **1** Prolongamento de som ou acorde por tempo indeterminado, obtido pela ligação de notas semelhantes **2** Notação musical (representada por traço horizontal ou pela abrev. *ten.*) que, posta sobre ou sob uma ou mais notas, indica que estas deverão ser prolongadas durante todo o tempo de seus valores

⊕ **tenuto** (*It.* /tenuto/) *Mús.* ***sm.*** **1** O mesmo que *tenuta* ***a.*** **2** Indicação do tempo de uma nota, que pode ter duração exata ou prolongada

◎ **te(o)-** ***el. comp.*** = 'Deus'; 'divindade': *teantropia, teantropo, teocentrismo, teocracia, teocrata, teodiceia* (< al.), *teofobia, teologia, teomania, teosofia* (< lat. medv. < gr.) [F.: Do gr. *theós, oû*.]

teocêntrico (te:o.*cên*.tri.co) ***a.*** Que tem Deus como centro, ponto de convergência de todas as coisas: "Teresa viveu (...) no bojo da passagem de um período teocêntrico para um período antropocêntrico. " (*O Globo*, 26.10.2002) [F.: *te(o)-* + *-centr(o)-* + *-ico*[2].]

teocentrismo (te:o.cen.*tris*.mo) ***sm.*** Crença ou doutrina que entende ser Deus o centro do universo: "(...) já realizava um questionamento ao teocentrismo, fato que foi apenas aprofundado pelo humanismo e pelo Renascimento (...)" (*O Globo*, 13.02.2001) [F.: *te(o)-* + *-centr(o)-* + *-ismo*.]

teocracia (te:o.cra.*ci*.a) *Pol.* ***sf.*** **1** Sociedade governada por um líder religioso ou por sacerdotes, que são tidos como representantes de Deus: "A teocracia cristã, mentindo ao Evangelho, dominava sobre a escuridão das inteligências." (Oliveira Martins, *Febo Muniz*) **2** O Estado que adota esse sistema de governo: *Alguns países muçulmanos correm o risco de se tornarem teocracias.* [F.: *te(o)-* + *-cracia*.]

teocrata (te:o.*cra*.ta) ***s2g.*** **1** Membro ou partidário de uma teocracia **2** Quem pratica o poder teocrático: *Os aiatolás são os teocratas dos tempos atuais.* ***a2g.*** **3** Que pratica ou é adepto do poder teocrático **4** Em que vigora o poder teocrático (Estado teocrata) [F.: *te(o)-* + *-crata*.]

teocrático (te:o.*crá*.ti.co) ***a.*** Ref. a, de ou próprio de uma teocracia ou dos teocratas [F.: *teocrata* + *-ico*[2].]

teodiceia (te:o.di.*cei*.a) ***sf.*** *Fil.* Doutrina ou argumentação que busca defender a crença na suprema bondade e onipotência divinas contra aqueles que, em vista da presença do mal no mundo, duvidam da existência de Deus [Ver tb. *leibniziano*.] [F.: Do al. *Theodicee*, forjado pelo filósofo alemão G. W. Leibniz (1646-1716), pelo fr. *théodicée*.]

teodolito (te:o.do.*li*.to) ***sm.*** Instrumento us. em topografia e geodesia que se destina a determinar com precisão ângulos horizontais e verticais e, em alguns casos, medir distâncias [Basicamente é um telescópio montado sobre um tripé, com movimentos graduados na vertical e na horizontal.] [F.: Do ingl. *theodolite*.]

teofania (te:o.fa.*ni*.a) ***sf.*** *Rel.* Manifestação ou revelação de Deus; aparecimento ou manifestação da divindade [F.: Do gr. *theopháneia* ou *theophania, as*.]

teofânico (te:o.*fâ*.ni.co) ***a.*** *Rel.* Que diz respeito a teofania [F.: *teofania* + *-ico*[2].]

teofilina (te:o.fi.*li*.na) ***sf.*** *Farm.* Composto cristalino ($C_7H_8N_4O_2$), isômero da teobromina, incolor, de gosto amargo, que é extraído das folhas do chá, us. na medicina esp. como broncodilatador e diurético [F.: Do fr. *théophylline*.]

teofobia (te:o.fo.*bi*.a) ***sf.*** *Psiq.* Horror à divindade, a Deus, às coisas divinas [F.: *te(o)-* + *-fobia*.]

teofóbico (te:o.*fó*.bi.co) *Psiq.* ***a.*** **1** Ref. ou inerente a teofobia **2** Que apresenta teofobia; TEÓFOBO ***sm.*** **3** *Psiq.* Aquele que apresenta teofobia; TEÓFOBO [F.: *teofobia* + *-ico*[2].]

teófobo (te.*ó*.fo.bo) ***a.*** ***sm.*** *Psiq.* O mesmo que *teofóbico* (2 e 3) [F.: *te(o)-* + *-fobo*.]

teogonia (te:o.go.*ni*.a) ***sf.*** **1** Ramo da mitologia que trata da origem dos deuses e descreve a sua genealogia **2** Conjunto de deuses que constituem a mitologia de um povo [F.: Do gr. *theogonia, as*.]

teogônico (te:o.*gô*.ni.co) ***a.*** Ref. ou pertencente a teogonia (doutrina teogônica) [F.: *teogonia* + *-ico*².]
teologia (te:o.lo.*gi*.a) ***sf.*** **1** *Teol.* Estudo das coisas divinas e suas relações com o mundo **2** Doutrina teológica, esp. a da religião cristã **3** Certa visão particular de um escritor sacro (a teologia de são Paulo) **4** Coleção das obras teológicas de um autor [F.: Do lat. *theologia, ae,* deriv. do gr. *theología, as.*]
teológico (te:o.*ló*.gi.co) ***a.*** Ref. a teologia: "A humanidade culta, voltada para as lutas teológicas, à espera do que produziria o embate violento da heresia e da fé." (Latino Coelho, *Literatura e história*) [F.: Do gr. *theologikós, é, ón.*]
teólogo (te.*ó*.lo.go) ***sm.*** **1** Pessoa especializada em teologia **2** *P. ext.* Estudante de teologia [F.: Do lat. *theologus, i,* deriv. do gr. *theológos, os, on.*]
teomancia (te:o.man.*ci*.a) ***sf.*** *Oct.* Adivinhação por inspiração divina [F.: Do gr. *theomanteía, as.*]
teomania (te:o.ma.*ni*.a) *Psiq.* ***sf.*** **1** Distúrbio psíquico em que o indivíduo julga ser uma divindade ou estar inspirado por uma **2** Religiosidade doentia [F.: Do gr. *theomania, as,* do lat. *theomania, ae.*]
teômano (te.*ô*.ma.no) *Psiq.* ***a.*** **1** Que apresenta teomania ***sm.*** **2** *Psiq.* Indivíduo teômano [F.: *te(o)-* + *-mano*¹.]
teomante (te:o.*man*.te) ***s2g.*** Aquele ou aquela que pratica a teomancia [F.: Do gr. *theómantis, eos.*]
teomântico (te:o.*mân*.ti.co) ***a.*** *Oct.* Que diz respeito a teomancia ou a teomante [F.: *teomante* + *-ico*².]
teônimo (te.*ô*.ni.mo) ***sm.*** Nome de uma divindade [F.: *te(o)-* + *-ônimo.*]
teopsia (te:op.*si*.a) ***sf.*** Aparição de uma divindade [F.: *te(o)-* + *-opsia.*]
teor (te:*or*) [ô] ***sm.*** **1** Quantidade de um componente ou de uma substância num todo: *O remédio continha alto teor de cálcio.* **2** Conteúdo textual de um escrito: "O que José Paulo escreveu não sabemos ao certo, mas podemos calcular o que fosse pelo teor da resposta." (Albino Pimentel, *Açucena de ouro*) **3** *Fig.* Norma, regra, sistema: *Quer instituir um novo teor de administração.* **4** *Fig.* Modo, maneira, gênero: *Todos consideram injusto aquele teor de castigo.* [F.: Do lat. *tenor, oris.*]
teorema (te:o.*re*.ma) ***sm.*** Proposição que, para ser aceita como evidente, precisa ser demonstrada [F.: Do gr. *theórema, atos.*]
teorético (te:o.*ré*.ti.co) ***a.*** Ref. a teoria; TEÓRICO [F.: Do lat. tardio *theoreticus, a, um,* deriv. do gr. *theoretikós é, ón.*]
teoria (te:o.*ri*.a) ***sf.*** **1** Conjunto de ideias sistematizadas que dão base a uma filosofia, uma ciência, uma visão a respeito de aspectos da realidade etc. (teoria econômica) [+ *acerca de, de, sobre*: "Realizava em toda a sua plenitude as teorias do portuense acerca dos tolos." (Camilo Castelo Branco, *Mistérios de Lisboa*); "Lembra-vos ainda a minha teoria das edições humanas?" (Machado de Assis, *Memórias póstumas de Brás Cubas*); "Teoria sobre a formação das massas de água..." (Latino Freire, *Hidrogenia*) Ant.: *prática.*] **2** O conhecimento dessas ideias: *Esse crítico possui a correta teoria da pintura.* **3** Conhecimento puramente especulativo, independente de qualquer aplicação **4** Doutrina ou opinião baseadas nessas ideias **5** Relação entre um fato geral e os fatos particulares que dependem dele (teoria do movimento) **6** Conjectura, hipótese, suposição: *Isto são apenas teorias, não se sabe ao certo.* **7** Noções gerais, generalidades **8** *Pop.* Utopia, ilusão, fantasia **9** *Astron.* Conjunto dos elementos que servem para calcular os movimentos de um planeta **10** *Hist.* Na Grécia antiga, embaixada enviada por um Estado para assistir aos jogos esportivos, consultar os oráculos etc. **11** *P. ext.* Conjunto, série [F.: Do lat. *theoria, ae,* deriv. do gr. *theoría, as.*] ■ **~ da ciência** *Fil.* Epistemologia **~ da comunicação** *Comun.* Teoria versa sobre os fundamentos científicos da comunicação, e que abrange, num caráter interdisciplinar, áreas diversas de conhecimento (semiologia, teoria da informação, linguística etc.) **~ da informação** *Comun.* Teoria baseada na análise matemática dos elementos envolvidos em transmissão de sinais no processo de comunicação **~ da literatura** *Liter.* Conjunto de conceitos estruturados e sistematizados sobre a obra literária, com vista a sua análise e compreensão de sua natureza como arte **~ da relatividade** *Fís.* Teoria muito geral, que incorpora várias teorias que têm em comum o conceito de que a compreensão dos fenômenos se faz relativamente a um referencial **~ da relatividade especial/restrita** *Fís.* Teoria de Albert Einstein, segundo a qual as leis físicas são iguais para todos os referenciais inerciais, sendo a velocidade da luz no vácuo constante para distintos observadores que se deslocam a velocidades constantes [A teoria é resumida numa famosa fórmula, segundo a qual a energia cinética (*e*) de uma partícula é igual a sua massa (*m*) multiplicada pelo quadrado de sua velocidade (*c*), ou seja, $e = mc^2$.] **~ das ideias** *Fil.* Ideia básica do platonismo, de que deve-se buscar o conhecimento de entidades eternas e imutáveis, dos quais todos os conhecimentos terrenos seriam pálidos reflexos **~ do big bang** *Cosm.* Teoria segunda a qual toda a matéria do universo surgiu da explosão de um aglomerado de densidade e temperatura altíssimas, e que desencadeou a expansão do universo **~ do caos** *Fís.* Conjunto e cada um de conceitos matemáticos e programas de computador que analisam fenômenos de natureza caótica, ou aleatória, buscando-lhes uma estrutura que permita sua previsibilidade **~ do conhecimento** *Fil.* Estudo da natureza, da origem e do alcance do conhecimento humano, centrado na relação entre o sujeito e o objeto do processo cognitivo **~ dos conjuntos** *Mat.* Aquela que estuda as propriedades dos conjuntos de elementos e as relações entre os elementos de um conjunto e entre conjuntos **~ dos jogos** *Mat.* Teoria que estabelece relações matemáticas entre situações de decisão e de conflitos com seus resultados possíveis, esp. quando agentes diferentes nessas situações têm objetivos diferentes **~ holística** *Psi.* Teoria que estabelece que cada parte de um todo e a influência do todo em cada parte dele formam uma unidade (cérebro e inteligência, a sociedade e os cidadãos etc.), devendo o mundo ser compreendido nessa visão de totalidade **~ quântica/dos quanta** *Fís.* Teoria segundo a qual toda emissão e toda absorção de energia eletromagnética dos corpos se dá em pequenos 'pacotes de energia' (*quantum* no singular, *quanta* no plural) discretos (descontínuos) e não em forma de ondas contínuas e uniformes
teoricamente (te:o.ri.ca.*men*.te) ***adv.*** De modo teórico; na teoria: *Teoricamente tudo funcionava.* [F.: Fem. de *teórico* + *-mente.*]
teoricismo (te:o.ri.*cis*.mo) ***sm.*** Adoção de ideias de efeito apenas teórico, sem aplicação prática: *O curso abandona o excessivo formalismo e teoricismo, sem abdicar do rigor e da seriedade.* [F.: *teórico* + *-ismo,* seg. o mod. vern.]
teórico (te.*ó*.ri.co) ***a.*** **1** Ref. a ou que envolve teoria (em oposição a prática) (curso teórico, discussão teórica); TEORÉTICO [Ant.: *prático.*] **2** Hipotético, suposto: *uma carteira teórica de ações.* ***sm.*** **3** Pessoa que formula teorias ou conhece os princípios de uma arte ou ciência: *teóricos da comunicação.* **4** *Pop.* Utopista, sonhador [F.: Do lat. tardio *theoricus, a, um,* deriv. do gr. *theorikós, é, ón.*]
teorismo (te:o.*ris*.mo) ***sm.*** Gosto, fascínio por teorias: "Por isso, não vemos razão para um teorismo abusivo, fundado em conceitos duvidosos..." (Celso Cunha, "Língua, civilização e cultura" *in Uma política do idioma*) [F.: *teoria* + *-ismo.*]
teorista (te:o.*ris*.ta) ***a2g.*** **1** Ref. a teorismo ***s2g.*** **2** Autor de teorias, teórico **3** Aquele que conhece os princípios de uma teoria mas não sabe ou não quer pô-los em prática [F.: *teor(ia)* + *-ista.*]
teorização (te:o.ri.za.*ção*) ***sf.*** Ação ou resultado de teorizar [Pl.: *-ções.*] [F.: *teorizar* + *-ção.*]
teorizado (te:o.ri.*za*.do) ***a.*** **1** Que se teorizou **2** Explicado por meio de teoria(s) [F.: Part. de *teorizar.*]
teorizador (te:o.ri.za.*dor*) [ô] ***a.*** **1** Que teoriza ***sm.*** **2** Aquele que teoriza [F.: *teorizar* + *-dor.*]
teorizante (te:o.ri.*zan*.te) ***a2g.*** Que teoriza; TEORIZADOR: "...inoculou na análise literária o vírus mortal responsável pela febre teorizante que se manifestou internacionalmente nas duas décadas seguintes..." (*Jornal do Brasil,* 03.09.2005) [F.: *teorizar* + *-nte.*]
teorizar (te:o.ri.*zar*) ***v.*** Elaborar teorias para explicar (algo) [***td.***: *O cientista teorizou que o comportamento pode ser condicionado.*] [***tr.*** + *sobre*: *Alguns poetas teorizam sobre a arte da poesia.*] [***int.***: *O pesquisador sabe teorizar como poucos.*] [▶ **1** teorizar] [F.: *teoria* + *-izar.* Hom./Par.: *teorizáveis* (fl.), *teorizáveis* (pl. de *teorizável* [a2g.]).]
teorizável (te:o.ri.*zá*.vel) ***a.*** Que se pode teorizar: *O palestrante destacou os aspectos teorizáveis das práticas pedagógicas.* [Pl.: *-veis.*] [F.: *teorizar* + *-vel.* Hom./Par.: *teorizáveis* (pl.), *teorizáveis* (fl. de *teorizar*).]
teose (te:*o*.se) ***sf.*** Glorificação, exaltação de algo ou alguém; ENDEUSAMENTO; DIVINIZAÇÃO [F.: Do gr. *théosis.*]
teosofia (te:o.so.*fi*.a) ***sf.*** **1** *Fil.* Sistema de ideias religiosas e filosóficas que tem por fim promover a união do homem com a divindade **2** *Rel.* Doutrina sincrética inspirada no budismo e no hinduísmo, pregada inicialmente por Helena Blavatsky (1831-1891); TEOSOFISMO [F.: Do fr. *théosophie,* do gr. *theosophía, as.*]
teosófico (te:o.*só*.fi.co) ***a.*** Ref. ou pertencente à teosofia [F.: *teosofia* + *-ico*².]
teosofismo (teo.so.*fis*.mo) ***sm.*** O mesmo que *teosofia* (1) [F.: *teosofia* + *-ismo,* com troca de suf.]
teosofista (te:o.so.*fis*.ta) ***s2g.*** **1** Aquele ou aquela que ensina ou pratica teosofia; TEÓSOFO ***a2g.*** **2** O mesmo que *teosófico* (princípios teosofistas) [F.: *teosofia* + *-ista.*]
teósofo (te.*ó*.so.fo) ***sm.*** Aquele que ensina ou pratica a teosofia [F.: Do fr. *théosophe,* do gr. *theosóphos, os, on.*]
tepidez (te.pi.*dez*) [ê] ***sf.*** **1** Estado de tépido, de morno **2** *Fig.* Fraqueza, frouxidão [F.: *tépido* + *-ez.*]
tépido (*té*.pi.do) ***a.*** **1** Que está entre o quente e o frio; MORNO: "...tecido de Cachemir, tépido e carícioso, ao mesmo tempo belo de ver e agradabilíssimo de usar..." (Cecília Meireles, *Crônicas de viagem 2*) **2** *Fig.* Que é fraco, frouxo [F.: Do lat. *tepidus, a, um.*]
teque-teque (te.que-*te*.que) ***sm.*** **1** *AM PA* Vendedor ambulante de fazendas e objetos de armarinho; MASCATE **2** *Bras. Ornit.* Ave passeriforme da fam. dos tiranídeos (*Todirostrum poliocephalum*) de coloração verde-azeitonada no dorso e que se reconhece facilmente pelas manchas amarelas de cada lado da fronte e pelo bico achatado [Pl.: *teque-teques.*] [F.: De or. onom.]
tequila (te.*qui*.la) ***sf.*** Aguardente mexicana destilada de uma planta da América Central, o agave, produzida na região de Tequila [F.: Do espn. *tequilla.*]
ter ***v.*** **1** Estar no gozo ou na posse de; POSSUIR [***td.***: *Tem cinco apartamentos.*] **2** Ser rico; possuir (muito ou pouco, mais ou menos) dinheiro [***int.***: *O pai tem menos que o filho.*] **3** Ser composto ou formado de; constar de [***td.***: *O livro tem vinte capítulos.*] **4** Ser dotado de, haver recebido da natureza ou adquirido (aptidão, feição, qualidade, sentimento etc.); POSSUIR [***td.***: *Este menino um dia terá juízo; Essa terra tem bom clima.*] **5** Revelar, mostrar [***td.***: *Essa brincadeira não teve graça.*] **6** Sentir (dor, sentimento) [***td.***: *Temos muito carinho por você.*] **7** Sofrer (doença, queda etc.) [***td.***: *O pai já teve câncer.*] **8** Passar por ou vivenciar (experiência, situação etc.); ocupar-se de; ser obrigado a fazer ou a assistir a (algo) [***td.***: *Teremos aula hoje?; Tenho um serviço trabalhoso por concluir.*] **9** Ensinar para; dirigir, administrar [***td.***: *O professor teve cinco turmas este ano; Teve a presidência por uma semana apenas.*] **10** Ter a idade de, completar (idade, tempo etc.) [***td.***: *A ginasta tem dezesseis anos.*] **11** Dar à luz [***td.***: *Helena terá gêmeos.*] **12** Conservar na memória; GUARDAR [***td.***: *Tenho boas lembranças daquelas férias.*] **13** Trazer consigo ou em si [***td.***: *Tinha a menina ao peito e uma trouxa na cabeça; Tenho cinco reais na carteira.*] **14** Receber (castigo ou remuneração) [***td.***: *Foi esta a paga que tivemos.*] **15** Usar (peça de vestuário ou de calçado) [***td.***: *Quando a vi, tinha um vestido azul e uma sandália preta.*] **16** Manter, sustentar, hospedar [***td.***: *Não queriam tê-la sob responsabilidade.*] [***tda.***: *Tiveram-no em casa durante dois anos.*] **17** Ter importância ou interesse; IMPORTAR; VALER [***td.***: *Que tem isso?*] **18** Estar entregue ou confiado a; ser pos-suído, dominado, dirigido, ensinado, auxiliado por (algo ou alguém) [***td.***: *O navio tem um bom piloto; A casa tem dono; Ele tem um bom advogado.*] **19** Estar vivo (parente), pertencer (a ele) [***td.***: *Tem duas irmãs.* No caso de a frase ser negativa e acompanhada do adv. *já,* significa que o parente de que se trata já morreu: *Já não tem pai.*] **20** Apreciar, estimar [***tdp.***: *Tinha o primo como irmão.*] **21** Fazer certo julgamento sobre (alguém, algo ou a si mesmo) como; CONSIDERAR; REPUTAR [***tdp.*** + *por*: *Gostaria que me tivessem por amigo; Tinha-se por vítima.*] **22** Apresentar, mostrar [***tdp.***: *Tinha as faces coradas.*] **23** Segurar-se para não cair; AGUENTAR-SE; EQUILIBRAR-SE [***td.***: *Teve-se firmando na parede.*] **24** Ficar, conter-se, deter-se (em algum lugar) [***tda.***: *Teve-se em casa por doença.*] **25** Ater-se, confiar [***tdr.*** + *a*: *ter-se a alguém; ter-se à proteção de alguém.*] **26** Guardar, dedicar, consagrar (algo) a (alguém) [***tdi.*** + *a*: *Tinha-lhe muito respeito.*] **27** Acreditar, supor, imaginar [***td.***: *Tenho que ela não virá.*] **28** Ser da dimensão de [***td.***: *A estrada tem 30 metros de largura.*] **29** Adquirir por transmissão; HERDAR [***tdr.*** + *de*: *Do pai tem a beleza, da mãe, a simplicidade.*] **30** Passar por experiência (positiva ou negativa) [***td.***: *Tive a satisfação de ir com ela à festa.*] [▶ **7** ter a) Us. como v. aux., seguido do part. do v. principal, forma os tempos compostos: *tinha saído; tenho visto* etc. b) Us. como v. impess., equivale a 'haver': *Tinha gente demais na sala.* c) Us. como v. modalizador: 1) seguido de *que, de, a* + v. no infinitivo, expressa obrigatoriedade, necessidade: *Tenho que/de levantar cedo; Nada tenho a dizer.* 2) Seguido de *muito/tudo* + *de* adquire o sentido de 'ser parecido com': *Ela tem muito do avô.* d) Us. como suporte, substituindo v. de sentido específico: *ter costume* (=*costumar*), *ter medo* (=*temer*) etc.] [F.: Do lat. *tenere.* Hom./Par.: *termos* (fl.), *termos* (pl. de *termo*); *tinha(s)* (fl.), *tinha(s)* (sf. [pl.]); *terem* (fl.), *terém* (sm.).] ■ **Não ~ nada a ver (com)** *Bras.* Não ter relação alguma (com), não corresponder (a): *O discurso dele contra o projeto não teve nada a ver; Este filme não tem nada a ver com os fatos históricos.* **Não ~ que ver** *N. E. Fam.* Ser parecidíssimo com; ser a cara de: *Essa menina não tem que ver a irmã; pudera, são gêmeas!* **~ a ver (com)** **1** Dizer respeito (a), ter relação (com): *Essa notícia tem a ver com o escândalo das arbitragens.* **2** Ser de interesse legítimo de: *Que tem ela a ver com nossos problemas?* **~ com que/quê** *Bras. Pop.* Ter os recursos (para): *Não têm com que se alimentar; Precisa desinfetar a casa, mas não tem com quê.* **~ de** Ter a obrigação ou a necessidade de: *Tenho de pagar hoje o imposto.* **~ em muito** Ter grande consideração, apreço **~ em pouco** Ter pouca ou nenhuma consideração, pouco apreço **~ para si** Estar convicto de, ter certeza de: *Tinha para si que valeria a pena fazer o esforço.* **~ por** Atribuir característica, qualidade, defeito etc. a: *Ela me tem por preguiçoso, mas vou demonstrar o contrário.* **~ por bem** Optar por, decidir, haver por bem: *Finalmente o diretor teve por bem dispensar a turma.* **~ por onde** **1** Ter os meios necessários para: *Pode usar o estoque, temos por onde repô-lo.* **2** Ter motivo suficiente para: *Nosso time tem por onde se orgulhar da campanha.* **~ que** Ver *Ter de* **~ que ver** Ver *Ter a ver*
◎ **tera-** ***pref.*** **1** = Anteposto a uma unidade de medida representa um multiplicador 10^{12} da unidade indicada: *teragrama* **2** *Inf.* Anteposto ao nome de uma unidade us. em sistemas binários, representa a multiplicação dessa unidade por 240 (cerca de 1,1 trilhão): *terabyte* [Símb.: *T*]
⊕ ***terabit*** (*terabit*) ***sm.*** *Inf.* Unidade de medida de informação, equivalente a cerca de 1 mil *gigabits* (1.024 exatamente) [Símb.: *Tb*]
⊕ ***terabyte*** (*Ing. /térabait/*) ***sm.*** *Inf.* Unidade de medida de informação, equivalente a cerca de 1,1 bilhão de *bytes* [Símb.: *TB*]
terafosídeo (te.ra.fo.*sí*.de:o) *Ent.* ***sm.*** **1** Espécime dos terafosídeos ***smpl.*** **2** Fam. de aracnídeos que compreende aranhas-caranguejeiras dotadas de duas garras tarsais e cujo corpo escuro e peludo atinge cerca de 99 mm de comprimento ***a.*** **3** Ref. ou pertencente aos terafosídeos [F.: Do lat. cient. *Theraphosidae.*]
terafosomorfa (te.ra.fo.so.*mor*.*fa*) ***sf.*** **1** O mesmo que *migalomorfa* ***af.*** **2** Ref. ou de terafosomorfa (1) [F.: Do lat. cient. *Theraphosomorphae.*]

terapeuta (te.ra.*peu*.ta) *s2g.* **1** Pessoa com formação em área não estritamente médica (p. ex., fisioterapia, fonoaudiologia), que trata disfunções físicas, motoras, mentais etc.; TERAPISTA: *terapeuta da fala.* **2** *Psi.* Pessoa que se especializou em psicoterapia; PSICOTERAPEUTA **3** Autor de tratados de terapêutica [F.: Do fr. *thérapeute*, do gr. *therapeutés, ou.*]

terapêutica (te.ra.*pêu*.ti.ca) *sf.* **1** *Med.* Ramo da medicina que estuda métodos para o tratamento de doenças **2** Método apropriado para tratar determinada doença; TERAPIA [F.: Do lat. tard. *therapeutica*, do gr. *therapeutiké*.] **▪ ~ ocupacional** *Psiq.* Ver *terapia ocupacional* **~ ortomolecular** A que visa otimizar as funções do organismo em nível molecular ministrando as doses adequadas de vitamina, minerais etc.

terapêutico (te.ra.*pêu*.ti.co) *a.* **1** Ref. a terapêutica ou a terapia (método terapêutico) **2** Com que se tratam males ou doenças (chá terapêutico) [F.: Do gr. *therapeutikós*.]

◎ **-terapia** *el. comp.* = 'tratamento'; 'terapia (que faz uso daquilo que é expresso pelo rad. antepositivo ou que se baseia no princípio por este expresso)': *aeroterapia, anemoterapia, apiterapia, apoterapia, aromaterapia, arsenoterapia, crioterapia, cromoterapia, eletroterapia, farmacoterapia, fisioterapia, fitoterapia, fototerapia, galvanoterapia, hemoterapia, hidroterapia, hipnoterapia, imunoterapia, ludoterapia, musicoterapia, psicoterapia, quimioterapia, quininoterapia, radioterapia, soroterapia, talassoterapia, vacinoterapia* [F.: Do gr. *therapeía, as*, 'cuidado'; 'atendimento aos doentes'.]

terapia (te.ra.*pi*.a) *sf.* **1** Tratamento de disfunções orgânicas, físicas, motoras etc. (terapia hormonal; terapia corporal); TERAPÊUTICA **2** *Psi.* Psicoterapia **3** Sessão de psicoterapia: *Disse que iria à terapia.* [F.: Do lat. cient. *therapia*, do gr. *therapeía*.] **▪ ~ ocupacional 1** *Psiq.* Conceito e método de fazer alguém se ocupar em atividade de seu interesse como medida terapêutica para distúrbio psíquico; terapêutica ocupacional **2** Aquela que visa melhorar o desempenho funcional ou prevenir disfunções motoras, cognitivas e/ou emocionais, a partir de atividades e técnicas específicas; terapêutica ocupacional

terapista (te.ra.*pis*.ta) *s2g.* O mesmo que *terapeuta* (2) [F.: *terapia* + *-ista*.]

teratia (te.ra.*ti*.a) *sf.* Deformidade, anomalia congênita; MONSTRUOSIDADE [F.: *terat(o)-* + *-ia*[1].]

◎ **-terat(o)-** *el. comp.* Ver *terat(o)-*

◎ **terat(o)-** *el. comp.* = 'monstro'; 'deformidade': *teratia, teratofobia, teratogenia, teratoide, teratologia* (< fr. < gr.), *teratoma, teratoscopia; diploteratografia, diploteratologia* [F.: Do gr. *téras, atos*, 'sinal enviado pelos deuses'; 'mau presságio'; 'coisa monstruosa ou espantosa'; 'animal monstruoso; monstro'.]

teratofobia (te.ra.to.fo.*bi*.a) *Psiq. sf.* **1** Repulsão doentia a um ser monstruoso **2** Temor doentio de gerar um ser monstruoso [F.: *terat(o)-* + *-fobia*.]

teratofóbico (te.ra.to.*fó*.bi.co) *Psiq. a.* **1** Que diz respeito a teratofobia **2** Que sofre de teratofobia; TERATÓFOBO *sm.* **3** Aquele que sofre de teratofobia; TERATÓFOBO [F.: *teratofobia* + *-ico*[2].]

teratófobo (te.ra.*tó*.fo.bo) *a. sm. Psiq.* O mesmo que *teratofóbico* (2 e 3) [F.: *terat(o)-* + *-fobo*.]

teratogenia (te.ra.to.ge.*ni*.a) *sf.* Formação e desenvolvimento de deformidades [F.: Do *fr. tératogénie*; ver *terat(o)-* e *-genia*.]

teratogênico (te.ra.to.*gê*.ni.co) *a.* **1** Ref. ou inerente a teratogenia **2** *Gen.* Diz-se do que é capaz de produzir dano ao embrião ou ao feto durante a gravidez (agente teratogênico) [F.: *teratogenia* + *-ico*[2].]

teratoide (te.ra.*toi*.de) *a2g.* Que se assemelha a monstro [F.: *terat(o)-* + *-oide*.]

teratologia (te.ra.to.lo.*gi*.a) *sf.* **1** *Med.* Especialidade médica que cuida das monstruosidades e malformações orgânicas, ou estudo sobre tais monstruosidades ou malformações: "Tudo nele rompia o equilíbrio normal do corpo humano, como se a teratologia caprichasse em criar sua obra-prima." (Monteiro Lobato, *Urupês*) **2** Os monstros como um todo; a monstruosidade [F.: Do gr. *teratología, as*, pelo fr. *tératologie*.]

teratológico (te.ra.to.*ló*.gi.co) *a. Med.* Ref. a teratologia [F.: *teratologia* + *-ico*[2].]

teratologista (te.ra.to.lo.*gis*.ta) *s2g. Med.* Aquele ou aquela que se especializou em teratologia; TERATÓLOGO [F.: *teratologia* + *-ista*.]

teratólogo (te.ra.*tó*.lo.go) *sm.* O médico especialista em teratologia; TERATOLOGISTA [F.: *terat(o)-* + *-logo*.]

teratoma (te.ra.*to*.ma) *sm. Med.* Tumor constituído por uma mistura heterogênea de tecidos (epitelial, ósseo, muscular, cartilaginoso) [F.: *terat(o)-* + *-oma*[1].]

teratomórfico (te.ra.to.*mór*.fi.co) *a.* Que possui forma monstruosa (castelo teratomórfico) [F.: *terat(o)-* + *-morf(o)-* + *-ico*[2].]

teratoscopia (te.ra.tos.co.*pi*.a) *Ant. sf.* **1** Adivinhação inspirada na observação das monstruosidades físicas de homens ou de animais **2** Adivinhação por meio da observação de fenômenos considerados sobrenaturais ou milagrosos [F.: Do gr. *teratoskopía, as*, pelo fr. *tératoscopie*.]

térbio (*tér*.bi:o) *sm. Quím.* Metal prateado acinzentado dúctil e maleável, us. em componentes de tubos de televisores e em dispositivos geradores de lasers, elemento de número atômico 65, da série dos lantanídeos [Símb.: *Tb*.] [F.: Do top. *Ytterby*, região da Suécia onde foi encontrado.]

terça[1] (*ter*.ça) [ê] *sf.* F. red. de *terça-feira*

terça[2] (*ter*.ça) *sf.* **1** Cada parte de um todo dividido em três partes iguais **2** *Litu.* No catolicismo, hora canônica em ofícios divinos, segue-se à prima **3** *Cons.* Peça de madeira que se põe sob caibros para que não verguem sob peso **4** *Mús.* Na escala diatônica, intervalo entre uma nota e a terceira na escala a partir dela (p. ex., entre dó e mi, entre fá e lá etc.) **5** *Ant. Jur.* A terça parte de uma herança, de que o testador podia dispor como quisesse **6** *Jorn.* Última prova de uma edição de jornal, antes da impressão **7** *CE* Certa medida para líquidos *a.* **8** Diz-se de uma parte de um todo dividido em três partes iguais [F.: Ver em *terço*.]

terçã (ter.*çã*) *a.* **1** *Med.* Diz-se da febre que se manifesta a cada três dias *sf.* **2** O mesmo que *febre terçã* [Pl.: *-çãs*.] [F.: Do lat. *tertiana (febris)*.]

terçado[1] (ter.*ça*.do) *a.* **1** Composto de três partes: *pão terçado de farinha de milho, trigo e centeio.* **2** Disposto em diagonal [F.: Part. de *terçar*.]

terçado[2] (ter.*ça*.do) *sm.* **1** Espécie de espada curta **2** *Bras.* Facão grande [F.: *terço* (2) + *-ado*[1].]

terçador (ter.ça.*dor*) [ô] *a.* **1** Que terça, que luta por algo ou alguém **2** Que desempenha a função de terceiro, medianeiro, intercessor *sm.* **3** Aquele que terça **4** Quem desempenha a função de terceiro, medianeiro, intercessor [F.: *terçar* + *-dor*.]

terça-feira (ter.ça-*fei*.ra) *sf.* Terceiro dia da semana; segue-se à segunda-feira [Pl.: *terças-feiras*.] [F.: *terça* + *feira*.]

terçar (ter.*çar*) *v.* **1** Misturar (três coisas) em partes iguais [*td.*: *terçar milho, centeio e trigo para fazer pão.*] **2** *P. ext.* Misturar proporcionalmente (dois ou mais elementos) [*tr.* + *por*: *terçar cimento.*] [*tdr.* + *com*: *O pedreiro terçou cal com água e areia.*] **3** Dividir em três partes [*td.*: *Os irmãos terçaram os bens paternos.*] **4** Adicionar a (alguma coisa) uma outra equivalente a um terço de seu volume ou quantidade [*tr.* + *de*: *Eles terçavam o vinho de água.*] **5** Dispor (espada, lança etc.) em diagonal; ATRAVESSAR [*td.*: *terçar armas.*] **6** Colocar transversalmente; CRUZAR [*td.*: *Para proteger-se do frio, terçou a echarpe de lã em volta do pescoço.*] **7** Dar como dote, benefício, qualidade, proteção; DOTAR; FAVORECER [*td.*: *A natureza terçou-a com um belo rosto.*] **8** Pedir por; INTERCEDER [*tr.* + *por*: *Mesmo sem moral, terçaria pelo bem-estar da mulher.*] **9** Lutar a favor, pugnar em defesa de (algo) [*tr.* + *por*: *Terçou por justiça.*] **10** Correr de modo favorável (tempo ou vento) [*int.*: *Terçava na serra um vento leve e agradável.*] [► **12 terçar**] [F.: *terço* + *-ar*[2]. Hom./Par.: *terça(s)* (fl.), *terça(s)* [ê] (sf. [pl.]); *terça(s)* (fl.), *tersa(s)* (fem. de *terso* [pl.]); *terçaria(s)* (fl.), *terçaria(s)* (sf. [pl.]); *terço* (fl.), *terço* [ê] (sm. num.); *terço* (fl.), *terso* (a.).]

terceira (ter.*cei*.ra) *num.* **1** Fem. de *terceiro sf.* **2** A terça parte de um todo **3** Mulher que intervém por algo ou alguém; MEDIANEIRA; ALCOVITEIRA **4** A terceira classe em navio, trem etc. **5** *Mec.* Em veículos automóveis, uma das marchas de velocidade **6** *Mús.* Ver *terça* (4) [F.: Fem. subst. do num. *terceiro*.]

terceiranista (ter.cei.ra.*nis*.ta) *a2g.* **1** Diz-se de estudante que frequenta o terceiro ano de qualquer curso, esp. de uma universidade *s2g.* **2** Estudante terceiranista [F.: *terceiro* + *ano*[1] + *-ista*.]

terceirização (ter.cei.ri.za.*ção*) *sf.* Ação ou resultado de terceirizar [Pl.: *-ções*.] [F.: *terceirizar* + *-ção*.]

terceirizado (ter.cei.ri.*za*.do) *a.* Que sofreu terceirização [F.: Part. de *terceirizar*.]

terceirizar (ter.cei.ri.*zar*) *v.* **1** *Econ.* Transferir (serviços não essenciais) para outras empresas [*td.*: *A universidade terceirizou os serviços de limpeza.*] [*int.*: *A diretoria resolveu que não vale a pena terceirizar.*] **2** Passar por processo de terceirização [*int.*: *Algumas empresas terceirizaram-se por causa de dificuldades administrativas.*] [► **1 terceirizar**] [F.: *terceiro* + *-izar*.]

terceiro (ter.*cei*.ro) *num.* **1** Ordinal que, em uma sequência, corresponde ao número três: *A loja fica no terceiro andar. sm.* **2** Quem ou o que ocupa o terceiro lugar **3** Pessoa que intercede; MEDIADOR **4** Intermediário em relações amorosas; ALCOVITEIRO **5** *Jur.* Pessoa ou entidade que, não sendo parte direta num processo, pode ter interesses ligados aos que nele estão em jogo **6** *Bras.* Numa parceria agrícola, pessoa que deve dar um terço do rendimento ao dono da terra **7** *Rel.* Membro de uma ordem terceira; TERCIÁRIO *adv.* **8** Em terceiro lugar [F.: Do lat. *tertiarius*. Ver tb. *terceiros*.] **▪ ~ excluído** Ver *Princípio do terceiro excluído* no verbete *princípio*

terceiro-mundista (ter.cei.ro-mun.*dis*.ta) *s2g.* **1** Pessoa nascida ou que vive no Terceiro-Mundo (ver em *mundo*) *a2g.* **2** De, ou referente ao Terceiro-Mundo; típico desses países ou de seus povos [Pl.: *terceiro-mundistas*.] [F.: *terceiro-mundo* + *-ista*.]

terceiros (ter.*cei*.ros) *smpl.* **1** Os outros: *A conversa chamou a atenção de terceiros.* **2** Membros da Ordem Terceira, sob a invocação de S. Francisco de Assis [F.: Pl. de *terceiro*.]

terceiro-sargento (ter.cei.ro-sar.*gen*.to) *Bras. Mil. sm.* **1** Patente militar (Ver quadro da *Hierarquia Militar Brasileira*) **2** *P. ext.* Militar que tem essa patente [Pl.: *terceiros-sargentos*.]

tercenário (ter.ce.*ná*.ri:o) *sm.* **1** Indivíduo beneficiado com a terça parte de uma herança; legatário da terça **2** *Ant.* Beneficiado eclesiástico que tinha a terça parte dos rendimentos de um cônego [F.: *terço* + *-eno-* + *-ário*.]

terceto (ter.*ce*.to) [ê] *sm.* **1** *Poét.* Estrofe de três versos **2** *Mús.* Composição para três vozes **3** *Mús.* Conjunto formado por três vozes; TRIO [F.: Do it. *terzetto*. Hom./Par.: *terceto* (sm.), *terceto* (fl. de *tercetar*).]

terciário (ter.ci:*á*.ri:o) *a.* **1** Que está em terceiro lugar **2** *Econ.* Diz-se de um dos três grandes setores em que a economia é dividida, correspondendo às atividades ligadas a bancos, comércio etc. **3** *Geol.* Diz-se de período da era cenozoica em que os grandes sáurios desapareceram, surgiu uma grande diversidade de plantas floríferas e apareceram os primeiros símios antropomorfos **4** *Med.* Diz-se dos efeitos posteriores aos que seguem imediatamente certas afecções orgânicas *sm.* **5** O período terciário (3) [Nesta acp., com inicial maiúsc.] **6** *Rel.* Terceiro [Nesta acp. cf.: *terceiros* (2).] [F.: Do lat. *tertiarius*.]

tercil (ter.*cil*) *sm. Est.* Qualquer das separatrizes que dividem uma área de distribuição de frequência em três classes formadas por igual número de indivíduos: *O tercil de menor escolaridade incluiu mulheres com menos de sete anos de estudo.* [Pl.: *-cis*.] [F.: *terço* + *-il*[1].]

tércio (*tér*.ci:o) *Ant. num.* **1** Ver *terceiro sm.* **2** *Taur.* A terça parte da arena, a contar da trincheira [F.: Do lat. *tertius, a, um*.]

terciopelo (ter.ci:o.*pe*.lo) [ê] *sm.* Veludo de três pelos; veludo de pelos muito juntos [F.: Do espn. *terciopelo*.]

terço (*ter*.ço) [ê] *a.* **1** Que é três vezes menor do que a unidade ou um todo (diz-se de parte): *a terça parte da herança. sm.* **2** A terça parte de um todo qualquer: *Pagou um terço do que me devia.* **3** *Rel.* Um terço do rosário: *Guardava o terço da avó.* **4** *Agr.* Sistema de parceria pela qual se cede a outrem a terra a ser cultivada, recebendo o proprietário a terça parte do rendimento total **5** *Arq.* A terça parte do fuste da coluna a contar da base (terço inferior), ou do capitel (terço superior) **6** *RS* Surrão de couro **7** *Mar.* A parte central de uma verga **8** *Ant. Mil.* Ajuntamento de tropas dos exércitos português e espanhol dos sécs. XVI e XVII, que atualmente corresponde ao regimento [F.: Do lat. *tertius*. Hom./Par.: *terço* (a. sm.), *terço* (fl. de *terçar*), *terso* (a.).]

terçol (ter.*çol*) *sm. Pop. Oft.* Pequena afecção no bordo das pálpebras; HORDÉOLO [Pl.: *-çóis*.] [F.: De or. contrv.]

terebintácea (te.re.bin.*tá*.ce:a) *P. us. Angios. sf.* **1** Espécime das terebintáceas *sfpl.* **2** Antiga classificação de fam. da classe das dicotiledôneas, com espécies de outras fam. esp. das anacardiáceas [F.: Do lat. cient. *Therebintathaceae*.]

terebintina (te.re.bin.*ti*.na) *sf.* **1** *Quím.* Nome comum às resinas que se extraem de certas árvores, esp. coníferas, us. como solvente **2** *Bras. Pop.* Cachaça [F.: Do fr. *térébenthine*, deriv. do lat. medv. *terebinthina*.]

terebinto (te.re.*bin*.to) *Angios. sm.* **1** Denominação comum às plantas do gênero *Terebinthus*, da fam. das anacardiáceas **2** Arbusto ou pequena árvore (*Pistacia terebinthus*) da fam. das anacardiáceas, nativa da área mediterrânea, de folhas decíduas com folíolos mucronados, folhas pequenas e apétalas, dispostas em panículas e frutos pequeninos drupáceos; o caule exsuda, por incisão, resina transparente e aromática conhecida como terebintina [F.: Do lat. *terebinthus, i*, deriv. do gr. *terébinthos, inos*.]

térebra (*té*.re.bra) *sf. Mil.* Instrumento bélico dos antigos romanos us. para perfurar muralhas [F.: Do lat. *terebra*, 'verruma'.]

terebrante (te.re.*bran*.te) *Med. a2g.* **1** Diz-se de dor muito forte e profunda que produz a sensação de perfuração **2** Diz-se de certos tipos de úlceras que tendem a perfurar os tecidos e produzem dores violentas [F.: Do lat. *terebrans, antis*.]

teredinídeo (te.re.di.*ní*.de:o) *Malac. sm.* **1** Espécime dos teredinídeos *smpl.* **2** Fam. de moluscos bivalves, capazes de cortar madeira, que reúne cerca de 60 espécies, conhecidas como gusanos ou turus *a.* **3** Ref. ou pertencente aos teredinídeos [F.: Do lat. cient. *Teredinidae*.]

teredo (te.*re*.do) *Malac. sm.* Denominação comum dos moluscos bivalves vermiformes, do gênero *Teredro*, típico da fam. dos teredinídeos, que vivem associados a substratos orgânicos, esp. a madeira; participam ativamente do processo de decomposição da matéria orgânica, esp. das árvores dos mangues; GUSANO

terém (te.*rém*) *Bras. Pop. sm.* Objeto ger. pequeno e de pouco valor; TRECO [Pl.: *-réns*.] [F.: *trem* com suarabácti. Hom./Par.: *terem* (sm.), *terem* (fl. de *ter*).]

teréns (te.*réns*) *smpl. N. E.* Conjunto de objetos de uso pessoal, utensílios domésticos e móveis; TRASTES: "Amor que vai, amor que vem / Amor foge e vai embora / Amor que leva seus teréns / Pra não ter motivo de voltar /" (Alceu Valença, *Amor que vai*) [F.: Pl. de *terém*.]

tereré (te.re.*ré*) *sm.* **1** *MT S.* Refresco de mate **2** Chimarrão frio tomado com bombilha **3** *Bras. Pop.* Bate-papo enquanto se lancha no intervalo entre dois turnos de trabalho [F.: De or. contrv.; posv. do *guarani*.]

terereca (te.re.*re*.ca) *a2g.* **1** Que fala muito; FALADOR; TAGARELA; PALRADOR **2** Que não sossega; INQUIETO; BULIÇOSO **3** Que é muito agitado e pouco produtivo **4** Que não tem regularidade; INCONSTANTE **5** *SP* Diz-se de pião que, por ter ponta rombuda, saltita ao girar *s2g.* **6** Indivíduo terereca [F.: Do tupi.]

tereteré (te.re.te.*ré*) *sm. MG N.* Terreno alagadiço; solo fofo e lodoso; ATOLEIRO [F.: Do tupi 'revirado'.]

◎ **tereti-** *el. comp.* = 'cilíndrico'; 'arredondado'; 'delgado': *tereticaule, teretifoliado, teretirrostro* [F.: Do lat. *teres, etis*.]

tereticaule (te.re.ti.*cau*.le) *a2g. Bot.* Que apresenta haste ou caule cilíndrico e delgado [F.: *tereti-* + *-caule*.]

teretifoliado (te.re.ti.fo.li.*a*.do) *a. Bot.* Que possui folhas cilíndricas [F.: *tereti-* + *foliado.*]
teretirrostro (te.re.tir.*ros*.tro) [rós] *a. Zool.* Cujo bico é delgado [F.: *tereti-* + *-rostro.*]
tergal[1] (ter.*gal*) *sm. Quím.* Nome comercial de tecido de fibra sintética de poliéster produzida a partir do ácido tereftálico, que se caracteriza pela resistência, lavagem e secagem rápida e por não amassar [F.: Do fr. *tergal*, marca registrada.]
tergal[2] (ter.*gal*) *a2g.* Ref. ao dorso, ou à região dorsal [Pl.: *-gais.*] [F.: *tergo* + *-al*[1].]
◎ **terg(i)-** *el. comp.* 'costas': *tergiversar* [F.: Do lat. *tergum.*]
tergiversação (ter.gi.ver.sa.*ção*) *sf.* **1** Ação ou resultado de tergiversar **2** Desculpa, rodeio, evasiva **3** *Jur.* Atitude ilícita praticada por advogado que simultaneamente defende o autor e o réu em processos conexos ou em um mesmo processo [Pl.: *-ções.*] [F.: Do lat. *tergiversatio-onis.*]
tergiversador (ter.gi.ver.sa.*dor*) [ô] *a.* **1** Que tergiversa; TERGIVERSANTE *sm.* **2** Aquele que tergiversa [F.: Do lat. *tergiversator, -oris.*]
tergiversar (ter.gi.ver.*sar*) *v. int.* **1** Usar de desculpas, rodeios; HESITAR: *O comerciante desfez o negócio sem tergiversar.* **2** Virar de costas: *Impaciente, gostaria de tergiversar para não ver as duas se enfeitando.* [▶ 1 tergiversar] [F.: Do lat. *tergiversare*, pelo v. depoente *tergiversari*, 'voltar as costas, procurar rodeios'. Hom./Par.: *tergiversáveis* (fl.), *tergiversáveis* (a2g. pl.).]
teriaga (te.ri:*a*.ga) *sf.* **1** *Farm.* Antigo eletuário de composição variável com inúmeros componentes, que os antigos supunham ser muito eficaz contra mordedura de animais peçonhentos, além de preventivo e remédio contra várias doenças **2** *P. ext.* Qualquer remédio caseiro **3** *Fig.* Aquilo que se emprega para diminuir sofrimentos ou remediar dificuldades; PANACEIA: "A extrema dor era a extrema-unção. O sofrimento duro a absolvição plenária; a teriaga infalível para a peçonha dos maiores vícios." (Euclides da Cunha, *Os sertões*) **4** Qualquer coisa de gosto amargo [F.: Do gr. *theriaké*, pelo lat. *theriaca*. Var.: *triaga.*]
teridiídeo (te.ri.di.*í*.de:o) *Ent. sm.* **1** Espécime dos teridiídeos, fam. de aranhas pequenas e médias, de ampla distribuição, que inclui a viúva-negra, com cefalotórax arredondado, olhos protuberantes, pernas curvas e tarsos posteriores com cerdas serrilhadas us. para enrolar a presa *a.* **2** Ref. ou pertencente aos teriídeos [F.: Do lat. cient. *Theridiidae.*]
◎ **-tério**[1] *el. comp.* = 'lugar onde se realiza ou se guarda algo, ou em que há certa coisa ou elemento': *batistério* (< gr.), *biotério*, *cemitério* (< lat. < gr.), *necrotério* [F.: Do gr. *-térion*, ou (> lat. *-terium, ii*).]
◎ **-tério**[2] *el. comp.* = 'animal selvagem'; 'fera'; (*Mastzoo.*) 'mamífero'; (*Pal.*) 'mamífero fóssil': *anoplotério* (< lat. cient.), *brontotério* (< lat. cient.), *dinotério* (< lat. cient.), *elasmotério* (< lat. cient.), *glossotério* (< lat. cient.), *metatério* (< lat. cient.) [F.: Do gr. *therion, ou*, 'animal selvagem'; 'fera'.]
terma (*ter*.ma) *sf.* Ver *termas*
termal (ter.*mal*) *a2g.* **1** Ref. ao calor **2** Diz-se da água que tem temperatura mais elevada que a do ambiente em que se encontra **3** Ref. a termas [Pl.: *-mais.*] [F.: Do fr. *thermal*; ver *term(o)-* e *-al*[1].]
termalização (ter.ma.li.za.*ção*) *sf.* **1** Ação ou resultado de termalizar **2** *Fís. nu.* Numa reação nuclear, processo pelo qual os nêutrons são levados ao equilíbrio térmico com o meio onde se encontram, empregando-se um moderador que absorve a energia dos nêutrons rápidos [Pl.: *-ções.*] [F.: *termalizar* + *-ção.*]
termalizar (ter.ma.li.*zar*) *v. td. Fís. nu.* Reduzir a energia dos nêutrons, para lhes conferir equilíbrio térmico em seu meio [▶ 1 termalizar] [F.: *termal* + *-izar*, como adaptc. do ingl. (*to*) *thermalize.*]
termas (*ter*.mas) *sfpl.* **1** Estabelecimento que faz uso terapêutico de águas medicinais quentes **2** Estabelecimento equipado para banhos, com banheiras [Não raro com a conotação de local em que ocorrem encontros ou programas sexuais] **3** Balneário com esse tipo de estabelecimento **4** *Hist.* Na Roma antiga, estabelecimento destinado a banhos públicos [F.: Adaptc. do lat. *thermae, arum*, 'local público de banho'; 'águas medicinais, naturalmente quentes'. Tb. us. o sing.: *terma.*]
termelétrica (ter.me.*lé*.tri.ca) *sf.* Usina termelétrica [F.: Fem. substv. de *termelétrico*. Cf.: *hidrelétrica*. Tb. *termoelétrica.*]
termeletricidade (ter.me.le.tri.ci.*da*.de) *sf.* **1** *Fís.* Transformação de energia térmica em eletricidade e vice-versa **2** *Fís.* Parte da física que trata dos fenômenos desta ordem **3** Produção de energia elétrica em usinas que usam determinados combustíveis [F.: *term(o)-* + *eletricidade*. Tb. *termoeletricidade.*]
termelétrico (ter.me.*lé*.tri.co) *a.* **1** Ref. a usina que utiliza o calor (do óleo combustível, carvão etc.) para gerar energia elétrica *a.* **2** Ref. a termeletricidade [F.: *term(o)-* + *elétrico*. Tb. *termoelétrico.*]
termelétron (ter.me.*lé*.tron) *sm. Fís. nu.* Elétron emitido por matéria aquecida [Pl.: *elétrons* e (p. us.) *elétrones.*] [F.: *term(o)-* + *elétron.*]
termestesia (ter.mes.te.*si*.a) *sf. Neur.* Sensibilidade do corpo às variações de temperatura [F.: *term(o)-* + *-estesia.*]
◎ **-termia** *el. comp.* = '(transmissão de, ou técnica de aplicação de) calor'; '(variação [elevação ou queda] de) temperatura'; 'processo físico-químico ref. ao calor'; 'ciência que estuda algo ref. ao calor': *adiatermia, biotermia, diatermia, eletrotermia, estenotermia, geotermia, hemitermia, hipertermia, hipotermia, homotermia, isotermia* [F.: Do gr. *thérme, es*, 'calor', + *-ia*[1]. F. conexa: *term(o)-.*]
termia (ter.*mi*.a) *sf. Ant. Fís.* Unidade de medida de calor equivalente à quantidade de calor necessária para aquecer uma tonelada de água de 14,5 °C a 15,5 °C e que vale 4,1855 x 106 quando convertida para uma unidade do SI [Símb.: *th*] [F.: *term(o)-* + *-ia*[1].]
termiatria (ter.mi:a.*tri*.a) *sf. Med.* Tratamento terapêutico que se baseia no uso de águas termais [F.: *term(o)-* + *-iatria.*]
termiátrico (ter.mi.*á*.tri.co) *a. Med.* Que diz respeito a termiatria [F.: *termiatria* + *-ico*[2].]
térmico (*tér*.mi.co) *a.* **1** Ref. ao calor ou dele próprio **2** Que mantém a temperatura (garrafa térmica) **3** Em que se acentua a temperatura **4** Ref. a termas [F.: Posv. do fr. *thermique*; ver *term(o)-* + *-ico*[2].]
termidor (ter.mi.*dor*) [ô] *sm. Cron.* Décimo-primeiro mês do calendário republicano francês criado pela Revolução Francesa [F.: Do fr. *thermidor.*]
terminação (ter.mi.na.*ção*) *sf.* **1** Ação ou resultado de terminar; FIM; CONCLUSÃO [Ant.: *começo.*] **2** Parte terminal ou final: *a terminação de um nervo.* **3** *Gram.* Sufixo ou desinência que se segue ao radical da palavra **4** *Mús.* Posicionamento da última nota de uma melodia com relação ao icto final **5** *Mús.* Modo de se terminar um trino [Pl.: *-ções.*] [F.: Do lat. *terminatio-onis.*] ∎ **~ falsa** *Poét.* Terminação de um verso sem concluir a ideia de um sintagma, parte do qual vai para o verso seguinte; *enjambement* **~ nervosa** *Fisl. Neur.* Forma de conexão entre um elemento nervoso e o elemento motor que aquele excita
terminador (ter.mi.na.*dor*) [ô] *a.* **1** Diz-se do que se usa para terminar, marcar ou delimitar *sm.* **2** O que é us. para terminar, marcar ou delimitar [F.: Do lat. *terminator, oris.*]
terminal (ter.mi.*nal*) *a2g.* **1** Ref. a termo ou conclusão **2** Que termina, que chega ao fim, ou que marca o fim (fase terminal; marco terminal) **3** Que evolui para a morte (diz-se de doença) **4** Terminante, decisivo *sm.* **5** O que termina, completa; FINAL **6** Ponto final ou de convergência das linhas de uma rede (ferroviária, rodoviária etc.) **7** *Aer.* Área de embarque ou desembarque em um aeroporto (terminal de passageiros/carga) **8** *Elet. Eletrôn.* Ponto de conexão em um aparelho elétrico ou eletrônico **9** *Inf.* Dispositivo ligado a uma rede computadorizada que permite enviar e receber dados utilizando-se um teclado e um monitor (terminal de autoatendimento) [Pl.: *-nais.*] [F.: Do lat. *terminalis, -e.* Hom./Par.: *terminais* (pl.), *terminais* (fl. de *terminar*).] ∎ **~ aéreo** Estação de embarque e desembarque de passageiros e bagagens em lugar distante do centro urbano (ger. quando este fica distante do aeroporto), para onde e de onde são transportados **~ marítimo** *Mar. Merc.* Instalação portuária para carregamento e descarregamento de embarcação marítima **~ de vídeo** *Inf.* Num sistema de computadores, terminal com monitor de vídeo para receber e apresentar informações na tela **~ rodoviário** Estação de embarque e desembarque de passageiros e bagagens de linhas de ônibus (ger. intermunicipais ou interestaduais), com infraestrutura logística para passageiros (venda de passagem, salas ou bancos de espera, lojas, lanchonetes etc.) e para as companhias de ônibus
terminália[1] (ter.mi.*ná*.li:a) *sf. Angios.* Denominação comum das árvores tropicais do gênero *Terminalia*, da fam. das combretáceas, muito cultivadas como ornamentais, p. ex. a amendoeira-da-praia, e para extração de madeira, resina, corante, óleo e tanino [F.: Do lat. cient. *Terminalia.*]
terminália[2] (ter.mi.*ná*.li:a) *sf. Ent.* O conjunto dos segmentos posteriores do abdome dos insetos, alterado para constituir a genitália [F.: Do lat. cient. *terminalia*, neutro pl. do lat. *terminalis*, 'terminal'.]
terminalidade (ter.mi.na.li.*da*.de) *sf.* Estado ou condição do que é terminal (terminalidade da vida) [F.: *terminal* + *-(i)dade.*]
terminal-impressor (ter.mi.nal-im.pres.*sor*) [ô] *sm. Inf.* Terminal com ou sem teclado, que mostra a informação sob a forma de caracteres, usado como dispositivo de entrada ou saída de informação [Pl.: *terminais-impressores.*]
terminalmente (ter.mi.nal.*men*.te) *adv.* De modo terminal: *pacientes terminalmente doentes.* [F.: *terminal* + *-mente.*]
terminal-remoto (ter.mi.nal-re.*mo*.to) *sm. Inf.* Terminal conectado a um sistema de computadores, que se encontra em local distante deste [Pl.: *terminais-remotos.*]
terminal-vídeo (ter.mi.nal-*ví*.de:o) *sm. Inf.* Terminal (9) com tela para apresentar informações, ger. com teclado [Pl.: *terminais-vídeo* e *terminais-vídeos.*]
terminante (ter.mi.*nan*.te) *a2g.* **1** Que termina ou faz terminar; TERMINATIVO **2** Decisivo, definitivo, irrevogável (recusa terminante) **3** Concludente, que prova bem: *Deu-me razões terminantes.* [F.: Do lat. *terminans, -antis.*]
terminantemente (ter.mi.nan.te.*men*.te) *adv.* De modo terminante; que não admite recusa ou qualquer outra opção: *É terminantemente proibido fumar neste local.* [F.: *terminante* + *-mente.*]
terminar (ter.mi.*nar*) *v.* **1** Chegar ao final, ao seu termo; ACABAR; CONCLUIR [*td.*: *Terminei o curso de inglês.*] [*int.*: *O trabalho deve terminar amanhã.*] **2** Ser a conclusão, o fim de; ROMPER; DESFAZER [*td.*: *O grito do pai terminou a briga entre os irmãos.*] **3** Ocupar a extremidade de; ter seu limite em [*td.*: *Em Teresópolis, uma bela fonte termina a rua.*] [*ta.*: *A rua terminava num grande largo.*] **4** Ter um termo, ou fim [*tr.* + *em*: *As astes dos anzóis terminam em gancho.*] **5** Determinar os marcos, os limites de; CIRCUNSCREVER; DELIMITAR; DEMARCAR [*td.*: *Uma cerca terminava o sítio.*] **6** Encontrar os limites, a demarcação (de algo); DEMARCAR; DELIMITAR [*tr.* + *com*: *Minha fazenda terminava com a montanha.*] **7** Pôr fim a; DESFAZER; ROMPER [*td.*: *A jovem terminou o casamento.*] [*tr.* + *com*: *Mariana terminou comigo por ciúmes.*] [*int.*: *Depois de dois anos de namoro, julgaram melhor terminar.*] **8** *Gram.* Ter como elemento final [*tr.* + *em*, *por*: *Adjetivos que terminam em -el são de dois gêneros.*] **9** Ter como resultado; resultar em; REDUNDAR [*tr.* + *em*: *A discussão terminou em briga.*] [▶ 1 terminar Como v. aux., seguido de infinit. (com as prep. *de* e *por*) ou de geru., indica o término da ação: *terminar de escrever um romance*; *terminar adoecendo.*] [F.: Do lat. *terminare*. Hom./Par.: *terminais* (fl.), *terminais* (pl. de *terminal*); *termino* (fl.), *término* (sm.).] ∎ **~ com** Ter (alguma coisa) por limite
terminativo (ter.mi.na.*ti*.vo) *a.* Que faz terminar; TERMINANTE [F.: *terminar* + *-t-* + *-ivo.*]
término (*tér*.mi.no) *sm.* **1** Fim, termo: *Era o término da viagem*; "Sendo o término de uma fase, era o começo de outra..." (Alberto da Costa e Silva, *A manilha e o libambo*) [Ant.: *começo.*] **2** Limite, marco, tempo de duração de algo [F.: Do lat. *terminus*. Hom./Par.: *término* (sm.), *termino* (fl. de *terminar*).]
terminologia (ter.mi.no.lo.*gi*.a) *sf.* **1** O conjunto de termos de uma arte, ciência, profissão etc. (terminologia médica); NOMENCLATURA **2** Tratado sobre esses termos **3** Uso de termos peculiares a um autor, uma região etc.: *a terminologia carioca.* **4** Estudo que identifica e delimita os conceitos peculiares de qualquer ciência, arte, profissão etc. e a designação de cada um deles por um determinado termo [F.: Do fr. *terminologie.*]
terminologicamente (ter.mi.no.lo.gi.ca.*men*.te) *adv.* De modo terminológico; segundo a terminologia: *linguagem terminologicamente precisa.* [F.: *terminológico* (o > a) + *-mente.*]
terminológico (ter.mi.no.*ló*.gi.co) *a.* Ref. a terminologia [F.: *terminologi(a)* + *-ico*[2].]
termíon (ter.*mí*:on) *sm. Fís. nu.* Íon emitido por matéria aquecida [Pl.: *termíons* e (p. us.) *termiones.*] [F.: *term(o)-* + *íon.*]
termistor (ter.mis.*tor*) [ô] *sm. Elet.* Resistor constituído por um semicondutor cuja resistência varia muito e regularmente de acordo com a temperatura [F.: Do ingl. *thermistor.*]
térmita (*tér*.mi.ta) *sf.* Ver *térmite*
térmite (*tér*.mi.te) *sf. Zool.* O mesmo que *cupim* (1) [F.: Do lat. *termes, itis*. Tb. *térmita.*]
termiteiro (ter.mi.*tei*.ro) *sm. Ent.* O mesmo que *cupinzeiro* [F.: *térmite* ou *térmita* + *-eiro.*]
termização (ter.mi.za.*ção*) *sf.* Tratamento térmico controlado do leite que não inativa a fosfatase alcalina, adotado na fabricação de vários tipos de queijos [Pl.: *-ções.*] [F.: *term(o)-* + *-izar-* + *-ção.*]
◎ **-term(o)-** *el. comp.* Ver *term(o)-*
◎ **-termo** *el. comp.* Ver *term(o)-*
◎ **term(o)-** *el. comp.* = 'calor'; 'temperatura'; 'energia térmica'; 'águas termais'; 'quente': *termal* (< fr.), *termalizar* (< ingl.), *termântico* (< lat. < gr.), *termelétrica, termoelétrica, termoelétron, termestesia, termiatria, termoacústico, termodifusão, termodinâmica, termoestável, termologia, termonuclear, termoquímica, termorregulador, termosfera*; *pecilotérmico*; *heterotermo, homeotermo, pecilotermo* [F.: Do gr. *thermós, é, ón*, 'quente', e de seu der. *thérme, és*, 'calor'.]
termo (*ter*.mo) [ê] *sm.* **1** Final, término: *Chegara ao termo de sua viagem.* **2** Marco, limite: *Queria pôr um termo às discussões.* **3** Modo, estado em que se acha uma questão, um negócio etc.: *As coisas não podiam continuar naqueles termos.* **4** Palavra, vocábulo: *Usa termos difíceis nos seus livros.* **5** Palavra ou expressão particular a uma arte, uma ciência, uma profissão etc. (termos de direito) **6** Teor, forma, redação: *os termos de um decreto.* **7** Tempo fixo; PRAZO: *No termo de três dias terei de partir.* **8** *Gram.* Elemento que assume uma função na oração **9** *Jur.* Qualquer declaração escrita nos autos **10** Espaço, extensão **11** Circunvizinhança **12** *Fís.* Símbolo do nível de energia de átomo ou molécula **13** *Jur.* Limite de prazo para cumprimento de condições, decisões etc. **14** *Lóg.* Cada elemento de uma relação lógica **15** *Mat.* Todo elemento de uma expressão matemática [F.: Do lat. *terminus*. Hom./Par.: *termos* (pl.), *termos* (fl. de *ter*).] ∎ **A ~** *Econ.* Com liquidação ou entrega posterior (operações em bolsas de valores ou de mercadorias) **A ~ que** De maneira que, de sorte que **Em ~s** **1** De maneira relativa, guardadas as proporções: *Suas críticas procedem, mas em termos.* **2** De maneira adequada; em linguagem adequada **Fazer ~** **1** *Bras.* Perder os sentidos **2** Agonizar **Pôr ~** Pôr fim, acabar, terminar **~ lógico** *Lóg.* Na lógica formal, todo símbolo ou palavra que representa função lógica, quantificador etc. **~ maior** *Lóg.* Num silogismo, Termo que se encontra na proposição inicial (premissa maior) e no predicado da proposição final (conclusão) **~ médio** *Lóg.* Num silogismo, termo presente na premissa maior e na premissa menor, mas ausente na conclusão **~ menor** *Lóg.* Num silogismo, termo presente na segunda proposição (premissa menor) e no sujeito da proposição final (conclusão)
termoacústico (ter.mo:a.*cús*.ti.co) *a. Fís.* Que diz respeito aos ruídos ou à reverberação sonora e às condições tér-

micas e de iluminação (isolamento termoacústico) [F.: *term(o)-* + *acústico*.]

termoanálise (ter.mo:a.*ná*.li.se) *sf. Fís-quím.* O mesmo que *análise térmica* [F.: *term(o)-* + *análise*.]

termocautério (ter.mo.cau.*té*.ri:o) *sm. Cir.* Cautério de platina incandescente us. para cauterizar ou secionar tecidos [F.: *term(o)-* + *cautério*.]

termocópia (ter.mo.*có*.pi:a) *sf.* Cópia produzida por termocopiadora [F.: *term(o)-* + *cópia*.]

termocopiadora (ter.mo.co.pi:a.*do*.ra) [ô] *sf.* Máquina que produz cópias de documentos em papel especial com emulsão sensível que, em contato com o original, absorve raios infravermelhos por liberação de calor [F.: *term(o)-* + *copiadora*.]

termodifusão (ter.mo.di.fu.*são*) *sf. Fís-quím.* Numa mistura gasosa ou líquida em que há um gradiente de temperatura, o efeito que causa a separação dos componentes pesados dos leves [Pl.: *-sões*.] [F.: *term(o)-* + *difusão*.]

termodinâmica (ter.mo.di.*nâ*.mi.ca) *sf. Fís.* Ramo da física que estuda os processos de transformação de energia e de que maneira os sistemas se comportam durante tais processos [F.: *term(o)-* + *dinâmica*.]

termodinâmico (ter.mo.di.*nâ*.mi.co) *a. Fís.* Ref. a ou próprio da termodinâmica [F.: *term(o)-* + *dinâmico*.]

termoelétrica (ter.mo:e.*lé*.tri.ca) *sf.* Ver *termelétrica*

termoeletricidade (ter.mo:e.le.tri.ci.*da*.de) *sf.* Ver *termeletricidade*

termoelétrico (ter.mo:e.*lé*.tri.co) *a.* Ver *termelétrico*

termoestável (ter.mo:es.*tá*.vel) *a2g. Quím.* Diz-se de macropolímero que não se funde nem se torna solúvel sob a ação do calor [Pl.: *-veis*.] [F.: *term(o)-* + *estável*.]

termofilia (ter.mo.fi.*li*.a) *sf. Biol.* Capacidade de um organismo viver e desenvolver-se em ambiente quente, em geral acima de 40º [F.: *term(o)-* + *-filia*[1].]

termófilo (ter.*mó*.fi.lo) *a. Biol.* Diz-se de microrganismo que vive em temperaturas elevadas, ger. acima de 40 ºC [F.: *term(o)-* + *-filo*[1].]

termofobia (ter.mo.fo.*bi*.a) *sf. Psiq.* Aversão doentia ao calor, à temperatura elevada [F.: *term(o)-* + *-fobia*.]

termofóbico (ter.mo.*fó*.bi.co) *Psiq. a.* **1** Ref. a termofobia **2** Diz-se de indivíduo que sofre de termofobia; TERMÓFOBO *sm.* **3** Esse indivíduo; TERMÓFOBO [F.: *termofobia* + *-ico*[2].]

termófobo (ter.*mó*.fo.bo) *a. sm. Psiq.* O mesmo que *termofóbico* (2 e 3) [F.: *term(o)-* + *-fobo*.]

termoformação (ter.mo.for.ma.*ção*) *sf. Fís. Tec.* Processo ou técnica de dar forma a algo pela ação do calor (moldagem por termoformação) [Pl.: *-ções*.] [F.: *term(o)-* + *formação*.]

termogênese (ter.mo.*gê*.ne.se) *sf. Fisl.* Produção contínua e regular de calor nos seres vivos [F.: *term(o)-* + *-gênese*.]

termogênico (ter.mo.*gê*.ni.co) *a.* **1** Que produz calor **2** Diz-se de aparelho que produz calor mecanicamente [F.: *term(o)-* + *-gênico*.]

termografia (ter.mo.gra.*fi*.a) *sf.* **1** *Med.* Técnica para detectar e medir variações de calor emitidas por várias partes do corpo, transformando-as em sinais visíveis que podem ser registrados fotograficamente, us. para diagnóstico de anormalidades e doenças, esp. os tumores de mama **2** *Tec.* Técnica semelhante aplicada a outras áreas, como, p. ex., na inspeção preventiva de equipamentos industriais **3** *Art. gr.* Processo de impressão em relevo no qual a impressão tipográfica normal é pulverizada com resina que adere à tinta fresca e intumesce pelo aquecimento em estufa especial [F.: *term(o)-* + *-grafia*.]

termográfico (ter.mo.*grá*.fi.co) *a. Med. Tec. Art. gr.* Que diz respeito a termografia [F.: *termografia* + *-ico*[2].]

termologia (ter.mo.lo.*gi*.a) *Fís. sf.* **1** Ramo da física que se dedica ao estudo do calor, da energia térmica **2** Tratado acerca do calor [F.: *term(o)-* + *-logia*.]

termológico (ter.mo.*ló*.gi.co) *a. Fís.* Que diz respeito a termologia [F.: *termologia* + *-ico*[2].]

termoluminescência (ter.mo.lu.mi.nes.*cên*.ci:a) *sf. Fís.* Luminescência de alguns materiais (o quartzo, p. ex.) quando submetidos ao calor [F.: *term(o)-* + *luminescência*.]

termomagnetismo (ter.mo.mag.ne.*tis*.mo) *Fís. sm.* **1** Magnetismo desenvolvido em função do calor, ou modificação das propriedades magnéticas de qualquer material devido à exposição ao calor **2** A produção de correntes elétricas por meio de calor [F.: *term(o)-* + *magnetismo*.]

termomanômetro (ter.mo.ma.*nô*.me.tro) *sm. Fís.* Termômetro com que se medem temperaturas elevadas por variações de pressão [F.: *term(o)-* + *manômetro*.]

termometria (ter.mo.me.*tri*.a) *sf. Fís.* Parte da termologia que estuda a medição de temperaturas e as medidas e os padrões estabelecidos e a tecnologia empregada para essa medição [F.: *term(o)-* + *-metria*[1].]

termométrico (ter.mo.*mé*.tri.co) *Fís. a.* **1** Que diz respeito a termometria **2** Ref. a medição da energia térmica **3** Ref. a termômetro [F.: *termometria* + *-ico*[2].]

termômetro (ter.*mô*.me.tro) *sm.* **1** *Fís.* Instrumento ou dispositivo que mede a temperatura de um corpo ou de uma substância **2** *Restr.* Termômetro (1) us. para avaliação da temperatura do organismo **3** *Fig.* Coisa ou circunstância cujas variações dão a conhecer algum fato determinado; MEDIDA: *A violência descontrolada é um termômetro da crise social.* [F.: Do fr. *thermomètre*; ver *term(o)-* e *-metro*.]

termonebulização (ter.mo.ne.bu.li.za.*ção*) *sf.* Técnica de aspersão espacial de um composto químico, esp. de inseticida, empregada em áreas urbanas e criadouros [Pl.: *-ções*.] [F.: *term(o)-* + *nebulização*.]

termonuclear (ter.mo.nu.cle:*ar*) *Fís. nu. a2g.* **1** Que desencadeia processo no qual se produz fusão nuclear para liberação de energia **2** Diz-se de usina de energia cuja fonte térmica é um reator nuclear *sf.* **3** Essa usina [F.: *term(o)-* + *nuclear*.]

termoplástico (ter.mo.*plás*.ti.co) *Quím. a.* **1** Diz-se de polímero que pode ser amolecido por aquecimento e endurecido por resfriamento *sm.* **2** Polímero termoplástico: *O polietileno é um termoplástico muito utilizado.* [F.: *term(o)-* + *-plástico*.]

termoplegia (ter.mo.ple.*gi*.a) *sf. Med.* O mesmo que *intermação* [F.: *term(o)-* + *-plegia*.]

termoplégico (ter.mo.*plé*.gi.co) *a. Med.* Que diz respeito a termoplegia [F.: *termoplegia* + *-ico*[2].]

termoquímica (ter.mo.*quí*.mi.ca) *Fís-quím. sf.* **1** Ramo da físico-química que trata das relações entre o calor e as reações químicas ou mudanças físicas de estado **2** Conjunto de propriedades termoquímicas de uma substância: *a termoquímica de combustíveis para veículos espaciais.* [F.: *term(o)-* + *química*.]

termoquímico (ter.mo.*quí*.mi.co) *Fís-quím. a.* **1** Que diz respeito a termoquímica **2** Ref. a ação ou influência do calor em reações químicas ou em mudanças de estado [F.: *term(o)-* + *químico*.]

termorregulador (ter.mor.re.gu.la.*dor*) [ô] *a.* **1** *Fisl.* Cuja função é manter o corpo numa temperatura específica, independentemente da temperatura ambiental (sistema termorregulador) **2** *Fís.* Diz-se de aparelho us. para controlar o aquecimento ou refrigeração de uma ambiente *sm.* **3** *Fís.* Aparelho que controla o aquecimento ou a refrigeração de um ambiente (termorregulador digital) [F.: *term(o)-* + *regulador*.]

termosfera (ter.mos.*fe*.ra) *sf. Geof.* Camada atmosférica situada entre 90 e 500 km de altitude, e que se caracteriza pela constante elevação de temperatura com a altura [F.: *term(o)-* + *-sfera*.]

termostático (ter.mos.*tá*.ti.co) *a. Fís.* Que diz respeito a termostato (controle termostático) [F.: *termostato* + *-ico*[2].]

termostato (ter.mos.*ta*.to) *sm. Fís.* Dispositivo que mantém constante a temperatura de um sistema [F.: Do fr. *thermostat*; ver *term(o)-* e *-stato*.]

ternamente (ter.na.*men*.te) *adv.* De modo terno; com ternura [F.: *terno (o > a)* + *-mente*.]

ternário (ter.*ná*.ri:o) *a.* **1** Ref. ao número três **2** Que contém três unidades **3** *Mús.* Diz-se do compasso de três tempos iguais [F.: Do lat. *ternarius*.]

terneiro (ter.*nei*.ro) *sm.* **1** *RS* Bezerro, novilho **2** *PE* Feto do gado vacum [F.: Do espn. *ternero*.]

terninho (ter.*ni*.nho) *Vest. sm.* **1** Traje feminino composto de calça e casaco **2** Pequeno terno [F.: *terno*[2] + *-inho*[1].]

terno[1] (*ter*.no) *a.* **1** Que é afetuoso, meigo **2** Brando, suave (voz terna) **3** Que inspira compaixão (ternos gemidos) **4** *Pint.* Diz-se de cor delicada que não deslumbra nem escandaliza a vista: *A terna cor do ocaso.* [F.: Do lat. *tenerum*.]

terno[2] (*ter*.no) *sm.* **1** *Vest.* Vestuário masculino composto de calça, paletó e, às vezes, colete, do mesmo tecido e cor **2** Grupo de três pessoas ou de três coisas semelhantes; TRIO; TRINDADE **3** *Bras. Lud.* Três das cinco dezenas sorteadas no jogo da loto[1] **4** *Lud.* Peça de dominó, carta de jogar ou face do dado que tem três pontos pintados **5** *Lud.* Na víspora, marcação de três pontos **6** *Bras.* Grupo de três aves domésticas (um macho e duas fêmeas) **7** *S.* Grupo de três peões que faz o serviço de marcação (em rodeio ou mangueira) **8** *S* O conjunto das parelhas de bois de uma carreta **9** *MG* Grupo de pessoas; trinca **10** *Tip.* Caderno de três folhas metidas uma na outra **11** *Lus.* Grupo de trabalhos dirigido por um maioral [F.: Do lat. *ternus*.] ▪ **Dar ~** Falsear (montaria) o passo com pata(s) anterior(s), sem chegar a cair **~ de grupo** *Bras. Lud.* No jogo do bicho, aposta em três diferentes grupos **~ de música** *AL Folc.* Ver *Terno de zabumba* **~ de zabumba** *N. E. Folc.* Conjunto instrumental (dois pífaros, uma caixa e um bombo) que toca em bailes populares e acompanha danças dramáticas [Tb. apenas *zabumba*.]

ternura (ter.*nu*.ra) *sf.* **1** Qualidade do que é terno[1] (1); MEIGUICE **2** Afeto brando e carinhoso [F.: *terno*[1] + *-ura*.]

terofítico (te.ro.*fí*.ti.co) *a. P. us. Bot.* Que diz respeito a terófito [F.: *terófito* + *-ico*[2].]

terófito (te.*ró*.fi.to) *sm. P. us. Bot.* Planta anual que hiberna sua forma de semente [F.: Do gr. *théros*, 'verão', 'colheita' + *-fito*.]

terósporo (te.*rós*.po.ro) *sm. Micol.* Esporo de baixa resistência que germina imediatamente [F.: Do gr. *théros*, 'verão', 'colheita' + *-sporo*.]

terpeno (ter.*pe*.no) *Quím. sm.* **1** Qualquer hidrocarboneto insaturado ($C_{10}H_{16}$) encontrado na maioria dos óleos essenciais, us. esp. como solvente **2** Qualquer composto derivado do terpeno [F.: Do al. *Terp* (entin), 'terebentina' + *-eno*[2].]

terra (*ter*.ra) *sf.* **1** Parte sólida da superfície do planeta em que vivemos: *terra à vista.* **2** *Astron.* O planeta em que vivemos, o terceiro do sistema solar a partir do Sol [Com maiúscula, nesta acp.] **3** Chão, solo (deslizamento de terra) **4** A parte branda do solo que produz os vegetais: *lavrar a terra.* **5** Lugar em que se nasceu ou em que se vive: *O Ceará é a minha terra.* **6** Localidade, povoação: *Ele sempre viaja para aquelas terras.* **7** Terreno, fazenda ou propriedade rústica: *Comprou umas terras para lá do rio.* **8** Pó, poeira: *Quanta terra ele trouxe da rua!* **9** Os habitantes de um dado lugar: *Toda a terra festejou o dia de seu padroeiro.* **10** Campo, terreno, planície **11** Território, país, região **12** O mundo; a vida temporal: *Os prazeres da terra são efêmeros.* **13** *Elet.* Ponto de contato de um circuito com o solo **14** Cova, sepultura: *dar um corpo à terra.* **15** *Esc.* Argila, barro us. por escultores **16** *Alq.* Para os alquimistas, um dos quatro elementos [F.: Do lat. *terra, ae.*] ▪ **~ roxa** *SP Agr.* Terreno vermelho-escuro, muito fértil, originário da decomposição de rochas basálticas efusivas

terra a terra (ter.ra *at* er.ra) *a2g2n.* **1** Banal, trivial, prosaico: *um sujeito muito terra a terra.* *sm2n.* **2** Prosaísmo, materialidade, rasteirice: *o terra a terra do cotidiano.* [F.: *terra* + *a* (prep.) + *terra*, por infl. do fr. *terre-à-terre*.]

terraço (ter.*ra*.ço) *sm.* **1** Cobertura plana de prédio ou casa, descoberta ou não, feita de argamassa, pedra, concreto etc. **2** Ampla varanda descoberta **3** *Geol.* Planície estreita, ger. com frente escarpada, à margem de um rio, lago ou mar **4** Patamar feito num terreno em declive para conservar-lhe a umidade ou protegê-lo da erosão pluvial **5** *Geol. Oc.* Espécie de banco de areia no fundo do mar [F.: Adapt. do fr. *terrasse*.]

terracota (ter.ra.*co*.ta) *sf.* **1** Argila modelada e cozida no forno: "João da Mata deliciava-se a observar os quadros e as estatuetas de terracota, de mãos para trás, como se estivesse numa exposição" (Adolfo Caminha, *A normalista*) **2** *P. ext.* Produto de cerâmica ou de escultura modelado em argila e cozido no forno: "A Grécia findou há muitos séculos. Já depois da sua morte nasceu uma religião que iluminou esplendorosamente o mundo e as consciências. No entanto as suas terracotas, os seus divinos mármores..." (João Grave, *Jornada Romântica*) [F.: Do it. *terra cotta*.]

terraformação (ter.ra.for.ma.*ção*) *sf. Astr.* Adaptação de um planeta ou satélite (esp. de Marte) para vir a ser habitado por seres humanos [Pl.: *-ções*.] [F.: Do ingl. *terraformation*.]

terral (ter.*ral*) *a2g.* **1** Ref. ou pertencente a terra; TERRESTRE **2** Diz-se de vento que sopra da terra para o mar durante a noite *sm.* **3** Vento terral (2): "O aroma de suas flores era tão forte que vinha até as ondas, quando o terral soprava." (Xavier Marques, *Sargento Pedro*) [Pl.: *-rais*.] [F.: Do lat. *terralis, e*.]

terra-mãe (ter.ra-*mãe*) *sf.* **1** A terra ou o país em que alguém nasceu **2** País que se adotou como pátria **3** Figura mitológica de onde tudo brota, que protege e alimenta seus filhos, além de fornecer-lhes energia e vitalidade [Pl.: *terras-mães* e *terras-mãe*.] [F.: Do lat. *terra mater*.]

terramicina (ter.ra.mi.*ci*.na) *sf. Farm.* Marca registrada de *oxitetraciclina*, um antibiótico de amplo espectro de ação [F.: Do ing. *Terramycin*, marca registrada.]

terra-nova (ter.ra-*no*.va) *Cinol. sm.* **1** Raça de cães de grande porte, originária da ilha de Terra Nova (Canadá) de pelos longos, negros e sedosos e pés espalmados, conhecidos por sua capacidade de nadar e realizar salvamentos no mar **2** *P. ext.* Cão terra-nova [Pl.: *terras-novas* e *terra-novas*.]

terraplanado (ter.ra.pla.*na*.do) *a.* Ver *terraplenado*

terraplanagem (ter.ra.pla.*na*.gem) *sf.* Ter *terraplenagem*

terraplanar (ter.ra.pla.*nar*) *v.* Ver *terraplenar* [▶ 1 terraplanar]

terraplenado (ter.ra.ple.*na*.do) *a.* Em que se fez terraplenagem; aterrado, nivelado por terraplenagem; TERRAPLENO [F.: Part. de *terraplenar*. Tb. *terraplanado*.]

terraplenagem (ter.ra.ple.*na*.gem) *sf.* **1** Ação ou efeito de terraplenar **2** Conjunto de procedimentos que consiste em escavação, transporte e depósito de terras necessárias para a execução de uma construção ou a abertura de uma via [F.: *terraplenar* + *-agem*[2]. Tb. *terraplanagem*.]

terraplenar (ter.ra.ple.*nar*) *v. td.* Fazer aterro, escavação etc., preparando (um terreno) para obras: *terraplenar um vale.* [▶ 1 terraplenar] [F.: *terrapleno* + *-ar*[2]. Hom./Par.: *terrapleno* (fl.), *terrapleno* (sm.). Tb. *terraplanar*.]

terrapleno (ter.ra.*ple*.no) *sm.* **1** Volume de terra e outros materiais us. para fazer uma superfície plana **2** Terreno em que se executou a terraplanagem **3** Terreno plano [F.: Do it. *terrapieno*. Hom./Par.: *terrapleno* (sm.), *terrapleno* (fl. de *terraplenar*).]

terráqueo (ter.*rá*.que:o) *a.* **1** Ref. a ou próprio do planeta Terra; TERRESTRE **2** Diz-se do habitante da Terra, em oposição a supostos habitantes de outros planetas *sm.* **3** O habitante da Terra, em oposição a supostos habitantes de outros planetas [F.: Do lat. medv. *terraqueus*.]

terrário (ter.*rá*.ri:o) *sm.* Lugar próprio para manter animais como insetos, aracnídeos, moluscos, répteis etc., montado de forma a imitar o hábitat das espécies ali guardadas [F.: *terra* + *-ário*.]

terra-roxa Ver locução *terra roxa*, no verbete *terra*

terras-raras (ter.ras-*ra*.ras) *sfpl. Quím.* Grupo dos elementos de número atômico entre 57 e 71, os quais apresentam propriedades metálicas muito semelhantes; LANTANÍDEOS

terreal (ter.re:*al*) *a2g.* **1** Ref. ou pertencente à Terra; TERRENO; TERRESTRE **2** Ref. ao mundo, à vida material ou mundana; TERRENO [F.: *terra* + *-eal*.]

terreiro (ter.*rei*.ro) *sm.* **1** Faixa de terra plana e larga **2** Espécie de largo, praça **3** Porção de terra cultivável **4** *Bras.* No interior do Brasil é espaço à frente das casas que serve de quintal e também é destinado a festas e folguedos **5** *Bras.* Lugar ao ar livre, barracão em que se celebram os cultos afro-brasileiros **6** *Ant.* Lugar onde antigamente se praticavam exercícios de tiro com besta *a.* **7** Ref. a terra; TERRESTRE **8** *P. us.* O mesmo que *térreo* **9** *Hip.* Diz-se do cavalo que na andadura dobra pouco os membros anteriores, o que o faz tropeçar e cair frequentemente [F.: Do lat. *terrarius*.] ▪ **Chamar a ~** Desafiar, provocar, reptar

terremoto (ter.re.*mo*.to) ***sm.*** **1** *Geof.* Abalos ou trepidações na superfície terrestre, com origem em um foco subterrâneo, e que se propagam à maneira de ondas em todos os sentidos e através do interior da Terra (onda sísmica), apresentando os efeitos máximos acima desse foco (o epicentro); SISMO; TREMOR DE TERRA **2** *Fig.* Grande estrondo, grande abalo; comoção violenta: *Divorciar-se foi um verdadeiro terremoto em sua vida.* [F.: Do lat. *terraemotus.*]

terreno (ter.*re*.no) ***a.*** **1** Ref. ao mundo material, em oposição ao espiritual (bens terrenos); TERREAL; MUNDANO: "...Longe da luta e do fragor terreno..." (Antero de Quental, *Sonetos completos*) **2** Ref. ou pertencente à Terra; TERREAL; TERRESTRE ***sm.*** **3** Natureza, qualidade natural ou propriedade da terra: *Tratemos de conhecer logo o terreno.* **4** Espaço de terra de dimensões variáveis, ger. comercializado para construção **5** Espaço aberto, área não construída de uma propriedade **6** Chão, solo **7** Porção de terra cultivável **8** Semelhante à terra; que é da cor da terra: "...a cor terrena e pálida..." (Luís de Camões, *Os Lusíadas*) **9** *Fig.* Assunto, tema: *A conversa entrou num terreno que o desagradava.* **10** Domínio, disciplina: *No terreno da física entendia de tudo.* [F.: Do lat. *terrenus.*] ▪ **Apalpar o ~** Ver *Sondar o terreno* **Ceder ~** **1** Recuar no terreno, cedendo espaço **2** *P. ext.* perder vantagem antes obtida em competição, luta, confronto etc. **Conhecer o ~** *Fig.* Conhecer as condições, a situação em que algo deve ocorrer ou ser realizado **Despachar ~** *RS Pop.* Andar (o cavalo) com muita velocidade **Estudar o ~** *Fig.* Estudar as condições, a situação em que algo deve ocorrer ou ser realizado **Ganhar ~** **1** Avançar, ir à frente; ocupar ou dominar porção maior de terreno (numa batalha, numa disputa territorial etc.) **2** *Fig.* Obter vantagem em relação a outro ou outrem, numa disputa, num negócio, numa empresa etc. **3** *Fig.* Estender sua abrangência, propagar-se, espalhar-se, difundir-se: *As chamas ganhavam terreno apesar da ação dos bombeiros; Suas ideias ganham terreno dia a dia na empresa.* **Minar o ~** *Fig.* Pôr, intencionalmente, obstáculos e empecilhos que dificultam a ação de outrem em certa atividade, tarefa, projeto etc. **Perder ~** **1** Recuar, deixar de ocupar e dominar certa área (numa disputa territorial, numa luta etc.) **2** *Fig.* Ter diminuída ou reduzida vantagem ou prevalência antes obtida numa concorrência, disputa etc. **3** Perder influência ou prestígio **Saber o ~ em que pisa** *Fig.* Ver *Conhecer o terreno* **Sondar o ~** *Fig.* Averiguar se as condições para certa ação ou empreendimento são favoráveis ou adversas; apalpar o terreno **~ concertado** *MG* Terreno pouco acidentado, com suaves ondulações **~ de marinha** *Bras. Jur.* Terreno na costa marítima – continental ou insular –, ou marginal a rios e lagoas, de acordo, sujeito à condições da maré, cuja localização corresponde a medidas convencionadas (33 m para a terra etc.) [Todo terreno nessas condições pertence, por lei, à União.] **~ marginal** *Bras. Jur.* Terreno à margem de curso de água navegável, fora do alcance das marés, e que vai até a distância de 15 m para a parte da terra, medidos horizontalmente a partir da linha média das enchentes ordinárias

térreo (*tér*.re:o) ***a.*** **1** Ref. ou pertencente à terra; TERRESTRE **2** Que se encontra ao nível do solo (apartamento térreo) **3** Diz-se do que fica ao rés do chão **4** Terreno, mundano (paixões térreas) **5** Da cor da terra, terreno, terroso: "O seu rosto térreo cavava-se de um cor mais biliosa" (Eça de Queirós, *O primo basílio*) ***sm.*** **6** O pavimento ou andar que fica ao nível do solo: *Moro no térreo.* [F.: Do lat. *terreus.*]

terrestre (ter.*res*.tre) ***a2g.*** **1** Ref. ou próprio da Terra (órbita terrestre; crosta terrestre); TERRENO; TERREAL; TERRÁQUEO **2** Proveniente da terra e seus recursos (exalação terrestre; alimentos terrestres) **3** Que vive na terra (animal terrestre) **4** *Fig.* Mundano [F.: Do lat. *terrestris.*]

◎ **terr(i)-** ***el. comp.*** = 'Terra', 'terra' [F.: Do lat. *terra.*]

terribilíssimo (ter.ri.bi.*lís*.si.mo) ***a.*** Muitíssimo terrível: "...importava que o país se convencesse bem de que estava, afinal extinto, aquele terribilíssimo antagonista." (Euclides da Cunha, *Os sertões*) [Superl. abs. sint. de *terrível.*] [F.: Do lat. *terribilissimus, a, um.*]

terrícola (ter.*rí*.co.la) ***a2g.*** **1** Diz-se de pessoa ou animal que vive na Terra, ou qualquer outra coisa existente nesse planeta **2** *Ecol.* Diz-se de ser vivo cujo hábitat é a terra ***s2g.*** **3** Pessoa ou animal terrícola (1 e 2) [F.: Do fr. *terricole*, deriv. do lat. *terricola.* Sin. ger.: *terráqueo; terrestre.*]

⊕ ***terrier*** (*Ing. /terriê/*) ***sm.*** **1** *Cinol.* Nome comum a várias raças de cachorros originalmente inglesas e us. na caça de coelhos e outros animais pequenos **2** O cão dessa família [Cf.: *fox terrier.*]

terrificado (ter.ri.fi.*ca*.do) ***a.*** Que se terrificou; APAVORADO; ATERRORIZADO [F.: Part. de *terrificar.*]

terrificante (ter.ri.fi.*can*.te) ***a2g.*** Que terrifica, que aterroriza; TERRÍVEL; TERRÍFICO; ATERRORIZANTE; ATERRADOR [F.: *terrifica(r)* + *-ante.*]

terrificar (ter.ri.fi.*car*) ***v. td.*** Provocar pavor em; APAVORAR; ATERRORIZAR: *O filme vai terrificar o público.* [▶ 11 terrificar] [F.: Do lat. *terrificare.* Hom./Par.: *terrifica* (fl.), *terrífica* (a. fem. de *terrífico* [pl.]); *terrifico* (fl.), *terrífico* (a.).]

terrífico (ter.*rí*.fi.co) ***a.*** O mesmo que *terrificante* [F.: Do lat. *terrificu.*]

terrígeno (ter.*rí*.ge.no) ***a.*** **1** Gerado ou produzido na terra (material terrígeno) ***sm.*** **2** *Geol.* Depósito formado por material de destruição, erosão etc., da superfície da terra firme e sedimentada, tanto no continente como no fundo dos mares [F.: Do lat. *terrigenus, a, um.*]

terrina (ter.*ri*.na) ***sf.*** **1** Vasilha de louça, metal ou outro material, ger. com tampa, us. para levar sopas ou caldos à mesa **2** *Cul.* Tipo de patê, em geral de fabricação caseira, em cuja elaboração se deixam pedacinhos dos ingredientes que entram em sua composição, para que se os percebam no ato da degustação [F.: Do fr. *terrine.*]

terrinha (ter.*ri*.nha) ***sf.*** Us. na loc. *a santa terrinha* [F.: *terra* + *-inha.*]

territorial (ter.ri.to.ri:*al*) ***a2g.*** Ref. a território ou que a este pertence (águas territoriais) [F.: Do lat. *territorialis.*]

territorialidade (ter.ri.to.ri:a.li.*da*.de) ***sf.*** **1** Caráter de territorial **2** *Jur.* Princípio que limita a aplicação de leis, normas e regulamentos ao território do Estado que os estabeleceu **3** *Ecol. Zool.* Comportamento animal associado à defesa de um território contra invasores [F.: *territorial* + *-(i)dade.*]

territorialismo (ter.ri.to.ri:a.*lis*.mo) ***sm.*** Ligação persistente a um determinado território [F.: *territorial* + *-ismo.*]

território (ter.ri.*tó*.ri:o) ***sm.*** **1** Ampla extensão de terra; TORRÃO **2** Extensão de terra significativa em relação a seus ocupantes ou a uma unidade política qualquer **3** Área legalmente reconhecida de um município, estado, nação **4** *Jur.* Em certos países, unidade política sem *status* de estado e administrada pelo governo federal **5** *Jur.* Base geográfica do Estado, que exerce sua soberania sobre toda ela, incluindo terras, águas, embarcações, espaço aéreo **6** *Ecol.* Área ocupada por um animal ou grupo de animais, imprescindível ao equilíbrio de sua sobrevivência [F.: Do lat. *territorium.*]

terrível (ter.*rí*.vel) ***a2g.*** **1** Que causa terror; ATERRORIZANTE; ASSUSTADOR **2** Que acarreta resultados desastrosos (terrível temporal) **3** Estranho, extraordinário: "Eu lamentava que uma ocorrência terrível não viesse de qualquer modo ameaçar o amigo..." (Raul Pompeia, *O Ateneu*) **4** Poderoso, invencível, com que não se pode lutar (argumento terrível): *Sua influência foi terrível.* **5** De grandes proporções: *Possuída por uma terrível angústia, fugiu de casa.* [Superl.: *terribilíssimo.*] ***sm.*** **6** Um cargo da loja maçônica [F.: Do lat. *terribilis.*]

terrivelmente (ter.ri.vel.*men*.te) ***adv.*** De modo terrível; EXTREMAMENTE; EXCESSIVAMENTE: *substâncias terrivelmente tóxicas.* [F.: *terrível* + *-mente.*]

terror (ter.*ror*) [ô] ***sm.*** **1** Estado de pavor, de medo intenso: "as palavras mordendo a solidão, / atravessadas de alegria e de terror" (Eugénio de Andrade, *Antologia breve*) **2** O que causa essa emoção, ainda quando apreciada (filme de terror) **3** *Hist.* Período mais violento da Revolução Francesa, que vai de 31 de maio de 1793 (derrota dos girondinos) a 27 de julho de 1794 (queda de Robespierre) **4** *P. ext.* Qualquer época de perseguição política **5** Indivíduo ou coisa que espanta, amedronta ou aterroriza: "...fazendo mais uma vez aquela inclinação de voz, que era o terror dos empregados relaxados da firma..." (Marques Rebelo, "Tragédia" *in Contos reunidos*) [F.: Do lat. *terror.*] ▪ **~ branco** Designação do terror praticado por realistas do sul da França no início da Restauração **~ noturno** *Neur. Psi.* Angústia noturna, esp. em crianças. muitas vezes acompanhada de gritos e outras manifestações

terrorífero (ter.ro.*rí*.fe.ro) ***a.*** Que causa terror; TERRIFICANTE: "...aprendera que a menstruação é uma muda epitelial do útero (...) e que o terrorífero e caluniado corrimento é apenas uma consequência natural dessa muda." (Júlio Ribeiro, *A carne*) [F.: *terror* + *-ífero.*]

terrorismo (ter.ro.*ris*.mo) ***sm.*** **1** Uso sistemático do terror para oprimir ou impor a vontade ***sm.*** **2** Uso político da violência, tendo como agente o aparelho do Estado ou o sacrifício individual em nome de organização clandestina **3** Sistema político em que se usa o terror para governar [F.: *terror* + *-ismo.*]

terrorista (ter.ro.*ris*.ta) ***a2g.*** **1** Ref. ao terrorismo **2** Que é adepto do terrorismo ou o pratica ***s2g.*** **3** Aquele que é adepto do terrorismo ou que infunde o terror [F.: *terror* + *-ista.*]

terroso (ter.*ro*.so) [ô] ***a.*** **1** Que tem mistura de terra (areia terrosa) **2** Que tem a cor, o aspecto, a natureza ou as qualidades da terra (matéria terrosa) **3** Sem transparência; BAÇO [Pl.: [ó]. Fem.: [ó].] [F.: Do lat. *terrosus, a, um.*]

tersinídeo (ter.si.*ní*.de:o) *Ornit.* ***a.*** **1** Ref. aos tersinídeos ***sm.*** **2** Espécime dos tersinídeos [F.: Do lat cient. *Tersinidae.*]

tersinídeos (ter.si.*ní*.de:os) ***smpl.*** *Zool.* Família de aves passeriformes cujo tipo é a *Tersina viridis*, conhecida popularmente como *saí-andorinha* [F.: Do lat. cient. fam. *Tersinidae.*]

terso (*ter*.so) [ê] ***a.*** **1** Que é limpo, puro: "A manhã se-a-si bela: alvoradas aves. O ar andava, terso, fresco. O céu – uma blusa..." (João Guimarães Rosa, "Uns inhos engenheiros" *in Ave, palavra*) **2** Lustroso, polido: *O aço terso da adaga marroquina; Agora não se vê, mas à sua época era terso o mármore dessas imponentes colunas.* **3** *Fig.* De correção e esmero exemplares (estilo terso) **4** Que é firme, túmido (seios tersos) [F.: Do lat. *tersus.* Hom./Par.: *terso* (a.), *terço* (sm.).]

⊕ ***tertius*** (*Lat. /tércius/*) ***sm.*** **1** O terceiro candidato, numa disputa iniciada entre dois **2** *Bras. Turfe* O terceiro favorito de um páreo

tertúlia (ter.*tú*.li:a) ***sf.*** **1** Reunião de parentes ou amigos **2** Agremiação literária ou encontro de escritores para conversa e leitura [F.: Do espn. *tertulia.*]

tesão (te.*são*) ***sm.*** **1** *Vulg.* Desejo ou excitação sexual **2** *Bras. Vulg.* Indivíduo que desperta muito desejo sexual; tesudo [Tb. us. como sf.] **3** *Vulg.* Potência sexual **4** *P. us.* Violência, manifestação de força **5** *Vulg.* Estado do pênis em ereção **6** Rijeza, tesura, força de corpo teso e estirado **7** *Fig.* Força, intensidade **8** *P. ext. Vulg.* Forte desejo de algo, ou paixão, atração por algo: *Ele tem o maior tesão por montanhismo.* [Pl.: *-sões.*] [F.: Do lat. *tensio.*]

tesar (te.*sar*) ***v.*** **1** Tornar teso, esticado; ENTESAR; RETESAR [***td.:*** *tesar uma corda.* Ant.: *afrouxar, bambear.*] **2** *Mar.* Tornar distendido e teso (cabo ou amarra); ATESAR; ESTICAR [***td.:*** *O navegante tesou a amarra da embarcação.*] **3** *Mar.* Tornar-se mais forte, intenso (o vento); aumentar de força [***int.:*** *Durante o temporal, o vento tesou.*] **4** *Bras. Pop. Mar.* Impor a realização de deveres e obrigações a (um subordinado) [***td.:*** *O capitão do navio tesou rigorosamente seus subordinados.*] [▶ 1 tesar] [F.: *teso* ('esticado, retesado') + *-ar*[2]. Hom./Par.: *tesa(s)* (fl.), *tesa(s)* [ê] (fem. de *teso* [pl.]); *tese(s)* (fl.), *tese(s)* (sf. [pl.]); *teso* (fl.). *teso* [ê] (a. sm.).]

tesaurismose (te.sau.ris.*mo*.se) ***sf.*** *Pat.* Distúrbio metabólico que se caracteriza pelo acúmulo de quantidades anormalmente grandes de substâncias (lipídios, glicídios etc.) em determinadas células [F.: Do gr. *thesaurós*, 'tesouro', 'depósito', + *-ismo* + *-ose*[1].]

◎ **-tese** ***Suf.*** = posição, colocação: *antítese, epêntese*

tese (*te*.se) ***sf.*** **1** Proposição para debate ou discussão **2** Proposição sobre qualquer princípio de arte ou ciência que se sustenta em público ou que se expõe de forma escrita **3** A discussão dessa proposição **4** *Fil.* Primeiro termo do sistema dialético hegeliano, antes da antítese e da síntese **5** Trabalho apresentado ao final de um curso de pós-graduação, para obtenção de grau ou título: *Escreveu uma tese sobre Lima Barreto.* **6** *P. ext.* Monografia de uma tese publicada [F.: Do gr. *thesis.*] ▪ **Em ~** Teoricamente, em princípio

tésis (*té*.sis) ***sf.*** **1** *Mús.* Parte acentuada ou tempo forte do ritmo **2** *Poét.* A parte do pé que não é marcada pelo acento métrico, na versificação latina [F.: Do gr. *thésis*, pelo lat. *thesis.*]

tesla (*tes*.la) ***sm.*** *Fís.* Unidade de medida de indução magnética e densidade do fluxo magnético, equivalente a um fluxo magnético de 1 weber por metro quadrado [Símb.: *T*] [F.: Do antr. *Tesla.*]

teso[1] (*te*.so) [ê] ***a.*** **1** Esticado, retesado **2** Aprumado, ereto **3** Sem movimento; IMÓVEL: *Olhos tesos como os de um peixe morto.* **4** Rijo, rígido, duro (chão teso) [Ant.: *mole, frouxo.*] **5** Firme, seguro **6** *Gír.* Sem dinheiro; PRONTO; DURO [Ant.: *rico, endinheirado.*] **7** Violento, impetuoso, intenso: "Já chegam perto, donde o vento teso enche as velas da frota belicosa" (Camões) ***sm.*** **8** Aquele que não tem dinheiro; PRONTO; DURO [Ant.: *rico, endinheirado.*] **9** Morro íngreme, alcantilado **10** Cimo de morro: "Viam-se já esparsas, pelo teso dos outeiros, as choupanas colmadas..." (Euclides da Cunha, *Os sertões*) [F.: Do lat. *tensus.*]

teso[2] (*te*.so) [ê] ***sm.*** **1** Morro íngreme, alcantilado **2** Cimo de morro: "Viam-se já esparsas, pelo teso dos outeiros, as choupanas colmadas..." (Euclides da Cunha, *Os sertões*) **3** *Amaz.* Em área inundada, a parte mais alta, acima do nível da água **4** *PA* Conjunto de ilhas separadas por regos **5** *PA* Na ilha de Marajó, aterro em área inundada ou alagadiça, ger. para nele se construírem residências ou cemitérios **6** *RS* Terreno elevado junto a barranca na beira de rio [F.: Da expr. *monte teso*, 'monte íngreme'.]

tesoura (te.*sou*.ra) ***sf.*** **1** Utensílio para cortar, dotado de duas lâminas móveis presas por um eixo e de uma dupla base de manuseio **2** Diz-se de muitas coisas que tem a forma de uma tesoura aberta, ou propriamente de uma cruz de Santo André **3** *Fig.* Pessoa que vive falando mal dos outros **4** *Fig.* Diz-se de coisa que corta ou dilacera **5** *Fig. Pop.* Unhas muito grandes e aguçadas **6** *Cons.* Conjunto das peças de madeira ou ferro que sustenta a cobertura de um prédio; ASNA **7** *Ornit.* Ave passeriforme tiranídea, *Muscivora tyrannus* **8** *Ent.* Inseto dermáptero de pinça córnea na ponta do abdome; LACRAINHA **9** *Zool.* Pequeno crustáceo braquiuro e ocipodídeo **10** *Fut.* Entrada faltosa em que um jogador lança-se com as duas pernas aos pés do adversário para lhe tomar a bola, num movimento semelhante ao das lâminas da tesoura **11** *Esp.* Em várias modalidades de luta, golpe dado com as pernas que, prendendo a cintura ou o pescoço do adversário, derruba-o com violência **12** *Hip.* Cavalo mal embocado que lança a cabeça de um lado para o outro **13** Na tourada, movimento em que o toureiro segura a capa com os braços cruzados [F.: Do lat. *tonsorius.*]

tesourada (te.sou.*ra*.da) ***sf.*** **1** Ação ou resultado de tesourar, de cortar com tesoura **2** Golpe desferido com tesoura **3** *Fig.* Maledicência [F.: *tesour(a)* + *-ada*[1].]

tesourão (te.sou.*rão*) *Zool.* ***sm.*** **1** Beija-flor (*Eupetomena macroura*) encontrado em quase todo o Brasil, de plumagem verde-escura e cabeça azul, com até 18 cm de comprimento e cauda longa e furcada; beija-flor-tesoura **2** Ave marinha, da fam. dos fregatídeos (*Fregata magnificens*), comum no litoral brasileiro, de plumagem inteiramente negra (machos) ou negra e branca (fêmea e jovem) e cauda longa e profundamente bifurcada; ALCATRAZ; JOÃO-GRANDE [Pl.: *-rões.*]

tesourar (te.sou.*rar*) ***v.*** **1** Cortar com a tesoura [***td.:*** *O jardineiro tesourou a folhagem do coqueiro.*] **2** *Fig. Pop.* Falar mal de; fazer comentários maldosos sobre; MALHAR; PICHAR [***td.:*** *Vive a tesourar o trabalho dos colegas.*] [***int.:*** *Joana adora tesourar.* Ant.: *elogiar.*] **3** Dilacerar (algo) com cortes; DESPEDAÇAR [***td.:*** *Mamãe tesourou o frango para servi-lo no jantar.*] [▶ 1 tesourar] [F.: *tesoura* + *-ar*[2]. Hom./

Par.: *tesoura(s)* (fl.), *tesoura(s)* (sf. [pl.]); *tesouro* (fl.), *tesouro* (sm.).]

tesouraria (te.sou.ra.*ri*:a) *sf.* **1** Cargo ou local de trabalho de tesoureiro **2** Lugar onde se guarda e administra o tesouro público **3** Seção de empresa em que se controla o movimento financeiro [F.: *tesour(o)* + *-aria*.]

tesoureiro (te.sou.*rei*.ro) *sm.* **1** Responsável pelo tesouro, dinheiro, finanças de uma instituição ou empresa **2** *P. ext.* Aquele que assume a tesouraria **3** Empregado superior da administração do tesouro público; tesoureiro-geral **4** O que está encarregado, numa igreja, de guardar os vasos sagrados e todos os utensílios eclesiásticos [F.: *tesour(o)* + *-eiro*.]

tesouro[1] (te.*sou*.ro) *sm.* **1** Grande quantidade de riquezas de qualquer espécie, como dinheiro, ouro, joias, objetos de valor **2** *Restr. Jur.* Depósito secreto de moedas, pedras e objetos preciosos enterrado, submerso, ou o que lembre isso: "O mar em troca acende as ardentias, / – Constelações do líquido tesouro..." (Castro Alves, *Os escravos*) **3** Local onde se guardam riquezas **4** *Fig.* Coisa, conjunto de coisas ou pessoa de valor imenso em relação a alguém **5** *Lex.* Grande coleção de palavras e peculiaridades da língua [F.: Do lat. *thesaurus*.]

tesouro[2] (te.*sou*.ro) *sm.* Órgão do governo encarregado de administrar os recursos financeiros da nação [F.: Do lat. *thesaurus*.] ■ **~ público** *Econ.* Departamento de governo que administra os recursos financeiros do poder público; o conjunto desses recursos; fazenda; erário

tessálio (tes.*sá.li*:o) *sm.* **1** Indivíduo nascido ou que vive em Tessália (Grécia) *a.* **2** De Tessália; típico dessa cidade ou de seu povo [F.: Do gr. *tessálios*, pelo lat. *thessaliu*.]

tessalonicense (tes.sa.lo.ni.*cen*.se) *s2g.* **1** Aquele ou aquela que nasceu ou que vivia em Tessalônica, antiga cidade da Grécia (hoje Salônica) *a2g.* **2** De Tessalônica; típico dessa cidade ou de seu povo [F.: Do lat. *thessalonicenses, ium*.]

tessar (tes.*sar*) *sf. Fot.* Câmera fotográfica que usa sistema óptico assimétrico de alta correção [F.: marca comercial.]

tessela (tes.*se*.la) *sf.* **1** Pedra quadrada us. para revestir pisos **2** Cubo ou peça de mosaico [F.: Do lat. *tessella, ae*.]

téssera (*tés*.se.ra) *sf.* **1** Peça de osso ou marfim (dado, tabuinha etc.) que servia de senha entre os antigos romanos **2** Cubo ou dado com marcas nas seis faces [F.: Do lat. *tessera, ae*. Hom./Par.: *téssera* (sf.), *tecera* (fl. de *tecer*).]

tessitura (tes.si.*tu*.ra) *sf.* **1** *Mús.* Conjuntos de sons da escala musical que melhor convêm a determinada voz ou instrumento **2** *P. ext.* Série das notas de maior frequência numa peça musical, constituindo, assim, sua extensão média **3** *Fig.* Contextura, organização: *A tessitura do conto era inovadora.* **4** Textura ou composição de tecido [F.: Do it. *tessitura*.]

◎ **test-**[1] *pref.* = testemunha: *testemunhar, testamenteiro, testamento, testificar* [F.: Do lat. *testis, is*.]

◎ **test-**[2] *pref.* teste: *testado, testador, testar* [F.: Do ing. *test*.]

◎ **test-**[3] *pref.* testículo: *testiculoso, testosterona, testosterônico* [F.: Do lat. *testes, ium*.]

testa (*tes*.ta) *sf.* **1** Parte superior da cabeça, entre os olhos e os cabelos; FRONTE **2** *P. ext.* Cabeça: *Haja testa para resolver este problema.* **3** Parte superior da frente da cabeça (falando dos animais em geral), a que também se chama região frontal **4** Dianteira, parte da frente: "Na testa vinha um homem alto, barbudo, ruivo, de olhos azuis." (Simões Lopes Neto, *Contos gauchescos*) **5** *Náut.* Cada um dos lados de uma vela redonda **6** *Náut.* Lado que se encosta ao mastro numa vela latina **7** *Mnh.* Extremidade exterior do corpo das armações fixas **8** *Mnh.* Lado das redes onde se amarram os cabos etc. **9** Protuberância ou bossa na massa do pão **10** *Bot.* Tegumento externo das sementes, muito variável, macio ou duro, liso ou ornamentado [F.: Do lat. *testa*.] ■ **~ coroada** Monarca, soberano **À ~ de** À frente de, no comando ou chefia de, na direção de **Comer com a ~** *N.E.* Ver o que se deseja sem poder obtê-lo ou possuí-lo **Enfeitar a ~ de** *Bras. Gír.* Ser infiel no amor a, trair; pôr chifres em, cornear **Fazer ~ a** Opor resistência a, resistir a **Franzir a ~** Franzir as sobrancelhas **Meter a ~** Dar uma cabeçada: *O volante centrou e ele meteu a testa (na bola) para fazer o gol.*

testabilidade (tes.ta.bi.li.*da*.de) *sf.* Qualidade do que é testável [F.: *testável* + *-(i)dade*, seg. o mod. erudito.]

testada (tes.*ta*.da) *sf.* **1** Parte de uma rua, estrada ou passeio que fica à frente de um prédio **2** Pancada com a testa **3** *Bras. Fig.* Ação errada, tola; CABEÇADA [F.: *test(a)* + *-ada*[1].]

testa de ferro (tes.ta de*fer*.ro) *s2g.* Aquele que é apresentado como responsável por iniciativas ou atos de outrem; TÍTERE; HOMEM DE PALHA [Cf.: *laranja* (5).]

testado (tes.*ta*.do) *a.* **1** Que foi submetido a teste **2** Dado por bom (falando de máquinas, instrumentos, materiais etc.); PROVADO; EXAMINADO [F.: Part. de *testar*[2].]

testador (tes.ta.*dor*) [ô] *a.* **1** Que testa, que faz testamento; TESTANTE **2** Que dá testemunho de alguma coisa **3** Que atesta ou testifica **4** Que testa, que faz teste *sm.* **5** Aquele que testa, que faz testamento; TESTANTE **6** Aquele que dá testemunho de alguma coisa **7** Aquele que atesta ou testifica **8** Aquele que testa, que faz teste [F.: Do lat. *testator*.]

testamental (tes.ta.men.*tal*) *a2g.* Ref. a ou que tem natureza de testamento; TESTAMENTÁRIO [F.: Do lat. *testamentalis*.]

testamentário (tes.ta.men.*tá*.ri:o) *a.* **1** Ref. a testamento; TESTAMENTAL *sm.* **2** Aquele que herda por testamento [F.: Do lat. *testamentarius, a, um*. Hom./Par.: *testamentária* (fem.), *testamentaria* (sf.).]

testamenteiro (tes.ta.men.*tei*.ro) *a.* **1** Que faz cumprir as cláusulas de um testamento **2** Que vive fazendo testamentos **3** Que foi incumbido por um testador de fazer cumprir as disposições de sua última vontade *sm.* **4** Aquele que faz cumprir as cláusulas de um testamento **5** Aquele que vive fazendo testamentos **6** Aquele que foi incumbido por um testador de fazer cumprir as disposições de sua última vontade [F.: Do lat. *testamentarius*.]

testamento (tes.ta.*men*.to) *sm.* **1** *Jur.* Ato pelo qual alguém dispõe, para depois de sua morte, com amparo da lei e unilateralmente, de todos ou de parte dos próprios bens, podendo também nomear tutores, reconhecer a paternidade de filhos naturais etc.: "Este homem não havia de morrer assim sem ter feito seu testamento." (Manuel Antônio de Almeida, *Memórias de um sargento de milícias*) **2** *Jur.* Declaração escrita e autêntica em que uma pessoa descreve e consigna as suas últimas vontades, dispondo de todos ou em parte de seus bens **3** *Bras. Irôn.* Nomeações ou favores feitos nos últimos dias de um governo **4** *Fig.* Carta ou discurso muito longo e prolixo **5** *Rel.* Aliança feita por Deus com os homens, mediante Moisés (Antigo Testamento) e Jesus Cristo (Novo Testamento) [F.: Do lat. *testamentum*.] ■ **~ aberto** *Jur.* Ver *Testamento privado* **~ autêntico** *Jur.* Ver *Testamento público* **~ cerrado** *Jur.* Ver *Testamento secreto* **~ conjuntivo** *Jur.* Aquele no qual duas pessoas legam bens reciprocamente ou a terceiros como expressão de última vontade [É proibido no direito brasileiro.] **~ hológrafo** *Jur.* Ver *Testamento privado* **~ marítimo** *Bras. Jur.* Aquele que é feito em alto-mar, a bordo de embarcação de bandeira brasileira, mercante ou de guerra **~ militar** *Bras. Jur.* Aquele feito por militar ou por civil a serviço do exército, em praça sitiada ou incomunicável dentro ou fora do território nacional, em presença de duas testemunhas, ou de três se for necessário que uma delas assine pelo testador **~ místico** Ver *Testamento secreto* **~ nuncupativo** *Jur.* Aquele que é feito de viva voz [Só é aceito na legislação brasileira quando feito por pessoas em serviço militar durante operações de guerra, ou feridas.] **~ particular** Ver *Testamento privado* **~ político** Carta declaratória escrita por estadista para ser lida após sua morte **~ privado** *Bras. Jur.* Testamento escrito e assinado pelo testador, que o lê para cinco testemunhas que o assinam no ato; testamento aberto, testamento hológrafo, testamento particular **~ público** *Bras. Jur.* Testamento escrito por oficial público em seu livro de notas, de acordo com ditado ou declaração do testador, perante este e cinco testemunhas; testamento autêntico **~ secreto** *Bras. Jur.* Testamento escrito em sigilo pelo punho do testador ou de alguém por ele incumbido, autenticado por oficial público perante cinco testemunhas idôneas; testamento cerrado, testamento místico **Antigo/Velho ~** *Rel.* A Bíblia judaica, que inclui textos originalmente em hebraico, reunidos em três grandes divisões (Pentateuco, Profetas e Escritos ou Hagiógrafos) **Mandar em ~** Legar **Novo ~** A parte da Bíblia cristã que reúne os textos cristãos escritos em grego durante os sécs. I e II de nossa era, posterior portanto ao nascimento de Jesus **Velho ~** Ver *Antigo/Novo Testamento*

testamento de judas (tes.ta.men.to de *ju*.das) *sm. Bras. Liter.* Composição poética de cunho popular e satírico na qual, na Semana Santa, o cantador atribui os defeitos de Judas a pessoas conhecidas da localidade [Pl.: *testamentos de judas*.]

testar[1] (tes.*tar*) *v.* **1** Deixar (bem) em testamento [*td.: Decidi testar meus quadros.*] [*tdi.* + *a, para: O professor testou sua biblioteca para uma universidade.*] **2** Fazer o próprio testamento [*int.: Meu tio acabou morrendo sem testar.*] **3** Deixar (algo) como se fosse em testamento; deixar (algo) ao morrer; LEGAR; TRANSMITIR [*tdi.* + *a, para: O ecologista testou-nos um modelo de coragem.*] **4** Dar testemunho de (algo); ASSEVERAR; ATESTAR [*td.: Queria testar o seu desprendimento dos bens materiais.* Ant.: *desmentir, negar.*] [▶ 1 testar] [F.: Do lat. *testari*, v. depoente. Hom./Par.: *testa(s)* (fl.), *testa(s)* (sf. [pl.]); *teste(s)* (fl.), *teste(s)* (sm. [pl.]); *testo* (fl.), *testo* (sm.); *testo* (fl.), *testo* [ê] (sm.); *testeis* (fl.), *têxteis* (a2g. pl.); *texto* (fl.), *texto* [ê] (sm.).]

testar[2] (tes.*tar*) *v.* **1** *Bras.* Submeter (pessoa) a teste [*td.: A banca vai testar todos os candidatos.*] [*tdr.* + *a: testar os jovens ao emprego da fábrica.*] **2** *P. ext.* Verificar o funcionamento de (instrumentos, máquinas e materiais); EXPERIMENTAR [*td.: O técnico testou o computador.*] **3** *Fig.* Procurar conhecer, inquirir com cautela; INVESTIGAR; SONDAR [*td.: Gostava de testar a discrição dos funcionários.*] [▶ 1 testar] [F.: *teste*, 'exame crítico, experimento' + *-ar*[2]. Hom./Par.: Ver *testar*[1].]

testar[3] (tes.*tar*) *v.* **1** *Bras.* Submeter a teste [*td.: O técnico testou os novos jogadores.*] [*tdr.* + *a: Testou bailarinas a o papel principal.*] **2** Submeter à experiência, à prova; ENSAIAR; EXPERIMENTAR [*td.: O laboratório ainda testava o novo medicamento.*] **3** *Fig.* Efetuar sondagem em; AVERIGUAR [*td.: Queria testar os conhecimentos do professor.*] [▶ 1 testar] [F.: *teste* + *-ar*[2]. Hom./Par.: ver *testar*[1].]

testável (tes.*tá*.vel) *a2g.* Que pode ser testado, provado [Pl.: *-veis*.] [F.: *testar* + *-vel*. Hom./Par.: *testáveis* (pl.), *testáveis* (fl. de *testar*).]

teste (*tes*.te) *sm.* **1** Prova ou exame para se avaliar a natureza ou comportamento de algo ou alguém **2** Método ou procedimento para esse tipo de avaliação **3** Lista de perguntas orais ou escritas que tem como objetivo avaliar os conhecimentos de estudantes, candidatos a concursos etc. **4** *Bras. P. ext.* Prova, exame, avaliação **5** *Psi.* Verificação de traços afetivos, emocionais, intelectuais de uma pessoa, a fim de situá-la objetivamente em relação ao grupo ou classe social em que se insere (p. ex.: o teste de Rorschach) [F.: Do ingl. *test*.] ■ **~ de Rorschach** *Psi.* Técnica de avaliação psíquica baseada na interpretação, pelo paciente, do que representam manchas de tinta que lhe são mostradas **~ psicotécnico** *Bras. Psi.* Ver *exame psicotécnico*

testectomia (tes.te.to.*mi*.a) *sf. Cir.* Excisão de testículo(s); ORQUIECTOMIA [F.: *test(i)-* (do lat. *testis, is*, 'testículo') + *-ectom-* + *-ia*[1].]

teste-diagnóstico (tes.te-di:ag.*nós*.ti.co) *sm. Inf.* Rotina específica para identificar alguma falha no funcionamento de um computador [Pl.: *testes-diagnósticos* e *testes-diagnóstico*.]

testeira (tes.*tei*.ra) *sf.* **1** A parte dianteira; FRENTE **2** Tira de pano que se coloca na testa dos recém-nascidos **3** *Esp.* Faixa de tecido atoalhado com que os tenistas cingem a testa para aparar as gotas de suor **4** Tira de pano branco que se prega na touca das religiosas e lhes assenta sobre a testa **5** A parte da cabeçada que circunda a testa da cavalgadura; TOPETEIRA **6** Cabeceira de mesa ou de caixão **7** *Tip.* Êmbolo que lança o chumbo no molde da linotipo [F.: *test(a)* + *-eira*.]

testemunha (tes.te.*mu*.nha) *sf.* **1** Pessoa que presenciou qualquer fato significativo: *Foi um momento histórico, mas sem testemunhas.* **2** *Jur.* Pessoa chamada a depor a respeito do que presenciou: *A testemunha disse ao juiz que não viu nada.* **3** Coisa que prova a veracidade de algum fato; PROVA; TESTEMUNHO **4** Cada uma das pessoas que participam de um ato legal para lhe outorgar validade jurídica: *testemunhas de casamento; testemunhas de batizado; testemunhas de registro de escritura.* **5** Espécie de marco de terra ou pedra que se deixa numa escavação para, depois, saber-lhe a profundidade [F.: Dev. de *testemunhar*.] ■ **~ auricular** *Jur.* A que tem ciência do que testemunha não por ter visto, mas por ter ouvido dizer **~ de ouvido** *Jur.* Ver *Testemunha auricular* **~ de vista** *Jur.* A que tem ciência do que testemunha por ter visto; testemunha ocular **~ de viveiro** *Bras. Gír.* A que é induzida e instruída a prestar falso depoimento **~ informante** *Jur.* A que, sem ser juridicamente habilitada a depor, é intimada em juízo a prestar esclarecimentos **~ instrumentária** Aquela que confirma com sua assinatura que assistiram à feitura e assinatura de um documento entre partes [A validade do documento depende dessa assinatura.] **~ numerária** Cada uma das testemunhas que perfazem o número mínimo considerado necessário para atestar a validade do testemunho de um fato **~ ocular** Ver *Testemunha de vista* **~ suspeita** Aquela cujo testemunho, devido ao seu relacionamento com uma das partes (parentesco, amizade, interesse) não merece fé

testemunha de jeová (tes.te.mu.nha de je:o.*vá*) *s2g. Rel.* Adepto da seita cristã Testemunhas de Jeová, fundada nos EUA na década de 1870 por Charles Taze Russel e que rejeita o catolicismo e o protestantismo [Pl.: *testemunhas de jeová*.]

testemunhado (tes.te.mu.*nha*.do) *a.* Que se testemunhou, que se viu ou presenciou [F.: Part. de *testemunhar*.]

testemunhal (tes.te.mu.*nhal*) *a2g.* **1** Ref. a testemunha **2** Apresentado por testemunha (prova testemunhal) **3** *Publ.* Diz-se de anúncio ou campanha que se vale de depoimento favorável de alguém sobre produto ou serviço anunciado *sm.* **4** *Ecles.* Documento através do qual um superior eclesiástico recomenda um súdito para ser ordenado por outrem **5** O conjunto das testemunhas [F.: Do lat. *testimonialis*.]

testemunhar (tes.te.mu.*nhar*) *v.* **1** Ser ou servir de testemunha; dar testemunho de ou acerca de (fato, acontecimento etc.) [*td.: No tribunal, a jovem testemunhou o crime.*] [*tr.* + *a favor de, contra: O proprietário do apartamento negou-se a testemunhar contra a síndica em juízo.*] [*int.: Na briga entre os empregados da fábrica, ninguém propôs-se testemunhar.*] **2** Estar presente em algum lugar no momento da ocorrência de (algo) e assistir ao que se passou; PRESENCIAR; VER [*td.: Foi a única a testemunhar o assalto.*] **3** Assistir a certos atos para torná-los autênticos e valiosos [*td.: Testemunhou o casamento do irmão.*] **4** Tornar claro, expresso, notório, manifesto; REVELAR [*td.: Os aplausos testemunham o sucesso do artista.*] [*tdi.* + *a: Queria testemunhar agradecimentos à orientadora.*] **5** Mostrar claramente; COMPROVAR; DEMONSTRAR [*td.: As estatísticas testemunham a decadência do partido político.*] [*tdi.* + *a: Testemunhou a todos o sucesso de seu empreendimento imobiliário.*] [▶ 1 testemunhar] [F.: Do lat. **testimoniare*, 'prestar testemunho'. Hom./Par.: *testemunha(s)* (fl.), *testemunha(s)* (sf. [pl.]); *testemunhais* (fl.), *testemunhais* (a2g. pl. de *testemunhal*); *testemunháveis* (fl.), *testemunháveis* (a2g. pl. de *testemunhável*); *testemunho* (fl.), *testemunho* (sm.).]

testemunhas (tes.te.*mu*.nhas) *sfpl.* **1** Duas pedras que se fincam ao lado de um marco **2** Duas árvores que se plantam ao pé da que serve de baliza **3** *Lus. Pop.* Testículos [F.: Pl. de *testemunha*. Hom./Par.: *testemunhas* (sfpl.), *testemunhas* (fl. de *testemunhar*).]

testemunho (tes.te.*mu*.nho) *sm.* **1** Ação ou resultado de testemunhar **2** Depoimento dado por testemunha **3** Tudo o que serve como evidência ou prova de algo; PROVA: "Meu testemunho visual de um jarro ou de uma cadeira é falho em vários pontos." (Clarice Lispector, *A paixão segundo G. H.*) **4** Registro fundamentado; COMPROVAÇÃO **5** Vestígio, indício representativo **6** *Geol.* Restos de antigas superfícies destruídas por erosão [F.: Do lat. *testimonium.*]

teste-piloto *sm.* Teste preliminar, de caráter experimental, aplicado a uma pequena amostra de participantes e que serve para avaliar aspectos de seu funcionamento e corrigir eventuais falhas antes de sua implantação definitiva [Pl.: *testes-pilotos* e *testes-piloto.*]

testicular (tes.ti.cu.*lar*) ***a2g.*** Relativo a testículo [F.: *testícul(o)* + *-ar*[1].]

testículo (tes.*tí*.cu.lo) ***sm.*** *Anat.* Cada uma das duas glândulas genitais masculinas e ovoides localizadas na bolsa escrotal, responsáveis pela produção de espermatozoides e, em células especializadas, da testosterona [F.: Do lat. *testiculus.*]

testificação (tes.ti.fi.ca.*ção*) *sf.* Ação ou resultado de testificar, testemunhar [Pl.: *-ções.*] [F.: Do lat. *testificatio.*]

testificante (tes.ti.fi.*can*.te) ***a2g.*** **1** Que testifica ***s2g.*** **2** O que testifica [F.: *testificar* + *-nte.* Sin. ger.: *testificador.*]

testificar (tes.ti.fi.*car*) *v. td.* **1** Dar testemunho de; ATESTAR; COMPROVAR: *O prêmio testifica o valor do seu trabalho.* [Ant.: *desmentir, negar.*] **2** Afirmar, assegurar: *O médico testificou que o paciente está curado.* [▶ **11** testificar] [F.: Do lat. *testificari* (v. *depoente*) 'dar testemunho, atestar'.]

testilha (tes.*ti*.lha) *sf.* Briga, luta, disputa: "...apaziguar as testilhas entre Isaac e o pai..." (Aquilino Ribeiro, "Os ladrões das almas" *in Jardim das tormentas*) [F.: *test(a)* + *-ilha.*]

testilhar (tes.ti.*lhar*) *v. Lus.* Andar em testilhas, contendas, discussões; ALTERCAR; CONTENDER; PEGUILHAR [*tdr.* + *com*: "As justiças dos Afonsos tinham pouco que testilhar com os salteadores noturnos." (Camilo Castelo Branco, *Mosaico*)] [▶ **1** testilhar] [F.: *testilh(a)* + *-ar*[2].]

testilho (tes.*ti*.lho) ***sm.*** **1** Testeira de caixão ou de caixa **2** Cada uma das duas faces internas e laterais da chaminé, da verga para cima [F.: *test(a)* + *-ilho.*]

testo (*tes*.to) [ê] ***sm.*** **1** Tampa de ferro ou de barro para vasilha **2** Vaso de barro em que se põe a cal para caiar **3** *Bras.* Camada de fuligem endurecida no fundo externo das panelas **4** *Ant.* Camada de barro para filtrar a água dos pães de açúcar **5** O testico, ou cabeceira da serra ***a.*** **6** Enérgico, resoluto, que não tem medo do perigo **7** Austero, que não aceita brincadeira **8** Seguro, estável [F.: De *testa.* Hom./Par.: *testo* (a. sm.), *texto* (sm.).]

testosterona (tes.tos.te.*ro*.na) *sf. Bioq.* Principal hormônio masculino ($C_{19}H_{28}O_2$), produzido nos testículos [F.: Rad. do lat. *test(is)* + *-o-* + *(e)ster(ol)* + *-ona.*]

testudinídeo (tes.tu.di.*ní*.de:o) *Herp.* ***a.*** **1** Ref. aos testudinídeos ***sm.*** **2** Espécime dos testudinídeos [F.: Do lat. cient. *Testudinidae.*]

testudinídeos (tes.tu.di.*ní*.de:os) ***smpl.*** *Herp.* Família de répteis quelônios que compreende as tartarugas terrestres e os jabutis [F.: Do lat. cient. *Testudinidae.*]

testudo (tes.*tu*.do) ***a.*** **1** Que tem grande testa **2** *Fig.* Teimoso, cabeçudo ***sm.*** **3** Indivíduo testudo **4** *Ict.* Peixe marinho (*Selene vomer*) da fam. dos carangídeos; PEIXE-GALO [F.: *test(a)* + *-udo.*]

tesudo (te.*su*.do) ***a.*** **1** *Bras. Vulg.* Que tem muito tesão **2** Que desperta muito tesão ***sm.*** **3** Aquele que tem muito tesão **4** Aquele que desperta muito tesão [F.: *tes(o)* + *-udo.*]

teta (**ê**) (*te*.ta) [é] ***sm.*** Nome da oitava letra do alfabeto grego [F.: Do gr. *theta.* Hom./Par.: *teta* [é] (sm.), *teta* [ê] (sf.).]

teta (**ê**) (*te*.ta) [ê] *sf.* **1** Glândula mamária; SEIO; PEITO; MAMA; TETINA **2** Úbere, ubre **3** *Fig.* Fonte, manancial **4** *Bras. Fig. Pop.* Mamata, sinecura [F.: De or. onom. Hom./Par.: *teta* [ê] (sf.), *teta* [é] (sm.).]

tetania (te.ta.*ni*.a) *sf. Pat.* Distúrbio que se manifesta por acessos convulsivos com prolongadas contrações musculares, esp. das extremidades, devido a uma perturbação do metabolismo do cálcio [F.: *tétan(o)* + *-ia*[1].]

tetânico (te.*tâ*.ni.co) ***a.*** **1** *Pat.* Ref. a tétano ou com suas características **2** Que sofre de tétano [F.: Do lat. *tetanicus.*]

tetanizante (te.ta.ni.*zan*.te) ***a2g.*** Que tetaniza [F.: *tetanizar* + *-nte.*]

tétano (*té*.ta.no) *sm. Med.* Moléstia infecciosa grave causada pelo bacilo *Clostridium tetani*, que invade o organismo através de ferimentos na pele e atinge o sistema nervoso central, ocasionando contraturas musculares [F.: Do lat. *tetanus.*] ■ **~ de recém-nascido** *Med.* Tétano causado por infecção da ferida após o corte do cordão umbilical

tête-à-tête (*Fr.*: /tét-a-tét/) ***sm2n.*** Conversa particular de duas pessoas

teteia (te.*tei*.a) *sf.* **1** Enfeite de criança **2** Berloque, coisa bonita e delicada; DIXE: "Nossas Senhoras sobrecarregadas, a baiana de teteias... corações, cavalinho... correntes de ouro" (Gilberto Freyre, *Casa grande e senzala*) **3** *Bras. Pop.* Criança, pessoa ou coisa muito bonita e graciosa **4** *AL* Vara comprida com um saco na ponta, que se usa para colher frutas [F.: De or. onom.]

-tético *Suf.* = próprio para colocar, ref. a ação de dispor: *antitético, hipotético*

tético (*té*.ti.co) ***a.*** **1** Ref. a tese **2** *Mús.* Diz-se do ritmo que se inicia em tésis, i. e., no tempo forte do compasso [F.: Do gr. *thetikós.*]

teto (*te*.to) ***sm.*** **1** A parte de cima e interna de uma casa ou dependência: "Também entraram grandes melgões que foram pousar-se no tecto." (José Saramago, *Memorial do convento*) **2** *P. ext.* Telhado **3** *P. ext.* Abrigo, moradia, habitação: *Só procurava um teto para morar.* **4** *P. ext.* Agasalho, amparo **5** *Aer.* Altura máxima em que as aeronaves podem voar com segurança, em determinadas condições meteorológicas e de visibilidade **6** Valor máximo estipulado (teto salarial) **7** *Geol.* Estrato em relação ao outro sobre o qual se assenta **8** *Fig. Pop.* Tino, juízo: *Tem pouco teto aquela cabeça.* [F.: Do lat. *tectum.*] ■ **~ absoluto** *Aer.* Altitude máxima de cruzeiro atingível por aeronave em condições atmosféricas ideais **~ solar** **1** Teto feito de material translúcido, que deixa passar a luz solar **2** Teto de carroçaria de automóveis no qual parte pode ser aberta

tetr(a)- *el. comp.* = 'quatro': *tetrabrânquio* (< lat. cient.), *tetracampeão, tetracampeonato, tetraciclina, tetracromia, tetradáctilo, tetradátilo, tetraedro, tetrafoliado, tetrâmero, tetraplegia, tetraploide, tetrarquia* [F.: Do gr. *tetr-, tetra-*, do gr. *téttares*, 'quatro'.]

tetra (*te*.tra) ***a2g2n.*** **1** F. red. de *tetracampeão* ***sm2n.*** **2** F. red. de *tetracampeonato*

tetrabrânquio (te.tra.*brân*.qui:o) *Zool.* ***sm.*** **1** Espécime dos tetrabrânquios, antiga subclasse de moluscos cefalópodes ***a.*** **2** Ref. ou pertencente aos tetrabrânquios [F.: Adapt. do lat. cient. *Tetrabranchia.*]

tetracampeã (te.tra.cam.pe:*ã*) *sf.* Fem. de *tetracampeão*

tetracampeão (te.tra.cam.pe:*ão*) ***a.*** Diz-se de esportista, clube, escola de samba etc. que foi campeão quatro vezes de um mesmo campeonato; TETRA [Pl.: *-ões.* Fem.: *-ã.*] [F.: *tetr(a)-* + *campeão.*]

tetracampeonato (te.tra.cam.pe:o.*na*.to) ***sm.*** Campeonato vencido por um mesmo competidor pela quarta vez; TETRA [F.: *tetr(a)-* + *campeonato.*]

tetraciclina (te.tra.ci.*cli*.na) *sf. Farm.* Antibiótico ($C_{22}H_{24}N_2O_8$) de amplo espectro, obtido a partir de culturas de um estreptomiceto ou por síntese, us. no tratamento de infecções bacterianas [F.: *tetracícl(ico)* + *-ina*[2].]

tetracloretano (te.tra.clo.re.*ta*.no) *sm. Quím.* Isômero simétrico ($CHCl_2CHCl_2$) resultante da combinação de acetileno e cloro, que forma vapor tóxico de odor semelhante ao do clorofórmio, us. esp. como solvente não inflamável [F.: *tetr(a)-* + *cloreto* + *-ano*[2].]

tetracloreto (te.tra.clo.*re*.to) [êto] ***sm.*** *Quím.* Nome genérico dos compostos que têm quatro átomos de cloro [F.: *tetr(a)-* + *cloreto.*]

tetracont(a)- *el. comp.* = '40': *tetracontaedro, tetracontágono* [F.: Do gr. *tettárakonta*, '40'.]

tetracontaedro (te.tra.con.ta.*e*.dro) ***sm.*** *Geom.* Poliedro de 40 faces [F.: *tetracont(a)-* + *-edro.*]

tetracontágono (te.tra.con.*tá*.go.no) ***sm.*** *Geom.* Polígono de 40 lados [F.: *tetracont(a)-* + *-gono.*]

tetracorde (te.tra.*cor*.de) *Mús.* ***sm.*** **1** Série de quatro notas consecutivas, havendo um intervalo de quarta entre a primeira e a última **2** *Ant.* Lira de quatro cordas [F.: *tetr(a)-* + *-corde.* Sin. ger.: *tetracórdio.*]

tetracórdio (te.tra.*cór*.di:o) ***sm.*** *Mús.* O mesmo que *tetracorde* [F.: *tetr(a)-* + *-córdio.*]

tetracosaedro (te.tra.co.sa.*e*.dro) ***sm.*** *Geom.* Poliedro de 24 faces [F.: *tetr(a)-* + *icosaedro.*]

tetracoságono (te.tra.co.*sá*.go.no) ***sm.*** *Geom.* Polígono de 24 lados [F.: *tetr(a)-* + *icoságono.*]

tetracromia (te.tra.cro.*mi*.a) *sf. Art. gr.* Processo de impressão a cores em que às três cores básicas (amarelo, vermelho e azul) se acrescenta o preto ou cinza, para maior fidelidade na reprodução do original; QUADRICROMIA [F.: *tetr(a)-* + *-cromia.*]

tetradáctilo (te.tra.*dác*.ti.lo) ***a.*** Ver *tetradátilo*

tetradátilo (te.tra.*dá*.ti.lo) ***a.*** *Zool.* Que tem quatro dedos [F.: Do gr. *tetradáktylos, os, on.* Tb. *tetradáctilo.*]

tétrade (*té*.tra.de) *sf.* **1** Grupo de quatro coisas **2** *Bot.* Grupo de quatro grãos de pólen aglutinados, resultante de duas segmentações sucessivas da célula-mãe **3** *Cit.* Cada uma das quatro células haploides formadas ao final da segunda divisão por meiose **4** *Gen.* Arranjo de cromossomos de quatro em quatro na primeira fase da meiose, resultante da divisão longitudinal precoce de cada par de cromossomos homólogos **5** *Mús.* Acorde de quatro notas [F.: Do gr. *tétras, ádos*, pelo lat. *tetras, adis*, e pelo fr. *tetrade.*]

tetradecaedro (te.tra.de.ca.*e*.dro) ***sm.*** *Geom.* Poliedro de 14 faces [F.: *tetr(a)-* + *decaedro.*]

tetradecágono (te.tra.de.*cá*.go.no) ***sm.*** *Geom.* Polígono de 14 lados [F.: *tetr(a)-* + *decágono.*]

tetradimensional (te.tra.di.men.si:o.*nal*) ***a2g.*** Ref. a ou que tem quatro dimensões [Pl.: *-nais.*] [F.: *tetr(a)-* + *dimensional.*]

tetraédrico (te.tra.*é*.dri.co) ***a.*** **1** *Geom.* Ref. a tetraedro **2** Com forma ou em forma de tetraedro [F.: *tetraedro* + *-ico*[2].]

tetraedro (te.tra.*e*.dro) ***sm.*** *Geom.* Poliedro de quatro faces; HEMIOCTAEDRO [F.: Do gr. *tetraédron, ou.*]

tetraexaedro (te.tra:e.xa.*e*.dro) ***sm.*** *Geom.* Poliedro que apresenta 24 triângulos isósceles iguais, que formam ângulos tetraédricos regulares quatro a quatro [F.: *tetr(a)-* + *hexaedro.*]

tetrafluoreteno (te.tra.flu:o.re.*te*.no) ***sm.*** *Quím.* Substância gasosa (C_2F_4) derivada do flúor e do etileno, us. na produção de polietilenos; TETRAFLUORETILENO [F.: *tetr(a)-* + *fluoreteno.*]

tetrafluoretileno (te.tra.flu:o.re.ti.*le*.no) ***sm.*** *Quím.* O mesmo que *tetrafluoreteno* [F.: *tetr(a)-* + *fluoretileno.*]

tetrafoliado (te.tra.fo.li.*a*.do) ***a.*** *Bot.* Que tem folhas dispostas quatro a quatro [F.: *tetr(a)-* + *foliado.*]

tetragonal (te.tra.*go*.nal) ***a2g.*** **1** Que tem a forma de tetrágono **2** Que tem quatro ângulos [Pl.: *-nais.*] [< F.: Do lat. *tetragonalis, e.*]

tetrágono (te.*trá*.go.no) ***sm.*** *Geom.* Polígono de quatro lados [F.: Do lat. *tetragonus, a, um*; ver *tetr(a)-* e *-gono.*]

tetragrama (te.tra.*gra*.ma) ***sm.*** **1** Palavra com quatro letras **2** *Mús.* Pauta musical de quatro linhas, us. no canto gregoriano **3** *Rel.* No judaísmo, referência ao nome impronunciável de Deus, que na Bíblia em hebraico se escreve com quatro letras (no alfabeto latino, IHVH) **4** Espécie de ideograma formado por quatro linhas superpostas, que podem estar divididas em duas ou três partes iguais **5** *Fisl. Rel.* Cada um dos tetragramas que intitulam os 81 capítulos do *Tao Te King* de Lao Tsé (séc. V a.C.), livro em que estão registrados os princípios do Taoismo chinês [F.: *tetr(a)-* + *-grama.* Cf.: *Hexagrama.*]

tetraidrocanabinol (te.tra:i.dro.ca.na.*bi*.nol) ***sm.*** *Quím.* Substância ($C_{21}H_{30}O_2$) encontrada nas folhas e flores da maconha e que produz efeitos narcóticos, alucinógenos e antieméticos [Símb.: *THC*] [Pl.: *-nóis.*] [F.: Do ingl. *tetrahydrocannabinol*; ver *tetr(a)-, -idr(o)-* e *canabinol.*]

tetralogia (te.tra.lo.*gi*:a) *sf.* **1** *Mús.* Conjunto de quatro óperas que se seguem desenvolvendo o mesmo tema: *a tetralogia de Wagner.* **2** Conjunto de quatro obras de um autor, interligadas por um mesmo assunto **3** *Ant. Teat.* Na Grécia antiga, conjunto de quatro peças (três tragédias e uma comédia satírica) que os poetas trágicos apresentavam nos concursos **4** *Pat.* Denom. genérica de quatro sintomas que, juntos, são característicos de certas doenças [F.: Do gr. *tetralogía, as.*]

tetrâmero[1] (te.*trâ*.me.ro) ***a.*** **1** *Zool.* Que está dividido em quatro partes **2** *Bot.* Diz-se de verticilo composto por quatro peças [F.: *tetr(a)-* + *-mero.*]

tetrâmero[2] (te.*trâ*.me.ro) *Zool.* ***sm.*** **1** Espécime dos tetrâmeros, divisão de coleópteros com espécies providas de quatro segmentos em cada pata ***a.*** **2** *Zool.* Ref. ou pertencente aos tetrâmeros [F.: Adaptç. do lat. cient. *Tetramera.*]

tetrâmetro (te.*trâ*.me.tro) ***sm.*** *Poét.* Verso grego ou latino de quatro pés [F.: Do gr. *tetrámetros, os, on*, pelo lat. *tetrameter, etra, etrum.*]

tetramicina (te.tra.mi.*ci*.na) *sf. Farm.* Antibiótico us. contra infecções [F.: *tetr(a)-* + *-micina.*]

tetrandria (te.tran.*dri*:a) *sf. Bot.* Qualidade ou característica de tetrandro [F.: *tetrandro* + *-ia*[1].]

tetrandro (te.*tran*.dro) ***a.*** *Bot.* Que tem quatro estames do mesmo comprimento [F.: *tetr(a)-* + *-andro.*]

tetraneto (te.tra.*ne*.to) ***sm.*** Filho de trineto ou de trineta; tataraneto [F.: *tetr(a)-* + *neto.*]

tetraplegia (te.tra.ple.*gi*.a) *sf. Neur. Pat.* Paralisia que afeta os quatro membros simultaneamente; QUADRIPLEGIA [F.: *tetr(a)-* + *-plegia.*]

tetraplégico (te.tra.*plé*.gi.co) *Neur. Pat.* ***a.*** **1** Ref. a tetraplegia **2** Que sofre de tetraplegia ***sm.*** **3** Aquele que sofre de tetraplegia [F.: *tetraplegia* + *-ico*[2]. Sin. ger.: *quadriplégico.*]

tetraploide (te.tra.*ploi*.de) *Gen.* ***a2g.*** **1** Que tem quatro conjuntos de cromossomos ***sm.*** **2** *Gen.* Aquele que tem quatro conjuntos de cromossomos [F.: *tetr(a)-* + *-ploide.* Cf.: *poliploide.*]

tetraploidia (te.tra.ploi.*di*.a) *sf. Gen.* Qualidade ou condição de tetraploide [F.: *tetraploide* + *-ia*[1].]

tetrápode (te.*trá*.po.de) *Zool.* ***a2g.*** **1** Que tem quatro pés; QUADRÚPEDE **2** Ref. aos tetrápodes ***sm.*** **3** Animal tetrápode (1); QUADRÚPEDE **4** Espécime dos tetrápodes, agrupamento animal (*Tetrapoda*) que compreende todos os vertebrados dotados de quatro membros [F.: Do gr. *tetrápous, odos.*]

tetráptero (te.*tráp*.te.ro) ***a.*** **1** *Zool.* Que tem quatro asas: *As abelhas são tetrápteras.* **2** *Bot.* Diz-se dos frutos ou das sementes que têm quatro apêndices em forma de asas [F.: *tetr(a)-* + *-ptero.*]

tetrarca (te.*trar*.ca) ***sm.*** *Ant.* Chefe ou governador de uma tetrarquia [F.: Do gr. *tetrárkhes, ou*, pelo lat. *tetrarches* ou *tetrarcha, ae.*]

tetrarquia (te.trar.*qui*.a) *Ant.* *sf.* **1** Cada uma das partes de um Estado dividido em quatro províncias ou governos **2** Subdivisão de falange grega, formando quatro filas **3** Governo ou dignidade de tetrarca [F.: Do gr. *tetrarkhía, as*, pelo lat. *tetrarchia, ae.*]

tetrassilábico (te.tras.si.*lá*.bi.co) ***a.*** Que tem quatro sílabas; QUADRISSILÁBICO [F.: *tetrassílabo* + *-ico*[2].]

tetrassílabo (te.tras.*sí*.la.bo) ***a.*** **1** Diz-se de vocábulo ou verso de quatro sílabas ***sm.*** **2** Vocábulo ou verso de quatro sílabas [F.: Do gr. *tetrasýllabos, os, on.*]

tetrastêmone (te.tras.*tê*.mo.ne) ***a2g.*** *Bot.* Que tem quatro estames [F.: *tetr(a)-* + *-stêmone.*]

tetrastilo (te.tras.*ti*.lo) *Arq.* ***sm.*** **1** Construção, esp. templo grego, com quatro ordens de colunas ***a.*** **2** *Arq.* Diz-se desse tipo de construção [F.: Do gr. *tetrástylos, os, on*, pelo lat. *tetrastylum* ou *tetrastylon, i.*]

tetravó (te.tra.*vó*) *sf.* Mãe do trisavô ou da trisavó; tataravó [F.: Fem. de *tetravô*, *tetr(a)-* + *avó.*]

tetravô (te.tra.*vô*) ***sm.*** Pai do trisavô ou da trisavó; tataravô [F.: *tetr(a)-* + *avô.*]

tetricidade (te.tri.ci.*da*.de) *sf.* Característica ou condição do que é tétrico, fúnebre, muito triste [F.: Do lat. *tetricitas.*]

tétrico (*té*.tri.co) ***a.*** **1** Fúnebre, muito triste; LÚGUBRE **2** Medonho, horrível **3** De muita severidade e rigidez: *Tinham um rito tétrico, que esgotava as pessoas.* [F.: Do lat. *tetricus.*]

tetril (*te*.tril) ***sm.*** *Quím.* Substância química explosiva ($C_7H_5N_5O_8$), de cor amarelada ou parda, us. como agente detonador em espoletas [F.: Do ingl. *tetryl.*]

tetrodo (te.*tro*.do) [ô] ***sm.*** *Eletrôn.* Válvula de quatro eletrodos (um catodo, um ânodo, uma grade de controle e uma grade adicional) [F.: Do ingl. *tetrode*; ver *tetr(a)-* e *-odo*. A melhor f., embora menos us., é *têtrodo*.]

tetróxido (te.*tró*.xi.do) [cs] *sm. Quím.* Qualquer óxido que contém quatro átomos de oxigênio [F.: *tetr(a)-* + *óxido*.]

teu *pr. poss.* **1** Que pertence ou diz respeito à pessoa com quem se fala (tu): *Devias ajudar o teu amigo.* **2** Que é da predileção dessa pessoa: *Ela sabia que teu escritor era o Graciliano Ramos.* **3** Que é inspirado por ela: *Cipriana vive do teu cuidado.* **4** Mais ou menos, cerca de: *Deves estar aí com os teus 60 anos.* [F.: Do lat. *tuus, tua, tuum*, com infl. de *meu*.]

teúdo (te:*ú*.do) *Ant. a.* **1** Que se teve ou se tem conservado: *amante teúda e manteúda.* **2** Que é de costume; COSTUMEIRO: *fazer o que é teúdo de fazer.* [F.: Do lat. vulg. *tenutus, a, um*.]

teurgia (te:ur.*gi*.a) *sf.* **1** Ciência do maravilhoso; arte de fazer milagres **2** Espécie de magia com que os antigos pretendiam alcançar a proteção das divindades e produzir efeitos sobrenaturais **3** Suposta arte de curar doenças pela intervenção de seres ou forças sobrenaturais [F.: Do gr. *theourgía, as*, pelo lat. *theurgia, ae*.]

teúrgico (te.*úr*.gi.co) *a.* Ref. a teurgia ou a teurgo [F.: Do gr. *theourgikós, é, ón*, pelo lat. *theurgicus, a, um*.]

teurgista (te.ur.*gis*.ta) *a2g. s2g.* O mesmo que *teurgo*

teurgo (te.*ur*.go) *a.* **1** Relativo a teurgia *s2g.* **2** Pessoa que se ocupa da teurgia ou que exerce a teurgia [F.: Do gr. *theourgós*. Tb. *teurgista*.]

teus *smpl.* Us. na loc. subst. *os teus* (parentes, amigos): *Os teus estão passando bem?* [F.: Pl. de *teu*. Ver tb. *teu*.]

teutão (teu.*tão*) *a.* **1** Dos teutões, antigo povo germânico; típico desse povo; TEUTO; TEUTÔNICO **2** *Gloss.* Da ou ref. a língua falada pelos teutões *sm.* **3** Indivíduo desse povo; TEUTO; TEUTÔNICO **4** *Gloss.* A língua falada pelos teutões; TEUTÔNICO [Pl.: *-tões*. Fem.: *-tona*] [F.: Do lat. *teutones, um*.]

teuto (*teu*.to) *a.* **1** Ref. aos teutões ou próprio deles **2** Ref. aos alemães ou próprio deles *sm.* **3** Indivíduo do povo teutão ou do povo alemão [F.: Do lat. *teutonicus, a, um*.]

◎ **teuto-** *el. comp.* = 'teutônico', 'teuto': *teuto-brasileiro* [F.: De *teuto*.]

teuto-brasileiro (teu.to-bra.si.*lei*.ro) *a.* **1** Ref. a Alemanha e ao Brasil ou aos alemães e brasileiros **2** Que é de origem alemã e brasileira [Pl.: *teuto-brasileiros*.] *sm.* **3** Indivíduo teuto-brasileiro (2) [Pl.: *teuto-brasileiros*.]

teutoideo (teu.*toi*.de:o) *Zool. sm.* **1** Espécime dos teutoideos, ordem de moluscos cefalópodes, à qual pertencem as lulas *a.* **2** Ref. ou pertencente aos teutoideos [F.: Adapt. do lat. cient. *Teuthoidea*.]

teutônico (teu.*tô*.ni.co) *a.* **1** Relativo aos teutões **2** *P. ext.* Ref. a Alemanha ou aos alemães **3** Diz-se de uma espécie de letra gótica [F.: Do lat. *teutonicus, a, um*. Sin. ger.: *teuto*.]

tevê (te.*vê*) *sf.* O mesmo que *televisão* [F.: Forma red. de *televisão*.]

texano (te.*xa*.no) [cs] *sm.* **1** Pessoa nascida ou que vive no Texas (EUA) *a.* **2** Do Texas; típico desse estado ou de seu povo [F.: Do top. *Texas* + *-ano*.]

têxtil (*têx*.til) *a2g.* **1** Que se pode tecer, usar na confecção de fios e tecidos (fibra têxtil) **2** Ref. a produção de tecidos (indústria têxtil) *sm.* **3** Qualquer tecido: *A indústria pretende ampliar a exportação de têxteis para o Oriente.* [Pl.: *têxteis*. Hom./Par. *testeis*, fl. de *testar*. F.: Do lat. *textilis, e*.]

texto (*tex*.to) [ês] *sm.* **1** Encadeamento de palavras ou de frases escritas **2** Qualquer obra escrita, tomada em sua versão original (texto bíblico; texto jurídico) **3** *Restr.* Passagem da Bíblia citada por orador sacro, para ser tema de sermão **4** Fragmento da obra de um autor: *Usamos, no exercício, um texto de Plínio Marcos.* **5** Matéria escrita ou impressa (em oposição a ilustração, iconografia) **6** *Rád. Telv.* Qualquer conjunto de palavras ou frases a ser lido em voz alta [F.: Do lat. *textus, us*. Hom./Par.: *texto* (sm.), *testo* (ê) (sm.) e *testo* (é) (fl. de *testar*).] ■■ **Bater ~** Estudar e decorar as falas de um papel (ator ou atriz), ger. contracenando com um colega **~ de apoio** *Jorn.* Termo que designa todos os textos que acompanham o texto principal de uma matéria como fonte de explicações ou informações adicionais [São boxes, notas, referências etc.]

texto-foguete (tex.to-fo.*gue*.te) *sm. Publ.* Mensagem curta que é divulgada repetidas vezes em programas de rádio [Pl.: *textos-foguete*.]

texto-legenda (tex.to-le.*gen*.da) *sm. Jorn.* Legenda mais extensa que explica ou comenta a fotografia ou ilustração [Pl.: *textos-legenda*.]

textual (tex.tu:*al*) *a2g.* **1** Ref. a texto ou próprio deste (crítica textual) **2** Diz-se de reprodução ou transcrição fiel de fala ou texto; LITERAL; *IPSIS VERBIS*: *Sua citação era textual.* [Pl.: *-ais*.] [F.: Rad. de *texto* + *-u-* + *-al*.]

textualidade (tex.tu:a.li.*da*.de) *sf.* Característica ou condição do que é textual [F.: *textual* + *-i-* + *-dade*.]

textualmente (tex.tual.*men*.te) *adv.* De modo textual; conforme o texto, com as próprias palavras do texto [F.: *textual* + *-mente*.]

textura (tex.*tu*.ra) *sf.* **1** Ação ou resultado de tecer **2** Trama, tecido, entrelaçamento dos fios, contextura **3** Constituição geral de um material sólido: "As primeiras são de textura córnea e polida e ocupam o centro do sistema." (Eduardo Sequeira, *Abelhas*) **4** *Geol.* Aspecto, ger. microscópico, de uma rocha em que se inclui a forma dos cristais e o modo como se unem **5** *Anat.* Entrelaçamento das fibras que compõem uma parte do corpo (a textura da pele) **6** *Tip.* Característica visual ou tátil resultante da forma como a tinta se dispõe na superfície impressa [F.: Do lat. *textura, ae*.]

textural (tex.tu.*ral*) *a2g.* Ref. ou pertencente aos tecidos orgânicos [Pl.: *-rais*.] [F.: *textur(a)* + *-al*.]

texturização (tex.tu.ri.za.*ção*) *sf.* Ação ou resultado de texturizar [Pl.: *-ções*.] [F.: *texturizar* + *-ção*.]

texturizado (tex.tu.ri.*za*.do) *a.* Que se texturizou, que adquiriu textura [F.: Part. de *texturizar*.]

texturizar (tex.tu.ri.*zar*) *v. td.* Dar ou adquirir determinada textura: *Texturizou a primeira camada de tinta; A tinta da superfície texturizou-se.* [F.: *textura* + *-izar*.]

texugo (te.*xu*.go) *sm.* **1** *Zool.* Nome de diversos mamíferos carnívoros da família dos mustelídeos (como as lontras, os furões), esp. o *Meles meles*, de pelo cinza e preto, comum em florestas da Europa e norte da Ásia, e o *Taxidea taxus*, ocorrente na América do Norte **2** *Pop.* Pessoa muito gorda [F.: De or. contrv.]

tez [ê] *sf.* **1** A pele, esp. a do rosto; CÚTIS: "Era pequeno, grosso, muito cabeçudo, braços e pernas curtas, mãos vermelhas e polposas, tez morena e áspera." (Aluísio Azevedo, *Coruja*) **2** Superfície fina e lisa de algo: *A tez do sapoti.* [Hom./Par. *tês* (pl. de *tê* (letra). F.: De or. obsc.]

⊠ **TFR** Sigla de *Tribunal Federal de Recursos*

⊠ **tg** *Geom.* Símb. de *tangente*

⊠ **tgh** *Geom.* Símb. de *tangente hiperbólica*

⊠ **th** *Fís.* Símb. de *termia*

⊠ **THC** *Quím.* Sigla do ing. *tetrahydrocannabinol* (tetraidrocanabinol)

⊕ ***thesaurus*** (*Lat. /tesáurus/*) *Lex. sm.* **1** Dicionário analógico; TESOURO **2** Vocabulário de um determinado ramo de conhecimento; TESAURO [Pl.: *thesauri*.]

⊕ ***thriller*** (*Ing. /thríler/*) *sm. Cin. Liter. Teat.* Filme, romance ou peça teatral de suspense

ti[1] *pr. pess.* Equivale a ' tu' e funciona como complemento precedido de prep: "Por ti- as noites eu velei chorando, / Por ti- nos sonhos morrerei sorrindo!" (Álvares de Azevedo, *Lira dos vinte anos*) ["Foi contigo, Suave, que o poeta/ Aprendeu o sentido da humildade. " (Vinícius de Moraes, *Antologia poética*) Se a prep. que o antecede é *com*, assume a forma *-tigo*, ocorrendo contração (*contigo*)] [F.: Do lat. *tibi*, dat. de *tu, tui*.]

⊠ **Ti**[2] *Quím.* Símb. do *titânio*

tia (*ti*.a) *sf.* **1** A irmã do pai ou da mãe de uma pessoa em relação a esta **2** *P. ext.* Mulher do tio, em relação aos sobrinhos deste **3** *Bras.* Modo carinhoso de as crianças pequenas se dirigirem às professoras, e as crianças e jovens às amigas dos pais e às mães dos amigos **4** *Pop.* Tratamento genérico que se dá a qualquer mulher pouco conhecida ou cujo nome se esqueceu **5** *Fam.* Solteirona **6** Dona de bordel **7** *Gír.* Designação dada ao homossexual mais velho [F.: Do lat. tard. *thia, ae*.] ■■ **Ficar para ~/titia** Não casar (mulher) e ficar solteirona

tia-avó (ti.a-a.*vó*) *sf.* Irmã do avô ou da avó de uma pessoa em relação a esta [Pl.: *tias-avós*.]

tiamina (ti.a.*mi*.na) *sf. Bioq.* Vitamina B1 ($C_{12}H_{17}N_4ClOS$), encontrada em cereais, gema de ovo, leite, legumes etc.; ANEURINA [F.: *ti(a)-* + *-amina*.]

tianha (ti.*a*.nha) *sf.* **1** *Bras. Pop.* Teimosia, birra **2** *SP* Ojeriza, raiva [F.: De or. obsc.]

tiara (ti:*a*.ra) *sf.* **1** Mitra do papa, chapéu alto e oval rodeado de três coroas e encimado pela cruz, us. nas cerimônias principais: "Rola a tiara no lodo/ Brota o lírio da igualdade" (Eça de Queirós, *Os Maias*) **2** *P. ext.* Dignidade papal: *A intolerância da tiara foi que deu ensejo à inquisição.* **3** Arco ou diadema us. pelas mulheres como enfeite ou para prender os cabelos **4** *Ant. Hist.* Adorno de gala usado na cabeça, em Bizâncio e no Oriente antigo, como símbolo de soberania [F.: Do lat. *tiara, ae*. Cf.: *mitra*.]

tiberino (ti.be.*ri*.no) *sm.* **1** Aquele que nasceu ou que vive na região banhada pelo rio Tibre (Itália) *a.* **2** De Tibre; típico desse rio, dessa região ou de seu povo [F.: Do lat. *tiberinus, a, um*.]

tibetano (ti.be.*ta*.no) *sm.* **1** Aquele que nasceu ou que vive no Tibete (Ásia), região montanhosa no norte da China **2** *Gloss.* A língua falada no Tibete *a.* **3** Do Tibete; típico dessa região ou de seu povo **4** *Gloss.* Ref. a língua falada no Tibete [F.: Do top. *Tibete* + *-ano*[1].]

tíbia (*tí*.bi:a) *sf.* **1** *Anat.* O osso maior e mais interior da perna; CANELA: "...muito comprido no seu poncho de brim pardo, que lhe batia desairosamente pelas tíbias mal compostas..." (Aluísio Azevedo, *Casa de pensão*) **2** *Ent.* O quarto segmento da perna dos insetos **3** *Ant. Poét.* Flauta pastoril [F.: Do lat. *tibia, ae*.]

tibial (ti.*bi*:al) *Anat. a2g.* **1** Ref. a tíbia **2** Diz-se de cada um dos músculos da perna *sm.* **3** Músculo tibial (2) [Pl.: *-ais*.] [F.: Do lat. *tibialis, e*.]

tibiez (ti.bi.*ez*) [ê] *sf.* Ver *tibieza*

tibieza (ti.bi.*e*.za) [ê] *sf.* **1** Característica ou condição de tíbio; FRAQUEZA; DEBILIDADE **2** *P. ext.* Indolência, frieza, falta de fervor **3** Frouxidão, covardia: "Quisera mostrar-se desassombrado, acima dos boatos correntes. Incapaz de tibiezas... ele compareceu." (Mário Sete, *João Inácio*) [F.: *tíbi(o)* + *-eza*. Tb. *tibiez*.]

tíbio (*tí*.bi:o) *a.* **1** Que é fraco, débil (luz tíbia; reação tíbia) **2** Que é morno, tépido (água tíbia) **3** Raro, escasso **4** Que não mostra energia ou entusiasmo; INDOLENTE *sm.* **5** Covarde, frouxo: *Só os tíbios temem a morte.* [F.: Do lat. *tepidus, a, um*.]

tiborna (ti.*bor*.na) *sf.* **1** Pão quente embebido em azeite **2** Refeição ao ar livre; PIQUENIQUE **3** Misturada, mixórdia, confusão **4** *Bras.* Borra do alambique, após a destilação **5** *Bras. N.E.* Coisa sem valor; PORCARIA **6** *Bras. Bot.* Planta (*Plumeria drastica*) da fam. das apocináceas, tb. denominada *raivosa* [F.: De or. obsc.]

tibungar (ti.bun.*gar*) *v. int. N. E.* Mergulhar ou cair na água [▶ **14 tibungar**] [F.: *tibung(o)* + *-ar*. Hom./Par.: *tibungo* (1ª ps.)/ *tibungo* (interj. e sm.). Tb. *timbungar*.]

tiburtino (ti.bur.*ti*.no) *sm.* **1** Indivíduo nascido ou que vive na antiga Tíbure (atual Tívoli, Itália) *a.* **2** De Tíbure; típico dessa cidade ou de seu povo [F.: Do lat. *tiburtinu*.]

ticaca (ti.*ca*.ca) *sf.* **1** *Bras. Zool.* O mesmo que *gambá* **2** *Pop.* Insignificância, coisa sem valor [F.: De or. obsc.]

tição (ti.*ção*) *sm.* **1** Pedaço de lenha acesa ou quase toda queimada: "Por toda a parte ia uma barafunda de vultos e de vozes, de tições desgarrados das fogueiras..." (Henrique Galvão, *Curica*) **2** *Fig. Pej.* Pessoa de pele negra [O uso nesta acepção, além do caráter pejorativo, é insultuoso e denota preconceito] **3** *Fig.* Pessoa muito suja [Pl.: *-ções*.] [F.: Do lat. *titio, onis*.] ■■ **~ apagado** *CE Depr. Pop.* Pessoa de pele negra vestida de preto [O uso desse termo, nessa acp., pode denotar preconceito, e é insultuoso.] **~ do inferno** Pessoa de má índole, ruim, perversa [O uso desse termo, nessa acp., denota preconceito e é insultuoso.]

ticar (ti.*car*) *v.* **1** Marcar com tique ou sinal (lista(s), número(s), palavra(s), parcela(s) de soma, texto(s) etc.) para efeito de conferência [*td.*: *O entregador ticou todos os itens da encomenda.*] **2** Fazer um furo em (bilhete, ingresso, passagem etc.) [*td.*: *O motorista ticou os bilhetes dos passageiros.*] [*int.*: *O empregado do teatro conferiu as entradas e depois ticou.*] [▶ **11 ticar**] [F.: *tique* (do ingl. (*to*) *tick*) + *-ar*[2]. Hom./Par.: *tico* (fl.), *tico* (sm.); *tique(s)* (fl.); *tique(s)* (a2g. sm. [pl.]).]

◎ **-tício** *suf.* = -ício: *acomodatício, alimentício* [F.: Do lat. *-titiu*.]

tico (*ti*.co) *sm.* **1** *Bras.* Porção pequena, bocado: *Comeu só um tico de pão.* **2** Pequena quantidade: *Um tico de arroz, outro de carne.* **3** *Pop.* Cacoete, trejeito, o mesmo que *tique* [Hom./Par.: *tico* (fl. de *ticar*). F.: De or. obsc.]

tico-tico (ti.co-*ti*.co) *sm.* **1** *Bras. Ornit.* Pássaro da família dos emberizídeos (*Zonotrichia capensis*), pardacento, de cabeça estriada e com pequeno topete **2** Pequena serra para trabalhos manuais **3** Pessoa ou coisa bem pequena **4** Velocípede menor, para criança pequena **5** Escola primária [Pl.: *tico-ticos*.] [F.: De or. onom.] ■■ **Espantar ~** *Bras. RJ Gír.* Dar passos disfarçados, fazer negaças, nas brigas, para enganar o adversário

tico-tico-do-campo (ti.co-ti.co-do-*cam*.po) *sm. Bras. Ornit.* Ave passeriforme (*Myospiza humeralis*) da fam. dos fringilídeos; CANÁRIO-PARDO; MANIMBÉ; TICO-TICO-RASTEIRO [Pl.: *tico-ticos-do-campo*.]

tico-tico-do-mato (ti.co-ti.co-do-*ma*.to) *Bras. Ornit. sm.* Ave passeriforme (*Arremon taciturnus*), da fam. dos fringilídeos, de peito cinzento, dorso verde-escuro e cabeça preta [Pl.: *tico-ticos-do-mato*.]

tico-tico-rei (ti.co-ti.co.*rei*) *Bras. Ornit. sm.* Ave fringilídea (*Coryphospingus cucullatus*), de topete escarlate, encontrada em quase todo o Brasil; ARAGUIRÁ; CRAVINA; CARDEAL [Pl.: *tico-ticos-reis* e *tico-ticos-rei*.]

ticuanga (ti.cu:*an*.ga) *sf. AM Cul.* Bolo de massa de mandioca mole, à qual se acrescentam açúcar, coco ou castanha-do-pará [F.: Do quimb. posv.]

tiê (ti.*ê*) *sm. Bras. Zool.* Nome comum a vários pássaros da fam. dos traupídeos, como o tiê-sangue e o tié-galo [F.: Do tupi *ti'ye*. Tb. *tiê*.]

⊕ ***tiebreak*** (*Ing. /táibreic/*) *sm. Esp.* No tênis e no voleibol, set ou etapa de desempate, para encerrar uma disputa

tié-sangue, tiê-sangue (ti.é-*san*.gue) *sm. Bras. Ornit.* Ave passeriforme (*Ramphocelus brasilius*) da fam. dos traupídeos, de plumagem vermelha, asas e cauda negras, encontrada em várias partes do Brasil oriental; SANGUE-DE-BOI [Pl.: *tiés-sangue, tiês-sangue*.]

tietada (ti:e.*ta*.da) *sf. Bras. Gír.* Grupo de tietes [F.: *tiete* + *-ada*[1].]

tietagem (ti:e.*ta*.gem) *sf. Bras.* Ação ou comportamento de tiete, fã [Pl.: *-gens*.] [F.: *tiete* + *-agem*[2].]

tietar (ti:e.*tar*) *v. int. Bras. Pop.* Agir como tiete; admirar incondicionalmente (alguém ou algo): *Vai aos programas de televisão só para tietar.* [▶ **1 tietar**] [F.: *tiete* + *-ar*[2]. Hom./ Par.: *tiete* (fl.), *tiete* (s2g.); *tietes* (fl.), *tietes* (pl. do s2g.).]

tiete (ti.*e*.te) *s2g. Pop.* Fã de artista, esp. de músico popular ou desportista [F.: De or. contrv.; posv. de *Tiete*, hipocorístico de uma fã do cantor Ney Matogrosso, na década de 1970]

tietê (ti:e.*tê*) *sm. Bras. Ornit.* Pássaro (*Euphonia pectoralis*) da fam. dos traupídeos, do Brasil central e oriental [F.: Do tupi *tie'te*.]

tieteano (ti.e.te.*a*.no) *sm.* **1** Aquele que nasceu ou que vive na região banhada pelo rio Tietê (SP) *a.* **2** De Tietê; típico desse rio, dessa região ou de seu povo [F.: Do top. *Tietê* + *-ano*[1].]

tifa (*ti*.fa) *sf.* Gênero de ervas da fam. das tifáceas, de cujas folhas se extraem fibras para a confecção de cestos, esteiras etc. [F.: Do lat. cient. *Typha*.]

tifácea (ti.*fá*.ce:a) *sf.* Espécime de fam. de monocotiledôneas cujo tipo é a tifa [F.: Do lat. cient. *Tiphaceae*.]

tifáceo (ti.*fá*.ce:o) *a.* Ref. às tifáceas [F.: *tif(a)* + *-áceo*.]

tífico (*tí*.fi.co) *a.* Ref. a tifo ou que tem a natureza do tifo (bacilo tífico) [F.: *tif(o)* + *-ico*[2].]

tiflectasia (ti.flec.ta.*si*.a) *sf. Med.* Distensão do ceco [F.: *tifl(o)-* + *-ectasia*.]

tiflectomia (ti.flec.to.*mi*.a) *sf. Med.* Extirpação do ceco [F.: *tifl(o)-* + *-ectomia*.]

◎ **-tifl(o)-** *el. comp.* Ver *tifl(o)-*

◎ **tifl(o)-** *el. comp.* = 'cego'; 'ceco': *tiflectasia, tiflectomia, tiflografia, tiflologia, tiflomegalia, tiflopexia, tiflose* (< gr.); *peritiflite* [F.: *typhlós, é, ón*, 'cego', e *typhlón (toû entéron)*, 'ceco'.]

tiflografia (ti.flo.gra.*fi*.a) *sf.* Arte, estudo ou tratado da escrita em relevo, para uso dos cegos [F.: *tifl(o)- + -grafia.*]

tiflologia (ti.flo.lo.*gi*.a) *sf.* Estudo sobre a instrução dos cegos [F.: *tifl(o)- + -logia.*]

tiflomegalia (ti.flo.me.ga.*li*.a) *sf. Med.* Hipertrofia do ceco [F.: *tifl(o)- + -megalia.*]

tiflopexia (ti.flo.pe.*xi*.a) [cs] *sf. Cir.* Suspensão e fixação do ceco à parede abdominal [F.: *tifl(o)- + -pexia.*]

tiflose (ti.*flo*.se) *sf. Antq. Med.* A cegueira [F.: Do gr. *týphlosis, eos.*]

tifo (*ti*.fo) *sm. Pat.* Nome de várias doenças infectocontagiosas causadas por microrganismos do gênero *Rickettsia* e que leva à prostração, febre alta e manifestações cutâneas; RIQUETSIOSE [F.: Do gr. *typhos.*] ■ **~ abdominal** *Pat.* Designação imprópria da febre tifoide **~ endêmico** *Pat.* Forma mais branda do tifo exantemático, causado pela *Rickettsia prowazeckii mooresi*; tifo murino **~ epidêmico** *Med.* Ver *Tifo exantemático* **~ exantemático** *Pat.* Doença infecciosa e contagiosa causada pela *Rickettsia prowazeckii*, transmitida por piolho, que se manifesta com febre alta, fraqueza, dores nas articulações e erupções na pele; tifo epidêmico **~ icteroide** *Med.* Antiga denominação da febre amarela **~ murino** *Med.* Ver *Tifo endêmico*

tifoide (ti,*foi*.de) *a2g. Med.* Que se assemelha ao tifo (afecções tifoides); TIFOSO [F.: *tif(o)- + -oide.*]

tifoso (ti.*fo*.so) [ô] *Med. a.* **1** O mesmo que *tifoide* **2** Que sofre de tifo [Pl.: [ó]. Fem.: [ó].] *sm.* **3** Aquele que sofre de tifo [Pl.: [ó]. Fem.: [ó].] [F.: *tif(o) + -oso.*]

tigela (ti.*ge*.la) *sf.* **1** Vasilha côncava, de louça, vidro, barro, metal, ger. sem asas, em que se servem saladas, sopas, doces etc.; MALGA **2** O conteúdo da tigela: *Uma tigela de caldo de carne.* **3** *Bras.* Vasilha que se coloca abaixo do golpe dado na seringueira, para recolher o látex **4** *Bras. Ant.* Medida de capacidade para secos, correspondente a um litro **5** *Ant.* O copo da espada: "Pobre ferro soldadesco de Toledo, antigo e rude, com sua larga tigela ferrolhante..." (Júlio Dantas, *Pátria portuguesa*) [F.: Do lat. *tegula, ae.*] ■ **Quebrar a ~** *N. E. Fam.* Usar algo (roupa, objeto, ferramenta etc.) pela primeira vez

tigrado (ti.*gra*.do) *a.* Mosqueado, rajado como a pele do tigre [F.: *tigr(e) + -ado*².]

tigrão (ti.*grão*) *sm. Bras. Gír.* Homem jovem, másculo, forte, conquistador e um tanto violento [F. *tigre + -ão*¹.]

tigre (*ti*.gre) *sm.* **1** *Zool.* Grande mamífero carnívoro e felídeo (*Panthera tigris*), do sudeste asiático e da Sibéria (cuja subespécie é o maior dos felinos, às vezes com mais de 300 kg), de corpo alaranjado ou avermelhado, riscado de preto e ventre creme ou branco [A espécie está ameaçada de extinção, sendo que algumas subespécies já se extinguiram.] **2** *S. Zool.* Ver *onça-pintada* (*Phantera onca*) **3** *Fig.* Homem cruel e sanguinário **4** *MG S. Zool.* O mesmo que *onça-pintada* **5** *Lus. Ict.* Ver *tintureira* (*Galeocerdo cuvieri, G. arcticus*) **6** *Bras. Pop.* Grupo 22 do jogo do bicho, que inclui as dezenas 85, 86, 87 e 88 **7** *Bras. Antq. Gír.* Aluno repetente **8** *Bras. Ant.* Barril us. para carregar e despejar fezes **9** *Bras. Ant.* Escravo us. para esse serviço [Fem.: *tigresa.*] *a2g2n.* **10** Ver *tigrado* [F.: Do lat. *tigris.* Ideia de 'tigre': usar antepos. *tigr(i/o)-*.]

tigre-de-dente-de-sabre (ti.gre-de-den.te-de-*sa*.bre) *Pal. sm.* Nome comum a vários felídeos pré-históricos, semelhantes ao tigre atual [Pl.: *tigres-de-dente-de-sabre.*]

tigresa (ti.*gre*.sa) [ê] *Bras. sf.* **1** *Zool.* A fêmea do tigre **2** *Pop.* Mulher bonita; PANTERA [F.: *tigr(e) + -esa.*]

tigrino (ti.*gri*.no) *a.* **1** De ou ref. a tigre (olhos tigrinos) **2** Sanguinário como o tigre: "...era tigrino na capacidade de odiar e de perseguir..." (Aquilino Ribeiro, *Avós dos nossos avós*) [F.: Do lat. *tigrinus, a, um.*]

tiguera (ti.*gue*.ra) *sf.* **1** *SP RS* Milharal colhido e já desfeito **2** Roça depois da colheita [F.: Do tupi *tigwera.*] ■ **Cair na ~** *SP a RS* Fugir, sumir, escafeder-se

tijolada (ti.jo.*la*.da) *sf.* **1** Golpe desferido ou recebido com tijolo **2** Bofetada ou chute violento [F.: *tijolo + -ada*¹.]

tijoleiro (ti.jo.*lei*.ro) *sm.* Fabricante ou comerciante de tijolos [F.: *tijolo + -eiro.*]

tijolo (ti.*jo*.lo) [ô] *sm.* **1** Bloco em forma de paralelepípedo achatado e feito de barro cozido ou seco ao sol, ou de cimento prensado, us. para erguer muros, paredes etc. **2** Pedaço retangular de doce ou rapadura: *Um tijolo de marmelada.* **3** *Bras. Fig.* Livro bem volumoso; calhamaço **4** *Edit.* Área impressa no final do livro com indicações de editor, local de impressão etc.; COLOFÃO **5** *SP Ant.* Namoro **6** *Fut.* Chute violento e indefensável **7** *Tip.* Bloco compacto de composição, sem claros nem parágrafos; CATATAU **8** *Our.* Pequeno utensílio de ferro em que o ourives vaza as arruelas **9** A cor castanho-avermelhada do tijolo de barro [Pl.: [ó].] *a2g2n.* **10** Que tem essa cor: *Todos vestidos com calças tijolo e blusas brancas.* [Hom./Par. *tijolo* (ó) fl. de *tijolar*. F.: De or. contrv.] ■ **De ~ aparente** *Cons.* Tipo de acabamento de construção no qual se usam tijolos especiais que dispensam revestimento (de argamassa, pintura etc.), ficando aparentes **Fazer ~** *SP Gír.* Paquerar, namorar **~ de cunha** *Cons.* Tijolo cuja espessura diminui ao longo de seu comprimento, us. na construção de abóbadas **~ furado** *Cons.* Tijolo com aberturas vazadas, o que lhe diminui o peso e atua como fator de isolamento térmico ou acústico **~ refratário** *Cons.* Tijolo fabricado com argila muito pura e muito resistente a altas temperaturas, us. como revestimento de fornos, lareiras, fornalhas etc.

tijucano (ti.ju.*ca*.no) *sm.* **1** Aquele que nasceu ou que vive na Tijuca (Rio de Janeiro) *a.* **2** Da Tijuca; típico desse bairro ou de seus habitantes [F.: Do top. *Tijuca + -ano*¹.]

tijuco (ti.*ju*.co) *sm.* **1** *Bras.* Atoleiro, pântano, charco; BREJO; TIJUCAL **2** Lodo, lama [F.: Do tupi *tu-yuca.*] ■ **Fazer ~ em** *SP Pop.* Passar muitas vezes, ser assíduo em (lugar), frequentar

tijupá (ti.ju.*pá*) *Bras. sm.* **1** Cabana de índios, menor que a oca **2** Palhoça com duas vertentes que tocam no chão e que serve de abrigo aos trabalhadores nas matas, roças e seringais **3** Choupana, choça **4** *N.* Tolda de canoa [F.: Do tupi *teïyu'pawa.*]

til *sm.* **1** *Gram.* Sinal gráfico (~) que indica vogal nasal (p. ex., mão) **2** *Fig.* Coisa mínima, minúcia: *Aquele que acrescentar ou suprimir um til a este livro (a Bíblia) será maldito.* [Pl.: *tiles* e *tis.*] [F.: Do lat. *titulus, i.*]

tilacoide (ti.la.*coi*.de) *sm. Bot.* Vesícula em forma de disco situada no interior do cloroplasto e que contém clorofila [F.: *tilac (o)-* (do gr. *thýlacos*, 'saco, bolsa'), *+ -oide.*]

tilápia (ti.*lá*.pi:a) *sf. Ict.* Gênero de peixes da fam. dos ciclídeos, originários da África e criados no Brasil em tanques, lagos e açudes [F.: Do lat. cient. *Tilapia.*]

tilburi (*til*.bu.ri) *sm.* Espécie de cabriolé de dois assentos, ger. descoberto e puxado por um só animal: "Um tilburi parou à porta... e Amâncio entrou." (Aluísio Azevedo, *Casa de pensão*) [F.: Do ing. *tilbury.*]

tília (*tí*.li.a) *sf. Bot.* Denominação comum às árvores do gên. *Tilia*, da fam. das tiliáceas, nativas de regiões temperadas, como, p. ex., *Tilia cordata*, nativa da Europa, de madeira clara, us. em móveis, instrumentos musicais e outros objetos [F.: Do lat. *tilia, ae.*]

tiliácea (ti.li.*á*.ce:a) *sf. Bot.* Espécime de fam. de plantas da ordem das malvales, constituída de árvores e arbustos [F.: Do lat. cient. *Tiliaceae.*]

tiliáceo (ti.li.*á*.ce:o) *a.* Ref. às tiliáceas [F.: *tíli(a) + -áceo.*]

tilintante (ti.lin.*tan*.te) *a2g.* Que tilinta, que soa como sino ou campainha: "...aos solavancos tilintantes das berlindas..." (Eça de Queirós, *Notas contemporâneas*) [F.: De or. onom.]

tilintar (ti.lin.*tar*) *v.* Produzir sons agudos sucessivos, como sino, campainha, moedas etc.; fazer tlim, tlim-tlim [*td.: Tilintava o sino para chamar o mordomo.*] [*int.: Ouviu as moedas tilintarem no bolso do avô.*] [▶ 1 tilintar] [F.: Or. onomatopaica.]

tilose (ti.*lo*.se) *sf.* **1** *Pat.* Calosidade nas mãos ou nos pés **2** Qualquer calosidade **3** *Bot.* Obstrução dos vasos lenhosos causada pela proliferação de células irregulares [F.: Do gr. *týlosis.*]

timaço (ti.*ma*.ço) *sm. Bras. Pop.* Time ou equipe de ótima qualidade (timaço de vôlei/de artistas) [F.: *tim(e) + -aço.*]

timão¹ (ti.*mão*) *sm. Pop. Esp.* Time excelente; TIMAÇO [Pl.: *-mões.*] [F.: *tim(e) + -ão*¹.]

timão² (ti.*mão*) *Bras. sm.* **1** Espécie de camisola comprida **2** *RS* Casaco grosseiro de frio, us. antigamente por escravos e crianças [F.: Alter. de *quimão.*]

timão (ti.*mão*) *sm.* **1** *Mar.* Roda ou barra do leme de uma embarcação; LEME **2** Em carro de tração animal, peça a que se atrelam as cavalgaduras **3** Lança ou tirante de carro de tração animal **4** *Mar.* Nos caíques, cabo da verga do penol **5** *Fig.* Direção, chefia: *O timão da empresa está em suas mãos.* [Pl.: *-mões.*] [F.: Do lat. tardio *timo, onis.*]

timarquia (ti.mar.*qui*.a) *sf.* Governo dos homens cuja capacidade é publicamente reconhecida [F.: Do gr. *timarchía.*]

timbalada (tim.ba.*la*.da) *sf. Mús.* Tipo de música que se caracteriza pela marcação feita pelos timbales [F.: *timbale + -ada.*]

timbale (tim.*ba*.le) *sm.* **1** *Mús.* Tambor formado por uma semiesfera de cobre coberta por pele esticada, o mesmo que *tímpano* **2** Tambor de cavalaria; ATABALE **3** Forma (ô) semiesférica **4** *Cul.* Pastelão de recheios variados, em forma de uma taça sem pé [F.: Do fr. *timbale.*]

timbaleiro (tim.ba.*lei*.ro) *a.* **1** *Mús.* Diz-se de tocador de timbal ou timbale; timpaneiro *sm.* **2** Aquele que toca esse instrumento [F.: *timbale + -eiro.*]

timbaúba (tim.ba.*ú*.ba) *sf. Bras. Bot.* Árvore leguminosa-mimosácea (*Stryphnodendron guianense*) [F.: Do tupi *timbo'iwa.* Tb *timbaúva.*]

timbaúva (tim.ba.*ú*.va) *sf. Bot.* Ver *timbaúba*

timbira (tim.*bi*.ra) *Bras. s2g.* **1** *Etnol.* Pessoa pertencente a um dos povos indígenas do MA, do PA e de GO *sm.* **2** *Gloss.* Grupo composto por várias línguas faladas por esses povos *a2g.* **3** Ref. ou pertencente a timbira (1 e 2)

timbó (tim.*bó*) *sm.* **1** *Bot.* Designação vulgar atribuída a várias plantas das fam. das leguminosas e das sapindáceas, us. para pescar por serem tóxicas para os peixes **2** *SP Fig. Pop.* Lassidão, moleza, entorpecimento dos membros [F.: Do tupi *ti'mbo.*]

timbopeva (tim.bo.*pe*.va) *sm. Bras. Bot.* Espécie de cipó (*Serjania erecta*), tb. denominado *tingui-capeta* [F.: Do tupi, posv.]

timbrado (tim.*bra*.do) *a.* Que tem timbre (papel timbrado): "E Basílio soltou logo a voz, cheia, bem timbrada, de barítono." (Eça de Queirós, *O primo Basílio*) [F.: Part. de *timbrar.*]

timbragem (tim.*bra*.gem) *sf.* **1** Ação ou resultado de timbrar **2** *Art. gr.* Processo de impressão em relevo, sem tinta, por meio de balancim [Pl.: *-gens.*] [F.: *timbrar + -agem.*]

timbrar (tim.*brar*) *v.* **1** Pôr timbre, selo, carimbo etc. em [*td.: O escriturário timbrou toda a documentação.*] **2** *Fig.* Qualificar, chamar, ger. de modo pejorativo; APODAR; TACHAR [*tdp.: O professor timbrou-me de irresponsável.*] **3** Sentir orgulho de si mesmo, suas qualidades ou sua condição; orgulhar-se (por algo); posar de; HONRAR-SE; JACTAR-SE [*tr. + de, em: Muito orgulhosa, timbra em acentuar sua posição social; Timbra de ganhar todas as competições.*] [▶ 1 timbrar] [F.: *timbre + -ar*². Hom./Par.: *timbre(s)* (fl.), *timbre(s)* (sm. [pl.]).]

timbre (*tim*.bre) *sm.* **1** Marca, insígnia ou sinal impressos em papel de carta ou carimbados em livros como indicação de sua propriedade **2** Carimbo ou selo que identificam uma associação ou instituição **3** Insígnia aposta a um escudo de armas para indicar a nobreza de seu proprietário: "No escudo (...) via-se um elmo também de prata (...) e por timbre um meio leão de azul com um vieira de ouro sobre a cabeça..." (José de Alencar, *O Guarani*) **4** *Acús.* Qualidade que distingue um som, independentemente de sua altura ou intensidade **5** Dispositivo elétrico ou mecânico que ao ser premido emite um som característico; CAMPAINHA; CIGARRA **6** *Fon.* Qualidade acústica da voz humana, que distingue a voz de uma pessoa da voz de outra **7** *Mús.* Característica individual de um som, devida à combinação de seus sons harmônicos **8** *Mús.* Instrumento de percussão metálico geralmente com forma de hemisfério oco, que se faz soar com golpe de martelo também de metal **9** *Mús.* Membrana de um tambor de duas peles, no lado oposto ao da percussão [F.: Do fr. *timbre.*]

timbu (*tim*.bu) *sm. Bras. Zool.* O mesmo que *gambá* [F.: Do tupi, posv.]

timbungar (tim.bun.*gar*) *v. int. N. E.* Ver *tibungar* [▶ 14 timbungar]

timburé (tim.bu.*ré*) *sm. Bras. Ict.* Designação comum a vários peixes fluviais da fam. dos caracídeos; XIMBURÉ [F.: De or. tupi.]

time (*ti*.me) *sm.* **1** *Bras. Pop.* Grupo de jogadores que atuam em conjunto numa competição ou campeonato; EQUIPE **2** *Bras. Fut.* Clube a que pertencem os jogadores: *Eles torciam por times diferentes.* **3** *P. ext.* Grupo de pessoas que atuam conjuntamente em qualquer tipo de atividade: *Um time de exímios contadores será responsável pela auditagem.* [F.: Do ing. *team.*] ■ **Carregar/levar o ~ nas costas** *Bras. Pop.* Ser o melhor de uma equipe (esportiva, grupo encarregado de tarefa etc.), a ponto de influenciar decididamente o desempenho desta **Do primeiro ~** *Bras. Pop.* Que está entre os (coisas ou pessoas) melhores, mais capazes, mais eficientes, mais importantes etc.; que está em primeiro plano **Do segundo ~** Que não é ou está entre os (coisas ou pessoas) melhores, mais capazes, mais eficientes, mais importantes etc.; que está em segundo plano **Enterrar o ~** *Bras. Pop.* Atuar mal numa equipe (numa partida esportiva, num grupo de trabalho etc.) a ponto de ser o responsável pelo seu fracasso **Jogar no ~ de** *Bras. Fam.* Ser adepto de, simpatizar com, colaborar com **Tirar o ~ (de campo)** **1** *Bras. Pop.* Ir embora **2** Desistir de participar em algo, abandonar (trabalho, disputa etc.)

timeco (ti.*me*.co) *sm. Pej. Pop. Esp.* Time (esp. de futebol) de má qualidade técnica [F.: *tim(e) + -eco.*]

tímele (*tí*.me.le) *sf.* **1** Nos teatros da Grécia antiga, espécie de altar consagrado a Dioniso erigido no meio da orquestra e em torno do qual se agrupava o coro **2** *Ant.* O teatro [F.: Do gr. *thyméle.*]

⊕ **timer** (*Ing. /táimer/*) *sm.* Medidor de tempo; dispositivo que, após um período de tempo previamente fixado, emite um sinal ou então liga ou desliga um aparelho elétrico

⊕ **time-sharing** (*Ing. /táim-shérin/*) *sm.* **1** Uso compartilhado do tempo, de forma intercalada, em dispositivo que permite atender a duas ou mais finalidades **2** *Inf.* Tipo de algoritmo de controle do tempo no interior de um computador, o que permite que diversos usuários executem seus programas de forma concorrente

timiatecnia (ti.mi:a.tec.*ni*.a) *sf.* Arte da composição e fabrico de perfumes [F.: Do gr. *thymiân*, 'perfumar', + *-tecnia.*]

timiatério (ti.mi:a.*té*.ri:o) *sm.* Entre os antigos gregos, recipiente para queimar incenso [F.: Do gr. *thymiatérion*, pelo lat. *thymiateriu.*]

timidez (ti.mi.*dez*) [ê] *sf.* **1** Característica de quem é tímido; ACANHAMENTO **2** Fraqueza, debilidade: "A sua timidez ou prudência acarretaram o desastre militar." (Vitorino Nemésio, *Exilados*) [F.: *tímid(o) + -ez.*]

tímido (*tí*.mi.do) *a.* **1** Pouco expansivo nas relações sociais; ACANHADO; RETRAÍDO [Ant.: *resoluto, ousado.*] **2** Temeroso, amedrontado **3** *Fig.* Que é fraco ou inconvincente: "Lembrei-me dos risinhos tímidos de França meses antes..." (Graciliano Ramos, *Memórias do cárcere*) *sm.* **4** Pessoa acanhada, inibida diante das outras: *Os tímidos lutam para não chamar atenção sobre si.* [Ant.: *Atrevido, despachado.* F.: Do lat. *timidus, a, um.*]

timina (ti.*mi*.na) *sf. Quím.* Uma das bases nitrogenadas que formam as cadeias de ADN [F.: *tim(o) + -ina.*]

⊕ **timing** (*Ing. /táimin/*) *sm.* **1** Ajustamento de tempo; coordenação, no tempo, entre eventos ou processos: *O timing entre o fim de um projeto e o início do outro.* **2** Percepção ou intuição do momento mais adequado para se fazer algo: *O timing dessa viagem foi perfeito.* **3** Momento em que algo acontece por ter sido planejado

timo¹ (*ti*.mo) *sm.* **1** *Anat.* Glândula situada em frente à traqueia e que produz linfócitos T, células essenciais ao sistema imunológico do feto e da criança **2** *Bot.* Nome comum às plantas do gên. *Thymus*, da fam. das labiadas, originárias da Europa, Ásia e norte da África, cultivadas como ornamentais e tb. us. como condimento, como, p. ex., o tomilho [F.: Do gr. *thymos*.]

timo^{2} (*ti*.mo) *Angios. sm.* **1** Erva da fam. das labiadas (*Thymus vulgaris*), encontrada na Europa, cultivada por suas propriedades aromáticas e tb. por ser dotada de um óleo de considerável poder antisséptico **2** O mesmo que *tomilho* (*Thymus vulgaris*) **3** Planta labiada, ornamental e aromática, nativa da Espanha e do norte da África; tb. *bela-luz* (*Thymus mastichina*) [F.: Do lat. cient. *Thymus*.]

◎ **tim(o)-** *pref.* = alma, espírito, afetividade, coração: *timocêntrico, timopsíquico* [F.: Do gr. *thymós, oû*.]

timócito (ti.*mó*.ci.to) *sm. Biol.* Célula do timo [F.: *tim(o)-* + *-cito*.]

timocracia (ti.mo.cra.*ci*.a) *sf.* Governo dos ricos; PLUTOCRACIA [F.: Do gr. *timokratía*.]

timol (*ti*.mol) *sm. Quím.* Substância cristalina ($C_{10}H_{14}O$), extraída da essência do tomilho ou obtida sinteticamente, us. como fungicida e em perfumaria [Pl.: *-óis*.] [F.: *tim (o)-* + *-ol^{2}*.]

timologia (ti.mo.lo.*gi*.a) *sf. Fil.* Doutrina dos valores [F.: *tim(o)-* + *-logia*.]

timonada (ti.mo.na.da) *sf.* Ação de pôr em movimento o timão de uma embarcação [F.: *timão* (sob o rad. *timon-*) + *-ada^{2}*, seg. o mod. erudito.]

timoneiro (ti.mo.*nei*.ro) *sm.* **1** Pessoa responsável pelo timão de um barco; PILOTO **2** *Fig.* Aquele que guia, que lidera (país, comunidade, instituição, processo): *O grande timoneiro abriu o caminho para seu povo.* [F.: Rad. de timão (*timon -*) + *-eiro*.]

timoratamente (ti.mo.ra.ta.*men*.te) *adv.* De modo timorato; TIMIDAMENTE [F.: o fem. de *timorato* + *-mente*.]

timorato (ti.mo.*ra*.to) *a.* **1** Temeroso, receoso; MEDROSO; PÁVIDO [Ant.: *audaz, intimorato, impávido*.] **2** Que tem excesso de escrúpulos, de pundonor: *Tem a consciência timorata.* [Ant.: *intimorato, impávido*. F.: Do lat. *timoratus, a, um*.]

timorense (ti.mo.*ren*.se) *s2g.* **1** Aquele ou aquela que nasceu ou que vive em Timor Leste (Ásia) *a2g.* **2** De Timor; típico desse país ou de seu povo [F.: Do top. *Timor* (*Leste*) + *-ense*.]

timpanal (tim.pa.*nal*) *a2g.* Ref. a tímpano; TIMPÂNICO [Pl.: *-nais*.] [F.: *tímpan(o)* + *-al*.]

timpânico (tim.*pâ*.ni.co) *a.* Ref. a tímpano; TIMPANAL [F.: *tímpano* + *-ico*.]

timpanista (tim.pa.*nis*.ta) *s2g.* Pessoa que toca tímpano [F.: Do gr. *tympanistés, ou*.]

tímpano (*tím*.pa.no) *sm.* **1** *Anat.* Membrana vibratória fina e tensa que constitui o limite entre a orelha externa e a orelha média **2** *Arq.* Espaço triangular limitado pelos três lados de um frontão **3** *Mús.* Instrumento de percussão usado em orquestras sinfônicas, constante de uma caixa semiesférica coberta com pele que, golpeada por baquetas, produz diferentes sons segundo afinação feita pelo executante **4** Peça metálica em forma de sino que vibra, percutida pelo martelo, nas campainhas: "...Ao som do tímpano apareceu um criado..." (José de Alencar, *Senhora*) **5** Em alguns países latino-americanos, nome que se dá à marimba **6** Caixilho ligado à extremidade do carro do prelo manual, no qual são postas as folhas para imprimir **7** *Emec.* Roda hidráulica que recebe água pela circunferência e a derrama pelo eixo **8** *Lus. Ant.* O hímen [F.: Do gr. *túmpanon, ou*, 'tambor', pelo lat. *tympanum, i*.]

timpanoplastia (tim.pa.no.plas.*ti*.a) *sf. Cir.* Restauração da membrana do tímpano por meios cirúrgicos [F.: *tímpano* + *-plastia*.]

tim-tim (tim-*tim*) *interj.* **1** Expressão us. para se fazer um brinde [Tb. grafa-se *tchin-tchin*.] *sm.* **2** O som do bater de copos durante um brinde [Tb. grafa-se *tchin-tchin*.] [Pl.: *tim-tins*.] [F.: Or. contv.] ■ **~ por ~** Com todos os detalhes, sem omitir nada [Referia-se, originalmente, a pagamento feito em moedas, ou seja, moeda a moeda.]

tina (*ti*.na) *sf.* **1** Vasilha grande de aduelas, que lembra um barril cortado ao meio, us. para carregar água, lavar roupa, tomar banho etc. **2** Vaso grande de metal ou de pedra usado para nele se tomar banho; BANHEIRA [F.: Do lat. *tina, ae*.]

tinamídeo (ti.na.*mí*.de:o) *Ornit. a.* **1** Ref. aos tinamídeos *sm.* **2** Espécime de fam. de aves tinamiformes que compreende os macucos, as perdizes e as codornas [F.: Do lat. cient. *Tinamidae*.]

tinamiforme (ti.na.mi.*for*.me) *Ornit. a.* **1** Ref. aos tinamiformes *sm.* **2** Espécime de ordem de aves galináceas da região neotrópica [F.: Do lat. cient. *Tinamiformes*.]

tineídeo (ti.ne.*í*.de:o) *Zool. a.* **1** Ref. aos tineídeos *sm.* **2** Espécime dos tineídeos, fam. de insetos lepidópteros vulgarmente conhecidos como traças [F.: Do lat. cient. *Tineidae*.]

tineoideo (ti.ne.*oi*.de:o) *Ent. a.* **1** Ref. aos tineoideos *sm.* **2** Espécime de superfamília de insetos lepidópteros

tíner (*tí*.ner) *sm.* Solvente que diminui a viscosidade das tintas [F.: Do ing. *thinner*.]

◎ **-tinga** *Suf.* = cor branca, brancura: *caatinga, tabatinga*

tingido (tin.*gi*.do) *a.* Que se tingiu (cabelo/casaco tingido); TINTO [F.: Part. de *tingir*.]

tingimento (tin.gi.*men*.to) *sm.* Ação ou resultado de tingir(-se); TINGIDURA; TINTURA: *Não fosse pelo tingimento dos cabelos, pareceria mais velha.* [F.: *tingi(r)* + *-mento*.]

tingir (tin.*gir*) *v.* **1** Cobrir com tinta (cabelos, tecido etc.) [*td.*: *Mandei tingir minha calça comprida*.] **2** *Fig.* Tomar certa cor [*td.*: *Na primavera, as flores tingem o jardim*.] [*tr.* + *de*: *O trigal tingiu-se de amarelo*.] **3** Fazer corar; RUBORIZAR [*td.*: *A chegada do ex-namorado tingiu-lhe as faces*.] **4** Fazer mancha em [*td.*: *O suor tingia a camisa do motorista*.] [▶ **46 tingir** Part.: *tingido, tinto*.] [F.: Do lat. *tingere*. Ant. ger.: *destingir*.]

tingui (tin.*gui*) *sm.* **1** Nome comum a várias plantas que servem para tinguijar **2** *Bras. N.E.* Doença de galináceos; NORDESTE *s2g.* **3** *Bras. S.* O mesmo que *paranaense* [F.: Do tupi *ti'ngui*.]

tinguijar (tin.gui.*jar*) *v.* **1** Envenenar (a água) com tingui ou timbó (para pescar) [*td.*] **2** Ser envenenado por tingui ou timbó [*int.*] [F.: Do tupi *tinguï'yara*.]

tinha (*ti*.nha) *sf.* **1** *Pat.* Denominação comum a várias doenças de pele causadas por fungos, tb. chamadas de micoses superficiais; PORRIGEM **2** *Fig.* Defeito, mácula [F.: Do lat. *tinea, ae*. Hom./Par.: *tinha* (sf.), *tinha* (fl. de *ter*).] ■ **~ favosa** *Antq. Derm.* V. *favo* (4)

tinhorão (ti.nho.*rão*) *sm. Bot.* Erva da fam. das aráceas (*Caladium bicolor*), nativa da América do Sul, de folhas sagitadas, com pecíolos longos, verdes manchadas de branco, vermelho ou rosa, que embora muito venenosa é extensamente cultivada como ornamental, assim como seus diversos híbridos; TAIÁ; TAJÁ; TAJURÁ: "Onde verdejavam enfezadas palmeirinhas e moitas de tinhorões." (Coelho Neto, *Inverno em flor*) [Pl.: *-rões*.] [F.: De or. contrv.]

tinhoso (ti.*nho*.so) [ô] *a.* **1** *Bras.* Que não desiste de seus objetivos; INSISTENTE; TEIMOSO **2** Que sofre de tinha: *Um vira-lata magro e tinhoso.* **3** Que causa nojo, repulsa: "Lobas tinhosas de olhos de enxofre..." (Guerra Junqueiro, *Pátria*) *sm.* **4** Doente de tinha: *Os tinhosos são tratados com aplicações de griseofulvina.* *sm.* **5** *Pop.* O mesmo que *diabo*; CÃO-TINHOSO [Pl.: (ó). F.: *tinh(a)* + *-oso*.]

tinido (ti.*ni*.do) *sm.* **1** Ação ou resultado de tinir **2** Som agudo produzido por metal ou vidro [F.: Do lat. *tinnitus, us*.]

tinidor (ti.ni.*dor*) [ô] *a.* **1** Que tine, que tem som agudo *sm.* **2** Aquilo que tine [Fem.: *-deira*.] [F.: *tinir* + *-dor*.]

tinir (ti.*nir*) *v. int.* **1** Soar (louça, metal, vidro etc.) de forma aguda e vibrante: *Com o vendaval, os vidros tiniam.* **2** *Pop.* Zunir (os ouvidos): *A guitarra fez meus ouvidos tinirem.* **3** *Bras.* Sentir de modo intenso (seguido de indicação de causa): *tinir de raiva.* **4** *Pop.* Tremer, tiritar por causa de frio ou de medo: *tinir de febre.* **5** *Bras.* Estar com muito apetite ou fome: *Estava tinindo de fome.* **6** *Pop.* Estar muito quente: *Era dezembro e o sol tinia.* **7** Fazer ouvir a voz a distância: *Quando discutia com o marido, sua voz tinia.* **8** Fazer ouvir o seu canto (canário): *Ao amanhecer, tinia o canto melodioso da ave.* [▶ **58 tinir**] [F.: Do lat. *tinnire*.] ■ **A ~** *Fam.* Sem dinheiro, a nenhum **De ~** Expressão que realça qualidade ou estado mencionados anteriormente: *Este quadro é lindo de tinir; Faz um frio de tinir.* **Estar/deixar/ficar tinindo** *Pop.* Estar/deixar/ficar em ótimo estado ou em excelente forma: *Os exercícios deixaram-no tinindo; Depois da revisão o carro ficou tinindo.* **~ de** Em algo grau de (sentimento, condição etc.): *Ela está tinindo de entusiasmo com a sua promoção.*

tino (*ti*.no) *sm.* **1** Discernimento, juízo: *É uma moça de tino, consegue chegar ao âmago das questões mais complicadas.* **2** Cuidado, prudência: *Tiveram de usar de muito tino para não cair nas intrigas da corte.* **3** Faro, queda, inclinação: *Nunca teve tino para as finanças.* **4** Consciência, lucidez: *Bebeu demais, perdeu o tino, foi inconveniente.* **5** Senso de orientação que permite andar no escuro pela memória dos lugares [F.: De or. contrv.] ■ **A ~** Estimativamente, a olho

tinta (*tin*.ta) *sf.* **1** Substância que contém um corante e um aglutinante (ou coloide), com a propriedade de aderir à superfície em que é aplicada, servindo, assim, para a pintura **2** *P. ext.* Esse material, em estado líquido ou pastoso, us. para pintar, escrever, tingir, imprimir etc. **3** Corante de certos frutos e animais (tinta da amora; tinta da lula) **4** Tom, cor, colorido: *as tintas do crepúsculo.* **5** Laivos, vestígios: *Tem umas tintas do latim que aprendeu no colégio, mas não consegue traduzir.* [NOTA: Mais us. no pl.] **6** Nome de várias castas de uva [F.: Fem. substv. de *tinto*. Hom./Par.: *tinta* (fl. de *tintar*).] ■ **Carregar nas ~s** Exagerar numa descrição de algo: *Relatou ao chefe os problemas, carregando nas tintas para chamar-lhe a atenção.* **De boa ~** *Pop.* Muito bom, de muito boa qualidade: *Ela é uma tradutora de boa tinta.* **Levar ~** *MG* Dar-se mal, fracassar, levar ferro **Meias ~s** Nebuloso, ambíguo, indefinido **~ simpática** Tinta que é invisível ao se escrever, e que se torna visível ao se submetê-la a determinado processo (aquecimento, reação com alguma substância etc.)

tintado (tin.*ta*.do) *a.* Que se tintou [F.: Part. de *tintar*.]

tintagem (tin.*ta*.gem) *sf.* **1** Ação ou resultado de tintar **2** *Art. gr.* Distribuição da tinta pelos rolos de uma prensa [Pl.: *-gens*.] [F.: *tintar* + *-agem^{1}*.]

tintar (tin.*tar*) *v. td.* *Art. gr.* Passar rolo com tinta sobre (superfície, objeto etc.); tb. *entintar* [▶ **1 tintar**] [F.: *tinta* + *-ar*. Hom./Par.: *tinta* (3ªp. s.), *tintas* (2ªp. s.)/*tinta* (sf.) e pl.]

tinteiro (tin.*tei*.ro) *sm.* **1** Pequeno recipiente onde se deposita tinta de escrever **2** Em vários tipos de máquina de impressão, reservatório da tinta; CARTUCHO **3** *Bras.* Pó fino de magnetita **4** *BA Zool.* Nome de vários moluscos do gênero *Aplysia*. [F.: *tint(a)* + *-eiro*.] ■ **Ficar no ~** Deixar algo (ação, medida etc.) de ser feito por omissão, esquecimento, descuido

tintinabular (tin.ti.na.bu.*lar*) *v.* **1** Fazer soar (campainha) [*td.*] **2** Soar, ressoar [*int.*] [▶ **1 tintinabular**] [F.: *tintinábulo* + *-ar^{2}*. Hom./Par.: *tintinabulo* (1ªp. s.)/*tintinábulo* (sm.).]

tintinábulo (tin.ti.*ná*.bu.lo) *sm.* Campainha, sineta [F.: Do lat. *tintinnabulum, i*. Hom./Par.: *tintinábulo* (sm.), *tintinabulo* (fl. de *tintinabular*).]

tinto (*tin*.to) *a.* **1** Que se tingiu; tingido **2** *Enol.* Diz-se de vinho fermentado após o esmagamento das uvas (pretas ou vermelhas) e antes da prensagem **3** Manchado: *Com as vestes tintas de sangue.* *sm.* **4** Vinho tinto: *Mal escolheu a mesa, pediu um tinto.* **5** *Lus.* Medida de pano grosso correspondente a seis varas ou 6,60 m [Cf. *tinto* (Fl. de *tintar*). F.: Do lat. *tinctus, a, um*.]

tintométrico (tin.to.*mé*.tri.co) *a.* Diz-se de processo computadorizado de mistura de tintas para obter determinada cor [F.: *tint (a)* + *-o-* + *metr(o)-^{2}* + *-ico^{2}*.]

tintorial (tin.to.ri:*al*) *a2g.* **1** Que serve para tingir **2** Ref. a tinturaria [Pl.: *-ais*.] [F.: *tintóri(o)* + *-al*. Sin. ger.: *tintório*.]

tintório (tin.*tó*.ri:o) *a.* **1** O mesmo que *tintorial* **2** Que produz substância us. em tinturaria [F.: Do lat. *tinctorius, a, um*.]

tintura (tin.*tu*.ra) *sf.* **1** Ação ou resultado de tingir; tingidura; TINGIMENTO **2** Tinta (2) us. para pintar cabelos ou tingir tecidos **3** Álcool carregado (ger. por maceração) de uma ou mais substâncias de origem vegetal, animal ou mineral (tintura de iodo); ALCOOLATURA **4** *Fig.* Conhecimentos rudimentares, noções superficiais (mais us. no plural): *Tem umas tinturas de filosofia que ajudam na conversação.* [F.: Do lat. *tinctura, ae*.]

tinturaria (tin.tu.ra.*ri*:a) *sf.* **1** Estabelecimento comercial onde se lavam e passam roupas e outras peças de tecido; LAVANDERIA **2** Estabelecimento onde se tingem tecidos e peças de vestuário **3** A arte do tintureiro [F.: *tintur(a)* + *-aria*.]

tintureira (tin.tu.*rei*.ra) *sf.* **1** Mulher que tinge tecidos **2** Funcionária ou dona de tinturaria **3** *Bras. Bot.* Árvore (*Caesalpinia tinctoria*) leguminosa cesalpiniácea **4** *Bras. Ict.* Espécie de tubarão (*Galeocerdo articus*), muito feroz, que chega a atingir 10 m de comprimento; TINTUREIRO [F.: Fem. de *tintureiro*.]

tintureiro (tin.tu.*rei*.ro) *sm.* **1** Profissional especializado em tingir tecidos **2** O local onde se realiza esse trabalho; TINTURARIA **3** Empregado ou dono de tinturaria **4** *Ict.* Espécie de tubarão (*Galeocerdo cuvier*) de grande porte **5** *Bot.* Arbusto (*Thryallis brasiliensis*) nativo do Brasil, tb. denominado *quaró* **6** *RJ SP Gír.* Viatura da polícia destinada ao transporte de presos; VIÚVA-ALEGRE; VIUVINHA [F.: *tintur(a)* + *-eiro*.]

tio (*ti*:o) *sm.* **1** O irmão do pai ou da mãe de uma pessoa em relação a esta **2** *P. ext.* Marido da tia, em relação aos sobrinhos desta **3** *Bras.* Modo carinhoso de as crianças pequenas se dirigirem aos professores, e as crianças e jovens aos amigos dos pais e aos pais dos amigos **4** *S.* Tratamento dado aos negros idosos **5** *Mar.* Comandante de embarcação [F.: Do lat. tardio *thius, ii*.]

tio-avô (ti:o-a.*vô*) *sm.* O irmão do avô ou da avó de uma pessoa em relação a esta [Pl.: *tios-avôs* e *tios-avós*. Pl. para *tio-avô* e *tia-avó* juntos: *tios-avós*.]

tiorba (ti:*or*.ba) *sf. Mús.* Alaúde grande, com braço duplo e dois cravelhais, típico do séc. XVI [F.: Do it. *tiorba*.]

tiorga (ti:*or*.ga) *sf. Pop.* Estado de quem está bêbado; EMBRIAGUEZ; BEBEDEIRA [F.: Voc. expressivo.] ■ **Estar na ~** *Pop.* Estar embriagado, bêbado

tiotê (ti:o.*tê*) *sm. Bras. Vest.* Dobras em forma de tubo num tecido, esp. em babados de blusas [F.: Do fr. *tuyauté*.]

tipa (*ti*.pa) *Vulg. sf.* **1** Qualquer mulher **2** Mulher de vida licenciosa [F.: Fem. de *tipo*.]

tipacoema (ti.pa.co:*e*.ma) *sf. AM* Parada da maré no final da vazante, ao amanhecer; baixa-mar da manhã [F.: Do tupi *tipako'ema*.]

tipagem (ti.*pa*.gem) *sf.* Estabelecimento de um tipo [F.: *tipo* + *-agem*.]

tipão (ti.*pão*) *Bras. sm.* **1** Pessoa de físico atraente **2** Pessoa excêntrica; tipo curioso [Pl.: *-ões*.] [F.: *tip(o)* + *-ão^{1}*.]

◎ **tip(i/o)-** *pref.* = tipo; marca: *tipificar, tipografia, tipologia, tipometria*. [F.: Do gr. *túpos, ou*.]

tipicidade (ti.pi.ci.*da*.de) *sf.* **1** Característica ou condição do que é típico **2** *Jur.* Concentração, num fato, de todos os elementos que caracterizam legalmente um delito [F.: *típic(o)* + *-(i)dade*.]

típico (*tí*.pi.co) *a.* **1** Que se pode tomar como tipo, como característica de uma pessoa, grupo, situação, ofício, cidade, região, país etc.: *As candidatas desfilarão em trajes típicos; É uma personagem típica dos romances policiais.* **2** Que tem caráter simbólico ou alegórico (sentido típico) **3** *Biol.* Diz-se da característica própria de um grupo animal ou vegetal [F.: Do lat. *typicus, a, um*.]

tipificação (ti.pi.fi.ca.*ção*) *sf.* Ação ou resultado de tipificar, tipização, caracterização [Pl.: *-ções*.] [F.: *tipifica(r)* + *-ção*.]

tipificado (ti.pi.fi.*ca*.do) *a.* Que se tipificou; com as características próprias de determinado tipo [F.: Part. de *tipificar*.]

tipificador (ti.pi.fi.ca.*dor*) [ô] *a.* Que tipifica ou serve para tipificar [F.: *tipificar* + *-dor*.]

tipificar (ti.pi.fi.*car*) *v. td.* Tornar-se típico, peculiar; CARACTERIZAR-SE: *O excesso de vírgulas tipifica seus textos.* [▶ **11 tipificar**] [F.: Adapt. do fr. *typifier*.]

tipió (ti.pi:*ó*) *sm. Bras. Ornit.* Ave passeriforme (*Sicalis luteola*) da fam. dos fringilídeos [F.: De or. onom., posv.]

tipiti (ti.pi.*ti*) *sm.* **1** *Bras.* Cesto cilíndrico elástico, feito de fibras vegetais, us. para espremer e secar a massa de mandioca; tapiti **2** *S.* Aperto, situação complicada **3** *Gír.* Jogo em que há trapaça **4** *Zool.* Certo coelho silvestre do Brasil [F.: Do tupi *te' piti.*] ■ **No ~** *S. Fig. Pop.* Em situação difícil ou perigosa, em apuros

tiple (*ti*.ple) *s2g.* **1** A voz musical mais aguda, alcançada somente por mulheres e crianças; SOPRANO **2** Cantor ou cantora com essa voz [F.: Do espn. *tiple.*]

◎ **-tipo** *Suf.* = marca, modelo: *estereótipo, logotipo, protótipo*

◎ **-tipo-** *el. comp.* = -tipo

◎ **tipo-** *el. comp.* = *tip(i/o)-*

tipo¹ (*ti*.po) *sm.* **1** Tudo o que tem traços distintivos para identificar um grupo de coisas, seres ou pessoas; espécie; modelo: *carro do tipo conversível; pessoas com traços do tipo asiático.* **2** *Liter. Teat. Cin. Telv.* Personagem representativo e bem trabalhado: *Maria Eduarda é um dos tipos de mulher mais encantadores de Eça, e da literatura universal.* **3** *P. ext.* Qualquer personagem: " Tipos bestas. Ficam dias inteiros fuxicando nos cafés..." (Graciliano Ramos, *Angústia*) **4** *Liter. Teat.* Figura, personagem original que pode considerar-se como paradigmático: *O Dom Quixote é um tipo modelar da literatura; o Tartufo é um dos tipos mais completos da teatrologia.* **5** *Restr.* Pessoa excêntrica, esquisita: "Que tipo! – exclamou Dâmaso, vendo-o afastar-se. E a cousa ia-se pondo feia..." (Eça de Queirós, *Os Maias*) **6** *Pej.* Pessoa que não se conhece; SUJEITO; CARA: *Apareceu aí um tipo procurando você.* **7** *Econ.* Percentagem do montante de um empréstimo realmente transferida a seu tomador **8** *Biol.* Espécime indicado, por pesquisador, como capaz de representar espécie nova **9** *Tip.* Bloco de madeira ou metal fundido com sinal de escrita em altorelevo, que se pode imprimir; caractere **10** *Art. gr.* Qualquer sinal gráfico impresso **11** Cada um dos caracteres de uma mesma família tipográfica; FONTE **12** *Ling.* Cada uma das categorias utilizadas na classificação das línguas pelo método tipológico **13** *Psi.* Conjunto de traços somáticos e/ou psicológicos que apresentam certa coerência entre si **14** *Teat. Telv. Cin.* Características de uma personagem **15** *Rel.* Personagem ou fato do Velho Testamento que simboliza algum fato ou personagem do Novo Testamento: *O dilúvio é um tipo do apocalipse; Moisés, dando-se pelo seu povo, é um tipo de Cristo.* [F.: Do lat. *typus, i.* Ideia de 'tipo': *tip(i/o)-(tipologia).*] ■ **~ assim** *Pop.* Expressão que empresta caráter vago e impreciso a um definição, caracterização, explicação etc. que se lhe segue, às vezes por não ocorrer uma destas, às vezes por simples modismo. Por exemplo: "Comprei uma roupa...tipo assim, meio escandalosa..."; ou "Ele é... tipo assim, um gato mas um pouco tímido..." **~ de ostensão** *Art. gr.* Tipo (caractere, família de letras etc.) cujo desenho original visa a se destacar, chamar a atenção etc.

tipo² (*ti*.po) *sm.* O mesmo que *tipografia* [F.: F. red. de *tipografia.*]

tipocromia (ti.po.cro.*mi*.a) *sf. Tip.* Impressão tipográfica em cores [F.: *tipo²* + *-cromia.*]

tipofonia (ti.po.fo.*ni*.a) *sf. Mús.* Processo de marcar a voz ou o compasso, batendo [F.: *tip(i/o)-* + *-fonia.*]

tipografia (ti.po.gra.*fi*:a) *sf.* **1** Técnica de impressão a partir de matrizes de madeira ou de metal fundido em altorelevo, cujos caracteres e imagens são compostos um a um manualmente ou em linhas, por linotipia; imprensa [Cf.: *fotocomposição.*] **2** Pequena indústria onde se faz essa modalidade de impressão **3** O mesmo que *tipologia* (2) [F.: *tipo-* + *-grafia.*]

tipográfico (ti.po.*grá*.fi.co) *a.* Ref. a tipografia ou a tipógrafo: *Caracteres tipográficos.* [F.: *tipograf(ia)* + *-ico.*]

tipógrafo (ti.*pó*.gra.fo) *sm.* **1** *Art. gr.* Profissional de tipografia especializado como compositor ou impressor **2** Proprietário de tipografia [F.: *tipo-* + *-grafo.*]

tipoia (ti.*poi*.a) *sf.* **1** *Bras.* Lenço ou tira de pano que se amarra no pescoço, para descanso de braço quebrado ou ferido **2** *Bras.* Rede de dormir **3** Palanquim de rede **4** Carruagem de aluguel: "Um cocheiro, ao aceno do Carlos, lançou logo a tipoia " (Eça de Queirós, *Os Maias*) [F.: Do tupi *tipoya.*]

tipologia (ti.po.lo.*gi*:a) *sf.* **1** *Biol.* Estudo das características básicas e tendências dos seres vivos por meio da identificação de tipos, de modelos; BIOTIPOLOGIA **2** Coleção dos caracteres de impressão mobilizados para um projeto gráfico **3** *Ling.* Classificação das línguas com base no estudo comparativo de suas diferenças [F.: *tipo-* + *-logia.*]

tipológico (ti.po.*ló*.gi.co) *a.* **1** Ref. a tipologia; BIOTIPOLÓGICO **2** Ref. a tipologia (1) e (3) [F.: *tipo-* + *-lógico.*]

tipologizar (ti.po.lo.gi.*zar*) *v. td.* Estabelecer tipologia de: *Tem a mania de tipologizar as pessoas.* [▶ 1 tipologizar] [F.: *tipolog(ia)* + *-izar.*]

tipometria (ti.po.me.*tri*.a) *Tip. sf.* **1** Sistema de medidas que se empregam em tipografia **2** *Antq.* Arte de compor certos desenhos por meio de filetes recortados e caracteres móveis [F.: *tipo²* + *-metria.*]

tipômetro (ti.*pô*.me.tro) *sm.* **1** Instrumento us. pelo fundidor tipográfico para verificar a exatidão do corpo e da altura dos tipos; PROTÓTIPO **2** Instrumento de medida us. pelos tipógrafos, esp. a régua graduada segundo os pontos que se empregam em tipografia [F.: *tipo²* + *-metro.*]

tiptologia (tip.to.lo.*gi*.a) *sf. Esp.* Forma de conseguir comunicações espíritas por meio de pancadas ou pelo movimento de uma mesa, copo, chapéu etc. [F.: *tipto-* (do gr. *týpto*, 'bater') + *-logia.*]

tipuana (ti.pu:*a*.na) *sf. Bras. Bot.* Planta (*Petiveria tetrandra*) da fam. das fitoláceas, tb. denominada *erva-pipi* e *guiné* [F.: Do tupi.]

tipuca (ti.*pu*.ca) *sf. AM* O último leite que sai das tetas das vacas; APOJO [F.: Do tupi.]

tipulídeo (ti.pu.*lí*.de:o) *Ent. a.* **1** Ref. aos tipulídeos *sm.* **2** Espécime de fam. de insetos dípteros nematóceros que compreende os vulgarmente chamados pernilongos [F.: Do lat. cient. *Tipulidae.*]

tique (*ti*.que) *sm.* **1** Movimento, tremor ou contração involuntária e repetitiva, ger. de origem nervosa; CACOETE; TREJEITO: "...habituado que devia estar aos modos dessa gente que chega pela primeira vez à montanha, ainda com os tiques e esquisitices da cidade." (Aníbal Machado, "O iniciado do vento" *in Histórias reunidas*) **2** Qualquer hábito ridículo: *Tinha o tique de franzir as asas do nariz.* **3** *Bras.* Ação ou resultado de ticar; TICO [F.: Do fr. *tic.*] ■ **~ doloroso** *Neur.* Neuralgia trigeminal **~ nervoso** Gesto, fala ou movimento espasmódico localizado de músculo, da pele etc., que pode se repetir por algum tempo, ou sempre, devido a fator psíquico, nervosismo etc. **Nem ~ nem taque** Nem uma palavra: *Dele não se ouvia nem tique nem taque.*

tique-taque (ti.que-*ta*.que) *sm.* **1** Som cadenciado e repetitivo dos relógios mecânicos; TIQUE-TIQUE **2** A batida contínua do coração, palpitação [Pl.: *tique-taques.*] [F.: De or. onom.]

tiquetaquear (ti.que.ta.que.*ar*) *v.* **1** Fazer ruído de tiquetaque (o relógio) [*int.*: *O relógio da sala tiquetaqueava de meia em meia hora.*] **2** Marcar (minutos, horas) com tique-taque(s) [*td.*: *O relógio tiquetaqueava somente as horas exatas.*] [▶ 13 tiquetaquear] [Defectivo, conjugável apenas nas 3ªs pessoas.] [F.: *tique-taque* + *-ar².*]

tíquete (*tí*.que.te) *sm.* Bilhete de papel, cartão ou plástico que dá acesso a serviços vários, como meio de transporte, refeição, ingresso em cinema, teatro, estádio etc.; CUPOM; VALE [F.: Do ing. *ticket.*]

tiqueteiro (ti.que.*tei*.ro) *sm.* Aquele que compra tíquetes por preço abaixo de seu valor nominal para revendê-los pelo seu verdadeiro preço [F.: *tíquete* + *-eiro.*]

tíquete-refeição (tí.que.te-re.fei.*ção*) *sm.* Mesmo que *vale-refeição* [Pl.: *tíquetes-refeições* e *tíquetes-refeição.*]

tíquete-restaurante (tí.que.te.-res.tau.*ran*.te) *sm.* Mesmo que *vale-refeição* [Pl.: *tíquetes-restaurante.*]

tiquinho (ti.*qui*.nho) *Bras. sm.* **1** Bocadinho, pedacinho: *Só comeu um tiquinho do bolo.* **2** Pouquinho; quase nada: "Minha lanterna também tinha-se apagado e ninguém enxergava tiquinho na frente dos olhos. " (Jorge Amado, *Jubiabá*) [F.: *tico* + *-inho¹.*]

tiquira (ti.*qui*.ra) *sf. Bras. N.* Aguardente de mandioca [F.: Do tupi *ti'kira.*]

tira (*ti*.ra) *sf.* **1** Pedaço de pano, papel e outros materiais, mais comprido do que largo **2** Fita, faixa ou equivalente **3** Borda pintada de uma superfície; FILETE; FRISO **4** Enfeite longitudinal, que remata um tecido; FRANJA **5** Segmento de uma história em quadrinhos, ger. com uma única faixa horizontal; TIRINHA **6** *Metal.* Chapa metálica fina obtida por laminação *s2g.* **7** *Pop.* Agente da polícia civil; DETETIVE; POLICIAL [F.: Dev. de *tirar.*] ■ **À ~** Apressadamente **Na ~** *N. E. Pop.* Na miséria **Quebrar a ~** *N. E. Pop.* Morrer (o automóvel), deixar de funcionar o motor de

tiração (ti.ra.*ção*) *sf.* **1** Ação ou resultado de tirar **2** *Bras. Amaz.* Extração de madeiras nas florestas [Pl.: *-ções.*] [F.: *tirar* + *-ção.*]

tiracoleiro (ti.ra.co.*lei*.ro) *sm.* Aquele que carrega bolsas ou embrulhos a tiracolo [F.: *tiracolo* + *-eiro.*]

tiracolo (ti.ra.*co*.lo) [ó] *sm.* Faixa de couro ou outro material maleável, atravessada de um lado do pescoço para o lado oposto do corpo e passando por baixo do braço; BOLDRIÉ [F.: Do espn. *tiracuello.*] ■ **a ~** Cruzando o tronco, de um ombro ao outro lado do tronco, na altura da cintura (diz-se uma correia, faixa etc., ou do objeto a que serve de alça): *bolsa a tiracolo;* "Um mascate de quinquilharias arriava na calçada a caixa que trazia a tiracolo. " (José de Alencar, *Senhora*)

tirada¹ (ti.*ra*.da) *sf.* **1** Ação ou resultado de tirar; TIRAMENTO; TIRAGEM **2** Grande extensão de caminho; ESTIRADA **3** Espaço longo de tempo **4** Exportação de mercadorias [F.: *tirar* + *-ada¹.*]

tirada² (ti.*ra*.da) *sf.* **1** *Bras. Pop.* Frase espirituosa ou irônica **2** Trecho, fala, discurso de grande extensão: *uma tirada maçante* [F.: Do fr. *tirade.*] ■ **De uma ~** De uma só vez, de um só ímpeto, sem interrupção

tiradeira (ti.ra.*dei*.ra) *sf.* **1** Aquela que tira **2** *BA* Mulher que se ocupa em retirar as sementes do fruto do cacaueiro **3** *Bras.* Nos engenhos de açúcar, cada um dos tirantes entre os quais vão as cavalgaduras **4** *Bras.* Correia ou corrente que, nas carretas de duas parelhas, prende a canga dos bois da frente à dos do coice **5** *Bras.* Corda de couro torcido que liga os cambões das juntas dos carros de bois [F.: *tirar* + *-deira.*]

tira-dentes (ti.ra.-*den*.tes) *s2g2n. Pop.* Dentista

tirado (ti.*ra*.do) *a.* **1** Que se tirou **2** Que sofreu tiragem [F.: Part. de *tirar.*]

tirador (ti.ra.*dor*) [ô] *a.* **1** Que tira *sm.* **2** Aquele que tira **3** Em cervejarias, empregado que tira a cerveja do barril **4** Operário que tira ou puxa metais pela fieira **5** *BA* Trabalhador que retira as sementes dos frutos do cacaueiro **6** *Mar.* O chicote do cabo de qualquer aparelho náutico, pelo qual se puxa **7** *MT* Trabalhador que corta as folhas de erva-mate; MINEIRO [F.: *tirar* + *-dor.*]

tira-dúvidas (ti.ra-*dú*.vi.das) *sm2n.* Pessoa, coisa ou serviço que dá informações ou presta esclarecimentos [F.: *tirar* + *dúvida(s).*]

tira e retira (ti.ra e re.*ti*.ra) *sf2n. Tip.* Técnica que permite imprimir os dois lados da folha com a mesma matriz

tiragem (ti.*ra*.gem) *sf.* **1** Ação ou resultado de tirar **2** *Art. gr.* Impressão dos exemplares de um livro, revista, jornal etc.; o número de exemplares impressos **3** Ação de fazer passar os metais pela fieira **4** Corrente ascensional e descensional do ar quente que sai da chaminé de uma fornalha e do ar frio que entra a substituí-lo [Quanto maior a intensidade da tiragem, maior a velocidade de combustão.] [Pl.: *-gens.*] [F.: *tirar* + *-agem¹.*]

tira-gosto (ti.ra-*gos*.to) *sm. Bras.* Petisco ou salgadinho que se come como acompanhamento de determinadas bebidas [Pl.: *tira-gostos.*] [F.: *tirar* + *gosto.*]

tira-linhas (ti.ra-*li*.nhas) *sm2n.* Instrumento de metal com duas pontas para traçar com tinta sobre papel linhas paralelas e de espessura variável [F.: *tirar* + o pl. de *linha.*]

tira-manchas (ti.ra-*man*.chas) *sm2n. Bras.* Substância própria para tirar manchas de roupas, assoalhos etc.

tirambaço (ti.ram.*ba*.ço) *sm. Bras. Fut.* Chute muito forte, ger. para gol [F.: Aum. irreg. de *tiro.*]

tiramento (ti.ra.*men*.to) *sm.* **1** Ação ou resultado de tirar; TIRADA¹ **2** *Ant.* Arrecadação de impostos ou rendas [F.: *tirar* + *-mento.*]

tiramina (ti.ra.*mi*.na) *sf. Quím.* Substância natural ($C_8H_{11}NO$), tóxica, resultante da decomposição da tirosina [F.: *tiro (sina)* + *amina.*]

tirana¹ (ti.*ra*.na) *Pop. sf.* **1** Mulher má, cruel **2** Mulher que não se deixa requestar [F.: Fem. substv. de *tirano.*]

tirana² (ti.*ra*.na) *sf.* **1** *Lus.* Mulher impiedosa **2** *RS* Mulher que não se deixa conquistar, requestar **3** *MG* A enxada **4** *Fig.* Língua maledicente [F.: Fem. de *tirano.*]

tiranaboia (ti.ra.na.*boi*.a) *sf. Bras. Ent.* Ver *jequitiranaboia*

tiranete (ti.ra.*ne*.te) [ê] *sm.* **1** Tirano em pequena escala **2** *Pej.* Pessoa que abusa de sua autoridade ou posição para oprimir as que dela dependem [F.: *tiran(o)* + *-ete.*]

tirania (ti.ra.*ni*.a) *sf.* **1** Poder soberano usurpado e ilegal [Na Grécia clássica denominava-se 'tirania' o governo instituído ilegalmente.] **2** Qualidade de tirano **3** Governo injusto e cruel, embora legítimo **4** *P. ext.* Qualidade do que é opressor, violento **5** Barbaridade, ação desumana: "...o autor passa em revista a história de sua terra, cheia de lances de tirania sanguinária..." (Cecília Meireles, "Política e educação" *in Diário de notícias*, 24.11.1932) **6** O poder que certos sentimentos ou coisas podem exercer sobre um indivíduo: *a tirania de uma paixão avassaladora.* [F.: Do gr. *turannia.*]

tiranicídio (ti.ra.ni.*cí*.di:o) *sm.* Assassinato de um tirano [F.: Do lat. *tyrannicidium, ii.*]

tirânico (ti.*râ*.ni.co) *a.* **1** Que exerce a tirania; DÉSPOTA **2** Que tiraniza (autoridade tirânica); CRUEL; OPRESSOR **3** Que exerce uma influência irresistível: *a influência tirânica da beleza.* [F.: Do gr. *turannikós.*]

tiranídeo (ti.ra.*ní*.de:o) *Ornit. a.* **1** Ref. aos tiranídeos *sm.* **2** Espécime de fam. de aves passeriformes muito numerosa e que compreende os bem-te-vis, as lavadeiras, as tesouras etc. [F.: Do lat. cient. *Tyrannidae.*]

◎ **tiran(i/o)-** *el. comp.* déspota: *tiranizar, tiranossauro*

tiranizador (ti.ra.ni.za.*dor*) [ô] *sm.* **1** Aquele que tiraniza; TIRANO *a.* **2** Que tiraniza [F.: *tiranizar* + *-dor.*]

tiranizar (ti.ra.ni.*zar*) *v.* **1** Tratar tiranicamente; OPRIMIR: *tiranizar os subalternos.* **2** Usurpar, apoderar-se como tirano: *tiranizar o poder.* **3** Tratar com rigor, com severidade: *É um pai que tiraniza os filhos.* **4** *Fig.* Apresentar (ação, atitude etc.) como obstáculo a; CONSTRANGER; EMBARAÇAR; TRAVAR: *A burocracia tiraniza nossas vidas.* **5** *Fig.* Exercer influência, pressão sobre: *As propagandas muitas vezes tiranizam nossas decisões.* [▶ 1 tiranizar] [F.: *tirano* + *-izar.*]

tirano (ti.*ra*.no) *sm.* **1** O que usurpa o poder soberano de um Estado **2** Soberano injusto e cruel que coloca a sua vontade e a sua autoridade acima das leis e da justiça **3** *Fig.* Pessoa desumana, cruel, inflexível **4** *Fig.* O que tortura, que martiriza moralmente: *O amor é um tirano dos corações.* *a.* **5** Diz-se daquilo que é tirânico, despótico, cruel [F.: Do gr. *týrannos*, 'senhor absoluto', 'usurpador do poder', pelo lat. *tyrannu.*]

tiranossauro (ti.ra.nos.*sau*.ro) *sm. Pal.* Denominação comum aos dinossauros carnívoros do gên. Tyranossaurus de grandes dimensões, presentes no período Cretáceo Superior, representados por uma única espécie (*Tiranossaurus rex*), com até 12 m de comprimento, com enorme cabeça, dotado de poderosas mandíbulas com dentes serrilhados e com membros anteriores reduzidos [F.: Do lat. cient. *Tyrannosaurus.*]

tirante (ti.*ran*.te) *a2g.* **1** Que tira ou puxa **2** Que se aproxima de uma cor ou tonalidade: "...passou-me pelos olhos um clarão de cegar, depois uns coriscos tirantes a roxo... depois tudo me ficou cinzento" (Simões Lopes Neto, "Trezentas onças" *in Coleção Mar de Histórias*) **3** *Fig.* Que foi excluído **4** *Arq.* Viga comprida na qual se firma e sustenta o madeiramento de um telhado **5** *Mil.* Cada uma das cordas que se engatam nas arandelas do reparo (7), e servem para puxá-lo à mão: "Parecia um carro triunfal, um carro de ouro com tirantes de prata" (Xavier Marques, *Sargento Pedro*) **6** Cada uma das cordas que prende a(s) cavalgadura(s) à carruagem **7** *Bras.* Barra de ferro que transmite o movimento do êmbolo às rodas motoras das máquinas a vapor *prep.* **8** À exceção de; EXCETO; SALVO **9** *Lus. Pop.* Cordão de ouro [F.: *tirar* + *-nte.*]

tirão[1] (ti.*rão*) *sm.* **1** Ação ou resultado de tirar com força; PUXÃO **2** Grande extensão de caminho; ESTIRÃO [Pl.: -*rões*.] [F.: *tirar* + -*ão*[1].]

tirão[2] (ti.*rão*) *sm.* Us. na loc. *tirão seco* [F.: Do espn. platino *tirón*.]

tirão[3] (ti.*rão*) *sm. P. us.* O mesmo que *aprendiz* [Pl.: -*rões*.] [F.: Do lat. *tiro, onis*.]

tira-prova (ti.ra-*pro*.va) *sm2n. Bras. Art. Gr.* Pequena máquina de impressão tipográfica, us. para tirar provas; prelo de provas

tirar (ti.*rar*) *v.* **1** Fazer sair ou sair de (um lugar); RETIRAR(-SE) [*td.*: *Só abri o armário para tirar as roupas.*] [*tda.*: *Tiraram todos os livros da estante.* Ant.: *colocar, pôr.*] **2** Despir (roupa) ou descalçar (sapato) [*td.*: *tirar o casaco.*] **3** Arrancar, extrair [*td.*: *tirar um dente.*] **4** Produzir (uma coisa) a partir de (outra); EXTRAIR [*tdr.* + *de*: *Tiram o vinho verde das uvas não amadurecidas; Esse filme me tirou dos olhos muitas lágrimas.*] **5** Conseguir, obter [*td.*: *tirar boas notas.*] **6** Formar-se, graduar-se em [*td.*: *Tirou o segundo grau e foi para São Luís.*] **7** Copiar (trecho, fragmento de texto); EXTRATAR; TRANSCREVER [*tdr.* + *de*: *Essa frase tirei de uma velha crônica.*] **8** Fazer desaparecer (mancha) [*td.*: *A empregada tirou a mancha de café da blusa.*] **9** Captar (imagem) por meio técnico [*td.*: *tirar fotografia/radiografia/xerox.*] [*tdr.* + *de*: *Meu genro adora tirar fotos dos filhos.*] **10** Ter a própria imagem captada por meio técnico [*td.*: *Pediu à mãe que tirasse uma foto sua com o cantor.*] **11** Puxar (algo para fora de); SACAR [*tda.*: *O policial tirou a arma do coldre.*] **12** Apossar-se de; subtrair (algo) de (alguém); ROUBAR [*td.*: *Os ladrões tiraram os computadores.*] [*tdr.* + *de*: *O pivete tirou a carteira da mulher.*] **13** Eliminar, afastar [*tdr.* + *de*: *O advogado tirou as esperanças do cliente.*] **14** Medir, avaliar [*td.*: *tirar a temperatura/a pressão.*] **15** Deduzir algo a partir de (outra coisa); CONCLUIR; INFERIR [*td.*: *O conselho já tirou seu parecer.*] [*tdr.* + *de*: *O aluno tirou das palavras do mestre uma conclusão.*] **16** Diminuir, subtrair [*tdr.* + *de*: *tirar cinco de seis.* Ant.: *adicionar, somar.*] **17** Eliminar, excluir, excetuar [*td.*: *Como o discurso estava longo, tirou os excessos; Tirando José, todos levaram refrigerante.*] [*tda.*: *O mestrando tirou do texto o excesso de adjetivos.* Ant.: *incluir.*] **18** Desviar, afastar [*tdr.* + *de*: *O estudo tira as pessoas da escuridão.*] [*tda.*: *O esporte tira as crianças das ruas.*] **19** Afastar (alguém) de (propósito, opinião); DISSUADIR [*tdr.* + *de*: *Com as razões que me deu, tirou-me da opinião em que estava.* Ant.: *persuadir.*] **20** Livrar, libertar, soltar [*td.*: *Fugiu da penitenciária e prometeu tirar os companheiros.*] [*tdr.* + *de*: *Tirou-se de uma grande enrascada.*] [*tda.*: *O advogado conseguiu tirar o cliente da prisão.*] **21** Privar (alguém ou algo) de, subtrair (alguma coisa) a (algo ou alguém) [*tdr.* + *a, de*: *A separação tirou-o da convivência com os filhos.* Ant.: *dar, restituir.*] **22** Convidar para dançar [*td.*: *Hoje em dia, as moças tiram os rapazes.*] **23** Imprimir (cópia de) [*td.*: *Conseguiu tirar o extrato da conta-corrente?; Se ligar a impressora, tire uma cópia do relatório.*] **24** Editar, publicar [*td.*: *Tiramos dois mil exemplares da revista.*] **25** Usufruir ou auferir de [*td.*: *tirar férias.*] [*tdr.* + *de*: *tirar proveito de uma situação.*] **26** Ser parecido com; ter alguma coisa de; APROXIMAR-SE [*tr.* + *a, para*: *Essa saia é de um amarelo tirando para o laranja.*] **27** Puxar, tracionar [*td.*: *Os bois tiram o arado.*] **28** Cumprir (sentença) [*td.*: *Os estelionatários tiraram dez anos de prisão.*] **29** Representar por meio de desenhos, símbolos etc.; TRAÇAR [*td.*: "...*tire um mestre na pedra um traço em ângulos e um traço direito.*" (Rui Barbosa, *Lições de coisas*)] **30** *Bras.* Dar início a, dar o exemplo para que outros acompanhem; PUXAR [*td.*: *Costumava tirar o terço na procissão.*] **31** *Bras.* Passar para o papel (música ou letra de música que está sendo ouvida ou que se tem de memória) [*td.*: *Você consegue tirar esse samba?*] **32** Aprender a tocar (música) [*td.*: *Tirei aquela melodia de ouvido.*] [▶ 1 **tirar**] [Hom./Par.: *tira(s)* (fl.), *tira(s)* (sf. [pl.]); *tiro* (fl.), *tiro* (sm.).] ▪▪ **Sem ~ nem pôr/botar** Exatamente, sem qualquer diferença: *Ela é igual à mãe, sem tirar nem pôr.*

tira-teima (ti.ra-*tei*.ma) *sm.* **1** Argumento ou prova decisiva com que se dirime uma questão *sm.* **2** *Gír.* Arma de fogo portátil, como revólver, pistola etc. **3** *Esp.* Lance ou jogo de desempate, para decidir qual dos adversários é o melhor **4** *Fam.* Pessoa que dirime uma questão, juiz, árbitro **5** *Fig.* Dicionário **6** *Telv.* Recurso eletrônico que permite a análise de trechos de imagens gravadas, esp. competições esportivas, para avaliar detalhes que tenham suscitado dúvidas quando ocorreram **7** *Ant.* Qualquer objeto, especialmente chinelo, com que se castigavam crianças teimosas **8** *N. E.* Brinquedo de parque de diversões em que o participante é colocado em uma caçamba fechada, presa a um longo braço que oscila até fazer voltas completas [F.: *tirar* + *teima*.]

tiratron (ti.ra.*tron*) *sm. Eletrôn.* Válvula a gás, com três eletrodos e catodo quente, us. como chave eletrônica em circuitos de medida ou de controle [Pl.: *tiratrons* e (p. us. no Brasil) *tiratrones*.] [F.: Do ing. *thyratron*.]

◎ **tire(o)-** *el. comp.* = 'glândula tireoide': *tireomegalia, tireotoxicose, tireotrofina* (< ingl.) [F.: Do gr. *thyreós, oû*, 'escudo comprido'. F. conexa: *tireoid(e)-*.]

◎ **tireoid(e)-** *el. comp.* = 'cartilagem'; 'glândula tireoide': *tireoidectomia, tireoideo, tireoidiano, tireoidite* [F.: Do gr. *thyreoeidés, és, és*, 'semelhante a um escudo longo', do gr. *thyreós, oû*, 'escudo comprido'. F. conexa: *tire(o)-*.]

tireoide (ti.re.*oi*.de) *sf.* **1** *Anat.* Glândula endócrina localizada no pescoço, responsável pela produção da tiroxina, hormônio que estimula o metabolismo geral do organismo *a2g.* **2** Diz-se dessa glândula [F.: Do gr. *thyreoeidés, é, on*. Tb. *tiroide*.]

tireoidectomia (ti.re:oi.dec.to.*mi*.a) *sf. Cir.* Ablação total ou parcial da glândula tireoide [F.: *tireoid(e)-* + *-ectomia*.]

tireoideo (ti.re.*oi*.de:o) *a.* Ref. a tireoide [F.: *tireoide* + *-eo*.]

tireoidiano (ti.re.oi.di.*a*.no) *a.* Ref. a tireoide [F.: *tireoide* + *-iano*.]

tireoidite (ti.re:oi.*di*.te) *sf. Pat.* Inflamação da glândula tireoide [F.: *tireoid(e)-* + *-ite*[1].]

tireomegalia (ti.re:o.me.ga.*li*.a) *sf. Pat.* Aumento do volume da glândula tireoide; BÓCIO *Pop.*; PAPEIRA [F.: *tire(o)-* + *-megalia*.]

tireotoxicose (ti.re:o.to.xi.*co*.se) [cs] *sf. Pat.* Intoxicação por excesso de secreção da glândula tireoide [F.: *tire(o)-* + *-toxic(o)-* + *-ose*[1].]

tireotrofina (ti.re:o.tro.*fi*.na) *sf. Med.* Hormônio produzido pelo lobo anterior da hipófise e que regula (ou estimula) a secreção do hormônio tireoideo; TIREOTROPINA; TSH [F.: Do ingl. *thyreotrophin*; ver *tire(o)-*, *-trof(o)-* e *-ina*[2].]

tireotropina (ti.re:o.tro.*pi*.na) *sf. Med.* Ver *tireotrofina* [F.: Do ingl. *thyreotropin*, f. irreg. por *thyreotrophin*.]

tireoxina (ti.re:o.*xi*.na) [cs] *sf. Quím.* Aminoácido ($C_{15}H_{11}I_4NO_4$) que constitui o princípio ativo da tireoide, us. no tratamento do hipertireoidismo [F.: *tire(o)-* + *-ox(i)-* + *-ina*[2].]

tírio (*tí*.ri:o) *sm.* **1** Pessoa nascida ou que vivia em Tiro (antiga cidade fenícia) *a.* **2** De Tiro; típico dessa cidade ou de seu povo **3** Purpúreo [F.: Do lat. *tyrius*, do gr. *týrios*.]

tiririca (ti.ri.*ri*.ca) *a2g.* **1** *Pop.* Diz-se daquele que está muito irritado; FULO *sf.* **2** *Bot.* Nome comum a várias plantas da fam. das ciperáceas, consideradas daninhas às plantações e de difícil erradicação **3** *Ict.* Mesmo que *canivete* (4) **4** *PA* Agitação contínua das águas (no rio Pará), com ondas desencontradas e mais altas em certo trecho **5** *RS* Batedor de carteiras; PUNGUISTA **6** *Bras. Zool.* Variedade de queixada (porco-do-mato) [F.: Do tupi *tiri'rika*.]

tiristor (ti.ris.*tor*) [ô] *sm. Eletrôn.* Dispositivo semicondutor com características semelhantes às do tiratron; retificador controlado de silício [Abrev. ing.: *SCR*.] [F.: Do ing. *thyristor*. Tb. *tirístor*.]

tiritante (ti.ri.*tan*.te) *a2g.* Que tirita; TRÊMULO [F.: *tiritar* + *-nte*.]

tiritar (ti.ri.*tar*) *v. int.* Tremer (de febre, frio, medo): *O frio era tão intenso que as crianças tiritavam.* [▶ 1 **tiritar**] [F.: Or. onomatopaica. Hom./Par.: *tirita(s)* (fl.), *tirita(s)* (sf. [pl.]); *tirite(s)* (fl.), *tirite(s)* (sf. [pl.]).]

tiro[1] (*ti*.ro) *sm.* **1** Ação ou resultado de atirar qualquer arma, esp. arma de fogo: *Ser praticante de tiro.* **2** A carga disparada pela arma de fogo (*tiro* de espingarda; *tiro* de canhão) **3** Bala, carga que se dispara de cada vez: *Revólver de seis tiros.* **4** Distância que a carga ou o tiro de uma arma de fogo pode alcançar **5** Estabelecimento onde se ensina a atirar com armas de fogo **6** *Fut.* Chute violento: *O gol foi resultado de um tiro da intermediária.* **7** *Fig.* Manifestação súbita; EXPLOSÃO; ÍMPETO **8** Ação de atirar o laço ou a bola contra um animal **9** O serviço de puxar carroças feito por cavalgaduras ou bois **10** Calabre ou tirante com que se une o boi ou a besta a uma carroça ou carruagem **11** Os animais que puxam a carroça **12** A distância percorrida pelo parelheiro **13** *Fig.* Insinuação maliciosa; ALUSÃO; REMOQUE: *Já sei para onde se dirige o tiro.* **14** *Fig.* Efeito de algum sentimento mau, de algum agente pernicioso físico ou moral: *A calúnia começou a vibrar contra mim os seus tiros.* [F.: Regress. de *tirar*.] ▪▪ **Dar um ~ em 1** Atirar em (algo ou alguém) com arma de fogo **2** *Fig.* Interromper, abandonar, deixar de se ocupar com (tarefa, atividade, assunto etc.) **Dar um ~ na praça** *Bras. Gír.* Entrar em falência fraudulenta, com isso enganando e prejudicando seus credores **Sair o ~ pela culatra** Ter (ação, medida, atitude etc.) resultado inverso ao esperado, prejudicando a quem os praticou **Ser ~ e queda 1** Ter excelente e certeira pontaria: *Ele é tiro e queda, acertou todos os tiros na mosca.* **2** *Fig.* Ter resultado seguro e imediato: *Para essa tosse tome este xarope, é tiro e queda.* **~ ao alvo** *Esp.* Esporte que consiste em atirar com arma de fogo tentando atingir alvo, e acertar na zona de maior pontuação nele assinalada [Há várias modalidades, dependendo do tipo da arma, da distância e da posição de tiro.] **~ de barragem** *Mil.* Descarga de tiros simultâneos em séries sucessivas sobre certa região do terreno, para impedir ou prejudicar que o inimigo avance por ela **~ de bolas** *RS* A ação e o resultado de atirar boleadeiras sobre um animal **~ de canto** *Bras. Fut.* Cobrança de córner, escanteio **~ de festim** Tiro dado com bala de festim **~ de frente** *Mil.* Tiro de trajetória perpendicular à linha de frente do inimigo, de defesa ou de ataque **~ de instrução** *Mil.* Exercício de tiro sobre alvos dispostos para isso, sob orientação de instrutor **~ de laço** *RS* O atirar do laço sobre animal, para laçá-lo **~ de meta** *Fut.* Chute de reposição da bola depois de ter esta saído pela linha de fundo, chutada por atacante que visava a meta adversária, e dado por jogador do time que foi atacado [Deve ser dado de dentro da grande área.] **~ de misericórdia 1** O que se dá, para matar, em alguém que sofre em sua agonia, para abreviá-la **2** *Fig.* Qualquer coisa que desencadeia o fim de algo (processo, intenção etc.): *A recusa de seu texto foi um tiro de misericórdia em suas pretensões.* **~ de pólvora seca** *Mil.* O que se dá sem o projétil, apenas detonando o cartucho [Ger. como advertência, sinal de alarme, numa salva de saudação etc.] **~ de ricochete** Aquele no qual a bala, depois de se chocar com algo duro, muda de trajetória **~ direto 1** Aquele no qual o alvo é visível através da mira da arma **2** *Fut.* Aquele em cobrança de falta que pode ser feito diretamente ao gol, valendo o gol se a bola entrar **~ indireto 1** Aquele no qual o alvo não é visível para o atirador **2** *Fut.* Aquele em cobrança de falta que não pode ser feito diretamente ao gol (deve haver pelo menos dois toques na bola por jogadores diferentes) não valendo o gol se a bola entrar ao primeiro chute **~ livre** *Fut.* Ver *Tiro direto* (2) **~ livre indireto** *Fut.* Ver *Tiro indireto* **~ rasante** *Mil.* Tiro, ou rajada de tiros, em que a trajetória dos projéteis nunca está a uma altura do solo maior que a de um homem de pé **Trocar ~s** Atirar uma pessoa contra outra com arma de fogo, reciprocamente

◎ **tir(o)-** *el. comp.* = 'queijo': *tiromancia, tiromante* (< gr.); *tirosina* [F.: Do gr. *tyrós, oû*.]

tiro[2] (*ti*.ro) *sm. Poét.* O mesmo que *púrpura* [F.: Do lat. *Tyrus* (Tiro, cidade fenícia).]

tiro[3] (*ti*.ro) *sm.* Quem é novato em algo; APRENDIZ [F.: Do lat. *tiro*.]

tiro[4] (*ti*.ro) *sm.* Red. de *tiro de guerra*

tirocínio (ti.ro.*cí*.ni:o) *sm.* **1** Capacidade de analisar com acuidade pessoas e situações; DISCERNIMENTO **2** Exercício do principiante; o primeiro ensino; aprendizagem: *Quanto mais tirocínio tiver, melhor artista será*; "Parecia-lhe que todo o seu tirocínio de músico lhe afluía às mãos obedientes..." (Josué Montello, "O violoncelista Porto" *in Um rosto de menina*) **3** Aprendizado teórico ou prático anterior ao desempenho de uma atividade ou ao exercício de uma profissão: *O capitão está fazendo tirocínio para major.* [F.: Do lat. *tirocinium*.]

tiro de guerra (ti.ro de*guer*.ra) *sm. Bras.* Estabelecimento de instrução militar para certificação de cidadãos como reservistas do Exército, mesmo que não tenham pertencido a uma unidade regular da corporação [Pl.: *tiros de guerra*.]

tiroide (ti.*roi*.de) *sf.* Ver *tireoide*

tirolês (ti.ro.*lês*) *sm.* **1** Pessoa nascida no Tirol (província da Áustria) *a.* **2** Do Tirol; típico dessa província ou de seu povo [F.: Do top. *Tirol* + *-ês*.] [Pl.: *-leses*. Fem.: *-lesa*] [F.: Do top. *Tirol* + *-ês*.]

tiromancia (ti.ro.man.*ci*.a) *sf. Oct.* Adivinhação pelo exame do queijo [F.: *tiro-* + *-mancia*.]

tiromante (ti.ro.*man*.te) *s2g. Oct.* Indivíduo que praticava a tiromancia [F.: Do gr. *tyromántis, eos*.]

tiropterídeo (ti.ro.pte.*rí*.de:o) *Zool. a.* **1** Ref. aos tiropterídeos *sm.* **2** Espécime dos tiropterídeos, fam. de pequenos morcegos neotropicais, dotados de discos adesivos na sola dos pés e na base dos polegares [F.: Do lat. cient. *Thyropteidae*.]

tirosina (ti.ro.*si*.na) *sf. Bioq.* Aminoácido fenólico ($C_9H_{11}NO_3$) encontrado no intestino do homem e resultante da hidrólise de proteínas [F.: *tiros-* + *-ina*[2].]

tirosinase (ti.ro.si.*na*.se) *sf. Bioq.* Enzima existente em certos cogumelos que deriva da tirosina [F.: *tirosina* + *-ase*.]

tirotear (ti.ro.te.*ar*) *v.* **1** Desencadear tiroteio contra [*td.*: *Tiroteou os fiéis que desfilavam.*] **2** Desencadear tiroteio [*int.*: *Começou a tirotear à toa.*] [▶ 13 **tirotear**] [F.: Do espn. *tirotear*. Hom./Par.: *tiroteio* (1ª ps.)/ *tiroteio* (sm.).]

tiroteio (ti.ro.*tei*.o) *sm.* **1** Fogo de fuzilaria em que os tiros são disparados em quantidade e em sequência **2** Fogo de guerrilha ou de atiradores dispersos **3** Troca de tiros entre atiradores **4** *Fig.* Troca de palavras rudes e insultos entre pessoas numa discussão mais calorosa [F.: Do espn. *tiroteo*.]

tirotricina (ti.ro.tri.*ci*.na) *sf. Farm.* Antibiótico que se obtém da cultura do *Bacillus brevis*, us. como bactericida [F.: Do lat. cient. *Tyrothrix* + *-ina*.]

tiroxina (ti.ro.*xi*.na) [cs] *sf. Quím.* Ver *tireoxina*

tirso (*tir*.so) *sm.* **1** *Mit.* Bastão ornado de hera e pâmpanos, terminado em forma de pinha, e que era a insígnia do deus Baco e das bacantes **2** *Bot.* Inflorescência composta de aspecto fusiforme [F.: Do gr. *thýrsos*, pelo lat. *thyrsus*.]

tir-te *sm.* Us. na loc. adv. *sem tir-te nem guar-te* [F.: Da 2ª pess. sing. do imper. de *tirar*, com apócope, + *te*.]

tisana (ti.*sa*.na) *sf.* **1** Cozimento de ervas ou cereais para fins medicinais **2** *P. ext.* Medicamento líquido extraído da dissolução de alguma planta medicinal; BEBERAGEM: "Até que enfim podia mandar ao diabo os xaropes e as tisanas, que de tempos a essa parte, lhe melancolizavam a vida e relaxavam o estômago" (Aluísio Azevedo, *Casa de pensão*) [F.: Do lat. *ptisana*.]

◎ **tisan(o)-** *el. comp.* = 'franja': *tisanóptero* (< lat. cient.), *tisanocéfalo, tisanuro* (< lat. cient.) [F.: Do gr. *thýsanos, ou*.]

tisanóptero (ti.sa.*nóp*.te.ro) *Zool. sm.* **1** Espécime dos tisanópteros, ordem de insetos, de quatro asas e pequeno porte (até 2mm), que vivem nas plantas e na casca das árvores *a.* **2** Ref. ou pertencente aos tisanópteros [F.: Adaptç. do lat. cient. *Thysanoptera*.]

tisanuriforme (ti.sa.nu.ri.*for*.me) *a2g. Zool.* Ref. a ou próprio da larva de insetos da ordem dos tisanuros [F.: *tisanuro* + *-iforme*.]

tisanuro (ti.sa.*nu*.ro) *Zool. sm.* **1** Espécime dos tisanuros, ordem de pequenos insetos apterigotos, com longas antenas e corpo ger. coberto de escamas *a.* **2** Ref. ou pertencente aos tisanuros [F.: Adaptç. do lat. cient. *Thysanura*.]

◎ **-tise** *el. comp.* = *tisio-*

tísica (*tí*.si.ca) *Ant. sf.* **1** A tuberculose pulmonar **2** A mulher tuberculosa **3** O mesmo que *caquexia* [F.: Fem. substv. de *tísico*.] ▪▪ **~ galopante** *Pneumo* V. *tuberculose galopante* [Tb. se diz apenas *galopante*.] **~ pulmonar** *Pneumo.* V. *tuberculose pulmonar* [Tb. se diz apenas *tísica*.]

~ pulmonar galopante *Pneumo* V. *tuberculose galopante* [Tb. se diz apenas *galopante*.]
tísico (*tí*.si.co) *sm.* **1** Aquele que sofre de tuberculose pulmonar *a.* **2** Que sofre de tuberculose pulmonar *sm.* **3** *Fig.* Indivíduo muito magro [F.: Do lat. tardio *phthisicus*. Sin. ger.: *tuberculoso*.]
◎ **tisio-** *el. comp.* = 'tuberculose pulmonar', 'consunção': *tisiologia, tisiólogo, tisioterapia* [F.: Do gr. *phthísis, eos*, 'enfraquecimento'; 'deterioração', 'extinção'.]
tisiologia (ti.si:o.lo.*gi*.a) *sf.* Ramo da medicina que estuda as causas, a prevenção e o tratamento da tuberculose [F.: *tisio-* + *-logia*.]
tisiologista (ti.si:o.lo.*gis*.ta) *Med. s2g.* **1** Médico especialista em tisiologia; TISIÓLOGO *a2g.* **2** Diz-se desse médico [F.: *tisiologia* + *-ista*, seg. o mod. gr.]
tisiólogo (ti.si:*ó*.lo.go) *sm. Med.* O mesmo que *tisiologista* [F.: *tisio-* + *-logo*.]
tisna (*tis*.na) *sf.* **1** Substância us. para escurecer alguma coisa **2** Ação ou resultado de tisnar(-se); TISNADURA [F.: Regress. de *tisnar*.]
tisnado (tis.*na*.do) *a.* **1** Que se tisnou; ENEGRECIDO *sm.* **2** *Bras. Pop.* O diabo **3** Coisa tisnada [F.: Part. de *tisnar*.]
tisnadura (tis.na.*du*.ra) *sf.* O mesmo que *tisna* [F.: *tisna* + *-dura*.]
tisnar (tis.*nar*) *v.* **1** Tornar(-se) negro; enegrecer (com carvão ou fumo etc.) [*td.*: *A fumaça da vela tisnou a parede.*] [*int.*: *Com o temporal, o céu tisnou-se.*] **2** *Fig.* Queimar ligeira ou superficialmente [*td.*: *Deixei tisnar a comida.*] [*int.*: *O arroz tisnou.*] **3** Ficar sujo ou manchado; MANCHAR; SUJAR [*td.*: *O café tisnou minha blusa branca.*] **4** *Fig.* Tornar(-se) impuro; macular(-se) (honra, reputação etc.) [*td.*: *Suas atitudes acabaram por tisná-lo.*] [*int.*: *Ao aceitar o suborno, tisnou-se.*] [▶ 1 tisnar] [F.: Do lat. **titionare*. Hom./Par.: *tisna(s)* (fl.), *tisna(s)* (sf. [pl.]); *tisne(s)* (fl.), *tisne(s)* (sm. [pl.]).]
tisne (*tis*.ne) *sm.* **1** A cor escura que o fumo ou o fogo produz na pele **2** A fuligem presente nas chaminés e nas superfícies resultante da queima de algum combustível: "Goiás estava pondo fogo nos seus pastos. Arte que fumaçava, fumaceava, o tisne. " (João Guimarães Rosa, *Grande Sertão: Veredas*) [F.: Regress. de *tisnar*.]
tissular (tis.su.*lar*) *a2g.* Ref. a tecido orgânico [F.: Do fr. *tissulaire*.]
titã (ti.*tã*) *sm.* **1** *Mit.* Nome genérico de cada um dos deuses que quiseram escalar o céu e destronar Júpiter **2** *Fig.* Pessoa ou coisa de caráter extraordinário, física ou moralmente **3** *Fig.* O que é gigantesco **4** *Astron.* O mais volumoso dos satélites de Saturno, descoberto em 1665 [Com inicial maiúsc.] **5** Guindaste de grande força [F.: Do lat. *Titan*.]
titanato (ti.ta.*na*.to) *sm. Quím.* Sal do ácido titânico [F.: *titân(io)* + *-ato*.]
titânia (ti.*tâ*.ni.a) *sf.* Óxido de titânio (TiO_2), us. como pigmento branco em tintas, plásticos etc. [F.: Do lat. cient. *titania*.]
titânico[1] (ti.*tâ*.ni.co) *a.* **1** Ref., próprio ou pertencente aos titãs **2** Que é colossal **3** Que revela força ou esforço inigualável [F.: Do gr. *titanikós*, pelo fr. *titanique*.]
titânico[2] (ti.*tâ*.ni.co) *a. Quím.* De ou ref. a titânio [F.: *titânio* + *-ico*[2].]
titânio (ti.*tâ*.ni:o) *sm. Quím.* Elemento químico do grupo dos metais de número atômico 22 que, por sua leveza e resistência, é us. industrialmente na confecção de ligas metálicas empregadas em cascos de barcos, aviões, mísseis etc. [Símb.: *Ti*] [F.: Do lat. cient. *titanium*.]
titanita (ti.ta.*ni*.ta) *sf. Min.* Silicato de titânio e cálcio; ESFÊNIO [F.: *titân(io)* + *-ita*.]
titanotério (ti.ta.no.*té*.ri:o) *sm. Pal.* Gênero de mamíferos fósseis perissodáctilos do Terciário, semelhantes aos atuais rinocerontes [F.: Do lat. cient. *Titanotherium*.]
titela (ti.*te*.la) *sf.* **1** Parte carnuda do peito das aves **2** A parte das aves subjacente às asas e por onde se avalia se estão gordas **3** *Fig.* A parte mais preciosa de qualquer coisa; coisa estimada [F.: Do lat. *tittela*, posv.]
títere (*tí*.te.re) *sm.* **1** Boneco que se move por cordéis ou engonços manipulados por pessoa oculta **2** *Fig.* O mesmo que *testa de ferro* **3** *Fig.* Governante sem poder ou posição própria, que representa interesses alheios **4** *Fig.* Indivíduo frouxo de caráter e facilmente manipulável *a2g.* **5** Sem posições próprias, que representa interesses de outrem (administração títere) [F.: Do cast. *títere*. Sin. ger.: *fantoche; marionete; bonifrate*.]
titerear (ti.te.re.*ar*) *v.* **1** Manejar ou fazer manejar títeres [*int.*: *Sua profissão consiste em titerear.*] **2** Fazer movimentar ou movimentar-se como títere [*td.*: *Titereava os filhos.*] [*int.*: *Não tinha opinião, estava sempre a titerear.*] [▶ 13 titerear] [F.: *títere* + *-ear*[2].]
titereiro (ti.te.*rei*.ro) *a.* **1** Que faz mover títeres *sm.* **2** Aquele que faz mover títeres [F.: Do espn. *titerero*.]
titeriteiro (ti.te.ri.*tei*.ro) *a. sm.* O mesmo que *titereiro* [F.: Alter. de *titereiro*.]
titia (ti.*ti*.a) *sf. Fam.* Ver *tia* [F.: Hipocorístico de *tia*.] ■ **Ficar para ~** Ver *Ficar para tia*
titica (ti.*ti*.ca) *sf.* **1** *Bras.* Excremento de animais, esp. de aves; CACA *s2g.* **2** *Pej.* Pessoa ou coisa desprezível, sem nenhum valor; BOSTA; MERDA [F.: Talvez de or. africana.]
titilação (ti.ti.la.*ção*) *sf.* **1** Ação ou resultado de titilar **2** Ligeira agitação **3** Sensação suave das cócegas [Pl.: *-ções*.] [F.: Do lat. *titillationes*.]
titilante (ti.ti.*lan*.te) *a2g.* Que titila; que causa ou sente titilação; TITILOSO [F.: Do lat. *titillante*.]
titilar (ti.ti.*lar*) *v.* **1** Fazer cócegas ligeiras em [*td.*: *A irmã não parava de titilar a barriga do bebê.*] **2** *Fig.* Fazer afago, carinho a; LISONJEAR [*td.*: *As palavras elogiosas titilavam-na.*] **3** *Fig.* Sentir agitação ou palpitação [*int.*: *O estômago titilava depois de um dia de jejum.*] **4** Causar, produzir coceira, prurido [*int.*: *Ao cicatrizar, a ferida titilava.*] [▶ 1 titilar] [F.: Do lat. *titillare*, 'fazer cócegas, lisonjear'.]
titilável (ti.ti.*lá*.vel) *a.* Suscetível de titilar(-se) [Pl.: *-veis*.] [F.: *titilar* + *-vel*.]
titio (ti.*ti*.o) *sm. Fam.* Ver *tio* [F.: Hipocorístico de *tio*.]
titiricar (ti.ri.ri.*car*) *v. int. Bras. Fam.* Ficar tiririca; IRRITAR-SE [▶ 11 tiriricar] [F.: *tiriric(a)* + *-ar*.]
ti-ti-ti (ti.ti.*ti*) *sm.* **1** *Bras. Pop.* Ajuntamento ruidoso de pessoas; REBULIÇO **2** Ruído produzido pelas vozes de muitas pessoas falando ao mesmo tempo; VOZEARIA; VOZERIO **3** Discussão, bate-boca **4** Circulação de boatos; FALATÓRIO; MEXERICO [Pl.: *ti-ti-tis*.] [F.: De or. onom.]
titoísta (ti.to.*ís*.ta) *Pol. a2g.* **1** Ref. ao ou que é/foi partidário do marechal Tito, líder comunista da antiga Iugoslávia, e de seu regime *s2g.* **2** Esse partidário [F.: Do antr. *Tito* + *-ista*.]
titonídeo (ti.to.*ní*.de:o) *Ornit. a.* **1** Ref. aos titonídeos *sm.* **2** Espécime de fam. de corujas vulgarmente denominadas suindaras [F.: Do lat. cient. *Tytonidae*.]
titubeação (ti.tu.be:a.*ção*) *sf.* Ação ou resultado de titubear [Pl.: *-ções*.] [F.: *titubear* + *-ção*.]
titubeante (ti.tu.be.*an*.te) *a2g.* Que titubeia; HESITANTE [Ant.: *firme; resoluto; seguro*.] [F.: *titubear* + *-nte*.]
titubear (ti.tu.be.*ar*) *v.* **1** Mostrar-se indeciso, hesitante; VACILAR [*tr.* + *em*: *titubear na crença, na fé.*] [*int.*: *Chegou à porta, titubeou, mas acabou entrando.*] **2** Falar com hesitação, dizer palavras incompletas; GAGUEJAR [*int.*: *Fez todo o discurso sem titubear.*] [*td.*: *Titubeou uma desculpa.*] **3** Não poder manter-se em pé; CAMBALEAR [*int.*] [▶ 13 titubear] [Hom./Par.: *titubeio* (fl.), *titubeio* (sm.).]
titubeio (ti.tu.*bei*.o) *sm.* Ação ou resultado de titubear; HESITAÇÃO; VACILO [F.: Regress. de *titubear*.]
titulação (ti.tu.la.*ção*) *sf.* **1** Ação ou resultado de titular **2** *Quím.* Método de análise que determina o volume de concentração das soluções que reagem entre si [Pl.: *-ções*.] [F.: *titular* + *-ção*.]
titulado (ti.tu.*la*.do) *a.* **1** Que tem ou obteve título (professores titulados) **2** Fundado em título (posse titulada) [F.: Part. de *titular*.]
titulagem (ti.tu.*la*.gem) *sf.* Ação ou resultado de titular; TITULAÇÃO [Pl.: *-gens*.] [F.: *titular* + *-agem*[1].]
titular[1] (ti.tu.*lar*) *s2g.* **1** Que tem título de nobreza tal como barão, conde etc. **2** Que tem só o título ou nome, sem a posse ou domínio real; HONORÁRIO; NOMINAL **3** Aquele que é ocupante efetivo de um cargo **4** Aquele que é o dono, o responsável: *o titular da conta bancária*. *a2g.* **5** Que possui um título de nobreza ou honorífico **6** Que ocupa um cargo efetivo (professor titular) [F.: *título* + *-ar*[1].]
titular[2] (ti.tu.*lar*) *v.* **1** Dar título a; INTITULAR [*td.*: *titular uma obra.*] **2** Denominar, apelidar (alguém) de [*tdp.*: "... Constantino, que os cronistas de pena parcial (...) titulam de grande..." (Aquilino Ribeiro, *Constantino de Bragança*)] **3** Escrever ou registrar em livro de padrões e títulos autênticos de onde constem as ações e direitos [*td.*: *titular as dívidas do Estado.*] **4** *Quím.* Quantificar (p. ex. uma solução) [*td.*] [▶ 1 titular] [F.: Do lat. *titulare*. Hom./Par.: *título* (fl.), *título* (sm.).]
titularidade (ti.tu.la.ri.*da*.de) *sf.* Qualidade ou condição de quem é titular [F.: *titular* + *-idade*.]
titulativo (ti.tu.la.*ti*.vo) *a.* Que dá título [F.: *titular*[2] + *-tivo*.]
tituleira (ti.tu.*lei*.ra) *sf. Tip.* Máquina de compor títulos (letras grandes, ger. até o corpo 72) [F.: *títul(o)* + *-eira*.]
título (*tí*.tu.lo) *sm.* **1** Palavra ou designação que, no frontispício ou no começo de um livro, de uma obra ou no início de um capítulo, de uma seção, indica o assunto ou matéria de que tratam ou serve para identificar, distinguir o livro ou a obra **2** Denominação com que uma obra de arte é conhecida (p. ex. o título de um quadro, de uma estátua, de um filme etc.) **3** Denominação de honra e distinção dada a certas pessoas ou famílias **4** Denominação conferida a alguém por uma universidade, após a conclusão de curso de graduação ou pós-graduação (título de mestre/de doutor) **5** *Jur.* Documento juridicamente válido que atesta posse ou direito **6** *Econ.* Papel ou certificado como ações, apólices, promissórias etc. que pode ser negociado ou resgatado **7** Designação ou qualificação da relação social, de uma função, de uma dignidade: *Ele, sim, merece o título de cidadão.* **8** Motivo da realização de algo; INTENTO; INTUITO: *Apenas a título de curiosidade, apresentaremos alguns exemplos.* **9** Fundamento que justifica a realização de algo; MOTIVO; PRETEXTO: *A título de que você me questiona dessa maneira?* **10** *Quím.* Nível de concentração da massa do soluto presente na unidade de volume da solução **11** *Metal.* Quantidade de ouro ou prata presente numa liga metálica **12** *Jur.* Subdivisão nos códigos de leis, nas coleções de jurisprudência, nos estatutos, nos regulamentos etc. [F.: Do lat. *titulus*.] ■ **A ~ de 1** Na qualidade de: *Ele controla todo o projeto, a título de responsável por ele.* **2** A pretexto de: *Deu-lhe um beijo a título de agradecimento.* **Falso ~** *Edit.* Título de livro impresso na falsa folha de rosto, sem indicar autor ou editor **Justo ~** Título hábil para o fim a que se destina **~ de crédito** *Econ.* Qualquer documento escrito que represente um valor ou mercadoria (nele inscritos) a receber de imediato, garantido por seu emitente, portanto negociável com esse valor **~ de renda fixa** *Econ.* Documento cujo emitente garante, segundo regras nele estipuladas, rendimento a ser auferido pelo seu detentor **~ hábil** *Jur.* Aquele que reúne as especificações necessárias para produzir o efeito para o qual foi emitido
tiú (ti.*ú*) *Bras. sm.* **1** *Herp.* O mesmo que *teiú* **2** *Ornit.* O mesmo que *tuim* **3** *Bot.* Planta (*Jatropha elliptica*) da fam. das euforbiáceas, tb. designada pelo nome de *gafanhoto* [F. De *teiú*.]
◎ **-tivo** *suf.* Forma adjetivos oriundos de verbos, com ideia de 'referência', 'modo de ser', 'agente': *causativo, decorativo, demonstrativo, opinativo, pensativo, produtivo* etc. [F.: Do suf. lat. *-ivus, a, um* (formador de adj.), antecedido do *-t-* final de part. pass. Ver *-ivo*.]
tivolino (ti.vo.*li*.no) *sm.* **1** Indivíduo nascido ou que vive em Tívoli (Itália) *a.* **2** De Tívoli; típico dessa cidade ou de seu povo [F.: Do top. *Tívoli* + *-ino*[1].]
tixotropia (ti.xo.tro.*pi*.a) [cs] *sf. Fís-quím.* Fenômeno que apresenta um líquido cuja viscosidade diminui por agitação [F.: Do gr. *thíxis, eos*, 'toque', + *-tropia*.]
⊠ **TJ** Sigla de *Tribunal de Justiça*
⊠ **t.km.** Símb. de *tonelada-quilômetro*
⊠ **Tl** *Quím.* Símb. de *tálio*
⊠ **Tm** Símb. de *túlio*
tmese (*tme*.se) *sf. P. us. Gram.* O mesmo que *mesóclise* [F.: Do gr. *tmêsis, eos*.]
⊠ **Tn** *Antq. Quím.* Símb. de *torônio*
⊠ **TNT** *Quím.* Sigla de *trinitrotolueno*
to Contr. do pron. pess. *te* com o pron. pess. *o* [Pouco us. no Brasil.]
toa (*to*.a) [ô] *sf.* Corda com a qual uma embarcação reboca outra; REBOQUE; SIRGA [F.: Regress. de *toar*.] ■ **À ~ 1** Ao acaso, a esmo: *Andava à toa por aí, sem destino ou pouco certo.* **2** Sem motivo ou proveito, inutilmente: *Ela se irritou à toa, não havia razão; Você se apressou à toa, o ônibus atrasou.* **3** Sem fundamento: *Não é à toa que ele foi o candidato mais votado: é preparado e tem carisma.* **4** Sem ter (o) que fazer, sem fazer nada: *Ficou toda a tarde à toa, desperdiçando um tempo precioso.* **De ~** *Bras.* Ao sabor da correnteza (diz-se, no rio São Francisco, de navegação rio abaixo, sem ação de motor ou trabalho de remeiros)
toada (to.*a*.da) *sf.* **1** Ação ou resultado de toar **2** Nome genérico atribuído às cantigas de melodia simples e monótona, com temática singela, compostas por pequenas estrofes e refrões **3** Som de instrumentos, de vozes **4** Som vago e indefinido, rumor confuso **5** Notícia imprecisa; BOATO; RUMOR **6** Entoação em grupo em eventos festivos **7** *AM Mús.* Cada uma das músicas cantadas na festa do boi-bumbá [F.: *toar* + *-ada*.]
toadeira (to:a.*dei*.ra) *BA a.* **1** Diz-se da baleia arpoada que ainda mergulha, ou da que não bufa quando perseguida *sf.* **2** Essa baleia [F.: *toa* + *-ar*[2] + *-deira*.]
toalete (to.a.*le*.te) *sf.* **1** Ação de lavar-se, de fazer higiene íntima ou de arrumar-se para alguma ocasião especial **2** Traje feminino ger. requintado *sm.* **3** Cômodo com pia, espelho e instalações sanitárias [F.: Do fr. *toillete*.]
toalha (to.a.lha) *sf.* **1** Peça de tecido felpudo e absorvente us. para enxugar o corpo; toalha de banho; toalha de rosto **2** Tecido de linho, algodão plástico ou outro material que se estende sobre a mesa em que se come e serve para protegê-la de nódoas ou apenas para enfeitá-la; toalha de mesa **3** Tudo o que tem a aparência ou a forma de uma toalha (1) **4** Camada externa [F.: Do provç. *toalha*.] ■ **Jogar a ~** Abandonar, deixar de tentar algo, de trabalhar por algo, de competir etc. [Expr. prov. oriunda do gesto (de jogar uma toalha no ringue) com que treinador de pugilista ou lutador manifesta que seu pupilo abandona a luta.] **~ higiênica** Pequena toalha absorvente us. na higiene íntima **~ interfolha** Toalha de mão de papel, em folhas que se interpenetram, e que, ao serem puxadas do dispositivo que as contém, sai uma de cada vez, ficando de fora a ponta da folha seguinte
toalhada (to:a.*lha*.da) *sf.* Golpe aplicado com toalha, à maneira de uma chicotada [F.: *toalh(a)* + *-ada*[2].]
toalheiro (to.a.*lhei*.ro) *sm.* **1** Num banheiro, pequena armação em que se colocam as toalhas junto ao lavatório **2** Móvel para guardar toalhas **3** *Bras.* Empresa que fornece, higieniza e repõe toalhas para hotéis, hospitais etc. **4** Fabricante ou vendedor de toalhas [F.: *toalha* + *-eiro*.]
toante (to.*an*.te) *a2g.* **1** Que toa; que soa bem **2** Ref. a rima em que somente as vogais tônicas coincidem [F.: *toar* + *-nte*.]
toar (to.*ar*) *v.* **1** Emitir som alto; soar alto [*int.*: *Um clarim toou no quartel.*] **2** Repercutir o som de; RESSOAR [*int.*: *O canto do pássaro toava em meus ouvidos.*] **3** Ficar bem; COMBINAR; CONDIZER [*tr.* + *com*: *A gravata não toava com o paletó.* Ant.: *destoar*.] **4** Pôr(-se) em harmonia com; AFINAR [*tdr.* + *com*: *O aluno toava suas ideias com as do professor.*] **5** Soar, afigurar-se como; PARECER [*tdi.* + *a*: *A proposta toava-lhe a desaforo.*] [*ti.* + *a*: *Uma festa na segunda-feira não toaria mal aos meninos.*] **6** Convir, agradar, satisfazer [*ti.* + *a*: *Não lhe toava convidar os cunhados para a viagem.*] [*tp.*: *Suas ideias toavam como desonestas.*] [▶ 16 toar] [F.: Do lat. *tonare*. Hom./Par.: *toa(s)* (fl.), *toa(s)* (sf. [pl.]).]
toba (*to*.ba) *sm. Bras. N. N. E. Tabu.* O ânus: "...e agarrando-a por trás, no toba lhe foi em despedida. " (Jorge Amado, *Teresa Batista cansada de guerra*) [F.: Posv. do tupi *te'bi*.]
tobaguiano (to.ba.gui.*a*.no) *sm.* **1** Aquele que nasceu ou que vive em Trinidad e Tobago (América Central) *a.* **2** De

Trinidad e Tobago; típico desse país ou de seu povo [F.: Do top. (*Trinidad e*) *Tobago* + *-iano*. Tb. *trinitário*.]

toboágua (to.bo.*á*.gua) *sm.* 1 Escorregador aquático de dimensões e formas variadas, no qual as pessoas deslizam, com ou sem boia, até uma piscina 2 Parque aquático com este tipo de equipamento [F.: Cruzamento de *tobo(gã)* + *água*, posv.]

tobogã (to.bo.*gã*) *sm.* 1 *Bras.* Em parques de diversões, pista inclinada e ondulada, como um grande escorrega, para recreação coletiva 2 Espécie de trenó sem trilhos, inspirado no modelo dos índios da América do Norte, porém feito de tábuas 3 *Esp.* Esporte que consiste em deslizar com este trenó em pistas especiais cobertas de neve [F.: Do ing. *toboggan*.]

⊠ **TOC** Abrev. de *Transtorno obsessivo-compulsivo*

toca[1] (*to*.ca) *sf.* 1 Buraco no tronco da árvore, na terra ou em rocha, onde se recolhem alguns animais; COVIL 2 *Fig.* Casa pequena e pobre; BIBOCA 3 *Fig.* O que pode servir de abrigo; REFÚGIO [F.: De possível or. pré-romana.]

toca[2] (*to*.ca) *sf. CE* Brincadeira de pegar; PIQUE [F.: Posv. de *tocar*, 'pegar'.]

toca-CDs (to.ca-CDs) *sm2n.* Aparelho que capta, decodifica e reproduz gravações feitas em CDs

toca-discos (to.ca-*dis*.cos) *sm2n.* Aparelho elétrico, destinado a pôr em movimento discos fonográficos para reproduzir o que neles está gravado [Cf.: *radiovitrola* e *vitrola*.]

tocado (to.*ca*.do) *a.* 1 Apalpado, atingido 2 Que foi tangido, percutido 3 Emocionado, comovido 4 Que foi expulso, posto a correr; ENXOTADO: *Tocado da casa para fora, como um animal perigoso.* 5 *Pop.* Ligeiramente embriagado; alegre: "Quando estava um pouco tocado, então, não tinha igual, era uma coisa louca!" (Marques Rebelo, *Marafa*) 6 Que começa a apodrecer (fruta tocada) 7 *Pop.* Que vai velozmente 8 Que passou por retoques (diz-se de obra de arte) 9 *Pop.* Meio amalucado [F.: Part. de *tocar*.]

tocador (to.ca.*dor*) [ô] *sm.* 1 Aquele que toca um instrumento 2 *MG GO* Condutor de um lote de animais de carga; TANGERINO 3 *S.* Espécie de vaqueiro 4 *Pop.* Indivíduo que bebe muito *a.* 5 Que toca um instrumento 6 Que conduz animais em marcha 7 *Pop.* Que bebe muito [F.: *tocar* + *-dor*.]

tocadura (to.ca.*du*.ra) *sf.* 1 Ação ou resultado de tocar; TOQUE 2 Contusão decorrente de um pé do animal tocar no outro pé, no lado interno [F.: *tocar* + *-dura*.]

toca-fitas (to.ca-*fi*.tas) *sm2n.* Aparelho que reproduz gravações feitas em fitas magnéticas

tócai (*tó*.cai) *sm.* Vinho licoroso da Hungria [F.: Do top. *Tokaj*. Hom./Par.: *tócai* (sm.), *tocai* (fl. de *tocar*).]

tocaia (to.*cai*.a) *Bras. sf.* 1 Emboscada para espreitar o inimigo 2 Esconderijo para aguardar o melhor momento para atacar a caça [F.: Do tupi *to'kaia*.] ■ **De ~** *Bras.* À espreita; de emboscada

tocaiar (to.cai.*ar*) *v.* 1 Ficar na tocaia de (inimigo, caça); ESPREITAR [*td.*: *Os meninos tocaiavam o grupo rival.*] [*int.*: *O caçador tocaiava atrás das árvores.*] 2 Observar a chegada de; VIGIAR [*td.*: *Tocaiava a chegada do policial.*] 3 Estar à espera, à espreita [*int.*: *O jovem recebeu ordens para tocaiar.*] [▶ 1 tocaiar] [F.: *tocaia* + *-ar*. Hom./Par.: *tocaia(s)* (fl.), *tocaia(s)* (sf. [pl.]); *tocaio* (fl.), *tocaio* (sm.). Tb. *entocaiar*.]

tocaieiro (to.cai.*ei*.ro) *sm. Bras.* Aquele que arma tocaia(s) [F.: *tocai(a)* + *-eiro*.]

tocandira (to.can.*di*.ra) *sf. Bras. Ent.* Espécie de formiga (*Paraponera clavata*) da Amazônia, de grande tamanho e picada dolorosa [F.: Do tupi *tuka'ndi*, posv. Var.: *tocainará, tocanairá, tocandera, tocanera, tocanquibira*.]

tocante (to.*can*.te) *a2g.* 1 Que comove, enternece (palavras tocantes) 2 Que está relacionado com; CONCERNENTE; RELATIVO [F.: *tocar* + *-nte*.] ■ **No ~ a** No que diz respeito a, quanto a

tocar (to.*car*) *v.* 1 Entrar em contato com (alguém ou algo) usando o tato; PEGAR [*td. tr.* + *em*: *João tocou (n)o ombro do amigo.*] 2 Entrar em contato com (algo) como resultado de algum movimento; ATINGIR [*td. tr.* + *em*: *A sonda vai tocar (n)o fundo do mar.*] 3 Encostar a mão rapidamente em [*td. tr.* + *em*: *Toquei (n)o prato para saber se estava quente.*] 4 Fazer soar (instrumento musical); TANGER [*td.*: *Tocar violino.*] [*int.*: *Nélson toca muito bem.*] 5 Fazer produzir ou produzir som como indicador de algo [*td.*: *Toque o interfone!*] [*int.*: *A campainha não para de tocar: O telefone tocou e parou.*] 6 Conduzir (gado) [*td.*: *Seu trabalho era tocar a boiada.*] 7 *Fig.* Comover(-se), impressionar(-se), sensibilizar(-se) [*td.*: *A morte de Ayrton Senna tocou o país.*] [*tr.* + *com*: *Tocou-se com o acidente como nunca ocorrera antes.*] 8 *Fig.* Magoar-se, ofender-se [*tr.* + *com*: *Tocou-se muito com a indiferença do namorado.*] 9 *Fig.* Mencionar, aludir [*td. tr.* + *em*: *Ele nem tocou (n)os pontos principais da matéria.*] 10 Dizer respeito a; interessar [*td.*: *As questões de preço tocam o produtor e o consumidor.*] 11 *Bras. Pop.* Levar adiante (trabalho, programa) [*td.*: *tocar um empreendimento.* Ant.: *descontinuar, interromper.*] 12 *Fig.* Impelir, mover [*td.*: *Parece que naquela época me tocava uma inspiração divina.*] 13 Mandar embora (esp. animal) (de algum lugar); EXPULSAR [*td. tda.*: *Cristina tocou os gatos (da cozinha) com um chinelo.*] 14 Chegar a, aproximar-se de; ATINGIR [*td.*: *O transatlântico tocou o Rio de Janeiro durante o carnaval; Suas ideias tocaram a sandice.*] 15 Estar junto de, confinar com [*td.*: *O meu prédio toca o do meu irmão.*] 16 Dar toques (18) em (obra de arte); APRIMORAR [*td.*] 17 Ferir [*td.*: *A seta tocou o peito de Ciro.*] 18 Ser do direito ou das obrigações de (alguém); CABER; COMPETIR [*ti.* + *a*: *Tocou-lhe a pior parte da tarefa.* Ant.: *descaber.*] 19 *Fig.* Identificar-se, unir-se [*td.*: *Os extremos se tocam.*] 20 *Pop.* Dar-se conta de; PERCEBER; NOTAR [*tdr.* + *de*: *Custou a se tocar de que estava fazendo besteira.*] 21 Dirigir(-se), encaminhar(-se) para; SEGUIR; IR; PARTIR [*ta.*: *Toque para a fazenda.*] [*tda.*: *Ouvindo os disparos, tocou-se para a varanda.*] [▶ 11 tocar] [F.: Do lat. vulg. **toccare*. Hom./Par.: *toca* (fl.), *toca* (sf.); *tocas* (fl.), *tocas* (pl. do sf.); *toque* (fl.), *toque* (sm.); *toques* (fl.), *toques* (pl. do sm.); *tocáveis* (fl.), *tocáveis* (pl. de *tocável*); *toco* (fl.), *toco* (sm.); *tocar*, *toucar* (em várias fl.).] ■ **~ de mal** *BA* Ver *Trocar de mal* no verbete *trocar* **Não se ~** 1 Não se sensibilizar, não dar importância: *Ouviu muitas queixas, mas não se tocou.* 2 Não demonstrar ter-se influenciado por algo, ou ter ficado constrangido, ou ter percebido o próprio erro etc.; não se dar por achado

tocariano (to.ca.ri.*a*.no) *sm.* 1 *Gloss.* Grupo de línguas da família indo-europeia que eram faladas na Ásia central e cujas duas únicas variedades estudadas se designam pelas letras A e B *a.* 2 Do ou ref. ao tocariano [F.: Do gr. *tócharoi* + *-ano*.]

tocata (to.*ca*.ta) *Mús. sf.* 1 Composição para instrumento de teclas, parecida com a sonata, mas apresentando características próprias de vivacidade e virtuosismo (tocatas de Bach) 2 Ação ou resultado de tocar instrumentos musicais; MUSICATA; SERENATA 3 Música solene para instrumentos de sopro e metais 4 Composição instrumental livre [F.: Do it. *toccata*.]

tocável (to.*cá*.vel) *a2g.* Que se pode tocar [Pl.: *-veis*.] [F.: *tocar* + *-vel*. Hom./Par.: *tocáveis* (pl.), *tocáveis* (fl. de *tocar*).]

tocha (*to*.cha) *sf.* 1 Vela de cera de grandes dimensões; BRANDÃO 2 Material embebido em matéria inflamável colocado na ponta de uma haste; ARCHOTE; FACHO 3 *Bras.* Parte que restou do tronco de uma árvore 4 Luz, brilho 5 *Fig.* A força de um sentimento, de uma paixão [F.: Do fr. *torche*.] ■ **Acender uma ~** *Gír. Mil.* Dar uma escapada (de quartel, unidade etc.) durante uma noite, ou um dia, sem permissão

tochar (to.*char*) *v. td. int.* Ver *atochar* [▶ 1 tochar]

tocheiro (to.*chei*.ro) *sm.* Grande castiçal para tochas [F.: *tocha* + *-eiro*.]

◎ **toc(o)-** *el. comp.* = 'parto': *tocoanalgesia, tocoferol, tocofobia, tocófobo, tocografia, tocologia* [F.: Do gr. *tókos, ou*.]

toco (*to*.co) [ô] *sm.* 1 Parte de um tronco ou cepa, que fica na terra, de árvore que foi cortada 2 Pau curto; BORDÃO; CACETE 3 Resto de algo que se consumiu (toco de vela) 4 *Bras. Pop.* Cada cota da partilha de um roubo 5 *Bras. Basq.* Bloqueio da trajetória de uma bola arremessada pelo adversário [F.: De or. obsc.] ■ **Aguentar o ~** *N. E. Pop.* Resistir a dificuldade, continuar (ante adversidade) sem esmorecer; aguentar a mão; sustentar o toco **Bater os ~** *SP Pop.* Viajar, ir(-se) embora **Levar o ~** 1 *RJ Gír.* Em gíria de ladrões, repartir o resultado de um roubo 2 Em gíria de ladrões, aceitar (policial) suborno de ladrão **No ~** 1 *Bras. Gír.* À vista; na ficha: *Comprou a geladeira no toco.* 2 *S.* No ato **Sustentar o ~** *N. E.* Ver *Aguentar o toco* **~ de amarrar besta** *AL SP Pop.* Pessoa de pequena estatura; baixinho, tampinha; toco de cachorro mijar **~ de cachorro mijar** *N. E. Pop.* Ver *Toco de amarrar besta*

tocoanalgesia (to.co.a.nal.ge.*si*.a) *sf. Obst.* Analgesia provocada durante o parto [F.: *toc(o)-* + *analgesia*.]

tocoanalgésico (to.co.a.nal.*gé*.si.co) *sm. Obst.* Analgésico ministrado durante o parto [F.: *toc(o)-* + *analgésico*.]

tocoferol (to.co.*fe*.rol) *sm. Quím.* Cada uma das substâncias que compõem a vitamina E, encontradas no germe de trigo, no óleo de soja, em ovos, legumes etc. [Pl.: *-róis*.] [F.: Do ingl. *tocopherol*.]

tocofobia (to.co.fo.*bi*.a) *sf. Psiq.* Medo patológico de parir [F.: *toc(o)-* + *-fobia*.]

tocofóbico (to.co.*fó*.bi.co) *Psiq. a.* 1 Ref. à tocofobia 2 Que apresenta tocofobia; TOCÓFOBO [F.: *tocofobia* + *-ico*[2].]

tocófobo (to.*có*.fo.bo) *Psiq. a.* Tocofóbico (2) [F.: *toc(o)-* + *-fobo*.]

tocografia (to.co.gra.*fi*:a) *sf. Obst.* Registro, por meio de tocógrafo, das contrações do útero durante o parto [F.: *toc(o)-* + *-grafia*.]

tocográfico (to.co.*grá*.fi.co) *a. Obst.* Ref. a tocografia [F.: *tocografia* + *-ico*[2].]

tocógrafo (to.*có*.gra.fo) *sm. Obst.* Aparelho que registra as contrações do útero [F.: *toc(o)-* + *-grafo*.]

tocoió (to.co.i:*ó*) *a2g.* 1 *Bras.* Diz-se de exemplar de uma raça bovina do Norte de Minas Gerais *s2g.* 2 O exemplar dessa raça [F.: De or. obsc.]

tocologia (to.co.lo.*gi*:a) *sf. Med.* O mesmo que *obstetrícia* [F.: *toc(o)-* + *-logia*.]

tocológico (to.co.*ló*.gi.co) *a. Med.* Ref. a tocologia [F.: *tocologia* + *-ico*[2].]

tocólogo (to.*có*.lo.go) *sm. P. us. Med.* Médico obstetra [F.: *toc(o)-* + *-logo*.]

tocotraumatismo (to.co.trau.ma.*tis*.mo) *sm. Obst.* Qualquer tipo de lesão física que uma criança pode sofrer ao nascer [F.: *toc(o)-* + *traumatismo*.]

toc-toc-toc *interj. Pop.* Imitativa de ruído de batidas repetidas ou de passos [F.: De or. onom.]

tocurgia (to.cur.*gi*:a) *sf. Cir.* Cirurgia tocológica, obstétrica [F.: *toc(o)-* + *-urgia*.]

toda[1] (*to*.da) *sf. Ornit.* Certo pássaro de bico largo e fendido; TODEIRO [F.: Posv. do lat. *todu, i*. Hom./Par.: *toda* [ô] (fem. de *todo*).]

toda[2] (*to*.da) [ô] *s2g.* 1 Pessoa pertencente a um dos povos de etnia branca da Índia *sm.* 2 *Gloss.* Língua falada por esse povo *a2g.* 3 Do ou ref. a toda (1 e 2) [F.: De or. obsc. Hom./Par.: ver *toda*[1].]

todas (*to*.das) [ô] *sfpl.* Us. na expr. *estar em todas* [F.: Fem. pl. substv. de *todo*. Hom./Par.: *todas* (pl. de *toda*).] ■ **Estar em ~** *Bras. Fam.* Estar presente ou ser assíduo em todos (ou quase todos, ou muitos) eventos de um certo âmbito ou de vários âmbitos (vida social, esportiva, política etc.)

todavia (to.da.*vi*.a) *conj. advers.* No entanto; mas, porém, contudo [F.: *toda* + *via*.]

todo (*to*.do) [ô] *a.* 1 A que não falta parte alguma; COMPLETO; INTEIRO; TOTAL: *Toda a empresa compareceu; Falou toda a verdade.* *pr. indef.* 2 Qualquer, cada: *O desconto na passagem será concedido a todo estudante.* [NOTA.: No pl. o uso do artigo é necessário: *O desconto será concedido a todos os estudantes.*] *adv.* 3 Completamente, por inteiro: *E lá foi ela toda prosa, receber seu prêmio.* [NOTA.: Neste caso, existe a fl. do adv.: *Foi preciso substituir a parede toda.*] *sm.* 4 O conjunto completo: *É preciso pensar no problema como um todo.* [F.: Do lat. *totus*.] ■ **A toda** 1 A toda a velocidade; a/em disparada: *Chegou apressada e saiu a toda.* 2 *Fig.* Em estado de grande agitação, de intensa atividade

todo-poderoso (to.do-po.de.*ro*.so) *a.* 1 Que é onipotente *sm.* 2 Aquele que tudo pode 3 *Fig.* Deus, o Todo-poderoso [Inicial maiúsc.] [Nesta acep. é invariável.] [Pl.: *todo-poderosos*. Fem.: *toda-poderosa*.]

todos (*to*.dos) *pr. indef.* Todas as pessoas, toda gente, todo mundo, o mundo inteiro [F.: Do lat. *totus*.]

toeira (to:*ei*.ra) *sf.* 1 Cada uma das duas cordas imediatas aos bordões da guitarra 2 *SP* Corda de viola que tem som forte 3 *Bras.* Som rouco de estertor 4 *Lus.* O mesmo que *trovoada* 5 *Lus.* O mesmo que *toada a.* 6 *Lus.* Diz-se de viola que possui abertura central em forma elíptica e doze cordas organizadas em cinco ordens [F.: *toar* + *-eira*.] ■ **Nas ~s** *SP Pop.* Em grande dificuldade, em grande aperto

toesa (to:*e*.sa) [ê] *sf.* 1 *Metrol.* Antiga medida francesa de comprimento, equivalente a seis pés, aprox. 1,83 m 2 *Pop.* Pé muito grande [F.: Do fr. *toise*.]

⊕ **toffee** (*Ing. /tófi/*) *Cul. sm.* 1 Doce ou bala de consistência dura, grudenta e mastigável, feita ger. com açúcar mascavo ou com melaço e manteiga *a.* 2 Diz-se dessa bala [Marca registrada.]

tofo (*to*.fo) *sm.* 1 *Pat.* Depósito de cristais de urato de sódio no tecido conjuntivo subcutâneo, em articulações distais ou na cartilagem auricular, comum em casos de gota crônica 2 *Geom.* Depósito de cinzas e pedras lançadas pelos vulcões [F.: Do lat. *tofus, i*.]

tofu (to.*fu*) *sm. Cul.* Queijo à base de pasta de soja, muito comum na alimentação dos orientais, esp. entre os japoneses [F.: Do jap. *tofu*.]

toga (*to*.ga) *sf.* 1 A vestimenta do magistrado; BECA 2 *Fig.* A magistratura 3 Traje civil dos antigos romanos, que consistia em uma espécie de capa ou manto de lã amplo e comprido [F.: Do lat. *toga*.]

togado (to.*ga*.do) *a.* 1 Que se apresenta de toga ou beca 2 Que exerce a magistratura *sm.* 3 O magistrado [F.: Do lat. *togatus*.]

togolês (to.go.*lês*) *sm.* 1 Pessoa nascida no Togo (África) *a.* 2 Do ou ref. ao Togo; típico desse país ou de seu povo [Pl.: *-leses*. Fem.: *-lesa*] [F.: Do top. *Togo* + *-lês*.]

toicinho (toi.ci.*nho*) *sm.* Gordura de porco, o mesmo que *toucinho* ■ **Ter comido ~ com mais cabelo** *N. E. Pop.* Já ter (alguém) vencido obstáculo ou perigo maior do que aquele que agora enfrenta

toiral (toi.*ral*) *a2g. sm.* O mesmo que *toural* [Pl.: *-rais*.] [F.: *toiro* + *-al*[1].]

toireio (toi.*rei*.o) *sm.* Ver *toureio*

toireiro (toi.*rei*.ro) *sm.* O mesmo que *toureiro* [F.: *toiro* + *-eiro*.]

toiril (toi.*ril*) *sm.* O mesmo que *touril* [Pl.: *-ris*.] [F.: *toiro* + *-il*.]

toiruno (toi.*ru*.no) *a.* O mesmo que *touruno* [F.: Var. de *touruno*.]

toitiço (toi.*ti*.ço) *sm.* Ver *toutiço*

⊕ **token** (*Ingl. /touken/*) *sm.* 1 Dispositivo eletrônico de segurança, ger. conectável à porta USB do computador, que gera aleatoriamente, em espaços curtos de tempo (ger. algo em torno de 30 a 60 segundos), nova senha numérica 2 Pequeno aparelho, com pequeno visor, que gera aleatoriamente senhas de acesso provisórias, com validade extremamente curta (de 30 a 60 segundos)

tolda[1] (*tol*.da) *sf.* 1 Cobertura, ger. de lona, que se coloca sobre porta, varanda etc., a fim de servir de abrigo contra a chuva ou o sol; TOLDO: "Carlota estava sentada sob a tolda..." (José de Alencar, *Cinco minutos*) 2 *RS* Cobertura (de capim santa-fé, sapê, tábua, couro, lona, zinco etc.) colocada sobre a carreta para proteger a carga contra as intempéries: "Tocava uma carreta de tolda, uma ponta de gado manso e uma quadrilha de ruanos. " (João Simões Lopes Neto, "Negro Bonifácio" *in Contos gauchescos*) 3 *Cnav.* A parte da popa do convés principal: "O convés, tanto na coberta como na tolda, apresentava o aspecto de um acampamento nômade." (Adolfo Caminha, *Bom-crioulo*) 4 *MG N. E. Náut.* Cobertura de palha ou madeira, ger. abaulada, da cabine da proa de pequenas embarcações us. para o transporte de mercadorias e pessoas no rio São Francisco 5 *Açor.* Armação utilizada para proteger e secar o milho, constituída por três hastes unidas na extremidade superior, empilhando-se no vão as maçarocas, na forma de pirâmide; ESPIGUEIRO 6 *Lus.* Peça de madeira em forma de pirâmide quadrangular invertida, superposta à mó do moinho, em que se lança o grão a ser triturado; TREMONHA 7 *Lus.* Alcofa de palma, de fundo chato e bordas baixas, em que se peneira a farinha [F.: *told(o)* + *-a*. Hom./Par.: *tolda* (fl. de *toldar*).]

tolda² (*tol*.da) *sf.* 1 Ação ou resultado de toldar(-se) 2 Turvação do vinho 3 *Bras.* Adição de açúcar ou rapadura ao café que se está torrando, a fim de obter bebida mais escura [F.: Dev. de *toldar.* Hom./Par.: *ver tolda¹*.]

toldado (tol.*da*.do) *a.* 1 Que se toldou 2 Coberto com toldo: "Um batel grande e largo, que toldado/Vinha de sedas de diversas cores..." (Camões, *Os lusíadas*) 3 Que não é transparente (vinho toldado); OPACO; TURVO 4 Que perdeu o brilho; EMBAÇADO: "E ao parar no altar-mor ergueu os olhos toldados de lágrimas..." (Sousa Costa, *Ressurreição dos mortos*) 5 Nublado, encoberto (céu toldado) 6 Que se tornou triste (semblante toldado) 7 *Fig. Pop.* Bêbedo, embriagado: "...o amanuense entrou alegre, como se tivesse tirado a sorte grande na loteria, saboreando um charuto mau que lhe dera o Guedes. Vinha um pouco toldado..." (Adolfo Caminha, *A normalista*) [F.: Part. de *toldar*.]

toldar (tol.*dar*) *v.* 1 Tornar escuro, obscuro; ESCURECER; ENCOBRIR(-SE) [*td.*: *Nuvens negras acabam de toldar o céu.*] [*int.*: *O céu toldou-se rapidamente.*] 2 Fazer uma espécie de toldo ou de dossel sobre; COBRIR [*td.*: *As copas das árvores toldavam aquele trecho do rio.*] 3 Fazer ficar ou ficar turvo, escuro (esp. vinho) [*td.*: *A tinta toldou a água.*] [*int.*: *O vinho toldou-se.*] 4 *Fig.* Tornar obscuro, fazer perder (o entendimento, a razão) [*td.*: *O vinho tolda a razão.*] 5 Fazer ficar ou ficar triste [*td.*: *O desemprego toldava os seus dias.*] 6 *P. us.* Cobrir com toldo ou tolda [*td.*: *toldar um navio.*] [▶ 1 toldar] [F.: *toldo* + *-ar²*. Hom./Par.: *tolda(s)* (fl.), *tolda(s)* (sf. [pl.]); *toldo* (fl.), *toldo* [ô] (sm.).]

toldo (*tol*.do) *sm.* 1 Peça de lona, zinco, brim ou qualquer outro material que seja adequado para cobrir ambientes externos protegendo-os da chuva e do sol 2 *P. ext.* Tudo aquilo que protege, tapa, resguarda 3 *S.* Aldeamento de índios relativamente aculturados [F.: Do fr. ant. dialetal *tial*, de or. germânica.]

toledano (to.le.*da*.no) *sm.* 1 Indivíduo nascido ou que vive em Toledo (Espanha) *a.* 2 De Toledo; típico dessa cidade ou de seu povo [F.: Do top. *Toled(o)* + *-ano¹*.]

toleima (to.*lei*.ma) *sf.* Qualidade, característica ou estado do que é tolo; ESTULTICE; TOLICE: "Como o pai o queria inocente e dócil, ele afetava grande toleima, fazia-se muito ingênuo..." (Aluísio Azevedo, *Casa de pensão*) [Ant.: *esperteza, discernimento.*] [F.: *tolo* + *-eima*.]

toleirão (to.lei.*rão*) *sm.* 1 *Pej.* Indivíduo muito tolo; PALERMA; PATETA 2 Indivíduo muito presunçoso, muito vaidoso *a.* 3 Que age como um tolo 4 Vaidoso, presunçoso [Pl.: *-rões.* Fem.: *-rona*] [F.: *tolo* + *-eirão*.]

tolejar (to.le.*jar*) *v. int.* 1 Dizer tolices, bobagens 2 *BA* Andar ou vagar sem destino, sem o que fazer; VADIAR [▶ 1 tolejar] [F.: *tol(o)* + *-ejar.*]

◎**toler-** *el. comp.* Expressa noção de 'suportar, sofrer, tolerar, manter, alimentar': *tolerar, tolerabilidade* [F.: Do lat. *tolero, as, avi, atum, are.*]

tolerabilidade (to.le.ra.bi.li.*da*.de) *sf.* Qualidade ou característica do que é tolerável; SUPORTABILIDADE [F.: Do lat. *tolerabilitas, atis.*]

tolerada (to.le.*ra*.da) *sf.* Mulher que faz sexo por dinheiro; MERETRIZ; PROSTITUTA [F.: Fem. substv. de *tolerado*.]

tolerado (to.le.*ra*.do) *a.* 1 Que se tolera 2 Consentido ou permitido com prudência: *A velocidade máxima tolerada será de 80 km/h.* [Ant.: *desautorizado, proibido, reprimido.*] 3 Apreciado ou julgado com indulgência (erro tolerado) 4 Diz-se de medicamento que é suportado pelo organismo do paciente [Ant.: *recusado, rejeitado.*] [F.: Do lat. *toleratus, a, um.*]

tolerância (to.le.*rân*.ci:a) *sf.* 1 Ação ou resultado de tolerar; CONDESCENDÊNCIA; INDULGÊNCIA 2 Condição daquele que é tolerante 3 Boa disposição dos que ouvem com paciência opiniões opostas às suas 4 Liberalização de uma norma geral; ISENÇÃO; LICENÇA: *Após uma tolerância de 5 minutos, o diretor ordenou que os portões fossem fechados.* 5 Permissão concedida ao estudante militar para frequentar cadeira ou disciplina em que fora reprovado 6 Margem de erro aceitável em relação a um padrão 7 *Med.* Incapacidade de um indivíduo responder imunologicamente a um antígeno 8 *Med.* Faculdade ou aptidão que o organismo dos doentes apresenta para suportar certos medicamentos 9 *P. ext. Med.* Capacidade de um organismo para suportar altas doses de substâncias sem sofrer intoxicação [F.: Do lat. *tolerantia, ae.*] ▪ **~ medicamentosa** Capacidade de suportar doses grandes (de acordo com o grau de tolerância) de certa(s) substância(s) ou medicamento(s) por determinado (longo) período **~ zero** Termo que designa um rigor crítico absoluto em relação a uma lei, uma determinação, um procedimento, uma regra ética ou moral etc., de modo a não se aceitar o mínimo desvio, não haver complacência com menos que sua observância total

tolerante (to.le.*ran*.te) *a2g.* 1 Que tolera 2 Que releva e aceita as falhas alheias; INDULGENTE 3 Que aceita e respeita ideias ou comportamentos distintos dos seus [F.: Do lat. *tolerans, antis.*]

tolerar (to.le.*rar*) *v. td.* 1 Suportar(-se) com paciência: *Ana é obrigada a tolerar a indelicadeza do chefe; O casal já não se tolera.* 2 Aturar, aguentar (alguém ou algo): *Clara não tolera a prima; Não vai tolerar uma viagem de quinze horas.* 3 *Med.* Ter capacidade para assimilar; REAGIR: *O paciente não tolera vários medicamentos.* 4 Consentir, permitir tacitamente (o que é censurável ou merece castigo): *A fiscalização tolera os camelôs.* Ant.: *reprimir, tolher.*] [▶ 1 tolerar] [F.: Do lat. *tolerare.* Hom./Par.: *toleráveis* (fl.), *toleráveis* (pl. de *tolerável* [a2g.]).]

tolerável (to.le.*rá*.vel) *a2g.* 1 Que se pode tolerar ou sofrer; SUPORTÁVEL 2 Que se pode tolerar, aceitar, aturar; ACEITÁVEL 3 *Fig.* Não muito defeituoso; que não é de todo ruim 4 Digno de indulgência [Pl.: *-veis.*] [F.: Do lat. *tolerabilis, e.* Hom./Par.: *toleráveis* (pl.), *toleráveis* (fl. de *tolerar*).]

tolete (to.*le*.te) [ê] *sm.* 1 *Náut.* Cavilha de ferro ou de madeira colocada verticalmente na borda do navio para servir de apoio ao remo e, consequentemente, aos movimentos deste: *Era uma embarcação de quatro toletes.* 2 Pau de ponta aguçada de que os índios americanos se utilizam para caçar crocodilos 3 *Bras.* Rolo de madeira, de fumo ou de qualquer outra coisa 4 *Bras. Vulg.* Rolo de fezes [F.: Do fr. *tolet*, e este de or. germânica.] ▪ **~ da puíta** *N. E.* Pino na proa de jangada, para amarrar corda de atracação

tolhedor (to.lhe.*dor*) [ô] *a.* 1 Que tolhe *sm.* 2 Aquele ou aquilo que tolhe [F.: *tolher* + *-dor.*]

tolher (to.*lher*) *v.* 1 Impedir ou dificultar (movimentos, atos); PARALISAR; PRIVAR [*td.*: *O pai sempre lhe tolhia a iniciativa.*] [*tdr.* + *de*: *A modéstia tolhia-o de mostrar seus conhecimentos.*] 2 Não deixar manifestar-se; COIBIR; EMBARGAR [*td.*: *A emoção tolhia a voz do orador.*] 3 Perder o movimento [*int.*: *tolher-se de frio.*] [▶ 2 tolher] [F.: Do lat. *tollere.*]

tolhido (to.*lhi*.do) *a.* 1 Que se tolheu 2 Proibido, vedado (caminho tolhido) 3 Que foi possuído, invadido, tomado: *Sentia-se tolhido por um medo insuportável.* 4 Paralítico, entrevado: *Depois da doença ficou tolhido das pernas;* "Uma comoção comprimiu-lhe o coração: ficou como tolhida" (Eça de Queirós, *O primo Basílio*) 5 Que foi atacado por alguma enfermidade, que está doente: *Está com a garganta tolhida.* [F.: Part. de *tolher.*]

tolhimento (to.lhi.*men*.to) *sm.* 1 Ação ou efeito de tolher(-se) 2 Estado do que ou de quem se encontra tolhido; PARALISIA: *É portador de um tolhimento facial.* [F.: *tolher* + *-imento.*]

tolice (to.*li*.ce) *sf.* 1 Dito ou ação de tolo; ASNEIRA; NECEDADE; PARVOÍCE; PASPALHICE; PATETICE: *Só fala tolices:* "Quem teve a desgraça de aprender português há vinte ou trinta anos atrás, recorda-se com certeza de que foi precisamente assim que lhe ensinaram nas escolas. Era uma tolice engraçada e por ser tolice gravou-se na memória" (Simões Dias, *Teoria da linguagem, III*) 2 Característica do que é tolo 3 Coisa de pouco valor ou importância: *Por uma tolice dessas ele pôs tudo a perder.* 4 Razão fútil: *Brigavam por qualquer tolice.* 5 Vaidade [F.: *tolo* + *-ice.*]

tolo (*to*.lo) [ô] *a.* 1 Que não tem inteligência 2 Que não tem nexo, significação, siso: *Dizia palavras tolas.* 3 Falso, que não tem razão de ser (preconceitos tolos) 4 Desagradável, ridículo (referindo-se às coisas): *um cumprimento tolo* 5 Presunçoso, vaidoso: *Estava todo tolo por ter sido aprovado.* 6 *Fig.* Boquiaberto, pasmado: *Ficou tolo de ver aquele grande espetáculo.* 7 *Lus.* Demente, doido *sm.* 8 Aquele que não tem esperteza ou inteligência: *Com papas e bolos se enganam os tolos.* 9 *Bras. Zool.* Sebastião (*Mustelus canis*) [F.: De or. contrv.]

tolontro (to.*lon*.tro) *sm.* 1 Tumor na cabeça causado por contusão; GALO 2 Túbera, caroço [F.: Do espn. *tolondro.*]

tolstoiano (tols.toi:*a*.no) *Liter. a.* 1 Ref. ao escritor russo Leon Tolstoi (1828-1910), ou próprio de sua obra 2 Diz-se de indivíduo que é admirador e/ou estudioso da obra de Tolstoi *sm.* 3 Esse indivíduo [F.: Do antr. Leon *Tolstoi* + *-iano.*]

tolteca (tol.*te*.ca) *sm.* 1 Pessoa pertencente a um dos povos pré-colombianos que dominou o altiplano central do México *a.* 2 Dos ou ref. aos toltecas [F.: Do espn. *tolteca.*]

tolueno (to.lu:*e*.no) *sm. Quím.* Hidrocarboneto aromático que se apresenta como um líquido incolor, inflamável e de odor característico, obtido na destilação do petróleo e do carvão mineral; é us. esp. como solvente ou diluente de tintas e vernizes e como matéria-prima na fabricação de explosivos [Fórm.: C_7H_8] [F.: *tolu-* + *-eno²*.]

tom *sm.* 1 Grau de elevação ou de intensidade de um som; ALTURA: *O tom em que falava era baixo e surdo.* 2 Inflexão da voz; certo grau ou abaixamento da voz: *Sua advertência tinha um tom severo.* 3 Modo de dizer, caráter, estilo (tom oratório; tom enfático); DIAPASÃO 4 Elevação da voz em uma determinada sílaba 5 *Mús.* A altura de um som classificado em sua escala: *Tom de sol; tom de fá; mudar de tom.* 6 *Mús.* Intervalo entre duas notas consecutivas da gama, semelhante ao intervalo de dó a ré 7 *Mús.* Gama que se adota para a composição de um trecho e cujo nome deriva da nota por que essa gama é começada 8 *Mús.* O limite de afinação dos instrumentos, utilizado até o século XVIII 9 *Pint.* Maior ou menor vigor de colorido, maior ou menor intensidade das tintas: *um quadro com tons vigorosos, outro com tons frios.* 10 *Pint.* Cor predominante de um quadro (tom acinzentado) 11 Semelhança, vestígio: *Seu semblante tinha tons de uma tristeza profunda.* 12 Qualidade, jaez: *O tom de suas obras era semelhante ao dos bons compositores.* 13 Conteúdo, sentido, teor: *Continuaremos com o mesmo tom.* 14 Gênero, modo de dizer ou de escrever: *discursos escritos no tom da violência.* 15 Vigor, elasticidade natural dos diferentes órgãos: *Os alimentos naturais dão tom ao corpo.* 16 *Fig.* Opinião, ponto de vista: *Cada um tem o seu tom.* 17 *Fig.* Maneira de ser, de agir: *Seu tom na reunião foi bastante desagradável.* [Pl.: *tons.*] [F.: Do gr. *tónos, ou.*] ▪ **Abaixar o ~ (de)** *Mús.* Transpor (música) para tom mais grave **Dar o ~** 1 Fazer soar a nota pela qual se afinarão instrumentos 2 Informar o tom no qual deve ser executada uma música 3 *Fig.* Ser o modelo, o parâmetro, o exemplo de uma moda, um comportamento, um critério ético ou estético etc. **Em ~ de** Com expressão, jeito de: *Analisou, em tom de crítica, os erros cometidos.* **Sair do ~** 1 *Mús.* Desafinar, desentoar, mudar indevidamente de tom ao executar uma música 2 *Fig.* Não seguir os parâmetros ou critérios e normas do meio, destoar **Sem ~ nem som** Sem nexo, sem ordem, disparatadamente **~ de pestana** *Bras. Pop. Mús.* Um certo toque do cavaquinho **~ peregrino** *Mús.* Escala fora dos oito padrões de escala do cantochão

toma¹ (*to*.ma) *sf.* 1 Ação ou resultado de tomar; TOMADA: "Mas o vigor toca ao auge... quando os russos cometeram a toma de Varsóvia..." (Aloísio de Castro, *Chopin*) 2 Porção de um medicamento que se ingere de cada vez 3 *Lus.* Parte de uma amostra que se utiliza para análise [F.: Dev. de *tomar.* Hom./Par.: *toma* (interj. e fl. de *tomar*).]

toma² (*to*.ma) *interj.* 1 Exprime satisfação, congratulação, surpresa e, às vezes, troça 2 Us. para confirmar a aplicação de punição merecida; BEM FEITO: *Não quis dar uma de esperto? Toma!* [F.: 2ª pess. sing. do imperat. afirm. de *tomar.* Hom./Par.: *toma* (sf. e fl. de *tomar*).]

tomação¹ (to.ma.*ção*) *Bras. sf.* 1 Ingestão, esp. de líquidos (tomação de água) 2 *Pop.* Ação ou resultado de apoderar-se de algo: "...tomação de dinheiro por intermédio de ministérios do governo anterior..." (*Correio da Bahia*, 14.02.2003) [Pl.: *-ções.*] [F.: *tomar* + *-ção.*]

tomação² (to.ma.*ção*) *Bibl. sf.* 1 Divisão de uma obra em tomos 2 O número ref. a cada um desses tomos [Pl.: *-ções.*] [F.: *tomo* + *-ar²* + *-ção.*]

tomada (to.*ma*.da) *sf.* 1 Ação ou efeito de tomar; TOMA 2 Conquista de praça, cidade, região, nação etc. 3 Ato ou efeito de prender: *a tomada do condenado que havia escapado.* 4 *Elet.* Ponto externo de instalação elétrica, com orifícios revestidos de metal, ao qual se ligam aparelhos elétricos 5 *Elet.* Peça de aparelho elétrico, com extremidades de metal, us. para ligá-lo a essa instalação 6 Pequena represa de água para a indústria 7 *Cin. Telv.* Gravação ininterrupta de uma cena 8 *Lud.* Em alguns jogos de tabuleiro como xadrez, damas etc., o resultado de uma jogada em que se retira uma pedra do adversário e a substitui por outra do tomador [F.: Fem. substv. de *tomado.*] ▪ **~ de preços** Ao se encomendar (produto, serviço etc.), consulta prévia a fornecedores, aos quais se fornecem as especificações, para obter preços e condições de cada um e compará-los

tomadia (to.ma.*di*.a) *sf.* 1 Ação ou resultado de tomar por meio de conquista; TOMADA: *A tomadia de uma praça:* "Deu ordem (D. João III) a que se determinassem as causas das tomadias... e grandes danos que a seus vassalos eram feitos em o mar pelos piratas." (Amador de Arrais, *Diálogos*) 2 Ação ou resultado de tomar posse por apreensão: *tomadia de contrabando.* 3 A coisa apreendida 4 *Lus.* Colocação de animais no jugo [F.: *tomada* + *-ia¹*.]

tomado (to.*ma*.do) *a.* 1 Que foi conquistado, subjugado, dominado: *Depois de tomado pelos invasores, o forte foi incendiado.* [Ant.: *libertado.*] 2 Diz-se de objeto apreendido, confiscado: "...um dos canhões tomados à expedição Moreira César..." (Euclides da Cunha, *Os sertões*) [Ant.: *devolvido, restituído.*] 3 Que está preso, seguro: "Como o caçador espreita o leão tomado no fojo..." (Alexandre Herculano, *Eurico, o presbítero*) 4 Ocupado, preenchido (no tempo ou no espaço): "...se esse semeador evangélico, quando saiu, achasse o campo tomado..." (Pe. Antônio Vieira, *Sermão da sexagésima*) [Ant.: *desocupado, vazio.*] 5 Julgado, tido, considerado: *palavras tomadas como ofensa.* 6 Em que há recamo, adorno; ATAVIADO; ENFEITADO: *Trajava uma roupa tomada no peito com muito ouro afivelado.* 7 Apanhado por empréstimo; APREENDIDO; RECOLHIDO: "...mas imagens não são ideias nem observações tomadas à natureza..." (Machado de Assis, *Memórias póstumas de Brás Cubas*) [Ant.: *devolvido.*] 8 Colocado em prática (providências tomadas) 9 Que foi assumido (junto a pessoa ou instituição): *O empréstimo tomado ao banco deverá ser pago em 12 prestações.* 10 Diz-se de quem está sob alguma influência (tomado de medo); DOMINADO; INFLUENCIADO; POSSUÍDO: "Muitas aves que o espaço cruzavam/ De pavor subitâneo tomadas..." (Gonçalves Dias, "Tabira" *in Segundos cantos*) 11 Atacado de doença; DOENTE; RUIM: *Está com a garganta toda tomada.* [Ant.: *bom, curado.*] 12 *Pop.* Bêbedo, embriagado [Ant.: *abstêmio, sóbrio.*] 13 *Lus.* Posto sob tomadia; JUNGIDO [F.: Part. de *tomar.*]

tomador (to.ma.*dor*) [ô] *a.* 1 Que toma 2 Diz-se de quem contrai empréstimo ou dívida 3 Diz-se de quem pega algo que não é seu *sm.* 4 Pessoa que toma um empréstimo ou contrai uma dívida 5 Quem contrata mão de obra, serviço, ou seguro 6 Conquistador: *tomador de uma cidade.* 7 Aquele que emite uma letra de câmbio contra alguém; SACADOR 8 Aquele que se apodera do que não lhe pertence; LADRÃO 9 *Art. gr.* Rolo [F.: *tomar* + *-dor.*]

tomados (to.*ma*.dos) *smpl.* 1 Dobras ou pregas em saia ou vestido 2 *Antq.* Pontos para tapar rasgo(s) ou furo(s) em uma roupa: *Este lençol tem muitos tomados.* [F.: Pl. de *tomado.*]

tomar (to.*mar*) *v.* **1** Apoderar-se pela força [*td.: Os invasores tomaram a cidade.*] [*tdr. + de: O ladrão tomou a bolsa da moça.* Ant.: *devolver, restituir.*] **2** Ingerir (alimento, líquido ou sólido, remédio) [*td.: O padre costumava tomar as refeições na varanda.*] **3** Ingerir conteúdo de (copo, prato etc.) [*td.: Só vai sair se tomar todo o copo de suco.*] **4** Usar (meio de transporte) [*td.: tomar um ônibus / um trem.*] **5** Pôr (algo) em prática; ADOTAR [*td.: Tomar providências.*] **6** Segurar para dar proteção; agarrar por baixo [*td.: Ana tomou o braço da mãe para ajudá-la.*] [*tda.: No meio do tumulto, tomei a menina no colo.*] [Ant.: *largar, soltar.*] **7** Passar a apresentar; ADOTAR; ASSUMIR [*td.: Com os anos, tomara feições rudes.*] **8** Consumir, exigir (tempo) [*td.: Esse tipo de pesquisa toma tempo.*] [*tdr. + a: O trabalho tomará muitas horas aos operários.*] **9** Ocupar (espaço) [*td.: O piano tomou todo o quarto.*] **10** Seguir (caminho, direção etc.) [*td.: Decidi tomar a estrada principal.*] [*ta.: Os excursionistas tomaram por uma trilha.*] **11** Pedir emprestado (algo, dinheiro) (a alguém ou instituição) [*tdr. + a, de: Tomou 300 reais do irmão para pagar à financeira.*] [*tdi. + a: Tomaram o carro ao pai e só o devolveram depois das férias.*] **12** Julgar, considerar [*tdp.: Tomei o gesto como ofensa.*] **13** *Fig.* Ser invadido por (sentimento); ENCHER-SE [*td.: A criança tomou pavor de escuridão.*] [*tr. + de: Tomou-se de coragem e foi falar com o advogado.*] **14** Atribuir (algo) a si [*td.: Tomou a liberdade de entrar em seu quarto.*] **15** Receber, levar (bronca, surra, tapa etc.) [*td.: Tomou uma surra.*] [*tdr. + de: Tomou um beliscão do coleguinha.*] **16** Ser alvo de; expor-se a [*td.: tomar sol/chuva/pedradas.*] **17** Pedir ou exigir (explicação, satisfação) a [*tdr. + de, com: Saiu para tomar satisfações do/com o síndico.*] **18** Agir a favor de [*td.: Tomar a defesa dos menos favorecidos.*] **19** Contratar, alugar (aposento ou serviço) [*td.: tomar uma casa para o verão tomar criados.*] **20** Receber, acatar, aceitar (ordem) [*tdr. + de: Orgulhoso, disse que não tomava ordens de pessoas mais jovens.*] **21** Receber (ordem eclesiástica) [*td.: O jovem tomou hábito de monge.*] **22** Impregnar-se de; fixar em si; EMBEBER-SE [*td.: Esse papel toma tinta demais.*] [*tr. + de: Por causa da umidade, o casaco tomou-se de mofo.*] **23** Atrair (ar, pó) aos pulmões; ASPIRAR; SORVER [*td.: tomar rapé*: "...A outra era uma religiosa franciscana, que pedira para tomar ares..." (Camilo Castelo Branco, *Memórias do cárcere*)] **24** Ter na conta de; interpretar [*tdp.: Tomei essas palavras em acepção figurada.*] **25** Ter preferência por (algo ou alguém); ESCOLHER [*tdp.: Tomaram-no como (por) bode expiatório.*] [*tip.: Tomaram-lhe para Cristo.*] **26** Escolher (alguém) como (amigo, companheiro, marido, mulher etc.) [*tdp.: Tomou-a como esposa.*] **27** Cobrir-se com roupa; VESTIR [*td.: Tomar o roupão.*] **28** Criar impedimento ou obstáculo a; ESTORVAR; IMPEDIR [*td.: Uma barreira caiu e tomou uma parte da estrada.*] **29** Receber (aula, instrução) [*td.: Ir à igreja para tomar aulas de catecismo.*] [▶ 1 tomar] [F.: De or. obsc. Us. antes de subst., como v. suporte, substituindo v. de sentido específico: *tomar banho* (= banhar-se), *tomar medida* (= medir), *tomar posse* (= empossar-se). Hom./Par.: *toma* (fl.), *toma* (interj.); *toma(s)* (fl.), *toma(s)* (sfl. [pl.]); *tomo* (fl.), *tomo* (sm.).] ■ **~ a si** Encarregar-se de (tarefa, missão etc.) **~ dentro 1** *Bras. Tabu.* Ser possuído sexualmente, ser o parceiro sexual que recebe a penetração **2** Dar-se mal, entrar pelo cano, danar-se **~ por** Atribuir, erroneamente, qualificação, identidade, condição a (algo ou alguém): *De longe, tomei-o por meu irmão, esquecendo que ele havia viajado; Tomou o trabalho por terminado, mas ainda faltava muito para isso.* **~ sobre si** Assumir responsabilidade por, vigilância de (algo ou alguém)

tomara (to.*ma*.ra) *interj.* Expressa desejo de bons resultados, de sucesso; OXALÁ: "*Tomara* que você volte depressa/ que você não se despeça/nunca mais do meu carinho..." (Vinícius de Moraes e Toquinho, *Tomara*) [F.: Do v. *tomar* (na 1ª pess. sing. do mais-que-perfeito do ind.).]

tomara que caia (to.ma.ra que*cai*.a) *a2g2n.* **1** Que não é preso ao pescoço ou ombros por meio de alça (diz-se de vestido, blusa etc.) *sm2n.* **2** Esse tipo de peça do vestuário feminino [F.: De *tomar* (na 1ª pess. sing. do mais-que-perfeito do ind.) + *que* + *cair* (na 1ª pess. sing. do pres. do sub.).]

tomarense (to.ma.*ren*.se) *s2g.* **1** Aquele ou aquela que nasceu ou que vive em Tomar (Portugal) *a2g.* **2** De Tomar; típico dessa cidade ou de seu povo [F.: Do top. *Tomar + -ense.*]

tomatada (to.ma.*ta*.da) *sf.* **1** *Cul.* Massa, molho, sopa ou doce feito de tomate **2** Golpe com tomate **3** *Lus. Tabu.* O conjunto dos testículos [F.: *tomate + -ada.*]

tomate (to.*ma*.te) *sm.* **1** *Bot.* O mesmo que tomateiro **2** Fruto do tomateiro, muito us. em saladas, molhos, temperos etc., de tamanho e forma variáveis, verde a princípio e, quando maduro, de uma cor amarela ou vermelha [F.: Do espn. *tomate*, do náuatle *tómatl.*]

tomateiro (to.ma.*tei*.ro) *sm. Bot.* Erva da fam. das solanáceas (*Lycopersicum esculentum*), originária da América do Sul e com muitas variedades cultivadas, de fruto comestível, o tomate, rico em proteínas, matéria graxa e açúcar; TOMATE; TOMATE-GRANDE; TOMATEIRA; TOMATE-PERA [F.: *tomate + -eiro.*]

tomatina (to.ma.*ti*.na) *sf. Bioq.* Alcaloide presente no tomateiro e nos tomates verdes [F.: *tomate + -ina*[2].]

tombadilho (tom.ba.*di*.lho) *sm. Náut.* A parte mais elevada do navio que vai do mastro da mezena até a popa: "Um dia ele dará adeus e agitará um lenço do tombadilho de um navio." (Jorge Amado, *Jubiabá*) [Os navios que não têm toldo nem tombadilho dizem-se de coberta lavada.] [F.: Do espn. *tumbadillo.*]

tombado[1] (tom.*ba*.do) *a.* **1** Que tombou; CAÍDO; DERRUBADO [Ant.: *levantado, soerguido.*] **2** Inclinado, pendido (barco tombado) [Ant.: *aprumado, ereto.*] **3** Assassinado, morto: *monumento aos soldados tombados na guerra.* [Ant.: *vivo.*] [F.: Part. de *tombar*[1].]

tombado[2] (tom.*ba*.do) *a.* **1** Que se tombou; colocado sob a guarda do governo para proteção e conservação (cidade tombada) **2** Registrado no livro de tombo [F.: Part. de *tombar*[2]. Ant. ger.: *destombado.*]

tombadoiro (tom.ba.*doi*.ro) *sm.* Ver *tombadouro*

tombador[1] (tom.ba.*dor*) [ô] *a.* **1** Que tomba ou faz tombar[1] **2** Diz-se de equipamento us. para tombar materiais pesados (elevador tombador) **3** Diz-se de arado que joga para o lado a terra removida *sm.* **4** Aquele ou aquilo que tomba ou faz tombar[1] **5** *N. E.* Trabalhador que faz cair a cana na moenda do engenho de banguê [Tb. us. como adjetivo.] **6** *Mec.* Dispositivo ou engenho que bascula a carroceria do veículo para a carga fluir diretamente no local desejado para o descarregamento **7** Equipamento us. para tombar materiais pesados (tombador de bobinas) **8** *GO* Tipo de arado que joga a terra removida para o lado do sulco: "...carros de pesadas rodas inteiriças e oblongas para que as excrescências do círculo, os tombadores, diminuíssem o esforço da tração..." (Domingos Olímpio, *Luzia Homem*) [F.: *tombar*[1] + *-dor.*]

tombador[2] (tom.ba.*dor*) [ô] *sm.* **1** *Bras.* O mesmo que *tombadouro*: "Oitocentas espingardas arrebentando, inclinadas, tiros rasantes, pelo tombador do morro..." (Euclides da Cunha, *Os sertões*) **2** *N. BA* Terreno elevado ger. pedregoso: "estrepitam, britando e esfarelando as pedras, torrentes de cascos pelos tombadores..." (Idem, *Ibidem*) **3** *CE* Terreno cheio de barrancos: "A mancha branca do troço de sertanejos, avermelhada pelos chapéus de couro, reapareceu um instante no tombador, e se acabou." (Manoel de Oliveira Paiva, *Dona Guidinha do Poço*) **4** *MG BA PE AL SE* Morro em forma de tabuleiro e com escarpa quase vertical sobre o rio [F.: Var. de *tombadouro.*]

tombadouro (tom.ba.*dou*.ro) *sm.* **1** Barranco profundo **2** Qualquer local com encosta íngreme [F.: *tombar + -douro*[1]. Sin. ger.: *tombador.* Tb. *tombadoiro.*]

tombamento (tom.ba.*men*.to) *sm.* **1** Ação ou efeito de tombar **2** Ato de se guardar algo em um arquivo público **3** Ação pela qual se protege um patrimônio público resguardando-o, como documento histórico, da descaracterização ger. provocada pelo homem, ou por sua ação direta ou pela falta de cuidados básicos de manutenção [F.: *tombar + -mento.*]

tombar[1] (tom.*bar*) *v.* **1** Fazer cair; DERRUBAR [*td.: Os invasores tombaram a cerca da fazenda.* Ant.: *erigir, levantar, soerguer.*] **2** Cair no chão [*int.: O muro do quintal tombou.*] **3** Cair soltando-se [*ta.: O fruto tombou da árvore.*] **4** Cair rolando; DESPENCAR [*ta.: O carro tombou no abismo.*] **5** Inclinar-se, pender, voltar-se (para certa direção) [*int.: Ainda sem firmeza, a cabeça do bebê tombava.*] [*ta.: O coqueiro tombava(-se) para o lado da casa.*] **6** Desviar para baixo; BAIXAR; DECLINAR [*int.: O Sol tombava.*] [*ta.: O Sol tombava entre nuvens e montanhas.*] **7** Deslizar em movimento contínuo sobre [*ta.: As lágrimas da mãe tombavam no corpo do filho adormecido.*] **8** Perder a vida; finar-se, morrer [*int.: O soldado tombou no cumprimento do dever.*] [▶ 1 tombar] [F.: De um rad. onom. * *tumb-*, imitativo do som causado pela pancada do objeto que cai. Hom./Par.: *tomba(s)* (fl.), *tomba(s)* (sf. [pl.]); *tombo* (fl.), *tombo* (sm.).]

tombar[2] (tom.*bar*) *v. td.* **1** Colocar (bens móveis e/ou imóveis) sob proteção do poder público: *O governo vai tombar as casas desta rua.* **2** Fazer registro de (livros, bens); ARROLAR; INVENTARIAR: *tombar documentos de um arquivo.* [▶ 1 tombar] [F.: *tombo*[2] + *-ar*[2]. Hom./Par.: Ver *tombar*[1].]

tombo[1] (*tom*.bo) *sm.* **1** Ato ou efeito de tombar; QUEDA **2** *Bras.* Queda de água alta, volumosa, quase vertical **3** *Pop.* Capacidade, inclinação, gênio; QUEDA: *Tinha tombo para o piano.* **4** *Lus.* Rede para caçar pássaros [F.: Dev. de *tombar.*] ■ **Andar aos ~s 1** Andar tropegamente, quase caindo a cada passo **2** *Fig.* Estar falido, na miséria **Dar um ~ em 1** *S.* Causar dano ou prejuízo a **2** Desalojar (alguém) de cargo ou função

tombo[2] (*tom*.bo) *sm.* **1** Inventário dos bens de raiz com todas as demarcações: *A fazenda pertencia ao tombo de sua família.* **2** Registro de coisas ou fatos relativos a uma especialidade, a uma região etc. [F.: De or. contrv; posv. de *tumba.*]

tômbola (*tôm*.bo.la) *sf.* **1** Jogo de loto, víspora, em que ganha quem primeiro encher um cartão inteiro **2** Jogo de azar cujo mecanismo consiste num tabuleiro com múltiplas cavidades pintadas com cores diversas [Joga-se impelindo por meio de uma manivela, uma esfera de marfim que deverá cair dentro de alguma das cavidades. Ganha o jogador que acertar, em aposta prévia, a cor da cavidade em que a esfera cairá.] **3** *Bras.* Espécie de loteria ou rifa para fins beneficentes, em que os cupons ou números são retirados, um a um, de uma urna, caixa ou vaso. Os prêmios distribuídos não são em dinheiro **4** A urna, caixa ou vaso us. com esse propósito [F.: Do it. *tombola.*]

tômbolo (*tôm*.bo.lo) *sm. Geog.* Faixa de areia ou cascalho que une uma ilha ao continente ou a outra ilha [F.: Do it. *tombolo*, 'duna costeira'.]

tomé (to.*mé*) *sm. Bras. Gír. Lud.* Em jogos de cartas, o fato de um parceiro deixar subitamente de jogar [F.: Posv. do antr. *Tomé.*] ■ **Dar o ~** *Bras. Gír.* Retirar-se de jogo em andamento

tomento (to.*men*.to) *sm.* **1** Tecido áspero de linho; ESTOPA **2** *Bot.* Conjunto de pelos curtos, muito pequenos e densamente distribuídos que recobre um órgão vegetal ou parte dele [Dim.: *tomentelo.*] [F.: Do lat. *tomentum, i.*]

tomentoso (to.men.*to*.so) [ô] *a.* **1** *Bot.* Coberto de tomento (folha tomentosa) **2** *Anat.* Coberto de vilosidades (membrana tomentosa) [Pl.: [ó]. Fem.: [ó].] [F.: *tomento + -oso.*]

◎ **-tomia** *el. comp.* = 'divisão (em partes)'; 'corte, seção, incisão cirúrgica, dissecção, ou extração de/em (dado órgão [ou parte dele], ou membro ou estrutura do corpo)': *aeroporotomia, celiotomia, ceratotomia, clitoridotomia, colpotomia, craniotomia, cordotomia, dicotomia* (< gr.), *edeotomia, encefalotomia, enterotomia, episiotomia, estereotomia, esfincterotomia, faringotomia* (< gr.), *flebotomia* (< gr.), *gastrotomia, glossotomia, goniotomia, haplotomia, hepatotomia, herniotomia, himenotomia, iridotomia, laparotomia, litotomia, leucotomia, lobotomia, merotomia, miotomia, meniscotomia, oftalmotomia, osteotomia, ototomia, papilotomia, pneumotomia, prostatotomia, raquiotomia, zootomia* [F.: Do gr. *-tomia, as*, conexo com o gr. *tomé, ês*, 'incisão'; 'ablação' etc., do v. gr. *témno*, 'cortar'; 'dividir'; 'mutilar' etc. F. conexa: *tom(o)-*.]

tomilho (to.*mi*.lho) *Bot. sm.* **1** Subarbusto aromático da fam. das labiadas (*Thymus vulgaris*), nativo da Europa, de folhas lineares ou lanceoladas, us. como tempero e do qual se extrai óleo essencial (timol) com grande poder antisséptico **2** As folhas dessa planta [F.: Do espn. *tomillo.*]

tomíparo (to.*mí*.pa.ro) *a. Biol.* Que se multiplica por fissão, reprodução assexuada em que um organismo unicelular se divide para formar organismos semelhantes [F.: *tom(o)- + -i- + -paro.*]

tomismo (to.*mis*.mo) *sm. Fil.* Doutrina teológica e filosófica de santo Tomás de Aquino (1225-1274), que se transformou na filosofia oficial da Igreja Católica [Em sentido lato, os pontos mais importantes desta doutrina são a teoria da abstração, de ato e potência, e o conhecimento analógico de Deus; em sentido restrito, as concepções próprias de santo Tomás, por oposição ao suarismo] [F.: Do antr. (*santo*) *Tomás* (*de Aquino*) + *-ismo.*]

tomista (to.*mis*.ta) *a2g.* **1** Ref. ao tomismo **2** Que é adepto do tomismo *s2g.* **3** Pessoa adepta do tomismo [F.: Do antr. (*santo*) *Tomás* (*de Aquino*) + *-ista.*]

tomístico (to.*mis*.ti.co) *a.* **1** Ref. a santo Tomás de Aquino **2** Ref. ou pertencente a tomismo ou tomista [F.: *tomista + -ico*[2].]

◎ **-tomo** *el. comp.* = 'corte', 'separação'. Registra-se em vocábulos formados no próprio grego, como *átomo, flebótomo* etc., e em outros, a partir do séc. XIX, como *micrótomo* etc. [F.: Do gr. *tomes, es*, 'corte, separação'.]

tomo (*to*.mo) *sm.* **1** Volume de alguma obra impressa ou manuscrita: *Só li o primeiro tomo de sua obra mais famosa.* **2** *Fig.* Importância, alcance, valor, vulto: *Esta vitória foi de grande tomo.* **3** Parte, fragmento: *um tomo da sua vida.* **4** *Fig.* Base, fundamento, alcance: *O que dizia não tinha tomo.* [F.: Do gr. *tómos, ou.*] ■ **Ser o segundo ~ de** Ter grande semelhança, física ou moral, com (alguém)

◎ **tom(o)-** *el. comp.* = corte; separação; incisão (cirúrgica); instrumento de incisão, de corte; área; divisão; dividido: *tomografia, tomógrafo, tomograma, tomoscopia; ciclótomo, embriótomo; dermátomo; dicótomo; átomo* (< *lat.* < *gr.*) [F.: Do gr. *tomé, ês*. Outra f. relacionada: *-tomia.*]

tomografia (to.mo.gra.*fi*.a) *sf.* **1** *Med.* Técnica radiológica que possibilita a visualização de estruturas anatômicas na forma de cortes ou de uma imagem tridimensional **2** Imagem obtida pela utilização dessa técnica [F.: *tom(o)- + -grafia.*] ■ **~ computadorizada** *Rlog.* Forma de tomografia baseada na visualização tridimensional de um corpo, com base em imagens de raios X coordenadas por computador, tomadas sucessivamente ao longo um eixo longitudinal, de modo a se obterem imagens sucessivas de cortes transversais ao longo desse eixo (e portanto do corpo) **~ por emissão de pósitrons** *Rlog.* Técnica que permite obter imagens de seções de certos órgãos, por meio de raios associados a pósitrons emitidos por contraste radioativo que se introduz nesses órgãos

tomográfico (to.mo.*grá*.fi.co) *a.* Ref. a tomografia ou a tomógrafo [F.: *tomografia + -ico*[2].]

tomografista (to.mo.gra.*fis*.ta) *s2g.* **1** Médico que se especializou em tomografia *a2g.* **2** Diz-se desse médico [F.: *tomografia + -ista.*]

tomógrafo (to.*mó*.gra.fo) *sm. Rlog.* Aparelho para fazer tomografia [F.: *tom(o)- + -grafo.*]

tomotocia (to.mo.to.*ci*.a) *sf. Obst.* Parto por meio de uma cirurgia que consiste em abrir as paredes do abdome e do útero da parturiente, retirando-se o feto pela abertura; CESARIANA [F.: *tom(o)- + -tocia.*]

tomotócico (to.mo.*tó*.ci.co) *a.* Ref. a tomotocia [F.: *tomotocia + -ico*[2].]

tona[1] (*to*.na) *sf.* **1** *Bot.* Camada fina ou película que recobre alguns vegetais, constituindo sua superfície; CASCA; PELE: *a tona da cebola; a tona da batata.* **2** *P. ext.* Leve camada, película: *uma tona de tinta.* **3** *Bot.* A casca que envolve o tronco das árvores: *a tona da mangueira.* **4** Acima da linha d'água; SUPERFÍCIE: *Mergulhou, mas veio para a tona rapidamente.* [F.: Do b. -lat. *tunna, ae.*]

tona[2] (*to*.na) *sf. Bras. Zool.* Grande e bonita ave cinzenta (*Tinamus tao*), da família dos tinamídeos, nativa das matas e florestas brasileiras do norte (Amazônia) e do centro (MT) [F.: F. red. de *inhambu-tona*.]

tona[3] (*to*.na) *sf.* Barco de transporte, de pequena cabotagem, muito us. nos rios de Goa; TONE [F.: Do tâmul-malaiala *toni*.]

tonadilha (to.na.*di*.lha) *sf.* Modinha, toada ou cantiga rústica, própria de quem vive no campo: "Embalem sua saudade na tonadilha de Ariei/ciciada ao ritmo das vagas, que vai e vêm à ribamar..." (Rui Barbosa, *Coletânea literária*) [F.: Do espn. *tonadilla*.]

tonal (to.*nal*) *a2g.* **1** *Mús.* Ref. a tonalidade ou ao tom (sistema tonal) **2** *Ling.* Ref. ou pertencente ao tom (2) [Pl.: *-nais*.] [F.: De tom (sob o rad. lat. *ton-*) + *-al*, seg. o mod. erudito.]

tonalidade (to.na.li.*da*.de) *sf.* **1** *Mús.* Propriedade característica de um tom: *Faremos sete acordes básicos para cada tonalidade.* **2** *Mús.* Qualidade de um trecho escrito num tom bem determinado, definido **3** *Mús.* Predominância de um tom num trecho musical: *a tonalidade de lá.* **4** Matiz de uma cor, colorido; TOM: *Gosto dessa tonalidade de azul.* **5** *P. ext.* A própria cor: *Existem rosas de diversas tonalidades.* [F.: *tonal* + *-(i)dade*.]

tonalismo (to.na.*lis*.mo) *sm. Mús.* Sistema musical que usa as relações hierárquicas entre notas e harmonias, a partir da tônica [F.: *tonal* + *-ismo*.]

tonalito (to.na.*li*.to) *sm. Min.* Rocha de estrutura compacta, constituída por quartzo, plagioclásio, anfibólio e biotita [F.: Do top. *Tonale* Pass (Alpes italianos) + *-ito*.]

tonalização (to.na.li.za.*ção*) *sf.* Ação ou resultado de tonalizar [Pl.: *-ções*.] [F.: *tonalizar* + *-ção*.]

tonalizador (to.na.li.za.*dor*) [ô] *a.* **1** Que tonaliza, serve para dar tonalidade *sm.* **2** Aquilo que tonaliza **3** O mesmo que *tôner* [F.: *tonalizar* + *-dor*. Sin. nas acps. 1 e 2: *tonalizante*.]

tonalizante (to.na.li.*zan*.te) *a2g. sm.* O mesmo que *tonalizador* (1 e 2) [F.: *tonalizar* + *-nte*.]

tonalizar (to.na.li.*zar*) *v. td.* Dar tom ou tonalidade a: *tonalizar a pintura do quadro.* [▶ 1 tonalizar] [F.: *tonal* + *-izar*.]

tonante (to.*nan*.te) *a2g.* **1** Que troveja **2** *Mit.* Epíteto dado a Júpiter [Nesta acp. emprega-se também substantivamente.] **3** *Fig.* Forte, vibrante: *Usava sua voz tonante para orientar os jogadores em campo.* [F.: Do lat. *tonans, antis*. Hom./Par.: *tonante* (a2g.), *tunante* (a2g.).]

tonelada (to.ne.*la*.da) *sf.* **1** *Fís.* Unidade de medida de massa equivalente a mil quilogramas (1.000 kg) [Símb.: *t*.] **2** No antigo sistema de pesos e medidas, o peso de treze quintais e meio, equivalente a 793,218 kg **3** O conteúdo de um tonel: *uma tonelada de vinho.* **4** *Náut.* Medida para calcular o porte e frete dos navios [F.: *tonel* + *-ada*[1].] ■ **~ americana** *Metrol.* Ver *Tonelada curta* **~ curta** *Metrol.* Unidade de peso (us. nos E.U.A.) equivalente a 907,18474 kg; tonelada americana **~ de arqueação** *Mar. Merc. Metrol.* Unidade de volume interno de embarcação mercante, equivalente a 100 pés cúbicos [2,8316846592 m^3] **~ inglesa** *Metrol.* Ver *Tonelada longa* **~ longa** *Metrol.* Unidade de peso equivalente a 1.016,0469088 kg; tonelada inglesa **~ métrica** *Metrol.* Unidade de peso ou de massa, equivalente a 1.000 kg [Tb. apenas *tonelada*.]

tonelada-quilômetro (to.ne.la.da-qui.*lô*.me.tro) *sf. Metrol.* Unidade de medida equivalente ao transporte de uma tonelada de carga a distância de um quilômetro [Símb.: *tkm*.] [Pl.: *toneladas-quilômetros* e *toneladas-quilômetro*.]

tonelagem (to.ne.*la*.gem) *sf.* **1** Peso máximo de carga que um caminhão, navio, ou aeronave é capaz de transportar, expresso em toneladas **2** Cálculo ou medida dessa capacidade [Pl.: *-gens*.] [F.: *tonel* + *-agem*.] ■ **~ bruta** *Mar. Merc.* Soma dos volumes de todos os espaços abertos e fechados de embarcação mercante [Caracteriza o tamanho da embarcação.] **~ de arqueação** *Mar. Merc.* Volume dos espaços internos de embarcação mercante, expresso em toneladas de arqueação **~ de registro** *Mar. Merc.* Tonelagem de arqueação de embarcação, conforme documentos de registro fornecidos por autoridades competentes do país a que pertence **~ líquida** *Mar. Merc.* Volume os espaços internos de embarcação, utilizáveis no transporte de carga e de passageiros

tonelaria (to.ne.la.*ri*.a) *sf.* Fábrica de tonéis, pipas, ger. de madeira; TANOARIA [F.: *tonel* + *-aria*.]

toneleiro (to.ne.*lei*.ro) *sm.* Aquele que faz ou conserta tonéis, pipas, barris, tinas etc; TANOEIRO [F.: *tonel* + *-eiro*.]

tôner (*tô*.ner) *sm. Inf.* Pó fino pigmentado, com característica eletrostática, cujas partículas se fundem em alta temperatura para reproduzir imagens e textos, us. em fotocopiadoras e impressoras a *laser*; TONALIZADOR [F.: Do ing. *toner*.]

◎ **ton(i/o)-** *el. comp.* = acentuação, intensidade, tensão, vigor: *tonal, tonalidade, tônica, tonicidade, tonificar, tonogamia, tonografia, tonometria, tonoscopia* [F.: Do gr. *tónos, ou*.]

◎ **-tonia** *el. comp.* Registra-se em vocábulos formados no próprio grego, e em outros, a partir do séc. XIX, em acps. como 'estado de tônus ou integridade orgânica', *hipotonia, catatonia*; 'excitabilidade do sistema nervoso', *vagotonia*; 'tom', *monotonia, sintonia* [F.: Do gr. *-tonía*, de *tónos*, 'tensão', 'corda, cabo'. Ver *-tono*.]

tônica[1] (*tô*.ni.ca) *sf.* **1** *Gram.* A vogal ou a sílaba de uma palavra que se sobressai às demais por ser proferida com maior esforço muscular e clareza: *Na palavra sábia a tônica é sá, em sabia é bi e em sabiá é á.* **2** *Mús.* A nota principal do tom em que se constrói uma escala musical e que por isso leva o seu nome **3** *Mús.* A nota mais importante de um acorde **4** *Mús.* O primeiro grau de uma escala diatônica **5** O ponto de destaque, de maior ênfase quando se debate sobre determinado assunto: *A tônica do seu discurso foi a paz entre os povos.* [F.: Fem. substv. de *tônico*, ou de *tom* (sob o rad. lat. *ton-*) + *-ica*, seg. o mod. erudito.]

tônica[2] (*tô*.ni.ca) *sf.* F. red. de *água tônica*

tonicidade (to.ni.ci.*da*.de) *sf.* **1** *Fisl.* Qualidade ou estado do que é tônico **2** *Fisl.* Estado de energia ou de atividade própria de certos tecidos; TONIA **3** *Gram.* Propriedade de uma vogal ou de uma sílaba de ser pronunciada com maior ênfase ou destaque em uma mesma palavra; ACENTUAÇÃO: *a tonicidade da sílaba 'gra' na palavra 'ingrato'.* [F.: *tônico* + *-(i)dade*.]

tônico (*tô*.ni.co) *a.* **1** Ref. a tom **2** *Fon. Ling.* Diz-se da sílaba ou vogal que se pronuncia com maior intensidade: *Na palavra pálido o acento tônico é na primeira sílaba.* **3** Diz-se de medicamento que tonifica, que aumenta a energia ou a vitalidade dos tecidos: *As quinas são medicamentos tônicos.* **4** *Mús.* Diz-se da primeira nota de uma gama ou de um tom: *Dó é a nota tônica do tom de dó.* *sm.* **5** Medicamento para revigorar o organismo **6** Produto para fortalecer e dar viço ao cabelo ou à pele [F.: Do gr. *tonikós, é, ón*.]

tonificação (to.ni.fi.ca.*ção*) *sf.* Ato ou efeito de tonificar(-se) [Pl.: *-ções*.] [F.: *tonificar* + *-ção*.]

tonificado (to.ni.fi.*ca*.do) *a.* Que se tonificou, fortaleceu: "O corpo da mulher mudou, tornando-se mais musculoso, tonificado, feminino e curvilíneo..." (*Folha de S.Paulo*, 14.03.1999) [Ant.: *debilitado, enfraquecido*.] [F.: Part. de *tonificar*.]

tonificador (to.ni.fi.ca.*dor*) [ô] *a.* **1** Que tonifica; TONIFICANTE: *O ar da montanha é tonificador.* *sm.* **2** Aquilo ou aquele que tonifica [F.: *tonificar* + *-dor*.]

tonificante (to.ni.fi.*can*.te) *a2g.* **1** Que tonifica; TONIFICADOR: *Sentia-se jovem, graças ao medicamento tonificante que tomava todos os dias.* *sm.* **2** Aquilo ou aquele que tonifica [F.: *tonificar* + *-nte*.]

tonificar (to.ni.fi.*car*) *v. td.* Tornar(-se) forte, vigoroso; FORTALECER(-SE); AVIGORAR(-SE); REVIGORAR(-SE): *tonificar o cabelo; Os atletas se tonificam com exercícios e alimentação especial.* [Ant.: *enfraquecer*.] [▶ 11 tonificar] [F.: *toni-* + *-ficar*.]

toninha (to.*ni*.nha) *Zool. sf.* **1** Ver *golfinho* **2** Ver *franciscana* **3** Denominação comum a diversos cetáceos marinhos, pertencentes à fam. dos focenídeos, distintos dos golfinhos esp. pelo focinho curto [F.: Do lat. tardio *thunnina*. Ideia de 'toninha', usar pref. *focen(i)-*.]

◎ **tonitr(o)-** *el. comp.* = 'trovão': *tonitrofobia, tonitrófobo* [F.: Do lat. *tonitruum, i*.]

tonitroar (to.ni.tro.*ar*) *v.* Ver *tonitruar* [▶ 1 tonitroar]

tonitrofobia (to.ni.tro.fo.*bi*.a) *sf. Psiq.* Temor mórbido de trovão [F.: *tonitr(o)-* + *-fobia*.]

tonitrofóbico (to.ni.tro.*fó*.bi.co) *Psiq.* *a.* **1** Ref. a tonitrofobia **2** Diz-se de indivíduo que padece de tonitrofobia; TONITRÓFOBO *sm.* **3** Esse indivíduo; TONITRÓFOBO [F.: *tonitrofobia* + *-ico*[2].]

tonitrófobo (to.ni.*tró*.fo.bo) *a. sm. Psiq.* O mesmo que *tonitrofóbico* (2 e 3) [F.: *tonitr(o)-* + *-fobo*.]

tonitruante (to.ni.tru:*an*.te) *a2g.* **1** Que troveja **2** *Fig.* Que troa, que é barulhento como o trovão; RUIDOSO **3** *Fig.* Que fala ou canta com estrondo; TONITRUOSO: *Seu modo tonitruante de falar assustava as pessoas.* [F.: Do lat. *tonitruans, antis*.]

tonitruar (to.ni.tru.*ar*) *v.* **1** Atroar, estrondear [*int.*: *Os canhões tonitruavam.*] **2** Falar em voz muito alta [*td.*: *O chefe tonitruava palavras de indignação.*] [▶ 1 tonitruar] [F.: *tonitruante* (var. *tonítruo*) + *-ar*[2]. Tb. *tonitroar*.]

tonítruo (to.*ní*.tru:o) *a.* O mesmo que *tonitruante* [F.: Do lat. *tonitruum, i*.]

tonitruoso (to.ni.tru:*o*.so) [ô] *a.* **1** O mesmo que *tonitruante* **2** Que está sujeito a trovoadas (noite tonitruosa) [Pl.: [ó]. Fem.: [ó].] [F.: *tonitruo* + *-oso*.]

◎ **-tono** *el. comp.* Ocorre em vocábulos como: *átono, barítono, oxítono, paroxítono, proparoxítono* etc. [F.: Do gr. *tónos, ou*, 'tensão', 'acentuação', 'intensidade'.]

tono (*to*.no) *sm.* **1** Toada, tom **2** Moda, ária, música alegre: *Os tonos à viola faziam-na dançar.* **3** Tom de voz **4** Atitude, disposição: *Pôr-se em tono de fazer alguma coisa.* **5** *Fisl.* Estado normal de resistência e elasticidade de um tecido ou órgão e sua aptidão para responder a um estímulo ordinário; grau normal de vigor e tensão; TÔNUS **6** Tona (pele, casca) [F.: Do gr. *tónos, ou*.]

tonografia (to.no.gra.*fi*.a) *sf. Oft.* Exame para avaliar a pressão intraocular baseado no estudo da hidrodinâmica do humor aquoso do olho [F.: *ton(o)-* + *-grafia*.]

tonometria (to.no.me.*tri*.a) *sf.* **1** *Oft.* Exame para medir a pressão intraocular **2** *Quím.* Estudo do abaixamento da pressão máxima de vapor de um solvente, provocado pela adição de um soluto não volátil [F.: *ton(o)-* + *-metria*.]

tonométrico (to.no.*mé*.tri.co) *a.* Ref. a tonometria [F.: *tonometria* + *-ico*[2].]

tonômetro (to.*nô*.me.tro) *sm. Med.* Aparelho us. para medir a pressão intraocular [F.: *ton(o)-* + *-metro*.]

tonoplasto (to.no.*plas*.to) *sm. Bot. Cit.* Membrana que delimita o vacúolo do citoplasma de células vegetais [F.: *ton(o)-* + *-plasto*.]

tonquinês (ton.qui.*nês*) *sm.* **1** Indivíduo nascido ou que vive em Tonquim, região do Vietnã **2** *Gloss.* Língua falada nessa região [Pl.: *-neses* [ê]. Fem.: *-nesa* [ê]. *a.* **3** De Tonquim; típico dessa região ou de seu povo **4** *Gloss.* De ou ref. a Tonquim (2) [Pl.: *-neses* [ê]. Fem.: *-nesa* [ê].] [F.: Do top. *Tonquim* + *-ês*.]

tonsila (ton.*si*.la) *sf. Anat.* Formação arredondada de tecido, esp. a localizada em cada lado da garganta, e que atua na defesa contra infecções [*Tonsila* substituiu *amígdala* na nova terminologia científica.] [F.: Do lat. *tonsillae, arum*, tomado no sing.]

tonsilar (ton.si.*lar*) *a2g.* Ref. a tonsila, a amígdala: *A adenoide é uma estrutura de tecido tonsilar.* [F.: *tonsila* + *-ar*[1].]

tonsilectomia (ton.si.lec.to.*mi*.a) *sf. Cir.* Cirurgia para a remoção da tonsila; AMIGDALECTOMIA [F.: *tonsila* + *-ectomia*.]

tonsilectômico (ton.si.lec.*tô*.mi.co) *a.* Ref. a tonsilectomia [F.: *tonsilectomia* + *-ico*[2].]

tonsilite (ton.si.*li*.te) *sf. Pat.* Inflamação das tonsilas; AMIGDALITE [F.: *tonsila* + *-ite*.]

tonsura (ton.*su*.ra) *sf.* **1** Ato ou efeito de tosquiar **2** Ação ou efeito de cortar o cabelo ou as barbas **3** *Litu.* Cerimônia religiosa em que o bispo dá um corte no cabelo do ordenando ao conferir-lhe o primeiro grau do clericato, chamada também *prima tonsura sf.* **4** Corte de cabelo em forma de pequeno círculo no alto da cabeça, us. pelos clérigos; CERCILHO **5** *P. ext.* A coroa dos clérigos **6** *Fig. P. ext.* Cortes na mata; CLAREIRA [F.: Do lat. *tonsura, ae*.]

tonsurado (ton.su.*ra*.do) *a.* **1** Tosquiado, a que se cortou o cabelo **2** Em que foi feita a tonsura **3** Que recebeu a tonsura; CERCILHADO **4** *Fig.* Que entrou para o estado eclesiástico *sm.* **5** Clérigo [F.: Part. de *tonsurar*.]

tonsurar (ton.su.*rar*) *v. td.* Fazer tonsura (1, 2 e 3) em: *tonsurar o frade; Pedro tonsurou o cabelo como o de um frade.* [▶ 1 tonsurar] [F.: *tonsura* + *-ar*[2]. Hom./Par.: *tonsura(s)* (fl.), *tonsura(s)* (sfl. [pl.]).]

tonta (*ton*.ta) *sf.* **1** Mulher tola, boba **2** *Pop. Joc.* Cabeça, juízo **3** *RN Dnç.* Dança do fandango brasileiro que apresenta batida de palmas e sapateado em certos trechos; em alguns lugares, encerra os bailes da zona rural, em outros, é executada para anunciar e saudar a vinda do sol; TONTINHA [F.: Fem. substv. de *tonto*. Hom./Par.: *tonta* (fem. de *tonto*).]

tontas (*ton*.tas) *sfpl.* Us. na loc. adv. *às tontas* [F.: Pl. de *tonta*. Hom./Par.: *tontas* (pl. de *tonta*).] ■ **Às ~** Sem orientação, sem tino, sem direção: *Atordoado, andava às tontas pela casa, sem saber aonde ir.*

tonteado (ton.te:*a*.do) *a.* Entontecido, perturbado, desnorteado: "Pernambi, mal tonteado pelos eflúvios do álcool, banzou um bocado por ali e depois saiu." (Monteiro Lobato, *Urupês*) [F.: Part. de *tontear*.]

tonteante (ton.te:*an*.te) *a2g.* Que tonteia; ATORDOANTE; ESTONTEANTE: "O seu olhar descobriu um quê de graça e tonteante no corpo dela." (Viriato Correia, *Contos do sertão*) [F.: *tontear* + *-nte*.]

tontear (ton.te.*ar*) *v.* **1** Fazer ficar ou ficar tonto [*td.*: *O marulho tonteara o marinheiro.*] [*int.*: *Depois de muito rodopiar, o bailarino tonteou.*] **2** *Fig.* Fazer ficar ou ficar alvoroçado, perturbado [*td.*: *Um prêmio desses tonteia qualquer pessoa.*] [*int.*: *Na hora da revelação todo mundo tonteou.*] **3** Dizer ou fazer tolices, disparates [*int.*] [▶ 13 tontear] [F.: *tonto* + *-ear*.]

tonteio (ton.*tei*.o) *sm.* Ação ou resultado de tontear [F.: Dev. de *tontear*. Hom./Par.: *tonteio* (fl. de *tontear*).]

tonteira (ton.*tei*.ra) *sf.* **1** *Pop. Med.* Sensação de falta de equilíbrio; TONTURA; VERTIGEM **2** *Fig.* Falta de juízo; TOLICE **3** Dito ou ato de tonto ou de velho decrépito [F.: *tonto* + *-eira*.]

tontice (ton.*ti*.ce) *sf.* **1** Ato ou dito de tonto, ingênuo, tolo; ASNEIRA; TOLICE: "...achava a sua paixão pelo Agostinho uma 'tontice de criança'..." (Eça de Queirós, *O crime do padre Amaro*) [Ant.: *lucidez, perspicácia*.] **2** Demência, insensatez, doidice [Ant.: *sensatez*.] [F.: *tonto* + *-ice*.]

tontina (ton.*ti*.na) *Antq. sf.* **1** Associação de indivíduos na qual os capitais dos sócios falecidos revertem em benefício dos sobreviventes **2** O rendimento que cada sócio recebe dessa associação **3** *P. ext.* Qualquer operação financeira baseada na duração da vida humana [F.: Do it. *tontina*.]

tonto (*ton*.to) *a.* **1** Que sente tonteira (1): *Sinto-me tonto em lugares altos.* **2** Que não está em si; perdido da cabeça; ATARANTADO; ATÔNITO; ATORDOADO: *Estava tonto de sono.* **3** Maluco, parvo, tolo, doido, demente: *Não quero que aquele velho tonto venha aqui em casa.* **4** *Bras.* Embriagado, bêbado: *Bebeu tanto que ficou tonto.* **5** *Fig.* Simples, ingênuo *sm.* **6** Indivíduo que é, está ou ficou tonto (1 a 5) [F.: De or. contrv; posv. do lat. *attonitus, a, um*, ou do lat. *tontum*.]

tontura (ton.*tu*.ra) *sf.* **1** Ação ou dito de tonto; MALUQUEIRA **2** *Pop. Med.* Vertigem: *Quando sentiu uma tontura, percebeu que estava doente.* [F.: *tonto* + *-ura*.]

tônus (*tô*.nus) *sm2n. Fisl.* Estado natural de elasticidade e resistência de um órgão ou tecido (tônus muscular) [F.: Do gr. *tónos, ou*. F. paral.: *tono*.]

⊕ **top** (*Ing. /tóp/*) *sm.* **1** O mais alto grau em uma hierarquia ou classificação; TOPO: *top de linha.* **2** Lista com determinado número de pessoas ou produtos que ocupam o topo de uma classificação: *top de jogadores do ano, de livros mais vendidos, de músicas mais tocadas.* **3** Blusa feminina sem mangas, curta, ger. justa ao corpo, e que deixa a barriga e os ombros à mostra **4** *Fís.* Tipo de *quark* com carga elétrica + 2/3, spin 1/2, e número bariônico 1/3 [Símb.: *t*.] **5** *Rád. Telv.* Sinal que caracteriza a contagem regressiva (ger. de cinco segundos) que antecede o início da transmissão de um programa **6** *Bras.* Red. de *top model*: "A Bahia, claro, está no roteiro da top – que vem sem o maridão...” (*Folha de S.Paulo*, 22.12.1999)

topada (to.*pa*.da) *sf.* 1 Ação ou efeito de bater com o pé de encontro num objeto, num obstáculo; TROPEÇÃO: *Dava topadas a todo momento, pois só andava distraído.* 2 Esbarrão casual ou proposital entre duas pessoas ou dois animais; CHOQUE; ENCONTRÃO [F.: *topar* + *-ada*[1].] ∷ **Dar uma ~** *Fig.* Fazer uma bobagem, cometer um erro grosseiro, dar uma cabeçada

topador (to.pa.*dor*) [ô] *a.* 1 *Bras.* Diz-se de animal que tropeça (cavalo topador) 2 *S. Gír.* Diz-se de indivíduo que aceita qualquer proposta, desafio, negócio etc. 3 *BA CE* Diz-se de vaqueiro que, com ou sem aguilhada, enfrenta e domina o boi *sm.* 4 Animal que tropeça muito 5 *S. Gír.* Indivíduo que aceita qualquer proposta, desafio, negócio etc. 6 *BA CE* Vaqueiro que, com ou sem aguilhada, enfrenta e domina o boi [F.: *topar* + *-dor*.]

topar (to.*par*) *v.* 1 Encontrar(-se), deparar(-se) [*tr.* + *com*: *Topei com Maria por acaso.*] [*td.*: *Virou-se e topou um embrulho que alguém deixara na mesa.*] 2 Bater com o pé; TROPEÇAR [*ta.*: *Topei no meio-fio e torci o pé.*] 3 *Bras. Pop.* Aceitar (proposta, convite etc.) [*td.*: *Simon resolveu topar o desafio.*] [*int.*: *Fiz a proposta e ele topou.*] 4 *Bras. Pop.* Simpatizar com, gostar de alguém [*td.*: *Ele não topa aquela vizinha.*] 5 Aproximar-se de ou chegar a (algo) que era esperado, previsto, imaginado etc. [*td.*: *Na curva da estrada, toparam um urso feroz.*] [*tr.* + *com*: *Toparam com a vila logo de manhã.*] 6 Aceitar (a aposta, desafio etc.) [*td.*: *O jogador topou a parada e pôs mais dinheiro na mesa.*] 7 *Bras. Gír.* Concordar em fazer algo [*td.*: *Esse cara é um chato, não topa coisa nenhuma!*] [*int.*: *Acho que ele não vai topar.*] 8 *N. E.* Perseguir (touro bravio) montado a cavalo [*td.*] [▶ 1 topar] [F.: De *top* (onomat. de choque) + *-ar*. Hom./Par.: *topa* (3ª p. s.), *topas* (2ª p. s.)/ *topa* (s. f.) e pl; *tope* (1ª e 3ª p.s.), *topes* (2ª p. s.)/ *tope* (sm.) e pl; *topo* (1ª p.s.)/ *topo* /ô/ (sm.).]

topa-tudo (to.pa-*tu*.do) *s2g2n. Bras.* Indivíduo que aceita todas as propostas que lhe são oferecidas e não hesita em acumular quaisquer encargos ou empregos

topázio (to.*pá*.zi:o) *sm. Min.* Pedra preciosa, ger. de cor amarelada [É um fluossilicato de alumínio.] [F.: Do gr. *topázion, ou,* ou *tópazos, ou.*] ∷ **Falso ~** Citrino (4) **~ imperial** Variedade valiosa de topázio alaranjado

tope (*to*.pe) *sm.* 1 Choque de dois corpos: *tope de bolas no bilhar.* 2 Cume, sumidade, topo: *Vinham do tope das montanhas.* 3 *Fig.* Auge, cúmulo: *no tope da felicidade.* 4 Extremidade superior dos mastros, onde se desfraldam as flâmulas: *o tope da gávea.* 5 Laço de fita em chapéu, touca etc. 6 O que impede, atrapalha o movimento de algo ou alguém; OBSTÁCULO 7 *Bras.* Fazer um pião bicar o outro dentro de um círculo 8 *Náut.* Parte superior do mastro de uma embarcação 9 Pancada inadvertida com o pé em algum obstáculo, causando queda ou desequilíbrio; TOPADA; TROPEÇÃO 10 *Mil.* Pequeno aro colorido de metal, utilizado pelos militares em seus bonés para definir a arma a que pertence 11 Espécie, jaez, laia 12 *Bras. Pop.* Altura, envergadura, tamanho: *Você não é do meu tope!* [F.: Do fr. ant. *top.*]

topetar (to.pe.*tar*) *v.* 1 Dar com o topete, a cabeça, os cornos; MARRAR [*td.*: *O bode topetou a porta do carro.*] [*tr.* + *com*: *Topetou com o forro rebaixado.*] 2 Tocar no ponto mais alto [*td.*: *A torre parecia topetar o céu.*] [*tr.* + *com*: *O pico topetava com as nuvens.*] 3 Alcançar alto grau de (mérito, talento) [*tr.* + *com*: *Sua energia topeta com a dos maiores regentes.*] 4 Locomover-se aos tropeços [*tr.* + *em*: *Atravessou o quintal topetando nas pedras.*] 5 *Mar.* Içar até o ponto mais alto (bandeira, galhardete etc.); atopetar [*td.*] [▶ 1 topetar] [F.: *topet(e)* + *-ar*. Hom./Par.: *topete(s)* (fl.), *topete* (sm. e pl.).]

topete (to.*pe*.te) *sm.* 1 Cabelo levantado na frente da cabeça: *Passou goma no topete para que o cabelo não lhe caísse nos olhos.* 2 A elevação muito saliente da parte dianteira das cabeleiras que usam ger. os palhaços 3 *Zool.* Penas alongadas, que se levantam na cabeça de algumas aves, como a cotovia, o cardeal etc; CRISTA 4 *Bras. Fig.* Atrevimento, audácia: *Depois do que fez, não tenha o topete de me cumprimentar!* 5 *Bras. Fig.* Cabeça, cachola, cachimônia: *Use o topete e volte para casa.* 6 Parte anterior da crina do cavalo que cai entre as orelhas: *O cavalo estava agitado, mas o tratador segurava-o pelo topete.* 7 *Bras.* Parte da erva-mate que fica fora da água, na cuia do chimarrão 8 Acabamento em alguns móveis 9 *Lus.* Pequena rolha de cortiça [F.: Do fr. *toupet.*] ∷ **Abaixar/baixar o ~** 1 *Bras.* Perder a arrogância, mostrar-se mais humilde ou modesto 2 Deixar-se abater **De ~** Audacioso, audaz, atrevido **Fazer suar o ~** Molestar, incomodar **Suar o ~** Trabalhar intensamente; mourejar **Ter ~** Ter audácia, atrevimento

topeteira (to.pe.*tei*.ra) *sf.* A parte da cabeçada que circunda a testa da cavalgadura; TESTEIRA [F.: *topete* + *-eira.*]

topetuda (to.pe.*tu*.da) *sf. RJ* Ave trogloditídea (*Elaenia flavogaster*), também chamada *maria-é-dia* [F.: Fem. subst. de *topetudo.*]

topetudo (to.pe.*tu*.do) *a.* 1 Que tem ou traz topete 2 *RS* Diz-se de cavalo com grandes crinas que lhe caem pela testa 3 *Bras.* Que é destemido, valentão, arrogante: “O retirante melhor que ela vira. Trabalhador... Mas meio topetudo. Ninguém lhe botasse a mão, que havia de ver uma fera...” (Manoel de Oliveira Paiva, *Dona Guidinha do Poço*) 4 Diz-se de indivíduo que tem grande força ou influência; PODEROSO; PRESTIGIOSO; RESPEITADO [Ant.: *desprestigiado, fraco.*] *sm.* 5 *Bras.* Indivíduo valentão, destemido, peitudo [Ant.: *covarde, medroso.*] 6 *Bras.* Indivíduo que tem muita força ou grande influência: “O general foi em pessoa, como presidente, com a ministrada, os comandantes de corpos e outros topetudos...” (João Simões Lopes Neto, “O duelo dos Farrapos” *in Contos gauchescos*) [F.: *topete* + *-udo.*]

topiar (to.pi.*ar*) *v.* **int.** Podar artisticamente arbustos, árvores etc. (de), dando-lhe formatos diversos [*td.*: *Topiou os arbustos do jardim; ao fim do dia topiara todo o jardim.*] [▶ 1 topiar] [F.: *top(o)-* + *-iar*.]

topiaria (to.pi:a.*ri*.a) *sf.* Arte de podar plantas e arbustos em diversas formas, para fins ornamentais [F.: Do lat. *topiaria, ae,* ‘arte de jardineiro’.]

topiário (to.pi:*á*.ri:o) *sm.* Jardineiro que pratica a topiaria [F.: Do lat. *topiarius, a, um.*]

topical (to.pi.*cal*) *a2g. Ling.* Ref. ou pertencente a tópico [F.: *tópico* + *-al.*]

topicalidade (to.pi.ca.li.*da*.de) *sf.* Qualidade ou característica de topical [F.: *topical* + *-i-* + *-dade.*]

topicidade (to.pi.ci.*da*.de) *sf.* Qualidade ou estado do que é tópico [F.: *tópico* + *-i-* + *-dade.*]

tópico (*tó*.pi.co) *a.* 1 Ref. a lugar 2 Ref. ou relacionado a, ou próprio, típico de um lugar: *as curiosidades tópicas de uma cidade.* 3 Que se refere de forma direta e precisa ao assunto de que se trata (argumento tópico) 4 *Med.* Diz-se do medicamento externo que se aplica sobre a região doente do corpo (remédio tópico) 5 *Mit.* Diz-se de ente ou ser divino que presidia a um lugar (divindade tópica) 6 *Ret.* Diz-se dos lugares-comuns (lugares tópicos) *sm.* 7 Medicamento utilizado para aliviar ou curar um doente: *Tentavam minorar seu sofrimento por meio de tópicos e paliativos.* 8 *Fig.* Remédio, corretivo: *A consolação é um tópico para os que sofrem.* 9 *Fig.* Argumento, tema; ponto principal: *Todos os tópicos do relatório serão discutidos na reunião.* 10 *Bras.* Breve comentário de jornal sobre assunto do dia; SUELTO; VÁRIA 11 *Ling.* Informação adicional sobre determinada parte do texto; COMENTÁRIO; REMA 12 *Ling.* A sentença que contém a ideia principal de um parágrafo [F.: Do gr. *topikós, é, ón.*]

⊕ **topless** (*Ing.* /*tóples*/) *a2g2n.* 1 Que deixa os seios femininos descobertos (maiôs topless) 2 Diz-se de local que permite a nudez feminina da cintura para cima: *praia topless.* *sm.* 3 Nudez feminina da cintura para cima: *Fez topless na praia.*

◎ **-topo** *el. comp.* Registra-se em vocábulos como: *isótopo, radioisótopo* etc. [F.: Do gr. *tópos, ou,* ‘lugar’.]

◎ **-topo-** *el. comp.* Ver *top(o)-*

◎ **top(o)-.** *el. comp.* = local, lugar: *topalgia, topologia, topometria, toponímia* [F.: Do gr. *tópos, ou.*]

topo (to.po) [ô] *sm.* 1 A parte mais alta, mais elevada; CIMO; CUME: *Morava no topo da montanha.* 2 Extremidade, ponta: *Vá para o topo da quadra de futebol.* 3 O maior grau que se pode alcançar: *Aquele artista chegou rapidamente ao topo de sua carreira.* 4 *Lus.* A parte externa de uma rolha, quando colocada na garrafa, que não está em contato com o líquido 5 A superfície ou o lado de menor dimensão, numa tábua ou chapa de metal [F.: Do fr. ant. *top.*] ∷ **De ~** 1 *SP* Subitamente, repentinamente, de supetão 2 Com o topo para cima, ou na direção do movimento **~ de linha** O modelo mais aperfeiçoado de uma linha de produtos, o de maior sofisticação técnica

topografar (to.po.gra.*far*) *v. td.* Executar a topografia de [▶ 1 topografar] [F.: *topograf(ia)* + *-ar*. Hom./Par.: *topografa(s)* (fl.), *topógrafa* (fem. topógrafo e pl.); *topografo* (fl.), *topógrafo* (sm.).]

topografia (to.po.gra.*fi*.a) *sf.* 1 Descrição exata e minuciosa de um lugar; TOPOLOGIA 2 Técnica de representação gráfica das formas de um terreno e seus acidentes naturais ou artificiais 3 *Anat.* Descrição minuciosa de qualquer parte do organismo humano [F.: Do gr. *topographía, as.*]

topograficamente (to.po.gra.fi.ca.*men*.te) *adv.* 1 Do ponto de vista topográfico: *região topograficamente privilegiada.* 2 *P. ext.* Em relação à topografia: “...aqui é que é, geográfica e topograficamente falando, o bem conhecido e confrontado sítio do pinhal da Azambuja...” (Almeida Garrett, *Viagens na minha terra*) [F.: Fem. de *topográfico* + *-mente.*]

topográfico (to.po.*grá*.fi.co) *a.* 1 Ref. ou pertencente à topografia (planta topográfica) 2 Que encerra descrições de lugares ou apontamentos sobre a situação de alguma região: *Fazia documentos topográficos.* [F.: *topografia* + *-ico*[2].]

topógrafo (to.*pó*.gra.fo) *sm.* 1 Profissional que trata de topografia 2 O que levanta ou faz a planta de um terreno 3 Autor de cartas topográficas [F.: *top(o)-* + *-grafo.*]

topologia (to.po.lo.*gi*.a) *sf.* 1 O mesmo que *topografia* 2 *Gram.* Tratado de colocação ou disposição de certas espécies de palavras 3 *Geom.* Estudo das propriedades topológicas das figuras, i. e., dos conjuntos que podem ser expressos pela noção de continuidade (*“analysis situs”*) [F.: *top(o)-* + *-logia.*]

topológico (to.po.*ló*.gi.co) *a.* Ref. a topologia [F.: *topologia* + *-ico*[2].]

toponímia (to.po.*ní*.mi:a) *sf.* 1 Designação das localidades pelos seus nomes: *a toponímia das ruas do Rio.* 2 Subdivisão da onomástica que estuda os nomes próprios de lugares 3 Pesquisa etimológica sobre os topônimos 4 *P. ext.* O livro que contém essa pesquisa ou a relação de topônimos [F.: *top(o)-* + *-onímia.*]

toponímico (to.po.*ní*.mi.co) *a.* 1 Ref. a toponímia 2 Pertinente a um lugar ou uma região [F.: *toponímia* + *-ico*[2].]

topônimo (to.*pô*.ni.mo) *sm.* 1 Nome próprio de um lugar como rio, cidade, povoação, país etc; GEÔNIMO 2 História, procedência de um nome geográfico [F.: *top(o)-* + *-ônimo.*]

toponomástica (to.po.no.*más*.ti.ca) *sf.* Onomástica de lugares: *A influência indígena é relevada na toponomástica local.* [F.: *top(o)-* + *onomástica.*]

toponomástico (to.po.no.*más*.ti.co) *a.* Ref. a toponomástica [F.: *top(o)-* + *onomástico.*]

⊕ **tópos** (*Gr.* /*tópos*/) *Liter. sm.* 1 Tema geral us. para articular um argumento ou uma história 2 Fórmula literária; LUGAR-COMUM [Pl.: *topoi.*]

topotesia (to.po.te.*si*.a) *sf.* Descrição de um lugar imaginário [F.: Do gr. *topothesia, as.*]

topótipo (to.*pó*.*ti*.po) *sm. Biol.* Espécime originário do mesmo local do tipo de uma espécie ou subespécie à qual parece pertencer por homologia [F.: *top(o)-* + *-tipo.*]

⊕ **topspin** (*Ing.* /*tópspin*/) *sm. Esp.* Rotação para diante imprimida a uma bola rebatida que afeta sua trajetória e o modo como ela quica ou cai no chão

toque[1] (*to*.que) *sm.* 1 Ação ou resultado de tocar 2 Ação de pôr uma coisa em contato com outra, ou de uma coisa tocar em outra; CONTATO: “...sentiu no ombro o doce toque da mão de Guida...” (José de Alencar, *Sonhos d’ouro*) 3 Aperto de mão em sinal de cortesia 4 *Med.* Modo de examinar um determinado órgão somente com o contato dos dedos (toque retal) 5 Pancada leve entre dois corpos em movimento ou entre um corpo em movimento e outro em repouso: *Deu um leve toque na bola.* 6 *Esp.* Manobra do vôlei em que o jogador bate a bola somente com as pontas dos dedos 7 *Esp.* Na esgrima, contato da lâmina com o corpo do adversário 8 Som ou ruído produzido por contato, percussão ou pancada: “Pelo toque logo se reconheceu que era rebate no campanário da Câmara...” (José de Alencar, *O garatuja*) 9 *Mús.* Ação ou resultado de tocar um instrumento musical (toque de violão; toque de tambor) 10 *Mús.* Som ou timbre de um instrumento musical: “...ouvir o toque inqualificável da viola desafinada...” (Joaquim Manuel de Macedo, *A moreninha*) 11 *Mil.* Som que determina a execução de manobras ou operações militares (toque de marcha; toque de recolher; toque de avançar) 12 Sinal sonoro emitido por um dispositivo (ger. elétrico) para chamar, acordar ou despertar a atenção de alguém (toque de campainha; toque de celular) 13 Mancha, que na fruta indica um princípio de putrefação 14 *Fig.* Sinal, vestígio, traço: “Também, por vezes, fugia-lhe do rosto o toque habitual de severidade...” (Visconde de Taunay, *Inocência*) 15 *Fig.* Influência ou impressão forte que desperta novas ideias ou vontade de criar; INSPIRAÇÃO: “E sabes reunir, como o melhor poema, / Um desejo da terra e um toque do Senhor...” (Machado de Assis, “Versos a Corina” *in Crisálidas*) 16 Insinuação indireta e maliciosa; REMOQUE: “...suspeitavam a virgindade sob aquela viuvez e se lhe dava um toque de romantismo que inflamava a imaginação dos moços...” (José de Alencar, *A viuvinha*) 17 Manifestação súbita: “Assim perde o colorido / Por um toque irrefletido...” (Gonçalves Dias, “Mimosa e bela” *in Segundos cantos*) 18 *Pint.* Ação de retocar com o pincel certos pontos do quadro para lhes dar mais suavidade ou maior expressão; RETOQUE 19 *Fig.* Atenção particular que um artista dispensa a certos pontos de sua obra para lhes dar mais relevo 20 *Fig.* Arrumação harmoniosa; ARRANJO: “Deu os últimos toques no chapéu...” (Lima Barreto, *A Nova Califórnia*) 21 *S. E. Pop.* Conselho ou aviso que se dá a alguém 22 *S. E. Pop.* Informação útil que é pouco conhecida; DICA: *O guia deu toques sobre os melhores restaurantes da região.* 23 *Metal.* Teste de porcentagem de metal puro (ouro, prata) numa liga em que ele é fundamental (pedra de toque) 24 *Cul.* Pequena porção de uma substância que realça o sabor de um prato, doce etc; PITADA: *Chocolate com um toque de menta.* 25 *Enol.* Sabor ou aroma particular de certos vinhos 26 *Art. gr.* Num texto datilografado ou digitado, espaço ocupado por cada caractere ou o equivalente em branco [F.: Dev. de *toque*. Hom./Par.: *toque* (fl. de *tocar*).] ∷ **A ~ de caixa** Apressadamente, com urgência **~ de berimbau** *Cap.* Cada um dos ritmos de capoeira, de acordo com a maneira de tocar o berimbau **~ de bola** 1 *Fut.* Sucessão de passes bem-sucedidos entre jogadores de um time, que demonstra sua habilidade técnica e tática 2 A habilidade (de jogador ou de time) de controlar e passar bem a bola **~ de recolher** 1 *Mil.* Toque de corneta que sinaliza a militares que devem se recolher ao quartel, ou às barracas 2 Medida de segurança em lugares de conflito, que obriga as pessoas a recolherem-se em suas casas e não circularem nas ruas a partir de certa hora **~ de reunir** 1 Toque de corneta que sinaliza a militares que devem se reunir para receber ordens 2 *Fig.* Convocação (de muitas pessoas) ou exortação para uma ação comum **~ de silêncio** 1 *Mil.* Toque de corneta com que se impõe a militares o silêncio, necessário para o sono 2 Esse toque, dado em cerimônia de sepultamento, ou em cerimônia na qual se prestam honras militares aos mortos **~ maçônico** Forma peculiar de aperto de mãos com a qual maçons se reconhecem mutuamente **~ retal** *Med.* Exame digital do reto, ou pelo reto **~ vaginal** *Ginec. Obst.* Exame digital da vagina

toque[2] (*to*.que) *sm.* Designação oriental do carbúnculo, granada almandina, lapidada em cabuchão [F.: De or. obsc. Hom./Par.: ver *toque*[1].]

toque[3] (*to*.que) *sm.* 1 Chapéu de senhora, sem aba e de copa arredondada 2 *Lus.* Capacete de proteção, feito de material muito resistente, cujo formato lembra esse chapéu 3 Chapéu de cozinheiro [F.: Do fr. *toque*. Hom./Par.: ver *toque*[1].]

toqueiro[1] (to.*quei*.ro) *a.* 1 *RJ Gír.* Que se deixa subornar 2 *Amaz.* Diz-se de seringueiro que vende borracha ao patrão *sm.* 3 *Amaz.* Esse seringueiro 4 *RJ Gír.* Pessoa, esp. policial, que aceita suborno [F.: *toco* + *-eiro* (*-c-* > *-qu-*). Sin. nas acps. 1 e 4: *toquista*.]

toqueiro[2] (to.*quei*.ro) *a.* Diz-se de animal que vive em tocas [F.: *toca* (*-c-* > *-qu-*) + *-eiro*.]

toqueixo (to.*quei*.xo) *sm. Antq.* Certo tipo de touca [F.: **touqueixo* (< *touca* + *queixo*).]

toquelauano (to.que.lau.*a*.no) *sm.* 1 Indivíduo nascido ou que vive em Toquelau, território insular da Nova Zelândia 2 *Gloss.* Língua malaio-polinésia falada em Toquelau *a.* 3 De Toquelau; típico dessas ilhas ou de seu povo 4 *Gloss.* De ou ref. ao Toquelau (2) [F.: Do top o*Toquelau* + *-ano*[1].]

toque-toque (to.que-*to*.que) *sm.* 1 *Pop.* Voz imitativa de um bater leve repetido 2 Ação feita com rapidez; marcha acelerada (caminhar em toque-toque) [Pl.: *toques-toques* e *toque-toques*.]

toquista (to.*quis*.ta) *RJ Gír. P. us.* *a2g. s2g.* O mesmo que *toqueiro* [F.: *toco* (*-c-* > *-qu-*) + *-ista*.]

◎ **-tor** *suf. nom.* Registra-se em substantivos eruditos, ger. formados no próprio lat., com a ideia de 'agente ou instrumento de ação': *condutor, contraventor, opositor, sedutor, vasoconstritor* [F.: Do lat. *-tor, toris*. Ver *-or*.]

tora[1] (*to*.ra) *sf.* 1 *Bras.* Fatia, pedaço, porção de alguma coisa: *uma tora de carne; uma tora de bolo; uma tora de pão.* 2 Grande tronco de madeira 3 *P. ext.* Cada parte, pedaço desse tronco 4 *Mil.* Carne do rancho correspondente a cada marmita 5 *RS* Conversa breve 6 *RS* Soneca, sesta: *Tirar uma tora.* 7 *N.* Espaço entre dois corpos, seres, lugares etc.: *Temos de andar ainda uma boa tora para chegar na cidade.* 8 *Lus.* Ação de agredir alguém com pancadas; SOVA; SURRA: *Levou uma tora do irmão.* [F.: De *toro* (sm.).]

tora[2] (*to*.ra) *sf. Bras. Bot.* Planta anual leguminosa (*Cassia tora*) de valor medicinal, cosmopolita tropical, de folhas com quatro a seis folíolos obovados, membranáceos e pilosos, flores pequenas, e longas e delgadas vagens [F.: Do lat. cient. (Cassia) *tora*.]

torá[1] (to.*rá*) *sf.* 1 *Rel.* A lei mosaica 2 *Rel.* Na bíblia hebraica, o Pentateuco, que contém a lei mosaica 3 *P. ext. Rel.* Rolo em couro ou pergaminho com manuscrito do Pentateuco, que se mantém coberto por capa decorativa e fica guardado na arca sagrada das sinagogas [Nas acps. 1, 2 e 3 com inicial maiúsc.] 4 *Antq.* Tributo que os judeus pagavam por família [F.: Do hebr. *torah*.]

📖 A Torá, como objeto físico, é um rolo duplo em que se enrola um pergaminho escrito a mão em hebraico, com todo o texto dos cinco livros do Pentateuco, e é considerada sagrada pelos judeus, que acreditam ter sido ela entregue a Moisés diretamente por Deus. Envolta numa capa de tecido bordado, paramentada com arremates e uma mãozinha de prata (que servirá de guia para a leitura), é guardada num nicho especial da sinagoga. Todo o texto da Torá é lido publicamente na sinagoga num ciclo anual, ou trienal, que se renova sempre.

torá[2] (to.*rá*) *s2g.* 1 *Etnol.* Indígena do grupo dos torás, de população extinta e que habitava as cabeceiras dos rios Maici e Marmelos (AM); TURÁ *sm.* 2 *Ling.* Língua da família linguística txapacura, falada pelos torás *a2g.* 3 Pertencente ou ref. aos torás [F.: Da língua desse povo.]

torácico (to.*rá*.ci.co) [cs] *a.* 1 *Anat.* Ref. ou pertencente ao tórax (capacidade torácica) 2 *Carc.* Ref. aos torácicos (ordem de crustáceos) 3 *Carc.* Espécime dos torácicos, ordem de crustáceos (cracas) com seis pares de cirros bem desenvolvidos e corpo coberto por placas calcárias [F.: Do gr. *thorakikós, é, ón*; as acps. 2 e 3 são uma adaptç. do lat. cient. *Thoracica* (< gr.).]

◎ **torac(o)-** *el. comp.* = peito, tórax: *toracemia, toracofacial, toracografia* [F.: Do gr. *thóraks, akos*.]

toracoabdominal (to.ra.co:ab.do.mi.*nal*) *a2g.* Ref. ou pertencente ao tórax e ao abdome [Pl.: *-nais*.] [F.: *torac(o)-* + *abdominal*.]

toracocentese (to.ra.co.cen.*te*.se) *sf. Cir.* Punção torácica para drenar um derrame pleural [F.: *torac(o)-* + *-centese*.]

toracografia (to.ra.co.gra.*fi*.a) *sf.* 1 *Anat.* Descrição do tórax 2 *Fisl.* Registro dos movimentos torácicos ao respirar-se [F.: *torac(o)-* + *-grafia*.]

toracográfico (to.ra.co.*grá*.fi.co) *a.* Ref. a toracografia [F.: *toracografia* + *-ico*[2].]

toracolaparotomia (to.ra.co.la.pa.ro.to.*mi*.a) *sf. Cir.* Incisão cirúrgica que se estende do tórax ao abdome [F.: *torac(o)-* + *laparotomia*.]

toracoplastia (to.ra.co.plas.*ti*.a) *Cir. sf.* 1 Ressecção de algumas costelas para fazer retrair a caixa torácica e obter o colapso de uma parte doente do pulmão 2 Cirurgia plástica do tórax [F.: *torac(o)-* + *-plastia*.]

toracoscopia (to.ra.cos.co.*pi*.a) *Med. sf.* 1 Exame do tórax, para fins de diagnóstico 2 Exame que permite visualizar a cavidade pleural por meio de toracoscópio [F.: *torac(o)-* + *-scopia*.]

toracoscópico (to.ra.cos.*có*.pi.co) *a.* Ref. a toracoscopia ou a toracoscópio [F.: *toracoscopia* + *-ico*[2].]

toracoscópio (to.ra.cos.*có*.pi:o) *sm. Med.* Tubo ótico com iluminação (endoscópio) que é introduzido até a cavidade pleural por pequenas incisões na parede torácica, us. na toracoscopia, na coleta de amostras para exame microscópico e na administração de medicamentos para impedir novo derrame pleural [F.: *torac(o)-* + *-scópio*.]

toracostomia (to.ra.cos.to.*mi*.a) *sf. Cir.* Orifício cirúrgico feito na parede torácica para a inserção de um tubo plástico que drene ar ou fluido da cavidade pleural [F.: *torac(o)-* + *-stomia*.]

toracostômico (to.ra.cos.*tô*.mi.co) *a. Cir.* Ref. a toracostomia [F.: *toracostomia* + *-ico*[2].]

toracostráceo (to.ra.cos.*trá*.ce:o) *sm.* 1 *Zool.* Espécime dos toracostráceos, ou podoftalmos, crustáceos com casca cefalotorácica e olhos pedunculares *a.* 2 *Zool.* Ref. aos toracostráceos [F.: Do lat. cient. *Thoracostraca*.]

toracotomia (to.ra.co.to.*mi*.a) *sf. Cir.* Incisão no tórax [F.: *torac(o)-* + *-tomia*.]

toracotômico (to.ra.co.*tô*.mi.co) *a.* Ref. a toracotomia [F.: *toracotomia* + *-ico*[2].]

torado (to.*ra*.do) *a.* 1 Cortado em toros 2 *Bras.* Cortado rente; TOSADO: "...um homão de mais de três metros, mal embernado de cara, com a pele curtida e uns cabelos duros e torados que nem caraça de carnaúba..." (Gastão Luís Cruls, *A Amazônia misteriosa*) 3 *CE* Muito atraído; ENCANTADO; OBCECADO [F.: Part. de *torar*.]

toranja (to.*ran*.ja) *Bot. sf.* 1 O mesmo que *toranjeira* 2 O fruto da toranjeira [Em ing. *grapefruit*.] [F.: Do espn. *toronja*, do ár. *turundja*.]

toranjeira (to.ran.*jei*.ra) *sf. Bot.* Árvore da fam. das rutáceas (*Citrus maxima*), originária da Malásia, cultivada pelo fruto, a toranja, grande, com casca grossa, amarela, de polpa ácida, ger. branca, rica em vitamina C, com vários híbridos cultivados, de polpa menos ácida, branca, alaranjada ou avermelhada [F.: *toranja* + *-eira*.]

torar[1] (to.*rar*) *Bras. v.* 1 Cortar em toros (a madeira); atorar [*td.*] 2 Reduzir a pedaços; cortar [*td.*] 3 Cortar baixinho, rente; TOSAR [*td.*: *Torou a cabeleira cultivada há anos.*] 4 Cruzar as linhas das pipas empinadas no ar a fim de puir uma delas [*int. td. tr.* + *com*] [▶ 1 **torar**] [F.: *toro* + *-ar*. Hom./Par.: *tora*(s) (fl.), *tora* (sf. e pl.); *torais* (fl.), *torais* (pl. *toral* [a2g. e sm.]); *torá*(s) (fl.), *torá* (sf., a2g., s2g., sm. e pl.); *torai, torais* (fl.), *toraí* (sm. e pl.); *tore* (fl.), *tóri* (a2g., s2g. e sm.); *torem* (fl.), *torém* (sm.).]

torar[2] (to.*rar*) *v. int. SP* Cair fora; ir embora [▶ 1 **torar**] [F.: *toro* + *-ar*. Hom./Par.: ver *torar*.]

tórax (*tó*.rax) [cs] *sm2n.* 1 *Anat.* Parte do corpo que fica entre o pescoço e o abdome, e guarda os principais órgãos da circulação e da respiração; PEITO 2 *Zool.* Nos crustáceos e articulados é o conjunto formado pelos primeiros anéis da cabeça, e nos insetos é o segmento intermédio do corpo [F.: Do gr. *thóraks, akos*.]

toráxico (to.*rá*.xi.co) [cs] *a.* Ver *torácico* [F.: *tórax* + *-ico*[2].]

torba (*tor*.ba) *sf. SP* Terra negra, com turfa, encontrada em várzeas e us. no fabrico de tijolos [F.: Posv. alter. de *turfa*.]

torçal (tor.*çal*) *sm.* 1 Cordão de fios torcidos para costura ou bordado 2 Cordão de fios de seda mesclados ou não com fios de ouro 3 Espécie de cabresto para animais ariscos [Pl.: *-çais*.] [F.: Do espn. *torzal*. Hom./Par.: *torçais* (pl.), *torçais* (fl. de *torcer*).]

torção (tor.*ção*) *sf.* 1 Ação ou efeito de torcer; TORCEDURA 2 O mesmo que *torcedura* (1) 3 *Med.* Lesão de uma articulação, decorrente de movimento brusco de rotação 4 *Pat.* Rotação de um órgão sobre si mesmo 5 *Agr.* Ação ou efeito de torcer um ramo para diminuir o afluxo da seiva e o acúmulo de folhas 6 *Vet.* Cólica violenta que ataca alguns animais esp. o cavalo [Pl.: *-ções*.] [F.: Do lat. *tortio, onis*.]

torcaz (*tor*.caz) *s2g. Bras. Ornit.* Espécie de pomba; tb. conhecida como *pomba-trocal* (*Columba speciosa*) [F.: Do lat. vulgar **torquace* (< lat. *torques, is*, 'colar').]

torcedor (tor.ce.*dor*) [ô] *sm.* 1 Aquele que torce por uma equipe, atleta etc. 2 Instrumento que serve para torcer [Nessas duas acp., tb. us. como adj.] 3 Fuso de fiar 4 *Antq.* Aparelho que extrai o caldo da cana *a.* 5 Que torce por uma equipe, atleta, participante de um concurso etc. 6 Que serve para torcer [F.: *torcer* + *-dor*.] ▪▪ ~ **roxo** Torcedor (1) fanático, apaixonado

torcedura (tor.ce.*du*.ra) *sf.* 1 Ação ou efeito de torcer; TORÇÃO 2 Desarticulação de uma parte do corpo; TORÇÃO: *Não pode escrever devido a uma torcedura no punho*; "...bezerros com torcedura de munheca ou canela partida..." (Guimarães Rosa, *Sagarana*) 3 O mesmo que *beliscão* 4 Volta tortuosa: *as torceduras de um rio.* 5 *Fig.* Afirmação vaga; EVASIVA [F.: *torcer* + *-dura*.]

torcer (tor.*cer*) *v.* 1 Girar (algo) sobre si ou em espiral [*td.*: *Torceu a roupa antes de estendê-la no varal.*] 2 Dobrar, entortar [*td.*: *Torceu o fio de metal.*] 3 *Fig.* Deturpar o sentido ou a intenção real de [*td.*: *Os jornalistas torceram as palavras do político.*] 4 Deslocar [*td.*: *Ao fazer muita força, torceu o pulso.*] 5 Desviar-se do caminho ou fazer mudar de direção [*ta.*: *A aeronave torceu para o Leste.*] 6 Fazer vergar ou inclinar-se, pender [*td.*: *O vento torceu os galhos da roseira.*] [*ta.*: *Com a ventania, a árvore torceu para a esquerda.*] 7 *Fig.* Sentir (dor, raiva etc.) de modo excessivo, a ponto de expressar através de movimentos do corpo; contorcer-se [*tr.* + *de*: *Revoltado com a mentira, torcia-se de indignação.*] 8 Contorcer (as mãos) por ansiedade, aflição, desespero, ódio etc. [*td.*] 9 Unir, enrolando, trançando [*td.*: *máquina de torcer fios de algodão.*] 10 Fazer ceder; dobrar, submeter [*td.*: *Conseguiu torcer a obstinação do amigo.*] 11 Desejar, querer, que um time, equipe, colégio etc. ganhe ou perca numa partida, competição, campeonato etc. [*tr.* + *por, contra, para, em favor de, a favor de*: *Embora flamenguista, naquele jogo entre o Fluminense e o São Paulo, ele torceu pelo Flu; Dizem que o brasileiro sempre torce contra a Argentina, mesmo quando o Brasil não está jogando.*] 12 *P. ext.* Desejar que um bloco, uma escola de samba etc. consagre-se campeã no desfile de Carnaval [*tr.* + *por, para*: "Assim, não fico com aquele dilema de quando estou apenas assistindo, que é torcer pela Mangueira ou pela Beija-Flor." (Cláudia Rodrigues)] 13 Ter sentimento de apreço (muitas vezes profundo) por um time, equipe etc; fazer parte do grupo daqueles que desejam que esse time, agremiação etc. sempre vença [*tr.* + *por, para*: *Torce pelo Vasco desde menino; Quando pequeno torcia para um time, mas hoje torce para outro.*] 14 *Fig.* Demonstrar insatisfação ou náusea diante de algo, através de movimento (ger.) facial [*td.*: *Torceu o nariz diante da proposta; Torceu a cara ao ver o peixe frito; Quando não gostava de algo, torcia a boca em sinal de reprovação.*] 15 Desejar (algo) ardentemente, ger. a favor ou contra alguém ou alguma coisa [*tr.* + *por, contra*: *Torcia pelo sucesso do filho; Torcia sempre contra o irmão.*] [▶ 33 **torcer**] [F.: Do lat. vulg. **torcere*, por *torquere*, 'torcer'; 'tornar'; 'torturar, atormentar'; 'envergar uma arma antes de lançá-la'. Hom./Par.: *torça* /ô/ (3ª p. s.), *torças* /ô/ (2ª p. s.), *torça* (s. f.) e pl; *torçais* (2ª p. pl.), *torçais* (pl. de *torçal* [sm.]); *torce* (1ª e 3ª p. s.), *torces* (2ª p. s.), *torce* (sm.) e pl; *torço* /ô/ (1ª p. s.), *torço* /ô/ (s. m. e a.) e *torso* /ô/ (sm. e a.); *torceis* (2ª p. pl.), *torcéis* (pl. de *torcel* [sm.]).]

torcicolar (tor.ci.co.*lar*) *v. int.* Formar ou descrever torcicolos, curvas; ZIGUEZAGUEAR; SERPENTEAR; SERPEAR [▶ 1 **torcicolar**] [F.: *torcicol(o)* + *-ar*[2].]

torcicolo (tor.ci.*co*.lo) *sm.* 1 *Med.* Contração da musculatura do pescoço, que causa dor e dificuldade de movimentos 2 *Fig.* Ambiguidade 3 *Ornit.* Ave da família dos picídeos (*Jynx torquilla*), da Europa e da Ásia, que se alimenta de formigas e besouros [F.: Do it. *torcicollo*.]

torcida (tor.*ci*.da) *sf.* 1 Ação ou resultado de torcer 2 Conjunto de torcedores numa competição esportiva, concurso etc.: "Perturbaram-no os gritos da torcida, o clamor frenético dos aplausos." (Marques Rebelo, *Marafa*) 3 Mecha de vela, lamparina etc., feita de fios torcidos; PAVIO 4 Objeto com essa forma 5 *BA* Enrolado de folhas de fumo que fazem o recheio do charuto [F.: Fem. substv. de *torcido*.]

torcido (tor.*ci*.do) *a.* 1 Que se torceu (roupa torcida) 2 Que sofreu torção (pé torcido) 3 Tortuoso 4 *Fig.* Forçado, mal interpretado: *sentido torcido das palavras.* [F.: Part. de *torcer*.]

torcimento (tor.ci.*men*.to) *sm.* O mesmo que *torcedura* [F.: *torcer* (*-e-* > *-i-*) + *-mento*.]

torço (*tor*.ço) [ô] *a.* 1 Que é tortuoso, sinuoso, retorcido *sm.* 2 *BA* Variedade de xale que se usa em torno da cabeça 3 *P. us.* Mesmo que *torcedura* [F.: Dev. de *torcer*. Hom./Par.: *torço* /ô / (fl. de *torcer*) e *torso* /ô / (sm. e a.).]

torcular (tor.cu.*lar*) *a2g.* 1 Ref. a tórculo 2 Que tem forma de tórculo *s2g.* 3 Aquilo que tem forma de tórculo [F.: *tórcul(o)* + *-ar*.]

tórculo (*tór*.cu.lo) *sm.* 1 *Ant.* Máquina para polir cristais e metais 2 *Art. gr.* Prensa pequena, formada por dois cilindros horizontais entre os quais passa, a grande pressão, a mesa com o conjunto formado pela placa entintada, o papel umedecido e a manta: "...como no tórculo se embebe a folha de papel saindo para o outro lado convertida em estampa primorosa." (Alexandre Herculano, *A morte do lidador*) 3 *Tip.* Prelo primitivo, semelhante à prensa do lagar [F.: Do lat. *torculum i.* Hom./Par.: *torculo* (fl. de *torcular*).]

tordilho (tor.*di*.lho) *a.* 1 Que tem cor de tordo 2 Diz-se de cavalo de cujo pelame negro sobressaem malhas brancas *sm.* 3 Esse cavalo [F.: *tordo* + *-ilho*.]

tordo (*tor*.do) [ô] *sm. Ornit.* O mesmo que *sabiá* [F.: Do lat. *turdus, i*.]

toré (to.*ré*) *Bras. sm.* 1 *Mús.* Trombeta indígena em forma de porta-voz, feita de casca de pau, couro da cauda de jacaré ou de barro, que emite um som rouco e lúgubre; BORÉ 2 *Mús.* Instrumento indígena, semelhante a uma flauta, feito de taquara 3 *N. N. E. Dnç. Etnog.* Dança festiva ao ar livre comum a vários grupos indígenas das regiões N. e N. E. na qual os participantes formam um grande círculo que gira em torno de um centro; o ritmo próprio de cada comunidade é marcado pelas pisadas fortes no chão e o canto (acompanhado por maracás, gaitas, totens e amuletos) é entoado pelo mestre que conduz o coro formado pelos dançadores 4 *N. E. Etnog.* Em alguns grupos indígenas, ritual religioso que tem como objetivo a evocação dos encantados (5), e cuja dança, ger. em local fechado, é restrita a poucos índios e assume características diferentes em cada comunidade 5 *N. N. E. Mús.* O canto indígena entoado no toré (3 e 4) 6 *AL Dnç. Etnog.* Dança guerreira, executada pelos caboclos no auto dos quilombos, com canto acompanhado por pífaros, zabumbas e trombetas; em uma das modalidades dessa dança, um velho caboclo tira a toada no meio de um círculo de dançadores vestidos de amerindios; em outra, os caboclos simulam a marcha para atacar os mocambos 7 *N. E. Rel.* Variante do catimbó e do candomblé de caboclo em que o mestre evoca os caboclos ou os encantados (5) para indicar ou ensinar os remédios necessários para a cura de algum mal [F.: Posv. do tupi *to're*.]

torena (to.*re*.na) *RS a2g.* 1 Diz-se de indivíduo elegante, bem-apresentado [Ant.: *deselegante, mal-ajambrado*.] 2 Diz-se de indivíduo valente, corajoso [Ant.: *covarde, medroso*.] 3 Diz-se de indivíduo hábil em algum mister [Ant.: *inábil, inepto*.] [Aum.: *torenaço*.] *s2g.* 4 Pessoa elegante; CASQUILHO; DÂNDI; JANOTA 5 Indivíduo valente, corajoso; CABRA-MACHO; VALENTÃO: "...mais de um torena coçou o punho da adaga, mais de um desapresilhou a pistola..." (João Simões Lopes Neto, "O negrinho do pastoreio" *in Lendas do Sul*) [Ant.: *fracote, maricas.*] **6** Pessoa hábil em algum mister: "Como uns oitenta e tantos torenas, campeiraços destorcidos, domadores e boleadores de fama..." (Idem, "Correr eguada" *in Contos gauchescos*) [Aum.: *torenaço.*] [F.: De or. obsc.]

torete (to.*re*.te) [ê] *sm.* Peça de madeira roliça, com ou sem casca, ger. de diâmetro entre 4 e 30 cm [F.: *tora* + *-ete.*]

torêutica (to.*rêu*.ti.ca) *sf.* Arte de cinzelar ou esculpir em metal, madeira ou marfim [F.: Fem. substv. de *torêutico.*]

torêutico (to.*rêu*.ti.co) *a.* Ref. ou pertencente a torêutica [F.: Do gr. *toreutikós, é, ón.*]

torga (*tor*.ga) *Lus. sf.* **1** *Bot.* Designação comum a plantas da fam. das ericáceas, nativas de Europa e, de modo geral, espontâneas em Portugal; QUIROGA; TORGA-ORDINÁRIA; TORGÃO; TORGUEIRA; URZE; URZE-BRANCA: "Em volta, terreno limpo de mato só uma pequena área, o hortejo da courela, para depois recomeçarem os estevais traiçoeiros, as torgas virgens" (Noel Teles, *Terra Campa*) **2** Raiz de urze com que se faz carvão **3** *Fig. Pop.* Cabeça grande [F.: Do lat. **torica* (< lat. *torus*, 'toro').]

tori[1] (*to*.ri) [ô] *sm.* Portal típico localizado na entrada dos templos japoneses [F.: Do jap. *torii.* Hom./Par.: *tóri* (sm. e a.), *tore* (fl. de *torar*).]

tori[2] (*to*.ri) *sm. Amaz. Etnog. Mús.* Trombeta dos índios parintintins [F.: De or. obsc. Hom./Par.: ver *tori*[1].]

tóri (*tó*.ri) *Pol. s2g.* **1** Partido conservador inglês **2** Indivíduo que é membro ou adepto desse partido *a2g.* **3** Ref. ou pertencente a tóri (1 e 2) [F.: Do ing. *tory.* Hom./Par.: *tori* (sm.) e *tore* (fl. de *torar*).]

◎ **-tório** *suf. nom.* Registra-se em voc. formados no latim (part. ou sup. + suf.) ou no vernáculo a partir de radicais verbais, em geral com as seguintes noções: **a)** 'relativo a ou em que há, ou que envolve ou encerra (a ideia expressa pelo nome da ação indicada pelo rad. verbal)': *abdicatório, aberratório, abjuratório, absolutório* (< lat.), *aclamatório, acusatório* (< lat.), *amatório* (< lat.), *apelatório* (< lat.), *aprobatório, articulatório, atentatório, auscultatório, avaliatório, bajulatório, blasfematório, calcinatório, captatório* (< lat.), *combinatório, compensatório, contestatório, contraditório* (< lat.), *depredatório, imigratório, obrigatório* (< lat.), *operatório* (< lat.), *respiratório*; **b)** '(*restr.*) que (ou aquilo que) é próprio para ou tem a faculdade de (a ação expressa pelo rad.)': *abonatório, ab-rogatório, acautelatório, admoestatório, admonitório* (< lat.), *anulatório, atestatório, avocatório, cassatório, classificatório, comprobatório, conciliatório, condenatório, convocatório, elevatório, eliminatório, escusatório* (< lat.), *expiatório* (< lat.), *expurgatório* (< lat.), *inspiratório, introdutório, precatório* (< lat.), *renovatório*; **c)** '(*restr.*) que realiza (a ação determinada pelo rad.)': *alheatório, alienatório, alucinatório, assecuratório, difamatório, giratório, iluminatório, incriminatório, inflamatório, satisfatório* (< lat.), *vexatório, vinculatório*; **d)** 'lugar em que se realiza a ação indicada pelo rad. original': *adoratório, ambulatório* (< lat; nesta acp. o voc. o traz a ideia de 'setor hospitalar em que são atendidos os enfermos que podem se locomover [v.lat. *ambulare*, ' andar', ' passear'] por conta própria'), *auditório* (< lat.), *cagatório* (chulo), *comungatório, consultório* (< lat.), *crematório, criatório, dormitório* (< lat.), *escritório* (< lat.), *observatório, purgatório* (< lat.), *reservatório*; **e)** 'ato ou ação de': *adjutório* (< lat.), *falatório, interrogatório, ofertório* (< lat.), *peditório* (< lat.), *xingatório*; **f)** 'resultado de ação': *somatório* [F.: Do suf. lat. *-torius, a, um* (= *-t-*, do part. pass. ou do sup. lat., + suf. lat. *-orius, a, um*), de adj., e de seu correspondente para substv. *-torium, ii*, por via erudita ou semierudita. Outra f.: *-douro, -doiro*[1]. F. conexa: *-ório.*]

tormenta (tor.*men*.ta) *sf.* **1** Tempestade violenta, esp. no mar; BORRASCA; TEMPORAL **2** *Fig.* Grande agitação; CONFUSÃO; REBULIÇO **3** *Fig.* Discussão acalorada **4** *Fig.* Grande sofrimento, grande aflição **5** Série de acontecimentos ruins, de coisas más [F.: Do lat. tard. *tormenta*, pl. de *tormentum, i.*]

tormentar (tor.men.*tar*) *v. td. int.* Ver *atormentar* [▶ 1 tormentar] [F.: *tormento* + *-ar.*]

tormento (tor.*men*.to) *sm.* **1** Sofrimento físico ou moral intenso; DOR: "...numa viagem em que meus tormentos só não acabaram comigo de uma vez (...) tinha que me fazer forte, pelo meu filho." (Ana Maria Machado, *A audácia dessa mulher*) **2** Má sorte; DESGRAÇA; INFORTÚNIO **3** Tortura infligida a alguém; SUPLÍCIO [F.: Do lat *tormentum, i.*]

tormentório (tor.men.*tó*.ri:o) *a.* **1** Ref. a tormenta **2** Em que há tormenta(s): "Eu sou aquele oculto e grande Cabo / A quem chamais vós outros Tormentório..." (Camões, *Os lusíadas*) [F.: *tormento* + *-ório.* Sin. ger.: *tormentoso.*]

tormentoso (tor.men.*to*.so) [ô] *a.* **1** Ref. a ou em que há tormento **2** *Fig.* Que provoca tormento (ventos tormentosos) **3** Muito agitado, difícil ou desagradável (noites tormentosas) [Pl.: [ó]. Fem.: [ó].] [F.: Do lat. *tormentosus, a, um.*]

torna[1] (*tor*.na) *sf.* **1** Ação ou resultado de tornar **2** Aquilo (dinheiro, objeto etc.) que se dá a mais para igualar o valor de coisa que se troca por outra; SUPLEMENTO **3** *Jur.* Compensação que o herdeiro mais favorecido em uma partilha dá a outros coerdeiros, a fim de igualar os quinhões: "Você deve à Irmandade de Nossa Senhora de Negrelos um conto e cem mil-réis; você deve de tornas a seu irmão quatrocentos." (Camilo Castelo Branco, *A brasileira de Prazins*) [Mais us. no pl.] **4** *Lus. Agr.* Cada uma das faixas em que é dividido um terreno cultivado **5** *Lus. Agr.* Primeiro rego de uma lavoura **6** *Lus.* Pequeno espaço de terreno entre outros de grande extensão; NESGA **7** *Lus.* Viagem que retorna no espaço ou no tempo [F.: Dev. de *tornar.* Hom./Par.: *torna* (fl. de *tornar*).]

torna[2] (*tor*.na) *sf.* Espécie de pálio (3) indiano [F.: Do neoárico e sânsc. *torana.* Hom./Par.: ver *torna*[1].]

tornada[1] (tor.*na*.da) *sf.* **1** Ação ou resultado de tornar; volta para o mesmo lugar de onde se saiu **2** *Poét.* Estrofe que ger. termina as sextinas, composta de metade dos versos das estrofes anteriores; ENVIO; REMATE **3** *Bras.* Banco de areia no fim dos cabedelos [F.: Fem. substv. de *tornado.*]

tornada[2] (tor.*na*.da) *sf. Lus.* Líquido que sai da vasilha quando se lhe tira o torno [F.: *torno* (4) + *-ada*[2].]

tornado[1] (tor.*na*.do) *sm. Met.* Redemoinho de vento em forma de cone invertido, com grande poder de destruição [No mar é chamado *tromba-d'água.*] [F.: Do espn. *tornado*, pelo ing. *tornado.* Ver tb. *ciclone, furacão* e *tufão.*]

tornado[2] (tor.*na*.do) *a.* **1** Que se tornou, transformou **2** Que tornou, regressou; RETORNADO **3** Que se traduziu, verteu: *Tornado diretamente do russo para o português.* [F.: Part. pass. de *tornar.*]

tornar (tor.*nar*) *v.* **1** Fazer ficar ou ficar; fazer ou vir a ser [*tdp.: Tornar o ambiente agradável.*] [*tp.: Tornar-se elegante.*] **2** Transformar(-se), converter(-se) [*tdr.* + *em*: *Jesus Cristo tornou água em vinho.*] [*tp.: Pão e vinho tornam-se corpo e sangue de Cristo.*] **3** Fazer sofrer ou sofrer transformação [*tdp.: Para ele, o dinheiro tornava bonito o feio.*] [*tp.: Seu semblante tornou-se pesado.*] **4** Voltar (ao lugar donde saíra), regressar [*ta.: Tornou da Europa no último sábado;* "...Quando tornei ao Rio de Janeiro em março..." (Machado de Assis, "Missa do galo" *in Novas Seletas*)] [*tda.: Tornaram-se ao navio antes da hora prevista.*] [*int.: Saiu da casa dos pais ainda rapaz e nunca mais tornou.*] **5** Devolver (algo) a; restituir [*tdi.* + *a*: *Tornou a joia à sua verdadeira dona.*] **6** Mudar de opinião, de ideia [*tr.* + *de*: *Jamais tornou de suas resoluções.*] **7** Dizer em resposta, justificativa ou explicação; responder, redarguir [*td.: Não aceito esse tratamento – tornou o subalterno.*] **8** Abordar novamente [*tr.* + *sobre*: *Teimoso, tornou sobre o mesmo argumento falacioso; Na aula seguinte, a professora tornou sobre a Guerra dos Canudos.*] **9** Manifestar-se novamente; voltar a ocorrer, viver ou existir; reviver [*int.: Os entusiasmos da adolescência nunca tornam.*] **10** Traduzir [*tdr.* + *em*, *para*: *Tornou vários textos de Voltaire em português; Tornou alguns poemas de Drummond para o francês.*] **11** Tomar o partido ou a defesa de (alguém), apoiá-lo [*tr.* + *por*: "– De nós todos se poderá queixar, por que, sendo (Camões) honra e glória de Espanha, tão mal tornamos por ele, que, se são poucos os que o leem, são menos os que o entendem." (D. Francisco Manuel de Melo, *Hospital das letras*)] [▶ 1 tornar Em construções do tipo *tornar + a + infinitivo*, funciona como aux. e indica a retomada ou repetição de um processo ou ação expressos pelo v. no infinito: *Tornou a falar sobre o mesmo assunto; Tornou a acreditar na vida, depois da recuperação do filho; Tornou a chover depois de meia hora.*] [F.: Do v.lat. *tornare*, 'tornear'; 'volver'; 'revolver nos dedos'. Hom./Par.: *torna* (fl.), *torna* (sf.); *tornas* (fl.), *tornas* (pl. do sf.); *torno* (fl.), *torno* /ô/ (sm.); *torneis* (fl.), *tornéis* (pl. de *tornel* [sm.]).]

tornassol (tor.nas.*sol*) *sm.* **1** *Quím.* Corante natural us. como indicador de ácidos **2** *Bot.* Ver *girassol* [Pl.: *-sóis.*] [F.: *tornar* + *sol*[1].]

torna-viagem (tor.na-vi:*a*.gem) *sf.* **1** Volta de uma viagem: "Agora, porém, de torna-viagem as cousas tinham mudado." (Adolfo Caminha, *Bom-crioulo*) **2** Conjunto de gêneros, esp. alimentícios, preparados para se conservarem durante uma longa viagem que não são consumidos e retornam ao lugar de onde partiram; REFUGO; REBOTALHO *a2g.* **3** Diz-se de indivíduo que retorna à sua pátria depois de viver um período em outro país **4** *Lus.* Diz-se de indivíduo que regressou a Portugal vindo do Brasil ou da África em estado de quase pobreza *s2g.* **5** Qualquer desses indivíduos [Pl.: *torna-viagens.*]

torneado (tor.ne.*a*.do) *a.* **1** Trabalhado no torno (cerâmica torneada) **2** Arredondado, roliço (coxas torneadas) **3** *Fig.* Escrito com elegância *sm.* **4** Aquilo que se torneou ou se assemelha a algo feito com o torno: *Admirava-lhe o torneado das pernas.* [F.: Part. de *tornear.*]

torneador (tor.ne:a.*dor*) [ô] *a.* **1** Que torneia *sm.* **2** Aquele ou aquilo que torneia; TORNEIRO **3** Instrumento de espingardeiro para abrir as escorvas **4** *Ant.* Banco sobre o qual se faziam as rodas grandes das seges [F.: *tornear* + *-dor.*]

torneamento (tor.ne:a.*men*.to) *sm.* Ação ou resultado de tornear; TORNEIO [F.: *tornear* + *-mento.*]

tornear[1] (tor.ne.*ar*) *v. td.* **1** Modelar, arredondando no torno: *Tornear a madeira.* **2** Dar forma arredondada a: *Tornear o bíceps com exercícios diários.* **3** *Fig.* Aprimorar, polir: *Tornear um discurso.* **4** Estar em volta; dar a volta a: *A pista de corrida torneava o estádio.* [▶ 13 tornear] [F.: *torno* + *-ear.* Hom./Par.: *tornearia* (1ª3ª p.s.), *tornearias* (2ª p. s.)/ *tornearia* (sf.) e pl; *torneio* (1ª p.s.)/ *torneio* (sm.).]

tornear[2] (tor.ne.*ar*) *v.* **1** Movimentar-se em torno de; CIRCUNDAR [*td.: Torneou a praça para comprar pipocas.*] **2** Trabalhar no torno [*td.: Torneou um cilindro.*] **3** Dar formato arredondado a [*td.: Fazia muita ginástica para tornear o corpo.*] **4** Envolver cercando; CINGIR; RODEAR [*td.: Uma tira de couro torneava sua cintura.*] **5** *Fig.* Fazer movimento de retorno para surpreender (algo ou alguém) [*td.: Torneou a casamata para atacar pela retaguarda.*] **6** Pôr-se livre de; ESCAPAR; SAFAR-SE [*td.: O soldado torneou as minas terrestres para chegar ao rio.*] **7** Tomar rumo diferente; DESVIAR-SE [*int.: Perseguido, torneou por uma rua lateral.*] **8** *Fig.* Dar aprimoramento, polimento a; APURAR [*td.: Gostava de tornear suas frases com perfeita elegância.*] [▶ 13 tornear] [F.: *torno* + *-ear*[2]. Hom./Par.: *tornearia(s)* (fl.), *tornearia(s)* (sf. [pl.]); *torneio* (fl.), *torneio* (sm.).]

tornearia (tor.ne:a.*ri*.a) *sf.* **1** Arte de torneiro **2** Oficina de torneiro [F.: *tornear* (2) + *-aria.* Hom./Par.: *tornearia* (fl. de *tornear*).]

torneável (tor.ne:*á*.vel) *a2g.* Que se pode tornear [Pl.: *-veis.*] [F.: *tornear* + *-vel.* Hom./Par.: (pl.) *torneáveis, torneáveis* (fl. de *tornear*).]

torneio[1] (tor.*nei*.o) *sm.* **1** Ação ou resultado de trabalhar com o torno; TORNEAMENTO **2** Feitio roliço dado pelo torneiro aos objetos que trabalha **3** *Fig.* Modo elaborado de expressão: *o torneio de uma frase.* **4** *Fig.* Elegância de formas [F.: Dev. de *tornear.* Hom./Par.: *torneio* (sm.), *torneio* (fl. de *tornear*).]

torneio[2] (tor.*nei*.o) *sm.* **1** *Esp.* Competição entre indivíduos ou equipes **2** Combate entre cavaleiros armados, na Idade Média; JUSTA **3** *Fig.* Polêmica, discussão entre duas ou mais pessoas [F.: Do provç. *tornei.*] ■ **~ da morte** *Esp.* Torneio cujo perdedor será rebaixado de categoria

torneira (tor.*nei*.ra) *sf.* Peça adaptada a um recipiente, tubo, cano etc., a qual permite deixar sair ou impede o corrimento do líquido ou gás que neles se contém ou que por eles circula: *a torneira de uma pipa de vinho;* "Às vezes depois do jantar, quando ele abria as torneiras da loquacidade, iam todos, um por um, fugindo sorrateiramente" (Aloísio Azevedo, *Casa de pensão*) [F.: *torno* + *-eira.*]

torneiro (tor.*nei*.ro) *sm.* Pessoa que trabalha com o torno [F.: *torno* + *-eiro.*]

tornejar (tor.ne.*jar*) *v.* **1** Dar ou adquirir uma forma curva; ENCURVAR(-SE) [*td. int.*] **2** Fazer o contorno de; CONTORNAR [*td.: Tornejou a praça.*] **3** *Fig.* Mostrar-se esquivo em; ESQUIVAR-SE; DESVIAR-SE [*td.: Tornejava as opiniões, evitando qualquer afirmação.*] [▶ 1 tornejar] [F.: *torn(o)* (1) + *-ejar.* Hom./Par.: *torneja(s)* (fl.), *torneja* /ê / (sf. e pl.).]

tornilho (tor.*ni*.lho) *sm.* **1** Torno pequeno **2** *Ant. Mil.* Punição que se aplicava a soldados e que consistia em atravessar duas espingardas, uma sobre o pescoço e outra nas curvas das pernas, apertando-as com correias para obrigar o castigado a curvar-se com dificuldade e dor **3** *Vet.* Parasitose que provoca movimentos anormais de rotação em carneiros **4** *Fig.* Situação crítica; APERTO; DIFICULDADE **5** *Lus. Ornit.* Designação comum às aves passeriformes da fam. dos esturnídeos, encontradas na Europa e frequentes em Portugal; possui plumagem negra, lustrosa e com reflexos esverdeados; CORTA-VENTOS; ESTORNINHO; TORDINHO; TORDO-PRETO [Do espn. *tornillo.*]

torniquete (tor.ni.*que*.te) [ê] *sm.* **1** *Med.* Instrumento e/ou técnica para estancar uma hemorragia por meio de compressão **2** *Bras.* Borboleta, catraca **3** Tipo de cruz giratória que fica à entrada de rua, estrada etc. para controlar a passagem de veículos **4** Instrumento para apertar **5** *Fís.* Aparelho us. para demonstrar a reação causada pelo escoamento dos fluidos **6** *Esp.* Trapézio fixo **7** *Art. gr.* Cuba metálica us. na distribuição de solução sensibilizadora sobre placa metálica (esp. a de zinco) durante fotogravura [F.: Do fr. *tourniquet.*]

torno (*tor*.no) [ô] *sm.* **1** *Mec.* Máquina giratória us. para fazer ou dar acabamento a peças de barro, madeira, ferro etc. **2** Instrumento fixado a uma bancada de trabalho, que segura, entre um grampo fixo e um móvel, a peça a ser limada, serrada, polida etc; MORSA **3** Antiga roda na entrada de conventos, hospícios etc. **4** Chave de torneira **5** Peça de material vário (madeira, plástico, metal etc.), ger. semiesférica, em que se penduram roupas e acessórios **6** *Antq.* Volta, giro: *Fizeram o torno da ilha.* **7** Cavilha, prego quadrado ou roliço de madeira; PINO; PUA [F.: Do lat. *tornus, i.* Hom./Par.: *torno* (sm.), *torno* (fl. de *tornar*).] ■ **Em ~ a/de 1** À volta de, em redor de **2** Aproximadamente **~ revólver** *Mec.* Torno (1) com porta-ferramenta giratório no qual se podem acoplar algumas ferramentas diferentes (broca, lima, lixa etc.), o que permite mudar rapidamente o tipo de trabalho executado, executá-los em série sem necessidade de retirar e montar ferramentas etc.

tornozeleira (tor.no.ze.*lei*.ra) *sf.* **1** Peça de malha elástica para proteger o tornozelo, us. esp. por atletas **2** Corrente ou tira artesanal us. como enfeite no tornozelo [F.: *tornozelo* + *-eira.*]

tornozelo (tor.no.*ze*.lo) [ê] *sm. Anat.* Cada uma das regiões ou saliências ósseas que unem a perna ao pé [F.: De *torno.*]

toro (*to*.ro) *sm.* **1** Tronco de árvore derrubada com casca e sem galhos; TORA **2** Corpo de animal privado dos membros **3** Os ramos e galhas delgadas das árvores, esp. do pinheiro, cortados em peças **4** Cepo ou tronco que serve como mesa de trabalho em algumas artes e ofícios (toro de carpinteiro) **5** *Geom.* Sólido gerado pela revolução de um círculo em redor de um eixo que não seu diâmetro **6** *Arq.* Moldura circular na base da coluna **7** *Bot.* Parte mais grossa e central, em forma de disco, da membrana de uma pontuação **8** *Poét.* Leito conjugal; TÁLAMO [F.: Do lat. *torum* ou *torus, i.* Hom./Par.: *toro* (sm.), *toró* (sm.).]

toró[1] (to.*ró*) *sm. Bras.* Chuva forte e repentina; AGUACEIRO [F.: Voc. onom. Hom./Par.: *toró* (sm.), *toró* (a2g. s2g.), *toro* (sm.).]

toró[2] (to.*ró*) *a2g.* **1** Diz-se de pessoa que não tem um dedo ou a falange de qualquer dedo *s2g.* **2** Essa pessoa [F.: Dev. de *torar.* Hom./Par.: *toró* (a2g. s2g.), *toró* (sm.), *toro* (sm.).]

toroide (to.*roi*.de) *sm.* **1** *Geom.* Sólido ou superfície gerada pelo movimento de uma circunferência em torno de uma reta que lhe é coplanar e não secante **2** *P. ext.* Corpo que se assemelhe a esse sólido [F.: *toro* + *-oide.*]

toronja (to.*ron*.ja) *sf. Bot.* O mesmo que *toranja* [F.: Var. de *toranja.*]

tororó (to.ro.*ró*) *Bras.* **a2g.** **1** Que tem pequena estatura **2** Baixo e largo **3** Demasiado aparado [F.: De *toro*, posv.]

torpe (*tor*.pe) [ô] **a2g.** **1** Que ofende a decência, a moral e os bons costumes (vício torpe; ação torpe); DEPRAVADO; SÓRDIDO **2** Que provoca nojo; ASQUEROSO: "...quando se animou a profanar o amor com as torpes carícias que tantos haviam comprado." (José de Alencar, *Lucíola*) **3** Que apresenta mancha, mácula; ENODOADO; SUJO [F.: Do lat. *turpis, e.*]

torpedeamento (tor.pe.de:a.*men*.to) **sm.** Ação ou resultado de torpedear [F.: *torpedear* + *-mento.*]

torpedear (tor.pe.de.*ar*) *v. td.* **1** Atacar com torpedos: *Torpedear um submarino.* **2** *Fig.* Tomar medidas para fazer fracassar (plano, projeto etc.) **3** Atormentar, apoquentar: *Torpedeou o réu (com perguntas irrespondíveis).* [▶ 13 torpedear] [F.: *torpedo* + *-ear*[2].]

torpedeiro (tor.pe.*dei*.ro) **sm.** **1** *Antq. Mar. G.* Navio de guerra equipado para lançar torpedos **a.** **2** Ref. a torpedo [F.: *torpedo* + *-eiro.*]

torpedinídeo (tor.pe.di.*ní*.de:o) *Ict.* **sm.** **1** Espécime dos torpedinídeos, fam. de peixes elasmobrânquios, marinhos, com apenas um gênero (*Torpedo*); são providos de um par de órgãos elétricos cujo contato entorpece e, por essa característica, são vulg. chamados de raias-elétricas **a.** **2** Ref. aos torpedinídeos [F.: Do lat. cient. fam. *Torpedinidae.*]

torpedo (tor.*pe*.do) [ê] **sm.** **1** *Bras. Pop.* Bilhete entregue a alguém, por intermediário, ger. em local público e com intenção de conquista **2** Mensagem curta enviada por meio de telefone celular **3** Projétil explosivo lançado de submarinos, navios ou aviões contra embarcações **4** *Ict.* Gênero de peixes cartilaginosos parecidos com a arraia, dos quais há várias espécies (*Torpedo marmorata, Torpedo oculata, Torpedo nobiliana*), munido de dois órgãos que transmitem uma descarga elétrica ao ser ele tocado [F.: Do lat. *torpedo, inis.*] ■ **~ nuclear** *Mar. G.* Aquele cuja carga é de explosivo nuclear

torpemente (tor.pe.*men*.te) **adv.** **1** De maneira torpe, indecente: "O padre tinha muita compaixão do fidalgo, que a mulher e as filhas enlameavam torpemente." (Camilo Castelo Branco, *A brasileira de Prazins*) **2** De modo repugnante, nojento: "...retirantes andrajosos, esquálidos, torpemente sórdidos..." (Domingos Olímpio, *Luzia Homem*) [F.: *torpe* + *-mente.*]

torpeza (tor.*pe*.za) [ê] *sf.* **1** Característica do que é torpe, infame, indigno, impudico; BAIXEZA: "...porque traído pela torpeza e as ambições humanas..." (Alberto da Costa e Silva, *A manilha e o libambo*) [Ant.: *dignidade.*] **2** Indecência, obscenidade: "...os meninos desenhassem e escrevessem pelos muros suas torpezas..." (Cecília Meireles, "Ainda Nápoles" *in Crônicas de viagem*) [Ant.: *decência.*] **3** Procedimento vergonhoso, sórdido [F.: *torpe* + *-eza.*]

tórpido (*tór*.pi.do) **a.** **1** Que está em estado de torpor; ENTORPECIDO; TORPE; TORPENTE: "Sob um clima tão tórpido e um céu tão sugestivo, a castidade é uma coisa problemática." (Fialho de Almeida, *País das uvas*) **2** *Pat.* Diz-se de úlcera, ferida ou afecção que não demonstra tendência nem de melhora nem de agravamento [F.: Do lat. *torpidus, a, um.*]

torpor (tor.*por*) [ô] **sm.** **1** Apatia, entorpecimento: "...está mergulhada apenas nesse torpor dos inativos tão fatal aos que podem agir..." (Cecília Meireles, *Crônicas de educação 1*) **2** Estado de inação da alma; INÉRCIA **3** *Med.* Diminuição geral ou parcial da sensibilidade e do movimento [F.: Do lat. *torpor, oris.*]

torporoso (tor.po.*ro*.so) [ô] **a.** **1** Cheio de torpor: "...a vida do barão arrasta-se, torporosa e lôbrega, pelas inconfessadas volutas da chatinagem mais sórdida..." (Abel Botelho, *Barão de Lavos*) **2** *Med.* Que está em estado de torpor, que não responde a estímulos [Pl.: [ó]. Fem.: [ó].] [F.: *torpor* + *-oso.*]

torque (*tor*.que) **sm.** **1** Força útil de máquina ou motor: *O carro perdeu o torque.* **2** *Fís.* Par de forças paralelas de sentidos opostos com suportes distintos que atuam sobre um corpo [F.: Do lat. *torquere*, 'torcer'.]

torquês (tor.*quês*) *sf.* **1** Ferramenta para arrancar pregos, grampos etc. **2** *Zool.* Pinça de alguns crustáceos [Pl.: *-queses.*] [F.: Do fr. ant. *turquois*, posv.]

torração (tor.ra.*ção*) *sf.* **1** Ação ou resultado de torrar; TORRAGEM **2** *Bras. Pop.* Venda por qualquer preço; LIQUIDAÇÃO **3** *Fig. Pop.* Amolação, chateação [Pl.: *-ções.*] [F.: *torrar* + *-ção.*]

torrada (tor.*ra*.da) *sf.* Fatia de pão torrado; TOSTA [F.: Fem. subst. de *torrado.*]

torradeira (tor.ra.*dei*.ra) *sf. Bras.* Aparelho elétrico para preparar torradas [F.: *torrada* + *-eira.*]

torrado (tor.*ra*.do) **a.** **1** Que se torrou ao fogo, ao sol, na torradeira **2** Que está seco (milharal torrado); MURCHO; RESSECADO **3** Muito tostado, queimado (carne torrada) **4** *Bras. Fig.* Que foi vendido a preço muito baixo **5** *SP* Embriagado, bêbedo **sm.** **6** *N.* Rapé **7** *N. Dnç.* Dança popular, espécie de samba sensual [F.: Part. de *torrar.*]

torrador (tor.ra.*dor*) [ô] **a.** **1** Que torra ou é próprio para torrar **sm.** **2** Aparelho para torrar café, amendoim etc. [F.: *torrar* + *-dor.*]

torragem (tor.*ra*.gem) *sf.* Ação ou resultado de torrar; TORRAÇÃO [Pl.: *-gens.*] [F.: *torrar* + *-agem.*]

torrão (tor.*rão*) **sm.** **1** Pedaço de terra endurecida **2** *P. ext.* Solo, terreno cultivável; GLEBA: *O torrão que produz este vinho é excelente.* **3** *P. ext.* Grande extensão de terra **4** Fragmento, pedaço **5** *Restr.* Pedaço de alguma coisa que se desfaz facilmente (torrão de açúcar) **6** A terra, o lugar de origem (torrão natal); PÁTRIA **7** O local em que um vegetal se desenvolveu: "A corrente impiedosa a flor enleia, leva-a do seu torrão" (Gonçalves Dias) **8** *Amaz.* Baixio de argila [Pl.: *-rões.*] [F.: De or. contrv; de *terrão* (< *terra* + *-ão*) ou de *torrar*, posv. Hom./Par.: *torrão* (sm.), *turrão* (a. sm.).] ■ **~ natal** A pátria

torrar (tor.*rar*) *v.* **1** Grelhar ou assar quase queimando; TOSTAR [*td.*: *Torrar amendoim.*] [*int.*: *O pão torrou muito.*] **2** Tornar muito seco; RESSECAR [*td.*: *A seca torra o pasto.*] **3** *Bras. Pop.* Vender por qualquer preço; LIQUIDAR [*td.*: *A loja vai torrar o estoque.*] **4** *Bras. Pop.* Gastar dinheiro em excesso [*td.*: *Torrou a mesada em uma semana.*] **5** *Bras. Pop.* Aborrecer demasiadamente; chatear, entediar [*td.*: *Esse marido torra a paciência de qualquer santo; Esse filme torrou.*] [▶ 1 torrar] [F.: Do lat. *torrere.* Hom./Par.: *torra* (3ª p.s.), *torras* (2ª ps.)/ *torra* (sf.) e pl; *torre* (1ª 3ª ps.), *torres* (2ª p.s.)/ *torre* /ô/ (s.f.) e pl; *turrar* (vários tempos do v.).]

torre (*tor*.re) [ô] *sf.* **1** Construção alta e estreita, anexa a ou erguida sobre outra **2** *Antq.* Edifício alto e fortificado que servia para proteger os que a ele se recolhessem contra os ataques do inimigo; FORTALEZA: "...quatro paliçadas concêntricas, com torres altas e um fosso externo..." (Alberto da Costa e Silva, *A manilha e o libambo*) **3** Construção alta, ger. metálica, armada para vários fins (antenas de rádio, televisão, cabos de energia elétrica, perfuração de petróleo etc.) **4** Cada uma das peças do jogo de xadrez em forma de torre (1) as quais estão nos quatro cantos do tabuleiro de xadrez e se movem horizontal e verticalmente **5** *Aer.* Posto eminente de observação em aeroportos **6** *Mar. G.* Estrutura de ferro em navio couraçado para abrigo de canhões de grosso calibre **7** Grande quantidade de coisas, ger. empilhadas; MONTÃO; CÚMULO **8** *Fig.* Homem muito alto e robusto; pessoa de grande porte **9** *Fig.* Vigor, fortaleza [F.: Do lat. *turris, e.* Hom./Par.: *torre* (sf.), *torre* (fl. de *torrar*); *torres* (pl.), *torres* (fl. de *torrar*).] ■ **~ de Babel** **1** No relato bíblico do Antigo Testamento, torre que os descendentes de Sem pretendiam construir até o céu, e cuja construção foi interrompida pela confusão causada pela diversidade de línguas faladas por seus construtores **2** *Fig.* Reunião, discussão, debate etc. em que ninguém se entende **3** *Fig.* Designação de cidade, sociedade etc. onde coexistem várias línguas, culturas, hábitos etc. **4** *Fig.* Agitação, confusão, balbúrdia **~ de comando** *Mar. G.* Em vasos de guerra, posto encouraçado de onde o comandante dirige as operações e manobras **~ de controle** *Avi.* Em aeroporto, torre envidraçada, em cujo interior controladores de voo manejam equipamentos (radar, rádio etc.) que lhes permitem monitorar as rotas e as posições de aviões que decolam ou aterrissam, dando aos pilotos as instruções necessárias para a segurança e o bom andamento dessas operações

torreão (tor.re:*ão*) **sm.** **1** Torre de castelo larga e com ameias **2** Espécie de torre no alto de edificações [Pl.: *-ões.*] [F.: *torre* + *-ão*[1].] ■ **~ de comando** *Mar G.* Ver *Torre de comando* no verbete *torre*

torrefação (tor.re.fa.*ção*) *sf.* **1** Ação ou resultado de torrefazer (torrefação do cacau) **2** Local em que se torra o café [Pl.: *-ções.*] [F.: *torrefazer* + *-ção*, seg. o mod. erudito.]

torrefador (tor.re.fa.*dor*) [ô] **a.** **1** Diz-se de pessoa que faz a torrefação **2** Diz-se de máquina ou aparelho próprios para torrefação **sm.** **3** Essa pessoa, máquina ou aparelho [F.: Do lat. *torrefactor, oris.*]

torrefadora (tor.re.fa.*do*.ra) [ô] **sm.** **1** Indústria fabricante de café torrado e moído **2** Máquina us. para torrar os grãos de café [F.: *torrefador* + *-a.*]

torrefato (tor.re.*fa*.to) **a.** Bem torrado [F.: Do lat. *torrefactus, a, um*, por via erudita. Tb. *torrefeito.*]

torrefazer (tor.re.fa.*zer*) *v. td.* Torrar, tostar, torrificar: *Torrefazer o café.* [▶ 22 torrefazer] [F.: Do lat. *torrefacare.*]

torrefeito (tor.re.*fei*.to) **a.** Ver *torrefato*

◎ **torr(e/i)-** *pref.* = torrar, secar: *torradeira, torrefação, tórrido* [F.: Do lat. *torrere.*]

torrejano (tor.re.*ja*.no) **sm.** **1** Indivíduo nascido ou que vive em Torres Novas (Portugal) **a.** **2** De Torres Novas; típico dessa cidade ou de seu povo [F.: Do top. *Torres Novas* + *-ano*[1], com palatalização]

torrencial (tor.ren.ci:*al*) **a2g.** **1** Que cai em abundância (chuva torrencial) **2** Que apresenta condições de torrente (enxurrada torrencial); CAUDALOSO **3** *Fig.* Em que há ou de que há abundância [Pl.: *-ais.*] [F.: Do lat. *torrentialis, e.*]

torrente (tor.*ren*.te) *sf.* **1** Corrente violenta de água, ger. produzida por chuva forte: *As casas foram invadidas pela torrente.* **2** Grande quantidade de coisa que cai ou jorra (torrente de lava) **3** Multidão que se precipita, que invade impetuosamente: *a torrente das novas migrações.* **4** *Fig.* Grande abundância ou fluência: *torrente de palavras; torrente de paixões.* [F.: Do lat. *torrens, entis.*]

torresão (tor.re.*são*) **sm.** **1** Indivíduo nascido ou que vive em Torres Vedras (Portugal) [Pl.: *-sãos, sãs.* Fem.: *-sã.*] **a.** **2** De Torres Vedras; típico dessa cidade ou de seu povo [Pl.: *-sãos, -sãs.* Fem.: *-sã.*] [F.: Do top. *Torres* (Vedras) + *-ão*[2].]

torresmo (tor.*res*.mo) [ê] **sm.** **1** Pedaço pequeno de toucinho frito **2** Resto de carne queimada **3** *S. Pop.* Criança gorda **4** *Lus.* Resto de carvão de pedra queimado em fornalha **5** *Bras. Ent.* Larva de besouros da família dos escarabeídeos que ataca as raízes da cana-de-açúcar e do arroz; PÃO-DE-GALINHA; JOÃO-TORRESMO [F.: Do espn. *torrezno.*]

torreta (tor.*re*.ta) [ê] *sf.* **1** Torre pequena **2** *Mar. G.* Nos submarinos, compartimento estanque que se ergue, como uma pequena torre, acima do casco, e no qual ficam instalados instrumentos de comando, radares, periscópios etc. [F.: *torre* + *-eta.*]

tórrido (*tór*.ri.do) **a.** **1** Quente em demasia: "O baço e tórrido sol de 1º de janeiro começou a saltar do carro da noite..." (Antônio Callado, *Bar Don Juan*) [Ant.: *gélido, glacial.*] **2** *Fig.* Repleto de desejo, de sensualidade (paixão tórrida; beijo tórrido) [F.: Do lat. *torridus, a, um.*]

torrificar (tor.ri.fi.*car*) *v. td.* O mesmo que *torrefazer* [▶ 11 torrificar] [F.: *torr (e /i)-* + *-ficar.*]

torrija (tor.*ri*.ja) *sf. Cul.* Fatia de pão torrado embebida em vinho e coberta de ovos batidos e açúcar [F.: Do espn. *torrija.*]

torrinha (tor.*ri*.nha) *sf.* **1** Torre pequena **2** *Bras. Pop.* Galeria mais alta de um teatro [F.: *torre* + *-inha.*]

torrone (tor.*ro*.ne) **sm.** *Cul.* Doce feito de amêndoas torradas (às vezes substituídas por amendoins), mel, açúcar e clara de ovo [F.: Do it. *torrone.*]

torso[1] (*tor*.so) [ô] **sm.** **1** Parte do corpo formada pelo tórax, abdome e bacia; TRONCO **2** *Art. pl.* Escultura que representa essa parte do corpo **3** Busto de estátua ou de pessoa viva [F.: Do it. *torso.* Hom./Par.: *torso* (sm.), *torço* (fl. de *torcer*).]

torso[2] (*tor*.so) **a.** **1** Torcido, sinuoso **2** *Arq.* Diz-se de coluna cujo talo é contornado como uma espiral [F.: Do lat. *torsus, a, um.* Hom./Par.: Ver *torso*[1].]

torta (*tor*.ta) *sf.* **1** *Cul.* Massa assada com recheio doce ou salgado **2** *Cul.* Bolo recheado e ger. com cobertura **3** *Bras.* Bagaço que resulta da prensagem de sementes oleaginosas (para a extração de óleo) e serve como adubo e forragem **4** *Lus.* Rocambole doce **5** *Lus.* Embriagamento, bebedeira **6** *Lus. Pop. Obst. Ginec.* No período pós-parto, dor uterina que acomete a parturiente [F.: Do lat. *torta, ae.* Hom./Par.: *torta* (sf.), *torta* (fem. de *torto*).]

torto (*tor*.to) [ô] **a.** **1** Que não é reto ou direito (linha torta); SINUOSO; TORTUOSO [Ant.: *certo, direito, reto.*] **2** Inclinado ou fora da posição correta (linha torta; quadro torto) **3** *Pop. Anat.* Que não segue o modelo anatômico; de curvatura acentuada: *as pernas tortas de Garrincha.* **4** Diz-se de quem é estrábico; VESGO **5** Diz-se de quem não tem um olho; CAOLHO **6** *Fig.* Que se revela incorreto (resposta torta); ERRADO [Ant.: *correto.*] **7** *Fig.* Injusto, errado **8** *Fig.* Que não é boa pessoa; que não demonstra lealdade; DESLEAL **9** *Fig.* Desregrado, desajustado: *Triste figura com sua vida torta por sinuosos caminhos.* **10** Diz-se do cavalo mal-intencionado **11** *Poét.* Diz-se de verso sem métrica **12** *Fig. Pop.* Diz-se do segundo marido da avó ou da mãe, em relação aos netos ou aos filhos: *Vá perguntar ao seu avô torto se ele não viu o Garrincha jogar.* [Pl.: [ó]. Fem.: [ó].] **adv.** **13** De modo errado, indevido ou inconveniente; mal: *Agiu torto comigo.* **14** *Fig.* De través, obliquamente; atravessado: *Aproximou-se, olhou torto para o visitante e saiu.* [F.: Do lat. *tortus, a, um.*] ■ **A ~ e a direito** **1** Sem discernir entre o bom e o mau, o certo e o errado etc. **2** Aleatoriamente, sem escolher ou refletir; irrefletidamente; a esmo **3** Em grande quantidade e sem direção ou destinatário certos: *Distribuiu pancada a torto e a direito.* **Quebrar o ~** **1** *Bras.* Comer algo (pouco), beliscar algo enquanto se aguarda refeição **2** Quebrar o jejum

tortulho (tor.*tu*.lho) **sm.** **1** *Bot.* Designação extensiva a vários tipos de cogumelos, entre os quais há espécies que são comestíveis **2** *Lus. Bot.* Cogumelo silvestre comestível (*Boletus edulis*) que pode atingir cerca de 25 cm de altura; de pé grosso esbranquiçado, possui chapéu hemisférico espesso e largo de cor castanha; é muito apreciado na culinária por ser carnudo, delicado e aromático **3** *Lus. Bot.* Cogumelo silvestre comestível (*Macrolepiota procera*) que pode chegar a 40 cm de altura; de coloração castanho-clara, possui pé cilíndrico e alto, e chapéu largo com protuberâncias amarronzadas **4** *Lus. Fig.* Feixe de tripas secas e atadas para venda **5** *Fig.* Indivíduo baixo e gordo, de aparência atarracada [F.: Do lat. **tertublo* (< *terrae tuber*, 'túbera da terra').]

tortuosamente (tor.tu:o.sa.*men*.te) **adv.** **1** De modo tortuoso: "...rastros frescos na areia, entranhando-se tortuosamente nas caatingas..." (Euclides da Cunha, *Os sertões*) **2** *Fig.* De maneira inadequada e inconveniente: *texto tortuosamente traduzido.* **3** *Fig.* Com astúcia; ARDILOSAMENTE; ASTUCIOSAMENTE: *Chegou ao topo da carreira agindo tortuosamente.* [F.: o fem. de *tortuoso* + *-mente.*]

tortuosidade (tor.tu:o.si.*da*.de) *sf.* **1** Estado ou característica do que é tortuoso; SINUOSIDADE **2** Forma tortuosa **3** *Fig.* Erro, injustiça [F.: Do lat. *tortuositas, atis.*]

tortuoso (tor.tu.*o*.so) [ô] **a.** **1** Que tem muitas curvas ou linhas tortas (caminho tortuoso); SINUOSO; TORTO [Ant.: *direto, reto.*] **2** Contrário à verdade, à lisura, à justiça (argumento tortuoso): *conseguir alguma coisa por meios tortuosos.* [Pl.: [ó]. Fem.: [ó].] [F.: Do lat. *tortuosus, a, um.*]

tortura (tor.*tu*.ra) *sf.* **1** Tormentos que se infligem a prisioneiros, escravos etc., para os obrigar a falar ou por simples requinte de crueldade; MORTIFICAÇÃO; SUPLÍCIO: "Como estou muito acabado e não posso trabalhar com as mãos desde que mas quebraram na tortura, não tenho remédio senão viver com muito pouco" (Camilo Castelo Branco, *O Regicida*) **2** *P. ext.* Qualquer martírio, físico, moral ou psicológico, imposto a alguém; MORTIFICAÇÃO; SUPLÍCIO **3** *Fig.* Grande sofrimento moral; AFLIÇÃO; ANGÚSTIA: "Às torturas da dor resiste a vida da linda Branca" (Almeida Garrett) 4 *Fig.* Situação difícil 5 Curva, dobra, tortuosidade [F.: Do lat. *tortura, ae.* Hom./Par.: *tortura* (sf.), *tortura* (fl. de *torturar*); *torturas* (pl.), *torturas* (fl. de *torturar*).]

torturado (tor.tu.*ra*.do) *a.* 1 Submetido a tortura ou suplício físico; CASTIGADO; FLAGELADO; SUPLICIADO: "Ao rumor infernal que faziam os animais torturados, iludiram-se os guardas da garganta e desampararam o posto." (Aquilino Ribeiro, *Avós dos nossos avós*) 2 Angustiado, oprimido de algum padecimento físico ou moral; INFERNADO; INFERNIZADO: "...realizando, por fim, o seu forte desejo de macho torturado pela carnalidade grega." (Adolfo Caminha, *Bom-crioulo*) [Ant.: *aliviado.*] 3 *P. ext.* Que manifesta compunção, que demonstra remorso por haver cometido algum pecado ou mal; ATORMENTADO; CASTIGADO; MARTIRIZADO: "E sem coragem sequer de a fitar, murmurou, torturado: – Realmente, minha amiga..." (Eça de Queirós, *Os Maias*) [Ant.: *confortado, consolado.*] 4 *Fig.* Repleto de tristeza, de mágoa (coração torturado); AMARGURADO; MAGOADO; TRISTE [Ant.: *alegre, feliz, satisfeito.*] 5 *Fig.* Que sofre os efeitos de uma devastação: "...fastígio das secas no planeta torturado..." (Euclides da Cunha, *Os sertões*) *sm.* 6 Indivíduo submetido a tortura ou suplício [F.: Part. de *torturar.*]

torturador (tor.tu.ra.*dor*) [ô] *a.* 1 Diz-se daquele ou daquilo que tortura; TORTURANTE *sm.* 2 Aquele ou aquilo que tortura [F.: *torturar* + *-dor.*]

torturante (tor.tu.*ran*.te) *a2g.* 1 Que tortura; TORTURADOR 2 Que aflige, incomoda, causa amolação: "E a ponta de um torturante *band-aid* no calcanhar." (Aldir Blanc, *Dois pra lá, dois pra cá*) [F.: *torturar* + *-nte.*]

torturar (tor.tu.*rar*) *v.* 1 Submeter (alguém) a tortura [*td.: Os senhores torturavam os escravos; Adora doces, mas tortura-se evitando-os.*] 2 Afligir(-se), angustiar(-se) muito [*tr. + com: As pessoas se torturavam com a longa espera na fila:* "...A mulher (...) agora o torturava com a sua distância..." (Aluísio Azevedo, *O cortiço*)] [*int.: Esta é uma suspeita que tortura.*] 3 Incomodar fisicamente [*td.: Sapatos apertados torturam qualquer um.*] [▶ 1 torturar] [F.: *tortura* + *-ar*[2]. Hom./Par.: *tortura* (fl.), *tortura* (sf.); *torturas* (fl.), *torturas* (pl. do sf.).]

tórula (*tó*.ru.la) *Biol. sf.* 1 Gênero de certos organismos, assexuais (como o *Oligoplites saurus*), semelhantes a fungos e altamente patogênicos; tb. *criptococo* 2 Grupo de fungos imperfeitos que causam fermentação [F.: Do lat. cient. gên. *Torula.*]

tórulo (*tó*.ru.lo) *sm.* 1 *Anat. Biol. Bot.* Pequena saliência ou nódulo na superfície de certos tecidos; PAPILA 2 *Zool.* Cavidade mínima na base da antena dos insetos [F.: Do lat. *torulus, i,* 'alburno'.]

torulose (to.ru.*lo*.se) *sf. Antq. Pat.* Infecção provocada por um fungo (*Cryptococcus neoformans*), que afeta a pele, mucosas e, em casos graves, pode atingir o sistema nervoso central, ossos e vísceras; CRIPTOCOCOSE [F.: *tórula* + *-ose.*]

toruloso (to.ru.*lo*.so) [ô] *a.* 1 Que tem tórulos 2 *Biol. Bot.* Diz-se de órgão vegetal ou de esporóforo de fungos que possui saliências circulares ou arredondadas semelhantes a tórulos (fruto toruloso) [Pl.: [ó]. Fem.: [ó].] [F.: *tórulo* + *-oso.*]

torunguenga (to.run.*guen*.ga) *RS a.* 1 Diz-se de indivíduo valentão 2 Diz-se de indivíduo hábil em determinada função (trabalho, atividade etc.) *sm.* 3 Qualquer desses indivíduos [F.: Posv. voc. expressivo.]

torvação (tor.va.*ção*) *sf.* 1 Ação ou resultado de torvar(-se) 2 Perturbação de ânimo; TRANSTORNO: "...nem ousava protrair indagações irritantes da torvação mental do velho." (Camilo Castelo Branco, *Os brilhantes do brasileiro*) 3 Sentimento violento de revolta ou raiva; AGASTAMENTO; CÓLERA [Ant.: *calma, serenidade.*] 4 Aspecto sombrio ou carrancudo da fisionomia 5 *Ant.* O que impede ou dificulta o ato, prática ou progresso de algo; IMPEDIMENTO; OBSTÁCULO [Pl.: *-ções.*] [F.: *torvar* + *-ção.* Sin. ger.: *torvamento.* Hom./Par.: *torvação* (sf.), *turvação* (sf.).]

torvado (tor.*va*.do) *a.* 1 Que perdeu a tranquilidade; CONFUSO; PERTURBADO: "A companhia santa está pintada, / Dos 12, tão torvados na figura..." (Camões, *Os Lusíadas*) [Ant.: *calmo, equilibrado, tranquilo.*] 2 *P. ext.* Que está tomado pela zanga; AGASTADO; ENCOLERIZADO; IRADO: "Sei, meu bom cavaleiro, que estai mui torvado comigo por dar a outrem o cargo de mestre das obras..." (Alexandre Herculano, "Um rei cavaleiro" *in Lendas e Narrativas*) [Ant.: *desanuviado, serenado.*] 3 *Antq.* Impedido de concretizar algo [F.: Part. de *torvar.* Hom./Par.: *torvado* (a.), *turvado* (a.).]

torvamento (tor.va.*men*.to) *sm.* O mesmo que *torvação* [F.: *torvar* + *-mento.* Hom./Par.: *torvamento* (sm.), *turvamento* (sm.).]

torvar (tor.*var*) *v.* 1 Causar confusão, perturbação; PERTURBAR [*td.: O excesso de público torvou a ordem preestabelecida.*] 2 Tornar(-se) colérico, irritado [*td.: O excesso de gente acabou por torvar o anfitrião.*] [*int.: Torvou-se quando foi envolvido pela multidão.*] 3 Ficar de fisionomia fechada, carrancuda [*int.: Seu rosto logo se torvou quando deparou com o ex-marido.*] 4 *Ant.* Causar estorvo, impedimento; ATRAPALHAR; IMPEDIR [*td.: O desastre torvou o trânsito.*] [▶ 1 torvar] [F.: Do v.lat. *turbare.* Hom./Par.: *torva* (fl.), *torva* [ô] (fem. de *torvo* [ô] a. sm.); *torvas* (fl.), *torvas* [ô] (pl. do fem. de *torvo*); *torvo* (fl.), *torvo* [ô] (a. sm.).]

torvelinhar (tor.ve.li.*nhar*) *v.* 1 Entrar em movimento de torvelinho; REDEMOINHAR [*int.: As águas torvelinharam.*] 2 Agitar formando torvelinho [*td.: O vento súbito torvelinhou os papéis.*] [▶ 1 torvelinhar] [F.: *torvelinho* + *-ar*[2]. Hom./Par.: *torvelinho* (fl.), *torvelinho* (sm.).]

torvelinho (tor.ve.*li*.nho) *sm.* Movimento giratório rápido em espiral; REDEMOINHO; REMOINHO [F.: Do espn. *torbellino.*]

torvo (*tor*.vo) [ô] *a.* 1 Que provoca terror (sinal torvo); ASSUSTADOR; TERRÍVEL 2 Que manifesta revolta, raiva (feições torvas) 3 Que tem aparência sombria (escuridão torva); SINISTRO *sm.* 4 Característica ou condição do que é torvo [F.: Do lat. *torvus, a, um.* Hom./Par.: *torvo* (a. sm.), *torvo* (fl. de *torvar*).]

tosa[1] (*to*.sa) *sf.* Ação ou resultado de cortar rente (lã, pelo, cabelo etc.): *a tosa dos carneiros* [F.: Dev. de *tosar*[1]. Hom./Par.: *tosa* (sf.), *tosa* (fl. de *tosar*).]

tosa[2] (*to*.sa) *Pop. sf.* 1 Ataque com pancadas; SOVA; SURRA 2 Reprimenda, descompostura [F.: Dev. de *tosar*[2].]

tosado[1] (to.*sa*.do) *a.* 1 Diz-se de animal que tem o pelo ou a lã cortado rente: "...os fletes tosados a preceito, a cascaria aparada..." (João Simões Lopes Neto, "Chasque do imperador" *in Contos gauchescos*) 2 *P. ext. Pop.* Diz-se de cabelo com corte muito curto; ESCANHOADO; RAPADO [Sin. nas acps. 1 e 2: *tosquiado.*] 3 Que se aparou de modo uniforme: "...o inocente animal assim caluniado pelo dono restolhava pacatamente a grama tosada, em companhia de uma porca..." (José de Alencar, *Til*) *sm.* 4 O mesmo que *tosamento* (1): *Deve-se considerar se o tosado do navio é insuficiente para garantir o rápido escoamento da água acumulada.* [F.: Part. de *tosar.*]

tosado[2] (to.*sa*.do) *a.* 1 *Pop.* Agredido com pancadas; ESPANCADO; SOVADO; SURRADO 2 *Fig.* Que sofreu repreensão ou censura; ADMOESTADO; CENSURADO [Ant.: *elogiado, louvado.*] [F.: Part. de *tosar*[2].]

tosador (to.sa.*dor*) [ô] *a.* 1 Que tosa *sm.* 2 Aquele ou aquilo que tosa [F.: *tosar*[1] + *-dor.* Sin. ger.: *tosquiador.*]

tosadura (to.sa.*du*.ra) *sf.* 1 Ação ou resultado de tosar[1]; TOSAMENTO 2 *Têxt.* Processo de acabamento que raspa a superfície dos tecidos provenientes do tear ou da máquina de fazer malha [F.: *tosar*[1] + *-dura.*]

tosamento (to.sa.*men*.to) *Cnav. sm.* 1 O mesmo que *tosadura* (1) 2 Curvatura na cinta de um navio, em sentido longitudinal e com a convexidade voltada para baixo, que determina a configuração do convés principal e do limite superior do costado; TOSADO 3 Medida dessa curvatura, tomada pela altura do convés nos extremos do casco sobre o pontal [F.: *tosar*[1] + *-mento.*]

tosão (to.*são*) *sm.* 1 Pelagem de lã do carneiro; VELO 2 *Lus.* Rede para apanhar frutas [Pl.: *-sões.*] [F.: Do fr. *toison.*]

tosar[1] (to.*sar*) *v. td.* 1 Cortar ou aparar bem rente (felpa, pelo, cabelo etc.); TOSQUIAR: *Tosou os carneiros; Tosou a cabeleira.* 2 Aparar (estofos de lã, tecidos etc.) 3 *Fig.* Roer, comer: *Os bichos tosaram o gramado do jardim.* [▶ 1 tosar] [F.: Do v.lat. *tonsare. Hom./Par.: *tosa(s)* (fl.), *tosa* (sf. [e pl.]); *toso* (fl.), *toso* (sm.).]

tosar[2] (to.*sar*) *v. td.* 1 Dar uma tosa[2], ou surra, em; ESPANCAR; SURRAR 2 Censurar, repreender [▶ 1 tosar] [F.: Do v.lat. *tusare, de *tundere,* 'bater'.]

toscamente (tos.ca.*men*.te) *adv.* 1 De modo tosco: "...os primeiros inventores das coisas as acharam toscamente com um princípio mal limado..." (Ambrósio Fernandes Brandão, *Diálogos das grandezas do Brasil*) 2 De maneira rude, grosseira: "Um cão lambendo a mão do dono, de quem lhe vem o osso ou o chicote, já constitui toscamente um devoto..." (Eça de Queirós, *A cidade e as serras*) 3 Sem apuro ou refinamento: "Na fazenda de Leôncio havia um grande salão toscamente construído..." (Bernardo Guimarães, *A escrava Isaura*) [F.: o fem. de *tosco* + *-mente.*]

toscanejar (tos.ca.ne.*jar*) *v. int.* Cabecear de sono; COCHILAR; DORMITAR: *O zumbido monótono fazia-o toscanejar.* [▶ 1 toscanejar] [F.: *tosco* + *(pest)anejar.*]

toscano (tos.*ca*.no) *sm.* 1 Pessoa nascida ou que vive na Toscana (Itália) 2 *Gloss.* Dialeto falado na Toscana *a.* 3 Da Toscana; típico dessa região ou de seu povo [F.: Do it. *toscano.*]

tosco (*tos*.co) [ô] *a.* 1 Que não é lapidado, polido, nem lavrado; tal como a natureza o produziu; BRUTO: "Arranca o estatuário uma pedra dessas montanhas, dura, tosca, bruta, informe." (Padre Antônio Vieira) *a.* 2 Feito sem capricho (móveis toscos); MAL-ACABADO 3 Que revela falta de instrução, de cultura: "Ele teria tido certas dúvidas de se abrir com um homem tão tosco..." (Antônio Callado, *Bar Don Juan*) 4 Feito sem esmero; GROSSEIRO; MALFEITO: *escada cavada em toscos degraus.* 5 Rude, rústico, grosseiro (linguajar tosco): "Uma tumba negra jazia ao lado e uma cruz tosca no chão cravada" (Almeida Garrett) [F.: Do lat. vulg. *tuscus,* 'dissoluto'.]

toso (*to*.so) [ô] *sm. RS* Ação ou resultado de cortar a crina do cavalo: "...cascos bem aparados, agarradeiras bem cavadas, (...) cola curta, toso baixo." (João Simões Lopes Neto, "Correr eguada" *in Contos gauchescos*) [F.: Dev. de *tosar.* Hom./Par.: *toso* (fl. de *tosar*).] ■ **~ baixo** *S.* Toso bem rente ao pescoço (do cavalo) **~ de cola e crina** *S.* Toso completo de todos os cabelos da cauda e da crina

tosquia (tos.*qui*.a) *sf.* 1 Ação ou resultado de tosquiar 2 Período próprio para tosar a lã de animais 3 *Fig.* Censura, crítica; admoestação severa; REPREENSÃO [F.: Dev. de *tosquiar.*]

tosquiado (tos.qui.*a*.do) *a.* 1 Que teve o pelo ou a lã cortado rente; que sofreu tosquia (cavalo tosquiado; ovelha tosquiada) 2 *P. ext. Pop.* Cujo cabelo é ou está cortado muito curto: "Em que se parece uma mulher desanelada com um Sansão tosquiado..." (Almeida Garrett, *Viagens na minha terra*) [F.: Part. de *tosquiar.* Sin. ger.: *tosado.*]

tosquiador (tos.qui.a.*dor*) [ô] *a. sm.* O mesmo que *tosador* [F.: *tosquiar* + *-dor.*]

tosquiar (tos.qui.*ar*) *v. td.* 1 Cortar rente (pelo, lã de animal); TOSAR: *A mulher tosquiou o pelo do cachorro; O menino tosquiou a cabeça.* 2 Aparar (plantas) 3 Cortar, desbastar: *Os animais tosquiaram a relva do jardim.* 4 Explorar, esbulhar: *Esses vendedores querem tosquiar todo mundo.* [▶ 1 tosquiar] [F.: Do espn. ant. *tosquilar.* Hom./Par.: *tosquia* (1ª 3ª ps.), *tosquias* (2ª ps.)/ *tosquia* (sf. e pl.).]

tosse (*tos*.se) *sf.* 1 *Med.* Expulsão repentina e barulhenta do ar pela boca, causada por irritação na garganta, problemas pulmonares ou nervosos 2 *Pop.* Carência de dinheiro [F.: Do lat. *tussis, is.*] ■ **~ comprida** *Bras.* Coqueluche **~ convulsa** *Bras.* Coqueluche **~ de cachorro** *Bras.* Tosse rouca e sonora, que se manifesta na coqueluche, nos aneurismas da aorta, nos distúrbios da laringe etc. **~ de guariba** *Bras.* Coqueluche **~ seca** *Med.* Tosse sem catarro **Ver o que é bom para ~** *Bras. Pop.* Absorver as consequências negativas de ação ou situação

tossegoso (tos.se.*go*.so) [ô] *a.* 1 Diz-se de indivíduo com acessos de tosse: "– Destes tenho saudade e, se, hoje em dia, não têm vez, é que a velho tossegoso ninguém aplaude" (Daniel Afonso da Silva, "Decadência") *sm.* 2 Esse indivíduo: "...o maldito tossegoso do nº 7, o qual por caridade entregara ele ultimamente ao seu médico, parecia morrer de cinco em cinco minutos..." (Aluísio Azevedo, *Casa de pensão*) [Pl.: [ó]. Fem.: [ó].] [F.: *tosse* + *-g-* + *-oso.*]

tossidela (tos.si.*de*.la) *sf.* Ação ou resultado de tossir rapidamente [F.: *tossir* + *-dela.*]

tossir (tos.*sir*) *v.* 1 Ter tosse [*int.: A criança tossiu a noite toda.*] 2 Pôr para fora por meio da tosse [*td.: A criança tossia muito catarro.*] 3 Fingir tosse para chamar atenção ou prevenir da própria presença [*int.: Ao deparar com as mulheres que cochichavam, tossiu discretamente.*] [▶ 51 tossir] [F.: Do lat. *tussire.* Hom./Par.: *tosquia* (1ª 3ª ps.), *tosquias* (2ª ps.)/ *tosquia* (sf. e pl.).]

tosta (*tos*.ta) *Cul. sf.* 1 Fatia de pão torrado; TORRADA 2 *Lus.* Crosta de pão, biscoito etc. 3 *Lus.* Sanduíche de pão aquecido ou torrado (tosta de frango) [F.: Dev. de *tostar.* Hom./Par.: *tosta* (fl. de *tostar*).]

tostadeira (tos.ta.*dei*.ra) *sf.* Aparelho elétrico ou grelha para tostar pães ou sanduíches; TOSTADOR [F.: *tostar* + *-deira.*]

tostadela (tos.ta.*de*.la) *sf.* Ação ou resultado de tostar ligeiramente [F.: *tostar* + *-dela.*]

tostado (tos.*ta*.do) *a.* 1 Levemente crestado ou queimado (pernil tostado); TORRADO 2 Diz-se de vegetação queimada ou ressequida pelo excesso de calor; MURCHO; SECO: "...tétrica viagem através do sertão tostado..." (Domingos Olímpio, *Luzia Homem*) [Ant.: *fresco, úmido, verde.*] 3 Diz-se de indivíduo moreno escuro; BRONZEADO; QUEIMADO: "Lembrava-se do papai, quando voltava do roçado, de camisa e ceroula, chapéu de palha de carnaúba, tostado, trigueiro do sol..." (Adolfo Caminha, *A normalista*) [Ant.: *branco, pálido.*] 4 Diz-se de cavalo que tem pelo em tons escuros *sm.* 5 Indivíduo de pele morena (por natureza ou bronzeamento); AMORENADO; MORENO [Ant.: *branco, branquelo.*] 6 Cavalo cujo pelo é um pouco mais escuro que a pelagem do alazão: "De repente, na volta duma reboleira, bem na beirada dum boqueirão sofrenou o tostado..." (João Simões Lopes Neto, "A salamanca do jarau" *in Lendas do Sul*) [F.: Part. de *tostar.*]

tostador (tos.ta.*dor*) [ô] *a.* 1 Que tosta (forno tostador) *sm.* 2 O mesmo que *tostadeira* [F.: *tostar* + *-dor.*]

tostadura (tos.ta.*du*.ra) *sf.* Ação ou resultado de tostar(-se) [F.: *tostar* + *-dura.*]

tostão (tos.*tão*) *sm.* 1 Antiga moeda de níquel de cem réis 2 *Ant.* Moeda portuguesa de prata que valia 100 réis 3 *Pop.* Qualquer soma pequena de dinheiro: *Vivia quebrado, sem tostão.* 4 *Bras. Pop.* Golpe com o joelho nos músculos da coxa 5 *RJ Pop.* Gota de chuva [Pl.: *-tões.*] [F.: Do fr. *teston,* 'moeda de prata'.] ■ **Sem um ~** Sem dinheiro algum, duro, teso, a nenhum **Um ~ de** *Bras. Fam.* Um pouquinho de

tostar (tos.*tar*) *v.* 1 Deixar(-se) queimar superficialmente [*td.: Tostaram o bife e as batatas.*] [*int.: O bife tostou; Os grãos do café já (se) tostaram.*] 2 Bronzear excessivamente (a pele) [*td.: O sol do meio-dia tostava a pele das moças na praia.*] [*ta.: Tostar ao sol envelhece a pele.*] [▶ 1 tostar] [F.: Do v.lat. *tostare. Hom./Par.: *tosta* (fl.), *tosta* (sf.); *tostas* (fl.), *tostas* (pl. do sf.); *toste* (fl.), *toste* (sm.); *tostes* (fl.), *tostes* (pl. do sm.).]

toste[1] (*tos*.te) *sm.* Ação de beber à saúde de alguém; BRINDE [F.: Do ing. *toast.* Hom./Par.: *toste* (fl. de *tostar*).]

toste[2] (*tos*.te) *sm. Ant.* Banco de galé a que os forçados eram aferrolhados [F.: Posv. do ang.-sax. *toft,* 'banco'. Hom./Par.: ver *toste*[1].]

toste[3] (*tos*.te) *Ant. a2g.* 1 Que age com rapidez; BREVE; LIGEIRO; RÁPIDO [Ant.: *lento, vagaroso.*] *adv.* 2 De maneira rápida; DEPRESSA [Ant.: *devagar.*] [F.: Do it. *tosto.* Hom./Par.: ver *toste*[1].]

total (to.*tal*) *a2g.* 1 Que abrange todos os elementos ou partes de um todo; COMPLETO; INTEIRO: *Tiveram total apoio dos colegas.* [Ant.: *incompleto, parcial.*] 2 Que forma um todo (soma total) *sm.* 3 Conjunto das diversas partes de um todo; TOTALIDADE: *A colheita apurou um total de mil cestos cheios.* 4 Resultado de uma adição; SOMA: *O total da conta foi cem reais.* [Pl.: *-tais.*] [F.: Do lat. medv. *totalis, e.*]

totalidade (to.ta.li.*da*.de) *sf.* **1** Reunião de todas as partes que formam um todo; soma dos componentes de um conjunto; TOTAL: *A totalidade dos operários aderiu à greve.* **2** Qualidade, condição ou atributo de ser total, inteiro, completo, pleno [F.: *total* + -*(i)dade*.]

totalitariamente (to.ta.li.ta.ri:a.*men*.te) ***adv.*** De modo totalitário: "Apresentar uma ideia 'para debate' é muito democrático, mas o mercado funciona totalitariamente." (*Folha de S.Paulo*, 29.09.1999) [F.: o fem. de *totalitário* + -*mente*.]

totalitário (to.ta.li.*tá*.ri:o) ***a.*** **1** *Pol.* Diz-se de regime de governo que controla um país sem admitir oposição **2** Diz-se de pessoa ou de atitude, ato etc. que não admite réplica, contestação [F.: Do it. *totalitario*.]

totalitarismo (to.ta.li.ta.*ris*.mo) ***sm.*** **1** Sistema ou regime de governo totalitário **2** *Fig.* Ação, procedimento ou comportamento totalitário, próprio de um totalitarista [F.: *totalitário* + -*ismo*.]

totalitarista (to.ta.li.ta.*ris*.ta) ***a2g.*** **1** Ref. ao totalitarismo **2** Diz-se de pessoa que pratica ou apoia o totalitarismo ***s2g.*** **3** Essa pessoa [F.: *totalitarismo* + -*ista*, seg. o mod. grego.]

totalização (to.ta.li.za.*ção*) ***sf.*** **1** Ação ou resultado de totalizar, de atingir um valor, um número **2** Cálculo de um total **3** Resultado de uma soma: *Ainda trabalham na apuração e totalização dos votos.* [Pl.: -*ções*.] [F.: *totalizar* + -*ção*.]

totalizador (to.ta.li.za.*dor*) [ô] ***a.*** **1** Que totaliza, que dá o total de uma série de operações; TOTALIZANTE ***sm.*** **2** Indivíduo ou aparelho que totaliza **3** *Bras.* Nos hipódromos, grande mostrador provido de algarismos móveis e ligados a máquinas somadoras especiais, em que aparecem o número de pules vendidas por animal e, ao final dos páreos, o respectivo rateio [F.: *totalizar* + -*dor*.]

totalizante (to.ta.li.*zan*.te) ***a2g.*** Que totaliza; TOTALIZADOR [F.: *totalizar* + -*nte*.]

totalizar (to.ta.li.*zar*) ***v. td.*** **1** Chegar a (determinado número, valor etc.): *Totalizar todos os gastos.* **2** Realizar de maneira completa: *Totalizaram a arrecadação em menos de um mês.* **3** *Bras.* Perfazer: *Os reservas do time totalizam quinze jogadores.* [▶ 1 totalizar] [F.: *total* + -*izar*.]

totalmente (to.tal.*men*.te) ***adv.*** De modo total, completo; COMPLETAMENTE; INTEIRAMENTE: "O aspecto das coisas era totalmente outro." (Machado de Assis, "O alienista" *in Papéis avulsos*) [F.: *total* + -*mente*.]

totem (*to*.tem) *Antr.* ***sm.*** **1** Símbolo sagrado (animal, vegetal ou objeto) de certos grupos sociais (clã, tribo), por ser visto como ancestral ou protetor **2** Representação desse animal, vegetal ou objeto [Pl.: -*tens*.] [F.: Do ing. *totem*.]

totêmico (to.*tê*.mi.co) ***a.*** Ref. a totem ou a totemismo [F.: *totem* + -*ico*[2].]

totemismo (to.te.*mis*.mo) *Antr.* ***sm.*** **1** Crença na existência de uma relação de afinidade do homem com um totem **2** Conjunto dos atos, ritos e interdições ligados a essa suposta relação **3** Organização social baseada nessa crença [F.: *totem* + -*ismo*.]

totipotência (to.ti.po.*tên*.ci:a) ***sf.*** *Emb.* Capacidade da célula-tronco embrionária de originar qualquer tipo de célula do organismo [Cf.: *pluripotência*.] [F.: Do lat. *totus, a, um*, 'todo', + -*i*- + *potência*.]

totipotente (to.ti.po.*ten*.te) ***a2g.*** Diz-se de célula que apresenta totipotência [F.: Do lat. *totus, a, um*, 'todo', + -*i*- + *potente*.]

totó (to.*tó*) ***sm.*** **1** *Pop. Infan.* Qualquer cão pequeno **2** *Bras. Fut.* Toque fraco e curto dado na bola com o lado do pé **3** *Lud.* Jogo semelhante ao futebol, em que duas ou quatro pessoas giram varetas que acionam, dentro de uma caixa, bonecos de dois times para que seus pés direcionem a bola para o gol [Tb. se diz *futebol totó* e *pebolim*.] [F.: Do fr. *toutou*.]

totobola (to.to.*bo*.la) ***sm.*** *Lus. MG PR RJ RS* Loteria esportiva [F.: Posv. por anal. ao it. *Totocalcio*, nome da promotora desse jogo de apostas.]

touca (*tou*.ca) ***sf.*** **1** Peça de tecido ou lã us. na cabeça como proteção ou enfeite **2** Parte do hábito das freiras que cobre a cabeça e os ombros **3** *Bras.* Espécie de penteado em que se enrola o cabelo em torno da cabeça para alisá-lo **4** Certa cobertura térmica, de plástico ou outro material resistente ao calor, alguns com dispositivo elétrico, us. no tratamento dos cabelos [F.: De or. contrv.] ■ **Dormir de ~ 1** *Bras. Fam. Gír.* Bobear, deixando-se enganar **2** Deixar escapar boa oportunidade

touça (*tou*.ça) ***sf.*** **1** Conjunto denso de plantas; MOITA: "... debaixo do ipê-branco, junto de uma touça de mastruço..." (Guimarães Rosa, *Estas estórias*) **2** Pé de cana-de-açúcar **3** *Lus.* Pé de castanheiro donde saem as varas de que se fazem os arcos de pipas [F.: Do pré-romano **taucia*, 'mata', posv.]

toucado (tou.*ca*.do) ***sm.*** **1** Conjunto de enfeites us. em cabeça de mulher **2** Algo que cobre a cabeça e o rosto: "...o seu lenço negro de viúva, enrolado até à boca, como um toucado tunesino." (Fialho de Almeida, *O filho*) ***a.*** **3** Coberto com touca **4** Coroado, circundado: *montanha toucada de nuvens.* **5** Diz-se do cavalo que tem o alto da cabeça branco [F.: Part. de *toucar*. Hom./Par.: *toucado* (a. sm.), *toucado* (part. de *toucar*).]

toucador (tou.ca.*dor*) [ô] ***a.*** **1** Que touca, cobre ***sm.*** **2** Mesa com espelho para a pessoa pentear-se, maquiar-se etc; PENTEADEIRA: "Aromas de águas de toucador misturam-se à fumaça dos primeiros cigarros" (Cecília Meireles, *Direção leste*) **3** *Antq.* Aposento em que costumava ficar essa mesa **4** Touca ou lenço com que se prende e compõe o cabelo ao deitar [F.: *toucar* + -*dor*.]

toucar (tou.*car*) ***v.*** **1** Pôr touca em; COBRIR(-SE) [***td.***: *Toucaram o bebê; A garota toucou-se.*] **2** Ajeitar, pentear o cabelo de (alguém ou si próprio) [***td.***] **3** *Vest.* Vestir(-se), preparar(-se); enfeitar(-se) [***td.***: *Toucaram a jovem para o ritual.*] [***tdr.*** + *de*: *A mãe toucou o menino todo de azul.*] [***int.***: *As duas logo se toucaram.*] **4** *Fig.* Estar ou pôr em cima; ENCIMAR [***td.***: *O nevoeiro toucava o pico da montanha.*] **5** *Fig.* Estar em torno; CIRCUNDAR; COROAR [***td.***: *Os refletores toucavam a estátua do Cristo.*] [▶ 11 toucar] [F.: *touc(a)* + -*ar*. Hom./Par.: *touca(s)* (fl.), *touca* (s. f. e pl.); *tocar* (vários tempos do v. e sm.); *touco(s)* (fl.) *toco* /ô / (sm.).]

touceira (tou.*cei*.ra) ***sf.*** **1** Moita muito espessa **2** Conjunto de espécimes vegetais que nascem muito próximos entre si (touceira de bambu) **3** Parte da planta que permanece viva no solo, após o corte do caule [F.: *touça* + -*eira*.]

toucinho (tou.*ci*.nho) ***sm.*** A gordura do porco que lhe fica subjacente à pele [F.: Do lat. vulg. hisp. *tuccinum*, posv. Tb. *toicinho*.] ■ **~ do céu** *Cul.* Iguaria cujos principais ingredientes são ovos e açúcar

toupeira (tou.*pei*.ra) ***sf.*** **1** Denominação comum a diversos pequenos mamíferos da ordem dos insetívoros, encontrados na Europa, Ásia e América do Norte, dotados de patas anteriores com grandes garras, adaptadas para cavar galerias subterrâneas **2** *Pej. Pop.* Pessoa pouco inteligente ou ignorante **3** *Fig.* Pessoa de olhos muito pequenos e que piscam frequentemente [F.: Do port. arc. *toupa* (< lat. **talpa*, 'toupeira') + -*eira*. Nas acps 2 e 3 é ofensivo.]

⊕ ***tour*** (*Fr.* /*tur*/) ***sm.*** **1** Viagem de turismo, negócio ou instrução que inclui visitas a muitos lugares ger. próximos entre si: *Tereza faz um tour pela Itália, Espanha e Portugal, entrevistando personalidades ligadas ao Brasil.* **2** Passeio breve para conhecer um determinado lugar: *Fez um tour pelas dependências do hotel.* **3** Viagem de artistas, conferencistas, esportistas etc., com itinerário predeterminado, para apresentações, palestras e atividades similares em diversos lugares; TURNÊ **4** *Fig.* Percurso para conhecer ou estudar uma disciplina, um assunto etc.: "Um tour pelo mundo da multimídia..." (*Folha de S.Paulo*, 25.05.1994) **5** *Dnç.* Volta ou giro

tourada (tou.*ra*.da) ***sf.*** **1** Manada de touros **2** Espetáculo típico da Espanha em que os toureiros provocam os touros para lutar **3** *Fig. Pop.* Feito ou tarefa que exige grande esforço: *Passar no concurso foi uma tourada.* [F.: *touro* + -*ada*[1].]

toural (tou.*ral*) ***sm.*** **1** *Lus.* Espaço de uma feira destinado à compra e venda de gado vacum **2** *Lus.* Lugar em que os coelhos selvagens habitualmente estercam e onde os caçadores ger. esperam para capturá-los ***a2g.*** **3** Ref. a touro [Pl.: -*rais*.] [F.: *touro* + -*al*[1]. Tb. *toiral*.]

toureador (tou.re:a.*dor*) [ô] *Taur.* ***a.*** **1** Diz-se de indivíduo que toureia ***sm.*** **2** Esse indivíduo; TOUREIRO [F.: *tourear* + -*dor*.]

tourear (tou.re.*ar*) ***v.*** **1** Enfrentar (touro) em espetáculo ou competição [***td.***: *Já havia toureado vinte animais.*] [***int.***: *Toureava uma vez por semana.*] **2** Fazer desafio, provocação a [***td.***] **3** Fazer ataque; atacar [***td.***: *Estava sempre toureando os moleques da esquina.*] **4** *S. Pop.* Cortejar, namorar [***td.***] [▶ 13 tourear] [F.: *touro* + -*ear*. Hom./Par.: *toureio* (1ª p. s.)/ *toureio* (sm.).]

toureio (tou.*rei*.o) ***sm.*** *Taur.* Ação ou resultado de tourear; TOUREAÇÃO [F.: Dev. de *tourear*. Hom./Par.: *toureio* (fl. de *tourear*). Tb. *toireio*.]

toureiro (tou.*rei*.ro) ***sm.*** **1** Aquele que toureia ***a.*** **2** Ref. a touro [F.: *touro* + -*eiro*.]

touril (tou.*ril*) ***sm.*** **1** Curral de gado vacum **2** *Taur.* Lugar onde ficam os touros destinados à corrida, antes de entrarem na praça: "O Arco servia de touril, fechadas as duas aberturas com aguieiros, e na Travessa recolhia-se o gado já corrido..." (Brito Camacho, *Gente rústica*) [Pl.: -*ris*.] [F.: *touro* + -*il*. Tb. *toiril*.]

⊕ ***tournedos*** (*Fr.* /*turnedô*/) ***sm.*** *Cul.* Ver *turnedô*

⊕ ***tournée*** (*Fr.* /*turnê*/) ***sf.*** Ver *turnê*

touro (*tou*.ro) ***sm.*** **1** Boi não castrado, próprio para a reprodução **2** Nome comum do boi bravo us. para tourear [Nas duas acp., fem.: *vaca*.] **3** *Fig.* Homem muito forte **4** *Astrol.* Signo (do Zodíaco) das pessoas nascidas entre 21 de abril e 21 de maio [Com inic. maiúsc. nesta acp.] [F.: Do lat. *taurus, i*.] ■ **~ de capa** *RS* Touro (1) que vai ser capado **Pegar o ~ pelos chifres** *Bras.* Enfrentar decididamente e com energia situação difícil

touruno (tou.*ru*.no) ***a.*** **1** Diz-se de boi que, mal castrado, continua a procurar vacas **2** Diz-se de boi que, castrado depois de adulto, mantém a aparência de touro **3** *Fig.* Diz-se de indivíduo valentão, destemido, corajoso ***sm.*** **4** Qualquer desses bois **5** *Fig.* Indivíduo valentão, destemido, corajoso [F.: Do espn. plat. *toruno*. Tb. *toiruno*.]

toutear (tou.te.*ar*) ***v. int.*** Fazer ou dizer maluquices, doidices: *O menino touteava sem parar.* [▶ 13 toutear] [F.: *touta* + -*ear*[2].]

toutiço (tou.*ti*.ço) ***sm.*** **1** A parte de trás da cabeça; CACHAÇO; NUCA **2** Cabeça, esp. o alto dela [F.: *touta* + -*iço*. Tb. *toitiço*.] ■ **Ter muito ~** *Pop.* Ter juízo, bom-senso

toutinegra (tou.ti.*ne*.gra) [ê] ***sf.*** *Ornit.* Designação comum a aves passeriformes do gên. *Sylvia*, da fam. dos muscicapídeos, encontradas no Antigo Continente [F.: *touta* + -*i*- + *negra*.]

toxalbumina (to.xal.bu.*mi*.na) [cs] ***sf.*** *Bioq.* Cada uma das várias proteínas tóxicas obtidas de determinadas plantas e culturas bacterianas [F.: *tox(i/o)*- + *albumina*.]

toxemia (to.xe.*mi*.a) [cs] ***sf.*** *Pat.* Intoxicação resultante do excesso de toxinas acumuladas no sangue por deficiência de órgãos como fígado, rins etc. [F.: *tox(o)*- + -*emia*.] ■ **~ gravídica** *Obst.* Designação do conjunto ou de cada um de distúrbios e sintomas que ocorrem ou podem ocorrer durante a gravidez

toxêmico (to.*xê*.mi.co) [cs] ***a.*** Ref. a toxemia [F.: *toxemia* + -*ico*[2].]

◎ **-tox(i)-** ***el. comp.*** Ver *toxic(o)*-

◎ **tox(i)-** ***el. comp.*** Ver *toxic(o)*-.

toxicar (to.xi.*car*) [cs] ***v.*** Ver *intoxicar* [***td.***] [***int.***] [▶ 11 toxicar] [F.: *tóxico* + -*ar*[2]. Hom./Par.: *toxica(s)* /cs / (fl.), *tóxica* /cs / (f. *tóxico* [a. e pl.]); *toxico* /cs / (fl.), *tóxico* / cs / (a. sm.).]

toxicidade (to.xi.ci.*da*.de) [cs] ***sf.*** **1** Característica ou propriedade do que é tóxico **2** Quantidade de produto necessária para matar um animal, calculada por seu peso e expressa em quilos [F.: *tóxico* + -*(i)dade*.]

◎ **-toxic(o)-** ***el. comp.*** Ver *toxic(o)*-

◎ **toxic(o)-** [cs] ***el. comp.*** = 'veneno'; 'tóxico': *toxicologia, toxicomania; autotoxicose, ecotoxicologia; agrotóxico, neurotóxico, hepatotóxico; toxicisto, toxemia; toxoplasma* (< lat. cient.); *enterotoxigênico* [F.: Do lat. *toxicum, i*, 'veneno que se colocava nas flechas', do gr. *toksikón (phármakon)*, 'veneno para flechas'. As formas *tox(i)-, toxo-* e *-tox(i)-* são formas reduzidas de *toxic(o)-*. Cf. *tox(o)-*.]

◎ **-tóxico** ***el. comp.*** Ver *toxic(o)*-

tóxico (*tó*.xi.co) [cs] ***a.*** **1** Que intoxica (gás tóxico) **2** Que contém veneno (planta tóxica) ***sm.*** **3** Substância venenosa; PEÇONHA; VENENO **4** Qualquer substância que produza efeitos nocivos ao organismo **5** O mesmo que *droga* (3) [F.: Do lat. *toxĭcum, i*.]

> 🕮 O consumo de drogas tóxicas assumiu proporções alarmantes no mundo inteiro, por seu efeito devastador na saúde física e mental de um número cada vez maior de usuários, e pelas consequências sociais e criminológicas de sua difusão e comercialização. Enquanto o fumo e o álcool são aceitos há séculos, o consumo e o comércio dos alucinógenos, por seus efeitos mais rápidos e mais nocivos, são criminalizados, o que fez surgir o crime do tráfico e a consequente violência de seu confronto com a lei e com a sociedade. LSD, heroína, ópio, haxixe, mais recentemente maconha, cocaína, anfetaminas e tóxicos 'improvisados' de produtos farmacêuticos e industriais (como cola e verniz) ou variantes, como o crack, têm causado a dependência cada vez maior das drogas, causa direta da degradação física e moral dos usuários e do tecido social em que ela se manifesta. O combate ao tóxico, em níveis locais e mundiais, revela-se complexo, envolvendo fatores educacionais, legais, profiláticos, de reabilitação, policiais, políticos e sociais.

toxicodependência (to.xi.co.de.pen.*dên*.ci:a) [cs] ***sf.*** *Med.* Dependência química decorrente do consumo, periódico ou contínuo, de droga(s) psicotrópica(s) [F.: *toxic(o)*- + *dependência*.]

toxicodependente (to.xi.co.de.pen.*den*.te) [cs] ***a2g.*** **1** Diz-se de pessoa dependente de droga(s) psicotrópica(s) ***s2g.*** **2** Essa pessoa [F.: *toxic(o)*- + *dependente*.]

toxicofilia (to.xi.co.fi.*li*.a) [cs] ***sf.*** *Psiq.* O mesmo que *toxicomania* [F.: *toxic(o)*- + -*filia*[1].]

toxicologia (to.xi.co.lo.*gi*.a) [cs] ***sf.*** **1** *Med.* Estudo da composição e dos efeitos das substâncias tóxicas no organismo **2** *P. ext.* Exame toxicológico da ingestão ou inalação de um veneno ou de uma substância tóxica [F.: *toxic(o)*- + -*logia*.]

toxicológico (to.xi.co.*ló*.gi.co) [cs] ***a.*** **1** Ref. a toxicologia, ou dela próprio **2** Em que se faz o diagnóstico da ingestão ou inalação de um veneno ou de uma substância tóxica (exame toxicológico) **3** Recolhido ou coletado para toxicologia (2) (material toxicológico) [F.: *toxicologia* + -*ico*[2].]

toxicologista (to.xi.co.lo.*gis*.ta) ***s2g.*** Especialista em toxicologia [F.: *toxicologia* + -*ista*.]

toxicólogo (to.xi.*có*.lo.go) [cs] ***sm.*** O especialista em toxicologia; TOXICOLOGISTA [F.: *toxic(o)*- + -*logo*.]

toxicomania (to.xi.co.ma.*ni*.a) [cs] ***sf.*** Dependência de drogas; TOXICOFILIA [F.: *toxic(o)*- + -*mania*.]

toxicômano (to.xi.*cô*.ma.no) [cs] ***a.*** **1** Diz-se daquele que tem toxicomania ***sm.*** **2** Aquele que tem toxicomania [F.: *toxic(o)*- + -*mano*[1].]

toxicose (to.xi.*co*.se) [cs] ***sf.*** *Med.* Designação comum de intoxicações endógenas [F.: *toxic(o)*- + -*ose*[1].]

toxidade (to.xi.*da*.de) [cs] ***sf.*** Ver *toxicidade* [F.: *tox(i)*- + -*dade*.]

toxidez (to.xi.*dez*) [cs...ê] ***sf.*** O mesmo que *toxicidade* [F.: *tox(i)*- + -*idez*.]

toxina (to.*xi*.na) [cs] ***sf.*** *Bioq.* Substância tóxica produzida pelos seres vivos [F.: *tox(i)*- + -*ina*[2].]

◎ **tox(o)-** [cs] ***el. comp.*** = 'arco': *toxodonte* (< lat. cient.), *toxofilo, toxoglosso* [F.: Do gr. *tókson, ou*. Ver *toxic(o)*-.]

◎ **toxo-** ***el. comp.*** Ver *toxic(o)*-

toxodonte (to.xo.*don*.te) [cs] ***sm.*** **1** *Pal.* Espécime dos toxodontes, subordem extinta de grandes mamíferos notoungulados ***a2g.*** **2** *Pal.* Ref. ou pertencente aos toxodontes [F.: Adaptç. do lat. cient. *Toxodonta*.]

toxoplasma (to.xo.*plas*.ma) [cs] *Zool.* ***sm.*** **1** Gênero de protozoários que reúne parasitas intracelulares que acometem certas espécies de vertebrados (mamíferos e aves) **2** Qualquer espécie desse gênero, principalmente a *Toxoplasma gondii*, agente etiológico da toxoplasmose, o qual se hospeda em determinados mamíferos e aves, incluindo o ser humano [F.: Do lat. cient. *Toxoplasma*.]

toxoplasmose (to.xo.plas.*mo*.se) [cs] *sf. Pat.* Infecção causada por um parasita (*Toxoplasma gondii*) encontrado nas fezes de certos animais como gatos, cachorros etc., esp. perigosa para gestantes por gerar deformações no feto [F.: *toxoplasma* + *-ose*¹.]

toxotídeo (to.xo.*tí*.de:o) [cs] *sm.* **1** *Zool.* Espécime dos toxotídeos, fam. de peixes teleósteos, perciformes, com apenas um gên. e seis espécies (de água salgada, doce ou salobra); habitam da Índia às Filipinas, Austrália e Polinésia; de corpo ovalado, com nadadeiras dorsal e anal situadas mais próximas da cauda, possui olhos grandes e mandíbula pronunciada, e são capazes de esguichar água pela boca para capturar insetos *a.* **2** *Zool.* Ref. ou pertencente aos toxotídeos [F.: Adaptç. do lat. cient. *Toxotidae*.]

⊠ **TPM** Sigla de *tensão pré-menstrual* (conjunto de manifestações físicas e psíquicas que antecedem a menstruação)

⊠ **TR** **1** *Econ.* Sigla de *Taxa referencial* (índice que complementa os juros pagos na caderneta de poupança e é referência para diversos contratos de pagamento a prazo) **2** Sigla de *Termo de responsabilidade* (recibo de depósito de mercadorias para exportação)

trabalhadeira (tra.ba.lha.*dei*.ra) *sf.* Mulher que trabalha muito, que gosta de trabalhar: *essa daqui é uma trabalhadeira incansável.* ["...Achava que se devia somente indagar se a atual comissão era ou não composta de gente trabalhadeira e honesta..." (Alcântara Machado, "As cinco panelas de ouro" *in Contos avulsos*) Tb. us. como adjetivo.] [F.: *trabalhar* + *-deira*.]

trabalhado (tra.ba.*lha*.do) *a.* **1** Que se trabalhou **2** Feito com arte, com grande cuidado (discurso trabalhado) **3** Ornado com lavores; LAVRADO: *baixela de prata trabalhada.* **4** Repleto de trabalho; TRABALHOSO **5** Em que se executou trabalho: *ganha por hora trabalhada.* [F.: Part. de *trabalhar*.]

trabalhador (tra.ba.lha.*dor*) [ô] *a.* **1** Que trabalha (indivíduo trabalhador); ATIVO; LABORIOSO [Ant.: *mandrião, preguiçoso.*] **2** Que se dedica com esmero, afinco etc. à execução de tarefa(s) **3** *RS* Que é usado para cobrir éguas (diz-se de jumento) *sm.* **4** Aquele que trabalha; EMPREGADO; OPERÁRIO [Fem.: *trabalhadeira, trabalhadora.*] [F.: *trabalhar* + *-dor*.] ■ **~ autônomo** Aquele que exerce atividade remunerada sem vínculo empregatício e em caráter não permanente

trabalhão (tra.ba.*lhão*) *sm.* Trabalho demorado e/ou difícil; TRABALHEIRA: *Deu um trabalhão fazer a mudança.* [Pl.: *-lhões*.] [F.: *trabalho* + *-ão*².]

trabalhar (tra.ba.*lhar*) *v.* **1** Exercer alguma atividade profissional [*int.*: *Ela trabalha num shopping; Ele trabalha desde os 15 anos.*] **2** Fazer parte de (determinado ramo de atividade ou ramo profissional) [*tr.* + *com*: *Meu primo trabalha com informática.*] **3** Empenhar-se para; esforçar-se por [*tr.* + *por*: *A vereadora tem trabalhado pela criação de mais creches.*] **4** Tornar progressivamente mais perfeito ou elaborado; APERFEIÇOAR [*td.*: *O compositor ficou trabalhando a música a noite inteira.*] [*tr.* + *em*: *Vá trabalhar um pouco mais na redação do seu texto.*] **5** Funcionar [*int.*: *O motor da geladeira parou de trabalhar.*] **6** Representar [*ta.*: *Esse ator trabalha em filmes mexicanos.*] **7** Dar trato a (solo) para realizar tarefa agrícola [*td.*: *É preciso trabalhar a terra antes de plantar.*] **8** Submeter (alguém, um grupo) a exercícios ou treinos [*td.*: *O editor vai trabalhar melhor o pessoal da redação.*] **9** Preparar com cuidado [*td.*: *Esse halterofilista trabalhou bem o corpo; O mestrando trabalhou sua dissertação com muita dedicação.*] **10** Manipular, manejar [*td.*: *O padeiro trabalha muito a massa antes de levá-la ao forno; O escultor começou a trabalhar o mármore.*] [*tr.* + *com*: *Trabalha bem com os pincéis.*] **11** Tornar melhor ou pior; melhorar ou agravar [*tr.* + *para*: *O acaso trabalhou para seu sucesso/sua desgraça.*] **12** Exercer a profissão de [*tp.*: *Ele trabalha de cozinheiro; Trabalha como músico.*] **13** *Bras. Pop.* Comportar-se como [*tp.*: *Esse cara trabalha de bandido contra mim!*] **14** Agir, atuar de certa maneira [*ta.*: "...o outro, pelo tom de voz, parecia disposto a tudo, inclusive a trabalhar de braço, a fim de impedir que ele trabalhasse de pena" (Carlos Drummond de Andrade, "Facultativo" *in Fala, amendoeira*)] **15** Comerciar com [*tr.* + *com*: *Ele não trabalha com cosméticos.*] **16** Procurar obter o apoio de [*td.*: *Trabalhou dois vereadores para trazê-los para seu partido.*] **17** Aplicar grande esforço, demonstrar dedicação a algo [*int.*: *Aqui é um lugar em que se trabalha o dia todo.*] **18** Perseguir de maneira insistente, obsessiva [*td.*: *A ideia de matar o rival trabalhava sua mente noite e dia.*] [▶ 1 trabalhar] [F.: Do v.lat. vulg. **tripaliare*, 'torturar', de *tripalium*, 'instrumento de tortura'. Hom./Par.: *trabalho* (fl.), *trabalho* (sm.); *trabalháveis* (fl.), *trabalháveis* (pl. de *trabalhável* [a2g.]).]

trabalhável (tra.ba.*lhá*.vel) *a2g.* Que pode ser trabalhado [Pl.: *-veis*.] [F.: *trabalhar* + *-vel*. Hom./Par.: (pl.) *trabalháveis, trabalháveis* (fl. de *trabalhar*).]

trabalheira (tra.ba.*lhei*.ra) *sf.* O mesmo que *trabalhão* [F.: *trabalho* + *-eira*.]

trabalhismo (tra.ba.*lhis*.mo) *Pol. sm.* **1** Doutrina política que dá destaque à melhoria das condições sociais e econômicas dos trabalhadores **2** Fundamento doutrinário ou ação política de vários partidos de todo o mundo que enfatiza, destaca ou prioriza os direitos dos trabalhadores **3** Base doutrinária ou atuação do Partido Trabalhista da Inglaterra **4** Base doutrinária ou atuação do Partido Trabalhista Brasileiro (PTB) ou do Partido Democrático Trabalhista (PDT) [F.: *trabalho* + *-ismo*.]

trabalhista (tra.ba.*lhis*.ta) *a2g.* **1** Ref. ao trabalhismo, ao trabalho ou aos operários (questões trabalhistas) **2** Pertencente a qualquer dos partidos políticos que defendem os direitos dos operários *s2g.* **3** Membro de qualquer dos partidos trabalhistas **4** *Bras.* Especialista em direito do trabalho [F.: *trabalho* + *-ista*.]

trabalho (tra.*ba*.lho) *sm.* **1** Emprego da força física ou intelectual para realizar alguma coisa **2** Aplicação dessas forças como ocupação profissional: *Seu trabalho é de gari.* **3** Local onde isso se realiza: *Mora longe do trabalho.* **4** Esmero, cuidado que se emprega na confecção ou elaboração de uma obra **5** A confecção, elaboração ou composição de uma obra **6** Obra realizada: *Essa cômoda é um belo trabalho de marcenaria.* **7** Grande esforço; TRABALHÃO; TRABALHEIRA **8** Exercício para treino: *A professora passou muito trabalho para casa.* **9** Ação contínua de uma força da natureza e seu efeito: *O trabalho do vento resulta na erosão eólica.* **10** *Med.* Fenômeno orgânico que se opera no interior dos tecidos (trabalho inflamatório; trabalho de cicatrização) **11** Resultado do funcionamento de uma máquina, um aparelho etc.: *o trabalho de uma pá mecânica.* **12** Obrigação ou responsabilidade; DEVER; ENCARGO: *Seu trabalho é protegê-lo do assédio da imprensa.* **13** *Econ.* Conjunto das atividades humanas empregado na produção de bens: *O capital e o trabalho são os pilares da economia.* **14** Tarefa a ser realizada: *Contratou-o para um trabalho temporário.* **15** Treinamento durante a semana como preparação para o páreo **16** *Rel.* Oferenda para se obter proteção ou favor dos orixás **17** *Fís.* Produto do valor de uma força pela distância percorrida devido à ação dessa força [Símb.: *W*.] [F.: Dev. de *trabalhar*. Hom./Par.: *trabalho* (sm.), *trabalho* (fl. de *trabalhar*).] ■ **Agradecer o ~** *SE* Demitir-se, exonerar-se **Dar ~** Exigir (algo ou alguém) esforço ou preocupação de quem dele está cuidando: *Essas crianças dão trabalho, mas dão muita satisfação também.* **Dar-se o ~ de** Empenhar-se em, incumbir-se de **~ braçal** Tipo de trabalho que exige força física, esp. com os braços **~ de campo** Em pesquisa (linguística, social, antropológica etc.) coleta de dados junto a informantes, entrevistados, situações locais etc. **~ de fôlego** Trabalho que, por ser extenso ou difícil, exige dedicação, persistência e energia **~ de parto** *Obst.* O conjunto de processos (contrações etc.) pelos quais o organismo feminino se prepara para expelir e expele o feto no fim da gestação **~ de sapa** Ação oculta contra algo ou alguém, sabotagem **~ de Sísifo** **1** Na mitologia grega, suplício a que foi condenado Sísifo por Zeus, no inferno, de rolar uma grande rocha ao cume de uma montanha, despencando a rocha no último momento, quando estava prestes a alcançar o cume **2** *Fig. P. ext.* Todo trabalho estafante e inútil, que se tem de recomeçar sem resultado **~ do luto** *Psic.* Processo psíquico de libertação de uma pessoa do imenso pesar de ter perdido um ente querido

trabalhos (tra.*ba*.lhos) *smpl.* **1** Exames, discussões e deliberações de uma assembleia, repartição, escritório, oficina etc.: *A CPI conclui os trabalhos na próxima semana;* "...O presidente, por meio de uma campainha teórica, chamou a atenção de todos e declarou abertos os trabalhos..." (Machado de Assis, *Balas de estalo*) **2** *Fig.* Situações difíceis; AFLIÇÕES; CUIDADOS: "...a mãe preta, a ama, contava às parceiras as travessuras do menino e, com olhos embaciados de ternura, com uma espécie de orgulho amoroso, referia sorrindo os trabalhos que lhe dera ele..." (Aluísio de Azevedo, *Casa de pensão*) [F.: Pl. de *trabalho*.] ■ **~ forçados** Pena a que se condena(va)m (em épocas e países determinados) réus de crimes graves, e que consiste, em regime de prisão, a fazer trabalho braçal durante determinadas horas do dia

trabalhoso (tra.ba.*lho*.so) [ô] *a.* **1** Que exige muito esforço ou é cansativo: *A remoção dos entulhos foi, além de trabalhosa, perigosa.* [Ant.: *suave*.] **2** Custoso, difícil (bordado trabalhoso) [Ant.: *fácil*.] [Pl.: [ó]. Fem.: [ó].] [F.: *trabalho* + *-oso*.]

trabécula (tra.*bé*.cu.la) *sf.* **1** Pequena trave **2** *Anat.* Cada uma das fibras do tecido conjuntivo que se projetam em um órgão e constituem parte da estrutura do mesmo **3** *Anat.* Cada um dos filamentos cruzados de que se compõe a substância do interior dos ossos (trabécula óssea) **4** *Bot.* Formação de tecido celuloso nos vegetais, dispostos em lâminas finas e que constitui parede em certos órgãos [Dim. irreg. de *trave*.] [F.: Do lat. *trabecula, ae*.]

trabeculado (tra.be.cu.*la*.do) *a.* Constituído de trabéculas [F.: *trabécula* + *-ado*¹.]

trabecular (tra.be.cu.*lar*) *a2g.* Ref. a trabécula, pequena trave [F.: *trabécula* + *-ar*¹.]

trabelho (tra.*be*.lho) [ê] *sm.* **1** *Carp.* Pequena peça de madeira com que se torce a corda da serra para retesá-la; ARROCHO; TRAMBELHO **2** Corrente para prender os pés dos animais de carga; PEIA **3** *Antq.* Cada uma das peças do jogo de xadrez **4** *Lus. Fig.* Entrave, obstáculo **5** *Lus. Fig.* Faculdade de julgar as coisas de modo claro e sensato; JUÍZO; TINO [F.: Do lat. **trabeculu*, dim. de *trabs, is*, 'trave'.]

trabucador (tra.bu.ca.*dor*) [ô] *a.* **1** Que trabuca **2** Que gosta de trabalhar ou trabalha muito para viver: "...um homem às direitas, desempenado e trabucador como ele só..." (Visconde de Taunay, *Inocência*) *sm.* **3** Aquele que trabuca **4** Indivíduo que gosta de trabalhar ou trabalha muito para viver [F.: *trabucar* + *-dor*.] ■ **~ da vida** *SP Pop.* Indivíduo diligente e trabalhador

trabucar (tra.bu.*car*) *v.* **1** Atacar, atirar com trabuco [*td.*: *O caboclo trabucou o prefeito.*] **2** Afundar, soçobrar (embarcação) [*td.*: *O oceano trabucou a jangada.*] [*int.*: *Os barcos trabucaram.*] **3** Provocar agitação, perturbação [*ta.*: *A má lembrança trabucava na cabeça.*] **4** Trabalhar com muita disposição; LABUTAR [*int.*: *Gostava era de praia, nada de trabucar.*] **5** Produzir barulho, ger. por pancadas em objeto resistente [*int.*: *O martelo trabucava sem parar.*] [▶ 11 trabucar] [F.: *trabuco* + *-ar*². Hom./Par.: *trabuco* (fl.), *trabuco* (sm.).]

trabuco (tra.*bu*.co) *sm.* **1** Espingarda de cano curto e largo **2** *Bras. Fig. Pop.* Revólver grande **3** *Bras. Fig. Pop.* Charuto grande e de má qualidade [F.: Do cat. *trabuc*, 'bacamarte'.]

trabuqueiro (tra.bu.*quei*.ro) *sm.* Assaltante armado com trabuco [F.: *trabuco* (c = *qu*) + *-eiro*.]

trabuzana (tra.bu.*za*.na) *Pop. sf.* **1** *Pop.* Agitação violenta da atmosfera, ger. acompanhada de chuva forte com vento (noite de trabuzana); TEMPESTADE; TORMENTA: "Para que falei, meu Deus! foi uma trabuzana levada em casa..." (Afonso Arinos, *Pelo sertão*) [Ant.: *bonança, calmaria.* Tb. fig.] **2** Movimento de reivindicação e/ou protesto que reúne um grande número de pessoas; AGITAÇÃO **3** *S. Pop.* Briga ou conflito que envolve muitas pessoas; DESORDEM; ROLO [Ant.: *calma, paz.*] **4** *Pop.* Doença ou incômodo (esp. do estômago); INDIGESTÃO **5** *Pop.* Estado de quem está bêbado; BEBEDEIRA; EMBRIAGUEZ [Ant.: *abstinência, sobriedade.*] **6** Estado de melancolia; TRISTEZA [Ant.: *alegria, contentamento.*] **7** Serviço, atividade ou situação que enfada, aborrece, cansa; MAÇADA **8** *Lus.* Trabalho muito ativo; AZÁFAMA **9** *Lus.* Grande quantidade *a2g.* **10** *S.* Diz-se de pessoa muito valente e destemida: "A voz do povo perpetuará meus feitos, / em meio as brasas de um foguito manso, / algum piá trabuzana me fará presente..." (Moises Silveira de Menezes, "Fragmentos memoriais de um anônimo" *in Imagens do Sul*) *s2g.* **11** *S.* Essa pessoa: "...ele estava todo esfuracado: a cara, os braços, a camisa, o tirador, as pernas, tinham mais lanhos que a picanha de um reiuno empacador: mas não quebrava o corincho, o trabuzana..." (João Simões Lopes Neto, "O negro Bonifácio", *in Contos gauchescos*) [F.: De or. obsc.]

traça (*tra*.ça) *sf.* **1** *Zool.* Nome comum aplicado a diversos insetos que destroem esp. papéis e tecidos **2** *Pop. Zool.* Designação comum a qualquer larva ou inseto adulto que destrói tecidos, livros, objetos de madeira etc. **3** *Fig.* Qualquer coisa que cause destruição progressiva **4** *Fig.* Aquele que tem o hábito de comer ou de ler em demasia **5** *Fig. Pop.* Pessoa importuna [F.: Dev. de *traçar*, posv. Hom./Par.: *traça* (sf.), *traça* (fl. de *traçar*); *traças* (pl.), *traças* (fl. de *traçar*).]

traçadeira (tra.ça.*dei*.ra) *sf.* Serra de lâmina ger. circular, us. principalmente para cortes de traçagem em peças de madeira [F.: *traçar*¹ + *-deira*.]

traçado (tra.*ça*.do) *a.* **1** Que se desenhou ou marcou: *A linha traçada assinala os limites do terreno.* **2** Representado por traço(s) **3** *Fig.* Que se esboçou (plano traçado); DELINEADO; PROJETADO **4** *Pop.* Diz-se do projétil cuja trajetória após o disparo pode ser vista como risco ou traço luminoso *sm.* **5** Ação ou resultado de traçar (linhas, riscos etc.); maneira ou modo de traçar: *o traçado de uma espiral.* **6** Série de traços **7** Maneira de colocar, de traçar (a capa, a manta etc.) **8** Plano, planta: *o traçado de uma cidade.* **9** *Bras. Pop.* Mistura de aguardente com vermute **10** *Pop.* Disparo de um traçado (4) [F.: Part. de *traçar*¹.]

traçador¹ (tra.ça.*dor*) [ô] *a.* **1** Que traça ou debuxa *sm.* **2** Aquele ou aquilo que traça ou debuxa (traçador de moldes; traçador de percursos) **3** *Fís. -quím.* Substância química ou radioativa, facilmente detectável, que é incorporada a outra substância cujo percurso ou localização se deseja definir [F.: *traçar*¹ + *-dor*.] ■ **~ gráfico** *Inf. Plotter* **~ radioativo** *Fís-quím. Med.* Isótopo radioativo injetado em organismo biológico, que pode ser rastreado ao se detectar sua radiação e com isso avaliar distúrbios em seu percurso

traçador² (tra.ça.*dor*) [ô] *sm.* Serra grande, de lâmina elíptica, us. por duas pessoas para cortar toras de madeira [F.: *traçar*¹ + *-dor*.]

tracajá (tra.ca.*já*) *sm. Bras. Zool.* Tartaruga da fam. dos pelomedusídeos (*Podocnemis unifilis*), encontrada em rios e lagos da região amazônica [F.: Do tupi *taraka'ya*.]

traçante (tra.*çan*.te) *a2g.* Que traça, que deixa a marca de traços [Us. esp. para referir-se a balas traçantes, cujo trajeto é visível no escuro.] [F.: *traçar*¹ + *-nte*.]

tração (tra.*ção*) *sf.* **1** Ação ou resultado de puxar, arrastar **2** Força que desloca um objeto móvel: *a tração de um motor.* **3** *Med.* Manobra terapêutica que consiste em alongar a coluna vertebral, parte de um membro etc. **4** *Lus.* Repartição que especialmente tem a seu cargo tratar das locomotivas e dos vagões **5** *Lus. P. ext.* O pessoal encarregado desse mister [Pl.: *-ções*.] [F.: Do lat. **tractio, onis*.]

traçar¹ (tra.*çar*) *v. td.* **1** Fazer (riscos, traços) no papel; desenhar: *Traçar linhas geométricas.* **2** Imaginar, conceber (plano, estratégia etc.); PLANEJAR **3** Fazer uma descrição de; CARACTERIZAR: *Traçou o perfil do candidato.* **4** Tornar explícitos (limites, fronteiras etc.); DEMARCAR [*td.*: *Após dois dias de viagem traçou um mapa da região.*] **5** Percorrer em linha reta ou curva (uma distância): *O bumerangue traçou uma grande curva e voltou ao ponto de partida.* **6** Representar por meio de escrita: *Traçou apenas algumas linhas para o filho distante.* **7** Conceber, projetar: *Traçou o roteiro da viagem.* **8** Pôr de través; cruzar: *A moça traçou a faixa de miss com muita elegância.* [▶ 12 traçar] [F.: Do lat. **tractiare* < lat. *tractus, a, um*, part. pass. do v.lat. *trahere*, 'tirar, puxar etc.' Hom./Par.: traça (fl.), *traça* (sf.); *traças* (fl.), *traças* (pl. do sf.); *traço* (fl.), *traço* (sm.).]

traçar[2] (tra.*çar*) *v.* **1** Roer, corroer pano, papel (nesta acp., o suj. ger. é traça, larva de mariposa) **2** *Pop.* Comer com grande apetite [*td.: Traçou o acarajé enlevado.*] **3** *Fig.* Causar aflição, angústia a; AFLIGIR; CONSUMIR [*td.*] **4** *Bras. Vulg.* Transar com; COPULAR [*td.: Mal chegou à cidade, traçou a garota.*] **5** Ser roído (por traças) a ponto de fragmentar-se ou desfazer-se [*int.: A blusa traçou(-se) no armário.*] [▶ 12 traçar] [F.: *traça*[1] + *-ar*[2].]

traçar[3] (tra.*çar*) *v.* Misturar (três substâncias, ingredientes); TERÇAR [*td.: Traçar cachaça com bitter.*] [▶ 12 traçar] [F.: Alter. de *terçar.*]

traçar[4] (tra.*çar*) *v. td.* **1** Fazer em pedaços; ESPATIFAR **2** *Bras.* Serrar toras em sentido transversal **3** *Bras. P. ext.* Serrar um tronco em toros [▶ 12 traçar] [F.: Do espn. *tronzar*, 'fazer em pedaços'.]

tracejado (tra.ce.*ja*.do) *a.* **1** Marcado ou delimitado por traços, ger. pequenos (perímetro tracejado) **2** *Fig.* Que se delineou; ESBOÇADO **3** Formado por pequenos traços em série (diz-se de linha) *sm.* **4** Série de pequenos traços [F.: Part. de *tracejar.*]

tracejamento (tra.ce.ja.*men*.to) *sm.* Ação ou resultado de tracejar [F.: *tracejar* + *-mento.*]

tracejar (tra.ce.*jar*) *v.* **1** Desenhar traços em, ger. a título de esboço [*td.: O pintor tracejou o quadro antes de pintar.*] [*int.: Enquanto falava, tracejava com a caneta.*] **2** Imaginar (uma linha de ação); PLANEJAR [*td.: Tracejou um plano de ação.*] **3** Narrar ou comentar por alto, ligeiramente [*td.: O jornal mal tracejou o fato.*] [▶ 1 tracejar] [F.: *traço* + *-ejar.*]

traceria (tra.ce.*ri*.a) *sf.* Arte decorativa em pedra ou madeira, entalhados geometricamente, us. esp. em arquitetura gótica (como nas rosáceas). Tb. *arrendado* [F.: Do ing. *tracery.*]

trácio (*trá*.ci:o) *sm.* **1** Pessoa nascida ou que viveu na Trácia, antiga região da Europa *a.* **2** Da Trácia; típico dessa região ou de seu povo [F.: Do lat. *thracius, a, um.*]

tracionado (tra.ci:o.*na*.do) *a.* Que se tracionou (arado tracionado) [F.: Part. de *tracionar.*]

tracionador (tra.ci:o.na.*dor*) [ô] *a.* **1** Que traciona, que puxa (rolo tracionador) *sm.* **2** Aquilo que traciona: *Ajuste o tracionador esquerdo ou direito conforme a largura do papel.* **3** *Fot.* Nas câmeras fotográficas manuais, dispositivo que, após o disparo do obturador, posiciona o filme para uma nova foto [F.: *tracionar* + *-dor.*]

tracionamento (tra.ci:o.na.*men*.to) *sm.* Ação ou resultado de tracionar [F.: *tracionar* + *-mento.*]

tracionar (tra.ci:o.*nar*) *v. td.* Puxar ou mover (veículo, objeto pesado) com corda, cabo etc.: *Tracionar uma carreta.* [▶ 1 tracionar] [F.: *tração* (sob a f. *tracion* -) + *-ar*[2].]

traço[1] (*tra*.ço) *sm.* **1** Ação ou resultado de traçar; TRAÇADO **2** Risco ou linha feita com lápis, caneta etc.: *Alguém fez no quadro fortes traços de caneta.* **3** *Geom.* Ponto ou linha de interseção de uma reta ou plano com outra reta ou plano **4** Modo peculiar de desenhar: *Reconheceu o autor do desenho pelo traço.* **5** Delineamento, esboço: *o traço de uma novela.* **6** Característica de alguém ou alguma coisa; CARÁTER; FEIÇÃO: *A inteligência é o seu traço marcante.* **7** Parecença, semelhança (traço de família) **8** O que ficou (de algo que sumiu ou se destruiu); RASTRO; VESTÍGIO: *Os ladrões fugiram sem deixar traços; Descobriu traços de uma aldeia indígena.* **9** Impressão, marca, sinal: *Havia traços de sangue no local do acidente.* **10** Linha do rosto; FEIÇÃO; FISIONOMIA: *mulher de traços finos.* [NOTA: Mais us. no pl.] **11** O mesmo que *hífen* **12** *Ling.* Característica marcante de um elemento linguístico **13** *N. E. Pop.* Porção de bebida que se toma de uma só vez; GOLADA; GOLE **14** Quantidade muito pequena, insignificante: *A análise revelou traços de bilirrubina no sangue.* **15** *Lus.* Parte de qualquer coisa, cortada em sentido transversal [F.: Dev. de *traçar*[1]. Hom./Par.: *traço* (sm.), *traço* (fl. de *traçar*). Ideia de 'traço (vestígio)': *icn(o)-* (*icnografia*).]

traço[2] (*tra*.ço) *sm.* Proporção dos materiais (cal, areia, cimento, pedra britada etc.) que entram na argamassa [F.: Dev. de *traçar*[2].]

traço de união (tra.ço de u.ni.*ão*) *sm.* O mesmo que *hífen* [Pl.: *traços de união.*]

tracoma (tra.*co*.ma) *sm. Pat.* Infecção contagiosa nos olhos, caracterizada por fotofobia, lacrimejo, secreção purulenta etc. [F.: Do gr. *tráchoma, atos.*]

tracomatoso (tra.co.ma.*to*.so) [ô] *a.* **1** Ref. a tracoma **2** Que tem aspecto ou caráter de tracoma **3** Diz-se de pessoa que padece de tracoma [Pl.: [ó]. Fem.: [ó].] *sm.* **4** Essa pessoa [F.: *tracomato-* (do gr. *trákhōma, atos*, 'aspereza') + *-oso.*]

tradescância (tra.des.*cân*.ci:a) *sf. Bot.* Designação comum às plantas herbáceas (gên. *Tradescantia*) da fam. das commelináceas, nativas das Américas, com cerca de 70 spp., de ervas prostradas ou eretas, nativas das Américas, com folhas ger. discolores e flores brancas, róseas ou violáceas; algumas espécies são ornamentais [F.: Do lat. cient. gên. *Tradescantia.*]

tradição (tra.di.*ção*) *sf.* **1** Transmissão oral de cultura, costumes, história etc. de geração em geração (tradição indígena) **2** Costume arraigado: *Já é tradição comemorar o dia de são Jorge no Brasil.* **3** Conjunto dos valores morais, espirituais etc. transmitidos à descendência: *Pedir a bênção aos pais é tradição na nossa família.* **4** O que é feito por costume, uso: "É necessário não quebrar a tradição da família..." (Cecília Meireles, "Os donos da criança" *in Obra completa*) **5** Lembrança, memória: *histórias guardadas na tradição do povo.* [Pl.: *-ções.*] [F.: Do lat. *traditio, onis.*]

tradicional (tra.di.ci:o.*nal*) *a2g.* **1** Ref. a tradição **2** Baseado na tradição [Pl.: *-nais.*] [F.: *tradição* (sob o rad. *tradition-*) + *-al*, seg. o mod. erudito.]

tradicionalismo (tra.di.ci:o.na.*lis*.mo) *sm.* **1** Apego aos costumes, práticas e ideias do passado; CONSERVADORISMO **2** Doutrina que dá a maior importância às tradições [F.: *tradicional* + *-ismo.*]

tradicionalista (tra.di.ci:o.na.*lis*.ta) *a2g.* **1** Ref. a tradição e tradicionalismo **2** Diz-se de pessoa que segue o tradicionalismo *s2g.* **3** Essa pessoa [F.: *tradicional* + *-ista.*]

tradicionalmente (tra.di.ci:o.nal.*men*.te) *adv.* **1** De modo tradicional; segundo a tradição: *mês conhecido tradicionalmente como das festas juninas.* **2** Pelo uso, pelo costume antigo: *receita confeccionada tradicionalmente e sem alteração.* [F.: *tradicional* + *-mente.*]

trado (*tra*.do) *sm.* **1** Grande verruma us. por carpinteiros e tanoeiros para fazer furos na madeira **2** O furo feito por essa verruma [F.: Do lat. *talatru*, de or. céltica.]

tradução (tra.du.*ção*) *sf.* **1** Versão de texto oral ou escrito de uma língua para outra: *A conferência terá tradução simultânea para o inglês;* "O documento ficou desconhecido apesar da tradução do historiador francês" (Camilo Castelo Branco) **2** O texto traduzido: *Achou e comprou uma boa tradução de Dante.* **3** *Fig.* O que expressa uma sensação, um sentimento; IMAGEM; REFLEXO: *O sorriso era a tradução de sua alegria.* **4** Interpretação de algo: *ideias confusas, de difícil tradução.* **5** *Inf.* Processo próprio para converter uma linguagem em outra [Pl.: *-ções.*] [F.: Do lat. *traductio, onis.*] ■ **~ automática** Tradução feita por equipamento eletrônico **~ direta** Aquela feita diretamente da língua do original para a língua do tradutor **~ indireta** Aquela feita de uma tradução da obra original para a língua do tradutor **~ interlinear** Aquela na qual o trecho traduzido fica logo abaixo da linha traduzida **~ justalinear** Aquela na qual o texto traduzido de cada linha do original é disposto numa segunda coluna, no mesmo nível da linha do original correspondente **~ literal** A que é feita palavra a palavra, ao pé da letra [P. op. a *tradução livre.*] **~ livre** A que não se atém às palavras ou estrutura do texto original, descrevendo em palavras e estruturas próprias da língua do tradutor o sentido (exato quanto possível) do texto original [P. op. a *tradução literal.*] **~ simultânea** Em congressos, convenções etc. internacionais, tradução de palestras, discursos, declarações, argumentações etc. feita por tradutores à medida que são pronunciados, e captada por usuários de fones sintonizados com a língua de tradução que lhes convém

traducianismo (tra.du.ci:a.*nis*.mo) *sm. Rel.* Doutrina segundo a qual a alma humana é herdada dos pais, tal como o corpo [Por opos. a *criacionismo.*] [F.: Do ing. *traducianism.*]

tradutor (tra.du.*tor*) [ô] *a.* **1** Que faz traduções *sm.* **2** Aquele que traduz [F.: Do lat. *traductor, oris.*]

tradutório (tra.du.*tó*.ri:o) *a.* Em que há, ou que envolve tradução (processo tradutório) [F.: *tradu(zir)* + *-tório.*]

traduzibilidade (tra.du.zi.bi.li.*da*.de) *sf.* Característica do que é traduzível [F.: *traduzível* (sob a f. *traduzibil-*) + *-(i)dade.*]

traduzido (tra.du.*zi*.do) *a.* Que se traduziu [F.: Part. de *traduzir.*]

traduzir (tra.du.*zir*) *v.* **1** Verter (texto, obra, palavra etc.) de um idioma para outro ou de um uso da língua para outro [*td.: Ela foi contratada para traduzir as obras de Sartre.*] [*int.: Ela ganhava a vida ensinando e traduzindo.*] [*tdr.* + *para*: *O jornalista sabia traduzir o jargão dos economistas para a linguagem corrente; Ele traduziu os sonetos de Shakespeare para o português.*] **2** Fornecer explicação alternativa ou adicional para; EXPLANAR [*td.: O secretário traduziu perante os repórteres a posição do ministério sobre a questão.*] **3** Trazer em si a expressão de; REPRESENTAR [*td.: As cartas traduziam a indignação dos leitores com o escândalo.*] **4** Ficar evidente; MANIFESTAR-SE [*tr.* + *em*: *Seu caráter traduzia-se na firmeza de suas decisões.*] **5** Manifestar, expressar [*tdi.* + *para*: *Traduziu seus sentimentos para a namorada.*] [▶ 57 traduzir] [F.: Do v.lat. *traducere.*]

traduzível (tra.du.*zí*.vel) *a2g.* Que pode ser traduzido [Pl.: *-veis.*] [F.: *traduzir* + *-vel.*]

trafegabilidade (tra.fe.ga.bi.li.*da*.de) *sf.* Característica ou estado do que é trafegável [F.: *trafegável* (sob a f. *trafegabil-*) + *-(i)dade.*]

trafegar (tra.fe.*gar*) *v.* **1** Andar no tráfego [*int.: Os táxis trafegam por toda a cidade.*] **2** Transitar por; percorrer (ruas, estradas etc.) [*td.: Trafega as ruas ininterruptamente.*] **3** *Ant.* Comerciar, negociar [*tr.* + *com*: *Trafegava com bebidas importadas.*] **4** Trabalhar duramente; mourejar [*int.: Foi um trabalhador que trafegava sem descanso.*] [▶ 14 trafegar] [F.: alter. de *traficar.* Hom./Par.: *trafego* (fl.), *tráfego* (sm.); *trafegáveis* (fl.), *trafegáveis* (pl. de *trafegável* [a2g.]).]

trafegável (tra.fe.*gá*.vel) *a2g.* Passível de ser trafegado: "A partir daqui até que tenhamos rio mais trafegável..." (Gastão Cruls, *Amazônia que eu vi*) [Pl.: *-veis.*] [F.: *trafegar* + *-vel.* Hom./Par.: *trafegáveis* (pl.), *trafegáveis* (fl. de *trafegar*).]

tráfego (*trá*.fe.go) *sm.* **1** Movimentação ou fluxo de veículos; TRÂNSITO: *No final da tarde o tráfego é intenso.* **2** Comércio, trato mercantil; TRÁFICO **3** Transporte ou fluxo de mercadorias, de cargas **4** Repartição ou pessoal que tem esp. a seu cargo esse transporte **5** *Fig.* Trato, convivência social **6** Lida, trabalho: *minas de grande tráfego.* [F.: Alter. de *tráfico.* Hom./Par.: *tráfego* (sm.), *trafego* (fl. de *trafegar*).] ■ **~ aéreo** *Avi.* Movimentação de aeronaves num determinado espaço aéreo e em rotas aéreas **~ marítimo** *Mar.* Movimentação e fluxo de embarcações por oceanos e mares

traficância (tra.fi.*cân*.ci:a) *sf.* **1** Ação ou resultado de traficar **2** *Pop.* Transação desonesta; NEGOCIATA; ROUBALHEIRA [F.: *traficar* + *-ância.*]

traficante (tra.fi.*can*.te) *a2g.* **1** Que pratica comércio ilegal, esp. de drogas *s2g.* **2** Aquele ou aquela que pratica comércio ilegal, esp. de drogas [Us. tb. como adj.] **3** *Antq.* Comerciante, negociante (traficante de escravos) [F.: *traficar* + *-nte.*]

traficar (tra.fi.*car*) *v.* **1** Fazer comércio ilegal, esp. de drogas [*td.: Traficava cocaína.*] [*int.: Vivia de traficar.*] **2** *Ant.* Negociar, comerciar [*td.*] [▶ 11 traficar] [F.: Do it. *trafficare.* Hom./Par.: *trafico* (fl.), *tráfico* (s. m.).]

tráfico (*trá*.fi.co) *sm.* **1** Negócio, comércio: "...com o objetivo de concentrar em suas feitorias o tráfico oceânico do ouro..." (Alberto da Costa e Silva, *A manilha e o libambo*) **2** Comércio ilegal e clandestino, esp. de drogas **3** Repartição ou funcionários encarregados de controlar o fluxo de mercadorias transportadas por via aérea, aquática, estrada de ferro ou rodovia **4** *Antq.* Compra e venda de escravos [F.: Do it. *traffico.* Hom./Par.: *tráfico* (sm.), *trafico* (fl. de *traficar*).] ■ **~ de influência** Uso de prestígio e de influência de autoridades, de pessoas importantes ou de órgãos e instituições para, indevida e aeticamente, obter favores, nomeações, vantagens, concessões etc. **~ de mulheres** *Jur.* Recrutamento de mulheres para prostituição, ger. em outros países ou regiões e por meio de engodo e falsas promessas

tragada (tra.*ga*.da) *sf.* **1** Absorção da fumaça do cigarro, charuto etc. **2** Gole grande de bebida; TALAGADA [F.: *tragar* + *-ada*[1].]

tragar (tra.*gar*) *v.* **1** Beber de um só gole, engolir de uma vez só [*td.: Resistiu, mas tragou a poção valentemente.*] **2** Comer avidamente; DEVORAR [*int.: Tragara o almoço todo sem uma palavra.*] **3** *Fig.* Fazer entrar nos pulmões a fumaça aspirada, esp. do cigarro [*td.: Tentou fumar sem tragar.*] **4** Absorver, provocar o desaparecimento de [*td.: O temporal tragou o barco, a dez quilômetros da costa.*] **5** Suportar ou tolerar (pessoa, comportamento etc.) [*td.: Na verdade, nunca tragou o marido.*] **6** Acreditar em algo; CRER [*td.: Não conseguiu tragar aquela história.*] [▶ 14 tragar] [F.: De or. obsc. Hom./Par.: *traga* (fl.), *traga* (fl. do v. *trazer*.); *tragas* (fl.), *tragas* (fl. do v. *trazer*); *trago* (fl.), *trago* (fl. de *trazer* e sm.).]

tragédia (tra.*gé*.di:a) *sf.* **1** *Teat.* Cada uma das peças de enredo dramático e final funesto, originadas do antigo teatro grego: *As tragédias de Shakespeare são encenadas no mundo todo.* **2** *Teat.* Gênero a que pertencem tais peças **3** *Teat.* A arte de representar ou escrever tragédias **4** *Fig.* Acontecimento catastrófico, funesto; DESGRAÇA [F.: Do gr. *tragoidía, as.* Cf.: *comédia.*] ■ **Fazer ~ de** Atribuir (ou tentar atribuir), exageradamente, caráter de tragédia a (acontecimento, situação etc.) não tão grave assim

tragediógrafo (tra.ge.di.*ó*.gra.fo) *sm. Liter.* Autor de tragédia(s) [F.: *tragédia* + *-o-* + *-grafo.*]

tragicamente (tra.gi.ca.*men*.te) *adv.* **1** De modo trágico: *Morreu tragicamente num acidente de carro.* **2** Com encenação exagerada; DRAMATICAMENTE: "Na Inglaterra, na câmara dos comuns, lorde Bentinck explicou tragicamente, em frases pomposas, a origem dessa revolução..." (Camilo Castelo Branco, *A brasileira de Prazins*) **3** *Fig.* De maneira funesta, sinistra: "...fortes tons sanguíneos, tragicamente sugestivos..." (Euclides da Cunha, *Peru versus Bolívia*) [F.: Fem. de *trágico* + *-mente.*]

tragicidade (tra.gi.ci.*da*.de) *sf.* Característica ou qualidade do que é trágico [F.: *trágico* + *-(i)dade.*]

trágico (*trá*.gi.co) *a.* **1** Ref. a tragédia (peça trágica) **2** *Fig.* Que envolve tragédia, desgraça, infelicidade (final trágico); FUNESTO; SINISTRO **3** Que costuma fazer tragédia de qualquer coisa **4** *Fig.* Que causa medo, pavor, terror **5** Diz-se de pessoa que escreve ou atua em tragédia *sm.* **6** Caráter ou condição do que é funesto, terrível: *O trágico por vezes confunde-se com o cômico.* **7** Autor de tragédia: *os grandes trágicos gregos.* **8** Pessoa que atua em tragédias [F.: Do gr. *tragikós, é, ón.*]

tragicomédia (tra.gi.co.*mé*.di:a) *sf.* **1** *Teat.* Peça que inclui aspectos cômicos e trágicos **2** *Fig.* Circunstância(s) da vida real semelhante(s) a esse gênero de ficção [F.: Do lat. *tragicomoedia, ae.*]

tragicomicidade (tra.gi.co.mi.ci.*da*.de) *sf.* Qualidade daquilo que é cômico e, ao mesmo tempo, trágico; TRAGICOMÉDIA: *Situação ridícula, que beira a tragicomicidade.* [F.: *tragicômico* + *-(i)dade.*]

tragicômico (tra.gi.*cô*.mi.co) *a.* **1** Ref. a tragicomédia **2** Que tem traços de tragédia e comédia, ao mesmo tempo **3** Trágico com acidentes cômicos [F.: *trágico* + *cômico*, com haplologia.]

trago (*tra*.go) *sm.* **1** Pequena porção de bebida alcoólica engolida de uma vez; SORVO **2** *Fig.* Sensação de angústia, de aflição: "...assim ele desabafou, em trago; e recolhido num estado de segredo." (Guimarães Rosa, *Grande Sertão: Veredas*) **3** *Fig.* Situação de infelicidade, de má sorte **4** Ação ou resultado de tragar o cigarro [F.: Dev. de *tragar.* Hom./Par.: *trago* (sm.), *trago* (fl. de *tragar*), *trago* (fl. de *trazer*).] ■ **Beber um ~** *Bras.* Tomar bebida alcoólica **De**

um ~ De uma só vez (engolir certa quantidade de bebida), num único grande gole, ou em vários goles sucessivos sem interrupção: *Virou o copo e bebeu tudo de um só trago.*

traguear (tra.gue.*ar*) *Bras. v. int. RS* Tomar tragos, bebida alcoólica; BEBER; ENCHER A CARA [▶ 13 trag**uear**] [F.: *trago* + *-ear*².]

traição (tra:i.*ção*) *sf.* **1** Ação ou resultado de trair(-se) **2** Quebra de lealdade; DESLEALDADE; PERFÍDIA [Ant.: *lealdade.*] **3** *Jur.* Crime de quem atenta contra a segurança de sua pátria **4** Infidelidade amorosa [Ant.: *fidelidade.*] **5** *MG MT MS* Mutirão em que os ajudantes chegam à casa de quem vai ser ajudado de madrugada e acordam-no com cantos [Pl.: *-ções.*] [F.: Do lat. *traditio, onis*, por via popular.]

traiçoeiro (trai.ço:*ei*.ro) *a.* **1** Ref. a traição **2** Que manifesta traição (atitude traiçoeira) **3** Que pode atacar inesperadamente (animal traiçoeiro) **4** Que comete traição (indivíduo traiçoeiro); DESLEAL [Ant.: *leal.*] *sm.* **5** Pessoa que trai; INFIEL; TRAIDOR [F.: *traição* + *-eiro*, com desnasalação.]

traideira (tra:i.*dei*.ra) *a. N. E. Gír.* Mulher que trai: *casou com uma traideira contumaz, mas nem desconfia.* [Tb. us, como adjetivo: *namorada traideira.*] [F.: *trair* + *-deira.*]

traído (tra.*í*.do) *a.* Que se traiu, que foi objeto de traição; ATRAIÇOADO: "Doida de aflição, a traída esposa mandou logo um criado à casa da Verdoeira" (Camilo Castelo Branco, *A queda dum anjo*) [F.: Do lat. *traditus, a, um*, 'entregado'.]

traidor (tra:i.*dor*) [ô] *sm.* **1** Aquele que comete traição [+ *a, de*: *traidor à /da pátria.*] *a.* **2** Que comete traição [Nas acp. 1 e 2, sin.: *desleal, infiel, pérfido*; ant.: *fiel, leal.*] **3** Que é perigoso mas não o aparenta; ENGANADOR: *Cuidado que aquele caminho é traidor!* [Ant.: *confiável, seguro.*] **4** Que denuncia, que é comprometedor: "...pois o brilho desse olhar foi traidor e entregou o que você tentou conter..." (Gonzaguinha, *Explode coração*) [F.: Do lat. *traditor, oris.* Sin. ger.: *traiçoeiro.*]

traidoria (tra:i.do.*ri*.a) *sf. SP Antq.* Ação ou resultado de trair(-se); TRAIÇÃO [F.: *traidor* + *-ia*¹.]

⊕ ***trailer*** (*Ing. /trêiler/*) *sm.* **1** *Cin. Telv.* Conjunto de trechos de filme, novela, seriado etc. us. para compor propaganda de seu lançamento **2** Vagão adaptado para *camping*, mas tb. us. como moradia, e que se reboca com automóvel **3** Qualquer veículo sem tração própria, rebocado por veículo automotor; REBOQUE

traimento (tra:i.*men*.to) *sm. Desus.* O mesmo que *traição* [F.: *trair* + *-mento.*]

⊕ ***trainee*** (*Ing. /treiní/*) *s2g.* **1** Profissional recém-formado ou prestes a se formar que participa de programa de treinamento de empresa para exercer uma atividade específica **2** Qualquer pessoa que está sendo treinada para determinada função

traineira (trai.*nei*.ra) *sf.* **1** Barco a motor para pesca com rede de arrasto **2** Grande rede trapezoide, us. sobretudo na pesca de sardinha [F.: Do espn. *trainera.*]

trainel (tra:i.*nel*) *sm.* **1** *Teat.* Elemento cenográfico solto e móvel, que se pinta para imitar muro, parede, porta etc. **2** *Art. pl.* Painel móvel, ger. metálico, us. para armazenar quadros **3** *Lus.* Parte ou pedaço de uma estrada ou caminho com inclinação longitudinal constante: "As avenidas devem medir de 40 a 60 metros de largo; as duas de 20 a 25, às vezes menos, conforme o movimento. Os seus perfis não devem acusar inclinações excessivas; não terão trainéis de mais de 20 a 25%." (Armando Marques Guedes, *Para uma nova economia*) **4** *Lus.* Traço ou corte no sentido diagonal [Pl.: *-néis.*] [F.: De or. obsc.] ■ **De ~** Em declive

⊕ ***training*** (*Ing. /trêinin/*) *sm.* Conjunto de calças folgadas e blusão de mangas compridas, ger. em malha grossa, para prática de esportes, us. por ambos os sexos

trair (tra.*ir*) *v.* **1** Agir de forma desleal em relação a; ATRAIÇOAR [*td.*: *trair sua pátria.*] **2** Ser infiel a (em relacionamento amoroso) [*td.*: *trair o marido.*] [*int.*: *Quem ama não trai.*] **3** Ficar aquém das expectativas de; DECEPCIONAR [*td.*: *O motor voltou a trair o piloto, que deixou a prova.*] **4** Deixar(-se) revelar ou transparecer involuntariamente [*td.*: *Os gestos desastrados traíam o nervosismo do candidato; O político acabou se traindo com um comentário infeliz.*] **5** Deixar de honrar (compromisso, acordo etc.) [*td.*: *Você sabe que eu jamais trairia o nosso acerto.*] **6** Deixar de lado; abandonar [*td.*: *Ao trair suas crenças, destruiu a própria vida.*] [▶ 43 tr**air**] [F.: Do lat. *tradere.* Hom./Par.: *traíra* (3ªp.s.), *traíras* (2ªp.s.)/ *traíra* (s.f.) e pl; *trairão* (3ªp. pl.)/ *trairão* (sm.).]

traíra (tra.*í*.ra) *sf.* **1** *Bras. Zool.* Peixe de água-doce da fam. dos eritrinídeos (*Hoplias malabaricus*), das Américas Central e do Sul, com dentes fortes e muito afiados; apesar de comestível tem carne pouco apreciada; DORME-DORME; MATURAQUÊ; ROBAFO; RUBAFO **2** *RJ Pop.* Aquele que trai ou renega os parentes, companheiros etc; TRAIÇOEIRO; TRAIDOR **3** Irmão ou amigo que ganha do outro no jogo, esp. no pôquer [F.: Do tupi *tare'ira.* Sin. ger.: *taraíra, tararira, tarira.* Hom./Par.: *traíra* (fl. de *trair*).] ■ **Pegar ~** *CE. Pop.* Cabecear de sono

trairagem (tra:i.*ra*.gem) *Bras. Gír. sf.* **1** Ação ou resultado de trair(-se): "O presidente da Federação Nacional dos Atletas de Futebol, Alfredo Sampaio, acusou o Clube dos 13 de 'trairagem', termo que indica traição e deslealdade." (*Folha de S.Paulo*, 17.10.1996) **2** Ato pérfido de quem entrega, denuncia ou vende alguém ou algo ao inimigo [Pl.: *-gens.*] [F.: *trair* + *-agem.* Sin. ger.: *traição.*]

trajar (tra.*jar*) *v.* **1** Usar peça de vestuário; VESTIR [*td.*: *Trajava um vestido azul; Trajou-se num terninho discreto para a entrevista.*] **2** Vestir-se (de certo modo) [*int.*: *Todos comentam o estilo com que ela traja.*] [*tr.*: *Trajava(-se) de branco quando entrou no salão.*] [▶ 1 tra**jar**] [F.: *traje* + *-ar.* Hom./Par.: *traje* (1ª3ªp. s.), *trajes* (2ªp. s.)/ *traje* (sm.) e pl; *trajo* (1ªp. s)/ *trajo* (sm.).]

traje (*tra*.je) *sm.* **1** O que se usa como roupa; VESTE; VESTIMENTA **2** Roupa própria para certa atividade (traje esportivo) [F.: Dev. do port. ant. *trager* 'trazer'. Hom./Par.: *traje* (fl. de *trajar*). Tb. *trajo.*] ■ **~ a rigor** Roupa de cerimônia ger. us. em cerimônias oficiais, espetáculos de gala, banquetes etc. [Ger., para as mulheres, vestido longo, para os homens, *smoking*, fraque ou casaca.] **~ de passeio (completo)** Traje masculino que inclui, além de calça e camisa, paletó e gravata [Tb. apenas *passeio completo.*] **~ espacial** *Astron.* Espécie de macacão e capacete incorporados, pressurizados, para uso de astronautas no vácuo ou em regiões de baixa pressão **~ menores** Roupas íntimas, roupa de baixo [Ger., para mulheres, sutiã, calcinha, anágua, combinação; para os homens, cueca ou sunga, camiseta.] **Em ~ de Adão** Sem roupa alguma, nu, pelado

trajeto (tra.*je*.to) *sm.* Caminho que se percorre entre um lugar e outro; PERCURSO; TRAJETÓRIA [+ *de... a/para*; *entre*: *trajeto de casa ao /para o trabalho; trajeto entre minha casa e a sua.*] [F.: Do lat. *trajectu s, us.*]

trajetória (tra.je.*tó*.ri:a) *sf.* **1** Caminho percorrido por um corpo em movimento: "Caminhando, mesmo a passo rápido, não traça trajetória retilínea e firme." (Euclides da Cunha, *Os sertões*) [Us. tb. Fig.] **2** *Fig.* Sequência dos acontecimentos ocorridos ao longo de um período ou da existência de alguém ou algo; CARREIRA; HISTÓRIA: "A obra expõe a trajetória do teatro brasileiro no século XX por meio de cinco textos ensaísticos e 270 fotos..." (*Veja*, 27.04.2005) **3** *Fig.* Ver *trajeto* [+ *de... a/para*: *trajetória de um lugar a /para outro.*] **4** *Fís.* Conjunto das posições sucessivas ocupadas por um corpo em movimento [F.: *trajeto* + *-ória.*]

trajo (*tra*.jo) Ver *traje*

tralha (*tra*.lha) *sf.* **1** Amontoado de coisas velhas, sem valor; CACARECOS: *Na faxina, jogou fora toda a tralha do armário.* **2** *Bras.* Conjunto de objetos us. para um determinado fim (tralha de pesca; tralha de pedreiro; tralha de cozinha; tralha de montaria) **3** *Bras.* Arremate da borda da rede de pesca (tralha de boia; tralha de chumbo) **4** Pequena rede de pesca que um só homem pode lançar; TRALHO **5** Cabo costurado na orla de vela, toldo ou rede de pesca, e que lhe serve de reforço **6** Malha de rede **7** Sinal gráfico em forma de *jogo da velha* (#) [Quando us. em informática, tb. *cerquilha.*] [F.: Do lat. *tragula, ae.*] ■ **Pelas ~s ou pelas malhas** *Pop.* De uma maneira ou de outra, assim ou assado

tralhada (tra.*lha*.da) *sf. Bras.* Amontoado de coisas velhas e de pouco valor; CACARECOS; CACARÉUS; CARAMINGUÁS; QUINQUILHARIAS; TRALHA [F.: *tralha* + *-ada*¹.]

trama (*tra*.ma) *sf.* **1** *Têxt.* Conjunto de fios dispostos no sentido da largura da peça de tecelagem [Ver tb. *urdidura.*] **2** Conjunto de incidentes que compõem uma história; ENREDO; INTRIGA: "Toda a trama [do livro] se passa em um único dia, às vésperas da eleição presidencial de 2002." (*IstoÉ Online*, 12.01.2005) **3** Série de manobras secretas para prejudicar ou favorecer alguém ou algo; ARMAÇÃO; CONLUIO; CONSPIRAÇÃO: "Gonçalo Pinta, emboscado no caminho, derrubará Luís Galvão com uma cacetada e o lançará nas chamas, para acreditar-se que foi vítima do incêndio, e não de uma trama pérfida e covarde." (José de Alencar, *Til*) **4** *Fig.* Qualquer estrutura cujos elementos estão interligados como numa rede **5** Fio grosso de seda **6** Fio grosso com que se fazem tecidos como colchas etc. **7** *RS* Trave de madeira posta entre os vãos dos mourões das cercas de arame e presa aos fios por um arame mais flexível [F.: Do lat. *trama, ae.* Hom./Par.: *trama* (fl. de *tramar*).]

tramado (tra.*ma*.do) *a.* **1** Que foi tecido com trama (tela tramada) **2** *P. ext.* Que formou uma estrutura semelhante a um entrelaçado de fios (vinil tramado) **3** *Art. gr. Fot. Grav.* Obtido por meio de trama; RETICULADO **4** *Fig.* Que foi objeto de trama ou conluio; URDIDO; MAQUINADO: *roubo de joias tramado pela amiga da vítima.* **5** *Lus. Pop.* Que se prejudicou **6** *Lus. Pop.* Que está aflito por não encontrar a solução de um problema *sm.* **7** Aquilo que se tramou: *o tramado da tecelagem.* **8** *P. ext.* Estrutura semelhante a um entrelaçado de fios: "Lenita com o peito opresso, a arfar em fôlegos curtos, foi sentar-se em um bosquezinho denso de amoreiras, sobre um alcantil, à beira do ribeirão. Oculta pelo tramado da folhagem..." (Júlio Ribeiro, *A carne*) [F.: Part. de *tramar.*]

tramar (tra.*mar*) *v.* **1** Traçar (plano de ação), ger. com vistas a prejudicar alguém ou algo; URDIR [*td.*: *Qual dos três bandidos tramou o assalto?*] [*ti.* + *contra*: *Acusaram o político de tramar contra as instituições democráticas.*] [*tdi.* + *para*: *Tramou-lhes uma armadilha.*] **2** Entretecer (teia, fios, palha, fibras etc.) [*td.*: *Tramou a blusa em pouco tempo.*] [▶ 1 tra**mar**] [F.: *trama* + *-ar.* Hom./Par.: *trama* (3ªps.), *tramas* (2ªps.)/ *trama* (sf.) e pl; *tramo* (1ªp.s.)/ *tramo* (sm.).]

trambecar (tram.be.*car*) *v. int. Bras.* Andar como um bêbado, em zigue-zague, aos tropeços: *Chegou com muito sono e trambecou até a cama.* [▶ 11 trambe**car**] [F.: De or. express.]

trambelho (tram.*be*.lho) [ê] *sm.* **1** O mesmo que *trabelho* **2** *Náut.* Pequena peça de madeira, us. nas adriças das bandeiras, nas linhas de prumo etc. [F.: Var. de *trabelho.*]

trambicagem (tram.bi.*ca*.gem) *Bras. Pop. sf.* Ação desonesta, em que se buscam vantagens pessoais à custa de outrem: "Embora haja casos (...) de acumulação legal, a maioria é trambicagem mesmo." (*Veja*, 04.06.1997) [Pl.: *-gens.*] [F.: *trambicar* + *-agem*².]

trambicar (tram.bi.*car*) *v. Bras. Gír.* Aplicar ou praticar trambique(s) em [*td.*: *Trambicou o próprio irmão.*] [*int.*: *Trambicar era o seu modo de vida.*] [▶ 11 trambi**car**] [F.: *trambique* + *-ar*². Hom./Par.: *trambique* (fl.), *trambique* (sm.); *trambiques* (fl.), *trambiques* (pl. do sm.).]

trambique (tram.*bi*.que) *Bras. Pop. sm.* Negócio desonesto, fraudulento; GOLPE: *Deu um trambique na praça.* [F.: De or. obsc. Hom./Par.: *trambique* (sm.), *trambique* (fl. de *trambicar*); *trambiques* (pl.), *trambiques* (fl. do v.).]

trambiqueiro (tram.bi.*quei*.ro) *sm.* Aquele que dá trambique(s); CAMBALACHEIRO; GOLPISTA; TRAPACEIRO; VIGARISTA [F.: *trambique* + *-eiro.*]

trambolhada (tram.bo.*lha*.da) *sf.* **1** Porção de coisas juntas: *Ao abrir a porta do armário, caiu uma trambolhada em cima dele.* **2** *Lus.* O mesmo que *trambolhão* [F.: *trambolho* + *-ada*².] ■ **De ~** Ver *Aos trambolhões*

trambolhão (tram.bo.*lhão*) *sm.* **1** *Pop.* Queda espalhafatosa e com estrondo; BAQUE; CAÍDA **2** *Fig. Fam.* Contrariedade, desgosto inesperado; CONTRATEMPO; PERCALÇO; TRANSTORNO [Ant.: *êxito, vantagem.*] **3** *Fig. Fam.* Início de ruína; DECADÊNCIA; DECLÍNIO [Pl.: *-lhões.*] [F.: *trambolho* + *-ão.*] ■ **Aos trambolhões** Aos tombos, aos tropeços; de trambolhada

trambolho (tram.*bo*.lho) [ô] *sm.* **1** Qualquer coisa grande e pesada que incomoda e atrapalha **2** *Fig.* Empecilho, obstáculo, estorvo **3** Qualquer coisa pesada que se prende aos pés de animais domésticos para que não se afastem muito de casa; PEIA **4** Molho, feixe volumoso [Pl.: ô.] [F.: De or. obsc.]

trambulhar (tram.bu.*lhar*) *v. td. int.* Ver *trambolhar* [▶ 1 trambu**lhar**]

tramela (tra.*me*.la) *sf.* **1** Pequena trave móvel de madeira ou metal, presa por um prego numa das extremidades, que se gira para trancar portas, janelas etc. **2** No moinho, peça de madeira que trepida sobre a mó e faz cair os grãos da tremonha; CÍTOLA **3** *Fig. Joc.* A língua (*Anat.*): *soltar a tramela.* **4** *Fig. P. ext.* Pessoa tagarela **5** *Fig.* Falatório, boataria, vozearia **6** *S* Pequena tábua que se prende ao pescoço dos bezerros para evitar que mamem, quando se quer que a vaca engorde **7** *N. E.* Objeto que impede a caminhada **8** *Antq. Mar.* Peça de madeira que servia de cunha para manter a retranca presa ao mastro [F.: Do lat. vulg. *trabella, dim. de *trabs, is* 'trave'. Hom./Par.: *tramela, taramela* (fl. de *tramelar* e *taramelar*).]

tramelar (tra.me.*lar*) *Bras. v.* **1** Fechar com taramela ou tramela (porta, porteira, portão) [*td.*] **2** *Pop.* Falar em demasia; TAGARELAR [*int.*: *As burguesinhas tramelaram a manhã toda.*] [▶ 1 trame**lar**] [F.: *tramel(a)* + *-ar.* Hom./Par.: *tramela(s)* (fl), *tramela* (sf. e pl.).]

tramitação (tra.mi.ta.*ção*) *sf.* **1** Ação ou resultado de tramitar **2** *Jur.* Andamento de um processo, de acordo com os trâmites legais [Pl.: *-ções.*] [F.: *tramitar* + *-ção.*]

tramitar (tra.mi.*tar*) *v. int. Bras. Jur.* Passar (processo, emenda etc.) pelas instâncias oficiais competentes [▶ 1 trami**tar**] [F.: *trâmite* + *-ar*². Hom./Par.: *tramite* (fl.), *trâmite* (sm.); *tramites* (fl.), trâmites (pl. do sm.).]

trâmite (*trâ*.mi.te) *sm.* **1** Caminho com direção determinada; SENDA; VIA **2** Curso regular ou prescrito para a execução ou resolução de algo [F.: Do lat. *trames, itis.* Hom./ Par.: *trâmite* (sm.), *tramite* (fl. de *tramitar*); *trâmites* (pl.), *tramites* (fl. do v.).]

trâmites (*trâ*.mi.tes) *smpl.* **1** *Jur.* Etapas regulares de um processo; VIA LEGAL: "O julgamento de Domingos Leite correrá os seus trâmites, e faremos que a sentença o não prive para sempre da pátria." (Camilo Castelo Branco, *A filha do regicida*) **2** Meios e procedimentos adequados para a consecução de algo (trâmites burocráticos) [F.: Pl. de *trâmite.* Hom./Par.: *tramites* (fl. de *tramitar*).]

tramoia (tra.*moi*.a) *sf.* **1** *Pop.* Trama secreta para enganar ou prejudicar alguém ou algo; ARDIL; CONSPIRAÇÃO; TRAPAÇA **2** Peça em forma de tronco de pirâmide ou de cone invertido, situada sobre a mó, e em que se despeja o cereal a ser moído; CANOURA; MOEGA; TREMONHA **3** *Bras.* Certo tipo de renda de bilros [F.: Do espn. *tramoya*, 'canoura de milho'.]

tramontana (tra.mon.*ta*.na) *sf.* **1** *Astron.* A estrela polar **2** *Met.* Vento do norte **3** *Fig.* Rumo, direção, norte **4** *Fig.* O rumo do norte [F.: Do it. *tramontana.*] ■ **Perder a ~** Perder a direção, o rumo; desorientar-se, atrapalhar-se, confundir-se

tramontar (tra.mon.*tar*) *v. int.* Desaparecer (o sol) por trás das montanhas; transmontar [▶ 1 tramon**tar**] [F.: Do it. *tramontare.*]

trampa (*tram*.pa) *sf.* **1** *S* Armadilha para caça **2** *Antq.* Trapaça, tramoia, ardil [F.: Do espn. *trampa.*]

trampar (tram.*par*) *v. int. Pop.* O mesmo que *trabalhar* [▶ 1 tram**par**] [F.: *trampo* + *-ar*².]

trampo (*tram*.po) *SP Pop. sm.* Trabalho, emprego remunerado [F.: De or. obsc.]

trampolim (tram.po.*lim*) *sm.* **1** Prancha ger. alta, flexível, fixa em uma das extremidades, us. para impulsionar o salto de quem mergulha ou faz acrobacias **2** *Fig.* Pessoa ou coisa que possibilita a consecução de um objetivo [+ *para*: *A novela foi o trampolim para o sucesso da atriz.*] [Pl.: *-lins.*] [F.: Do it. *trampolino.*]

trampolina (tram.po.*li*.na) *sf.* Ação de trampolineiro; TRAMPOLINICE; TRAMPOLINAGEM [F.: Posv. do it. *trampolino.* Hom./Par.: *trampolina* (sf.), *trampolina* (fl. de *trampolinar*).]

trampolinagem (tram.po.li.*na*.gem) *sf.* Manobra fraudulenta; PATIFARIA; TRAPAÇA; VELHACARIA [Pl.: *-gens.*] [F.: *trampolinar + -agem²*.]

trampolinar (tram.po.li.*nar*) *v. int.* Fazer ou participar de trampolinices, falcatruas, patifarias [▶ 1 trampolinar] [F.: *trampolina + -ar²*. Hom./Par.: *trampolina* (fl.), *trampolina* (sf.); *trampolinas* (fl.), *trampolinas* (pl. do sf.).]

trampolineiro (tram.po.li.*nei*.ro) *a.* **1** Diz-se de quem faz trampolinagens *sm.* **2** Esse indivíduo [F.: *trampolina + -eiro*. Sin. ger.: *pilantra, trambiqueiro, trapaceiro.*]

tramposo¹ (tram.*po*.so) [ô] *a. Antq.* Que faz trapaças; ENREDADOR; FRAUDULENTO; TRAPACEIRO: "Se este Médico, este tramposo / é médico tão forçoso, / que faz levantar num dia / depois de curso, e sangria / ao doente mais mimoso" (Gregório de Mattos, "Crônica do viver baiano seiscentista" *in Obra poética*) [Pl.: [ó]. Fem.: [ó].] [F.: *trampa + -oso.*]

tramposo² (tram.*po*.so) [ô] *a.* Muito sujo; IMUNDO; NOJENTO [Ant.: *asseado, limpo.*] [Pl.: [ó]. Fem.: [ó].] [F.: *trampa + -oso.*]

tranar (tra.*nar*) *v. td.* Atravessar (rio, lago etc.) a nado: *Tranou o canal em poucas braçadas.* [▶ 1 tranar] [F.: Do lat. *tranare* ou *transnare.*]

tranca (*tran*.ca) *sf.* **1** Barra de ferro ou de madeira que se prende transversalmente atrás de portas e janelas para trancar: "As senhoras tremiam e passavam trancas nas portas enquanto acendiam as velas e os candeeiros dentro de casa." (Jorge Amado, *Jubiabá*) **2** Dispositivo de segurança contra roubo que se instala em veículos, portas, portões etc. **3** Qualquer coisa com que se trava ou prende; PEIA; TRAVA **4** Correia que cinge o peito do cavalo atrelado a carro **5** *Fig.* Obstáculo, empecilho, travanca **6** *Fig.* Traço grosso em desenho **7** *Pop.* Charuto **8** *Tabu.* O pênis [Dim.: *tranqueta.*] *s2g.* **9** *Pej. Pop.* Indivíduo grosseiro, mal-educado [Ant.: *cavalheiro, gentil, polido.*] *a2g.* **10** *Bras. Pop.* Que é avarento, sovina, mesquinho [Ant.: *generoso, mão-aberta.*] [F.: De or. incerta, posv. pré-romana. Hom./Par.: *tranca* (fl. de *trancar*).]

trança (*tran*.ça) *sf.* **1** Entrelaçamento de três ou mais mechas de fios ou tiras de qualquer natureza (trança de seda); TRANÇADO **2** *Rest.* Cabelo trançado **3** Galão com que se guarnecem vestidos **4** *Antq. Arm.* Pedaço de corda com que se ateava fogo às peças de artilharia **5** *Bras.* No crochê, sequência de laçadas simples; TRANCINHA **6** *Bras. Folc.* Folguedo relacionado com os reisados de Natal e Ano-novo em que os brincantes, enquanto dançam, trançam fitas coloridas presas ao topo de uma vara fincada ao chão **7** *Bras. Fam.* Intriga, enredo, mexerico **8** *PE Pop.* Conflito, desordem, rolo [F.: De or. obsc. Hom./Par.: *trança* (fl. de *trançar*).]

trancaço (tran.*ca*.ço) *sm.* **1** Doença endêmica que ataca a garganta **2** *RS* Eliminação de secreção mucosa pelo nariz decorrente de inflamação da mucosa nasal; CORIZA; DEFLUXO; RINITE **3** *Lus.* Tosse violenta [F.: Do espn. *trancazo.*]

trançadeira (tran.ça.*dei*.ra) *sf.* **1** Qualquer máquina de trançar fios de materiais diversos para fazer cadarços, elásticos, cordões, cabos etc. **2** *Bras.* Cabeleireira especializada em trançar cabelos à moda africana **3** Fita para trançar ou prender os cabelos; TRANÇADO [F.: *trançar + -deira.*]

trancado (tran.*ca*.do) *a.* **1** Fechado, seguro com tranca [Ant.: *aberto, destrancado.*] **2** *Fig.* Que não costuma falar de si mesmo; FECHADO; INTROVERTIDO; RESERVADO [Ant.: *aberto, expansivo, extrovertido.*] **3** Recolhido em ambiente fechado, ger. privado de convívio social; TRANCAFIADO: "Não, acudiu Anica; trancado em casa pode bem conservar a luneta para ver e apreciar os parentes que o não enganam." (Joaquim Manuel de Macedo, *A luneta mágica*) [F.: Part. de *trancar.*]

trançado (tran.*ça*.do) *a.* **1** Disposto em trança; ENTRANÇADO; ENTRELAÇADO *sm.* **2** Ação ou resultado de trançar **3** Ver *trança* (1) **4** Maneira de trançar: *Os cabelos tinham um trançado engenhoso.* **5** Trançadeira **6** *SP Dnç.* Certa dança do fandango típica de Ubatuba (SP); PASSADO; UBATUBANA [F.: Part. de *trançar.*]

trançador (tran.ça.*dor*) [ô] *Bras. a.* **1** Que trança, que faz trança(s) *sm.* **2** Indivíduo que por ofício faz tranças (de crina, couro etc.): "... desde a existência errante do tropeiro até a existência sedentária do guasqueiro ou trançador de lonca..." (Apolinário Porto-Alegre, *O vaquiano*) **3** Peça de máquina ou aparelho us. para trançar fios **4** *S. Pop. P. us.* Aquele que é dado a fazer trancinhas ou intrigas [F.: *trançar + -dor.*]

trancafiado (tran.ca.fi.*a*.do) *Bras. Pop. a.* **1** Preso, encarcerado, cativo [Ant.: *liberto, solto.*] **2** *Fig.* Ver *trancado* (3) [F.: Part. de *trancafiar.*]

trancafiar (tran.ca.fi.*ar*) *v.* **1** *Bras. Pop.* Prender em local fechado a chave, cadeado ou tranca; TRANCAR [*td.: Trancafiou os documentos comprometedores.*] **2** Pôr na cadeia; ENCARCERAR [*td.: Trancafiaram os presos.*] [*tda. + em: Trancafiaram os homens em celas diferentes.*] **3** *Mar.* O mesmo que *trincafiar* [*td.*] [▶ 1 trancafiar] [F.: De *trancar*. Hom./Par.: *trancafio* (1ªps.)/ *trancafio* (sm.).]

trancamento (tran.ca.*men*.to) *sf.* Ação ou resultado de trancar(-se): *trancamento de matrícula; trancamento de ação penal.* [F.: *trancar + -mento.*]

trancar (tran.*car*) *v.* **1** Fechar (porta, portão etc.) com chave, cadeado etc. [*td.*] **2** Meter(-se) em lugar fechado a chave, cadeado etc. [*tda.: Trancou os documentos no cofre; O juiz costuma trancar-se na sala por um tempo antes de deliberar.*] **3** Interromper ou cancelar (inscrição em curso, faculdade etc.) [*td.: Trancar a matrícula.*] **4** Fazer jogar de forma recuada (time, jogadores etc.) [*td.: Trancar a defesa.*] **5** Deixar de comunicar-se; não falar [*td.: Trancou-se de todo e não fala com mais ninguém.*] **6** *Fut.* Dar tranco em (adversário) para lhe tomar a bola ou impedir que avance [*td.*] [▶ 11 trancar] [F.: *tranca + -ar*. Hom./Par.: *tranca* (3ªps.), *trancas* (2ªp. s.)/ *tranca* (sf.) e pl; *tranco* (1ªps.)/ *tranco* (sm.).]

trançar (tran.*çar*) *v.* **1** Entrelaçar fios de (tecido, palha, cabelo etc.), prendendo-os [*td.: Trançar uma esteira/os cabelos.*] **2** Andar sem parar; ZANZAR [*ta.: Trançava pela casa sem saber o que fazer.*] [*int.: O menino trançava sem parar enquanto seu pai trabalhava.*] **3** *SP Pop.* Cruzar-se (os dançarinos) em certo momento do fandango [*int.*] [▶ 12 trançar] [F.: *trança + -ar*. Hom./Par.: *trança* (3ªp. s.), *tranças* (2ªp. s.)/ *trança* (s. f.) e pl; *transar/za/* (todos os tempos do v.); *trança* (3ªp. s.), *tranças* (2ªp. s.)/ *transa/za/* (sf.) e pl.]

tranca-ruas (tran.ca-*ru*.as) *s2g2n.* **1** *Bras. Pop.* Motorista que atrapalha o fluxo do trânsito, ger. por dirigir devagar **2** Indivíduo desordeiro e metido a valente

trancelim (tran.ce.*lim*) *sm.* **1** Trança estreita (de fios de seda, prata, ouro etc.) us. para guarnecer trabalhos de costura e bordados **2** Cordão fino, ger. de ouro, us. para suspender pingentes, relógios de algibeira etc.: "O general tirou o pince-nez que era preso por um trancelim de ouro..." (Lima Barreto, *Triste fim de Policarpo Quaresma*) **3** *CE Dnç.* Dança executada por um grupo de mulheres e/ou homens que seguram fitas coloridas, afixadas no topo de um mastro, as quais, durante a coreografia, são trançadas e destrançadas; DANÇA DAS FITAS; DANÇA DO TRANCELIM; PAU DE FITA; TRANÇADO; TRANÇA-FITAS [Pl.: *-lins.*] [F.: Do espn. *trencellín.*]

trancha (*tran*.cha) *sf.* Ferramenta com que o funileiro vira as bordas da folha de flandres [F.: Do fr. *tranche.*]

tranchã (tran.*chã*) *Bras. a2g.* **1** Que não deixa dúvida, ou em que não há dúvida; CATEGÓRICO; DECISIVO **2** *Desus. Gír.* Palavra us. para qualificar pessoas ou coisas positivamente, significando 'bom' (pescaria tranchã), 'bonito' (roupa tranchã), 'agradável' (voz tranchã) etc; BACANA; LEGAL [F.: Do fr. *tranchant.*]

tranco (*tran*.co) *sm.* **1** Balanço forte e súbito; SOLAVANCO; TOMBO: *O carro deu um tranco e parou.* **2** Abalo, comoção, perturbação: *Está triste, ainda não se refez do tranco.* [Ant.: *desinquietação, tranquilidade.*] **3** Situação difícil, penosa ou complicada: *Temos de aguentar o tranco.* **4** *Bras.* Esbarrão, encontrão **5** Puxão brusco que retarda ou faz parar: *Quando o paraquedas se abriu levou um tranco;* "...atraiçoaram os que viviam de esperança e deram um tranco formidável na evolução política do Brasil." (Leonardo Boff, *JBOnline*, 29.07.2005) **6** *Bras. Pop.* Advertência enérgica; BRONCA; ESBREGUE; REPREENSÃO **7** *Fut.* Empurrão com o ombro no adversário, para tirar-lhe a bola ou não deixar que a alcance **8** Salto largo que dá o cavalo **9** *RS* Andadura ou marcha normal do cavalo em passeio ou viagem [F.: Var. de *tranca*. Hom./Par.: *tranco* (fl. de *trancar*).] ■ **Aguentar o ~** *Pop.* Aguentar o impacto e as agruras de um choque emocional, de uma situação difícil ou penosa etc. **Aos ~s** Aos trambolhões (ver no verbete *trambolhão*) **Aos ~s e barrancos** **1** Com dificuldade, desajeitadamente **2** Aos trambolhões (ver no verbete *trambolhão*) **A ~** **1** Ver *Aos trancos* **2** Descontinuamente, intermitentemente **No ~** Diz-se de maneira de dar partida em motor de veículo automotor sem ser por contato elétrico na ignição, mas empurrando-o engatado em marcha para, na transmissão de movimento inversa (das rodas para os pistões), iniciar o ciclo de explosões do motor

trancucho (tran.*cu*.cho) *sm. S. Pop.* Levemente embriagado [F.: De or. obsc.]

trangla (*tran*.gla) *sf.* Barra de metal us. para prender a passadeira aos degraus de uma escada [F.: Do fr. *tringle.*]

tranquear (tran.que.*ar*) *Bras. v.* **1** Fortificar(-se) com tranqueiras; ENTRANQUEIRAR; TRANQUEIRAR [*td.: tranquear um sítio.*] **2** *AL* Fazer parar (o cavalo) no puxar de rédeas [*int.: Fez o cavalo tranquear.*] **3** *S* Movimentar-se em marcha natural (o cavalo) [*int.: O cavalo tranqueou.*] **4** *N* Movimentar-se de lado (o cavalo) [*int.: Naquele ponto da estrada, o cavalo começou a tranquear.*] [▶ 13 tranquear] [F.: *tranco + -ear²*.]

tranqueira (tran.*quei*.ra) *sf.* **1** *Pop.* Conjunto de objetos fora de uso **2** Abertura nas paredes laterais da porta onde se encaixa a tranca **3** *Bras. Pop.* Engarrafamento, retenção no trânsito **4** Cerca de estacas de madeira para fortificar um lugar **5** Coivara antiga no meio da mata **6** Restos de galhos não queimados na mata, impedindo o trânsito **7** Ver *trincheira* **8** *Lus.* Ombreira de porta [F.: *tranca + -eira.*]

tranquibérnia (tran.qui.*bér*.ni:a) *sf. Pop.* Negócio de má-fé; FRAUDE; TRAPAÇA: "...que desviara os recursos do barão e se apropriara de tudo em que pudera pôr as mãos, em todo tipo de tranquibérnia possível..." (João Ubaldo Ribeiro, *Um brasileiro em Berlim*) [F.: De or. obsc.]

tranquilidade (tran.qui.li.*da*.de) *sf.* **1** Estado, qualidade ou característica de tranquilo **2** Paz, quietação, serenidade [Ant.: *agitação, desassossego, perturbação.*] **3** Estabilidade, equilíbrio, ordem [Ant.: *insegurança, instabilidade.*] [F.: Do lat. *tranquillitas, atis.*]

tranquilização (tran.qui.li.za.*ção*) *sf.* Ação ou resultado de tranquilizar(-se) [Pl.: *-ções.*] [F.: *tranquilizar + -ção.*]

tranquilizado (tran.qui.li.*za*.do) *a.* Que se tranquilizou; CALMO; SOSSEGADO; TRANQUILO: "João Eduardo, tranquilizado, raciocinou que 'não havia nada'. Aqueles modos eram excessos de beatério..." (Eça de Queirós, *O crime do padre Amaro*) [F.: Part. de *tranquilizar.*]

tranquilizador (tran.qui.li.za.*dor*) [ô] *a.* **1** Que tranquiliza (diagnóstico tranquilizador); TRANQUILIZANTE *sm.* **2** Aquele ou aquilo que tranquiliza [F.: *tranquilizar + -dor.*]

tranquilizante (tran.qui.li.*zan*.te) *a2g.* **1** Que tranquiliza (notícia tranquilizante); CALMANTE; LENIENTE; TRANQUILIZADOR **2** *Farm.* Diz-se de medicamento que reduz a ansiedade e a tensão nervosa sem afetar a lucidez *sm.* **3** *Farm.* Esse medicamento [Sin. nas acp. 2 e 3: *calmante, sedativo, tensiolítico.*] [F.: *tranquilizar + -nte.*]

tranquilizar (tran.qui.li.*zar*) *v.* Tornar(-se) mais calmo, menos agitado; ACALMAR(-SE) [*td.: Tranquilizar as crianças.*] [*int.: Tranquilizou-se quando recebeu o resultado do exame.*] [▶ 1 tranquilizar] [F.: *tranquilo + -izar.*]

tranquilo (tran.*qui*.lo) *a.* **1** Sem agitação ou sobressaltos (ambiente tranquilo); QUIETO; SERENO; SOSSEGADO [Ant.: *agitado, sobressaltado.*] **2** De temperamento calmo (criança tranquila); EQUILIBRADO; SERENO; SOSSEGADO [Ant.: *agitado, esquentado, perturbado.*] **3** Que não tem ou em que não há remorso ou culpa (consciência tranquila) [Ant.: *culpado.*] **4** De que não se tem dúvida, incerteza; CERTO; GARANTIDO; SEGURO [Ant.: *incerto.*] **5** Sem medo ou receio; CONFIANTE; SEGURO [Ant.: *receoso, temeroso.*] **6** Sem preocupações ou aborrecimentos; DESPREOCUPADO; IMPERTURBADO; REPOUSADO: "Tudo é uma questão de manter/ a mente quieta, / a espinha ereta/ e o coração tranquilo." (Walter Franco, *Coração tranquilo*) [Ant.: *apreensivo, preocupado.*] **7** Que ocorre de forma regular, previsível (viagem tranquila); FÁCIL; NORMAL; REGULAR [Ant.: *anormal, irregular.*] [F.: Do lat. *tranquillus, a, um.*]

tranquito (tran.*qui*.to) *RS sm.* **1** Andadura normal, habitual, do cavalo; TRANCO **2** Cavalo estradeiro, que tem bom ritmo e resistência na marcha [F.: Do espn. *tranquito.*] ■ **A/no ~** *RS* Devagar e continuamente, ininterruptamente

◎ **trans-** *pref.* = além de; através de; transferência; transformação: *transcendente; transatlântico, transparência; transbordo, trasladar; transformismo* [Tb. existem as formas *tra-* (*traduzir*) e *tres-* (*tresnoitar*).]

transa (*tran*.sa) [za] *Bras. Gír. sf.* **1** *Pop.* Relação sexual; COITO; COPULAÇÃO; TRANSADA: *Foi só uma transa rápida, nada sério.* **2** Acordo, combinação, transação: *Eles resolveram o assunto com uma transa complicada.* [Ant.: *desacordo.*] **3** Assunto a resolver ou resolvido; QUESTÃO: *Isso não me interessa, é transa de vocês.* **4** Relacionamento amoroso; TRANSAÇÃO: *Eles têm uma transa há muito tempo.* [F.: F. red. de *transação*. Hom./Par.: *transa* (sf.), *transa* (fl. de *transar*), *trança* (sf.), *traça* (fl. de *trançar*).]

transaariano (tran.sa.a.ri:*a*.no) *a.* **1** Que atravessa o deserto do Saara (N. da África): "No século XII já havia tráfico na costa oriental africana e no século XV, com a expansão islâmica, estabelece-se o tráfico transaariano, no norte da África." (*Correio da Bahia*, 27.10.2002) **2** Situado além desse deserto [F.: *trans- + saariano.*]

transabdominal (tran.sab.do.mi.*nal*) [za] *a2g. Med.* Ref. ao procedimento médico e cirúrgico feito através da parede abdominal: *técnica videolaparoscópica transabdominal.* [Pl.: *-nais.*] [F.: *trans- + abdominal.*]

transação (tran.sa.*ção*) [za] *sf.* **1** Operação comercial ou financeira (transação bancária) **2** *Bras. Gír.* Ver *transa* (2 e 4) **3** Ação ou resultado de transigir; CONCILIAÇÃO **4** Ação ou resultado de transacionar; AJUSTE; NEGÓCIO **5** *Jur.* Acordo em que, mediante concessões mútuas, as partes põem fim a um litígio ou o evitam **6** *Inf.* Qualquer operação lógica em um sistema informatizado **7** *Psic.* Em análise transacional, interação entre pessoas [Pl.: *-ções.*] [F.: Do lat. *transactio, onis.*]

transacionado (tran.sa.ci:o.*na*.do) [za] *a.* Que foi objeto de transação; NEGOCIADO: *algodão transacionado no mercado exterior.* [F.: Part. de *transacionar.*]

transacional (tran.sa.ci:o.*nal*) [za] *a2g.* **1** Ref. a ou que tem caráter de transação: "Vingando o projeto, importaria justamente na renúncia transacional da União ao seu direito." (Ruy Barbosa, *Esfola da calúnia*) **2** Ref. a ou que tem caráter de transigência **3** *Psic.* Diz-se de certo tipo de análise ou método para compreensão do comportamento, que considera o ego composto de três instâncias psíquicas (de pai, de adulto e de criança) e visa a desenvolver o uso do estado de ego adulto, considerado mediador entre os sentimentos e as crenças [Pl.: *-nais.*] [F.: *transação* (sob a f. *transacion-*) + *-al¹*.]

transacionar (tran.sa.ci:o.*nar*) *v.* **1** Estabelecer relação de negócios (com pessoa, instituição etc.) [*int.: Os produtores e os grevistas pararam de transacionar.*] **2** Comerciar (produtos, bens etc.) [*td.: Transaciona produtos agrícolas.*] [▶ 1 transacionar] [F.: *transação* (sob a f. *transacion-*) + *-ar²*.]

transacionável (tran.sa.ci:o.*ná*.vel) [za] *a2g.* Que se pode transacionar (dívida transacionável); NEGOCIÁVEL [Pl.: *-veis.*] [F.: *transacionar + -vel*. Hom./Par.: (pl.) *transacionáveis, transacionáveis* (fl. de *transacionar*).]

transacto (tran.*sac*.to) [za] *a.* Ver *transato*. [F.: Do lat. *transactus, a, um.*]

transadmitância (tran.sad.mi.*tân*.ci:a) [za] *sf. Elet.* Quociente do componente alternado da tensão em um eletrodo pelo componente alternado da corrente em outro eletrodo, enquanto as tensões dos eletrodos restantes são mantidas constantes [F.: Adapçt. do ing. *transadmittance.*]

transado (tran.*sa*.do) [za] *a.* **1** *Bras. Gír.* Feito com esmero, capricho; BEM-FEITO; ELABORADO; ESMERADO: *um colar transado.* [Ant.: *malfeito.*] **2** Diferente, jeitoso e moderno (moto transada; vestido transado; loja transada) [Ant.: *banal, comum.*] **3** Feito, elaborado, preparado: *reportagem maltransada; lanche bem-transado.* [F.: Part. de *transar.*]

transalpino (tran.sal.*pi*.no) [za] *a.* **1** Que atravessa a cordilheira dos Alpes, cadeia montanhosa que se estende entre França e Itália, interior da Suíça e da Áustria, atingindo a região dos Bálcãs: "Além de lhe serem fornecidos víveres em grande quantidade, o mais que pôde de agasalhos, peles e lãs, com o que preparou os seus homens para a passagem dos Alpes... Deu-lhe, além disso, guias seguros, habituados ao trajeto transalpino..." (Aquilino Ribeiro, *Avós dos nossos avós*) **2** Situado além dessa cordilheira [Ant.: *cisalpino.*] [F.: Do lat. *transalpinus, a, um.*]

transamazônico (tran.sa.ma.*zô*.ni.co) [za] *a.* **1** Que atravessa ou percorre a região amazônica **2** Localizado além da região amazônica [F.: *trans-* + *amazônico.*]

transaminação (tran.sa.mi.na.*ção*) [za] *sf. Bioq.* Transferência de um grupo amino de um aminoácido para um cetoácido, cuja reação forma um novo aminoácido [Pl.: *-ções.*] [F.: Adaptç. do ing. *transamination.*]

transamínase (tran.sa.*mí*.na.se) [za] *sf.* **1** *Bioq.* Proteína responsável pela transferência de radicais amina entre moléculas, durante o metabolismo dos aminoácidos; AMINOTRANSFERASE **2** *Med.* Exame que checa se há alterações nos níveis dessas proteínas e que permite diagnosticar doenças hepáticas em fase ger. precoce [Quando o fígado está inflamado essas enzimas aparecem em nível alto no sangue.] [F.: *trans-* + *amina* + *-ase.* Tb. (mais us., mas não preferencial) *transaminase.*]

transandino (tran.san.*di*.no) [za] *a.* **1** Que atravessa a cordilheira dos Andes, cadeia montanhosa que se estende ao longo da costa ocidental da América do Sul: "Um oleoduto transandino que irá facilitar o transporte do petróleo argentino ao Chile será inaugurado hoje..." (*Gazeta Mercantil,* 08.02.1994) **2** Situado além dessa cordilheira [Ant.: *cisandino.*] [F.: *trans-* + *andino.*]

transar (tran.*sar*) [zar] *Bras. Gír. v.* **1** Ter relações sexuais [*int.: O casal já não transava mais.*] [*tr.* + *com*: *Ele queria transar com a namorada.*] **2** Ter gosto por; APRECIAR [*td.: Não transo drogas.*] **3** Arranjar ou conseguir [*td.: Quero transar um vestido de rendas.*] **4** Maquinar, tramar [*td.: Transou um plano diabólico.*] **5** Combinar, ajustar [*td.: Transamos o encontro para as nove da noite.*] [▶ **1** transar] [F.: *transa* + *-ar*[2]. Hom./Par.: *transa* (fl.), *transa* (sf.), trança (sf.); *transas* (fl.), *transas* (sf.), *tranças* (pl. do sf.); *transe* (fl.), *transe* (sm.); *transes* (fl.), *transes* (pl. do sm.); *transar, trançar* (todos os tempos do v.).]

transatlântico (tran.sa.*tlân*.ti.co) [za] *a.* **1** Localizado além do oceano Atlântico [Ant.: *cisatlântico.*] **2** Que atravessa o Atlântico *sm.* **3** Navio de passageiros de grande porte que atravessa o Atlântico **4** *P. ext.* Qualquer navio de passageiros luxuoso e de grande porte, que cruza oceanos [F.: *trans-* + *atlântico.*]

transato (tran.*sa*.to) [za] *a.* **1** Que já não existe; que passou; PASSADO; PRETÉRITO: "Aquele escadório dos Remédios com as suas personagens reais ditosamente transatas e obsoletas..." (Aquilino Ribeiro, *Luz ao longe*) [Ant.: *atual.*] **2** Anterior ao atual (ano transato); ANTECEDENTE; PASSADO [Ant.: *futuro, próximo.*] [F.: Do lat. *transactus, a, um.* Tb. *transacto.* Ant. ger.: *vindouro.*]

transbordado (trans.bor.*da*.do) *a.* Que transbordou (rio transbordado) [F.: Part. de *transbordar.*]

transbordamento (trans.bor.da.*men*.to) *sm.* **1** Ação ou resultado de transbordar; TRANSBORDO **2** *Poét.* O mesmo que *enjambement* [F.: *transbordar* + *-mento.*]

transbordante (trans.bor.*dan*.te) *a2g.* Que transborda: "Seis anos transbordantes de vitórias libertadoras." (Ruy Barbosa, *O dever dos neutros*) [F.: *transbordar* + *-nte.*]

transbordar (trans.bor.*dar*) *v.* **1** Ultrapassar as bordas ou margens [*int.: Com o mau tempo, o rio São Francisco transbordou.*] [*td.: O vinho transbordou a taça.*] **2** *Fig.* Experimentar ou manifestar em excesso (sentimento, sensação etc.) [*td.: O escolhido transbordava contentamento.*] [*tr.* + *de*: *Está transbordando de ódio.*] **3** Espalhar(-se), derramar(-se) [*ta.: A pia entupiu e a água transbordou por todos os lados; O líquido transbordou do copo.*] [▶ **1** transbordar] [F.: *trans-* + *borda* + *-ar*[2]. Hom./Par.: *transbordo* (fl.), *transbordo* /ô/ (sm.).]

transbordo (trans.*bor*.do) [ô] *sm.* **1** Transbordamento (1) **2** Transferência de carga e/ou passageiros de um ônibus, trem, avião, navio etc. para outro; BALDEAÇÃO [Pl.: ô.] [F.: Dev. de *transbordar.* Hom./Par.: *transbordo* (sm.), *transbordo* (fl. de *transbordar*).]

transcelular (trans.ce.lu.*lar*) *a2g. Biol.* Ref. ou pertencente ao transporte de substâncias através das células (transporte transcelular) [F.: *trans-* + *celular.*]

transcendência (trans.cen.*dên*.ci:a) *sf.* **1** Qualidade ou caráter de transcendente [Ant.: *imanência.*] **2** *Rel.* Qualidade de Deus, aquilo que O distingue do mundo e dos seres por Ele criados **3** Perspicácia, sagacidade, agudeza [Ant.: *idiotice, imbecilidade.*] **4** Grande relevância; IMPORTÂNCIA; MAGNITUDE: *Expôs argumentos da maior transcendência.* [Ant.: *irrelevância.*] **5** Superação dos limites materiais (físicos, temporais etc.) **6** *Fil.* No kantismo, caráter das ideias que ultrapassam os dados oferecidos pela experiência, embora pertençam ao âmbito da especulação racional humana [F.: Do lat. *transcendentia, ae,* 'ação de subir'.]

transcendental (trans.cen.den.*tal*) *a2g.* **1** O mesmo que *transcendente* (1) **2** Ref. a experiências místicas ou sobrenaturais e, portanto, além do mundo material; MÍSTICO [Ant.: *concreto, imanente, material.*] **3** *Fil.* No kantismo, ref. à experiência enquanto ainda formulada na mente; que transcende a experiência mas não o conhecimento humano **4** *Fil.* Na escolástica, diz-se de conceito que supera qualquer outro em abrangência na identificação de um objeto ou realidade [Pl.: *-tais.*] [F.: *transcendente* + *-al*[1].]

transcendentalidade (trans.cen.den.ta.li.*da*.de) *sf.* Qualidade, propriedade ou caráter do que é transcendental [F.: *transcendental* + *-(i)dade.*]

transcendentalismo (trans.cen.den.ta.*lis*.mo) *Fil. sm.* **1** Doutrina criada pelo filósofo alemão Immanuel Kant (1724-1804) e desenvolvida por inúmeros seguidores, segundo a qual o conhecimento humano apresenta uma dimensão *a priori*, em oposição ao conhecimento meramente empírico **2** *Fil. Rel.* Doutrina filosófica e religiosa norte-americana, difundida esp. pelo poeta Ralph Waldo Emerson (1803-1882), que prega a existência de um estado espiritual que transcende o físico e estabelece a possibilidade de perceber o empírico por meio de uma sábia consciência intuitiva **3** *Rel.* Qualquer doutrina caracterizada por adotar métodos como a intuição, a fé ou a revelação, por transcenderem os instrumentos racionais e empíricos do conhecimento humano [P. opos. a *imanentismo.*] [F.: *transcendental* + *-ismo.*]

transcendentalista (trans.cen.den.ta.*lis*.ta) *a2g.* **1** Ref. a transcendentalismo **2** Diz-se de pessoa que é adepta do transcendentalismo *s2g.* **3** Essa pessoa [F.: *transcendental* + *-ista.*]

transcendente (trans.cen.*den*.te) *a2g.* **1** Que transcende; TRANSCENDENTAL **2** Que está além dos limites da experiência material; METAFÍSICO; TRANSCENDENTAL [Ant.: *imanente, material.*] **3** Que excede os limites normais (virtude transcendental); MAGNÍFICO; SUBLIME; SUPERIOR [Ant.: *inferior, vulgar.*] **4** Que revela sagacidade, perspicácia (visão transcendental); AGUDO; PENETRANTE **5** Que emana da razão; ARRAZOADO; RACIONAL [Ant.: *desarrazoado, irracional.*] **6** *Fil.* No kantismo, diz-se do que está além dos limites da experiência e do conhecimento (verdade transcendental) **7** *Fil.* Na metafísica, diz-se de ser ou princípio divino que, por sê-lo, se encontra além da experiência material [Ant.: *imanente.*] **8** *Mat.* Que não é algébrico (equação transcendente) [Ant.: *algébrico.*] *sm.* **9** Aquilo que é transcendente [F.: Do lat. *transcendens, entis.*]

transcender (trans.cen.*der*) *v.* **1** Estar ou ir além de; ULTRAPASSAR [*td.: Por ser ética, a questão da clonagem transcende a ciência.*] **2** Estar em nível superior e inalcançável com relação a; SOBREPUJAR [*td.: Seu brilhantismo transcendia a opinião corrente.*] **3** Distinguir-se, destacar-se [*tr.* + *em*: *Esse músico transcende em inteligência e talento.*] [▶ **2** transcender] [F.: Do v.lat. *transcendere.*]

transceptor (trans.cep.*tor*) [ô] *Telc. a.* **1** Diz-se de equipamento com capacidade de transmitir e receber sinais *sm.* **2** Esse equipamento: *O walkie-talkie é um transceptor.* [F.: *trans(missor)* + *(re)ceptor.* Sin. ger.: *transreceptor.*]

transcodificação (trans.co.di.fi.ca.*ção*) *sf.* Ação ou resultado de transcodificar [Pl.: *-ções.*] [F.: *transcodificar* + *-ção.*]

transcodificado (trans.co.di.fi.*ca*.do) *a.* Que passou por transcodificação [F.: Part. de *transcodificar.*]

transcodificador (trans.co.di.fi.ca.*dor*) [ô] *a.* **1** Diz-se de qualquer aparelho us. para transcodificar *sm.* **2** Esse aparelho [F.: *transcodificar* + *-dor.*]

transcodificar (trans.co.di.fi.*car*) *v.* **1** Converter (informação, mensagem etc.) de um código para outro [*td.: Transcodificar os sinais da mensagem.*] **2** Preparar (equipamento) para trabalhar com informações ou produtos diferentes [*td.*] **3** *Fig.* Tornar (informação) mais acessível; SIMPLIFICAR [*td.*] [*tdi.* + *para*: *O cientista transcodificava (para o público) a complexa teoria genética.*] [▶ **11** transcodificar] [F.: *trans-* + *codificar.*]

transcondutância (trans.con.du.*tân*.ci:a) *sf. Elet. Eletrôn.* Nas válvulas eletrônicas, razão entre a variação na corrente de placa e a variação na tensão elétrica de grade que a produz, quando se mantém constante a tensão elétrica de placa [F.: *trans-* + *condutância.*]

transcontinental (trans.con.ti.nen.*tal*) *a2g.* Que atravessa um continente (estrada transcontinental) [Pl.: *-tais.*] [F.: *trans-* + *continental.*]

transcorrer (trans.cor.*rer*) *v.* **1** Ocorrer de determinada maneira; PASSAR-SE [*tp.: A solenidade deve transcorrer de acordo com o protocolo.*] **2** Decorrer (período de tempo) [*int.: Quantos anos transcorreram desde o nosso último encontro?*] **3** Passar além de, atravessar, transpor (lugares, terras, regiões) [*td.*] [▶ **2** transcorrer] [F.: Do v.lat. *transcurrere.*]

transcorrido (trans.cor.*ri*.do) *a.* **1** Decorrido, passado (anos transcorridos) **2** Transposto, percorrido [F.: Part. de *transcorrer.*]

transcortical (trans.cor.ti.*cal*) *a2g. Neur.* Diz-se de afasia caracterizada principalmente pela falta de incitação verbal e/ou perturbação na compreensão do discurso [Pl.: *-cais.*] [F.: *trans-* + *cortical.*]

transcrever (trans.cre.*ver*) *v. td.* **1** Fazer citação ou cópia escrita de texto alheio: *Você me autoriza a transcrever seu poema em meu novo livro?* **2** Reproduzir por escrito (uma amostra de fala): *O escrivão transcreveu o depoimento.* **3** *Jur.* Registrar (título ou escritura) para que se faça a transferência de posse ou domínio [▶ **2** transcrever] [F.: Do v.lat. *transcribere.*]

transcriar (trans.cri.*ar*) *v. td.* Recriar (alguma coisa) (transcriar textos) [▶ **1** transcriar] [F.: *trans-* + *criar.*]

transcrição (trans.cri.*ção*) *sf.* **1** Ação ou resultado de transcrever **2** Cópia de escrita [Ant.: *original.*] **3** *Fon. Ling.* Registro gráfico dos sons de uma língua **4** *Gen.* A síntese que uma molécula de ácido ribonucleico (ARN) realiza a partir de uma cadeia de ácido desoxirribonucleico (ADN) **5** *Mús.* Elaboração de arranjo para instrumentos e/ou vozes diferentes daqueles para os quais uma peça musical havia sido escrita **6** *Jur.* Operação que consiste em copiar um ato jurídico no livro de registro oficial [Pl.: *-ções.*] [F.: Do lat. *transcriptio, onis.*] ■ **~ fonêmica** *Ling.* Representação gráfica de fonemas, sons, entonações no falar de uma língua por meio de sinais especiais convencionados (alfabetos fonéticos) **~ fonética** *Ling.* Representação gráfica, por meio de um alfabeto fonético, de todas as variações de sons emitidos numa fala, inclusive acentos, duração de sílabas, pausas, entonações etc.

transcriptase (trans.crip.*ta*.se) *sf. Gen.* Polimerase que, durante a transcrição, catalisa a síntese enzimática de um ácido ribonucleico (ARN) utilizando uma fita de ácido desoxirribonucleico (ADN) como molde [Mais us. que a f. *transcriptáse.*] [F.: Do ing. *transcriptase.*] ■ **~ reversa** *Bioq.* Polimerase em retrovírus que catalisa a síntese de ADN a partir de ARN

transcrito (trans.*cri*.to) *a.* **1** Que se transcreveu; COPIADO; TRASLADADO: *texto transcrito em parte. sm.* **2** Transcrição textual do que está escrito em algum lugar; CÓPIA; TRASLADO: *Não entendeu o enunciado do transcrito.* [F.: Do lat. *transcriptus, a, um.*]

transculturação (trans.cul.tu.ra.*ção*) *sf. Antr.* Processo de interação cultural desencadeado pelo encontro entre sociedades de culturas distintas [Pl.: *-ções.*] [F.: Adaptç. do ing. *transculturation.*]

transcultural (trans.cul.tu.*ral*) *a2g.* Ref. ou pertencente ao processo de transculturação [Pl.: *-rais.*] [F.: *trans-* + *cultural.*]

transcurar (trans.cu.*rar*) *v. td.* Não cuidar de (deveres, obrigações etc.); descurar de: *O jovem sempre transcurava suas obrigações.* [▶ **1** transcurar] [F.: *trans-* + *curar.*]

transcursar (trans.cur.*sar*) *v.* **1** Ir além de; TRANSPOR [*td.: O cavalo transcursou todos os obstáculos da prova.*] **2** Passar (o tempo); DECORRER; TRANSCORRER [*int.: O tempo transcursou rapidamente.*] [▶ **1** transcursar] [F.: *transcurso* + *-ar*[2]. Hom./Par.: *transcurso* (fl.), *transcurso* (sm.).]

transcurso (trans.*cur*.so) *sm.* **1** Ação ou resultado de transcorrer; TRANSCORRÊNCIA; TRANSCURSÃO **2** Período do tempo; DECURSO: "As três cartas (...) elucidam-nos sobre esse transcurso da vida do poeta que começa com o melhor dos verdes anos." (Aquilino Ribeiro, *Camões, Camilo, Eça*) [F.: Do lat. *transcursus, us,* 'ação de atravessar, passagem'.]

transcurvo (trans.*cur*.vo) *a.* Diz-se do cavalo que, olhado de lado, é mal-aprumado [F.: *trans-* + *curvo.*]

transcutâneo (trans.cu.*tâ*.ne.o) *a.* Que ocorre através da pele: *Ao fazer seu caminho transcutâneo, a larva migrans causa muita coceira.* [F.: *trans-* + *cutâneo.*]

transdérmico (trans.*dér*.mi.co) *a.* Que se aplica através da pele: *discos transdérmicos de nicotina.* [F.: *trans-* + *dérmico.*]

transdisciplinar (trans.dis.ci.pli.*nar*) *a2g.* **1** Diz-se de quem se ocupa de ou do que trata de várias disciplinas **2** Que envolve diferentes disciplinas ou que ocorre entre várias [F.: *trans-* + *disciplinar.*]

transdisciplinaridade (trans.dis.ci.pli.na.ri.*da*.de) *sf.* Qualidade, característica ou propriedade do que é transdisciplinar [F.: *transdisciplinar* + *-(i)dade.*]

transdução (trans.du.*ção*) *sf.* **1** *Gen.* Transferência de material genético entre bactérias por meio de um vírus bacteriófago **2** *Fís.* Processo por meio do qual uma energia se transforma em outra de natureza distinta [Pl.: *-ções.*] [F.: Adaptç. do ing. *transduction.*]

transdutor (trans.du.*tor*) [ô] *sm.* **1** *Fís.* Dispositivo ou componente capaz de transformar um tipo de energia em outra **2** *Eletrôn.* Circuito que converte um tipo de sinal de entrada em outro tipo de sinal de saída e vice-versa (p. ex., impulso elétrico em som ou luz) **3** *Rlog.* Instrumento que recebe e emite ondas de ultrassom, us. em ultrassonografia [F.: Do rad. do ing. *transduct(ion)* + *-or.*]

transe (*tran*.se) [ze] *sm.* **1** Estado, causado por euforia ou angústia, em que a pessoa assume um comportamento anormal: "Pousou as mãos na mesa entre jarrinhos num transe de pena e de saudade..." (Antonio Callado, *Bar Don Juan*) **2** Estado de alteração da consciência motivado por rituais religiosos, estímulo psicológico ou sensorial, ingestão de drogas etc.: *Entrou em transe durante a cerimônia.* **3** Estado de profunda abstração e absorção; EXALTAÇÃO: *O poeta foi arrebatado por um transe que o impelia a escrever.* **4** Momento crítico, aflitivo; AFLIÇÃO; AGONIA; CRISE [Ant.: *alívio.*] [F.: Do fr. *transe,* 'êxtase'. Hom./Par.: *transe* (sm.), *transe* (fl. de *transar*); *transes* (pl.), *transes* (fl. do v.).] ■ **~ hipnótico** Transe (2) provocado por hipnose **~ histérico** *Psiq.* Transe (2) causado por crise histérica **A todo o ~** A todo o custo, custe o que custar

transecto (tran.*sec*.to) *sm.* Faixa, banda, espaço (real ou virtual), esp. de vegetação, que se percorre para registrar determinadas ocorrências em seu domínio e traçar seu perfil [F.: Do ing. *transect.*]

transeiro (tran.*sei*.ro) *sm. Gír.* Comerciante ilegal, que contrabandeia ou trafica; CONTRABANDEADOR; TRAFICANTE [F.: *transar* + *-eiro.*]

transepto (tran.*sep*.to) [sé] ***sm.*** Galeria transversal que separa a nave central do corpo da igreja, formando com ela o desenho de cruz [F.: Do lat. tard. *transeptum*, pelo ing. *transept*.]

transesofágico (tran.se.so.*fá*.gi.co) ***a.*** Através do esôfago (transporte transesofágico) [F.: *trans-* + *esôfagico*.]

transespacial (tran.ses.pa.ci.*al*) [zes] ***a2g.*** Que fica além ou fora do espaço [Pl.: *-ais*.] [F.: *trans-* + *espacial*.]

transeunte (tran.se.*un*.te) [ze] ***s2g.*** **1** Aquele que vai caminhando ou passando; ANDANTE; CAMINHANTE; PASSANTE ***a2g.*** **2** Que passa; que não permanece; PASSAGEIRO; TRANSITÓRIO [F.: Do lat. *transeuns, untis*.]

transeuropeu (tran.seu.ro.*peu*) ***a.*** **1** Diz-se de via ou estrada que perpassa toda a Europa (rodovia transeuropeia) **2** Diz-se do que pertence a toda a Europa (mercado transeuropeu) [Pl.: *-peus*. Fem.: *-peia*.] [F.: *trans-* + *europeu*.]

transexual (tran.se.xu.*al*) [secs] ***a2g.*** **1** Ref. a mudança de sexo (operação transexual) ***s2g.*** **2** Pessoa que se submeteu a cirurgia e tratamento hormonal para mudar de sexo ***s2g.*** **3** Essa pessoa **4** *Psiq.* Pessoa com plena identificação sexual com o sexo oposto [Pl.: *-ais*.] [F.: *trans-* + *sexual*.]

transexualidade (tran.se.xu:a.li.*da*.de) [secs] ***sf.*** Qualidade, característica ou condição de transexual [F.: *transexual* + *-(i)dade*.]

transexualismo (tran.se.xu:a.*lis*.mo) [secs] ***sm.*** *Psiq.* Convicção de pertencer ao sexo oposto, cujas características o indivíduo procura imitar a ponto de, em muitos casos, se submeter a cirurgia para mudar de sexo [F.: *transexual* + *-ismo*.]

transfazer (trans.fa.*zer*) ***v.*** O mesmo que *transformar* [***td.***] [***tr.***] [***tdr.***] [▶ 22 transfazer] [F.: *trans-* + *fazer*.]

transférase (trans.*fé*.ra.se) ***sf.*** *Bioq.* Designação genérica das enzimas que catalisam a transferência de grupamentos químicos entre as moléculas [F.: Do ing. *transferase*. Tb. (mais us., mas não preferencial) *transferase*.]

transferência (trans.fe.*rên*.ci.a) ***sf.*** **1** Ato ou efeito de transferir(-se) **2** *Jur.* Ato de transferir bem ou propriedade a outrem; ALIENAÇÃO **3** *Jur.* Ato de transferir um direito a outrem; CESSÃO **4** *Inf.* Mudança de dados de uma área de armazenamento a outra (p. ex., de fita magnética para memória etc.) **5** *Psic.* Processo em que o paciente, inconscientemente, transpõe para o psicanalista seus sentimentos em relação a outros indivíduos da sua vida privada, familiar etc. **6** Deslocamento (de funcionário, empregado etc.) de uma seção ou de um cargo para outro, na mesma ou em outra localidade **7** Deslocamento (de aluno) de uma escola para outra, na mesma cidade ou em outra [F.: Do lat. *transferentia, ae*.]

transferencial (trans.fe.ren.ci.*al*) ***a2g.*** **1** De transferência ou que envolve transferência **2** *Psic.* Em que a libido transfere sua direção do ego para o mundo exterior (processo transferencial) [Pl.: *-ais*.] [F.: *transferência* + *-al*[1].]

transferido (trans.fe.*ri*.do) ***a.*** Que foi transferido ou se transferiu [F.: Part. de *transferir*.]

transferidor (trans.fe.ri.*dor*) [ô] ***sm.*** **1** Espécie de régua circular ou semicircular, dividida em graus, us. para medir ângulos **2** Aquele que transfere ***a.*** **3** Que transfere [F.: *transferir* + *-dor*.]

transferir (trans.fe.*rir*) ***v.*** **1** Mudar(-se) de um lugar para outro [***tda.:*** *Transferiram o funcionário para outra filial; Transferiu-se para outra agência*.] [***td.:*** *O diretor do sistema penitenciário vai transferir alguns detentos*.] **2** Transmitir ou passar oficialmente (bens, cargo etc.) [***tdr.*** + *para*: *Transferiu a casa para o nome do filho*.] **3** Marcar para uma outra data [***tda.:*** *Transferiram o jogo para domingo*.] **4** Colocar sob a responsabilidade de [***tdr.*** + *para*: *Transferiu a tarefa para outro funcionário*.] [▶ 50 transferir] [F.: Do v.lat. *transferre*.]

transferível (trans.fe.*rí*.vel) ***a2g.*** Que se pode transferir; MUDÁVEL; MUTÁVEL [Ant.: *intransferível*.] [Pl.: *-veis*.] [F.: *transferir* + *-vel*.]

transfiguração (trans.fi.gu.ra.*ção*) ***sf.*** **1** Ato ou efeito de transfigurar-se; METAMORFOSE; TRANSFORMAÇÃO **2** Alteração radical na forma ou na aparência **3** Mudança radical na forma de sentir, agir, proceder **4** *Rel.* Estado glorioso em que Jesus Cristo apareceu a três de seus discípulos no Monte Tabor, segundo o Evangelho [Inicial maiúsc.] **5** *Rel.* Festa católica celebrada em 6 de agosto [Inicial maiúsc.] [Pl.: *-ções*.] [F.: Do lat. *transfiguratio, onis*.]

transfigurado (trans.fi.gu.*ra*.do) ***a.*** **1** Alterado, transformado, demudado: *Esta é uma cidade transfigurada; tudo mudou.* [Ant.: *inalterado, preservado*.] ***sm.*** **2** Mudança, alteração, transformação (das feições, do gesto): "...dez cavaleiros, que no seu profundo sono, no transfigurado do gesto e no desalinho dos trajos faziam antes lembrar o jazer de cadáveres, que o repousar dos vivos." (Alexandre Herculano, *Eurico, o presbítero*) [F.: Part. de *transfigurar*.]

transfigurador (trans.fi.gu.ra.*dor*) [ô] ***a.*** **1** Que transfigura, transforma; TRANSFORMADOR ***sm.*** **2** O que transfigura, transforma; TRANSFORMADOR [F.: Do lat. *transfigurator, oris*.]

transfigurar (trans.fi.gu.*rar*) ***v.*** **1** Ficar ou fazer ficar substancialmente alterado o caráter ou a aparência de [***td.:*** *O filme transfigura a realidade da favela carioca*.] [***int.:*** "...As feições da moça se transfiguraram, tal era o seu pavor..." (Miguel Torga, *Senhor Ventura*)] **2** Transmitir ideia falsa sobre (acontecimento, fato, pessoa) [***td.:*** *Transfigurou, no relato, o perfil do patriota*.] **3** Fazer passar de uma condição a outra [***tdr.*** + *em*: *Transfigurou um ato de burrice em ato de bravura*.] [▶ 1 transfigurar] [F.: Do v.lat. *transfigurare*.]

transfinito (trans.fi.*ni*.to) ***a.*** Que ultrapassa, transcende o infinito (aritmética transfinita) [F.: *trans-* + *finito*.]

transfixação (trans.fi.xa.*ção*) ***sf.*** **1** Ação ou resultado de transfixar **2** Furação que atravessa de um lado a outro [Pl.: *-ções*.] [F.: *transfixar* + *-ção*. Sin. ger.: *transfixão, perfuração*.]

transfixão (trans.fi.*xão*) [cs] ***sf.*** **1** O mesmo que *transfixação* **2** *Cir.* Técnica cirúrgica de amputação que consiste em cindir tecidos moles próximos aos ossos para dividir os músculos [Pl.: *-xões*.] [F.: Do lat. trans F.: Do lat. *transfixione*.]

transfixar (trans.fi.*xar*) [cs] ***v. td.*** Perpassar, passar de um lado a outro; TRANSPASSAR: *A bala transfixara o pescoço de mais uma vítima inocente.* [▶ 1 transfixar] [F.: Rad. do lat. *transfix(us, a, um)* + *-ar*[2].]

transfixiante (trans.fi.xi.*an*.te) [cs] ***a2g.*** Que atravessa de um lado a outro (ferimento transfixiante); PERFURANTE [F.: *transfixar* + *-nte*.]

transformação (trans.for.ma.*ção*) ***sf.*** **1** Ação ou resultado de transformar(-se) **2** Mudança de uma forma em outra; METAMORFOSE: *a transformação da crisálida em borboleta.* **3** Alteração, reforma: *a transformação de um governo monárquico em republicano.* **4** *Lóg.* O conjunto das formas que se podem dar a uma proposição sem lhe alterar o sentido **5** *Geom.* Redução de uma figura ou de um sólido a outros do mesmo volume e superfície **6** *Álg.* Conjunto das alterações ou das mudanças de forma que sofre uma equação, uma fórmula, uma expressão algébrica, sem que se altere seu valor **7** *Ling.* Em gramática gerativa, operação que entra no processo de conversão das estruturas profundas em estruturas de superfície **8** *Mat.* Aplicação bijetora de um espaço afim em si mesmo **9** *Eng. ind.* Conjunto das operações que permitem colocar um material plástico sob a forma de um objeto acabado ou semiacabado **10** *Termod.* Modificação sofrida por um sistema em virtude das trocas de energia com o meio exterior [Pl.: *-ções*.] [F.: Do lat. *transformatio, onis*.] **■ ~ de semelhança** *Geom.* Aquela na qual todos os vetores são multiplicados por um número escalar; tb. *~ homotética* **~ isobárica** *Fís.* A que se processa entre estados sucessivos num sistema a pressão constante **~ isócora** *Fís.* A que se processa num sistema no qual seu volume se mantém constante **~ isotérmica** *Fís.* A que se processa num sistema no qual a temperatura se mantém constante

transformado (trans.for.*ma*.do) ***a.*** Que sofreu ou passou por transformação; MODIFICADO [F.: Part. de *transformar*.]

transformador (trans.for.ma.*dor*) [ô] ***a.*** **1** Que transforma: "... a humanidade se agita no século que a está fazendo passar por uma crise completamente transformadora!" (D. Antônio da Costa, *Cristianismo e progresso*) ***sm.*** **2** Aquele que transforma: "...Sabem o que fizeram os transformadores ingleses?" (Eça de Queirós e Ramalho Ortigão, *O mistério da estrada de Cintra*) **3** *Elet.* Aparelho estático de indução eletromagnética, com dois ou mais enrolamentos, destinado a transformar um sistema de correntes alternadas num outro sistema de tensões e correntes de mesma frequência, mas de valores diferentes, com a finalidade de transferir energia elétrica [F.: *transformar* + *-dor*.]

transformante (trans.for.*man*.te) ***a2g.*** Que é capaz de transformar ou em que há transformação (processo transformante) [F.: Do lat. *transformans, antis*.]

transformar (trans.for.*mar*) ***v.*** **1** Adquirir ou fazer adquirir nova forma, aspecto, caráter; CONVERTER(-SE); MUDAR(-SE) [***td.:*** *O diretor transformou a plateia e suas vidas*.] [***tr.*** + *em*: "...a tolerância de José transformou-se em amizade..." (Marques Rebelo, *Marafa*)] [***tdr.*** + *em*: *Transformara a força em exemplo dissuasivo*.] **2** Fantasiar(-se) ou disfarçar(-se) [***tdr.*** + *em*: *A volúpia transformou o artista num dragão*.] [***tr.*** + *em*: *Transformou-se em bruxa só para desencaminhar os meninos*.] [▶ 1 transformar] [F.: Do v.lat. *transformare*. Hom./Par.: *transformáveis* (fl.), *transformáveis* (pl. de *transformável* [a2g]).]

transformável (trans.for.*má*.vel) ***a2g.*** Que pode ser transformado [Pl.: *-veis*.] [F.: *transformar* + *-vel*. Hom./Par.: *transformáveis* (pl.), *transformáveis* (fl. de *transformar* [v.]).]

transformismo (trans.for.*mis*.mo) ***sm.*** **1** *Biol.* Doutrina que acredita que os organismos animais e vegetais evoluem a partir da transformação de outros organismos anteriores **2** *Geol.* Teoria que explica a formação das rochas magmáticas por meio de atividades metamórficas **3** *Soc.* Doutrina segundo a qual o progresso técnico-científico é irreversível e necessário e acarretará o aperfeiçoamento inevitável do homem e da sociedade; PROGRESSISMO **4** *Fil.* Doutrina segundo a qual os elementos das coisas não são imutáveis, mas podem transformar-se uns nos outros **5** A atividade de transformista (4) [F.: *transformar* + *-ismo*.]

transformista (trans.for.*mis*.ta) ***s2g.*** **1** *Biol. Geol.* Adepto do transformismo (1 ou 2) **2** Ator cuja atuação é feita por meio de caricaturas e várias trocas de roupa **3** *Teat.* Pessoa que se disfarça para interpretar um personagem **4** Homossexual que adota vestes e gestos do sexo oposto, o mesmo que *travesti* ***a2g.*** **5** Ref. ao transformismo [F.: *transformismo* + *-ista*.]

trânsfuga (*trâns*.fu.ga) ***s2g.*** **1** Militar que deserta para servir ao inimigo **2** Militar que abandona suas fileiras em tempo de guerra; DESERTOR **3** Pessoa que troca de partido político, religião, ou renuncia a seus princípios [F.: Do lat. *transfuga, ae*.]

transfúgio (trans.*fú*.gi.o) ***sm.*** Ação de transfugir; DEFECÇÃO; DESERÇÃO [F.: Do lat. *transfugium, ii*.]

transfundido (trans.fun.*di*.do) ***a.*** **1** Que se transfundiu: "(...) não foi possível montar um sistema nacional de informações sobre contaminações por sangue transfundido." (*O Globo*, 07.10.1997) **2** *Med.* Que recebeu transfusão de sangue (paciente transfundido) ***sm.*** **3** *Med.* Aquele que recebeu transfusão de sangue [F.: Part. de *transfundir*.]

transfundir (trans.fun.*dir*) ***v.*** **1** Passar (um líquido) de um recipiente para outro [***td.:*** *Precisava transfundir a água destilada*.] [***tda.:*** *Transfundiu o líquido contaminado em/para uma vasilha especial*.] **2** Transferir (sangue de animal) para as veias de (outro) [***tdi.*** + *em*] **3** Fazer com que algo (caráter, sentimento, modo de pensar etc.) seja adquirido ou assimilado por outra pessoa [***tdi.*** + *em*: *Transfundiu nos alunos sua crença na educação*.] **4** Passar por transformação; transformar-se [***tr.*** + *em*: *Transfundiu-se num perfeito calhorda*.] [▶ 3 transfundir] [F.: Do v.lat. *transfundere*.]

transfusão (trans.fu.*são*) ***sf.*** **1** Ação ou resultado de transfundir **2** Método de transferir sangue ou plasma de um doador para um receptor **3** Transferência de líquido de um lugar para outro [Pl.: *-sões*.] [F.: Do lat. *transfusio, onis*.] **■ ~ de sangue** **1** *Hem. Med.* Ação e resultado de injetar certa quantidade (ger. c. 300 cl) de sangue de uma pessoa no sistema circulatório de outra, seja diretamente de pessoa para pessoa, seja por meio de armazenamento do sangue do doador em banco de sangue **2** O conjunto de medidas, instalações, equipamentos e procedimentos necessários para se processar transfusão de sangue (1), como sistemas de doação de sangue para bancos de sangue, análises laboratoriais, conservação, equipamento de transfusão etc.

transfusional (trans.fu.si.o.*nal*) ***a2g.*** Ref. a transfusão, esp. transfusão sanguínea (sistema transfusional) [Pl.: *-nais*.] [F.: *transfusão* (sob a f. *transfusion-*) + *-al*[1].]

transgênico (trans.*gê*.ni.co) ***a.*** **1** *Bioq.* Diz-se de organismo que recebeu um ou mais genes provenientes de outra espécie (soja transgênica) ***sm.*** **2** *Bioq.* Ser vivo (bactéria, planta ou animal) em que se introduziu material genético suplementar a fim de provocar o surgimento de novas características [F.: *trans-* + *-gen(o)-* + *-ico*[2].]

transgredir (trans.gre.*dir*) ***v.*** **1** Deixar de observar, de respeitar (padrões culturais, preceitos, leis, regulamentos); INFRINGIR; VIOLAR [***td.:*** *Transgredir mandamentos/deveres/leis do trânsito*.] [***int.:*** *Sem transgredir, essas moças nunca chegariam a ser elas mesmas*.] **2** *Ant.* Passar além de, atravessar [▶ 49 transgredir] [F.: Do v.lat. **transgredere*.]

transgressão (trans.gres.*são*) ***sf.*** **1** Ação ou resultado de transgredir **2** *Jur.* Infração ou violação da lei **3** *Geol.* Inundação de áreas litorâneas pelo mar [Ant.: *regressão*.] [Pl.: *-sões*.] [F.: Do lat. *transgressio, onis*.]

transgressivo (trans.gres.*si*.vo) ***a.*** Que transgride, infringe ou envolve transgressão [F.: Do lat. *transgressivus, a, um*.]

transgressor (trans.gres.*sor*) [ô] ***a.*** **1** Que transgride: *Mesmo que possam ser justos, esses são atos transgressores da lei.* ***sm.*** **2** Aquele que não respeita as normas vigentes; CONTRAVENTOR; INFRATOR [F.: Do lat. *transgressor, oris*.]

transiberiano (tran.si.be.ri.*a*.no) [si] ***a.*** **1** Localizado além da Sibéria **2** Que atravessa a Sibéria (ferrovia transiberiana) ***sm.*** **3** Ferrovia que atravessa toda a Sibéria, da Rússia europeia à costa do oceano Pacífico [F.: *trans-* + *siberiano*.]

transição (tran.si.*ção*) [zi] ***sf.*** **1** Ação ou resultado de transitar **2** Fase intermediária entre um estado e outro, entre uma situação ou condição e outra: *Estávamos em plena transição da ditadura para a democracia.* **3** Mudança de um estado a outro (transição profissional) **4** Via, caminho, trajeto, trajetória: *A transição do feudalismo para o estado moderno deu-se através de lutas e revoluções.* **5** *Comun.* Passagem de um ponto a outro, ou de uma ideia a outra: "... A ordem de colocação é assim indispensável à coerência; mas não é suficiente. Urge também cuidar da transição entre as ideias..." (Othon Garcia, *Comunicação em prosa moderna*) **6** *Art. pl.* Estilo intermediário, que já traz em si algumas características do estilo novo **7** *Fís.* Mudança de estado de um sistema quântico **8** *Mec.* Ponto em que o escoamento do ar em um perfil deixa de ser laminar e torna-se turbulento **9** *Termod.* Mudança do estado físico de um sistema [Pl.: *-ções*.] [F.: Do lat. *transitio, onis*.] **■ ~ de fase** **1** *Fís.* Num sistema físico, qualquer mudança de fase **2** Num sistema quântico, mudança descontínua entre diferentes estados quânticos **~ isomérica** *Fís. nu.* Transição espontânea de um nuclídeo num isômero dele mesmo **~ nuclear** *Fís. nu.* Qualquer modificação no estado quântico do núcleo de um átomo **~ permitida** *Fís.* Aquela de acordo com princípio físico ou simetria, portanto de alta probabilidade **~ proibida** *Fís.* Aquela não admitida por algum princípio ou simetria, portanto de baixa probabilidade

transicional (tran.si.ci.o.*nal*) [zi] ***a2g.*** De ou relativo a transição: "...uma das prioridades é criar um espaço transicional entre a relação familiar e a interação social..." (*O Globo*, 12.12.1999) [Pl.: *-nais*.] [F.: *transição* (sob a f. *transicion-*) + *-al*[1].]

transideológico (tran.si.de.o.*ló*.gi.co) [zi] ***a.*** Que transcende ou ultrapassa uma ideologia única [F.: *trans-* + *ideológico*.]

transido (tran.*si*.do) [zi] ***a.*** **1** Que se transiu ou foi transido, perpassado: *Estávamos todos expostos ao vento e transidos de frio.* ***a.*** **2** Tomado por determinado sentimento ou sensação: *transida de preocupação.* 3 Que demonstra pavor; ASSUSTADO: "Olha para fora, transido, arrepiado, não ousando choramingar..." (João Guimarães Rosa, *Ave, palavra*) [F.: Part. de *transir*.]

transigência (tran.si.*gên*.ci:a) *sf.* 1 Ação ou resultado de transigir 2 Contemporização: *Para chegar-se a um acordo nessas questões, é necessário uma certa transigência.* 3 Condescendência: "...as cartas constitucionais das democracias representativas são uma transigência artificiosa do poder absoluto..." (Teófilo Braga, *Sistemas de sociologia*) 4 Tolerância, indulgência: "...os estudos clássicos e religiosos dominam os mais, sem transigências com o espírito moderno..." (Afrânio Peixoto, *Ensinar a ensinar*) [F.: *transigir* + *-ência*. Ant.: *Intransigência*.]

transigente (tran.si.*gen*.te) [zi] *a2g.* 1 Que transige, cede; CONDESCENDENTE; TOLERANTE *s2g.* 2 Pessoa que transige: "...o partido republicano faz transações, porque em política o sr. Rangel Pestana é transigente..." (Júlio Ribeiro, *Cartas sertanejas*) 3 *Jur.* Parte que aceita fazer concessões com a finalidade de pôr fim ao litígio; TRANSATOR [F.: Do lat. *transigens, entis*.]

transigir (tran.si.*gir*) [zi] *v.* 1 Mostrar-se tolerante, concessivo, em benefício de um entendimento [*tr.* + *com*: *Só não transigem com as vantagens que querem levar.*] [*int.*: *Acabou transigindo, e aceitou a canga.*] 2 *Jur.* Fugir de demanda, litígio, ou superá-los com mútuas concessões; CONDESCENDER [*td.*] 3 Originalmente, efetuar transação, conseguir acordo [*tr.* + *com*: *Não transige com policiais.*] [*int.*: *O suplício obrigou-o a transigir.*] [▶ 46 transigir] [F.: Do v.lat. *transigere*.]

transigível (tran.si.*gí*.vel) [zi] *a2g.* 1 Sobre o que se pode transigir: *Seus princípios são frágeis, transigíveis.* 2 Passível de transação (contrato transigível) [Pl.: *-veis*.] [F.: *transigir* + *-vel*.]

transilvânico (tran.sil.*vâ*.ni.co) [sil] *sm.* 1 Aquele que nasceu ou que vive na Transilvânia, região montanhosa da Romênia (Europa) *a.* 2 Da Transilvânia; típico dessa região ou de seu povo [F.: Do top. *Transilvân(ia)* + *-ico*².
Sin. ger.: *transilvano*.]

transilvano (tran.sil.*va*.no) *sm. a.* Ver *transilvânico* [F.: Do top. *Transilv(ânia)* + *-ano*¹.]

transistor (tran.sis.*tor*) [ô] *sm.* 1 *Eletrôn.* Dispositivo semicondutor us. para controlar a passagem de eletricidade em equipamentos eletrônicos 2 *Bras.* Receptor de rádio portátil equipado com esse dispositivo [F.: Do ing. *transistor*, de *transfer* ('transferir') + *resistor* ('resistor'). Tb. *transístor*.]

transistorizado (tran.sis.to.ri.*za*.do) [zis] *a.* *Eletrôn.* Diz-se de circuitos ou aparelhos que empregam transistores no lugar de válvulas [F.: Part. de *transistorizar*.]

transistorizar (tran.sis.to.ri.*zar*) [zis] *v. td.* *Elet.* Fazer funcionar por meio de transistores: *transistorizar um circuito.* [▶ 1 transistorizar] [F.: *transistor* ou *transístor* + *-izar*.]

transitabilidade (tran.si.ta.bi.li.*da*.de) [zi] *sf.* Qualidade ou característica do que é transitável: *No inverno, essas estradas não oferecem condições de transitabilidade.* [F.: *transitável* (sob a f. *transitabil-*) + *-(i)dade*, seg. o mod. erudito.]

transitado (tran.si.*ta*.do) [zi] *a.* Por onde se transita ou transitou [F.: Part. de *transitar*.]

transitante (tran.si.*tan*.te) [zi] *a2g.* Que transita [F.: *transitar* + *-nte*.]

transitar (tran.si.*tar*) [zi] *v.* 1 Deslocar-se ao longo de, passar por dentro de, através de; PERCORRER; CIRCULAR [*tr.* + *por, em*: *Milhares de pessoas transitam por ali; Transitavam em ruas perigosas.*] [*int.*: *Viu-os no porto, transitando, sem preocupação.*] 2 Mudar de condição, estado, direção [*tir.* + *de, a, para*: *Quis mudar de partido: transitou do PX para o PZ.*] 3 Ser aceito, ter contatos em determinados meios [*ta.*: *Transita bem no alto escalão do bicho.*] [▶ 1 transitar] [F.: *trânsito* + *-ar*². Hom./Par.: *transito* (fl.), *trânsito* (sm.); *transitáveis* (fl.), *transitáveis* (pl. de *transitável* [a2g.]).] ■ **~ em julgado** *Jur.* Ter (processo) sentença aplicável e inapelável, ou por terem-se esgotado todas as possibilidades de recurso, ou por ter-se perdido o prazo para recurso

transitável (tran.si.*tá*.vel) [zi] *a2g.* Diz-se de estrada, rua, caminho por onde se pode transitar, passar, caminhar: *No verão, com o sol forte, as estradas de barro ficam mais transitáveis.* [Pl.: *-veis*.] [F.: *transitar* + *-vel*. Hom./Par.: *transitáveis* (pl.), *transitáveis* (fl. de *transitar* [v.]).]

transitividade (tran.si.ti.vi.*da*.de) [zi] *sf.* 1 Qualidade ou estado de transitivo 2 *Gram.* Condição de certos verbos de transmitir o processo verbal a outros elementos 3 *Mat.* Certa propriedade de uma relação entre elementos de um conjunto [F.: *transitivo* + *-(i)dade*.]

transitivo (tran.si.*ti*.vo) [zi] *a.* 1 Que passa, passageiro; TRANSITÓRIO 2 Que se transmite 3 *Gram.* Diz-se de verbo que requer um objeto direto ou indireto (p. ex.: *comprar*, *depender*) [Ver tb. *intransitivo*.] 4 *Fil.* Diz-se da causa cuja ação se transmite do sujeito a um objeto distinto dele 5 *Geol.* Diz-se dos terrenos que formam a transição de uma camada mais antiga para outra de formação mais recente [Ver tb. *intransitivo*.] 6 *Mat.* Diz-se da relação binária que, se verificada para os elementos *a* e *b* e também para *b* e *c*, verifica-se ainda para *a* e *c* [F.: Do lat. *transitivus, a, um*.]

trânsito (*trân*.si.to) [zi] *sm.* 1 Ação ou resultado de transitar 2 Circulação de veículos em vias públicas; TRÁFEGO 3 Movimento de veículos e pedestres considerado em seu conjunto: *as leis do trânsito.* 4 Mudança de um local para outro: *trânsito de produtos.* 5 Passagem, abertura, lugar por onde se passa: *É proibido o trânsito nessa via.* 6 Morte, passamento: *Chegou a hora de meu trânsito.* 7 Acesso fácil, boa aceitação: *Tem bom trânsito nessa área.* 8 *Bras.* Espécie de teodolito empregado para medir ângulos horizontais 9 *Astr.* Passagem de um corpo celeste pelo meridiano 10 *Astr.* Instrumento utilizado para medir a duração dessa passagem 11 *Pop.* Congestionamento: *Ficou preso no trânsito.* [F.: Do lat. *transitus, us*.] ■ **Em ~** Em movimento; diz-se, esp., de passageiros de meio de transporte que desembarcam (em estação, aeroporto, porto etc.) em lugar que não é seu destino final, para nele embarcarem rumo a seu destino final

transitoriamente (tran.si.to.ri.a.*men*.te) [zi] *adv.* De maneira transitória, passageira, efêmera; momentaneamente [F.: Fem. de *transitório* + *-mente*.]

transitoriedade (tran.si.to.ri:e.*da*.de) *sf.* Qualidade, característica ou estado de transitório [F.: *transitório* + *-edade*.]

transitório (tran.si.*tó*.ri:o) [zi] *a.* 1 Que tem pouca duração (trabalho transitório); BREVE; EFÊMERO: "...Mas não bastava à sua natureza imitar simplesmente, quando não se apegava aos atos transitórios..." (Nélida Piñon, *Sangue esclarecido*) 2 Sujeito à morte, mortal: *A vida de qualquer ser é transitória.* 3 Que dura no intervalo de um estado de coisas a outro: *Após uma série de administrações transitórias, finalmente nomeou-se um diretor.* [Ant.: *Definitivo, permanente*. F.: Do lat. *transitorius, a, um*.]

translação (trans.la.*ção*) *sf.* 1 Ação ou resultado de transladar; TRANSPORTE; TRANSLADAÇÃO: *Ao meio-dia será feita a translação do corpo, da capela para o cemitério.* 2 *Astron.* Movimento efetuado por um planeta em torno do Sol: *A translação da Terra dura cerca de 365 dias.* 3 Tradução, mudança de sentido 4 *Ret.* Metáfora 5 *Litu.* Transferência de uma festa religiosa de uma data para outra [Pl.: *-ções*.] [F.: Do lat. *translatio, onis*. Tb. *traslação*.] ■ **~ da Terra** Movimento da Terra em sua órbita elíptica em torno do Sol, de oeste para leste, em cerca de 365,3 dias, ou um ano terrestre

transladação (trans.la.da.*ção*) *sf.* Ato ou efeito de transladar; TRANSFERÊNCIA; TRANSLAÇÃO: "Em seguida, será feita a transladação do Santíssimo Sacramento (a hóstia sagrada) para um altar lateral, ficando lá até a Sexta-Feira da Paixão." (*O Globo*, 04.04.2004) [Pl.: *-ções*.] [F.: *transladar* + *-ção*.]

transladado (trans.la.*da*.do) *a.* Que se transladou; TRANSPORTADO; TRANSFERIDO: *O corpo do cantor foi transladado para sua cidade natal.* [F.: Part. de *transladar*.]

transladar (trans.la.*dar*) *v.* O mesmo que *trasladar*

translado (trans.*la*.do) *sm.* *P. us.* O mesmo que *traslado* [F.: Do lat. *translatus, us*.]

translato (trans.*la*.to) *a.* 1 Que foi copiado; TRANSCRITO 2 *Ling.* Figurado, metafórico: *texto repleto de palavras com sentido translato.* [F.: Do lat. *translatus, a, um*.]

translido (trans.*li*.do) *a.* Lido e compreendido em profundidade [F.: Part. de *transler*.]

translineação (trans.li.ne.a.*ção*) *sf.* *Art. gr. Ling.* Na escrita ou na impressão, ato de passar de uma linha para a outra, ficando a palavra dividida, com parte na linha de cima e parte na linha de baixo [Pl.: *-ções*.] [F.: *translinear* + *-ção*.]

translinear (trans.li.ne.*ar*) *v. td.* Passar, na escrita, de uma linha para outra, deixando parte da palavra na linha de cima e parte na de baixo; fazer a translineação de [▶ 13 translinear] [F.: *trans-* + * *linear*, como em *delinear*.]

transliteração (trans.li.te.ra.*ção*) *sf.* 1 Ação ou resultado de transliterar 2 Conversão (de texto, palavra, letra) de um alfabeto para outro, mantendo a pronúncia original: *transliteração de um texto em russo (para o alfabeto latino).* [Pl.: *-ções*.] [F.: *transliterar* + *-ção*.]

transliterado (trans.li.te.*ra*.do) *a.* Diz-se de texto que se transliterou [F.: Part. de *transliterar*.]

transliterar (trans.li.te.*rar*) *v.* Passar (palavras, texto) de um alfabeto para outro, procurando manter a prosódia original [*td.*: *Transliterar os nomes dos pré-socráticos.*] [*tdr.* + *de, a, para*: *Transliterar uma inscrição em russo para o alfabeto latino.*] [*tr.* + *para*: *Sabia transliterar para o chinês.*] [▶ 1 transliterar] [F.: *trans-* + lat. *littera, ae* (*letra*) + *-ar*².]

translocação (trans.lo.ca.*ção*) *sf.* *Gen.* Mutação cromossômica em que um fragmento de cromossomo muda de posição no genoma [Pl.: *-ções*.] [F.: *trans-* + *locação*.]

translucidez (trans.lu.ci.*dez*) [ê] *sf.* Qualidade, característica ou estado dos corpos translúcidos; TRANSPARÊNCIA; DIAFANEIDADE [F.: *translúcido* + *-ez*.]

translúcido (trans.*lú*.ci.do) *a.* 1 Que permite a passagem da luz sem que se veja o que está por trás dele; TRANSLUZENTE: *janela de vidros translúcidos.* 2 *Fig.* Claro, evidente (verdade translúcida) [F.: Do lat. *translucidus, a, um*.]

translumbrante (trans.lum.*bran*.te) *a2g.* Deslumbrante: *A cenografia da minissérie estava translumbrante, encantadora.* [F.: *translumbrar* + *-nte*.]

transluzente (trans.lu.*zen*.te) *a2g.* Que transluz; DIÁFANO; TRANSLÚCIDO [F.: Do lat. *translucens, entis*.]

transluzir (trans.lu.*zir*) *v.* 1 Projetar-se (luz, brilho) através de algo [*tr.* + *por*: *A luz do poente transluzia pelas vidraças.*] 2 Mostrar-se, transparecer [*tr.* + *em, de*: *A esperança transluzia nela toda; Transluzira-se de seus gestos um fundo místico.*] 3 Inferir pelo raciocínio, depreender de [*tdi.* + *de*: *Transluziu de sua reação uma incurável possessividade.*] [▶ 57 transluzir] [F.: Do v.lat. *translucere*.]

transmedular (trans.me.du.*lar*) *a2g.* *Anat.* Que ocorre através da medula [F.: *trans-* + *medular*.]

transmemória (trans.me.*mó*.ri.a) *sf.* Aquilo que transcende, vai além da memória [F.: *trans-* + *memória*.]

transmigração (trans.mi.gra.*ção*) *sf.* 1 Ação ou resultado de transmigrar *sf.* 2 Ato pelo qual alguém passa a viver em outro país ou lugar; MUDANÇA 3 *Rel.* Em certas crenças, passagem (do espírito) de um corpo a outro: *Os budistas acreditam na transmigração da alma para outro corpo, de homem ou de animal.* 4 *Fil.* Doutrina pitagórica, esposada também por Platão, segundo a qual uma mesma alma pode habitar sucessivamente vários corpos, não somente de pessoas, mas também de animais; METEMPSICOSE [Pl.: *-ções*. F.: Do lat. *transmigratio, onis*.]

transmigrado (trans.mi.*gra*.do) *a.* Que (se) transmigrou [F.: Part. de *transmigrar*.]

transmigrar (trans.mi.*grar*) *v.* 1 Passar de uma região, de um país ou lugar para outro [*int.*: *Sem trabalho, tiveram de transmigrar.*] [*tr.* + *para*: *Toda a família transmigrou para Ubatuba.*] 2 Em certas crenças, passar (o espírito) de um corpo para outro [*int.*: *Acha que a alma transmigra.*] [*ta.*: *A alma da velha teria transmigrado para uma nova vida.*] 3 Fazer mudar de casa [*ta.*] [▶ 1 transmigrar] [F.: Do v.lat. *transmigrare*.]

transmigratório (trans.mi.gra.*tó*.ri.o) *a.* *Bras.* Que transmigra ou que envolve transmigração (movimento transmigratório) [F.: *transmigrar* + *-tório*.]

transmissão (trans.mis.*são*) *sf.* 1 Ação ou resultado de transmitir(-se) 2 Comunicação do movimento de um dispositivo a outro por meio de polias, engrenagens etc. 3 *Mec.* Dispositivo, ou conjunto de dispositivos, que servem para transmitir movimento 4 *Mec.* Nos veículos automotivos, o conjunto formado pela embreagem, a caixa de mudanças, a árvore de transmissão e o diferencial 5 *Jur.* Ato pelo qual se transfere a outra pessoa um direito real ou constituído, um contrato, ou o exercício de uma função (transmissão de herança, de cargo) 6 *Telc.* Difusão de informação sonora e/ou visual por meio de ondas eletromagnéticas: *A transmissão do jogo será feito por rádio e televisão.* 7 *Mil.* Corpo ou serviço encarregado da construção e manutenção dos meios de comunicação entre as forças armadas 8 *Ópt.* Passagem de uma radiação através de um meio sem alteração de suas frequências 9 *Med.* Modo de inoculação de vírus em uma pessoa sã por contato com outra infectada [Pl.: *-sões*.] [F.: Do lat. *transmissio, onis*.] ■ **~ ao vivo** *Rád. Telv.* Transmissão da cobertura de um evento, de um fato, no momento mesmo em que está ocorrendo **~ de pensamento** Comunicação por telepatia

transmissibilidade (trans.mis.si.bi.li.*da*.de) *sf.* Qualidade ou característica do que é transmissível [F.: *transmissível* (sob a f. *transmissibil-*) + *-(i)dade*.]

transmissível (trans.mis.*sí*.vel) *a2g.* Que pode ser transmitido [Pl.: *-veis*.] [F.: Do lat. *transmissus* ('transmitido') + *-ível*.]

transmissivo (trans.mis.*si*.vo) *a.* Que transmite ou serve para transmitir; TRANSMISSOR [F.: Do lat. *transmissus* ('transmitido') + *-ivo*.]

transmissor (trans.mis.*sor*) [ô] *a.* 1 Que transmite, o mesmo que *transmissivo* *sm.* 2 Aquele que transmite: *O mosquito é o transmissor da dengue.* 3 *Eletrôn.* Aparelho que transmite sinais telegráficos, telefônicos, radiofônicos etc. 4 Aparelho que transmite sinais telegráficos [F.: Do lat. *transmissus* ('transmitido') + *-or*.]

transmissor-receptor (trans.mis.sor-re.cep.*tor*) [ô] *a. sm.* *Eletrôn.* O mesmo que *transceptor* [Pl.: *transmissores-receptores*.]

transmitância (trans.mi.*tân*.ci:a) *sf.* 1 *Fís.* Fração da energia radiante que, penetrando uma camada de faces paralelas de um meio, consegue atravessá-la 2 *Fís. Quím.* Parte da energia luminosa que consegue atravessar uma coluna de solução 3 *Fís.* Razão complexa entre uma grandeza senoidal na saída de um dipolo e a grandeza senoidal correspondente na entrada [F.: Do ing. *transmittance*.]

transmitir (trans.mi.*tir*) *v.* 1 Passar ou deixar passar adiante (energia, informação); CONDUZIR; PROPAGAR [*td.*: *O cabo transmite corrente de alta voltagem; Transmitimos suas felicitações.*] [*tdi.* + *a, para*: *Transmitiu o recado ao irmão; Paulo logo transmitiu o Evangelho aos romanos.*] 2 Contagiar(-se) com (vírus, bactéria); CONTAMINAR(-SE) [*tdi.* + *a*: *Transmitiu a gripe a toda família.*] 3 Transferir oficialmente (cargo, bens, responsabilidades) [*td.*: *Transmitiu a chefia pela manhã.*] [*tdi.* + *a, para*: *Transmitiu ontem o comando para o imediato.*] 4 Comunicar, demonstrar (sentimento, impressão, imagem) [*td.*: *O retrato (de Maria de Raet) transmite sua inquietação.*] [*tdi.* + *a, para*: *Sua figura transmitia a todos um temor irreprimível.*] 5 Difundir (dados, relatos, acontecimentos) por ondas de rádio ou televisão [*td.*: *Transmitir um noticiário/um jogo de futebol.*] 6 Espalhar, exalar (perfume, emanação) [*td.*: *As velas transmitiam um mal-estar crescente.*] 7 Mandar (algo) para (alguém); ENVIAR; EXPEDIR [*td.*: *Transmitiram as ordens quase historicamente.*] [▶ 3 transmitir] [F.: Do v.lat. *transmittere*.]

transmontano (trans.mon.*ta*.no) *sm.* 1 Aquilo que está situado além ou atrás dos montes; TRASMONTANO; ULTRAMONTANO 2 Pessoa nascida ou que vive em Trás-os-Montes (província de Portugal); TRASMONTANO *a.* 3 De Trás-os-Montes; típico dessa província ou de seu povo; TRASMONTANO 4 Que está situado além ou atrás dos montes; TRASMONTANO; ULTRAMONTANO [F.: Do lat. *transmontanus, a, um*.]

transmontar (trans.mon.*tar*) *v.* **1** Atravessar, passar por cima de (monte, montanha etc.) [*td.*: *O novo caminho transmonta o alto do morro.*] **2** Pôr-se no horizonte (um astro, o Sol, a Lua) [*int.*: "Na direção do sol quando transmonta..." (Gonçalves Dias)] **3** *Fig.* Demonstrar superioridade sobre; EXCEDER; ULTRAPASSAR [*td.*: *A inteligência daquele aluno transmontava a do professor.*] [▶ 1 transmontar] [F.: *trans-* + *monte* + *-ar*².]

transmudação (trans.mu.da.*ção*) *sf.* **1** Ação ou resultado de transmudar(-se) **2** *Biol.* Processo de formação de uma nova espécie por meio de mutações sucessivas **3** *Fís.* Transformação de um núcleo atômico em um outro **4** *Oct.* Mudança de metais vulgares em metais nobres mediante processos alquímicos [Pl.: *-ções.*] [F.: Do lat. *transmutatio, onis.* Tb. *transmutação.*]

transmudado (trans.mu.*da*.do) *a.* Que se transmudou [F.: Part. de *transmudar.* Tb. *transmutado.*]

transmudar (trans.mu.*dar*) *v.* **1** Modificar ou fazer modificar-se; TRANSFORMAR(-SE) [*td.*: *Desejavam transmudar metais.*] [*tr.* + *em*: *Tentaram até transmudar o chumbo em ouro.*] **2** Mudar ou fazer mudar de dono, domínio; PASSAR [*td.*: *Transmudou o que lhe coube na herança.*] [*tdi.* + *a*: *Transmudou a burrice a vários descendentes.*] [▶ 1 transmudar] [F.: Do lat. *transmutare.* Tb. *transmutar.*]

transmundo (trans.*mun*.do) *sm.* Imensidão que vai além do mundo [F.: *trans-* + *mundo.*]

transmutação (trans.mu.ta.*ção*) *sf.* Ver *transmudação* [Pl.: *-ções.*]

transmutado (trans.mu.*ta*.do) *a.* Ver *transmudado*

transmutar (trans.mu.*tar*) *v.* Ver *transmudar* [▶ 1 transmutar]

transnacional (trans.na.ci.o.*nal*) *a2g.* *Econ. Pol.* Que ultrapassa os limites da nacionalidade, ou que é comum a vários países, no que diz respeito aos interesses econômicos, políticos etc. (monopólio transnacional) [Pl.: *-nais.*] [F.: *trans-* + *nacional.* Cf.: *internacional, multinacional.*]

transnacionalidade (trans.na.ci.o.na.li.*da*.de) *sf.* Qualidade de transnacional: "Outro assunto polêmico abordado foi a transnacionalidade das compras efetuadas pela internet." (*O Globo*, 25.11.2002) [F.: *transnacional* + *-(i)dade.*]

transnacionalismo (trans.na.ci.o.na.*lis*.mo) *sm.* Princípio que transcende os limites do que é nacional, sobretudo em assuntos políticos, econômicos etc.: "...os valores são diluídos ou combatidos em nome de um transnacionalismo que renega os fatores de identidade e união." (*O Globo*, 07.02.1998) [F.: *transnacional* + *-ismo.*]

transnacionalização (trans.na.ci.o.na.li.za.*ção*) *sf.* Ação ou processo de tornar(-se) transnacional: "Entretanto, o processo de transnacionalização (...) continua provocando grande impacto nas economias regionais." (*O Globo*, 20.05.2004) [Pl.: *-ções.*] [F.: *transnacionaliza(r)* + *-ção.*]

transnacionalizado (trans.na.ci.o.na.li.*za*.do) *a.* Que se transnacionalizou [F.: Part. de *transnacionalizar.*]

transnacionalizar (trans.na.ci:o.na.li.*zar*) *v.* Imprimir ou adquirir caráter transnacional: *A empresa pretende transnacionalizar-se.* [*td.*: *Resolveram transnacionalizar a empresa.*] [*int.*: *Para aproveitar a conjuntura internacional, a empresa transnacionalizou-se.*] [▶ 1 transnacionalizar-se]

transoceânico (tran.so.ce:*â*.ni.co) *a.* **1** Que se encontra além do oceano (terras transoceânicas); ULTRAMARINO **2** Que atravessa o oceano (regatas transoceânicas) [F.: *trans-* + *oceânico.*]

transpacífico (trans.pa.*cí*.fi.co) *a.* Que atravessa o oceano Pacífico (rota transpacífica) [F.: *trans-* + (oceano) *Pacífico.*]

transpancreático (trans.pan.cre.*á*.ti.co) *a.* *Med.* Que se localiza além do pâncreas: *Foi preciso retirar a porção transpancreática da veia porta.* [F.: *trans-* + *pancreático.*]

transparecer (trans.pa.re.*cer*) *v.* Dar-se a conhecer, aparecer; vir à tona; REVELAR-SE [*td.*: *Deixava transparecer sua insatisfação.*] [*ta.*: *Transparecia-lhe no olhar uma agressividade contida.*] [*int.*: *A pedra transparecia sob a água turva.*] [▶ 33 transparecer] [F.: *trans-* + *aparecer.*]

transparência (trans.pa.*rên*.ci:a) *sf.* **1** Característica ou estado do que é transparente **2** Folha de plástico transparente em que se imprimem textos, gráficos, desenhos etc. para serem projetados em tela pelo retroprojetor **3** *Fig.* Qualidade de quem demonstra sinceridade e/ou lisura: *Sua transparência fez com que ganhasse a admiração dos amigos.* **4** *Adm. Publ.* Princípio pelo qual se exige que a administração pública preste contas de seus atos através dos meios de comunicação **5** *Fís.* Fração de energia radiante transmitida por um sistema, o mesmo que *transmitância* [F.: Do lat. *transparentia, ae.*] ▪ **~ de cor** Fotografia em cores, positiva, em base transparente (própria para projeção)

transparente (trans.pa.*ren*.te) *a2g.* **1** Que permite passar a luz e ver o que está por detrás **2** Que é muito claro: "...Era assim que a arrancava da cama – cama de casal, sempre cuidadosamente velada por uma cortina flamejante, transparente..." (Alcides Pinto, *A solidão de Acácio*) **3** *Fig.* Que demonstra sinceridade, lisura: *É transparente no trato com os funcionários.* *sm.* **4** Cortina diáfana us. para diminuir a incidência da luz: "...Eu abri as portas da janela; era dia. Os transparentes e as persianas estavam corridos..." (Eça de Queirós, *O mistério da estrada de Sintra*) **5** *Ópt.* Pedaço de tela branca destinado a experiências de óptica [F.: Do lat. *transparens, entis.*]

transparietal (trans.pa.ri.e.*tal*) *a2g.* *Med.* Diz-se de exame, corte etc. que atravessa a parede abdominal (colangiografia transparietal) [Pl.: *-tais.*] [F.: *trans-* + *parietal.*]

transpartidário (trans.par.ti.*dá*.ri.o) *a.* *Pol.* Que abrange mais de um partido (coalizão transpartidária) [F.: *trans-* + *partidário.*]

transpassado (trans.pas.*sa*.do) *a.* **1** Que transpassou **2** Que passou através de algo **3** Furado de um extremo ao outro **4** Diz-se de item do vestuário que é fechado com duas partes sobrepostas (cós transpassado) **5** *Fig.* Atormentado por alguma razão de ordem moral **6** *Fig.* Que ficou sem forças ou sem ânimo [F.: Part. de *transpassar.* Tb. *traspassado* e *trespassado.*]

transpassar (trans.pas.*sar*) *v.* **1** Passar adiante ou através de; ULTRAPASSAR; TRANSPOR [*td.*: *Em pouco tempo transpassaram o vale.*] **2** Penetrar, perfurar de lado a lado; TRANSFIXAR; ATRAVESSAR [*td.*: *A bala transpassou-lhe o pulmão esquerdo.*] **3** *Vest.* Fechar mediante a sobreposição de duas partes [*td.*: *Transpassou a saia, alegre, diante do companheiro.*] **4** *Fig.* Causar grande sofrimento a [*td.*: *A dor transpassou-lhe o peito.*] **5** Transferir (bens, propriedades) [*td.*: *Resolveu transpassar a terra, os bodes.*] [*tdi.* + *a, para*: *Transpassou ao genro o terreno.*] **6** Desrespeitar, transgredir [*td.*: *Transpassou as regras e acabou posto na rua.*] **7** Percorrer de uma a outra extremidade; ATRAVESSAR [*td.*: *Transpassou a ponte e chegou ao outro país.*] **8** Traduzir, transpor de uma língua para outra [*tdr.* + *para*: *Transpassava poemas para o português.*] **9** Provocar desfalecimento; abater [*td.*: *A perda o transpassara.*] **10** Exceder, ir além de determinados limites [*td.*: *Quando bebia, transpassava as fronteiras da moralidade.*] **11** Fazer cópia de [*td.*: *Transpassou todo o texto.*] [*tdr.* + *para*: *Transpassou a inscrição de uma base para outra.*] [▶ 1 transpassar] [F.: *trans-* + *passar*, donde as var. *traspassar* e *trespassar*. Hom./Par.: *transpasse* (fl.), *transpasse* (sm.); *transpasses* (fl.), *transpasses* (pl. do sm.).]

transpélvico (trans.*pél*.vi.co) *a.* *Med.* Através da pelve (parto transpélvico); TRANSPELVINO [F.: *trans-* + *pélvico.*]

transpelvino (trans.pel.*vi*.no) *a.* *Med.* O mesmo que *transpélvico*

transpeptidação (trans.pep.ti.da.*ção*) *sf.* *Bioq.* Transformação das enzimas que atuam na decomposição dos peptídeos [Pl.: *-ções.*]

transpeptidase (trans.pep.ti.*da*.se) *sf.* *Bioq.* O mesmo que *transferase*

transperitoneal (trans.pe.ri.to.ne.*al*) *a2g.* *Med.* Que atravessa o peritônio (via transperitoneal) [Pl.: *-ais.*] [F.: *trans-* + *peritoneal.*]

transpessoal (trans.pes.so.*al*) *a2g.* *Psi.* Que ultrapassa a fronteira pessoal da psique (modelo transpessoal) [Pl.: *-ais.*] [F.: *trans-* + *pessoal.*]

transpiração (trans.pi.ra.*ção*) *sf.* **1** Ação ou resultado de transpirar **2** Exalação do suor pelos poros da pele **3** O suor eliminado pelas glândulas sudoríparas **4** *Bot.* Perda de água por evaporação que acontece nas folhas das plantas [Pl.: *-ções.*] [F.: Do lat. *transpiratio, onis.*]

transpirante (trans.pi.*ran*.te) *a2g.* Que transpira ou que é destinado à transpiração (superfície transpirante) [F.: *transpira(r)* + *-nte.*]

transpirar (trans.pi.*rar*) *v.* **1** Eliminar suor pelos poros; SUAR [*td.*: *Transpirava um banho de suor.*] [*int.*: *Sua colega quase não transpira.*] **2** Manifestar, exprimir, exalar [*td.*: "...em sua fisionomia nobre (...) transpirava a franqueza, (...) e a lealdade..." (Bernardo Guimarães, *A escrava Isaura*)] **3** Vir a público, divulgar-se [*int.*: *Apesar do sigilo, a notícia transpirou.*] [▶ 1 transpirar] [F.: Do lat. med. *transpirare.* Hom./Par.: *transpiráveis* (2ªp. pl.)/ *transpiráveis* (pl. *transpirável* [a2g.]).]

transpiratório (trans.pi.ra.*tó*.ri.o) *a.* De ou relativo à transpiração (sistema transpiratório) [F.: *transpira(r)* + *-tório.*]

transplacentário (trans.pla.cen.*tá*.ri.o) *a.* *Med.* Que atravessa a placenta ou que se processa através dela (infecções transplacentárias) [F.: *trans-* + *placentário.*]

transplanetário (trans.pla.ne.*tá*.ri.o) *a.* Que vai de um planeta a outro (diz-se de meio de transporte ou de comunicação) [F.: *trans-* + *planetário.*]

transplantação (trans.plan.ta.*ção*) *sf.* **1** Ato ou efeito de plantar em outro local: *Os alunos fizeram a transplantação das mudas de pau-brasil.* **2** *Cir.* O mesmo que *transplante* [Pl.: *-ções.*] [F.: *transplanta(r)* + *-ção.*]

transplantador (trans.plan.ta.*dor*) [ô] *sm.* **1** Aquele que transplanta **2** Aparelho para a transplantação de vegetais *a.* **3** Que transplanta **4** *Cir.* De ou relativo a transplante: *A burocracia dificulta o sucesso da atividade transplantadora nos hospitais públicos.* [F.: *transplanta(r)* + *-dor.*]

transplantar (trans.plan.*tar*) *v.* **1** Mudar (vegetais já plantados) de lugar [*td.*: *Os ecologistas transplantaram mais de cem árvores.*] **2** Aplicar conceito, modelo ou ideia vigentes num contexto em outro contexto [*td.*: *Transplantar o modelo econômico europeu.*] [*tda.* + *em, para*: *Eles transplantam as descobertas chinesas para a América Latina.*] **3** *Med.* Transferir células, órgão, tecido de um ponto para outro do mesmo corpo, ou de um corpo para outro [*td.*] [▶ 1 transplantar] [F.: Do lat. tard. *transplantare.* Hom./Par.: *transplante* (1ª3ªp. s.), *transplantes* (2ªp. s.)/ *transplante* (sm.) e pl.]

transplantável (trans.plan.*tá*.vel) *a2g.* Que é passível de ser transplantado (órgão transplantável); TRANSPLANTATÓRIO [Pl.: *-veis.*] [F.: *transplanta(r)* + *-vel.* Hom./Par.: *transplantáveis* (pl.), *transplantáveis* (fl. de *transplantar*).]

transplante (trans.*plan*.te) *sm.* **1** Ação ou resultado de transplantar; TRANSPLANTAÇÃO **2** *Med.* Transferência de órgão, ou de parte dele, num mesmo indivíduo ou de um indivíduo, vivo ou morto, para outro **3** *Od.* Reimplante de um dente em outro alvéolo **4** *Hort.* Transferência das mudas da sementeira para os canteiros [F.: Dev. de *transplantar.*]

transplantio (trans.plan.*ti*.o) *sm.* Transplantação de uma planta de um para outro local [F.: *trans-* + *plantio.*]

transpleural (trans.pleu.*ral*) *a2g.* Através da pleura (drenagem transpleural) [Pl.: *-rais.*] [F.: *trans-* + *pleural.*]

transpolar (trans.*po*.lar) *a2g.* Diz-se do que se localiza além dos polos [F.: *trans-* + *polar.*]

transpolítico (trans.po.*lí*.ti.co) *a.* Que transcende, que está além do político (união transpolítica) [F.: *trans-* + *político.*]

⊕ ***transponder*** (trans.*pon*.der) (*ing.*) *sm.* Conjunto de canais de comunicação qué exerce a função de unidade repetidora [F.: ing. *transponder.*]

transponível (trans.po.*ní*.vel) *a2g.* Que se pode transpor [Pl.: *-veis.*] [F.: *transpor* + *-ível.*]

transpor (trans.*por*) [ô] *v.* **1** Passar por sobre ou além de; ULTRAPASSAR [*td.*: *Transpor uma fronteira / um obstáculo.*] **2** Alterar a ordem de [*td.*: *Transpôs as letras da palavra e formou outras.*] **3** Passar de um meio de expressão para outro [*tdr.* + *para*: *Transpôs o romance para o cinema.*] **4** Sobreviver a (passagem do tempo) [*td.*: *A filosofia grega continuará transpondo muitas épocas.*] **5** *Mús.* Escrever ou executar em altura diferente da original [*td.*: *Vivia transpondo canções.*] [*tdr.* + *para*: *Transpôs a canção para dó maior.*] **6** Transferir de um lugar ou época para outro [*tdr.* + *para*: *Transpôs a peça de Shakespeare para a Londres de hoje.*] [▶ 60 transpor] [F.: Do lat. *transponere.*]

transportação (trans.por.ta.*ção*) *sf.* **1** Ação ou resultado de transportar; TRANSPORTE **2** Arrebatamento, êxtase: *Elevou-se a Deus numa transportação de amor.* [F.: Do lat. *transportatio, onis.*]

transportado (trans.por.*ta*.do) *a.* **1** Que se transporta ou transportou **2** Que foi transferido, deslocado: *O gerundismo foi transportado direto do inglês para aqui virar vício.* **3** Em movimento, em circulação: *O volume de sangue transportado pelas artérias é grande.* **4** Em estado de transe, arrebatamento: *Estava transtornado, transportado para uma outra dimensão.* [F.: Part. de *transportar.*]

transportador (trans.por.ta.*dor*) [ô] *a.* **1** Que transporta, que serve para transportar (transportador aéreo) *sm.* **2** Aparelho que transporta mecanicamente objetos, materiais etc. **3** Pessoa ou empresa encarregada de fazer transporte de pessoas ou cargas [F.: *transportar* + *-dor.*]

transportadora (trans.por.ta.*do*.ra) [ô] *sf.* **1** Empresa que presta o serviço de transporte de cargas por via férrea, rodoviária, marítima ou aérea **2** Empresa de mudanças **3** Veículo equipado com caçamba frontal de carregamento [F.: Fem. substv. de *transportador.*]

transportar (trans.por.*tar*) *v.* **1** Levar (seres vivos ou coisas) de um lugar para outro; CARREGAR [*tda.*: *O helicóptero transportou a moçada da aldeia para o alto da montanha.*] **2** *Fig.* Transferir(-se) de um lugar a outro, de um tempo a outro [*tda.*: *A música o transportava à terra natal; Com esse perfume, transporta-se para o passado.*] **3** Transmitir, comunicar a [*tdi.* + *a*: *Não devemos transportar nossas asneiras a nossos filhos e netos.*] **4** Transmitir ou sentir arrebatamento, enlevo [*td.*: *A delicadeza da paisagem transportou a jovem.*] [*int.*: *Transportou-se ao chegar ao vulcão.*] **5** Traduzir, passar de uma língua para outra [*tdr.* + *para*: *Transportou o poema alemão para o português.*] **6** *Mús.* Ver *transpor.* **7** *Art. gr.* Passar (imagens e caracteres) para pedra ou metal granido, utilizando-se de papel autográfico [*td.*] [▶ 1 transportar] [F.: Do lat. *transportare.* Hom./Par.: *transporte* (1ª3ªp. s.), *transportes* (2ªp.s.)/ *transporte* (sm.) e pl; *transporta* /ó/ (sm.). Ideia de que transporta', usar pospos. *-feras* e *-fero.*]

transportável (trans.por.*tá*.vel) *a2g.* Passível de ser transportado: *O móvel foi construído em módulos transportáveis.* [Pl.: *-veis.*] [F.: *transporta(r)* + *-vel.*]

transporte (trans.*por*.te) *sm.* **1** Ação ou resultado de transportar **2** Qualquer veículo aéreo, marítimo ou automotivo us. para transportar pessoas ou coisas **3** Deslocamento de um local para outro: *O governo ordenou o transporte das vítimas para outras cidades.* **4** *Mil.* Veículo us. para transportar tropas e munição **5** *Cont.* Rubrica indicativa de que uma soma passa de uma coluna ou de uma página para outra **6** *Mús.* Transposição das notas de uma peça musical de uma altura a outra **7** *Fisl.* Movimento de líquido nos vasos sanguíneos ou linfáticos **8** *Geol.* Deslocamento provocado por águas correntes, ventos ou geleiras, do material resultante de um processo erosivo **9** *Hidrog.* Ação pela qual um curso de água carrega material sólido **10** *Art. gr.* Ação pela qual se transportam os elementos impressores sobre uma placa de metal **11** *Fig.* Enlevo, êxtase, arrebatamento diante do belo **12** *Fig.* Sedução: "Não seria mais sensato e mais proveitoso acreditar nela, tolerar-lhe um fugitivo transporte pelo sr. Adelino, e continuar a receber egoisticamente o meu beijinho na orelha?" (Eça de Queirós, *A relíquia*) [F.: Dev. de *transportar.*]

transportista (trans.por.*tis*.ta) *s2g.* *Pop.* Indivíduo que transporta imigrantes ilegais de um país para outro

transposição (trans.po.si.*ção*) *sf.* **1** Ação ou resultado de transpor **2** *Gram.* Alteração na ordem das palavras em uma oração; HIPÉRBATO **3** *Anat.* Inversão do lugar normal das vísceras **4** *Mús.* O mesmo que *transporte* **5** *Álg.* Operação pela qual se transpõe, nos dois membros de uma equação, um termo de um para outro **6** *Mat.* Permutação de um conjunto finito que deixa invariantes todos os elementos, exceto os que ela inverte **7** *Art. pl.* Técnica de restauração que consiste em substituir o suporte original de uma pintura, já deteriorado, por um novo suporte **8** *Ling.* Processo pelo qual se confere a um termo aplicação diversa da que lhe é própria **9** *Elet.* Permutação das posições das fases por meio da colocação dos cabos unipolares de transporte de energia elétrica **10** *Bioq.* Operação pela qual se desloca o material genético para outra posição dentro do genoma **11** *Tip.* Erro que consiste na troca de posição de letras, palavras ou linhas **12** *Cir.* Transferência de parte de um órgão para outro local mantendo-se sua ligação com a posição original [Pl.: *-ções.*] [F.: *trans-* + *posição.*]

transposto (trans.*pos*.to) [ô] *a.* **1** Que se transpôs, que sofreu transposição, transferido **2** Que mudou de lugar, que foi alterado na ordem, na colocação: *As palavras da frase foram transpostas mas o sentido permaneceu o mesmo.* [Pl.: [ó]. Fem.: [ó].] [F.: Part. de *transpor.*]

transracial (trans.ra.ci.*al*) *a2g.* Que resulta do cruzamento entre raças ou etnias (população transracial) [Pl.: *-ais.*] [F.: *trans-* + *racial.*]

transregional (trans.re.gi.o.*nal*) *a2g.* Que ultrapassa, transcende os limites regionais: *Os crimes ecológicos precisam ser tratados como um problema transregional.* [Pl.: *-nais.*] [F.: *trans-* + *regional.*]

transretal (trans.re.*tal*) *a2g. Med.* Que perpassa, atravessa o reto (incisão transretal) [Pl.: *-tais.*] [F.: *trans-* + *retal.*]

transtextualidade (trans.tex.tu.a.li.*da*.de) *sf.* Extrapolação dos limites do que é textual [F.: *trans-* + *textualidade.*]

transtornado (trans.tor.*na*.do) *a.* **1** Que se transtornou **2** Que teve a ordem ou a organização alterada **3** Fora de si; PERTURBADO [F.: Part. de *transtornar.*]

transtornante (trans.tor.*nan*.te) *a2g.* Que é capaz de transtornar, perturbar; PERTURBADOR; DESESTABILIZANTE [F.: *transtorna(r)* + *-nte.*]

transtornar (trans.tor.*nar*) *v. td.* **1** Pôr em desordem; ATRAPALHAR; PERTURBAR: *O jovem transtornava a rotina do casal.* **2** Abalar(-se) psicologicamente; ALTERAR(-SE): *A notícia transtornou o professor; Transtornava-se com qualquer crítica.* **3** Alterar o aspecto, a fisionomia de (alguém ou si mesmo): *A experiência transtornou seu rosto; Sua face transtornou-se depois da perda do filho.* **4** Acarretar mudança na maneira de viver: *A descoberta de Deus transtornou para sempre a sua vida.* **5** Causar desorganização em: *A ventania súbita transtornou a arrumação da papelaria.* [▶ 1 transtornar] [F.: *trans-* + *tornar.* Hom./Par.: *transtorno* (1ªp.s.)/ *transtorno* /ô/ (sm.).]

transtorno (trans.*tor*.no) [ô] *sm.* **1** Ação ou resultado de transtornar(-se) **2** Situação anormal que acarreta desconforto; INCÔMODO: *O acidente causou transtornos ao bairro.* **3** Desordem, contratempo: "Pode ficar descansado, que não há novidade, respondeu aquele espreguiçando-se, já importunado com o transtorno de não se poder estirar na cadeira." (Aluízio Azevedo, *Casa de pensão*) **4** Ligeira alteração da saúde **5** Desarranjo mental [F.: Dev. de *transtornar.*]

transtravado (trans.tra.*va*.do) *a. Vet.* Diz-se de cavalo em que todas as patas são brancas, exceto a pata traseira direita (égua transtravada) [F.: *trans-* + *travado.*]

transubstanciação (tran.subs.tan.ci:a.*ção*) *sf.* **1** Fenômeno que acarreta a mudança de uma substância em outra **2** *Rel.* Para os católicos, transformação do pão e do vinho no corpo e no sangue de Cristo por meio da consagração [Pl.: *-ções.*] [F.: Do lat. *transubstatio, onis.*]

transubstancial (tran.subs.tan.ci:*al*) *a2g.* Que se transubstancia, que se transforma integralmente de uma substância em outra [Pl.: *-ais.*] [F.: *trans-* + *substancial.*]

transubstanciar (tran.subs.tan.ci.*ar*) [su] *v.* **1** Transformar(-se) (uma substância) em outra [*td.: Os alquimistas queriam transubstanciar vários metais.*] [*tr.* + *em*: *Não houve como se transubstanciar o cobre em ouro.*] **2** *Rel.* Para os católicos, converterem(-se) o pão e o vinho no corpo e sangue de Jesus Cristo [▶ 1 transubstanciar] [F.: Do lat. medv. *transubstantiare.* Hom./Par.: *transubstanciais* (2ªp. pl.)/ *transubstanciais* (pl. *transubstancial* [a2g.]).]

transudação (tran.su.da.*ção*) *sf.* **1** Ação ou resultado de transudar; EXSUDAÇÃO; TRANSPIRAÇÃO **2** Passagem de um líquido animal ou vegetal através dos poros, depositando-se na superfície [Pl.: *-ções.*] [F.: *transudar* + *-ção.*]

transudante (tran.su.*dan*.te) *a2g.* Que transuda [F.: *transudar* + *-nte.*]

transudar (tran.su.*dar*) [su] *v.* **1** Soltar (suor) pelos poros; TRANSPIRAR [*ta.: O suor transudava-lhe do rosto.*] **2** Escorrer como suor [*int.: A umidade já transuda do teto.*] **3** Deixar sair (um líquido); VERTER [*td.: O tronco da árvore transuda uma resina.*] **4** Espalhar-se pelo espaço [*ta.: A luz transudava pela abertura na parede.*] **5** Transparecer de maneira nítida [*ta.: A melancolia transudava-lhe das feições.*] [▶ 1 transudar] [F.: *trans-* + *suar* na f. lat. *sudare.*]

transumano (tran.su.*ma*.no) [zu] *a.* Diz-se de coisa ou ser a que se deu natureza humana; que se transumanou [F.: *trans-* + *humano.*]

transvaginal (trans.va.gi.*nal*) *a2g. Med.* Que se realiza ou se estende através da vagina (ultrassonografia transvaginal) [Pl.: *-nais.*] [F.: *trans-* + *vaginal.*]

transvaliano (trans.va.li:*a*.no) *sm.* **1** Indivíduo nascido ou que vive em Transval (África do Sul) *a.* **2** De Transval; típico dessa província ou de seu povo [F.: Do top. *Transval* + *-iano.*]

transvaloração (trans.va.lo.ra.*ção*) *sf.* Emissão de uma apreciação ou avaliação que transcende os limites do juízo de valor [Pl.: *-ções.*] [F.: *trans-* + *valoração.*]

transvalorar (trans.va.lo.*rar*) *v. td.* Ponderar, sopesar [▶ 1 transvalorar] [F.: *trans-valorar.*]

transvalvar (trans.*val*.var) *a. Med.* Que está além da valva [F.: *trans-* + *valvar.*]

transvanguarda (trans.van.*guar*.da) *sf.* Tudo o que vai ou está além da vanguarda [F.: *trans-* + *vanguarda.*]

transvazar (trans.va.*zar*) *v. td.* Derramar(-se), entornar(-se): *O balde transvazava água; O líquido transvazava-se do vaso.* [▶ 1 transvazar] [F.: *trans-* + *vazar.*]

transverberar (trans.ver.be.*rar*) *v.* **1** Deixar penetrar, passar (luz, cor, clarão etc.) [*td.: A cortina fina transverberava a luz do cartaz luminoso.*] **2** Transparecer, transluzir [*int.: A luminosidade da fogueira transverberava no coração do bosque.*] **3** Manifestar(-se), revelar(-se) de maneira clara, indiscutível [*td.: Seu olhar transverberava alegria.*] [*int.: O pesar se transverberava em sua fisionomia.*] [▶ 1 transverberar] [F.: Do lat. *transverberare.*]

transversal (trans.ver.*sal*) *a2g.* **1** Cuja orientação é oblíqua em relação a um referente (rua transversal) **2** Que atravessa algo oblíqua ou perpendicularmente **3** Diz-se da rua que atravessa uma rua principal ou nela desemboca **4** *Jur.* Diz-se do parentesco não linear; COLATERAL **5** *Bot.* Que atravessa perpendicularmente o eixo de simetria ou de crescimento de um órgão *sf.* **6** *Geom.* O mesmo que *linha transversal* **7** *Mat.* Reta que corta uma curva em dois pontos *sm.* **8** *Anat.* Nome de vários músculos que cortam transversalmente uma parte do corpo: *o transversal do pescoço.* [Pl.: *-sais.* F.: *transverso* + *-al.*]

transversalidade (trans.ver.sa.li.*da*.de) *sf.* **1** Qualidade de transversal **2** *Jur.* Qualidade do parentesco não linear, colateralidade [F.: *transversal* + *(i)dade.*]

transversalmente (trans.ver.sal.*men*.te) *adv.* Em sentido transversal ou oblíquo; OBLIQUAMENTE: *Cai melhor a saia que é talhada transversalmente no tecido.* [F.: *transversal* + *-mente.*]

transverso (trans.*ver*.so) *a.* **1** Que é oblíquo, atravessado **2** *Bot.* Dirigido ou colocado de forma transversal **3** *Anat.* Que está colocado em direção transversal ao eixo do corpo (músculo transverso) [F.: Do lat. *transversus, a, um.*]

transversostomia (trans.ver.sos.to.*mi*.a) *sf. Cir. Med.* Colostomia do cólon transverso (transversostomia terminal) [F.: *(cólon) transverso* + *-stomia.*]

transvestido (trans.ves.*ti*.do) *a.* Modificado em sua natureza, forma, caráter; TRANSFORMADO; METAMORFOSEADO; TRANSMUDADO: *Na peça, todas as atrizes foram transvestidas em homens.* [F.: Part. de *transvestir.*]

transvestir (trans.ves.*tir*) *v. Bras.* Promover mudança em modo de ser, caráter etc; METAMORFOSEAR; TRANSMUDAR [*tdr.* + *em*: *Transvestiu o secretário em agente secreto.*] [▶ 50 transvestir] [F.: *trans-* + *vestir.*]

transviado (trans.vi.*a*.do) *a.* **1** Que se transviou, extraviado, desencaminhado (almas transviadas) **2** *Fig.* Errante, vagabundo **3** *Bras.* Diz-se do jovem que se desviou dos padrões morais vigentes: "...recurso de advogado, quando as mães exigiam casamento das filhas transviadas..." (Nataniel Dantas, "O vampiro das rosas" *in Veias desatadas*) *sm.* **4** *Bras.* Esse jovem [F.: Part. de *transviar.*]

transviamento (trans.vi:a.*men*.to) *sm.* Ação ou resultado de transviar(-se); TRANSVIO [F.: *transviar* + *-mento.*]

transviar (trans.vi.*ar*) *v.* **1** Sair do bom caminho, segundo os padrões culturais de seu contexto; DESENCAMINHAR(-SE) [*td.: O namorado transviou a moça.*] [*tdr.* + *de*: *Transviou o amigo do caminho do bem.*] [*int.: Transviou-se por artes do lobo mau.*] **2** Perder o rumo certo; extraviar-se [*int.: Transviou-se no meio do bosque.*] [▶ 1 transviar] [F.: *trans* + *vi(a)* + *-ar.* Hom./Par.: *transvio* (1ªp.s.)/ *transvio* (s.m.).]

transvio (trans.*vi*.o) *sm.* Ato ou efeito de transviar(-se); TRANSVIAMENTO [F.: Dev. de *transviar.*]

trapa (*tra*.pa) *sf.* **1** Armadilha em forma de alçapão própria para capturar animais ferozes **2** *Mar.* Cabo cuja função é a de guiar o movimento de um objeto pesado ao ser suspenso **3** *Mar.* Cada uma das voltas ou dos nós que servem para evitar que um cabo corra ou escorregue **4** *Quím.* Em aparelho de laboratório químico, dispositivo que retém, para posterior recolhimento, componentes de uma corrente de fluido **5** *Rel.* Ordem religiosa nascida na França, em 1140, a partir de uma reforma cisterciense **6** *P. ext. Rel.* Qualquer convento dessa ordem religiosa [F.: Do fr. *trappe.*]

trapaça (tra.*pa*.ça) *sf.* Ato que envolve dolo ou logro; FRAUDE; CHICANA: "Ou o problema da sucessão não era senão um jogo de trapaça, violência e banditismo?" (Aquilino Ribeiro, *Constantino de Bragança*) [F.: *trapa* (armadilha) + *-aça.*]

trapaceado (tra.pa.ce.*a*.do) *a.* Que é alvo de trapaça: "Até mesmo o espectador é trapaceado no final do espetáculo quando o segredo (...) acaba sendo revelado." (*O Globo*, 29.08.1997) [F.: Part. de *trapacear.*]

trapacear (tra.pa.ce.*ar*) *v.* Fazer trapaça com; ENGANAR [*td.: Tentaram trapacear o cliente.*] [*int.: Ela sempre trapaceia no jogo.*] [▶ 13 trapacear] [F.: *trapaç(a)* + *-ear.*]

trapaceiro (tra.pa.*cei*.ro) *a.* **1** Que faz trapaças: *Evitava jogar com gente trapaceira.* *sm.* **2** Aquele que faz trapaças; TRAPACEADOR; EMBUSTEIRO; TRAMPOLINEIRO [F.: *trapaça* + *-eiro.*]

trapalhada (tra.pa.*lha*.da) *sf.* **1** Grande confusão, desordem: *Fez uma trapalhada com os documentos.* **2** Ato praticado de má-fé; LOGRO; TRAPAÇA [F.: *trapa* (armadilha) + *-alhada.*]

trapalhão (tra.pa.*lhão*) *a.* **1** Que faz trapalhadas: *Sempre há um jogador trapalhão nessas casas de jogo.* **2** Que atrapalha: "Esta tua ignorância trapalhona das coisas de Portugal..." (Eça de Queirós, *A cidade e as serras*) *sm.* **3** Aquele que se atrapalha: *Aquele trapalhão trocou os endereços e entregou as cartas erradas.* **4** Aquele que faz trapalhadas; TRAPACEIRO; EMBUSTEIRO [Pl.: *-lhões.* Fem.: *-lhona.*] [F.: *trapo* + *-alhão*, posv.]

trapeira (tra.*pei*.ra) *sf.* **1** Tipo de armadilha para caça **2** *Cons.* Janela ou fresta que se abre sobre um telhado **3** *Bras. S.* Desordem, confusão [F.: *trap(a)* + *-eira.*]

trapeiro (tra.*pei*.ro) *sm.* **1** Pessoa que apanha trapos ou papéis velhos na rua para vendê-los **2** *Bras.* Indivíduo que apanha papel nas ruas e latas de lixo para vender às fábricas de papel [F.: *trapo* + *-eiro.*]

trapejar (tra.pe.*jar*) *v. int.* **1** Tremular (um pano) sob a força do vento; TRAPEAR **2** Produzir som seco e rápido; ESTALAR [▶ 1 trapejar] [F.: *trapo* + *-ejar.*]

trapento (tra.*pen*.to) *a.* Vestido com trapos, farrapos; ESFARRAPADO; ANDRAJOSO; MALTRAPILHO [F.: *trap(o)* + *-ento.*]

trapézio (tra.*pé*.zi:o) *sm.* **1** *Geom.* Quadrilátero com dois lados paralelos **2** Equipamento us. para malabarismo, constituído por uma barra suspensa por duas cordas verticais: "Os outros saltavam, trabalhavam no trapézio e faziam a célebre pantomima..." (Raimundo Magalhães Júnior, "A grande atração" *in Fuga*) **3** *Anat.* O primeiro osso da segunda fileira do carpo **4** *Anat.* Músculo grande, achatado, superficial, situado na parte posterior do pescoço e do dorso **5** *Mar.* Sistema de correias para manter em saliência, na parte externa do bordo, o corpo de um tripulante, a fim de equilibrar a adernação [F.: Do gr. *Trapezion* pelo lat. tardio *trapeziu.*] ■ **~ circular** *Geom.* Figura geométrica que consiste num segmento de coroa circular limitado, além dos dois arcos de circunferência paralelos que formam a coroa, pelos segmentos de reta resultantes da interseção de dois raios do círculo com a coroa **~ isósceles** *Geom.* Aquele que tem os lados não paralelos iguais **~ retangular** *Geom.* O que tem dois ângulos retos

trapezista (tra.pe.*zis*.ta) *a2g.* **1** Diz-se de profissional que faz acrobacias no trapézio *s2g.* **2** Esse profissional [F.: *trapézio* + *-ista.*]

trapezoidal (tra.pe.zoi.*dal*) *a2g.* Que tem forma de trapézio (figura trapezoidal); TRAPEZOIDE [Pl.: *-dais.*] [F.: De *trapezoide* + *-al.*]

trapezoide (tra.pe.*zoi*.de) *a2g.* **1** Que tem forma de trapézio (salão trapezoide); TRAPEZOIDAL; TRAPEZIFORME *sm.* **2** *Anat.* Fileira de cada carpo [F.: Do gr. *trapezoeidés.*]

trapiche (tra.*pi*.che) *sm.* **1** Armazém em que são guardadas mercadorias importadas ou destinadas à exportação **2** *N. E.* Pequeno engenho de açúcar movido por animais [F.: Do espn. *trapiche* 'moinho de azeite'.]

trapicheiro (tra.pi.*chei*.ro) *a.* **1** Que possui e/ou administra trapiche **2** Que trabalha em trapiche *sm.* **3** Quem possui e/ou administra trapiche **4** Quem trabalha em trapiche [F.: *trapich(e)* + *-eiro.*]

trapinho (tra.*pi*.nho) *sm. Fam. Pop.* Trapo pequeno [F.: *trap(o)* + *-inho.*] ■ **Juntar os ~s** *Bras. Fam. Pop.* Passar (casal) a viver junto; casar-se ou amigar-se

trapista (tra.*pis*.ta) *a2g.* **1** *Rel.* Ref. à ordem monástica da Trapa, fundada na França em 1140, como uma ramificação beneditina dos cistercienses (mosteiro trapista) **2** *Rel.* Diz-se de religioso pertencente a essa ordem *s2g.* **3** *Rel.* Religioso pertencente a essa ordem [F.: *trap(a)* + *-ista.*]

trapizonga (tra.pi.*zon*.ga) *Bras. Pop. sf.* **1** Conjunto de coisas desordenadas, confusas: "...essa trapizonga que não se sabe se é um computador que se comunica como telefone ou um celular que computa." (*O Globo*, 22.11.2004) **2** Conjunto de trastes pequenos, miudezas, cacarecos [F.: Talvez do top. *Trebizonda* (Turquia), com possível infl. de *trapa.* Sin. ger.: *trapizonda.*]

trapo (*tra*.po) *sm.* **1** Pedaço de pano velho e usado **2** *Fig.* Roupa muito velha, gasta **3** *Fig.* Pessoa excessivamente velha, ou de aparência cansada **4** Sedimento de garrafas de vinho que, ao se descolar, tem aparência de farrapos **5** *Fig.* Indivíduo mole, preguiçoso ou covarde [F.: Do lat. tardio *drappus, i.*] ■ **~s quentes** Ver *Panos quentes* no verbete *pano* **A todo o ~** *RS* A toda (velocidade/brida), em disparada

trapoeraba (tra.po.e.*ra*.ba) *sf. Bras. Bot.* Planta de valor medicinal, da família das comelináceas; OLHO-DE-SANTA-LUZIA; ERVA-DE-SANTA-LUZIA; ERVA-MIJONA [F.: Do tupi.]

trapudo (tra.*pu*.do) *a. Pop.* Vestido com trapos, farrapos; TRAPENTO; ESFARRAPADO; MOLAMBENTO [F.: *trap(o)* + *-udo.*]

traque (*tra*.que) *sm.* **1** Barulho de pouca intensidade; ESTALO; ESTOURO **2** *Fam.* Ar expelido pelo ânus; FLATULÊNCIA; FLATO; PEIDO **3** *Expl.* Artefato de pirotecnia constituído de um tubinho de cartão com pólvora que explode ao ser aceso seu pavio [F.: De or. onom.] ■ **~ de chio** *AL* Artefato pirotécnico que, além da explosão, produz um chio **~ de chumbo** *AL* Pequeno artefato pirotécnico que, arremessado contra superfície dura, produz um estalo; estalo; traque de massa **~ de massa** *BA* Ver *Traque de chumbo*

traqueado (tra.que.*a*.do) *a. Anat. Zool.* Que possui traqueia [F.: *traque(o)-* + *-ado*[1].]

traqueal (tra.que:*al*) ***a2g.*** *Anat. Bot.* Ref. a traqueia (1 e 2) [Pl.: *-queais.*] [F.: *traqué ia* + *-al*¹.]

traqueia (tra.*quei*.a) ***sf.*** **1** *Anat.* Tubo cartilaginoso e membranoso, ligando a laringe aos brônquios, que serve para a passagem de ar **2** *Bot.* Vaso¹ (10) [F.: Do gr. *trakheia, as.* Hom./Par.: *traqueia* (sf.), *traqueia* [ê] (fl. de *traquear*). Ideia de 'traqueia': *bronc(o)- (broncopneumonia)* e *traque(o)- (traqueotomia).*] **■ ~ artificial** *Med.* Tubo flexível us. para levar ao paciente de uma cirurgia gases anestésicos

traqueíde (tra.que.*í*.de) ***sf.*** *Anat. Bot.* Cada uma das células estreitas e alongadas do lenho, que se comunicam entre si através de pontuações areoladas [F.: Do ing. *tracheid.*]

traqueíte (tra.que.*í*.te) ***sf.*** *Med.* Inflamação da traqueia [F.: *traque(o)-* + *-ite*¹.]

traquejado (tra.que.*ja*.do) ***a.*** **1** *Bras.* Com traquejo, experiência; EXPERIMENTADO; PERITO **2** *P. us.* Que é ou foi perseguido; ACOSSADO ***a.*** **3** *Pop. Mil.* Diz-se de oficial que tem por hábito e prazer repreender, censurar, traquejar os subalternos [F.: Part. de *traquejar.*]

traquejador (tra.que.ja.*dor*) [ô] ***sm.*** Treinador de animais, esp. de cavalos [F.: *traqueja(r)* + *-dor.*]

traquejar¹ (tra.que.*jar*) ***v. td.*** **1** Correr atrás de, acossar; traquear; PERSEGUIR: *O leopardo traquejou o caçador.* **2** *Bras. Ant.* Tornar hábil para alguma atividade; EXERCITAR: *O sargento traquejava os soldados.* **3** *Bras.* Sacudir (o mato) para fazer aparecer a caça [▶ **1** traquejar] [F.: De or. obsc. Hom./Par.: *traquejo* (1ªp.s.)/ *traquejo* /ê/ (sm.).]

traquejar² (tra.que.*jar*) ***v. int.*** *Tabu.* Ver *traquear* [▶ **1** traquejar] [F.: *traqu(e)* + *-ejar.*]

traquejo (tra.*que*.jo) [ê] ***sm.*** *Bras.* Muita prática, experiência em qualquer ocupação: *Tem muito traquejo com a política.* [+ *de*: "Olha o que eu entendo das pessoas, foi com o traquejo dos bois que eu aprendi..." (Guimarães Rosa, "O burrinho pedrês" *in Sagarana*)] [F.: Dev. de *traquejar.* Hom./Par.: *traquejo* (fl. de *traquejar*).]

traquelectomia (tra.que.lec.to.*mi*.a) ***sf.*** *Cir. Ginec.* Extirpação do colo do útero [F.: *traquel(o)-* + *-ectomia.*]

traquelectômico (tra.que.lec.*tô*.mi.co) ***a.*** *Cir. Ginec.* Ref. à traquelectomia (procedimento traquelectômico) [F.: *traquelectomia* + *-ico*².]

traqueliano (tra.que.li:*a*.no) ***a.*** *Anat. Med.* Ref. ao colo do corpo humano (pescoço) ou ao colo de certos ossos (p. ex., do fêmur) [F.: *traquel(o)-* + *-iano.*]

traquelismo (tra.que.*lis*.mo) ***sm.*** *Neur.* Contração involuntária, espasmódica, de músculos do pescoço [F.: *traquel(o)-* + *-ismo.*]

◎ **traquel(o)-** ***el. comp.*** = 'pescoço', 'nuca'; 'colo'; 'colo do útero': *traquelectomia, traqueliano, traquelismo, traquelocele, traquelografia* [F.: Do gr. *trákhelos, ou.*]

traquelografia (tra.que.lo.gra.*fi*.a) ***sf.*** **1** *Med.* Descrição anatômica ou imagem radiológica do pescoço **2** *Med.* Descrição anatômica ou imagem radiológica do colo do útero [F.: *traquel(o)-* + *-grafia.*]

◎ **-traque(o)-** ***el. comp.*** Ver *traque(o)-*

◎ **traque(o)-** ***el. comp.*** = 'traqueia': *traqueado, traqueíte, traqueobrônquico, traqueobronquite, traqueófita* (lat. cient.), *traqueostenose, traqueostomia, traqueotomia* [F.: Do lat. medv. *trachea, ae,* 'traqueia', do gr. *trakheia, as,* 'conduto áspero e rude'.]

traqueobrônquico (tra.que.o.*brôn*.qui.co) ***a.*** Ref. a, ou próprio dos brônquios e da traqueia (vias traqueobrônquicas) [F.: *traque(o)-* + *brônquico.*]

traqueobronquite (tra.que.o.bron.*qui*.te) ***sf.*** *Pneumo.* Inflamação que atinge a traqueia e os brônquios simultaneamente [F.: *traque(o)-* + *bronquite.*]

traqueocele (tra.que:o.*ce*.le) ***sf.*** *Med.* Projeção para fora de mucosa, através de um ponto fraco da parede da traqueia [F.: *traque(o)-* + *-cele*¹.]

traqueófita (tra.que.*ó*.fi.ta) ***sf.*** *Bot.* Espécime das traqueófitas, grupo de plantas vasculares formadas por raiz, caule e folhas [F.: Adaptç. do lat. cient. *Tracheophyta.*]

traqueostenose (tra.que.os.te.*no*.se) ***sf.*** *Med.* Estreitamento patológico da traqueia [F.: *traque(o)-* + *estenose.*]

traqueostomia (tra.que:os.to.*mi*.a) ***sf.*** *Cir.* Cirurgia que consiste na incisão da traqueia, seguida da colocação de uma cânula a fim de estabelecer uma passagem para o ar; TRAQUEOTOMIA [F.: *traque(o)-* + *-stomia.*]

traqueostômico (tra.que:os.*tô*.mi.co) ***a.*** *Cir.* Ref. a traqueostomia [F.: *traqueostomia* + *-ico*².]

traqueostomizado (tra.que.os.to.mi.*za*.do) ***a.*** Em que se fez uma traqueostomia (paciente traqueostomizado) [F.: Part. de *traqueostomizar.*]

traqueostomizar (tra.que:os.to.mi.*zar*) ***v.*** Fazer traqueostomia (em alguém) [***int.:*** *Com a obstrução da traqueia, só restava um medida: traqueostomizar.*] [***td.:*** *Como o paciente parecia asfixiar, o médico resolveu traquesotomizá-lo.*] [▶ **1** traqueostomizar] [F.: *traqueostomia* + *-izar.*]

traqueotomia (tra.que.o.to.*mi*:a) ***sf.*** *Cir.* Abertura de orifício na traqueia para passagem de ar; TRAQUEOSTOMIA: *A traqueotomia salvou a vida do rapaz.* [F.: *traque(o)-* + *-tomia.*]

traqueotômico (tra.que.o.*tô*.mi.co) ***a.*** *Cir.* Ref. a traqueotomia (incisão traqueotômica); TRAQUEOSTÔMICO [F.: *traqueotomia* + *-ico*².]

traquete (tra.*que*.te) [ê] ***sm.*** **1** *Mar.* Mastro que fica na frente de navio veleiro, entre a caverna-mestra e a roda de proa **2** *P. ext.* A verga inferior desse mastro **3** *P. ext.* A vela que pende dessa verga [F.: Do fr. ant. *triquet*, atual *trinquet.*]

traquilino (tra.qui.*li*.no) ***sm.*** **1** *Zool.* Espécime dos traquilinos, ordem de cnidários hidrozoários que inclui as traquimedusas e narcomedusas ***a.*** **2** Ref. aos traquilinos [F.: Do lat. cient. *Trachylina.*]

traquimedusa (tra.qui.me.*du*.sa) ***sf.*** *Zool.* Espécime das traquimedusas, subordem de medusas marinhas, da ordem dos traquilinos, com campânulas lisas e gônadas nos canais radiais [F.: Adaptç. do lat. cient. *Trachymedusae.*]

traquinada (tra.qui.*na*.da) ***sf.*** **1** Estalo forte, estrépito, estrondo **2** Ato de traquinas, travesso; TRAVESSURA; TRAQUINAGEM **3** *Fig.* Trama ou armação ardilosa; TRAMOIA [F.: *traquinar* + *-ada*¹.]

traquinagem (tra.qui.*na*.gem) ***sf.*** **1** Ação ou resultado de traquinar; PERALTICE; TRAVESSURA **2** Ação ardilosa; ENREDO; INTRIGA: "... o traço marginal de Franco também o atrai, aproximando-se dele acaba participando de uma traquinagem sórdida." (Raul Pompeia, *O ateneu*) [Pl.: *-gens.*] [F.: *traquinar* + *-agem.* Sin. ger.: *traquinada, traquinice.*]

traquinar (tra.qui.*nar*) ***v. int.*** **1** Fazer traquinagens, travessuras **2** Produzir barulho, confusão, desordem [▶ **1** traquinar] [F.: *traquinas* + *-ar.* Hom./Par.: *traquina(s)* (fl.), *traquina* (a2g. s2g. e pl.); *traquino* (fl.), *traquino* (a. sm.).]

traquinas (tra.*qui*.nas) ***a2g2n.*** **1** Diz-se de pessoa que faz traquinagens ***s2g2n.*** **2** Essa pessoa [F.: De or. incerta, posv. de *traque.* Sin. ger.: *peralta, travesso.* Tb. *traquina.*]

traquineiro (tra.qui.*nei*.ro) ***a.*** **1** *P. us.* Que faz traquinagens ***sm.*** **2** *P. us.* Pessoa que faz traquinagens [F.: *traquin(a)* + *-eiro.*]

traquinice (tra.qui.*ni*.ce) ***sf.*** **1** Ação ou resultado de traquinar; TRAQUINADA; TRAQUINAGEM **2** Qualidade de traquinas [F.: *traquinas* + *-ice.*]

traquitana (tra.qui.*ta*.na) ***sf.*** **1** Carruagem de quatro rodas, para duas pessoas, com cortina na parte da frente **2** *Pop.* Carro velho ou muito maltratado; calhambeque **3** *Pop.* Objeto, ger. grande, que causa transtorno, que estorva [F.: De orig. obsc. Sin. ger.: *traquitanda, tranquitana.* Hom./Par.: *traquitana* (fl. traquitanar).]

traquitanda (tra.qui.*tan*.da) ***sf.*** **1** *Bras.* O mesmo que *traquitana* **2** Trave a que se prende animal que puxa a nora; ALMANJARRA [F.: De or. obsc.]

◎ **tras-** ***el. comp.*** Ver *trans-*

trás ***adv.*** **1** Em posição posterior; atrás, por trás, detrás **2** Em momento ulterior; após, depois de ***prep.*** **3** Denota anterioridade, ou existência de algo subjacente à aparência de algo: *Trás tanta candura esconde-se um caráter interesseiro e inflexível.* [F.: Do lat. *trans.*] **■ De ~** Que se situa atrás; traseiro: *Foi sentar-se no banco de trás.* **Por ~ (de)** **1** Atrás de, oculto por: *O avião sumiu por trás das nuvens.* **2** Ocultamente, não abertamente: *Falavam mal dele por trás.*

trasanteontem (tra.san.te:on.tem) ***adv.*** No dia anterior ao de anteontem [F.: De *tras-* + *anteontem.* Tb. *trasantontem.*]

trasantontem (tra.san.*ton*.tem) ***adv.*** Ver *trasanteontem*

trasbordo (tras.*bor*.do) [ô] ***sm.*** O mesmo que *transbordo* [F.: Dev. de *trasbordar.* Hom./Par.: *trasbordo* [ô] (sm.), *trasbordo* (fl. de *trasbordar*).]

traseira (tras.*sei*.ra) ***sf.*** A parte posterior de algo: *Sobe no ônibus pela traseira.* [Ant.: *dianteira, frente.*] [F.: Fem. substv. de *traseiro.*]

traseiro (tra.*sei*.ro) ***a.*** **1** Que fica na parte de trás (banco traseiro) [Ant.: *dianteiro.*] ***sm.*** **2** *Pop.* O par de nádegas [F.: De *tras-* + *-eiro.* Ideia de 'traseiro', usar pref. *nadeg-* e suf. *-pígio.*]

trasfegar (tras.fe.*gar*) ***v.*** **1** Transferir de um recipiente para outro; o mesmo que *transfundir*; tb. *transvasar* [***td.***] **2** Lutar, trabalhar com energia, dedicação; AZAFAMAR-SE [***int.***] [▶ **14** trasfegar] [F.: orig. obsc. Hom./Par.: *trasfega(s)* (fl.), *trasfega* (sf. e pl.); *trasfego* (fl.), *trasfego* /ê/ (sm.).]

trasfoliar (tras.fo.li.*ar*) ***v. td.*** Copiar em papel transparente, aplicando este sobre o desenho ou a pintura que se deseja copiar [▶ **1** trasfoliar] [F.: *tras-* + *foliar.*]

trasgo (*tras*.go) ***sm.*** **1** Diabrete doméstico, que supostamente derruba objetos, faznendo barulhos estranhos e outras molecagens **2** *P. ext.* Pessoa travessa, traquinas [F.: De or. obsc.]

traslação (tras.la.*ção*) ***sf.*** O mesmo que *translação* [Pl.: *-ções.*] [F.: Do lat. *translatio, onis.*]

trasladação (tras.la.da.*ção*) ***sf.*** **1** Ação ou resultado de trasladar ou transladar; DESLOCAMENTO; TRANSFERÊNCIA; TRANSPORTE: *trasladação de ossos / de uma imagem sagrada.* **2** Versão para outra língua; TRADUÇÃO, **3** Transferência para um momento posterior; ADIAMENTO; POSTERGAÇÃO: *trasladação de uma solenidade.* [Pl.: *-ções.*] [F.: De *tra(n)sladar* + *-ção.*]

trasladado (tras.la.*da*.do) ***a.*** **1** Traduzido para outra língua; VERTIDO **2** Transferido para outro local **3** Adiado para momento posterior; DELONGADO; POSTERGADO [Ant.: *antecipado.*] **4** Que foi transcrito, copiado; DUPLICADO; REPRODUZIDO [F.: Part. de *trasladar.* Sin. ger.: *transladado.*]

trasladar (tras.la.*dar*) ***v.*** **1** Transportar de um lugar para outro; TRANSFERIR [***td.:*** *Trasladaram o corpo.*] [***tdr.:*** *Trasladaram a moreia para o aquário da cidade.*] **2** Transferir para outra ocasião; ADIAR; PROTELAR [***td.:*** *Trasladaram a carraspana.*] [***tda.:*** *Trasladaram a orgia para o mês seguinte.*] **3** Copiar, transcrever [***td.:*** *Trasladaram todo o documento.*] **4** Traduzir, passar de uma língua para outra [***tdr.*** + *para, em*: *Trasladaram Camões para o russo.*] **5** Mudar de residência [***td.:*** *Trasladou a família.*] [***tda.:*** *O casal se trasladou para a Tanzânia.*] **6** Dar sentido figurado a (algo) [***td.***] **7** *Jur.* Passar uma escritura, em livro de tabelião [***td.***] [▶ **1** trasladar] [F.: *traslad(o)* + *-ar.* Hom./Par.: *traslado* (1ªp. s.)/ *traslado* (sm.). Tb. *transladar.*]

traslado (tras.*la*.do) ***sm.*** **1** Ação ou resultado de trasladar; TRANSFERÊNCIA: *O traslado do aeroporto ao hotel é gratuito.* **2** Transcrição de um texto original; CÓPIA **3** Reprodução de uma imagem em pintura, desenho etc; RETRATO **4** Modelo que deve ser imitado; EXEMPLO [F.: Do lat. *translatus, us.* Hom./Par.: *traslado* (fl. de *trasladar*). Tb. *translado.*]

traspassado (tras.pas.*sa*.do) ***a.*** **1** Ver *transpassado* **2** Que passou através de algo: "Quando para lá foste, o teu corpo frágil, tênue, traspassado do azulado enraizamento arterial das veias, era quase diáfano, transparente..." (Cruz e Sousa, *Missal*) **3** Atormentado por alguma razão de ordem moral: "Arnaldo, vendo aquelas flores que ainda mais formosa tornavam a donzela, sentiu o coração traspassado." (José de Alencar, *O sertanejo*) [F.: Part. de *traspassar.* Tb. *transpassado* e *trespassado.*]

traspassar (tras.pas.*sar*) ***v.*** Ver *transpassar* [▶ **1** traspassar]

traspasse (tras.*pas*.se) ***sm.*** **1** Ação ou resultado de traspassar **2** *Fig.* Morte, falecimento **3** *Jur.* Transferência de contrato de locação ou de bem imóvel para outrem [F.: Dev. de *trespassar.* Sin. ger.: trespasse. Hom./Par.: *traspasse* (fl. de *traspassar*).]

traspasso (tras.*pas*.so) ***sm.*** **1** Ato ou efeito de traspassar **2** Dor forte, penetrante [F.: Dev. de *traspassar.* Hom./Par.: *traspasso* (sm.), *traspasso* (fl. de *traspassar*).]

traste (*tras*.te) ***sm.*** **1** Utensílio de pouco valor **2** Pessoa sem caráter; TRATANTE; VELHACO **3** Indivíduo imprestável **4** *Mús.* Nos instrumentos de corda, cada um dos filetes que divide o braço do instrumento numa série de semitons para indicar a posição dos dedos; PONTEIRA; TRASTO **5** Móvel caseiro; ALFAIA: "...o casarão renderia muito mais com os trastes." (Aloísio Azevedo, *Casa de pensão*) [Superl.: *trastalhão e trastejão* (*acps. 2 e 3*).] [F.: Do lat. *tra(n)strum, i.*]

trastejar (tras.te.*jar*) ***v.*** **1** Comerciar com trastes, com coisas de pouco valor [***int.***] **2** Cuidar dos trastes domésticos [***int.***] **3** Cuidar dos afazeres de uma casa [***int.***] **4** Movimentar-se de um lado para outro [***int.***] **5** Comportar-se com esperteza, como um safado, um velhaco [***int.***] **6** Mobiliar (uma casa, um lugar) [***td.***] **7** *Mús.* Pôr trastos em; TRASTEAR [***td.***] **8** *Mús.* Bater com os dedos (nas cordas do violão) sobre os trastos [***int.***] [▶ **1** trastejar] [F.: *traste* ou *trasto* + *-ejar.*]

trasto (*tras*.to) ***sm.*** *Mús.* Ver *traste*

trasvoltear ***v.*** **1** Ultrapassar (algo) enquanto voa [***td.:*** *Transvoar uma montanha.*] **2** Voar numa direção qualquer [***int.:*** *Transvoavam em direção ao litoral.*] [▶ **13** trasvoltear] [F.: Do lat. *transvolare.*]

tratabilidade (tra.ta.bi.li.*da*.de) ***sf.*** Característica do que é tratável (tratabilidade da água); ACESSIBILIDADE; AMABILIDADE; SOCIABILIDADE [Ant.: *intratabilidade.*] [F.: *tratável* com o suf. *-vel* sob a f. lat. *-bil(i)-* + *-dade.*]

tratadista (tra.ta.*dis*.ta) ***s2g.*** Pessoa que escreve tratado(s) [F.: De *tratado* + *-ista.*]

tratado (tra.*ta*.do) ***sm.*** **1** Acordo, pacto entre países (tratado de paz) **2** Estudo a respeito de uma ciência, arte etc. [+ *sobre*: *Escreveu um tratado sobre medicina alternativa.*] **3** Ajuste, convênio entre indivíduos, ou entre um indivíduo e uma entidade; TRATO [F.: Do lat. *tractatus, us.* Ideia de 'tratado', usar suf. *-logia.*]

tratador (tra.ta.*dor*) [ô] ***a.*** **1** Diz-se de pessoa que trata de alguma coisa, esp. de animais ***sm.*** **2** Essa pessoa [F.: Do lat. *tractator, oris.*] **■ ~ de texto** *Inf.* Processador de texto

tratamento (tra.ta.*men*.to) ***sm.*** **1** Ação ou resultado de tratar; TRATO **2** Acolhida, recepção [+ *a*: *Dava bom tratamento aos visitantes.*] **3** Abordagem de um assunto ou tema [+ *a*: *O cineasta deu um tratamento especial ao roteiro.*] **4** *Ter.* Método ou recurso terapêutico: "...salvei-o seguindo este tratamento." (Júlio Ribeiro, *A carne*) **5** *Gram.* Palavra, expressão ou título com que se trata uma pessoa: *O tratamento correto para um senador é 'Vossa Excelência'.* [*Vossa Majestade é muito clemente; Tudo isso pertence à Sua Alteza Imperial, o rei.* Usa-se *Vossa*, no discurso direto e *Sua*, no indireto.] [F.: De *tratar* + *-mento.*] **■ ~ de choque** *Fig.* Método ou tentativa de resolver um problema rapidamente, com ações drásticas, agindo diretamente contra as causas (ainda que sobrevenham efeitos nocivos secundários)

tratantada (tra.tan.*ta*.da) ***sf.*** Ação ou atitude de tratante; VELHACARIA; VELHACADA; TRATADA; TRATANTICE [F.: *tratant(e)* + *-ada.*]

tratante (tra.*tan*.te) ***a2g.*** **1** Diz-se de indivíduo que trata de alguma coisa de maneira ardilosa ***s2g.*** **2** Esse indivíduo [F.: De *tratar* + *-nte.* Sin. ger.: *canalha, pulha, trapaceiro.*]

tratar (tra.*tar*) ***v.*** **1** Agir de determinado modo com [***td.:*** *Trata bem os empregados.*] **2** Cuidar da saúde de (alguém ou si mesmo); tentar curar(-se) [***td.:*** *Trata-se com antibióticos.*] [***tr.*** + *de*: *tratar de uma doença / de um paciente.*] [***tdr.*** + *de*: *Tratou sua febre com dois tipos de medicamento.*] **3** Ser responsável por; CUIDAR [***tr.*** + *de*: *O filho mais velho trata dos negócios da empresa.*] **4** Manter relações; conviver com; FREQUENTAR [***td.:*** *Trata pessoas de todos os lugares.*] [***tr.*** + *com*: *Trata com gente de todo tipo.*] [***tdp.:*** *Tratam-se como irmãos.*] **5** Ter por assunto; versar sobre; falar de (assunto, ideia, questão etc.) oralmente ou por escrito; ARGUMENTAR; DISCUTIR; QUESTIONAR [***td.:*** *Trataremos a questão dos desmatamentos.*] [***tr.*** + *de*: *O artigo trata do problema da violência.*] **6** Conversar sobre (algo) (com alguém) [***tr.*** + *com, de*: *Queria tratar do assunto da prova; Tratei com* *a vizinha por horas.*] **7** Discorrer sobre; EXPLANAR [*td.: Tratou o assunto com muita inteligência.*] **8** Fazer negócio com; ACERTAR; COMBINAR [*td.: Trataremos a venda hoje mesmo.*] [*tdr. + com: Tratou o serviço com a empresa.*] [*tr. + com: Tratei diretamente com o dono da empresa.*] **9** Deixar acertado; ACERTAR; COMBINAR; MARCAR [*td.: Tratamos o horário do encontro.*] [*tdr. + com: Tratou com o chofer a hora da partida.*] [*tr. + com: Não se preocupe que eu mesma trato com meu irmão.*] **10** Dirigir-se a (alguém) usando determinada forma de tratamento [*tdp.: Trata o pai de 'senhor'; Tratam-se por 'você'.*] **11** Receber alguém; ACOLHER [*ta.: Tratava bem os clientes.*] **12** Cuidar de; lidar com; OCUPAR-SE [*td.: Meus filhos sabem tratar os animais.*] [*tr. + de: Ela trata de seu cabelo diariamente; Os museus tratam muito bem de suas peças; Aquela mãe não sabe tratar dos filhos; Trate de comer tudo!*] **13** Cuidar dos preparativos de (algo) [*tr. + de: Tratou dos detalhes da festa.*] **14** Dar preparo a (alimento) antes de levá-lo ao fogo [*td.: Tratou a rabada com sal e limão, depois colocou-a na panela.*] **15** Dar ou ingerir alimentos; NUTRIR(-SE) [*td.: Trata seus gatinhos de manhã e à noite.*] [*tdr. + com: Trata os filhos com verduras e legumes.*] **16** Proceder, comportar-se de certa maneira; PORTAR-SE [*td.: Tratou-se muito bem na presença dos avós.*] [*tr. + com: Tratou carinhosamente com os tios.*] **17** Buscar fazer (algo) de modo rápido; começar a fazer algo [*tr. + de: Ouviu a música e tratou logo de ir dançar.*] **18** Valer-se de; USAR [*td.: Tratou uma doença para faltar ao trabalho.*] **19** Pegar, mexer em algo com as mãos; MANUSEAR [*td.: Tratou a caixa de bombons.*] **20** Causar transformação por meio da ação de um agente [*td.: tratar ouro.*] [*tdr. + com: Tratou a solução com uma substância incolor.*] **21** *P. us.* Dedicar-se intensamente a (estudo, trabalho etc.) [*td.: Trata as ciências.*] [▶ **1** tratar] [F.: Do lat. *tractare*. Hom./Par.: *tratáveis* (fl.), *tratáveis* (pl. *tratável* [a2g.]); *trato* (fl.), *trato* (a. sm.).] ∎ **Tratar-se de** Ser; ter relação com; consistir em: *Trata-se de um canalha; Não se trata de vingança, o que ele quer é justiça; Falaram a sós, pois tratava-se de um assunto pessoal.* [Nesta loc. é us. apenas na 3a. pess. do sing.]

tratativa (tra.ta.*ti*.va) *sf.* Tratado, pacto, acordo entre pessoas ou entre estas e entidades; TRATO: "...cabe a esta diretoria esclarecer que não há nenhuma tratativa de transferência de controle acionário ou..." (*Veja*, 03.11.1999) [F.: Do rad. lat. *tractat-* sob a f. *tratat-* + *-iva*.]

tratável (tra.*tá*.vel) *a2g.* **1** Que se pode tratar: *Era uma doença tratável.* **2** Que é afável, amável (indivíduo tratável) [Ant.: *antipático, desagradável.*] [Pl.: *-veis.*] [F.: De *tratar* + *-vel.*]

trato[1] (*tra*.to) *sm.* **1** Tratado, pacto, acordo: *trato com os credores.* **2** Ação ou resultado de tratar; modo de agir; TRATAMENTO: *É uma pessoa hábil no trato dos problemas sociais.* **3** Modo de agir; CONVIVÊNCIA; INTIMIDADE: *homem de trato fácil.* **4** Atenção, cuidado, cortesia [Ant.: *aspereza, descortesia.*] **5** Alimentação habitual; PASSADIO; TRATAMENTO: *O trato da casa é muito frugal.* [F.: Dev. de *tratar*. Hom./Par.: *trato* (fl. de *tratar*).] ∎ **Dar ~s a** Amofinar, tratar mal, atormentar **Dar ~s à bola/imaginação** Passar muito tempo pensando sobre algo, tentando entender um assunto ou imaginar hipóteses, soluções etc.

trato[2] (*tra*.to) *sm.* **1** Extensão de terra; TERRENO; TORRÃO **2** *Anat.* Extensão ou série de órgãos que exercem a mesma função (trato urinário) **3** Espaço que separa duas coisas; INTERVALO; SEPARAÇÃO **4** Passagem do tempo; LAPSO **5** *Litu.* Nas missas de réquiem, cada um dos versículos cantados após o gradual [F.: Do lat. *tractus, us*. Hom./Par.: ver *trato*[1].]

trator (tra.*tor*) [ô] *sm.* **1** *Emec.* Veículo motorizado que se movimenta sobre rodas ou esteira, us. para rebocar cargas, acionar implementos agrícolas etc. *a.* **2** Que emprega tração (carro trator) [F.: Do ing. *tractor*.]

tratoragem (tra.to.*ra*.gem) *sf. Pop.* Atitude ou procedimento de pessoa desprezível, indigna *Pop;* BANDALHEIRA [Pl.: *-gens.*] [F.: *tratora(r)* + *-agem.*]

tratoria (tra.to.*ri*:a) *sf.* Restaurante popular especializado em cozinha italiana [F.: Aportuguesamento do it. *trattoria.*]

tratorista (tra.to.*ris*.ta) *s2g. Bras.* Profissional que trabalha com o trator [F.: *trator* + *-ista.*]

tratos *smpl.* Torturas físicas; TORMENTOS: *O corpo do guerrilheiro tinha marcas dos tratos que sofreu.* [F.: Pl. de *trato*[2].]

tratriz (tra.*triz*) *sf. Geom.* Linha que gera pela revolução em torno de sua assímptota uma superfície conhecida como"pseudoesfera", ou seja, uma superfície com curvatura negativa constante [F.: Do ingl. *tractrix.*]

traulitada (trau.li.*ta*.da) *sf. Bras. Pop.* Pancada ou golpe muito forte; CACETADA; BORDOADA; PAULADA [F.: *traulit(o)* + *-ada.*]

traulitar (trau.li.*tar*) *v.* **1** Dar pancada forte, ger. us. traulito, cacete, pedaço de pau [*td.: traulitar o menino.*] **2** Cantarolar [*td.: O ancião ia devagar, traulitando baixinho antigas canções.*] [*int.: Me irrita a mania que ele tem de traulitar o tempo todo.*] [▶ **1** traulitar] [F.: *traulito* + *-ar.*]

traulito (trau.*li*.to) *sm. Lus.* Pedaço de pau us. para bater em alguém; CACETE; PORRETE [F.: De or. obsc.]

trauma (*trau*.ma) *sm. Med. Psiq.* Ver *traumatismo* [F.: Do gr. *traûma, atos* 'ferida'.]

traumaticamente (trau.ma.ti.ca.*men*.te) *adv.* De forma traumática [F.: Do fem. de *traumático* + *-mente.*]

traumático (trau.*má*.ti.co) *a.* Ref. a trauma (choque traumático) [F.: Do gr. *traumatikós, é, ón.*]

traumatismo (trau.ma.*tis*.mo) *sm.* **1** *Med.* Lesão ou estado que resulta de contusão violenta (traumatismo craniano); CONTUSÃO; MACHUCADO **2** *Psiq.* Choque psicológico, emocional que pode causar perturbações psíquicas **3** *Fig.* Sofrimento espiritual; AGONIA; ANGÚSTIA; PESAR [F.: *trauma* sob a f. rad. *traumat-* + *-ismo*. Sin. ger.: *trauma.*]

traumatizado (trau.ma.ti.*za*.do) *a.* **1** Que se traumatizou; que sofreu um trauma; ABALADO; CHOCADO **2** Que foi vítima de traumatismo; LESIONADO; MACHUCADO [F.: Part. de *traumatizar.*]

traumatizante (trau.ma.ti.*zan*.te) *a2g.* Que traumatiza [F.: De *traumatizar* + *-nte.*]

traumatizar (trau.ma.ti.*zar*) *v.* Provocar trauma em ou sofrer trauma [*td.: A experiência traumatizou o rapaz.*] [*int.: Traumatizou-se com a perda do pai.*] [▶ **1** traumatizar] [F.: *traumat (o)-* + *-izar.*]

⊚ **trauma(to)-** *pref.* = contusão: *traumatismo, traumatologia*

traumatofilia (trau.ma.to.fi.*li*:a) *sf. Psiq.* Distúrbio mental em que há, entre outros procedimentos sintomáticos, a simulação de doenças agudas, de modo a favorecer hospitalizações e traumatismos, inclusive cirúrgicos; SÍNDROME DE MÜNCHAUSEN [F.: *traumat(o)-* + *-filia.*]

traumatologia (trau.ma.to.lo.*gi*.a) *sf. Med.* Ramo da medicina que trata das lesões causadas por traumatismo (1) [F.: *trauma(to)-* + *-logia.*]

traumatológico (trau.ma.to.*ló*.gi.co) *a.* Ref. a traumatologia [F.: *traumatologia* + *-ico*[2].]

traumatologista (trau.ma.to.lo.*gis*.ta) *s2g. Med.* Médico que se especializou em traumatologia [F.: *traumatologia* + *-ista.*]

traupídeo (trau.*pí*.de.o) *sm.* **1** *Zool.* Espécime dos traupídeos, família de aves passeriformes ger. muito coloridas, que inclui os gaturamos, saíras, tiês e sanhaços *a.* **2** Ref. aos traupídeos [F.: Do lat. cient. *Thraupidae*, do gr. *thraupis, ídos.*]

trautear (trau.te.*ar*) *v.* **1** Cantar baixinho; CANTAROLAR [*td.: Trauteava uma canção francesa.*] [*int.: Trauteava enquanto andava.*] **2** Causar aborrecimento a; APOQUENTAR [*tdr. + com: Trauteava o ouvido do filho com mil recomendações.*] **3** Admoestar de maneira enérgica, dura; ADVERTIR [*td.: O pai trauteou o filho por ter mentido.*] [*tdr. + acerca de, de, sobre: As mães sempre trauteiam os filhos dos perigos do mundo.*] **4** Preparar uma peça, uma artimanha por brincadeira ou maldade; ENGANAR; ILUDIR [*td.: Tentou trautear o patrão, mas não conseguiu.*] [▶ **13** trautear] [F.: Or. obsc. Hom./Par.: *trauteio* (fl.), *trauteio* (sm.); *trautear, tratear* (em todas as fl.).]

trauteio (trau.*tei*.o) *sm.* Ação ou resultado de trautear [F.: Dev. de *trautear*. Hom./Par.: *trauteio* (fl. de *trautear*).]

trava (*tra*.va) *sf.* **1** Ação ou resultado de travar; TRAVAÇÃO; TRAVAMENTO [Ant.: *destravamento.*] **2** Aquilo que trava: *a trava da chuteira /de uma arma.* **3** Dispositivo us. para trancar portas ou janelas **4** Peça metálica fixada na boca de cavalgaduras e ligada à rédea, que serve para dirigi-las; FREIO; TRAVÃO **5** Corda ou corrente com que se prendem os pés dos animais; PEIA **6** *Lus.* Inclinação variada dos dentes da serra [F.: Dev. de *travar*. Hom./Par.: *trava* (fl. de *travar*).]

travação (tra.va.*ção*) *sf.* **1** Ação ou resultado de travar; TRAVAMENTO; TRAVAGEM **2** *Cons.* Ligação das traves de um madeiramento; TRAVAMENTO; VIGAMENTO; ENTRAVAMENTO; TRAVEJAMENTO [Pl.: *-ções.*] [F.: *trava(r)* + *-ção.*]

travadeira (tra.va.*dei*.ra) *sf.* **1** Lâmina de ferro us. pelos serralheiros e carpinteiros para inclinar, travar ou afiar os dentes da serra **2** *Cons.* Pedra aparelhada que se coloca em paredes de pedras pequenas para dar segurança à construção ou para receber pontas de vigas, peças de cantaria etc. [F.: *travad(o)* + *-eira*. Sin. ger.: *travadoura.*]

travado (tra.*va*.do) *a.* **1** Que foi parado por meio de freio (moto travada) **2** Que se fechou com trave (janela travada); TRANCADO **3** Que teve o movimento ou o funcionamento impedido ou dificultado (partida travada, revólver travado); OBSTRUÍDO **4** Que se iniciou ou desenrolou: *Foi muito interessante a conversa travada entre os protagonistas da peça.* **5** *Bras. Pop.* Diz-se de pessoa que é inibida (mulher travada, professor travado) **6** *Inf.* Diz-se de equipamento ou programa que parou de funcionar; EMPERRADO: *sistema operacional travado.* **7** Cujo sabor é amargo ou adstringente (gosto travado) **8** Diz-se de língua presa, que não tem o freio cortado **9** Diz-se de passo moderado de cavalgadura **10** Diz-se de equídeo que anda com travas ou cuja andadura foi adquirida com travas [F.: Part. de *travar*. Ant. ger.: *destravado.*]

travador (tra.va.*dor*) [ô] *a.* **1** Que trava (pino travador) *sm.* **2** Aquilo que trava (travador elétrico) **3** O mesmo que *travadeira* [F.: *trava(r)* + *-dor.*]

travagem (tra.*va*.gem) *sf.* **1** Ação ou resultado de travar; TRAVAMENTO **2** *Bras. Vet.* Hipertrofia das gengivas de um equídeo que pode causar a perda dos dentes, impedindo-o de pastar [Pl.: *-gens.*] [F.: *trava(r)* + *-agem*[2]. Ant. ger.: *destravagem.*]

trava-língua (tra.va-*lín*.gua) *sf. Lud.* Divertimento que consiste em falar de modo claro e rápido versos ou frases com muitas sílabas difíceis de pronunciar ou sílabas formadas com os mesmos sons em ordem diferente, como, p. ex., "O jarro arranha a aranha, a aranha arranha o jarro." [Pl.: *trava-línguas.*] [F.: Fl. de *travar* + *língua.*]

travamento (tra.va.*men*.to) *sm.* **1** Ação ou resultado de travar; TRAVAGEM; TRAVAÇÃO **2** *Cons.* O mesmo que *travação* **3** *Inf.* Ação ou resultado de travar (computador ou sistema operacional) [F.: *trava(r)* + *-mento*. Ant. ger.: *destravamento.*]

travanca (tra.*van*.ca) *sf.* Aquilo que trava, que embaraça; EMPECILHO; OBSTÁCULO; TRANCA [F.: De *trava* + *-anca.*]

travão (tra.*vão*) *sm.* **1** Ver *trava* (4) **2** Corrente para prender bestas **3** *Emec.* Barra que freia o movimento de um veículo; FREIO [Pl.: *-vões.*] [F.: *trava* + *-ão.*]

travar (tra.*var*) *v.* **1** Frear, brecar [*td.: Travou o carro na ladeira.*] **2** Trancar [*td.: Trave todas as portas.*] **3** Dificultar ou impedir movimento, funcionamento de; obstruir [*td.: O treinador mandou o time travar o jogo; travar uma arma.*] **4** Começar (conversa, amizade, luta etc.), entabular [*td.: Os animais travaram uma luta.*] [*tdr. + com: Travamos um diálogo com os operários.*] **5** Parar de funcionar, funcionar mal, emperrar [*int.: O motor do carro começou a travar; A porta do carro travou e não abriu mais.*] **6** Provocar travo (em); AMARGAR [*int.: Comidas meio verdes, certas frutas travam.*] [*td.: Essa fruta trava a boca.*] **7** Juntar, unir, encadear (peças de madeira) [*td.*] **8** Cruzar, entrecruzar [*td.: Os duelistas queriam travar espadas.*] **9** Agarrar, envolver [*td.: Travou o braço da amante e foram caminhando.*] **10** Causar obstrução; entravar [*td.: A árvore tombada travava a estrada.*] **11** Arquitetar, tramar [*td.: Travava planos diabólicos.*] **12** Pôr travas em (uma cavalgadura) [*td.*] **13** Causar infelicidade, desgosto, mal-estar [*tr. + em: A horrível cena travou em seu espírito.*] **14** Pegar, tomar [*tr. + de: Travou do punhal e avançou para o inimigo.*] **15** Fazer parar por meio de freio [*td.: Travou o carro no momento exato.*] [*int.: Travou no momento em que o carro ia cair.*] **16** *Fut.* Dominar (a bola) ou impedir (avanço de jogador adversário), ger. com a sola da chuteira [*int.: travou a bola; travou o atacante.*] **17** Em caligrafia, efetuar união de (letras) por meio de ligadura [*td.*] **18** *Inf. Int.* Recusar-se (o computador) a responder afirmativamente aos comandos do usuário, ger. por falha do programa [*int.: A tela travou e tive que deligar o computador.*] [▶ **1** travar] [F.: *trave* + *-ar*. Hom./Par.: *trava* (3ª pess. sing.), *travas* (2ªp.s.)/ *trava* (sf.) e pl; *trave* (1ª3ªp.s.), *traves* (2ªp.s.)/ *trave* (sf.) e pl; *travo* (1ªp.s.)/ *travo* (sm.); *travais* (2ªp.s.)/ *travais* (pl. *traval* [a2g.]). Ant. ger.: *destravar.*]

trave (*tra*.ve) *sf.* **1** *Cons.* Peça de madeira us. para segurar ou reforçar uma estrutura **2** *Esp.* Cada uma das barras verticais do gol que sustentam o travessão **3** *Cons.* Ver *viga* **4** *Cons.* Tronco de madeira grosso e comprido que sustenta as partes mais altas de uma construção; TRAVESSA **5** Arame que prende a charneira da fivela a seu arco [F.: Do lat. *trabs, is*. Hom./Par.: *trave* (fl. de *travar*).]

traveca (tra.*ve*.ca) [é] *sf. Pop. Vulg.* Travesti que se prostitui [F.: *trav(esti)* + *-eca.*]

traveco (tra.*ve*.co) [é] *sm. Pop. Vulg.* O mesmo que *traveca* [F.: *trav(esti)* + *-eco.*]

travejamento (tra.ve.ja.*men*.to) *sm.* **1** Conjunto de traves; TRAVAMENTO; VIGAMENTO **2** Ação ou resultado de travejar [F.: *travejar* + *-mento.*]

travejar (tra.ve.*jar*) *v. td.* **1** Colocar traves em **2** Colocar vigas ou vigamentos em; tb. *vigar* [▶ **1** travejar] [F.: *trave* + *-ejar.*]

⊕ **traveler's check** (*Ing. /trévelers chék/*) *loc. subst.* Cheque próprio para viajantes internacionais emitido em moeda forte, que se adquire em banco ou empresas semelhantes, assinado pelo comprador no ato da compra e no momento da troca

⊕ **traveling** (*Ing. /trévelin/*) *sm. Cin. Telv.* Deslocamento de câmara cinematográfica, ger. montada em carrinho sobre trilhos dispostos esp. para cada tomada; CARRINHO

travertino (tra.ver.*ti*.no) *sm. Pet.* Rocha calcária constituída de camadas de carbonato de cálcio formadas pela deposição de águas termais; tufo calcário [F.: Do it. *travertino.*]

través (tra.*vés*) *sm.* **1** Direção oblíqua; ESGUELHA; SOSLAIO; VIÉS **2** Nas fortificações, espaço entre a cortina e o baluarte; FLANCO **3** *Cons.* Ver *travessa* (3) **4** *Mar.* Direção perpendicular ao plano longitudinal da embarcação [F.: Do lat. *transversus, a, um* 'atravessado'.] ∎ **De ~ 1** Em direção oblíqua, que não é frontal nem paralela, enviesadamente **2** De lado; sem se voltar diretamente para algo

travessa (tra.*ves*.sa) *sf.* **1** Pequena rua transversal: *A loja fica nessa travessa.* **2** Prato para servir à mesa: *Trouxe uma travessa de arroz.* **3** *Cons.* Trave de madeira colocada de través sobre outra **4** *Cons.* Trave, viga **5** Pente pequeno e curvo para segurar o penteado **6** *Min.* Galeria subterrânea que liga outras duas galerias **7** Parte superior do marco das portas **8** Ação de passar o pé ou a perna entre as pernas do adversário para fazê-lo cair; RASTEIRA; BANDA **9** Risca horizontal de algumas letras maiúsculas, como o A, o H etc. **10** Porção de terra ou de mar que forma limite **11** Ação de atravessar de um lugar para outro, travessia [Aum.: *travessão*] [F.: Fem. subst. de *travesso* (é). Hom./Par.: *travessa* (fl. *travessar* e f. *travesso* [a.]) e *travessa* /ê/ (f. *travesso* /ê/ [a.]).]

travessão (tra.ves.*são*) *sm.* **1** Travessa grande **2** Haste horizontal de balança, em cujas extremidades se penduram os pratos **3** *Esp.* Barra horizontal apoiada nas traves (2) do gol **4** *Gram.* Sinal (–) us. na escrita para separar frases ou introduzir perguntas e respostas (p. ex.: *– Como você está? – Eu estou bem.*) **5** *Mús.* Traço perpendicular que atravessa a pauta, separando compassos **6** *Bras.* Queda d'água **7** *Amaz.* Pedras que, no leito de um rio, encachoeiram a corrente **8** *GO PA* Linha interrompida de recifes que corta o leito de um rio, deixando canais mais ou menos profundos, por onde passam canoas **9** *MA* Banco de areia ou recife que atravessa um rio de uma margem à outra e dá vau **10** *BA PE SP* Cerca que separa os terrenos da lavoura dos de pastagem **11** *CE Dnç.* Dança cantada, sem acompanhamento instrumental, apresentada com fileiras separadas para cavaleiros e damas que trocam de lugar ao se aproximarem [Pl.: *-sões.*] [F.: De *travessa* + *-ão.*]

travesseiro (tra.ves.*sei*.ro) ***sm.*** **1** Almofada de penas, espuma etc. para apoiar a cabeça ao deitar **2** *Lus.* Almofada que atravessa o colchão, ocupando toda a largura do leito **3** *Lus.* Tecido com que se reveste essa almofada; FRONHA **4** *Arq.* Face do lado das volutas, nos capitéis jônicos [F.: De *travesso* + *-eiro.*] ■ **~ de orelha** *Bras. Fam.* Pessoa que dorme no mesmo leito de outra; amante **Consultar o ~** *Fig.* Meditar sobre um assunto durante a noite, ger. para tomar uma decisão no dia seguinte

travessia (tra.ves.*si*.a) ***sf.*** **1** Ação ou resultado de atravessar região, deserto, mar etc; TRAVESSA: *Fez a travessia da África.* **2** *Mar.* Vento que sopra acompanhando o rumo da embarcação **3** *Bras.* Compra e venda clandestina de mercadorias, esp. gêneros alimentícios **4** Caminho longo e despovoado [F.: *través* sob a f. rad. *travess-* + *-ia.* Ideia de 'travessia' usar pref. *per-* e *trans-.*]

travesso (é) (tra.ves.so) ***a.*** **1** Colocado de través; ATRAVESSADO **2** Colocado ao lado; LATERAL **3** Disposto em frente; FRONTEIRO [F.: Do lat. *traversus, a, um.* Hom./Par.: *travesso* (fl. de *travessar*), *travesso* [ê] (a.).]

travesso (ê) (tra.*ves*.so) ***a.*** **1** Que tem comportamento irrequieto, barulhento (garoto travesso); ARTEIRO; TRAQUINAS [Ant.: *acomodado, bem-comportado.*] **2** Que é inteligente, vivo, esp. hábil em enganar os outros (espírito travesso) [Ant.: *bobo, pateta.*] **3** Que provoca risos; ENGRAÇADO; ESPIRITUOSO [Ant.: *desanimado, desenxabido, sério.*] [F.: Ver em *travesso* [é]. Hom./Par.: *travesso* (fl. de *travessar*), *travesso* [é] (a.).]

travessura (tra.ves.*su*.ra) ***sf.*** **1** Ação de criança irrequieta, buliçosa; TRAQUINADA; TRAQUINICE **2** Consequência dessa ação; ARTE; TRAQUINAGEM **3** Brincadeira, brejeirice, agitação; MALÍCIA [F.: *travesso* [ê] + *-ura.*]

travesti (tra.ves.*ti*) ***s2g.*** **1** Homossexual que se veste e comporta como pessoa do sexo oposto **2** Artista que atua vestido com roupas do sexo oposto [F.: Do fr. *travesti* 'disfarçado'.]

travestido (tra.ves.*ti*.do) ***a.*** **1** Vestido ou fantasiado com roupas do sexo oposto **2** *Fig.* Disfarçado para adquirir caráter oposto: *profano travestido de sagrado.* [F.: Part. de *travestir.*]

travestimento (tra.ves.ti.*men*.to) ***sm.*** Ação ou resultado de travestir: "Além disso, ele se esmera em fantasias de travestimento, como a de Alice Liddell vestida de 'mendiga'..." (*Revista Época*, 30.01.2006) [F.: *travesti(r)* + *-mento.*]

travestir (tra.ves.*tir*) ***v.*** **1** Fantasiar(-se), esp. com roupas do sexo oposto [*td.: Travestiu-se de baiana para assumir o mandato.*] **2** Disfarçar(-se); fazer adquirir ou adquirir caráter oposto [*tdr.* + *em: Travestir um vício em virtude.*] [*tr.* + *em: A derrota se travestiu em vitória.*] **3** Deturpar, falsificar [*td.: Travestia o significado real dos fatos.*] [▶ 50 travestir] [F.: Do fr. *travestir.*]

travestismo (tra.ves.*tis*.mo) ***sm.*** **1** O mesmo que *travestimento* **2** *Psic.* Uso de vestimentas do sexo oposto para satisfazer uma experiência temporária de pertencer ao sexo oposto [F.: *travest(i)* + *-ismo.*]

travo (*tra*.vo) ***sm.*** **1** Sabor adstringente, meio amargo, de comida ou bebida; AMARGOR; AMARGURA [Ant.: *doçura.*] **2** *Fig.* Sensação ruim, angustiante: *Essa poesia tem um travo de pessimismo.* [Ant.: *bem-estar, regozijo.*] [F.: Dev. de *travar*. Hom./Par.: *travo* (fl. de *travar*).]

travor (tra.*vor*) [ô] ***sm.*** Ver *travo* [F.: *trav(o)* + *-or.*]

travoso (tra.*vo*.so) [ô] ***a.*** Que tem travo (caju travoso) [Pl.: [ó]. Fem.: [ó].] [F.: *trav(o)* + *-oso.*]

trazedor (tra.ze.*dor*) [ô] ***a.*** **1** Que traz ***sm.*** **2** Aquele que traz: *trazedor de recados.* [F.: *traze(r)* + *-dor.*]

trazer (tra.*zer*) ***v.*** **1** Transportar para cá [*td.: Trouxeram nossa encomenda.*] **2** Ao vir, fazer-se acompanhar de [*td.: Vem trazendo toda a família.*] **3** Dar, oferecer [*tdi.* + *para: Trouxe um xale para a avó.*] **4** Usar, portar [*tda.: Trazia um lenço na cabeça.*] **5** Causar, ocasionar [*td.: Essas atitudes impensadas sempre trazem más consequências.*] [*tdi.* + *a, para: Isso só trará problemas para nós.*] **6** Chamar, atrair [*tda.: O craque trouxe uma grande torcida ao estádio.*] **7** Conduzir, encaminhar [*tda.: Trouxe o carro até a garagem; Trouxe o menino ao médico.*] **8** Ser a causa de; originar [*tdr.* + *para: O rapaz trazia vários problemas para a casa.*] **9** Apresentar, expor [*td.: O acidentado trazia várias contusões.*] **10** Comandar, chefiar [*tdr.* + *para: O oficial trouxe vários homens para o novo ataque.*] **11** Citar ou indicar (algo, alguém) como alegação [*tdr.* + *a: Na ânsia de argumentar, trouxe vários filósofos à discussão.*] **12** Conduzir a [*ta.: Este não é o caminho que traz até a casa.*] **13** Citar, mencionar, incluir [*td.: A reportagem traz dados importantes sobre o papel da mulher.*] **14** Receber (qualidade, caráter etc.) por transmissão genética [*tdr.* + *de: Traz do avô a vontade férrea.*] **15** Ter como resultado; acarretar [*td.: O sentimento de competição trouxe o conflito.*] [*tdi.* + *a: O dinheiro da herança não trouxe felicidade à família.*] **16** Conservar ou manter (em certa posição ou estado) [*tdp.: Trazia os braços cruzados; Sempre trazia a camisa aberta.*] **17** Manter (algo ou alguém) de uma certa maneira [*tdp.: Esse aí sempre traz a mulher sob cabresto!*] **18** Manter (algo, alguém) por meio de submissão; sujeitar [*tdi.* + *a: O traficante trouxe novas escravas brancas ao seu domínio.*] [▶ **30 trazer**] [F.: Do lat. *trahere.* Hom./Par.: *traga* (1ª3ªp. s.), *tragas* (2ªp. s.)/ *traga, tragas* (fl. *tragar*); *trago* (1ª pess. sing.)/ *trago* (fl. *tragar* e sm.); *traz* (3ªp. s.)/ *trás* (adv. e prep. Ideia de 'que traz': usar pospos. *-gero*; de 'que leva, carrega': usar pospos. *-foro.*]

⊠ **TRD** Sigla de Taxa Referencial Diária [Estabelecida pelo Governo Federal, era us. para remunerar negócios jurídicos; foi substituída, em 1993, pela TR – Taxa Referencial.]

⊠ **TRE** Sigla de *Tribunal Regional Eleitoral*

trebelho (tre.*be*.lho) [ê] ***sm.*** **1** *Ant.* Objeto com que se brinca; BRINQUEDO **2** Dança, brincadeira infantil, folguedo **3** O mesmo que *torneio*² (2) **4** *Lud.* Qualquer peça do jogo de xadrez **5** Jarro pequeno **6** Pensão paga por comerciantes de vinho aquartilhado ou a varejo [F.: De or. obsc. Hom./Par.: *trebelho* (fl. de *trebelhar*).]

trecentésimo (tre.cen.*té*.si.mo) ***num.*** **1** Ordinal que, em uma sequência, corresponde ao número trezentos: *Era o trecentésimo da fila.* **2** Que é trezentas vezes menor do que a unidade ou um todo (diz-se de parte): *a trecentésima parte da renda nacional.* ***sm.*** **3** Cada uma das trezentas partes de uma unidade ou um todo: *um trecentésimo da renda nacional.* [F.: Do lat. *trecentesimus, a, um.* Tb. *tricentésimo.*]

trecentista (tre.cen.*tis*.ta) ***a2g.*** **1** Ref. ao séc. XIV (literatura trecentista) **2** Diz-se de artista, escritor etc. que viveu nesse século ***s2g.*** **3** Esse artista, escritor etc. [F.: Do it. *trecentista.*]

trecheiro (tre.*chei*.ro) ***sm.*** *S. E. SP* Viajante que percorre uma estrada de trecho em trecho

trecho (*tre*.cho) [ê] ***sm.*** **1** Espaço, intervalo de tempo ou de lugar: *Nesse trecho do dia, costumava descansar; Vou dirigir no trecho da estrada entre os dois pedágios.* **2** Passagem, excerto, pequena parte de um texto, um livro, uma música etc. **3** Parte, segmento de um todo [F.: Do lat. *tractus*, pelo cast. *trecho.*] ■ **A breve ~** Breve, dentro de pouco tempo **A ~(s)** Esporadicamente, de vez em quando, de tempos em tempos

treco (*tre*.co) *Bras. Pop.* ***sm.*** **1** Objeto ger. pequeno, sem grande valor; COISA; UTENSÍLIO: *Havia uns trecos estranhos no canto da sala.* [Tb. us. no pl.] **2** Indisposição, mal-estar, achaque: *Não foi ao trabalho por causa de um treco que teve.* [Ant.: *bem-estar, disposição.*] [F.: De or. obsc.]

tredo (*tre*.do) [ê] ***a.*** **1** Que comete traição; TRAIDOR; TRAIÇOEIRO **2** Em que ocorre traição; TRAIÇOEIRO: "Sob a chuva noturna dos cabelos! / Lenta e sombria após contou destarte / A treda história desse tredo crime!..." (Castro Alves, "Mudo e quedo" *in A cachoeira*) [F.: Do lat. *traditor, oris.*]

trefegar (tre.fe.*gar*) ***v. int.*** Mostrar-se trêfego, inquieto, desassossegado [▶ 14 trefegar] [F.: *trêfego* + *-ar.*]

trêfego (*trê*.fe.go) ***a.*** **1** Que está sempre agitado; IRREQUIETO: "...antes sobrava-lhe sofreguidão de saber, ambição de louros. Era vivo, era trêfego, era trabalhador." (Machado de Assis, "O poeta e o livro" *in Crisálidas*) [Ant.: *apático, indolente.*] **2** Cheio de astúcia; ARGUTO; ESPERTO: "Bom sujeito mas um tanto trêfego. Distinto mas tinha lá suas escorregadelas..." (Guilherme Figueiredo, *in O Globo*, 06.03.1997) [Ant.: *estúpido, tolo.*] [F.: De or. contrv.]

trefilação (tre.fi.la.*ção*) ***sf.*** Ação ou resultado de trefilar; fabricação de cabos, fios etc. por estiramento [Pl.: *-ções.*] [F.: *trefila(r)* + *-ção.*]

trefilado (tre.fi.*la*.do) ***a.*** **1** Que se trefilou (arame trefilado) ***sm.*** **2** Qualquer produto que resulta da trefilação (trefilado de aço) [F.: Part. de *trefilar.*]

trefilador (tre.fi.la.*dor*) [ô] ***sm.*** **1** Técnico especializado em trefilação ***a.*** **2** Diz-se de técnico especializado em trefilação [F.: *trefila(r)* + *-dor.*]

trefilar (tre.fi.*lar*) ***v. td.*** Fabricar (fios, cabos etc.) pela transformação em fio de material metálico dúctil [▶ **1 trefilar**] [F.: Do fr. *tréfiler.*]

trefilaria (tre.fi.la.*ri*.a) ***sf.*** Fábrica ou oficina de trefilação [F.: *trefilar* + *-ia.* Hom./Par.: *trefilaria* (sf.), *trefilaria* (fl. de *trefilar*).]

trégua (*tré*.gua) ***sf.*** **1** Suspensão temporária de hostilidades; APAZIGUAMENTO [+ *entre: trégua entre os beligerantes.*] **2** Suspensão temporária de algo que incomoda, oprime: *uma trégua no sofrimento/na carga de trabalho.* **3** Interrupção de atividades; DESCANSO; FÉRIAS; FOLGA [F.: Do gótico *triggwa* 'tratado, convênio'.]

treina (*trei*.na) ***sf.*** **1** Animal sobre o qual os caçadores alimentavam o falcão e outras aves de rapina com o fim de treiná-lo para a caça **2** *Fig.* Alimento habitual dado aos animais; CEVO [F.: Dev. de *treinar*. Hom./Par.: *treina* (sf.), *treina* (fl. de *treinar*).]

treinado (trei.*na*.do) ***a.*** **1** Capacitado para uma atividade ou trabalho (operário treinado, animal treinado); HABILITADO; ADESTRADO **2** Que se praticou; EXERCITADO: *A ginasta apresentou os últimos saltos treinados.* **3** Preparado para uma competição esportiva: *O time está bem treinado para disputar o torneio.* **4** Preparado por meio de hábito ou costume; HABITUADO; ACOSTUMADO: *Vendo a mãe pintar, desde cedo Rui foi treinado para lidar com as cores.* [F.: Part. de *treinar.*]

treinador (trei.na.*dor*) [ô] ***a.*** **1** Diz-se de profissional que treina, que ensina; ADESTRADOR: *profissional treinador de cavalos.* ***sm.*** **2** Esse profissional; TÉCNICO: *O treinador exigiu o máximo do time.* [F.: De *treinar* + *-dor.* Sin. ger.: *instrutor.*]

treinamento (trei.na.*men*.to) ***sm.*** **1** Ação ou resultado de treinar(-se) **2** Capacitação ou adestramento para algum trabalho ou atividade; TREINO [F.: *treina(r)* + *-mento.* Sin. ger.: *treinagem, trenagem, trenamento.*]

treinar (trei.*nar*) ***v.*** **1** Capacitar para uma atividade ou trabalho; ADESTRAR; HABILITAR [*td.: A empresa está treinando alguns funcionários.*] **2** Praticar atividade a fim de adquirir experiência; EXERCITAR [*td.: treinar a pontaria.*] **3** Preparar-se para competição esportiva [*int.: Os atletas não treinarão hoje.*] **4** Dar ceva a (aves) [*td.: Treina as galinhas todas as manhãs.*] [▶ **1 treinar**] [F.: Do fr. ant. *traïner*, atual *traîner*. Hom./Par.: *treina(s)* (fl.), *treina(s)* (sf. [pl.]); *treino* (fl.), *treino* (sm.). Ant. ger.: *destreinar.*]

treineiro (trei.*nei*.ro) ***a.*** **1** Diz-se de estudante que presta vestibular como treino porque ainda não concluiu o ensino médio ***sm.*** **2** Estudante treineiro [F.: *trein(ar)* + *-eiro.*]

treino (*trei*.no) ***sm.*** **1** Ação ou resultado de treinar(-se), de adestrar(-se), de preparar(-se) para alguma atividade, tarefa, competição etc.: *Para fazer isso bem é preciso muito treino.* **2** Atividade ou sessão com essas finalidades: *O técnico interrompeu o treino.* **3** A experiência adquirida; DESTREZA; TREINAMENTO: *Tem treino suficiente para executar a tarefa.* [F.: Dev. de *treinar*. Hom./Par.: *treino* (fl. de *treinar*).]

treintento (trei.*ten*.to) ***a.*** ***sm.*** *Bras.* Ver *treteiro* [F.: *treit(a)* + *-ento.*]

treita (*trei*.ta) ***sf.*** **1** Vestígio, pegada ou outra marca deixada por animais ou homens nos lugares por onde passam; PISTA; RASTRO: *Seguir a treita de alguém.* **2** *Fig.* Aquilo que está determinado como norma ou serve como exemplo **3** *Lus.* Faixa estreita de terra; BELGA **4** *Lus.* Faixa de terra preparada para o cultivo, separada das outras por galhos, para facilitar a semeadura [F.: Do lat. *tracta, ae.*]

treiteiro (trei.*tei*.ro) ***a.*** ***sm.*** *Bras.* Ver *treteiro* [F.: *treit(a)* + *-eiro.*]

trejeito (tre.*jei*.to) ***sm.*** **1** Tique, cacoete: "Luísa pestaneja. Franze as sobrancelhas. Faz um trejeito com a boca." (Clarice Lispector, *Outros escritos*) **2** Movimento peculiar, voluntário ou não, por vezes exagerado e afetado; ADEMANE; GESTICULAÇÃO: *Era um rapaz arrogante, cheio de trejeitos.* **3** Gesto cômico; CARETA; ESGAR; MOMICE **4** *ant.* Destreza manual para fazer mágicas; PRESTIDIGITAÇÃO [F.: Talvez lat. **transjactum, i* 'jeito exagerado'.]

trejurar (tre.ju.*rar*) ***v.*** Jurar ou afirmar (algo) a (alguém) com grande veemência ou várias vezes [*td.: Trejurou que não mentia.*] [*tdi.* + *a.: Trejuro a você que não saí de casa.*] [*int.: Não acredito em nada, não perca tempo em trejurar!*] [▶ **1 trejurar**] [F.: *tre-* + *jurar.*]

trela (*tre*.la) ***sf.*** **1** Correia com que se prendem cães, esp. os de caça: *Cães perigosos devem ser conduzidos com trela curta:* "...correndo as feiras, caçando as lebres com suas trelas de galgos." (João Grave, *Jornada romântica*) **2** *Bras. Fig.* Liberdade, confiança: *Não dê trela a esse rapaz.* **3** *Pop.* Conversa banal e demorada; TAGARELICE **4** *Bras.* Travessura, traquinagem [F.: Do lat. *tragella*, dim. de *tragula* 'espécie de dardo', 'rede de arrasto'.] ■ **Bater ~** *ES* Andar muito para espairecer, sem pressão de tarefa, de horário **Dar ~ a** **1** *Bras.* Conversar com, estimulando a conversa **2** Dar confiança a, estimular interesse, namoro ou paquera **3** Corresponder a paquera de

trelar (tre.*lar*) ***v.*** O mesmo que *atrelar* [▶ **1 trelar**]

trelelé (tre.le.*lê*) *Bras. Gír.* ***sm.*** **1** Conversa sem importância: *As moças passaram a tarde num trelelé interminável.* **2** Namoro sem compromisso: *O casal ali está no maior trelelé.* ***a2g.*** **3** Sem juízo; AMALUCADO: *Aquele ali é completamente trelelé.* [F.: De or. obsc., posv. onom.]

treler (tre.*ler*) ***v. ti. int.*** **1** Manter conversa despretensiosa, desprovida de qualquer obrigação ou compromisso **2** Revelar-se intrometido ou implicante [▶ **2 treler**] [F.: *tre-* + *ler.*]

trelho (*tre*.lho) [ê] ***sm.*** Instrumento para bater o leite e fazer a manteiga [F.: De or. obsc., posv. do lat. *tribulum, i.*] ■ **Não ter ~ nem trabelho/trebelho** *Pop.* Não ter ordem, lógica; ser descabido, fora de questão **Sem ~ nem trabelho/trebelho** *Pop.* Desordenadamente, caoticamente, desajeitadamente

treliça (tre.*li*.ça) *Bras.* ***sf.*** **1** *Decor.* Conjunto de ripas de madeira cruzadas, us. em portas, biombos etc. ger. com fins ornamentais **2** *Arq. Carp.* Grade de ripas cruzadas, us. para impedir parcialmente a visão, sem interromper a circulação de ar; GELOSIA **3** *Cons.* Sistema de vigas cruzadas us. na estrutura de pontes [F.: Do fr. *treillis.*]

trem ***sm.*** **1** Meio de transporte formado por vários vagões rebocados por uma locomotiva; COMBOIO **2** Conjunto de objetos transportados por um viajante; BAGAGEM **3** O conjunto de móveis de uma casa; MOBÍLIA; MOBILIÁRIO **4** *Bras.* O conjunto dos utensílios de cozinha **5** Grupo de pessoas que acompanha outra(s) em viagens; COMITIVA; SÉQUITO **6** Conjunto de roupas de alguém; TRAJE; VESTUÁRIO **7** Veículo de quatro rodas, puxado por cavalos, us. para transportar pessoas; CARRUAGEM **8** Ritmo, velocidade, andamento: *o trem de uma competição.* **9** *MG GO TO Pop.* Qualquer objeto; COISA; TRECO **10** *MG GO TO Pop.* Indisposição física **11** *MG S Pej. Pop.* Pessoa ou coisa inútil [Pl.: *trens.*] ***a2g2n.*** **12** *MG S Pej. Pop.* Diz-se de pessoa ou coisa sem valor ou utilidade [F.: Do ing. *train.*]

trema (*tre*.ma) ***sm.*** *Gram.* Sinal formado de dois pontos que era us. sobre a semivogal átona *u* das sílabas *que/qui* e *gue/gui* (p. ex.: frequente, linguiça), indicando que ela deve ser pronunciada [F.: Do gr. *trêma, atos* 'buraco, abertura, orifício'. Hom./Par.: *trema* (fl. de *tremer*).]

tremalhado (tre.ma.*lha*.do) ***a.*** Ver *tresmalhado*

tremar¹ (tre.*mar*) ***v. td.*** Colocar trema em [▶ **1 tremar**] [F.: *trema* + *-ar.* Hom./Par.: *trema(s)* (fl.), *trema* (sm. e pl.).]

tremar² (tre.*mar*) *v. td.* Desfazer (fios de) uma trama; DESTECER; DESTRAMAR [▶ 1 tremar] [F.: Posv. alteração de *tramar*.]

trematização (tre.ma.ti.za.*ção*) *sf. Gram.* Colocação do trema

trematódeo (tre.ma.*tó*.de:o) *sm.* **1** *Zool.* Espécime dos trematódeos, classe de vermes platelmintos, ger. parasitas de vertebrados, caracterizados pelo corpo achatado, ger. foliáceo e desprovido de cílios; fixam-se ger. por ventosas localizadas ao redor da boca e em outras partes do corpo *a.* **2** *Zool.* Ref. aos trematódeos [F.: Do lat. cient. *Trematoda*.]

trem-bala (trem-*ba*.la) *sm.* Trem de passageiros que desenvolve altas velocidades [Especificamente, esse tipo de trem us. no Japão.] [Pl.: *trens-balas e trens-bala*.]

trembolini (trem.bo.*li*.ni) *sf.* Ver *trembolona*

trembolona (trem.bo.*lo*.na) *sf. Farm.* Composto anabolizante sintético (TBA) us. por produtores rurais para aumentar o peso e a massa muscular de animais de abate [A regulamentação oficial para o uso desse tipo de substância varia de país para país; no Brasil, desde 1991, sua importação, fabricação e comercialização é permitida apenas para fins terapêuticos.] [Tb. *trembolini*.]

tremebundo (tre.me.*bun*.do) *a.* **1** Que treme; que tremula; TREMEDOR; TRÊMULO **2** Que faz tremer; que causa medo; ASSUSTADOR; TREMENDO; TERRÍVEL [F.: Do lat. *tremebundus, a, um*.]

tremedal (tre.me.*dal*) *sm.* **1** Terreno alagadiço; CHARCO; LODAÇAL: "...se foi, feito, ao tremedal onde se afundou até as orelhas e começou a patelar..." (João Simões Lopes Neto, *Contos gauchescos e lendas do Sul*) **2** *Fig.* Decadência moral; BAIXEZA; INDIGNIDADE: "As paixões são de todos; uns caem num tremedal; outros num divã." (Camilo Castelo Branco, *Cenas da foz*) **3** *MA* Vegetação flutuante que se estende por grande parte dos rios [Pl.: *-dais*.] [F.: Do espn. *tremedal*.]

tremedeira (tre.me.*dei*.ra) *sf.* **1** Tremor contínuo; TREMURA **2** *Med.* Malária **3** *RS* Agonia, estertores de um moribundo [F.: *tremer + -deira*.]

tremelácea (tre.me.*lá*.ce:a) *sf. Bot.* Espécime das tremeláceas, família de grandes fungos basidiomicetos, cujo esporóforo tem consistência gelatinosa, firme e sem forma definida [F.: Do lat. cient. *Tremellaceae*.]

tremeláceo (tre.me.*lá*.ce:o) *a.* Ref. às tremeláceas [F.: *tremel(a) + -áceo*.]

tremelicação (tre.me.li.ca.*ção*) *sf.* Ver *tremelique* [Pl.: *-ções*.] [F.: *tremelicar + -ção*.]

tremelicado (tre.me.li.*ca*.do) *a.* Que tremeu de medo ou frio [F.: Part. de *tremelicar*.]

tremelicante (tre.me.li.*can*.te) *a2g.* Que tremelica; TREMELICOSO: "Os pares de dançarinos maxixavam colados. No meio do salão eram um bolo tremelicante." (Âlcantara Machado, "A sociedade" *in Brás, Bexiga e Barra Funda*) [F.: *tremelicar + -nte*.]

tremelicar (tre.me.li.*car*) *v.* **1** Tremer repetidamente (de frio, susto etc.) [*int.: Entrou em casa tremelicando.*] **2** Tremer ou fazer tremer de modo continuado [*td.: A brisa tremelicava a ponta da cortina.*] [*int.: A perua tremelicava toda quando lhe assobiavam.*] [▶ 11 tremelicar] [F.: *treme(r) + -l- + -icar*.]

tremelicoso (tre.me.li.*co*.so) [ô] *a.* Que tremelica; TREMELICANTE; TREMICULOSO; TRÊMULO [Pl.: [ó]. Fem.: [ó].] [F.: *tremelica(r) + -oso*.]

tremelique (tre.me.*li*.que) *sm.* Tremedeira superficial e breve; TREMELICAÇÃO [F.: Dev. de *tremelicar*. Hom./Par.: *tremelique* (fl. de *tremelicar*).]

tremeluzente (tre.me.lu.*zen*.te) *a2g.* Que tremeluz (chama tremeluzente) [F.: *tremeluzir + -ente*.]

tremeluzir (tre.me.lu.*zir*) *v. int.* Brilhar com uma luz trêmula; CINTILAR; PISCAR: *As estrelas tremeluziam na imensidão.* [▶ 57 tremeluzir] [F.: *treme(r) + luzir*.]

tremendamente (tre.men.da.*men*.te) *adv.* De modo tremendo, fora do comum (com valor extremo e intensificador); PAVOROSAMENTE; ESPANTOSAMENTE; EXTREMAMENTE: *Ela era tremendamente feia.* [F.: Do fem. de *tremendo + -mente*.]

tremendo (tre.*men*.do) *a.* **1** Que causa medo, temor; HORRÍVEL; MEDONHO; TERRÍVEL: *Proferiu ameaças tremendas.* [Ant.: *tranquilizador*.] **2** Formidável, fora do comum; EXTRAORDINÁRIO; INVULGAR: *Foi uma tremenda experiência para ele.* [Ant.: *banal, comum*.] **3** Muito intenso; ESTRONDOSO; RUIDOSO: *Ouviu-se uma tremenda explosão.* **4** Muito grande; ENORME; EXTREMO: *um tremendo sucesso.* [Ant.: *comedido, moderado, pequeno*.] [F.: Do lat. *tremendus, a, um*.]

tremente (tre.*men*.te) *a2g.* Que treme; TREMEDOR: "... ergue o vestido de cetim brilhante, desprende a meia da cinta, oferece a linda perna comprida – mão tremente, ele enrola a meia até a coxa." (Dalton Trevisan, "Onde estão os Natais de antanho" *in Desastres do amor*) [F.: *treme(r) + -nte*.]

tremer (tre.*mer*) *v.* **1** Sofrer (um ser vivo) agitação física e involuntária, por frio, medo, emoção aguda; ESTREMECER [*int.: Fora de casa, tremiam sob a geada; As mãos tremeram-lhe de pavor.*] [*td.: Nervoso, tremeu a letra ao assinar.*] **2** Ser submetido (algo) a agitação, abalos [*int.: A terra tremia. /A aeronave tremeu, com o tiro na asa direita.*] **3** Agitar-se ao vento; TREMULAR [*td.: No alto, as flâmulas tremiam.*] **4** Causar forte trepidação em; SACUDIR [*td.: As explosões tremiam as casas da vila.*] **5** *Fig.* Sentir temor; assustar-se [*int.: Tremia miseravelmente, diante de uma aranha.*] **6** *Ant.* Ter medo de; RECEAR [*td.: Tremia o pai, e sua fúria.*] [▶ 2 tremer] [F.: Do lat. *tremere*. Hom./Par.: *trema* (1ª3ªp. s.), *tremas* (2ªp. s.)/ *trema* (sm.) e pl; *tremessem* (3ªp. pl.)/ *tremecém* (a2g.).]

treme-treme (tre.me-*tre*.me) *sm.* **1** Tremor incessante **2** *Bot.* Subarbusto leguminoso-mimosáceo (*Calliandra dysantha*), tb. chamado *treme-treme* **3** *Bras. Ict.* Raia da família dos narcinídeos (*Narcine brasiliensis*) do Atlântico, encontrado na costa brasileira; alcança até 50 cm de comprimento e apresenta dorso acinzentado com manchas escuras alongadas, abdome branco e órgãos elétricos nos prolongamentos das nadadeiras peitorais capazes de paralisar pequenas presas, crustáceos e moluscos; ARRAIA-ELÉTRICA; RAIA-ELÉTRICA **4** *Bot.* Nome comum a várias plantas gramíneas; tb. *capim-treme-treme* **5** *Ict.* O mesmo que *poraquê* **6** *Ent.* O mesmo que *bicho-pau* [Pl.: *tremes-tremes e treme-tremes*.] [F.: 3ª pess. do sing. do pres. do ind. de *tremer*, repetida.]

tremido (tre.*mi*.do) *a.* **1** Que não tem firmeza; que apresenta tremor (escrita tremida, imagem tremida); TRÊMULO **2** Que não oferece segurança; ARRISCADO; DUVIDOSO; INCERTO [Ant.: *certo, seguro*.] *sm.* **3** Ação ou resultado de tremer; TREMOR; TREMURA: *O tremido das mãos é um dos sintomas da doença.* **4** Falta de alinhamento (tremido da linha); IRREGULARIDADE; TORTUOSIDADE: *o tremido da escrita.* [Ant.: *alinhamento, regularidade*.] [F.: Part. de *tremer*.]

tremifusa (tre.mi.*fu*.sa) *sf. Mús.* Nota musical cujo valor equivale ao da metade de uma semifusa [F.: *trem(er) + -i- + fusa*.]

tremoceiro (tre.mo.*cei*.ro) *sm.* **1** *Bot.* Nome comum a várias plantas do gên. *Lupinus*, da fam. das leguminosas, subfam. papilionóidea, cultivadas como ornamentais, forrageiras e pelas sementes nutritivas (tremoços), que encerram alcaloides, mas são comestíveis após cozimento, como, p. ex., o tremoço-branco (*Lupinus albus*), planta nativa da Europa, de vagens pilosas com sementes achatadas; TREMOÇO **2** Ambulante que vende tremoços [F.: *tremoço + -eiro*.]

tremoço (tre.*mo*.ço) [ô] *sm.* **1** Grão do tremoceiro, comestível depois de cozido ou tostado **2** *Bot.* Ver *tremoceiro* (1) [Pl.: [ó].] [F.: Do hispano-árabe *turmus* < gr. *thermós* 'quente'. Ideia de 'tremoço ', usar pref. *-lupin (i)*.]

tremolita (tre.mo.*li*.ta) *sf. Min.* Mineral monoclínico do grupo dos anfibólios, silicato de cálcio e magnésio branco ou cinza, com ferro em quantidades variáveis e que pode tb. conter manganês e cromo; TREMOLITE [Seu uso é condenado no Brasil por apresentar elevada toxidade.] [F.: Do top. *Tremola* (Itália) + *-ita*.]

tremor (tre.*mor*) [ô] *sm.* **1** Ação ou resultado de tremer (tremor de terra) **2** Série de movimentos de ir e vir muito curtos e rápidos, ger. involuntários, ou por ação de fatores externos (tremor das mãos); TREMEDEIRA; TREMURA **3** *Fig.* Apreensão ante possível perigo, ameaça etc; MEDO; RECEIO; TEMOR [Ant.: *coragem, destemor, tranquilidade*.] [F.: Do lat. *tremor, oris*.] ▪ **~ de terra** *Geof.* Sismo, terremoto

trempe (*trem*.pe) *sf.* **1** Suporte metálico com três pés que sustenta uma panela ao fogo; TRIPÉ **2** *Bras.* Num fogão a lenha, chapa de ferro colocada sobre o fogo, com buracos arredondados próprios para receber as panelas **3** *Bras. P. ext.* Cada um desses buracos **4** *Lud.* Manilha² (2) com três parceiros: *Jogam a trempe para passar o tempo.* **5** Jangada construída com três paus **6** *Bras. Fam.* Três pessoas com ideias ou interesses comuns: *Estes formam uma trempe especial.* **7** *Lus. Pop.* Artifício para ludibriar; ARMADILHA [F.: Do lat. *tripes, pedis* 'de três pés'.]

tremulação (tre.mu.la.*ção*) *sf.* Ação ou resultado de tremular (tremulação do estandarte) [Pl.: *-ções*.] [F.: *tremular + -ção*.]

tremulamente (tre.mu.la.*men*.te) *adv.* De modo trêmulo; com tremura ou vacilação: "O velho bebe, tremulamente. Lambendo os beiços como se acabasse de saborear seu prato predileto..." (Erico Verissimo, "Os devaneios do general" *in Entrevero*) [F.: Do fem. de *trêmulo + -mente*.]

tremulante (tre.mu.*lan*.te) *a2g.* Que tremula (bandeiras tremulantes) [F.: *tremular + -nte*.]

tremular (tre.mu.*lar*) *v.* **1** Agitar(-se) ou fazer agitar(-se) no ar continuamente [*td.: O vento tremula as bandeiras do navio.*] [*int.: O estandarte dos celtas tremulava.*] **2** Brilhar com uma luz trêmula; CINTILAR; TREMELUZIR [*int.: Um farol tremulava ao longe.*] **3** Ressoar em *tremolo* ou trinado [*int.: O tutti da orquestra ainda tremulava.*] **4** Passar por hesitação; VACILAR [*int.: Tremulou bastante antes da fuga.*] [▶ 1 tremular] [F.: Do lat. *tremulare*. Hom./Par.: *tremulo* (1ªp. s.)/ *trêmulo* (a.) e *Trêmulo* (antr.).]

trêmulo (*trê*.mu.lo) *a.* **1** Que apresenta tremor; TREMIDO: "Vindo a hora, fechei o caixão, com as mãos trêmulas, tão trêmulas que uma pessoa, que reparou nelas..." (Machado de Assis, "O enfermeiro" *in Obras completas*) **2** Que demonstra insegurança, receio ou acanhamento (voz trêmula, passos trêmulos); BAMBO; INCERTO; TREMELICANTE [Ant.: *firme, seguro*.] **3** Que brilha, que reluz (clarão trêmulo); CINTILANTE; RESPLANDECENTE *sm.* **4** Ação ou resultado de tremular; TREMURA *sm.* **5** *Mús.* Efeito conseguido com repetições rápidas e sucessivas da mesma nota, na mesma altura, em rápidos e sucessivos impulsos vocais **6** *Mús.* Nos instrumentos de corda tangidos com os dedos (guitarra, alaúde etc.), toque rápido e sucessivo da mesma corda com dedos diferentes **7** *Mús.* Nos instrumentos de corda tocados com arco, passagens rápidas do arco na mesma corda, em movimentos curtos e de sentidos alternados **8** *Acús.* Ver *intermitência* [F.: Do lat. *tremulus, a, um*. Hom./Par.: *tremulo* (fl. de *tremular*).]

tremura (tre.*mu*.ra) *sf.* Ver *tremor* (2): "Vivo agitado, cheio de temores, uma tremura nas mãos, que emagrecem." (Graciliano Ramos, *Angústia*) [F.: *tremer + -ura*.]

trena (*tre*.na) [ê] *sf.* **1** *Bras. Cons.* Fita métrica metálica, ger. com 10, 20 ou 25 m de comprimento, us. na medição de terrenos **2** Fita métrica ger. de um metro e meio, us. por quem trabalha em costura **3** Cordão próprio para rodar o pião **4** Fita de seda, ouro ou prata para amarrar o cabelo [F.: Posv. do espn. *trena* 'tira que serve para atar'.]

trendoide (tren.*doi*.de) *a2g.* **1** Que sempre segue a moda *s2g.* **2** Pessoa trendoide [F.: Do ing. *trendoid*.]

trenhão (tre.*nhão*) *sm. Bras. Fam.* Revólver grande; TRABUCO [Pl.: *-nhões*.] [F.: *trem + -ão*.]

trenheira (tre.*nhei*.ra) *sf. MG SP Pop.* Quantidade de trens (objetos) misturados [F.: *trem + -eira*.]

trenó (tre.*nó*) *sm.* Veículo dotado de esquis para deslizar sobre o gelo e a neve [F.: Do fr. *traineau*.]

trenodia (tre.no.*di*.a) *sf. Poét.* Ode triste ou canto lúgubre [F.: Do lat. *threnodia*, do gr. *threnoidía*.]

trens *smpl. Bras. Fam.* Coisas, trecos, troços [F.: Pl. de *trem*.]

trentino (tren.*ti*.no) *sm.* **1** Indivíduo nascido ou que vive em Trento (Itália) *a.* **2** De Trento; típico dessa cidade ou de seu povo [F.: Do top. *Trent(o) + -ino¹*.]

trepação (tre.pa.*ção*) *Bras. sf.* **1** Ação ou resultado de subir, de escalar **2** Avaliação desfavorável sobre a obra ou o trabalho de alguém; CRÍTICA **3** Deboche, zombaria, caçoada **4** *Tabu.* Sequência de trepadas, de cópulas seguidas [Pl.: *-ções*.] [F.: *trepa(r) + -ção*.]

trepada (tre.*pa*.da) *sf.* **1** Ação ou resultado de trepar **2** *Bras. Tabu.* Ato sexual; CÓPULA **3** Caminho muito inclinado; LADEIRA; SUBIDA **4** *Pop.* Reprimenda, repreensão [Ant.: *elogio, louvor*.] [F.: Fem. substv. de *trepado*.]

trepadeira (tre.pa.*dei*.ra) *sf. Bot.* Planta que para se desenvolver necessita apoiar-se ou prender-se a outra planta ou algum outro suporte [F.: *trepar + -deira*.]

trepado (tre.*pa*.do) *a.* Que trepou (dentes trepados): "Vivia trepado na moto, correndo pelas estradas, sentindo o trepidar dos 57 cavalos do motor." (Carlos Heitor Cony, "Moto-próprio" *in Folha de S.Paulo*, 01.01.2000) [F.: Part. de *trepar*.]

trepador (tre.pa.*dor*) [ô] *a.* **1** Que trepa **2** Diz-se de caule que faz uso de suportes para subir, enrolando-se ou por meio de gavinhas ou órgãos parecidos; ESCANDENTE **3** *Bras.* Que fala mal dos outros; MALEDICENTE; MALDIZENTE **4** *Bras. Tabu.* Diz-se de indivíduo que pratica o ato sexual seguidamente **5** *Ornit.* Diz-se de ave cujos dedos dos pés são dispostos em dois para a frente e dois para trás, como p. ex., os papagaios **6** *Bot.* Escandente *sm.* **7** Aquele que trepa **8** *Bras. Tabu.* Indivíduo que pratica o ato sexual seguidamente **9** *Bras.* Indivíduo que fala mal dos outros; MALEDICENTE; MALEDICENTE[F.: *trepa(r) + -dor*.]

trepanação (tre.pa.na.*ção*) *sf. Cir.* Ação ou resultado de trepanar; TRÉPANO [Pl.: *-ções*.] [F.: *trepanar + -ção*.]

trepanado (tre.pa.*na*.do) *a.* Que sofreu trepanação (crânio trepanado) [F.: Part. de *trepanar*.]

trepanar (tre.pa.*nar*) *v. td. Cir.* Perfurar osso com trépano (1) [▶ 1 trepanar] [F.: *trépan(o) + -ar*. Hom./Par.: *trepano* (1ªp. s.)/ *trépano* (sm.).]

trépano (*tré*.pa.no) *sm.* **1** *Cir.* Instrumento cirúrgico de vários tipos próprio para perfurar ossos, esp. do crânio **2** *Cons.* Instrumento próprio para perfuração de rochas em sondagens de solo [F.: Do fr. *trépan*, do lat. *trepanum*, do gr. *trýpanon, ou*. Hom./Par.: *trépano* (sm.), *trepano* (fl. de *trepanar*).]

trepar (tre.*par*) *v.* **1** Subir (em algo) agarrando-se com os pés e com as mãos [*ta.: Trepou na cerca de arame trançado.*] **2** Ir para (lugar mais alto, mais elevado) [*ta.: O cachorro trepou na mesa.*] **3** Ir para cima, para lugar alto ou mais alto [*td.: A trilha trepava a encosta.*] **4** Colocar(-se) em cima de [*ta.: Um galho trepava sobre outro.*] **5** Colocar (algo ou alguém) sobre algum lugar ou objeto [*tda.: O pai trepou o menino na janela.*] **6** Elevar-se a melhores condições (sociais, profissionais) [*tr. + a: Ambicionava trepar a cargos melhores.*] **7** *Bras. Fig.* Difamar, maldizer, humilhar [*tr. + em: Ela vive a trepar nos vizinhos.*] **8** *Bras.* Apresentar coincidência, ger. de horários [*int.: A aula de matemática e a de história trepavam.*] [*tr. + com: Na programação, a palestra sobre biodiversidade trepa com a dos transgênicos.*] **9** *Bras. Pop.* Manter relações sexuais com [*tr. + com: Preferiam trepar com as escravas.*] [*int.: Ele só pensa em trepar.*] [▶ 1 trepar] [F.: De *trep* (onomat.). Ant.: *destrepar*. Hom./Par.: *trepa(s)* (fl.), *trepa* (sf. e pl.). Ideia de 'trepar': usar antepos. *anaben (o)-*.]

trepa-trepa (tre.pa-*tre*.pa) *sm.* Brinquedo infantil instalado em parques e jardins, feito de barras de madeira ou outro material que formam diversas escadas para serem escaladas pelas crianças [Pl.: *trepas-trepas e trepa-trepas*.]

trepidação (tre.pi.da.*ção*) *sf.* **1** Ação ou resultado de trepidar: "... por entre a trepidação de relâmpagos e o estampido metálico e retumbante de raios e trovões." (Graça Aranha, *A viagem maravilhosa*) **2** Movimento tremido e saltitante de veículos em movimento (trepidação de ônibus) **3** Tremor de imagens produzido por um cinematógrafo **4** Vibração de baixo para cima, como o de veículo em movimento (trepidação da vidraça) **5** Leve tremor de terra; ABALO **6** Movimentação, agitação extrema: "Não sei se os moços, na trepidação do mundo globalizado..." (*Observatório da imprensa*, 15.08.2001) **7** *Mar.* Vibração forte e contínua no casco de embarcação, decorrente do funcionamento do motor e do movimento da hélice **8** Tremor dos nervos [F.: Do lat. *trepidatio, onis.*]

trepidante (tre.pi.*dan*.te) ***a2g.*** **1** Que trepida (veículo trepidante) **2** Que treme, que oscila; OSCILANTE; TRÊMULO: *o voo trepidante das aves.* **3** Muito agitado, movimentado: *São Paulo é uma metrópole trepidante.* [F.: Do lat. *trepidans, ntis.*]

trepidar (tre.pi.*dar*) ***v.*** **1** Produzir vibração, tremor [***int.***: *O camião trepidava muito na pedra e na poeira.*] **2** Estremecer ou fazer estremecer [***td.***: *O trovão trepidou a casa.*] [***int.***: *Sobre o cascalho, a bicicleta trepidou.*] [▶ 1 trepidar] [F.: Do lat. *trepidare.*]

trepidez (tre.pi.*dez*) [ê] ***sf.*** **1** Qualidade ou condição do que é trépido: "...nem freio que enregele, mas um doce amornecer, doce e fecundo, como a trepidez de um seio intumescido e ressumbrante de leite." (Aluízio de Azevedo, *Casa de pensão*) **2** Preocupação, desassossego decorrente de algo tido como ameaçador; TEMOR; MEDO [F.: *trépid(o)* + *-ez.*]

trépido (*tré*.pi.do) ***a.*** **1** Trêmulo de medo ou susto: "Ouvia-os no gemer da parda rola, / No trépido correr da veia argêntea, / No respirar da brisa, no sussurro..." (Gonçalves Dias, "Amor, delírio – engano" *in Primeiros cantos*) **2** Que mostra medo ou sobressalto; ASSUSTADO; SOBRESSALTADO **3** Que se caracteriza pelo medo, pelo susto; TEMEROSO; ASSUSTADIÇO **4** Que corre ou flui tremendo: "...onde o canto das aves concertava com o trépido murmúrio das águas." (José de Alencar, *O guarani*) [F.: Do lat. *trepidus, a, um.* Hom./Par.: *trépido* (a.), *trepido* (fl. de *trepidar*).]

trepidômetro (tre.pi.*dô*.me.tro) ***sm.*** *P. us. Geof.* Aparelho us. para registrar as trepidações [F.: *trepid-* (do lat. *trepidare*) + *-o-* + *-metro.*]

tréplica (*tré*.pli.ca) ***sf.*** **1** Ação ou resultado de treplicar **2** Resposta a uma réplica **3** *Jur.* Resposta do defensor à réplica do acusador [F.: Dev. de *treplicar.* Hom./Par.: *tréplica* (fl. de *treplicar*).]

treplicar (tre.pli.*car*) ***v.*** Responder a réplica, resposta, contestação [***ti.*** *+ a*] [***int.***] [▶ 11 replicar] [F.: Do lat. *triplicare.* Hom./Par.: *triplicar* (todos os tempos do v.); *treplica* (3ªp. s.), *treplicas* (2ªp. s.)/ *tréplica* (sf.) e pl.]

treponema (tre.po.*ne*.ma) ***sm.*** *Bac.* Qualquer bactéria do gên. *Treponema*, da fam. das treponematáceas, que parasita o homem e alguns animais [A espécie *Treponema pallidum* é causadora da sífilis.] [F.: Do lat. cient. gên. *Treponema.*]

◎ **tre(s)-** ***pref.*** = trans-: *trespassar*

três ***num.*** **1** Quantidade correspondente a duas unidades mais uma **2** Diz-se desse número: *cabine número três.* **3** Assinalado ou identificado com o número três (casa três) **4** Que é o terceiro de uma série: *Consegui a senha três.* **5** Diz-se de medida equivalente a essa quantidade: *A ambulância chegou em três minutos.* ***sm.*** **6** Número que representa essa quantidade (arábico: 3; romano: III): *O três é um número cabalístico.* [F.: Do lat. *tres, tres, tria.*] ▪▪ **A ~ por dois** Frequentemente, amiúde **~ com goma 1** *Pop.* Que tem aspecto de, ou age como, ou tem comportamento de pessoa que se apura no vestir, como antigamente certos malandros que mandavam lavar e engomar três vezes sua camisa; diz-se de ocasião, evento etc. em que se deve cuidar do apuro no trajar; diz-se de roupa que denota esse apuro: "...nem em sonhos conseguem fazer com ele (*jeans*) uma produção à altura de uma ocasião mais três com goma." (Anônimo, *Um papo rapidinho sobre...* jeans) "Um blazer ou uma jaqueta três com goma aqui seria super bem-vindo..." (Danilo Magni, na internet) **2** Indivíduo três com goma: "Tome tenência, rapaz, ele não é o três com goma que você está pensando." (Francisco Paula Freitas, "Café e bar Ponto Chic")

tresandar (tre.san.*dar*) ***v.*** **1** Cheirar mal [***int.***: *O mictório, como sempre, tresandava.*] [***tr.*** *+ a*: *A ruela tresanda a urina.*] **2** Andar para trás, recuar ou fazer recuar [***td.***] **3** *P. us.* Causar confusão, perturbação, desordem [***td.***] [▶ 1 tresandar] [F.: *tres-* + *andar.*]

tresantontem (tre.san.*ton*.tem) ***adv.*** Ver *trasanteontem*

trescalar (tres.ca.*lar*) ***v.*** Exalar (forte odor) [***td.***: *A dona da loja trescalava rum.*] [***int.***: *O jasmim trescalava e os deixava tontos.*] [▶ 1 trescalar] [F.: *tres-* + *calar.*]

tresdobrar (tres.do.*brar*) ***v.*** Ficar três vezes maior; TRIPLICAR [***td.***: *Tresdobrou o arroz.*] [***int.***: *Era algo que não se podia tresdobrar.*] [▶ 1 tresdobrar] [F.: *tres-* + *dobrar.* Hom./Par.: *tresdobre(s)* (fl.), *tresdobre(s)* (a2g. sm. [pl.]); *tresdobro* (fl.), *tresdobro* [ô] (sm.).]

tresdobro (tres.*do*.bro) [ô] ***sm.*** Quantidade, tamanho ou valor três vezes maior que outro; TRIPLO: "Consolei-o dizendo que as assinaturas do Teatro Lyrico, perdidas ou interrompidas neste mundo, são pagas em tresdobro no céu." (Machado de Assis, "A semana" *in Obras completas*) [F.: Dev. de *tresdobrar.* Hom./Par.: *tresdobro* (sm.), *tresdobro* (fl. de *tresdobrar*).]

três-folhas (três-*fo*.lhas) ***sf2n.*** *Bot.* Árvore (*Esenbeckia febrifuga*) da fam. das rutáceas, de até 10 m de comprimento, nativa do Brasil [F.: *três* + pl. de *folha.*]

⊠ **três G** (*grafa-se 3G*) ***a2g2n.*** *Telc.* Diz-se de sistema (e de dispositivos que o usam) de terceira geração de tecnologia de telefonia móvel. Ger. refere-se a celulares capazes de funcionar em diferentes sistemas e bandas, facilitando o *roaming* internacional, a navegação pela internet, enviar e receber e-mails, baixar arquivos e programas etc.

tresler (tres.*ler*) ***v.*** ***int.*** **1** Ler de trás para frente, ler ao contrário **2** Ler mais de duas vezes, muitas vezes: *Leu e tresleu até cansar.* **3** Ficar doido, supostamente, por ler demais [▶ 34 tresler] [F.: *tres-* + *ler.*]

treslido (tres.*li*.do) ***a.*** Lido de trás para diante; lido às avessas: "Como se há dar um viso de sabedoria e de novidade a velhas coisas tão treslidas?" (Afrânio Peixoto, *Ensinar a ensinar*) [F.: Part. de *tresler.*]

tresloucadamente (tres.lou.ca.da.*men*.te) ***adv.*** De modo tresloucado; com loucura; INSENSATAMENTE [F.: Fem. de *tresloucado* + *-mente.*]

tresloucado (tres.lou.*ca*.do) ***a.*** **1** Diz-se do que não tem juízo ou razão (gesto tresloucado); DESVAIRADO; ENLOUQUECIDO: "Direis agora: Tresloucado amigo! / Que conversas com elas?..." (Olavo Bilac, "Soneto XIII" *in Via Láctea*) ***sm.*** **2** Indivíduo desvairado; DOIDO; LOUCO [F.: Part. de *tresloucar.*]

tresloucar (tres.lou.*car*) ***v.*** **1** Tornar(-se) louco; ENLOUQUECER [***td.***: *Tantas desgraças tresloucaram-no.*] [***int.***: *Não se deixe tresloucar.*] **2** Agir de maneira insensata, imprudente [***int.***: *O desespero fê-lo tresloucar.*] [▶ 11 tresloucar] [F.: *tres-* + *louco* + *-ar*[2].]

tresmalhado (tres.ma.*lha*.do) ***a.*** Que fugiu ou se perdeu (ovelha tresmalhada, viajante tresmalhado); DESGARRADO; FUGIDO; PERDIDO [F.: Part. de *tresmalhar.*]

tresmalhar (tres.ma.*lhar*) ***v.*** **1** Afastar(-se) ou deixar afastar-se, perder(-se) da malhada[1] (3), bando; EXTRAVIAR(-SE) [***td.***: *O pastor tresmalhou uma ovelha.*] [***int.***: *Duas ovelhas tresmalharam.*] **2** Deixar cair as malhas [***td.***: *Tresmalhara a touca que começara a tecer.*] **3** Dispersar-se ou fazer dispersar-se, espalhar-se [***td.***: *A ventania tresmalhou os barcos.*] [***int.***: *As crianças, na floresta, (se) tresmalharam.*] **4** Desaparecer, perder-se de um objetivo [***int.***: *Seus bilhetes (se) tresmalhavam no caminho.*] [▶ 1 tresmalhar] [F.: *tre(s)-* + *malh(a)* + *-ar.* Hom./Par.: *tresmalho* (1ªp. s.)/ *tresmalho* (sm.).]

tresmalho (tres.*ma*.lho) ***sm.*** Ação ou resultado de tresmalhar(-se); TRESMALHAÇÃO [F.: Dev. de *tresmalhar.* Hom./Par.: *tresmalho* (fl. *tresmalhar*).]

tresnoitado (tres.noi.*ta*.do) ***a.*** **1** Que passou a noite sem dormir: "Se encontra na estrada algum viajante tresnoitado, ai dele! Desfere-lhe de improviso um assobio ao ouvido..." (Monteiro Lobato, "O saci" *in Contos escolhidos*) **2** Privado de sono; que padece de insônia; INSONE ***sm.*** **3** Pessoa tresnoitada; INSONE [F.: Part. de *tresnoitar.*]

tresnoitar (tres.noi.*tar*) ***v.*** **1** Ficar sem dormir à noite ou em sua maior parte [***int.***: *Tresnoitara na Biboca das Moças.*] **2** Impedir o sono [***td.***: *O entendimento tresnoitou o casal.*] [▶ 1 tresnoitar] [F.: *tres-* + *noit(e)* + *-ar.*]

tresoitão (tre.soi.*tão*) ***sm.*** *Bras. Gír.* Revólver de calibre 38; revólver de grosso calibre: "Quando o adversário já se preparava para dar a volta olímpica, ele entrou em campo, com um 'tresoitão' numa mão e o regulamento na outra." (*O Globo*, 17.04.2005) [Pl.: *-tões.*] [F.: *três* + *oito* + *-ão*[1].]

trespassado (tres.pas.*sa*.do) ***a.*** **1** O mesmo que *transpassado* e *traspassado* **2** Furado de um extremo a outro: "Seus olhos viram a seta do esposo fincada no chão, o goiamum trespassado, o ramo partido, e encheram-se de pranto." (José de Alencar, *Iracema*) **3** *Fig.* Que ficou sem forças ou sem ânimo: "O psicólogo emudecera, colhido, trespassado!" (Eça de Queirós, *A cidade e as serras*) [F.: Part. de *trespassar.*]

trespassar (tres.pas.*sar*) ***v.*** O mesmo que *transpassar* [▶ 1 trespassar] [F.: *tres-* + *passar.* Hom./Par.: *trespasse(s)* (fl.), *trespasse* (sm. e pl.).]

trespasse (tres.*pas*.se) ***sm.*** **1** Ação ou resultado de trespassar(-se); TRANSPASSE; TRASPASSE **2** *Fig.* Morte, óbito, falecimento [F.: Dev. de *trespassar.* Hom./Par.: *trespasse* (fl. de *trespassar*).]

tresquiáltera (tres.qui.*ál*.te.ra) ***sf.*** *Mús.* Alteração convencional no valor das figuras musicais que permite a execução de três delas no tempo de duas; TERCINA; TERCILHO [F.: *três* + *quiáltera.*]

trestanto (tres.*tan*.to) ***a.*** *Pop.* Em teste, testando

tresvariado (tres.va.ri.*a*.do) ***a.*** **1** Que tresvariou; acompanhado de tresvarios, de desatinos: "Passará até perto de mim, sem ter a menor ideia de que, em meu cérebro tresvariado, reside um quase homicida..." (João Ubaldo Ribeiro, *in O Globo*, 12.11.2000) ***sm.*** **2** Indivíduo tresvariado [F.: Part. de *tresvariar.*]

tresvariar (tres.va.ri.*ar*) ***v.*** ***int.*** **1** Cometer ou dizer desatinos; DESATINAR: *Bebeu tanto que, antes do fim da festa, já tresvariava.* **2** Perder o controle sobre si mesmo; ficar fora de si; DELIRAR: *O remédio o fazia tresvariar.* [▶ 1 tresvariar] [F.: *tres-* + *variar.* Hom./Par.: *tresvario* (fl.), *tresvario* (sm.).]

tresvario (tres.va.*ri*:o) ***sm.*** Ação ou resultado de tresvariar; DELÍRIO; DESVARIO: "...hipnotizadas então aos olhos largamente abertos de Alberto, não mais desassossegados e em tresvario, mas num movimento lento de oscilação..." (Visconde de Taunay, "Pobre menino" *in Ao entardecer: contos vários*) [F.: Dev. de *tresvariar.* Hom./Par.: *tresvario* (fl. de *tresvariar*).]

treta (*tre*.ta) [ê] ***sf.*** **1** Ação baseada na astúcia, na manha; ARDIL; ESTRATAGEMA: "Revelada a treta, como continuar acreditando que ele trabalhava para os serviços de segurança." (*O Globo*, 30.10.2004) **2** *Esg.* Habilidade na esgrima; DESTREZA; PERÍCIA [Ant.: *imperícia, inabilidade.*] [F.: Do espn. *treta.*]

tretar (tre.*tar*) ***v.*** **1** Ficar parado de súbito; EMPACAR [***int.***: *O cavalo tretou.*] **2** Enganar, trair [***td.***: *Tretava o marido.*] [***tdr.*** *+ com*: *Tretava a mulher com a vizinha.*] [***int.***: *Não era homem de tretar.*] [▶ 1 tretar] [F.: *treta* + *-ar*[2]. Hom./Par.: *treta(s)* (fl.), *treta(s)* (sf. [pl.]).]

tretas (*tre*.tas) [ê] ***sfpl.*** Palavras enganosas que visam ludibriar: "...tudo o que alcança é por tretas, / Baculejando sem pejo, ..." (Gregório de Matos, "Anjo bento" *in Obras completas*) [F.: Pl. de *treta.*]

tretear (tre.te.*ar*) ***v.*** ***int.*** Lançar mão de tretas para negociar, comportar-se como treteiro; TRAPACEAR [▶ 13 tretear] [F.: *tret(a)* + *-ear*[2].]

treteiro (tre.*tei*.ro) ***a.*** **1** Que é dado a tretas, a artimanhas ou a trapaças ***sm.*** **2** Indivíduo treteiro: "O melhor era pôr as barbas de molho diante de treteiro de topete; depois de fintar e engambelar os coiós..." (Carlos Drummond de Andrade, "Antigamente (II)" *in Quadrante*) [F.: *tret(a)* + *-eiro*, *treit(a)* + *-eiro.* Sin. ger.: *velhaco, tratante, patife, trapaceiro.* Tb. *treiteiro.*]

tretinoína (tre.ti.no:*í*.na) ***sf.*** *Quím.* Isômero do ácido retinoico aplicado sobre a pele para tratamento de acne, redução de rugas e de manchas [F.: Do ing. *tretinoin.*]

treva (*tre*.va) ***sf.*** Absoluta falta de luz; ESCURIDÃO: *a profunda treva da noite.* [Mais us. no pl.] [F.: Do lat. *tenebra, ae.* Ideia de 'treva', usar pref. *tenebr(i)-.*]

trevas (*tre*.vas) ***sfpl.*** **1** Escuridão completa: *Os corpos iluminados destacavam-se contra as trevas;* "Quando Augusto dos Anjos morreu, o céu da poesia brasileira estava escurecido como por trevas ao meio-dia..." (Otto Maria Carpeaux, *Estudos de literatura brasileira*) **2** *Fig.* Ignorância, estupidez absolutas: *as trevas do terrorismo; as trevas da Idade Média.* **3** *Rel.* Os três dias da Semana Santa que antecedem a Aleluia, em que não se deixa entrar a luz do dia nas igrejas **4** *Rel.* Os ofícios celebrados nesses três dias [F.: Pl. de *treva.*]

trevo (*tre*.vo) [ê] ***sm.*** **1** *Bot.* Designativo de vários vegetais cujas folhas têm três folíolos; TRIFÓLIO **2** *Bot.* Planta herbácea (*Trifolium arvense*), da fam. das leguminosas, de flores esbranquiçadas ou róseas **3** *Urb.* Entroncamento de vias elevadas ou rebaixadas que se entrelaçam em diversas direções para evitar cruzamentos **4** *Bot.* O mesmo que *azedinha* **5** *Arq.* O mesmo que *trifólio*[1] (2) [F.: Posv. do lat. vulg. **trifolum, i*, (calcado no gr. *triphyllon*); lat. clás. *trifolium.*]

treze (*tre*.ze) [ê] ***num.*** **1** Quantidade correspondente a doze unidades mais uma **2** Diz-se desse número: *sala número treze.* **3** Assinalado ou identificado com o número treze (caixa treze) **4** Que é o décimo terceiro de uma série (fila treze) **5** Diz-se de medida equivalente a essa quantidade: *Minha viagem durou treze dias.* ***sm.*** **6** Número que representa essa quantidade (arábico: 13; romano: XIII): *O treze é meu número de sorte.* [F.: Do lat. *tredecim.*]

trezena (tre.*ze*.na) ***sf.*** **1** Conjunto formado de treze elementos da mesma natureza **2** O espaço de treze dias **3** *Ecles.* Reza que se repete durante os treze dias anteriores à festa de algum santo (trezena de santo Antônio) **4** *Bras.* Castigo de açoites imposto aos escravos por treze dias seguidos [F.: *trez(e)* + *-ena.*]

trezentos (tre.*zen*.tos) ***num.*** **1** Quantidade correspondente a 299 unidades mais uma **2** Diz-se desse número: *recibo de número trezentos.* **3** Assinalado ou identificado com o número 300 **4** Que é o tricentésimo de uma série (candidato trezentos.) **5** Diz-se de medida equivalente a essa quantidade: *A casa que você procura fica a trezentos metros.* ***sm.*** **6** Número que representa essa quantidade (arábico: 300; romano: CCC) [F.: Do lat. *trecenti, ae, a.*]

⊠ **TRF** Sigla de *Tribunal Regional Federal*

tri ***sm2n.*** *Bras. Pop.* F. red. de *trilhão, tricampeão e tricampeonato*

◎ **tri-** ***el. comp.*** = 'três'; 'três vezes'; 'três elementos': *tríade* (< lat. < gr.), *triálogo, triandro, trianual, triarquia* (< gr.), *triatleta, triatlo, triátlon* (< ingl.), *tricálcico, tricampeão, tricentenário, tricloreto, tricolor* (< lat.), *tricorne* (< lat.), *tricromia, tricúspide, tridimensão, triedro, trífido* (< lat.), *trifocal, trigamia, triglota, trilátero* (< lat.), *trilogia* (< gr.), *trimensal, trimorfo, trimotor, trinacional, trinervado, trineto, triodo, tríodo, trióxido, triplano, triplegia, trirreme* (< lat.); *trisanual, triságio* (< gr.), *trisavó, trisavô* [F.: Do lat. *tres, tria*, 'três'; 'três vezes'; 'três partes', ou do gr. *tri-* ou *tris-*, do gr. *treis, tría*, 'três partes', ambos da mesma raiz indo-europeia.]

◎ **triacont(a)-** ***el. comp.*** = 'trinta': *triacontaedro, triacontágono* [F.: Do gr. *triákonta.*]

triacontaedro (tri:a.con.ta.*e*.dro) ***sm.*** *Geom.* Poliedro de 30 faces [F.: *triacont(a)-* + *-edro.*]

triacontágono (tri:a.con.*tá*.go.no) ***sm.*** *Geom.* Polígono de 30 lados [F.: *triacont(a)-* + *-gono.*]

tríada (*trí*.a.da) ***sf.*** Ver *tríade*

tríade (*trí*.a.de) ***sf.*** **1** Conjunto de três coisas quaisquer (pessoas, seres, objetos etc.) de natureza semelhante; TRILOGIA; TRINDADE **2** *Mús.* Acorde formado por três sons [F.: Do gr. *triás, ádos*, pelo lat. *trias, adis.*]

tríade (*trí*.a.de) ***sf.*** **1** Conjunto de três pessoas ou coisas; TRINCA; TRINDADE; TRIO **2** *Bot.* Conjunto formado por três órgãos ou partes vegetais iguais **3** *Mús.* Acorde de três sons **4** *Med.* Grupo de três sintomas inter-relacionados e simultâneos, sem explicação aparente do ponto de vista clínico: *a tríade da mulher atleta: dismenorreia, osteoporose e distúrbios alimentares.* [F.: Do lat. tard. *trias, adis*, do gr. *triás, ádos.* Tb. *tríada.*]

triaga (tri:*a*.ga) *Ant.* ***sf.*** **1** Antigo eleutério de composição complexa que se supunha ser muito eficaz contra mordeduras de animais peçonhentos: "Não é melhor a triaga amargosa que me dá vida, que o veneno doce que me mata?" (Padre Antônio Vieira, *Sermão da primeira sexta-feira da Quaresma* (1644)) **2** *Pop.* Remédio caseiro;

MEZINHA **3** *Fig.* O que é usado para atenuar dificuldades; PANACEIA; RECURSO **4** *Fig.* Algo muito amargo [F.: Do gr. *theriaké*, do lat. *theriaca, ae.* Sin. ger.: *teríaca, teriaga.*]

triagem (tri:a.gem) *sf.* Separação, seleção: *fazer a triagem dos candidatos/de doentes.* [Pl.: *-gens.*] [F.: Do fr. *triage.*]

trialista (tri:a.*lis*.ta) *a2g.* **1** Que apresenta três aspectos ou três elementos (interpretação trialista) **2** *Esp.* Diz-se de motociclista que compete em corrida de obstáculos sobre qualquer superfície **3** *Esp.* Diz-se de surfista que ainda precisa passar por provas de triagem para poder participar de fases mais avançadas de uma competição *s2g.* **4** *Esp.* Motociclista ou surfista trialista [F.: Do ing. *trial* + *-ista.*]

triálogo (tri.*á*.lo.go) *sm.* Conversa entre três pessoas [F.: *tri-* + *(di)álogo.*]

triandria (tri:an.*dri*.a) *sf. Bot.* Qualidade ou caráter do que é triandro [F.: *triandro* + *-ia*[1].]

triândrio (tri.*ân*.dri:o) *a. Bot.* O mesmo que *triandro* [F.: *tri-* + *-andr(o)-* + *-io*[3].]

triandro (tri.*an*.dro) *a. Bot.* Diz-se de flor ou planta que possui três estames livres e iguais; TRIÂNDRICO; TRIÂNDRIO [F.: *tri-* + *-andro.*]

triangulação (tri:an.gu.la.*ção*) *sf.* **1** Ação ou resultado de triangular **2** *Fut.* Troca de passes em que os jogadores se deslocam em linhas supostamente triangulares: *Depois de uma bela triangulação, o atacante marcou o gol.* **3** Ação, ger. ilícita, que envolve três agentes: "...confirma a suspeita de que havia um esquema de triangulação com notas fiscais e contratos fictícios..." (*O Globo*, 22.07.2005) **4** Divisão de uma porção da superfície terrestre em triângulos para levantamento topográfico [Pl.: *-ções.*] [F.: *triangular* + *-ção.*]

triangulado (tri:an.gu.*la*.do) *a.* **1** Que tem a forma de triângulo; TRIANGULAR **2** Dividido em triângulos **3** *Fut.* Diz-se de jogada em que houve triangulação (lance triangulado) [F.: Part. de *triangular.*]

triangular[1] (tri.an.gu.*lar*) *a2g.* **1** Formado por três ângulos (mesa triangular); TRIGONAL; TRÍGONO **2** Que tem forma de triângulo: *A marca por que optaram é triangular.* **3** Que tem por base um triângulo (prisma triangular) **4** *Fig.* Que envolve ou tem a participação de três componentes, pessoas, grupos, países (acordo triangular, operação triangular) **5** *Anat.* Diz-se de estrutura muscular semelhante a um triângulo: *músculo triangular do esterno/dos lábios.* [F.: Do lat. tard. *triangularis, e.*]

triangular[2] (tri.an.gu.*lar*) *v.* **1** *Fut.* Trocar passes (três jogadores) a partir de posições que formam um triângulo [*int.*: *Os atacantes triangularam na entrada da área.*] **2** Dividir (área) em triângulos [*td.*: *Triangulou o papel para recortar as bandeirinhas.*] [▶ 1 triangular] [F.: *triângulo* + *-ar*[2]. Hom./Par.: *triangulo* (fl.), *triângulo* (sm.).]

triangulino (tri:an.gu.*li*.no) *sm.* **1** Aquele que nasceu ou que vive na região do Triângulo Mineiro *a.* **2** Da região do Triângulo Mineiro; típico dessa região ou de seu povo [F.: Do top. *Triângulo (Mineiro)* + *-ino*[1].]

triângulo (tri.*ân*.gu.lo) *sm.* **1** *Geom.* Figura geométrica fechada plana com três lados e três ângulos; polígono com três lados **2** Qualquer objeto ou formação com a forma de um triângulo: *Disponham as cadeiras em triângulo.* **3** *Mús.* Instrumento de percussão na forma de um triângulo (2) de metal, que se percute com uma varinha tb. de metal **4** Armação dobrável que se desdobra em forma de triângulo (2), ger. com faces revestidas de material refletor, que se coloca atrás de veículo parado na rua ou em estrada para alertar os motoristas do perigo [F.: Do lat. *triangulum.*] ■ **~ acutângulo** *Geom.* Aquele em que todos os ângulos são agudos **~ amoroso** Grupo de três pessoas envolvidas em relacionamento amoroso; essa situação **~ birretângulo** *Geom.* Triângulo esférico com dois ângulos retos **~ das Bermudas** Designação (pelo escritor Charles Gaddis) de uma área geográfica entre a Flórida e as Bermudas onde ocorreram misteriosos desaparecimentos de embarcações e aeronaves, sem deixar qualquer vestígio [Esse mistério originou especulações de naturezas diversas quanto a suas causas, inclusive a de uma suposta ação de alienígenas extraterrestres.] **~ de impedância** **1** *Elet.* Representação em forma de triângulo retângulo da relação quantitativa entre resistência, reatância (que formam os catetos) e impedância (que forma a hipotenusa) [De onde se deduz que resistência ao quadrado + reatância ao quadrado = impedância ao quadrado.] **2** **~ de posição** *Astron.* Triângulo esférico imaginário na esfera celeste, que permite a observador em qualquer ponto da Terra calcular latitude e/ou longitude **~ de Tartaglia** *Mat.* Disposição em forma de triângulo dos coeficientes do binômio de Newton; tb. *triângulo de Pascal* **~ equilátero** *Geom.* Aquele que tem os três lados iguais **~ escaleno** *Geom.* O que tem todos os ângulos e lados desiguais **~ geodésico** *Geom. Mat.* Triângulo feito de três geodésicas que se cortam duas a duas [Com inicial maiúscula.] **~ esférico** *Geom.* Numa superfície esférica, figura formada por três arcos de círculos máximos que unem três pontos da superfície **~ isósceles** *Geom.* Aquele que tem dois lados e (portanto) dois ângulos iguais **~ Mineiro** *Geog.* Região no sudoeste de MG, entre os rios Paranaíba e Grande **~ obliquângulo** *Geom.* Aquele que não tem ângulo reto **~ obtusângulo** *Mat.* Aquele que tem um ângulo obtuso **~ retângulo** *Geom.* Aquele que tem um ângulo reto

trianual (tri:a.nu.*al*) *a2g.* Que ocorre a cada três anos (congresso trianual, avaliação trianual) [Pl.: *-ais.*] [F.: *tri-* + *anual.*]

triar (tri.*ar*) *v.* Fazer a triagem de [*td.*: *Triou os melhores grãos.*] [▶ 1 triar] [F.: Voc. deduz. de *triagem*, posv; ver *-ar*[2].]

triarca (tri.*ar*.ca) *sm.* Cada um dos integrantes de uma triarquia [F.: *tri-* + *-arca*[1].]

triarquia (tri:ar.*qui*:a) *sf.* **1** Governo de três indivíduos; TRIUNVIRATO **2** Conjunto de três Estados **3** Domínio de três reinos; TRIRREGNO [F.: Do gr. *triarkhía, as.*]

triarticulado (tri:ar.ti.cu.*la*.do) *a.* **1** *Zool.* Diz-se do apêndice dos artrópodes que apresenta três artículos **2** Que apresenta três articulações, junções ou encaixes (pórtico triarticulado, arco triarticulado, ônibus triarticulado) [F.: *tri-* + *articulado.*]

triásico (tri.*á*.si.co) *a. sm.* Ver *triássico*

triássico (tri.*ás*.si.co) *Geol. a.* **1** Diz-se do período da era mesozoica em que predominavam os sáurios aquáticos e terrestres *sm.* **2** Esse período [Nessa acp., com inicial maiúsc.] [F.: Do lat. cient. *trias* (sob a f. rad. *triass-*) + *-ico*[2]. Tb. *triásico.*]

triatleta (tri:a.*tle*.ta) *s2g. Esp.* Atleta que pratica o triatlo [F.: *tri-* + *atleta.*]

triatlo (tri.*a*.tlo) *sm. Esp.* Competição que consiste de três provas (natação, ciclismo e corrida) disputadas em sequência, sem interrupção [F.: Do ingl. *triathlon.* Tb. *triátlon.*]

triátlon (tri.*á*.tlon) *sm.* Ver *triatlo*

triatoma (tri:a.*to*.ma) *sm. Ent.* Denom. comum a insetos da subfamília dos triatomíneos, que inclui os conhecidos como barbeiros, transmissores do protozoário *Trypanosoma cruzi*, agente etiológico da doença de Chagas [F.: Do lat. cient. *Triatoma.*]

triatomíneo (tri:a.to.*mí*.ne:o) *Ent. sm.* **1** Espécime dos triatomíneos, subfamília de insetos hematófagos vetores da doença de Chagas, que reúne 123 espécies divididas em 14 gêneros, dos quais três são considerados os mais importantes: *Panstrogylus, Rhodnius* e *Triatoma.* Distribuem-se por todo o continente americano, esp. na América Latina; tb. podem ser encontrados na América do Norte, Ásia e Austrália, porém não apresentam risco, pois nessas áreas não existe o agente causador da doença, o *Trypanosoma cruzi* [Conhecidos vulgarmente como barbeiro, chupança e várias denominações regionais.] *a.* **2** *Ent.* Ref. ou pertencente aos triatomíneos [F.: Adaptç. do lat. cient. *Triatominae.*]

tríbade (*trí*.ba.de) *sf.* Aquela que é dada a práticas homossexuais; LÉSBICA [F.: Do gr. *tribás, ádos.*]

tribadia (tri.ba.*di*.a) *sf.* O mesmo que *tribadismo* [F.: *tríbade* + *-ia*[1].]

tribadismo (tri.ba.*dis*.mo) *sm.* Prática do homossexualismo feminino; TRIBADIA [F.: *tríbade* + *-ismo.*]

tribal (tri.*bal*) *a2g.* **1** Ref. a tribo (influência tribal) **2** Que tem como modelo a tribo (regime tribal) **3** Que vive em tribo (povo tribal) [Pl.: *-bais.*] [F.: *tribo* + *-al.*]

tribalidade (tri.ba.li.*da*.de) *sf.* Qualidade ou característica do que é tribal: "Quando o trabalho manual obsolesceu, a África tinha mantido a sua tribalidade, desde a qual se esforça, hoje, para compor suas próprias imagens étnicas." (Darcy Ribeiro, *Discurso de posse na ABL*, 15.04.1993) [F.: *tribal* + *-idade.*]

tribalismo (tri.ba.*lis*.mo) *sm.* **1** Conjunto de características de vida e de sentimentos tribais **2** Organização social das sociedades tribais: "O caminho para a implantação generalizada do tribalismo teria de passar pela extinção dos velhos padrões de reflexão, volição e sensibilidade individuais..." (Gizele Zanotto, *in Histórica – Revista eletrônica do Arquivo do Estado de SP*, 07.12.2005) [F.: *tribal* + *-ismo.*]

tribalista (tri.ba.*lis*.ta) *a2g.* Ref. a tribalismo [F.: *tribal* + *-ista.*]

tribalização (tri.ba.li.za.*ção*) *sf.* Incorporação de características tribais: "Há uma tribalização de grupos, sem proselitismo, há uma recusa ao mundo em denunciá-lo, mas aceitando-o como algo irremediável." (Arnaldo Jabor, *in O Globo*, 24.11.1998) [Pl.: *-ções.*] [F.: *tribal* + *-iza(r)-* + *-ção.*]

tribásico (tri.*bá*.si.co) *Quím. a.* **1** Que possui três átomos de hidrogênio substituíveis por radicais ou átomos básicos **2** Que contém três átomos de um metal univalente ou seus equivalentes [F.: *tri-* + *básico.*]

◎ **-tribo** *el. comp.* Ver *tribo-*

tribo (*tri*.bo) *sm.* **1** *Antr.* Grupo social da mesma etnia, que vive em comunidade sob a autoridade de um ou mais chefes e compartilha a mesma língua e os mesmos costumes (tribo indígena) **2** *Antr.* Nas sociedades ditas primitivas, qualquer grupo que vive no mesmo território e é unido pela suposta origem comum (tribos da Nova Guiné) [Termo cada vez menos us.] **3** *Fig.* Grupo de pessoas que apresentam características e interesses comuns: *a tribo dos surfistas.* **4** Grupo numeroso de pessoas da mesma família ou não **5** *Hist.* Entre os povos antigos, cada uma das partes resultante da divisão de certas nações ou povos, ger. com território, liderança e ancestral comum: *O povo romano era dividido em tribos.* **6** *Hist.* Na Antiguidade judaica, cada um dos doze grupos constituídos pelos descendentes de cada um dos filhos de Jacó **7** *Biol.* Categoria taxonômica que agrupa gêneros semelhantes de uma família **8** *Mat.* Grupo de subconjuntos em que as operações de complementação e união são fechadas entre seus elementos [F.: Do lat. *tribus, us.*]

◎ **tribo-** *el. comp.* = 'atrito': *triboeletricidade, triboluminescência; basiótribo* [F.: Do gr. *tríbos, ou*, 'ação de desgastar, de esfregar', do v. gr. *tríbo* (com *i* breve), 'esfregar'; 'friccionar'; 'triturar', 'esmagar'; 'consumir'. F. conexa: *-tripsia.*]

triboeletricidade (tri.bo:e.le.tri.ci.*da*.de) *sf. Fís.* Eletricidade estática gerada pela fricção entre dois corpos como, p. ex., vidro e seda [F.: *tribo-* + *eletricidade.*]

tribofar (tri.bo.*far*) *v. int.* **1** *Turfe* Em corridas de cavalo, fazer arranjos desonestos **2** *P. ext.* Fazer trapaças; TRAPACEAR [▶ 1 tribofar] [F.: *tribofe* + *-ar.* Hom./Par.: *tribofe(s)* (fl.), *tribofe* (sm. e pl.).]

tribofe (tri.*bo*.fe) *Bras. Gír. sm.* **1** *Turfe* Conchavo doloso em corridas de cavalos **2** *P. ext.* Trapaça em qualquer jogo **3** *P. ext.* Comportamento que visa enganar alguém; PATIFARIA **4** Namoro pouco sério; NAMORICO [F.: De or. incerta; talvez voc. expressivo. Hom./Par.: *tribofe* (fl. *tribofar*).]

triboluminescência (tri.bo.lu.mi.nes.*cên*.ci:a) *sf. Fís.* Luminosidade produzida pelo atrito ou esmagamento de várias substâncias [F.: *tribo-* + *luminescência.*]

tribulação (tri.bu.la.*ção*) *sf.* **1** Acontecimento penoso, desagradável; ADVERSIDADE; CONTRARIEDADE **2** Tristeza e abatimento decorrentes de desgosto, dificuldades etc; TORMENTO; AMARGURA [Pl.: *-ções.*] [F.: Do lat. *tribulatio, onis.* Sin. ger.: *atribulação.*]

tribular (tri.bu.*lar*) *v. Ant.* O mesmo que *atribular* [▶ 1 tribular] [F.: Do lat. *tribulare.* Hom./Par.: *tribulo* (fl.), *tríbulo* (sm.).]

tribuna (tri.*bu*.na) *sf.* **1** Lugar de onde falam os oradores; ESTRADO **2** Lugar (em palanques, estádios, salas de espetáculos etc.) reservado a convidados ilustres (tribuna de honra) **3** *P. ext.* Arquibancada **4** Lugar elevado nos templos religiosos de onde falam os pregadores; PÚLPITO **5** *Fig.* Capacidade de expressar-se, esp. em público; ELOQUÊNCIA; ORATÓRIA: *Nasceu com o dom da tribuna.* [F.: Do lat. tardio *tribuna, ae.*]

tribunal (tri.bu.*nal*) *sm.* **1** *Jur.* Jurisdição de um magistrado ou de um conjunto de magistrados **2** *Jur.* Conjunto de magistrados **3** *Jur.* Local em que se realizam julgamentos ou se julgam questões judiciais **4** Qualquer grupo, entidade etc. que se outorga a capacidade de julgar (tribunal do povo) **5** *Fig.* O que julga questões morais: *o tribunal da opinião pública; o tribunal da consciência.* **6** *Antq.* Entre os antigos romanos, estrado em que se sentavam os juízes em locais destinados a julgamentos e à administração da justiça [Pl.: *-nais.*] [F.: Do lat. *tribunal, alis.*] ■ **~ de contas** *Bras. Jur.* Órgão independente dos três poderes constitucionais, ao qual cabe fiscalizar a execução do orçamento e a atuação da Fazenda Pública e de seus funcionários e órgãos, bem como avaliar a legalidade de certos atos (contratos, aposentadorias etc.) **~ de justiça** *Bras. Jur.* Órgão colegiado de juízes de segunda instância (desembargadores), encarregado de julgar recursos das decisões de primeira instância e as causas que, por sua espécie, lhe cabem por lei; foro **~ do júri** *Jur.* Júri (1) **~ eleitoral** *Jur.* Aquele ao qual cabe conduzir e administrar os processos eleitorais e julgar as questões jurídicas a ele atinentes (regras eleitorais, registro de partidos e candidatos, apuração dos resultados de eleições etc.) **~ misto** Aquele formado por juízes leigos e togados (como, p. ex., o tribunal do júri) **~ pleno** Sessão de um tribunal com a presença de todos os seus juízes **Superior ~ de Justiça** *Bras. Jur.* Tribunal de última instância da justiça comum, no âmbito da União [Sigla: *STJ*] **Supremo ~ Federal** *Bras. Jur.* A mais alta corte de justiça do Brasil, cujos membros são designados *ministros* [Sigla: *STF* Tb. apenas *Supremo.*]

tribunalizar (tri.bu.na.li.*zar*) *v. td.* Repassar para tribunais [▶ 1 tribunalizar] [F.: *tribunal* + *-izar.*]

tribuno (tri.*bu*.no) *sm.* **1** *Hist.* Na Roma antiga, magistrado que defendia os interesses do povo junto ao Senado **2** Orador popular e/ou revolucionário [F.: Do lat. *tribunus, i.*]

tributação (tri.bu.ta.*ção*) *sf.* Ação ou resultado de tributar(-se); TAXAÇÃO [+ *de, sobre: tributação de /sobre alimentos básicos.*] [Pl.: *-ções.*] [F.: *tributar* + *-ção.*]

tributado (tri.bu.*ta*.do) *a.* **1** Que se tributou (mercadorias tributadas, rendimentos tributados); TAXADO **2** Prestado, dedicado (manifestações tributadas) [F.: Part. de *tributar.*]

tributador (tri.bu.ta.*dor*) [ô] *a.* **1** Que tributa; que impõe tributos (órgão tributador) *sm.* **2** Aquele que tributa: *o maior tributador mundial.* [F.: *tributar* + *-or.*]

tributante (tri.bu.*tan*.te) *a2g.* Que tributa; que pode tributar (entidade tributante) [F.: *tributa(r)* + *-nte.*]

tributar (tri.bu.*tar*) *v.* **1** Cobrar tributo, imposto sobre; taxar [*td.*] **2** Pagar como tributo [*tdi.* + *a*: *A municipalidade tributava enormes quantias ao Estado.*] **3** Dedicar, prestar [*tdi.* + *a*: *Tributaram grande homenagem a Carlos Gomes.*] [▶ 1 tributar] [F.: *tribut(o)* + *-ar.* Hom./Par.: *tributáveis* (2ªp. pl.)/ *tributáveis* (pl. *tributável* [a2g.]); *tributo* (1ªp. s.)/ *tributo* (sm.); *tributaria* (1ª3ªp. s.), *tributarias* (2ªp. s.)/ *tributária* (f. *tributário* [a. sm.]) e pl.]

tributariamente (tri.bu.ta.ri:a.*men*.te) *adv.* De acordo com a legislação tributária: *Os responsáveis pelos atos ilícitos podem ser tributariamente responsabilizados.* [F.: Fem. de *tributário* + *-mente.*]

tributário (tri.bu.*tá*.ri:o) *a.* **1** Ref. a tributo (legislação tributária) **2** Que paga tributo; CONTRIBUINTE *sm.* **3** Quem paga tributo; CONTRIBUINTE **4** *Geog.* Rio que deságua em outro rio (tributários do Amazonas); AFLUENTE [Do lat. *tributarius, a, um.*]

tributarismo (tri.bu.ta.*ris*.mo) *sm.* **1** Teoria, ética, técnica e prática relacionadas com a tributação fiscal efetuada pelo Estado **2** *P. ext.* Tributação exagerada: "...sucessivos comentários que fazemos sobre o tributarismo como sistema que engorda os cofres do Estado..." (*Diário do Comércio*, 18.01.2005) [F.: *tributar* + *-ismo.*]

tributarista (tri.bu.ta.*ris*.ta) *a2g.* **1** Ref. ao tributarismo (direito tributarista) **2** Diz-se de advogado especialista em direito tributário *s2g.* **3** Advogado especialista em direito tributário [F.: *tributar* + *-ista.*]

tributável (tri.bu.*tá*.vel) ***a2g.*** Que pode ser tributado (lucro tributável) [Pl.: *-veis.*] [F.: *tributar* + *-vel.*]

tributo (tri.*bu*.to) ***sm.*** 1 Imposto devido ao poder público; CONTRIBUIÇÃO; ENCARGO; TAXA 2 Homenagem, louvor, consagração: *Prestou tributo ao mestre.* 3 *Fig.* Aquilo que se sofre ou concede por obrigação, dever, necessidade etc; COMPENSAÇÃO; PREÇO: *Todos pagam seu tributo à mocidade.* 4 *Ant.* Imposto que um Estado ou província subjugada é obrigada a pagar ao dominador [F.: Do lat. *tributum* e *tributus, i.* Hom./Par.: *tributo* (fl de *tributar*).]

trica (*tri*.ca) ***sf.*** 1 Embuste, trapaça, tramoia 2 Mexerico, fofoca: *Vivia fazendo tricas e futricas:* "Embora sem nenhuma vocação para as tricas políticas dos grêmios e associações..." (Edgar Cavalheiro, *Vida e obra de Monteiro Lobato*) 3 Insignificância, ninharia [F.: Do lat. *tricae, arum,* 'bagatelas', 'ninharias', tomado no sing.]

tricálcico (tri.*cál*.ci.co) ***a.*** *Quím.* Que tem três átomos de cálcio ou equivalentes numa molécula (fosfato tricálcico) [F.: *tri-* + *cálcico.*]

tricampeão (tri.cam.pe:*ão*) ***a.*** 1 Que foi três vezes campeão em campeonato, competição, torneio etc. [Pl.: *-ões.* Fem.: *-ã.*] ***sm.*** 2 O que foi tricampeão [F. red.: *tri.*] [F.: *tri-* + *campeão.*]

tricampeonato (tri.cam.pe:o.*na*.to) ***sm.*** Campeonato vencido pelo mesmo concorrente pela terceira vez, consecutiva ou não [F. red.: *tri.*] [F.: *tri-* + *campeonato.*]

tricentenário (tri.cen.te.*ná*.ri:o) ***a.*** 1 Que tem trezentos anos ***sm.*** 2 Transcurso ou comemoração de fato ou evento sucedido há trezentos anos 3 Período de 300 anos [F.: *tri-* + *centenário.*]

tricentésimo (tri.cen.*té*.si.mo) ***num.*** Ver *trecentésimo*

tríceps (*trí*.ceps) ***a2g2n.*** 1 Que possui três cabeças 2 Diz-se de músculo com três feixes de fibras numa extremidade; TRICÉFALO ***sm2n.*** 3 Esse músculo [F.: Do lat. *triceps, ipitis* (nom.). Tb.: *tricípite.*]

tricíclico (tri.*cí*.cli.co) ***a.*** 1 *Quím.* Diz-se de composto, esp. antidepressivo, constituído por um conjunto de substâncias que têm uma estrutura básica comum composta de três anéis de carbono e hidrogênio ***sm.*** 2 *Quím.* Composto tricíclico [F.: *tri-* + *cíclico.*]

triciclo (tri.*ci*.clo) ***sm.*** 1 Pequeno veículo de três rodas (uma dianteira e duas traseiras) para crianças, movido a pedal; VELOCÍPEDE 2 Veículo semelhante, de maior tamanho, com recipiente, us. para transporte de pequenas cargas 3 Veículo do mesmo tipo, impulsionado por motor ou manivela, us. por deficientes físicos 4 Carruagem antiga de três rodas [F.: *tri-* + *-ciclo.*]

trício (*trí*.ci:o) ***sm.*** Ver *trítio*

tricípite (tri.*cí*.pi.te) ***a2g.*** Ver *tríceps* [F.: Do lat. *triceps, ipitis* (acus.).]

triclínico (tri.*clí*.ni.co) ***a.*** *Crist.* Diz-se de sistema cristalino que se caracteriza por apresentar três eixos cristalográficos desiguais que se cortam em ângulos oblíquos [F.: *tri-* + *-clin(o)-*[2] + *-ico*[2].]

tricloreto (tri.clo.*re*.to) [ê] ***sm.*** *Quím.* Composto que contém três átomos de cloro (tricloreto de fósforo) [F.: *tri-* + *-clor(o)-* + *-eto*[2].]

◎ **-tric(o)-** ***el. comp.*** Ver *tric(o)-*

◎ **-trico** ***el. comp.*** Ver *tric(o)-*

◎ **tric(o)-** ***el. comp.*** = 'pelo', 'cabelo'; 'irregularidade capilar'; '(que tem) pelo ou cabelo com dada característica': *tricocefalíase, tricógeno, tricoterapia, tricotilomania, tricotilômano, tricotomia; triquíase* (< gr.); *atricose, hipertricose, hipotricose; discotríquio, monotríquio; liótrico, lissótrico, neurótrico, paquítrico, perítrico, polítrico, ulótrico* [F.: Do gr. *thríx, trikhós.* F. conexa: *-triquia.*]

tricô (tri.*cô*) ***sm.*** 1 Tecido de malha feito manualmente com o auxílio de agulhas, ou à máquina, e ger. us. em roupas de frio 2 Artigo feito de tricô: *Estou com frio, vou botar um tricô sobre a blusa.* 3 Arte de tricotar, de fazer tricô (1): *O tricô ocupa e distrai.* 4 Tricô (1) manual, em fase de confecção: *Deixou o tricô de lado para almoçar.* [F.: Do fr. *tricot* 'agulha para tricotar'.]

tricocefalíase (tri.co.ce.fa.*lí*:a.se) ***sf.*** *Pat.* Helmintíase causada pelo nematódeo *Tricocephalus trichuris* ou *Trichuris trichiura*, muito comum em regiões tropicais onde as condições sanitárias são pobres [F.: Do lat. cient. *Tricocephalus* + *-íase.*]

tricógeno (tri.*có*.ge.no) ***a.*** Que estimula o crescimento de cabelos ou de pelos [F.: *tric(o)-* + *-geno.*]

tricolina (tri.co.*li*.na) ***sf.*** Ver *tricoline*

tricoline (tri.co.*li*.ne) ***sf.*** Tecido de algodão macio, próprio para fazer camisas etc. [F.: Do fr. *tricoline.* Tb. *tricolina.*]

tricolor (tri.co.*lor*) [ô] ***a2g.*** 1 Diz-se do que tem três cores (bandeira tricolor) 2 *Bras. Esp.* Ref. a clube cuja bandeira tem três cores ***s2g.*** 3 *Esp.* Jogador ou torcedor de um desses clubes ***sm.*** 4 *Bras.* Clube cuja bandeira tem três cores: *O tricolor venceu ontem.* [F.: Do lat. *tricolor, oris.*]

tricomona (tri.co.*mo*.na) ***s2g.*** *Biol.* Designação comum aos protozoários do gênero *Trichomonas* que reúne organismos patogênicos, dentre os quais uma espécie que parasita o aparelho genital e urinário do ser humano e que é sexualmente transmissível [F.: Do lat. cient. *Trichomonas.*]

tricomoníase (tri.co.mo.*ní*:a.se) ***sf.*** *Pat.* Infecção provocada por tricomonas [F.: *tricomona* + *-íase.*]

tricomonicida (tri.co.mo.ni.*ci*.da) ***sm.*** *Farm.* Medicamento próprio para combater infecção por tricomonas [F.: *tricomona* + *-i-* + *-cida.*]

tricorne (tri.*cor*.ne) ***a2g.*** 1 Que possui três cornos, bicos ou pontas ***sm.*** 2 O mesmo que *tricórnio* [F.: Do lat. *tricornis, e.*]

tricórnio (tri.*cór*.ni:o) ***sm.*** Chapéu de três bicos (tricórnio napoleônico); TRIBICO; TRICORNE: "... dos heróis de peruca e tricórnio, dos pastores fingidos da Arcádia rediviva, ..." (Sérgio Buarque de Holanda, "Gosto arcádico" *in Esboço de figura, homenagem a Antonio Candido*) [F.: *tricorne* + *-io*[3].]

tricotado (tri.co.*ta*.do) ***a.*** 1 Que se tricotou; confeccionado em tricô (gorro tricotado) 2 *Fig.* Que se conversou, fofocando: *A conversa foi espontaneamente tricotada pelo artista.* [F.: Part. de *tricotar.*]

tricotagem (tri.co.*ta*.gem) ***sf.*** Ação ou resultado de tricotar, de confeccionar em tricô (tricotagem de malhas) [Pl.: *-gens.*] [F.: *tricotar* + *-agem*[2].]

tricotar (tri.co.*tar*) ***v.*** 1 Fazer tricô ou com tricô [*int.*: *Raimunda tricotava o dia inteiro.*] [*td.*: *Tricota há trinta anos o mesmo cachecol.*] 2 *Fig.* Conversar fofocando, mexericando [*int.*: *Elas tricotam ferozmente na janela.*] [▶ 1 tricotar] [F.: Do fr. *tricoter.*]

tricotear (tri.co.te.*ar*) ***v.*** O mesmo que *tricotar* [*td.*] [*int.*] [▶ 13 tricotear] [F.: *tricô*, sob a f. fr. *tricot* + *-ear*[2], seg. o mod. erudito.]

tricoteio (tri.co.*tei*.o) ***sm.*** Ação ou resultado de tricotear, de fazer tricô [F.: Dev. de *tricotear.*]

tricoteira (tri.co.*tei*.ra) ***sf.*** 1 Máquina de fazer tricô 2 Mulher que faz tricô [F.: *tricô*, sob a f. fr. *tricot* + *-eira*, seg. o mod. erudito.]

tricoterapia (tri.co.te.ra.*pi*.a) ***sf.*** Tratamento para melhorar as condições e o aspecto dos cabelos [F.: *tric(o)-* + *-terapia.*]

tricotilomania (tri.co.ti.lo.ma.*ni*.a) ***sf.*** *Psiq.* Distúrbio que consiste em puxar ou arrancar os próprios cabelos [F.: *tric(o)-* + rad. do v. gr. *tíllo*, 'arrancar (pelo por pelo, folha por folha)', + *-mania.*]

tricotilomaníaco (tri.co.ti.lo.ma.*ní*:a.co) *Psiq.* ***a.*** 1 Ref. a tricotilomania 2 Diz-se de indivíduo que padece de tricotilomania; TRICOTILÔMANO ***sm.*** 3 *Psiq.* Esse indivíduo; TRICOTILÔMANO [F.: *tricotiloman(ia)* + *-íaco*, seg. o mod. gr.]

tricotilômano (tri.co.ti.*lô*.ma.no) ***a. sm.*** *Psiq.* O mesmo que *tricotilomaníaco* (2 e 3) [F.: *tricotilo-*, como em *tricotilomania*, + *-mano*[1].]

tricotomia[1] (tri.co.to.*mi*.a) ***sf.*** 1 Divisão em três partes (tricotomia contábil) 2 *Bot.* Ramo de planta que se divide em três partes e cada uma dessas partes se divide novamente em três [F.: *tri-* + *(di)cotomia.*]

tricotomia[2] (tri.co.to.*mi*.a) ***sf.*** *Cir.* Raspagem dos pelos da área que será submetida a uma cirurgia [F.: *tric(o)-* + *-tomia.*]

tricromata (tri.cro.*ma*.ta) ***a2g.*** 1 *Oft.* Que identifica todo o espectro de cores visível (vermelho, verde e azul) ***s2g.*** 2 *Oft.* Indivíduo tricromata [F.: *tri-* + *cromato* (*o* > *a*).]

tricromático (tri.cro.*má*.ti.co) ***a.*** Que emprega três cores (cinescópio tricromático, método tricromático) [F.: *tri-* + *cromático.*]

tricromia (tri.cro.*mi*.a) ***sf.*** 1 *Art. gr.* Processo gráfico que reproduz as cores a partir das três cores básicas (vermelho, azul e amarelo) 2 Estampa obtida a partir desse processo [F.: *tri-* + *-cromia.*]

tricrômico (tri.*crô*.mi.co) ***a.*** 1 Ref. a tricromia (coloração tricrômica) ***sm.*** 2 *Histl.* Método de coloração de cortes histológicos (tricrômico de Mallory) [F.: *tricromia-* + *-ico*[2].]

tricuríase (tri.cu.*rí*:a.se) ***sf.*** *Pat.* Parasitose intestinal causada pelo nematódeo *Trichuris trichiura* [F.: Do lat. cient. *Trichuris* + *-íase.*]

tricuspidado (tri.cus.pi.*da*.do) ***a.*** O mesmo que *tricúspide* (1) [F.: *tricúspide* + *-ado*[1].]

tricúspide (tri.*cús*.pi.de) ***a2g.*** 1 Que tem três pontas; TRICUSPIDADO 2 *Anat.* Diz-se da valva com três cúspides que permite a passagem do sangue da aurícula direita para o ventrículo direito 3 *Od.* Que tem três raízes (dente tricúspide) ***sf.*** 4 *Anat.* Valva tricúspide (2) [Pela nova terminologia anatômica, *valva arterioventricular direita.*] [F.: *tri-* + *-cuspide.*]

tridacna (tri.*dac*.na) ***sf.*** *Zool.* Denom. comum a moluscos bivalves gigantes da fam. dos tridacnídeos que inclui a *Tridacna gigas*, encontrada no Indo-Pacífico, atingindo cerca de 1,50 m de comprimento e centenas de quilos [F.: Do lat. cient. *Tridacna.*]

tridacnídeo (tri.dac.*ní*.de:o) ***sm.*** 1 *Zool.* Espécime dos tridacnídeos, fam. de moluscos bivalves que inclui espécies gigantes como a *Tridacna gigas* ***a.*** 2 *Zool.* Ref. ou pertencente aos tridacnídeos [F.: Adaptç. do lat. cient. *Tridacnidae.*]

tridecaedro (tri.de.ca.*e*.dro) ***sm.*** *Geom.* Poliedro de 13 faces [F.: *tri-* + *decaedro.*]

tridecágono (tri.de.*cá*.go.no) ***sm.*** *Geom.* Polígono de 13 lados [F.: *tri-* + *decágono.*]

tridente (tri.*den*.te) ***a2g.*** 1 Que tem três dentes; TRIDENTADO ***sm.*** 2 Cetro de três dentes do deus mitológico Poseidon/Posídon (romano Netuno) 3 Arpão forcado ou lança com três dentes na extremidade: "Nós levávamos espingardas excelentes, punhais recurvados, espadas de dois gumes, (...) e o terrível tridente de ferro que é a melhor arma..." (Eça de Queirós e Ramalho Ortigão, "Mistério da estrada de Sintra" *in Diário de Notícias*) 4 *Fig.* O domínio dos mares 5 *Fig.* O mar [F.: Do lat. *tridens, entis*, 'forcado com três dentes'.]

tridentino (tri.den.*ti*.no) ***sm.*** 1 Indivíduo nascido ou que vive em Trento (Itália) ***a.*** 2 De Trento; típico dessa cidade ou de seu povo [F.: Do lat. *tridentini, orum.*]

tridimensão (tri.di.men.*são*) ***sf.*** Qualidade ou característica do que apresenta três dimensões: "Numa visão rápida, fica difícil discernir o que é desenho – e, portanto, plano –, e o que é objeto, arame, tridimensão." (*O Globo*, 18.11.2003) [Pl.: *-sões.*] [F.: *tri-* + *dimensão.*]

tridimensional (tri.di.men.si:o.*nal*) ***a2g.*** 1 Ref. às três dimensões (altura, largura e comprimento): *uma estrutura tridimensional.* 2 Que transmite a impressão de relevo (visão tridimensional) [Pl.: *-nais.*] [F.: *tri-* + *dimensional.*]

tridimensionalidade (tri.di.men.si:o.na.li.*da*.de) ***sf.*** Característica do que é tridimensional: *a tridimensionalidade de um objeto.* [F.: *tridimensional* + *-(i)dade.*]

tridimensionamento (tri.di.men.si:o.na.*men*.to) ***sm.*** Ação ou resultado de tridimensionar [F.: *tridimensionar* + *-mento.*]

tridimensionar (tri.di.men.si:o.*nar*) ***v. td.*** Dar aspecto tridimensional a: *Este jogo de luzes tridimensionou a cena; Sombreie o desenho para tridimensioná- lo.* [▶ 1 tridimensionar] [F.: *tri-* + *dimensionar.*]

tríduo (*trí*.du:o) ***sm.*** 1 Período de tempo de três dias consecutivos: *Após o tríduo para a defesa, os autos serão encaminhados ao juiz.* 2 *Rel.* Festa que dura três dias (tríduo sacro) 3 *P. ext. Rel.* Prece que se repete em três dias consecutivos [F.: Do lat. *triduum, i.*] ∎ **~ momesco/de Momo** Os três dias de carnaval

triedro (tri.*e*.dro) ***sm.*** *Geom.* Figura formada por três vetores de mesma origem [F.: *tri-* + *-edro.*]

trienal (tri:e.*nal*) ***a2g.*** 1 Que dura um triênio, três anos (plano trienal) 2 Que ocorre ou se realiza a cada três anos (exposição trienal) 3 Que vale por três anos (convênio trienal) 4 Diz-se de planta que frutifica a cada três anos 5 Diz-se de terreno que só produz após três anos a partir da semeadura [Pl.: *-nais.*] ***sf.*** 6 Exposição (ger. de arte) que acontece a cada três anos [Pl.: *-nais.*] [F.: *triên(io)* + *-al*[1].]

triênio (tri.*ê*.ni:o) ***sm.*** 1 Espaço de três anos 2 Exercício de um cargo durante três anos [F.: Do lat. *triennium, ii.*]

triestino (tri:es.*ti*.no) ***sm.*** 1 Aquele que nasceu ou que vive em Trieste (Itália) ***a.*** 2 De Trieste; típico dessa cidade ou de seu povo [F.: Do top. *Trieste* + *-ino*[1].]

trifásico (tri.*fá*.si.co) ***a.*** *Elet.* Que tem três fases (corrente trifásica) [F.: *tri-* + *fásico.*]

trífido (*trí*.fi.do) ***a.*** 1 Que tem três partes; dividido em três partes; TRIGÊMINO 2 *Bot.* Diz-se de folha ou órgão floral mais ou menos recortado em três partes no sentido do comprimento [F.: Do lat. *trifidus, a, um.*]

trifocal (tri.fo.*cal*) ***a2g.*** 1 Que tem três focos 2 Diz-se de lente ou de óculos com três distâncias focais diferentes para correção da visão de longe, de perto e de uma distância intermediária [Pl.: *-cais.*] [F.: *tri-* + *focal.*]

trifoliado (tri.fo.li.*a*.do) ***a.*** *Bot.* Que tem três folhas ou cujas folhas se agrupam de três em três (galho trifoliado); TRIFÓLIO [F.: *tri-* + *foliado.*]

trifólio[1] (tri.*fó*.li:o) ***sm.*** 1 *Bot.* Trevo (1) 2 *Arq.* Ornamento em forma de trevo, muito us. no estilo gótico ***a.*** 3 *Bot.* O mesmo que *trifoliado* [F.: *tri-* + *-fólio.*]

trifólio[2] (tri.*fó*.li:o) ***sm.*** *Bot.* Denom. comum às plantas do gên. *Trifolium*, da fam. das leguminosas, subfam. papilionoídea, muito cultivadas como forrageiras, cujas folhas são compostas, com três folíolos [F.: Do lat. cient. *Trifolium.*]

trifosfato (tri.fos.*fa*.to) ***sm.*** *Quím.* Sal ou éster que contém três grupos de fosfato [F.: *tri-* + *fosfato.*] ∎ **~ de adenosina** *Quím.* Molécula que transporta energia durante o metabolismo, liberando-a quando de degrada, consumindo-a quando se sintetiza [Sigla (do ingl. *adenosine triphosphate*): *ATP.*]

trifurcado (tri.fur.*ca*.do) ***a.*** Dividido em três ramos ou partes (tronco trifurcado, caminho trifurcado) [F.: Part. de *trifurcar.*]

trifurcar (tri.fur.*car*) ***v.*** Separar(-se) em três partes, caminhos, ramos [*td.*: *No novo projeto, o arquiteto trifurcou o acesso à casa.*] [*td.*: *Ao pé do monte a estrada trifurcava-se.*] [▶ 11 trifurcar] [F.: *tri-* + *furca* + *-ar*[2].]

trigal (tri.*gal*) ***sm.*** 1 Plantação de trigo [Pl.: *-gais.*] ***a2g.*** 2 *Bot.* Diz-se de uma espécie de cereja um tanto amarga [Pl.: *-gais.*] [F.: *trigo* + *-al.*]

trigamia (tri.ga.*mi*.a) ***sf.*** 1 Casamento de uma pessoa com três outras, simultaneamente [Cf.: *monogamia, bigamia* e *poligamia.*] 2 Estado ou condição de trígamo [F.: Do lat. *trigamia, ae.*]

trígamo (*trí*.ga.mo) ***a.*** 1 Diz-se do indivíduo que pratica a trigamia ***sm.*** 2 Esse indivíduo [F.: Do lat. *trigamus, i.*]

trigêmeo (tri.*gê*.me:o) ***a.*** 1 Que foi concebido com outros dois indivíduos no mesmo óvulo e nasceu do mesmo parto que eles (filhos trigêmeos) 2 *Anat.* Diz-se do nervo que sai da base do cérebro e se divide em três ramos que se distribuem pela face ***sm.*** 3 Cada um dos três indivíduos concebidos no mesmo óvulo e nascidos do mesmo parto: *Minha prima teve trigêmeos.* 4 *Anat.* Nervo trigêmeo [F.: Do lat. *trigeminum.*]

trigeminal (tri.ge.mi.*nal*) ***a2g.*** 1 Ref. ao nervo trigêmeo 2 Localizado no nervo trigêmeo [Pl.: *-nais.*] [F.: *trigêmino* + *-al*[1].]

trigêmino (tri.*gê*.mi.no) ***a.*** 1 Dividido em três partes; TRÍFIDO 2 Que tem três elementos [F.: Do lat. *trigeminus, a, um.*]

trigésimo (tri.*gé*.si.mo) ***num.*** 1 Ordinal que, em uma sequência, corresponde ao número trinta: *Classifiquei-me em trigésimo lugar.* ***a.*** 2 Que é trinta vezes menor do que a unidade ou de um todo (diz-se de parte): *a trigésima parte da herança.* ***sm.*** 3 Cada uma das trinta partes em que se divide um todo 4 O que ocupa o trigésimo lugar [F.: Do lat. *trigesimus, a, um.*]

triglicéride (tri.gli.*cé*.ri.de) ***sm.*** *Bioq.* Ver *triglicerídio* [F.: *tri-* + *glicéride*.]

triglicerídeo (tri.gli.ce.*rí*.de:o) ***sm.*** Ver *triglicerídio*

triglicerídio (tri.gli.ce.*rí*.di:o) ***sm.*** *Bioq.* Éster da glicerina encontrado em diferentes proporções no sangue e nas células adiposas; TRIACILGLICERÍDEO; TRIGLICÉRIDE: *Exame laboratorial para a contagem de triglicerídios.* [F.: *tri-* + *glicerídio*. Tb. *tligliceríde*o.]

tríglifo (*trí*.gli.fo) ***sm.*** *Arq.* Ornamento arquitetônico em friso de ordem dórica constituído por uma placa retangular levemente projetada, com dois sulcos verticais que produzem três superfícies verticais, como traços paralelos [F.: Do gr. *tríglyphos, os, on*, 'que tem três pontas'.]

triglota (tri.*glo*.ta) ***a2g. s2g.*** O mesmo que *trilíngue* [F.: *tri-* + *-glota*.]

trigo (*tri*.go) ***sm.*** **1** *Bot.* Planta herbácea da fam. das gramíneas (*Triticum aestivum*), cultivada em todas as regiões de clima temperado, com milhares de variedades, de grande importância pelos grãos que produz, ricos em amido, dos quais se faz a farinha, matéria-prima do pão **2** *Bot.* O grão dessa planta **3** *Fig.* A hóstia consagrada [F.: Do lat. *triticum*.] ■ **Não ser ~ limpo** **1** *S.* Não ter boa índole, não ser boa pessoa **2** Ser ousado e irascível

trigonal (tri.go.*nal*) ***a2g.*** **1** Que tem três ângulos (prisma trigonal); TRIANGULAR; TRÍGONO **2** *Anat.* Ref. a trígono (2) **3** *Crist.* Diz-se do sistema cristalino caracterizado por apresentar três eixos cristalográficos e um eixo vertical de simetria ternária; ROMBOÉDRICO **4** *P. ext. Crist.* Diz-se de mineral que se cristaliza nesse sistema **5** *Quím.* Diz-se de átomo cujas valências seguem a orientação dos eixos que se dirigem do centro aos vértices de um triângulo equilátero, ou de orbitais que mostram esta disposição, ou da hibridização que a resulta [Pl.: *-nais*.] [F.: Do lat. *trigonalis, e*.]

trígono (*trí*.go.no) ***a.*** **1** Que apresenta três ângulos; TRIANGULAR ***sm.*** **2** *Anat.* Espaço triangular em qualquer área do corpo (trígono occipital) **3** *Astrol.* Segundo a astrologia, aspecto positivo revelado quando, no círculo do zodíaco, dois astros estão localizados a 120º de distância um do outro **4** *Od.* O grupo das três cúspides dianteiras e dominantes de um dente molar superior [F.: Do lat. *trigonus, a um*.]

trigonometria (tri.go.no.me.*tri*.a) ***sf.*** **1** *Mat.* Ramo da matemática que possibilita o cálculo das medidas dos lados de um triângulo e de seus ângulos **2** Compêndio dessa matéria: *consultar uma trigonometria.* [F.: Do lat. cient. *trigonometria*, forjado pelo matemático alemão Bartholomäus Pitiscus (1561-1613), em 1595] ■ **~ esférica** Estudo dos triângulos esféricos **~ plana** Estudo dos triângulos planos

trigonométrico (tri.go.no.*mé*.tri.co) *Mat.* ***a.*** Ref. a trigonometria (cálculo trigonométrico) [F.: *trigonometria* + *-ico*[2].]

trigo-sarraceno (tri.go-sar.re.*ce*.no) ***sm.*** *Bot.* Erva poligônea (*Fagopyrum esculentum*), originária da Ásia, us. como melífera e para forragem, cujas sementes constituem ração para animais domésticos e das quais se faz farinha. Tb. chamada *fagópiro* [Pl.: *trigos-sarracenos*.]

trigrama (tri.*gra*.ma) ***sf.*** **1** Palavra de três letras **2** Sinal composto de três caracteres [F.: *tri-* + *-grama*.]

trigueiro (tri.*guei*.ro) ***a.*** **1** De cor similar à do trigo maduro; que é um tanto escuro; MORENO; TRIGUENHO: "O seu moreno trigueiro, de cabocla velha, reluzia que nem metal em brasa." (Aluísio Azevedo, *O cortiço*) **2** Ref. a trigo (produção trigueira); TRIGUENHO **3** Semelhante ao trigo; TRIGUENHO ***sm.*** **4** Indivíduo trigueiro (1) **5** *Lus. Ornit.* Ave passeriforme dos emberrizídeos (*Emberiza cia*); tb. *cia* [F.: *trigo* + *-eiro*.]

triguenho (tri.*gue*.nho) ***a.*** O mesmo que *trigueiro* (1 a 3) [F.: *trigo* + *-enho*.]

trilar (tri.*lar*) ***v.*** **1** Soltar trilos ou trinados (o pássaro); trinar [*int.*] [*td.*: "E o canário, quedando-se em cima do poleiro, trilou isto..." (Machado de Assis, "Ideias de canário" in *Páginas recolhidas*)] **2** Emitir trilos [*td.*: *O juiz trilou o apito, marcando jogada irregular.*] [*int.*: *O juiz trilou antes do fim do jogo.*] [▶ **1** trilar] [F.: *trilo* + *-ar*[2].]

trilateral (tri.la.te.*ral*) ***a2g.*** **1** *Geom.* Que tem três lados (polígono trilateral); TRILÁTERO **2** Que envolve três participantes: *reunião trilateral de Chanceleres do Brasil, da África do Sul e da Índia.* [Pl.: *-rais*.] [F.: *tri-* + *lateral*.]

trilátero (tri.*lá*.te.ro) ***a.*** *Geom.* O mesmo que *trilateral* (1) [F.: Do lat. *trilaterus, a, um*.]

trilema (tri.*le*.ma) ***sm.*** Situação problemática que só pode ser resolvida pela escolha de uma solução entre três disponíveis [F.: *tri-* + *-lema*[2]. Cf.: *dilema*.]

trilha[1] (*tri*.lha) ***sm.*** **1** Ação ou resultado de trilhar **2** Debulha de cereais, feita com o trilho **3** Vestígio, rastro deixado por algo, pessoa ou animal que passa, pista **4** Trilho, caminho, vereda, senda, caminho, ger. entre vegetação **5** *Bras.* Linha ou sulco de gravação de informação em disco, fita, filme etc. **6** *Fig.* Exemplo, modelo [F.: Dev. de *trilhar*.] ■ **~ sonora** **1** *Cin. Telv.* Faixa (magnética ou óptica), paralela ao registro das imagens de um filme, na qual estão registrados os sons que acompanham essas imagens **2** *P. ext.* O som associado a um filme, produção de televisão, etc. **3** *Restr.* A série ou conjunto das músicas compostas ou escolhidas para acompanhar as cenas de um filme, novela, etc. **4** O registro sonoro obtido feito por determinado canal de áudio **Dar na ~** *Desus.* Adivinhar ou descobrir os planos, as intenções de alguém

trilha[2] (*tri*.lha) ***sf.*** *RJ SP Zool.* O mesmo que *salmonete* [F.: Do gr. *trígla* ou *trígla, as*; lat. cient. *Trigla*.]

trilhado (tri.*lha*.do) ***a.*** **1** Que se percorreu (atalho trilhado) [Tb. Fig.: destino trilhado.] **2** Que se debulhou ou moeu (grãos trilhados) **3** Que sofreu contusão (panturrilha trilhada) **4** *Fig.* Que já é bastante conhecido, experimentado: *caminho trilhado por inúmeros cientistas brasileiros.* **5** Que é repetido ou usado com frequência; BATIDO [F.: Part. de *trilhar*.]

trilhão (tri.*lhão*) ***num.*** Mil bilhões [Pl.: *-lhões*.] [F.: Do fr. *trillion*.]

trilhar (tri.*lhar*) ***v. td.*** **1** Seguir determinada trilha, caminho, atalho; PALMILHAR; PERCORRER: *Trilharam o árduo caminho do ofício.* **2** Debulhar grãos com a ajuda do trilho, ferramenta us. nesse trabalho **3** Moer, triturar: *Trilhou três sacas de grãos.* **4** Reduzir a pequenos fragmentos **5** Deixar marcado com rastos, indícios **6** Causar contusão ou mágoa **7** Obedecer a (normas de comportamento, moral): *Trilhava as regras da malandragem.* **8** Abrir passagem ou trilha em: *Trilhou a faixa de terreno junto ao rio.* [▶ **1** trilhar] [F.: Do v.lat. *tribulare*. Hom./Par.: *trilha* (fl.), *trilha* (sf.); *trilhas* (fl.), trilhas (pl. do sf.); *trilho* (fl.), *trilho* (sm.).]

trilheira (tri.*lhei*.ra) ***sf.*** Caminho bem-definido ou bem acentuado, na mata [F.: *trilha*[1] + *-eira*.]

trilheiro (tri.*lhei*.ro) ***sm.*** *Bras.* O mesmo que *trilha*[1] (4) [F.: *trilha*[1] + *-eiro*.]

trilho (*tri*.lho) ***sm.*** **1** Barra de aço laminado que, apoiada sobre dormentes, constitui a pista das rodas de veículos ferroviários, como trens e bondes; LINHA; CARRIL **2** Barra metálica ou de madeira em que se apoiam ou correm cortinas, painéis, portas, gavetas etc. **3** *Agr.* Cilindro ou rolo com dentes de ferro, tracionado por animais, usado na debulha de cereais **4** *Tip.* Nas prensas de cilindro, cada uma das barras de ferro sobre as quais correm as rodas do caixilho com os textos para impressão **5** Caminho, vereda, trilha **6** *Lus.* Utensílio com que se bate o leite para a fabricação de queijo ■ **~ de fenda** Trilho (1) especial, com uma ranhura ao longo de seu comprimento que serve de guia às rodas de veículos **Andar nos ~** *Fig.* Comportar-se de acordo com os padrões estabelecidos **Sair (fora) dos ~** Comportar-se fora dos padrões estabelecidos

trilíngue (tri.*lín*.gue) ***a2g.*** **1** Que domina três línguas **2** Escrito ou editado em três línguas diferentes (edição trilíngue) ***s2g.*** **3** Pessoa que domina três línguas [F.: Do lat. *trilinguis, e*.]

trilinguismo (tri.lin.*guis*.mo) ***sm.*** **1** Uso simultâneo de três línguas numa coletividade, empregados alternativamente segundo as exigências do meio ou de situações específicas **2** Uso simultâneo ou domínio de três línguas por um indivíduo ou grupo, com igual fluência ou predomínio de uma delas [F.: *trilíngue* + *-ismo*.]

trilionário (tri.li:o.*ná*.ri:o) ***a.*** **1** Diz-se do que ou de quem possui valores ou patrimônio cujo montante atinge a ordem do trilhão ou dos trilhões (empresa trilionária) ***sm.*** **2** Indivíduo trilionário [F.: *trilhão* (*trilion-*) + *-ário*. Sin. ger.: *multimilionário*.]

trilionésimo (tri.li:o.*né*.si.mo) ***num.*** **1** *Mat.* Número ordinal que, numa sequência, ocupa a posição do número um trilhão **2** *Mat.* Fração que corresponde a cada uma das partes iguais em que pode ser dividido um trilhão ***sm.*** **3** Aquele ou aquilo que ocupa o trilionésimo lugar [F.: *trilhão* (*trilion-*) + *-ésimo*.]

trilo (*tri*.lo) ***sm.*** **1** Gorjeio, trinado **2** Assovio produzido por apito **3** *Mús.* Articulação rápida e alternada de duas notas musicais que distam um tom ou meio-tom entre si; TRINADO; TRINO [F.: Do it. *trillo*.]

trilobado (tri.lo.*ba*.do) ***a.*** Que apresenta três lóbulos (cálice trilobado, arco trilobado); TRILOBULADO [F.: *tri-* + *lobado*.]

trilobita (tri.lo.*bi*.ta) ***sm.*** *Pal.* O mesmo que *trilobito*

trilobito (tri.lo.*bi*.to) *Pal.* ***sm.*** **1** Espécime dos trilobitos, classe de artrópodes marinhos extintos, da era Paleozoica, que reúne cerca de 15 mil espécies preservadas como fósseis; seu corpo com múltiplos segmentos é protegido por uma carapaça, apresenta apêndices birremes franjados de cerdas e placa caudal fundida ***a.*** **2** Ref. aos trilobitos [F.: Do lat. cient. *Trilobita*. Tb. *trilobita*.]

trilobulado (tri.lo.bu.*la*.do) ***a.*** O mesmo que *trilobado* [F.: *tri-* + *lobulado*.]

trilogia (tri.lo.*gi*.a) ***sf.*** **1** Conjunto de três obras literárias unidas entre si por um tema comum **2** Qualquer peça informativa ou literária dividida em três partes **3** Conjunto de três entidades, seres, objetos etc. de igual natureza **4** *Liter.* As três obras mais importantes de um autor: *A trilogia de Érico Veríssimo é formada por O Continente, O Retrato e O Arquipélago.* **5** *Hist.* Na Grécia antiga, poema dramático composto de três tragédias sobre um mesmo tema [F.: Do gr. *trilogía, as*.]

trimensal (tri.men.*sal*) ***a2g.*** **1** Que se faz ou que ocorre três vezes por mês **2** Publicado três vezes por mês (tiragem trimensal) [Pl.: *-sais*.] [F.: *tri-* + *mensal*.]

trímero (*trí*.me.ro) ***a.*** **1** Que tem três divisões ***sm.*** **2** *Quím.* Composto formado pela união de três moléculas da mesma espécie [F.: Do gr. *trimerés, és, és*. Cf.: *monômero* e *dímero*.]

trimestral (tri.mes.*tral*) ***a2g.*** **1** Que se realiza ou é feito de três em três meses; que ocorre a cada três meses (reunião trimestral) **2** Publicado de três em três meses (boletim trimestral) **3** Que dura três meses; TRIMESTRE **4** Ref. a três meses [Pl.: *-trais*.] [F.: *trimestre* + *-al*[1].]

trimestralidade (tri.mes.tra.li.*da*.de) ***sf.*** **1** Quantia referente a um trimestre **2** Prestação trimestral **3** Qualidade ou característica do que é trimestral ou se faz ou ocorre trimestralmente [F.: *trimestral* + *-(i)dade*.]

trimestralização (tri.mes.tra.li.za.*ção*) ***sf.*** Ação ou resultado de estabelecer (cobrança, cálculo, edição etc.) para um período trimestral: *trimestralização dos dados anuais.* [Pl.: *-ções*.] [F.: *trimestralizar* + *-ção*.]

trimestralizar (tri.mes.tra.li.*zar*) ***v. td.*** Estabelecer (cobrança, cálculo, edição etc.) para um período trimestral; fazer, efetuar, elaborar ou implementar (algo) para um período de três meses [▶ **1** trimestralizar] [F.: *trimestral* + *-izar*.]

trimestralmente (tri.mes.tral.*men*.te) ***adv.*** De modo trimestral; de três em três meses ou a cada três meses (pagar trimestralmente) [F.: *trimestral* + *-mente*.]

trimestre (tri.*mes*.tre) ***sm.*** **1** Período de três meses **2** Quantia referente a esse período ***a2g.*** **3** Que dura três meses; TRIMESTRAL [F.: Do lat. *trimestris, e*.]

trímetro (*trí*.me.tro) *Poét.* ***sm.*** **1** Verso de três pés, na métrica greco-romana **2** Verso composto de três seções, na métrica silábica ***a.*** **3** Diz-se de verso de três pés, na métrica greco-romana **4** Diz-se de verso composto de três seções, na métrica silábica [F.: Do fr. *trimètre*, do lat. *trimetrus, a, um*.]

trimórfico (tri.*mór*.fi.co) ***a.*** *Min. Bot.* O mesmo que *trimorfo* [F.: *trimorfia* + *-ico*[2].]

trimorfo (tri.*mor*.fo) ***a.*** **1** *Min.* Diz-se de cada uma das três formas cristalinas de substâncias que apresentam trimorfismo **2** *Bot.* Diz-se de flor que apresenta trimorfismo [F.: *tri-* + *-morfo*. Sin. ger.: *trimórfico*.]

trimotor (tri.mo.*tor*) [ô] ***a.*** **1** Que é equipado com três motores ***sm.*** **2** Avião equipado com três motores [F.: *tri-* + *motor*.]

trinacional (tri.na.ci:o.*nal*) ***a2g.*** **1** Ref., inerente ou comum a três nações (fronteira trinacional) **2** Que se realiza entre três nações (tratado trinacional) [Pl.: *-nais*.] ***sf.*** **3** Instituição, empresa ou organização que atua em três países [Pl.: *-nais*.] [F.: *tri-* + *nacional*.]

trinado (tri.*na*.do) ***sm.*** **1** Ação de trinar **2** Som melodioso produzido por alguns pássaros; GORJEIO; TRINO; TRILO: "A fragrância das flores e o trinado dos canários de um elegante viveiro." (José de Alencar, *Senhora*) **3** *Mús.* O mesmo que *trilo* (3) [F.: Substv. do part. de *trinar*.]

trinar (tri.*nar*) ***v. int.*** O mesmo que *trilar* [▶ **1** trinar] [F.: De or. onom.]

trinca[1] (*trin*.ca) ***sf.*** **1** Reunião de três coisas assemelhadas **2** Grupo de três pessoas; TRIO: *Formavam uma trinca inseparável.* **3** *Lud.* Em jogos de baralho, conjunto de três cartas do mesmo naipe ou do mesmo valor **4** *Bras. Pop.* Grupo de pessoas (inicialmente, de meninos de rua) mal-intencionadas, que agem com maus propósitos [F.: De or. contrv.]

trinca[2] (*trin*.ca) ***sf.*** **1** Arranhão **2** Fresta, rachadura [F.: Dev. de *trincar*.]

trincado (trin.*ca*.do) ***a.*** **1** *Bras.* Que está rachado: *O fêmur ficou apenas trincado.* **2** Cortado ou rasgado com os dentes **3** *Fig.* Astuto, malicioso, maldoso **4** *Mar.* Tipo de construção do costado de certas embarcações, no qual as fiadas de tábuas ou chapas se sobrepõem **5** *Bras. Pop.* Que está indisposto, maldisposto [F.: Part. de *trincar*.]

trinca-ferro (trin.ca-*fer*.ro) *Zool.* ***sm.*** **1** Denom. comum a aves da fam. dos emberizídeos, do gên. *Saltator* **2** *Restr.* Pássaro da fam. dos emberizídeos (*Saltator similis*) que ocorre no Brasil este-meridional e central, além de Bolívia, Paraguai, Uruguai e Argentina, é o mais conhecido representante do gên., apresenta o dorso verde, cabeça e cauda acinzentadas, ventre cinza-oliváceo, garganta branca e estria malar; destaca-se pela clareza do canto [Pl.: *trinca-ferros*.] [F.: v. *trincar* (na 3ª pess. sing. pres. ind.) + *ferro*.]

trincafiar (trin.ca.fi.*ar*) ***v. td.*** **1** Prender com trincafio **2** *Mar.* Amarrar com mialhar, dando voltas no cabo, ou fio etc. **3** Amarrar qualquer coisa, dando voltas com aquilo com que se amarra **4** O mesmo que *trancafiar* [▶ **1** trincaf iar] [F.: *trincafio* + *-ar*[2], posv. Hom./Par.: *trincafio* (fl.), *trincafio* (sm.).]

trincafio (trin.ca.*fi*:o) ***sm.*** **1** Linha de sapateiro **2** Porção de estopa que se enrola na rosca do parafuso para se apertar bem a porca **3** *Fig.* Maneira simulada e maliciosa de agir; ASTÚCIA; MANHA **4** *P. us. Enc.* Cordão colorido ou debrum que se coloca nas extremidades superior ou inferior do dorso de um livro para adornar, reforçar ou proteger; CABEÇADA **5** *Mar.* Cabo fino para amarrar vela, toldo etc. [F.: De or. incerta; posv. do espn. *trincafia*. Hom./Par.: *trincafio* (fl. de *trincafiar*).]

trincamento (trin.ca.*men*.to) ***sm.*** Ação ou resultado de trincar [F.: *trincar* + *-mento*.]

trincar (trin.*car*) ***v.*** **1** Apertar ou partir com os dentes [*td.*: *Trincar os lábios/o pão.*] **2** Estalar, rachar [*int.*: *O copo caiu no chão e trincou.*] **3** Partir ou dividir em muitos pedaços; TRITURAR [*td.*] **4** Comer, mastigar [*vt.*] **5** *N* Tinir, retinir [*int.*] **6** Produzir barulho ao se mastigar [*int.*: *A amêndoa trincava-lhe na boca.*] **7** Tornar-se colérico, furioso; ZANGAR-SE; ENFURECER-SE [*td.*] [▶ **11** trincar] [F.: De or. obsc. Hom./Par.: *trinca* (fl.), *trinca* (sf.); *trincas* (fl.), *trincas* (pl. do sf.); *trinque* (fl.), *trinque* (sm.); *trinques* (fl.), *trinques* (pl. do sf.); *trinco* (fl.), *trinco* (sm.).]

trincha (*trin*.cha) ***sf.*** **1** Tipo de pincel largo, especial para uso em grandes superfícies **2** Apara de madeira **3** Qualquer pedaço estreito e alargado de algo **4** *Carp.* Ferramenta apropriada para arrancar pregos **5** *Marc.* Formão largo próprio para ampliar o tamanho de orifícios quadrados em

madeira **6** *Gír.* Qualquer instrumento que se preste para arrombar portas **7** *Lus.* Cós de saia [F.: Dev. de *trinchar*.]
trinchante (trin.*chan*.te) ***a2g.*** **1** Que trincha ou que serve para trinchar ***sm.*** **2** Tipo de faca us. para trinchar carne **3** Conjunto de faca e garfo com que se trincha: "Amolavam-se os trinchantes nas mãos dos copeiros." (Raul Pompeia, *O Ateneu*) **4** Mesa ou base sobre a qual se trincha ***s2g.*** **5** Pessoa que trincha [F.: Do fr. *tranchant*.]
trinchar (trin.*char*) ***v.*** **1** Cortar (esp. carne) em fatias [***td.***: *Trinchou o assado com um sorriso enorme.*] **2** Cortar a bainha para que a roupa tenha melhor caimento [***int.***] **3** Dividir em pedaços [***td.***] [▶ 1 trinchar] [F.: Do fr. *trancher*. Hom./Par.: *trincha* (fl.), *trincha* (sf.); *trinchas* (fl.), *trinchas* (pl. do sf.); *trincho* (fl.), *trincho* (sm.).]
trincheira (trin.*chei*.ra) ***sf.*** **1** *Mil.* Fosso ou escavação a céu aberto us. para proteção ou abrigo de soldados em combate **2** Qualquer tipo de obstáculo erguido com pedras, sacos e areia etc. **3** Local onde se trava uma batalha **4** Numa praça de touros, tabique de madeira que separa a arena da bancada dos espectadores **5** Corda estendida sobre um terreno para nivelar ou formar uma estrada **6** *Fig.* Alicerce, baluarte: *A Bíblia foi a trincheira de sua pregação.* **7** *Bras.* Obstáculo de madeira que protege o cortador de folhas de erva-mate contra o fogo [F.: Do fr. ant. *trenchier*.]
trinchete (trin.*che*.te) [ê] ***sm.*** **1** Faca de sapateiro curva, muita afiada e de ponta fina **2** Faca grande e muito afiada com cabo de madeira [F.: Do fr. *tranchet*.]
trincho (*trin*.cho) ***sm.*** **1** Ação ou resultado de trinchar **2** Modo de trinchar **3** Prato grande sobre o qual se trincham as iguarias **4** Parte da ave ou da peça de carne por onde se trincha com mais facilidade **5** Tábua sobre a qual se põe a massa de queijo apertada pelo cincho **6** Peça das prensas de fuso fixo destinada a operar a pressão **7** *Fig.* Meio mais fácil de resolver uma questão [F.: Dev. de *trinchar*. Hom./Par.: *trincho* (sm.), *trincho* (fl. de *trinchar*).]
trinco (*trin*.co) ***sm.*** **1** Tranqueta de metal us. para abrir ou cerrar portas, armários etc. **2** Fechadura sem lingueta, em que a chave levanta essa tranqueta **3** Som breve e seco produzido pelo impacto do dedo médio com a palma da mão depois de tê-lo atritado com o polegar [F.: Dev. de *trincar*.]
trindade (trin.*da*.de) ***sf.*** **1** *Rel.* No catolicismo, dogma da união de três pessoas distintas (Pai, Filho e Espírito Santo) numa só entidade: Deus: *O mistério da Santíssima Trindade.* [Nesta acp., com inicial maiúsc.] **2** *Rel.* Festa cristã em honra desse mistério, celebrada no domingo seguinte ao de Pentecostes: *Festa da Santíssima Trindade.* [Nesta acp., com inicial maiúsc.] **3** Divindade tríplice nas religiões pagãs **4** Ordem religiosa dos trinos, fundada em 1198 **5** Conjunto de três entidades, pessoas, objetos etc; TRÍADE; TRIO [F.: Do lat. *trinitas, atis*.]
trinervado (tri.ner.*va*.do) ***a.*** *Bot.* Que tem três nervuras (folha), as quais partem da base do limbo [F.: *tri-* + *nervado*.]
trineto (tri.*ne*.to) ***sm.*** Filho do bisneto ou da bisneta de uma pessoa; ABNETO [F.: *tri-* + *neto*.]
trinitário (tri.ni.*tá*.ri:o) ***a.*** **1** Ref. a trindade (1) **2** Diz-se de religioso que integra a Ordem Hospitalar da Santíssima Trindade; TRINO **3** De Trinidad e Tobago; típico desse país e de seu povo [Tb. *trinitário-tobagense* e *tobaguiano*.] ***sm.*** **4** Religioso trinitário; TRINO **5** Indivíduo nascido ou que vive em Trinidad e Tobago [Tb. *trinitário-tobagense* e *tobaguiano*.] [F.: Do lat. *trinitas, atis*, 'trindade', + *-ário*.]
trinitarista (tri.ni.ta.*ris*.ta) ***a2g.*** **1** Relativo à doutrina cristã que postula a existência de três pessoas (a trindade) em um só Deus (conceito trinitarista) ***s2g.*** **2** Adepto da doutrina trinitarista [F.: *trinitár(io)* + *-ista*.]
trinitrotolueno (tri.ni.tro.to.lu.*e*.no) ***sm.*** *Quím.* Substância cristalina amarelada, us. como intermediário químico na fabricação de poderoso explosivo, mais conhecido pela sigla TNT; TROTIL [F.: *tri-* + *-nitr(o)-* + *tolueno*.]
trino[1] (*tri*.no) ***a.*** **1** Composto por três; TRIPLO; TRINITÁRIO; TRÍPLICE **2** *Rel.* Pertencente à ordem religiosa da Santíssima Trindade; TRINITÁRIO [F.: Do lat. *trinus, a, um*.]
trino[2] (*tri*.no) ***sm.*** Gorjeio, trilo, trinado [F.: Dev. de *trinar*.]
trinômio (tri.*nô*.mi:o) ***sm.*** **1** *Mat.* Polinômio formado por três termos **2** O que consiste de três termos ou três partes **3** *Biol.* Conjunto de um substantivo e dois adjetivos que em latim designam gênero, espécie e subespécie, ou variedade ***a.*** **4** *Mat.* Que é constituído por três termos ou três partes (equação trinômia) [F.: Do lat. *trinomius, a, um*.]
trinque (*trin*.que) ***sm.*** **1** *Pop.* Apuro na apresentação pessoal, elegância, esmero no vestir: "Surdiu do quarto o noivo, todo no trinque, de colarinho duro..." (Simões Lopes Neto, *Contos gauchescos*) **2** Cabide em que mascates ou vendedores de tecido barato expunham sua mercadoria [F.: De or. contrv.] ■ **No(s) ~(s)** **1** Muito elegante ou bem vestido **2** Bêbedo
trinta (*trin*.ta) ***num.*** **1** Quantidade correspondente a 29 unidades mais uma **2** Número que corresponde a essa quantidade (arábico: 30; romano: XXX) **3** Trigésimo elemento de uma série ***sm.*** **4** Representação gráfica do número trinta **5** O que ocupa o trigésimo lugar numa série [F.: Do lat. *triginta*.]
trinta e oito (trin.ta e *oi*.to) ***sm2n.*** Revólver de calibre 38
trinta e um (trin.ta e *um*) ***sm2n.*** *Lud.* Jogo de baralho em que se distribuem três cartas a cada jogador que, para ganhar, precisa completar 31 pontos; para tanto pode pedir mais cartas, mas perde se ultrapassar esse número ■ **Bater o ~** *Bras. Pop.* Morrer
trinta e um de roda (trin.ta e um de *ro*.da) ***sm2n.*** *N. E. Pop.* Us. apenas na locução *bater o trinta e um de roda* ■ **Bater o ~** *N. E. Pop.* Morrer
trintanário (trin.ta.*ná*.ri:o) ***sm.*** **1** *Ant.* Auxiliar de cocheiro que viajava ao seu lado, na boleia, para abrir e fechar a portinhola, levar recados etc.: "...luzindo arreios de prata, cocheiro e trintanário de libré debruada a cor de laranja..." (Aquilino Ribeiro, "O morgado de Fraião" *in Casa do escorpião: novelas*) **2** *Lus.* Manobrista de automóveis, em hotéis de luxo [F.: Do fr. ant. *trantaner*, posv. Hom./Par.: *trintanário* (sm.), *trintenário* (a. sm.).]
trintão (trin.*tão*) ***a.*** **1** Que está na faixa dos 30 anos de idade; TRINTENÁRIO [Pl.: *-tões*. Fem.: *-tona*.] ***sm.*** **2** Aquele que está na faixa dos 30 anos de idade; TRINTENÁRIO [Pl.: *-tões*. Fem.: *-tona*.] [F.: *trinta* + *-ão*[1].]
trintário (trin.*tá*.ri:o) ***sm.*** **1** *Litu.* Cerimônia fúnebre realizada trinta dias depois do falecimento de alguém **2** Trinta missas celebradas em dias consecutivos pelo mesmo padre ou por trinta padres diferentes num mesmo dia: "...assemelhavam-se aos ecos das orações por finado repercutidas por abóbadas de igreja em trintário cerrado..." (Alexandre Herculano, *O bobo*) [F.: *trinta* + *-ário*.]
trintena (trin.*te*.na) ***sf.*** Conjunto de trinta unidades (seres, objetos etc. de igual natureza) [F.: *trinta* + *-ena*.]
trintenário (trin.te.*ná*.ri:o) ***a.*** **1** Que está na casa dos 30 anos de idade ***sm.*** **2** Indivíduo trintenário [F.: *trintena* + *-ário*. Hom./Par.: *trintenário* (a. sm.), *trintanário* (sm.). Sin. ger.: *trintão*.]
trio (*tri*.o) ***sm.*** **1** Grupo de três pessoas: *Esse três bagunceiros formam um trio do barulho!* **2** Conjunto de três coisas, três objetos **3** *Mús.* Conjunto de três músicos (instrumentistas e/ou cantores) que executam juntos uma obra musical **4** *Mús.* Obra musical composta para ser executada por trio (3) **5** *Mús.* Termo que denomina a segunda parte de certas formas musicais [F.: Do it. *trio*.]
triodo (tri.*o*.do) [ô] ***sm.*** *Eletrôn.* Válvula eletrônica de três elementos que contém um cátodo, uma grade de controle e um ânodo, us. esp. em amplificadores [Criada por Lee de Forest, inventor norte-americano (1873-1961), em 1907] [F.: *tri-* + *-odo*. A melhor f. é *tríodo*, embora menos us.]
triolé (tri:o.*lé*) ***sm.*** *Poét.* Estrofe de oito versos, com duas rimas, na qual o primeiro, o quarto e o sétimo versos se repetem enquanto o oitavo é igual ao segundo: "...Deram-lhe alcunhas ridículas, inventaram-lhe biografias vergonhosas, crivaram-no de triolés insultuosos..." (Aluísio Azevedo, *Filomena Borges*) [F.: Do fr. *triolet*.]
trióxido (tri.*ó*.xi.do) [cs] ***sm.*** *Quím.* Óxido que contém três átomos de oxigênio [F.: *tri-* + *óxido*.]
tripa (*tri*.pa) ***sf.*** **1** Intestino de qualquer animal **2** *Cul.* Parte exterior do intestino da rês bovina, us. como iguaria; DOBRADINHA **3** *Lus. Cul.* Cozido feito com essa parte do intestino e feijão; DOBRADINHA; DOBRADA **4** *Pop.* Intestino do ser humano **5** Corda de viola feita com tripa (1) de animal [São vários os animais cujas tripas se prestam à confecção de cordas: o porco-espinho, o macaco de grande porte, entre eles.] **6** *Pop.* O que tem formato alongado e estreito, como a tripa (1); TIRA **7** *Bras. Jorn.* Série de notícias sem relevância; LINGUIÇA **8** *Ant. Mar.* Estralheira que serve para auxiliar a colocação de mastros etc. [F.: Contrv.] ■ **À ~ forra** À vontade, sem restrição (esp. ao comer e beber) **Fazer das ~s coração** Munir-se de coragem e denodo para enfrentar dificuldade, perigo etc. **~ de lobo** *Lus. Pop.* Pessoa que, apesar de comer muito, mantém-se magra **~ do boi** *Bras. Folc.* No bumba meu boi, o participante que, sob a armação que figura o boi, conduz suas evoluções e a danças **~ gaiteira** *N. E. Pop.* O intestino grosso
◎ **tripano-** ***el. comp.*** = 'broca': *tripanossoma* (< lat. cient.) [F.: Do gr. *trýpanon, ou*.]
tripanossoma (tri.pa.nos.*so*.ma) ***sm.*** Ver *tripanossomo*
tripanossomatídeo (tri.pa.nos.so.ma.*tí*.de:o) *Zool.* ***sm.*** **1** Espécime dos tripanossomatídeos, fam. de protozoários parasitas de vertebrados, invertebrados e de plantas, capaz de assumir formas diversas, de acordo com o tipo do hospedeiro e das condições apresentadas ***a.*** **2** *Zool.* Ref. ou pertencente aos tripanossomatídeos [F.: Adaptç. do lat. cient. *Trypanosomatidae*.]
tripanossomíase (tri.pa.nos.so.*mí*.a.se) ***sf.*** *Pat.* Doença causada por protozoários do gên. *Trypanossoma* [F.: Do lat. cient. *Trypanosoma* + *-íase*.] ■ **~ (sul-)americana** *Pat.* Doença descoberta por Carlos Chagas, cientista brasileiro, transmitida por mosquito (esp. o *barbeiro*), que inocula o *Trypanosoma cruzi*; doença de Chagas
tripanossomo (tri.pa.nos.*so*.mo) ***sm.*** *Zool.* Denom. comum às diversas spp. do gên. *Trypanossoma* do filo dos zoomastiginos com espécies parasitas do sistema circulatório de invertebrados e vertebrados, entre estes o homem. Transmitem a doença de Chagas e a doença do sono [F.: Do lat. cient. *Trypanosoma*. Tb. *tripanossoma*.]
tripartição (tri.par.ti.*ção*) ***sf.*** Ato ou efeito de tripartir; divisão ou repartição em três partes: *tripartição de terras.* [Pl.: *-ções*.] [F.: Do lat. *tripartio, onis*.]
tripartido (tri.par.*ti*.do) ***a.*** **1** Que se tripartiu **2** O mesmo que *tripartite* [F.: Do lat. *tripartitus, a um*.]
tripartir (tri.par.*tir*) ***v.*** Repartir(-se) em três partes [***td.***: *Tripartir o ganho.*] [***int.***: *A prancheta tripartiu-se.*] [▶ 3 tripartir] [F.: Do v.lat. *tripartire*.]
tripartismo (tri.par.*tis*.mo) ***sm.*** Cooperação entre organizações de empregadores, de trabalhadores e dos governos para a promoção da justiça social [F.: *tri-* + *parte* + *-ismo*.]
tripartite (tri.par.*ti*.te) ***a2g.*** **1** Que se tripartiu; dividido em três partes (financiamento tripartite) **2** Composto de três elementos: *a OEA, o BID e a CEPAL formam um comitê tripartite.* [F.: Do lat. *tripartitus, a, um*, pelo fr. *tripartite*. Sin. ger.: *tripartido*.]
tripé (tri.*pé*) ***sm.*** **1** Suporte com três pernas ou escoras, sobre o qual se apoiam máquina fotográfica, filmadora, telescópio ou outro aparelho **2** Tipo de banco ou assento que se apoia sobre três pés, e sem respaldo; TRIPEÇA **3** Arco ou triângulo de ferro com três pés, sobre o qual se coloca panela que vai ao fogo; TREMPE **4** *Fig.* Conjunto de três coisas diversas ligadas entre si por um ou mais traços comuns: *Liberdade, igualdade, fraternidade, o tripé da Revolução Francesa.* [F.: Do lat. *tripes, edis*.]
tripeiro (tri.*pei*.ro) ***sm.*** **1** Aquele que vende tripas e outras vísceras de animais; BUCHEIRO **2** Aquele que se alimenta de tripas **3** *Lus. Pej. Pop.* Habitante da cidade do Porto (Portugal) [F.: *tripa* + *-eiro*.]
tripetídeo (tri.pe.*tí*.de:o) *Zool.* ***sm.*** **1** Espécime dos tripetídeos, fam. de insetos dípteros, esp. tropical, que reúne moscas coloridas médias ou grandes, cujos adultos são encontrados na vegetação e nas flores e as larvas são freq. fitófagas [Várias constituem pragas diversas culturas.] ***a.*** **2** *Zool.* Ref. ou pertencente aos tripetídeos [F.: Adaptç. do lat. cient. *Trypetidae*.]
triplamente (tri.pla.*men*.te) ***adv.*** De modo triplo; três vezes; por três modos diversos: *homicídio triplamente qualificado.* [F.: Fem. de *triplo* + *-mente*.]
triplano (tri.*pla*.no) ***sm.*** *Aer.* Aeroplano cujas asas são formadas por três planos de sustentação superpostos [Tiveram atuação destacada na Primeira Guerra Mundial.] [F.: *tri-* + *plano*. Cf.: *monoplano* e *biplano*.]
triplegia (tri.ple.*gi*.a) ***sf.*** *Pat.* Perda total das funções motoras de três membros [F.: *tri-* + *-plegia*.]
tripleto (tri.*ple*.to) [ê] ***sm.*** **1** Conjunto de três elementos do mesmo tipo **2** *Fís.* Raia espectral correspondente a um estado quântico igual a 3 **3** *Fís. nu.* Multipleto constituído por três partículas elementares **4** *Ópt.* Lente resultante da combinação de três lentes [F.: Do ingl. *triplet*.]
tríplex (*trí*.plex) [cs] ***a2g2n.*** **1** Constituído de três partes (geladeira tríplex, tanque tríplex) **2** Que tem três andares (chalé tríplex, coberturas tríplex) ***sm2n.*** **3** *Bras.* Apartamento com três andares: *um tríplex avaliado em mais de um milhão.* **4** Vidro de segurança us. ger. em automóveis, constituído por duas lâminas de vidro entremeadas por fina camada de acetato de celulose [F.: Do lat. *triplex, icis*. Tb. se usa a f. oxítona *triplex*, como 2n (a f. culta seria *tríplices*).]
triplicação (tri.pli.ca.*ção*) ***sf.*** Ação ou resultado de triplicar(-se), de tornar(-se) três vezes maior [Pl.: *-ções*.] [F.: Do lat. *triplicatio, onis*.]
triplicado (tri.pli.*ca*.do) ***a.*** **1** Multiplicado por três; que é ou está três vezes maior; TRESDOBRADO ***sm.*** **2** O mesmo que *triplicata* (2) [F.: Do lat. *triplicatus, a, um*.]
triplicar (tri.pli.*car*) ***v.*** **1** Fazer ficar ou ficar três vezes maior [***td.***: *O circo triplicou os números de trapézio.*] [***int.***: *As preces triplicaram no Natal.*] **2** Aumentar muito [***int.***: *Triplicou o apoio ao candomblé.*] [▶ 11 triplicar] [F.: Do v.lat. *triplicare*. Hom./Par.: *triplicar, treplicar* (em todos os tempos).]
triplicata (tri.pli.*ca*.ta) ***sf.*** **1** Terceira cópia ou terceira reprodução de um texto ou documento; TRIPLICADO **2** *Com.* Título que substitui uma duplicata extraviada [F.: Do lat. *triplicata*, fem. pl. do lat. *triplicatus, a, um*, part. pass. do v.lat. *triplicare*.]
tríplice (*trí*.pli.ce) ***num.*** **1** Que é três vezes maior que outro; TRIPLO ***a2g.*** **2** Que consta de três elementos: *O Tratado da Tríplice Aliança, em 1865, reuniu Brasil, Argentina e Uruguai contra o Paraguai.* **3** Desenvolvido ou realizado em três etapas (tarefa tríplice) ***sf.*** **4** Vacina tríplice, que previne contra difteria, tétano e coqueluche [Ver achega encicl. no verbete *vacina*.] [F.: Do lat. *triplex, cis*.]
triplicidade (tri.pli.ci.*da*.de) ***sf.*** Característica do que é tríplice; qualidade do que é composto por três [F.: *tríplice* + *-(i)dade*.]
triplista (tri.*plis*.ta) ***s2g.*** *Esp.* Atleta especializado no salto triplo: *O triplista brasileiro obteve a melhor marca das eliminatórias.* [F.: *triplo* + *-ista*.]
triplo (*tri*.plo) ***num.*** **1** Que é três vezes a quantidade ou o tamanho de um (salto triplo); TRÍPLICE ***a.*** **2** Que contém três partes ou elementos: *um CD triplo de Lulu Santos.* **3** Que é para ou de três pessoas: *voo triplo de asa-delta.* ***sm.*** **4** Quantidade, tamanho ou valor três vezes maior: *Foi cobrado o triplo do preço normal.* [F.: Do lat. *triplus, a, um*.]
triploide (tri.*ploi*.de) *Gen.* ***a2g.*** **1** Que tem três vezes o número haploide de cromossomos próprios da espécie (célula triploide) ***sm.*** **2** *Gen.* Célula, organismo ou indivíduo que tem três vezes o número haploide de cromossomos próprios da espécie [F.: *tri-* + *-ploide*.]
◎ **tripo-** ***el. comp.*** = 'verme', 'caruncho': *tripófago* [F.: Do gr. *thríps, thripós*.]
tripófago (tri.*pó*.fa.go) ***a.*** *Zool.* Que se alimenta de vermes [F.: *tripo-* + *-fago*.]
tripolarização (tri.po.la.ri.za.*ção*) ***sf.*** Divisão em três polos ou pontos principais: *O receio dos políticos é de que a campanha eleitoral ganhe contornos de tripolarização.* [Pl.: *-ções*.] [F.: *tri-* + *polarização*.]
trípoli (*trí*.po.li) ***sm.*** *Geol.* Rocha sedimentar leve, porosa e friável feita de resíduos silicosos e de diatomáceas; dela se obtém pó abrasivo us. para polir metais, mármores, vidros etc; FARINHA-FÓSSIL [F.: Do top. *Trípoli* (*Líbia*).]

tripolitano (tri.po.li.*ta*.no) *sm.* **1** Indivíduo nascido ou que vive em Trípoli (capital da Líbia) **2** Indivíduo nascido ou que vive na Tripolitânia (região histórica da Líbia ocidental, que inclui a cidade de Trípoli) *a.* **3** De Trípoli; típico dessa cidade ou de seu povo **4** Da Tripolitânia; típico dessa região ou de seu povo [F.: Do lat. *tripolitanus, a, um.*]

◎ **-tripsia** *el. comp.* = ' esmagamento': *basiotripsia, histotripsia, litotripsia* [F.: Do gr. *trîpsis, eos*, ' ação de friccionar, de esmagar, de triturar, de desgastar, de esfregar' (do v. gr. *tríbo*, ' esfregar'; ' friccionar'; ' esmagar') + *-ia*[1]. F. conexa: *tribo-*.]

tripsina (trip.*si*.na) *sf. Bioq.* Enzima produzida pelo pâncreas, formada pela ativação do tripsogênio, que catalisa a degradação de proteínas por meio da hidrólise dos polipeptídeos [F.: Do gr. *trý(psis)*, 'ação de quebrar', + *(pe)psina*.]

tripsinogênio (trip.si.no.*gê*.ni:o) *sm. Bioq.* Proteína precursora da tripsina encontrada no suco pancreático, que se converte em tripsina pela ação da própria tripsina, enterocinase ou outras enzimas proteolíticas [F.: *tripsina* + *-o-* + *-gênio*.]

tríptico (*tríp*.ti.co) *sm.* **1** *Art. pl.* Obra de pintura, desenho ou escultura constituída por três painéis: um central e fixo, e dois laterais dobráveis que podem se fechar cobrindo completamente o painel central **2** *Bibl.* Tábula constituída por três placas enceradas, sobre a qual os antigos romanos escreviam **3** Pequeno livro de três folhas **4** Caderneta que permite a entrada de um veículo num país com isenção de direitos alfandegários [F.: Do gr. *triptykhos, os, on.*]

triptofano (trip.to.*fa*.no) *sm. Bioq.* Aminoácido cristalino ($C_{11}H_{12}N_2O_2$) obtido a partir de várias proteínas, essencial ao organismo animal e humano [F.: *tript-* *(tríptico)* + *-o-* + *-fano*.]

tripudiado (tri.pu.di.*a*.do) *a.* Que se tripudiou; ESCARNECIDO; ZOMBADO: *Time que está perdendo não merece ser tripudiado.* [F.: Part. de *tripudiar*.]

tripudiante (tri.pu.di:*an*.te) *a2g.* **1** Que tripudia **2** Que merece ser tripudiado *s2g.* **3** Pessoa que tripudia [F.: *tripudiar* + *-(a)nte*.]

tripudiar (tri.pu.di.*ar*) *v.* **1** Exaltar excessivamente uma vantagem ou vitória, manifestando desprezo ou zombaria para com o(s) concorrente(s) [*tr.* + *sobre*: *Tripudiaram sobre os retardatários.*] [*int.*: *O bobalhão passou a tripudiar.*] **2** Dançar batendo os pés; SAPATEAR [*int.*: *Tripudiava ao som do batuque.*] **3** Deixar-se dominar por vício ou comportamento criminoso [*tr.* + *em*] [F.: Do lat. *tripudiare*. Hom./Par.: *tripudio* (1ªp. s.)/ *tripúdio* (sm.).]

tripúdio (tri.*pú*.di:o) *sm.* **1** Ação ou resultado de tripudiar **2** Escárnio, humilhação **3** Dança sapateada **4** *Fig.* Devassidão, libertinagem [F.: Do lat. *tripudium, i*. Hom./Par. *tripudio* (fl. de *tripudiar*).]

tripulação (tri.pu.la.*ção*) *sf.* O conjunto de pessoas que tripulam uma embarcação, um avião ou uma nave espacial, comandando ou fazendo os demais serviços de bordo [F.: *tripular* + *-ção*.]

tripulado (tri.pu.*la*.do) *a.* **1** Provido de tripulação: *nave espacial tripulada.* **2** *Bras. RJ Gír.* Com passageiro(s) [Termo us. por taxistas, esp., os de cooperativas, para indicar a chegada de cliente e que o veículo está, momentaneamente, indisponível para novas corridas.] [F.: Part. de *tripular*.]

tripulante (tri.pu.*lan*.te) *a2g.* **1** Que tripula uma embarcação, um avião ou uma nave espacial *s2g.* **2** Membro da tripulação [F.: *tripular* + *-nte*.]

tripular (tri.pu.*lar*) *v. td.* **1** Prover (barco ou aeronave) de tripulação: *Passaram semanas no porto, tripulando o veleiro.* **2** Pilotar, dirigir: *Ela tripulou o helicóptero sem nenhuma dificuldade.* [▶ **1** tripular] [F.: De or. incerta.]

triquete (tri.*que*.te) [ê] *sm.* **1** *P. us.* O espaço entre cada pisada durante o andar; PASSO **2** Us. na loc. adv. *a cada triquete*: a cada passo ou momento [F.: Do espn. *triquete*.] ■

A cada ~ A todo momento, a cada passo, a toda hora

◎ **-triqu(i)-** *el. comp.* Ver *tric(o)-*

◎ **triqu(i)-** *el. comp.* Ver *tric(o)-*

◎ **-triquia** *el. comp.* = 'irregularidade capilar': *atriquia, leucotriquia, oligotriquia* [Em termos de Med.] [F.: Do gr. *thríks, trikhós*, 'pelo', 'cabelo', + *-ia*[1]. F. conexa: *tric(o)-*.]

triquina (tri.*qui*.na) *sf. Zool.* Verme nematódeo (*Trichinella spiralis*) que infecta o intestino do homem e de outros mamíferos [F.: Do lat. cient. *Trichina*.]

triquinela (tri.qui.*ne*.la) *sf. Zool.* Gênero de vermes, (*Trichinella*) parasitos de mamíferos, inclusive do homem, em cujos intestinos se alojam, migrando depois para os músculos [F.: Do lat. *Trichinella*.]

triquiníase (tri.qui.*ní*:a.se) *sf. Pat.* O mesmo que *triquinose*

triquinose (tri.qui.*no*.se) *sf. Pat.* Infecção causada por triquinas que se encontram na carne; TRIQUINÍASE [F.: *triquin(a)* + *-ose*[1].]

trirreme (trir.*re*.me) *sf. Hist.* Embarcação us. na antiguidade, movida por três fileiras superpostas de remadores: "De lá embarcar em qualquer trirreme fenícia que parasse para Itália." (Eça de Queirós, *A Relíquia*) [F.: Do lat. *triremis, e.*]

◎ **tris-** *el. comp.* Ver *tri-*

trisanual (tri.sa.nu.*al*) *a2g.* **1** Que tem a duração de três anos **2** Que ocorre ou se faz de três em três anos [Pl.: *-ais*.] [F.: *tris-* + *anual*. Sin. ger.: *trienal*.]

trisavó (tri.sa.*vó*) *sf.* Mãe da bisavó ou do bisavô [F.: *tris-* + *avó*.]

trisavô (tri.sa.*vô*) *sm.* Pai do bisavô ou da bisavó [F.: *tris-* + *avô*.]

triscado (tris.*ca*.do) *a.* **1** *Bras. Pop.* Que se embebedou; EMBRIAGADO; BÊBADO: *João chegou na festa já meio triscado.* **2** Que tocou de leve: *A bola deve ter triscado a rede.* [F.: Part. de *triscar*.]

triscar (tris.*car*) *v.* **1** Brigar, discutir [*int.*: *Era uma jararaca, e triscava o dia inteiro.*] **2** Fazer fogo com pederneira [*td.*] **3** *Bras. Fut.* Passar raspando, tocar só de passagem [*td.*: *A bola triscara o alto da trave.*] **4** Produzir pequeno ruído [*int.*: *Pequenos animais triscavam na noite.*] **5** Mexer-se, mover-se um pouco [*int.*: *Quando entrou com a cimitarra, ninguém triscou.*] [▶ **11** triscar] [F.: Do gót. *thriskan*. Hom./Par.: *trisca* (fl.), *trisca* (sf.); *triscas* (fl.), *triscas* (pl. do sf.).]

trismegisto (tris.me.*gis*.to) *a.* Três vezes grande [Superlativo dado pelos gregos a Hermes, intérprete e mensageiro dos deuses, depois de conhecerem Thot, deus egípcio inventor da escrita e por isso identificado com Hermes.] [F.: Do gr. *trimégistos, i.*]

trismo (*tris*.mo) *sm. Pat.* Contração dos músculos mastigadores que impede a abertura da boca e constitui um dos sinais característicos do tétano [F.: Do gr. *trismós, oû*.]

trissar (tris.*sar*) *v. int. Bras.* Cantar, soltar a voz (a andorinha); tb. *grinfar* [▶ **1** trissar Us. esp. na terceira pess., do sing. ou do pl.] [F.: *trisso* + *-ar*[2].]

trisseção (tris.se.*ção*) *sf.* Divisão de algo em três partes (trisseção do ângulo) [Pl.: *-ções*.] [F.: *tri-* + *seção*. Tb. *trissecção*.]

trissecção (tris.sec.*ção*) *sf.* Ver *trisseção*

trissemanal (tris.se.ma.*nal*) *a2g.* Que ocorre três vezes por semana (publicação trissemanal) [Pl.: *-nais*.] [F.: *tri-* + *semanal*.]

trissilábico (tris.si.*lá*.bi.co) *a.* Que tem três sílabas (substantivo trissilábico); TRISSÍLABO [F.: *tri-* + *silábico*.]

trissílabo (tris.*sí*.la.bo) *a.* **1** *Gram.* Que tem três sílabas; TRISSILÁBICO *sm.* **2** *Gram.* Palavra trissílaba [F.: Do lat. *trisyllabus, a, um*.]

trisso (*tris*.so) *sm.* Ato de trissar; canto da andorinha [F.: De or. onom.]

trissomia (tris.so.*mi*.a) *sf. Gen.* Condição anormal de um núcleo, célula ou organismo caracterizada pela ocorrência de um cromossomo adicional, além do par de cromossomos homólogos normais: *A trissomia causa anomalias no homem, como a síndrome de Down.* [F.: *tri-* + *-somia*.]

trissômico (tris.*sô*.mi.co) *a. Gen.* Ref. a ou próprio de trissomia [F.: *trissomia* + *-ico*[2].]

triste (*tris*.te) *a2g.* **1** Que não está alegre, contente, devido a mágoa, decepção, saudades etc; ABORRECIDO; DESGOSTOSO; PENALIZADO: *Essa notícia me deixou muito triste.* **2** Que é propenso a sentir tristeza; que parece estar sempre deprimido [Ant.: *alegre, feliz*.] **3** Que denota tristeza, melancolia (olhar triste) **4** Que provoca tristeza (história triste, cena triste); FUNESTO; LÚGUBRE **5** *Pop.* Palavra-ônibus que expressa ideia depreciativa a respeito de alguém ou algo, equivalendo a 'ruim, incompetente, preguiçoso, bagunceiro' etc.: *a triste malha ferroviária brasileira; Como cozinheira ela é triste!* **6** Sombrio, lúgubre (casa triste) **7** *Fig.* Insignificante, miserável: *Mantinha-se com a triste pensão deixada pelo marido* *s2g.* **8** Indivíduo propenso a sentir tristeza: "E que outras terras distantes visitaste? Dize ao triste..." (Manuel Bandeira, *Cotovia*) *sm.* **9** *Mús.* Tipo de canção latino-americana, lenta e sentimental [F.: Do lat. *tristis, e.*]

tristemente (tris.te.*men*.te) *adv.* De modo triste; com tristeza: *ausência tristemente notada.* [F.: *triste* + *-mente*.]

tristeza (tris.*te*.za) (ê) *sf.* **1** Qualidade ou estado de triste ou do que é triste: *as raízes psíquicas da tristeza.* [Ant.: *alegria*] **2** Caráter do que infunde esse estado **3** Falta de alegria, contentamento **4** Desgosto, mágoa: *O filho só lhe dá tristeza.* **5** *Pop. Vet.* Babesíase [F.: Do lat. *tristitia, ae.*]

tristonho (tris.*to*.nho) *a.* **1** Que se sente ou é meio triste; JURURU; MACAMBÚZIO; SORUMBÁTICO: *Ficava tristonho quando a noite chegava.* **2** Que revela uma certa tristeza (ar tristonho, olhar tristonho) **3** Que provoca uma certa melancolia: *um outono tão cinzento, tão tristonho.* [F.: *triste* + *-onho*. Ant. ger.: *alegre, feliz*.]

tristura (tris.*tu*.ra) *sf. P. us.* O mesmo que *tristeza* (1 a 4) [F.: *triste* + *-ura*.]

tritanopia (tri.ta.no.*pi*.a) *Oft. sf.* Incapacidade de reagir a estímulos das cores azul e amarelo

tritanópico (tri.ta.*nó*.pi.co) *a. Med.* Diz-se de quem não enxerga a cor roxa ou violeta (dicromata tritanópico)

tritão (tri.*tão*) *sm.* **1** *Mit.* Na Antiguidade clássica, deus do mar, filho de Poseídon (Netuno) e Anfitrite **2** *Astron.* O maior satélite ou lua de Netuno, um dos astros mais gelados do sistema solar **3** *Zool.* Nome comum dado a várias salamandras da fam. dos salamandrídeos, esp. as do gên. *Triturus*, cujos machos apresentam uma crista dorsal no período da reprodução; são encontradas na Europa e na Ásia [Pl.: *-tões*.] [F.: Do mitônimo gr. *Tríton*.]

> 🕮 Tritão, satélite de Netuno, foi descoberto pelo astrônomo inglês William Lassel em 10.10.1846. Foi a aproximação da sonda Voyager 2, em 25.08.1989 que permitiu o maior conhecimento que se tem do astro, como a estimativa de seu diâmetro em 2.706 km, além da descoberta de uma superfície jovem e rugosa e de vulcões que lançam material gelado.

◎ **trit(i)-** *el. comp.* = 'trigo': *tritícola, triticultor, triticultura* [F.: F. red. do lat. *triticum, i*, 'trigo'.]

tritícola (tri.*tí*.co.la) *Bras. a2g.* Do, ref. ao ou próprio do trigo (setor tritícola, cooperativa tritícola) [F.: *trit(i)-* + *-cola*.]

triticultor (tri.ti.cul.*tor*) [ô] *sm. Bras. Agr.* Aquele que se dedica à triticultura [F.: *trit(i)-* + *-cultor*.]

triticultura (tri.ti.cul.*tu*.ra) *sf. Bras. Agr.* Técnica de cultivo e produção do trigo [F.: *trit(i)-* + *-cultura*.]

trítio (*trí*.ti:o) *sm. Fís.* Isótopo de hidrogênio que contém dois nêutrons e um próton, de número de massa 3, radioativo [F.: Do lat. cient. *tritium*. A f. *trício* deve-se a anal. com a evolução do *-t-* (intervocálico lat.), para *-c-* (port.).]

tritongo (tri.*ton*.go) *sm. Gram.* Grupo de três vogais em que uma delas, a base, encontra-se no meio de duas semivogais, formando sílaba única: *iguais, averiguei etc.* [F.: *tri-* + gr. *phthóngos, ou*, 'ruído'; 'som articulado', 'voz', seg. o modelo de *ditongo*.]

trítono (*trí*.to.no) *sm. Mús.* Intervalo de três tons evitado na música vocal pela dificuldade que apresenta para o canto [F.: Do gr. *trítonon, ou*, 'espaço de três tons'.]

trituração (tri.tu.ra.*ção*) *sf.* Ação ou resultado de triturar; TRITURA; TRITURAMENTO [Pl.: *-ções*.] [F.: Do lat. *trituratio, onis*.]

triturado (tri.tu.*ra*.do) *a.* **1** Que se triturou; MOÍDO; PULVERIZADO; ESMAGADO; ESMIGALHADO **2** *Fig.* Atormentado: *Triturado pela dúvida.* [F.: Part. de *triturar*.]

triturador (tri.tu.ra.*dor*) *a.* **1** Que tritura *sm.* **2** Aparelho que serve para reduzir qualquer sólido a fragmentos, ger. instalado em pias de cozinha [F.: *triturar* + *-dor*.]

triturante (tri.tu.*ran*.te) *a2g.* Que tritura: *a ação triturante do estômago.* [F.: *triturar* + *-nte*.]

triturar (tri.tu.*rar*) *v. td.* **1** Reduzir a pequenos fragmentos, ou a pó: *Trituraram o gelo em lâminas de 2 cm.* **2** Converter em massa (triturar batata/aipim) **3** Espancar, massacrar: *O boxeador triturou o adversário.* **4** Impor derrota acachapante: *A equipe cubana triturou a americana.* **5** Causar aflição, tormento: *Triturava o marido com o silêncio.* **6** Reduzir a nada ou quase nada: *O promotor triturou a defesa.* [▶ **1** triturar] [F.: Do v.lat. *triturare*, 'debulhar o trigo'. Hom./Par.: *tritura* (fl.), *tritura* (sf.); *trituras* (fl.), *trituras* (pl. do sf.).]

triturbo (tri.*tur*.bo) *Mec. a.* **1** Diz-se de motor superalimentado com três turbocompressores **2** Diz-se de veículo equipado com esse tipo de motor (caminhonete triturbo) *sm.* **3** Esse veículo: *um triturbo velocíssimo.* [F.: *tri-* + *turbo*.]

triunfador (tri.un.fa.*dor*) [i-un / ô] *a.* **1** Que triunfa: *perfil de um empresário triunfador.* *sm.* **2** Aquele que triunfa: *o grande triunfador do festival de cinema.* [F.: Do lat. *triumphator, oris*.]

triunfal (tri:un.*fal*) *a2g.* **1** Ref. a triunfo **2** *Hist.* Ref. às honras prestadas aos generais vitoriosos na antiga Roma **3** Que exprime triunfo, que comemora uma vitória (marcha triunfal) **4** Acompanhado de honrarias e festejo (entrada triunfal) **5** Que constitui um triunfo, uma vitória [Pl.: *-fais*.] [F.: Do lat. *triumphalis, e*. Hom./Par.: *triunfais* (pl.), *triunfais* (fl. de *triunfar*).]

triunfalidade (tri.un.fa.li.*da*.de) [i-un] *sf.* Qualidade ou característica do que é triunfal: *a sereníssima triunfalidade com que celebra seus feitos científicos.* [F.: *triunfal* + *-i-* + *-dade*.]

triunfalismo (tri.un.fa.*lis*.mo) [i-un] *sm.* **1** Atitude ou sentimento exageradamente triunfante: "O triunfalismo liberal democrata não tem razão de ser (...) caso a grande maioria do povo permaneça alienada ou excluída..." (*O Globo*, 02.01.2006) **2** *Rel.* Doutrina, atitude ou crença que considera determinada religião superior a todas as outras, sem ver-lhe as falhas e deficiências [F.: *triunfal* + *-ismo*.]

triunfalista (tri.un.fa.*lis*.ta) [i-un] *a2g.* **1** Ref. a triunfalismo (visão triunfalista; discurso triunfalista) **2** Diz-se de indivíduo que revela sentimento de triunfalismo *s2g.* **3** Esse indivíduo [F.: *triunfal* + *-ista*.]

triunfante (tri.un.*fan*.te) *a2g.* **1** Que triunfou, que venceu uma competição, uma luta etc; TRIUNFADOR; VENCEDOR; VITORIOSO **2** Que manifesta grande júbilo, alegria, por ter vencido uma competição, uma luta etc. (canto triunfante, abraços triunfantes); ALEGRE; GLORIOSO *s2g.* **3** Aquele que triunfa ou triunfou: *Bem-aventurados os que não se comparam aos poderosos nem invejam os triunfantes.* [F.: *triunfar* + *-nte*.]

triunfar (tri.un.*far*) [i-un] *v.* **1** Conseguir triunfo, vencer [*tr.* + *sobre*: *Os russos triunfaram sobre o nazismo.*] [*int.*: *Só a morte triunfa sempre.*] **2** Prevalecer sobre alguém ou alguma coisa; levar vantagem [*int.*: *A mentira triunfou em todas as frentes.*] **3** Livrar-se de um problema, chegar a bom resultado [*tr.* + *de*: *Triunfou da depressão e pintou o mural.*] **4** Vibrar de alegria, exultar [*int.*: *Os eleitores triunfaram com a vitória do impostor.*] **5** Exibir insistentemente suas qualidades ou êxitos; VANGLORIAR-SE; JACTAR-SE [*tr.* + *de*: *Vivia triunfando de sua fortuna.*] **6** Obter vitória pela força [*int.*: *Invasores jamais conseguem triunfar.*] [▶ **1** triunfar] [F.: Do lat. *triumphare*. Hom./Par.: *triunfais* (2ªp.pl.)/ *triunfais* (pl. *triunfal* [a2g.]); *triunfo* (1ªps.)/ *triunfo* (sm.).]

triunfo (tri:*un*.fo) *sm.* **1** Ação ou resultado de triunfar **2** Vitória em guerra, competição, disputa: *Para a imprensa, o triunfo do candidato é vitória da democracia.* **3** Grande êxito: *Um importante triunfo da medicina moderna ocorreu na endocrinologia.* **4** Aclamação festiva, ruidosa **5** Grande júbilo proporcionado pela vitória **6** Na Roma antiga, honra concedida aos generais que retornavam de uma campanha vitoriosa **7** Decoração no centro de mesa de banquete **8** *Bras. Lud.* Certo jogo de cartas [F.: Do lat. *triumphus, i*. Hom./Par. *triunfo* (fl. de *triunfar*).]

triúno (tri:*ú*.no) *a.* Ver *trinitário*

triunvirado (tri.un.vi.*ra*.do) *sm.* Ver *triunvirato*

triunviral (tri:un.vi.*ral*) ***a2g.*** Ref. a triúnviro ou a triunvirato (poderes triunvirais) [Pl.: *-rais.*] [F.: Do lat. *triumviralis, e.*]

triunvirato (tri:un.vi.*ra*.to) ***sm.*** **1** Encargo de um triúnviro **2** Tempo de duração dessas funções **3** Junta de triúnviros **4** Governo composto de três pessoas ou entidades **5** Associação de três pessoas com certo poder, influência [F.: triunvirato, f. erudita, do lat. *triumviratus, us*; Tb. *triunvirado*, f. semierudita.]

triúnviro (tri.*ún*.vi.ro) ***sm.*** **1** Membro de qualquer triunvirato **2** *Hist.* Na Roma antiga, cada um dos três magistrados que administravam a vida pública [F.: Do lat. *triumvir, iri.*]

trivalência (tri.va.*lên*.ci:a) ***sf.*** **1** *Quím.* Propriedade da substância trivalente; valência tripla **2** Condição de algo que se expressa de três formas: *A trivalência expressa no catolicismo: o Pai, o Filho e o Espírito Santo.* [F.: *tri-* + *valência.*]

trivalente (tri.va.*len*.te) ***a2g.*** **1** *Quím.* Que tem três valências **2** *Ling.* Diz-se de elemento que funciona como predicado e requer três argumentos [F.: *tri-* + *valente.*]

trivela (tri.*ve*.la) [é] ***sf.*** *Fut.* Chute de efeito com o lado externo do pé: *O jogador compensava sua movimentação lenta no campo com a trivela.* [F.: De or. obsc.] ▪ **De ~** *Bras. Fut.* Diz-se do chute desferido com o lado externo do pé, de modo a imprimir um efeito de rotação à bola, que por isso descreve uma curva em sua trajetória

trivial (tri.vi:*al*) ***a2g.*** **1** Que é do conhecimento de todos; CORRIQUEIRO: *Só conversamos sobre assuntos triviais.* **2** Que é muito usado, corrente (expressão trivial) **3** De pouca importância ou valor; BANAL; INSIGNIFICANTE: *Discutiram por motivos triviais.* **4** Medíocre, ordinário ***sm.*** **5** Conjunto de refeições, de pratos simples: *Ela é ótima no trivial.* [Pl.: *-ais.*] [F.: Do lat. *trivialis, e.*]

trivialidade (tri.vi:a.li.*da*.de) ***sf.*** **1** Qualidade ou característica do que é trivial, banal; BANALIDADE **2** Coisa ou dito trivial: *O palestrante se perdeu em trivialidades.* [F.: *trivial* + *-(i)dade.*]

trivialização (tri.vi:a.li.za.*ção*) ***sf.*** **1** Ação ou resultado de trivializar(-se); BANALIZAÇÃO; VULGARIZAÇÃO: *A trivialização do ensino deve ser combatida.* [Pl.: *-ções.*] [F.: *trivializar* + *-ção.*]

trivializar (tri.vi.a.li.*zar*) ***v.*** Tornar(-se) trivial, banal [***td.:*** *O cineasta trivializou o texto do escritor.*] [***int.:*** *A convivência com pessoas fúteis fê-lo trivializar.*] [▶ **1** trivializar] [F.: *trivial* + *-izar.*]

trívio (*trí*.vi:o) ***sm.*** **1** Lugar onde se encontram ou dividem três ruas ou caminhos **2** O conjunto das três artes ou disciplinas relativas à eloquência (gramática, retórica e dialética), que na Idade Média formavam a primeira divisão das artes liberais ***a.*** **3** Que se divide em três caminhos [F.: Do lat. *trivium, ii.*]

◎ **-triz** ***suf. nom.*** Formador de subst. e adj. femininos, vistos geralmente como o fem. irreg., no port., de formas em *-dor*. Trata-se, porém, de modelo regular de formas fem. latinas em *-trix, icis*, derivadas do rad. do part. pass. ou do supino de verbos latinos dos voc. terminados em *-tor, oris* (ver *-dor*) mais o suf. lat. *-ix, icis* (vulg. *-ice*). Ocorre, no port., em voc. formados no lat., no fr. (*-trice*) e no ingl. (*-trix*), ou no vernáculo (a partir de rad. verbal), com a ideia primeira de ' aquela que faz (a ação expressa pelo rad.) ou realiza (algo)' e, a partir daí, com noções específicas ('instrumento, máquina, mecanismo etc. '): *abdicatriz, adulatriz, altriz, alugatriz, ambulatriz, belatriz, bissectriz, bissetriz, cantatriz, cistelatriz, dançatriz, directriz, diretriz, divinatriz, eletriz, excitatriz, expultriz, generatriz, geratriz, genetriz, governatriz, imperatriz, interpolatriz, matriz, mediatriz, meretriz, motriz, nutriz, obstetriz, operatriz, perfuratriz, quadratriz, retriz, saltatriz, senatriz, separatriz, tectriz, tetriz, tratriz, trissectriz, trissetriz* [Ver *-iz.*]

triz ***sm.*** Us. na loc. *por um triz*, para designar pequena diferença, quase nada, átimo etc. [F.: De or. contrv.] ▪ **Por um ~** **1** Por pouco, pouco faltando para (algum desfecho): *A bola não entrou por um triz.* **2** Como que milagrosamente: *Escapou por um triz.*

troada (tro.*a*.da) ***sf.*** **1** Ação ou resultado de troar **2** Som de muitos tiros, de bombardas disparadas; TIROTEIO **3** Estrondo de trovões, de tambores etc. [F.: Fem. substv. de *troado.*]

troante (tro:*an*.te) ***a2g.*** Que troa; VIBRANTE; SONORO [F.: *troar* + *-nte.*]

troar (tro.*ar*) ***v.*** **1** Manifestar-se com estrondo(s); RETUMBAR; TROVEJAR [***int.:*** *Os canhões troavam a noite inteira.*] **2** Proclamar em voz alta; CLAMAR; BRADAR [***tr.*** + *contra*: *Sua voz troava contra a ditadura.*] [▶ **16 troar**] [F.: Do lat. *tonare.*]

◎ **troc-** ***el. comp.*** = trocar: *trocadilho, troco.* [F.: Do v. *trocar.*]

troca (*tro*.ca) ***sf.*** **1** Ação ou resultado de trocar(-se) **2** Nas sociedades primitivas, doação e recebimento simultâneos de bens ou serviços por duas pessoas; PERMUTA; ESCAMBO **3** *Econ.* Nas sociedades complexas, transação que envolve dinheiro **4** Mudança, transformação (troca de guardas; troca de cenário) **5** *Fig.* Recompensa, compensação: "...como um cão, intocável cão verde e alado que exigia apenas alimento e que nada dava em troca..." (Walmir Ayala, *Taís*) [F.: Dev. de *trocar.*] ▪ **~s e baldrocas** Negócios à base de fraude, transações ilegais **Bolar as ~s** *Joc.* Ver *Trocar as bolas*, no verbete *bola*

troça (*tro*.ça) ***sf.*** **1** Zombaria, gozação: "Acha que é de bom gosto fazer-me troça?" (Camilo Castelo Branco, *O assassino de Macário*) **2** *Bras.* Reunião festiva e agitada; FARRA **3** *Lus.* Grupo de pessoas, bando: "...mas uma troça de rapazes bêbedos que descia de chapéu na nuca..." (Eça de Queirós, *O primo Basílio*) **4** *Bras.* Vida devassa **5** *Mar.* Cabo que sustenta as antenas do mastro [F.: Dev. de *troçar.*]

trocadilhar (tro.ca.di.*lhar*) ***v. int.*** Fazer trocadilho(s) [▶ **1** trocadilhar] [F.: *trocadilho* + *-ar*. Hom./Par.: *trocadilho* (fl.), *trocadilho* (sm.).]

trocadilhesco (tro.ca.di.*lhes*.co) [ê] ***a.*** Que contém ou envolve trocadilho(s): "Daí sua ideia, já transformada em livro, com o título trocadilhesco que cai bem: *Mostruário -inventário de entidades imaginárias e de mitos brasileiros.*" (*Folha de S.Paulo*, 15.07.2002) [F.: *trocadilho* + *-esco.*]

trocadilhista (tro.ca.di.*lhis*.ta) ***s2g.*** Pessoa dada a fazer trocadilhos: " Trocadilhista emérito (fez uma rancheira com o nome de *Babo...seira*, em 1932), integrou o *Pasquim* da época, a revista *Dom Quixote*, de Bastos Tigre." (Tárik de Sousa, "Um folião de voz fina na época dos grandes tenores" *in JB online*, 06.01.2004) [F.: *trocadilho* + *-ista.*]

trocadilho (tro.ca.*di*.lho) ***sm.*** Jogo ambíguo de palavras baseado na semelhança de sons entre elas; CALEMBUR: "...Frederico Paciência nunca mais me escreveu... sem a menor intenção de trocadilho, só para falar alguma coisa, eu soltara: – Paciência, Rico..." (Mário de Andrade, "Frederico Paciência" *in Contos novos*) [F.: *trocado* + *-ilho.*]

trocado (tro.*ca*.do) ***a.*** **1** Que se trocou **2** Dinheiro miúdo, em cédulas e moedas de baixo valor **3** Troco: *Estou sem trocado.* ***sm.*** **4** *Folc.* Tipo de cantoria tradicional do Nordeste, com versos dialogados com resposta imediata e dentro da rima escolhida pelo primeiro cantador; MOURÃO [F.: Part. de *trocar.*]

trocador (tro.ca.*dor*) [ô] ***a.*** **1** Que troca ***sm.*** **2** Aquele que troca **3** *Bras.* Pessoa que cobra as passagens e faz o troco nos transportes coletivos; COBRADOR; RECEBEDOR **4** *Fís.* Aparelho destinado a aquecer ou a resfriar um fluido por meio de outro fluido; TROCADOR DE CALOR [F.: *trocar* + *-dor.*]

trocanter (tro.can.*ter*) [têr] ***sm.*** **1** *Anat.* Cada uma das duas tuberosidades (uma maior e outra menor) situadas na parte superior do fêmur do homem e de muitos outros vertebrados **2** *Anat. Zool.* Nos insetos, um dos seis segmentos da perna, localizado entre a coxa e o fêmur [F.: Do gr. *trokhantér, êros.* Tb. *trocânter.*]

troca-pernas (tro.ca-*per*.nas) ***sm2n.*** *Bras.* Indivíduo que vagueia, que anda muito e sem rumo; NÔMADE; VAGAMUNDO [Ant.: *sedentário.*]

trocar (tro.*car*) ***v.*** **1** Fazer troca, ceder algo ou alguém por outra coisa ou pessoa; PERMUTAR [***td.:*** *Tocávamos revistas, parceiros e parceiras.*] [***tdr.*** + *com*: *Trocou figurinhas com o colega.*] [***tr.*** + *de...com*: *Ia trocar de bicicleta com a irmã.*] **2** Substituir (uma coisa ou pessoa) por outra [***td.:*** *Trocar um aparelho defeituoso.*] [***tr.*** + *de*: *Vive trocando de carro/de namorado.*] **3** Tomar (uma coisa ou pessoa) por outra; confundir [***td.:*** *Trocaram nossas malas/nossos convidados.*] [***tr.*** + *por*: *Trocara a saia azul pela da colega.*] **4** Dar e receber ao mesmo tempo [***td.:*** *Os dois trocavam ideias.*] [***tdr.*** + *com*: *Trocava ideias com o colega.*] **5** *Bras.* Mudar de roupa (de) [***td.:*** *Trocar o bebê.*] [***int.:*** *Foi trocar-se e já volta.*] **6** Transformar-se (algo) em (outra coisa) [***tdr.*** + *em*: *Trocou a paz em guerra.*] **7** Fazer alteração; adulterar [***td.:*** *Trocou as palavras do professor.*] **8** Devolver mercadoria que não serviu para levar outra em seu lugar [***td.:*** *Teve de trocar os sapatos apertados.*] **9** Abandonar (hábito, estilo) em favor de outro [***tdr.*** + *por*: *Trocou a vida boêmia pela vida de trabalhador.*] **10** Cruzar os pés, pisar errado [***td.:*** *Bebeu demais e saiu daqui trocando as pernas.*] [▶ **11 trocar**] [F.: De or. obsc. Hom./Par.: *troca* (3ªp. s.), *trocas* (2ªp. s.)/ *troca* (s. f.) e pl; *troco* (1ªp. s.)/ *troco* /ô / (sm.); *troques* (2ªp. s.)/ *troques* (smpl.); *trocáveis* (2ªp. pl.)/ *trocáveis* (pl. *trocável* [a2g.]); *trucar* (vários tempos do v.); *troqueis* (2ªp. pl.)/ *troquéis* (pl. *troquel* [sm.]) Ideia de 'trocar': usar antepos. *mut-*.] ▪ **~ de bem** *Bras.* Fazer as pazes (com quem se brigara), reconciliar-se; ficar de bem **~ de mal** *Bras.* Romper relações; brigar; ficar de mal

troçar (tro.*çar*) ***v.*** Zombar, ridicularizar [***tr.*** + *de, com*: *Estavam todos troçando do rapaz.*] [▶ **12 troçar**] [F.: De or. obsc. Hom./Par.: *troço* (1ªp. s.)/ *troço* /ô / (sm.).]

trocarte (tro.*car*.te) ***sm.*** *Med.* Instrumento com ponta triangular e dotado de cânula, us. em punções e para retirada de líquidos de uma cavidade [F.: Do. fr. *trocart.*]

troca-troca (tro.ca-*tro*.ca) ***sm.*** Negociação para trocar objetos ou pessoas, como móveis, livros, CDs, atletas (entre clubes), políticos (entre partidos), parceiros amorosos etc. (troca-troca partidário) [Pl.: *trocas-trocas* e *troca-trocas.*]

trocável (tro.*cá*.vel) ***a2g.*** Que se pode trocar [Pl.: *-veis.*] [F.: *trocar* + *-vel*. Hom./Par.: (pl.) *trocáveis, trocáveis* (fl. de *trocar*).]

trocisco (tro.*cis*.co) ***sm.*** *Antq. Farm.* Medicamento apresentado em forma de pastilhas redondas ou cônicas [F.: Do gr. *trokhiskos, ou.*]

trocista (tro.*cis*.ta) ***a2g.*** **1** Que costuma ou gosta de fazer troça ***s2g.*** **2** Aquele que gosta de fazer troça; CHALACEADOR; CAÇOADOR [F.: *troça* + *-ista.*]

troco (*tro*.co) [ô] ***sm.*** **1** Ação ou resultado de trocar; TROCA **2** Devolução devida a comprador que passa ao vendedor quantia maior que o preço do que foi comprado (por não ter cédulas ou moedas que o perfaçam exatamente) **3** Dinheiro de pouco valor; TROCADO: *É preciso dar um troco ao flanelinha.* **4** *Fam.* Resposta a uma ofensa ou agressão: *Levou um tapa, mas deu o troco ao agressor.* [F.: Dev. de *trocar.*] ▪ **A ~ de 1** Em troca de, como retribuição: *Faz-lhe muitos favores, a troco só de uma amizade sincera.* **2** *Bras. Prov. port.* Motivado por, por causa de: *Deu-lhe uma bronca a troco de nada.* **A ~ de reza** *S. Fam.* Muitíssimo barato **Dar o ~** Revidar ofensa, provocação, ataque etc.: *O deputado foi criticado na tribuna, mas deu o troco em seu discurso.* **Dar o ~ a** *Lus. Gír.* Dar atenção a, dar bola a **Dar um pelo outro e não querer ~** *Depr.* Atribuir o mesmo baixo valor (a duas pessoas ou coisas mencionadas); considerar como idênticos ou equivalentes em qualidade ou condição **Faturar um ~** *Bras. Pop.* Ganhar bem; ter bom salário **Receber o ~** Ser alvo de retaliação, revide etc. por ação agressiva, crítica, provocação etc.

troço[1] (*tro*.ço) [ó] ***sm.*** **1** *Bras. Gír.* Coisa imprestável ou de pouco valor **2** Qualquer objeto, qualquer coisa: *Pediu um troço para beber; O brinquedo era um troço complicado.* **3** Traste velho, pertences: "Arrumei meus troços e de noite disse à moça que aquela era a última..." (José Lins do Rego, *Moça bonita*) **4** *Bras.* Mal-estar repentino: *Teve um troço e caiu duro.* [F.: *troço* (ô) com mudança de timbre. Hom./Par.: *troço* [ó] (sm.), *troço* [ô] (sm.).] ▪ **Um ~ 1** *Bras. Gír.* Algo muito bom, bonito etc. (ref. a qualidade positiva): *Este livro é um troço, não consigo largá-lo.* **2** Algo muito ruim, feio etc. (ref. a qualidade negativa): *Este radinho é um troço, não pega nada.*

troço[2] (*tro*.ço) [ô] ***sm.*** **1** Pedaço de madeira **2** Quantidade considerável de pessoas; uma porção de gente: "Vieram cavaleiros nossos, tangendo o troço de presos..." (Guimarães Rosa, *Grande Sertão: Veredas*) **3** *Antq.* Parte de uma tropa militar [Pl.: [*ó*].] [F.: Do provç. *tros* (pedaço). Hom./Par.: *troço* [ô] (sm.), *troço* [ó] (sm.) e Fl. de *troçar.*]

trocoide (tro.*coi*.de) ***sf.*** **1** *Geom.* Curva plana descrita por um ponto ligado fixamente ao raio de uma circunferência que rola, sem deslizar, sobre uma reta fixa ***a2g.*** **2** Diz-se dessa curva **3** *Anat.* Diz-se de articulação que permite apenas o movimento rotatório e cujo eixo de movimento é único e vertical; TROCOIDEO [F.: *troc(o)-* (< gr. *trokhós, oû* 'roda, disco') + *-oide.*]

trocoideo (tro.*coi*.de:o) ***a.*** **1** Semelhante a uma roda; ROTIFORME **2** *Anat.* O mesmo que *trocoide* [F.: Do gr. *trokhoeidés, es*, 'em forma de roda'.]

trocozoário (tro.co.zo:*á*.ri:o) *Zool.* ***sm.*** **1** Espécime dos trocozoários, grupo de animais invertebrados morfologicamente diferentes que apresentam formas embrionárias de desenvolvimento semelhante, a partir da trocófora; são os moluscos, anelídeos, rotíferos e vermídeos ***a.*** **2** Ref. aos trocozoários [F.: *troc(o)-* + *-zo(o)-* + *-ário.*]

troféu (tro.*féu*) ***sm.*** **1** Taça, medalha ou outro objeto comemorativo que se concede ao vencedor de uma competição, disputa, campanha etc. **2** *Fig.* Qualquer coisa que simboliza uma vitória, conquista, êxito etc. **3** *Ant.* Insígnia ou sinal que se expunha ao público em comemoração de alguma vitória: "...vinham sacudir-lhe diante dos olhos os órgãos genitais dos inimigos mortos, à dependura das pontas dos chuços, e eram os seus troféus clássicos..." (Aquilino Ribeiro, *Constantino de Bragança*) **4** *Ant.* Árvore em cujos ramos se penduravam as bandeiras e as armas tomadas ao inimigo **5** *P. ext.* Coleção de objetos enfeitados e agrupados para servirem de ornamento **6** *Bras. Gír.* Algo a que não se quer ou não se pode dar nome; COISA; TROÇO **7** *Fig.* Vitória, triunfo: "... o conde de Essex nem sempre, nas facções militares que comandara, conseguira os mais sólidos troféus..." (Latino Coleho, *Literatura e história*) [F.: Do lat. *trophaeum, i.*]

◎ **-trofia** ***el. comp.*** = 'nutrição', 'alimentação'; 'desenvolvimento'; 'criação'; 'atrofia': *abiotrofia, acardiotrofia, amiotrofia, autotrofia, heterotrofia, ornitotrofia* [F.: Do gr. *-trophía, as.* F. conexa: *trof(o)-*.]

troficidade (tro.fi.ci.*da*.de) ***sf.*** Qualidade ou condição do que é trófico (troficidade da musculatura) [F.: *trófico* + *-i-* + *-dade.*]

trófico (*tró*.fi.co) ***a.*** **1** Ref. a nutrição **2** Que é próprio de alimento ou de alimentação [F.: *trof(o)-* + *-ico*[2].]

trofismo (tro.*fis*.mo) ***sm.*** *Biol.* Nutrição fundamental que compreende trocas metabólicas dos tecidos [F.: *trof(o)-* + *-ismo.*]

◎ **-trof(o)-** ***el. comp.*** Ver *trof(o)-*

◎ **-trofo** ***el. comp.*** Ver *trof(o)-*

◎ **trof(o)-** ***el. comp.*** = 'alimentação', 'nutrição'; 'alimento', 'material nutritivo'; 'nutriente'; 'que se alimenta (de certa forma)': *trofismo, trofobiose, trofoblasto; adrenocorticotrófico; autótrofo, ectótrofo, endótrofo, pedótrofo, síntrofo* [F.: Do gr. *trophé, ês*, 'ação de alimentar'; 'alimento'; 'nutrição'. F. conexa: *-trofia.*]

trofobiose (tro.fo.bi:*o*.se) ***sf.*** *Ecol.* Simbiose entre insetos, em que uma das espécies alimenta a outra, em troca de proteção [F.: *trof(o)-* + *-biose.*]

trofoblástico (tro.fo.*blás*.ti.co) ***a.*** *Emb.* Que se refere a trofoblasto ou tem a sua natureza [F.: *trofoblasto* + *-ico*[2].]

trofoblasto (tro.fo.*blas*.to) ***sm.*** *Emb.* Massa celular epitelial que faz parte da placenta dos mamíferos e que forma a parede externa da blástula, atuando no desenvolvimento do embrião [F.: *trof(o)-* + *-blasto.*]

trofozoíto (tro.fo.zo.*í*.to) *Zool.* ***sm.*** **1** Forma ativa de protozoário que ger. é observada nos esporozoários, e que ocorre no causador da malária **2** Forma ativa de protozoário que se movimenta e nutre num ciclo de reprodução [F.: *trof(o)-* + *-zo(o)-* + *-ito.*]

◎ **trogl(o)-** ***el. comp.*** = 'caverna': *troglodita* (< lat. < gr.), *troglófilo.* [F.: *troglé, ês*, 'buraco feito por roedor'; 'caverna'.]

troglodita (tro.glo.*di*.ta) ***a2g.*** **1** Que vive sob a terra ou no interior de cavernas **2** Ref. aos trogloditas ***s2g.*** **3** Pessoa que habita uma caverna ou uma gruta escavada na rocha 4 *Fig.* Pessoa agressiva, truculenta 5 *Ornit.* Ave passeriforme (*Troglodytes troglodytes*) de pequeno porte, que nidifica em buracos ou no oco de árvores [F.: Do gr. *Troglodytes* pelo lat. *troglodyta.*]

troglodítico (tro.glo.*dí*.ti.co) *a.* Ref. a ou próprio de troglodita [F.: Do gr. *troglodytikós, é, ón.*]

trogloditídeo (tro.glo.di.*tí*.de:o) *a.* 1 Ref. aos trogloditídeos *sm.* 2 *Ornit.* Espécime dos trogloditídeos, família de aves passeriformes que se restringe às Américas, com exceção da espécie que inclui as cambaxirras, os uirapurus e as corruíras [F.: Do lat. ceint. fam. *Troglodydae.*]

trogloditismo (tro.glo.di.*tis*.mo) *sm.* Qualidade de quem é truculento e brutal, como um troglodita: *O trogloditismo de certos policiais é um fato condenável.* [F.: *troglodita* + *-ismo.*]

troglófilo (tro.*gló*.fi.lo) *a.* 1 *Biol.* Diz-se de ser que tem hábitos cavernícolas 2 Que procura cavernas ou grutas para se proteger [F.: *trogl(o)-* + *-filo*[1].]

troiano (troi.*a*.no) *sm.* 1 Pessoa nascida ou que vivia em Troia, antiga cidade da Frígia, país da Ásia Menor *a.* 2 De Troia; típico dessa cidade ou de seu povo [F.: Do lat. *troianus, a, um.*]

troica (*troi*.ca) *sf.* 1 Meio de transporte que se constitui em um carro ou trenó puxado por três cavalos 2 Conjunto de três pessoas ou objetos; TRINCA; TRIO: "Visita da troica ministerial à República Democrática do Congo em 4 e 5 de Agosto." (*Boletim UE*, 07.08.1997) [F.: Do rus. *troika.*]

trole (*tro*.le) *sm.* 1 *Bras.* Pequeno veículo motorizado, ou acionado manualmente, que trafega sobre trilhos de vias férreas 2 *Elet.* Dispositivo que assegura a ligação elétrica entre um condutor aéreo e um receptor móvel 3 *Bras.* Espécie de carruagem rústica que se usava no interior [F.: Do ing. *trolley*. Tb. *trólei.*]

trólebus (*tró*.le.bus) *sm2n.* Veículo para transporte coletivo de passageiros, semelhante a um ônibus e movido a eletricidade; ÔNIBUS ELÉTRICO [F.: Do ing. *trolley-bus*. Tb. *troleibus.*]

trólei (*tró*.lei) *sm.* Ver *trole*

tróleibus (*tró*.lei.bus) *sm.* Ver *trólebus*

trolha (*tro*.lha) [ô] *sf.* 1 *Cons.* Pequena prancha com alça onde fica a argamassa que o pedreiro, em seu trabalho, retira com a pá: "Saiba eu o que não digo, eu, alarife, trolha na mão, espingarda à bandoleira..." (Guimarães Rosa, "Curtamão" *in Tutameia*) 2 Desempoladeira 3 *Bras.* Ajudante de pedreiro; MEIA-COLHER 4 Homem sem importância: "O José Macário (...) e mais um grupo de trolhas que trazia na casa, fizeram subir dúzias de foguetes..." (Camilo Castelo Branco, *Euzébio Macário*) 5 *Bras. Tabu.* Pênis de grande tamanho 6 Homem maltrapilho [F.: Do lat. *trulla, ae.*]

trololó (tro.lo.*ló*) *sm.* 1 *Bras.* Música muito fácil de ser cantada 2 *Bras. P. ext. Pop.* Conversa vazia, sem sentido; FALATÓRIO; LERO-LERO 3 *Bras. P. ext. Pop.* Qualquer coisa que causa aborrecimento 4 *Bras. Pop.* O conjunto formado pelas nádegas *a.* 5 Diz-se de pessoa que se veste muito bem, com aprumo e requinte; ELEGANTE [F.: De or. onom.]

tromba (*trom*.ba) *sf.* 1 *Anat. Zool.* Focinho longo e tubular de alguns mamíferos, como o elefante; PROBÓSCIDE 2 *Anat. Zool.* Órgão sugador de alguns insetos, como p. ex. as moscas e mosquitos 3 *Ent.* Órgão picador ou sugador de certos insetos, como a mosca e a abelha 4 *Bras. Pop.* Cara fechada, de mau humor; CARRANCA: *fazer uma tromba; estar de tromba.* 5 Fenômeno meteorológico, o mesmo que *tromba-d'água* 6 *Mús.* Antigo instrumento de sopro: "Fez levantar os moços e quantos dormiam no paço... que trouxessem as trombas de prata, e mandou acender as tochas e meteu-se pela vila em dança..." (Fernão Lopes, *Crônicas*) 7 *Pop.* Nariz 8 *SP* Desfiladeiro aberto por erosão 9 *MG* Morro isolado [F.: Alter. de *trompa.*] ■ **Estar/ficar de ~** *Fig. Pop.* Mostrar-se ou ficar amuado, carrancudo, irritado **Fazer ~** *Fig. Pop.* Fechar a cara, fazer cara feia

trombada (trom.*ba*.da) *sf.* 1 Pancada com a tromba ou com o focinho 2 Choque ou colisão envolvendo veículos ou pessoas: *O carro deu uma trombada no poste.* [F.: *tromba* + *-ada.*]

tromba-d'água (trom.ba-*d'á*.gua) *sf.* 1 Grande nuvem negra, de onde sai um prolongamento que lembra a tromba de um elefante, e que desencadeia uma espécie de ciclone marítimo; TROMBA; MANGA 2 *Pop.* Chuva torrencial 3 Grande enxurrada que desce impetuosamente pelo leito dos rios e os faz transbordar; tb. *cabeça-d'água* [Pl.: *trombas-dágua.*]

trombadinha (trom.ba.*di*.nha) *s2g. Bras. Gír.* Menor, ger. abandonado, que vive nas ruas e pratica pequenos roubos [F.: *trombada* + *-inha.*]

trombador (trom.ba.*dor*) [ô] *a.* 1 Diz-se de indivíduo que tromba, que se choca *sm.* 2 Esse indivíduo 3 *Bras. Fut.* Jogador atacante que se vale do físico poderoso para ultrapassar pela força seus marcadores, ger. quando corre na direção da área adversária [F.: *trombada* + *-or.*]

trombar (trom.*bar*) *v.* 1 *Bras. Pop.* Bater contra; chocar-se [*tr.* + *com*: *O motoqueiro trombou com o hidrante.*] [*int.*: *Os atletas trombaram enquanto corriam.*] [*ta.*: *A roda trombou no meio-fio.*] 2 Fazer cara feia, ficar de tromba [*int.*: *Depois da repreensão, o menino trombou.*] [▶ 1 trombar] [F.: *tromb(a)* + *-ar*. Hom./Par.: *tromba* (3ª p. s.), *trombas* (2ª p. s.)/ *tromba* (sf.) e pl.]

trombeta (trom.*be*.ta) [ê] *sf.* 1 *Mús.* Espécie de corneta que produz um som forte 2 O tocador desse instrumento; TROMBETEIRO 3 *Bras.* Máscara de couro que se coloca nos cavalos para evitar que comam ou bebam fora da ração 4 *Bot.* Nome comum às plantas dos gêneros *Datura* e *Brugmansia*, da fam. das solanáceas, de flores grandes, com o tubo afunilado, semelhante à forma do instrumento musical; MANTO-DE-CRISTO; ZABUMBA-ROXA 5 *Ict.* Peixe ósseo marinho (*Fistularia tabacaria*) de focinho tubuloso e aparência de cobra 6 *Fam.* Indivíduo que não sabe guardar segredos 7 *Fam.* Nariz grande [F.: Do fr. *trompette.*] ■ **~ bastarda** *Mús.* Trombeta de tubo estreito e muito longo, de timbre muito agudo **~ marinha** *Ant. Mús.* Espécie de contrabaixo antigo, de uma só corda e formato poligonal

trombetado (trom.be.*ta*.do) *a.* O mesmo que *trombeteado* (ver no verbete *trombetear*) [F.: Part. de *trombetar.*]

trombetear (trom.be.te.*ar*) *v.* 1 Anunciar algo a todos; contar (vantagem); ALARDEAR [*td.*: *Trombeteia as façanhas em todas as conversas.*] 2 Originalmente, tocar trombeta, ou tocar (música) em trombeta [*td.*: *Trombeteou uma música desconhecida.*] [*int.*: *O músico trombeteava sem parar.*] 3 Imitar o som da trombeta [*td.*] [▶ 13 trombetear] [F.: *trombeta* + *-ear*[2].]

trombeteiro (trom.be.*tei*.ro) *sm.* 1 Tocador de trombeta: "Visava-o para o alto, circense, e nele trombeteiro soprava..." (Guimarães Rosa, "Darandina" *in Primeiras estórias*) 2 Fabricante de trombetas 3 *Ent.* Espécie de mosquito que frequenta lugares úmidos; MUCHÃO 4 *Ornit.* Ave ciconiforme (*Cercibis oxycerca*) da família dos tresquiornitídeos; TARÁ; PAPAGAIO-VERDADEIRO [F.: *trombeta* + *-eiro.*]

trombidiídeo (trom.bi.di.*í*.de:o) *a.* 1 Ref. aos trombidiídeos *sm.* 2 Espécime dos trombidiídeos, família de aracnídeos, da ordem dos acarinos, que compreende o gênero *Trombidium* e outros afins; são carrapatos pequenos, vermelhos e aveludados, que podem viver na terra ou em plantas baixas [F.: Do lat. cient. gên. *Trombidium* + *-ídeo.*]

trombina (trom.*bi*.na) *sf. Bioq.* Enzima plasmática que catalisa a conversão do fibrinogênio em fibrina e participa da coagulação do sangue [F.: *tromb(o)-* + *-ina*[2].]

◎ **tromb(o)-** *el. comp.* = 'coágulo sanguíneo'; 'coagulação do sangue': *trombina, trombócito, tromboembolismo, tromboflebite, tromboplastina, trombose* [F.: Do gr. *thrómbos, ou*, 'grão'; 'grumo', 'coalho'; 'coágulo sanguíneo'.]

trombo (*trom*.bo) *sm.* 1 *Pat.* Coágulo de sangue que produz a trombose 2 *Med.* Pequeno tumor violáceo que se forma após a sangria, em torno da abertura da veia [F.: Do gr. *thrombos.*]

trombócito (trom.*bó*.ci.to) *sm. Hem.* Plaqueta sanguínea, fragmento discoide anucleado do citoplasma do megacariócito [F.: *tromb(o)-* + *-cito.*]

trombocitopenia (trom.bo.ci.to.pe.*ni*.a) *sf. Med.* Diminuição de trombócitos em relação à taxa normal, esp. quando associada a processos hemorrágicos [F.: *trombócito* + *-penia.*]

tromboembolismo (trom.bo.em.bo.*lis*.mo) *sm. Med.* Oclusão de um vaso sanguíneo que resulta da sucessão de coágulos provenientes de uma trombose (tromboembolismo pulmonar; tromboembolismo venoso) [F.: *tromb(o)-* + *embolismo.*]

tromboflebite (trom.bo.fle.*bi*.te) *sf. Med.* Processo que resulta na formação de um coágulo em uma veia, ligado à inflamação da parede venosa [F.: *tromb(o)-* + *flebite.*]

trombolítico (trom.bo.*lí*.ti.co) *a.* 1 Que dissolve trombo(s): *tratamento trombolítico no acidente vascular cerebral isquêmico.* *sm.* 2 Substância ou medicamento us. para dissolver trombo(s): *O trombolítico está contraindicado devido à idade avançada.* [F.: *tromb(o)-* + *-lítico*[2].]

trombone (trom.*bo*.ne) *sm.* 1 *Mús.* Instrumento metálico, de sopro, dotado de pistões – *o trombone de pistões* – ou de um prolongamento móvel, a vara – *trombone de vara* – com os quais o músico emite as notas 2 O músico que toca trombone; TROMBONISTA 3 *Ornit.* Ave ciconiforme, o mesmo que trombeteiro [F.: Do it. *trombone.*] ■ **~ de pistons** *Mús.* Aquele que modula os tons por meio de pistões que o instrumentista aciona com os dedos **~ de vara** *Mús.* Aquele que modula os tons pela movimentação de um longo tubo que corre dentro de outro, acionado por uma das mãos do instrumentista **Tocar ~ para** *CE Fam.* Ser intermediário de namoro, servir de alcoviteiro

trombonista (trom.bo.*nis*.ta) *s2g. Mús.* Tocador de trombone; TROMBONE [F.: *trombone* + *-ista.*]

tromboplastina (trom.bo.plas.*ti*.na) *sf. Histl.* Substância que contém proteína e fosfatídios, encontrada no cérebro, pulmões etc., e que tem participação na coagulação do sangue; TROMBOQUINASE [F.: *tromb(o)-* + *-plast(o)-* + *-ina*[2].]

trombopoietina (trom.bo.poi.e.*ti*.na) *sf. Med.* Hormônio que produz as plaquetas necessárias à coagulação do sangue [F.: Do ingl. *thrombopoietin.*]

tromboquinase (trom.bo.qui.*na*.se) *sf. Histl.* O mesmo que *tromboplastina* [F.: *tromb(o)-* + *quinase.*]

trombose (trom.*bo*.se) *sf. Pat.* Obstrução da circulação do sangue em virtude da formação de um coágulo (trombo) sanguíneo [F.: Do gr. *thrómbosis, eos.*] ■ **~ coronariana** *Card.* Formação de coágulo sanguíneo numa das artérias coronarianas, o que causa seu bloqueio parcial ou total, e enfarte do miocárdio na área não irrigada

trombótico (trom.*bó*.ti.co) *a. Med.* Ref. a trombose [F.: *tromb(ose)* + *-ótico*, seg. o mod. gr.]

trombudo (trom.*bu*.do) *a.* 1 Que tem tromba 2 *Fig.* Que exibe fisionomia carrancuda [F.: *tromba* + *-udo.*]

trompa (*trom*.pa) *sf.* 1 *Mús.* Instrumento de metal, de sopro, composto de um tubo cônico que se enrola sobre si mesmo e termina em um bocal largo, muito us. em orquestras sinfônicas 2 Buzina em forma de chifre que os caçadores sopram nas caçadas a cavalo e com galgos 3 *Anat.* Designação genérica de condutores anatômicos recurvados e alargados, como a trompa de Eustáquio e a trompa de Falópio 4 *Quím.* Utensílio de vidro us. em laboratório para ajudar a respirar o ar nas operações de filtragem 5 *Arq.* Triângulo esférico us. como elemento de sustentação da abóbada; PENDENTE; PERCHINA 6 Máscara ou saco de couro que se coloca no focinho dos animais para evitar que comam fora da ração; BIQUEIRA; TROMBETA 7 *Mil.* Insígnia us. antigamente na França pelas tropas de infantaria ligeira e hoje pelo batalhão de caçadores alpinos *s2g.* 8 *Mús.* Músico que toca trompa; TROMPISTA [F.: Onom. do som do instrumento.] ■ **~ cromática** *Mús.* Moderna trompa dotada de pistons, de sonoridade suave **~ de caça** Trompa cônica, sem orifício, cujo comprimento variável determina sua afinação **~ de Eustáquio** *Anat.* Na antiga nomenclatura anatômica, *Tuba auditiva* (ver no verbete *tuba*) **~ de Falópio** *Anat.* Na antiga nomenclatura anatômica, *Tuba uterina* (ver no verbete *tuba*) **~ de harmonia** Trompa com tubos suplementares que permitem se lhe altere o som **~ de pistons** Ver *Trompa cromática* **~ lisa** Trompa primitiva, sem orifícios **~ uterina** *Anat.* Ver *Tuba uterina* no verbete *tuba*

trompaço (trom.*pa*.ço) *sm. Bras. Pop.* Pancada ou empurrão forte em alguém; TROMPÁZIO; ENCONTRÃO: "Conte direito o que você fez, demônio! – gritei, aplicando-lhe um trompaço..." (Guimarães Rosa, "São Marcos" *in Sagarana*) [F.: *trompar* + *-aço.*]

trompejo (trom.*pe*.jo) [ê] *sm.* Toque de trompa: *Ouviu ao longe um trompejo de caçadores.* [F.: Dev. de *trompejar*. Hom./Par.: *trompejo* (fl. de *trompejar*).]

trompeta (trom.*pe*.ta) [ê] *sf.* 1 *Ant. Mús.* O mesmo que *trompete* *a2g.* 2 *RS* Diz-se de quem é desmancha-prazeres 3 *RS* Diz-se de pessoa imprestável, desprezível *s2g.* 4 *RS* Essa pessoa 5 Pessoa que acaba com a alegria dos outros [F.: Do espn. *trompeta.*]

trompete (trom.*pe*.te) *sm.* 1 *Mús.* Instrumento de sopro, de metal, dotado de pistões, e capaz de emitir sons muito agudos 2 Músico que toca este instrumento; TROMPETISTA [F.: Do fr. *trompette.*] ■ **~ cromático** Trompete dotado de pistons; trompete de pistons [Tb. apenas *pistom.*] **~ de pistons** Ver *Trompete cromático* **~ liso** Trompete de tubo liso, desprovido de pistons ou orifícios, portanto de recursos limitados

trompetista (trom.pe.*tis*.ta) *s2g. Mús.* Músico que toca trompete; TROMPETE [F.: *trompete* + *-ista.*]

trompista (trom.*pis*.ta) *s2g.* 1 *Mús.* Tocador de trompa; TROMPA 2 Fabricante de trompas [F.: *trompa* + *-ista.*]

◎ **-tron** *suf.* Designa"unidade de carga elétrica", ger. utilizado na formação de termos específicos da eletrônica e da física nuclear: *ciclotron, dinatron, ignitron, mésotron, pósitron* etc. [F.: Do ing. *(elec)tron* < gr. *élek(tron).*]

tronar[1] (tro.*nar*) *v. int.* Ribombar como o trovão; ATROAR; TROAR [▶ 1 tronar] [F.: Do lat. *tonare*. Hom./Par.: *trono* (fl.), *trono* (sm.).]

tronar[2] (tro.*nar*) *v.* 1 Estar no trono; reinar [*int.*] 2 *P. ext.* Estar em posição superior, de domínio, de poder [*int.*] 3 *Fig.* Ter capacidade de exercer influência [*int.*: *A inteligência maior tem o direito de tronar.*] [*tr.* + *sobre*: *O comedimento pode tronar sobre a paixão?*] [▶ 1 tronar] [F.: *trono* + *-ar.*]

troncho (*tron*.cho) *a.* 1 Mutilado por falta de membro ou ramo 2 *Bras.* Que se entorta para um lado *sm.* 3 Membro amputado do tronco 4 *Pop.* Indivíduo desajeitado, canhestro: "Conseguiram os missionários que um velho feiticeiro, figura grotesca e troncha, dançasse na presença da meninada..." (Gilberto Freyre, *Casa-grande e senzala*) 5 *Bras.* Homem violento, brutamontes [F.: Do lat. *trunculus* pelo cast. *troncho.*]

tronco (*tron*.co) *sm.* 1 *Bot.* O caule principal, grosso e lenhoso, que constitui a base de uma árvore ou arbusto: "Se anoso tronco amanhecer todo copado de flores..." (Antônio Feliciano de Castilho, *Amor e melancolia*) 2 *Anat.* Parte do corpo humano, excetuando-se os membros superiores e inferiores, que vai da base do pescoço ao ponto de onde saem os membros inferiores 3 *Anat.* Designação de certos vasos e nervos que se dividem em vários ramos após um curto trajeto 4 *Zool.* Parte do corpo dos animais, sobretudo dos vertebrados, situada entre a cabeça e a cauda 5 *Soc.* Origem de um grupo, família, raça etc. 6 *Ling.* Conjunto de famílias linguísticas que possuem uma língua comum como ascendente 7 *Geom.* Parte de um sólido geométrico separada por corte perpendicular ou oblíquo ao respectivo eixo 8 *Arq.* Parte do fuste de uma coluna 9 Ponto de onde se originam ramificações: *tronco de linhas telefônicas.* 10 *Agr.* Armação de madeira onde se colocam os animais de grande porte para tratamento 11 Antigo instrumento de tortura constituído de um cepo com orifícios onde se prendiam a cabeça e os pés da vítima 12 Cárcere, cadeia 13 *Bras.* Espaço separado por tapumes em trabalhos de mineração 14 *RS* Corredor estreito e sem saída, ligado ao curral, onde se prendem os animais que vão ser castrados 15 Pau fincado no chão, ao qual se amarravam os escravos para os chicotear 16 *Fig.* Prisão, encargo pesado e irrecusável *a.* 17 Truncado, troncho, mutilado [F.: Do lat. *truncus, i.*]

troncudo (tron.*cu*.do) *a.* 1 Que tem tronco ou tórax bem desenvolvido, largo, forte: "Então um negro troncudo chegou para perto de Jubiabá..." (Jorge Amado, *Jubiabá*) **2** Grosso (pernas troncudas) [F.: *tronco* + *-udo*.]

troncular (tron.cu.*lar*) *a2g.* Ref. a tronco [F.: *tronco* + *-ular*.]

tronear (tro.ne.*ar*) *v.* O mesmo que *tronar* (2) [► 13 tronear] [F.: *trono* + *-ear*².]

trono (*tro*.no) *sm.* **1** Assento largo e solene, de grande conforto e ger. pomposo, onde se sentam os soberanos ou as pessoas a quem se confere extrema dignidade: *O trono do rei; o trono do papa.* **2** *Fig.* Símbolo de poder soberano **3** A pessoa do soberano: *Os clamores do povo chegaram ao trono.* **4** *Joc. Pop.* Vaso sanitário [F.: Do gr. *thronus, ous*.] ■ **Subir ao ~** *Fig.* Ser coroado rei, ou aclamado como rei; começar a reinar (rei)

tronqueira (tron.*quei*.ra) *sf.* **1** *Bras. Lus.* Cada uma das estacas de grossa espessura em que se prendem as varas de uma porteira ou cancela; MOURÃO **2** *Amaz.* Quantidade de pedaços de pau resistentes cravados por acaso em leito de rio, prejudicando o livre trânsito de embarcações **3** *PA* Conjunto de troncos que se acumulam às margens de um rio [F.: *tronco* (*-c-* > *-qu-*) + *-eira*.] ■ **Fechar a ~** *Bras. Espt.* Em sessão de umbanda, defumar o local e aspergir aguardente nos quatro cantos, para afastar entidades importunas

troo (*tro*.o) *sm.* O mesmo que *troada* [F.: Dev. de *troar*. Hom./Par.: *troo* (fl. de *troar*).]

troostita (tro.os.*ti*.ta) *sf.* *Min.* Silicato de zinco que se apresenta no formato de grandes cristais de coloração avermelhada

tropa (*tro*.pa) *sf.* **1** Grupo numeroso de soldados **2** O exército em seu conjunto de oficiais e praças: *A tropa ficou inquieta com as notícias.* **3** Volante de soldados em missão: "Falavam que era uma tropa que tinha prendido o velho por causa de Antônio Silvino..." (José Lins do Rego, *Fogo morto*) **4** Grupo grande de pessoas reunidas; MULTIDÃO: *Político de prestígio, andava sempre acompanhado de uma tropa de gente.* **5** *Bras.* Caravana de animais de carga: "...os ciganos tinham viajado demais naqueles dois meses, em vinho vindo tocando muito ligeiro e maltratando a tropa deles..." (Guimarães Rosa, "Corpo fechado" *in Sagarana*) **6** *RS* Grande porção de gado em viagem para o abate **7** *Bras.* Unidade de escoteiros **8** *MG* Grupo de escravos que trabalhavam na extração de diamantes sob a direção de empregados livres **9** Conjunto de trabalhadores braçais em um armazém de depósitos *sm.* **10** *Ant. Mil.* Militar subalterno que recebia soldo, o mesmo que *praça de pré* *sfpl.* **11** As unidades militares que compõem o exército [F.: Do fr. *troupe*.] ■ **~ de barro** *N. E.* Tropa não regular, constituída de civis; tropa de cachimbo **~ de cachimbo** *N. E.* Ver *Tropa de barro* **~ de linha** *N. E.* Tropa regular do exército **~ de resgate** *AM* Grupo que, em entradas, aprisionava índios para escravizá-los

tropacocaína (tro.pa.co.ca.*í*.na) *sf.* *Med.* Alcaloide cujo cloridrato tem uso como anestésico local [Fórm.: $C_{15}H_{19}NO_2$] [F.: *tropa-* (< *tropina* < *atropina*) + *cocaína*.]

tropear¹ (tro.pe.*ar*) *v. int.* **1** Produzir (o cavalo) som característico com os pés, ao andar **2** Cavalgar produzindo muito barulho **3** Andar (pessoa) de maneira barulhenta: *Os rapazes viviam tropeando pelos corredores.* [► 13 tropear] [F.: *tropel* + *-ear*², com síncope.]

tropear² (tro.pe.*ar*) *Bras. v. int.* **1** Trabalhar como tropeiro **2** Conduzir tropa de gado [► 13 tropear] [F.: *tropa* + *-ear*².]

tropeçado (tro.pe.*ça*.do) *a.* Que tropeça ou tropeçou; que apresenta tropeços (p. ex., ao falar); HESITANTE; VACILANTE: *Tinha uma fala arrastada, tropeçada.* [Ant.: *decidido, firme, preciso*.] [F.: Part. de *tropeçar*.]

tropeçante (tro.pe.*çan*.te) *a2g.* Que anda ou fala aos tropeços; BAMBO; TITUBEANTE: *Lá vinha ele, cansado, tropeçante!* [Ant.: *firme*.] [F.: *tropeçar* + *-ante*.]

tropeção (tro.pe.*ção*) *sm.* **1** Ação ou resultado de tropeçar; TROPEÇAMENTO; TROPEÇO; TROPEÇADA **2** Topada que tira o equilíbrio de quem anda ou corre; TROPEÇO **3** *Fig.* Ação malsucedida ou atitude de hesitação: *Deu uns tropeções no início da carreira, mas depois se aprumou.* **4** Animal que tropeça muito por ser já velho, tropicão: "A égua velha estava mesmo um tropeção – dizia-me ele..." (Aquilino Ribeiro, *Luz ao longe*) *a.* **5** Diz-se desse animal [Pl.: *-ções*.] [F.: *tropeço* + *-ão*.]

tropeçar (tro.pe.*çar*) *v.* **1** Dar topada ou dar com o pé subitamente em [*int.*: *Tropeçou e caiu.*] [*ta.*: *Tropeçou nos brinquedos.*] **2** *Fig.* Encontrar empecilho ou dificuldade em, esbarrar [*tr.* + *em*: *Tropeçar na burocracia.*] **3** Ficar em dúvida; hesitar [*tr.* + *em*: *Tropeçava nas palavras escritas com x.*] **4** Ver-se face a face com algo [*tr.* + *em*: *Nessas ocasiões, tropeçava na ansiedade de sempre.*] [► 12 tropeçar] [F.: Do v.lat. vulg. **interpediare*, pelo port. ant. *entrepeçar*. Hom./Par.: *tropeço* (fl.), *tropeço* /ê/ (sm.) e *Tropeço* /ê/ (top.).]

tropeço (tro.*pe*.ço) [ê] *sm.* **1** Ação ou resultado de tropeçar; TROPEÇÃO **2** Pancada ou esbarrão involuntário com o pé em alguma coisa, seguido ou não de queda **3** Aquilo em que se tropeça: *Essa pedra serve sempre de tropeço a quem passa por aqui.* **4** *Fig.* Obstáculo, empecilho, percalço: *Os tropeços na entrevista deixaram-no desanimado.* [F.: Dev. de *tropeçar*.]

tropegamente (tro.pe.ga.*men*.te) *adv.* De maneira trôpega; com dificuldade (para andar): *Caminhava tropegamente, parecendo que ia cair.* [F.: Fem. de *trôpego* + *-mente*.]

trôpego (*trô*.pe.go) *a.* **1** Que não se sustenta bem nas pernas e anda com dificuldade **2** Que não consegue movimentar os membros, ou o faz com grande dificuldade [F.: Do lat. *hydropicu* (hidrópico), em virtude do caminhar vacilante do portador dessa doença.]

tropeiro (tro.*pei*.ro) *sm.* **1** *Bras.* Aquele que conduz tropa de animais: "Ali logo frenteei com uma comitiva de tropeiros, com grande cavalhada por diante..." (Simões Lopes Neto, "Trezentas onças" in *Contos gauchescos & lendas do sul*) **2** *RS* O que compra e vende tropas de gado **3** Empresário de transportes **4** *Ornit.* Ave passeriforme (Lipaugus vociferans), muito barulhenta, tb. chamada cricrió, namorador e gritador [F.: tropa + -eiro.]

tropejar (tro.pe.*jar*) *v.* **1** Produzir (o animal) barulho com as patas ao andar [*int.*: *A mula tropejava.*] **2** Dizer num resmungo [*td.*: *Tropejou tímidas reclamações e se foi.*] [► 1 tropejar]

tropel (tro.*pel*) *sm.* **1** Conjunto de pessoas ou animais movendo-se rapidamente e de maneira desordenada **2** Barulho que se faz ao andar: *tropel de passos.* **3** *P. ext.* Ruído forte produzido pela locomoção de vários animais: *o tropel dos cavalos.* **4** *Fig.* Situação confusa e barulhenta; ALVOROÇO; CAOS: *Não conseguia pensar no meio daquele tropel.* [Ant.: *calma, paz*.] **5** *Fig.* Quantidade grande de qualquer coisa: *Ouvia um tropel de reclamações.* [Pl.: *-péis*.] [F.: Do espn. *tropel*.]

tropelia (tro.pe.*li*.a) *sf.* **1** Confusão ou tumulto provocado por grupo de pessoas em tropel **2** Efeito produzido por um tropel **3** *Fig.* Travessura, traquinice **4** *Fig.* Astúcia, ardil **5** *Fam.* Maus-tratos **6** *Fig.* Bulício, prazer mundano [F.: *tropel* + *-ia*.]

◎ **-tropia** *Suf.* = direção, movimento, afinidade: *alotropia, hipermetropia, isotropia.*

tropia (tro.*pi*.a) *sf.* *Oft.* Desvio de um olho de sua posição normal quando os dois olhos estão abertos; ESTRABISMO [F.: Do gr. *trópos, on* 'direção, maneira'.]

tropical (tro.pi.*cal*) *a2g.* **1** Ref. a trópicos **2** Que se encontra colocado entre os trópicos: "Os europeus do norte não têm conseguido constituir, nos planaltos tropicais, senão estabelecimentos temporários..." (Oliveira Viana, *Raça e assimilação*) **3** Ref. ao clima dos países nessa situação geográfica **4** Que tem temperatura elevada, calor ardente: "O cacto desabrocha a medo/ das noites tropicais na mansa calma..." (Castro Alves, *Espumas flutuantes*) *sm.* **5** Tecido leve de lã, linho ou seda us. ger. para a confecção de ternos **6** A roupa confeccionada com esse tecido [Pl.: *-cais*.] [F.: *trópico* + *-al*.]

tropicália (tro.pi.*cá*.li:a) *sf.* *Bras. Hist.* Movimento estético, social, político e cultural articulado entre música, artes plásticas, poesia e cinema, surgido no final da década de 1960, que se caracterizou pela combinação de elementos típicos da cultura brasileira com os da arte *pop* e vanguardistas e com raízes no movimento antropofágico de 1922, capitaneado por jovens intelectuais e artistas radicados sobretudo em São Paulo, como Torquato Neto, Gilberto Gil, Rogério Duprat, Hélio Oiticica, Tom Zé e Caetano Veloso, cuja música *Tropicália* lhe deu nome; TROPICALISMO [F.: *tropical* + *-ália*.]

tropicalidade (tro.pi.ca.li.*da*.de) *sf.* Característica ou condição de tropical: "Apesar de Pierre Gourou aceitar a média da intensidade do calor como um dos fundamentais critérios da tropicalidade, reconhece existirem outras importantes mensurações." (Vamireh Chacon, "Ecologia e meio ambiente nos trópicos" *in Seminário de tropicologia*, Recife, 2004) [F.: *tropical* + *-i-* + *-dade*.]

tropicalismo (tro.pi.ca.*lis*.mo) *sm.* **1** Qualidade do que é tropical **2** Movimento estético que eclodiu no Brasil no final da década de 1960, o mesmo que *tropicália* [F.: *tropical* + *-ismo*.]

tropicalista (tro.pi.ca.*lis*.ta) *a2g.* **1** Ref. ao tropicalismo *s2g.* **2** Participante ou seguidor do tropicalismo **3** Estudioso de assuntos relacionados às regiões tropicais: "Sugestão do autor acolhida e adotada por outros tropicalistas ou tropicologistas modernos..." (Gilberto Freyre, "Prefácio-síntese para a edição portuguesa de Lisboa" *in Casa grande e senzala*) **4** Médico especialista em doenças tropicais [F.: *tropical* + *-ista*.]

tropicalização (tro.pi.ca.li.za.*ção*) *sf.* **1** Ação ou resultado de tropicalizar(-se), de se adaptar aos trópicos ou adquirir suas características **2** Preparação de aparelhos, engenhos, máquinas etc. para adaptá-los ao clima das regiões tropicais [Pl.: *-ções*.] [F.: *tropicalizar* + *-ção*.]

tropicalizado (tro.pi.ca.li.*za*.do) *a.* **1** Que se tropicalizou; que se adaptou aos trópicos ou adquiriu algumas de suas características próprias **2** Que foi introduzido nos trópicos [F.: Part. de *tropicalizar*.]

tropicalizante (tro.pi.ca.li.*zan*.te) *a2g.* Que contribui para um processo de tropicalização; que transmite caráter tropical [F.: *tropicalizar* + *-ante*.]

tropicalizar (tro.pi.ca.li.*zar*) *v. td.* **1** Colocar, introduzir (alguma coisa) nos trópicos: *A empresa suíça queria tropicalizar seus produtos.* **2** Adaptar(-se) aos trópicos: *A empresa tropicalizou suas filiais no Brasil; O gerente tropicalizou-se rapidamente.* **3** Dar caráter tropical a: *Um conjunto francês tropicalizou suas músicas.* [► 1 tropicalizar] [F.: *tropical* + *-izar*.]

tropicão (tro.pi.*cão*) *sm.* **1** Ação ou resultado de tropicar; TROPEÇÃO *a. sm.* **2** O mesmo que *tropeção* (1 e 2) [Pl.: *-cões*.] [F.: *tropicar* + *-ão*.]

tropicar (tro.pi.*car*) *v.* **1** Tropeçar várias vezes (esp. o cavalo) [*ta.*: *O cavalo tropicou no galho.*] [*int.*: *O cavalo tropicou e caiu.*] **2** Andar a trote [*int.*: *O cavalo tropicava com desenvoltura.*] [► 11 tropicar] [F.: *trôpego* + *-ar*. Hom./Par.: *tropico* (fl.), *trópico* (sm.).]

trópico (*tró*.pi.co) *sm.* **1** *Astron.* Cada uma das duas linhas imaginárias – Trópico de Câncer (no hemisfério Norte) e Trópico de Capricórnio no hemisfério Sul) – que circundam o globo terrestre, paralelas ao Equador, e limitam regiões da Terra nas quais o Sol passa duas vezes por ano pelo zênite **2** Cada uma das zonas limitadas por essas linhas *smpl.* **3** A região intertropical: *O Brasil está situado nos trópicos.* *a.* **4** Ref. aos trópicos (ano trópico) **5** *Bot.* Diz-se da flor que abre pela manhã e fecha à noite [F.: Do gr. *Tropikós* pelo lat. *tropicus, a, um*.] ■ **~ de Câncer** *Astron.* Nome do paralelo de latitude + 23°27' ao norte do equador, que seria a projeção na Terra do movimento diurno aparente do Sol no solstício de verão no hemisfério norte **~ de Capricórnio** *Astron.* Nome do paralelo de latitude -23°27' ao sul do equador, que seria a projeção na Terra do movimento diurno aparente do Sol no solstício de inverno no hemisfério norte

tropicolor (tro.pi.co.*lor*) [ô] *a.* Diz-se do que tem cor viva e cintilante, esp. falando de filme ou fotografia: "Aí tava o Guido Cosolich, que tinha feito o filme do Walter Lima Júnior, Brasil, ano 2000, e tinha inventado um negócio chamado tropicolor, que era usar os filmes da Kodak com a nossa luz bruta, sem nenhum apoio de rebatedor, deixando rolar..." (Clara Linhart, Camila Maroja e Daniel Caetano, "Entrevista com Mário Carneiro") [F.: Marca registrada (< *trópico* + *color*).]

tropilha (tro.*pi*.lha) *Bras. sf.* **1** *MG GO S.* Grupo de cavalos com o mesmo tipo de pelo **2** Conjunto de pessoas alegres, festivas **3** Grupo de coisas como se fossem tropas [Dim. irreg. de *tropa*.] [F.: Do espn. platino *tropilla*.]

tropina (tro.*pi*.na) *sf.* *Quím.* Substância que se obtém por hidrólise da atropina [Fórm. $C_8H_{15}NO$]

tropismo (tro.*pis*.mo) *sm.* **1** *Biol. Bot.* Fenômeno de movimento e orientação de um organismo vivo em resposta a um estímulo; TAXIA **2** *Bot.* Orientação do crescimento dos órgãos vegetais em resposta a estímulos físicos (luz, gravidade) ou químicos (umidade, presença de certos íons) **3** *Zool.* Orientação do corpo animal determinada por estímulos físicos ou químicos [F.: De *trop(o)* + *ismo*.]

◎ **trop(o)-** *el. comp.* = direção: *tropismo, troposfera* [F.: Do gr. *trópos, ou*.]

tropo (*tro*.po) [ó] *sm.* **1** *Gram.* Figura de linguagem que consiste no emprego de palavra ou expressão em sentido figurado; METÁFORA; ALEGORIA: "E com gesto facundo e voz amaneirada recita uma enfiada de tropos excelentes..." (Guerra Junqueiro, *A velhice do Padre Eterno*) **2** *Mús.* Na música grega antiga, processo para determinar a altura absoluta da escala **3** *Mús.* Na música medieval, composição resultante da intercalação de palavras e notas em fragmento de música litúrgica [F.: Do gr. *tropos, ou*.]

tropologia (tro.po.lo.*gi*:a) *sf.* **1** Utilização de linguagem figurada **2** Tratado, estudo, compêndio acerca de tropos [F.: Do gr. *tropología, as*.]

tropológico (tro.po.*ló*.gi.co) *a.* **1** Ref. a tropologia **2** Diz-se de sentido não literal da palavra; FIGURADO [Ant.: *literal*.] [F.: *tropologia* + *-ico*.]

tropos (*tro*.pos) *smpl.* *Fil.* Diz-se de argumento que, conforme os filósofos céticos da Antiguidade, demonstrava a impossibilidade de se atingir a verdade [F.: Do gr. *trópos, ou* 'direção, maneira'.]

troposfera (tro.pos.*fe*.ra) *sf.* *Geof.* Camada inferior da atmosfera que se estende da superfície da Terra a uma altura média de cerca de 10 km [F.: Do fr. *troposphère*.]

troqueu (tro.*queu*) *Poét. a.* **1** Diz-se do pé de verso grego ou latino composto de duas sílabas, a primeira longa e a outra breve *sm.* **2** Esse verso [F.: DO lat. *trochaeus*.]

troquilídeo (tro.qui.*lí*.de:o) *a.* **1** Ref. aos troquilídeos *sm.* **2** *Ornit.* Espécime dos troquilídeos, aves apodiformes de pequeno porte e bico muito fino, que conseguem parar em pleno ar para colher alimentos em flores e pequenos insetos; são os beija-flores [F.: Do lat. cient. fam. *Trochilidae*.]

trotador (tro.ta.*dor*) [ô] *a.* **1** Diz-se do equídeo que trota; TROTÃO *sm.* **2** Raça de cavalo que se caracteriza por sua aptidão para a velocidade no trote; TROTEADOR [F.: *trotar* + *-dor*.]

trota-mundos (tro.ta-*mun*.dos) *sm2n.* Indivíduo que anda sem destino, vagueando; ANDARILHO; VAGABUNDO

trotão (tro.*tão*) *a.* **1** Diz de equídeo que trota *sm.* **2** Esse equídeo [Pl.: *-tões*. Fem.: *-tona*] [F.: *trot(ar)* + *-ão*. Sin. ger.: *trotador, troteiro*.]

trotar (tro.*tar*) *v.* **1** Andar (a montaria) entre o passo e o galope [*int.*] **2** Cavalgar a trote [*int.*: *Os cavaleiros trotavam pela estrada.*] **3** *Fig.* Andar aos pulinhos, como se trotasse [*int.*: *O menino e o porquinho vinham trotando pela estrada.*] **4** Passar trote em [*td.*: *Costuma trotar os colegas.*] [► 1 trotar] [F.: Do ant. alto-al. *trottôn*, posv. pelo fr. *trotter*. Hom./Par.: *trote* (fl.), *trote* (sm.); *trotes* (fl.), *trotes* (pl. do sm.); *troto* (fl.), *troto* (sm.).]

trote (*tro*.te) *sm.* **1** Marcha das cavalgaduras, entre sua andadura normal e o galope **2** *Bras.* Conjunto de brincadeiras e zombarias a que os veteranos de uma escola ou faculdade submetem os calouros **3** *Bras.* Brincadeira zombeteira, ger. feita por meio de um telefone, em que o autor da troça oculta sua identidade [F.: Dev. de *trotar*.] ■ **~ de peludo** *RS* Sobrecarga de tarefas, de trabalho, de responsabilidade etc.

troteada (tro.te.*a*.da) *sf.* **1** *Bras.* Carreira feita a trote; caminho cavalgado entre o passo e o galope; tb. *trotada*

2 Caminhada a pé: *Fez uma troteada até a praia*. [F.: Fem. substv. de *troteado*.]

trotear (tro.te.*ar*) *v.* O mesmo que *trotar* [▶ 13 trotear] [F.: *trote* + *-ear*.]

troteiro (tro.*tei*.ro) *a. sm.* O mesmo que *trotão* [F.: *trote* + *-eiro*.]

trotejar (tro.te.*jar*) *v.* O mesmo que *trotar* [▶ 1 trotejar] [F.: *trote* + *-ejar*.]

trotskismo (trots.*kis*.mo) *sm. Pol.* Corrente política comunista baseada nas ideias do russo Lev Davidovitch Bronstein, dito Trotski (1879-1940), revolucionário marxista que defendia a ideia de uma revolução socialista permanente, em contraposição à ideia stalinista de socialismo em um só país [F.: Do antr. *Trotski* + *-ismo*.]

trotskista (trots.*kis*.ta) *a2g.* **1** Que se refere a Trotski e ao trotskismo ***a2g.*** **2** Diz-se de indivíduo que é adepto ou seguidor do trotskismo ***s2g.*** **3** Esse indivíduo [F.: Do antr. *Trotski* + *-ista*.]

⊕ **trottoir** (*Fr.* /trotoár/) *sm.* **1** Calçada, passeio **2** A prática da prostituição, esp. a que se pratica na via pública [Pl.: *trottoirs*.] ∎ **Fazer ~** Praticar prostituição, atraindo clientes pelas ruas

⊕ ***troupe*** (*Fr.* /trúp/) *sf.* O mesmo que *trupe*

⊕ ***trousse*** (*Fr.* /trusse/) *sf.* **1** *Ant. Vest.* Calção curto e bufante us. por atores e menestréis por sobre a calça de meia; TRUSSA **2** Estojo pequeno, de prata, ouro, metal etc., us. pelas mulheres para para guardar pó de arroz **3** *Lus.* Caixa de ferramenta

trouxa (*trou*.xa) *sf.* **1** Embrulho de pano que ger. transporta roupas, toalhas, lençóis etc.: "O nariz enfronha-se de envergonhado entre as trouxas de tecidos..." (Camilo Castelo Banco, *Anos de prosa*) ***a2g.*** **2** *Gír.* Que é fácil de enganar [Ant.: *esperto*.] ***s2g.*** **3** Pessoa que se pode enganar facilmente; OTÁRIO: "Não liga para esses trouxas, Miquelina..." (Antônio de Alcântara Machado, "Coríntians versus Palestra" *in Brás, Bexiga e Barra Funda*) [F.: Do ant. espn. *troja*.] ∎ **Enrolar a ~** *Lus.* Fazer silêncio, calar a boca **Fazer a ~** Fazer a mala, a mochila etc., arrumar os pertences (para ir embora)

trouxe-mouxe (trou.xe-*mou*.xe) *sm.* **1** Confusão, balbúrdia: "Na multidão havia mulheres, velhas, moças, gritos, mouxe-trouxe, e trouxe-mouxe, desmaios..." (Guimarães Rosa, "Darandina" *in Primeiras estórias*) **2** Us. na loc. **A ~** De maneira desordenada, precipitada: "...a gente de Viriato, em princípio enfileirada a trouxe-mouxe, sem preceito militar nem disciplina..." (Aquilino Ribeiro, *Avós dos nossos avós*) [Pl.: *trouxe-mouxes*.] [F.: Da loc. espn. *a troche y moche*.] ∎ **A ~** De maneira desordenada, precipitada

trouxice (trou.*xi*.ce) *sf.* Qualidade ou característica de quem é trouxa [F.: *trouxa* + *-ice*.]

trova (*tro*.va) *sf.* **1** *Mús.* Música leve, lírica, de caráter mais ou menos popular **2** *Liter.* Poema de quatro versos, ger. setissílabos; QUADRINHA **3** Cantiga medieval **4** Quadra de poesia popular [F.: Dev. de *trovar*.]

trovador (tro.va.*dor*) [ô] *sm.* **1** *Liter. Mús.* Cantor ou poeta medieval, sobretudo da região da Provença; MENESTREL **2** Designação dada aos poetas portugueses do final da Idade Média: "Nesse tipo de cantiga, o trovador empreende a confissão, dolorosa e quase elegíaca, de sua angustiante experiência passional..." (Massaud Moisés, *História da literatura portuguesa*) **3** Nome dado genericamente aos poetas medievais **4** Na Idade Média, poeta ambulante que recitava seus versos fazendo-se acompanhar de instrumento musical **5** Poeta que compõe trovas; TROVEIRO **6** Designação ger. dos poetas que floresceram no norte da França entre os sécs. XII e XIII; TROVEIRO [F.: Do provç. *trobador*.]

trovadoresco (tro.va.do.*res*.co) [ê] *a.* Ref. aos trovadores da Idade Média ou à sua literatura: "Um misto de cortesanismo... de culto sentimental, de práticas trovadorescas..." (Conde de Sabugosa, *Donas de tempos idos*) [F.: *trovador* + *-esco*.]

trovão (tro.*vão*) *sm.* **1** *Met.* Estrondo que ger. acompanha um relâmpago; TROVOADA: "Já se ouvia ao longe o assobiar do vento, o bramir do trovão..." (Oliveira Martins, *Febo Moniz*) **2** Ribombo produzido por descarga elétrica **3** Grande barulho, comparável ao do trovão; ESTRONDO [Pl.: *-vões*.] [F.: Do lat. *turbo, onis*.]

> 🕮 Quando se forma um raio (ver achega enciclopédica no verbete raio), a vibração súbita e violenta do ar em sua passagem, transformada em onda sonora, produz um estrondo, o trovão. A ondas luminosas propagam-se a uma velocidade de 300.000 km/s, as sonoras a uma velocidade de c. 1.000 km/s. Por isso só se ouve o trovão momentos após se avistar o raio, e a diferença de tempo entre as duas percepções (maior quanto maior a distância do raio) permite calcular a distância do observador ao local de ocorrência do raio.

trovar (tro.*var*) *v.* **1** Cantar trova(s) [*int.*] **2** Compor versos [*int.*] **3** Expressar por meio de cantiga [*td.*: *O violeiro trovava suas dores*.] [▶ 1 trovar] [F.: Do provç. *trobar*. Hom./Par.: *trova(s)* (fl.), *trova(s)* (sf. [pl.]).]

troveiro (tro.*vei*.ro) *sm.* **1** *Liter.* Nos sécs. XII e XIII, poeta que compunha poemas líricos ou narrativos, ger. épicos, em língua d'oil, língua românica falada no N. da França **2** O mesmo que *trovador* [F.: *trova* + *-eiro*.]

trovejamento (tro.ve.ja.*men*.to) *sm.* **1** Ação ou resultado de trovejar, de produzir trovões **2** Som que se assemelha ao trovão [F.: *trovejar* + *-mento*.]

trovejante (tro.ve.*jan*.te) *a2g.* Que troveja; TROANTE; ESTRONDOSO [F.: *trovejar* + *-nte*. Tb. *trovoante*.]

trovejar (tro.ve.*jar*) *v.* **1** Produzir som (o trovão); ATROAR; RETUMBAR; RIBOMBAR [*int.*: *Trovejou de manhã cedo, mas não choveu*.] **2** *P. ext.* Ressoar, ribombar como o trovão; estrondear [*int.*: *A moto envenenada trovejou e sumiu na estrada*.] **3** Lançar raios; fazer trovões [*int.*: *Júpiter troveja do Olimpo*.] **4** *Fig.* Vibrar, soar fortemente (a voz); falar em voz muito alta [*int.*: *A voz do político trovejava durante o comício*.] [*tdi.* + *a*: *Os bombeiros trovejaram alertas à população*.] **5** *Fig.* Repreender em altos brados; bradar, esbravejar [*int.* / *tr.* + *contra*: *Era uma pessoa ranzinza, estava sempre trovejando (contra tudo e todos)*.] **6** *Fig.* Emitir (som) de maneira barulhenta, com grande ruído [*td.*: *No fim do jogo a torcida trovejou vaias*.] **7** *Fig.* Exercer grande força e autoridade; influir muito [*ta.*: "E os habitantes pacíficos do vale não sabiam que as tempestades políticas trovejavam além das suas montanhas." (Alexandre Herculano, *Opúsculos*, tomo I)] [▶ 1 trovejar Na acp. 1, é impessoal; nas demais acps., conjuga-se normalmente.] ***sm.*** **8** O ruído do trovão; estampido, grande estrondo: *O trovejar anunciava uma tempestade; o trovejar dos fogos de artifício*. [F.: De *trovoejar* (< *trovão* [rad. *trovo* -] + *-ejar*, com desnasalação). Sin. ger.: *trovoar*. Hom./Par.: *trovejo* (fl.), *trovejo* /ê/ (sm.).]

trovoada (tro.vo:*a*.da) *sf.* **1** Tempestade acompanhada por série de trovões: "E essa trovoada de verão é tão Cachoeiro..." (Rubem Braga, "Os trovões de antigamente" *in Ai de ti, Copacabana*) **2** *Fig.* A própria tempestade **3** *Fig.* Sucessão de grandes estrondos **4** Motim, algazarra, gritaria **5** *Fig.* Discussão muito acalorada **6** *Ornit.* Ave brasileira (*Drymophila ferruginea*) da família dos formicariídeos, que ocorre da Bahia ao Rio Grande do Sul **7** *Ornit.* Ave passeriforme (*Myrmeciza Ferruginea*) que ocorre na Amazônia [F.: *trovão* + *-ada*.]

trovoar (tro.vo.*ar*) *v.* O mesmo que *trovejar* [▶ 16 trovoar No sentido literal é impess; entretanto, pode ser conjugado figuradamente em todas as pess.] [F.: *trovão* (rad. *trovo-*) + *-ar*², com desnasalação.]

trovoento (tro.vo.*en*.to) *a.* Em que há trovões (dia trovoento) [F.: *trovão* (f. rad. *trovon-* desnasalada) + *-ento*.]

⊠ **TRT** Sigla para *Tribunal Regional do Trabalho*

truanice (tru.a.*ni*.ce) *sf.* **1** Atitude ou dito de truão; MOMICE; PALHAÇADA [Ant.: *austeridade, seriedade*.] **2** Impostura, logro, mentira [F.: *truão* (f. rad. *truan-*) + *-ice*.]

truão (tru:*ão*) *sm.* **1** Saltimbanco que, na Idade Média, divertia o público com graças e momices **2** Indivíduo, ger. de aparência grotesca, empregado pelos reis da Antiguidade para divertir a corte com graças e zombarias; BOBO; BUFÃO: "Naquela época, o cargo de truão correspondia até certo ponto ao dos censores da república romana." (Alexandre Herculano, *O bobo*) **3** Ator cômico que ger. trabalha com gestos espalhafatosos e faz comicidade de caráter simples, popular **4** Bobo, palhaço: "Não tinha rosto com que aparecer, nem roupas – bufão, truão, tranca..." (Guimarães Rosa, "Darandina" *in Primeiras estórias*) **5** Indivíduo inconveniente, dado a graçolas [Pl.: *-ões*.] [F.: Do celta, pelo provç. *truan* ou pelo fr. *truand*.]

trubufu (tru.bu.*fu*) *a2g. sm. Bras. Pop.* Maltrapilho, andrajoso, mal vestido; tb. *tribufu* [F.: Pal. expressiva.]

trucado (tru.*ca*.do) *a.* Diz-se de filme que se trucou, em que se realizaram certos efeitos de trucagem [F.: Part. de *trucar*.]

trucador (tru.ca.*dor*) [ô] *sm. Cin.* Técnico que realiza trucagem [F.: *trucar* + *-dor*.]

trucagem (tru.*ca*.gem) *sf.* **1** *Cin.* Processo us. para criar, através da truca, efeitos especiais em filmes **2** *Teat.* Processo que permite, por meio de mecanismos, movimentar cenários e produzir efeitos cênicos insólitos [Pl.: *-gens*.] [F.: *truca* + *-agem*.]

trucar¹ (tru.*car*) *v. int.* No jogo de truque, lançar a primeira parada [▶ 11 trucar] [F.: *truque*³ + *-ar*². Hom./Par.: *truque* (fl.), *truque* (sm.); *truques* (fl.), *truques* (pl. do sm.); *truco* (fl.), *truco* (sm.); *truca* (fl.), *truca* (interj. e sf.), *trucá* (s2g. a2g.); *trucas* (fl.), trucas (pl. do sf.), *trucás* (pl. do s2g. a2g.); *trucar*, *trocar* (em várias fl.).]

trucar² (tru.*car*) *v. Cin.* Usar truques (de técnica cinematográfica), ger. em laboratório e por meio de truca [*td.*] [*int.*] [▶ 11 trucar] [F.: *truca* + *-ar*².]

trucidado (tru.ci.*da*.do) *a.* **1** Assassinado com crueldade: "Quando seguiam debaixo de escolta e algemados, para a cadeia de Sobral, logo no primeiro dia de viagem foram os presos trucidados..." (Euclides da Cunha, *Os sertões*) **2** *Fig.* Acabado; DESTRUÍDO: *Com a morte do benfeitor, teve suas esperanças trucidadas*. [F.: Part. de *trucidar*.]

trucidamento (tru.ci.da.*men*.to) *sm.* Ação ou resultado de trucidar, trucidação [F.: *trucidar* + *-mento*.]

trucidar (tru.ci.*dar*) *v. td.* **1** Assassinar com crueldade: *O assassino trucidou a vítima*. **2** *Fig.* Acabar com; destruir (ger. de modo definitivo): *O revisor acabou por trucidar o texto*. [▶ 1 trucidar] [F.: Do lat. *trucidare*.]

trucilar (tru.ci.*lar*) *v. int.* Soltar (o tordo) a sua voz: *O tordo trucilou a tarde inteira*. [▶ 1 trucilar] [F.: Do lat. *trucilare*.]

truco (*tru*.co) *sm.* Jogo de cartas, originário de Portugal e muito comum em vários estados brasileiros; TRUQUE: "...e de noite facilitava umas mesas de primeira, de truco ou de sete em porta, para tirar o cafife..." (Simões Lopes Neto, "Jogo do osso" *in Contos gauchescos & lendas do sul*) [F.: Do espn. *truco*.]

truculência (tru.cu.*lên*.ci:a) *sf.* **1** Qualidade ou ação de truculento; FEROCIDADE; ATROCIDADE: "Naturalmente a energia (...) há de crescer na razão direta da truculência do perigo..." (Rui Barbosa, *Excertos eleitorais*) **2** Ato de violência e crueldade: *A truculência com que agem os bandidos justifica uma ação mais enérgica da polícia*. [F.: Do lat. *truculentia, ae*.]

truculento (tru.cu.*len*.to) *a.* Que é agressivo, feroz: "Muita vez tinha mão na truculenta ferocidade do sombrio ditador..." (Bulhão Pato, *Sob os ciprestes*) [Ant.: *delicado*.] [F.: Do lat. *truculentus, a, um*.]

trufa *sf.* **1** *Micol.* Corpo de frutificação de cor escura e comestível dos fungos do gên. *Tuber*, encontrados na Europa, subterrâneos e associados às raízes de certas árvores; TÚBERA **2** *Cul.* Tipo de bombom de chocolate revestido de pó de cacau [F.: Do fr. *truffe*.]

trufado (tru.*fa*.do) *a.* **1** Recheado ou guarnecido com trufas (peru trufado) **2** *Fig.* Inchado, intumescido [F.: Part. de *trufar*.]

trufar (tru.*far*) *v.* **1** Fazer recheio com trufas [*td.*: *trufar deliciosos bombons*] **2** *Ant.* Caçoar, troçar, zombar [*ti.* + *de*] [*int.*] [▶ 1 trufar] [F.: Do fr. *truffer*. Hom./Par.: *trufa(s)* (fl.), *trufa(s)* (sf. [pl.]); *trufais* (fl.), *trufais* (pl. de *trufal* [sm.]).]

truísmo (tru:*ís*.mo) *sm.* Verdade banal, notória, que por sua evidência não merece ser enunciada; TAUTOLOGIA; REDUNDÂNCIA: "...um truísmo que corre desde que o mundo é mundo..." (Ricardo Jorge, *Sermões de um leigo*) [F.: Do ing. *truism*, de *true* (verdadeiro).]

trumaí (tru.ma.*í*) *Bras.* ***s2g.*** **1** *Etnol.* Pessoa pertencente ao grupo indígena dos trumaís, que vive no alto rio Xingu (MT) ***sm.*** **2** *Gloss.* Língua falada pelos trumaís ***a2g.*** **3** Do ou ref. a trumaí (1 e 2) [F.: Etnôn. *Trumai*.]

trumbicar-se (trum.bi.*car*-se) *v. int. Bras. Pop.* Ser malsucedido; dar-se mal; fracassar [▶ 11 trumbicar-se] [F.: Alter. de *trombicar* + *se*¹.]

truncado (trun.*ca*.do) *a.* **1** Que se truncou **2** Que sofreu corte; CORTADO: *As imagens do filme estavam truncadas*. **3** Privado de alguma das suas partes integrantes; INCOMPLETO: *Esta frase está truncada; uma coleção truncada* **4** Mutilado: *uma estátua truncada*. **5** *Arq.* Diz-se da coluna, ou fuste, que serve de suporte a estátua, vaso etc. **6** *Bot.* Que tem seu fim determinado por um segmento de reta (pétala truncada) **7** *Geom.* Diz-se de um sólido (pirâmide, cilindro, prisma, etc.) de que se truncou ou separou uma parte por meio de um plano secante (cone truncado, prisma truncado) **8** *Min.* Diz-se de uma aresta que foi substituída por uma faceta estranha à forma normal do cristal [F.: Do lat. *truncátus, a, um*.]

truncamento (trun.ca.*men*.to) *sm.* Ação ou resultado de truncar; CORTE; TRUNCADURA [F.: *truncar* + *-mento*.]

truncar (trun.*car*) *v. td.* **1** Cortar ou retirar partes fundamentais de algo, deixando-o mutilado ou incompleto: *truncar uma figura, uma imagem*. **2** Cortar os ramos ou os galhos de uma planta: *O jardineiro truncou todos os galhos*. **3** Eliminar ou misturar, ger. por acaso, parte de (texto literário, jornalístico etc.): *O digitador truncou o último parágrafo*. **4** *Geom.* Interceptar (sólido geométrico) por meio de plano secante [▶ 11 truncar] [F.: Do lat. *truncare*.]

trunfo (*trun*.fo) *sm.* **1** *Lud.* Certo jogo de cartas que envolve de dois a seis parceiros **2** *Lud.* Em alguns jogos carteados, naipe considerado superior aos outros: *Ele só gosta de apostar quando tem muitos trunfos*. **3** *Lud.* A carta desse naipe: *Na segunda rodada, recebi um trunfo!* **4** *Fig.* Recurso que propicia a obtenção de vantagem em luta, disputa etc.: *Nesse caso, o chefe do departamento é meu trunfo*. **5** *Fig.* Pessoa importante ou poderosa: *O grande trunfo do partido é esse homem*. [F.: alt. de *triunfo*. Hom./Par.: *trunfo* (fl. *trunfar*).] ∎ **Jogar/usar o(s) último(s) ~(s)** *Fig.* Tentar algo pela última vez, usando os últimos recursos, argumentos, instrumentos etc. **Ter todos os ~s na mão** Dispor de todos os instrumentos ou recursos necessários para controlar, resolver, dominar uma situação

trupe (*tru*.pe) *sf.* **1** Grupo de artistas, comediantes, cantores, malabaristas etc. que atuam em conjunto: *A trupe do circo francês chegou ontem*. **2** *P. ext. Teat.* Companhia de teatro **3** *Pej.* Grupo formado por sequazes [F.: Do fr. *troupe*. Hom./Par.: *trupe* (fl. de *trupar*). Tb. *troupe*.]

truque (*tru*.que) *sm.* **1** Recurso, engenhoso ou não, para se fazer ou conseguir alguma coisa; MACETE: *Brasileiros usam truque para aumentar a caixa postal do Hotmail; Truques para retirar manchas*. **2** Mágica, prestidigitação: *Nenhum mágico conseguiu duplicar certos truques de Houdan*. **3** Artimanha para iludir ou enganar alguém: *os truques que os hackers usam para enganar os internautas*. **4** *Cin. Teat.* Processo para criar imagens surpreendentes ou efeitos particulares em filme ou espetáculo teatral **5** *Teat.* Mecanismo us. nos teatros para mover cenários [F.: Do fr. *truc*. Hom./Par.: *truque* (sm), *truque* (fl. *trucar*).]

truqueiro (tru.*quei*.ro) *sm. Bras.* Aquele que joga truque, certo jogo de cartas [F.: *truque* + *-eiro*.]

truste (*trus*.te) *Econ. sm.* Acordo, às vezes ilícito, entre empresas, com a finalidade de controlar os preços, ampliar sua força no mercado e diminuir, ou anular, a concorrência [F.: Do ing. *trust*, de *to trust*.]

truta (*tru*.ta) *sf.* **1** *Zool.* Nome comum que se dá a diversos peixes da fam. dos salmonídeos, gên. *Salmo* e *Oncorhynchus*, de carne muito apreciada e grande valor comercial **2** *Pop.* Mulher bonita e elegante **3** *Pop.* Pessoa muito importante **4** *Bras. Gír.* Na linguagem de delinquentes, companheiro de cela **5** *Bras.* Ação fraudulenta; negócio em que há trapaça; tramoia, armação: *Deu uma desculpa* *esfarrapada, aí tem* *__truta__.* [F.: Do lat. *tructa, ae.* Ideia de 'truta': *trut(i)-* (*truticultor*).]

trutário (tru.*tá*.ri:o) *sm.* Lugar em que se criam trutas [F.: *truta* + *-ário*.]

truticultor (tru.ti.cul.*tor*) [ô] *sm.* **1** Criador de trutas: *A pouca disponibilidade de água obriga o* *__truticultor__* *brasileiro a uma exploração bastante racional dos recursos hídricos.* *a.* **2** Diz-se desse criador [F.: *truta* + *-i-* + *-cultor*.]

truticultura (tru.ti.cul.*tu*.ra) *sf.* Criação de trutas com fins comerciais [F.: *trut(i)-* + *cultura*.]

truz *interj.* **1** Imitação de barulho de explosão ou queda *sm.* **2** Batida, golpe, pancada [F.: De orig. *onomat.*] ■ **De ~** De alta qualidade, excelente

⊠ **TSE** Sigla de *Tribunal Superior Eleitoral*

tsé-tsé (tsé-*tsé*) *s2g. Zool.* Denominação comum às moscas africanas do gên. *Glossina*, hematófagas, transmissoras da doença do sono [Pl.: *tsé-tsés*.] [F.: De orig. obsc.]

⊠ **TSH** Sigla de *Thyroid Stimulating Hormone, i.e.*, hormônio estimulador da tireoide (tireotrofina), que, fabricado pela hipófise, regula a produção dos chamados hormônios tireoides ou tireoidianos T3 (tiiodotironina) e T4 (tiroxina), reguladores do crescimento, da digestão e do metabolismo

⊕ **tsunami** (*Jap.* /tsunâmi/) *sm. Geog.* Onda volumosa ou sucessão de ondas oceânicas que se deslocam em alta velocidade (podendo atingir mais de 700 km/h), decorrentes de maremoto, erupções vulcânicas etc., e que têm grande poder destrutivo quando alcançam a região costeira

tu *pr. pess.* **1** Pronome da segunda pessoa do singular, que indica a pessoa com quem se fala e funciona como sujeito: *__Tu__ vais à festa?* [a) O sujeito *tu* pode ficar oculto por já ser indicado pela terminação *-s* do verbo: *Pode__s__ me devolver o livro?* À exceção do Sul do país e de alguns pontos do Norte, o tratamento *tu* é substituído por *você* no português corrente do Brasil.] [b) À exceção do Sul do país e de algumas regiões do Norte, o tratamento *tu* é substituído por *você* no português corrente do Brasil.] *sm.* **2** A forma de tratamento: *Em Portugal, acostumei logo com o __tu__* [F.: Do lat. *tu*.]

tua (*tu*.a) *pr. poss.* Fem. de *teu* [F.: Do lat. *tua*, f. fem. do lat. *tuus, a, um* 'teu', pron.] ■ **Na ~** Ver *Na sua* no verbete *sua*

tuaregue (tu.a.*re*.gue) *s2g.* **1** Pessoa pertencente ao grupo dos tuaregues, nômades de origem camita que vivem no deserto do Saara *sm.* **2** *Gloss.* Língua falada pelos tuaregues; TAMAXEQUE *a2g.* **3** Dos tuaregues ou ref. a tuaregue (1 e 2) [F.: Do ár. *Tawāriq*.]

tuba (*tu*.ba) *sf.* **1** *Mús.* Instrumento metálico de sopro, dotado de pistões, que produz som grave e é muito us. em bandas de música e orquestras sinfônicas **2** *Mús.* Registro de órgão **3** *Mús.* Entre os antigos romanos, espécie de trombeta de metal, de tubo comprido e estreito **4** *Anat.* Cada um dos dois canais que vão das laterais do útero aos seus respectivos ovários [Tb. se diz *tuba uterina*.] [*tuba* substituiu *trompa* na nova terminologia anatômica.] **5** *Anat.* Canal auditivo que vai do tímpano à nasofaringe [Tb. se diz *tuba auditiva*.] **6** *Fig.* Estilo épico *sm.* **7** *Mús.* Tocador de tuba; TUBISTA [F.: Do lat. *tuba, ae.* Hom./Par.: *tuba* (fl. de *tubar*).] ■ **~ auditiva** *Anat. Otor.* Cada um dos dois canais auditivos que comunicam cada tímpano com a parte nasal da faringe [Na antiga nomenclatura anatômica, *trompa de Eustáquio*.] **~ uterina** *Anat. Ginec.* Cada um dos dois canais que ligam cada ovário ao respectivo lado do fundo do útero [Na antiga nomenclatura anatômica, *trompa de Falópio*.]

tubagem (tu.*ba*.gem) *sf.* **1** Conjunto de tubos; TUBULAÇÃO **2** *Med.* Processo que consiste em introduzir um tubo em órgão do corpo com finalidades terapêuticas ou para obtenção de diagnóstico [Pl.: *-gens*.] [F.: *tubo* + *-agem*.] ■ **~ duodenal** *Antq. Med.* Introdução de um tubo de borracha provido de uma sonda metálica para, passando pela boca, faringe, esôfago e estômago, atingir o duodeno onde se colhem suco duodenal e bílis

tubarana (tu.ba.*ra*.na) *Bras. Ict. sm.* **1** O mesmo que *dourado* (*Salminus brevidens*) **2** O mesmo que *tabarana* (*Salminus hilarii*) [F.: Var. de *tabarana*.]

tubarão (tu.ba.*rão*) *sm.* **1** *Zool.* Denominação comum aos peixes cartilaginosos elasmobrânquios, marinhos, de corpo ger. fusiforme e com fendas branquiais nas partes laterais do corpo; embora não tenha alta qualidade, sua carne é muito consumida; CAÇÃO **2** *Fig.* Empresário ganancioso e desonesto **3** *BA* Monte mais alto que o normal [Pl.: *-rões*.] [F.: De orig. *obsc.*]

tubário (tu.*bá*.ri:o) *a. Anat.* Ref. à tuba uterina ou à tuba auditiva (diâmetro __tubário__; trânsito __tubário__) [F.: *tubo* + *-ário*.]

tubaronato (tu.ba.ro.*na*.to) *Bras. sm.* **1** Caráter ou influência de tubarão, de empresário ganancioso **2** O conjunto desses empresários [F.: *tubarão* (f. rad. *tubaron-*) + *-ato*.]

tubeira (tu.*bei*.ra) *sf.* **1** Boca na extremidade de um tubo **2** *Emec.* Parte do avião a jato ou do foguete astronáutico pela qual saem os gases da combustão [F.: *tubo* + *-eira*.]

tuberculina (tu.ber.cu.*li*.na) *sf. Bac.* Líquido estéril em que se encontram substâncias provindas da cultura de bacilos da tuberculose, us. no diagnóstico dessa enfermidade [F.: *tubérculo* + *-ina*.]

tubérculo (tu.*bér*.cu.lo) *sm.* **1** *Bot.* Caule freq. subterrâneo, alongado ou arredondado, de grande valor nutritivo, que apresenta escamas e gemas que podem gerar novas plantas, como, p. ex., a batata [Os tubérculos desenvolvem-se nas raízes, nos rizomas ou nos ramos subterrâneos de certas plantas.] *sm.* **2** *Bot.* Excrescência na superfície de um órgão vegetal **3** *Anat.* Qualquer protuberância na superfície de um osso ou em qualquer parte do organismo **4** *Med.* Nódulo que se forma nas camadas mais profundas da derme ou em outro tecido **5** *Med.* Pequeno tumor que se forma nos tecidos, causado pela infecção do agente da tuberculose [F.: Do lat. *tubercùlum, i.*] ■ **~ genital** *Emb.* Formação inicial do falo, nos fetos masculinos **~ púbico** *Anat.* Protuberância no final da crista púbica **~s quadrigêmeos** *Anat.* Formações arredondadas (quatro) na superfície posterior do mesencéfalo

tuberculoide (tu.ber.cu.*loi*.de) *a2g. Pat.* Semelhante a um tubérculo ou a tuberculose [F.: *tubérculo* + *-oide*.]

tuberculoma (tu.ber.cu.*lo*.ma) *sm. Pat.* Espécie de tumor não neoplásico, que se instala ger. no cérebro ou nos pulmões, e que resulta do aumento anormal do volume de um tubérculo [F.: *tubérculo* + *-oma*.]

tuberculose (tu.ber.cu.*lo*.se) *sf.* **1** *Med.* Infecção contagiosa causada pelo bacilo de Koch (*Mycobacterium tuberculosis*), que ataca o homem e os animais em várias partes do organismo, esp. os pulmões **2** *Bot.* Nome comum que se dá a algumas bacterioses vegetais que surgem pela formação de nodosidades nos tecidos [F.: Do lat. cien. *tuberculosis.* Ideia de: *'tuberculose'*, usar antepos. *tisi(o)-*.]

tuberculoso (tu.ber.cu.*lo*.so) [ô] *a.* **1** *Med.* Ref. à tuberculose **2** *Med.* Que sofre de tuberculose **3** *Bot.* Que tem tubérculos *sm.* **4** *Med.* Pessoa que sofre de tuberculose [Pl.: [ó]. Fem.: [ó].] [F.: *tubérculo* + *-oso*.]

tuberiforme (tu.be.ri.*for*.me) *a2g.* **1** Que tem forma de tubérculo; TUBEROIDE; TUBERCULIFORME **2** *Bot.* Tuberoso [F.: *tuber(i/o)-* + *-forme*.]

◎ **tuber(i/o)-** *pref.* = excrescência, tumor: *tubérculo, tuberculose, tuberiforme*

tuberização (tu.be.ri.za.*ção*) *sf.* **1** Ação ou resultado de tuberizar(-se); formação de tubérculo(s) **2** *Bot.* Transformação total ou parcial de um órgão em tubérculo, que não só aumenta de volume como tem sua consistência modificada, tornando-se carnosa devido ao acúmulo de nutrientes [Pl.: *-ções*.] [F.: *tuberizar* + *-ção*.]

tuberizar (tu.be.ri.*zar*) *v. td. Bot.* Acarretar ou sofrer tuberização; TUBERCULIZAR [▶ 1 tuberizar] [F.: *túbera* + *-izar*.]

tuberosa (tu.be.*ro*.sa) *sf. Angios.* Planta da fam. das amarilidáceas (*Polianthes tuberosa*), procedente dos Andes e do México, de folhas compridas e grandes flores vistosas, aromáticas, das quais se extrai óleo essencial us. em perfumaria; ANGÉLICA [F.: Fem. substv. de *tuberoso*.]

tuberosidade (tu.be.ro.si.*da*.de) *sf.* **1** Excrescência de forma ou natureza tuberculosa **2** *Anat.* Protuberância óssea em forma de tubérculo **3** Característica do que apresenta túberas ou tubérculos [F.: *tuberoso* + *-(i)dade*.]

tuberoso (tu.be.*ro*.so) [ô] *a.* **1** Que apresenta tubérculos **2** *Anat.* Que tem ou apresenta protuberâncias ósseas **3** *Bot.* Que tem excrescências carnudas (raiz __tuberosa__, caule __tuberoso__) [Pl.: [ó]. Fem.: [ó].] [F.: Do lat. *tuberosus, a, um*.]

◎ **tub(i/o)-** *pref.* = tubo, pequeno tubo: *túbulo, tubiforme, tubulação, tubular*

tubícolas (tu.*bí*.co.las) *smpl. Zool.* Vermes anelídeos que vivem em tubos que eles próprios secretam no fundo dos mares [F.: *tubo-* + *-i-* + *-cola* + *-s*.]

tubiflora (tu.bi.*flo*.ra) *sf. Bot.* Espécime das tubifloras, ordem de vegetais da classe das dicotiledôneas que compreende diversas famílias [F.: Do lat. cient. *Tubiflorae*.]

tubiforme (tu.bi.*for*.me) *a2g.* Que tem forma de tubo; TUBULADO; TUBULAR [F.: *tub(i/o)-* + *-forme*.]

tubinho (tu.*bi*.nho) *sm.* **1** Pequeno tubo **2** *Bras. Vest.* Vestido de corte reto, sem cintura [F.: *tubo* + *-inho*.]

tubista (tu.*bis*.ta) *s2g. Bras. Mús.* Músico que toca tuba [F.: *tuba* + *-ista*.]

tubo (*tu*.bo) *sm.* **1** Canal, ducto de forma cilíndrica para conduzir fluidos (água, óleos etc.) **2** Recipiente cilíndrico de vidro (__tubo__ de pílulas) **3** Recipiente cilíndrico de material maleável para produtos pastosos, gelatinosos etc. (__tubo__ de pasta de dente) **4** *Anat.* Qualquer canal natural do organismo humano (__tubo__ digestivo) **5** *Bot.* Parte estreita do cálice ou da corola que é formada pela ligação estabelecida pelas bases das sépalas ou pétalas **6** *Eletrôn.* Grande válvula oca na qual se forma a imagem dos aparelhos de televisão **7** *Mús.* Em órgãos e instrumentos de sopro, canal por onde passa o ar que faz soar as notas musicais **8** *Surf.* Forma semelhante a um tubo que toma a onda ao quebrar; onda com essa forma [Dim.: *túbulo*.] [F.: Do lat. *tubus, i.* Hom./Par.: *tubo* (fl. de *tubar*). Ideia de: *'tubo'*, usar antepos. *sifo-, sifon(o)-* e *tub(i/o)-*. Col.: *encanamento, tubulação*.] ■ **~ acústico** **1** *Cnav.* Em embarcação, tubo entre o passadiço e outros compartimentos para transmissão de comandos, informações etc., em caso de falência de outros meios de comunicação **2** Espécie de megafone **~ capilar** Tubo fino (ger. de vidro) de diâmetro interno muito pequeno **~ de ensaio** *Quím.* Recipiente em forma de tubo estreito, us. em laboratório **~ de imagem** *Telv.* Cinescópio **~ digestivo/digestório** *Anat.* Conjunto de órgãos em sequência que o alimento percorre em sua ingestão, digestão e excreção [Boca, faringe, esôfago, estômago, intestinos e ânus.] **~ eletrônico** *Eletrôn.* Válvula (5) **Pegar ~** *Surf.* Entrar (surfista) em tubo (8), e surfar nele

tubos (*tu*.bos) *smpl. Bras. Pop.* Grande quantia de dinheiro: *Gastou os __tubos__ na viagem.* [F.: Pl. de *tubo*.]

tubulação (tu.bu.la.*ção*) *sf.* **1** Conjunto de tubos; TUBAGEM *sf.* **2** Conjunto de tubos que formam um sistema para a distribuição de água, gás, eletricidade etc; CANALIZAÇÃO **3** Instalação de tubos ou canos [Pl.: *-ções*.] [F.: *tubular* + *-ção*.] ■ **Entrar pela ~** *Bras. Gír.* Ver *Entrar pelo cano* no verbete *cano*

tubulão (tu.bu.*lão*) *sm.* **1** Tubo de grande diâmetro **2** *Mar.* Cada um dos grandes tubos metálicos em que circula a água em uma caldeira a vapor **3** *Cons.* Estrutura em que se forja a concretagem das colunas que sustentam as sapatas de fundação [Pl.: *-lões*.] [F.: *túbulo* + *-ão*.]

tubular¹ (tu.bu.*lar*) *a2g.* **1** Ref. a tábuas, quadros, mapas etc., ou ao seu uso **2** Que apresenta forma de tábua ou tabela **3** Diz-se de livro ou impresso xilografado, feito a partir de impressão sobre uma placa de madeira; TABULÁRIO [F.: Do lat. *tabularis, e.* Hom./Par.: *tabulares* (pl.), *tabulares* (fl. de *tabular*).]

tubular² (ta.bu.*lar*) *v. td.* **1** Fazer cálculos numéricos de (dados) e transformá-los em quadro ou tabela [*td.*: *O Censo __tabulou__ as respostas dos questionários dos cidadãos.*] **2** *Inf.* Marcar o local, na régua horizontal, onde começa uma coluna de texto [*td.*: *__tabular__ a segunda coluna.*] **3** Apontar o local em (máquina de escrever) em que o carro deve parar com o intuito de alinhar o texto [*td.*: *Meu avô me mostrou como __tabulava__ o carro de sua antiga máquina de escrever.*] **4** *Inf.* Utilizar a tecla TAB do teclado [*int.*: *Para não utilizar o mouse, __tabulava__ para alternar entre as janelas abertas no computador.*] [▶ 1 tabular] [F.: Adaptç. do ingl. (*to*) *tabulate* (< lat. *tabula, ae*); ver *-ar²*. Hom./Par.: *tabule* (fl.), *tabule* (sm.); *tabules* (fl.), *tabules* (pl. do sm.); *tabulares* (fl.), *tabulares* (pl. de *tabular* [a.]); *tabula* (fl.), *tábula* (sf.); *tabulas* (fl.), *tábulas* (sf.); *tabularia* (fl.), *tabulária* (fem. de *tabulário* [a.]).]

tubulatura (tu.bu.la.*tu*.ra) *sf.* O mesmo que *tubulação* [F.: rad. do part. *tubulado* (f. *tubulat-*) + *-ura*.]

◎ **tubul(i)-** *el. comp.* = tubo, túbulo: *tubiforme, tubulação, tubular.*

túbulo (*tú*.bu.lo) *sm.* **1** Pequeno tubo; TUBINHO **2** *Anat.* Cavidade tubária de dimensões reduzidas **3** *Zool.* Papila sensorial que se encontra em certos vermes asquelmintos [F.: Do lat. *tubulus, i.*]

tucanada (tu.ca.*na*.da) *sf.* **1** Grupo de tucanos **2** *Bras. Pol.* O grupo ou o comportamento dos tucanos, como são chamados os políticos que integram o PSDB, partido político brasileiro [Pode ter conotação pejorativa] [F.: *tucano* + *-ada*.]

tucanar (tu.ca.*nar*) *v. int. td.* Tornar(-se) partidário dos tucanos, membros do PSDB, partido político brasileiro [▶ 1 tucanar] [F.: *tucano* + *-ar*.]

tucanato (tu.ca.*na*.to) *sm. Bras. Irôn.* Pensamento ideológico dos tucanos, como se chamam os integrantes do PSDB, partido político brasileiro [F.: *tucano* + *-ato*.]

tucano (tu.*ca*.no) *sm.* **1** *Bras. Zool.* Nome comum que se dá às aves do gên. *Ramphastos*, da fam. dos ranfastídeos, encontradas esp. nas florestas tropicais da América do Sul, de bico muito grande e forte, de cores variadas e plumagem preta combinada com branco, amarelo ou vermelho; vivem em pequenos bandos e costumam atacar os ninhos de outras aves **2** *Astron.* Constelação austral, situada ao sul do Grou [Com inicial maiúsc., nesta acp.] **3** *Bras. Pol.* Membro do PSDB (Partido da Social-Democracia Brasileira) **4** *Gloss.* Família linguística; BETOIA **5** *Gloss.* Língua dessa família, falada pelos tucanos *s2g.* **6** *Etnog.* Indivíduo dos tucanos, povo indígena que habita a Amazônia e a Colômbia *a.* **7** *Bras. Pol.* Ref. ao ou do PSDB (ideologia __tucana__) **8** *Bras. Pol.* Que é membro do PSDB: *Deputada __tucana__ nega quebra de decoro.* *a2g.* **9** *Etnog.* Ref. a tucano ou aos tucanos [F.: Do tupi *tu'ka*.]

tucum (tu.*cum*) *Bras. Bot. sm.* **1** Palmeira (*Bactris setosa*) nativa do Brasil, de frutos azul-arroxeados, comestíveis e apreciados pela fauna, e de cujas folhas se extrai fibra de grande resistência; TUCUM-DO-BREJO **2** A fibra dessa palmeira e do tucumã **3** Ver *tucumã* [Pl.: *-cuns*.] [F.: Do tupi *tu'kum*. Col.: *tucunzal*.]

tucumã (tu.cu.*mã*) *Bot. sm.* Palmeira (*Astrocaryum aculeatum*) nativa do Norte do Brasil e da América do Sul, com palmito e frutos comestíveis, sementes oleaginosas e de cujas folhas se extrai fibra conhecida como tucum; COQUEIRO-TUCUMÃ; TUCUM; TUCUMÃ-AÇU; TUCUM-AÇU; TUCUM-DO-MATO [F.: Do tupi *tuku'ma*.]

tucumano (tu.cu.*ma*.no) *sm.* **1** Indivíduo nascido ou que vive na província ou cidade de (San Miguel de) Tucumán (Argentina) *a.* **2** De (San Miguel de) Tucumán; típico dessa cidade ou de seu povo [F.: Do top. (San Miguel de) *Tucum(án)* + *-ano¹*.]

tucunaré (tu.cu.na.*ré*) *sm.* **1** *Zool.* Peixe amazônico da fam. dos ciclídeos (*Cichla ocellaris*), de corpo prateado com faixas transversais e carne muito apreciada *a2g.* **2** *Bras. Bot.* Arbusto da fam. das leguminosas, subfam. papilionóidea (*Dalbergia inundata*), nativo da Amazônia, com pequenos e numerosos folíolos, flores roxas e vagens pequenas, curvas e coriáceas, com uma semente [F.: Do tupi *tukuna'ré*.]

tucupi (tu.cu.*pi*) *sm. Amaz. Cul.* Molho que mistura caldo da mandioca ralada com pimenta, muito us. na Amazônia [F.: Do tupi *tiku'pir*.]

tucura (tu.*cu*.ra) *sf. Bras. Ent.* O mesmo que *gafanhoto* (*Rhammatocerus conspersus*) [F.: Do tupi *tu'kura*.] ■ **Fazer ~** Dar beijos curtos e repetidos

tucuxi (tu.cu.*xi*) *sm. Bras. Zool.* Ver *boto* (*Sotalia fluviatilis*) [F.: Posv. do tupi.]

tudense (tu.*den*.se) *s2g.* **1** Aquele ou aquela que nasceu ou que vive em Tui (Espanha) *a2g.* **2** De Tui; típico dessa cidade ou de seu povo [F.: Do top. *Tui*, sob a f. *tud-* (*Tudes*), + *-ense*.]

◎ **-tude, -(t)ude** *el. comp.* = 'qualidade', 'condição de': *amplitude, altitude, infinitude*

tudo (tu.do) *pr. indef.* **1** O conjunto de todas as coisas, ou fatos, ou sentimentos etc.: "E que você descubra que rir é bom / Mas que rir de tudo é desespero..." (Frejat, *Amor pra recomeçar*) [Ant.: *nada.*] **2** A totalidade daquilo a que se está referindo em certo contexto: *Não poderia ter tudo que almejava.* **3** O essencial: *Beleza não é tudo.* [NOTA.: Não é us. no pl.] [F.: Do lat. *tótus, a, um.* Ideia de: *'tudo'*, usar antepos. *omni-* e *pasi-*; pref. *pan-*.] ▪ **Além de ~** Ainda por cima, ademais: *Brigou sem motivo, e além de tudo saiu sem se despedir.* **Mais que ~** Principalmente, prioritariamente, em primeiro lugar: *Vou viajar nas férias, mas, mais que tudo, pretendo descansar.*

tudo-nada (tu.do-*na*.da) *sm.* Quantidade muito pequena; INSIGNIFICÂNCIA; NINHARIA [Pl.: *tudos-nadas, tudo-nadas.*]

tufado (tu.*fa*.do) *a.* **1** Que está inchado, estufado, inflado: *vela tufada pelo vento.* [Ant.: *desinflado, esvaziado.*] **2** *Fig.* Diz-se de indivíduo que exibe orgulho, vaidade; ORGULHOSO; VAIDOSO [Ant.: *humilde.*] **3** *Bras. Pop.* Que se ofendeu, que se amuou; ABORRECIDO; EMBURRADO [Ant.: *desemburrado.*] [F.: Part. de *tufar.*]

tufão (tu.*fão*) *sm.* **1** Vento muito forte, tempestuoso; VENDAVAL **2** Ciclone característico dos mares da China e do oceano Índico, que provoca grandes devastações; FURACÃO [Pl.: *-fões.*] [F.: Do ár. *tufan.*]

tufar[1] (tu.*far*) *v.* **1** Fazer ficar ou ficar, tornar(-se) inchado, volumoso [*td.*: *O vento tufou o balão.*] [*int.*: *O balão tufou (-se) com o ar quente.*] **2** *Bras. Fig.* Ficar, tornar-se amuado, aborrecido, chateado [*int.*: *Tufou por uma coisa sem importância.*] **3** *Fig.* Ficar orgulhoso, envaidecido [*int.*: *A vitória fez o corredor tufar; Tufou-se todo ao receber a condecoração.*] [▶ 1 tufar] [F.: Do port. ant. *tufo.* Hom./Par.: *tufa(s)* (fl.), *tufa(s)* (sf. [pl.]); *tufo* (fl.), *tufo* (sm.).]

tufar[2] (tu.*far*) *v.* Dar ou adquirir forma de tufo, formar tufo(s) [*td.*: *A costureira tufou as mangas do vestido.*] [*int.*: *As velas tufaram(-se) ao vento.*] [▶ 1 tufar] [F.: *tufo* + *-ar[2]*.]

tufo (tu.*fo*) *sm.* **1** Conjunto formado por pelos, penas, plantas, fios etc. **2** Pequeno monte; MONTÍCULO: *um tufo de capim.* **3** Saliência ou dobra que se forma no tecido de uma roupa; PAPO **4** Válvula de ferro em fornos de fundição **5** Utensílio de ferreiro para amoldar os orifícios de machados, enxós etc. **6** Certo utensílio de espingardeiro **7** A parte que assume forma convexa em um turbante [F.: Do fr. *tuffe.* Hom./Par.: *tufo* (fl. de *tufar*).]

tugido (tu.*gi*.do) *sm.* Ação ou resultado de tugir, de falar muito baixo; MURMÚRIO [F.: Part. de *tugir.*]

tugir (tu.*gir*) *v.* **1** Falar baixo; murmurar [*td.*: *Ninguém tugiu uma palavra depois da bronca.*] **2** Dizer, falar (algo) [*td.*: *Tugiu uma reclamação quase inaudível.*] [*int.*: *No ambiente pesado, ninguém tugiu.*] [▶ 46 tugir] [F.: De or. obsc.] ▪ **Não ~ nem mugir** Ficar calado, sem emitir um som **Sem ~ nem mugir** Calado, em silêncio total

tugue (*tu*.gue) *s2g.* **1** *Rel.* Participante de uma seita religiosa, em honra da deusa Cáli, na Índia, que praticava o sacrifício de seres humanos [Tb. us. como adjetivo: *culto tugue.*] **2** *P. ext. Pop.* Indivíduo cruel, sanguinário [F.: Do hind. *thag*, pelo ing. *thug.*]

tugúrio (tu.*gú*.ri:o) *sm.* **1** Habitação simples ou rústica; CABANA **2** Lugar de refúgio; ABRIGO [F.: Do lat. *tugurium, ii.*]

tuim (tu.*im*) *sm. Bras. Zool.* Pequena ave da fam. dos psitacídeos (*Forpus xanthopterygius*), encontrada em grande parte da América do Sul, com apenas 12 cm de comprimento e coloração verde com azul na asa e no dorso [Pl.: *-ins.*] [F.: Do tupi *tu'i.*]

tuíste (tu.*ís*.te) *sm. Dnç. Mús.* Tipo de *rock-and-roll* em que a pessoa que dança permanece no mesmo lugar, torcendo as pernas e movimentando os braços e os quadris ao ritmo da música; TWIST [F.: Do ing. *to twist* 'torcer'.]

tuitar (tu:i.*tar*) *v.* Enviar mensagens pelo *twitter.* Ver em *twittar* [▶ 1 tuitar] [F.: Aportuguesamento de *twittar*, este derivado de *twitter.*]

tuitivo (tu.i.*ti*.vo) [u-i] *a.* **1** Que protege, defende **2** *Jur.* Que assegura um direito **3** *Jur.* Diz-se de documento expedido pelo juiz que impede a prisão de alguém [F.: Do lat. *tuitus, a, um.*]

tuiuiú (tu.i:u.i:*ú*) *sm. Bras. Zool.* Ver *jaburu* [F.: De orig. contrv.]

tularemia (tu.la.re.*mi*.a) *sf.* Doença infecciosa causada por bactéria (*Francisella tularensis*), que afeta animais (esp. roedores) mas que pode, raramente, contagiar seres humanos [F.: Do lat. cient. *Tularemia.*]

tule (*tu*.le) *sm.* Tecido transparente, leve, de algodão ou de seda muito fina; FILÓ [F.: Do fr. *tulle.*]

tulha (*tu*.lha) *sf.* **1** Local em que se junta e comprime a azeitona, antes de ser moída **2** A quantidade de azeitonas aí contida **3** Arca de tamanho grande, para guardar cereais ou outros produtos **4** Celeiro, depósito **5** *P. ext.* Quantidade significativa de cereais **6** *Bras.* Terreno cercado em que são secados os frutos colhidos [F.: De or. obsc.]

túlio (*tú*.li:o) *sm. Quím.* Elemento químico de número atômico 69, pertencente aos lantanídeos e us. em tubos de raios-X [Símb.: *Tm*] [F.: Do lat. cient. *Thulium.*]

tulipa (tu.*li*.pa) *sf.* **1** *Bot.* Nome comum às ervas bulbosas do gên. *Tulipa*, da fam. das liliáceas, de folhas lineares ou lanceoladas, ger. com uma única flor, de grande beleza e importância comercial, originárias da Ásia e países mediterrâneos, com numerosos híbridos e cultivares **2** *P. ext.* Qualquer objeto ou recipiente cuja forma lembra a corola de uma tulipa **3** *Bras.* Copo alto, estreito, em que se bebe chope ou cerveja **4** *Bras. P. ext.* O conteúdo desse copo: *Bebeu duas tulipas e se foi.* [F.: Do fr. *tulipe*, deriv. do turco *tülbend.*]

tumba (*tum*.ba) *sf.* **1** Pedra que marca um túmulo, ou construção com essa finalidade: *As pirâmides do Egito eram as tumbas dos faraós.* **2** Sepultura, túmulo **3** Caixão de defunto **4** *Enc.* Almofada, ger. de couro, que o encadernador us. em trabalhos de douração de pasta *s2g.* **5** Pessoa azarada, esp. no jogo [F.: Do gr. *tumbos, ou.*]

tumbeiro (tum.*bei*.ro) *a.* **1** Ref. a tumba *sm.* **2** Aquele que leva o caixão à tumba **3** Navio de pequeno tamanho (cerca de 200 toneladas) que fazia o tráfico de escravos negros para o Brasil em condições tais que pouco menos da metade morria [F.: *tumba* + *-eiro.*]

tumefação (tu.me.fa.*ção*) *sf. Med.* Ação ou resultado de tumefazer(-se); aumento de volume de uma parte do corpo ou de um órgão, ger. causado por inflamação ou edema [F.: Do lat. *tumefactio, ónis.*]

tumefaciente (tu.me.fa.ci.*en*.te) *a2g.* Que produz tumefação, que faz inchar [F.: Do lat. *tumefaciens, entis.*]

tumefacto (tu.me.*fac*.to) *a.* Ver *tumefato*

tumefato (tu.me.*fa*.to) *a.* Que apresenta tumefação; INCHADO; TUMEFEITO [F.: Do lat. *tumefactus, a, um.* Tb. *tumefacto.*]

tumefazer (tu.me.fa.*zer*) *v.* Inchar(-se) ou tornar(-se) tumefato [*td.*] [*int.*] [▶ 22 tumefazer] [F.: Do lat. *tumefacere.*]

tumescência (tu.mes.*cên*.ci:a) *sf.* O mesmo que *tumefação* [F.: *tumescer* (f. rad. *tumesc* -) + *-ência.*]

tumidez (tu.mi.*dez*) [ê] *sf.* **1** Qualidade de túmido; TUMESCÊNCIA **2** Estado do que está túmido; TUMESCÊNCIA **3** Característica do que se apresenta proeminente, saliente [F.: *túmido* + *-ez.*]

túmido (*tú*.mi.do) *a.* **1** Que se encontra inchado, intumescido **2** Que se apresenta proeminente, saliente **3** *Fig.* Que demonstra arrogância, orgulho; EMPROADO [F.: Do lat. *tumidus, a, um.* Ideia de: *'túmido'*, usar antepos. *condil-* e *mad-*; pospos. *-côndilo.*]

tumor (tu.*mor*) [ô] *sm. Pat.* **1** Aumento mórbido de volume em qualquer parte do corpo **2** Saliência decorrente do aumento das células de um tecido, e que pode ser benigna ou maligna **3** Qualquer tumefação que apresente forma arredondada [F.: Do lat. *tumor, óris.* Noção de: *'tumor'*, usar antepos. [1] *cirro-, cordil(o)-, fimat(i/o)-* e *miom(at)-*; pospos. [1] *-cele, miom(at)-, -oma* e *-oncose*; *'tumor maligno'*, usar antepos. [1] *onco-.*] ▪ **~ benigno** *Pat.* Aquele que é localizado ou circunscrito, não tem recidiva depois de extirpado, e não produz metástase **~ maligno** *Pat.* O que pode invadir tecidos vizinhos, produzir recidiva e metástase, e levar à morte [Us. ger. referindo-se a carcinoma.]

tumoração (tu.mo.ra.*ção*) *sf. Pat.* Formação ou presença de tumor [Pl.: *-ções.*] [F.: rad. *tumor-* (<**tumorar*) + *-ção.*]

tumoral (tu.*mo*.ral) *a2g.* Ref. a tumor [Pl.: *-rais.*] [F.: *tumor* + *-al.*]

tumorectomia (tu.mo.rec.to.*mi*:a) *sf. Cir.* Remoção cirúrgica de tumor [F.: *tumor* + *-ectomia.*]

tumorigênico (tu.mo.ri.*gê*.ni.co) *a. Pat.* Capaz de gerar um tumor [F.: Do ing. *tumorigenic.*]

tumular[1] (tu.*mu*.lar) *a2g.* **1** Relativo ou pertencente a túmulo (pedra tumular, inscrição tumular) **2** *P. ext.* Que remete a cemitério; que é lúgubre (ambiente tumular) [F.: *túmulo* + *-ar[1]*.]

tumular[2] (tu.mu.*lar*) *v. td.* Pôr em túmulo; sepultar, inumar: *tumular os mortos.* [▶ 1 tumular] [F.: Do lat. *tumulare.* Hom./Par.: *tumularia(s)* (fl.), *tumulária(s)* (fem. de *tumulário* [pl.]); *tumulo* (fl.), *túmulo* (sm.).]

túmulo (*tú*.mu.lo) *sm.* **1** Monumento erguido em homenagem a um morto, no local em que está sepultado **2** Cova em que se enterra um morto; JAZIGO; SEPULTURA **3** Armação alta sobre a qual se coloca o ataúde na igreja; EÇA **4** Local silencioso e triste **5** *Fig.* Lugar ou situação em que algo termina: *Essa perda foi o túmulo de sua felicidade.* **6** *Fig.* Pessoa que sabe guardar segredos: *Pode se abrir com ela; ela é um túmulo.* [F.: Do lat. *tumulus, i.* Hom./Par.: *tumulo* (fl. de *tumular*). Ideia de: *'túmulo'*, usar pospos. *-táfio.*] ▪ **Descer ao ~ 1** Morrer **2** Ser sepultado **Revirar-se no ~** Alusão a hipotética indignação de pessoa já falecida com algo que desvirtua ou distorce ideia, criação, obra sua: *Se soubesse do 11 de setembro, Santos Dumont se reviraria no túmulo.* **Ser um ~** Guardar ou ser capaz de guardar segredo, ser discreto

tumulto (tu.*mul*.to) *sm.* **1** Grande confusão ou desordem: *Houve um tumulto na porta do estádio.* **2** Agitação intensa, ger. causada por muitas pessoas: "Falava, dominava o tumulto e as opiniões, arrancava um voto à Câmara dos Deputados ou então expedia um decreto de dissolução." (Machado de Assis, *Esaú e Jacó*) **3** Grande alvoroço, barulho: *O tumulto na casa do vizinho o impedia de ouvir música.* **4** Desarmonia, desavença: *O adultério gerou grande tumulto nas relações do casal.* **5** Sensação intensa: *Não compreendia os tumultos que lhe agitavam o espírito.* [F.: Do lat. *tumultus, us.*]

tumultuado (tu.mul.tu:*a*.do) *a.* Em que há tumulto, confusão, agitação; CONFUSO; DESORDENADO; RUIDOSO: *Foi uma reunião tumultuada.* [F.: Do lat. *tumultuatus, a, um.*]

tumultuante (tu.mul.tu:*an*.te) *a2g.* Que tumultua, que causa tumulto; TUMULTUADOR [F.: Do lat. *tumultùans, antis.*]

tumultuar (tu.mul.tu.*ar*) *v.* **1** Tirar a tranquilidade de; provocar tumulto, confusão; agitar [*td.*: *O atraso dos músicos tumultuou a plateia.*] [*int.*: *Só veio para tumultuar.*] **2** Desfazer a ordem; desarrumar [*td.*] [*int.*: *Não sabia procurar nada sem tumultuar.* Ant.: *arrumar.*] **3** Levar à revolta ou revoltar-se; rebelar(-se) [*td.*: *A falta de pagamento tumultuou os pensionistas.*] [*int.*: *A torcida tumultuou.*] **4** Estar em agitação; agitar-se, fervilhar [*int.*: *Foi um período em que as paixões políticas tumultuavam.*] **5** Avançar sem rumo, de maneira desordenada [*ta.*: *O grupo tumultuava pelas ruas do bairro.*] [▶ 1 tumultuar] [F.: Do lat. *tumultuare.* Hom./Par.: *tumultuaria* (fl.), *tumultuária* (fem. de *tumultuário* [a.]); *tumultuarias* (fl.), *tumultuárias* (pl. do fem.).]

tumultuário (tu.mul.tu:*á*.ri:o) *a.* **1** Que é acompanhado de tumulto; em que há desordem, confusão (assembleia tumultuária); TUMULTUOSO **2** Que faz muito barulho; RUIDOSO **3** Que provoca tumultos, desordem (grupo tumultuário); AGITADOR; REBELDE **4** Que é confuso (ideias tumultuárias) **5** Que perturba, que causa agitação; PERTURBADOR [F.: Do lat. *tumultuarius, a, um.* Hom./Par.: *tumultuária* (sf.) *tumultuaria* (fl. de *tumultuar*).]

tumultuoso (tu.mul.tu:*o*.so) [ô] *a.* **1** Em que há tumulto (ambiente tumultuoso); TUMULTUÁRIO **2** Que é agitado, tumultuado: *Não mais suportava aquela vida tumultuosa.* **3** Em que há choques, lutas, conflitos (tempos tumultuosos) **4** Que se faz acompanhar de desavenças, de disputas: *O casal passou por um divórcio tumultuoso.* [Pl.: [ó]. Fem.: ó] [F.: Do lat. *tumultuosos, a, um.*]

tuna[1] (*tu*.na) *Bot. sf.* **1** Nome comum a plantas de diferentes gên. da fam. das cactáceas **2** Planta (*Opuntia tuna*) de folhas avermelhadas e frutos comestíveis, cultivada como ornamental e por suas propriedades medicinais, originária das Antilhas e do México, e encontrada em algumas regiões do Brasil **3** O fruto dessa planta [F.: Do espn. *tuna.* Hom./Par.: *tuna* (fl. de *tunar*).]

tuna[2] (*tu*.na) *sf.* **1** *Pop.* Ociosidade; vida de vadio, de quem não tem o que fazer **2** *Mús.* Grupo musical constituído de estudantes que tocam por prazer ou por dinheiro, nas ruas, em turnês etc. **3** *Lus.* Em São Tomé e Príncipe, conjunto musical formado por violino, violas, flautas e percussão [F.: Do fr. *tune* ou *thune* 'esmola'.]

tunagem (tu.*na*.gem) *sf.* **1** Ação e resultado de tunar[2] um veículo **2** Processo e atividade de modificar as características de um veículo (automóvel, motocicleta etc.) para personalizá-lo, em sua estética, em sua configuração, em sua potência, em seus acessórios etc. [Pl.: *-gens.*] [F.: Adaptação do ing. *tuning.*]

tunar[1] (tu.*nar*) *v. int.* Não se ocupar de nada; andar à tuna; VADIAR; VAGABUNDEAR [▶ 1 tunar] [F.: *tuna[2]* + *-ar[2]*. Hom./Par.: *tuna(s)* (fl.), *tuna(s)* (sf. [pl.]); *tunais* (fl.), *tunais* (pl. de *tunal* [sm.]); *tuno* (fl.), *tuno* (a. sm.); *tonar* (vários tempos do v.); *tuneis* (fl.), *túneis* (pl. de *túnel* [sm.]).]

tunar[2] (tu.*nar*) *v. td.* Fazer tunagem em (veículo) [▶ 1 tunar] [F.: *tuna* (gem) + *-ar[2]*.]

tunco (*tun*.co) *sm. N. E. Pop.* Estalo com a língua; MUXOXO

tunda (*tun*.da) *sf.* **1** O mesmo que *surra* **2** *Fig.* Repreensão ríspida, severa: *Levou uma tunda do professor por ter chegado atrasada.* [F.: Prov. do lat. *tundere.* Hom./Par.: *tunda* (fl. de *tundar*).]

tundar (tun.*dar*) *v. td.* Dar uma tunda em; SURRAR [▶ 1 tundar] [F.: *tunda* + *-ar.* Hom./Par.: *tunda(s)* (fl.), *tunda(s)* (sf. [pl.]); *tunda* (fl.), *tunda* (interj.).]

tundra (*tun*.dra) *sf.* **1** *Geog.* Região ártica e subártica, que se caracteriza por vegetação rasteira, como musgos, líquens e gramíneas **2** *Bot.* Essa vegetação [F.: Do fr. *toundra*, deriv. do rus. *túndra* e, este do finlandês *tunturi.*]

túnel (*tú*.nel) *sm.* **1** Via ou passagem subterrânea, para pessoas ou veículos **2** Qualquer coisa que lembre um túnel: *A bala abriu um túnel em seu crânio.* **3** Situação muito adversa, difícil: *Desesperado, não conseguia ver uma luz no fim do túnel.* [Pl.: *-neis.*] [F.: Do ing. *tunnel*, deriv. do a. fr. *tonel.* Hom./Par.: *túneis* (pl.), *tuneis* (fl. de *tunar*), *toneis* (fl. de *tonar*).] ▪ **~ aerodinâmico** *Tec.* Câmara na qual se faz circular ar em grande velocidade para testes de aerodinâmica

tunelamento (tu.ne.la.*men*.to) *sm.* **1** Ação ou resultado de tunelar **2** *Fís.* Processo em que as partículas podem sofrer processo de afunilamento [F.: *tunelar* + *-mento.*]

tunelar (tu.ne.*lar*) *v.* **1** Criar ou formar túnel (acesso) [*int.*] **2** *Fís.* Passar por ou entrar em (fase de) tunelamento [*int.*: "Não há como saber previamente se um elétron vai tunelar ou não" (João Paulo S. Schüler, *Da Física à inteligência extrassomática*)] **3** *Inf.* Transmitir informações e dados de um determinado protocolo encapsulando-o dentro do pacote de um protocolo diferente de forma a contornar os problemas de incompatibilidade entre protocolos distintos [*td. int.*] [▶ 1 tunelar] [F.: *túnel* + *-ar[2]*.]

tunga (*tun*.ga) *sf. Bras. Zool.* O mesmo que *bicho-de-pé* [F.: Posv. do tupi. Hom./Par.: *tunga* (fl. de *tungar*).]

tungado (tun.*ga*.do) *a.* **1** *BA* Que foi enganado por meio de artimanhas; LOGRADO **2** *Pop.* Que se obteve furtando ou roubando (relógio tungado) **3** Diz-se de indivíduo que está bêbado; EMBRIAGADO: *Bebe sem parar, vive tungado o dia inteiro.* **4** Que apanhou muito, levou uma surra; ESPANCADO; SURRADO: *ladrão tungado pela polícia.* [F.: Part. de *tungar.*]

tungar[1] (tun.*gar*) *Bras. v.* **1** *Pop.* Tomar posse de algo que não lhe pertence; FURTAR; ROUBAR [*td.*: *Foi ele que tungou o disco.*] [*tdi.* + *de*: *Tungou da irmã o dinheiro da mesada.*] **2** Espancar, surrar [*td.*: *Tungou o ladrão com a bengala.*] **3** Burlar (alguém); lograr [*td.*] **4** Mostrar-se obsessivamente teimoso [*ti.* + *sobre*: *Não acreditou e ficou tungando* *sobre o assunto.*] [*int.*: *Ele tunga por qualquer motivo.*] 5 *MA* Dançar a tunga [*int.*] [▶ 14 tungar] [F.: Do quimb. *tugu* + *-ar*. Hom./Par.: *tunga(s)* (fl.), *tunga(s)* (sf. [pl.]); *tungue(s)* (fl.), *tungue(s)* (sm. [pl.]).]

tungar² (tun.*gar*) *v. td. RS* Mergulhar (pão, biscoito etc.) em café, leite etc., antes de comer [▶ 14 tungar] [F.: Posv. do al. *tunken* 'molhar'.]

tungstênio (tungs.*tê*.ni:o) *sm. Quím.* Elemento químico metálico de número atômico 74, muito us. em filamentos de lâmpadas, eletrodos etc. [Símb.: *W*] [F.: Do fr. *tungstène*, deriv. do sueco *tungsten*.]

tungue (*tun*.gue) *sm. Bot.* Árvore euforbiácea, nativa da Índia e trazida para o Brasil; tb. *nogueira-de-iguape*, *nogueira-da-índia*, *nogueira-brasileira* (*Aleurites moluccana*) [F.: Do chin. *tung*. Hom./Par.: *tungue* (fl. de *tungar*).]

tungúsico (tun.*gú*.si.co) *sm.* 1 *Gloss.* Ramo linguístico da família altaica, do litoral ártico da Ásia à Manchúria *a.* 2 *Gloss.* Do ou ref. ao tungúsico (1) 3 Ref. a *tungue²*, ou aos tungues [F.: Prov. do ing. *tungus* 'tungue' + *-ico²*.]

túnica (*tú*.ni.ca) *sf.* 1 *Vest.* Tipo de blusa ou veste de corte reto, ger. compridas: "O armênio mágico vestia a roupa própria do sábado, simples túnica cinzenta com caracteres bordados em seda cor de laranja (...)" (Joaquim Manuel de Macedo, *Luneta mágica*) 2 Casaco de talhe reto us. como parte de uniformes militares 3 *Rel.* Veste litúrgica us. por diáconos, sobre a alva 4 *Anat.* Membrana que envolve um órgão, compondo suas paredes 5 *Bot.* Membrana de certos órgãos vegetais 6 *Bot.* Cada uma das escamas dos bulbos 7 *Zool.* Membrana que se situa entre o corpo do animal e a concha nos moluscos [Dim.: *tuniquete*.] [F.: Do lat. *tunica, ae.*] ▪ **~ adventícia** *Anat.* A camada externa de órgãos tubulares, como o esôfago, vasos sanguíneos e linfáticos etc. **~ de Nesso** *Fig.* Referência a uma paixão que causa sofrimento

tunicado (tu.ni.*ca*.do) *a. Bot.* Diz-se de órgão vegetal que apresenta túnica(s) [F.: Do lat. *tunicatus*.]

tunídeo (tu.*ní*.de.o) *a.* 1 *Ict.* Ref. aos tunídeos *sm.* 2 *Ict.* Espécime dos tunídeos, melhor dito escombrídeos, fam. de peixes teleósteos dividida em 15 gên. e 49 espécies encontradas em mares tropicais e subtropicais e representadas pelos atuns [F.: Do lat. *thunnus* ou *thynnus, i* + port. *-ídeo*.]

tunisiano (tu.ni.si:*a*.no) *sm.* 1 Indivíduo nascido ou que vive na Tunísia (África) *a.* 2 Da Tunísia; típico desse país ou de seu povo [F.: Do top. *Tunísia* + *-ano¹*.]

tunisino (tu.ni.*si*.no) *sm.* 1 Indivíduo nascido ou que vive em Túnis (capital da Tunísia) *a.* 2 De Túnis; típico dessa cidade ou de seu povo [F.: Do top. *Túnis* + *-ino¹*.]

tupã (tu.*pã*) *Bras. sm.* 1 *Mit.* Nome que os tupis davam ao trovão, cultuado como divindade maior 2 *Hist.* No processo de catequese dos índios brasileiros, nome que os jesuítas davam a Deus: "...Jaguarê, agradece a Tupã, que te fez um grande guerreiro e o chefe mais feroz da grande nação tocantim..." (José de Alencar, *Ubirajara*) [Nesta acp., com inicial maiúsc.] [F.: Do tupi *tu'pã* (*tu'pana*).]

tupaia (tu.*pai*:a) *sf. Zool.* Nome comum aos mamíferos da fam. dos tupaiideos, esp. os do gên. *Tupaia*, terrícolas e insetívoros de aparência que lembra um esquilo, encontrados na Indonésia e no Sudeste asiático [F.: Do lat. cient. *Tupaia*.]

tupamaro (tu.pa.*ma*.ro) *sm. Pol.* Revolucionário uruguaio que pertencia a um grupo político agressivo, da linha trotskista, muito ativo na década de 1970 [F.: Do antr. inca *Tupac Amaru*.]

tupé (tu.*pé*) *sf. N.* Esteira de talos de certa espécie de embaúba, us. na secagem de produtos agrícolas [F.: De or. indígena, mas de étimo obsc.]

tupi (tu.*pi*) *s2g.* 1 *Etnol.* Indivíduo de qualquer dos grupos indígenas cujas línguas pertencem ao tronco tupi *sm.* 2 *Ling.* Tronco linguístico que, no Brasil, abrange dez famílias vivas 3 *Ent.* Espécie de abelha pequena; tb. *tubiba a2g.* 4 *Etnol. Ling.* Do ou ref. ao tupi [F.: Do tupi.]

tupia (tu.*pi*.a) *sf.* 1 *Bras.* Espécie de torno us. para entalhar madeira e fabricar molduras 2 Aparelho para levantar pesos; MACACO [F.: De or. obsc.]

tupiana (tu.pi:*a*.na) *sf. Geog.* Região que engloba parte do litoral brasileiro e suas matas, conforme designação criada pelo naturalista alemão naturalizado brasileiro, Herman von Ihering (1850-1930), e que se subdivide em duas outras: *Tupinambana*, que vai da Bahia ao Rio de Janeiro e Santa Catarina, e *Guaraniana*, que vai do interior de São Paulo ao Rio Grande do Sul [Inicial maiúsc.] [F.: *tupi* + *-ana*.]

tupi-guarani (tu.pi-gua.ra.*ni*) *s2g.* 1 *Etnol.* Indivíduo de qualquer dos grupos tupis-guaranis, indígenas cujas línguas pertencem à família linguística tupi-guarani *sm.* 2 *Ling.* Família linguística do tronco tupi, que compreende cerca de 20 línguas vivas no Brasil, faladas tb. em alguns países vizinhos

tupinambá (tu.pi.nam.*bá*) *s2g.* 1 *Etnol.* Indivíduo dos tupinambás, povo indígena extinto que vivia no litoral do Brasil: "Ele contou o que havia aprendido nas praias do mar, habitadas pela valente nação dos tupinambás, descendentes da mais antiga geração de Tupi." (José de Alencar, *Ubirajara*) *a2g.* 2 *Etnol.* Do ou ref. aos tupinambás [F.: Do tupi.]

tupinambarano (tu.pi.nam.ba.*ra*.na) *a.* 1 Ref. aos tupinambaranas *a2g.* 2 Dos ou ref. aos tupinambaranas [F. Do etn. *Tupinambarana*.]

tupiniquim (tu.pi.ni.*quim*) *s2g.* 1 *Etnol.* Indivíduo dos tupiniquins, povo indígena do litoral do Espírito Santo e da Bahia *a2g.* 2 *Etnol.* Do ou ref. aos tupiniquins 3 *Bras. Pej.* Brasileiro (mentalidade tupiniquim) [Pl.: *-quins*.]

tupiniquismo (tu.pi.ni.*quis*.mo) *sm. Bras. Irôn.* Forma radical de nacionalismo [F.: *tupiniquim* + *-ismo*.]

tupinologia (tu.pi.no.lo.*gi*:a) *sf.* 1 *Etnol.* Estudo dos povos tupis 2 *Ling.* Estudo das línguas tupis [F.: *tupi* + *-in(o)²-* + *-logia*.]

tupinologista (tu.pi.no.lo.*gis*.ta) *s2g.* O mesmo que *tupinólogo* [F.: *tupinologia* + *-ista*.]

tupinólogo (tu.pi.*nó*.lo.go) *sm.* Especialista em tupinologia; TUPINOLOGISTA [F.: *tupi* (f. rad. *tupin-*) *-o-* + *-logo*.]

◎ **-tura** *suf. nom.* Registra-se em subst. portugueses eruditos ou semieruditos com a ideia de 'ação ou resultado de ação', *candidatura*, *escritura*, *licenciatura*, *manufatura* etc., ou com ideia coletiva [F.: Do lat. *-tura, ae*. Ver *-dura* e *-ura*.]

turacina (tu.ra.*ci*.na) *sf. Quím.* Pigmento acobreado encontrado nas penas do turaco [F.: *turaco* + *-ina*.]

turaco (tu.*ra*.co) *Ornit. sm.* Nome comum a algumas aves africanas da fam. dos musofagídeos, de penas ger. coloridas, bico curto, cauda comprida, de porte médio a grande [F.: Do lat. cient. gên. *Tauraco*.]

turaniano (tu.ra.ni.*a*.no) *sm.* 1 Agrupamento de povos da Rússia meridional e do Turquestão, caracterizados pelos traços mongólicos 2 *Gloss.* Cada uma das línguas uralo-altaicas *a.* 3 Do ou ref. ao turaniano (1 e 2)

turba (*tur*.ba) *sf.* 1 Grande número de pessoas reunidas; MULTIDÃO 2 Multidão tumultuada, em desordem: *O mercado foi invadido pela turba.* 3 *Pej.* Gente sem importância 4 Vozes cantando em coro [F.: Do lat. *turba, ae*. Hom./Par.: *turba* (fl. de *turbar*).]

turbação (tur.ba.*ção*) *sf.* 1 Ação ou resultado de turbar; TURBAMENTO 2 Estado de turvo; falta de limpidez: *a turbação de um líquido.* 3 Desordem, tumulto, confusão: *Houve dias de grande turbação.* 4 Desassossego: *a turbação do espírito.* 5 *Jur.* Qualquer ato que direta ou indiretamente é contrário a posse ou direito de posse de outrem [Pl.: *-ções*.] [F.: Do lat. t. *turbatio, onis*.]

turbado (tur.*ba*.do) *a.* 1 Que se turbou; que está perturbado, confuso; ALTERADO; DESEQUILIBRADO: *Sua obra reflete um espírito turbado.* [Ant.: *equilibrado*.] 2 Que se encontra em estado de aflição, de agonia; DESASSOSSEGADO; INQUIETO: "Vindo José, pela manhã, viu-os, e eis que estavam turbados." (*Bíblia*, Gênesis 40:6.) [Ant.: *acalmado, aliviado, sossegado*.] 3 Toldado, escurecido, turvo (águas turbadas) [Ant.: *claro, limpo*.] [F.: Part. de *turbar*.]

turbador (tur.ba.*dor*) [ô] *a.* 1 Que turba, que perturba *sm.* 2 Pessoa que turba [F.: Do lat. *turbator, oris*.]

turbamento (tur.ba.*men*.to) *sm.* Ação ou resultado de turbar; TURBAÇÃO [F.: Do lat. *turbamentum, i*.]

turbamulta (tur.ba.*mul*.ta) *sf.* 1 Multidão de gente em tumulto ou desordem; TROPEL; TURBA 2 Grande número de pessoas juntas; MULTIDÃO; TURBA [F.: Do lat. *turba multa*.]

turbante (tur.*ban*.te) *Vest. sm.* 1 Longa faixa de tecido enrolada na cabeça, us. por povos orientais 2 Adereço semelhante ao turbante (1), us. pelas mulheres em torno da cabeça [F.: Do persa *dulbänd*.]

turbar (tur.*bar*) *v.* 1 Turvar(-se), escurecer; TURVAR [*td. int.*] 2 Tornar(-se) opaco; TURVAR [*td. int.*] 3 *Fig.* Desequilibrar(-se) emocionalmente; ABALAR(-SE) [*td.*: *O fim do casamento turbou o coração da mulher.*] [*int.*: *Sua confiança turbou-se.*] [▶ 1 turbar] [F.: Do lat. *turbare*. Hom./Par.: *turba(s)* (fl.), *turba* (sf. [e pl.]).]

turbelário (tur.be.*lá*.ri:o) *sm.* 1 *Zool.* Espécime dos turbelários, classe de platelmintos com aprox. 3.000 espécies de vermes, que têm o corpo de oval a alongado e vivem na areia do fundo do mar, na lama ou na água-doce *a.* 2 Ref. aos turbelários [F.: Do lat. cien. classe *Turbellaria*.]

turbidez (tur.bi.*dez*) *sf.* Qualidade do que é túrbido; estado do que é turvo; TURBAÇÃO [F.: *turbido* + *-ez*.]

túrbido (*túr*.bi.do) *a.* 1 Pouco límpido; TURVO 2 Escuro, sombrio, turvado (nuvens túrbidas) 3 Que causa inquietação, perturbação [F.: Do lat. *turbĭdus, a, um*.]

turbilhão (tur.bi.*lhão*) *sm.* 1 Rodamoinho de vento 2 Massa de água que entra em movimento giratório intenso; SORVEDOURO 3 O movimento dos astros 4 *Fig.* Grande agitação que excita, que contagia: *o turbilhão dos bailes de carnaval.* 5 *Fig.* Aquilo que causa destruição com violência e rapidez 6 *Fig.* Turba agitada; TURBAMULTA [Pl.: *-lhões*.] [F.: Do fr. *tourbillon*. Ideia de: 'turbilhão', usar *antepos.* estrobo.]

turbilhonado (tur.bi.lho.*na*.do) *a.* Que sofreu movimento de turbilhão; que está muito movimentado [Tb. fig.] [F.: Part. de *turbilhonar*.]

turbilhonal (tur.bi.lho.*nal*) *a2g.* Em que há turbilhão (fase turbilhonal) [Pl.: *-nais*.] [F.: *turbilhão* (f. rad. *turbilhon-*) + *-al*.]

turbilhonamento (tur.bi.lho.na.*men*.to) *sm.* 1 Ação ou resultado de turbilhonar (turbilhonamento do ar): *sistema de lavagem por turbilhonamento.* 2 *Fig.* Grande e intensa agitação (turbilhonamento de ideias, de emoções) [F.: *turbilhonar* + *-mento*.]

turbilhonante (tur.bi.lho.*nan*.te) *a2g.* Diz-se do que turbilhona, rodopia, agita; RODOPIANTE: *fluxo turbilhonante de água.* [F.: *turbilhonar* + *-nte*.]

turbilhonar¹ (tur.bi.lho.*nar*) *a2g.* 1 Relativo a turbilhão 2 Que se origina em/ de turbilhão [F.: *turbilhão* + *-ar¹*.]

turbilhonar² (tur.bi.lho.*nar*) *v.* 1 Movimentar-se ou girar como um turbilhão [*td.*: *O vento turbilhonava a areia do quintal.*] [*int.*: *A areia turbilhonava.*] 2 Agitar-se [*ta.*: *As ideias turbilhonavam em sua cabeça.*] [*int.*: *Suas ideias não paravam de turbilhonar.*] [▶ 1 turbilhonar] [F.: *turbilhão* + *-ar²*.]

turbina (tur.*bi*.na) *sf.* 1 *Emec.* Motor que se utiliza da força de um fluido (água, vapor, gás etc.) para transmitir movimento a um mecanismo, produzindo trabalho 2 *Mec.* Máquina das usinas de açúcar que faz a separação, por centrifugação, dos cristais de açúcar 3 *Fig.* Aquilo que dá força ou ânimo a algo ou alguém [F.: Do fr. *turbine*. Hom./Par.: *turbina* (fl. de *turbinar*).] ▪ **~ hidráulica** Aquela em que se usa o movimento da água para girar as pás e gerar outras formas de energia **Aquecer as ~s** *Bras. Fig.* Preparar-se para algo, ger. ação; aquecer-se

turbinado (tur.bi.*na*.do) *a.* 1 *Bras. Pop.* Que fez implante de silicone nos seios, ou nas nádegas etc.: *uma atriz turbinada.* 2 Que teve seu desempenho ou qualidades potencializados (carro turbinado) [F.: Do lat. *turbinātus, a, um*.]

turbinagem (tur.bi.*na*.gem) *sf.* Ação ou resultado de submeter uma substância à ação de centrifugação produzida por turbina [Pl.: *-gens*.] [F.: *turbinar* + *-agem*.]

turbinar (tur.bi.*nar*) *v.* 1 Redemoinhar [*int.*] 2 Usar a força de (água) para acionar turbina(s) 3 Fazer a turbinagem de (substância) para torná-la pura [*td.*] 4 Tornar (algo) mais potente pela alteração de alguns de seus dispositivos [*td.*: *Turbinar um motor/uma motocicleta/ um PC.*] 5 *P. ext.* Dar incremento a; propulsionar, incrementar, fomentar [*td.*: *Turbinar negócios/ a carreira.*] 6 *Fig.* Desenvolver, aumentar a capacidade de [*td.*: *Técnicas para turbinar a memória.*] 7 *Bras.* Fazer (ou receber) implante de prótese de silicone no(s) seio(s), com a intenção de aumentar-lhe(s) o tamanho [*td.*: "Maravilhas (e desvantagens) de turbinar os seios." (na internet)] [▶ 1 turbinar] [F.: *turbina* + *-ar²*. Hom./Par.: *turbina* (fl.), *turbina* (sf.); *turbinas* (fl.), *turbinas* (pl. do sf.).]

turbo (*tur*.bo) *a.* 1 Diz-se de motor dotado de turbocompressor 2 Diz-se de veículo dotado desse motor *sm.* 3 Esse veículo: *Partiu num turbo superpotente.* [F.: F. red. de *turbocompressor*.]

turbocompressor (tur.bo.com.pres.*sor*) [ô] *sm. Tec.* Conjunto formado por uma turbina de gás e um compressor de ar centrífugo, us. para aumentar a pressão em motores alternativos de combustão interna, altos-fornos etc. [F.: *turb-* + *-o-* + *compressor*.]

turboélice (tur.bo:*é*.li.ce) *sm. Aer.* Motor dotado de uma turbina a gás que gera energia para acionar hélice ou hélices propulsoras de uma aeronave; TURBOPROPULSOR [F.: *turbo* + *-élice* (hélice).]

turbogerador (tur.bo.ge.ra.*dor*) [ô] *sm. Eel.* Conjunto formado por uma turbina de vapor, hidráulica ou a gás, que aciona um gerador elétrico [F.: *turbo* + *gerador*.]

turbojato (tur.bo.*ja*.to) *sm. Avi.* O mesmo que *turborreator*; tb. *turbojacto* [F.: *turbo* + *jato*.]

turbopropulsor (tur.bo.pro.pul.*sor*) *sm. Aer.* O mesmo que *turboélice* [F.: *turbo* + *propulsor*.]

turborreator (tur.bor.re:a.*tor*) [ô] *sm. Emec.* Motor que, acionando gases por sistema de compressão, ejeta esses gases para dar propulsão ao veículo [F.: *turbo* + *reator*.]

turbulência (tur.bu.*lên*.ci:a) *sf.* 1 Qualidade ou estado de turbulento 2 Agitação intensa e desordenada 3 Agitação de uma massa de ar ou de água [F.: Do lat. tard. *turbulentia, ae*.]

turbulento (tur.bu.*len*.to) *a.* 1 Que tem comportamento agitado, irrequieto, tumultuoso (crianças turbulentas) 2 Que tende a armar confusão, causar desordem ou tumulto (rapazes turbulentos) 3 Em que há muita perturbação (viagem turbulenta) 4 Revolto, agitado (mar turbulento) 5 De caráter violento, brutal: *Houve lances turbulentos durante o jogo.* *sm.* 6 Indivíduo propenso a armar confusão, causar desordem etc.: *Os turbulentos foram expulsos da festa.* [F.: Do lat. *turbulentus, a, um*.]

turco (*tur*.co) *sm.* 1 Indivíduo nascido ou que vive na Turquia 2 *Gloss.* Língua altaica do ramo turcomano falada pelos turcos: "...davam-lhe à vida um aspecto de viagem, em que a língua mudasse com as cidades, ora espanhol, ora turco." (Machado de Assis, *Quincas Borba*) 3 *Bras. Pop.* Modo como são chamados judeus e árabes 4 *Bras. Pop.* Vendedor ambulante que vende a prestações 5 *Mar.* Coluna em cuja parte superior se instala um aparelho destinado a içar ou arrear embarcações leves e outras cargas *a.* 6 Da Turquia; típico desse país ou de seu povo 7 Ref. à língua falada pelos turcos [F.: Do lat. medv. *turcus, a, um*.]

turcomano (tur.co.*ma*.no) *sm.* 1 Pessoa pertencente a um povo asiático, originário da Sibéria oriental, que chegou até a atual Turquia, cujos habitantes atuais são seus descendentes, bem como os antigos azerbaidjanos, turcomenos, tártaros e diversos outros povos 2 *Gloss.* Ramo da família altaica de línguas que inclui o turco, o tártaro, o uzbeque, o cazaque etc; TURCO *a.* 3 Do ou ref. a turcomano (1 e 2) [F.: Do persa *tukmān* pelo fr. *turcoman*.]

turdetano (tur.de.*ta*.no) *sm.* 1 Indivíduo nascido ou que vive em Turdetânia (antiga província ibérica) *a.* 2 De Turdetânia; típico dessa província ou de seu povo [F.: Do top. *Turdet(ânia)* + *-ano¹*.]

turdídeo (tur.*dí*.de:o) *a.* 1 Ref. aos turdídeos *sm.* 2 *Ornit.* Espécime dos turdídeos, família de aves passeriformes popularmente chamadas de sabiás [F.: Do lat. cient. fam. *Turdidae*.]

turdo (*tur*.do) *sm. Ornit.* Nome comum às aves do gênero *Turdus*, da fam. dos muscicapídeos, conhecidos como sabiás, no Brasil, e como tordos, no exterior [F.: Do lat. cient. gên. *Turdus*.]

turfa (*tur*.fa) *sf.* Conjunto de restos de vegetais em processo de decomposição, que forma uma camada escura e esponjosa e ger. se encontra em lugares pantanosos [F.: Do al. *torf.*] ■ ~ **de Maraú** Maraunita

turfe (*tur.*fe) *sm.* **1** *Hip.* O esporte das corridas de cavalos de raça; HIPISMO **2** *Hip.* Lugar em que se disputam essas corridas; HIPÓDROMO **3** O conjunto das coisas que se relacionam a esse esporte: *O turfe atravessa uma crise.* [F.: Do ing. *turf.*]

turfeira (tur.*fei*.ra) *sf.* **1** Terreno de escavação de turfa **2** Jazida de turfas **3** *Bot.* Tipo de vegetação que cresce em solos de turfas, e cuja composição depende da quantidade de água que apresentam esses solos; existe a *turfeira alta*, que compreende musgos, arbustos e árvores, ger. coníferas, e a *turfeira baixa*, que inclui gramíneas e outras ervas [F.: *turfa* + *-eira*.]

turfístico (tur.*fís*.ti.co) *a.* Ref. ao turfe [F.: *turfista* + *-ico*.]

turfista (tur.*fis*.ta) *s2g.* **1** Admirador de corridas de cavalos **2** Indivíduo que joga em corridas de cavalos [F.: *turfe* + *-ista*.]

turgescência (tur.ges.*cên*.ci:a) *sf.* **1** O mesmo que *turgescência* **2** *Biol.* Processo pelo qual uma célula (tecido ou órgão) sofre aumento da pressão interna ao absorver água, tornando-se intumescida [F.: Do lat. *turgescentia*, neutro pl. de *turgescens, entis*.]

turgidez (tur.gi.*dez*) *sf.* Qualidade ou estado do que está túrgido; INCHAÇÃO; INTUMESCIMENTO; TURGESCÊNCIA [F.: *túrgido* + *-ez*.]

túrgido (*túr*.gi.do) *a.* **1** Que se encontra dilatado, inchado, intumescido: "(...) os *túrgidos* e ofegantes seios que como dois trêfegos cabritinhos lhe pulavam por baixo de transparente camisa..." (Bernardo Guimarães, *A escrava Isaura*) **2** *Biol.* Diz-se de célula que se encontra na pressão ideal, com a superfície retesada **3** *Biol.* Diz-se de tecido ou órgão que tem células como essas [F.: Do lat. *turgidus, a, um*.]

turgimão (tur.gi.*mão*) *sm.* **1** Intérprete dos países do Oriente, principalmente o que está ao serviço das legações e consulados europeus; tb. *dragomano* **2** *P. ext.* Pessoa que dá curso a informações verdadeiras ou falsas, boatos, mexericos etc. **3** Alcoviteiro [Pl.: *-mãos*.] [F.: Do ár. *turgumán* 'intérprete'.]

turgor (tur.*gor*) [ô] *Ant. sm.* **1** O mesmo que *turgidez* **2** *Med.* Inchaço do corpo ou de um de seus órgãos pelo excesso de humores **3** *Med.* Período de desenvolvimento do corpo de criança ou jovem, quando estes encorpam ou engordam [F.: Do lat. tardio *turgor, oris*.]

turibular (tu.ri.bu.*lar*) *v.* O mesmo que *incensar*; tb. *turificar* [► **1 turibular**] [F.: *turíbulo* + *-ar*. Hom./Par.: *turibularia(s)* (fl.), *turibulária* (f. turibulário [adj. s.m. e pl.); *turibulo* (fl.), *turíbulo* (sm.).]

turibulário (tu.ri.bu.*lá*.ri:o) *a.* **1** *Rel.* Diz-se daquele que, nas cerimônias eclesiásticas, incensa com o turíbulo **2** *Rel.* Diz-se daquele que conduz (dando movimento) a naveta com incenso **3** *Fig.* Adulador, bajulador *sm.* **4** Indivíduo turibulário (1, 2 ou 3) [F.: Do lat. medv. *thuribularius, ii.* Sin. ger.: *turiferário*.]

turíbulo (tu.*rí*.bu.lo) *sm.* Vaso preso a pequenas correntes no qual se queima incenso nas igrejas; INCENSÓRIO [F.: Do lat. *turibulum* ou *thuribulum*.]

turiferário (tu.ri.fe.*rá*.ri:o) *a. sm.* O mesmo que *turibulário* [F.: Do lat. medv. *thuriferarius*.]

turífero (tu.*rí*.fe.ro) *a.* Diz-se de folha, resina etc. de vegetal aromático us. para produzir incenso [F.: Do lat. *turifer, era, erum*.]

turíngio (tu.*rín*.gio) *sm.* **1** Indivíduo nascido ou que vive em Turíngia (Alemanha) *a.* **2** De Turíngia; típico dessa cidade ou de seu povo [F.: Do top. *Turíng(ia)* + *-io*³.]

turismo (tu.*ris*.mo) *Tur. sm.* **1** Excursão de lazer a lugares aprazíveis ou interessantes: *Passamos uma semana fazendo turismo na Bahia.* **2** Conjunto de serviços que visam atrair e atender turistas: *O turismo é a maior fonte de receita da região.* **3** Fenômeno social que consiste na movimentação de turistas: *O turismo no Rio de Janeiro é intenso no Carnaval.* [F.: Do ing. *tourism*.] ■ ~ **ecológico** *Ecol.* Ecoturismo

turista (tu.*ris*.ta) *sm.* **1** *Tur.* Indivíduo que faz turismo **2** *Bras. Pop.* Pessoa cuja presença é inconstante (ger. em local de trabalho ou escola) *a2g.* **3** Que tem menor custo: *Viajou de classe turista* [F.: Do ing. *tourist*.]

turistada (tu.ris.*ta*.da) *sf. Pop.* Conjunto de turistas: *A turistada está chegando, invadindo a cidade.* [F.: *turista* + *-ada*.]

turisticamente (tu.ris.ti.ca.*men*.te) *adv.* Do ponto de vista turístico: *O Rio é uma maravilha... turisticamente falando.* [F.: Fem. de *turístico* + *-mente*.]

turístico (tu.*rís*.ti.co) *a.* **1** *Tur.* Ref. a turismo: *Arranjou trabalho no ramo turístico.* **2** Que interessa ou se destina aos turistas: *Este é um lugar bem turístico.* [F.: *turista* + *-ico*.]

turma (*tur*.ma) *sf.* **1** Grupo de pessoas reunidas; BANDO **2** Grupo de amigos: *Os irmãos têm uma turma grande no prédio onde moram.* **3** Cada um dos grupos de alunos em que se divide o total dos alunos matriculados numa mesma classe ou num mesmo ano escolar; CLASSE: *A turma do segundo ano.* **4** Turno escolar ou de trabalho: *A turma da tarde.* **5** Grupo de pessoas que realizam um mesmo trabalho: *A turma da limpeza.* **6** Grupo de animais ou coisas **7** *Hist.* Na Roma antiga, grupo de 30 cavaleiros [F.: Do lat. *turma, ae.* Sin. gér.: *bando, grupo, pessoal*.] ■ ~ **do deixa-disso** *Bras. Irôn.* Grupo de pessoas que intervêm em conflito com a intenção de serenar os ânimos, de pacificar

turmalina (tur.ma.*li*.na) *sf.* Pedra semipreciosa (azul, negra ou verde), que é, basicamente, um silicato de boro e alumínio com magnésios, ferro ou metais alcalinos, us. em aparelhos de rádio, em óptica e como gema: "...espalhados sobre tapetes da Galácia, reluziam espelhos de prata simulando a lua e os seus raios, sinetes de *turmalina* que os hebreus usam no peito (...)" (Eça de Queirós, *A Relíquia*) [F.: Do fr. *tourmaline*, deriv. do cingalês *toramalli*.]

turnê (tur.*nê*) *sf.* Viagem de artistas, conferencistas etc., com itinerário predeterminado, para apresentações, palestras e atividades similares em diversos lugares: *A turnê da banda irlandesa U2 foi a mais rentável do ano.* [F.: Do fr. *tournée*.]

turno (*tur*.no) *sm.* **1** Cada grupo de pessoas que se reveza numa atividade **2** *Bras.* Período de tempo determinado para trabalho ou estudo, em empresas, colégios, hospitais etc.: *o turno da noite; o turno das enfermeiras.* **3** Momento em que ocorre uma alternância de pessoas em uma atividade qualquer; VEZ: *Agora era o seu turno de vigiar o portão.* **4** *Esp.* Cada uma das etapas de um campeonato ou torneio: *O Fluminense venceu o primeiro turno do campeonato carioca.* [F.: Do fr. *tourne*, de *tourner*, deriv. do lat. *tornare*.] ■ **Por seu** ~ Por sua vez

turpilóquio (tur.pi.*ló*.qui:o) *sm.* Palavra ou expressão torpe, obscena; PALAVRÃO [F.: Do lat. *turpiloquium, ii*.]

turquesa (tur.*que*.sa) *sf.* **1** *Min.* Mineral triclínico, de cor azul ou esverdeada, us. como gema ou pedra preciosa em objetos de ornamento *sm.* **2** A cor desse mineral; AZUL-TURQUESA *a2g2n.* **3** Que é dessa cor (almofadas turquesa); TURQUESADO **4** Diz-se dessa cor [F.: Do fr. ant. *turkeise*.]

turra (*tur*.ra) *sf.* **1** Altercação, discussão, briga: *Viviam às turras.* **2** Teimosia, birra **3** *P. us.* Batida com a testa *s2g.* **4** *P. us.* Pessoa obstinada, teimosa, turrona [F.: Prov. de orig. onopat. Hom./Par.: *turra* (fl. de *turrar*).] ■ **Andar às ~s (com)** Estar constantemente em desavença (com) (alguém), altercando, brigando etc.

turrão (tur.*rão*) *Pop. a.* **1** Que é teimoso e/ou brigão (menino turrão) *sm.* **2** Indivíduo turrão [F.: *turrar* + *-ão*. Hom./Par.: *torrão* (sm.).]

turrar (tur.*rar*) *v.* **1** *Fig.* Discutir, polemizar, teimar [*int.*: *Esse menino só vive turrando!*] [*tr.* + *com*: *Entrava numa conversa só pelo gosto de turrar com os outros.*] **2** Bater com a cabeça, com os chifres; marrar [*td. int. ta.*] [► **1 turrar**] [F.: *turra* + *-ar*². Hom./Par.: *turra* (fl.), *turra* (sf. a2g.); *turras* (fl.), *turras* (pl. do sf. e a2g.); *turrar, torrar* (em várias fl. do v.).]

turrento (tur.*ren*.to) *a.* Diz-se de indivíduo turrão, teimoso [F.: *turra* + *-ento*.]

turrice (tur.*ri*.ce) *sf.* Qualidade de quem é turrão, teimoso, obstinado [F.: *turra* + *-ice*.]

turrígero (tur.*rí*.ge.ro) *a. Poét.* Diz-se de quem (ger. animal, p. ex., um elefante) transporta uma torre, ou um palanquim; tb. *turrífero* [F.: *turri-* + *-gero*.]

turturinar (tur.tu.ri.*nar*) *v. int. Bras.* Arrulhar (como pombo); TURTUREJAR; TURTURINHAR [► **1 turturinar**] [F.: *turturino* + *-ar*.]

turu (tu.*ru*) *sm. Bras. Zool.* O mesmo que *gusano* [F.: De or. indígena.]

turumbamba (tu.rum.*bam*.ba) *sm. Bras. Pop.* Confusão em que várias pessoas discutem ou brigam fisicamente; PEGA PRA CAPAR; SURUMBAMBA; TEMPO-QUENTE [F.: De or. contrv., posv. pal. expressiva.]

turuna (tu.*ru*.na) *a2g.* **1** Que é forte, valente, poderoso; que é capaz de enfrentar qualquer coisa *s2g.* **2** Esse tipo de pessoa: *Os turunas bateram em todo mundo.* [F.: Do tupi *tyr'una*.]

turvação (tur.va.*ção*) *sf.* **1** Ação ou resultado de turvar; TURVAMENTO **2** Estado do que se apresenta turvo, pouco cristalino; TURVAMENTO: *a turvação da água.* **3** Perturbação mental ou moral **4** Transtorno, desarranjo: *as turvações da vida.* **5** Doença dos vinhos [F.: Do lat. *turbatio, onis*.]

turvado (tur.*va*.do) *a.* **1** Que se turvou **2** Que se mostra opaco ou um tanto opaco (líquido turvo) **3** Que está embaçado: *Tinha o olhar turvado pela nuvem de gás.* **4** Que está repleto de nuvens: *Olhou para cima e viu um céu turvado.* [F.: Part. de *turvar*.]

turvamento (tur.va.*men*.to) *sm.* Ação ou resultado de turvar; TURVAÇÃO [F.: *turvar* + *-mento*. Hom./Par.: *torvamento* (sm.).]

turvar (tur.*var*) *v.* **1** Fazer perder ou perder a limpidez; ESCURECER [*td.*: *A mineração turvou a água do rio.*] [*int.*: *A água do rio turvou(-se) novamente.* Ant.: *clarear.*] **2** *Fig.* Tornar(-se) triste [*td.*: *A solidão turvou seu sorriso.*] [*int.*: *O olhar do menino turvou de tristeza; O semblante do médico se turvou.*] **3** Tornar(-se) nublado; cobrir(-se) [*td.*: *Nuvens negras turvaram o céu.*] [*int.*: *Ao meio-dia, o céu voltou a turvar(-se).*] [► **1 turvar**] [F.: Do lat. *turbare*. Hom./Par.: *turvo* (fl.), *turvo* (a. sm.).]

turvo (*tur*.vo) *a.* **1** Que apresenta opacidade (líquido turvo); EMBACIADO; OPACO: "O São Francisco não é *turvo* sempre?" (Guimarães Rosa, *Grande Sertão: Veredas*) [Ant.: *claro, transparente*.] **2** Que se encontra coberto de nuvens (céu turvo); ENEVOADO; NEBULOSO; TOLDADO [Ant.: *desenevoado, diáfano, límpido*.] **3** A que falta claridade; ESCURO; OBSCURO [Ant.: *claro, límpido*.] **4** Que demonstra estado de espírito sombrio, inseguro; FECHADO; PREOCUPADO; SOMBRIO: *O olhar turvo das crianças famintas.* [Ant.: *alegre, despreocupado, descontraído*.] **5** Que se apresenta agitado, transtornado; INTRANQUILO; INSTÁVEL: *Estavam vivendo tempos turvos*: "Ver-se-á que ela é, no meio do *turvo* regime de erros e males que a Revolução aboliu, o primeiro grito que se lançou por uma regeneração da vida..." (Cecília Meireles, "Reforma" *in Obra em prosa*) [Ant.: *equilibrado, estável, tranquilo*.] *sm.* **6** O mesmo que *turvação* [F.: Do lat. *turbidus, a, um*.]

tusco (*tus*.co) *sm. Arqueol.* Pessoa pertencente aos tuscos ou etruscos, povo da Etrúria, antiga região da Itália [F.: Do lat. *tusci, orum*.]

tussígeno (tus.*sí*.ge.no) *a.* Que produz ou provoca tosse; TUSSÍPARO [F.: Do tal. *tussis* + *-geno*.]

tussor (tus.*sor*) [ô] *sm.* Tecido de seda natural, leve, originário da Índia, similar ao xantungue [F.: Do fr. *tussor*, deriv. do ing. *tussore*, e este do hindustani *tasar*.]

tuta e meia (tu.ta e *mei*.a) *sf.* Preço muito baixo; NINHARIA: *Vendeu a casa por tuta e meia.* [Pl.: *tuta e meias*.]

tutameia (tu.ta.*mei*.a) *sf.* Ver *tuta e meia*

tutano (tu.*ta*.no) *sm.* **1** Substância mole que se encontra no interior dos ossos **2** *P. ext.* Aquilo que está dentro de algo; a parte mais íntima; ÂMAGO **3** *Fam.* Designativo de várias qualidades (inteligência, coragem etc.): *Tem tutano esse aluno; Tem tutano esse escritor; Tem tutano esse jogador de futebol.* [F.: Do espn. ant. *tútano*.]

tutanudo (tu.ta.*nu*.do) *a.* Diz-se de que tem tutano (talento, coragem, inteligência etc.) [F.: *tutano* + *-udo*.]

tutear (tu.te.*ar*) *v. td.* Usar (com alguém ou entre si) o tratamento de tu: *Começou a tuteá-lo e criaram intimidade; Tuteavam-se em ambiente familiar.* [► **13 tutear**] [F.: *tu* + *-t-* + *-ear.* Hom./Par.: *tuteio* (fl.), *tuteio* (sm.).]

tutela (tu.*te*.la) *sf.* **1** *Jur.* Responsabilidade legal assumida por uma pessoa para administrar os bens e a integridade de alguém, esp. de pessoa menor de idade, e representá-lo na vida civil **2** Proteção ou amparo que se dá a alguém: *É corrupto, mas tem a tutela de um senador.* **3** *Fig.* Dependência, sujeição: *Desorientado, vive sob a tutela de um amigo.* [F.: Do lat. *tutela, ae.* Hom./Par.: *tutela* (fl. de *tutelar*).]

tutelado (tu.te.*la*.do) *a.* **1** *Jur.* Que está sob a tutela de alguém (criança tutelada) **2** Que se encontra amparado, sob proteção **3** Que está na dependência de alguém ou algo (nações tuteladas) *sm.* **4** Indivíduo tutelado, ger. menor de idade [F.: *tutela* + *-ado*.]

tutelador (tu.te.la.*dor*) [ô] *a.* **1** Que é responsável pela integridade ou proteção de alguém ou algo; TUTELAR *sm.* **2** Aquele que tutela, que protege [F.: *tutelado* + *-or*. Sin. ger.: *curador, defensor, protetor*.]

tutelagem (tu.te.*la*.gem) *sf.* **1** Ação ou resultado de tutelar; AMPARO; DEFESA; PROTEÇÃO: "Sobre esses e vários outros estabelecimentos cessava a *tutelagem* de chefes africanos... e os portugueses se despiam da condição nem sempre cômoda de hóspedes." (Alberto da Costa e Silva, *A manilha e o libambo*) [Ant.: *desamparo, desproteção*.] **2** Função de tutor; o exercício dessa função; TUTORIA [Pl.: *-gens*.] [F.: *tutelar* + *-agem*.]

tutelar¹ (tu.te.*lar*) *a.* **1** Ref. a tutela, autoridade legal sobre um menor ou sobre um interdito (encargo tutelar) **2** Que protege, ampara (anjo tutelar); PROTETOR [F.: Do lat. *tutelaris, e*.]

tutelar² (tu.te.*lar*) *v.* **1** Cuidar (esp. de menor) como tutor [*td.*: *Foi designado para tutelar o menino.*] **2** *Fig.* Amparar, proteger [*td.*: *Esse deputado tutela os moradores daqui.*] [*tdr.* + *contra*: *tutelar os moradores contra as construtoras.*] [► **1 tutelar**] [F.: *tutela* + *-ar*². Hom./Par.: *tutela* (fl.), *tutela* (sf.); *tutelas* (fl.), *tutelas* (pl. do sf.).]

tutor (tu.*tor*) [ô] *a.* **1** Que exerce tutela *sm.* **2** *Jur.* Pessoa que recebe a incumbência legal, por testamento ou decisão judicial, para tutelar alguém: "Emília, aos cinco anos estava eu órfão, e tua mãe, minha tia, foi nomeada por meu pai sua testamenteira e minha *tutora*." (Martins Pena, *O noviço*) **3** Defensor, protetor **4** Aluno designado para auxiliar outros alunos **5** Vara ou estaca que se destina a amparar arbusto, trepadeira etc. [F.: Do lat. tutor, oris. Hom./Par.: *tutora* /ô/ (sf.), *tutoras* /ô/ (sfpl.) *tutora, tutoras* (fl. de *tutorar*); *tutores* /ô/ (pl.), *tutores* (fl. de *tutorar*).]

tutorado (tu.to.*ra*.do) *a.* **1** Que está amparado, defendido, protegido [Ant.: *desamparado, desprotegido*.] *sm.* **2** *Lus.* Sistema ou programa de acompanhamento regular de estudantes de nível universitário: *O debate serviu para discutir questões relativas à adoção do regime de tutorado pelas instituições de ensino superior.* [F.: Part. de *tutorar*.]

tutorar (tu.to.*rar*) *v.* **1** *Ant.* O mesmo que *tutelar* **2** *Agr.* Colocar tutor em (planta) [*td.*] [► **1 tutorar**] [F.: *tutor* + *-ar*. Hom./Par.: *tutora(s)* (fl.), *tutora(s)* [ô] (fem. [pl.]); *tutores* (fl.), *tutores* [ô] (pl. de *tutor* [sm.]).]

tutoria (tu.to.*ri*:a) *sf.* **1** Função de tutor; exercício dessa função; TUTELAGEM **2** Administração de um órgão público, uma instituição, de negócios públicos ou particulares; DIREÇÃO **3** Ação ou resultado de amparar, de proteger alguém ou algo; AMPARO; TUTELA [F.: *tutor* + *-ia*.]

tutorial (tu.to.ri.*al*) *a2g.* **1** Que é referente a tutor **2** Diz-se de ensino ministrado por um tutor **3** Diz-se de programa que ensina como desenvolver determinada atividade e que pode constar de folheto, livro, programa de computador etc. *sm.* **4** Esse programa [Pl.: *-ais*.] [F.: *tutor* + *-ial*.]

tútsi (*tút*.si) *s2g.* **1** *Etnol.* Pessoa pertencente aos tútsis, povo que divide com os hutus regiões das repúblicas do Burundi e de Ruanda (África), e que são tb. conhecidos como bafusi, tussi, watussi e watutsi *a2g.* **2** Dos ou ref. aos tútsis [F.: Do banto, pelo ing. *Tutsi*.]

⊕ **tutti** (*It.* /*túti*/) *Mús. smpl.* **1** *Mús.* Indicação da partitura para avisar que todos os instrumentos ou vozes devem tocar ou cantar, opondo-se, portanto, à ideia de solo [Símb.: *T*] **2** Trecho assim executado **3** Em concertos, a parte em que todos os músicos atuam, com exceção do solista

⊕ **tutti fruti** (*It.* /túti frúti/) *loc. subst.* Que contém ou possui aroma ou sabor de vários tipos de frutas (diz-se de sorvete, bala etc.) [F.: Do it. *tutti fruti.*]

tutu¹ (tu.*tu*) *sm. Bras. Cul.* Feijão cozido e engrossado com farinha de mandioca, ger. acrescido de toucinho, lombo, carne-seca, etc. [F.: De or. afr. mas de etim. incerta.]

tutu² (tu.*tu*) *sm. Bras. Pop.* Grana, dinheiro [F.: De or. inc.]

⊕ **tutu³** (*Fr.* /títí/) *sm. Dnç.* Saiote de tule us. por bailarinas [F.: Do fr. *tutu.*]

tuvaluano (tu.va.lu:*a*.no) *sm.* **1** Pessoa nascida ou que vive nas ilhas de Tuvalu, país da Oceania, no Pacífico sul-ocidental **2** *Gloss.* Língua malaio-polinésia falada nessa ilha *a.* **3** De Tuvalu; típico dessa ilha ou de seu povo **4** Ref. à língua ali falada [F.: *Tuvalu* + *-ano.*]

tuvira (tu.*vi*.ra) *Ict. sm.* **1** *Bras.* Peixe teleósteo, pardo, com listras irregulares e de aprox. 30 cm, encontrado em vários rios brasileiros; tb. *sarapó* (*Carapus fasciatus*) **2** *SP* Peixe teleósteo de corpo cinza-amarelado com listras verticais e de até 60 cm, encontrado na bacia do Prata; tb. *carapó* (*Gymnotus carapo*) [F.: Posv. de or. indígena.]

tuxaua (tu.xa:*u*.a) *sm.* **1** *Bras.* Chefe indígena; MORUBIXABA **2** *Pej.* Chefão da área política **3** Indivíduo valentão e/ou chefão em uma área qualquer de atividade, esp. criminosa [F.: Do tupi *tuwi'xawa.*]

⊠ **TV** Abrev. de *televisão.*

⊕ **tweed** (*Ing.* /tuid/) *sm.* Tecido escocês de lã áspera, feito com fios de duas ou mais cores [F.: Do ing. *tweed.*]

⊕ **tweet** (*Ing.*: /tuít/) *sm.* Mensagem com um máximo de 140 caracteres enviada no âmbito do *twitter*

⊕ **twist** (*Ing.* /tuíst/) *sm. Mús.* Ver *tuíste*

⊕ **twittar** (twit.*tar*) *v.* **1** Enviar (mensagem) pelo *twitter* [*td.*: *Twittei várias mensagens hoje.*] [*tdi.* + *a*, *para*: *Hoje, em meu blog, eu lhe twittei várias mensagens.*] **2** Enviar ou receber mensagens pelo *twitter* [*int.*: *Passei a tarde twittando.*] [F.: Neologismo calcado no temo em inglês *twitter* + *-ar*⁸. Aportuguesado para *tuitar.*]

⊕ **twitter** (*Ing.* /tuíter/) *sm. Inf.* Servidor e rede social de internet que permite, ger. a partir de *blogs*, o envio e recebimento de mensagens curtas (*tweets*), com um máximo de 140 caracteres, na própria rede da internet (Web) ou por SMS ou por outros *softwares* instalados em dispositivos móveis

txucarramãe (txu.car.ra.*mãe*) *a2g. s2g. sm. Etnol.* Diz-se de indivíduo, ou ref. a eles, ou língua de subgrupo indígena que habita o sul do Pará; tb. *caiapó-mecranoti*

tzar *Hist. sm.* Ver *czar* [Fem.: *tzarina.*]

tzarina (tza.*ri*.na) *Hist. sf.* Ver *czarina.*

tzarismo (tza.*ris*.mo) *sm.* Ver *czarismo*

tzarista (tza.*ris*.ta) *a2g. s2g. Hist.* Ver *czarista*

tzigano (tzi.*ga*.no) *a.* **1** Diz-se de músico cigano, ou de músico que se veste com roupas de cigano, que executa músicas ciganas *sm.* **2** Esse músico [F.: Alter. de *cigano*, por influência do fr. *tzigane.*]

u[1] *sm.* **1** A 21ª letra do alfabeto da língua portuguesa **2** A quinta vogal desse alfabeto **3** A figura, a forma dessa letra, ou o som por ela representado: "Caricioso, como uma surdina de mistérios; confuso, como um clamor de mudo; fúnebre, como um grito em u." (José Américo de Almeida, *A bagaceira*) *num.* **4** O 21º em uma série (item U)

⊠ **U**[2] *Fís.* **1** Símb. de *unidade unificada de massa atômica* **2** Símb. de *quark up*

uacanga (u.a.*can*.ga) *sm. Bot.* Palmeira (*Geonoma princeps*) de caule fino, flores e bagas pequenas; ocorre nas áreas mais densas e úmidas da floresta amazônica [F.: Do tupi *uua'kanga*.]

uacari (u.a.ca.*ri*) *Bras. sm.* **1** *Zool.* Denominação comum aos macacos amazônicos do gên. *Cacajao*, da fam. dos cebídeos, de cauda muito curta e cabeça parcialmente desprovida de pelos **2** *Zool.* Acari, cascudo [F.: Do tupi *gwaka'ri*.]

uacataca[1] (u:a.ca.*ta*.ca) *sf. Bot.* Árvore da família das leguminosas e nativa da região amazônica [F.: Do tupi *waca'taca*.]

uaçu (u:a.*çu*) *a2g.* **1** *Etnol.* Pertencente ou relativo à tribo indígena dos uaçus, da região da Mata, em Alagoas, atualmente em processo de reconstrução de sua identidade *s2g.* **2** Indivíduo dos uaçus [F.: Do tupi *wassu*.]

uado (*ua*.do) *sm. Rel.* Na Umbanda, comida votiva do orixá Ogum, feita com pipoca, azeite de dendê, açúcar ou mel; ADUM [F.: Do ioruba.]

uai (u:*ai*) *interj.* **1** *Bras. fam.* Indica espanto, surpresa, susto, impaciência etc. **2** *Açor.* O mesmo que *ah*, *oh* [F.: expressiva.]

uaiá (u:ai.*á*) *sf. Bras.* Estagnação periódica dos lagos amazonenses [F.: Do tupi *ua'iá*.]

uaiô (u:ai.*ô*) *sm. Bras. Amaz.* Estado do peixe que vem respirar à tona da água, talvez carente de oxigenação, e muitas vezes morre: "... os canoeiros assinalam o fato dizendo que os peixes estão de uaiua ou uaiô, isto é, de beiço inchado e vêm respirar fora de água." (Gastão Cruls, *A Amazônia que eu vi*) [F.: Do tupi *wa'yu*.] ■■ **Estar de ~** *Amaz.* Ver *Estar de uaiua*

uaipi (u:a.i.*pi*) *sm.* Ver *mandioca*

uaiua (uai.*u.a.*) *sf.* Us. na loc. *estar de uaiua* [F.: De or. contrv., posv. do tupi.] ■■ **Estar de ~** *Amaz.* Vir à tona da água (peixe) para respirar (e, frequentemente, morrer), provavelmente devido a estar contaminada a água do rio

◎ **-ual** *suf. nom.* Ver *-al*[1]: *pactual* [Ger. o *-u-* representa a vogal temática da 4ª declinação latina.]

ualamo (u:a.*la*.mo) *Gloss. sm.* **1** Língua de um dos ramos da família camito-semítica falada na Etiópia **2** Palavra dessa língua

uale (u:*a*.le) *sm.* **1** Governador árabe em território espanhol, ao tempo da ocupação da Península Ibérica **2** Entre os árabes, governante de província [F.: Do ár. *walii*.]

uanderu (u:an.de.*ru*) *sm. Zool.* Primata da fam. dos cercopitecídeos (*Macaca silenus*), que vive no Sudoeste da Índia [F.: De or. obsc.]

uapé (u:a.*pé*) *sm. AM* Designação comum a várias plantas aquáticas; AGUAPÉ; GIGOGA; NENÚFAR; UAPÊ [F.: Do tupi *iwa'pe*.]

uapiti (u:a.pi.*ti*) *sm. Zool.* Grande veado (*Cervus elaphus canadensis*) do Canadá e Alasca, tido como a variedade americana do cervo europeu; de pelagem avermelhada e grande galhada, chega a pesar 500 quilos [F.: Do ing. *wapiti*.]

◎ **-uar** *suf. v.* Ver *-ar*[2]: *autuar* [Ger. o *-u-* representa a vogal temática da 4ª declinação latina.]

uariá (u:a.ri:*á*) *sm. AM Bot.* Planta herbácea da fam. das marantáceas (*Maranta lutea*), de flores amarelas e tubérculos comestíveis [F.: Do tupi *iwari'a*. Tb.: *ariá*.]

◎ **-uário** *suf. nom.* Ver *-ário*: *pactuário* [Ger. o *-u-* representa a vogal temática da 4ª declinação latina.]

uarubé (u:a.ru.*bé*) *sm. Bras. Cul.* Sumo da massa de mandioca com o qual se prepara o molho tucupi; ARUBÉ [F.: Do tupi *waru'be*.]

uatapi (u:a.ta.*pi*) *sm. AM* Espécie de trombeta feita com concha que, segundo índios de algumas tribos do Pará, quando soprada produz um som que atrai peixes; GUATAPI; UATAPU; VATAPU [F.: Do tupi *gwata'pi* 'variedade de búzio'.]

uaurá (u.au.*rá*) *s2g.* **1** *Etnol.* Indivíduo dos uaurás, grupo indígena que vive em Batovi e no Parque indígena do Xingu (Mato Grosso) *sm.* **2** *Ling.* Língua falada por esses indígenas, pertencente à fam. linguística aruaque *a2g.* **3** Referente a uaurá ou aos uaurás

ubá (u.*bá*) *sf.* **1** *Bras. N. N. E.* Canoa indígena feita de uma casca inteira de árvore, sem quilha e sem banco; IGARA: "... o nosso seringueiro, com os varejões que lhes impulsionam as ubás." (Euclides da Cunha, *À margem da História*) **2** *Bot.* Erva alta da fam. das gramíneas (*Gynerium sagittatum*), nativa da América do Sul, cujas folhas são empregadas na confecção de balaios e cestos; CANA-BRAVA; CANA-DO-RIO; CANA-UBÁ; CANDIUBÁ [F.: Do tupi *uu'wa*.]

ubacaba (u.ba.*ca*.ba) *sf.* **1** *Bot.* Palmeira de até 20 metros (*Oenocarpus bacaba*) nativa da Amazônia, com sementes oleaginosas; a madeira presta-se ao artesanato e da polpa, aquosa é feita a bebida iuquicé, o vinho de ubacaba; BACABA; MACABA **2** Arbusto da família das mirtáceas, nativo do Brasil, de frutos comestíveis [F.: Do tupi *waka'wa*.]

◎ **uber-** *el. comp.* = fértil: *uberdade* [F.: Do lat. *uber, eris*.]

uberdade (u.ber.*da*.de) *sf.* **1** Fertilidade, fecundidade da terra **2** Fartura, abundância: "Os seus olhos não se pasciam muito tempo naquelas uberdades de carnes moles." (Camilo Castelo Branco, *A corja*) **3** Riqueza, opulência [F.: Do lat. *ubertas, atis*.]

Y	Fenício
Ч	Grego
Y	Grego
Y	Etrusco
V	Romano
V	Romano
u	Minúscula carolina
U	Maiúscula moderna
u	Minúscula moderna

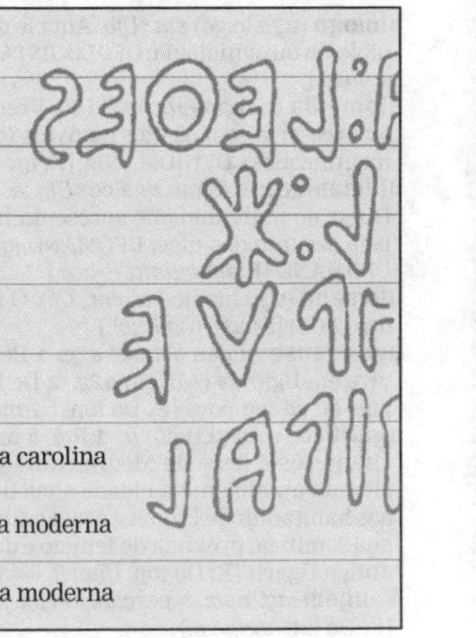

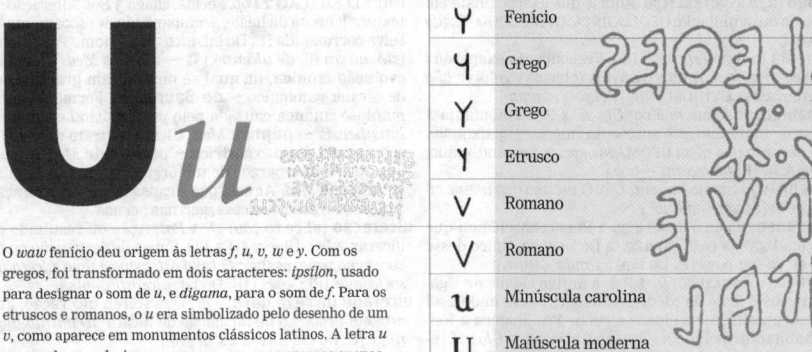

O *waw* fenício deu origem às letras *f, u, v, w* e *y*. Com os gregos, foi transformado em dois caracteres: *ipsílon*, usado para designar o som de *u*, e *digama*, para o som de *f*. Para os etruscos e romanos, o *u* era simbolizado pelo desenho de um *v*, como aparece em monumentos clássicos latinos. A letra *u* era usada para designar o mesmo som, mas aparece apenas nos manuscritos romanos. A distinção entre os sons de *u* e *v* só se deu no século XVII.

úbere[1] (*ú*.be.re) *Anat. Zool. sm.* Glândula mamária; mama; teta de fêmea de animal, esp. da vaca [F.: Do lat. *uber, eris*.]

úbere[2] (*ú*.be.re) *a2g.* **1** Fértil, fecundo (terras úberes) **2** Abundante, cheio, farto [F.: Do lat. *uber, eris*.]

ubérrimo (u.*bér*.ri.mo) *a.* Muitíssimo fértil, fecundo (solo ubérrimo): "(...) absorvem diariamente o ubérrimo humus/ Que Deus espalha à beira do teu tálamo." (Augusto dos Anjos, *Eu e outras histórias*) [Sup. abs. sint. de *úbere*. Sup. abs. sint. de *úbere*.] [F.: Do lat. *uberrimus, a, um*.]

ubiquação (u.bi.qua.*ção*) *sf.* **1** Razão de algo estar em algum lugar **2** Estado de ubíquo, onipresente; UBIQUIDADE [Pl.: *-ções*.] [F.: *ubiquo* + *-ar* + *-ção*.]

ubiquidade (u.bi.qui.*da*.de) *sf.* Faculdade de estar ao mesmo tempo em todos os lugares; ONIPRESENÇA: "O jornal exerce hoje todas as funções malignas do defunto Satanás, de quem herdou a ubiquidade." (Eça de Queirós, *Fradique Mendes*) [F.: Do fr. *ubiquité*.]

ubíquo (u.*bí*.quo) *a.* Que tem o dom da ubiquidade; que está em toda parte ao mesmo tempo; ONIPRESENTE [F.: Do lat. *ubique*.]

ubirajara (u.bi.ra.*ja*.ra) *s2g.* **1** *Etnog.* Pessoa pertencente a antigo povo indígena, que habitava, ao tempo do descobrimento do Brasil, as cabeceiras do rio São Francisco (MG) *a2g.* **2** Dos ou ref. aos ubirajaras [F.: Do tupi *ïbï'ra* + *'jara* 'dono das árvores, da floresta'.]

ubre (*u*.bre) *sm.* Mama de animal, com vários mamilos; TETA; ÚBERE [F.: Do lat. *uber, uberis*.]

uca (*u*.ca) *Bras. Gír. sf.* Cachaça [F.: Posv. de or. expressiva.]

◎ **-uça** *suf* Aumentativo: *dentuça*, *fuça*

ucamari (u.ca.ma.*ri*) *sm. Zool.* Mamífero carnívoro ursídeo (*Tremarctos ornatus*) de pelagem escura com um círculo branco em torno de cada olho, que habita as altitudes da região andina, da Venezuela à Bolívia, e pode pesar até 170 quilos; ameaçado de extinção, é o único urso sul-americano; URSO-DE-ÓCULOS [F.: De or. obsc.]

ucasse (u.*cas*.se) *sm.* **1** Decisão arbitrária, autoritária, despótica **2** Decreto emanado do czar, na Rússia imperial [F.: Do rus. *ukaz* 'édito, decreto'.]

◎ **-ucha** *suf. nom.* Ver *-acho*

ucha (*u*.cha) *sf.* Caixa onde se guardam pão e outros gêneros alimentícios [F.: Do fr. *huche*, do lat. medv. *hutica*.] ■■ **Ficar à ~** Ficar sem nada

ucharia (u.cha.*ria*) *sf. Ant.* Despensa ou série de aposentos onde eram guardadas viandas e outros gêneros alimentícios nas casas reais ou de famílias abastadas: "(...) que se acabasse a mesa, passassem algumas horas e chegassem hospedes, não houvesse para banqueteá-los a menor falta. Para isso, a ucharia estava sempre pronta." (Capistrano de Abreu, *Capítulos da história colonial*) [F.: *ucha* + *-aria*.] ■■ **Estar na ~** Ver *Ficar à ucha* no verbete *ucha*

◎ **-ucho** *suf. nom.* Ver *-acho*

◎ **-uço** *suf.* = *-aça*: *dentuça*, *dentuço*

⊠ **UCP** *Inf.* Sigla de *unidade central de processamento* (de microcomputador) [Tb. *CPU*]

ucraniano (u.cra.ni:*a*.no) *sm.* **1** Pessoa nascida ou que vive na Ucrânia (Europa) **2** *Gloss.* Língua falada na Ucrânia; RUTENO *a.* **3** Da Ucrânia; típico desse país ou de seu povo **4** Do ou ref. ao ucraniano (2) [F.: Do top. *Ucrânia* + *-ano*.]

ucuquirana (u.cu.qui.*ra*.na) *sf. Bot.* Árvore da família das sapotáceas (*Ecclinusa balata*), nativa do Brasil; fornece látex por cortes superficiais no tronco; BALATA; COQUIRANA [F.: Do tupi *ukuki'rana*.]

ucuuba (u.cu:*u*.ba) *sf. Bot.* Designação comum a diversas árvores da família das miristicáceas, esp. dos gêneros *Virola* e *Irianthera*, cujos frutos oleaginosos e comestíveis são us. no fabrico de velas e sabão; ACUUBA [F.: Posv. do tupi *uku'iwa*.]

◎ **-uda** *el. comp.* Ver *-udo*

◎ **-ude** *el. comp.* Ver *-tude*

udenismo (u.de.*nis*.mo) *sm.* **1** *Pol.* Programa de ação do partido político União Democrática Nacional (UDN), fundado em 1945 e extinto em 1965 **2** Atitude dos filiados a esse partido ou a ele simpáticos [F.: Da sigla *UDN* (*udeene*) + *-ismo*.]

udenista (u.de.*nis*.ta) *a2g.* **1** *Pol.* Relativo ao udenismo ou à UDN **2** Diz-se do filiado ou simpatizante desse partido político *s2g.* **3** Esse filiado ou simpatizante da UDN [F.: Da sigla *UDN* (*udeene*) + *-ista*.]

◎ **-udo** *suf. nom.* = 'provido de'; 'que tem algo em abundância'; 'que tem algo (bem) grande': *barrigudo, peludo; papuda* [F.: Do suf. lat. *-utus, a, um*. Outra forma: *-zudo*.]

◎ **udo-** *el. comp.* = 'umidade'; 'chuva'; 'úmido'; 'chuvoso': *udômetro, udomógrafo* (< ing.) [F.: Do lat. *udus, a, um*, 'úmido'; 'molhado'; 'chuvoso'.]

udômetro (u.*dô*.me.tro) *sm.* O mesmo que *pluviômetro* [F.: *udo-* + *-metro*.]

udomógrafo (u.do.*mó*.gra.fo) *sm.* O mesmo que *pluviógrafo* [F.: Do ingl. *udomograph*.]

UE *sf. Pol.* Sigla de *União Europeia*, organismo internacional criado em 1992, que conta com 25 países-membros

ué (u:*é*) *interj. Bras.* Exprime surpresa, espanto: "Ué! E a faca, então?" (Monteiro Lobato, *Cidades mortas*) [F.: Posv. de or. expressiva.]

⊠ **u.e.m.** Sigla de *unidade eletromagnética*

uf[1] *interj.* Exprime admiração, cansaço ou satisfação por ter-se livrado de um aborrecimento; UFA [F.: Pal. expressiva.]

UF[2] (*uéfe*.) *sf.* Sigla de *Unidade Federativa*

ufa (*u*.fa) *interj.* Exprime cansaço ou alívio: "Ufa, que já me não tenho nas pernas!" (Adolfo Caminha, *Tentação*) [F.: De or. expressiva.] ■■ **À ~ 1** Além do normal (em quantidade, qualidade, intensidade etc.), muitíssimo, demasiado **2** À custa de outra pessoa

ufanado (u.fa.*na*.do) *a.* Que se ufanou, envaideceu; JACTANCIOSO; ORGULHOSO; UFANO [Ant.: *humilde*.] [F.: Part. de *ufanar*.]

ufanar (u.fa.*nar*) *v. td.* **1** Sentir ou mostrar orgulho de (algo): *Os elogios ufanaram a moça; Ele ufana-se de ter nascido no Rio de Janeiro.* **2** Sentir ou mostrar contentamento, alegria [▶ 1 ufanar] [F.: *ufano* + *-ar*[2]. Hom./Par.: *ufano* (fl.), *ufano* (a.).]

ufania (u.fa.*ni*.a) *sf.* **1** Estado de quem se ufana; motivo de honra, orgulho ou regozijo: *ufania pelo sucesso do filho.* **2** *Pej.* Vaidade exagerada; JACTÂNCIA; SOBERBA [F.: Do cast. *ufanía*.]

ufânico (u.*fâ*.ni.co) *a.* **1** Diz-se de quem ou do que se ufana, se vangloria (ufânico hino) *sm.* **2** Aquele ou aquilo que se ufana [F.: *ufano* + *-ico*[2].]

ufanismo (u.fa.*nis*.mo) *Bras. sm.* **1** Patriotismo exagerado **2** *P. ext.* Atitude de quem se vangloria exageradamente de alguma coisa [F.: *ufan(o)* + *-ismo*; ref. ao livro *Por que me ufano de meu país*, do conde Afonso Celso.]

ufanista (u.fa.*nis*.ta) *Bras. a2g.* **1** Ref. ao ou que adota o ufanismo (discurso ufanista) *s2g.* **2** Aquele que adota o ufanismo [F.: *ufan(o)* + *-ista*.]

ufanístico (u.fa.*nís*.ti.co) *a.* Diz-se de atitude ou comportamento de quem é ufanista [F.: *ufanista* + *-ico*[2].]

ufano (u.*fa*.no) *a.* **1** Que se ufana, orgulha de qualquer coisa: "Álvaro, ufano e cheio de júbilo, conduzia o seu formoso par através da multidão..." (Bernardo Guimarães, *A escrava Isaura*) **2** Que se arroga qualidades ou méritos extraordinários; JACTANCIOSO; PRESUNÇOSO [F.: Do espn. *ufano*.]

ufirização (u.fi.ri.za.*ção*) *sf. Econ.* Ato ou efeito de ufirizar, de transformar em Ufir o valor referente a débitos fiscais e a multas ou empréstimos de qualquer natureza [A Ufir foi extinta em outubro de 2000.] [F.: *ufirizar* + *-ção*.]

ufirizado (u.fi.ri.*za*.do) *Econ. a.* **1** Que se transformou em Ufir **2** Que passou a ser cobrado em Ufir [F.: Part. de *ufirizar*.]

ufirizar (u.fi.ri.*zar*) *v. td. Restr.* Converter um valor em UFIR [▶ 1 ufirizar] [F.: *UFIR* + *-izar*.]

ufo (*u*.fo) *sm.* O mesmo que *óvni* [F.: Do ing. *ufo*, sigla de *unindentified flying object*, 'objeto voador não identificado'.)]

ufologia (u.fo.lo.*gi*.a) *Ufo. sf.* Estudo ou conjunto de hipóteses ou evidências a respeito dos ufos ou óvnis; OVNIOLOGIA [F.: Do ingl. *ufology*; ver *ufo* e *-logia*.]

ufológico (u.fo.*ló*.gi.co) *a. Ufo.* Ref. ou pertencente a ufologia; OVNIOLÓGICO [F.: *ufologia* + *-ico*[2].]

ufologista (u.fo.lo.*gis*.ta) *s2g.* O mesmo que *ufólogo* [F.: *ufologia* + *-ista*, seg. o mod. gr.]

ufólogo (u.*fó*.lo.go) *sm. Ufo.* Aquele que é especialista em ufologia ou ovniologia; UFOLOGISTA; OVNIÓLOGO [F.: *ufo + -logo.*]

ufomania (u.fo.ma.*nia*) *sf. Ufo.* Preocupação exagerada ou excessiva com os ufos ou óvnis (objetos voadores não identificados); OVNIOMANIA [F.: *ufo + -mania.*]

ufomaníaco (u.fo.ma.*ní*.a.co) *Ufo. a.* **1** Ref. a ufomania **2** Diz-se de indivíduo que apresenta interesse apaixonado pelo assunto dos ufos; UFÔMANO *sm.* **3** Esse indivíduo; UFÔMANO [F.: *ufomania + -aco.*]

ufômano (u.*fô*.ma.no.) *a. sm. Ufo.* O mesmo que *ufomaníaco* (2 e 3) [F.: *ufo + -mano*¹.]

ugandense (u.gan.*den*.se) *s2g.* **1** Pessoa nascida ou que vive em Uganda (África) *a2g.* **2** De Uganda; típico desse país ou de seu povo [F.: Do top. *Uganda + -ense.*]

ugarítico (u.ga.*rí*.ti.co) *a.* **1** Ref. à antiga cidade de Ugarit, na costa leste do Mediterrâneo, em local onde está situada atualmente a cidade síria de Ras Shamra **2** Ref. aos habitantes de Ugarit e à sua cultura *sm.* **3** *Gloss.* Língua semítica, próxima do fenício e do hebraico, falada na antiga Ugarit [F.: Do top. *Ugarit + -ico*².]

◎ **-ugem** *suf. nom.* = porção: *ferrugem, pelugem, penugem* [F.: Do lat. *-uginem.*]

úgrico (*ú*.gri.co) *a.* **1** Ref. ou pertencente aos úgricos, grupo de povos fineses, como os lapões, salmoiedas, tártaros, turcomanos e outros **2** Ref. aos úgricos, povo pescador e criador de renas que habita a Sibéria Ocidental, na Rússia **3** *Gloss.* Ref. à língua uralo-altaica, falada por esse povo [F.: Do rus. ant. *ugre + -ico*².]

ugro-finês (u.gro-fi.*nês*) *a.* **1** Ref. aos ugros e fineses (ou finlandeses) *sm.* **2** *Gloss.* Grupo linguístico da família uraliana; FINO-UGRIANO **3** *Gloss.* Língua falada em algumas regiões da Ásia e do norte da Europa [Pl.: *ugro-fineses.*] [Tb. *ugro-fínico.*]

ugro-fínico (u.gro-*fí*.ni.co) *a. sm.* O mesmo que *ugro-finês*

uh *interj.* Exprime espanto, desdém, desprezo, repulsa, assombro, repugnância ou intenção de assustar [F.: De or. onom.]

⊠ **UHF** *sm. Eletrôn.* Símb. de *frequência ultraelevada*

ui *interj.* Exprime dor e também admiração ou espanto [F.: De or. expressiva.]

uialapitis (ui:a.la.*pi*.tis) *smpl.* Povo indígena do Xingu

uiara (ui.*a*.ra) *Bras. Folc. sf.* Sereia que habita rios e lagos; IARA; MÃE-D'ÁGUA [F.: Do tupi *'iara.*]

uiofobia (ui.o.fo.*bi*.a) *sf. Psiq.* Aversão aos próprios filhos [F.: *uio- + -fobia.*]

uiofóbico (ui.o.*fó*.bi.co) *Psiq. a.* **1** Ref. a uiofobia **2** Diz-se de indivíduo que apresenta uiofobia; UIÓFOBO *sm.* **3** Esse indivíduo [F.: *uiofobia + -ico*².]

uiófobo (ui.*ó*.fo.bo) *a. sm. Psiq.* O mesmo que *uiofóbico* (2 e 3) [F.: *uio- + -fobo.*]

uirá (ui.*rá*) *sm. Bras.* Termo geral us. pelos indígenas para designar aves [F.: Do tupi *gwi'ra.*]

uiraçu (ui.ra.*çu*) *sm. Zool.* Ver *gavião-real* (*Harpia harpyja*)

uirapuru (ui.ra.pu.*ru*) *sm. Ornit.* Designação comum a diversas aves florestais da fam. dos pripídeos, das quais a mais conhecida é o uirapuru-verdadeiro (*Cyphorhinus aradus*), tida como a mais canora do Brasil; RENDEIRA; TANGARÁ: "Ouvi hoje pela primeira vez cantar o uirapuru. Trinos, gorjeios e regorjeios em floreados incríveis." (Gastão Cruls, *A Amazônia que eu vi*) [F.: Do tupi *gwirapu'ru.* Tb.: *arapuru, guirapuru.*]

uiscada (u:is.ca.da) *sf.* **1** *Bras.* Reunião em que se bebe uísque **2** Bebedeira provocada por uísque [F.: *uísque + -ada.*]

uísque (u:*ís*.que) *sm.* **1** Aguardente de cevada, centeio ou milho fermentados, típica da Escócia **2** Dose dessa bebida [F.: Do ing. *whisky* ou *whiskey.*]

uisqueria (u:is.que.*ri*.a) *sf. Bras.* Bar onde se serve principalmente uísque [F.: De *uísque- + -eria.*]

uíste (u:*ís*.te) *sm. Lud.* Jogo de baralho tido como ancestral do bridge, disputado por duas duplas de jogadores que recebem ao todo 52 cartas [F.: Do ing. *whist.*]

uivação (ui.va.*ção*) *sm.* Conjunto excessivo de uivos: *Foi aquela uivação a noite inteira.* [Pl.: *-ções.*] [F.: *uivar + -ção.*]

uivada (ui.*va*.da) *sf.* Uivo prolongado ou repetido [F.: Fem. substv. de *uivar.*]

uivante (ui.*van*.te) *a2g.* Que uiva; UIVADOR: *Vento uivante; lobo uivante.* [F.: *uivar + -nte.*]

uivar (ui.*var*) *v. int.* **1** Dar uivos (lobo, cachorro etc.): *Os lobos uivam de madrugada.* **2** Produzir som que faz lembrar o uivo: *O vento uivava.* **3** Dar gritos, berros: *O homem uivou de ódio; A torcida uivava quando seu time recuava.* [▶ **1** uivar] [F.: *uivo + -ar*². Hom./Par.: *uivo* (fl.), *uivo* (sm.).]

uivo (*ui*.vo) *sm.* **1** Voz lamentosa e aguda de cão, lobo e outros animais **2** *Fig.* Grito de dor, raiva etc.: "Brás caíra ao chão como fulminado (...) soltando uivos estridentes." (José de Alencar, *Til*) [F.: Dev. de *uivar.*]

◎ **-ujar** *suf. v.* = ação durativa, frequentativa; mudança de estado: *enferrujar, sobrepujar*

◎ **-ula** *suf. nom.* átono = diminuição: *campânula, cânula, esférula; nódulo, óvulo, vestíbulo* [F.: Do lat. *-ula, -ulus.* Ver tb. *-cula, -culo.*]

ulano (u.*la*.no) *sm. Mil.* Soldado lanceiro de cavalaria dos exércitos mongólicos e tártaros que, a partir do século XVI, foi adotado pelos antigos exércitos de alguns países europeus, esp. Alemanha e Áustria [F.: Do fr. *uhlan.*]

ulatrofia (u.la.tro.*fi*.a) *sf. Med.* Retração ou enrugamento das gengivas; ULOATROFIA [F.: *ul(o)- + atrofia.*]

úlcera (*úl*.ce.ra) *sf.* **1** *Pat.* Ferida na pele ou em mucosa, acompanhada de processo inflamatório (úlcera estomacal); ULCERAÇÃO **2** *Pop.* Ferida, chaga **3** *Bot.* Alteração da textura lenhosa da haste, acompanhada de escoamento de seiva corrompida [F.: Do lat. *ulcus, eris.* Hom./Par.: *úlcera* (sf.), *ulcera* (fl. de *ulcerar*).] ■■ **~ atônica** *Med.* Úlcera de evolução crônica, na qual se manifestam granulações de caráter patológico **~ de Bauru** *Med.* Forma de leishmaniose cutânea causada pelo protozoário *Leishmania brasiliensis* **~ péptica** *Med.* Úlcera no trato digestório sob a acidez do suco gástrico **~ perfurante** *Med.* Aquela que atravessa a parede de um órgão, na qual se localiza **~ varicosa** *Med.* Aquela que é causada por deterioração cutânea em área varicosa, ger. nas pernas

ulceração (ul.ce.ra.*ção*) *sf.* **1** *Pat.* Ação ou resultado de ulcerar **2** *Pat.* Úlcera (1) **3** *Fig.* Causa de destruição ou de corrução progressiva: *O luxo ostensivo é uma úlcera da sociedade.* [Pl.: *-ções.*] [F.: Do lat. *ulceratio, onis.*]

ulcerado (ul.ce.*ra*.do) *a. Pat.* Que sofreu ulceração; que está em processo de formação de úlcera: *ferimento ulcerado.* [F.: Do lat. *ulceratus, a, um.*]

ulcerar (ul.ce.*rar*) *v.* **1** *Pat.* Transformar(-se) em ferida, úlcera; degenerar(-se) [*td.*: *Essas bactérias podem infectar e ulcerar a córnea.*] [*int.*: *A lesão pode ulcerar(-se).*] **2** Causar (processo de) ulceração em [*td.*] **3** *Fig.* Fazer sofrer ou sofrer tormento [*td.*: *A morte do cachorro ulcerou o rapaz.*] [*tr. + de*: *Ulcerou-se de angústia com a partida do irmão.*] **4** *Fig.* Corromper, deteriorar [*td.*: *Aquele ato ulcerou sua reputação.*] [▶ **1** ulcerar] [F.: *úlcera + -ar.* Hom./Par.: *ulcera(s)* (fl.), *úlcera(s)* (sf. [pl.]).]

ulcerativo (ul.ce.ra.*ti*.vo) *Pat. a.* **1** Ref. a ou próprio da úlcera; ULCEROSO **2** Que causa úlcera [F.: *ulcerar + -tivo.*]

ulceroso (ul.ce.*ro*.so) [ô] *Pat. a.* **1** Que tem a natureza da úlcera (ferida ulcerosa); ULCERATIVO **2** Que tem úlcera(s) [Pl.: [ó]. Fem.: [ó].] *sm.* **3** *Pat.* Aquele que tem úlcera(s) [Pl.: [ó]. Fem.: [ó].] [F.: *úlcer(a) + -oso.*]

⊕ **ulcus rodens** (*Lat.* /*úlcus ródens*/) *sm. Pat.* Tipo de câncer de pele que ocorre ger. na porção superior da face e pode causar grande destruição dos tecidos moles e ossos [F.: Do lat. *ulcus* (de *ulcus, eris* 'ferida') e *rodens* (part. do verbo *rodere* 'corroer, dilacerar').]

ulemá (u.le.*má*) *sm. Rel.* Doutor em leis e religião, entre os muçulmanos, que explica o Alcorão, preside os exercícios religiosos e administra a justiça: "Nem tu nem os teus ulemás e cacizes entendem estas coisas." (Alexandre Herculano, *Lendas e narrativas*) [F.: Do fr. *uléma*, do ár. *ulama.*]

uleritema (u.le.ri.*te*.ma) *sm. Pat.* Dermatose eritematosa com formação de cicatriz [F.: *ul(o)- + eritema.*]

◎ **-ulho** *suf.* Formador de palavras que indicam 'coleção, quantidade': *marulho, pedregulho, tapulho, troçulho* etc.

uliginoso (u.li.gi.*no*.so) [ô] *sm.* Pantanoso, alagadiço, lamacento, encharcado: *terreno uliginoso.* [Ant.: *enxuto, seco.*] [Pl.: [ó]. Fem.: [ó].] [F.: Do lat. *uliginosus, a, um.*]

ulissiponense (u.lis.si.po.*nen*.se) *s2g. a2g.* O mesmo que *lisboeta*

ulite (u.*li*.te) *sf. Med.* Inflamação da membrana mucosa das gengivas [F.: *ul(o)- + -ite.*]

ulna (*ul*.na) *sf.* **1** *Anat.* Articulação do braço com o antebraço; CÚBITO [*Ulna* substituiu *cotovelo* na nova terminologia anatômica.] **2** *Anat.* Nome de um dos ossos do antebraço [*Ulna* substituiu *cúbito* na nova terminologia anatômica.] **3** *Metrol.* Antiga unidade de medida de comprimento, equivalente a uma braça [F.: Do lat. *ulna.*]

ulnal (ul.*nal*) *a2g. Anat.* Ref. a ulna, a cúbito; ULNÁRIO [Pl.: *-nais.*] [F.: *ulna + -al.*]

ulnário (ul.*ná*.ri:o) *a. Anat.* O mesmo que *ulnal* [F.: *ulna + -ário.*]

◎ **-ulo** *el. comp.* Ver *-ula*

uloma (u.*lo*.ma) *sm. Pat.* Qualquer formação tumoral nas gengivas [F.: *ul(o)- + -oma.*]

ulorragia (u.lor.ra.*gi*.a) *sf. Pat.* Hemorragia nas gengivas [F.: *ul(o)- + -rragia.*]

ulorrágico (u.lor.*rá*.gi.co) *a. Pat.* Ref. a ulorragia [F.: *ulorragia + -ico*².]

ulótrico (u.*ló*.tri.co) *a.* **1** Diz-se de quem tem cabelos crespos; ULÓTRIQUE *sm.* **2** Aquele que tem cabelos crespos [F.: Do gr. *oulótrikhos, os, on.*]

ulterior (ul.te.ri:*or*) [ô] *a2g.* **1** Que vem depois; que se faz ou se cumpre depois; POSTERIOR: *Fatos ulteriores à queda da monarquia.* **2** Que está ainda para suceder; FUTURO; POSTERIOR: *Foi dispensado das ulteriores obrigações daquele dia.* [Ant. nestas acps.: *anterior.*] **3** *Geog.* Que está para lá de um dado ponto; situado além [Ant.: *citerior.*] [F.: Do lat. *ulterior, ius.*]

ulterioridade (ul.te.ri:o.ri.*da*.de) *sf.* Circunstância de ser ulterior [Ant.: *anterioridade.*] [F.: De *ulterior + -(i)dade.*]

última (*úl*.ti.ma) *sf.* **1** O mais recente absurdo, ou tolice, ou disparate cometidos por ou a respeito de alguém que costuma cometê-los: *Quer saber a última do meu ex-marido? Perdeu tudo no jogo* **2** O caso ou episódio mais recente, a notícia ou informação mais atualizadas; a novidade de agora; NOVIDADE: *Sabe da última?* **3** Fem. de último [F.: Fem. substv. de *último.* Hom./Par.: *última* (a. sf.), *ultima* (fl. de *ultimar*). Ver tb. *últimas.*]

ultimação (ul.ti.ma.*ção*) *sf.* **1** Ação de ultimar(-se); CONCLUSÃO **2** *Fig.* Aperfeiçoamento, acabamento [Pl.: *-ções.*] [F.: De *ultimar + -ção.*]

ultimado (ul.ti.*ma*.do) *a.* **1** Terminado, acabado, concluído **2** Ajustado, acertado, fechado (negociação ultimada) [F.: Part. de *ultimar.*]

ultimamente (ul.ti.ma.*men*.te) *adv.* **1** Nos últimos tempos; RECENTEMENTE **2** Por último; POSTERIORMENTE [F.: *última* (fem. de *último*) + *-mente.*]

ultimar (ul.ti.*mar*) *v. td.* **1** Finalizar, terminar: *A equipe está ultimando os detalhes da decoração.* **2** Fechar (um negócio): *Ultimou a compra do apartamento.* [▶ **1** ultimar] [F.: Do lat. *ultimare.* Hom./Par.: *ultima* (fl.), *última* (fem. de *último* [a. sm.]); *ultimo* (fl.), *último* (a. sm.).]

últimas (*úl*.ti.mas) *sfpl.* **1** Os fatos, as notícias mais recentes: *Quais são as últimas?* **2** O ponto extremo: *Minha paciência está nas últimas.* **3** A hora da morte; a agonia [F.: Pl. de *última.*] ■■ **Dizer as ~ a** Dizer desaforos a **Nas ~ 1** Em situação de penúria; sem nenhum recurso **2** Gravemente doente e debilitado, quase morrendo **3** *P. ext.* Em péssimo estado, quase destruído ou inutilizado [Sin. ger.: *na capa.*]

ultimato (ul.ti.*ma*.to) *sm.* **1** *Dipl.* Últimas condições que um Estado impõe a outro e cuja rejeição implica declaração de guerra **2** Última exigência, que não admite recusa; INTIMAÇÃO [F.: Do lat. medv. *ultimatum.* Tb. *ultimátum.*]

ultimátum (ul.ti.*má*.tum) *sm.* Ver *ultimato* [Pl.: *-tuns.*]

último (*úl*.ti.mo) *a.* **1** Que vem no final, depois de todos (último colocado; última chamada) [Ant.: *primeiro.*] **2** Antecedente, precedente: *Tratamos disso na última reunião.* **3** Mais novo ou moderno (último modelo) **4** Menos elevado em categoria; ÍNFIMO; INFERIOR: *do rei ao último súdito; artigos de última qualidade.* **5** Que fica, que resta ou subsiste depois do mais; DERRADEIRO: *Gastou os últimos centavos em bagatelas.* **6** Final, extremo (último suspiro) **7** Que está no grau mais elevado; SUPREMO: *o último grau de perfeição.* **8** Irrevogável, decisivo, definitivo (resolução última) **9** Gravíssimo, perigosíssimo: *Sua enfermidade chegou ao último estágio sm.* **10** Aquele ou aquilo que vem no final, depois de todos **11** Aquele que é o pior de todos; o mais vil [F.: Do lat. *ultimus, a, um.*]

ultimogênito (ul.ti.mo.*gê*.ni.to) *a.* **1** Diz-se do filho mais novo de uma família, aquele que nasceu por último *sm.* **2** Esse filho [F.: *último + -gênito.* Ant. ger.: *primogênito.*]

ultor (ul.*tor*) [ô] *a.* **1** *Poét.* Que (se) vinga *sm.* **2** Aquele que (se) vinga [Fem.: *ultriz, ultrice.*] [F.: Do lat. *ultor, oris.* Sin. ger.: *vingador.*]

ultra (*ul*.tra) *s2g.* Adepto das ideias mais avançadas ou radicais; EXTREMISTA [F.: Do lat. *ultra.*]

◎ **ultra-** *pref.* = além de, extremamente: *ultramar, ultrapassar, ultraleve, ultrassensível* [F.: Do lat. *ultra.*]

ultra-absorvente (ul.tra-ab.sor.*ven*.te) *a2g.* **1** Que realiza total e completa absorção de líquidos **2** *Fig.* Que prende intensamente o interesse ou exige extrema atenção: *assunto ultra-absorvente. s2g.* **3** Substância ou produto capaz de realizar cabal e completa absorção de líquidos [Pl.: *ultra-absorventes.*]

ultrabolchevismo (ul.tra.bol.che.*vis*.mo) *sm. Pol.* Exacerbação da doutrina marxista-revolucionária [F.: *ultra- + bolchevismo.*]

ultracalórico (ul.tra.ca.*ló*.ri.co) *a.* Que contém elevadíssimo teor de calorias: *Sanduíches são às vezes alimentos ultracalóricos.* [F.: *ultra- + calórico.*]

ultracentrífuga (ul.tra.cen.*trí*.fu.ga) *sm. Mec.* Máquina centrífuga de altíssima velocidade, empregada em casos que exigem forças acentuadamente maiores que as de uso normal para produzir níveis diversos de concentração; ULTRACENTRIFUGADORA [F.: *ultra- + centrífuga.*]

ultracentrifugação (ul.tra.cen.tri.fu.ga.*ção*) *sm. Mec.* Centrifugação obtida por uma centrífuga de velocidade extremamente elevada [F.: *ultra- + centrifugação.*]

ultraconservador (ul.tra.con.ser.va.*dor*) *a.* **1** Extremamente conservador (posições ultraconservadoras) *sm.* **2** *Pol.* Indivíduo intransigentemente defensor da ordem social e dos valores tradicionais [F.: *ultra- + conservador.* Sin. ger.: *reacionário.* Ant. ger.: *reformista, ultraliberal.*]

ultraconservadorismo (ul.tra.con.ser.va.do.*ris*.mo) *sm.* Posição ou corrente exacerbadamente contrária às mudanças políticas e sociais, favorável à situação vigente e com uma visão retrógrada de mundo: *Crítica ao ultraconservadorismo do governo inglês.* [Ant.: *ultraliberalismo.*] [F.: *ultra- + conservadorismo.*]

ultradireita (ul.tra.di.*rei*.ta) *sf. Pol.* Posição ou tendência dos ultradireitistas, que defendem exageradamente o imobilismo político e social [Por opos. a *ultraesquerda.*] [F.: *ultra- + direita.*]

ultradireitismo (ul.tra.di.rei.*tis*.mo) *sm. Pol.* Conjunto de conceitos e princípios que norteiam os partidos e políticos de ultradireita [Por opos. a *ultraesquerdismo.*] [F.: *ultra- + direitismo.*]

ultradireitista (ul.tra.di.rei.*tis*.ta) *a2g.* **1** *Pol.* Ref., inerente a, ou próprio do ultradireitismo (facção ultradireitista; discurso ultradireitista) **2** Diz-se de indivíduo que é adepto, defensor ou partidário do ultradireitismo (militante ultradireitista) *s2g.* **3** *Pol.* Esse indivíduo: *Os ultradireitistas constituíam a minoria.* [F.: *ultra- + direitista.* Por opos. a *ultraesquerdista.*]

ultraesquerda (ul.tra.es.*quer*.da) *sf. Pol.* Posição ou convicção das pessoas da mais extrema-esquerda, defensoras veementes de uma reforma ou revolução social, com um ideário à frente de seu tempo [Pl.: *ultraesquerdas.*]

ultraesquerdismo (ul.tra.es.quer.*dis*.mo) *sm. Pol.* Convicção, posição ou militância de ultraesquerda [Pl.: *ultraesquerdismos.*]

ultraesquerdista (ul.tra.es.quer.*dis*.ta) *a2g.* **1** Diz-se de quem milita em algum partido ou organização de ultraesquerda, ou simpatiza com o conjunto de suas ideias: "Os setores mais radicalizados da sociedade e a dissidência ultraesquerdista optaram pelo voto nulo e a luta armada (...)" (*O Globo*, 04.04.2002) **2** Ref. a ultraesquerda (posição ultraesquerdista) *s2g.* **3** Militante ou simpatizante da ultraesquerda [Pl.: *ultraesquerdistas.*]

ultrafino (ul.tra.*fi*.no) *a.* Extremamente fino (monitor ultrafino; celular ultrafino) [F.: *ultra-* + *fino.*]

ultrajado (ul.tra.*ja*.do) *a.* Que sofreu ultraje [F.: Part. de *ultrajar.*]

ultrajante (ul.tra.*jan*.te) *a2g.* Que envolve ofensa ou ultraje; INSULTANTE; INJURIOSO [F.: *ultrajar* + *-nte.*]

ultrajar (ul.tra.*jar*) *v.* **1** Ofender, insultar gravemente [*td.*: "... a ultrajavam injustamente com suspeitas cruéis..." (Joaquim Manuel de Macedo, *Luneta mágica*)] **2** Desrespeitar (preceito, princípio, norma etc.) [*td.*: *Esse filme ultraja o prestígio da sétima arte.*] **3** Perder a dignidade [*int.*: *Ele se ultrajou quando subscreveu aquela nota preconceituosa.*] [▶ **1** ultrajar] [F.: Do fr. *outrager.* Hom./Par.: *ultraje* (fl.), *ultraje* (sm.); *ultrajes* (fl.), *ultrajes* (sm.).]

ultraje (ul.*tra*.je) *sm.* **1** Insulto, ofensa muito grave (ultraje à moral); AFRONTA **2** Calúnia, difamação [F.: Do fr. *outrage.* Hom./Par.: *ultraje* (sm.), *ultraje* (fl. de *ultrajar*).]

ultraleve (ul.tra.*le*.ve) *sm.* **1** *Aer.* Pequeno avião de material muito leve, com motor de baixa potência, que ger. só tem lugar para o piloto *a2g.* **2** Muitíssimo leve (bicicleta ultraleve) [F.: *ultra-* + *leve.*]

ultraliberal (ul.tra.li.be.*ral*) *a2g.* **1** *Pol.* Que considera ou pratica o liberalismo em excesso, até o exagero, os últimos limites **2** Que tem opiniões ultraliberais ou muito avançadas (imprensa ultraliberal; deputado ultraliberal) **3** *P. ext.* Que é pródigo ao extremo (atitudes ultraliberais) *s2g.* **4** *Pol.* Aquele ou aquilo que sustenta posições muito liberais **5** *P. ext.* Pessoa extremamente pródiga [Pl.: *-rais.*] [F.: *ultra-* + *liberal.* Ant. ger.: *reacionário, ultraconservador.*]

ultraliberalismo (ul.tra.li.be.ra.*lis*.mo) *sm. Pol.* Postura, opinião ou política dos ultraliberais (ultraliberalismo econômico) [Ant.: *ultraconservadorismo*] [F.: *ultraliberal* + *-ismo.*]

ultramar (ul.tra.*mar*) *sm.* **1** Região ou parte do globo terrestre situada além do mar (províncias do ultramar) **2** Tinta azul-escura extraída do lápis-lazúli **3** A cor dessa tinta [F.: *ultra-* + *mar.*]

ultramarino (ul.tra.ma.*ri*.no) *a.* **1** Ref. ou pertencente ao ultramar **2** Que está situado no ultramar *sm.* **3** Que é da cor do ultramar (2) (azul ultramarino) [F.: *ultra-* + *marino.*]

ultramicroscópico (ul.tra.mi.cros.*có*.pi.co) *a.* **1** Ref. ou inerente a ultramicroscopia ou ultramicroscópio (pesquisa ultramicroscópica) **2** Demasiado pequeno para ser visto por microscópio comum (vírus ultramicroscópico) [F.: *ultramicroscópio* + *-ico*².]

ultramicroscópio (ul.tra.mi.cros.*có*.pi:o) *sm. Ópt.* Microscópio com condensador perpendicular ao eixo óptico que projeta luz intensa sobre um campo escuro, permitindo ver corpos, partículas ou objetos pequeníssimos, invisíveis aos microscópios comuns [F.: *ultra-* + *microscópio.*]

ultramoderno (ul.tra.mo.*der*.no) *a.* **1** Extremamente moderno (comportamento ultramoderno); MODERNÍSSIMO [Ant.: *antiquado, ultrapassado.*] **2** Muito recente (acontecimento ultramoderno; moda ultramoderna); RECENTÍSSIMO [Ant.: *antigo.*] [F.: *ultra-* + *moderno.*]

ultramontanismo (ul.tra.mon.ta.*nis*.mo) *sm.* **1** *Rel.* Sistema ou doutrina dos ultramontanos, que defende a autoridade absoluta e infalibilidade do papa em matéria de fé e disciplina e tb. no terreno temporal **2** *Pej. P. ext. Rel.* Política centralizadora da Igreja católica **3** Absolutismo, dogmatismo **4** *Fig.* Exagero, exorbitância [F.: Do fr. *ultramontanisme.*]

ultramontano¹ (ul.tra.mon.*ta*.no) *a.* **1** Ref., inerente a, ou próprio do ultramontanismo e dos ultramontanos **2** *Rel.* Diz-se de indivíduo que deseja tornar o mais extenso possível o poder temporal e espiritual do papa; ULTRAMONTANISTA: "Não sou ultramontano, nem faço votos pelo restabelecimento da perseguição religiosa..." (Eça de Queirós, *O primo Basílio*) *sm.* **3** *Rel.* Aquele que é partidário do ultramontanismo **4** *Rel.* Quem ou o que segue as doutrinas ultramontanas [F.: Do fr. *ultramontain.*]

ultramontano² (ul.tra.mon.*ta*.no) *a.* **1** *Geog.* Diz-se do que se localiza além dos montes (região ultramontana) *sm.* **2** *Geog.* Aquilo que está além dos montes; TRANSMONTANO **3** Pessoa nascida ou que vive além dos montes; TRANSMONTANO [F.: *ultra-* + *monte* + *-ano.*]

ultranacional (ul.tra.na.ci:o.*nal*) *a2g.* **1** Que excede o que é nacional (questão ultranacional) **2** Que caracteriza o ultranacionalismo [Pl.: *-nais.*] [F.: *ultra-* + *nacional.*]

ultranacionalismo (ul.tra.na.ci:o.na.*lis*.mo) *sm.* Nacionalismo extremado, exacerbado (ultranacionalismo político; ultranacionalismo cultural; ultranacionalismo econômico) [F.: *ultra-* + *nacionalismo.*]

ultranacionalista (ul.tra.na.ci:o.na.*lis*.ta) *a2g.* **1** Ref., inerente a ou próprio do ultranacionalismo (teor ultranacionalista; direção ultranacionalista) **2** Caracterizado pelo ultranacionalismo (programa ultranacionalista; candidatura ultranacionalista) **3** Diz-se de pessoa ou entidade que adota ou defende o ultranacionalismo *s2g.* **4** Essa pessoa ou entidade [F.: *ultra-* + *nacionalista.*]

ultraofensivo (ul.tra.o.fen.*si*.vo) *a.* Extremamente ofensivo; ULTRA-AGRESSIVO: *Equipe promete esquema ultraofensivo.* [Pl.: *ultraofensivos.*]

ultraotimista (ul.tra.o.ti.*mis*.ta) *s2g.* Exageradamente otimista (hipótese ultraotimista) [Pl.: *ultraotimistas.*]

ultrapassado (ul.tra.pas.*sa*.do) *a.* Antiquado, obsoleto (ideias ultrapassadas) [F.: *ultra-* + *passado.*]

ultrapassagem (ul.tra.pas.*sa*.gem) *sf.* **1** Ação ou resultado de ultrapassar **2** Ação de passar (um veículo) à frente de outro (ultrapassagem proibida) [Pl.: *-gens.*] [F.: *ultra-* + *passagem.*]

ultrapassamento (ul.tra.pas.sa.*men*.to) *sm.* **1** Ação ou resultado de ultrapassar; ULTRAPASSAGEM **2** Passagem para outra situação, estado ou condição: *Ultrapassamento do simbólico em direção ao real.* **3** Superação: *Ultrapassamento de dificuldades.* [F.: *ultrapassar* + *-mento.*]

ultrapassar (ul.tra.pas.*sar*) *v.* **1** Ir além de; exceder [*td.*: "... o tempo de espera não ultrapassara três minutos..." (Antonio Callado, *Bar Don Juan*)] **2** Superar obstáculo psicológico, dificuldade etc. [*td.*: *Não ultrapassou a fase de rebeldia.*] **3** Passar à frente de [*td.*: *ultrapassar os demais maratonistas.*] [*int.*: *Ultrapasse sempre pela esquerda.*] **4** Passar por (obstáculo físico, impedimento) [*td.*: *Ultrapassou o sinal fechado e foi multado.*] **5** *Fig.* Superar-se [*td.*: *Aquele artista fazia tudo para ultrapassar-se.*] [▶ **1** ultrapassar] [F.: *ultra-* + *passar.* Hom./Par.: *ultrapassáveis* (fl.), *ultrapassáveis* (pl. de *ultrapassável* [a2g.]).]

ultrapassável (ul.tra.pas.*sá*.vel) *a2g.* Que se pode ultrapassar [Pl.: *-veis.*] [F.: *ultrapassar* + *-vel.* Hom./Par.: *ultrapassáveis* (pl.), *ultrapassáveis* (fl. de *ultrapassar*).]

ultrarracionalismo (ul.trar.ra.ci:o.na.*lis*.mo) *sm. Fil.* Doutrina que defende exacerbadamente a primazia da lógica e da razão como fonte do conhecimento: *O ultrarracionalismo é um processo dialético entre o empirismo e o racionalismo.* [Pl.: *ultrarracionalismos.*]

ultrarradical (ul.trar.ra.di.*cal*) *a2g.* Exageradamente radical; defensor inflexível de posições extremadas: *Toda pessoa ultrarradical tende a ser prepotente e intransigente.* [Pl.: *ultrarradicais.*]

ultrarrápido (ul.trar.*rá*.pi.do) *a.* **1** Diz-se do que age com extrema rapidez, mais rápido do que o normal (carregador ultrarrápido) **2** Diz-se do que se desloca com extrema rapidez ou velocidade (trem ultrarrápido) [Pl.: *ultrarrápidos.*]

ultrarrealismo¹ (ul.trar.re:a.*lis*.mo) *sm.* **1** *Liter. Cin. Teat.* Corrente que exacerba o conceito de representação fiel do relacionamento humano e o predomínio dos caracteres essenciais da realidade nas artes **2** *Pol.* Sistema que defende exacerbadamente o poder absoluto dos reis [Pl.: *ultrarrealismos.*]

ultrarrealismo² (ul.trar.re:a.*lis*.mo) *sm. Pol.* Sistema que defende de maneira exacerbada o poder absoluto dos reis [Pl.: *ultrarrealismos.*] [F.: *ultra-* + *realismo*².]

ultrarrealista¹ (ul.trar.re:a.*lis*.ta) *a2g.* **1** Ref. a ultrarrealismo **2** Diz-se de indivíduo que é defensor ou seguidor do ultrarrealismo nas artes e na literatura *sm.* **3** Esse indivíduo [Pl.: *ultrarrealistas.*]

ultrarrealista² (ul.trar.re.a.*lis*.ta) *a2g.* **1** Que é partidário radical da monarquia, dos sistemas monárquicos *s2g.* **2** O adepto radical desses sistemas [Pl.: *ultrarrealistas.*] [F.: *ultra-* + *realista*².]

ultrarromântico (ul.trar.ro.*mân*.ti.co) *a.* **1** Que é excessivamente romântico (declaração ultrarromântica) **2** Diz-se de indivíduo que é adepto ou seguidor do ultrarromantismo *sm.* **3** *Liter.* Esse indivíduo **4** Aquele que vive com grande intensidade a fantasia, os sonhos, os devaneios [Pl.: *ultrarromânticos.*]

ultrarromantismo (ul.trar.ro.man.*tis*.mo) *sm. Liter.* Movimento literário, predominante na segunda metade do século XIX, que cultivava no mais alto grau os ideais do romantismo e o sentimentalismo dramático [Pl.: *ultrarromantismos.*]

ultrassecreto (ul.tras.se.cre.to.) *a.* Secreto ao mais alto grau; extremamente secreto; SUPERSECRETO [Pl.: *ultrassecretos.*]

ultrassensível (ul.tras.sen.*sí*.vel) *a2g.* Extremamente sensível [Pl.: *ultrassensíveis.*]

ultrassom (ul.tras.*som*) *sm.* **1** *Fís.* Onda sonora de frequência muito alta (superior a 20.000 Hz), inaudível ao ouvido humano **2** *Rlog.* Ultrassonografia [Pl.: *ultrassons.*]

> 🕮 O termo ultrassom refere-se a vibrações sonoras com frequência acima de 20 mil ciclos por segundo, inaudíveis para o ser humano, mas de grande utilidade na medicina e na detecção de obstáculos em certos meios. Neste último caso, é us. no sonar, para detectar objetos submarinos. Na medicina, é us. tanto para diagnóstico, ao detectar configurações anatômicas patológicas, que sinalizam doenças, como para terapêutica, dentro de certos limites de uso (o uso exagerado pode ocasionar lesões graves), por seu efeito vibratório nas células, que produz energia e calor.

ultrassônico (ul.tras.*sô*.ni.co) *a.* Ref. ao ou próprio do ultrassom [Pl.: *ultrassônicos.*]

ultrassonografia (ul.tras.so.no.gra.*fi*.a.) *sf. Rlog.* Exame de feto ou de órgãos internos visualizados por meio de ultrassons; ECOGRAFIA; ULTRASSOM [Pl.: *ultrassonografias.*]

ultrassonográfico (ul.tras.so.no.*grá*.fi.co) *a.* **1** Ref. a ultrassonografia (exame ultrassonográfico) [Pl.: *ultrassonográficos.*]

ultrassonografista (ul.tras.so.no.gra.*fis*.ta) *a2g.* **1** *Med.* Diz-se de profissional especializado em ultrassonografia (médico ultrassonografista) *s2g.* **2** Esse profissional [Pl.: *ultrassonografistas.*]

ultrassonoro (ul.tras.so.*no*.ro) [ó] *a. Fís.* Ref. às ondas de elevadíssima frequência us. em aplicações de ultrassons (velocímetro ultrassonoro) [Pl.: *ultrassonoros.*]

ultravioleta (ul.tra.vi:o.*le*.ta) [ê] *s2g.* **1** *Fís.* Radiação invisível cuja frequência é superior à da luz violeta *a2g2n.* **2** *Fís.* Diz-se dessa radiação **3** *Cin. Fot.* Diz-se de técnica de filmagem ou de fotografia em que se utiliza ultravioleta (1) [F.: *ultra-* + *violeta.*]

ultravírus (ul.tra.*ví*.rus) *sm2n. Biol.* Germe patogênico, agente infeccioso causador de várias moléstias, ultramicroscópico, de tenuidade extrema, invisível, tb. chamado de vírus filtrável ou vírus microscópico; ULTRAMICRÓBIO: *infecções por ultravírus, como os da poliomielite, da encefalite, da parotidite epidêmica etc.* [F.: *ultra-* + *vírus.*]

ultriz (ul.*triz*) *sf.* Mulher que se vinga; VINGADORA [Fem. de *ultor.*] [F.: Do lat. *ultrix, icis* 'a que vinga, que pune'.]

ululação (u.lu.la.*ção*) *sf.* Ação ou resultado de ulular; ULULO [Pl.: *-ções.*] [F.: Do lat. *ululatio, onis.*]

ululado (u.lu.*la*.do) *a.* **1** Emitido por meio de ululos (súplica ululada) *sm.* **2** Uivo, gemido, ganido (ululado dos cães) **3** Gritaria, pranto [F.: Part. de *ulular.*]

ululante (u.lu.*lan*.te) *a.* **1** Que ulula, que uiva (lobos ululantes; torcida ululante) **2** *Bras. Fig.* Evidente, gritante, insofismável: *Nelson Rodrigues imortalizou a expressão "óbvio ululante".* [F.: Do lat. *ululans, antis.*]

ulular (u.lu.*lar*) *v.* **1** Soltar ganido (cães, aves noturnas etc.) em forma de lamento; UIVAR [*int.*: *Os animais ulularam a noite inteira.*] **2** Gritar com toda a força; berrar [*td.*: *Ululou palavrões quando o rival ganhou na loteria.*] [*int.*: *O público ululou quando as coristas apareceram.*] **3** *Fig.* Produzir som tristonho, agudo, que lembra um uivo [*int.*: *Forte vento ululou durante toda a noite.*] [▶ **1** ulular] [F.: Do lat. *ululare.* Hom./Par.: *ululo* (fl.), *ululo* (sm.).]

ululo (u.*lu*.lo) *sm.* **1** Ação ou resultado de ulular; ULO; ULULAÇÃO; ULULADO **2** Grito lamentoso; BERRO; UIVO; VOCIFERAÇÃO: "Cravava as unhas no rosto, rasgava as roupas com ululos roucos." (Coelho Neto, *Inverno em flor*) [F.: Dev. de *ulular.* Hom./Par.: *ululo* (fl. de *ulular*).]

ulva (*ul*.va) *sf.* **1** *Bot.* Gênero (*Ulva*) de algas clorofíceas, marinhas, da família das ulváceas, de talo comestível, delgado e chato, parecido com a folha de alface **2** Espécime desse gênero, como a *Ulva lactuca*, conhecida como alface-do-mar, que habita estuários [F.: Do lat. cient. gên. *Ulva.*]

ulvácea (ul.*vá*.ce:a) *sf. Bot.* Espécime das ulváceas, fam. da classe das clorofíceas, algas verdes largamente distribuídas, de pedúnculo ou talo tubular oco, quase exclusivamente marinhas [F.: Do lat. cient. gên. *Ulvaceae.*]

ulváceo (ul.*vá*.ce:o) *a. Bot.* Ref., inerente a ou próprio das ulváceas; semelhante às ulváceas [F.: *ulva* + *-áceo.*]

◎ **-um¹** *suf. nom.* = 'relativo ou pertencente a (dado animal) ou próprio dele': *bodum, caprum* (< *lat.*), *carneirum, galinhum, gatum, ovelhum, vacum* [F.: Do lat. *-unus, a, um,* por via pop.]

◎ **-um²** *suf. nom.* Formador de voc. populares, de valor expressivo, intensificador ou pejorativo: *bebum, cheirum, farum, fortum*

um *num.* **1** Quantidade correspondente à unidade **2** *Mat.* Número que representa essa quantidade (arábico: 1; romano: I) **3** Primeiro (parágrafo um) *art. indef.* **4** Indica algo de forma indeterminada, não identificável: *Ela tem um carro, mas não sei a marca.* **5** Identifica algo ou alguém numa classe: *Um Bragança ainda tem certa nobreza.* **6** Torna substantivo qualquer classe de palavra: *um piscar de olhos.* **7** Cada, todo: *Um chefe tem que dar o exemplo.* **8** Algum, certo: *Um dia ela apareceu de cabelo roxo.* *pr. indef.* **9** Uma pessoa; alguém: *Ele é um que precisa se casar.* **10** Uma coisa: *Prometer é um, dar é outro.* [F.: Do lat. *unus, a, um.* Ver tb. *uns.*] ■ **~ a ~** Um por um **~ pelo outro** Um em lugar do outro [Us. com referência a pessoas ou coisas a que se atribui o mesmo valor.] **~ por ~** Cada um por seu turno ou separadamente; um a um: "Também dos corações onde abotoam, / Os sonhos, um por um, céleres voam, / Como voam as pombas dos pombais" (Raimundo Correia, *Poesias*, p. 11)

uma (*u*.ma) **1** Fem. de *um*, em todas as classes *sf.* **2** Fato ou acontecimento inusitado, interessante ou desagradável: *Acontece cada uma!* [F.: Do lat. *una.*] ■ **Umas e outras** *Bras. Gír.* Várias doses de bebidas alcoólicas **À ~** Ao mesmo tempo; simultaneamente, juntamente: "todos à uma, exceção feita do gordo Marcelino, se ergueram das suas mesas para rodear e cumprimentar o noivo." (Artur Azevedo, *Contos Efêmeros*, p. 118) **Dar ~ de** *Bras. Fam.* Agir à maneira de: *Deu uma de escritor* **Não dizer ~ nem duas** Abster-se de falar; calar-se

umbanda (um.*ban*.da) *sf. Bras. Rel.* Nome comum a vários cultos sincréticos afro-brasileiros [F.: Do quimb. *u'mbana.*] ■ **~ branca** *Rel.* Modalidade de umbanda análoga ao kardecismo, voltada para o bem (seus adeptos usam roupas brancas); umbanda de branco, umbanda de cáritas, umbanda de linha-branca **~ de angola** *Rel.* Modalidade de umbanda sob a influência do candomblé de rito angola **~ de branco** *Rel.* Ver *Umbanda branca* **~ de cáritas** *Rel.* Ver *Umbanda branca* **~ de linha-branca** *Rel.* Ver *Umbanda branca*

umbandismo (um.ban.*dis*.mo) *sm. Bras. Rel.* Conjunto das práticas e doutrinas da umbanda [F.: *umband(a)* + *-ismo.*]

umbandista (um.ban.*dis*.ta) *a2g.* **1** *Bras. Rel. Umb.* Ref. ou inerente a, ou pertencente à umbanda e ao umbandismo (ritual umbandista) **2** Diz-se de que ou quem é adepto ou praticante da umbanda *s2g.* **3** Praticante ou sectário da umbanda e divulgador do umbandismo [F.: De *umbanda* + *-ista.*]

umbandístico (um.ban.*dís*.ti.co) *a. Umb.* Ref., inerente a ou pertencente a umbanda, umbandismo ou umbandista (ritual umbandístico; crença umbandística) [F.: *umbandista* + *-ico*².]

umbaúba (um.ba.*ú*.ba) *sf. Bras. Bot.* Designação comum a várias espécies do gên. *Cecropia*, da família das cecropiáceas, que ocorrem nas regiões tropicais americanas, de tronco indiviso, grandes folhas digitadas no ápice, flores mínimas em espigas e pequenos frutos; AMBAÚBA; ÁRVORE-DE-PREGUIÇA; EMBAÚBA; IMBAÚBA [umbaubal.] [F.: Do tupi *amba'ïwa*.]

umbela (um.*be*.la) *sf.* **1** Sombrinha, guarda-chuva **2** *Litu.* Espécie de pequeno pálio redondo, conduzido por uma única pessoa, us. para cobrir o sacerdote que conduz a hóstia consagrada **3** *Bot.* Inflorescência na qual os pedicelos florais partem todos do mesmo ponto e têm comprimento idêntico, gerando uma superfície convexa semelhante a um guarda-sol, que é típica da fam. das umbelíferas mas tb. ocorre em outras famílias (umbela radiante; umbela parcial) [Nesta acp. a f. mais us. é *umbela*.] **4** *Zool.* O corpo gelatinoso, em forma de umbela (1), das medusas [F.: umbela, do lat. *umbella, ae*, e umbrela, var. desta.]

umbelado (um.be.*la*.do) *a.* Provido de umbela; UMBELÍFERO [F.: *umbela* + *-ado*[1].]

◎ **umbel(i)-** *el. comp.* = 'guarda-chuva'; 'umbela (inflorescência)': *umbelífera* (< lat. cient.), *umbeliflora* (< lat. cient.), *umbeliforme* [F.: Do lat. *umbella, ae*, 'guarda-chuva', 'guarda-sol', dim. de *umbra, ae*, 'sombra'.]

umbelífera (um.be.*lí*.fe.ra) *sf. Bot.* Espécime das umbelíferas, fam. da ordem das apiales, com 446 gên. e 3.540 espécies, a maior parte de ervas, tb. com arbustos e árvores, que ocorrem em climas temperados do hemisfério norte; são aromáticas, com folhas alternas, pequenas flores em umbelas involucrais, frutos secos bicarpelares, nervados; algumas são daninhas, outras venenosas, como as do gên. *Cicuta* e *Conium*, e várias são cultivadas para alimentação, uso medicinal ou como temperos etc., como o aipo, a cenoura e a erva-doce [F.: Adaptç. do lat. cient. *Umbelliferae*.]

umbelífero[1] (um.be.*lí*.fe.ro) *a.* **1** *Bot.* Diz-se de planta que tem as flores dispostas em umbelas **2** Que tem umbela; UMBELADO [F.: *umbel(i)-* + *-fero*.]

umbelífero[2] (um.be.*lí*.fe.ro) *a. Bot.* Ref., inerente a ou próprio das umbelíferas [F.: De *umbelífera*.]

umbeliflora (um.be.li.*flo*.ra) *sf. Bot.* Espécime das umbelifloras, ordem de plantas dicotiledôneas arquiclamídeas que compreende as famílias das umbelíferas, araliáceas e cornáceas, caracterizadas por flores em umbela, ger. hermafroditas, cálice e corola distintos, estames epigínicos [F.: Adaptç. do lat. cient. *Umbelliflorae*.]

umbelifloro[1] (um.be.li.*flo*.ro) *a. Bot.* De flores dispostas em umbela [F.: *umbel(i)-* + *-floro*.]

umbelifloro[2] (um.be.li.*flo*.ro) *a. Bot.* Ref. ou pertencente às umbelifloras [F.: De *umbeliflora*.]

umbeliforme (um.be.li.*for*.me) *a2g. Bot.* Que tem a forma de umbela; semelhante a umbela (espécime umbeliforme) [F.: *umbel(i)-* + *-forme*.]

umbigada (um.bi.*ga*.da) *sf.* **1** Pancada com a barriga ou na barriga **2** *Bras. Dnç.* Em dança folclórica, pancada que o dançarino dá, com o umbigo, em quem vai substituí-lo na roda: "A primeira umbigada / é o baiano que dá (...)" (Manezinho Araújo, *Umbigada*) **3** Região do umbigo [F.: *umbigo* + *-ada*[2].]

umbigo (um.*bi*.go) *sm.* **1** *Anat.* Cicatriz arredondada, deprimida ou saliente, formada no meio da barriga pelo corte do cordão umbilical: "... os pés batiam no chão, os umbigos batiam nos umbigos (...) estavam todos embriagados, uns de cachaça, outros de música." (Jorge Amado, *Jubiabá*) **2** Depressão, ou protuberância, que apresenta a forma de um umbigo (umbigo da maçã/da laranja) [F.: Do lat. *umbilicus, i*.] ■ **Deixar o ~ em** Ser nascido em (lugar)

umbiguismo (um.bi.*guis*.mo) *sm.* Concentração egocêntrica no próprio umbigo; INDIVIDUALISMO [Cf.: *narcisismo*.] [F.: *umbigo* + *-ismo*.]

umbilicado (um.bi.li.*ca*.do) *a.* **1** Ref. a umbigo; UMBILICAL **2** Que tem a forma de um umbigo; semelhante a umbigo **3** Que é provido de umbigo (símio umbilicado) **4** *Bot.* Que apresenta depressão em forma de umbigo (fruto umbilicado) [F.: Do lat. *umbilicatus, a, um*.]

umbilical (um.bi.li.*cal*) *a2g. Anat.* Ref. ou pertencente ao umbigo (cordão/artéria umbilical) [Pl.: *-cais*.] [F.: Do lat. *umbilicus* + *-al*.]

umbílico (um.*bí*.li.co) *sm.* **1** *Geom.* Designação do ponto de uma superfície em que as tangentes às curvas que por ele passam existem em planos diferentes, como geratrizes de uma superfície cônica [Tb. denominado *ponto umbilical*.] **2** *Bot.* Gênero (*Umbilicus*) da família das crassuláceas, constituído de plantas europeias da região mediterrânea **3** *Bot.* Espécime desse gênero **4** *Anat.* Cicatriz no local de inserção do cordão umbilical; UMBIGO [F.: Do lat. *umbilicus, a, um*.]

◎ **-umbra** *el. comp.* = sombra: *penumbra* [F.: Do lat. *umbra*.]

umbra (*um*.bra) *sf.* **1** Argila colorida com óxido de ferro e manganês, us. em pintura **2** *Astron.* A parte mais escura e central das manchas solares **3** *Etnog.* Ref. ou inerente aos umbras, antigo povo da Índia *s2g.* **4** *Etnog.* Pessoa pertencente a esse povo [F.: Do lat. *umbrae, arum*.]

umbral (um.*bral*) *sm.* **1** Ombreira de porta **2** Porta, entrada, limiar (umbrais da eternidade) [Pl.: *-brais*.] [F.: Do cast. *umbral*.]

umbrela (um.*bre*.la) *sf.* Ver *umbela*

◎ **umbr(i)-** *el. comp.* = 'sombra': *umbrícola, umbroso*; *umbrófilo* [F.: Do lat. *umbra, ae*.]

umbria (um.*bri*.a) *sf.* **1** Lugar sombrio: *penetrar na umbria da selva.* **2** *Geog.* A vertente ocidental de serra, monte ou montanha, em que a vegetação é mais vigorosa [F.: *umbr(i/o)-* + *-ia*[1].]

úmbrico (*úm*.bri.co) *a.* **1** Ref. ou inerente a umbro ou a úmbrio; ÚMBRIO **2** Ref., inerente ou pertencente à Úmbria, antigo país do Leste da península itálica; ÚMBRIO; UMBRO **3** *Art. pl.* Ref., inerente a ou próprio da escola de pintura italiana do século XV, criadora do tipo da Virgem chamada úmbrica, e que idealizou Rafael **4** Da atual Úmbria; típico dessa região da Itália ou de seu povo (cultura úmbrica) *sm.* **5** *Etnog.* Pessoa nascida ou que vive na atual Úmbria; ÚMBRIO **6** *Ling.* Dialeto falado na atual Úmbria **7** *Gloss.* Vocábulo desse dialeto; ÚMBRIO **8** *Art. pl.* Pintor da escola úmbrica; ÚMBRIO [F.: Do lat. *umbricus, a, um*.]

umbrícola (um.*brí*.co.la) *a2g.* Diz-se do que vive nas sombras (planta umbrícola; animal umbrícola) [F.: *umbr(i)-* + *-cola*[1].]

◎ **umbro-** *el. comp.* Ver *umbr(i)-*

umbrófilo (um.*bró*.fi.lo) *a. Bot.* Diz-se de vegetal que cresce na sombra; UMBROSO [F.: *umbr(i)* + *-filo*.]

umbroso (um.*bro*.so) [ô] *a.* **1** Que tem ou dá sombra (bosque umbroso) **2** Muito copado (arvoredo umbroso); FRONDOSO **3** *Fig.* Sombrio, tenebroso, escuro **4** *Bot.* Umbrófilo [Pl.: [ó]. Fem.: [ó].] [F.: Do lat. *umbrosus, a, um*.]

umbu (um.*bu*) *Bras. Bot. sm.* Fruto do imbuzeiro ou umbuzeiro; tb. *imbu* [F.: Do tupi *i'mbu*.]

umbundo (um.*bun*.do) *sm.* **1** *Gloss.* Língua banta falada pelos ovimbundos, habitantes das zonas meridional e central de Angola (África) **2** *Gloss.* Vocábulo dessa língua *a.* **3** Ref., inerente a ou pertencente a essa língua [F.: Do banto *umbundu*.]

umburana (um.bu.*ra*.na) *Bot. sf.* **1** *Bot.* Árvore (*Bursera leptophloeos*) de até 6 m de altura, da família das burseráceas, nativa da América do Sul, de madeira branca e rija, folhas compostas, flores em racemos axilares e frutos comestíveis; AROEIRA-DO-SERTÃO; EMBURANA; IMBURANA; JAMBURANA **2** Árvore de até 15 m (*Amburana cearensis*), da família das leguminosas, subfamília papilionóidea, nativa do Brasil, de casca vermelho-pardacenta e aromática, folíolos arredondados, flores perfumadas e vagens com sementes aladas; AMBURANA [F.: Do tupi *i'mbu* 'umbu' + tupi *'rana* 'semelhante a'.]

umbuzeiro (um.bu.*zei*.ro) *sm. Bras. Bot.* O mesmo que *imbuzeiro* [F.: *umbu* + *-zeiro*.]

◎ **-ume** *suf. nom.* = condição; quantidade; lugar de: *azedume, curtume, negrume, curtume* [= *-úmen*: *cerúmen*.] [F.: Do lat. *-umen, inis*.]

ume (*u*.me) *sm.* Designação comum dos sulfatos duplos de alumínio e metais alcalinos, adstringentes, us. na fabricação de corantes, papel, porcelana, purificação de água, clarificação de açúcar etc.; ALUME; PEDRA-UME [F.: Do lat. *alumen, inis*.]

umectação (u.mec.ta.*ção*) *sf.* **1** Ação ou resultado de umectar **2** *Farm.* Modo de preparar um medicamento embebendo-o em líquidos **3** *Fís.* Estado de um corpo cuja superfície conserva certa quantidade de água que só se vaporiza a uma temperatura relativamente elevada [Pl.: *-ções*.] [F.: Do lat. *humectatio, onis*.]

umectante (u.mec.*tan*.te) *a2g.* Que umecta, umedece [Ant.: *desumectante*.] [F.: Do lat. *humectans, antis*.]

umectar (u.mec.*tar*) *v. td.* Tornar levemente molhado, levemente úmido; umedecer, hidratar: *Sempre uso creme para umectar minha pele.* [▶ 1 umectar] [F.: Do lat. *humectare*.]

umedecer (u.me.de.*cer*) *v. td.* Tornar(-se) úmido, levemente molhado; umidificar(-se): *Umedeça o pano e esfregue no chão; Sentiu as mãos umedecerem-se ao ver o rapaz.* [▶ 33 umedecer] [F.: Do port. arcaico *umedo* (úmido) + *-ecer*.]

umedecido (u.me.de.*ci*.do) *a.* Que se umedeceu; que se tornou úmido (pano umedecido; chão umedecido); UMIDIFICADO [Ant.: *seco*; *enxuto*] [F.: Part. de *umedecer*.]

umedecimento (u.me.de.ci.*men*.to) *sm.* Ação ou resultado de umedecer(-se) [F.: *umedecer* + *-i-* + *-mento*.]

◎ **-úmen** *suf.* Ver *-ume*

umeral (u.me.*ral*) *a2g. Anat.* Ref. ao úmero (ligamentos umerais); UMERÁRIO [Pl.: *-rais*.] [F.: *úmero* + *-al*.]

úmero (*ú*.me.ro) *sm. Anat.* Osso do braço que se articula superiormente com a omoplata e termina no cotovelo [F.: Do lat. *humerus, i*.]

umidade (u.mi.*da*.de) *sf.* **1** Qualidade do que é ou está úmido [Ant.: *secura*.] **2** *Met.* Estado da atmosfera determinado pela quantidade de vapor de água contido no ar **3** Orvalho, sereno **4** *Anat.* Abundância de humores nos órgãos: *as umidades serosas*. [F.: *úmido* + *-(i)dade*.] ■ **~ absoluta** *Fís. Met.* Massa (em gramas) de vapor de água por unidade de volume do ar **~ relativa (do ar)** *Fís. Met.* Medida do teor de vapor de água no ar ambiente, dada pela razão entre a pressão de vapor de água na atmosfera em determinado momento e local e a pressão de vapor saturado na temperatura observada naquele local e momento

umidez (u.mi.*dez*) [ê] *sf.* O mesmo que *umidade*: *índice de umidez do ar moderado.* [F.: *úmido* + *-ez*.]

umidificação (u.mi.di.fi.ca.*ção*) *sf.* Ação ou resultado de umidificar(-se) [Ant.: *desumidificação*] [Pl.: *-ções*.] [F.: *umidificar* + *-ção*.]

umidificado (u.mi.di.fi.*ca*.do) *a.* Que se umidificou; que sofreu umidificação; UMEDECIDO [Ant.: *desumidificado*.] [F.: Part. de *umidificar*.]

umidificador (u.mi.di.fi.ca.*dor*) [ô] *sm.* **1** O que umidifica **2** *Emec.* Aparelho para aumentar o grau de umidade do ar **3** *Pap.* Pulverizador us. no processo de acetinação, para dar o necessário grau de umidade ao papel [F.: De *umidificar* + *-dor*.]

umidificante (u.mi.di.fi.*can*.te) *a2g.* Diz-se do que umidifica; que produz umidificação (líquido umidificante; solução umidificante); UMECTANTE [Ant.: *desumidificante*.] [F.: *umidificar* + *-nte*.]

umidificar (u.mi.di.fi.*car*) *v.* Fazer ficar ou ficar úmido; UMEDECER [*td.*: *umidificar um pano*.] [*int.*: *O solo umidificou depois das enchentes*.] [▶ 11 umidificar] [F.: *úmido* + *-ificar*.]

úmido (*ú*.mi.do) *a.* **1** Um pouco molhado (toalha úmida) **2** Impregnado de algum líquido ou vapor de água (tempo úmido) **3** Que é da natureza da água; AQUOSO [F.: Do lat. *humidus, a, um*. Ideia de 'úmido': *higr(o)-* (*higrômetro*).]

umidor (u.mi.*dor*) [ô] *a.* Diz-se de recipiente usado em tabacaria ou em residência própria para conservação de charutos [F.: *úmido* + *-or*.]

umiri (u.mi.*ri*) *AM Bot. sm.* **1** Arbusto (*Humiria floribunda*), da família das humiriáceas, nativo da Amazônia, de folhas alternas, flores em cimeiras, frutos em drupas, de casca com um bálsamo aromático, e madeira us. em construção e dormentes; UMIRI-DO-PARÁ **2** Árvore (Humiria balsamifera) da fam. das humiriáceas, nativa da Amazônia, de madeira de cerne duro, vermelho e homogêneo, flores em cimeiras; dela extrai-se um bálsamo us. na medicina popular; UMIRI-DE-CHEIRO **3** Óleo extraído da casca dessa árvore [umirizal.] [F.: Do tupi *umi'ri*.]

umirirana (u.mi.ri.*ra*.na) *Bot. sf.* **1** *AM* Árvore (*Qualea retusa*), da família das voquisiáceas, hab. das margens de lagos e rios, de folhas coriáceas, grandes flores amarelas, frutos capsulares com sementes aladas, madeira us. em carpintaria **2** *MT* Árvore alta (*Qualea wittrockii*), da família das voquisiáceas, de tronco reto, folhas subcoriáceas e flores esbranquiçadas com linhas purpúreas; MANDIOQUEIRA [F.: *umiri* + *-rana*.]

◎ **-una** *el. comp.* = preto: *cabiúna, caviúna, graúna* [F.: Do tupi *una*.]

unânime (u.*nâ*.ni.me) *a2g.* **1** Da mesma opinião ou ideia que outras pessoas: *A crítica foi unânime em reconhecer o talento do artista.* **2** Em que há concordância geral; que provém de um comum acordo (decisão unânime) [F.: Do fr. *unanime*, do lat. *unanimus, is*. Hom./Par.: *unânime* (a2g.), *unanime* (fl. de *unanimar*).]

unanimemente (u.na.ni.me.*men*.te) *adv.* De modo unânime; por unanimidade; de comum acordo; por um sentimento ou parecer geral comum: *Votaram unanimemente a abolição da pena de morte; Foi eleito unanimemente o melhor ator.* [F.: *unânime* + *-mente*.]

unanimidade (u.na.ni.mi.*da*.de) *sf.* Conformidade geral de pareceres, de opinião, de votos etc.: *eleito por unanimidade*. [F.: Do lat. *unanimitas, atis*.]

unanimismo (u.na.ni.*mis*.mo) *Liter. sm.* **1** Doutrina, esp. defendida pelo escritor francês Jules Romains (1885-1946), segundo a qual a obra literária deve exprimir e representar a vida e os sentimentos humanos coletivos **2** Conjunto de ideias e postura adotados pelos seguidores de Jules Romains [F.: Do fr. *unanimisme*.]

unanimista (u.na.ni.*mis*.ta) *Liter. a2g.* **1** Ref., inerente a ou pertencente ao unanimismo (estudo unanimista; corrente unanimista) **2** Diz-se de indivíduo que é partidário ou seguidor do unanimismo (escritor unanimista) *s2g.* **3** Esse indivíduo [F.: *unanim(ismo)* + *-ista*.]

unau (u.*nau*) *sm. AM Zool.* preguiça didátila amazônica (*Choloepus didactylus*), de coloração marrom e branca; PREGUIÇA-REAL [F.: Do tupi *u'nau*.]

⊠ **Unb** *Quím.* Símb. de *unílbio*

unção (un.*ção*) *sf.* **1** *Rel.* Ação ou resultado de ungir: *a unção do batismo.* **2** *Fig.* Devoção, fervor: *Oravam com unção.* **3** Ação ou resultado de untar; UNTURA [Pl.: *-ções*.] [F.: Do lat. *unctio, onis*.] ■ **~ dos enfermos** *Rel.* Extrema-unção

◎ **-uncho** *suf.* Do lat. *-unculu*, por via popular, com significado de 'semelhante': *ferruncho*

◎ **unci-** *el. comp.* = 'recurvado'; 'gancho'; 'garra, unha': *unciforme, uncirrostro* [F.: Do lat. *uncus, a, um*, 'recurvado', e lat. *uncus, i*, 'gancho'.]

uncial (un.ci.*al*) *Pal. a2g.* **1** Dizia-se de letra ou caractere maiúsculo, em que eram escritos os textos medievais dos sécs. IV a XI, esp. em manuscritos gregos e latinos [Tb. existia escritura semiuncial, menor que a uncial ordinária.] **2** Diz-se da escrita livresca que se originou do arredondamento das letras maiúsculas romanas e prenunciou algumas minúsculas [Pl.: *-ais*.] *sf.* **3** Essa escrita [F.: Do lat. tardio *unciales* 'letras grandes, garrafais'.]

unciforme (un.ci.*for*.me) *a2g.* **1** *Bot. Anat.* Que tem a forma de gancho (extremidade unciforme) *sm.* **2** *Anat.* Osso unciforme, o quarto da segunda série do carpo [F.: *unci-* + *-forme*.]

uncirrostro (un.cir.*ros*.tro) *Zool. a.* **1** *Ant.* Diz-se de ave que tem o bico adunco e recurvado em forma de gancho **2** Que tem bico recurvado [F.: *unci-* + *-rostro*.]

◎ **-úncula** *suf. nom.* = diminuição: *porciúncula, homúnculo, pedúnculo* [F.: Do lat. *-uncula*, e *-unculus*.]

undação (un.da.*ção*) *sf.* **1** Inundação, enchente, alagamento **2** *Hidrog.* Corrente de rio forte e intensa; CORRENTEZA [Pl.: *-ções*.] [F.: Do lat. *undatio, onis*.]

undante (un.*dan*.te) *a2g.* **1** Que faz ondas; que produz ou tem ondas; ONDEANTE **2** *Hidrog.* Copioso, abundante em água (mar undante) **3** *Fig.* Que faz movimentos ondulantes (bandeiras undantes); ONDEANTE; ONDADO; TREMULANTE; UNDOSO **4** *Fig.* Abundante, copioso (safra undante) [Ant.: *escasso*] [F.: Do lat. *undans, antis*.]

◎ **undec(a)-** *el. comp.* = 'onze': *undecaedro, undecágono* [F.: Do lat. *undecim*, 'onze', por analogia com *dec(a)-*.]

undecaedro (un.de.ca.*e*.dro) ***sm.*** *Geom.* Poliedro de 11 faces; HENDECAEDRO [F.: *undec(a)-* + *-edro*.]

undecágono (un.de.*cá*.go.no) ***sm.*** *Geom.* Polígono de 11 faces e 11 ângulos; HENDECÁGONO [F.: *undec(a)-* + *-gono*.]

undecenal (un.de.ce.*nal*) ***a2g.*** **1** Que acontece ou se realiza de 11 em 11 anos (congresso undecenal) **2** Que dura 11 anos (parceria undecenal; casamento undecenal) [Pl.: *-nais*.] [F.: Do lat. *undecim* 'onze' + *-al*.]

undécimo (un.*dé*.ci.mo) ***num.*** **1** Ordinal que, em uma sequência, corresponde ao número 11: *O corredor chegou em undécimo lugar.* ***a.*** **2** Que é onze vezes menor do que a unidade ou um todo (diz-se de parte): *Ficou com a undécima parte da herança.* ***sm.*** **3** A undécima parte: *Um undécimo da colheita.* [F.: Do lat. *undecimus, a, um*.]

undécuplo (un.*dé*.cu.plo) ***sm.*** **1** Quantidade ou tamanho onze vezes maior ***num.*** **2** Que é onze vezes o tamanho ou a quantidade de um ***a.*** **3** Que é para ou de onze pessoas (time undécuplo) **4** Que tem onze partes ou elementos [F.: *undec-* + *-plo*, formado sobre o modelo de *décuplo*.]

⊕ ***underground*** (*Ing.* /ândergraund/) ***sm.*** **1** Local ou área situada abaixo da superfície **2** Movimento ou organização secreta, ger. com a finalidade de destruir a autoridade estabelecida ou a força inimiga invasora de um território **3** Movimento ou grupo que atua fora do *establishment*, com ideias, postura e comportamento heterodoxos, vanguardísticos ou radicais **4** Submundo do crime **5** Denominação do metrô, na Grã-Bretanha

◎ **undi-** ***el. comp.*** = 'onda'; 'água'; 'ondulado': *undícola, undífero, undífluo* (< lat.) [F.: Do lat. *unda, ae*.]

undícola (un.*dí*.co.la) *Biol.* ***a2g.*** **1** Diz-se de animal que vive na água ***s2g.*** **2** Esse animal [F.: Do lat. *undicola, ae*; ver *undi-* e *-cola*[1].]

undífero (un.*dí*.fe.ro) ***a.*** **1** Que tem ondas ou em que há ondas; que forma ondas (mares undosos); UNDOSO **2** *P. ext.* Que contém água (terreno undífero); AQUOSO [F.: *undi-* + *-fero*.]

undífluo (un.*dí*.flu:o) ***a.*** Que corre, flui ou se desenvolve em ondas (torrente undíflua) [F.: Do lat. *undifluus, a, um*.]

undo (*un*.do) ***sm.*** **1** *Etnog. Gloss. Ling.* Qualquer língua de negros; AMBUNDO; BUNDO; QUIMBUNDO **2** *Gloss.* Vocábulo do undo **3** *Gloss. Ling.* Maneira incorreta ou grosseira de exprimir-se; linguagem estropiada **4** *Lus. Ict.* Certo peixe da África portuguesa, não identificado ***a.*** **5** *Etnog.* Ref., inerente ou pertencente aos bundos; AMBUNDO; BUNDO; QUIMBUNDO **6** *Gloss. Ling.* Diz-se da língua bunda; AMBUNDO; BUNDO; QUIMBUNDO [F.: Do quimb. *mbundu* 'negro'.]

undoso (un.*do*.so) [ô] ***a.*** **1** Que tem ondas (cabelos undosos); ONDEANTE; ONDULANTE; ONDULOSO **2** Que apresenta ondulações (trigal undoso); TREMULANTE; UNDANTE **3** O mesmo que *undífero* (1) [Pl.: [ó]. Fem.: [ó].] [F.: Do lat. *undosus, a, um*.]

⊠ **Une**[1] *Quím.* Símb. de *unilênio*

⊠ **UNE**[2] Sigla de *União Nacional dos Estudantes*

⊠ **Unesco** Sigla de *Organização das Nações Unidas para a Educação, Ciência e Cultura* (acrônimo do ing. *United Nations Educational, Scientific and Cultural Organization*)

ungido (un.*gi*.do) ***a.*** **1** Que recebeu unção (1) **2** Friccionado com unguento **3** Que recebeu a extrema-unção **4** Diz-se de eclesiástico que recebeu as ordens de bispo **5** Diz-se de um soberano que foi sagrado ***sm.*** **6** Aquele que foi ungido [F.: Part. de *ungir*.]

ungir (un.*gir*) ***v.*** **1** *Rel.* Abençoar (com óleo ou substância aromática) em ritual [***td.:*** *O padre ungiu o doente com água-benta.*] **2** Esfregar(-se) com óleo, creme, unguento etc. [***td.:*** *Ungiu o corpo com protetor solar; Ungiu-se de óleo e deitou-se ao sol.*] **3** Dar a extrema-unção a [***td.***] **4** Molhar ou umedecer [***td.:*** *Ungiu ligeiramente a cabeça com água bem fria.*] **5** Conceder autoridade por meio de unção ou sagração [***td.:*** *ungir um sacerdote.*] [***tdp.:*** *Ungiram-no soberano absoluto.*] **6** Mudar (algo) para melhor [***td.:*** *Desejava ungir as desigualdades sociais.*] **7** Procurar ter influência sobre (alguém) com palavras e/ou gestos afetivos, cativantes [***td.***] [▶ 46 ungir] [F.: Do lat. *ungere*.]

◎ **ungue-** ***el. comp.*** = unha: *ungueal, unguífero, unheiro* [F.: Do lat. *unguis, is*.]

úngue (*ún*.gue) ***sm.*** *Anat. Oft.* Pequeno osso muito delgado, semelhante a uma unha, localizado na parte anterointerior de cada órbita ocular [F.: Do lat. *unguis, is* 'unha'.]

ungueal (un.gue:*al*) ***a2g.*** *Anat.* Ref. ou pertencente a unha [Pl.: *-ais*.] [F.: De *ungue-* + *-al*.]

unguento (un.*guen*.to) ***sm.*** **1** *Med.* Preparado pastoso, à base de gordura, que se aplica na pele **2** Nome comum a certas substâncias aromáticas us. para perfumar o corpo [F.: Do lat. *unguentum, i*.]

◎ **ungui-** ***el. comp.*** Ver *ungue-*

unguiculado (un.gui.cu.*la*.do) ***a.*** **1** Semelhante a unha na forma; UNGUEAL **2** *Zool.* Que é dotado de unha na extremidade; que possui unhas ou garras, em vez de cascos; UNGUEADO **3** *Bot.* Diz-se de vegetal provido de unha **4** *Zool.* Ref., inerente ou pertencente aos unguiculados ***sm.*** **5** *Zool.* Espécime dos unguiculados, em classificações antigas, divisão dos mamíferos placentários com unhas ou garras [F.: Do lat. cient. *Unguiculata*.]

unguífero (un.*guí*.fe.ro) ***a.*** Provido de unha(s) [F.: De *ungui-* + *-fero*.]

unguiforme (un.gui.*for*.me) ***a2g.*** Que tem forma de unha [F.: De *ungui-* + *-forme*.]

úngula (*ún*.gu.la) ***sf.*** **1** Unha ou garra **2** *Zool.* Casco de animal: *Alguns mamíferos têm a úngula fendida.* **3** *Oft.* Membrana saliente no ângulo interno do olho; UNHA [F.: Do lat. *ungula*, 'unha pequena'.]

ungulado (un.gu.*la*.do) *Zool.* ***a.*** **1** Diz-se de mamífero que tem os dedos terminados em cascos como o cavalo e o porco **2** Ref. aos ungulados, divisão dos mamíferos, que, em classificações antigas, incluía os animais com os dedos revestidos de casco ***sm.*** **3** Mamífero cujos dedos terminam em cascos **4** Espécime dos ungulados [F.: Do lat. *ungulatus, a, um*.]

◎ **unh-** ***el. comp.*** Ver *ungui-*

unha (*u*.nha) ***sf.*** **1** *Anat.* Lâmina córnea semitransparente que reveste a extremidade dorsal dos dedos das mãos e dos pés **2** *Zool.* O casco dos paquidermes e dos ruminantes **3** *Zool.* Garra de alguns animais, como as aves e os felinos **4** *Ent.* Garra recurvada na extremidade da pata dos insetos **5** *Zool.* A tenaz ou pé dos caranguejos **6** Calosidade no lombo das cavalgaduras, causada pela pressão dos arreios **7** Película membranosa e unguiforme que se desenvolve anormalmente no ângulo interno do olho; ÚNGULA **8** *Bot.* Base das pétalas de certas flores, ger. estreita e de cor diferente do restante da pétala **9** *Mar.* Ponta aguçada do braço de uma âncora **10** A parte em forma de unha ou gancho de qualquer instrumento ou ferramenta (unha de martelo) [F.: Do lat. *ungula, ae*. Hom./Par.: *unha* (sf.), *unha* (fl. de *unhar*). Ideia de 'unha': *ungue-, ungui-, unh-* (*ungueal, unguiforme, unheiro*).] ▪▪ **À ~** Com as mãos vazias (ao prender, agarrar algo ou alguém): *Agarrar o touro à unha.* **A ~(s) de cavalo** Com muita pressa, a toda pressa **Botar as ~s de fora** *Bras. Fam.* Deixar (alguém, finalmente) perceber intenções, caráter, maneira de agir etc. que antes ocultava **Com ~s e dentes** Aguerridamente, com grande denodo **Deitar as ~s em 1** Agarrar firmemente, segurar **2** Apoderar-se de, violentamente e/ou fraudulentamente **Enterrar/meter a ~** Vender por preço exorbitante; meter a mão **Estar na ~** *RS* Estar sem dinheiro, a nenhum, a zero **Fazer as ~s** Tratar da unhas (limpando, aparando, lixando, pondo esmalte etc.) ou deixar que alguém (ger. manicure) o faça **Lamber as ~s** *Fig.* Ficar muito contente **Mostrar as ~s** *Fig.* Deixar (alguém) perceber sua agressividade, seu autoritarismo etc. **Não ser ~ de santo** *Fam.* Não carecer de um acabamento perfeito, ou de excessivos cuidados com a aparência **Por uma ~ negra** *Lus.* Por um triz, por pouco **Ser ~ com carne com/para** Ver *Ser unha e carne com* **Ser ~ de santo** *Bras. Fig. Fam.* Ser algo que requer ou merece acabamento perfeito, cuidados com a aparência etc. **Ser ~ e carne** Ser (duas pessoas) muito apegadas uma à outra, inseparáveis **Ser ~ e carne com** Ser muito apegado a, ser inseparável de **Ter nas ~s** Ter nas mãos, em seu poder, estar na posse de **Ter ~s na palma da mão** Ser ladrão habitual, compulsivo **~ de gavião** Unha comprida, que lembra uma garra **~ de santo** *Bras. Fig.* Aquilo que é feito com cuidado, apuro

unhaca (u.*nha*.ca) ***s2g.*** **1** Unha de fome **2** Pessoa muito íntima, muito amiga [F.: *unha* + *-aca*.]

unhada (u.*nha*.da) ***sf.*** Arranhão, ferimento feito com a unha [F.: *unha* + *-ada*[2].] ▪▪ **Dar ~ e esconder as unhas** Dissimular as más intenções; agir com hipocrisia, ou com astúcia

unha-de-boi (u.nha-de-*boi*) *Bot.* ***sf.*** *Bras.* Designação comum a árvores, arbustos ou trepadeiras do gênero *Bauhinia*, da família das leguminosas, subfamília cesalpinioídea, nativas do Brasil, de folhas em forma semelhante à pata de bovinos, flores brancas, cor de creme, amarelas, róseas, purpúreas ou vermelhas, bastante us. como ornamental, esp. em arborização urbana; PATA-DE-VACA [Pl.: *unhas-de-boi*.]

unha de fome (u.nha de *fo*.me) ***a2g.*** **1** Que é excessivamente apegado ao dinheiro; AVARENTO; SOVINA; UNHACA ***s2g.*** **2** Indivíduo unha de fome [Pl.: *unhas de fome*.]

unha-de-gato (u.nha-de-*ga*.to) ***sf.*** **1** *Bras. Bot.* Nome comum a várias plantas dos gêneros *Mimosa* e *Acacia*, da fam. das leguminosas, subfam. mimosoídea, com espinhos curvos em forma de unha de gato **2** *Bras.* Ancinho (1) [Nesta acp. sem hifens: *unha de gato*.] [Pl.: *unhas-de-gato, unhas de gato*.]

unhar (u.*nhar*) ***v.*** **1** Arranhar com a(s) unha(s) [***td.:*** *O gato unhou a criança; Os dois gatos unharam-se brigando.*] **2** Marcar com risco feito pela unha [***td.:*** *Tinha a mania de unhar as páginas dos livros.*] **3** *Vit.* Efetuar o unhamento de (bacelo) [***td.***] **4** *Fig.* Furtar, roubar [***td.:*** *Unhou as economias do pai e foi farrear.*] **5** *Mar.* Prender-se (a âncora) no fundo do mar [***int.***] **6** *Bras. Pop.* Escapar, fugir [***int.:*** *Quando bobearam, o ladrão unhou.*] [▶ 1 unhar] [F.: *unha* + *-ar*[2]. Hom./Par.: *unha* (fl.), *unha* (sf.); *unhas* (fl.), *unhas* (pl. do sf.).]

unheiro (u.*nhei*.ro) ***sm.*** *Pop.* Inflamação da pele em volta da unha; PANARÍCIO [F.: *unh(a)* + *-eiro*.]

◎ **un(i)-** ***el. comp.*** = 'um': *unânime* (< lat.), *unicelular, unicórnio, uniforme* [F.: Do lat. *uni-*, do lat. *unus, a, um*.]

união (u.ni:*ão*) ***sf.*** **1** Ação ou resultado de unir, ligar ou juntar(-se) [Ant.: *separação*.] **2** Associação de pessoas ou coisas, formando um todo (união conjugal) **3** Conformidade de esforços, de pensamentos, de sentimentos; ACORDO; COESÃO: *Faltava união na família.* [Ant.: *desunião*.] **4** Casamento, matrimônio **5** Federação ou confederação (união sindical) **6** Pacto, aliança, liga **7** Acasalamento entre animais; CRUZAMENTO **8** *Mat.* Conjunto formado pelos elementos de dois ou mais conjuntos **9** *Bras.* O governo federal [Nesta acp. com inicial maiúsc.] [Pl.: *-ões*.] [F.: Do lat. *unio, onis*. Ideia de 'união': *-gamo* (*polígamo*).] ▪▪ **~ hipostática** *Rel.* Na teologia cristã, união numa só pessoa do Verbo Divino com a natureza humana

uniarticulado (u.ni.ar.ti.cu.*la*.do) ***a.*** que só tem uma articulação [F.: *uni-* + *articulado*.]

uniaxial (u.ni:a.xi:*al*) ***a2g.*** **1** Que se refere a ou tem um só eixo (articulação uniaxial) **2** Diz-se de direção em que ocorre uma única refração **3** Diz-se de cristal com apenas um eixo óptico **4** *Bot.* Cujo caule não ramifica e termina em flor [Pl.: *-ais*.] [F.: *un(i)-* + *axial*. Por opos. a *multiaxial*.]

unicamente (u.ni.ca.*men*.te) ***adv.*** Com exclusividade; APENAS; EXCLUSIVAMENTE: "Segundo Sócrates, o benefício que a música, assim como todas as artes em geral, poderiam trazer ao homem não se encontrava unicamente no prazer da exaltação dos sentidos..." (Adriana Natrielli, *Platão e a música na Grécia antiga*) [F.: Do fem. de *único* + *-mente*.]

unicameral (u.ni.ca.me.*ral*) ***a2g.*** *Pol.* Diz-se do sistema de governo em que o Poder Legislativo tem somente uma câmara [P. opos. a *bicameral*.] [Pl.: *-rais*.] [F.: Do ing. *unicameral*.]

unicarpelar (u.ni.car.pe.*lar*) ***a2g.*** *Bot.* Diz-se de gineceu que tem um único carpelo [P. opos. a *pluricarpelar*.] [F.: *un(i)-* + *carpelar*.]

unicaule (u.ni.*cau*.le) ***a2g.*** Que só tem um caule [Por opos. a *multicaule*.] [F.: *un(i)-* + *-caule*.]

⊠ **Unicef** ***sf.*** Sigla de *Fundo das Nações Unidas para a Infância* (acrôn. do ingl. *United Nations International Children's Emergency Fund*)

unicelular (u.ni.ce.lu.*lar*) ***a2g.*** *Cit.* Diz-se de organismo que tem somente uma célula; MONOCELULAR [F.: *un(i)-* + *celular*.]

unicidade (u.ni.ci.*da*.de) ***sf.*** Qualidade ou fato de ser único [F.: *único* + *-(i)dade*.]

unicismo (u.ni.*cis*.mo) ***sm.*** **1** *Med.* Escola de medicina homeopática que preceitua a administração de um medicamento único capaz de atuar por similitude em todos os sintomas e aspectos do paciente e, portanto, de promover sua cura: *As principais escolas homeopáticas são o unicismo, o pluralismo, o complexismo e o organicismo.* **2** *Teol.* Corrente de pensamento cristão que afirma a unidade absoluta de Deus e rechaça o dogma da Santíssima Trindade [F.: *único* + *-ismo*.]

unicista (u.ni.*cis*.ta) ***s2g.*** **1** Pessoa que é adepta do unicismo (1 e 2): *Nem sempre os unicistas receitam um único medicamento a seu paciente; Os unicistas rechaçam a doutrina teológica da Trindade.* ***a2g.*** **2** Próprio de ou relativo ao unicismo (1 e 2) (homeopatia unicista; pentecostalismo unicista) [F.: De *único* + *-ista*.]

único (*ú*.ni.co) ***a.*** **1** Que é um só (filho único; cota única) **2** Que não tem outro igual (espécime único) **3** Superior, incomparável, excepcional (inteligência única) **4** Que é sem precedentes, que não tem outro semelhante: *Um fato único na história.* [F.: Do lat. *unicus, a, um*. Ideia de 'único': *mon(o)-* (*monobloco*).]

unicolor (u.ni.co.*lor*) [ô] ***a2g.*** **1** Que tem somente uma cor; MONOCROMO **2** *Bot.* Concolor [F.: Do lat. *unicolor, oris*. Hom./Par.: *unicolor* (a2g.), *onicolor* (a2g).]

unicorne (u.ni.*cor*.ne) [ó] ***a2g.*** **1** Que tem somente um chifre ***sm.*** **2** *Zool.* Rinoceronte indiano (*Rhinoceros unicornis*), de um só chifre **3** Substância dos chifres do rinoceronte de que se fabricam objetos diversos (bengala de unicorne) **4** *Bras. Ornit.* Ave galinácea (*Palamedea cornuta*); ANHUMA [F.: Do fr. *unicorne*, do lat. *unicornis, e*.]

unicórnio (u.ni.*cór*.ni:o) ***sm.*** **1** *Mit.* Animal mitológico, símbolo da virgindade e da pureza, com corpo de cavalo, barba de bode e um só chifre no meio da testa **2** *Zool.* Unicorne (2) **3** *Bras. Ornit.* Unicorne (4) [F.: *unicorn(e)* + *-io*[2].]

uniculturalismo (u.ni.cul.tu.ra.*lis*.mo) ***sm.*** Pressuposto de que todos os agentes sociais de uma dada sociedade pertencem ao mesmo sistema cultural e que seus contornos são os que foram reconhecidos por aqueles que têm maior poder étnico e racial; MONOCULTURALISMO [F.: *uni-* + *culturalismo*.]

unidade (u.ni.*da*.de) ***sf.*** **1** O número um **2** Qualidade do que é único, do que não se pode dividir: *a unidade de um país.* **3** Homogeneidade, uniformidade, identidade (unidade cultural) **4** Cada parte que forma um todo dentro de um conjunto ou sistema (unidade hospitalar) **5** Cada um dos objetos que se podem contar: *Fabricam mil unidades por dia.* **6** Quantidade tomada como referência para comparar grandezas da mesma espécie (unidade de medida) **7** União, coesão (unidade partidária) **8** Coordenação das diversas partes de uma obra artística, literária etc., de modo que ela apresente um todo harmônico **9** *Mil.* Corpo de soldados destinados a manobrar juntos [F.: Do lat. *unitas, atis*.] ▪▪ **~ amagat** *Fís.* Unidade que expressa, para um gás, a relação entre a pressão, volume e temperatura [É igual ao produto da pressão pelo volume, a 0° C e a uma atmosfera.] **~ astronômica** *Astron.* Unidade de distância para o sistema solar, igual à distância média da Terra ao Sol (149.504.200 quilômetros) **~ central de processamento** *Inf.* Num computador, aquela que faz e controla o processamento aritmético e lógico [Tb. *processador central*. Siglas: *UCP*; (ingl.) *CPU*.] **~ cgs** *Fís.* Toda unidade de medida do sistema c.g.s **~ de conservação** Área de preservação ambiental, delimitada por lei. Como, p. ex., um parque nacional **~ eletromagnética** *Fís.* Qualquer unidade eletromagnética do sistema c.g.s [Sigla: *u.e.m.*] **~ Federativa** Divisão territorial de países com estrutura de federação; Estado da Federação [Sigla: *UF*.] **~ Fiscal de Referência** *Econ.* Unidade us. como indexador de cálculo de impostos, criada pelo governo do Brasil em 1991 [Seu valor era fixado mensalmente. Sigla.: *UFIR*.] **~ imaginária** *Mat.* A raiz quadrada positiva de menos um [√-1. Símb.: *i*] **~ MKS** *Fís.* Toda unidade de medida do sistema M.K.S. ~ **móvel** Veículo equipado com equipamento e pessoal especializado na função a que se destina ~ **SI** *Fís.* Toda unidade de medida do Sistema Internacional ~ **unificada de massa atômica** *Fís.* Unidade de massa de partículas, átomos e moléculas, equivalente a 1/12 da massa de um átomo do isótopo 12 do carbono [Igual a 1,6605402 x 10^{-27} kg. Símb.: *u*] ~ **X** Unidade de comprimento de onda de raio X [É igual a 1,00202 x 10^{-1} m.]

unidimensional (u.ni.di.men.si:o.*nal*) *a2g.* Que tem ou envolve uma única dimensão (cinemática unidimensional) [Pl.: *-nais.*] [F.: *uni-* + *dimensional.*]

unidimensionalidade (u.ni.di.men.si:o.na.li.*da*.de) *sf.* Propriedade ou característica do que é unidimensional [F.: *unidimensional* + *-(i)dade.*]

unidimensionalização (u.ni.di.men.si:o.na.li.za.*ção*) *sf.* Transformação de algo em unidimensional [Pl.: *-ções.*] [F.: *unidimensional* + *-izar* + *-ção.*]

unidirecional (u.ni.di.re.ci:o.*nal*) *a2g.* Que se faz, se move ou funciona somente numa direção (acesso/microfone unidirecional) [Pl.: *-nais.*] [F.: *un(i)-* + *direcional.* Hom./Par.: *unidrecional* (a2g.), *oniderecional* (a2g.).]

unidisciplinar (u.ni.dis.ci.pli.*nar*) *a2g.* Em que existe uma disciplina apenas: "Faz-se necessária uma abordagem interdisciplinar do Direito e não apenas unidisciplinar. O bacharel em direito não pode ficar distante da realidade social." (André Macedo Oliveira, *A essência de um núcleo de prática jurídica*) [Pl.: *-res.*] [F.: De *uni-* + *disciplinar.*]

unido (u.*ni*.do) *a.* **1** Que se uniu; LIGADO; JUNTO; REUNIDO **2** Concomitante, simultâneo **3** Ligado a outrem pelos sentimentos, por amizade ou por interesses comuns (família unida; povo unido) [F.: Do lat. *unitus, a, um.*]

unifamiliar (u.ni.fa.mi.li:*ar*) *a2g.* De ou relativo a uma única família (residência unifamiliar) [Pl.: *-res.*] [F.: De *uni-* + *familiar.*]

unifásico (u.ni.*fá*.si.co) *a.* Que só tem uma fase: *Imposto monofásico ou unifásico é o que incide apenas uma vez na saída do produto do estabelecimento.* [F.: *uni-* + *fásico.*]

unificação (u.ni.fi.ca.*ção*) *sf.* Ação ou resultado de unificar(-se) [Pl.: *-ções.*] [F.: *unificar* + *-ção.*]

unificado (u.ni.fi.*ca*.do) *a.* Que se uniu, juntou ou unificou [F.: Part. de *unificar.*]

unificador (u.ni.fi.ca.*dor*) [ô] *a.* **1** Que unifica *sm.* **2** Aquele que unifica [F.: *unificar* + *-dor.*]

unificar (u.ni.fi.*car*) *v. td.* **1** Unir, tornar(-se) único: *Unificar os critérios de julgamento; Os estados unificaram-se formando uma federação.* **2** Reunir(-se) num todo com vistas a um melhor aproveitamento ou resultado: *unificar propósitos; unificar ideais; unificar ações; Unificaram-se as facções do partido.* [▶ **11** unificar] [F.: *uni-* + *-ficar.*]

unificatório (u.ni.fi.ca.*tó*.ri:o) *a.* Com tendência para a unificação (processo unificatório) [F.: rad. do supn. *unificatum* do v. *unificare* + *-ório.*]

unificável (u.ni.fi.*cá*.vel) *a2g.* Que se pode unificar [Pl.: *-veis.*] [F.: *unificar* + *-vel.* Hom./Par.: (pl.) *unificáveis, unificáveis* (fl. de *unificar*).]

uniflоro (u.ni.*flo*.ro) *a. Bot.* Que só tem uma flor [F.: *uni-* + *-floro.*]

unifoliado (u.ni.fo.li.*a*.do) *a. Bot.* O mesmo que *unifólio* [F.: *un(i)-* + *foliado.*]

unifólio (u.ni.*fó*.li:o) *a. Bot.* Que tem somente uma folha; UNIFOLIADO [F.: *un(i)-* + *-fólio.*]

unifoliolado (u.ni.fo.li.o.*la*.do) *a. Bot.* Que tem apenas um folíolo [F.: *un(i)-* + *folíolo* + *-ado*[1].]

uniforme (u.ni.*for*.me) [ó] *sm.* **1** Farda ou traje igual us. por todos os que pertencem a uma categoria (militar, profissional, estudantil etc.) *a2g.* **2** Que tem forma, tipo, padrão ou valor iguais ou quase iguais (construções uniformes); IDÊNTICO; SEMELHANTE [Ant.: *desuniforme.*] **3** Que não muda, que é sempre o mesmo (aceleração uniforme); CONSTANTE; INVARIÁVEL **4** Cujas partes, cujos pormenores etc. têm características iguais ou semelhantes (poema/paisagem uniforme); HOMOGÊNEO **5** *Gram.* Diz-se de adjetivo que tem uma só forma para o masculino e para o feminino (p. ex.: útil, agradável) [P. opos. a *biforme.* Cf.: *comum de dois.*] [F.: Do lat. *uniformis, e.* Hom./Par.: *uniforme* (a2g. sm.) *oniforme* (a2g.).]

uniformemente (u.ni.for.me.*men*.te) *adv.* De modo uniforme: "O Movimento Retilíneo Uniformemente Variado (MRUV) caracteriza-se por apresentar uma aceleração constante cuja trajetória descreve uma linha reta." (Luciano Camargo Martins, "Minicurso de física experimental") [F.: *uniforme* + *-mente.*]

uniformidade (u.ni.for.mi.*da*.de) *sf.* **1** Qualidade ou estado do que é uniforme [Ant.: *desuniformidade.*] **2** Semelhança das partes de uma coisa ou de várias coisas entre si; HOMOGENEIDADE: "... tomados [os apontamentos] por uma só pessoa, segundo se via da uniformidade da letra a lápis..." (Eça de Queirós e Ramalho Ortigão, *Mistérios da estrada de Sintra*) **3** Constância, persistência nas ideias, opiniões, atitudes etc.; REGULARIDADE **4** Harmonia, coerência **5** Monotonia, falta de variedade [F.: Do lat. *uniformitas, atis.*]

uniformitarismo (u.ni.for.mi.ta.*ris*.mo) *sm. Geol.* Princípio segundo o qual os processos geológicos do passado teriam ocorrido essencialmente com a mesma intensidade dos que podem ser observados nos fenômenos geológicos atuais: "O uniformitarismo de Hutton e o atualismo de Charles Lyell formulavam um mundo novo em processo de transformação" (Paulo de Tarso Amorim Castro, "As geociências dão adeus ao último resquício netunista") [F.: Do fr. *uniformitarisme.*]

uniformização (u.ni.for.mi.za.*ção*) *sf.* Ação ou resultado de uniformizar(-se) [Pl.: *-ções.*] [F.: *uniformizar* + *-ção.*]

uniformizado (u.ni.for.mi.*za*.do) *a.* **1** Que vestiu uniforme ou farda **2** Que se uniformizou; tornado uniforme: *A globalização torna o mundo cada vez mais uniformizado.* [F.: Part. de *uniformizar.*]

uniformizador (u.ni.for.mi.za.*dor*) [ô] *a.* **1** Que uniformiza *sm.* **2** O que uniformiza [F.: *uniformizar* + *-dor.*]

uniformizante (u.ni.for.mi.*zan*.te) *a2g.* Que uniformiza ou causa uniformização: *Acredita-se ter a tecnologia um destacado papel uniformizante sobre o modo de vida atual.* [F.: *uniformizar* + *-nte.*]

uniformizar (u.ni.for.mi.*zar*) *v. td.* **1** Tornar(-se) uniforme: *Com o novo manual, o treinamento uniformizou-se;* "... falta uniformizar as regras para os juízes do mundo inteiro..." (*Folha de S.Paulo*, 06.07.1999) **2** Fazer usar ou usar uniforme: *A empresa uniformizou os funcionários; O soldado uniformizou-se para o desfile.* [▶ **1** uniformizar] [F.: Posv. do fr. *uniformiser.*]

unigênito (u.ni.*gê*.ni.to) *a.* **1** Único gerado; que é o único filho *sm.* **2** Filho único: *Jesus Cristo é o unigênito de Deus.* [F.: Do lat. *unigenitus, a, um.*]

unijugo (u.*ní*.ju.go) *a. Bot.* Diz-se de folha com dois folíolos no pecíolo [F.: Do lat. *unijugus, a, um,* 'sustentado por uma só estaca'.]

unilabiado (u.ni.la.bi.*a*.do) *a. Bot.* Provido de um só lábio (corola unilabiada) [F.: *un(i)-* + *labiado.*]

unilateral (u.ni.la.te.*ral*) *a2g.* **1** Que vem de um único lado ou parte (decisão unilateral) **2** Disposto ou situado em um só lado (dor unilateral) **3** Diz-se de irmão só por parte de pai ou de mãe **4** Parcial, tendencioso **5** *Jur.* Diz-se de contrato no qual apenas uma das partes tem obrigações para com a outra [Pl.: *-rais.*] [F.: *un(i)-* + *lateral.*]

unilateralidade (u.ni.la.te.ra.li.*da*.de) *sf.* **1** Caraterística ou qualidade de unilateral; UNILATERALISMO **2** *Fig.* Posição de pessoa, grupo ou instituição que defende ou apoia uma das partes em uma disputa, conflito etc.; UNILATERALISMO **3** Posição de pessoa, grupo ou país que tende a impor ou a tentar impor a sua vontade, as suas condições, interesses etc.; UNILATERALISMO [F.: *unilateral* + *-(i)dade.*]

unilateralismo (u.ni.la.te.ra.*lis*.mo) *sm.* **1** O mesmo que *unilateralidade* **2** Ação ou pensamento político, comercial e cultural de país que, visando apenas os seus interesses, coloca-se em posição unilateral perante as demais nações; UNILATERALIDADE: "Segundo Procópio, uma das características marcantes do unilateralismo é a exclusão, principalmente dos países subdesenvolvidos." (Lucimar Almeida, *Unilateralismo e relações internacionais*) [F.: *unilateral* + *-ismo.*]

unilateralista (u.ni.la.te.ra.*lis*.ta) *a2g.* Ref. a unilateralismo (doutrina unilateralista) [F.: *unilateral* + *-ista.*]

unilateralmente (u.ni.la.te.ral.*men*.te) *adv.* De modo unilateral; segundo a vontade ou o interesse ou para benefício de uma das partes: *O locador tentou rescindir unilateralmente o contrato.* [F.: *unilateral* + *-mente.*]

unilênio (u.ni.*lê*.ni:o) *sm. Quím.* Nome provisório do elemento de número atômico 109, atualmente chamado *meitnério* [Símb.: *Une.*] [F.: Do lat. cient. *unnilenium.*]

uniléxio (u.ni.*lé*.xi:o) *sm. Quím.* Nome provisório do elemento de número atômico 106, atualmente chamado *seabórgio* [Símb.: *Unh.*] [F.: Do lat. cient. *unnilhexium.*]

unilinear (u.ni.li.ne:*ar*) *a2g.* Que tem ou segue uma linha apenas [F.: *un(i)-* + *linear.*]

unilinearidade (u.ni.li.ne:a.ri.*da*.de) *sf.* Característica ou condição do que é unilinear [F.: *unilinear* + *-(i)dade.*]

unilíngue (u.ni.*lín*.gue) *a2g.* O mesmo que *monolíngue* [F.: *un(i)-* + *-língue.*]

unilóctio (u.ni.*lóc*.ti:o) *sm. Quím.* Nome provisório do elemento de número atômico 108, atualmente chamado *hássio* [Símb.: *Uno.*] [F.: Do lat. cient. *unniloctium.*]

unilóquo (u.*ni*.lo.quo) *a.* Que exprime a vontade, o sentimento de uma única pessoa (testamento unilóquo) [F.: *uni-* + *-loquo.*]

unilpêntio (u.nil.*pên*.ti:o) *sm. Quím.* Nome provisório do elemento de número atômico 105, atualmente chamado *dúbnio* [Símb.: *Unp.*] [F.: Do lat. cient. *unnilpentium.*]

unilquádio (u.nil.*quá*.di:o) *sm. Quím.* Antigo e provisório nome do elemento químico de número atômico 104, hoje chamado *rutherfórdio* [Símb.: *Unq.*] [F.: Do lat. cient. *unnilquadium.*]

unilséptio (u.nil.*sép*.ti:o) *sm. Quím.* Nome provisório do elemento de número atômico 107, atualmente chamado *bóhrio* [Símb.: *Uns.*] [F.: Do lat. cient. *unnilseptium.*]

unilítrio (u.*níl*.tri:o) *sm. Quím.* Nome provisório do elemento químico de número atômico 103, atualmente denominado *laurêncio* [Símb.: *Unt.*] [F.: Do lat. cient. *unniltrium.*]

unilúnio (u.ni.*lú*.ni:o) *sm. Quím.* Nome provisório do elemento químico de número atômico 101, atualmente denominado *mendelévio* [Símb.: *Unu.*] [F.: Do lat. cient. *unnilunium.*]

unímano (u.*ní*.ma.no) *a.* Que só tem uma mão [F.: *uni-* + *-mano*[2].]

unimetalismo (u.ni.me.ta.*lis*.mo) *sm. Econ.* O mesmo que *monometalismo* [F.: *uni-* + *metalismo.*]

unimetalista (u.ni.me.ta.*lis*.ta) *a2g.* Ref. a unimetalismo; MONOMETALISTA [F.: *uni-* + *metalista.*]

unimolecular (u.ni.mo.le.cu.*lar*) *a2g.* Que tem uma molécula apenas (reação unimolecular) [F.: *uni-* + *molecular.*]

uninervado (u.ni.ner.*va*.do) *a.* Ver *uninérveo*

uninérveo (u.ni.*nér*.ve:o) *a. Bot.* Que tem somente nervura central (folha uninérvea) [F.: *uni-* + *-nérveo.*]

uninominal (u.ni.no.mi.*nal*) *a2g.* Em que ocorre apenas um nome: "O Sistema eleitoral brasileiro estabelece o voto uninominal que consagra o indivíduo em detrimento da formação de uma cultura partidária." (Renildo Calheiros, *Reformar para fortalecer a democracia*); *Na ausência de disposição regimental compete à assembleia deliberar se cada uma das eleições a que se refere o número anterior é uninominal ou por meio de listas* [Pl.: *-nais.*] [F.: *uni-* + *nominal.*]

unionismo (u.ni:o.*nis*.mo) *sm.* **1** O princípio da união **2** Sistema que preconiza a união (de indivíduos, doutrinas, forças, partidos etc.) **3** Sistema que prega a união das várias igrejas cristãs [F.: *união* + *-ismo*, segundo o padrão erudito.]

unionista (u.ni:o.*nis*.ta) *a2g.* **1** Ref. ou pertencente ao unionismo **2** Que professa ou segue as ideias do unionismo (partido unionista) *s2g.* **3** Indivíduo partidário, defensor do unionismo: *Os unionistas suspenderam o processo de paz na Irlanda do Norte.*

uniovulado (u.ni:o.vu.*la*.do) *a. Bot.* Diz-se do ovário de flor que só tem um óvulo (ovário uniovulado) [F.: *uni-* + *ovulado.*]

unipartidário (u.ni.par.ti.*dá*.ri:o) *a.* Diz-se de regime político em que só existe ou só se permite um único partido: *Formaremos um governo de transição, depois de décadas de domínio unipartidário.* [F.: *uni-* + *partidário.*]

unipartidarismo (u.ni.par.ti.da.*ris*.mo) *sm.* Regime político em que só existe ou se permite um único partido [F.: *uni-* + *partidarismo.*]

unipedal (u.ni.pe.*dal*) *a2g.* O mesmo que *unípede* [Pl.: *-dais.*]

unípede (u.*ní*.pe.de) *a2g.* Que só tem um pé: *O saci tem a forma de um negrinho unípede, de barrete vermelho que aparece aos viajantes extraviados na floresta.* [F.: *uni-* + *-pede.*]

unipessoal (u.ni.pes.so:*al*) *a2g.* **1** *Gram.* Diz-se dos verbos que, por motivo semântico-pragmático, só se conjugam na terceira pessoa, quer na do singular, quer na do plural: *Tendo por sujeito um galináceo, cacarejar é um verbo unipessoal.* [Po. op. a *onipessoal.* Cf.: *impessoal.*] **2** Que consiste em uma pessoa apenas (firma unipessoal) **3** Que diz respeito a somente uma pessoa [Pl.: *-ais.*] [F.: *uni-* + *pessoal.*]

unipétalo (u.ni.*pé*.ta.lo) *a. Bot.* Diz-se da corola que tem uma só pétala isolada, cuja linha de inserção não rodeia completamente os órgãos sexuais [F.: *uni-* + *pétalo.*]

unipolar (u.ni.po.*lar*) *a2g.* Que tem apenas um polo (motor unipolar; mundo unipolar) [F.: *uni-* + *polar.*]

unipolaridade (u.ni.po.la.ri.*da*.de) *sf.* Estado ou condição de unipolar: *A existência de uma única grande potência mundial gera uma situação de unipolaridade.* [F.: De *unipolar* + *(i)dade.*]

unir (u.*nir*) *v.* **1** Reunir(-se), associar(-se) [*td.: A cerimônia uniu os amigos do homenageado.*] [*int.: Todos uniram-se para comemorar.*] **2** Juntar(-se) [*td.: O pedreiro uniu os tijolos com cimento.*] [*int.: Os fios elétricos uniram-se provocando um curto-circuito.*] **3** Ligar(-se) afetivamente [*td.:* "... uma alegria profunda unia pai e filho..." (Cecília Meireles, *Rui*)] [*int.: Os dois uniram-se desde pequenos.*] **4** Formalizar uma união (matrimônio); CASAR(-SE) [*td.: O pastor uniu o casal.*] [*int.: O casal se unirá perante o juiz.*] **5** Conectar(-se), ligar(-se) fisicamente [*td.: Una os pontos e veja a figura.*] [*tdi.* + *a: A estrada une a fábrica ao porto.*] [*int.: As casas unem-se por uma passagem subterrânea.*] **6** Efetuar conciliação [*tdi.: Conseguiu unir os meninos que viviam brigando.*] **7** Fazer aderir; COLAR; PREGAR [*td.: Uniu o prato que se partira.*] [*tdr.* + *a: Uniu o adesivo ao vidro do carro.*] [*int.: Esta cola não une bem.*] **8** Efetuar associação; ALIAR(-SE) [*td.: Interesses comuns devem unir os países sul-americanos.*] [*int.: Pela paz, uniram-se ricos e pobres.*] **9** Estabelecer ligação de (uma coisa) com (outra coisa); MISTURAR(-SE) [*tdr.* + *com: Aquele homem unia a coragem com a inteligência.*] [*tr.* + *a, com: Nele, a delicadeza unia-se à disciplina.*] [*int.: Azeite e vinagre não se unem.*] **10** Colocar(-se) em contato estreito com [*td.: Uniram as faces num abraço íntimo.*] [*tdr.* + *a: Uniu seu corpo ao da mulher.*] [*int.: Uniram-se num longo beijo.*] [▶ **3** unir] [F.: Do lat. *unire.* Hom./Par.: *una(s)* (fl.), *una(s)* (adj. fem. de *uno* [pl.]); *uno* (fl.), *uno* (a.), *huno* (a. sm.).]

unirradicular (u.nir.ra.di.cu.*lar*) *a2g.* Que só tem uma raiz: *Obturação de canal unirradicular.* [Pl.: *-res.*] [F.: De *un(i)-* + *radicular.*]

unisselva (u.nis.*sel*.va) *sf. Pop.* Universidade voltada para questões ambientais, com *campus* localizado no meio da floresta [F.: *uni(versidade)* + *selva.*]

unissex (u.nis.*sex*) [cs] *a2g2n.* Que serve tanto para homens quanto para mulheres (calça/perfume unissex) [F.: Do ing. *unisex.*]

unissexuado (u.nis.se.xu:*a*.do) [cs] *a. Bot.* Que tem somente um sexo (diz-se de flor); UNISSEXUAL [F.: *un(i)-* + *sexuado.*]

unissexual (u.nis.se.xu:*al*) [cs] *a2g.* **1** Relativo a ou que tem um único sexo; UNISSEXUADO **2** *Biol.* Unissexuado; DIOICO [Pl.: *-ais.*] [F.: *un(i)-* + *sexual.*]

unissonância (u.nis.so.*nân*.ci:a) *sf.* **1** Qualidade de uníssono **2** Concomitância de muitos sons ou de vozes uníssonas **3** *Fig.* Uniformidade insistente e enfadonha; MONOTONIA [F.: *un(i)-* + *sonância.*]

unissonante (u.nis.so.*nan*.te) ***a2g.*** O mesmo que *uníssono* [F.: *un(i)-* + *sonante*.]

uníssono (u.*nís*.so.no) ***a.*** **1** Que tem o mesmo som (coro uníssono); UNISSONANTE **2** *Fig.* Concorde, harmonioso; UNISSONANTE ***sm.*** **3** *Mús.* Som único produzido por diversas vozes ou instrumentos **4** *Fig.* Acordo, harmonia [F.: Do lat. tardio *unisonus*.] ∷ **Em ~ (com) 1** Com emissão simultânea de sons iguais, ou com diferença de uma oitava entre eles **2** *Fig.* Simultaneamente (ref. ao que se manifesta, se faz, se fala, se diz, se exclama etc.): *O líder conclamou todos à ação, e eles responderam em uníssono.*

unitário (u.ni.*tá*.ri:o) ***a.*** **1** Ref. a unidade (custo unitário) **2** Ref. à unidade política de um país ou partidário dela **3** Que é adepto do unitarismo ***sm.*** **4** *Pol.* Partidário da unidade política de um país **5** Adepto do unitarismo [F.: Do lat. *unitarius, a, um*.]

unitarismo (u.ni.ta.*ris*.mo) ***sm.*** **1** Doutrina política que propugna pela centralização do poder: "... a reação monárquica, que se manifesta pelo reforço do unitarismo e pela limitação das práticas federalistas admitidas pela reforma constitucional de 1834." (Enciclopédia Britânica Brasileira) **2** *Rel.* Doutrina cristã segundo a qual só Jesus existe como Deus, sendo o Pai e o Espírito Santo aspectos de sua personalidade: *Os unitaristas negam a trindade. Ensinam que o Pai, o Filho e o Espírito Santo são três nomes de uma só pessoa: Jesus.* [F.: De *unitár(io)* + *-ismo*.]

unitarista (u.ni.ta.*ris*.ta) ***a2g.*** **1** Diz-se do que é partidário, defensor do unitarismo (indivíduo/doutrina/unitarista) ***s2g.*** **2** Pessoa que defende princípios unitaristas [F.: De *unitár(io)* + *-ista*.]

unitivo (u.ni.*ti*.vo) ***a.*** Que une [F.: Do lat. ecles. *unitivus*.]

unitização (u.ni.ti.za.*ção*) *Mar.* ***sf.*** **1** Ação ou resultado de unitizar **2** Processo por meio do qual se reúnem peças em lotes individuais de mercadorias homogeneizadas e padronizadas com o objetivo de agrupá-las em unidades maiores e apropriadas à comercialização e ao transporte: *unitização de latas de cerveja por meio de filmes ultra-contráteis.* **3** Autonomização de partes de uma grande empresa: "As regras sobre unitização de reservatórios de óleo e gás natural foram inicialmente desenvolvidas nos Estados Unidos..." (Sandoval Amui e Marienne Melo, *Unitização de Reservatórios de Óleo e Gás Natural*) [F.: Calcado no ing. *unitization*.]

unitizar (u.ni.ti.*zar*) ***v. td.*** *Mar.* Reunir (cargas diversas) formando volume único [▶ **1** unitizar] [F.: Do ing. *unitize*.]

univalve (u.ni.*val*.ve) ***a2g.*** **1** *Zool.* Diz-se de molusco que tem somente uma valva **2** *Bot.* Diz-se do fruto formado por uma só valva e que se abre só por um lado [F.: *un(i)-* + *-valve*.]

univalvular (u.ni.val.vu.*lar*) ***a2g.*** **1** Que tem uma valva apenas **2** *Bot.* Diz-se de fruto unicapelar, cuja deiscência ocorre por uma só fenda [F.: De *un(i)-* + *valva*.]

universal (u.ni.ver.*sal*) ***a2g.*** **1** Que compreende todas as coisas, que se estende a tudo ou a todos, que é aplicável a tudo (sufrágio universal); GERAL **2** Mundial, global (paz universal) **3** Ref. ao universo, ao cosmo **4** Que tem variadas aptidões, variados conhecimentos **5** Que não é específico; que atende a diversas necessidades, situações etc. (padrão universal) **6** Que tem o caráter de generalidade abstrata, que compreende tudo; que se estende a tudo ou a todos, que é aplicável a tudo; ABSOLUTO [Pl.: *-sais*.] ***sm.*** **7** O que é universal **8** *Fil.* Designação escolástica para os termos, conceitos ou ideias gerais [Mais us. no pl.] [Pl.: *-ais*.] [F.: Do lat. *universalis, e*.]

universalidade (u.ni.ver.sa.li.*da*.de) ***sf.*** **1** Característica ou qualidade do que é universal ou geral **2** *Rel.* Catolicidade [F.: Do lat. *universalitas, atis*.]

universalismo (u.ni.ver.sa.*lis*.mo) ***sm.*** **1** Tendência a universalizar, generalizar uma ideia, doutrina etc. **2** Qualidade de universal ou geral **3** *Rel.* Doutrina segundo a qual todos os homens estão destinados à salvação eterna em razão da graça de Deus **4** Opinião dos que só aceitam a autoridade do consentimento universal [F.: *universal* + *-ismo*.]

universalista (u.ni.ver.sa.*lis*.ta) ***a2g.*** **1** Relativo a universalismo **2** *Rel.* Que é adepto das crenças, das doutrinas do universalismo, ou tende a se tornar universal: "Por que é que apesar do seu extraordinário poder, o imperador Juliano não conseguiu embaraçar a dissolução do politeísmo greco-romano; e dificultar o predomínio do cristianismo universalista?" (Teófilo Braga, *Sistema de sociologia*) ***s2g.*** **3** *Rel.* Aquele que é partidário dessa doutrina ou crença **4** Quem tende a se tornar universal [F.: *universal* + *-ista*.]

universalístico (u.ni.ver.sa.*lís*.ti.co) ***a.*** Relativo ou pertencente ao universalismo (procedimento universalístico) [F.: De *universalista* + *-ico*.]

universalização (u.ni.ver.sa.li.za.*ção*) ***sf.*** Ação ou resultado de universalizar(-se) [Pl.: *-ções*.] [F.: *universalizar* + *-ção*.]

universalizado (u.ni.ver.sa.li.*za*.do) ***a.*** Que se universalizou, se tornou comum ou pertencente a todos (ensino universalizado) [F.: Part. de *universalizar*.]

universalizante (u.ni.ver.sa.li.*zan*.te) ***a2g.*** Que tende a universalizar-se; que contribui para a universalização (língua/tecnologia universalizante) [F.: De.: *universalizar* + *-nte*.]

universalizar (u.ni.ver.sa.li.*zar*) ***v.*** **1** Tornar(-se) universal; generalizar(-se) [***td.***: *A invenção da imprensa universalizou a leitura.*] [***int.***: *O inglês universalizou-se como língua de comércio.*] **2** Estender(-se) a muitas pessoas, tornar comum [***tdi.*** + *a*: *O governo pretende universalizar a alfabetização à população carente.*] [▶ **1** universalizar] [F.: *universal* + *-izar*.]

universalizável (u.ni.ver.sa.li.*zá*.vel) ***a2g.*** Passível de universalização [Pl.: *-veis*.] [F.: De *universalizar* + *-vel*. Hom./Par.: *universalizáveis* (a2g.), *universalizáveis* (fl. de *universalizar*).]

universalmente (u.ni.ver.sal.*men*.te) ***adv.*** **1** De modo universal, em todo o mundo **2** Na totalidade de um dado universo [F.: De *universal* + *-mente*.]

universidade (u.ni.ver.si.*da*.de) ***sf.*** **1** Qualidade ou característica de universal **2** Instituição de ensino de nível superior em que há cursos de graduação e pós-graduação: *A universidade precisava de mais verbas.* **3** *P. ext.* O prédio em que funciona essa instituição: *Saiu do trabalho e foi para a universidade.* **4** *Fig.* O corpo docente, discente e o quadro de funcionários administrativos dessa instituição: *A universidade aplaudiu o discurso do reitor.* [F.: Do lat. *universitas, a tis*.]

universitário (u.ni.ver.si.*tá*.ri:o) ***a.*** **1** Ref. à universidade (curso universitário) **2** Que leciona em universidade (professor universitário) **3** Que estuda em universidade (estudantes universitários) ***sm.*** **4** Aquele que estuda em universidade: *Os universitários fizeram um protesto.* [F.: rad. do lat. *universitas* + *-ario*.]

universo (u.ni.*ver*.so) ***sm.*** **1** O espaço e todas as estrelas, planetas e outras formas de matéria nele existentes; COSMO [Inicial maiúscula.] **2** O sistema solar [Inicial maiúscula.] **3** *Fig.* Qualquer domínio (moral, intelectual, artístico, científico etc.) em que se passa alguma coisa; MEIO; MUNDO: *o universo artístico, o universo da filosofia.* **4** *Fig.* O ambiente em que se atua, em que se vive: *A biblioteca do pai era seu universo.* **5** A Terra, o mundo: "... e, contudo, existe no meu coração um amor generoso e nobre que vale mil vezes mais do que todos os tesouros do universo." (J. M. de Macedo, *O moço loiro*) [Inicial maiúscula, por vezes.] **6** *P. ext.* O conjunto dos habitantes da Terra **7** *Est.* Conjunto de elementos que possuem características comuns e cujas propriedades podem ser examinadas a partir da observação de suas partes, ou subconjuntos, que são amostras da totalidade em geral [F.: Do lat. *universus, a, um*. Ideia de 'universo', usar pref. *cosm(o)-*.] ∷ **~ visível** *Astron.* O conjunto de todos os corpos celestes que podem ser observados pelo homem

🕮 O conceito de universo tem variado enormemente através dos tempos, em termos tanto filosóficos quanto astronômicos. Ainda inatingível em sua totalidade pelo saber e pela tecnologia, o conhecimento do universo – que também alimenta os conceitos filosóficos – revela-se incompleto, à medida que aumenta a percepção da enormidade do que não se sabe ainda, imprimindo caráter conscientemente não definitivo a teorias e descrições. Assim mesmo, é curioso que tanto Parmênides, no século IV a. C, quanto Einstein, 25 séculos depois, tenham concebido o universo como uma esfera (sem definir, contudo, o que haveria além da esfera). Durante esses séculos, Copérnico concebeu um universo heliocêntrico (com o Sol no centro) no lugar do geocêntrico dos antigos. Newton introduziu a noção das leis físicas atuando na mecânica celeste, baseado na ideia de Aristóteles de que tempo e espaço são entidades e valores absolutos. Einstein introduziu a noção da relatividade de tempo e de espaço, pois é só na relação entre eles que são perceptíveis (se tudo se movesse de maneira a manter a relação, não haveria percepção de movimento). O universo-esfera de Einstein não é infinito, tem um raio de 35 trilhões de anos luz. Imenso que seja, como assim concebido, deixa ainda a pergunta: e além dele?

univitelino (u.ni.vi.te.*li*.no) ***a.*** *Emb.* Diz-se de cada um dos gêmeos gerados de um mesmo óvulo [Cf. *dizigótico*.] [F.: *un(i)-* + *vitelino*.]

univocamente (u.ni.vo.ca.*men*.te) ***adv.*** De modo unívoco; com causa, nome ou semelhança unívoca (univocamente identificado) [F.: De *unívoco* sob a f. fem. *unívoca* + *-mente*.]

univocidade (u.ni.vo.ci.*da*.de) ***sf.*** Propriedade, natureza ou qualidade de unívoco: *O mito da univocidade da ciência.* [F.: De *unívoco* + *-(i)dade*.]

unívoco (u.*ní*.vo.co) ***a.*** **1** Que tem somente um significado ou interpretação [Ant.: *ambíguo*.] **2** *Mat.* Diz-se da correspondência entre dois conjuntos em que a todo elemento de um conjunto corresponde apenas um elemento do outro **3** *Lóg.* Diz-se de conceito que se aplica a objetos distintos, mantendo, no entanto, o mesmo sentido, como, p. ex., o termo *ser* **4** Que é uniforme, homogêneo; INEQUÍVOCO [F.: *univocus, a, um*.]

uno (*u*.no) ***a.*** **1** Que é um só; ÚNICO [Ant.: *múltiplo*.] **2** *Fil.* Diz-se do ser que não se divide em partes; SINGULAR; UM **3** *Fil.* Diz-se do ser que, constituído por partes, não pode ter essas partes separadas sem que não se destrua; ÍNTEGRO; UNIDO [F.: Do lat. *unus, a, um*. Hom./Par.: *uno* (fl. de *unir*), *huno* (a. sm.); *una* (fem.), *una* (fl. de *unir*), *huna* (fem. *huno* [a. sm.]). Ant. ger.: *divisível*.]

unóculo (u.*nó*.cu.lo) ***a.*** **1** Que tem um só olho **2** Aquele que tem apenas um olho [F.: De *un(i)-* + *-óculo*. Cf.: *monóculo*.]

⊠ **Unp** Símb. de *unilpêntio*

⊠ **Unq** Símb. de *unilquádio*

uns ***pr. indef.*** **1** Certas pessoas, algumas pessoas **2** Aproximadamente, mais ou menos, cerca de (posposto a numeral cardinal): *Ganha uns quatrocentos reais por mês.* [F.: De pl. de *um*.]

⊠ **Unt** *Quím.* Símb. de *uniltrio*

untado (un.*ta*.do) ***a.*** **1** Que se untou **2** Revestido com fina camada de substância gordurosa (tabuleiro untado) **3** Coberto: *corpo untado de cinza.* [F.: Part. de *untar*.]

untar (un.*tar*) ***v.*** **1** Passar (manteiga, óleo, creme, geleia etc.) em [***td.***: *untar o frango; untar um tabuleiro, uma forma.*] [***tdr.*** + *com*: *untar o frango com manteiga.*] **2** Friccionar, espalhar, aplicar (creme, óleo etc.) em demasia, emporcalhando(-se); BESUNTAR [***td.***: *Untou todo o rosto.*] [***tdr.*** + *com, de*: *A jovem unta o rosto com creme hidratante; Untou o sanduíche de maionese.*] [▶ **1** untar] [F.: *unto* + *-ar*[2]. Hom./Par.: *unto* (fl.), *unto* (sm.).]

unto (*un*.to) ***sm.*** **1** Banha, gordura de porco: *Derreter o unto na frigideira.* **2** Qualquer substância gordurosa [F.: Do lat. *unctus*. Hom./Par.: *unto* (sm.), *unto* (fl. de *untar*).]

untuosidade (un.tu:o.si.*da*.de) ***sf.*** Qualidade de untuoso [F.: *untuoso* + *-i-* + *-dade*.]

untuoso (un.*tu:o*.so) [ô] ***a.*** **1** Que tem unto, gordura, óleo; GORDUROSO; OLEOSO [Ant.: *desengordurado*.] **2** Que recebeu aplicação de óleo; LUBRIFICADO: *O motor já estava bastante untuoso.* [Ant.: *seco*.] **3** Muito corpulento, gordo; ADIPOSO: *Era um homem atarracado e untuoso.* [Ant.: *delgado, magro*.] **4** Que transmite sensação de brandura, suavidade, meiguice; DOCE; SUAVE: *Sussurrava palavras apaixonadas, de maneira untuosa.* [Ant.: *áspero, desagradável*.] **5** *Pej.* Que tem gestos e modo de falar que revelam intenção de lisonjear, bajular; BAJULADOR; SERVIL: *Era um funcionário rastejante, untuoso.* [F.: *unto* (*-o* > *-u*) + *-oso*. Nas acps. 3 e 5 é ofensivo.]

untura (un.*tu*.ra) ***sf.*** **1** Ação ou resultado de untar; UNÇÃO; UNTADURA **2** Substância espessa com que se unta a pele quer como medicamento, quer como cosmético: "Fê-lo assim o irmão Francisco e mitigou com a untura as dores grandes que padecia." (Maria Thereza Camargo, *O cobreiro na medicina popular*) **3** Leve conhecimento ou noção superficial de um assunto ou ciência: *Tem umas unturas de direito canônico.* **4** *RS* Mistura feita de sebo, pó de carvão e outras substâncias, usado para curar as unheiras dos animais de montaria de carga [F.: Do lat. *unctura*.]

⊠ **Unu** *Quím.* Simb. de *unilúnio*

unúmbio (u.*núm*.bi:o) ***sm.*** *Quím.* Nome provisório do elemento de número 112, símbolo Uub [F.: Do lat. científico *ununbium*, do lat. *un* (*us*) 'um' + *un* (*us*) 'um' + *b*(*is*) 'dois' + *-ium*, ou seja, um + um + dois.]

unumptêntio (u.num.*ptên*.ti:o) ***sm.*** *Quím.* Nome provisório atribuído ao elemento químico de número atômico 115 [Símb.: *Uup*.]

ununílio (u.nu.*ní*.li:o) ***sm.*** *Quím.* Nome provisório atribuído ao elemento de número atômico 110, símbolo Uun [F.: Do lat. científico *ununnilium*, do lat. *un* (*us*) 'um' + *un* (*us*) + *nil* 'zero' + *-ium, ou seja, um+ um+ zero*.]

unumúnio (u.nu.*nú*.ni:o) ***sm.*** *Quím.* Nome provisório do elemento de número atômico 111, símbolo *Uuu* [F.: Do lat. científico unununium, do lat. un(us) 'um' + un(us) 'um' + un(us) 'um' + -ium, ou seja, um+ um+ um.]

◎ **-uoso** ***suf.*** = *-oso*: *monstruoso* [F.: *-u-* + *-oso*.]

upa (*u*.pa) ***Interj.*** **1** Us. para encorajar, incentivar: *Upa, cavalinho! Vamos lá!* **2** Expressa espanto, surpresa: *Upa! Que tombo feio!* ***sm.*** **3** Movimento que resulta em salto brusco, em corcovo **4** *Bras. Pop.* Cachaça [F.: Voc. expressivo. Hom./Par.: *upa* (fl. de *upar*).]

upanixade (u.pa.ni.*xa*.de) ***sm.*** Cada um dos livros sagrados da Índia escritos entre os séc. VII a.C. e IV a.C., que completam os Vedas sob o ponto de vista da explicação da doutrina, e onde se encontra o ponto de partida da filosofia indiana; VEDANTA [Com inicial maiúscula.] [F.: Do sânscrito *upanisad*.]

upar (u.*par*) ***v. int.*** *Bras.* Dar upas, saltos (animal); CORCOVEAR; SALTAR [▶ **1** upar] [F.: *upa* + *-ar*[2]. Hom./Par.: *upa(s)* (fl.), *upa(s)* (sf. [pl.]).]

⊕ ***upgrade*** (Ing. /ápgreide/) ***sm.*** *Inf.* Atualização de um *software* ou modernização do *hardware* de um computador

⊕ ***upload*** (*âpload*) ***sm.*** *Inf.* Envio de arquivo de um microcomputador para um computador remoto

◎ **ur- el. comp.** Ver *ur(o)-*

◎ **-ura** ***suf. nom.*** = ação, ou resultado de ação; qualidade de: *andadura, escritura, empunhadura, manufatura; brancura, bravura, feiura, largura* [= *-dura, -tura*.] [F.: Do lat. *-ura*.]

ura (*u*.ra) ***sf.*** **1** *Ent.* O mesmo que *berne* **2** *AM* Malha redonda, de cor diferente, no pelo da rês [F.: Do tupi *úra*. Hom./Par.: *ura* (sf.), *hura* (sf.).]

uraco (u.*ra*.co) ***sm.*** *Anat.* Canal que, no feto, liga a bexiga à alantoide e que, após o nascimento, continua existindo como um cordão fibroso que vai do umbigo à bexiga [F.: Do gr. *ourachós, oû*.]

úraco (*ú*.ra.co) ***sm.*** *Anat.* Ver *uraco*

uracrasia (u.ro.cra.*si*.a) ***sf.*** *Urol.* O mesmo que *urocrisia* [F.: *ur(o)-* + *acrasia*.]

urálico (u.*rá*.li.co) ***a.*** Ver *uraliano* [F.: Do top *Ural* + *-ico*. Cf. ing. *uralic*.]

uralo-altaico (u.ra.lo-al.*tai*.co) ***a.*** **1** Da ou ref. a região situada entre os montes Urais (Federação Russa, entre Europa e Ásia) e os montes Altai (Sibéria asiática e Mongólia) **2** Ref. a indivíduo nascido ou que vive nessa região **3** *Gloss.* Ref. ao uralo-altaico (4) [Pl.: *uralo-altaicos*. Fem.: *uralo-altaica*] ***sm.*** **4** *Gloss.* Grupo linguístico das famílias linguísticas uraliana e altaica

◎ **urani- *el. comp.*** Ver *uran(o)-*

urânia (u.*râ*.ni:a) ***sf.*** *Quím.* Dióxido de urânio UO_2, que é matéria-prima para a fabricação do combustível nuclear nos reatores nucleares [F.: Do lat. cient. *Urania*.]

uraniano[1] (u.ra.ni.*a*.no) ***a.*** **1** Do, ref. ao, ou próprio do planeta Urano **2** Do deus grego Urano, que personificava o céu *sm.* **3** Habitante do planeta Urano (hipoteticamente) [F.: *uran(o)-* + *-iano.*]

uraniano² (u.ra.ni.*a*.no) *a.* **1** Diz-se de homossexual masculino *sm.* **2** O homossexual masculino [F.: Do al. *Uranian*, cunhado por Karl Heinrich Ulrichs (1825-1895), advogado alemão, a partir do mitônimo lat. *Urania* (ver *uranismo*).]

uranífero (u.ra.*ní*.fe.ro) *a.* Que contém ou produz urânio (jazida uranífera; minério uranífero) [F.: *urani-* + *-fero.*]

uraniídeo (u.ra.ni.*í*.de.o) *Zool. sm.* **1** Espécime dos uraniídeos, família de insetos lepidópteros que inclui mariposas de hábitos ger. diurnos, com asas dotadas de prolongamento caudal e cores brilhantes *a.* **2** Ref. ou pertencente aos uraniídeos [F.: Adaptç. do lat. cient. *Uraniidae.*]

uranila (u.ra.*ni*.la) *sf. Quím.* Cátion divalente que ocorre em vários sais de urano, formado por um átomo de urânio e três de oxigênio [F.: *uran(o)-* + *-ila*².]

urânio (u.*râ*.ni:o) *sm. Quím.* Metal radioativo, de número atômico 92, branco, denso, físsil, us. na produção de energia e armas nucleares [Símb.: *U.*] [F.: Do astrônimo *Urano*, + *-io*³. Ideia de 'urano': *uran(o)-* (*uranografia*).] **~ enriquecido** *Fis. nu. Quím.* Óxido de urânio, processado para ser combustível de reatores atômicos em usinas nucleares [Fórm.: U_3O_8.] **~ 235** *Fis. nu. Quím.* Isótopo leve de urânio, us. em reatores nucleares e em armas atômicas, por entrar em fissão e liberar nêutrons e energia ao ser bombardeado com nêutrons **~ 238** *Fis. nu. Quím.* Isótopo estável de urânio, não passível de fissão; pode ser processado para produzir isótopo de plutônio passível de fissão

O urânio está presente entre os elementos da crosta terrestre na proporção de dois para um milhão. Foi descoberto em 1789, mas sua radioatividade só em 1896. Em 1938 descobriu-se que o núcleo do átomo do urânio se partia (fissão nuclear) quando bombardeado por nêutrons. Como essa fissão libertava nêutrons que podiam desencadear novas fissões, o físico Enrico Fermi chegou à conclusão de que poderia se desencadear uma reação em cadeia, o que foi comprovado menos de uma década depois, com a chamada bomba A, ou bomba atômica. Mais importante que o uso militar, que tende a ser condenado e banido por acordos internacionais, o urânio ganhou importância como combustível de reações nucleares que visam a produção de energia. Nessas usinas, o abundante urânio 238 é usado para dele se extrair o raro urânio 235, único tipo fissionável, que na reação libera energia. Mas o resíduo do urânio 238 se transforma em plutônio, também fissionável; ou seja, o urânio produz ao mesmo tempo energia e combustível para novas reações. Os principais países produtores de urânio são: Canadá, Austrália, Cazaquistão, Níger, Uzbequistão, Federação Russa, Brasil.

uranismo (u.ra.*nis*.mo) *sm.* **1** O mesmo que *homossexualidade* **2** Homossexualismo masculino [F.: Do al. *Uranismus*, cunhado por Karl Heinrich Ulrichs (1825-1895), advogado alemão, a partir do mitônimo lat. *Urania* (< gr. *Ouranía*), outro nome de Afrodite, a deusa do amor, gerada a partir dos testículos de Urano (daí Urânia) jogados nas ondas do mar por seu filho Cronus, segundo algumas versões mitológicas.]

uranista (u.ra.*nis*.ta) *a2g.* **1** Homossexual: "E homossexualismo, particular, sem a pretensão de criar uma sociedade uranista, é tolerado tranquilamente." (*O Globo*, 09.02.1997) *s2g.* **2** Indivíduo homossexual [F.: *uranismo* + *-ista*, seg. o mod. gr.]

uran(o)- *el. comp.* = 'céu'; 'abóbada (celeste ou palatina)'; 'urânio': *uranífero, uranila, uranografia* (< gr.), *uranologia, uranoplastia* [F.: Do gr. *ouranós, oû*, 'céu', 'abóbada (celeste ou palatina)', donde *Ouranós, oû*, 'Urano, divindidade que personificava os céus'.]

urano (u.*ra*.no) *sm.* **1** *Astr.* O sétimo planeta do sistema solar segundo a ordem de afastamento do Sol [Inicial maiúscula.] **2** *Quím.* Óxido de urânio (UO_2) [F.: Do mitônimo gr. *Ouranós, oû*, divindade que personificava o céu e os paraísos, filho e marido de Gaia (a Terra).]

uranografia (u.ra.no.gra.*fi*.a) *sf. Astr.* O mesmo que *astronomia* [F.: Do gr. *ouranographía, as*; ver *uran(o)-* e *-grafia.*]

uranográfico (u.ra.no.*grá*.fi.co) *a. Astr.* Ref. a uranografia [F.: *uranografia* + *-ico*².]

uranologia (u.ra.no.lo.*gi*.a) *sf.* **1** Estudo dos céus **2** *Astr.* O mesmo que *astronomia* [F.: *uran(o)-* + *-logia.*]

uranológico (u.ra.no.*ló*.gi.co) *a. Astr.* Que diz respeito a uranologia [F.: *uranologia* + *-ico*².]

uranologista (u.ra.no.lo.*gis*.ta) *Astr. a2g.* **1** Diz-se de quem estuda os céus e os astros *s2g.* **2** O estudioso dos céus e dos astros; ASTRÔNOMO [F.: *uranologia* + *-ista.*]

uranômetro (u.ra.*nô*.me.tro) *sm.* Instrumento que serve para medir as distâncias celestes [F.: *uran(o)-* + *-metro.*]

uranoplastia (u.ra.no.plas.*ti*.a) *sf. Med. Cir.* Restauração do véu palatino por meio de cirurgia plástica; URANISCOPLASTIA [F.: *uran(o)-* + *-plastia.*]

uranoplástico (u.ra.no.*plás*.ti.co) *a. Med. Cir.* Que diz respeito a uranoplastia (incisão uranoplástica) [F.: *uranoplastia* + *-ico*².]

uranoso (u.ra.*no*.so) [ô] *a. Quím.* Relativo a, ou que contém urânio (rocha uranosa) [Pl.: [ó]. Fem.: *ó*] [F.: *uran(o)-* + *-oso.*]

urapará (u.ra.pa.*rá*) *sm. Etnog.* Arco indígena

urato (u.*ra*.to) *sm. Quím.* Designação genérica aos sais e ésteres do ácido úrico: "Fiz um exame de urina e o resultado revelou urato amorfo." (*O Globo*, 08.06.1997) [F.: *úr(ico)* + *-ato*².]

uratúria (u.ra.*tú*.ri:a) *sf. Med.* Presença excessiva de uratos na urina [F.: *urato* + *-úria* ou *-uria*. Tb. *uraturia.*]

urbanidade (ur.ba.ni.*da*.de) *sf.* Qualidade de quem é urbano, civilizado; AFABILIDADE; CORTESIA [Ant.: *aspereza, grosseria.*] [F.: Do lat. *urbanitas, atis.*]

urbanificação (ur.ba.ni.fi.ca.*ção*) *sf.* **1** O mesmo que *urbanização* **2** Concretização das metas apontadas pelo urbanismo

urbanismo (ur.ba.*nis*.mo) *sm.* **1** *Urb.* Ciência que trata do planejamento de uma cidade, região ou bairro, de suas áreas habitacionais e de circulação, sistema de transporte, saneamento etc. **2** A maneira de viver próprio das cidades **3** A arquitetura das cidades [F.: *urbano* + *-ismo.*]

urbanista (ur.ba.*nis*.ta) *a2g.* **1** Ref. a urbanismo **2** Diz-se de pessoa especialista em urbanismo *s2g.* **3** Essa pessoa [F.: *urbano* + *-ista.*]

urbanisticamente (ur.ba.nis.ti.ca.*men*.te) *adv.* Do ponto de vista do urbanismo: *A vila de pescadores foi urbanisticamente reformada.*

urbanístico (ur.ba.*nís*.ti.co) *a.* Ref. a urbanismo (projeto urbanístico) [F.: *urbanista* + *-ico*².]

urbanitário (ur.ba.ni.*tá*.ri.o) *a.* **1** Diz-se de funcionário dos serviços urbanos, públicos ou privados, de limpeza, água, esgotos etc. *sm.* **2** Esse tipo de funcionário ou a categoria em que ele se insere (sindicato dos urbanitários)

urbanização (ur.ba.ni.za.*ção*) *sf.* **1** Ação ou efeito de urbanizar **2** *Urb.* Conjunto de técnicas e processos que se destinam a dar a uma cidade infraestrutura eficiente, planejamento, embelezamento, organização etc. **3** Concentração de população em áreas de caráter urbano [Pl.: *-ções.*] [F.: *urbanizar* + *-ção.*]

urbanizado (ur.ba.ni.*za*.do) *a.* **1** Que passou por processo de urbanização **2** Que se tornou urbano [F.: Part. de *urbanizar.*]

urbanizador (ur.ba.ni.za.*dor*) [ô] *a.* **1** Que diz respeito a urbanização *sm.* **2** Especialista em urbanização: *O arquiteto Lúcio Costa foi o urbanizador de Brasília.*

urbanizável (ur.ba.ni.*zá*.vel) *a2g.* Passível de tornar-se urbanizado ou urbano (área urbanizável) [Pl.: *-veis.*]

urbano (ur.*ba*.no) *a.* **1** Que demonstra urbanidade, afabilidade, cortesia: *Um senhor de maneiras urbanas.* [Ant.: *descortês, grosseiro.*] **2** Que pertence a cidade ou a ela se refere (conglomerado urbano, transporte urbano): *Estilo de vida urbano.* [Ant.: *inurbano, rústico.*] **3** Que apresenta caráter típico de cidade; CITADINO: *Aumentavam cada vez mais os conflitos urbanos.* [Ant.: *campesino, rural.*] **4** Que vive na cidade (cidadão urbano) *sm.* **5** *SP Pop.* Soldado da polícia [F.: Do lat. *urbanus, a, um.*]

urbanoide (ur.ba.*noi*.de) *s2g.* **1** Habitante urbano que não se adapta ou não se interessa por outros lugares a não ser os grandes centros urbanizados *a2g.* **2** *Pej.* Diz-se de ou habitante urbano que não se adapta a ou não se interessa por outros lugares fora das grandes cidades (juventude urbanoide) **3** *Pej.* Relativo a esse habitante urbano ou ao seu tipo de vida, cultura etc.: "Facilmente se observa o preconceito urbanoide na suposta questão do trabalho rural escravo, como se no campo ainda dominasse a escravatura." (*O Globo*, 18.01.2005)

urbanólogo (ur.ba.*nó*.lo.go) *a. sm.* Ver *urbanista*

urbe (*ur*.be) *sf.* Ver *cidade* [F.: Do lat. *urbs, is.*]

urb(i)- *Pref.* = cidade: *urbanismo, urbano.* [F.: Do lat. *urbs, is* 'cidade'.]

urbicida (ur.bi.*ci*.da) *a2g.* Que se refere ou que leva ao extermínio de cidades (guerra urbicida) [F.: *urb(i)-* + *-cida.*]

urbi et orbi (*Lat.* /*úrbi et órbi*/) *loc. adv.* À cidade e ao mundo; para todo o mundo

urca (*ur*.ca) *sf.* **1** *Ant. Mar.* Embarcação à vela, larga e de fundo chato, com dois ou três mastros, us. para transportar carga *sf.* **2** *Fig. Pej.* Mulher gorda, feia, deselegante *a2g.* **3** *N.* De dimensões avantajadas [F.: Do fr. *hourque.*]

urceolado (ur.ce:o.*la*.do) *a.* **1** Em forma de urcéolo **2** *Bot.* Diz-se de corola gamopétala e actinomorfa que possui o tubo inflado e o limbo pouco desenvolvido

urcéolo (ur.*cé*.o.lo) *sm.* **1** Tipo de vaso pequeno, bojudo e com asas, us. pelos antigos romanos **2** *Bot.* Órgão vegetal dilatado, provido de abertura pequena, cuja forma lembra a de um vaso bojudo [F.: Do lat. *urceolus, i.*]

urco (*ur*.co) *sm.* **1** *S.* Cavalo forte, belo, corpulento *a.* **2** Diz-se de cavalo grande, belo e forte **3** *Pej.* Muito nutrido; com excesso de peso (menino urco)

urdideira (ur.di.*dei*.ra) *sf.* **1** Mulher que tece; TECEDEIRA; TECELÃ **2** *Têxt.* Em teares manuais, conjunto de duas peças verticais e paralelas, providas de pregos ou ganchos nos quais são dispostos os fios da urdidura **3** *Têxt.* Na indústria moderna, máquina que realiza o trabalho de urdir [F.: *urdido* + *-eira.*]

urdido (ur.*di*.do) *a.* **1** Confeccionado por urdidura; TECIDO **2** *Fig.* Que foi elaborado, montado, organizado: *A novela teve uma trama bem urdida.* **3** *Fig.* Que foi tramado, conspirado, maquinado: *A vingança foi calmamente urdida.* [F.: Part. de *urdir.*]

urdidura (ur.di.*du*.ra) *sf.* **1** Ação ou resultado de urdir; URDIMENTO **2** *Têxt.* Feixe de fios dispostos paralelamente no tear e por entre os quais passam os fios da trama **3** *Fig.* Enredo de uma obra de ficção; ENTRECHO; TRAMA **4** *Fig.* Conjunto de maquinações contra alguém ou algo; TRAMA [F.: *urdido* + *-ura.*]

urdimento (ur.di.*men*.to) *sm.* **1** O mesmo que *urdidura*; URDUME **2** *Teat.* Conjunto de traves que, do teto do palco, sustentam os equipamentos cênicos [F.: *urdir* + *-mento.*]

urdir (ur.*dir*) *v. td.* **1** Preparar (golpe, vingança, trama etc.); TRAMAR: *Urdiu um golpe diabólico* **2** Preparar (os fios da tela) para tecer: *Sentou-se ao tear para urdir o tecido.* **3** Imaginar, fantasiar: *Urdiu uma trama complicada para seu novo filme.* [▶ 3 urdir] [F.: Do lat. **ordire*, por *ordiri.*]

urdume (ur.*du*.me) *sm.* O mesmo que *urdidura*

ur(e)- *el. comp.* = 'ureia': *uréase, urease, ureômetro* [F.: Do fr. *urée*, do fr. *urine*, 'urina'.]

uredínea (u.re.*dí*.ne.a) *sf. Micol.* Espécime das uredíneas, ordem de fungos parasitas, agentes da ferrugem nos vegetais [F.: Adaptç. do lat. cient. *Uredineae.*]

uredíneo (u.re.*dí*.ne:o) *a. Micol.* Referente ou pertencente às uredíneas [F.: De *uredínea*, com var. suf; ver *-eo.*]

uredo¹ (u.*re*.do) *sm.* Sensação de ardor, coceira, comichão [F.: Do lat. *uredo, inis.*]

uredo² (u.*re*.do) *sm. Micol.* Nome comum a fungos do gên. *Uredo*, da ordem das uredíneas [F.: Do tax. *Uredo.*]

ureia (u.*rei*.a) *sf. Quím.* Substância (CH_4N_2O) encontrada na urina dos mamíferos, resultante do metabolismo das proteínas, ou produzida de forma sintética, e que possui usos variados na indústria farmacêutica, na fabricação de papel e plásticos, como fertilizante etc. [F.: Do fr. *urée.*]

ureico (u.*rei*.co) *a. Quím.* Que diz respeito a ureia e seus compostos, ou que contém essas substâncias (ácido ureico) [F.: *ureia* + *-ico*².]

uremia (u.re.*mi*.a) *sf. Med.* Condição clínica causada pela retenção no sangue de substâncias tóxicas que deveriam ser eliminadas pela urina [F.: *ur(o)-* + *-emia.*]

urêmico (u.*rê*.mi.co) *Med. a.* **1** Relativo a uremia **2** Diz-se de indivíduo que sofre de uremia (paciente urêmico) *sm.* **3** Esse indivíduo: *Os urêmicos ficaram nas duas últimas camas da enfermaria.* [F.: *uremia* + *-ico*².]

urente (u.*ren*.te) *a2g.* Que queima ou arde; ARDENTE; CÁUSTICO; IRRITANTE [F.: Do lat. *urens, entis.*]

ure(o)- *el. comp.* Ver *ur(e)-*

ureômetro (u.re.*ô*.me.tro) *sm.* Aparelho com que se mede a ureia existente na urina [F.: *ure(o)-* + *-metro*¹.]

-urese *el. comp.* = 'micção', 'ação ou resultado de urinar' (ger. de caráter anormal): *aconurese, acraturese, anurese, diurese, enurese, salurese* [F.: Do gr. *oúresis, eos*, 'micção'.]

uretana (u.re.*ta*.na) *sf. Quím.* Qualquer éster do ácido carbâmico us. como solvente, hipnótico, anestésico etc. [Fórm.: $C_3H_7NO_2$.] [F.: *ur(e)-* + *ét(er)* + *-ana*².]

uretano (u.re.*ta*.no) *sm. Quím.* O mesmo que *uretana* [F.: *ur(e)-* + *ét(er)* + *-ano*².]

ureter (u.re.*ter*) *sm. Anat.* Cada um dos dois canais que levam a urina dos rins à bexiga [Pl.: *-teres.*] [F.: Do gr. *ouretér, êros.* Ideia de 'ureter': *ureter(o)-* (*ureteralgia*).]

ureteral (u.re.te.*ral*) *a2g. Anat.* Ref. a ureter [Pl.: *-rais.*] [F.: *ureter* + *-al*¹.]

ureteralgia (u.re.te.ral.*gi*.a) *sf. Med.* Dor nos ureteres [F.: *ureter(o)-* + *-algia.*]

ureterálgico (u.re.te.*rál*.gi.co) *a. Med.* Que diz respeito a ureteralgia [F.: *ureteralgia* + *-ico*².]

ureterite (u.re.te.*ri*.te) *sf. Pat.* Inflamação nos ureteres [F.: *ureter(o)-* + *-ite*¹.]

ureter(o)- *el. comp.* = 'ureter': *ureteralgia, ureterite, ureterografia, ureterolitíase* [F.: Do gr. *ouretér, êros.*]

ureterolitíase (u.re.te.ro.li.*tí*.a.se) *sf. Med.* Formação de cálculo nos ureteres [F.: *ureter(o)-* + *-litíase.*]

urético (u.*ré*.ti.co) *a.* **1** O mesmo que *diurético* **2** Que diz respeito a urina **3** Diz-se de qualquer distúrbio ou enfermidade no canal excretor da urina [F.: Do gr. *ouretikós, é, ón.*]

uretra (u.*re*.tra) *sf. Anat.* Canal por onde se elimina a urina contida na bexiga e, no homem, passa o esperma [F.: Do gr. *ouréthras, as.*]

uretral (u.re.*tral*) *a2g.* Relativo ou pertencente a uretra (dilatador uretral) [Pl.: *-trais.*] [F.: *uretra* + *-al*¹.]

uretralgia (u.re.tral.*gi*.a) *sf. Urol.* Dor na uretra [F.: *uretr(o)-* + *-algia.*]

uretrálgico (u.re.*trál*.gi.co) *a. Urol.* Ref. a uretralgia [F.: *uretralgia* + *-ico*².]

uretrenfraxia (u.re.tren.fra.*xi*.a) [cs] *sf. Urol.* Obstrução do fluxo urinário no interior da uretra [F.: *uretr(o)-* + *enfraxia.* Tb.: *uretrofraxia*, var. sincopada.]

uretrite (u.re.*tri*.te) *sf. Urol.* Inflamação de origem infecciosa na uretra (uretrite gonocócica) [F.: *uretr(o)-* + *-ite*¹.]

uretr(o)- *el. comp.* = 'uretra'; (*p. ext.*) 'ureter': *uretralgia, uretrite, uretrocistografia, uretrenfraxia, uretrografia, uretrometria, uretroplastia, uretroscopia, uretrovesical* [F.: Do gr. *ouréthra, as.*]

uretrocistografia (u.re.tro.cis.to.gra.*fi*.a) *sf. Urol.* Radiografia da uretra e bexiga [F.: *uretr(o)-* + *-cist(o)-* + *-grafia.*]

uretrografia (u.re.tro.gra.*fi*.a) *sf. Rlog.* Radiografia da uretra [F.: *uretr(o)-* + *-grafia.*]

uretrorragia (u.re.tror.ra.*gi*.a) *sf. Urol.* Sangramento ou hemorragia uretral [F.: *uretr(o)-* + *-ragia.*]

uretrorrágico (u.re.tror.*rá*.gi.co) *a. Urol.* Que diz respeito a uretrorragia [F.: *uretrorragia* + *-ico*².]

uretrorreia (u.re.tror.*rei*.a) *sf. Urol.* Corrimento pela uretra [F.: *uretr(o)-* + *-reia.*]

uretrorreico (u.re.tror.*rei*.co) *a. Urol.* Que diz respeito a uretrorreia [F.: *uretrorreia* + *-ico*²; ver *-rreico.*]

uretroscopia (u.re.tros.co.*pi*:a) *sf. Urol.* Exame que permite a inspeção visual da uretra por meio de uretroscópio [F.: *uretr(o)-* + *-scopia.*]

uretroscópico (u.re.tros.*có*.pi.co) *a. Urol.* Que diz respeito a uretroscopia [F.: *uretroscopia* + *-ico*².]

uretroscópio (u.re.tros.*có*.pi:o) *sm. Urol.* Aparelho com que se examina o interior da uretra [F.: *uretr(o)-* + *-scópio.*]

uretrostenia (u.re.tros.te.*ni*:a) *sf. Pat.* Patologia em que ocorre o estreitamento da uretra [F.: *uretr(o)-* + *-stenia*[1].]

uretrostênico (u.re.tros.*tê*.ni.co) *Pat. a.* **1** Que diz respeito a uretrostenia **2** Diz-se de indivíduo que sofre de uretrostenia (paciente uretrostênico) *sm.* **3** Esse indivíduo [F.: *uretrostenia* + *-ico*[2].]

uretrotomia (u.re.tro.to.*mi*:a) *sf. Cir.* Incisão cirúrgica para alargar a uretra estreitada [F.: *uretr(o)-* + *-tomia*.]

uretrotômico (u.re.tro.*tô*.mi.co) *a. Cir.* Que diz respeito a uretrotomia (procedimento uretrotômico) [F.: *uretrotomia* + *-ico*[2].]

uretrovesical (u.re.tro.ve.si.*cal*) *a2g. Anat.* Ref. ou pertencente ao ureter e à bexiga [Pl.: *-cais*.] [F.: *uretr(o)-* + *vesical*.]

urgência (ur.*gên*.ci:a) *sf.* **1** Caso ou situação muito grave (urgência médica) **2** Necessidade ou problema que exige solução rápida: *Tinha urgência em chegar à estação.* **3** Situação que tem prioridade sobre as outras [+ *em, para*: *Solicitou urgência para o projeto rural; Recomenda urgência no andamento do processo.*] [F.: Do lat. *urgentia, ae.*] ■ **~ urgentíssima** *Jur.* Urgência extraordinária

urgente (ur.*gen*.te) *a2g.* **1** Que é preciso resolver ou ser feito imediatamente; IMEDIATO; INSTANTÂNEO: *O problema precisa de solução urgente.* **2** De que não se pode prescindir (socorro urgente); IMPRESCINDÍVEL; INDISPENSÁVEL [Ant.: *dispensável, prescindível*.] **3** Que mostra ser iminente; PRÓXIMO: *Fugiram do desabamento urgente.* **4** Que revela pressa (apelo urgente) [F.: Do lat. *urgens, entis.*]

urgentemente (ur.gen.te.*men*.te) *adv.* De modo urgente, com premência ou pressa [F.: *urgente* + *-mente*.]

◎ **-urgia** *el. comp.* = atuação, técnica: *cirurgia, dramaturgia, metalurgia, mineralurgia* [F.: Do gr. *-ourgía*. Cf.: *-ia*[1].]

urgir (ur.*gir*) *v.* **1** Ter urgência, pressa [*int.*: *Providências urgem!*] **2** Pedir com insistência (a alguém) para que faça algo [*tr.* + *com... para*: *Urgiu com o companheiro para que viajassem logo.*] **3** Ser preciso dar solução imediata a (alguma coisa) [*int.*: *Urge sairmos daqui correndo.*] **4** Pressionar (alguém) a (fazer alguma coisa) [*tdr.* + *a*: *A necessidade urgiu o homem a agir daquela forma.*] **5** Não permitir demora [*int.*: *Vamos depressa, o tempo urge!*] **6** Exigir (algo) por ser necessário [*td.*: *A perturbação dessa moça urge a presença de um terapeuta.*] **7** Perseguir (alguém, algo) de muito perto [*td.*: *Os caçadores urgiam a raposa.*] [▶ **46** urgir. É unipess. nas acps. 1, 3, 4, 5 e 6; nas acps. 2 e 7, norm. não se conjuga na 1ª pess. do pres. ind., nem, portanto, em todo o pres. do subj.] [F.: Do lat. *urgere*. Hom./Par.: *urgia* (fl.), *orgia* (sf.), *órgia* (fem. de *órgio* [a.]), *Úrgia* (top.).]

◎ **-úria** *el. comp.* = '(presença na) urina (de dado elemento, de modo irregular, patológico ou excessivo)'; 'urina com dada característica': *acetonúria, acetonuria, acidúria, aciduria, adiposúria, adiposuria, alcalinúria, alcalinuria, bacteriúria, bacteriuria, blenúria, blenuria, cianúria, cianuria, glicosúria, glicosuria, hematúria, hematuria, poliúria, poliuria* [F.: Do lat. *-uria, ae* (donde a prosódia proparoxítona), do gr. *-ouría, as* (donde a paroxítona), do v. gr. *ouréo*, 'urinar'. Tb. *-uria*.]

uricemia (u.ri.ce.*mi*:a) *sf. Med.* Presença excessiva e patológica de ácido úrico no sangue [F.: *(ácido) úrico* + *-emia*.]

uricêmico (u.ri.*cê*.mi.co) *a. Med.* Que diz respeito a uricemia (quadro uricêmico) [F.: *uricemia* + *-ico*[2].]

◎ **uric(o)-** *el. comp.* = '(ácido) úrico': *uricemia, uricosúrico* [F.: De *úrico*, de *ur(o)-* + *-ico*[2].]

úrico (*ú*.ri.co) *a.* Diz-se de ácido ($C_5H_4N_4O_3$) presente na urina dos animais carnívoros [F.: Do gr. *oûron, ou*. Ideia de 'úrico', usar pref. *uric(o)-*.]

uricosúrico (u.ri.co.*sú*.ri.co) *a.* **1** *Farm.* Diz-se de substância ou medicamento us. no tratamento da gota, que aumenta a eliminação de ácido úrico pela urina *sm.* **2** *Farm.* Esse medicamento ou substância [F.: *uric(o)-* + *-súrico*.]

urina (u.*ri*.na) *sf. Fisl.* Líquido amarelado que contém substâncias metabólicas, é produzido pelos rins e eliminado através da uretra [F.: Do lat. *urina, ae*. Ideia de 'urina', usar pref. *uro-* e suf. *-urese, -uria* e *-úrico*.] ■ **~ solta** *Pop.* Incapacidade de conter a urina; incontinência urinária

📖 O sistema urinário é, nos organismos superiores, o conjunto de órgãos que realizam a eliminação do excesso de líquidos do organismo juntamente com resíduos inúteis do metabolismo, deles filtrando os nutrientes e substâncias necessárias, que ficam no organismo. Os principais órgãos do sistema urinário no ser humano são os rins, que realizam a filtragem do sangue, os ureteres, que conduzem a urina (meio líquido do material eliminado) para a bexiga, uma bolsa musculomembranosa onde a urina se acumula, bloqueada por uma válvula (esfíncter), até ser eliminada para o exterior por um canal chamado uretra. No homem, a uretra corre dentro do pênis, e também é o canal condutor do sêmen, na ejaculação. Na mulher, a uretra é ducto exclusivo para eliminação da urina.

urinado (u.ri.*na*.do) *a.* Molhado ou manchado de urina (fralda urinada) [F.: Do lat. *urinatus, a, um*.]

urinar (u.ri.*nar*) *v.* **1** Expelir urina (ou junto com a urina, p. ex. sangue) pela uretra; MIJAR(-SE) [*td.*: *Urinou sangue.*] [*int.*: *Urinou várias vezes.*] **2** *Pop.* Molhar ou respingar com urina [*td.*: *Urinou a cueca.*] [*ta.*: *Urinou na plantinha, que acabou morrendo; Urinava-se (= em si mesmo) quando tinha pesadelo.*] **3** *Fig.* Sentir (demonstrando ou não) grande medo [*int.*: *Quando viu a arma, urinou-se.*] [▶ **1** urinar] [F.: Do lat. *urinare*. Hom./Par.: *urina* (fl.), *urina* (sf.), *uirina* (a2g., s2g. e sm.); *urinas* (fl.), *urinas* (pl. do sf.), *uirinas* (pl. do a2g., s2g. e sm.); *urinaria* (fl.), *urinária* (sf.), *urinária* (fem. de *urinário* [a.]).]

urinário (u.ri.*ná*.ri:o) *Fisl. a.* **1** Ref. a urina **2** Diz-se do sistema, do conjunto de órgãos que concorrem para a formação e excreção da urina (vias urinárias) [F.: *urina* + *-ário*. Hom./Par.: *urinária* (f. de urinário), *urinaria* (fl. de *urinar*).]

urinífero (u.ri.*ní*.fe.ro) *a.* **1** *Fisl.* Diz-se de túbulo que transporta a urina **2** Que contém urina [F.: *urina* + *-i-* + *-fero*.]

uriníparo (u.ri.*ní*.pa.ro) *a.* Que produz urina [F.: *urina* + *-i-* + *-paro*.]

urinol (u.ri.*nol*) *sm.* **1** Vaso para urinar e defecar; PENICO **2** *Lus.* Ver *mictório* [Pl.: *-nóis*.] [F.: *urina* + *-ol*.]

urinoso (u.ri.*no*.so) [ô] *a.* **1** De natureza, aspecto, sabor ou cheiro similar ao da urina (líquido urinoso) **2** Mesmo que *urinário* [Pl.: [ó]. Fem.: [ó].] [F.: *urina* + *-oso*.]

urinoterapia (u.ri.no.te.ra.*pi*:a) *sf.* Suposto tratamento de certas doenças por meio da ingestão de urina

URL *sm. Inf.* Representação padronizada de documentos e serviços na internet, capaz de fornecer endereço único a cada um desses documentos

urna (*ur*.na) *sf.* **1** Caixa ou saco inviolável onde se depositam os votos nas eleições (urna eleitoral) **2** Caixa em que são guardadas as cinzas de um morto (urna mortuária) **3** *P. ext.* Caixão de defunto; FÉRETRO **4** *Ant.* Vaso para água [F.: Do lat. *urna, ae.*] ■ **~ eletrônica** *Bras.* Máquina de votar (em eleições), que consiste num dispositivo eletrônico que apresenta a cada eleitor as opções de voto, e que registra, com o apertar de botões, aquelas adotadas por ele **~ funerária** **1** Urna (2) **2** Urna (3)

urnário (ur.*ná*.ri.o) *a.* **1** Ref. ou pertencente a urna **2** Que tem forma semelhante a uma urna *sm.* **3** Na Roma antiga, mesa ou aparador sobre o qual se colocavam as urnas **4** *P. us. Bot. Micol.* Corpo em forma de urna que contém os esporos de certos musgos e fungos [F.: Do lat. *urnarium, ii*.]

urnas (ur.nas) *sfpl. Fig.* Eleição (resultado das urnas) [F.: Pl. de *urna*.]

◎ **-ur(o)-** *el. comp.* Ver *ur(o)-*

◎ **-uro** *el. comp.* Ver *uro-*

◎ **ur(o)-** *el. comp.* = 'urina'; 'aparelho urinário'; 'rim': *uracrasia, uremia, urobilina, urocele, urodinia, urogenital, urologia; urônico; hipúrico* [F.: Do gr. *oûron, ou*, 'urina'. F. conexa: *-úria, -uria* e *-urônico*.]

◎ **uro-** *el. comp.* = 'cauda': *urodelo*[1], *urodelo*[2] (< lat. cient.), *urômero, uropatágio, uropígio* (< gr.); *antúrio* (< lat. cient.); *anuro*[1], *anuro*[2] (< lat. cient.), *dasiúro* (< lat. cient.), *melanuro* [F.: Do gr. *ourá, âs*, 'cauda'; 'rabo'.]

urobilina (u.ro.bi.*li*.na) *sf. Bioq.* Pigmento que o organismo produz em resposta à redução da bilirrubina por bactérias intestinais, e que é eliminado pelo fígado ou pelos rins [F.: *ur(o)-* + *-bil(i)-* + *-ina*[2].]

urobilinemia (u.ro.bi.li.ne.*mi*:a) *sf. Med.* Doença caracterizada pela presença de pigmentos biliares no sangue [F.: *urobilina* + *-emia*.]

urobilinogênio (u.ro.bi.li.no.*gê*.ni:o) *sm. Bioq.* Pigmento formado no intestino (pela redução da bilirrubina) e presente na urina, que dá origem, por oxidação, à urobilina [F.: *urobilina* + *-o-* + *-gênio*.]

urobilinúria (u.ro.bi.li.*nú*.ri:a) *sf. Med.* Presença patológica de pigmentos biliares na urina [F.: *urobilina* + *-úria*. Tb. *urobilinuria*.]

urocele (u.ro.*ce*.le) *sf. Med.* Abscesso causado por infiltração de urina no escroto [F.: *ur(o)-* + *-cele*[1].]

urocrisia (u.ro.cri.*si*:a) *sf. Ant. Med.* Diagnóstico feito com base em exame de urina [F.: *ur(o)-* + *-crisia*.]

urocrítico (u.ro.*crí*.ti.co) *a. Ant. Med.* Que diz respeito a urocrise (estágio urocrítico) [F.: *urocri(sia)* + *-ítico*.]

urodelo[1] (u.ro.*de*.lo) *a. Zool.* Diz-se de animal com cauda visível [F.: *uro-* + *-delo*.]

urodelo[2] (u.ro.*de*.lo) *Zool. sm.* **1** Espécime dos urodelos, ordem de anfíbios que compreende as salamandras e os tritões *a.* **2** Ref. ou pertencente aos urodelos [F.: Adaptç. do lat. cient. *Urodela*. Sin. ger.: *caudado*.]

urodiálise (u.ro.di.*á*.li.se) *sf. Med.* Filtração das impurezas do sangue por meio de aparelho que funciona como um rim artificial; HEMODIÁLISE [F.: *ur(o)-* + *diálise*.]

urodinia (u.ro.di.*ni*:a) *sf. Med.* Retenção patológica de urina, acompanhada de dor no ato de urinar; DISÚRIA [F.: *ur(o)-* + *-odinia*.]

urogenital (u.ro.ge.ni.*tal*) *a2g. Anat.* Ref. ou pertencente aos órgãos genitais e urinários (patologia urogenital); GENITURINÁRIO [Pl.: *-tais*.] [F.: *ur(o)-* + *genital*.]

urografia (u.ro.gra.*fi*:a) *sf. Med.* Radiografia de qualquer órgão ou componente do aparelho urinário, útil no diagnóstico de infecções [F.: *ur(o)-* + *-grafia*.]

urográfico (u.ro.*grá*.fi.co) *a. Med.* Que diz respeito a urografia (investigação urográfica) [F.: *urografia* + *-ico*[2].]

urólito (u.*ró*.li.to) *sm. Med.* Cálculo ou pedra formada no aparelho urinário [F.: *ur(o)-* + *-lito*.]

urologia (u.ro.lo.*gi*:a) *sf. Med.* Ramo da medicina que estuda o sistema urinário de ambos os sexos e o sistema reprodutor masculino [F.: *ur(o)-* + *-logia*. Hom./Par.: *urologia* (sf.), *orologia* (sf.).]

urológico (u.ro.*ló*.gi.co) *a. Med.* Ref. a urologia [F.: *urologia* + *-ico*[2]. Hom./Par.: *urológico* (a.), *orológico* (a.).]

urologista (u.ro.lo.*gis*.ta) *Med. a2g.* **1** Diz-se de especialista em urologia (médico urologista) *s2g.* **2** Esse especialista: *Consultou um urologista.* [F.: *urologia* + *-ista*.]

urômero (u.*rô*.me.ro) *sm. Anat. Zool.* Cada segmento abdominal de um artrópode [F.: *uro-* + *-mero*[1].]

◎ **uron-** *el. comp.* Ver *ur(o)-*

◎ **-urônico** *el. comp.* = 'urina'; 'ácido urônico': *hialurônico, hexurônico, idurônico* [F.: Do gr. *oûron, ou*, 'urina', + *-ico*[2]. F. conexa: *ur(o)-* e *-úria, -uria*.]

urônico (u.*rô*.ni.co) *a. Quím.* Diz-se de ácido aldeídico, produto da oxidação de açúcares [F.: *uron-* + *-ico*[2].]

uropatágio (u.ro.pa.*tá*.gi.o) *sm. Zool.* Membrana que liga as patas posteriores dos morcegos e, ger., prende a cauda [F.: *uro-* + *patágio*.]

uropigiano (u.ro.pi.gi:*a*.no) *a. Anat. Zool.* Localizado no ou relativo ao uropígio; UROPIGIAL [F.: *uropígio* + *-ano*[1].]

uropígio (u.ro.*pí*.gi:o) *sm.* **1** *Anat. Zool.* Proeminência carnosa triangular onde se inserem as penas da cauda de uma ave; SOBRE; SOBRECU **2** *Bras. Fig.* O mesmo que *cóccix* [F.: Do lat *uropygium, ii*, do gr. *ouropýgion*.]

uroscopia (u.ros.co.*pi*.a) *sf. Med.* Exame das urinas [F.: *ur(o)-* + *-scopia*.]

uroscópico (u.ros.*có*.pi.co) *a. Med.* Que diz respeito a uroscopia (avaliação uroscópica) [F.: *uroscopia* + *-ico*[2].]

urovagina (u.ro.va.*gi*.na) *sf. Vet.* Defeito anatômico em equinos e bovinos que provoca o fluxo retrógrado da urina para a vagina e daí para o útero, mais frequente em fêmeas mais velhas ou multíparas [F.: *ur(o)-* + *vagina*.]

urra (*ur*.ra) *interj.* **1** Exprime entusiasmo, júbilo *sm.* **2** Exclamação que expressa entusiasmo, júbilo: *Todos soltaram vivas e urras de alegria!*

urraca (ur.*ra*.ca) *sf.* **1** *Mar.* Cada um dos dois aros de ferro duplo fixados na verga e enfiados no mastro que permitem içá-la ou arriá-la ao longo do mastro **2** *Mar.* Anel de ferro que corre ao longo do mastro onde se engata a adriça e se fixa a verga, permitindo com que corra ao longo do mastro **3** *Mar.* Estropo folgado em volta do mastaréu que recebe os brandais volantes da gávea e do velacho **4** *RS Zool.* O mesmo que *alma-de-gato* (1) [F.: Do antr. *Urraca*.]

urrante (ur.*ran*.te) *a2g.* Que urra (vento/leão urrante) [F.: *urrar* + *-nte*.]

urrar (ur.*rar*) *v.* **1** Produzir som (animal feroz) [*int.*: *O leão urra.*] **2** *Fig.* Berrar como fera [*int.*: "A multidão urrou furiosa..." (Machado de Assis, *O alienista*)] **3** *Fig.* Produzir som como urro(s) [*td.*: *A jovem urrava gemidos de dor.*] [▶ **1** urrar] [F.: Do lat. *ululare*. Hom./Par.: *urra(s)* (fl.), *hurra(s)* (sm. [e pl.]); *urro* (fl.), *urro* (sm.).]

urro (*ur*.ro) *sm.* **1** Rugido de alguns animais ferozes (leões, tigres etc.) **2** *Fig.* Berro muito forte (urro de dor) [F.: De or. contrv. Hom./Par.: *urro* (fl. de *urrar*).]

ursa (*ur*.sa) *sf.* **1** A fêmea do urso **2** Nome comum a duas constelações boreais (Ursa Maior, Ursa Menor) [Inicial maiúscula.] [F.: *urso* + *-a*.]

ursada (ur.*sa*.da) *sf. Bras. Pop.* Traição ou ato desleal, esp. por parte de um amigo [F.: *urso* + *-ada*.]

ursídeo (ur.*sí*.de:o) *sm.* **1** *Zool.* Espécime dos ursídeos, família de grandes mamíferos da ordem dos carnívoros, de corpo grande e pesado, membros curtos e fortes e cauda curta, que compreende os ursos e o panda [Embora classificados como carnívoros, as espécies atuais adaptaram-se à nutrição onívora ou herbívora, excetuando-se o urso-polar.] *a.* **2** *Zool.* Ref. ou pertencente aos ursídeos [F.: Do lat. cient. *Ursidae*.]

ursino (ur.*si*.no) *a.* Ref. ou semelhante a urso (cabeleira ursina) [F.: Do lat. *ursinus, a, um*.]

urso (*ur*.so) *sm.* **1** *Zool.* Nome comum que se dá aos mamíferos da fam. dos ursídeos, esp. os do gên. *Ursus* (urso-pardo, urso-polar etc.) **2** *Fig.* Indivíduo de pouca sociabilidade, por vezes meio rude, meio selvagem **3** *Fig.* Indivíduo muito encorpado e ger. cabeludo **4** *Fig.* Indivíduo sem elegância, sem boas maneiras **5** *Bras. Lud.* O grupo 23 no jogo do bicho, formado pelas dezenas 89, 90, 91 e 92 [F.: Do lat. *ursus, i*.] ■ **Ver ~ (de gole)** *CE Pop.* Estar em grande dificuldade

urso-branco (ur.so-*bran*.co) *sm. Zool.* Grande urso (*Ursus maritimus*) de pelagem inteiramente branca, que habita as regiões árticas, alimenta-se de peixes e focas e tem patas adaptadas para nadar; URSO-POLAR [Pl.: *ursos-brancos*.]

urso-cinzento (ur.so-cin.*zen*.to) *sm. Zool.* Urso ger. de coloração marrom-escura (*Ursus arctos*) que pode atingir quase 3 m de altura e até 800 kg, encontrado na Europa, Ásia, África e América do Norte; URSO-PARDO [Os maiores indivíduos vivem na costa do Alasca e ilhas vizinhas.] [Pl.: *ursos-cinzentos*.]

ursulina (ur.su.*li*.na) *sf.* Religiosa de diversas ordens femininas, esp. a Ordem de Santa Úrsula, dedicada sobretudo ao ensino religioso e à educação feminina [F.: Do antr. santa *Úrsula* (mártir do séc. XIV).]

urticácea (ur.ti.*cá*.ce:a) *sf. Angios.* Espécime das urticáceas, família da ordem urticales, a maior parte composta de ervas, tb. arbustos e lianas e poucas árvores, folhas simples, dispostas em espiral ou opostas, freq. com pelos irritantes, flores pequenas em cimeiras axilares e frutos aquênicos, nuciformes ou drupáceos. Muitas são cultivadas pelas fibras ou como ornamentais, algumas como verdura [F.: Do lat. cient. *Urticacae*.]

urticáceo (ur.ti.*cá*.ce:o) *Angios. a.* Ref. ou pertencente às urticáceas [F.: De *urticácea* (a > o).]

urticale (ur.ti.*ca*.le) *sf.* **1** *Angios.* Espécime das urticales, ordem da classe de plantas dicotiledôneas que reúne, entre outras, a família das ulmáceas, das moráceas, das cecropiáceas e das urticáceas **2** Espécime das urticales [F.: Do lat. cient. *Urticales*.]

urticante (ur.ti.*can*.te) ***a2g.*** Que produz sensação análoga à irritação na pele causada pela urtiga (lagarta urticante); URENTE [F.: *urticar* + *-nte.* Ideia de 'urticante': *cnid(o)-* (*cnidário, cnidoblasto*).]

urticar (ur.ti.*car*) ***v. td.*** **1** Esfregar ou friccionar com urtiga: *Urticou a pele da perna* **2** Ser causa de urtificação em; urtigar: *Essas folhas esquisitas urticaram meu pescoço.* [▶ 11 urticar] [F.: Do lat. *urticare. Hom./Par.: *urtica(s)* (fl), *urtica* (sf. e pl.); *urticaria(s)* (fl.), *urticária* (sf. e pl.).]

urticária (ur.ti.*cá*.ri:a) ***sf. Med.*** Irritação da pele caracterizada por placas vermelhas e coceira [F.: Do lat. *urtica, ae* 'urtiga' + *-ária.* Hom./Par.: *urticaria* (fl. de *urticar*).]

urticariforme (ur.ti.ca.ri.*for*.me) ***a2g.*** Que se assemelha à urticária [F.: *urticária* + *-forme.*]

urtiga (ur.*ti*.ga) *angios.* ***sf. Bot.*** Nome comum às plantas do gên. *Urtica*, da fam. das urticáceas, que têm pelos que causam irritação à pele, cultivadas para extração de fibras ou para uso medicinal: "Já tinha avistado ao longe a janela, quando debaixo de uma ramagem surdiu a figura magra e esguia de Aires Gomes, coberta de urtigas e ervas-de-passarinho, e deitando os bofes pela boca." (José de Alencar, *O guarani*) [F.: Do lat. *urtica, ae.* Hom./Par.: *urtiga* (fl. de urtigar). Ideia de 'urtiga', usar pref. *urtic (i)-*.]

urtigante (ur.ti.*gan*.te) ***a2g.*** Ver *urticante* [F.: *urtigar* + *-nte.*]

uru¹ (u.*ru*) ***sm. Bras. Ornit.*** Ave galiforme da família dos faisanídeos (*Odontophorus capueira*), encontrada do Ceará ao Rio Grande do Sul, no S. E. do Mato Grosso do Sul, no Paraguai e na Argentina; vive em bandos nas matas densas e alimenta-se de pequenos frutos e insetos; CAPOEIRA; CORCOVADO [F.: Do tupi.]

uru² (*u.ru*) ***sm. Bras.*** Cesto de palha com alça, us. por indígenas e feito de carnaúba [F.: Do tupi *u'ru.*]

uruá (u.ru.*á*) ***sm. Bot.*** Árvore da fam. das boragináceas (*Cordia alliodora*), nativa do Brasil, de madeira branca, compacta e com odor de alho; URUAZEIRO [F.: De or. incerta.] ■ **Comer/fazer ~** *AM* Ter (uma mulher) relações sexuais com outra(s) mulher(es); ser lésbica

urubamba (u.ru.*bam*.ba) ***sf. Bras. Angios.*** Designação comum a várias espécies de palmeiras do gênero *Desmoncus*; tb. *jacitara* (*Desmoncus caespitosus*) [F.: Do tupi.]

urubu (u.ru.*bu*) ***sm.*** **1** *Zool.* Nome comum dado às aves da fam. dos catartídeos, gên. *Coragyps* e *Cathartes*, que possuem cabeça e pescoço nus e se alimentam de carniça **2** *Bras. Fig. Pop.* Agente funerário **3** *Bras. Fig. Pop.* Pessoa vestida com roupa preta, esp. homem **4** *Bras. Fig. Pop.* Religioso (padre ou freira) que veste hábito preto **5** *Bras. Fig. Pop.* Pessoa que supostamente traz azar aos outros **6** *GO* Pequena mancha negra no diamante [F.: Do tupi *uru'wu.*] ■ **Escovar/lavar ~** *AM Pop.* Estar desempregado, sem ocupação, sem meios de vida

urubu-rei (u.ru.bu-*rei*) ***sm.*** Grande urubu (*Sarcoramphus papa*) de cabeça e pescoço nus, com tons de vermelho, laranja e amarelo, asas e caudas pretas, com cerca de 80 cm de comprimento, encontrado do México à Argentina [Pl.: *urubus-reis e urubus-rei.*]

urubutinga (u.ru.bu.*tin*.ga) ***sm. Bras. Ornit.*** Ver *urubu-rei* [F.: *urubu* + *-tinga.*]

urubuzada (u.ru.bu.*za*.da) ***sf.*** Grupo de urubus [F.: *urubu* + *-zada.*]

urubuzama (u.ru.bu.*za*.ma) ***sf.*** O mesmo que *urubuzada*: "... a urubuzama faminta ali, (...) alvoroçada aos bandos pelo chão, em brigas, outros (...) já mansos, não tinham medo..." (João Modesto de Castro, *O ranchinho de Euclides*) [F.: *urubu* + *-z-* + *-ama.*]

urubuzar (u.ru.bu.*zar*) ***v. td.*** **1** *Bras. Fam.* Olhar (algo ou alguém) com intenção maldosa: *Urubuzava o vizinho cada vez que ele passava.* **2** *Gír.* Acarretar falta de sorte ou dar azar a; azarar: *Não deixe o baixinho ver seu jogo, ele urubuza qualquer um!* [▶ 1 urubuzar] [F.: *urubu* + *-z-* + *-ar²*.]

uruca (u.*ru*.ca) ***sf. Bras.*** F. red. de *urucubaca*: "Vieram filhos, vieram doenças, macacos de toda a espécie, urucas." (Monteiro Lobato, *O macaco que se fez homem*)

urucari (u.ru.ca.*ri*) ***sm. Angios.*** Árvore da família das palmeiras (*Cocos coronata*). Tb. *urucuri* [F.: Var. de *urucuri.*]

urucatu (u.ru.ca.*tu*) ***sm. Bot.*** Erva perene (*Hippeastrum reginae*) da família das amarilidáceas, de folhas lanceoladas, espatuladas e umbelas e flores vermelhas brilhantes, encontrada no México e no O. da África [F.: Do tupi.]

urucu (u.ru.*cu*) ***sm.*** Ver *urutu*

uruçu (u.ru.*çu*) ***sf. Bras. Ent.*** Denominação comum a diversas espécies maiores de abelhas sociais da subfamília dos meliponídeos [F.: Do tupi.]

urucuba (u.ru.*cu*.ba) ***sf. Bras. Angios.*** Árvore frondosa (*Virola gardneri*) da família das miristicáceas, nativa do Brasil (ES e RJ), de folhas ovadas, oblongas, flores em racemos axilares e pequenos frutos globosos [F.: Posv. do tupi.]

urucubaca (u.ru.cu.*ba*.ca.) ***sf. Bras.*** Má sorte, azar [F.: Voc. expressivo, com base em *urubu.*]

urucum (u.ru.*cum*) ***sm.*** **1** *Bot.* Pequena árvore da fam. das bixáceas (*Bixa orellana*), natural da América tropical, cultivada como ornamental e esp. pelos frutos cujas sementes e polpa têm uso medicinal e como corante; URUCUZEIRO **2** *Bras.* Substância extraída dos frutos dessa árvore, us. em culinária e, entre os indígenas, em pintura corporal [Pl.: *-cuns.*] [F.: Do tupi *uru'ku.* Ideia de 'urucum', usar pref. *bix -.* Tb. *urucu.*]

urucungo (u.ru.*cun*.go) ***sm.*** **1** *Mús.* O mesmo que *berimbau* **2** *RS* Cavalo ruim ***a.*** **3** *RS* Diz-se de cavalo ruim [F.: Do quimb.]

urucuzeiro (u.ru.cu.*zei*.ro) ***sm. Bot.*** Urucum [F.: *urucu* + *-z-* + *-eiro.*]

uruguaio (u.ru.*guai*.o) ***sm.*** **1** Pessoa nascida ou que vive no Uruguai (América do Sul) ***a.*** **2** Do Uruguai; típico desse país ou de seu povo [F.: Do top. *Uruguai* + *-o.*]

urundeúva (u.run.de.*ú*.va) ***sf. Bras. Bot.*** Árvore da fam. das anacardiáceas (*Astronium urundeuva*), natural do Brasil, com pequenas flores vermelhas, e madeira muito dura e resistente, us. em obras externas; AROEIRA; AROEIRA-DO-SERTÃO; AROEIRA-PRETA; URINDEÚVA [F.: Posv. do tupi.]

urupá (u.ru.*pá*) ***s2g.*** **1** *Etnol.* Indivíduo pertencente ao grupo dos urupás, grupo indígena que habitava o Nordeste de Rondônia no séc. XIX, hoje considerado extinto ***sm.*** **2** *Gloss.* Língua falada pelos urupás ***a2g.*** **3** Ref. ou pertencente a urupá (1 e 2) [F.: De Urupá.]

urupê (u.ru.*pê*) ***sm. Bras. Micol.*** Fungo sapróbio da fam. das poliporáceas (*Pycnoporus sanguineus*), que se desenvolve sobre troncos caídos e cujo corpo de frutificação é semicircular, vermelho-alaranjado; ORELHA-DE-PAU [F.: Do tupi *uru'pe.*]

urupeense (u.ru.pe.*en*.se) ***s2g.*** **1** Aquele ou aquela que nasceu ou que vive em Urupês (SP) ***a2g.*** **2** De Urupês; típico dessa cidade ou de seu povo [F.: Do top. *Urupê(s)* + *-ense.*]

urupema (u.ru.*pe*.ma) ***Bras. sf.*** **1** Peneira de palha por que se passa farinha de mandioca, entre outras **2** Trançado de palha que se us. como encosto de cadeira **3** Esse trançado us. para vedar portas, janelas etc.: "Se acontecer o que eu cá espero, amanhã de manhãzinha o chumbo assobia nas urupemas de sua casa e a faca trabalha nas banhas da barriga dele." (Franklin Távora, *O matuto*) [F.: Do tupi *uru'pema.* Tb.: *arupemba, gurupema, urupemba.*]

urupemba (u.ru.*pem*.ba) ***sf.*** Ver *urupema*

ururau (u.ru.*rau*) ***sm. Bras. Zool.*** O mesmo que *jacaré-de-papo-amarelo* (*Caiman latirostris*) [F.: Do tupi. Tb.: *aruá.*]

urutu (u.ru.*tu*) ***s2g. Zool.*** Cobra venenosa da fam. dos viperídeos (*Bothrops alternatus*), de corpo marrom com manchas pretas e comprimento que pode chegar a 2 m, encontrada em algumas regiões do Brasil; URUTU-CRUZEIRO [F.: Posv. do tupi *uru'tu.*]

urutu-estrela (u.ru.tu-es.*tre*.la) ***sm. Zool.*** Ver *jararacuçu* [Pl.: *urutus-estrelas e urutus-estrela.*]

urzal (ur.*zal*) ***sm.*** **1** Terreno plantado de urzes **2** *P. ext.* Terreno agreste, de vegetação baixa [Pl.: *-ais.*] [F.: *urze* + *-al.*]

urze (*ur*.ze) ***sf. Bot.*** Nome comum a várias plantas da fam. das ericáceas, esp. as do gên. *Erica*, de flores campanuladas, coloridas e pêndulas, muitas são cultivadas como ornamentais [F.: Do lat. *ulex, icis.* Col.: *urzal, urzedo.* Ideia de 'urze', usar pref. *eric-.*]

usabilidade (u.sa.bi.li.*da*.de) ***sf.*** **1** *Inf.* Grau de simplicidade com que uma interface ou um programa podem ser usados **2** *P. ext.* Termo us. para definir a facilidade ou praticidade com que se pode utilizar uma ferramenta ou objeto na realização de determinada tarefa; condição do que pode ser usado, com eficácia, da forma mais simples e intuitiva possível [F.: De *usável* (sob a f. *usabil-*) + *-(i)dade*, seg. o mod. erudito.]

usado (u.*sa*.do) ***a.*** **1** Que se usou; EMPREGADO; GASTO; UTILIZADO: *horas usadas para o lazer.* [Ant.: *desperdiçado, perdido.*] **2** Que se usa com frequência; FREQUENTE; HABITUAL; USUAL: *Ele sempre repete esses argumentos usados.* [Ant.: *incomum, raro.*] **3** *P. us.* Que está habituado; ACOSTUMADO: *Seu corpo está usado a esses exercícios.* [Ant.: *desabituado, desacostumado.*] **4** Que se deteriorou pelo uso (roupa usada); BATIDO; GASTO [Ant.: *conservado.*] [F.: Part. de *usar.*]

usagre (u.*sa*.gre) *Derm.* ***sm.*** **1** Eczema de crianças lactentes **2** Eczema impetiginoso [F.: De or. obsc.]

usança (u.*san*.ça) ***sf.*** Hábito tradicional, costume; uso frequente: *Esse ritual é uma das usanças dos indígenas.* [Ant.: *desusança.*] [F.: *usar* + *-ança.*] ■ **À ~** De acordo com os costumes ou a tradição

usar (u.*sar*) ***v.*** **1** Utilizar, empregar, ter ou carregar consigo; vestir (algo) habitual ou eventualmente [***td.:*** "Você não usa relógio? (...) e usaram as palavras que todos usavam" (França Júnior, *Os dois irmãos*)] **2** Ter o hábito de; COSTUMAR [***td.:*** *Antigamente as pessoas usavam passear mais a pé.*] [***tr.*** + *de*: *Usa de correr todas as manhãs.*] **3** Aproveitar(-se) de (algo ou alguém); abusar de [***td.:*** *Usou sua amizade para conseguir o que queria.*] [***tr.*** + *de*: *Ela usa de sua posição para manipular os outros.*] **4** Apresentar-se sempre com [***td.:*** *Meu avô usava cavanhaque.*] **5** Cobrir-se com, colocar roupa; VESTIR(-SE) [***td.:*** *Ela sempre usa blusas azuis.*] [***tr.*** + *de*: *Os motoristas de ônibus usam de uniforme para trabalhar.*] **6** Fazer uso de; EMPREGAR [***td.:*** *Usa muitas palavras vulgares quando fala.*] [***tr.*** + *de*: *Usou de expressões gregas por erudição.*] **7** Tirar proveito de [***td.:*** *Usa a fraqueza dos outros para tirar vantagens.*] **8** Utilizar (algo) de forma proveitosa, ou não [***td.:*** *Usou as férias para viajar.*] [***tdr.*** + *em*: *Não usaram o dinheiro na compra do imóvel.*] **9** Apresentar-se sempre, ou quase sempre, de (determinado modo) [***td.:*** *Usa óculos escuros a qualquer hora do dia.*] **10** Deteriorar (algo) pelo uso constante; GASTAR [***td.:*** *Usou o carro até o motor fundir.*] [***int.:*** *Já se usou tanto a calça que até rasgou.*] **11** Servir-se de [***tr.*** + *de*: *Usou da inteligência para resolver o impasse.*] **12** *P. us.* Tratar (alguém) de determinado modo; HAVER-SE; PROCEDER [***tr.*** + *com*: *Usou mal com a esposa, deixando-a desamparada.*] **13** Utilizar como fonte de energia; CONSUMIR; GASTAR [***td.:*** *Meu carro está usando muita gasolina.*] [***tr.*** + *de*: *Os aviões a jato usam do querosene como combustível.*] **14** Consumir habitualmente (bebidas, remédios etc.) [***td.:*** *Ela usa vinho no almoço.*] [***tr.*** + *de*: *Meu avô usa de medicamentos para dormir.*] [▶ 1 usar] [F.: Do lat. *usare. Hom./Par.: *uso* (fl.), *uso* (sm.).]

usável (u.*sá*.vel) ***a2g.*** **1** Que pode ser usado; UTILIZÁVEL: *Essa roupa ainda é usável.* **2** *Ant.* Que é usual, frequente, habitual [Pl.: *-eis.*] [F.: *usar* + *-vel.*]

⊠ **USB** ***sm.*** *Inf.* Dispositivo *plug and play* (basta conectar para poder funcionar) concebido para facilitar a conexão de periféricos para computador, como teclados, mouses, impressoras etc., e até mesmo discos rígidos, sem necessidade de desligar o computador [Sigla de *Universal Serial Bus.*]

> 🕮 Por uma única porta USB no computador podem-se conectar em árvore até 127 dispositivos e periféricos, cuja utilização e funcionamento o computador gerencia, levando em conta as cargas de serviço, as necessidades específicas de cada componente etc.

usbeque (us.*be*.que) ***s2g.*** **1** Pessoa nascida ou que vive no Uzbequistão (Ásia) ***a2g.*** **2** Do Uzbequistão; próprio desse país ou de seu povo [F.: De *Uzbequistão.*]

◎ **-usca** ***suf.*** = *-isco¹*: *molusco, velhusca, velhusco* [F.: Do lat. *-usculum.*]

◎ **-usco** ***suf.*** Equivalente aos suf. *-asco, -esco, -isco* e *-osco*, formadores de palavras que ger. indicam aproximação ou depreciação: *chamusco, farrusco, molusco, negrusco, patusco, velhusco* etc.

◎ **-úsculo** ***suf.*** *nom.* = diminuição: *corpúsculo, opúsculo* [F.: Do lat. *-usculum.*]

useiro (u.*sei*.ro) ***a.*** Que tem por hábito fazer certa coisa: *Ele é useiro em falar mal dos outros.* [F.: *uso* + *-eiro.*] ■ **~ e vezeiro (em)** Que tem o costume de (agir de certa maneira, fazer determinada coisa frequentemente)

usina (u.*si*.na) ***Bras. sf.*** **1** *Bras.* Estabelecimento industrial equipado com máquinas que processam matéria-prima (indústria de sapatos); FÁBRICA **2** Engenho de açúcar **3** Conjunto de instalações dedicadas esp. à produção de energia elétrica [F.: Do fr. *usine.*] ■ **~ hidrelétrica** *Bras.* Usina que produz energia elétrica em turbinas acionadas pela força da água, ger. represada, que se faz correr para acioná-las [Tb. apenas *hidrelétrica.*] **~ termelétrica** Usina que produz energia elétrica pela queima de carvão ou óleo combustível [Tb. apenas *termelétrica.*] **~ termonuclear** Usina que produz energia elétrica por reação nuclear e pela transformação da energia nuclear em energia térmica

usinado (u.si.*na*.do) ***a.*** Que se usinou; a que se deu forma (concreto usinado) [F.: Part. de *usinar.*]

usinagem (u.si.*na*.gem) ***sf.*** **1** Ação ou resultado de usinar **2** Processo mecânico pelo qual se dá forma à peça ou à matéria-prima **3** *Bras.* Qualquer técnica que dispensa ferramentas para dar forma à peça ou à matéria-prima (usinagem eletroquímica) [Pl.: *-gens.*] [F.: *usinar* + *-gem.*]

usinar (u.si.*nar*) ***v. td. Bras.*** Efetuar a usinagem de; talhar (peça em estado bruto, como, p. ex., o mármore) [▶ 1 usinar] [F.: *usina* + *-ar²*.]

usineiro (u.si.*nei*.ro) ***Bras. a.*** **1** Ref. a usina **2** Diz-se de pessoa que é proprietária de usina de açúcar ***sm.*** **3** Essa pessoa [F.: *usina* + *-eiro.*]

usitar (u.si.*tar*) ***v. td.*** *P. us.* Usar (algo) com frequência; servir-se [▶ 1 usitar] [F.: Do lat. **usitare*, por *usitari.*]

úsnea (*ús*.ne:a) ***sf. Bot.*** Nome comum aos liquens da família das usneáceas, posv. os mais comuns entre os dotados de talos ramificados [F.: Do lat. cient. *Usnea*, deriv. do ár. *usna* 'musgo', 'líquen'.]

uso (*u*.so) ***sm.*** **1** Ação ou resultado de usar **2** Utilização de algo (ferramenta, instrumento, máquina etc.) de acordo com a função a que se destina; EMPREGO: *O uso de câmeras portáteis tornou-se comum em cinema.* **3** Aplicação, emprego do que está à disposição: *Fez bom uso do dinheiro ganho na loteria.* **4** A execução de uma teoria, procedimento, conjunto de normas ou princípios etc.: *Preocupava-se com o uso correto das normas de comportamento.* **5** Ação de servir-se de alguma coisa; UTILIZAÇÃO: *O uso repetido daquele recurso cênico estragou o espetáculo.* **6** Prática tradicional; COSTUME: *Respeite os bons usos de seu meio social!* **7** Maneira, estilo, gosto ou comportamento que estão na moda; VOGA: *As roupas pretas, para mulheres, estão em pleno uso.* **8** Prática ou hábito particular: *Esses usos extravagantes aparecem e desaparecem com facilidade.* **9** Aproveitamento de algo que tem utilidade específica: *Esse canivete tem diversos usos.* **10** *Jur.* Direito que permite a alguém o aproveitamento temporário das utilidades de algo alheio, na medida de suas necessidades [F.: Do lat. *usus, us.* Hom./Par.: *uso* (fl. de *usar*). Ant. ger.: *desuso.*]

uste (*us*.te) ***sm.*** Consideração, estima [F.: De or. obscura.] ■ **Não dizer ~ nem aste** *Bras. N. E. Fam.* Ficar calado, sem dizer palavra

ustório (us.*tó*.ri:o) ***a.*** Que serve para queimar; cujo emprego facilita na combustão de alguma coisa [F.: Do lat. *ustor, oris.*]

ustular (us.tu.*lar*) ***v. td.*** **1** *Quím.* Submeter (composto) a processo de ustulação **2** Tornar seco (algo) pela ação do calor do fogo: *Ustular roupas recém-lavadas.* **3** Queimar ou tostar de maneira superficial, leve; crestar: *Ustulou a posta de carne no fogo brando.* [▶ 1 ustular] [F.: Do lat. *ustulare.*]

◎ **us(u)-** ***Pref.*** = uso: *usucapião, usufruto, usurpar, utilidade, utilitário*

usual (u.su:*al*) ***a2g.*** Que se usa ou faz com frequência; COSTUMEIRO; HABITUAL: *Aquelas visitas usuais deixavam-no desconfiado; Saiu de casa com a disposição usual.* [Ant.: *inusual.*] [Pl.: *-ais.*] [F.: Do lat. *usualis, e.*]

usualidade (u.su.a.li.*da*.de) ***sf.*** Caráter do que é usual [F.: *usual + -i- + -dade.*]

usualmente (u.su:al.*men*.te) ***adv.*** De modo usual; COMUMENTE [F.: *usual + -mente.*]

usuário (u.su:*á*.ri.o) ***a.*** **1** Que por direito de uso desfruta de alguma coisa **2** Que serve para o uso **3** Dizia-se do escravo de quem se tinha o uso mas não a posse legal ***sm.*** **4** Aquele que tem o direito de usar algo coletivo, ger. ligado a um serviço público ou particular; UTENTE: *Era um usuário da biblioteca pública.* [F.: Do lat. *usuarius, a, um.*]

usucapião (u.su.ca.pi.*ão*) ***s2g.*** *Jur.* Direito de posse conferido a quem usa continuamente um bem (imóvel ou móvel) durante certo tempo determinado por lei [F.: Do lat. *usucapio, onis.*]

usucapiente (u.su.ca.pi.*en*.te) ***a2g.*** **1** Diz-se de quem adquiriu o direito de propriedade por usucapião ***s2g.*** **2** Aquele que adquiriu esse direito [F.: Do lat. *usucapiens, entis.*]

usucapir (u.su.ca.*pir*) ***v.*** Passar a ter posse sobre (casa, apartamento, imóvel, terreno etc.) por usucapião [***td.***] [***int.***] [▶ 3 usucapir] [F.: Do lat. *usucapere.*]

usucapto (u.su.*cap*.to) ***a.*** Que foi adquirido por usucapião [F.: Do lat. *usucaptus, a, um.*]

usufruído (u.su.fru.*í*.do) ***a.*** Que foi desfrutado, usado: *Aquela concessão foi usufruída por muito tempo.* [F.: Part. de *usufruir.*]

usufruidor (u.su.fru:i.*dor*) [u-i... ô] ***a.*** **1** Que usufrui ***sm.*** **2** Aquele que usufrui [F.: *usufruir + -dor.* Sin. ger.: *usufrutuário.*]

usufruir (u.su.fru.*ir*) ***v.*** **1** Ter a posse e o gozo de (algo inalienável); ter o usufruto de [***td.:*** *usufruir um imóvel.*] [***tr.*** + *de*: *Usufrui de um apartamento que os tios lhe deixaram de herança.*] **2** Desfrutar, gozar de (benefício ou bem material ou moral) [***td.:*** *Usufruía uma ótima pensão.*] [***tr.*** + *de*: *Usufrui de ótima reputação perante os colegas de profissão.*] **3** *P. ext.* Usar, gozar, desfrutar [***td.:*** *Usufruiu suas férias de maneira prazerosa.*] [***tr.*** + *de*: *Usufruir do conforto de um hotel.*] [▶ **56 usufruir**] [F.: Do lat. *usufrui*, 'fruir do uso'.]

usufruto (u.su.*fru*.to) ***sm.*** **1** Ação ou resultado de usufruir, de desfrutar: "O comendador... havia-lhe abandonado (ao filho) a administração e usufruto da fazenda, e vivia na corte, onde procurava alívio ou distração aos achaques que o atormentavam." (Bernardo Guimarães, *A escrava Isaura*) **2** *Jur.* Direito de desfrutar de um bem pertencente a outrem **3** Aquilo que se usufrui **4** Posse ou uso de alguma coisa **5** Aproveitamento de oportunidade ou vantagem; FRUIÇÃO [F.: Do lat. jur. *usus-fructus.*]

usufrutuário (u.su.fru.tu:*á*.ri.o) ***a.*** **1** Relativo a usufruto **2** Que usufrui, que desfruta ***sm.*** **3** Aquele que usufrui de alguma coisa **4** *Jur.* Quem legalmente tem direito ao usufruto [F.: Do lat. *usufructuarius, a, um.* Sin. ger.: *usufruidor*. Hom./Par.: *usufrutuária* (sf.), *usufrutuaria* (fl. *usufrutuar*).]

usura (u.*su*.ra) ***sf.*** **1** Juro ou renda de capital **2** *Jur.* Empréstimo a juros exorbitantes; AGIOTAGEM **3** *P. ext.* Juro exagerado, extorsivo **4** *Bras.* Ambição ou cobiça exacerbada **5** *Inf.* Avareza, mesquinharia: "Para ilaquear a boa-fé, proteger a fraude, iludir a ignorância, defraudar o pobre e favorecer a usura e rapacidade dos ricos, são elas (as leis) fecundas em recursos e estratagemas de toda a espécie." (Bernardo Guimarães, *A escrava Isaura*) **6** Lucro exagerado, exorbitante [F.: Do lat. *usura, ae.* Hom./Par.: *usura* (sf.), *usura* (fl. *usurar*).]

usurar (u.su.*rar*) ***v. int.*** Emprestar (esp. dinheiro) com usura [▶ **1 usurar**] [F.: *usura + -ar.* Hom./Par.: *usura(s)* (fl), *usura* (sf. e pl.); *usuraria(s)* (fl), *usurária* (f. *usurário* (a. sm. e pl.).]

usurário (u.su.*rá*.ri:o) ***a.*** **1** Em que há usura **2** Que faz empréstimos a juros demasiado altos; AGIOTA **3** *Pop.* Que é apegado a bens materiais, a dinheiro, de maneira exagerada; AVARO; SOVINA ***sm.*** **4** Aquele que faz empréstimos a juros altos; AGIOTA **5** Aquele que é avarento, sovina [F.: Do lat. *usurarius, a, um.* Hom./Par.: *usurária* (sf.), *usuraria* (fl. *usurar*).]

usurpação (u.sur.pa.*ção*) ***sf.*** **1** Ação ou resultado de usurpar **2** *Jur.* Ação de se apossar ilicitamente de coisas (títulos, bens, posições de mando etc.) [Pl.: *-ções.*] [F.: Do lat. *usurpatio, onis.*]

usurpado (u.sur.*pa*.do) ***a.*** Que foi apropriado de maneira fraudulenta (trono usurpado) [F.: Part. de *usurpar.*]

usurpador (u.sur.pa.*dor*) [ô] ***a.*** **1** Que usurpa; que se apodera ilicitamente daquilo que não lhe pertence ou a que não tem direito ***sm.*** **2** Aquele que comete esse ato (usurpador do trono): "... enxugava a tragos de *cowboy* os uísques que o outro servia para fazer a saúde da rainha, a usurpadora, a cafona, e não a nossa, fulgurante, que tinha saído pela porta afora feito uma alegoria sei lá de quê." (Antonio Callado, *Bar Don Juan*) [F.: Do lat. *usurpator, oris.*]

usurpar (u.sur.*par*) ***v.*** **1** Apropriar(-se) violenta ou desonestamente de [***td.:*** *Usurpou o trono e coroou-se rei.*] [***tdi.*** + *a*, *de*: *Usurparam-lhe o cargo.*] **2** Exercer de maneira indevida [***td.:*** *Usurpou o cargo por vários anos.*] **3** Adquirir por meio de procedimento fraudulento [***td.:*** *Casou com o rapaz simplesmente para usurpar sua herança.*] **4** Conseguir (algo) sem merecimento [***td.:*** *Usurpa posição que devia pertencer a um escritor de verdade.*] [▶ **1 usurpar**] [F.: Do lat. *usurpare.* Hom./Par.: *usurpáveis* (fl.), *usurpáveis* (pl. de *usurpável* [a2g.]).]

ut *Mús.* ***sm.*** **1** *Ant.* Primeira nota de um hexacorde **2** Antigo nome da nota dó

utensilhagem (u.ten.si.*lha*.gem) ***sf.*** Conjunto de utensílios (utensilhagem jurídica): *A utensilhagem necessária numa cozinha.* [Pl.: *-gens.*] [F.: *utensílio + -agem*^{1}.]

utensílio (u.ten.*sí*.li:o) ***sm.*** Qualquer instrumento de trabalho, seja ele de uso artístico, industrial, doméstico etc. (utensílios do pintor/de cozinha) [F.: Do lat. tar. *utensilium.*]

utente (u.*ten*.te) ***a2g.*** **1** Que usa, desfruta ou se serve de algo ***s2g.*** **2** Aquele que usa, desfruta ou se serve de algo [F.: Do lat. *utens, entis.*]

uteralgia (u.te.ral.*gi*.a) ***sf.*** *Ginec.* Dor uterina; METRALGIA; HISTERALGIA [F.: *uter(o)- + -algia.*]

uterino (u.te.*ri*.no) ***a.*** **1** *Anat.* Relativo ao ou próprio do útero **2** *Jur.* Que nasceu do mesmo útero; consanguíneo pelo lado materno ***sm.*** **3** *Jur.* Aquele que nasceu do mesmo útero [F.: Do lat. *uterinus, a, um.*]

◎ **uter(o)-** ***el. comp.*** = 'útero': *uteralgia, uterócipe, uteromania, uterorragia, uteroscopia, uteroscópio, uterotomia, uterótomo* [F.: Do lat. *uterus, i.*]

útero (*ú*.te.ro) ***sm.*** *Anat.* Órgão do aparelho feminino no qual é gerado o feto dos mamíferos; MADRE; MATRIZ: "Quanto ao local da terra, estou no próprio útero da Dona Marta, quem quer que tenha sido esta boa senhora..." (Antonio Calado, *Bar Don Juan*) [F.: Do lat. *uterus, i.* Ideia de 'útero': *hister(o)-*^{1} (*histerotomia*), *metr(o)-*^{2} (*metralgia*) e *uter(o)-* (*uterorragia*).]

uterócipe (u.te.*ró*.ci.pe) ***sm.*** *Cir.* Instrumento próprio para apreender o colo uterino [F.: *uter(o)- + (fór)cipe.*]

uteromania (u.te.ro.ma.*ni*.a) ***sf.*** *Psiq.* O mesmo que *ninfomania* [F.: *uter(o)- + -mania.*]

uterorragia (u.te.ror.ra.*gi*.a) ***sf.*** *Ginec.* O mesmo que *metrorragia* [F.: *uter(o)- + -ragia.*]

uterorrágico (u.te.ror.*rá*.gi.co) ***a.*** *Ginec.* Que diz respeito à uterorragia; METRORRÁGICO [F.: *uterorragia + -ico*^{2}.]

uteroscopia (u.te.ros.co.*pi*.a) ***sf.*** *Ginec.* O mesmo que *histeroscopia* [F.: *uter(o)- + -scopia.*]

uteroscópico (u.te.ros.*có*.pi.co) ***a.*** *Ginec.* Que diz respeito à uteroscopia; HISTEROSCÓPICO [F.: *uteroscopia + -ico*^{2}.]

uteroscópio (u.te.ros.*có*.pi:o) ***sm.*** *Ginec.* Instrumento us. para realizar a uteroscopia; HISTEROSCÓPIO [F.: *uter(o)- + -scópio.*]

uterotomia (u.te.ro.to.*mi*.a) ***sf.*** *Cir.* Incisão do útero; HISTEROTOMIA [F.: *uter(o)- + -tomia.*]

uterotômico (u.te.ro.*tô*.mi.co) ***a.*** Que diz respeito à uterotomia; HISTEROTÔMICO [F.: *uterotomia + -ico*^{2}.]

uterótomo (u.te.*ró*.to.mo) ***sm.*** *Cir.* Instrumento para realizar a uterotomia; HISTERÓTOMO [F.: *uter(o)- + -tomo.*]

uterovariano (u.te.ro.va.ri:*a*.no) ***a.*** *Ginec.* Que diz respeito ao útero e aos ovários simultaneamente [F.: *uter(o)- + ovariano.*]

⊠ **UTI** *Med.* Sigla de *Unidade de Terapia Intensiva*

útil (*ú*.til) ***a2g.*** **1** Que tem algum uso; que serve para algo (material útil) **2** Que traz benefício (sugestão útil); PROVEITOSO **3** Diz-se de dia da semana em que se trabalha **4** Que se reserva a alguma atividade produtiva (tempo útil) **5** *Jur.* Diz-se de prazo estabelecido por lei, pela justiça [Pl.: *-teis.*] ***sm.*** **6** Aquilo que tem utilidade: *Não queria o ornamento, mas sim o útil.* [Pl.: *-teis.*] [F.: Do lat. *utilis, e.*]

◎ **util(i)-** ***el. comp.*** Ver *us(u)-*

utilidade (u.ti.li.*da*.de) ***sf.*** **1** Qualidade do que é útil: *Essa tesoura não tem mais utilidade.* **2** O mesmo que *utensílio* (utilidade doméstica) **3** Uso ou função a que se destina algo: *Essa peça tem várias utilidades;* "... uma série variada de caixotes e engradados. Há material aqui que me parece de utilidade para tua exposição." (Antonio Callado, *Bar Don Juan*) **4** Qualidade do que demonstra algum valor, daquilo que se revela proveitoso: *Esse velho grampeador ainda tem sua utilidade.* **5** Pessoa ou coisa que tem serventia [F.: Do lat. *utilitas, atis.*] ▪ **~ pública** Característica de produto, órgão, serviço etc. oficialmente reconhecidos (por órgão governamental) como útil e necessário à sociedade, que os torna, por isso, passíveis de receber privilégios fiscais, orçamentários etc.

utilitário (u.ti.li.*tá*.ri:o) ***a.*** **1** Referente a utilidade **2** Que tem por fim a utilidade, o proveito: *Estabeleceu normas utilitárias para a reforma da empresa.* **3** *Fil.* Relativo à doutrina do utilitarismo **4** *Bras. Aut.* Diz-se de veículo resistente, de grande potência, que se assemelha ao jipe ou à caminhonete e é utilizado para transportar passageiros e pequenas cargas **5** *Inf.* Ref. ao programa destinado a realizar tarefas dentro do próprio computador, tais como pesquisar, copiar, organizar arquivos ou corrigir defeitos no computador e seus periféricos ***sm.*** **6** Veículo resistente e de grande potência, semelhante ao jipe ou à caminhonete, usado para transportar pequenas cargas ou passageiros **7** *Fil.* Seguidor das ideias e preceitos do utilitarismo **8** *Inf.* Programa que realiza tarefas dentro do próprio computador [F.: Do lat. *utilitariu.*]

utilitarismo (u.ti.li.ta.*ris*.mo) ***sm.*** **1** Maneira de agir da pessoa utilitária **2** *Fil.* Doutrina ética segundo a qual o bem deve estar ligado ao útil e o interesse particular ao coletivo, sem supressão dos interesses egoísticos de cada um, de modo que a satisfação pessoal vincula-se ao prazer obtido por agir em benefício da coletividade. [O conjunto das teorias de que decorrem essas ideias foi produto da filosofia liberal inglesa, esp. de seus dois maiores representantes: Jerremy Bentham (1748-1832) e Stuart Mill 1806-1873).] [F.: *utilitário + -ismo.*]

utilitarista (u.ti.li.ta.*ris*.ta) ***a2g.*** **1** Relativo ao utilitarismo **2** Que é adepto ou seguidor do utilitarismo ***s2g.*** **3** Aquele que é adepto dessa corrente de pensamento [F.: *utilitário + -ista.*]

utilização (u.ti.li.za.*ção*) ***sf.*** Ação ou resultado de utilizar(-se) [Pl.: *-ções.*] [F.: *utilizar + -ção.*]

utilizado (u.ti.li.*za*.do) ***a.*** Que foi empregado, usado: *Várias ferramentas foram utilizadas no arrombamento.* [F.: Part. de *utilizar.*]

utilizador (u.ti.li.za.*dor*) [ô] ***a.*** **1** Que utiliza ***sm.*** **2** Aquele que utiliza [F.: *utilizar + -dor.* Sin. ger.: *usuário.*]

utilizar (u.ti.li.*zar*) ***v.*** **1** Fazer uso ou emprego de; usar, empregar [***td.:*** *Utilize essa ferramenta com cuidado!*] **2** Tirar utilidade, benefício de (algo ou alguém); aproveitar-se, servir-se de [***tr.*** + *de*: *Não me utilizo de subterfúgios em situações difíceis.*] **3** Valer-se de [***td.:*** *Utilizou todos os seus recursos para atingir aquela meta.*] **4** Tirar proveito de [***td.:*** *Soube utilizar bem suas férias.*] **5** Tirar vantagem de; aproveitar(-se) [***td.:*** *Utilizou a deficiência da zaga para fazer três gols.*] **6** Empregar de maneira útil, proveitosa [***tdr.*** + *em*: *Utilizaram muitos estagiários na reforma do jornal.*] **7** Ser vantajoso para [***ti.*** + *a*: *A que partido utiliza essa crise política?*] [▶ **1 utilizar**] [F.: *útil + -izar.* Hom./Par.: *utilizáveis* (fl.), *utilizáveis* (pl. de *utilizável* [a2g.]).]

utilizável (u.ti.li.*zá*.vel) ***a2g.*** Que se pode utilizar (ferramenta utilizável) [Ant.: *inutilizável*] [Pl.: *-eis.*] [F.: *utilizar + -vel.* Hom./Par.: *utilizáveis* (a2g. pl.), *utilizáveis* (fl. *utilizar*).]

utilmente (u.til.*men*.te) ***adv.*** De modo útil; com utilidade; PROVEITOSAMENTE [F.: *útil + -mente.*]

⊕ ***utis possidetis*** (*Lat.* /úti possidétis/) *Jur.* ***loc. subst.*** **1** Princípio de direito internacional adotado em tratados de paz que estabelece o direito de um país a um território, baseado no reconhecimento da legalidade e da legitimidade do poder estatal que controla de fato a área em litígio **2** Princípio do direito civil adotado em questões relativas a bens, esp. os imóveis, que favorece judicialmente a posse ou permanência do atual proprietário

utopia (u.to.*pi*.a) ***sf.*** **1** Qualquer concepção ou descrição de uma sociedade justa, sem desequilíbrios sociais e econômicos, em que todo o povo usufrui de boas condições de vida [A palavra foi criada pelo inglês Thomas Morus (1480-1535), que a usou em seu livro *Utopia*, clássico da literatura universal.] **2** *Fig.* Ideal impossível de ser realizado; FANTASIA; QUIMERA **3** *Fil. Pol. Soc.* Segundo a doutrina marxista, modelo abstrato de sociedade ideal, constituído como crítica à sociedade moderna, porém impossível de se pôr em prática por não se vincular às determinações econômicas e políticas da realidade [F.: Do fr. *utopie*, do top. *Utopia.*]

utopiano (u.to.pi:*a*.no) ***a.*** **1** Que tem ideais impossíveis de realizar (humanista utopiano) ***sm.*** **2** Indivíduo utopiano: "Os utopianos não somente afastam os crimes pelas leis penais, como incitam à virtude com honrarias e recompensas." (*Folha de S.Paulo*, 03.05.1978) [F.: *utopia + -ano.* Sin. ger.: *utopista.*]

utópico (u.*tó*.pi.co) ***a.*** **1** Relativo a utopia: "Pierre-Joseph Proudhon (1809-1865), pensador político francês de muita influência no século XIX. Alinhou-se no grupo dos 'socialistas utópicos'. Pretendia a abolição do Estado por meio de associações e federações de pequenos proprietários." (Eça de Queirós, *O crime do padre Amaro*) **2** Que tem caráter de utopia; que é fantasioso, quimérico: *Seus projetos utópicos só faziam aumentar sua fama de excêntrico.* [F.: *utopia + -ico*^{2}.]

utopismo (u.to.*pis*.mo) ***sm.*** **1** Conjunto de ideias, opiniões e objetivos de um utopista **2** Sistema de justiça social e econômica típicos de uma utopia [F.: *utopia + -ismo.*]

utopista (u.to.*pis*.ta) ***a2g.*** **1** Diz-se de indivíduo que idealiza ou apoia utopias **2** O mesmo que *utópico* ***s2g.*** **3** Esse indivíduo [F.: *utopia + -ista.*]

utopizante (u.to.pi.*zan*.te) ***a2g.*** Que tende para a utopia (faceta/projeção utopizante): *parábola de teor utopizante.* [F.: *utopia + -izar- + -nte.*]

◎ **utri-** ***el. comp.*** = 'odre': *utrículo* (< lat.), *utrífero, utriforme, utrígero* [F.: Do lat. *uter, tris.*]

utricular (u.tri.cu.*lar*) ***a2g.*** **1** Que tem a forma de utrículo; semelhante a utrículo (canal utricular) **2** Que se compõe de utrículos (tecido utricular) **3** Ref. a utrículo (ramo utricular) [F.: *utrículo + -ar*^{1}.]

utrículo (u.*trí*.cu.lo) ***sm.*** **1** Pequeno saco **2** *Anat.* A maior das porções do labirinto membranoso do ouvido **3** *Bot.* Nas plantas carnívoras do gênero *Utricularia*, pequena vesícula de origem foliar cuja abertura é fechada por uma válvula, destinada a aprisionar e digerir minúsculos animais aquáticos **4** *Bot.* Fruto seco e indeiscente envolvido por uma espécie de vesícula, próprio das plantas do gênero *Carex*, da família das ciperáceas **5** Qualquer envoltório utriforme [F.: Do lat. *utriculus, i*, 'pequeno odre'.]

utriculoso (u.tri.cu.*lo*.so) [ô] ***a.*** Que tem utrículos [Pl.: [ó]. Fem.: [ó].] [F.: *utrículo + -oso.*]

⊠ **Uub** *Quím.* Símb. de *unúmbio*

⊠ **Uun** *Quím.* Símb. de *ununílio*

⊠ **Uup** *Quím.* Símb. de *unumpêntio*

⊠ **Uuu** *Quím.* Símb. de *unúnúnio*

⊠ **UV** **1** *Fís.* Sigla de radiação ultravioleta **2** *Fot.* Diz-se de filtro fotográfico para bloquear as radiações ultravioletas do sol

uva (*u*.va) ***sf.*** **1** *Bot.* Fruto da videira; pequena baga, disposta em cachos, sucosa, rica em açúcar, de cor, sabor e

grau de acidez bastante variável conforme a espécie ou o cultivar, comestível ao natural ou seca, em geleias e doces, e da qual tb. se fazem o vinho e o vinagre **2** *P. ext.* Cacho de uva **3** *Bras. Fig.* Mulher bonita e atraente **4** *Bras. Fig.* Coisa muito bonita [F.: Do lat. *uva, ae.* Ideia de *'uva'*, usar antepos. *uv(i)-*.] ■ **Uma ~** *Bras.* Uma beleza, um amor (diz-se de algo ou alguém)
uvaia (u.*vai*:a) *Bot. sf.* **1** Nome comum a certas plantas da fam. das mirtáceas, de frutos pequenos e comestíveis, como, p. ex., *Eugenia pyriformis*, arbusto natural do Brasil, cujos frutos são bagas amarelas de sabor ácido, comestíveis, e tb. us. na fabricação de vinagre; UAIEIRA; UVAIEIRA **2** O fruto dessas plantas [F.: Do tupi *i'waya.*]
uvatinga (u.va.*tin*.ga) *sf. Bot.* O mesmo que *açoita-cavalo* (*Luechea divaricata*) [F.: Do tupi.]

úvea (*ú*.ve.a) *sf. Anat.* No olho, o conjunto que compreende a íris, a membrana chamada coroide e a estrutura dos cílios [F.: *uv*(*i*)- + -*ea*.]
uveal (u.ve:*al*) *a2g. Anat.* Que diz respeito a úvea (trato uveal) [Pl.: -*ais*.] [F.: *úvea* + -*al*.]
uveíte (u.ve.*í*.te) *sf. Pat.* Inflamação da úvea [F.: *uvea*- + -*ite*.]
uvífero (u.*ví*.fe.ro) *a. Poét.* Que produz frutos semelhantes aos dos cachos de uvas [F.: Do lat. *uvifer, era, erum*.]
úvula (*ú*.vu.la) *Anat. sf.* **1** Nome comum dado a massas carnosas pendentes **2** Massa carnosa em forma de uva que pende do fundo do céu da boca; CAMPAINHA; ÚVULA PALATINA [F.: Do lat. cien. *uvula.* Ideia de *'úvula',* usar antepos. *cion*(*o*)-.]
uvular (u.vu.*lar*) *a2g.* **1** *Anat.* Ref. a úvula; UVULÁRIO **2** *Ling.* Que se articula na úvula (consoante uvular) *sf.* **3** *Ling.* A consoante uvular [F.: *úvula* + -*ar*¹. Hom./Par.: *uvular* (a2g. sf.), *ovular* (v.), *ovular* (a2g.).]

uvulectomia (u.vu.lec.to.*mi*.a) *sf. Cir.* Excisão da úvula; tb. *estafilectomia* [F.: *úvula* + -*ectom*- + -*ia*.]
uvulite (u.vu.*li*.te) *sf. Pat.* Inflamação da úvula; ESTAFILITE [F.: *úvula* + -*ite*.]
◎ **uxori- Pref.** = esposa: *uxoricídio* [F.: Do lat. *uxor, -oris* 'esposa, mulher'.]
uxoricida (u.xo.ri.*ci*.da) [cs] *a2g.* **1** Que envolve uxoricídio *s2g.* **2** Aquele que comete uxoricídio [F.: *uxori*- + -*cida*.]
uxoricídio (u.xo.ri.*cí*.di:o) [cs] *sm.* Assassinato da mulher pelo marido [F.: *uxori*- + -*cídio*.]
uzbeque (uz.*be*.que) *s2g.* **1** Pessoa nascida ou que vive no Uzbequistão (centro-oeste da Ásia) **2** Do Uzbequistão, típico desse país ou de seu povo *sm.* **3** *Ling.* Língua do ramo turcomano ocidental, falada no Uzbequistão *a2g.* **4** *Ling.* Relativo a essa língua [F.: Posv. do ing. *Uzbek*.]

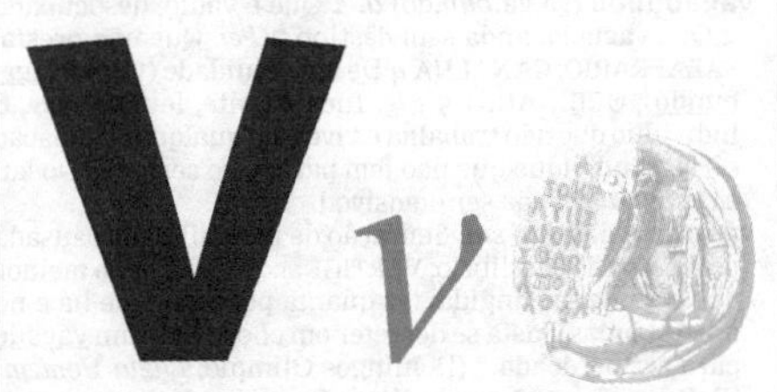

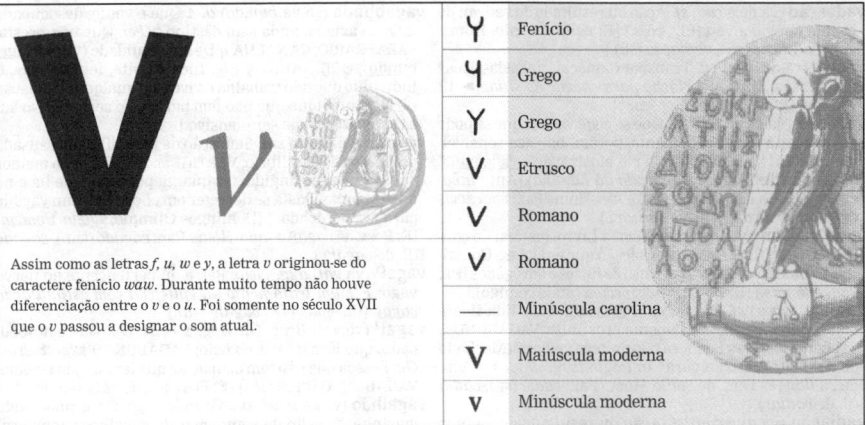

Assim como as letras *f, u, w* e *y*, a letra *v* originou-se do caractere fenício *waw*. Durante muito tempo não houve diferenciação entre o *v* e o *u*. Foi somente no século XVII que o *v* passou a designar o som atual.

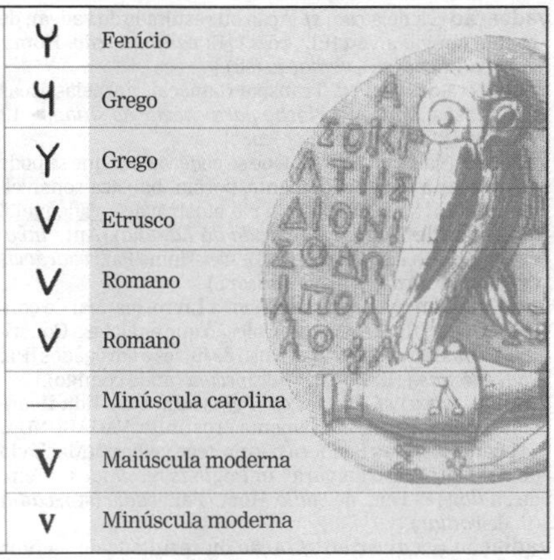

Fenício
Grego
Grego
Etrusco
Romano
Romano
Minúscula carolina
Maiúscula moderna
Minúscula moderna

v[1] *sm.* **1** Vigésima segunda letra do alfabeto **2** Décima sétima consoante do alfabeto ***num.*** **3** O 22º em uma fila (fila V)

V[2] **1** Símb. do número cinco, em algarismos romanos **2** *Elet.* Símb. de *volt*

⊠ **VA** *Elet.* Símb. de *Volt-Ampère*

vã ***a.*** **1** Forma fem. do adj. *vão* **2** Vazia, sem valor: "...O nosso Casimiro não compreendia esta cobiça de uma mitra, cravejada de pedras vãs..." (Eça de Queirós, *A relíquia*) [F.: Fem. de *vão*.]

vaca (*va*.ca) *sf.* **1** *Zool.* A fêmea do boi **2** A carne bovina vendida como alimento nos açougues: "...Borges abarrotava-se de alface e vaca..." (Machado de Assis, "Uns braços" *in Várias histórias*) **3** Aposta feita por um parceiro em nome de outro ou outros **4** *Bras. Pop.* Rateio para pagamento de uma despesa; VAQUINHA **5** *Pej.* Mulher devassa e leviana **6** *Pej.* Indivíduo sem coragem ou iniciativa, indolente **7** *Bras. Lud.* No jogo do bicho, o 25º grupo **8** *Pej. Esp.* No surfe, surfista que cai da prancha **9** Pessoa ou coisa de que se tira proveito continuamente **10** *Zool.* Peixe teleósteo (*Pogonias cromis*), perciforme, também conhecido como piraúna e miragaia **11** *Antq.* Nota de cem cruzeiros, por alusão ao número cem da centena da vaca [F.: Do lat. *vacca*.] ■ **Ir a ~ para o brejo** Fracassar (algo); deteriorar-se (situação), ir tudo a perder

vacada (va.*ca*.da) *sf.* **1** Manada de vacas: "E logo o boieiro põe a vacada na cauda do cortejo." (Antero de Figueiredo, *Jornadas em Portugal*) **2** Corrida de vacas [F.: *vaca* + *-ada*².]

vaca-fria (va.ca-*fri*.a) *sf.* Us. na loc. *Voltar/tornar à vaca-fria* ■ **Voltar/tornar à ~** Voltar a assunto já tratado ou que está sendo tratado e foi interrompido

vacal (va.*cal*) *Bras. Pej.* ***a2g.*** **1** Que é avesso às regras do decoro; que não tem pudor; INDECENTE; INDIGNO **2** Que não inspira confiança [Pl.: *-cais*.] [F.: *vaca* + *-al*. Hom./Par.: *vacais* (a2g. pl.), *vacais* (fl. de *vacar*).]

vaca-leiteira (va.ca-lei.*tei*.ra) *Bras. sf.* **1** *Antq. Joc.* Caminhão equipado com um reservatório na carroceria, e que percorria diversos lugares vendendo leite **2** *Pop. Pej.* Mulher de seios volumosos [Pl.: *vacas-leiteiras*.]

vaca-marinha (va.ca-ma.*ri*.nha) *sf. Zool.* Espécie extinta de sirênio (*Hydrodamalis gigas*), que vivia no Mar de Bering; tinha aspecto semelhante ao dugongo e podia atingir cerca de 8 m de comprimento e pesar até 10 t [Descoberta e descrita em 1741 pelo naturalista alemão Georg Wilhelm Steller, a vaca-marinha logo foi considerada extinta (em 1768), por ter sido vítima de uma grande matança promovida pela tripulação náufraga da expedição da qual o naturalista fazia parte.] [Pl.: *vacas-marinhas*.]

vacância (va.*cân*.ci:a) *sf.* **1** Estado do que está vago, desocupado (lugar ou cargo): *a vacância da presidência.* **2** *Jur.* Tempo em que (lugar, cargo etc.) está ou fica vago: *Esse cargo já tem três meses de vacância.* **3** *Jur.* Em direito sucessório, estado a que passam os bens jacentes quando não reclamados no prazo legal pelos herdeiros **4** *Fís.* Em uma rede cristalina, lugar não ocupado por átomo ou molécula [F.: Do lat. *vacantia*.]

vacante (va.*can*.te) ***a2g.*** **1** Que está vago (lugar vacante) **2** *Jur.* Que está em vacância [F.: Do lat. *vacans, vacantis*.]

vacapari (va.ca.pa.*ri*) *sf. Bras. Angios.* Ver *bacupari-do-campo* (*Salacia campestris*) [F.: De or. obsc.]

vaca-preta (va.ca-*pre*.ta) *sf. Bras.* Sorvete de creme batido com refrigerante, ger. coca-cola, o que lhe confere uma coloração mista de preto e branco, que explica o nome [Pl.: *vacas-pretas*.] [F.: *vaca* + fem. do adj. *preto* (ê).]

vacar (va.*car*) *v.* **1** Ficar vago, vazio, desocupado; VAGAR [***int.:*** *O cargo acabou de vacar.*] **2** Interromper temporariamente suas atividades, seu trabalho; ficar de férias [***int.:*** *Esperava vacar no fim do ano.*] **3** Desocupar-se de [***tr.*** *+ de: Vacou do trabalho mais entediante que já tivera.*] **4** Ficar ocioso [***int. tr.***] **5** *Ant.* Aplicar-se, dedicar-se [***tr.*** *+ a, em: Vacava nos trabalhos criativos.*] [▶ **11 vacar**] [F.: Do lat. *vacare*, por via erudita. Hom./Par: *vaca* (fl.), *vaca* (sf.); *vacas* (fl.), *vacas* (pl. do sf.); *vacais* (fl.), *vacais* (pl. de *vacal* [a2g.]); *vacaria* (fl.), *vacaria* (sf.); *vacarias* (fl.), *vacarias* (pl. do sf.).]

vacaria (va.ca.*ri*.a) *sf.* **1** Manada de vacas; VACADA **2** Curral de vacas **3** Gado vacum **4** Estabelecimento onde se tratam as vacas e se as ordenha à vista dos compradores **5** *Antq.* Grande extensão de terra destinada pelos jesuítas à criação de gado [F.: *vaca* + *-aria*.]

vacilação (va.ci.la.*ção*) *sf.* **1** Ação ou resultado de vacilar, de tremer, de abalar-se **2** Estado vacilante **3** Pouca firmeza do corpo; oscilação **4** *Fig.* Perplexidade, Indecisão, hesitação [Pl.: *-ções*.] [F.: Do lat. *vacillatio, vacillationis*.]

vacilada (va.ci.*la*.da) *Bras. Inf. sf.* **1** Falta de atenção, bobeada **2** Engano, erro, falha (quer seja proposital ou não) [F.: *vacilar* + *-ada*.] ■ **Dar uma ~** *Bras. Gír.* Bobear, deixar-se enganar por alguém ou pelas circunstâncias, dar um vacilo (3)

vacilante (va.ci.*lan*.te) ***a2g.*** **1** Que vacila, que não tem firmeza nem segurança **2** *Fig.* Que não apresenta condições de estabilidade ou segurança; PRECÁRIO; INSTÁVEL **3** Trêmulo, que oscila: *a vacilante luz das velinhas ao vento* **4** Que se move ou inclina para qualquer lado; MUTÁVEL: *vacilante barco ao sabor das tempestuosas ondas.* **5** *Fig.* Hesitante, irresoluto, perplexo, duvidoso: *Longo e vacilante olhar que se foi transformando lentamente.* **6** *Pej.* Epíteto dado pelos comunistas aos membros do partido que demonstram incerteza ideológica [F.: Do lat. *vacillans, vacillantis*.]

vacilão (va.ci.*lão*) *Bras. Gír.* ***a.*** **1** Que não é esperto, que é enganado com facilidade; BOBO; TOLO **2** Que costuma cometer gafes; que é inconveniente **3** Que delata, que denuncia alguém ou algo, demonstrando traição ***sm.*** **4** Indivíduo simplório, que é enganado com facilidade; BOBO; TOLO **5** Indivíduo que comete gafe(s) ou se mostra inconveniente **6** Indivíduo que denuncia alguém ou algo, em ato de traição: "Veja bem, vacilão não tem moral e é um tremendo safadão, disca denúncia a troco de nada." (Bezerra da Silva, *Catatau nervoso*) [Pl.: *-lões*. Fem.: *-lona*.] [F.: *vacila(r)* + *-ão*¹.]

vacilar (va.ci.*lar*) *v.* **1** *Fig.* Ficar em dúvida; HESITAR [***tr.*** *+ entre: Na hora da sobremesa, vacilou entre a torta de nozes e o pudim.*] [***int.:*** *Vacilou, mas acabou aceitando o convite.*] **2** Balançar, tremer [***int.:*** *Os andaimes vacilavam.*] **3** Andar tropegamente; CAMBALEAR [***tr.*** *+ em: Vacilou nas passadas e acabou tropeçando.*] **4** Oscilar, tremelicar [***int.:*** *Acendeu o cigarro na chama que vacilava.*] **5** Tornar frouxo, sem firmeza; ENFRAQUECER [***int.:*** *Sentiu que suas pernas vacilavam.*] [▶ **1 vacilar**] [F.: Do lat. *vacillare*. Hom./Par.: *viciláveis* (fl.), *vacilaveis* (pl. de *vacilável* [a2g.]).]

vacilo (va.*ci*.lo) *Bras. Pop. sm.* **1** Ação ou resultado de vacilar **2** Hesitação: *Deu um vacilo e perdeu a oportunidade.* **3** Descuido, falha; BOBEADA: *O gol veio de um vacilo do zagueiro.* [F.: Dev. de *vacilar*. Hom./Par.: *vacilo* (sm.), *vacilo* (fl. de *vacilar*).]

vacina (va.*ci*.na) *sf.* **1** *Farm. Imun.* Substância (microrganismos patogênicos fracos ou mortos) que se introduz no organismo (de pessoa ou animal) para suscitar reação imunológica e com isso proteger da doença transmitida por esses microrganismos ativos **2** *P. ext. Inf.* Programa com o qual se protege o computador do ataque de vírus; ANTIVÍRUS [F.: Do lat. *vaccina*. Hom./Par. *vacina* (sf.), *vacina* (fl. de *vacinar*).] ■ **~ BCG** *Med.* Vacina que imuniza contra a tuberculose **~ Sabin** *Med.* Vacina oral contra a poliomielite **~ Salk** *Med.* Vacina injetável contra a poliomielite, us. antes da vacina Sabin **~ tríplice** *Med.* Aquela que imuniza contra tétano, difteria e coqueluche

📖 O princípio da vacina como agente imunológico baseia-se na capacidade do organismo de reagir a agentes patogênicos (bactérias, vírus) produzindo anticorpos específicos para combater cada tipo desses agentes. A vacina consiste na introdução no organismo de agentes patogênicos (vírus ou bactérias causadores de determinada doença) mortos ou atenuados, o que provoca a produção de anticorpos específicos para o combate àquela doença (às vezes, manifestam-se também sintomas brandos da doença). Com isso, o organismo 'aprende' a identificar o agente e a se defender dele, ou seja, ganhou imunidade em relação àquela doença. Se vier a contraí-la, a produção dos anticorpos que a combatem aumenta e destrói os agentes patogênicos. São muitas as doenças já praticamente debeladas pela vacinação preventiva de toda a população. A primeira vacina foi contra a varíola, descoberta por Edward Jenner, em 1798. Depois, contra o antraz e contra a raiva, por Pasteur, em 1881 e 1885. E depois, entre outras, as vacinas contra a poliomielite (paralisia infantil), a chamada tríplice (contra difteria, coqueluche e tétano), contra o sarampo, a tuberculose, o tifo, a cólera, a hepatite e, mais recentemente, contra a gripe.

vacinação (va.ci.na.*ção*) *sf. Imun.* Ação ou resultado de vacinar, de inocular qualquer vacina [Pl.: *-ções*.] [F.: *vacinar* + *-ção*.] ■ **~ preventiva** *Med.* Aplicação de vacina, esp. em grande quantidade de pessoas, em parcelas de uma população, como meio de evitar disseminação de uma doença

vacinado (va.ci.*na*.do) ***a.*** **1** Que se vacinou **2** *Bras. Fig.* Diz-se de pessoa experiente, que já passou por alguma experiência negativa e não deseja repeti-la ***sm.*** **3** Indivíduo imunizado por vacina [F.: *vacina* + *-ado*.]

vacinador (va.ci.na.*dor*) [ô] ***a.*** **1** Que vacina ***sm.*** **2** Indivíduo que aplica vacina(s) **3** Seringa automática, us. na vacinação [F.: *vacina(r)* + *-dor*.]

vacinal (va.ci.*nal*) ***a2g.*** Ref. a ou próprio de vacina; VACÍNICO [Pl.: *-nais*.] [F.: *vacina* + *-al*.]

vacinar (va.ci.*nar*) *v.* **1** Aplicar ou tomar vacina [***td.:*** *Estava na época de vacinar as crianças.*] [***tdr.*** *+ contra: Vacinou os gatos contra raiva; Não deixem de vacinar seus filhos contra o sarampo.*] [***int.:*** *Levou o filho ao posto de saúde para vacinar.*] **2** *Fig.* Tornar(-se) imune contra (sentimento, situação etc.) [***tdr.*** *+ contra: A vida já o vacinara contra decepções.*] [▶ **1 vacinar**] [F.: *vacina* + *-ar*². Hom./Par.: *vacina(s)* (fl.), *vacina(s)* (sf. [pl.]).]

vacínia (va.*cí*.ni:a) *sf.* **1** *Imun.* Vírus mutante (*Poxvírus officinale*), obtido em laboratório pela passagem seriada do vírus da varíola da vaca (*cowpox*) para a pele de vitela ou de coelho, us. na produção de vacina antivariólica **2** *Pat.* Reação provocada no ser humano pela inoculação de vacínia, que pode causar erupções cutâneas, febre, dores de cabeça e no corpo [F.: Do lat. cient. *vaccinia*.]

vacínio (va.*cí*.ni:o) *Bot. sm.* **1** Nome comum às plantas do gên. *Vaccinium*, da fam. das ericáceas que compreende cerca de 450 espécies de pequenas árvores, arbustos e lianas; distribuídas principalmente no hemisfério norte e nas zonas montanhosas dos trópicos, algumas são cultivadas e têm importância comercial pelos frutos comestíveis **2** Designação comum a várias plantas desse gên [F.: Do lat. cient. *Vaccinium*.]

◎ **vacin(o)-** ***el. comp.*** = 'vacina': *vacinogenia, vacinose, vacinoterapia* [F.: *vacina* + *-o-*.]

vacinogenia (va.ci.no.ge.*ni*.a) *sf. Imun.* Produção de vacinas [F.: *vacin(o)-* + *-genia*.]

vacinogênico (va.ci.no.*gê*.ni.co) ***a.*** *Imun.* Ref. a ou pertencente a vacinogenia [F.: *vacinogenia* + *-ico*².]

vacinose (va.ci.*no*.se) *sf. Pat.* Doença ou afecção resultante da aplicação de vacina [F.: *vacina* + *-ose*¹.]

vacinoterapia (va.ci.no.te.ra.*pi*.a) *sf. Ter.* Parte da terapêutica que trata da aplicação de vacinas [F.: *vacin(o)-* + *-terapia*.]

vacinoterápico (va.ci.no.te.*rá*.pi.co) ***a.*** *Ter.* Ref. à ou próprio da vacinoterapia [F.: *vacinoterapia* + *-ico*².]

vacuidade (va.cu:i.*da*.de) [u-i] *sf.* **1** Estado ou modo de ser do que se apresenta vazio; estado de vácuo; INANIDADE **2** Privação, ausência, falta **3** Fatuidade, vaidade **4** *Psic.* Sensação de vazio [F.: Do lat. *vacuitate*.]

vacum (va.*cum*) ***a2g.*** **1** Diz-se de gado de vacas, bois, touros e bezerros [Pl.: *-cuns*.] ***sm.*** **2** Gado vacum **3** Animal desse gado [F.: *vaca* + *-um*.]

vácuo (*vá*.cu:o) ***a.*** **1** Que nada contém ou apresenta; VAZIO: *uma reunião vácua de sugestões.* ***sm.*** **2** Aquilo que nada contém ou apresenta; VAZIO: *um vácuo de ideias* **3** Espaço ou ambiente que não contém ar **4** O espaço vazio que os atomistas gregos supunham existir entre os corpos celestes **5** *Fig.* O espaço de tempo em que alguém está desocupado e que causa aborrecimento ou enfado pela sensação de vazio [F.: Do lat. *vacuum*.]

vacuolado (va.cu:o.*la*.do) ***a.*** *Cit.* Que contém vacúolos; provido de vacúolos [F.: *vacúol(o)* + *-ado*².]

vacuolização (va.cu:o.li.za.*ção*) *sf. Cit.* Processo de formação de vacúolos [Pl.: *-ções*.] [F.: **vacuolizar* (< *vacúolo* + *-izar*) + *-ção*.]

vacúolo (va.*cú*.o.lo) *sm. Cit.* Pequena cavidade ou vesícula que, situada no citoplasma de uma célula, armazena substâncias ou é responsável pela osmorregulação [F.: Dim. irregular de *vácuo*.] ■ **~ contrátil** *Cit.* Vacúolo regulador de função osmótica em esponjas e protozoários de água-doce

vacuômetro (va.cu.*ô*.me.tro) *sm. Fís.* Instrumento para medir pressões abaixo da pressão atmosférica que utiliza, como referência, a pressão barométrica local ou o vácuo absoluto [F.: *vácuo* + *-metro*.]

vadeabilidade (va.de:a.bi.li.*da*.de) *sf.* Qualidade, condição ou atributo do que é vadeável [F.: *vadeável* + *-(i)dade*, seg. o mod. erudito.]

vadeação (va.de:a.*ção*) *sf.* Ação ou resultado de vadear, de passar um rio a vau [Pl.: *-ções.*] [F.: *vadear* + *-ção*. Hom./Par.: *vadeação* (sf.), *vadiação* (sf.).]

vadear (va.de.*ar*) *v. td.* Transpor (lamaçal, rio) pelas áreas mais rasas: *Vadeou o riacho para chegar ao sítio.* [▶ 13 vadear] [F.: Do lat. *vadus* + *-ear*[2].]

vadeável (va.de:*á*.vel) *a2g.* Que se pode vadear, que se pode atravessar a vau: "Felizmente, porém, baixara sensivelmente o nível das águas e o rio mostrava-se vadeável." (Visconde de Taunay, *A retirada da Laguna*) [Ant.: *invadeável.*] [Pl.: *-veis.*] [F.: *vadea(r)* + *-vel*. Hom./Par.: *vadeáveis* (a2g. pl.), *vadeáveis* (fl. de *vadear*).]

vade-mécum (va.de-*mé*.cum) *sm.* **1** Livro, manual de consulta frequente **2** *Restr. Jur.* Coleção que engloba a Constituição e as leis federais, para uso de juízes e advogados [Pl.: *vade-mécuns.*] [F.: Do lat. *vade mecum* (anda comigo).]

vadia (va.*di*.a) *sf. Bras. Pop. Pej.* Mulher de vida licenciosa, sem ser necessariamente prostituta; VAGABUNDA: "Malandra! Nossa Senhora não protege vadias!" (Machado de Assis, "O caso da vara" *in Páginas recolhidas*) [Fem. de *vadio.*] [F.: Fem. de *vadio*. Hom./Par.: *vadia* (sf.), *vadia* (fl. de *vadiar*).]

vadiação (va.di:a.*ção*) *sf.* Ação ou resultado de vadiar; VADIAGEM: "...o itinerário era longo demais para as minhas posses, embora me sorrisse transformar a existência em vadiação..." (Aquilino Ribeiro, *Gavião*) [Pl.: *-ções.*] [F.: *vadiar* + *-ção*. Hom./Par.: *vadiação* (sf.), *vadeação* (sf.).]

vadiagem (va.di:*a*.gem) *sf.* **1** O mesmo que *vadiação* **2** Vida ou atitude de vadio; OCIOSIDADE; VAGABUNDAGEM **3** Conjunto de vadios; os vadios como um todo **4** *Jur.* Contravenção penal que consiste em um indivíduo levar vida ociosa ou valer-se de recursos ilícitos para subsistir, mesmo sendo apto para o trabalho [Pl.: *-gens.*] [F.: *vadiar* + *-agem.*]

vadiar (va.di.*ar*) *v.* **1** Ficar à toa, sem trabalhar ou estudar; VAGABUNDEAR [*int.: Ganhou na loteria, e agora só quer vadiar.*] **2** Andar à toa, sem destino; VAGUEAR [*int.: Vadiou o dia todo pela praia.*] **3** Entreter-se com um objeto ou uma atividade qualquer; BRINCAR; DIVERTIR-SE [*int.: As crianças adoravam vadiar nas poças d'água formadas pela chuva.*] **4** *Bras. BA* Jogar capoeira [*int.: Os jovens vadiavam após as aulas.*] **5** *Rel.* Nos candomblés, dançar conforme exigem os ritos [*int.: Os fiéis vadiavam para saudar os orixás.*] **6** *Bras. N. E. Pej.* Ter relação sexual; FORNICAR; TRANSAR [*tr. + com: Passou a juventude vadiando com garotas de programa.*] [▶ 1 vadiar] [F.: *vadio* + *-ar*[2]. Hom./Par.: *vadia(s)* (fl.), *vadia(s)* (sf. [pl.]); *vadio* (fl.), *vadio* (a. sm.); *vadiar, vadear* (vários tempos do v.).]

vadiice (va.di.*i*.ce) *sf. P. us.* Vida ou atitude de vadio; VADIAGEM; VAGABUNDAGEM; OCIOSIDADE: "Queria aprender? Ele, aprendia. Tinha os sinais, tinha a lã. Vadio. Mas não era de uma vadiice que se apendoavam as simpatias?" (João Guimarães Rosa, *Manuelão e Miguilim*) [F.: *vadi(o)* + *-ice.*]

vadio (va.*di*:o) *a.* **1** Que é desocupado; OCIOSO; VAGABUNDO **2** Que não se esforça no trabalho, no estudo etc. *sm.* **3** Indivíduo que não tem ocupação conhecida ou decente **4** Indivíduo que não tem domicílio certo e leva vida errante **5** Indivíduo que estuda ou trabalha muito pouco, aquém do necessário para manter-se ou ser aprovado [F.: Do lat. *vagativus.*]

vaga[1] (*va*.ga) *sf.* **1** *Oc.* Onda de grande altura em mar agitado: "...E as vagas após ele correm e cansam/ Como turbas de infantes inquietas..." (Castro Alves, "O navio negreiro" *in Os escravos*) **2** *Fig.* Multidão inquieta, turba **3** *Fig.* Grande agitação ou incontinência de sentimentos: *vaga de emoções contraditórias* **4** *Mar.* Grupo de aeronaves ou embarcações lançadas simultaneamente contra o inimigo [Aum.: *vagalhão.*] [F.: Do escandinavo ant. *wagr* pelo fr. *vague.*] ■ **~ de fundo** Ver *Vaga sísmica* **~ de vento** Espécie de vaga (1) causada diretamente pela ação do vento; vaga forçada **~ forçada** Ver *Vaga de vento* **~ sísmica** Espécie de vaga (1) causada por sismo; vaga de fundo

vaga[2] (*va*.ga) *sf.* **1** Ação ou resultado de vagar **2** Lugar ou cargo desocupado, disponível: *Conseguiu uma vaga na empresa; Há vagas para serventes.* **3** Lugar disponível em hotel, pensão etc. **4** *Bras.* Lugar disponível para estacionar o carro: *Apartamento com duas vagas na garagem.* [F.: Dev. de *vagar.*]

vagabunda (va.ga.*bun*.da) *sf. Bras. Pop. Pej.* Mulher de vida licenciosa, sem ser necessariamente uma prostituta *Pop. Pej.*; PIRANHA *Pop. Pej.*; VADIA: "Ergueu-se, vem da noite a vagabunda / Sem xale, sem camisa e sem mantilha, / Vem nua e bela procurar amantes." (Álvares de Azevedo, *Spleen e Charutos*) [Fem. de *vagabundo.*] [F.: Fem. de *vagabundo*. Hom./Par.: *vagabunda* (sf.), *vagabunda* (fl. de *vagabundar*).]

vagabundagem (va.ga.bun.*da*.gem) *sf.* **1** Vida de vagabundo; VADIAGEM; VAGABUNDISMO **2** O conjunto dos vagabundos [Pl.: *-gens.*] [F.: Do fr. *vagabondage.*]

vagabundar (va.ga.bun.*dar*) *v. int.* **1** Andar à toa ou a passeio; vagamundar; PASSEAR; VAGAR **2** Viver sem trabalhar; VADIAR [▶ 1 vagabundar] [F.: *vagabund(o)* + *-ar*. Hom./Par.: *vagabunda(s)* (fl.), *vagabunda(s)* (sf. [pl.]); *vagabundo* (fl.), *vagabundo* (a. sm.).]

vagabundear (va.ga.bun.de.*ar*) *v.* Ver *vagabundar* [▶ 13 vagabundear] [F.: *vagabund(o)* + *-ear.*]

vagabundice (va.ga.bun.*di*.ce) *sf.* Vida, comportamento, atitude de vagabundo; VADIAGEM; VADIICE; VAGABUNDAGEM [F.: *vagabund(o)* + *-ice.*]

vagabundo (va.ga.*bun*.do) *a.* **1** Que é vadio, desocupado **2** Que vagueia, anda sem destino **3** *Pej.* Que não presta; SALAFRÁRIO; CANALHA **4** De má qualidade (vinho vagabundo); ORDINÁRIO **5** *Fig.* Inconstante, leviano *sm.* **6** Indivíduo que não trabalha e vive sem qualquer ocupação séria **7** Indivíduo que não tem paradeiro certo [F.: Do lat. *vagabundus*. Pode ser ofensivo.]

vágado (*vá*.ga.do) *sm.* Sensação de instabilidade causada pela perda do equilíbrio; VERTIGEM: "Não há nada melhor que a gente ser fingida: faz quanta perversidade há e no fim de contas, basta se derreter em choro e ter um vágado para ser perdoada." (Domingos Olímpio, *Luzia Homem*) [F.: Posv. de *vag(o)* + *-ado*. Hom./Par.: *vágado* (sm.), *vagado* (fl. de *vagar*).]

vagal[1] (va.*gal*) *a2g. Neur.* Ref. a ou pertencente ao nervo vago: *Fez um tratamento da epilepsia com estimulação vagal.* [Pl.: *-gais.*] [F.: *vag(o)* + *-al.*]

vagal[2] (va.*gal*) *Bras. Gír. a2g.* **1** *Bras. Gír.* Que é desocupado; que leva a vida no ócio; VAGABUNDO *s2g.* **2** *Bras. Gír.* Pessoa que não tem ocupação, que leva a vida no ócio; VAGABUNDO [Pl.: *-gais.*] [F.: Posv. alt. de *vagabundo.*]

vagalhão (va.ga.*lhão*) *sm.* Grande vaga[1] (1), grande onda marinha: "...salto de vento, mar de vagalhões, temporal desfeito, as más caras de Mestre Oceano..." (João Guimarães Rosa, *Estas estórias*) [Pl.: *-lhões.*] [F.: *vaga* + *-alhão.*]

vaga-lume (va.ga-*lu*.me) *sm.* **1** *Ent.* Designação comum aos insetos que emitem luz fosforescente; PIRILAMPO: "...E um vaga-lume lanterneiro que riscou um psiu de luz..." (Guimarães Rosa, "Minha gente" *in Sagarana*) **2** *Fig.* Empregado encarregado de iluminar com lanterna a sala de projeção para orientar quem chega após iniciada a projeção; LANTERNINHA [Pl.: *vaga-lumes.*] [F.: *caga-lume*, modificado por eufemismo.]

vaga-lumear (va.ga.lu.me.*ar*) *v. int.* Brilhar como *vaga-lume* [▶ 13 vagalumear] [F.: *vaga-lume* + *-ear.*]

vagamente (va.ga.*men*.te) *adv.* De modo vago, incerto, impreciso: "Já agora me lembrava, ainda que vagamente, de uma senhora que lá apareceu em Andaraí (...)." (Machado de Assis, *Memorial de Aires*) [Ant.: *seguramente, certamente.*] [F.: *vaga* (fem. de *vago*) + *-mente.*]

vagamundear (va.ga.*mun*.de:ar) *v.* O mesmo que *vagabundear* [▶ 13 vagamundear] [F.: *vagamundo* + *-ear.*]

vagamundo (va.ga.*mun*.do) *a. sm.* O mesmo que *vagabundo*

vagante (va.*gan*.te) *a2g.* Que vagueia; ERRANTE [F.: Do lat. *vacante.*]

vagão (va.*gão*) *sm.* **1** Carro de trem destinado ao transporte de passageiros ou carga: "...Carlos, vendo um vagão com a papeleta de *reservado*, imaginou lá a condessa..." (Eça de Queirós, *Os Maias*) **2** O conteúdo do vagão: *um vagão de passageiros.* **3** Carro de metrô [Pl.: *-gões.* Dim.: *vagonete* [ê].] [F.: Do ing. *waggon.*]

vagão-bar (va.gão-*bar*) *sm.* Em certos trens de passageiros, vagão onde há serviço de bar [Pl.: *vagões-bares e vagões-bar.*]

vagão-leito (va.gão-*lei*.to) *sm.* Vagão provido de camas ou beliches para os passageiros dormirem em viagens noturnas, nos trens que transportam passageiros [Pl.: *vagões-leitos e vagões-leito.*]

vagão-restaurante (va.gão-res.tau.*ran*.te) *sm.* Nos trens de transporte de passageiros, vagão, esp. aparelhado com cozinha e mesas, em que os passageiros podem fazer as suas refeições durante a viagem [Pl.: *vagões-restaurantes e vagões-restaurante.*]

vagão-tanque (va.gão-*tan*.que) *sm.* Nos trens de carga, vagão que, sobre a armação, comporta um tanque, destinado ao transporte de líquidos [Pl.: *vagões-tanques e vagões-tanque.*]

vagar[1] (va.*gar*) *v.* **1** Andar sem rumo; vaguear; VAGABUNDAR; PERAMBULAR [*int.: Desorientado, vagava sem destino.*] **2** Espalhar-se [*int.: Vagavam no bairro histórias de lobisomem.*] **3** Mover-se pela força dos ventos, das ondas [*int.: O barco vagava ao sabor do vento.*] **4** Percorrer ao acaso [*td.: Assim foi vagando as novas terras.*] [▶ 14 vagar] [F.: Do lat. *vagare*. Hom./Par.: *vaga(s)* (fl.), *vaga(s)* (sf. [pl.]); *vagado* (part.), *vágado* (sm.).]

vagar[2] (va.*gar*) *v.* **1** Tornar ou ficar vago, sem ocupante [*int.: Vagou uma cadeira e ela sentou-se; Vagara um apartamento no edifício.*] [*td.: Eles acabaram vagando um lugar no plenário.*] **2** Ficar sem dono [*int.*] **3** Sobrar (tempo) [*ti. + a: Se vagarem a ela alguns minutos, o senhor será atendido.*] **4** Entregar-se, dedicar-se a [*ti. + a: Gosta de vagar à assistência social.*] [▶ 14 vagar] [F.: Do lat. *vacare*. Hom./Par.: *vaga(s)* (fl.), *vaga(s)* (sf. [pl.]); *vagado* (part.), *vágado* (sm.).]

vagareza (va.ga.*re*.za) [ê] *sf.* Falta de pressa, vagar; LENTIDÃO; MOROSIDADE [F.: *vagar* + *-eza.*]

vagarosamente (va.ga.ro.sa.*men*.te) *adv.* **1** De modo vagaroso, sem pressa; DEVAGAR: "(...) em redor da Praça, sem cessar, caleches de aluguel vazias rodavam vagarosamente (...)." (Eça de Queirós, *O crime do padre Amaro*) [Ant.: *rapidamente.*] **2** De maneira serena, tranquila: "O diplomata encolheu vagarosamente os ombros (...)." (Eça de Queirós, *O mandarim*) **3** Com tardança: "Vivi um mês, contando os dias, as horas e os minutos; e o tempo corria vagarosamente para mim, que desejava poder devorá-lo." (José de Alencar, *Cinco minutos*) **4** Sem ruído, sem estrépito: "(...) vultos diluídos no escuro, na barranca fronteira; e viam-nos, descendo lento e lento por ela abaixo, de bruços, rentes com o chão, vagarosamente, num rastejar serpejante de grandes sáurios silenciosos (...)." (Euclides da Cunha, *Os sertões*) [F.: *vagarosa* (fem. de *vagaroso*) + *-mente.*]

vagarosidade (va.ga.ro.si.*da*.de) *sf.* Qualidade, característica, condição do que é vagaroso [F.: *vagaros(o)* + *-(i)dade.*]

vagaroso (va.ga.*ro*.so) [ô] *a.* **1** Lento, moroso; VAGARENTO [Ant.: *ágil, rápido.*] **2** Pouco diligente ou habilidoso; LERDO **3** Pausado, grave, sereno: "...Contraiu os lábios, quase a cerrar os dentes, na raiva que lhe fechou os punhos, e conseguiu dizer, dando à voz um tom vagaroso..." (Josué Montello, *Sempre serás lembrada*) **4** Falto de desembaraço, de prontidão nas decisões: *Governante hesitante e vagaroso.* [Pl.: [ó]. Fem.: [ó].] [F.: *vagar* + *-oso.*]

vagem (*va*.gem) *sf.* **1** *Bot.* Legume **2** *Bot.* Fruto do feijoeiro; FAVA; FEIJÃO; LEGUME **3** *Geol.* Mineral de cor amarelo-pardacenta encontrado nas jazidas diamantíferas [Pl.: *-gens.*] [F.: Do lat. *vagina* (bainha).]

vagido (va.*gi*.do) *sm.* **1** Choro de criança recém-nascida: "É um vagido fresco, cristalino... Não calcula a frescura que irradia o primeiro choro de uma criança..." (Miguel Torga, *Rua*) **2** *Fig.* Gemido, lamento [F.: Do lat. *vagitus.*]

vagina (va.*gi*.na) *sf.* **1** *Anat.* Nas fêmeas dos mamíferos, canal musculoso que constitui o prolongamento da vulva e se estende até o útero **2** *Bot.* Corpo membranoso que envolve a base dos pedúnculos dos musgos [F.: Do lat. *vagina.*]

vaginal (va.gi.*nal*) *a2g.* **1** Ref. a vagina (mucosa vaginal) **2** Que tem forma de bainha; VAGINIFORME *sf.* **3** Membrana vaginal **4** Membrana serosa que envolve a quase totalidade do testículo do homem [Pl.: *-nais.*] [F.: Do fr. *vaginal.*]

vaginante (va.gi.*nan*.te) *a2g. Zool.* Diz-se das asas anteriores dos insetos coleópteros e ortópteros [F.: Do lat. cient. *vaginans, tis.*]

vaginela (va.gi.*ne*.la) *sf. Bot.* Pequena bainha que cerca cada fascículo das folhas coníferas [F.: *vagin(i/o)-* + *-ela.*]

◎ **vagin(i)-** *el. comp.* Expressa noção de 'bainha', 'vagina': *vaginela; vaginiforme; vaginotomia* [F.: Do lat. *vagina, ae.*]

vagínico (va.*gí*.ni.co) *a. Anat.* Ref. ou pertencente à vagina; VAGINAL [F.: *vagin(a)* + *-ico*[2].]

vaginiforme (va.gi.ni.*for*.me) *a2g.* **1** *Bot.* De forma semelhante à bainha que circunda os fascículos das folhas coníferas **2** *Anat.* Que tem a forma ou o aspecto da vagina [F.: *vagin(i/o)-* + *-forme.*]

vaginismo (va.gi.*nis*.mo) *sm. Med. Pat.* Contração dolorosa da vagina durante o ato sexual [F.: *vagina* + *-ismo.*]

vaginite (va.gi.*ni*.te) *sf. Ginec. Pat.* Inflamação da vagina [F.: *vagina* + *-ite*[1].]

◎ **vagino-** *el. comp.* Ver *vagin(i)-*

vaginolabial (va.gi.no.la.*bi*:al) *a2g. Anat.* Ref. ou pertencente à vagina e aos lábios da vulva [Pl.: *-ais.*] [F.: *vagin(i/o)-* + *labial.*]

vaginopexia (va.gi.no.pe.*xi*.a) [cs] *sf. Cir. Ginec.* Fixação da vagina à parede abdominal em caso de prolapso da cúpula vaginal; COLPOPEXIA [F.: *vagin(i/o)-* + *-pexia.*]

vaginose (va.gi.*no*.se) *sf. Ginec. Pat.* Infecção caracterizada por um desequilíbrio da flora vaginal normal, devido ao aumento exagerado de bactérias, esp. as anaeróbicas, que pode causar corrimento vaginal amarelado, ou acinzentado, com odor fétido e bolhas esparsas em sua superfície [F. red. de *vaginose bacteriana.*] [F.: *vagin(i/o)-* + *-ose*[2].]

vaginotomia (va.gi.no.to.*mi*.a) *sf. Cir. Ginec.* Incisão cirúrgica na vagina [F.: *vagin(i/o)-* + *-tomia.*]

vaginotômico (va.gi.no.*tô*.mi.co) *a. Cir. Ginec.* Ref. a ou próprio da vaginotomia [F.: *vaginotomi(a)* + *-ico*[2].]

vaginovulvar (va.gi.no.vul.*var*) *a2g.* Ref. ou pertencente à vagina e à vulva [F.: *vagin(i/o)-* + *-vulvar.*]

vagir (va.*gir*) *v. int.* **1** Emitir vagidos (o bebê, o recém-nascido); CHORAR; GEMER **2** Produzir gemido, choro que lembra o vagido [▶ 58 vagir] [F.: Do lat. *vagire*. Hom./Par.: *vagem* (fl.), *vagem* (sf.).]

◎ **-vago** *el. comp.* = 'que vaga ou vagueia em dado lugar, em certo período ou de certo modo'; 'que anda sobre': *altívago* (< lat.), *circúnvago* (< lat.), *flutívago* (< lat.), *montívago* (< lat.), *noctívago*, *notívago* (< lat.), *nubívago* (< lat.), *orbívago*, *tardívago*, *umbrívago*, *undívago*, *velívago* [F.: Do lat. *-vagus, a, um*, do v.lat. *vagare* ou do depoente *vagari*, 'vagar'; 'andar sem rumo'; 'errar'.]

vago[1] (*va*.go) *a.* **1** Indefinido, impreciso: "...queixando-se de ter sentido, desde o fim do verão, vertigens, um cansaço vago..." (Eça de Queirós, *Os Maias*) **2** Vagante, errante **3** Instável, inconstante **4** Indeterminado, incerto: "...De repente, os homens param e se entreolham, com o vago sentimento de estar cometendo um crime..." (Rubem Braga, "A tartaruga" *in Ai de ti, Copacabana*) **5** Confuso, mal distinto, pouco pronunciado: "...o (casebre) do Esgueira era de grossa pedra solta (...) com um vago telhado..." (Eça de Queirós, *A cidade e as serras*) **6** Que não se sabe a quem pertence *sm.* **7** Incerteza, confusão, falta de clareza: *o vago que há nessa legislação.* **8** *Anat.* O nervo vago [F.: Do lat. *vagu.*]

vago[2] (*va*.go) *a.* **1** Vazio ou disponível (posto vago; assentos vagos) **2** Desocupado **3** Sem trabalho, vadio: "...Do moço, pois... de abinício, o mal-querendo – e o reputando por vago e malfeitor..." (Guimarães Rosa, "Um moço muito branco" *in Primeiras estórias*) **4** Desabitado, devoluto [F.: Do lat. *vacuu.*]

vagonete (va.go.*ne*.te) [ê] *sm.* Pequeno vagão; TROLE [F.: Do fr. *wagonnet.*]

vagotomia (va.go.to.*mi*.a) *sf. Cir.* Procedimento cirúrgico adotado nos casos de úlceras que não respondem ao tratamento clínico e que consiste na seção do nervo vago que inerva o estômago para reduzir a secreção de ácido [F.: *vag-* + *-o-* + *-tomia.*]

vagotonia (va.go.to.*ni*.a) *sf. Med.* Estado em que há hiperexcitabilidade do nervo vago, caracterizado por perturbações como instabilidade vasomotora, sudoração, obstipação e câimbras [F.: *vag-* + *-o-* + *-tonia.*]

vagotônico (va.go.*tô*.ni.co) *Med. a.* **1** Ref. a ou próprio de vagotonia **2** Que sofre de vagotonia *sm.* **3** *Med.* Indivíduo que sofre de vagotonia [F.: *vagotoni(a)* + *-ico*[2].]

vagueação (va.gue:a.*ção*) *sf.* **1** Ação ou resultado de vaguear **2** Situação de quem vagueia ou peregrina: "Pois então o senhor mesmo me diga: o que foi que ele foi fazer? Que saiu daqui, em encoberto, na vagueação, por volver meses, mas com ponto de destino e sem dizer palavra a ninguém..." (João Guimarães Rosa, "Cara-de-bronze" *in No urubuquaquá, no pinhém*) **3** *P. ext.* Agitação contínua sem rumo fixo ou definido (vagueação dos olhos) **4** *Fig.* Falta de concentração; DISTRAÇÃO; ALHEAMENTO **5** *Fig.* Produto da imaginação; DEVANEIO [Pl.: *-ções.*] [F.: *vaguea(r)* + *-ção.*]

vagueante (va.gue:*an*.te) *a2g.* **1** Que vagueia ou vagueja; que anda sem rumo ou passeia (pássaro vagueante) *s2g.* **2** Indivíduo que vagueia ou vagueja; ANDARILHO [F.: *vaguea(r)* + *-nte.* Tb. *vaguejante.*]

vaguear (va.gue.*ar*) *v.* **1** Andar sem destino ou rumo certo; vagar; PERAMBULAR [*td.*: *Ela vagueia todo o interior do estado.*] [*ta.*: *Gosta de vaguear nos bares.*] [*int.*: *Não faz nada, vive a vaguear.*] **2** Não se ocupar com nada, por falta do que fazer [*int.*: *Despedido, só lhe restou vaguear.*] **3** Deixar-se dominar por devaneios [*int.*: *Deixa a imaginação vaguear solta.*] **4** Revelar inconstância; dedicar-se ora a uma coisa (ou pessoa), ora a outra [*tr.* + *de...em*: *Vagueava de mulher em mulher.*] [▶ 13 vaguear] [F.: *vag(ar)* + *-u-* + *-ear.* Ideia de 'que vagueia': *-vago.*]

vaguejante (va.gue.*jan*.te) *a2g. s2g.* Ver *vagueante*

vagueza (va.*gue*.za) [ê] *sf.* **1** Qualidade de vago; VAGUIDADE; VAGUIDÃO **2** *Art. pl.* Vaporosidade das tintas distribuídas com suavidade na tela [F.: Do it. *vaghezza.*]

vaguidade (va.gui.*da*.de) *sf.* Qualidade ou estado do que é vago, incerto, impreciso; VAGUEZA; VAGUIDÃO [F.: *vago -gu* + *-(i)dade.*]

vaguidão[1] (va.gui.*dão*) *sf.* Qualidade ou estado de vago, impreciso (vaguidão da notícia; vaguidão do futuro) [Ant.: *precisão.*] [Pl.: *-dões.*] [F.: *vago* > *gu* + *-i-* + *-dão*, seg. o mod. analógico.]

vaguidão[2] (va.gui.*dão*) *sf. Antq.* Qualidade ou estado do que é ou está vago, vazio, desabitado; VACUIDADE; VACUIDÃO: "Sentado no fundo do ubá, com a cabeça descoberta, tinha os olhos embebidos na vaguidão do espaço (...)." (Inglês de Sousa, *O missionário*) [Pl.: *-dões.*] [F.: *vago -gu* + *-i-* + *-dão*, seg. o mod. analógico.]

vaia (*vai*.a) *sf.* Desaprovação manifestada por meio de gritos, assobios etc.; APUPO: "Estes sentem de pronto, pelo aplauso ou pela vaia, se agradaram ou não." (João Ubaldo Ribeiro, *O conselheiro come*) [Ant.: *aplauso.*] [F.: Do it. *baia* pelo espn. *vaya.*]

vaiar (vai.*ar*) *v.* Demonstrar desagrado por meio de gritos, assobios etc. [*td.*: *O público vaiou o cantor.*] [*int.*: *A plateia não esperou muito para vaiar.*] [▶ 1 vaiar] [F.: *vai(a)* + *-ar.* Hom./Par.: *vaia(s)* (fl.), *vaia(s)* (sf. [pl.]).]

vaidade (vai.*da*.de) *sf.* **1** Valorização exagerada dos próprios atributos; PRESUNÇÃO; IMODÉSTIA: "...Pois grande foi a tua vaidade, Copacabana, e fundas foram as tuas mazelas..." (Rubem Braga, *Ai de ti, Copacabana*) **2** Preocupação com a própria aparência, por desejo de ser admirado: "...o que nem mesmo a morte conseguira, e que seria chocar e gelar aquelas pobres vaidades humanas..." (Lúcio Cardoso, *Crônica da casa assassinada*) **3** Qualidade ou condição do que é vão, fútil, ilusório **4** Vanglória, ostentação **5** Presunção, fatuidade [F.: Do lat. *vanitas, vanitatis.*]

vai da valsa (vai da *val*.sa) *sm2n. Bras. Pop.* Falta de planejamento, de preocupação em relação aos acontecimentos futuros, aos compromissos etc.: "Embora o Congresso ainda não tenha votado o Orçamento federal de 2006, o que é revelador do vai da valsa das finanças nacionais na cabeça dos políticos (...)." (*Correio Braziliense*, 27.01.2006) ▪ **ir no ~** *Bras. Fam.* Deixar correr, deixar-se ir ao sabor dos acontecimentos

vaidosamente (vai.do.sa.*men*.te) *adv.* De modo vaidoso; com vaidade [F.: *vaidosa* (fem. de *vaidoso*) + *-mente.*]

vaidoso (vai.i.*do*.so) [ô] *a.* **1** Que tem vaidade: "...Tornou-se regularmente vaidoso, desejava aprender agronomia..." (Graciliano Ramos, *São Bernardo*) *sm.* **2** Homem que ostenta vaidade, que se presume de si mesmo [Pl.: [ó]. Fem.: [ó].] [F.: *vaidade* + *-oso.* Sin. ger.: *presunçoso; jactancioso.* Ant. ger.: *desvaidoso; modesto.*]

vai não vai (vai *não* vai) *sm2n.* **1** Atitude que revela hesitação, indecisão: "O mais curioso, nesta CPI, é o vai não vai da própria bancada do governo (...)." (*Folha de S.Paulo*, 05.03.2004) *adv.* **2** De modo hesitante, vacilante: "Mas Turíbio Todo, sendo mais velho, tinha por força de ser melhor tático, e vinha vai não vai, em marcha quebrada (...)." (João Guimarães Rosa, *Sagarana*) **3** Entre a vida e a morte: "Aquilo é o cansaço de estar fazendo quarto à mãe, que estava vai-não vai. Não há nada para escangalhar uma criatura como labutar com doentes (...)." (Domingos Olímpio, *Luzia Homem*)

vaisesica (vai.se.*si*.ca) *sm.* **1** *Fil.* Sistema ortodoxo da filosofia indiana, surgido entre os séc I e II d.C., que indaga as várias estruturas existentes no universo e tenta identificar, inventariar e classificar em seis categorias (substância, qualidade, ação, generalidade, particularidade e inerência) as entidades da realidade que se apresentam à percepção humana [É uma escola que versa sobre a teoria atômica e considera que todos os objetos do universo físico são reduzíveis a um número finito de átomos, cujo funcionamento é guiado pela vontade de um ser supremo. Cf. *dársana* e *hinduísmo.*] *a.* **2** *Fil.* Ref. a ou próprio de vaisesica [F.: Do sânsc. *vaisesika.*]

vaivém (vai.*vém*) *sm.* **1** Movimento de ir e vir, de um lado para outro: "...Vaivém silencioso e apressado de gentes acumulando armas e projéteis..." (Augusto Casimiro, *Lisboa mourisca*) **2** Alternativa, vicissitude, revés **3** *Fig.* Instabilidade, inconstância: *o vaivém da sorte.* **4** *Antq.* Intriga, maquinação **5** Dobradiça que permite a uma porta abrir para um lado ou para o outro **6** *Mil.* Antiga máquina de guerra dotada de uma pesada trave de madeira pendurada em uma forquilha, e que impelida por movimento de balanço arrombava as portas e muros; ARÍETE **7** O golpe desta máquina [Pl.: *-véns.*] [F.: Junção das terceiras pessoas do sing. do pres. do ind. dos verbos *ir* e *vir.*]

vala (*va*.la) *sf.* **1** Escavação longitudinal a céu aberto **2** Fosso comprido cavado no solo para escoamento de águas, instalação de encanamentos etc. **3** *Mil.* Fosso, obra defensiva para barrar uma passagem **4** *Bras.* O leito de certos rios que ficam totalmente secos durante alguns meses do ano **5** Alicerce **6** *Fut.* Meta, gol **7** Cova extensa e pouco larga onde se enterram os cadáveres de indigentes; VALA COMUM **8** Elevação de terra entre sulcos; MATUMBO [F.: Do lat. *vallum.*] ▪ **~ cabocla** *Bras.* Vala profunda que serve de limite entre as terras de propriedades diferentes **~ comum** **1** Sepultura coletiva; abertura na terra, em que são enterrados de uma vez, sem identificação individual, corpos de pessoas que morreram em conjunto, ou na qual vão sendo enterrados, de modo sumário, indigentes ou pessoas sem família [Devido às palavras formadoras, a expressão ger. tem conotação depreciativa, de promiscuidade entre indivíduos desqualificados socialmente, ou de sepultamento indigno dado a pessoas. Tb. apenas *vala.*] **2** *Fig.* Estado ou condição do que é esquecido, relegado, descartado (justa ou injustamente) como de pouco valor

valadio (va.la.*di*:o) *a.* **1** Diz-se de terreno em que há valas **2** Diz-se de telhado feito de telhas soltas, sem argamassa [F.: *valad(o)* + *-io*[2]. Hom./Par.: *valadio* (a.), *valedio* (a.).]

valado (va.*la*.do) *sm.* **1** Vala rasa para proteger propriedade rural **2** Propriedade rural guarnecida por valados **3** Elevação de terra que identifica os limites de uma propriedade rural *a.* **4** Guarnecido por valas **5** *P. ext.* Guarnecido ou rodeado por cercas vivas: *terreno valado de roseiras.* **6** *Fig.* Cercado pelo inimigo [F.: Do lat. *vallatu.*]

valão[1] (va.*lão*) *sm.* **1** Pessoa nascida ou que vive na Valônia (Bélgica) **2** *Gloss.* Dialeto românico, falado em parte da Valônia *a.* **3** Da Valônia (Bélgica); típico dessa região ou de seu povo **4** *Gloss.* Do ou ref. ao valão (2) [Pl.: *-lões.* Fem.: *-lona.*] [F.: Do fr. *wallon.*]

valão[2] (va.*lão*) *sm.* **1** Vala de grande extensão **2** *Bras.* Vala ou córrego de águas poluídas, onde se despeja esgoto, matéria orgânica, dejetos e lixo: "Com o passar dos anos é que o imóvel foi ganhando solidez. Até se transformar num pequeno sobrado, que fica nas proximidades de um valão – riacho transformado em esgoto a céu aberto (...)." (*Correio Braziliense*, 26.12.2004) **3** *N* Sulco em um terreno para escoamento de água; VALADO; VALO; REGO [Pl.: *-lões.* Aum. de *vala.*] [F.: *vala* + *-ão*[1].]

valão[3] (va.*lão*) *sm.* **1** Indivíduo nascido ou que vive em Valônia (Bélgica) **2** *Gloss.* Dialeto falado nessa região *a.* **3** De Valônia; típico dessa cidade ou de seu povo **4** Do ou ref. ao valão (2) [F.: Do fr. *walon.*]

valáquio (va.*lá*.qui:o) *sm.* **1** Pessoa nascida ou que vive na Valáquia (Romênia) **2** *Gloss.* Ver *romeno* **3** *Gloss.* Dialeto do romeno, falado na Valáquia *a.* **4** Da Valáquia (Romênia); típico dessa região ou de seu povo **5** *Gloss.* Do ou ref. ao valáquio (2 e 3) [F.: Do top. *Valáquia.*]

valar[1] (va.*lar*) *a2g.* Ref. a vala ou a cerca [F.: Do lat. *vallaris, e.*]

valar[2] (va.*lar*) *v.* **1** Abrir valas em [*td.*: *Valou o terreno para escoar as águas da chuva.*] **2** Fortificar (terreno, construção etc.) cercando com valas, fossos etc. [*td.*: *Os senhores feudais valavam seus castelos.*] [*tdr.* + *com*: *Valou o castelo com fossos.*] **3** Fortificar, defender, cercando (com muro, sebe etc.) [*td.*: *Na expectativa de um ataque, valaram o acampamento, erguendo uma barricada.*] [*tdr.* + *com*: *Valaram o acampamento com uma barricada.*] [▶ 1 valar] [F.: Do lat. *vallare.*]

valar[3] (va.*lar*) *v. int.* Espantar peixes com vara para que caiam no valo[2] (na rede) [▶ 1 valar] [F.: *valo*[2] + *-ar*[2].]

valdense *s2g.* Indivíduo nascido ou que vive em Valud (Suíça). De A; típico dessa cidade ou de seu povo. F.: Do top. *Valud* + *-ense.*

valdevinos (val.de.*vi*.nos) *sm2n.* **1** Vagabundo, vadio: "... Esse Promitivo se parecia demais com a Leonísia (...) só que ele era valdevinos, no tanto que ela era trabalhadeira..." (Guimarães Rosa, "Uma estória de amor" *in Manuelzão e Miguilim*) **2** Malandro, pelintra, biltre: *Como há gente séria, há valdevinos.* **3** Pobretão, miserável, pessoa sem importância [F.: Do antr. *Balduíno* (*Valdovinos*), personagem de romances de cavalaria.]

vale[1] (*va*.le) *Geof. sm.* **1** Depressão ou planície entre montanhas **2** Planície à beira de um rio; VÁRZEA **3** A extensão de terra banhada por um rio (vale do São Francisco/do Paraíba) **4** Depressão alongada cavada por rio ou geleira [F.: Do lat. *vallis.*] ▪ **~ anticlinal** *Geol.* Vale criado por erosão ao longo do eixo de uma anticlinal **~ de lágrimas** **1** *Fig.* Tempo, lugar ou circunstância de grande sofrimento **2** *P. ext.* A vida humana, numa visão pessimista de que está cheia de sofrimento e dor **~ suspenso** *Geog.* Vale cujo fundo fica em nível superior ao de um vale, um rio, um lago adjacentes, ou ao mar **Pagar ~** **1** *RS.* Voltar atrás, desistir de algo, de aposta etc. **2** Fraquejar

vale[2] (*va*.le) *sm.* **1** Cupom que dá direito a algum serviço; TÍQUETE **2** Adiantamento de salário **3** Comprovante de dívida, despesa, retirada de dinheiro etc. **4** Recibo provisório **5** Ordem ou letra para transferência de dinheiro entre particulares através do correio, vale-postal [F.: Da 3ª pessoa do sing. do pres. do ind. de *valer.*]

vale-alimentação (vale-a.li.men.ta.*ção*) *sm. Bras.* Vale que o empregador fornece ao empregado, com valor preestabelecido, para ser us. na compra de alimentos em supermercados e mercearias [Pl.: *vales-alimentação e vales-alimentações.*]

vale-brinde (va.le-*brin*.de) *sm.* Papel impresso promocional que pode ser trocado por algum tipo de prêmio [Pl.: *vales-brindes e vales-brinde.*]

vale-compras (va.le-*com*.pras) *sm2n. Bras.* Vale, com valor preestabelecido, que pode ser trocado por mercadorias, em determinados estabelecimentos comerciais

valedio (va.le.*di*:o) *a.* **1** Que possui valor; que é aceitável **2** *Econ.* Diz-se de moeda que pode ter curso legal [F.: Radical de *valido*, com recuperação da v. tem. *-e-* + *-io.* Hom./Par.: *valedio* (a.), *valadio* (a.).]

valência (va.*lên*.ci:a) *sf.* **1** *Quím.* Número que expressa a capacidade de ligação de um elemento com o hidrogênio **2** Validade, valimento, valor: "...Mas a valência que ele achava era despropositada de enorme, medonha, mais forte que a de reza brava..." (Guimarães Rosa, *Grande sertão: veredas*) **3** *Ling.* Conjunto de argumentos que podem ser determinados por um verbo **4** *Bras.* Valia [F.: Do lat. *valentia.*] ▪ **~ ecológica** *Ecol.* Capacidade que tem algo (um ser vivo, elemento de sistema, um dispositivo artificial etc.) de interagir com diferentes elementos, de preencher diferentes funções, de adaptar-se ou inserir-se em diferentes situações etc., e que é considerada tanto maior quanto maior a quantidade desses diferentes elementos, funções, situações **~ ecológica** *Ecol.* Capacidade que tem algo (um ser vivo, elemento de sistema, um dispositivo artificial etc.) de interagir com diferentes elementos, de preencher diferentes funções, de adaptar-se ou inserir-se em diferentes situações etc., e que é considerada tanto maior quanto maior a quantidade desses diferentes elementos, funções, situações

valenciano[1] (va.len.ci:*a*.no) *sm.* **1** Pessoa nascida ou que vive em Valença (Portugal) *a.* **2** De Valença (Portugal), típico dessa cidade ou de seu povo [F.: Do top. *Valenç(a)* + *-iano.*]

valenciano[2] (va.len.ci:*a*.no) *sm.* **1** Pessoa nascida ou que vive em Valência (Espanha) **2** *Gloss.* Dialeto, aparentado com o catalão, falado na província de Valência (Espanha) *a.* **3** De Valência (Espanha), típico dessa província, ou cidade, ou de seu povo **4** *Gloss.* Do ou ref. ao valenciano (2) (pronúncia valenciana) [F.: Do top. *Valênci(a)* + *-ano.*]

valentão (va.len.*tão*) *a.* **1** Que é muito valente ou brigão *sm.* **2** Homem que é dado a brigas **3** Homem que gosta de bravatas; FANFARRÃO [Pl.: *-tões.*] [F.: *valente* + *-ão.*] ▪ **Entrosar de ~** *Bras.* Tentar impressionar, ou fazer crer ser algo que não se é

valente (va.*len*.te) *a2g.* **1** Que tem valentia; BRAVO; CORAJOSO **2** Robusto, resistente **3** Enérgico, eficaz (remédio valente) **4** *Quím.* Que tem valência **5** De valor, rico, importante: "...Contava (...) duas hortas valentes e um pomar de mais de trezentos pés de fruta..." (Rodrigo Paganino, *Tio Joaquim*) *s2g.* **6** Pessoa de valor, de coragem: "...Quem entrará em casa do valente a roubar-lhe os trastes, se primeiro o não tiver bem amarrado?..." (Rebelo da Silva, *Fastos*) **7** Pequena alavanca de ferro usada por ladrões para abrir portas [Ant.: *covarde.*] [F.: Do lat. *valens, valentis.*]

valentia (va.len.*ti*.a) *sf.* **1** Qualidade de valente; CORAGEM; BRAVURA **2** Ação que exige grande coragem; FAÇANHA; PROEZA **3** Energia, força, vigor (expressar-se com valentia) **4** Resistência [Ant.: *covardia.*] [F.: *valente* + *-ia.*]

valentinianismo (va.len.ti.ni:a.*nis*.mo) *sm. Rel.* Doutrina herege do séc. II, fundada pelo agnóstico Valentim de Alexandria, que sustentava a existência de um demiurgo entre a natureza divina e o mundo exterior [F.: *valentian(o)* + *-ismo.*]

valentiniano (va.len.ti.ni:*a*.no) *Rel. a.* **1** Ref. a ou próprio do valentinianismo **2** Que é sectário do valentinianismo *sm.* **3** *Rel.* Indivíduo que é sectário do valentinianismo [F.: Do lat. *valentiniani, orum.*]

valentona (va.len.*to*.na) *a.* **1** Diz-se da mulher muito forte ou destemida *sf.* **2** Mulher muito forte ou destemida *sf.* **3** Mulher que demonstra força, coragem, que é destemida [F.: Fem. de *valentão.*] ▪ **À ~** Com brutalidade, com violência

vale-paraibano (va.le-pa.ra:i.*ba*.no) *sm.* **1** Indivíduo nascido ou que vive na região do vale do Paraíba (SP) *a.* **2** Da região do vale do Paraíba; típico dessa região ou de seu povo [Pl.: *vale-paraibanos.*] [F.: Do top. *vale* (do) *Paraíba* + *-ano*[1].]

vale-postal (va.le-pos.*tal*) *sm.* Remessa de valores por meio do correio, com utilização de ordem de pagamento [Pl.: *vales-postal e vales-postais.*]

valer (va.*ler*) *v.* **1** Ser aceito, ter validade [*int.*: *Essa moeda não vale mais.*] **2** Ter valor ou preço equivalente a; CUSTAR [*td.*: *Essa casa vale 200 mil reais.*] **3** Ser aceitável, conveniente (para certo fim) [*int.*: *Qualquer esforço vale para passar de ano.*] **4** Ser merecedor [*td.*: *Esse homem não vale o prato que come.*] **5** Ser útil (para alguém); SERVIR [*tr.* + *para*: *Esse abono vale bastante para o pessoal.*] **6** Prestar ajuda; ACUDIR; SOCORRER [*ti.* + *a*: *Nos apertos, ele sempre vale ao irmão.*] **7** Trazer (uma consequência) para (alguém); ACARRETAR; ATRAIR [*tdi.* + *a*: *A malcriação valeu ao menino um duro castigo.*] **8** *Fig.* Ser bom, proveitoso [*int.*: *Esse presente valeu mesmo.*] **9** Fazer uso; UTILIZAR-SE [*tr.* + *de*: *Valia-se sempre das relações de seu pai.*] **10** Demonstrar valor, merecimento [*int.*: *As pessoas sensatas são as que mais valem.*] **11** Ter o mesmo valor de; EQUIVALER [*tr.* + *por*.: *Suas observações valem por sábios conselhos.*] **12** Mostrar-se útil, vantajoso; ter utilidade para [*ti.* + *a*: *A sugestão valheu-lhe muito nos estudos de antropologia.*] **13** Demonstrar audácia, coragem [*int.*: *Os soldados valeram-se no momento da emboscada.*] **14** Contar com; servir-se de [*tr.* + *de*: *Valeu-se da bengala para espantar o cachorro.*] **15** Ter poder para influenciar uma decisão, uma resolução [*int.*: *De todos os conselhos que ouviu, somente o do pai valeu.*] **16** Ter o sentido de; SIGNIFICAR [*td.*: *Um simples olhar vale a sua reprovação.*] [▶ **31 valer**] [F.: Do lat. *valere*. Hom./Par.: *vale(s)* (fl.), *vale(s)* (sm. [pl.]); *valia(s)* (fl.), *valia(s)* (sf. [pl.]); *vali* (fl.), *váli* (sm.).] ■ **A/para ~ 1** *Bras.* Seriamente, verdadeiramente: *Esforçou-se a/para valer.* **2** Em grande quantidade: *No baile tinha gente a/ para valer.* **~ valer** *Bras.* Ver *A/para valer.* **~ a pena** Ser (algo, ou ação) merecedor – pelo resultado obtido ou a obter, pela sua qualidade ou valor – do que se fez ou se pretende fazer para consegui-lo, realizá-lo etc.: *Foi um esforço que valeu a pena; É um livro que vale a pena ler; Valerá a pena estudar ainda mais?* **~ quanto pesa** *Fig.* Ter grande valor, valer muito **Valeu 1** *Bras. Pop.* Fórmula de perguntar a alguém se está satisfeito com o que foi (ou será) feito ou dito: *Inscrevi você no torneio, valeu?* **2** Fórmula de agradecimento que reconhece a validade de atitude ou ação de outrem em favor de quem fala; obrigado: *– Pode ir para a mesa, já preparei o seu prato. – Valeu.*

vale-refeição (va.le-re.fei.*ção*) *sm.* Vale² (1) que o empregador fornece ao empregado, com valor preestabelecido, para ser us. na compra de refeições; TÍQUETE-REFEIÇÃO; TÍQUETE-RESTAURANTE [Pl.: *vales-refeições e vales-refeição.*]

valeriana (va.le.ri:*a*.na) *sf. Bot.* Nome comum às plantas do gên. *Valeriana*, da fam. das valerianáceas, arbustos e ervas com alcaloides, muitas cultivadas como medicinais e tb. como ornamentais, como, p. ex., *Valeriana officinalis*, nativa da Europa e da Ásia, tb. conhecida como erva-gato, de uso medicinal como sedativo e antiespasmódico, apreciada por gatos e outros animais [F.: Do lat. *valeriana.*]

valerianácea (va.le.ri:a.*ná*.ce:a) *sf. Angios.* Espécime das valerianáceas, fam. de plantas herbáceas, com cerca de 350 espécies distribuídas em sua maioria no hemisfério norte e nos Andes, com folhas opostas, flores ger. hermafroditas em cimeiras e frutos monospermos, cultivadas como alimento, outras como medicinais ou para a produção de essências [F.: Adaptç. do lat. cient. *Valerianaceae.*]

valerianáceo (va.le.ri:a.*ná*.ce:o) *a. Angios.* Ref. ou pertencente às valerianáceas [F.: *valerian(ácea)* + *-áceo.*]

valeta (va.*le*.ta) [ê] *sf.* Vala pequena às margens das ruas e estradas, para facilitar o escoamento das águas pluviais [F.: *vala* + *-eta.*]

valete (va.*le*.te) *sm.* **1** *Lud.* Carta de baralho com a estampa de um jovem e marcada com a letra J: "...fazendo tropeçar a multidão dos cortesãos vestidos como valetes de paus..." (Eça de Queirós, *O primo Basílio*) **2** Na Idade Média, jovem nobre que se iniciava como cavaleiro **3** Pagem, lacaio [F.: Do fr. *valet.*]

vale-transporte (va.le-trans.*por*.te) *sm.* Cupom fornecido pelo empregador ao empregado, us. para pagamento de transporte coletivo [Pl.: *vales-transportes e vales-transporte.*]

valetudinário (va.le.tu.di.*ná*.ri:o) *a.* **1** Que tem saúde frágil: "...O Audaz Navegante, que foi descobrir os outros lugares valetudinário..." (Guimarães Rosa, "Partida do audaz navegante" *in Primeiras estórias*) **2** Mal-convalescido de doença, adoentado, combalido *sm.* **3** Homem enfermiço, ou de compleição fraca: "...São os valetudinários da terra, deviam, ao menos por gratidão, ter piedade deles..." (Coelho Neto, *Inverno em flor*) [F.: Do lat. *valetudinariu.*]

vale-tudo (va.le-*tu*.do) *sm2n.* **1** *Esp.* Modalidade de luta livre **2** *Fig.* Situação em que se recorre a qualquer meio ou expediente: "Hoje, com a nudez exibida, o que predomina, aqui, ou fora daqui, é o vale-tudo." (Josué Montello, *Sempre serás lembrado*) [F.: *valer* + *-tudo.*]

valgo (*val*.go) *a. Anat. Med.* Diz-se de um membro, ou segmento deste, que está lateralmente torcido, desviado ou deformado em relação ao eixo do corpo: *Os joanetes designam popularmente a deformidade do hálux valgo.* [Cf. *varo.*] [F.: Do lat. *valgus, a, um.*]

valhacouto (va.lha.*cou*.to) *sm.* **1** Refúgio, esconderijo: "... não era mais do que um sertão desconhecido, considerado como o valhacouto onde imperava o banditismo..." (Cecília Meireles, *Questão de educação*) **2** Amparo, proteção que se presta a outrem **3** *Fig.* Disfarce, encobrimento de intenções ou defeitos [F.: *valer* + *-couto.*]

valhala (va.*lha*.la) *sm.* **1** *Mit.* Na mitologia escandinava, palácio onde as almas dos guerreiros mortos em batalha eram recebidas para servir ao deus Odin [Com inicial ger. maiúsc., nesta acp.] **2** *P. ext.* Local destinado à glorificação, à celebração etc.; SANTUÁRIO; PANTEÃO [F.: Do al. *Walhalla.*]

valia (va.*li*.a) *sf.* **1** Valor intrínseco ou inerente à substância que constitui um determinado objeto **2** Utilidade, préstimo, valor: *Nosso auxílio foi de grande valia para eles* **3** Valor, força, ânimo: "...Joana Xaviel fogueava um entusiasmo. Uma valia que ninguém governava, tomava conta dela..." (Guimarães Rosa, "Uma estória de amor" *in Manuelzão e Miguilim*) **4** Preço que um objeto pode atingir no mercado **5** *Fig.* Valimento, proteção [F.: *valer* + *-ia.*]

validação (va.li.da.*ção*) *sf.* **1** Ação ou resultado de validar **2** *Jur.* Legitimação de um ato jurídico para conferir-lhe validade **3** *Inf.* Teste dos dados introduzidos num sistema de computador para comprovar sua correção e concordância com padrões e regras preestabelecidos [Pl.: *-ções.*] [F.: *validar* + *-ção.*]

validade (va.li.*da*.de) *sf.* **1** Qualidade ou condição do que é válido **2** Legitimidade (a validade de um contrato) **3** Período de validade de um produto [F.: *válido* + *idade.*]

validado (va.li.*da*.do) *a.* Que se validou; que se tornou válido (método validado; senha validada) [Ant.: *invalidado, desvalidado.*] [F.: Part. de *validar.*]

validador (va.li.da.*dor*) [ô] *a.* **1** Ref. ao que valida ou legitima; VALIDANTE *sm.* **2** O que torna válido ou legitima [F.: *validar* + *-dor.*]

validar (va.li.*dar*) *v. td.* Tornar válido; LEGITIMAR: *O cartório validou o documento; Afinal, o contrato validou-se.* [▶ **1 validar**] [F.: Do lat. *validare*. Hom./Par.: *valido* (fl.), *valido* (a. sm.).]

validável (va.li.*dá*.vel) *a2g.* Que pode ser validado [Pl.: *-veis.*] [F.: *validar* + *-vel*. Hom./Par.: *validáveis* (pl.), *validáveis* (fl. de *validar*).]

validez (va.li.*dez*) [ê] *sf.* **1** Qualidade do que é válido: "...Examinando a cada passo com sinceridade expressa a validez do seu método..." (Vitorino Nemésio, *Exilados*) **2** *Lóg.* Qualidade do que é admissível por todos ou por um grande número: "...Ante essa divisão das posições, discute-se a validez da lógica, que é a disciplina que estuda os nexos racionais..." (Mário Ferreira dos Santos, *Grandezas e misérias da logística*) [F.: *válido* + *-ez.*]

valido (va.*li*.do) *a.* **1** Que conta com a proteção e o amparo especial de alguém, esp. dos poderosos; PROTEGIDO *sm.* **2** Que goza de particular estima; que é muito prezado; FAVORITO: "Fez-se seu valido e foi por ele mandado, com mais gente sua, servir na capital do império..." (Alberto da Costa e Silva, *A manilha e o libambo*) [F.: *valer* + *-ido*. Ant. ger.: *desvalido*. Hom./Par.: *valido* (a. sm.), *válido* (a.).]

válido (*vá*.li.do) *a.* **1** Que tem valor ou utilidade (documento válido; produto válido) **2** Correto, lícito (protesto válido) **3** Que goza de excelente saúde; são, vigoroso: "...a viscondessa da Gafanha, uma carcaça esgalgada, caiada, rebocada, gasta por todos os homens válidos do país..." (Eça de Queirós, *Os Maias*) **4** Eficiente, eficaz: "...A racionalidade empírica não se restringe às ciências naturais. Ela é válida para todas as investigações teóricas..." (Eduardo Neiva, *O racionalismo crítico de Popper*) **5** *Lóg.* Que está em conformidade com os preceitos da lógica formal, que é formalmente correto **6** *Lóg.* Que corresponde à verdade em todas as interpretações de um sistema lógico **7** *Jur.* Diz-se do ato jurídico ou administrativo que cumpre com todos os requisitos legais **8** *Psic.* Diz-se do teste capaz de medir adequadamente o parâmetro a que se destina [F.: Do lat. *validu*. Ant. ger.: *inválido*. Hom./Par.: *válido* (a.), *valido* (a. sm.).]

valimento (va.li.*men*.to) *sm.* **1** Ação ou resultado de valer **2** O mesmo que *validade* **3** Prestígio, influência **4** Merecimento, préstimo: "...um homem por quem barateara todo o valimento do seu corpo..." (Aluízio Azevedo, *Casa de pensão*) **5** Importância, valia: "...Não o amavam, seguramente, já que sempre teriam de temer sua oculta pessoa e respeitar seu valimento..." (Guimarães Rosa, "Nada e a nossa condição" *in Primeiras estórias*) **6** Intercessão, favor [F.: *valer* + *-imento.*]

valiosamente (va.li:o.sa.*men*.te) *adv.* **1** De modo valioso; com grande valor *adv.* **2** De modo valioso; com grande valor [F.: *valiosa* (fem. de *valioso*) + *-mente.*]

valioso (va.li:*o*.so) [ô] *a.* **1** Que tem grande valor ou utilidade (colar valioso; lição valiosa) **2** Que goza de alto merecimento **3** Que tem validade [Pl.: [ó]. Fem.: [ó].] [F.: *valia* + *-oso.*]

valise (va.*li*.se) *sf.* Pequena mala de mão [F.: Do it. *valigia*, pelo fr. *valise.*]

valo¹ (*va*.lo) *sm.* **1** Muro ou parapeito que defende a estância, a entrada, o campo entrincheirado etc.: "(...) esses valos alevantados à pressa em volta do burgo (...)." (Alexandre Herculano, *O bobo*) **2** *P. ext.* Vala, sebe ou elevação de terra que cerca uma propriedade **3** *P. ext.* Qualquer cerca ou muro erigido para a proteção **4** Liça dos justadores ou torneadores: "Cai a soberba inglesa de seu trono, / Que dous ou três já fora vão do valo." (Luís de Camões, *Os Lusíadas*) **5** Sulco natural ou artificial, ger. profundo, que conduz água: "Rompiam, intrêmulos, por dentro do valo sinuoso do rio Sargento, que desbordava numa enchente repentina de fardas." (Euclides da Cunha, *Os sertões*) [F.: Do lat. *vallum, i.*]

valo² (*va*.lo) *sm.* Na pescaria, rede us. para emalhar em cerco [F.: De or. obsc.]

valor (va.*lor*) [ô] *sm.* **1** Preço atribuído a algo: *o valor de um terreno* **2** Utilidade, valia: *As ervas são de grande valor para a medicina.* **3** Importância, qualidade, mérito: *É inegável o valor desse artista.* **4** Validade, legitimidade: *documentos sem valor.* **5** Princípio ético (valores morais) **6** Qualidade pela qual uma coisa se torna importante para alguém: "E em cada etapa descobria novas sensações, que eram valores, a ponto de imaginar que só a castidade o salvaria..." (Walmir Ayala, *Taís*) **7** Poder aquisitivo: *o valor do dólar.* **8** Estima, consideração: *Dão grande valor aos seus próprios bens.* **9** *Fig.* Importância: *Não dou valor a intrigas.* **10** *Econ.* Atributo que confere aos bens materiais sua qualidade de bens econômicos **11** *Fil.* Conceito que determina o que deve ser por intermédio de argumentações que se opõem ao que presentemente é **12** *Mús.* Duração relativa das figuras de notas e de silêncios **13** *Art. pl.* Variação da intensidade de reflexão da luz em uma determinada cor **14** *Soc.* Objeto de uma necessidade, atitude ou desejo [F.: Do lat. tardio *valore.*] ■ **~ absoluto** *Mat.* Valor de um número descartando-se se é positivo ou negativo; módulo [P. ex., o valor absoluto tanto de + 9 quanto de -9 é 9, e escreve-se entre barras /9/.] **~ adicionado** *Econ.* Diferença entre o valor total da produção de uma mercadoria e o custo das matérias-primas e serviços de terceiros usados para sua fabricação; valor agregado [Equivale à soma dos salários, impostos, taxas, juros, amortização de máquinas etc. arcados pelo fabricante.] **~ agregado** *Econ.* Ver *Valor adicionado* **~ atual/presente** *Econ.* Importância equivalente, em valores presentes (no momento em que se o estabelece) ao valor correspondente ao(s) mesmo(s) item(ns), compensando-se juros a serem pagos, taxa de inflação ou de depreciação da moeda etc.; valor presente **~ característico 1** *Mat.* Qualquer um dos valores que definem as autofunções (ver autofunção [2]) de uma equação integral ou diferencial **2** Qualquer raiz da equação que caracteriza uma matriz **~ de duração** *Mús.* Ver *Figura/ valor de ritmo* no verbete *figura.* **~ de mercado 1** *Com. Econ.* Preço pelo qual é oferecido um bem à venda em certo mercado, de acordo com as condições daquele mercado [P. op. a *valor nominal* (2).] **2** *Com. Jur.* Valor de negociação de título de crédito num determinado mercado, nas condições desse mercado em certo momento **~ de troca** *Econ.* Potencial medida (quantidade de mercadorias, quantia em dinheiro etc.) para a troca de uma mercadoria por outras ou por dinheiro em certas condições de mercado [Cf.: *Valor de uso.*] **~ de uso** *Econ.* Potencial capacidade de um bem de satisfazer necessidades de uso [Cf.: *Valor de troca.*] **~ de verdade 1** *Lóg.* Na lógica clássica, característica que faz de uma proposição *verdadeira* ou *falsa*, únicas alternativas possíveis **2** Na lógica moderna, característica que faz de uma proposição, além de verdadeira ou falsa, *indeterminada* ou *possível* **~ estimativo** *Jur.* Valor que tem como parâmetro o apreço ou estima pelo bem **~ extrínseco** *Econ. Jur.* Valor que se atribui por arbítrio ou convenção [Cf.: *Valor intrínseco.*] **~ intrínseco** *Econ. Jur.* O que reflete apenas as qualidades intrínsecas de um bem, independente de arbítrio ou convenção [Cf.: *Valor extrínseco.*] **~ locativo** *Jur.* Valor de aluguel atribuído a imóvel por repartição fiscal, para determinação do imposto correspondente **~ mobiliário** *Jur.* Termo que designa qualquer coisa que represente crédito em dinheiro em coisa móvel, como títulos, obrigações, ações etc. **~ negativo** *Mús.* Figura representativa da duração de uma pausa musical [Cf.: *Valor positivo.*] **~ nominal 1** *Econ.* Aquele que não foi corrigido para compensar inflação [Cf.: *Valor real.*] **2** *Econ.* O que o governo atribui à moeda ou papel-moeda circulante **3** *Com. Jur.* Valor de face de qualquer título, moeda etc. sem considerar condições de mercado, depreciação etc. [P. op. a *Valor de mercado* (2).] **~ positivo** *Mús.* Valor de duração (figura de ritmo) para notas, não para pausas [Cf.: *Valor negativo.*] **~ presente** *Econ.* Ver *Valor atual* **~ real** *Econ.* Valor corrigido para compensar inflação [Cf.: *Valor nominal* (1).] **~venal** Valor estimado da venda de um imóvel

valoração (va.lo.ra.*ção*) *sf.* **1** Ação ou resultado de valorar, de atribuir valor a alguma coisa **2** Avaliação do valor de alguma coisa [Pl.: *-ções.*] [F.: *valorar* + *-ção*. Cf.: *valorização.*]

valorado (va.lo.*ra*.do) *a.* **1** Que se valorou; que obteve valor; VALORIZADO **2** *Mat.* Diz-se do grafo em que há uma ou mais funções relacionando vértices e/ou arestas com um conjunto de números [F.: Part. de *valorar.*]

valorar (va.lo.*rar*) *v. td.* **1** Atribuir valor (no sentido de significado, representatividade): *Valorou o objeto como peculiaridade folclórica. Valorava a atitude de um ponto de vista sociológico.* **2** Ver *valorizar.* [▶ **1 valorar**] [F.: *valor* + *-ar*. Hom./Par.: *valores* (fl.), *valores* (pl. de *valor* [sm.]).]

valorativo (va.lo.ra.*ti*.vo) *a.* Que envolve valoração; que compreende valoração [Ant.: *desvalorativo.*] [F.: *valora(r)* + *-tivo.*]

valores (va.*lo*.res) [ô] *smpl.* **1** Grande quantidade de dinheiro, bens materiais, propriedades etc., pertencentes a um indivíduo; HAVERES; RIQUEZA; FORTUNA **2** *Jur.* Quaisquer títulos de créditos, públicos ou privados, e outros bens que representem certa importância em dinheiro **3** *Fig.* Conjunto de normas, princípios ou padrões sociais que são aceitos e mantidos por um indivíduo, grupo, sociedade etc. **4** *Lus. Pedag.* Grau de aproveitamento escolar do aluno, caracterizado por um termo que, junto a um número, gradua a qualificação de um exame escolar [F.: Pl. de *valor*. Hom./Par.: *valores* (smpl.), *valores* (fl. de *valorar*).]

valorização (va.lo.ri.za.*ção*) *sf.* **1** Ação ou resultado de valorizar(-se) **2** *Econ.* Aumento de valor ou preço de um objeto, produto, mercadoria, em razão de melhoria em seu conteúdo, por escassez no mercado ou por ser superior aos concorrentes: *Em virtude da vista livre para o mar, o imóvel tem valorização constante.* **3** *Econ.* Alta fictícia no valor comercial de uma mercadoria, ger. efetivada pelo governo, como mecanismo de uma ação política ou econômica **4** Atribuição de importância a alguém ou algo (valorização profissional) **5** Reconhecimento da importância ou do interesse por alguém ou algo: *A forma respeitosa com que tratava seus clientes provocava profunda valorização dos seus serviços.* [Ant.: *desprezo.*] [Pl.: *-ções.*] [F.: *valoriza(r)* + *-ção.* Ant. ger.: *desvalorização.*]

valorizado (va.lo.ri.*za*.do) *a.* **1** Que sofreu valorização; a que foi dado valor **2** *Econ.* Que teve aumentado o seu valor monetário [F.: Part. de *valorizar.* Ant. ger.: *desvalorizado.*]

valorizador (va.lo.ri.za.*dor*) [ô] *a.* **1** Que valoriza [Ant.: *desvalorizador.*] *sm.* **2** Aquele ou aquilo que valoriza [F.: *valoriza(r)* + *-dor.*]

valorizar (va.lo.ri.*zar*) *v. td.* **1** Dar valor ou importância a; CONSIDERAR: *Valorizava o trabalho alheio.* **2** Aumentar o valor de: *A reforma valorizou a casa; A casa valorizou-se.* **3** Dar mais qualidade ou destaque a: *A direção de arte valorizou o filme; Os novos botões valorizaram seu vestido.* [▶ **1 valorizar**] [F.: *valor* + *-izar.*]

valorizável (va.lo.ri.*zá*.vel) *a2g.* Passível de ser valorizado ou de ter seu valor reconhecido [Ant.: *desvalorizável.*] [Superl.: *valorizabilíssimo.*] [F.: *valoriza(r)* + *-vel.*]

valoroso (va.lo.*ro*.so) [ô] *a.* **1** Dotado de valor **2** Forte, ativo: *Vinho, remédio valoroso.* **3** Que tem coragem, valentia; CORAJOSO; DESTEMIDO: *Era um estadista valoroso.* [Ant.: *covarde, medroso.*] **4** Diz-se de pessoa cheia de grandeza, que se destaca das demais por suas boas qualidades **5** *Antq.* Que tem valia, valioso, de grande preço [Pl.: [ó]. Fem.: [ó].] [F.: *valor* + *-oso.*]

valquíria (val.*quí*.ri:a) *sf. Mit.* Na mitologia escandinava, cada uma das virgens, filhas de Odin, deus da guerra, que, montadas em cavalos alados e armadas com elmos e lanças, sobrevoavam os campos de batalha em busca dos mais bravos entre os caídos em combate e os transportavam para Valhala, o salão de Odin, para posteriormente lutarem na batalha de Ragnarok [Com inicial ger. maiúsc.] [F.: Do al. *Walküre.*]

valsa (*val*.sa) *sf.* **1** *Dnç.* Modalidade de dança em compasso de 3 por 4, de movimento variado (*lento, alegreto, alegro*) **2** *Mús.* Música apropriada a essa dança: *a valsa vienense.* **3** *Fig.* Alteração constante e ger. rápida; MUDANÇA; ALTERNÂNCIA: *Em ano eleitoral, alguns políticos dançam a valsa dos partidos.* **4** *Fig.* Qualquer troca habitual de coisas [F.: Do al. *Walzer,* pelo fr. *valse.* Hom./Par.: *valsa* (sf.), *valsa* (fl. de *valsar*).]

valsado (val.*sa*.do) *a. Dnç. Mús.* Que se assemelha à valsa ou que apresenta características de valsa (ritmo valsado; música valsada) [F.: *valsa* + *-ado*[2].]

valsar (val.*sar*) *v. int.* Dançar valsa [▶ **1 valsar**] [F.: *vals(a)* + *-ar.* Hom./Par.: *valsa(s)* (fl.), *valsa(s)* (sf. [pl.]).]

valseiro (val.*sei*.ro) *sm. Bras. Mús.* Compositor de valsas [F.: *vals(a)* + *-eiro.*]

valsista (val.*sis*.ta) *a2g.* **1** *Dnç.* Que valsa bem, que tem boa evolução ao dançar a valsa *s2g.* **2** *Dnç.* Aquele que valsa bem: "(...) que lá estava com a sua noiva e o seu passo de valsista impenitente." (Lima Barreto, *Recordações do Escrivão Isaías Caminha*) [F.: *vals(a)* + *-ista.*]

valva (*val*.va) *sf.* **1** *Anat. Zool.* A peça ou cada uma das peças que compõem a concha dos moluscos **2** *Bot.* Segmento destacável resultante da abertura de um fruto maduro, como p. ex., de um legume, que se abre em duas valvas **3** *Anat.* Estrutura que faz com que os líquidos, no organismo, esp. o sangue, escoem em um único sentido (valva aórtica) [*Valva* substituiu *válvula* na nova terminologia anatômica.] [F.: Do lat. *valva.*] ▪ **~ aórtica** *Anat.* Valva entre o ventrículo esquerdo e a artéria aorta, que se abre para que o sangue passe à aorta na sístole, e se fecha para evitar que reflua para o ventrículo na diástole **~ atrioventricular direita** *Anat.* Valva situada entre o átrio e o ventrículo direitos, que se abre na contração auricular, permitindo que o sangue passe do átrio para o ventrículo, e se fecha na contração ventricular, impedindo que o sangue retorne ao átrio, para que seja impelido para a artéria pulmonar [Na antiga nomenclatura anatômica, *valva tricúspide.*] **~ atrioventricular esquerda** *Anat.* Valva situada entre o átrio e o ventrículo esquerdos, que se abre na contração auricular, permitindo que o sangue passe do átrio para o ventrículo, e se fecha na contração ventricular, impedindo que o sangue retorne ao átrio, para que seja impelido para a artéria aorta [Na antiga nomenclatura anatômica, *valva bicúspide* e *valva mitral.*] **~ bicúspide** *Anat.* Na antiga nomenclatura anatômica, *Valva atrioventricular esquerda* **~ ileocecal** *Anat.* A que permite passagem de matéria do íleo para o ceco, mas não do ceco para o íleo **~ mitral** *Anat.* Na antiga nomenclatura anatômica, *Valva atrioventricular esquerda* **~ pulmonar** *Anat.* Valva entre o ventrículo direito e a artéria pulmonar, que se abre para que o sangue passe à artéria na sístole, e se fecha para evitar que reflua para o ventrículo na diástole **~ tricúspide** *Anat.* Na antiga nomenclatura anatômica, *Valva atrioventricular direita*

valvado[1] (val.*va*.do) *a.* Que possui valva (conduto valvado) [F.: *valva* + *-ado*[1].]

valvado[2] (val.*va*.do) *Zool. sm.* **1** *Zool.* Espécime dos valvados, ordem de equinodermos asteroides, cujo dorso é protegido por placas cobertas de pequenas granulações, e que possuem pés ambulacrários dotados de ventosas e pedicelárias valvadas ou alveoladas *a.* **2** *Zool.* Ref. a ou próprio dos valvados [F.: Adaptç. irreg. do lat. cient. *Valvatida.*]

valvar (val.*var*) *a2g.* **1** Ref. ou semelhante a valva **2** *Bot.* Diz-se de prefloração cujas pétalas e sépalas se tocam pelas bordas [F.: *valva* + *-ar*[1].]

◎ **-valve** *el. comp.* = 'que tem x valva(s) ou cuja(s) valva(s) apresenta(m) dada característica'; 'que se abre (e fecha)': *bivalve, conivalve, equivalve, evalve, fistulivalve, homovalve, multivalve, plurivalve, quadrivalve, quinquivalve, univalve.* [F.: Do lat. *valva, ae,* 'batente de porta', seg. o mod. lat., a exemplo de *-forme* e outras formas afins. F. conexas: *valv(i)-, valvo-* e *valvul(i)-, valvulo-.*]

◎ **valv(i)-** *el. comp.* = 'valva': *valviforme; valvoplastia, valvotomia* [F.: Do lat. *valva, ae,* 'batente de porta', sing. do lat. *valvae, arum,* 'os batentes de uma porta'; 'porta com duplo batente'. F. conexa: *valvul(i)-, valvulo-* e *-valve.*]

valviforme (val.vi.*for*.me) *a2g.* Que tem a forma de valva ou válvula [F.: *valv(i)-* + *-forme.*]

◎ **valvo-** *el. comp.* Ver *valv(i)-*

valvoplastia (val.vo.plas.*ti*.a) *sf. Cir.* Em doenças obstrutivas valvares (pulmonar, aórtica e mitral), procedimento cirúrgico que consiste em se insuflar um cateter no local da obstrução, para abrir as bridas cicatriciais que provocaram a estenose, ou movimentar as válvulas imobilizadas pelo cálcio; VALVULOPLASTIA [F.: *valvo-* + *-plastia.*]

valvoplástico (val.vo.*plás*.ti.co) *a. Cir.* Ref. à ou próprio da valvoplastia; VALVULOPLÁSTICO [F.: *valvoplastia* + *-ico*[2].]

valvotomia (val.vo.to.*mi*.a) *sf. Cir.* Incisão cirúrgica de valva cardíaca; VALVULOTOMIA [F.: *valvo-* + *-tomia.*]

valvotômico (val.vo.*tô*.mi.co) *a. Cir.* Ref. à ou próprio da valvotomia; VALVULOTÔMICO [F.: *valvotomia* + *-ico*[2].]

válvula (*vál*.vu.la) *sf.* **1** Valva pequena **2** *Anat.* Membrana ou dobra membranosa que existe nos vasos sanguíneos (veias, artérias) e que tem vários fins, tais como evitar o refluxo do sangue, dirigir ou graduar o curso do líquido etc. **3** *Anat.* Ver *valva* (3) **4** Espécie de tampa de couro, de metal ou de madeira com que se tapa a boca de um tubo e que abre para dentro, fechando hermeticamente a passagem de ar, líquido etc. [Serve para deixar entrar no tubo qualquer fluido e impedir-lhe depois a saída. Usa-se nas bombas e em outros aparelhos.] **5** *Eletrôn.* Ampola de vidro em cujo interior (a vácuo ou não) se controla um feixe de elétrons **6** *Mec.* Placa metálica que, num orifício das máquinas a vapor, cede a um impulso excessivo, evitando a explosão **7** *Mec.* Instrumento instalado na saída do ar ou vapor em aparelhos que funcionam sob alta pressão, para controlar o ambiente interno e evitar explosões, como nas panelas de pressão **8** *Bot.* Espécie de opérculo lateralmente disposto que se desloca para cima **9** *Bot.* Formação membranosa que, por movimentos próprios, põe em comunicação com o exterior as cavidades de certos órgãos vegetais [F.: Do lat. *valvula.*] ▪ **~ a gás** *Eletrôn.* Válvula eletrônica que cujo funcionamento se dá pela ionização de um gás ou vapor **~ a vácuo** *Eletrôn.* Válvula eletrônica em forma de uma ampola com vácuo no interior, onde ficam os eletrodos **~ bicúspide** *Antq.* Denominação imprópria da *Valva bicúspide.* **~ de agulha** *Tec.* Espécie de válvula cujo tampão tem forma de agulha cônica, o que permite controle fino da vazão de fluidos **~ de alívio** *Tec.* A que se abre automaticamente quando a pressão atinge certo valor **~ de bloqueio** *Tec.* A que só tem regulagem de 'aberta' ou 'fechada', sem controle de vazão **~ de bola** *Tec.* A que tem sua abertura ou fechamento determinado pela subida ou descida de uma esfera imersa num fluido **~ de controle** *Tec.* A que permite a regulagem da vazão (pressão, volume, direção) do fluido **~ de diafragma** *Tec.* Aquela na qual um diafragma impede o contacto do fluido com o mecanismo de comando **~ de escape** **1** *Tec.* Em motor a explosão, válvula que, num cilindro, controla a descarga dos gases queimados em seu interior **2** Ver *Válvula de segurança* **3** *Fig.* Qualquer derivativo (passatempo, catarse, explosão emocional) para alívio de estresse, tensão emocional etc. **~ de esfera** *Tec.* Aquela na qual o bloqueio da vazão se faz pela posição de um orifício brocado numa esfera **~ de feixe** *Eletrôn.* Válvula eletrônica na qual a orientação do feixe de elétrons é dada pela posição dos eletrodos **~ de gaveta** *Tec.* Válvula que controla a vazão do fluido por meio de uma cunha que se desloca transversalmente **~ de macho** *Tec.* Aquela na qual a passagem ou vedação do fluido depende da posição de orifício numa peça (macho) giratória **~ de retenção** *Tec.* Aquela cuja conformação só permite a passagem do fluido em um sentido **~ de segurança** A que abre automaticamente para a atmosfera (ou seja, para a saída do fluido do sistema) quando a pressão interna atinge um nível perigoso **~ eletrônica** *Eletrôn.* Válvula (5) **~ gatilho** *Eletrôn* Aquela que desencadeia sua operação quando um sinal de alta-tensão é aplicado a um eletrodo especial **~ ileocecal** *Anat.* Denominação imprópria da *Valva ileocecal.* **~ mitral** *Anat.* Denominação imprópria da *Valva mitral* **~s coniventes** *Anat.* Certas pregas na superfície interna do intestino delgado **~ tricúspide** *Anat.* Denominação imprópria da *Valva tricúspide*

valvulado (val.vu.*la*.do) *a.* Que possui válvula; VALVULAR [F.: *válvula* + *-ado*[1].]

◎ **valvul(i)-** *el. comp.* = 'válvula'; 'valva': *valvulite; valvuloplastia, valvulotomia* [F.: Do lat. *valvulae, arum,* 'vagem (esp. de feijão)'; 'casca', do lat. *valva, ae.* F. conexas: *valv(i)-, valvo-* e *-valve.*]

◎ **valvulo-** *el. comp.* Ver *valvul(i)-*

valvuloplastia (val.vu.lo.plas.*ti*.a) *sf. Cir.* O mesmo que *valvoplastia* [F.: *valvulo-* + *-plastia.*]

valvuloplástico (val.vu.lo.*plás*.ti.co) *a. Cir.* O mesmo que *valvoplástico* [F.: *valvuloplastia* + *-ico*[2].]

valvulotomia (val.vu.lo.to.*mi*.a) *sf. Cir.* O mesmo que *valvotomia* [F.: *valvulo-* + *-tomia.*]

valvulotômico (val.vu.lo.*tô*.mi.co) *a. Cir.* O mesmo que *valvotômico* [F.: *valvulotomia* + *-ico*[2].]

⊕ **vamp** (*Ing. /vâmp/*) *sf.* Ver *vampe*

vampe (vam.pe) *Pop. sf.* **1** Mulher sensual, que usa o poder da sedução para atrair e seduzir os homens **2** Mulher muito atraente [F.: Do ing. *vamp* < *vampire,* 'vampiro'.]

vampiresa (vam.pi.*re*.sa) [ê] *sf.* Em história fantástica, mulher morta que sai do caixão à noite para sugar o sangue das pessoas vivas [Fem. de *vampiro.*] [F.: *vampir(o)* + *-esa.*]

vampiresco (vam.pi.*res*.co) [ê] *a.* **1** Rel. a ou próprio de vampiro (situação vampiresca) **2** Que se parece com vampiro: *Tinha um semblante vampiresco.* [F.: *vampir(o)* + *-esco.*]

vampírico (vam.*pí*.ri.co) *a.* Ref. ou semelhante a ou próprio de vampiro [F.: *vampir(o)* + *-ico*[2].]

vampirismo (vam.pi.*ris*.mo) *sm.* **1** Crença na existência de vampiros **2** *Fig.* Ambição, avidez desmedida, voracidade: *o vampirismo do poder.* **3** *Fig.* Caráter, comportamento, atitude de quem busca se apropriar com avidez do que é de outrem, agindo em causa própria, sem pensar nas consequências de seus atos: *O vampirismo dos grandes banqueiros é inaceitável.* **4** *Fig.* Atitude, comportamento de mulher que usa a beleza com o propósito de atrair os homens, subjugando-os por capricho **5** Ver *necrofilia* [F.: *vampir(o)* + *-ismo.*]

vampirização (vam.pi.ri.za.*ção*) *sf.* Ação ou resultado de vampirizar, de extrair por meio da força, da pressão etc. a força e a riqueza de outrem [Pl.: *-ções.*] [F.: *vampiriza(r)* + *-ção.*]

vampirizar (vam.pi.ri.*zar*) *v.* **1** *Fig.* Explorar, extorquir, extrair, por diversos meios, legais ou ilegais, a riqueza ou a energia de alguém [*td.: O chefão vampirizava seus funcionários; O rei vampirizava os súditos com altos tributos.*] **2** Perder a vitalidade, a força, pela sua utilização descontrolada, desmedida [*int.: Vampirizou-se em longas e sucessivas jornadas de trabalho.*] [▶ **1 vampirizar**] [F.: *vampiro* + *-izar.*]

vampiro (vam.*pi*.ro) *sm.* **1** *Zool.* Espécie de morcego muito grande (*Phillostoma spectrum*), que tem na língua papilas córneas com que abre uma incisão na pele de outros animais, quando os acha dormindo, para lhes sugar o sangue; MORCEGO-VAMPIRO **2** *P. ext.* Entidade fantástica masculina que se supõe sair das sepulturas, durante a noite, para sugar o sangue das pessoas vivas, transformando-as tb. em vampiros **3** *P. ext. Fig.* Pessoa que procura enriquecer às custas do trabalho de outrem: *O agiota é um vampiro.* **4** *Joc.* Mulher que usa os seus atrativos para seduzir, subjugar, humilhar ou empobrecer os homens; VAMPE [Fem.: *vampiresa.*] [F.: Do al. *Wampir* com empréstimo do sérvio ou do húngaro, pelo fr. *vampire.*]

⊕ **van** (*Ing /vên/*) *sf.* **1** Caminhonete ou perua us. para transporte coletivo de um pequeno número de passageiros **2** Caminhonete utilizada para o transporte de mercadorias de pequeno porte [No Brasil, esta palavra já tem uso corrente, com pronúncia idêntica à grafia: *van.*] [Pl.: *vans.*]

vanádio (va.*ná*.di:o) *sm. Quím.* Elemento químico de número atômico 23; metal de transição prateado, us. em várias ligas de aço [Símb.: V] [Esta palavra não é us. no pl.] [F.: Do lat. cient. *vanadium.*]

vancê (van.*cê*) *pr. pess. Pop.* Ver *você*: "Se vancê fosse daquele tempo, eu calava-me, porque não lhe contaria a novidade..." (João Simões Lopes Neto, "Correr eguada" *in Contos gauchescos*) [F.: *vacê,* por nasalação.]

vandálico (van.*dá*.li.co) *a.* **1** Próprio de vândalo ou dos vândalos **2** *Fig.* Destruidor, brutal: *A depredação de prédios e jardins públicos são atos vandálicos.* [F.: Do lat. *vandalicus, a, um.*]

vandalismo (van.da.*lis*.mo) *sm.* **1** Ação de vândalo ou dos vândalos **2** *P. ext.* Ato de destruição gratuita e injustificável de bens privados ou públicos como prédios, monumentos, praças, meios de transporte etc.: *Nenhum monumento é poupado pelo vandalismo dos grupos de pichadores.* [F.: *vândal(o)* + *-ismo.*]

vandalização (van.da.li.za.*ção*) *sf.* Ação ou resultado de vandalizar, de produzir estrago propositado; DESTRUIÇÃO; DEVASTAÇÃO [Pl.: *-ções.*] [F.: *vandaliza(r)* + *-ção.*]

vandalizado (van.da.li.*za*.do) *a.* Que foi objeto de vandalismo (muros vandalizados; carro vandalizado) [F.: Part. de *vandalizar.*]

vandalizar (van.da.li.*zar*) *v.* **1** Danificar seriamente (um local, uma propriedade etc.), como supostamente faziam os antigos vândalos; arrasar, destruir [*td.: Vandalizaram a praça pública;* "...prosseguindo na sua teima idiossincrásica de lacaio, de tudo lavar e brunir, ia vandalizando livros..." (Aquilino Ribeiro, *Via Sinuosa*)] **2** Tornar(-se) vândalo; dar ou adquirir comportamento de vândalo [*td.: O pai vandalizou o próprio filho.*] [*int.: Vandalizou-se desde criança.*] **3** Entregar-se, muitas vezes em grupo, a atos de destruição, de vandalismo [*int.: O grupo foi ao festival* *de rock para vandalizar.*] [▶ 1 vandalizar] [F.: *vândalo* + *-izar.*]

vândalo (*vân*.da.lo) *a.* **1** *Etnol.* Que diz respeito aos vândalos, povos bárbaros que deram o nome à Andaluzia e se estabeleceram ao norte da África **2** *Fig.* Bárbaro, selvagem, que não tem cultura **3** Que destrói despropositadamente o que não lhe pertence: *Foi um ataque vândalo à biblioteca da escola.* *sm.* **4** *Etnol.* Indivíduo dos vândalos (1) **5** Aquele que comete atos funestos às artes, às ciências e à civilização: *Só um vândalo contaminaria as águas que abastecem a cidade.* **6** Aquele que pratica atos de vandalismo; DESTRUIDOR: *O prédio foi pichado por um vândalo.* [F.: Do lat. *vandalus.*]

vanecer (va.ne.*cer*) *v. P. us.* O mesmo que *desvanecer* [▶ 33 vanecer]

vanessa (va.*nes*.sa) [ê] *sf. Ent.* Gên. de insetos lepidópteros ninfalídeos que reúne espécies de borboletas diurnas de asas vivamente coloridas [F.: Do lat. cient. *Vanessa.*]

vanglória (van.*gló*.ri:a) *sf.* Presunção mal fundada do próprio merecimento ou de dotes pessoais: *A vanglória deve ser sempre preterida pela humildade e pela simplicidade.* [F.: *vã* (fem. do adj. *vão*) + *glória.* Hom./Par.: *vangloria* (fl. de *vangloriar*).]

vangloriar (van.glo.ri.*ar*) *v. td.* Ressaltar mérito (de alguém ou de si mesmo); GABAR(-SE): *Vangloriava o filho por suas notas; Vangloriava-se da própria elegância.* [▶ 1 vangloriar] [F.: *vanglória* + *-ar*[2]. Hom./Par.: *vangloria(s)* (fl.), *vanglória(s)* (sf. [pl.]).]

vanglorioso (van.glo.ri:*o*.so) [ô] *a.* Cheio de vanglória; VAIDOSO; PRESUNÇOSO: *Era um indivíduo vanglorioso ao extremo.* [Pl.: [ó]. Fem.: [ó].] [F.: *vanglóri(a)* + *-oso.*]

vanguarda (van.*guar*.da) *sf.* **1** *Mil.* Frente, dianteira do exército ou do regimento; ANTEGUARDA: *A vanguarda do exército atacou os inimigos.* [Ant.: *retaguarda.*] **2** *Mil.* A fileira da frente de uma tropa formada por duas ou mais fileiras **3** *Art. pl. Liter.* Movimento, ger. artístico, que propõe ideias novas, avançadas: *A bossa-nova esteva na vanguarda da música popular brasileira.* **4** Renovação das ideias, dos costumes, das tendências políticas etc.: *O movimento de maio de 1968 na França foi um movimento de vanguarda.* [F.: Do fr. *avant-garde.*]

vanguardar (van.guar.*dar*) *v. td.* Colocar na vanguarda; pôr à frente [▶ 1 vanguardar]

vanguardeiro (van.guar.*dei*.ro) *a.* **1** *Mil.* Que marcha na vanguarda **2** Que lança ideias novas e modificadoras de algo ou que as defende, participando de marchas, passeatas, movimentos etc. *sm.* **3** *Mil.* Aquele que marcha na vanguarda **4** Pessoa seguidora ou lançadora de ideias novas e avançadas [F.: *vanguard(a)* + *-eiro.* Sin. ger.: *vanguardista.*]

vanguardismo (van.guar.*dis*.mo) *sm.* **1** Característica de quem ou do que está na vanguarda (3 e 4): *Vê-se que é um artista informado pelo seu vanguardismo.* **2** Opinião favorável a ideias novas, de vanguarda (3 e 4): *Não aceitou bem o vanguardismo daquelas ideias.* **3** Qualquer movimento (passeata, manifesto público, marcha etc.) que defenda ideias novas, avançadas [F.: *vanguarda* + *-ismo.*]

vanguardista (van.guar.*dis*.ta) *a2g.* **1** Que diz respeito a vanguarda **2** Que faz parte da vanguarda (3 e 4): *um escritor vanguardista.* *s2g.* **3** Aquele que participa de movimentos de vanguarda (3 e 4) **4** Indivíduo criador ou defensor dos movimentos de vanguarda (3 e 4) **5** Membro de certas formações paramilitares de jovens em alguns países [F.: *vanguard(a)* + *-ista.* Sin. ger.: *vanguardeiro.* Ant. ger.: *retrógrado.*]

vanguejar (van.gue.*jar*) *v. int.* Não conseguir equilibrar-se; balançar, oscilar [▶ 1 vanguejar] [F.: Var. de *vaguejar.* Hom./Par.: *vaguejar* (todos os tempos do v.).]

vanilhado (va.ni.*lha*.do) *a.* **1** Que é feito de baunilha **2** Que contém baunilha (bolo *vanilhado*) [F.: *vanila* + *-ado*[2].]

vanilina (va.ni.*li*.na) *sf. Quím.* Aldeído ($C_8H_8O_3$) obtido dos frutos das baunilhas, ou fabricado em laboratórios, que é muito utilizado como substância aromática [F.: Do fr. *vanilline.*]

vaniloquência (va.ni.lo.*quên*.ci:a) *P. us. sf.* **1** Qualidade ou característica do que é vaníloquo **2** Verbosidade inútil; PALAVRÓRIO [F.: Do lat. *vaniloquentia, ae.*]

vaniloquente (va.ni.lo.*quen*.te) *P. us. a2g.* **1** Em que há vaniloquência **2** Que diz frases pomposas, mas sem conteúdo; VANÍLOQUO [F.: *vaniloquên(cia)* + *-nte.*]

vanilóquio (va.ni.*ló*.qui:o) *P. us. sm.* **1** Discurso vão, inútil, sem substância, sem conteúdo **2** Comentário, dito desprovido de sentido; DISPARATE [F.: Do lat. *vaniloquium, ii.*]

vaníloquo (va.*ní*.lo.quo) *P. us. a.* **1** Que diz frases pomposas mas sem conteúdo; VANILOQUENTE *a.* **2** Que faz comentários absurdos; que fala disparates **3** Que se vangloria de qualidades que não possui; BAZOFIADOR; FANFARRÃO [F.: Do lat. *vaniloquus, a, um.*]

vantagem (van.*ta*.gem) *sf.* **1** Benefício, proveito: *Nem é preciso lembrar das vantagens do esporte.* **2** Característica de quem ou do que está adiante, à frente; DIANTEIRA: *O primeiro colocado tem uma vantagem de um minuto em relação ao segundo.* **3** Superioridade, primazia: *Sua força lhe dá vantagem sobre o adversário.* **4** Utilidade, proveito, privilégio: *Sempre aproveitava a vantagem que o vendedor lhe dava.* **5** Ganho obtido num negócio, acordo etc.; LUCRO: *A vantagem que obteve na venda do imóvel superou suas expectativas.* **6** Triunfo, vitória: *Aquele partido político conseguiu grandes vantagens nas últimas eleições.* **7** *Bras.* Gratificação salarial recebida por promoção, transferência de posto ou lugar: *Terá excelente vantagem ao transferir-se para outro estado.* **8** *Esp.* No tênis, situação do jogador que pontua após empate, podendo fechar o game caso pontue novamente na jogada seguinte **9** *Esp.* No vôlei, direito que tem um time de sacar a bola, após uma jogada bem-sucedida [F.: Do fr. *avantage.* Ant. ger.: *desvantagem.*] ■ **Contar ~** Gabar-se, vangloriar-se (de qualidades ou feitos que nem sempre correspondem à realidade)

vantajosamente (van.ta.jo.sa.*men*.te) *adv.* De modo vantajoso; com vantagem: "Casaria as duas irmãs vantajosamente; e faria assim a felicidade de todos esses entes queridos confiados a seu desvelo." (José de Alencar, *Senhora*) [Ant.: *desvantajosamente.*] [F.: *vantajosa* (fem. de *vantajoso*) + *-mente.*]

vantajoso (van.ta.*jo*.so) [ô] *a.* **1** Que proporciona vantagem; PROVEITOSO: *Propôs-lhe condições vantajosas.* **2** Em que há possibilidade de ganho: *Seria vantajoso para o atleta mudar de clube.* **3** Que dá lucro; LUCRATIVO: *Foi um investimento vantajoso.* **4** Que possibilita vitória, sucesso; que é favorável: *O time estava em situação vantajosa.* [Pl.: [ó]. Fem.: [ó].] [F.: *vantag(em)* (com alter. do g > j) + *-oso.* Ant. ger.: *desvantajoso.*]

vante (*van*.te) *Náut. sf.* **1** A parte da frente do navio; PROA [Ant.: *ré.*] **2** Parte da coberta que fica do lado da proa [F.: De *avante*, por aférese.] ■ **A ~** *Mar.* À proa **Para ~** *Mar.* Para a proa, em direção à proa: *virado para vante*

vanuatuense (va.nu:a.tu.*en*.se) *s2g.* **1** Indivíduo nascido ou que vive em Vanuatu (Oceania) *a2g.* **2** De Vanuatu; típico desse arquipélago ou de seu povo [F.: Do top. *Vanuatu* + *-ense.*]

vão *a.* **1** Que está vazio, oco (compartimento *vão*) **2** Falto de realidade, fantástico, imaginário (sonho *vão*) **3** Falto de senso, de conhecimentos, de fundamento; FRÍVOLO; FÚTIL: *Teve um pensamento vão.* **4** Que é inútil, baldado (cuidados *vãos*; esforços *vãos*) **5** Leviano, mal-intencionado **6** Falso, enganador (promessas *vãs*) **7** *Fig.* Diz-se de indivíduo vaidoso, desvanecido, enfatuado *sm.* **8** Qualquer espaço vazio ou desocupado (tb. fig.): *Procurou inutilmente pelos remédios no vão do armário.* **9** *Arq.* O espaço da parede onde está aberta uma janela ou uma porta; INTERVALO **10** *Arq.* Em um cômodo, o espaço, ger. vazio, que se localiza abaixo da escada: *Montou seu escritório no vão da escada para ganhar espaço na sala.* **11** O jogo de tabuinhas ou de cortinas pertencente a uma janela ou a uma porta **12** *Bras. Pop.* Região clavicular do pulmão **13** *Bras. GO* Depressão entre montanhas; VALE **14** *Bras. PI* Despenhadeiro entre tabuleiros **15** *Bras. Pop.* Região descampada **16** *Mar.* Espaço entre reforços no casco de uma embarcação **17** *Fig.* Pessoa arrogante, convencida, pedante [Pl.: *vãos.* Fem.: *vã.*] [F.: Do lat. *vanus.* Hom./Par.: *vão* (sm.), *vão* (fl. de *ir*).] ■ **Em ~** Inutilmente: *Fez todo o possível para livrá-lo da acusação, mas em vão. Foi indiciado.* **~ de escada** *Arq. Cons.* O espaço vertical numa edificação onde a laje é interrompida para a passagem de escada entre os pavimentos **~ livre** *Arq. Cons.* Numa estrutura, distância entre as faces internas de dois apoios consecutivos (as faces voltadas para o vão) **~ teórico** *Arq. Cons.* Numa estrutura, distância entre os eixos de dois apoios consecutivos **~ total** Numa estrutura, distância entre as faces externas de dois apoios consecutivos (as faces não voltadas para o vão)

vapor (va.*por*) [ô] *sm.* **1** *Fís.* Nuvem de partículas resultante da conversão de um líquido ou sólido à forma gasosa **2** *Fís.* Formação de partículas gasosas que, pela ação do calor, se eleva dos corpos úmidos **3** *P. ext.* O que se exala dos corpos sólidos em decomposição ou em combustão **4** Exalação, eflúvio, emanação **5** A força expansiva da água vaporizada **6** Barco movido por máquina de vapor **7** *Bras. SP* Máquina de vapor **8** *Bras. N. E. Pop.* Trem de ferro, comboio: *O vapor chegou lotado na estação.* [Nesta acp. usa-se tb. a expressão vapor de terra.] **9** *Bras. N Pop.* Barco, navio: *O vapor partiu pela manhã do cais da cidade.* [Nesta acp. usa-se tb. as expressões vapor d'água e vapor do mar.] **10** *Fig.* Perturbação das faculdades mentais, entorpecimento [Nesta acp., mais us. no pl.] **11** *Fig.* Estado de torpor provocado ger. por bebida alcoólica [Nesta acp., mais us. no pl.] **12** *Gír.* Na gíria do tráfico de drogas, pequeno vendedor de droga [F.: Do lat. *vapor.*] ■ **A todo ~** **1** Com todo o ímpeto, toda a energia **2** A toda velocidade **~ de água** *N. E. Pop.* Navio a vapor **~ de terra** *N. E. Pop.* Trem (1) **~ do mar** *N. E. Pop* Navio a vapor **~ saturado** *Fís.* O que tem, em certa temperatura, a pressão de equilíbrio com seu estado líquido na mesma temperatura **~ superaquecido** *Fís.* O que tem, em certa pressão, temperatura mais elevada que a temperatura de equilíbrio com seu estado líquido na mesma pressão **~ super-resfriado** *Fís.* O que é suscetível de se liquefazer, por ter, na pressão em que está, temperatura mais baixa que a de equilíbrio com seu estado líquido na mesma pressão

vaporação (va.po.ra.*ção*) *sf.* Ação ou resultado de vaporar(-se); emanação sob a forma de vapores, odores etc. [Pl.: *-ções.*] [F.: Do lat. *vaporatio, onis.*]

vaporar (va.po.*rar*) *v. int.* Evaporar-se: *As poças logo se vaporaram; O perfume vaporou(-se).* [F.: Do lat. *vaporare.* Hom./Par.: *vapores* (fl.), *vapores* (pl. de *vapor* [sm.]).]

vapores (va.*po*.res) [ô] *smpl.* Estado de perturbação cerebral, provocado pelo consumo excessivo de bebidas alcoólicas: "(...) esses honrados cidadãos, suavemente embalados pelos vapores do vinho e do entusiasmo, tinham adormecido na paz de uma boa consciência." (Alexandre Herculano, *Arras por foro de Espanha*) [F.: Pl. de *vapor.*]

vaporeto (va.po.*re*.to) [ê] *sm.* Aparelho que limpa e higieniza ambientes com vapor d'água a 120 ºC [F.: Aport. do it. *Vaporetto* (marca registrada).]

vaporífero (va.po.*rí*.fe.ro) *a.* Que conduz ou exala vapores [F.: Do lat. *vaporifer, era, erum.*]

vaporização (va.po.ri.za.*ção*) *sf.* **1** Ação ou resultado de vaporizar **2** Conversão de sólidos ou de líquidos em vapor; EVAPORAÇÃO [Pl.: *-ções.*] [F.: *vaporiza(r)* + *-ção.*]

vaporizado (va.po.ri.*za*.do) *a.* **1** Convertido em vapor **2** Envolto em vapores **3** Que foi atingido, protegido, limpo por vapor: *O ambiente foi vaporizado com cloro.* [F.: Part. de *vaporizar.*]

vaporizador (va.po.ri.za.*dor*) [ô] *a.* **1** Que vaporiza *sm.* **2** Aparelho que serve para fazer a vaporização de um líquido; NEBULIZADOR; PULVERIZADOR: *É necessário usar um vaporizador para umidificar o ambiente.* [F.: *vaporiza(r)* + *-dor.*]

vaporizante (va.po.ri.*zan*.te) *a2g.* **1** Que vaporiza; que exala vapor(es) **2** Diz-se de mesa equipada com uma caldeira e uma pistola pulverizadora de água que, por meio de vaporização e resfriamento, alisa peças de roupas [F.: *vaporiza(r)* + *-nte.*]

vaporizar (va.po.ri.*zar*) *v.* **1** Transformar(-se) (líquido) em vapor; vaporar; VOLATILIZAR(-SE); EVAPORAR(-SE) [*int.*: *O perfume vaporizou-se.*] **2** Respingar (líquido) em gotas; BORRIFAR; PULVERIZAR; ORVALHAR [*td.*: *vaporizar substância odorífera.*] [*tdr.* + *em*: *vaporizar água nas plantas.*] **3** Gastar-se rapidamente; EVAPORAR-SE [*int.*: *Os recursos logo se vaporizaram.*] [▶ 1 vaporizar] [F.: *vapor* + *-izar.*]

vaporosamente (va.po.ro.sa.*men*.te) *adv.* **1** De modo vaporoso **2** *Fig.* Com leveza ou delicadeza: "(...) os cabelinhos louros e frisados da senhora condessa que lhe enchiam vaporosamente a testa (...)." (Eça de Queirós, *O crime do padre Amaro*) [F.: *vaporosa* (fem. de *vaporoso*) + *-mente.*]

vaporoso (va.po.*ro*.so) [ô] *a.* **1** Impregnado de vapores; que contém vapores: *À noite, o vento trazia o bafo vaporoso do mar.* **2** Que exala vapores **3** Que tem aparência gasosa; AERIFORME **4** *Fig.* Que tem leveza e transparência; extremamente delicado (tecido *vaporoso*) **5** *Fig.* Sutil, pouco compreensível: *Era um romance de estilo vaporoso.* **6** *Pej.* Cheio de vaidade: *Tinha uma cabeça vaporosa.* **7** *Fig.* Excessivamente magro (corpo *vaporoso*) **8** *Fig.* Fantástico, inacreditável, incrível (ideias *vaporosas*) [Pl.: [ó]. Fem.: [ó].] [F.: Do lat. *vaporosus.*]

vapozeiro (va.po.*zei*.ro) *sm. Bras. Gír.* Pessoa que compra drogas dos traficantes e as leva para o usuário *Gír.*; AVIÃO *Gír.*; VAPOR [F.: *vapo(r)* + *-zeiro.*]

vapt-vupt (vapt-*vupt*) *interj.* **1** *Pop.* Exprime ação rápida; VAPT *adv.* **2** *Pop.* Rapidamente: *Chegou e vapt-vupt saiu.* *sm.* **3** Lençol com elástico à sua volta, para que se prenda fácil e rapidamente ao colchão [Pl.: *vapt-vupts(sm.).*] [F.: Or. onom.]

vaqueirada (va.quei.*ra*.da) *sf.* O grupo, o conjunto de vaqueiros; VAQUEIRAMA: *A vaqueirada preparava-se para conduzir a boiada.* [F.: *vaqueir(o)* + *-ada.*]

vaqueiragem (va.quei.*ra*.gem) *Bras. sf.* **1** Ação ou resultado de vaqueirar **2** Profissão, atividade de vaqueiro [Pl.: *-gens.*] [F.: *vaqueira(r)* + *-agem*[1].]

vaqueirama (va.quei.*ra*.ma) *sf.* **1** Grupo de vaqueiros; VAQUEIRADA [Nesta acp., col. de *vaqueiro.*] **2** Reunião de vaqueiros para efetuarem a apartação ou vaquejada: "Escolhido um lugar mais ou menos central, as mais das vezes uma várzea complanada e limpa, o 'rodeador', congrega-se a vaqueirama das vizinhanças." (Euclides da Cunha, *Os sertões*) [F.: *vaqueir(o)* + *-ama.*]

vaqueirar (va.quei.*rar*) *v. int. Bras.* Trabalhar como vaqueiro [▶ 1 vaqueirar] [F.: *vaqueir(o)* + *-ar.* Hom./Par.: *vaqueira* (fl.), *vaqueira* (sm.).]

vaqueiro (va.*quei*.ro) *sm.* **1** Pastor ou guardador de vacas ou de gado *vacum*: "Eu, Marília, não sou nenhum vaqueiro que viva de guardar alheio gado (...)." (Tomás Antonio Gonzaga, *Marília de Dirceu*) [Nesta acp., col.: *vaqueirada.*] **2** *Ant.* Vestido pastoril **3** *Ant.* Espécie de farda com mangas apertadas **4** *MG Ornit.* Chupim (*Molothrus bonariensis*) **5** *MG Ornit.* Carretão (*Sericossypha loricata*) **6** *Ornit.* Trinca-ferro (*Saltator maximus*) **7** *Ent.* Iaiá-de-cintura (*Hypocephalus armatus*) *a.* **8** Rel. ou pertencente ao gado *vacum* [F.: *vaca* (transf. do rad. *ca* = *qu*) + *-eiro.*]

vaquejada (va.que.*ja*.da) *Bras. sf.* **1** Reunião e rodeio do gado de uma fazenda, ger. no fim do inverno **2** Ato de procurar o gado espalhado pelos campos, matos, catingas, reunindo-o nos rodeadores e conduzindo-o aos currais para apartação, ferra, capação etc. **3** Festa popular e tradicional do ciclo do gado nordestino em que dois vaqueiros cavalgam ao lado do boi tentando desequilibrá-lo e derrubá-lo segurando-o pela cauda [F.: *vaquej(ar)* + *-ada.*]

vaquejador (va.que.ja.*dor*) [ô] *sm.* **1** *N* Trilha aberta nos matos e caatingas, por onde os vaqueiros conduzem o gado de uma fazenda para a outra ou dos pastos para os currais: "Olha ela para a caatinga, e vê dois cavaleiros apontarem no vaquejador." (Manuel de Oliveira Paiva, *Dona Guidinha do Poço*) **2** *MA BA* Nas fazendas de criação, grande picada aberta para os campos **3** *PA* Passagem aberta a golpes de facão ou de foice no mato, que se localiza entre dois campos ou que separa um campo da margem de um rio [F.: *vaqueja(r)* + *-dor.*]

vaquejar (va.que.*jar*) *Bras. v. td.* **1** *N. E.* Juntar (o gado) em grupo, em rebanho: "...Eu vou vaquejar o gadinho do velho, ajuntar o que resta dele e entregar na fazenda do capitão Hilário..." (José Lins do Rego, *Pedra bonita*)

2 Caçar (rês perdida) para colocá-la na manada; costear [▶ 1 vaquejar] [F.: *vaca* + *-ejar*. Hom./Par.: *vaquejo(s)* (fl), *vaquejo* /ê/ (sm.).]

vaquejo (va.*que*.jo) [ê] ***sm.*** Ação de vaquejar: "E Rapirrã tomava modo de aguentar, como bom cavalo, virtuoso, mestre no vaquejo." (João Guimarães Rosa, "Entremeio com o vaqueiro Mariano" *in Estas estórias*) [F.: Dev. de *vaquejar*. Hom./Par.: *vaquejo* (ê) (sm.), *vaquejo* (ê) (fl. de *vaquejar*).]

vaqueta[1] (va.*que*.ta) [ê] ***sf.*** **1** Couro de vaca ou boi curtido diferentemente da sola, de forma que fique macio e possa ser us. esp. em forrações: *Colocou sobre a cabeça um chapéu de vaqueta e foi em frente.* **2** *Bras. S Pej.* Mulher que vive da prostituição; MERETRIZ [F.: *vaca* (alter. do rad. *ca* = *qu*) + *-eta*.]

vaqueta[2] (va.*que*.ta) [ê] ***sf.*** **1** Pequena vara de madeira us. em percussão de tambores; BAQUETA **2** Vareta de guarda-sol [F.: Do it. *bacchetta, com alter. de b = v.*]

vaquiano (va.qui:*a*.no) ***sm.*** *MG C. O. S.* Indivíduo conhecedor dos caminhos e atalhos de uma região e que pode servir de guia a outrem; TAPEJARA; BAQUIANO: "Não conhece o vaquiano! Guia guapo como ele, não o há em toda a redondeza." (Apolinário Porto-Alegre, *O vaquiano*) [F.: Do esp. platino *vaquiano*. Hom./Par.: *vaquiano* (sm.), *vaquiano* (fl. de *vaqueanar*).]

vaquinha (va.*qui*.nha) ***sf.*** **1** Vaca pequena **2** *Bras. Pop.* Ação ou resultado de várias pessoas juntarem dinheiro em comum para determinado fim (jogo, compra, passeio etc.); BOLO; VACA: *Fizeram uma vaquinha para jogar na loteria.* **3** *Bras. Ent.* Designação atribuída a um tipo de besouro fitófago da fam. dos cocinelídeos e dos crisomelídeos; BURRINHO; PEDRONHO **4** *Ent.* Besouro da fam. dos crisomelídeos (*Diabrotica speciosa*) de coloração verde e amarela **5** *Ent.* Besouro da fam. dos escarabeídeos (*Macrodactylus pumilio*) de pernas longas e penugem amarelada [F.: *vaca* (alter. do rad. *ca* = *qu*) + *-inha*.]

var ***sm.*** *Elet.* Nos circuitos de corrente alternada, unidade de medida de potência ativa ou reativa que equivale a um watt [Pl.: *vars*.] [F.: Sigla do ing. *volt-ampere reactive*, 'unidade reativa volt-ampère'.]

vara[1] (*va*.ra) ***sf.*** **1** Ramo delgado de árvore ou de arbusto esp. da vide; HASTE **2** Pau, viga, bordão, us. para diferentes fins como arrimo em caminhada, para tirar frutos das árvores mais altas etc. **3** Galho ou pedaço de madeira reto, comprido e flexível **4** *Jur.* Cada uma das circunscrições ou áreas judiciais em que se dividem as comarcas e a que preside um juiz de direito (vara cível; vara criminal) **5** *Jur.* Cargo ou função de juiz **6** *P. ext.* Poder, autoridade, jurisdição conferido a uma pessoa **7** *Fig.* Açoite, castigo, punição: *Se queres conhecer o vilão, mete-lhe a vara na mão.* **8** *Antq. Metrol.* Medida antiga de comprimento, igual a um metro e dez centímetros **9** *P. ext.* Peça de tecido ou fazenda que mede esse comprimento **10** Medida, bitola **11** *Bras. N. E.* Viga do aparelho para espremer a massa da mandioca; ARROCHO **12** *Tabu.* O pênis **13** Manada de porcos; PORCADA **14** *Teat.* Cabo onde são fixados os elementos do cenário e os refletores de iluminação **15** Caniço de pesca **16** *Esp.* Haste comprida e flexível, us. em provas de atletismo para saltos em grande altura: *Era um especialista em saltos com vara.* **17** Haste de metal flexível que forma a estrutura do guarda-chuva, do guarda-sol, da barraca de praia etc. **18** Peça leve e roliça de madeira, ger. de três a quatro metros de comprimento, us. por equilibristas que caminham sobre cabos de aço, e que os ajuda a manter a postura ereta; PERCHA **19** *Bras. RJ* Bando de dez a vinte quatis **20** *Fig.* Aquilo que atrapalha; OBSTÁCULO; EMPECILHO [Aum.: *varejão, varão.* Dim.: *vareta, varela, varola, varinha.*] [F.: Do lat. *vara*. Hom./Par.: *vara* (fl. de *varar*).] ∎ **À ~ e a remo** Com todos os meios possíveis; com todo o empenho ou o esforço **Corrido à ~** *Jur.* Perseguido pela justiça **Cortar vara** *CE Pop.* Contar lorota, mentir **Debaixo de ~** Sob mandado judicial **Tremer como/que nem ~s verdes** Ter muito medo **~ de bater** *PE. Pop.* Ver *Vara de bater pecado* **~ de bater pecado** *N. E. Pop.* Pessoa muito alta e muito magra; vara de bater **~ de condão** Vara mágica, us. por fadas e bruxas, nas histórias infantis e lendas populares; varinha de condão **~ de porcos** Conjunto de porcos [Tb. apenas *vara*.] **~ do castelo** Parte mais elevada do castelo, que se pode avistar de longe **~ real** **1** O cetro empunhado por soberano **2** *Fig.* Símbolo da realeza, o poder real

vara[2] (*va*.ra) ***sf.*** Tufão do mar das Índias, que se manifesta em setembro ou outubro [F.: Do marata *vara*. Hom./Par.: *vara* (fl. de *varar*).]

varação (va.ra.*ção*) ***sf.*** **1** Ação ou resultado de varar **2** *Amaz.* Canal aberto rapidamente entre dois rios para evitar acidentes do curso; VARADOURO **3** *Bras.* Transporte de embarcações por terra para evitar trechos perigosos ou encachoeirados dos rios **4** *Bras. Mar.* Condução de embarcação a um lugar seco, em terra firme, ou raso, à beira-mar ou à margem de um rio, onde ancora para limpeza, consertos, ou apenas para ficar recolhida; AVARAÇÃO [Pl.: *-ções*.] [F.: *vara(r)* + *-ção*.]

⊕ **varactor** (*Ing.* /*veráctur*/) ***sm.*** *Eletrôn.* Diodo semicondutor otimizado para trabalhar em polarização inversa, e que se comporta como um capacitor variável [F.: Do ing. *var* (iable) + (re)*actor*.]

varado (va.*ra*.do) ***a.*** **1** Que foi perfurado ou atravessado de lado a lado; TRESPASSADO: *Teve o braço varado por uma bala perdida.* **2** Atingido, tocado por vara ou surrado com ela **3** *Fig.* Estupefato, atônito, enleado, perturbado, horrorizado: *Fiquei varado com suas declarações.* **4** *Bras. Fig. Pop.* Com muito (varado de fome; varado de sono; varado de sede): *Passou a noite em claro, portanto estava varado de sono e de cansaço.* [Us. em expressões hiperbólicas.] **5** *Pop.* Obrigado a se retirar; EXPULSO: *Foi varado do grupo.* **6** *Fig. Pop.* Enfurnado, entocado, escondido: *Ficou uma semana varado no mato.* **7** *Bras. Rs Pop.* Que está fraco, desidratado, com fome ou sede **8** *Mar.* Diz-se de embarcação marítima encalhada na praia: *O barco encontrava-se varado na areia.* [F.: Part. de *varar*.]

varadoiro (va.ra.*doi*.ro) ***sm.*** Ver *varadouro*

varador[1] (va.ra.*dor*) [ô] ***sm.*** Indivíduo que, com auxílio de uma vara, mede a capacidade dos tonéis ou pipas [F.: *vara* + *-dor*.]

varador[2] (va.ra.*dor*) [ô] ***sm.*** **1** *Amaz. MT* Caminho aberto para o interior da mata **2** *Amaz.* Canal aberto rapidamente entre dois rios para evitar acidentes do curso [F.: *vara(r)* + *-dor.* Sin. ger.: *varadouro*.]

varadouro (va.ra.*dou*.ro) ***sm.*** **1** *Bras. Mar.* Lugar seco, em terra firme, ou raso, à beira-mar ou à margem de um rio, para onde se transportam as embarcações destinadas à limpeza, a consertos, ou apenas para ficarem recolhidas **2** *P. ext. Fig.* Lugar onde as pessoas se reúnem para conversar ou descansar **3** *Amaz. MT* Caminho aberto para o interior da mata; VARADOR **4** *Amaz.* Canal que liga um brejo ou lago com um rio, ou caminho entre dois rios: "O varadouro – legado da atividade heroica dos paulistas compartido hoje pelo amazonense, pelo boliviano e pelo peruano – é a vereda atalhadora que vai por terra de uma vertente fluvial a outra." (Euclides da Cunha, *À margem da história*) **5** *PA* Atalho de um rio através de várzea submersa **6** *Amaz.* Canal aberto rapidamente entre dois rios para evitar acidentes do curso; VARADOR [F.: *vara(r)* + *-douro*[2]. Tb. *varadoiro*.]

varal (va.*ral*) ***sm.*** **1** Cada uma das duas varas grossas e compridas que saem de cada lado das liteiras, cadeirinhas, andores etc. para servir de apoio àqueles que são transportados **2** *Mec.* Cada uma das duas varas retas ou curvas que nos veículos de duas rodas ligam o carro com o cavalo ou cavalos que o puxam **3** *Bras.* Arame suspenso por varas compridas, us. para estender roupas; ESTENDAL **4** *Bras. RJ Ant.* Mesa de bambu em que o peixe trazido da pescaria era deixado até o dia seguinte; BANCA **5** Cada uma das ripas de madeira de uma cancela **6** Conjunto de varas compridas onde se penduram as redes de pesca para secar **7** *Bras. RS* Suporte feito com varas onde se seca o charque ao sol [Pl.: *-rais*.] [F.: *var(a)*[1] + *-al*.]

varanda (va.*ran*.da) ***sf.*** **1** *Arq.* Plataforma com parte coberta, que avança da fachada de um edifício **2** *P. ext.* Prolongamento de uma casa, sem paredes externas **3** *P. ext.* Eirado, terraço **4** *Fig.* O lugar mais alto no teatro, por cima dos camarotes da frente [Nesta acp., usa-se ger. no pl.] **5** *Bras. N* Sala da frente, em casas rústicas **6** *Lus.* Cômodo adjunto à casa de habitação onde dormem criados e hóspedes **7** *Amaz. MA S* Sala de jantar **8** *Bras. S* Mobília da sala de jantar **9** O primeiro dos três compartimentos do curral do peixe; SALA **10** *Bras. N. E.* Guarnição de renda nas redes de dormir **11** *Mec.* Roda dentada do lagar que engrenada a outra a faz girar **12** *Ant. Lud.* A tabela do jogo de bilhar **13** *Náut.* Espécie de galeria na popa do navio [F.: De or. contrv., talvez do sânscr. *baranda* ou do hindi *varanda*.]

varão[1] (va.*rão*) ***sm.*** **1** Indivíduo do sexo masculino; HOMEM **2** Homem que atingiu a idade adulta: *Já podia se considerar um varão.* **3** *Pop.* Homem que não se deixa dominar pela mulher **4** Homem corajoso, esforçado, valoroso: "As armas e os varões assinalados/ Que da ocidental praia lusitana (...)." (Luís de Camões, *Os lusíadas*) **5** Homem digno, respeitável ***a.*** **6** Que é do sexo masculino (filho varão) [Pl.: *-rões*. Fem.: *varoa*.] [F.: Var. de *barão*.]

varão[2] (va.*rão*) ***sm.*** **1** Vara (1, 2 e 3) grande **2** Vara grossa de ferro **3** Haste de ferro ou de outro metal **4** Barra de ferro resistente que se encaixa em batentes em forma de "L", us. para trancar portas ou janelas: *Colocou varões nas portas e janelas para se proteger de assaltos.* [Pl.: *-rões*.] [F.: *var(a)*[1] + *-ão*.]

varapau (va.ra.*pau*) ***sm.*** **1** Pau comprido e forte para malhar, varar ou espancar **2** Cajado us. como apoio nas caminhadas **3** *Bras. Pop.* Pessoa muito alta e magra **4** Bastão us. como arma de ataque e defesa; CACETE [F.: *vara*[1] + *pau*.]

varar (va.*rar*) ***v.*** **1** Passar através de; TRANSPASSAR; PERFURAR [***td.***: *A bala varou a parede do quarto.*] **2** Passar, ocupar determinado tempo [***td.***: *Varou a tarde dormindo.*] **3** Entrar em ou atravessar com ímpeto [***td.***: *Varou a cidade a pé.*] [***ta.***: *O noivo varou pela sacristia.*] **4** Originalmente, golpear com vara [***td.***: *Varou o patrão até cansar.*] **5** Embrenhar-se, meter-se [***ta.***: *Os garotos vararam pelo meio da floresta.*] **6** Expulsar, escorraçar [***tda.***: *Varou os invasores para fora da mesquita.*] **7** Provocar espanto em [***ta.*** + *de*: *Vararam-no de susto.*] **8** Meter vara em pipa ou tonel de vinho para verificar o volume ainda contido [***td.***] **9** *Bras.* Conduzir (embarcação) por terra para fugir dos trechos perigosos do rio [***td.***] **10** *Mar.* Encalhar (embarcação) na praia a fim de consertá-la ou só mantê-la parada [***td. int.***] **11** *Mar.* Passar (o barco, o navio) do porto de partida, não entrando neste **12** Ir parar em, sair em [***tr.*** + *em*: *Correu tanto, que varou lá no sítio de Dona Ana.*] [▶ 1 varar] [F.: Do lat. *varare*. Hom./Par.: *vara(s)* (fl.), *vara(s)* (sf. [pl.]); *varais* (fl.), *varais* (pl. de *varal* [sm.]).]

vareio[1] (va.*rei*.o) ***sm.*** **1** Condição de total agitação, inquietação que leva o indivíduo a fazer bobagens e a dizer coisas desconexas: *Estava num vareio tão grande que não mediu suas palavras.* **2** Situação de alucinação; DELÍRIO; DESVARIO **3** Espanto, surpresa, susto: *Teve um vareio ao ver o filho machucado.* [F.: Dev. de *variar*, 'delirar', com term. de v. em *ear* e de poucos em *iar*.]

vareio[2] (va.*rei*.o) ***sm.*** **1** Admoestação, censura, reprimenda: *Recebeu um vareio do chefe por seus constantes atrasos.* **2** Agressão física; SOCO; SURRA; PANCADA: *Tomou um vareio dos torcedores adversários.* [F.: Der. de *vara*[1], com infl. de *varejo* (castigar com vara).]

vareja (va.*re*.ja) [ê] *Ent.* ***sf.*** **1** Ver *mosca-varejeira* **2** Ovo de mosca-varejeira **3** Larva de mosca-varejeira [F.: F. red. de *varejeira*. Hom./Par.: *vareja* (ê) (sf.), *vareja* (ê) (fl. de *varejar*).]

varejador (va.re.ja.*dor*) [ô] ***a.*** **1** Que vareja **2** Que faz buscas em casas à procura de criminosos ***sm.*** **3** Aquele que exerce a ação de varejar **4** Pessoa que corre as casas de determinada região em busca de criminosos ou pessoas foragidas [F.: *vareja(r)* + *-dor*.]

varejadura (va.re.ja.*du*.ra) ***sf.*** **1** Ação ou resultado de varejar **2** Inspeção realizada em locais suspeitos de abrigar criminosos ou foragidos da justiça, com o objetivo de prendê-los [F.: *vareja(r)* + *-dura*. Sin. ger.: *varejamento*.]

varejamento (va.re.ja.*men*.to) ***sm.*** Ver *varejadura* [F.: *vareja(r)* + *-mento*.]

varejão (va.re.*jão*) ***sm.*** **1** Vara grande **2** *Lus.* Estaca com que se segura uma videira ou uma árvore **3** Vara comprida us. para movimentar pequenas embarcações em águas rasas **4** *Bras.* Grande loja comercial que vende mercadorias a varejo: *Comprei esta camisa no varejão.* [Pl.: *-jões*.] [F.: Aum. irreg. de *vara*, com infl. de *varejar*.]

varejar (va.re.*jar*) ***v.*** **1** Procurar com atenção em; REVISTAR [***td.***] **2** Originalmente, bater, agitar ou sacudir com vara [***td.***] **3** *Bras.* Atirar (algum objeto) com força; ARREMESSAR [***tda.***: *Varejou o cinzeiro na vidraça.*] **4** Ir de encontro a, chocar-se fortemente em; FUSTIGAR [***td.***: *Enormes ondas varejaram o cais.*] **5** *Fig.* Levar à destruição, ao desbaratamento; ARRASAR; ASSOLAR [***td.***: *O bombardeio varejara a fortaleza.*] **6** *Mil.* Atacar violentamente (com artilharia, com fuzilaria) [***td.***: *Varejaram a casamata com fogo contínuo.*] **7** Percorrer em disparada; varar [***td.***: *Varejou a savana no Volkswagen.*] **8** Medir tecidos com uma vara [***td.***: *Varejara, com cuidado, as peças de casimira.*] **9** Impelir a vara (um barco) [***td.***] **10** Soprar (um vento) fortemente [***int.***: *Logo no início do Saara, o siroco varejava.*] [▶ 1 varejar] [F.: *var(a)* + *-ejar*. Hom./Par.: *vareja(s)* (fl.), *vareja(s)* (sf. [pl.]); *varejo* (fl.), *varejo* (sm.).]

varejeira (va.re.*jei*.ra) ***sf.*** *Ent.* Espécie de mosca (*Musca carnaria, Cochliomya macellaria*), que emite forte zumbido ao voar, e costuma depositar seus ovos em tecidos de vertebrados ou em matéria orgânica em decomposição [F.: Red. de *mosca-varejeira*.]

varejista (va.re.*jis*.ta) ***a2g.*** **1** Rel. ao comércio a varejo (comércio varejista) **2** Que vende a varejo (comerciante varejista) ***s2g.*** **3** Comerciante que negocia a varejo: *O varejista me ofereceu diversas mercadorias a bom preço.* [F.: *varej(o)* + *-ista*. Ant. ger.: *atacadista*.]

varejo (va.*re*.jo) [ê] ***sm.*** **1** Ação ou resultado de varejar; VAREJAMENTO **2** Ato de bater em árvores com varas para que caiam os frutos maduros **3** Exame, pesquisa, vistoria feita em estabelecimentos comerciais para detectar possíveis irregularidades na compra e na venda de mercadorias, nos impostos devidos, na qualidade do produto para o consumo etc. **4** *Pop.* Assunto cotidiano de pouca importância: *Enquanto bebiam, conversavam coisas de varejo.* **5** *Mil.* Fogo de fuzilaria ou de artilharia **6** *Fig.* Ação de repreender alguém com castigo; ADMOESTAÇÃO **7** *Com.* Operação comercial que consiste em negociar diversos tipos de mercadoria e em qualquer quantidade, diretamente ao consumidor final, sem intermediários: *Ele optou pelo varejo para comercializar seus produtos.* [Ant.: *atacado*.] **8** *P. ext. Com.* Comércio de mercadoria em pequena quantidade: *Depois de perder o emprego, montou um varejo de roupas e se deu bem.* **9** *P. ext. Com.* Estabelecimento que pratica esse tipo de comércio **10** Conjunto de varas que, na África, sustenta a cobertura das choupanas e cubatas [F.: Dev. de *varejar*. Hom./Par.: *varejo* (fl. de *varejar*).] ∎ **A ~** Em pequena(s) quantidade(s); a retalho [P. op. a *por atacado*.] **No ~** *Fig.* De modo pormenorizado ou diferenciado, segundo as ocasiões individuais, as necessidades próprias a cada situação ou a cada pessoa (e não de modo generalizado, em bloco, de uma só vez) [P. opos. a *no atacado*.]

⊕ **varenike** (*Rus.*: /*varênike*/) ***sm.*** Pastel cozido de massa muito fina, recheado com batata e cebola, ou queijo, ou outro recheio [Em polonês, *pierogi*.]

vareta (va.*re*.ta) [ê] ***sf.*** **1** Pequena vara; VARELA; VAROLA **2** Vara comprida e fina de madeira ou ferro, com rosca em uma das extremidades, us. para limpar o interior dos canos das espingardas e pistolas ou, antigamente, para apertar-lhes a carga **3** *Bot.* Espécie de planta ornamental; PÍRETRO **4** *Bras. Bot.* Planta iridácea (*Marica paludosa*) **5** *Bras. Bot.* Erva da fam. das iridáceas (*Cypella herbertii*) [Nesta acp., mais us. no pl.] **6** *Bras. S Pop.* Atrapalhação, embaraço, confusão **7** *Bras. S* Decepção, desapontamento **8** Cada uma das varas da armação de um guarda-chuva, guarda-sol, sombrinha ou leque, e que serve para mantê-los tensos e seguros quando abertos **9** *Lud.* Cada uma das hastes de madeira e de diversas cores que compõem o jogo pega-varetas e que tem diferentes pontuações conforme as cores que representam [F.: *var(a)* + *-eta.*]

vargedo (var.*ge*.do) [ê] *sm.* **1** *Geof.* Conjunto ou sequência de vargens **2** *Bras. SP* Várzea grande [F.: *varg(em)* + *-edo.*]

vargem (*var*.gem) *sf. Geof.* Ver *várzea* [Col.: *vargedo.*]

vargim (var.*gim*) *sm. MA* Terreno argiloso dos baixões, coberto de ervas e capins [Pl.: *-gins.* Dim. irreg. de *vargem.*] [F.: Dim. irreg. de *vargem.*]

varguismo (var.*guis*.mo) *Bras. Hist. Pol. sm.* Ver *getulismo* [F.: Do antr. Getúlio Dorneles *Vargas* (presidente do Brasil, nos anos 1930-1945 e 1951-1954) + *-ismo.*]

varguista (var.*guis*.ta) *Hist. Pol. a2g.* **1** Ref. ao varguismo *a2g.* **2** Ref. ao varguismo **3** Que é partidário ou simpatizante do varguismo *s2g.* **4** *Hist. Pol.* Indivíduo que é partidário ou simpatizante do varguismo [F.: *vargu(ismo)* + *-ista.* Sin. ger.: *getulista.*]

◎ **vari-** *el. comp.* = de cores variadas; matizado, variado, diverso: *vária, variação, variado, variança, variante, variável, etc.* [F.: Do lat. *varius, a, um.*]

variabilidade (va.ri:a.bi.li.*da*.de) *sf.* Característica do que é variável, do que pode sofrer mudanças ou variações: *A variabilidade das cotações do dólar surpreendeu os economistas.* [F.: *variável* (com alter. de *-vel* > *-bil(i)-*) + *-dade.*]

variação (va.ri:a.*ção*) *sf.* **1** Ação ou resultado de variar **2** Série de modificações observáveis em um corpo, organismo, fenômeno etc.: *O aparelho permitia perceber as variações das marés; A célula apresentava grandes variações em sua estrutura.* **3** Inconstância ou variedade de princípios, de sistema etc. (cálculo das variações) **4** Inconstância, alteração de comportamento (variação de humor) **5** Modificação de uma coisa no que se refere a grau, intensidade, valor, numeração etc. (variação de temperatura; variação da cotação da moeda) **6** Mudança, troca, alteração de algo; MODIFICAÇÃO; VARIANTE: *O treinador optou pela variação do sistema tático; A escola irá adotar no próximo ano uma variação dos métodos pedagógicos.* **7** Diferença, divergência, desigualdade encontrada na comparação entre pessoas ou coisas (variação socioeconômica; variação qualitativa) **8** *Gram.* A parte de uma palavra que admite flexão **9** *Mar.* Declinação da agulha de marear **10** *Astron.* Desigualdade no movimento lunar com respeito à diferença de longitudes **11** *Mús.* Repetição, mais ou menos composta e adornada, de um tema por forma que não altere a frase ou a melodia **12** *Mús.* Composição em que se apresenta esta repetição [Pl.: *-ões.*] [F.: Do lat. *variatio, onis.*] ▪ **~ da agulha** *Náut.* Numa bússola, soma da declinação magnética e do desvio da agulha

variado (va.ri:*a*.do) *a.* **1** Que sofreu variação **2** Matizado (cores variadas) **3** Diversificado, variegado (assuntos variados) **4** Diferente, diverso (acontecimento variado) **5** Que não é ou não se mostra estável: *Tem um humor variado.* **6** *Fig.* Inconstante, leviano: *Era um sujeito de variado caráter.* **7** Que apresenta diversidade de elementos dentro do mesmo grupo, espécie, classe etc. (espécimes variados; pássaros variados) **8** *Fig.* Que denota perturbação mental; ALUCINADO: *Esse menino é variado desde que nasceu.* [F.: Part. de *variar.*]

variador (va.ri:a.*dor*) [ô] *a.* **1** Que faz variar *sm.* **2** Aquilo que faz variar (variador de frequência; variador de velocidade) [F.: *varia(r)* + *-dor.*]

variância (va.ri:*ân*.ci:a) *sf.* **1** Condição ou estado do que sofre variação, alteração [Ant.: *invariância.*] **2** *Est.* Quadrado do desvio padrão; grau de dispersão dos dados numéricos em torno de um valor médio **3** *Fís. -quím.* Número de condições que definem um sistema físico ou químico e que se pode fazer variar arbitrariamente sem alterar o equilíbrio do sistema [F.: Do lat. *variantia, ae.*]

variante (va.ri:*an*.te) *a2g.* **1** Que varia, que se altera **2** Que é inconstante (temperamento variante) [Ant.: *constante.*] **3** Que é mutável: *Tem opinião variante.* [Ant.: *imutável.*] **4** Que é diferente (aspecto variante) **5** Que apresenta delírios ou perturbação mental; VARIADO: *Tinha um comportamento variante. sf.* **6** Aquilo que difere ligeiramente de outra coisa us. como referência, como padrão: *Não há vacina para esta variante do vírus.* **7** Estrada ou percurso alternativo para determinado destino: *Pegou uma variante para a região serrana.* **8** *Ling.* Forma alternativa de um fonema, morfema ou palavra com mesmo valor e função (p. ex.: *louro/loiro*) **9** *Filol.* Cada uma das diversas lições de um texto com relação à lição mais seguida ou tida por mais genuína: *Há muitas variantes na lírica de Camões.* **10** *Cons.* Projeto de alguma parte de uma obra de construção apresentado para substituir a parte correspondente do plano aceito **11** *Gen.* Organismo que apresenta qualquer diferença em relação ao padrão de sua espécie [F.: Do lat. *varians, antis.*] ▪ **~ linguística** *Ling.* Forma linguística que é uma das alternativas possíveis de um certo elemento fonológico, morfológico, sintático, ou léxico para preencher uma função ou representar um significado, num mesmo contexto [Cf., nesta acp., *variável* (7).]

variar (va.ri.*ar*) *v.* **1** Tornar ou ser diverso; diversificar [*td.*: *O cozinheiro variou o cardápio.*] **2** Ser instável em; mudar [*ti.* + *em*: *Ela varia em suas opiniões.*] **3** Escolher (algo) diferente; trocar [*ti.* + *de*: *A jovem varia de sapato de acordo com a bolsa.*] **4** Sofrer variação; oscilar [*int.*: *O preço varia de dez a doze reais.*] **5** Falar ou cometer desvarios; delirar; ENLOUQUECER [*int.*: *O doente variava por causa da febre.*] **6** *Gram.* Sofrer variação gramatical; flexionar-se [*int.*: *Há substantivos que não variam.*] **7** *Mús.* Executar variações sobre (um tema) [*td.*] **8** Sofrer mudança [*int.*: *O tempo varia.*] [▶ **1** variar] [F.: Do lat. *variare.* Hom./Par.: *varia* (fl.), *vária* (fem. de *vário* [a.]); *vario* (fl.), *vário* (a.).]

variável (va.ri:*á*.vel) *a2g.* **1** Que varia ou pode variar (humor variável) **2** Que sofre variação constante (clima variável); INCONSTANTE; MUTÁVEL [Ant.: *invariável.*] **3** Que apresenta aspectos diversos conforme o contexto, o objetivo etc. (moda variável; moeda variável) **4** *Gram.* Diz-se de palavra cuja desinência ou terminação sofre modificação conforme a sua relação gramatical (substantivo, adjetivo, verbo etc.) [Em oposição a *invariável.*] **5** *Fís.* Que varia em grandeza (quantidades variáveis) [Em oposição a *constante.*] [Pl.: *-veis.* Superl.: *variabilíssimo.*] *sf.* **6** Aquilo que varia: *Um ponteiro é uma variável.* **7** *Inf.* Elemento, em um programa, que pode ser alterado durante a sua execução **8** *Ling.* Cada um dos elementos fonológicos, gramaticais ou lexicais mais suscetíveis de variação sociocultural, regional ou estilística **9** *Lóg.* Símbolo que pode ser substituído por proposições ou termos, em razão de possuir significado indeterminado **10** *Mat.* Símbolo que representa qualquer elemento de um conjunto **11** *Mat.* A quantidade que pode ser representada por esse símbolo [Pl.: *-veis.*] [F.: Do lat. *variabilis.*] ▪ **~ aleatória** *Est.* Variável que pode assumir qualquer valor num conjunto de valores com certas possibilidades; variável estocástica **~ booliana** *Mat.* Aquela que só pode assumir um de dois valores mutuamente excludentes **~ cefeida** *Astron.* Estrela pulsante, que varia de brilho em função das expansões e contrações de seu volume **~ contínua** *Mat.* Aquela cujo domínio de variação é um conjunto contínuo **~ de estado** *Fís.* Cada uma das variáveis cujo conjunto de valores assumidos caracteriza o estado de um sistema **~ dependente** *Mat.* Variável que, na relação entre dois conjuntos, depende de variável do outro conjunto [Símb.: *y*, às vezes *z*.].] **~ estocástica** *Est.* Ver *Variável aleatória* **~ independente** *Mat.* Variável que, na relação entre dois conjuntos pode representar cada elemento de domínio de uma função, sem depender de elemento do outro conjunto [Símb.: *x*.]

varicela (va.ri.*ce*.la) [é] *sf. Pat.* Doença infecciosa, febril, exantemática, às vezes epidêmica e de ordinário benigna, própria da infância e caracterizada por febre acompanhada de uma erupção de pequenas bolhas, que, em alguns dias, secam sem supurar e não deixam cicatriz; CATAPORA; TATAPORA [F.: Do fr. *varicelle.*]

◎ **varic(o)-** *el. comp.* = variz, veia dilatada: *varicectomia, varicocele, varicose, varicoso, varícula etc.* [F.: Do lat. *varix, icis.*]

varicocele (va.ri.co.*ce*.le) [é] *Pat. sf.* **1** Tumor que se forma na bolsa escrotal, em razão da dilatação de veias no canal espermático *sf.* **2** *P. ext.* Qualquer tumor causado pela dilatação de veias [F.: *varic(o)-* + *-cele*[1].]

varicosidade (va.ri.co.si.*da*.de) *sf.* Qualidade ou estado de varicoso [F.: *varicos(o)* + *-(i)dade.*]

varicoso (va.ri.*co*.so) [ô] *a.* **1** *Pat.* Que tem varizes (pernas varicosas) **2** Que apresenta natureza ou disposição de varizes (dilatação varicosa) [Pl.: [ó]. Fem.: [ó].] [F.: Do lat. *varicosus.*]

variedade (va.ri:e.*da*.de) *sf.* **1** Qualidade, condição, característica do que é vário ou variável **2** Característica do que apresenta muitas formas, tipos etc. em uma mesma classe, categoria ou sistema; MULTIPLICIDADE; DIVERSIDADE: *Ficou encantado com a variedade da fauna brasileira.* **3** Ação de mudar frequentemente: *A variedade estimula os ânimos e a criatividade.* **4** Inconstância, instabilidade **5** Conjunto de coisas numerosas e diversas entre si; MULTIPLICIDADE: *Coletou uma variedade de ervas.* **6** Cada uma dessas coisas separadamente: *Achou uma variedade rara de orquídea.* **7** *Hist. nt.* Subdivisão das espécies que tem por base ou fundamento leves diferenças nos caracteres distintivos dos indivíduos da mesma espécie: *uma variedade da espécie humana.* **8** *Bot. Gen.* Animal ou planta criado por seleção artificial **9** *Ling.* Cada uma das modalidades em que se diversifica uma língua, possibilitando, por fatores culturais, geográficos, sociais, variações no uso do seu vocabulário, na pronúncia ou na sintaxe; DIALETO [F.: Do lat. *varietas, atis.*]

variedades (va.ri:e.*da*.des) *sfpl. Rád. Teat. Telv.* Atrações diferenciadas esp. em espetáculos teatrais, musicais, de dança, canto, mímica, mágica etc. [F.: Pl. de *variedade.*]

variegação (va.ri.e.ga.*ção*) *sf. Bot.* Ocorrência de outras cores além da verde em um vegetal, que pode ter origem genética ou ser causada por vírus ou bactérias

variegado (va.ri:e.*ga*.do) *a.* **1** Que apresenta cores variadas ou diversas; MATIZADO **2** Diverso, diferente, vário: *Em sua pesquisa, encontrou plantas de variegadas espécies.* **3** *Bot.* Que apresenta variegação [F.: Part. de *variegar.*]

variegar (va.ri.e.*gar*) *v. td.* **1** Conferir cores ou tons diversos a; MATIZAR **2** Tornar variado; variar [▶ **14** variegar] [F.: Do lat. tardio *variegare.*]

varietal (va.ri:e.*tal*) *a2g.* **1** *Enol.* Diz-se de vinho com aroma e sabor próprios da cepa que o originou, feito com, no mínimo, 75% dessa uva **2** *Bot.* Ref. ou pertencente à planta que desenvolveu resistência a uma praga ou doença, que é transmitida aos descendentes [Pl.: *-tais.*] [F.: Do ing. *varietal*, ou do fr. *variétal.*]

varina (va.*ri*.na) *Lus. sf.* **1** Vendedora ambulante de peixe **2** Mulher da beira-mar [F.: Var. aferética do fem. de *ovarino.*]

varinha (va.*ri*.nha) *sf.* Vara pequena e delgada [Dim. de *vara.*] [F.: *vara* + *-inha.*] ▪ **~ de condão** Ver *Vara de condão* no verbete *vara*

◎ **vario-** *el. comp.* Expressa noção de 'vário', 'diverso': *variômetro; variospermo* [F.: Do lat. *varius, a, um.*]

vário (*vá*.ri:o) *a.* **1** Diz-se das pessoas ou coisas que, ao serem cotejadas, apresentam entre si variedade e diferença; DIFERENTE; DIVERSO: *As nações distinguem-se entre si por costumes vários.* **2** Múltiplo, numeroso: *Agora, os vários assuntos afloravam.* **3** De diversas cores; MATIZADO; VARIEGADO **4** Em que há inconstância; MUTÁVEL; VOLÚVEL: *Tinha um temperamento vário.* [Nesta acp., mais us. após o subst.] **5** Hesitante, incerto, indeciso **6** Desvairado, delirante: *Como num pesadelo, dizia palavras várias.* **7** Contraditório, que se contradiz, que se desdiz: *O vário depoimento da testemunha espantou a todos.* [F.: Do lat. *varius.* Hom./Par.: *vario* (fl. de *variar*).]

varíola (va.*rí*:o.la) *sf. Med.* Doença contagiosa causada por vírus, que provoca febre, dores e lesão na pele [F.: Do lat. medv. *variola.*] ▪ **~ aviária** *Vet.* Infecção virótica em aves como galinhas, perus, pombos e faisões, cuja principal manifestação é o aparecimento de nódulos na cabeça e nas cristas **~ bovina** *Vet.* Infecção virótica em vacas leiteiras, transmissível ao homem, e que se manifesta em feridas vesicosas em partes do corpo (p. ex., as tetas)

variólico (va.ri:*ó*.li.co) *a. Pat.* Ref. ou pertencente à varíola (vírus variólico); VARIOLOSO [F.: *varíola* + *-ico*[2].]

variolização (va.ri:o.li.za.*ção*) *sf. Ant. Imun.* Inoculação do vírus da varíola que se praticava com um fim profilático e que caiu em desuso com o advento da vacinação [Pl.: *-ções.*] [F.: **variolizar* (*varíola* + *-izar*) + *-ção.*]

variolizado (va.ri:o.li.*za*.do) *a. Imun.* Que foi contaminado pelo vírus da varíola [F.: Part. de *variolizar.*]

variolizar (va.ri:o.li.*zar*) *v. td. Med.* Inocular vírus da varíola com fins profiláticos [▶ **1** variolizar] [F.: *varíola* + *-izar.*]

varioloide (va.ri:o.*loi*.de) *sf.* **1** *Med.* Forma atenuada de varíola: "Seu rostinho, mimoso e fresco como um jambo, não se contraía ao *fartum* insalubre das varioloides." (Aluízio Azevedo, *Casa de Pensão*) *a2g.* **2** *Med.* Semelhante à varíola; VARIOLIFORME [F.: *variol(a)* + *-oide.*]

varioloso (va.ri:o.*lo*.so) [ô] *Pat. a.* **1** O mesmo que *variólico* **2** Infectado pela varíola (doente varioloso) *sm.* **3** Indivíduo infectado pela varíola: *O varioloso não deve ter contato com outras pessoas.* [Pl.: [ó]. Fem.: [ó].] [F.: *varíola* + *-oso.*]

vários (*vá*.ri:os) *pr. indef.* Diversos, muitos: *Cheguei a conhecer vários de seus amigos.* [Quando se emprega com uso adj., indetermina o substantivo, quando a ele anteposto. Ex.: *Vários professores não aderiram à paralisação.* Quando empregado com uso subst., o substitui indicando pluralidade, mas não totalidade. Ex.: Quando criança, *não gostava de dormir cedo, como várias de sua idade.*] [F.: Pl. de *vário.*]

variospermo (va.ri:os.*per*.mo) [é] *a.* **1** Que tem sementes de diferentes tamanhos *a.* **2** *Bot.* Que tem sementes de diferentes tamanhos [F.: *vari-* + *-o-* + *-spermo.*]

varistor (va.ris.*tor*) [ô] *sm.* **1** *Eel.* Resistor elétrico feito de um semicondutor *a.* **2** *Eel.* Diz-se de resistor elétrico feito de um semicondutor [F.: Do ing. *varistor.*]

variz (va.*riz*) *sf.* **1** *Med.* Dilatação anormal e deformadora de vasos e veias, que dificulta a circulação sanguínea; FLEBECTASIA [Nesta acp., mais us. no pl.: *varizes.*] **2** *Zool.* Tumor ou proeminência no rebordo de algumas conchas univalves [F.: Do lat. *varix.*]

varizes (va.ri.zes) *sfpl. Anat. Med.* Veias dilatadas, com volume aumentado, que se tornam tortuosas e alongadas com o decorrer do tempo [F.: Pl. de *variz.*]

varjão (var.*jão*) *sm. N. E.* Várzea grande; VARGEDO [Pl.: *-jões.* Aum. de *varja.*] [F.: *varja* + *-ão*[1].]

varo (*va*.ro) *a. Anat. Med.* Diz-se de membro, ou segmento deste, que está torcido, desviado ou deformado para dentro em relação ao eixo do corpo [Cf. *valgo.*] [F.: Do lat. *varus, a, um.* Hom./Par.: *varo* (a.), *varo* (fl. de *varar*).]

varoa (va.*ro*.a) [ô] *sf.* **1** Indivíduo do sexo feminino: "Há nove meses te ordenei que empregasses toda a tua ciência, a fim de que não seja varão, e sim varoa, a primícia do meu feliz matrimônio!" (Artur Azevedo, *A princesa dos cajueiros*) **2** Mulher esforçada, destemida **3** Mulher que se destaca por sua coragem; HEROÍNA **4** Mulher forte, com aspecto e atitudes masculinizadas *a.* **5** Que é do sexo feminino [F.: Fem. de *varão.*]

varonia (va.ro.*ni*.a) *sf.* **1** Qualidade ou condição de varão: *Sentia-se feliz por sua varonia.* **2** Masculinidade: *Vive alardeando sua varonia.* **3** Sucessão ou descendência por linha masculina, paterna: "(...) descende dos Gerais, por varonia." (João Guimarães Rosa, *Noites do sertão*) [F.: *varão*, na forma *varon*, + *-ia.*]

varonil (va.ro.*nil*) *a2g.* **1** Ref. ou pertencente a varão; VIRIL: *Era um homem maduro e de aspecto varonil.* **2** Destemido, esforçado, valoroso: *Tinha ânimo e força varonis.* **3** Enérgico, incisivo (atitude varonil) **4** Próprio de varão ilustre (gesto varonil); HEROICO [Pl.: *-nis.*] [F.: *varão*, na forma *varon* + *-il.*]

varonilidade (va.ro.ni.li.*da*.de) *sf.* Qualidade, estado ou condição do que é varonil: *Sua varonilidade impressionava os mais jovens.* [F.: *varonil* + *-idade.*]

varote (va.*ro*.te) *sm. MT PR Agr.* Erval novo, reservado para colheita(s) futura(s) [F.: *var(a)* + *-ote.*]

varreção (var.re.*ção*) *sf. Folc.* Ver *varrição* [Pl.: *-ções.*] [F.: *varre(r)* + *-ção.*]

varredela (var.re.*de*.la) [é] *sf.* **1** Ato ou efeito de varrer; VARREDURA **2** Varrição ligeira, sem muito esforço; VASSOURADA [F.: *varr(ido)* (part. de *varrer*) com inclusão da v. tem. *-e-* + *-ela.* Sin. ger.: *varridela.*]

varredoira (var.re.*doi*.ra) *sf.* Ver *varredoura*
varredoiro (var.re.*doi*.ro) *sm.* Ver *varredouro*
varredor (var.re.*dor*) [ô] *a.* 1 Que varre *sm.* 2 Pessoa que varre; GARI: *Chame o varredor para limpar a calçada.* [F.: *varre(r)* + *-dor.*]
varredoura (var.re.*dou*.ra) *sf.* 1 *Lus.* Máquina para varrer vias; VARREDEIRA 2 *Fig.* Grande morticínio ou destruição 3 *Ant. Mar.* Vela quadrangular que serve de suplemento ao traquete: "De varredouras intumescidas, a esquadra pôs-se em marcha..." (Xavier Marques, *O sargento Pedro*) *a.* 4 Diz-se de rede de pesca que arrasta pelo fundo [F.: *varre(r)* + fem. de *-douro*^{2}. Tb. *varredoira.*]
varredouro (var.re.*dou*.ro) *sm.* 1 Tipo de vassoura, us. para varrer e limpar o forno; ESCOVALHO 2 *Agr.* Espécie de vassoura que, colocada entre as aivecas do arado, serve para varrer ou tirar as raízes que se encontram na terra que se lavra [F.: *varre(r)* + *-douro*^{2}. Tb. *varredoiro.*]
varredura (var.re.*du*.ra) *sf.* 1 Ação ou resultado de varrer; VARREDELA; VARRIÇÃO 2 O que se tira varrendo; LIXO: *Após a limpeza, juntou toda a varredura.* 3 *P. ext.* Aquilo que fica na mesa depois da comida; MIGALHAS 4 Exploração ou busca minuciosa; RASTREAMENTO: *O programa faz a varredura automática pela Internet.* 5 *Eletrôn. Inf. Telv.* Processo em que um feixe de partículas percorre uma tela, um tubo etc., para formar uma imagem através da soma das imagens de cada ponto percorrido 6 *Mar.* Operação de remoção de minas submarinas ou de tentativa controlada para explodi-las e abrir um canal de livre navegação 7 *Mar.* Investigação por instrumento (radar, sonar etc.) do espaço aéreo ou marinho para detectar obstáculos, alvos ou movimentação hostil [F.: *varre(r)* + *-dura.*]
varrer (var.*rer*) *v.* 1 Limpar (um lugar) ou remover (sujeira) com vassoura [*td.*: *Varrem impecavelmente o chão de terra da choupana.*] [*int.*: *Seu trabalho consistia em cozinhar e varrer.*] 2 Destruir, devastar [*td.*: *As labaredas varriam o matagal.*] 3 *Fig.* Esvaziar, limpar [*td.*: *O sócio desistente varreu o cofre da firma.*] [*tdr.* + *de*: *Varreu a cabeça das preocupações.*] 4 *Fig.* Dispersar, expulsar [*td.*: *Varreu da varanda os filhos do empresário.*] 5 *Fig.* Fazer busca em; RASTREAR; ESQUADRINHAR [*td.*: *A polícia varreu o galpão em busca de dinheiro.*] 6 *Inf.* Fazer varredura [*td.*] 7 Fazer dispersar [*td.*: *A cavalaria varreu as mães que protestavam.*] 8 *Fig.* Fazer desaparecer (algo) de (algum lugar); EXTINGUIR; ELIMINAR [*tdr.* + *de*: *A tempestade varreu a aldeia do mapa.*] [*td.*: "O vento varria os sonhos / E varria as amizades..." (Manuel Bandeira, "Canção do vento e da minha vida" *in Lira dos cinquent'anos*)] 9 *Mar.* Penetrar (a vaga) no convés da embarcação [*td.*] 10 *Inf. Telv.* Fazer uma varredura [*td.*] [▶ 2 varrer] [F.: Do lat. *verrere.*]
varrição (var.ri.*ção*) *Bras. sf.* 1 Ação ou resultado de varrer; VARREDELA; VARREDURA: "(...) a Prefeitura de São Paulo decidiu reduzir os serviços de varrição nas ruas da cidade." (*Folha de S.Paulo*, 04.11.2004) 2 *SP Agr.* Ação de rastelar os frutos do café que caíram antes do início da colheita [Pl.: *-ções.*] [F.: *varr(er)* + *-i-* + *-ção.*]
varridela (var.ri.*de*.la) [ê] *sf.* Ver *varredela* [F.: *varr(er)* + *-i-* + *-dela.*]
varrido (var.*ri*.do) *a.* 1 Limpo com a vassoura: *O terreno foi varrido para as crianças brincarem.* 2 *Fig.* Que perdeu o juízo, a razão; ALUCINADO; LOUCO: *Ficou varrido, pois não se conformava com a separação.* 3 *Fig.* Completo, total (diz-se de doido) *sm.* 4 Aquilo que se varreu; VARREDELA; VARREDURA [F.: Part. de *varrer.*]
varsoviano (var.so.vi.*a*.no) *sm.* 1 Indivíduo nascido ou que vive em Varsóvia (capital da Polônia) *a.* 2 De Varsóvia; típico dessa cidade ou de seu povo [F.: Do top. *Varsóvia* + *-ano*^{1}.]
várzea (*vár*.ze:a) *sf.* 1 Planície extensa 2 Área plana com plantação; VEIGA 3 *Bras.* Terreno plano na margem de rio; VALE 4 *Bras. Fut.* Campo de futebol situado em terreno baldio, usado pelas comunidades locais e por jogadores amadores [F.: De or. obsc. Sin. ger.: *vargem.*] ◼ **Na ~ sem cachorro** *Bras. Pop.* Em situação difícil e sem ajuda, em apuros; no mato sem cachorro
varziano (var.zi:*a*.no) *a.* 1 *Geof.* Ref. ou pertencente a várzea; VARZINO 2 *Pej.* Diz-se de quem mora nos arredores de uma cidade, num subúrbio; SUBURBANO 3 *Bras. S Fut.* Diz-se dos times de futebol suburbanos que treinam ou disputam suas partidas em campo aberto ou várzea 4 *Bras. S Fut.* Diz-se de jogador de futebol cuja qualidade técnica é discutível *sm.* 5 *Bras. S Fut.* Esse jogador 6 *Pej.* Suburbano [F.: *várz(ea)* + *-iano.*]
vasa (*va*.sa) *sf.* 1 Lama fina oriunda da decomposição de elementos orgânicos e de minerais, que se acumula em fundo de mares e rios; LIMO; LODO 2 *P. ext.* O fundo lodoso de rios e mares 3 Nas salinas, reservatório junto ao viveiro onde a água começa a depositar parte das substâncias estranhas que nela se acham dissolvidas com o sal 4 *Fig. Pej.* Degradação moral; TORPEZA 5 *Fig. Pej.* Gente baixa, desprezível; ESCÓRIA [F.: Do neerlandês médio *wase*, pelo fr. *vase*. Hom./Par.: *vaza* (sf.) e *vaza* (fl. de *vazar*).]
vasca (*vas*.ca) *sf.* 1 Agitação forte, movimento convulsivo, ânsia extrema: *A vasca da loucura o tomou.* 2 Respiração ofegante anterior ao momento da morte; ESTERTOR 3 Momento derradeiro, extremo 4 Esgar facial; CARETA; TREJEITO 5 Ânsia de vômito, enjoo, náusea: *A viagem provocou-lhe vascas fortíssimas.* [Nesta acp., mais us. no pl.] [F.: De or. contrv.]
vascaíno (vas.ca.*í*.no) *Bras. Esp. a.* 1 Ref. ao Clube de Regatas Vasco da Gama (RJ) 2 Diz-se do associado, jogador ou torcedor desse clube *sm.* 3 *Bras. Esp.* Associado, jogador ou torcedor desse clube [F.: (Clube de Regatas) *Vasc(o)* (da Gama) + *-a-* + *-ino*. Sin. ger.: *bacalhau, cruzmaltino.*]
vascolejador (vas.co.le.ja.*dor*) [ô] *a.* 1 Que vascoleja *sm.* 2 Aquele que vascoleja 3 *Fig.* Que agita, perturba (público vascolejador) 4 *Fig.* Aquele que agita, perturba: *O vascolejador já havia chegado para promover a desordem.* [F.: *vascolejad(o)* + *-or.*]
vascolejamento (vas.co.le.ja.*men*.to) *sm.* Ação ou resultado de vascolejar; AGITAÇÃO [F.: *vascoleja(r)* + *-mento.*]
vascolejar (vas.co.le.*jar*) *v. td.* 1 Agitar um líquido ou seu recipiente; CHOCALHAR: *Vascolejou a batida e a serviu todo satisfeito.* 2 Remexer, revolver: *Vascolejou a farofa com a colher.* 3 Tornar(-se) inquieto, agitado [▶ 1 vascolejar] [F.: Posv. do rad. lat. *vascul(um, i)* + *-ejar.*]
vasconcear (vas.con.ce.*ar*) *v.* 1 *Fig.* Falar (algo) em linguagem ininteligível ou rebuscada [*td.* / *int.*] 2 *Fig.* Falar jocosamente; GRACEJAR; PILHERIAR [*int.*] 3 Falar vasconço [*int.*] [▶ 13 vasconcear] [F.: *vasconço* + *-ear.*]
vasconço (vas.*con*.ço) *sm.* 1 *Gloss.* Língua aglutinante cuja origem não é indo-europeia, falada na região dos Pireneus, em parte da Espanha e parte da França; BASCO 2 Linguagem ininteligível: "Estive ainda folheando o cartapácio, à laia de quem sabe magistralmente aquela espécie de vasconço." (Lima Barreto, *O homem que sabia javanês*) [F.: Do espn. *vascuence.*]
vascongado (vas.con.*ga*.do) *sm.* 1 Indivíduo nascido ou que vive na região de Vascongadas (Espanha) *a.* 2 Da região de Vascongadas; típico dessa região ou de seu povo [F.: Do espn. *Vascongado.*]
vascular (vas.cu.*lar*) *a2g.* 1 *Anat.* Relativo a vaso^1 2 *Bot.* Que tem vaso^1 (11) [F.: Do lat. *vasculum* + *-ar*. Ideia de 'vascular': *angi (o)-*.]
vascularidade (vas.cu.la.ri.*da*.de) *sf. Anat.* Presença, em maior ou menor escala, de vasos sanguíneos e linfáticos em um órgão qualquer; VASCULARIZAÇÃO [F.: *vascular* + *-idade.*]
vascularização (vas.cu.la.ri.za.*ção*) *sf.* 1 *Anat.* Irrigação sanguínea 2 *Cir.* Formação, multiplicação ou distribuição de vasos sanguíneos, por vias naturais ou cirúrgicas 3 O conjunto dos vasos sanguíneos existente num órgão; VASCULARIDADE [Pl.: *-ções.*] [F.: *vasculariza(r)* + *-ção.*]
vascularizado (vas.cu.la.ri.*za*.do) *Anat. Med. a.* 1 Em que há vascularização (tecido vascularizado) 2 Diz-se de parte do corpo ou tecido provido de muitos vasos [F.: Part. de *vascularizar.*]
vascularizar (vas.cu.la.ri.*zar*) *v. td. Med.* Promover a irrigação vascular [▶ 1 vascularizar] [F.: *vascular* + *-izar.*]
vasculhado (vas.cu.*lha*.do) *a.* Que se vasculhou; que se examinou minuciosamente para se encontrar alguém ou algo (território vasculhado) [F.: Part. de *vasculhar.*]
vasculhador (vas.cu.lha.*dor*) [ô] *a.* 1 Que vasculha (aparelho vasculhador) *sm.* 2 Aquele ou aquilo que vasculha 3 Vassoura de cabo longo, us. para limpar paredes, tetos ou locais de difícil alcance; VASCULHO; BAGULHO [F.: *vasculha(r)* + *-dor.*]
vasculhamento (vas.cu.lha.*men*.to) *sm.* Ação ou resultado de vasculhar, de procurar ou investigar alguém ou algo de modo minucioso: "Caçar bandidos, todos a um só tempo, palmo a palmo do terreno, em intensiva e permanente ação de busca e vasculhamento, é a missão (...)." (*O Globo*, 14.10.2004) [F.: *vasculhar* + *-mento.*]
vasculhar (vas.cu.*lhar*) *v.* 1 Procurar com atenção em (algo); INVESTIGAR; ESQUADRINHAR [*td.*: *A moça vasculhou os bolsos do infeliz.*] 2 Originalmente, varrer ou limpar com o vasculho, escova de forno [*td. int.*] 3 *P. ext.* Limpar com escova ou vassoura qualquer [*td.*: *Vasculhou o teto, os cantos, a casa toda.*] 4 Examinar com o olhar atentamente; OBSERVAR [*td.*: *Vasculhou a noite à procura do espectro.*] [▶ 1 vasculhar] [F.: *vasculh(o)* + *-ar*. Hom./Par.: *vasculho* (fl.), *vasculho* (sm.).]
vasculho (vas.*cu*.lho) *sm.* 1 Vassoura longa para limpeza de teto; VASCULHADOR; BAGULHO 2 Ver *vassouro* [F.: Dev. de *vasculhar*. Hom./Par.: *vasculho* (fl. de *vasculhar*).]
◎ **vascul(i/o)-** *el. comp.* = 'vaso, vasilha, vaso pequeno': *vascular, vascularidade, vasectomia, vasículo, vasilhame, vasodilatação, vasotomia etc.* [F.: Do lat. *vas, asis.*]
vasculocerebral (vas.cu.lo.ce.re.*bral*) *a2g. Anat.* Ref. aos vasos sanguíneos do cérebro [F.: *vascul(i/o)-* + *cerebral.*]
vasculopulmonar (vas.cu.lo.pul.mo.*nar*) *a2g. Anat.* Ref. aos vasos sanguíneos do pulmão [F.: *vascul(i/o)-* + *pulmonar.*]
vasculossanguíneo (vas.cu.los.san.*guí*.ne:o) *Anat. a.* 1 Ref. aos vasos sanguíneos 2 Que é formado por vasos sanguíneos [F.: *vascul(i/o)-* + *sanguíneo.*]
vasectomia (va.sec.to.*mi*.a) *sf. Cir.* Ressecção cirúrgica dos canais deferentes para provocar a esterilização no homem; DEFERENTECTOMIA [F.: *vas(o)-* + *-ectomia.*]
vasectômico (va.sec.*tô*.mi.co) *a. Cir.* Que diz respeito à vasectomia [F.: *vasectom(ia)* + *-ico.*]
vasectomizado (va.sec.to.mi.*za*.do) *a.* 1 *Cir.* Que sofreu vasectomia *sm.* 2 *Cir.* Indivíduo do sexo masculino que passou por processo de vasectomia [F.: Part. de vasectomizar* (*vasectomi(a)* + *-izar*).]
vaselina (va.se.*li*.na) *sf.* 1 Substância gordurosa, extraída dos resíduos do petróleo, e aplicada em farmácia para produção de medicamentos de uso externo 2 *Farm.* Pomada feita dessa substância *s2g.* 3 *Bras. Pop.* Pessoa aliciante, maneirosa, untuosa, cheia de lábia, que adapta suas opiniões e atitudes conforme a conveniência [F.: Palavra criada no séc. XIX por R. Chesebrough, do al. *Wasser* (água) e do gr. *elaion* (óleo). Nota: Foi inicialmente nome comercial com marca registrada.]
vasilha (va.*si*.lha) *sf.* 1 Recipiente para guardar líquidos tanto no uso doméstico como em estabelecimentos comerciais [Col.: *vasilhame.*] 2 Tonel, pipa ou qualquer das medidas submúltiplas destas; BARRIL [Col.: *vasilhame.*] 3 *Bras.* Recipiente ger. de uso doméstico, us. para guardar esp. alimentos sólidos e líquidos [Col.: *vasilhame.*] 4 *Ant.* Embarcação, navio [F.: Do lat. *vasilia*, 'vaso', pelo modelo de *utensilia*, 'utensílio'.] ◼ **~ ruim** *Fig.* Pessoa de má índole, ou de mau comportamento
vasilhame (va.si.*lha*.me) *sm.* 1 Qualquer quantidade, número ou porção de vasilhas, tonéis, pipas, barris etc. 2 *Bras. Pop.* Vasilha para guardar alimentos líquidos e sólidos [F.: *vasilh(a)* + *-ame.*]
◎ **vas(o)-** *el. comp.* Ver *vascul(i/o)-*
vaso^1 (*va*.so) *sm.* 1 Toda e qualquer peça côncava que pode conter sólidos ou líquidos (vaso de cristal; vaso de cerâmica) 2 Peça da mesma natureza e de formas várias, us. para conter arranjos de flores ou como decoração de jardins, terraços, edifícios etc. 3 Recipiente do mesmo tipo em que se coloca terra adubada, us. para o cultivo de plantas de pequeno porte: *Comprou um enorme vaso com samambaias.* 4 *P. ext.* Tudo o que é suscetível de conter alguma coisa; INVÓLUCRO; RECEPTÁCULO 5 *Biol.* Canal, tubo de circulação dos líquidos nutritivos dos animais (vasos linfáticos; vasos sanguíneos); ARTÉRIA; VEIA 6 Peça, ger. de louça, colocada nos banheiros para recolhimento dos dejetos humanos; vaso sanitário; LATRINA; PRIVADA; RETRETE 7 *Vulg.* Vagina 8 *P. us. Mar.* Navio 9 *Ant. Náut.* Na antiga construção naval, peça que sustentava o casco do navio; ENVASADURA 10 *Bot.* Estrutura tubulosa formada por uma série axial de células unidas, cujas paredes contíguas têm perfurações, através das quais a seiva circula por todo o vegetal; TRAQUEIA [F.: Do lat. *vasum*. Hom./Par.: *vazo* (fl. de *vazar*).] ◼ **~ aferente** *Anat.* Vaso que transporta o sangue, a linfa, ou o quilo para algum órgão **~ capilar** *Anat.* Cada um dos finos vasos sanguíneos que formam redes de comunicação entre pequenas artérias e pequenas veias, fechando o ciclo da circulação sanguínea **~ de capitel** *Arq.* O corpo do capitel coríntio sobre o qual estão as folhas e as volutas **~ de guerra** *Mar. G.* Navio de guerra **~ do rio** Leito de rio **~ linfático** *Anat.* Todo canal que conduz linfa **~ sanguíneo** *Anat.* Todo canal que conduz o sangue pelo organismo (artérias, veias e capilares) **~ sanitário** Em banheiro, peça de louça que recebe as dejeções; latrina
vaso^2 (*va*.so) *sm.* Fazenda de lã negra, us. antigamente como luto [F.: Do ing. *baize*. Hom./Par.: *vazo* (fl. de *vazar*).]
vasoconstrição (va.so.cons.tri.*ção*) *sf. Fisl.* Estreitamento de vasos sanguíneos [Ant.: *vasodilatação.*] [Pl.: *-ções.*] [F.: *vas(o)-* + *constrição.*]
vasoconstritor (va.so.cons.tri.*tor*) [ô] *a.* 1 Que provoca vasoconstrição: *O vinho branco é uma bebida vasoconstritora.* 2 *Med.* Diz-se de agente, droga ou medicamento que provoca a vasoconstrição *sm.* 3 *Med.* O agente ou a droga que produz a ação da vasoconstrição [F.: *vas(o)-* + *constritor*. Ant. ger.: *vasodilatador.*]
vasodilatação (va.so.di.la.ta.*ção*) *sf. Fisl.* Alargamento de vasos sanguíneos [Ant.: *vasoconstrição.*] [Pl.: *-ções.*] [F.: *vas(o)-* + *dilatação.*]
vasodilatador (va.so.di.la.ta.*dor*) [ô] *a.* 1 Que produz vasodilatação: *O vinho tinto é uma bebida vasodilatadora.* 2 *Med.* Diz-se de agente, droga ou medicamento que provoca a vasodilatação *sm.* 3 *Med.* O agente ou a droga que produz a ação da vasodilatação [F.: *vas(o)-* + *dilatador*. Ant. ger.: *vasoconstritor.*]
vasomotor (va.so.mo.*tor*) [ô] *a. Fisl.* Que diz respeito à dilatação ou ao estreitamento de vasos sanguíneos, ou que é capaz de produzi-los (mecanismo vasomotor) [Fem.: *vasomotora e vasomotriz.*] [F.: *vas(o)-* + *motor.*]
vasomotricidade (va.so.mo.tri.ci.*da*.de) *sf. Fisl.* Capacidade de alterar o calibre do vaso sanguíneo [F.: *vaso-* + *motricidade.*]
vasotrófico (va.so.*tró*.fi.co) *Med. a.* 1 Ref. à nutrição dos vasos sanguíneos ou linfáticos 2 Que influi nos fenômenos de nutrição dos vasos sanguíneos ou linfáticos [F.: *vas(o)-* + *-trófico.*]
vasquear (vas.que.*ar*) *v. int.* 1 *Bras.* Entrar em processo de agonia; agonizar, vasquejar 2 Tornar-se escasso, vasqueiro; escassear: *No inverno, as aves vasqueiam.* [▶ 13 vasquear] [F.: *vasca* + *-ear.*]
vasqueiro^1 (vas.*quei*.ro) *a.* 1 Que causa vascas, ânsias ou convulsões *a.* 2 Que causa vasca(s), ânsia(s) ou convulsão(ões) [F.: *vasc(a)* > *c/qu* + *-eiro*, posv.]
vasqueiro^2 (vas.*quei*.ro) *a.* 1 Que não tem ambos os olhos direcionados para o foco do olhar, resultando numa alteração do campo de visão; ESTRÁBICO; VESGO 2 *P. ext.* Oblíquo, torto, enviesado [F.: Alter. de *vesgueiro.*]
vasqueiro^3 (vas.*quei*.ro) *a.* 1 *Bras.* Raro, escasso, difícil de se encontrar ou de se obter; RASQUEIRO; GUASQUEIRO: "Bom, mas vocês têm de me voltar dez 'tões de lambujem, que é pra uma cachacinha, porque o dinheiro aqui na minha terra anda vasqueiro..." (João Guimarães Rosa, *Sagarana*) 2 Que se mostra crítico, difícil [F.: De or. obsc.]
vasquejar (vas.que.*jar*) *v.* 1 Ser acometido de vascas, de convulsões [*int.*] 2 *P. ext.* Provocar ou ser tomado de agitação; estremecer(-se) [*td.*: *A ventania vasquejava as*

árvores.] [**int.**: *As luzes vasquejam o tempo todo.*] **3** Ter vascas, náuseas [**int.**] **4** Entrar em estado de agonia; agonizar, vasquear, estertorar [**int.**] [▶ 1 vasquejar] [F.: *vasca* + *-ejar*. Hom./Par.: *vasquejo(s)* (fl), *vasquejo* /ê/ (sm.).]

vasquejo (vas.*que*.jo) [ê] **sm.** Ação ou resultado de vasquejar; CONVULSÃO; TREMOR; OSCILAÇÃO [F.: Dev. de *vasquejar*. Hom./Par.: *vasquejo* (ê) (sm.), *vasquejo* (ê) (fl. de *vasquejar*).]

vassalagem (vas.sa.*la*.gem) **sf.** **1** Estado ou condição de vassalo **2** *Hist.* O preito, a homenagem, a obediência a que o vassalo era obrigado perante o senhor feudal de quem dependia **3** *Hist.* Na Idade Média, tributo pago pelo vassalo ao senhor feudal **4** *Hist.* O conjunto dos vassalos **5** *Fig.* Estado de subordinação, de submissão a outrem; SUBMISSÃO; SUJEIÇÃO: *Tinha uma atitude de vassalagem para com o chefe.* [F.: *vassal(o)* + *-agem*.]

vassalo (vas.*sa*.lo) **sm.** **1** *Hist.* Na Idade Média, aquele que estava submetido a um senhor feudal por juramento de fé e que lhe rendia preito e homenagem ou pagava tributo **2** *Hist.* Súdito de um soberano: *Foi um fiel vassalo de el-rei de Portugal.* **3** Príncipe tributário de outro **4** *Fig.* Pessoa que é dependente ou submissa a alguém ou a algo **a.** **5** Que paga tributo a alguém; TRIBUTÁRIO **6** *Fig.* Que é dependente, submisso ou se subordina a alguém ou a algo [F.: Do lat. medv. *vassalus*.]

vassoira (vas.*soi*.ra) **sf.** Ver *vassoura* [F.: Alter. de *vassoura*. Hom./Par.: *vassoira* (sf.), *vassoira* (fl. de *vassoirar*).]

vassoura (vas.*sou*.ra) **sf.** **1** Utensílio próprio para varrer, provido de um cabo longo com uma das pontas fixada a uma base onde estão implantados pelos, folhas, fibras, fios plásticos etc. [Nesta acp., col.: *vassoural*.] **2** *Bot.* Designação genérica de várias plantas que têm aspecto ou forma semelhante a esse utensílio **3** *Bras. Bot.* Planta da fam. das compostas (*Baccharis aphylla*), natural do Brasil, de flores amareladas em espigas; CARQUEJA; VASSOURINHA **4** *Bras. RS Bot.* Carqueja-amargosa **5** *Bras. N. E.* O eixo da inflorescência de muitas palmeiras **6** *Mús.* Feixe de fios metálicos, abertos em leque e encabados, us. como instrumento de bateria **s2g.** **7** *Gír.* Homem ou mulher que aceita qualquer amante **8** *Gír.* Ladrão ou ladra que leva tudo quanto encontra **sm.** **9** *Bras. SP N. E. Pej.* Empregado de baixa categoria **10** *Bras. SP N. E. Fig.* Caixeiro que varre a casa comercial [F.: Do lat. *versoria*. Hom./Par.: *vassoura* (fl. de *vassourar*).]

vassourada (vas.sou.*ra*.da) **sf.** **1** Golpe dado com vassoura; VASSOIRADA **2** Impulso ou movimento exercido com a vassoura com o intuito de varrer, limpar **3** O lixo que se varre a cada vez que se move a vassoura **4** *Fig.* Expurgo, limpeza: *Depois da vassourada no time, ficaram apenas os jogadores que corriam e se esforçavam em campo.* [F.: *vassour(a)* + *-ada*.]

vassourar (vas.sou.*rar*) **v.** **1** Varrer, usando vassoura [**td.**: *vassourar a cozinha.*] **2** Dar limpeza, com vassoura para remoção do lixo [**int.**: *Saiu logo vassourando.*] [▶ 1 vassourar] [F.: *vassour(a)* + *-ar*. Hom./Par.: *vassoura(s)* (fl.), *vassoura(s)* (sf. [pl.]); *vassouro* (fl.), *vassouro* (sm.).]

vassoureiro (vas.sou.*rei*.ro) **sm.** **1** Fabricante ou vendedor de vassouras **2** *Bot.* Arbusto da fam. das leguminosas, subfam. mimosoídea (*Mimosa insidiosa*), nativo da América do Sul, de flores muito pequenas, em capítulos globosos [F.: *vassour(a)* + *-eiro*.]

vassourinha (vas.sou.*ri*.nha) **sf.** **1** Vassoura pequena **2** *Lud.* Jogo infantil, composto por cinco pedras, no qual cada jogador atira ao ar uma pedra enquanto a mesma mão que a lançou deve apanhar uma sequência de pedras espalhadas pelo chão, ou passar a sequência de pedras por baixo da ponte feita com o polegar e o indicador da outra mão; BATO; CINCO-MARIAS; JOGO DAS PEDRINHAS **3** *Mús.* Espécie de baqueta na qual uma das extremidades contém um feixe de fios metálicos ou de náilon, us. como instrumento de bateria **4** *Bot.* Designação comum de diversas plantas da fam. das malváceas **5** Erva (*Scoparia dulcis*), da fam. das escrofulariáceas, nativa da América tropical; com até 80 cm de altura, de grande ramificação, com ramos ascendentes em uma estrutura que permite seu uso como vassoura; TAPEIÇABA; TUPIÇABA; TUPIXAVA; VASSOURINHA-DOCE [Dim. de *vassoura*.] [F.: *vassour(a)* + *-inha*.]

vassuncê (vas.sun.*cê*) **pr. pess.** *Bras. Pop.* Ver *você*: "Sinhazinha, ponderou a mucama, o que lhe fez mal foi o cheiro forte do vidro que vassuncê estava pondo na roupa (...)." (Júlio Ribeiro, *A carne*.) [F.: Alter. de *vossemecê*.]

vastamente (vas.ta.*men*.te) **adv.** **1** De modo vasto, amplo, largo, extenso **2** Em abundância: *Aquela matéria foi vastamente divulgada pela imprensa.* [F.: *vasta* (fem. de *vasto*) + *-mente*.]

vastidão (vas.ti.*dão*) **sf.** **1** Qualidade do que é vasto, amplo; AMPLITUDE **2** Extensão enorme; área muito grande: *Admirava a vastidão do oceano/ a vastidão do deserto.* **3** Grande dimensão, grandeza de forma **4** *Fig.* Grande importância ou magnitude: "(...) Me implodindo aos poucos no universo a desvendar a vastidão do teu amor." (Zizi Possi, *Asa morena*) [Pl.: *-dões*.] [F.: Do lat. *vastitudo, inis*.]

vasto (*vas*.to) **a.** **1** Amplo, dilatado, largo, espaçoso: *Tinha uma vasta casa de praia.* **2** Que é muito extenso: *Adquiriu uma região vasta para agricultura.* **3** De tamanho ou importância considerável (vasto saber) **4** Multíplice, variado: *Em sua biblioteca encontrou uma vasta literatura sobre o autor estudado.* **5** *Fig.* Dotado de penetração, de inteligência; INTELIGENTE; SAGAZ: *Era um escritor de mente vasta e brilhante.* **6** De grande volume (vasta cabeleira; copa vasta) [F.: Do lat. *vastus*. Hom./Par.: *vasto* (fl. de *vastar*).]

vatapá (va.ta.*pá*) **sm.** *Bras. Cul.* Prato típico da culinária baiana que mistura camarão seco, peixe, leite de coco, azeite de dendê, castanha-de-caju e condimentos, numa massa pastosa à base de pão amolecido ou de farinha de mandioca [F.: Do ioruba *vata'pa*.]

vate (*va*.te) **s2g.** **1** Pessoa que adivinha o futuro; PROFETA; VIDENTE **2** Aquele que escreve poesias; POETA; BARDO [F.: Do lat. *vates*, ou *vatis, is*.]

◎ **vat(i)- el. comp.** = 'adivinho, vidente, profeta, poeta': *vate, vaticinação, vaticinado, vaticínio etc.* [F.: Do lat. *vates, is*.]

vaticanista (va.ti.ca.*nis*.ta) *Rel.* **a2g.** **1** Que é partidário do vaticanismo **2** Que se mostra especialista em assuntos relativos ao Vaticano **s2g.** **3** Aquele que é partidário do vaticanismo **4** Indivíduo que é especialista em assuntos relativos ao Vaticano [F.: Do top. *Vatican(o)* + *-ista*.]

vaticano (va.ti.*ca*.no) **a.** **1** Rel. ou pertencente ao Vaticano (biblioteca vaticana, ordem vaticana) **sm.** **2** Estado e palácio do papa na colina Vaticano, em Roma [Com inicial maiúsc. nesta acp.] **3** *P. ext.* O governo do Papa [Com inicial maiúsc. nesta acp.] **4** *Bras. AM* Grande embarcação fluvial a vapor e avarandada, de porte maior que o gaiola [Cf.: *gaiola*.] **5** *Bras. MG* Casarão [F.: Do lat. *vaticanus*.]

vaticinação (va.ti.ci.na.*ção*) **sf.** **1** Ação ou resultado de vaticinar **2** Predição, profecia [Pl.: *-ções*.] [F.: Do lat. *vaticinatio, onis*. Sin. ger.: *vaticínio*.]

vaticinador (va.ti.ci.na.*dor*) [ô] **a.** **1** Que vaticina, que profetiza **sm.** **2** Aquele que vaticina; VATE [F.: Do lat. *vaticinator, oris*. Sin. ger.: *vaticinante*.]

vaticinar (va.ti.ci.*nar*) **v.** **1** Predizer, profetizar [**tdi.** + *a*: *A cartomante sempre vaticinava aos clientes riqueza.*] [**td.**: *Vaticinou o fim da guerra.*] [**int.**: *Depois do acidente, a criança passou a vaticinar.*] **2** Tentar prever (algo) com base em indícios; PROGNOSTICAR [**td.**: *O economista vaticinou o fim dos juros altos.*] [▶ 1 vaticinar] [F.: Do lat. tardio *vaticinare*.]

vaticínio (va.ti.*cí*.ni:o) **sm.** **1** Ação ou resultado de vaticinar; PREDIÇÃO; PROFECIA; VATICINAÇÃO **2** *P. ext.* Ilação sobre algo possível de se tornar realidade; PROGNÓSTICO: *O vaticínio sobre o resultado do páreo foi determinante para a sua aposta.* [F.: Do lat. *vaticinium, ii*.]

vau[1] **sm.** **1** Parte rasa em lagoa, rio ou mar, por onde se pode passar a pé ou a cavalo **2** Banco de areia que se forma em rios e mares dificultando a navegação; BAIXO; PARCEL **3** *Fig.* Comodidade, ensejo, oportunidade: *Se derem vau, conto tudo que sei.* **4** *Náut.* Travessa que suporta o piso do convés em uma embarcação **5** *Náut.* Conjunto de paus gradados na cabeça do mastro onde se assentam as coroas e enxárcias **6** Conjunto de paus cruzados nas gáveas [Us. no pl. nas acp. 4, 5 e 6.] [F.: Do lat. *vadum* ou *vadus, i*.] ■■ **A ~** A pé, dentro de rio (diz-se ger. de travessia de rio) **Dar ~** Permitir a passagem a vau (rio ou trecho de rio) **Fazer ~** Atravessar a vau na frente, como guia da travessia **~ de cauda** *GO* Travessia de rio por animais na qual a água não passa de suas caudas, ou de suas barrigas **~ de orelha** *GO* Travessia de rio por animais na qual estes precisam nadar, dada a profundidade da água **Errar o vau** *S.* Errar no lançamento de laço

vau[2] **sm.** **1** *Ant.* Nome antigo da letra V **2** Nome do V alemão [F.: Do gr. *bau*, do hebr. *vav* ('prego, gancho').]

⊕ **vaudeville** (*Fr.* /vodvil/) *Teat.* **sm.** **1** Comédia ligeira cujo diálogo é entremeado de estribilhos, apresentando ger. um enredo cheio de intrigas e confusões **2** Espetáculo composto de vários números como dança, mímica, acrobacias, esquetes cômicos, que não apresentam relação entre si **3** Peça teatral francesa do séc. XVIII que se fazia acompanhar de música **4** Espetáculo de variedades com presença de números musicais

vaza[1] (*va*.za) **sf.** *Lud.* O conjunto das cartas que, jogadas lance a lance, são recolhidas de uma vez pelo ganhador [F.: Do it. *bazza*. Hom./Par.: *vasa* (sf.) e *vaza* (fl. de *vazar*).]

vaza[2] (*va*.za) **sf.** **1** Bordado feito com agulha, de feitio vazado ou escavado: *Seu vestido de noiva tinha vazas no decote e nas mangas.* **2** *Hidrog.* Vazante (vaza da maré) [F.: Dev. de *vazar*. Hom./Par.: *vasa* (sf.) e *vaza* (fl. de *vazar*).]

vaza-barris (va.za-bar.*ris*) **sm2n.** **1** Costa litorânea bordada de recifes, muito sujeita a naufrágios **2** *Fig.* Lugar onde jazem muitas riquezas; local onde se escondem tesouros **3** *Fig. Pop.* Perda de bens materiais; RUÍNA; FALÊNCIA: "Os fazendeiros pensaram que garimpar é o mesmo que plantar milho, quiseram colher o que não tinham plantado, e quase todos vão dando com suas fortunas em vaza-barris." (Bernardo Guimarães, *O garimpeiro*)

vazado (va.*za*.do) **a.** **1** Que (se) vazou **2** *Esp.* No futebol, diz-se de goleiro ou da defesa que sofreu gols do time adversário: *Era a defesa menos vazada do campeonato.* **3** *Tip.* Diz-se de espaço vazio (não impresso, não preenchido de material etc.) com determinado formato, num contexto cheio: *Viu as letras vazadas num fundo azul/ círculos vazados na chapa de aço.* [Cf.: *diapositivo*.] **sm.** **4** A parte oca ou vazia de algo: *Cobriu com uma cortina o vazado da divisória.* [F.: Part. de *vazar*.]

vazador (va.za.*dor*) [ô] **a.** **1** Que vaza **2** Diz-se do ourives que vaza ouro ou prata **sm.** **3** Aquele que vaza **4** Oficial de ourives que vaza ouro ou prata **5** Utensílio de ferro com que os correeiros e artífices de outros ofícios abrem ilhoses ou furos de qualquer espécie em couro, pano, metal etc. [F.: *vazar* + *-dor*.]

vazadouro (va.za.*dou*.ro) **sm.** Local onde líquidos ou detritos são despejados; VAZADOIRO [F.: *vazar* + *-douro*.]

vazadura (va.za.*du*.ra) **sf.** **1** Ato ou resultado de vazar; VAZAMENTO; VAZÃO **2** O líquido despejado; DESPEJO **3** Orifício retangular na parte inferior da ferradura com a função de sustentar a cabeça do cravo [F.: *vazar* + *-dura*.]

vaza-maré (va.za-ma.*ré*) **sm.** *Bras. Zool.* Caranguejo (*Ocypode quadrata*) da fam. dos ocipodídeos, de carapaça subretangular, olhos longos, com córnea bastante inflada, quelípodes desiguais, e corpo e patas esbranquiçados; encontrado da costa leste da Flórida (EUA) até o S. do Brasil, vive em praias arenosas e costuma fazer galerias perto do nível da maré alta e entre a vegetação da praia; ESPIA-MARÉ; AGUARAUÇÁ; GUARUÇÁ; GURIÇÁ; MARIA-FARINHA [Pl.: *vaza-marés*.]

vazamento (va.za.*men*.to) **sm.** **1** Ação ou efeito de vazar; VAZADURA; VAZÃO: *Houve um vazamento na tubulação de água.* **2** Ato de se vazar o metal ao correr do forno para as formas **3** Local por onde vaza um líquido: *O cano do chuveiro tem um vazamento.* **4** *P. ext.* O líquido que vaza **5** Divulgação pública de fato que não deveria ser divulgado: *A imprensa tomou conhecimento do caso em razão do vazamento da notícia pelo partido.* **6** *Art. gr.* Defeito na impressão causado pelo excesso de tinta ou por sua má diluição, provocando seu transpasse no papel e ocasionando manchas e borrões; ATRAVESSAMENTO [F.: *vazar* + *-mento*.]

vazante (va.*zan*.te) **a2g.** **1** Que vaza (maré vazante) **sf.** **2** *Hidrog.* Período de baixa no nível das águas de rio ou mar; REFLUXO; VAZA [Ant.: *cheia*.] **3** Escoamento, saída, vazão **4** *Fís.* Quantidade de fluido fornecido por corrente líquida ou gasosa na unidade de tempo **5** *Bras.* Qualquer terra baixa e plana, temporariamente alagada, ao longo de rios e lagos **6** *Bras. N. E.* Cultura feita à margem dos açudes ou no leito dos rios, quando estes voltam ao seu nível normal na época da estiagem **7** *Bras. MT* Campo alagado pelas águas das chuvas **8** *Bras. BA MG* Inundação nas margens dos rios pelas águas pluviais; LAGAMAR [F.: *vazar* + *-nte*.] ■■ **~ da Lua** *Astron.* Quarto minguante **~ da maré** *Geof.* Baixa das águas da maré-cheia à vazante; o intervalo entre a maré-cheia e a maré vazante

vazão (va.*zão*) **sf.** **1** Ação ou resultado de vazar; VAZAMENTO **2** Ação de esgotar o líquido de um vaso: *Foi feita a vazão do tanque durante o dia.* **3** *P. ext.* Deslocamento rumo à saída; ESCOAMENTO: *A porta estreita dificultava a vazão do público.* **4** *Fig.* Movimento do produto do vendedor ao consumidor; CONSUMO; SAÍDA: *O estoque era suficiente para a vazão das mercadorias.* **5** *Cons.* Vão ou espaço quadrado em uma obra realizada para o desvio das águas de um rio, ribeira, canal etc. [Pl.: *-zões*.] [F.: *vazar* + *-ão*.] ■■ **Dar ~ a** **1** Conseguir atender, dar conta de: *Não conseguia dar vazão às encomendas.* **2** Dar andamento a; dar solução a; despachar, resolver

vazar (va.*zar*) **v.** **1** Deixar sair aos poucos (esp. líquido) [**td.**: *A caixa estava vazando água.*] [**int.**: *A caixa d'água começou a vazar.*] **2** *Fig.* Deixar passar um sentimento, uma mágoa etc. [**int.**: *Deixou vazar seus sentimentos mais íntimos.*] [**td.**: *Vazava seus sentimentos em linguagem objetiva.*] **3** Baixar a carga [**int.**: *O navio começou a vazar cedo.*] **4** Diminuir a quantidade de (líquido); refluir [**int.**: *A maré começava a vazar.*] **5** Desaguar [**tda.**: *O rio vaza suas águas no Atlântico.*] **6** Deixar escapar (líquido) aos poucos até esvaziar(-se) [**td.**: *O carro vazou todo o óleo.*] [**int.**: *O tanque de gasolina vazou.*] **7** Movimentar(-se) para o lado de fora; sair [**int.**: *O público vazava pela saída de emergência; O gás vazou(-se) todo pelo orifício.*] **8** *Bras. Pop.* Ir(-se) embora [**int.**: *Vou vazar.*] **9** Abrir cavidade, buraco, furo em [**td.**: *vazar um muro*] [**tda.**: *Vazou uma passagem na muralha.*] **10** Enfiar, enterrar [**tda.**: *Vazou a faca na carne assada.*] **11** Arrebentar, danificar (um olho) [**td.**: *Na capotagem do carro, vazou o olho direito.*] **12** Transpor, superar [**td.**: *Vazou os dez quilômetros com facilidade.*] **13** Deixar chegar (segredo, informação sigilosa) ao conhecimento de outrem ou do público [**tr.** + *para*: *O segredo vazou para a imprensa.*] [**int.**: *Essa informação já vazou.*] [**td.**: *O serviço secreto acabou vazando informações importantes.*] **14** *Art. gr.* Em diagramação, sobrepor elemento gráfico em área impressa maior [**tdr.** + *em*: *Vazou a ilustração em fundo vermelho.*] **15** *Fut.* Fazer gol em [**td.**: *Vazou duas vezes o gol do Palmeiras.*] **16** Verter (metal fundido em molde) [**td.**] [▶ 1 vazar] [F.: Alter. de *vaziar*. Hom./Par.: *vaza(s)* (fl.), *vaza(s)* (sf. [pl.]), *vasa(s)* (sf. [pl.]); *vazo* (fl.), *vaso* (sm.).]

vazia (va.*zi*.a) **sf.** **1** Ilharga, quadril, anca: "A égua estava já nas vascas da agonia, a gorgolejar sangue pelas cordoveias e com um grande rasgão na vazia por onde lhe saíam as tripas..." (Aquilino Ribeiro, *Luz ao longe*) **2** *Carp.* Peça de madeira que serve de bitola ao replainado das almofadas **3** *Lus.* Parte da perna dianteira do boi, abaixo da pá [F.: Fem. substv. de *vazio*.]

vaziar (va.zi.*ar*) **v.** **1** O mesmo que *esvaziar* [**td.**] **2** Defecar em demasia (animal doente) [**int.**] [▶ 1 vaziar] [F.: *vazio* + *-ar*. Hom./Par.: *vazio* (fl.), *vazio* (a. sm.).]

vazio (va.*zi*.o) **a.** **1** Que não contém nada ou quase nada (sala vazia; copo vazio) **2** Desguarnecido de móveis ou mobília **3** Diz-se de casa, habitação etc. desocupada, desprovida de moradores ou habitantes; DESABITADO; DESPOVOADO **4** Que não está cheio ou cuja capacidade de ocupação não foi totalmente aproveitada: *Apesar de o filme ser excelente, o cinema estava vazio.* **5** Privado de elementos nutritivos (em sentido próprio ou figurado) (estômago vazio; coração vazio) **6** Que tem falta ou privação de alguma coisa: *Tinha um coração vazio de afetos.* **7** *Fig.* Sem fundamento ou substância: *Seu discurso vazio não empolgou.* **8** *Fig.* Que não é significativo; que não merece importância nem consideração: *Críticas vazias não devem ser levadas a sério.* **9** *Fig.* Que não tem qualidades de espírito ou inteligência (mente vazia) **10** *Fig.* Que não produz efeito, que é inútil: *Aquela era uma luta inglória, vazia.* **11** *Jur.* Diz-se da ação de denúncia em que o proprietário de um imóvel locado solicita sua desocupação sem apresentação de qualquer motivo ***sm.*** **12** O espaço vazio; LACUNA; VÃO **13** Espaço sem ar, o vácuo **14** Ausência de interesses, preocupações, trabalhos: "...No vazio da sua vida semisselvagem, a queimada é o grande espetáculo do ano..." (Monteiro Lobato, *Urupês*) **15** Sentimento indefinível e profundo de saudade angustiosa: *Agora deparava-se com o vazio imenso de uma separação indesejada.* **16** *Fig.* Sentimento de insatisfação física ou emocional; INSACIABILIDADE: *Acordei sentindo um vazio no estômago; Sentiu um enorme vazio no peito.* **17** *Lus.* Carneiro novo já castrado **18** *Lus.* Gado que não produz leite ou o produz em pouquíssima quantidade [F.: Do lat. *vacivus, a, um.* Ant. ger.: *vazio.* Hom./Par.: *vazio* (fl. de *vaziar*).]

⊠ **VCR** Sigla do inglês para *Video Cassete Recorder*, gravador e reprodutor de vídeo que utiliza videocassete

vê ***sm.*** Nome da letra V

veação (ve:a.*ção*) ***sf.*** **1** Caçada de animais bravios ou de montaria **2** *P. ext.* Conjunto dos animais mortos na veação (1) **3** *Cul.* Iguaria preparada com a carne de animais mortos na veação (1): "O desconforme assado fumava no meio da mesa numa ampla palangana de estanho e rodeavam-no diversas veações frias" (Alexandre Herculano, *O monge de Cister*) [Pl.: *-ções.*] [F.: Do lat. *venatio, onis.* Hom./Par.: *veação* (sf.), *viação* (sf.).]

veadagem (ve:a.*da*.gem) ***sf.*** *Bras. Vulg.* Atitude ou comportamento próprios dos homossexuais masculinos; BICHICE; FRESCURA [F.: *vead(o)* + *-agem.*]

veadeiro (ve:a.*dei*.ro) *Bras.* ***sm.*** **1** Caçador de veados **2** Cão treinado para caçar veados [F.: *vead(o)* + *-eiro.*]

veado[1] (ve:a.do) ***sm.*** **1** *Zool.* Denominação comum a diversas ssp. de mamíferos quadrúpedes ruminantes da fam. dos cervídeos, de coloração normalmente parda, de cornos ramificados (esgalhos) ou simples, presentes nos machos, patas compridas, cauda curta, muito ligeiro e tímido; CERVO **2** *Cul.* Prato feito com a carne desse animal **3** *Bras. Vulg.* Homem homossexual [At! Considerado depreciativo ou preconceituoso nesta acp.] **4** *Lud.* No jogo do bicho, o 24º grupo correspondente ao número do veado (24), e que compreende as dezenas 93, 94, 95 e 96 [F.: Do lat. *venatus, us.* Hom./Par.: *viado* (a. e sm.).] ▪▪ **Bancar o ~ 1** *Bras. Pop.* Fugir **2** *Tabu.* Agir covardemente, ou de maneira condenável, com alguém ou numa situação **Jogar no ~** *Bras. Pop.* Fugir

veado[2] (ve:a.do) ***sm.*** *Bras. Bot.* Espécie de mandioca, de talo vermelho e raiz curta [F.: De or. obsc. Hom./Par.: *viado* (a. e sm.).]

veado-campeiro (ve:a.do-cam.*pei*.ro) ***sm.*** *Zool.* Ver *campeiro* [Pl.: *veados-campeiros.*]

◎ **-veba** *el. comp.* Ver *-peba*

vector (vec.*tor*) [ô] ***sm.*** *Mat.* Ver *vector*

vectorial (vec.to.ri:*al*) ***a2g.*** Ver *vetorial* [Pl.: *-ais.*]

veda[1] (*ve*.da) ***sf.*** Ação ou resultado de vedar; VEDAÇÃO; PROIBIÇÃO [F.: Dev. de *vedar.* Hom./Par.: *veda* (sf.), *veda* [ê] (sm.), *veda* (fl. de *vedar*), *vedá* (a2g. s2g.).]

veda[2] (*ve*.da) [ê] ***sm.*** *Rel.* Cada um dos quatros livros sagrados que formam a base do hinduísmo [Ger. com inicial maiúsc. e us. freq. no pl.] [F.: Do sânscr. *veda.* Hom./Par.: *veda* [ê] (sm.), *veda* (sf.), *veda* (fl. de *vedar.*), *vedá* (a2g. s2g.).]

vedação (ve.da.*ção*) ***sf.*** **1** Ação ou resultado de vedar; VEDA **2** O que se usa para vedar, fechar algo **3** Aquilo que protege uma propriedade ou área de invasões: *Construiu um muro, uma cerca de vedação.* **4** Fechamento ou estancamento de algo: *Com esparadrapo, fez a vedação do sangue.* **5** *Fig.* Interdição, proibição de algo: *Há vedação para a passagem de pedestres.* **6** *Lus.* Ver desmame [Pl.: *-ções.*] [F.: *vedar* + *-ção.*]

vedado (ve.*da*.do) ***a.*** **1** Que se vedou ***a.*** **2** Bem fechado, com entrada ou saída totalmente obstruída [+ *a*: *A passagem era vedada a estranhos.*] **3** Que foi tapado, isolado (encanamento vedado) **4** *Fig.* Que não é permitido; PROIBIDO: *É vedado o uso de aparelhos sonoros em transportes coletivos.* [Ant.: *permitido.*] [F.: Part. de *vedar.*]

vedante (ve.*dan*.te) ***a2g.*** **1** Que veda ou serve para vedar ***s2g.*** **2** Aquilo que veda ou serve para vedar [F.: *vedar* + *-nte.*]

vedar (ve.*dar*) ***v.*** **1** Impedir a passagem de ar, líquido, ruído etc. por [***td.***: *vedar as frestas da janela.*] **2** Obstruir a saída de (algo); ESTANCAR [***td.***: *Vedaram a passagem de pedestres.*] **3** Proibir (algo) a (alguém) [***tdi.*** + *a*: *Vedaram aos alunos a saída antes do horário.*] [***td.***: *Vedaram a saída antes da sirene.*] **4** Servir de obstáculo a [***td.***: *Uma árvore caída vedava a passagem dos carros.*] **5** Impedir que passe (algo) através de uma abertura [***td.***: *Vedou o cano para impedir o vazamento de óleo; Vedou a janela por causa do sol forte.*] **6** Impedir que corra ou que inunde [***td.***: *Usou uma atadura para vedar o corrimento sanguíneo.*] [***int.***: *O corrimento sanguíneo vedou.*] **7** *Fig.* Impedir (alguém) de fazer ou realizar (algo); INTERDITAR [***td.***: *O juiz vedou o espetáculo.*] [***tdi.*** + *a*: *Meu pai vedou seu escritório aos netos.*] [▶ 1 vedar] [F.: Do lat. *vetare.* Hom./Par.: *veda(s)* (fl.), *veda(s)* (sf. [pl.]), *veda(s)* (sm. [pl.]); *vedo* (fl.), *vedo* (sm.), *vedo* /ê/ (sm.); *vedar*, *vidar* (vários tempos do v.).]

vedável (ve.*dá*.vel) ***a2g.*** Que se pode vedar [Ant.: *invedável.*] [Pl.: *-veis.*] [F.: *veda(r)* + *-vel.* Hom./Par.: *vedáveis* (a2g. pl.), *vedáveis* (fl. de *vedar*).]

vedeta (ve.*de*.ta) [ê] ***sf.*** **1** *Mil.* Guarita de sentinela em locais altos; VIGIA **2** Guarda avançada **3** Soldado de infantaria que, ger. em guerrilhas urbanas, observa os acontecimentos nas ruas **4** *Mar.* Embarcação de pequeno porte us. para patrulhamento ou transporte de autoridades **5** *Ant. Mil.* Cavaleiro que vai espreitar o inimigo e que, rapidamente, traz a notícia do que descobriu [F.: Do it. *vedetta.*]

vedete (ve.*de*.te) [é] ***sf.*** **1** Atriz principal de teatro de revista; ESTRELA; CORISTA: *Virgínia Lane foi uma grande vedete do teatro brasileiro.* **2** *P. ext.* Atriz principal de teatro ou cinema: *Era a vedete da peça.* **3** *P. ext.* Alguém ou algo que se distingue por suas qualidades: *Aquele jóquei e seu cavalo foram as vedetes do páreo.* **4** *Pej.* Pessoa que chama a atenção exageradamente: *Fez de tudo para ser a vedete da festa.* [F.: Do fr. *vedette.*]

vedetismo (ve.de.*tis*.mo) ***sm.*** *Pej.* Comportamento ou atitude de vedete (4); ESTRELISMO: *Seu vedetismo não o abandonava, por isso era sempre o primeiro a falar.* [F.: *vedet(e)* + *-ismo.*]

védico (*vé*.di.co) ***a.*** **1** Ref. ou pertencente aos Vedas ou ao vedismo: "...um minucioso saber arqueológico da vida, das maneiras, dos trajes, das armas, das festas, dos ritos, de todas as idades, desde a Índia védica até à França imperial..." (Eça de Queirós, *A correspondência de Fradique Mendes*) **2** *Gloss.* Diz-se de língua indo-europeia que era falada pelos arianos na Índia por volta de 1500 a.C. **3** Língua indo-europeia que era falada pelos arianos na Índia por volta de 1500 a.C. [É considerada como língua ancestral do sânscrito.] [F.: *veda*[2] + *-ico*[2].]

vedismo (ve.*dis*.mo) ***sm.*** *Rel.* Forma primitiva da religião dos hindus, baseada na doutrina dos Vedas [F.: *veda*[2] + *-ismo.* Cf.: *bramanismo* e *hinduísmo.*]

vedista (ve.*dis*.ta) ***s2g.*** Pessoa especialista em Vedas [F.: *veda*[2] + *-ista.*]

vedor (ve.*dor*) [ô] ***a.*** **1** Que vê, inspeciona ou fiscaliza ***sm.*** **2** Administrador, inspetor, fiscal, intendente: *vedor da casa real.* **3** Indivíduo que descobre veios de água, ger. com o uso de uma vara em forma de Y **4** *Lus.* O mesmo que *mordomo* [F.: *ve(r)* + *-dor.*]

veemência (ve.e.*mên*.ci:a) ***sf.*** **1** Qualidade ou condição do que é veemente **2** Movimento impetuoso, vigoroso; IMPETUOSIDADE; VIOLÊNCIA: *A veemência do temporal assustou os moradores.* **3** Grande energia, ardor, intensidade: *Não posso ignorar a veemência das minhas sensações.* **4** Rigidez, rigor: *Percebeu a veemência de suas palavras;* "Em seu livro *Emílio* (1762), rejeitou com veemência a possibilidade de que as mulheres usassem a linguagem em público para defender seus pontos de vista (...)." (Ana Maria Machado, *Texturas*) [Ant.: *brandura, doçura.*] **5** *Fig.* Grande empenho, instância: *Pediu-lhe o favor com veemência.* [F.: Do lat. *vehementia, ae.*]

veemente (ve.e.*men*.te) ***a2g.*** **1** Que se expressa com ênfase, vigor (declaração veemente) **2** Que se mostra violento, intenso (dor veemente; sofrimento veemente) **3** Dotado de energia, de vigor (persistência veemente; obstinação veemente); VIGOROSO **4** Difícil, frenético, irritável: *Era um homem de gênio veemente.* **5** Caloroso, entusiástico (aplausos veementes; aclamações veementes) **6** Encarecido, ansioso, fervoroso: *Ouviu do povo súplicas veementes.* [F.: Do lat. *vehemens, entis.*]

veementemente (ve.e.men.te.*men*.te) ***adv.*** **1** De modo veemente **2** Com ímpeto: "...Primeiro zangava-se, erguia veementemente as mãos..." (Oliveira Martins, *Febo Moniz*) **3** De maneira enérgica **4** De modo encarecido, com grande interesse: "...Com estas e idênticas razões foi o bom do padre convencendo José das Dornas, que nada mais veementemente desejava do que ser convencido..." (Júlio Dinis, *As pupilas do senhor reitor*) [F.: *veemente* + *-mente.*]

⊕ **vegan** (*Ing.* /vígan/) Ver *veganismo, veganista, vegano* [F.: Palavra criada em 1944, como corruptela intencional de *veg*etari*an* 'vegetariano'.]

veganismo (ve.ga.*nis*.mo) ***sm.*** Movimento criado em 1944 como dissidência do vegetarianismo, que preconiza a abolição de qualquer produto de origem animal na alimentação (como, p. ex., ovos, leite, e até mel de abelhas) [F.: Do ing. *vegan* + *-ismo.*]

veganista (ve.ga.*nis*.ta) ***a2g.*** **1** Que é adepto do veganismo ***s2g.*** **2** Pessoa adepta do veganismo [F.: Do ing. *vegan* + *-ista.*]

vegano (ve.*ga*.no) ***a.*** **1** O mesmo que *veganista* (1) ***sm.*** **2** O mesmo que *veganista* (2) [F.: Do ing. *vegan.*]

vegetação (ve.ge.ta.*ção*) ***sf.*** **1** Ação ou efeito de vegetar **2** *Geof.* Conjunto de plantas nativas de uma área, região etc., com características próprias de acordo com o clima, o solo etc. **3** Qualquer vegetal, qualquer planta: *O sol faz bem à vegetação.* **4** *Bot.* Conjunto de plantas que cobre uma área ou uma região cuja composição é definida principalmente pelas condições do clima e do solo **5** *Fig.* Estado de completa inércia e indiferença a tudo que uma pessoa pode apresentar, quando tomada por alguma moléstia física grave e/ou por algum grave problema mental: *A doença o faz viver acamado em estado de vegetação.* **6** A força vegetativa **7** Qualquer produção química que, por circunstâncias acidentais da sua cristalização, apresente aparentemente alguma semelhança com as plantas (tais são as chamadas árvores de Diana, de Saturno etc.) **8** *Pat.* Excrescência anormal de tecido mais ou menos esponjoso que se desenvolve sob a influência de uma causa mórbida [Pl.: *-ções.*] [F.: Do lat. *vegetatio, onis.*] ▪▪ **~ adenoide** *Pat.* Cada um dos nódulos de tecido linfoide, habitualmente encontrados na nasofaringe de crianças, e cujo conjunto é conhecido como amígdala rinofaríngea

vegetacional (ve.ge.ta.ci:o.*nal*) ***a2g.*** Ref. ou pertencente ao conjunto de vegetais: *O Campo Cerrado é uma formação vegetacional de transição.* [Pl.: *-nais.*] [F.: *vegetação* + *-al*, seg. o mod. erudito.]

vegetal (ve.ge.*tal*) ***a2g.*** **1** Ref. ou pertencente às plantas (célula vegetal) **2** Que se origina de planta (carvão vegetal) **3** Que se assemelha à planta (aspecto vegetal) ***sm.*** **4** *Bot.* Planta [Cf. nota abaixo.] **5** *Fig.* Pessoa que vive prostrada, por doença física e/ou mental, sem qualquer resposta a estímulos exteriores: *A moléstia o transformou num vegetal.* [F.: Rad. do lat. *vegetus, a, um* + *-al.*]

📖 Em seu sentido mais genérico, o termo 'vegetal' refere-se a toda uma divisão da natureza, composta por seres vivos (assim como os animais, e diferentemente dos minerais). Apesar da evidente e intuitiva diferença entre as características de animais e vegetais, não há uma diferenciação 'dominante' entre todas as espécies de um outro grupo, mas possíveis combinações de diferenças funcionais entre espécies dos dois grupos, como a presença de clorofila e celulose nos vegetais, as diferenças no conceito de mobilidade, no tipo de metabolismo etc. No mais, por exemplo: nem todos os animais têm cérebro; não se pode estabelecer com clareza o nível de 'consciência', de 'vontade' e de 'sensibilidade' em certos vegetais (ou mesmo de 'emotividade'). Certa é sua importância vital para a vida animal, como sintetizadores de matéria orgânica (ver fotossíntese), ou seja, de alimento.

vegetalina (ve.ge.ta.*li*.na) ***sf.*** **1** Antídoto contra o veneno ofídico: "...Esta menina precisa de tomar remédios, disse o coronel, reparando no abatimento, no apetite quase nulo de Lenita. Depois da tal história da cobra deixou de ser o que era. Se tivesse usado da vegetalina, o caso seria outro..." (Júlio Ribeiro, *A carne*) **2** Gordura vegetal, esp. a que se extrai do coco [F.: *vegetal* + *-ina.*]

vegetalização (ve.ge.ta.li.za.*ção*) ***sf.*** Ação ou resultado de vegetalizar [Pl.: *-ções.*] [F.: *vegetalizar* + *-ção.*]

vegetalizar (ve.ge.ta.li.*zar*) ***v. td. int.*** Dar ou adquirir forma ou natureza de vegetal [▶ 1 vegetalizar] [F.: *vegetal* + *-izar.*]

vegetante (ve.ge.*tan*.te) ***a2g.*** **1** Que vegeta; que tem a propriedade de vegetar **2** Que propicia a vegetação (material vegetante) **3** *Pat.* Capaz de produzir excrescência de tecido esponjoso: *O acidente causou-lhe uma lesão vegetante.* [F.: Do lat. *vegetans, antis.*]

vegetar (ve.ge.*tar*) ***v.*** **1** Medrar e desenvolver-se (planta) [***int.***] **2** *Fig.* Viver apenas o corpo, sem atividade mental [***int.***: *Essa criança doente apenas vegeta.*] **3** *P. ext.* Viver sem atividade, sem motivação [***int.***: *Ele não aproveita nada da vida, apenas vegeta.*] [▶ 1 vegetar] [F.: Do lat. *vegetare.* Hom./Par.: *vegeto* (fl.), *végeto* (a.).]

vegetarianismo (ve.ge.ta.ri:a.*nis*.mo) ***sm.*** Método alimentar em que se utilizam apenas vegetais na composição do cardápio de refeições (frutas, legumes, verduras, grãos etc.) [F.: *vegetarian(o)* + *-ismo.*]

vegetariano (ve.ge.ta.ri:*a*.no) ***a.*** **1** Rel. ao vegetarianismo (dieta vegetariana; cardápio vegetariano) **2** Que só se alimenta de vegetais: *Tenho vários amigos vegetarianos.* ***sm.*** **3** Seguidor da alimentação exclusiva de vegetais: *Os vegetarianos estão sempre em boa forma.* [F.: Do ing. *vegetarian* e do fr. *végétarien.*]

vegetarismo (ve.ge.ta.*ris*.mo) ***sm.*** Dieta alimentar sem carnes, ovos e laticínios; VEGANISMO [F.: Do fr. *végétarisme.* Cf.: *vegetarianismo.*]

vegetarista (ve.ge.ta.*ris*.ta) ***a2g.*** **1** Ref. ou pertencente ao vegetarismo ***s2g.*** **2** Indivíduo adepto do vegetarismo [F.: *vegetar(ismo)* + *-ista.*]

vegetativo (ve.ge.ta.*ti*.vo) ***a.*** **1** *Bot.* Ref. ao crescimento e nutrição em plantas e animais (desenvolvimento vegetativo) **2** *Bot.* Ref. ou característico das plantas **3** *Bot.* Diz-se de qualquer das funções vegetais, exceto as reprodutivas **4** *Fisl.* Diz-se de atividades orgânicas que ocorrem involuntariamente (funções vegetativas) **5** *Bot.* Diz-se da época em que um vegetal não se reproduz **6** *Fig.* Sem atividade consciente: *Depois do acidente, vive em estado vegetativo.* ***sm.*** **7** Aquele que vegeta **8** O que é vegetal [F.: Do lat. *vegetativus.*]

◎ **veget(o)-** *el. comp.* = robusto, crescido, vigoroso: *vegetação, vegetal, vegetar, vegetariano, vegetativo, vegetoso etc.* [F.: Do lat. *vegetus, a, um.*]

végeto (*vé*.ge.to) ***a.*** **1** Que faz vegetar; VEGETATIVO **2** Que é robusto, vigoroso, bem nutrido: *Um rapaz végeto.* [F.: Do lat. *vegetus, a, um.* Hom./Par.: *végeto* (a.), *vegeto* (fl. de *vegetar*).]

vegetomineral (ve.ge.to.mi.ne.*ral*) ***a2g.*** **1** Composto por substâncias de origem vegetal e mineral **2** *Farm.* Diz-se de solução medicamentosa para uso externo, cuja base é o acetato de chumbo diluído em água [Pl.: *-ais.*] [F.: *veget(o)-* + *mineral.*]

veia (*vei*.a) ***sf.*** **1** *Anat.* Qualquer dos vasos que transportam o sangue venoso das partes periféricas do corpo para o centro circulatório **2** *P. ext.* Qualquer vaso sanguíneo: *Corria-lhe sangue nas veias.* **3** *Fig.* Disposição, tendência mais ou menos inata; VOCAÇÃO: *Talentoso, mostrava grande veia* *poética.* 4 *Fig.* Via de comunicação entre lugares, coisas etc.: *A rua era a veia de ligação entre aqueles bairros.* 5 Corrente, curso de água: *Uma veia cristalina atravessava o vale.* 6 Mina, filão, veio: *Encontrou algumas veias de ouro.* 7 *Bot.* Cada uma das nervuras secundárias das folhas 8 *Geol.* Pequeno veio na rocha [F.: Do lat. *vena, ae*).] ▪ **De ~** Com propensão para certo tipo de humor, de atitude, de estado de espírito etc. **Grande ~ cardíaca** *Anat.* Veia cardíaca que conduz o sangue que a ela chega para o seio coronário **Pegar na ~** *Fut.* Acertar em cheio um chute, com violência e direção **~ cava inferior** *Anat.* Grande veia que recebe todo o sangue venoso oriundo da parte inferior do corpo, os membros inferiores, as vísceras pélvicas abdominais, para levá-lo ao átrio direito do coração **~ cava superior** *Anat.* Grande veia que recebe todo o sangue venoso oriundo da parte superior do corpo, cabeça, pescoço, membros superiores e tórax, para levá-lo ao átrio direito do coração **~ grande safena** *Anat.* Ver *Veia safena interna* **~ jugular** *Anat.* Cada uma de três veias em cada lado (direito e esquerdo) do pescoço [Tb. apenas *jugular.*] **~ pequena safena** *Anat.* Ver *Veia safena externa* **~ porta** *Anat.* Grande veia que leva o sangue de órgãos digestórios (baço, estômago, intestinos etc.). para o fígado [Tb. apenas *porta.*] **~ pulmonar** *Anat.* Única veia que conduz sangue oxigenado, dos pulmões para o átrio esquerdo do coração **~ safena externa** *Anat.* Veia que, em cada perna, vai da altura do tornozelo até o joelho; veia pequena safena **~ safena interna** *Anat.* Veia que, em cada perna, vai do dorso do pé à virilha, a maior extensão de um vaso sanguíneo; veia grande safena **~ safena magna** *Anat.* Ver *Veia safena interna* **~ safena parva** *Anat.* Ver *Veia safena externa*

veiado[1] (*vei*.a.do) *a.* Que tem marcas visíveis de veias ou vasos sanguíneos: "...E olhos vivíssimos, que pulavam das órbitas empapuçadas, veiados de sangue na esclerótica amarela..." (Monteiro Lobato, *Urupês*) [F.: *veia* + *-ado*[2]. Hom./Par.: *veiado* (a.), *veado* (sm.).]

veiado[2] (*vei*.a.do) *a.* *Bras.* Sulcado de veio(s) ou estria(s): "...cujos filamentos entrecortados semelhavam colunas de mármore veiado de azul..." (Inglês de Sousa, *O missionário*) [F.: Part. de *veiar.* Hom./Par.: *veiado* (a.), *veado* (sm.).]

veiculação (ve:i.cu.la.*ção*) [e-i] *sf.* 1 Ação ou resultado de veicular, de transpor algo de um lugar a outro 2 *Comun.* Divulgação, propagação de notícia, fato por meio de um veículo de comunicação (jornal, rádio, televisão etc.): *O jornal procurou fazer a veiculação dos últimos dados sobre as eleições.* 3 *Publ.* Publicação de mensagem publicitária em jornais, revistas, televisão, cinema etc.: *Foi um sucesso a veiculação daquele anúncio.* 4 *P. ext.* Divulgação ou propagação de qualquer notícia, acontecimento etc. 5 *Bras.* Viação através de veículos 6 Transporte, movimentação [Pl.: *-ções.*] [F.: Do lat. *vehiculatio, onis.*]

veiculado (ve:i.cu.*la*.do) [e-i] *a.* 1 Trazido, transportado, conduzido: *Os alimentos eram veiculados em pratos e travessas.* 2 Publicado nos meios de comunicação: *O assunto foi veiculado em todos os jornais do país.* 3 Amplamente divulgado: *Em poucos minutos, a notícia foi veiculada pelos corredores da Universidade.* [F.: Part. de *veicular* (v.).]

veiculador (ve:i.cu.la.*dor*) [e-i...ô] *a.* 1 Que veicula: *Era um jornal veiculador de boas notícias.* *sm.* 2 Aquele que veicula: *O veiculador do vírus da febre amarela é um mosquito.* [F.: *veicular*[2] + *-dor.*]

veicular[1] (ve:i.cu.*lar*) [e-i] *a2g.* 1 Rel. a veículo (1 e 2) 2 Que é próprio ou serve de veículo (jornal veicular) [F.: Do lat. *vehicularis, e.*]

veicular[2] (ve.i.cu.*lar*) *v.* *td.* 1 Conduzir, transportar em veículo: *Os caminhões já veicularam os caixotes.* 2 Levar de um ponto a outro: *Veiculou os meninos do jardim à igreja.* 3 Difundir, transmitir: *Os jornais veicularam a notícia com grande estardalhaço; Essa emissora veicula boa música.* 4 Distribuir (anúncios) de campanha publicitária: *Essa revista veicula muita propaganda.* [▶ 1 veicular] [F.: *veículo* + *-ar.* Hom./Par.: *veicular* (a2g.); *veiculo* (fl.), *veículo* (sm.).]

veículo (ve.*í*.cu.lo) *sm.* 1 Qualquer meio mecânico de transporte ou condução de pessoas, animais, cargas etc. 2 Automóvel, carro, viatura: *O veículo em que viajávamos enguiçou na estrada.* 3 *P. ext.* Qualquer coisa us. como meio de transmissão ou condução: *O ar é o veículo do som; As artérias são o veículo do sangue; as palavras são os veículos das ideias.* 4 O que auxilia ou promove: *A prova é um veículo de aferição da aprendizagem.* 5 Líquido que tem em solução ou em suspensão uma substância nutritiva ou medicamentosa 6 *Pop.* Menstruação, mênstruo 7 *Publ.* Qualquer meio utilizado para difundir uma mensagem de propaganda 8 *P. ext.* Qualquer instrumento utilizado para divulgação de notícias: *A imprensa televisiva é o maior veículo de comunicação para o povo.* 9 *Farm.* Substância que conduz a base em uma fórmula farmacêutica 10 *Soc.* Qualquer instituição por meio da qual é mantido um conceito [F.: Do lat. *vehiculum, i.* Hom./Par.: *veiculo* (fl. de *veicular*).] ▪ **Pequeno ~** *Fil. Rel.* Ramo ortodoxo do budismo; budismo hinaiana [Tb. apenas *veículo.*] **~ de comunicação** *Comun.* Meio de comunicação **~ de propaganda** *Publ.* Meio de comunicação us. para veicular publicidade; veículo de publicidade **~ de publicidade** *Publ.* Ver *Veículo de propaganda* **~ espacial** *Astnáut.* Aquele que se destina a viagens no espaço, a missões interplanetárias etc. **~ orbital** *Astnáut.* Engenho que se destina a ser posto em órbita em torno da Terra **~ publicitário** *Publ.* Ver *Veículo de propaganda*

veiga (*vei*.ga) *sf.* 1 Campo extenso e cultivado; VÁRZEA 2 *Lus.* Terra de cultura de centeio ou de milho serôdio [F.: Posv. do pré-romano *baika.*]

veio (*vei*.o) *sm.* 1 *Geol.* Faixa estreita e comprida que em uma terra ou em uma rocha se distingue da substância que a circunda já pela diferença da cor, já por diferença de natureza 2 *Geol.* Faixa da mina onde se encontra o minério; FILÃO; VEEIRO; VIEIRO 3 *Geol.* Depósito mineral que preenche uma fenda de rocha 4 Qualquer fenda, risco ou marca estriada: *O vaso tinha veios bonitos.* 5 Filete de água corrente; REGATO; RIACHO; RIBEIRO: *um veio de água* 6 Corrente natural de água subterrânea 7 *Bras. N* O mesmo que *manivela* 8 *Bras. GO* O meio de um rio 9 *Hip.* Artéria de grosso calibre que passa pela barriga do cavalo: *o veio da barriga.* 10 *Mec.* Barra de ferro em torno da qual gira alguma roda; EIXO: *o veio da máquina.* 11 *Fig.* Fundamento, base; ponto capital ou principal: *Era fundamental encontrar-se o veio da acusação.* [F.: *vei(a)* + *-o.* Hom./Par.: *veio* (v. veiar e vir).] ▪ **~ do rio** *GO* A linha mediana ao longo do leito de um rio

veiro (*vei*.ro) *sm.* 1 *Her.* Guarnição metálica dos brasões, formada de pequenas peças azuis e prateadas que se encaixam de forma alternada 2 Pele fina e preciosa (como o arminho e a zibelina) [Mais us. no pl.] [F.: Do fr. *vair.*]

◎ **-vel** *suf. nom.* Formador de adj. (alguns substantivados), surgidos já no lat., já no vernáculo ou em outra língua de cultura moderna, a partir de radicais verbais para indicar mormente noção passiva, ger. com os seguintes sentidos, em geral correlatos: **a)** 'que é passível de sofrer ou de ser objeto de certa ação': *abalável, abonável, aceitável* (< lat.), *acendível, acometível, adotável* (< lat.), *aferível, agitável* (< lat.), *canalizável, transformável*; **b)** (*restr.*) 'sujeito a': *sensível* (< lat.); **c)** (*restr.*) 'que tem facilidade ou propensão para passar por dado processo, ou que é próprio ou adequado para sofrer ou passar por dada ação': *abotoável, aclimatável, aclimável, adaptável, aglutinável, ajustável, combustível* (< fr.), *comestível, inflamável, reciclável, reclinável*; **d)** 'em que se pode (fazer algo)': *navegável, transitável*; **e)** 'que deve (ou precisa) passar por ou ser objeto de dada ação': *abandonável, aconselhável, acusável, adiável, anulável, censurável, desculpável*; **f)** 'que merece ou é digno de ou deve ser (aquilo a que se refere o rad. original [ger. em forma participial, com noção passiva, por vezes, qualificativa])': *adorável* (< lat.), *apreciável, atendível, canonizável, castigável, censurável, cobiçável, desejável, memorável* (< lat.); **g)** 'que causa ou que pode causar ou suscitar (ger. certo sentimento, emoção, sensação etc.)': *aborrecível, admirável, agradável, apetecível, aprazível, detestável* (< lat.), *horrível* (< lat.); **h)** 'capaz, suscetível ou passível de (algo) ou que está apto a (certa ação)': *apaixonável, cabível, casável, circulável.* [Nestas duas últimas noções, com sentido ativo, pouco comum com esse tipo de formador.] **i)** 'aquele que tem qualidades para ser ou possibilidades reais de vir a ser (aquilo a que se refere o rad.)': *candidatável, presidenciável.* [Neste caso, embora a formação vernácula com este suf. se dê a partir de rad. verbais, nem sempre existem registros de verbos conexos com os possíveis derivados, o que nos faz pensar em formas potenciais ou hipotéticas ou em exceções, a partir de rad. nominais secundários, oriundos de rad. verbais.] [No vernáculo: **1)** os adj. com esse suf. são a2g; **2)** as formações a partir de adj. em *-vel* acrescidos de *-(i)dade* passam a apresentar a forma latina *-bil-*, segundo o modelo erudito, daí: *adaptável, adaptabilidade; aplicável, aplicabilidade; compatível, compatibilidade; confiável, confiabilidade; disponível, disponibilidade*] [F.: Do suf. lat. *-bilis, e*, formador de adj. a partir do rad. verbal (em geral, do supino e, tb., mas em menor número, do *infectum*). Tb.: *-ível.*]

vela[1] (*ve*.la) *sf.* 1 Peça de pano ou náilon que, enfunada, impulsiona uma embarcação 2 Embarcação assim movida: "(...) Antes do fim do mês, estava ele de velas para Lisboa (...)." (Aluízio de Azevedo, *O Mulato*) 3 *Esp.* Modalidade de esporte náutico em que se usam embarcações a vela: *O troféu visa incentivar os mais jovens a aderirem à vela.* [F.: Do lat. *vela, orum*, pl. de *velum, i* 'id'. Hom./Par.: *vela* (fl. de *velar*).] ▪ **A/de ~** Movido pela força do vento, que impulsiona vela (diz-se de embarcação) **À ~** *Mar.* Com as velas desfraldadas; usando a força do vento sobre as vela (viajar à vela: *Ao fim da calmaria o navio pode seguir à vela.* 2 A vela (us. como especificação do tipo de embarcação) **Dar ~s a** Não controlar (algo ou alguém) rigidamente, deixar em relativa liberdade **~ balão** *Mar.* Certa vela de proa, de formato triangular **~ bastarda** *Mar.* Vela triangular ou quadrangular que se arma em verga de bastardo; vela de bastardo [Tb. apenas *bastarda.*] **~ da gávea** *Mar.* Toda vela que se ata em verga da gávea **~ da mezena** *Mar.* Vela latina que se ata no mastro da mezena [Tb. apenas *mezena.*] **~ de baioneta** *Mar.* Vela triangular, muito us. em jangadas **~ de balão** *Mar.* Designação de qualquer vela de pano leve e muito bojuda [Us. em iates e embarcações de recreio.] **~ de bastardo** *Lus. Mar.* Ver *Vela bastarda.* **~ de cutelo** *Ant. Mar.* Vela quadrangular, que se içava como vela suplementar para aproveitar melhor vento à feição **~ de entremastros** *Mar.* Vela latina triangular içada em estais, entre dois mastros **~ de espicha** *Mar.* Vela latina de formato quadrangular que se mantém aberta e esticada por meio de uma vara (*espicha*) **~ de estai** *Mar.* Vela latina em forma de triângulo ou trapézio **~ de pendão** *Mar.* Vela quadrangular em verga do mesmo nome, no mastro, na bancada ou na proa **~ de proa** *Mar.* Vela latina triangular que se verga em estais do mastro do traquete para vante **~ latina** *Mar.* Vela triangular ou quadrangular, com um dos lados preso em mastro ou mastaréu, e que trabalha no sentido proa-popa [Cf.: *Vela redonda.*] **~ redonda** *Mar.* Vela quadrangular envergada horizontalmente no sentido de bombordo a boreste [Cf.: *Vela latina.*]

vela[2] (*ve*.la) *sf.* 1 Peça de cera, sebo ou qualquer outra substância gordurosa provida de pavio que serve para iluminar; CÍRIO 2 Peça de material poroso us. como filtro para purificar a água 3 *Mec.* Peça que gera a ignição em motores de explosão 4 *Fís.* Unidade de medida de intensidade luminosa; WATT: *Comprou uma lâmpada de quarenta velas.* 5 *Antq.* Ação ou resultado de velar; VIGÍLIA 6 *Antq.* Pessoa que está de vigília [F.: Der. regr. do v. *velar.* Hom./Par.: *vela* (fl. de *velar*).] ▪ **Acender uma ~a Deus e outra ao diabo** Procurar agradar dois adversários, seguir duas ideias opostas etc., simultaneamente **Fazer-se à/de ~** Começar a navegar, sair de porto, a bordo de barco a vela **Ficar de ~** *Bras. Fam.* Ver *Segurar vela* **Segurar ~** *Fam.* Acompanhar (como terceira pessoa) casal, ou par de namorados; ficar de vela **Tratar à ~ de libra** Tratar muito bem, regalar

velada (ve.*la*.da) *sf.* Ação de velar[3]; VIGÍLIA [F.: *vela(r)* + *-ada*[1]. Hom./Par.: *velada* (sf.), *velada* (fem. de *velado*).]

velado (ve.*la*.do) *a.* 1 Que se velou [Ant.: *desvelado.*] 2 Encoberto por véu(s): *Na cultura muçulmana, as mulheres vivem com o rosto velado.* [Ant.: *desvelado.*] 3 *Fig.* Escondido, disfarçado, camuflado, oculto (preconceito velado; policial velado) [Ant.: *desvelado.*] 4 Que sofreu incidência da luz (filme velado) *sm.* 5 Aquilo que não é dito ou revelado: "Nada mais"real"(...) do que a troca de um pneu (...). Este é o desvelado, o que se mostra (...). No entanto o poeta, direcionando-se ao velado, faz emergir (...) a dimensão trágica da vida (...)." (Leila Mícolis, *Os urbanitas*) [F.: Part. do v. *velar.*]

velador (ve.la.*dor*) [ô] *sm.* 1 Suporte vertical de pau que assenta sobre uma base ou pé e que termina superiormente por um disco circular onde se coloca uma vela ou candeeiro: "Não se acende a candeia e se coloca debaixo o candeeiro, mas no velador, e dá luz a todos que estão na casa." (Mateus 5, 15, *Bíblia / Novo Testamento*) *a.* 2 Que vela [Ant.: *desvelador.*] 3 Que fiscaliza ou vigia: *O Ministério Público é o órgão velador das fundações públicas ou privadas.* [F.: *velar* + *dor.*]

veladura[1] (ve.la.*du*.ra) *sf.* 1 Ação ou resultado de velar[3], vigiar 2 O tempo durante o qual se permanece em vigília [F.: *vela(r)* + *-dura.*]

veladura[2] (ve.la.*du*.ra) *sf.* 1 Ação ou resultado de velar[2], cobrir 2 Aquilo que encobre ou vela 3 *Pint.* Demão fina e transparente de tinta aplicada sobre camadas de tinta ou folhas metálicas para modificar ligeiramente a tonalidade da camada subjacente; VELATURA [F.: *vela(r)*[2] + *-dura.*]

velame (ve.*la*.me) *sf.* 1 Conjunto de velas de uma embarcação 2 *Fig.* Aquilo que disfarça ou mascara [F.: *vela*[1] + *-ame.*]

velâmen (ve.*lâ*.men) *sm.* 1 Cobertura, invólucro, véu: "... Tupã, ó Deus grande! cobriste o teu rosto / Com denso velâmen de penas gentis..." (Gonçalves Dias, "Deprecação" in *Primeiros cantos*) 2 *Bot.* Camada de células que envolve as raízes plantas epífitas, esp. das fam. das orquidáceas e aráceas, que protege os tecidos internos, absorve água, nutrientes, e se enchem de ar quando atingem seu completo desenvolvimento [Pl.: *velâmenes e velamens.*] [F.: Do lat. *velamen, inis.*]

velamento (ve.la.*men*.to) *sm.* 1 Ação ou resultado de velar, de encobrir algo 2 Natureza ou condição do que está encoberto por um véu ou algo que se lhe assemelhe 3 *Fig.* Percepção pouco nítida de algo: *O velamento da realidade é produto da autoproteção do indivíduo frente às adversidades.* 4 Ato de velar um filme: *Queria fazer o velamento de uma película radiográfica.* [F.: Do lat. *velamentum, i.*]

velar[1] (ve.*lar*) *a.* 1 *Gram. Fon.* Diz-se do som da fala que se articula com o auxílio do véu palatino [Em *cavalo, cebola, cílio, cobra* e *cume* o *c* representa o fonema consonantal oclusivo *velar* surdo apenas nos voc. em que a ele, se seguem as vogais *a, o,* ou *u.*] *sf.* 2 *Gram. Fon.* Consoante velar [Antes de uma *velar,* usa-se *-n-* e não *-m-* para indicar a nasalização da vogal precedente, como em *pancada* e não **pamcada.*] [F.: Do lat. *velaris, e* 'relativo a véu'.]

velar[2] (ve.*lar*) *v.* 1 Cobrir(-se) com véu, com um tecido [*td.*: *velar o rosto; Velou-se com uma echarpe.*] 2 Esconder(-se), ocultar(-se), dissimular [*td.*: *velar a emoção; Velou-se para não ser reconhecido.*] 3 Tornar(-se) preocupado, macambúzio, sombrio [*td.*: *A triste notícia velou seu rosto.*] [*int.*: *Sua fisionomia velou-se.*] 4 *Cin.* Expor(-se) completamente (filme) à luminosidade excessiva, prejudicando ou impedindo a formação de imagem [*td.*: *A luz velou o filme.*] [*int.*: *O filme velou.*] 5 *Fig.* Colocar-se protegido de; precaver-se [*td.*] 6 Tornar(-se) escuro [*td.*] 7 *Pint.* Pôr velatura em [*td.*] [▶ 1 velar] [F.: Do lat. *velare.* Hom./Par.: *velaria(s)* (fl.), *velária(s)* (sf. [pl.]).]

velar[3] (ve.*lar*) *v.* 1 Ficar acordado ao lado de (alguém) [*td.*: *velar o doente*] 2 Cuidar de; zelar [*td.*: *Velava o menino como se fosse seu filho.*] [*tr.* + *por*: *velar pelo amigo em coma* Ant.: *descuidar.*] 3 Ficar acordado durante (um tempo) [*td.*: *A viúva velava as noites, revivendo o passado*] [*int.*: *Enquanto a casa adormecia, ele velava.* Ant.: *dormir*] 4 Manter-se aceso (candeeiro, vela etc.) [*int.*] 5 Manter-se de guarda, vigia etc. [*td.*] 6 Dar proteção a; zelar por [*td.*: *Velava a reputação da filha.*] [*tr.* + *por*: *Velava pela moralidade da família.*] [▶ 1 velar] [F.: Do lat. *vigilare.* Hom./Par.: *vela(s)* (fl.), *vela(s)* (sf. [pl.]).]

velário (ve.*lá*.ri:o) *sm.* **1** Toldo que os antigos romanos armavam sobre teatros ou anfiteatros (ou somente em cima de certos lugares de honra) para resguardar os espectadores do sol ou da chuva **2** Toldo us. para proteger um lugar (varanda, terraço etc.) do sol ou da chuva: "...Da arcaria ao fundo, encimada pela frontaria austera do palácio, estendia-se um velário, de um estofo escarlate franjado de ouro, fazendo uma sombra quadrada e dura..." (Eça de Queirós, *A relíquia*) **3** *Fig.* Aquilo que oculta, envolve ou encobre algo: "...Doce velário que um luar derrama, / Nas clareiras azuis ilimitáveis..." (Cruz e Sousa, "Post mortem" *in Broquéis*) **4** *Bras. Antq. Teat.* Cortina ou tela que separa o palco da plateia, us. para ocultar o ambiente cenográfico; PANO DE BOCA [F.: Do lat. *velarium, i.*]

velarização (ve.la.ri.za.*ção*) *Fon. sf.* **1** Fenômeno que consiste na passagem de um fonema de certa categoria a outro de natureza velar **2** Elevação da língua em direção ao palato mole, realizada junto com o movimento articulatório principal que contribui para gerar o som [Pl.: *-ções.*] [F.: *velariza(r) + -ção.*]

velarizar (ve.la.ri.*zar*) *v. td. int. Fon.* Produzir ou dar-se o fenômeno da velarização em (consoante ou vogal) [► 1 velarizar] [F.: *velar + -izar.*]

velatura (ve.la.*tu*.ra) *sf.* **1** Aquilo que encobre ou vela; VELADURA: "...velatura psíquica através da qual os olhos veem o mundo diferente do que ele é..." (Aquilino Ribeiro, *Camões, Camilo, Eça*) **2** *Pint.* Demão fina e transparente de tinta aplicada sobre camadas de tinta ou folhas metálicas para modificar ligeiramente a tonalidade da camada subjacente; VELADURA **3** *Fot.* Mancha pálida na cópia ou negativo, causada por pouca agitação no processamento do filme, pouco tempo de exposição no ampliador, ou incidência acidental de luz durante o processo de fabricação, manipulação, ou revelação **4** *Art. gr.* Defeito de impressão que ocorre quando a camada de água aplicada sobre a chapa é incapaz de repelir a tinta, e resulta em névoas de tinta nas áreas correspondentes às da chapa impressora sem imagem gravada [F.: Do lat. *velatus, a, um.*]

velcro (*vel*.cro) *sm.* Par de fitas aderentes uma à outra, us. como fecho em roupas, bolsas etc. [Tb. se usa com inicial maiúsc., quando se deseja designar a marca registrada.]

veleidade (ve.lei.*da*.de) *sf.* **1** Capricho, leviandade: "No dia seguinte, (...) teve Ricardo uma veleidade, um desejo, um impulso (...). Ver Guida. Para quê? Sob que pretexto? Em que intuito? Nem ele o sabia; (...)." (José de Alencar, *Sonhos d'ouro*) **2** Quimera, fantasia: "– Sempre a mesma veleidade republicana, sempre a mesma tolice – exclamou Furtado. – Hás de lucrar muito com essas ideias." (Lima Barreto, *Triste fim de Policarpo Quaresma*) [F.: Do lat. escolástico *velleitas, atis* 'id', de *vellem* 'eu quereria', imperf. do subj. de *volo, vis, velle* 'querer'.]

veleira (ve.*lei*.ra) *sf.* **1** Criada de freiras que presta serviços fora do convento **2** Castiçal [F.: *vel(a) + -eira.* Hom./Par.: *veleira* (sf.), *veleira* (fem. de *veleiro*).]

veleiro (ve.*lei*.ro) *sm.* **1** Embarcação a vela: *Deu a volta ao mundo num veleiro.* **2** Indivíduo que confecciona velas para embarcações *a.* **3** Que tem vela (barco veleiro) **4** *Fig.* Que se move de modo ligeiro; que se desloca com rapidez [F.: *vela*[1] *+ -eiro.*]

velejador (ve.le.ja.*dor*) [ô] *sm.* **1** Pessoa que navega em embarcações a vela **2** *Esp.* Esportista que pratica a navegação a vela *a.* **3** Que costuma navegar em embarcações a vela **4** *Esp.* Que veleja como esporte [F.: *velejar + -dor.*]

velejar (ve.le.*jar*) *Mar. v.* **1** Navegar em veleiro [*int.*: *Gosta de velejar pela costa.*] **2** Percorrer velejando [*td.*: *velejar os mares.*] **3** Colocar velas em (barco) [*td.*] [► 1 velejar] [F.: *vela + -ejar.*]

velha (*ve*.lha) [é] *sf.* **1** Mulher idosa **2** *Fam.* A mãe **3** *Joc.* A morte [Com inicial ger. maiúsc., nesta acp.] [F.: Fem. substantivado de *velho.*]

velhacada (ve.lha.*ca*.da) *sf.* **1** Velhacaria, patifaria: "(...) diziam a boca pequena que era parceiro nas velhacadas do Miguelão." (Simões Lopes Neto, *Contos gauchescos*) **2** Agrupamento de velhacos [F.: *velhaco + -ada.*]

velhacagem (ve.lha.ca.gem) *sf.* Ver *velhacaria* [F.: *velhaco + -agem.*]

velhacap (ve.lha.*cap*) *sf. Bras.* Designação da cidade do Rio de Janeiro após a transferência da capital do Brasil para Brasília, em 1960 [Com inicial maiúsc.] [F.: *velha + cap(ital).* Cf.: *novacap.*]

velhacar (ve.lha.*car*) *v.* **1** Ter comportamento ou atitude de velhaco [*int.*] **2** *Bras.* Enganar, ludibriar (alguém), agindo como um velhaco [*int.*] **3** Não pagar dívida a [*td.*] [► 11 velhacar] [F.: *velhaco + -ar.* Hom./Par.: *velhaco* (fl.), *velhaco* (a. sm.).]

velhacaria (ve.lha.ca.*ri*.a) *sf.* **1** Procedimento de velhaco; PATIFARIA; VELHACADA: *Pedro Malasartes foi emérito na trapaça, na velhacaria, na ordinarice.* **2** Aparência, ar de velhaco: "O que, porém, mais o caracteriza é certo espírito de cobiça e de sórdida ganância que lhe transpira (...) de seus olhos (...) onde reluz constantemente um raio de velhacaria." (Bernardo Guimarães, *Escrava Isaura*) [F.: *velhac (o) + -aria.* Sin. ger.: *velhacagem.*]

velhaco (ve.lha.co) *a.* **1** Enganador, trapaceiro, patife: "(...) o advogado da firma, um bocado velhaco, tivera de se virar para provar que o broto dava sopa." (Marques Rebelo, *Contos reunidos*) **2** Libertino, devasso: "Jiguê resolveu se amulherar com Suzi, cunhatã muito velhaca que passava todo o tempo namorando Macunaíma." (Dácio A. de Castro & Frederico Barbosa, *Resumo e análise de Macunaíma*) *sm.* **3** Indivíduo que se presta a enganar, ludibriar outrem para obter vantagens em alguma coisa **4** Indivíduo de moral libertina [F.: velho + -aco. Col.: velhacada.]

velhada (ve.*lha*.da) *sf.* **1** Conjunto de pessoas idosas: "E veio tudo, velhada e crianças, moçada, namorados, e até alguns andantes (...)." (Simões Lopes Neto, *Contos gauchescos*) **2** Ato ou comportamento típico de pessoa idosa; VELHARIA [F.: *velho + -ada.*]

velha-guarda (ve.lha-*guar*.da) *sf.* **1** Grupo dos componentes mais antigos de uma escola de samba (velha-guarda da Mangueira) **2** Grupo de representantes mais antigos em qualquer área de atividade [Pl.: *velhas-guardas.*]

velharada (ve.lha.*ra*.da) *Bras. Gír. Pej. sf.* **1** Os idosos **2** Reunião de indivíduos antigos em uma profissão, situação, função etc. [F.: *velhar(ia) + -ada*[2].]

velharia (ve.lha.*ri*.a) *sf.* **1** Objeto velho e sem utilidade **2** Objeto velho e desprovido de valor; TRASTE; QUINQUILHARIA **3** Ato ou comportamento típico de velho; VELHADA **4** Tudo que é considerado antiquado, ultrapassado [F.: *velho + -aria.* Sin. ger.: *velhice.*]

velhice (ve.*lhi*.ce) *sf.* **1** Fase da vida depois da maturidade: *Com a velhice, tem-se a perda de certas capacidades.* **2** Condição ou estado de velho, de idoso: *Para Cícero, a velhice era a soma de todas as virtudes.* **3** Conjunto de pessoas idosas: "A paz entre idades sucederá um dia, decerto, à paz entre as nações – quando a velhice egoísta reconhecer, finalmente, que não deve menosprezar os moços (...)." (Júlio Dantas, *Páginas de memórias*) **4** Ver *velharia* [F.: *velho + -ice.* Ant. ger.: *juventude, mocidade.*]

velhinha (ve.*lhi*.nha) *sf.* **1** Mulher muito idosa **2** *Zool.* Ver *viuvinha* [F.: Fem. de *velhinho.*]

velhinho (ve.*lhi*.nho) *sm.* **1** Homem muito idoso [Ant.: *mocinho.* Us. com conotação carinhosa.] **2** Homem idoso, mas com disposição, agilidade; VELHOTE **3** *Bras. Pop.* Meu amigo [Us. como forma de tratamento entre amigos próximos, não necessariamente idosos.] [F.: *velho + -inho.*]

velho (*ve*.lho) *a.* **1** Que tem muita idade, idoso [Ant.: *jovem, moço.*] **2** Que existe há muito tempo (móvel velho); ANTIGO [Ant.: *novo.*] **3** Muito gasto ou usado (roupa velha) [Ant.: *novo.*] **4** Ultrapassado, fora de moda; DESATUALIZADO: *Sua ideias estão velhas.* **5** Que é conhecido há muito tempo: *Ele é um amigo velho de guerra.* [Ant.: *novo.*] *sm.* **6** Pessoa idosa: *Não tinha muita paciência com velhos.* **7** *Fam.* Pai: *Mãe, o velho já chegou?* [Us. como forma de tratamento carinhoso do filho em relação ao pai.] **8** Qualquer coisa antiga, ultrapassada, obsoleta: *É notável a presença do velho e do novo na obra do escritor.* [F.: Do lat. *vetulus, a, um* 'de certa idade, algo velho, velhinho', que no lat. vulg. substituiu a *vetus, eris* 'velho', do qual aquele era dimin., sendo então pronunciado *veclus.* Ant. ger.: *jovem, moço.*] ■ **~ e relho** Muito velho **~ e revelho** Ver *Velho e relho* **Meu ~** *Bras. Fam.* Tratamento íntimo e de carinho, não necessariamente para com pessoa velha

velhote (ve.*lho*.te) [ó] *a.* **1** Que está um tanto velho, velhinho (homem velhote) *sm.* **2** Indivíduo de idade avançada; homem idoso: *Junto ao poste, estava um velhote de bengala.* **3** Homem idoso de grande disposição, agilidade; VELHINHO [F.: *velho + -ote.*]

velhusco (ve.*lhus*.co) *a.* **1** *Pej.* Muito envelhecido (roupas velhuscas; livros velhuscos): *Era um homem velhusco, atarracado e mal-encarado.* **2** Que é bastante antigo ou foi muito usado [F.: *velho + -usco.*]

velífero (ve.*lí*.fe.ro) *a. Restr.* Diz de embarcação que tem velas [F.: Do lat. *velifer, era, erum.*]

veliforme (ve.li.*for*.me) *a2g.* Que tem forma de vela [F.: *vel(a) + -i- + -forme.*]

velilho (ve.*li*.lho) *sm.* Tecido leve e transparente, us. para fazer véus, cortinas etc. [F.: Do espn. *velillo.*]

velino (ve.*li*.no) *sf.* **1** Pele de animais natimortos ou recém-nascidos preparada para servir de material de escrita, e também de encadernação; possui aparência mais fina e lisa que o pergaminho comum **2** Obra escrita ou impressa sobre velino *a.* **3** Diz-se de papel de superfície muito lisa e macia, que tem o aspecto do velino (1): "O amor é uma carta, mais ou menos longa, escrita em papel velino, corte dourado, muito cheiroso e catita..." (Machado de Assis, *A mão e a luva*) [F.: Do fr. *vélin.*]

velívago (ve.*lí*.va.go) *a. Restr.* Que veleja; que navega à vela [F.: *vel(a) + -i- + -vago.*]

velloziácea (vel.lo.zi.*á*.ce.a) *sf. Bot.* Espécime das velloziáceas, fam. da ordem das liliales, constituída por cerca de 250 espécies herbáceas e arbustos perenes; VELOZIÁCEA [F.: Do lat. cient. *Velloziaceae.*]

velloziáceo (vel.lo.zi.*á*.ce:o) *a.* Ref. às velloziáceas; VELOZIÁCEO [F.: *vellozi(ácea) + -áceo.*]

velo (*ve*.lo) *sm.* **1** A lã dos carneiros: *O carneiro da raça caracul se diferencia pelo seu velo colorido.* **2** A pele do carneiro ainda coberta com sua lã; VELOCINO: "(...) eis que eu porei um velo de lã na eira (...)." (*Bíblia, Juízes 6, 37*) **3** A pele dos animais **4** A lã quando cardada **5** Cacho de pelo ou de cabelo [F.: Do lat. *vellus, eris* 'id'. Hom./Par.: *velo* (fl. de *velar*).]

◎ **veloci-** *el. comp.* = veloz: *velocímetro, velocípede etc.*

velocidade (ve.lo.ci.*da*.de) *sf.* **1** Capacidade, atributo do que é veloz; LIGEIREZA; PRESTEZA: *É impressionante a velocidade deste carro!* **2** *Fís. Mec.* Relação entre espaço percorrido e tempo de percurso: *Correu a uma velocidade de 80 km/h.* **3** Rapidez, agilidade no deslocamento ou no movimento de um ser ou objeto: "Deu maior velocidade às agulhas, levantando os olhos para o filho, que ainda a fitava com a mesma palidez terrosa no semblante." (Josué Montello, "O monstro" *in Um rosto de menina*) **4** *Fot.* Tempo em que um filme fica exposto à luz durante a foto **5** *Cin. Telv.* Ritmo com que um filme, uma gravação etc. se desenvolve [F.: Do lat. *velocitas, atis* 'id'.] ■ **~ angular** *Fís.* Num movimento de rotação, o ângulo percorrido por unidade de tempo **~ areolar** *Fís.* Num movimento de rotação, a área varrida pelo raio vetor de posição do corpo em rotação por unidade de tempo **~ crítica** *Fís.* Num fluido em movimento, velocidade máxima desse movimento na qual o escoamento é laminar, e acima da qual o escoamento é turbilhonar **~ da luz no vácuo** *Fís.* Constante fundamental da física, que é a velocidade de propagação no vácuo da radiação eletromagnética (2, 997925 x 10^8 m/s) [Símb.: *c.*] **~ de cruzeiro** Velocidade de navio ou aeronave nas condições normais de percurso, considerada ideal para aquele percurso **~ de escapamento** *Astnáut.* Ver *Velocidade de escape.* **~ de escape** *Astnáut.* Velocidade mínima necessária a um veículo espacial para que escape à ação de um campo de gravitação; velocidade de fuga; velocidade de evasão, velocidade de liberação, velocidade de escapamento [Na Terra equivale a 11,2 km/s.] **~ de evasão** *Astnáut.* Ver *Velocidade de escape.* **~ de fase** *Fís.* Velocidade com que se propaga uma onda harmônica cuja frequência é igual ao produto de seu comprimento por essa velocidade [Depende do meio no qual se propaga.] **~ de fuga** *Astnáut.* Ver *Velocidade de escape* **~ de liberação** *Astnáut.* Ver *Velocidade de escape* **~ de reação** *Fís-quím.* Taxa de variação, por tempo decorrido, da concentração de um reagente ou de um produto numa reação química **~ do som** *Acús. Fís.* Velocidade com que o som se propaga no ar, aproximadamente 331,4 m/s **~ escalar** *Fís.* A magnitude do vetor velocidade, independente de sua direção ou sentido **~ orbital** **1** *Astron.* Velocidade de planeta ou satélite em um ponto qualquer de sua órbita **2** A menor velocidade que um satélite artificial deve ter no início de sua trajetória balística

velocimetria (ve.lo.ci.me.*tri*.a) *sf.* **1** Medição da velocidade de algo: *A velocimetria por laser doppler é uma técnica que mede a velocidade de um fluido com precisão.* **2** *Taq.* Aferição da velocidade taquigráfica, em relação ao número de palavras ou sílabas escritas por minuto [F.: *veloci- + -metria.*]

velocímetro (ve.lo.*cí*.me.tro) *sm.* **1** Aparelho medidor da velocidade em veículos **2** Medidor de velocidade das águas de um rio [F.: *veloci- + -metro.*]

velocino (ve.lo.*ci*.no) *sm.* **1** Ver *velo* (2) **2** *Mit.* Carneiro mitológico cujo velo era de ouro [Com inicial ger. maiúsc., nesta acp.] [F.: Do lat. vulgar **velluscinus*, dim. de *vellus, eris* 'velo'. Cf. esp. *vellocino.*] ■ **~ de ouro** *Mit.* Na mitologia grega, lendário velo de ouro que Jasão e os argonautas foram conquistar para com ele resgatar o trono de Iolco

velocípede (ve.lo.*cí*.pe.de) *sm.* **1** Triciclo para crianças cuja roda dianteira é dotada de dois pedais com os quais se impele o veículo **2** Veículo de três rodas que se movimenta acionado por pedais que se ligam à roda dianteira **3** *Antq.* Veículo antigo, que antecedeu à bicicleta, composto de duas ou mais rodas e acionado pelo esforço do próprio condutor por meio de pedais ou dispositivos análogos *a2g.* **4** Que tem pés velozes; que se desloca rapidamente [F.: *veloci- + -pede.*]

velocirraptor (ve.lo.cir.rap.*tor*) [ô] *sm. Pal.* Designação comum aos dinossauros do gên. *Velociraptor* representados por uma única espécie (*Velociraptor mongoliensis*) que viveu na Ásia no final do Período Cretáceo; carnívoro, bípede, possuía cerca de 2 m de comprimento, cauda, patas traseiras longas dotadas de uma grande e afiada garra, cabeça alongada com mandíbulas providas de dentes afiados e serrilhados; era feroz e agressivo, podia alcançar alta velocidade, e vivia em bandos de 5 a 20 animais [F.: Do lat. cient. *Velociraptor mongoliensis.*]

velocíssimo (ve.lo.*cís*.si.mo) *a.* Muitíssimo veloz [F.: Do lat. *velocissimus, a, um.*]

velocista (ve.lo.*cis*.ta) *s2g. Bras. Esp.* Atleta especializado em corrida de velocidade: *Velocista brasileiro fica fora nos 100 m em Helsinque.* [F.: *veloci- + -ista.*]

velódromo (ve.*ló*.dro.mo) *sm.* Pista de corrida de bicicletas: *O ciclismo se realiza em três locais: velódromos, estradas e trilhas acidentadas.* [F.: Do fr. *vélodrome* 'id', de *vélo* 'bicicleta' + *-drome* '-dromo'.]

velório (ve.*ló*.ri:o) *sm.* **1** Vigília a defunto **2** Local em que se dá essa vigília: *Havia muita gente no velório do jogador.* **3** *Joc.* Qualquer evento social desanimado [F.: Do platense *velorio* 'id', de *velar* 'velar'.]

veloso (ve.*lo*.so) [ô] *P. us. a.* **1** Cujo corpo é abundantemente coberto de pelos **2** Coberto de lanugem (fruta velosa, ramos velosos) **3** Que contém velo; LANOSO [Pl.: [ó]. Fem.: [ó].] [F.: Do lat. *villosus, a, um* 'peludo, felpudo', de *villus, i* 'pelo, lanugem, felpa'.]

veloz (ve.*loz*) *a2g.* **1** Que percorre distância relativamente grande, em tempo relativamente curto (animal veloz; carro veloz; nadador veloz); RÁPIDO; LIGEIRO **2** Que se movimenta ou se desloca com agilidade, rapidez (ventiladores velozes) **3** Que transcorre em um tempo relativamente diminuto (horas velozes); FUGAZ; CURTO **4** Que propicia a condução de veículo em alta velocidade (curva veloz; pista veloz) **5** *Fig.* Que demonstra inteligência; que é ágil, prático (raciocínio veloz) [Superl.: *velocíssimo.*] [F.: Do lat. *velox, cis* 'id'. Ant. ger.: *lento.*]

veludíneo (ve.lu.*dí*.ne:o) *a.* **1** Macio como o veludo **2** *Fig.* Suave e agradável aos ouvidos, à vista, ao tato etc.:

"...olhar veludíneo em que se habituara a cristalizar a alma que a sua própria imaginação gerara..." (Sarmento de Beires, *Trajetórias*) [F.: *velud(o)* + *-íneo*, do lat. vulg. *villut(u)* + *-íneo*. Sin. ger.: *aveludado, veludoso*. Tb. *velutíneo*.]

veludo (ve.*lu*.do) *sm.* **1** *Têxt.* Tecido com pelos curtos, densos e erectos no seu lado direito, o qual apresenta um aspecto peludo, macio e brilhante **2** *P. ext. Fig.* Superfície macia, delicada: *Sua pele era um veludo.* [F.: Do esp. *velludo* 'id', este, do catalão *vellut* 'id', redução da expressão *drap vellut* 'pano peludo', do lat. tardio *villutus, a, um* 'peludo, hirsuto', em lugar do lat. cl. *villosus, a, um* 'id'.] ▪ **~ cotelê** Tecido de veludo com estreitas listras paralelas em relevo

veludoso (ve.lu.*do*.so) [ô] *a.* **1** Macio como o veludo: "...os pêssegos veludosos, as jacas monstruosas, os jambos, as mangas capitosas..." (Lima Barreto, *Triste fim de Policarpo Quaresma*) **2** *Fig.* Suave e agradável aos ouvidos, à vista, ao tato etc.: "...maravilhado na grande luz do templo, em busca dos olhos dela, que, de repente, me fitaram, longos, negros e veludosos..." (Cruz e Sousa, "Gloria in excelsis" *in Missal*) [F.: *velud(o)* + *-oso*. Sin. ger.: *veludíneo*.]

velutina (ve.lu.*ti*.na) *sf.* **1** Tecido de seda semelhante ao veludo **2** Pó de arroz preparado com bismuto [F.: Do fr. *veloutine*.]

velutíneo (ve.lu.*tí*.ne:o) *a.* Ver *veludíneo*

venábulo (ve.*ná*.bu.lo) *sm.* **1** Arma de arremesso, com ferro da ponta em farpão e sem penas no extremo da haste, própria para montaria: *Daquelas mãos delicadas partia seguro e certeiro o venábulo.* **2** *Her.* Essa arma reproduzida na pala **3** *Fig.* Meio para resolver uma dificuldade; EXPEDIENTE; RECURSO **4** *Fig.* Meio de defesa ou proteção: *Usou a difamação como venábulo.* [F.: Do lat. *venabulum, i.*]

venal[1] (ve.*nal*) *a2g.* **1** Rel. à venda, de venda (valor venal) **2** Que se pode vender **3** *Fig.* Que se deixa subornar (pessoa venal); CORRUPTO; CORROMPÍVEL; CORRUPTÍVEL; SUBORNÁVEL [Pl.: *-nais*.] *s2g.* **4** *Fig.* Indivíduo que age ilicitamente; indivíduo corrupto [Pl.: *-nais*.] [F.: Do lat. *venalis, e*.]

venal[2] (ve.*nal*) *a2g.* O mesmo que *venoso* [Pl.: *-nais*.] [F.: *ven(i)-* + *-al[1]*.]

venalidade (ve.na.li.*da*.de) *sf.* **1** Qualidade de venal, do que pode ser vendido **2** *Fig.* Qualidade daquele que se vende, prostitui ou se deixa corromper por dinheiro ou outros valores: "...A venalidade, disse o Diabo, era o exercício de um direito superior a todos os direitos. Se tu podes vender a tua casa, o teu boi, o teu sapato, o teu chapéu, coisas que são tuas por uma razão jurídica e legal, mas que, em todo caso, estão fora de ti, como é que não podes vender a tua opinião..." (Machado de Assis, "A igreja do diabo" *in Histórias sem data*) [F.: Do lat. tardio *venalitas, atis*.]

venatória (ve.na.*tó*.ri:a) *sf. Liter.* Composição poética em que as personagens são caçadores [F.: Fem. subst. de *venatório*.] ▪ **Arte ~** A caça, arte de caçar (esp. com cães)

venatório (ve.na.*tó*.ri:o) *a.* Ref. à caça, próprio para caça (artefatos venatórios; período venatório) [F.: Do lat. *venatorius, a, um*, do v.lat. *venare*, 'caçar'.]

vencedor (ven.ce.*dor*) [ô] *a.* **1** Que vence; VITORIOSO; GANHADOR **2** Que supera um obstáculo, uma dificuldade *sm.* **3** Pessoa que vence uma competição ou supera uma adversidade, um contratempo [F.: *vencer* + *-dor*. Ant. ger.: *perdedor*.]

vencer (ven.*cer*) *v.* **1** Obter vitória sobre (outro) ou em (concorrência, disputa, guerra); GANHAR [*td.*: *vencer os adversários; vencer as eleições.*] [*tdr.* + *em*: *Venceu o alemão no boxe.*] [*int.*: *Meu time tem que vencer.* Ant.: *perder*] **2** Levar vantagem sobre; SOBREPUJAR; SUPLANTAR [*td.*: *vencer uma dificuldade.*] **3** Ter a data limite para pagamento [*int.*: *A promissória vence amanhã.*] **4** Chegar ao fim; acabar (prazo); ENCERRAR; TERMINAR [*int.*: *A validade desse remédio vencerá em uma semana.*] **5** *Fig.* Ser mais forte que; DOMINAR [*td.*: *vencer o desânimo.*] **6** Transpor (barreira, distância, obstáculo etc.) [*td.*: *Finalmente venceram suas diferenças.*] **7** Ir além de (algo ou alguém) em (alguma qualidade) [*tdr.* + *em*: *Ninguém vence esse nadador nos 400 metros.*] **8** Ter mais importância do que; PREDOMINAR [*td.*: *O sentido de honestidade acabará vencendo a corrupção.*] [*int.*: *Apesar do obscurantismo, a democracia acabará por vencer.*] **9** Obter triunfo; tornar-se triunfante [*int.*: *Teve tudo contra ele, mas afinal venceu.*] **10** Submeter a controle; SUJEITAR [*td.*: *É preciso vencer a desigualdade social.*] **11** Trilhar um caminho por inteiro [*td.*: *Venceu os 300 metros com facilidade.*] **12** Alcançar um objetivo, concluir [*td.*: *Voltou para a casa após vencer sua mais árdua tarefa.*] **13** Ir além de; ULTRAPASSAR [*td.*: *O atleta festejou ao vencer o limite que se impusera.*] **14** Levar a cabo, a efeito, a termo (encargo, missão, plano, tarefa etc.); EXECUTAR [*td.*: *Ao vencer a missão para a qual tinha sido enviado, voltou para casa.*] **15** Obter (remuneração, rendimentos, salário etc. em trabalho ou negócio); PERCEBER [*td.*: *Os deputados vencem salários consideráveis.*] **16** Causar abatimento, desânimo, tristeza; ACABRUNHAR(-SE); PROSTRAR(-SE) [*td.*: *Os enormes verbetes a elaborar venceram o redator.*] [▶ 33 **vencer**] [F.: Do lat. *vincere*.]

vencida (ven.*ci*.da) *sf.* Ação ou resultado de vencer ou de ser vencido [F.: *venc(er)* + *-ida[2]*.] ▪ **Levar de ~** Superar, ser mais forte, impor-se a algo ou alguém; exceder, ultrapassar; tirar de eito

vencido (ven.*ci*.do) *a.* **1** Que se venceu **2** Derrotado, subjugado, dominado física ou moralmente (exército vencido; honra vencida) **3** Rendido, enfraquecido, debilitado [+ *de, por*: *Estava vencido de cansaço; Vencido pelo sono, afinal dormiu.*] **4** Diz-se de distância, caminho, espaço etc. atingido, ultrapassado **5** Que chegou ao prazo final (mês vencido; prestação vencida) *sm.* **6** Pessoa derrotada física e/ou moralmente: *Ai dos vencidos!* [F.: Part. de *vencer*. Ant. ger.: *vencedor*.]

vencimento (ven.ci.*men*.to) *sm.* **1** Ação ou resultado de vencer **2** Vitória, triunfo **3** Expiração do prazo de cumprimento de um compromisso, no pagamento de uma conta etc. **4** *P. ext.* O prazo, a data do cumprimento deste compromisso: *Pediu à companhia telefônica que mudassem o vencimento da conta para o dia 10.* *smpl.* **5** *Jur.* Provento do servidor público que consiste na remuneração pelo seu cargo, não incluídas quaisquer gratificações a que ele faça jus; ORDENADO; SALÁRIO [F.: *vencer* + *-imento*.] ▪ **Não dar ~ a** *Bras.* Não atender suficiente ou satisfatoriamente a (encomenda, procura, consumo etc. de produto ou serviço)

vencível (ven.*cí*.vel) *a2g.* **1** Que se pode vencer (defeitos vencíveis) [Ant.: *invencível*.] **2** Com prazo para pagamento determinado: *Tinha títulos vencíveis em 180 meses.* [Pl.: *-veis*.] [F.: Do lat. *vincibilis, e* 'id'.]

venda[1] (*ven*.da) *sf.* **1** Ação ou resultado de vender [Ant.: *compra*.] **2** *Com.* Ato de vender objetos, bens de consumo etc. por lojistas, comerciantes etc.: *As vendas não foram boas, no último Natal.* [Nesta acp., mais us. no pl.] **3** *Jur.* Transferência de posse de um bem móvel ou imóvel para outrem por meio de contrato firmado entre as partes: *A venda da casa foi demorada.* [Ant.: *compra*.] **4** *Bras.* Estabelecimento em que se comercializam gêneros alimentícios de primeira necessidade em pequena quantidade; QUITANDA; ARMAZÉM [F.: De *vender*. Hom./Par.: *venda* (fl. de *vendar* e *vender*).] ▪ **~ a descoberto** *Econ. Jur.* Aquela (ger. em bolsa de valores, de mercadorias etc.) na qual os valores vendidos não estão disponíveis para entrega no momento da venda, mas que se espera estejam na data de entrega prevista em contrato **~ casada** *Com.* Venda conjunta de dois ou mais produtos, na qual a venda de um deles é condicionada à compra de outro(s) [Ou seja, para que o vendedor concorde em vender um deles, o comprador deve necessariamente comprar outro(s).] **~ condicionada** *Com.* Venda em que a transferência de propriedade do bem vendido só é feita depois que o pagamento for integralizado pelo comprador **~ direta** *Com.* Aquela feita diretamente (sem intermediário) entre produtor e consumidor **~ por telefone** Venda acertada por telefone entre comprador e vendedor, us. em *telemarketing*

venda[2] (*ven*.da) *sf.* Tira de pano com que se cobrem os olhos impedindo a visão [F.: Do germânico *binda* 'faixa, tira, venda'. Hom./Par: *venda* (fl. de *vendar* e *vender*).]

vendado (ven.*da*.do) *a.* **1** Que está com venda (olhos vendados) **2** Que foi vendado por outrem **3** *Fig.* Diz-se de pessoa incapaz de perceber a realidade com clareza: *O namorado estava vendado pelo ciúme.* [F.: Part. de *vendar*. Ant. ger.: *desvendado*.]

vendagem (ven.*da*.gem) *sf.* **1** Ação ou resultado de vender; VENDA; COMÉRCIO **2** *Ant.* Gratificação, comissão [F.: *vend (er)* + *-agem*.]

vendar (ven.*dar*) *v. td.* **1** Colocar venda em; COBRIR; TAMPAR: *vendar os olhos de alguém.* **2** *Fig.* Cobrir, ocultar: *Os óculos escuros vendavam seus olhos.* **3** Colocar bandagem em: *vendar um ferimento.* **4** *Fig.* Tornar (alguém) incapaz de discernir o que é real; CEGAR; ILUDIR [*td.*: *A paixão venda os olhos do amante.*] [▶ 1 **vendar**] [F.: *venda* + *-ar*. Hom./Par.: *venda(s)* (fl.), *venda(s)* (sf. [pl.]).]

vendaval (ven.da.*val*) *sm.* **1** Vento forte e impetuoso **2** *Fig.* Corrente de acontecimentos tumultuosos (vendaval de protestos; vendaval de intrigas); REBULIÇO; TORRENTE **3** *Fig.* Corrente de sentimentos fortes e desordenados (vendaval de paixões) **4** *Ant.* Vento do Sul [Pl.: *-vais*.] *a2g.* **5** *P. us.* Oriundo do Sul (vento vendaval) [Pl.: *-vais*.] [F.: Do fr. *vent d'aval* 'vento do alto mar, vento do oeste'.]

vendável (ven.*dá*.vel) *a2g.* **1** Que se pode vender; passível de ser vendido **2** Que é bem vendido: *Quem disse que só o que é vendável tem qualidade?* [Pl.: *-veis*.] [F.: Do fr. *vendable*. Sin. ger.: *vendível*. Ant. ger.: *invendável*.]

vendedoiro (ven.de.*doi*.ro) *a. sm.* Ver *vendedouro*

vendedor (ven.de.*dor*) [ô] *sm.* **1** Profissional de vendas *a.* **2** Que vende ou é responsável pela venda: *A forte pressão vendedora por parte dos investidores estrangeiros deprimiu a Bolsa de Valores.* [F.: *vender* + *-dor*. Ant. ger.: *comprador*.] ▪ **~ ambulante** Aquele que faz suas vendas não em lugar ou endereço fixo, mas deslocando-se aonde estão seus clientes potenciais

vendedouro (ven.de.*dou*.ro) *a.* **1** Que pode ser vendido; VENDÍVEL *sm.* **2** Lugar público (praça, mercado, feira etc.) onde se vendem coisas [F.: *vender* + *-douro[1]* (na acp. 2) e *vender* + *-douro[2]* (na acp. 1). Tb. *vendeoiro*.]

vendeiro (ven.*dei*.ro) *sm. Bras.* Dono de venda (1); COMERCIANTE; TABERNEIRO [F.: *venda[1]* + *-eiro*.]

vendelhão (ven.de.*lhão*) *sm.* Ver *vendilhão*

vendemiário (ven.de.mi:*á*.ri:o) *sm. Cron.* Primeiro mês do ano no calendário francês criado pela Revolução Francesa; VINDEMIÁRIO [F.: Do fr. *vendémiaire*.]

vender (ven.*der*) *v.* **1** Dispor de (algo) em troca de pagamento [*tdi.* + *a, para*: *Vendeu a casa.*] [*tdi.* + *a, para*: *Vendeu o sítio para o sobrinho.* Ant.: *adquirir, comprar.*] **2** Colocar (alguma coisa) à venda [*td.*: *Está vendendo o apartamento por duzentos mil reais.*] **3** Praticar relações comerciais; comerciar com [*td.*: *Compra e vende carros.*] **4** Transferir (a alguém) o direito a uso de (ideia, projeto etc.) [*td.*: *vender uma ideia.*] [*tdi.* + *a, para*: *Vendeu seus direitos autorais para a/à gravadora.*] **5** *P. ext. Pej.* Colocar (decisão, opinião) ao dispor de (outrem) em troca de dinheiro, favor etc. [*td.*: *vender o voto.*] [*tdi.* + *a, para*: *Por dinheiro, vendeu seus planos aos adversários políticos.*] **6** Ter boa comercialização [*int.*: *Chocolate vende bem.*] **7** Denunciar por interesse; TRAIR [*td.*: *Ele é capaz de vender até a mãe.*] [*tdi.* + *a*: *É incapaz de vender o país aos interesses estrangeiros.*] **8** *Pej.* Aceitar propina, suborno; deixar-se subornar [*td.*: *Esse político vende-se por pouco.*] [*tdi.* + *a*: *Vendia-se aos comerciantes.*] **9** *Fig.* Ter em grande quantidade; ESBANJAR [*td.*: *Os atletas vendem energia.*] **10** Tornar mais facilmente vendável [*td.*: *É fácil vender essa estória.*] [*tdi.* + *a*: *É fácil vender essa estória a um produtor de cinema.*] **11** Trabalhar como vendedor [*int.*: *Enquanto uns fabricam, outros vendem.*] **12** Tornar mais facilmente vendável [*td.*: *Uma boa campanha publicitária vende esse produto.*] [*int.*: *Com essa embalagem o produto vende mais.*] **13** *Pej.* Exercer a prostituição; PROSTITUIR(-SE) [*td.*: *vender o corpo; Essa mulher vende-se por pouco.*] [▶ 2 **vender**] [F.: Do lat. *vendere*. Hom./Par.: *venda(s)* (fl.), *venda(s)* (sf. [pl.]).] ▪ **~-se caro** **1** Exigir muito ou cobrar muito por seus serviços, sua colaboração **2** Em troca de elevado pagamento, ser desonesto ou aético ao prestar serviço, dar informação, ou praticar uma ação em benefício de quem paga

vendeta [ê] *sf.* Crime, ger. assassinato, praticado como vingança entre famílias, grupos ou organizações de marginais; VINGANÇA [F.: Do it. *vendetta* 'vingança'.]

🌐 **vendeuse** (*Fr.* /vandëze/) *sf. P. us.* Empregada encarregada das vendas ao público; VENDEDORA

vendido (ven.*di*.do) *a.* **1** Que se vendeu: *O material vendido será pago em sessenta dias.* [Ant.: *comprado*.] **2** *Pej.* Que se deixou subornar; que se corrompeu: *É uma pessoa vendida, sem a menor credibilidade.* **3** *Fig.* Sem saber o que fazer; DESNORTEADO; ATRAPALHADO; SURPRESO: *As surpresas foram tantas que de repente sentiu-se totalmente vendido.* **4** *Fig.* Que foi enganado, ludibriado: *Acabou vendido pelos próprios colegas de trabalho.* **5** *Econ.* Que vende um ativo financeiro (diz-se de investidor ou de sua posição): *Estava vendido, mas, com a baixa das ações, comprou-as de novo, obtendo excelente lucro.* **6** Promovido, divulgado: *O jogador vendido como supercraque não passa de um perna de pau.* *sm.* **7** Pessoa subornável, corrupta: *Suas atitudes são as de um vendido.* **8** *Econ.* Investidor ou posição do investidor que vendeu ativo financeiro sem o possuir, sendo obrigado a tomar emprestado ou comprá-lo com valor desfavorável [F.: Part. de *vender*.]

vendilhão (ven.di.*lhão*) *sm.* **1** Pessoa que trafica coisas de ordem moral ou religiosa (vendilhão da pátria) **2** Vendedor que expõe suas mercadorias na rua, sem ponto fixo **3** *Antq.* Vendeiro [Pl.: *-lhões*. Fem.: *vendilhona, vendilhoa*.] [F.: *vender* + *-ilho-* + *-ão*. Tb. *vendelhão*.]

🌐 **vending** (*Ing.* /vêndíng/) *sm.* Máquina de venda automática de diversos produtos (bebidas, alimentos, cigarros etc.), ger. acionada por moeda ou ficha

vendível (ven.*dí*.vel) *a2g.* Que se pode vender; passível de ser vendido: *Nem tudo que é vendível é comprável.* [Ant.: *comprável*.] [Pl.: *-veis*.] [F.: *vender* + *-ível*.]

vendola (ven.*do*.la) *sf.* Pequena venda; VENDINHA: "...O rapazinho era direito, tinha uma vendola que não ia mal..." (Viriato Correia, *Contos do sertão*) [F.: *vend(a)* + *-ola*.]

vendor (ven.*dor*) [ô] *sm. Econ.* Modalidade de crédito no qual uma empresa vendedora transfere o financiamento da venda a prazo feito pelo cliente para uma instituição financeira, e esta, por sua vez, paga à vista o valor total do produto para a empresa que realizou a venda [F.: *vend(er)* + *-or*.]

venefício (ve.ne.*fí*.ci:o) *sm.* **1** Preparação de veneno para fins criminosos **2** O crime de propinar veneno a alguém; ENVENENAMENTO **3** Envenenamento acompanhado de um ato de magia **4** *Jur.* Homicídio por envenenamento [F.: Do lat. *veneficium, ii*. Hom./Par.: *venefício* (sm.), *venefício* (fl. de *veneficar*), *benefício* (sm.).]

venéfico (ve.*né*.fi.co) *a.* **1** Ref. a venefício **2** Que contém ou produz veneno; VENENOSO; VENENÍFERO [F.: Do lat. *veneficus, a, um*. Hom./Par.: *venéfico* (a.), *venefico* (fl. de *veneficar*), *benéfico* (a.).]

venenípero (ve.ne.*ní*.pa.ro) *a.* Que produz ou segrega veneno [F.: *venen(o)* + *-i-* + *-paro*.]

veneno (ve.*ne*.no) *sm.* **1** Substância prejudicial ao funcionamento do organismo, que chega a matar **2** Secreção venenosa de alguns animais (veneno de cobra) **3** Secreção tóxica de certos vegetais **4** *P. ext.* O que causa dano à saúde: *Doce é um veneno para os diabéticos.* **5** *Fig.* O que corrompe os bons costumes: *Suas ideias eram vistas como veneno para a juventude.* **6** Maledicência, intriga: *Era abrir a boca e lá vinha veneno.* **7** *Fig.* Sedução, encantamento: *Ficou admirado com o doce veneno de sua boca.* **8** *Bras. Pop. Joc.* Cachaça, aguardente [F.: Do lat. *venenum, i*.]

venenoso (ve.ne.*no*.so) [ô] *a.* **1** Que tem veneno (cobra venenosa) **2** Que intoxica o organismo (gás venenoso) **3** Que causa danos à saúde, ao bem-estar; que é nocivo (cigarro venenoso) **4** *Fig.* Que espalha maledicência ou calúnias: *Era uma mulher de língua bem venenosa.* **5**

Fig. Que demonstra maldade; MALÉVOLO: *Lançou-lhe um olhar venenoso.* [Pl.: [ó]. Fem.: [ó].] [F.: Do lat. *venenosus, a, um.*]

venera (ve.*ne*.ra) *Antq. sf.* **1** Insígnia ou medalha comemorativa de diversos graus das ordens militares **2** Concha da vieira que os romeiros de Santiago de Compostela (Galícia) usavam como insígnia **3** Qualquer medalha, condecoração ou comenda [F.: Do espn. *venera* 'concha de peregrino', este, do lat. *veneria* 'espécie de concha'. Hom./Par.: *venera* (fl. de *venerar*).]

venerabilidade (ve.ne.ra.bi.li.*da*.de) *sf.* Qualidade ou propriedade do que é venerável; RESPEITABILIDADE [F.: Do lat. *venerabilitas, atis.*]

veneração (ve.ne.ra.*ção*) *sf.* **1** Ação ou resultado de venerar **2** Atitude de profundo respeito e reverência, esp. relacionada a insígnias religiosas: "Sê Bendita e honrada, ó Mãe, no teu Ícone de Cazan', no qual desde há séculos és circundada pela veneração e pelo amor dos fiéis ortodoxos." (João Paulo II, *Oração do Santo Padre à Mãe de Deus de Cazan*) **3** *P. ext.* Grande admiração, respeito por alguém ou algo; REVERÊNCIA **4** Amor profundo e devotado; ADORAÇÃO: *Sentia grande veneração por seus filhos.* [Pl.: -*ções*. As regências veneração por, pelo e pela são consideradas galicismo por alguns gramáticos que sugerem, em lugar destas, respectivamente, as seguintes: veneração a, de, ao, do e à, da.] [F.: Do lat. *veneratio, onis.*]

venerado (ve.ne.*ra*.do) *a.* **1** Que se venera ou se cultua: *Depois de S. Jorge, S. Judas Tadeu é o santo mais venerado no Brasil.* **2** Que se respeita e admira profundamente; REVERENCIADO: *Era uma atriz venerada pelo público brasileiro.* [F.: Do lat. *veneratus, a, um*, part. pas. de *venerari.*]

venerador (ve.ne.ra.*dor*) [ô] *a.* **1** Que venera, que manifesta respeito: "Mal sentado, para não perder a linha do respeito, trazia na boca um sorriso constante e venerador..." (Machado de Assis, *Quincas Borba*) *sm.* **2** Aquele que venera, que manifesta respeito: "No mais, receba as ordens de quem é seu venerador e tem a honra de ser..." (Martins Pena, *O juiz de paz da roça*) [F.: Do lat. *venerator, oris.* Ideia de 'venerador': -latra (andrólatra, astrólatra).]

venerando (ve.ne.*ran*.do) *a.* **1** Que se deve venerar ou cultuar **2** Que é digno de respeito; VENERÁVEL: "Dois homens, que mui velhos pareciam / De aspecto, inda que agreste, venerando (...)" (Luís de Camões, *Os Lusíadas*) [F.: Do lat. *venerandus, a, um* 'que se deve venerar', gerundivo de *venerari.*]

venerar (ve.ne.*rar*) *v. td.* **1** Prestar culto a (algo sagrado); ADORAR **2** Respeitar ou admirar muito [▶ 1 **venerar**] [F.: Do lat. *venerari.* Hom./Par.: *venera(s)* (fl.), *venera(s)* (sf. [pl.]), *vênera(s)* (fem. de *vênero* [a.]); *venero* (fl.), *vênero* (a.).]

venerável (ve.ne.*rá*.vel) *a2g.* **1** Que merece veneração; VENERANDO **2** *Rel.* Na Igreja católica, diz-se de pessoa considerada santa, cujo processo de beatificação está em andamento [Pl.: -*veis*. Superl.: *venerabilíssimo.*] *sm.* **3** Presidente de loja maçônica [F.: Do lat. *venerabilis, e.*]

venéreo (ve.*né*.re.o) *a.* **1** Que se transmite por meio de relações sexuais (doença venérea) **2** Sensual, erótico (amor venéreo) **3** Ref. a ou próprio de Vênus [F.: Do lat. *venereus, a, um* 'referente Vênus', de *Venus, eris* 'Vênus, a deusa do amor'.]

venereofobia (ve.ne.re:o.fo.*bi*.a) *sf. Psiq.* Temor mórbido de contrair doenças venéreas; CIPRIDOFOBIA [F.: *venéreo* + -*fobia.*]

venereofóbico (ve.ne.re:o.*fó*.bi.co) *a.* **1** Ref. a venereofobia **2** Que padece de venereofobia *sm.* **3** Indivíduo que padece de venereofobia [F.: *venereofob(ia)* + -*ico*². Sin. ger.: *cipridofóbico, venereófobo.*]

venereófobo (ve.ne.re.*ó*.fo.bo) *a. sm.* O mesmo que *venereofóbico* (2 e 3) [F.: *venéreo* + -*fobo.*]

venereologia (ve.ne.re:o.lo.*gi*.a) *sf.* **1** *Med.* Ramo da medicina responsável pelo estudo das doenças venéreas **2** Compêndio das doenças venéreas [F.: *venéreo* + -*logia.*]

venereológico (ve.ne.re:o.*ló*.gi.co) *a.* Ref. a venereologia [F.: *venereolog(ia)* + -*ico*².]

venereologista (ve.ne.re:o.lo.*gis*.ta) *s2g.* Especialista em venereologia [F.: *venereolog(ia)* + -*ista.*]

veneta (ve.*ne*.ta) [ê] *sf.* **1** Modo de ver, intuição **2** Impulso, compulsão: *Sentia veneta de dar tudo que tinha ao orfanato.* **3** Acesso de loucura: *Numa de suas venetas, saiu de casa de pijama.* [F.: Dimin. de *veia* por meio do rad. *ven-* (< lat. *vena, ae* 'veia') + -*eta.*] ■ **Dar a ~ (de)** Ocorrer vontade, ideia súbita e sem motivo aparente (de fazer algo): *Estava na praia quando deu a veneta de ir para a montanha.* **Dar na ~ (a)** Ter (alguém) subitamente ou aparentemente sem motivo, ideia ou lembrança, ou vontade ou impulso de (algo a fazer): *Deu-lhe na veneta aprender chinês; Horas depois, deu-me na veneta a resposta adequada.*

vêneto (*vê*.ne.to) *sm.* **1** Pessoa pertencente a um antigo povo que, desmembrado por sucessivas migrações, estabeleceu-se principalmente na atual região de Veneza e na Gália **2** Pessoa nascida em Vêneto (Itália) **3** *Ling.* Dialeto falado pelos vênetos (1 e 2) *a.* **4** De Vêneto, típico dessa região ou de seu povo **5** Do ou ref. ao vêneto (1 e 3) [F.: Do lat. *venetus, a, um.* Hom./Par.: *vêneto* (sm. a.) *vêneta* (fem.), *veneta* [ê] (sf.).]

veneziana (ve.ne.zi:*a*.na) *sf.* Janela de lâminas de madeira ou outro material que, quando fechada, escurece o ambiente, deixando, contudo, passar o ar e uma relativa claridade entre as frestas das lâminas; PERSIANA [F.: Fem. substantivado do adj. *veneziano.*]

veneziano¹ (ve.ne.zi:*a*.no) *sm.* **1** Pessoa nascida ou que vive em Nova Veneza (SC) *a.* **2** De Nova Veneza, típico dessa cidade ou de seu povo [F.: Do top. Nova *Venez(a)* + -*iano.*]

veneziano² (ve.ne.zi:*a*.no) *sm.* **1** Pessoa nascida ou que vive em Nova Veneza (GO) *a.* **2** De Nova Veneza, típico dessa cidade ou de seu povo [F.: Do top. Nova *Venez(a)* + -*iano.*]

veneziano³ (ve.ne.zi:*a*.no) *sm.* **1** Indivíduo nascido ou que vive em Veneza (Itália) **2** *Gloss.* Dialeto falado em Veneza *a.* **3** De Veneza, típico dessa cidade ou de seu povo **4** Do ou ref. ao veneziano (2) **5** *Num.* Moeda de ouro proveniente de Veneza que circulava na Índia portuguesa [F.: Do top. *Venez(a)* + -*iano.*]

venezuelano (ve.ne.zu:e.*la*.no) *sm.* **1** Pessoa nascida na Venezuela *a.* **2** Da Venezuela (América do Sul); típico desse país ou de seu povo [F.: *Venezuela* + -*ano.*]

◎ **ven(i)-** *el. comp.* = 'veia': *venal*², *venífluo, venoso* (< lat.); *venocapilar, venografia* [F.: Do lat. *vena, ae.*]

vênia (*vê*.ni:a) *sf.* **1** Licença, permissão: *Não sai sem a vênia dos mais velhos.* **2** Desculpa, perdão: *Esperava que dessem vênia a seus erros.* **3** Reverência, mesura, cortesia: *Respondeu ao olhar do chefe de estado com uma vênia de cabeça.* **4** *Jur.* Licença solicitada ao juiz com deferência, para que este não aceite ou recuse observação, prova, argumento etc. que está em causa e que foi objeto de discordância [F.: Do lat. *venia, ae* 'graça, favor'.]

veniaga (ve.ni:*a*.ga) *sf.* **1** Produto que é objeto de comércio; MERCADORIA **2** Troca de mercadorias; NEGÓCIO; COMÉRCIO; TRÁFICO: "...mandava aparelhar duas naus, em cada uma das quais pudessem embarcar trezentos homens e carga, ao mesmo tempo, de panos covilhães e portalegres para a veniaga..." (Aquilino Ribeiro, *Constantino de Bragança*) **3** *Fig. Pej.* Negócio de má-fé; TRANQUIBÉRNIA; TRAMOIA; NEGOCIATA **4** *Fig. Pej.* Transação de agiota **5** *Fig. Pej.* Mau uso de emprego ou de ofício por suborno [F.: Do malaio *bernyága.* Hom./Par.: *veniaga* (sf.), *veniaga* (fl. de *veniagar*).]

venial (ve.ni:*al*) *a2g.* **1** *Teol.* Diz-se de pecado leve que não faz perder a graça a quem o pratica e tampouco o faz incurso em penas eternas como o pecado mortal **2** Que é digno e suscetível de perdão; que é facilmente perdoável; DESCULPÁVEL: *Releve-me esta venial tentação fáustica de tentar retornar à mocidade.* [Pl.: -*ais*.] [F.: Do lat. *venialis, e.*]

venialidade (ve.ni:a.li.*da*.de) *sf.* **1** Qualidade do que é venial **2** *Fig.* Falta perdoável, erro sem gravidade [F.: *venial* + -*idade.*]

venida (ve.*ni*.da) *sf.* **1** Ataque imprevisto do inimigo **2** Golpe de espada desferido para atingir o adversário **3** Empenho, cuidado, desvelo na execução de uma tarefa **4** *Antq.* Ação de vir; VINDA [F.: Do espn. *venida.*]

venífluo (ve.*ní*.flu:o) *a.* Que corre pelas veias [F.: *ven(i)-* + -*fluo.*]

◎ **veno-** *el. comp.* Ver *ven(i)-*

venocapilar (ve.no.ca.pi.*lar*) *a2g. Anat.* Ref. ou pertencente às ramificações vasculares que o sangue atravessa para ir das artérias para as veias (hipertensão venocapilar pulmonar) [F.: *veno-* + *capilar.*]

venografia (ve.no.gra.*fi*.a) *sf. Rlog.* Exame radioscópico que, pela injeção de um contraste em uma veia periférica, mostra um mapa preciso do fluxo sanguíneo em um membro [F.: *veno-* + -*grafia.*]

venoso (ve.*no*.so) [ô] *a.* **1** *Anat.* Rel. à veia (sangue venoso; hipertensão venosa); VENAL **2** Que contém veias **3** *Bot.* Diz-se da folha provida de veias laterais com diversas ramificações [Pl.: [ó]. Fem.: [ó].] [F.: Do lat. *venosus, a, um,* 'cheio de veias', do lat. *vena, ae,* 'veia'.]

venta (*ven*.ta) *sf.* **1** Cada uma das duas aberturas exteriores do nariz; NARINA **2** *Pop.* A face, o rosto de uma pessoa: *Aplicou-lhe um bofetão nas ventas:* "... quanto mais àquela! aquela que não pôs dúvida em lhe atirar com uma recusa pelas ventas!" (Aluísio Azevedo, *Casa de pensão*) **3** *Pop.* Presença, frente, vista: *Disse-lhe tudo nas ventas.* [Nas acps. 2 e 3 é mais us. no pl.] [F.: Do lat. **ventana* 'lugar por onde passa o vento', de *ventus, i.* Hom./Par.: *venta* (sf.), *venta* (fl. de *ventar*).] ■ **Acender as ~s** *Bras. N. E.* Farejar (animal, esp. cão, cavalo) como que a pressentir ameaça, perigo **Andar de ~s** Mostrar-se aborrecido, irritado **Dar a ~** **1** *Bras.* Cair **2** Ficar muito cansado **De ~ inchada** *Bras. N. E.* Irritado, zangado **Dizer o que lhe vem às ~s** Dizer, sem autocensura ou controle, tudo que lhe ocorre, tudo que lhe vem à cabeça **Ensaboar as ~s de** Dar um tapa na cara de (alguém) **Esfregar nas ~s de** Mostrar (algo) a (alguém) como desfeita, como prova de algo que o outro negava, ou como prova da má conduta do outro **Nas ~s de** Na cara de, nas bochechas de **Saber onde tem as ~s** Saber o que faz **Ter ~s** **1** Ser difícil de fazer **2** Ser genioso, durão **~ de bezerro novo** *CE Pop.* Pessoa que tem o nariz achatado; venta de telha emborcada **~ de telha emborcada** *CE Pop.* Ver *Venta de bezerro novo*

ventana¹ (ven.*ta*.na) *sf.* **1** *Antq.* Abertura na parede de um edifício a certa altura do piso que permite a iluminação e/ou o arejamento do ambiente e dá vista para o exterior; JANELA **2** *Lud.* Abertura na mesa do bilhar por onde entra a bola; VENTANILHA **3** *Lus.* Abertura na parte superior de uma torre onde estão os sinos; SINEIRA: *Sobre o lado norte da empena, ergue-se o campanário com uma ventana de arco pleno.* [F.: Do espn. *ventana.*] ■ **Trabalhar na ~** *Bras. Gír.* Roubar (ladrão) uma casa entrando nela pela janela

ventana² (ven.*ta*.na) *RS Pop. a2g.* **1** Diz-se de indivíduo mau, desordeiro, turbulento **2** Diz-se de pessoa estabanada que corre de um lado para o outro arrumando ou desarrumando as coisas com rapidez **3** Diz-se de cavalo velhaco *s2g.* **4** Indivíduo mau, desordeiro, turbulento **5** Pessoa estabanada que corre de um lado para o outro arrumando ou desarrumando as coisas com rapidez **6** Cavalo velhaco: "...Às vezes o ventana era traiçoeiro e lá se vinha de lombo, boleando-se, ou acontecia planchar-se..." (João Simões de Lopes Neto, "Os cabelos da China" *in Contos gauchescos*) [F.: *vent(o)* + -*ana*. Sin. nas acps. 1 e 4: *venta-furada, venta-rasgada, ventania, ventena.*]

ventania (ven.ta.*ni*.a) *sf.* Vento forte [F.: *vento* + -*ana* + -*ia.*]

ventanilha (ven.ta.*ni*.lha) *sf. Antq. Lud.* Cada uma das caçapas da mesa de bilhar [F.: Do espn. *ventanilla.*]

ventanista (ven.ta.*nis*.ta) *s2g.* **1** *Bras. Gír.* Ladrão que entra numa casa pulando a janela; PULA-VENTANA *a2g.* **2** Diz-se de ladrão que entra numa casa pulando a janela [F.: *ventan(a)*¹ + -*ista.*]

ventar (ven.*tar*) *v.* **1** Soprar (o vento) [*int.*: *Chovia muito e ventava.*] **2** *Fig.* Surgir ou fazer surgir repentinamente [*ta.*: *De súbito, um palpite ventou em sua mente.*] [*int.*: *A sorte ventava novamente.*] [*tdi.* + *a, para*: *A mudança para a nova cidade ventou-lhe novas amizades.*] **3** *Fig.* Ser favorável a [*ti.* + *a*: *A sorte ventou aos rapazes.*] **4** Soltar ventosidades [*int.*] [▶ 1 **ventar**] [F.: *vento* + -*ar.*]

ventarola (ven.ta.*ro*.la) [ó] *sf.* Abano, leque: "E com um movimento brando [tia Olívia] ia se abanando com a ventarola (...)." (Lígia Fagundes Teles, *As cerejas*) [F.: Do it. *ventarola* 'bandeirola'.]

ventear (ven.te.*ar*) *v.* **1** Manifestar, divulgar [*td.*: *Fica por aí venteando suas intenções.*] **2** *Lus.* Farejar (o cão) o ar [*td. int.*] [▶ 13 **ventear**] [F.: Na 1ª acepção *vento* + *ar*¹, na 2ª acepção *venta* + *ar*¹.]

ventena (ven.*te*.na) *sf.* **1** *SP Pej.* Mulher que se prostitui; MERETRIZ; PROSTITUTA **2** *Bras.* Pessoa malvada, desordeira *a2g.* **3** *Bras.* Que é malvado, desordeiro [F.: Alter. de *ventana* 2 (1 e 4). Sin. nas acps. 2 e 3: *ventena* 2 (acps. 1 e 4).]

◎ **vent(i)-** *el. comp.* Expressa noção de 'vento': *ventifacto; ventígeno* [F.: Do lat. *ventus, i.*]

ventilação (ven.ti.la.*ção*) *sf.* **1** Ação ou resultado de ventilar **2** Circulação natural de ar num ambiente: *Há pouca ventilação aqui.* **3** Movimentação do ar provocada por efeitos naturais ou mecânicos/elétricos: *Abriu as janelas para facilitar a ventilação; Os ventiladores mal davam conta da ventilação devido ao calor.* **4** Processo de circulação de ar nos pulmões **5** *Fig.* Exposição de uma ideia, tema etc. com vista ao debate, à discussão [Pl.: -*ões*.] [F.: Do lat. *ventilatio, onis.*] ■ **~ pulmonar** *Med.* A entrada e saída de ar dos pulmões, com a troca de gás carbônico por oxigênio

ventilado (ven.ti.*la*.do) *a.* **1** Que se ventilou **2** Que recebe ventilação (ambiente ventilado); AREJADO **3** Citado, falado, abordado: *Tema bastante ventilado este que o palestrante irá abordar.* **4** Aberto às novidades; ATUALIZADO: *Tinha um espírito moderno e ventilado.* [F.: Part. de *ventilar.*]

ventilador (ven.ti.la.*dor*) [ô] *sm.* **1** Aparelho próprio para ventilar e refrescar um ambiente quente, composto de pás que giram, produzindo vento **2** Qualquer aparelho produtor de corrente de ar, por via mecânica, elétrica etc. *a.* **3** Que produz vento: *O alho baixa e previne a tensão arterial, graças à ação ventiladora.* [F.: *ventilar* + -*dor.*]

ventilar (ven.ti.*lar*) *v. td.* **1** Fazer o ar circular em (espaço, ambiente); AREJAR: *Abriu as persianas para ventilar a casa* **2** Expor (algo) ao vento **3** Oxigenar (o pulmão) **4** *Fig.* Pensar em: *ventilar uma ideia.* **5** Debater abertamente (questão, ideia) **6** *P. ext.* Retirar a palha (de cereal) com peneiras, pás etc. [▶ 1 **ventilar**] [F.: Do lat. *ventilare.*]

ventilatório (ven.ti.la.*tó*.ri:o) *a.* Que ventila; que auxilia esp. a ventilação pulmonar: *suporte ventilatório para pacientes com insuficiência respiratória aguda.* [F.: Do ing. *ventilatory.*]

vento (*ven*.to) *sm.* **1** Fenômeno meteorológico de deslocamento de uma massa de ar de uma região de alta pressão para outra de baixa pressão: "... a pressão... diminui tendendo para um mínimo capaz de perturbar o curso regular dos ventos..." (Euclides da Cunha, *Contrastes e confrontos*) **2** Agitação do ar determinada por um mecanismo (abano, hélice, veículo etc.) que o põe em movimento **3** O ar: *Deu ao menino os balões cheios de vento.* **4** *Fig.* Ilusão, sonho, devaneio, quimera: "Todo aquele castelo de vento laboriosamente construído nos seus dias de ilusão, todo ele se esboroava e desfazia, como vento que era..." (Machado de Assis, *A mão e a luva*) **5** *Fig.* Influência favorável ou prejudicial (vento da fortuna; vento da desgraça) **6** Sorte, destino: *Bons ventos o trazem à nossa casa* **7** Circunstância momentânea; ENSEJO; OPORTUNIDADE; OCASIÃO: "Depois garganteava a chuspa e largava as onças pras unhas do bolicheiro que aproveita o vento e..." (Simões Lopes Neto, *Contos gauchescos*) *smpl.* **8** Pontos (cardeais): "Por fim Andiara... depois de espargir algumas gotas aos quatro ventos cardeais... entregou o vaso a Itagiba..." (Bernardo Guimarães, *O Ermitão de Moquém*) **9** Condições climáticas, ares: "... tinha necessidade de restaurar a alma aos ventos de Barbacena." (Júlia Lopes de Almeida, *A intrusa*) [F.: Do lat. *ventus, i.*] ■ **Aos quatro ~s** **1** Em/para todas as direções **2** *Fig.* Por toda parte, para que todos saibam, por grande quantidade de pessoas, países etc.: *Alardeou* *sua vitória aos quatro ventos.* **Cheio de ~** Presunçoso, pretensioso, cheio de si **Com ~ fraco** Sem-cerimônia **De ~ em popa** 1 Sob a ação de vento favorável (embarcação a vela) 2 *Fig.* Em pleno progresso, com tudo correndo a favor, beneficiado pelas circunstâncias: *Com a moeda valorizada, as importações iam de vento em popa.* **Encher de ~** *Fig.* Bajular, envaidecer **~ alisado** *Met.* Ver *Vento alísio* **~ aliseu** *Met.* Ver *Vento alísio* **~ alísio** *Met.* Vento que sopra de maneira constante das zonas de alta pressão de um anticiclone tropical para as zonas de baixa pressão do equador, ou seja, de nordeste para sudoeste no hemisfério norte, de sudeste para noroeste no hemisfério sul; vento alisado; vento aliseu [Tb. apenas *alísio.*] **~ de baixo** 1 *Amaz.* Vento que vem da foz do Amazonas, a leste 2 *BA* Vento que vem do sul **~ de feição** *Mar.* Vento favorável, em relação à rota que se tem em vista **~ de travessia** *Mar.* Vento que sopra perpendicularmente à costa ou ao rumo de embarcação **~ feito** *Mar.* Vento constante, em direção e intensidade **~ ponteiro** *Mar.* Ver *Vento repugnante* **~ repugnante** *Mar.* Vento contrário à rota desejada; vento ponteiro **~s etésios** Os ventos do solstício de verão **~s gerais** Ventos comuns numa certa região numa certa época do ano **~ solar** *Astr.* Fluxo de partículas (ger. prótons e elétrons) carregadas de eletricidade que o Sol expele regularmente para o espaço **Ver de que lado sopra o ~** *Fig.* Sondar ou verificar a situação antes de decidir algo

📖 O vento é o movimento horizontal do ar na atmosfera, causado pela diferença de pressão entre uma região atmosférica e outra. Em regiões aquecidas, o ar mais leve sobe, criando embaixo uma zona de baixa pressão. Em regiões mais frias, o ar mais pesado se concentra embaixo, criando uma zona de alta pressão. A tendência do ar em alta pressão é buscar o equilíbrio deslocando-se para a lacuna criada na zona de baixa pressão. Esse deslocamento é o vento. De acordo com os modelos climáticos de aquecimento das várias regiões da terra, há ventos regulares (como os alísios, que sopram das regiões temperadas para o equador, e dão origem a tornados e tufões), periódicos (brisas, monções), variáveis e locais. Os ventos acima de 50 km/h são considerados fortes, acima de 75 km/h são os temporais, e acima de 117 km/h são os furacões. O tornado é um vento fortíssimo (entre 150 e 500 km/h) que sobe em espiral e se desloca horizontalmente, não raro causando destruição. Ocorre principalmente nos EUA.

ventoinha (ven.to:*i*.nha) *sf.* 1 Pequeno ventilador us. para refrigerar um motor e/ou um CPU de computador: *Quando o motor atinge a 90 graus, a ventoinha entra em ação.* 2 Ventilador: "O teto [do quiosque], coberto de tábuas alcatroadas, ou telhas de zinco, era afunilado, com uma ventoinha a girar no alto." (Afonso Schmidt, *São Paulo meus amores*) 3 Lâmina móvel do cata-vento que indica a direção do vento; GRIMPA: "Sopra o sul: a ventoinha / Volta asinha, / Volta asinha para o sul (...)" (Machado de Assis, *As ventoinhas*) [F.: Formação vocabular estranha, ao que parece a base *vento-* é composta do rad. *vent-* (de *vento*) + sufixo fonologicamente alterado *-o* poss. <**ol-* <-lat. *-ulus*, sufixo de dim. + *-inha* (<*-ina*), cp. espn. *ventolina* 'brisa, aragem'.]

ventor (ven.*tor*) [ô] *sm.* Cão de faro apurado [F.: *vent(o) + -or.*]

ventosa (ven.*to*.sa) [ó] *sf.* 1 *Anat. Zool.* Órgão que alguns animais usam para se fixar a uma superfície (ventosas da sanguessuga) 2 Estrutura colante feita para fixação de um objeto (ger. um disco de borracha que se pressiona contra uma superfície para formar vácuo) 3 Vaso cônico ou em forma de globo, ger. de vidro, no interior do qual se rarefaz o ar (por aquecimento) e que se aplica sobre a pele para provocar uma revulsão naquela parte do corpo, com efeito terapêutico 4 *Bot.* Árvore da fam. das hernandiáceas (*Hernandia guianensis*), nativa da Amazônia brasileira e da Guiana, comum nas várzeas inundadas, e que caracteriza-se pelo fruto globoso cujo cálice acrescente forma um envoltório membranáceo que possibilita sua flutuação sobre as águas [F.: Fem. substantivado do adj. *ventoso.*]

ventosiar (ven.to.si.*ar*) *v. int.* Soltar gases, flatulências [▶ 1 ventosiar] [F.: Do lat. tard. *ventosa* + *-iar.*]

ventosidade (ven.to.si.*da*.de) *sf.* Expulsão de gases do intestino; FLATULÊNCIA [F.: *ventoso* + *-idade.*]

ventoso (ven.*to*.so) [ô] *a.* 1 Em que venta muito (local ventoso) 2 Marcado pela ocorrência de ventos, ger. fortes: *A meteorologia informou que amanhã será um dia muito ventoso.* 3 *Fig.* Sem densidade ou consistência, vazio, fútil (desejos ventosos) [Fem. e pl.: [ó].] *sm.* 4 O sexto mês no calendário republicano que passou a vigorar com a Revolução Francesa (de 19 de fevereiro a 20 de março) [F.: Do lat. *ventosus.*]

ventral (ven.*tral*) *a2g.* 1 *Anat.* Que se encontra na parte anterior oposta ao dorso (decúbito ventral) 2 *Anat.* Situado no abdome 3 Ref. ao, ou do ventre: *A linha ventral e as pernas não foram representadas.* 4 *Bot.* Diz-se da superfície superior de uma folha: *A face ventral da folha contém uma nódoa.* [Pl.: *-trais.*] [F.: Do lat. *ventralis, e.*]

ventre (*ven*.tre) *sm.* 1 *Anat.* Parte do corpo onde ficam os órgãos dos sistemas digestório e reprodutor e os geniturinários; ABDOME 2 O estômago: *Estava com o ventre cheio.* 3 Barriga: *Fez uma cirurgia plástica para perder as gorduras do ventre.* 4 O útero (ventre matriz): "Sim, senhora, pergunto se não teriam brigado no ventre de sua mãe; não se lembra? Natividade, (...), respondeu que efetivamente sentira movimentos extraordinários, repetidos, e dores, e insônias (...)." (Machado de Assis, *Esaú e Jacó*) 5 O conjunto dos intestinos: *Sempre que viajava, tinha prisão de ventre.* 6 *Fig.* A parte saliente ou bojuda de algo: *Pintou o ventre do vaso com cores escuras.* 7 *Fig.* A parte interna de algo: *As raízes prendem-se ao ventre da terra.* [F.: Do lat. *venter, tris.* Noção de: *'ventre'*, usar antepos. *abdomin(o)-, celid-, celi(o)-, gastero-, gastro-* e *ventr-*; pospos. *-gáster, -gastria, -gástrio* e *-gastro.*] ■ **~ livre** Conceito de que filho de escrava concebido na escravidão tem direito a liberdade; esse direito

ventrecha (ven.*tre*.cha) [ê] *sf.* Posta situada logo depois da cabeça do peixe [F.: Do fr. ant. *ventresche*, deriv. do dim. lat. *ventriscula.* Tb. *ventrisca.*]

◎ **ventri-** *el. comp.* = 'ventre'; 'barriga': *ventridorsal, ventrifixo, ventripotente; ventrolateral, ventromedial* [F.: Do lat. *venter, tris.*]

ventricoso (ven.tri.*co*.so) [ô] *a.* 1 *Bot.* Que tem a parte inferior dilatada (estipe ventricoso) 2 *Zool.* Diz-se de concha cujas valvas são acentuadamente convexas [Pl.: [ó]. Fem.: [ó].] [F.: Do lat. *ventricosus, a, um.*]

ventricular (ven.tri.cu.*lar*) *a2g.* Ref. a ventrículo [F.: *ventrículo + -ar.*]

ventriculectomia (ven.tri.lec.to.*mi*.a) *sf.* *Cir.* Retirada de uma parte do ventrículo esquerdo, adequando o seu funcionamento a um consumo menor de oxigênio [F.: *ventrícul(o) + -ectom- + -ia¹.*]

ventrículo (ven.*trí*.cu.lo) *sm.* 1 *Anat.* Cada uma das duas cavidades (direita e esquerda) inferiores do coração 2 *Anat.* Cada uma das cavidades existentes num órgão (ventrículos cerebrais) 3 *Anat. Zool.* Ver *moela* [F.: Do lat. *ventriculus, i.* Ideia de 'ventrículo', usar antepos. *ventricul(o)-*; pospos. *-cele.*] ■ **~ de Morgagni** *Anat.* Bolsa lateral na laringe, entre as pregas vestibulares e as cordas vocais

ventriculografia (ven.tri.cu.lo.gra.*fi*.a) *sf.* *Rlog.* Exame de imagem com uso de radioisótopos para visualização dos ventrículos cardíacos [F.: *ventrículo + -grafia.*]

ventriculomioplastia (ven.tri.cu.lo.mi:o.plas.*ti*.a) *sf.* *Cir.* Cirurgia para evitar o transplante cardíaco que associa duas técnicas cirúrgicas: a ventriculectomia e a cardiomioplastia (envolvimento do coração com um músculo dorsal para dar maior força de contração ao órgão) [F.: *ventrículo + mioplastia.*]

ventriloquia (ven.tri.lo.*qui*.a) *sf.* 1 Arte ou ofício de ventríloquo 2 Capacidade de falar quase sem abrir a boca, para dar a impressão que a voz vem de outrem [F.: *ventríloquo + -ia.*]

ventríloquo (ven.*trí*.lo.quo) *a.* 1 Que domina a técnica de falar quase sem mover os lábios, dando a impressão de que a voz vem de outra fonte *sm.* 2 Aquele que domina essa técnica [F.: Do lat. tard. *ventrìlòquus, i.*]

ventrisca (ven.*tris*.ca) *sf.* Ver *ventrecha*

◎ **ventro-** *el. comp.* Ver *ventri-*

ventrudo (ven.*tru*.do) *a.* 1 Cujo ventre é volumoso; BARRIGUDO; PANÇUDO: *Queria casar com qualquer um, menos com um homem ventrudo.* 2 Que possui forma bojuda (panturrilha ventruda) [F.: *ventre + -udo.*]

ventura (ven.*tu*.ra) *sf.* 1 Destino favorável ou desfavorável; ACASO; SORTE: *Teve a desagradável ventura de acabar na cadeia.* 2 Acontecimento vantajoso, mas independente da vontade do beneficiado; DITA; FORTUNA: *Teve a ventura de casar com a bela imigrante.* 3 Satisfação por sucesso alcançado; FELICIDADE: *Comemorou ruidosamente a ventura de ter ganho na loteria.* 4 Ameaça, perigo, risco: *Preocupava-se com as venturas da perigosa expedição.* [F.: Do lat. *ventura.* Ant. ger.: *desventura.*] ■ **À ~** Ao acaso, à sorte, a esmo **Pôr em ~** Arriscar, deixar à sorte **Por ~** Ver *porventura.*

venturoso (ven.tu.*ro*.so) [ô] *a.* 1 Que tem boa sorte; DITOSO: *Teve um belo e venturoso casamento.* [Ant.: *desventurado.*] 2 Em que há ventura, incerteza, risco; PERIGOSO: *Não podia arriscar numa aposta tão venturosa.* [Ant.: *desaventurado.*] [Pl.: [ó]. Fem.: [ó].] [F.: *ventura + -oso.*]

vênula (*vê*.nu.la) *sf.* 1 *Anat.* Nome comum de cada uma das veias menores que recebem sangue dos vasos capilares e que se reúnem para formar as redes venosas 2 *Bot.* Cada uma das numerosas veias diminutas que se ramificam formando malhas nas folhas e outros órgãos foliáceos 3 *Min.* Veia diminuta intercalada nas rochas [F.: Do lat. *venula, ae.*]

vênus (*vê*.nus) *sm.* 1 *Astron.* Segundo planeta do sistema solar a partir do Sol, com dois satélites [Us. com inicial maiúsc.] 2 *Mit.* Na antiga Roma, deusa do amor e da beleza [Us. com inicial maiúsc.] 3 *P. ext.* Mulher de grande beleza: *A moça era uma verdadeira vênus.* [F.: Do mitôn. lat. *Venus, eris.*]

venusiano (ve.nu.si:*a*.no) *a.* 1 Ref. ao planeta Vênus *sm.* 2 Suposto habitante desse planeta [F.: *Vênus + -iano.* Sin. ger.: *venusino.*]

venusino¹ (ve.nu.*si*.no) *sm.* 1 Indivíduo nascido ou que vivia em Venúsia (Itália), cidade natal do poeta Horácio, hoje Venosa, *a.* 2 De Venúsia; típico dessa cidade ou de seu povo 3 Do ou ref. ao poeta Horácio; HORACIANO [F.: Do lat. *venusinus.*]

venusino² (ve.nu.*si*.no) *a.* 1 Ref. a Vênus *sm.* 2 Hipotético habitante do planeta Vênus [F.: *Vênus + -ino.*]

venustidade (ve.nus.ti.*da*.de) *sf.* Qualidade de venusto; atributo do que é elegante; FORMOSURA [F.: *venust(o) + -i- + -dade.*]

venusto (ve.*nus*.to) *a.* *Poét.* Muito formoso, elegante, gracioso: "Aquele venusto rosto que contemplara a sós; aqueles formosos olhos..." (Visconde de Taunay, *Inocência*) [F.: Do lat. *venustus, a, um.*]

◎ **ver-** *el. comp.* = verdadeiro, verídico, real: *veraz, verídico, vero etc.* [F.: Do lat. *verus, a, um.*]

ver *v.* 1 Captar imagem por meio dos olhos; ENXERGAR [*td.*: *Consegue ver as letras menores?*] [*int.*: *Este enfermo não vê mais.*] 2 Estar presente; assistir a [*td.*: *A jovem viu o acidente de carro.*] 3 Perceber por meio da vista; ACHAR; OBSERVAR [*td.*: *O jovem não via graça em nada.*] 4 Chegar a uma conclusão; CONCLUIR; INFERIR [*td.*: *Dá para ver que foram enganados.*] 5 Pensar sobre; EXAMINAR [*td.*: *Vamos ver o que podemos fazer.*] 6 Ter contato (com alguém ou entre si); ENCONTRAR-SE [*td.*: *Você tem visto o seu amigo?*] 7 Observar (a si mesmo); MIRAR-SE [*td.*: *Ficava horas vendo-se no espelho.*] 8 Surpreender-se (em uma situação) [*td.*: *De repente, vi -me contando piadas.*] 9 Prestar serviço profissional [*td.*: *O pediatra foi ver a criança doente.*] 10 Manter contato constante com; CONVIVER [*td.*: *Depois que se casou, não viu mais o pai.*] 11 Ir (a algum lugar) para conhecer; VISITAR [*td.*: *Gostaria de ver Paris na primavera.*] 12 Ter consulta com [*td.*: *Você está muito magra, precisa ver um nutricionista.*] 13 Constatar, perceber [*td.*: *O senhor não vê que não posso aceitar tal proposta?*] 14 Tomar cuidado em; atentar em; REPARAR [*td.*: *Ela nem viu a cara do engraçadinho!*] 15 Ter a compreensão de [*td.*: *Ele logo viu que não poderia fazer tal coisa.*] 16 Observar, verificar [*td.*: *Foi ver como estava o tempo.*] 17 *Fig.* Ter ideias irreais ou absurdas sobre (algo); FANTASIAR [*td.*: *Ela anda vendo coisas.*] 18 Reconhecer como bom [*tdr.* + *em*: *Ela vê muitas virtudes no marido.*] 19 Fazer vir à memória; EVOCAR [*td.*: *Quando pensa na infância, vê sempre a mãe curvada sobre o fogão.*] 20 Fazer perguntas ou indagações sobre; INDAGAR; PERGUNTAR [*td.*: *Vá ver o que este homem está querendo!*] [*tr.* + *com*: *Se precisar dos recibos, veja com meu contador.*] 21 Ir à procura de (algo) [*int.*: *Se está procurando a carteira, veja em cima da mesinha.*] 22 Procurar avaliar; CALCULAR [*td.*: *Antes de criticar, você tem que ver os bons resultados do time.*] 23 Fazer a avaliação de; CONSIDERAR; JULGAR [*td.*: *Vê o cunhado com maus olhos.*] [*tdp.*: *Via no filho mais novo seu herdeiro político.*] 24 Julgar-se, considerar-se [*tdp.*: *Viu-se rebaixado diante do irmão.*] 25 Tentar (algo) para alcançar um objetivo [*td.*: *Fui ver se conseguia entrar, mas não consegui.*] 26 Procurar fazer ou providenciar (algo) para (alguém) [*tdi.* + *para*: *Espere aí que eu vou ver uma comidinha gostosa para você!*] [▶ 32 ver] [F.: Do lat. *videre.* Hom./Par.: *vede(s)* [ê] (fl.), *vede(s)* (fl. de *vedar*); *verás* (fl.), *veraz* (a2g.), *Veraz* (antr.); *vê(s)* (fl.), *vês(s)* (sm. [pl.]); *verão* (fl.), *verão* (sm.); *via(s)* (fl.), *via(s)* (sf. [pl.]); *vira(s)* (fl.), *vira(s)* (sf. e sm. [pl.]); *veem* (fl.), *vêm* (fl. de *vir*); *veria* (fl.), *Véria* (top.), *viria* (fl. de *vir*); *verias* (fl.), *virias* (fl. de *vir*); *vês* (fl.), *vez* (sf.), *Vez* (top.); *víramos* (fl.), *viramos* (fl. de *virar*); *víreis* (fl.), *vireis* (fl. de *vir* e *virar*).] ■ **Até mais ~** Até a vista, até logo (forma de despedida) **De ~, cheirar e guardar** *N. E. Pop.* Excelente, excepcional, maravilhoso **Estar amarelo de ~** *N. E. Pop.* Estar cansado (*Fig.*) de ver, ter visto muitas vezes **Nunca ter visto mais gordo** *Bras.* Não ter visto nunca (alguém)

vera (*ve*.ra) *sf.* Verdade [F.: Do lat. *vera*, 'verdadeiro'.] ■ **À ~** Para valer, não de brincadeira, a sério: *Já batemos bola bastante, agora vamos jogar à vera, valendo pontos.*

veracidade (ve.ra.ci.*da*.de) *sf.* 1 Qualidade do que é verdadeiro, do que diz respeito à verdade: *Será que se podia acreditar na veracidade da notícia?* [Ant.: *mentira, falsidade.*] 2 Capacidade de só dizer a verdade: *Era um homem de muita veracidade.* [F.: De or. obsc.]

veranear (ve.ra.ne.*ar*) *v. int.* Viajar em férias de verão: *Foi veranear fora do país.* [▶ 13 veranear] [F.: *verão* + *-ear.* Hom./Par.: *veraneio* (fl.), *veraneio* (sm.).]

veraneio (ve.ra.*nei*.o) *sm.* Ato de veranear, de aproveitar o verão com lazer e descanso [F.: Regr. de *veranear.* Hom./Par.: *veraneio* (fl. de *veranear*).]

veranico (ve.ra.*ni*.co) *sm.* 1 Verão não muito quente 2 *Bras.* Período curto de calor durante estação fria, ger. o outono [Dim. irreg. de verão.] ■ **~ de maio** *Bras.* Período de dias quentes que se segue ao fim do verão e às primeiras semanas do outono

veranil (ve.ra.*nil*) *a2g.* Ref. a, ou próprio de verão (paisagem veranil, vestido veranil); ESTIVAL [Pl.: *-nis.*] [F.: *verão* (lat. *veran*) + *-il.*]

veranismo (ve.ra.*nis*.mo) *sm.* Segmento do turismo que se dedica a localidades favorecidas pelo verão e a atividades próprias dessa estação [F.: *verão* (lat. *veran*) + *-ismo.*]

veranista (ve.ra.*nis*.ta) *a2g.* 1 Diz-se de quem veraneia: *O grupo veranista chegou todo animado.* *s2g.* 2 Aquele que veraneia: *Os veranistas não saíam da piscina.*

verão (ve.*rão*) *sm.* 1 *Cron.* A estação mais quente do ano, entre a primavera e o outono, que, em países do hemisfério sul (como o Brasil), se estende de 21 de dezembro a 20 de março, e no hemisfério norte, de 21 de junho a 21 de setembro; ESTIO 2 *N. E.* Estação da seca 3 *Ornit.* Ver príncipe (*Pyrocephalus rubinus*) [Pl.: *verões* e *verãos.*] [F.: Do lat. vulg. *veranum tempus.* Hom./Par.: *verão* (fl. de *ver*).]

veras (*ve*.ras) *sfpl.* Coisas verdadeiras, reais; VERDADE; REALIDADE [F.: Do lat. *veras*, 'verdadeiras' (palavras, ações).] ■ **Às ~** *RS* Ver *À vera* no verbete *vera* **Com todas as ~** Com toda a intenção de verdade, com toda a sinceridade

verascópio (ve.ras.*có*.pi:o) *sm.* *Fot.* Máquina fotográfica com duas objetivas, que tira fotos duplas do mesmo objeto com afastamento aproximadamente igual ao dos olhos, as quais, observadas simultaneamente em estereoscópio, dão a impressão de relevo [F.: Do lat. *veras + -scop- + -io*[2].]

veraz (ve.*raz*) ***a2g.*** **1** Que representa a verdade; que tem veracidade; VERÍDICO: *Era uma história veraz.* **2** Que corresponde à verdade (fato veraz) [F.: Do lat. *vérax, ácis.* Ant. ger.: *mentiroso.* Hom./Par.: *verás* (fl. de *ver*).]

verba (*ver*.ba) ***sf.*** **1** Quantia, ger. prevista em orçamento, destinada a um propósito específico: *Foi votada uma verba para a reconstrução da biblioteca pública.* **2** *P. ext.* Qualquer valor em dinheiro: *Precisava de uma verba para dar início ao negócio.* **3** *P. ext.* Ver dinheiro **4** *Jur.* Em um documento ou uma escritura, cada um dos pontos, cláusulas elencados [F.: Do lat. *verba.*]

verbal (ver.*bal*) ***a2g.*** **1** *Gram. Ling.* Rel. ao verbo ou à comunicação que se faz oralmente **2** Que se expressa de viva voz, de maneira oral: *Como iria demorar a escrever, fez uma comunicação verbal.* **3** *Gram.* Referente a verbo, derivado de verbo (forma verbal; conjugação verbal) [Pl.: *-ais.*] [F.: Do lat. *verbalis, e.*]

verbalismo (ver.ba.*lis*.mo) ***sm.*** **1** Transmissão de conhecimentos pela fala, sem uso da escrita: *O verbalismo das aulas agradava aos alunos, que não precisavam escrever.* **2** *Pej.* Fala rebuscada e/ou extensa, mas com pouco conteúdo; VERBORREIA: *O verbalismo inócuo estragava seus discursos.* **3** Atitude de quem cultiva esse tipo de expressão **4** *Pej.* Repetição contínua de palavras com descaso pelo conteúdo; PSITACISMO [F.: *verbal + -ismo.*]

verbalista (ver.ba.*lis*.ta) ***a2g.*** **1** Rel. ao verbalismo **2** Que pratica o verbalismo ***s2g.*** **3** Aquele que pratica o verbalismo [F.: *verbal + -ista.*]

verbalização (ver.ba.li.za.*ção*) ***sf.*** **1** Ação ou resultado de verbalizar **2** *Ling.* Formação verbal por derivações morfológicas [Pl.: *-ões.*] [F.: *verbalizar + -ção.*]

verbalizado (ver.ba.li.*za*.do) ***a.*** **1** Que é verbal; que foi expresso por meio de palavras: *Aquele amor foi afinal verbalizado.* **2** *Ling.* Que foi transformado em verbo (substantivo verbalizado) [F.: Part. de *verbalizar.*]

verbalizador (ver.ba.li.za.*dor*) [ô] ***a.*** Relativo a verbalização, a expressão por meio de palavras: *Foi preciso um esforço verbalizador para que ela conseguisse explicar tudo.* [F.: Part. de *verbalizar + -or.*]

verbalizar (ver.ba.li.*zar*) ***v.*** **1** Expressar em palavras; FALAR [***td.***: *Ela verbalizava muito bem seus anseios.*] [***int.***: *Essa criança verbaliza bem*] **2** Expor verbalmente [***td.***] [***int.***] **3** *Ling.* Expressar em verbo por meio de processo morfológico [***td.***: *verbalizar um substantivo.*] [▶ **1** verbalizar] [F.: *verbal + -izar.*]

verbaloide (ver.ba.*loi*.de) ***a2g.*** Que tem inclinação pelo verbalismo; VERBALISTA [F.: *verbal + -oide.*]

verbasco (ver.*bas*.co) *Bot.* ***sm.*** **1** Nome comum de várias plantas do gên. *Verbascum*, da fam. das escrofulariáceas, com grandes folhas e flores amarelas, brancas ou purpúreas, nativas da Europa, Ásia e Leste da África, são ger. cultivadas como ornamentais **2** *MG* Arbusto do gênero *buddleia*, cujas folhas e flores são usadas terapeuticamente como calmantes. Tb. chamado *barbasco* **3** *SP* Arbusto (*Buddleia brasiliensis*) nativo do Brasil, também chamado *calção-de-velho* **4** Planta das teofrastáceas (*Jacquinia brasiliensis*), também conhecida como *saputi-quiabo* **5** Planta da teofrastáceas (*Jacquinia arborea*), presente no N. E. do Brasil, us. como ornamental. Tb. *tingui-da-praia* **6** O mesmo que *vassourinha* (4) [F.: Do lat. cient. *Verbascum.*]

⊕ **verbatim** (*Lat.* /verbátim/) ***adv.*** **1** Palavra por palavra, *ipsis litteris*; LITERALMENTE ***a.*** **2** Que reproduz perfeitamente um texto, diálogo, discurso ou procedimento original: *Ata verbatim da reunião ocorrida na sede da associação de moradores.* **3** Diz-se de pessoa capaz de tomar nota de reuniões, discursos e procedimentos com absoluta precisão (secretária verbatim)

verbena (ver.*be*.na) ***sf.*** **1** *Bot.* Nome comum às ervas do gên. *Verbena*, da fam. das verbenáceas, a maioria encontrada nas Américas, muitas dotadas de penetrante perfume e cultivadas como ornamentais ou medicinais, como, p. ex., *Verbena officinalis*, originária do hemisfério, de flores azuladas ou lilases, com uso medicinal **2** *Bot.* Ver *cidrão.* **3** *P. ext.* Qualquer tipo de bebida preparada com verbena [F.: Do lat. cient. *verbena.*]

verbenácea (ver.ba.*ná*.ce.a) ***sf.*** *Bot.* Espécime das verbenáceas, fam. de plantas nativas de regiões tropicais que reúne 41 gên. e 950 espécies de arbustos, ervas e árvores de folhas aromáticas e flores vistosas, ger. hermafroditas [F.: Do lat. cient. *Verbenaceae.*]

verbenáceas (ver.be.*ná*.ce:as) ***sfpl.*** *Bot.* Fam. de plantas da ordem das lamiales que apresenta árvores, arbustos, cipós e ervas, com folhas simples, flores hermafroditas pequenas e vistosas e frutos em drupas; nativas de áreas tropicais, esp. da América do Sul, são cultivadas pela madeira, como ornamentais e us. como aromatizantes [F.: Do lat. cient. *Verbenaceae.*]

verberação (ver.be.ra.*ção*) ***sf.*** **1** Ação ou resultado de verberar **2** Açoitamento, agressão, maus-tratos **3** Repreensão ou censura áspera, enérgica: *Diante de tal verberação, nunca mais chegou depois da hora.* **4** Ver *reverberação* [Pl.: *-ções.*] [F.: Do lat. *verberátio, ónis.*]

verberado (ver.be.*ra*.do) ***a.*** **1** Que se verberou **2** Censurado com aspereza; REPROVADO; REPREENDIDO [F.: Part. de *verberar.*]

verberador (ver.be.ra.*dor*) [ô] ***a.*** **1** Que verbera ***sm.*** **2** Aquele que verbera [F.: Do lat. *verberátor, óris.* Sin. ger.: *verberante.*]

verberante (ver.be.*ran*.te) ***a2g.*** **1** Que verbera; VERBERADOR ***s2g.*** **2** Ver *verberador* [F.: Do lat. *verberans, antis.*]

verberão (ver.be.*rão*) *Bot.* ***sf.*** **1** Ver *jujuba* (*Verbena chamaedryfolia*) **2** Ver *verbena* (*Verbena officinalis*) [F.: Alt. de *verbenão.*]

verberar (ver.be.*rar*) ***v.*** **1** Censurar, repreender [***td.***: *Verberava a corrupção no governo.*] [***tdr.*** + *contra*: *Verberava contra a inflação.*] **2** O mesmo que *reverberar* [***int.***] **3** Flagelar, açoitar, golpear com vara ou chicote [***td.***] [▶ **1** verberar] [F.: Do lat. *verberare.*]

verberativo (ver.be.ra.*ti*.vo) ***a.*** Próprio para verberar, açoitar (chicote verberativo) [F.: Part. de *verbera r.*]

verbetar (ver.be.*tar*) ***v. td. int.*** **1** Fazer verbete(s) de **2** Em dicionários e enciclopédias, redigir em forma de verbete [▶ **1** verbetar] [F.: *verbete + -ar.* Hom./Par.: *verbete(s)* (fl.), *verbete(s)* (sm. [pl.]).]

verbete (ver.*be*.te) [ê] ***sm.*** **1** No campo da lexicografia, cada uma das entradas (palavras listadas) de um dicionário, enciclopédia etc., que contém informações sobre um assunto (o significado de uma palavra, p. ex.) **2** Anotação sobre um tema; APONTAMENTO **3** Papel, ger. pequeno, com esse tipo de texto **4** Ficha de arquivo, como, p. ex., a das bibliotecas [F.: *verbo + -ete.* Hom./Par.: *verbete* (fl. de *verbetar*).]

verbetista (ver.be.*tis*.ta) ***s2g.*** Redator de verbetes [F.: *verbet(e) + -ista.*]

verbiagem (ver.bi:a.gem) ***sf.*** *Bras.* Uso excessivo de palavras para exprimir poucas ideias; VERBORRAGIA: "O autor, (...) gasta sete páginas para falar mal da verbiagem, e o faz no melhor estilo retórico, ..." (José Murilo de Carvalho, *História intelectual no Brasil: a retórica como chave de leitura*) [Pl.: *-gens.*] [F.: *verbi- + -agem*[2].]

◎ **verb(i/o)-** ***pref.*** = palavra, verbo: *verberar, verbete, verborragia.*

verbivocovisual (ver.bi.vo.co.vi.su:*al*) ***a2g.*** *Poét.* Na poesia concreta, diz-se da forma de apresentação de um poema em que o texto é organizado segundo critérios relacionados aos aspectos gráficos e fonéticos das palavras; integração do verbal, do visual e do sonoro: *a dimensão verbivocovisual da poesia.* [Conceito criado por James Joyce, poeta irlandês (1882-1941).] [Pl.: *-suais.*] [F.: *verbi- + -voc- + -o- + visual.*]

verbo (*ver*.bo) ***sm.*** **1** *Gram.* Classe de palavra que expressa ação, estado ou mudança de estado (p. ex.: *pagar, ser, tornar*) **2** *Ling.* Em determinadas línguas com características flexionais e aglutinantes, palavra que pertence a um paradigma de formas flexionadas que expressam, neste caso, *tempo* e *modo*; *pessoa* e *número* e tb. *voz* e *aspecto* **3** Expressão do pensamento por meio de palavras escritas ou faladas: *Sabia lidar com o verbo como meio de expressar-se.* **4** Palavra, linguagem, discurso: *Seu verbo era empolado, mas continha informações importantes.* **5** Tom de voz; ENTONAÇÃO **6** *Rel.* A palavra de Deus ou o próprio Deus [Us. inicial maiúscula.] [F.: Do lat. *verbum, i.*] ⁂ **Abrir o ~** *Bras.* Criticar, protestar, dizendo tudo o que pensa **Deitar o ~** **1** *Bras. Pop.* Discursar, deitar falação **2** *Fig.* Vomitar **Soltar o ~** Dizer (alguém) o que pensa ou sabe, sem comedimento **~ abundante** *Gram.* O que tem mais de uma forma para um mesmo modo, ou tempo, ou pessoa [P. ex., o verbo *morrer* tem como part. pass *morrido* e *morto.*] **~ anômalo** *Gram.* Verbo muito irregular **~ ativo** *Gram.* O que designa ação praticada pelo sujeito **~ auxiliar** *Gram.* Classe de verbos que precedem o verbo principal do predicado na formação de tempos compostos ('*tenho* vivido', '*havia* chegado'), da voz passiva ('*foi* trazido', '*estão* cobertas') e de locuções verbais em geral ('ela *pode* cantar', 'ela *está* cantando', 'ela *começou a* cantar') [Ex.: *O professor fez o aluno repetir a pergunta*; *O diretor mandou-o sentar*; *Não vou (eu) deixá-lo (você) sair.* Cf.: *Verbo factitivo.*] **~ causativo** *Gram.* Aquele que transmite a ideia de que o sujeito da oração causa a ação descrita, mesmo que o agente da ação seja outro **~ copulativo** *Gram.* Ver *Verbo de ligação* **~ declarativo** *Gram.* Aquele que indica que se lhe segue (ou antecede) uma afirmação, declaração, asserção; verbo *dicendi* [Pode tb. ser seguido de uma oração que expressa o conteúdo da declaração. P. ex.: *Então ele disse: – Não conte com isso*; *Então ele disse que não contasse com isso*; *"Sua análise está correta", asseverou João*; *João asseverou que a sua análise estava correta.*] **~ de estado** *Gram.* Aquele cujo significado vem do predicado que ele forma com predicativo, sendo o verbo o indicador do estado, ou mudança de estado, de ou para aquele predicativo [Ex.: *estar, ser, ficar, mostrar-se, tornar-se, parecer.*] **~ defectivo** *Gram.* Aquele que não se conjuga em um ou mais tempo, modo, pessoa **~ de ligação** *Gram.* Aquele que une o sujeito a elemento de predicação para dar noção predicativa (*Mário é esperto*), de identificação (*O dono é o dr. Luís*), de lugar (*O banco fica na esquina*) [Pode indicar condição permanente (*ser*), transitória (*andar, estar*), mudança (*ficar, tornar-se, virar*), continuidade (*continuar, ficar, permanecer*), aspecto (*parecer, mostrar-se.*).] **~ depoente** *Gram.* Aquele que, na voz passiva, tem acepção ativa [Ex.: *pessoa viajada.*] **~ dicendi** *Gram.* Ver *Verbo declarativo* **~ ergativo** *Gram.* Verbo intransitivo cujo sujeito não é o agente, mas o tema da ação verbal; verbo inacusativo [P. ex.: *A chuva aumentou. A água congelou.* Tb. apenas *ergativo.*] **~ factitivo** *Gram.* Verbo transitivo direto cujo objeto é agente da ação induzida pelo sujeito [P. ex., *O vento estremeceu a ramagem.* (i. e., fez a ramagem estremecer); *O policial afugentou o bandido.* (i. e., fez o bandido fugir). Alguns sufixos caracterizam o verbo factitivo: *-ecer, -entar, -izar, -fazer, -ficar.* Pode também ter forma analítica, como: *Pedro mandou João sair.* Cf.: *Verbo causativo.*] **~ frequentativo** *Gram.* Verbo que exprime ação repetida (formada por pequenas ações seguidas) ou frequente; verbo iterativo [Ex.: *tremelicar, bebericar, espernear, saltitar.*] **~ imitativo** *Gram.* Verbo que indica ação imitativa do substantivo do qual deriva [Ex.: *cabriolar, encaracolar, marejar, serpentear.*] **~ impessoal** *Gram.* Aquele que não sujeito ou agente específico, e que se conjuga sempre na 3ª pessoa do singular ou nas formas nominais [Ex.: *nevar, garoar, anoitecer, ventar.*] **~ inacusativo** *Gram.* Ver *Verbo ergativo.* **~ incoativo** *Gram.* Verbo que exprime início de ação ou de estado [Ex.: *alvorecer, amadurecer, anoitecer.*] **~ intransitivo** *Gram.* O que exprime integralmente ação ou estado sem transitar do sujeito a outro objeto [P. ex., *correr* (*Foi correr, mas já volta*), *dormir* (*Dormi muito*), *cair* (*Perdeu o equilíbrio e caiu.*)] **~ irregular** *Gram.* Aquele que não segue exatamente o paradigma da sua conjugação [Ex.: *estar, fazer, haver, pedir, sentir.*] **~ iterativo** *Gram.* Ver *Verbo frequentativo* **~ predicativo** *Gram.* Verbo que liga o sujeito a um complemento predicativo, diretamente como verbo de ligação (*Ele é bonito*) ou como transitivo direto predicativo (*Ela acha/considera o filho bonito*) ou ainda como intransitivo predicativo (*Ela acordou furiosa*) **~ pronominal** *Gram.* O que se conjuga com pronome oblíquo de mesma pessoa e número do sujeito (*Ela arrependeu-se*; *O menino comportou-se bem.*) **~ recíproco** *Gram.* Verbo pronominal que indica ação recíproca entre os sujeitos [Ex.: *Os dois cumprimentaram-se na saída do teatro.*] **~ reflexivo** *Gram.* Aquele que se conjuga com pronome oblíquo átono de mesma pessoa e número do sujeito quando esse pronome se refere ao próprio sujeito (configurando ação realizado por ele sobre ele mesmo) [Ex.: *pentear-se, vestir-se, preparar-se.*] **~ regular** *Gram.* O que segue integralmente o paradigma de sua conjugação **~ relativo** *Gram.* Ver *Verbo transitivo relativo* Verbo transitivo cujo objeto é regido por preposição [Com exceção, na classificação de regências deste dicionário, das preposições *a* e *para*, que caracterizam o verbo transitivo indireto.] **~ transitivo** *Gram.* O que, para exprimir a ação, transita do sujeito a um objeto. [Pode ser, na classificação adotada neste dicionário, transitivo direto, indireto, direto e indireto, direto e relativo, indireto e relativo, predicativo, adverbiado, direto e predicativo, indireto e predicativo, direto e adverbiado.] **~ transitivo adverbiado** *Gram.* Verbo que se acompanha de complemento adverbial necessário ao sentido [Ex.: *Chegaram em casa*; *Deram-se mal.*] **~ transitivo direto** *Gram.* Verbo transitivo cujo complemento não é regido por preposição **~ transitivo direto e indireto** *Gram.* Verbo transitivo que pede dois complementes, um direto e outro indireto, regido pelas preposições *a* ou *para* [Ex.: *Entregou o livro a seu irmão*; *Contou-lhe (para ela) a história toda.*] **~ transitivo indireto** *Gram.* Verbo cujo complemento, ger. precedido das preposições *a* ou *para*, denota o destinatário ou beneficiário da ação e é comutável com o pronome *lhe/lhes* [Ex.: *A vítima perdoou ao seu agressor*; *Espero que essa lembrança lhe agrade.*] **~ transitivo predicativo** *Gram.* Verbo cujo complemento exerce a função de predicativo [Ex.: *Ela é bonita*; *Já são dez horas*; *Todos ficaram de pé.*] **~ transitivo relativo** *Gram.* Verbo transitivo com complemento preposicionado e não comutável com o pronome *lhe* e suas flexões [Ex.: *Gosto de você*; *Encontrou-se com ela.*] **~ unipessoal** *Gram.* O que normalmente só se usa na 3ª pessoa [Ex.: *acontecer, germinar, brotar.*] **~ vicário** *Gram.* O que se emprega em substituição a outro já mencionado, para não repeti-lo [Ger. *fazer* e *ser*: *Sempre trabalhou muito, mas nunca o fez tanto como agora. Vamos ganhar, e será de goleada.*] [**Obs.** Além dessas, algumas classificações forma-se com a associação de outras, como *transitivo direto e predicativo* (ex.: *Ele considera o filho um gênio.*), *transitivo direto e adverbiado* (ex.: *Depositamos o dinheiro no banco.*), *transitivo indireto e relativo* (ex.: *O vizinho reclamou do porteiro ao síndico.*).]

verbologia (ver.bo.lo.*gi*.a) ***sf.*** *Irôn.* Modo de apresentar as ideias falando [F.: verbi(*i* > *o*)- + *-logia.*]

verbonominal (ver.bo-no.mi.*nal*) ***a2g.*** *Gram.* Diz-se de predicado que tem um verbo e um nome como núcleos [Na frase "Ana saiu apressada", observa-se que há dois núcleos um verbal (saiu) e outro nominal (apressada).] [Pl.: *-ais.*]

verborragia (ver.bor.ra.*gi*:a) ***sf.*** **1** *Pej.* Uso de muitas palavras para expressar poucas ideias: *Seu discurso não passou de pura verborragia.* **2** *Psic.* Ver logorreia [F.: *verbo + -ragia.* Sin. ger.: *verborreia.*]

verborrágico (ver.bor.*rá*.gi.co) ***a.*** **1** Que denota ou que contém palavras em excesso para dizer coisas inúteis ou sem importância (discurso verborrágico); VERBORREICO **2** Diz-se de quem fala excessivamente, mas não diz nada importante: *Era um político falador, verborrágico.* [F.: *verborragia + -ico.*]

verborrar (ver.bor.*rar*) ***v. int.*** Falar demais, em demasia [▶ **1** verborrar] [F.: *verbo + -rar.*]

verborreia (ver.bor.*réi*:a) ***sf.*** *Pej.* Ver *verborragia* (1 e 2) [F.: *verbo + -reia.*]

verbosidade (ver.bo.si.*da*.de) ***sf.*** Qualidade do que é verboso, do que tem grande domínio sobre as palavras; LOQUACIDADE [F.: Do lat. *verbositas, átis.*]

verboso (ver.*bo*.so) [ô] ***a.*** **1** Que fala muito, que tem facilidade de expressão (rapaz verboso); ELOQUENTE; LOQUAZ **2** Que contém muitas palavras (texto verboso) **3** *Pej.* Que fala demais para explicar ou contar qualquer coisa; PROLIXO: *Contava uma história verbosa que não acabava mais.*

[Pl.: [ó]. Fem.: [ó].] [F.: Do lat. *verbósus, a, um*. Ant. ger.: *calado*.]

verçudo (ver.*çu*.do) ***a.*** 1 Que tem muitas folhas 2 Que tem cabelo farto ou muitos pelos; CABELUDO; PELUDO 3 Que tem aspecto carrancudo; TROMBUDO [F.: Do port. ant. *verç(a)* + *-udo*.]

vercúndia (ver.*cún*.di:a) ***sf.*** Vergonha [F.: Do lat. *verecundia*.]

verdacho (ver.*da*.cho) ***a.*** 1 De tom verde ou quase verde; ESVERDEADO ***sm.*** 2 Tinta de tom esverdeado [F.: *verd(e)* + *-acho*.]

verdade (ver.*da*.de) ***sf.*** 1 Aquilo que corresponde à realidade; EXATIDÃO: *O depoimento da testemunha correspondia à verdade dos fatos.* 2 Aquilo que é real, verdadeiro: *A verdade tem que ser encarada sem medo.* [Ant.: *mentira*.] 3 Atitude franca, autêntica; SINCERIDADE [Ant.: *falsidade*.] 4 *P. ext.* Coisa, fato ou narrativa real, verdadeira: *Sua história é a pura verdade.* 5 *Fig.* Crença, certeza de alguém: *Essa é a verdade dele.* 6 A exatidão de uma representação em relação ao original em que se baseou: *Era possível perceber que o filme buscou a verdade na hora de retratar o romance.* 7 Qualquer ideia ou princípio que é tido como verdadeiro, justo, exato e no qual se baseiam crenças e atitudes (*verdade* da religião; *verdade* da ciência) 8 *Fil.* Adequação entre a subjetividade do conhecimento e os fatos ou eventos objetivos que deflagraram esse conhecimento 9 *Fil.* Objeto fundamental da reflexão filosófica, em relação ao qual se definem as correntes das várias filosofias [F.: Do lat. *veritas, atis*. Ant. ger.: *mentira*.] ■ **A bem da ~** Para ser fiel à verdade dos fatos, para dizer a verdade **De ~** 1 Real, concreto; não de brinquedo; autêntico não de imitação: *Este celular é de verdade, não de brinquedo; um anel de brilhantes de verdade.* 2 Realmente, efetivamente: *Ela é bonita de verdade.* **Em ~** De acordo com a realidade; na realidade; na verdade: *Pensaram que ele desistira; Em verdade reunia forças para continuar.* **Na ~** Ver *Em verdade*. **~ de fato** *Fil.* Verdade constatada empiricamente, portanto contingente e circunstancial [Portanto, cujo oposto é possível. P. opos. a *Verdade da razão*.] **~ de razão** *Fil.* Verdade necessária e inata, inerente às formulações e enunciados, e independente da realidade sensível [Portanto, cujo oposto é impossível. p. opos. a *Verdade de fato*.]

verdadeiramente (ver.da.dei.ra.*men*.te) ***adv.*** 1 De modo verdadeiro, com verdade 2 Exatamente, realmente, certamente [F.: *verdadeiro (o > a)* + *-mente*.]

verdadeiro (ver.da.*dei*.ro) ***a.*** 1 Que é conforme à realidade; FIEL: *O texto era o verdadeiro retrato da situação.* 2 Em que há verdade: *Seu gesto de piedade foi verdadeiro.* [Ant.: *falso*.] 3 Que é honesto, sincero (amor *verdadeiro*); FRANCO 4 Correto, exato, real: *Esta é a verdadeira solução para o problema.* [Ant.: *inexato*.] 5 Que é autêntico, genuíno; LEGÍTIMO: *Esse é o verdadeiro anel, o outro é falsificado.* 6 Que é o que parece; que não é uma fraude 7 *Fig.* Diz-se de alguém com quem se pode contar (amigo *verdadeiro*) [Superl.: *veríssimo (de vero)*.] ***sm.*** 8 A realidade, a verdade: *Prefiro o verdadeiro ao ilusório.* 9 *P. us.* Aquilo que é o melhor ou o mais conveniente 10 *P. us.* O dever [F.: Do lat. *verdade* + *-eiro*. Ideia de: *verdadeiro'*, usar antepos. *aletio-, aleto-* e ver-; pospos. *-etê*. Ant. ger.: *falso*.]

verde (*ver*.de) [ê] ***a2g.*** 1 Que é da cor das ervas, das folhas da maior parte das plantas e dos frutos ainda não amadurecidos: *o uniforme verde do Exército.* 2 Diz-se dessa cor: *a cor verde do espinafre.* 3 Que ainda não amadureceu (laranja *verde*) [Ant.: *maduro*.] 4 *Fig.* Diz-se de pessoa inexperiente: *Esta aluna ainda está verde e tem muito o que aprender!* 5 Que tem frescor, viço (folhagem *verde*) 6 Relativo às plantas em geral, ao seu cultivo; relativo à agricultura, à horticultura, à jardinagem 7 Que ainda está no começo, no início: *verdes anos da adolescência.* 8 Que ainda está fresco; que ainda não foi salgado (carne *verde*) 9 Coberto de vegetação (área *verde*) 10 Relativo à preservação do meio ambiente; que defende medidas que não envolvam riscos ambientais ou que atua de forma a conciliar o desenvolvimento econômico com a preservação dos recursos naturais (legislação *verde*): *difundir ideais verdes; Empresas verdes garantem o desenvolvimento sustentável.* ***sm.*** 11 A cor das folhas das plantas, da relva: *o verde da bandeira do Brasil.* 12 Por metonímia, roupa dessa cor: *No Dia da Árvore as crianças vestiram verde.* 13 *Ópt.* Sensação que se cria na visão a partir da radiação monocromática que tem o comprimento de onda que varia aprox. entre 492 e 577 nanômetros 14 O conjunto das plantas, a vegetação, esp. quando ainda inalterados pela ação humana: *A luta pela preservação do verde é grande.* 15 Planta ou erva us. para alimentar o gado; FERRÃ 16 *Bras. N.E. GO* Estação das chuvas 17 *MG* Brotamento de campo de pastagem após queimada seguida de chuvas 18 *Bras. S.* Mate amargoso; CHIMARRÃO ***s2g.*** 19 *Bras. Ant. Pol.* Ver *integralista* 20 *Bras. Pol.* Membro ou simpatizante do Partido Verde 21 Adepto de movimentos que defendem a preservação da natureza [F.: Do lat. *virides, e*. Ideia de 'verde', usar antepos. *ver(d)-*; pospos. *-obi*.] ■ **Cair no ~** *RJ Gír.* Fugir e se esconder no mato **Jogar/plantar ~ (para colher maduro)** Mencionar algo com a intenção de colher da resposta ou comentários de interlocutor(es) alguma declaração ou maiores informações sobre o assunto

verde-amarelo (ver.de-a.ma.*re*.lo) ***sm.*** 1 Cor intermediária entre o verde e o amarelo [Pl.: *verdes-amarelos*.] ***a.*** 2 Que é dessa cor (escudo *verde-amarelo*) 3 Diz-se dessa cor 4 *Bras. Fig.* Referente ao Brasil (vitória *verde-amarela*) 5 *Bras. Fig.* Que é nacionalista em relação ao Brasil (torcedor verde-amarelo) [Pl. do adj.: *verde-amarelos*.]

verdear (ver.de.*ar*) ***v.*** 1 O mesmo que *verdejar* [*int.*] 2 *Bras.* Reverdecer (os campos) depois de secas ou queimadas [*int.*] 3 *Bras.* Alimentar-(se) com capim-verde [*td. int.*] 4 *Bras.* Verdecer (o mate), torná-lo verde [*int.*] [▶ 13 verdear] [F.: *verde* + *-ear*. Hom./Par.: *verdeais* (fl.), *verdeais* (pl. *verdeal*, a2g.).]

verde-bandeira (ver.de-ban.*dei*.ra) ***sm.*** 1 A tonalidade de verde vivo que lembra o da bandeira brasileira [Pl.: *verdes-bandeiras e verdes-bandeira*.] ***a2g2n.*** 2 Que é da cor verde-bandeira (guardanapos *verde-bandeira*) 3 Diz-se dessa cor

verdecer (ver.de.*cer*) ***v.*** O mesmo que *verdejar* [▶ 33 verdecer] [F.: Do lat. tardio *viridescere*.]

verde-claro (ver.de-*cla*.ro) ***sm.*** 1 Tonalidade clara do verde; VERDE-GAIO; VERDE-MAR [Pl.: *verdes-claros*.] ***a.*** 2 Que tem essa cor (vestido *verde-claro*) 3 Diz-se dessa cor [F.: Ideia de *'verde-claro'*, usar antepos. *glauc(o)-*. Pl. do adj.: *verde-claros*.]

verde-escuro (ver.de-es.*cu*.ro) ***sm.*** 1 Tom escuro de verde; VERDE-NEGRO [Pl.: *verdes-escuros*.] ***a.*** 2 Que tem essa cor (sapato *verde-escuro*) 3 Diz-se dessa cor [Pl. do adj.: *verde-escuros*.]

verde-esmeralda (ver.de-es.me.*ral*.da) ***sm.*** 1 A tonalidade de verde da esmeralda [Pl.: *verdes-esmeraldas e verdes-esmeralda*.] ***a2g2n.*** 2 Que é da cor verde-esmeralda (águas *verde-esmeralda*) 3 Diz-se dessa cor

verde-garrafa (ver.de-gar.*ra*.fa) ***sm.*** 1 Tom escuro de verde [Pl.: *verdes-garrafas e verdes-garrafa*.] ***a2g2n.*** 2 Que apresenta essa cor (camisa *verde-garrafa*; vestidos *verde-garrafa*) 3 Diz-se dessa cor

verdeio (ver.*dei*:o) ***sm.*** 1 *Bras.* Ação ou resultado de verdear ou verdejar; VERDEJO 2 *Bras. S.* Forragem verde para os animais 3 *P. ext.* Ato de alimentar os cavalos com verdeio [F.: Dev. de *verdear*.]

verdejante (ver.de.*jan*.te) ***a2g.*** Que verdeja; que se torna verde ou tem a cor verde (planície *verdejante*); VICEJANTE; VERDOSO [F.: *verdejar* + *-nte*.]

verdejar (ver.de.*jar*) ***v. int.*** 1 Ser verde; apresentar a cor verde: *As plantas verdejavam sob um sol intenso.* 2 Adquirir a cor verde; VERDEAR: *As folhas, antes descoloridas, afinal verdejaram.* [▶ 1 verdejar] [F.: *verde* + *-ejar*. Hom./Par.: *verdejo* (fl.), *verdejo* (sm.).]

verde-mar (ver.de-*mar*) ***sm.*** 1 Tonalidade clara de verde; VERDE-CLARO [Pl.: *verdes-mares e verdes-mar*.] ***a2g2n.*** 2 Que é dessa cor (olhos *verde-mar*) 3 Diz-se dessa cor

verde-oliva (ver.de-o.*li*.va) ***sm.*** 1 A cor verde-escura da azeitona [Pl.: *verdes-olivas e verdes-oliva*.] ***a2g2n.*** 2 Que é dessa cor (uniformes *verde-oliva*) 3 Diz-se dessa cor

verdete (ver.*de*.te) [ê] ***sm.*** 1 *Pop.* Nome comum do acetato de cobre devido a sua cor verde 2 O mesmo que *azinhavre* 3 *Agr.* Certa casta de uvas [F.: *verd(e)* + *-ete*.]

verdinha (ver.*di*.nha) ***sf.*** *Pop.* Cédula de dólar

verdoengo (ver.do.*en*.go) ***a.*** 1 *Bras.* Que tem coloração esverdeada; VERDOLENGO: "Margaridas pintalgavam a folhagem *verdoenga*" (Coelho Neto, *Inverno em Flor*) 2 Diz-se do fruto que ainda não amadureceu completamente; VERDOSO; VERDE; VERDENTO [F.: *verde* + *-o-* + *-engo*.]

verdor (ver.*dor*) [ô] ***sm.*** 1 Característica do que é verde 2 A cor verde dos vegetais; VERDURA: "aqueles rosais e florestas ameníssimos, cujo *verdor* sempre novo não segue as leis do tempo" (Manuel Bernardes, *Pão Partido em Pequeninos*) 3 A vegetação, o verde 4 *Fig.* Falta de experiência, de maturidade; JUVENTUDE 5 *Fig.* Força e vigor próprios da juventude; VIÇO 6 *Enol.* Gosto do vinho em cuja elaboração entram uvas ainda não maduras [F.: *verde* + *-or*.]

verdoso (ver.*do*.so) [ô] ***a.*** 1 Que apresenta tom de verde; ESVERDEADO; VERDOENGO 2 Que é verde ou adquiriu essa cor; VERDEJANTE 3 *N. E.* Diz-se de fruta que ainda não está bem madura; VERDE [Pl.: [ó]. Fem.: [ó].] [F.: *verde* + *-oso*.]

verdugo (ver.*du*.go) ***sm.*** 1 Aquele que executa o condenado à pena de morte, ou que tortura ou aplica castigos corporais em alguém; ALGOZ; CARRASCO 2 *Fig.* Pessoa má, cruel 3 *Ant.* Espada longa sem gume que só feria com a ponta 4 Navalha fina de extremidade pontiaguda 5 Nos trilhos das rodas do trem, rebordo interno que evita o descarrilamento 6 *Mar.* Peça reforçada, fixada ao longo do costado de certas embarcações, com a finalidade de protegê-las contra choques, na atracação: "Embarcação... com os mastros longos e finos em árvore seca, os *verdugos* pintados de alvo como um cinto de espuma" (Xavier Marques, *Jana e Joel*) 7 *Lus.* Homem forte, musculoso [F.: Do cast. *verdugo*.]

verdume (ver.*du*.me) ***sm.*** Grande extensão coberta de verde: *o verdume das florestas*: "... como agora se via, muito marmóreo contra o *verdume* salpicado de encarnado das bromélias?" (João Ubaldo Ribeiro, *"Amleto Ferreira" in Um brasileiro em Berlim*) [F.: *verd(e)* + *-ume*.]

verdura (ver.*du*.ra) ***sf.*** 1 O verdor ou a cor verde dos vegetais 2 *Bot.* Planta comestível, ger. cultivada em hortas; HORTALIÇA 3 A vegetação, o verde, o verdor: "Diáfano dia montês, em que tudo se alisou de repente, mais mansa a transição entre *verdura* e brancura." (João Guimarães Rosa, "Sanga Puytã" *in Ave Palavra*) 4 As plantas consideradas em conjunto 5 *Fig.* Vigor, viço; VERDOR 6 Estado do fruto que ainda não atingiu o ponto de amadurecimento 7 *Fig.* Extravagância, inquietude próprias da mocidade: "Cristóvão da Gama, em despeito das *verduras* da idade, revelou-se um capitão no rígido sentido do termo" (Aquilino Ribeiro, *Constantino de Bragança*) [F.: *verde* + *-ura*.]

verdureiro (ver.du.*rei*.ro) ***sm.*** Aquele que vende verduras, legumes, frutas etc.; QUITANDEIRO [F.: *verdura* + *-eiro*.]

vereação (ve.re:a.*ção*) ***sf.*** 1 Ação ou resultado de verear 2 Cargo de vereador 3 O conjunto de vereadores no exercício dos seus cargos; câmara municipal 4 O tempo que dura esse cargo [Pl.: *-ções*.] [F.: *verea(r)* + *-ção*.]

vereador (ve.re:a.*dor*) [ô] ***sm.*** 1 Político que foi eleito para integrar o Poder Legislativo municipal; EDIL 2 Pessoa que vereia, que administra, rege ou governa [F.: Part. de *verear* + *-or*. Col.: *vereação, vereança*.]

vereança (ve.re:*an*.ça) ***sf.*** 1 O conjunto dos vereadores de uma câmara municipal 2 Cargo ocupado por um vereador 3 Período durante o qual alguém ocupa esse cargo: *Ele nada realizou durante sua vereança.* [F.: *verear* + *-ança*.]

verear (ve.re.*ar*) ***v.*** 1 Exercer o cargo de vereador [*int.*] 2 *P. us.* Legislar (na função de vereador) [*td.*] [▶ 13 verear] [F.: *vereda* + *-ar*.]

verecundo (ve.re.*cun*.do) ***a.*** Vergonhoso [F.: Do lat. *verecundus, a, um*.]

vereda (ve.*re*.da) [ê] ***sf.*** 1 Caminho estreito; SENDA 2 Caminho mais curto fora do trajeto usual; ATALHO: "Mecê tá com medo de onça chegar aqui no rancho? Hã-hã, onça Uinhúa travessou a *vereda*, eu sei, veio caçar paca, tá indo escorregada, no capim grosso." (João Guimarães Rosa, "Estas estórias" *in Ave Palavra*) 3 *Fig.* A direção seguida por alguém em seu deslocamento ou em sua vida; CAMINHO; RUMO: *Sua vida seguiu por uma vereda inesperada.* 4 *N.E.* Parte da caatinga com razoável abastecimento de água, vegetação mais rica etc. 5 *GO* Clareira que tem vegetação baixa 6 *BA* Várzea situada à margem de um rio 7 *Bras.* Lugar úmido próprio para a agricultura 8 *GO* Mata ciliar ocorrente no cerrado, com renques de buritis e pindaíbas 9 *Fig.* Ocasião, momento, oportunidade [F.: Do lat. *vereda, ae*.] ■ **De ~** Já, imediatamente

veredeiro (ve.re.*dei*.ro) ***sm.*** 1 *PI* Agricultor apegado à sua lavoura 2 *Bras. N. E.* Habitante de vereda [F.: *vered(a)* + *-eiro*.]

veredicto (ve.re.*dic*.to) ***sm.*** 1 *Jur.* Decisão do júri ou de uma autoridade judiciária sobre uma questão em julgamento; SENTENÇA: *O veredicto do juiz foi de condenação do réu.* 2 *P. ext.* Decisão ou conclusão categórica sobre algum problema: *Seu veredicto sobre o projeto foi negativo:* "O *veredicto* da posteridade está apurado: é o primeiro poeta, o maior poeta brasileiro" (Afrânio Peixoto, *Castro Alves, Espumas Flutuantes*) [F.: Do lat. *veredictum*.]

veredito (ve.re.*di*.to) ***sm.*** Ver *veredicto*

verga (*ver*.ga) [ê] ***sf.*** 1 Pedaço de madeira fino e flexível, ger. us. em obras de carpintaria; RIPA 2 Vara flexível, esp. aquela que é us. para a confecção de objetos artesanais 3 Barra fina e flexível de metal 4 *Náut.* Pedaço de madeira ou metal cruzado no mastro, ao qual se prende(m) a(s) vela(s) 5 *Cons.* Peça colocada horizontalmente sobre as ombreiras de portas e janelas 6 Parte anteroposterior da entrada da chaminé 7 *S O* sulco produzido pelo arado 8 *Bras. Tabu.* O pênis, esp. quando endurecido [F.: Do lat. *virga, ae*. Hom./Par.: *verga* (fl. *vergar*). Col.: *vergame*.]

vergado (ver.*ga*.do) ***a.*** 1 Que foi ou se encontra curvado, dobrado: *A haste de metal foi vergada.* 2 *Fig.* Que foi ou está submetido, sujeitado: *Humilhado, caminhou todo vergado para a porta de saída.* [F.: Part. de *vergar*.]

vergadura (ver.ga.*du*.ra) ***sf.*** Ação ou resultado de vergar; VERGAMENTO [F.: *vergado* + *-ura*.]

vergalhada (ver.ga.*lha*.da) ***sf.*** 1 Golpe dado com vergalho; CHIBATADA; CHICOTADA 2 *Fig.* Patifaria, velhacaria [F.: Fem. substv. de *vergalhado*.]

vergalhão (ver.ga.*lhão*) ***sm.*** 1 Barra de metal, esp. a que se usa como componente do concreto armado 2 Barra de metal comprida e grossa, disponível no mercado em diversas formas 3 Grande vergalho [Pl.: *-lhões*.] [F.: *vergalho* + *-ão*.]

vergalhar (ver.ga.*lhar*) ***v. td.*** Dar chicotadas, bater com vergalho; AZORRAGAR: *Vergalhou o animal impiedosamente.* [▶ 1 vergalhar] [F.: *vergalho* + *-ar*. Hom./Par.: *vergalho* (fl.), *vergalho* (sm.).]

vergalho (ver.*ga*.lho) ***sm.*** 1 Pênis de boi ou cavalo, extirpado e seco 2 Chicote feito desse órgão dissecado e preparado 3 Qualquer chicote; CHIBATA: "Um grupo de 'trocistas' armados de *vergalhos* introduziu-se uma noite no Convento do Carmo" (Oliveira Martins, *História de Portugal*) 4 *Pop.* Velhaco, tratante, patife 5 *Fig.* Homem rijo, decidido [F.: *verga* + *-alho*. Hom./Par.: *vergalho* (fl. *vergalhar*).]

vergamento (ver.ga.*men*.to) ***sm.*** Ação ou resultado de vergar; VERGADURA [F.: *vergar* + *-mento*.]

vergamota (ver.ga.*mo*.ta) ***sf.*** *SC RS* O mesmo que *tangerina*; BERGAMOTA

vergão (ver.*gão*) ***sm.*** 1 Marca deixada no corpo por golpe com vara, correia ou outro tipo de pancada: "Aquilo pusera *vergões* roxos onde os seus lábios tinham avivado sinais cor-de-rosa!" (Eça de Queirós, *Os Maias*) 2 Verga grande ou grossa [Pl.: *-gões*.] [F.: *verga* + *-ão*.]

vergar (ver.*gar*) ***v.*** 1 Fazer ficar ou ficar encurvado; ARQUEAR; DOBRAR [*td.*: *A ventania vergou a árvore.*] [*int.*: *Seu corpo vergou(-se) com a idade.* Ant.: *aprumar*] 2 Não suportar o peso de (algo) [*int.*: *Com o excesso de livros, a estante vergou.*] 3 Tornar(-se) submisso ou condescendente [*tdr.* + *a*: *Vergou o amigo à sua vontade.*] [*tr.* + *a*: *O país vergava-se aos interesses estrangeiros.*] 4 *Fig.* Submeter(-se) a alguém ou a alguma coisa, acostumar(-se) [*td.*: *Sua bru-*

talidade acabou por vergar a esposa.] [*tr.* + *a*: *A mulher vergou-se aos caprichos do marido.*] **5** Tornar(-se) abatido, sem ânimo [*td.*: *O fracasso do time verbou o técnico.*] [*int.*: *Apanhou tanto que vergou.*] [*int.*] [▶ **14 vergar**] [F.: *verga* + *-ar*. Hom./Par.: *verga(s)* (fl.), *verga(s)* /ê / (sf. [pl.]); *vergais* (fl.), *vergais* (pl. de *vergal* [sm.]).]

vergasta (ver.*gas*.ta) *sf.* **1** Pequena verga **2** Vara fina us. para açoitar **3** Qualquer açoite, chicote, chibata etc. **4** Castigo físico: *Impunha respeito ao grupo pela vergasta.* **5** *Fig.* Punição moral: "Para que toda a gente lhe corte a pele com a vergasta da injúria" (Camilo Castelo Branco, *Vulcões*) [F.: Dim. irreg. de *verga*.]

vergastada (ver.gas.*ta*.da) *sf.* **1** *Fig.* Golpe desferido com vergasta, chicote, chibata, vara ou algo semelhante: "Os açoites e as vergastadas que lhe deram na representação da 'Paixão do Senhor', em que ele fez de Jesus" (Antero de Figueiredo, *Jornadas*) **2** *Fig.* Qualquer golpe semelhante a uma chicotada: "Mas, de repente, uma vergastada de vento tangeu um papel" (Mário Sete, *João Inácio*) [F.: Fem. substv. de *vergastado*.]

vergastar (ver.gas.*tar*) *v. td.* **1** Dar pancada com vergasta em; AÇOITAR; CHIBATAR: *Vergastou o animal.* **2** *Fig.* Fazer crítica áspera a: *Em discurso veemente, o deputado vergastou o governo.* [▶ **1 vergastar**] [F.: *vergasta* + *-ar*. Hom./Par.: *vergasta(s)* (fl.), *vergasta(s)* (sf. [pl.]).]

vergatura (ver.ga.*tu*.ra) *Pap. sf.* **1** Cada um dos fios muito finos e unidos de arame que, junto com os pontusais, forma o fundo da forma utilizada na fabricação artesanal de certos tipos de papel, esp. o avergoado **2** Cada uma das linhas finas, paralelas e unidas originárias desses fios, visíveis no papel através da luz **3** Na indústria do papel, cada um dos fios que, no cilindro de certas máquinas, originam essas filigranas [F.: Do it. *vergatura*.]

vergê (ver.*gê*) *a2g2n.* **1** *Pap.* Diz-se de papel com certa transparência que apresenta linhas horizontais e verticais (linhas d'água), produzidas por fios metálicos; AVERGOADO; FAIXADO *sm.* **2** *Pap.* Esse papel [F.: Do fr. *vergé*.]

vergel (ver.*gel*) *sm.* Lugar onde se cultivam plantas frutíferas; POMAR: *Admirava o colorido dos vergéis, ao longe.* [Pl.: *-géis*.] [F.: Prov. do fr. *vergel*.]

vergência (ver.*gên*.ci:a) *sf. Ópt.* Numa lente, grandeza que corresponde ao inverso da distância focal da lente; a unidade de medida usual é a dioptria [F.: Do lat. *vergentia*, acus. pl. de *vergens, tis*.]

vergonha (ver.*go*.nha) *sf.* **1** Sentimento de desconforto que alguém sente devido à exposição de suas particularidades, fraquezas, defeitos etc., ou por ter cometido gafe, ato risível ou desabonador; CONSTRANGIMENTO: *Morreu de vergonha ao cair de quatro diante do ministro.* **2** Sentimento ou situação de humilhação; DESONRA: *A revelação de seu adultério foi uma vergonha.* **3** Sentimento ou atitude de discrição, recato, em relação a questões de moral, assuntos pessoais etc.; PUDOR: *Sentiu vergonha ao ler, em público, aquele texto tão imoral.* [Ant.: *despudor*.] **4** Sentimento de honra e dignidade em relação aos próprios valores, comportamento etc.: *Um homem de vergonha não aceita tal proposta.* **5** Insegurança, dificuldade em se expor, tomar iniciativas etc.; TIMIDEZ: *Ao entrar no salão, parecia hesitante, cheio de vergonha.* **6** Comportamento considerado indigno, desonesto, obsceno etc.: *Esse ato de corrupção foi uma vergonha.* **7** *Bot.* Planta (*Mimosa pudica*) cujas folhas se fecham e contraem ao contato, o mesmo que dormideira, sensitiva ou malícia [F.: Do lat. *verecundia, ae*.] ▪ **Ter ~ na cara** Ter brios, dignidade

vergonheira (ver.go.*nhei*.ra) *sf.* **1** Grande vergonha; série de vergonhas: "Não é nenhum movimento orquestrado, é o povo mesmo que ilustra a vergonheira que o vitima..." (João Ubaldo Ribeiro, "Um Ovo É um Ovo, É um Ovo, É um Ovo" *in O Globo*, 28.05.2000) **2** Fato que causa vergonha; VEXAME **3** Comportamento desonesto; PATIFARIA; NEGOCIATA [F.: *vergonh(a)* + *-eira*.]

vergonhento *a.* Que causa vergonha (fato vergonhento); VERGONHOSO [F.: *vergonh(a)* + *-ento*.]

vergonhoso (ver.go.*nho*.so) [ô] *a.* **1** Que causa vergonha; que provoca sensação de humilhação, de ridículo, de inferioridade etc.; VEXAMINOSO: *Seu comportamento no altar, na hora do casamento, foi vergonhoso*: "Estranha contradição! Quando a lembrança ainda recente devia avivar as cores do quadro vergonhoso e revoltante que me tinha indignado, eu esquecia a pesar meu. Se fazia um esforço para evocar a cena da ceia, as ideias confundiam-se; a imagem da bacante..." (José de Alencar, *Lucíola*) **2** Que é considerado indigno, obsceno etc.; INDECOROSO: *Expor sua vida sexual daquela maneira foi um ato vergonhoso.* **3** Que é desonroso, infamante; INFAME: *Foi vergonhosa sua participação no processo de corrupção.* **4** Que demonstra acanhamento, tímido, apoucado [F.: *vergonha* + *-oso*.]

vergôntea (ver.*gôn*.te:a) *sf.* **1** Broto pouco desenvolvido; REBENTO: "...Calva e musgosa, apenas alguma vergôntea, que lhe rompia da enrugada epiderme na primavera para morrer no estio, dava sinal de que o rei dos bosques ainda não era inteiramente cadáver..." (Alexandre Herculano, *Eurico, o Presbítero*) **2** Ramo de planta, sobretudo da videira, sarmento **3** *Fig.* Os filhos gerados por alguém; PROLE **4** *Mar.* Peça sobressalente de madeira, de formato variado, para a construção de mastros ou outras peças que tenham de ser substituídas **5** *Fig.* Parte de uma obra literária: "É neste livro que Bacon divide em diferentes ramos e vergônteas toda a árvore enciclopédica" (Latino Coelho, *Literatura e História*) **6** *Bot.* Ramo de videira; SARMENTO [F.: Prov. de *verga*, do lat. *virgulta, orum*.]

vergueiro (ver.*guei*.ro) *sm.* **1** Vara fina e flexível us. para castigar; VERGASTA; VERDASCA; CHIBATA **2** Cabo de madeira de certos instrumentos de ferreiro **3** *Mar.* Corrente ou cabo de arame enfiado nos balaústres da borda para proteger a tripulação **4** *Mar.* Vergalhão ou cabo de arame preso nos cabos de sustentação do toldo para mantê-lo amarrado aos seus fiéis [F.: *verg(a)* + *-eiro*.]

veridicidade (ve.ri.ci.*da*.de) *sf.* Qualidade daquilo que é verídico; VERDADE; VERACIDADE: "Contestou-se a autenticidade deste documento; mas os pedreiros-livres mantiveram a veridicidade dele..." (Camilo Castelo Branco, *Maria da Fonte*) [F.: *verídico* + *-idade*.]

verídico (ve.*rí*.di.co) *a.* **1** Que diz a verdade; VERAZ; VERO: *Foi um testemunho verídico.* **2** Que é verdadeiro, autêntico (história verídica) [F.: Do lat. *veridicus, a, um*.]

verificabilidade (ve.ri.fi.ca.bi.li.*da*.de) *sf. Fil.* Possibilidade de que todas as proposições sejam verificáveis empiricamente e que, de acordo com o positivismo lógico, é a principal característica das teorias científicas [F.: *verificável* + *-(i)dade*, segundo o mod. erudito.]

verificação (ve.ri.fi.ca.*ção*) *sf.* **1** Ação ou resultado de verificar; EXAME **2** *P. us.* Cumprimento, realização: *A verificação de uma profecia é a prova de sua legitimidade.* **3** Demonstração, prova: *Comprovada a verificação, o homem foi preso.* [F.: *verificar* + *-ção*.] ▪ **~ de contas** *Jur.* Perícia judicial em livros de credor e devedor para obtenção de provas em processo de concordata ou falência **~ de créditos** *Jur.* Exame judicial dos créditos de falido ou concordatária para admiti-los ou não no processo de concordata ou falência **~ de poderes** *Jur.* Processo de verificação de votos em eleição, reconhecimento dos resultados e proclamação dos eleitos pela justiça eleitoral

verificado (ve.ri.fi.*ca*.do) *a.* Que foi examinado, investigado ou provado: *Verificada a prova, o juiz decidiu pela prisão do indiciado.* [F.: Part. de *verificar*.]

verificador (ve.ri.fi.ca.*dor*) [ô] *a.* **1** Que verifica **2** Diz-se de funcionário de alfândega que verifica a aplicação dos impostos nas mercadorias: "Outro tanto seria exigir de um verificador de alfândega que moralizasse e purificasse o comércio..." (Eça de Queirós, *Fradique Mendes*) *sm.* **3** Aquele que verifica [F.: Part. de *verificar* + *-or*.]

verificar (ve.ri.fi.*car*) *v.* **1** Provar ou investigar a verdade de; CONSTATAR [*td.*: *Verificaram que a casa fora destruída; Verifiquem se ainda há estudantes na biblioteca.*] **2** Realizar teste com; EXAMINAR; CONFERIR [*td.*: *verificar os freios.*] **3** Acontecer, realizar-se [*int.*: *O julgamento verificou-se como previsto.*] [▶ **11 verificar**] [F.: Do lat. *verificare*.]

verificável (ve.ri.fi.*cá*.vel) *a2g.* Que pode ser verificado: "Essa doutrina comum é uma síntese filosófica baseada unicamente sobre os fatos verificáveis das ciências..." (Teófilo Braga, *Sistema de Sociologia*) [Pl.: *-veis*.] [F.: *verificar* + *-vel*.]

verismo (ve.*ris*.mo) *sm.* **1** Movimento literário, das artes plásticas e da ópera, de caráter realista, que surgiu no final séc. XIX, na Itália, em oposição ao romantismo **2** A representação do cotidiano em obras de arte: *O português Eça de Queirós é um importante autor do verismo.* **3** *Mús.* Escola da ópera italiana do séc. XIX que us. libretos baseados em acontecimentos e personagens realistas contemporâneos em lugar de enredos formais, mitológicos ou absurdos [Puccini, Mascagni e Leoncavallo são expoentes dessa escola.] [F.: Do it. *verismo*.]

verissímil (ve.ris.*sí*.mil) *a2g.* *P. us.* Ver *verossímil*; VERISÍMIL; VEROSÍMIL [Ant.: *inverissímil*.] [Pl.: *-meis*.]

verista (ve.*ris*.ta) *a2g.* **1** Ref. a, ou próprio do verismo **2** Apreciador ou seguidor do verismo *s2g.* **3** Indivíduo verista [F.: Do it. *verista*.]

verme (*ver*.me) *sm.* **1** *Zool.* Denominação comum e imprecisa dada a todos os animais invertebrados de corpo longo e mole; HELMINTE; HELMINTO **2** Esse tipo de animal, que vive como parasito nos intestinos de outros animais **3** *Pop.* Larva de diversos tipos de insetos **4** *Fig.* Pessoa vil, indigna: *Você não devia falar com esse verme!* [F.: Do lat. *vermis, is*. Ideia de: *'verme'*, usar antepos. *ascar(id)-* e *verm(i)-*; pospos. *-elminte*.]

⊕ **vermeil** (*Fr.* /*verméi*/) *sm.* **1** Prata ou bronze dourado em tom avermelhado (faqueiro de vermeil) **2** Camada de metal avermelhada aplicada à prata *a.* **3** De tonalidade vermelha brilhante; RUBICUNDO [Pl.: *vermeils*. Fem.: *vermeille*.]

vermelhaço (ver.me.*lha*.ço) *a.* **1** Muito vermelho (cabelo vermelhaço) **2** Bastante corado: *Depois de um dia na praia ficou vermelhaço.* **3** Um tanto vermelho; AVERMELHADO [F.: *vermelho*[1] + *-aço*.]

vermelhão (ver.me.*lhão*) *sm.* **1** *Quím.* Sulfeto vermelho de mercúrio, us. na pigmentação de tintas vermelhas; CINÁBRIO **2** *Quím.* Óxido vermelho de ferro, usado como pigmento de tintas **3** Avermelhamento intenso no rosto ou em outra parte do corpo; RUBOR; VERMELHIDÃO **4** Cosmético usado para dar um tom avermelhado às faces: "Estás tonta! Vermelhão e cosméticos! Que afronta para esse lindo e penugento rosto!" (Eugênio de Castro, *Obra Poética*) **5** A cor vermelha: "Um vermelhão baço indicava indicava o veludo de uma casaca de corte..." (Eça de Queirós, *O Primo Basílio*) **6** *Bot.* Árvore tropical (*Dragaena draco*), também chamada de dragoeiro [Pl.: *-ões*.] [F.: *vermelho* + *-ão*.]

vermelhidão (ver.me.lhi.*dão*) *sf.* **1** Qualidade do que é vermelho **2** Enrubescimento da pele; VERMELHÃO [Pl.: *-ões*.] [F.: *vermelho* + *-idão*.]

vermelho (ver.*me*.lho) [ê] *a.* **1** Que tem a cor do sangue (bolsa vermelha) **2** *Fig.* Diz-se dessa cor: *lábios de cor vermelha.* **3** Que ficou afogueado, rubro (rosto vermelho) **4** Que revela a presença de sangue congestionado (olhos vermelhos) **5** *Enol.* Diz-se de vinho novo **6** De ou pertencente à antiga União Soviética (exército vermelho) **7** *Pej.* Diz-se de instituição, obra ou pessoa comunista ou simpatizante desse credo político *sm.* **8** A cor do sangue **9** Por metonímia, roupa dessa cor: *O touro foi em direção ao homem que estava de vermelho.* **10** *Ict.* Nome comum que se dá a várias espécies de peixes teleósteos da fam. dos lutjanídeos, esp. do gên. *Lutjanus*, de coloração vermelha ou rósea, que ocorre em todo o litoral do Brasil **11** *Bras. Ict.* Peixe (*L. vivanus*) que ocorre da Carolina do Norte ao Sudeste do Brasil, de coloração vermelha ou rosada, ventre mais claro, mancha arredondada no meio do corpo e carne de excelente qualidade **12** Indivíduo comunista: *Os vermelhos continuam à espreita.* **13** Situação deficitária de um país, de uma empresa ou de uma pessoa: *Somente agora ele conseguiu sair do vermelho.* **14** *Agr.* Solo resultante da rubefação [F.: Do lat. *vermiculus, i*. Hom./Par.: *vermelho* /ê/ (fl. *vermelhar*); *vermelha* /ê/ (f.)/ *vermelha* /é/ (fl. vermelhar). Ideia de: *'vermelho'*, usar antepos. *eritr(o)-* e *rub(e/i)-*; pospos. *-piranga*.]

vermelho-fogo (ver.me.lho-*fo*.go) *sm.* **1** Vermelho vivo, da cor do fogo [Pl.: *vermelho-fogos*.] *a.* **2** Que tem essa cor

vermelhusco (ver.me.*lhus*.co) *a.* Um tanto vermelho; AVERMELHADO: "A cor do meu batuque tem o toque / Tem o som da minha voz/ Vermelho, vermelhaço, vermelhusco /..." (Fafá de Belém, *Vermelho*) [F.: *vermelho*[1] + *-usco*[2].]

◎ **verm(i)-** *pref.* = 'verme': *vermicida, vermiforme, verminoso*

vermicida (ver.mi.*ci*.da) *a2g.* **1** Que mata vermes (diz-se de substância); VERMÍFUGO; ANTELMÍNTICO *sm.* **2** Produto que mata vermes (comprou um vermicida) [F.: *verm(i)-* + *-cida*.]

vermiculado (ver.mi.cu.*la*.do) *a.* **1** Que tem ornamentos em forma de vermes **2** *Bot.* Diz-se de órgão vegetal que tem saliências em forma de vermes [F.: Do lat. *vermiculatus, a, um*. Sin. ger.: *vermiculoso*.]

vermicular[1] (ver.mi.cu.*lar*) *a2g.* **1** Ref. a verme **2** Que apresenta semelhança com verme [F.: *vermículo* + *-ar*.]

vermicular[2] (ver.mi.cu.*lar*) *v. td.* **1** Produzir vermiculação **2** Assemelhar a vermes **3** Corroer como verme [▶ **1 vermicular**] [F.: *vermículo* + *-ar*[2]. Hom./Par.: *vermicular* (v.), *vermicular* (a.); *vermiculo* (fl.), *vermículo* (sm.).]

vermiculita (ver.mi.cu.*li*.ta) *sf. Min.* Grupo de minerais micáceos, silicatos hidradatos de composição variada, resultantes da alteração de micas, biotita etc.; VERMICULITE [Us. como isolante térmico e acústico, na agricultura e como lubrificante.] [F.: Do lat. *vermiculus, i*.]

vermiforme (ver.mi.*for*.me) *a2g.* **1** Que tem formato alongado, parecido com o de um verme **2** *Ent.* Diz-se de larva que não possui apêndice torácico [F.: *verm(i)-* + *-forme*.]

vermifugação (ver.mi.fu.ga.*ção*) *sf.* Ação ou resultado de vermifugar [Pl.: *-ções*.] [F.: *vermifuga(r)* + *-ção*.]

vermifugar (ver.mi.fu.*gar*) *v. td.* Ministrar vermífugo a [▶ **14 vermifugar**]

vermífugo (ver.*mí*.fu.go) *Farm. a.* **1** Que mata ou expulsa vermes (diz-se de remédio); VERMICIDA *sm.* **2** Esse remédio; tb. *antelmíntico* [F.: *verm(i)-* + *-fugo*.]

vermilíngue (ver.mi.*lín*.gue) *Mastz. sm.* **1** Espécime dos vermilíngues, subordem de mamíferos desdentados que se alimentam de formigas e vermes a qual pertencem os tamanduás *a2g.* **2** Ref. a, ou próprio dos vermilígues [F.: Do lat. cient. *Vermilingua*.]

◎ **vermin-** *el. comp.* Ver *verm(i)-*

vermina (ver.*mi*.na) *sf.* **1** *Fig.* Tudo aquilo que corrói e destrói de modo progressivo **2** Ver *verme* **3** Ver *verminose* [F.: Do fr. *vermine*. Sin. ger.: *vérmina*. Hom./Par.: *vérmina* (sf.), *vermina* (fl. de *verminar*).]

verminação (ver.mi.na.*ção*) *sf. Pat.* Reprodução ou infestação de vermes nos intestinos [Pl.: *-ções*.] [F.: Do lat. *verminatio, onis*.]

verminado (ver.mi.*na*.do) *a.* **1** Que está infestado de vermes **2** *Fig.* Consumido, mortificado [F.: Do lat. *verminatus, a, um*.]

verminar (ver.mi.*nar*) *v. int.* **1** Ficar infestado de vermes [Ant.: *desverminar*] **2** *Fig.* Deteriorar-se, estragar-se [▶ **1 verminar**] [F.: Do lat. *verminare*. Hom./Par.: *vermina(s)* (fl.), *vérmina(s)* (sf. [pl.]).]

vermineira (ver.mi.*nei*.ra) *sf.* Local onde se produzem vermes destinados à alimentação de aves, por meio de fermentação de matéria orgânica [F.: *vermin-* + *-eira*.]

verminose (ver.mi.*no*.se) *sf. Med.* Doença, ger. intestinal, causada por infestação de vermes no organismo; VÉRMINA [F.: Do lat. cient. *verminosis*.]

verminoso (ver.mi.*no*.so) [ô] *a.* **1** Infestado por vermes **2** Provocado por vermes (diz-se de doença) [Pl.: [ó]. Fem.: [ó].] [F.: Do lat. *verminosus, a, um*.]

vermívoro (ver.*mí*.vo.ro) *a.* Que se alimenta de vermes ou de insetos [F.: *vermi-* + *-voro*.]

vermute (ver.*mu*.te) *sm.* **1** Mistura de vinho com substâncias extraídas de plantas, ger. aromáticas e de sabor amargo, que se bebe como aperitivo: "Ega apresentou um copo de vermute ao poeta..." (Eça de Queirós, *Os Maias*) **2** *P. ext.* Dose desse vinho: *Tomou dois vermutes antes do almoço.* [F.: Do al. *Wermut* 'absinto', pelo fr. *vermouth*.]

vernacular (ver.na.cu.*lar*) *a2g.* O mesmo que *vernáculo* [F.: *vernáculo* + *-ar*.]

vernaculidade (ver.na.cu.li.*da*.de) *sf.* 1 Qualidade do que é vernáculo; VERNACULISMO 2 *Fig.* Pureza, correção, propriedade dos termos, das frases ou da construção gramatical de uma língua: "É essa intuição da vernaculidade, esse como que sexto sentido, o da linguagem, que parece ter por órgão o ouvido..." (Laudelino Freire, *A Defesa da Língua Nacional, conferência realizada em 10 de abril de 1920, na Biblioteca Nacional*) [F.: *vernáculo + -(i)dade.*]

vernaculismo (ver.na.cu.*lis*.mo) *sm.* 1 O mesmo que *vernaculidade* 2 Pureza de linguagem; CASTICISMO; PURISMO: "Obsessão do vernaculismo, alimentado de infólios monásticos..." (Sampaio Bruno, *A Nova Geração*) 3 Culto dessa pureza de linguagem [F.: *vernáculo + -ismo.*]

vernaculista (ver.na.cu.*lis*.ta) *a2g.* 1 *Ling.* Que tem a preocupação de usar o próprio idioma de acordo com padrões de pureza e correção *s2g.* 2 Aquele que demonstra essa preocupação [F.: *vernáculo + -ista.*]

vernaculização (ver.na.cu.li.za.*ção*) *sf.* Ação ou resultado de vernaculizar [F.: *vernaculizar + -ção.*]

vernaculizado (ver.na.cu.li.*za*.do) *a.* Que se vernaculizou, que foi expresso em linguagem vernácula [F.: Part. de *vernaculizar.*]

vernaculizar (ver.na.cu.li.*zar*) *v. td.* Adaptar (palavra, expressão) à língua nacional [▶ 1 vernaculizar] [F.: *vernáculo + -izar.*]

vernáculo (ver.*ná*.cu.lo) *a.* 1 Característico de um país, uma região etc. (língua vernácula) 2 *Ling.* Diz-se de linguagem sem incorreções, alterações ou inclusão de estrangeirismos; CASTIÇO 3 Diz-se do escritor que se expressa com rigorosa pureza do idioma *sm.* 4 *Ling.* Língua falada pelo povo de um país ou de uma região; língua vernácula: "O ensino elementar que era dado, até então, em latim, passou a ser dado em vernáculo..." (Afrânio Peixoto, *Ensinar a Ensinar*) [F.: Do lat. *vernaculus, a, um.*]

vernal (ver.*nal*) *a2g.* 1 Ref. à primavera ou próprio dela: "E, na moldura da emotiva paisagem, entremostrava-se mentalmente a figura vernal de Laurinda..." (Mário Sete, *João Inácio*) 2 *Bot.* Diz-se das plantas cujas flores desabrocham na primavera [Pl.: *-nais.*] [F.: Do lat. *vernalis, e.*]

vernalidade (ver.na.li.*da*.de) *sf.* Qualidade do que é vernal, primaveril [F.: *vernal + -(i)dade.*]

vernalização (ver.na.li.za.*ção*) *sf. Agr.* Tratamento adotado em países frios que emprega agentes físicos e químicos para encurtar o período vegetativo de uma semente; IAROVIZAÇÃO; JAROVIZAÇÃO [Pl.: *-ções.*] [F.: *vernaliza(r) + -ção.*]

vernalizado (ver.na.li.*za*.do) *a.* Submetido ao processo de vernalização (alho vernalizado) [F.: Part. de *vernalizar.*]

vernalizar (ver.na.li.*zar*) *v. td. Agr.* Fazer a vernalização de [F.: *vernal + -izar.*]

vernes¹ (*ver*.nes) *sm2n.* 1 *P. us.* Sexta-feira *smpl.* 2 *Vet.* Inchaço localizado entre a pele dos animais (esp. de equinos) e o tecido subjacente

vernes² (*ver*.nes) *smpl.* Forma de inchação que se localiza entre a pele e o tecido subjacente dos animais [F.: var. de *berne.*]

vernicífero (ver.ni.*cí*.fe.ro) *a. Bot.* Diz-se de plantas produtoras de verniz, como as rutáceas e as gutiferáceas (arbusto vernicífero)

vernicoso (ver.ni.*co*.so) [ô] *a.* De aparência brilhosa, como se tivesse sido lustrado ou envernizado (folhas vernicosas) [F.: *vernic- + -oso.*]

vernié (ver.ni.*ê*) *sm. Fís.* Escala móvel colocada ao longo de uma escala fixa, de modo a possibilitar a leitura de subdivisões; NÔNIO [F.: Do fr. *vernier.*]

⊕ **vernier** (ver.ni.*er*) (*Fr. /verniê/*) *sm. Fís.* Ver *vernié*

⊕ **vernissage** (*vernissáj*) *sm.* Evento comemorativo e de divulgação, organizado no primeiro dia de uma exposição de obras de arte [F.: Do fr. *vernissage.*]

verniz (ver.*niz*) *sm.* 1 Líquido composto de resinas, álcool etc., com o qual se cobre a superfície de móveis e outros objetos para lhes dar brilho e proteção 2 Esse tipo de líquido, us. para proteger pinturas em tela 3 Efeito visual brilhoso, ger. produzido por esse líquido; POLIDEZ 4 *Bot.* Designação comum a diversas plantas produtoras de verniz 5 *Fig.* A aparência aceitável que se dá a algo desprovido de reais qualidades: *Tem um verniz de civilização, mas na verdade é um troglodita.* 6 Couro a que se aplicou verniz: "Vocês dizem-me que me ponha de cerimônia, calço uns sapatos de verniz, estive toda a tarde num tormento!" (Eça de Queirós, *Os Maias*) 7 *Fig.* O que dá aos fatos, às maneiras, um tom de delicadeza e cortesia: "Os anos volveram-se, os atritos do desengano desbotaram-lhe o verniz de muitas e queridas ilusões..." (Camilo Castelo Branco, *Noites de Insônia*) [F.: Do gr. tardio *bereníkē, beroníkē.*]

vero (*ve*.ro) *a.* Que é verdadeiro e/ou autêntico: "Esse homem, vero fidalgo de raça, transtornara um pouco a cabeça de Virgília..." (Machado de Assis, *Memórias póstumas de Brás Cubas*) [F.: Do lat. *verus, a, um.*]

veronense (ve.ro.*nen*.se) *s2g.* 1 Pessoa nascida em Verona, cidade da Venécia, na Itália *a2g.* 2 De Verona; típico dessa cidade italiana ou de seu povo; VERONÊS [F.: Do lat. *veronensis, e.*]

veronês (ve.ro.*nês*) *a. sm.* O mesmo que *veronense* [F.: Do lat *veronensis, e.*]

verônica¹ (ve.*rô*.ni.ca) *sf.* 1 *Rel.* A imagem do rosto ensanguentado de Jesus, impressa no tecido com o qual teria sido enxugado a caminho do Calvário 2 *Rel.* Essa imagem gravada ou estampada em um objeto 3 *P. ext. Rel.* Sudário 4 *P. ext.* Rosto, semblante 5 *Rel.* Mulher que leva o Sudário nas procissões 6 Em touradas, capa com que o toureiro ora distrai, ora provoca o touro; CAPINHA [F.: Do antr. lat. *Veronica, ae.*]

verônica² (ve.*rô*.ni.ca) *Bot. sf.* 1 Nome comum às ervas do gên. *Veronica*, da fam. das escrofulariáceas, cultivadas para uso ornamental ou medicinal e ger. nativas da regiões temperadas do hemisfério norte 2 Qualquer espécie desse gênero, como, p. ex., a sp. *Veronica officinalis*, erva vivaz de flores azuladas em cachos e cujas folhas e flores secas substituem o chá e tb. têm uso medicinal 3 *Amaz.* Cipó (*Dalbergia subcymosa*) da fam. das leguminosas, com ramos novos, folhas penadas e flores pequenas e alvas em racemos axilares [F.: Do lat. cient. *Veronica.*]

verossímil (ve.ros.*sí*.mil) *a2g.* 1 Que parece ser verdadeiro ou que tem condições de realmente ter acontecido; PLAUSÍVEL; VERISSÍMEL: "...Eça de Queirós, que talvez se picasse de realista, tem na *A Relíquia* uma visão ou um sonho muito pouco verossímil, longo e cheio de pitoresco e pinturesco..." (Lima Barreto, *Marginália*) 2 Que é possível ou provável: *Era um relato suspeito, mas perfeitamente verossímil.* [Pl.: *-meis.* Superl.: *verossimílimo – verissimílimo.*] [F.: *vero- + símil.* Ant. ger.: *inverossímil.*]

verossimilhança (ve.ros.si.mi.*lhan*.ça) *sf.* 1 Qualidade do que é verossímil; VEROSSIMILITUDE; VEROSSIMILIDADE: *Esse filme não tem verossimilhança.* 2 *Liter.* Numa obra literária, harmonia entre os elementos fantasiosos ou imaginários que sejam determinantes no texto; COERÊNCIA [F.: De *verossímil(h) + ança.*]

verossimilhante (ve.ros.si.mi.*lhan*.te) *a2g.* O mesmo que *verossímil* [Ant.: *inverossimilhante.*]

verossimilidade (ve.ros.si.mi.li.*da*.de) *sf.* Qualidade do que é verossímil, o mesmo que *verossimilhança* [F.: *verossímil + -i dade.*]

verossimílimo (ve.ros.si.*mí*.li.mo) *a. Bras.* Extremamente, totalmente verossímil; VEROSIMÍLIMO; VERISSIMÍLIMO; VERISIMÍLIMO [Sup. abs. sint. de *verossímil.*] [F.: Do lat. *verisimillimus, a, um.* Ant. ger.: *inverossimílimo.*]

verossimilitude (ve.ro.ssi.mi.li.*tu*.de) *sf.* Qualidade do que é verossímil ou verossimilhante; VEROSSIMILHANÇA; VERISSIMILITUDE; VERISIMILITUDE; VEROSIMILITUDE [Ant.: *inverossimilitude.*] [F.: Do lat. *verisimilitudo, inis.*]

verrina (ver.*ri*.na) *sf.* 1 Cada um dos discursos de Cícero (106-43 a.C), político e um dos maiores oradores romanos, contra Caio Verres (c. 119 a.C. – 43 a.C.), procônsul romano 2 *P. ext.* Qualquer crítica ou reprimenda violenta, ger. feita por escrito e depois pronunciada em discurso: (...) *a verrina do senador contra os autores da lei.* 3 *P. ext.* Qualquer reprovação ou censura feita em tom contundente, emocional: *Sua fala na reunião foi uma verrina raivosa contra o vizinho.* [F.: Do lat. *verrinae, arum.*]

verrinário (ver.ri.*ná*.ri.o) *a.* Relativo a verrina, ou que tem o caráter desse tipo de discurso (declaração verrinária) [F.: *verrin(a) + -ário.*]

verrineiro (ver.ri.*nei*.ro) *a.* 1 Que escreve ou pronuncia verrinas *sm.* 2 Aquele que escreve ou pronuncia verrinas [F.: *verrin(a) + -eiro.* Sin. ger.: *verrinista.*]

verrucal (ver.ru.*cal*) *a2g.* Próprio de ou relativo a verruga (saliência verrucal) [Pl.: *-cais.*] [F.: *verruc(i)- + -al¹.*]

◎ **verruc(i)-** *el. comp.* = 'verruga': *verrucífero, verruciforme, verrucoso* (< lat.) [F.: Do lat. *verruca, ae.*]

verrucífero (ver.ru.*cí*.fe.ro) *a.* Que possui verruga(s): *o couro verrucífero do rinoceronte.* [F.: *verruc(i)- + -fero.*]

verruciforme (ver.ru.ci.*for*.me) *a2g.* Que tem forma de verruga (cisto verruciforme) [F.: *verruc(i)- + -forme.*]

verrucoso (ver.ru.*co*.so) [ô] *a.* 1 Que tem verrugas 2 Ref. a verruga 3 Da natureza da ou que se assemelha à verruga [Pl.: [ó]. Fem.: [ó].] [F.: Do lat. *verrucosus, a, um.*]

verrúcula (ver.*rú*.cu.la) *sf. Bot.* Protuberância pequena, arredondada e irregular semelhante a uma verruga [F.: Do lat. *verrucula, ae*, dim. do lat. *verruca, ae*, 'verruga'.]

verruga (ver.*ru*.ga) *sf.* 1 *Derm.* Tumor, ger. arredondado e duro, na superfície da pele, causado pelo crescimento anormal de estruturas cutâneas 2 *Bot.* Pequena protuberância rugosa [F.: Do lat. *verruca, ae.* Ideia de 'verruga': *verruc(i)- (verruciforme).* Tb.: *berruga.*]

verrugoso (ver.ru.*go*.so) [ô] *a. Derm.* Que tem verrugas; VERRUGUENTO; VERRUCOSO [Pl.: [ó]. Fem.: [ó].] [F.: Do lat. *verrucosus, a, um*, por via semierudita ou popular.]

verruguento (ver.ru.*guen*.to) *a.* O mesmo que *verrugoso* [F.: *verruga + -ento.*]

verruma (ver.*ru*.ma) *sf. Carp.* Ferramenta aguçada, com ponta em forma de hélice, us. para furar madeira; BROCA; BERBEQUIM [F.: De or. obsc. Hom./Par.: *verruma* (sf.), *verruma* (fl. de *verrumar*).]

verrumar (ver.ru.*mar*) *v.* 1 Furar com verruma, broca ou instrumento similar [*td.*: *Verrumou a placa para depois colocar o parafuso.*] [*int.*: *aprender a verrumar.*] 2 *P. ext.* Abrir furo em [*td.*: *Verrumou a torta com o palito.*] 3 *Fig.* Provocar aflição em; espicaçar, inquietar [*td.*: *Gostava de verrumar a paciência da mulher.*] 4 *Fig.* Meditar, refletir [*int.*: "...Os olhos cor de tabaco insistentes e verrumando..." (Eça de Queirós, *Fradique Mendes*)] [*tr.* + *em*: *Verrumou naquela questão até cansar.*] [▶ 1 verrumar] [F.: *verruma + -ar².* Hom./Par.: *verruma* (fl.), *verruma* (sf.); *verrumas* (fl.), *verrumas* (pl. do sf.).]

⊠ **vers-** *Mat.* Símbolo de *seno verso*

versa (*ver*.sa) [ê] *sf.* 1 *Agr.* Ação ou resultado de tombar uma plantação de cereais pela força de chuvas, ventos etc. 2 *Agr.* Condição ou estado de plantação assim derrubada 3 *P. ext.* Ação ou efeito de derrubar, abater, acamar [F.: Do fr. *verse.*]

versado (ver.*sa*.do) *a.* Que tem experiência ou conhecimento com relação a um assunto ou atividade; PERITO: *Aluno versado em línguas.* [F.: Do lat. *versatus, a, um.*]

versal (ver.*sal*) *sf.* 1 *Edit.* Letra maiúscula: *Escreveu o texto em versais. a2g.* 2 Diz-se de letra que tem essa característica (letra versal) [Pl.: *-sais.*] [F.: *verso + -al.* Hom./Par.: *versais* (pl.)/ *versais* (fl. *versar*).]

versalete (ver.sa.*le*.te) [ê] *sm.* 1 *Edit.* Letra de caixa-alta cujo tamanho equivale ao da letra de caixa-baixa da fonte que está sendo usada: *Ao escrever, usava muitos versaletes a2g.* 2 Letra ou tipo que tem essa característica: *Não gostava dos tipos versaletes.* [F.: *versal + -ete.*]

versalhada (ver.sa.*lha*.da) *sf. Pej.* Conjunto de versos, ger. malfeitos, sem graça ou qualidade; VERSARIA: *Aquele não era um livro de poemas, mas uma versalhada sem qualquer sabor.* [F.: *vers(o) + -alh(o) + -ada.*]

versalhês (ver.sa.*lhês*) *sm.* 1 Quem é natural ou habitante de Versalhes (França) *a.* 2 De ou relativo a Versalhes; típico dessa cidade ou de seu povo [F.: Do top. *Versalhes + -ês.*]

versalhesco (ver.sa.*lhes*.co) *a.* Que é elegante, galante, cortês

versamento (ver.sa.*men*.to) *sm. Cont.* Lançamento, registro, escritura de um fato de natureza patrimonial (versamento dos tributos)

versão (ver.*são*) *sf.* 1 Ação ou resultado de verter, de fazer voltar 2 Explicação, ponto de vista ou interpretação para um fenômeno ou um acontecimento: *A versão do professor foi a verdadeira.* 3 *Ling.* Transposição de um texto para outra língua; TRADUÇÃO: *Fez uma versão do português para o inglês.* 4 *P. ext.* Notícia ou história controvertida, infundada; BOATO: *Nenhuma das versões sobre o atentado eram aceitáveis.* 5 *Inf.* Cada etapa do desenvolvimento de um programa computacional 6 Cada uma das maneiras de contar uma história ou relatar um fato: *Há várias versões cinematográficas de 'Os Miseráveis', de Vitor Hugo; Houve várias versões sobre o fato.* 7 Cada um dos modelos de um produto: *A empresa automobilística apresentou nova versão do seu modelo rural.* 8 *Obst.* Procedimento médico que se destina a mudar a posição do feto no útero, para facilitar o parto 9 *Astr.* Curso de um astro em sua órbita [Pl.: *-ões.*] [F.: Do fr. *version.*] ▪▪ **~ beta** *Inf.* Versão experimental de programa de informática, para ser testada por usuários

versar¹ (ver.*sar*) *v.* 1 Tratar de; ABORDAR [*td.*: *Ele versa os mais variados assuntos.*] [*tr.* + *sobre*: *A palestra versou sobre higiene bucal.*] 2 Passar de um recipiente para outro [*tda.*: *Versou mais água no jarro.*] 3 Fazer análise minudente de; EXAMINAR [*td.*: *Versava antigas obras de arte.*] 4 Exercitar, praticar com grande habilidade [*td.*: *Versava línguas eslavas.*] [▶ 1 versar] [F.: Do lat. *versare.* Hom./ Par.: *versa(s)* (fl.), *versa(s)* (sf. [pl.]); *versais* (fl.), *versais* (pl. de *versal* [a2g. sf.]); *verso* (fl.), *verso* (sm.).]

versar² (ver.*sar*) *v.* 1 Transformar em verso (algo que está em prosa); VERSIFICAR [*td.*] 2 Compor em versos (uma obra literária) [*td.*] 3 Fazer versos; VERSEJAR [*int.*: *Gostava de passar os dias versejando.*] [▶ 1 versar] [F.: *verso + -ar.*]

versátil (ver.*sá*.til) *a2g.* 1 Que pode ter diversos usos (ferramenta versátil) 2 Que tem muitas habilidades (artista versátil) 3 Que é inconstante, volúvel: *Era um sujeito meio inconsequente, versátil.* 4 Que tem boa agilidade, mobilidade (automóvel versátil) 5 *Bot.* Diz-se da antera que, por estar presa por um único ponto, oscila facilmente [F.: Do l at. *versatilis, e.*]

versatilidade (ver.sa.ti.li.*da*.de) *sf.* 1 Qualidade de versátil, do que ou de quem demonstra habilidades und aproveitamentos diversos: *Ator de grande versatilidade.* 2 Caráter de quem não tem firmeza em seus princípios, em suas opiniões 3 Grande agilidade, mobilidade: *Veículo de grande versatilidade.* [F.: *versátil + -idade.*]

versejado (ver.se.*ja*.do) *a.* Posto ou expresso em versos (história versejada) [F.: Part. de *versejar.*]

versejador (ver.se.ja.*dor*) [ô] *a.* 1 Que verseja, que compõe versos *sm.* 2 *Pej.* Aquele que faz poesia de má qualidade [F.: P art. de *versejar + -or.*]

versejar (ver.se.*jar*) *v.* 1 Compor versos; VERSAR [*int.*] 2 Pôr em verso (algo que está em prosa); VERSIFICAR [*td.*] 3 Recitar (versos) [*td.*: *Versejou um pequeno poema do pai.*] [*int.*: *Tem uma bela voz para versejar.*] 4 *Pej.* Fazer versos ruins [*int.*] [▶ 1 versejar] [F.: *verso + -ejar.*]

◎ **vers(i/o)** *pref.* = em direção a, virado, transformado: *versão, versátil, versificação*

versicolor (ver.si.co.*lor*) [ô] *a2g.* 1 Que apresenta variedade de cores e riqueza de matizes (pássaro versicolor); MATIZADO; MESCLADO; MULTICOR 2 Que muda de cor (vidro versicolor) 3 *P. ext.* Que apresenta grande diversidade, variedade; DIVERSO; MÚLTIPLO; VARIADO [F.: Do lat. *versicolor, oris.*]

versículo (ver.*sí*.cu.lo) *sm.* 1 Cada subdivisão de um artigo ou de um parágrafo; VERSETO 2 Sinal tipográfico que marca o início de cada uma dessas subdivisões 3 *Rel.* Pequeno parágrafo numerado que subdivide o texto da Bíblia; VERSO 4 *Rel.* Na religião católica, palavras extraídas das Escrituras e recitadas ou cantadas ao longo da missa [F.: Do lat. *versiculus, a, um.*]

versidade (ver.si.*da*.de) *sf.* 1 *N. E. Pop.* Variedade, diversidade: *É grande a versidade da culinária pernambucana.* 2 *Pop.* Cada uma das variedades de certo tema ou coisa:

O guaiamum é uma versidade dos caranguejos da região. [F.: alter. de *diversidade*.]

versífero (ver.*sí*.fe.ro) *a.* **1** Que faz versos; VERSIFICADOR **2** Que contém versos [F.: *vers(o)* + *-i-* + *-fero*.]

versificação (ver.si.fi.ca.*ção*) *sf.* **1** Ação ou resultado de versificar **2** Técnica ou maneira de compor versos; METRIFICAÇÃO [Pl.: *-ções*.] [F.: Do lat. *versificatio, onis*.]

versificado (ver.si.fi.*ca*.do) *a.* Que foi composto em verso [F.: *versifica(r)* + *-do*.]

versificador (ver.si.fi.ca.*dor*) [ô] *a.* **1** Que versifica, que faz versos ou põe em forma de verso; VERSEJADOR *sm.* **2** Aquele que versifica; VERSEJADOR [F.: Do lat. *versificator, oris*.]

versificar (ver.si.fi.*car*) *v.* **1** Transformar em versos (algo que está em prosa) [*td.*: *Versificou uma história de José de Alencar*.] [*int.*: *Queria tornar-se hábil em versificar*.] **2** *Bras. Pop.* Versar [*int.*] [▶ 11 versificar] [F.: Do lat. *versificare*.]

versilibrismo (ver.si.li.*bris*.mo) *sm.* **1** *Liter.* Escola literária que prega o uso do verso livre, desobrigado das regras de rima e métrica, apoiado somente no ritmo **2** *Liter.* Uso ou prática do verso livre [F.: Do fr. *vers(-)librisme*.]

versilibrista (ver.si.li.*bris*.ta) *a2g.* **1** *Liter.* Relativo a versilibrismo *s2g.* **2** *Liter.* Adepto ou partidário do uso do verso livre [F.: Do fr. *vers(-)libriste*.]

versista (ver.*sis*.ta) *a2g.* **1** Que verseja, que compõe versos *s2g.* **2** Aquele que verseja, versejador [F.: *verso* + *-ista*.]

verso[1] (*ver*.so) *sm.* **1** *Poét.* Subdivisão de um poema, ger. correspondente a uma linha desse tipo de texto **2** Texto poético; POEMA **3** *Pop.* Qualquer quadra ou estrofe **4** O gênero poético [F.: Do lat. *versus, us*. Hom./Par.: *verso* (fl. *versar*). Ideia de '*verso*', usar antepos. *metr(o)-*; 'parte do verso', usar pospos. *-stico e -stíquio*.] ▪ **Fazer ~ à Lua** *N. E. Pop.* Compor um poema, uma trova **~ acataléctico** *Poét.* Aquele (grego ou latino) ao qual não falta ou sobra sílaba **~ acéfalo** *Poét.* Verso hexâmetro que começa com sílaba breve **~ agudo** *Poét.* O que termina em sílaba acentuada (palavra oxítona ou monossílabo tônico) **~ alexandrino** *Poét.* Verso de 12 sílabas, ou dodecassílabo **~ anacíclico** *Poét.* O que tem a mesma leitura ao se lerem as palavras tanto da direita para a esquerda quanto da esquerda para a direita **~ branco** *Poét.* Verso que não rima **~ cataléctico** *Poét.* Aquele (grego ou latino) que termina com um pé incompleto **~ dactílico** *Poét.* Ver *Verso esdrúxulo* **~ de arte-maior** *Poét.* Verso de nove sílabas, com pausas na terceira, sexta e nona sílabas **~ de arte-menor** *Poét.* O que tem menos de oito sílabas **~ decâmetro** *Poét.* Verso grego de dez pés **~ de pé-quebrado** *Poét.* Verso mal resolvido, ou malfeito (que não está de acordo com a estrutura de versificação adotada) [Tb. apenas *heptâmetro*.] **~ dicataléctico** *Poét.* Verso ao qual faltam duas sílabas, sendo uma no meio e outra no fim **~ esdrúxulo** *Poét.* Aquele cuja última palavra é proparoxítona; verso dactílico [Os quatro primeiros são dáctilos ou espondeus, o quinto é dáctilo, e o sexto é espondeu ou troqueu. Tb. apenas *hexâmetro*.] **~ grave** *Poét.* Aquele cuja última palavra é paroxítona; verso inteiro **~ heptâmetro** *Poét.* Aquele (grego ou latino) de sete pés **~ heroico 1** *Poét.* Verso decassílabo com pausas na 6ª e 10ª sílabas **2** O verso rimado de cinco pés **~ heroico quebrado** *Poét.* Verso de seis sílabas **~ hexâmetro** *Poét.* Aquele (grego ou latino) de seis pés **~ inteiro** *Poét.* Ver *Verso grave* **~ leonino** *Poét.* Aquele em que ocorrem rimas na metade dos versos (alexandrinos) **~ livre** *Poét.* Verso branco e sem métrica, cujos sons e pausas refletem um fluir próprio de sua estética lírica **~ octonário** *Poét.* Verso de oito pés **~ palíndromo** *Poét.* Aquele cuja leitura é a mesma ao se lerem suas letras tanto da esquerda para a direita quando da direita para a esquerda **~ rítmico** *Poét.* Verso (como em alemão e em inglês) no qual as palavras seguem uma acentuação rítmica **~ ropálico** *Poét.* Aquele (grego ou latino) cuja primeira palavra é um monossílabo, e cada palavra seguinte tem uma sílaba a mais que a anterior **~ sáfico 1** *Poét.* Verso de cinco pés (no grego e no latim) **2** Verso decassílabo, com acento nas 4ª, 8ª e 10ª sílabas (no português) **~ silábico** *Poét.* Aquele que tem um número predeterminado de sílabas **~ solto** *Poét.* Verso branco intercalado entre versos rimados **~ trilongo** *Poét.* Aquele (grego ou latino) com tem três sílabas longas [Tb. apenas *trilongo*.]

verso[2] (*ver*.so) *sm.* **1** O lado oposto ao da frente (ger. de uma folha de papel) **2** A parte de trás de um objeto **3** *Bot.* Face interior das folhas das plantas **4** *Tip.* Segunda página de uma folha impressa [F.: Do lat. *verso*, abl. de *versus, a, um*.]

verso-reverso (ver.so-re.*ver*.so) *sm.* Jogo de tabuleiro destinado às crianças e constante dentro dos programas de jogos para computadores

versta (*vers*.ta) *sf. Metrol.* Antiga medida russa para calcular distâncias, equivalente a 1, 067 m [F.: Do rus. *vierstá*.]

⊕ **versus** (*vér*sus) *prep.* Em oposição *a*; *contra* [Abrev.: vs.]: *Flamengo versus Palmeiras*. [F.: Do lat. *versus*.]

versuto (ver.*su*.to) *a.* Que age com ou tem versúcia; ASTUTO; ESPERTO; SAGAZ [F.: Do lat. *versutus, a, um*.]

vértebra (*vér*.te.bra) *sf. Anat.* Cada um dos ossos que compõem uma coluna que serve de eixo de sustentação do corpo dos mamíferos, das aves, dos répteis etc. [F.: Do lat. *vertebra, ae*. Ideia de *vértebra*', usar antepos. *espondil(o)-* e *vertebr-*.] ▪ **~ anficela** Vértebra côncava em suas duas faces **~ cervical** *Anat.* No esqueleto humano, cada uma das sete vértebras do pescoço **~ coccígea** *Anat.* No esqueleto humano, cada uma das vértebras que, soldadas, formam o cóccix **~ dorsal** *Anat.* No esqueleto humano, cada uma das doze vértebras da região torácica **~ lombar** *Anat.* No esqueleto humano, cada uma das cinco vértebras da região lombar **~ procélica** *Anat.* Vértebra com uma face (a anterior) côncava e outra (a posterior) convexa **~ sacral** *Anat.* Cada uma das cinco vértebras que, soldadas, formam o osso sacro

vertebração (ver.te.bra.*ção*) *sf. Fig.* Estruturação, sustentação: "A vertebração da secretaria é pré-condição para qualquer política de segurança (...)" (*O Globo*, 06.12.2002) [F.: *vértebra* + *-ção*.]

vertebrado (ver.te.*bra*.do) *a.* **1** *Zool.* Que tem vértebras (diz-se de animais) **2** Relativo aos vertebrados *sm.* **3** Animal (mamífero, ave ou réptil) provido de vértebras que formam a coluna vertebral [F.: Do lat. *vertebratus, a, um*.]

vertebral (ver.te.*bral*) *a.* **1** Relativo a vértebra **2** Que é formado por vértebras (coluna vertebral) [F.: Do lat. cient. *vertebralis*.]

vertebralidade (ver.te.bra.li.*da*.de) *sf.* Qualidade do que é vertebral ou constituído por vértebras [F.: *vertebral* + *-i-* + *-dade*.]

vertebrar (ver.te.*brar*) *v. td.* Constituir a base de (alguma coisa): *Era o grupo que vertebrava a estrutura da empresa*. [▶ 1 vertebrar] [F.: *vértebra* + *-ar*.]

vertedor (ver.te.*dor*) [ô] *sm.* **1** Aparelho destinado a permitir o escoamento da água: *Há vertedores triangulares e retangulares*. *a.* **2** Que ou o que verte [F.: *verte(r)* + *-dor*.]

vertedouro (ver.te.*dou*.ro) *sm.* **1** *Ant. Mar.* Espécie de pá ou escudela us. para retirar água do fundo dos barcos; BARTEDOURO **2** Local por onde um líquido escoa; ESCOADOURO [F.: *verte(r)* + *-douro*.]

vertedura (ver.te.*du*.ra) *sf.* **1** Ação ou efeito de verter **2** Porção do líquido que transborda do recipiente em que é despejado **3** *Min.* Operação em que se viram os vagonetes ou as berlindas, esvaziando-os dos minérios extraídos das minas [F.: *verte(r)* + *-dura*.]

vertente (ver.*ten*.te) *a2g.* **1** Que verte, que faz um líquido transbordar ou fluir **2** Diz-se daquilo que se discute (problemas vertentes) *sf.* **3** Parte inclinada de uma montanha por onde a água (ger. da chuva) escoa; ENCOSTA **4** *Geog.* Superfície topográfica compreendida entre um talvegue e uma linha de cristas **5** Cada uma das superfícies de um telhado **6** *Fig.* Subdivisão de um movimento organizado (partido político, escola artística etc.) cujos integrantes defendem opiniões próprias (vertente conservadora); LINHA [F.: *verter* + *-nte*. Ideia de *'vertente'*, usar antepos. *clit(o)-*.]

verter (ver.*ter*) *v.* **1** Fazer transbordar, derramar, entornar (esp. líquido) [*tda.*: *Verteu vinho nas taças para o brinde*.] [*td.*: *A máquina de lavar verteu água e inundou a área de serviço*.] **2** Passar de uma língua para outra; TRADUZIR [*td.* / *tdr.* + *para*: *Ela verteu os próprios poemas (para o russo)*.] **3** Manar, brotar, derivar; ter início em [*ta.*: *Estes dois rios vertem da mesma serra*] **4** Desaguar, desembocar [*ta.*: *O rio São Francisco verte no oceano Atlântico, entre Sergipe e Alagoas*.] **5** Deixar sair, dar passagem a (líquido contido em um recipiente) pelos poros, paredes ou por fendas; ressumar, gotejar [*int.*: *Esta bilha verte*.] [*td.*: *O técnico consertou a máquina que estava vertendo óleo*.] ▪ **~ água** *N. E. Pop.* Urinar

vértex (*vér*.tex) [cs] *sm2n.* O ponto mais alto, ápice, vértice [F.: Do lat. *vertex, icis*.] ▪ **~ do crânio** *Anat.* O ápice do crânio, sobre a linha mediana superior

vertical (ver.ti.*cal*) *a2g.* **1** Que está em posição perpendicular ao solo ou ao plano do horizonte **2** Que se construiu ou ajustou para ficar perpendicular ao chão **3** *Geom.* Que tem a direção da linha do fio de prumo **4** Diz-se de direção correspondente a essa linha: *O balão subiu na vertical*. **5** Que está situado no ponto mais alto, no vértice *sf.* **6** Direção vertical: "Elas se encontravam em T, sendo o braço vertical o caminho da estação. As outras partiam delas, as casas juntavam-se urbanamente no começo, depois iam espaçando, espaçando, até acabar em mato, em campo." (Lima Barreto, *O Triste Fim de Policarpo Quaresma*) **7** *Astron.* Círculo máximo da esfera celeste, que passa pelo zênite e pelo nadir [F.: Do lat. tardio *verticalis, e*.] ▪ **Primeira ~** *Astron.* Vertical perpendicular a um meridiano num certo ponto **~ de um astro** *Astron.* Linha vertical em relação a um observador na Terra, e que passa por um astro

verticalidade (ver.ti.ca.li.*da*.de) *sf.* Qualidade do que é vertical ou do que está na vertical [Ant.: *horizontalidade*] [F.: *vertical* + *-idade*.]

verticalismo (ver.ti.ca.*lis*.mo) *sm.* **1** *Teol.* Na Igreja Católica, tendência teológica de valorizar a contemplação muito mais do que os atos e as obras de ajuda ao próximo [Cf.: *horizontalização*.] **2** Tendência ou prática baseada na divisão hierárquica; HIERARQUIZAÇÃO; ESTRATIFICAÇÃO **3** Organização ou disposição em que o sentido vertical é predominante: (...) *esculturas marcadas pelo verticalismo e pelas cores claras*. [F.: *vertical* + *-ismo*.]

verticalização (ver.ti.ca.li.za.*ção*) *sf.* **1** Desenvolvimento no sentido vertical **2** *P. ext.* Crescimento, desenvolvimento (verticalização econômica) **3** Tendência política para seguir decisões baseadas numa certa obediência hierárquica: "Apesar da manutenção da regra da verticalização, proibindo que as alianças regionais sejam contrariadas nos estados (...)" (*O Globo*, 12.03.2006) [Pl.: *-ções*.] [F.: *verticaliza(r)* + *-ção*.]

verticalizado (ver.ti.ca.li.*za*.do) *a.* Que cresce ou se desenvolve no sentido vertical: "Queremos criar um tecido urbano (...) formado por edifícios baixos e mais próximos entre si – explicou Sirkis, que condena o modelo verticalizado de ocupação da Barra (...)" (*O Globo*, 17.10.2001) [F.: Part. de *verticalizar*.]

verticalizante (ver.ti.ca.li.*zan*.te) *a2g.* Que se desenvolve ou faz crescer no sentido vertical (arquitetura verticalizante) [F.: *verticaliza(r)* + *-nte*.]

verticalizar (ver.ti.ca.li.*zar*) *v. td.* Tornar vertical; pôr na posição vertical: "...Um pé ficou no vazio, o outro tentou em vão verticalizar o corpo..." (Mário Sete, *João Inácio*) [▶ 1 verticalizar] [F.: *vertical* + *-izar*.]

verticalmente (ver.ti.cal.*men*.te) *adv.* **1** No sentido ou na posição vertical; para cima **2** *P. ext. Pol.* De modo hierarquizado; dos (cargos, postos etc.) mais altos aos mais baixos: "Não tiveram eles, entretanto, participação no poder real e nem mesmo a chance de ocupar verticalmente, de alto a baixo, as pastas que lhes foram destinadas." (*O Globo*, 19.11.2004) [F.: *vertical* + *-mente*.]

vértice (*vér*.ti.ce) *sm.* **1** O ponto mais alto de um corpo que se eleva a partir do chão; TOPO **2** *Geom.* Ponto no qual se encontram duas retas ou as arestas de um poliedro **3** *Anat.* Parte mais alta do crânio **4** Ponto em que duas ou mais retas se interceptam **5** *Mat.* Ponto comum a dois lados consecutivos de uma linha poligonal ou de um polígono **6** *Mat.* Ponto de interseção de uma cônica com seus eixos **7** *Geom.* Em um triângulo ou pirâmide, o ponto oposto à base [F.: Do lat. *vertex, icis*.] ▪ **~ de mira** *Arm.* Vértice do prisma ou cone que serve de mira em cano de arma de fogo

verticilastro (ver.ti.ci.*las*.tro) *sm. Bot.* Tipo de inflorescência cujas flores estão compactadas nas axilas foliares, parecendo constituir um verticilo [F.: Do lat. cient. *verticillaster*.]

verticilo (ver.ti.*ci*.lo) *sm.* **1** *Bot.* Conjunto de ramos, folhas ou peças florais, como as pétalas, que se dispõem em volta de um mesmo eixo **2** Em dactiloscopia, desenho formado pelas linhas dos dedos [F.: Do lat. *verticillus, i*.]

verticitifloro (ver.ti.ci.li.*flo*.ro) [ô] *a. Bot.* Que tem flores dispostas em verticilos [F.: *verticil(o)* + *-i-* + *-floro*.]

vertido (ver.*ti*.do) *a.* **1** Que se verteu (leite vertido); DERRAMADO; TRANSBORDADO; ESCOADO **2** Traduzido; CONVERTIDO: *texto vertido para o francês*. [F.: Part. de *verter*.]

vertigem (ver.ti.*gem*) *sf.* **1** *Med.* Sensação de instabilidade causada pela perda do equilíbrio; TONTEIRA **2** *P. ext.* Sensação de desfalecimento **3** *Fig.* Perturbação, desvario **4** *Fig.* Perda momentânea do controle sobre si próprio: "Estas palavras levaram, como eletricamente, a exaltação, a vertigem ao ânimo do marchante, já de si ardente..." (Franklin Távora, *O Matuto*) [F.: Do lat. *vertigo, inis*.] ▪ **~ objetiva** *Med.* Distúrbio sensorial no qual a pessoa tem a sensação de que as coisas giram em torno dela **~ subjetiva** *Med.* Distúrbio sensorial o qual a pessoa tem a sensação de estar girando

vertiginosamente (ver.ti.gi.no.sa.*men*.te) *adv.* De modo vertiginoso [F.: fem. de *vertiginoso* + *-mente*.]

vertiginosidade (ver.ti.gi.no.si.*da*.de) *sf.* Qualidade do que é vertiginoso [F.: *vertiginoso* + *-idade*.]

vertiginoso (ver.ti.gi.*no*.so) [ô] *a.* **1** Que causa vertigem (velocidade vertiginosa) **2** Diz-se de pessoa que é dada a sentir vertigens **3** *Fig.* Muito intenso e/ou rápido (crescimento vertiginoso): "O sobrado vai deslizando animado de uma velocidade vertiginosa, apenas quinhentas vezes inferior à da própria luz..." (Aquilino Ribeiro, *Luz ao Longe*) **4** *Fig.* Que provoca grande arrebatamento; que causa perturbação emocional: *Teve um caso de amor vertiginoso com uma bailarina*. **5** *Fig.* Que ocorre com grande rapidez: *Foi um caso de sucesso vertiginoso*. [Pl.: [ó].] Fem.: [ó].] [F.: Do lat. *vertiginosus, a, um*.]

verve (*ver*.ve) [ê] *sf.* **1** Habilidade de falar ou escrever de forma criativa, inteligente, espirituosa etc.; ESTRO: *Era um escritor de muita verve*: "Desembaraçado da majestade que lhe dava a peliça, o antigo Ega reaparecia, perorando com os seus gestos aduncos de Mefistófeles em verve, lançando-se pela sala como se fosse voar ao vibrar as suas grandes frases..." (Eça de Queirós, *Os Maias*) **2** Inspiração, criatividade, vitalidade: "O bom Deus fê-lo num dia de grande verve, depois quebrou a forma..." (Eça de Queirós, *Os Maias*) [F.: Do fr. *verve*.]

vesânia (ve.*sâ*.ni:a) *sf.* **1** *Ant. Med.* Desequilíbrio mental; LOUCURA; INSANIDADE **2** O mesmo que *mania* [F.: Do lat. *vesania, ae*.]

vesânico (ve.*sâ*.ni.co) *a.* **1** Relativo a vesânia **2** Maníaco [F.: *vesânia* + *-ico*.]

vesano (ve.*sa*.no) *a.* **1** Que revela vesânia; que é alienado, louco, maluco: "Murchem prados, a flor desfaleça, E o regato que límpido corre, /Mais te acenda o vesano furor" (Gonçalves Dias, *I-Juca Pirama*) **2** Que é delirante, insensato [F.: Do lat. *vesanus, a, um*.]

vesco (*ves*.co) [ê] *a.* Próprio para se comer; COMESTÍVEL; COMÍVEL [F.: Do lat. *vescus, a, um*.]

vesgo (*ves*.go) [ê] *a.* **1** *Med.* Que não tem ambos os olhos direcionados para o foco do olhar, ficando com o campo de visão alterado; ESTRÁBICO **2** *Fig.* Que é oblíquo, tortuoso **3** *Fig.* Que revela deslealdade, perfídia: "Uma facada é sempre uma facada, negócio de alfurja e de gente vesga..." (Aquilino Ribeiro, *Luz ao Longe*) *sm.* **4** Indivíduo estrábico; ZAROLHO [F.: De or. obsc. Ideia de *'vesgo'*, usar antepos. *estrab(o)-*.]

vesguice (ves.*gui*.ce) *sf.* Defeito de quem é vesgo, o mesmo que *estrabismo* [F.: *vesgo* + *-ice*.]

◎ **vesic-** *pref.* = 'bexiga': *vesical, vesícula*.

vesical (ve.si.*cal*) *a2g. Anat.* Referente a bexiga [Pl.: *-cais*.] [F.: Do lat. *vesicalis, e*. Hom./Par.: *vesicais* (pl.)/ *vesicais* (fl. *vesicar*).]

vesicante (ve.si.*can*.te) *a2g.* 1 Diz-se de ou certas substâncias ou medicamentos que produzem vesículas na pele; EPISPÁSTICO; VESICATÓRIO *s2g.* 2 Essa substância ou medicamento [F.: *vesica(r)* + *-nte.*]

vesicar (ve.si.*car*) *v. td.* Produzir vesículas, bolhas em [▶ 11 vesicar] [F.: Do lat. *vesicare.* Hom./Par.: *vesicais* (fl), *vesicais* (pl. *vesical*, a2g.).]

vesicorretal (ve.si.cor.re.*tal*) *a2g.* Que abrange ou que é relativo à bexiga e ao reto [Pl.: *-tais.*] [F.: *vesic-* + *-o-* + *retal.*]

vesícula (ve.*sí*.cu.la) *sf.* 1 *Anat. Biol.* Estrutura corporal em forma de saco, que ger. armazena líquidos (vesícula biliar) 2 *Med.* Bolha que se forma na pele, ger. cheia de líquido; EMPOLA 3 *Anat.* Cada uma das partes do tubo neural primitivo 4 *Geol.* Pequena cavidade que, numa rocha, forma uma bolha 5 *Bot.* Intumescência ocorrente nas plantas aquáticas e que funciona como flutuador [F.: Do lat. *vesicula, ae.* Ideia de: *'vesícula'*, usar antepos. *asc(o)-, fis(o)-* e *vesic-;* pospos. *-cistia e -cisto.*] ▪ **~ biliar** *Anat.* Órgão oco (no homem e em muitos vertebrados) que recebe a bile do fígado e a despeja no duodeno **~ natatória** *Zool.* Ver *Bexiga natatória* no verbete *bexiga.* **~ seminal** *Anat.* Cada uma de duas vesículas, uma em cada lado do sistema reprodutor masculino, que segregam um fluido que irá constituir o sêmen, e que se comunicam com o ducto ejaculatório **~ vitelina** *Emb.* Formação que dá origem, no embrião, ao intestino primitivo e ao saco vitelino

vesiculação (ve.si.cu.la.*ção*) *sf.* Formação de pequenas vesículas, bolhas ou bexigas [Pl.: *-ções.*] [F.: *vesícula(r)* + *-ção.*]

vesicular (ve.si.cu.*lar*) *a2g.* 1 Relativo a vesícula 2 Que é semelhante a uma vesícula 3 Que é constituído por vesículas, vesiculoso [F.: *vesícula* + *-ar.*]

vesiculoso (ve.si.cu.*lo*.so) [ô] *a.* 1 Que possui vesículas 2 Constituído de vesículas 3 Em forma de vesícula [Pl.: [ó]. Fem.: [ó].] [F.: Do lat. *vesiculosus, a, um.* Sin. ger.: *vesicular.*]

vespa (*ves*.pa) [ê] *sf.* 1 *Zool.* Nome comum que se dá a todos os insetos himenópteros de diversas fam. que possuem ferrão na extremidade do abdome, são ger. alados e com patas posteriores não achatadas, como o marimbondo: "O capanga voltou-se rápido e feroz, como o tigre picado pela vespa..." (José de Alencar, *Til*) 2 *Ent.* Nome dado a diversos outros himenópteros 3 *Fig.* Pessoa de estilo áspero e mordaz 4 *Bras. Pop.* Motoneta [F.: Do lat. *vespa, ae.* Col.: *enxame.* Ideia de *'vespa'*, usar antepos. *esfec-* e *vesp(i)-.*]

vespeiro (ves.*pei*.ro) *sm.* 1 *Ent.* Colônia de vespas; ENXAME 2 Lugar onde as vespas se reúnem 3 Ninho de vespas 4 *Fig.* Assunto ou lugar que oferece riscos, que é insidioso e cheio de traições: *Vamos sair daqui, isso é um vespeiro!* [F.: *vespa* + *-eiro.*]

◎ **vesper-** *pref.* = Vênus, poente: *vesperal, vespertino*

vésper[1] (*vés*.per) *s2g.* O planeta Vênus, a estrela da tarde; VÉSPERO: "Estrela vésper do pastor errante..." (Castro Alves, *Espumas Flutuantes*) [Us. com inicial maiúscula.] [F.: Do lat. *Vesper, eris.*]

vésper[2] (*vés*.per) *s2g. Fig.* O lado onde o Sol se põe; POENTE; OCASO

véspera (*vés*.pe.ra) *sf.* 1 Dia anterior a um outro ou a fato tomado como referência: *Foi na véspera do domingo; Chegou na véspera do motim:* "... a menina, que derramara pelo chão um punhado de milho e couve, entreteve-se alguns instantes a ver suas flores, umas já de véspera abertas, outras botão como ela, esperando o primeiro raio de sol para desabrocharem..." (José de Alencar, *Til*) 2 Período da tarde 3 *P. us.* O mesmo que *vésperas* [F.: Do lat. *vespera, ae.*]

vesperal (ves.pe.*ral*) *a2g.* 1 Referente à parte da tarde de um dia (sessão vesperal) *sf.* 2 *Bras.* Evento que se realiza no período da tarde (vesperal dançante); MATINÊ *sm.* 3 *Rel.* Na rel. católica, livro que contém as rezas das vésperas [F.: Do lat. *vesperalis, e.*]

vésperas (*vés*.pe.ras) *sfpl.* 1 Os dias anteriores a algum acontecimento: "Precisamente nas vésperas da Revolução Francesa, que pôs Luís Filipe no trono..." (Vitorino Nemésio, *Exilados*) 2 *Rel.* Na liturgia católica, a parte do ofício divino que se realiza entre as 15 e as 18 horas, no dia anterior ao de festa [F.: Do lat. *vespera, ae.*]

vespertilionídeo (ves.per.ti.li.o.*ní*.de.o) *sm.* 1 *Zool.* Espécime dos vespertilionídeos, fam. de pequenos morcegos insetívoros cosmopolitas, com até 18 cm de comprimento, pelagem escura, olhos pequenos e focinho sem folha nasal *a.* 2 Relativo aos vespertilionídeos [F.: Do lat. cient. *Vespertilionidae.*]

vespertino (ves.per.*ti*.no) *a.* 1 Referente ao período da tarde 2 Que acontece nesse período (espetáculo vespertino; sessão vespertina) 3 Diz-se de jornal que é distribuído à tarde *sm.* 4 Esse jornal [F.: Do lat. *vespertinus, a, um.*]

vespídeo (ves.*pí*.de.o) *sm.* 1 *Zool.* Espécime dos vespídeos, fam. de insetos himenópteros, cosmopolitas, com cerca de 800 espécies que incluem as vespas típicas *a.* 2 Relativo aos vespídeos [F.: Do lat. cient. *Vespidae.*]

vestal (*ves*.tal) *sf.* 1 *Mit.* Sacerdotisa do culto a Vesta (deusa do fogo dos antigos romanos), que fazia voto de castidade, mantendo-se virgem 2 Mulher virgem e casta 3 *Fig.* Mulher de comportamento virtuoso: "Bem... disse o desconhecido, está lindíssimo, está mais belo do que o amor, esbelto como uma palmeira... é uma virgem... uma vestal completa..." (Joaquim Manuel de Macedo, *O Moço Loiro*) 4 *Irôn.* Mulher que se faz passar por honesta *a2g.* 5 Relativo à deusa Vesta 6 Relativo a ou próprio de virgem [Pl.: *-tais.*] [F.: Do lat. *vestalis, e.*]

vestalidade (ves.ta.li.*da*.de) *sf.* Ausência de mácula, de mancha; PUREZA; CASTIDADE [F.: *vestal* + *-i-* + *-dade.*]

vestalino (ves.ta.*li*.no) *a.* 1 Puro, casto como uma vestal (comportamento vestalino); IMACULADO; CASTO 2 Sem pecado ou falha moral; HONESTO; CORRETO; HONRADO [F.: *vestal* + *-ino.*]

veste (*ves*.te) *sf.* 1 Cobertura, ger. feita de tecido, us. para proteger e ocultar partes do corpo; ROUPA; VESTIMENTA 2 Roupa us. para determinada finalidade (vestes de juiz) 3 Vestimenta sacerdotal [F.: Do lat. *vestis, is.* Hom./Par.: *veste* (fl. vestir).]

véstia (*vés*.ti:a) *sf.* 1 Casaco curto e largo na cintura 2 Roupa de couro us. pelo vaqueiro sertanejo; GIBÃO [F.: Var. de *veste.*]

vestiário (ves.ti:*á*.ri:o) *sm.* 1 Quarto ou espaço onde se troca de roupa e/ou se deixam roupas guardadas, em empresas, em lugares destinados à prática de esportes etc. 2 Compartimento em um teatro, residência etc. onde os visitantes guardam temporariamente seus casacos, chapéus etc. 3 Funcionário encarregado de inspecionar as vestiarias 4 *Ant.* Encarregado da rouparia de um convento 5 *Ant.* Na corte bizantina, oficial encarregado da guarda das vestimentas imperiais [F.: Do lat. *vestiarium.* Cf.: *vestuário.*]

vestibulando (ves.ti.bu.*lan*.do) *Bras. a.* 1 Diz-se de aluno que se prepara para as provas do vestibular (3) (alunos vestibulandos) *sm.* 2 Aquele que participa de um vestibular (3): *os vestibulandos de medicina.* [F.: *vestibular* + *-ando.*]

vestibular (ves.ti.bu.*lar*) *a2g.* 1 Ref. a vestíbulo (nervo vestibular) 2 Ref. a provas classificatórias através das quais se selecionam os candidatos que estudarão numa instituição de ensino universitário (exame vestibular) *sm.* 3 Concurso que compreende uma série de provas em matérias diversas para admissão em curso superior (vestibular de engenharia) [F.: *vestíbulo* + *-ar.*]

vestíbulo (ves.*tí*.bu.lo) *sm.* 1 Espaço aberto entre o limite de um terreno e a entrada de uma construção ali situada; PÁTIO 2 Cômodo entre a porta de uma casa e as suas dependências internas; SAGUÃO 3 Entrada de um edifício 4 Porta principal 5 *Anat.* Parte mediana do labirinto ósseo da orelha interna 6 *Anat.* Na mulher, depressão vulvar limitada pelos pequenos-lábios 7 *Anat.* Parte anterior da boca, situada à frente da arcada dentária 8 *Anat.* Parte superior da laringe [F.: Do lat. *vestibulum.*]

vestibulococlear (ves.ti.bu.lo.co.cle.*ar*) *a2g. Anat.* Relativo a ou próprio do vestíbulo e da cóclea (funcionamento vestibulococlear)

vestido (ves.*ti*.do) *a.* 1 Provido de roupas que cobrem partes do corpo: "...e na última noite ela estava vestida de escuro..." (Rubem Braga, "As Luvas" *in Ai de Ti, Copacabana*) 2 *Fig.* Revestido, impregnado: "...Seguindo esse fluxo, vestidos com nossas circunstâncias, carregando a bagagem que nos foi dada..." (Lya Luft, *Perdas & Ganhos*) *sm.* 3 Roupa ger. us. por mulheres, composta por blusa e saia formando uma peça única: "...mandara confeccionar um belo vestido de seda pura, preto, bordado a miçangas..." (Zélia Gattai, *Um Chapéu para Viagem*) 4 *Fig.* Aquilo que reveste: *A ideologia é um vestido de ideias.* [F.: Do lat. *vestitus.*] ▪ **~ de baile** Vestido de tecido sofisticado (seda, renda etc.), ger. longo, us. em cerimônias pomposas, bailes, banquetes etc. **~ de mijão** *PE Pop.* Vestido muito comprido

vestido-tubo (ves.ti.do-*tu*.bo) *sm.* Vestido reto, sem cós; TUBINHO [Pl.: *vestidos-tubos.*]

vestidura (ves.ti.*du*.ra) *sf.* 1 Aquilo que se veste; ROUPA 2 Roupas ger. us. por uma determinada pessoa, ou em uma situação específica; TRAJE 3 Revestimento, cobertura 4 *Rel.* Cerimônia em que se toma o hábito religioso [F.: Do lat. *vestitura.*]

vestígio (ves.*tí*.gi:o) *sm.* 1 Marca deixada por um animal no chão; RASTRO: *Há vestígios de onça na mata.* 2 Restos, resquícios de alguém ou algo; ruínas: *vestígios de um acampamento na clareira; vestígios de uma civilização.* 3 *Fig.* Pista, Indício, sinal de coisa que se sucedeu: "...Apareceu-me no dia seguinte, ainda com vestígios do pifão..." (Graciliano Ramos, *São Bernardo*) [F.: Do lat. *vestigium.*] ▪ **~ arqueológico** *Arqueol.* Todo indício (restos de objetos, fósseis, sinais gravados em pedra etc.) da presença do homem em certo lugar, em certa época, do qual se pode inferir informações sobre sua forma de vida e as condições ambientais

vestimenta (ves.ti.*men*.ta) *sf.* 1 Tudo o que serve para vestir; VESTIDURA 2 Vestido: "...O guarda-roupa, rico em variedade de peças (...) chamava a atenção pela originalidade e discrição de suas vestimentas femininas..." (Alcides Pinto, "A solidão de Acácio" *in Histórias do Amor Maldito*) 3 *Rel.* Roupa especial us. por sacerdotes em cerimônias solenes [F.: Do lat. *vestimenta.*]

vestir (ves.*tir*) *v.* 1 Colocar roupa em (alguém ou si mesmo) [*td.: vestir um vestido estampado; Vestia-se com aprumo.*] [*tdr. + em: Vestiu o casaco na filha.*] 2 Usar (certo tipo de roupa) [*td.: Só veste ternos cintados.*] 3 Servir como roupa ou complemento do vestuário [*int.: Essa blusa veste bem.*] [*tr. + em: Esse casaco vestiu muito bem em você.*] 4 Disfarçar-se em traje próprio de; FANTASIAR-SE [*tdp.: Vestiu o filho de Batman; Vestiu-se de baiana.*] 5 *Fig.* Fornecer ou fazer roupas para; ajudar com roupas [*td.: vestir os pobres.*] 6 Usar roupa confeccionada de (certo tecido) [*td.: Gosta de vestir seda.*] [*tdr. + de: Vestia-se de linho.*] 7 Fazer roupa para (alguém) [*td.: Esse costureiro veste artistas famosos da televisão.*] 8 *Fig.* Servir de enfeite ou adorno a; ENFEITAR; ORNAMENTAR [*td.: Cortinado verde vestia uma parede do quarto.*] 9 *Fig.* Adotar (aparência ou forma) de [*td.: O anjo do mal veste formas variadas.*] 10 Adquirir suas roupas em [*tda.: Veste-se nas melhores lojas de Nova York.*] 11 Usar roupa de (certa marca ou costureiro) [*td.: Durante um tempo só vestia Givenchy.*] 12 Dar estilo ou elegância a [*tdr. + com: Vestia sua prosa com expressões oitocentistas.*] 13 *Fig.* Cobrir(-se), revestir(-se) [*td.: O gramado vestia toda a extensão do terreno.*] [*tdr. + de: A plantação vestia o vale de verde.*] [*tr. + de: O canteiro vestia-se de muitas cores.*] 14 Usar ou calçar (luvas) [*td.: Gostava de vestir luvas brancas.*] [▶ 50 vestir] [F.: Do lat. *vestire.* Hom./Par.: *veste(s)* (fl.), *veste(s)* (sf. [pl.]); *vestia(s)* (fl.), *véstia(s)* (sf. [pl.]), *Véstia* (antr. e top.).]

vestual (ves.tu.*al*) *a2g.* Das vestes ou relativo às vestes, ao vestuário (arte vestual) [Pl.: *-ais.*]

vestuário (ves.tu:*á*.ri:o) *sm.* 1 Roupas us. por uma determinada pessoa ou grupo social: "O vestuário tradicional dos homens é aquele que Ghandi tornou conhecido no ocidente..." (Cecília Meireles, "Aragem do Oriente" *in Crônicas de Viagem 2*) 2 O conjunto de objetos necessários para uma pessoa se vestir; INDUMENTÁRIA; TRAJE: "... um negociante exclusivo de vender objetos do vestuário, outro com privilégio para os gêneros e bebidas..." (João Guimarães Rosa, "O Homem de Santa Helena" *in Ave, Palavra*) [F.: Do lat. *vestuarium.*]

vetado (ve.*ta*.do) *a.* 1 Que sofreu veto 2 *Fig.* Impedido, proibido, excluído: *Atleta vetada por mau condicionamento físico.* [F.: Part. de *vetar.*]

vetar (ve.*tar*) *v. td.* 1 Opor veto a (projeto de lei etc.); não aprovar: *vetar uma lei.* [Ant.: *aprovar, sancionar*] 2 Impedir, proibir: *Vetava as ideias mais audaciosas do filho.* [▶ 1 vetar] [F.: Do lat. *vetare.* Hom./Par.: *veto* (fl.), *veto* (sm.).]

veteranice (ve.te.ra.*ni*.ce) *sf.* Qualidade ou estado de veterano [F.: *veterano* + *-ice.*]

veterano (ve.te.*ra*.no) *sm.* 1 Militar antigo ou reformado 2 *P. ext.* Pessoa que exerce um cargo ou função há muito tempo 3 *Pop.* Estudante dos últimos anos [Ant.: *calouro.*] *a.* 4 Que tem muito tempo e experiência em uma atividade (advogado veterano) 5 Diz-se de pessoa encanecida em uma mesma função 6 Diz-se de pessoa tarimbada em alguma atividade [F.: Do lat. *veteranus.*]

veterinária (ve.te.ri.*ná*.ri:a) *sf.* 1 Ciência que estuda as doenças dos animais, o seu tratamento e prevenção; ZOOIATRIA 2 O mesmo que *medicina veterinária* 3 Clínica veterinária: *Levou o cachorro à veterinária do bairro.* [F.: Do lat. tardio *veterinaria.*]

veterinário (ve.te.ri.*ná*.ri:o) *a.* 1 Ref. a medicina veterinária (tratado veterinário) *sm.* 2 Pessoa formada em medicina veterinária 3 Pessoa que exerce essa profissão; MÉDICO-VETERINÁRIO [F.: Do lat. *veterinarius.*]

vetila (ve.*ti*.la) *sf. Bot.* Trepadeira (*Ipomoea capparoides*) nativa do Brasil, de propriedades depurativas e purgativas, com flores róseo-púrpuras e frutos capsulares com quatro sementes [F.: or. obsc.]

vetiver (ve.ti.*ver*) [ê] *sm.* 1 *Bot.* Erva aromática da fam. das gramíneas (*Vetiveria zizanioides*), nativa do Norte da África e Ásia, esp. da Índia, de cujas raízes se extrai óleo essencial us. em perfumaria 2 O aroma dessa erva [F.: Do tâmul *vettiveru*, pelo fr. *vétiver.*]

veto (*ve*.to) *sm.* 1 Proibição ou suspensão de uma ação de órgão público [Ant.: *autorização.*] 2 Rejeição, pelo presidente da República, pelo Governador do Estado ou pelo Prefeito Municipal, de lei ou projeto de lei aprovado respectivamente pela Câmara dos Deputados, pela Assembleia Legislativa ou pela Câmara de Vereadores [Ant.: *sanção.*] 3 *Jur.* No âmbito da ONU, faculdade que tem um membro do Conselho de Segurança de obstar uma ação desse organismo internacional para a qual não haveria impedimento legal [F.: Do lat. *veto* (eu proíbo), 1ª pess. do pres. do ind. do verbo *vetare*, palavra pronunciada pelo tribuno romano para rejeitar uma lei aprovada pelo Senado.]

vetor (ve.*tor*) [ô] *sm.* 1 *Biol.* Ser vivo que pode transmitir parasitas, bactérias ou vírus a outro: *Mosquitos são vetores de vários tipos de vírus.* 2 *Mat.* Segmento de reta com módulo, direção e sentido 3 *Comun.* O que serve de suporte à transmissão de informações 4 *Mil.* Veículo capaz de transportar uma carga nuclear até o seu objetivo 5 *Fís.* Símbolo que representa as grandezas vetoriais da física 6 *Bioq.* Molécula de DNA com porções isoladas do DNA de um organismo vivo e que se introduz em células vivas para que expressem o caráter codificado pelo DNA inserido 7 Forma intermediária (eletricidade, hidrogênio, gasolina etc.) em que se transforma a energia de uma fonte primária para torná-la transportável ou armazenável [F.: Do lat. *vector.*] ▪ **~ binormal** *Geom. an.* Vetor unitário, normal ao plano osculador de uma curva **~ biológico** *Biol.* Hospedeiro de agentes infecciosos, como, p. ex., a mosca tsé-tsé, o *Aedes aegypti* etc. **~ curvatura** *Geom. an.* Num ponto qualquer de uma curva, vetor cujo módulo é o da curvatura, e cuja direção é a da normal principal à curva naquele ponto **~ de onda** *Fís.* Numa onda eletromagnética, vetor de direção e sentido iguais aos da normal à onda e de módulo igual ao número de onda vezes 2 p **~ de Poynting** *Fís.* Aquele que expressa a densidade de fluxo de energia num campo eletromagnético, proporcional ao produto vetorial dos vetores perpendiculares do campo elétrico e do campo magnético **~ deslizante** *Cálc. vet.* O que tem como suporte uma reta de direção fixa, e cujo ponto de aplicação pode se deslocar ao longo dela. **~ do gênero espaço** *Fís.* Quadrivetor de norma negativa, no qual o intervalo de espaço é maior que o de tempo **~ do gênero tempo** *Fís.* Quadrivetor de norma positiva, no qual o intervalo de tempo é maior que o de espaço **~ do gênero zero** *Fís.* Quadrivetor de norma nula, no qual os intervalos de tempo e de espaço são iguais; vetor isótropo **~ es antiparalelos** *Fís.* Vetores de mesma direção mas de sentidos opostos **~es ortogonais** *Cálc. vet.* Vetores de produto escalar nulo [Num espaço tridimensional, suas retas de suporte são ortogonais.] **~es ortonormais** *Cálc. vet.* Vetores ortogonais unitários **~es paralelos** *Cálc. vet.* Vetores cujas retas de suporte são paralelas, e que têm o mesmo sentido **~ irrotacional** *Fís.* Vetor que representa um campo irrotacional, de determinado ponto **~ isótropo** *Fís.* Ver *Vetor do gênero zero* **~ normal** *Geom. an.* Numa curva, vetor unitário no plano osculador da curva, e perpendicular à tangente **~ solenoidal** *Fís.* Vetor que representa um campo solenoidal, de determinado ponto **~ tangente** *Geom. an.* Vetor unitário na direção da tangente a uma curva **~ turbilhão** *Fís.* Metade do rotacional do campo de velocidade dum fluido em movimento

vetorcardiograma (ve.tor.car.di.o.*gra*.ma) ***sm.*** *Med.* Exame que indica a direção e a intensidade das forças elétricas do coração por meio de uma representação gráfica; VETOCARDIOGRAMA [F.: *vetor* + *cardiograma.*]

vetorial (ve.to.ri:*al*) ***a2g.*** **1** Ref. a vetor, que se relaciona aos vetores **2** *Mat.* Diz-se da análise que estuda as noções relativas aos campos de vetores (cálculo vetorial) **3** *Mat.* Diz-se da função que assume valores em um espaço vetorial **4** *Mat.* Diz-se da grandeza física cuja definição exige valor numérico, direção e sentido **5** *Inf.* Diz-se do processador aritmético de alto desempenho us. para cálculo vetorial [Pl.: *-ais.*] [F.: *vetor* + *-ial.*]

vetustez (ve.tus.*tez*) [ê] ***sf.*** Estado ou qualidade do que é vetusto; ANTIGUIDADE; ANCIANIDADE [F.: *vetusto* + *-ez.*]

vetusto (ve.*tus*.to) ***a.*** **1** Muito antigo (montanhas vetustas); REMOTO **2** Cuja antiguidade deve ser respeitada (tradição vetusta) **3** Desgastado ou danificado pela passagem do tempo (construção vetusta) **4** *Pej.* Que se tornou antiquado; ULTRAPASSADO: *meio de transporte vetusto.* [F.: Do lat. *vetustus.*]

véu ***sm.*** **1** Tecido leve e transparente, de fios entrelaçados, que as mulheres usam para cobrir a cabeça ou o rosto: "...Não obstante, continuavam a subir, como se fosse penitência, devagarinho, cara no chão, véu para baixo..." (Machado de Assis, *Esaú e Jacó*) **2** Esse mesmo tecido usado com efeitos decorativos por sua leveza flutuante: "...Andava com leveza, apenas coberta por um biquíni – da parte inferior lhe pendiam véus coloridos formando uma cauda..." (Walmir Ayala, *Taís*) **3** Mantilha com a qual as freiras cobrem a cabeça **4** *Fig.* Aquilo que cobre ou esconde alguma coisa: *Um véu de neblina impedia de ver a estrada.* **5** Pretexto de que alguém se serve para encobrimento, dissimulação ou enfraquecimento de algo: *o véu do esquecimento.* **6** *Fot.* Mancha em fotografia causada por incidência indevida de luz no filme **7** *Anat.* Membrana que separa a boca das fossas nasais **8** *Bot.* Membrana que fixa o bordo do chapéu do cogumelo ao seu pedúnculo **9** *Rel.* No rito católico, capa com a qual o celebrante cobre as espáduas e as mãos para elevar o cálice ou ministrar a bênção [Pl.: *éus.*] [F.: Do lat. *velum.*] ■ **Balançar o ~ da noiva** *Fut.* Marcar um gol com chute forte, que estufa as redes **~ de ombros** *Litu.* Pano de seda que o padre católico põe aos ombros ao levar a custódia ou os cibórios **~ do cálice** *Litu.* Na missa católica, pano de seda com que o padre cobre o cálice **~ do paladar** *Anat.* Ver *Véu palatino* **~ palatino** *Anat.* Parte mole do palato, atrás, sobre a base da língua; palato mole **~ da noiva** *Fut.* A rede do gol

vexação (ve.xa.*ção*) ***sf.*** **1** Ação ou resultado de vexar(se); VEXAME: "Estas afrontosas vexações ao coração de minha pobre mãe arrancaram-lhe apenas um sorriso de aparente indiferentismo." (Camilo Castelo Branco, *Mistérios de Lisboa*) **2** Vergonha, pudor: *Sua vexação foi compartilhada por toda a classe.* **3** Sujeição ou constrangimento; PERSEGUIÇÃO; OPRESSÃO; MAUS-TRATOS: *Durante o sequestro sofreu todo tipo de vexação.* [Pl.: *-ções.*] [F.: Do lat. *vexatio, onis.*]

vexado (ve.*xa*.do) ***a.*** **1** Diz-se de quem foi atormentado ou maltratado **2** Que passou por situação humilhante **3** Que experimentou sentimento de vergonha; ENVERGONHADO **4** *N. E.* Diz-se de quem não tem paciência, de quem está apressado [F.: Do lat. *vexatus, a, um.*]

vexame (ve.*xa*.me) ***sm.*** **1** Ação ou resultado de vexar(-se); HUMILHAÇÃO; VERGONHA **2** Aquilo que vexa, que envergonha, que humilha ou que escandaliza **3** Afronta, ultraje **4** *N. E.* Mal-estar cardíaco súbito **5** *N. E.* Pressa, afã [F.: Do lat. *vexamen, inis.*]

vexaminoso (ve.xa.mi.*no*.so) [ô] ***a.*** Em que há ou que causa vexame; VEXATÓRIO; VERGONHOSO [Pl.: [ó]. Fem.: [ó].] [F.: De *vexame* (sob o rad. *vexamin-*) + *-oso*, segundo o mod. erudito.]

vexar (ve.*xar*) ***v.*** **1** Dispensar ou receber mau tratamento, maus-tratos [***td.:*** *Aqueles carcereiros vexavam os presos.*] **2** Deixar ou ficar envergonhado [***td.:*** *A grosseria do primo vexava a jovem.*] [***int.:*** *Aquilo foi suficiente para que ele se vexasse.*] **3** Causar humilhação a, ou sentir-se humilhado [***td.:*** *Os baixos salários vexam os operários.*] [***int. tr.*** + *com*: *Vexou-se com a acusação do policial.*] **4** *N. E.* Apressar(-se) [***td.***] [▶ 1 vex**ar**] [F.: Do lat. *vexare.* Tb.: *avexar*, var. protética.]

vexativo (ve.xa.*ti*.vo) ***a.*** O mesmo que *vexatório*; VEXANTE: "...repetindo a palavra friamente obscena da lei, causava no auditório o efeito vexativo que nos produz um cadáver nu." (Aloísio Azevedo, *Casa de Pensão*) [F.: Do lat. tardio *vexativus, a, um.*]

vexatório (ve.xa.*tó*.ri:o) ***a.*** Que vexa, que causa vexame ou vexação; VEXATIVO [F.: *vexar* + *-tório.*]

vexilar (ve.*xi*.lar) [cs] ***a2g.*** *Bot.* Diz-se de prefloração em que o vexilo é externo [F.: Do lat. *vexillare.*]

vexilo (ve.*xi*.lo) [cs] ***sm.*** **1** *Ant.* Estandarte, bandeira **2** *Ant.* Símbolo distintivo de poder; EMBLEMA; INSÍGNIA **3** *Bot.* Pétala superior, de formato marcante e maior que as outras quatro pétalas que formam as flores papilionadas **4** *Zool.* Cada uma das duas lâminas laterais da pena das aves formadas pelo conjunto de barbas [F.: Do lat. *vexillum, i.*]

vez [ê] ***sf.*** **1** Momento indeterminado: *Houve vezes em que pensou em desistir.* **2** Momento reservado para alguém executar uma ação; TURNO: *É a sua vez de jogar.* **3** Ocasião, singular ou repetida, de um fato: "Toma banho duas vezes por dia..." (Rubem Braga, "Ele Se Chama Pirapora" *in Ai de Ti, Copacabana*) **4** Chance, oportunidade: *Nunca tenho vez nessa casa!* **5** Lugar de uma pessoa, prerrogativa que só a ela cabe: "...Não é capaz! Juro na vez dele... Eu pago pelo compadre..." (Guimarães Rosa, "Dão-Lalalão" *in Noites do Sertão*) ***sfpl.*** **6** Parcelas de (um número, que se somam numa multiplicação): *três vezes três são nove.* [F.: Do lat. *vice.*] ■ **Às ~es** Por vezes, ocasionalmente **Cada ~** *Angol. Moç.* Talvez: *Hoje cada vez não venha.* **Certa ~** Em certa ocasião, uma vez **De quando em ~** Ver *De vez em quando.* **De uma ~ 1** Uma vez, certa vez: *De uma vez, ele participou de um safári na África.* **2** Definitivamente, para sempre: *Resolveu acabar de uma vez com aquilo.* **3** De uma só vez, simultaneamente, conjuntamente: *Resolveu os dois problemas de uma vez* (*só*). **4** Sem mais delongas: *Para que tantos rodeios? Desembucha de uma vez o que você tem a dizer.* **De uma ~ por todas** Sem mais vezes, pela última vez; de uma vez (2) **De ~** Ver *De uma vez (2)*: *Resolveu abandonar de vez o vício.* **De ~ em onde** Ver *De vez em quando* **De ~ em quando** Esporadicamente, ao longo do tempo **De vez em vez** Ver *De vez em quando* **Em ~ de 1** Em lugar de: *Em vez das maçãs de sempre, comeu peras.* **2** Ao invés de, ao contrário de: *Em vez de fugir, enfrentou o bandido.* **Fazer as ~es de 1** Desempenhar o papel/as funções de **2** Substituir (alguém) em suas funções, seu papel etc. **Muita ~** Muitas vezes; frequentemente **Pensar duas ~es** Pensar, meditar, refletir, ponderar antes de agir **Por sua ~** Por seu turno **Por ~** Ver *De vez em quando* **Ter ~ 1** Ter oportunidade, ter lugar (num meio, num conjunto de coisas): "O morro não tem vez/ e o que ele fez/ já foi demais" (Tom Jobim, *O Morro Não Tem Vez*) **2** Ter cabimento: *Essa atitude não tem vez aqui.* **Uma vez** Ver *Certa vez*: *Uma vez, ele chegou a gritar de dor.* **Uma ~ na vida outra na morte** Muito raramente, uma só vez na vida (algo acontecer) **Uma ~ ou outra** Raramente, só poucas vezes **Uma ~ que 1** Já que, visto que: *Uma vez que está resolvido, vou parar de me preocupar.* **2** Caso, se por acaso: *Uma vez que chova, não podermos ir ao jogo.* **~ a ~** Ver *De vez em quando* **~ por outra** Ocasionalmente; de vez em quando

vezeiro (ve.*zei*.ro) ***a.*** **1** Que tem costume de agir de determinada forma; AVEZADO; HABITUADO **2** Que repete uma ação que praticara antes; REINCIDENTE [F.: *vez* + *-eiro.*]

vezes (*ve*.zes) [ê] ***adv.*** Às vezes; algumas vezes; por vezes [F.: Pl. de *vez.*]

vezo (*ve*.zo) [ê] ***sm.*** **1** Costume, hábito (quase sempre reprovável): "Dito seja que, a demais, o vezo de criar novas palavras invade muitas vezes o criador, como imperial mania." (João Guimarães Rosa, "Prefácio Hipotrélico" *in Tutameia*) **2** Ação habitual; COSTUME: "...o João Aguial, seu vezo de coçar a cabeça..." (João Guimarães Rosa, *Noites do Sertão*) [F.: Do lat. *vitium.*]

⊠ **VHF** *Eletrôn.* Símb. de *frequência muito alta* [F.: Do ing. *Very High Frequency.*]

⊠ **VHS** *Telv.* Tipo de fita de vídeo de 1/2 polegada, para uso doméstico [F.: Sigla do inglês *video home system.*]

◎ **vi(a)-** ***el. comp.*** estrada, caminho: *viaduto, viagem, viário, viável* [F.: Do lat. *via, ae.*]

via (*vi*.a) ***sf.*** **1** Trecho delimitado de terreno que liga dois lugares e por onde se pode transitar; CAMINHO: "...O caminho se bifurca em duas vias..." (Lourenço de Almeida Prado, *Educação para a Democracia*) **2** Direção de um deslocamento; RUMO: *Descansei e segui a via da floresta.* **3** Maneira de se atingir um objetivo; MEIO: *Conseguiu a promoção por vias legais.* **4** Cópia de um documento: *requisição em duas vias.* **5** *Med.* Passagem pela qual se conduzem líquidos, gases ou outros materiais pelo organismo: *injeção por via venosa.* **6** Meio de transporte (via aérea) **7** Modo de administração de um medicamento (via oral; via endovenosa) **8** *Fer.* Caminho constituído por duas filas paralelas de trilhos sobre os quais rodam o trem e o metrô (via férrea) **9** *Min.* Abertura subterrânea de comunicação por galeria, poço etc. **10** *Quím.* Maneira pela qual se realiza uma reação química ou um tratamento de material (via seca; via úmida) ***prep.*** **11** Pelo caminho de; POR: *O ônibus vai a Brasília via Belo Horizonte.* [F.: Do lat. *via.*] ■ **Em ~ de** Prestes a, na iminência de [Dizem respeito à perfeição a ser atingida em: visão das (4) verdades, decisão (pelo *ainsa*), discurso, ação, modo de vida, esforço, atenção e controle mental, contemplação.] **Oito ~s** *Rel.* Os oito caminhos que, no budismo, levam à *samsara*, ou libertação **Por ~ das dúvidas** Para garantir, para evitar erro ou omissão **Por ~ de 1** Por meio de **2** Por causa de, em virtude de **Por ~ de regra** Ver *Via de regra* **~ aérea 1** *Anat.* O trajeto e os ductos por onde passa o ar inalado e o ar exalado, entre o meio exterior e os pulmões **2** Transporte aéreo, esp. de correspondência, encomendas etc. **~ biliar** *Anat.* Trajeto e ductos por onde passa a bile, do fígado ao intestino delgado **~ Crúcis 1** Via Dolorosa, o caminho percorrido por Jesus até o Calvário **2** *Fig.* Período de sofrimento, agruras, dificuldades na vida de alguém; via dolorosa **~ de regra** Geralmente, habitualmente; de regra **~ Dolorosa** Ver *Via-Crúcis* **~ férrea** Numa ferrovia, o conjunto e o sistema de trilhos paralelos, sobre dormentes, sobre os quais circulam os trens **~ Láctea/Látea** *Astron.* Faixa luminosa visível no céu noturno limpo de nuvens, que é a visão de estrelas e corpos celestes que são parte da galáxia da Via Láctea, à qual pertence o sistema solar e o planeta Terra **~s de fato** Confronto físico, violência

🕮 A Via Láctea é a galáxia em que se encontra o sistema solar ao qual pertence a Terra. É uma galáxia em espiral, em que há um núcleo central e grandes conjuntos de corpos celestes na forma de braços de um catavento presos a esse núcleo. Mede 72 mil anos-luz de raio (do centro ao ponto mais afastado). O sistema solar está a 27 mil anos-luz do centro. A Via Láctea gira em torno de seu centro, os astros mais afastados do centro em velocidade menor que a dos mais próximos. O Sol, carregando consigo o sistema solar, gira a uma velocidade linear de 225 km/s, e com isso completa uma volta em torno do centro a cada 200 milhões de anos.

viabilidade (vi:a.bi.li.*da*.de) ***sf.*** **1** Qualidade do que é viável **2** Condição de tráfego de uma estrada ou via [F.: *viável* + *-(i)dade.*]

viabilização (vi:a.bi.li.za.*ção*) ***sf.*** Ação ou resultado de viabilizar [Pl.: *-ções.*] [F.: *viabilizar* + *-ção.*]

viabilizado (vi:a.bi.li.*za*.do) ***a.*** Que se viabilizou, que se tornou viável [F.: Part. de *viabilizar.*]

viabilizador (vi.a.bi.li.za.*dor*) [ô] ***a.*** **1** Que viabiliza, torna possível: "O trabalho, viabilizador das realizações, encontra aqui solo fértil para sua manifestação." (*O Globo*, 03.08.1997) ***sm.*** **2** O que viabiliza, torna possível [F.: *viabiliza(r)* + *-dor.*]

viabilizar (vi.a.bi.li.*zar*) ***v.*** Tornar (algo) viável, possível [***td.:*** *Tomaria providências que viabilizassem o projeto.*] [***int.:*** *A viagem planejada não se viabilizou.*] [▶ 1 viabili**zar**] [F.: *viável* + *-bil(i)-* + *-izar.*]

viação (vi:a.*ção*) ***sf.*** **1** Empresa que faz serviços de transporte público: *O serviço da viação local é péssimo.* **2** Rede de estradas e vias **3** Maneira de percorrer uma via [Pl.: *-ções.*] [F.: *viar* + *-ção.* Hom./Par.: *viação* (sf.), *veação* (sf.).]

via-crúcis (vi.a-*crú*.cis) ***sf.*** **1** *Rel.* Série de 14 quadros (ou estações) que representam as cenas principais da paixão de Cristo; VIA-SACRA; CALVÁRIO **2** As orações que se rezam diante desses quadros **3** *P. ext.* Grave provação, martírio, tormento [Pl.: *vias-crucis.*] [F.: Do lat. *via crucis*, caminho da cruz.]

viador (vi.a.*dor*) [ô] ***sm.*** **1** Aquele que viaja; VIAJANTE; ANDARILHO **2** Aquele que segue em romaria; PEREGRINO; ROMEIRO **3** Espírito ou alma que vaga **4** Antigo camarista da rainha; VEADOR [Do lat. *viator, oris.* Hom./Par.: *viador* (sm.), *veador* [ô] (sm.).]

viaduto (vi:a.*du*.to) ***sm.*** Caminho suspenso feito de concreto ou aço, destinado a transpor vales, grandes depressões ou outros obstáculos do terreno, ou ainda para sobrepor-se a uma rodovia ou ferrovia [Cf.: *ponte* e *elevado.*] [F.: Do ing. *viaduct.* Ideia de: *vi(a)-* e *-duto.*]

viageiro (vi.a.*gei*.ro) ***a.*** **1** Relativo a viagem (aventuras viageiras) **2** Diz-se daquele que vive a viajar ***sm.*** **3** O que ou aquele que vive a viajar; VIAJOR; VIAJANTE [F.: *viag(em)* + *-eiro.*]

viagem (vi:*a*.gem) ***sf.*** **1** Deslocamento de um lugar a outro, ger. em distância longa; JORNADA: *A capital está a três dias de viagem.* **2** Esse deslocamento, com um período de estadia no lugar de destino para turismo, trabalho etc.: "... Nossa amizade se perdeu no acaso das viagens..." (Rubem Braga, "Quarto de Moça" *in Ai de Ti, Copacabana*) **3** *Fig. Gír.* Alteração das percepções sensoriais causada pelo consumo de drogas; BARATO [Pl.: *-gens.*] [F.: Do lat. *viaticum.*] ■ **Para ~** *Bras.* Embalado (alimento, bebida) para ser transportado e consumido em outro lugar **Passar de ~** *Turfe* Ultrapassar (um cavalo) outro, facilmente, durante facilmente em corrida **~ redonda** *Mar. Merc.* A de um navio mercante entre o porto de partida e o mesmo porto quando do regresso

viajada (vi.a.*ja*.da) ***sf.*** *Pop.* Ato ou efeito de viajar; VIAGEM: *Resolvi dar uma viajada para relaxar.* [F.: fem. substv. de *viajado.*]

viajado (vi:a.*ja*.do) ***a.*** Que fez muitas viagens, que andou por várias terras e países: "...Era uma doçura que ele, o viajado Paulo, que agora voltava..." (Gilberto Freyre, *Dona Sinhá e o Filho Padre*) [F.: Part. de *viajar.*]

viajante (vi:a.*jan*.te) ***a2g.*** **1** Que viaja ***s2g.*** **2** Pessoa que viaja; VIAJOR; VIAJADOR; VIAGEIRO **3** Vendedor que se desloca de praça em praça para vender seus produtos; CAIXEIRO-VIAJANTE [F.: *viajar* + *-nte.*]

viajar (vi.a.*jar*) ***v.*** **1** Deslocar-se em viagem [***int.:*** *Viajamos sem nenhum documento.*] **2** *Gír.* Ter alucinações (ger. sob efeito de drogas) [***int.:*** *Tomou um LSD e viajou.*] **3** *Fig.* Sonhar, imaginar [***int.:*** *Vive viajando em sonhos.*] **4** Percorrer (um caminho), passar ao longo de (lugar) em viagem; VISITAR [***ta.*** + *por*: *Vamos viajar por todo o litoral.*] [***td.:*** *Viajamos a Andaluzia inteira no último verão; viajar o* *mundo todo.*] **5** Partir em viagem [*int.*: *Agora é tarde, o chefe já viajou.*] [▶ 1 viajar] [F.: *viagem* + *-ar*. Hom./Par.: *viajem* (fl.), *viagem* (sf.).]

viajeirar (vi:a.jei.*rar*) *v. int. Pop.* O mesmo que *viajar* [▶ 1 viajeirar] [F.: *viajar* + *-eirar.*]

viajor (vi.a.*jor*) [ô] *sm.* Quem viaja; VIAJANTE; VIAGEIRO [F.: *viaj(ar)* + *-or.*]

vianda (vi:*an*.da) *sf.* **1** Qualquer tipo de comida **2** Qualquer corte de carne comestível **3** Carne animal, ger. terrestre, destinada ao consumo humano **4** *RS* Refeição fornecida em domicílio [F.: Do fr. *viande.*] ■ **Comer de ~** *RS* Comer na marmita

viandante (vi.an.*dan*.te) *a2g.* **1** Diz-se do que ou daquele que viaja; VIAGEIRO; VIAJANTE; VIAJOR **2** Diz-se do que ou daquele que viaja ou passa caminhando; TRANSEUNTE; PEREGRINO *s2g.* **3** O que ou aquele que viaja **4** O que ou aquele que viaja ou passa caminhando [F.: *vianda(r)* + *-nte.*]

viandar (vi.an.*dar*) *v. int.* Empreender viagem; viajar, peregrinar: "...Homens que viandam por aquelas paragens..." (Camilo Castelo Branco, *Aquela Casa Triste...*) [▶ 1 viandar] [F.: *via* + *andar*. Hom./Par.: *vianda*(s) (fl), *vianda* (sf. e pl.).]

viandeiro (vi.an.*dei*.ro) *a.* **1** Ver *viandante* **2** Di-se do que ou daquele que come muito, que gosta de vianda; GLUTÃO; COMILÃO *sm.* **3** Ver *viandante* **4** O que ou aquele que come muito, que gosta de vianda; GLUTÃO; COMILÃO [F.: Do fr. *viand(e)* + *-eiro.*]

vianês (vi:a.*nês*) *sm.* **1** Indivíduo nascido ou que vive em Viana do Castelo (Portugal) [Pl.: *-neses* [ê]. Fem.: *-nesa* [ê].] *a.* **2** De Viana do Castelo; típico dessa cidade ou de seu povo [Pl.: *-neses* [ê]. Fem.: *-nesa* [ê].] [F.: Do top. *Vian(a)* (do Castelo) + *-ês.*]

◎ **-viário** *el. comp.* = 'via', 'caminho': *rodoviário*

viário (vi:*á*.ri:o) *a.* **1** Ref. a via(s), caminho(s); que diz respeito a viação (1, 2): *acesso viário à região praiana; A malha viária do estado precisa ser reformada. sm.* **2** *Fer.* Leito da via férrea **3** Espaço ocupado por essa via [F.: Do lat. *viariu.*]

via-sacra (vi.a-*sa*.cra) *sf.* **1** *Rel.* Caminhada de Jesus do pretório de Pilatos até o Gólgota carregando a cruz; VIA-CRÚCIS **2** Série de 14 quadros representando essa caminhada, colocados em sequência na igreja ou em vários pontos nas ruas, que os fiéis percorrem em oração **3** *P. ext.* Conjunto das orações que se recitam diante desses quadros **4** *Fig.* Padecimento, série longa de sofrimentos [Pl.: *vias-sacras.*] [F.: Do lat. *via sacra.*] ■ **Fazer a ~ 1** *Rel.* Passar por quadros que a representam, parando para orar diante de cada um **2** *Rel.* Visitar igrejas na Semana Santa **3** *Fig.* Visitar pessoas conhecidas para delas obter algo

viático (vi:*á*.ti.co) *sm.* **1** *Rel.* Comunhão ministrada em casa aos doentes impossibilitados de se deslocar, ou aos moribundos **2** Dinheiro ou provisões que se proporcionam a alguém para uma viagem [F.: Do lat. *viaticum*. Hom./Par.: *viático* (sm.), *vinhático* (sm.).]

viatura (vi:a.*tu*.ra) *sf.* **1** Veículo us. para transportar pessoas ou coisas **2** *Bras.* Automóvel us. por policiais: "...o delegado é duro. Quando a gente sai na viatura, tem de prestar serviço." (Antônio Callado, *Bar Don Juan*) [F.: Do fr. *voiture.*]

viável[1] (vi:*á*.vel) *a2g.* **1** Cuja realização é possível, que se pode levar a efeito (metas viáveis); EXEQUÍVEL **2** Que se pode conseguir; PRATICÁVEL **3** *Biol.* Que tem capacidade para germinar, se desenvolver, crescer e viver; VIVEDOURO **4** *Fig.* Que resiste ao tempo, duradouro [Pl.: *-veis.*] [F.: Do fr. *viable.*]

viável[2] (vi:*á*.vel) *a2g.* Que está desobstruído, que não oferece embaraço ou transtorno ao trânsito (caminho/trilha viável); TRANSITÁVEL [Pl.: *-veis.*] [F.: Do lat. *viabile.*]

víbice (*ví*.bi.ce) *sm.* **1** *Med.* Hemorragia subcutânea em forma de sulco ou estria **2** Marca deixada na pele por golpe de chicote, vara etc. [F.: Do lat. *vibex, icis.*]

víbora (*ví*.bo.ra) *sf.* **1** *Zool.* Gênero de répteis ofídios ovíparos; COBRA **2** *Zool.* Nome comum a répteis escamados **3** *N. E. Zool.* Lagarto inofensivo (*Hemidactilus mabovia*) de hábitos noturnos e que se alimenta de pequenos insetos; LAGARTIXA **4** *Fig.* Pessoa mal-intencionada, perversa; COBRA [F.: Do lat. *vipera.*]

vibração (vi.bra.*ção*) *sf.* **1** Ação ou resultado de vibrar, de tremer sob ação de um som, de uma fonte de energia etc. **2** Movimento daquilo que vibra; TREPIDAÇÃO **3** Oscilação, balanço: *as vibrações do pêndulo.* **4** *Fig.* Empolgação, emoção intensa; ENTUSIASMO: "...seu calor, seu movimento, essa vibração das ruas e dos bazares..." (Cecília Meireles, *Caminhos de Bombaim*) **5** *Cons.* Método para aumentar a resistência do concreto por meio de vibração (1) da massa [Pl.: *-ções.*] [F.: Do lat. *vibratio, onis.*]

vibracional (vi.bra.ci.o.*nal*) *a2g.* Relativo a ou por meio de vibração (cura vibracional) [Pl.: *-nais.*] [F.: *vibração* + *-al.*]

vibrado (vi.*bra*.do) *a.* **1** Que se brandiu, agitou (bandeiras vibradas) **2** Que se tocou ou fez soar (acorde vibrado) **3** Que se tangeu ou dedilhou (corda vibrada) [F.: Do lat. *vibratus, a, um.*]

vibrador (vi.bra.*dor*) [ô] *a.* **1** Que vibra ou que faz vibrar *sm.* **2** *Eel.* Dispositivo eletromecânico dotado de eletroímã e armadura vibrátil, capaz de interromper um circuito de frequência acústica **3** *Fig.* Pessoa empolgada com o que faz **4** Dispositivo vibratório utilizado em práticas sexuais **5** *Cons.* Aparelho us. para a vibração (1) do concreto, tornando-o mais denso e resistente [F.: *vibrar* + *-dor.*]

vibrafone (vi.bra.*fo*.ne) *sm. Mús.* Instrumento musical similar à marimba, muito usado em *jazz*, constituído por placas de metal que vibram por meio de baquetas e de ressoadores ativados por motor elétrico [F.: Do ing. *vibraphone*, do lat. *vibrare.*]

vibrafonista (vi.bra.fo.*nis*.ta) *a2g.* **1** *Mús.* Diz-se do instrumentista que toca vibrafone *s2g.* **2** Instrumentista que toca vibrafone [F.: *vibrafon(e)* + *-ista.*]

vibrante (vi.*bran*.te) *a2g.* **1** Que vibra (corda vibrante); VIBRÁTIL **2** Que tem intensidade, força (cor vibrante) **3** Que denota entusiasmo (música vibrante; líder vibrante) [F.: Do lat. *vibrante.*]

vibrar (vi.*brar*) *v.* **1** Entrar em processo de vibração [*td.*: *A ventania vibrava o vidro da janela.*] [*int.*: *Ao primeiro trovão as janelas vibraram.*] **2** Ficar entusiasmado; EMPOLGAR-SE [*int.*: *Os torcedores vibravam diante da TV.*] **3** Fazer tremer ou tremer; ESTREMECER; TREPIDAR [*td.*: *A britadeira vibrava o chão.*] [*int.*: *As vidraças vibraram com a explosão.*] **4** Fazer soar ou soar [*td.*: *Os sinos vibravam as ave-marias.*] [*int.*: *As cordas da harpa vibravam sob seus dedos.*] **5** Fazer-se ouvir, estar presente; ECOAR [*int.*: *As juras do amante ainda vibram em seu peito.*] **6** Agitar com força (lança, arma ou objeto ameaçador); BRANDIR [*td.*: *Os guerreiros vibravam as lanças.*] **7** Desferir (golpe) [*tdr.* + *em*: *Vibrou um soco no adversário.*] **8** Emitir som mais forte ou mais distinto [*td.*: *A voz do pai vibrou um assobio.*] [*int.*: *A voz do pai vibrou no meio daquela discussão.*] **9** *Mús.* Produzir vibrato [*int.*: *O maestro pediu que, naquele ponto, a voz da soprano vibrasse.*] **10** Produzir som ao dedilhar (instrumento de corda); PULSAR [*td.*: *O músico vibrou as cordas da guitarra.*] **11** Sentir emoção ou excitação correspondente a uma impressão ou a um estímulo; COMOVER(-SE) [*int.*: *Nas cenas patéticas, o ator vibra; O cantor viu o público vibrar.*] **12** Fazer mover ou mover (algo) no ar continuamente; BALANÇAR; OSCILAR [*td.*: *A torcida vibrava as bandeiras.*] [▶ 1 vibrar] [F.: Do lat. *vibrare.*]

vibrátil (vi.*brá*.til) *a2g.* **1** Que vibra ou tem tendência a vibrar: "Porque esses (os adolescentes) estão numa idade cheia de perigos, – sentimental, vibrátil, romântica." (Cecília Meireles, "As Crianças e a Religião" *in Crônicas de Educação 3*) **2** *Anat.* Diz-se do movimento que os cílios de certos epitélios apresentam **3** *Biol.* Diz-se do cílio ou flagelo animado por vibrações constantes [Pl.: *-teis.*] [F.: Do lat. *vibratus.*]

vibratilidade (vi.bra.ti.li.*da*.de) *sf.* Qualidade de vibrátil [F.: *vibrátil* + *-(i)dade.*]

⊕ **vibrato** (*It. /vibrato/*) *sm. Mús.* Efeito técnico e expressivo, possível no canto, na flauta e nos instrumentos de arco, que consiste em oscilar levemente a altura da nota principal

vibratório (vi.bra.*tó*.ri:o) *a.* **1** Ref. a vibração (2) (frequência vibratória) **2** Que vibra (massageador vibratório) **3** Que provoca vibração (2) (impulso vibratório) [F.: *vibrar* + *-tório.*]

vibrião (vi.bri:*ão*) *sm. Bac.* Nome de um grupo de bactérias, curvas, móveis, encontradas no mar, em rios e na flora digestiva de animais que vivem nesses locais [Pl.: *-ões.*] [F.: Do fr. *vibrion.*]

víbrio (*ví*.bri.o) *sm. Bac.* O mesmo que *vibrião*

vibrissas (vi.*bris*.sas) *sfpl.* **1** *Anat.* Pelos das narinas humanas **2** *Anat. Zool.* Pelos com função tátil que nascem na face de alguns mamíferos como gatos, cachorros etc. **3** *Anat. Zool.* Pelos diferenciados que nascem em torno do bico de certas aves, esp. as que se alimentam de insetos [F.: Do lat. *vibrissae*, pelo fr. *vibrisses.*]

viburno (vi.*bur*.no) *sm. Bot.* Nome popular dado às plantas do gênero *Viburnum*, que reúne 150 espécies de árvores e arbustos, cultivados pelas flores, ger. brancas e aromáticas, e pelos frutos ornamentais, por vezes comestíveis, por vezes venenosos [F.: Do lat. cient. *Viburnum.*]

viçar[1] (vi.*çar*) *v.* **1** Adquirir viço, vicejar [*int.*: *O jardim não viçou nesta primavera*: "...Ramalhetes de murta em flor brotavam pelo prado, e na dourada areia da ribeira viçava o tenro, dobradiço arbusto..." (Almeida Garrett, *D. Branca*)] [*td.*: *Usei adubo orgânico para viçar as plantas do jardim.*] **2** *Fig.* Desenvolver-se, expandir-se, alastrar-se [*int.*: *Essa ideia viçou em toda a região.*] **3** *N. E.* Parir (o animal) [*int.*] [▶ 12 viçar] [F.: *viço* + *-ar.*]

viçar[2] (vi.*çar*) *v. int.* **1** Ter vício, praticar vício **2** *N. E.* Ter ou praticar o vício da geofagia, de comer terra ou barro **3** Estar (animal) no cio, ou ficar prenhe [▶ 12 viçar] [F.: *vício* + *-ar*[2].]

vicarial (vi.ca.ri:*al*) *a2g.* Ref. a vigário ou a vicariato [Pl.: *-ais.*] [F.: Do lat. *vicarius* + *-al.*]

vicariância (vi.ca.ri.*ân*.ci:a) *sf.* **1** *Biol.* Mecanismo evolutivo no qual a distribuição de uma espécie ancestral é dividida em duas ou mais áreas devido ao surgimento de uma barreira natural *sf.* **2** *Ecol.* Separação da população animal ou vegetal de uma mesma área, de forma a favorecer o surgimento de duas espécies muito próximas em regiões geográficas diferentes [F.: *vicari-* + *-ância.*]

vicariante (vi.ca.ri:an.te) *a2g.* **1** *Biol.* Diz-se de duas espécies ligadas sob o aspecto filogenético, mas ocupantes de áreas geográficas diferentes **2** *Biol.* Diz-se de órgão que compensa a falta ou a ineficiência funcional de outro (pulmão vicariante) [F.: Do fr. *vicariant.*]

vicariato (vi.ca.ri:*a*.to) *sm.* **1** Cargo ou exercício de vigário; VIGARARIA **2** Tempo durante o qual se exerce esse cargo **3** Casa onde mora o vigário **4** Área de abrangência do vigário **5** *P. ext.* Substituição no exercício de alguma função [F.: Do lat. *vicariatus.*]

vicariedade (vi.ca.ri:e.*da*.de) *sf. Ling.* Qualidade ou caráter de vicária, palavra que substitui outra [F.: Do lat. *vicarietas, atis.*]

vicário (vi.*cá*.ri:o) *a.* **1** Que assume provisoriamente o lugar e/ou as funções de outro; SUBSTITUTO: *a morte vicária de Jesus na cruz.* **2** Diz-se do poder exercido por delegação **3** *Gram. Ling.* Ref. a palavra que substitui outra, como p. ex. os pronomes, as formas de tratamento, determinados advérbios e os *verbos vicários* [F.: Do lat. *vicarius.*]

◎ **vice** (*vi*.ce) *s2g.* Prefixo que designa um cargo ou categoria imediatamente inferior a outra [Ger. us. como redução de substantivos tais como *vice-presidente, vice-diretor, vice-governador, vice-cônsul.*] [F.: Do lat. *vice*, ablat. de *vix, vicem.*]

◎ **vice-** *el. comp.* substituição: *vice-presidente, vice-rei* [Sempre com hífen.] [F.: Do lat. *vice* (em vez de).]

vice-almirantado (vi.ce-al.mi.ran.*ta*.do) *sm.* Grau, dignidade ou cargo de vice-almirante [Pl.: *vice-almirantados.*] [F.: *vice-almirante* + *-ado.*]

vice-almirante (vi.ce-al.mi.*ran*.te) *sm.* **1** *Mar.* Patente militar imediatamente inferior à de almirante de esquadra e superior ao de contra-almirante **2** Militar que tem essa patente [Pl.: *vice-almirantes.*] [F.: *vice-* + *almirante.*]

vice-campeã *sf. Esp.* Aquela que conquistou o segundo lugar num campeonato [Pl.: *vice-campeãs.*] [F.: *vice* + *campeã.*]

vice-campeão (vi.ce-cam.pe:*ão*) *a.* **1** Que alcançou a segunda melhor colocação num campeonato *sm.* **2** Atleta ou equipe que conquistou o vice-campeonato [Pl.: *vice-campeões*. Fem.: *vice-campeã.*] [F.: *vice-* + *campeão.*]

vice-campeonato (vi.ce-cam.pe:o.*na*.to) *sm.* O segundo lugar em um campeonato [Pl.: *vice-campeonatos.*] [F.: *vice-* + *campeonato.*]

vice-chanceler (vi.ce-chan.ce.*ler*) *sm.* **1** *Dipl.* Aquele que substitui o chanceler (Ministro das Relações Exteriores) em suas ausências ou impedimentos **2** *Pol.* Na Alemanha e na Áustria, título do vice-chefe do governo **3** *Ecles.* Título do cardeal que preside a Cúria Romana, encarregado do despacho de bulas **4** Substituto do chanceler, título equivalente ao de reitor em algumas universidades [Pl.: *vice-chanceleres.*] [F.: *vice* + *chanceler.*]

vice-chefe (vi.ce-*che*.fe) *sm.* Cargo imediatamente inferior ao de chefe, a quem serve como auxiliar ou substituto [Pl.: *vice-chefes.*] [F.: *vice* + *chefe.*]

vice-cônsul (vi.ce-*côn*.sul) *sm.* **1** *Dipl.* Diplomata que substitui o cônsul em suas ausências ou impedimentos **2** Funcionário que, num consulado-geral, exerce funções delegadas pelo cônsul **3** Pessoa designada para exercer funções consulares numa localidade em que, por sua reduzida importância, não existe funcionário com categoria de cônsul [Pl.: *vice-cônsules*. Fem.: *vice-consulesa.*] [F.: *vice* + *cônsul.*]

vice-consulado (vi.ce-con.su.*la*.do) *sm.* **1** Cargo de vice-cônsul **2** Local onde o vice-cônsul exerce suas funções **3** Território compreendido na jurisdição do vice-consulado [Pl.: *vice-consulados.*] [F.: *vice* + *consulado.*]

vice-decano (vi.ce-de.*ca*.no) *sm.* Professor que substitui o decano (2) em suas ausências ou impedimentos [Pl.: *vice-decanos.*] [F.: *vice* + *decano.*]

vice-diretor (vi.ce- di.re.*tor*) *sm.* Pessoa que ocupa posto imediatamente abaixo do diretor e o substitui em suas ausências e impedimentos; SUBDIRETOR [Pl.: *vice-diretores.*] [F.: *vice* + *diretor.*]

vice-gerente (vi.ce-ge.*ren*.te) *s2g.* Profissional que ocupa cargo imediatamente abaixo do gerente e quando necessário faz as vezes deste; SUBGERENTE [F.: *vice* + *gerente.*]

vice-governador (vi.ce-go.ver.na.*dor*) [ô] *sm.* **1** Cargo imediatamente inferior ao de governador **2** Quem ocupa esse cargo, e cuja função é fazer as vezes de governador durante sua ausência ou no caso de seu impedimento [Pl.: *vice-governadores.*] [F.: *vice-* + *governador.*]

vice-governadoria (vi.ce-go.ver.na.do.*ri*.a) *sf.* **1** *Adm. Pol.* Cargo de vice-governador **2** Jurisdição territorial ou abrangência de atributos do vice-governador: *Essa nomeação não cabe à vice-governadoria.* [Pl.: *vice-governadorias.*] [F.: *vice* + *governadoria.*]

vicejante (vi.ce.*jan*.te) *a2g.* **1** Que viceja, tem viço, exuberância, frescor (jardim vicejante, juventude vicejante) **2** *Fig.* Que faz uso de recursos de retórica em profusão (declaração vicejante, discurso vicejante); ORNADO; FLORIDO [F.: *viceja(r)* + *-nte*. Sin. acp. 1: *frondejante, frondente, frôndeo, frondoso, verdejante, verdoso, viçoso, virente, viridante, viridente.*]

vicejar (vi.ce.*jar*) *v.* **1** Ter viço; mostrar-se viçoso [*int.*: *As rosas vicejavam ao sol.*] **2** Dar viço a [*td.*: *Molhar sempre o jardim faz vicejar as plantas.*] **3** *Fig.* Demonstrar força, vigor, exuberância [*int.*: *Apesar da idade, seu talento ainda viceja.*] **4** *Fig.* Causar, acarretar, produzir [*td.*: *A compaixão viceja o amor.*] [▶ 1 vicejar] [F.: *viço* + *-ejar*. Hom./Par.: *vicejo* (fl), *vicejo* /ê/ (sm.).]

vicejo (vi.*ce*.jo) [ê] *sm.* **1** Ato ou processo de vicejar, estado do que viceja, que tem viço **2** Vitalidade, exuberância [F.: *Dev. de vicejar*. Hom./Par.: *vicejo* (sm.), vicejo (fl. de *vicejar*).]

vice-líder (vi.ce-*lí*.der) *s2g.* **1** Cargo imediatamente inferior ao de líder, com as atribuições de assessorá-lo e substituí-lo em determinadas ocasiões **2** Quem ocupa esse cargo [Pl.: *vice-líderes.*] [F.: *vice-* + *líder.*]

vice-liderança (vi.ce-li.de.*ran*.ça) *sf.* **1** Cargo de vice-líder **2** Os encargos da função de vice-líder **3** O conjunto dos vice-líderes [Pl.: *vice-lideranças.*] [F.: *vice-* + *liderança.*]

vice-ministro (vi.ce-mi.*nis*.tro) *sm. Pol. Adm.* Pessoa que exerce funções imediatamente abaixo das de ministro e que o substitui em suas ausências ou impedimentos [Pl.: *vice-ministros.*] [F.: *vice-* + *ministro.*]

vicenal (vi.ce.*nal*) *a2g.* Que ocorre ou se renova a cada vinte anos [Pl.: *-nais.*] [F.: Do lat. *vicenalis.* Hom./Par.: *vicenal* (a2g.), *vicinal* (a2g.).]

vicênio (vi.*cê*.ni:o) *sm.* Espaço de tempo com duração de vinte anos [F.: Do lat. *vicenniu.*]

vicente[1] (vi.*cen*.te) *sm.* **1** *Lus.* Religioso do mosteiro de São Vicente de Fora, em Lisboa **2** *Lus.* Peça (ger. de metal, ou um arame) com a qual se prendem pedaços de louça quebrada ou rachada; tb. *gato* **3** Calçado grosseiro, com base de madeira; SOCO; TAMANCO [F.: Do antr. *Vicente.*] ■ **Pitar do ~** *RS* Passar por agruras e sofrimentos

vicente[2] (vi.*cen*.te) *sm. Num.* F. red. de *são-vicente.*

vicentino[1] (vi.cen.*ti*.no) *a.* **1** Pertencente ou relativo ao poeta português Gil Vicente (1470-1540) **2** Que é conhecedor ou admirador da vida e da obra de Gil Vicente *sm.* **3** Quem é vicentino (2) [F.: Do antr. (Gil) *Vicente.*]

vicentino[2] (vi.cen.*ti*.no) *a.* Ref. a Vicente de Paulo, padre francês que foi canonizado em 1737 [F.: Do antr. *Vicente* (de Paulo) + *-ino*[1].]

vicentino[3] (vi.cen.*ti*.no) *sm.* **1** Indivíduo nascido ou que vive em Vicenza (Itália), antiga Vicência *a.* **2** De ou ref. a Vicenza; típico dessa cidade ou de seu povo [F.: Do lat. *vicentini.*]

vicentino[4] (vi.cen.*ti*.no) *a.* **1** Ref. a são Vicente de Paulo **2** Ref. a congregação ou associação sob o nome de são Vicente de Paulo, ou a membro de tal congregação ou associação *sm.* **3** Membro de tal congregação ou associação [F.: Do antr. *Vicente* (de Paulo) + *-ino*[1].]

vicentino[5] (vi.cen.*ti*.no) *sm.* **1** Monge do mosteiro de São VIcente de Fora, em Lisboa, Portugal *a.* **2** Do ou ref. ao mosteiro de São Vicente de Fora [F.: De (mosteiro de São) *Vicente* (de Fora) + *-ino*[1].]

vicentino[6] (vi.cen.*ti*.no) *sm.* **1** Indivíduo nascido ou que vive na ilha de São Vicente (Cabo Verde) *a.* **2** De ou ref. a São Vicente; típico dessa ilha ou de seu povo [F.: Do top. (São) *Vicente* + *-ino*[1].]

vicentino[7] (vi.cen.*ti*.no) *sm.* **1** Indivíduo nascido ou que vive na vila de São Vicente (ilha da Madeira) *a.* **2** Da ou ref. à vila de São Vicente; típico dela ou de seu povo [F.: Do top. (vila de São) *Vicente* + *-ino*[1].]

vice-prefeito (vi.ce-pre.*fei*.to) *sm.* **1** Cargo imediatamente inferior ao de prefeito **2** Quem ocupa esse cargo, e cuja função é substituir o prefeito durante sua ausência ou no caso de seu impedimento [Pl.: *vice-prefeitos.*] [F.: *vice-* + *prefeito.*]

vice-presidência (vi.ce-pre.si.*dên*.ci:a) *sf.* Cargo ou dignidade de vice-presidente [Pl.: *vice-presidências.*] [F.: *vice-* + *presidência.*]

vice-presidente (vi.ce-pre.si.*den*.te) *s2g.* **1** Cargo imediatamente inferior ao de presidente, com as atribuições de assessorá-lo e substituí-lo em viagens, impedimentos etc. **2** Quem ocupa esse cargo [Pl.: *vice-presidentes.*] [F.: *vice-* + *presidente.*]

vice-primeiro-ministro (vi.ce-pri.mei.ro-mi.*nis*.tro) *sm. Pol. Adm.* Pessoa que exerce funções imediatamente abaixo das de primeiro-ministro e que substitui a este em suas ausências ou impedimentos: *Do encontro de cúpula participaram dois vice-primeiros-ministros.* [Pl.: *vice-primeiros-ministros.*] [F.: *vice-* + *primeiro* + *ministro.*]

vice-rei (vi.ce-*rei*) *sm.* **1** Cargo de autoridade máxima, diretamente subordinada ao rei, em uma província ou colônia de um reino **2** Quem ocupa esse cargo **3** *Hist.* No período colonial brasileiro, título outorgado aos governadores-gerais de alta fidalguia [Pl.: *vice-reis.*] [F.: *vice-* + *rei.*]

vice-reinado (vi.ce-rei.*na*.do) *sm.* **1** Cargo ou dignidade de vice-rei **2** Tempo de duração de uma pessoa nesse cargo **3** Área sob jurisdição do vice-rei [Pl.: *vice-reinados.*] [F.: *vice-* + *reinado.*]

vice-reino (vi.ce-*rei*.no) *sm.* Território governado por um vice-rei ou sob sua jurisdição [Pl.: *vice-reinos.*] [F.: *vice-* + *reino.*]

vice-reitor (vi.ce-rei.*tor*) [ô] *sm.* **1** Cargo imediatamente inferior ao de reitor **2** Quem ocupa esse cargo [Pl.: *vice-reitores.*] [F.: *vice-* + *reitor.*]

vice-reitoria (vi.ce-rei.to.*ri*.a) *sf.* **1** Cargo de vice-reitor; VICE-REITORADO **2** Tempo durante o qual se exerceu esse cargo **3** Local onde está sediada a vice-reitoria [Pl.: *vice-reitorias.*] [F.: *vice-* + *reitoria.*]

vice-versa (vi.ce-*ver*.sa) *adv.* **1** Em sentido inverso; INVERSAMENTE: *Carla gosta dos livros de Ana e vice-versa.* **2** De forma recíproca; MUTUAMENTE: *Marcelo gosta de Fátima e vice-versa.* [F.: Do lat. *vice-versa* (às avessas).]

vichi (vi.*chi*) *sf.* **1** Água mineral gasosa originária da cidade francesa de Vichy ou que, procedente de outro local, tenha suas características mais marcantes **2** *P. ext.* Imitação dessa água mineral *sm.* **3** *Ant.* Tecido de algodão fabricado com dois fios de cores diferentes e alternadas [F.: Do top. *Vichy.*]

vícia (*ví*.ci:a) *sf. Bot.* Designação comum às plantas do gênero *Vicia*, leguminosas papilonáceas com cerca de 150 espécies nas regiões temperadas [F.: Do lat. cient. *Vicia*, do lat. *vicia, ae.*]

viciação (vi.ci:a.*ção*) *sf.* **1** Ato ou efeito de viciar(se); VICIAMENTO **2** Ato ou efeito de tornar-se moralmente depravado, corrupto **3** Ato ou efeito de modificar as características de algo; ADULTERAÇÃO: *Ficou clara a viciação desta escritura.* **4** Ato ou efeito de criar coisa falsa para iludir compradores (viciação do uísque) **5** Ato ou efeito de levar alguém ou a própria pessoa ao vício: *A viciação começou com um copo apenas por dia.* [F.: Do lat. *vitiatio, onis.*]

viciado (vi.ci.*a*.do) *a.* **1** Que é dependente de algum vício: "...Não vejo a sociedade de hoje como mais viciada do que a de outros tempos..." (Lourenço de Almeida Prado, *Educação para a Democracia*) **2** Que foi alterado para iludir (uísque viciado; dados viciados); ADULTERADO **3** Que gosta muito de alguma coisa, a ponto de nunca abrir mão dela: *É viciado em futebol; Ela é viciada em novelas. sm.* **4** Pessoa viciada [F.: Part. de *viciar.*]

viciador (vi.ci.a.*dor*) [ô] *a.* **1** Que vicia, corrompe, falsifica *sm.* **2** Aquele que vicia, corrompe, falsifica: *O viciador receberá punição.* [F.: Do lat. *vitiator, oris.*]

viciamento (vi.ci.a.*men*.to) *sm.* O mesmo que *viciação* [F.: *vicia(r)* + *-mento.*]

viciante (vi.ci:*an*.te) *a2g.* Que vicia; VICIADOR [F.: *viciar* + *-nte.*]

viciar (vi.ci.*ar*) *v.* **1** Provocar ou adquirir vício, dependência [*tr.* + *em*: *Muitos garimpeiros se viciaram em álcool.*] [*int.*: *O cigarro vicia.*] [*tdr.* + *em*: *A prática constante acabou viciando o rapaz em jogos eletrônicos.*] **2** Tornar ruim, impuro; ESTRAGAR(-SE); CORROMPER(-SE) [*td.*: *O cigarro vicia o ambiente.* Ant.: *purificar.*] **3** Adulterar, falsificar [*td.*: *O taxista viciou o taxímetro.*] **4** Corromper, perverter [*td.*] **5** Fazer (alguém ou si mesmo) adquirir um hábito ou desenvolver um costume [*tdr.* + *em*: *Viciou o irmão em futebol.*] [*tr.* + *em*: *Viciou-se rápido em cinema.*] [▶ **1** viciar] [F.: Do lat. *vitiare.* Hom./Par.: *vicia* (fl.), *Vícia* (antr.); *vicio* (fl.), *vício* (sm.).]

vicinal (vi.ci.*nal*) *a2g.* **1** Que fica próximo de um determinado lugar (bairro vicinal); VIZINHO **2** Que pertence ou diz respeito à vizinhança, às cercanias **3** Que interliga dois lugares próximos (diz-se de caminho, rodovia etc.) [Pl.: *-nais.*] [F.: Do lat. *vicinalis.* Hom./Par.: *vicinal* (a2g.), *vicenal* (a2g.).]

vício (*ví*.ci:o) *sm.* **1** Dependência física e/ou psicológica de determinada substância ou prática: *vício em droga; vício no jogo.* **2** Costume, mania: "Catarina tinha um vício: ovo cozido. Guardava, na beira do prato, os pedacinhos para comer no fim." (Marques Rebelo, "Vejo a Lua no Céu" *in Três caminhos*) [Ant.: *virtude.*] **3** Defeito capaz de incapacitar uma pessoa ou uma coisa para determinada atividade **4** Costume moralmente censurável; DEVASSIDÃO; LIBERTINAGEM **5** Costume nocivo à saúde ou ao convívio humano **6** *N. E.* Compulsão para comer terra; GEOFAGIA **7** *Jur.* Defeito que incide sobre a forma ou a substância do ato jurídico e suscetível de torná-lo nulo **8** *Est.* Deformação sistemática de uma amostragem **9** *Mat.* Diferença entre a esperança matemática de um estimador e a grandeza a ser estimada **10** *Bras. Pop.* O mesmo que *cio* (1): *A vaca/a égua está no vício; Os cachorros estão alvoroçados porque a cadela está no vício.* [Esta acp. é mais us. nas regiões interioranas.] [F.: Do lat. *vitium.*] ■ **~ da posse** *Jur.* Situação ou circunstância que inviabiliza posse, por torná-la ilegítima **~ de forma** *Jur.* Inadequação às normas nas formalidades de montagem de um ato jurídico **~ de linguagem** *Ling.* No uso da língua, inadequação às normas vigentes **~ de refração** *Oft.* Distúrbio da visão causado por perturbação na refração **~ solitário** Automasturbação **Comer ~** *N. E. Pop.* Comer terra (ger. devido a vermes) **Despontar o ~** *S.* Ceder (um pouco, eventualmente) a vício, satisfazendo-o **Ter ~** Deitar (planta) muitos rebentos, enfraquecendo com isso qualquer nova planta que deles se desenvolva

viciogênico (vi.ci:o.*gê*.ni.co) *a.* Diz-se de produto (medicamento, álcool, droga) ou de certas plantas que conduzem a dependência física e psíquica: *O cigarro é viciogênico.* [F.: *vício* + *-gênico.*]

viciosidade (vi.ci:o.si.*da*.de) *sf.* Estado ou qualidade do que é vicioso [F.: Do lat. *vitiositate.*]

vicioso (vi.ci:*o*.so) [ô] *a.* **1** Relat. a vício (comportamento vicioso): "...Os senhores são muito viciosos, vou ver a gente do bilhar – disse Carlos..." (Eça de Queirós, *Os Maias*) **2** Em que há características condenáveis (ambiente vicioso); DEGRADADO **3** Que apresenta problemas ou incorreções (método vicioso); IMPERFEITO **4** Corrupto, depravado **5** Que está em desacordo com certas regras ou preceitos [Pl.: [ó]. Fem.: [ó].] [F.: Do lat. *vitiosus.*]

vicissitude (vi.cis.si.*tu*.de) *sf.* **1** Mudança de coisas que se sucedem; ALTERNATIVA; VARIAÇÃO **2** Eventualidade, acaso **3** Revés, infortúnio: "...Sabia de paragens ignotas de onde o não arrancariam. Marcara-as já talvez, prevenindo futuras vicissitudes..." (Euclides da Cunha, *Os Sertões*) **4** Instabilidade **5** Acidente desagradável [F.: Do lat. *vicissitudine.*]

vicissitudinário (vi.cis.si.tu.di.*ná*.ri:o) *a.* Situação sujeita a vicissitudes, a mudanças, a alternativas: *A liderança é sabidamente vicissitudinária.* [F.: Do lat. *vicissitudinis* + *-ário.*]

viço (*vi*.ço) *sm.* **1** Aparência exuberante de uma planta; FRESCOR **2** *Fig.* Aparência saudável e jovem de alguém; VIGOR **3** Ardor animal **4** Florescência, frescura **5** Excesso de zelo; MIMO [F.: Do lat. *vitium.*]

viçoso (vi.*ço*.so) [ô] *a.* **1** Que tem viço, que está em pleno vigor **2** Diz-se da flor delicada **3** Coberto de verdura, de vegetação exuberante (lugar viçoso) **4** Que manifesta exuberância de vida, sensualidade, frescor: "...Beiços polpudos e viçosos, à maneira de uma fruta que provoca o apetite e dá vontade de morder..." (Aluízio Azevedo, *Casa de Pensão*) **5** Tratado com mimo (criança viçosa) **6** Fogoso, bem tratado (animal viçoso) [Pl.: [ó]. Fem.: [ó].] [F.: *viço* + *-oso.*]

vitória (vic.*tó*.ri:a) *sf. Bot.* Designação genérica de grandes plantas aquáticas da família das ninfeáceas, das quais a mais conhecida é a vitória-régia; FORNO-D'ÁGUA; RAINHA-DO-LAGO; JAÇANÃ; UAPÉ [F.: Do antr. *Victoria*, rainha da Inglaterra (1819-1901).]

vicunha (vi.*cu*.nha) *sf.* **1** *Zool.* Mamífero ruminante (*Vicugna vicugna*) da família do camelo que vive na América do Sul e cuja lã é us. na indústria de tecidos **2** A lã desse animal **3** Tecido feito dessa lã [F.: Do quíchua *uikuña*, pelo cast. *vicuña.*]

vida (*vi*.da) *sf.* **1** *Biol.* Condição da existência de alguns seres como os homens, animais e outros organismos, marcada por nascimento, desenvolvimento, envelhecimento e morte; EXISTÊNCIA [Ant.: *morte.*] **2** Estado de quem está vivo: *Alguns acidentados ainda estavam com vida.* **3** Duração desse estado (vida longa); EXISTÊNCIA **4** A vivência de alguém: *A vida me ensinou a ser paciente.* **5** Condições nas quais alguém vive: *Sua vida foi boa até a falência.* **6** Aspecto ou particularidade das atividades e/ou realizações de alguém (vida artística; vida familiar) **7** Relato dos feitos e experiências de alguém; BIOGRAFIA: "...autor de uma devota *Vida de santa Filomena* e prior da Amendoeirinha..." (Eça de Queirós, *A Relíquia*) **8** *Fig.* Energia e resistência física e mental; VITALIDADE: *Os jovens são cheios de vida* **9** *Fig.* Animação ao executar atividades, expressar ideias etc.; ENTUSIASMO: *uma festa cheia de vida.* **10** O fato de viver: *salvar a vida de uma pessoa.* **11** Conjunto das atividades, situações e relações entre as pessoas que caracterizam a forma de existência de um grupo (vida boêmia) **12** Conjunto das condições, sobretudo materiais, necessárias à preservação da existência **13** Animação, ardor (cheio de vida) **14** Maneira de viver própria de um grupo: *a vida das mulheres operárias.* **15** Período determinado da existência (vida adulta) **16** Conjunto dos meios necessários à sobrevivência: *a luta pela vida nas grandes cidades.* **17** Aquilo que é mais fundamental para uma pessoa, que requer o melhor de seus esforços: *Seus filhos eram sua vida.* **18** *Fís.* Duração média da existência de um sistema atômico ou nuclear em um determinado estado [F.: Do lat. *vita.*] ■ **Cair na ~** *Bras. Pej.* Prostituir-se **Cavar a ~** *Bras.* Labutar, buscar meios de vida **Danado da ~** *Fam.* Irritado, furioso **Dar a ~ por** **1** *Fig.* Estar disposto a tudo para ajudar, apoiar, levar ao sucesso (algo ou alguém): *Ela dará a vida pelos seus filhos; Deu a vida pela carreira.* **2** Querer muito obter (algo): *Daria a vida agora por uma semana de férias.* **3** Gostar muito de: *Dá a vida por uma feijoada.* **Da ~** Expressão de reforço de qualificação: *Danado da vida; Fulo da vida; Puto da vida.* **Entre a ~ e a morte** Em perigo de vida **Estar com a ~ ganha** *Bras.* Não ter preocupações financeiras **Estar com a ~ que pediu a Deus** Estar vivendo como quer, totalmente satisfeito **Fazer a ~** *Bras.* Viver de prostituição **Feliz da ~** *Bras.* Muito feliz, muito contente **Fulo da ~** *Bras. Pop.* Furioso; danado da vida **Ganhar a ~** Trabalhar para sustentar-se **Ir à ~** **1** *Bras. Fam.* Ir à luta (para ganhar a vida, para fazer trabalho ou tarefa etc.) **2** Ir tratar de seus próprios assuntos **3** Ver *Cair na vida.* **Louco da ~** *Fam.* Ver *Danado da vida* **Lutar pela ~** Ver *Cavar a vida* **Má ~** Ver *Vida fácil* **Puto da ~** *Bras. Chulo* Ver *Danado da vida* **Puxa ~!** *Bras.* Exclamação de espanto, surpresa; puxa! **Que não é/foi/era ~** *Bras. Fam. Pop.* Muito, em grande quantidade ou intensidade: *Nas reuniões, desandava a falar que não era vida.* **Toda a ~** **1** *MG RJ SP Pop.* Sempre em frente, na mesma direção: *Vá andando toda a vida por essa rua até chegar à pracinha.* **2** *Bras.* Muito, demais: *Sorvete no verão é bom toda a vida.* **Trabucar a ~** *SP Pop.* Ver *Cavar a vida* **~ airada** A vida desregrada de um boêmio, ou de um vagabundo **~ bêntica** *Biol. Oc.* A flora e a fauna submarinas **~ civil** *Jur.* Toda a área de atuação de uma pessoa, no tocante a seus direitos e deveres civis, políticos etc. **~ de cachorro** *Pop.* Vida árdua, penosa **~ de cachorro de comboieiro** *N. E. Pop.* Ver *Vida de cachorro* **~ de cão** Ver *Vida de cachorro* **~ fácil** *Pej.* Prostituição **~ latente** *Biol.* Aparente ausência ou suspensão de vida pela ausência temporária de um fator (água, oxigênio etc.) que desencadeie o desenvolvimento vital **~ noturna** O conjunto de atividades sociais, culturais, ou de simples diversão, ger. urbanas, que se realizam à noite (em restaurantes, salões, boates, danceterias etc.) [Refere-se tanto à geral, quanto àquela de uma só pessoa.] **~ pregressa** *Jur.* Antecedentes de uma pessoa, cujo levantamento ger. visa a enquadrá-la, numa investigação policial ou judicial **~ privada** Vida e atividades de uma pessoa em seu âmbito particular, fora do âmbito social ou público **~ pública** As atividades e a conduta de uma pessoa no exercício de funções e cargos públicos, de interesse do Estado ou da sociedade **~ vegetativa** **1** *Med* O processo vital em andamento, sem interferência da vontade ou da consciência do ser vivo **2** *Fig.* Vida sem interesses, sem iniciativas, sem atividade participativa ou criativa, alheia ao ambiente

📖 Vida é a condição de certos seres da natureza de realizarem transformações em moléculas orgânicas (o que lhes permite crescer, mover-se, reproduzir-se, e executar funções diversas). Essas transformações despendem energia, e, portanto, o ser vivo precisa repor energia, interagindo com o meio ambiente. A necessidade de energia é constante, mesmo quando não há trabalho mecânico sendo exercido; ou seja, a própria condição de viver pressupõe a necessidade e o uso de energia. A vida na Terra teve início na forma de bactérias e algas (vegetais) e protozoários (animais), há cerca de 3,9 bilhões de anos, no período Pré-cambriano. Moluscos e peixes surgiram há cerca de 500 milhões de anos; répteis, mamíferos e aves, há cerca de 300 milhões de anos; e o homem (O Homo sapiens), há cerca de 350 mil anos.

vidala (vi.*da*.la) *sf.* Ver *vidalita*

vidalita (vi.da.*li*.ta) *sf. Mús.* Canção popular da Argentina, lenta e melancólica, cantada com acompanhamento de violão [F.: Do esp. *vida* + *-lita* (sufixo afetivo). Tb. *vidala*.]

vidão (vi.*dão*) *sm. Fam.* Vida boa, despreocupada, cheia de prazeres; VIDAÇA; VIDAÇO; VIDOCA; VIDA DE LOPES [F.: *vid(a)* + *-ão*.]

vidar[1] (vi.*dar*) *v. td.* Plantar vinhas ou videiras em [▶ 1 vidar] [F.: *vide*+ *-ar*.]

vidar[2] (vi.*dar*) *Ant. sm.* Tipo de serrote us. antigamente para abrir os dentes mais espaçados dos pentes fabricados à mão [Pl.: *-res*. ▶ 1 vidar] [F.: Do fr. *vider* 'vazar, esvaziar'.]

vide[1] (*vi*.de) *sf.* **1** *Bot.* O mesmo que *videira* **2** Vara de videira que é plantada para reproduzir a planta; BACELO **3** Armação de madeira na qual videiras crescem enroscadas **4** *Pop.* O cordão placentário ou umbilical [F.: Do lat. *vitis*.]

vide[2] (*vi*.de) *sf.* **1** *Bot.* Videira, especialmente quando nova e pequena; BACELO **2** *Bot.* Vara, rama ou braço de videira **3** *Pop.* Cordão placentário ou umbilical; ENVIDE; ENVIDILHA [F.: Do lat. *vitis, is*.]

videasta (vi.de.*as*.ta) *s2g.* **1** *Telv. Cin.* Autor ou diretor de obras de ficção ou documentários em vídeo (4) **2** Pessoa que participa, com alguns poderes de decisão, da realização de vídeos; VIDEOMAKER [F.: *víde(o)* + *-asta*.]

videira (vi.*dei*.ra) *sf. Bot.* Nome comum às várias espécies do gên. *Vitis*, da fam. das vitáceas, trepadeiras nativas do hemisfério norte, cultivada em regiões de clima temperado do mundo inteiro por seus deliciosos frutos, as uvas, ricas em açúcar e de cujo sumo fermentado se faz o vinho; CEPA; VIDE; VINHA [F.: *vide* + *-eira*.]

vidência (vi.*dên*.ci:a) *sf.* Qualidade de quem é vidente e que se constitui na suposta capacidade de ver o passado, o futuro e objetos ou pessoas que se encontram em outro lugar [F.: *vidente* + *-ia*.]

vidente (vi.*den*.te) *a2g.* **1** Que é considerado capaz de ver o mundo espiritual, o futuro ou outras coisas sobrenaturais *s2g.* **2** Pessoa que afirma possuir essa capacidade **3** Pessoa a quem se atribui o dom da profecia; PROFETA **4** Pessoa intuitiva e perspicaz, que vê de forma acurada as situações **5** Pessoa dotada da capacidade de visão (em oposição a *cego*) [F.: Do lat. *vidente*.]

◎ **vid(eo)-** *el. comp.* ver: *vidente, videoclube, videotexto*

vídeo (*ví*.de.o) *sm.* **1** Parte de um aparelho, como a televisão, na qual se reproduzem imagens em movimento **2** *Eletrôn.* Técnicas de geração, transmissão, gravação etc. desse tipo de imagem **3** *Eletrôn. Inf.* Tela de televisão ou de monitor **4** *Cin. Inf. Telv.* Filme ou produção audiovisual à qual se assiste pela televisão, computador ou por projeção cinematográfica **5** A parte visível de uma obra audiovisual: *O vídeo estava bom, o áudio não.* **6** O mesmo que *videocassete* [F.: Do lat. *video* (vejo) do verbo *videre* pelo ing. *video*.]

videoarte (vi.de:o.*ar*.te) *sf.* **1** *Art. pl.* Em artes plásticas, uso de gravações em vídeo como recurso estético **2** A obra realizada por esse meio [F.: *video-* + *arte*.]

videocassete (vi.de:o.cas.*se*.te) [é] *sm.* **1** Aparelho eletrônico que grava imagens e sons em fitas cassete e também as reproduz; VÍDEO **2** A fita cassete usada para gravação e reprodução nesse tipo de aparelho [F.: *video-* + *cassete*.]

⊕ ***videoclip*** (vi.de:o.clip) *sm. Mús. Telv.* Vídeo (4) de curta metragem para apresentação de música ou para propaganda comercial, no qual são editadas, com cortes muito rápidos, imagens não necessariamente ligadas à execução da música em si ou ao produto difundido; VIDEOCLIPE; CLIPE [F.: Do ing. *video* + *clip*.]

videoclipe (vi.de:o.*cli*.pe) *sm. Mús. Telv.* Filme de curta duração com apresentação musical, ger. para exibição televisiva; CLIPE [F.: Do ing. *videoclip*.]

videoclube (vi.de:o.*clu*.be) *sm.* **1** Lugar destinado à exibição de filmes gravados em vídeo, ger. feita a associados **2** O mesmo que *videolocadora* [F.: *video-* + *clube*.]

videocolonoscopia (vi.de:o.co.lo.nos.co.*pi*a) *sf. Med.* Exame da superfície interna do cólon mediante uso de equipamento de vídeo [F.: *vídeo* + *colonoscopia*.]

videoconferência (vi.de:o.con.fe.*rên*.ci:a) *sf.* **1** *Telc.* Técnica de empregar câmeras e equipamentos de áudio para possibilitar conferências ou reuniões entre pessoas distantes umas das outras **2** Conferência ou reunião realizada através desses recursos audiovisuais [F.: *video-* + *conferência*.]

videodisco (vi.de:o.*dis*.co) *sm.* Disco digital no qual se registram imagens e sons que posteriormente podem ser reproduzidos em aparelho de televisão [F.: *video-* + *disco*.]

videoendoscopia (vi.de:o.en.dos.co.*pia*) *sf. Med.* Procedimento de visualização e acesso a cavidades do corpo e a superfícies externas e internas de órgãos e estruturas internas dessas cavidades, por meio de equipamentos endoscópicos e videoscópicos [F.: *vídeo* + *endoscopia*.]

videofilme (vi.de:o.*fil*.me) *sm.* Cópia de filme cinematográfico em videoteipe [F.: *vídeo* + *filme*.]

videófilo (vi.de:*ó*.fi.lo) *a.* **1** *Cin. Telv.* Diz-se de pessoa que gosta muito do vídeo (2) e tem especial interesse por esse meio de comunicação *sm.* **2** Pessoa que gosta muito do vídeo [F.: *vídeo* + *filo*.]

videofone (vi.de:o.*fo*.ne) *sm.* **1** *Telc.* Técnica de comunicação a distância com transmissão de imagens e sons dos interlocutores **2** Equipamento us. nessa modalidade de telecomunicação [F.: *video-* + *fone*.]

videofrequência (vi.de:o.fre.*quên*.ci:a) *sf. Eletrôn. Telv.* Frequência de ondas hertzianas empregadas na transmissão de sinais de televisão [F.: *vídeo* + *frequência*.]

⊕ ***video game*** (*Ing. /vidiou guêim/*) *sm. Eletrôn.* Jogo exibido em uma tela de vídeo, no qual os participantes podem controlar a ação por meio de dispositivos como o *joystick*, teclado ou *mouse* [F.: Do ing. *video* + *game* (jogo).]

⊕ ***videogame*** (*Ing. /videogueime/*) *sm.* **1** *Eletrôn. Lud.* Programa eletrônico interativo que consiste num jogo em que imagens numa tela de computador ou televisão são manipuladas por meio de teclado ou console; VIDEOGUEIME; VIDEOJOGO *sm.* **2** *Ludol.* Equipamento ligado a computador ou televisão, específico para jogos desse tipo [Há equipamentos que funcionam separadamente.] **3** Gravação de jogo desse tipo em qualquer suporte apropriado, como CD, cassete etc. [F.: Do ing. *video* + *game*.]

videogenia (vi.de:o.ge.*ni*.a) *sf. Fot.* Qualidade atribuída a alguém, de apresentar boa imagem em vídeo [F.: *vídeo* + *-genia*.]

videografia (vi.de:o.gra.*fia*) *sf. Eletrôn. Telv.* Processo de transmissão digital de textos e gráficos e sua visualização numa tela de televisão [F.: *vídeo* + *grafia*.]

videográfico (vi.de:o.*grá*.fi.co) *sm. Eletrôn. Telv.* Relativo a videografia [F.: *vídeo* + *grafia*.]

videojogo (vi.de:o.*jo*.go) *sm.* O mesmo que *videogame* [F.: *vídeo* + *jogo*.]

videolaparoscopia (vi.de:o.la.pa.ros.co.*pi*.a) *sf.* **1** *Med.* Exame endoscópico da cavidade abdominal feito por meio de uma câmera de vídeo **2** *Cir.* Cirurgia realizada com uso desse equipamento [F.: *video-* + *laparoscopia*.]

⊕ ***videolaser*** (*Ing. /videolêiser/*) *sm.* **1** *Eletrôn.* Aparelho próprio para a leitura de videodiscos **2** O mesmo que *videodisco* [F.: Do ing. *video* + *laser*.]

videolocação (vi.de:o.lo.ca.*ção*) *sf.* Ato ou efeito de (se) alugar cartuchos com fitas de vídeo [F.: *vídeo* + *locação*.]

videolocadora (vi.de:o.lo.ca.*do*.ra) [ô] *sf.* Loja que aluga a seus associados filmes gravados em fitas de vídeo e DVD; VIDEOCLUBE; LOCADORA [F.: *video-* + *locadora*.]

⊕ ***videomaker*** (*Ing. /videomêiquer/*) *s2g. Telv.* Produtor, geralmente independente, de vídeos de variados tipos, como publicitários, artísticos etc. [F.: Do ing. *video* + *maker*.]

⊕ ***videopôker*** (videopôquer) *sm.* **1** *Lud.* Videojogo semelhante ao pôquer, disputado por uma única pessoa, com as imagens das cartas exibidas em equipamento eletrônico **2** A máquina usada para esse jogo, comum em cassinos, bingos e casas de jogos de azar [F.: Do ing. *video* + *poker*. Sin. ger.: *videopôquer*.]

videoteca (vi.de:o.*te*.ca) *sf.* **1** Coleção de gravações de vídeo feitas em diferentes suportes (fita, disco etc.) **2** Lugar, móvel onde essa coleção é armazenada [F.: *video-* + *-teca*.]

videoteipe (vi.de:o.*tei*.pe) *sm.* **1** *Telv.* Técnica de registro e reprodução de imagens e sons em fita magnética **2** Esse tipo de fita: "...Pena que não havia videoteipe e dificilmente haverá registro do programa..." (Guilherme Godoy Martins, *Tia do Mangue, menino na cama*) **3** Gravação feita por essa técnica [F.: Do ing. *video tape* (fita de vídeo).]

videotexto (vi.de:o.*tex*.to) [ês] *Eletrôn. sm.* **1** Técnica de transmissão de imagens de textos por telefone ou televisão a cabo, para exibição em vídeo **2** Equipamento emissor ou receptor desse tipo de transmissão [F.: *video-* + *texto*.]

⊕ ***videowall*** (*Ing. /videouól/*) *sm.* Apresentação de televisores ou monitores de vídeo justapostos num plano vertical, os quais funcionam como parte de uma única tela de grandes dimensões, cada um exibindo uma parte da imagem apresentada [F.: Do ing. *video* + *wall*. Cf.: *telão*.]

◎ **vid(i)-** *el. comp.* uva, vinho: *videira, vindima, vinheteiro, vinicultura, viticultura* [F.: Do lat. *vitis, is*.]

vidoca (vi.*do*.ca) [ó] *sf. Fam.* O mesmo que *vidão* [F.: *vid(a)* + *-oca*.]

vidoeiro (vi.do.*ei*.ro) *sm. Bot.* Árvore da fam. das betuláceas (*Bétula celtibérica*), nativa do hemisfério norte. Sua seiva é usada nas indústrias de alimentos e de cosméticos; BÉTULA [F.: Do lat. *betula*. Ideia de 'vidoeiro': betul- (betulácea, betulase).]

vidonho (vi.*do*.nho) [ô] *sm.* **1** *Vit.* Casta de uvas **2** *Enol.* Tipo de vinho produzido com uvas dessa casta **3** *Vit.* Galho de videira cortado para plantio, trazendo um pedaço do caule principal **4** *Fig. Pej.* Índole de um indivíduo [F.: *vid(e)* + *-onho*.]

vidraça (vi.*dra*.ça) *sf.* **1** Pedaço fino e achatado de vidro: "Nela, até a transpiração era como vidraça molhada..." (Dinah Silveira de Queirós, "A moralista" *in As noites do morro do Encanto*) **2** Armação de madeira em portas ou janelas, na qual se fixam pedaços de vidro desse tipo: "Uma a uma as vidraças se abriram..." (Aníbal Machado, "O iniciado do vento" *in Histórias reunidas*) [F.: *vidro* + *-aça*.]

vidraçaria (vi.dra.ça.*ri*.a) *sf.* **1** Loja onde se fabricam e se vendem vidraças, espelhos e outros objetos de vidro; VIDRARIA **2** Conjunto de vidraças: *vidraçaria de uma estufa*. [F.: *vidraça* + *-aria*.]

vidraceiro (vi.dra.*cei*.ro) *sm.* **1** Quem trabalha fabricando vidraças, espelhos e outros objetos de vidro, comercializando e instalando esses objetos **2** Profissional encarregado de cortar vidros [F.: *vidraça* + *-eiro*.]

vidrado (vi.*dra*.do) *a.* **1** Revestido ou provido de vidro; ENVIDRAÇADO **2** Vitrificado **3** Brilhante como o vidro **4** Sem brilho, sem vida (olhos vidrados); EMBAÇADO **5** Substância vitrificável aplicada à cerâmica ou louça para impermeabilizá-la ou ornamentá-la **6** *Bras. Gír.* Muito interessado; GAMADO: *vidrado em esportes; vidrado na namorada*. [F.: Part. de *vidrar*.]

vidralhada (vi.dra.*lha*.da) *sf.* Porção de vidros, de pedaços de vidro ou de objetos de vidro; VIDRARIA [F.: *vidralh(o)* + *-ada*.]

vidrar (vi.*drar*) *v.* **1** Revestir de substância vitrificável [*td.*: *vidrar objetos*.] **2** Colocar vidro em; ENVIDRAÇAR [*td.*: *Mandou vidrar a porta da varanda*.] **3** *Bras. Gír.* Encantar-se ou apaixonar-se por [*tr.* + *em*: *O homem vidrou na balconista*.] [*int.*: *Quando viu a nova balconista, ele vidrou*.] **4** Tirar ou perder o brilho; EMBAÇAR [*td.*: *A tristeza vidrou seus olhos*.] [*int.*: *Seus olhos vidraram de tristeza*.] [▶ 1 vidrar] [F.: *vidro* + *-ar*. Hom./Par.: *vidrais* (fl.), *vidrais* (pl. de *vidral* [sm.]); *vidro* (fl.), *vidro* (sm.).]

vidraria (vi.dra.*ri*.a) *sf.* **1** Fábrica de vidros **2** A arte de fabricar vidros **3** Conjunto de objetos de vidro **4** O mesmo que *vidraçaria* (1) [F.: *vidro* + *-aria*.]

vidreiro (vi.*drei*.ro) *a.* **1** Ref. a vidro ou à indústria de vidros *sm.* **2** Quem trabalha fabricando vidro ou usando esse material em construções, artesanato etc. [F.: *vidro* + *-eiro*.]

vidrento (vi.*dren*.to) *a.* **1** Quebradiço e frágil como o vidro **2** Assemelhado ao vidro; VIDRINO: "E as poças de água, como um chão vidrento / refletem a molhada casaria." (Cesário Verde, *Poesias*) **3** Que se melindra com facilidade; SUSCETÍVEL; MELINDROSO; FRÁGIL; AGASTADIÇO **4** Revestido de substância similar ao vidro, que confere aspecto de vidro; tb. *vidrado* (1) [F.: *vidr(o)* + *-ento*.]

vidrilho (vi.*dri*.lho) *sm.* Pequeno tubo ou canudo de vidro ou de massa semelhante a vidro, que se prende um a outro como miçangas, us. para enfeitar roupas, confeccionar bijuterias, fazer bordados etc.: "Procuramos os arrebiques da retórica, miçangas baratas da retórica usada, vidrilhos ordinários dos usados lugares-comuns" (Afrânio Peixoto, *Ensinar a ensinar*) [F.: *vidro* + *-ilho*.]

vidro (*vi*.dro) *sm.* **1** Material sólido, transparente e quebradiço, fabricado a partir da fusão de quartzo, areia e outras substâncias **2** Objeto ou peça feita desse material: *vidros de Murano*. **3** Recipiente para líquidos feito com esse material; FRASCO: *vidros de perfume*. **4** *P. ext.* Conteúdo desse recipiente: *Tomou um vidro inteiro do remédio*. **5** Peça de vidro que se usa para fechar as janelas dos veículos: "Os vidros de trás do carro ficaram abertos..." (Otávio de Faria, "Luisito Paiva" *in O lodo das ruas*) **6** *Fig.* Coisa frágil, quebradiça **7** *Fig.* Pessoa de saúde muito precária [F.: Do lat. *vitrum*.] ∎ **Ser o ~ de** *SP Pop.* Ser querido, mimado, paparicado **~ aramado** Vidro que tem como arcabouço uma rede metálica, por isso de grande resistência mecânica **~ de cobalto** Vidro azulado pela presença de óxido de cobalto **~ de garrafa** Vidro esverdeado, pela presença de alto teor de ferro **~ de relógio** *Quím.* Designação de peça circular de vidro, us. para pesar material em laboratório **~ de segurança** **1** Vidro feito de montagem de diversas placas de vidro entremeadas de material plástico transparente **2** Vidro temperado, que sob impacto forte se estilhaça em minúsculos fragmentos, menos perigosos que os grandes e pontudos em que se fragmentam vidros comuns [Us., p. ex., em para-brisas de automóveis.] **~ fotocrômico** Vidro tratado para escurecer quando exposto à luz intensa e voltar à transparência normal quando em ambiente menos luminoso **~ opala** Vidro translúcido e leitoso **~ óptico** Vidro homogêneo e sem imperfeições, us. em instrumentos ópticos **~ temperado** Vidro submetido aquecido e subitamente resfriado, o que lhe aumenta a resistência a impacto **~ vulcânico** *Geol.* Lava que, ao resfriar rapidamente, adquire aspecto de vidro

📖 O vidro é o resultado da mistura de sílica com álcali e algum endurecedor, como o cal. Após a fusão em alta temperatura, essa substância, à medida que esfria, mantém certas propriedades de líquido e de substância pastosa (transparência, maleabilidade), até, totalmente fria, ter características de sólido. A qualidade e as características do vidro variam de acordo com as proporções dos componentes e de seu tipo. Os vidros mais transparentes, chamados cristais, têm como componente o chumbo. Seu formato é dado quando em estado pastoso, antes de esfriar. A origem do vidro remonta aos egípcios (2500 a.C.). Os sírios introduziram, no século I, a técnica de moldar o vidro com o sopro, para fabricar objetos ocos, como garrafas e vasos. Famosos são os vidros artísticos de Veneza, da ilha de Murano (a partir do século XIII), os cristais da Boêmia e os esmaltes de Barcelona. O uso industrial do vidro e da fibra de vidro desenvolveu-se muito a partir do século XX.

vidual (vi.du.*al*) *a2g.* Referente ao estado de viuvez ou a pessoa viúva [F.: Do lat. *vidualis, e*.]

vieira (vi.*ei*.ra) *sm.* **1** *Malac.* Molusco bivalve comestível, de diferentes espécies, encontrado nos oceanos Atlântico e Mediterrâneo **2** *Malac.* A concha desse molusco **3** *Her.*

Ornato que apresenta o formato da concha de um molusco [F.: Do lat. *veneria, ae.*]

viela[1] (vi:*e*.la) *sf.* Rua estreita, travessa; BECO; QUELHA [F.: *via* + *-ela.*]

viela[2] (vi:*e*.la) *sf.* 1 *Lus.* Cada um dos quatro ferros com argolas no rodízio de um moinho 2 Argola que fixa a cabeça de um arado [F.: Do fr. *bielle.*]

viela[3] (vi:*e*.la) *Mús.* Instrumento de cordas e de arco criado no século XI, do qual se desenvolveram as violas e depois os violinos [F.: Do fr. *vielle.*]

vienense (vi:e.*nen*.se) *s2g.* 1 Pessoa nascida ou que vive em Viena, capital da Áustria (Europa) *a2g.* 2 De Viena; típico dessa cidade ou de seu povo [F.: Do lat. *viennensis.*]

viés (vi.*és*) *sm.* 1 Direção oblíqua: "Erectas, ao viés das encostas, sucediam-se pequenas casas" (Euclides da Cunha, *Os Sertões*) 2 Linha ou segmento diagonal 3 *Vest.* Tira de pano cortada obliquamente à peça, usada para enfeites ou acabamentos; ENVIÉS 4 *Fig.* Tendência: *Percebe-se um viés de recuperação na economia.* 5 *Fig.* Propriedade ou característica inerente a algo; NATUREZA: *discurso de viés irônico.* 6 *Fig.* Meio tortuoso e enviesado de terminar, realizar ou obter algo [Pl.: *vieses.*] [F.: Do fr. *biais.*] ■ **Ao/de ~** Enviesadamente, obliquamente

viesado (vi:e.*sa*.do) *a. Est.* Que contém viés; TENDENCIOSO [F.: *viés* + *-ado.* Cf.: *enviesado.*]

vietcongue (viet.*con*.gue) *a2g.* 1 Relativo ou pertencente ao movimento guerrilheiro do antigo Vietnã do Sul, que lutou contra as tropas invasoras dos EUA durante a Guerra do Vietnã, de 1964 a 1975 *s2g.* 2 Membro desse movimento *sm.* 3 A própria organização guerrilheira [F.: Do ing. *vi etc. ong.*]

vietnamita (vi:et.na.*mi*.ta) *s2g.* 1 Pessoa nascida ou que vive no Vietnã, ou Vietname, país localizado no sudeste da Ásia *sm.* 2 *Gloss.* A língua falada no Vietnã *a2g.* 3 Do Vietnã; típico desse país ou de seu povo *a2g.* 4 *Gloss.* Do ou ref. ao vietnamita (2), subgrupo linguístico do grupo austro-asiático; ANAMÊS; ANAMITA [F.: Do top. *Vietnã* na forma *Vietnam* + *-ita.*]

viga (*vi*.ga) *sf. Cons.* Peça estrutural de madeira, metal ou concreto armado e comprimento maior que a largura e a altura, que se estende horizontalmente na estrutura de uma construção para sustentá-la; TRAVE [F.: Do lat. *biga.*] ■ **~ em balanço** *Arq. Cons.* Viga com apenas um apoio; cantiléver **~ mestra** *Arq. Cons.* A que, numa estrutura, num edifício etc., recebe a maior carga

vigairaria (vi.gai.ra.*ri*.a) *sf.* 1 Relativo às funções de vigário: "Uma vez ordenados voltaram naturalmente às suas províncias, e os daqui tomaram vigairarias fora." (Machado de Assis, *Dom Casmurro*) 2 Área sob a responsabilidade eclesiástica de um vigário; PARÓQUIA 3 Tempo de exercício das funções do vigário [F.: De *vigair(o)* + *-aria.* Sin. ger.: *vicariato.* Tb. *vigariaria.*]

vigamento (vi.ga.*men*.to) *Cons. sm.* 1 *Cons.* O conjunto das vigas fixadas na estrutura de uma construção 2 *Cons.* Sistema de vigas de uma construção; TRAVEJAMENTO [F.: *viga* + *-mento.*]

vigariaria (vi.ga.ri.a.*ri*.a) *sf.* Ver *vigairaria*

vigarice (vi.ga.*ri*.ce) *sf.* 1 Ato de vigarista; BURLA; INTRUJICE; LOGRO 2 Ação ou comportamento que revela desonestidade e/ou malícia; PATIFARIA 3 Ato planejado para enganar outras pessoas, prejudicando-as; TRAPAÇA [F.: *vigário* + *-ice.*]

vigário (vi.*gá*.ri:o) *sm.* 1 Padre que dirige uma paróquia 2 Religioso que substitui o pároco 3 *Pop.* O mesmo que *pároco* 4 Indivíduo que substitui outro em determinada função 5 *PE Agr.* O penacho da haste da cana-de-açúcar, que é podado para acelerar a germinação dos brotos; CABOJE [F.: Do lat. *vicarium, ii.*] ■ **~ apostólico** *Ecles.* Na Igreja católica, bispo responsável por área que não constitui uma diocese **~ capitular** *Ecles.* Padre escolhido pelo capítulo de uma diocese, para preencher vacância criada pela transferência ou morte do bispo **~ da vara** *Ecles.* Aquele enviado por bispo como delegado num grupo de paróquias; vigário forâneo **~ de Cristo** *Rel.* O papa, sumo pontífice da Igreja católica **~ forâneo** Ver *Vigário da vara*

vigário-geral (vi.*gá*.ri:o-ge.*ral.*) *sm.* Prelado que representa o bispo na administração da diocese [Pl.: *vigários-gerais.*]

vigarismo (vi.ga.*ris*.mo) *sm.* O mesmo que *vigarice* [F.: (conto do) *vigário* + *-ismo.*]

vigarista (vi.ga.*ris*.ta) *s2g.* 1 Indivíduo que aplica o delito do conto do vigário; TRAPACEIRO; TRAMPOLINEIRO; INTRUJÃO; BURLÃO 2 Indivíduo que usa de má-fé para apanhar dinheiro ou valores de incautos *sf.* 3 *Bras. Pej.* Meretriz *a2g.* 4 Próprio de, que denota vigarice (propaganda vigarista) [F.: *vigário* + *-ista.*]

vigência (vi.*gên*.ci:a) *sf.* 1 Caráter do que é vigente, está em vigor, surte efeitos (vigência da Constituição de um país) 2 Tempo durante o qual um ato vige, ou vigora: *Na vigência do estado de sítio ficam proibidas as reuniões.* [F.: Do lat. *vigentia, ae.*]

vigente (vi.*gen*.te) *a2g.* Que está em vigor, que vige, vigora: *De acordo com as normas vigentes.* [F.: Do lat. *vigens, entis.*]

viger (vi.*ger*) *v.* O mesmo que *vigorar* [▶ 35 viger Tradicionalmente considerado verbo defectivo, tem ocorrido, todavia, também no pres. do subj.: *para que a lei vija.*] [F.: Do lat. *vigere.*]

vigésimo (vi.*gé*.si.mo) *a.* 1 Diz-se do que numa sequência ocupa posição imediatamente posterior à décima nona 2 O último de uma série de vinte 3 Que corresponde a cada uma das vinte partes iguais em que pode ser dividido um todo *sm.* 4 A vigésima parte de um bilhete lotérico [F.: Do lat. *vigesimus* ou *vicesimus, a, um.*]

vigia (vi.*gi*.a) *sf.* 1 Ato ou efeito de vigiar 2 Estado de quem vigia: *Permanecer de vigia.* 3 Guarita para sentinelas 4 Qualquer orifício através do qual se espreita 5 *Mar.* Abertura de forma circular que areja ou ilumina o interior de embarcações *s2g.* 6 Aquele que vigia; SENTINELA 7 Pessoa incumbida de guardar uma propriedade 8 *Mar.* Marinheiro incumbido de observar continuamente o entorno do barco para detectar perigos 9 *Fut.* O mesmo que *goleiro* [F.: Dev. de *vigiar.*]

vigiado (vi.gi.*a*.do) *a.* Que está sob vigia, esp. sob estreita vigilância (liberdade vigiada) [F.: Part. de *vigiar.*]

vigiar (vi.gi.*ar*) *v.* 1 Tomar conta (de alguém ou de algo); GUARDAR [*td.*: *Vigiava a criança no jardim; Vigiava a sala do cofre.*] 2 Observar ocultamente; ESPREITAR [*td.*: *Vigiava os passos do estranho.*] 3 *P. us.* Cuidar de uma pessoa com atenção especial [*td.*: *A enfermeira vigiava o paciente.*] 4 Observar com atenção; ESCRUTAR [*td.*: *Ele vigia o movimento das ações na Bolsa o dia inteiro.*] 5 Fazer o controle de [*td.*: *Seguranças vigiam o movimento do shopping.*] 6 Ficar de guarda [*int.*: *O soldado passou o dia vigiando.*] [▶ 1 vigiar] [F.: Do lat. *vigilare.* Hom./Par.: *vigia(s)* (fl.), *vigia(s)* (sf., sm. e s2g. [pl.]).]

vígil (*ví*.gil) *a2g.* 1 Que está vigilante; que vigia 2 Que está acordado, desperto [Pl.: *-eis.*] [F.: Do lat. *vigil, ilis.* Hom./Par.: *vígeis* (pl.), *vigeis* (fl. de *viger*).]

vigilância (vi.gi.*lân*.ci:a) *sf.* 1 Estado ou qualidade de quem vigia, permanece vigilante 2 Cautela, precaução 3 Interesse ou zelo que se aplica na realização de algo; DILIGÊNCIA 4 *Psi.* Capacidade de concentração durante um tempo relativamente longo [F.: Do lat. *vigilantia, ae.*]

vigilante (vi.gi.*lan*.te) *a2g.* 1 Que vigia, vela[3] (2) com atenção, permanece atento; VÍGIL 2 Que é zeloso, diligente, cauteloso; PRECAVIDO; ATENTO *s2g.* 3 Aquele que vigia 4 Profissional que guarda algo ou alguém; SENTINELA; SEGURANÇA *sm.* 5 *MG Ornit.* Pássaro da família dos emberizídeos (*Charitospiza eucosma*); MINEIRINHO [F.: Do lat. *vigilans, antis.*]

vigilar (vi.gi.*lar*) *v.* O mesmo que *vigiar* [▶ 1 vigilar] [F.: Do lat. *vigilare.*]

vigília (vi.*gí*.li:a) *sf.* 1 Estado de quem vela, fica desperto durante a noite; VELADA: "Passei uma noite de vigília a fazer suposições, cada qual mais desarrazoada..." (José de Alencar, *Cinco minutos*) 2 *Rel.* Celebração noturna à véspera de uma festa religiosa importante (vigília de Páscoa) 3 Ofício divino recitado somente à noite 4 Concentração mental, reflexão, meditação 5 *Lus.* Festa campestre, arraial [F.: Do lat. *vigilia, ae.*]

vigintíviro (vi.gin.*tí*.vi.ro) *sm.* 1 Na Roma antiga, cada um dos 20 magistrados encarregados da cunhagem da moeda, da limpeza das ruas e da execução das sentenças dos juízes 2 *P. ext.* Cada um dos integrandes de uma comissão de 20 pessoas [F.: *vigentiviri, orum.*]

vigor (vi.*gor*) [ô] *sm.* 1 Força física, energia, potência: *Tinha vigor, apesar da idade.* 2 Força da vida animal ou vegetal; VIÇO; VITALIDADE 3 Vigência, valor: *A lei entra em vigor na data de sua publicação.* 4 Veemência, ênfase, grande energia: *Defendeu com vigor seus pontos de vista.* [F.: Do lat. *vigor, oris.* Sin. ger.: *abatimento, debilidade, impotência.*]

vigorante (vi.go.*ran*.te) *a2g.* 1 Diz-se do que fortalece, dá vigor, torna vigoroso (remédio vigorante) 2 Que vige, está em vigência, em vigor: *A Constituição então vigorante era a de 1964.* [F.: Do lat. *vigorans, antis.*]

vigorar (vi.go.*rar*) *v.* 1 Estar em vigor; ter validade [*int.*: *A lei do inquilinato vigorou alguns anos.*] 2 Tornar(-se) forte, robusto [*td.*: *O exercício físico vigora as pessoas.*] [*int.*: *O uso de vitaminas vigora.*] 3 Dar mais vigor, mais potência [*td.*: *vigorar uma substância.*] 4 Ter vigência; VIGER [*int.*: *O novo procedimento vigora a partir de segunda-feira.*] [▶ 1 vigorar] [F.: *vigor* + *-ar.* Hom./Par.: *vigores* (fl.), *vigores* (pl. de *vigor* [sm.]).]

vigorite (vi.go.*ri*.te) *sf.* Variedade de pólvora de grande poder explosivo [F.: *vigor* + *-ite.*]

vigorizar (vi.go.ri.*zar*) *v. td.* Dar vigor, força a (algo, alguém) ou tornar-se vigoroso, forte, robusto: *É preciso vigorizar essas crianças; Vigorizou-se com os exercícios.* [Ant.: *desvigorizar.*] [▶ 1 vigorizar] [F.: *vigor* + *-izar.*]

vigoroso (vi.go.*ro*.so) [ô] *a.* 1 Que tem vigor, é forte, robusto (atleta vigoroso) 2 Que é saudável, que possui viço (vigoroso milharal) 3 Feito com vigor, com ênfase, de forma bem marcante (reação vigorosa) 4 Diz-se esp. de quadro ou desenho notável pela firmeza de traços, pelo contraste vivo e a acentuação forte das cores: *Manabu Mabe tem um estilo vigoroso.* [Pl.: [ó]. Fem.: [ó].] [F.: *vigor* + *-oso.*]

vigota (vi.*go*.ta) *sf.* Pequena viga; SARRAFÃO; SARRAFO; VIGOTE [F.: *vig(a)* + *-ota.*]

vigote (vi.*go*.te) *sm.* O mesmo que *vigota* [F.: *vig(a)* + *-ote.*]

⊕ ***viking*** (*víquing*) *s2g.* 1 Indivíduo dos *vikings*, povo escandinavo de navegadores e guerreiros que participou da expansão marítima do século VIII ao início do século X ao percorrer a costa europeia e a Groenlândia [Pl.: *vikings.*] *a2g.* 2 Dos ou ref. aos *vikings* [Pl.: *vikings.*] [F.: De uma língua nórdica.]

vil *a2g.* 1 De pouco valor, que se compra por preço ínfimo (vil pedaço de terra) 2 Movido apenas por baixos interesses: "...vil assassinato executado sob um pretexto qualquer." (Cecília Meireles, "Os donos da criança", *Diário de Notícias*, 05.08.1931) 3 Que tem muito pouco valor (salário vil); RELES; ORDINÁRIO; ABJETO *s2g.* 4 Pessoa desprezível, abjeta, infame [Pl.: *vis.*] [F.: Do lat. *villis, e.*]

vila[1] (*vi*.la) *sf.* 1 Casa elegante e de grande requinte, das imediações das cidades italianas: *A vila do papa em Castelgandolfo.* 2 *Lus.* Quinta com casa solarenga e cercada de jardins, no interior de Portugal [F.: Do lat. *villa, ae.*]

vila[2] (*vi*.la) *sf.* 1 *Lus.* Povoação de importância inferior à da cidade e superior à da aldeia 2 *Bras.* Conjunto de casas em rua secundária, de uma só entrada e sem caráter de logradouro público; AVENIDA 3 *Lus.* Quinta (1) com casa solarenga, cercada de jardins 4 *Lus.* Palacete nas cercanias das cidades [Dim.: *vileta, vilela, vilota; deprec.: vilório, vilória*] [F.: Do lat. *villa, ae.*]

vilã (vi.*lã*) *sf.* Fem. de *vilão*

vila-condense (vi.la-con.*den*.se) *s2g.* 1 Indivíduo nascido ou que vive em Vila do Conde (Portugal) [Pl.: *vila-condenses.*] *a2g.* 2 De Vila do Conde; típico dessa vila ou de seu povo [Pl.: *vila-condenses.*] [F.: Do top. *Vila* (*do*) *Cond(e)* + *-ense.*]

vila-diogo (vi.la-di.*o*.go) *sf.* Us. na loc ■ **Dar às de ~** Fugir, debandar

vilaiete (vi.lai.*e*.te) [ê] *sm.* Divisão administrativa na Turquia, ou no império otomano [F.: Do turco *uilaget.*]

vilanaço (vi.la.*na*.ço) *a. sm.* O mesmo que *vilanaz* [F.: *vilão* + *-naço*, seg. o mod. erudito.]

vilanaz (vi.la.*naz*) *a2g.* 1 Em que predominam as qualidades de vilão (diz-se de pessoa) 2 Aquele em que predominam as qualidades de vilão [F.: *vilão* + *naz*, seg. o mod. erudito. Sin. ger.: *vilanaço.*]

vilancete (vi.lan.*ce*.te) [ê] *sm.* Composição poética composta geralmente de um mote de um a quatro ou mais versos, glosada em certo número de coplas quase sempre no mesmo número de versos do mote [F.: Do esp. *villancete.*]

vilanela (vi.la.*ne*.la) *sf.* 1 Tipo de canção e dança pastoril da península italiana de fins do século XV 2 A partir do século XVI, tipo de poema de forma fixa constituído por tercetos [F.: Do it. *villanella.*]

vilanesco (vi.la.*nes*.co) [ê] *a.* Ref. ou próprio de vilão [F.: *vilão* + *-esco*, seg. o mod. erudito.]

vilania (vi.la.*ni*.a) *sf.* 1 Caráter do que é vil ou vilão; VILANAGEM; VILEZA 2 Mesquinhez, avareza 3 Afronta que se dirige a alguém; OFENSA; ULTRAJE: "Denunciar o infame. Atirar-lhe à cara a prova de sua vilania e nunca mais o procurar para nada." (Aluísio Azevedo, *Casa de pensão*) [F.: *vilã(o)* + *-nia.*]

vilão (vi.*lão*) *a.* 1 Que é rústico, rude, grosseiro 2 Que é abjeto, desprezível, sórdido: "Já vês que Ricardo não passa de um mentiroso, um desprezível vilão." (Franklin Távora, *O matuto*) 3 *Ant.* Que vive ou reside numa vila (1) 4 Que é mal-intencionado e procura prejudicar os outros *sm.* 5 O responsável por um problema grave, um malefício: *Para a alta dos preços o vilão foi o petróleo.* 6 O personagem que numa narrativa de ficção representa o lado mau, opondo-se ao herói; BANDIDO 7 Na Idade Média, o camponês que trabalhava para um senhor feudal mas tinha o direito de abandonar a gleba 8 *Dnç.* Antiga dança popular de Portugal 9 *Bras. Dnç.* Dança popular com variantes de execução nos estados de MG, PE, SP e SC [Pl.: *vilãos, vilões e vilães.* Fem.: *vilã e viloa*] [F.: Do lat. *villanus.*]

vilar (vi.*lar*) *sm. P. us.* Pequena vila ou aldeia; LUGAREJO [Dim.: *vilarinho, vilarelho, vilarejo*] [F.: Do lat. *villaris, e.*]

vila-realense (vi.la-re:a.*len*.se) *s2g.* 1 Indivíduo nascido ou que vive em Vila Real (Portugal) [Pl.: *vila-realenses.*] *a2g.* 2 De Vila Real; típico dessa vila ou de seu povo [Pl.: *vila-realenses.*] [F.: Do top. *Vila Real* + *-ense.*]

vilarejo (vi.la.*re*.jo) [ê] *a.* 1 Ref. a ou próprio de aldeia, povoado ou vila (calma vilareja) *sm.* 2 Pequeno povoado ou aldeia; VILAR; VILARINHO; LUGAREJO [F.: *vilar* + *-ejo.*]

vilegiatura (vi.le.gi:a.*tu*.ra) *sf.* Temporada de recreio, férias, que os moradores dos centros urbanos passam em praias, campo, estações balneárias ou outros países: "...os médicos tinham aconselhado ao chefe da nação um passeio à Europa, uma vilegiatura em Spa ou Cannes." (Adolfo Caminha, *Tentação*) [F.: Do it. *villeggiatura.* Hom./Par.: vilegiatura (fl. de *vilegiaturar*).]

vileza (vi.*le*.za) [ê] *sf.* 1 Característica de quem ou do que é vil, desprezível; VILANIA; VILANAGEM: *Logo ficou patente sua vileza.* 2 Comportamento ou ato vil, degradante, indigno: *Vileza e traição sempre andam juntas;* "Foi com desgraça e com vileza / Que Deus ao Cristo definiu: / Assim o opôs à Natureza/ E Filho o ungiu." (Fernando Pessoa, "O das quinas" *in Mensagem*) [F.: *vil* + *-eza.*]

◎ **vili-** *el. comp.* = 'vil'; 'desprezível': *vilificar; vilipêndio* (< lat.) [F.: Do lat. *vilis, e,* 'barato'; 'desprezível'; 'vulgar'.]

◎ **vil(i)-** *el. comp.* = 'pelo(s)'; 'tufo de pelos'; (*p. ext.*) 'vilosidade': *vilífero, viliforme, viloso* (< lat.); *microvilo* [F.: Do lat. *villus, i,* 'tufo ou monte de pelos'; 'pelo'.]

vilífero (vi.*lí*.fe.ro) *a.* Que tem vilosidades [F.: *vil(i)-* + *-fero.*]

vilificar (vi.li.fi.*car*) *v. td.* Tornar(-se) vil, desprezível, indigno, abjeto; AVILTAR [▶ 11 vilificar]

viliforme (vi.li.*for*.me) *a2g.* Semelhante a pelos ou cerdas [F.: *vil(i)-* + *-forme.*]

vilipendiação (vi.li.pen.di:a.*ção*) *sf.* Ato ou efeito de vilipendiar, desdenhar, desprezar [Pl.: *-ções.*] [F.: *vilipendiar* + *-ção.*]

vilipendiado (vi.li.pen.di.*a*.do) *a.* Que sofreu ou foi vítima de vilipêndio, desprezo, desdém [F.: Part. de *vilipendiar.*]

vilipendiador (vi.li.pen.di:a.*dor*) [ô] *a.* **1** Diz-se de quem vilipendia, avilta, ultraja, trata com desprezo *sm.* **2** Aquele que vilipendia [F.: *vilipendiar* + *-dor*.]

vilipendiar (vi.li.pen.di.*ar*) *v. td.* **1** Tratar (alguém ou algo) com descaso; DESPREZAR; DESMERECER: *Vilipendiara os mais humildes por preconceito.* **2** Considerar como vil ou desprezível, sem valor; DESPREZAR; DESMERECER: *A violência vilipendiou o valor da moradia naquela região.* **3** Faltar ao respeito para com (alguém ou algo) por meio de atos, palavras: *Os políticos vilipendiam o país.* [► 1 vilipendiar] [F.: *vilipêndio* + *-ar*². Ant. ger.: *considerar, respeitar*. Hom./Par.: *vilipendio* (fl.), *vilipêndio* (sm.).]

vilipêndio (vi.li.*pên*.di:o) *sm.* **1** Ato de aviltar, de tornar alguém vil, desprezível **2** Falta completa de apreço, consideração; MENOSCABO; MENOSPREZO; DESPREZO: *Sofreu o vilipêndio da prisão injusta:* "Alexandre teria energia para suportar a prisão, o vilipêndio da pena infamante; ela, porém, não se podia conformar com a ideia de reconhecê-lo criminoso." (Domingos Olímpio, *Luiza Homem*) [F.: Do lat. *vilipendium, ii*.]

vilipendioso (vi.li.pen.di.*o*.so) [ô] *a.* Que encerra vilipêndio, em que há vilipêndio; AVILTANTE; DEPRECIADOR [Pl.: [ó]. Fem.: [ó].] [F.: *vilipêndio* + *-oso*.]

◎ **-vilo** *el. comp.* Ver *vil(i)-*

vilocorial (vi.lo.co.ri.*al*) *Emb. a2g.* Relativo à vilosidade do cório, uma pequena saliência vascular da placenta: *exame vilocorial*. [Pl.: *-ais*.] [F.: *vil(i)-* + *-o-* + *cório* + *-al*.]

vilório (vi.*ló*.ri:o) *sm. Pej.* Vila pequena e de pouca importância; VILÓRIA [F.: *vila* + *-ório*.]

vilosidade (vi.lo.si.*da*.de) *sf.* **1** Qualidade ou característica do que é viloso **2** *Anat.* Prolongamento filiforme ou pequena saliência vascular que pode surgir na superfície de uma mucosa e cujo grupamento simula um pelo: "...têm nas folhas de células alongadas em vilosidades, notáveis apréstos de condensação, absorção e defesa." (Euclides da Cunha, *Os sertões*) [F.: *viloso* + *-(i)dade*.]

vilosite (vi.lo.*si*.te) *Obst. sf.* Inflamação das vilosidades da placenta [F.: *viloso* + *-ite*.]

viloso (vi.*lo*.so) [ô] *a.* **1** Coberto de pelos; PELUDO; CABELUDO; CERDOSO **2** Com cabelos abundantes ou arrepiados; PILOSO; CABELUDO; HIRSUTO **3** *Bot.* Que tem pelos longos, macios e flexíveis (folha *vilosa*; ramo *viloso*) [Pl.: [ó]. Fem.: [ó].] [F.: Do lat. *villosus, a, um*. Hom./Par.: *veloso* [ô] (adj.), *Veloso* (antr. e top.).]

vilota (vi.*lo*.ta) *sf.* Pequena vila; VILETA [F.: *vila* + *-ota*.]

vimaranense (vi.ma.ra.*nen*.se) *s2g.* **1** Indivíduo nascido ou que vive em Guimarães (Portugal) *a2g.* **2** De Guimarães; típico dessa cidade ou de seu povo [F.: Do top. *Guimarães* + *-ense*.]

vime (*vi*.me) *sm.* **1** Vara de vimeiro, flexível e us. em trabalhos trançados; BUINHO **2** Qualquer vara flexível **3** *Bot.* O mesmo que *salgueiro* [F.: Do lat. *vimen, inis*.]

vimeiro (vi.*mei*.ro) *Biol. sm.* **1** Nome comum a algumas árvores e arbustos do gên. *Salix*, da fam. das salicáceas, dos quais se extrai o vime, us. para fazer móveis, cestos e outros trabalhos trançados **2** O mesmo que *salgueiro* [F.: *vime* + *-eiro*.]

vimíneo (vi.*mí*.ne:o) *a.* Feito de vime; VIMOSO [F.: Do lat. *vimineus, a, um*.]

vimoso (vi.*mo*.so) *a.* O mesmo que *vimíneo* [F.: *vime* + *-oso*.]

vina (*vi*.na) *sf.* Instrumento musical semelhante à cítara, us. na Índia [F.: Do hind. *bina* < sânscr. *vina*.]

vináceo (vi.*ná*.ce:o) *a.* **1** Da natureza e/ou da cor do vinho; VÍNEO **2** Feito de vinho; VÍNEO **3** Que contém vinho; VÍNEO **4** Diz-se da cor do vinho *sm.* **5** Essa cor [F.: Do lat. *vinaceus, a, um*.]

vinagrar (vi.na.*grar*) *v.* O mesmo que *avinagrar* [► 1 vinagrar] [F.: *vinagre* + *-ar*². Hom./Par.: *vinagre(s)* (fl.), *vinagre(s)* (sm. [pl.]).]

vinagre (vi.*na*.gre) *sm.* **1** Condimento líquido produzido pela fermentação do ácido contido em certas bebidas, esp. o vinho, ou em certas frutas; ÁCIDO ACÉTICO **2** *P. ext.* Qualquer coisa azeda, ácida **3** *Fig.* Pessoa muito ríspida, intratável **4** *Bras.* Pessoa mesquinha, avarenta [F.: Do cat. *vinagre*.] ▪ **~ balsâmico** *Cul.* Vinagre envelhecido a partir de mosto de uva-branca

vinagreira (vi.na.*grei*.ra) *sf.* **1** Recipiente onde é feito ou guardado o vinagre **2** *Bot.* Arbusto da fam. das malváceas, nativo do Brasil e cujas folhas possuem uso contra inflamações; tb. *algodão-do-brejo*. **3** *Bot.* O mesmo que *caruru-azedo* [F.: *vinagre* + *eira*.]

vinagrento (vi.na.*gren*.to) *a.* **1** Que tem sabor de vinagre **2** Que contém vinagre **3** *Fig.* Irritadiço, mal-humorado [F.: *vinagre* + *-ento*.]

vinagrete (vi.na.*gre*.te) *sm. Cul.* Molho frio preparado com vinagre, azeite e sal, ao qual frequentemente se acrescentam cebola, salsa, alho, pimenta-do-reino e outros condimentos, us. para temperar saladas e pratos frios [F.: Do fr. *vinaigrette*.]

vinca (*vin*.ca) *Bot. sf.* Denominação comum a plantas do gên. Vinca, da fam. das apocináceas, da Eurásia e Norte da África, cultivadas como ornamentais ou de uso medicinal [F.: Do lat. cient. *Vinca*.]

vincado (vin.*ca*.do) *a.* **1** Que se vincou, que tem vinco ou ruga (calça *vincada*; rosto *vincado*) **2** *Fig.* Acentuado, marcante: *Ela tem vincado pendor para a música.* [F.: Part. de *vincar*.]

vincar (vin.*car*) *v.* **1** Fazer vinco, dobra em; PREGUEAR [*td.*: *vincar uma calça.*] **2** Encher(-se) de rugas [*td.*: *O tempo vincou o rosto da mulher.*] [*tr.* + *de*: *Sua testa vincou-se de preocupação.*] [*int.*: *O sol pode fazer a pele do rosto vincar.*] **3** Fazer marcação com vinco(s) em [*td.*: *Vincou o tecido para marcar o ponto em que iria cortá-lo.*] **4** Deixar vinco, marca ou sulco em [*td.*: *Vincou a coxa com um apertão; Vincou a terra para semeá-la.*] [► 11 vincar] [F.: *vinco* + *-ar*. Hom./Par.: *vinca(s)* (fl.), *vinca(s)* (sf. [pl.]); *vinco* (fl.), *vinco* (sm.).]

vincendo (vin.*cen*.do) *a.* Que está por vencer, por chegar a termo (diz-se de dívidas, juros, prazos, contratos etc.) [F.: Do lat. *vincendu*.]

vinco (*vin*.co) *sm.* **1** Sinal ou marca que fica em coisa que se dobrou ou apertou fortemente **2** Marca, ranhura, vergão ou sulco existentes sobre uma superfície qualquer **3** Ruga, sulco ou prega na pele: *Tinha no rosto o vinco do sofrimento.* **4** *Art. gr.* Sulco produzido em papel por um filete, de maneira a facilitar sua dobragem; DOBRA SECA **5** *Lus.* Peça de metal posta no focinho de um porco para impedi-lo de fossar [F.: De or. obsc.]

vinculação (vin.cu.la.*ção*) *sf.* **1** Ato ou efeito de vincular(-se), de ligar(-se) por vínculo **2** *Jur.* Subordinação de certos bens e pessoas a uma condição ou encargo [Ant.: *desvinculação*.] [Pl.: *-ções*.] [F.: *vincular* + *-ção*.]

vinculado (vin.cu.*la*.do) *a.* **1** Ligado ou instituído por vínculo: *Os bens estão vinculados aos herdeiros.* **2** Subordinado a vínculo (bens *vinculados*) **3** Fortemente ligado, preso: *Voto vinculado à decisão do Tribunal.* [Ant.: *desvinculado*.] [F.: Do lat. *vinculatus, a, um*.]

vinculante (vin.cu.*lan*.te) *a2g.* **1** Que estabelece, que cria vínculo (cláusula *vinculante*) **2** Condição instituída por vínculo [F.: *vincul(o)* + *-ante*.]

vincular (vin.cu.*lar*) *v.* **1** Ligar(-se), unir(-se), associar(-se) [*tdr.* + *a*: *O noivado já o vinculara à família.*] [*td.*: *As indústrias locais vincularam-se para não fechar.*] **2** Tornar(-se) dependente [*tdr.* + *a*: *Vinculou o empréstimo a certas condições.*] **3** Prender(-se) por laços; atar(-se) [*td.*: *Vinculou os embrulhos com força.*] **4** Anexar, ligar [*tdr.* + *a*: *O policial vinculou o crime a um anterior.*] **5** Ligar moralmente ou afetivamente [*tdi.* + *a*: *As generosidades do pai vincularam todos os parentes à família.*] **6** Submeter (alguma coisa) a vínculo, restringir, gravar [*td.*: *vincular bens de família.*] **7** Fazer depender de, sujeitar, obrigar [*tdr.* + *a*: *Para os candidatos do sexo masculino, a lei vincula a aprovação no concurso ao cumprimento das obrigações militares.*] **8** *Inf.* Estabelecer vínculo entre (itens de dados ou programas) [*td.*] [► 1 vincular] [F.: Do lat. tardio *vinculare*. Hom./Par.: *vinculo* (fl.), *vínculo* (sm.).]

vinculativo (vin.cu.la.*ti*.vo) *a.* Que vincula; que serve para vincular; VINCULADOR; VINCULATÓRIO [F.: Do lat. *vinculatu*, part. pass. de *vinculare* 'vincular' + *-ivo*.]

vinculatório (vin.cu.la.*tó*.ri:o) *a.* Que vincula, que estabelece vínculo, que serve para vincular; VINCULADOR; VINCULATIVO [F.: *vinculado* + *-t-* + *-ório*.]

vinculável (vin.cu.*lá*.vel) *a2g.* **1** Que se pode vincular, ligar, prender **2** Que é suscetível de ser vinculado [Ant.: *desvinculável*] [Pl.: *-veis*.] [F.: *vincula(do)* + *-vel*.]

vínculo (*vín*.cu.lo) *sm.* **1** Aquilo que liga ou ata duas ou mais coisas; LAÇO; LIAME; ATILHO **2** Laço moral (*vínculo* da amizade) **3** Relação entre pessoas estabelecida por lei, como o casamento civil, a filiação, ou entre pessoas e coisas, como a propriedade, a posse **4** O que liga duas ou mais pessoas (*vínculo* da nacionalidade) **5** O que impõe uma condição ou restrição, como o voto de castidade **6** Ônus ou encargo que incide sobre um bem (*vínculo* hipotecário) **7** *Inf.* Relação entre itens de dados ou programas, que permite fácil acesso a um deles enquanto o outro está sendo usado [F.: Do lat. *vinculum, i*. Hom./Par.: *vínculo* (sm.), *vinculo* (fl. de *vincular*).] ▪ **~ esclerônomo** *Fís.* Aquele cujas equações de definição não incluem explicitamente a variável tempo **~ holônomo** *Fís.* Aquele que se pode exprimir num número finito de equações que relacionam as coordenadas generalizadas do sistema com a variável tempo **~ não holônomo** *Fís.* Aquele no qual não é possível relacionar as coordenadas generalizadas do sistema com a variável tempo **~ reônomo** *Fís.* Aquele no qual as equações que o definem têm explícita a variável tempo

vinda (*vin*.da) *sf.* **1** Ação ou resultado de vir: *Na vinda, viajei de carro.* **2** Ação ou resultado de chegar: *A vinda do meu pai foi a salvação.* **3** Ação ou resultado de regressar, de voltar; VOLTA; REGRESSO: *Na ida estávamos tensos, mas na vinda tudo foi tranquilo.* [F.: Fem. substv. de *vindo*.]

⊕ **vin d'honneur** (*vã donér*) *loc. subst.* Recepção oficial em homenagem a alguém, ou como evento especial, em que se servem vinhos, coquetéis etc. [Pl.: *vins d'honneur*.]

vindicação (vin.di.ca.*ção*) *sf.* **1** Ação ou resultado de vindicar; RECLAMAÇÃO; REIVINDICAÇÃO **2** *Jur.* Pedido judicial para que seja reconhecido o estado civil de alguém [Pl.: *-ções*.] [F.: Do lat. *vindicatio, onis*.]

vindicado (vin.di.*ca*.do) *a.* Que se vindicou, que foi reclamado [F.: Do lat. *vindicatus, a, um*.]

vindicante (vin.di.*can*.te) *a2g.* **1** Que reclama ou exige alguma restituição; tb. *vindicador* **2** *Jur.* Diz-se de quem vindica, de quem reclama algo ou de quem promove uma investigação de estado civil ou de paternidade *s2g.* **3** *Jur.* Aquele que promove essa investigação **4** Aquele que vindica, *vindicador* [F.: *vindicar* + *-nte*.]

vindicar (vin.di.*car*) *v. td.* **1** Exigir, reivindicar a (alguém) (aquilo que lhe pertence): *vindicar seus direitos.* **2** Exigir por lei a admissão ou restituição de (um direito): *Vindicou a ocupação da propriedade; Vindicou a guarda da criança.* **3** Castigar, punir, vingar: *Vindicou as injúrias que recebera.* **4** Defender, justificar: *Vindicava a causa dos oprimidos.* [► 11 vindicar] [F.: Do lat. *vindicare*.]

vindicativo (vin.di.ca.*ti*.vo) *a.* **1** Que pode vindicar, punir; PUNITIVO: *As leis são vindicativas.* **2** Que justifica ou defende [F.: *vindicar* + *-tivo*.]

víndice (*vín*.di.ce) *a2g. s2g.* O mesmo que *vingador* [F.: Do lat. *vindex, dicis*.]

vindícia (vin.*dí*.ci:a) *sf.* Ação ou resultado de vindicar; REIVINDICAÇÃO [F.: Do lat. sing. de *vindiciae, arum*.]

vindima (vin.*di*.ma) *sf.* **1** Colheita de uvas **2** Período favorável a essa atividade **3** *P. ext.* A quantidade de uvas colhidas nesse período: "... em fartos anos, de fartas vindimas..." (Eça de Queirós, *A cidade e as serras*) **4** *P. ext.* Colheita de qualquer fruto: "A nós tudo nos rouba e nos dizima: / O rapazio, o imposto, as pardaladas, / As osgas peçonhentas, achatadas, / E as abelhas que engordam na vindima." (Cesário Verde, *Poesias*) **5** *Fig. Rel.* Conquista que se realiza em nome de fé ou causa: *Evangelizar é trabalhar pela vindima do Senhor...* [F.: Do lat. *vindemia, ae*.]

vindimado (vin.di.*ma*.do) *a.* **1** Apanhada (a uva), colhida em vindima **2** Diz-se das vinhas das quais foram colhidas as uvas **3** *Fig.* Que se acabou, que se extinguiu **4** *Fig.* Que morreu de morte natural ou foi assassinado [F.: Do lat. *vindemiatus, a, um*.]

vindimador (vin.di.ma.*dor*) [ô] *a.* **1** Que vindima *sm.* **2** Aquele que vindima [F.: Do lat. *vindemiator, oris*.]

vindimal (vin.di.*mal*) *a2g.* Ref. ou pertencente a vindima; VINDIMO [Pl.: *-mais*.] [F.: Do lat. *vindemialis, e*.]

vindimar (vin.di.*mar*) *v.* **1** Colher (uvas) [*td.*: *vindimar as videiras.*] [*int.*: *Os trabalhadores começaram a vindimar.*] **2** *P. ext.* Fazer a colheita de [*td.*: *vindimar os frutos*] **3** *Fig.* Efetuar a destruição de; dizimar [*td.*: *vindimar maus costumes.*] **4** *Fig.* Assassinar, matar [*td.*: *Vindimaram o assassino.*] [► 1 vindimar] [F.: Do lat. *vindemiare*. Hom./Par.: *vindimais* (fl.), *vindimais* (pl. de *vindimal* [a2g.]); *vindimo* (fl.), *vindimo* (a.).]

vindita (vin.*di*.ta) *sf.* **1** Punição prevista em lei; SANÇÃO; PENA; CASTIGO: "O major (...) era o mais empenhado em exigir a punição de tal atentado, a despeito da oposição de Leonel, que clamava em altas vozes que dispensava a vindita das leis..." (Bernardo Guimarães, *O garimpeiro*) **2** O mesmo que *vingança* [F.: Do lat. *vindicta, ae*.]

vindo (*vin*.do) *a.* **1** Que veio, que chegou **2** Que é proveniente, originário de algum lugar: *Noticiário vindo de Brasília.* [F.: Part. de *vir*.]

vindouro (vin.*dou*.ro) *a.* **1** Que acontecerá ou decorrerá no futuro: *Especulava sobre os acontecimentos vindouros.* *sm.* **2** *SP Pop.* Pessoa que vive de outro lugar, de outra povoação ou cidade: *Os vindouros que se acautelem!* [F.: *vindo* + *-ouro*.]

víneo (*ví*.ne.o) *Poét. a.* Vináceo (1 a 3) [F.: Do lat. *vineus, a, um*.]

vingado (vin.*ga*.do) *a.* **1** Que se vingou; DESAFRONTADO: "No dia em que qualquer responsabilidade os unir, estarei mais que vingado, porque vocês dois, miseráveis, hão de odiar-se em breve! e cada um se encarregará então de punir o companheiro de crime!" (Aluísio de Azevedo, *Girândola de amores*) **2** *P. us.* Que foi ultrapassado, atingido (diz-se de distância ou espaço): *O caminho foi vingado em poucos minutos.* [F.: Part. de *vingar*.]

vingador (vin.ga.*dor*) [ô] *a.* **1** Que se vinga, se desforra **2** Que serve para vingar, para executar uma vingança (punhal *vingador*) *sm.* **3** Aquele que se vinga: *Roubado pelo sócio, pretendia tornar-se um vingador.* *sm.* **4** Aquilo que serve para vingar: *O sentimento de culpa às vezes é o vingador dos que causaram malefícios.* **5** *Bot.* Que tem possibilidade de medrar e crescer: *Plantou no canteiro alguns ramos vingadores de rosas.* [F.: *vingado* + *-or*.]

vingança (vin.*gan*.ça) *sf.* **1** Ação ou resultado de vingar-se, de prejudicar uma pessoa como reparação a dano causado por ela; DESFORRA; REPRESÁLIA; VINDITA: *Fora atraiçoado pelo amigo e agora queria vingança.* **2** Castigo, pena, punição: *Planejou uma vingança contra os ladrões.* [F.: *vingar* + *-ança*.]

vingar (vin.*gar*) *v.* **1** Punir, com ação contrária (autor de mal ou ofensa), ou reparar (ofensa, mal recebido) com ação contrária; DESFORRAR(-SE) [*td.*: "... toda a tribo se levantaria (...) para vingar a morte de seu cacique." (José de Alencar, *O guarani*)] [*tdr.* + *de*: *Decidiu vingar-se de seu agressor; Ainda vigaria o irmão da surra.*] **2** Crescer, desenvolver-se [*int.*: *As roseiras não vingaram.*] **3** Ser aceito ou bem-sucedido; ter êxito [*int.*: *Nossa proposta vingou.*] **4** Transpor, vencer, ultrapassar [*td.*: *Os excursionistas vingaram os três picos montanhosos.*] **5** Dominar, subjugar [*td.*] **6** Castigar, punir [*td.*: *Sua miséria de hoje vinga suas crueldades de ontem.*] **7** Compensar, consolar [*tdr.* + *de*: *O sucesso de hoje vingou o time das últimas derrotas.*] **8** Dar-se por contente, manifestar satisfação por [*td.*: *Vingo-me que ele tenha sido condenado ao final.*] [► 14 vingar] [F.: Do lat. *vindicare*.]

vingativa (vin.ga.*ti*.va) *sf. Bras.* Golpe de capoeira, em que se encaixa uma das pernas atrás das pernas do adversário e, apoiando o cotovelo no abdome dele, tenta desequilibrá-lo e derrubá-lo [F.: fem. substv. de *vingativo*.]

vingativo (vin.ga.*ti*.vo) *a.* **1** Que não perdoa; que se vinga de alguém ou de algo: *Era homem decente, mas vingativo.* **2** Que revela sentimentos de vingança: *Foi à casa do rival com intenções vingativas:* "... Ah! os homens nada desculpam; não perdoam... São vingativos porque não são capazes de querer bem como nós, que, por eles, esquecemos tudo..." (Domingos Olímpio, *Luzia Homem*) [F.: Do lat. *vindicare + tivo.*]

vinha (*vi*.nha) *sf.* **1** *Bot.* Grande plantação de videiras; terreno plantado de videiras; VINHEDO **2** *Bot.* O mesmo que *videira* **3** *Fig.* Aquilo que dá lucro, que traz proveito: *Tem uma loja que é uma vinha.* [Col.: *vinhedo.*] [F.: Do lat. *vinea, ae.* Hom./Par.: *vinha* (sf.), *vinha* (fl. de *vir*). Ideia de 'vinha': *ampel (o)-* e *vit (i)-*.] ■ **~ do Senhor** A prática da religião, comportamento segundo princípios religiosos

vinhaça (vi.*nha*.ça) *sf.* **1** Vinho ordinário, de qualidade inferior **2** Grande quantidade de vinho **3** Entorpecimento causado pela bebida alcoólica; EMBRIAGUEZ; BEBEDEIRA: *Depois da vinhaça, todos morriam de sono.* **4** Resíduo da destilação do vinho, o mesmo que *vinhoto* [F.: *vinho + -aça.*]

vinha-d'alhos (vi.nha-*d'a*.lhos) *Cul. sf.* Molho feito à base de vinagre, alho e outros condimentos, us. para conservar e temperar carnes, frangos, peixes etc.; MARINADA [Pl.: *vinhas-dalhos.*]

vinhataria (vi.nha.ta.*ri*:a) *sf.* **1** Cultura de vinhas; VITICULTURA **2** Fabricação de vinho; VINICULTURA [F.: Do rad. *vinhat- + -aria.*]

vinhateiro (vi.nha.*tei*.ro) *a.* **1** Ref. ao cultivo de vinhas (região vinhateira) **2** Diz-se de agricultor que cultiva vinhas; VITICULTOR: "Na venda, os vinhateiros de Almeria /Competem contra os nossos fazendeiros..." (Cesário Verde, *Poesias*) **3** Diz-se de quem fabrica vinho (empresário vinhateiro) *sm.* **4** Aquele que cultiva vinhas **5** Aquele que fabrica vinho [F.: Do lat. *vineaticus, a, um.*]

vinhático (vi.*nhá*.ti.co) *Bot. sm.* **1** Nome comum a diversas árvores da fam. das leguminosas, subfam. mimosoídea, esp. do gên. *Plathymenia*, cuja madeira amarelada é de boa qualidade **2** Essa madeira [F.: Do lat. *vineaticus, a, um.*]

vinhedo (vi.*nhe*.do) [ê] *sm.* **1** Plantação de vinhas: *Saiu para passear no vinhedo.* **2** O conjunto de plantações de vinhas de um estado, região, país: *O vinhedo chileno é de boa qualidade.* [F.: *vinha + -edo.*]

vinheiro (vi.*nhei*.ro) *sm.* Indivíduo que guarda a vinha ou a cultiva como rendeiro; VINHADEIRO; VINHATEIRO [F.: *vinha + -eiro.*]

vinheria (vi.nhe.*ri*:a) *sf.* Restaurante ou adega onde se vendem ou servem vinhos [F.: Do it. *vineria.*]

vinheta (vi.*nhe*.ta) [ê] *sf.* **1** *Edit.* Desenho ou figura ornamental que se imprime em livro ou em outro tipo de publicação **2** *Telv. Rád.* Filme, música e/ou texto curto que identificam uma emissora, ger. veiculados no início e no fim dos intervalos comerciais de um programa televisivo ou radiofônico **3** *Bibl.* Pequena ilustração de texto **4** *Tip.* Em artes gráficas, cercadura de uma só peça que serve de ornato numa composição tipográfica [F.: Do fr. *vignete.*] ■ **~ de combinação** *Art. gr.* A que é us. na configuração de ornatos, molduras, guarnições etc. **~ de remate** *Art. gr.* Vinheta na forma de triângulo invertido, us. em final de capítulo; vinheta final **~ final** *Art. gr.* Ver *Vinheta de remate*

vinhetista (vi.nhe.*tis*.ta) *a2g.* **1** Diz-se de quem executa ou cria, desenha ou grava vinhetas *s2g.* **2** Aquele que domina essa arte [F.: *vinheta + -ista.*]

◎ **vin(h/i)-** *el. comp.* Ver *vid(i)-*

vinho (*vi*.nho) *sm.* **1** Bebida alcoólica produzida a partir da fermentação do suco de uvas **2** Esse tipo de bebida, feita a partir do suco de outras frutas (vinho de jenipapo, de caju) **3** A cor arroxeada da uva ou do vinho tinto **4** *P. ext.* Copo, garrafa ou cálice de vinho: *Pediu ao garçom um vinho.* **5** Bebedeira: *Era uma pessoa de mau vinho...* **6** *Fig.* Aquilo que entontece, que embriaga: *o vinho de seus lábios:* "Deve ser um vinho enérgico a política, dizia eu comigo..." (Machado de Assis, *Memórias póstumas de Brás Cubas*) *a2g2n.* **7** Que é da cor arroxeada da uva ou do vinho tinto (camisas vinho) **8** Diz-se dessa cor: *Ganhou um carro de cor vinho.* [F.: Do lat. *vinum, i.* Ideia de 'vinho': *en (i/o)-* e *vin-*.] ■ **Ser ~ da mesma pipa** Ter (duas ou mais pessoas) os mesmos defeitos de caráter; ser da mesma laia; ser farinha do mesmo saco **Ter mau ~** Ter tendência a fazer maldade quando embriagado **Ter o ~ triste** Ter tendência a ficar deprimido quando embriagado **~ abafado** *Enol.* Aquele que tem a fermentação natural interrompida com a adição de álcool de vinho; vinho surdo **~ adamado** *Enol.* Vinho branco de mesa, adocicado e suave; vinho suave **~ aromatizado** *Enol.* Vinho ao qual se acrescentaram substâncias aromáticas e de gosto bom **~ aveludado** *Enol.* Vinho pouco ácido, rico em glicerina e suave ao paladar **~ botado** *Enol.* Vinho que perdeu a cor natural [Cf.: *vinho tinto* e *vinho rosado.*] **~ branco** Vinho de mesa claro, feito de uvas brancas ou pretas, cujo mosto é feito apenas da polpa, sem a película **~ carrascão** *Enol.* Vinho com muito tártaro e tanino, rascante de baixa qualidade [Tb. apenas *carrascão.*] **~ cheio** *Enol.* Vinho espesso, grosso **~ clarete** *Enol.* Ver *Vinho palhete* [Tb. apenas *clarete.*] **~ comum** *Enol.* Ver *Vinho de mesa* **~ da casa** Vinho feito pela casa de pasto (restaurante, bar etc.), sem marca, não proveniente de vinícola **~ de consumo** *Enol.* Ver *Vinho de mesa* **~ de garrafeira** *Enol.* Vinho de boa cepa, envelhecido e guardado em adega para atingir sua máxima qualidade **~ de honra** Vinho servido em comemorações especiais, em brindes de homenagem etc. **~ delgado** *Enol.* Vinho de pouco corpo **~ de lote** *Enol.* Mistura de vinhos, para se obter um vinho de qualidade e equilibrado **~ de mesa** *Enol.* Vinho para consumo ger. com pratos que antecedem sobremesa, de teor alcoólico dentre 11º e 14º; vinho comum, vinho de consumo **~ de sabugueiro** *Enol.* Vinho branco com infusão da baga do sabugueiro **~ dessorado** *Enol.* Vinho sem robustez, sem corpo **~ doce** *Enol.* Vinho de uvas muito maduras, ou de certas castas (como a moscatel), que conserva após a fermentação certo teor de açúcar; vinho adamado, vinho suave [P. op. a *Vinho seco.*] **~ do Porto** *Enol.* Vinho português da região do Douro, doce ou seco, de teor alcoólico por volta dos 20º [Tb. apenas *porto.*] **~ encorpado** *Enol.* Vinho de mesa com muito corpo, muita consistência **~ espumante** *Enol.* Vinho que, ao se abrir a garrafa produz espuma, ao se desprender anidrido carbônico [Pode ser natural, resultante de uma segunda fermentação em garrafas fechadas, ou gaseificado com anidrido carbônico.] **~ filante** *Enol.* Vinho estragado, doente **~ fino 1** *Enol.* Vinho de alta qualidade, generoso **2** *Lus.* Na região do Douro, *Vinho do Porto* **~ frisante** *Enol.* Vinho levemente gasoso, resultado natural da fermentação **~ generoso** *Enol.* Vinho de muita qualidade, ger. com alto teor alcoólico, licoroso, próprio para sobremesas ou degustação fora das refeições [São os vinhos madeira, moscatel, porto, xerez etc. Cf.: *Vinho licoroso.*] **~ leve** Vinho de mesa de pouco corpo **~ licoroso** Vinho doce e de alto teor alcoólico [Cf.: *Vinho generoso.*] **~ maduro** *Enol.* O que é feito de uvas bem maduras **~ meio seco** *Enol.* Vinho não muito seco nem muito doce **~ moscatel** *Enol.* O feito de uvas da casta moscatel **~ palhete** *Enol.* Vinho tinto leve não muito escuro; vinho clarete [Tb. apenas *palhete.*] **~ passeado** *Lus. Enol.* Vinho para cuja preparação as uvas são pisoteadas, à moda antiga, no lagar **~ rascante** *Enol.* Vinho adstringente, áspero na garganta [Cf.: *Vinho carrascão.*] **~ resinado** *Enol.* Vinho com adição de resina de pinheiro [Ger. branco, produzido na Grécia.] **~ rosado/rosé** Vinho de mesa de fermentação incompleta, vermelho-claro, obtido de uvas *rosé* ou tintas [Cf.: *Vinho tinto* e *vinho branco.*] **~ seco** *Enol.* Vinho branco ou rosado com nenhum ou quase nenhum açúcar, portanto pouco ou nada doce [P. op. a *Vinho doce.*] **~ surdo** *Enol.* Ver *Vinho abafado* **~ tinto** *Enol.* Vinho de mesa de um vermelho acentuado, com matizes variados, oriunda das películas de uvas tintas das quais é feito [Cf.: *vinho branco, vinho rosado* e *vinho palhete.*] **~ varietal** *Enol.* Aquele feito total ou quase totalmente de uma única variedade de uva **~ verde 1** *Enol.* Vinho feito de uvas totalmente maduras, de sabor um tanto ácido **2** *Restr.* Certo tipo de vinho de mesa, tinto ou branco, produzido de videiras que se apoiam em árvores em certa região do N. E. de Portugal, leve e ligeiramente ácido

vinhoso (vi.*nho*.so) [ô] *a.* O mesmo que *vinoso* (2) [Pl.: [ó]. Fem.: [ó].]

vinhoto (vi.*nho*.to) [ô] *sm.* Resíduo, pastoso e fétido, da destilação fracionada do caldo de cana-de-açúcar, para a obtenção do álcool etílico; CALDA; RESTILO; VINHAÇA [Quando jogado nos rios constitui séria fonte de poluição. Pode, no entanto, ser aproveitado como fertilizante ou na produção de biogás.] [F.: *vinho- + -oto.*]

◎ **vin(i)-** *el. comp.* = 'vinho'; 'vinha', 'uva': *vináceo* (< lat.), *vinícola, vinicultor, vinicultura, vinífero* (< lat.), *vinila* [F.: Do lat. *vinum, i.*]

viniciano (vi.ni.ci.*a*.no) *a.* **1** Ref. ou inerente a, ou próprio de Vinicius de Morais, poeta, compositor, escritor brasileiro (1913-1980) **2** Diz-se do estilo, da poesia, da música, do comportamento de Vinicius de Morais **3** Diz-se de quem é admirador, estudioso ou grande conhecedor da obra de Vinicius de Morais *sm.* **4** *Bras.* Especialista ou admirador da obra de Vinicius de Morais [F.: Do antr. Vinicius (de Morais) + *-ano.*]

vínico (*ví*.ni.co) *a.* **1** Ref. a ou próprio do vinho; VINÁRIO **2** Que é extraído do vinho: *A salada foi temperada com vinagre vínico.* [F.: *vin(i)- + -ico*².]

vinícola (vi.*ní*.co.la) *a2g.* Ref. a vinicultura ou as vinhas: *A região vinícola do Rio Grande do Sul.* [F.: *vin(i)- + -cola*¹.]

vinicultor (vi.ni.cul.*tor*) [ô] *a.* **1** *Enol.* Diz-se de quem se dedica à vinicultura; VITICULTOR *sm.* **2** *Enol.* Aquele se dedica a essa profissão ou arte; VITICULTOR [F.: *vin(i)- + -cultor.*]

vinicultura (vi.ni.cul.*tu*.ra) *sf.* **1** *Enol.* Cultura de vinhas; VITICULTURA: *Resolveu dedicar-se à vinicultura.* **2** Produção de vinho e suas técnicas de tratamento: *A vinicultura não chegou cedo ao país; Precisava estudar vinicultura.* [F.: *vin(i)- + -cultura.*]

vinífero (vi.*ní*.fe.ro) *Enol. a.* **1** Que produz vinho (diz-se ger. de uvas); VINOSO **2** Semelhante ao vinho, esp. no sabor **3** Que apresenta qualidades semelhantes ao vinho [F.: Do lat. *vinifer, era, erum.*]

vinificação (vi.ni.fi.ca.*ção*) *sf.* **1** Ação ou efeito de vinificar **2** Arte e técnica de fabricar e/ou tratar os vinhos [Pl.: *-ções.*] [F.: *vinificar + -ção.*]

vinificar (vi.ni.*fi*.car) *v. td.* Transformar, converter (as uvas) em vinho [▶ 11 vinificar] [F.: *vin(i)- + -ificar.*]

vinil (vi.*nil*) *sm.* **1** *Quím.* Radical insaturado (CH_2 = CH-) que aparece em diversos compostos orgânicos; VINILA **2** *Quím.* Substância a partir da qual se produziam discos fonográficos, posteriormente substituídos pelos CDs **3** *Mús.* Esse tipo de disco: *Comprou um velho vinil de excelente som.* [Pl.: *-nis.*] [F.: *vin(i)- + -il*².]

vinila (vi.*ni*.la) *Quím. sf.* Grupo monovalente (CH_2 =CH-), derivado do eteno por abstração de um átomo de hidrogênio e encontrado em diversos compostos orgânicos; VINIL [F.: *vin(i)- + -ila*².]

vinílico (vi.*ní*.li.co) *a.* **1** Ref. à ou próprio da vinila **2** Constituído de vinila **3** Que contém vinila [F.: *vinil* ou *vinila + -ico*².]

vinolento (vi.no.*len*.to) *a.* **1** Que bebe ou costuma beber vinho em grande quantidade **2** Que recende a vinho, ou dele está impregnado: *Gostava do ar vinolento de sua adega.* [F.: Do lat. *vinolentus, a, um.*]

vinosidade (vi.no.si.*da*.de) *sf.* Conjunto das qualidades que caracterizam os vinhos ou as substâncias vinosas [F.: *vinositas, atis.*]

vinoso (vi.*no*.so) [ô] *a.* **1** Que produz vinho; VINÍFERO **2** Que tem sabor e/ou cor de vinho; VINHOSO [Pl.: [ó]. Fem.: [ó].] [F.: Do lat. *vinosus, a, um.* Hom./Par.: *vinoso* (a.), *venoso* (a.).]

⊕ **vintage** (/*Ing.*: *víntidj*/) *sm.* **1** Referência ao ano de colheita e fabricação de um vinho **2** Termo que se aplica a condições que facultam a fabricação de um vinho de qualidade, esp. vinho do Porto *a2g.* **3** Ref. a um produto, uma moda, uma arte etc. que evoca a de um tempo passado, esp. por sua qualidade

vinte (*vin*.te) *num.* **1** Quantidade correspondente a 19 unidades mais uma **2** Número que representa essa quantidade (arábico: 20; romano: XX) **3** Que foi marcado com esse número (página vinte) **4** Vigésimo elemento de uma série *sm.* **5** O número vinte representado em algarismos **6** Aquele ou aquilo que numa sequência representa o vigésimo lugar (candidato vinte; cadeira vinte) [F.: Do lat. *viginti.* Ideia de 'vinte': *icos(a)-* e *vigint-*.] ■ **Dar no ~** Acertar em cheio, ao adivinhar algo, ao prever algo

vinte e quatro (vin.te e *qua*.tro) *sm2n. Bras. Vulg.* Homossexual masculino, ger. o que sofre penetração anal [F.: Por alusão ao número *24*, que no jogo do bicho corresponde ao grupo do *veado.*]

vinte e um (vin.te e *um*) *sm2n.* Jogo carteado em que ganha aquele que, pedindo cartas, completa 21 pontos

vintém (vin.*tém*) *sm.* **1** *Antq.* Antiga moeda corrente no Brasil e em Portugal, de valor equivalente a vinte réis **2** *Num.* No Brasil, antiga moeda de prata fabricada nas casas de moeda da Bahia, Pernambuco e Rio de Janeiro **3** O mesmo que *dinheiro*: *Precisava de uns vinténs para viajar.* **4** Importância ínfima de dinheiro: *Não tinha um vintém no bolso.* [Pl.: *-téns.*] [F.: Do arcaísmo *vinteno.*] ■ **Não ter (um) ~** Não ter dinheiro algum, estar a nenhum **Sem ~** Sem dinheiro algum, a nenhum

vintena (vin.*te*.na) *sf.* **1** Conjunto formado por vinte elementos **2** A vigésima parte: *Recebeu uma vintena do inventário.* **3** *Jur.* Prêmio arbitrado pelo juiz ao testamenteiro, quando tal medida não foi tomada pelo testador [F.: *vinte + -ena.*]

vintenário (vin.te.*ná*.ri:o) *a.* **1** Que tem vinte anos *sm.* **2** Aquele que se encontra na faixa dos vinte anos de idade [F.: *vintena + -ário.*]

vintênio (vin.*tê*.ni:o) *sm.* Período de 20 anos [F.: Do lat. *viginti*, posv. pela f. *veinte* 'vinte', pelo modelo de biênio, triênio etc.]

viola (vi:*o*.la) *sf.* **1** *Mús.* Instrumento de cordas dedilhadas, semelhante ao violão, de som agudo e triste, us. ger. na música sertaneja **2** *Mús.* Instrumento de arco, com quatro cordas e extensão de três oitavas, de formato semelhante ao do violino, com som mais grave **3** *Bras. Ict.* Nome comum que se dá a várias raias da família dos rinobatídeos, que possuem corpo de formato semelhante ao de uma viola **4** *Bras. Mús.* O mesmo que *violão* **5** *Mús.* O mesmo que *violeiro* [F.: Do lat. provç. *viola.*] ■ **Adeus, ~** Exclamação que indica que algo chegou ao fim (uma esperança ou possibilidade, uma tentativa, um esforço sem resultado, uma situação); Babau; danou-se; já era **Enfiar/meter a ~ no saco** Não ter como, ou não saber responder, com palavras ou ação; embatucar **~ alta** *Ant. Mús.* Tipo antigo de viola (2) de cinco cordas, do séc. XIX **~ bastarda** *Ant. Mús.* Espécie de viola (2) a cujas seis ou sete cordas essenciais foram acrescentadas outras dezesseis, que vibravam em uníssono com aquelas **~ braguesa** *Lus. Mús.* Tipo de viola (1) popular no distrito de Braga (Portugal) nos Açores, na Madeira e no Brasil, com cinco ou seis pares de cordas de afinação similar à do violão; viola de arame **~ caipira** *Bras. Mús.* Ver *Viola sertaneja* **~ da gamba** *Ant. Mús.* Nome genérico para instrumentos de corda tocados com arco, do séc. XVII, com caixa de ressonância de fundo chato, trastes e seis cordas, que se punha verticalmente entre as pernas para tocar **~ de amor** *Ant. Mús.* Instrumento da família das violas de braço, do tamanho da viola moderna, com duas ordens de cordas, sendo uma com sete cordas essenciais afinadas no acorde perfeito de ré maior, a outra com sete cordas que vibravam por simpatia, com as primeiras, quando estas eram tocadas pelo arco **~ de arame** *Ant. Mús.* Ver *Viola braguesa* **~ de braço** *Ant. Mús.* Viola (2) de aspecto e execução semelhante aos do violino de hoje **~ francesa** *Lus.* Violão **~ pomposa** *Ant. Mús.* Espécie de viola (2) com cinco cordas, de afinação similar à do violoncelo mais a quinta corda, o mi *prima* do violino [Consta ter sido inventada por J. S. Bach.] **~ sertaneja** *Bras. Mús.* Viola (1) popular em regiões rurais do Brasil

violabilidade (vi:o.la.bi.li.*da*.de) *sf.* Caráter ou qualidade de violável [F.: *violável + -(i)dade*, seg. o mod. erudito.]

violação (vi:o.la.*ção*) *sf.* **1** Ação ou resultado de violar **2** Desrespeito ao que é sagrado, santo, ao que merece consideração (violação de túmulos); PROFANAÇÃO **3** Ação de submeter alguém, contra sua vontade, a uma relação sexual; ESTUPRO **4** Invasão de espaço, território ou recinto privado que são delimitados por lei: *violação do espaço aéreo nacional; violação de um domicílio.* **5** Transgressão a lei, norma, regra ou obrigação estabelecidas **6** Qualquer tipo de ofensa aos direitos e liberdades alheias [Pl.: *-ões.*] [F.: Do lat. *violatio, onis.*]

violácea (vi:o.*lá*.ce:a) *sf. Bot.* Espécime das violáceas, fam. que reúne ervas, arbustos, trepadeiras e árvores, freq. com alcaloides, de folhas simples ger. dispostas em espiral, encontradas em regiões tropicais e subtropicais, excetuando as espécies do gên. *Viola*, como a violeta e o amor-perfeito, que ocorrem em regiões temperadas; cultivadas como ornamentais, para extração de óleo essencial ou como medicinais [F.: Do lat. cient. *Violaceae*.]

violáceo (vi:o.*lá*.ce:o) *a.* **1** Que tem a cor arroxeada da violeta (tecido violáceo) **2** Diz-se dessa cor: *cortina de cor violácea*. **3** *Bot.* Ref. às violáceas *sm.* **4** A cor arroxeada da violeta: *Gostava do violáceo, não do rosa.* [F.: Do lat. *violaceus, a, um*.]

violada (vi.o.*la*.da) *sf.* Toque conjunto de várias violas [F.: *viola* + *-ada*².]

violado (vi:o.*la*.do) *a.* **1** Que apresenta forma e/ou som de viola **2** Diz-se de conjunto musical cujo instrumento de destaque é a viola (sexteto violado) **3** *Bot.* Diz-se da folha que é ovada e com um estreitamento na parte central, lembrando a forma de uma viola [F.: *viol(a)* + *-ado*².]

violador (vi:o.la.*dor*) [ô] *a.* **1** Que viola ou violou *sm.* **2** Aquele que viola ou violou [F.: Do lat. *violator, oris*.]

violão (vi:o.*lão*) *sm.* **1** *Mús.* Instrumento musical de seis a doze cordas dedilhadas, com caixa de ressonância da qual sai um braço de madeira em cuja extremidade são fixadas as cordas **2** *Mús.* Aquele que toca esse instrumento; VIOLONISTA: *Ele é o violão da orquestra.* **3** *Bras. Pop.* Mulher de cintura fina e ancas largas [Pl.: *-lões*.] [F.: *viola* + *-ão*.]

violar (vi:o.*lar*) *v. td.* **1** Desobedecer (lei, ordem, acordo): *Violou várias leis do código penal.* [Ant.: *cumprir, respeitar*.] **2** Estuprar, violentar: *preso por violar cinco mulheres.* **3** Faltar ao respeito com; desrespeitar; profanar: *violar a memória dos avós.* [Ant.: *respeitar*.] **4** Abrir (caixa, correspondência, documento etc.) sem permissão: *Violou o telegrama da irmã.* **5** Entrar, penetrar em, sem ter permissão: *O delinquente violava domicílios.* **6** Devassar ou tornar público (segredo, intimidade etc.): *O repórter violou a vida íntima da atriz.* **7** Abrir ilegalmente ou arrombar: *Violou a caixa-forte da empresa.* [▶ 1 violar] [F.: Do lat. *violare*. Hom./Par.: *viola(s)* (fl.), *viola(s)* (sf. [pl.]).]

violável (vi:o.*lá*.vel) *a2g.* Que se pode violar; passível de violação [Ant.: *inviolável*.] [Pl.: *-veis*.] [F.: Do lat. *violabilis, e*. Hom./Par.: *violáveis* (pl.), *violáveis* (fl. de *violar*).]

violeiro (vi:o.*lei*.ro) *a.* **1** Que fabrica instrumentos de corda **2** Que toca viola *sm.* **3** Fabricante de instrumentos de corda **4** Aquele que toca viola **5** *Ornit.* Pássaro da fam. dos galbulídeos (*Jacamaralcyon tridactyla*), comum no Sudeste, também conhecido como cuitelão [F.: *viola* + *-eiro*.]

violência (vi:o.*lên*.ci:a) *sf.* **1** Qualidade do que é violento **2** Emprego abusivo, ger. ilegítimo, da força ou da coação com o fim de se obter algo **3** O ato violento: "Não se poupou a fadigas, a despesas nem a violências para exterminar as heresias nos seus estados e nos alheios..." (Rebelo da Silva, *História de Portugal*) **4** Grande força ou poder próprio a uma ação, processo ou fenômeno natural: *A violência da chuva surpreendeu todo mundo.* **5** O temperamento tempestuoso de quem facilmente se torna agressivo: *Temia a violência do pai por não ter passado de ano.* **6** *Jur.* Ação de constranger física ou moralmente uma pessoa para submetê-la aos desejos de outra **7** Opressão, tirania: *O país vivia sob um regime de violência.* [F.: Do lat. *violentia, ae*.]

violentação (vi:o.len.ta.*ção*) *sf.* Ação ou resultado de violentar [Pl.: *-ções*.] [F.: *violentar* + *-ção*.]

violentado (vi:o.len.*ta*.do) *a.* **1** Que sofreu violência *a.* **2** Que sofreu processo de coação; que foi obrigado a agir contra a própria vontade **3** Que sofreu estupro (mulher violentada) **4** Que foi alvo de profanação: *A câmara sagrada foi violentada pelos invasores.* **5** Que foi desrespeitado: *A moral da família foi violentada por aquela acusação.* [F.: Part. de *violentar*.]

violentador (vi:o.len.ta.*dor*) [ô] *a.* **1** Que violenta; que pratica ato de coação, violência, profanação ou estupro *sm.* **2** Aquele que pratica tais atos [F.: *violentado* + *-or*.]

violentamente (vi:o.len.ta.*men*.te) *adv.* **1** De modo violento; com muita força: *Chocou-se violentamente contra o muro.* **2** Com agressividade: *Discutiam violentamente; Fechou violentamente a porta ao sair.* **3** De modo violento; com violência; contra a vontade: *Aplicou-lhe as algemas violentamente.* [F.: *violento* + *-mente*.]

violentar (vi:o.len.*tar*) *v. td.* **1** Forçar (alguém) a ter relações sexuais; ESTUPRAR **2** Usar de violência física ou moral (contra); COAGIR; FORÇAR: *Violentou a vontade do filho.* **3** Arrombar, violar: *Violentou a câmara nupcial.* **4** Agir contrariamente aos próprios desejos: *Violentava-se sempre para não desagradar os pais.* **5** Deturpar, distorcer, desvirtuar o sentido de alguma coisa: *Violentam a doutrina política para atender interesses particulares.* [▶ 1 violentar] [F.: *violento* + *-ar*. Hom./Par.: *violento* (fl.), *violento* (a.).]

violento (vi:o.*len*.to) *a.* **1** Que emprega ou tenta empregar a força bruta em suas relações com outras pessoas, com animais, vegetais e coisas **2** Que envolve violência (comportamento violento) **3** Que ocorre de forma vigorosa, por vezes brutal, acarretando ou não consequências graves: *violenta colisão de carros.* **4** Que envolve muito esforço e energia: *Com violentas pedaladas levou a bicicleta até o topo do morro.* **5** Que se torna colérico com facilidade: *Não queria questões com ele, pessoa violenta e cheia de rompantes.* **6** Diz-se de morte causada por agressão ou por acidente: *Teve morte violenta ao volante de um carro.* **7** Que se encontra sob forte agitação: *O mar estava violento naquela manhã.* **8** Intenso, veemente: *Sentia por ela uma paixão violenta, irracional.* *sm.* **9** Pessoa que costuma agir com violência: *Os violentos acabam sempre por encontrar um fim trágico.* [F.: Do lat. *violentus, a, um*. Hom./Par.: *violento* (a.), *violento* (fl. de *violentar*).]

violeta (vi:o.*le*.ta) [ê] *sf.* **1** *Bot.* Nome comum às plantas do gên. *Viola*, da fam. das violáceas, ervas nativas de regiões temperadas, de flores vistosas, muito cultivadas como medicinais, para extração de essência us. em perfumaria e como ornamentais, como, p. ex., *Viola odorata*, nativa da Europa, Ásia e África, de folhas arredondadas e pequenas flores freq. roxas, mas tb. lilases ou brancas; VIOLA **2** *Bot.* A flor dessas plantas *sm.* **3** A cor roxa dessa flor; ROXO; VIOLÁCEO: *O violeta era sua cor preferida.* **4** Por metonímia, roupa dessa cor: *Não gostava de vestir violeta.* *a2g2n.* **5** Cuja cor é o violeta (3) (vestidos violeta) **6** Diz-se dessa cor: *pedra de cor violeta.* [F.: *viola* + *-eta*.] ■ **~ de genciana/de metila** Substância us. como antisséptico, ou como corante laboratorial ou industrial [Fórm.: $C_{25}H_{30}N_3Cl$]

violeteira (vi:o.le.*tei*.ra) *sf.* **1** Vendedora de violetas **2** *Bot.* Planta verbenácea (*Duranta erecta*); tb. *fruta-de-jacu* e *fruteira-de-jacu* [F.: *violeta* + *-eira*.]

violinista (vi:o.li.*nis*.ta) *a2g.* **1** Diz-se do músico que toca violino *s2g.* **2** A pessoa que toca violino; VIOLINO [F.: *violino* + *-ista*.]

violinístico (vi:o.li.*nís*.ti.co) *a.* Ref. a ou próprio para violino: *repertório violinístico.* [F.: *violinista* + *-ico*².]

violino (vi:o.*li*.no) *Mús. sm.* **1** Instrumento de arco de pequenas dimensões, com quatro cordas e extensão de quatro oitavas, corpo arredondado nas extremidades, braço sem trastes e abertura no tampo **2** Em uma orquestra, músico que toca violino; VIOLINISTA: *Ele era o primeiro violino da orquestra.* [F.: Do it. *violino*.] ■ **Primeiro ~** *Mús.* Numa orquestra, o violinista considerado, principal, que se senta no lado externo (mais próximo da plateia) da primeira fila, e a quem cabe reger a orquestra no impedimento do maestro; violino (de) *spalla* **~ (de) spalla** Ver *Primeiro violino* [Tb. apenas *spalla*.]

violista (vi:o.*lis*.ta) *a2g.* **1** *Mús.* Que toca viola, instrumento de cordas que, como o violino, inclui o uso do arco *s2g.* **2** *Mús.* Aquele que toca esse instrumento [F.: *viola* + *-ista*.]

violoncelista (vi:o.lon.ce.*lis*.ta) *a2g.* **1** *Mús.* Que toca violoncelo *s2g.* **2** *Mús.* Aquele que toca esse instrumento; VIOLONCELO; CELLO [F.: *violoncelo* + *-ista*.]

violoncelístico (vi:o.lon.ce.*lís*.ti.co) *a.* Ref. a ou próprio para violoncelo: *concerto violoncelístico.* [F.: *violoncelista* + *-ico*².]

violoncelo (vi:o.lon.*ce*.lo) *sm.* **1** *Mús.* Instrumento musical de grande tamanho, no formato de um violino, dotado de quatro cordas afinadas em quintas justas, que são tocadas com um arco, ficando o instrumento apoiado entre as pernas do instrumentista; CELLO **2** O músico que toca esse instrumento; VIOLONCELISTA: *Ele já foi violoncelo da Orquestra Sinfônica Brasileira.* [F.: Do it. *violoncello*.]

violonista (vi:o.lo.*nis*.ta) *a2g.* **1** *Mús.* Que toca violão *s2g.* **2** *Mús.* Aquele que toca violão [F.: *violão* + *-ista*.]

violonístico (vi:o.lo.*nís*.ti.co) *a.* Ref. a ou próprio para violão [F.: *violonista* + *-ico*².]

⊕ ***VIP*** *a2g.* **1** Diz-se de pessoa que recebe tratamento especial, em função de reconhecido prestígio, influência, poder ou riqueza (convidado VIP) *s2g.* **2** Essa pessoa [F.: Abrev. da expr. ing. *very important person*.]

vípera (*ví*.pe.ra) *Herp. sm.* Gênero de ofídios, tipo da fam. dos viperídeos [F.: Do lat. cient. *Vipera*.]

vipéreo (vi.*pé*.re.o) *a.* O mesmo que *viperino* [F.: Do lat. *vipereus, a, um*.]

viperídeo (vi.pe.*rí*.de.o) *Zool. a.* **1** Ref. aos viperídeos *sm.* **2** Espécime dos viperídeos, fam. de répteis escamados, da subordem das serpentes, solenóglifas, com cerca de 180 espécies distribuídas pela Europa, Ásia e África, que reúne cobras pequenas, de cabeça ger. triangular e larga, um par de presas eréteis na parte frontal do maxilar superior, escamas pequenas e cristadas, colorido variável, cauda curta, incluindo entre outras as jararacas, cascavéis e víboras [F.: Do lat. cient. *Viperidae*.]

viperino (vi.pe.*ri*.no) *a.* **1** *Zool.* Ref. a víbora ou próprio desse animal **2** Que tem a natureza da víbora **3** Que contém veneno ou peçonha (fluido viperino) **4** *Fig.* Mordaz, perverso, cínico: *Esse homem tem uma língua viperina.* [F.: Do lat. *viperinus, a, um*.]

viquingue (vi.*quin*.gue) *a2g. s2g.* Aport. de *viking*

vir *v.* **1** Transportar-se (algo ou alguém) de um lugar para aquele onde está a pessoa que fala [*int.*: *Venha e traga seus filhos.* Ant.: *ir*.] [*tp.*: *O trem vinha vazio.*] [*ta.*: *Eles virão para cá hoje.*] **2** Ir-se movendo por um caminho (em direção a ou até um lugar) [*ta.*: *A frente fria vem em direção à cidade.*] [*int.*: *Ouvimos o zunido da ventania que vinha ameaçadora.*] **3** Chegar para ficar algum tempo [*ta.*: *O bolsista veio a Coimbra.*] [*int.*: *No próximo ano virá um substituto.*] **4** Alcançar o fim de um caminho; CHEGAR [*int.*: *Sua encomenda veio hoje de avião.*] **5** Chegar a certo limite de altura, comprimento ou extensão [*ta.*: *Suas tranças vêm até os ombros.*] **6** Chegar junto aos poucos [*ta.*: *O verdadeiro amor vem com o tempo.*] **7** Fazer-se presente; COMPARECER [*int.*: *O pai ordenou que o filho viesse rapidamente; Convidou familiares e amigos para seu aniversário, mas poucos vieram.*] **8** Ser proveniente de (algum lugar); PROVIR [*ta.*: *O chá vem da China.*] **9** Ter como causa; ADVIR; PROCEDER; RESULTAR [*tr.* + *de*: *Essa rouquidão vem de um calo nas cordas vocais:* "A alegria da esposa só vem de ti..." (José de Alencar, *Iracema*)] **10** Voltar ao lugar de onde saiu; REGRESSAR; RETORNAR [*ta.*: *Ficou de me comunicar quando viesse da Itália.*] **11** Ter como origem; derivar de [*tr.* + *de*: *As línguas românicas vêm do latim.*] **12** Estar na iminência de acontecer ou chegar [*int.*: *A tempestade já vem.*] **13** Chegar (determinado momento ou certa situação) [*int.*: *Quando as férias vierem vou dormir o tempo todo.*] **14** Passar a existir; NASCER; SURGIR [*int.*: *De repente, veio essa ideia.*] **15** Começar a sair; BROTAR; IRROMPER [*int.*: *Depois da discussão, veio a angústia.*] **16** Desenvolver-se de certa maneira; CRESCER; PROGREDIR [*int.*: *Esta roseira está vindo bem.*] [*ta.*: *Ela não vinha bem no emprego e foi despedida.*] **17** Aparecer a (memória, pensamento); OCORRER [*tr.* + *a*: *A data de seu aniversário não me vem à mente.*] **18** Acontecer ao mesmo tempo; COINCIDIR [*tr.* + *com*: *A dor vem com o sofrimento.*] **19** Vir ao mundo; NASCER; MEDRAR [*int.*: *As gerações que estão para vir.*] [*tp.*: *A nova geração virá mais rebelde.*] **20** Aparecer para acudir (algo ou alguém) [*int.*: *Gritamos por socorro, mas não veio ninguém.*] **21** Propagar-se a partir de; EMANAR-SE [*tr.* + *de*: *Toda sabedoria vem de Deus.*] [*ta.*: *Esse cheirinho bom vem do restaurante.*] **22** Apresentar, expor (argumentos, queixas etc.) [*tr.* + *com*: *Esses chatos sempre vêm com queixas.*] **23** Ser apresentado ou oferecido (em certa condição) [*tr.* + *com*: *Esse carro já vem com rádio.*] **24** Chegar a um ajuste ou a uma combinação; estar de acordo; CONCORDAR [*ti.* + *a, em*: *vir a um acordo.; Os irmãos vinham em tudo.*] [▶ 42 vir NOTA.: Us. tb. como v. aux.: a) seguido da prep. *a* + v. no infinit., com o sentido de 'resultar': *Eles vieram a se casar poucos meses depois*; b) seguido de v. no gerún., para indicar ação repetida ou progressiva: *Há meses venho tentando acertar na loteria.*] [F.: Do lat. *venire*. Hom./Par.: *veio* (fl.), *veio* (sm.); *vinha(s)* (fl.), *vinha(s)* (sf. [pl.]); *viremos* (fl.), *viremos* (fl. de *virar*); *vêm* (fl.), *veem* (fl. de *ver*); *vireis* (fl.), *víreis* (fl. de *ver*).] ■ **Que vem** Que se segue imediatamente: *semana que vem.* **~ abaixo** **1** Desabar, ruir **2** *Fig.* Desandar totalmente, arruinar-se (situação, instituição, estrutura, projeto etc.) **3** *Fig.* Encher-se de aplausos prolongados, ruidosos e entusiastas, reverberar com o sucesso de quem lá se apresentou, discursou etc. (teatro, cinema, casa de espetáculo, assembleia etc.) **~ a ser** **1** Chegar a ser, converter-se em: *Se levasse a sério o estudo, viria a ser um grande pianista.* **2** Ser, tratar-se de: *Aquela que você criticou vem a ser minha mulher.* **~ bem** Ser oportuno, chegar a propósito: *Um sanduíche agora viria muito bem.* **~ ter a** Chegar a (um lugar): *Depois de caminhar a noite toda vieram ter a uma cabana abandonada.* **~ ter com** Encontrar-se com

vira¹ (*vi*.ra) *sf.* Tipo de seta de ponta muito aguda [F.: Do fr. *vire*. Hom./Par.: *vira* (sf.), *vira* (sm.), *vira* (fl. de *ver* e fl. de *virar*).]

vira² (*vi*.ra) *Lus. sm.* **1** *Mús.* Música popular portuguesa executada por instrumentos típicos **2** *Dnç.* A dança que corresponde a essa música [F.: Regress. de *virar*. Hom./Par.: *vira* (sm.), *vira* (sf.), *vira* (fl. de *ver* e fl. de *virar*).] ■ **~ do Minho** *Lus.* O vira² (1, 2)

vira-bosta (vi.ra-*bos*.ta) *Bras. Zool. sm.* **1** Pássaro leterídeo (*Molubrus sericeus*), de plumagem negra, que põe os ovos nos ninhos de outras aves, cuja denominação popular se deve ao costume de procurar o alimento no esterco **2** Ver *escaravelho* [Pl.: *vira-bostas*.] [F.: *virar* + *-bosta*.]

virabrequim (vi.ra.bre.*quim*) *sm. Emec.* Eixo dotado de bielas que, em um motor de explosão, torna possível transformar o movimento alternado dos pistões em movimento de rotação; ÁRVORE DE MANIVELAS [Pl.: *-quins*.] [F.: Do fr. *vilebrequin*.]

viração (vi.ra.*ção*) *sf.* **1** Vento suave, fresco, que sopra do mar: "Eu ia descobrir os arredores, e já recebia as primeiras virações da manhã" (Aníbal Machado, *"O iniciado do vento" in Histórias reunidas*) **2** *Pop.* Trabalho, serviço ou tarefa eventual, que não dura muito tempo: *Como está desempregado, arranjou uma viração para não ficar sem dinheiro.* **3** *Pop.* Caso amoroso, ger. clandestino: *É casada, mas tem suas virações por aí.* **4** Atividade de meretriz; PROSTITUIÇÃO: *É uma mulher que vive de viração.* **5** *S* Cerração que ocorre no verão, na parte da tarde **6** *AM GO* Lugar onde as tartarugas desovam **7** *AM GO* Ação de imobilizar a tartaruga virando-a de costas [Pl.: *-ções*.] [F.: *vira* + *-ção*.]

vira-casaca (vi.ra-ca.*sa*.ca) *s2g.* Pessoa que troca de convicção, time, partido político ou qualquer outro traço de identificação a um grupo por mera conveniência pessoal [Pl.: *vira-casacas*.] [F.: De *virar* + *casaca*.]

viracento (vi.ra.*cen*.to) *Gram. sm.* O mesmo que *apóstrofo* [F.: De or. contrv., talvez de *virar* + *acento*.]

virada (vi.*ra*.da) *sf.* **1** Ação ou resultado de virar(-se) **2** *Fig.* Alteração profunda de atitude, de condição, de circunstâncias etc.; MUDANÇA; REVIRAVOLTA: *Depois da separação, dei uma virada em minha vida.* **3** *Esp.* Em uma competição, situação em que um time ou atleta passa na frente de seu oponente após desvantagem inicial: *Ganhou o jogo de virada.* **4** *Fut.* Lance em que o jogador gira o corpo antes de chutar [F.: Fem. substv. de *virado*.] ■ **Dar uma ~** *Bras. Fam. Pop.* Fazer esforço concentrado para levar avante tarefa, projeto etc. **De ~** *Esp.* Esp. no futebol, diz-se de vitória numa partida na qual o vencedor estava antes perdendo **~ da maré** Momento de mudança da maré, de cheia para vazante e vice-versa **~ de rio** *MG Ant.* Canal aberto por garimpeiros para desviar as águas de um rio, e assim poderem melhor explorar o cascalho do leito em busca de ouro

viradão (vi.ra.*dão*) *sm.* Sequência intensa e quase ininterrupta, muitas vezes pela noite adentro, ou muito concentrada num certo espaço de tempo, de eventos culturais, esportivos, artísticos, ger. promovidos por instituições, governo etc. [Pl.: *-dões.*] [F.: *virada* + *-ão*¹.]

viradinho (vi.ra.*di*.nho) *Bras. Cul. sm.* Iguaria da cozinha paulista, preparada com feijão refogado, torresmos, farinha de milho ou de mandioca, guarnecido com linguiça frita, ovos estrelados e costeletas de porco; VIRADO; VIRADO DE FEIJÃO [F.: *virado-* + *-inho.*]

virado (vi.*ra*.do) *a.* **1** Que se virou: *panela virada de boca para baixo.* **2** Que foi colocado às avessas, ao contrário **3** *Fig.* Que se alterou de repente: *Acordou com o humor virado.* **4** Que foi dobrado: *A ponta da folha estava virada.* **5** Em que se remexeu ou revirou: *Encontrou a gaveta toda virada.* **6** *RS* Que faz troça, galhofa **7** *RS* Que faz travessuras, traquinagens (menino virado); LEVADO [F.: Part. de *virar*.]

virado de feijão (vi.ra.do de fei.*jão*) *Bras. Cul. sm.* O mesmo que *viradinho* [Pl.: *virados de feijão.*]

virador (vi.ra.*dor*) [ô] *sm.* **1** Plataforma móvel, us. para alterar o sentido ou a direção de deslocamento de uma locomotiva **2** *Mar.* Cabo grosso, de grande resistência, us. para atracação, reboque ou ancoragem **3** *Enc.* Peça metálica us. pelos encadernadores no trabalho de douração de capas de livros **4** *S* Ponto do curso de um rio de onde os canoeiros retornam **5** *Pop.* Indivíduo esperto, que sabe se virar, se safar de situações difíceis *a.* **6** Diz-se de indivíduo que sabe se virar [F.: *virado* + *-or.*]

vira e mexe (vi.ra.*eme*.xe) *Bras. Fam. s2g2n.* **1** Pessoa agitada, irrequieta; VIRA-MEXE *sm2n.* **2** Correria; azáfama [F.: *virar* + *e* + *mexer.*]

viragem (vi.*ra*.gem) *sf.* **1** Ação ou resultado de virar; VIRADELA **2** Passagem de um estado a outro **3** Mudança de rumo ou de direção **4** *Fot.* Primeiro banho químico das provas fotográficas, realizado na chapa para modificar suas cores [F.: *virar* + *-agem.*]

virago (vi.*ra*.go) *sf.* **1** Mulher de aspecto e trejeitos masculinos; FANCHONA; MACHONA; PARAÍBA: "Foi a Maria da Fonte a personificação fantástica de uma coletividade de amazonas de tamancos, ou realmente existiu, em corpo e fouce roçadoura, uma virago revolucionária com aquele nome e apelido?" (Camilo Castelo Branco, *Maria da Fonte*) **2** Feixe de fios torcidos para formar um cabo ou corda [F.: Do lat. *virago, inis.*]

viral (vi.*ral*) *a2g.* Ref. a vírus ou causado por vírus (febre viral); VIRÓTICO [Pl.: *-rais.*] [F.: *vírus* + *-al.*]

vira-lata (vi.ra-*la*.ta) *a2g.* **1** Diz-se de cão ou cadela que não tem raça definida **2** Diz-se de qualquer animal doméstico sem raça definida (gato vira-lata) **3** *Fig. Pej.* Diz-se de pessoa sem categoria, sem classe, sem dinheiro, sem nada que possa dar-lhe algum destaque na sociedade *s2g.* **4** Cão ou cadela que não tem raça definida **5** *N. E.* Jogo comum em feiras populares que consiste em derrubar com três boladas uma pirâmide formada por pequenas latas justapostas [Pl.: *vira-latas.*] [F.: De *virar* + *lata.*]

virale (vi.*ra*.le) *Bac. sf.* Espécime das virales, ordem de microrganismos ultramicroscópicos, conhecidos como vírus, parasitos obrigatórios de células vivas [F.: Do lat. cient. *Virales.*]

vira-mundo (vi.ra-*mun*.do) *sm.* **1** *Bras.* Pesado grilhão de ferro com que se prendiam os escravos **2** *BA Umb.* Entidade dos candomblés de caboclo [Pl.: *vira-mundos.*] [F.: *virar* + *mundo.*]

virar (vi.*rar*) *v.* **1** Mudar (algo ou alguém) de posição, de direção, de lado [*td.*: *virar os olhos; virar-se na cama.*] [*int.*: *Virou de lado na cama.*] **2** Pôr em posição oposta à anterior [*td.*: *virar um bife; virar as páginas.*] [*int.*: *A canoa virou.*] **3** Voltar(-se) para [*td.*: *Virou os ponteiros para o número 12.*] [*ta.*: *O girassol vira para o sol.*] **4** Dar volta completa em; GIRAR [*td.*: *Virou a chave.*] [*int.*: *Viu a maçaneta virar.*] **5** *Fig.* Mudar de opinião, partido, time etc. [*td.*: *O namorado virou a cabeça da jovem.*] [*int.*: *Com os argumentos do empregado, a opinião do juiz virou.*] **6** Transformar-se em (algo diferente) [*tp.*: "Quem sabe o príncipe virou um sapo..." (Cazuza e Frejat, *Malandragem*)] **7** Jogar para fora; DERRAMAR; DESPEJAR [*td.*: *virar o café no bule.*] **8** Dar volta em ou fazer uma curva; DOBRAR [*td.*: *virar a esquina.*] [*int.*: *O carro virou e perdemos seu rastro.*] **9** Mexer (em algum lugar) em busca de; REVIRAR; VASCULHAR [*td.*: *Virou o quarto atrás do dinheiro.*] **10** Beber todo o conteúdo de [*td.*: "...desafiava a virar copos cheios..." (Joaquim Manuel de Macedo, *A moreninha*)] **11** Golpear com [*tdr.* + *em*: *A mulher virou a mão na cara do marido.*] **12** Ficar de borco; EMBORCAR [*td.*: *A onda virou a lancha.*] [*int.*: *O barco virou.*] **13** Mexer revirando; REVOLVER [*td.*: *Pegou o ancinho e começou a virar a terra.*] **14** Mudar (o tempo) para melhor ou pior [*int.*: *O tempo virou.* Ant.: *firmar.*] **15** Adquirir (outra forma, outra natureza); CONVERTER-SE [*tp.*: *O sertão vai virar mar.*] **16** *Pop.* Fazer grande esforço para [*int.*: *Teve que se virar para conseguir dinheiro.*] **17** Posicionar-se (contra alguém ou algo) [*tr.* + *contra*: *Os lojistas viraram-se contra os camelôs.*] **18** *Fot.* Pôr (chapa fotográfica) sob a ação do processo de viragem [*td.*] [▶ **1** virar] [F.: Provavelmente do fr. *virer.* Hom./Par.: *vira(s)* (fl.), *vira(s)* (sf. sm. [pl.]); *viremos* (fl.), *viremos* (fl. de *vir*); *viramos* (fl.), *viramos* (fl. de *ver*); *vireis* (fl.), *víreis* (fl. de *ver*). Ideia de 'virar': *trepo-.*] ∎ **De ~ e romper** *SP Pop.* Preparado (alguém) para o que der e vier **Vira e mexe** A toda hora, sem mais nem menos: *Vira e mexe ele volta ao assunto.* **~ em roda** *Mar.* Mudar embarcação de direção, ao passar com a popa pela linha do vento [Cf.: *Virar por d'avante.*] **~ por d'avante** *Mar.* Ultrapassar com a proa a linha do vento (barco a vela) [Cf.: *Virar em roda.*]

vir a ser (vir a *ser*) *Fil. sm2n.* O mesmo que *devir*

vira-vira (vi.ra-*vi*.ra) *Bras. Zool. sm.* O mesmo que *chupim* (*Molothus bonariensis*) [Pl.: *viras-viras; vira-viras.*] [F.: Da 3ª pess. sing. do pres. ind. de *virar*, repetida.]

viravolta (vi.ra.*vol*.ta) *sf.* **1** Volta completa em torno do próprio corpo **2** *Fig.* Mudança radical e surpreendente; REVIRAVOLTA: *Houve uma viravolta para melhor em sua vida.* **3** Cambalhota [F.: *vira* (fl. de *virar*) + *volta* (fl. de *voltar*). Hom./Par.: *viravolta* (sf.), *viravolta* (fl. de *viravoltar*).]

viravoltar (vi.ra.vol.*tar*) *v. int. Bras.* Dar viravoltas [▶ **1** viravoltar] [F.: *vira* (fl. virar) + *voltar.* Hom./Par.: *vira* (fl.) + *voltar.* Hom./Par.: *viravolta(s)* (fl.), *viravolta* (sf.) e pl.]

viravoltear (vi.ra.vol.te.*ar*) *v. Bras.* O mesmo que *viravoltar* [▶ **13** viravoltear]

viremia (vi.re.*mi*:a) *Pat. sf.* Presença de vírus no sangue [F.: *vir(i/o)-* + *-emia.*]

virêmico (vi.*rê*.mi.co) *Pat. a.* Ref. a viremia [F.: *viremia-* + *-ico*².]

virente (vi.*ren*.te) *a2g.* **1** Que verdeja; VERDEJANTE **2** *Fig.* Florescente, próspero [F.: Do lat. *virens, entis.* Sin. ger.: *viridente.*]

vireonídeo (vi.re.o.*ní*.de.o) *Zool. a.* **1** Ref. aos vireonídeos *sm.* **2** Espécime dos vireonídeos, fam. de aves passeriformes, insetívoras, com o tarso ocreado, tegumento dividido em placas, plumagem esverdeada, bico terminado em gancho, como as juruviaras e os uirapurus [F.: Do lat. cient. *Vireonidae.*]

virgem¹ (*vir*.gem) *sf.* **1** Mulher, ger. jovem, que nunca teve relações sexuais **2** A mãe de Jesus Cristo; a Virgem Maria [Nesta acp., com inicial maiúsc.] **3** Imagem ou retrato da Virgem Maria **4** *Rel.* Em procissões ou festas católicas, menina que usa túnica branca e diadema de flores na cabeça **5** *Astron.* A sexta constelação do Zodíaco, que se encontra entre Leão e Libra [Nesta acp., com inicial maiusc.] **6** *Astrol.* O sexto signo do zodíaco (de 23 de agosto a 23 de setembro) [Não raro ocorre em uso elíptico: *Ele é (do signo de) Virgem; Elas são (de) Virgem.* (Por tratar-se de elipse, não há flexão.)] **7** *Bras. Pop.* Cachaça *a2g.* **8** Que nunca manteve relações sexuais (moça virgem; rapaz virgem) **9** Que nunca foi fecundado (óvulo virgem) **10** Que se encontra intato, intocado **11** Que é casto, puro **12** Que nunca foi visto ou cultivado (terras virgens) **13** *Met.* Diz-se do metal bruto, tal como sai das minas **14** Que ainda não foi usado; que está pronto para ser usado (filme virgem) **15** Diz-se do vinho mosto que escorre das uvas por pressão **16** Diz-se de cera que ainda não foi derretida nem usada **17** Diz-se de papel que ainda está em branco, sem ter sido usado **18** Diz-se de cal que ainda não entrou em contato com a água [Pl.: *-gens.*] [F.: Do lat. *virgo, inis.* Ideia de 'virgem': *parten (o)-.*]

virgem² (*vir*.gem) *sf.* **1** *S* Alavanca em que gira a haste do monjolo **2** *N. E.* Nas casas de farinha, viga de madeira que firma a engrenagem para espremer a mandioca

virgiliano (vir.gi.li.*a*.no) *a.* **1** Ref. ou pertencente ao poeta latino Públio Virgílio Varo (70-19 a.C.) **2** Diz-se do estilo, característica ou forma semelhante à poesia de Virgílio **3** Que é admirador e/ou conhecedor da obra de Virgílio *sm.* **4** Admirador e/ou conhecedor da obra de Virgílio [F.: Do lat. *virgilianus, a, um.* F. paral.: *vergiliano.*]

virginal (vir.gi.*nal*) *a2g.* **1** Ref. a ou próprio de virgem **2** Que não é impuro; CASTO; IMACULADO [Pl.: *-nais.*] [F.: Do lat. *virginalis, e.*]

virgindade (vir.gin.*da*.de) *sf.* **1** Condição ou estado de quem ou do que é virgem **2** Condição de quem nunca teve relações sexuais **3** Qualidade de quem é puro, casto **4** Estado do que se encontra intocado, intacto [F.: Do lat. *virginitas, atis.*]

virgíneo (vir.*gí*.neo) *a.* Ref. a ou próprio de virgem; VIRGINAL [F.: Do lat. *virgineus, a, um.*]

virginiano (vir.gi.ni:*a*.no) *Astrol. a.* **1** Que nasceu sob o signo de Virgem **2** Ref. a esse signo, ou às qualidades ou influências a ele atribuídas, segundo a astrologia *sm.* **3** Aquele que nasceu sob o signo de Virgem [F.: *virgem* (lat. *virgo, virginis*) + *-iano.*]

virgo (*vir*.go) *sm.* **1** *Astrol. Astron.* O mesmo que *virgem*; VIRGEM [Com inicial maiúsc.] **2** *Vulg.* Virgindade da mulher [F.: Do lat. *virgo, inis.*]

vírgula (*vír*.gu.la) *sf.* **1** *Gram.* Sinal (,) us. na escrita para indicar uma pequena pausa entre os termos da oração **2** *Mat.* Na notação decimal de um número, sinal que separa a parte inteira da parte decimal **3** Palavra de negação ou restrição a algo que foi dito ou escrito: *Bom, vírgula! Ele é ótimo!* **4** *Bras.* Pequena mecha de cabelo com a ponta recurvada, grudada à testa ou à região do rosto perto das orelhas; PEGA-RAPAZ [F.: Do lat. *virgula, ae.*] ∎ **Uma ~!** *Pop.* Em tom exclamativo, expressa discordância; que nada! uma ova! **~ decimal** *Arit.* Sinal que sinaliza o fim da parte inteira e o início da parte decimal de um número [Ao contrário de outros sistemas, como o norte-americano, não se deve usar ponto para isso, o ponto é us. para separar as ordens, de 1.000 em 1.000] **~s dobradas** Aspas (1)

virgulação (vir.gu.la.*ção*) *sf.* Ação ou resultado de virgular [Pl.: *-ções.*] [F.: *virgular* + *-ção.*]

virgular (vir.gu.*lar*) *v.* **1** Pôr vírgulas em; colocar devidamente as vírgulas em (frases, orações) [*td.*: *Virgulou excessivamente o texto.*] [*int.*: *Pensava que sabia escrever, mas virgulava mal.*] **2** Fazer a pontuação conforme as regras [*int.*] **3** *P. ext.* Interromper a continuidade de; entrecortar, entremear [*td.*: *Virgulou seu discurso com amargas reflexões políticas*: "Não me queria separar de ti... queixou-se ela, afinal, virgulando as suas frases com soluços suspirados..." (Aluísio Azevedo, *Casa de pensão*)] [▶ **1** virgular] [F.: *vírgula* + *-ar.* Hom./Par.: *vírgula(s)* (fl), *vírgula* (sf. e pl.).]

◎ **vir(i)-** (vi.*ri*-) *pref.* = 'homem, varão': *viril, viridente, virífero* [F.: Do lat. *vir, viri.*]

◎ **viri-** *pref.* = vírus: *virologia, virose, virulento* [F.: Do lat. *virus, i.*]

virial (vi.ri.*al*) *Fís. sm.* Num sistema de várias partículas, cada uma sujeita à ação de uma força, metade da média do produto escalar das forças pelo vetor posição da respectiva partícula [Pl.: *-ais.*] [F.: Do al. *Virial* < lat. *vires, ium*, pl. de *vivis*, 'força' + *-i-* + *-al.*]

viriamitalocal (vi.ri:a.mi.ta.lo.*cal*) *Antr. Etnol. a2g.* Ref. ao padrão, norma ou costume de um casal, após o casamento, viver junto à irmã do pai do marido; AMITALOCAL [p. op. a *uxoriamitalocal.*] [Pl.: *-ais.*] [F.: *vir(i)-* + *amitalocal.*]

viriavuncolocal (vi.ri:a.vun.co.lo.*cal*) *a2g. Antr. Etnol.* Ref. ao padrão, norma ou costume de um casal, após o casamento, morar na localidade do irmão da mãe do marido; AVUNCULOCAL [Pl.: *-ais.*] [F.: *vir(i)-* + *avunculocal.*]

viricida (vi.ri.*ci*.da) *a2g.* **1** Q ue extermina vírus *sm.* **2** Exterminador de vírus [F.: *viri-/vírus* + *-cida.* Tb. *virucida.*]

viridente (vi.ri.*den*.te) *a2g.* O mesmo que *virente* [F.: Do lat. *viridentis, e S* in. ger.: *virente.*]

virífero (vi.*rí*.fe.ro) *a.* Que gera vírus [F.: *viri-* + *-ífero.*]

viril (vi.*ril*) *a2g.* **1** Característico do homem, do varão, ou que se refere a ele (trabalho viril); MÁSCULO; VARONIL **2** Que possui energia e vigor (atitude viril) [Pl.: *-ris.*] [F.: Do lat. *virilis, e.*]

virilha (vi.*ri*.lha) *sf. Anat.* Área interna da junção das coxas ao tronco [F.: Do lat. *virilia, ium.*]

virilidade (vi.ri.li.*da*.de) *sf.* **1** Qualidade ou condição de quem é viril; MASCULINIDADE **2** Período de vida do homem situado entre a infância e a velhice **3** *Fig.* Energia física ou moral **4** Capacidade que tem o homem de realizar o ato sexual: *Queria sempre provar sua virilidade.* [F.: Do lat. *virilitas, atis.*]

virilmente (vi.ril.*men*.te) *adv.* **1** De modo viril: *Os jogadores não se querem aleijar em fim de temporada e não jogam virilmente.* **2** Com energia ou coragem: *Enfrentou virilmente as adversidades.* [F.: *viril* + *-mente.*]

virilocal (vi.ri.lo.*cal*) *a2g. Antr. Etnol.* Ref. ou inerente a virilocalidade, norma ou costume institucionalizado de o casal, após o casamento, viver na localidade (casa, aldeia, acampamento etc.) do homem [Por opos. a *uxorilocal.* Cf.: *matrilocal, patrilocal.*] [Pl.: *-cais.*] [F.: *vir(i)-* + *-local.*]

vírion (*ví*.ri.on) *sm. Micbiol. Vir.* Partícula virótica infecciosa, que apresenta um ácido nucleico ADN ou ARN e uma camada externa de proteínas [Pl.: *viriones, vírions.*] [F.: Do lat. cient. *virion.*]

◎ **vir(o)-** *el. comp.* Ver *viri-*

viroide (vi.*roi*.de) *sm. Micbiol. Vir.* Agente infeccioso, de características e propriedades semelhantes aos vírus, mas que só contém um ácido nucleico destituído de capa proteica [F.: *vir(i/o)-* + *-oide.*]

virola¹ (vi.*ro*.la) *sf.* **1** Anel metálico que se coloca ao redor de um objeto como reforço ou enfeite **2** *N. E.* Nos engenhos de açúcar, peça que se coloca no centro das moendas para encaminhar as canas **3** Na cunhagem de moedas, aro de aço em que se coloca o disco que vai ser cunhado [F.: Do fr. *virole.*]

virola² (vi.*ro*.la) *sf.* **1** Beira de objeto ou tecido que fica virada para fora **2** Espécie de chicote de borracha [F.: *virar* + *-ola.*]

virologia (vi.ro.lo.*gi*.a) *sf. Micbiol.* Ramo da microbiologia que estuda os vírus [F.: *vir(i/o)-* + *-logia.*]

virológico (vi.ro.*ló*.gi.co) *a.* Ref. a virologia [F.: *virologia* + *-ico.*]

virologista (vi.ro.lo.*gis*.ta) *a2g.* **1** Que se especializou em virologia: *Era um médico virologista. s2g.* **2** Especialista em virologia; VIRÓLOGO: *Consultou um virologista.* [F.: *virologia* + *-ista.*]

virólogo (vi.*ró*.lo.go) *sm. Vir.* Especialista em virologia; VIROLOGISTA [F.: *vir(o)-* + *-logo.*]

virose (vi.*ro*.se) *sf. Med.* Infecção causada por vírus [F.: *vir(i/o)-* + *-ose.*]

viroso (vi.*ro*.so) [ô] *a.* **1** *Micbiol. Vir.* Diz-se de que tem vírus ou veneno (flores virosas); PEÇONHENTO; VENENOSO **2** Repugnante, nauseante, repulsivo [Ant.: *asseado, limpo.*] **3** Que tem mau cheiro; FÉTIDO [Ant.: *cheiroso, oloroso.*] **4** *Fig.* Nocivo, danoso, prejudicial (comportamento viroso) [Ant.: *benfazejo, favorável.*] [Pl.: [ó]. Fem.: [ó].] [F.: Do lat. *virosus, a, um.*]

virossoma (vi.ros.*so*.ma) *sm. Med. Vir.* Técnica ou procedimento de envolver uma vacina com membrana muito fina do vírus a ser combatido [F.: *vir(o)-* + *-soma.*]

virote (vi.*ro*.te) [ó] *sm.* **1** Seta curta e empenada **2** *Arm.* O ferro que nas antigas espadas existia transversalmente sobre os copos **3** *Ant. Náut.* Haste quadrada de madeira que é a peça principal da balestilha **4** *Náut.* Cada uma das peças das aposturas da popa que de alto a baixo fazem a conformação própria do painel e da almeida **5** *Fig. Fam.* Confusão, desordem, pressa, azáfama **6** *Fig. Fam.* Pessoa alta **7** Pessoa leviana [F.: *vira-* + *-ote.*]

virótico (vi.*ró*.ti.co) *a.* **1** Ref. a virose ou a vírus **2** Que dá origem à virose [F.: *virose* + *-ico.*]

virtual (vir.tu:*al*) ***a2g.*** 1 Que não existe no momento, mas pode vir a existir; POTENCIAL 2 Diz-se de algo cuja concretização é tida como certa: *Meu time é o virtual campeão desse ano.* 3 *Inf.* Que existe somente como efeito de uma representação ou simulação feita por programa de computador (museu virtual; realidade virtual) 4 *Fil.* Diz-se daquilo que está predeterminado e que contém as condições essenciais à sua realização 5 Suscetível de ser usado, de ser posto em funcionamento 6 Que equivale a outro; que pode exercer as funções de outro 7 *Ling.* Para a linguística saussuriana, tudo que pertence ao domínio da *língua* (por oposição à *fala*) [Pl.: *-ais.*] [F.: Do lat. medv. *virtualis.*]

virtualidade (vir.tu.a.li.*da*.de) ***sf.*** 1 Qualidade do que é virtual 2 Existência como potencialidade 3 Aquilo que é essencial; ESSÊNCIA [F.: *virtual- + -(i)dade.*]

virtualização (vir.tu:a.li.za.*ção*) ***sf.*** Ação ou resultado de virtualizar: *virtualização de operações bancárias.* [Pl.: *-ções.*] [F.: *virtualiza* r + *-ção.*]

virtualizado (vir.tu:a.li.*za*.do) ***a.*** 1 Que se virtualizou (ambiente virtualizado) 2 Criado ou realizado virtualmente: *operações bancárias virtualizadas.* [F.: Part. de *virtualizar.*]

virtualmente (vir.tu.al.*men*.te) ***adv.*** 1 De modo virtual 2 Provavelmente, possivelmente: *Está virtualmente eleito.* [F.: *virtual + -mente.*]

virtude (vir.*tu*.de) ***sf.*** 1 Qualidade daquilo que está de acordo com o que é considerado correto e desejável (do ponto de vista dos sistemas de moral, da religião, do dever etc.): *A paciência é uma das principais virtudes.* 2 Cada uma das qualidades morais, como a temperança, a modéstia, a generosidade, a justiça etc. 3 Qualquer qualidade considerada como muito boa, desejável 4 Aquilo que está de acordo com os princípios do bem, com a qualidade dos altos padrões morais 5 Capacidade de atingir objetivos com grande eficiência: *Reconhecia no arquiteto um profissional de grandes virtudes.* [Mais us. no pl.] 6 O exercício da virtude 7 Castidade, ger. com referência à mulher (às vezes us. de modo irônico): *A virtude da moça fora violada.* 8 Maneira séria, austera, de viver 9 Motivo, razão: *Resolvemos ficar em casa em virtude da chuva.* [Us. com a preposição em.] [F.: Do lat. *virtus, utis.*] ▪ **Em ~ de** Devido a, por causa de: *O jogo vai atrasar em virtude do temporal que caiu sobre a cidade.* **~ cardeal** 1 *Fil.* Segundo Platão, cada uma de quatro virtudes básicas que constituem o fundamento do Estado e do espírito humano: prudência, justiça, fortaleza e temperança 2 *Teol.* Cada uma dessas virtudes, assumidas pela doutrina cristã como base do comportamento e da vida moral **~ intelectual** *Fil.* Para Aristóteles, cada virtude associada ao saber teórico, adquirida com estudo, paciência e tempo, como fundamento do comportamento racional do homem [P. op. a *Virtude moral.*] **~ moral** *Fil.* Para Aristóteles, cada virtude associada à vida prática do homem, adquirida com a vontade, a experiência e o hábito (como a coragem, a amizade, a justiça etc.) [P. op. a *Virtude intelectual.*]

virtudes (vir.*tu*.des) ***sfpl.*** 1 *Rel. Teol.* A segunda das cinco ordens, ou coros, da hierarquia dos anjos 2 *Fil.* Disposições do espírito que levam à prática do bem [F.: pl. de *virtude.*] ▪ **~ teologais** *Rel. Teol.* No catolicismo, a fé, a esperança e a caridade

virtuose (vir.tu:*o*.se) [ô] ***s2g.*** 1 *Mús.* Músico que apresenta domínio excepcional da técnica de execução de um instrumento 2 Qualquer artista que demonstra grande domínio sobre os processos artísticos e técnicos da arte a que se dedica 3 *P. ext.* Qualquer profissional que demonstra ser excepcional naquilo que faz: *O novo jogador do Flamengo era um virtuose.* 4 *P. ext.* Qualquer pessoa que demonstra extrema habilidade naquilo que faz [F.: Do fr. *virtuose.* Sin. ger.: *virtuoso.*]

virtuosidade (vir.tu:o.si.*da*.de) ***sf.*** O talento do virtuose, o mesmo que *virtuosismo* [F.: *virtuoso + -(i)dade.*]

virtuosismo (vir.tu:o.*sis*.mo) ***sm.*** 1 Qualidade de virtuoso; VIRTUOSIDADE 2 Grande habilidade técnica na execução de uma arte, mas sem sentimento [F.: *virtuoso + -ismo.*]

virtuosista (vir.tu:o.*sis*.ta) ***a2g.*** *P. us.* O mesmo que *virtuosístico* (talento virtuosista) [F.: *virtuose + -ista.*]

virtuosístico (vir.tu:o.*sís*.ti.co) ***a.*** 1 Ref. ou inerente ao virtuosismo (aptidão virtuosística) 2 Em que há virtuosismo [F.: *virtuosista + -ico².*]

virtuoso¹ (vir.tu:*o*.so) [ô] ***a.*** 1 Que possui ou apresenta virtudes 2 Que tem a virtude como modelo, como inspiração: "... e nestas composições, virtuosas e frias como temas, o sincero coração da rapariga só transparecia nalguma florzinha, agora seca..." (Eça de Queirós, *Os Maias*) 3 Que produz o efeito desejado; que é eficaz 4 Que tem excelência ***sm.*** 5 Aquele que possui virtudes [F.: Do lat. ecles. *virtuosus, a, um.*]

virtuoso² (vir.tu:*o*.so) [ô] ***sm.*** Aquele que demonstra grande capacidade na execução de uma arte ou ofício, o mesmo que *virtuose* [F.: Do it. *virtuoso.*]

virucida (vi.ru.*ci*.da) ***a2g.*** 1 Diz-se de substância própria para exterminar vírus ***sm.*** 2 *Quím.* Essa substância [F.: *vir(o)- + -cida.* Sin. ger.: *viricida.*]

virulência (vi.ru.*lên*.ci:a) ***sf.*** 1 *Pat.* Capacidade de um microrganismo se multiplicar dentro do organismo, provocando doenças: *a virulência de uma bactéria.* 2 *P. ext.* O poder que tem um agente infeccioso de provocar lesão 3 *Fig.* Qualidade do que ou de quem está cheio de agressividade violenta: *A virulência do seu discurso chocou as testemunhas.* [F.: Do lat. *virulentia, ae.*]

virulento (vi.ru.*len*.to) ***a.*** 1 Ref. a vírus, ao que contém vírus ou ao que é produzido por vírus 2 *Pat.* Que tem alto poder patogênico (diz-se de microrganismos) 3 Que tem vírus ou veneno 4 Que se propaga ou pode se propagar causando doença 5 *Fig.* Cheio de ódio, rancor, violência (indivíduo virulento) [F.: Do lat. *virulentus, a, um.*]

vírus (*ví*.rus) ***sm2n.*** 1 *Biol.* Denominação comum a organismos diminutos causadores de várias doenças, e cuja característica principal é não possuir nenhuma atividade metabólica ou reprodutiva fora de uma célula hospedeira 2 *Inf.* Programa que se instala de maneira sub-reptícia em computadores, causando danos de vários tipos 3 *Fig.* Mal de caráter moral que pode contagiar: *O vírus da corrupção instalara-se em seu sangue.* [F.: Do lat. *virus, i.* Ideia de 'vírus': *vir (i /o)-.*] ▪ **~ da imunodeficiência humana** *Vir.* Designação de dois tipos de vírus da família dos retrovírus (o HIV 1 e o HIV 2), que causam a imunodeficiência (*AIDS*) ao destruir os linfócitos CD4, que usaram para se reproduzir **~ da vacínia** *Vir.* Vacínia (1) **~ de ação lenta** *Med. Vir.* Cada um de um grupo de vírus que ficam por longo tempo (meses ou anos) em latência, para atacar eletivamente um certo órgão ou tecido de uma certa espécie animal (inclusive o homem) e produzir doença que pode levar à morte **~ DNA** *Micbiol.* Cada um de vários vírus que tem no genoma o DNA (ou ADN, ácido desoxirribonucleico), que podem causar infecções como herpes simples, herpes-zoster, varicela, varíola etc. **~ filtrável** *Micbiol.* Designação de todo agente patogênico capaz de passar por filtros finos; ultravírus **~ RNA** *Micbiol.* Cada um de vários vírus que tem no genoma o RNA (ou ARN, ácido ribonucleico), que podem causar infecções como caxumba, sarampo, dengue etc.

📖 Os vírus são organismos microscópicos e muito agressivos como agentes de infecções. São de estrutura muito simples (não têm células, e por isso dependem de organismos celulares para se multiplicarem), formados basicamente de um núcleo de ácido nucleico (material genético) e um envoltório de proteína e, às vezes, lipídios. O vírus entra na célula hospedeira, injeta nela seu ácido nucleico e provoca a fabricação de mais ácido nucleico e de proteínas virais, que vão gerar novos vírus, que, por sua vez, vão infectar novas células, disseminando a infecção. O organismo infectado pode reagir com aumento de temperatura (febre) que inviabiliza a ação de certos vírus, ou com a produção de anticorpos (esp. o interferon), que impede a contaminação de células ainda não afetadas. Em geral o combate aos vírus é feito pelo próprio organismo (os remédios aliviam os sintomas, como a dor, a febre etc.), mas algumas drogas já combatem viroses específicas. Entre os vírus particularmente agressivos e danosos estão o HIV, que provoca a AIDS, e o ebola.

◎ **vis-** ***el. comp.*** = -vice: *visconde, viscondado* [F.: Do lat. *vice*, abl. de *vicis*, genit. de *vix.*]

visada (vi.*sa*.da) ***sf.*** 1 Ação ou resultado de visar; MIRADA; OLHADA; OLHADELA 2 *Fil.* Manifestação da intencionalidade da consciência em relação a um objeto (segundo a fenomenologia) 3 Em levantamento topográfico, observação do terreno por meio de instrumentos [F.: Fem. subst. de *visado.*]

visado (vi.*sa*.do) ***a.*** 1 Diz-se de cheque ou documento reconhecido ou autenticado por pessoa autorizada ou autoridade competente 2 Diz-se de pessoa sobre a qual se concentram atenções, suspeitas ou ameaças (político visado; traficante visado) 3 Que se tem em vista: *Eram aqueles os objetivos visados.* [F.: Part. de *visar.*]

visagem (vi.*sa*.gem) ***sm.*** 1 *Arq. Decor.* Cara ou cabeça que ornam chafarizes, frontais de igrejas etc.; CARRANCA 2 *Ant.* A parte anterior da cabeça; CARA; ROSTO 3 *Ant.* Viseira da peça da armadura que cobre a cabeça 4 Careta, esgar 5 *Bras.* Aparição, fantasma, assombração [Pl.: *-gens.*] [F.: Do fr. *visage.*]

visagento (vi.sa.*gen*.to) ***sm.*** *AM Folc.* Personagem mítico da mata ou da água em forma de animal, protetor da natureza contra depredadores [F.: *visagem + -ento.*]

visão (vi.*são*) ***sf.*** 1 Percepção de formas, cores e relações espaciais através do sistema de captação e elaboração de imagens, formado pelos olhos e pelo cérebro 2 Perspectiva a partir da qual se compreende e se avalia algo: *Sua visão política é muito limitada.* 3 Capacidade de perceber as coisas e suas significações, possibilidades etc.: *Era um empresário de visão.* 4 Pretensa aparição de ente sobrenatural: *Teve uma visão da Virgem.* 5 Pretensa imagem de acontecimento futuro ou passado: *Teve uma visão dos seus últimos momentos de vida; Teve uma visão da batalha de Waterloo.* 6 Concepção de situações, questões, problemas etc.; ponto de vista: *Tinha uma visão peculiar do socialismo.* 7 *Fig.* Figura impressionante, de grande beleza: *Metida naquelas roupas, a mulher era uma verdadeira visão.* 8 *Fig.* Desejo, expectativa, sonho: *Em suas visões do futuro, via-se numa bela casa no Caribe.* [Pl.: *-ões.*] [F.: Do lat. *visio, onis.* Ideia de 'visão': *opsi (o)-, opto-* e *visio (n); -posp, -blepsia, -ope, -opia, -opse, -opsia, -ópsia, -ópsico,* e *-óptico.*] ▪ **~ binocular** Visão obtida com a combinação de duas figuras que representam imagens tomadas de pontos diferentes, representadas na figura única em cores diferentes, e que, observada por meio de óculos com lentes de cores diferentes (cada uma filtra uma das cores da impressão) produz o efeito estereoscópico de três dimensões **~ de mundo** A compreensão do mundo e das coisas do mundo através de uma observação filtrada por ideias, experiências, ideologias etc. que imprimem senso crítico e generalização conceitual ao que observa e às conclusões daí tiradas

visar (vi.*sar*) ***v.*** 1 Ter como finalidade; PROPOR-SE [***td.:*** *A reunião visa escutar os condôminos.*] [***tr.*** + *a*: "... o trabalho sério do homem que visa ao futuro..." (José de Alencar, *Luciola*)] 2 Pôr o sinal de visto em; apor ou conseguir visto para validar ou autenticar um documento [***td.:*** *visar um cheque; visar um passaporte.*] 3 *Fig.* Ter como alvo [***td.:*** *O chute visava o gol.*] 4 Dirigir o olhar para; MIRAR [***td.:*** *Visou a maçã, e arrebatou-a da cesta.*] 5 *Fig.* Dirigir (comentário, elogio, insinuação etc.) em alguma direção [***td.:*** *O comentário do empresário visava diretamente os empregados.*] 6 Apontar arma ou disparar contra [***td.:*** *Empunhou a arma e visou o ladrão; Os tiros e as flechadas visavam os salteadores.*] [▶ 1 visar] [F.: Do fr. *viser.* Hom./Par.: *viso* (fl.), *viso* (sm.).]

⊕ **vis-à-vis** (*Fr. /visavi/*) ***adv.*** 1 Frente a frente; DEFRONTE: *Encontraram-se vis-à-vis e não se cumprimentaram.* ***prep.*** 2 Em relação a; em comparação com: *receita vis-à-vis despesas.* 3 Em frente a; diante de ***s2g2n.*** 4 Pessoa que está defronte de outra, à mesa, num bailado ou numa quadrilha: *Seu vis-à-vis na quadrilha dançava mal.* 5 Carruagem em que as pessoas se sentam umas defronte das outras ***a.*** 6 *Num.* Diz-se de moeda com dois retratos ou perfis opostos um ao outro

visavisar (vi.sa.vi.*sar*) ***v. td.*** Ficar frente a frente com [▶ 1 visavisar]

víscera (*vís*.ce.ra) ***sf.*** 1 *Anat.* Denominação comum aos órgãos situados no interior das cavidades abdominal, toráxica ou craniana 2 *Fig.* Âmago, a parte interior de qualquer coisa [F.: Do lat. *viscera, um.* Ideia de 'víscera': *esplacn (o)-* e *viscer (o)-.*]

visceral (vis.ce.*ral*) ***a2g.*** 1 Ref. ou pertencente a víscera(s) (doença visceral) 2 *Fig.* Que está profundamente arraigado, enraizado, entranhado: *Seu amor pela família era visceral.* [Pl.: *-rais.*] [F.: *víscera + -al.*]

visceralidade (vis.ce.ra.li.*da*.de) ***sf.*** 1 Característica, qualidade ou estado de visceral: "A visceralidade constitui uma dimensão corporal que é por natureza recessiva e ausente..." (Francisco Ortega, "Fenomenologia da visceralidade" in *Cadernos Saúde Pública, n. 6*, Rio de Janeiro nov. /dez. 2005) 2 *Fig.* Condição do que se encontra arraigado, profundo, entranhado (visceralidade de sentimentos) [F.: *visceral + -(i)dade.*]

visceralmente (vis.ce.ral.*men*.te) ***adv.*** 1 De modo visceral (visceralmente ligados) 2 Intrinsecamente, intimamente, profundamente: *talento visceralmente arraigado.* [F.: *visceral + -mente.*]

vísceras (*vís*.ce.ras) ***sfpl.*** 1 *Anat.* Os órgãos internos de uma pessoa ou de um animal; ENTRANHAS; INTESTINOS: "...para expelir comodamente a bílis fétida que lhe acumulou nas vísceras o despeito, o ódio..." (Júlio Ribeiro, *Cartas sertanejas*) 2 *Fig.* Parte ger. oculta de processo ou instituição: *A reportagem revelava as vísceras do poder.* [F.: Pl. de *víscera.*]

viscerotomia (vis.ce.ro.to.*mi*:a) ***sf.*** *Cir. Pat.* Incisão em víscera: *técnicas de viscerotomia para o diagnóstico de doenças.* [F.: *viscer(o)- + -tomia.*]

viscerotômico (vis.ce.ro.*tô*.mi.co) ***a.*** *Cir. Pat.* Ref. ou inerente à viscerotomia (corte viscerotômico) [F.: *viscerotomia + -ico².*]

◎ **visci-** (vis.*ci*-) ***pref.*** = 'visco': *viscido, viscidez, viscívoro* [F.: Do lat. *viscum, i.*]

visco (*vis*.co) ***sm.*** 1 *Bot.* Nome comum às plantas hemiparasitas do gên. *Viscum*, da fam. das viscáceas, como, p. ex, *Viscum album*, encontrada na Europa e no oeste da Ásia, parasita de várias espécies de árvores 2 Qualquer seiva ou suco vegetal viscoso, pegajoso; VISGO 3 *Fig.* Engodo, isca [F.: Do lat. *viscum, i.* Ideia de 'visco': *visc (i)-* e *visg (u)-.*]

viscondado (vis.con.*da*.do) ***sm.*** 1 Título ou dignidade de visconde ou viscondessa 2 A jurisdição de um visconde ou as terras de sua propriedade [F.: *visconde + -ado.*]

visconde (vis.*con*.de) ***sm.*** 1 Título nobiliárquico imediatamente superior ao de barão e inferior ao de conde 2 O portador desse título [Fem.: *viscondessa*] [F.: Do baixo-latim *vice comitis.*]

viscondessa (vis.con.*des*.sa) [ê] *Nobil.* ***sf.*** 1 Mulher ou viúva de visconde 2 Mulher que tem título correspondente ao de visconde 3 Antiga senhora de viscondado [F.: *visconde- + -essa.*]

viscosamente (vis.co.sa.*men*.te) ***adv.*** De maneira viscosa: "Serpente... mais grossa que um tronco... lentamente, viscosamente subia." (Eça de Queirós, *Últimas páginas*) [F.: *viscoso (-o >-a) + -mente.*]

viscose (vis.*co*.se) [ó] ***sf.*** 1 *Quím.* Solução viscosa, pegajosa, marrom-áurea, obtida pelo tratamento da celulose e us. na fabricação de raiom e celofane 2 *Têxt.* Fio ou tecido feito de viscose [F.: Do ing. *viscose.*]

viscosidade (vis.co.si.*da*.de) ***sf.*** 1 Qualidade de viscoso; VISCIDEZ 2 Qualquer coisa viscosa, pegajosa 3 *Fís.* Propriedade pela qual as partículas de uma substância aderem umas às outras 4 *Fís.* Resistência que qualquer fluido real oferece ao movimento relativo de uma de suas partes [F.: Do lat. medv. *viscositas, atis.* Ideia de 'viscosidade': *blen(i/o)-, ix(i/o)-*e *-oglia.*] ▪ **~ cinemática** *Fís.* Razão entre a viscosidade dinâmica e a massa volumétrica **~ dinâmica** *Fís.* Força tangencial necessária para dar velocidade relativa = 1 à área unitária de duas camadas planas de um fluido, separadas por unidade de medida, que se deslocam paralelamente uma à outra ~ **específica** *Fís-quím.* Numa solução, a diferença entre a viscosidade relativa e a unidade, dividida pela concentração da solução ~ **intrínseca** *Fís-quím.* Limite da viscosidade específica de uma solução quando a concentração dessa solução tende para zero ~ **relativa** *Fís.* Razão entre a viscosidade de um fluido (solução) pela de outro tomado como referência (solvente)

viscosimetria (vis.co.si.me.*tri*.a) [ô] *sf. Fís. Metrol.* Medida da viscosidade de um fluido, com emprego do viscosímetro [F.: *viscoso* + *-i-* + *-metria.*]

viscosímetro (vis.co.*sí*.me.tro) *sm. Metrol. Tec.* Aparelho que mede viscosidade dos fluidos, us. na viscosimetria; IXÔMETRO [F.: *viscoso-* + *-i-* + *-metro.*]

viscoso (vis.*co*.so) [ô] ***a.*** **1** Que tem visco **2** Pegajoso ou grudento (diz-se de substância): *O mingau estava viscoso.* **3** Diz-se de fluido que é muito espesso e escorre lentamente (suco viscoso) **4** Que foi recoberto com uma camada pegajosa (corrimão viscoso) **5** *Fig.* Que é insistente, maçante, inconveniente: *Queria se livrar daquele tipo viscoso.* [Pl.: [ó]. Fem.: [ó].] [F.: Do lat. *viscosus, a, um.* Sin. ger.: *aderente, glutinoso, pegadiço, pegajoso, peguento, visgoso, visguento.*]

viseira (vi.*sei*.ra) *sf.* **1** Em capacete ou elmo, peça móvel de proteção que fica na frente dos olhos ou de todo o rosto **2** Em boné ou chapéu, prolongamento horizontal da borda anterior, que protege o rosto da incidência de raios solares, aba **3** Peça de tecido, plástico ou outro material, destinada a proteger o rosto dos raios solares **4** *Fig.* Aparência ou expressão do rosto, semblante: *Ao se virar, exibiu uma viseira carrancuda.* **5** *Fig.* Aquilo que disfarça ou oculta: *Sua aparente delicadeza serve de viseira aos seus instintos baixos.* **6** *Mil.* Abertura em carro de combate, através da qual os tripulantes veem o que se passa lá fora [F.: Do fr. *visière.*] ■ **De ~ caída** Circunspecto, carrancudo, de cara fechada

visgado (vis.*ga*.do) ***a.*** **1** Que se visgou, se atraiu para si (visgada pela luz; visgado pela moça) **2** Diz-se do que tem visgo [F.: Part. de *visgar.*]

visgo (*vis*.go) *sm.* **1** Ver *visco*; ERVA-DE-PASSARINHO; VISCO **2** Ver *viscosidade.* **3** *Bot.* Arbusto da fam. das leguminosas, subfam. cesalpinioídea (*Chamaecrista hispidula*), encontrado no Brasil e nas Guianas, com resina viscosa, folhas de quatro folíolos, flores amarelas, arranjadas em cachos, e legumes setosos **4** Ver *erva-de-passarinho* [F.: Do lat. *viscum, i.*]

visgoso (vis.*go*.so) [ô] ***a.*** O mesmo que *viscoso* [Pl.: [ó] Fem.: [ó].] [F.: *visgo* + *-oso.*]

visgueira (vis.*guei*.ra) *sf. Bras.* Tipo de armadilha para apanhar pássaros, com uma haste de madeira envolta em visgo presa a um galho de árvore e um engodo em uma das extremidades [F.: *visgo* + *-eira.*]

visgueiro (vis.*guei*.ro) *Bot. sm.* **1** Denominação de diversas árvores do gên. *Parkia* (*Parkia pendula, Parkia platycephala*), da fam. das leguminosas, subfam. mimosoídea, de vagens com sementes grudadas a uma substância visguenta e ger. fétida, us. para capturar pequenos pássaros; FAVA-DE-BOLOTA **2** *AM* Árvore leguminosa, nativa do Brasil, com casca anti-hemorrágica e antisséptica; tb. *araratucupi* (*Parkia oppositifolia*) [F.: *visgo-* + *-eiro.*]

visguento (vis.*guen*.to) ***a.*** **1** Que contém visgo, viscoso **2** Que é pegajoso (cola visguenta) **3** Que tem consistência entre líquida e pastosa (xarope visguento) [F.: *visgo* + *-ento.*]

visibilidade (vi.si.bi.li.*da*.de) *sf.* **1** Qualidade ou caráter do que é visível, do que pode ser percebido pelo olhar: *A nova fachada dará maior visibilidade ao prédio.* **2** Percepção pelo sentido da visão: *O novo prédio tirou a visibilidade da praça.* **3** *Met.* Qualidade da transparência do ar: *A cerração diminuiu muito as condições de visibilidade.* **4** Condição daquilo que é percebido sem grande esforço: *A oposição queria uma política exterior com maior visibilidade.* **5** Condição ou qualidade do que se apresenta tal como é, sem tentativa de ocultação, disfarce ou engodo; TRANSPARÊNCIA: *O ministro exigiu visibilidade na apuração da denúncia.* [F.: Do lat. *visibilitas, atis.*]

visibilíssimo (vi.si.bi.*lís*.si.mo) ***a.*** Muitíssimo visível (horizonte visibilíssimo) [Superl. abs. sint. de *visível.*] [F.: *visível* (*-vel* > *-bil(i)-*) + *-íssimo.*]

visiense (vi.si.*en*.se) ***s2g.*** **1** Indivíduo nascido ou que vive em Viseu (Portugal) ***a2g.*** **2** De Viseu; típico dessa cidade ou de seu povo [F.: Do top. *Viseu* + *-iense.*]

visigodo (vi.si.*go*.do) [ô] ***sm.*** **1** Pessoa pertencente aos visigodos, ramo dos godos do Ocidente que surgiu no séc. IV na região do Danúbio e conquistou Roma, a Gália e parte da Espanha, até ser dominado pelos árabes ***a.*** **2** Dos ou ref. aos visigodos (indumentária visigoda; exército visigodo) [F.: Do lat. *visigothi, orum.*]

visigótico (vi.si.*gó*.ti.co) ***a.*** Ref., inerente a ou próprio dos visigodos (escrita visigótica); VISIGODO [F.: Do lat. *visigothi* + *-ico*[2].]

visiômetro (vi.si.*ô*.me.tro) ***sm.*** *Antq. Ópt.* Instrumento óptico us. para avaliar as características do globo ocular de uma pessoa, medir a acuidade da visão e determinar a escolha de vidros ou lunetas apropriados [F.: *visio(n)-* + *-metro.*]

visionar (vi.si:o.*nar*) ***v.*** **1** Avistar ou aperceber-se de (algo) com certa dificuldade; entrever [***td.:*** *Visionou os animais ao longe; Visionou rapidamente as dificuldades que encontraria.*] **2** Ter visões; criar fantasias [***int.:*** *Era um sonhador, vivia de visionar.*] **3** Examinar ou analisar (algo) em aparelho óptico [***td.***] [▶ 1 visionar] [F.: *visão* + *-ar*. Hom./Par.: *visionaria(s)* (fl), *visionária* (f. *visionário*, a., sm. e pl.).]

visionário (vi.si:o.*ná*.ri:o) ***a.*** **1** Que tem ou alega ter visões **2** Que tem novas ideias ou descortina novos horizontes: *Era um político empreendedor e visionário.* **3** Que tem ideias ou projetos idealistas, grandiosos, de realização difícil ou impossível: *Suas ideias não dariam certo pois procediam de uma mente visionária.* ***sm.*** **4** Indivíduo que tem visões **5** Indivíduo utopista, devaneador [F.: Do fr. *visionnaire.* Hom./Par.: *visionária* (fem.), *visionaria* (fl. de *visionar*).]

visionarismo (vi.si:o.na.*ris*.mo) ***sm.*** **1** Característica, qualidade ou estado de visionário (visionarismo político; visionarismo filosófico) **2** *Fig.* O mesmo que *ilusão* [F.: *visionário* + *-ismo.*]

visita (vi.*si*.ta) *sf.* **1** Ida a algum lugar com o fim de encontrar alguém, conhecer esse lugar ou realizar algum tipo de inspeção ou exame: *Fez uma visita ao primo; Fez uma visita a Cabo Frio.* **2** A pessoa que realiza essa ação: *As visitas saíram tarde.* **3** Comparecimento de um médico à casa de um cliente **4** *P. ext.* Comparecimento de um profissional para examinar o defeito de uma máquina ou equipamento e dar orçamento do conserto: *Esse bombeiro-eletricista não cobra pela visita.* **5** *Bras.* O mesmo que *menstruação* **6** *Ent.* Inseto coleóptero da fam. dos cerambicídeos; SERRA-PAU; TOCA-VIOLA **7** *Antq.* Antigo tributo que o anfiteuta pagava ao senhorio, e que consistia de uma quantidade de gêneros alimentícios **8** *Cons.* Abertura dotada de tampa removível nas cisternas e caixas-d'água, por onde se pode entrar para vistoria ou limpeza [F.: Regress. de *visitar*. Hom./Par.: *visita* (sf.), *visita* (fl. de *visitar*).] ■ **De ~** De passagem, por curto período **Pagar uma ~** Retribui (alguém) visita, visitando quem o visitou **Receber ~** Ser visitado **~ da cegonha** *Fam.* Nascimento de um filho **~ da saúde** Melhora ilusória de doente grave ou terminal, que ger. antecede sua morte **~ de médico** *Bras. Fam.* Visita breve, de pouca duração

visitação (vi.si.ta.*ção*) *sf.* **1** Ação ou resultado de visitar; VISITA: *O teatro foi aberto à visitação pública.* **2** Designação de ordem religiosa feminina fundada, no séc. XVII, por São Fracisco de Sales [Nesta acp., com inicial maiúsc.] **3** Obra de artes plásticas que representa a visita de Maria a Isabel [Nesta acp., com inicial maiúsc.] **4** *Ant. Rel.* Comparecimento do tribunal do Santo Ofício para investigar e punir casos de blasfêmia ou de imoralidade: "As confissões e denúncias reunidas pela visitação do Santo Ofício às partes do Brasil..." (Gilberto Freyre, *Casa-grande & senzala*) [Pl.: *-ções.*] [F.: Do lat. tardio visitatione.]

visitado (vi.si.*ta*.do) ***a.*** Que recebeu a visita de uma ou mais pessoas: *Foi visitado pelo pai; O jardim foi visitado por milhares de pessoas.* [F.: Part. de *visitar.*]

visitador (vi.si.ta.*dor*) [ô] ***a.*** **1** Que visita; que faz visita a alguém ou a algum lugar ***sm.*** **2** Aquele que visita **3** Profissional encarregado de inspeção, inspetor [F.: *visita* + *-or.*]

visitandina (vi.si.tan.*di*.na) *sf.* Religiosa da ordem da Visitação; VISITANTE [F.: Do fr. *visitandine.*]

visitante (vi.si.*tan*.te) ***a2g.*** **1** Que visita alguém ou algum lugar; VISITADOR ***s2g.*** **2** Aquele que visita um país, uma instituição ou lugar com o propósito de ver e informar-se **3** *Rel.* Nas igrejas evangélicas, qualquer membro que visita uma igreja de outra denominação [F.: Do lat. *visitans, antis.*]

visitar (vi.si.*tar*) ***v. td.*** **1** Fazer visita a (alguém): *Visitou o tio; A vendedora visitou dez casas; Os primos visitavam-se sempre.* **2** Conhecer (lugares, países etc.) por curiosidade ou a negócio: *Visitou Paris pela primeira vez.* **3** Inspecionar, fiscalizar: *Os fiscais visitaram todos os bares do bairro.* **4** Revelar (Deus) a sua cólera ou a sua graça a **5** Procurar atendimento médico ou ser visto por ele **6** *Fig.* Aparecer, surgir: *Era sempre visitado pelo desânimo.* [▶ 1 visitar] [F.: Do lat. *visitare.* Hom./Par.: *visita(s)* (fl.), *visita(s)* (sf. [pl.]).]

visível (vi.*sí*.vel) ***a2g.*** **1** Que pode ser visto, avistado: *cometa visível a olho nu:* "Um rosto aberto, um ombro nu, num busto visível pela metade, meias transparentes em pernas esbeltas..." (Kurban Said, *Ali e Nino*) **2** Que pode ser percebido com grande facilidade por ser evidente: *O medo era visível em seu rosto.* **3** Fácil de descobrir, de deduzir: *Era visível que o rapaz estava mentindo.* **4** Que se destaca; que sobressai: *A frase curta era a característica mais visível de seu estilo.* [Pl.: *-veis.*] [F.: Do lat. *visibilis, e.* Ant. ger.: *invisível.* Ideia de 'visível': *faner(o)-, fan(o)-, fen(o)-, -fano* e *-feno.*]

visivelmente (vi.si.vel.*men*.te) ***adv.*** **1** De modo visível: *O horizonte estava visivelmente carregado.* **2** Claramente, evidentemente: *Visivelmente não queria ser importunado.* [F.: *visível-* + *-mente.*]

visivo (vi.*si*.vo) ***a.*** **1** *Oft.* Ref., inerente ou pertencente à vista (deficiência visiva); VISUAL **2** *P. us.* Que é visto, que pode ser visto (planeta visivo); VISÍVEL **3** *P. us.* Que se vê efetivamente; VISÍVEL [F.: Do lat. *visus, a, um* 'visto' + *-ivo.*]

vislumbrado (vis.lum.*bra*.do) ***a.*** **1** Que (se) vislumbrou **2** Visto indistintamente; ENTREVISTO: *silhueta vislumbrada na névoa.* **3** Conhecido ou entendido indistintamente (solução vislumbrada); CONJECTURADO [F.: Part. de *vislumbrar.*]

vislumbrar (vis.lum.*brar*) ***v.*** **1** Ver sem nitidez; ENTREVER [***td.:*** *Na escuridão, apenas o brilho da lua deixava vislumbrar o triste lugarejo.*] **2** *Fig.* Começar a perceber [***td.:*** *Vislumbrava uma saída para o problema.*] **3** *Fig.* Parecer, assemelhar-se, lembrar [***td.:*** *Esse jardim vislumbra os pátios espanhóis.*] **4** Apresentar pequeno clarão; iluminar mal [***td.:*** *A vela vislumbra o aposento.*] [***int.:*** *No casebre, o lampião vislumbrava.*] **5** Começar a ser visto, percebido; ENTREVER-SE; SURGIR; APARECER [***int.:*** *A compaixão vislumbra em seu peito; A lua vislumbra atrás dos coqueiros.*] [F.: Do espn. *vislumbrar*. Hom./Par.: *vislumbre(s)* (fl.), *vislumbre(s)* (sm. [pl.]).]

vislumbrável (vis.lum.*brá*.vel) ***a2g.*** Que se pode vislumbrar [Pl.: *-veis.*] [F.: *vislumbrar* + *-vel.* Hom./Par.: (pl.) *vislumbráveis, vislumbráveis* (fl. de *vislumbrar*).]

vislumbre (vis.*lum*.bre) ***sm.*** **1** Clarão de luz tênue e fugaz: *Percebia, ao longe, o vislumbre do farol.* **2** Compreensão intuitiva de algo: *Teve um vislumbre da solução do problema.* **3** Indício ou sinal fraco de algo: *Aquilo era apenas um vislumbre do que estava por vir.* **4** Vestígio, sinal: *Deixava transparecer um vislumbre de inveja.* **5** Semelhança, parecença: *Tem uns vislumbres do pai.* [F.: Do esp. *vislumbre.* Hom./Par.: *vislumbre* (sm.), *vislumbre* (fl. de *vislumbrar*).]

viso (*vi*.so) ***sm.*** **1** Aspecto ou aparência de alguém ou algo **2** Pequena porção ou vestígio de algo (visos de sabedoria) **3** O ponto mais alto de uma elevação; CUME; CIMO: *A lua pairava suspensa no viso da serrania.* **4** Maneira de ver as coisas; opinião, ponto de vista **5** Outeiro, cabeço **6** *RS* Saia que se veste por baixo de outra [F.: Do lat. *visum, i.* Hom./Par.: *viso* (sm.), *viso* (fl. de *visar*).]

visomotor (vi.so.mo.*tor*) [ô] ***a.*** *Oft.* Ref., inerente a ou próprio dos movimentos da vista (teste visomotor; deficiência visomotora) [F.: *viso-* + *-motor.*]

⊕ **vison** (*Fr.* /vizom/) ***sm.*** **1** *Zool.* Mamífero carnívoro, mustelídeo (*Mustela vison*), semelhante à doninha, de pelagem pardacenta, macia e lustrosa; em estado selvagem é encontrado na América do Norte **2** Pele desses animais que varia na cor de branco a marrom-escuro; o abrigo feito com essa pele: *Os visons têm alto preço no mercado da moda.* [F.: Do fr. *vison.*]

visonha (vi.*so*.nha) *sf.* **1** Visão ou aparição de figura de aspecto apavorante **2** Fantasma, espectro, visagem [F.: *visão* + med *onha*, fem. de *med onho.*]

visor (vi.*sor*) [ô] ***a.*** **1** Que possibilita que se veja, que ajuda a ver (ângulo visor) ***sm.*** **2** Aquilo que permite que se veja **3** Em aparelhos eletrônicos, dispositivo que exibe para o usuário informações acerca das operações realizadas ou dados de outra natureza **4** *Ópt.* Em aparelhos ópticos (câmeras fotográficas, filmadoras, binóculos etc.) dispositivo que exibe imagem daquilo que está focado pelas lentes **5** Dispositivo em que se apresentam dados sobre o funcionamento de determinado aparelho, o mesmo que *mostrador* [F.: Do fr. *viseur.*]

víspora (*vís*.po.ra) *Bras. Lud. sf.* Jogo de azar em que se preenchem cartelas a partir do sorteio de números; BINGO; LOTO; QUINO [F.: De *víspere*. Hom./Par.: *víspora* (sf.), *vispora* (fl. de *visporar*).]

vista (*vis*.ta) *sf.* **1** O sentido da visão: *Só quem tem boa vista lê as letrinhas da bula.* **2** O globo ocular: *Sentia dores na vista.* **3** Paisagem que se vê a partir de algum ponto: *O apartamento tinha vista para o mar.* **4** O que se vê: *A vista do obstáculo fez o motorista desviar.* **5** Panorama, cenário: *Esse vale é uma linda vista!* **6** Abertura, fenda ou ponto pelo qual se pode avistar alguma coisa: *Abriram vistas na parte de cima da muralha.* **7** Foto de uma paisagem: *Tinha nas mãos uma linda vista da praia de Copacabana.* **8** Opinião que se tem sobre um assunto, ponto de vista **9** A pintura, o desenho de uma paisagem: *Pintou uma linda vista da praia.* **10** Maneira como as coisas se apresentam ao olhar: *Ficou olhando a vista dos engradados sobre a mesa.* **11** Pequena acha de lenha que ilumina o interior de um forno **12** Debrum de tonalidade diferente da cor do tecido ao qual foi aplicado **13** Abertura no capacete à altura dos olhos, para que se possa enxergar **14** Cenário teatral **15** *Jur.* Entrega dos autos do processo ao interessado, para que ele tome conhecimento de seu conteúdo e se pronuncie a respeito: *O advogado pediu vista do processo.* ***sfpl.*** **16** Finalidade que se tem em mira; OBJETIVO: *Tendo em vistas esse propósito, preferiu ir adiante.* [F.: Fem. substv. de *visto.* Ideia de 'vista': *opto-* e *-blepsia.*] ■ **Abrir ~** *Jur.* Registrar nos autos a abertura de vista do processo **A perder de ~** **1** Até muito longe, longe a ponto de a vista não alcançar **2** A longuíssimo prazo (diz-se de crédito, pagamentos parcelados etc.) **À primeira ~** **1** Logo na primeira vez em que (algo ou alguém) é visto: *amor à primeira vista.* **2** A se considerar a primeira impressão (de algo): *À primeira vista, o plano parece bom.* **3** *Fig.* Sem muita reflexão ou estudo prévio **À simples ~** **1** Ver *À vista desarmada* **2** *Fig.* Ver *À primeira vista (3)* **Até a ~** Até breve, até o próximo encontro **à ~** **1** Ao alcance da vista: *Terra à vista.* **2** Na presença (de alguém), em lugar em que se possa ver: *Pode brincar, mas à vista de seu irmão.* **3** Pago de uma só vez, no ato da compra [P. op. a *a prazo* e *a crédito*.] **4** Diz-se de títulos de crédito resgatáveis contra sua apresentação **À ~ desarmada** Sem uso de qualquer aparelho óptico (para enxergar algo); a olho nu **Com ~(s) a** Palavras com que se encaminham documentos, requerimentos, relatórios etc. a autoridade, instituição, repartição etc. **Dar na(s) ~(s)** Chamar a atenção, ser notado **De encher a ~** Muito bonito, vistoso, bem-apresentado etc. **Fazer ~** Chamar a atenção pela boa aparência **Fazer ~(s) grossa(s) a** Fingir não ver, mesmo vendo **Haja (em) ~** Tenha-se em vista, considere-se, leve-se em conta: *Saiu barato, haja vista todo o tempo que se economizou.* **Saltar à ~** Ser claro e evidente, saltar aos olhos **Ter em ~ 1** Ter como objetivo, visar a, tencionar: *Tinha em vista mudar logo de emprego.* **2** Considerar, atender a: *medidas que têm em vista as necessidades da empresa.* **~ aérea** Visão de algo a partir de um ponto de vista elevado **~ cansada** *Pop. Oft.* Presbiopsia; dificuldade em enxergar bem objetos próximos **~ curta** *Pop. Oft.* Miopia; dificuldade em enxergar bem objetos distantes **Fig.** Pouca capacidade de percepção, pouca perspicácia

vista-d'olhos (vis.ta-*d'o*.lhos) [ó] *sf.* Ação de olhar rapidamente; relancear de olhos; OLHADELA: *Deu uma vista-d'olhos no jornal e saiu.* [Pl.: *vistas-d'olhos.*]

vistas (*vis*.tas) *sfpl.* **1** Planos, objetivos que se têm em vista: *Tem vistas de obter o emprego.* **2** *Teat.* Decoração de cenário [F.: pl. de *vista.*]

visto (*vis*.to) *a.* **1** Que se viu; que foi percebido pela visão: *O ladrão foi visto por todo mundo.* **2** Que foi considerado: *Seu ato foi visto com maus olhos.* **3** Que é versado em algum assunto; SABEDOR: "...gente muito vista em gramáticas..." (Machado de Assis, *Memórias póstumas de Brás Cubas*) *sm.* **4** Permissão para entrada ou permanência em país estrangeiro: *Obteve visto para ir aos Estados Unidos.* **5** Carimbo, selo ou assinatura que comprovam que um documento foi examinado por autoridade competente e reconhecido como válido: *A petição recebeu o visto e foi encaminhada a outro departamento.* *prep.* **6** Em razão de: *Visto que você não vai mais, vou sozinho.* [F.: Do lat. *vistus*, part. de *videre.*] **▪▪ Pelo ~** A julgar pelo que se vê, ou pelo que se sabe; ao que tudo indica **~ que** Já que, dado que, uma vez que

vistoria (vis.to.*ri*:a) *sf.* **1** Inspeção ou revista, de caráter oficial ou não, em empresa, local, veículo etc.: *Os fiscais sanitários fizeram a vistoria da lanchonete; O mecânico fez a vistoria do carro.* **2** *Jur.* Procedimento jurídico, realizado por peritos na presença de um juiz, destinado a inspecionar coisas ou locais em busca da solução de um litígio [F.: *vistor* + *-ia*[1]. Hom./Par.: *vistoria* (sf.), *vistoria* (fl. de *vistoriar*).] **▪▪ ~ clínica** *Check-up*

vistoriado (vis.to.ri.*a*.do) *a.* Que se vistoriou, em que se fez vistoria (veículo vistoriado; imóvel vistoriado); EXAMINADO; INSPECIONADO [F.: Part. de *vistoriar.*]

vistoriamento (vis.to.ri.a.*men*.to) *sm.* **1** Ação, processo ou resultado de vistoriar: "...doação de lonas e celeridade no vistoriamento de novas áreas para assentamento..." (*Correio da Bahia*, 28.09.2005) **2** Inspeção, fiscalização: *As ligações só serão executadas após o vistoriamento e a aprovação do ramal interno.* [F.: *vistoriar* + *-mento.*]

vistoriar (vis.to.ri.*ar*) *v. td.* **1** Fazer vistoria, inspeção: *O delegado vistoriou o local do assalto.* **2** *P. ext.* Examinar, cuidar de (algo): *Mandava vistoriar o helicóptero uma vez por mês.* [▶ 1 vistoriar] [F.: *vistoria* + *-ar*. Hom./Par.: *vistoria(s)* (fl.), *vistoria(s)* (sf. [pl.]).]

vistosamente (vis.to.sa.*men*.te) *adv.* **1** De modo vistoso: *Surgiu vistosamente elegante.* **2** Com muitos enfeites, com adornos pomposos: *praça vistosamente embandeirada.* [F.: *vistoso (-o > -a)* + *-mente.*]

vistosidade (vis.to.si.*da*.de) *sf.* Característica, qualidade ou estado de vistoso (vistosidade dos trajes; vistosidade de sentimentos): "...que promovia a defesa da edificação presente, em seu corrido frontispício, de aparência quase arábica, sobrepujado por aquele brasão esquartelado, de desconforme vistosidade." (Mário Cláudio, *A Quinta das Virtudes*) [F.: *vistoso-* + *-i-* + *-dade.*]

vistoso (vis.*to*.so) [ô] *a.* **1** Que atrai a atenção por sua beleza ou aparência fora do comum (homem vistoso) **2** Que chama a atenção por seu aspecto luxuoso (casa vistosa) **3** Que agrada a vista **4** Que se revela aparatoso, ostentatório: *Era um carro vistoso, mas de mau gosto.* [Pl.: [ó]. Fem.: [ó].] [F.: *vista* + *-oso.*]

visual (vi.su:*al*) *a2g.* **1** Ref. à visão ou obtido por meio dela (memória visual) **2** Que é repleto de imagens vivas, expressivas: *Fez uma descrição muito visual do acidente.* **3** Que apreende melhor as coisas por meio do sentido da visão [Cf.: *auditivo.*] *s2g.* **4** Pessoa que possui essa característica *sm.* **5** *Bras. Pop.* Aspecto, aparência: *Esse penteado vai melhorar seu visual.* **6** Aquilo que uma pessoa vê; VISTA; PANORAMA: *Do alto da torre tinha um belo visual do bairro.* [Pl.: *-ais.*] [F.: Do lat. tardio *visualis, e.*]

visualidade (vi.su:a.li.*da*.de) *sf.* **1** Característica, qualidade ou estado de visual ou visível; VISIBILIDADE **2** Imagem mental; VISUALIZAÇÃO [F.: Do lat. *visualitas, atis.*]

visualista (vi.su:a.*lis*.ta) *a2g.* Ref. ou inerente a visual (estética visualista; estilo visualista) [F.: *visual* + *-ista.*]

visualização (vi.su:a.li.za.*ção*) *sf.* **1** Ação ou resultado de visualizar: *Divertia-se em fazer a visualização de seu projeto de viagem.* **2** Ato de transformar em imagem mental conceitos abstratos **3** Ato de converter formas visíveis em conceitos **4** Processo ou técnica de tornar algo perceptível à visão [Pl.: *-ções.*] [F.: *visualizar* + *-ção.*]

visualizado (vi.su:a.li.*za*.do) *a.* Que se visualizou; que se tornou visível: *A história contada foi visualizada pelo cineasta.* [F.: *visualizar* + *-ado.*]

visualizar (vi.su:a.li.*zar*) *v. td.* **1** Formar imagem mental; IMAGINAR: *Enquanto a mãe lia, a menina visualizava a história.* **2** Tornar visível graficamente ou com qualquer recurso: *Visualizar o crescimento populacional através de gráficos; Visualizou o texto escrito em 'tinta invisível' passando o papel a ferro.* [▶ 1 visualizar] [F.: *visual* + *-izar.*]

visualizável (vi.su:a.li.*zá*.vel) *a.* Que se pode visualizar; passível de visualização [Pl.: *-veis.*] [F.: *visualizar* + *-vel*. Hom./Par.: (pl.) *visualizáveis, visualizáveis* (fl. de *visualizar*).]

visualmente (vi.su.al.*men*.te) *adv.* **1** De modo visual: *Expôs visualmente a equação.* **2** Por meio da vista, com os olhos (visualmente vislumbrado) **3** Em relação à vista ou à visão (visualmente deficiente) [F.: *visual* + *-mente.*]

◎ **vit-** *el. comp.* = vitória, *vitorioso*

vitácea (vi.*tá*.ce:a) *sf. Bot.* Espécime das vitáceas, fam. da ordem das ramnales com cerca de 14 gên. e 850 espécies de trepadeiras lenhosas ou herbáceas nativas de regiões tropicais e subtropicais, entre elas a videira (*Vitis vinifera*), de folhas simples, palmadas ou pinadas, caules providos de gavinhas, pequenas flores esverdeadas em racemos, com bagas sucosas polispérmicas [F.:. Do lat. cien. fam. *Vitaceae.*]

vitáceo (vi.*tá*.ce:o) *a. Bot.* Ref. às vitáceas [F.: *vit(ácea)* + *-áceo.*]

vital (vi.*tal*) *a2g.* **1** Ref. a vida (ciclo vital) **2** Que torna possível a manutenção da vida (funções vitais) **3** Que faz com que algo tenha vida ou vigor: *A liberdade de expressão é um princípio vital da democracia.* **4** Que é essencial, fundamental: *Aquilo era de vital importância para o seu sucesso.* **5** Que tem importância primordial: *Naquela emergência, a presença de um especialista era vital.* [Pl.: *-tais.*] [F.: Do lat. *vitalis, e.*]

vitaliciedade (vi.ta.li.ci:e.*da*.de) *sf.* **1** Qualidade do que é vitalício, daquilo que dura a vida toda **2** *Jur.* Garantia que a Constituição concede a certos titulares de funções públicas, civis e militares de permanecerem em seus cargos até a aposentadoria compulsória, só perdendo essas funções por razões legais estabelecidas pelo Poder Judiciário **3** Esse tipo de garantia estabelecido por qualquer organização ou empresa [F.: *vitalício* + *-i-* + *-edade.*]

vitalício (vi.ta.*lí*.ci:o) *a.* **1** Que vale ou dura por toda a vida (direito vitalício) **2** Que tem a garantia legal da vitaliciedade (cargo vitalício) [F.: *vital* + *-ício.*]

vitalidade (vi.ta.li.*da*.de) *sf.* **1** Qualidade ou condição daquilo que tem vida, vigor **2** Esse próprio vigor: *A vitalidade da economia surpreendeu os analistas.* **3** A totalidade das funções vitais do organismo **4** Vigor, força, energia (do ponto de vista físico, mental e espiritual): *Centroavante de grande vitalidade; Possuía admirável vitalidade intelectual.* [F.: Do lat. *vitalitas, atis.*]

vitalina (vi.ta.*li*.na) *sf. N. E. Pop.* Mulher madura que não se casou; SOLTEIRONA [F.: Provavelmente do antr. *Vitalina.*]

vitalismo (vi.ta.*lis*.mo) *sm.* **1** *Fil.* Doutrina ou concepção metafísica que afirma ser constitutivo dos seres vivos um princípio vital que não se explica por meio das leis da física e da química: "Trovejou contra o vitalismo, que declarou contrário ao espírito científico..." (Eça de Queirós, *O primo Basílio*) **2** *Fil.* Corrente de pensamento filosófico que desde a Grécia antiga utiliza a ideia de alma para explicar o fenômeno da vida [F.: Do fr. *vitalisme.*]

vitalista (vi.ta.*lis*.ta) *a2g.* **1** Ref. ao vitalismo **2** Que é adepto do vitalismo *s2g.* **3** O adepto do vitalismo [F.: *vitalismo* + *-ista.*]

vitalização (vi.ta.li.za.*ção*) *sf.* Ação ou resultado de vitalizar [Pl.: *-ções.*] [F.: *vitalizar* + *-ção.*]

vitalizado (vi.ta.li.*za*.do) *a.* **1** Diz-se de quem recebeu vida: *vitalizado pela medicina.* **2** Que recebeu vigor, força: *Exercícios físicos e vitamina o deixaram vitalizado.* **3** Que foi revitalizado [F.: Part. de *vitalizar.*]

vitalizador (vi.ta.li.za.*dor*) [ô] *a.* Que vitaliza, que fortifica: *remédio vitalizador das funções orgânicas.* [F.: *vitalizado* + *-or.*]

vitalizante (vi.ta.li.*zan*.te) *a2g.* **1** Diz-se do que vitaliza, dá força, revigora (água vitalizante; massagem vitalizante) *s2g.* **2** Aquilo que vitaliza: *mel de engenho, um vitalizante natural.* [F.: *vitalizar-* + *-nte.* Sin. ger.: *vitalizador.* Ant. ger.: *desvitalizante.*]

vitalizar (vi.ta.li.*zar*) *v. td.* **1** Dar força, vigor a: *vitalizar uma agremiação.* **2** Restituir a vida a (ser vivo): *Não era possível vitalizar aquele moribundo* [▶ 1 vitalizar] [F.: *vital* + *-izar.*]

vitamina (vi.ta.*mi*.na) *sf.* **1** *Bioq.* Nome comum que se dá a várias substâncias vitais para o metabolismo, ger. não produzidas pelo corpo, e que são obtidas através da ingestão de alimentos ou de produtos farmacêuticos **2** *Bras. Cul.* Bebida nutritiva feita de frutas ou legumes batidos no liquidificador, ger. com adição de leite ou suco, aveia, açúcar etc. [F.: Do ing. *vitamin.* Hom./Par.: *vitamina* (sf.), *vitamina* (fl. de *vitaminar*).] **▪▪ ~ A** Vitamina de ação nos pigmentos visuais (e na visão no escuro) e na pele (regeneração epitelial), encontrada no óleo de fígado de peixe, no ovo, no queijo etc. **~ B** Ver *Complexo vitamínico B* no verbete *complexo* **~ B12** Grupo de vitaminas com alto teor de cobalto, fator importante na formação de células sanguíneas **~ C** O ácido ascórbico, básico na produção de colágeno normal, e antiescorbuto; presente em frutas cítricas **~ D** Grupo de substâncias que atuam na calcificação dos ossos e dos dentes; presentes em cereais, óleo de fígado de peixes etc. **~ E** Cada um de um grupo de oito moléculas presente no germe de trigo, óleos vegetais etc., modernamente considerada antioxidante (em nível celular) **~K** Grupo de três vitaminas oleosas, presentes no processo digestivo, de onde são absorvidas no sangue, fundamentais para a coagulação sanguínea

vitaminado (vi.ta.mi.*na*.do) *a.* **1** Que é composto de vitaminas; VITAMINIZADO **2** Que foi enriquecido, reforçado com vitamina (ferro vitaminado) [F.: Part. de *vitaminar.* Ant. ger.: *desvitaminado.*]

vitaminar (vi.ta.mi.*nar*) *v.* **1** Enriquecer (um alimento) com vitamina [*td.*] **2** *Bras. Pop.* Fortalecer(-se), crescer ou fazer crescer (o corpo) [*td.*: *O menino está muito mirradinho, precisamos vitaminá-lo.*] [*int.*: *Era tão magrinha e, de repente, vitaminou-se!*] [▶ 1 vitaminar] [F.: *vitamina* + *-ar*. Hom./Par.: *vitamina(s)* (fl.), *vitamina(s)* (sf. [pl.]).]

vitamínico (vi.ta.*mí*.ni.co) *a.* **1** Ref. a vitamina (complexo vitamínico) **2** *P. ext.* Que possui energia, vivacidade [F.: *vitamina* + *-ico.*]

vitaminoso (vi.ta.mi.*no*.so) [ô] *a.* Vitamínico; que contém vitamina (substância vitaminosa): *o valor vitaminoso dos alimentos.* [Pl.: [ó]. Fem.: [ó].] [F.: *vitamina* + *-oso.*]

vitascópio (vi.tas.*có*.pi:o) *sm. Desus. Cin.* Projetor, precursor do cinematógrafo: "Além dos teatros, outros espaços desde cedo foram utilizados para a apresentação de novidades óticas. O Salão Pauliceia abrigou o Vitascópio de Thomas Edison em 1897, um ano depois do lançamento da novidade em Nova Iorque." (José Inácio de Melo Souza, "Francisco Serrador e a primeira década do cinema em São Paulo") [F.: Do lat. *vita* 'vida' + *-scópio.*]

vitela (vi.*te*.la) *sf.* **1** Bezerra com menos de um ano **2** Carne de bezerra dessa idade: "A Sra. Filomena colocou-lhe diante a travessa com a perna de vitela assada..." (Eça de Queirós, *O primo Basílio*) **3** *Cul.* Prato preparado com essa carne: *Comeu vitela no jantar.* [F.: Do lat. *vitella, ae.*]

vitelina (vi.te.*li*.na) *sf.* **1** Substância nitrogenada contida na gema do ovo **2** Membrana que envolve a gema do ovo das aves [F.: *vitel(i/o)-* + *-ina.*]

vitelínico (vi.te.*lí*.ni.co) *a. Emb.* Ref. ou inerente a vitelina ou vitelo[2] (membrana vitelínica) [F.: *vitelina* + *-ico*[2].]

vitelino (vi.te.*li*.no) *a.* **1** Ref. a vitelo (2) (saco vitelino) **2** Ref. à gema do ovo **3** Que tem a cor da gema do ovo [F.: *vitel(i/o)-* + *-ino.*]

◎ **vitel(i/o)-** *el. comp.* = vitelo, gema de ovo: *vitelino, vitelífero* [F.: Do lat. *vitellum, i.*]

vitelo (vi.*te*.lo) *sm.* **1** *Zool.* Bezerro com menos de um ano de idade **2** *Biol.* Reserva nutritiva, contida no interior do óvulo dos animais, ger. em uma espécie de saco, da qual se alimenta o embrião [F.: Do lat. *vitellus, i*, 'bezerro com menos de um ano'; 'gema do ovo'.]

◎ **viti-** *el. comp.* = vide, videira: *vitícola, viticultor* [F.: Do lat. *vitis, is.* Tb. *vid(i)-.*]

vitícola (vi.*tí*.co.la) *a2g.* **1** Ref. à viticultura *s2g.* **2** O mesmo que *viticultor* **3** Que se ocupa da cultura de vinhas (região vitícola) [F.: Do lat. *viticola, ae.*]

viticultor (vi.ti.cul.*tor*) [ô] *a.* **1** Diz-se daquele que cultiva vinhas (empresários viticultores) *sm.* **2** Pessoa que cultiva vinhas (os viticultores do Rio Grande do Sul); VITÍCOLA [F.: *vit (i)-* + *-cultor.*]

viticultura (vi.ti.cul.*tu*.ra) *sf.* Cultura das vinhas [F.: *vit(i)-* + *-cultura.*]

vitífero (vi.*tí*.fe.ro) *a.* **1** Diz-se do que produz videiras (chácara vitífera) **2** Próprio para a cultura de vinhas (fertilizante vitífero) **3** Que se encontra coberto de videiras (terreno vitífero) [F.: Do lat. *vitifer, era, erum.*]

vitiligem (vi.ti.*li*.gem) *sf. Med.* Afecção cutânea, o mesmo que *vitiligo* [Pl.: *-gens.*] [F.: Do lat. *vitiligine.*]

vitiligo (vi.ti.*li*.go) *sm. Med.* Doença cutânea caracterizada pela despigmentação de partes da pele, que gera manchas esbranquiçadas; VITILIGEM [F.: Do fr. *vitiligo*, deriv. do lat. *vitiligo, inis.*]

vítima (*ví*.ti.ma) *sf.* **1** Pessoa que sofre um acidente ou desgraça gerados por causas humanas ou naturais: *Essa pobre criança é mais uma vítima da seca.* **2** Pessoa assassinada, roubada, torturada ou que sofreu qualquer outro tipo de violência física ou moral **3** Pessoa que sucumbe aos próprios vícios: *A atriz tornou-se vítima das drogas.* **4** Pessoa sujeita a maus-tratos ou opressão: *As vítimas do sistema.* **5** Tudo o que sofre qualquer dano: *A fauna local é a principal vítima das queimadas.* **6** *Jur.* Indivíduo contra quem se comete crime ou contravenção [F.: Do lat. *victima, ae.* Hom./Par.: *vítima* (sf.), *vitima* (fl. de *vitimar*).]

vitimação (vi.ti.ma.*ção*) *sf.* **1** Ação ou resultado de vitimar(-se) **2** Redução à condição de vítima [Pl.: *-ções.*] [F.: *vitimar-* + *-ção.* Sin. ger.: *vitimização.*]

vitimado (vi.ti.*ma*.do) *a.* **1** Imolado em sacrifício **2** Que foi vítima de alguma coisa: *vitimado por um raio.* [F.: Do lat. *victimatus, a, um.*]

vitimar (vi.ti.*mar*) *v. td.* **1** Transformar(-se) em vítima: *A epidemia vitimou milhões; Vitimou-se irremediavelmente, ao não se cuidar.* **2** Matar ou ferir: "...temendo um confronto direto com o bandido que pudesse vitimar inocentes..." (*O Globo*, 17.09.2002) **3** Causar prejuízo a; DANIFICAR: *A praga vitimou a plantação.* [▶ 1 vitimar] [F.: Do lat. *victimare.* Hom./Par.: *vitima(s)* (fl.), *vítima(s)* (sf. [pl.]); *vitimaria* (fl.), *vitimária* (fem. de *vitimário* [a.]).]

vitimismo (vi.ti.*mis*.mo) *sm.* **1** Sensação de ser vítima **2** *Psi.* Mania de ser vítima; vocação para vítima: "Essa cultura coletivista e assistencialista, cujo principal efeito é afastar do indivíduo o fardo da responsabilidade pelas próprias ações e destino, não poderia desaguar em algo muito diferente do que uma indelével tendência ao escapismo e ao vitimismo." (João Luiz Mauad, "Ética coletivista") [F.: *vítima* + *-ismo.*]

vitimista (vi.ti.*mis*.ta) *a2g. Psi.* Ref., inerente a ou próprio de vítima ou de vitimismo (psicose vitimista; surto vitimista) [F.: *vítima* + *-ista.*]

vitimização (vi.ti.mi.za.*ção*) *sf.* **1** Ação ou resultado de vitimizar(-se): *Tinha sempre necessidade psicológica de viti-*

mização. 2 Transformação em vítima; postura de vítima [Pl.: -ções.] [F.: vitimizar + -ção. Sin. ger.: vitimação.]

vitimizado (vi.ti.mi.*za*.do) *a.* 1 Que se vitimizou; que sofreu vitimização: *civis brutalmente vitimizados pelo terrorismo.* 2 Feito vítima, tornado vítima: *vitimizado pela falta de atendimento médico de urgência.* *sm.* 3 Aquele que é ou foi feito vítima: *Muitas vezes, as ameaças tornam-se, para o vitimizado, mais perigosas do que o próprio ato.* [F.: Part. de *vitimizar*.]

vitimizador (vi.ti.mi.za.*dor*) [ô] *a.* 1 Diz-se de quem ou do que vitimiza (omissão vitimizadora) *sm.* 2 Aquele ou aquilo que vitimiza [F.: *vitimizar* + *-dor*.]

vitimizar (vi.ti.mi.*zar*) *v. td.* Transformar em vítima [▶ 1 vitimizar]

vitimologia (vi.ti.mo.lo.*gi*.a) *sf.* 1 *Jur.* Ramo da criminologia que estuda a personalidade das vítimas de crimes ou delitos, esp. os efeitos psicológicos nelas provocados pela agressão de que foram objeto 2 *Jur. Psi.* Teoria segundo a qual os problemas de uma pessoa ou de um grupo social são consequência de vitimação (2), procurando justificar um crime pelas atitudes da vítima, que teria estimulado o criminoso [F.: *vítima* + *-o-* + *-logia*.]

vitimológico (vi.ti.mo.*ló*.gi.co) *a.* Ref. a vitimologia [F.: *vitimologia* + *-ico*.]

vítis (*ví*.tis) *sf2n.* 1 *Bot.* Denominação comum às plantas do gên. *Vitis*, da fam. das vitáceas, com cerca de 65 espécies, trepadeiras lenhosas de folhas simples, flores polígamas de pétalas unidas em cápsula, conhecidas como videira e cultivadas pelas bagas, as uvas 2 Qualquer espécie desse gênero, como a *Vitis vinifera* [F.: Do tal. cient. gên. *Vitis*.]

vitivinícola (vi.ti.vi.*ní*.co.la) *a2g.* *Vit.* Ref. ou inerente à vitivinicultura (sítio vitivinícola; tradição vitivinícola) [F.: *vit(i)-* + *vinícola*.]

vitivinicultor (vi.ti.vi.ni.cul.*tor*) [ô] *Vit.* *a.* 1 Diz-se de indivíduo ou entidade que se dedica à vitivinicultura *sm.* 2 Esse indivíduo ou entidade [F.: *vit(i)-* + *vinicultor*.]

vitivinicultura (vi.ti.vi.ni.cul.*tu*.ra) *sf.* *Vit.* Cultivo de vinhas e fabricação de vinho, para consumo próprio ou comercialização (região de vitivinicultura) [F.: *vit(i)-* + *vinicultura*.]

vitória[1] (vi.*tó*.ri:a) *sf.* 1 Ação ou resultado de vencer um adversário ou inimigo 2 *P. ext.* Qualquer tipo de conquista ou êxito em uma empreitada 3 Qualquer sucesso, êxito ou vantagem que se obtenha: "Esta dupla vitória foi o momento máximo da vida do médico." (Machado de Assis, *Helena*) 4 *P. ext.* Estátua que representa a vitória [F.: Do lat. *victoria, ae*. Ant. ger.: *derrota*. Hom./Par.: *vitória* (sf.), *vitoria* (fl. de *vitoriar*).] ■ **Cantar ~** Apregoar a própria vitória, vangloriando-se **~ de Pirro** Vitória que custa ao vencedor sacrifício ou perda quase tão grandes quanto os do vencido

vitória[2] (vi.*tó*.ri:a) *sf.* 1 Carruagem de quatro rodas, para dois passageiros, com cobertura dobrável e boleia, puxada por cavalos: "Centenares de vitórias descem, sobem rapidamente, com trote discreto e alegre..." (Eça de Queirós, *O primo Basílio*) *sf.* 2 *Bot.* Gên. (*Victoria*) de grandes plantas aquáticas, da fam. das ninfeáceas, entre elas a vitória-régia, com grandes folhas expandidas, enormes flores branco-róseas que se abrem em várias noites sucessivas e sementes comestíveis [F.: Do ing. *victoria*.]

vitorianismo (vi.to.ri:a.*nis*.mo) *sm.* 1 *Hist.* Estado mental ou espiritual vitoriano, esp. quanto a moral, gosto ou comportamento 2 *P. ext.* Elemento, conceito, produto ou expressão com características vitorianas [F.: *vitoriano* + *-ismo*.]

vitoriano (vi.to.ri:*a*.no) *a.* 1 Ref. à rainha Vitória, da Inglaterra, ou a seu reinado (1837 a 1901) (período vitoriano) 2 Típico dos padrões de puritanismo dessa época, que se afirmava moralmente irrepreensível e intolerante 3 *Mob.* Diz-se do estilo de móveis característico dessa época *sm.* 4 Aquele que tem comportamento típico dessa época [F.: Do antr. *Vitória* + *-ano*.]

vitoriar (vi.to.ri.*ar*) *v.* 1 Aclamar triunfalmente [*td.*: "Em ímpetos febris, nunca a Roma profana vitoriara heróis com tão vivo clamor..." (Eugênio de Castro, *Obras poéticas*)] 2 Saudar de maneira efusiva [*td.*] 3 Comemorar, festejar uma vitória [*int.*] [▶ 1 vitoriar] [F.: *vitória* + *-ar*. Hom./Par.: *vitoria(s)* (fl), *vitória* (sf. e pl. e *Vitória* antr. f. e top.).]

vitória-régia (vi.tó.ri:a-*ré*.gi:a) *sf.* *Bot.* Planta da fam. das ninfeáceas (*Victoria regia*), originária da América do Sul, de folhas planas que formam um disco flutuante, flores brancas e bagas globosas com sementes comestíveis [Pl.: *vitórias-régias*.]

vitoriosamente (vi.to.ri:o.sa.*men*.te) *adv.* 1 De modo vitorioso: *Desfez todas as acusações vitoriosamente.* 2 Com grande vantagem: *Sempre sabe como passar pelas provas vitoriosamente.* [F.: *vitorioso* (*-o* >*-a*) + *-mente*.]

vitorioso (vi.to.ri.*o*.so) [ô] *a.* 1 Que alcança vitória; que venceu, triunfou *sm.* 2 Aquele que é vencedor, que obtém vitórias [Pl.: [ó]. Fem.: [ó].] [F.: Do lat. *victoriosus, a, um*.]

vitral (vi.*tral*) *sm.* Vidraça decorativa, feita de pedaços de vidro coloridos que formam uma composição: "...catedrais góticas onde os vitrais atravessados pela luz e resplandecendo de coloridos maravilhosos..." (João Grave, *Jornada romântica*) [Pl.: *-trais*.] [F.: Do fr. *vitrail*.]

vitralista (vi.tra.*lis*.ta) *Artesn.* *a2g.* 1 Ref. a vitral: *O importante na arte vitralista é o efeito conseguido pela projeção de luz e cor.* 2 Diz-se de artista que faz vitrais *s2g.* 3 Esse artista [F.: *vitral* + *-ista*.]

vítreo (*ví*.tre:o) *a.* 1 Ref. a vidro ou próprio dele 2 Que é feito de vidro (parede vítrea) 3 Que é transparente como vidro: *O cristalino é um corpo vítreo, localizado atrás da pupila.* 4 Que tem aspecto ou aparência de vidro 5 Claro, brilhante, límpido: *A superfície vítrea da lagoa.* 6 Diz-se da eletricidade gerada pelo atrito do vidro com a lã [F.: Do lat. *vitreus, a, um*.]

vitrescível (vi.tres.*cí*.vel) *a2g.* Que pode ser reduzido a vidro, ou transformado em vidro ou matéria vítrea; VITRIFICÁVEL: "Esta mina encontra-se em uma pedra cinzenta, vitrescível e rija..." (João da Silva Feijó, *Memória sobre a Capitania do Ceará*) [Pl.: *-veis*.] [F.: Do fr. *vitrescible*.]

vitrificação (vi.tri.fi.ca.*ção*) *sf.* 1 Ação ou resultado de vitrificar(-se) 2 Transformação de um corpo ou substância em matéria vítrea 3 Fusão de substâncias ou matérias suscetíveis de tomar o brilho, a dureza ou as propriedades do vidro após o resfriamento 4 Aplicação sobre superfície cerâmica de uma fina camada de material que reage com a superfície cerâmica e forma uma película vítrea 5 *Fís.* Envolvimento de rejeitos radioativos de alta atividade em uma rede vítrea para proporcionar uma armazenagem prolongada [Pl.: *-ções*.] [F.: Do fr. *vitrification*.]

vitrificado (vi.tri.fi.*ca*.do) *a.* 1 Que foi transformado em vidro (areia vitrificada) 2 Que apresenta uma superfície semelhante ao vidro (piso vitrificado) 3 *Fig.* Diz-se do olhar ou dos olhos que se apresentam fixos ou desprovidos de vida [F.: Part. de *vitrificar*.]

vitrificar (vi.tri.fi.*car*) *v. td.* 1 Revestir com vidro: *Vitrificou a mesa.* 2 Dar ou adquirir aparência de vidro: *O frio vitrificou a superfície da lagoa; O lago vitrificou-se.* 3 Transformar-se em vidro [▶ 11 vitrificar] [F.: *vitri-* + *-ficar*. Ant. ger.: *desvitrificar*.]

vitrificável (vi.tri.fi.*cá*.vel) *a2g.* 1 Que se pode vitrificar; que pode ser vitrificado: *O esmalte é um produto vitrificável resultado da mistura de substâncias minerais que, ao derreterem, se fundem a uma determinada temperatura.* 2 O mesmo que *vitrescível* [Pl.: *-veis*.] [F.: *vitrificar* + *-vel*. Hom./Par.: (pl.) *vitrificáveis, vitrificáveis* (fl. de *vitrificar*).]

vitrina (vi.*tri*.na) *sf.* Vidraça de loja, o mesmo que *vitrine*: "Mandou dividir uma sala com uma parede falsa, à qual se encostou uma vitrina com vidros preciosos..." (Raul Brandão, *Memórias*) [F.: Do fr. *vitrine*.]

vitrinado (vi.tri.*na*.do) *a.* Diz-se do que é cheio de vitrinas (loja vitrinada; salão vitrinado) [F.: *vitrina* + *-ado*[2].]

vitrine (vi.*tri*.ne) *sf.* 1 Em loja ou outro local público, local envidraçado onde ficam expostas mercadorias para venda ou propaganda 2 Caixa ou armário envidraçado para exposição de objetos [F.: Do fr. *vitrine*. Tb. *vitrina*.]

vitrinismo (vi.tri.*nis*.mo) *sm.* *Decor.* Arte ou técnica de organização, arranjo ou decoração de vitrinas [F.: *vitrina* + *-ismo*.]

vitrinista (vi.tri.*nis*.ta) *s2g.* *Bras.* Profissional especializado na concepção e arrumação de vitrines (1) [F.: *vitrin(e)* + *-ista*.]

◎ **vitr(i/o)-** *el. comp.* = vidro: *vitral, vitraleiro, vítreo.* [F.: Do lat. *vitrum, i*.]

vitriolado (vi.tri:o.*la*.do) *a.* 1 *Quím.* Que contém vitríolo ou é composto de vitríolo 2 Rugoso ou deformado pela ação do vitríolo 3 *Fig.* Corroído, deformado: *vitriolado pela embriaguez.* *sm.* 4 *Quím.* Aquilo que contém vitríolo 5 Aquele ou aquilo sobre o qual se lançou vitríolo [F.: Part. de *vitriolar*.]

vitriolar (vi.tri:o.*lar*, vi.tri:o.li.*zar*) *v. td.* Transformar em vitríolo [▶ 1 vitriolar, 1 vitriolizar] [F.: *vitríolo* + *-ar*; *vitríolo* + *-izar*.]

vitriólico (vi.tri.*ó*.li.co) *Quím.* *a.* 1 Ref., inerente a ou próprio de vitríolo 2 Diz-se do que é da natureza do vitríolo 3 Denominação substituída por *sulfúrico* (ácido vitriólico) [F.: *vitríolo* + *-ico*[2].]

vitriolizado (vi.tri:o.li.*za*.do) *a.* 1 *Quím.* Que se vitriolizou, que sofreu vitriolização 2 Transformado em vitríolo (substância vitriolizada) [F.: Part. de *vitriolizar*.]

vitriolizar (vi.tri:o.li.*zar*) *v.* O mesmo que *vitriolar* [▶ 1 vitriolizar]

vitríolo (vi.*trí*:o.lo) *sm.* 1 *Quím.* Denominação vulgar de alguns sais metálicos, esp. do ácido sulfúrico (vitríolo azul; vitríolo verde; vitríolo amoniacal) 2 Óleo de vitríolo; ácido sulfúrico [F.: Do lat. med. *vitriolu*.] ■ **~ azul** *Quím.* Sulfato de cobre **~ branco** *Quím.* Sulfato de zinco **~ verde** *Quím.* Sulfato ferroso

vitrô (vi.*trô*) *sm.* O mesmo que *vitral* [F.: Do fr. *vitraux*, pl. de *vitrail*.]

vitrola (vi.*tro*.la) *sf.* 1 Aparelho para reprodução de discos de vinil; ELETROLA; FONÓGRAFO; GRAMOFONE 2 *Fig. Joc.* Pessoa tagarela; PAPAGAIO; TRAMELA [Ant.: *calado, fechado, introvertido*. z] [F.: De *Victrola*®.]

vitropressão (vi.tro.pres.*são*) *sf.* *Med.* Ação ou processo de apoiar lâmina de vidro sobre o local da pele lesionada, esvaziando de sangue os vasos da área pressionada e permitindo uma análise mais acurada do tipo de lesão [Pl.: *-sões*.] [F.: *vitro-* + *-pressão*.]

vitualhas (vi.tu.*a*.lhas) *sfpl.* 1 Gêneros alimentícios; MANTIMENTOS; PROVISÕES; VÍVERES: "Nem à ida nem à volta [a nau] podia tocar em qualquer porto intermediário, salvo caso de falta de vitualhas, temporais ou desarranjo." (Capistrano de Abreu, *Capítulos de história colonial*) 2 Comidas especiais e apetitosas; ACEPIPES; IGUARIAS; MANJARES: "Uma populaça de lacaios, de librés de seda negra, servia (...) as vitualhas raras, vinhos do preço de joias: toda a mesa era um esplendor de flores..." (Eça de Queirós, *O mandarim*) [F.: Do lat. *victualia, ium*.]

vituperação (vi.tu.pe.ra.*ção*) *sf.* Ação ou resultado de vituperar; VITUPÉRIO [Pl.: *-ções*.] [F.: Do lat. *vituperatio, onis*.]

vituperador (vi.tu.pe.ra.*dor*) [ô] *sm.* 1 Aquele que vitupera *a.* 2 Que vitupera 3 Que causa vitupério [F.: Do lat. *vituperator, oris*.]

vituperar (vi.tu.pe.*rar*) *v. td.* 1 Censurar, repreender 2 Agredir por meio de palavras; INSULTAR 3 Demonstrar desprezo por; MENOSPREZAR [▶ 1 vituperar] [F.: Do lat. *vituperare*.]

vitupério (vi.tu.*pé*.ri:o) *sm.* 1 Ação ou resultado de exprobar, condenar ou repreender, o mesmo que *vituperação* 2 Dito ou ato com o propósito de ofender a reputação ou a dignidade de alguém; AFRONTA; INSULTO; INJÚRIA; ULTRAJE 3 Acusação infamante; DIFAMAÇÃO; INJÚRIA 4 Ação vergonhosa; INFÂMIA; VILEZA: "As cidades guardando justiçoso/ De todos os soberbos vitupérios..." (Luiz de Camões, *Os lusíadas*) [F.: Do lat. tardio *vituperiu*.]

vituperioso (vi.tu.pe.ri.*o*.so) [ô] *a.* 1 Diz-se do que encerra vitupério; em que há vitupério; INJURIOSO; OFENSIVO; ULTRAJANTE: *Respondeu-lhe em termos vituperiosos.* [Ant.: *apreciativo, elogioso, laudatório*.] 2 Desonroso, ignominioso, indigno (atitude vituperiosa) [Ant.: *dignificante, glorificante*.] [Pl.: [ó]. Fem.: [ó].] [F.: *vitupério* + *-oso*.]

viúva (vi.*ú*.va) *sf.* 1 Mulher cujo marido morreu, enquanto não volta a se casar 2 *Bras. Fig. Joc.* Indivíduo que ainda pranteia e/ou cultua uma personalidade morta ou no ostracismo, ou que segue doutrina, sistema ou tendência obsoleta ou esquecida da maioria: "...o uso de 'tinha' [por Drummond, no poema "No meio do caminho"] certamente inclui alguma provocação aos puristas (ou às "viúvas") de estéticas literárias mais conservadoras..." (Pasquale Cipro Neto, *Folha de S.Paulo*, 16.06.2005) 3 *Bras. Ornit.* Ave passeriforme da família dos emberizídeos (*Pipraeidea melanonota*), cujo macho tem dorso azul-violáceo e parte inferior alaranjada e cuja fêmea tem dorso pardo-escuro; SAÍRA-VIÚVA 4 *Ornit.* Ave passeriforme (*Fulvicola climazura*) da fam. dos tiranídeos; VIUVINHA; LAVANDEIRA; LAVADEIRA; BOIEIRA 5 *Ornit.* Ave passeriforme (*Pipraeidea melanonota*) brasileira; GATURAMO 6 *Bras. Art. gr.* Em uma página impressa, linha composta de apenas uma palavra curta ou do final de uma mais longa; LINHA QUEBRADA 7 *Bras. Ict.* Peixe teleósteo da família dos carangídeos (*Parona signata*), marinho, encontrado desde o sul do Brasil até o sul da Argentina 8 *Ict.* Denominação comum a vários peixes teleósteos marinhos: *Gaidropsarus guttatus* (Ilhas Açores); *Kyphosus sectator*, *Spondyliosoma cantharus*, *Umbrina cirrosa* (Cabo Verde) 9 *Bot.* Planta da fam. das ninfeáceas (*Victoria regia*), originária da América do Sul, de folhas planas que formam um disco flutuante, flores brancas e bagas globosas com sementes comestíveis; FLOR-DE-VIÚVA 10 *RJ Cul.* Doce de coco envolto em canudo de massa; LUMINÁRIA 11 *Lud.* A dama de espadas 12 *BA Bot.* Melancia de miolo branco [F.: Do lat. *vidua*, com deslocação do acento para o *u*, pela f. **viduva*.] ■ **~ branca** Mulher que enviuvou sem ter tido relações sexuais com o marido **~ alegre** 1 Aquela que não se deixou abater pela perda do marido [Pode ter conotação jocosa., irônica.] 2 *P. ext.* Pessoa (ger. mulher) que sempre demonstra satisfação e felicidade

viúva-negra (vi:ú.va-*ne*.gra) [ê] *sf.* *Bras. Zool.* Pequena aranha da fam. dos teridiídeos (*Latrodectus mactans*), que ocorre nas Américas, Europa, Austrália e África, de coloração negra com ampla mancha vermelha no abdome e veneno poderoso [Pl.: *viúvas-negras*.]

viuvar (vi:u.*var*) [i-u] *v.* Ficar viúvo ou viúva de; ENVIUVAR [*tr.* + *de*: *Viuvou de um fazendeiro.*] [*int.*: *A moça viuvou ainda nova.*] [▶ 18 viuvar] [F.: *viúva* + *-ar*.]

viuvez (vi:u.*vez*) [ê] *sf.* 1 Estado ou condição de viúva ou viúvo 2 *Fig.* Desconsolo ou desânimo extremo, devido a abandono e solidão: "A maior das humanas desventuras, a viuvez do espírito, abrandara, pela melancolia, as impetuosas paixões do mancebo..." (Alexandre Herculano, *Eurico, o presbítero*) [F.: *viúv(a)* + *-ez*.]

viuvinha (vi:u.*vi*.nha) *sf.* 1 *Bot.* Denominação comum a algumas plantas do gên. *Petrea*, da fam. das verbenáceas, nativas da América tropical, trepadeiras de flores azuladas ou lilases, cultivadas como ornamentais 2 *Bras. Bot.* O mesmo que *amor-agarradinho* (*Antigonum leptopus*) 3 *Ornit.* Denominação comum a duas espécies de pássaros da fam. dos tiranídeos, de coloração preta, como *Knipolegus nigerrinus* e *Hymenops perspicillata* 4 *Bras. Ornit.* Designação comum a ave passeriforme, tiranídea (*Colonia colonus*), de coloração negra, cabeça cinzento-clara com boné, nuca e uropígio brancos e cauda com retrizes medianas muito longas, hab. do Brasil central e oriental 5 *Bras.* Designação comum a ave passeriforme, tiranídea (*Lichenops perspicillata*), preta, de rêmiges primárias brancas, bico e área em redor dos olhos brancos, hab. de áreas alagadiças no Sudoeste e Extremo Sul do Brasil 6 *CE Ornit.* O mesmo que *irerê* (*Dendrocygna viduata*) 7 *CE Dnç.* Tipo de dança popular [F.: *viúva* + *-inha*.]

viúvo (vi.*ú*.vo) *sm.* 1 Homem cuja mulher morreu, enquanto não volta a se casar 2 *Jur.* Cônjuge sobrevivente de uma sociedade conjugal desfeita com a morte do outro 3 *Bras. Fig. Joc.* O mesmo que *viúva* (2): *viúvas e viúvos do marxismo.* *a.* 4 Abandonado, desamparado, isolado 5 Privado, carente, falto: *ramos viúvos de flores; jovem viúva de afetos maternos.* [F.: Do lat. *viduus, a, um*.]

◎ **viv-** *el. comp.* = vida: *vital, vitalício, vivacidade, viveiro.* [F.: Do v.lat. *vivere*.]

viva (*vi*.va) *interj.* 1 Expressa entusiasmo, felicitação ou apoio [Para aclamar alguém ou alguma coisa, deve concordar com o sujeito (Vivam as férias!), mas já é consagrada a forma invariável: Viva os campeões!] *sm.* 2 Grito de entusiasmo, felicitação ou apoio [+ *a*: *Houve muitos vivas ao presidente eleito.*] [F.: Imper. de *viver*. Ant. ger.: *morra!*]

vivace (vi.*va*.ce) *a2g.* **1** *Ant.* O mesmo que *vivaz* **2** *Mús.* Que é executado com vivacidade, rapidez e vitalidade (composição vivace; movimento vivace) [F.: Do it. *vivace* 'cheio de vida'.]

vivacidade (vi.va.ci.*da*.de) *sf.* **1** Característica de quem aprende ou compreende com rapidez; ARGÚCIA; ESPERTEZA; SAGACIDADE [Ant.: *estupidez, idiotice.*] **2** Qualidade de quem é ativo e cheio de energia, força, vigor [Ant.: *apatia, indolência, inércia.*] **3** Animação, entusiasmo, impetuosidade: *a vivacidade da discussão.* [Ant.: *apatia, indiferença.*] **4** Linguagem clara e expressiva, freq. acompanhada de gesticulação **5** Habilidade para enganar, ludibriar; ASTÚCIA; ESPERTEZA; MANHA; SOLÉRCIA [Ant.: *correção, lisura, sinceridade.*] [F.: Do lat. *vivacitas, atis.*]

vivacíssimo (vi.va.*cís*.si.mo) *a.* Muitíssimo vivaz [Sup. abs. sint. de *vivaz.*] [F.: Do lat. *vivacissimus, a, um.*]

vivaldice (vi.val.*di*.ce) *sf.* **1** *Bras. Gír.* Característica ou qualidade de vivaldino **2** Esperteza, malandragem, embuste [F.: *vivald(ino)* + *-ice.*]

vivaldino (vi.val.*di*.no) *sm. Bras. Pop.* Pessoa que usa de esperteza para tirar proveito das situações; ESPERTALHÃO; FINÓRIO; PILANTRA; VELHACO [F.: *viv-* + suf. obsc.]

vivalma (vi.*val*.ma) *sf.* Pessoa viva; VIVENTE: "Olhou à direita... à esquerda, e como não lobrigasse vivalma, lá veio pela mata abaixo" (Aquilino Ribeiro, *Volfrâmio*) [Us. em frases negativas: *Não encontrei vivalma na rua.*] [F.: *viva* (fem. de *vivo*) + *alma.*]

vivamente (vi.va.*men*.te) *adv.* **1** De modo vívido, intenso; INTENSAMENTE: *Amou-a vivamente.* **2** Com esperteza, vivacidade: *Saiu-se vivamente da confusão.* **3** Com vigor, com energia: *Aconselhou-o vivamente a enfrentar o problema.* **4** Prontamente, rapidamente: *Apresentou-se vivamente ao comando.* [F.: *vivo* (-o > -a) + *-mente.*]

vivandagem (vi.van.*da*.gem) *sf.* **1** Ação ou comportamento de vivandeira (1) **2** *Bras. P. ext.* Ação persuasiva, interesseira ou estratégica junto a militares, com objetivos específicos [Pl.: *-gens.*]

vivandeira (vi.van.*dei*.ra) *sf.* **1** Mulher que acompanha tropas em marcha e fornece alimentos, bebidas e outros gêneros, esp. aos soldados: "As vivandeiras do destacamento aquartelado nos dormitórios do mosteiro dançavam ébrias e meio nuas a cana-verde..." (Camilo Castelo Branco, *Anos de prosa*) **2** Mulher que vende gêneros alimentícios nas feiras [F.: Do fr. *vivandière.*]

vivar (vi.*var*) *v.* **1** Dar vivas a [*td.*: *A multidão vivava o presidente.*] **2** Dar vivas [*int.*: *O grupo aplaudia e vivava.*] [▶ **1** vivar] [F.: *viva* + *-ar.*]

vivaz (vi.*vaz*) *a2g.* **1** Que demonstra ou tem vivacidade: "(...) já tinha um ar bem mais vivaz e sorria para mim (...)." (João Ubaldo Ribeiro, *Diário do farol*) **2** *Fig.* Forte e vigoroso (sentimento vivaz) [Ant.: *brando, fraco.*] **3** Que vive ou pode viver muito; VIVEDOR; VIVEDOURO **4** Que se caracteriza pela ação, pela prontidão (passos vivazes); ENÉRGICO; ATIVO **5** *Bot.* Diz-se de planta cujo rizoma, bulbo, tubérculo ou raiz tuberosa brota a cada ano [Ver tb. *anual, bianual, efêmera* e *perene.*] [Superl.: *vivacíssimo.*] [F.: Do lat. *vivax-acis.*]

vivedor (vi.ve.*dor*) [ô] *a.* **1** Diz-se de pessoa ou animal que vive muito tempo, que tem condições naturais de longevidade; VIVAZ; VIVEDOURO **2** *P. ext.* Que tem boa saúde; SAUDÁVEL **3** Que é ativo em tratar da sua vida, em agenciar os meios de subsistência; DILIGENTE; TRABALHADOR: "Embora a vida/não me trate com amor, /eu não me canso de viver, /não me canso de querer/ser da vida vivedor!" (Mestre Ambrósio, *Vida*) **4** *CE* Que faz fortuna ganhando dinheiro facilmente; SORTUDO *sm.* **5** Pessoa ou animal que tem vida longa **6** Indivíduo que goza de boa saúde **7** Pessoa ativa, trabalhadora **8** *CE* Indivíduo que tem sorte no jogo [F.: *viver* + *-dor.*]

vivedouro (vi.ve.*dou*.ro) *a.* **1** Que vive ou pode viver muito; VIVAZ **2** Que dura ou pode durar muito; DURADOURO; PERDURÁVEL [Ant.: *breve, efêmero, provisório, temporário.*] [F.: Do lat. *vivituros*, part. do fut. ativo de *vivere.*]

viveirista (vi.vei.*ris*.ta) *a2g.* **1** Ref. a viveiro; que cuida de viveiros ou que os possui para negócio: *Empresa viveirista de plantas de corte e ornamentais.* *s2g.* **2** Pessoa que se beneficia da exploração de viveiros, ou que os tem como entretenimento: *Nas horas vagas transforma-se em viveirista; fez carreira como viveirista.* [F.: *viveiro* + *-ista.*]

viveiro (vi.*vei*.ro) *sm.* **1** Recinto adaptado para a criação e reprodução de animais **2** Canteiro ou local adaptado para a produção de mudas de plantas, que então são transplantadas; PEPINEIRA; SEMENTEIRA; SEMINÁRIO **3** Reservatório próprio para a criação e reprodução de peixes ou de plantas aquáticas **4** Nas salinas, o reservatório maior, que recebe diretamente a água salgada **5** *N. E.* No curral de pesca, o último compartimento, para o qual se dirigem os peixes; GRÉ **6** Covo sem algirão em que os pescadores guardam os peixes para transportá-los vivos **7** *Fig.* Lugar onde se conservam e de onde se propagam seres ou coisas; SEMINÁRIO: *viveiro de sábios; viveiro de crimes.* **8** *Fig.* Multidão de pessoas ou de animais; ENXAME **9** *Fig.* Grande quantidade de qualquer coisa; ACUMULAÇÃO; REUNIÃO **10** *RS* Arruamento de prostituição; ZONA [F.: Do lat. *vivarium -ii.*]

vivência (vi.*vên*.ci:a) *sf.* **1** Conhecimento adquirido a partir do acúmulo de experiências [+ *em*: *É médico de muita vivência em hospitais públicos.*] **2** O processo de experienciar e viver algo: *É impossível a vivência da dor alheia.* **3** Fato ou experiência vivida: "Nos livros de sua vivência no Rio de Janeiro (...)." (Antonio Olinto, *Tribuna da Imprensa*, 01.03.2005) **4** Fato de viver, de ter vida; EXISTÊNCIA **5** *N. E.* Situação, modo, procedimento ou hábito próprio da vida; VIDA [F.: Do lat. *viventia*, acus. neutro pl. de *vivens -entis*, part. pres. de *vivere*. Hom./Par.: *vivencia* (fl. de *vivenciar*).]

vivenciado (vi.ven.ci.*a*.do) *a.* Que se vivenciou, que foi experimentado em vida; VIVIDO: "Talvez tranque a porta/ pois o que há ali/me apavora, /são fantasmas, plasmas/o que ainda resta/de um passado/vivenciado em outra hora..." (Lara Cardoso, *Fechando a porta*) [F.: Part. de *vivenciar.*]

vivencial (vi.ven.ci.*al*) *a2g.* **1** Ref. a vivência (questão vivencial); EXISTENCIAL **2** Em que há vivência: "Um espaço vivencial de trânsito itinerante vai ser implantado visando à aplicação de educação no trânsito para os alunos (...)." (*Folha de S.Paulo*, 03.04.2000) [Pl.: *-ais.*] [F.: *vivênci(a)* + *-al.*]

vivenciamento (vi.ven.ci:a.*men*.to) *sm.* Ação, processo ou resultado de vivenciar: *É importante analisar o vivenciamento de outras culturas para aprimorar o conhecimento.* [F.: *vivenciar* + *-mento.*]

vivenciar (vi.ven.ci.*ar*) *v. td.* Passar por ou viver (situação): *Vivenciou amargas experiências; Vivenciava as experiências da amiga.* [▶ **1** vivenciar] [F.: *vivência* + *-ar*². Hom./Par.: *vivenciais* (fl.), *vivenciais* (pl. de *vivencial* [a2g.]); *vivencia(s)* (fl.), *vivência(s)* (sf. [pl.]).]

vivenda (vi.*ven*.da) *sf.* **1** Lugar onde se vive; CASA; HABITAÇÃO; MORADA; RESIDÊNCIA: "Apesar deste fresco nome de vivenda campestre, o Ramalhete, (...) tinha o aspecto tristonho de residência eclesiástica (...)." (Eça de Queirós, *Os maias*) **2** Maneira de ganhar o próprio sustento; SUBSISTÊNCIA **3** Sistema ou modo de viver; COMPORTAMENTO; CONDUTA; PROCEDIMENTO **4** Alimento diário; PASSADIO [F.: Do lat. *vivenda.*]

vivente (vi.*ven*.te) *a2g.* **1** Que vive; que tem vida; VIVO *s2g.* **2** Ser vivo, esp. o ser humano [F.: Do lat. *vivens -entis*, part. pres. de *vivere.*]

viver (vi.*ver*) *v.* **1** Estar vivo; EXISTIR [*int.*: *Meu bisavô ainda vive.* Ant.: *morrer.*] **2** Manter-se vivo; DURAR; EXISTIR [*int.*: *As boas lembranças viverão.* Ant.: *acabar.*] **3** Passar à posteridade; PERDURAR [*int.*: *A fama dos heróis viverá para sempre.*] **4** Aproveitar a vida [*td.*: *É preciso viver a vida.*] [*int.*: "... Viver, e não ter a vergonha de ser feliz..." (Gonzaguinha, *O que é, o que é?*)] **5** Estar em relações com; conviver com; FREQUENTAR [*tr.* + *com*: *Sempre viveu com os pais; Agora vive com más companhias.*] **6** Morar [*ta.*: *O jovem vive no Rio de Janeiro.*] **7** Ir muito a (algum lugar) ou estar muito com (alguém) [*ta.*: *O rapaz vive na biblioteca.*] **8** Levar vida conjugal [*tr.* + *com*: *Já viveu com muitos homens.*] **9** Passar por (experiência); VIVENCIAR [*td.*: *viver uma aventura amorosa.*] **10** Gastar o tempo com; DEDICAR-SE [*tr.* + *para*: *Viver para os netos é gostoso.*] **11** Levar a vida (de certo modo) [*ta.*: *Vive na ociosidade.*] [*tp.*: "A moça triste que vivia calada sorriu..." (Chico Buarque, *A banda*)] **12** Ter como principal alimento; nutrir-se de [*tr.* + *de*: *Algumas pessoas vivem de frutas e de legumes.*] **13** Manter a existência por meio de; SUSTENTAR-SE [*tr.* + *de*: *viver da aposentadoria; Os índios vivem da caça e da pesca.*] **14** Levar (um tipo de vida) [*td.*: *Pensava em viver uma vida venturosa.*] [▶ **2** viver NOTA.: É v. aux., indicando continuação da ação, quando seguido de gerún. ou de *a* + infinit.: *vive a reclamar; vivia reclamando de tudo.*] [F.: Do lat. *vivere*. Hom./Par.: *vivo* (fl.), *vivo* (a.); *viveres* (fl.), *víveres* (smpl.); *vivido* (part.), *vívido* (a.).] ■■ **~ com** Partilhar uma vida a dois com, amigar-se com **~ para** **1** Ter como objetivo na vida, ou como atividade prioritária: *Vive só para comer.* **2** Dedicar-se integralmente a: *Vive para a família.*

víveres (*ví*.ve.res) *smpl.* Alimentos us. para subsistência; gêneros alimentícios: "Por que insistir depois de meados de agosto, quando o exército boliviano encontrou os esconderijos de armas, de víveres, de remédios da guerrilha?" (Antônio Callado, *Bar Don Juan*) [F.: Do fr. *vivres.*]

viverrídeo (vi.ver.*rí*.de:o) *a.* **1** *Zool.* Ref. aos viverrídeos *sm.* **2** *Zool.* Espécime dos viverrídeos, família de mamíferos carnívoros, que habitam as regiões tropicais do Velho Mundo e alimentam-se ger. de pequenos animais; de corpo longilíneo e patas curtas, crânio alongado, caninos pequenos e molares pouco desenvolvidos, incluem os suricatos [F.: Do lat. cient. fam. *Viverridae.*]

viveza (vi.*ve*.za) [ê] *sf.* Ver *vivacidade* [Ant.: *prostração.*] [F.: *vivo* + *-eza.*]

vividamente (vi.vi.da.*men*.te) [vi-vi] *adv.* **1** De modo vívido, evidente; CLARAMENTE: *Na aflição, lembrei-me vividamente de seus conselhos.* **2** De forma brilhante, fulgurante; INTENSAMENTE: *Os primeiros raios de sol iluminavam vividamente a cidade.* [F.: *vívido* (-o >-a) + *-mente.*]

vividez (vi.vi.*dez*) [ê] *sf.* Qualidade, característica do que é vívido [F.: *vivid(o)* + *-ez.*]

vivido (vi.*vi*.do) *a.* **1** Que viveu muito **2** Que tem grande experiência de vida (homem vivido) [F.: Part. de *viver*. Hom./Par.: *vivido* (adj.), *vívido* (adj.).]

vívido (*ví*.vi.do) *a.* **1** Nítido, intenso, claro (recordação vívida): "Para quem sempre viveu em Buenos Aires, esse contraste é muito vívido." (*Veja*, 13.07.2005) **2** *Fig.* Vivo, ardente, intenso: "(...) um raio vívido de amor e de esperança (...)." (Joaquim Osório Duque Estrada, *Hino Nacional Brasileiro*) **3** Que tem cores vivas: "Há também um retrato vívido do poeta Manuel Bandeira (...) ao lado de Mário de Andrade." (*Idem*, 30.09.1998) [Ant.: *baço, descorado, pálido.*] **4** Que ilumina, clareia; BRILHANTE; FULGURANTE; LUMINOSO **5** Que tem vivacidade [F.: Do lat. *vividus*. Hom./Par.: *vívido* (adj.), *vivido* (adj.).]

vivificação (vi.vi.fi.ca.*ção*) *sf.* Ação ou resultado de vivificar [Pl.: *-ções.*] [F.: Do lat. *vivificatio-onis*, pelo fr. *vivification.*]

vivificado (vi.vi.fi.*ca*.do) *a.* **1** Que se vivificou, que recebeu o dom da vida ou a teve restituída: "Pois também Cristo morreu uma vez pelos nossos pecados... Padeceu a morte em sua carne, mas foi vivificado quanto ao espírito." ("Primeira Epístola de São Pedro", cap III, 18 *in Bíblia – Novo Testamento*) **2** *Fig.* Que foi alentado, animado, fecundado: "A estas situações deve levar o amor social vivificado pela caridade..." (João Paulo II, "Discursos – Encontro com intelectuais" *in Folha On-line*, 02.04.2005) [F.: Do lat. *vivificatus, a, um.*]

vivificador (vi.vi.fi.ca.*dor*) [ô] *a.* **1** Que vivifica; VIVIFICANTE: *Uma experiência vivificadora.* *sm.* **2** Aquele ou aquilo que vivifica [F.: Do lat. *vivificator-oris*, pelo fr. *vivificateur.*]

vivificante (vi.vi.fi.*can*.te) *a2g.* **1** Que vivifica, dá vida ou reanima: *o clima vivificante das serras.* **2** Que anima, encoraja (fé vivificante) [F.: *vivificar* + *-nte*. Sin. ger.: *vivificador.*]

vivificar (vi.vi.fi.*car*) *v.* **1** Dar vida a; ANIMAR [*td.*: *Deus vivificou o primeiro homem.*] **2** Dar ânimo; ESTIMULAR; REVIGORAR [*td.*: *O médico conseguiu vivificar o moribundo.*] **3** Tornar(-se) mais forte, mais vigoroso [*td.*: *Trouxe vitaminas para vivificar as crianças.*] [*int.*: *Vivificou-se com aqueles tônicos.*] **4** Tornar mais animado, mais vívido [*td.*: *O amor é o agente que mais vivifica os relacionamentos humanos.*] **5** Tornar mais fecundo, fértil [*td.*: *Os movimentos de vanguarda vivificam as artes.*] **6** Mostrar-se vivificante [*int.*: *Era dotado de capacidade de vivificar.*] [▶ **11** vivificar] [F.: Do lat. tardio *vivificare*. Hom./Par.: *vivifico* (fl.), *vivífico* (a.).]

viviparidade (vi.vi.pa.ri.*da*.de) *sf. Bot. Zool.* Qualidade ou condição de vivíparo [F.: *vivípar(o)* + *-(i)dade.*]

vivíparo (vi.*ví*.pa.ro) *a.* **1** *Zool.* Diz-se de animal que gera filhotes desenvolvidos no útero materno [Ver tb. *ovíparo* e *ovovivíparo.*] **2** *Bot.* Diz-se de planta que se reproduz a partir de gemas ou bulbilhos (p. ex., as agaváceas) *sm.* **3** *Zool.* Animal vivíparo [F.: Do lat. *viviparus-a -um.*]

vivissecção (vi.vis.sec.*ção*) *sf. Zool.* Operação feita em animal vivo para estudo da fisiologia interna [Pl.: *-ções.*] [F.: *viv-* + *(i)* + *secção.*]

vivisseccionista (vi.vis.sec.ci:o.*nis*.ta) *a2g.* **1** Diz-se de pessoa que pratica a vivissecção, esp. por interesse científico *s2g.* **2** Essa pessoa [F.: *vivissecção* (f. rad. *vivisseccion-*) + *-ista.*]

vivissectomia (vi.vis.sec.to.*mi*.a) *sf.* Incisão feita em animal vivo para fins de estudo e experimentação científica [F.: *vivissec(ção)* + *-tomia.*]

vivível (vi.*ví*.vel) *a2g.* **1** Possível de se viver: "...para transformar a vida minimamente suportável ou agradavelmente vivível, aí fica por conta do freguês." (Luiz Caversan, "Andar com fé, e só" *in Folha On-line*, 15.01.2005) **2** Que vale a pena viver: "O que ele faz é o que torna a vida praticável, vivível." (Darcy Ribeiro, "Entrevista a Antônio Machado de Carvalho" *in Revista Presença Pedagógica*, março/abril 1996) [Pl.: *-veis.*] [F.: *viver* (-e- > -i-) + *-vel.*]

vivo (vi.vo) *a.* **1** Que vive; que tem vida (ser vivo) [Ant.: *morto.*] **2** Cheio de vivacidade (olhar vivo); VÍVIDO [Ant.: *frio, inexpressivo.*] **3** Vigoroso, acalorado, enérgico: "Fazia então vivos protestos de mudar de norma de conduta daí em diante..." (Aluísio Azevedo, *Livro de uma sogra*) [Ant.: *desapaixonado, frio.*] **4** Inteligente, esperto, sagaz **5** *Pop.* Cheio de ardis; ASTUCIOSO; MALICIOSO **6** Diz-se de cor em tom forte e chamativo (cores vivas) **7** *Gram. Ling.* Diz-se de língua que tem uso corrente: *O português é uma língua viva, ao contrário do latim.* [Ant.: *desusado, morto.*] **8** Forte, ativo, penetrante: "Eis Mimosa! Seu corpo trescalava/ O quente e vivo aroma da alfazema, (...)" (Fagundes Varela, *Narração*) **9** Duradouro, persistente, vivaz: *Mantém viva a lembrança do pai.* **10** Que expõe com clareza, naturalidade e vigor (linguagem viva; descrição viva); EXPRESSIVO; SIGNIFICATIVO; VÍVIDO **11** Que demonstra nitidez, que é evidente (imagem viva): *Sinais vivos de seu estilo.* **12** Cheio de atenção; ALERTA; VIGILANTE **13** Acelerado, ligeiro, apressado *sm.* **14** Ser (humano ou animal) dotado de vida: "(...) faziam antes lembrar o jazer de cadáveres, que o repousar de vivos." (Alexandre Herculano, *Eurico, o presbítero*) **15** *Elet. Eletrôn.* Parte interna de um fio que permite a condução de energia: *O vivo do cabo coaxial.* **16** A parte viva, vibrante; aquilo que ressalta de algo: *O vivo das cores.* **17** A parte fundamental ou mais íntima; ÂMAGO; CERNE: *O vivo da honra; O vivo de suas ideias.* **18** *Vest.* Tira de tecido de cor contrastante que se aplica sobre uma peça, como ornamento; DEBRUM **19** *Anat.* Qualquer parte extremamente sensível do organismo animal: *O vivo do dente.* **20** *Anat.* Qualquer parte sob a epiderme do organismo animal **21** *Mar.* A parte que suporta a tração em um cabo **22** *Vet.* Inflamação na pele e tendões que afeta a região entre o boleto e a coroa do casco dos equídeos; tb. *vívula* [F.: Do lat. *vivus viva*. Hom./Par.: *vivo* (a. sm.), *vivo* (fl. de *viver*).] ■■ **Ao ~** **1** No mesmo momento em que acontece (diz-se de transmissão de evento pelo rádio, pela televisão ou pela internet) **2** Apresentado ao público por músicos, atores, locutores etc., e não em forma de gravação, ou de *playback* **Entre ~s** *Jur.* Entre pessoas vivas, para ter efeito sobre pessoas em vida (diz-se de contrato)

vivório (vi.*vó*.ri:o) *sm.* **1** Grande número de vivas dados por aclamação ou aplauso: "O sino da estação anunciou a saída do trem de Engenheiro Abrunhosa: daí a minutos estava em Jataí. Um vivório se ouviu longe." (Alcântara Machado, "As cinco panelas de ouro" *in Contos avulsos*) **2** *Pop.* Ruidoso entusiasmo: "...Era a hora da partida dos balseiros, em meio ao vivório e estampidos de armas de fogo..." (Noel Nascimento, *João Maria*) [F.: *viva* (interj.) + *-ório*.]

vivos (*vi*.vos) *smpl.* As pessoas vivas [Ant.: *mortos*.] [F.: Pl. de *vivo*.]

vixe (*vi*.xe) [ch] *interj. N. E. Pop.* Expressa vários sentimentos ou diversas sensações, como aborrecimento, admiração, susto, medo, espanto, surpresa etc.; VIGE: *Vixe Maria! Danou-se bichinho.* [F.: Var. de *vige* < *Virgem* Maria.]

vizindário (vi.zin.*dá*.ri:o) *sm. RS* O mesmo que *vizinhança*: *Tinha muitos amigos no vizindário.* [F.: Do espn. *vecindario*.]

vizinhança (vi.zi.*nhan*.ça) *sf.* **1** O conjunto daqueles que constituem os vizinhos **2** O conjunto dos lugares vizinhos ou próximos; ARREDORES; CERCANIAS; CIRCUNVIZINHANÇA; IMEDIAÇÕES **3** Relação entre vizinhos: *política da boa vizinhança.* **4** Condição do que está próximo; CONTIGUIDADE; PROXIMIDADE [+ *com, de, entre*: *a vizinhança de uma coisa com outra; A vizinhança entre os dois conceitos é óbvia.* Ant.: *afastamento, longinquidade*.] **5** *Fig.* Semelhança, afinidade, analogia [+ *com, de, entre*: *A vizinhança desta teoria com aquela é notável; Era possível notar, em suas feições, a vizinhança entre eles.* Ant.: *dessemelhança, disparidade*.] [F.: *vizinh(o)* + *-ança*. Sin. ger.: *vizindade*.]

vizinhar (vi.zi.*nhar*) *v.* **1** Ser vizinho de [*tr.* + *com*: *Meus primos vizinham comigo.*] [*td.*: *Dezenas de chácaras vizinham a cidade.* Ant.: *desvizinhar*.] **2** Ser limítrofe com, estar contíguo a; CONFINAR [*td. tr.* + *com*: *O Uruguai vizinha (com) a Argentina e o Brasil.*] **3** Conversar, ter relações sociais com vizinhos [*int.*] **4** *Amaz.* Repartir alimentos com amigos [*int.*] **5** Avizinhar-se, aproximar-se de (alguém ou algo) [*tdr. tr.* + *de*: *Tentava vizinhar(-se) dos melhores alunos.* Ant.: *afastar*.] [▶ 1 vizinhar] [F.: *vizinho* + *-ar2*. Hom./Par.: *vizinha* (fl.), *vizinha* (fem. de *vizinho*); *vizinho* (fl.), *vizinho* (a. sm.).]

vizinho (vi.*zi*.nho) *sm.* **1** Pessoa que mora perto de alguém **2** Em dada ocasião, pessoa próxima de alguém: *vizinho de mesa; vizinho de poltrona.* **3** Habitante, morador (vizinhos de bairro) *a.* **4** Que está ao lado; ADJACENTE; CONTÍGUO; LIMÍTROFE **5** Que mora ou se localiza perto [Ant.: *afastado, distante*.] **6** Situado a curta distância; PRÓXIMO [Ant.: *longínquo, remoto*.] **7** *Fig.* Análogo, semelhante [Ant.: *dessemelhante, diferente, díspar*.] **8** Que vem imediatamente antes ou depois: *Esse é o irmão caçula, vizinho de mim.* [Ant.: *afastado, distante*.] **9** Que tem parentesco próximo; CHEGADO: *É o parente mais vizinho que tenho.* **10** *Mús.* Diz-se de tom com número de acidentes igual ao de outro, ou que dele difere por um só tom [F.: Do lat. *vicinus*. Hom./Par.: *vizinho* (a. sm.), *vizinho* (fl. de *vizinhar*).]

vizir (vi.*zir*) *sm.* Em um califado ou principado muçulmano, alto funcionário responsável pela administração política e militar [F.: Do ár. *uazir*, pelo turco *vezir*.]

vizirado (vi.zi.*ra*.do) *sm.* **1** Cargo ou dignidade de vizir; VIZIRATO **2** Exercício das funções de vizir **3** O período em que qualquer vizir se conserva nesse exercício [F.: *vizir* + *-ado²*.]

⊠ **VLDL** Sigla de *lipoproteína de muito baixa densidade* [F.: D o ing. *very low density lipoprotein*.]

⊠ **VLF** Sigla de *frequência muito baixa* [F.: Do ing. *very low frequency*.]

vó *sf. Fam.* Forma carinhosa e reduzida de *avó* [F.: De *avó*, por aférese.]

vô *sm. Fam.* Forma carinhosa e reduzida de *avô* [F.: De *avô*, por aférese.]

voação (vo:a.*ção*) *sf.* **1** Ação ou resultado de voar: "...Barba de dois meses, roupas sujas e rasgadas, o já delgado padre Monteiro agora era só ossos, "talvez para ajudar na voação da máquina" pensaram alguns..." (David Nogueira, *O homem que vou para falar com Deus*, parte II) **2** *Fig.* Abandono irresponsável de posto ou lugar em que se deveria estar a trabalho, para cuidar de assuntos de interesse próprio ou para vadiar: *Deixava o paletó na cadeira e a voação estendia-se até o final do expediente.* **3** *Fig.* Atitude de alheamento ao que se passa à volta, ou desinteresse por assunto, aula, filme etc.: *A voação que o dominava não lhe permitia entender as explicações do professor.* [Pl.: *-ções*.] [F.: *voar* + *-ção*.]

voadeira (vo:a.*dei*.ra) *sf. N.* Lancha veloz com motor de popa [F.: *voar* + *-deira*.]

voado (vo.*a*.do) *a.* **1** Que se voou, que se percorreu a bordo de aeronave: *O trecho voado foi de mais de cinco milhas.* **2** *Fig.* Apressado, acelerado, desembestado: *Ele agarrou o boné e saiu daqui voado.* [F.: Part. de *voar*.]

voador (vo:a.*dor*) [ô] *a.* **1** Que voa ou é capaz de voar; VOANTE; VOLANTE **2** Muito rápido; CÉLERE; VELOZ [Ant.: *lento, vagaroso*.] **3** *Bras. Pop.* Diz-se de cheque que se passa sem que haja a quantia necessária para sua compensação *sm.* **4** Aquele que voa **5** Acrobata que executa saltos entre trapézios **6** *RJ Pop. Joc.* Funcionário que, durante o expediente, está frequentemente fora de seu posto de trabalho **7** *Bras. Ict.* Ver *peixe-voador* **8** Aparelho composto de dois aros superpostos e unidos por hastes, com rodinhas no inferior, que tem diâmetro maior, us. para auxiliar crianças que começam a andar; ANDADOR **9** *Bras. Ict.* Denominação comum a vários peixes cujas nadadeiras peitorais são muito desenvolvidas. São: *Exocoetus volitans, Parexocoetus brachypterus, Prionotus punctatus, Dactylopterus volitans, Parexocoetus brachypterus, Cypselurus melanurus* [F.: *voa(r)* + *-dor*.]

voadouros (vo:a.*dou*.ros) *smpl.* **1** As penas mais compridas das aves; GUIAS; RÊMIGES; VOADEIRAS; VOADOIROS **2** *Fig.* Meios de realizar algum ato [F.: Pl. de *voadouro*.]

voal (vo:*al*) *sm. Têxt.* Tecido semelhante a musseline, fabricado com fios muito finos e torcidos, de aparência leve e transparente, muito usado para confecção de cortinas e em decoração [F.: Do fr. *voile*.]

voante (vo.*an*.te) *a2g.* **1** Que voa ou é capaz de voar; VOADOR; VOLANTE **2** *Her.* Em posição de voo (dragão voante) **3** *Fig.* Efêmero, passageiro, fugaz [F.: *voa(r)* + *-nte*.]

voar (vo.*ar*) *v.* **1** Sustentar-se ou deslocar-se no ar, por meio de asas [*int.*: *Os pássaros voam.*] **2** Mover-se e manter-se no ar por meios mecânicos [*int.*: *Os aviões voam.*] **3** *Fig.* Deslocar-se, passar ou consumir-se com rapidez [*int.*: *A moto voa no trânsito livre*: "Os minutos voavam...": (Machado de Assis, "A missa do galo" *in Novas seletas*)] **4** *Fig.* Propagar-se com rapidez [*int.*: *A fofoca voava de boca em boca.*] **5** Desaparecer rapidamente; DISSIPAR-SE; SUMIR [*int.*: *As palavras voam, os escritos permanecem.*] **6** *Fig.* Fazer viagem aérea; ir de avião para [*ta.*: *Voou para Portugal.*] [*int.*: *Preferia voar a navegar.*] **7** *Fig.* Jogar-se sobre; ATIRAR-SE [*ta.*: *O menino voou para a mãe.*] **8** Ir para longe (o pensamento, ou com o pensamento) [*int.*: *Esse menino vive voando.*] **9** *Bras. Pop.* Fragmentar-se por explosão; EXPLODIR [*int.*: *A bomba atingiu a casamata, que voou pelos ares.*] **10** *P. ext.* Sacudir-se ao vento; ESVOAÇAR; TREMULAR [*int.*: *As bandeiras voavam no alto dos mastros.*] **11** *Fig.* Deslocar-se com grande velocidade (para) [*int.*: *Essas novas motocicletas voam.*] **12** *Fig.* Passar muito depressa [*int.*: *A partir de certa idade, o tempo começa a voar.*] **13** *Fig.* Consumir-se rapidamente [*int.*: *No mês passado nosso dinheiro voou.*] **14** Liberar a imaginação [*int.*: *Deitou-se na cama e deixou sua mente voar.*] **15** *Fig.* Atirar-se impetuosamente sobre; AGREDIR; ATACAR [*tr.* + *em, sobre*: *Perdeu a cabeça e voou no irmão / sobre o adversário.*] [▶ 16 voar] [F.: Do lat. *volare*. Hom./Par.: *voo* (fl.), *voo* (sm.).] ■ **~ alto** *Fig.* Ter ambições ou pretensões, ser otimista em seus projetos; ter planos mirabolantes **~ baixinho** *RS Fig.* Estar mal de finanças, e, por isso, moderar suas ambições e pretensões **~ em/para cima de** *Bras. Fig. Gír.* Abordar (alguém) com propostas amorosas; assediar sexualmente

vocabular (vo.ca.bu.*lar*) *a2g.* Ref. a vocábulo [F.: *vocábulo* + *-ar*.]

vocabulário (vo.ca.bu.*lá*.ri:o) *sm.* **1** Conjunto dos vocábulos de uma língua; LÉXICO **2** Conjunto dos termos característicos de uma atividade ou campo do conhecimento (vocabulário do futebol; vocabulário psicanalítico); NOMENCLATURA; TERMINOLOGIA **3** Livro que contém o conjunto desses termos, em ordem alfabética e com as respectivas definições (vocabulário de filosofia; vocabulário de informática); DICIONÁRIO; GLOSSÁRIO **4** Relação em ordem alfabética e com as respectivas definições desses termos ou de termos pouco comuns ou regionais etc., us. em uma obra, e que constitui um apêndice dela; ELUCIDÁRIO; GLOSSÁRIO **5** Conjunto das palavras us. em determinada época ou estágio da língua: *o vocabulário medieval português.* **6** Conjunto das palavras us. por um autor em sua obra, por uma faixa etária, um grupo social ou de interesses etc. (vocabulário camoniano; vocabulário jovem; vocabulário dos sambistas) **7** Conjunto das palavras que uma pessoa conhece: *Ele tem bom vocabulário, lê muito.* **8** Dicionário de particularidades das palavras, que não inclui necessariamente definição de acepções (vocabulário ortográfico; vocabulário etimológico) **9** *Inf.* Conjunto dos símbolos us. para codificação de operações e instruções numa linguagem de programação **10** *P. ext.* Conjunto de palavras referentes a um tema: "O meu amigo (...) achou que Silvestre algumas vezes abusava do vocabulário dos eufemismos." (Camilo Castelo Branco, *Coração, cabeça, estômago*) [F.: Do lat. medv. *vocabularium*.]

vocabularista (vo.ca.bu.la.*ris*.ta) *Lex. a2g.* **1** Diz-se de quem escreve ou compõe vocabulário(s); VOCABULISTA **2** Diz-se de quem pesquisa vocábulos com vistas à elaboração de vocabulário **3** Diz-se de quem é estudioso de vocabulário(s) *s2g.* **4** Autor de vocabulários ou de dicionários **5** Pessoa que colige palavras para edição de um vocabulário **6** Aquele que estuda vocábulos e vocabulários [F.: *vocabulário* + *-ista*.]

vocabularizado (vo.ca.bu.la.ri.*za*.do) *a. Lex.* Inserido em vocabulário ou dicionário; DICIONARIZADO [F.: Part. de *vocabularizar*.]

vocabularizar (vo.ca.bu.li.*zar*) *v. td.* Incluir em dicionário ou vocabulário [▶ 1 vocabularizar] [F.: *vocabulário* + *-izar*.]

vocábulo (vo.*cá*.bu.lo) *sm. Gram. Ling.* Palavra, termo [Col.: *dicionário, léxico, vocabulário*.] [F.: Do lat. *vocabulum -i*. Ideia de 'vocábulo': *verb(i/o)-* (*verbiagem, verborragia*).]

vocação (vo.ca.*ção*) *sf.* **1** Inclinação ou talento especial para o exercício de certa profissão ou atividade: "Não tem vocação comercial nem industrial." (Machado de Assis, *Helena*) [+ *a*, (*P. us.*) *de, para*: *vocação à / da / para a medicina.* Ant.: *inaptidão, incapacidade*.] **2** Tendência natural; DISPOSIÇÃO; PENDOR: *O turismo é a principal vocação econômica do Rio.* [+ *a*, (*P. us.*) *de, para*: "(...) na rua, acontecia-lhe correr uma distância de dez a vinte braças para ir apertar a mão a um homem grave, a uma senhora (...) Tinha a vocação das cortesias." (Machado de Assis, *Contos*)] **3** Disposição natural para a vida religiosa; PREDESTINAÇÃO: *Padre Bento descobriu cedo a vocação.* [Pl.: *-ções*.] [F.: Do lat. *vocatio-onis*.] ■ **~ hereditária** *Jur.* Convocação dos herdeiros legítimos à sucessão de um falecido, na ordem prevista na lei civil

vocacionado (vo.ca.ci:o.*na*.do) *a.* **1** Que tem vocação para determinada carreira: *Era um jovem vocacionado para a medicina.* *sm.* **2** Pessoa que tem tendência, propensão ou inclinação para determinado ofício: *Só um vocacionado para a arte da interpretação poderia interpretar o Hamlet.* [F.: *vocação*, sob a f. rad. *vocacion-* + *-ado*.]

vocacional (vo.ca.ci:o.*nal*) *a2g.* Ref. a vocação, que encerra vocação (teste vocacional) [Pl.: *-nais*.] [F.: *vocação* + *-al*.]

vocacionalmente (vo.ca.ci:o.nal.*men*.te) *adv.* De modo vocacional, com vocação, segundo a vocação: "...É o mais difícil dos magistérios. E só vós podeis, vocacionalmente, exercê-lo." (Afrânio Peixoto, *Ensinar a ensinar*) [F.: *vocacional* + *-mente*.]

vocal (vo.*cal*) *a2g.* **1** Ref. à voz ou aos órgãos responsáveis por sua emissão **2** Que serve para emissão da voz (órgãos vocais) **3** Que se expressa por meio da voz (comando vocal; música vocal) [Pl.: *-cais*.] *sm.* **4** *Mús.* A parte cantada de uma composição musical: "(...) o vocal, colocado à frente de todos os instrumentos na mixagem, abafa os ritmos (...)." (*Veja*, 19. 12.2001) **5** *Mús.* A voz que executa essa parte: "Ele enriquecia a letra e a melodia das canções com seu vocal empostado, típico dos seresteiros de antigamente." (*Veja*, 22.10.2003) **6** *Mús.* Vocalista, cantor: *Ele é vocal e guitarra do grupo.* [Pl.: *-cais*.] [F.: Do lat. *vocalis -e*.]

vocálico (vo.*cá*.li.co) *a. Fon. Gram.* Ref. a vogais ou por elas constituído (encontro vocálico) [F.: *vocal* + *ico2*.]

vocalise (vo.ca.*li*.se) *sm.* **1** *Mús.* Exercício de canto apoiado em uma vogal, em que se entoam várias notas musicais definidas previamente; VOCALIZO **2** *Mús.* Trecho de música em que são entoadas apenas as notas musicais, sem palavras [F.: Do fr. *vocalise*.]

vocalismo (vo.ca.*lis*.mo) *sm.* **1** *Gram.* Teoria acerca das vogais **2** *Fon.* Estudo da evolução dos fonemas vocálicos, em sua transição do latim para o português [F.: *vocal* + *-ismo*.]

vocalista (vo.ca.*lis*.ta) *s2g. Mús.* O principal cantor de um grupo ou banda de música popular [F.: *vocal* + *-ista*.]

vocalização (vo.ca.li.za.*ção*) *sf.* **1** Ação ou resultado de vocalizar **2** Emissão da voz por seres humanos ou animais **3** *Fon. Ling.* Substituição de uma consoante por vogal (p. ex., o lat. *conceptus* tornou-se, em português, *conceito*) **4** *Mús.* Conjunto de métodos e exercícios para aprimorar e disciplinar a voz **5** *Mús.* Na música popular, refrão cantado com sons vocálicos, sem letra [Pl.: *-ções*.] [F.: *vocaliza(r)* + *-ção*.]

vocalizado (vo.ca.li.*za*.do) *a.* **1** Que se vocalizou **2** *Fon. Gram.* Diz-se de som consonantal que se transformou em vocálico **3** *Mús.* Cantado com sons vocálicos, sem palavras [F.: Part. de *vocalizar*.]

vocalizador (vo.ca.li.za.*dor*) [ô] *sm.* **1** Aquele que vocaliza **2** *Tec.* Aparelho específico de gravação e reprodução de mensagens padronizadas, acionadas por teclas com imagens (fotos, símbolos, figuras), us. como meio de comunicação por pessoas com sério comprometimento motor *a.* **3** Que vocaliza [F.: *vocaliza(r)* + *-dor*.]

vocalizar (vo.ca.li.*zar*) *v.* **1** *Mús.* Cantar sem emitir palavras, apenas emitindo som de vogal [*int.*] **2** Falar, verbalizar [*td.*: *vocalizar suas impressões.*] **3** *Ling.* Transformar (consoante) em vogal [*int.*] [▶ 1 vocalizar] [F.: *vocal* + *-izar*.]

vocalmente (vo.cal.*men*.te) *adv.* De viva voz, de modo vocal; ORALMENTE: *É preciso preparar vocalmente os integrantes do coral.* [F.: *vocal* + *-mente*.]

vocativo (vo.ca.*ti*.vo) *sm.* **1** *Gram.* Palavra ou expressão us. para chamar ou interpelar uma pessoa (p. ex.: *Clara*, quero falar com você.) *a.* **2** *Gram.* Diz-se de palavra ou expressão us. como interpelação (caso vocativo) [F.: Do lat. *vocativus*.]

você (vo.*cê*) *pr. pess.* **1** Indica a pessoa com quem se fala e funciona como sujeito, complemento etc.: *Você pode chegar mais cedo?; Não esperava encontrar você aqui.* [NOTA.: a) Us. tb. como referência a pessoa indeterminada (alguém): Quando você se esforça, tem bom resultado. b) Como forma de tratamento para a segunda pessoa ou ouvinte, *você* substitui o pronome *tu* no português corrente na maior parte do território brasileiro. (Embora, substitua o *tu*, o pronome *você*, no Brasil, é us. indistintamente entre as pessoas sejam elas íntimas ou não, sejam elas do mesmo nível social ou não; o que não ocorre em Portugal, visto que neste país só se usa o *você* em casos de intimidade familiar e quando alguém ocupa um lugar superior e dirige-se a alguém em posição inferior, nunca o contrário.). c) Note-se pelos exemplos que embora *você* se refira à 2ª pess., o verbo que o segue apresenta terminação de 3ª pess.] *sm.* **2** A forma de tratamento *você*: *No Brasil predomina o você.* [F.: De *Vossa Mercê* > *vossemecê* > *vosmecê*.]

vociferação (vo.ci.fe.ra.*ção*) *sf.* **1** Ação ou resultado de vociferar; BERREIRO; GRITARIA [+ *contra*: *vociferação* contra os abusos do poder.] 2 Reclamação, censura dirigida a alguém ou algo [Nesta acp., mais us. no pl.] 3 Insulto, ofensa, ultraje [Nesta acp., mais us. no pl.] [Pl.: -ções.] [F.: Do lat. vociferatio-onis.]

vociferado (vo.ci.fe.*ra*.do) *a.* Que se vociferou, que se proferiu em voz alta, clamorosamente, colericamente: "... sem-número de pragas vociferadas cada vez que metia as botas num lameiro." (Oliveira Martins, *Febo Moniz*) [F.: Part. de *vociferar.*]

vociferador (vo.ci.fe.ra.*dor*) [ô] *a.* 1 Que vocifera; VOCIFERANTE *sm.* 2 Aquele que vocifera; VOCIFERANTE [F.: *vocifera(r)* + *-dor.*]

vociferante (vo.ci.fe.*ran*.te) *a2g.* 1 Ver *vociferador* *s2g.* 2 Ver *vociferador* [F.: *vocifera(r)* + *-nte.*]

vociferar (vo.ci.fe.*rar*) *v.* 1 Falar ou dizer (algo) aos berros; ESBRAVEJAR; GRITAR [*td.*: *Vociferou as piores ofensas.*] [*int.*: *Vociferava sem parar.*] 2 Dizer insultos; ofender; OFENDER [*int.*] [*tr.* + *contra*: *O mendigo vociferava contra os motoristas.*] 3 Dirigir acusações a, aos brados [*tr.* + *contra*: *Vociferava contra a nova política do governo.*] [▶ 1 vociferar] [F.: Do lat. *vociferare.*]

vocoide (vo.*coi*.de) *a2g.* *Fon.* Diz-se dos sons vocálicos produzidos livremente, sem que haja qualquer obstáculo à passagem do ar, ou qualquer ruído de fricção [Contrapõe-se a *contoide.*] [F.: *voc-*, rad. de vocal, + *-oide.*]

voçoroca (vo.ço.*ro*.ca) *sf.* Fenda produzida na terra por forte enxurrada; BURACÃO: *Uma voçoroca formada pelo escoamento superficial das águas pluviais.* [F.: Do tupi *mboso'roca.* Forma paral.: *boçoroca.*]

vodca (*vod*.ca) *sf.* Aguardente de cereais (centeio, cevada etc.) originária da Rússia e da Polônia [F.: Do russo *vodka*, dim. de *voda* 'água'.]

vodu (vo.*du*) *sm.* 1 *Rel.* Religião praticada no Haiti, resultante do sincretismo de cultos africanos com o cristianismo 2 *Rel.* O conjunto das divindades cultuadas nessa religião 3 *Bras. Rel.* No candomblé, designação comum às divindades jejes, correspondentes aos orixás iorubas; VODUM 4 *Pop.* Maldição, feitiço *a2g.* 5 Ref. a vodu ou que se usa em seus rituais (religião vodu; boneco vodu) [F.: De or. africana. Tv. *vudu.*]

vodum (vo.*dum*) *sm.* *Bras. Rel.* Denominação genérica das divindades da nação jeje, originada de Benin e Togo, chamadas *orixás* entre os nagôs e *inkisse* para a nação angola, da tradição Bantu [F.: De or. jeje.]

vodunce (vo.*dun*.ce) *sf.* *Bras. Rel.* Filha de santo do culto dos voduns, nos candomblés de rito jeje [F.: De or. jeje.]

voduzeiro (vo.du.*zei*.ro) *a.* 1 *Bras. Pop.* Diz-se de quem promete soluções definitivas para problemas espirituais, financeiros, sentimentais etc. com ações semelhantes às de culto religioso de or. africana *sm.* 2 *Bras. Pop.* Indivíduo que tem essa atividade [F.: *vodu* + *-z-* + *-eiro.*]

voejante (vo:e.*jan*.te) *a2g.* Que voeja, que volita levemente; ESVOAÇANTE; VOLITANTE: "Assim, Poeta, és/ o pássaro voejante / bicando a Poesia..." (Giselda Medeiros, "Ao Poeta" *in Réquiem em sol da tarde*) [F.: *voejar* + *-nte.*]

voejar (vo:e.*jar*) *v.* O mesmo que *esvoaçar* [▶ 1 voejar] [F.: *voo* + *-ejar.*]

voejo (vo:e.jo) [ê] *sm.* 1 Ação de voejar; ADEJO: "Pousam (as pombas) no chafariz e então me digo que o chafariz foi feito para elas... de modo a fornecer-lhes um ponto de apoio especioso em seus voejos." (Aquilino Ribeiro, *Lápides partidas*) 2 Pó que se levanta da farinha quando esta é agitada [F.: Dev. de *voejar.*]

voga (*vo*.ga) [ó] *sf.* 1 Ideia, costume ou comportamento que passa a gozar de grande aceitação na sociedade ou num grupo determinado; MODA: "Sua recepção se beneficiou da voga de publicações voltadas para a conquista da liberdade sexual (...)." (*Folha de S.Paulo*, 19.02.2005) 2 *Mar.* Ritmo, cadência das remadas 3 Ação de remar; REMADA *sm.* 4 *Esp. Mar.* Remador que se senta atrás dos outros e marca o ritmo das remadas dos demais [F.: Regress. de *vogar*. Hom./Par.: *voga* (sf. e sm.), *voga* (fl. de *vogar*).] ∎ **Picar a ~** *Mar.* Acelerar o ritmo das remadas **~ apertada** *Mar.* Remada forte e vigorosa; voga arrancada; voga forçada **~ arrancada** *Mar.* Ver *Voga apertada* **~ demorada** *Mar.* Cadência lenta de remadas; voga larga **~ forçada** *Mar.* Ver *Voga apertada* **~ larga** *Mar.* Ver *Voga demorada* **~ surda** *Mar.* Remada silenciosa

vogação (vo.ga.*ção*) *sf.* Ação ou efeito de vogar [Pl.: *-ções.*] [F.: *Vogar* + *-ção.*]

vogal (vo.*gal*) *sf.* 1 *Fon. Gram.* Som da linguagem humana produzido quando o ar faz vibrar as cordas vocais e passa livremente pelo conduto bucal 2 *Fon. Gram.* Letra que representa esse som: *a, e, i, o, u* [Pl.: *-gais.*] *sm.* 3 *Bras. Jur.* Juiz de fato, representante dos empregadores ou dos empregados nas Juntas de Reconciliação e Julgamento [Pl.: *-gais.*] *s2g.* 4 *Pol.* Pessoa que tem direito a voto em assembleia 5 Membro de uma junta, comissão, corporação etc. [Pl.: *-gais.*] [F.: Do lat. *vocales -ium.* Hom./Par.: *vogais* (pl.), *vogais* (fl. de *vogar*).] ∎ **~ aberta** *Fon.* Vogal (1) produzida com grande abaixamento da língua [/á/, /é/, /ó/.] **~ alta** *Fon.* Vogal (1) produzida com a maior elevação da língua [/i/, /e/, /u/.] **~ anterior** *Fon.* Vogal (1) articulada na parte anterior da boca, com a língua elevada em direção ao palato duro [/o/, /u/.] **~ arredondada** *Fon.* Vogal (1) emitida com os lábios arredondados [Cf.: *Vogal tônica.*] **~ átona** *Fon.* Vogal não acentuada [/a/.] **~ baixa** *Fon.* Vogal (1) emitida com abaixamento da língua e da mandíbula [Cf.: *Vogal anterior* e *Vogal posterior.*] **~ central** *Fon.* Vogal (1) emitida com o dorso da língua em direção ao palato [Ex.: *suíngue*, a partir de *swing.*] **~ de apoio** 1 *Fon.* Na pronúncia de palavras terminadas em consoante implosiva (esp. estrangeirismos ou estrangeirismos aportuguesados) vogal inexistente na palavra, emitida para suavizar essa consoante [Como em '*administrar*', '*pissicologia*', '*adevogado*'.] 2 Vogal que se emite entre duas consoantes de grupo consonantal para suavizar a pronúncia **~ diacrítica** Vogal representada por sinal embaixo da consoante, acima dela ou ao lado dela, ger. indicando vogal que se segue à consoante [Ex.: a escrita hebraica,.] **~ fechada** *Fon.* Vogal (1) emitida com estreitamento da cavidade bucal, e elevação da língua em direção ao palato mole ou duro [/i/, /u/, /ê/, /ô/.] **~ média** *Fon.* Vogal (1) emitida com elevação média da língua [/é/, /ê/, /ó/, /ô/.] **~ não arredondada** *Fon.* Vogal (1) emitida sem arredondamento (2) dos lábios [Cf.: *vogal arredondada.*] **~ nasal** *Fon.* Vogal (1) emitida com o véu palatino abaixado, o que faz o ar fluir em parte pela cavidade nasal [/am/, /an/, /em/, /en/, /im/, /in/, /om/. /on/, /um/, /un/, /ã/, /õ/.] **~ oral** *Fon.* Vogal (1) emitida com o véu palatino levantado, o que faz o ar fluir somente pela cavidade oral [Cf.: *vogal nasal.*] **~ palatal** *Fon.* Vogal anterior e alta, emitida com a língua próxima do palato duro [Tb. apenas *palatal.*] **~ posterior** *Fon.* Vogal (1) emitida com a parte posterior da língua elevada na direção do véu palatino; vogal velar [/o/, /ó/, /ô/, /u/.] **~ reduzida** *Gram.* Na Nomenclatura Gramatical Brasileira, vogal átona em fim de palavra **~ temática** *Gram.* A que se acrescenta à raiz ou radical de uma palavra para constituir o tema **~ tônica** *Fon.* A que recebe o acento primário **~ velar** *Fon.* Ver *Vogal posterior.*

vogar (vo.*gar*) *v.* 1 Estar em vigor ou na moda; PREVALECER [*int.*: *Esta lei não voga mais.*] 2 *Ant.* Navegar (embarcação) [*int.*: *O barco vogava em águas tranquilas.*] 3 Percorrer (lugar) em embarcação [*td.*: *Esse navio já vogou todos os oceanos.*] 4 *Fig.* Andar, percorrer [*td.*: *O desamparado vogava todas as ruas da cidade.*] 5 Movimentar-se suavemente [*int.*: *Grossas nuvens brancas vogavam nos céus.*] 6 Tornar-se conhecido [*ta.*: *Essa informação já vogou por todas as redações de jornais.*] 7 *Bras. Fig.* Ter influência ou poder [*int.*: *Ele já foi um mandachuva, mas agora não voga mais.*] 8 *Bras. Fig.* Prevalecer, predominar [*int.*: *Essa moda já passou, agora já não voga.*] [▶ 14 vogar] [F.: Do it. *vogare*, ou do ant. provç. *vogar*. Hom./Par.: *voga(s)* (fl.), *voga(s)* (sf. [pl.]sm. [pl.]); *vogais* (fl.), *vogais* (pl. de *vogal* [sf.]).]

🌐 **voile** (*Fr.* /voal/) *sm.* *Têxt.* Tecido fino e vaporoso, mesmo que *voal* [F.: Do fr. *voile.*]

voivoda (voi.*vo*.da) *sm.* 1 Título que tinham outrora os soberanos da Moldávia, da Transilvânia e da Valáquia (antes de usarem o de *hospodar*), bem como os governadores de província na Polônia 2 Título que usavam os chefes do exército sérvio: *O grão-voivoda.* 3 Título de príncipe herdeiro na antiga Romênia e na Bulgária [F.: Do eslavônio *woi* (exército) + *woda* (chefe). Formas paral.: *vanvoda, vaivode* e *voivode.*]

volante (vo.*lan*.te) *sm.* 1 *Mec.* Peça em forma de roda que comanda a direção de veículo automotor; DIREÇÃO: *volante do carro.* 2 *Bras. Fig.* Motorista, esp. quando muito hábil 3 Cartão de apostas: *volante de loteria esportiva.* 4 *Mec.* Roda presa a um eixo e que serve para fazê-lo girar 5 *Mec.* Roda pesada que regula o movimento de um maquinismo e dá o impulso necessário para que vença a inércia 6 *Mec.* Correia contínua na roda das máquinas 7 *Lud.* Espécie de peteca leve que se joga com raquete 8 *Lud.* O jogo com essa peteca 9 *Publ.* Papel impresso com informação para divulgação; FOLHA AVULSA; FOLHA VOLANTE; PROSPECTO 10 *Vest.* Tecido leve e transparente, próprio para véus 11 Servo, criado 12 Dardo, seta 13 Peça, nos relógios, que resiste aos impulsos da mola *s2g.* 14 *Fut.* Jogador que faz a ligação entre a defesa e o ataque do time *sf.* 15 *Bras. Mil.* Tropa ligeira, sem bagagem nem artilharia: "...A cidade [Triunfo PE] foi palco, nos anos 30, de tiroteios antológicos entre o bando de Lampião e as volantes, grupos de soldados que perseguiam os cangaceiros pelo sertão." (*IstoÉ*, 12.11.1997) *a2g.* 16 Que não tem localização fixa (biblioteca volante); ITINERANTE 17 Que se move ou desloca com facilidade (polícia volante); MÓVEL 18 Que voa ou é capaz de voar; VOADOR; VOANTE 19 *Fig.* Efêmero, passageiro, transitório; MÓBIL; MÓVEL [Ant.: *duradouro, perdurável.*] 20 Ondulante, flutuante: "(...) tinha pregado por dentro [do chapéu] uma folhinha-cartão, um horário da estrada de ferro, o mapa da partida dos correios, e os sinais de incêndio; tudo isto por baixo do forro volante de tafetá." (José de Alencar, *Sonhos d'ouro*) [F.: Do lat. *volans-antis.*]

volata (vo.*la*.ta) *sf.* 1 *Mús.* Progressão das notas de uma oitava executada pelo cantor com total velocidade 2 *Mús.* Sequência modulada de tons rapidamente executados: "... Depois era uma lânguida volata, um cantar melancólico e dolente..." (Guerra Junqueiro, *A morte de D. João*) [F.: Do it. *volata.*]

volátil (vo.*lá*.til) *a2g.* 1 *Fís. Quím.* Que pode reduzir-se a gás ou a vapor (substância volátil) 2 *Fig.* Inconstante, variável, instável (eleitor volátil): "Volátil e com poucos negócios, dólar vai e vem em torno de R$ 3,09." (*Folha On-line*, 20.08.2002) [Ant.: *estável, imutável, previsível.*] 3 *Inf.* Diz-se de memória cujas informações se perdem com a interrupção da corrente elétrica 4 Que voa ou é capaz de voar; VOADOR; VOANTE; VOLANTE 5 *Fig.* Que pode desaparecer ou dissipar-se; VOLATILIZÁVEL [Ant.: *firme, imorredouro, sólido.*] 6 Desprovido de matéria, de corpo, de substância; ETÉREO; IMPALPÁVEL *sm.* 7 Animal que voa ou é capaz de voar; VOADOR; VOANTE [Pl.: *-teis.*] [F.: Do lat. *volatilis -e.*]

volatilidade (vo.la.ti.li.*da*.de) *sf.* Qualidade ou condição do que é volátil [F.: *volátil* + *-(i)dade.*]

volatilização (vo.la.ti.li.za.*ção*) *sf.* 1 Ação ou resultado de volatilizar(-se) 2 *Astron.* Desintegração de um engenho espacial causada pelo atrito ao entrar na atmosfera terrestre 3 *Fís. Quím.* Passagem do estado sólido ou líquido para o gasoso [Pl.: *-ções.*] [F.: *volatiliza(r)* + *-ção.*]

volatilizado (vo.la.ti.li.*za*.do) *a.* 1 Que se volatilizou; EVAPORADO; GASEIFICADO: "(...) perfume inebriante que penetra no coração como o amor volatilizado." (José de Alencar, *A pata da gazela*) 2 *Fig.* Dissipado, desvanecido, extinto [F.: Part. de *volatilizar.*]

volatilizante (vo.la.ti.li.*zan*.te) *a2g.* 1 Que se volatiza ou que faz volatilizar; VOLATILIZÁVEL *s2g.* 2 Aquele ou aquilo que volatiza [F.: *volatiliza(r)* + *-nte.*]

volatilizar (vo.la.ti.li.*zar*) *v.* 1 Transformar(-se) em gás ou vapor; VAPORIZAR(-SE) [*td.*] [*int.*] 2 Desvanecer(-se), dissipar(-se) [*td.*: *A dura realidade volatilizou meus sonhos.*] [*int.*: *Meu projeto de vida volatilizou(-se).*] 3 *P. ext. Econ.* Fazer ficar ou ficar instável, oscilar (a moeda, o mercado); DESESTABILIZAR(-SE) [*td.*: *A incerteza quanto ao aumento dos juros norte-americanos volatilizou a cotação do dólar no Brasil.*] [*int.*: *Com a falta de uma perspectiva clara na condução da política interna, o mercado de ações volatilizou(-se).*] [▶ 1 volatilizar] [F.: *volátil* + *-izar.*]

volatilizável (vo.la.ti.li.*zá*.vel) *a2g.* Ver *volatilizante* [Pl.: *-veis.*] [F.: *volatiliz(ar)* + *-vel.*]

volatina (vo.la.*ti*.na) *sf.* *Mús.* Trecho musical simples e de andamento rápido [F.: Do it. *volatina.*]

voleador (vo.le:a.*dor*) [ô] *a.* 1 *Esp.* No jogo de tênis, diz-se de jogador que faz a devolução imediata da bola para o adversário sem que ela toque no chão (tenista voleador) 2 *Fut.* No futebol, diz-se de jogador que tem a habilidade de chutar a bola com força, antes que esta toque no chão: *O jogador voleador tem mais chance de surpreender o goleiro.* *sm.* 3 *Esp.* Jogador, esp. de tênis ou futebol, que devolve ou chuta a bola sem deixá-la tocar no chão [F.: *voleado* + *-or.*]

volear (vo.le.*ar*) *v.* *td.* *int.* *Bras. Esp.* Devolver (bola ou peteca) com golpe de raquete ao outro participante do jogo [▶ 13 volear] [F.: *vôlei* + *-ear.*]

vôlei (*vô*.lei) *Esp. sm.* Ver *voleibol* [F.: F. red. de *voleibol.*] ∎ **~ de praia** *Esp.* Modalidade de voleibol jogado na areia da praia ou em quadra de areia, entre times de dois ou quatro jogadores, com regras específicas [É esporte olímpico.]

📖 O Brasil já conquistou medalhas olímpicas, inclusive de ouro, no vôlei de praia masculino e feminino.

voleibol (vo.lei.*bol*) *Esp. sm.* Jogo em que duas equipes, formadas por seis jogadores e separadas por uma rede, tentam, usando principalmente as mãos e os antebraços, jogar a bola por sobre essa rede para fazê-la tocar na quadra adversária; VOLIBOL [Tb. se diz apenas *vôlei.*] [Pl.: *-bóis.*] [F.: Do ing. *volley-ball.*]

📖 Criado em 1895, nos EUA, como esporte de quadra coberta para ambos os sexos, o voleibol (ou vôlei) evoluiu em popularidade e passou a ser esporte olímpico a partir das Olimpíadas de 1964, no Japão. É disputado num campo dividido por uma rede com 2,43 m de altura no ponto mais elevado (2,24 m na modalidade feminina), com seis jogadores em cada equipe. O objetivo é colocar a bola no chão da quadra adversária em três jogadas apenas (um jogador não pode fazer duas jogadas sucessivas), que são toques secos na bola (o bloqueio junto à rede de um ataque adversário não é considerado como jogada). As competições internacionais mais importantes, além das Olimpíadas, são as da Liga Mundial e o campeonato mundial. O vôlei desenvolveu-se muito no Brasil a partir da década de 1980, tendo o país já sido campeão olímpico masculino (1992, 2004), e várias vezes campeão mundial e da Liga Mundial (masculino e feminino).

voleibolista (vo.lei.bo.*lis*.ta) *s2g.* 1 *Esp.* Jogador de voleibol 2 Especialista em voleibol ou aficionado por esse jogo *a2g.* 3 *Esp.* Ref. a ou que joga voleibol [F.: *voleibol* + *-ista.*]

voleibolístico (vo.lei.bo.*lís*.ti.co) *a.* Que diz respeito a voleibol ou a voleibolista: *O Brasil é uma das grandes forças no cenário voleibolístico mundial.* [F.: *voleibolista* + *-ico.*]

voleio (vo.*lei*:o) *Bras. sm.* 1 *Fut.* Jogada em que o jogador salta com o corpo inclinado lateralmente para chutar a bola antes que ela toque o chão 2 *Esp.* Jogada em que o jogador rebate a bola para a quadra adversária antes que ela toque o chão [F.: Deriv. de *vôlei.*]

volemia (vo.le.*mi*.a) *sf.* *Fisl.* Volume sanguíneo [F.: *vol-* (rad. de volume) + *-emia.*]

volêmico (vo.*lê*.mi.co) *a.* Que diz respeito a volemia [F.: *volemia* + *-ico.*]

volfrâmio (vol.*frâ*.mi.o) *sm.* *Ant. Quím.* Elemento químico, m. q. *tungstênio*

volição (vo.li.*ção*) *sf.* 1 Ato pelo qual a vontade se determina a alguma coisa; VONTADE: "Quando reentrou no portão da olaria (...) João Inácio leva firmada a volição de comparecer ao batizado." (Mário Sete, *João Inácio*) [Ant.: *nolição.*] 2 Manifestação desse ato 3 *Psic.* Um dos tipos de função mental (são eles: afeto, cognição e volição) 4 *Psic.* Capacidade em que se fundamenta a conduta consciente e que permite tomar decisões diante de motivações 5 *Espt.*

Capacidade que tem o espírito de certo nível de adiantamento moral de se transportar no mundo espiritual, como em voo, para onde quiser ou lhe for determinado [Pl.: *-ções*.] [F.: Do lat. medv. *volitio, onis* ou do fr. *volition*, criado a partir de *nolition*.]

volitar (vo.li.*tar*) *v. int.* **1** Bater as asas para levantar voo; ESVOAÇAR; VOEJAR **2** *Espt.* Deslocar-se no ar, na atmosfera (os espíritos) [▶ 1 volitar] [F.: Do lat. *volitare*.]

volitivo (vo.li.*ti*.vo) *a.* **1** Ref. ou pertencente a volição ou vontade: *O ter vontade às vezes expressa um desejo vago, privado de empenho volitivo:* "(...) uma comprovação prática dessa dimensão volitiva do olhar." (*Folha de S.Paulo*, 24.10.2001) **2** Que depende ou provém da volição ou a expressa (ato volitivo) [F.: Adaptação do fr. *volitif*, de *vouloir* 'querer', do lat. **volere*.]

◎ **-volo¹** *el. comp.* = 'que voa': *altívolo* (< lat.), *flamívolo* (< lat.), *noctívolo, voltívolo.* [F.: Do lat. *-volus, a, um*, do v.lat. *volare*, 'voar'.]

◎ **-volo²** *el. comp.* = 'que deseja ou quer'; (*p. ext.*) 'que causa': *benévolo* (< lat.), *malévolo* (< lat.), *multívolo* (< lat.) [F.: Do lat. *-volus, a, um*, do v.lat. *velle*, 'querer'; 'desejar'.]

vo-lo **1** *Ant.* Comb. do pr. pess. oblíquo *vos* com o pr. pess. oblíquo *lo*: "...De sorte que espero vo-lo enviar logo que tenha provido a meus negócios..." ("Epístola de São Paulo aos Filipenses", cap. II, 23 *in Bíblia – Novo Testamento*) **2** *Ant.* Comb. do pr. pess. oblíquo *vos* com o pr. dem. neutro *lo*: "...Dize: Se Deus quisesse, não vo-lo teria eu recitado..." (Yunis, "Em nome de Deus, o Clemente, o Misericordioso" *in 10ª Surata, 16*)

volovã (vo.lo.*vã*) *sm. Cul.* Pastelão de massa folhada semelhante ao doce mil-folhas, porém com recheio salgado de peixe, carne, camarão, frango, palmito etc. [Pl.: *-vãs*.] [F.: Do fr. *vol-au-vent*.]

volt *sm. Elet. Fís. Metrol.* No Sistema Internacional, unidade de medida de diferença de potencial elétrico [Símb.: *V*.] [Pl.: *volts*.] [F.: Do fr. *volt*, do antr. Alessandro *Volta* (1745-1827), físico italiano.]

volta (*vol*.ta) *sf.* **1** Ação ou resultado de voltar, regressar, retornar ao início ou ao ponto de onde se partiu; REGRESSO; RETORNO **2** Ação ou resultado de voltar-se, virar-se em outra direção; VIRADA; VIRADELA **3** Movimento em torno de algo, de si mesmo ou em um circuito fechado; GIRO; RODA; VOLTEIO: *O cãozinho dá voltas tentando pegar o próprio rabo; A corrida terá vinte voltas* **4** Curva, sinuosidade, volteio: *O cano faz uma volta perto da parede.* **5** Passeio breve: "...vamos apenas dar uma volta pelas ruas mais agitadas..." (Franklin Távora, *O matuto*) **6** Cada uma das curvas de uma espiral: *A escada tem muitas voltas.* **7** *N. E.* O mesmo que *colar* **8** Curva ou meandro numa estrada, rio, caminho etc.; SERPEIO; VOLTEIO: "E esporeando o cavalo desapareceu na mata pelas voltas do caminho." (Bernardo Guimarães, *O garimpeiro*) **9** Cada um dos círculos de uma estrutura alongada e flexível em torno de alguém ou algo **10** Mudança de rumo no trajeto ou nos acontecimentos; GUINADA; REVIRAVOLTA; VIRADA: *As voltas da vida podem unir ou separar as pessoas.* **11** *Fig.* Acontecimento imprevisto e desagradável; ADVERSIDADE; ATRIBULAÇÃO; INFORTÚNIO; REVÉS **12** *Fig.* Aquilo que se recebe em troca ou em resposta; RECOMPENSA; REVIDE; TROCO: *Sua dedicação há de ter volta; O técnico garantiu que a derrota vai ter volta.* **13** *Bras. Pop.* Reatamento, restabelecimento de relações amorosas, fraternas, comerciais etc. que andavam estremecidas: *Ele disse que já não a ama e que não há volta.* **14** *Jur.* Compensação, ger. em dinheiro, pela diferença de valor entre bens de partilha ou permuta; TORNA **15** *Poét.* Espécie de glosa em que as palavras do mote são escolhidas e distribuídas à vontade do glosador **16** Tira branca de linho ou algodão da vestimenta dos clérigos, das togas, becas etc. **17** Feitio curvo de qualquer objeto **18** *Enol.* Turvação do vinho causada por bactérias **19** *Mar.* Entrelaçamento manual no chicote ou no seio de um cabo ou fio, para prendê-lo a um objeto ou a outro cabo ou fio, ou para prender objetos uns com outros **20** *Dnç.* Certa dança antiga, em compasso ternário [F.: Regress. de *voltar*. Hom./Par.: *volta* (sf.), *volta* (fl. de *voltar*). Ideia de 'volta': *trop(o)- (troposfera)*; *-giro (levogiro)*. Ideia de 'em volta de': *anf(i)- (anfiteatro)*; *circum- (circumpolar)*.] ▪ **Às ~s com** Envolvido com (pessoa, animal, situação, problema etc.) **À ~ de** **1** Em redor de, em torno de **2** Cerca de; por volta de **Cortar uma ~** Ter de esforçar-se muito **Dar a ~ por cima** Conseguir recuperar-se e ter sucesso depois de um fracasso, decepção etc. **Dar uma ~** Fazer breve passeio **Dar (uma) ~ em** **1** *Mar.* Prender adequadamente (um cabo etc.) em cabeço etc. **2** *Bras. Gír.* Deixar de pagar uma dívida; passar um calote **3** Ludibriar (alguém), passar (alguém) para trás **Dar ~ ao juízo** Perder o juízo, enlouquecer **De ~** **1** Em retribuição: *Foi carinhoso com ela, e recebeu carinho de volta.* **2** De regresso: *Saiu às 10h e às 11h já estava de volta.* **Numa ~ de mão** Rapidamente **Por ~ de** Aproximadamente: *Leu num só dia por volta de cem páginas do livro.* **~ da ribeira** *Mar.* Laçada para fixar cabo que suporta esforço não muito grande **~ da terra** *Mar.* Pernada na rota de embarcação para aproximá-la de terra [P. op. a *Volta do mar*.] **~ de fiel** *Mar.* Laçada composta de dois laços em torno de haste, mastro, estaca etc. **~ do mar** *Mar.* Pernada na rota de embarcação para afastá-la de terra [P. op. a *Volta da terra*.] **~ e meia** Frequentemente **~ olímpica** *Esp.* Volta que atleta dá contornando o campo, a pista etc., saudando o público, em comemoração a sua vitória **~ redonda** *Mar.* Volta para enrolar cabo, linha etc. sempre no mesmo sentido, em volta de um objeto, ger. de formato cilíndrico **~ singela** *Mar.* Uma volta só de cabo, linha etc., sem nó, em torno de um objeto

voltado (vol.*ta*.do) *a.* **1** Que se voltou, virado [+ *a, contra, de, para*: "Estoica alma, toda voltada à esperança..." (Fialho de Almeida, *Os gatos*): "... o fato de a violência dos sequestros ter-se voltado contra um publicitário." (Eugênio Bucci, *A publicidade arrogante*): "Os noivos, voltados de sua pequena excursão de núpcias..." (Afrânio Peixoto, *A esfinge*): "Braços largamente abertos, rosto voltado para os céus, para os sóis ardentes..." (Euclides da Cunha, *Os sertões*)] **2** Orientado em favor de algo ou alguém: *São pessoas voltadas para o bem-estar dos pobres.* [F.: Part. de *voltar*.]

voltador (vol.ta.*dor*) [ô] *a.* **1** Que volta, retorna *sm.* **2** Aquele que regressa, que retorna, que volta [F.: *voltado* + *-or*.]

volta-face (vol.ta-*fa*.ce) *sf.* **1** Ação de se virar alguém, apresentando a face para onde anteriormente dava as costas; VIRAVOLTA; REVIRAVOLTA **2** *Fig.* Súbita mudança de opinião; VIRA-CASACA; VIRA-FACE [Pl.: *volta-faces*.]

voltagem (vol.*ta*.gem) *Elet. sf.* **1** Diferença de potencial elétrico, expressa em volts, entre dois pontos de um circuito; TENSÃO **2** Potencial elétrico necessário para fazer funcionar um aparelho ou máquina elétrica: *A voltagem desse liquidificador é 220 V.* [Pl.: *-gens*.] [F.: Do fr. *voltage*.]

voltaico¹ (vol.*tai*.co) *a.* Ref. aos fenômenos causados por corrente elétrica, esp. pela gerada por reação química (pilha voltaica, arco voltaico) [F.: Do antr. (*Alessandro*) *Volta* (1745-1827, físico italiano) + *-ico²*.]

voltaico² (vol.*tai*.co) *a.* **1** Que diz respeito ao Alto Volta (hoje República de Burkina Faso) ou ao seu natural ou habitante; ALTO-VOLTAICO; BURQUINENSE **2** Diz-se do grupo de línguas faladas na região onde se situa esse país *sm.* **3** Natural ou habitante desse país **4** Ramo de línguas do grupo nígero-congolês faladas nessa região africana [F.: Do top. Alto *Volta* + *-aico*.]

voltairiano (vol.tai.ri:*a*.no) [tè] *a.* **1** Que diz respeito ao escritor, historiador e filósofo francês Voltaire (1694-1778) ou a sua obra: "...A sátira voltairiana não tem hoje cabimento..." (Mário Barreto, *Novos Estudos*) **2** Diz-se, em particular, do ceticismo religioso de Voltaire (espírito voltairiano) **3** Diz-se de quem é admirador ou estudioso da obra de Voltaire (escritor voltairiano) *sm.* **4** Partidário das ideias de Voltaire, esp. quanto a religião: "Nem Moura, nem Fernandes Tomás, nem Borges Carneiro, os radicais, os voltairianos, tinham pulso para tanto." (Oliveira Martins, *Histórias de Portugal*) [F.: Do antr. *Voltaire* (pseudônimo de François-Marie Arouet) + *-iano*.]

voltâmetro (vol.*tâ*.me.tro) *sm. Fís. Quím.* Aparelho em que se produz eletrólise, us. em determinações coulométricas; COULÔMETRO [F.: *volt(i/o)-* + *-a-* + *-metro*. Cf.: *voltímetro*.]

volt-ampère (volt-am.*pè*.re) *sm. Elet.* Unidade de potência elétrica (1 volt + 1 ampère) equivalente a 1 watt [Símb.: *VA*] [Pl.: *volts-ampères*.]

voltar (vol.*tar*) *v.* **1** Chegar de volta; RETORNAR; REGRESSAR [*int.*: "Se ela não voltar / Eu sei que vou morrer de amor..." (Carlos Lyra e Vinicius de Moraes, *Minha desventura*)] [*ta.*: *O bói ainda não voltou da rua/ao escritório.*] **2** *Fig.* Recuar (ao ponto de partida ou a um ponto anterior) [*ta.*: *Voltaram ao início da discussão; Visitar a escola o fez voltar à infância.*] **3** Retornar (a um lugar, estado ou circunstância anterior) [*ta.*: *Gostaríamos de voltar a Minas Gerais.*] [*tr.* + *a*: *Ele voltou a si.*] **4** Mover(-se) (em certa direção); virar(-se) [*tda.*: *Voltou a cabeça para a esquerda; Voltou-se contra o vento.*] **5** Dar (troco); devolver [*tdi.* + *a*: *Esqueceram de voltar dez reais ao freguês.*] **6** Reaparecer, retornar [*int.*: *A gripe voltou; Esses velhos assuntos sempre voltam.*] **7** Apontar, dirigir, volver [*tdi.* + *para*: *Voltou a pistola para o ladrão e disparou; Voltou-se para a garota e sorriu.*] [*tdi.* + *para*: *Voltou o carro em direção contrária e retrocedeu.*] **8** Virar [*td.*: *Voltava as folhas da revista sem ler nada.*] **9** Orientar(-se) para (um ponto, uma direção etc.) [*tdi.* + *para*: *Voltou sua atenção para o menino que falava.*] [*tda.*: *Voltou-se para o poente.*] **10** Fazer girar (o corpo) [*tda.*: *Sem conseguir dormir, voltava o corpo de um lado para outro.*] **11** Dar (dinheiro ou algo) em troca de algo comprado ou recebido [*tdr.* + *por*: *Voltou uma quantia em dinheiro pela informação recebida.*] [*td.*: *Recebeu o disco e voltou 25 reais.*] **12** Apelar, recorrer [*tr.* + *para*: *No desespero, voltou-se para Deus.*] **13** Demonstrar hostilidade a; revoltar-se [*tr.* + *contra*: *Voltou-se contra aquela indignidade; Voltou-se contra o pai.*] **14** Devolver, restituir [*tdi.* + *a*: *Voltou ao irmão o dinheiro que lhe devia.*] **15** Pôr do avesso [*td.*] **16** Andar de volta (caminho já percorrido) [*td.*: *Como o carro quebrou, voltou toda a estrada a pé.*] **17** Cavar e revolver (a terra) [*td.*: *Voltou bem a terra antes de jogar as sementes.*] **18** Retrucar, responder [*td.*: *Às perguntas insistentes, voltou que não sabia de nada.*] **19** Transformar em, mudar em [*tdr.* + *em*: *voltar água em vinho.*] [▶ 1 voltar] [F.: Do lat. **voltare*, de *volvere*. Hom./Par.: *volta* (fl.), *volta* (fem. de *volto* [a.]), *volta* (sf.); *volte(s)* (fl.), *volte(s)* (sm. [pl.]); *volto* (fl.), *volto* (a.); *voltaria* (fl.), *voltária* (fem. de *voltário* [a.]). Usa-se como v. aux. seguido de a + infinitivo para exprimir repetição de ação ou processo: *Voltou a beber; Esse assunto sempre volta a ser debatido.*] ▪ **~ atrás** Arrepender-se (do que havia resolvido, feito, dito etc.) **~ atrás** **1** Desistir (de algo), interrompendo o que faz; desfazer o que fizera **2** Recuar a um ponto anterior no desenvolvimento de algo (raciocínio, trabalho, processo etc.)

voltarete (vol.ta.*re*.te) [ê] *Lud. sm.* Jogo de cartas muito comum no séc. XIX, que se jogava com baralho de quarenta cartas, entre três parceiros, cada um iniciando com nove cartas, restando 13 na mesa: "Santos não dançava; preferia o voltarete, como distração." (Machado de Assis, *Esaú e Jacó*) [F.: Do cast. *voltereta*.]

voltário (vol.*tá*.ri:o) *a.* Que muda de opinião frequentemente; INCONSTANTE; VÁRIO; VOLÚVEL: *um indivíduo de temperamento voltário:* "Governa e domestica a turba voltária e irresoluta." (Latino Coelho, *Oração da Coroa*) [Ant.: *constante, permanente*.] [F.: *volta* + *-ário*. Fem.: *voltária* Hom./Par.: *voltaria* (flex. de *voltar*).]

volteada (vol.te.*a*.da) *sf.* **1** *Bras. RS* Ato de voltear o gado, de o arrebanhar no campo a fim de o conduzir à mangueira ou ao rodeio **2** Cilada, emboscada feita numa volta de mato ou capão **3** Vez, ensejo, oportunidade, volta (principalmente no sentido de ocasião para desforra) **4** Ato de apanhar o gado de surpresa, numa volta de mato ou capão **5** Volta, giro, pequeno passeio **6** *P. ext.* Viagem curta, rápida [F.: Fem. substv. de *volteado*.] ▪ **Cair na ~** **1** *RS* Ser (animal) trazido para rodeio ou para o curral (sem que isso tivesse sido planejado) **2** *P. ext.* Ser (alguém) surpreendido ou apanhado casualmente **3** *P. ext.* Cair (alguém) em engano

volteado (vol.te.*a*.do) *a.* **1** Em curva; ARQUEADO; CURVADO; TORTO: *chifres volteados para cima:* "É um pássaro malvado/ Tem o bico volteado que nem gavião..." (João do Vale, *Carcará*) **2** Que tem volteios ou curvas (linha volteada); SINUOSO; TORTUOSO *sm.* **3** Movimento cheio de volteios ou curvas: *Correu em zigue-zague, num volteado louco.* **4** *Dnç.* Rodopio, giro, volteio: *Nessa dança, os pares batem os pés, com volteados entrelaçados.* [F.: Part. de *voltear*.]

volteante (vol.te.*an*.te) *a2g.* Que volteia, que dá voltas [F.: *voltear* + *-nte*.]

voltear (vol.te.*ar*) *v.* **1** Dar volta em torno de; contornar; CONTORNAR [*td.*: *voltear o açude.*] **2** Fazer girar ou girar; rodopiar; volutear; RODOPIAR; VOLUTEAR [*td.*: "... volteando os pés no ar como cauda de peixe..." (Raul Pompeia, *O Ateneu*)] [*int.*: *A garota volteava pelo salão.*] **3** Bater as asas; esvoaçar, adejar; ESVOAÇAR; ADEJAR [*int.*: *A borboleta volteou um pouco, depois foi embora.*] **4** Remexer, revolver [*td.*: *Volteou a terra do canteiro.*] **5** Apontar, dirigir (olhar, foco etc.) para o que está em torno [*tda.*: *Volteou o olhar para o fundo do salão.*] **6** Rodopiar, ger. ao andar ou dançar [*int.*: *O bailarino volteava com extrema agilidade.*] **7** Efetuar volteios (o equilibrista) sobre corda bamba ou esticada [*int.*] **8** Colocar algo a volta de (pessoa ou objeto) rodeando, enrolando; CINGIR; CIRCUNDAR [*tda.*: *Volteara a corda em torno da cintura fazendo de cinto.*] **9** *Mar.* O mesmo que *bordejar* [*int.*] **10** *Bras.* Conduzir (gado) de um ponto para outro [*td.*] [▶ 13 voltear] [F.: *volta* + *-ear*. Hom./Par.: *volteio* (fl.), *volteio* (sm.).]

volteio (vol.*tei*:o) *sm.* **1** Ação ou resultado de voltear; VOLTEADURA **2** *Dnç.* Modo de dançar dando voltas ou rodopiando, sozinho ou em par; GIRO; RODOPIO; VOLTEADO: *O reisado é dançado com volteios altivos e elegantes:* "A valsa é filha das brumas da Alemanha (...) Aos volteios rápidos, a mulher sente nascer-lhe as asas, e pensa que voa (...)." (José de Alencar, *Senhora*) **3** *Fig.* Abordagem de um assunto sem expô-lo com clareza, com palavreado rebuscado (volteios linguísticos); RODEIO **4** *Esp.* Conjunto de exercícios de ginástica sobre cavalo **5** Cada uma das voltas de uma espiral **6** Cada curva ou volta de um caminho ou linha; SINUOSIDADE; TORTUOSIDADE **7** Exercício de funâmbulo sobre corda ou arame [F.: Regress. de *voltear*. Hom./Par.: *volteio* (sm.), *volteio* (fl. de *voltear*).]

voltejar (vol.te.*jar*) *v.* O mesmo que *voltear* [▶ 1 voltejar] [F.: Do it. *volteggiare*.]

voltímetro (vol.*tí*.me.tro) *sm. Elet.* Aparelho com que se mede a diferença de potencial elétrico entre dois pontos; VOLTÔMETRO [F.: *volt* + *-i-* + *-metro*.]

◎ **volt(i/o)-** *el. comp.* Antepositivo, do fr. *volt* com significado de 'unidade de medida de diferença de potencial elétrico': *voltímetro, voltômetro*

voltívolo (vol.*tí*.vo.lo) *a.* **1** Que dá muitas voltas, que não para **2** *Fig.* Inconstante, variável, vário, volúvel [F.: Do rad. de *voltar* + *-i-* + *-volo¹*.]

volubilidade (vo.lu.bi.li.*da*.de) *sf.* **1** Característica do que é volúvel, inconstante; INCONSTÂNCIA; VARIABILIDADE: "A onda, que Shakespeare comparou à mulher na constante volubilidade, ainda se parecia com ela na voragem daquele sorriso." (José de Alencar, *O tronco do ipê*) **2** Qualidade do que se movimenta com facilidade; MOBILIDADE [F.: Do lat. *volubilitas*.]

volubilíssimo (vo.lu.bi.*lís*.si.mo) *a.* Muito volúvel [Superl. abs. sint. de *volúvel*.] [F.: *volúvel* com o suf. *-vel* sob a f. lat. *bil(i)-* + *-íssimo*.]

volumar¹ (vo.*lu*.mar) *a2g. Geom.* Ref. a volume [F.: *volume* + *-ar*.]

volumar² (vo.lu.*mar*) *v.* O mesmo que *avolumar* [▶ 1 volumar] [F.: *volume* + *-ar*. Hom./Par.: *volume(s)* (fl), *volume* (sm.) e pl. Ant.: *desvolumar*.]

volume (vo.*lu*.me) *sm.* **1** *Fís.* Espaço ocupado por um corpo sólido, por substância líquida ou gás **2** A medida desse espaço **3** Tamanho ou dimensão de um corpo ou de uma porção de espaço: *A cela tinha um volume inferior a 8 m³.* **4** Intensidade de voz ou som: *Abaixou o volume do rádio.* **5** *Bibl.* Unidade material de obra manuscrita ou impressa, que coincide ou não com o tomo; LIVRO: *Sua biografia apareceu em dois volumes.* **6** *Bibl.* Coleção de números ou fascículos de periódico **7** Embrulho, pacote ou coisa parecida: *Trouxe um volume debaixo do braço.* [F.: Do lat. *volumen*. Ideia de 'volume': *volum(in) (voluminosidade)*.]

▪▪ **~ específico** *Fís.* Para certa substância, o volume de sua unidade de massa **~ molar** 1 *Quím.* Para certa substância, volume de um mol dessa substância 2 Numa solução, o quociente de seu volume pelo número total de moles do solvente e do soluto nesse volume **~ reduzido** *Fís.* O volume de uma massa de gás dividido pelo volume crítico dessa massa **Ser um segundo ~ de** Ser muito parecido com (alguém)

volumetria (vo.lu.me.*tri*:a) *sf.* 1 *Quím.* Análise em que, aos poucos, se adiciona determinado volume de uma substância de concentração conhecida a uma outra cuja concentração se desconhece, para verificar a reação decorrente 2 *Arq.* Soma dos volumes de todos os espaços, abertos e fechados, de uma edificação: *a volumetria de um prédio de apartamentos.* [F.: *volu(me)* + *-metria.*]

volumétrico (vo.lu.*mé*.tri.co) *a.* Ref. a volumetria [F.: *volumetr(ia)* + *-ico.*]

volumosamente (vo.lu.mo.sa.*men*.te) *adv.* De modo volumoso, em grandes dimensões: *A carga tributária cresceu volumosamente nos últimos anos.* [F.: *volumoso* + *-mente.*]

volumoso (vo.lu.*mo*.so) [ô] *a.* 1 Que tem grandes dimensões em todos os sentidos 2 *P. ext.* Diz-se do que se apresenta em muita quantidade (trabalho volumoso; dívida volumosa); VULTOSO 3 Que ocupa muito espaço (fardo volumoso) 4 Que consta de muitos volumes (5): *Escritor de obra volumosa.* [Pl.: [ó]. Fem.: [ó].] [F.: *volum(e)* + *-oso.*]

voluntariado (vo.lun.ta.ri:*a*.do) *sm.* 1 Qualidade ou condição de voluntário (4), esp. nas Forças Armadas: *Abriram o voluntariado para aumentar o contingente.* 2 Conjunto ou classe dos voluntários [F.: *voluntár(io)* + *-ado.*]

voluntariamente (vo.lun.ta.ri:a.*men*.te) *adv.* De modo voluntário, de boa vontade, sem constrangimento; ESPONTANEAMENTE: *Contribuía voluntariamente para entidades beneficentes.* [F.: *voluntário* + *-mente.*]

voluntariar-se (vo.lun.ta.ri.*ar*-se) *v. int.* Apresentar(-se) como voluntário [▶ 1 voluntariar-se] [F.: *voluntário* + *-ar (-se).*]

voluntariedade (vo.lun.ta.ri:e.*da*.de) *sf.* 1 Qualidade de voluntário (3) 2 Qualidade de quem age movido por sua própria vontade ou impulso; ESPONTANEIDADE 3 Qualidade do que é voluntarioso (2), do que age por capricho ou birra; VELEIDADE [F.: *voluntári(o)* + *-edade.*]

voluntário (vo.lun.*tá*.ri:o) *a.* 1 Que está em nosso poder ou que depende do nosso arbítrio fazer ou deixar de fazer, realizar ou deixar de realizar (movimento voluntário, atos voluntários) 2 Que faz alguma coisa por vontade e sem constrangimento; que age espontaneamente (trabalho voluntário); ESPONTÂNEO 3 Que só quer fazer a própria vontade, que não atende à razão; CAPRICHOSO; VOLUNTARIOSO 4 Que se dispõe espontaneamente a servir nas Forças Armadas ou a realizar atividade social, humanitária 5 *RS* Diz-se de cavalo que anda fácil e espontaneamente, sem precisar ser fustigado *sm.* 6 Aquele que se dispõe espontaneamente a servir nas Forças Armadas ou a realizar atividade social, humanitária [F.: Do lat. *voluntarius.*] ▪▪ **~ da Pátria** *Bras. Hist.* Cada integrante dos Voluntários da Pátria, que se alistaram para reforçar as tropas brasileiras na Guerra do Paraguai

voluntariosidade (vo.lun.ta.ri:o.si.*da*.de) *sf.* Qualidade do que é voluntarioso [Pl.: [ó]. Fem.: [ó].] [F.: *voluntarioso* + *-(i)dade.*]

voluntarioso (vo.lun.ta.ri:*o*.so) [ô] *a.* 1 Que só se guia por sua própria vontade 2 Birrento, caprichoso: *Intranquila, voluntariosa, sua mulher, às vezes, contrariava tudo o que haviam combinado:* "O retrato menos inaceitável de Deus é o do Velho Testamento mesmo, um Deus ciumento, voluntarioso, opiniático, cheio de manias e sujeito a crises nervosas..." (João Ubaldo Ribeiro, *Diário do farol*) [Pl.: [ó]. Fem.: [ó].] [F.: *voluntári(o)* + *-oso.*]

voluntarismo (vo.lun.ta.*ris*.mo) *sm.* 1 Caráter do que é voluntário 2 Comportamento caprichoso e autoritário; VOLUNTARIEDADE 3 *Fil.* Doutrina que sustenta o primado da vontade sobre a verdade 4 *Fil.* Doutrina metafísica segundo a qual o fundamento das coisas não deve ser concebido por analogia com as ideias da inteligência, mas com as tendências irracionais da vontade obstinada e caprichosa 5 *Psi.* Doutrina segundo a qual a representação e as funções intelectuais estão subordinadas às funções afetivas e ativas do espírito [F.: Do al. *Voluntarismus*, termo criado pelo filósofo alem. Ferdinand Tönnies.]

voluntarista (vo.lun.ta.*ris*.ta) *a2g.* 1 Que diz respeito ao voluntarismo *s2g.* 2 Adepto do voluntarismo [F.: *voluntarismo* + *-ista*, com troca de suf.]

voluntarístico (vo.lun.ta.*rís*.ti.co) *a.* 1 Que diz respeito a voluntarista 2 Em que há voluntarismo [F.: *voluntarista* + *-ico.*]

volúpia (vo.*lú*.pi:a) *sf.* 1 Prazer sensorial, desfrute de percepções e sensações prazerosas; SENSUALIDADE: "Esquece-te. / Tem por volúpia a dispersão. / Não queiras ser tu." (Cecília Meireles, *Cântico*) 2 Grande prazer sexual [F.: Do lat. *volupia.*]

voluptuosidade (vo.lup.tu:o.si.*da*.de) *sf.* 1 Qualidade do que é voluptuoso 2 Deleite carnal ou lascivo, prazer dos sentidos, sensação deleitosa 3 O mesmo que *volúpia* [F.: *voluptuos(o)* + *-(i)dade.*]

voluptuoso (vo.lup.tu:*o*.so) [ô] *a.* 1 Que encerra voluptuosidade; DELEITOSO; DELICIOSO 2 Que excita a voluptuosidade; SENSUAL; LIBIDINOSO 3 Que tem disposição e propensão para a voluptuosidade; que é dado aos prazeres, que em tudo procura deleite *sm.* 4 Pessoa que cultiva a volúpia, que se dedica a desfrutá-la [Pl.: [ó]. Fem.: [ó].] [F.: Do lat. *voluptuosus.*]

voluta (vo.*lu*.ta) *sf.* 1 Ornato em forma de espiral que se faz no alto das colunas, no arremate dos corrimãos etc. 2 Qualquer substância impalpável com essa forma, como fumo, vapor ou assemelhado: "Embriagadas pelo aroma muito leve, delas exalado em invisíveis volutas..." (Cornélio Pena, *A menina morta*) 3 *Mús.* Extremidade superior dos instrumentos de arco, que se entalha em espiral 4 *Zool.* Nome de vários moluscos gastrópodes, ditos volutídeos 5 *P. ext.* A concha desses moluscos [F.: Do lat. *voluta.*]

volutear (vo.lu.te.*ar*) *v. int.* Andar em roda; GIRAR; RODOPIAR; VOLTEAR: *Os dançarinos voluteavam ao redor dos músicos.* [▶ 13 volutear] [F.: Do lat. *volutus* + *-ear*².]

volúvel (vo.*lú*.vel) *a2g.* 1 Que muda facilmente (de afeto, atividade, opinião); INSTÁVEL; INCONSTANTE [Ant.: *constante, persistente.*] 2 Capaz de girar, mover-se incessantemente 3 *Bot.* Diz-se de vegetal (ou caule etc.) que se enrola em suporte (planta volúvel) [Pl.: *-veis.* Superl.: *volubilíssimo.*] [F.: Do lat. *volubilis.*]

volver (vol.*ver*) *v.* 1 Mover(-se) para outra direção; VIRAR(-SE) [*td.*: *Os passageiros volveram-se para ver o acidente*: "O infeliz volveu os olhos em torno de si..." (Júlio Ribeiro, *A carne*).] 2 Passar (o tempo); DECORRER [*int.*: *Volveram(-se) os seis meses do estágio.*] 3 Revirar(-se), remexer(-se) [*td.*: *volver os canteiros; Incomodado, o visitante volvia-se no sofá.*] 4 Regressar, retornar [*ta.*: *O cantor demorou a volver do exílio.*] 5 Trazer ou levar consigo, rolar (corrente ou coisa que segue girando) [*td.*: *O vento volvia a areia pelas encostas.*] 6 Pôr(-se) em movimento; AGITAR(-SE); REVOLVER(-SE) [*td.*: *O vento volvia as persianas.*] [*int.*: *As cortinas volviam(-se) nas janelas.*] 7 Retrucar, revidar, replicar [*td.*: *Era ferino ao volver os insultos.*] 8 Movimentar a partir de um eixo; GIRAR; RODAR [*td.*: *volver uma manivela.*] 9 Devolver, restituir (algo) (a alguém) [*tdi.* + *a, para*: *Pode volver este livro ao Pedro?*] 10 Mudar (uma coisa) em (outra); CONVERTER [*tdr.* + *em*: *volver as frutas em geleia.*] 11 Voltar a, ocupar-se de novo com [*tr.* + *a*: *volver ao vício/ volver a trabalhar.*] [▶ 2 volver Us. tb. como aux., seguido da prep. *a* + verbo principal no infinitivo, indicando 'retorno ou continuação de ação': *Volveria a sair quando diminuísse o calor.*] [F.: Do lat. *volvere.* Hom./Par.: *volva(s)* (fl.), *volva(s)* (sf. [pl.]); *volvo* (fl.), *volvo* (sm.).]

volvido (vol.*vi*.do) *a.* 1 Que volveu ou se volveu (anos volvidos); DECORRIDO; IDO; PASSADO [+ *a, para, sobre*: "História já muito velha e totalmente volvida ao esquecimento." (Gastão Cruls, *História puxa história*): "A mais perfeita conformidade de vistas, volvidas para um objetivo único." (Euclides da Cunha, *Os sertões*): "Volvidos vinte e um anos... sobre os famosos torneios e touradas..." (Camilo Castelo Branco, *Perfil do Marquês de Pombal*)] 2 Virado, voltado: "...Os olhos desta, já volvidos para a eternidade, deitaram um derradeiro olhar para a terra..." (Machado de Assis, *Helena*) [F.: Part. de *volver.*]

volvo (*vol*.vo) [ô] *sm. Med.* Torção no intestino grosso ou delgado que impede o fluxo das fezes e, em determinadas ocasiões, a circulação sanguínea; VÓLVULO; NÓ NAS TRIPAS [F.: Alter. de *vólvulo.*]

vólvulo (*vól*.vu.lo) *sm.* 1 *Med.* Obstrução no intestino por torção de uma alça intestinal em torno do seu mesentério; VOLVO [Popularmente: *nó nas tripas, cólica de miserere, mordixim.* Tb. dizem *íleo, cólica ilíaca* ou *paixão ilíaca.*] 2 Rosca ou volta (de serpente) [F.: Do it. *volvolo.*]

vômer (*vô*.mer) *sm.* 1 *Anat.* Pequeno osso chato da parte inferior do nariz e que separa as fossas nasais 2 *Ict.* Nos peixes, osso situado na parte central do maxilar superior, e ger. guarnecido de dentes na porção anterior [F.: Do lat. *vomer.*]

vomeriano (vo.me.ri:*a*.no) *a.* Ref. ao vômer; VOMERINO [F.: *vômer* + *-iano.*]

vômica (*vô*.mi.ca) *sf.* 1 *Pneumo.* Depósito purulento e fétido que se forma no parênquima pulmonar e que é suscetível de evacuar-se através dos brônquios por movimentos convulsivos análogos ao vômito 2 *Pat.* Cavidade, supuração ou perfuração pulmonar [F.: Do lat. *vomica, ae.*]

vomicina (vo.mi.*ci*.na) *sf. Quím.* Alcaloide da noz-vômica; BRUCINA [F.: *vomic-* (< noz-vômica) + *-ina.*]

vômico (*vô*.mi.co) *a.* Que provoca náuseas ou vômito; EMÉTICO; NAUSEANTE; VOMÍFICO; VOMITIVO [F.: Do lat. *vomicus.*]

vomífico (vo.*mí*.fi.co) *a.* Que faz vomitar; EMÉTICO; VÔMICO; VOMITÓRIO [F.: Do lat. *vomificus, a, um.*]

vomitada (vo.mi.*ta*.da) *sf.* Ação ou resultado de vomitar: *Deu uma vomitada no tapete.* [F.: Fem. substv. de *vomitado.*]

vomitado (vo.mi.*ta*.do) *a.* 1 Maculado com substâncias expelidas pelo vômito; sujo de vômitos: *O gato deixou o tapete todo vomitado.* *sm.* 2 As matérias expelidas pelo vômito: "O infante, rindo às escancaras, mandou-lhe chegar água para lavar a cara e as mãos escorridas do vomitado." (Camilo Castelo Branco, *Narcóticos*) [F.: Part. de *vomitar.*]

vomitante (vo.mi.*tan*.te) *a2g.* 1 Que pela aparência ou cheiro é capaz de provocar vômitos: *A comida servida aos presos tinha uma aparência vomitante.* *s2g.* 2 Aquele que vomita, ou o que provoca vômito [F.: *vomitar* + *-nte.*]

vomitar (vo.mi.*tar*) *v.* 1 Expelir (conteúdo do estômago) pela boca [*td.*] [*int.*] 2 Sujar(-se) de vômito [*td.*: *Vomitou o travesseiro; Vomitou-se durante a viagem.*] 3 Lançar fora de si pela boca [*td.*: *vomitar sangue; Sonhou com um dragão vomitando fumaça.*] 4 *Fig.* Dizer com raiva e de súbito [*td.*: *Irritado, o caixa vomitou grosserias.*] 5 Expelir (algo) de si com impetuosidade [*td.*: *As chaminés vomitavam uma fumaça preta.*] 6 *Pop.* Falar, contar (o que se queria esconder) [*td.*: *Assustado, vomitou tudo o que sabia.*] 7 *Fig.* Despejar, espalhar, deixar sair [*td.*: *As roletas vomitavam gente no estádio.*] [▶ 1 vomitar] [F.: Do lat. *vomitare.* Hom./Par.: *vomito* (fl.), *vômito* (sm.). Ideia de 'vomitar': *-vomo* (*fulmívomo*).]

vomitivo (vo.mi.*ti*.vo) *a.* 1 Que provoca o vômito; EMÉTICO; VÔMICO *sm.* 2 Aquilo que provoca o vômito; EMÉTICO: *O médico prescreveu-lhe um vomitivo.* [F.: *vômit(o)* + *-ivo.*]

vômito (*vô*.mi.to) *sm.* 1 *Pat.* Ato ou efeito de vomitar 2 *Pat.* Ação pela qual as substâncias contidas no estômago são lançadas com esforço pela boca 3 O material assim expelido [F.: Do lat. *vomitus.* Hom./Par.: *vômito* (sm.), *vomito* (fl. de *vomitar*). Ideia de 'vômito': *emet(o)* (*emético*) e *vomit-* (*vomitivo*).]

vomitório (vo.mi.*tó*.ri:o) *a.* 1 Que provoca o vômito; EMÉTICO; VÔMICO; VOMITIVO *sm.* 2 Substância vomitiva que se toma com o objetivo de vomitar 3 Recipiente ou lugar apropriado para vomitar 4 *Fig.* Verbalização grosseira ou aberratoriamente inadequada [F.: Do lat. *vomitorius.*]

◎ **-vomo** *el. comp.* = 'que vomita'; 'que lança ou expele': *flamívomo* (< lat.), *fulminívomo, fumívomo, ignívomo* (< lat.), *terrívomo* [F.: Do lat. *-vomus, a, um*, do v.lat. *vomere*, 'lançar fora vomitando'; 'vomitar'.]

vôngole (*vôn*.go.le) *sm.* 1 *Zool.* Nome de dois ou mais moluscos bivalves cardiídeos e venerídeos, os primeiros do Mediterrâneo e valorizados na culinária europeia, os últimos comuns no litoral brasileiro; BERBIGÃO; MARISCO-PEDRA 2 *Zool.* Ver *berbigão.* [F.: Do it. *vongole.*]

vontade (von.*ta*.de) *sf.* 1 Capacidade de querer e de escolher, de se impelir para a ação, afirmação ou recusa, subjetiva ou objetiva 2 Sentimento que leva as pessoas a se comportarem conforme essa capacidade: *Sua vontade, inflexível, dobrou a resistência dos companheiros.* 3 Necessidade física ou emotiva: *vontade de comer; vontade de beber; vontade de ir ao banheiro; vontade de brincar:* "A vontade de amar, que me paralisa o trabalho, / vem de Itabira..." (Carlos Drummond de Andrade, *Sentimento do mundo*) 4 Arbítrio, deliberação: *Submeteu-se à vontade de sua deusa.* 5 Capricho, impulso: *Foi criada repleta de vontades.* 6 *Pop.* Propensão, tendência 7 Deliberação, determinação: *O condenado registrou suas últimas vontades.* 8 Empenho, interesse, desvelo, zelo, dedicação: *Empenhou toda a sua vontade para conquistar um emprego melhor.* [F.: Do lat. *voluntas.* Ideia de 'vontade': *bulia-* (*abulia*).] ▪▪ **À ~** 1 Com conforto, sem formalismo 2 Sem limite, fartamente: *Nessa dieta, pode comer salada à vontade.* **Boa ~** Inclinação ou disposição favorável para com algo ou alguém 2 *Fil.* Segundo Kant, vontade subordinada unicamente à noção e percepção de dever **Com ~** Com ânimo, com gosto, com interesse, com gana **Contra ~** A contragosto **De ~** Por vontade própria, espontaneamente; por vontade **Estar com ~ de** 1 Estar (alguém) desejoso de (algo) 2 Haver sinais, indícios de que se vai produzir (certo fenômeno atmosférico): *Está com vontade de cair o maior temporal.* **Má ~** Inclinação contrária (em relação a algo), disposição não favorável, rejeição, relutância (em relação a algo, ideia, pessoa etc.) **Pôr em sua ~** Tomar decisão; decidir resolutamente **Por ~** Ver *De vontade* **~ de ferro** *Fig.* Firmeza em manter suas decisões e atitudes, de mobilizar esforços para a realização de algo, mesmo em condições difíceis; força de caráter **~ de potência** *Fil.* Segundo Nietzsche, impulso fundamental de todo ser vivo para adquirir sempre mais poder e domínio [Cf. *voluntarismo.*] **~ geral** *Fil.* Segundo Rousseau, a vontade da sociedade como um todo, como manifestada em suas instituições, mesmo que não unânime

voo (*vo*.o) *sm.* 1 Ação ou resultado de voar, de se deslocar pelo ar sem contato físico com o solo: *o voo do besouro; o voo do helicóptero.* 2 Modo de voar (voo estratosférico; voo rasante) 3 Distância coberta por deslocamento aéreo: *É um voo de dez mil quilômetros.* 4 Cada uma das viagens feitas pelas aeronaves modernas: *O voo 077, para Salzburg, está com pequeno atraso.* 5 O itinerário de uma aeronave, com ou sem escalas: *Voo Rio-Frankfurt com escala em São Paulo; Voo Rio-Goiânia.* 6 *P. ext.* Movimento veloz de qualquer coisa pelo ar (voo de uma bala/flecha) 7 *Fig.* Arroubo, cometimento que requeira audácia ou fantasia: *Não é dado a grandes voos.* 8 *Fig.* Impulso rápido, marcha rápida ou progressiva: *O voo da tecnologia eletrônica no séc. XX.* [F.: Dev. de *voar.*] ▪▪ **Alçar ~** Ver *Levantar voo.* **A ~ de pássaro** De modo superficial, sem se aprofundar [Do fr. *a voil d' oiseau.*] **Levantar ~** 1 Elevar-se do solo, voando (ave ou aeronave); decolar; alçar voo 2 *Fig.* Fugir **Num ~** Muito rapidamente, num átimo, num abrir e fechar de olhos **~ cego** *Avi.* Aquele, de aeronave, em que visibilidade externa é zero, e todas as informações para a pilotagem são dadas pelos instrumentos; voo por instrumentos **~ charter** *Avi.* Voo em aeronave contratada para fim específico, ger. de interesse turístico **~ coruja** *Avi.* Modalidade de voo comercial noturno, ger. a preços reduzidos **~ doméstico** *Avi.* Voo comercial, em aeronave de carreira, entre aeroportos situados em território nacional (no caso o Brasil) **~ IFR** *Avi.* Voo por instrumentos **~ livre** *Esp.* Esporte de planar livremente em asa-delta, fazer manobras e descer lentamente no ar, sustentado apenas pela resistência do ar e por correntes ar quente, sem leme de direção [Cf.: *voo planado.*] **~ pairado** *Avi.* Situação de voo de helicóptero, na qual ele fica quase parado no ar, sustentado pela rotação das hélices do rotor **~ picado** *Avi.* Aquele no qual a aeronave desce com o bico para baixo, quase na vertical **~ planado** **1** Voo próprio das aves de grande envergadura, em que as asas se estendem imóveis para receber a pressão do ar por baixo e sustentar o corpo, numa descida suave **2** *Avi.* Voo de planador ou de avião com os motores parados, sustentados pela velocidade com que cortam o ar [Cf.: *voo livre.*] **~ por instrumentos** *Aer.* Ver *Voo cego* **~ solo** *Avi.* Em treinamento de piloto, seu primeiro voo sem a companhia de um instrutor a bordo **~ VFR** *Avi.* Ver *Voo visual* **~ visual** *Avi.* Voo de aeronave no qual tem-se referência visual dos fatores externos (nuvens, visão do solo etc.), o que permite ao piloto manter a distância e a posição adequadas em relação a eles sem ajuda de instrumentos; voo VFR

voo do morcego (vo.o do mor.*ce*.go) *sm. Bras. Cap.* Golpe em que o capoeirista pula em direção ao adversário com as pernas e os braços encolhidos e os distende em pleno ar, para empurrá-los energicamente contra o oponente com o fito de atingi-lo na região do tórax [Pl.: *voos do morcego.*]

voo-livre (vô.o-*li*.vre) *sm. Bras. Esp.* Técnica de voo em que o piloto decola de um plano elevado, em asa-delta ou parapente, em busca das melhores condições térmicas e de vento para percorrer grandes distâncias ou planar durante o maior tempo possível [Pl.: *voos-livres.*]

voquisiácea (vo.qui.si:*á*.ce:a) *sf. Bot.* Espécie da fam. das voquisiáceas, natural da América do Sul, composta de plantas dicotiledôneas fanerogâmicas, em forma de árvores ou arbustos [F.: Do lat. cient. fam. *Vochysiaceae.*]

voquisiáceo (vo.qui.si:*á*.ce:o) *a. Bot.* Que diz respeito à voquisiácea ou às voquisiáceas ou que a elas se assemelha [F.: *voquísia* + *-áceo.*]

voracidade¹ (vo.ra.ci.*da*.de) *sf.* **1** Qualidade ou característica de voraz; AVIDEZ; SOFREGUIDÃO [Ant.: *apatia.*] **2** O mesmo que *glutonaria* **3** Grande atividade ou impetuosidade em consumir, subverter ou tragar (a voracidade do incêndio): *A voracidade do oceano ameaçava os pobres náufragos.* **4** *Fig.* Avidez, sofreguidão: *Li o romance com voracidade.* [F.: Do lat. *voracitas.*]

voracidade² (vo.ra.ci.*da*.de) *sf.* **1** Qualidade do que é voraz **2** Glutonaria, sofreguidão no comer: *Comer com voracidade.* **3** *Fig.* Grande atividade ou impetuosidade em consumir, subverter ou tragar: *A voracidade do incêndio; a voracidade do oceano ameaçava os pobres náufragos.* **4** *Fig.* Avidez, impaciência, pressa, sofreguidão: *Li o romance com voracidade.* [F.: Do lat. *voracitas, atis.*]

voragem (vo.*ra*.gem) *sf.* **1** Aquilo que sorve, traga, devora **2** Sorvedouro em rio ou mar; TURBILHÃO; REMOINHO; VÓRTICE **3** Abismo, despenhadeiro **4** *Fig.* Tudo o que é suscetível de consumir, de subverter, de tragar ou arrebatar com ímpeto ou violência: *A voragem da droga devastou sua geração.* [Pl.: *-gens.*] [F.: Do lat. *vorago.*]

voraginoso (vo.ra.gi.*no*.so) [ô] *a.* **1** Que encerra ou contém voragem (tempestade voraginosa) **2** Cheio de voragens **3** Que tem natureza de voragem ou lhe é semelhante **4** *Fig.* Que sorve, subverte ou traga como a voragem [Pl.: [ó]. Fem.: [ó].] [F.: Do lat. *voraginosus, a, um.*]

voraz (vo.*raz*) *a2g.* **1** Devorador, capaz de sorver e engolir irreprimivelmente; ÁVIDO; SÔFREGO; EDAZ **2** O mesmo que *glutão* (1) **3** *Fig.* Ambicioso, louco por conquistas, riquezas (carreirista voraz) **4** *Fig.* Destruidor, corrosivo: *O vício, voraz, acabou com ele.* [Superl.: *voracíssimo.*] [F.: Do lat. *vorax.* Ideia de 'voraz': *bulim-* (*bulimia*).]

◎ **-voro** *el. comp.* = '(o) que come ou se alimenta de (aquilo a que se refere o rad. ou palavra original*)'; '(o) que absorve (algo*)'; 'que engole (algo*)': *aerívoro, apívoro, carnívoro* (< lat.), *crudívoro, herbívoro, frugívoro, frutívoro, granívoro, ovívoro, piscívoro; fumívoro; ignívoro* [F.: Do lat. *-vorus, a, um*, do v.lat. *vorare*, 'devorar', 'comer'.]

vórtice (*vór*.ti.ce) *sm.* **1** Forte redemoinho em rio, lago ou mar; VORAGEM **2** *Fig.* Força que submete, devasta, destrói: *O vórtice de uma ambição obtusa os corrompeu* [F.: Do lat. *vortex.*]

vorticela (vor.ti.*ce*.la) *sf.* **1** *Zool.* Gên. de protozoários que vivem em águas doces estagnadas **2** Espécie desse gênero [F.: Do tax. *Vorticella.*]

vorticismo (vor.ti.*cis*.mo) *sm. Art. Pl.* Movimento artístico que floresceu no período entre 1912-1915, baseado na representação concêntrica das figuras e em conceitos futuristas e cubistas, cujo principal teórico foi o pintor inglês Wyndham Lewis [F.: Do ing. *vorticism.*]

vorticista (vor.ti.*cis*.ta) *a2g.* **1** Rel. a vorticismo *s2g.* **2** *Art. pl.* Adepto do vorticismo [F.: *vorticismo* + *ista.*]

vorticoso (vor.ti.*co*.so) [ô] *a.* **1** Que forma vórtice, turbilhão **2** Que se move em remoinho ou corrupio: *um rio vorticoso.* [Pl.: [ó]. Fem.: [ó].] [F.: Do lat. *vorticosus, a, um.*]

vos *pr. pess.* **1** Equivale a 'vós', na função de complemento: "Males que contra mim vos conjurastes, / quanto há-de durar tão duro intento?" (Camões, *Sonetos*) **2** Equivale a 'a vós' ou 'para vós', na função de complemento: *Assim vos faço este favor* **3** Us. como possessivo: *Elogiou-vos a fé* (= *elogiou a vossa fé*). [F.: Do lat. *vos* (átono). Hom./Par.: *vos* (pron.), *vós* (pron.).]

vós *pr. pess.* **1** Indica a pessoa com quem se fala associada a outra ou outras pessoas, e funciona como sujeito: *Vós, acadêmicos, deveis comparecer à recepção.* **2** Us. em complementos preposicionados: *Rezamos por vós.* [Se a preposição que o antecede é *com*, assume a forma *-vosco*, ocorrendo contração (*convosco*): *"O senhor esteja convosco."*] [a) No português atual, o uso de *vós* se restringe a linguagens especiais, como a jurídica e a religiosa, e ao tratamento cerimonioso. b) O sujeito *vós* pode ficar oculto por já ser indicado pela terminação *-is* do verbo: *Nada mais podeis fazer.*] [F.: Do lat. *vos.* Hom./Par.: *vós* (pr. pess.), *voz* (sf.), *vos* (pr. pess.).]

vosmecê (vos.me.*cê*) *pr. pess.* F. red. de *vossemecê*, tratamento de respeito, ou de intimidade, equivalente a 'o senhor/a senhora' ou 'você': *Vosmecê trabalha aqui na fazenda?* [Só us. em algumas regiões rurais.]

vossemecê (vos.se.me.*cê*) *pr. pess.* Contr. de *vossa mercê* [Não é mais us.] [Ver *mercê.*]

vossenhoria (vos.se.nho.*ri*.a) *pr. pess.* Contração da f. pr. de tratamento *Vossa Senhoria*: "Saiba Vossenhoria, vociferou o moleiro, ganiu Perpétua Rosa, flautou a ama, murmurou o Manuel." (Alexandre Herculano, *Lendas e narrativas*) [F.: *Vossa Senhoria* > *Vossenhoria.*]

vosso (*vos*.so) *pr. poss.* Que pertence ou que diz respeito à pessoa, ou pessoas, com quem se fala (vós) [No português atual, o uso de *vosso* se restringe a linguagens especiais, como a jurídica e a religiosa ou, no Brasil, a expressões como Vossa Senhoria, Vossa Excelência, com as quais, porém, se deve empregar o verbo na 3ª pessoa: *Vossa Excelência conhece as dificuldades de seu povo.*] [F.: Do lat. vulg. *vostru*, em vez do clássico *vestru*, por analogia com *nostru.*]

vossos (*vos*.sos) *pr. poss.* O mesmo que *os vossos* ■ **Os ~** **1** Os membros da sua/vossa família **2** Os seus/vossos amigos, aliados, correligionários etc.

votação (vo.ta.*ção*) *sf.* **1** Ação ou resultado de votar **2** Processo coletivo em que se faz uma escolha, entre diversas possibilidades, por meio de uma consulta oral ou por escrito: *Resolveram o impasse com a votação de uma nova diretoria.* **3** Resultado numérico, total ou parcial, desse processo: *A votação que recebeu foi suficiente para sua reeleição.* [Pl.: *-ções.*] [F.: *vota(r)* + *-ção.*]

votado (vo.*ta*.do) *a.* **1** Em que se votou ou que se votou: *candidato mais votado; lei votada ontem.* **2** Que fez voto ou promessa: *votado a sua missão.* **3** Consagrado, dedicado: *Sua vida foi votada à ciência.* [F.: Part. de *votar.*]

votante (vo.*tan*.te) *a2g.* **1** Que vota ou tem direito de votar *s2g.* **2** Aquele ou aquela que vota ou tem direito de votar; ELEITOR: *Arrebanham milhares de votantes indecisos.* [F.: *vota(r)* + *-nte.*]

votar (vo.*tar*) *v.* **1** Aprovar, escolher ou decidir por meio de voto [*td.: Os sócios votaram o novo estatuto.*] [*tr.* + *contra, em: A maioria votou na chapa dois.*] [*int.: Ele ainda não tem idade para votar.*] **2** Submeter a votação [*td.: Seria melhor votarmos as propostas.*] **3** Durante processo eleitoral, escolher ou eleger alguém através de voto [*td.: votar a assembleia legislativa.*] [*tr.* + *em: Acho que votei no melhor candidato.*] **4** Dedicar(-se) a [*tdr.* + *a: Votava seus domingos à caridade; Clarissa vota-se ao esporte.*] **5** Fazer voto de; prometer solenemente [*td.: As freiras votaram castidade e pobreza.*] **6** Oferecer (alguém ou a si mesmo) a (um santo) como voto ou promessa; CONSAGRAR(-SE) [*tdi.* + *a: Votou a filha à Virgem; Se ficasse curada, votar-se-ia a são Bernardo.*] [▶ **1** votar] [F.: Do lat. *votare.* Hom./Par.: *vote* (fl.), *vote* (interj.); *voto* (fl.), *voto* (sm.).]

vote (vo.te) [ó] *interj.* Exprime repulsa ou desprezo; TIBE: "Que lhes dizia eu?... Vote!... Já estão bem principiados no namoro!" (Domingos Olímpio, *Luzia-Homem*) [F.: Voc. expressivo. Hom./Par.: *vote* (fl. de *votar*).]

votivo (vo.*ti*.vo) *a.* **1** Ref. a voto (4, 5) **2** Oferecido em cumprimento de voto (4, 5) (vela votiva; monumento votivo) [F.: Do lat. *votivus.*]

voto (*vo*.to) *sm.* **1** Ação ou resultado de votar **2** Cada uma das opções de que se pode dispor em qualquer processo eletivo **3** *P. ext.* Em eleições brasileiras, cédula em que vem impresso o nome de cada candidato escolhido ou em que se marca a caneta essa alternativa [O sistema de votação com urna eletrônica implantado no Brasil não eliminou totalmente o 'voto' ou cédula de papel, que continua a existir como alternativa em caso de problemas técnicos com as urnas, ou numa eventual prolongada falta de energia elétrica.] **4** Compromisso ou promessa solene, de natureza religiosa ou afetiva (voto de pobreza; voto de lealdade) **5** Oferenda feita em paga de tal promessa **6** Manifestação pública e formal de alguma coisa [F.: Do lat. *votu*, 'promessa'.] ■ **~ censitário** *Hist. Pol.* Restrição do direito de voto àqueles que têm renda superior a determinado patamar mínimo estipulado [Cf. *Voto universal.*] **~ de confiança** **1** *Pol.* Autorização dada a governo, por câmara legislativa, de tomar decisões e agir de acordo com seu discernimento numa questão; voto que representa aprovação das ações por ele encetadas **2** *P. ext.* Endosso de uma assembleia às decisões do seu presidente **~ de Minerva** Voto de desempate do presidente de uma sessão deliberativa, em caso de empate na votação feita sem ele; voto de qualidade **~ de qualidade** Ver *Voto de Minerva* **~ eletrônico** *Pol.* Voto dado em máquina de votar eletrônica **~ nominal** **1** Voto dado por pessoa que se identifica ou é identificada **2** Sufrágio em que o votante é identificado no ato de votar, ger. por chamada **~ plural** *Pol.* Sistema eleitoral no qual uma pessoa pode ter direito a determinado número de votos, de acordo com critérios preestabelecidos **~ proporcional** *Pol.* Aquele dado em sufrágio proporcional, sistema no qual o critério de apuração não é pelo número absoluto de votos, mas a contagem de quocientes da divisão do número total de eleitores pelo de cadeiras a serem eleitas; se esse quociente é *x*, cada *x* votos elegem um candidato, e a sobra de votos de um candidato é dirigida a candidatos da mesma legenda **~ secreto** Aquele que o votante tem direito de não revelar **~ simples** *Ecles.* Voto (4) de quem entra numa congregação religiosa **~ solene** *Ecles.* Voto (4) de quem entra numa ordem religiosa **~ vencido** *Jur.* Aquele que o membro dissidente de uma corte dá em separado

votos (*vo*.tos) *smpl.* Cumprimentos, felicitações manifestas a alguém: *Fui levar-lhe meus votos de feliz Natal.* [F.: Pl. de *voto.*]

⊕ **voucher** [Ing. /váutcher/] *sm.* Espécie de vale, ou bilhete de crédito, que dá direito a certas atividades, produtos ou serviços

vovó (vo.*vó*) *sf. Fam.* Em linguagem afetiva ou infantil, a mãe da mãe ou do pai em relação ao filho ou à filha destes; AVÓ [F.: De *avó*, com aférese e redobramento.] ■ **Morrer sem ver ~** *CE Pop.* Passar por vexame, sem receber consolo ou apoio

vovô (vo.*vô*) *sm. Fam.* Em linguagem afetiva ou infantil, o pai da mãe ou do pai em relação ao filho ou à filha destes; AVÔ [F.: De *avô*, com aférese e redobramento.]

vovozinha (vo.vo.*zi*.nha) *sf.* Dim. carinhoso de vovó [F.: *Vovó* + *-z-* + *-inha.*] ■ **É a ~** *Pop.* Reação ou revide a um insulto, uma provocação, um xingamento: *–Você é um crápula! – Crápula é a vovozinha!*

⊕ **voyeur** (*Fr.* /vuaiér/) *s2g.* Pessoa que obtém satisfação sexual em ver ou observar o sexo e a prática de sexo dos outros; MIXOSCOPIA

voyeurismo (voy.eu.*ris*.mo) *sm.* **1** Situação em que uma pessoa é observada, sem o seu consentimento ou conhecimento, despindo-se, nua ou na prática de atos sexuais; MIXOSCOPIA **2** *P. ext. Psi.* Psicopatia que consiste na prática de observação sistemática de outrem, esp. de sua vida íntima, para satisfazer uma curiosidade doentia ou alimentar frustrações [F.: Do fr. *voyeurisme.*]

voyeurista (voy.eu.*ris*.ta) *a2g.* **1** Que diz respeito ao voyeurismo ou que o pratica (atitude voyeurista); VOYEURÍSTICO *s2g.* **2** Pessoa que tem por hábito praticar o voyeurismo [F.: *Voyeurismo* + *-ista* (com troca de suf.).]

voyeurístico (voy.eu.*rís*.ti.co) *a.* Que diz respeito a *voyeur* ou a *voyeurismo*; VOYEURISTA [F.: *Voyeurista* + *-ico.*]

voz *sf.* **1** *Anat.* Conjunto das manifestações sonoras produzidas pelos vertebrados por meio dos pulmões e da laringe (ou da siringe, nas aves) [NOTA: Aum.: *vozeirão.*] **2** *Restr.* Complexo dos sons assim produzidos pelos seres humanos [NOTA: Aum.: *vozeirão.*] **3** Capacidade ou faculdade de falar; FALA: *Ao final de tantos ensaios, perdeu a voz.* **4** Queixa, clamor: *Muitas vozes se ergueram contra o governo.* **5** Boato, notícia: *Era voz corrente que ele trapaceava.* **6** Ordem, decisão (voz de comando) **7** Palavra, expressão verbal: *Não ouviu sequer uma voz de conciliação.* **8** Direito de falar, de participar: *Passou a ter voz na comunidade.* **9** Sugestão interior: *Ouviu a voz da consciência; a voz do coração.* **10** *Mús.* Qualquer parte vocal de uma composição **11** Cada um dos registros da emissão vocal na arte do canto: *Tinha uma bela voz de meio-soprano.* **12** *Mús.* Cada uma das partes, vocal ou instrumental, da textura polifônica **13** *Gram.* Forma assumida pelo verbo para indicar o modo como se relaciona com o sujeito (p. ex.: voz ativa: *A arte sustenta nossa vida*; voz passiva: *Nossa vida é sustentada pela arte.*) **14** Prognóstico, previsão: *A voz do povo já antecipara o acontecimento.* [Pl.: *-es.* Aum.: *vozeirão.*] [F.: Do lat. *vox.* Hom./Par.: *voz* (sf.), *vós* (pron.), *vos* (pron.).] Ideia de 'voz': *fon(o)* (*fonoaudiologia*) e *voc-* (*vocábulo*), *-tele* (*telefone*) e *-fonia* (*telefonia*).] ■ **A meia ~** Ver o verbete *meia-voz* **Dar ~ de prisão a** Comunicar incisivamente a (alguém) que está preso **De viva voz** Oralmente, falando **Ter ~ ativa** Ter influência, ser capaz e ter o direito de influir, com sua opinião, sugestão ou ação o rumo dos acontecimentos em certo âmbito **~ anserina** Voz parecida com o grasnar de um pato **~ ativa** *Gram.* Voz (13) em que o verbo exprime ação do sujeito [Ex.: *Pedro viajou ontem.*] **~ causativa** *Gram.* Ver *Verbo causativo* no verbete *verbo* **~ colocada** *Mús.* Ver *Voz empostada* **~ de cabeça** **1** *Mús.* Voz cuja ressonância não vem do peito, mas da faringe e das fossas nasais **2** Registro vocal no qual o som emitido parece vibrar nos ossos da cabeça **~ de cana rachada** Voz fanhosa, desagradável, e desafinada; voz de taquara rachada **~ de comando** *Mil.* Ordem oral incisiva, para a realização de um movimento, marcha etc. [P. ex.: *meia-volta, volver! Sentido!*] **~ de papo** Voz que soa impertinente, presunçosa **~ de peito** *Mús.* Voz profunda e grave, cuja ressonância vem da boca, da traqueia e do tórax **~ de pipia** Voz esganiçada e fraca **~ de sovelão** Voz masculina estridente **~ de taquara rachada** *Bras. Fam.* Ver *Voz de cana rachada* **~ de trovão** Voz retumbante, estrondosa **~ média** *Gram.* Voz (13) em que sujeito pratica a ação sobre si mesmo, portanto sendo o sujeito e o objeto representações do mesmo ser [Ex.: *Eu me visto.*] **~ medial** *Gram.* Ver *Voz média* **~ passiva** *Gram.* Voz (13) em que a ação verbal refere-se não ao sujeito, mas ao objeto da ação [Ex.: *O jogo foi interrompido (pelo juiz) logo no início.*] **~ passiva analítica** *Gram.* Em português, voz passiva expressa pelo verbo auxiliar *ser* no tempo da ação, concordando com o sujeito, e pelo verbo principal no particípio passado; o agente da ação, se citado, é introduzido pelas preposições *por* ou *de* [Ex.: *Os gols foram marcados (por Júnior) no segundo tempo.*] **~ passiva sintética** *E. Ling.* Em português, voz passiva expressa pelo verbo na voz ativa, na 3ª pessoa, seguido do pronome *se* como partícula apassivadora [Ex.: *Em nome da verdade dizem-se muitas mentiras = são ditas muitas mentiras.*] **~ pastosa** Voz arrastada de pronúncia indistinta **~ reflexa/reflexiva** *Gram.* Ver *Voz média*

vozear (vo.ze.*ar*) *v.* **1** Falar alto, gritar [*int.: O grupo não parava de vozear.*] **2** Dizer (alguma coisa) aos gritos [*td.:*

Os manifestantes vozeavam sua revolta.] **3** Cantar, piar, gritar (falando-se de certos animais) [*int.*] **4** *Fon.* O mesmo que *sonorizar* [*td.*] [▶ 13 vozear] [F.: *voz* + *-ear*. Hom./Par.: *vosear* (todos os tempos do v.); *vozearia* (fl), *vozearia* (sf.).]

vozearia (vo.ze:a.*ri*.a) *sf.* **1** Grande quantidade de vozes reunidas **2** Grande clamor, berreiro, gritaria **3** O mesmo que *vozerio* [F.: *vozear* + *-aria*.]

vozeirão (vo.zei.*rão*) *sm.* **1** Voz muito grossa e forte; VOZEIRO **2** Pessoa que tem esse tipo de voz [Pl.: *-rões*.] [F.: *vozeir(o)* + *-ão*.]

vozeirudo (vo.zei.*ru*.do) *a.* **1** Que tem voz muito forte e grossa; VOZEIRO: *um homem vozeirudo.* *sm.* **2** Pessoa cuja voz é bastante possante [F.: *vozeiro* + *-udo*.]

vozeria (vo.ze.*ri*.a) *sf.* **1** Grande quantidade de vozes reunidas; VOZARIA, VOZEARIA: "...e lá foi correndo com suas gargalhadas e seus gritos para aumentar a vozeria." (Manuel Antônio de Almeida, *Memórias de um sargento de milícias*) **2** Grande clamor, berreiro, gritaria: "Mas não a imprecação altiva que arrojou sobre a vozeria e sobre os estampidos, ao saltar sobre o canhão da direita..." (Euclides da Cunha, *Os sertões*) [F.: *voz* + *-eria*.]

vozerio (vo.ze.*ri*.o) *sm. Bras.* Ruído formado por muitas vozes juntas e indistintas; VOZEARIA; ASSUADA [F.: Posv. de *vozearia* e infl. de *mulherio*.]

⊠ **vs** Abrev. de *versus*

⊠ **vt** Sigla de *videoteipe*

⊠ **VTR** Sigla do ing. *Video Tape Recorder*, 'gravador de videoteipe'

⊠ **VU**[1] Sigla de *Volume Unit*, 'unidade de volume'

vu[2] *sm.* **1** Instrumento musical de or. africana; o mesmo que *vuvu* **2** Cuíca (1) [F.: De or. africana, posv. onomatopeica.]

vudu (vu.*du*) *sm.* Ver *vodu*

vuduísmo (vu.du:*ís*.mo) *sm.* **1** *Rel.* Prática religiosa oriunda do Haiti relacionada à divindade africana chamada Vodu ou Vudu; VODU **2** *P. ext. Pej.* Exercício de feitiçaria [F.: *vudu* + *-ismo*. Formas paral.: *vodu* e *voduísmo*.]

vuduzar (vu.du.*zar*) *v. int.* **1** Executar ritual de vudu **2** Colocar olho-grande, torcer para que (algo) não dê certo [▶ 1 vuduzar] [F.: *vudu* + *-zar*.]

vulcaniano (vul.ca.ni:*a*.no) *a.* Rel. a vulcanismo [F.: *vulcão* sob a forma rad. *vulcan* + *-iano*.]

vulcânico (vul.*câ*.ni.co) *a.* **1** Relativo, pertencente ou inerente aos vulcões (atividade vulcânica) **2** *Fig.* Impetuoso, ardente (temperamento vulcânico) [F.: *vulcão*, na f. do rad. *vulcan-* + *-ico*.]

vulcanismo (vul.ca.*nis*.mo) *Geol. sm.* **1** Hipótese que atribui ao fogo vulcânico a formação da crosta terrestre; PLUTONISMO **2** A ação dos vulcões **3** Processo pelo qual as lavas vulcânicas incandescentes são lançadas na atmosfera, acomodando-se na superfície terrestre [F.: *vulcão* sob a f. rad. *vulcan-* + *-ismo*.]

vulcanização (vul.ca.ni.za.*ção*) *sf.* **1** Ação ou resultado de vulcanizar **2** *Quím.* Tratamento que se dá à borracha natural adicionando-se enxofre à sua composição para torná-la mais resistente e flexível [Pl.: *-ções*.] [F.: *vulcaniza(r)* + *-ção*.]

vulcanizado (vul.ca.ni.*za*.do) *a.* **1** Que sofreu vulcanização (borracha vulcanizada) **2** *Fig.* Exaltado, inflamado, ardente: "Pupilas vivas... cruzando os seus fogos de arte, numa incandescência de paixões vulcanizadas." (Fialho de Almeida, *O país das uvas*) [F.: part. de *vulcanizar*.]

vulcanizador (vul.ca.ni.za.*dor*) [ô] *a.* **1** Que vulcaniza, que é capaz de vulcanizar (material vulcanizador) **2** Que sabe vulcanizar, que se habilitou em vulcanização (profissional vulcanizador) *sm.* **3** Aquilo ou aquele que vulcaniza, que serve para a vulcanização ou sabe efetuá-la **4** *S.* O mesmo que *borracheiro* [F.: *vulcaniza(r)* + *-dor*.]

vulcanizar (vul.ca.ni.*zar*) *v. td.* **1** Submeter (borracha) à vulcanização **2** Aquecer muito; CALCINAR; ABRASAR **3** *Fig.* Exaltar(-se), inflamar(-se): *vulcanizar os companheiros; vulcanizar-se para a luta.* [▶ 1 vulcanizar] [F.: Do lat. *vulcanus* + *-izar*.]

vulcanologia (vul.ca.no.lo.*gi*.a) *sf. Geol.* Parte da geologia que trata dos vulcões [F.: *vulcan(o)* + *-logia*.]

vulcanológico (vul.ca.no.*ló*.gi.co) *a.* Que diz respeito a vulcanologia [F.: *vulcanologia* + *-ico*.]

vulcanólogo (vul.ca.*nó*.lo.go) *sm.* Aquele que é versado em vulcanologia; VULCANOLOGISTA [F.: *vulcan(o)* + *-logo*.]

vulcão (vul.*cão*) *sm.* **1** *Geol.* Abertura na crosta terrestre através da qual a lava (o magma em estado de fusão) e outras substâncias, como o fogo, cinzas, gases, fumaça, pedras, emergem do interior do planeta e são lançadas na superfície **2** *P. ext.* Montanha cônica ao redor dessa abertura e formada pelo magma resfriado **3** *Fig.* Pessoa ou coisa que envolve perigo iminente, por imprevisível e explosiva: *Estava drogado, louco, um vulcão de agressividade.* [Pl.: *-cões*.] [F.: Do antr. lat. *Vulcanus*. Ideia de 'vulcão': *vulcan(i/o)* (*vulcanismo*).] ■ **~ de lama** *Geol.* Acúmulo, ger. em forma cônica, de lama, argila, pedras etc. ejetados por gases vulcânicos através de orifício ou cratera **Dançar sobre um** *Fig.* Divertir-se ou descansar em situação de grande perigo

📖 Vulcões são aberturas na crosta terrestre, ligadas ao material incandescente (magma, gases etc.) do interior da Terra. As altas temperaturas e o aumento de pressão desse material podem, em certas condições, provocar uma erupção vulcânica, projetando-o com força pela abertura, lançando lava, fragmentos de rocha, gases, fumaça (matéria piroclástica), a grande distância. A presença de atividade vulcânica (e, consequentemente, de vulcões) segue uma linha ao longo da superfície terrestre, que acompanha fraturas das camadas subterrâneas, esp. ao longo da costa ocidental das Américas, o sudeste da Ásia e as ilhas do leste da Ásia e da Oceania. Entre os vulcões historicamente mais conhecidos estão o Vesúvio, no sul da Itália, o Etna, na Sicília, o Fujiyama, no Japão, e o Krakatoa, em Java, Indonésia, cuja erupção em 1883 foi a mais violenta já registrada. O Brasil não tem vulcões conhecidos.

vulgacho (vul.*ga*.cho) *sm. Pop.* Conjunto de pessoas pertencentes às camadas mais pobres da sociedade; RALÉ; PLEBE; POPULACHO; GENTALHA [F.: *vulgo* + *-acho*.]

vulgar (vul.*gar*) *a2g.* **1** Ref. ao vulgo ou peculiar a este; POPULAR **2** Que denota baixo nível de gosto ou educação; RELES; ORDINÁRIO; GROSSEIRO; GROSSO [Ant.: *distinto; elegante*.] **3** Que é comum, usual; TRIVIAL; BANAL: "E o aroma fenecido/ Que se evola do teu nome vulgar!" (Camilo Pessanha, *Clepsidra*) [Ant.: *incomum*.] *sm.* **4** Aquilo que é vulgar, grosseiro **5** O idioma vernáculo: *Disse a missa em vulgar.* [F.: Do lat. *vulgaris*.]

vulgaridade (vul.ga.ri.*da*.de) *sf.* **1** Qualidade ou caráter do que é vulgar **2** Coisa vulgar e sabida; dito ou sentença já sabida e repetida por todos [F.: Do lat. *vulgaritas*.]

vulgarismo (vul.ga.*ris*.mo) *sm.* **1** Qualidade ou caráter do que é vulgar; VULGARIDADE **2** Uso linguístico popular em oposição às normas da linguagem culta, formal: *A expressão "para mim fazer" é um vulgarismo.* [F.: *vulgar* + *-ismo*.]

vulgarização (vul.ga.ri.za.*ção*) *sf.* **1** Ação ou resultado de vulgarizar(-se), tornar(-se) comum, bem-difundido, popularizado (vulgarização da cultura; vulgarização da ciência); DISSEMINAÇÃO **2** *Pej.* Ação ou resultado de se tornar baixo, desprezível; REBAIXAMENTO: *A tevê está sempre ameaçada pela vulgarização.* [Pl.: *-ções*.] [F.: *vulgariza(r)* + *-ção*.]

vulgarizado (vul.ga.ri.*za*.do) *a.* Que se vulgarizou, que se tornou vulgar [F.: Part. de *vulgarizar*.]

vulgarizador (vul.ga.ri.za.*dor*) [ô] *a.* **1** Que vulgariza, que contribui para vulgarizar *sm.* **2** Aquele ou aquilo que vulgariza: *Tornou-se um vulgarizador da informática.* [F.: Rad. *vulgarizad(o)* + *-or*.]

vulgarizar (vul.ga.ri.*zar*) *v.* **1** Tornar(-se) comum, conhecido; POPULARIZAR(-SE); PROPAGAR(-SE) [*td.*: *vulgarizar termos médicos.*] [*int.*: *O uso da internet vulgarizou-se.*] **2** Banalizar(-se) [*td.*: *A sociedade de consumo vulgariza até o que há de mais ousado.*] [*int.*: *Este estilo de interpretar vulgarizou-se.*] **3** *Pej.* Tornar(-se) baixo, desprezível; REBAIXAR(-SE) [*td.*: *A banda vulgarizou o seu repertório; A televisão vem se vulgarizando muito.* Ant.: *dignificar, elevar*.] [▶ 1 vulgarizar] [F.: *vulgar* + *-izar*.]

vulgarmente (vul.gar.*men*.te) *adv.* **1** De modo vulgar ou trivial **2** Comumente, popularmente: *A aguardente de cana é vulgarmente conhecida como cachaça, pinga ou branquinha.* [F.: *vulgar* + *-mente*.]

vulgata (vul.*ga*.ta) *sf.* **1** *Rel. Hist.* Nome da Bíblia traduzida para o latim por são Jerônimo (séc. IV) e declarada, pelo concílio de Trento, a versão oficial da Igreja católica **2** *Fig.* Qualquer versão de um texto que seja a mais adotada e tida como padrão [F.: Do lat. medv. *vulgata*.]

vulgívaga (vul.*gí*.va.ga) *sf.* Meretriz, prostituta: "Vulgívaga (título do poema)." (Manuel Bandeira, "Vulgívaga" *in Carnaval*) [F.: Fem. substv. de *vulgívago*.]

vulgívago (vul.*gí*.va.go) *a.* **1** Que se vulgariza, se abandalha, se dá ao desprezo **2** Que se prostitui *sm.* **3** Indivíduo que se avilta, se desonra, se rebaixa **4** Pessoa que se prostitui [F.: Do lat. *vulgivagus, a, um*.]

vulgo[1] (*vul*.go) *sm.* **1** Classe social subalterna; PLEBE; POVO; POVÃO **2** Conjunto da maioria das pessoas de uma sociedade **3** *P. ext. Pej.* O mesmo que ralé [F.: Do lat. *vulgus*.]

vulgo[2] (*vul*.go) *adv.* Vulgarmente, na língua vulgar: *Edson Arantes do Nascimento, vulgo Pelé, é um dos mais famosos atletas da história.* [F.: Do lat. *vulgo*.]

vulnerabilidade (vul.ne.ra.bi.li.*da*.de) *sf.* Caráter ou qualidade de vulnerável: *É conhecida a vulnerabilidade do sistema carcerário.* [F.: *vulnerável*, sob a f. *vulnerabil-*, + *-(i)dade*.]

vulneração (vul.ne.ra.*ção*) *sf.* **1** Ação ou resultado de vulnerar, ferir, magoar física ou moralmente **2** Ferimento produzido por instrumento cirúrgico [Pl.: *-ções*.] [F.: Do lat. *vulneratio*.]

vulnerado (vul.ne.*ra*.do) *a.* **1** Que se vulnerou, feriu, magoou física ou moralmente **2** Que foi ferido por instrumento do cirurgião [F.: Part. de *vulnerar*.]

vulnerador (vul.ne.ra.*dor*) [ô] *a.* **1** Que vulnera (poder vulnerador); VULNERANTE *sm.* **2** Aquele que vulnera [F.: Do lat. *vulnerator, oris*.]

vulnerante (vul.ne.*ran*.te) *a2g.* Que vulnera (poder vulnerante); VULNERADOR [F.: *vulnerar* + *-nte*.]

vulnerar (vul.ne.*rar*) *v. td.* **1** *Fig.* Ferir sentimento de (alguém); MAGOAR; OFENDER **2** Provocar ferimento em [▶ 1 vulnerar] [F.: Do v.lat. *vulnerare*. Hom./Par.: *vulneráveis* (fl.), *vulneráveis* (pl. de *vulnerável* [a2g.]); *vulnerais* (fl.), *vulnerais* (pl. de *vulneral* [a2g.]); *vulneraria* (fl.), *vulnerária* (fem. de *vulnerário* [a.]).]

vulnerário (vul.ne.*rá*.ri:o) *a.* **1** Que é próprio para curar úlceras ou feridas (erva vulnerária) *sm.* **2** *Med.* Medicamento cicatrizante para o tratamento de feridas: "Uma bênção da menor das criaturas pode ser, às vezes, vulnerário suave para as feridas mais dolorosas do atleta." (Rui Barbosa, *Coletânea literária*) [Us. tb. figuradamente.] [F.: Do lat. *vulnerarius, a, um*.]

vulnerável (vul.ne.*rá*.vel) *a2g.* **1** Que se pode vulnerar, ferir [Ant.: *invulnerável*.] **2** Que é mais suscetível de ser danificado ou magoado, prejudicado ou destruído: *Era um avião de fuselagem muito vulnerável; Logo que os pais se distanciavam, ela se mostrava vulnerável demais.* [Pl.: *-veis*.] [F.: Do lat. *vulnerabilis, e*.]

vulpino (vul.*pi*.no) *a.* **1** Ref. a raposa ou peculiar a esta; RAPOSINO **2** *Fig.* Que exprime astúcia e malícia (olhar vulpino) **3** Traiçoeiro, pérfido [F.: Do lat. *vulpinus, a, um*.]

vulto (*vul*.to) *sm.* **1** Semblante, rosto; aspecto: *Tinha um vulto altivo, que nos inspirava respeito.* **2** Corpo ou figura indistinta; IMAGEM: *Não viu mais do que um vulto, no escuro.* **3** Porte, significação, tamanho considerável (empreendimento de vulto) **4** Importância, representatividade **5** Personagem, figura importante: *um vulto do parnasianismo brasileiro.* **6** Imagem de escultura, estátua: *Os pombos pousados sobre o vulto do presidente.* **7** Volume, massa, grandeza: *O espírito flutuava sobre o vulto das águas.* [F.: Do lat. *vultus, us*.]

vultoso (vul.*to*.so) [ô] *a.* **1** De muito vulto ou volume (embrulho vultoso); VOLUMOSO; VULTUOSO **2** Que alcança grandes proporções (negócios vultosos; quantia vultosa) **3** Importante, decisivo: *Teve vultosa participação no movimento.* [Pl.: [ó]. Fem.: [ó].] [F.: *vulto* + *-oso*. Hom./Par.: *vultoso* (a.), *vultuoso* (a.).]

vultuosidade (vul.tu:o.si.*da*.de) *sf.* **1** Característica ou condição de vultuoso **2** *Med.* Estado de quem apresenta a face vermelha e inchada, com os olhos salientes [F.: *vultuoso* + *-(i)dade*.]

vultuoso (vul.tu:*o*.so) [ô] *a.* **1** O mesmo que *vultoso* **2** *Med.* Diz-se de quem traz a face vermelha e inchada, com os olhos salientes [Pl.: [ó]. Fem.: [ó].] [F.: Do lat. *vultuosus, a, um*. Hom./Par.: *vultuoso* (a.), *vultoso* (a.).]

vulturino (vul.tu.*ri*.no) *a.* **1** *Zool.* Relativo ou pertencente ao abutre **2** Próprio do abutre, que tem a natureza do abutre: "Um magricela esgrouviado... de face angulosa, olhos vulturinos." (Gastão Cruls, *Amazônia misteriosa*) [F.: Do lat. *vulturinus, a, um*.]

vulva (*vul*.va) *sf. Anat.* A parte exterior dos órgãos genitais da mulher e das fêmeas dos mamíferos em geral [Nos seres humanos é formada pelos grandes e pequenos-lábios, monte pubiano, clitóris, vestíbulo da vagina, glândulas de Skene, glândulas de Bartholin, abertura da uretra e vagina.] [F.: Do lat. *vulva, ae*. Ideia de 'vulva': *vulv(i)-*, *vulvo-* (*vulviforme, vulvovaginal*).]

vulvar (vul.*var*) *a2g. Anat.* Ref. ou pertencente à vulva (secreção vulvar); VULVÁRIO [F.: *vulva* + *-ar*[1]; ver *vulv(i)-*.]

vulvária (vul.*vá*.ri:a) *sf. Bot.* Erva da fam. das quenopodiáceas (*Chenopodium vulvaria*), anual, de folhas inteiras e flores em forma de espiga; ERVA-FEDEGOSA; MUNDIANHOCA [F.: Do lat. cient. *vulvaria* (ver *vulv(i)-*), em *Chenopodium vulvaria*.]

vulvário (vul.*vá*.ri:o) *a. Anat.* O mesmo que *vulvar* [F.: *vulva* + *-ário*; ver *vulv(i)-*.]

◎ **vulv(i)-** *el. comp.* = 'vulva': *vulvar, vulviforme; vulvoscopia, vulvovaginal, vulvovaginite, vulvuterino.* [F.: Do lat. *vulva, ae*, 'vulva'; 'útero'; 'ventre'; 'pele de fruta'.]

vulviforme (vul.vi.*for*.me) *a2g.* Que tem forma de vulva ou a ela se assemelha [F.: *vulv(i)-* + *-forme*.]

vulvite (vul.*vi*.te) *sf. Ginec.* Inflamação da vulva, ger. de origem infecciosa ou alérgica [F.: *vulva* + *-ite*[1]; ver *vulv(i)-*.] ■ **~ fleimonosa** *Ginec.* Inflamação gangrenosa da vulva

◎ **vulv(o)-** *el. comp.* Ver *vulv(i)-*

vulvoscopia (vul.vos.co.*pi*.a) *sf. Ginec.* Exame visual da parte externa e das regiões adjacentes da genitália feminina [F.: *vulv(o)-* + *-scopia*.]

vulvovaginal (vul.vo.va.gi.*nal*) *a2g. Ginec.* Que diz respeito à vulva e à vagina simultaneamente (candidíase vulvovaginal) [Pl.: *-nais*.] [F.: *vulv(o)-* + *vaginal*.]

vulvovaginite (vul.vo.va.gi.*ni*.te) *sf. Ginec.* Inflamação simultânea da vulva e da vagina [F.: *vulv(o)-* + *vaginite*.]

vulvuterino (vul.vu.te.*ri*.no) *a. Ginec.* Ref. à vulva e ao útero conjuntamente [F.: *vulv(o)-* + *uterino*.]

vumbi (vum.*bi*) *sm. Rel.* Nos funerais dos candomblés bantos, o morto, sobretudo quando se trata do chefe de terreiro [F.: Do quicongo *ewumbi*, 'morto'.]

vum-vum (vum-*vum*) *sm. Bras. Zool.* Nome comum de vários insetos hematófagos, vetores do protozoário que causa a doença de Chagas, mesmo que *barbeiro* [Pl.: *vum-vuns*.] [F.: De or. onom.]

vupt (vupt) *interj.* Expressa uma ação ou um gesto rápido; VAPT: *O ladrão aproximou-se e vupt, tomou-lhe a carteira.* [Us. tb. na expressão *vapt-vupt*.] [F.: De or. onom.]

vurmo (*vur*.mo) *sm.* Secreção purulenta em ferida ou úlcera supurada [F.: De or. obsc.]

vurmoso (vur.*mo*.so) [ô] *a.* Que contém vurmo, pus [Pl.: [ó]. Fem.: [ó].] [F.: *vurmo* + *-oso*.]

vu-vu (vu-*vu*) *MG sm.* **1** *Pop. Mús.* Instrumento percussivo que, us. nos ranchos de reis, produz som que pode ser representado pela palavra *vu* **2** *Pop.* Confusão, briga, tumulto: "Eu aceitava qualqual vu-vu de guerra, e ia em cima, enorme sangue, ferro por ferro." (Guimarães Rosa, *Grande sertão: veredas*) [Pl.: *vu-vus*.] [F.: De or. onom., posv. do quicongo *vuuvu*, 'ruído', 'rumor'.]

vuvuzela (vu.vu.*ze*.la) *sf.* Na África, espécie de berrante, originalmente feito de chifre e com quase 1 m de comprimento. Versões industrializadas, de plástico e mais curtas, passaram a ser usadas popularmente, e ganharam notoriedade durante a Copa do Mundo de futebol de 2010, na República da África do Sul, sendo usadas durante os jogos como fundo sonoro contínuo durante as partidas [F.: Posv. de origem onomatopaica (*vuvu*), ou do zulu ('fazer barulho').]

W[1] (*dáblio*) **sm. 1** *Gram. Ling.* Vigésima terceira letra do alfabeto português, reintroduzida no Brasil pelo Acordo Ortográfico de 1990. Substituída por *u* ou *v* nas palavras importadas e aportuguesadas (p. ex. sanduíche, do ing. *sandwich*), us. nos nomes comuns e próprios (e derivados) estrangeiros (p. ex. *website*, *darwinismo*, *wagneriano*), nas abreviaturas (*W* - watt), e nos símbolos (*W* = tungstênio) **2** A forma dessa letra, sua representação [Pl. representado pela duplicação da letra: *ww*.] **num. 3** Vigésimo terceiro elemento de uma série ordenada ou hierárquica designada ou representada pelas letras do alfabeto (poltrona W)

⊠ **W**[2] **sm. 1** *Elet. Fís.* Símb. de *watt* **2** *Fís.* Símb. de *trabalho* **3** *Fís.* Símb. de *bóson vetorial intermediário*

⊠ **W**[3] **sm.** *Quím.* Símb. de *tungstênio*

⊠ **W. sm.** Símb. de oeste [tb. se usa a abrev. *O.*] [F.: Do ing. *West.*]

⊕ ***waffle*** (*Ing. /uófel/*) **sm.** *Cul.* Tipo de bolo, feito de massa de farinha de trigo, leite, ovos e fermento, assada num aparelho elétrico ou em forma especial no forno ou fogão, podendo ser acompanhada de chocolate, mel, geleia, sorvete, queijo, presunto etc.

⊕ ***wagashi*** (*Jap. /wagachi/*) **sm.** Termo que designa os doces tradicionais japoneses, feitos esp. de amido de arroz e trigo, cereais e açúcar, cujas cores, aromas e formatos simbolizam as estações do ano

wagneriano (wag.ne.ri.*a*.no) **a. 1** *Mús.* Ref. ou inerente ao compositor operístico alemão Richard Wagner (1813-1883): *Festival wagneriano de Bayreuth; concepção wagneriana.* **2** Típico ou próprio do estilo e das obras de Richard Wagner **3** Diz-se de que ou quem estuda, aprecia ou interpreta a obra de Richard Wagner **sm. 4** *Mús.* Estudioso, intérprete, grande admirador e/ou profundo conhecedor da obra de Richard Wagner; adepto das teorias e estilo musical de Richard Wagner; WAGNERISTA **5** Partidário do wagnerismo [F.: Do antr. *(Richard) Wagner* + *-iano.*]

wagnerismo (wag.ne.*ris*.mo) **sm. 1** *Mús.* O sistema musical do compositor alemão Richard Wagner (1813-1883) **2** *Mús.* O acervo musical desse artista [F.: Do antr. *(Richard) Wagner* + *-ismo.*]

wagnerista (wag.ne.*ris*.ta) **a2g. 1** Ref. ao compositor alemão Richard Wagner (1813-1883) ou a sua obra (tetralogia wagnerista) **2** Diz-se de pessoa que é admiradora, estudiosa ou conhecedora das obras desse compositor **s2g. 3** *Mús.* Essa pessoa [F.: Do antr. *(Richard) Wagner* + *-ista.* Sin. ger.: *wagneriano.*]

wagnerizar (wag.ne.ri.*zar*) **v. td.** *Mús.* Dar estilo wagneriano a uma composição ou arranjo musical [▶ **1** wagnerizar] [F.: Do antr. *(Richard) Wagner* (compositor alemão [1813-1883]) + *-izar.*]

wahabismo (wa.ha.*bis*.mo) **sm.** *Pol. Rel.* Doutrina político-religiosa radical introduzida na Arábia Saudita por Muhammad Ibn Abd al Wahab, no século XVIII, que propõe uma interpretação literal do Alcorão, recrimina a veneração excessiva a Maomé, prega austeridade na vida pessoal, considera hereges os demais países árabes, exceto a Arábia Saudita [F.: Do antr. *(Muhammad Ibn Abdal)Wahab* + *-ismo.*]

wahabita (wa.ha.*bi*.ta) **a2g. 1** Que diz respeito ao wahabismo (propaganda wahabita) **2** Diz-se de indivíduo estudioso ou seguidor do wahabismo, seita islâmica **s2g. 3** Esse indivíduo [F.: Do antr. *(Mohammad) Wahab* + *-ita*[1].]

waimiris-atroaris (wai.mi.ris-a.tro:a.*ris*) **smpl.** *Etnol.* Grupo indígena da família linguística caraíba, que habita a reserva Waimiri-Atroari, no S.E. de Roraima e N.E. do Amazonas; UAIMIRIS-ATROARIS

⊕ ***waiver*** (*Ing./uêiver/*) **sm. 1** *Jur.* Renúncia a interesses ou a direitos legalmente garantidos **2** *Econ.* Em transações ou empréstimos internacionais, dispensa do cumprimento contratual ou de algumas das condições nele contidas

⊕ ***wakeboard*** (*Ing. /uêicbord/*) **sm.** *Esp.* Modalidade de surfe em que a prancha é rebocada por um barco

⊕ ***walkie-talkie*** (*Ing. /uóqui-tóqui/*) **sm.** *Eletrôn. Telc.* Emissor e receptor portátil us. em comunicações radiofônicas a curta distância; aparelho pequeno, ger. com antena, pelo qual o portador pode se comunicar (falando e ouvindo) com outro, ger. a curta ou média distância

⊕ ***walkman*** (*Ing. /uócmen/*) **sm.** *Eletrôn. Telc.* Aparelho pequeno, com fones de ouvido, us. para escutar rádio, fitas cassetes e CDs [*Walkman* é marca registrada de Sony Corporation para este aparelho de sua fabricação, mas, como acontece em vários outros casos similares, tem sido largamente us. como referência a qualquer desses aparelhos.] [Pl.: *walkmen.*]

⊕ ***warrant*** (*Ing./uórant/*) **sm.** *Jur. Com.* Recibo de mercadoria depositada em armazém geral, negociável como uma letra de câmbio: "Os armazéns gerais emitirão, quando lhes for pedido pelo depositante, dois títulos unidos, mas separáveis à vontade, denominados conhecimento de depósito e warrant." (*Código Comercial Brasileiro*, art. 15.)

warrantagem (war.ran.*ta*.gem) [uó] **sf.** *Jur. Com.* Ação de garantir a posse de mercadoria depositada por meio de *warrant* [Pl.: *-gens.*] [F.: *warrant* + *-agem*[2].]

⊕ ***water-closet*** (*Ing. /uóter-clózit/*) **sm.** Lugar com vaso sanitário e lavatório; BANHEIRO [Abrev.: *wc*]

⊕ ***watt*** [uó] (*watt*) **sm. 1** *Elet.* Unidade de medida da potência elétrica, igual à potência de uma corrente de 1 ampère sob a diferença de potencial de 1 volt [Símb.: *W*] **2** *Fís.* Unidade de potência mecânica, igual à potência duma fonte

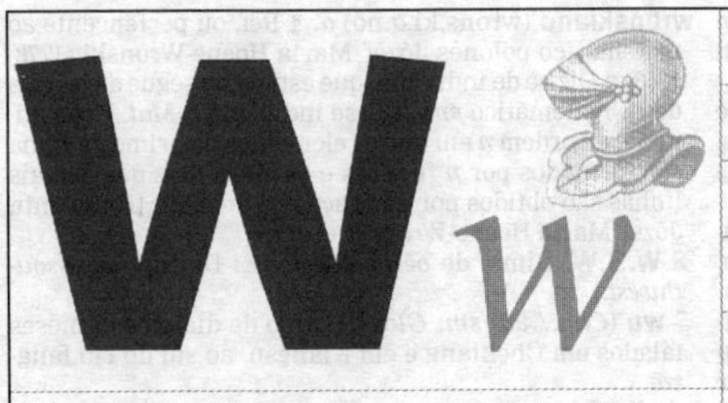

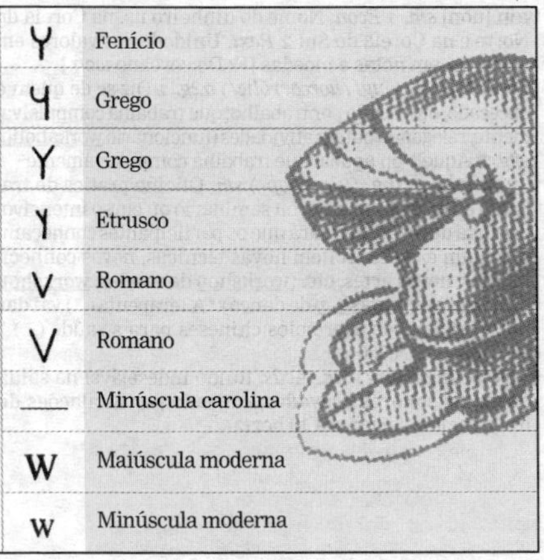

Fenício
Grego
Grego
Etrusco
Romano
Romano
Minúscula carolina
W Maiúscula moderna
w Minúscula moderna

O *waw* fenício é o ancestral mais antigo das letras *f, u, w* e *y*. Uma variante *ipsílon* foi criada para representar os sons de *u* e *w*. No latim, o *ipsílon* passou a representar os sons de *u* e de *v*, e o som de *w* desapareceu nessa língua. Foi somente na Idade Média que os anglo-saxões passaram a usar o desenho de dois *uu* para representar o som de *w*, presente em seu idioma. Com o tempo, os dois *uu* se fundiram em um único caractere.

capaz de fornecer, contínua e uniformemente, um joule por segundo [Símb.: *W*] [Pl.: *watts.*] [F.: Do antr. *(James) Watt* (1736-1819), do físico escocês.]

wattagem (wat.*ta*.gem) **sf. 1** *Elet.* Ato ou resultado de ativar uma corrente elétrica **2** *Elet.* Capacidade de corrente elétrica, produto da tensão (voltagem) pela corrente (amperagem) [Pl.: *-gens.*] [F.: *watt* + *-agem*[2].]

watt-hora (watt-*ho*.ra) [uó] **sm. 1** *Elet.* Unidade de medida de energia elétrica [Símb.: *Wh*] **2** *Fís.* Unidade de medida de energia que iguala o trabalho produzido por 1 *watt* durante 1 hora, equivalente a 3 600 joules [Símb.: *Wh*] [Pl.: *watts-horas; watts-hora.*] [F.: *watt* + *hora.*]

watt-horímetro (watt-ho.*rí*.me.tro) **sm.** *Elet.* Aparelho que mede a energia elétrica em watts-horas [Pl.: *watts-horímetros e watt-horímetros.*]

wattímetro (wat.*tí*.me.tro) [uó] **sm. 1** *Elet.* Medidor de potência elétrica, com indicação em *watts* na escala graduada; WATTÔMETRO **2** *Fís.* Instrumento para medida de potência mecânica; WATTÔMETRO [F.: *watt* + *-i-* + *-metro*[1].]

watt-segundo (watt-se.*gun*.do) **sm.** *Elet.* Unidade de energia elétrica equivalente a 1 joule [Símb.: *Ws*] [Pl.: *watts-segundos e watts-segundo.*]

⊠ **wc sm.** *Abr.* de water-closet; BANHEIRO

⊕ ***web*** (*Ing. /uéb/*) **sf. 1** *Inf.* Denominação que tornou conhecida e difundida (a partir de 1991) a rede mundial de computadores; sistema na internet que permite acesso a informações e interliga documentos, arquivos, sites, menus, índices etc., fornecendo conexões com e entre usuários **2** O acervo de recursos, informações, arquivos etc., assim tornados disponíveis [tb. us. a sigla ing. *www.*] ▪ **~ design** Arte e técnica de criar *sites* na internet em sua arquitetura, funções, estrutura e soluções gráficas para sua funcionalidade e estética **~ designer** Profissional de *web design*, capacitado a projetar *sites* em sua estrutura, funcionalidade e estética; *webmaster*

⊕ ***webcam*** (*Ing. /uébquêm/*) *Inf.* Pequena câmera, acoplada a um computador ou nele embutida, que transmite as imagens captadas através de programas de comunicação via internet ou redes internas

weber (*we*.ber) [vé] **sm.** *Fís.* Unidade do Sistema Internacional (SI) para fluxo de indução magnética, equivalente à corrente que atravessa uma espira, produzindo nela uma força eletromotriz igual a 1 volt, quando é uniformemente reduzida a zero durante em um segundo [Símb.: *Wb*] [F.: Do antr. *(Wilhelm Eduard) Weber*, físico alemão (1804-1891).]

weberiano[1] (we.be.ri.*a*.no) **a. 1** Relativo ao sociólogo alemão Max Weber (1864-1920) ou a suas ideias (conceito weberiano) **2** Diz-se de indivíduo que é discípulo, admirador ou estudioso do pensamento sociopolítico-econômico do sociólogo Max Weber **sm. 3** Esse indivíduo [F.: Do antr. *(Max) Weber* + *-iano.*]

weberiano[2] (we.be.ri.*a*.no) **a. 1** *Anat.* Relativo ao fisiólogo e anatomista alemão Ernest Heinrich Weber (1795-1878) ou às suas teorias (estudo weberiano) **2** Diz-se de indivíduo que é seguidor, admirador ou estudioso das teorias desse fisiólogo e anatomista **sm. 3** Esse indivíduo [F.: Do antr. *(Ernest Heinrich) Weber* + *-iano.*]

weberiano[3] (we.be.ri.*a*.no) **a. 1** Relativo ao músico alemão Carl Maria von Weber (1786-1826) ou ao seu estilo (sinfonia weberiana) **2** Diz-se de indivíduo que é admirador, seguidor ou estudioso desse músico **sm. 3** Esse indivíduo [F.: Do antr. *(Carl Maria von) Weber* + *-iano.*]

⊕ ***webmaster*** (*Ing./uebmáster/*) **sm. 1** Profissional que projeta e desenvolve um *site* na internet, em sua concepção, sua estrutura, seu modelo gráfico e suas opções operacionais [Tb. *webdesigner.*] **2** Aquele que administra um *site* na internet, o edita, atualiza etc.

⊕ ***weekend*** (*Ing. /uiquend/*) **sm. 1** *Cron.* Fim de semana (da noite de sexta-feira à noite de domingo) ger. para descanso ou lazer **2** *P.ext.* Todo período de dois dias, de descanso ou folga compensatória **3** *P.ext.* Um período de tempo prolongado por um ou mais feriados, dias de folga, etc.

wellesiano (wel.le.si.*a*.no) [ué] **a. 1** Ref. ao cineasta e ator norte-americano Orson Welles (1915-1985) ou próprio de suas obras: *o talento wellesiano.* **2** Diz-se de indivíduo que admira ou estuda as obras desse artista **sm. 3** Esse indivíduo [F.: Do antr. *(Orson) Welles* + *-iano.*]

⊕ ***weltanschauung*** (*Al. /veltanschaun/*) **sf.** *Fil.* Concepção sobre o mundo; visão de mundo; COSMOVISÃO [Inicial maiúsc., em alemão.]

⊕ ***western*** (*Ing. /uéstern/*) **sm.** *Cin. Liter.* Designação genérica para filmes e livros tendo como fundo o cenário do oeste dos Estados Unidos no séc. XIX; FAROESTE; BANGUE-BANGUE [Pl.: *westerns.*]

⊠ **Wh sm.** *Elet. Fís. Metrol.* Símb. de *watt-hora*

⊕ ***whig*** (*Ing. /uíg/*) **a2g. 1** *Pol.* Diz-se do partido liberal, na Inglaterra **2** Diz-se de quem é adepto desse partido **s2g. 3** *Pol.* O partido liberal inglês **4** O membro desse partido

⊕ ***wi-fi*** (*Ing. /uáifái/*) **sm.** Marca registrada de uma tecnologia de interconexão e transmissão de dados sem fio entre dispositivos eletrônicos

wilderiano (wil.de.ri.*a*.no) [uàil] **a. 1** Ref. ao roteirista, diretor e produtor do cinema norte-americano Billy Wilder (1906-2002) ou próprio de sua arte **2** Diz-se de quem é admirador do seu estilo de direção cinematográfica **sm. 3** Aquele que é admirador das direções e produções de Billy Wilder [F.: Do antr. *(Billy) Wilder* + *-iano.*]

wildiano (wil.di:*a*.no) [uail] **a. 1** *Cin. Liter.* Ref. ou inerente a, ou próprio do escritor e dramaturgo irlandês Oscar Wilde (1854-1900), ou à sua obra **2** Diz-se de estilo de Oscar Wilde (poema wildiano; peça wildiana) **3** Diz-se de que ou quem estuda ou admira intensamente as obras, o estilo, o trabalho de Oscar Wilde **sm. 4** *Cin. Liter.* Estudioso e/ou profundo conhecedor da obra de Oscar Wilde; grande admirador de Oscar Wilde [F.: Do antr. *(Oscar) Wilde* + *-iano.*]

willemita (wil.le.*mi*.ta) [uì] **sf.** *Min.* Mineral-minério de zinco, silicato de zinco trigonal [F.: Do antr. *Willem* I, rei da Holanda (1772-1843) + *-ita*[2].]

⊕ ***winchester*** (*Ing. /uíntchester/*) **sf. 1** *Arm.* Espécie de carabina de repetição, us. na Guerra de Secessão dos EUA **sm. 2** *Antq. Inf.* Disco rígido, principal meio de armazenamento de dados em um computador [Ver *HD*] [Com inicial maiúsc., nas duas apc.] [F.: Do antr. D. F. *Winchester*, industrial americano fabricante desse armamento.]

⊕ ***windsurf*** (*Ing. /uíndssarf/*) **sm.** *Esp. Náut.* Prática esportiva, amadora ou profissional, para uma só pessoa (o windsurfista), em que se navega equilibrando-se de pé numa prancha, semelhante à do surfe, dotada de vela

windsurfista (wind.sur.*fis*.ta) **a2g. 1** *Esp. Náut.* Diz-se de quem pratica *windsurf* **s2g. 2** Praticante de *windsurf* [F.: *windsurfe* + *-ista.*]

wino (*wi*.no) **sm.** *Fís.* Partícula hipotética (s-partícula) de bóson tipo W [F.: *W* (símb. de *bóson vetorial intermediário*) + *-ino*[1].]

⊕ ***wireless*** (*Ing. /uáirless/*) **a.** Ref. a conexão ou transmissão de dados sem fio, cabos ou outros elementos físicos, entre dispositivos eletrônicos

witherita (wi.the.*ri*.ta) [uì] **sf.** *Min.* Mineral ortorrômbico, carbonato de bário, us. como pedra preciosa; VITERITA [F.: Do antr. *(William) Withering* (1741-1799, botânico, médico e mineralogista inglês) + *-ita*[2].]

⊕ ***witzelsucht*** (*Al. /vitselzurt/*) **sm.** *Pat. Psiq.* Problema psiquiátrico relacionado a uma lesão no lobo frontal do cérebro, que resulta em condutas absurdas, como a compulsão para fazer brincadeiras inconvenientes ou sem sentido [Em maiúsc.]

⊠ **W.N.W.** Símb. de *oés-noroeste* [F.: Do ing. *west-northwest.*]

⊠ **w.o.** *Esp.* Abrev. do ing. *walkover*, 'vitória fácil', termo ger. aplicado a vitória (em partida, torneio) conseguida devido ao não comparecimento do adversário: *Perdeu a partida por w.o.* [Tb. *W.O.* e *WO.*]

wollastonita (wol.las.to.*ni*.ta) **sf.** *Min.* Mineral triclínico, silicato de cálcio [F.: Do antr. *(William Hyde) Wollaston* (1766-1828, físico e químico inglês) + *-ita*[2]. Tb. *volastonita.*]

won [uon] *sm.* **1** *Econ.* Nome do dinheiro us. na Coreia do Norte e na Coreia do Sul **2** *Pext.* Unidade dos valores em wons, us. em notas e moedas [F: Do coreano *won*.]

⊕ **workaholic** (*Ing. /uorcarrólic/*) *a2g.* **1** Diz-se de quem é obcecado, ou viciado por trabalho; que trabalha compulsivamente, relegando outras atividades (funcionário workaholic) *s2g.* **2** Aquele ou aquela que trabalha compulsivamente

⊕ **workshop** (*Ing. /uórcchop/*) *sm.* Oficina prática de trabalho ou de treinamento, ou seminário ou curso intensivo, de curta duração, ger. para que os participantes conheçam, discutam e/ou exercitem novas técnicas, novos conhecimentos, novas artes, etc. (workshop de vendas; workshop de literatura; workshop de dança): "A terapeuta (...) vai dar um workshop de exercícios chineses para a saúde (...)". (*O Globo*, 01.04.2004)

⊕ **wow** (*Ing. /uáu/*) *sm. Acús.* Ruído indesejável na saída de sinais sonoros gravados, causado por oscilações de frequência inferiores a 10 hertz

wronskiano (wrons.ki.*a*.no) *a.* **1** Ref. ou pertencente ao matemático polonês Józef Maria Hoene-Wronski (1778-1853) **2** Diz-se de indivíduo que estuda ou segue as teorias desse matemático *sm.* **3** Esse indivíduo **4** *Mat.* Determinante de ordem *n* em que os elementos da primeira linha são formados por *n* funções e os elementos das demais linhas são obtidos por derivação da anterior [F: Do antr. Józef Maria Hoene-*Wronski* + -*ano*¹.]

⊠ **W.S.W.** Símb. de *oés-sudoeste* [F: Do ing. *west-southwest*.]

⊕ **wu** (*Chn./ vú*) *sm. Gloss.* Grupo de dialetos chineses falados em Chekiang e em Kiangsu, ao sul do rio Iangtzé

wuchereria (wu.che.*ré*.ri:a) *sf. Zool.* Denominação comum aos vermes nematódeos do gên. *Wuchereria*, como a *Wuchereria bancrofti*, geradora da elefantíase e outras doenças [F: Do lat. cient. *Wuchereria* (do antr. Otto *Wucherer*, 1820-1873, médico alemão, + -*ia*).]

wuchereríase (wu.che.re.*rí*.a.se) *sf. Med.* Infecção provocada por vermes nematódeos do gên. *Wuchereria* [F: *wuchereria* + -*íase*.]

wulfenita (wul.fe.*ni*.ta) *sf. Min.* Mineral tetragonal, molibdato de chumbo, minério de molibdênio e chumbo de cor alaranjada, amarela ou vermelha, us. como pedra preciosa [F: Do antr. (*F. X. von*) *Wulfen* (1728-1805), mineralogista austríaco, + -*ita*².]

wurtzita (wurt.*zi*.ta) *sf. Min.* Mineral hexagonal, sulfeto de zinco preto-acastanhado [F: Do antr. (*Charles*) *Wurtz* (1817-1884), químico francês, + -*ita*².]

⊠ **www** *Inf.* Ver *web* [F: Sigla do ing. *world wide web*, 'rede mundial'.]

⊕ **wysiwyg** (*Ing./uiziuig/*) *Inf.* Sigla que indica um recurso de *software* que cria e exibe na tela do computador a visualização de textos e imagens semelhantes àquela que terão quando finalizados e impressos [F: De *what you see is what you get*, 'o que você vê é o que obtém'.]

x[1] (*chis*) ***sm.*** **1** *Gram. Ling.* A vigésima quarta letra do nosso alfabeto [Representa articulações diferentes, soando como *ch* em *peixe*; como *cs* em *sexo*; como *z* em *exageração*, como *s* final em *exceto*; e como *ss* ou *ç* em *próximo* etc. Depois de *e* assume o som do ditongo *ei* como em *ex-ministro* (êis-mi-nis-tru). O *x* nas palavras vindas do latim tem o som *cs*: *fluxo* (*fluxus*), *nexo* (*nexus*), *sexo* (*sexus*); ou muda para o sibilante de *ss*: *máximo* (*maximus*), *próximo* (*proximus*); ou se substitui por *ss*: *disse* (*dixit*); ou por *c*: *tecer* (*texere*).] **2** A décima nona consoante do alfabeto **3** A forma ou representação dessa letra; o som dessa letra ***num.*** **4** O 24º elemento em uma série ordenada e hierárquica, (fila X, item X) ***num.*** **5** O dez na numeração romana **6** *Mat.* Quantidade desconhecida de um problema ou de qualquer cálculo ou equação; a incógnita (que se representa por esta letra e também por *y*, *z* etc. **7** *Fig. P. ext.* O ponto mais importante ou mais difícil; coisa desconhecida: *Aí é que está o x da questão.* ■ **O ~do problema** *Bras.* O núcleo de uma situação problemática, aquilo que faz da situação um problema, a parte mais difícil de um problema **~-** Elemento de composição us. como abreviatura do ing. *cheese*, na formação popular de designações de sanduíches que contêm queijo: x-burguer (= ing. *cheeseburger*), x-salada (sanduíche de salada com queijo, alface, tomate etc.), x-tudo (sanduíche que leva todos os ingredientes dos outros disponíveis no cardápio, inclusive queijo)

X[2] (*x*) ***a.*** **1** Us. em substituição a um nome próprio que se desconhece ou que não se quer mencionar: *Passou a informação ao senhor x.* **3** *Rlog.* Diz-se dos raios em que se baseia a fotografia através dos corpos opacos (raios x) [Tb. denominados raios de Roengten.]

xá ***sm.*** Titulo do soberano da Pérsia, atual Irã, antes da revolução islâmica (1979) [O último Xá da Pérsia foi Mohammad Reza Pahlevi, deposto em 1979.] [F.: Do persa *Shah*. Hom./Par.: *chá* (sm.).]

xaboque (xa.*bo*.que) ***sm.*** *N Pop.* Pedaço de qualquer coisa arrancada a dente: "As pirangas abocanhavam... Cada qual que tirasse o seu xaboque." (José Américo de Almeida, *Bagaceira*) [F.: De or. obsc.]

xabraque (xa.*bra*.que) ***sm.*** Espécie de xairel que cobre a anca do cavalo e os coldres [F.: Do al. *Schabracke*, pelo fr. *chabraque*.]

xácara (*xá*.ca.ra) [ch] ***sf.*** **1** *Liter.* Espécie de romance popular em verso, em que os protagonistas são rufiões **2** Narrativa de versos sentimentais, cantada ao som da viola, muito difundida na península Ibérica; SEGUIDILHA: *A bela infanta "é uma xácara muito popular".* [F.: Do cast. *jácara*. Sin. ger.: *jácara*. Hom./Par.: *chácara* (sf.).]

xacoco (xa.*co*.co) [cô] ***a.*** **1** *Pop.* Diz-se do que é ordinário, falto de arte, de graça [Ant.: *gracioso*.] ***sm.*** **2** Aquele que é desengraçado, desenxabido, mal-ajeitado [Ant.: *elegante*.] ***a. sm.*** **3** O mesmo que *enxacoco* [F.: De or. contrv., posv. afr.]

xador (xa.*dor*) [ch; ó] ***sm.*** *Vest.* Traje feminino, ger. negro, que cobre todo o corpo exceto parte do rosto, us. em alguns países muçulmanos [F.: Do persa *chaddar.* Var.: *chador*.]

xadrez (xa.*drez*) [ch, ê] ***sm.*** **1** *Lud.* Jogo em que dois adversários movimentam, cada um, 16 diferentes peças (rei, rainha ou dama, duas torres, dois cavalos, dois bispos e oito peões), num tabuleiro quadriculado com 64 casas alternadamente pretas e brancas, igual ao de jogo das damas, em que o objetivo para cada jogador é a tomada do rei do adversário e a defesa do seu **2** *Lud.* O próprio tabuleiro onde se joga esse jogo **3** *Bras. Pop.* Cadeia, prisão: "Não é exato... que o melhor professor de direito penal ou civil sejam o advogado da porta do xadrez ou o causídico dos pareceres e das questões graúdas." (Afrânio Peixoto, *Ensinar a ensinar*) **4** Embutidos de madeira ou de pedra que apresentam o aspecto de quadrados de jogo de xadrez **5** *Cnav. Mar.* Engradamento de madeira colocado no cesto da gávea, nas escotilhas, na proa, nos patins, para servir de piso **6** *Ent.* Pequena borboleta, inseto lepidóptero da fam. dos hesperiídeos, gên. *Hesperia*. ***a2g2n.*** **7** *Bras. Têxt. Vest.* Diz-se de tecido, roupa etc. que tem desenho quadriculado, como os do tabuleiro do jogo do xadrez; AXADREZADO: *Comprou uma toalha de mesa xadrez.* [Pl.: *xadrezes*.] [F.: Do ár. *as-sitrang*, deriv. do persa *sitrang* e do sânscr. *caturanga*. Hom./Par.: *xadrezes* (fl. de *xadrezar*).]

📖 O jogo de xadrez é muito antigo, de origem indiana, tendo chegado aos árabes no século VII, e por estes sido levado à Europa na Idade Média. Consiste em movimentar as peças (cada tipo tem seu padrão próprio de movimento) no tabuleiro com o objetivo de eliminar o rei adversário (eliminando outras peças para abir caminho, posicionando estrategicamente as peças para isso etc.). Cada jogador conta (na ordem crescente de importância) com oito piões (só andam uma casa para frente e 'comem' peça adversária andando uma casaem diagonal), dois cavalos (andam em L, uma casa para um lado mais duas perpendicularmente), dois bispos (andam qualquer distância, para frente e para trás, em diagonal, mantendo-se cada um, portanto, sempre em casas da mesma cor), duas torres (andam como os bispos, mas só em sentido perpendicular, para frente, para trás ou para um lado), uma rainha (anda tanto como o bispo quanto como a torre) e um rei (anda em qualquer direção, mas uma casa de cada vez). Os grande nomes do xadrez no século XX vieram da antiga União Soviética (Mikhail Botvinik, Mikhail Tahl, Boris Spasski, Anatoli Karpov, Viktor Korchnoi, Gary Kasparov), além do cubano Capablanca e do norte-americano Bobby Fischer.

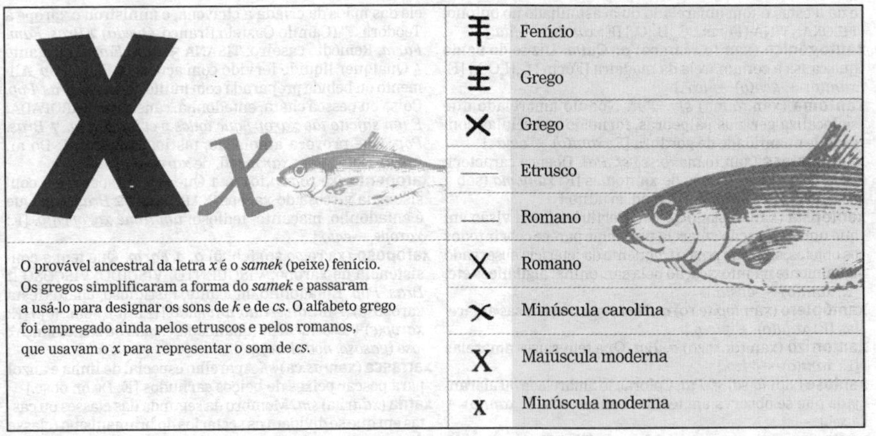

X
x
Fenício
Grego
Grego
Etrusco
Romano
Romano
Minúscula carolina
Maiúscula moderna
Minúscula moderna

O provável ancestral da letra *x* é o *samek* (peixe) fenício. Os gregos simplificaram a forma do *samek* e passaram a usá-lo para designar os sons de *k* e de *cs*. O alfabeto grego foi empregado ainda pelos etruscos e pelos romanos, que usavam o *x* para representar o som de *cs*.

xadrezinho (xa.dre.*zi*.nho) ***a.*** **1** Diz-se de tecido com desenho quadriculado de pequenas dimensões (chita xadrezinha) ***sm.*** **2** Esse tecido: *Gostou do xadrezinho da toalha.* **3** Pequeno tabuleiro de xadrez [F.: *xadrez* + *-inho*.]

xadrezista (xa.dre.*zis*.ta) [ch] ***s2g.*** **1** *Lud.* Jogador de xadrez; ENXADRISTA ***a.*** **2** Ref. a xadrez [F.: *xadrez-* + -ista. Ideia de 'praticante de esporte ou jogo': *-ista* (*ciclista*, *windsurfista*).]

xafetão (xa.fe.*tão*) ***sm.*** *Cons.* Em uma construção, coluna através da qual passa a fiação que interliga todo o sistema elétrico [Pl.: *-tões*.] [F.: De or. obsc.]

xainxá (xa.in.*xá*) [a-in] ***sm.*** Epíteto com que se designa o xá muçulmano, equivalente à expressão 'xá dos xás' [F.: Do persa *Shah*.]

xairel (xai.*rel*) [ch] ***sm.*** **1** *Hip.* Manta de tecido ou couro us. no lombo do cavalo, por baixo da sela; SOBREANCA ***a.*** **2** *Lus. Hip.* Que usa xairel (diz-se de cavalo) [Pl.: *-réis*.] [F.: Do ár. *djilál*. Hom./Par.: xaréu (sm.), *chaireis* (fl. de *chairar*) Var.: *charel*, *chairel*.]

xale (xa.le) [ch] ***sm.*** **1** *Vest.* Manta, ger. de lã ou seda, à imitação dos xales orientais, us. pelas mulheres sobre os ombros e o tronco e às vezes a cabeça, para adorno ou agasalho **2** Comprida peça de estofo que os orientais usam como turbante ou como cinta [F.: Do fr. *châle*, deriv. do persa *'sãl*. Var.: *xaile*.] ■ **~ de Tonquim** Xale de seda bordado, de proveniência chinesa

xalemanta (xa.le.*man*.ta) ***sm.*** *Vest.* Grande xale retangular que se usa dobrado como capa; XAILEMANTA: "Pela voz, pelo xalemanta, pelo andar tinha reconhecido João Eduardo." (Eça de Queirós, *O crime do Padre Amaro*) [F.: *xale* + *manta*.]

xamã (xa.*mã*) [ch] ***sm.*** **1** *Oct.* Em alguns povos asiáticos, esp. os siberianos, especialista que recorre a forças ou entidades sobrenaturais para realizar encantamentos e rituais de cura, adivinhação, exorcismo etc. ***s2g.*** **2** *Antr. Etnol.* Em certos povos ou culturas, espécie de curandeiro e adivinho que tem a capacidade de invocar ou incorporar espíritos por meio de estados alterados de consciência como o sonho, o transe místico etc., e por isso é eleito pela comunidade para realizar rituais mágico-religiosos; MAGO; PAJÉ: *O xamã cantou durante a noite toda.* [F.: Do fr. *chaman*, deriv. do ár. *Schamane*, do russo *samán*, do ing. *shaman*.]

xamânico (xa.*mâ*.ni.co) ***a.*** **1** Próprio de xamã ou a ele relativo (tambor xamânico; horóscopo xamânico) **2** *P. ext.* Que tem poderes semelhantes aos de um xamã ***sm.*** **3** *P. ext.* Aquele que manifesta poderes mágicos: "Para Elizabete Rocha o xamanismo não é uma religião, é aquilo que atrai o dom do saber... O Papa é um xamânico da igreja católica, disse ela." ("Entrevista" *in Folha Guaicuru*, 13.01.2003) [F.: *xamã* (f. rad. *xaman-*) + *-ico*[2].]

xamanismo (xa.ma.*nis*.mo) ***sm.*** **1** *Oct.* Conjunto de crenças e práticas associadas às atividades dos xamãs **2** *Antr. Etnol. Litu.* Prática de magia e de religiosidade usada pelos samoiedos, turcomanos etc., que consiste em evocações e exorcismos, tendo o xamã papel central como agente capaz de interceder junto aos espíritos **3** *P. ext.* Designação para sistemas religiosos análogos de outros povos, esp. indígenas das Américas [F.: *xamã* + *-ismo*. Ideia de 'doutrina, teoria, movimento': *-ismo* (*existencialismo*).]

xamanista (xa.ma.*nis*.ta) ***a2g.*** **1** Que diz respeito ao xamanismo **2** Diz-se de indivíduo que é praticante do xamanismo ***s2g.*** **3** Esse indivíduo [F.: *xamã* (f. rad. *xaman-*) + *-ista*.]

xamanístico (xa.ma.*nís*.ti.co) ***a.*** Que diz respeito a xamanismo ou xamanista [F.: *xamanista* + *-ico*[2].]

xamata (xa.*ma*.ta) ***sf.*** Manto de seda lavrado a ouro, us. no Oriente [F.: Do persa *xam-mahut* 'tecido de Damasco'.]

xambioá (xam.bi:o.*á*) ***s2g.*** **1** *Etnol.* Indivíduo dos xambioás, povo indígena que habita a região do alto Araguaia (TO), e cuja língua pertence ao grupo caraja ***sm.*** **2** *Gloss.* A língua desse povo ***a2g.*** **3** *Etnol.* Ref. aos xambioás (povo) ou ao xambioá (língua)

xambouqueiro (xam.bou.*quei*.ro) ***a.*** **1** *N. E. Pej.* Que se veste mal, sem elegância (sujeito xambouqueiro) [Ant.: *elegante*.] **2** De aspecto tosco, grosseiro, mal-ajambrado: *Riam do seu jeito xambouqueiro, mas ela o amava.* [Ant.: *cuidado*, *esmerado*.] **3** *PB Pop.* Despreparado, incompetente (funcionário xambouqueiro) [Ant.: *competente*, *preparado*.] **4** *RJ* De péssima qualidade; ORDINÁRIO; RELES; TOSCO: *um vestido xambouqueiro.* [Ant.: *bem-feito*, *caprichado*.] [F.: De or. contrv.]

xampu (xam.*pu*) [ch] ***sm.*** *Bras.* Sabão líquido ou substância saponácea us. para lavar os cabelos [F.: Do ing. *shampoo*, deriv. do hind. *chhamna*. Var.: *champô* (lus.), *xampô* (lus.).]

xandanga (xan.*dan*.ga) ***sf.*** *BA MA Tabu.* A genitália feminina; VULVA [F.: De or. obsc.]

xangaiense (xan.gai.*en*.se) ***s2g.*** **1** Pessoa nascida ou que vive em Xangai (China) ***a2g.*** **2** De Xangai; típico dessa cidade ou de seu povo [F.: Do top. *Xangai* + *-ense*.]

xangainês (xan.gai.*nês*) ***sm.*** **1** *Gloss.* Dialeto chinês falado esp. em Xangai: "O Governo chinês tomou medidas para incentivar o uso do mandarim e limitar os dialetos, especialmente em Xangai, cidade onde o xangainês ou wu é bastante utilizado..." (*Folha Ilustrada*, 15.09.2005) ***a.*** **2** Diz-se desse dialeto [F.: Do top. *Xangai* + *-n-* + *-ês*.]

xangô (xan.*gô*) [ch] ***sm.*** **1** *Bras. Rel.* Orixá dos raios e dos trovões, no culto afro-brasileiro [Com inicial maiúscula.] **2** *PE PB AL* Culto afro-brasileiro, inspirado na liturgia nagô, praticado por diversos grupos étnicos do N. E. **3** O lugar onde se realiza esse culto; TERREIRO [F.: Do ior. *so'no*. Hom./Par.: *xangó* (sm.).]

xangozeiro (xan.go.*zei*.ro) *Irôn.* ***a.*** **1** Diz-se de quem participa dos rituais da umbanda ***sm.*** **2** Participante ou frequentador de rituais de umbanda: "Pode-se perceber que o vidente é católico. Uma vez chegou um rapaz da Bahia aqui dizendo que era xangozeiro de lá, que trabalhava com todas as linhas. Eu disse que só tem duas: o certo e o errado..." (Bruno Viana, "Um vidente diferente" *in O Mossoroense*, 28.05.2006) [F.: *xangô* + *-z-* + *-eiro*. Sin. ger.: *macumbeiro*.]

xantelasma (xan.te.*las*.ma) ***sm.*** *Derm.* Conjunto de xantomas na região das pálpebras, provocados pelo depósito de lipídios [F.: *xant(o)-* + *-elasma*.]

xantídeo (xan.*ti*.de:o) *Zool.* ***sm.*** **1** Espécime dos xantídeos, fam. de caranguejos marinhos de carapaça espessa, encontrados nas águas costeiras das Américas, África e Europa ***a.*** **2** Ref. ou pertencente aos xantídeos [F.: Adaptç. do lat. cient. *Xanthidae*.]

xantina (xan.*ti*.na) ***sf.*** *Bioq.* Substância corante amarela extraída de certas plantas e alguns organismos animais, um pouco açucarada e solúvel na água e no álcool [Símb.: $C_5H_4N_4O_2$] [F.: *xant(o)-* + *-ina*[2].]

xantínico (xan.*tí*.ni.co) ***a.*** *Bioq.* Ref. à, ou próprio da xantina [F.: *xantina* + *-ico*[2].]

xantinúria (xan.ti.*nú*.ri:a) ***sf.*** *Pat.* Excesso de xantina na urina [F.: *xantina* + *-úria*. Tb. *xantinuria*.]

xântio (*xân*.ti:o) ***sm.*** **1** *Bot.* Gênero de plantas herbáceas, anuais ou rústicas, das regiões quentes e temperadas do globo; são ervas daninhas **2** *P. ext.* Qualquer espécie desse gênero, muitas delas tb. chamadas *carrapicho* [F.: Do lat. cient. gên. *Xanthium*.]

◎ **-xant(o)-** *el. comp.* Ver *xant(o)-*

◎ **-xanto** *el. comp.* Ver *xant(o)-*

◎ **xant(o)-** *el. comp.* = 'amarelo', 'amarelado': *xantina*, *xantocromia*, *xantodermia*, *xantoeritrodermia*, *xantoma*, *xantopsia*, *xantose*, *xantorrizo*; *axantopsia*; *melanoxanto* [F.: Do gr. *ksanthós, é, ón*.]

xantocromia (xan.to.cro.*mi*.a) ***sf.*** *Med.* Coloração amarelada, de caráter patológico, que aparece no líquido cefalorraquidiano, e que ocorre em hemorragia cerebral ou da medula espinhal [F.: *xant(o)-* + *-cromia*.]

xantocrômico (xan.to.*crô*.mi.co) ***a.*** Ref. a xantocromia [F.: *xantocromia* + *-ico*[2].]

xantodermia (xan.to.der.*mi*.a) ***sf.*** *Med.* Coloração amarelada da pele em certos pontos (palma da mão, sola dos pés etc.) [F.: *xant(o)-* + *-dermia*.]

xantodérmico (xan.to.*dér*.mi.co) ***a.*** *Med.* Ref. à xantodermia [F.: *xantodermia* + *-ico*[2].]

xantoeritrodermia (xan.to:e.ri.tro.der.*mi*.a) ***sf.*** *Med.* Variação na coloração da pele para um tom vermelho-amarelado [F.: *xant(o)-* + *-eritr(o)-* + *-dermia*.]

xantofila (xan.to.*fi*.la) ***sf.*** *Bioq.* Substância amarela complexa, vizinha da clorofila, que a acompanha ger. nas folhas e dá a estas o tom amarelado ou acastanhado no outono; FILOXANTINA [Fórm.: $C_{40}H_{56}O_2$] [F.: *xant(o)-* + *-fila*.]

xantogênico (xan.to.*gê*.ni.co) *a. Quím.* Diz-se do ácido que causa a cor amarela da madeira [Fórm.: $C_3H_6OS_2$] [F.: *xant(o)-* + *-gen(o)-* + *-ico*².]

xantoma (xan.*to*.ma) *sm. Pat.* Nódulo amarelado que se localiza ger. nas pálpebras, formado por células com grande quantidade de gordura [F.: *xant(o)-* + *-oma*¹.]

xantomatose (xan.to.ma.*to*.se) *sf. Pat.* Doença caracterizada pela disseminação de xantomas [F.: *xantoma* (sob a f. *xantomat-*) + *-ose*¹, seg. o mod. erudito.]

xantopsia (xan.to.*psi*.a) *sf. Oft.* Perturbação da visão em que uma coloração amarela uniforme parece cobrir todos os objetos, sintoma pouco frequente da icterícia observado igualmente na intoxicação pela santonina, digitálicos etc. [F.: *xant(o)-* + *-opsia*.]

xantóptero (xan.*tóp*.te.ro) *a. Zool.* Que tem as asas amarelas [F.: *xant(o)-* + *-ptero*.]

xantorrizo (xan.tor.*ri*.zo) *a. Bot.* Que tem raízes amarelas [F.: *xant(o)-* + *-rizo*.]

xantose (xan.*to*.se) *sf. Pat.* Coloração amarelada ou alaranjada que se observa em tecidos cancerosos [F.: *xant(o)-* + *-ose*¹.]

xantungue (xan.*tun*.gue) [ch] *sm.* **1** *Têxt.* Tecido de seda de superfície áspera, de fios irregulares, não inteiramente torcidos **2** *P. ext.* Qualquer tecido natural ou sintético com características parecidas [F.: Do chin. *shān dōong*.]

xanturênico (xan.tu.*rê*.ni.co) *a. Bioq.* Diz-se de ácido que se forma na urina por deficiência de vitamina B6, dando-lhe coloração amarelo-esverdeada [F.: Do ing. *xanthurenic* (*acid*).]

xará (xa.*rá*) [ch] *s2g.* **1** *Bras. Fam.* Pessoa que tem o mesmo prenome que outra; HOMÔNIMO; XARAPA; ZERO **2** *Bras. Gír.* Companheiro, cara: *E aí, xará?* *sm.* **3** *RS Dnç.* Bailado campestre que faz parte do fandango gaúcho *a2g.* **4** *RS Zool.* Diz-se do equídeo de pelo crespo [F.: Do tupi *sa'ra*, de *se'rera*. Hom./Par.: *xara* (sf.).]

xarapa (xa.*ra*.pa) *s2g. N. E. Pop.* Pessoa com nome igual ao de outra; XARÁ [F.: Alt. de *xará*.]

xarda¹ (*xar*.da) *sf.* **1** *Dnç.* Dança popular típica da Hungria, lenta e melancólica na abertura e muito animada e vigorosa na parte principal **2** *Mús.* A música que acompanha essa dança, de provável origem cigana [F.: Do húng. *csárdás*. Apesar de ser f. não pref., *czarda* é mais us.]

xarda² (*xar*.da) *sf. Zool.* Peixe perciforme (*Sarda sarda*), das águas profundas do Atlântico; tb. *sarda* (peixe) [F.: Var. de *sarda*.]

xarelete (xa.re.*le*.te) [ch, ê] *sm.* **1** *SP Ict.* Peixe actinopterígio, perciforme, carangídeo (*Caranx chrysos*) encontrado no Atlântico, de dorso cinza-azulado, abdome branco, com desenhos pretos e amarelos na cauda e mancha no opérculo; XARÉU-PEQUENO; XARÉU-DOURADO; CAVACA; TAQUARA **2** Peixe teleósteo, peciforme, carangídeo (*Caranx latus*) encontrado no Atlântico, de dorso azul-escuro, flancos prateados ou dourados, e ventre amarelado; GUARACEMA; GUARAJUBA; CARAPAU; XARÉU-OLHÃO [F.: De or. obsc, poss. tupi, dim. de *xaréu*. Var.: *xererete*.]

xaréu¹ (xa.*réu 1*) *Bras. Ict. sm.* **1** Nome comum a várias espécies de peixes teleósteos da fam. dos carangídeos e do gên. *Caranx*, encontrados no oceano Atlântico; guaracema, guaraçuma, guaricema **2** Peixe (*Caranx lugubris*), de coloração escura, com cerca de 1m de comprimento, muito encontrado no Nordeste do Brasil **3** Peixe (*C. hippos*), de dorso verde-azulado, com até 1,5 cm de comprimento, encontrado nos oceanos Atlântico e Pacífico; aracaroba, aracimbora, xaréu-branco, xaréu-roncador **4** O mesmo que *xarelete* (*Caranx crysos*) [F.: De orig. obsc.]

xaréu² (xa.*réu*) *sm. Lus.* Frio intenso [F.: De or. obsc.]

xaréu³ (xa.*réu*) *sm. N* Capa de couro com que os vaqueiros cobrem as ancas do cavalo [F.: Posv. de *xairel*, 'manta'.]

xaria (xa.*ri*.a) *s2g. Bras. RN Pop.* Indivíduo dos *xarias*, grupo de moradores ou naturais da cidade alta, em Natal, RN: "E era possível até se consentir, um dia, / Neste triste ambiente, entre ódio tão rasteiro, / A Canguleira amar um valentão Xaria, / Ou a linda Xaria amar um Cangulеiro." (João Amorim Guimarães, *Cidade do Natal*) [Por opos. ao natural ou habitante da Ribeira, cidade baixa, que é chamado *canguleiro*.] [F.: De or. obsc.]

xariá (xa.ri.*á*) *sm. Rel.* Conjunto dos preceitos morais islâmicos que compõem o Corão e que orientam a vida civil e religiosa dos muçulmanos [F.: Do ár. *sar* 'lei divina'. São mais frequentes a forma paroxítona e a grafia com ch: *charia*.]

xarias (xa.*ri*.as) *smpl. RN Pop.* Os habitantes ou naturais da cidade alta, em Natal, RN [F.: Pl. de *xaria*.]

xaropada (xa.ro.*pa*.da) [ch] *sf.* **1** *Farm.* Grande porção de xarope **2** A porção de xarope que se pode tomar de uma vez **3** *P. ext. Farm.* Qualquer medicamento contra a tosse **4** *Bras. Pop.* Coisa chata, maçante, enfadonha; amolação, caceteação; XAROPE: *Mas que xaropada foi aquela conferência!* [F.: *xarop(e)* + *-ada*.]

xaropar (xa.ro.*par*) *v.* **1** Dar xaropes ou qualquer medicamento caseiro a [*td.*] **2** *Bras. Pop.* Causar tédio ou desagrado (a alguém); ABORRECER; IMPORTUNAR [*td./int.*] **3** Maçar, aborrecer, amolar, cacetear com xaropadas; tb. *xaropear* **4** Ministrar tisana a um enfermo [*td.*] [▶ 1 xaropar] [F.: *xarope* + *-ar*². Hom./Par.: *xarope(s)* (fl.), *xarope(s)* (sm. [pl.]).]

xarope (xa.*ro*.pe) [ch, ó] *sm.* **1** *Farm.* Líquido viscoso e açucarado, mistura de substâncias minerais e /ou vegetais, ger us. como medicamento (xarope de quina): "... Tomou ele das mãos da criada a chávena, e ministrou o xarope a Teodora..." (Camilo Castelo Branco, *Queda*) **2** *Bras. Fam. Farm.* Remédio caseiro; TISANA **3** *Fam. Farm.* Purgante **4** Qualquer líquido fervido com açúcar **5** *P. ext. Pop.* Alimento ou bebida preparada com muito açúcar **6** *Bras. Pop.* Coisa ou pessoa chata, enfadonha, cansativa; XAROPADA: *É um sujeito tão xarope que todos o evitam.* *a2g.* **7** *Bras. Pop.* Que provoca amolação, fastio, cansaço [F.: Do ár. *sarâb*. Hom./Par.: *xarope* (fl. de *xaropar*).]

xaropento (xa.ro.*pen*.to) *a.* **1** Que tem o aspecto e a consistência viscosa do xarope; XAROPOSO **2** *Bras. Gír.* Que é enfadonho, maçante, tedioso: *um filme xaropento.* [F.: *xarope* + *-ento*.]

xaroposo (xa.ro.*po*.so) [ch, ô] *a.* **1** *Farm.* Que tem a consistência de xarope; VISGUENTO; VÍSCIDO; VISCOSO **2** *Bras. Pop.* Enfadonho, maçante, fastidioso, chato (festa xaroposa) [Ant.: *divertido, animado*.] [Pl.: [ó]. Fem.: [ó].] [F.: *xarop(e)* + *-oso*. Ideia de 'qualidade, estado ou semelhança': *-oso* (*gasoso, noduloso*).]

xarrasca (xar.*ras*.ca) *sf.* Aparelho especial de linha e anzol para pescar peixes de beiços carnudos [F.: De or. obsc.]

xátria (*xá*.tri:a) *sm.* Membro da segunda das classes ou castas em que se dividem os sectários do bramanismo (classe de guerreiros a que pertencem os rajás) [Cf.: *brâmane*.] [F.: Do sânsc. *k*ˢ *atrya*.]

xauã (xau.*ã*) *sm. Bras. Zool.* Papagaio (*Amazona rhodocorytha*) encontrado nas florestas do leste brasileiro, de coloração geral verde, com a fronte vermelha e os loros amarelos; CHAUÁ [F.: Posv. de or. tupi.]

xavante (xa.*van*.te) [ch] *s2g.* **1** *Bras. Etnol.* Indivíduo dos xavantes, povo indígena do tronco macro-jê, que habita esp. São Paulo, Goiás e Mato Grosso *sm.* **2** *Bras. Gloss.* Língua, de diferentes famílias, falada pelos xavantes *a2g.* **3** *Bras. Etnol. Gloss.* Ref. a ou pertencente a esse povo ou à sua língua [F.: Do tupi.]

xavecagem (xa.ve.*ca*.gem) *sf. Bras. Gír.* Ação ou resultado de xavecar; PATIFARIA; VELHACARIA; XAVECO: *Chegou na hora marcada, mas não havia ninguém, pois era pura xavecagem.* [F.: *xavecar* + *-agem*.]

xavecar (xa.ve.*car*) *v. int. Bras. Pop.* Agir de forma desonesta; praticar velhacaria [▶ 11 xavecar] [F.: *xaveco* + *-ar*². Hom./Par.: *xaveco* (fl.), *xaveco* (sm.).]

xaveco (xa.*ve*.co) [ch, é] *sm.* **1** *Bras. Fig.* Coisa ou pessoa insignificante **2** *Bras. Pej.* Mulher muito feia **3** *Bras. Gír.* Ato de velhaco; CHAVECAGEM; PATIFARIA **4** *SP Gír.* Conversa que tem o objetivo de seduzir, conquistar alguém; CANTADA: *O xaveco lugar-comum deixou a moça irritada.* **5** *Náut.* Embarcação pequena de três mastros e velas latinas **6** *Bras. Pop.* Barco velho e frágil, que não oferece condições de segurança; CALHAMBEQUE [F.: Do ár. *sábbak*. Hom./Par.: *xaveco* (fl. de *xavecar*).]

xaveriano (xa.ve.ri:*a*.no) *a.* **1** Ref. a São Francisco Xavier, padroeiro das missões (ano xaveriano) **2** Que é propagador ou seguidor dos ensinamentos do santo: *missionários xaverianos do Brasil.* *sm.* **3** Aquele que propaga os feitos de São Francisco Xavier [F.: Do antr. São Francisco *Xavier* (com síncope do i) + *-iano*.]

xavier (xa.vi:*er*) *a2g.* **1** *S Pop.* Confuso, desenxabido, encalistrado, sem graça: *Fulano ficou xavier.* *sm.* **2** *Lus. Gír. Pej.* Homem a quem a mulher engana; CORNO **3** *Lus. Agr.* Variedade de manga indiana [F.: Posv. do antr. *Xavier*.] ■ **Sair ~** *S.* Sair emburrado de jogo, por ter perdido

xaxado (xa.*xa*.do) [ch] *sm.* **1** *Bras. Dnç. Etnog.* Certa dança de origem pernambucana, difundida no N. E. pelos cangaceiros **2** *Bras. Mús. Etnog.* A música para essa dança [F.: De or. onom. *xá-xá-xá*.]

xaxim (xa.*xim*) [ch] *sm.* **1** *Bot.* Samambaia arborescente da fam. das ciateáceas (*Dicksonia sellowiana*), nativa do Sul e Sudeste da Mata Atlântica, cujo "caule", ereto e cilíndrico, é uma massa fibrosa constituída inteiramente de raízes adventícias entrelaçadas em cujos pontos de inserção das folhas desenvolvem-se abundantes filamentos lanosos, amarelos, combustíveis **2** Vaso ou suporte para plantas, feito da massa fibrosa de raízes dessa planta [Planta de crescimento lento, outrora abundante nas matas, e que devido à extração exaustiva está ameaçada de extinção.] [Pl.: *-xins*.] [F.: De orig. duvidosa, posv. do tupi *chan-chin* ou *çam-ci*. Sin. ger.: *samambaiaçu, xanxim*.]

xazam (xa.*zam*) *interj.* **1** Palavra expressiva us. interjetivamente para indicar um achado, o desfecho da demonstração de uma mágica, o aparecimento de algo, surpresa: *Abracadabra, pirlimpimpim e... xazam!, o mágico tirava um coelho da cartola.* **2** Grito de guerra utilizado por herói de histórias infantis: *Gritava xazam! e transformava-se num super-herói.* [F.: Aport. do ing. *SHAZAM*, acrônimo de sábios, deuses e heróis invocados pela família Marvel, super-heróis de histórias em quadrinhos, para adquirir seus poderes: Salomão, Hércules, Atlas, Zeus, Aquiles e Mercúrio.]

⊠ **Xe** *Quím.* Símbolo de xenônio

xecado (xe.*ca*.do) *sm.* **1** Cargo, funções de xeque² **2** Duração desse cargo **3** Área subordinada a sua jurisdição [F.: *xeque*² + *-ado*².]

xeique (*xei*.que) [ch, ê] *sm.* Soberano, ou chefe de tribo, árabe; XEQUE [F.: Do persa *xāh*, pelo ár. *sâh*. Cf. *cheque*.]

xeleléu (xe.le.*léu*) *sm. RN Pop.* Indivíduo que está sempre adulando e lisonjeando os outros; BAJULADOR; PUXA-SACO [F.: Posv. palavra expressiva.]

xelim (xe.lim) [ê] *sm.* **1** *Num.* Moeda divisionária inglesa de prata do valor de 12 dinheiros (ou peniques) que até fevereiro de 1971 representou a vigésima parte da libra esterlina **2** *Econ.* Denominação do dinheiro us. na Áustria, até a adoção do euro **3** *Econ.* Unidade dos valores em xelim, us. em notas e moedas **4** *Econ. Num.* Unidade monetária e moeda de Quênia, Somália, Tanzânia e Uganda (África) [Pl.: *-lins*.] [F.: Do ing. *shilling*.]

xelita (xe.*li*.ta) *sf. Min.* Mineral tetragonal, volframato de cálcio, minério de tungstênio us. como pedra preciosa e fonte de tungstênio; SCHEELITA [Var.: *cheelita*.] [F.: Aport. do al. *Scheelit*, do antr. Carl Wilhelm *Scheele* (1742-1786, químico sueco descobridor do tungstênio) + *-ita*.]

xenartro (xe.*nar*.tro) *Zool. sm.* **1** Espécime dos xenartros, ordem de mamíferos que inclui as preguiças, tatus e tamanduás; são ger. desdentados e têm dedos com garras longas e fortes, us. esp. para cavar ou para se locomover nas árvores *a.* **2** Ref. ou pertencente aos xenartros [F.: Adaptç. do lat. cient. *Xenarthra*.]

xenelasia (xe.ne.la.*si*.a) *sf.* **1** *Hist.* Proibição à entrada de estrangeiros que se fazia em cidades-estados gregas **2** Banimento de estrangeiros, na Grécia antiga **3** *P. ext.* Discriminação exercida sobre imigrantes, com restrição a seus direitos civis e sociais [F.: Do gr. *ksenelasía, as*.]

xenêntese (xe.*nên*.te.se) *sf. Med.* Inserção, num organismo, de substância a ele estranha [F.: *xen(o)-* + *-êntese*.]

xenenxerto (xe.nen.*xer*.to) [ê] *sm. Cir.* Ver *xenoenxerto*

xênia (*xê*.ni:a) [ch] *sf.* **1** *Hist.* Qualidade ou condição de estrangeiro na Grécia antiga **2** Presente que os antigos gregos ofertavam aos hóspedes após as refeições; XÊNIO **3** Presente que, em certa época do ano, os antigos gregos ofertavam aos amigos; XÊNIO **4** A hospitalidade grega **5** *Bot.* Aparecimento, no endosperma de uma espécie, de características herdadas do pólen trazido de outra espécie ou variedade [F.: Do gr. *ksenía, as*.]

xênio (*xê*.ni:o) *sm.* O mesmo que *xênia* (2 e 3) [F.: Do gr. *ksénios, a, on*.]

◎ **-xen(o)-** *el. comp.* Ver *xen(o)-*

◎ **-xeno** *el. comp.* Ver *xen(o)-*

◎ **xen(o)-** *el. comp.* = 'estrangeiro'; 'estranho'; (*biol.*) 'hóspede': *xenelasia* (< gr.), *xenêntese, xênia* (< gr.), *xenobiótico, xenoenxerto xenofilia, xenófilo, xenofobia, xenófobo, xenogênese, xenomania; piroxênio; próxeno* (< gr.), *troglóxeno* [F.: Do gr. *ksénos, e, on*, 'estrangeiro'; 'estranho', 'insólito', ou do gr. *ksenós, ou*, 'estrangeiro'; 'hóspede'.]

xenobiótico (xe.no.bi.*ó*.ti.co) *sm. Farm.* Substância estranha ao organismo vivo capaz de produzir nele efeitos nocivos [F.: *xen(o)-* + *biótico*.]

xenoenxerto (xe.no:en.*xer*.to) [ê] *sm. Cir.* Transplante de tecido entre indivíduos de espécies diferentes: *A pele de rã us. em xenoenxerto para queimados poderá ser mantida congelada ou desidratada.* [F.: *xen(o)-* + *enxerto*. Tb. *xenenxerto*.]

xenofilia (xe.no.fi.*li*:a) *sf.* Sentimento do xenófilo; simpatia e atração excessivas por pessoas e coisas estrangeiras ou pela cultura estrangeira (xenofilia política; xenofilia econômica) [Ant.: *xenofobia*.] [F.: *xen(o)-* + *-filia*¹.]

xenofílico (xe.no.*fí*.li.co) *a.* Ref. a xenofilia ou a xenófilo [F.: *xenófilo* ou *xenofilia* + *-ico*².]

xenófilo (xe.*nó*.fi.lo) *a.* **1** Que tem xenofilia **2** Que gosta exageradamente do que é estrangeiro (partido xenófilo, intelectual xenófilo) *sm.* **3** Aquele que tem xenofilia; amigo e admirador dos estrangeiros [F.: *xen(o)-* + *-filo*¹. Ant. ger.: *xenófobo*.]

xenofobia (xe.no.fo.*bi*.a) *sf.* **1** Aversão a pessoas e coisas estrangeiras; XENOFOBISMO **2** Antipatia, desconfiança, temor ou rejeição por pessoas estranhas a seu meio ou pelo que é incomum [F.: *xen(o)-* + *-fobia*. Ant. ger.: *xenofilia*.]

xenofóbico (xe.no.*fó*.bi.co) *a.* **1** Que diz respeito a xenofobia (atitude xenofóbica) **2** O mesmo que *xenófobo* (1) **3** O mesmo que *xenófobo* (3) [F.: *xenofobia* + *-ico*².]

xenofobismo (xe.no.fo.*bis*.mo) *sm.* O mesmo que *xenofobia* [Ant.: *xenofilia*.] [F.: *xenofobia* + *-ismo*.]

xenófobo (xe.*nó*.fo.bo) *a.* **1** Que tem aversão a coisas ou pessoas estrangeiras (artista xenófobo) **2** Próprio de xenófobo (3) (doutrina xenófoba) *sm.* **3** Aquele que tem xenofobia [F.: *xen(o)-* + *-fobo*. Ant. ger.: *xenófilo*.]

xenogênese (xe.no.*gê*.ne.se) *sf. Biol.* Criação hipotética de um descendente diverso do ascendente [F.: *xen(o)-* + *-gênese*.]

xenogenético (xe.no.ge.ne.*té*.ti.co) *a. Biol.* Ref. a xenogênese [F.: *xenogên(ese)* + *-ético*, seg. o mod. gr.]

xenomania (xe.no.ma.*ni*.a) *sf.* **1** Paixão por tudo que é estrangeiro **2** Fanatismo por viagens **3** Curiosidade intensa para conhecer culturas, lugares e povos estrangeiros [F.: *xen(o)-* + *-mania*.]

xenomaníaco (xe.no.ma.*ní*.a.co) *a.* **1** Ref. a xenomania **2** Diz-se de indivíduo que tem xenomania; XENÔMANO *sm.* **3** Esse indivíduo; XENÔMANO [F.: *xenomania* + *-aco*.]

xenômano (xe.*nô*.ma.no) *a. sm.* O mesmo que *xenomaníaco* (2 e 3) [F.: *xen(o)-* + *-mano*¹.]

xenomenia (xe.no.me.*ni*.a) *sf. Ginec.* Derrame sanguíneo por uma fonte extragenital em lugar do fluxo menstrual; MENOXENIA [F.: *xen(o)-* + *-menia*.]

xenônio (xe.*nô*.ni:o) *sm. Quím.* Elemento químico de peso atômico 131,3, número atômico 54, us. em laser ultravioleta, tubos de descarga etc. [É um dos gases raros e inertes da atmosfera, e encontra-se no ar na proporção de 1 volume de *Xe* para 170 milhões de volume de ar. Ferve a -107° e funde-se a -140°. Por descarga elétrica, em baixa pressão, emite uma luminescência azul, mas com um condensador de descarga, esta cor muda-se para verde. Foi isolado por Travers e Ramsay em 1898. Símb.: *Xe*] [F.: Do ing. *xenon*, do gr. *ksénos, e, on*, 'estrangeiro', + *-io*³.]

xenotransplante (xe.no.trans.*plan*.te) *sm. Cir.* Transplante de órgãos sólidos, tecidos e células animais para seres humanos: *A premente necessidade de órgãos, tecidos e células para transplante incentiva a pesquisa do xenotransplante como uma alternativa.* [F.: *xen(o)-* + *transplante.*]

xenxém (xen.*xém*) [ch] *sm.* **1** *Bras. Hist.* Antiga moeda de cobre brasileira, de vinte réis: "Aquilo era uma peste que não valia um xenxém." (Viriato Correia, *Contos do sertão*) [Levava marcado *XX*, indicação de seu valor.] **2** *Bras. Gír.* Pessoa sem dinheiro *sm.* **3** *Ornit.* Marreca (*Dendrocygna bicolor*) encontrada em algumas regiões do Brasil, de plumagem cor de canela e flancos listrados de amarelo; MARRECA-CANELEIRA; MARRECAPEBA [Pl.: *-xéns.*] *a.* **4** *Bras. Gír.* Que não tem dinheiro [F.: De or. obsc.]

xepa (*xe*.pa) [ch, ê] *sf.* **1** *RJ Pop.* As últimas mercadorias, de qualidade inferior, oferecidas a baixo preço ao final das feiras livres **2** *Bras. Pop.* Comida de quartel **3** *Bras. Pop.* Comida ordinária; sobra de comida **4** *Bras. Gír.* Jornal amarrotado, já lido, que os jornaleiros tornam a vender **5** *Bras. Pop. Pap.* Papel usado, recolhido para venda às fábricas de celulose **6** *SC Gír.* Guimba [F.: voc. expr.]

xepeiro (xe.*pei*.ro) [ch] *sm.* **1** *RJ Pop.* Indivíduo que compra ou cata xepa (1) nas feiras livres ou mercados **2** *Bras. Pop.* Indivíduo que vive de esmolas e de outros expedientes, e que se abriga em ruínas, casas desabitadas etc. **3** *Bras. Pop.* Soldado arranchado, que come no quartel **4** *Bras. Gír.* Jornaleiro que vende xepas (4) **5** Indivíduo que recolhe e vende papel usado [F.: *xep(a)* + *-eiro.*]

xeque (*xe*.que) [ch, é] *sm.* **1** *Lud.* No jogo de xadrez, lance em que o rei é ameaçado: *dar xeque.* **2** *Fig.* Situação que representa ameaça ou perigo; RISCO: *A paz está em xeque.* **3** Situação arriscada; contratempo, transtorno **4** *Fig. Pol.* Acontecimento parlamentar que envolve perigo para o governo **5** Soberano, entre os árabes; XEIQUE **6** Chocalho com sementes ou pedrinhas; GANZÁ [F.: Do ár. *sāh*, deriv. do persa *sāh.*] ▪ **Pôr em ~ 1** Pôr em dúvida o valor, a veracidade, o mérito, a importância, a validade de algo **2** Ameaçar, pôr em perigo

xeque (de) pastor (xe.que de pas.*tor*) *sm.* Xeque elementar em jogo de xadrez

xeque-mate (xe.que-*ma*.te) *sm.* No jogo de xadrez, posição em que o rei fica definitivamente vulnerável, não podendo ser defendido por outra pedra nem fugir do ataque adversário, encerrando-se assim a partida com a derrota do jogador atacado [Diz-se tb. apenas *mate.*] [Pl.: *xeques-mates* e *xeques-mate.*]

◎ **-xera** [cs] *el. comp.* Ver *xer(o)-*

xerasia (xe.ra.*si*.a) *sf. Pat.* Doença que impede o crescimento dos cabelos e das sobrancelhas, dando-lhes uma aparência quebradiça e ressecada e provocando-lhes a queda [F.: Do gr. *kserasía, as*, 'secura'.]

xereca (xe.*re*.ca) *sf. Bras. Tabu. Joc.* A genitália feminina; VULVA [F.: De or. obsc.]

xerelete (xe.re.*le*.te) [ê] *sm. Zool.* O mesmo que *xarelete* (*Caranx chrysos*) [F.: Var. de *xarelete.*]

xerém (xe.*rém*) *sm.* **1** *Lus.* A farinha de milho moída na mó e de que se fazem as papas de milho **2** *Cver. Cul.* Papa de milho com amêijoas, presunto, chouriço, vinho branco e temperos **3** *N. E. Dnç. Mús.* Dança de roda animada ao som de sanfona **4** *Bras.* Milho grosso, pilado, que não passa na peneira **5** *Bras. Rel.* Chocalho de cobre que dita o ritmo nos rituais de umbanda **6** *RJ Gír. Ant.* Água potável [F.: De or. contrv.]

xerente (xe.*ren*.te) *Bras. s2g.* **1** *Etnol.* Pessoa pertencente aos xerentes, grupo indígena que habita o centro do Est. do Tocantins *sm.* **2** *Gloss.* Língua da família Jê falada por essa tribo *a2g.* **3** Do ou ref. a xerente (1 e 2) [F.: Do etnôn. *Xerente.*]

xererém (xe.re.*rém*) *sm. Bras. GO* Chuva fina; CHUVISCO; GAROA: "A garoa rebrilhante da dos-Confins, madrugada quando o céu embranquece – neblim que chamam de xererém." (Guimarães Rosa, *Grande sertão: veredas*) [F.: Voc. expressivo.]

xereta (xe.*re*.ta) [ê] *Bras. a2g.* **1** *Pop.* Diz-se de indivíduo abelhudo, bisbilhoteiro, enxerido, novidadeiro: *A atriz vivia sobressaltada com o assédio daquele fotógrafo xereta.* **2** *S Pop.* Adulão, bajulador (funcionário xereta) *s2g.* **3** *Pop.* Pessoa enxerida, indiscreta, intrometida **4** *S Pop.* Indivíduo bajulador, puxa-saco [F.: Posv. do verbo *cheirar*, com alter. da sílaba inicial (*che* > *xe*) + *-eta.*]

xeretada (xe.re.*ta*.da) *sf. Bras. Pop.* Ação ou resultado de xeretar: *Vou dar uma xeretada para ver o que ela está fazendo.* [F.: Fem. substv. do part. de *xeretar.*]

xeretar (xe.re.*tar*) *v.* **1** *Bras. Pop.* Investigar ou intervir com curiosidade e de modo inconveniente; BISBILHOTAR [*td.*: *Vive xeretando a conversa alheia.*] [*int.*: *Abriu as gavetas e começou a xeretar.*] **2** *Bras.* Adular, bajular [*td.*: *Tem o costume de xeretar o chefe.*] [▶ **1** xeretar] [F.: *xereta* + *-ar.* Hom./Par.: *xereta(s)* (fl.), *xereta(s)* /ê/ (a2g. s2g. [pl.]).]

xeretice (xe.re.*ti*.ce) *sf. Bras. Pop.* Característica ou qualidade de xereta: *Sua xeretice não era bem-vinda entre os amigos.* [F.: *xereta* + *-ice.*]

xeréu (xe.*réu*) *Bras. s2g.* **1** *Etnol.* Pessoa pertencente aos xeréus, grupo indígena que habita entre os rios Trombetas (PA) e Jatapu (AM) *sm.* **2** *Gloss.* Língua da família linguística caribe falada por esse grupo *a2g.* **3** *Ling.* Do ou ref. a xeréu (1 e 2) [F.: Do etnôn. *Xeréu.*]

xerez (xe.*rez*) [ch, ê] *sm.* **1** *Enol.* Vinho branco e licoroso, típico de Xerez (Espanha) **2** *Vit.* Casta de uva-tinta [F.: Do top. *Xerez.*]

xerga (*xer*.ga) [ê] *sf.* **1** Tecido grosseiro, rústico: "Trazem um ou dois filhos, ao colo... e o resto da ninhada suja presa da sua saia de xerga." (Antero de Figueiredo, *Jornadas*) **2** *Bras.* Espécie de enxerga que se põe por baixo da albarda das cavalgaduras de carga **3** *Lus.* Manta grosseira em que se transporta a palha trilhada das eiras **4** *Lus.* Manta que se estende debaixo das oliveiras, quando se vareja a azeitona [F.: Do lat. *serica* 'panos de seda', pl. de *sericum, i*, 'seda'.]

xérico (*xé*.ri.co) *a.* **1** *Geol.* Diz-se de certo tipo de solo em regiões mediterrâneas (ambiente xérico) **2** *Geog.* Diz-se de tipo de bioclima reconhecido no macroclima mediterrâneo ou no macroclima temperado

xerife (xe.*ri*.fe) [ch] *sm.* **1** Principal autoridade policial e legal, como cargo eletivo, de um município ou condado, nos EUA **2** Na Inglaterra, funcionário graduado de um condado **3** Título assumido por príncipes mouros descendentes de Maomé **4** Título de muçulmano que visitou o templo sagrado de Meca três ou mais vezes **5** *Fig. Fut.* Jogador que se utiliza da violência na defesa de sua área [F.: Do ing. *sheriff*, do ár. *sarif.*]

◎ **xer(o)-** *el. comp.* = 'seco'; 'sem umidade': *xeroderma, xerodermia, xerofagia* (< gr.), *xerofilia, xeroftalmia*; *filoxera* (< lat. cient.) [F.: Do gr. *kserós, á, ón*, 'não líquido'; 'não úmido'; 'seco'.]

xerocado (xe.ro.*ca*.do) *a.* Diz-se de fotocópia feita em qualquer equipamento que tenha esta finalidade: *Todos os documentos foram xerocados.* [F.: Part. de *xerocar.*]

xerocar (xe.ro.*car*) *v. td.* Tirar cópia em máquina copiadora; XEROCOPIAR: *Xerocou a certidão de nascimento.* [▶ **11** xerocar] [F.: *xeroc-* + *-ar.*]

xerocópia (xe.ro.*có*.pi:a) [ch] *sf.* Ver *xerografia* [F.: *xer(o)-* + *-cópia.*]

xerocopiar (xe.ro.co.pi.*ar*) *v.* O mesmo que *xerocar* [▶ **1** xerocopiar] [F.: *xerocópia* + *-ar.*]

xeroderma (xe.ro.*der*.ma) *sf. Derm. Pat.* Dermatose fotossensível hereditária causada por defeitos enzimáticos que originam frequentes aberrações cromossômicas, ger. com o aparecimento de tumores cutâneos benignos e malignos [F.: *xer(o)-* + *-derma.*]

xerodermia (xe.ro.der.*mi*.a) *sf. Derm. Pat.* Afecção cutânea em que a pele, apresentando a epiderme excepcionalmente espessa e coberta de escamas, adquire a aparência da pele de peixe; ICTIOSE [F.: *xer(o)-* + *-dermia.*]

xerodérmico (xe.ro.*dér*.mi.co) *a. Derm. Pat.* Ref. a xerodermia [F.: *xerodermia* + *-ico*[2].]

xerofagia (xe.ro.fa.*gi*.a) *sf.* **1** Regime em que se proíbe a ingestão de líquido; dieta seca **2** Entre os primitivos cristãos, alimentação apenas à base de pão e frutas secas [F.: Do gr. *kserophagía, as.*]

xerofágico (xe.ro.*fá*.gi.co) *a.* Ref. a xerofagia [F.: *xerofagia* + *-ico*[2].]

xerófago (xe.*ró*.fa.go) *a.* **1** Diz-se de quem segue o regime alimentar proposto pela xerofagia *sm.* **2** Entre os cristãos primitivos, aquele que se alimentava apenas de pão e frutas secas [F.: *xer(o)-* + *-fago.*]

xerofilia (xe.ro.fi.*li*.a) *sf. Bot. Ecol.* Qualidade, condição ou caráter de xerófilo [F.: *xer(o)-* + *-filia*[1].]

xerofílico (xe.ro.*fí*.li.co) *a. Bot. Ecol.* Ref. a xerofilia ou a xerófilo [F.: *xerofilia* + *-ico*[2].]

xerófilo (xe.*ró*.fi.lo) *a.* **1** *Ecol.* Diz-se de organismo que vive em lugares secos, como a caatinga e os desertos **2** *Bot.* Diz-se das plantas que vingam nos terrenos secos [Ant.: *higrófilo.*] [F.: *xer(o)-* + *-filo*[1].]

xerofítico (xe.ro.*fí*.ti.co) *a. Bot.* Ref. a xerófito ou xerofitismo [F.: *xerófito* + *-ico*[2].]

xerofitismo (xe.ro.fi.*tis*.mo) *sm. Bot.* Conjunto de caracteres dos vegetais xerófitos [F.: *xerófito* + *-ismo.*]

xerófito (xe.*ró*.fi.to) *Bot. a.* **1** Diz-se de vegetação própria de lugares secos (planta xerófita) *sm.* **2** Vegetal que se desenvolve em regiões áridas, com baixa umidade e rara ocorrência de chuva [F.: *xer(o)-* + *-fito.*]

xeroftalmia (xe.rof.tal.*mi*.a) *sf. Oft.* Ressecamento de córnea e conjuntiva por falta de vitamina A; ESCLEROFTALMIA [F.: *xer(o)-* + *-oftalmia.*]

xeroftálmico (xe.rof.*tál*.mi.co) *a. Oft.* Ref. a xeroftalmia [F.: *xeroftalmia* + *-ico*[2].]

xerogel (xe.ro.*gel*) *sm. Quím.* Substância sólida obtida pela retirada da parte líquida por processo convencional de secagem em estufas, com temperaturas inferiores a 100°C [Pl.: *-géis.*] [F.: *xer(o)-* + *gel.*]

xerografar (xe.ro.gra.*far*) *v. td.* Fazer reprodução por xerografia [▶ **1** xerografar] [F.: *xer(o)-* + *-graf(o)-* + *-ar*[2].]

xerografia (xe.ro.gra.*fi*:a) *sf.* **1** *Art. gr.* Processo de reprodução de documentos ou imagens por meio de xerox (1, 2); XEROX; XÉROX **2** *Art. gr.* A cópia obtida por esse processo; FOTOCÓPIA; XEROCÓPIA **3** *Geog.* Parte da geografia que estuda a parte seca do globo [F.: *xer(o)-* + *-grafia.*]

xerográfico (xe.ro.*grá*.fi.co) [ch] *a.* Ref. a xerografia ou a xérox (equipamento xerográfico, cópia xerográfica) [Superl.: *-fiquíssimo.*] [F.: *xerograf(ia)-* + *-ico*[2].]

xeromamografia (xe.ro.ma.mo.gra.*fi*:a) *sf. Rlog.* Xerorradiografia de mama [F.: *xero(rradiografia)* + *mamografia.* Cf.: *xerox, radiografia, mamografia.*]

xeromenia (xe.ro.me.*ni*.a) *sf. Ginec.* Ocorrência dos sintomas e sinais próprios da menstruação, não havendo, entretanto, qualquer tipo de sangramento [F.: *xer(o)-* + *-menia.*]

xeromorfia (xe.ro.mor.*fi*.a) *sf. Bot.* Estado ou qualidade de órgão vegetal que é naturalmente protegido contra a seca excessiva; XEROMORFISMO [F.: *xer(o)-* + *-morfia.*]

xeromórfico (xe.ro.*mór*.fi.co) *Bot. a.* **1** Ref. a xeromorfia **2** Que é naturalmente protegido contra a seca excessiva ou que é próprio dele (vegetal xeromórfico): "No entanto, a vegetação típica da região caracteriza-se por árvores e arbustos tortuosos, com aspecto xeromórfico, típicos da vegetação dos cerrados." (Ricardo Campos da Nóbrega e José Imaña Encinas, "Uso atual do solo do projeto Ecomuseu do Cerrado" *in Revista Árvore*, 10.11.2005) [F.: *xeromorfia* + *-ico*[2].]

xeromorfismo (xe.ro.mor.*fis*.mo) *sm. Bot.* O mesmo que *xeromorfia* [F.: *xer(o)-* + *-morf(o)-* + *-ismo.*]

xeromorfose (xe.ro.mor.*fo*.se) *sf. Bot.* Modificação estrutural dos órgãos vegetais provocada pela seca [F.: *xer(o)-* + *-morf(o)-* + *-ose*[1].]

xeroquista (xe.ro.*quis*.ta) *s2g.* Operador de xerox ou de qualquer máquina fotocopiadora: *Pedi ao xeroquista que tirasse duas cópias de cada original.* [F.: *xerox* (*-x* > *-qu-*) + *-ista.*]

xerorradiografia (xe.ror.ra.di:o.gra.*fi*.a) *sf. Rlog.* Processo radiológico em que os raios X incidem sobre uma placa carregada eletricamente, de maneira semelhante ao processo de xerografia, us. esp. para mostrar alterações das partes moles e trabéculas finas em ossos pequenos como os da mão [F.: *xer(o)-* + *radiografia.*]

xerose (xe.*ro*.se) *Med. sf.* **1** *Oft.* Xeroftalmia que se observa na senectude, caracterizada por uma proliferação conjuntiva geral e regular **2** *Derm.* Ressecamento patológico da pele [F.: Do gr. *ksérosis, eos*, 'secura'.]

xerósico (xe.*ró*.si.co) *a. Med.* O mesmo que *xerótico* (1 e 2) [F.: *xerose* + *-ico*[2], seg. o mod. vern.]

xerostomia (xe.ros.to.*mi*.a) *sf. Med.* Secura anormal da boca por produção insuficiente de saliva [F.: *xer(o)-* + *-stomia.*]

xerostômico (xe.ros.*tô*.mi.co) *a. Med.* Ref. a xerostomia [F.: *xerostomia* + *-ico*[2].]

xeroteca (xe.ro.*te*.ca) *sf.* **1** Acervo de obras, documentos, imagens e textos diversos fotocopiados **2** Local onde são guardadas essas cópias [F.: *xero(x)* + *-teca.*]

xerotérmico (xe.ro.*tér*.mi.co) *a.* Diz-se do índice térmico que determina a classificação climática, esp. de regiões tropicais quentes, de seca acentuada [F.: *xer(o)-* + *térmico.*]

xerótico (xe.*ró*.ti.co) *Med. a.* **1** Ref. a xerose; XERÓSICO **2** Que apresenta xerose (membrana xerótica); XERÓSICO [F.: *xer(ose)* + *-ótico*, seg. o mod. gr.]

xerox (xe.*rox*) [ch, cs] (®) *s2g2n.* **1** *Art. gr.* Processo de impressão eletrostática em que a imagem do original é projetada sobre uma placa ou um cilindro revestido de selênio, sensível à luz, e fixada em papel comum, pano, plástico etc. [A marca registrada é Xerox®.] **2** *Art. gr. Mec.* Máquina us. nesse processo, para reproduzir textos ou imagens **3** A fotocópia produzida por essa máquina; XEROCÓPIA; XEROGRAFIA *a2g2n.* **4** *Art. gr.* Relativo ao processo de impressão em que a imagem do original é projetada sobre uma placa ou um cilindro revestido de selênio, sensível à luz, e fixada em papel comum, pano, plástico etc. **5** *Art. gr.* Relativo à máquina us. nesse processo, para reproduzir textos ou imagens **6** Relativo à fotocópia produzida por essa máquina [F.: Do ing. *Xerox®.* Tb. *xérox.*]

xeta (*xe*.ta) [ê] *sf.* **1** *N N. E.* Beijo atirado de longe com os dedos **2** Provocação amorosa [F.: De or. obsc.]

xetrar (xe.*trar*) *v. int.* **1** *CE Pop.* Não alcançar o que se deseja: "Pediram a demissão do delegado, mas xetraram." (Leonardo Mota, *Violeiros do Norte*) **2** Não realizar um intento, fracassar em um encontro [▶ **1** xetrar] [F.: De or. obsc.]

xexé (xe.*xé*) *a2g.* **1** Que está caduco, gagá (velho xexé) **2** Idiota, palerma, pateta *s2g.* **3** Aquele que está caducando em virtude da senilidade **4** Indivíduo apalermado, apatetado *sm.* **5** *Folc.* Figura burlesca de entrudo que representa um velho de cabeleira e rabicho, vestido de casaca de seda, calção e meia, armado de grande luneta e com uma enorme faca na mão **6** A máscara us. nessa representação [F.: De or. obsc.]

xexelento (xe.xe.*len*.to) [ch] *a.* **1** *Bras. Pop.* De mau aspecto, de má aparência **2** De má qualidade, de pouco valor **3** Implicante, chato [F.: *xex(é)-* + *-lento.*]

xexéu (xe.*xéu*) [ch] *sm.* **1** *Bras.* Mau cheiro em pessoas ou animais; BODUM; CATINGA; INHACA **2** *Zool.* Ver *japim* [F.: Posv. do tupi *yapi'i, ya'pi.*]

xi (*xi*) [ch] *interj. Bras.* Exprime admiração, espanto, alegria, surpresa; CHI: "– Ela está aí! Xi! A festa vai ser boa!" (Viriato Corrêa, *Contos do sertão*) [F.: voc. expr.]

xiba (*xi*.ba) *Dnç. sf.* **1** Dança rural, posv. de or. africana ou portuguesa **2** *RJ* Espécie de quadrilha dançada por pares em fileiras ao som de violas e pandeiros [F.: De or. contrv.]

xibatã (xi.ba.*tã*) *sf. Bras. Bot.* Árvore anacardiácea (*Astronium gracile*), que fornece madeira própria para construção naval e civil, marcenaria de luxo, dormentes, escultura etc.; ADERNO, UBATÃ [F.: De or. obsc. Var.: *chibatã.*]

xibiu (xi.*biu*) [ch] *sm.* **1** *N. E. Tabu.* A vulva; XIBIO **2** *MG MT GO Min.* Diamante pequeno, usado em instrumentos de cortar vidro [F.: De or. obsc.]

xibolete (xi.bo.*le*.te) [é] *sm.* **1** Palavra-senha em hebraico (*shibólet*) mencionada na Bíblia, cuja pronúncia permitia aos soldados de Jefté (Iftach) identificar os efraimitas, que diziam *sibólet* **2** *P. ext.* Senha [F.: Do heb. *shibólet* 'espiga'.]

xibungo (xi.*bun*.go) *sm. N. E. Tabu.* Homossexual masculino passivo [F.: De or. obsc., posv. indígena.]

xicaca[1] (xi.*ca*.ca) *Bras. sf.* **1** Pequeno cesto com tampa **2** Coisa que não se sabe ou não se quer nomear; NEGÓCIO;

TROÇO: *Me passa essa xicaca que eu vou consertar.* **3** Qualquer coisa de má qualidade: *Isso ficou uma xicaca.* **4** *RS* Espécie de papagaio de papel, de forma quadrangular [F.: Posv. africanismo.]

xicaca[2] (xi.*ca*.ca) *sf. Ang.* Imposto aduaneiro; ALCAVALA [F.: De or. contrv.]

xícara (*xí*.ca.ra) [ch] *sf.* **1** Recipiente com asa us. para tomar café, chá, leite etc.; CHÁVENA **2** O conteúdo de uma xícara; XICARADA: *Serviu-me uma xícara de café.* [F.: Do espn. *jícara*, prov. do náuatle *xicalli*.]

xicrinha (xi.*cri*.nha) *sf. Bras.* Xícara pequena, esp. a us. para servir cafezinho; XICARAZINHA [F.: *xícara* + *-inha*, com síncope.]

xifiídeo (xi.fi.*í*.de:o) *Zool. sm.* **1** Espécime dos xifiídeos, fam. de peixes perciformes, de mares tropicais e temperados, que inclui os grandes espadartes e marlins, de corpo fusiforme e rostro muito alongado *a.* **2** Ref. ou pertencente aos xifiídeos [F.: Adaptç. do lat. cient. *Xiphiidae*.]

◎ **xif(o)-** *el. comp.* = 'espada'; 'apêndice (xifoide)': *xifoide, xifopagia, xifópago, xifopúbico.* [F.: Do gr. *ksíphos, eos-ous*, 'espada'; 'punhal'.]

xifódimo (xi.*fó*.di.mo) *Trt. a.* **1** Diz-se de monstruosidade que corresponde a dois corpos idênticos unidos pela parte inferior até a base do tórax, estando quase sempre separadas as duas espinhas em todo o comprimento *sm.* **2** Ser com dois corpos distintos até a proximidade do apêndice xifoide; XIFÓPAGO [F.: *xif(o)-* + *-dídimo*, com haplologia e apresentando recuo na acentuação.]

xifoide (xi.*foi*.de) *a2g.* **1** Que tem forma de espada; ENSIFORME **2** *Anat. Med.* Diz-se do apêndice cartilaginoso que tem a configuração da ponta de uma espada e serve de terminal à parte inferior do esterno [F.: *xif(o)-* + *-oide*. Sin. ger.: *xifóideo, xifoídeo*.]

xifoideo (xi.*fói*.de:o) *a.* O mesmo que *xifoide* [F.: *xif(o)-* + *-oideo*. Tb. *xifoídeo*.]

xifopagia (xi.fo.pa.*gi*.a) *sf. Med.* Deformidade genética que dá origem a dois indivíduos unidos, com a parte superior do corpo duplicada a partir da região do apêndice xifoide, na base do tórax [F.: *xifópago* + *-ia*[1].]

xifópago (xi.*fó*.pa.go) *a.* **1** *Trt.* Diz-se daquele que tem o corpo ligado ao do irmão, ger. na altura do tórax (diz-se esp. de gêmeo com deformidade genética) (filhos xifópagos) **2** *Fig.* Diz-se de pessoa muito ligada a outra, por afinidades, semelhanças e/ou temperamento *sm.* **3** *Trt.* Aquele que tem o corpo ligado ao do irmão **4** *Fig.* Cada uma de duas pessoas muito próximas, tidas como inseparáveis [F.: *xif(o)-* + *-pago*.]

xifopúbico (xi.fo.*pú*.bi.co) *a. Anat.* Que diz respeito ao apêndice xifoide e ao púbis, ao mesmo tempo [F.: *xif(o)-* + *púbico*.]

xiismo (xi.*is*.mo) *sm. Rel.* Religião oficial do Irã e majoritária tb. no Iraque e em Bahrein, que preceitua que o califado só pode ser exercido pelos imames, descendentes diretos de Ali, fundador dessa crença e genro de Maomé, pois estes são naturalmente divinizados, seres livres do pecado, infalíveis e portadores iluminados de revelações secretas, capazes de realizar milagres [F.: *xiita* + *-ismo*, com alter. de sufixo.]

xiita (xi.*i*.ta) [ch] *s2g.* **1** *Rel.* Partidário de certa seita religiosa muçulmana, que só aceita os ensinamentos de Maomé transmitidos por sua filha Fátima e seu genro Ali **2** *P. ext. Pol. Rel.* Pessoa que pertence a uma minoria extremista radical **3** *Fig.* Quem é radical em relação a seus princípios, política, religião etc. *a2g.* **4** Ref. ou inerente aos, ou pertencente aos xiitas (1), seita religiosa que introduziu no islamismo antigas crenças da Pérsia [F.: Do ár. *si'ii*. Sin. ger.: *chiita*.]

xiitismo (xi.i.*tis*.mo) *sm.* Situação em que o indivíduo tem opiniões, posições e atitudes extremamente radicais [F.: *xiit(a)* + *-ismo*.]

◎ **-xila** [cs] *el. comp.* Ver *xil(o)-*

xilema (xi.*le*.ma) *sm. Bot.* Lenho [F.: *xil(o)-* + *-ema*.]

xileno (xi.*le*.no) *sm. Quím.* Nome da mistura de três carbonetos benzênicos, os dimetilobenzóis, existentes nos produtos de destilação da hulha, us. na indústria das matérias corantes, em terapêutica, no tratamento da varíola, e nos laboratórios para dissolver a parafina [Fórm.: C_8H_{10}] [F.: *xil(o)-* + *-eno*[2]. Hom./Par.: *xileno* (sm.), *chileno* (sm. a.).]

xilindró (xi.lin.*dró*) [ch] *sm. Bras. Pop.* Cadeia, xadrez [F.: De or. obsc.]

◎ **-xil(o)-** *el. comp.* Ver *xil(o)-*

◎ **-xilo** *el. comp.* Ver *xil(o)-*

◎ **xil(o)-** *el. comp.* = 'madeira'; 'tronco'; 'árvore'; 'celulose': [ch] *xilema, xileno, xilocaína, xilocarpo* (< lat. cient.), *xilofagia, xilófago* (< gr.), *xilofone, xiloglifa, xilografia, xilógrafo, xilogravura*; [cs] *piroxilina*; [cs] *áxilo, epíxilo, eritróxilo* (< lat. cient.), *monóxilo, xantóxilo*; [cs] *piroxila* [F.: Do gr. *ksýlon, ou.* O *x* do interpositivo *-xil(o)-* e dos pospositivos *-xilo* e *-xila* soa como [cs].]

xilo (*xi*.lo) *sf. Grav.* F. red. de *xilogravura*

xilocaína (xi.lo.ca.*í*.na) *sf. Farm.* Substância us. como anestésico local e preventivo de irregularidades cardíacas; LIDOCAÍNA [Fórm.: $C_{14}H_{22}N_2O$] [F.: *xil(o)-* + *-caína*.]

xilocarpo (xi.lo.*car*.po) *a.* **1** *Bot.* Diz-se da planta cujo fruto se torna lenhoso *sm.* **2** Fruto duro, lenhoso **3** Designação comum às árvores do gên. Xylocarpus, da fam. das meliáceas, com três espécies nativas da Ásia, África e das ilhas ocidentais do Pacífico [F.: *xil(o)-* + *-carpo*.]

xilocopídeo (xi.lo.co.*pí*.de:o) *sm. Zool.* Espécime dos xilocopídeos, família de abelhas comumente conhecidas como *mamangabas* ou *mamangavas* [F.: Do lat. cient. fam. *Xylocopidae*.]

xilócopo (xi.*ló*.co.po) *a. Zool.* Diz-se de animal que corta, pica ou fura a madeira [F.: Do gr. *ksylokópos, os, on*, 'que corta ou fura a madeira'.]

xilódia (xi.*ló*.di:a) *sf. Bot.* Fruto lenhoso (p. ex., a avelã) [F.: Do gr. *ksylódes, es, es*, 'duro como a madeira', 'lenhoso', + *-ia*[2].]

xilofagia (xi.lo.fa.*gi*.a) *Zool. sf.* **1** A propriedade que têm os xilófagos de roerem a madeira **2** A ação de roer a madeira praticada pelos xilófagos: "O cupim... tornou-se bibliófago por apreciar não propriamente o papel mas a madeira. Sendo lignívoro, ele só fura os livros para satisfazer a sua volutuosa xilofagia, isto é, para chegar à prateleira." (Edson Nery Da Fonseca, *Conservação de bibliotecas e arquivos*) [F.: *xil(o)-* + *-fagia*.]

xilofágico (xi.lo.*fá*.gi.co) *a. Zool.* Ref. a xilofagia [F.: *xilofagia* + *-ico*[2].]

xilófago (xi.*ló*.fa.go) *Zool. a.* **1** Diz-se de organismo (p. ex. inseto, molusco, fungo) que se alimenta de madeira; LIGNÍVORO: *agressão biológica por organismo xilófago. sm.* **2** Organismo que se alimenta de madeira; LIGNÍVORO [F.: Do gr. *ksylophágos, os, on*.]

xilofone (xi.lo.*fo*.ne) *sm. Mús.* Instrumento de percussão constituído por um teclado de lâminas de madeira ou metal, e que se toca com duas baquetas [F.: *xil(o)-* + *-fone*.]

xilofonista (xi.lo.fo.*nis*.ta) *s2g.* Aquele que toca xilofone [F.: *xilofone* + *-ista*.]

xiloglifia (xi.lo.gli.*fi*.a) *sf.* **1** Arte de fazer esculturas em madeira **2** Técnica de escrever ou gravar caracteres em madeira [F.: *xil(o)-* + *-glifia*.]

xiloglífico (xi.lo.*glí*.fi.co) *a.* Ref. a xiloglifia [F.: *xiloglifia* + *-ico*[2].]

xilografado (xi.lo.gra.*fa*.do) *a. Art. gr.* Impresso em xilogravura [F.: Part. de *xilografar*.]

xilografar (xi.lo.gra.*far*) *v. td. Art. gr.* O mesmo que *xilogravar* [▶ 1 xilografar] [F.: *xil(o)-* + *grafar*.]

xilografia (xi.lo.gra.*fi*:a) *sf.* **1** *Art. pl.* Técnica de gravar desenhos ou textos em relevo sobre madeira **2** *Grav.* Impressão obtida através dessa técnica [F.: *xil(o)-* + *-grafia*. Sin. ger.: *xilogravura*.]

xilográfico (xi.lo.*grá*.fi.co) *a. Art. pl. Grav.* Ref. ou inerente a xilografia [F.: *xilografia* + *-ico*[2].]

xilógrafo (xi.*ló*.gra.fo) *Art. gr. Grav. sm.* **1** Aquele que grava na madeira textos ou desenhos em relevo; XILOGRAVADOR; XILOGRAVURISTA *a.* **2** Que grava em madeira; XILOGRAVADOR; XILOGRAVURISTA [F.: *xil(o)-* + *-grafo*. Hom./Par.: *xilógrafo* (sm. a.), *xilografo* (fl. de *xilografar*).]

xilogravado (xi.lo.gra.*va*.do) *a. Art. gr.* Estampado com utilização da técnica de xilogravura; XILOGRAFADO [F.: Part. de *xilogravar*.]

xilogravador (xi.lo.gra.va.*dor*) [ô] *sm. a. Art. gr. Grav.* O mesmo que *xilógrafo* [F.: *xilogravar* + *-dor*.]

xilogravar (xi.lo.gra.*var*) *v. td. Art. gr.* Entalhar, gravar na madeira, para depois fazer cópias em papel; XILOGRAFAR [▶ 1 xilogravar] [F.: *xil(o)-* + *gravar*.]

xiloide (xi.*loi*.de) *a2g.* **1** Ref. a madeira **2** Que se assemelha a madeira **3** Proveniente de um corpo lenhoso: "A opala de madeira, xilopala ou xiloide, forma-se quando no processo de fossilização há a substituição da celulose, principal constituinte da madeira, por opala." (Ana Pestana Bastos, *Natureza e ambiente*) [F.: Do gr. *ksyloeidés, és, és*.]

xilologia (xi.lo.lo.*gi*.a) *sf.* **1** Parte da botânica que estuda a forma, a constituição e a estrutura da madeira **2** Tratado das madeiras que servem para as artes e construções [F.: *xil(o)-* + *-logia*.]

xilológico (xi.lo.*ló*.gi.co) *a.* Ref. a xilologia [F.: *xilologia* + *-ico*[2].]

xilólogo (xi.*ló*.lo.go) *sm.* Aquele que é versado em xilologia [F.: *xil(o)-* + *-logo*.]

xiloma (xi.*lo*.ma) *sm. Bot.* Tumor duro e lenhoso do tecido vegetal [F.: *xil(o)-* + *-oma*[1].]

xilomancia (xi.lo.man.*ci*.a) *sf.* Adivinhação pelo exame das formas das madeiras [F.: *xil(o)-* + *-mancia*.]

xilomante (xi.lo.*man*.te) *s2g.* Aquele que pratica a xilomancia [F.: *xil(o)-* + *-mante*.]

xilopódio (xi.lo.*pó*.di:o) *Bot. sm.* Tubérculo de onde saem as raízes da planta e que tem a função de acumular água e nutrientes que permitem sua sobrevivência nos períodos de seca [F.: *xil(o)-* + *-pódio*.]

xiloterapia (xi.lo.te.ra.*pi*.a) *sf.* Uso terapêutico de diversas espécies de madeira, cada uma com suas características curativas próprias [F.: *xil(o)-* + *-terapia*.]

ximango (xi.*man*.go) [ch] *sm.* **1** *Bras. Zool.* Ave falconiforme, falconídea (*Milvago chimango*), de rapina, do sul do Brasil, de coloração ocrácea e creme, lado ventral amarelado com estrias longitudinais escuras **2** *Zool.* Ver *carrapateiro* **3** *RS Hist.* Alcunha dada pelos federalistas aos governistas, membros do Partido Republicano **4** *RS* Tenaz de arame, us. para pegar brasas nos fogões [F.: De or. contrv., posv. do guarani.]

ximbé (xim.*bé*) [ch] *a2g.* **1** *RS Pop. Anat. Zool.* Diz-se de animal que tem o focinho pequeno e achatado **2** *RS Pop.* Diz-de pessoa que tem o nariz pequeno e achatado; o mesmo que *ximbeva* [F.: Do guarani *xibé*. Var. *chimbé*.]

ximbelo (xim.*be*.lo) *Bras. sm.* **1** Jangada nordestina, ger. us. para pesca **2** Jangada velha [F.: De or. obsc.]

ximbeva (xim.*be*.va) *Bras. Pop.* O mesmo que *ximbé* (2)

ximbica (xim.*bi*.ca) [ch] *sf.* **1** *Bras. Pop.* Carro velho; CALHAMBEQUE **2** *RJ Tabu.* A vulva **3** *SP Lud.* Jogo de cartas, popularíssimo, semelhante à manilha **4** *RJ Lud.* Casa de jogo especializada em apostar sobre corridas de cavalos **5** *RJ* Tomador de apostas em corridas hípicas **6** *Bras. Pej.* Aguardente de cana; CACHAÇA; XIMBIRA **7** *PE Pej.* Indivíduo mentiroso, fiteiro [F.: De or. contrv.]

ximbo (*xim*.bo) *Bras. RS sm.* **1** Cavalo cujo dono se ignora **2** Pessoa que tem aversão ao trabalho; VAGABUNDO [F.: De or. obsc. Hom./Par.: *ximbó* (sm.).]

xingação (xin.ga.*ção*) [ch] *sf.* **1** *Bras. Ang. Pop.* Ação ou efeito de insultar, afrontar, xingar; XINGAMENTO **2** *Bras.* Troca prolongada de insultos; XINGATÓRIO [Pl.: *-ções*.] [F.: *xinga(r)* + *-ção*. Sin. ger.: *xingaria*.]

xingador (xin.ga.*dor*) [ô] *a.* **1** Que xinga *sm.* **2** Aquele que xinga [F.: *xingar* + *-dor*.]

xingamento (xin.ga.*men*.to) [ch] *sm. Bras.* Ação ou resultado de xingar; insulto, afronta; XINGAÇÃO; XINGARIA [F.: *xinga(r)* + *-mento*.]

xingar (xin.*gar*) *v.* Dizer insultos ou palavrões (contra algo ou alguém) [*td.*: *Revoltados, os torcedores xingaram o juiz; Os meninos brigaram e se xingaram.*] [*int.*: *Pessoas bem-educadas não xingam.*] [▶ 14 xingar] [F.: Do quimb. *xinga*. Hom./Par.: *xingo* (fl.), *chingo* (sm.), *xingo* (sm.).]

xingatório (xin.ga.*tó*.ri:o) [ch] *a.* **1** *Bras.* Que xinga, em que há xingação, insulto (declarações xingatórias); AFRONTOSO; INSULTUOSO *sm.* **2** Troca prolongada de xingamentos [F.: *xinga(r)* + *-tório*.]

xingo (*xin*.go) *sm.* **1** Ação ou resultado de xingar; XINGAMENTO **2** Palavra(s), expressão ou frase us. para xingar [F.: Dev. de *xingar*.]

xinguano (xin.gu:*a*.no) *sm.* **1** Indivíduo nascido ou que vive no Parque Nacional do Xingu, ou na reserva indígena do Xingu *a.* **2** Do Parque Nacional ou da reserva indígena do Xingu; típico dessas regiões, ou de seus habitantes [F.: Do top. *Xingu* + *-ano*[1].]

xinguilar (xin.gui.*lar*) *v. Ang.* Estar sob as ações de um espírito sobrenatural, agitando-se, delirando [*int.*] [▶ 1 xinguilar] [F.: De or. obsc.]

xintoísmo (xin.to.*ís*.mo) [ch] *sm. Fil. Rel.* Antiga religião politeísta do Japão, anterior ao budismo, caracterizada pela adoração a divindades ligadas às forças da natureza; XINTÓ [F.: *xintó* + *-ismo*.]

xintoísta (xin.to.*ís*.ta) [ch] *a2g.* **1** *Fil. Rel.* Ref. ou pertencente ao xintoísmo (templo xintoísta, devoção xintoísta) **2** Que é adepto e praticante do xintoísmo *s2g.* **3** Adepto e seguidor do xintoísmo (monge xintoísta) [F.: *xintó* + *-ista*.]

xinxim (xin.*xim*) [ch] *sm. BA Cul.* Ensopado ou guisado de qualquer tipo de carne com camarão seco, amendoim e castanha de caju: "Lá dentro foi servido xinxim de bode e de carneiro com arroz." (Jorge Amado, *Jubiabá*) [Pl.: *-xins*.] [F.: De or. afr.]

xipofagotomia (xi.fo.pa.go.to.*mi*.a) *sf. Cir. Ter.* Operação cirúrgica de separação de xifópagos [F.: *xifópago* + *-tomia*.]

xiquexique (xi.que.*xi*.que) [ch] *sm.* **1** *Bras. Bot.* Nome comum a várias espécies do gên. *Crotalaria*, da fam. das leguminosas, subfam. papilionoídea, a maioria nativa do Brasil, us. como adubo verde, cujos nomes populares se devem ao barulho produzido pelas sementes dentro da vagem seca; CHOCALHO; CHOCALHO-DE-CASCAVEL; MARACÁ: "... sumo adstringente dos gomos dilatados do xiquexique, que enrouquece ou extingue a voz de quem o bebe." (Euclides da Cunha, *Os sertões*) **2** *Bras. Bot.* Planta da fam. das cactáceas (*Pilocereus gounellei*), que ocorre nas regiões áridas do Nordeste, espinhosa, rica em água; ALASTRADO; XINANE; XIQUEXIQUE-DO-SERTÃO **3** *SP Pop. Zool.* Bicho-do-pé [F.: De or. tapuia. Hom./Par. *xique-xique* (sm.).]

xiridácea (xi.ri.*dá*.ce:a) *sf. Bot.* Espécime das xiridáceas, família de plantas monocotiledôneas, ervas semelhantes a gramíneas, que apresentam muitíssimas espécies tropicais, tb. no Brasil. Suas folhas têm uso medicinal (contra a sarna) [F.: Do lat. cient. *Xyridaceae*.]

xiridáceo (xi.ri.*dá*.ce:o) *a. Bot.* Ref. às xiridáceas [F.: De *xiridácea* + *-áceo*.]

xiririca (xi.ri.*ri*.ca) *sf. SP* Corredeira, trecho de rio no qual as águas correm com ímpeto [F.: Do tupi, posv. de or. onomatopeica.]

xiró (xi.*ró*) *sm. Bras.* Caldo de arroz, temperado com sal [F.: Do jap. *xiru* 'caldo'.]

xis *sm.* Nome da letra *x*, a 24ª letra do alfabeto

◎ **xist(o)-**[1] *el. comp.* = xisto: *xistoquímica* [F.: De *xisto* (1).]

◎ **xist(o)-**[2] *el. comp.* = esquist(o)- 'separado', 'fendido': *xistossomose*

xisto (*xis*.to) [ch] *sm.* **1** *Min. Pet.* Designação comum às rochas metamórficas, de aspecto folheado típico e que se pode dividir em lâminas; mineral de estrutura laminosa e friável, formado por diversos óxidos metálicos, sílica e argila **2** *Arq.* Pórtico coberto, em que se exercitavam os atletas na Grécia Antiga **3** Alameda, para passeio, entre os romanos [F.: Do lat. *xistus*, deriv. do gr. *skhistós*.]

xistoide (xis.*toi*.de) *a.* Que tem aspecto, vestígios ou textura de xisto; de aparência xistosa [F.: *xist(o)-*[1] + *-oide*.]

xistosa (xis.*to*.sa) *sf. DF GO MG Pop.* O mesmo que *esquistossomose* [F.: *xist(o)-*[2] + *-osa*. Cf. *chistosa*, fem. de *chistoso*.]

xistoso (xis.*to*.so) [ch, ô] *a.* **1** *Min. Pet.* De natureza ou constituição do xisto (1); FRIÁVEL **2** *Min. Pet.* Em que há xisto (1); que tem xistosidade [Pl.: *[ó]*. Fem.: *[ó]*.] [F.: *xist(o)* + *-oso*. Hom./Par.: *chistoso*.]

xistossomo (xis.tos.*so*.mo) *sm.* O mesmo que *esquistossomo* [F.: *xist(o)-*[2] + *-somo*.]

xistossomose (xis.tos.so.*mo*.se) *sf. Pat.* O mesmo que *esquistossomose* [F. *xistossomo* + *-ose¹*.]

⊚ **xistro-** *el. comp.* = 'raspador', 'raspadeira': *xistrópode* [F: Do gr. *xýstra*.]

xistrópode (xis.*tró*.po.de) *sm.* **1** *Zool.* Espécime dos xistrópodes, divisão de aves que compreende os galiformes e os columbiformes *a.* **2** Ref. aos xistrópodes (1) [F: *xistro-* + *-pode*.]

xixi (xi.*xi*) [ch] *sm.* **1** *Bras. Fam.* Urina, mijo **2** Ação ou efeito de urinar **3** *Bras. N. E.* Garoa; XIXIXI **4** *Bot.* Árvore (*Marmaroxylon racemosum*) originária do Suriname, Guiana Francesa e Brasil, de madeira clara, rajada e resistente, e flores amarelas; ANGELIM-PINTADO; ANGELIM-RAJADO; URUBUZEIRO [F: De or. onom.] ▮▮ **Fazer ~** *Bras. Fam.* Urinar

xixica (xi.*xi*.ca) *sf. Pop.* Pequena quantia que se dá como gratificação; propina, gorjeta

xi-xi-xi (xi-xi-*xi*) *sm. N. E. Pop.* Chuvinha fina; GAROA [F: De or. onomatopeica.]

xô (*xô*) [ch] *interj. Bras. Pop.* Us. para enxotar aves; que tb. se usa para fazer parar as cavalgaduras; XÓ [F: De or. onom.]

xocó (xo.*có*) *s2g.* **1** *Etnog.* Indivíduo dos xocós, povo indígena da margem do rio São Francisco, município de Porto da Folha (SE) *a.* **2** Dos ou ref. aos xocós; que é típico desse povo

xodó (xo.*dó*) [ch] *sm.* **1** *Bras. Pop.* Coisa ou pessoa muito estimada: *A bolsa amarela era seu xodó*. **2** Afeto, estima; CHAMEGO: *Tem xodó pelo avô*. **3** Amor, paixão; namorado ou namorada: "Que falta me faz um *xodó*..." (Dominguinhos e Anastácia, *Só quero um xodó*) **4** Mexerico, intriga; TRAMOIA [F: De or. expr.]

xogum¹ (xo.*gum*) *sm.* Ver *xógum*

xogum² (xo.*gum*) *sm. Umb.* Orixá que assume por seis meses o caráter de Ogum, e por outros seis, o de Exu, ou Xoroquê [F: X*oroquê* + *Ogum*.]

xógum (*xó*.gum) *sm.* Antigo chefe militar no Japão, durante longo tempo (séc. XII ao XIX) com poderes maiores que os do próprio imperador [Pl.: *-guns*.] [F: Do jap. *xogun* 'general'.]

xogunato (xo.gu.*na*.to) *sm.* **1** Cargo, funções ou dignidade de xógum **2** Período de governo de um xogum; esse governo [F.: *xogum* + *-ato¹*.]

xona (*xo*.na) *s2g.* **1** *Etnog.* Indivíduo dos xonas, povos africanos que habitam Moçambique e Zimbabué **2** *Gloss.* Língua banta falada pelos xonas (1) *a2g.* **3** Dos ou ref. aos xonas (1); típico desses povos **4** *Gloss.* Ref. ao xona (2) [F.: Do banto, pelo ing. *shona*.]

xongas (*xon*.gas) *pr. indef. Gír.* Absolutamente nada, coisa nenhuma, neres de pitibiriba: *De futebol ele não entende xongas*. [F: De or. obsc.]

xoroca (xo.*ro*.ca) *sf.* **1** *CE RN Tabu.* O pênis **2** *N. Pop.* Velha desfrutável, de aspecto ou modos ridículos [F: De or. obsc.]

xota (*xo*.ta) *sf. Bras. Tabu.* A vulva; XOXOTA

xote (*xo*.te) [ch, ó] *sm.* **1** *Bras. Dnç. Mús.* Música e dança de salão, ao som de sanfonas **2** *Dnç. Mús.* Antiga dança de salão, talvez proveniente da Hungria, em compasso binário ou quaternário, e cujos passos se aproximam dos da polca **3** *Mús.* Música que acompanha essa dança [F: Do al. *Schottisch*. Sin. ger.: *xótis*.]

xoxo (*xo*.xo) [ô] *sm. Pop.* Beijinho ligeiro com um estalar dos lábios; BEIJOCA [F: Posv. de or. onomatopeica. Cf.: chocho [ô] (*a.* e *sm.*); chocho (fl. de chochar).]

xoxota (xo.*xo*.ta) [ch, ó] *sf. Bras. Tabu.* A vulva [F: De or. contrv.]

⊠ **X.p.t.o. 1** Sigla empregada para significar excelência ou primor de alguma coisa: *Um vestido x.p.t.o.* **2** Abrev. de Cristo, por erro de leitura da abreviatura grega de *XPISTOS*, ou Khristós 'o ungido'

xuá (xu:*á*) *sm. Bras. Gír.* Algo fora do comum, estupendo, maravilhoso: *Essa festa vai ser um xuá!* ▮▮ **De ~** *Bras. Basq.* Sem tocar no aro ou na tabela (cesta marcada, ou seja, arremesso no qual a bola é encestada): *Fez uma cesta de xuá*.

xucrice (xu.*cri*.ce) *sf.* **1** Qualidade ou natureza de xucro **2** Falta de conhecimento ou de informação, ignorância **3** Grosseria, descortesia, falta de educação [F.: *xucro* + *-ice*.]

xucro (*xu*.cro) *a.* **1** *S. MG* Diz-se de animal não domado, esp. o cavalo; BRAVIO; SELVAGEM **2** *Bras. P. ext.* Diz-se de quem não tem treino ou experiência em um ofício ou tarefa; inexperiente **3** *Bras. Fig.* Diz-se de indivíduo grosseiro, rude, mal-educado **4** *Fig.* Que não tem cultura ou refinamento; BRONCO; IGNORANTE; RÚSTICO: *O convidado xucro arrotou após o jantar*. **5** *P. ext.* Que se esquiva de estranhos; arredio (criança *xucra*) **6** *Fig.* Sem açúcar (café *xucro*) [F: Posv. do quíchua *chukru*, pelo hisp. americano *chúcaro*. Var.: *chucro*.]

xucuru (xu.cu.*ru*) *s2g.* **1** *Etnog.* Indivíduo dos xucurus, povo indígena do município de Pesqueira (PE) **2** A língua que era falada pelos xucurus (1) *a.* **3** Dos ou ref. aos xucurus (1); típico desse povo **4** Do ou ref. ao xucuru (2)

xuê (xu:*ê*) *sm.* **1** *Zool.* Espécie de sapo grande, gên. *Bufo* **2** *Zool.* Pequeno peixe do rio São Francisco e do Jequitinhonha (*Pimelodella vittata*) **3** Peixe teleósteo espinhoso (*Pimelodella lateristriga*) presente em rios do N.E., S.E. e C.O. do Brasil [F: Do tupi *xue*.]

xumberga (xum.*ber*.ga) *sm.* **1** Homem elegante, janota; tb. *xomberga* **2** *PE Pop.* Bebedeira, embriaguez, porre **3** *BA Zool.* Filhote de xerelete [F: Dev. de *xumbergar-se*; para a acp 3, de *xumbrega* (ordinário).]

xumbrega (xum.*bre*.ga) *a2g.* **1** *S. E. Pej. Pop.* De qualidade inferior, ordinário **2** Que é de mau gosto, ou que tem mau gosto [F: De or. obsc.]

xunga (*xun*.ga) *sf. Ang.* Mulher reles, ordinária [F: De or. obsc.]

xurumbambo (xu.ru.*bam*.bo) *sm.* Coisa velha, de pouco valor ou pouca valia; CACARECO; TRASTE [Usa-se mais no pl.] [F: De or. contrv.]

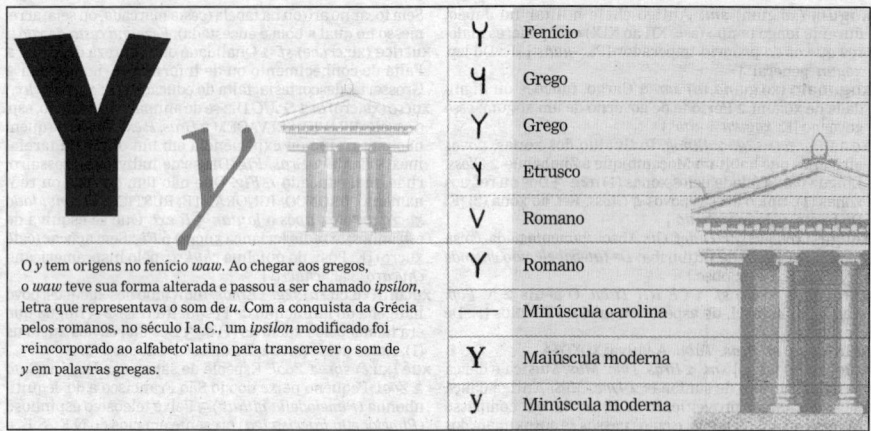

O *y* tem origens no fenício *waw*. Ao chegar aos gregos, o *waw* teve sua forma alterada e passou a ser chamado *ípsilon*, letra que representava o som de *u*. Com a conquista da Grécia pelos romanos, no século I a.C., um *ípsilon* modificado foi reincorporado ao alfabeto latino para transcrever o som de *y* em palavras gregas.

Y	Fenício
Ч	Grego
Y	Grego
Y	Etrusco
V	Romano
Y	Romano
—	Minúscula carolina
Y	Maiúscula moderna
y	Minúscula moderna

y (*ípsilon*) *sm.* Vigésima quinta letra do alfabeto, reintroduzida pelo Acordo Ortográfico de 1990, us. nos estrangeirismos, em palavras da língua portuguesa normalmente substituída pelo i, us. apenas em casos especiais, ou seja, em abreviaturas (*yd* = jarda), em símbolos internacionais (*Yt* = itérbio), e nos derivados de nomes próprios estrangeiros (*bayroniano*, *taylorismo*)

yagi (y:*a*.gi) *sf.* Antena de ondas curtas, seletiva e direcional, útil para cobrir uma área específica, longe do ponto de acesso [F.: Do antr. (*Hidetsugu*) *Yagi* (1886-1976), engenheiro japonês.]
⊕ **yakon** (/*iákon*/) *sm.* Espécie de batata (*Polymnia sonchifolia*) dos Andes, de grande valor alimentício e medicinal
⊕ **yakuza** (*Jap.*: /*iakuza*/) *sf.* **1** Organização criminosa japonesa, cuja disciplina e métodos se assemelham aos da máfia *s2g.* **2** Membro dessa organização
⊕ **yang** (*Chin.*: /*ian*/) *sm. Fil. Rel.* No taoísmo, o princípio celeste, masculino, ativo, quente, luminoso, que contrasta com seu oposto e complementar *yin* [Ver tb. *yin.*]
⊠ **Yb** *Quím.* Símb. de *itérbio*
⊕ **yin** (*Chin.*: /*iín*/) *sm. Fil. Rel.* No taoísmo, o princípio terrestre, feminino, passivo, frio, obscuro, que contrasta com seu oposto e complementar *yang* [Ver tb. *yang.*]
⊕ **yin-yang** (*Chin.*: /*iín-iân*/) *sm. Fil. Rel.* No taoísmo, as duas forças ou princípios opostos e complementares presentes em todos os fenômenos da vida
⊕ **yuê** (*Chin.*: /*iuê*/) *sm. Gloss.* Conjunto de dialetos do chinês falados em Kwangtung, Kwangsi, Cantão, Hong Kong e Macau, dos quais o mais conhecido é o cantonês
⊕ **yuppie** (*Ing.*: /*iúpi*/) *s2g.* **1** *Pej.* Jovem executivo bem remunerado, que gasta seu dinheiro com extravagâncias e é dado à ostentação *a2g.* **2** Ref. a ou próprio desse executivo (comportamento *yuppie*)

z (*zê*) ***sm.*** **1** A vigésima sexta e última letra do alfabeto **2** A vigésima primeira e última consoante do alfabeto ***num.*** **3** O 26° em uma série (cabine Z)

zabaione (za.bai.*o*.ne) ***sm.*** *Cul.* Sobremesa feita com vinho Marsala, açúcar e gema de ovo [F.: Do lat. da Bíblia *sabaia, ae.*]

zabaneira (za.ba.*nei*.ra) ***sf.*** **1** Mulher sem-vergonha: "Ingênuas mães de família, irmanadas e zabaneiras incorrigíveis e trêfegas." (Euclídes da Cunha, *Os Sertões*) **2** Mulher que vende o corpo; PROSTITUTA [F.: fem. substv. de *zabaneiro*.]

zabaneiro (za.ba.*nei*.ro) ***a.*** Desavergonhada, devasso [F.: De or. obsc.]

zabelê (za.be.*lê*) *Bras. Zool.* ***s2g.*** O mesmo que *jaó* (3)

zabumba (za.*bum*.ba) ***sm.*** **1** *Mús.* Instrumento de percussão com som grave e membranas nas duas extremidades; BOMBO; BUMBA; BUMBO; CAIXA GRANDE; ZAMBÊ; ZAMBUMBA **2** *N. E. Mús.* Grupo musical em que figura esse instrumento; TERNO DE ZABUMBA **3** *Lus. Mús.* Ver *cuíca* **4** *Ant.* Som produzido de batida ou pancada ***s2g.*** **5** Zabumbeiro **6** *Bot.* Ver *estramônio; f* ZAMBUMBA ***sf.*** **7** *Bras. Zool.* Ver *pitu*; ZAMBUMBA **8** *RO Ent.* Ver *libélula* [F.: De or. contrv. Hom./Par.: *zabumba* (sm. s2g. sf.), *zabumba* (fl. de *zabumbar*).]

zabumbar (za.bum.*bar*) ***v.*** **1** Tocar zabumba [***int.***] **2** Fazer grande algazarra; ESTRONDEAR [***int.:*** "E mandava a Isaura percorrer o povo zabumbando numa lata velha..." (Aquino Ribeiro, *Menino deus*)] **3** Surrar, espancar [***int.***] **4** Atordoar por barulho excessivo [***td.***] [▶ 1 zabumb**ar**] [F.: *zabumba* + *-ar*. Hom./Par.: *zabumba(s)* (fl.), *zabumba* (sm. s2g. sf.) e pl.]

zabumbeiro (za.bum.*bei*.ro) ***sm.*** **1** Tocador de zabumba: "Zé Brocas não teve mão em si... que não aliciasse as personagens zabumbeiras e violistas para uma passeata estrondosa pelas ruas da povoação" (Sanches de Frias, *Ercila*) ***a.*** **2** Semelhante ao toque da zabumba [F.: *zabumba* + *-eiro*.]

zaburro (za.*bur*.ro) ***sm.*** **1** Variedade de milho avermelhado-escuro, de Portugal **2** *Bot.* Denominação comum a várias plantas do gên. *Sorghum*, da fam. das gramíneas [F.: Do persa *gaures*, pelo ár. *xaurea*.]

zaco (*za*.co) ***sm.*** *Rel.* Chefe dos bonzos, supremo sacerdote budista [F.: Do jap. *jaku*. Var.: *zaca*.]

zacônio (za.*cô*.ni:o) *Gloss.* ***sm.*** Dialeto da língua grega moderna, falado na região leste do Peloponeso, e que vem do antigo dórico [F.: De or. obsc.]

◎ **-zada** ***suf.*** *nom.* Ver *-ada*[1]: *buritizada, gurizada, mãozada* [F.: *-z-* + *-ada*[1].]

◎ **-zado** ***suf.*** *nom.* Ver *-ado*[1]: *amarronzado* [F.: *-z-* + *-ado*[1].]

zafimeiro (za.fi.*mei*.ro) ***a.*** *Bras.* Que é velhaco, esperto, ardiloso [F.: De or. inc.]

zaga (*za*.ga) ***sf.*** **1** *Bras. Fut.* Posição dos jogadores de defesa que atuam nas imediações da área à frente do goleiro **2** *Bras. Fut.* O conjunto formado pelos dois zagueiros **3** *Ant. Mil.* Conjunto de militares que ficam posicionados na retaguarda de uma tropa [F.: Do espn. *zaga*.]

zagaia (za.*gai*:a) ***sf.*** Lança curta de arremesso; tb. *azagaia* (3, 4) [F.: Do berbere *zagâya*, adp. ao ár. *az-zagáya*.]

zagaieiro (za.gai.*ei*.ro) *Bras. MT* ***sm.*** Indivíduo que, armado de zagaia, protege o caçador em caçadas de onça e o defende quando ocorre um corpo a corpo com o animal [F.: *zagaia* + *-eiro*.]

zagal (za.*gal*) ***sm.*** **1** Ver pastor **2** Ajudante ou empregado subalterno de uma fazenda de criação de gado **3** Rapaz robusto [Pl.: *-gais*. Fem.: *-la*. Dim.: *zagalejo, zagalete, zagaleto*.] [F.: Do ár. *az-zagal*.]

zagaleto (za.ga.*le*.to) [ê] ***sm.*** Zagal pequeno; ZAGALEJO; ZAGALETE [F.: *zagal* + *-eto*.]

zagueiro (za.*guei*.ro) ***sm.*** *Bras. Fut.* Jogador de defesa que atua em uma das zagas; BEQUE [F.: Do espn. *zaguero*.]

zagunchada (za.gun.*cha*.da) ***sf.*** **1** Ferimento produzido por zaguncho **2** *Fig.* Caçoada, zombaria **3** Censura, crítica: "Eis-me ali no erro de Cambes e nas unhas dos críticos: e as zagunchadas a ferver em cima de mim, que fiz, que aconteci!" (Garret, *F. zagunchos*) [F.: *zarguncho* + *-ada*.]

zagunchar (za.gun.*char*) ***v. td.*** **1** Ferir ou machucar com golpe de zanguncho **2** *P. ext.* Contundir ou ferir (alguém) **3** *Fig.* Dirigir críticas ou censuras a (alguém) **4** Dirigir zombarias a (alguém); caçoar, escarnecer [▶ 1 zaganch**ar**] [F.: *zarguncho* + *-ar*. Hom./Par.: *zaguncho* (fl.), *zaguncho* (sm.).]

zaguncho (za.*gun*.cho) ***sm.*** Haste de ponta aguçada, semelhante à azagaia, para ser lançada belicosamente [F.: De or. obsc.]

zâimbo (*zâim*.bo) ***a.*** **1** Que não exibe paralelismo nos eixos visuais; ESTRÁBICO **2** Que tem as pernas tortas; CAMBAIO [Sin. ger.: *zãibo*.]

zaino (*zai*.no) ***sm.*** **1** Animal, ger. cavalo, com pelo castanho-escuro **2** Cavalo de pelo escuro, sem malhas brancas **3** Cavalo ou touro de pelo preto e baço ***a.*** **4** Diz-se de cavalo, ou de qualquer outro animal, de pelo castanho-escuro, sem manchas **5** Diz-se de cavalo com pelo escuro, sem malhas brancas **6** Diz-se de cavalo ou touro de pelo preto e baço **7** Que é dissimulado, ardiloso; ASTUCIOSO; ESPERTO; ESPERTALHÃO; FINGIDO; MATREIRO [F.: De or. duvidosa. Sin. ger.: *saino*.]

zaire (*zai*.re) ***sm.*** **1** Nome do dinheiro us. no antigo Zaire (África central) **2** Unidade dos valores em zaire, us. em notas e moedas [F.: Do top. *Zaire*.] ▪ **Novo ~** Nome do dinheiro e unidade monetária da República Democrática do Congo (África)

zairense (zai.*ren*.se) ***s2g.*** **1** Pessoa nascida ou que viveu no antigo Zaire (atual República Democrática do Congo, África) ***a2g.*** **2** Do antigo Zaire; típico desse país ou de seu povo [F.: Do top. *Zaire* + *-ense*. Cf. *congolês*.]

◎ **-zal** ***suf.*** *nom.* Ver *-al*[1] (no sentido de coletivo): *abacaxizal, cafezal* [F.: *-z-* + *-al*[1].]

O fenício *zain*, que significava arma e era representado por uma adaga estilizada, foi herdado pelos gregos, que o rebatizaram de *zeta*. Seu desenho pouco se assemelhava ao de um *z*, lembrado mais o de um *i* maiúsculo. O *zeta* foi usado também pelos etruscos. Assim como o *y*, o *z* só apareceu na língua latina com a conquista da Grécia pelos romanos, sendo usado para palavras de origem grega.

zamacueca (za.ma.cu.*e*.ca) ***sf.*** Dança nacional do Chile [F.: Do espn. *zamacueca*.]

zambê (zam.*bê*) *Bras.* ***sm.*** **1** *RN Dnç.* Dança popular do Nordeste acompanhada de canto e percussão **2** *P. ext.* Baile popular **3** *N. E.* Tambor com membranas de percutir nas duas extremidades; BOMBO; ZABUMBA **4** *P. ext. Dnç.* Certo tipo de dança de roda acompanhada de canto e percussão; COCO; PAGODE [F.: Do quimb. *zambe*.]

zambembe (zam.*bem*.be) ***a2g.*** Que é ordinário, imprestável, sem valor [F.: De orig. obsc.]

zambeta (zam.*be*.ta) [ê] ***a2g.*** **1** Cambaio, zambo ***s2g.*** **2** Indivíduo cambaio, zambo [F.: *zambo* + *-eta*.]

zâmbi (*zâm*.bi) *Bras. Rel.* ***sm.*** Ente divino, criador do mundo, nos cultos bantos e na umbanda [Com inicial maiúsc.] [F.: Do banto *nzambi*.]

zambiano (zam.bi:*a*.no) ***sm.*** **1** Pessoa nascida ou que vive na República de Zâmbia (África) ***a.*** **2** Da República de Zâmbia; típico desse país ou de seu povo [F.: Do top. *Zâmbia* + *-ano*. Sin. ger.: *zambiense, zâmbio*.]

zambiense (zam.bi.*en*.se) ***s2g. a2g.*** Ver *zambiano*

zambo (*zam*.bo) ***a.*** **1** Que tem as pernas ou os pés tortos; CAMBAIO; ZAMBETA; ZAMBRO **2** *Bras.* Diz-se de indivíduo mestiço que descende do cruzamento entre negro e mulata ou negro e índia **3** *RS* Diz-se de indivíduo que se encontra tonto, aparvalhado, sem saber para onde ir ***sm.*** **4** Indivíduo zambo [F.: De or. contrv., posv. do espn. *zambo*, 'cambaio', ou do lat. vulg. * *strambus* [clás. *strabus, a, um*], 'vesgo'. Tb. *zambro*.]

zambro (*zam*.bro) ***a.*** **1** Que tem as pernas tortas, ou encurvadas; o mesmo que *zambo* (1) **2** Torto, encurvado (diz-se de perna) [F.: Do lat. vulg. *strambus*, posv.]

zambumba (zam.*bum*.ba) ***sm.*** **1** O mesmo que *zabumba* **2** *Bot.* O mesmo que *estramônio* (*Datura stramonium*) **3** *Bot.* O mesmo que *pitu* (*Macrobrachium acanthurus*)

zampar (zam.*par*) ***v. td.*** **1** Comer depressa e com grande apetite: *Zampou o assado num piscar de olhos.* **2** Comer em demasia; encher o estômago; empanturrar [▶ 1 zamp**ar**] [F.: Do espn. *zampar*.]

zamparina (zam.pa.*ri*.na) ***sf.*** **1** *Bras.* Grave surto de gripe que, ocorrido no Rio de Janeiro em 1780, provocava perturbações no sistema nervoso e locomotor **2** *Bras. BA* Dança ao toque rápido de instrumentos de percussão, acompanhada de palmas, em roda de bailarinos e cantadores [F.: Do antrp. it. *Zamperini*, famosa cantora italiana do séc. XVIII que se apresentou em Portugal entre 1770 e 1774.] ▪ **À ~** Inclinado (chapéu) para a frente e para a direita, conforme a moda ao fim do séc. XVIII e início do séc. XIX

zanga (*zan*.ga) ***sf.*** **1** Estado de irritação extrema ou de rancor; CÓLERA; ÓDIO; RAIVA **2** Ação ou resultado de zangar(-se); ABORRECIMENTO; AMOLAÇÃO; MAU HUMOR **3** Antipatia, aversão, repugnância (zanga gratuita) **4** Desavença, inimizade: *A zanga entre os dois é de família, dura anos.* **5** Mau presságio; ENGUIÇO; QUEBRANTO **6** *MG* Defeito técnico; AVARIA; ENGUIÇO: *Aparelho com zanga.* **7** *Lud.* Certo jogo de cartas para dois parceiros, em que não se usa o naipe de copas; ARRENEGADA; RENEGADA [F.: Dev. de *zangar*. Sin. ger.: *azanga*. Hom./Par.: *zanga* (sf.), *zanga* (fl. de *zangar*).]

zangado (zan.*ga*.do) ***a.*** **1** Que se zangou, se aborreceu; AMOLADO; ENCOLERIZADO; ENRAIVECIDO; IRRITADO: *Está zangado porque não foi promovido.* [Ant.: *contente, satisfeito*.] **2** Que se zanga com frequência; IRRITADIÇO; IRRITÁVEL; MAL-HUMORADO; ZANGADIÇO: *O vizinho é um homem zangado, mal-humorado.* [Ant.: *alegre, feliz*.] **3** Que se desentendeu ou cortou relações com outrem; DESAVINDO [F.: Part. de *zangar*. Sin. ger.: *azangado*.]

zangador (zan.ga.*dor*) [ô] ***a.*** Que provoca zanga [F.: Part. *zangado* + *-or*.]

zângano (*zân*.ga.no) ***sm.*** **1** Indivíduo que dirige um negócio qualquer para outrem, podendo ter delegação para isso **2** Indivíduo que nada faz, que vive à custa de outrem **3** Agiota que vive de fraudes e dolos **4** Negociante que comercia com produtos velhos e usados; ADELEIRO; BELCHIOR **5** Indivíduo pouco inteligente ou sem seriedade; BOBO; PALERMA [F.: Do espn. *zângano*.]

zangão (zan.*gão*) ***sm.*** **1** *Zool.* Macho da abelha, sem ferrão; ABELHA-MACHA [Na colmeia exerce apenas o papel de reprodutor.] **2** *Fig. Pej.* Pessoa que vive à custa de outra, explorando-a; PARASITA **3** *Pej. P. ext.* Pessoa maçante, importuna **4** Vendedor pracista **5** Agente que administra negócio alheio; ZANGANO **6** *Bras.* Operador independente e não credenciado da bolsa de valores **7** *BA* Representante ou agenciador de hotel e pensão; ZÂNGÃO **8** *Lus.* Corretor inclinado à fraude [Pl.: *-gões e -gãos*.] [F.: Voc. onom.]

zangar (zan.*gar*) ***v.*** **1** Provocar zanga, raiva, ou mostrar-se raivoso, amuado. [***td.:*** *Zangou o pai com suas birras.*] [***int.:*** *Minha avó zangava(-se) por motivos fúteis.*] **2** Repreender energicamente. [***tr.*** + *com*: *A mãe zangou com o filho que saíra sem avisar.*] **3** *P. us.* Desgostar de [***tr.*** + *de*: *Ela zanga de polêmicas sobre futebol.*] **4** *P. us.* Inflamar [***int.:*** *O ferimento zangou.*] **5** *P. us.* Estragar-se (alimento etc.) [***int.:*** *O mingau zangou.*] [▶ 14 zang**ar**] [F.: *zanga* + *-ar*. Hom./Par.: *zanga(s)* (fl.), *zanga(s)* (sf. [pl.]); *zangam* (fl.), *zângão* (sm.).]

zangarrear (zan.gar.re.*ar*) ***v.*** **1** Tocar instrumento de corda (esp. viola) de maneira desafinada, medíocre [***td.***] [***int.***] **2** Cantar mal, aos gritos, de maneira desafinada [***td.:*** "Estudantes... zangarreando banzas, saíam dos lupanares..." (Camilo Castelo Branco, *Corja*)] [***int.:*** *O estudantes zangarreavam.*] [▶ 13 zangarr**ear**] [F.: Voc. onom.]

zangarreio (zan.gar.*rei*.o) ***sm.*** Ação de de zangarrear [F.: Dev. de *zangarrear*.]

zanguizarra (zan.gui.*zar*.ra) ***sf.*** **1** Confusão, balbúrdia, tumulto **2** Toque fora da harmonia em instrumento de corda, esp. viola **3** Som estridente, desagradável, incômodo [F.: Voc. onom.]

zanguizarreio (zan.gui.zar.*rei*.o) ***sm.*** Ação ou resultado de zanguizarrear [F.: Regr. de *zanguezarriar*. Hom./Par.: *zanguizarreio* (fl. de zanguizarrear).]

zangurriana (zan.gur.ri.*a*.na) ***sf.*** **1** Canto repetitivo, monótono **2** Conversa ou narrativa maçante, monótona **3** *Pop.* Bebedeira [F.: Voc. onom.]

zanho (*za*.nho) *Bras. CE Pop.* ***a.*** Hipócrita, dissimulado [F.: De or. obsc.]

zanoio (za.*noi*:o) ***a. sm.*** O mesmo que *zarolho*

zanzar (zan.*zar*) ***v. int.*** *Bras.* Andar sem rumo; VAGUEAR: *Ela zanzava pela loja, procurando novidades; Seu prazer era zanzar à toa.* [▶ 1 zanz**ar**] [F.: De *zaranzar*, com síncope, posv.]

zanzibarita (zan.zi.ba.*ri*.ta) ***s2g.*** **1** Pessoa nascida ou que vive em Zanzibar, ilha do oceano Índico próxima da África [Em 1964, uniu-se a Tanganica para formar a Tanzânia.] ***a2g.*** **2** De Zanzibar; típico desse antigo país ou de seu povo [F.: *Zanzibar* + *-ita*.]

◎ **-zão** ***suf.*** *nom.* = 'que é grande ou maior que os outros de sua espécie'; 'que é muito (aquilo que expressa a palavra base)'; 'extenso': *canzão; bonzão, marzão; vozão* [F.: *-z-* + *-ão*[1].]

zapatismo (za.pa.*tis*.mo) ***sm.*** **1** Movimento campesino revolucionário, liderado por Emiliano Zapata no início do séc. XX, no México **2** Movimento iniciado com o levante campesino do estado mexicano de Chiapas, em 1994, que reivindica os postulados do zapatismo (1) [F.: Do antr. Emiliano *Zapata* + *-ismo*.]

zapatista (za.pa.*tis*.ta) ***a2g.*** **1** Ref. ou pertencente ao zapatismo **2** Partidário do zapatismo ***s2g.*** **3** Partidário do zapatismo [F.: *Zapatismo* + *-ista*.]

zapeada (za.pe.*a*.da) ***sf.*** Passagem rápida por vários canais com o auxílio do controle remoto da TV [F.: De *zapear*.]

zapear (za.pe.*ar*) ***v.*** *Telv.* Percorrer (canais de TV) ou trocar de (canal) incessantemente por meio do controle remoto [***td.***] [***int.***] [▶ 13 zap**ear**] [F.: *zape* + *-ar*.]

zápete (*zá*.pe.te) ***sm.*** **1** Jogo de cartas tb. conhecido como *truque* **2** No truque, o quatro de paus [F.: De or. obsc.]

zapoteca (za.po.*te*.ca) ***s2g.*** **1** Indivíduo dos zapotecas, povo ameríndio que viveu entre Tehuantepec e Acapulco, no México, transferindo-se depois para Oaxaca ***sm.*** **2** *Ling.* Língua falada por esse povo ***a2g.*** **3** Relativo aos zapotecas ou à sua língua [F.: Do espn, *zapoteca*.]

zapotecano (za.po.te.*ca*.no) ***sm.*** **1** Conjunto das línguas ameríndias faladas no México ***a.*** **2** Referente aos povos que falam essa língua **3** Referente aos zapotecanos [F.: *zapoteca* + *-ano*.]

⊕ **zapping** (*Ing.* /*zápin*/) *Telv. sm.* Série de mudanças rápidas entre diferentes canais de televisão, feita por meio do controle remoto, para procurar um programa ou fugir aos comerciais

⊕ **zapt** (*ing.*) *interj.* Expressa o ruído de algo que passa ou se faz com muita rapidez

zarabatana (za.ra.ba.*ta*.na) *sf.* Ver *sarabatana* [F.: Do ár. vulg. *zarbatana*.]

zaragalhada (za.ra.ga.*lha*.da) *sf.* Algazarra, alvoroço, tropel [F.: prov. do espn. *zaragalla*.]

zaragata (za.ra.*ga*.ta) *sf.* Estado de confusão, desordem, alvoroço [F.: Do espn. *zaragata*.]

zaragatoa (za.ra.ga.*to*.a) [ô] *Lus. sf.* **1** *Bot.* Erva (*Plantago afra*) da fam. das plantagináceas, de caule ereto, folhas sésseis, flores esbranquiçadas, encontrada do Mediterrâneo à Índia, us. desde a Antiguidade como remédio regularizador dos intestinos; ERVA-DAS-PULGAS **2** *Bot.* Planta celastrácea (*Euonymus europaeus*) **3** Pincel de fios de linho ou esponja us. na aplicação de colutórios **4** Medicamento que se aplica com esse pincel ou esponja [F.: Do espn. *zaragatona*.]

zaranza (za.*ran*.za) *a2g.* **1** Diz-se de pessoa que se encontra atordoada, tonta, sem saber ao certo o que fazer **2** Que não faz sentido; que não tem nexo *s2g.* **3** Indivíduo aturdido, atabalhoado, imprudente **4** *Bot.* Capim da fam. das gramíneas (*Leptocoryphium lanutum*) [F.: De or. obsc.]

zaranzar (za.ran.*zar*) *v. int.* **1** O mesmo que *zanzar* **2** Andar à toa, sem ter o que fazer: *Vivia zaranzando pelo centro da cidade.* **3** Ficar desnorteado, tonto, perturbado: *Bebeu um pouco e saiu zaranzando do bar.* [▶ 1 zaranzar] [F.: *zaranza* + *-ar*. Hom./Par.: *zaranza(s)* (fl), *zaranza* (a2g., s2g.) e pl.]

zarcão (zar.*cão*) *sm.* **1** Óxido vermelho de chumbo (Pb_3O_4) us. como base em peças de ferro para evitar a ferrugem; ACARTO; MÍNIO [Cf. *zircão*.] **2** A cor laranja forte ou tijolo desse óxido [Pl.: *-cões*.] *a2g2n.* **3** Que tem essa cor (portões zarcão) **4** Diz-se dessa cor: *A cor zarcão é muito berrante.* [F.: Do árabe-hispânico *zarqun*. Sin. ger.: *azarcão*.]

zarelha (za.*re*.lha) [ê] *sf.* Mulher que se intromete em tudo [F.: Fem. de *zarelho*.]

zarelhar (za.re.*lhar*) *v. int.* **1** Fazer intrigas, mexericos **2** Movimentar-se de um lado para outro movido por agitação: *Os meninos zarelhavam pelo terreno baldio.* **3** Fazer travessuras, traquinadas [▶ 1 zarelhar] [F.: *zarelho* + *-ar*. Hom./Par.: *zarelha(s)* (fl), *zarelha* /ê/, (f. *zarelho*, sm.) e pl.; *zarelho* (fl), *zarelho*, (sm.).]

zarelho (za.*re*.lho) [ê] *sm.* **1** Pessoa que se intromete em tudo; INTROMETIDO **2** Indivíduo buliçoso, irrequieto **3** *Arm.* Peça de arame que serve para segurar a bandoleira às armas de fogo portáteis **4** *Lus.* Indivíduo um pouco gago [F.: De or. obsc. Hom./Par.: *zarelho* (fl. *zarelhar*).]

zarolho (za.*ro*.lho) [ô] *a.* **1** Diz-se de pessoa que é cega de um olho ou que não tem um olho; CAOLHO; CARAOLHO; PILOTO; ZANOLHO; ZERÊ **2** Diz-se de quem é estrábico, vesgo; CAOLHO; ZANOLHO **3** *P. ext.* Que não é correto, que está malfeito ou incompleto; TORTO: *Tem uma concepção zarolha da realidade.* **4** *Bras. N. N. E.* Diz-se do milho que começa a amadurecer *sm.* **5** Indivíduo que não enxerga de um olho ou que é estrábico; CAOLHO; CARAOLHO; PILOTO; ZANOLHO; ZERÊ [Pl.: *zarolhos* [ô].] [F.: Posv. de *olho*.]

zarpagem (zar.*pa*.gem) *sf.* Ação ou resultado de zarpar; ZARPADA [F.: *zarpar* + *-agem*.]

zarpar (zar.*par*) *v.* **1** Deixar o porto em direção ao mar (embarcação, ou a bordo de embarcação) [*int.*: *O navio zarpou; Zarpamos de manhã cedo.*] **2** Ir embora de (um lugar); PARTIR [*ta.*: *Zarpamos de casa antes do almoço; Zarparam cedo para o trabalho*] **3** Retirar-se depressa; empreender fuga; escapar, debandar, fugir [*int.*: *Os ladrões zarparam com a chegada da polícia.*] [▶ 1 zarpar] [F.: Do espn. *zarpar*.]

◎ **-zarrão** *suf. nom.* = 'muito ou extremamente grande': *canzarrão, homenzarrão* [F.: *-z-* + *-arrão*.]

zarro (*zar*.ro) *a.* **1** *Bras.* Cheio de avidez, de cobiça **2** *Bras. Pop.* Embriagado, bêbado **3** *RS* Que exige grande esforço para ser feito ou executado (trabalho zarro); ÁRDUO; PENOSO [F.: Voc. expressivo.]

zarzuela (zar.zu.*e*.la) *sf. Mús. Teat.* Opereta de origem espanhola, em que há canções e diálogos, ger. satírica e de base folclórica [F.: Do espn. *zarzuela*. Cf. *sarça* e *zarza*.]

zás-trás (zás-*trás*) *interj.* Ver *zás* [F.: Voc. onom.]

zavar (za.*var*) *v. td. int. Lus.* Morder fortemente, com raiva [▶ 1 zavar] [F.: De or. obsc.]

zás *Interj.* Expressa a ideia de rapidez, de velocidade: *O carro passou tão rápido, zás, que ninguém o viu.* [F.: De or. onom.]

zé *Pop. sm.* **1** Indivíduo do povo; o homem comum das ruas **2** *Pej.* Indivíduo pobre, de categoria social humilde; JOÃO-NINGUÉM **3** Ralé, gentalha [F.: *Zé*, hipocorístico do antr. *José*. Hom./Par.: *zê*, *z*.]

zê *sm.* Nome da letra *z* [Pl.: *zês*, *zz*.] [Hom./Par.: *zé* (sm.) e *Zé* (antr.).]

zebra (*ze*.bra) [ê] *sf.* **1** *Zool.* Denominação comum a algumas spp. de mamíferos africanos da fam. dos equídeos (gên. *Equus*), de pelagem listrada de preto e branco **2** Faixa pintada com listras pretas e brancas sobre a qual os pedestres devem passar ao atravessar ruas, avenidas e estradas *Lus.*; ZEBRADO **3** *Bras. Pej. Pop.* Pessoa bronca, de pouca inteligência; AZÊMOLA; BURRO [É *ofensivo*.] **4** *Bras. Fig. Pop.* Resultado inesperado em competição esportiva ou loteria: *O time ganhar desfalcado foi a maior zebra.* **5** *Ant. Têxt.* Tecido com listras **6** *RJ* Roupa us. por presidiário, feita com tecido de listras **7** *Bras. Bot.* Erva brasileira (*Calathea zebrina*) da fam. das marantáceas, encontrada desde a Bahia até São Paulo, que tem folhas listradas de dois tons de verde, um mais claro e o outro escuro, com a página inferior roxa e flores roxas; BANANEIRINHA-ZEBRA; CAETÉ-ZEBRA; TIRITA; TIRITE **8** *Lus. Pop.* Hábito peculiar e extravagante, ger. repetitivo; ideia fixa; ESQUISITICE; MANIA; MALUQUICE; TELHA [Pl.: *zebras* [ê].] [F.: De or. contrv. Hom./Par.: *zebra(s)* (sf. [pl.]), *zebra(s)* (fl. de). Ideia de: *zebr-*.] ⁝⁝ **Dar ~** Dar resultado inesperado, que parecia ter pouca probabilidade, e ger. ruim

zebrado (ze.*bra*.do) *a.* **1** Que tem listras pretas e brancas, como a zebra **2** Que apresenta qualquer tipo de listras (paletó zebrado); LISTRADO; RAIADO; RISCADO *sm.* **3** *Lus.* Ver *zebra* (8) [F.: Part. de *zebrar.* Ideia de: *zebr-*.]

zebrar (ze.*brar*) *v.* **1** Aplicar ou pintar listras (como as de uma zebra) [*td.*: *Zebrou o corpo à guisa de fantasia.*] **2** *Pop.* Acontecer (algo) contrariando as expectativas; dar zebra [*int.*: *O jogo zebrou.*] [▶ 1 zebrar] [F.: *zebra* + *-ar*. Hom./Par.: *zebra(s)* (fl.), *zebra(s)* (sf. [pl.]); *zebro* (fl.), *zebro* (sm.); *zebraria* (fl.), *zebrária* (fem. de *zebrário* [a.]).]

zebrino (ze.*bri*.no) *a.* Relativo a zebra; tb. *zebral* [F.: *zebra* + *-ino*.]

zebroide (ze.*broi*.de) *a2g.* **1** Que se parece com uma zebra **2** *Bras. Pej. Pop.* Diz-se de pessoa estúpida, ignorante; BURROIDE; ESTÚPIDO; TOLO *sm.* **3** *Zool.* Híbrido que resulta de cruzamento de cavalo com zebra **4** *Bras. Pej. Pop.* Pessoa estúpida, ignorante; BURROIDE; ESTÚPIDO; TOLO [Tb. us como adj.] [F.: *zebra* + *-oide*. Ideia de: *zebr-*.]

zébrulo (*zé*.bru.lo) *Zool. sm.* Híbrido que resulta do cruzamento entre macho de zebra e égua [F.: *zebra* + *-ulo*.]

zebruno (ze.*bru*.no) *a.* De cor baia (diz-se de cavalo) [F.: Do espn. *cebruno*.]

zebu (ze.*bu*) *Zool. sm.* **1** Gado bovino originário da Ásia que tem uma acentuada corcova ou giba no lombo e uma grande papada **2** Espécime desse gado *a2g.* **3** Ref. a esse gado ou a seu espécime [F.: Do fr. *zébu*. Sin. ger.: *gebo*. Ideia de: *zebu-*.]

zebueiro (ze.bu:*ei*.ro) *sm.* **1** *MG GO* Criador ou comerciante de zebu *a.* **2** Diz-se de quem cria ou comercializa zebu [F.: *zebu* + *-eiro*. Tb. *zebuzeiro*.]

zebuíno (ze.bu.*í*.no) *sm.* Ref. ao ou próprio do zebu [F.: *zebu* + *-ino*.]

zebuzeiro (ze.bu.*zei*.ro) *Bras. MG GO sm.* O mesmo que *zebueiro* [F.: *zebu* + *-zeiro*.]

zefir (ze.*fir*) *sm. Têxt.* Tecido de algodão, fino e transparente, ger. listrado [F.: Do fr. *zéphyr*.]

zefirino (ze.fi.*ri*.no) *a.* Ref. a zéfiro [F.: *zéfiro* + *-ino*. Hom./Par.: *Zeferino* (antr.); *zefirina* (f.), *Zeferina* (antr.).]

zéfiro (*zé*.fi.ro) *sm.* **1** Vento brando; ARAGEM; BRISA; VIRAÇÃO **2** *Antq.* Vento que sopra do ocidente [P. op. a *euro*. Ger. com inicial maiúsc.] **3** *Mit.* Personificação mitológica de tal vento [F.: Do lat. *zephyrus, i.* Sin. acp. 1: *ar, arilho, aura, bafagem, bafejo, bafuge, fresca, frescor, oressa, sopro*.]

zegri (*ze*.gri) *s2g.* **1** Indivíduo dos zegris, antiga tribo moura, que se fixou na Espanha e se tornou célebre pela rivalidade com os abencerrages (séc. XV) *a2g.* **2** Dos ou ref. aos zegris [F.: Do espn. *zegri* ou *cegri*.]

zeína (ze.*í*.na) *sf.* Proteína do milho us. na fabricação de fibras têxteis, vernizes etc.

◎ **-zeira** *suf. nom.* Ver *-eira*: *cajazeira, romãzeira, pãozeira, pozeira* [F.: *-z-* + *-eira*.]

◎ **-zeiro** *suf. nom.* Ver *-eiro*, 'que produz (planta, árvore)...': *açaizeiro, cajazeiro, zebuzeiro*. [F.: *-z-* + *-eiro*.]

zeísmo (ze.*ís*.mo) *sm. Med.* Estado mórbido, esp. a pelagra, que se atribui ao excesso de milho na alimentação [F.: *ze(o)-* + *-ismo*.]

⊕ **zeitgeist** (*Al.* /´*tsajtgasjt*/) *sm.* Termo alemão que significa 'espírito do tempo'; o espírito de uma época; o nível cultural, o sentimento, o pensamento, a atmosfera (fig.) ou tudo aquilo que caracteriza um dado período [F.: Do al. *Zeit*, 'tempo', + *Geist*, 'espírito'.]

zelação (ze.la.*ção*) *Bras. N. E. Pop. sf.* Estrela cadente, meteoro [Pl.: *-ções*.] [F.: alt. de *exalação*.]

zelador (ze.la.*dor*) [ô] *sm.* **1** *Bras.* Empregado responsável pela supervisão, limpeza e conservação de um prédio **2** Pessoa encarregada de cuidar de algum lugar ou de algum serviço **3** Administrador de congregação assistencial ou religiosa **4** *Bras. Rel.* Nos candomblés baianos, pai de santo **5** *Lus.* Funcionário que deve fiscalizar a realização ou o cumprimento das leis municipais **6** *Ant.* Ver *zelote* (1 , 2) *a.* **7** Que toma conta, que zela, que vigia; ZELANTE [F.: Do lat. *zelator, oris.* Ideia de: *zel(o)-*.]

zelador de inquice (ze.la.dor de in.*qui*.ce) *Bras. Rel. sm.* Chefe espiritual, pai de santo, em candomblés de rito angola-congo; ZELADOR DE SANTO [Pl.: *zeladores de inquice*.] [Cf.: *babalorixá*.]

zelador de santo (ze.la.dor de *san*.to) *Rel. sm.* **1** O mesmo que *zelador de inquice* **2** Em candomblés do rito angola-congo, aquele que, com a morte do pai ou da mãe de santo, exerce interinamente as suas funções [Pl.: *zeladores de santo*.]

zeladoria (ze.la.do.*ri*:a) *sf.* **1** Função de zelador **2** Local onde trabalha o zelador [F.: *zelador* + *-ia*.]

zelandês (ze.lan.*dês*) *sm.* **1** Pessoa nascida ou que vive na Zelândia, província da Holanda (Europa) *a.* **2** Da Zelândia; típico dessa província ou de seu povo [F.: Do top. *Zelândia* + *-ês*.]

zelar (ze.*lar*) *v.* **1** Tomar conta com dedicação [*tr.* + *por*: *A enfermeira zelava pela paciente.*] **2** Cuidar (para que algo aconteça) [*tr.* + *para, por*: *Zelar pelo cumprimento das leis.*] **3** Tomar cuidados, precauções (para evitar acontecimento indesejável) [*tr.* + *para*: *Zelava para que o filho não se perdesse.*] **4** *P. ext.* Ter ciúmes de [*td.*: *Zelava muito o marido.*] [▶ 1 zelar] [F.: Do baixo-latim *zelare*. Hom./Par.: *zelo* (fl.), *zelo* /ê/ (sm.).]

zelo (*ze*.lo) [ê] *sm.* **1** Atenção especial que se dedica a alguém ou algo; CUIDADO; DEDICAÇÃO; DESVELO [+ *a, de, para (com), por*: *Zelo a uma causa; Zelo do bem comum; Zelo para com o filho; Zelo pelos interesses do cliente.*] **2** Grande carinho, afeição **3** Rigor, diligência, empenho e pontualidade na realização de uma tarefa [+ *em*: *Zelo no cumprimento de horários.*] **4** Ciúme de alguém [Us. ger. no pl.] **5** Ardor religioso ou a serviço de Deus [Pl.: *zelos* [ê].] [F.: Do gr. *zêlos, ou.* Hom./Par.: *zelo* (sm.), *zelo* (fl. de *zelar*). Ideia de: *zel(o)-*.]

zelos (*ze*.los) [ê] *smpl.* Ciúmes [F.: Pl. de *zelo*. Ideia de: *zel(o)-*.]

zeloso (ze.*lo*.so) [ô] *a.* **1** Que tem zelo; que mostra interesse por algo ou alguém; ATENCIOSO; DILIGENTE [+ *de, (para) com, por*: *Zeloso de seus direitos; Zeloso com seus negócios.*] **2** Ciumento (marido zeloso) **3** Que dispensa cuidados, atenção; CUIDADOSO; DESVELADO [+ *para com, com*: *Zeloso para com os costumes.*] **4** Que é aplicado, pontual, cuidadoso, atento [Pl.: [ó]. Fem.: [ó].] [F.: *zelo* + *-oso*. Ideia de: *zel(o)-*.]

zelote (ze.*lo*.te) *sm.* **1** *Hist. Rel.* Membro de um partido nacionalista judeu, que na época de Jesus se opunha à ocupação da Judeia pelo Império Romano; ZELADOR **2** Pessoa que simula um comportamento zeloso **3** Pessoa que finge ser religiosa *a.* **4** Que finge ter zelos ou ser religioso [F.: Do gr. *zélotes, ou.* Ideia de: *zel(o)-*.]

zé-mané (zé-ma.*né*) *sm.* Pessoa do povo, humilde, simples; indivíduo de pouca importância [F.: Red. dos antr. *José* e *Manoel*.]

zen *sm.* **1** *Fil. Rel.* Ver *zen-budismo*. *a2g2n.* **2** *Pop.* Que revela ou reflete a serenidade, a simplicidade etc. próprias do zen-budismo (atitude zen; decoração zen); ZEN-BUDISTA [F.: Do jap. *zen*.]

zen-budismo (zen-bu.*dis*.mo) *sm. Fil. Rel.* Forma de budismo mais praticada no Japão, caracterizada pela busca da iluminação e do autoconhecimento através da meditação e da prática; ZEN [Pl.: *zen-budismos*.] [F.: *zen* + *budismo*.]

zen-budista (zen-bu.*dis*.ta) *a2g.* **1** Ref. a ou próprio do zen-budismo **2** Diz-se de pessoa que segue o zen-budismo *s2g.* **3** Pessoa adepta do zen-budismo [Pl.: *zen-budistas*.] [F.: *zen-budismo* + *-ista*.]

zendavesta (zen.da.*ves*.ta) *Rel. sm.* Conjunto dos livros sagrados do zoroastrismo persa; tb. *avesta*

zende (*zen*.de) *sm.* **1** Traslado e comentário do Avesta de Zoroastro, em pálavi **2** *Desus. Ling.* Língua iraniana oriental (próxima do sânscrito védico da Índia) us. como língua do Avesta; AVÉSTICO [F.: Do pálavi *zend* (*zanti*). F. paral.: *zenda*.]

zeneta (ze.*ne*.ta) *s2g.* **1** Indivíduo dos zenetas, antiga tribo árabe que, no séc. XVIII, participou da defesa do reino árabe de Granada *a2g.* **2** Dos ou ref. aos zenetas [F.: Do ár. *zanati*.]

zé-ninguém (zé-nin.*guém*) *sm. Pej. Pop.* Pessoa considerada sem importância por não ter instrução, prestígio social, dinheiro etc.; JOÃO-NINGUÉM; POBRE-DIABO [Denota preconceito.] [Pl.: *zés-ninguéns* e *zés-ninguém*.]

zenital (ze.ni.*tal*) *a2g.* Ref. ao zênite [F.: *zênite* + *-al*.]

zênite (*zê*.ni.te) *sm.* **1** *Astron.* Ponto em que uma linha perpendicular ao solo encontra a esfera celeste [Ponto oposto ao *nadir*.] **2** *Fig.* Ponto ou grau mais elevado; APOGEU; AUGE; CULMINÂNCIA; PINO [F.: Alter. do ár. *samt*.]

zenográfico (ze.no.*grá*.fi.co) *a. Astr.* Relativo à superfície aparente do planeta Júpiter [F.: *zenografia* + *-ico*.]

◎ **-ze(o)-** *el. comp.* **1** = 'que ferve' **2** = 'milho': *zeófago*

zeófago (ze.*ó*.fa.go) *a.* **1** Que se alimenta de milho (diz-se de animal) *sm.* **2** Animal que se alimenta de milho [F.: *ze(o)-* + *-fago*.]

zeólita (ze.*ó*.li.ta) *Min. sf.* Qualquer um de vários minerais relacionados aos feldspatos, que ocorrem principalmente em rochas amigdaloides [F.: Do lat. cient. *zeolithus*.]

zepelim (ze.pe.*lim*) *sm.* **1** *Aer.* Grande balão dirigível, de forma cilíndrica, criado pelo alemão Ferdinand von Zeppelin **2** *Bras. Ict.* Peixe (*Nannostomus trifasciatus*) teleósteo, caraciforme, da fam. dos lebiasinídeos, natural da Amazônia, que mede cerca de 5 cm, tem o dorso prateado, com três faixas escuras longitudinais, e nadadeiras avermelhadas; TORPEDINHO [Pl.: *-lins*.] [F.: Do antr. Ferdinand von *Zeppelin*.]

zé-pereira (zé-pe.*rei*.ra) *Bras. Mús. sm.* **1** Ritmo carnavalesco executado no bombo **2** Conjunto dos foliões que executam esse ritmo **3** Ver *bombo* **4** Tocador de bombo **5** *Bras.* Brincadeira antiga de carnaval, em que os foliões tocam bombos nas ruas, isoladamente ou em grupos **6** *Lus.* Conjunto numeroso de bombos que fica posicionado à frente das procissões, esp. no Norte de Portugal, e conclama as pessoas e se juntarem à festa [Pl.: *zés-pereiras*.]

zé-povinho (zé-po.*vi*.nho) *sm.* **1** *Pej. Pop.* Pessoa comum, do povo; POVÃO; POVINHO; ZÉ **2** *Pej. Pop.* A camada social dos menos favorecidos; POVÃO; POVINHO; RALÉ; ZÉ-POVO [Dependendo do modo de usar, pode denotar preconceito.] [Pl.: *zés-povinhos*.] [F.: *zé-povo* + *-inho*.]

zé-pregos (zé-*pre*.gos) *Bras. sm.* Macho da tartaruga [Pl.: *zés-pregos*.]

⊠ **zepto-** *el. comp.* Partícula que, ao ser anteposta ao nome de uma unidade de medida, forma o de outra 10-21 vezes menor (símb.: *z*)

zerado (ze.*ra*.do) *a.* Que se reduziu a zero (débito zerado); LIQUIDADO; SALDADO [F.: Part. de *zerar*.]

zeragem (ze.*ra*.gem) *sf.* Ação ou resultado de zerar; ZERAMENTO [F.: *zero* + *-agem*.]

zeramento (ze.ra.*men*.to) *sm.* O mesmo que *zeragem* [F.: *zero* + *-mento*.]

zerar (ze.*rar*) *v.* **1** Quitar (conta, dívida etc.) [*td.*] **2** Reduzir a zero [*int.*: *Gostaríamos que a taxa de analfabetismo zerasse.*] [*td.*: *A súbita queda da temperatura zerou nosso estoque de casacos.*] **3** Compensar [*td.*: *Preciso vender muito para zerar o investimento total.*] **4** Dar ou receber nota zero [*td.*: *O professor zerou a prova.*] [*int.*: *Zerei em matemática.*] [▶ 1 zerar] [F.: *zero* + *-ar*. Hom./Par.: *zero* (fl.), *zero* (sm. e num.).]

zerinho (ze.*ri*.nho) *Bras. Pop. a.* Recém-saído da fábrica, novo em folha (diz-se freq. de automóvel); ZERO-QUILÔMETRO [F.: *zero* + *-inho*.]

zero (*ze*.ro) *num.* **1** Quantidade nula **2** Número cardinal que representa essa quantidade (arábico: 0) *sm.* **3** Ponto de início da contagem dos graus, esp. em um termômetro **4** Ponto de início à escala de instrumento de medição, como a régua **5** *Mat.* Valor da variável que torna nula uma função dessa variável **6** Coisa nenhuma; NADA **7** *Fig.* Pessoa ou coisa sem valor, sem préstimo: *Ele é um zero na firma.* [F.: Do ár. *sifr*, 'vazio, zero'. Hom./Par.: *zero* (num. sm.), *zero* (fl. de *zerar*).] ▪ **A ~** Sem nada, completamente desprovido de algo; esp. sem dinheiro, completamente sem recursos **~ absoluto** *Fís.* A menor temperatura teoricamente possível, marcada como zero na escala Kelvin, que corresponde a -273,15 graus centígrados **~ à esquerda** **1** *Fig.* Aquilo que nada acrescenta, que não faz diferença, que não tem significado, relevância, valor (como o zero, quando escrito à esquerda de um número) **2** Pessoa que não tem valor próprio, que não cria, ou não trabalha, não ajuda outras etc. **~ hidrográfico** Nível de referência para a altura da maré em certo lugar, em certo momento

zero-hora (ze.ro-*ho*.ra) *sm.* Meia-noite

zero-quilômetro (ze.ro-qui.*lô*.me.tro) *Bras. a2g2n.* **1** Diz-se de qualquer veículo que ainda não foi usado, que não percorreu qualquer percurso, que é novo em folha (carro zero-quilômetro) **2** *P. ext.* Diz-se de qualquer aparelho ou objeto novo, que ainda não foi usado (batedeira zero-quilômetro) *sm2n.* **3** Veículo que nunca foi usado [F.: *zero* + *quilômetro*. Sin. ger.: *zerinho*.]

zervanismo (zer.va.*nis*.mo) *sm.* Seita, oriunda do masdeísmo, que defendia a ideia de um princípio que teria dado origem a todas as coisas, e que surgiu durante a dinastia sassânida iraniana [F.: Do antr. *Zervan* (antigo deus iraniano) + *-ismo*.]

zesto (*zes*.to) *sm.* Camada externa da casca dos frutos cítricos (laranja, limão etc.) [F.: Do fr. *zeste*.]

zeta (*ze*.ta) *sm.* Ver *dzeta* [F.: Do gr. *zêta*.]

zetacismo (ze.ta.*cis*.mo) *sm.* Vício de linguagem que ocorre quando se pronuncia os fonemas *s* e *z* como interdentais [F.: *zeta* + *-cismo*.]

zetética (ze.*té*.ti.ca) *Mat. Fil. sf.* Método investigativo us. na resolução de problemas filosóficos ou matemáticos [F.: Do gr. *zetetiké*, fem. substv. do gr. *zetetikós, é, ón*.]

zetético (ze.*té*.ti.co) *a.* **1** Ref. à zetética **2** Que emprega a zetética (método zetético) [F.: Do gr. *zetetikos, e, on*.]

◎ **zetta-** *pref.* Prefixo que, anteposto ao nome de uma unidade de medida, forma o de outro 10-21 vezes maior (símb.: *Z*)

zettajoule (zet.ta.*jou*.le) *sm. Fís.* Unidade de medida de energia equivalente a 10^{21} joules (símb.: *ZJ*) [F.: *zetta-* + *joule*.]

zeugita (zeu.*gi*.ta) *s2g.* **1** Cidadão de terceira classe na hierarquia militar e civil, na Grécia antiga **2** Remador da fila intermediária numa trirreme [F.: Do gr. *zeugítes*.]

zeugma (*zeug*.ma) [ê] *sm. Ling.* Figura de linguagem que consiste na omissão de palavras ou partes de frases expressas anteriormente no discurso ou no texto, podendo tais palavras ou partes de frases sofrer ou não flexão P. ex.: *Ele é muito estudioso e a irmã também é.* [*Nesse caso, a parte omitida seria 'muito estudiosa'.*] [Cf.: *elipse*.] [F.: Do gr. *zeûgma, atos*.] ▪ **~ complexa** *Gram.* Elipse na qual a palavra oculta tem flexão diferente de palavra explícita à qual corresponde [Ex.: *Corremos 5 km, eu (corri) em 30 minutos, ele (correu) em 25.*]

zeugo (*zeu*.go) *sm. Mús.* Na Grécia antiga, instrumento musical composto pela junção de duas flautas [F.: Do gr. *zeugos, eos -ous*.]

zibelina (zi.be.*li*.na) *sf.* **1** *Zool.* Ver *marta-zibelina*; MARTA-ZIBELINA **2** A pele desse animal [F.: Do fr. *zibéline*.]

zigapófise (zi.ga.*pó*.fi.se) *Anat. sf.* Saliência ou eminência na superfície de um osso que articula uma vértebra com outra [F.: *zig(o)-* + *apófise*.]

◎ **zig(o)-** *el. comp.* = 'união de dois'; 'par': *zigapófise, zigócero, zigodáctilo, zigoma, zigóptero, zigoteno, zigoto* [F.: Do gr. *zygón, oû*, ou *zygós, oû*.]

zigócero (zi.*gó*.ce.ro) *Zool. a.* **1** Que possui tentáculos em número par *sm.* **2** Animal zigócero [F.: *zig(o)-* + *-cero*.]

zigodáctilo (zi.go.*dác*.ti.lo) *a.* Ver *zigodátilo*

zigodátilo (zi.go.*dá*.ti.lo) *Zool. a.* Que tem dois dedos voltados para frente e dois dedos para trás, como os pés dos papagaios e pica-paus [F.: *zig(o)-* + *-dá(c)tilo*. Var.: *zigodáctilo*.]

zigoma (zi.*go*.ma) [ô] *Anat. sm.* **1** Osso saliente da face; OSSO ZIGOMÁTICO [*Zigoma* substituiu *malar* na nova terminologia anatômica.] **2** Espécie de arco formado pela união de dois processos ósseos do crânio: o processo temporal do osso zigomático e o processo zigomático do osso temporal; tb. *arco zigomático* [F.: Do gr. *zýgoma, atos*.]

zigomático (zi.go.*má*.ti.co) *a.* **1** Ref. a zigoma **2** Diz-se de arco ou de osso que se localiza abaixo da cavidade orbital, pela frente ou pelo lado do crânio [F.: *zigoma* + *-ático*.]

zigóptero (zi.*góp*.te.ro) *Zool. sm.* **1** Espécime dos zigópteros, subordem de insetos odonatos de asas anteriores e posteriores iguais, cabeça quase sempre alongada, e que reúne cerca de 3.000 spp *a.* **2** Ref. ou pertencente aos zigópteros [F.: Adaptç. do lat. cient. *Zygoptera*.]

zigoteno (zi.go.*te*.no) *Cit. sm.* Fase inicial da meiose, momento em que se inicia o emparelhamento dos cromossomos homólogos; ANFITENO [F.: *zig(o)-* + *-teno*.]

zigoto (zi.*go*.to) [ô ou ó] *sm. Biol.* Célula que se forma da fusão do gameta masculino (espermatozoide) com o gameta feminino (óvulo), dando origem ao feto; OVO [F.: Do gr. *zygotós, é, ón*, 'unido'; 'atrelado'.]

zigue-zague (zi.gue-*za*.gue) *sm.* **1** Linha, desenho ou movimento em forma de z contínuo, como os movimentos de uma cobra: *Estrada em zigue-zague.* **2** Forma de andar, descrevendo esse movimento **3** Costura em que se faz zigue-zagues com as linhas **4** *Bras.* Espécie de fita ou cadarço com esse formato, ger. de algodão ou seda, us. em costuras [Cf. *sianinha*.] **5** Qualidade do que é tortuoso, do que tem curvas ou bordas irregulares; FLEXUOSIDADE; SINUOSIDADE **6** *Fig.* Variação, alternância (zigue-zagues da memória) **7** Ornamento com a forma de zigue-zague **8** *Mar.* Em navegação, alteração sucessiva de rumo para um bordo e para outro **9** *Mil.* Caminho anguloso que liga diversas linhas de ataque em uma praça de guerra **10** *Lus. Ent.* Ver *esponjeira* [Pl.: *zigue-zagues*.] *s2g.* **11** *RN Ent.* Ver *libélula* [F.: Do fr. *zigzag*.]

ziguezagueado (zi.gue.za.gue:*a*.do) *a.* Que foi movido ou se moveu em zigue-zague [F.: *ziguezaguear* + *-ado*.]

ziguezagueante (zi.gue.za.gue:*an*.te) *a2g.* **1** Que faz ou descreve zigue-zagues (terreno ziguezagueante); FLEXUOSO; SINUOSO **2** *Fig.* Que apresenta variação (ideias ziguezagueantes); INCERTO; OSCILANTE; VACILANTE [F.: *ziguezaguear* + *-nte*.]

ziguezaguear (zi.gue.za.gue.*ar*) *v. int.* **1** Ir de um lado para outro, fazendo zigue-zague: *O jogador ziguezagueou antes de chutar.* **2** Evoluir sinuosamente, em zigue-zagues: *O rio ziguezagueava montanha abaixo.* [▶ 13 ziguezaguear] [F.: *zigue-zague* + *-ear*.]

zigurate (zi.gu.*ra*.te) *sm.* Templo da arquitetura religiosa mesopotâmica, de forma piramidal, com plataformas recuadas e sucessivas, degraus externos e santuário no topo [F.: Do assírio *ziggurratu*.]

zilhão (zi.*lhão*) *num. Fam.* Numeral multiplicativo de existência ideal, que descreve um número monumental, indefinido, de qualquer coisa: *Já lhe pedi isso zilhões de vezes!* [F.: *z* + *-ilhão*.]

◎ **-zima** *el. comp.* Ver *zime-*

zimbabuano (zim.ba.bu:*a*.no) *sm.* **1** Pessoa nascida ou que vive no Zimbábue (África) *a.* **2** Do Zimbábue; típico desse país ou de seu povo [F.: Do top. *Zimbábue* + *-ano*. Sin. ger.: *zimbabuense*. Cf. *rodesiano*.]

zimbabuense (zim.ba.bu.*en*.se) *a2g. s2g.* O mesmo que *zimbabuano* [F.: Do top. *Zimbábue* + *-ense*.]

zimbo (*zim*.bo) *sm.* O mesmo que *jimbo* (1) [F.: var. de *jimbo*.]

zimbório (zim.*bó*.ri:o) *sm.* **1** *Arq.* Parte que exteriormente remata ou cobre a cúpula das grandes igrejas e dos edifícios monumentais; DOMO **2** *Fig.* A abóbada celeste; CÉU **3** *Bras. Ant. Fig. Pop.* Cabeça **4** *Lus. Fig. Pop.* Chapéu feminino [F.: Do gr. *kiborion, ou*.]

zimbro (*zim*.bro) *Bot. sm.* Nome comum às plantas do gên. *Juniperus*, da fam. das cupressáceas, árvores e arbustos nativos do hemisfério norte, cultivados como ornamentais, para extração de madeira e pelos frutos comestíveis, us. na produção de bebidas, perfumes e aromatizantes, como, p. ex., *Juniperus communis*, cujo fruto é us. no preparo do gim e da genebra; JUNÍPERO [Col.: *zimbral*.] [F.: Do lat. *juniperus, i*. Hom./Par.: *zimbro* (sm.), *zimbro* (fl. de *zimbrar*). Ideia de: *juniper-*.]

◎ **zime-** *el. comp.* = 'fermento'; 'fermentação'; '(*p. ext.*) enzima': *zimeose; zímase, zimóforo, zimogenia, zimose* (< gr.), *zimótico* (< gr.); *azimia; ázimo* (< lat. < gr.); *enzima* (< al.); *lisozima* [F.: Do gr. *zymé, es*, 'fermento'; 'levedo'.]

zimeose (zi.me.*o*.se) *Enol. sf.* Deterioração dos vinhos, que os torna viscosos como o azeite, com presença de pontos brancos [F.: *zime-* + *-ose*[1].]

zímico (*zí*.mi.co) *a.* Ref. a fermentação; ZIMÓTICO [F.: *zim(o)-* + *-ico*[2].]

◎ **-zim(o)-** *el. comp.* Ver *zime-*

◎ **-zimo** *el. comp.* Ver *zime-*

◎ **zim(o)-** *el. comp.* Ver *zime-*

zimóforo (zi.*mó*.fo.ro) *a.* Que transporta fermento [F.: *zim(o)-* + *-foro*.]

zimogênio (zi.mo.*gê*.ni:o) *Bioq. sm.* Cada um dos precursores inativos que, pela ação de outra substância, é transformado em enzima ativa [F.: *zim(o)-* + *-gênio*.]

zimógeno (zi.*mó*.ge.no) *a. Biol.* Diz-se de microrganismo que realiza fermentação [F.: *zim(o)-* + *-geno*.]

zimologia (zi.mo.lo.*gi*.a) *sf.* Ciência ou estudo acerca da fermentação e dos fermentos [F.: *zim(o)-* + *-logia*.]

zimoscópio (zi.mos.*có*.pi:o) *sm.* Instrumento próprio para medir o grau de fermentação de um líquido [F.: *zim(o)-* + *-scópio*.]

zimotecnia (zi.mo.tec.*ni*.a) *sf.* Técnica de produzir e estudar a fermentação [F.: *zim(o)-* + *-tecnia*.]

zinabre (zi.*na*.bre) *sm.* Ver *azinhavre* [F.: Do ár. *az-zindjafr*.]

zincado (zin.*ca*.do) *a.* **1** Coberto ou revestido com capa de zinco galvanizado **2** *Fig.* Diz-se do céu quando apresenta tonalidade branco-azulada, semelhante à do zinco [F.: Part. de *zincar*.]

zincagem (zin.*ca*.gem) *sf.* Operação que consiste em recobrir um metal com fina camada de zinco, ger. para fins de proteção; GALVANIZAÇÃO [Pl.: *-gens*.] [F.: *zincar* + *-agem*[2].]

zincar (zin.*car*) *v. td.* Revestir, recobrir com zinco; GALVANIZAR [▶ 11 zincar] [F.: *zinco* + *-ar*[2]. Hom./Par.: *zinco* (fl.), *zinco* (sm.).]

zincato (zin.*ca*.to) *Quím. sm.* Qualquer um de vários compostos formados pela reação de óxido de zinco ou zinco com soluções de álcalis [F.: *zinco* + *-ato*[2].]

zinco (*zin*.co) *sm.* **1** *Quím.* Elemento químico, metálico, de número atômico 30, us. em ligas, calhas, telhados etc. [Símb.: *Zn*] **2** Folha desse metal, us. como cobertura **3** *N. E. Pop.* Arma branca, como facão, navalha etc. **4** *Bras. S Pop.* Qualquer quantia de dinheiro **5** *RS Pop.* Moeda de zinco; níquel [F.: Do al. *Zink*. Hom./Par.: *zinco* (sm.), *zinco* (fl. de *zincar*). NOTA: nas acp. 1 e 2, o termo não é empregado no pl.]

zincografia (zin.co.gra.*fi*.a) *sf.* **1** *Grav.* Processo de impressão litográfica que tem uma placa de zinco como matriz **2** Arte de gravar ou imprimir sobre lâminas de zinco [F.: *zinco* + *-grafia*.]

zincográfico (zin.co.*grá*.fi.co) *a. Grav.* Ref. a zincografia [F.: *zincografia* + *-ico*[2].]

zincogravar (zin.co.gra.*var*) *v. td.* Fazer gravura em zinco [▶ 1 zincogravar] [F.: *zinco* + *gravar*.]

zincogravura (zin.co.gra.*vu*.ra) *Grav. sf.* **1** Qualquer técnica de gravura em zinco **2** Cada chapa de zinco gravada **3** Ilustração que se obtém por esse processo [F.: *zinco* + *gravura*.]

zincoteca (zin.co.*te*.ca) *sf. Grav.* Lugar de um ateliê ou oficina onde se guardam as chapas zincográficas [F.: *zinco* + *-teca*.]

zincotipia (zin.co.ti.*pi*.a) *a. Art. gr.* Processo ou técnica em que o zinco entra como matéria-prima para fundir tipos ou matrizes [F.: *zinco* + *-tipia*.]

zine (*zi*.ne) *sm.* F. red. de *fanzine* [F.: Regress. de *fanzine* (*fanatic* + *magazine*).]

zineiro (zi.*nei*.ro) *sm. Gír.* Aquele que trabalha com zine ou fanzine; FANZINEIRO [F.: *zine* + *-eiro*.]

zinga (*zin*.ga) *sf.* **1** *Bras. Mar.* Vara comprida que se utiliza para mover embarcações leves em águas rasas; varejão: "Depois o balseiro desprendeu a corrente, deu um arranco de zinga, e a balsa..." (Guimarães Rosa, "O duelo" *in Sagarana*) **2** Remo que se articula com a popa da embarcação e a impulsiona por meio de movimentos de um para outro bordo **3** *Pop.* Vulva, vagina [F.: De or. obsc.]

zingador (zin.ga.*dor*) [ô] *a.* **1** Que zinga *sm.* **2** Remador que faz uso da zinga: "Os zingadores, um de cada lado, fincam os varejões..." (Guimarães Rosa, "Ao Pantanal" *in Ave, Palavra*) [F.: *zingado* (part. de zingar) + *-or*.]

zingar (zin.*gar*) *v. int. Bras. Mar.* Manejar a zinga (a vara ou o remo), para impulsionar a embarcação [▶ 14 zingar] [F.: *zinga* + *-ar*.]

zíngaro (*zín*.ga.ro) *sm.* **1** Boêmio, cigano *a.* **2** Que é boêmio ou cigano [F.: Do it. *zingaro*.]

zingiber (zin.*gi*.ber) *sm. Angios.* Nome comum às ervas do gên. das *Zingiber*, da fam. das zingiberáceas, mais conhecidas como gengibre, us. em culinária e como medicamento, nativas da Índia, Nova Guiné, Leste da Ásia e regiões tropicais da Austrália [F.: Do lat. cient. *Zingiber*.]

zingiberácea (zin.gi.be.*rá*.ce.a) *sf. Bot.* Espécie das zingiberáceas, da família das zingiberales, que reúne mais de 1.100 spp. de ervas, ger. perfumadas, com folhas espiraladas ou em dísticos e flores hermafroditas, nativas de regiões tropicais, muitas utilizadas como temperos, ou ornamentais, ou para a extração de tinturas [F.: Do lat. cient. *Zinziberaceae*. Forma paral.: *gingiberácea*.]

zingiberáceo (zin.gi.be.*rá*.ce:o) *a.* Ref. às zingiberáceas [F.: *zingiber* + *-áceo*. Forma paral.: *gingiberáceo*.]

zingração (zin.gra.*ção*) *sf.* Ação ou resultado de zingrar; CHACOTA; MOTEJO [Pl.: *-ões*.] [F.: *zingrar* + *-ção*.]

zingrar (zin.*grar*) *v.* **1** Dirigir zombaria a (alguém); gracejar, escarnecer, zombar [*td.*: *Zingrou o aluno na frente da turma.*] [*tr.* + *com, de*: *Fica zingrando do irmão caçula o dia inteiro!*] [*int.*: *Esse aí só sabe zingrar.*] **2** Ter desprezo por; desdenhar, menoscabar [*tr.* + *de*: *Gostava de zingrar dos imigrantes.*] **3** Enganar, burlar, lograr [*td.*] [▶ 1 zingrar] [F.: Posv. do ár. *sajara*.]

◎ **-zinha** *suf.* Ver *-inho*[1]: *cafezinho; homenzinho; manhãzinha; mulherzinha* [F.: *-z-* + *-inho*[1].]

zinha (*zi*.nha) *sf. Bras. Pej. Pop.* Mulher qualquer: *Não falo mais com aquela zinha; Ele namora com qualquer zinha que apareça pela frente.* [NOTA: *P.us. no masc. É termo depreciativo.*] [F.: Substv. do suf. *-zinha*.]

◎ **-zinho** *el. comp.* Ver *-zinha*

zínia (*zí*.ni.a) *Bot. sf.* **1** Gênero de compostas nativas do México, muito cultivadas, desde os astecas, por suas sépalas vistosas e de várias cores **2** Planta deste gênero (*Zinnia elegans*), também conhecida como *canela-de-velha* e *moças-e-velhas* [F.: Do lat. cient. *zinnia*. Hom./Par.: *zinia* (fl. zinir).]

zinido (zi.*ni*.do) *sm.* Ação ou resultado de zinir, mesmo que *zunido* [F.: part. de *zinir*.]

zinir (zi.*nir*) *v. int.* **1** O mesmo que *zunir* **2** Produzir som semelhante ao de um inseto [▶ 3 zinir] [F.: De or. onom. Hom./Par.: *zinia(s)* (fl), *zínia* (sf.) e pl.]

zino (*zi*.no) *sm. Fís.* S-partícula de bóson Z-zero [F.: *Z* (*-zero*) + *-ino*.]

zinzinular (zin.zi.nu.*lar*) *v. int.* 1 Emitir som, cantar (alguns pássaros); chilrear, grinfar [▶ 1 zinzinular] *sm.* 2 O canto desses pássaros [F.: Do lat. *zinzilare.*]
zioziar (zi.o.zi.*ar*) *v.* O mesmo que *ziziar* [▶ 1 zioziar]
zip (*Ing.* /zip/) *Inf. sm.* 1 Processo de compactação de arquivos por meio de programas específicos 2 Ver *zip drive*
zipar (zi.*par*) *v. td. Inf.* Compactar (texto, arquivo etc.), usando programa feito para isso [▶ 1 zipar] [F.: Do ing. *zip.*]
zip drive (*Ing.* /zip dráiv/) *Inf. sm.* 1 Aparelho ou dispositivo para armazenamento de dados, que utiliza discos com capacidade de aprox. 100 MB 2 Disco em que esses dados são armazenados; ZIP
zipe (zi.pe) *sm.* Fecho dentado usado em roupas, mesmo que *zíper* [F.: Do ing. *zipper.*]
zíper (*zí*.per) *sm.* Fecho us. em roupas, malas, bolsas etc., constituído de dentes que se encaixam ou desencaixam à medida que por eles se passa um cursor; fecho ecler [F.: Do ing. *zipper*®. Tb. *zipe.*]
ziquizira (zi.qui.*zi*.ra) *Bras. Gír. sf.* 1 Afecção, doença desconhecida; ZIGUIZIRA 2 Má sorte; AZAR; URUCUBACA; ZIGUIZIRA [F.: De or. obsc.]
zircão (zir.*cão*) *sm. Min.* Silicato de zircônio, usado como material refratário e, quando incolor, como pedra preciosa [F.: Do ár. *zayrqun*, pelo fr. *zircon.*]
zircônia (zir.*cô*.ni:a) *sm. Quím.* Elemento químico, branco, denso, de número atômico 40 [Símb. *Zr*] [F.: Do lat. cient. *zirconium.*]
zircônio (zir.*cô*.ni:o) *sm. Quím.* Elemento químico, metálico, de coloração cinza-prateado, us. nas indústrias nuclear, química e eletrônica, assim como em ligas de ferro, estanho etc. [Símb.: *Zr*] [F.: Do lat. cient. *zirconium.*]
zirconita (zir.co.*ni*.ta) *sf. Min.* Mineral tetragonal prismático, mesmo que *zircão* [F.: *zircônio* + *-ita.*]
ziriguidum (zi.ri.gui.*dum*) *sm.* Festa, folia ou música de carnaval: *Todos caíram no ziriguidum.* [F.: Talvez de or. onomatopaica.]
zis *sm.* De repente: *Todos desapareceram num zis.* [F.: Talvez de or. onomatopaica.]
-zita *suf.* Ver *-ito*: *florzita; jardinzito* [F.: *-z-* + *-ito.*]
-zito *el. comp.* Ver *-zita*
ziuziu (ziu.*ziu*) *sm.* A voz da cigarra [F.: De or. onomatopaica.]
ziziar (zi.zi.*ar*) *v. int.* 1 Produzir (cigarra, gafanhoto etc.) som sibilante [▶ 1 ziziar] *sm.* 2 O som emitido por esses insetos [F.: Voc. onom.]
zloti (*zlo*.ti) *sm.* Unidade monetária e moeda da Polônia [F.: Do pol. *zloty.*]
Zn *Quím.* Símb. de *zinco*
-zo- *el. comp.* = 'vida': *hilozoísmo* [F.: Do gr. *zoé, zoés*, 'vida'; 'existência'. F. conexa: *zo(o)-.*]
zoacantose (zo.a.can.*to*.se) *sf. Derm.* Erupção na pele humana proveniente da introdução de pelos, unhas ou garras de animais [F.: *zo(o)-* + *-acant(o)-* + *-ose*¹.]
zoada (zo:*a*.da) *sf.* 1 Ação ou resultado de zoar 2 Ruído forte, contínuo e indistinto de vozes ou de coisas; SOADA; ZOEIRA; ZUM-ZUM: "A zoada confusa da rua, com o ressoar das buzinas dos carros... as freadas bruscas..." (Josué Montello, *Sempre serás lembrada*) 3 Som forte de muitas vozes ao mesmo tempo; ALGAZARRA; BARULHEIRA; GRITARIA; VOZERIO: *A zoada das crianças brincando.* 4 Som semelhante ao dos insetos; ZUMBIDO; ZUNIDO; ZUM-ZUM 5 *Bras. Pop.* Peça que se prega em alguém; GOZAÇÃO; TROÇA: *Ficam na rua procurando alguém para fazer zoada.* 6 *Bras. Pop.* Alvoroço, confusão, perturbação da ordem; DESORDEM; TUMULTO [F.: *zoar* + *-ada*¹.] ■ **Bater ~** *MG Pop.* Conversar sobre assuntos triviais, bater papo, trocar figurinhas, conversar fiado
zoadaria (zo.a.da.*ri*.a) *sf.* Zoada contínua e forte, mesmo que *zoadeira* e *zoeira* [F.: *zoada* + *-ria.*]
zoado (zo.*a*.do) *a. Bras. Pop.* Que se zoou, que foi alvo de caçoada, de zombaria: *É o garoto mais zoado da escola.* [F.: part. de *zoar.*]
zoantropia (zo.an.tro.*pi*.a) *sf. Psiq.* Delírio em que o doente pensa que se transformou em um animal [F.: *zo(o)-* + *-antropia.*]
zoantrópico (zo.an.*tró*.pi.co) *a. Psiq.* Ref. a *zoantropia* [F.: *zoantropia* + *-ico*².]
zoantropo (zo.an.*tro*.po) [ô] *sm. Psiq.* Indivíduo que sofre de zoantropia [F.: *zo(o)-* + *-antropo.*]
zoar (zo.*ar*) *v.* 1 Produzir (certos insetos, como mosca, besouro etc.) som fino, penetrante [*int.*] 2 Produzir som semelhante ao de insetos quando voam; ZUMBIR [*int.: A flecha passou zoando pela minha orelha.*] 3 Produzir barulho forte e indistinto [*int.*] 4 *Bras. Gír.* Divertir-se sem compromisso com nada [*int.: Saíram à tarde só para zoar.*] 5 *Bras. Gír.* Fazer pilhéria, caçoar [*td.: A garotada zoava o pobre mendigo; Você está a fim de me zoar, hem?*] [▶ 16 zoar] [F.: Voc. onom.]
-zoário *el. comp.* = ref. a animal: *protozoário* [F.: Do gr. *zôion, ou* + suf. lat. *-arius, a, um.*]
zodiacal (zo.di.a.*cal*) *a2g.* Ref. ao zodíaco [Pl.: *-ais.*] [F.: *zodíaco* + *-al.*]
zodíaco (zo.*dí*.a.co) *sm.* 1 *Astron.* Área na esfera celeste que se estende a cerca de 8º em cada lado da eclíptica e sobre a qual se movem o Sol, a Lua e os planetas em órbita 2 *Astrol.* Essa mesma área dividida em 12 partes de 30º de longitude, cada uma batizada com o nome de uma constelação próxima e que muitos acreditam influenciar o curso das vidas humanas 3 *P. ext. Astrol.* Representação gráfica e figurada dessa área e de seus respectivos signos 4 *Ant. Astrol.* Instrumento persa, circular ou quadrado, ger. de bronze, sobre o qual giram vários discos que contêm tabelas e inscrições, us. para fazer mapas astrológicos, a partir da data de nascimento de alguém 5 *Fig.* Série ou encadeamento de eventos (zodíaco de falhas) [F.: Do gr. *zodiakós.*]
zoeira (zo:*ei*.ra) *sf.* 1 Ver *zoada* (2) 2 *RJ Gír.* Desordem, confusão *s2g.* 3 *Lus. Pop.* Pessoa desajuizada, aparvalhada, leviana [F.: *zoar* + *-eira.*]
-zoico *el. comp.* = ref. a era geológica: *mesozoico; paleozoico* [F.: Do gr. *zôion, ou* + *-ico*².]
zoico (*zoi*.co) *a. Zool. Biol.* Ref. à vida animal ou aos animais [F.: Do gr. *zoikós, é, ón*, 'concernente aos animais'.]
-zoide *el. comp.* = 'semelhante a um animal'; 'animáculo espermático'; 'célula masculina reprodutora': *acantozoide, anterozoide, espermatozoide, esporozoide, gamozoide, nectozoide* [F.: Do fr. *-zoïde*, do gr. *zoioeidés*, 'semelhante a um animal'; 'de forma animal', do gr. *zôion*, 'ser vivo'; 'animal', + gr. *eidos, eos-ous*, 'forma'; 'aspecto'. Ver *-oide.*]
zoidógamo (zoi.*dó*.ga.mo) *a. Bot.* Diz-se da planta que se torna fértil por meio de pólen transportado por ave ou inseto [F.: *zoide* + *gamo.*]
zoilo (*zoi*.lo) *sm.* Crítico parcial, apaixonado e invejoso: "O truão, o chocarreiro medieval, distribuidor de chufas, é, na sua missão de crítico, grosador e zoilo, como os censores romanos..." (Conde de Sabugosa, *Donas de tempos idos*) [F.: Do antr. gr. *Zôilo*, (nome de um crítico de Homero).]
zoísmo (zo.*ís*.mo) *sm.* 1 O conjunto dos fenômenos e características que permitem a inserção de um ser vivo entre os animais 2 O conjunto dos fenômenos típicos da vida animal [F.: *zo(o)-* + *-ismo.*]
zombador (zom.ba.*dor*) [ô] *a.* 1 Diz-se de pessoa que faz zombarias *sm.* 2 Pessoa que zomba, que faz zombarias [F.: *zombar* + *-dor*. Sin. ger.: *debochador, gozador, trocista, zombeirão, zombeteiro.*]
zombar (zom.*bar*) *v.* 1 Fazer troça, usar de deboche; DEBOCHAR [*tr.* + *de, com*: *As crianças zombaram do palhaço.*] [*int.: Alguns aplaudiam, outros zombavam.*] 2 Fazer pouco-caso de; DESDENHAR [*tr.* + *de*: *Ele zombava dos mais velhos.*] 3 Não considerar; não ligar para [*tr.* + *de*: *Zombava das ameaças.*] [▶ 1 zombar] [F.: De or. obsc. Hom./Par.: *zombaria(s)* (fl.), *zombaria(s)* (sf. [pl.]); *zombes* (fl.), *Zômbis* (top.).]
zombaria (zom.ba.*ri*.a) *sf.* 1 Ação ou resultado de zombar, de caçoar de alguém; CAÇOADA; PILHÉRIA; TROÇA [Ant.: *aclamação, aplauso, apoio, conforto.*] 2 Dito acerca de algo ou alguém com vistas a provocar riso; CAÇOADA; MOFA; PILHÉRIA 3 Dito ou ato que visa a depreciar ou ridicularizar algo ou alguém; ACHINCALHAÇÃO; ESCÁRNIO 4 Algo ou alguém que é vítima de caçoada, desdém, ironia, ridicularização: *Sempre foi alvo da zombaria dos colegas.* [F.: *zombar* + *-aria*. Sin.: *agulha, apodo, apupo, befa, bexiga, bisca, biscate, brincadeira, brinco, burla, burlaria, caçoada, caçurria, chacota, chacoteação, chacotice, chalaça, chança, chanfreta, chasco, chincalhada, chufa, debique, deboche, derriço, derrisão, desfrute, desfruto, dichote, dictério, ditério, escarnecimento, escarninho, escárnio, flauta, flauteio, gaita, galhofa, gozação, gozada, gozeira, gracejo, ironia, irrisão, jocosidade, joguete, judiaria, ludíbrio, malhação, mangação, mangoça, mangofa, matraca, micterismo, moca, mofa, momo, motejo, paço, pagode, pela, remoque, sarcasmo, sátira, troça*. Hom./Par.: *zombaria* (sf.), *zombaria* (fl. de *zombar*).]
zombateiro (zom.ba.*tei*.ro) *a.* Que faz zombas, zombarias; ZOMBADOR; ZOMBEIRO; ZOMBATÃO [f.: *zombar* + *-t-* + *-eiro.*]
zombeteiramente (zom.be.tei.ra.*men*.te) *adv.* De modo zombeteiro, com zombaria: *Olhou zombeteiramente para o professor.* [F.: *zombeteiro* + *-mente.*]
zombeteiro (zom.be.*tei*.ro) *sm.* 1 Ver *zombador a.* 2 Que revela ironia, escárnio (dito zombeteiro) *sm.* 3 Ver *zombador* [F.: *zombetear* + *-eiro.*]
zom(o)- *el. comp.* = 'suco'; 'sumo': *zomoterapia* [F.: Do gr. *zomós, oû*, 'suco'; 'caldo'; 'sopa'.]
zomoterapia (zo.mo.te.ra.*pi*.a) *sf. Med.* Antiga terapia fundamentada na ingestão de carne crua, esp. do seu suco [F.: *zom(o)-* + *-terapia.*]
zona (*zo*.na) *sf.* 1 Área ou espaço limitado; CINTA; FAIXA 2 Área delimitada natural ou artificialmente (zona da mata); REGIÃO 3 *Geog.* Cada parte da superfície terrestre determinada pelo equador, círculos polares e trópicos (zona tropical) 4 Circunscrição administrativa (zona eleitoral) 5 Parte de uma cidade com características próprias em relação a suas atividades (zona residencial) 6 *Pop.* Área de uma cidade onde se localiza o meretrício 7 *Anat.* Parte do corpo com limites relativamente precisos (zona cervical) 8 *Bras. Pop.* Falta de ordem, de organização; BAGUNÇA; DESORDEM: *Seu quarto está uma zona!* 9 *Bras. Pop.* Tumulto, confusão, rolo: *Bêbedo, fez a maior zona na festa.* 10 *Geom.* Região de uma superfície de revolução compreendida entre dois planos perpendiculares ao eixo da revolução 11 *Esp.* Trecho imaginário do campo ou da quadra que corresponde a ações específicas de defesa, meio-campo etc. 12 *Med.* O mesmo que *herpes-zóster* [F.: Do gr. *zóne, es*, 'cintura', pelo lat. *zona, ae*. Hom./Par.: *zona* (sf.), *zona* (fl. de *zonar*).] ■ **Cair na ~** *N. E. Gír. Vulg.* Prostituir-se **Fazer a ~** *Bras. Vulg.* Percorrer zona de meretrício em busca de aventuras sexuais **~ afótica** *Oc. Biol.* A camada de água do mar não atingida por luz solar com luminosidade suficiente para ser percebida pelo olho humano (portanto, para o homem, de escuridão absoluta) [Fica, ger., a mais de 100 m de profundidade.] **~ cega** *Eletrôn* Espaço dentro do alcance de um transmissor no qual, por algum motivo, as ondas transmitidas não chegam **~ crítica** 1 *Aer.* Trecho da pista de um aeroporto (ger. onde toca o trem de aterrissagem de grandes aviões no pouso) submetida a grandes esforços 2 *Mil.* Faixa de espaço na qual um bombardeiro deve voar em linha reta (tornando-se mais vulnerável) para lançar suas bombas com precisão **~ de livre comércio** *Econ.* Ver *Área de livre comércio* no verbete *área* **~ de silêncio** 1 *Acús.* Área na qual, por algum motivo (como, p. ex., a configuração do terreno), um som não é percebido pelo ouvido, embora possa ser ouvido em áreas ainda mais distantes de sua origem 2 Zona urbana de silêncio obrigatório (p. ex., junto a hospitais) **~ de sombra** *Telc.* Área não atingida por emissão de ondas eletromagnéticas (de televisão, de telefone celular etc.) devido a algum obstáculo natural, edificações etc. **~ disfótica** *Oc.* Camada de água do mar na qual a luz solar entra com pouca intensidade, mas suficiente para haver fotossíntese **~ do agrião** *Bras. Fut.* Parte do campo, dentro ou nas proximidades da grande área, na qual ger. há grande disputa da bola, por ser a área onde se decidem as jogadas que buscam o gol **~ equatorial** Ver *Zona tórrida* **~ erógena** Cada uma das áreas do corpo suscetível de excitação erótica, como os lábios, os mamilos etc. [Podem variar, de pessoa para pessoa.] **~ esférica** *Geom.* Área de uma superfície de revolução compreendida entre dois planos paralelos (dos quais pelo menos um é secante) perpendiculares ao eixo da rotação que gera as superfícies **~ estragada** *N. E. Gír.* Zona de meretrício **~ eufótica** *Oc.* Camada de água do mar na qual a luz solar penetra com intensidade **~ franca** *Econ.* Zona de um país na qual, por medida legal, há redução ou ausência de determinados impostos e tarifas, esp. alfandegárias, como meio de incentivar o comércio **~ glacial** *Geog.* Cada uma das duas zonas terrestres, ao norte e ao sul do equador, entre o círculo polar e o polo, onde as temperaturas médias são ger. inferiores a 0 ºC; zona polar [A zona glacial do norte chama-se *Ártica*, a do sul, *Antártica.*] **~ morta** *Basq.* Área da quadra próxima de cada um dos quatro cantos **~ pelúcida** *Anat. Obst.* Zona de proteína em volta de ovócito, entre duas membranas, uma mais espessa, outra mais fina **~ polar** Ver *Zona glacial* [A zona temperada do norte vai do trópico de Câncer ao círculo polar ártico, a do sul, do trópico de Capricórnio ao círculo polar antártico.] **~ temperada** Cada uma das duas zonas terrestres, uma ao norte e uma ao sul do equador, entre a zona tórrida e a zona glacial correspondente **~ tórrida** A zona terrestre que se estende ao norte e ao sul do equador, entre o trópico de Câncer e o de Capricórnio, de clima quente e úmido; zona equatorial, zona tropical **~ tropical** Ver *Zona tórrida*
zonação (zo.na.*ção*) *sf.* 1 Divisão em zonas, mesmo que *zoneamento* 2 *Ecol.* Ocorrência de zonas de espécies diferentes de animais [Pl.: *-oes.*] [F.: *zona* + *-ar* + *-ção.*]
zonado (zo.*na*.do) *a.* 1 Marcado com zonas 2 *Geol.* Diz-se de estrutura que apresenta diferença de cores do seu centro para os limites externos [F.: *zona* + *-ado.*]
zonal (zo.*nal*) *a2g.* 1 Ref. a zona 2 Que foi disposto ou distribuído em zonas 3 Que se refere a uma porção de área delimitada, dotada de partes que a distinguem de outras partes 4 Que apresenta faixas 5 Que tem faixa de cor diferente 6 Que apresenta herpes-zóster ou a ele se refere [F.: *zona* + *-al*. Hom./Par.: *zonais* (pl.), *zonais* (fl. zonar).]
zonalidade (zo.na.li.*da*.de) *sf.* Caráter ou qualidade do que é zonal, do que se distribui em zonas [F.: *zonal* + *-i-* + *-dade.*]
zoneado (zo.ne.*a*.do) *a.* 1 Que passou por processo de zoneamento 2 *Gír. Pop.* Que se zoneou, que ficou bagunçado, tumultuado [F.: part. de *zonear.*]
zoneamento (zo.ne:a.*men*.to) *sm.* 1 Ação ou resultado de zonear 2 Divisão de uma área, região ou país em unidades, segundo suas características econômicas, sociais etc. 3 *Adm.* Repartição ou distribuição em setores ou unidades menores de atividades globais 4 *Urb.* Regulamentação da divisão de uma área urbana, cidade etc. em zonas, para obter um desenvolvimento ordenado e gerir problemas específicos [F.: *zonear* + *-mento*. Sin. ger.: *zonação, zonagem*. Ideia de: *zon-.*]
zonear (zo.ne.*ar*) *v.* 1 Dividir em regiões demarcadas [*td.: Zoneou suas terras.*] 2 *Bras. Gír.* Fazer bagunça, criar tumulto; BAGUNÇAR [*td.: O grupo zoneou a festa.*] [*int.: Aqueles rapazes viviam para zonear.*] [▶ 13 zonear] [F.: *zona* + *-ear.*]
zoneiro (zo.*nei*.ro) *Bras. Pop. a.* 1 Diz-se de indivíduo que frequenta a zona do meretrício 2 Diz-se de indivíduo que faz zona, bagunça, confusão [F.: *zona* + *-eiro.*]
zonofone (zo.no.*fo*.ne) *sm. N. E. Pop.* Aparelho de som, mesmo que *toca-discos* [F.: alt. de *gramofone.*]
zônula (*zô*.nu.la) *sf.* 1 Pequena zona 2 Qualquer pequena parte limitada do corpo [F.: *zona* + *-ula.*]
zonzar (zon.*zar*) *v. int. Bras.* Ficar zonzo, tonto; ZONZEAR [▶ 1 zonzar] [F.: *zonzo* + *-ar*. Hom./Par.: *zonzo* (fl), *zonzo* (a.).]
zonzeira (zon.*zei*.ra) *sf.* 1 Sensação ou estado de alguém que está tonto; TONTEIRA; TONTURA 2 *P. ext.* Sensação de atordoamento, fraqueza ou até de que se vai desmaiar [F.: *zonzo* + *-eira*. Sin. ger.: *vertigem.*]
zonzo (*zon*.zo) *Bras. a.* 1 Que está com tontura, vertigem; TONTO 2 *P. ext.* Atordoado, desnorteado, desorientado: "A ideia, então, de que ele tinha desgraçado a moça (...) deixou-o meio zonzo." (Marques Rebelo, "Tragédia" *in Contos reunidos*) [F.: Voc. onom. Sin. ger.: *azonzado*. Hom./Par.: *zonzo* (a.), *zonzo* (fl. de *zonzar*), *zonza* (fl. de *zonzar*).]

zonzonar (zon.zo.nar) *v. int.* **1** Produzir ruído ao voar: *Com a proximidade da colmeia, abelhas iam e vinham, zonzonando irritantemente.* **2** Produzir zum-zum, murmúrio: *Na esquina duas mulheres indiscretas zonzonavam e riam-se da vida alheia.* [▶ 1 zonzonar]

zonzura (zon.*zu*.ra) *sf.* Tontura, atordoamento; ZONZEIRA [F.: *zonzo* + *-ura.*]

◎ **-zo(o)-** *el. comp.* Ver *zo(o)-*

◎ **zo(o)-** *el. comp.* = 'animal'; 'do reino animal'; 'dos animais': *zoamido, zoantropia, zoo, zoócoro, zooematina, zoofagia* (< gr.), *zoologia, zoomorfia, zoonose, zoopatia, zootecnia; mastozoótico* [F.: Do gr. *zôion, ou* (com iota subscrito), 'ser vivo'; 'animal'.]

zoo (zo.o) *sm.* F. red. de *jardim zoológico*

zooantropomorfo (zo.o.an.tro.po.*mor*.fo) *a.* Que estabelece associação entre a forma humana e a animal [F.: *zo(o)-* + *-antrop(o)-* + *-morfo.*]

zoobento (zo.o.*ben*.to) *Biol. Zool. sm.* **1** Conjunto de animais que vivem no bento, isto é, no fundo de mares, rios etc. **2** Qualquer desses animais [F.: *zo(o)-* + *bento*[3].]

zoobia (zo.o.*bi*.a) *Biol. sf.* **1** Ciência da vida *sf.* **2** Conjunto das atividades dos órgãos vitais dos animais [F.: *zo(o)-* + *-bi(o)-* + *-ia*[1].]

zoobiologia (zo.o.bi.o.lo.*gi*.a) *sf. Biol.* Ramo da ciência que trata da vida animal [F.: *zo(o)-* + *biologia.*]

zoobiológico (zo.o.bi.o.*ló*.gi.co) *a. Biol.* Ref. a zoobiologia [F.: *zoobiologia* + *-ico*[2].]

zoocoria (zo.o.co.*ri*.a) *sf.* Dispersão de semente, fruto, esporos, pólen etc. por meio de animais [F.: *zo(o)-* + *-coria*[1].]

zoócoro (zo.ó.co.ro) *a.* **1** Ref. a zoocoria *a.* **2** *Bot.* Diz-se do vegetal que tem os diásporos disseminados pelos animais [F.: *zo(o)-* + *-coro.*]

zoocorografia (zo.o.co.ro.gra.*fi*.a) *sf. Zool.* Descrição da fauna de uma determinada região [F.: *zo(o)-* + *corografia.*]

zoocorográfico (zo.o.co.ro.*grá*.fico) *a. Zool.* Ref. a zoocorografia [F.: *zoocorografia* + *-ico*[2].]

zooematina (zo.o.e.ma.*ti*.na) *sf. Biol.* Princípio corante que determina a cor do sangue [F.: *zo(o)-* + *hematina.*]

zooerastia (zo.o.eras.*ti*.a) *sf. P. us. Pat.* Relação sexual com animais [F.: *zo(o)-* + *-erastia*, como em *pederastia.*]

zooética (zo.o.*é*.ti.ca) *sf. Zool.* Parte da zoologia que estuda os costumes dos animais [F.: *zo(o)-* + *ética.*]

zoofagia (zo.o.fa.*gi*.a) *Zool. sf.* **1** Qualidade de zoófago **2** Voracidade que incita os animais a devorar a presa antes de morta [F.: Do gr. *zoiophagía, as* (com iota subscrito).]

zoofágico (zo.o.*fá*.gi.co) *Zool. a.* Ref. a zoofagia [F.: *zoofagia* + *-ico*[2].]

zoofagínea (zo.o.fa.*gí*.ne:a) *sf. Bac.* Espécime das zoofagíneas, subordem das virales, de microrganismos virais que infectam animais [F.: Adaptç. do lat. cient. *Zoophagineae.*]

zoófago (zo.ó.fa.go) *Zool. a.* **1** Diz-se de animal que se alimenta de outro *sm.* **2** Esse animal [F.: *zo(o)-* + *-fago.*]

zoofilia (zo.o.fi.*li*.a) *sf.* **1** Amizade, estima pelos animais [Ant.: *zoofobia.*] **2** *Bot.* Polinização realizada por animais, ger. insetos [F.: *zo(o)-* + *-filia*[1].] ■ **~ erótica** *Psiq. Pat.* Tendência ou condição na qual se tem prazer sexual no contato com animais

zoofílico (zo.o.*fí*.li.co) *a.* Ref. a zoofilia ou a zoófilo [F.: *zoofilia* + *-ico*[2].]

zoófilo (zo.ó.fi.lo) *a.* **1** Que é amigo dos animais **2** *Bot.* Diz-se de flor ou vegetal polinizado por animais [F.: *zo(o)-* + *-filo*[1].]

zoofisiologista (zo.o.fi.si:o.lo.*gis*.ta) *s2g.* Aquele que se especializou em fisiologia animal [F.: *zo(o)-* + *fisiologista.*]

zoofobia (zo.o.fo.*bi*.a) [ô] *sf. Psiq.* Aversão a animais [F.: *zo(o)-* + *-fobia.*]

zoofóbico (zo.o.*fó*.bi.co) *Psiq. a.* **1** Ref. a zoofobia **2** Diz-se de indivíduo que tem zoofobia; ZOÓFOBO *sm.* **3** Esse indivíduo; ZOÓFOBO [F.: *zoofobia* + *-ico*[2].]

zoófobo (zo.ó.fo.bo) *Psiq. a. sm.* O mesmo que *zoofóbico* (2 e 3) [F.: *zo(o)-* + *-fobo.*]

zoóforo (zo.ó.fo.ro) *sm. Ant. Arq.* Espaço entre a arquitrave e a cornija, ou friso, ornado com cabeças de animais [F.: Do gr. *zoiophóros, os, ou* (com iota subscrito), 'que tem forma semelhante à cabeça de um animal'.]

zoogênese (zo.o.*gê*.ne.se) *sf. Zool.* O mesmo que *zoogenia* [F.: *zo(o)-* + *-gênese.*]

zoogenia (zo.o.ge.*ni*.a) *sf. Zool.* Parte da zoologia que estuda o desenvolvimento das espécies; ZOOGÊNESE [F.: *zo(o)-* + *-genia.*]

zoogeografia (zo.o.ge:o.gra.*fi*.a) *sf. Zool.* Ramo da zoologia que estuda as causas e as consequências da distribuição geográfica das espécies e as relações que essas estabelecem com o meio ambiente [F.: *zo(o)-* + *geografia.*]

zoogeográfico (zo.o.ge:o.*grá*.fi.co) *a. Zool.* Ref. a zoogeografia [F.: *zoogeografia* + *-ico*[2].]

zooglifito (zo.o.gli.*fi*.to) *sm. Pal.* Pegada ou impressão deixada numa rocha por algum animal fóssil [F.: *zo(o)-* + *-glif(o)-* + *-ito*[2].]

zoografar (zoo.gra.*far*) *v. td.* Fazer a descrição, o desenho ou a pintura de (um animal) [▶ 1 zoografar] [F.: *zo(o)-* + *grafar*. Hom./Par.: *zoografa* (fl.), *zoógrafa* (sf.); *zoografas* (fl.), *zoógrafas* (pl. do sf.); *zoografo* (fl.), *zoógrafo* (sm.).]

zoografia (zo.o.gra.*fi*.a) *sf.* **1** Descrição de animais; zoologia descritiva **2** Arte de desenhar ou pintar animais [F.: *zo(o)-* + *-grafia.*]

zooiatra (zo.o.i.a.tra) *s2g. P. us. Vet.* Médico-veterinário [F.: *zo(o)-* + *-iatra.*]

zooiatria (zo.o.i:a.*tri*.a) *sf. P. us. Vet.* Medicina veterinária [F.: *zo(o)-* + *-iatria.*]

zooiátrico (zo.o.i.*á*.tri.co) *a. P. us.* Ref. a zooiatria ou a zooiatra; VETERINÁRIO [F.: *zooiatria* + *-ico*[2].]

zooide (zo.*oi*.de) *a2g.* **1** Que apresenta a forma de animal ou de parte de animal (mineral/flor zooide) *sm.* **2** *Zool.* Cada indivíduo de uma colônia (de hidrozoários, briozoários etc.) **3** *Biol.* Esporozoíto que surge da divisão de esporoblastos [F.: *zo(o)-* + *-oide.*]

zoolagnia (zo.o.lag.*ni*.a) *sf. Psiq.* Atração sexual por animais [F.: *zo(o)-* + *-lagnia*. Cf.: *zoofilia.*]

zoolatria (zo.o.la.*tri*.a) *sf.* **1** Culto a animais ou excessiva adoração por eles **2** *Mit. Rel.* Entre os egípcios, frígios, hindus ou em certas tribos indígenas, culto a animais que são considerados encarnações ou manifestações de divindades [F.: *zo(o)-* + *-latria.*]

zoolátrico (zo.o.*lá*.tri.co) *a.* Ref. a zoolatria [F.: *zoolatria* + *-ico*[2].]

zoólito (zo.ó.li.to) *sm. Min. Pal.* Animal ou parte de um animal petrificado ou fossilizado [F.: *zo(o)-* + *-lito.*]

zoologia (zo.o.lo.*gi*.a) *sf. Biol.* Ramo da biologia que estuda os animais [F.: *zo(o)-* + *-logia.*]

zoológico (zo.o.*ló*.gi.co) *a.* **1** Ref. a zoologia **2** Dos, ref. aos animais ou próprio deles *sm.* **3** Jardim zoológico [F.: *zoologia* + *-ico*[2].]

zoologista (zo.o.lo.*gis*.ta) *s2g.* O mesmo que *zoólogo* [F.: *zoologia* + *-ista.*]

zoólogo (zo.ó.lo.go) *sm.* Aquele que se especializou em zoologia; ZOOLOGISTA [F.: *zo(o)-* + *-logo.*]

🌐 ***zoom*** (*Ing. /zum/*) *Cin. Fot. Telv. sm.* **1** Conjunto ajustável de lentes, us. para aproximar ou afastar a imagem, sem perder o foco **2** O efeito de afastamento ou de aproximação produzido por esse conjunto de lentes [F. aport.: *zum.*] **3** *Inf.* Aumento ou redução de uma imagem na tela do computador, sem modificação do tamanho da imagem original ou do arquivo em que ela está armazenada [Pl.: *zooms*. F. aport.: *zum.*]

zoomagnético (zo.o.mag.*né*.ti.co) *a.* Ref. ao zoomagnetismo [F.: *zoomagnetismo* + *-ico*[2], seg. o mod. erudito.]

zoomagnetismo (zo.o.mag.ne.*tis*.mo) *sm.* Magnetismo animal [F.: *zo(o)-* + *magnetismo.*]

zoomancia (zo.o.man.*ci*.a) *sf. Oct.* Predição feita a partir dos movimentos ou pelo apetite dos animais [F.: *zo(o)-* + *-mancia.*]

zoomania (zo.o.ma.*ni*.a) *sf.* Amor excessivo por animais [F.: *zo(o)-* + *-mania*. Cf. *zoolatria.*]

zoômano (zo.ô.ma.no) *a.* **1** Que tem zoomania *sm.* **2** Aquele que tem zoomania [F.: *zo(o)-* + *-mano*[1].]

zoomante (zo.o.*man*.te) *s2g.* Aquele que pratica a zoomancia [F.: *zo(o)-* + *-mante.*]

zoomorfia (zo.o.mor.*fi*.a) *sf. Zool.* Ramo da zoologia que estuda a forma externa dos animais [F.: *zo(o)-* + *-morfia.*]

zoomórfico (zo.o.*mór*.fi.co) *a.* **1** Ref. a zoomorfia ou zoomorfismo **2** Que traz figuras de animais (pintura zoomórfica) [F.: *zoomorfia* + *-ico*[2].]

zoomorfismo (zo.o.mor.*fis*.mo) *sm.* **1** O uso de forma animal como símbolo, na arte, religião etc. **2** *Mit. Rel.* Atribuição de características ou qualidades animais a um deus; culto de divindade com forma de animal [Cf. *zoolatria.*] **3** Crença popular na transformação de um homem em animal, como o lobisomem [Cf. *licantropia.*] **4** Estudo limitado aos animais, e que despreza suas relações de semelhança com o homem [Cf. *antropomorfismo.*] [F.: *zo(o)-* + *-morf(o)-* + *-ismo.*]

zoomorfo (zo.o.*mor*.fo) *a.* Em forma de animal (cerâmica zoomorfa) [F.: *zo(o)-* + *-morfo.*]

zoonitado (zo.o.ni.*ta*.do) *a. Zool.* Diz-se de animal segmentado; METAMERIZADO [F.: *zoonito* + *-ado*[1].]

zoonomia (zo.o.no.*mi*.a) *sf. Zool.* Estudo dos processos físico-químicos que ocorrem nas células, tecidos e órgãos dos animais, quando sadios; fisiologia animal [F.: *zo(o)-* + *-nomia.*]

zoonose (zo.o.*no*.se) *sf.* **1** *Vet.* Nome genérico das doenças dos animais **2** *Med. Vet.* Doença transmissível aos seres humanos pelos animais: *A leptospirose e a raiva são zoonoses.* [F.: *zo(o)-* + *-nose*. Cf.: *zoose.*]

zoonosologia (zo.o.no.so.lo.*gi*.a) *sf. Vet.* Parte da veterinária que classifica as doenças dos animais [F.: *zo(o)-* + *-nos(o)-* + *-logia*. Cf.: *zoopatologia.*]

zoonosológico (zo.o.no.so.lo.*ló*.gi.co) *a. Vet.* Ref. a zoonosologia [F.: *zoonosologia* + *-ico*[2].]

zoonótico (zo.o.*nó*.ti.co) *a.* **1** Ref. a zoonose **2** Diz-se de doença transmissível ao homem por um animal [F.: *zoon(ose)* + *-ótico*, seg. o mod. gr.]

zooparasito (zo.o.pa.ra.*si*.to) *sm. Zool.* Animal parasita [F.: *zo(o)-* + *-parasito.*]

zooparque (zo.o.*par*.que) *sm.* Jardim zoológico [F.: *zo(o)-* + *parque.*]

zoopatia (zo.o.pa.*ti*.a) *sf. Psiq.* Alucinação em que o paciente se crê dominado por um animal [F.: *zo(o)-* + *-patia.*]

zoopático (zo.o.*pá*.ti.co) *a. Psiq.* Ref. a zoopatia [F.: *zoopatia* + *-ico*[2].]

zoopatologia (zo.o.pa.to.lo.*gi*.a) *sf. Vet.* Estudo das doenças dos animais; patologia animal [F.: *zo(o)-* + *-pat(o)-* + *-logia*. Cf.: *zoonosologia.*]

zoopatológico (zo.o.pa.to.*ló*.gi.co) *a. Vet.* Ref. a zoopatologia [F.: *zoopatologia* + *-ico*[2].]

zoopedia (zo.o.pe.*di*.a) *sf.* Conjuntos das regras e preceitos que ensinam a domesticar animais [F.: *zo(o)-* + *-pedia.*]

zoopédico (zo.o.*pé*.di.co) *a.* Ref. a zoopedia [F.: *zoopedia* + *-ico*[2].]

zooplâncton (zo.o.*plânc*.ton) *sm. Biol.* Plâncton animal [Pl.: *zooplânctons, zooplânctones.* Este último, p. us. no Brasil.] [F.: *zo(o)-* + *plâncton.*]

zoopsia (zo.o.*psi*.a) *sf. Psiq.* Alucinação, ger. associada ao alcoolismo, em que o indivíduo julga ver animais [F.: *zo(o)-* + *-opsia.*]

zooquímica (zo.o.*quí*.mi.ca) *sf. Bioq.* Estudo sobre os tecidos animais: da composição química às reações que neles acontecem; química animal [F.: *zo(o)-* + *química.*]

zooscopia (zo.os.co.*pi*.a) *sf. Zool.* Observação científica das partes externas ou internas dos animais [F.: *zo(o)-* + *-scopia.*]

zooscópico (zo.os.*có*.pi.co) *a. Zool.* Ref. a zooscopia [F.: *zooscopia* + *-ico*[2].]

zoose (zo.o.se) *sf. Med.* Qualquer doença de origem animal [F.: *zo(o)-* + *-ose*[1]. Cf.: *zoonose.*]

zoospório (zo.os.*pó*.ri:o) *sm. Biol.* O mesmo que *zoósporo* [F.: *zo(o)-* + *-spor(o)-* + *-io*[3].]

zoósporo (zo.ós.po.ro) *sm. Biol.* Esporo móvel característico de certas algas e fungos; ZOOSPÓRIO [F.: *zo(o)-* + *-sporo.*]

zootaxia (zo.o.ta.*xi*.a) [cs] *sf. Zool.* Ciência que trata da identificação e classificação dos animais; ZOOTAXONOMIA [F.: *zo(o)-* + *-taxia.*]

zootaxonomia (zo.o.ta.xo.no.*mi*.a) [cs] *sf. Zool.* O mesmo que *zootaxia* [F.: *zo(o)-* + *taxonomia.*]

zooteca[1] (zo.o.*te*.ca) *sf.* Acervo de obras sobre animais ou o espaço destinado a esse acervo [F.: *zo(o)-* + *-teca.*]

zooteca[2] (zo.o.*te*.ca) *sf.* Jogo do bicho se legalizado: *Durante seu mandato, ele tentou legalizar (o) jogo do bicho. A proposta, que ficou conhecida como zooteca, acabou rejeitada.* [F.: *zo(o)-* + *(lo)teca.*]

zootecnia (zo.o.tec.*ni*.a) *sf.* **1** Ciência e técnica de reprodução e melhoria de raças animais **2** Ciência que visa a aumentar a produtividade e a rentabilidade na criação de animais **3** Ciência que visa a aperfeiçoar geneticamente animais economicamente úteis **4** *Ant.* O mesmo que *taxidermia* [F.: *zo(o)-* + *-tecnia.*]

zootécnico (zo.o.*téc*.ni.co) *sm.* **1** Indivíduo especializado em zootecnia; ZOOTECNISTA **2** *Ant.* O mesmo que *taxidermista a.* **3** Ref. a zootecnia **4** Diz-se do especialista em zootecnia; ZOOTECNISTA **5** *Ant.* O mesmo que *taxidermista* [F.: *zootecnia* + *-ico*[2].]

zootecnista (zo.o.tec.*nis*.ta) *s2g.* Aquele que se especializou em zootecnia; ZOOTÉCNICO [F.: *zootecnia* + *-ista.*]

zootecnologia (zo.o.tec.no.lo.*gi*.a) *sf. Zool.* Conjunto dos saberes técnicos sobre aperfeiçoamento genético e criação de animais [F.: *zo(o)-* + *tecnologia.*]

zooterapêutica (zo.o.te.ra.*pêu*.ti.ca) *sf. Vet.* Terapêutica dos animais; VETERINÁRIA; ZOOTERAPIA [F.: *zo(o)-* + *terapêutica.*]

zooterapêutico (zo.o.te.ra.*pêu*.ti.co) *a. Vet.* Ref. a zooterapia; VETERINÁRIO; ZOOTERÁPICO [F.: *zo(o)-* + *terapêutico.*]

zooterapia (zo.o.te.ra.*pi*.a) *sf. Vet.* O mesmo que *zooterapêutica* [F.: *zo(o)-* + *-terapia.*]

zooterápico (zo.o.te.*rá*.pi.co) *a. Vet.* O mesmo que *zooterapêutico* [F.: *zooterapia* + *-ico*[2].]

zootomia (zo.o.to.*mi*.a) *sf. Zool.* Dissecação de animais [F.: *zo(o)-* + *-tomia.*]

zootrópio (zo.o.*tró*.pi:o) *sm.* Aparelho de animação composto de um cilindro perfurado que, ao ser girado, simula o movimento das várias figuras sequenciais nele contidas [F.: Do ing. *zootrope.*]

zopeiro (zo.*pei*.ro) *a.* **1** Trôpego **2** Indolente, preguiçoso **3** Retraído, tímido [F.: *zop(o)* + *-eiro*. Sin. ger.: *zopo.*]

zora (zo.ra) *sf.* Competição indígena que consiste em uma corrida, realizada ger. por duas equipes, carregando um pesadíssimo tronco de árvore

zorô (zo.*rô*) *sm. Bras. Cul. Rel.* Prato preparado com camarões, quiabos e vários temperos (tb. servido aos orixás como oferenda) [F.: De or. africana. Hom./Par.: *zorô* (sm.), *zoró* (a2g. s2g. sm.).]

zoroástrico (zo.ro:*ás*.tri.co) *a.* Ref. a Zoroastro ou ao zoroastrismo; ZOROASTRISTA [F.: Do antr. *Zoroastro* + *-ico*[2].]

zoroastrismo (zo.ro:as.*tris*.mo) *sm. Rel.* Doutrina de Zoroastro ou Zaratustra (séc. VII a.C.), registrada no avesta e caracterizada pelo dualismo [F.: Do antr. *Zoroastro* + *-ismo.*]

zoroastrista (zo.ro:as.*tris*.ta) *a2g.* **1** Ref. a Zoroastro ou ao zoroastrismo; ZOROÁSTRICO **2** Que é adepto do zoroastrismo *s2g.* **3** Adepto do zoroastrismo [F.: Do antr. *Zoroastro* + *-ista*. Sin. ger.: *zoroastriano.*]

zorongo (zo.*ron*.go) *sm. Dnç.* Certa dança espanhola [F.: Do espn. *zorongo.*]

zorra (*zor*.ra) [ô] *sf.* **1** *Bras. Gír.* Local em que impera a falta de ordem; BAGUNÇA; DESORDEM; ZONA **2** *Bras. Gír.* Transtorno, perturbação da ordem; CONFUSÃO; TUMULTO; ZONA **3** Veículo baixo e resistente, us. para carregar coisas pesadas **4** Peça de tronco ou madeira puxada por animal e us. nas matas e na lavoura para arrastar cana-de-açúcar, madeiras, pedras grandes etc. **5** *Lud.* Pião que assobia quando gira; PIORRA **6** *Fig.* Alguém ou algo muito vagaroso, lento, pesado **7** *Fig.* Pessoa preguiçosa **8** Pequena rede para pescar caranguejo; ZORRO **9** *Bras. Gír.* Mistura feita com cocaína e algum sulfato para aumentar a dose do entorpecente **10** *Mar.* Paralelepípedo de tijolo ou pedra que se usava para esfregar o convés nas baldeações de pedra e areia [F.: Posv. dev. do ant. verbo *zorrar.*]

zorrento (zor.*ren*.to) *Bras. Gír. a.* **1** Que faz zorra, baderna; DESORDEIRO *sm.* **2** Indivíduo zorrento; DESORDEIRO [F.: *zorra(2)* + *-ento.*]

zorrilho (zor.*ri*.lho) *sm.* **1** *RS Zool.* Mamífero carnívoro (*Conepatus suffocans*), da fam. dos mustelídeos, semelhante ao cangambá **2** *Bot.* Arbusto (*Roupala darienensis*), da família das proteáceas, caracterizado pelo mau cheiro que exala [F.: Do espn. *zorrillo.*]

zorro[1] (*zor*.ro) [ô] *sm.* **1** O macho da raposa; RAPOSO **2** *Bras. S.* Pessoa astuta, matreira **3** *Bras. S* Aquele que é indolente, preguiçoso **4** *Lus.* Criado velho **5** *Lus.* Filho natural ou bastardo **6** *Lus.* Criança enjeitada pelos pais *a.* **7** *Bras. S.* Astuto, matreiro **8** *Bras. S.* Indolente, preguiçoso [F.: Do espn. *zorro.*]

zorro² (zor.ro) [ô] *sm.* Movimento lento de quem ou do que anda de rastos [F.: De *zorra* (6).]. ■ **Andar a ~s** O mesmo que *andar de zorro* **Andar de ~** Andar de rastos; arrastar-se

zoster (zos.*ter*) *sm.* **1** *Med.* O mesmo que *herpes-zóster* **2** Faixa, zona, cinturão [F.: Do gr. *zostér.*]

◎ **-zote** *suf. nom.* Ver *-ote*: *gurizote.* [F.: -z- + -ote.]

zoteca (zo.*te*.ca) *sf.* Entre os antigos gregos e romanos, saleta de repouso ou estudo [F.: Do lat. *zotheca,* do gr. *zothéke*.]

zotismo (zo.*tis*.mo) *sm.* Idiotice, estupidez, patetice [F.: *zot(e)* + -*ismo.*]

⊠ **Zr** *Quím.* Simb. de zircônio

zuadeira (zu:a.*dei*.ra) *sf. Pop.* Ver *zoadeira*

zuarte (zu:*ar*.te). *Têxt. sm.* **1** Tecido de algodão encorpado e tosco, algumas vezes mesclado, originalmente de cor azul ou preta; AZULÃO **2** Fazenda de algodão azul, preta ou vermelha [F.: Do hol. *zwaart.*]

zuavo (zu:a.vo) *sm. Mil.* Soldado argelino de infantaria ligeira a serviço da França no séc. XIX [F: Do fr. *zouave.*]

◎ **-zudo** *suf. nom.* = 'que denota grande tamanho': *mão-zudo, pezudo* [F.: -z- + -*udo.*]

zulu (zu.*lu*) *s2g.* **1** *Etnol.* Indivíduo dos zulus, povo africano que vive esp. na província de Kwazulu (África do Sul) *sm.* **2** *Gloss.* A língua falada pelos zulus; ZUNDA [Língua nacional da África do Sul.] **3** Ref. ou pertencente aos zulus ou ao zulu (2) [Sin. ger.: *matabele, matebele, zulo.*]

zum (*zum*) *sm. a2g. Cin. Fot. Inf. Telv.* F. aport. de *zoom*

zumbaia (zum.*bai*.a) *sf.* **1** Saudação espalhafatosa; SALAMALEQUE **2** Saudação reverente e cerimoniosa *sfpl.* **3** *P. ext.* Elogios interesseiros dirigidos a alguém a fim de obter favores, privilégios etc. [F.: Do malaio *sembahyang.* Hom./Par.: *zumbaia* (sf., sfpl.), *zumbaia* (fl. de *zumbaiar*).]

zumbaiar (zum.ba.i:ar) *v. td.* **1** Fazer zumbaias, mesuras a; reverenciar **2** Adular para obter alguma vantagem; bajular [▶ **1 zumbaiar**] [F.: *zumbaia* + -*ar.* Hom./Par.: *zumbaia(s)* (fl.), *zumbaia* (sf.) e pl.]

zumbaias (zum.*bai*.as) *sfpl.* Adulações, bajulações: *fazer zumbaias a alguém.* [F.: Pl. de *zumbaia.*]

zumbi (zum.*bi*) *Bras. sm.* **1** Segundo a mitologia afro-brasileira, fantasma que vagueia pelas casas e campos à noite; CAZUMBI **2** *Fig.* Pessoa que só sai à noite ou que é mais ativo nesse período do dia **3** *Hist.* Título dado ao chefe de um quilombo; ZAMBI **4** *N. E.* Nome que se dá, no interior, à alma de certos animais, como o cavalo e o boi **5** Lugar deserto, ermo, no sertão [F.: Do quimb. *nzumbi.* Hom./Par.: *zumbi* (sm.), *zumbi* (fl. de *zumbir*).]

zumbido (zum.*bi*.do) *sm.* **1** Ação ou resultado de zumbir **2** Ruído feito por insetos (mosquito, besouro etc.); ZUM-ZUM; ZUM-ZUM-ZUM **3** Barulho semelhante ao dos insetos, ger. feito por certas máquinas; SIBILO; ZOADA; ZUMBO; ZUNIDO; ZUM-ZUM; ZUM-ZUM-ZUM [Nas duas acp., sin.: *zum-zum* e *zum-zum-zum.*] **4** Som similar dentro do ouvido, causado por problemas orgânicos ou psicológicos ou devido a forte estrondo ou estampido *a.* **5** Diz-se de palavras sussurradas, murmuradas [F.: Part. de *zumbir.* Sin. ger. para os sm.: *zunido.*]

zumbidor (zum.bi.*dor*) [ô] *a.* **1** Que zumbe (besouro *zumbidor*) *sm.* **2** *Bras. Lud.* Certo brinquedo que produz um zumbido ao girar; RECO-RECO **3** *Bras.* Zunidor (2) [F.: *zumbir* + -*dor.*]

zumbinismo (zum.bi.*nis*.mo) *sm. Bras. Joc.* Hábito, mania de só sair à noite, como um zumbi; ZUMBIZISMO [F.: *zumbi* + -*n-* + -*ismo.*]

zumbir (zum.*bir*) *v. int.* **1** Produzir (inseto voando) som característico; zoar **2** Produzir som semelhante ao de inseto voando **3** Produzir-se ruído (real ou imaginário) dentro do ouvido; ZUNIR [▶ **3 zumbir**] *sm.* **4** O som produzido por esses insetos; ZUMBIDO [F.: Voc. onom.]

zumbizismo (zum.bi.*zis*.mo) *sm. Bras. Joc.* O mesmo que *zumbinismo* [F.: *zumbi* + -*z-* + -*ismo.*]

zumbrir-se (zum.*brir*-se) *v. td.* **1** Arquear-se, vergar-se: *O cortesão zumbria-se na presença do rei; O mastro zumbriu-se diante da força do vendaval.* **2** *Fig.* Humilhar-se, rebaixar-se, sujeitar-se: *Zumbriu-se de maneira deprimente diante do ministro.* [▶ **3 zumbrir-se**] [F.: De or. obsc.]

zum-zum (zum-*zum*) *sm.* **1** Ver *zumbido* **2** *Bras. Pop.* Disse me disse, boato: *O zum-zum que corria pelos corredores da empresa sobre a demissão da funcionária.* [Pl.: *zum-zuns.*] [F.: Voc. onom.]

zum-zum-zum (zum-zum-*zum*) *sm.* O mesmo que *zum-zum* [Pl.: *zum-zum-zuns.*]

zungu (zun.*gu*) *Bras. sm.* **1** Casa grande, ger. mal conservada, cujos cômodos são alugados para pessoas ou famílias de baixa renda que passam a morar coletivamente; CORTIÇO; CASA DE CÔMODOS **2** Tumulto, alvoroço ou desordem sem maior importância; BAGUNÇA; CONFUSÃO [F.: Do quimb.]

zunido (zu.*ni*.do) *sm.* **1** Ação ou resultado de zunir; ZUMBIDO **2** Ver *zumbido* (2 a 4) [Col.: *zuniada, zunideira.*] [F.: Part. de *zunir.* Sin. ger.: *zunimento.*]

zunidor (zu.ni.*dor*) [ô] *a.* **1** Que zune (moscas *zunidoras*) *sm.* **2** *Bras.* Pedaço de madeira que produz um zunido ao ser girado no ar por meio de uma corda e que é us. como instrumento ritual ou como brinquedo por certos povos indígenas [F.: *zunir* + -*dor.*]

zunir (zu.*nir*) *v.* **1** Produzir zumbido contínuo e agudo [*int.*: *O vento zunia na noite chuvosa.*] **2** Atirar, lançar (algo) com força [*tda.*: *O garoto zuniu uma pedra no balão; Zuniu o disco quebrado pela janela.*] **3** O mesmo que *zumbir* [▶ **3 zunir**] [F.: Voc. onom.]

zura (zu.ra) *Bras. Pop. s2g.* **1** Pessoa sovina *a2g.* **2** Diz-se de quem é sovina [F. red. de *usurário.* Sin. ger.: *avaro, avarento, pão-duro, zuraco.* Ant. ger.: *esbanjador, perdulário.* Ideia de: *us(u)-.*]

zureta (zu.*re*.ta) [ê] *Bras. Pop. a2g.* **1** Diz-se de pessoa adoidada, meio maluca; AMALUCADO; AZORATADO; ZURUÓ **2** Diz-se de pessoa dominada por aborrecimento ou raiva; ABORRECIDO; APOQUENTADO; INDIGNADO; IRADO; ZANGADO *s2g.* **3** *Bras. Pop.* Pessoa zureta [F. red. de *azoretado* ou *azuretado.*]

zurrador (zur.ra.*dor*) [ô] *a.* **1** Que zurra *sm.* **2** Aquele que zurra

zurrapa (zur.*ra*.pa) *sf.* **1** Vinho avinagrado ou de má qualidade; ÁGUA-PÉ; JALAPA; JEROPIGA; MORRAÇA **2** *P. ext.* Qualquer bebida com sabor ruim *a2g.* **3** De baixa categoria; ORDINÁRIO; RELES: "Mais tarde te encontrei num café *zurrapa* no Largo da Lapa..." (Ary Barroso, *Camisa amarela*) [F.: De or. contrv.]

zurrar (zur.*rar*) *v.* **1** Produzir (mulas, jumentos, burros etc.) sons característicos; dar zurros [*int.*] **2** Produzir som semelhante ao zurro [*int.*: *A torcida não parava de zurrar.*] **3** Proferir (asneiras, sandices) [*td.*: *O homem zurrava as maiores besteiras.*] [▶ **1 zurrar**] [F.: *zurro* + -*ar.* Hom./Par.: *zurro* (fl.), *zurro* (sm.).]

zurro (zur.ro) *sm.* **1** Som que o burro ou a mula emitem; ORNEIO; ORNEJO; REBUSNO; RELINCHO; ZURRADA **2** *Mús.* Grande cega-rega que produz som muito forte [Col.: *zurraria.*] [F.: Voc. onom. Hom./Par.: *zurro* (sm.), *zurro* (fl. de *zurrar*).]

zurupar (zu.ru.*par*) *v. Bras. Pop.* Roubar, surrupiar, afanar [*td.*: *Zuruparam a bolsa da mulher.*] [*tda.*: *Preparavam-se para zurupar as joias do cofre.*] [▶ **1 zurupar**] [F.: Alter. de *usurpar.*]

zurzir (zur.*zir*) *v. td.* **1** Afastar as partes fechadas, unidas ou articuladas de: *Os cavaleiros zurziam as montarias.* **2** Repreender com rigor: *O chefe zurziu a arrogância de seu secretário.* **3** Infligir castigo, punição: *O capitão zurziu os desertores.* **4** Causar dor, aflição, mágoa: *Sua insinuação zurziu os sentimentos da mãe.* **5** Golpear violentamente (com chicote, vara etc.) **6** Espantar, afugentar: *O cachorro zurze as moscas com o rabo.* [▶ **3 zurzir**] [F.: Provavelmente alter. de *cerzir.*]

GENTÍLICOS BRASILEIROS

abadianense Abadiânia (GO)
abadiense Abadia de Goiás (GO)
abadiense Abadia dos Dourados (MG)
abaeteense Abaeté (MG)
abaetetubense Abaetetuba (PA)
abaiarense Abaiara (CE)
abairense Abaíra (BA)
abareense Abaré (BA)
abatiaense Abatiá (PR)
abdonense Abdon Batista (SC)
abelardo-luzense Aberlardo Luz (SC)
abelense Abel Figueiredo (PA)
abre-campense Abre Campo (MG)
abreu-limense Abreu e Lima (PE)
abreulandense Abreulândia (TO)
acaiaquense Acaiaca (MG)
açailandense Açailândia (MA)
acajutibense Acajutiba (BA)
acaraense Acará (PA)
acarapense Acarapé (CE)
acarauense Acaraú (CE)
acariense Acari (RN)
acauãnense Acauã (PI)
aceguaense Aceguá (RS)
acopiarense Acopiara (CE)
acorizano Acorizal (MT)
acrelandense Acrelândia (AC)
acreunense Acreúna (GO)
açucenense Açucena (MG)
açuense Açu (RN)
adamantinense Adamantina (SP)
adelandense Adelândia (GO)
adolfino Adolfo (SP)
adrianopolitano Adrianópolis (PR)
adustinense Adustina (BA)
afogadense Afogados da Ingazeira (PE)
afonso-bezerrense Afonso Bezerra (RN)
afonso-claudense Afonso Cláudio (ES)
afonso-cunhense Afonso Cunha (MA)
afraniense Afrânio (PE)
afuaense Afuá (PA)
agrestinense Agrestina (PE)
agricolandense Agricolândia (PI)
agrolandense Agrolândia (SC)
agronomense Agronômica (SC)
água-azulense Água Azul do Norte (PA)
água-boense Água Boa (MG)
água-boense Água Boa (MT)
água-branquense Água Branca (AL)
água-branquense Água Branca (PB)
água-branquense Água Branca (PI)
água-branquense São Pedro da Água Branca (MA)
água-clarense Água Clara (MS)
água-compridense Água Comprida (MG)
água-docense Água Doce do Maranhão (MA)
água-docense Água Doce (SC)
água-docense Água Doce do Norte (ES)
água-friense Água Fria (BA)
água-friense Água Fria de Goiás (GO)
água-limpense Água Limpa (GO)
água-novense Água Nova (RN)
água-pedrense Águas de São Pedro (SP)
água-pretense Água Preta (PE)
água-santense Água Santa (RS)
aguaiano Aguaí (SP)
aguanilense Aguanil (MG)
águas-belense Águas Belas (PE)
águas-formosense Águas Formosas (MG)
águas-friense Águas Frias (SC)
águas-lindense Águas Lindas de Goiás (GO)
águas-mornense Águas Mornas (SC)
águas-vermelhense Águas Vermelhas (MG)
agudense Agudo (RS)
agudense Agudos (SP)
agudense-do-sul Agudos do Sul (PR)
águia-branquense Águia Branca (ES)
aguianense, aguiarense Aguiar (PB)
aguiarnopolense Aguiarnópolis (TO)
aguino, chacoense-das-águas Águas de Chapecó (SC)
aimorense Aimorés (MG)
aiquarense Aiquara (BA)
airense Francisco Aires PI
aiuabense Aiuaba (CE)
aiuruocano Aiuruoca (MG)
ajuricabense Ajuricaba (RS)
ajuruens, limoeirense Limoeiro do Ajuru (PA)
alagoa-grandense Alagoa Grande (PB)
alagoa-novense Alagoa Nova (PB)
alagoense Alagoa (MG)
alagoinhense Alagoinha (PB)
alagoinhense Alagoinha (PE)
alagoinhense Alagoinha do Piauí (PI)
alagoinhense Alagoinhas (BA)
alambariense Alambari (SP)
albertinense Albertina (MG)
alcantarense Alcântara (MA)
alcantarense Alcântaras (CE)
alcantarense São Pedro de Alcântara (SC)
alcantilense Alcantil (PB)
alcinopolense Alcinópolis (MS)
alcobacense Alcobaça (BA)
aldeias-altense Aldeias Altas (MA)
aldeiense São Pedro da Aldeia (RJ)
alecrinense Alecrim (RS)
alegrense Alegre (ES)
alegrense São José do Alegre (MG)
alegrense, rancho-alegrense Rancho Alegre (PR)
alegretense Alegrete (RS)
alegretense Alegrete do Piauí (PI)
alegriense Alegria (RS)
alegriense Chã de Alegria (PE)
alegriense Santo Antonio da Alegria (SP)
aleixense São Miguel do Aleixo (SE)
além-paraibano Além Paraíba (MG)
alenquerense Alenquer (PA)
alexandre-costense Senador Alexandre Costa (MA)
alexandriense Alexandria (RN)
alexaniense Alexânia (GO)
alfenense Alfenas (MG)
alfredense Alfredo Chaves (ES)
alfredense Alfredo Wagner (SC)
alfredense João Alfredo (PE)
algodoense Algodão de Jandaira (PB)
alhandrense Alhandra (PB)
aliancense Aliança (PE)
aliancense Aliança do Tocantins (TO)
almadinense Almadina (BA)
almeidense Conceição do Almeida (BA)
almeidense Licínio de Almeida (BA)
almeidense Maximiliano de Almeida (RS)
almeirinense Almerim (PA)
almenarense Almenara (MG)
almense Almas (TO)
almino-afonsense Almino Afonso (RN)
almirantense Almirante Tamandaré (PR)
almirantense Almirante Tamandaré do Sul (RS)
aloandense Aloândia (GO)
alpercatense Alpercata (MG)
alpestrense Alpestre (RS)
alpinopolense Alpinópolis (MG)
alta-florense Alta Floresta d'Oeste (RO)
alta-florestense Alta Floresta (MT)
altairense Altair (SP)
altamirense Altamira (PA)
altamirense Altamira do Maranhão (MA)
altamirense Altamira do Paraná (PR)
altaneirense Altaneira (CE)
altense São Sebastião do Alto (RJ)
alterosense Alterosa (MG)
altinense Altinho (PE)
altinopolense Altinópolis (SP)
alto-alegrense Alto Alegre (RO)
alto-alegrense Alto Alegre (RR)
alto-alegrense Alto Alegre (RS)
alto-alegrense Alto Alegre (SP)
alto-alegrense Alto Alegre do Maranhão (MA)
alto-alegrense Alto Alegre do Pindaré (MA)
alto-alegrense Alto Alegre dos Parecis (RO)
alto-araguaiense, araguaiano Alto Araguaia (MT)
alto-boavistense Alto Boa Vista (MT)
alto-caparaoense Alto Caparaó (MG)
alto-felizense Alto Feliz (RS)
alto-garcense Alto Garças (MT)
alto-horizontino Alto Horizonte (GO)
alto-paraguaiense Alto Paraguai (MT)
alto-paraisense Alto Paraíso (RO)
alto-paraisense Alto Paraíso de Goiás (GO)
alto-paranaense Alto Paraná (PR)
alto-parnaibano Alto Parnaíba (MA)
alto-piquirense Alto Piquiri (PR)
alto-rio-docense Alto Rio Doce (MG)
alto-rio-novense Alto Rio Novo (ES)
alto-rodriguense Alto do Rodrigues (RN)
alto-santense Alto Santo (CE)
altoense Altos (PI)
altoniano Altônia (PR)
aluminense Alumínio (SP)
alvarãense Alvarães (AM)
alvarenguense Alvarenga (MG)
álvares-florencense, igapirense Álvares Florence (ant. Igapira) (SP)
álvaro-carvalhense Álvaro de Carvalho (SP)
alvense Francisco Alves (PR)
alvense Presidente Alves (SP)
alvinlandense Alvinlândia (SP)
alvinopolense Alvinópolis (MG)
alvoradense Alvorada (RS)
alvoradense Alvorada d'Oeste (RO)
alvoradense Alvorada de Minas (MG)
alvoradense Alvorada do Gurgueia (PI)
alvoradense Alvorada (TO)
alvoradense-do-norte Alvorada do Norte (GO)
alvoradense-do-sul Alvorada do Sul (PR)
amajariense Amajari (RR)
amambaiense Amambaí (MS)
amapaense Amapá (AP)
amapaense Amapá do Maranhão (MA)
amaporense Amaporã (PR)
amarajiense Amaraji (PE)
amaralense Amaral Ferrador (RS)
amaralense Senador Amaral (MG)
amaralinense Amaralina (GO)
amarantino Amarante (PI)
amarantino Amarante do Maranhão (MA)
amargosense Amargosa (BA)
amaturaense Amaturá (AM)
ameliense Amélia Rodrigues (BA)
ameliense Santa Amélia (PR)
americampense Américo de Campos (SP)
americanense Americana (SP)
americanense-do-brasil Americano do Brasil (GO)
américo-brasiliense Américo Brasiliense (SP)
américo-douradense América Dourada (BA)
ametistense Ametista do Sul (RS)
amontadense Amontada (CE)
amoreirense São Sebastião da Amoreira (PR)
amorinopolense Amorinópolis (GO)
amparense Amparo (PB)
amparense Amparo (SP)
amparense Amparo de São Francisco (SE)
amparense Ribeira do Amparo (BA)
amparense Santo Antônio do Amparo (MG)
amperense Ampére (PR)
anadiense Anadia (AL)
anageense Anagé (BA)
anaiense Anahy (PR)
anajaense Anajás (PA)
anajatubense Anajatuba (MA)
analandense Analândia (SP)
anamãense Anamã (AM)
ananaense Ananás (TO)
ananindeuense Ananindeua (PA)
anapolino Anápolis (GO)
anapuense Anapu (PA)
anapuruense Anapurus (MA)
anariense Vale do Anari (RO)
anastaciano Anastácio (MS)
anastaciano Santo Anastácio (SP)
anaurilandense Anaurilândia (MS)
anchietense Anchieta (ES)
anchietense Anchieta (SC)
andaraiense Andaraí (BA)
andirense Andirá (PR)
andorinhense Andorinha (BA)
andradense Andradas (MG)
andradinense Andradina (SP)
andradinense, nova-andradinense Nova Andradina (MS)
andré-rochense André da Rocha (RS)
andreazense Ministro Andreazza (RO)
andreense Santo André (SP)
andrelandense Andrelândia (MG)
angatubense Angatuba (SP)
angelandense Angelândia (MG)
angelinense Angelim (PE)
angelinense Angelina (SC)
angeliquense Angélica (MS)
angelopolitano, santo-angelense Santo Ângelo (RS)
angicalense Angical (BA)
angicalense Angical do Piauí (PI)
angicano Angicos (RN)
angicoense Angico (TO)
angrense Angra dos Reis (RJ)
anguerense Anguera (BA)
angulense Ângulo (PR)
anhanguense, franciscano São Francisco do Pará (PA) (ant Anhanga)
anhanguerino Anhanguera (GO)
anhembiense Anhembi (SP)
anhumense Anhumas (SP)
anicuense Anicuns (GO)
anisiense Anísio de Abreu (PI)
anita-garibaldense Anita Garibaldi (SC)
anitapolino Anitápolis (SC)
anjiquense Anjicos (RN)
anoriense Anori (AM)
anta-gordense Anta Gorda (RS)
antense Antas (BA)
antense Pedro do Anta (MG)
antense São Sebastião do Anta (MG)
antoninense Antonina (PR)
antoninense Antonina do Norte (CE)
antônio-almeidense Antônio Almeida (PI)
antônio-carlense Antônio Carlos (MG)
antônio-carlense Antônio Carlos (SC)
antônio-diense Antônio Dias (MG)
antônio-gonçalvense Antônio Gonçalves (BA)
antônio-joanense Antônio João (MS)
antônio-martinense Antônio Martins (RN)
antônio-olintense Antônio Olinto (PR)
aparecidense Aparecida (PB)
aparecidense Aparecida (SP)
aparecidense Aparecida d'Oeste (SP)
aparecidense Aparecida de Goiânia (GO)
aparecidense Aparecida do Rio Negro (TO)
aparecidense Aparecida do Tabuado (MS)
aparecidense Conceição da Aparecida (MG)
aparecidense Nossa Senhora Aparecida (SE)
aperibense Aperibé (RJ)
apiacaense Apiacá (ES)
apiacaense Apiacás (MT)
apiaiense Apiaí (SP)
apicum-açuense Apicum-Açu (MA)
apiunense Apiúna (SC)
apodiense Apodi (RN)
aporeano Aporé (GO)
aporense Aporá (BA)
apuaremense Apuarema (BA)
apucaranense Apucarana (PR)
apuiareense Apuiarés (CE)
apuiense Apuí (AM)
aquidabãense Aquidabã (SE)
aquidauanense Aquidauana (MS)
aquinense São Tomás de Aquino (MG)
aquirazense Aquiraz (CE)
arabutanense Arabutã (SC)
araçaense Araçás (BA)
araçaense Nova Araçá (RS)
araçagiense Araçagi (PB)
araçaiense Araçaí (MG)
aracajuano Aracaju, capital de SE
aracanguaense Santo Antônio do Aracanguá (SP)
araçariguamense Araçariguama (SP)
aracatiense Aracati (CE)
araçatubense Araçatuba (SP)
aracatuense Aracatu (BA)
araciense Araci (BA)
aracitabense Aracitaba (MG)
aracoiabaense Aracoiaba (CE)
araçoiabano Araçoiaba da Serra (SP)
araçoiabense Araçoiaba (PE)
aracruzense Aracruz (ES)
araçuaiense Araçuaí (MG)
araçuense Araçu (GO)
aragarcense Aragarças (GO)
aragoianense Aragoiânia (GO)
aragominense Araominas (TO)
araguacemense Araguacema (TO)
araguaçuense Araguaçu (TO)
araguaianense Araguaiana (MT)
araguaiano Conceição do Araguaia (PA)
araguaiano, araguaiense Santana do Araguaia (PA)
araguainense Araguaína (TO)
araguainhense Araguainha (MT)
araguanãense Araguanã (TO)
araguapaense Araguapaz (GO)
araguarino Araguari (MG)
araguatinense Araguatins (TO)
araiosense Araioses (MA)
aral-moreirense Aral Moreira (MS)
aramariense Aramari (BA)
arambarense Arambaré (RS)
aramense Arame (MA)
araminense Aramina (SP)
aranduense Arandu (SP)
arantinense Arantina (MG)
arapeiense Arapeí (SP)
arapiraquense Arapiraca (AL)
arapoemense Arapoema (TO)
araponguense Araponga (MG)
araponguense Arapongas (PR)
araporense Araporã (MG)
arapotiense Arapoti (PR)
arapuaense Arapuá (MG)
arapuaense Arapuã (PR)
araputanguense Araputanga (MT)
araquariense Araquari (SC)
araranguaense Araranguá (SC)
araraquarense Araraquara (SP)
ararendaense Ararendá (CE)
ararense Arara (PB)
ararense Araras (SP)
araricaense Araricá (RS)
arariense Arari (MA)
arariense Santa Cruz do Arari (PA)
araripense Araripe (CE)
araripinense Araripina (PE)
araruamense Araruama (RJ)
ararunense Araruna (PB)
ararunense Araruna (PR)
arataquense Arataca (BA)
aratibense Aratiba (RS)
aratubano Aratuba (CE)
aratuipense Aratuípe (BA)
arauaense Arauá (SE)
araucariense Araucária (PR)
araujense Araújos (MG)
araxaense Araxá (MG)
arceburguense Arceburgo (MG)
archense Governador Archer (MA)
arcoense Arcos (MG)
arcoirense Arco-Íris (SP)
arcoverdense Arcoverde (PE)
arcoverdense Dirceu Arcoverde (PI)
areadense Areado (MG)
arealense Areal (RJ)
arealvense Arealva (SP)
areia-branquense Areia Branca (RN)
areia-branquense Areia Branca (SE)
arealense Areial (PB)
areiense Areia (PB)
areiense Areias (SP)
areiopolitano Areiópolis (SP)
arenapolitano Arenápolis (MT)
arenopolino Arenópolis (GO)
aresense Arês (RN)
argiritense Argirita (MG)
aricanduvense Aricanduva (MG)
arinense Arinos (MG)
aripuanense Aripuanã (MT)
ariquemense Ariquemes (RO)
ariranhense Ariranha (SP)
ariranhense-do-ivaí Ariranha do Ivaí (PR)
armazenense Armazém (SC)
arneirozense Arneiroz (CE)
aroazense Aroazes (PI)
aroeirense Aroeiras (PB)
aroeirense Aroeiras do Itaim (PI)
arraialense Arraial (PI)
arraialense Arraial do Cabo (RJ)
arraiano Arraias (TO)
arroio-grandense Arroio Grande (RS)
arroio-meense Arroio do Meio (RS)
arroio-padrense Arroio do Padre (RS)
arroio-salense Arroio do Sal (RS)
arroio-silvense Balneário Arroio do Silva (SC)
arroio-trintense Arroio Trinta (SC)
aruanense Aruanã (GO)
arujano Arujá (SP)
arvoredense Arvoredo (SC)
arvorezinhense Arvorezinha (RS)
ascurrense Ascurra (SC)
aspasiense Aspásia (SP)
assaiense Assaí (PR)
assareense Assaré (CE)
assis-brasilense Assis Brasil (AC)
assis-chateaubriense, assisense Assis Chateaubriand (PR)
assisense Assis (SP)
assisense São Francisco de Assis (RS)
assunçãoense Assunção (PB)
assunçãoense Assunção do Piauí (PI)
astolfo-dutrense Astolfo Dutra (MG)
astorgano, astorguense Astorga (PR)
atalaiense Atalaia (AL)
atalaiense Atalaia (PR)
atalaiense Atalaia do Norte (AM)
atalantense Atalanta (SC)
ataleense Ataleia (MG)
atibaiano Atibaia (SP)
atílio-vivacquense Atílio Vivacqua (ES)
augustinopolino Augustinópolis (TO)
augusto-correense Augusto Corrêa (PA)
augusto-limense Augusto de Lima (MG)
augusto-pestanense Augusto Pestana (RS)
augusto-severense Augusto Severo (RN)
aurelinense Aurelino Leal (BA)
aurense Áurea (RS)
auriflamense Auriflama (SP)
aurilandense Aurilândia (GO)
aurorense Aurora (CE)
aurorense Aurora (SC)
aurorense Aurora do Pará (PA)
aurorense Nova Aurora (GO)
aurorense-do-tocantins Aurora do Tocantins (TO)

aurorense, nova-aurorense Nova Aurora (PR)
ausentino São José dos Ausentes (RS)
autazense Autazes (AM)
avaiense Avaí (SP)
avanhandavense Avanhandava (SP)
avareense Avaré (SP)
aveirense Aveiro (PA)
avelino-lopense Avelino Lopes (PI)
avelinopense Avelinópolis (GO)
aventureirense Santo Antônio do Aventureiro (MG)
axixaense Axixá (MA)
axixaense Axixa do Tocantins (TO)
babaçulandense Babaçulândia (TO)
bacabalense Bacabal (MA)
bacabeirense Bacabeira (MA)
bacelarense Duque Bacelar (MA)
bacuriense Bacuri (MA)
bacuritubense Bacurituba (MA)
badaroense Francisco Badaró (MG)
badiense Bady Bassitt (SP)
baependiano Baependi (MG)
bageense, bajeense Bagé (RS)
bagrense Bagre (PA)
baía-formosense Baía Formosa (RN)
baianense Baía da Traição (PB)
baianopolense Baianópolis (BA)
baionense Baião (PA)
baixa-grandense Baixa Grande (BA)
baixa-grandense Baixa Grande do Ribeiro (PI)
baixiense Baixio (CE)
baixiense São Geraldo do Baixio (MG)
balbinense Balbinos (SP)
baldinense Baldim (MG)
balizense Baliza (GO)
baliziense São João da Baliza (RR)
balsa-novense Balsa Nova (PR)
balsamense Bálsamo (SP)
balsense Balsas (MA)
bambuiense Bambuí (MG)
banabuiuense Banabuiú (CE)
bananalense Bananal (SP)
bananeirense Bananeiras (PB)
bandeirante-do-sul Bandeira do Sul (MG)
bandeirantense Bandeirante (SC)
bandeirantense Bandeirantes (MS)
bandeirantense Bandeirantes (PR)
bandeiratense Bandeirantes do Tocantins (TO)
bandeirense Bandeira (MG)
bannaquense Bannach (PA)
banzaeense Banzaê (BA)
barãoense Barão de Antonina (SP)
baraunense Areia de Baraúnas (PB)
baraunense Baraúna (PB)
baraunense Baraúna (RN)
barbacenense Barbacena (MG)
barbalhense Barbalha (CE)
barbaraense Nova Santa Bárbara (PR)
barbarense Santa Bárbara (BA)
barbarense Santa Bárbara d'Oeste (SP)
barbarense Santa Bárbara do Monte Verde (MG)
barbosano Barbosa (SP)
barbosense Barbosa Ferraz (PR)
barbosense Carlos Barbosa (RS)
barcarenense Barcarena (PA)
barcelense Barcelos (AM)
barcelonense Barcelona (RN)
bariense Bariri (SP)
baronense Barão (RS)
baronense Barao de Grajau (MA)
baronense Barão do Triunfo (RS)
barra-azulense Barra do Rio Azul (RS)
barra-bonitense Barra Bonita (SC)
barra-bonitense Barra Bonita (SP)
barra-chocense Barra do Choça (BA)
barra-cordense Barra do Corda (MA)
barra-d'alcantarense Barra d'Alcântara (PI)
barra-estivense Barra da Estiva (BA)
barra-fundense Barra Funda (RS)
barra-garcense Barra do Garças (MT)
barra-longuense Barra Longa (MG)
barra-mansense Barra Mansa (RJ)
barra-mendense Barra do Mendes (BA)
barra-rochense Barra do Rocha (BA)
barra-santanense Barra de Santana (PB)
barra-turvense Barra do Turvo (SP)
barra-velhense Barra Velha (SC)
barraconense Barracão (PR)
barraconense Barracão (RS)
barracoqueirense Barra dos Coqueiros (SE)
barraguaritense Barra do Guarita (RS)
barrasulense Balneário de Barra do Sul (SC)
barreirense Barreira (CE)
barreirense Barreiras (BA)
barreirense Barreiras do Piauí (PI)
barreirense Barreiros (PE)
barreirense Santa Maria das Barreiras (PA)
barreirense São José do Barreiro (SP)
barreirinhense Barreirinha (AM)
barreirinhense Barreirinhas (MA)
barrense Barra (BA)
barrense Barra de Santo Antônio (AL)
barrense Barra de São Miguel (PB)
barrense Barra do Bugres (MT)
barrense Barra do Chapéu (SP)
barrense Barra do Jacaré (PR)
barrense Barra do Pirai (RJ)
barrense Barra do Quarai (RS)
barrense Barra do Ribeiro (RS)
barrense Barras (PI)
barrense Barro (CE)
barrense Conceição da Barra (ES)
barrense Sete Barras (SP)
barrense, quatro-barrense Quatro Barras (PR)
barretense Barretos (SP)
barrinhense Barrinha (SP)
barro-altense Barro Alto (GO)
barro-altino Barro Alto (BA)
barro-durense Barro Duro (PI)
barro-pretense Barro Preto (BA)
barrolandense Barrolândia (TO)
barroquense Barrocas (BA)
barroquinhense Barroquinha (CE)
barros-cassalense Barros Cassal (RS)
barrosense Barroso (MG)
barueriense Barueri (SP)
basiliense São José dos Basílios (MA)
bassanense Nova Bassano (RS)
bastense Bastos (SP)
bataguaçuense Bataguaçu (MS)
bataiporãense Bataiporã (MS)
batalhense Batalha (AL)
batalhense Batalha (PI)
batataense Batatais (SP)
batistense Bernardino Batista (PB)
batistense São João Batista (SC)
baturiteense Baturité (CE)
bauruense Bauru (SP)
bayeuxense Bayeux (PB)
bebedourense Bebedouro (SP)
beberibense Beberibe (CE)
bela-cruzense Bela Cruz (CE)
bela-vistano Bela Vista de Minas (MG)
bela-vistense Alto Bela Vista (SC)
bela-vistense Bela Vista (MS)
bela-vistense Bela Vista da Caroba (PR)
bela-vistense Bela Vista de Goiás (GO)
bela-vistense Bela Vista do Maranhão (MA)
bela-vistense Bela Vista do Paraíso (PR)
bela-vistense Bela Vista do Piauí (PI)
bela-vistense Bela Vista do Toldo (SC)
bela-vistense São José da Bela Vista (SP)
bela-vistense São Sebastião da Bela Vista (MG)
belaguaense, belaguense Belágua (MA)
belenense Belém (AL)
belenense Belém, capital do PA
belenense Belém (PB)
belenense Belém de Maria (PE)
belenense Belém de São Francisco (PE)
belenense Belém do Brejo do Cruz (PB)
belenense Belém do Piauí (PI)
belenense Nova Belém (MG)
belford-roxense Belford Roxo (RJ)
belmirense Belmiro Braga (MG)
belmontense Belmonte (BA)
belmontense Belmonte (SC)
belmontense São José do Belmonte (PE)
belo-campense Belo Campo (BA)
belo-horizontino Belo Horizonte, capital de MG
belo-jardinense Belo Jardim (PE)
belo-montense Belo Monte (AL)
belo-orientino Belo Oriente (MG)
belo-valense Belo Vale (MG)
belterrense Belterra (PA)
beltrandense, engenheiro-beltrense Engenheiro Beltrão (PR)
beltranense, beltronense, francisco-beltrense Francisco Beltrão (PR)
beneditense, são-beneditense São Benedito (CE)
beneditinense Beneditinos (PI)
benedito-novense Benedito Novo (SC)
beneleitense Benedito Leite (MA)
benevidense Benevides (PA)
benjamim-constantense Benjamin Constant (AM)
benjaminense Benjamin Constant do Sul (RS)
bento-abreuense Bento de Abreu (SP)
bento-fernandense Bento Fernandes (RN)
bequimoense Bequimão (MA)
berilense Berilo (MG)
berizalense Berizal (MG)
bernardense Bernardo do Mearim (MA)
bernardense Bernardo Sayão (TO)
bernardense Presidente Bernardes (MG)
bernardense Presidente Bernardes (SP)
bernardense São Bernardo (MA)
bernardinense Bernardino de Campos (SP)
bernardinense São Bernardino (SC)
bertioguense Bertioga (SP)
bertolinense Bertolínia (PI)
bertopolitano Bertópolis (MG)
beruriense Beruri (AM)
bessarabiense Bessarábia
betaniense Betânia (PE)
betaniense Betânia do Piauí (PI)
betinense Betim (MG)
bezerrense Bezerros (PE)
bias-fortense Bias Fortes (MG)
bibarrense Duas Barras (RJ)
bicaquense Coronel Bicaco (RS)
biguaçuense Biguaçu (SC)
bilaquense Bilac (SP)
biquense Bicas (MG)
biquinhense Biquinhas (MG)
biriguiense Birigui (SP)
biritibano Biritiba-Mirim (SP)
biritinguense Biritinga (BA)
bituranense Bituruna (PR)
blumenauense Blumenau (SC)
boa-esperancense Boa Esperança (PR)
boa-esperancense Boa Esperança do Iguaçu (PR)
boa-esperancense Boa Esperança do Sul (SP)
boa-esperancense, esperancense Boa Esperança (ES)
boa-esperancense, esperancense Boa Esperança (MG)
boa-horense Boa Hora (PI)
boa-novense Boa Nova (BA)
boa-venturense Boa Ventura (PB)
boa-venturense, venturense Boa Ventura de São Roque (PR)
boa-viagense Boa Viagem (CE)
boa-vistense Boa Vista (PB)
boa-vistense Boa Vista da Aparecida (PR)
boa-vistense Boa Vista das Missões (RS)
boa-vistense Boa Vista do Buricá (RS)
boa-vistense Boa Vista do Cadeado (RS)
boa-vistense Boa Vista do Gurupi (MA)
boa-vistense Boa Vista do Incra (RS)
boa-vistense Boa Vista do Ramos (AM)
boa-vistense Boa Vista do Sul (RS)
boa-vistense Boa Vista, capital de RR
boa-vistense Nova Boa Vista (RS)
boa-vistense Santa Maria da Boa Vista (PE)
boa-vistense São José da Boa Vista (PR)
boa-vistense São Miguel da Boa Vista (SC)
boa-vistense São Sebastião da Boa Vista (PA)
boca-acriano, bocacrense Boca do Acre (AM)
bocainense Bocaina (PI)
bocainense Bocaina (SP)
bocainense Bocaina de Minas (MG)
bocainense Bocaina do Sul (SC)
bocaiuvense Bocaiúva (MG)
bocaiuvense Bocaiúva do Sul (PR)
bodocoara, bodocoense Bodocó (PE)
bodoense Bodó (RN)
bodoquenense Bodoquena (MS)
bofetense Bofete (SP)
boituvense Boituva (SP)
bom-despachense Bom Despacho (MG)
bom-jardinense Bom Jardim (MA)
bom-jardinense Bom Jardim (PE)
bom-jardinense Bom Jardim (RJ)
bom-jardinense Bom Jardim da Serra (SC)
bom-jardinense Bom Jardim de Goiás (GO)
bom-jardinense Bom Jardim de Minas (MG)
bom-jesuense Bom Jesus (PB)
bom-jesuense Bom Jesus (PI)
bom-jesuense Bom Jesus (RN)
bom-jesuense Bom Jesus (RS)
bom-jesuense Bom Jesus (SC)
bom-jesuense Bom Jesus da Penha (MG)
bom-jesuense Bom Jesus da Serra (BA)
bom-jesuense Bom Jesus das Selvas (MA)
bom-jesuense Bom Jesus de Goiás (GO)
bom-jesuense Bom Jesus do Amparo (MG)
bom-jesuense Bom Jesus do Araguaia (MT)
bom-jesuense Bom Jesus do Galho (MG)
bom-jesuense Bom Jesus do Itabapoana (RJ)
bom-jesuense Bom Jesus do Oeste (SC)
bom-jesuense Bom Jesus do Sul (PR)
bom-jesuense Bom Jesus do Tocantins (PA)
bom-jesuense-do-norte Bom Jesus do Norte (ES)
bom-jesuense, jesuense Bom Jesus dos P erdões (SP)
bom-jesuíno Bom Jesus do Tocantins (TO)
bom-lugarense Bom Lugar (MA)
bom-principiense Bom Princípio (RS)
bom-principiense Bom Princípio do Piauí (PI)
bom-progressense Bom Progresso (RS)
bom-repousense Bom Repouso (MG)
bom-retirense Bom Retiro (SC)
bom-retirense Bom Retiro do Sul (RS)
bom-sucessense Bom Sucesso (MG)
bom-sucessense Bom Sucesso (PB)
bom-sucessense Bom Sucesso (PR)
bom-sucessense Bom Sucesso de Itararé (SP)
bom-sucessense-do-sul Bom Sucesso do Sul (PR)
bombinhense Bombinhas (SC)
bonfinense Bonfim (MG)
bonfinense Bonfim (RR)
bonfinense Bonfim do Piauí (PI)
bonfinense São José do Bonfim (PB)
bonfinense Senhor do Bonfim (BA)
bonfinopolense Bonfinópolis (GO)
bonfinopolitano Bonfinópolis de Minas (MG)
bonifacense José Bonifácio (SP)
boninalense Boninal (BA)
bonitense Bonito (BA)
bonitense Bonito (MS)
bonitense Bonito (PA)
bonitense Bonito (PE)
bonitense Bonito de Minas (MG)
bonitense Bonito de Santa Fé (PB)
bonopolino Bonópolis (GO)
boqueirãoense Boqueirão (PB)
boqueirãoense Boqueirão do Piauí (PI)
boquinense Boquim (SE)
boquirense Boquira (BA)
boraceense Boraceia (SP)
boraense Borá (SP)
borbense Borba (AM)
borboremense Borborema (PB)
borboremense Borborema (SP)
borda-matense Borda da Mata (MG)
borebiense Borebi (SP)
borrazopolitano, catugiense Borrazópolis (PR)
bossoroquense Bossoroca (RS)
botelhense Botelhos (MG)
botucatuense Botucatu (SP)
botumirinense Botumirim (MG)
botuporãense Botuporã (BA)
botuveraense Botuverá (SC)
bozanense Bozano (RS)
braço-nortense Braço do Norte (SC)
braço-trombudense Braço do Trombudo (SC)
braganense Braganey (PR)
bragantino Bragança (PA)
bragantino Bragança Paulista (SP)
braguense Braga (RS)
branquinhense Branquinha (AL)
brás-pirense Brás Pires (MG)
brasilandense Brasilândia (MS)
brasilandense Brasilândia de Minas (MG)
brasilandense Brasilândia do Tocantins (TO)
brasilandense Nova Brasilândia (MT)
brasilandense Nova Brasilândia d'Oeste (RO)
brasilandiense Brasilândia do Sul (PR)
brasileense Brasileia (AC)
brasileirense Brasileira (PI)
brasiliense Brasília (DF)
brasiliense Brasilia de Minas (MG)
brasilnovense Brasil Novo (PA)
brasnortense Brasnorte (MT)
brasopolense Brasópolis (MG)
braunense Braúna (SP)
braunense Braúnas (MG)
brazabrantino Brazabrantes (GO)
brazense Wenceslau Braz (PR)
brazense, wenceslauense Wenceslau Braz (MG)
brejãoense São Francisco do Brejão (MA)
brejareiense Brejo de Areia (MA)
brejense Brejo (MA)
brejense Brejo da Madre de Deus (PE)
brejense Brejo do Piauí (PI)
brejetubense Brejetuba (ES)
brejinense Brejinho (RN)
brejinense Brejinho de Nazaré (TO)
brejinhense Brejinho (PE)
brejinhense Oliveira dos Brejinhos (BA)
brejo-alegrense Brejo Alegre (SP)
brejo-cruzense Brejo do Cruz (PB)
brejo-grandense Brejo Grande (SE)
brejo-grandense Brejo Grande do Araguaia (PA)
brejo-santense Brejo dos Santos (PB)
brejo-santense Brejo Santo (CE)
brejoense Brejões (BA)
brejolandense Brejolândia (BA)
brejonense Brejão (PE)
bresciense Nova Bréscia (RS)
bressanense Oscar Bressane (SP)
breuense Breu Branco (PA)
brevense Breves (PA)
britaniense Britânia (GO)
brochiense Brochier (RS)
brodosquiano Brodowski (SP)
brotense Brotas (SP)
brotense Brotas de Macaúbas (BA)
brotense Santo Amaro das Brotas (SE)
brumadense Brumado (BA)
brumadinhense Brumadinho (MG)
brunopolitense Brunópolis (SC)
brusquense Brusque (SC)
buenairense Buenos Aires (PE)
bueno-brandense Bueno Brandão (MG)
buenopolense Buenópolis (MG)
buerarema Buerarema (BA)
bugrense Bugre (MG)
buiquense Buíque (PE)
bujariense Bujari (AC)
bujaruense Bujaru (PA)
buriense Buri (SP)
buritamense Buritama (SP)
buriti-alegrense Buriti Alegre (GO)
buriti-bravense Buriti Bravo (MA)
buriticupuense Buriticupu (MA)
buritiense Buriti (MA)
buritiense Buriti de Goiás (GO)
buritiense Buriti dos Lopes (PI)
buritiense Buriti dos Montes (PI)
buritiense Dois Irmãos do Buriti (MS)
buritiense, buriti-tocantino Buriti do Tocantins (TO)
buritinopolitano Buritinópolis (GO)
buritiramense Buritirama (BA)
buritiranense Buritirana (MA)
buritisense Buritis (MG)
buritisense Buritis (RO)
buritizalense, buritizense Buritizal (SP)
buritizeirense Buritizeiro (MG)
butiaense Butiá (RS)
buziano Armação de Búzios (RJ)
caapiranguense Caapiranga (AM)
caaporãense Caaporã (PB)
caarapoense Caarapó (MS)
caatibense Caatiba (BA)
cabaceirense Cabaceiras (PB)
cabaceirense Cabaceiras do Paraguaçu (BA)
cabeceirense Cabeceira Grande (MG)
cabeceirense Cabeceiras (GO)
cabeceirense Cabeceiras do Piauí (PI)
cabedelense Cabedelo (PB)
cabense Cabo de Santo Agostinho (PE)
cabixiense Cabixi (RO)
cabo-friense Cabo Frio (RJ)
cabo-verdense Cabo Verde (MG)
cabraisense Novo Cabrais (RS)
cabraliense Cabrália paulista (SP)
cabreuvano Cabreúva (SP)
cabroboense Cabrobó (PE)
caçadorense Caçador (SC)
caçapavano Caçapava do Sul (RS)
caçapavense Caçapava (SP)
cacaulandense Cacaulândia (RO)
cacequiense Cacequi (RS)
cacerense Cáceres (MT)
cachoeira-altense Cachoeira Alta (GO)
cachoeira-douradense Cachoeira Dourada (GO)
cachoeirano, cachoeirense Cachoeira (BA)
cachoeirense Cachoeira da Prata (MG)
cachoeirense Cachoeira de Goiás (GO)
cachoeirense Cachoeira de Minas (MG)
cachoeirense Cachoeira de Pajeú (MG)
cachoeirense Cachoeira do Arari (PA)
cachoeirense Cachoeira do Piriá (PA)
cachoeirense Cachoeira Dourada (MG)
cachoeirense Cachoeira Grande (MA)
cachoeirense Cachoeira Paulista (SP)
cachoeirense Cachoeiras de Macacu (RJ)
cachoeirense Cachoeiro de Itapemirim (ES)
cachoeirense-do-sul Cachoeira do Sul (RS)
cachoeirense-dos-índios Cachoeira dos Índios (PB)
cachoeirinhense Cachoeirinha (PE)
cachoeirinhense Cachoeirinha (RS)
cachoeirinhense Cachoeirinha (TO)
cacimbadentrense, cacimbense Cacimba de Dentro (PB)
cacimbense Cacimba de Areia (PB)
cacimbense Cacimbas (PB)
cacimbense Cacimbinhas (AL)
caciquense Cacique Doble (RS)
cacoalense Cacoal (RO)
cacondense Caconde (SP)
caçuense Caçu (GO)
caculeense Caculé (BA)
caenense Caém (BA)
caetanense Caetanos (BA)
caetanopolitano Caetanópolis (MG)
caeteense Caeté (MG)
caeteense Caetés (PE)
caetiteense Caetité (BA)

1447 Gentílicos brasileiros

cafarnauense Cafarnaum (BA)
cafearense Cafeara (PR)
cafelandense Cafelândia (PR)
cafelandense Cafelândia (SP)
cafezalense-do-sul Cafezal do Sul (PR)
caiabuense Caiabu (SP)
caianense Caiana (MG)
caianense São José de Caiana (PB)
caiaponiense Caiapônia (GO)
caibateense Caibaté (RS)
caibiense Caibi (SC)
caiçarense Caiçara (PB)
caiçarense Caiçara (RS)
caiçarense-do-norte Caiçara do Norte (RN)
caiçarense-do-rio-do-vento Caiçara do Rio do Vento (RN)
caicoense Caicó (RN)
caieirense Caieiras (SP)
caiense São Sebastião do Caí (RS)
cairuense Cairu (BA)
caiuense Caiuá (SP)
caiuense, são-joanense São João do Caiuá (PR)
cajamarense Cajamar (SP)
cajapioense Cajapió (MA)
cajariense Cajari (MA)
cajatiense Cajati (SP)
cajazeirense Cajazeiras (PB)
cajazeirense Cajazeiras do Piauí (PI)
cajazeirinhense Cajazeirinhas (PB)
cajobiense Cajobi (SP)
cajueirense Cajueiro (AL)
cajueirense Cajueiro da Praia (PI)
cajuriense Cajuri (MG)
cajuruense Cajuru (SP)
cajuruense Carmo do Cajuru (MG)
calçadense Calçado (PE)
calçadense São José do Calçado (ES)
calçoenense Calçoene (AP)
caldas-brandense Caldas Brandão (PB)
caldazinhense Caldazinha (GO)
caldeirão-grandense Caldeirão Grande (BA)
caldeirão-grandense Caldeirão Grande do Piauí (PI)
caldense Caldas (MG)
caldense Caldas Novas (GO)
californiano Califórnia (PR)
calmonense Calmon (SC)
calmonense Miguel Calmon (BA)
calumbiense Calumbi (PE)
camacaense Camacan (BA)
camaçariense Camaçari (BA)
camachense Camacho (MG)
camalauense Camalaú (PB)
camamuense Camamu (BA)
camanducaiense Camanducaia (MG)
camapuano, camapuense Camapuã (MS)
camaquense Camaquã (RS)
camaraense General Câmara (RS)
camaragibano Passo de Camaragibe (AL)
camaragibense Camaragibe (PE)
camarense João Câmara (RN)
camarguense Camargo (RS)
camarguense Doutor Camargo (PR)
cambaraense Cambará (PR)
cambaraense Cambará do Sul (RS)
cambeense Cambé (PR)
cambirense Cambira (PR)
camboriuense Camboriú (SC)
cambuciense Cambuci (RJ)
cambuiense Cambuí (MG)
cambuquirense Cambuquira (MG)
cametaense Cametá (PA)
camociara, camocinense Camocim de São Félix (PE)
camocimense, camocinense Camocim (CE)
campanarense, campanariense Campanário (MG)
campanhense Campanha (MG)
campestrense Campestre (AL)
campestrense Campestre (MG)
campestrense Campestre da Serra (RS)
campestrense Campestre do Maranhão (MA)
campestrense São José do Campestre (RN)
campestrino Campestre de Goiás (GO)
campina-verdense Campina Verde (MG)
campinaçuense Campinaçu (GO)
campinapolense Campinápolis (MT)
campineiro Campinas (SP)
campineiro-do-simão, campinense. Campina do Simão (PR)
campinense Campina das Missões (RS)
campinense Campina Grande (PB)
campinense Campinas do Piauí (PI)
campinense Campinas do Sul (RS)
campinense-da-lagoa Campina da Lagoa (PR)
campinense-do-sul Campina Grande do Sul (PR)
campinense, campino-monte-alegrense Campina do Monte Alegre (SP)
campinortense Campinorte (GO)
campista Campos dos Goytacazes (RJ)
campo-alegrense Campo Alegre (AL)
campo-alegrense Campo Alegre (SC)
campo-alegrense Campo Alegre de Goiás (GO)
campo-alegrense Campo Alegre de Lourdes (BA)
campo-alegrense Campo Alegre do Fidalgo (PI)
campo-azulense Campo Azul (MG)
campo-belense Campo Belo (MG)
campo-belense Campo Belo do Sul (SC)
campo-belense Campos Belos (GO)
campo-bonense Campo Bom (RS)
campo-bonitense Campo Bonito (PR)
campo-britense Campo do Brito (SE)
campo-erense Campo Erê (SC)
campo-floridense Campo Florido (MG)
campo-formosense Campo Formoso (BA)
campo-grandense Campo Grande (AL)
campo-grandense Campo Grande do Piauí (PI)
campo-grandense Campo Grande, capital do MS
campo-juliense Campos de Júlio (MT)
campo-larguense Campo Largo (PR)
campo-larguense Campo Largo do Piauí (PI)
campo-limpense Campo Limpo de Goiás (GO)
campo-limpense Campo Limpo Paulista (SP)
campo-lindense Campos Lindos (TO)
campo-magrense Campo Magro (PR)
campo-maiorense Campo Maior (PI)
campo-meiense Campo do Meio (MG)
campo-mourense Campo Mourão (PR)
campo-novense Campo Novo (RS)
campo-novense Campo Novo de Rondônia (RO)
campo-novense Campo Novo do Parecis (MT)
campo-redondense Campo Redondo (RN)
campo-verdense Campo Verde (MT)
campos-altense Campos Altos (MG)
campos-borgense Campos Borges (RS)
campos-geraiense Campos Gerais (MG)
campos-novense Campos Novos (SC)
campos-novense Campos Novos Paulista (SP)
campos-salense Campos Sales (CE)
campos-verdense Campos Verdes (GO)
camutanguense Camutanga (PE)
cana-verdense Cana Verde (MG)
canaãense Canaã (MG)
canaãense Canaã dos Carajás (PA)
canabarrense David Canabarro (RS)
canabravense Canabrava do Norte (MT)
canabravense São João da Canabrava (PI)
canaense Nova Canaã (BA)
canaense Nova Canaã do Norte (MT)
canalense, são-simãoense São Simão (GO)
cananeiense Cananeia (SP)
canapiense Canapi (AL)
canapolense Canápolis (BA)
canapolense Canápolis (MG)
canaraense, canaranense Canarana (MT)
canaranense Canarana (BA)
canariense Pedro Canário (ES)
canavieirense Canavieira (PI)
canavieirense Canavieiras (BA)
candealense Candeal (BA)
candeense Candeias (BA)
candeense Candeias (MG)
candeiense Candeias do Jamari (RO)
candelariense Candelária (RS)
candibense Candiba (BA)
cândido-abreuense Cândido de Abreu (PR)
cândido-mendense Cândido Mendes (MA)
cândido-motense Cândido Mota (SP)
cândido-rodriguense Cândido Rodrigues (SP)
cândido-rondoniano, rondonense Marechal Cândido Rondon (PR)
cândido-salense Cândido Sales (BA)
candiotense Candiota (RS)
candoiano, candoiense Candói (PR)
canedense Senador Canedo (GO)
canelense Canela (RS)
canelense Canelinha (SC)
canense Canas (SP)
canguaretamense Canguaretama (RN)
canguçuense Canguçu (RS)
canhobense Canhoba (SE)
canhotinhense Canhotinho (PE)
canindeense Canindé (CE)
canindense Canindé do São Francisco (SE)
canitarense Canitar (SP)
canoense Canoas (RS)
canoense Lagoa da Canoa (AL)
canoinhense Canoinhas (SC)
cansançãoense, cansancionense Cansanção (BA)
cantaense Cantá (RR)
cantagalense Cantagalo (MG)
cantagalense Cantagalo (PR)
cantagalense Cantagalo (RJ)
cantanhedense Cantanhede (MA)
canto-buritiense Canto do Buriti (PI)
canudense Canudos (BA)
canudense Canudos do Vale (RS)
canutamense Canutama (AM)
capanemense Capanema (PA)
capanemense Capanema (PR)
capão-altense Capão Alto (SC)
capão-bonitense Capão Bonito (SP)
capão-bonitense Capão Bonito do Sul (RS)
caparaoense Caparaó (MG)
capela-novense Capela Nova (MG)
capelense Capela (AL)
capelense Capela (SE)
capelense Capela de Santana (RS)
capelense Capela do Alto (SP)
capelense Capela do Alto Alegre (BA)
capelinhense Capelinha (MG)
capetinguense Capetinga (MG)
capiense Capim (PB)
capim-branquense Capim Branco (MG)
capim-grossense Capim Grosso (BA)
capinense São Domingos do Capim (PA)
capinopolino Capinópolis (MG)
capinzalense Capinzal (SC)
capinzalense Capinzal do Norte (MA)
capistranense Capistrano (CE)
capitanense Capitão (RS)
capitão-andradense Capitão Andrade (MG)
capitão-campense Capitão de Campos (PI)
capitão-eneense Capitão Eneias (MG)
capitão-pocense Capitão Poço (PA)
capitolino Capitólio (MG)
capivariano Capivari (SP)
capivariense Capivari de Baixo (SC)
capivariense-do-sul Capivari do Sul (RS)
capixabense Capixaba (AC)
capoeirense Capoeiras (PE)
caponense Capão da Canoa (RS)
caponense Muitos Capões (RS)
caputirense Caputira (MG)
caraaense Caraá (RS)
caracaraiense Caracaraí (RR)
caracolense Caracol (MS)
caracolense Caracol (PI)
caraguatatubense Caraguatatuba (SP)
caraibense Caraíbas (BA)
caraiense Caraí (MG)
carambiense Carambeí (PR)
caranaibense Caranaíba (MG)
carandaiense Carandaí (MG)
carangolense Carangola (MG)
carapebuense Carapebus (RJ)
carapicuibano Carapicuíba (SP)
caratinguense Caratinga (MG)
carauariense Carauari (AM)
caraubense Caraúbas (PB)
caraubense Caraúbas (RN)
caraubense Caraúbas do Piauí (PI)
caravelense Caravelas (BA)
carazinhense Carazinho (RS)
carbonitense Carbonita (MG)
cardinalense Cardeal da Silva (BA)
cardosense Antônio Cardoso (BA)
cardosense Cardoso (SP)
cardosense Cardoso Moreira (RJ)
careaçuense Careaçu (MG)
careirense Careiro (AM)
careirense-da-várzea Careiro da Várzea (AM)
cariaciquense Cariacica (ES)
caridadense Caridade (CE)
caridadense Caridade do Piauí (PI)
carinhanhense Carinhanha (BA)
carioca Rio de Janeiro, capital do RJ
carireense Cariré (CE)
carirense Carira (SE)
caririaçuense Caririaçu (CE)
caririense Cariri do Tocantins (TO)
caririense, caririseiro, são-joanense São João do Cariri (PB)
cariuense Cariús (CE)
carlindense Carlinda (MT)
carlopolitano Carlópolis (PR)
carlos-chaguense Carlos Chagas (MG)
carlos-gomense Carlos Gomes (RS)
carmelitano Carmo do Rio Claro (MG)
carmelitano Monte Carmelo (MG)
carmelito Monte do Carmo (TO)
carmense Carmo (RJ)
carmense Carmo da Mata (MG)
carmense Carmo do Paranaíba (MG)
carmesense Carmésia (MG)
carmo-cachoeirense Carmo da Cachoeira (MG)
carmo-rio-verdino Carmo do Rio Verde (GO)
carmoense Carmo de Minas (MG)
carmolandense Carmolândia (TO)
carmopolense Carmópolis (SE)
carmopolitano Carmópolis de Minas (MG)
carnaibano, carnaibense Carnaíba (PE)
carnaubense Carnaubais (RN)
carnaubalense Carnaubal (CE)
carnaubeirense Carnaubeira da Penha (PE)
carnaubense Carnaúba dos Dantas (RN)
carneirense Carneiros (AL)
carneirense General Carneiro (PR)
carneirinhense Carneirinho (MG)
caroebense Caroebe (RR)
carolinense Carolina (MA)
carpinense Carpina (PE)
carranquense Carrancas (MG)
carrapateirense Carrapateira (PB)
carrascoense Carrasco Bonito (TO)
caruaruense Caruaru (PE)
caruense, são-joanense São João do Caru (MA)
carutaperense Carutapera (MA)
carvalhense Carvalhópolis (MG)
carvalhense Carvalhos (MG)
casa-branquense Casa Branca (SP)
casa-grandense Casa Grande (MG)
casa-novense Casa Nova (BA)
casadense Olho d'Água do Casado (AL)
cascalheirense Ribeirão Cascalheira (MT)
cascalho-riquense Cascalho Rico (MG)
cascavelense Cascavel (CE)
cascavelense Cascavel (PR)
casearense Caseara (TO)
caseirense Caseiros (RS)
casimirense Casimiro de Abreu (RJ)
casinhense Casinhas (PE)
casquense Casca (RS)
casserenguense Casserengue (PB)
cassiano Cássia dos Coqueiros (SP)
cassiense Cássia (MG)
cassilandense Cassilândia (MS)
castanhalense Castanhal (PA)
castanheirense Castanheira (MT)
castanheirense Castanheiras (RO)
castelandense Castelândia (GO)
castelense Castelo (ES)
castelense Castelo do Piauí (PI)
castelense, castelo-branquense Presidente Castelo Branco (PR)
castelinense Presidente Castelo Branco (SC)
castilhense Castilho (SP)
castilhense Júlio de Castilhos (RS)
castilhense Nova Castilho (SP)
castrense Castro (PR)
castro-alvense Castro Alves (BA)
cataguasense Cataguases (MG)
catalano Catalão (GO)
catanduvense Catanduva (SP)
catanduvense Catanduvas (PR)
catanduvense Catanduvas (SC)
catarinense Catarina (CE)
catas-altense Catas Altas (MG)
catas-altense Catas Altas da Noruega (MG)
catendense Catende (PE)
catiguense Catiguá (SP)
catingueirense Catingueira (PB)
catolandiano Catolândia (BA)
catoleense Catolé do Rocha (PB)
catuense Catu (BA)
catuipano Catuípe (RS)
catujiense Catuji (MG)
caturaiense Caturaí (GO)
caturamense Caturama (BA)
caturiteense Caturité (PB)
catutiense Catuti (MG)
caucaiense Caucaia (CE)
caucasiano Cáucaso (Ásia)
cavalcantense Cavalcante (GO)
caxambuense Caxambu (MG)
caxambuense Caxambu do Sul (SC)
caxiense Caxias (MA)
caxiense Caxias do Sul (RS)
caxiense Duque de Caxias (RJ)
caxingoense Caxingó (PI)
ceará-mirinense Ceará-Mirim (RN)
ceciliense Santa Cecília (SC)
ceciliense Santa Cecília (PB)
cedralense Cedral (MA)
cedralense Cedral (SP)
cedrense Cedro (CE)
cedrense Cedro (PE)
cedrense Cedro de São João (SE)
cedrense Cedro do Abaeté (MG)
cedrense São José do Cedro (SC)
celso-ramense Celso Ramos (SC)
centenariense Centenário (RS)
centenariense Centenário (TO)
centenariense Centenário do Sul (PR)
centralense Central (BA)
centralense Central de Minas (MG)
centralense Central do Maranhão (MA)
centralinense Centralina (MG)
centro-guilhermense Centro do Guilherme (MA)
centro-novense Centro Novo do Maranhão (MA)
cerejeirense Cerejeiras (RO)
ceresino Ceres (GO)
cerqueirense Cerqueira César (SP)
cerqueirense, dionisiense Dionísio Cerqueira (SC)
cerquilhense Cerquilho (SP)
cerritense Cerrito (RS)
cerritense São José do Cerrito (SC)
cerro-azulense Cerro Azul (PR)
cerro-branquense Cerro Branco (RS)
cerro-coraense Cerro Corá (RN)
cerro-grandense Cerro Grande (RS)
cerro-larguense Cerro Largo (RS)
cerro-negrense Cerro Negro (SC)
cesariano-lange Cesário Lange (SP)
céu-azulense Céu Azul (PR)
cezarinense Cezarina (GO)
chã-grandense Chã Grande (PE)
chã-pretense Chã Preta (AL)
chacarense Chácara (MG)
chaleense Chalé (MG)
chapadareiense Chapada de Areia (TO)
chapadense Chapada (RS)
chapadense Chapada da Natividade (TO)
chapadense Chapada do Norte (MG)
chapadense Chapada dos Guimarães (MT)
chapadense Chapada Gaúcha (MG)
chapadense Chapadão do Céu (GO)
chapadense Chapadão do Sul (MS)
chapadinhense Chapadinha (MA)
chapecoense Chapecó (SC)
charqueadense Charqueada (SP)
charqueadense Charqueadas (RS)
charruense Charrua (RS)
chavalense Chaval (CE)
chavantense Chavantes (SP)
chaveense Chaves (PA)
cheredense, schroedense, shroedense Schroeder (SC)
chiadorense Chiador (MG)
chiapetense Chiapeta (RS)
chopinzinhense Chopinzinho (PR)
choroense Choró (CE)
chorozinhense Chorozinho (CE)
chorrochoense Chorrochó (BA)
chuiense Chuí (RS)
chupinguaiense Chupinguaia (RO)
chuvisquense Chuvisca (RS)
cianortense Cianorte (PR)
cícero-dantense Cícero Dantas (BA)
cidade-gauchense Cidade Gaúcha (PR)
cidelandense Cidelândia (MA)
cidreirense Cidreira (RS)
cipense São Pedro da Cipa (MT)
cipoense Capão do Cipó (RS)
cipoense Cipó (BA)
cipotanense Cipotânea (MG)
ciriaquense Ciríaco (RS)
claravalense Claraval (MG)
claro-pocense Claro dos Poções (MG)
claudiense Cláudia (MT)
claudiense Cláudio (MG)
clementinense Clementina (SP)
clevelandense Clevelândia (PR)
coaraciense Coaraci (BA)
coariense Coari (AM)
cocaiense Barão de Cocais (MG)
cocal-alvense Cocal dos Alves (PI)
cocalense Cocal (PI)
cocalense Cocal do Sul (SC)
cocalinhense Cocalinho (MT)
cocalzinhense Cocalzinho de Goiás (GO)
cocatelhense Cocal de Telha (PI)
codajaense Codajás (AM)
codoense Codó (MA)
coelho-netense Coelho Neto (MA)
coimbraense, coimbrense Coimbra (MG)
coiteense Conceição do Coité (BA)
coitense Coité do Noia (AL)
coivarense Coivaras (PI)
colarense, colarista Colares (PA)
colatinense Colatina (ES)
colegiense Porto Real do Colégio (AL)
colidense Colíder (MT)
colinense Colina (SP)
colinense Colinas (MA)
colinense Colinas (RS)
colinense Colinas do Sul (GO)
colinense Colinas do Tocantins (TO)
colinense, nova-americanense Nova América da Colina (PR)
colmeiense Colmeia (TO)
colnizense Colniza (MT)
colombense, colombiano Colombo (PR)

Gentílicos brasileiros 1448

colombiano Colômbia (SP)
coloniense Colônia do Gurgueia (PI)
coloniense Colônia do Piauí (PI)
coloradense Colorado (PR)
coloradense Colorado (RS)
coloradense Colorado do Oeste (RO)
colunense Coluna (MG)
combinadense Combinado (TO)
comendadorense Comendador Gomes (MG)
comerciense Comercinho (MG)
comodorense Comodoro (MT)
conceição-paraense Conceição do Pará (MG)
conceiçãoense Conceição (PB)
conceiçãoense Conceição do Castelo (ES)
conceiçãoense Rio da Conceição (TO)
conceiçãonense Conceição do Canindé (PI)
conceicionense Conceição da Barra de Minas (MG)
conceicionense Conceição do Mato Dentro (MG)
conceicionense Conceição do Rio Verde (MG)
conceicionense Conceição do Tocantins (TO)
conceiçoense Conceição da Feira (BA)
conchalense Conchal (SP)
conchense Conchas (SP)
concordense, concordiense Concórdia (SC)
concordiense Concórdia do Pará (PA)
condadense Condado (PB)
condadense Condado (PE)
condense Conde (BA)
condense Conde (PB)
condeubense Condeúba (BA)
condorense Condor (RS)
cônego-marinhense Cônego Marinho (MG)
confinense Confins (MG)
confrense Confresa (MT)
congoense Congo (PB)
congolês Congo (Áfr.)
congonhalense Congonhal (MG)
congonhense Congonhas (MG)
congonhense Congonhas do Norte (MG)
congonhinhense Congonhinhas (PR)
conjacuipense Conceição do Jacuípe (BA)
conquistense Conquista (MG)
conquistense Conquista d'Oeste (MT)
conquistense Vitória da Conquista (BA)
conselheiro-penense Conselheiro Pena (MG)
conselhense Bom Conselho (PE)
consolense Consolação (MG)
constantinense Constantina (RS)
contagense Contagem (MG)
contendense Contenda (PR)
contendense Contendas do Sincorá (BA)
coqueirense Coqueiral (MG)
coqueirense Coqueiro Seco (AL)
coqueirense Coqueiros do Sul (RS)
coqueiro-baixense Coqueiro Baixo (RS)
coquense Cocos (BA)
corbeliano, corbeliense Corbélia (PR)
cordeirense Cordeiro (RJ)
cordeirense Cordeiros (BA)
cordeiropolense Cordeirópolis (SP)
cordilheiraltense Cordilheira Alta (SC)
cordisburguense Cordisburgo (MG)
cordislandense Cordislândia (MG)
coreauense Coreaú (CE)
coremense Coremas (PB)
corguinhense Corguinho (MS)
coribense Coribe (BA)
corintiano Corinto (MG)
corjesuense Coração de Jesus (MG)
cornélio-procopiense, procopense, procopiense Cornélio Procópio (PR)
coroaciense Coroaci (MG)
coroadense Coroados (SP)
coroataense Coroatá (MA)
coromandelense Coromandel (MG)
coronel-barrense Coronel Barros (RS)
coronel-ezequielense Coronel Ezequiel (RN)
coronel-martinense Coronel Martins (SC)
coronel-vividense Coronel Vivida (PR)
coronelino Coronel José Dias (PI)
córrego-dantense Córrego Danta (MG)
córrego-fundense Córrego Fundo (MG)
córrego-novense Córrego Novo (MG)
corregorino Córrego do Ouro (GO)
correguense Córrego do Bom Jesus (MG)
correia-pintense Correia Pinto (SC)
correntense, correntino Correntes (PE)
correntinense Correntina (BA)
correntino Corrente (PI)
cortesense Cortês (PE)
corumbaense Corumbá (MS)
corumbaense Corumbá de Goiás (GO)
corumbaibense Corumbaíba (GO)
corumbataiense Corumbataí (SP)
corumbataiense Corumbataí do Sul (PR)
corumbiarense Corumbiara (RO)
corupaense Corupá (SC)
coruripense Coruripe (AL)
cosmopolense Cosmópolis (SP)
cosmoramense Cosmorama (SP)
costa-marquense Costa Marques (RO)
costa-riquense Costa Rica (MS)
cotegipano Cotegipe (BA)
cotegipense Barão de Cotegipe (RS)
cotiano Cotia (SP)
cotiporanense Cotiporã (RS)
cotriguaçuense Cotriguaçu (MT)
coutense Couto Magalhães (TO)
couto-magalhense Couto de Magalhães de Minas (MG)
coxilhense Coxilha (RS)
coxinense Coxim (MS)
coxixolense Coxixola (PB)
craibense Craíbas (AL)
cratense Crato (CE)
crateuense Crateús (CE)
cravinhense Cravinhos (SP)
cravolandense Cravolândia (BA)
criciumense Criciúma (SC)
crisolitense Crisólita (MG)
crisopolense Crisópolis (BA)
crissiumalense Crissiumal (RS)
cristalandense Cristalândia (TO)
cristalandense Cristalândia do Piauí (PI)
cristalense Cristais (MG)
cristalense Cristais Paulista (SP)
cristalense Cristal (RS)
cristalense Cristal do Sul (RS)
cristaliense Cristália (MG)
cristalinense Cristalina (GO)
cristianense Cristiano Otoni (MG)
cristianopolino Cristianópolis (GO)
cristinapolense, cristinapolitano Cristinápolis (SE)
cristinense Cristina (MG)
cristino-castrense Cristino Castro (PI)
cristopolense Cristópolis (BA)
cristovense, são-cristovense São Cristóvão (SE)
cristovense, são-cristovense São Cristóvão do Sul (SC)
crixaense, crixasense Crixás do Tocantins (TO)
crixasense Crixás (GO)
croataense Croatá (CE)
crominiense Cromínia (GO)
crucilandense Crucilândia (MG)
cruz-almense Cruz das Almas (BA)
cruz-altense Cruz Alta (RS)
cruz-espiritosantense Cruz do Espírito Santo (PB)
cruz-machadense Cruz Machado (PR)
cruzaliense Cruzália (SP)
cruzaltensiano Cruzaltense (RS)
cruzeirense Cruzeiro (SP)
cruzeirense Cruzeiro da Fortaleza (MG)
cruzeirense Cruzeiro do Iguaçu (PR)
cruzeirense Cruzeiro do Sul (AC)
cruzeirense Cruzeiro do Sul (RS)
cruzeirense-do-sul Cruzeiro do Sul (PR)
cruzeirense, cruz-oestano Cruzeiro do Oeste (PR)
cruzense Cruz (CE)
cruzetense Cruzeta (RN)
cruziliense Cruzília (MG)
cruzmaltinense Cruzmaltina (PR)
cubatiense Cubati (PB)
cubatonense Cubatão (SP)
cuiabano Cuiabá, capital do MT
cuiteense Cuité (PB)
cuiteense Cuité de Mamanguape (PB)
cuitegiense Cuitegi (PB)
cujubiense Cujubim (RO)
cumarino Cumari (GO)
cumaruense Cumaru (PE)
cumaruense Cumaru do Norte (PA)
cumbense Cumbe (SE)
cunha-porense Cunha Porã (SC)
cunhataiense Cunhataí (SC)
cunhense Cunha (SP)
cuparaquense Cuparaque (MG)
cupirense, cupiroara Cupira (PE)
curaçaense Curaçá (BA)
curimataense Curimatá (PI)
curionopolense Curionópolis (PA)
curitibanense Curitibanos (SC)
curitibano Curitiba, capital do PR
curiuvense Curiúva (PR)
currais-novense Currais Novos (RN)
curral-dentrense Curral de Dentro (MG)
curral-novense Curral Novo do Piauí (PI)
curral-velhense Curral Velho (PB)
curralense-de-cima Curral de Cima (PB)
curralense, curralinense Curralinho (PA)
curralense, curralinense Currais (PI)
curralinhense Curralinhos (PI)
curuaense Curuá (PA)
curuçaense Curuçá (PA)
curuense São Luís do Curu (CE)
cururupuense Cururupu (MA)
curuzuense, são-beneditense São Benedito do Rio Preto (MA) (ant. Curuzu)
curvelandense Curvelândia (MT)
curvelano Curvelo (MG)
custodiense Custódia (PE)
cutiense Cutias (AP)
damianopolino Damianópolis (GO)
damiãoense Damião (PB)
damolandense Damolândia (GO)
darcinopolino Darcinópolis (TO)
dário-meirense Dário Meira (BA)
datense Datas (MG)
davinopolino Davinópolis (GO)
davinopolitano Davinópolis (MA)
delfinense Delfim Moreira (MG)
delfinopolitano Delfinópolis (MG)
delmirense Delmiro Gouveia (AL)
deltense Delta (MG)
demerval-lobense, morrinhense Demerval Lobão (PI) (ant. Morrinhos)
denisense, denisiense Denise (MT)
deodapolense Deodápolis (MS)
deodorense Marechal Deodoro (AL)
derrubadense Derrubadas (RS)
descalvadense Descalvado (SP)
descansense Descanso (SC)
descobertense Descoberto (MG)
descobertense Santo Antônio do Descoberto (GO)
desterrense Desterro (PB)
desterrense Desterro de Entre Rios (MG)
dezesseis-novembrense Dezesseis de Novembro (RS)
diademense Diadema (SP)
diamantense Diamante d'Oeste (PR)
diamantense-do-norte, diamantino Diamante do Norte (PR)
diamantense-do-sul, diamantino Diamante do Sul (PR)
diamantinense Diamantina (MG)
diamantinense Diamantino (MT)
diamantino Diamante (PB)
dianopolino Dianópolis (TO)
dias-d'avilense Dias d'Ávila (BA)
dilermandense Dilermando de Aguiar (RS)
dionisiano Dionísio (MG)
dioramense Diorama (GO)
dircense Dirce Reis (SP)
divina-pastorense Divina Pastora (SE)
divinense Divino (MG)
divinense Divino das Laranjeiras (MG)
divinense São José do Divino (PI)
divinesiano Divinésia (MG)
divinolandense Divinolândia (SP)
divinolandense Divinolândia de Minas (MG)
divinopolino Divinópolis de Goiás (GO)
divinopolino Divinópolis do Tocantins (TO)
divinopolitano Divinópolis (MG)
divisa-novense Divisa Nova (MG)
divisalegrense Divisa Alegre (MG)
divisopolense Divisópolis (MG)
dix-septiense Governador Dix-Sept Rosado (RN)
dobradense Dobrada (SP)
dois-correguense Dois Córregos (SP)
dois-irmanense Dois Irmãos do Tocantins (TO)
dois-irmãosense Dois Irmãos (RS)
dois-irmãosense Dois Irmãos das Missões (RS)
dois-lajeadense Dois Lajeados (RS)
dois-vizinhense Dois Vizinhos (PR)
dolcinopolitano Dolcinópolis (SP)
dom-aquinense Dom Aquino (MT)
dom-basiliense Dom Basílio (BA)
dom-bosquense Dom Bosco (MG)
dom-cavatiano Dom Cavati (MG)
dom-eliseuense Dom Eliseu (PA)
dom-expedito-lopense Dom Expedito Lopes (PI)
dom-joaquinense Dom Joaquim (MG)
dom-pedrense Dom Pedro (MA)
dom-pedrense Dom Pedro de Alcântara (RS)
dom-silveriense Dom Silvério (MG)
dom-viçosense Dom Viçoso (MG)
domingos-mouronense Domingos Mourão (PI)
dominguense Coronel Domingos Soares (PR)
dominguense São Domingos (SC)
dominguense São Domingos do Norte (ES)
dominguense, vale-dominguense Vale de São Domingos (MT)
dominicano São Domingos (GO)
donemense Dona Emma (SC)
dorense Dores de Campos (MG)
dorense Dores de Guanhães (MG)
dorense Dores do Indaiá (MG)
dorense Dores do Turvo (MG)
dorense Nossa Senhora das Dores (SE)
doresopolitano Doresópolis (MG)
dormentense Dormentes (PE)
douradense Dourado (SP)
douradense Dourados (MS)
douradense Pedra Dourada (MG)
douradense, espírito-santense-do-dourado Espírito Santo do Dourado (MG)
douradinense Douradina (MS)
douradinense Douradina (PR)
douradoquarense Douradoquara (MG)
doverlandense Doverlândia (GO)
dracenense Dracena (SP)
duartinense Duartina (SP)
duas-estradense Duas Estradas (PB)
duerense Dueré (TO)
dumonense Dumont (SP)
durandense Durandé (MG)
dutrense Presidente Dutra (BA)
dutrense Vicente Dutra (RS)
echaporense Echaporã (SP)
ecoporanguense Ecoporanga (ES)
edealinense Edealina (GO)
edeiense Edeia (GO)
edson-lobense Governador Edson Lobão (MA)
egipciense São José do Egito (PE)
eirunepeense Eirunepé (AM)
eldoradense Eldorado (MS)
eldoradense Eldorado (SP)
eldoradense Eldorado do Sul (RS)
eldoradense Eldorado dos Carajás (PA)
elesbonense Elesbão Veloso (PI)
elias-faustense Elias Fausto (SP)
eliseu-martinino Eliseu Martins (PI)
elisiano Elísio Medrado (BA)
elisiarense Elisiário (SP)
elói-de-sousense Senador Eloi de Souza (RN)
elói-sousense Elói de Sousa RN
eloiense, elói-mendense Elói Mendes (MG)
embaubense Embaúba (SP)
embu-guaçuense Embu-Guaçu (SP)
embuense Embu (SP)
emense Emas (PB)
emilianopolense Emilianópolis (SP)
encantadense Encantado (RS)
encantense Encanto (RN)
encantilandense. manfrinopolense Manfrinópolis (PR)
encruzilhadense Encruzilhada (BA)
encruzilhadense Encruzilhada do Sul (RS)
eneias-marquense Enéas Marques (PR)
engenheiro-caldense Engenheiro Caldas (MG)
engenheiro-coelhense Engenheiro Coelho (SP)
engenho-velhense Engenho Velho (RS)
entre-folhense Entre Folhas (MG)
entre-ijuiense Entre Ijuís (RS)
entre-rio-sulense Entre Rios do Sul (RS)
entrerriano Entre Rios de Minas (MG)
entrerriense Entre Rios (BA)
entrerriense Entre Rios (SC)
entrerrioense Entre Rios do Oeste (PR)
envirense Envira (AM)
epitaciano Presidente Epitácio (SP)
epitaciolandense Epitaciolândia (AC)
equatoriano Equador (RN)
erebanguense Erebango (RS)
erechinense Erechim (RS)
erereense Ererê (CE)
érico-cardosense Érico Cardoso (BA)
ermense Ermo (SC)
ernestinense Ernestina (RS)
erval-grandense Erval Grande (RS)
erval-sequense Erval Seco (RS)
ervalense Erval Velho (SC)
ervalense Ervália (MG)
ervalense, hervalense Herval (RS)
escadense Escada (PE)
esmeraldense Esmeralda (RS)
esmeraldense Esmeraldas (MG)
espera-felizense Espera Feliz (MG)
esperançanovense Esperança Nova (PR)
esperancense Esperança (PB)
esperançulense Esperança do Sul (RS)
esperantinense Esperantina (PI)
esperantinense Esperantina (TO)
esperantinopense, esperantinopolense Esperantinópolis (MA)
espigãoense Espigão Alto do Iguaçu (PR)
espigãozense-d'oeste., espigãoense. Espigão d'Oeste (RO)
espinharense São José de Espinharas (PB)
espinosense Espinosa (MG)
espírito-santense Espírito Santo (RN)
espírito-santense Espírito Santo do Turvo (SP)
esplanadense Esplanada (BA)
espumosense Espumoso (RS)
estacionense Estação (RS)
estanciano Estância (SE)
estanciense Estância Velha (RS)
esteiense Esteio (RS)
estivense Estiva (MG)
estivense Estiva Gerbi (SP)
estreitense Estreito (MA)
estrela-dalvense Estrela Dalva (MG)
estrela-nortense Estrela do Norte (GO)
estrela-sulense Estrela do Sul (MG)
estrela-velhense Estrela Velha (RS)
estrelense Estrela (RS)
estrelense Estrela d'Oeste (SP)
estrelense Estrela de Alagoas (AL)
estrelense Estrela do Indaiá (MG)
estrelense Estrela do Norte (SP)
euclidense Euclides da Cunha (BA)
euclidense Euclides da Cunha Paulista (SP)
eugênio-barrense Governador Eugênio Barros (MA)
eugênio-castrense Eugênio de Castro (RS)
eugenopolense Eugenópolis (MG)
eunapolitano Eunápolis (BA)
eusebense, eusebiense Dona Eusébia (MG)
eusebiano Eusébio (CE)
evangelistano São João Evangelista (MG)
ewbanquense Ewbank da Câmara (MG)
expeditense Santo Expedito (SP)
expeditense Santo Expedito do Sul (RS)
extremense Extrema (MG)
extremozense Extremoz (RN)
exuense, exuoara Exu (PE)
fabricianense Coronel Fabriciano (MG)
fagundense Fagundes (PB)
fagundense Fagundes Varela (RS)
fainense Faina (GO)
famense Fama (MG)
farense Faro (PA)
faria-lemense Faria Lemos (MG)
farias-britense Farias Brito (CE)
farolense Farol (PR)
farroupilhense Farroupilha (RS)
farturense Fartura (SP)
farturense Fartura do Piauí (PI)
fátima-sulense Fátima do Sul (MS)
fatimense Fátima (BA)
fatimense Fátima (TO)
fatimense Nova Fátima (BA)
fatimense Nova Fátima (PR)
faxinalense Faxinal (PR)
faxinalense Faxinal dos Guedes (SC)
faxinalzinhense Faxinalzinho (RS)
fazenda-novense Fazenda Nova (GO)
fazendense, rio-grandense Fazenda Rio Grande (PR)
feijoense Feijó (AC)
feira-grandense Feira Grande (AL)
feira-novense Feira Nova (PE)
feira-novense Feira Nova (SE)
feirense Feira de Santana (BA)
felicianense Dom Feliciano (RS)
feliciano Joaquim Felício (MG)
felipe-guerrense, felipense, filipe-guerrense Felipe Guerra (RN)
felisburguense Felisburgo (MG)
felixlandense Felixlândia (MG)
feliz-desertense Feliz Deserto (AL)
feliz-natalense Feliz Natal (MT)
feliz-santense Felício dos Santos (MG)
felizense Feliz (RS)
fenicense Fênix (PR)
fernandense Fernando Falcão (MA)
fernandes-pinheirense Fernandes Pinheiro (PR)
fernandes-tourinhense Fernandes Tourinho (MG)
fernando-noronhense, noronhense Fernando de Noronha (PE)
fernando-pedrosense Fernando Pedrosa (RN)
fernando-prestense Fernando Prestes (SP)
fernandopolense Fernandópolis (SP)
fernãoense Fernão (SP)
ferrazense Ferraz de Vasconcelos (SP)
ferreirense Ferreira Gomes (AP)
ferreirense Ferreiros (PE)
ferreirense Porto Ferreira (SP)
ferreirense, muniz-ferreirense Muniz Ferreira (BA)
ferrense Ferros (MG)
ferrense São Pedro dos Ferros (MG)
fervedourense Fervedouro (MG)
fidalguense São Miguel do Fidalgo (PI)
fidelense São Fidélis (RJ)
figueirense Figueira (PR)
figueirense Presidente Figueiredo (AM)
figueiropolense Figueirópolis (TO)
figueiropolense Figueirópolis d'Oeste (MT)

1449 Gentílicos brasileiros

filadelfense Filadélfia (BA)
filadelfiense Filadélfia (TO)
filomenense, filomense Santa Filomena (PE)
filomenense, filomense Santa Filomena (PI)
fiquenense Ribamar Fiquene (MA)
firminense Senador Firmino (MG)
firmino-alvense Firmino Alves (BA)
firminopolense Firminópolis (GO)
flexeirense Flexeiras (AL)
flor-sertanense Flor do Sertão (SC)
flora-riquense Flora Rica (SP)
floraiense Floraí (PR)
floraniense Florânia (RN)
florealense Floreal (SP)
florense Flores (PE)
florense Flores da Cunha (RS)
florense Flores de Goiás (GO)
florentino-do-piauí Flores do Piauí (PI)
floresta-azulense Floresta Azul (BA)
florestalense Florestal (MG)
florestano, florestense Floresta (PE)
florestano, florestense Floresta (PR)
florestano, florestense Floresta do Piauí (PI)
florestense Floresta do Araguaia (PA)
florestense, nísia-florestense Nísia Floresta (RN)
florestense, nova-florestense Nova Floresta (PB)
florestopolitano Florestópolis (PR)
florianense Floriano (PI)
florianense Floriano Peixoto (RS)
florianense Marechal Floriano (ES)
florianopolitano Florianópolis, capital de SC
floridense Flórida (PR)
floridense, floripense Flórida Paulista (SP)
Florineano, florineense Florínia (SP)
fonte-boense Fonte Boa (AM)
fontourense Fontoura Xavier (RS)
formigueirense Formigueiro (RS)
formiguense Formiga (MG)
formosense Formosa (GO)
formosense Formosa da Serra Negra (MA)
formosense Formosa do Rio Preto (BA)
formosense Formoso (GO)
formosense Formoso (MG)
formosense-do-sul Formosa do Sul (SC)
formosense, formosense-do-araguaia Formoso do Araguaia (TO)
formosense, formosense-do-oeste Formosa do Oeste (PR)
forquetinhense Forquetinha (RS)
forquilhense Forquilha (CE)
forquilhense Forquilhinha (SC)
forquilhense Três Forquilhas (RS)
fortalezense Fortaleza de Minas (MG)
fortalezense Fortaleza dos Valos (RS)
fortalezense, fortaliciense Fortaleza, capital do CE
fortalezense, fortanogueirense Fortaleza dos Nogueiras (MA)
fortense, oliveira-fortense Oliveira Fortes (MG)
fortinense Fortim (CE)
fortunense Fortuna (MA)
fortunense Fortuna de Minas (MG)
foz-jordanense Foz do Jordão (PR)
fragosense, tasso-fragosense Tasso Fragoso (MA)
fraiburguense Fraiburgo (SC)
francano Franca (SP)
francinopolitano Francinópolis (PI)
franciscano São Francisco de Goiás (GO)
franciscano São Francisco de Paula (MG)
franciscano São Francisco do Conde (BA)
franciscano, são-franciscano São Francisco do Piauí (PI).
franciscano, são-francisquense Barra de São Francisco (ES)
francisco-airense, francisco-ayrense Francisco Ayres (PI)
francisco-dantense Francisco Dantas (RN)
francisco-dumonsense Francisco Dumont (MG)
francisco-macedense Francisco Macedo (PI)
francisco-saense Francisco Sá (MG)
francisco-santense Francisco Santos (PI)
franciscopolitano Franciscópolis (MG)
francisquense Dona Francisca (RS)
francisquense São Francisco (PB)
francisquense São Francisco do Sul (SC)
franco-rochense Franco da Rocha (SP)
frecheirinhense Frecheirinha (CE)
frederiquense, westphalense Frederico Westphalen (RS)
frei-gasparense Frei Gaspar (MG)
frei-inocenciano Frei Inocêncio (MG)
frei-lagonegrense Frei Lagonegro (MG)
frei-martinhense Frei Martinho (PB)
frei-miguelinense Frei Miguelinho (PE)
frei-paulense Frei Paulo (SE)
frei-rogeriense Frei Rogério (SC)
freitense Coronel Freitas (SC)
freitense José de Freitas (PI)
freitense, paula-freitense Paula Freitas (PR)
friburguense Nova Friburgo (RJ)
fronteense Engenheiro Paulo de Frontin (RJ)
fronteirense Fronteira (MG)
fronteirense Fronteiras (PI)
fronteirista-dos-vales Fronteira dos Vales (MG)
frontinense, paulense Paulo Frontin (PR)
fruta-de-leitense Fruta de Leite (MG)
frutalense Frutal (MG)
frutuoso-gomense Frutuoso Gomes (RN)
fumacense Morro da Fumaça (SC)
fundãoense Fundão (ES)
funilandense Funilândia (MG)
gabrielense São Gabriel (RS)
gabrielense São Gabriel da Palha (ES)
gabrielense São Gabriel do Oeste (MS)
gadobravense Gado Bravo (PB)
gaivotense Balneário Gaivota (SC)
galiense Gália (SP)
galileu Galileia (MG)
galinhense Galinhos (RN)
galvãoense Galvão (SC)
gameleirense Gameleira (PE)
gameleirense Gameleira de Goiás (GO)
gameleirense Gameleiras (MG)
ganduense Gandu (BA)
garanhunense Garanhuns (PE)
gararuense Gararu (SE)
garcense Garça (SP)
garibaldense Garibaldi (RS)
garimpense Conceição das Alagoas (MG)
garopabense Garopaba (SC)
garrafaense Garrafão do Norte (PA)
garruchense Garruchos (RS)
garuvense Garuva (SC)
gasparense Gaspar (SC)
gaspariense Comendador Levy Gasparian (RJ)
gauchense-do-norte Gaúcha do Norte (MT)
gauramense Gaurama (RS)
gavionense Gavião (BA)
gavionense Gavião Peixoto (SP)
geminianense Geminiano (PI)
general-carneirense General Carneiro (MT)
gentiense Gentio do Ouro (BA)
gentilense Gentil (RS)
georginense Senador Georgino Avelino (RN)
geruense, jeruense Tomar do Geru (SE)
gervasense Capitão Gervásio Oliveira (PI)
getulense, getuliense Presidente Getúlio (SC)
getuliense Getúlio Vargas (RS)
getulinense Getulina (SP)
gilbueense Gilbués (PI)
giruaense Giruá (RS)
glaucilandense Glaucilândia (MG)
glicerense Glicério (SP)
glorense, gloriense Nossa Senhora da Glória (SE)
glória-douradense Glória de Dourados (MS)
gloriense Glória (BA)
gloriense Glória d'Oeste (MT)
gloriense Glória do Goitá (PE)
gloriense São João Batista do Glória (MG)
glorinhense Glorinha (RS)
godoense Godoy Moreira (PR)
godofredense Godofredo Viana (MA)
godoiense Cândido Godói (RS)
goiabalense São José do Goiabal (MG)
goiabeirense Goiabeira (MG)
goianaense Goianá (MG)
goianapolino Goianápolis (GO)
goiandirense Goiandira (GO)
goianense Goiana (PE)
goianesiense Goianésia (GO)
goianesiense Goianésia do Pará (PA)
goianiense Goiânia, capital de GO
goianinhense Goianinha (RN)
goianirense Goianira (GO)
goianortense Goianorte (TO)
goiatinense Goiatins (TO)
goiatubense Goiatuba (GO)
goioerense Goioerê (PR)
goioxinhense Goioxim (PR)
gonçalense São Gonçalo (RJ)
gonçalense São Gonçalo do Amarante (CE)
gonçalense São Gonçalo do Amarante (RN)
gonçalvense Gonçalves (MG)
gonçalvense José Gonçalves de Minas (MG)
gonçalvino Gonçalves Dias (MA)
gongogiense Gongogi (BA)
gonzaguense Gonzaga (MG)
gonzaguense São Luís Gonzaga do Maranhão (MA)
gostosense, são-miguelense São Miguel do Gostoso (RN)
gouveano Gouveia (MG)
gouvelandense Gouvelândia (GO)
governador-celso-ramense Governador Celso Ramos (SC)
graça-aranhense Graça Aranha (MA)
gracense Graça (CE)
gracense Nossa Senhora das Graças (PR)
gracho-cardosense Gracho Cardoso (SE)
grajauense Grajaú (MA)
gramadense Gramado (RS)
gramado-xavierense Gramado Xavier (RS)
gramense Santo Antônio do Grama (MG)
gramense São Sebastião da Grama (SP)
granadense Nova Granada (SP)
grandes-riense Grandes Rios (PR)
granitense Granito (PE)
granjeirense Granjeiro (CE)
granjense Granja (CE)
grão-mogolense Grão Mogol (MG)
grão-paraense Grão Pará (SC)
gravataense Gravatá (PE)
gravataiense Gravataí (RS)
gravatalense Gravatal (SC)
groairense Groaíras (CE)
grossense Grossos (RN)
grupiarense Grupiara (MG)
guabijuense Guabiju (RS)
guabirabense Barra de Guabiraba (PE)
guabirubense Guabiruba (SC)
guaçuano Mogi Guaçu (SP)
guaçuiense Guaçuí (ES)
guadalupense Guadalupe (PI)
guaibense Guaíba (RS)
guaiçarense Guaiçara (SP)
guaimbeense Guaimbê (SP)
guairaçaense Guairaçá (PR)
guairense Guaíra (PR)
guairense Guaíra (SP)
guaiubano Guaiúba (CE)
guajará-mirense Guajará-Mirim (RO)
guajaraense Guajará (AM)
guajeruense Guajeru (BA)
guamaense São Miguel do Guamá (PA)
guamareense Guamaré (RN)
guamiranguense Guamiranga (PR)
guanambiense Guanambi (BA)
guanduense Baixo Guandu (ES)
guanhanense Guanhães (MG)
guapeense Guapé (MG)
guapiaçuense Guapiaçu (SP)
guapiarense Guapiara (SP)
guapimiriense Guapimirim (RJ)
guapiramense Guapirama (PR)
guapoense Guapó (GO)
guaporemense Guaporema (PR)
guaporense Guaporé (RS)
guarabirense Guarabira (PB)
guaraçaiense Guaraçaí (SP)
guaraciabense Guaraciaba (MG)
guaraciabense Guaraciaba (SC)
guaraciabense Guaraciaba do Norte (CE)
guaraciamense Guaraciama (MG)
guaraciense Guaraci (PR)
guaraciense Guaraci (SP)
guaraense Guará (SP)
guaraiense Guaraí (TO)
guaraitense Guaraíta (GO)
guaramiranguense Guaramiranga (CE)
guaramirense Guaramirim (SC)
guaranesiano Guaranésia (MG)
guaraniaçuano Guaraniaçu (PR)
guaraniense Guarani (MG)
guaraniense Guarani d'Oeste (SP)
guaraniense Guarani das Missões (RS)
guaraniense Guarani de Goiás (GO)
guarantãense Guarantã (SP)
guarantanhense Guarantã do Norte (MT)
guarapariense Guarapari (ES)
guarapuavano Guarapuava (PR)
guaraqueçabano Guaraqueçaba (PR)
guararapense Guararapes (SP)
guararemense Guararema (SP)
guararense Guarará (MG)
guaratinguense Guaratinga (BA)
guaratinguetaense Guaratinguetá (SP)
guaratubense Guaratuba (PR)
guarda-morense Guarda-mor (MG)
guareiense Guareí (SP)
guaribano Guaribas (PI)
guaribense Guariba (SP)
guarinense Guarinos (GO)
guarujaense Guarujá (SP)
guarujaense Guarujá do Sul (SC)
guarulhense Guarulhos (SP)
guatambuense Guatambu (SC)
guatapareense Guatapará (SP)
guataporanguense Nova Guataporanga (SP)
guaxupeano Guaxupé (MG)
guidovalense Guidoval (MG)
guimaranense Guimarânia (MG)
guimaranense, vimaranense Guimarães (MA)
guiomaense Senador Guiomard (AC)
guiratinguense Guiratinga (MT)
guiricemense Guiricema (MG)
gurgueíno Redenção do Gurgueia (PI)
gurinhatense Gurinhatã (MG)
gurinheense Gurinhém (PB)
gurjãense Gurjão (PB)
gurupaense Gurupá (PA)
gurupiense Gurupi (TO)
guzolandense Guzolândia (SP)
harmoniense Harmonia (RS)
heitoraiense Heitoraí (GO)
helenense, santa-helenense Santa Helena (MA)
heliodorense Heliodora (MG)
heliopolense, helipoliense Heliópolis (BA)
herculandense Herculândia (SP)
hervalense Herval d'Oeste (SC)
hervalense Santa Maria do Herval (RS)
hervalense São José do Herval (RS)
herveirense Herveiras (RS)
hidrolandense Hidrolândia (GO)
hidrolandense, hidrolandiense Hidrolândia (CE)
hidrolinense Hidrolina (GO)
hipolitano Monsenhor Hipólito (PI)
holambrense Holambra (SP)
honório-serpense Honório Serpa (PR)
horebense Monte Horebe (PB)
horizontinense Horizontina (RS)
horizontino Horizonte (CE)
hortenciense São José do Hortêncio (RS)
hortolandense Hortolândia (SP)
hugo-napoleonense Hugo Napoleão (PI)
hulha-negrense Hulha Negra (RS)
humaitaense Humaitá (AM)
humaitaense Humaitá (RS)
humbertoense Humberto de Campos (MA)
iacanguense Iacanga (SP)
iaciarense Iaciara (GO)
iacriano Iacri (SP)
iaçuense Iaçu (BA)
iapuense Iapu (MG)
iarense Iaras (SP)
iatiense Iati (PE)
ibaitiense Ibaiti (PR)
ibaramense Ibarama (RS)
ibaretamense Ibaretama (CE)
ibateense Ibaté (SP)
ibateguarense Ibateguara (AL)
ibatibense Ibatiba (ES)
ibemense Ibema (PR)
ibertiogano Ibertioga (MG)
ibiaçaense Ibiaçá (RS)
ibiaense Ibiá (MG)
ibiaiense Ibiaí (MG)
ibiamense Ibiam (SC)
ibiapinense Ibiapina (CE)
ibiarense Ibiara (PB)
ibiassuceense Ibiassucê (BA)
ibicaraiense Ibicaraí (BA)
ibicareense Ibicaré (SC)
ibicoarense Ibicoara (BA)
ibicuiense Ibicuí (BA)
ibicuitinguense Ibicuitinga (CE)
ibimiriense Ibimirim (PE)
ibipebense Ibipeba (BA)
ibipitanguense Ibipitanga (BA)
ibiporaense Ibiporã (PR)
ibiquerense Ibiquera (BA)
ibiracatuense Ibiracatu (MG)
ibiraciense Ibiraci (MG)
ibiraçuense Ibiraçu (ES)
ibiraense Ibirá (SP)
ibiraiarense Ibiraiaras (RS)
ibirajubense Ibirajuba (PE)
ibiramense Ibirama (SC)
ibirapitanguense Ibirapitanga (BA)
ibirapuense Ibirapuã (BA)
ibirapuitense Ibirapuitã (RS)
ibiraremense Ibirarema (SP)
ibirataense Ibirataia (BA)
ibiriteense Ibirité (MG)
ibirubense Ibirubá (RS)
ibitiarense Ibitiara (BA)
ibitinguense Ibitinga (SP)
ibitipoquense Santa Rita de Ibitipoca (MG)
ibitiramense Ibitirama (ES)
ibititaense Ibititá (BA)
ibitiurense Ibitiúra de Minas (MG)
ibiturunense Ibituruna (MG)
ibiunense Ibiúna (SP)
ibotiramense Ibotirama (BA)
içaense, santoense, santuense Santo Antônio do Içá (AM)
icapuiense Icapuí (CE)
icaraiense Icaraí de Minas (MG)
icaraimense Icaraíma (PR)
içarense Içara (SC)
icatuense Icatu (MA)
icemense Icém (SP)
ichuense Ichu (BA)
icoense Icó (CE)
iconhense Iconha (ES)
ielmo-marinhense Ielmo Marinho (RN)
iepense Iepê (SP)
igaciense Igaci (AL)
igaporaense, igaporense Igaporã (BA)
igaraciense Igaracy (PB)
igaraçuano, igarassuano, igarassuense, igarassuoara Igarassu (ou Igaraçu) (PE)
igaraçuense Igaraçu do Tietê (SP)
igarapavense Igarapava (SP)
igarapé-açuense Igarapé-Açu (PA)
igarapé-grandense Igarapé Grande (MA)
igarapé-miriense Igarapé-Miri (PA)
igarapeense Igarapé (MG)
igarapeense Igarapé do Meio (MA)
igaratense Igaratá (SP)
igaratinguense Igaratinga (MG)
igrapiunense Igrapiúna (BA)
igreja-novense Igreja Nova (AL)
igrejinhense Igrejinha (RS)
iguabense Iguaba Grande (RJ)
iguaçuano Nova Iguaçu (RJ)
iguaçuense Foz do Iguaçu (PR)
iguaiense Iguaí (BA)
iguapense Iguape (SP)
iguaraciense Iguaraci (PE)
iguaraçuano, iguaraçuense Iguaraçu (PR)
iguatamense Iguatama (MG)
iguatemiense Iguatemi (MS)
iguatuense Iguatu (CE)
iguatuense Iguatu (PR)
ijaciense Ijaci (MG)
ijuiense Ijuí (RS)
ilha-compridense Ilha Comprida (SP)
ilha-florense Ilha das Flores (SE)
ilha-grandense Ilha Grande (PI)
ilhabelense Ilhabela (SP)
ilheense, ilhenese, ilheuense Ilhéus (BA)
ilhense Ilha Solteira (SP)
ilhotense Ilhota (SC)
ilicineaense Ilicínea (MG)
ilopolitano Ilópolis (RS)
imaculadense Imaculada (PB)
imaruiense Imaruí (SC)
imbauense Imbaú (PR)
imbeense Imbé (RS)
imbeense Imbé de Minas (MG)
imbitubense Imbituba (SC)
imbituvense Imbituva (PR)
imbuiense Imbuia (SC)
imigrantense Imigrante (RS)
imperatrizense Imperatriz (MA)
inácio-martinense, martinense Inácio Martins (PR)
inaciolandense Inaciolândia (GO)
inajaense Inajá (PR)
inajaense, inajoara Inajá (PE)
inconfidentino Inconfidentes (MG)
indaiabirense Indaiabira (MG)
indaiaense Pedra do Indaiá (MG)
indaialense Indaial (SC)
indaiatubano Indaiatuba (SP)
independenciano, independenciense Independência (CE)
independenciense Independência (RS)
independentino Nova Independência (SP)
indianense Indiana (SP)
indianopolense, indianopolitano Indianópolis (MG)
indianopolense, indianopolitano Indianópolis (PR)
indiaporãense Indiaporã (SP)
indiarense Indiara (GO)
indiarobense Indiaroba (SE)
indiavaiense Indiavaí (MT)
inesense Dona Inês (PB)
ingaense Ingá (PB)
ingaiense Ingaí (MG)
ingazeirense Ingazeira (PE)
inhacoraense São José do Inhacorá (RS)
inhacorense Inhacorá (RS)
inhambupense Inhambupe (BA)
inhangapiense Inhangapi (PA)
inhapiense Inhapi (AL)
inhapinhense Inhapim (MG)
inhaumense Inhaúma (MG)
inhumense Inhuma (PI)
inhumense Inhumas (GO)
inimutabense Inimutaba (MG)
inocentino Dom Inocêncio (PI)
inocentino Inocência (MS)
inubense Inúbia Paulista (SP)

Gentílicos brasileiros 1450

iomerense Iomerê (SC)
ipabense Ipaba (MG)
ipamerino Ipameri (GO)
ipanemense Conceição de Ipanema (MG)
ipanemense Ipanema (MG)
ipanguaçuense Ipanguaçu (RN)
ipaporanguense Ipaporanga (CE)
ipatinguense Ipatinga (MG)
ipauçuense, ipaussuense Ipaussu (SP)
ipaumirinense Ipaumirim (CE)
ipecaetense Ipecaetá (BA)
ipeense Ipê (RS)
iperoense Iperó (SP)
ipeunense Ipeúna (SP)
ipiaçuense Ipiaçu (MG)
ipiauense Ipiaú (BA)
ipiguaense Ipiguá (SP)
ipipranguense Ipiranga do Sul (RS)
ipiraense Ipirá (BA)
ipiranguense Ipiranga (PR)
ipiranguense Ipiranga de Goiás (GO)
ipiranguense Ipiranga do Piauí (PI)
ipirense Ipira (SC)
ipixunense Ipixuna (AM)
ipixunense Ipixuna do Pará (PA)
ipojucano, ipojucara, ipojuquense Ipojuca (PE)
iporã-oestino Iporã do Oeste (SC)
iporaense Iporá (GO)
iporãnense Iporã (PR)
iporangueiro, iporanguense Iporanga (SP)
ipuaçuense Ipuaçu (SC)
ipuãnense Ipuã (SP)
ipubiense Ipubi (PE)
ipueirense Ipueira (RN)
ipueirense Ipueiras (CE)
ipueirense Ipueiras (TO)
ipuense Ipu (CE)
ipuiunense Ipuiuna (MG)
ipumiriense Ipumirim (SC)
ipupiarense Ipupiara (BA)
iracemapolense Iracemápolis (SP)
iracemense Iracema (CE)
iracemense Iracema (RR)
iracemense Iracema do Oeste (PR)
iracemense São João de Iracema (SP)
iraceminhense Iraceminha (SC)
iraiense Iraí (RS)
iraiense Iraí de Minas (MG)
irajubense Irajuba (BA)
iramaense Iramaia (BA)
irandubense Iranduba (AM)
iraniense Irani (SC)
irapuense Deputado Irapuan Pinheiro (CE)
irapuense Irapuã (SP)
irapuruense Irapuru (SP)
iraquarense Iraquara (BA)
iraraense Irará (BA)
iratiense Irati (PR)
iratiense Irati (SC)
irauçubense Irauçuba (CE)
ireceense Irecê (BA)
iretamense Iretama (PR)
irineopolitano Irineópolis (SC)
irituense, irituiense Irituia (PA)
irupiense Irupi (ES)
isabelense Santa Isabel (SP)
isabelense Santa Isabel do Pará (PA)
isabelense, santa-isabelense Santa Isabel (GO)
isabelense, santa-isabelense Santa Isabel do Ivaí (PR)
isabelense, santa-isabelense Santa Izabel do Oeste (PR)
isaiense Isaías Coelho (PI)
isidorense Major Isidoro (AL)
israelandense Israelândia (GO)
itaarense Itaara (RS)
itabaianense Itabaiana (PB)
itabaianense Itabaiana (SE)
itabaianinhense Itabaianinha (SE)
itabelense Itabela (BA)
itaberabense Itaberaba (BA)
itaberense Itaberá (SP)
itaberino Itaberaí (GO)
itabiense Itabi (SE)
itabirano Itabira (MG)
itabirinense Itabirinha (MG)
itabiritense Itabirito (MG)
itaboraiense Itaboraí (RJ)
itabunense Itabuna (BA)
itacajaense Itacajá (TO)
itacambirense Itacambira (MG)
itacarambiense Itacarambi (MG)
itacareense Itacaré (BA)
itacoatiarense, itaquatiarense Itacoatiara (AM)
itacolomiense Novo Itacolomi (PR)
itacurubense Itacuruba (PE)
itacurubiense Itacurubi (RS)
itaense Itá (SC)
itaeteense Itaeté (BA)
itagibaense, itajibaense Itagibá (BA)
itagiense, itajiense Itagi (BA)
itagimiriense, itajimiriense Itagimirim (BA)
itaguaçuense Itaguaçu (ES)
itaguaçuense Itaguaçu da Bahia (BA)
itaguaiense Itaguaí (RJ)
itaguajeense Itaguajé (PR)
itaguarense Itaguara (MG)
itaguarino Itaguari (GO)
itaguaruense Itaguaru (GO)
itaguatinense Itaguatins (TO)
itaibense Itaíba (PE)
itaiçabense Itaiçaba (CE)
itaiense Itaí (SP)
itainopolense Itainópolis (PI)
itaiopolense Itaiópolis (SC)
itaipavense Itaipava do Grajaú (MA)
itaipeense Itaipé (MG)
itaipulandiense Itaipulândia (PR)
itaitinguense Itaitinga (CE)
itaitubense Itaituba (PA)
itajaense Itajá (GO)
itajaense Itajá (RN)
itajaiense Itajaí (SC)
itajobiense Itajobi (SP)
itajubense Itajubá (MG)
itajuense Itaju (SP)
itajuense Itaju do Colônia (BA)
itajuipense Itajuípe (BA)
italvense Italva (RJ)
itamaracaense Ilha de Itamaracá (PE)
itamarajuense Itamaraju (BA)
itamarandibano Itamarandiba (MG)
itamaratiense Itamarati (AM)
itamaratiense Itamarati de Minas (MG)
itamariense Itamari (BA)
itambacuriense Itambacuri (MG)
itambaracaense Itambaracá (PR)
itambeano Santo Antônio do Itambé (MG)
itambeense Itambé (BA)
itambeense Itambé do Mato Dentro (MG)
itambeense, itamboara Itambé (PE)
itambenense Itambé (PR)
itamogiense Itamogi (MG)
itamontense Itamonte (MG)
itanagrense Itanagra (BA)
itanhaense Itanhaém (SP)
itanhanduense Itanhandu (MG)
itanhense Itanhém (BA)
itanhomiense Itanhomi (MG)
itaobinense Itaobim (MG)
itaocarense Itaocara (RJ)
itaoquense Itaóca (SP)
itapacino Itapaci (GO)
itapageense Itapagé (CE)
itapagipense Itapagipe (MG)
itaparicano Itaparica (BA)
itapebiense Itapebi (BA)
itapecericano Itapecerica (MG)
itapecericano Itapecerica da Serra (SP)
itapecuruense Itapecuru Mirim (MA)
itapeense Itapé (BA)
itapejarense Itapejara do Oeste (PR)
itapemense Itapema (SC)
itapemirinense Itapemirim (ES)
itaperiuense São João do Itaperiú (SC)
itaperuçuense Itaperuçu (PR)
itaperunense Itaperuna (RJ)
itapetinense Itapetim (PE)
itapetinguense Itapetinga (BA)
itapetiningano Itapetininga (SP)
itapevense Itapeva (MG)
itapevense Itapeva (SP)
itapeviense Itapevi (SP)
itapiçumense, itapissumense Itapissuma (PE)
itapicuruense Itapicuru (BA)
itapipoquense Itapipoca (CE)
itapiranguense Itapiranga (AM)
itapiranguense Itapiranga (SC)
itapirapuã-paulistense Itapirapuã Paulista (SP)
itapirapuano Itapirapuã (GO)
itapiratinense Itapiratins (TO)
itapirense Itapira (SP)
itapitanguense Itapitanga (BA)
itapiunense Itapiúna (CE)
itapoaense Itapoá (SC)
itapolitano Itápolis (SP)
itaporanense Itaporã (MS)
itaporanense Itaporã do Tocantins (TO)
itaporanguense Itaporanga (PB)
itaporanguense Itaporanga (SP)
itaporanguense Itaporanga d'Ajuda (SE)
itapororoquense Itapororoca (PB)
itapuãense, itapuaense Itapuã do Oeste (RO)
itapuiense Itapuí (SP)
itapucense Itapuca (RS)
itapuranguense Itapuranga (GO)
itapurense Itapura (SP)
itaquaquecetubano Itaquaquecetuba (SP)
itaquarense Itaquara (BA)
itaquiense Itaqui (RS)
itaquirano, itaquirense Itaquiraí (MS)
itaquitinguense Itaquitinga (PE)
itaranense Itarana (ES)
itarantinense Itarantim (BA)
itarareense Itararé (SP)
itaremense Itarema (CE)
itaririense Itariri (SP)
itarumaense Itarumã (GO)
itatiaiense Itatiaia (RJ)
itatiaiuçuense Itatiaiuçu (MG)
itatibense Itatiba (SP)
itatibense Itatiba do Sul (RS)
itatiense Itati (RS)
itatinense, itatinhense Itatim (BA)
itatinguense Itatinga (SP)
itatirense Itatira (CE)
itatubense Itatuba (PB)
itaubense Itaúba (MT)
itaubense Itaubal (AP)
itauçuense Itauçu (GO)
itaueirense Itaueira (PI)
itauense Itaú (RN)
itauense Itaú de Minas (MG)
itaunense Itaúna (MG)
itaunense Itaúna do Sul (PR)
itaveravense Itaverava (MG)
itinguense Itinga (MG)
itinguense Itinga do Maranhão (MA)
itiquirense Itiquira (MT)
itirapinense Itirapina (SP)
itirapuãnense Itirapuã (SP)
itiruçuense Itiruçu (BA)
itiubense Itiúba (BA)
itobiano Itobi (SP)
itororoense Itororó (BA)
ituaçuense Ituaçu (BA)
ituano Itu (SP)
ituberense Ituberá (BA)
ituetano Itueta (MG)
ituiutabano Ituiutaba (MG)
itumbiarense Itumbiara (GO)
itumirinense Itumirim (MG)
itupevense Itupeva (SP)
itupiranguense Itupiranga (PA)
ituporanguense Ituporanga (SC)
iturамense Iturama (MG)
itutinguense Itutinga (MG)
ituveravense Ituverava (SP)
iuiuense Iuiú (BA)
iunense Iúna (ES)
ivaiense Ivaí (PR)
ivaiense, novaltense Nova Aliança do Ivaí (PR)
ivaiense, são-pedrense São Pedro do Ivaí (PR)
ivaiporãense Ivaiporã (PR)
ivateense Ivaté (PR)
ivatubense Ivatuba (PR)
ivinhemense Ivinhema (MS)
ivolandense Ivolândia (GO)
ivorense Ivorá (RS)
ivotiense Ivoti (RS)
jaboatonense Jaboatão dos Guararapes (PE)
jaboraense Jaborá (SC)
jaborandiense Jaborandi (BA)
jaborandiense Jaborandi (SP)
jaboticabalense, jabuticabalense Jaboticabal (SP)
jaboticabense, jabuticabense Jaboticaba (RS)
jaboticatubense, jabuticatubense Jaboticatubas (MG)
jabotiense, jabutiense Jaboti (PR)
jaçanaense Jaçanã (RN)
jacaraciense Jacaraci (BA)
jacarauense Jacaraú (PB)
jacareacanguense Jacareacanga (PA)
jacareense, jacarezeiro Jacaré dos Homens (AL)
jacareiense Jacareí (SP)
jacarezinhense Jacarezinho (PR)
jaciarense Jaciara (MT)
jaciense Jaci (SP)
jacintense Jacinto (MG)
jacinto-machadense Jacinto Machado (SC)
jacobinense Jacobina (BA)
jacobinense Jacobina do Piauí (PI)
jacuiense Jacuí (MG)
jacuipense Jacuípe (AL)
jacuipense Riachão do Jacuípe (BA)
jacuipense São José do Jacuípe (BA)
jacundaense Jacundá (PA)
jacupiranguense Jacupiranga (SP)
jacuriense São José do Jacuri (MG)
jacutinguense Jacutinga (MG)
jacutinguense Jacutinga (RS)
jaguapitãense, jaguapitense Jaguapitã (PR)
jaguaquarense Jaguaquara (BA)
jaguaraçuense Jaguaraçu (MG)
jaguarariense Jaguarari (BA)
jaguarense Jaguarão (RS)
jaguarense Jaguaré (ES)
jaguaretamense Jaguaretama (CE)
jaguariaivense Jaguariaíva (PR)
jaguaribano Jaguaribe (CE)
jaguaribarense Jaguaribara (CE)
jaguaribense São João do Jaguaribe (CE)
jaguariense Jaguari (RS)
jaguaripense Jaguaripe (BA)
jaguariunense Jaguariúna (SP)
jaguaruanense Jaguaruana (CE)
jaguarunense Jaguaruna (SC)
jaibense Jaíba (MG)
jaicoense Jaicós (PI)
jalesense Jales (SP)
jambeirense Jambeiro (SP)
jambeirense Rafael Jambeiro (BA)
jamilense Professor Jamil (GO)
jampruquense Jampruca (MG)
janaubense Janaúba (MG)
jandaiense Jandaia (GO)
jandaiense, jandaiense-do-sul Jandaia do Sul (PR)
jandairense Jandaíra (BA)
jandairense Jandaíra (RN)
jandirense Jandira (SP)
janduiense Janduís (RN)
jangadense Jangada (MT)
jânio-quadrense Presidente Jânio Quadros (BA)
janiopolitano Janiópolis (PR)
januarense Januária (MG)
januarense Januário Cicco (RN)
japaraibano Japaraíba (MG)
japaratinguense Japaratinga (AL)
japaratubense Japaratuba (SE)
japeriense Japeri (RJ)
japiense Japi (RN)
japirense Japira (PR)
japoatanense Japoatã (SE)
japonvarense Japonvar (MG)
japoraense, japorãense Japorã (MS)
japuraense Japurá (AM)
japuraense Japurá (PR)
jaqueirense Jaqueira (PE)
jaquiranense Jaquirana (RS)
jaraguaense Jaraguá do Sul (SC)
jaraguariano, jaraguariense Jaraguari (MS)
jaraguense Jaraguá (GO)
jaramataiense Jaramataia (AL)
jardim-alegrense, jardinense Jardim Alegre (PR)
jardim-angicanense Jardim de Angicos (RN)
jardimulatense Jardim do Mulato (PI)
jardinense Jardim (CE)
jardinense Jardim (MS)
jardinense Jardim do Seridó (RN)
jardinense Santo Antônio do Jardim (SP)
jardinense, piranhense Jardim de Piranhas (RN)
jardinolindense Jardim Olinda (PR)
jardinopolense Jardinópolis (SC)
jardinopolense Jardinópolis (SP)
jariense Jari (RS)
jarinuense Jarinu (SP)
jaruense Jaru (RO)
jataiense Jataí (GO)
jatainhense, jataizinhense Jataizinho (PR)
jataubense Jataúba (PE)
jateiense Jateí (MS)
jatiense Jati (CE)
jatobaense Jatobá (MA)
jatobaense Jatobá (PE)
jatobaense Jatobá do Piauí (PI)
jauense Jaú (SP)
jauense Jaú do Tocantins (TO)
jaupacino Jaupaci (GO)
jauruense Jauru (MT)
jeceabano, jeceabense Jeceaba (MG)
jenipapense Jenipapo de Minas (MG)
jenipapoense Jenipapo dos Vieiras (MA)
jequeriense Jequeri (MG)
jequiaense Jequiá da Praia (AL)
jequieense Jequié (BA)
jequitaiense Jequitaí (MG)
jequitibaense Alto Jequitibá (MG)
jequitibaense Jequitibá (MG)
jequitinhonhense Jequitinhonha (MG)
jeremoabense Jeremoabo (BA)
jericoense Jericó (PB)
jeriquarense Jeriquara (SP)
jeronimense São Jerônimo (RS)
jeronimense São Jerônimo da Serra (PR)
jerumenhense Jerumenha (PI)
jesuanense Jesuânia (MG)
jesuitense Jesuítas (PR)
jesupolino Jesúpolis (GO)
ji-paranaense Ji-Paraná (RO)
jijoquense Jijoca de Jericoacoara (CE)
jiquiriçaense, jiquiricense Jiquiriçá (BA)
jitaunense Jitaúna (BA)
joaçabense, juaçabense Joaçaba (SC)
joaimense Joaíma (MG)
joanense Joanésia (MG)
joanino São João Batista (MA)
joanino São João d'Aliança (GO)
joanopolense Joanópolis (SP)
joão-costense João Costa (PI)
joão-diense João Dias (RN)
joão-douradense João Dourado (BA)
joão-lisboense João Lisboa (MA)
joão-neivense João Neiva (ES)
joão-pessoense, pessoense João Pessoa, capital da PB
joão-ramalhense, ramalhense João Ramalho (SP)
joão-saense Coronel João Sá (BA)
joão-sulense São João do Sul (SC)
joaquim-pirense Joaquim Pires (PI)
joaquinense São Joaquim (SC)
joaquinense São Joaquim da Barra (SP)
joaquinense, juruquense Joaquim Gomes (AL)
jocaclaudinense Joca Claudino (PB)
jocamarquense Joca Marques (PI)
joiense Joia (RS)
joinvilense Joinville (SC)
jordanense Campos do Jordão (SP)
jordaniense Jordânia (MG)
jordãoense Jordão (AC)
jorge-teixeirense Governador Jorge Teixeira (RO)
josé-boatense José Boiteux (SC)
josé-penhense José da Penha (RN)
josé-raydanense José Raydan (MG)
joseense São José dos Campos (SP)
josefense São José (SC)
joselandense Joselândia (MA)
josenopolense Josenópolis (MG)
jovianiense Joviânia (GO)
juarense Juara (MT)
juarinense Juarina (TO)
juatubense Juatuba (MG)
juazeirense Juazeiro (BA)
juazeirense Juazeiro do Norte (CE)
juazeirense Juazeiro do Piauí (PI)
juazeirinhense Juazeirinho (PB)
jucaense Jucás (CE)
juçarense, jussaraense Jussara (BA)
juçarense, jussarense Jussara (PR)
juçariano, jussariano Jussara (GO)
juçariense, jussariense Jussari (BA)
jucatiense Jucati (PE)
juciapense, jussiapense Jussiape (BA)
jucuizinhense Jacuizinho (RS)
jucurucuense Jucuruçu (BA)
jucurutuense Jucurutu (RN)
juinense Juína (MT)
juiz-forano, juiz-forense Juiz de Fora (MG)
julianense, são-julianense São Julião (PI)
júlio-borgense Júlio Borges (PI)
júlio-mesquitense Júlio Mesquita (SP)
jumirense Jumirim (SP)
juncoense Junco do Maranhão (MA)
juncoense Junco do Seridó (PB)
juncoense Lago do Junco (MA)
jundiaense Jundiá (AL)
jundiaense Jundiá (RN)
jundiaiense Jundiaí (SP)
jundiaiense, jundiaiense-do-sul Jundiaí do Sul (PR)
junqueirense Junqueiro (AL)
junqueiropolense Junqueirópolis (SP)
jupiaense Jupiá (SC)
jupiense Jupi (PE)
juquiaense Juquiá (SP)
juquitibense Juquitiba (SP)
juramentense Juramento (MG)
jurandense Juranda (PR)
juremense Jurema (PI)
juremense, juremoara Jurema (PE)
juripiranguense Juripiranga (PB)
juruaense Juruá (AM)
juruaiense Juruaia (MG)
juruenense Juruena (MT)
juruense Juru (PB)
jurutiense Juruti (PA)
juscelinense Presidente Juscelino (MA)
juscelinense Presidente Juscelino (MG)
juscelinense Presidente Juscelino (RN)
juscimeirense Juscimeira (MT)
jutaiense Jutaí (AM)
jutiense Juti (MS)
juvenilense Juvenília (MG)

1451 Gentílicos brasileiros

kaloreense Kaloré (PR)
kennediense Presidente Kennedy (ES)
kennediense Presidente Kennedy (TO)
kubitschekiano Presidente Kubitschek (MG)
labrense Lábrea (AM)
lacerdense Pontes e Lacerda (MT)
lacerdopolitano Lacerdópolis (SC)
ladainhense Ladainha (MG)
ladarense Ladário (MS)
lafaietense Conselheiro Lafaiete (MG)
lafaietense Lafaiete Coutinho (BA)
lagamarense Lagamar (MG)
lagartense Lagarto (SE)
lageadense Chapadão do Lageado (SC)
lageano Lages (SC)
lago-pedrense Lago da Pedra (MA)
lago-rodriguense Lago dos Rodrigues (MA)
lago-verdense Lago Verde (MA)
lagoa-bonitense Lagoa Bonita do Sul (RS)
lagoa-d'antense, lagoense Lagoa d'Anta (RN)
lagoa-dentrense, lagoense Lagoa de Dentro (PB)
lagoa-do-barrense Lagoa do Barro do Piauí (PI)
lagoa-grandense Lagoa Grande (MG)
lagoa-grandense Lagoa Grande (PE)
lagoa-grandense Lagoa Grande do Maranhão (MA)
lagoa-novense Lagoa Nova (RN)
lagoa-ourense, lagoense Lagoa do Ouro (PE)
lagoa-patense, lagoense Lagoa dos Patos (MG)
lagoa-pedrense, lagoense Lagoa de Pedras (RN)
lagoa-pratense Lagoa da Prata (MG)
lagoa-realense Lagoa Real (BA)
lagoa-salgadense, lagoense Lagoa Salgada (RN)
lagoa-santense Lagoa Santa (GO)
lagoa-santense Lagoa Santa (MG)
lagoa-sequense Lagoa Seca (PB)
lagoa-velhense, lagoense Lagoa de Velhos (RN)
lagoaçuense Conceição do Lago Açu (MA)
lagoalegrense Lagoa Alegre (PI)
lagoano São João da Lagoa (MG)
lagoense Lagoa (PB)
lagoense Lagoa da Confusão (TO)
lagoense Lagoa de São Francisco (PI)
lagoense Lagoa do Itaenga (PE)
lagoense Lagoa do Mato (MA)
lagoense Lagoa do Piauí (PI)
lagoense Lagoa dos Gatos (PE)
lagoense Lagoa Dourada (MG)
lagoense Lagoa Formosa (MG)
lagoense Lagoa Vermelha (RS)
lagoense São Sebastião de Lagoa de Roça (PB)
lagoense-do-carro Lagoa do Carro (PE)
lagoense-do-tocantins Lagoa do Tocantins (TO)
lagoense, lagonense Lagoão (RS)
lagoinense Lagoinha do Piauí (PI)
lagoinhense Lagoinha (SP)
lagunense Guia Lopes da Laguna (MS)
lagunense Laguna (SC)
lagunense Laguna Carapã (MS)
lajeadense Lajeado (RS)
lajeadense Lajeado (TO)
lajeadense Lajeado Novo (MA)
lajeado-bugrense Lajeado do Bugre (RS)
lajeado-grandense Lajeado Grande (SC)
lajedãoense Lajedão (BA)
lajedense Lajedo (PE)
lajedense Lajedo do Tabocal (BA)
lajedinhense Lajedinho (BA)
lajense Lajes (RN)
lajense São José da Laje (AL)
lajes-pintadense Lajes Pintadas (RN)
lajiano, muriaense Laje do Muriaé (RJ)
lajinhense Lajinha (MG)
lajista Laje (BA)
lamaronense Lamarão (BA)
lambariense Lambari (MG)
lambariense Lambari d'Oeste (MT)
laminense Lamim (MG)
landri-salesiano Landri Sales (PI)
lapense Bom Jesus da Lapa (BA)
lapense São José da Lapa (MG)
lapiano Lapa (PR)
lapoense Lapão (BA)
laranjalense Laranjal (MG)
laranjalense Laranjal (PR)
laranjalense Laranjal do Jari (AP)
laranjalense Laranjal Paulista (SP)
laranjeirense Laranjeiras (SE)
laranjeirense-do-sul Laranjeiras do Sul (PR)
laranjense Laranja da Terra (ES)
laroquense Senador La Roque (MA)
lassancense Lassance (MG)
lastrense Lastro (PB)
laurentinense Laurentino (SC)
laurentinense Tenente Laurentino Cruz (RN)
lauro-freitense Lauro de Freitas (BA)
lauro-mullense Lauro Muller (SC)
lavandeirense Lavandeira (TO)
lavinense Lavínia (SP)
lavrense Lavras (MG)
lavrense Lavras da Mangabeira (CE)
lavrense Lavras do Sul (RS)
lavrinhense Lavrinhas (SP)
leandrense Leandro Ferreira (MG)
lebon-regense Lebon Régis (SC)
lemense Leme (SP)
lemepradense Leme do Prado (MG)
lençoense Lençóis (BA)
lençoiense Lençóis Paulista (SP)
léo-boqueirense Boqueirão do Leão (RS)
leobertense Leoberto Leal (SC)
leonense Capão do Leão (RS)
leonense Minas do Leão (RS)
leonense, leonino Miguel Leão (PI)
leônidas-marquense, marquense Capitão Leônidas Marques (PR)
leopoldense Leopoldo de Bulhões (GO)
leopoldense São Leopoldo (RS)
leopoldinense Colônia Leopoldina (AL)
leopoldinense Leopoldina (MG)
leopoldinense Santa Leopoldina (ES)
leopolense Leópolis (PR)
libertense Liberdade (MG)
lidianopolitano Lidianópolis (PR)
lima-campense Lima Campos (MA)
lima-duartense Lima Duarte (MG)
limeirense Limeira (SP)
limeirense Limeira do Oeste (MG)
limeirense Rosário da Limeira (MG)
limoeirense Limoeiro (PE)
limoeirense Limoeiro de Anadia (AL)
limoeirense Limoeiro do Norte (CE)
lindemberguense Governador Lindenberg (ES)
lindoestense Lindoeste (PR)
lindoiano Lindoia (SP)
lindoiense Águas de Lindoia (SP)
lindoiense Lindoia do Sul (SC)
lindolfo-collorense Lindolfo Collor (RS)
linense, linsense Lins (SP)
linha-novense Linha Nova (RS)
linharense Linhares (ES)
livramentano, livramentense Nossa Senhora do Livramento (MT)
livramentense Livramento (PB)
livramentense Livramento de Nossa Senhora (BA)
lizardense Lizarda (TO)
loandense Loanda (PR)
lobatense Lobato (PR)
lobatense Monteiro Lobato (SP)
logradourense Logradouro (PB)
londrinense Londrina (PR)
longaense Alto Longá (PI)
lontrense Lontra (MG)
lontrense Lontras (SC)
lorenense Lorena (SP)
loretense Loreto (MA)
lourdense Lourdes (SP)
lourdense Nossa Senhora de Lourdes (SE)
loureirense Gramado dos Loureiros (RS)
lourencense, lourenciano São Lourenço do Oeste (SC)
lourencense, lourenciano São Lourenço do Piauí (PI)
lourencense, lourenciano São Lourenço do Sul (RS)
louveirense Louveira (SP)
luceliense Lucélia (SP)
lucenense Lucena (PB)
lucianopolense Lucianópolis (SP)
luciarense Luciara (MT)
lucinense Presidente Lucena (RS)
lucreciano Lucrécia (RN)
ludovicense, são-luisense São Luís, capital do MA
luís-antoniense Luís Antônio (SP)
luís-correiense Luís Correia (PI)
luís-dominguense Luís Domingues (MA)
luís-gomense Luís Gomes (RN)
luisburguense Luisburgo (MG)
luiseduardense Luís Eduardo Magalhães (BA)
luisense São Luís do Paraitinga (SP)
luislandense Luislândia (MG)
luiz-alvense Luiz Alves (SC)
luiz-rochense Governador Luiz Rocha (MA)
luizianense Luiziana (PR)
luiziano Luiziânia (SP)
luminarense Luminárias (MG)
luminense Paço do Lumiar (MA)
lunardelliense Lunardelli (PR)
lupercense Lupércio (SP)
lupionopolense, lupionopolitano Lupionópolis (PR)
luteciano Lutécia (SP)
luverdense Lucas do Rio Verde (MT)
luz-santense Santa Luz (PI)
luzense Luz (MG)
luzense Santaluz (BA)
luzernense Luzerna (SC)
luzianense Luziânia (GO)
luziense Santa Luzia (MG)
luzilandense Luzilândia (PI)
luzinopolino Luzinópolis (TO)
luzitaniense Nova Luzitânia (SP)
macabuense Conceição de Macabu (RJ)
macaense Macaé (RJ)
macaibense Macaíba (RN)
macajubense Macajuba (BA)
maçambarense Maçambara (RS)
macambirense Macambira (SE)
macapaense Macapá, capital do AP
macaparanense, macaparanoara Macaparana (PE)
maçarandubense, massarandubense Massaranduba (PB)
maçarandubense, massarandubense Massaranduba (SC)
macaraniense Macarani (BA)
macatubano, macatubense Macatuba (SP)
macaubalense Macaubal (SP)
macaubense Macaúbas (BA)
macauense Macau (RN)
macedense Coronel Macedo (SP)
macedense Dom Macedo Costa (BA)
macedoniense Macedônia (SP)
maceioense Maceió, capital de AL
machacaliense Machacalis (MG)
machadense Álvares Machado (SP)
machadense Machado (MG)
machadense Machados (PE)
machadinhense Machadinho (RS)
machadinhense Machadinho d'Oeste (RO)
macieirense Macieira (SC)
macuquense Macuco (RJ)
macururense Macururé (BA)
madalenense Madalena (CE)
madalenense Santa Maria Madalena (RJ)
madeirense Madeiro (PI)
madre-deusense Madre de Deus (BA)
madre-deusense Madre de Deus de Minas (MG)
mãe-d'aguense Mãe d'Água (PB)
mãe-riense Mãe do Rio (PA)
maetinguense Maetinga (BA)
mafrense Mafra (SC)
magalhães-baratense, magalhense Magalhães Barata (PA)
magalhense Magalhães de Almeida (MA)
magdense Magda (SP)
mageense Magé (RJ)
mainardense, maynardense General Maynard (SE)
maiorquino Maiorca (Esp.)
maiquiniquense Maiquinique (BA)
mairiense Mairi (BA)
mairinquense, mairinquiano Conselheiro Mairinck (PR)
mairinquense, mairinquiano Mairinque (SP)
mairiporense Mairiporã (SP)
mairipotabense Mairipotaba (GO)
major-vieirense Major Vieira (SC)
majorense Major Gercino (SC)
majorsalense Major Sales (RN)
malacachetense Malacacheta (MG)
malhada-pedrense Malhada de Pedras (BA)
malhadense Malhada (BA)
malhadense Malhada dos Bois (SE)
malhadorense Malhador (SE)
malletense Mallet (PR)
maltense Malta (PB)
mamanguapense Mamanguape (PB)
mambaiense Mambaí (GO)
mamborense Mamborê (PR)
mamonense Mamonas (MG)
mampitubense Mampituba (RS)
manacapuruense Manacapuru (AM)
manairense Manaíra (PB)
manaquiriense Manaquiri (AM)
manariense Manari (PE)
manauara, manauense Manaus, capital do AM
mâncio-limense Mâncio Lima (AC)
mandaguaçuense Mandaguaçu (PR)
mandaguariense Mandaguari (PR)
mandiritubano, mandiritubense Mandirituba (PR)
manduriense Manduri (SP)
mangabeirense Governador Mangabeira (BA)
mangabeirense São Raimundo das Mangabeiras (MA)
mangaratibense Mangaratiba (RJ)
mangueirense, mangueirinhense Mangueirinha (PR)
manguense Manga (MG)
manhuaçuense Manhuaçu (MG)
manhumiriense Manhumirim (MG)
manicoreense Manicoré (AM)
manoel-emidense Manoel Emídio (PI)
manoel-ribense Manoel Ribas (PR)
manoel-urbanense Manoel Urbano (AC)
manoel-vitorinense Manoel Vitorino (BA)
mansidãoense Mansidão (BA)
mantenense Mantena (MG)
manteniense São João do Manteninha (MG)
mantenopolisense Mantenópolis (ES)
mantimentense São José do Mantimento (MG)
maquinense Maquiné (RS)
mar-de-espanhense Mar de Espanha (MG)
mar-vermelhense Mar Vermelho (AL)
mara-rosense Mara Rosa (GO)
maraãense Maraã (AM)
marabaense Marabá (PA)
marabaense Marabá Paulista (SP)
maracaçumense Maracaçumé (MA)
maracaense, maracanense Maracanã (PA)
maracaense, maracanense Maracás (BA)
maracaiense Maracaí (SP)
maracajaense Maracajá (SC)
maracajuano, maracajuense Maracaju (MS)
maracanauense Maracanaú (CE)
maragogiense Maragogi (AL)
maragogipano, maragogipense Maragogipe (BA)
maraialense Maraial (PE)
marajaense Marajá do Sena (MA)
maranguapense Maranguape (CE)
maranhãozinense Maranhãozinho (MA)
maranhense São Sebastião do Maranhão (MG)
marapaniense Marapanim (PA)
marapoamense Marapoama (SP)
marataense Maratá (RS)
marataizense Marataízes (ES)
marauense Maraú (BA)
marauense Marau (RS)
maravilhense Maravilha (AL)
maravilhense Maravilha (SC)
maravilhense Maravilhas (MG)
marcaçãoense Marcação (PB)
marcelandense Marcelândia (MT)
marcelinense Marcelino Ramos (RS)
marcelinense, vieirense Marcelino Vieira (RN)
marcionilense Marcionílio Souza (BA)
marcolandense Marcolândia (PI)
marcondense Alfredo Marcondes (SP)
marcos-parentense Marcos Parente (PI)
maremense Marema (SC)
marialvense Marialva (PR)
marianense Mariana (MG)
marianense Mariana Pimentel (RS)
marianense Mariano Moro (RS)
marianopolino, marianopolitano Marianópolis do Tocantins (TO)
mariapolense Mariápolis (SP)
maribondense Maribondo (AL)
maricaense Maricá (RJ)
marielenese, maria-helenense Maria Helena (PR)
mariense Coração de Maria (BA)
mariense Mari (PB)
mariense Maria da Fé (MG)
marilandense Marilândia (ES)
marilandense Marilândia do Sul (PR)
marilaquense Marilac (MG)
marilenense Marilena (PR)
mariliense Marília (SP)
mariluzense Mariluz (PR)
maringaense Maringá (PR)
marinopolense Marinópolis (SP)
mario-campense Mário Campos (MG)
mariopolitano, mariopolense Mariópolis (PR)
maripaense Maripá (PR)
maripaense Maripá de Minas (MG)
maritubense Marituba (PA)
marizopolense Marizópolis (PB)
marlierense Marliéria (MG)
marmeleirense Marmeleiro (PR)
marmelopolense Marmelópolis (MG)
marquense Marco (CE)
marques-souzense Marques de Souza (RS)
marquinhense Marquinho (PR)
martinense Domingos Martins (ES)
martinense Martins (RN)
martinhense São Martinho da Serra (RS)
martinho-campense Martinho Campos (MG)
martinopolense Martinópolis (SP)
martinopolitano Martinópole (CE)
martinsoarense Martins Soares (MG)
maruinense Maruim (SE)
marumbiense Marumbi (PR)
marzagonense Marzagão (GO)
mascotense Mascote (BA)
massapeense Massapê (CE)
massapeense Massapê do Piauí (PI)
mata-grandense Mata Grande (AL)
mata-romense Mata Roma (MA)
mata-verdense Mata Verde (MG)
mataraquense Mataraca (PB)
mateense São Mateus (ES)
mateirense Mateiros (TO)
matelandiense Matelândia (PR)
matense Boca da Mata (AL)
matense Feira da Mata (BA)
matense Mata (RS)
matense Mata de São João (BA)
materlandiense Materlândia (MG)
mateus-lemense Mateus Leme (MG)
matiense Mathias Lobato (MG)
matiense Matias Barbosa (MG)
matiense Matias Cardoso (MG)
matiense Matias Olímpio (PI)
matinense Matina (BA)
matinhense Matinha (MA)
matinhense Matinhas (PB)
matinhense Matinhos (PR)
matipoense Matipó (MG)
mato-castelhanense Mato Castelhano (RS)
mato-grossense Mato Grosso (PB)
mato-grossense-do-sul Mato Grosso do Sul
mato-leitoense Mato Leitão (RS)
mato-queimadense Mato Queimado (RS)
mato-riquense Mato Rico (PR)
mato-verdense Mato Verde (MG)
matoense Matões (MA)
matonense Matão (SP)
matos-costense Matos Costa (SC)
matozinhense Matozinhos (MG)
matrinchaense Matrinchã (GO)
matrizense Matriz de Camaragibe (AL)
matupaense Matupá (MT)
matureense Matureia (PB)
matutinense Matutina (MG)
mauaense Mauá (SP)
mauaense-da-serra Mauá da Serra (PR)
maueense Maués (AM)
mauriciense Doutor Maurício Cardoso (RS)
maurilandense Maurilândia (GO)
maurilandense Maurilândia do Tocantins (TO)
mauritiense Mauriti (CE)
maxaranguapense Maxaranguape (RN)
mazaganense, mazaganista Mazagão (AP)
medeirense Medeiros (MG)
medeirense Medeiros Neto (BA)
medianeirense Medianeira (PR)
medicense Presidente Médici (MA)
mediciense Presidente Médici (RO)
medicilandense Medicilândia (PA)
medinense Medina (MG)
meleirense Meleiro (SC)
melense Desterro do Melo (MG)
melgacense Barão de Melgaço (MT)
melgaciano Melgaço (PA)
mendense Mendes (RJ)
mendoncense Mendonça (SP)
mercedense Mercedes (PR)
mercedense Santa Mercedes (SP)
mercesano Mercês (MG)
meridianense Meridiano (SP)
meritiense São João de Meriti (RJ)
meruoquense Meruoca (CE)
mesopolense Mesópolis (SP)
mesquitense Mesquita (MG)
mesquitense Mesquita (RJ)
messias-targinense Messias Targino (RN)
messiense Messias (AL)
miguel-alvense Miguel Alves (PI)
miguel-oestino São Miguel d'Oeste (SC)
miguelense Barra de São Miguel (AL)
miguelense Miguel Pereira (RJ)
miguelense São Miguel das Matas (BA)
miguelense São Miguel do Guaporé (RO)
miguelense, milagrense São Miguel dos Milagres (AL)
miguelense, são-miguelense São Miguel dos Campos (AL)
miguelino São Miguel das Missões (RS)
miguelopense Miguelópolis (SP)
milagrense Milagres (BA)
milagrense Milagres (CE)
milagrense Milagres do Maranhão (MA)
milhãense, milhanense Milhã (CE)
milton-brandãoense Nova Esperança (PR)
milton-brandense Milton Brandão (PI)
mimosense Mimoso do Sul (ES)
mimosense Mimoso de Goiás (GO)
minaçuense Minaçu (GO)
minas-novense Minas Novas (MG)
minduriense Minduri (MG)
mineirense Mineiros (GO)
mineirense Mineiros do Tietê (SP)

mipibuense São José de Mipibu (RN)
mira-estrelense Mira Estrela (SP)
mirabelense Mirabela (MG)
miracatuense Miracatu (SP)
miracemense Miracema (RJ)
miracemense Miracema do Tocantins (TO)
miradorense Mirador (MA)
miradorense Mirador (PR)
miradourense Miradouro (MG)
miraguaiense Miraguaí (RS)
miraiense Miraí (MG)
miraimense Miraíma (CE)
mirandense Miranda (MS)
mirandense-do-norte, norte-mirandense Miranda do Norte (MA)
mirandibense Mirandiba (PE)
mirandopolense Mirandópolis (SP)
mirangabense Mirangaba (BA)
miranortense Miranorte (TO)
mirantense Mirante (BA)
mirantense Mirante da Serra (RO)
mirantense Mirante do Paranapanema (SP)
mirasselvano, mirasselvense Miraselva (PR)
mirassolandense Mirassolândia (SP)
mirassolense Mirassol (SP)
mirassolense Mirassol d'Oeste (MT)
miravaniense Miravânia (MG)
mirim-docense Mirim Doce (SC)
mirinzalense Mirinzal (MA)
missalense Missal (PR)
missãovelhense Missão Velha (CE)
missionense São João das Missões (MG)
mocajubense Mocajuba (PA)
mocoquense Mococa (SP)
moçoroense, mossoroense Mossoró (RN)
modelense Modelo (SC)
modestinense Senador Modestino Gonçalves (MG)
moedense Moeda (MG)
moemense Moema (MG)
mogadourense Mogadouro (Port.)
mogeirense Mogeiro (PB)
mogiano, mojiano Mogi das Cruzes (SP)
moiporaense Moiporá (GO)
moita-bonitense Moita Bonita (SE)
mojimiriano Moji Mirim (SP)
mojuense Moju (PA)
mombaçano, mombacense Mombaça (CE)
mombucano Mombuca (SP)
monçolense Monções (SP)
monçonense Monção (MA)
mondaiense Mondaí (SC)
mongaguaense, mongaguense Mongaguá (SP)
moniquense Santa Mônica (PR)
monjolense Monjolos (MG)
monlevadense João Monlevade (MG)
monsenhor-gilense Monsenhor Gil (PI)
montadense Montadas (PB)
montalegrense, monte-alegrense Monte Alegre (PA)
montalvaniense Montalvânia (MG)
montanhense Montanha (ES)
montanhense Montanhas (RN)
montauriense Montauri (RS)
monte-alegrense Monte Alegre (RN)
monte-alegrense Monte Alegre de Goiás (GO)
monte-alegrense Monte Alegre de Minas (MG)
monte-alegrense Monte Alegre de Sergipe (SE)
monte-alegrense Monte Alegre do Piauí (PI)
monte-alegrense Monte Alegre do Sul (SP)
monte-alegrense Monte Alegre dos Campos (RS)
monte-altense Barão de Monte Alto (MG)
monte-altense Monte Alto (SP)
monte-altense Montes Altos (MA)
monte-altense Palmas de Monte Alto (BA)
monte-aprazivelense Monte Aprazível (SP)
monte-azulense Monte Azul (MG)
monte-azulense Monte Azul Paulista (SP)
monte-belano Monte Belo (MG)
monte-belense Monte Belo do Sul (RS)
monte-belense São Luís dos Montes Belos (GO)
monte-castelense Monte Castelo (SC)
monte-castelense Monte Castelo (SP)
monte-castelense Santa Cruz do Monte Castelo (PR)
monte-formosense Monte Formoso (MG)
monte-gameleirense Monte das Gameleiras (RN)
monte-negrino Monte Negro (RO)
monte-santense Monte Santo (BA)
monte-santense Monte Santo do Tocantins (TO)
monte-santense Monte Santo de Minas (MG)
monte-sionense Monte Sião (MG)
montecarlense Monte Carlo (SC)
monteirense Gabriel Monteiro (SP)
monteirense Jerônimo Monteiro (ES)
monteirense Monteiro (PB)
monteiropolense, guaribense (do ant. nome, Guaribas). Monteirópolis (AL)
montemorense Monte Mor (SP)
montenegrino Montenegro (RS)
montes-clarense Montes Claros (MG)
montes-clarense Montes Claros de Goiás (GO)
montezumense Montezuma (MG)
montividense Montividiu do Norte (GO)
montividiuense Montividiu (GO)
morada-novense Morada Nova (CE)
moradense Morada Nova de Minas (MG)
moratense Francisco Morato (SP)
moraujense Moraújo (CE)
moreira-salense, salense Moreira Salles (PR)
moreirense Moreilândia (PE)
morenense Moreno (PE)
mormacense Mormaço (RS)
morparaense Morpará (BA)
morrense Morro Cabeça no Tempo (PI)
morrense Morro do Chapéu (BA)
morrense Morro do Pilar (MG)
morrense, morro-garcense Morro da Garça (MG)
morretense, morretiano Morretes (PR)
morrinhense Morrinhos (CE)
morrinhense Morrinhos (GO)
morrinhense Morrinhos do Sul (RS)
morro-agudense Morro Agudo (SP)
morro-agudense Morro Agudo de Goiás (GO)
morro-grandense Morro Grande (SC)
morro-reutense Morro Reuter (RS)
morrochapeuense Morro do Chapéu do Piauí (PI)
morroense, morruense Morros (MA)
morroredondense Morro Redondo (RS)
mortugabense Mortugaba (BA)
morungabense Morungaba (SP)
mossamedino Mossâmedes (GO)
mostardense Mostardas (RS)
motuquense Motuca (SP)
mozarlandense Mozarlândia (GO)
muanaense, muanense Muaná (PA)
mucajaiense Mucajaí (RR)
mucambense Mucambo (CE)
mucugeense Mucugê (BA)
muçunense Muçum (RS)
mucuriciense Mucurici (ES)
mucuriense Mucuri (BA)
muliternense Muliterno (RS)
mulunguense Mulungu (CE)
mulunguense Mulungu (PB)
mulunguense Mulungu do Morro (BA)
mundauense Santana do Mundaú (AL)
mundo-novense Mundo Novo (BA)
mundo-novense Mundo Novo (GO)
mundo-novense Mundo Novo (MS)
munhozense Munhoz (MG)
munhozense Munhoz de Mello (PR)
muniquense Munique (Al.)
muniz-freirense Muniz Freire (ES)
muquiense Muqui (ES)
muriaense Muriaé (MG)
muribequense Muribeca (SE)
mariciense Murici (AL)
muriciense Murici dos Portelas (PI)
muricilandense Muricilândia (TO)
muritibano Muritiba (BA)
murtense Coronel Murta (MG)
murtinhense Porto Murtinho (MS)
murutinguense Murutinga do Sul (SP)
mutuense Mutum (MG)
mutuense Nova Mutum (MT)
mutuipense Mutuípe (BA)
mutunopolino Mutunópolis (GO)
muzambinhense Muzambinho (MG)
nabuquense Joaquim Nabuco (PE)
nacipense Nacip Raydan (MG)
nantense Nantes (SP)
nanuquense Nanuque (MG)
não-me-toquense Não-Me-Toque (RS)
naquense Naque (MG)
narandibense Narandiba (SP)
natalandense Natalândia (MG)
natalense Natal, capital do RN
nateriano Natércia (MG)
nativense Natividade da Serra (SP)
natividadense Natividade (RJ)
natividano Natividade (TO)
natubense Natuba (PB)
navarrense Engenheiro Navarro (MG)
navegantino Navegantes (SC)
naviraiense Naviraí (MS)
nazareano Nazaré Paulista (SP)
nazareno Nazaré (BA)
nazareno Nazaré (TO)
nazareno Nazaré da Mata (PE)
nazareno Nazareno (MG)
nazareno Nossa Senhora de Nazaré (PI)
nazareno-do-piauí Nazaré do Piauí (PI)
nazarezinhense Nazarezinho (PB)
nazariense Nazária (PI)
nazarinense Nazário (GO)
neerlandês Países Baixos (Eur.)
negrense Minador do Negrão (AL)
neomodicano Nova Módica (MG)
neopolense, neopolitano Neópolis (SE)
neopontino, nova-pontense Nova Ponte (MG)
neopratense, nova-pratense Nova Prata (RS)
nepomucenense Nepomuceno (MG)
nereuense Presidente Nereu (SC)
neropolino Nerópolis (GO)
nevense Neves Paulista (SP)
nevense Ribeirão das Neves (MG)
newton-bellense Governador Newton Bello (MA)
nhamundaense Nhamundá (AM)
nhandearense Nhandeara (SP)
nicolau-vergueirense Nicolau Vergueiro (RS)
nigeriano Nigéria (Áfr.)
nigerino Níger (Áfr.)
nilo-peçanhense Nilo Peçanha (BA)
nilopolitano Nilópolis (RJ)
ninense Nina Rodrigues (MA)
ninheirense Ninheira (MG)
nioaquense Nioaque (MS)
nipoanense Nipoã (SP)
niquelandense Niquelândia (GO)
niteroiense Niterói (RJ)
nobrense Nobres (MT)
nogueirense Artur Nogueira (SP)
nonoaiense Nonoai (RS)
nordestinense Nordestina (BA)
normandiense Normandia (RR)
norte-matoense Matões do Norte (MA)
norte-ponte-altense Ponte Alta do Norte (SC)
nortelandense Nortelândia (MT)
nortense Santa Luzia do Norte (AL)
nortense São José do Norte (RS)
nova-aliancense Nova Aliança (SP)
nova-alvoradense Nova Alvorada (RS)
nova-americano Nova América (GO)
nova-bandeirantense Nova Bandeirantes (MT)
nova-campinense Nova Campina (SP)
nova-canaense Nova Canaã Paulista (SP)
nova-candelariense Nova Candelária (RS)
nova-cantuense Nova Cantu (PR)
nova-colinense Nova Colinas (MA)
nova-crixaense Nova Crixás (GO)
nova-cruzense Nova Cruz (RN)
nova-erechinense Nova Erechim (SC)
nova-erense Nova Era (MG)
nova-esperancense Nova Esperança do Sudoeste (PR)
nova-esperancense Nova Esperança do Sul (RS)
nova-europense Nova Europa (SP)
nova-feirense Feira Nova do Maranhão (MA)
nova-glorino Nova Glória (GO)
nova-guaritense Nova Guarita (MT)
nova-hartense Nova Hartz (RS)
nova-ibiaense Nova Ibiá (BA)
nova-iguaçuense Nova Iguaçu de Goiás (GO)
nova-iorquino Nova Iorque (MA)
nova-iorquino Nova York (EUA)
nova-ipixunense Nova Ipixuna (PA)
nova-itaberabense Nova Itaberaba (SC)
nova-itaranense Nova Itarana (BA)
nova-lacerdense Nova Lacerda (MT)
nova-laranjeirense Nova Laranjeiras (PR)
nova-limense Nova Lima (MG)
nova-londrinense Nova Londrina (PR)
nova-mamorense Nova Mamoré (RO)
nova-marilandense Nova Marilândia (MT)
nova-maringaense Nova Maringá (MT)
nova-monte-verdense Nova Monte Verde (MT)
nova-nazarense Nova Nazaré (MT)
nova-olimpiense Nova Olímpia (MT)
nova-olindense Nova Olinda (CE)
nova-olindense Nova Olinda (PB)
nova-olindense, olindense Nova Olinda do Maranhão (MA)
nova-orleanês Nova Orleães (EUA)
nova-palmeirense Nova Palmeira (PB)
nova-palmense Nova Palma (RS)
nova-petropolitano Nova Petrópolis (RS)
nova-porteirinhense Nova Porteirinha (MG)
nova-ramadense Nova Ramada (RS)
nova-redençoense Nova Redenção (BA)
nova-romano Nova Roma (GO)
nova-romense Nova Roma do Sul (RS)
nova-russano, nova-russense Nova Russas (CE)
nova-santa-helenense Nova Santa Helena (MT)
nova-santa-ritense Nova Santa Rita (PI)
nova-santa-ritense Nova Santa Rita (RS)
nova-santa-rosense, santa-rosense Nova Santa Rosa (PR)
nova-serranense Nova Serrana (MG)
nova-sourense Nova Soure (BA)
nova-tebense Nova Tebas (PR)
nova-trentino, neotrentino Nova Trento (SC)
nova-ubiratãense Nova Ubiratã (MT)
nova-uniense Nova União (MG)
nova-uniense Nova União (RO)
nova-venezino Nova Veneza (GO)
nova-venezino Nova Veneza (SC)
nova-viçosense Nova Viçosa (BA)
nova-xavantinense Nova Xavantina (MT)
novaense Novais (SP)
novalindense Nova Olinda (TO)
novalvoradense, sul-nova-alvoradense Nova Alvorada do Sul (MS)
novense-do-sul, sul-rio-novense Rio Novo do Sul (ES)
novo-acordino Novo Acordo (TO)
novo-airãoense Novo Airão (AM)
novo-alegrense Novo Alegre (TO)
novo-aripuanense Novo Aripuanã (AM)
novo-barreirense Novo Barreiro (RS)
novo-brasilense Novo Brasil (GO)
novo-cruzeirense Novo Cruzeiro (MG)
novo-gamense Novo Gama (GO)
novo-hamburguense Novo Hamburgo (RS)
novo-horizontense, novo-horizontino Novo Horizonte (BA)
novo-horizontino Novo Horizonte (SC)
novo-horizontino Novo Horizonte (SP)
novo-horizontino Novo Horizonte do Norte (MT)
novo-horizontinense Novo Horizonte do Oeste (RO)
novo-horizontino-do-sul Novo Horizonte do Sul (MS)
novo-jardinense Novo Jardim (TO)
novo-linense Novo Lino (AL)
novo-machadense Novo Machado (RS)
novo-mundense Novo Mundo (MT)
novo-oriental, novo-orientense Novo Oriente (CE)
novo-orientense Novo Oriente de Minas (MG)
novo-orientino Novo Oriente do Piauí (PI)
novo-triunfense Novo Triunfo (BA)
novo-xinguense Novo Xingu (RS)
novorizontino Novorizonte (MG)
nunes-freirense Governador Nunes Freire (MA)
nuporanguense Nuporanga (SP)
obidense Óbidos (PA)
ocarense Ocara (CE)
ocauçuense Ocauçu (SP)
ocidentalense Cidade Ocidental (GO)
odessano Nova Odessa (SP)
odivelense São Caetano de Odivelas (PA)
oeirense Oeiras (PI)
oeirense Oeiras do Pará (PA)
oestense São Francisco do Oeste (RN)
oestiano São Sebastião do Oeste (MG)
oiapoquense Oiapoque (AP)
olariense Olaria (MG)
oleense Óleo (SP)
olegariense Presidente Olegário (MG)
olhanense Olhão (Port.)
olho-d'agua-borgense Olho d'Água do Borges (RN)
olho-d'aguense Olho d'Água (PB)
olho-d'aguense Olho d'Água das Cunhãs (MA)
olho-d'aguense Olho d'Água das Flores (AL)
olho-d'aguense Olho d'Água do Piauí (PI)
olho-daguense, olho-grandense Olho d'Água Grande (AL)
olhos-d'aguense Olhos d'Água (MG)
olimpiense Nova Olímpia (PR)
olimpiense Olímpia (SP)
olímpio-noronhense Olímpio Noronha (MG)
olindense Nova Olinda do Norte (AM)
olindense Olinda (PE)
olindense Olinda Nova do Maranhão (MA)
olindinense Olindina (BA)
olivedense Olivedos (PB)
oliveirense Oliveira (MG)
oliveirense Oliveira de Fátima (TO)
oliveirense Senhora de Oliveira (MG)
olivense, oliventino Olivença (AL)
oncense Onça de Pitangui (MG)
onda-verdense Onda Verde (SP)
oratoriense Oratórios (MG)
orientense Oriente (SP)
orindiuvense Orindiúva (SP)
oriximinaense Oriximiná (PA)
orizanense Orizânia (MG)
orizonense Orizona (GO)
orlandino Orlândia (SP)
orleanense Orleans (SC)
orleanês Orleães (Fr.)
oroboense Orobó (PE)
orocoense Orocó (PE)
oroense Orós (CE)
ortigueirense Ortigueira (PR)
osasquense Osasco (SP)
osoriense Osório (RS)
osvaldo-cruzense Osvaldo Cruz (SP)
otaciliense Otacílio Costa (SC)
ouremense Ourém (PA)
ourense Barra do Ouro (TO)
ourense Conceição dos Ouros (MG)
ourense Ouro (SC)
ourense São José do Ouro (RS)
ouriçanguense Ouriçangas (BA)
ouricuriense, ouricurioara Ouricuri (PE)
ourilandense Ourilândia do Norte (PA)
ourinhense Ourinhos (SP)
ourizonense Ourizona (PR)
ouro-branquense Ouro Branco (AL)
ouro-branquense Ouro Branco (MG)
ouro-branquense Ouro Branco (RN)
ouro-finense Ouro Fino (MG)
ouro-pretano Ouro Preto (MG)
ouro-pretense Ouro Preto do Oeste (RO)
ouro-velhense Ouro Velho (PB)
ouro-verdense Ouro Verde (SC)
ouro-verdense Ouro Verde (SP)
ouro-verdense Ouro Verde de Goiás (GO)
ouro-verdense Ouro Verde de Minas (MG)
ouro-verdense Ouro Verde do Oeste (PR)
ouroestense Ouroeste (SP)
ourolandense Ourolândia (BA)
ouvidorense Ouvidor (GO)
ovetense Oviedo (Esp.)
pacaembuense Pacaembu (SP)
pacajaense Pacajá (PA)
pacajuense Pacajus (CE)
pacaraimense Pacaraima (RR)
pacatubano Pacatuba (CE)
pacatubense Pacatuba (SE)
pachequense Coronel Pacheco (MG)
pacotiense Pacoti (CE)
pacuiense São João do Pacuí (MG)
pacujaense Pacujá (CE)
padre-bernardense Padre Bernardo (GO)
padre-carvaliense Padre Carvalho (MG)
padre-marquense Padre Marcos (PI)
padre-paraisense Padre Paraíso (MG)
paduano, paduense Santo Antônio de Pádua (RJ)
paduense Nova Pádua (RS)
paes-landinense Paes Landim (PI)
paialense Paial (SC)
paiçanduense Paiçandu (PR)
paim-filhense Paim Filho (RS)
paineirense Paineiras (MG)
painelense Painel (SC)
painense Pains (MG)
paipedrense Pai Pedro (MG)
paivense Paiva (MG)
pajeuense Pajeú do Piauí (PI)
palestinense Palestina (AL)
palestinense Palestina (SP)
palestinense Palestina de Goiás (GO)
palestinense Palestina do Pará (PA)
palhanense Palhano (CE)
palhocense Palhoça (SC)
palma-solense Palma Sola (SC)
palmaciano Palmácia (CE)
palmarense Palmares (PE)
palmarense Palmares do Sul (RS)
palmarense Palmares Paulista (SP)
palmarino União dos Palmares (AL)
palmeirandense Palmeirândia (MA)
palmeirantense Palmeirante (TO)
palmeirense Palmeira (PR)
palmeirense Palmeira (SC)
palmeirense Palmeira d'Oeste (SP)
palmeirense Palmeira das Missões (RS)
palmeirense Palmeira dos Índios (AL)
palmeirense Palmeirais (PI)
palmeirense Palmeiras (BA)
palmeirense Palmeiras de Goiás (GO)
palmeirense Palmeiras do Tocantins (TO)
palmeirense Santa Cruz das Palmeiras (SP)
palmeirinense Palmeirina (PE)
palmeirino Palmeira do Piauí (PI)
palmeiropolitano Palmeirópolis (TO)
palmelino Palmelo (GO)
palmense Palma (MG)
palmense Palmas (PR)
palmense Palmas, capital do TO
palmense Santo Antônio do Palma (RS)
palminopolino Palminópolis (GO)
palmitalense Palmital (PR)
palmitalense Palmital (SP)
palmitense Palmitinho (RS)
palmitense Palmitos (SC)
palmopolense Palmópolis (MG)
palotinense Palotina (PR)
panambiense Panambi (RS)

panamenho Panamá (GO)
panelense Panelas (PE)
panoramense Panorama (SP)
panquense Pancas (ES)
pantanense Pântano Grande (RS)
pão-de-açucarense Pão de Açúcar (AL)
papagaiense Papagaios (MG)
papanduvense Papanduva (SC)
paquetaense Paquetá (PI)
paracambiense Paracambi (RJ)
paracatuense Paracatu (MG)
paracuruense Paracuru (CE)
paraense, pará-minense, paraminense Pará de Minas (MG)
paragominense Paragominas (PA)
paraguaçuense Paraguaçu (MG)
paraguaçuense Paraguaçu Paulista (SP)
paraibanense Paraibano (MA)
paraibano-do-sul Paraíba do Sul (RJ)
paraibunense Paraibuna (SP)
paraiense Paraí (RS)
paraipabense Paraipaba (CE)
paraisense Paraíso (SC)
paraisense Paraíso (SP)
paraisense Paraíso do Sul (RS)
paraisense Paraíso do Tocantins (TO)
paraisense Santana do Paraíso (MG)
paraisense São João do Paraíso (MA)
paraisense São João do Paraíso (MG)
paraisense São Sebastião do Paraíso (MG)
paraisense-do-norte [Tb. paraisense.] Pedra Branca do Amapari (AP)
paraisense, paraisense-do-norte Paraíso do Norte (PR)
paraisopolense, paraisopolitano Paraisópolis (MG)
parambuense Parambu (CE)
paramirinhense Paramirim (BA)
paramotiense Paramoti (CE)
paranacitense Paranacity (PR)
paranaense Paraná (RN)
paranãense Paranã (TO)
paranaibano Paranaíba (MS)
paranaiguarense Paranaiguara (GO)
paranaitense Paranaíta (MT)
paranapanemense Paranapanema (SP)
paranapoemense Paranapoema (PR)
paranapuense Paranapuã (SP)
paranatamense Paranatama (PE)
paranatinguense Paranatinga (MT)
paranavaiense Paranavaí (PR)
paranhense Paranhos (MS)
paraopebense Paraopeba (MG)
parapuense Parapuã (SP)
parariense Parari (PB)
paratiense Parati (RJ)
paratinguense Paratinga (BA)
parauapebense Parauapebas (PA)
parauense Paraú (RN)
paraunense Paraúna (GO)
parazinhense Parazinho (RN)
pardinhense Pardinho (SP)
pareciense Pareci Novo (RS)
parelhense Parelhas (RN)
pariconhense Pariconha (AL)
parintinense Parintins (AM)
paripiranguense Paripiranga (BA)
paripueirense Paripueira (AL)
pariquerense Pariquera-Açu (SP)
parisiano Parisi (SP)
parnaguaense Parnaguá (PI)
parnaibano Parnaíba (PI)
parnaibano Santana de Parnaíba (SP)
parnamirinense Parnamirim (PE)
parnamirinense Parnamirim (RN)
parnanguara Paranaguá (PR)
parnaramense Parnarama (MA)
parobeense Parobé (RS)
parrecisense Parecis (RO)
passa-fiquense Passa e Fica (RN)
passa-quatrense Passa Quatro (MG)
passa-quatrense São Miguel do Passa Quatro (GO)
passa-setense Passa Sete (RS)
passa-tempense Passa Tempo (MG)
passa-vintense Passa Vinte (MG)
passabenense Passabém (MG)
passagense Passagem (PB)
passagense Passagem (RN)
passagense Passagem Franca (MA)
passagense Passagem Franca do Piauí (PI)
passense Passos (MG)
passirense Passira (PE)
passo-fundense Passo Fundo (RS)
passo-maiense Passos Maia (SC)
passo-sobradense Passo do Sobrado (RS)
passo-torrense Passo de Torres (SC)
pastos-bonense Pastos Bons (MA)
patense Patos de Minas (MG)
patense, patoense Patos (PB)
patiense Patis (MG)
patiense Paty do Alferes (RJ)
pato-bragadense Pato Bragado (PR)
pato-branquense Pato Branco (PR)
patoense Patos do Piauí (PI)
patoense São João dos Patos (MA)
patrocinense Patrocínio (MG)
patrocinense Patrocínio do Muriaé (MG)
patrocinense Patrocínio Paulista (SP)
patrocinense São Jorge do Patrocínio (PR)
patrulhense Santo Antônio da Patrulha (RS)
patuense Patu (RN)
pau-brasilense Pau Brasil (BA)
pau-d'arquense Pau d'Arco (PA)
pau-d'arquense Pau d'Arco (TO)
pau-d'arquense Pau d'Arco do Piauí (PI)
pau-ferrense Pau dos Ferros (RN)
paudalhense Paudalho (PE)
pauiniense Pauini (AM)
paula-candense Paula Cândido (MG)
paulense Monsenhor Paulo (MG)
paulense, serrano São Francisco de Paula (RS)
pauliceiense Pauliceia (SP)
paulinense Paulínia (SP)
paulinoense Paulino Neves (MA)
paulista-das-missões São Paulo das Missões (RS)
paulistaniense Paulistânia (SP)
paulistano Paulistas (MG)
paulistano São Paulo, capital de SP
paulistano, paulistanense Paulistana (PI)
paulistano, paulistense Paulista (PB)
paulistano, paulistense Paulista (PE)
paulivense São Paulo de Olivença (AM)
paulo-afonsino Paulo Afonso (BA)
paulo-bentense Paulo Bento (RS)
paulo-fariense Paulo de Faria (SP)
paulo-jacintense Paulo Jacinto (AL)
paulo-lopense Paulo Lopes (SC)
paulo-ramense Paulo Ramos (MA)
paveramense Paverama (RS)
pavoense Pavão (MG)
pavoense Vila Pavão (ES)
pavoense, santa-ceciliense Santa Cecília do Pavão (PR)
pavussuense Pavussu (PI)
pé-de-serrense Pé de Serra (BA)
peabiruense Peabiru (PR)
peçanhense Peçanha (MG)
pederneirense Pederneiras (SP)
pedra-azulense Pedra Azul (MG)
pedra-belense Pedra Bela (SP)
pedra-bonitense Pedra Bonita (MG)
pedra-branquense Pedra Branca (CE)
pedra-branquense Pedra Branca (PB)
pedra-foguense Pedras de Fogo (PB)
pedra-grandense Pedra Grande (RN)
pedra-lavradense Pedra Lavrada (PB)
pedra-molense Pedra Mole (SE)
pedra-pretense Pedra Preta (MT)
pedra-pretense Pedra Preta (RN)
pedralvense Pedralva (MG)
pedranopolense Pedranópolis (SP)
pedras-altense Pedras Altas (RS)
pedras-grandense Pedras Grandes (SC)
pedregulhense Pedregulho (SP)
pedreirense Pedreira (SP)
pedreirense Pedreiras (MA)
pedrense Conceição das Pedras (MG)
pedrense Pedra (PE)
pedrense Pedras de Maria da Cruz (MG)
pedrinhense Doutor Pedrinho (SC)
pedrinhense Pedrinhas (SE)
pedrinhense Pedrinhas Paulista (SP)
pedrinopolense Pedrinópolis (MG)
pedritense Dom Pedrito (RS)
pedro-afonsino Pedro Afonso (TO)
pedro-alexandrino Pedro Alexandre (BA)
pedro-avelinense Pedro Avelino (RN)
pedro-gomense Pedro Gomes (MS)
pedro-laurentinense Pedro Laurentino (PI)
pedro-leopoldense Pedro Leopoldo (MG)
pedro-osoriense Pedro Osório (RS)
pedro-regense Pedro Régis (PB)
pedro-rosariense Pedro do Rosário (MA)
pedro-segundense Pedro II (PI)
pedro-teixeirense Pedro Teixeira (MG)
pedro-velhense Pedro Velho (RN)
pedronense Pedrão (BA)
peixe-boiense Peixe-boi (PA)
peixense Peixe (TO)
peixotense Peixoto de Azevedo (MT)
pejuçarense Pejuçara (RS)
pelotense Pelotas (RS)
penafortense Penaforte (CE)
penalvense Penalva (MA)
penapolense Penápolis (SP)
pendenciano, pendenciense Pendências (RN)
penedense Penedo (AL)
penhense Penha (SC)
pentecostense Pentecoste (CE)
pequeriense Pequeri (MG)
pequiense Pequi (MG)
pequizeirense Pequizeiro (TO)
perdiguense Perdigão (MG)
perdizense Perdizes (MG)
perdonense Perdões (MG)
pereira-barretense Pereira Barreto (SP)
pereirense Pereiras (SP)
pereirense Pereiro (CE)
perimiriense Peri Mirim (MA)
periquitense Periquito (MG)
peritibense Peritiba (SC)
peritoroense Peritoró (MA)
perobalense Perobal (PR)
pérola-oestense, perolense Pérola d'Oeste (PR)
perolandense Perolândia (GO)
perolense Pérola (PR)
peruibense Peruíbe (SP)
pescadorense Pescador (MG)
pesqueirense Pesqueira (PE)
pessoense Coronel João Pessoa (RN)
petrolandense Petrolândia (PE)
petrolandense Petrolândia (SC)
petrolinense Petrolina (PE)
petrolinense Petrolina de Goiás (GO)
petropolitano Petrópolis (RJ)
piaçabuçuense Piaçabuçu (AL)
piacatuense Piacatu (SP)
piancoense Piancó (PB)
piatãense Piatã (BA)
piauense Piau (MG)
picadense Picada Café (RS)
piçarrense Balneário Piçarras (SC)
piçarrense Piçarra (PA)
picoense Picos (PI)
picuiense Picuí (PB)
piedadense Piedade (SP)
piedadense Piedade de Caratinga (MG)
piedadense Piedade de Ponte Nova (MG)
piedadense Piedade do Rio Grande (MG)
piedadense Piedade dos Gerais (MG)
pienense Piên (PR)
pilão-arcadense Pilão Arcado (BA)
pilarense Coronel Pilar (RS)
pilarense Pilar (AL)
pilarense Pilar (PB)
pilarense Pilar de Goiás (GO)
pilarense Pilar do Sul (SP)
pilõezinhense Pilõezinhos (PB)
pilonense Pilões (PB)
pilonense Pilões (RN)
pimenta-buenense Pimenta Bueno (RO)
pimenteirense Pimenteiras (PI)
pimenteirense Pimenteiras do Oeste (RO)
pimentelense Mendes Pimentel (MG)
pimentense Pimenta (MG)
pindaiense Pindaí (BA)
pindamonhangabense Pindamonhangaba (SP)
pindareense Pindaré Mirim (MA)
pindobaçuense Pindobaçu (BA)
pindobense Pindoba (AL)
pindoramense Pindorama (SP)
pindoramense, pindoramense-do-tocantins Pindorama do Tocantins (TO)
pindoretamense Pindoretama (CE)
pingodaguense Pingo d'Água (MG)
pinhaense Balneário Pinhal (RS)
pinhaense Pinhais (PR)
pinhaense Pinhal da Serra (RS)
pinhaense Pinhal de São Bento (PR)
pinhaense Pinhalzinho (SC)
pinhaense Pinhalzinho (SP)
pinhal-grandense Pinhal Grande (RS)
pinhalense Espírito Santo do Pinhal (SP)
pinhalense Pinhal (RS)
pinhalense Santo Antônio do Pinhal (SP)
pinhalense, são-joseense São José dos Pinhais (PR)
pinhalonense Pinhalão (PR)
pinhãoense Pinhão (PR)
pinhãoense Pinhão (SE)
pinheiralense Pinheiral (RJ)
pinheirense João Pinheiro (MG)
pinheirense Pinheiro (MA)
pinheirense Pinheiro Machado (RS)
pinheirense Pinheiro Preto (SC)
pinheirense Pinheiros (ES)
pinheirinhense Pinheirinho do Vale (RS)
pintadense Pintadas (BA)
pintopolense Pintópolis (MG)
pio-nonense Pio IX (PI)
piodocense, piodozense Pio XII (MA)
piquerobiense Piquerobi (SP)
piquet-carneirense Piquet Carneiro (CE)
piquetense Piquete (SP)
pirabense São João de Pirabas (PA)
piracaiense Piracaia (SP)
piracanjubense Piracanjuba (GO)
piracemense Piracema (MG)
piracicabano Piracicaba (SP)
piracicabense Rio Piracicaba (MG)
piraçununguense, pirassununguense Pirassununga (SP)
piracuruquense Piracuruca (PI)
piraiense Piraí (RJ)
piraiense Piraí do Norte (BA)
piraiense Piraí do Sul (PR)
pirajubense Pirajuba (MG)
pirajuense Piraju (SP)
pirajuiense Pirajuí (SP)
pirambuense Pirambu (SE)
pirangiense Pirangi (SP)
piranguçuense Piranguçu (MG)
piranguense Piranga (MG)
piranguinense Piranguinho (MG)
piranhense Piranhas (AL)
piranhense Piranhas (GO)
piranhense São José de Piranhas (PB)
pirapamenho Santana de Pirapama (MG)
pirapemense Pirapemas (MA)
pirapetinguense Pirapetinga (MG)
pirapoense Pirapó (RS)
piraporense Pirapora (MG)
piraporense Pirapora do Bom Jesus (SP)
pirapozense Pirapozinho (SP)
piraquarense Piraquara (PR)
piraqueense Piraquê (TO)
piratiniense, piratinense Piratini (RS)
piratiningano Piratininga (SP)
piratubense Piratuba (SC)
piraubano Piraúba (MG)
pirenopolino Pirenópolis (GO)
pires-ferreirense Pires Ferreira (CE)
piresino Pires do Rio (GO)
piriaense Nova Esperança do Piriá (PA)
piripaense Piripá (BA)
piripiriense Piripiri (PI)
piritibano Piritiba (BA)
pirpiritubense Pirpirituba (PB)
pitangueirense Pitangueiras (PR)
pitangueirense Pitangueiras (SP)
pitanguense Pitanga (PR)
pitanguiense Pitangui (MG)
pitimbuense Pitimbu (PB)
piuense Pium (TO)
piuiense Piumhi (MG)
piumense Piúma (ES)
placidiano Plácido de Castro (AC)
planaltense Novo Planalto (GO)
planaltense Planalto (BA)
planaltense Planalto (PR)
planaltense Planalto (RS)
planaltense Planalto (SP)
planaltense-da-serra Planalto da Serra (MT)
planaltinense Planaltina (GO)
planaltinense Planaltina do Paraná (PR)
planaltinense Planaltino (BA)
planalto-alegrense Planalto Alegre (SC)
planurense Planura (MG)
plaquense Placas (PA)
platinense Platina (SP)
platinense Santo Antônio da Platina (PR)
poaense Poá (SP)
poção-pedrense, poçoense Poção de Pedras (MA)
poçãoense Poção (PE)
pocense Poço Dantas (PB)
pocense Poço das Trincheiras (AL)
pocense Poço José de Moura (PB)
pocinhense Pocinhos (PB)
poço-branquense Poço Branco (RN)
poço-fundense Poço Fundo (MG)
poço-redondense Poço Redondo (SE)
poço-verdense Poço Verde (SE)
poçoantense Poço das Antas (RS)
poçoense Poções (BA)
poconeano Poconé (MT)
poços-caldense Poços de Caldas (MG)
pocranense Pocrane (MG)
pojucano, pojuquense Pojuca (BA)
polesinense São João do Polêsine (RS)
poloniense Poloni (SP)
pombalense Pombal (PB)
pombalense Ribeira do Pombal (BA)
pomboense Pombos (PE)
pomerodense Pomerode (SC)
pompeano Pompéu (MG)
pompeiano Pompeia (SP)
pompeuense, senadorense Senador Pompeu (CE)
ponciense Girau do Ponciano (AL)
pongaiense Pongaí (SP)
ponta-grossense Ponta Grossa (PR)
ponta-pedrense Ponta de Pedras (PA)
ponta-poranense Ponta Porã (MS)
pontalense Pontal (SP)
pontalense Pontal do Araguaia (MT)
pontalense Pontal do Paraná (PR)
pontalindense Pontalinda (SP)
pontalinense Pontalina (GO)
pontanense Pontão (RS)
ponte-altense Ponte Alta (SC)
ponte-altense Ponte Alta do Bom Jesus (TO)
ponte-altense-do-tocantins Ponte Alta do Tocantins (TO)
ponte-branquense Ponte Branca (MT)
ponte-novense Ponte Nova (MG)
ponte-pretense Ponte Preta (RS)
ponte-serradense Ponte Serrada (SC)
pontense São João da Ponte (MG)
pontes-gestalense Pontes Gestal (SP)
ponto-belense Ponto Belo (ES)
ponto-chiquense Ponto Chique (MG)
ponto-novense Ponto Novo (BA)
ponto-volantense Ponto dos Volantes (MG)
populinense, populino Populina (SP)
porangabense Porangaba (SP)
porangatuense Porangatu (GO)
poranguense Poranga (CE)
porciunculense Porciúncula (RJ)
porecatuense Porecatu (PR)
porfiriense Senador José Porfírio (PA)
portalegrense Portalegre (RN)
portanense Portão (RS)
porteirense Porteirão (GO)
porteirense Porteiras (CE)
porteirinhense Porteirinha (MG)
portelandense Portelândia (GO)
portelense Portel (PA)
portelense Tenente Portela (RS)
portense Porto Esperidião (MT)
porto-acrense Porto Acre (AC)
porto-alegrense Porto Alegre, capital do RS
porto-alegrense Porto Alegre do Norte (MT)
porto-alegrense Porto Alegre do Piauí (PI)
porto-alegrense, porto-alegrense-do-tocantins Porto Alegre do Tocantins (TO)
porto-amazonense Porto Amazonas (PR)
porto-barreirense Porto Barreiro (PR)
porto-belense Porto Belo (SC)
porto-calvense Porto Calvo (AL)
porto-estrelense Porto Estrela (MT)
porto-felicense Porto Feliz (SP)
porto-firmense Porto Firme (MG)
porto-folhense Porto da Folha (SE)
porto-franquino Porto Franco (MA)
porto-gauchense Porto dos Gaúchos (MT)
porto-grandense Porto Grande (AP)
porto-lucenense Porto Lucena (RS)
porto-manguense Porto do Mangue (RN)
porto-mauense Porto Mauá (RS)
porto-mozense Porto de Moz (PA)
porto-pedrense Porto de Pedras (AL)
porto-realense Porto Real (RJ)
porto-riquense Porto Rico (PR)
porto-riquense Porto Rico do Maranhão (MA)
porto-segurense Porto Seguro (BA)
porto-unionense Porto União (SC)
porto-velhense Porto Velho, capital de RO
porto-vera-cruzense Porto Vera Cruz (RS)
porto-vitoriense Porto Vitória (PR)
porto-waltense Porto Walter (AC)
porto-xavierense Porto Xavier (RS)
portuense Porto (PI)
portuense Porto Nacional (TO)
portuense Senhora do Porto (MG)
possense Posse (GO)
possense Santo Antônio da Posse (SP)
poteense Poté (MG)
potengiense Potengi (CE)
potengiense São Paulo do Potengi (RN)
potinense Potim (SP)
potiraguense Potiraguá (BA)
potirendabense Potirendaba (SP)
potiretamense Potiretama (CE)
pouso-alegrense Pouso Alegre (MG)
pouso-altense Pouso Alto (MG)
pouso-novense Pouso Novo (RS)
pouso-redondense Pouso Redondo (SC)
poxoreano, poxorense Poxoréo (MT)
pracinhense Pracinha (SP)
pracuubense Pracuúba (AP)
pradense Antônio Prado (RS)
pradense Prado (BA)
pradense Prados (MG)
pradense-de-minas Antônio Prado de Minas (MG)

Gentílicos brasileiros 1454

prado-ferreirense Prado Ferreira (PR)
pradopolitano Pradópolis (SP)
praia-grandense Praia Grande (SC)
praia-grandense Praia Grande (SP)
praiano Balneário Camboriú (SC)
praiano, praia-nortense Praia Norte (TO)
prainhense Prainha (PA)
pranchitano Pranchita (PR)
prataense, pratense Prata (PB)
pratapolense Pratápolis (MG)
pratense Águas da Prata (SP)
pratense Nova Prata do Iguaçu (PR)
pratense Prata (MG)
pratense Prata do Piauí (PI)
pratense, pratiano São Domingos do Prata (MG)
pratinhense Pratinha (MG)
pratino Pratânia (SP)
presidentino Presidente Vargas (MA)
presidutrense Presidente Dutra (MA)
primaiense Primeiro de Maio (PR)
primaverense Primavera (PA)
primaverense Primavera (PE)
primaverense Primavera de Rondônia (RO)
primaverense Primavera do Leste (MT)
primeira-cruzense Primeira Cruz (MA)
princesense Princesa (SC)
princesense Princesa Isabel (PB)
progressense Novo Progresso (PA)
progressense Progresso (RS)
promissense Promissão (SP)
propiciense Vila Propício (GO)
propriaense Propriá (SE)
protásio-alvense Protásio Alves (RS)
prudentino Presidente Prudente (SP)
prudentino Prudente de Morais (MG)
prudentopolitano Prudentópolis (PR)
pugmilense Pugmil (TO)
purezense Pureza (RN)
putinguense Putinga (RS)
puxinanãense Puxinanã (PB)
quadrense Quadra (SP)
quaraiense Quaraí (RS)
quartelense Quartel Geral (MG)
quarto-centenariense Quarto Centenário (PR)
quataense Quatá (SP)
quatiense Quatis (RJ)
quatiguense, quatiguaense Quatiguá (PR)
quatipuruense Quatipuru (PA)
quatro-irmãosense Quatro Irmãos (RS)
quatro-marquense São José dos Quatro Marcos (MT)
quatro-pontense Quatro Pontes (PR)
quebrangulense Quebrangulo (AL)
quedas-iguaçuense Quedas do Iguaçu (PR)
queimada-novense Queimada Nova (PI)
queimadense Queimadas (BA)
queimadense Queimadas (PB)
queimadense Queimados (RJ)
queirozense Queiroz (SP)
queluzense Queluz (SP)
queluzitano Queluzito (MG)
querenciano Querência (MT)
querenciano Querência do Norte (PR)
quevedense Quevedos (RS)
quijinguense Quijingue (BA)
quilombense Quilombo (SC)
quinta-solense, quintense Quinta do Sol (PR)
quintanense Quintana (SP)
quinze-novembrense Quinze de Novembro (RS)
quipapaense, quipapaoara Quipapá (PE)
quirinopolino Quirinópolis (GO)
quissamaense Quissamã (RJ)
quitandinhense Quitandinha (PR)
quiterianopolense Quiterianópolis (CE)
quiteriense Santa Quitéria (CE)
quiteriense Santa Quitéria do Maranhão (MA)
quitundense São Luís do Quitunde (AL)
quixabeirense Quixabeira (BA)
quixabense Quixabá (PB)
quixabense Quixabá (PE)
quixadaense Quixadá (CE)
quixeloense Quixeló (CE)
quixeramobiense, quixeramobinense Quixeramobim (CE)
quixereense Quixeré (CE)
rafael-fernandense Rafael Fernandes (RN)
rafael-godeirense Rafael Godeiro (RN)
rafaelense, são-rafaelense São Rafael (RN)
rafardense Rafard (SP)
ramilandiense Ramilândia (PR)
ranchariense Rancharia (SP)
rancho-queimadense Rancho Queimado (SC)
ranchoalegrense Rancho Alegre d'Oeste (PR)
raposense Raposa (MA)
raposense Raposos (MG)
ratense Arroio dos Ratos (RS)
raul-soarense Raul Soares (MG)
realezense Realeza (PR)
reboucense Rebouças (PR)
recifense Recife, capital de PE
recreense Recreio (MG)
recursolandense Recursolândia (TO)
redencense Redenção (PA)
redencense Redenção da Serra (SP)
redencionista Redenção (CE)
redentorense Redentora (RS)
redutense Reduto (MG)
regenerense Regeneração (PI)
regentense Regente Feijó (SP)
reginopolitano Reginópolis (SP)
registrense Registro (SP)
relvadense Relvado (RS)
remansense Remanso (BA)
remedense, remeduense Nossa Senhora dos Remédios (PI)
remediense Senhora dos Remédios (MG)
remigense Remígio (PB)
renascenceano Renascença (PR)
repartimentense Novo Repartimento (PA)
reriutabano Reriutaba (CE)
resende-costense Resende Costa (MG)
resendense Nova Resende (MG)
resendense Resende (RJ)
reservense Reserva (PR)
reservense Reserva do Cabaçal (MT)
reservense-do-iguaçu Reserva do Iguaçu (PR)
resplendorense Resplendor (MG)
ressaquinhense Ressaquinha (MG)
restinguense Restinga (SP)
restinguense Restinga Seca (RS)
retirense Santo Antônio do Retiro (MG)
retirolandense Retirolândia (BA)
riachão-nevense Riachão das Neves (BA)
riachãoense Riachão (MA)
riachãoense Riachão (PB)
riachãoense Riachão do Dantas (SE)
riachãoense Riachão do Poço (PB)
riachense Dois Riachos (AL)
riachense Riacho das Almas (PE)
riachense Riacho de Santana (BA)
riachense Riacho dos Machados (MG)
riachense Santana do Riacho (MG)
riachense, riachoense Riacho dos Cavalos (PB)
riachiense, riachinhense Riachinho (MG)
riachiense, riachinhense Riachinho (TO)
riacho-antoniense Riacho de Santo Antônio (PB)
riacho-cruzense Riacho da Cruz (RN)
riacho-friense Riacho Frio (PI)
riacho-santanense Riacho de Santana (RN)
riachonense Riachão do Bacamarte (PB)
riachuelense Riachuelo (RN)
riachuelense Riachuelo (SE)
rialmense Rialma (GO)
rianapolino Rianápolis (GO)
ribamarense São José de Ribamar (MA)
ribanense Rio Bananal (ES)
ribeirão-bonitense Ribeirão Bonito (SP)
ribeirão-branquense Ribeirão Branco (SP)
ribeirão-clarense Ribeirão Claro (PR)
ribeirão-correntense Ribeirão Corrente (SP)
ribeirão-grandense Ribeirão Grande (SP)
ribeirão-pirense Ribeirão Pires (SP)
ribeirão-pretano Ribeirão Preto (SP)
ribeirão-sulense Ribeirão do Sul (SP)
ribeirãoense Ribeirão (PE)
ribeirãozense Ribeirãozinho (MT)
ribeirense Ribeira (SP)
ribeirense Ribeira do Piauí (PI)
ribeirense Ribeirão do Largo (BA)
ribeirense Ribeirão Vermelho (MG)
ribeirense, ribeiro-gonçalvense, ribeiro-gonçalvino Ribeiro Gonçalves (PI)
ribeiríndio Ribeirão dos Índios (SP)
ribeiro-pinhalense Ribeirão do Pinhal (PR)
ribeiropolense Ribeirópolis (SE)
ricardense Doutor Ricardo (RS)
riense-do-oeste, rio-oestense Rio do Oeste (SC)
rifainense Rifaina (SP)
rinconense Rincão (SP)
rinopolense Rinópolis (SP)
rio-acimense Rio Acima (MG)
rio-antense Rio das Antas (SC)
rio-antoniense Rio do Antonio (BA)
rio-azulense Rio Azul (PR)
rio-boiense Rio dos Bois (TO)
rio-bonense Rio Bom (PR)
rio-bonitense Rio Bonito (RJ)
rio-bonitense Rio Bonito do Iguaçu (PR)
rio-branquense Rio Branco do AC
rio-branquense Rio Branco (MT)
rio-branquense Rio Branco do Ivaí (PR)
rio-branquense Rio Branco do Sul (PR)
rio-branquense Visconde do Rio Branco (MG)
rio-brilhantense Rio Brilhante (MS)
rio-campense Rio do Campo (SC)
rio-casquense Rio Casca (MG)
rio-cedrense Rio dos Cedros (SC)
rio-clarense Rio Claro (RJ)
rio-clarense Rio Claro (SP)
rio-clarense São José do Rio Claro (MT)
rio-contense Rio de Contas (BA)
rio-crespense Rio Crespo (RO)
rio-docense Aparecida do Rio Doce (GO)
rio-docense Rio Doce (MG)
rio-esperense Rio Espera (MG)
rio-florense Rio das Flores (RJ)
rio-foguense Rio do Fogo (RN)
rio-formosense Rio Formoso (PE)
rio-fortunense Rio Fortuna (SC)
rio-grandense-da-serra Rio Grande da Serra (SP)
rio-grandense-do-piauí Rio Grande do Piauí (PI)
rio-grandense, rio-grandino Rio Grande (RS)
rio-larguense Rio Largo (AL)
rio-mansense Rio Manso (MG)
rio-mariense Rio Maria (PA)
rio-negrense Rio Negro (MS)
rio-negrense Rio Negro (PR)
rio-negrinhense Rio Negrinho (SC)
rio-novense Rio Novo (MG)
rio-ostrense Rio das Ostras (RJ)
rio-paranaibano Rio Paranaíba (MG)
rio-pardense Ribas do Rio Pardo (MS)
rio-pardense Rio Pardo (RS)
rio-pardense Rio Pardo de Minas (MG)
rio-pardense São José do Rio Pardo (SP)
rio-pedrense Rio das Pedras (SP)
rio-pirense Rio do Pires (BA)
rio-pombense Rio Pomba (MG)
rio-pradense Rio do Prado (MG)
rio-pretano São José do Vale do Rio Preto (RJ)
rio-pretano, rio-pretense São José do Rio Preto (SP)
rio-pretense Dores do Rio Preto (ES)
rio-pretense Rio Preto (MG)
rio-pretense Rio Preto da Eva (AM)
rio-quentense Rio Quente (GO)
rio-realense Rio Real (BA)
rio-rufinense Rio Rufino (SC)
rio-sonense Rio Sono (TO)
rio-sulense Rio do Sul (SC)
rio-tintense Rio Tinto (PB)
rio-verdense Rio Verde (GO)
rio-verdense Rio Verde de Mato Grosso (MS)
rio-verdense São Sebastião do Rio Verde (MG)
rio-vermelhense Rio Vermelho (MG)
riodinhense Rio dos Índios (RS)
riolandense Riolândia (SP)
riozinhense Riozinho (RS)
riquezense Riqueza (SC)
ritapolitano Ritápolis (MG)
riversulense Riversul (SP)
roca-salense Roca Sales (RS)
rochedense Rochedo (MS)
rochedense Rochedo de Minas (MG)
rodeiense Rodeio (SC)
rodeiense Rodeio Bonito (RS)
rodeirense Rodeiro (MG)
rodelense Rodelas (BA)
rodolfense, rodolfo-fernandense Rodolfo Fernandes (RN)
rodrigues-alvense Rodrigues Alves (AC)
roladorense Rolador (RS)
rolandiano, rolandiense Rolândia (PR)
rolantense Rolante (RS)
rolim-mourense Rolim de Moura (RO)
romariense Romaria (MG)
romelandino Romelândia (SC)
roncadoriano, roncadorense Roncador (PR)
ronda-altense Ronda Alta (RS)
rondinhense Rondinha (RS)
rondolandense Rondolândia (MT)
rondonense Rondon (PR)
rondonense Rondon do Pará (PA)
rondonopolitano Rondonópolis (MT)
roque-gonzalense Roque Gonzales (RS)
rorainopolitano Rorainópolis (RR)
rosalandense Nova Rosalândia (TO)
rosalense Santa Rosa da Serra (MG)
rosalimense Santa Rosa de Lima (SC)
rosanense Rosana (SP)
rosarense Rosário do Catete (SE)
rosariense Rosário (MA)
rosariense Rosário do Ivaí (PR)
rosariense Rosário do Sul (RS)
rosariense Rosário Oeste (MT)
roseirense Roseira (SP)
roteirense Roteiro (AL)
rubelitense Rubelita (MG)
rubiacense Rubiácea (SP)
rubiatabense Rubiataba (GO)
rubineiense Rubineia (SP)
rubinense Rubim (MG)
rui-barbosense Ruy Barbosa (BA)
rui-barbosense Ruy Barbosa (RN)
rui-palmeirense Senador Rui Palmeira (AL)
ruropolense Rurópolis (PA)
russano Russas (CE)
sabarense Sabará (MG)
sabaudiense Sabáudia (PR)
sabinense Sabino (SP)
sabinopolense Sabinópolis (MG)
saboeirense Saboeiro (CE)
sabugiense, sabujiense São João do Sabugi (RN)
sabugiense, sabujiense São José do Sabugi (PB)
sacramentano, sacramentense Sacramento (MG)
saense Senador Sá (CE)
safirense São José da Safira (MG)
sagradense Sagrada Família (RS)
sagrense Sagres (SP)
saireense Sairé (PE)
saldanhense Saldanha Marinho (RS)
salense Sales (SP)
salense Sales Oliveira (SP)
salesopolense Salesópolis (SP)
saletense Salete (SC)
saletense Santa Salete (SP)
salgadense General Salgado (SP)
salgadense Salgado (SE)
salgadense Salgado de São Félix (PB)
salgadense Salgado Filho (PR)
salgadinense Salgadinho (PE)
salgadinhense Salgadinho (PB)
salgado-filhense Senador Salgado Filho (RS)
salgueirense Salgueiro (PE)
salinense Salinas (MG)
salinense Salinas da Margarida (BA)
salinense, salinopolitano Salinópolis (PA)
salitrense Salitre (CE)
salmourense Salmourão (SP)
saloaense Saloá (PE)
saltense Salto (SP)
saltense Salto da Divisa (MG)
saltense Salto de Pirapora (SP)
saltense Salto do Céu (MT)
saltense, saltense-do-itararé Salto do Itararé (PR)
saltense, salto-lontrense Salto do Lontra (PR)
saltinhense Saltinho (SC)
saltinhense Saltinho (SP)
salto-grandense Salto Grande (SP)
salto-jacuiense Salto do Jacuí (RS)
salvadorense Salvador das Missões (RS)
salvadorense Salvador do Sul (RS)
salvadorense, soteropolitano Salvador, capital da BA
salvaterrense Salvaterra (PA)
salzanense Liberato Salzano (RS)
sambaibense Sambaíba (MA)
sampaiense General Sampaio (CE)
sampaiense Sampaio (TO)
sampatriciense São Patrício (GO)
sananduvense Sananduva (RS)
sanata-cruzense Santa Cruz do Xingu (MT)
sanclerlandense Sanclerlândia (GO)
sandolandense Sandolândia (TO)
sandominguense São Domingos das Dores (MG)
sandovalino Sandovalina (SP)
sandumonense Santos Dumont (MG)
sangãoense Sangão (SC)
sanharoara, sanharoense Sanharó (PE)
sanjoanense São João da Varjota (PI)
sanjoanense São João do Manhuaçu (MG)
sanjoaquimbiquense São Joaquim de Bicas (MG)
sanjoseense São José dos Ramos (PB)
sansebastianense São Sebastião do Tocantins (TO)
santa-adeliense Santa Adélia (SP)
santa-albertinense Santa Albertina (SP)
santa-barbarense Águas de Santa Bárbara (SP)
santa-barbarense Santa Bárbara (MG)
santa-barbarense Santa Bárbara de Goiás (GO)
santa-barbarense Santa Bárbara do Leste (MG)
santa-barbarense Santa Bárbara do Pará (PA)
santa-barbarense Santa Bárbara do Sul (RS)
santa-branquense Santa Branca (SP)
santa-brigidense Santa Brígida (BA)
santa-carmense Santa Carmem (MT)
santa-ceciliense Santa Cecíla do Sul (RS)
santa-clarense Santa Clara d'Oeste (SP)
santa-clarense Santa Clara do Sul (RS)
santa-crucense Santa Cruz (PB)
santa-cruzano Santa Cruz de Goiás (GO)
santa-cruzense Santa Cruz (PE)
santa-cruzense Santa Cruz (RN)
santa-cruzense Santa Cruz Cabralia (BA)
santa-cruzense Santa Cruz da Baixa Verde (PE)
santa-cruzense Santa Cruz da Conceição (SP)
santa-cruzense Santa Cruz da Esperança (SP)
santa-cruzense Santa Cruz da Vitória (BA)
santa-cruzense Santa Cruz de Minas (MG)
santa-cruzense Santa Cruz de Salinas (MG)
santa-cruzense Santa Cruz do Capibaribe (PE)
santa-cruzense Santa Cruz do Escalvado (MG)
santa-cruzense Santa Cruz do Piauí (PI)
santa-cruzense Santa Cruz do Rio Pardo (SP)
santa-cruzense Santa Cruz do Sul (RS)
santa-cruzense Santa Cruz dos Milagres (PI)
santa-efigense Santa Efigênia de Minas (MG)
santa-ernestinense Santa Ernestina (SP)
santa-fé-sulense Santa Fé do Sul (SP)
santa-feense Santa Fé (PR)
santa-feense Santa Fé de Goiás (GO)
santa-feense Santa Fé de Minas (MG)
santa-feense Santa Fé do Araguaia (TO)
santa-filomense Santa Filomena do Maranhão (MA)
santa-gertrudense Santa Gertrudes (SP)
santa-helenense Santa Helena (PB)
santa-helenense Santa Helena (PR)
santa-helenense Santa Helena de Goiás (GO)
santa-ineense Santa Inês (PR)
santa-ineense, santinense Santa Inês (BA)
santa-inesense Santa Inês (MA)
santa-isabelense Santa Isabel do Rio Negro (AM)
santa-julianense Santa Juliana (MG)
santa-luciense Santa Lúcia (PR)
santa-luciense Santa Lúcia (SP)
santa-luziense Santa Luzia (BA)
santa-luziense Santa Luzia (MA)
santa-luziense Santa Luzia (PB)
santa-luziense Santa Luzia d'Oeste (RO)
santa-luziense Santa Luzia do Itanhy (SE)
santa-luziense Santa Luzia do Pará (PA)
santa-luziense-do-paruá Santa Luzia do Paruá (MA)
santa-margaridense Santa Margarida (MG)
santa-margaridense-do-sul Santa Margarida do Sul (RS)
santa-marianense Santa Maria do Pará (PA)
santa-marianense Santa Mariana (PR)
santa-mariense Santa Maria (RN)
santa-mariense Santa Maria (RS)
santa-mariense Santa Maria da Vitória (BA)
santa-mariense Santa Maria de Itabira (MG)
santa-mariense Santa Maria de Jetibá (ES)
santa-mariense Santa Maria do Cambucá (PE)
santa-mariense Santa Maria do Oeste (PR)
santa-mariense Santa Maria do Salto (MG)
santa-mariense Santa Maria do Suaçuí (MG)
santa-ritense Santa Rita (MA)
santa-ritense Santa Rita (PB)
santa-ritense Santa Rita d'Oeste (SP)
santa-ritense Santa Rita de Caldas (MG)
santa-ritense Santa Rita de Cássia (BA)
santa-ritense Santa Rita de Jacutinga (MG)
santa-ritense Santa Rita de Minas (MG)
santa-ritense Santa Rita do Araguaia (GO)
santa-ritense Santa Rita do Itueto (MG)
santa-ritense Santa Rita do Novo Destino (GO)
santa-ritense Santa Rita do Pardo (MS)
santa-ritense Santa Rita do Passa Quatro (SP)
santa-ritense Santa Rita do Sapucaí (MG)
santa-ritense Santa Rita do Tocantins (TO)
santa-rosense Barra de Santa Rosa (PB)
santa-rosense Santa Rosa (RS)
santa-rosense Santa Rosa de Goiás (GO)
santa-rosense Santa Rosa de Lima (SE)
santa-rosense Santa Rosa de Viterbo (SP)
santa-rosense Santa Rosa do Piauí (PI)
santa-rosense Santa Rosa do Purus (AC)
santa-rosense Santa Rosa do Sul (SC)
santa-rosense Santa Rosa do Tocantins (TO)
santa-teresense Santa Tereza (RS)
santa-teresense Santa Tereza do Oeste (PR)
santa-teresense Santa Tereza do Tocantins (TO)
santa-teresense, santa-teresinhense Santa Terezinha do Tocantins (TO)
santa-teresinhense Santa Teresinha (BA)
santa-teresinhense Santa Teresinha (PB)
santa-teresinhense Santa Terezinha (MT)
santa-teresinhense Santa Terezinha (PE)
santa-vitoriense Santa Vitória (MG)
santaelenense Santa Helena (SC)
santaelenense-de-minas Santa Helena de Minas (MG)
santamarense Santo Amaro do Maranhão (MA)
santamarinense Santa Maria do Tocantins (TO)
santana-garrotense Santana dos Garrotes (PB)
santanense Santana (AP)
santanense Santana (BA)
santanense Santana de Cataguases (MG)
santanense Santana de Mangueira (PB)
santanense Santana do Deserto (MG)

santanense Santana do Garambéu (MG)
santanense Santana do Ipanema (AL)
santanense Santana do Itararé (PR)
santanense Santana do Jacaré (MG)
santanense Santana do Livramento (RS)
santanense Santana do Manhuaçu (MG)
santanense Santana do Maranhão (MA)
santanense Santana do Matos (RN)
santanense Santana do Piauí (PI)
santanense Santana do São Francisco (SE)
santanense Santana do Seridó (RN)
santanense Santana dos Montes (MG)
santanense-da-boa-vista Santana da Boa Vista (RS)
santanense-da-ponte-pensa Santana da Ponte Pensa (SP)
santanense-do-acaraú Santana do Acaraú (CE)
santanense-do-cariri Santana do Cariri (CE)
santanopolinense Santanópolis (BA)
santantoniense Santo Antônio da Barra (GO)
santareno Santarém (PA)
santareno Santarém Novo (PA)
santeresino, santerezino Santa Tereza de Goiás (GO)
santiaguense Santiago (RS)
santiaguense Santiago do Sul (SC)
santinacense Santo Inácio do Piauí (PI)
santinense Santa Inês (PB)
santista Santos (SP)
santo-afonsense Santo Afonso (MT)
santo-amarense Santo Amaro (BA)
santo-amarense Santo Amaro da Imperatriz (SC)
santo-antonhense Santo Antônio dos Milagres (PI)
santo-antoniense Novo Santo Antônio (MT)
santo-antoniense Novo Santo Antônio (PI)
santo-antoniense Santo Antônio (RN)
santo-antoniense Santo Antônio das Missões (RS)
santo-antoniense Santo Antônio de Goiás (GO)
santo-antoniense Santo Antônio de Jesus (BA)
santo-antoniense Santo Antônio de Lisboa (PI)
santo-antoniense Santo Antônio do Caiuá (PR)
santo-antoniense Santo Antônio do Jacinto (MG)
santo-antoniense Santo Antônio do Leverger (MT)
santo-antoniense Santo Antônio do Monte (MG)
santo-antoniense Santo Antônio do Paraíso (PR)
santo-antoniense Santo Antônio do Planalto (RS)
santo-antoniense Santo Antônio do Rio Abaixo (MG)
santo-antoniense Santo Antônio do Sudoeste (PR)
santo-antoniense Santo Antônio dos Lopes (MA)
santo-antoniense-do-leste Santo Antonio do Leste (MT)
santo-antoniense, tauaense Santo Antônio do Tauá (PA)
santo-augustense Santo Augusto (RS)
santo-cristense Santo Cristo (RS)
santo-estevense Santo Estêvão (BA)
santo-hipolitense Santo Hipólito (MG)
santo-inaciense Santo Inácio (PR)
santoandreense Santo André (PB)
santomerino, são-tomeense São Tomé (PR)
santopolitano Santópolis do Aguapeí (SP)
são-beneditense São Benedito do Sul (PE)
são-bentense São Bento do Sul (SC)
são-bentense São Bento do Tocantins (TO)
são-bentense São Bento do Una (PE)
são-bentense, são-bentino São Bento (PB)
são-bentense, trairiense São Bento do Trairi (RN)
são-bentinhense São Bentinho (PB)
são-bentista São Bento Abade (MG)
são-bentista São Bento do Sapucaí (SP)
são-bento-nortense São Bento do Norte (RN)
são-bentoense São Bento (MA)
são-bernardense São Bernardo do Campo (SP)
são-bonifacense São Bonifácio (SC)
são-borjense São Borja (RS)
são-braense São Brás (AL)
são-brazense São Braz do Piauí (PI)
são-butiaense São Pedro do Butiá (RS)
são-caetanense, são-caitanense São Caitano (PE)
são-carlense São Carlos (SC)
são-carlense São Carlos (SP)
são-carlense São Carlos do Ivaí (PR)
são-desideriano São Desidério (BA)
são-dominguense São Domingos (BA)
são-dominguense São Domingos (SE)
são-dominguense São Domingos (PB)
são-dominguense São Domingos do Azeitão (MA)
são-dominguense São Domingos do Cariri (PB)
são-dominguense São Domingos do Maranhão (MA)
são-dominguense São Domingos do Sul (RS)
são-dominguense-do-araguaia São Domingos do Araguaia (PA)
são-felense São Félix de Minas (MG)
são-felense São Félix do Coribe (BA)
são-felense São Félix do Tocantins (TO)
são-felense, são-felicense São Félix de Balsas (MA)
são-felicense São Félix do Piauí (PI)
são-felicense, xiinguara, xinguense São Félix do Xingu (PA)
são-felipense São Felipe (BA)
são-felipense São Felipe d'Oeste (RO)
são-felista São Félix (BA)
são-felixcense São Félix do Araguaia (MT)
são-fernandense São Fernando (RN)
são-franciscano Muquém do São Francisco (BA)
são-franciscano São Francisco (MG)
são-franciscano São Francisco de Itabapoana (RJ)
são-franciscano São Francisco do Maranhão (MA)
são-franciscano-do-glória São Francisco do Glória (MG)
são-francisco-salense São Francisco de Sales (MG)
são-franciscoense São Francisco de Assis do Piauí (PI)
são-francisquense São Francisco (SE)
são-francisquense São Francisco (SP)
são-francisquense São Francisco do Guaporé (RO)
são-gabrielense São Gabriel (BA)
são-gabrielense São Gabriel da Cachoeira (AM)
são-geraldense São Geraldo (MG)
são-geraldense São Geraldo da Piedade (MG)
são-geraldense São Geraldo do Araguaia (PA)
são-gonçalense São Gonçalo do Abaeté (MG)
são-gonçalense São Gonçalo do Gurgueia (PI)
são-gonçalense São Gonçalo do Pará (MG)
são-gonçalense São Gonçalo do Piauí (PI)
são-gonçalense São Gonçalo do Rio Abaixo (MG)
são-gonçalense São Gonçalo do Rio Preto (MG)
são-gonçalense São Gonçalo do Sapucaí (MG)
são-gonçalense São Gonçalo dos Campos (BA)
são-gotardense São Gotardo (MG)
são-joanense São João (PE)
são-joanense São João da Barra (RJ)
são-joanense São João da Boa Vista (SP)
são-joanense São João da Paraúna (GO)
são-joanense São João das Duas Pontes (SP)
são-joanense São João Del Rei (MG)
são-joanense São João do Araguaia (PA)
são-joanense São João do Arraial (PI)
são-joanense São João do Ivaí (PR)
são-joanense São João do Oeste (SC)
são-joanense São João do Oriente (MG)
são-joanense São João do Pau d'Alho (SP)
são-joanense São João do Piauí (PI)
são-joanense São João do Rio do Peixe (PB)
são-joanense São João Nepomuceno (MG)
são-joanense-da-mata São João da Mata (MG)
são-joanense, são-joanino São João (PR)
são-joanense, sotense São João do Soter (MA)
são-joão-fronteirense São João da Fronteira (PI)
são-joão-pontense São João da Ponta (PA)
são-joão-tigrense São João do Tigre (PB)
são-joaquinense Novo São Joaquim (MT)
são-joaquinense São Joaquim do Monte (PE)
são-jorgense São Jorge (RS)
são-jorgense São Jorge d'Oeste (PR)
são-jorgense São Jorge do Ivaí (PR)
são-josé-barrense São José da Barra (MG)
são-josé-coroa-grandense São José da Coroa Grande (PE)
são-josé-divinense São José do Divino (MG)
são-josé-seridoense São José do Seridó (RN)
são-joseense São José da Lagoa Tapada (PB)
são-joseense São José da Vitória (BA)
são-joseense São José de Princesa (PB)
são-joseense São José do Brejo do Cruz (PB)
são-joseense São José do Peixe (PI)
são-joseense São José do Piauí (PI)
são-joseense São José do Sul (RS)
são-joseense São José dos Cordeiros (PB)
são-joseense-do-povo São José do Povo (MT)
são-joselense São José das Palmeiras (PR)
são-jozesense São José das Missões (RS)
são-lourençano, são-lorensano São Lourenço da Serra (SP)
são-lourencense Divino de São Lourenço (ES)
são-lourencense São Lourenço da Mata (PE)
são-lourenciano São Lourenço (MG)
são-ludgerense São Ludgero (SC)
são-luisense São Luís do Piauí (PI)
são-luisense São Luís Gonzaga (RS)
são-luisense São Luiz (RR)
são-luisense São Luiz do Norte (GO)
são-mamedense São Mamede (PB)
são-manoelense São Manoel do Paraná (PR)
são-manuelense São Manuel (SP)
são-marquense São Marcos (RS)
são-martinhense São Martinho (RS)
são-martinhense São Martinho (SC)
são-mateuense, são-mateusense São Mateus do Maranhão (MA)
são-matuense São Mateus do Sul (PR)
são-miguelense São Miguel (RN)
são-miguelense São Miguel Arcanjo (SP)
são-miguelense São Miguel do Anta (MG)
são-miguelense São Miguel do Araguaia (GO)
são-miguelense São Miguel do Iguaçu (PR)
são-miguelense São Miguel do Tapuio (PI)
são-miguelense São Miguel do Tocantins (TO)
são-miguelense São Miguel da Baixa Grande (PI)
são-nicolauense São Nicolau (RS)
são-pedrense São Pedro (RN)
são-pedrense São Pedro (SP)
são-pedrense São Pedro da Serra (RS)
são-pedrense São Pedro da União (MG)
são-pedrense São Pedro das Missões (RS)
são-pedrense São Pedro do Iguaçu (PR)
são-pedrense São Pedro do Paraná (PR)
são-pedrense São Pedro do Piauí (PI)
são-pedrense São Pedro do Suaçuí (MG)
são-pedrense São Pedro do Sul (RS)
são-pedrense São Pedro do Turvo (SP)
são-pedrense São Pedro dos Crentes (MA)
são-raimundense São Raimundo do Doca Bezerra (MA)
são-raimundense São Raimundo Nonato (PI)
são-robertense São Roberto (MA)
são-romano São Romão (MG)
são-roquense São Roque (SP)
são-roquense São Roque de Minas (MG)
são-roquense São Roque do Canaã (ES)
são-salvadorense São Salvador do Tocantins (TO)
são-sebastianense São Sebastião do Rio Preto (MG)
são-sebastianense São Sebastião do Umbuzeiro (PB)
são-sebastião-vargem-alegrense São Sebastião da Vargem Alegre (MG)
são-simonense São Simão (SP)
são-tiaguense São Tiago (MG)
são-tomeense São Thomé das Letras (MG)
são-tomeense São Tomé (RN)
são-valentinense São Valentim do Sul (RS)
são-valerense São Valério do Sul (RS)
são-valeriano São Valério (TO)
são-vendelinense São Vendelino (RS)
são-vicentense, vicentino São Vicente (RN)
são-vicentino São Vicente Ferrer (PE)
são-xinguano São José do Xingu (MT)
sapeaçuense Sapeaçu (BA)
sapeense Sapé (PB)
sapezalense Sapezal (MT)
sapiranguense Sapiranga (RS)
sapopemense Sapopema (PR)
sapucaense, sapucaiense Coronel Sapucaia (MS)
sapucaiense Sapucaí Mirim (MG)
sapucaiense Sapucaia (PA)
sapucaiense Sapucaia (RJ)
sapucaiense Sapucaia do Sul (RS)
saquaremense Saquarema (RJ)
saragoçano Saragoça (Espanha)
sarandiense Sarandi (PR)
sarandiense Sarandi (RS)
sarapuiano Sarapuí (SP)
sardoense Sardoá (MG)
sarneyense Presidente Sarney (MA)
sarutaiano Sarutaiá (SP)
sarzedense Sarzedo (MG)
satirense Sátiro Dias (BA)
satubense Satuba (AL)
satubinhense Satubinha (MA)
saubarense Saubara (BA)
saudadense Saudade do Iguaçu (PR)
saudadense Saudades (SC)
saudense Saúde (BA)
seabrense Seabra (BA)
searaense Seara (SC)
sebastianense São Sebastião (AL)
sebastianense São Sebastião (SP)
sebastianense São Sebastião do Passé (BA)
sebastianense Sebastião Laranjeiras (BA)
sebastianopolense Sebastianópolis do Sul (SP)
sebastião-barrense Sebastião Barros (PI)
sebastião-lealense Sebastião Leal (PI)
seberiense Seberi (RS)
sede-novense Sede Nova (RS)
segredense Segredo (RS)
selbaquense Selbach (RS)
selvirense Selvíria (MS)
sem-peixiano Sem Peixe (MG)
sena-madureirense Sena Madureira (AC)
senabentense Senador José Bento (MG)
senador-cortense Senador Cortes (MG)
sengeano Sengés (PR)
sentinelense Sentinela do Sul (RS)
sento-seense Sento Sé (BA)
sepense São Sepé (RS)
serafinense Serafina Corrêa (RS)
sericitense Sericita (MG)
seridoense Seridó (PB)
seriense Sério (RS)
seringueirense Seringueiras (RO)
seritinguense Seritinga (MG)
seropediquense Seropédica (RJ)
serra-altense Serra Alta (SC)
serra-azulense Serra Azul (SP)
serra-azulense Serra Azul de Minas (MG)
serra-bentense Serra de São Bento (RN)
serra-branquense Serra Branca (PB)
serra-douradense Serra Dourada (BA)
serra-grandense Serra Grande (PB)
serra-joanense, serra-jonense São João da Serra (PI)
serra-negrense, serra-negrense-do-norte Serra Negra do Norte (RN)
serra-nova-douradense Serra Nova Dourada (MT)
serra-pretense Serra Preta (BA)
serra-raizense Serra da Raiz (PB)
serra-redondense Serra Redonda (PB)
serra-talhadense Serra Talhada (PE)
serralitrense Serra do Salitre (MG)
serramalhense Serra do Ramalho (BA)
serranaviense Serra do Navio (AP)
serranense Serrana (SP)
serranense Serrano do Maranhão (MA)
serranense Serranos (MG)
serraniense Serrania (MG)
serrano Serra (ES)
serrano Serra do Mel (RN)
serrano Serra Negra (SP)
serrano Serro (MG)
serrano-saudadense Serra da Saudade (MG)
serranopolino Serranópolis (GO)
serranopolitano Serranópolis do Iguaçu (PR)
serranopolitano-de-minas Serranópolis de Minas (MG)
serrariense Serraria (PB)
serrense Amparo do Serra (MG)
serrense Santa Maria da Serra (SP)
serrense Serra dos Aimorés (MG)
serrinhense Serrinha (BA)
serrinhense Serrinha (RN)
serrinhense Serrinha dos Pintos (RN)
serritense Serrita (PE)
serrolandense Serrolândia (BA)
sertanejano, sertanejense Sertaneja (PR)
sertanense Sertão (RS)
sertanense Sertão Santana (RS)
sertanezino Sertãozinho (SP)
sertaniense Sertânia (PE)
sertanopolense Sertanópolis (PR)
sertãozinhense Sertãozinho (PB)
sete-lagoano Sete Lagoas (MG)
sete-quedense Sete Quedas (MS)
setembrense Sete de Setembro (RS)
setubinhense Setubinha (MG)
severianense Doutor Severiano (RN)
severianense Severiano de Almeida (RS)
severianense Severiano Melo (RN)
severinense Severínia (SP)
siciliano Sicília (Itália)
sideropolitano Siderópolis (SC)
sidrolandense Sidrolândia (MS)
sigefredense Sigefredo Pacheco (PI)
silva-jardinense Silva Jardim (RJ)
silvaniense Silvânia (GO)
silvanopolino Silvanópolis (TO)
silveiranense Silveirânia (MG)
silveirense Silveira Martins (RS)
silveirense Silveiras (SP)
silvense Silves (AM)
silvianopolense Silvianópolis (MG)
simão-diense Simão Dias (SE)
simões-filhense Simões Filho (BA)
simolandense Simolândia (GO)
simonense Simão Pereira (MG)
simonense Simões (PI)
simonense Simonésia (MG)
simplício-mendense Simplício Mendes (PI)
sinimbuense Sinimbu (RS)
sinopense Sinop (MT)
siqueirense Siqueira Campos (PR)
sirinhaense, sirinhaoara Sirinhaém (PE)
siririense Siriri (SE)
sitiense Sítio d'Abadia (GO)
sítio-lagoense Lagoa do Sítio (PI)
sítio-matense Sítio do Mato (BA)
sítio-novense Sítio Novo (MA)
sítio-novense Sítio Novo (RN)
sítio-novense Sítio Novo do Tocantins (TO)
sítio-quintense Sítio do Quinto (BA)
sobradense Sobrado (PB)
sobradinhense Sobradinho (BA)
sobradinhense Sobradinho (RS)
sobralense Sobral (CE)
sobraliense Sobrália (MG)
socorrense Nossa Senhora do Socorro (SE)
socorrense Socorro (SP)
socorrense Socorro do Piauí (PI)
solanense Solânea (PB)
soledadense Soledade (PB)
soledadense Soledade (RS)
soledadense Soledade de Minas (MG)
solidanense Solidão (PE)
solonopolense Solonópole (CE)
sombriense Sombrio (SC)
sonorense Sonora (MS)
sooretamense Sooretama (ES)
sorocabano, sorocabense Sorocaba (SP)
sorrisense Sorriso (MT)
sosseguense Sossego (PB)
soturnense Faxinal do Soturno (RS)
sourense Soure (PA)
sousense Sousa (PB)
souto-soarense Souto Soares (BA)
suaçuiense, suaçulense São Brás do Suaçuí (MG)
sucupirense Sucupira (TO)
sucupirense Sucupira do Norte (MA)
sucupirense Sucupira do Riachão (MA)
sud-menucciano Sud Menucci (SP)
sul-brasilense Sul Brasil (SC)
sul-caetanense São Caetano do Sul (SP)
sul-cerro-grandense Cerro Grande do Sul (RS)
sul-florense-da-serra Flor da Serra do Sul (PR)
sulinense Sulina (PR)
sumareense Sumaré (SP)
sumeense Sumé (PB)
sumidourense Sumidouro (RJ)
surubinense Surubim (PE)
susanense, suzanense Suzano (SP)
sussuaparense Sussuapara (PI)
suzanapolense Suzanápolis (SP)
tabaiense Tabai (RS)
tabaporanense Tabaporã (MT)
tabapuanense Tabapuã (SP)
tabatinguense Tabatinga (AM)
tabatinguense Tabatinga (SP)
tabirense Tabira (PE)
taboaense, taboense Taboão da Serra (SP)
tabocoense Fortaleza do Tabocão (TO)
taboense, tabosense Monsenhor Tabosa (CE)
taboleirense Taboleiro Grande (RN)
taboquense Tabocas do Brejo Velho (BA)
tabuleirense Tabuleiro (MG)
tabuleirense Tabuleiro do Norte (CE)
tacaimboense Tacaimbó (PE)
tacaratuense, tacaratuoara Tacaratu (PE)
tacibense Taciba (SP)
tacimense Tacima (PB)
tacuruense Tacuru (MS)
taguaíno Taguaí (SP)
taguatinguense Taguatinga (TO)
taiaçuense Taiaçu (SP)
tailandense Tailândia (PA)
taiobeirense Taiobeiras (MG)
taioense Taió (SC)
taipense Taipas do Tocantins (TO)
taipuense São Miguel de Taipu (PB)
taipuense Taipu (RN)
taiuvense Taiuva (SP)
talismãense Talismã (TO)
tamandareense Tamandaré (PE)
tamaranense Tamarana (PR)
tambauense Tambaú (SP)
tamboarense Tamboara (PR)
tamborilense Tamboril (CE)
tamborilense Tamboril do Piauí (PI)
tanabiense Tanabi (SP)
tangaraense Tangará (SC)
tangarense Tangará (RN)
tangarense Tangará da Serra (MT)
tanguaense Tanguá (RJ)
tanhaçuense Tanhaçu (BA)
tanque-novense Tanque Novo (BA)
tanquense Tanque d'Arca (AL)
tanquense Tanque do Piauí (PI)
tanquinhense Tanquinho (BA)

Dd

Com suas origens na escrita hierática egípcia, o ancestral mais antigo do *d* recebeu o nome de *deret* (mão). Ao ser adotado pelos fenícios, passou a se chamar *daleth* (porta). Os gregos, ao empregarem a letra fenícia, deram-lhe a forma de um triângulo, chamando-a *delta*. O *delta* chegou ainda aos etruscos e romanos, que foram os responsáveis pelo desenho do *d* que conhecemos hoje.

Ii

O ancestral fenício do nosso *i*, *yod*, significava "mão dobrada sobre o pulso". O símbolo original fenício, com o tempo, adquiriu a forma de zigue-zague e foi adotado pelos gregos. Como era uma tendência grega simplificar os desenhos fenícios, o zigue-zague tornou-se uma linha reta e passou a se chamar *iota*, que representava os sons de *y* e de *i*. Para os romanos, o *iota* representava os sons de *i* e de *j* e somente na Idade Média a diferença entre essas duas letras se estabeleceu.

Cc

Para os fenícios, o *gimel* (camelo) era a letra que representava o som de *g*. Foi herdado pelos gregos, que inventaram e o chamaram de *gama*. O *gama* chegou aos romanos pelos etruscos, que o usavam para os sons de *c* e de *g*. Foram os romanos os responsáveis pela diferenciação entre as letras *c* e *g*.

Bb

O *beth* (casa, em fenício) é o ancestral mais antigo do nosso b. Ao chegar aos gregos, o *beth* ganhou o nome de *beta* e sofreu alterações em sua forma e orientação. Os romanos, ao adotarem a letra, denominaram-na *ba* e lhe deram as formas curvas que conhecemos.

Rr

O *resh* (cabeça em fenício) foi a primeira versão do nosso *r*. Imagina-se que seu desenho se assemelhava a um perfil simplificado. Os gregos inverteram a letra *e*, posteriormente, arredondaram seu formato, denominando-a *rô*. Ao *rô* grego os romanos acrescentaram um pequeno traço para diferenciá-lo da letra *p*, dando-lhe a forma final de *r*.

Aa

A primeira letra do alfabeto desenvolveu-se a partir do *alef* (boi, em fenício), letra semita que representava um som gutural. Quando os gregos herdaram dos fenícios o alfabeto, modificaram o desenho do *alef* e deram-lhe o nome de *alfa*, que representava o som de *a*. O *alfa* adotado pelos romanos recebeu deles o nome de *a*.

Uu

O *waw* fenício deu origem às letras *f, u, v, w* e *y*. Com os gregos, foi transformado em dois caracteres: *ípsilon*, usado para designar o som de *u*, e *digama*, para o som de *f*. Para os etruscos e romanos, o *u* era simbolizado pelo desenho de um *v*, como aparece em monumentos clássicos latinos. A letra *u* era usada para designar o mesmo som, mas aparece apenas nos manuscritos romanos. A distinção entre os sons de *u* e *v* só se deu no século XVII.

Ll

O antecessor fenício do nosso *l* chamava-se *lamed*. Os gregos tomaram emprestada a forma básica do caractere fenício e, com algumas alterações, passaram a chamá-lo de *lambda*. Chegando aos romanos, esta letra evoluiu até tornar-se o caractere composto por um traço vertical e um horizontal, que aparece na coluna de Trajano e que usamos até hoje.

Oo

O *ain*, letra representada pelo desenho de um olho (*ain*, em fenício), foi o ancestral mais antigo da nossa letra *o*. Os gregos possuíam duas versões para a letra *o*: o *omicrom*, que representava o som de *o* breve, e o *ômega*, usado para designar o som de *o* longo. Desde o seu surgimento, a letra *o* manteve a forma aproximada de um círculo.

Kk

O *k* é provavelmente umas das letras que menos sofreram alterações. O *kaph*, seu antecessor semita, representava a palma de uma mão aberta. O *kaph* assumiu diversas formas, sobretudo entre os fenícios, até ser empregado pelos gregos, que tornaram seu desenho mais simétrico. Entre os gregos, a letra foi chamada de *capa*, tendo sido subsequentemente adotada pelos etruscos e romanos.

Zz

O fenício *zain*, que significava arma e era representado por uma adaga estilizada, foi herdado pelos gregos, que o rebatizaram de *zeta*. Seu desenho pouco se assemelhava ao de um *z*, lembrando mais o de um *i* maiúsculo. O *zeta* foi usado também pelos etruscos. Assim como o *y*, o *z* só apareceu na língua latina com a conquista da Grécia pelos romanos, sendo usado para palavras de origem grega.

Nn

O *n* surgiu no ano 1000 a.C. entre os fenícios, que o chamavam de *nun* (peixe). Sofreu poucas alterações ao chegar aos gregos, que o rebatizaram de *nu* e lhe deram formato aproximado ao que conhecemos hoje. Mesmo ao ser empregada pelos romanos, a letra preservou sua forma original. Durante toda a sua história, o *n* e o *m* se assemelhavam e apareceram sempre lado a lado nos alfabetos.

Vv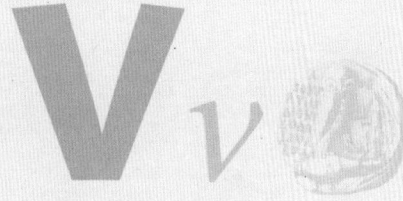

Assim como as letras *f, u, w* e *y*, a letra *v* originou-se do caractere fenício *waw*. Durante muito tempo não houve diferenciação entre o *v* e o *u*. Foi somente no século XVII que o *v* passou a designar o som atual.